van Dale

Groot woordenboek
Nederlands - Engels

Woordenboeken voor hedendaags taalgebruik

onder hoofdredactie van

prof. dr. B. P. F. Al

prof. dr. H. L. Cox

prof. dr. W. Martin

dr. W. J. J. Pijnenburg

prof. dr. P. van Sterkenburg

dr. G. A. J. Tops

Nederlands-Engels

van Dale

Groot woordenboek Nederlands - Engels

bekort voorbeeld

woordsoort: de-woord

verwijzing naar spreekwoordenlijst

korte betekenisaanduiding

jeugd ⟨de⟩ ⟨→sprw. 314⟩ **0.1** [hoedanigheid]

vertaalprofiel: 3 hoofdvertalingen waarvan
één gevolgd door varianten

youth **0.2** [tijdperk] *youth* **0.3** [personen] *youth*

⇒*young people, the young, youngsters* ◆ **2.1** de

combinaties van het trefwoord met een
bijvoeglijk naamwoord met verwijzing
naar de 1e, 2e en 3e hoofdvertaling

eeuwige ~ bezitten *possess eternal youth* **2.2** in

zijn prille ~ *in one's early / earliest youth / one's*

early days **2.3** de Belgische ~ *Belgian youth,*

combinatie van het trefwoord met een
werkwoord met verwijzing naar de
2e hoofdvertaling

young people in Belgium **3.2** hij had zijn ~

doorgebracht in R. *he had spent his youth in*

trefwoord in een vaste verbinding met
verwijzing naar de 3e hoofdvertaling

R., R. was his hometown **¶.3** de ~ van tegen-

woordig *young people nowadays. . .*

Groot woordenboek
Nederlands - Engels

door prof. dr. W. Martin
en dr. G. A. J. Tops

in samenwerking met
drs. A. P. A. Broeders
drs. P. H. van Gelderen
drs. L. Roos
drs. M. H. M. Schrama

Van Dale Lexicografie
Utrecht / Antwerpen

Vormgeving
Bern. C. van Bercum GVN

Zetwerk
Kluwer Zetcentrum

Druk
Drukkerij Tulp bv

ISBN 90 6648 107 2
D / 1986 / 0108 / 351
Set N-E / E-N
ISBN 90 6648 113 7
Reeks van zeven woordenboeken voor hedendaags taalgebruik
ISBN 90 6648 114 5

Bij dit laatste deel in de reeks grote Van Dale-
vertaalwoordenboeken past de hoofdredactie
Engels een speciaal woord van dank aan de
collega's en medewerkers uit de andere secties. Van hun ervaringen en resultaten mochten wij profiteren.
Dank ook aan al onze eigen medewerkers,
niet alleen voor het werk dat werd gepresteerd, maar ook en vooral voor de wijze waarop dat werk kon worden verricht.
Dank tenslotte aan de hele Van Dale-staf,
verpersoonlijkt in Teddy Broersma, die voor
een perfecte redactionele coördinatie zorgde.
Alle medewerk(st)ers hadden één kenmerk
gemeen: zij gaven Van Dale Lexicografie een
vriendelijk, menselijk gezicht. Ook daardoor
bleef onze taak tot aan het einde wat ze al
vanaf het begin was: een dankbare opgave.

Zomer 1986

Inhoud

Ter inleiding

Het *Groot woordenboek der Nederlandse taal,*
beter bekend als de *Grote van Dale,* is voor
velen een symbool van betrouwbaarheid. Dit
imago is vooral te danken aan de omvang van
de Grote van Dale, die een volledigheid van
informatie impliceert waarmee geen enkel ander verklarend woordenboek van het Nederlands zich kan meten.
Toen in 1975 een plan begon vorm te krijgen
om onder de naam Van Dale een reeks twee-
talige woordenboeken uit te brengen, hield
dat als eerste verplichting in aan zulke vertaalwoordenboeken een omvang te geven die aan
dat beeld beantwoordt: ze moesten groter,
vollediger en daardoor betrouwbaarder worden dan het gebruikelijke aanbod aan een
breder publiek.
In de omvang alléén mochten we het niet zoeken. Binnen zo'n ambitieuze opzet – grote
vertaalwoordenboeken in de drie ons omrin-
gende talen tegelijk – zou de te ontwerpen
structuur zoveel vernieuwende eigenschappen
dienen te vertonen dat de verwachting van
een duurzaam, betrouwbaar produkt kon
worden vervuld. De ambitie om een nieuwe

weg in te slaan in onze lexicografische onderneming moest bovendien al in de eerste druk
tot een goed resultaat leiden, met een hogere
graad van bruikbaarheid voor een ruimer publiek dan tot nu toe werd bereikt. Wij zijn ons
niettemin ervan bewust dat een eerste druk
per definitie voor verbeteringen vatbaar is.

In 1976 werd gekozen voor een opzet waarin
vier secties (Duits, Engels, Frans en Nederlands) nauw met elkaar zouden samenwerken
volgens een van tevoren bepaalde formule.
Een zeer belangrijke rol daarbij speelde de
hoogleraar J. P. Ponten, die ons helaas in 1978
op 42-jarige leeftijd is ontvallen. Zijn theoretische inbreng is van grote invloed geweest op
het nu voorliggende resultaat.
De fundamentele gedachte die aan deze reeks
woordenboeken voor hedendaags taalgebruik
ten grondslag ligt is de volgende. Een Nederlandstalige die geconfronteerd wordt met een
vreemdtalige (zins)uiting die hij niet begrijpt
heeft als enig houvast de vorm van deze
(zins)uiting. Tegen de achtergrond van zijn
eigen, mede door de Nederlandse taal bepaalde, visie op de werkelijkheid probeert hij aan
deze vorm een betekenis te hechten, daarbij
in belangrijke mate steunend op zijn taalvermogen. De vreemdtalig-Nederlandse delen
(Frans-Nederlands, Duits-Nederlands en
Engels-Nederlands) spelen daarop in op twee
manieren. In de eerste plaats geven zij de lezer naast een of meer hoofdvertalingen van
een woord de nodige Nederlandse varianten
en doen daarmee een beroep op zijn taalvermogen, aangezien verondersteld wordt dat hij
op grond daarvan de in die context meest
geëigende vertaling zal weten te kiezen. In de
tweede plaats zijn het de formele en niet de –
immers onbekende – semantische eigenschappen van het vreemdtalige woord die het uitgangspunt vormen voor de indeling van de
voorbeelden in elk lemma. Op deze wijze kan
de lezer snel en gemakkelijk de (zins)uiting
waar hij mee bezig is vergelijken met de informatie die in het woordenboek voorhanden is,
ook zonder dat hij die (zins)uiting volledig begrijpt.
Met betrekking tot de Nederlands-vreemdtalige delen is de situatie een geheel andere.

Zijn Nederlandse taalvermogen is de lezer van weinig nut als hij moet kiezen uit een aantal vreemdtalige varianten ter vertaling van een Nederlands woord. De gebruiksmogelijkheden van die varianten zullen expliciet moeten worden aangereikt. Alleen al om die reden levert de 'omkering' van een vreemdtalig-Nederlands woordenboek geen goed Nederlands-vreemdtalig woordenboek op. Bovendien zou het aldus verkregen Nederlandse woordenbestand ongeschikt zijn als uitgangspunt voor de Nederlands-vreemdtalige delen, aangezien het niet meer zou zijn dan een weergave in Nederlandse woorden van een niet-Nederlandse werkelijkheid. Daarom is van meet af aan gekozen voor een gemeenschappelijke basis voor alle Nederlands-vreemdtalige delen, te weten een zo volledig mogelijke, synchrone inventaris van het Nederlands, gestructureerd volgens dezelfde principes als de vertaalwoordenboeken, die het als uitgangspunt hebben gehanteerd. Van deze inventaris, die tot stand gekomen is terwijl de vreemdtalig-Nederlandse delen werden geredigeerd, is vervolgens een verklarend woordenboek afgeleid, het *Groot woordenboek van hedendaags Nederlands*, dat van deze reeks vertaalwoordenboeken deel uitmaakt.

Tezamen met de uitgever vormen de vier hoofdredacties het team dat de hierboven omschreven principes ontwikkelde, nader uitwerkte, daarop de auteursinstructies voor de afzonderlijke delen uitzette, en de formule van de onderlinge vergelijkbaarheid bewaakte. Zodoende kon enerzijds een hoge graad van onderlinge samenhang worden bereikt, terwijl anderzijds voldoende recht kon worden gedaan aan onvermijdelijke taalspecifieke verschillen.

Niet alleen de grondgedachte van onze vertaalwoordenboeken en het bijbehorend woordenboek van hedendaags Nederlands, maar ook de opbouw ervan wijkt sterk af van de bestaande tradities in Nederland en België. De lemma's kennen een drievoudige geleding:
- Het *trefwoord*, met mogelijke varianten, gevolgd door o.a. uitspraak, grammaticale informatie en, zonodig, verwijzingen naar een alfabetisch geordend grammaticaal compendium en een spreekwoordenlijst.
- Een *vertaal-* resp. *betekenisprofiel*, waarbij een aantal vertalingen resp. betekenissen gevolgd worden door een variantencluster, d.w.z. een kleine reeks betekenisverwante woorden.
- *Voorbeelden van de vertalingen* resp. *betekenissen* in vrije en vaste verbindingen. Een numerieke code legt het verband met de toegepaste vertaling resp. betekenis enerzijds en met de formele context van het trefwoord (in termen van woordklassen) anderzijds. Idiomatische uitdrukkingen zijn door middel van een speciaal symbool opvallend gemarkeerd. Zie hiervoor de gebruiksaanwijzing.

We zijn door een gebruikersonderzoek tijdens de opbouwfase van dit systeem gesterkt in onze overtuiging dat de gebruiker zich het systeem snel eigen zal kunnen maken. Hij zal veel sneller en doeltreffender dan bij de traditionele methode zijn weg in het woordenboek, en met name in lange lemma's, kunnen vinden. Zou hij zich niettemin door de codes gehinderd voelen, dan kan hij ze negeren en het woordenboek op dezelfde wijze hanteren als de traditionele. Het systeem levert hem geen enkel nadeel op, als hij niet van de voordelen wil profiteren.

Onze woordenboeken onderscheiden zich verder doordat veel informatie is opgenomen m.b.t. het feitelijk gebruik van de geregistreerde woorden. Dit komt vooral tot uitdrukking in de volgende twee specifieke kenmerken:
- Aan de beschrijving van de basiswoordenschat is extra aandacht en ruimte besteed.
- Er wordt een zeer ruime keus aan varianten geboden, waarbij steeds zorgvuldig naar stijlniveau, vakgebied en/of regio (Amerikaans vs. Brits bv.) is gedifferentieerd.

Achterin alle woordenboeken treft de gebruiker twee aanhangsels aan, nl. een genummerde spreekwoordenlijst waarnaar vanuit duizenden lemma's wordt verwezen, en een alfabetisch geordend en dus gemakkelijk raadpleegbaar grammaticaal compendium, dat eveneens dient ter ontlasting van het eigenlijke woordenboek. Naast bv. vervoegingstabellen van werkwoorden is daarin de contrastief relevante informatie opgenomen, die een onmisbare aanvulling vormt op de idiosyncratische eigenschappen die voor ieder afzonderlijk woord zijn gespecificeerd.

Tenslotte vertoont onze reeks ook in de vormgeving een duidelijke samenhang: gelijke typografische conventies en een visueel gelijke opbouw, die de gemeenschappelijke lexicografische uitgangspunten onderstreept.

In ons tijdperk kon een lexicografisch project als het onderhavige niet tot stand komen tenzij op initiatief van een uitgever. Het is niet overdreven om van een gigantische onderneming te spreken, zowel qua duur (bijna tien jaar) als qua aantal medewerkers (meer dan 200). Dat vroeg van die uitgever de bereidheid tot grote investeringen, d.w.z. tot het aanvaarden van aanzienlijke risico's. Wij genoten het voordeel dat die bereidheid vorm kreeg in de oprichting van een aparte vennootschap, *Van Dale Lexicografie bv,* die als werkmaatschappij van Kluwer nv belast werd met het beheer over het bestaande en toekomstige Van Dale-fonds. Dat verzekerde ons van een constante ondersteuning door de kennis en ervaring van een gespecialiseerde uitgeverij, en van de mogelijkheid een optimaal gebruik te maken van de modernste tekstverwerkingstechnieken.

Samenwerken is niet altijd gemakkelijk. Naarmate de produkten duidelijker vorm aannamen en iedereen steeds meer bij de hele onderneming betrokken raakte, was het geheel moeilijker te overzien en steeg de belasting van het hoofdredactionele team. Zonder de voortdurende bijstand van de medewerkers die samen de Van Dale Lexicografie-staf vormen was het allemaal niet gelukt. Dankzij hun inzet bleek zelfs het redelijkerwijs onmogelijke nog te kunnen. Eén persoon moet daarbij toch met name genoemd worden: Pieter Hagers, directeur van Van Dale Lexicografie bv, maar vooral spil van ons team. Zijn eigen inbreng in de hele opzet en uitwerking kan niet gemakkelijk worden overschat. Voor zijn ondersteuning en vertrouwen zijn wij hem erkentelijk.

Het lijkt een vermetele ambitie met ons project een krachtige impuls aan de lexicografie in Nederland en België te willen geven. Dat was niettemin de grote uitdaging voor zowel de auteurs als de uitgever. Juist door de onderlinge samenhang van onze produkten zullen die wel enige kinderziekten vertonen, daarvan zijn wij ons bewust, maar als onze ideeën als waardevol en de concrete uitwerking daarvan als betrouwbaar worden herkend, dan zullen de ervaringen van de gebruikers ons zeker in staat stellen onze woordenboeken te vervolmaken.

Voorjaar 1983/zomer 1986

B. P. F. Al
hoogleraar aan de Vrije Universiteit te Amsterdam
hoofdredacteur Franse sectie

H. L. Cox
hoogleraar aan de Universiteit van Bonn
hoofdredacteur Duitse sectie

W. Martin
docent aan de Universiteiten van Leuven en Antwerpen
hoofdredacteur Engelse sectie

W. J. J. Pijnenburg
hoofd Thesaurus van het
Instituut voor Nederlandse Lexicologie te Leiden
plv. hoofdredacteur Nederlandse sectie

P. G. J. van Sterkenburg
directeur van het
Instituut voor Nederlandse Lexicologie te Leiden
hoofdredacteur Nederlandse sectie

G. A. J. Tops
wet. hoofdmedewerker aan de Universiteit van Antwerpen (UFSIA)
plv. hoofdredacteur Engelse sectie

Gebruiksaanwijzing
Nederlands-Engels

1 Algemene typering

De Engelse Van Dale, deel Nederlands-Engels, kan in het algemeen getypeerd worden als
- een woordenboek
- dat Nederlandstaligen wil helpen
- bij het produceren (inclusief het vertalen van het Nederlands naar het Engels)
- van hedendaagse, idiomatische,
- zowel gesproken als geschreven Engelse 'teksten'
- van algemene aard.

Vergelijkt men deze typering met die van het deel Engels-Nederlands dan zal men merken dat het fundamentele onderscheid tussen beide delen te maken heeft met hun verschillende functie: het deel E-N heeft primair een *begrijpfunctie*, het deel N-E voornamelijk een *produktieve functie*.

Het fundamentele onderscheid tussen beide delen zal verder meespelen in de wijze waarop de gebruiker naar een *correcte keuze* van het vertaalequivalent wordt geleid. Bij het deel E-N wordt hij bij die keuze geholpen door zijn Nederlandse taalvermogen en de (Engelse) context: uit een reeks Nederlandse woorden die hem als vertaalmogelijkheden worden aangeboden kan de Nederlandstalige gebruiker in principe zelf een keuze maken, al zijn (Nederlandse) vertalingen van (Engelse) voorbeelden hierbij vaak nuttig, soms zelfs nodig.

Het is duidelijk dat in het deel N-E het begeleiden van de keuze uit Engelse vertaalmogelijkheden een intensievere en explicietere behandeling zal vergen: dit zal leiden tot een meer-gebruik van equivalenten in context (voorbeelden) en tot een grotere explicitering van gebruiksmogelijkheden en -beperkingen (zie verder par. 8 en 11).

Het bovenstaande zou de indruk kunnen wekken dat beide delen – gezien hun verschil in functie – los van elkaar te hanteren vallen. Dit hoeft geenszins het geval te zijn. Met name bij het produceren van Engelse 'teksten' is het voor de gebruiker van N-E raadzaam regelmatig een beroep te doen op het deel E-N, bv. als hij meer informatie wil over het splitsen of de uitspraak van woorden, de gebruikelijkheid ervan (zie de frequentie-aanduidingen in E-N), het grammaticale gedrag, de combinatiemogelijkheden enz.. Om uit E-N te citeren: 'zoals bij de meeste tweedelige bilinguale woordenboeken is de informatie ook hier ten dele complementair'.

Tot slot van deze algemene karakteristiek een woord over de structuur. In de eerste plaats is er het eigenlijke woordenboekgedeelte (100.000 trefwoorden in alfabetische orde). Daarop volgen twee appendices: een tabel onregelmatige werkwoorden en een lijst van in het Nederlands gebruikelijke Engelse woorden. Tenslotte is er een lijst Nederlandse spreekwoorden met hun Engelse equivalenten (zie par. 9).

2 Het beschreven taalgebruik

Alle Van Dale's uit de nieuwe reeks zijn woordenboeken van *hedendaags taalgebruik*. Dit valt te constateren aan het soort trefwoorden zowel als aan de behandeling ervan. Op beide aspecten is uitvoerig in de gebruiksaanwijzing E-N ingegaan (pp. 13-14). Het bijzondere aan het deel N-E, zoals ook aan N-F en N-D, is nu dat de vertaalde woordenschat voor een groot deel gelijk is aan de woordenschat beschreven in N-N. Dat komt overeen met de uitdrukkelijke opzet van deze nieuwe reeks woordenboeken om *het wereldbeeld van de Nederlandstaligen, de werkelijkheid zoals die door de Nederlandstaligen wordt beleefd* (en in het verklarend woordenboek N-N is beschreven), te vertalen in het Frans, Duits en Engels, inclusief typische, zowel Belgische als Nederlandse, 'realia' van recente datum zoals *bescheurkalender, fusiegemeente, jeugdjournaal* en *voordeurdelers*. Het was daarbij onvermijdelijk om hier en daar omschrijvingen in plaats van vertalingen te geven.

De krachtlijnen die N-N gevolgd heeft (zie gebruiksaanwijzing N-N, pp. 15-16) bij de keuze en de behandeling van de trefwoorden vindt men dan ook in N-E terug. Kort samengevat:
- intensieve behandeling van de basiswoordenschat,
- opname van een groot aantal gespecialiseerde termen vnl. uit sectoren die kenmerkend zijn voor onze huidige samenleving, zoals ruimtevaart, sport, milieuzaken, computertechnologie, welzijnszorg enz.,
- bijzondere aandacht voor de spreek- en informele taal,
- het weren of althans het niet prioritair behandelen van verouder(en)de woorden en/of betekenissen.

Daarnaast echter zal N-E ook een aantal karakteristieke afwijkingen t.o.v. N-N vertonen. Daarop wordt hieronder ingegaan.

3 Ingangen

Op een aantal punten wijkt N-E van N-N af. De oorzaak ligt in het verschil in primaire functie van de beide woordenboeken: N-N is in de eerste plaats een begrijp-, N-E een produktiewoordenboek. Wat in N-N niet voorkomt (zoals bv. *fileverkeer* en *floretschermen*) omdat het nu eenmaal aan de Nederlandstalige geen specifieke begrijpproblemen stelt, kan ernstige problemen opleveren wanneer diezelfde gebruiker het in een vreemde taal wil vertalen. Als hij *floret* en *schermen* kent begrijpt hij ook wel *floretschermen*, maar kan hij in het Engels volstaan met *fencing* als vertaling of moet hij dit expliciteren tot *fencing with foils* of tot *foil-fencing?*

Het gevolg is geweest dat het N-N-bestand een *voorbewerking* heeft ondergaan die het moest aanpassen aan de functie die het voor N-E te vervullen had. Dat resulteerde in een uitbreiding van het aantal ingangen met zo'n kleine 15.000 trefwoorden en in een aanpassing van de voorbeelden. Op dit laatste wordt in par. 12 verder ingegaan.

Naast de uitbreiding van het aantal trefwoorden heeft de aanpassing ook een reductie met zich meegebracht. Hierbij speelden zowel de eigen functie als de taalspecificiteit van N-E een rol.

Zo werden als ingangen uit N-N geschrapt: alle verwijzingen van toegelaten naar voorkeurspelling, alle voor- en achtervoegsels, alle scheikundige symbolen (ze zijn immers internationaal en bieden dus geen vertaalproblemen) en een aantal aan het Engels ontleende woorden. Laatstgenoemde woorden zijn echter wel in een lijst achterin te vinden; voor de gevolgde methode zie aldaar. Verder werd een aantal woorden uit N-N niet opgenomen op grond van hun te specialistische karakter.

Ondanks die reductie bleef er een saldo aan karakters over. Om het woordenboek niet boven de 1.600 bladzijden te laten groeien, werden dan ook een aantal ruimtebesparende maatregelen getroffen (zie par. 13).

Voor het overige bevat N-E hetzelfde soort trefwoorden als N-N. Als aparte ingangen fungeren derhalve:
- aaneengeschreven woorden,
- woordgroepen (al of niet door verbindings-streepjes verbonden, vergelijk *ik-roman* met *art nouveau* bv.),
- verkortingen (bv. *kandidaats*),
- afkortingen en letterwoorden (bv. *CDA* en *SP* tgo. *Agalev*),
- verbogen of vervoegde woordvormen voor zover ze een eigen leven leiden; hetzelfde geldt overigens ook voor verkleinwoorden (bv. *gebakje*) en voor vrouwelijke vormvarianten van zelfstandige naamwoorden (bv. *koningin*).

Wat de eigennamen betreft: bij bijbelse en aardrijkskundige eigennamen (bv. *Jesaja, Jemen, Wenen*) is er rekening gehouden met wat gebruikelijk is. Andere eigennamen van personen worden slechts opgenomen als ze in uitdrukkingen voorkomen (bv. *Jan* en *Jozef* maar niet *Jaap*).

Tenslotte, zgn. dubbele ingangen zijn slechts mogelijk als er een formeel verschil tussen beide ingangen bestaat. Dit kan betrekking hebben op het woordaccent (vgl. *'doorwerken* en *door'werken),* dat trouwens alleen in zulke bijzondere gevallen wordt aangegeven; anders betreft het ingangen die tot verschillende grammaticale categorieën behoren (bv. het zelfstandig naamwoord *Frans* en het bijvoeglijk naamwoord *Frans).* Deze laatste gevallen zijn door middel van superscripten van elkaar onderscheiden.

4 De opbouw van een artikel

De opbouw van een artikel uit N-E is nagenoeg gelijk aan die uit E-N. De structuur van een artikel zal een aantal van de onderstaande elementen bevatten. (Dat betekent niet dat bij elk trefwoord steeds alle informatie-elementen aanwezig hoeven te zijn, wel dat de informatie steeds in dezelfde volgorde en op dezelfde wijze verstrekt wordt).

a trefwoord (met varianten)
b plaats van het woordaccent
c grammaticale informatie
d spreekwoordverwijzing
e markeringen
f vertaalprofiel
g vertaalequivalenten in contexten

Het laatste deel (g) wordt door middel van een 'dropje' (◆) van wat voorafgaat gescheiden.
Is een trefwoord onderverdeeld (mbv. Romeinse cijfers), dan geldt dat de informatie die aan de verschillende delen gemeenschappelijk is aan de onderverdeling voorafgaat. Voor de afzonderlijke delen geldt dan dat de specifieke informatie in de hierboven aangeduide volgorde staat.
In het vervolg van deze gebruiksaanwijzing wordt nader op de punten a t/m g ingegaan.

5 Spelling en vormvarianten

Voor het Nederlands is de voorkeurspelling van de officiële Woordenlijst van de Nederlandse taal gevolgd. Het Engels wordt alleen in de *meest gebruikelijke spelling* weergegeven. Bij het trefwoord *verbinding* vindt men dus alleen *connection,* niet *connexion.*
Een aantal gevallen van *systematische spellingsvariatie tussen Brits- en Amerikaans-Engels* wordt eveneens niet aangegeven. Het gaat hier om varianten van het type BE *neighbour,* AE *neighbor* en BE *centre*, AE *center.*

Minder systematische spellingsvariatie tussen Brits- en Amerikaans-Engels wordt in principe wel in het woordenboek weergegeven, zij het met zekere beperkingen. Ten eerste gebeurt het in verkorte vorm: eerst de Britse spelling, gevolgd door een ^teken, dat het alternerende AE deel aankondigt. Bv.
defensie defence ^se
juwelier jeweller ^eler
Ten tweede zijn deze niet systematische varianten slechts occasioneel gesignaleerd in de vertaalequivalenten in context (d.w.z. na het 'dropje'), waar meestal alleen de Britse spelling is opgegeven.

Van alle Nederlandse zelfstandige naamwoorden die daarvoor in aanmerking komen is in de regel zowel de mannelijke als de vrouwelijke vormvariant opgenomen. Zo bv. *jaargenoot, -genote*. Alleen wanneer dit genusverschil een verschil in vertaalequivalenten met zich meebrengt komt er een nadere specificatie, anders niet. Enkele voorbeelden:
-jeugdleider, -leidster **0.1** youth leader
-carrièrejager, -jaagster **0.1** careerist ⇒⟨v. ook⟩ career girl/woman

Als de vrouwelijke vorm een eigen leven is gaan leiden (bv. een eigen betekenisprofiel heeft ontwikkeld en/of typische verbindingen aangaat) wordt hij uiteraard apart beschreven (bv. *boerin*).

In de regel komen verwijzingen alleen voor bij woorden die door meer dan tien ingangen van het behandeltrefwoord of de mannelijke vormvariant gescheiden zouden zijn.

6 Uitspraak

Noch van het Nederlandse trefwoord, noch van de Engelse vertalingen wordt in dit woordenboek uitspraakinformatie gegeven. Wat het Engels betreft is het deel E-N hier dus duidelijk complementair. Onderscheiden homografe Nederlandse trefwoorden zich echter slechts door het woordaccent van elkaar, dan wordt dit accent aangeduid en wel vóór de lettergreep waarop het komt te vallen.

7 Grammaticale gegevens

7.1 Van het Nederlands

Bij elk trefwoord – behalve bij enkele bijzondere gevallen zoals bepaalde afkortingen – is tussen punthaken aangeduid tot welke woordsoort het behoort. Deze informatie is volledig aan N-N ontleend en kan met name nuttig zijn voor Engelstaligen die zich van het Nederlands willen bedienen. In dit opzicht vult N-E E-N aan.
De volgende afkortingen zijn daarbij gebruikt:

⟨zn.⟩	zelfstandig naamwoord
⟨de⟩	de-woord (kan in het algemeen zowel met hij/hem als met zij/haar aangeduid worden)
⟨de(m.)⟩	de-woord (vnw. aanduiding: hij)
⟨de(v.)⟩	de-woord (vnw. aanduiding: zij)
⟨het⟩	het-woord (onzijdig)
⟨mv.⟩	meervoud
⟨bn.⟩	bijvoeglijk naamwoord
⟨ww.⟩	werkwoord
⟨hww.⟩	hulpwerkwoord
⟨kww.⟩	koppelwerkwoord
⟨onov.ww.⟩	onovergankelijk werkwoord
⟨ov.ww.⟩	overgankelijk werkwoord
⟨onp.ww.⟩	onpersoonlijk werkwoord
⟨wk.ww.⟩	wederkerend werkwoord
⟨pers.vnw.⟩	persoonlijk voornaamwoord
⟨aanw.vnw.⟩	aanwijzend voornaamwoord
⟨bez.vnw.⟩	bezittelijk voornaamwoord
⟨betr.vnw.⟩	betrekkelijk voornaamwoord
⟨vr.vnw.⟩	vragend voornaamwoord
⟨wk.vnw.⟩	wederkerend/wederkerig voornaamwoord
⟨onb.vnw.⟩	onbepaald voornaamwoord
⟨bw.⟩	bijwoord
⟨vz.⟩	voorzetsel
⟨telw.⟩	telwoord
⟨hoofdtelw.⟩	hoofdtelwoord
⟨rangtelw.⟩	rangtelwoord
⟨lidw.⟩	lidwoord
⟨vw.⟩	voegwoord
⟨tw.⟩	tussenwerpsel

Ook combinaties van bovenstaande aanduidingen kunnen voorkomen.
Onderverdeling van een trefwoord met Romeinse cijfers vindt plaats bij:
- zelfstandige naamwoorden die in de ene betekenis een de-woord en in de andere betekenis een het-woord zijn (bv. *daklei*);
- sommige ingangen die zowel bijvoeglijk als bijwoordelijk gebruikt kunnen worden (bv. *verrot*[1]);
- werkwoorden die meer dan uitsluitend onovergankelijk, overgankelijk of wederkerend zijn.

Voorwaarde voor de onderverdeling is steeds dat er verschil in betekenis optreedt.

7.2 Van het Engels

Om ruimte te sparen is het *Grammaticaal Compendium* alleen in het deel E-N afgedrukt. Voor oplossing van grammaticale moeilijkheden wordt de gebruiker dan ook verwezen naar dit Compendium en naar de verdere grammaticale informatie die bij elk trefwoord in dat deel voorkomt. Wel is in het deel N-E een grammaticaal appendix opgenomen. Het bevat de hoofdtijden van de onregelmatige werkwoorden.

Tenslotte, in het Nederlands kunnen bijvoeglijke naamwoorden doorgaans ook als bijwoord gebruikt worden. Dit produktief mechanisme moest enigszins ondervangen worden, zonder onnodig plaats te verbruiken. Daarom is telkens wanneer de Engelse hoofdvertaling een regelmatige afleiding met -*ly* toeliet, volstaan met de vertaling van het bijvoeglijk naamwoord; tussen de grammaticale punthaken werd dan -*ly* toegevoegd. Voorbeeld: *feestelijk* ⟨bn.,bw.;-ly⟩ **0.1** *festive*.

8 Markeringen

Markeringen worden in dit woordenboek gebruikt om variatie en/of beperkingen binnen het Nederlandse en het Engelse taalgebruik weer te geven. Ze kunnen betrekking hebben op het trefwoord in zijn geheel en komen dan onmiddellijk na de grammaticale gegevens (zie par. 4). Slaan zij alleen op een bepaald onderdeel van het trefwoord, dan staan zij bij het te bepalen onderdeel. Bv.
- feestvarken ⟨het⟩ ⟨scherts.⟩ **0.1** …
- jas … ◆ … **3.1** ⟨fig.⟩ iem. aan zijn ~(je) trekken …

In dit woordenboek komen mbt. het Nederlands, net zoals in de andere delen uit de reeks, de volgende soorten markeringen voor:

- chronologische:
⟨vero.⟩   verouderd
- geografische:
⟨AZN⟩   Algemeen Zuidnederlands
- stilistische:
⟨schr.⟩   schrijftalig, (zeer) formeel, literair; zou opvallen indien gebruikt in gesproken taal
⟨inf.⟩   informele spreektaal; gebruik hiervan in geschreven taal zou opvallen
⟨vulg.⟩   uitgesproken plat of vulgair
Normale spreek- en schrijftaal wordt niet gemarkeerd.
- sociale:
gebruikt ter aanduiding van specifieke sociale groeperingen, bv.
⟨stud.⟩   studenten
⟨kind.⟩   kinderen, enz.
- connotatieve:
gebruikt ter aanduiding van een gevoelsnuancering
⟨bel.⟩   beledigend
⟨euf.⟩   eufemistisch
⟨iron.⟩   ironisch
⟨pej.⟩   pejoratief
⟨scherts.⟩ schertsend
- vaktechnische:
ter aanduiding van een vakgebied, bv.
⟨adm.⟩   administratie
⟨sport⟩   sport en spel
⟨wisk.⟩   wiskunde, enz.
Tenslotte is het figuurlijk gebruik van woorden en uitdrukkingen dmv. het label ⟨fig.⟩ aangeduid.
Komen deze markeringen samen voor, dan in bovenstaande volgorde en gescheiden door een puntkomma. Meer labels van hetzelfde type worden door een komma gescheiden, bv. ⟨nat., schei.⟩.
Voor een uitvoerige behandeling van het gebruik van markeringen mbt. het Nederlands verwijzen wij naar de gebruiksaanwijzing N-N (pp. 24-25). Het gebruik van markeringen mbt. het Engels wordt in een ruimere context geplaatst en derhalve apart behandeld (zie par. 11).

Tot slot een opmerking over het label ⟨AZN⟩, dat hier is gebruikt ter aanduiding van die woorden en uitdrukkingen in het Nederlandstalige gedeelte van België die aldaar als supraregionale standaardtaal worden gehanteerd. In de regel corresponderen hiermee andere varianten in de Noordnederlandse standaardtaal. Dit leidde tot schrapping van een aantal zgn. ⟨AZN⟩-woorden uit N-N enerzijds (bv. *frotten, velo),* anderzijds tot opname van een aantal andere die niet in N-N voorkomen (bv. *regentaat, opendeurdag).* Een verdere onderverdeling, waarbij rekening wordt gehouden met zgn. Belgische woorden (voor in België officiële benamingen van instellingen, functies, e.d.) is hier niet gemaakt. Uiteraard is in het deel N-E, omwille van zijn produktieve functie, een ruimere keuze uit het taalgebruik in Vlaanderen opgenomen dan in het deel E-N, waar het AZN alleen een begrijpfunctie had; zie gebruiksaanwijzing E-N p. 23.

9 Spreekwoordenlijst

Zoals het deel E-N een lijst Engelse spreekwoorden met hun Nederlandse equivalenten bevat, zo treft de gebruiker in het deel N-E een lijst Nederlandse spreekwoorden aan met hun Engelse equivalenten. Het gaat hierbij om lijsten van vergelijkbare grootte die dan ook op vergelijkbare selectiecriteria teruggaan. Hoewel ook hier aan het meer gebruikelijke voorrang wordt verleend, is het begrip synchronie of hedendaagsheid uit de aard van de zaak hier ruimer op te vatten dan in de rest van het woordenboek. Dit is overigens een van de redenen waarom de spreekwoorden in een aparte genummerde lijst zijn ondergebracht.

Bij elk zelfstandig en bijvoeglijk naamwoord, bij elk werkwoord of ander typisch woord dat in een bepaald spreekwoord voorkomt, staat een verwijzing naar de nummers van deze lijst. Zo wordt bv. drie maal naar het eerst opgenomen spreekwoord *(Wie a zegt moet ook b zeggen)* verwezen, nl. bij *a, zeggen* en *b.*

10 Vertaalprofiel

Elke woordenboekgebruiker is gediend met een snelle en efficiënte zoekprocedure. Vandaar dat in dit woordenboek gekozen werd voor een opsplitsing van de semantische informatie in twee delen.

Het vertaalprofiel of globaal overzicht van de vertaalmogelijkheden staat vóór het 'dropje' (◆). Na het dropje komen de vertaalequivalenten in context, die het vertaalprofiel door middel van voorbeelden illustreren, eventueel uitbreiden, en ook vaste verbindingen van het trefwoord met andere woorden bevatten.

Het vertaalprofiel is dus een genummerde opsomming van Engelse vertaalequivalenten zonder context, beginnend met de cijfer-punt-cijfercode **0.1** en afgesloten met een . of een ◆. Komt de gebruiker met deze 'short cut' niet uit, dan kan hij na het 'dropje' (◆) meer toegespitste informatie aantreffen. Daar is het trefwoord voorzien van context.

In het vertaalprofiel worden de verschillende betekenissen van het Nederlandse trefwoord dmv. zgn. resumés – Nederlandse tekst tussen vierkante haken – van elkaar onderscheiden. Die resumés kunnen de vorm aannemen van definities, labels enz.. Als er maar één betekenis aan het Nederlandse woord kan worden toegekend ontbreekt het resumé (behalve bij afkortingen waar het altijd voorkomt). Enkele voorbeelden:

- **jurist** ⟨de (m.)⟩, **-e** ⟨de (v.)⟩ **0.1** [rechtsgeleerde] *jurist* ⇒*legist, lawyer* **0.2** [student] *law student*
- **jan.** ⟨afk.⟩ **0.1** [januari] *Jan..*

Nederlandse afkortingen waarvoor in het Engels geen corresponderende afkortingen bestaan worden als volgt behandeld:

- **z.s.m.** ⟨afk.⟩ **0.1** [zo spoedig mogelijk] ⟨*as soon as possible*⟩

In deze gevallen fungeert dus de (tussen punthaken) uitgeschreven Engelse vorm van de afkorting als vertaling. Analoog hieraan worden trefwoorden waarvoor geen echte Engelse vertaling bestaat of gevonden kon worden door een Engelse omschrijving tussen punthaken weergegeven.

Bv. - **requisitoir** 〈jur.〉 **0.1** 〈*closing speech of the public prosecutor (containing the demand that a penalty be imposed)*〉.
- **eigenheimer 0.1** '*eigenheimer*' 〈*kind of potato*〉.

In de regel echter vertoont een betekenisnummer binnen het vertaalprofiel een tweeledige structuur, nl. één (of meer) hoofdvertaling(en) vóór, gevolgd door één (of meer) variant(en) ná de dubbelschachtige pijl (⇒) (zie 0.1 onder *jurist* bv.).

Hoofdvertalingen (vetcursief) vertonen zoveel mogelijk een één-op-één relatie met het Nederlandse trefwoord. In vele gevallen betekent dit, dat een hoofdvertaling onder alle omstandigheden kan gebruikt worden om de relevante betekenis van het Nederlandse trefwoord weer te geven; in elk geval werd telkens de meest generaliseerbare vertaling als hoofdvertaling gekozen.

De onderlinge volgorde van de betekenisnummers wordt bepaald door de volgorde van de onderscheiden betekenissen van een trefwoord. Hiervoor gelden de volgende criteria:
- de veronderstelde gebruiksfrequentie van het woord in die betekenis: op de eerste plaats komt de betekenis die het woord het vaakst geacht wordt te hebben; daarom gaat de betekenis [rechtsgeleerde] van 'jurist' vooraf aan die van [student];
- meer algemene betekenissen gaan vooraf aan meer specifieke; daarom gaat de betekenis [geweven stof] van 'doek' vooraf aan die van [projectiescherm] en [toneelgordijn].

Dat het niet altijd eenvoudig is om deze principes toe te passen, en dat het eerste criterium soms een resultaat oplevert dat strijdig is met het tweede criterium en omgekeerd, is duidelijk, maar onvermijdelijk.

De hoofdvertalingen zijn genummerd om er naar terug te kunnen verwijzen vanuit de voorbeelden, die na het 'dropje' staan.

Als varianten (gewoon cursief, en van de hoofdvertaling gescheiden door een dubbelschachtige pijl) werden opgenomen: (1) minder gebruikelijke synoniemen; (2) pseudo-synoniemen, d.w.z. woorden die niet helemaal hetzelfde betekenen als het Nederlandse tref-

woord, maar die er toch in vele omstandigheden een bruikbare Engelse vertaling van kunnen zijn; (3) contextgebonden equivalenten; (4) equivalenten die beperkt zijn tot een bepaald vakgebied of stijlniveau.

Soms is het zo dat een Nederlands trefwoord in één bepaalde betekenis toch op verschillende manieren vertaald moet worden. Men zou kunnen zeggen dat de Engelstalige werkelijkheid in die gevallen fijner gestructureerd is dan de Nederlandstalige. We spreken dan van divergentie. Door middel van commentaar tussen punthaken wordt dan binnen één betekenisnummer een onderscheid gemaakt tussen verschillende vertaalmogelijkheden. Zie bv. het trefwoord **bommenrichter 0.1** 〈persoon〉 *bomb-aimer,* ^*bombardier;* 〈apparaat〉 *bombsight.*

Het omgekeerde geval – convergentie – doet zich ook voor, maar dat levert geen moeilijkheden op voor de gebruiker en kan hier dus buiten beschouwing blijven.

In een aantal gevallen is het onmogelijk een exacte vertaling op te geven; dan geeft het is-ongelijk-aan-teken (≠) aan dat de door de Engelse term beschreven realiteit niet precies overeenkomt met hetgeen door de Nederlandse term wordt aangeduid.

Tenslotte komt het ook voor dat er vóór het 'dropje' geen vertaalprofiel aanwezig is, m.a.w. dat we met een trefwoord te doen hebben dat alleen voorkomt in een verbinding (bv. *lurven, pakkie-an* enz.).

11 Gebruiksaanwijzing voor de Engelse vertalingen

In par. 1 werd erop gewezen dat een van de voornaamste taken van dit woordenboek erin bestond de *Nederlandstalige te helpen bij het produceren van correct, idiomatisch Engels.* Dit is een niet geringe opgave voor een wereldtaal als het Engels. Om de grote variatie op te vangen hebben wij een beroep gedaan op de volgende hulpmiddelen:
- vertaalequivalenten in contexten
- selectierestricties
- semantisch commentaar
- markeringen.

Op het eerste hulpmiddel gaan we in de volgende par. in. Op de drie andere volgt hier commentaar.

11.1 Selectierestricties

Er is naar gestreefd van N-E zoveel mogelijk een equivalentie-woordenboek te maken, maar in vele gevallen corresponderen met het Nederlandse trefwoord verschillende Engelse trefwoorden. Vaak vertonen die laatste dan bepaalde combinatorische beperkingen (bv. bepaalde werkwoorden komen alleen met een bepaald soort onderwerp voor, of bepaalde bijvoeglijke naamwoorden kunnen alleen bij bepaalde zelfstandige naamwoorden gebruikt worden). Dergelijke syntactisch-semantische beperkingen noemt men selectierestricties. Zoals andere soorten lexicografisch commentaar zijn ze in het Nederlands gesteld en komen ze tussen punthaken. Men treft ze zowel vóór als ná het Engelse item in kwestie aan. Voorbeelden:
- flonkeren ... **0.1** twinkle ⟨vnl. van ster⟩ ⇒sparkle ⟨vnl. van edelsteen⟩ ...
- geloofwaardig ... **0.1** credible ⟨verhaal,verslag⟩; trustworthy ⟨verslag, getuige,verslaggever⟩ ...

11.2 Semantisch commentaar

Hier gaat het in de eerste plaats om semantische, niet om syntactische beperkingen. Ook dit commentaar is tussen punthaken in het Nederlands gesteld. Men zal het zowel vóór als ná het Engelse item in kwestie aantreffen, al bestaat er een voorkeur om het aan het item te laten voorafgaan. Voorbeelden:
- geluid ... **0.2** [gelijktijdig klinkende tonen, klank] sound ⇒⟨vaak met negatieve bet.⟩ noise
- kosten ... **0.1** [⟨mv.⟩, wat betaald moet worden] cost(s), expense(s) ⇒⟨investeringen⟩ outlay; charge(s), fare ⟨voor diensten⟩.

11.3 Markeringen

Dezelfde soorten markeringen als in par. 8 beschreven voor het Nederlands, komen ook met betrekking tot het Engels voor. Wel worden, met name bij de geografische en stilistische markeringen, niet steeds dezelfde labels gebruikt. Op deze verschillen gaan we hieronder even in.

Om de geografische variatie binnen het Engelse taalgebied weer te geven hebben we, net zoals in E-N, een beroep gedaan op de volgende labels: ⟨AE⟩ = Amerikaans-Engels, ⟨Austr.E⟩ = Australisch-Engels, ⟨BE⟩ = Brits-Engels, ⟨Can.E⟩ = Canadees-Engels, ⟨IE⟩ = Iers-Engels, ⟨Ind.E⟩ = Indisch-Engels, ⟨Sch.E⟩ = Schots-Engels en ⟨Z.Afr.E⟩ = Zuidafrikaans-Engels.

Ook nu werd een poging gedaan om de twee voornaamste polen van het Engelssprekende gebied, t.w. het Brits-Engels en het Amerikaans-Engels, een gelijkwaardige behandeling te geven, al zijn wij er ons van bewust dat wij hierin voor het Amerikaans-Engels niet helemaal geslaagd zullen zijn.

Zoals al in par. 5 werd verduidelijkt gebruiken wij in N-E het [B]teken resp. [A]teken ter aanduiding van Brits- resp. Amerikaans-Engels. De explicietere labels ⟨AE⟩ en ⟨BE⟩ worden gebruikt wanneer verdere specificatie nodig is, en ter aanduiding van een reeks Amerikaans- of Brits-Engelse equivalenten. (De tekens [B] en [A] hebben steeds betrekking op één enkel vertaalequivalent.) Voorbeelden:
- jandorie ⟨tw.⟩ **0.1** gosh! ⇒⟨BE ook⟩ crikey!, cripes!, by gum!; ⟨AE ook⟩ gee (whiz)!.
- kortparkeerder ⟨de (m.)⟩ **0.1** [A]short-term parker; [B]person parking his/her car for a short time.

Wat de stilistische labels betreft, naast de reeds genoemde maken wij ook gebruik van het label ⟨sl.⟩ = slang (zie gebruiksaanwijzing E-N p. 23). Verder komt het label ⟨ongemarkeerd⟩ voor die Engelse woorden die in tegenstelling tot het Nederlands tot de gewone schrijf- en spreektaal behoren. Voorbeeld:
- geloken ⟨bn.⟩ ⟨schr.⟩ **0.1** ⟨ongemarkeerd⟩ closed, shut.

Tenslotte werden twee symbolen ingevoerd om stijlniveaus of gebruiksmogelijkheden die niet precies met het Nederlandse uitgangspunt overeenkomen weer te geven, nl.:

- ↑ dit omhoogwijzende pijltje vlak vóór de Engelse vertaling betekent dat de vertaling qua stijlniveau iets 'netter' is dan het Nederlandse trefwoord;
- ↓ het omlaag gerichte pijltje duidt op een wat lager stijlniveau dan het uitgangspunt.

12 Equivalenten in contexten en de cijfer-punt-cijfercode

De precieze betekenis van een woord – en dus ook de meest geschikte vertaling ervan – wordt in belangrijke mate bepaald door de context waarin dat woord voorkomt. Equivalenten in context of voorbeelden zijn in een vertaalwoordenboek als N-E dan ook van cruciaal belang, mede omdat ze de produktieve 'clichés' van de brontaal proberen te vatten om ze in de doeltaal weer te geven.

Enkele voorbeelden: bij het trefwoord *geluimd* werd in N-N de combinatie met een bijwoord gedemonstreerd dmv. het voorbeeld *hoe kom je toch zo slecht geluimd?*. In N-E werd dat: *hoe kom je toch zo goed/slecht geluimd?* en: *hij is weer niet zo best geluimd.* Een ander voorbeeld: bij het trefwoord *friet* stond wel: *een zakje/portie friet,* maar niet *friet mét* en *friet zonder.* Die laatste twee 'clichés' werden dan ook aan het te vertalen bestand toegevoegd.

Het samenbrengen van talrijke vaste verbindingen na het dropje hebben wij dan ook als een van de voornaamste hulpmiddelen gezien om de Nederlandstalige gebruiker te helpen bij het produceren van idiomatisch Engels. Uiteraard staan de daar gepresenteerde verbindingen niet in een willekeurige volgorde, maar zijn ze gerangschikt op grond van de woordsoort van bepaalde elementen uit de context van het trefwoord. Het principe van de hiervoor gehanteerde cijfercode wordt in alle woordenboeken van de reeks gebruikt en vergemakkelijkt het opzoeken aanzienlijk. De delen N-D, N-E en N-F, die niet alleen het wereldbeeld maar ook het grammaticale beeld van het Nederlands willen weergeven, volgen alle de analyse van het deel N-N; zelfs zijn de toevoegingen die de redactie Engels heeft aangedragen, gecodeerd door de redactie van N-N.

Het cijfer voor de punt heeft betrekking op het contextuele element dat inhoudelijk het meest van belang is. Is dat een zelfstandig naamwoord, dan wordt het cijfer **1** gebruikt. Een bijvoeglijk naamwoord draagt het cijfer **2**. Een **3** duidt een werkwoord aan, een **4** een voornaamwoord, een **5** een bijwoord, een **6** een voorzetsel, een **7** een telwoord of lidwoord, een **8** een voegwoord en een **9** een tussenwerpsel. Het cijfer na de punt verwijst naar het vertaalprofiel vóór het 'dropje'. Een concreet voorbeeld moge het cijfer-punt-cijferprincipe verduidelijken.

Voor het zelfstandig naamwoord *geluid* worden vijf betekenisonderscheidingen aangebracht, waar de volgende vertalingen mee corresponderen:

0.1 [⟨nat.⟩, trillende beweging] *sound*
0.2 [gelijktijdig klinkende tonen, klank] *sound* ⇒⟨vaak met negatieve bet.⟩*noise*
0.3 [toonkleur, timbre] *tone* ⇒*timbre, sound*
0.4 [klankregistratie] *sound*
0.5 [⟨fig.⟩, mening, oordeel] *note, voice*

Na het dropje treffen we o.a. de volgende voorbeelden aan:

1.1 (met) de snelheid van het ~ *(at) the speed of sound*
1.4 beeld en ~ synchroon laten lopen *synchronize vision and sound*
2.2 een afschuwelijk ~ voortbrengen *make an awful noise*
2.5 een heel ander ~ laten horen *strike a completely different note, tell a different tale*

De eerste twee verbindingen vertonen een zelfstandig naamwoord als context van het trefwoord en krijgen dus een **1** als eerste cijfer, voor de laatste twee verbindingen is het typische combinatiewoord een bijvoeglijk naamwoord, dus komt voor de punt een **2** te staan. Aangezien telkens andere betekenissen van toepassing zijn, volgen er na de punt telkens andere cijfers, die naar het vertaalprofiel verwijzen.

Aangezien de volgorde van de voorbeelden bepaald wordt door de cijfer-punt-cijfercode, waarbij een strikt numerieke ordening geldt (dus **3.2** ná **2.8** maar vóór **4.1**), kan geconcludeerd worden dat in het hele woordenboek allereerst de verbindingen komen waarin zelfstandige naamwoorden de essentiële elementen uit de context vormen, dan de verbindingen met bijvoeglijke naamwoorden als significant element, vervolgens de verbindingen die combinaties met werkwoorden demonstreren enz. Binnen elk van deze categorieën bepaalt de ordening van hoofdvertalingen de rangschikking van de verbindingen. Hieronder volgen nogmaals enkele codes, in de juiste volgorde, met hun interpretatie:

1.1 verbinding met een zelfstandig naamwoord als meest kenmerkende element uit de context van het trefwoord; vertaalmogelijkheid **0.1** van de ingang is van toepassing

1.5 relevant element uit de context is weer een zelfstandig naamwoord; het gaat nu echter om de vijfde hoofdvertaling

2.3 element uit de context: bijvoeglijk naamwoord; de derde hoofdvertaling (of een van de daar genoemde varianten) wordt geïllustreerd

3.1 markant element uit de context is een werkwoord; de eerste vertaalmogelijkheid is van toepassing

7.2 een lidwoord of telwoord is hier kenmerkend element; het gaat om de tweede vertaalmogelijkheid

8.1 context: voegwoord, eerste hoofdvertaling.

Twee bijzondere gevallen verdienen hier nog vermelding. Zoals hierboven al is opgemerkt, is soms de juiste vertaling van een uitdrukking niet af te leiden uit de eerder opgesomde hoofdvertalingen of varianten. De woordsoort van een relevant element van de context kan dan vaak wel worden bepaald, zodat het eerste cijfer van de cijfer-punt-cijfercode kan worden toegekend. Na de punt komt echter een middeleeuws paragraafteken te staan (een 'vlag') i.p.v. een cijfer. Voorbeeld: **6.¶ voor** joker staan *look a fool, look foolish* (bij het trefwoord *joker)*. De opvallende vlagmarkering zorgt ervoor dat deze idiomatische uitdrukkingen snel ontdekt kunnen worden. De andere bijzonderheid is deze: soms is het niet goed mogelijk om het relevante element van de context van een trefwoord vast te stellen, bv. als alle elementen van even groot be-

lang zijn. In dat geval wordt ook van het middeleeuws paragraafteken gebruik gemaakt, maar dat staat nu vóór de punt, bv. bij het trefwoord *dagje:*

¶.1 dat was me het ∼ wel! *what a day!* De **1** achter de punt verwijst naar de eerste hoofdvertaling.

De zeldzame keren dat beide gevallen zich tegelijk voordoen, wordt de code **¶.¶** gebruikt.

Teneinde bepaalde elementen te benadrukken zijn sommige woorden vet gedrukt. Dit is steeds het geval met de verbindingen waarin voorzetsels voorkomen (alle voorzetsels zijn dan vet gedrukt). Ook de trefwoorden zelf zijn vet gedrukt. Voor hoofdvertalingen wordt, zoals reeds eerder is opgemerkt, vetcursief gebruikt.

13 Ruimtebesparende maatregelen

Vertaalwoordenboeken van de moedertaal naar de vreemde taal toe (produktiewoordenboeken) zijn doorgaans dikker dan die van de vreemde taal naar de moedertaal (begrijpwoordenboeken). In een produktiewoordenboek moet meer informatie gegeven worden dan in een begrijpwoordenboek: er is immers geen moedertaalkennis mbt. de doeltaal bij de gebruiker te verwachten. Dat heeft geleid tot de opname van *meer trefwoorden* in N-E dan in E-N en tot *meer informatie* bij die trefwoorden. Om dit alles toch binnen het bestek van ongeveer 1600 bladzijden te houden, werden een aantal ruimtebesparende maatregelen getroffen. Sommige ervan werden in het voorafgaande al genoemd.

In wat volgt willen wij ingaan op de voornaamste maatregel ter zake, nl. *het afkorten van de hoofdvertaling wanneer deze voorkomt na het dropje (in de voorbeelden dus)*. De volgende regels werden hierbij gehanteerd: de hoofdvertaling wordt, wanneer deze voorkomt in een voorbeeld, zo veel mogelijk afgekort tot de beginletter. Om dubbelzinnigheden te voorkomen is niet afgekort als er bij dezelfde betekenisonderscheiding een variant staat met dezelfde beginletter als de hoofdvertaling. Zijn er bij de betekenisonderscheidingen hoofdvertalingen met dezelfde beginletter dan is toch afgekort, omdat uit het tweede cijfer van de cijfer-punt-cijfercode blijkt om welk woord het gaat.

Meervouden en verbogen werkwoordsvormen zijn steeds voluit geschreven. Bij samenstellingen die niet aaneengeschreven worden, zijn beide beginletters aangegeven (*midnight oil* wordt *m. o.*). Ook een koppelteken wordt in de afkorting aangeduid: *office-block* wordt *o.-b.*. Enkele voorbeelden ter verduidelijking:

- jaargang
0.1 [alle afleveringen van een periodiek werk] *volume* ⇒*year (of publication)*
0.2 [al die afleveringen bij elkaar] *volume* ⇒*set, series*
0.3 [wijnsoort] *vintage*
◆
2.1 oude ~en *back volumes*
2.2 een ingebonden ~ van een tijdschrift *a bound v. of a periodical*
7.1 de derde ~ ontbreekt *the third v. / v. three / the third year (of publication) is lacking*

- fluit
0.1 [blaasinstrument] *flute* ⇒⟨in drumkorps⟩ *fife, pipe*
◆
6.1 op een ~ spelen *play a flute*

14 Symbolen en afkortingen

In deze paragraaf worden alle gebruikte symbolen gedefinieerd, terwijl ook een opsomming wordt gegeven van alle gebruikte afkortingen met inbegrip van de (afgekorte) vaktaallabels.

Symbolen

[…] tussen deze haken staat een korte karakterisering van de betekenissen van het trefwoord, indien dat trefwoord twee of meer betekenissen heeft; bij afkortingen staat tussen deze haken de uitgeschreven vorm (ook als er maar één betekenis is)

(…) ronde haken geven aan (a) een facultatief element van een vertaling, (b) bepaalde constructiemogelijkheden of -beperkingen van een woord, of (c) het 'vaste' voorzetsel waarmee een woord wordt geconstrueerd

⟨…⟩ al het lexicografisch commentaar, inclusief de gestandaardiseerde afkortingen, staat tussen punthaken; tussen deze haken kan ook een in het Engels gestelde verklaring van een trefwoord (ipv. een vertaling) staan, of een uitgeschreven vertaling van een afkorting

⇒ dubbelschachtige pijl: scheidt hoofdvertaling van de bijbehorende varianten

→ enkelschachtige pijl: verwijst naar een andere ingang van het eigenlijke woordenboek of naar de spreekwoordenlijst

◆ 'dropje': staat tussen het vertaalprofiel en de voorbeelden

~ tilde: staat in de plaats van het trefwoord (in voorbeelden) als het de exacte weergave van dit trefwoord is

↑ betekent dat een vertaling qua stijlniveau iets 'netter' is dan het Nederlands

↓ duidt op een iets lager stijlniveau dan het te vertalen trefwoord

≠ geeft aan dat het Engels en het Nederlands niet precies overeenkomen

ᴮ geeft aan dat een woord/uitdrukking/ constructie uitsluitend voorkomt in het Brits-Engels

ᴬ geeft aan dat een woord/uitdrukking/ constructie uitsluitend voorkomt in het Amerikaans-Engels

¶ 'vlag' (middeleeuws paragraafteken): wordt gebruikt om aan te geven (a) dat de betekenis van een uitdrukking niet uit die van de samenstellende delen is af te leiden of (b) dat het meest kenmerkende woord uit de context van het trefwoord niet kon worden bepaald; in geval (a) vervangt de vlag het tweede cijfer van de cijfer-punt-cijfercode, in geval (b) vervangt hij het eerste cijfer

/ 'of-teken': scheidt alternatieve delen van een uitdrukking, te onderscheiden van een komma die volledige alternatieven scheidt

. punt: gebruikt als afkortingsteken en ter afsluiting van een artikel

; puntkomma: gebruikt om ongelijksoortige informatie te scheiden

, komma: gebruikt om gelijksoortige informatie te scheiden

Afkortingen

aant.w.	aantonende wijs
aanv.w.	aanvoegende wijs
aanw.	aanwijzend
aardr.	aardrijkskunde
abstr.	abstract
adm.	administratie
AE	Amerikaans-Engels
afk.	afkorting
alch.	alchemie
alg.	algemeen
Am.	Amerikaans(e)
amb.	ambacht(elijk)
Angl.	Anglicaans(e kerk)
antr.	antropologie
arch.	archaïsch
astrol.	astrologie
attr.	attributief
Austr.E	Australisch-Engels
AZN	algemeen Zuidnederlands

barg.	bargoens
BE	Brits-Engels
beh.	behalve
bel.	beledigend
Belg.	(in) België
bep.	bepaald
bet.	betekenis(sen)
betr.	betrekkelijk
bez.	bezittelijk
bijb.	bijbel
bij uitbr.	bij uitbreiding
bijz.	bijzonder
bioch.	biochemie
biol.	biologie
bk.	beeldende kunst
bn.	bijvoeglijk naamwoord
boek.	boekwezen
bosb.	bosbouw
bouwk.	bouwkunst
bv.	bijvoorbeeld
bw.	bijwoord

ca.	circa
Can.E	Canadees-Engels
chr.	christelijk
com.	communicatiemedia
comp.	computer
concr.	concreet
conf.	confectie
cul.	culinaria

dansk.	danskunst
deelw.	deelwoord
dicht.	dichterlijk
dierk.	dierkunde
dipl.	diplomatie
dmv.	door middel van
dram.	dramaturgie, theater
druk.	drukwezen, drukkunst

ec.	economie
e.d.	en dergelijke
elek.	elektriciteit
elk.	elkaar
Eng.	Engels(e)
enk.	enkelvoud
enz.	enzovoort
etnol.	etnologie
euf.	eufemistisch
evt.	eventueel

far.	farmacie	m.	mannelijk
fig.	figuurlijk	man.	mannen(taal)
fil.	filosofie	mbt.	met betrekking tot
film.	film(kunde)	mbv.	met behulp van
folk.	folklore	med.	medicijnen, geneeskunde
foto.	fotografie	meteo.	meteorologie
		mijnw.	mijnwezen
g.	geen	mil.	leger
GB	(in) Groot-Brittannië	muz.	muziek
geb.w.	gebiedende wijs	mv.	meervoud
geldw.	geldwezen	myth.	mythologie
geneal.	genealogie		
geol.	geologie	nat.	natuurkunde
gesch.	geschiedenis	Ned.	(in) Nederland, Nederlands
gew.	gewestelijk	nl.	namelijk
graf.	grafische kunst	nw.	naamwoord
H.	heilige	o.a.	onder andere
hand.	handel	o.m.	onder meer
herald.	heraldiek	onb.	onbepaald
hoofdtelw.	hoofdtelwoord	onb.w.	onbepaalde wijs
hww.	hulpwerkwoord	ong.	ongeveer
		onov.	onovergankelijk
id.	idem	onpers.	onpersoonlijk
IE	Iers-Engels	ontk.	ontkennend
iem.	iemand	onv.	onveranderlijk
ihb.	in het bijzonder	oorspr.	oorspronkelijk
incl.	inclusief	o.s.	oneself
ind.	industrie	ov.	overgankelijk
inf.	informeel		
ipv.	in plaats van	pej.	pejoratief
iron.	ironisch	pers.	persoonlijk
itt.	in tegenstelling tot	plantk.	plantkunde
ivm.	in verband met	pol.	politiek
		pred.	predicatief
jud.	Judaïsme, jodendom	pregn.	pregnant
jur.	juridisch	prot.	protestant
		psych.	psychologie
kerk.	kerkelijke groeperingen		
kind.	kinderen, kindertaal	rangtelw.	rangtelwoord
kww.	koppelwerkwoord	rel.	religie
		resp.	respectievelijk
landb.	landbouw	r.k.	rooms-katholiek
landmeetk.	landmeetkunde	ruim.	ruimtevaart
Lat.	Latijn		
lett.	letterlijk		
lidw.	lidwoord		
lit.	literatuur, literaire term		
luchtv.	luchtvaart		

samenst.	samenstelling(en)	vrouw.	vrouwen(taal)
Sch.E	Schots-Engels	vulg.	vulgair, plat, populair
scheep.	scheepvaart, scheepsbouw	vw.	voegwoord
schei.	scheikunde	vz.	voorzetsel
scherts.	schertsend		
school.	school(wezen)	w.	wijs
schr.	schrijftalig, zeer formeel	wet.	wetenschappelijk
sl.	slang	wisk.	wiskunde
s.o.('s)	someone('s)	wk.	wederkerend, wederkerig
soc.	sociologie	ww.	werkwoord
sold.	soldaten(taal)	wwb.	weg- en waterbouw
sp.	spelling		
spoorw.	spoorwegen	z.	zich
sport	sport en spel	Z.Afr.E	Zuidafrikaans-Engels
sprw.	spreekwoord	zeldz.	zeldzaam
ster.	sterrekunde	zelfst.	zelfstandig (gebruikt)
sth.	something	zgn.	zogenaamd
stud.	studenten(taal)	zn.	zelfstandig naamwoord

taal.	taalkunde
tech.	techniek, technologie
teg.	tegenwoordig
telw.	telwoord
tgov.	tegenover
theol.	theologie
toek.	toekomend
tov.	ten opzichte van
tw.	tussenwerpsel
USA	(in de) Verenigde Staten van Amerika
v.	vrouwelijk
v.d.	van de
v.e.	van een
verk.	verkorting
verkeer	verkeer(swezen)
vero.	verouderd
versch.	verschillend
verz.	verzekeringswezen
verz.n.	verzamelnaam
vgl.	vergelijk
v.h.	van het
vis.	visserij
vlg.	volgend(e)
vnl.	voornamelijk
vnw.	voornaamwoord
volt.	voltooid
voorw.wijs	voorwaardelijke wijs
vr.	vragend

15 Nawoord

Twee jaar na de publicatie van E-N zijn wij verheugd N-E te kunnen laten verschijnen. Dat dit zo snel in zijn werk heeft kunnen gaan heeft ongetwijfeld te maken met het feit dat Van Dale Lexicografie ons een moderne infrastructuur ter beschikking stelde. Dat neemt niet weg dat ook dit woordenboek nog op talrijke plaatsen verbeterd kan worden. Wij hopen dan ook dat de gebruiker zich even sterk zal betrokken voelen bij het deel N-E als dat bij het deel E-N het geval was en is.

a¹ ⟨afk.⟩ **0.1** [are] *a*.

a² ⟨de⟩⟨→sprw. 1⟩ **0.1** [letter, klank] *a, A* **0.2** [namen/woorden beginnend met a] *a, A* **0.3** [toon] *a, A* **0.4** [het eerst bekende] *a, A* ◆ **3.1** hij kent geen ~ voor een b ⟨lett.⟩ *he doesn't know his ABC*, ⟨fig.⟩ *he can't tell A from B* **6.1** van ~ tot z kennen *know from A to Z/from beginning to end;* jullie allemaal, **van** ~ tot Z *the whole lot of you;* **van** ~ tot z lezen *read from cover to cover/from beginning to end;* dat is **van** ~ tot z gelogen *that's a lie from beginning to end/from start to finish* ¶**.3** ~ kleine terts *A minor;* ~ grote terts *A major*.

a. ⟨afk.⟩ **0.1** [aan] *at, on, to …* ⟨→aan⟩.

à ⟨vz.⟩ **0.1** [⟨tussen 2 getallen⟩] *(from …) to* ⇒or **0.2** [per eenheid] *at (the rate of)* ⇒a/per ⟨meter, enz.⟩ ◆ **1.2** ~ 10% *at (the rate of) 10%;* 5 meter ~ 6 gulden, is 30 gulden *5 metres at 6 guilders a metre is 30 guilders;* 10 balen ~ 45 kilo *10 bales of 45 kilos each* **7.1** 2 ~ 3 maal *2 or 3 times;* in 20 ~ 25 minuten *in 20 to 25 minutes;* er waren zo'n 10 ~ 15 personen *there were some 10 to 15 people* ¶**.¶** ~ l'improviste *impromptu;* ⟨inf.⟩ *off the cuff;* ménage ~ trois *ménage à trois;* ~ titre personnel *personal(ly), on a personal basis*.

A° ⟨afk.⟩ **0.1** [anno] *(in the year)*.

AA 0.1 [Anonieme Alcoholisten] ⟨*Alcoholics Anonymous*⟩ **0.2** [⟨op Nederlandse hofauto's⟩] *AA* ⟨*on Dutch court registration plates*⟩.

Aagje ◆ **2.¶** nieuwsgierig ~ ⟨vnl. BE⟩ *Nos(e)y Parker*.

aai ⟨de (m.)⟩ **0.1** [streling] *stroke* ⇒⟨romantisch⟩ *caress,* ⟨onder de kin⟩ *chuck* **0.2** [gevoelige kneep/duw] ⟨kneep⟩ *pinch;* ⟨duw⟩ *shove* ◆ **2.1** een zacht ~tje *a gentle s., a soft caress*.

aaien ⟨onov., ov.ww.⟩ **0.1** *stroke* ⇒⟨romantisch⟩ *caress,* ⟨onder de kin⟩ *chuck* ◆ **6.1** zij aaide **over** zijn bol *she stroked/caressed him on the head*.

aaistoot ⟨de (m.)⟩⟨biljarten⟩ **0.1** *stroke* ◆ **3.1** een ~ geven *stroke (the ball)*.

aak ⟨de⟩ **0.1** *barge*.

aal¹ ⟨de (m.)⟩ **0.1** [paling] *eel* **0.2** [nog niet volgroeide paling] *elver* **0.3** [aalmoezenier] *padre* ◆ **2.1** hij is een gladde ~ *he's a slippery customer* **3.1** ⟨fig.⟩ een ~ bij de staart hebben ⟨persoon⟩ *have a slippery customer to deal with, not be able to get a grip on* ⟨persoon⟩ *s.o./* ⟨zaak⟩ *sth*. **8.1** hij is te vangen als een ~ bij de staart *he's a slippery customer;* zo glad als een ~ *(as) slippery as an e..*

aal²,aalt ⟨de⟩⟨AZN⟩ **0.1** *liquid manure*.

aalbes ⟨de⟩ **0.1** [vrucht] *currant* **0.2** [struik] *currant* ◆ **2.1** rode/witte/zwarte ~sen *red/white currants, blackcurrants*.

aalbessenjenever ⟨de (m.)⟩ **0.1** ≠*blackcurrant genever*.

aalbessesap ⟨het⟩ **0.1** *currant juice*.

aalbessestruik ⟨de (m.)⟩ **0.1** *currant*.

aalfuik ⟨de⟩ **0.1** *eelpot*.

aalglad ⟨bn.⟩ **0.1** *(as) slippery as an eel* ⟨ook fig.⟩.

aalkorf ⟨de (m.)⟩ **0.1** *eelpot*.

aalmoes ⟨de⟩⟨→sprw. 2⟩ **0.1** [gift aan een bedelaar] *alms* **0.2** [⟨pej.⟩ gift, gunst] *charity* ⇒⟨klein loon⟩ *pittance* ◆ **3.1** iem. een ~ geven *give s.o. a.* **3.2** van een ~ leven *live on c.;* iem. om een ~ vragen *ask s.o. for c.;* om een ~ vragen/bedelen *ask for/beg for c.* **5.2** wat hij kreeg was slechts een ~ *what he got was a mere pittance/only a pittance*.

aalmoezenier ⟨de (m.)⟩ **0.1** *chaplain* ⇒⟨inf.⟩ *padre,* ⟨gesch.⟩ *almoner*.

aalscholver ⟨de (m.)⟩ **0.1** *cormorant* ◆ **2.1** gekuifde ~ *shag*.

aalspeer ⟨de⟩ **0.1** *eelspear*.

aaltjes ⟨zn.mv.⟩ **0.1** *eelworms*.

aambeeld(-) →**aanbeeld(-)**.

aambeien ⟨zn.mv.⟩ **0.1** *piles* ⇒⟨med.⟩ *haemorrhoids*.

aamborstig ⟨bn.⟩ **0.1** *short-winded* ⇒*wheezy*.

aamborstigheid ⟨de (v.)⟩ **0.1** *short-windedness* ⇒*shortness of wind/breath, wheeziness*.

aan¹

I ⟨bn.⟩ **0.1** [zich aan het lichaam bevindend] *on* **0.2** [zich tegen iets aan bevindend] *against* ⇒*on to* **0.3** [in werking] *on* **0.4** [brandend] *on* **0.5** [aan de gang] *on* ◆ **1.1** met zijn schoenen/kleren ~ weegt hij 90 kilo *he weighs 90 kilos in his shoes/with his clothes (on)* **3.1** zij heeft de jas al ~ *she's already got her coat on* **3.4** de kachel is ~ *the stove is on* **3.5** de school gaat ~ *school's starting;* het is weer dik ~ tussen hen *it's on again between them, they're (back) together again* **3.¶** de boot is ~ ⟨fig.⟩ *sparks are going to fly;* de deur staat ~ *the door is slightly ajar* **5.¶** daar is niets van ~ *there's no(t a bit/word of) truth in that;* hij moet er ~ *he's for the high jump, he's (in) for it;* ⟨sl.⟩ *he's a goner;* ⟨AE;sl.⟩ *he's gonna get his;* ik kan niet zeggen dat ik er veel ~ vind *I can't say I think ((all) that) much of it;* dat is maar net ~ *that'll only just do* **6.¶** er (wel) iets **van** ~ *there's something/some truth in that* **7.¶** daar is niets/weinig ~ ⟨gemakkelijk⟩ *there's nothing/not much to it;* ⟨saai⟩ *it's a waste of time/not up to much;* ⟨niet stuk⟩ *there's nothing/not much the matter with it;*

II ⟨bw.⟩ **0.1** [⟨na plaatsaanduidend bw.⟩] ⟨vaak onvertaald, zie voorbeelden⟩ **0.2** [⟨in samengestelde ww.⟩] ⟨vaak onvertaald, zie voorbeelden⟩ **0.3** [op genoemde wijze] ⟨vaak onvertaald, zie voorbeelden⟩ **0.4** [⟨+wat⟩] *about* ⇒*around, away* ◆ **3.1** de vraag is niet 'hoe kom je er ~', maar 'hoe kom je er af' *it's not so much a question of how to get hold of it as how to get rid of it* **3.2** stel je niet zo ~ ! *stop acting/carrying on like that!* **4.4** ik rotzooi maar wat ~ *I'm just messing about/around* **5.1** daar heeft zij niets ~ *that's (of) no use to her, it won't do her any good;* daar zijn we nog niet ~ toe *we/things haven't got to/reached that stage yet;* ⟨fig.⟩ het zit er bij hem niet ~ *he can't afford it, it's beyond his means;* 100 gulden, met alles erop en er ~ *100 guilders all told;* zij is eraan toe *she's on the point of (doing) it;* ⟨nodig hebben⟩ *she's due for it, she could do with it;* ⟨fig.⟩ zij weet niet waar zij ~ toe is *she doesn't know where she stands/she's at* **5.3** rustig ~ *calm down!, take it easy!;* ⟨AE ook⟩ *cool it!;* zo zoetjes ~ *gradually, little by little* **5.¶** af en ~ *to and fro, back and forth, backwards and forwards;* er goed/beroerd ~ toe zijn *be well, be in a bad way* **6.¶** van nu af ~ *from now on, as from now, starting (from/as of) now;* van voren af ~ *from the beginning, (all) over again;* ⟨AE vnl.⟩ *over;* **van** jongs af ~ *from childhood* ¶**.¶** jij kunt ervan op ~ dat … *it's a safe bet that …, you can count on it that …;* ⟨mil.⟩ ~ ! *present!*.

aan² ⟨vz.⟩ **0.1** [mbt. een fysieke verbondenheid] *on* ⇒*against, at, by* **0.2** [mbt. een fig. verbondenheid] *by, with* **0.3** [⟨bij ww. die een beweging aanduiden⟩] *to* **0.4** [ten gevolge van] *of, from* **0.5** [wat betreft] *of* **0.6** [in de macht van] *up to* ◆ **1.1** vruchten ~ de bomen *fruit on the trees;* ~ de grond zitten *be on the ground;* ~ het hoofd staan *be the head of;* ~ een krant werken *work on a newspaper;* Koen stond aan het raam *Koen stood at the window* **1.2** dag ~ dag *day by day* **1.3** hij gooide het kopje ~ stukken *he smashed the cup (to pieces);* hij geeft les ~ de universiteit *he lectures at the university* **1.5** een gulden ~ centen *a guilder's worth of cents;* een tekort ~ kennis *a lack of knowledge* **1.¶** ~ de drank zijn *have taken to drink;* ⟨inf.⟩ *have hit the bottle* **3.1** ~ zee/de haven/de kust/een gracht wonen *live by the sea/by the harbour/by/on the coast/on a canal* **3.2** doen ~ *do, go in for* **3.3** er is geen beginnen ~ *that's impossible, that can't be done;* ~ wal gaan *go ashore;* ~ het werk gaan *—iets go/set to work on sth., set about sth.;* hoe kom je ~ dat spul? *how did you come by/get hold of that stuff?* **3.4** sterven ~ een ziekte *die of a disease* **3.6** wij hebben de tijd ~ ons *time is on our side;* het is ~ mij er voor te zorgen dat … *it's up to me to see that …, it's my business/job to see that …;* dat ligt ~ haar ⟨haar taak⟩ *that's up to her, that's her business/affair;* ⟨haar fout⟩ *that's her fault* **3.¶** ik heb niets ~ die vent *I can take him or leave him, he's (of) no use to me;* zij heeft niets ~ medelijden *sympathy's no use to her/won't do her any good;* hij heeft het ~ zijn hart *he's got heart trouble;* hij wil niet ~ een auto *he doesn't want the outlay of a car;* ~ het timmeren zijn *be doing some carpentry* **7.2** twee ~ twee *two by two, in twos/pairs/couples* ¶**.¶** ze zijn ~ vakantie toe *they're due for/they could do with a holiday/*

ᴬ*vacation;* zo langzamerhand ben ik wel ~ een kop koffie toe *I'm starting to feel I really could do with a cup of coffee;* ⟨inf.⟩ ja, ~ me (hoela)! *you must be joking!, I dòn't think!, pull the other one!.*

aanaarden ⟨onov.ww.⟩ **0.1** [met aarde bedekken] *earth/hill up* ⇒*ridge* **0.2** [met aarde opvullen/versterken] *fill up (with earth)* ⇒*bank up* ⟨muur⟩.

aanademing ⟨de (v.)⟩ **0.1** [beademing] *breathing-on* **0.2** [⟨taal.⟩] *aspiration.*

aanbakken ⟨onov.ww.⟩ **0.1** *burn on* ♦ **1.1** de aardappels zijn aangebakken *the potatoes have burnt/*ᴬ*burned on;* aangebakken vuil *burnt-/*ᴬ*burned-on filth.*

aanbeeld ⟨het⟩ **0.1** [smeedblok] *anvil* **0.2** [⟨tech.⟩] *anvil* **0.3** [gehoorbeentje] *anvil* ⟨anatomie ook⟩ *incus* **0.4** [stukje metaal in het slaghoedje] *anvil* **0.5** [⟨meteo.⟩] *anvil* ♦ **1.2** het ~ van een nietmachine *the a. of a stapler* **6.1** ⟨fig.⟩ altijd op hetzelfde ~ slaan *always be harping on (about) the same thing, never get off one's hobby-horse, have a bee in one's bonnet (about sth.)* **8.1** zo zwaar als een ~ *(as) heavy as a ton of bricks/as lead.*

aanbeeldsbeentje ⟨het⟩ **0.1** *anvil* ⇒⟨anatomie ook⟩ *incus.*

aanbeeldsblok ⟨het⟩ **0.1** *anvil block/stand.*

aanbelanden ⟨onov.ww.⟩ **0.1** *land* ⇒⟨inf.⟩ *end up* ♦ **5.1** ik weet niet, waar hij nog eens zal ~ *I've no idea where he'll end up.*

aanbelangen ⟨ov.ww.⟩ ⟨schr.⟩ ♦ ¶.¶ wat/(voor)zoveel/(voor)zover dat aanbelangt *as far as that is concerned.*

aanbellen ⟨onov.ww.⟩ **0.1** *ring (at the door)/the doorbell)* ♦ **6.1** bij iem. ~ *ring at s.o.'s door/(on) s.o.'s doorbell.*

aanbenen ⟨onov.ww.⟩ **0.1** *step out (briskly)* ⇒*walk briskly/at a brisk pace,* ⟨harder lopen⟩ *quicken one's pace,* ⟨inf.⟩ *speed up, put some speed on* ♦ **3.1** komen ~ *come up briskly/smartly* **4.1** wij hebben wat aangebeend om niet te laat te komen *we put some speed on so as not to be late.*

aanbesteden ⟨ov.ww.⟩ **0.1** *put out to tender* ⇒*call for/invite tenders for,* ⟨aan iem.⟩ *contract out (to)* ♦ **1.1** het werk zal worden aanbesteed vóór 1 december *the work will be contracted out by 1 December;* werk ~ *put work out to tender, call for/invite tenders for work* **5.1** werk openbaar ~ *put up work to public tender.*

aanbesteding ⟨de (v.)⟩ **0.1** [handeling] *putting out to tender* ⇒*call/invitation for tenders,* ⟨aan iem.⟩ *contracting-out* **0.2** [opdracht] *tender* ⇒ ⟨aan iem.⟩ *contract* ♦ **2.2** onderhandse/openbare ~ ⟨ook⟩ *private/public contract* **3.2** een ~ houden *call for/invite tenders;* inschrijven bij/op een ~ *(submit) a tender for a contract* **6.2** bij/in ~ *by contract;* in ~ uitvoeren *contract out.*

aanbestedingsom ⟨de⟩ **0.1** *sum/amount contracted for.*

aanbetaling ⟨de (v.)⟩ **0.1** *down payment* ⇒⟨mbt. huurverkoop ook⟩ *deposit* ♦ **3.1** een ~ doen van 2.000 BF *make a down/initial payment/pay a deposit of 2,000 BF.*

aanbevelen ⟨ov.ww.⟩ **0.1** [de aandacht trachten op te wekken] *(re)commend* **0.2** [aanraden] *recommend* **0.3** [toevertrouwen] *commend* ♦ **1.1** zich/zijn ziel Gode ~ *commend o.s./one's soul to God* **3.2** daarvoor houd ik mij aanbevolen *I shall/*ᴬ*will be pleased to;* voor suggesties houden wij ons aanbevolen *we welcome any suggestions, any suggestions will be gratefully received* **4.1** zich ~ *commend o.s.* **5.2** dat kan ik je warm ~ *I can warmly r. it to you* **6.1** een plan in iemands aandacht ~ *commend a plan to s.o.'s attention;* ⟨r.k.⟩ de overledene ~ in de gebeden *call/ask for prayers for the deceased;* iem. voor een betrekking ~ *recommend s.o. for position* **6.2** ⟨jur.⟩ iem. in gijzeling ~ *r. that s.o. be placed/remanded/held in custody/be committed to prison.*

aanbevelenswaardig ⟨bn.⟩ **0.1** *recommendable* ♦ **5.1** zeer ~ *highly r..*

aanbeveling ⟨de (v.)⟩ **0.1** [verklaring] *recommendation* ⇒⟨persoon ook⟩ *reference* **0.2** [lijst van personen] *short list* **0.3** [wat tot aanbeveling strekt] *recommendation* **0.4** [handeling] *recommendation* ♦ **1.4** comité van ~ *recommending committee* **2.3** een verzorgd uiterlijk is een goede ~ *neat appearance will be considered an advantage;* voorzien zijn van goede ~en *have good references* **3.3** dat is geen ~ *that is no r.;* dat strekt hem tot ~ *that is to his credit/in his favour;* het verdient ~ om ...*it is advisable to* ...**3.4** ~ en doen *make r.* **6.4** op ~ van Pieter *on Pieter's r.;* ter ~ van *in r. of.*

aanbevelingsbrief ⟨de (m.)⟩ **0.1** *letter of recommendation, reference.*

aanbiddelijk ⟨bn.⟩ **0.1** [hoogst bekoorlijk] *adorable* **0.2** [waardig aanbeden te worden] *worthy of adoration* ♦ **1.2** het ~ Opperwezen *the Supreme Being who is worthy of adoration.*

aanbidden ⟨ov.ww.⟩ **0.1** [⟨rel.⟩] *worship* ⇒⟨vereren van heilige⟩ *venerate,* ⟨schr.⟩ *adore* **0.2** [⟨fig.⟩] *worship* ⇒⟨romantisch ook⟩ *adore* ♦ **1.1** God ~ *w./adore God;* ⟨fig.⟩ het gouden kalf ~ *w. the golden calf;* ⟨fig.⟩ de rijzende/opgaande zon ~ *curry favour with the high and migthy* **1.2** Jan aanbad zijn vrouw *Jan worshipped/adored his wife.*

aanbidder ⟨de (m.)⟩, **-ster** ⟨de (v.)⟩ **0.1** [⟨rel.⟩] *worshipper* **0.2** [bewonderaar] *admirer* ♦ **2.2** een stille ~ *a secret a..*

aanbidding ⟨de (v.)⟩ **0.1** [verering als god] *worship* ⇒⟨heilige verering⟩ *veneration,* ⟨schr.⟩ *adoration* **0.2** [eerbiedige bewondering] *worship* ⇒*reverence,* ⟨romantisch ook⟩ *adoration* ♦ **1.1** de ~ van het Lam *the Adoration of the Lamb* **2.1** ⟨r.k.⟩ gedurige ~ *perpetual adoration* **6.1** in ~ neerknielen *kneel in w.* **6.2** in stille ~ *in silent w./adoration.*

aanbieden

I ⟨ov.ww.⟩ **0.1** [geven] *offer* ⇒*give, tender,* ⟨vero.⟩ *proffer* **0.2** [tegen een prijs/voorwaarde verkrijgbaar stellen] *offer* ♦ **1.1** iem. een betrekking ~ *offer s.o. a position;* iem. een diner ~ *invite s.o. to dinner, take s.o. out to dinner,* †*entertain s.o. to dinner;* hulp/diensten ~ *o. help/services;* zijn ontslag ~ *tender one's resignation;* iem. een pak slaag ~ *threaten s.o. with a beating;* een telegram ~ (ter verzending) *hand in a telegram (for dispatch);* zijn verontschuldigingen ~ *apologize, present/offer/tender one's apologies;* bij de introductie werd de ambassadeur het woordenboek aangeboden *at the introduction the dictionary was presented to the ambassador* **1.2** de aandelen bleven aangeboden *the shares remained on offer;* een kwitantie ~ *present a bill;* personeel aangeboden *jobs wanted* **4.1** zich als vrijwilliger ~ *volunteer (one's services)* **6.1** aangeboden *door* ... *with the compliments of, by courtesy of;* ⟨vnl. AE⟩ *courtesy of;* brieven ~ *ter* tekening *present letters for signatures;* cheques *ter* betaling ~ *present cheques for payment* **6.2** een nieuwe uitgave *bij* de boekhandel ~ *place a new edition on sale in bookshops/*ᴬ*bookstores;* iets *te* koop/huur ~ *put sth. on sale/up for sale/up for rent;* *ter* overname aangeboden *(offered) for sale;*

II ⟨wk.ww.; zich ~⟩ **0.1** [zich voordoen] *offer/present o.s.* ⇒*arise* ♦ **1.1** er biedt zich een goede gelegenheid aan *a good opportunity offers/presents itself/arises.*

aanbieding ⟨de (v.)⟩ **0.1** [⟨hand., offerte⟩] *special offer* ⇒*bargain,* ᴬ*sale* **0.2** [aanbod] *offer* **0.3** [het geven] *giving* ⇒*offering* **0.4** [artikel] *bargain* ⇒*special offer* ♦ **2.1** goedkope/speciale ~ *special offer, special bargain* **3.1** ~ en inwachten *call for/invite tenders* **3.2** iemands ~ afslaan *reject s.o.'s offer* **6.1** ⟨boek.⟩ *bij* ~ bestellen *special terms for large orders;* ⟨pregnant⟩ koffie is *in* de ~ deze week *coffee is on special offer this week, coffee's reduced this week;* *onder* ~ van 10% korting *special bargain: 10% off!* **6.3** *bij* de ~ v.h. cadeau *when the present is/was given.*

aanbijten

I ⟨ov.ww.⟩ **0.1** [de eerste beet doen in] *bite into;*

II ⟨onov.ww.⟩ **0.1** [⟨fig.⟩ in het aas bijten] *bite* ⇒*take the bait* ♦ **3.1** hij wil niet ~ *he won't/refuses to bite/take the bait, he won't rise to the bait.*

aanbinden ⟨ov.ww.⟩ **0.1** [vastmaken] *fasten on* **0.2** [beginnen te doen] *engage* ⇒*join* ♦ **1.¶** de kat de bel ~ *bell the cat* **6.2** de strijd *met/tegen* iem. ~ *e. with/join battle with s.o..*

aanblaffen ⟨ov.ww.⟩ **0.1** [door blaffen bedreigen] *bark at* ⇒⟨schr.⟩ *bay at* **0.2** [toesnauwen] *bark at* ♦ **1.1** de maan ~ *bay at the moon.*

aanblazen ⟨ov.ww.⟩ **0.1** [mbt. vuur] *blow* ⇒⟨wind enz.⟩ *fan* **0.2** [opwekken] *(a)rouse* ⇒*stir up, fan* **0.3** [⟨muz.⟩] *blow* **0.4** [⟨taal.⟩] *aspirate.*

aanblazing ⟨de (v.)⟩ **0.1** [het aanblazen] *blowing* ⇒*fanning,* ⟨ook emoties; emoties enz.⟩ *(a)rousing, stirring up* **0.2** [⟨taal.⟩] *aspiration.*

aanblijven ⟨onov.ww.⟩ **0.1** [niet aftreden] *stay on* **0.2** [niet afvallen] *keep up* ♦ **6.2** ~ *met* de huur *keep up with the rent, not get in arrears/behind (hand) with the rent* **8.1** zij blijft aan als minister *she's staying on as minister.*

aanblik ⟨de (m.)⟩ **0.1** [het aanschouwen] *sight* ⇒*glance* **0.2** [wat gezien wordt] *sight* ⇒*spectacle, scene,* ⟨persoon⟩ *appearance* ♦ **2.2** een troosteloze ~ opleveren *be/make a sorry sight, make/provide a sorry spectacle;* geen vrolijke ~ bieden *not be a pleasant/* ⟨ook scherts.⟩ *pretty sight;* ⟨voor personen⟩ *not look a pretty sight* **6.1** voor uw ~, o Heer, siddert de Boze *before your face/in your s., o Lord, the Evil One shudders* **7.1** bij de eerste ~ *at first s./glance.*

aanblikken ⟨ov.ww.⟩ ⟨schr.⟩ **0.1** [ongemarkeerd] *look at* ⇒⟨langdurig⟩ *gaze at* ♦ **1.1** ⟨fig.⟩ de sterren blikken ons aan *the stars gaze down at/on us.*

aanbod ⟨het⟩ **0.1** [het aanbieden] *supply* **0.2** [het zich voordoen] *number* ⇒*quantity, amount* **0.3** [het aangebodene] *offer* ♦ **1.1** (de wet van) vraag en ~ *(the law of) s. and demand* **1.2** het ~ van auto's in de spitsuren is weer gegroeid *the volume of traffic/the n. of cars in the rush-hour/peak-hour has increased again* **2.3** een voordelig ~ krijgen/doen *get/make a good o.* **3.3** zij nam het ~ aan *she accepted/took up the o.;* zij sloeg het ~ af *she rejected the o.* **7.1** er was weinig ~ *s. was limited;* er was weinig ~ van vlees *meat was in short s..*

aanboren ⟨ov.ww.⟩ **0.1** [door boren raken] *strike (while drilling)* **0.2** [een opening maken in] *tap* ⇒*broach, open up* ♦ **1.1** ⟨fig.⟩ nieuwe belastingbronnen ~ *tap new sources of taxation;* een steenkoollaag/olie ~ *strike coal deposits/oil* **1.2** een nieuw vat ~ *t./broach a new barrel.*

aanbouw ⟨de (m.)⟩ **0.1** [handeling] *building* ⇒*construction* ⟨gebouw, schip⟩, *cultivation, growing* ⟨gewas⟩ **0.2** [resultaat] *extension* ⇒*annex* ᴬ*xe* ♦ **6.1** dit huis is in ~ *this house is under construction/is being built* **6.2** een ~ aan een huis *an e./annex to a house.*

aanbouwelement ⟨het⟩ **0.1** *section* ⇒⟨AE ook⟩ *sectional.*

aanbouwen ⟨ov.ww.⟩ **0.1** [een nieuw gedeelte (vast)bouwen] *build on* ⇒*add* **0.2** [bij een reeds bestaande bouwen, b.v. huizen] *build more* **0.3** [telen] *grow* ⇒*cultivate* **0.4** [ontginnen] *cultivate* ⇒*put under cultivation* ♦ **1.1** het plan opvatten een garage aan te bouwen *plan to build on a garage;* een aangebouwde keuken *a built-on kitchen.*

aanbouwkeuken ⟨de⟩ **0.1** *modular kitchen.*
aanbouwsel ⟨het⟩ **0.1** *extension* ⇒*annex* ^xe.
aanbraden ⟨ov.ww.⟩ **0.1** *sear.*
aanbranden
  I ⟨onov.ww.⟩ **0.1** [aankoeken] *burn on;* ⟨→aangebrand⟩ ◆ **1.1** laat de aardappelen niet ~ *watch/mind the potatoes don't burn, don't let the potatoes burn on* **4.1** ⟨fig.⟩ dat zal ~ *that'll turn out wrong;* ⟨van personen⟩ *(s)he'll come to a bad end;*
  II ⟨ov.ww.⟩ **1** ⟨(bouwk.)⟩ ≠*(cement-)render.*
aanbreien ⟨ov.ww.⟩ **0.1** *knit on* ◆ **1.1** een aangebreide kraag *a knitted-on collar;* ⟨inf.; fig.⟩ het verhaal was tekort; hij moest er nog een stukje aan zien te breien *the story was too short; he would have to tack a(nother) bit on (to the end).*
aanbreken
  I ⟨onov.ww.⟩ **0.1** [beginnen] *come* ⇒*break, dawn* ⟨dag⟩, *fall* ⟨nacht⟩ ◆ **1.1** de grote dag was aangebroken *the great day had dawned/had come;* toen was het moment aangebroken om afscheid te nemen *the moment had then come to say goodbye;* een nieuw tijdperk brak aan *a new age dawned/arrived/began* **7.1** bij het ~ v.d. dag/nacht *at daybreak/nightfall;*
  II ⟨ov.ww.⟩ **0.1** [aanspreken] *break into* ⟨voorraad⟩ ⇒*break (into)* ⟨geld⟩, *open (up)* ⟨fles⟩, *broach* ⟨vat⟩ ◆ **1.1** er staat nog een aangebroken fles *there's another bottle that's been started/another open bottle;* kisten ~ *break into/open up boxes.*
aanbrengen ⟨ov.ww.⟩ **0.1** [in/toevoegen, plaatsen] *put in/on* ⇒*install, fit, introduce* ⟨veranderingen enz.⟩, ⟨bedekken, aanwenden⟩ *apply, affix* ⟨etiket enz.⟩ **0.2** [aangeven] *inform on,* ⟨misdadiger⟩; *report* ⟨misdaad⟩ **0.3** [werven] *bring in* ⇒*obtain,* ⟨leden ook⟩ *recruit* **0.4** [naar de bestemde plaats brengen] *bring (to)* **0.5** [meebrengen in het huwelijk] *bring in (marriage)* **0.6** [veroorzaken] *bring, cause* ⇒*bring about* ◆ **1.1** verbeteringen ~ *make/introduce improvements* **1.2** een zaak ~ *report a matter* **1.4** een gevonden voorwerp ~ *hand in a piece of lost property* **1.5** zij heeft het kapitaal aangebracht *she brought in the capital* **1.6** geluk/ongeluk/winst ~ *bring/cause happiness/unhappiness, yield (a) profit* **6.1** een gat **in** de muur ~ *make a hole in the wall;* lijm **op** de delen ~ *apply glue to the parts.*
aanbrenger ⟨de (m.)⟩ **0.1** [iem. die aanbrengt] *fitter* ⇒*installer, applier, affixer* **0.2** [verklikker] *informer.*
aanbrug ⟨de⟩ **0.1** [beweegbaar deel] *ramp* **0.2** [vast deel] *first span of a/the bridge.*
aandacht ⟨de⟩ **0.1** *attention* ⇒*notice* ◆ **2.1** die kwestie heeft mijn onverdeelde ~ *this matter has my undivided a.;* hij is onze ~ waard *he is worthy of/he deserves our a.* **3.1** aan de/iemands ~ ontsnappen *escape (s.o.'s) notice, slip s.o.'s notice;* zijn ~ bepalen bij het onderwerp *keep one's mind/a. on the subject;* ⟨persoonlijke⟩ ~ besteden aan *give (personal) a./pay a. to;* ik dank u voor uw ~ *I thank you for your a.;* alle ~ was gevestigd op everyone's a. *was fixed on, all eyes were on;* geen ~ hebben voor *have no thought for;* de ~ opeisen *try/want to be the centre of a.;* wij moesten al onze ~ richten op ... *we have to focus/fix all our a. on ...;* ⟨geen⟩ ~ schenken aan *pay (no) a. to, take (no) notice of;* de/iemands ~ trekken *attract/catch/draw (s.o.'s) attention, catch s.o.'s eye;* bijzondere ~ verdienen *deserve/merit particular a./notice;* de ~ vestigen op/afleiden van *draw/call a. to, distract a. from;* ~ vragen (voor) *call for/demand a. (to)* **6.1** iets **met** ~ volgen *follow sth. attentively/closely/intently/carefully;* **onder** de ~ komen/brengen **van** *come/bring to the notice/a. of.*
aandachtig
  I ⟨bn.⟩ **0.1** [aandacht schenkend] *attentive* ⇒*intent* ◆ **1.1** een ~e waarnemer *a close observer.*
  II ⟨bw.⟩ **0.1** [met aandacht] *attentively* ⇒*intently, carefully, closely* ◆ **3.1** iets ~ bestuderen/bekijken *examine/look at sth. intently/carefully/closely;* ~ luisteren *listen a. intently/carefully/closely.*
aandachtstreep ⟨de⟩ **0.1** *dash.*
aandachtsveld ⟨het⟩ ⟨fig.⟩ **0.1** *area for special attention.*
aandammen ⟨ov.ww.⟩ **0.1** [aanwinnen] *dam (up)* ⇒*dike, reclaim* **0.2** [aanvullen, ophogen] *fill in* ⇒*raise.*
aandeel ⟨het⟩ **0.1** [deel van gemeenschappelijk bezit] *share* ⇒*portion* **0.2** [bijdrage] *contribution* ⇒*part* **0.3** (⟨geldw.⟩ deel dat iem. bijdraagt] *share;* ⟨vnl. AE⟩ *stock* ⇒*contribution* **0.4** [⟨geldw.⟩ bewijs van aandeel] *share/* ⟨vnl. AE⟩ *stock (certificate)* ⇒ ⟨AE ook⟩ *stock warrant* ◆ **2.2** een actief ~ hebben in iets *take an active part in, make an active c. to, contribute to* **3.1** ~ hebben in een zaak/de winst/aan een erfenis *(have a) share in a business/the profits/an inheritance;* zijn ~ krijgen *come in for one's s., get one's s.* **3.2** ~ hebben aan iemands ongeluk *contribute to s.o.'s misfortune, share in s.o.'s misfortune;* ~ hebben aan een oproer *take/have a part in an uprising* **6.3** een maatschappij op aandelen *a s. company* ¶ **.4** ~ op naam *nominative s., registered s./stock, inscribed stock.*
aandeelhouder ⟨de (m.)⟩ **0.1** *shareholder;* ⟨vnl. AE⟩ *stockholder* ◆ **1.1** lijst van ~s *register of shareholders;* vergadering van ~s *meeting of shareholders, shareholders' meeting* **2.1** gewoon ~ *ordinary s.*
aandeelhoudersvergadering ⟨de (v.)⟩ **0.1** *shareholders'/* ⟨vnl. AE⟩ *stockholders' meeting* ⇒*meeting of (the) shareholders/stockholders.*

aandelenkapitaal ⟨het⟩ **0.1** *share capital* ⇒*capital stock.*
aandelenkoers ⟨de (m.)⟩ ⟨geldw.⟩ **0.1** ⟨meestal mv.⟩ *share price.-*
aandelenmarkt ⟨de⟩ ⟨geldw.⟩ **0.1** *stock market.*
aandelenoptie ⟨de (v.)⟩ ⟨geldw.⟩ **0.1** *option to purchase shares.*
aandelenpakket ⟨het⟩ **0.1** *block of shares.*
aandenken ⟨het⟩ **0.1** [gedachtenis] *memory* ⇒*remembrance* **0.2** [voorwerp] *keepsake* ⇒*memento, souvenir* ◆ **3.2** die armband is een ~ *that bracelet is of great sentimental value* **8.2** iets bewaren als ~ *have/keep sth. as a k./memento.*
aandienen
  I ⟨ov.ww.⟩ **0.1** [aankondigen] *announce* ◆ **3.1** zich laten ~ *have o.s. announced;* ⟨vero.⟩ *send in one's name* **4.1** zich ~ *announce o.s.* **6.1** ~ **bij** *a. to;*
  II ⟨wk.ww.; zich ~⟩ **0.1** [zich willen laten gelden] *present o.s. (as)* ⇒ *put o.s. forward (as).*
aandijken ⟨ov.ww.⟩ **0.1** [door dijken aanhechten] *connect to the mainland (by means of dikes)* **0.2** [door bedijking winnen] *dam (up)* ⇒*dike, reclaim* ◆ **1.2** de aangedijkte gronden *the reclaimed land.*
aandikken
  I ⟨onov.ww.⟩ **0.1** [dikker worden] *thicken;*
  II ⟨ov.ww.⟩ **0.1** [dikker maken] *thicken* **0.2** [mooier/erger voorstellen] *embroider* ⇒*pile (it) on, lay (it) on (thick/with a trowel).*
aandoen ⟨ov.ww.⟩ **0.1** [aantrekken] *put on* ⇒ ⟨vero.⟩ *don* **0.2** [berokkenen] *do to, cause* ⇒*subject to* **0.3** [een indruk geven] *strike as* **0.4** [bezoeken] *call (in) at* **0.5** [in werking stellen] *turn/put/switch on* ◆ **1.1** iem. de boeien ~ *handcuff s.o.* **1.2** iem. een proces ~ *take s.o. to court, sue s.o.;* iem. verdriet, onrecht ~ *cause s.o. grief, treat s.o. unjustly/do s.o. an injustice* **1.4** een haven ~ *call (in) at/put in at a port* **2.3** zijn optreden deed mij aangenaam/onaangenaam aan *his behaviour struck me as (un)pleasant, I found his behaviour agreeable/offensive;* het deed vreemd/ouderwets aan *it seemed/looked/sounded strange/old-fashioned* **3.2** dat kun je haar niet aandoen! *you can't do that to her!* **4.2** je doet het jezelf aan! *you're asking for it/for trouble!, you'll only have yourself to blame!, you are bringing it on yourself!;* ⟨pregnant⟩ zich iets ~ *do away with o.s.* **5.3** een modern~de prehistorische voorstelling *a prehistoric presentation with a modern touch.*
aandoening ⟨de (v.)⟩ **0.1** [ziekte] *disorder, complaint* **0.2** [gewaarwording] *feeling* ⇒*sensation* **0.3** [emotie] *emotion* ⇒*feeling* ◆ **1.1** een lichte ~ v.d. luchtwegen *a touch of bronchitis* **1.2** ~en van vreugde/droefheid/smart *feelings of joy/sadness/grief* **6.3 met** ~ naar iets kijken *be moved by the sight of sth.;* **van** ~ kon zij niet meer spreken *she was choked with e..*
aandoenlijk
  I ⟨bn.⟩ **0.1** [treffend, roerend] *moving* ⇒*touching, endearing,* ⟨meelijwekkend⟩ *pathetic* ◆ **2.1** [vatbaar voor aandoeningen/indrukken] *sensitive* ◆ **4.1** ze had iets ~s *there was sth. moving/touching/pathetic about her;*
  II ⟨bw.⟩ **0.1** [treffend, roerend] *movingly* ⇒*touchingly,* ⟨meelijwekkend⟩ *pathetically* ◆ **3.1** iets ~ vertellen *tell sth. moving.*
aandraaien ⟨ov.ww.⟩ **0.1** [vaster draaien] *tighten* ⇒*screw tighter* **0.2** [(vast)maken aan] *screw/twist on* **0.3** [in beweging/werking zetten] *turn/put/switch on* ◆ **1.1** ⟨fig.⟩ iem. de duimschroeven ~ *put the screws/the squeeze/the heat on s.o.* **5.1** vast ~ *screw home.*
aandragen ⟨ov.ww.⟩ **0.1** *carry, bring (up/along/to)* ◆ **3.1** met iets komen ~/aangedragen ⟨fig.⟩ *come out with sth., trot sth. out.*
aandrang ⟨de (m.)⟩ **0.1** [het stuwen] *pressure* ⇒ ⟨bloed⟩ *rush* **0.2** [aansporing] *urging* ⇒*instigation* **0.3** [nadruk] *urgency* ⇒*insistence* ◆ **2.1** de grote ~ van volk *the great crush of people* **2.2** uit eigen ~ *of one's own accord/volition/free will;* met zachte ~ *with gentle insistence* **3.1** ~ hebben *be in a state of urgency/emergency;* ⟨inf.⟩ *need to go* **3.2** ~ uitoefenen op *put/exert pressure on, pressure* **6.2 op** ~ van mijn vader doe ik het *I'm doing it at my father's u./instigation* **6.3** iets **met** ~ verzoeken *earnestly/urgently request sth.;* iets **met** ~ afraden *earnestly/strongly advise against sth..*
aandraven ⟨onov.ww.⟩ **0.1** ⟨dressuur⟩ *trot on* ◆ **3.¶** komen~ *come trotting along;* ⟨fig.⟩ met iets nieuws komen ~ *trot out sth. new, come out with sth. new.*
aandrift ⟨de⟩ **0.1** [sterke opwelling] *impulse* ⇒*urge* **0.2** [drang] *instinct* ⇒*urge, drive.*
aandrijfas ⟨de⟩ **0.1** *drive shaft.*
aandrijfmechanisme ⟨het⟩ **0.1** *drive mechanism* ⇒*machinery,* ⟨comp.⟩ *drive.*
aandrijven
  I ⟨onov.ww.⟩ ◆ **3.¶** op een vlot komen ~ *drift/wash/be washed to the shore on a raft;*
  II ⟨ov.ww.⟩ **0.1** [aansporen] *urge (on)* ⇒*drive, prompt* **0.2** [overhalen tot iets kwaads] *incite* **0.3** [⟨tech.⟩] *drive* **0.4** [vaster doen sluiten/klemmen] *drive (further/deeper) in* ◆ **1.1** een vloer ~ *tighten up a floor* **6.2** iem. **tot** kwaad/wraak ~ *i.s.o. to evil/revenge* **6.3 door** een elektromotor ~ *driven by an electric motor.*
aandrijving ⟨de (v.)⟩ **0.1** *drive* ⇒*power* ◆ **2.1** elektrische ~ *electric d./power.*
aandringen ⟨onov.ww.⟩ **0.1** [aansporen] *urge* ⇒*press* **0.2** [met klem

trachten gedaan te krijgen] *insist* 0.3 [naar voren dringen] *press for-ward* ⇒*push* ◆ 5.1 niet verder ~ *not press the point, not insist* 5.2 er sterk op ~ dat ... *be very insistent that ..., i. very strongly that ...;* ze drong zo aan, dat ik toch maar toegaf *she insisted so much that I eventually gave in* 6.1 bij iem. **op** hulp ~ *u. / press s.o. to help;* bij iem. **op** betaling/spoed/een antwoord ~ *u. / press s.o. to pay/to hurry/to answer;* **op** ~ **van** *at the insistence/the urgent request of.*

aandrukken ⟨ov.ww.⟩ **0.1** *push, press* ◆ **1.1** een deur ~ *push a door to/shut* **5.1** je moet de kurk goed ~ *you must push/press the cork in properly;* zij drukte het kind ~ *push/press sth. harder* **6.1** zij drukte het kind (stijf) **tegen** zich aan *she hugged/pressed the child (firmly) to herself/* ⟨schr.⟩ *to her breast/bosom.*

aanduiden ⟨ov.ww.⟩ **0.1** [kenbaar maken] *indicate* **0.2** [blijk geven van] *indicate* ⇒*point to* **0.3** [betekenen] *denote* ⇒*designate* ◆ **1.3** het woord truttig duidt tegenwoordig een ongunstige hoedanigheid aan *the word 'truttig' these days denotes an adverse quality* **5.1** iets nader ~ *specify sth. (in detail), indicate sth. more precisely;* niet nader aangeduid *unspecified;* iets terloops ~ *hint at sth.* **8.1** iem. ~ als X *refer to s.o. as X.*

aanduiding ⟨de (v.)⟩ **0.1** [dat waardoor men aanduidt] *indication* ⇒ ⟨aanwijzing⟩ *clue, hint,* ⟨naam⟩ *designation* **0.2** [het aanduiden] *indication* ⇒ ⟨benaming⟩ *designation* ◆ **2.1** vage ~en *vague indications;* zonder verdere ~en *without further specification/details, unspecified.*

aandurven ⟨ov.ww.⟩ **0.1** [durven te ondernemen] *dare to (do)* **0.2** [zich opgewassen voelen tegen] *feel up to* ◆ **1.1** het risico ~ *dare to take the risk* **1.2** een taak ~ *feel up to a task* **4.1** het ~ om *dare/presume to* **5.1** ik durf het toch niet aan *I daren't do/risk it, I don't feel up to it.*

aanduwen ⟨ov.ww.⟩ **0.1** [vooruitduwen] *push (on)* **0.2** [vastduwen] *push home, press firm* ⇒*shoot (home)* ⟨bout⟩.

aandweilen ⟨ov.ww.⟩ **0.1** *wash* ⇒*mop,* ⟨schip, ziekenhuis⟩ *swab* ◆ **1.1** ⟨scherts.; fig.⟩ de vloer met iem. ~ *wipe the floor with s.o..*

aaneen ⟨bw.⟩ ⟨schr.⟩ **0.1** *together* ⇒ ⟨tijd⟩ *on end, at a time,* ⟨afstand ook⟩ *at a stretch* ◆ **1.1** dagen/maanden/jaren ~ *(for) days/months/years on end/at a time/at a stretch;* kilometers ~ *kilometres at a stretch* **5.1** dicht ~ *close t..*

aaneenflansen ⟨ov.ww.⟩ **0.1** *tack/patch together* ⟨ook fig.⟩.

aaneengeschakeld ⟨bn.⟩ **0.1** *linked-up* ⇒*connected,* ⟨schr.⟩ *concatenated* ◆ **1.1** een ~ verhaal *a coherent/connected story* **1.¶** ⟨taal.⟩ ~e zinnen *co-ordinate(d) sentences.*

aaneengesloten ⟨bn.⟩ **0.1** *unbroken* ⇒*connected, continuous,* ⟨fig.⟩ *united,* ⟨gelederen; schr.⟩ *serried* ◆ **1.1** ~ oeververdediging *unbroken shore defences.*

aaneengroeien ⟨onov.ww.⟩ **0.1** *grow together* ◆ **7.1** het ~ (van) *union (of);* ⟨med.⟩ *ankylosis, anc(h)ylosis* ⟨van botten en gewrichten⟩.

aaneenschakelen ⟨ov.ww.⟩ ⟨fig.⟩ **0.1** *link up/together* ⇒*connect, join together,* ⟨treinen⟩ *couple.*

aaneenschakelend ⟨bn.⟩ ⟨taal.⟩ **0.1** *coordinate(d)* ⇒*paratactic* ◆ **1.1** ~ voegwoord *copulative conjunction, coordinating conjunction, coordinator;* het ~ zinsverband *multiple coordination.*

aaneenschakeling ⟨de (v.)⟩ **0.1** *chain* ⇒*succession, sequence* ◆ **6.1** een ~ van ongelukken *a c. / ⟨ook scherts.⟩ chapter of accidents;* een ~ **van** leugens *a string/pack of lies;* een ~ **van** gevechten *a succession of fights;* een ~ **van** gebeurtenissen *a sequence/train of events.*

aaneenschrijven ⟨ov.ww.⟩ **0.1** *write together* ⇒ ⟨2 woorden ook⟩ *write as one/as a single word,* ⟨letters ook⟩ *join* ◆ **5.1** niet ~ *write separately, leave as two/three* ⟨enz.⟩ *words.*

aaneensluiten
I ⟨wk.ww.; zich ~⟩ **0.1** [verbond sluiten] *join together* ⇒ ⟨firma, vakbond ook⟩ *merge, amalgamate,* ⟨fig. ook⟩ *join forces, unite* ◆ **6.1** zich ~ **tot** *join together in;*
II ⟨onov.ww.⟩ **0.1** [strak tegen elkaar aan komen] *fit (together) well* ⇒*join (together) tightly;*
III ⟨ov.ww.⟩ **0.1** [strak tegen elkaar aanleggen] *join/fit (close) together* ⇒*join up tightly.*

aanflitsen ⟨onov.ww.⟩ **0.1** *flash on.*

aanfloepen ⟨onov.ww.⟩ **0.1** *flash on.*

aanfluiten ⟨ov.ww.⟩ ⟨bijb.⟩ **0.1** *mock* ⇒*deride.*

aanfluiting ⟨de (v.)⟩ **0.1** *mockery* ⇒*travesty* ◆ **3.1** dat is gewoon een ~ *that's an absolute m. / travesty, that's quite absurd;* tot een ~ maken *make a m. / farce of* **6.1** de rechtspraak daar was een ~ **van** alle recht *the judiciary there was a travesty of justice.*

aanfruiten ⟨ov.ww.⟩ ⟨cul.⟩ **0.1** *brown (lightly).*

aangaan
I ⟨onov.ww.⟩ **0.1** [gaan in de richting van] *go (towards)* ⇒*head (for/towards)* **0.2** [een bezoek brengen] *call in/by* ⇒*go/come round, look /drop in* **0.3** [beginnen] *start* **0.4** [in werking treden] *go on* ⇒ ⟨verwarming/licht ook⟩ *switch on, light* ⟨vuur, lucifer⟩ *go* **1.5** [horen] ⟨zie ¶.5⟩ **0.6** [vertrouwen] *count/rely on* **0.7** [⟨plantk.⟩] *take (root)* ⇒*root* **0.8** [tekeergaan] *take on* ⇒*go on* ◆ **1.3** de school/de kerk gaat aan *school/the service is starting* **1.7** de stekjes gaan goed aan *the cuttings are taking/rooting well* **6.1 achter** iem. / iets ~ ⟨lett.⟩ *chase s.o./sth. (up);* ⟨fig.⟩ *go after s.o. / go for sth.;* **op** huis ~ *head for home* **6.2 bij** een vriend ~ *call by/in at a friend's (house), go/come round to a*

friend's (house), call/look/drop in on a friend **6.8** ~ **tegen** iem. / **op** iem. *go on at/about s.o.* **¶.5** het gaat niet aan dat ... *it won't do to ..., ... won't do;*

II ⟨ov.ww.⟩ **0.1** [beginnen met] *enter into* ⇒ ⟨schulden/huwelijk ook⟩ *contract,* ⟨verdrag/huwelijk ook⟩ *conclude* **0.2** [betreffen] *concern* ⇒*regard* **0.3** [ter harte gaan] *concern* ⇒*matter* ◆ **1.1** ⟨pol.⟩ een coalitie ~ met ... *enter into a coalition with ...;* een lening ~ *contract a loan;* de strijd ~ *enter into/join battle/the fray;* een weddenschap ~ *make/take a bet* **4.2** dat gaat hem niet aan *that's none of his business, that's no business/concern of his, that has nothing to do with him;* voor allen die het aangaat *to whom it may c.;* wat die kwestie aangaat, is er nog niets bekend *as far as that's concerned there's no news yet;* wat mij aangaat ... *as far as I'm concerned, as for me;* ⟨pej.⟩ *for all I care;* wat mannen aangaat, is ze erg kieskeurig *as regards/concerning/with regard to men/as far as/where men are concerned, she's very choosy;* wat dat aangaat, heb je niets te vrezen *as regards that/on that score you have nothing to fear* **4.3** wat gaat mij dat aan *what business/concern is that of mine?, what has that got to do with me?*

aangaande ⟨vz.⟩ **0.1** *as regards* ⇒*as for, regarding, with regard/respect to, concerning, as far as ... is concerned* ◆ **1.1** ~ die kwestie is nog niets bekend *as far as that's concerned there's no news yet, there's no news yet on that matter/score.*

aangapen ⟨ov.ww.⟩ **0.1** [met open mond aanstaren] *gape (at)* **0.2** [⟨fig.⟩ bedreigen] *yawn (before)* ◆ **1.2** de afgrond gaapte ons aan *the abyss opened up/yawned in front of us* **3.1** sta me niet zo dom aan te gapen! *stop gaping at me like an idiot!.*

aangebedene ⟨de (m.)⟩ ⟨schr.⟩ **0.1** *beloved* ⇒ ⟨ook scherts.⟩ *object of one's affections/attentions.*

aangeblazen ⟨bn.⟩ ⟨taal.⟩ **0.1** *aspirated.*

aangebonden ⟨bn.⟩ ◆ **5.¶** kort ~ zijn *tegen iem. be short/abrupt with s.o.;* kort ~ zijn *be short-tempered/touchy, have a short temper/* ⟨inf.⟩ *fuse.*

aangeboren ⟨bn.⟩ **0.1** [ingeboren] *innate* ⇒*inborn, inbred,* ⟨med.⟩ *congenital* **0.2** [door/met de geboorte verkregen] *inherent* ◆ **1.1** ⟨med.⟩ een ~ afwijking *a congenital defect;* ~ beschaving *(good) breeding, inbred refinement* **1.2** ~ rechten *i. rights, birthright* **3.1** hij doet dat alles alsof het hem ~ is *he does it all as (if/though) to the manner born.*

aangebrand ⟨bn.⟩ **0.1** *burnt (on)* ⇒*scorched* ◆ **3.1** het eten smaakt ~ *the dinner tastes b.;* ⟨excuses⟩ sorry for the b. offering **5.¶** gauw ~ zijn *have a short temper/* ⟨inf.⟩ *fuse, be short-tempered/touchy.*

aangedaan ⟨bn.⟩ **0.1** [bewogen] *moved* ⇒*touched* **0.2** [door ziekte aangetast] *affected* ◆ **6.1** hij was **door** die woorden bijzonder ~ *he was particularly m. / touched by those words;* **tot** schreiens toe ~ m. *to (the point of) tears* **6.2** zijn longen **zijn** ~ *his lungs are a..*

aangehuwd ⟨bn.⟩ ⟨schr.⟩ **0.1** *related by marriage* ◆ **1.1** ~e dochter *a daughter by marriage, a daughter-in-law.*

aangeklaagde ⟨de (m.)⟩ **0.1** *accused;* ⟨jur. ook⟩ *defendant;* ⟨bij echtscheiding⟩ *respondent.*

aangekleed ⟨bn.⟩ ◆ **1.¶** een aangeklede aap *(bespottelijk gekleed) a scarecrow, (he/she* ⟨etc.⟩ *is) dressed like a dog's dinner;* ⟨lelijk⟩ *(he/she* ⟨etc.⟩ *is) no oil painting;* een aangeklede borrel *drinks with snacks;* een aangeklede boterham *a dressed sandwich* **3.¶** ~ gaat uit ≠*he/she is overdressed;* ⟨inf.⟩ ~ ≠*she is tarted up.*

aangekomene ⟨de (m.)⟩ ◆ **5.¶** pas ~ *newcomer, new arrival.*

aangelande ⟨de (m.)⟩ **0.1** *adjoining landowner* ⇒*owner of adjoining land,* ⟨aan weg⟩ *owner of land adjoining a road,* ⟨aan rivier⟩ *riparian (proprietor/owner).*

aangelegd ⟨bn.⟩ **0.1** [in een vorm gebracht] *laid-out* ⇒*designed* **0.2** [aanleg hebbende voor] *-minded* ◆ **1.1** dit park is te formeel voor mijn smaak *this park is too formal for my liking* **3.2** zo is zij nu eenmaal ~ *that's just the way she is, she's just made that way* **5.2** artistiek/humoristisch ~ *with an artistic/humorous turn of mind;* commercieel/ernstig ~ *commercially/serious-m.;* huishoudelijk ~ *domestic(ated);* kritisch ~ *critical(ly inclined).*

aangelegen ⟨bn.⟩ **0.1** ⟨ook wisk.⟩ *adjacent.*

aangelegenheid ⟨de (v.)⟩ **0.1** *affair* ⇒*business, matter, concern* ◆ **1.1** aangelegenheden van kerk en staat *affairs of church and state* **2.1** financiële aangelegenheden *financial affairs/matters* **2.¶** ⟨schr.⟩ een zaak van grote ~ *a matter of (great) moment* **3.1** zich met de aangelegenheden v.e. ander bemoeien *interfere in s.o. else's business/affairs.*

aangeleund ⟨bn.⟩ ◆ **3.¶** ⟨scherts.⟩ ~ zijn *met be going out/steady with.*

aangenaam
I ⟨bn.⟩ **0.1** [genoegen verschaffend] *pleasant* ⇒ ⟨stem, beeld⟩ *pleasing,* ⟨omgeving ook⟩ *congenial,* ⟨vero.⟩ *agreeable* ◆ **1.1** ~ van smaak / voor het oog *pleasant to (the) taste, pleasing to the eye;* zijn komst was een aangename verrassing *his arrival was a pleasant surprise* **3.1** zich ~ maken bij iem. *ingratiate o.s. with s.o., make o.s. agreeable to s.o.;* het zou ons ~ zijn van u te mogen vernemen *we should be pleased to hear from you* **¶.1** ~ (met u kennis te maken) *how do you do?,* ⟨pleased to meet you; het was me ~ *pleased to have met you, it was nice/a pleasure meeting you;*
II ⟨bw.⟩ **0.1** [op een wijze die aangenaam is] *pleasantly* ⇒*agreeably* ◆ **2.1** de wind was ~ koel *the wind was p. cool;* ze was ~ verrast *she*

was p. surprised **3.1** ~ klinken *sound/be pleasant/pleasing (to the ear).*

aangenomen[1] 〈bn.〉 ◆ **1.¶** een ~ vaderland *an adopted/adoptive country;* een ~ kind *an adopted child;* hij reist onder een ~ naam *he is travelling under an assumed name;* ~ werk *contract work;* het is geen ~ werk *there's no hurry!, take your time!, take it easy!, relax!.*

aangenomen[2] 〈vz.〉 ◆ **8.¶** ~ dat *supposing (that), suppose (that), say (that), assuming (that).*

aangepast 〈bn.〉 **0.1** (*specially) adapted;* 〈geestelijk〉 *adjusted* ◆ **1.1** een ~e ingang v.h. hoofdpostkantoor *a specially adapted entrance to the main post office;* een ~e versie *an adapted version* **5.1** goed ~ zijn *be well-adapted/adjusted;* slecht ~ zijn *be poorly adapted/adjusted, be maladjusted.*

aangeschoten 〈bn.〉 **0.1** [beetje dronken] *under the influence* ⇒*tipsy, merry,* 〈scherts.〉 *the worse for wear* **0.2** [〈sport〉] *accidental* ◆ **1.2** ~ handen *a contact/handling/hands.*

aangeschreven 〈bn.〉 **0.1** *thought-of* ◆ **1.¶** 〈wisk.〉 een ~ cirkel (v.e. driehoek) *an escribed circle (on a triangle)* **5.1** hij staat goed/slecht aangeschreven *he's well/not well t.-o., he has a good/bad reputation;* goed/slecht/hoog/laag aangeschreven staan bij iem. *be in s.o.'s good/bad books, be in good/bad odour with s.o..*

aangeslagen 〈bn.〉 **0.1** [uit zijn evenwicht gebracht] *affected* ⇒〈sterker〉 *shaken* **0.2** [〈nat.〉] *excited* **0.3** [met aanslag bedekt] *steamed up, misted over* 〈glas〉*; furred (up)* 〈ketel〉*; tarnished* 〈metaal〉 ◆ **1.1** de bokser maakte een ~ indruk *the boxer looked g./unsteady* **6.1** hij was ~ door het nieuws *he was shaken/deeply affected by the news.*

aangeslotene 〈de (m.)〉 **0.1** *affiliate* ⇒〈telefoon〉 *subscriber,* 〈bij vakbeweging〉 *(trade) unionist.*

aangestoken 〈bn.〉 **0.1** [mbt. vruchten] *worm-eaten* ⇒*maggoty* **0.2** [mbt. personen] *infected.*

aangetekend 〈bn.〉 **0.1** *registered* ◆ **1.1** ~e stukken met bewijs van ontvangst *recorded deliveries,* [^A]*certified mail* **3.1** je moet die stukken ~ versturen *you must send those items r./by r.mail/* 〈BE ook〉 *by r. post.*

aangetrouwd 〈bn.〉 **0.1** *related by marriage* ◆ **1.1** een ~e dochter *a daughter by marriage, a daughter-in-law;* ~e familie *in-laws;* ~e neven en nichten *cousins by marriage* **¶.1** ~ is aangedouwd *you can't choose your in-laws.*

aangeven 〈ov.ww.〉 **0.1** [overhandigen] *hand* ⇒*pass* **0.2** [bekendmaken] *indicate* ⇒*declare, state, give* **0.3** [ter kennis brengen v.d. overheid] *report* ⇒*notify,* 〈douane〉 *declare,* 〈vero.; misdaad〉 *denounce* **0.4** [met tekens aanduiden] *indicate* ⇒*mark, show, record* **0.5** [〈AZN〉] in staat achten] *think of* ⇒*think up to* **0.6** [〈dram.〉] *feed* ⇒*act as a foil for* **0.7** [〈sport〉/voetbal] *feed;* 〈volleybal〉 *set* ◆ **1.2** de hoofdlijnen v.e. plan ~ *outline a plan;* de koers ~ *i./set the course;* 〈fig.〉 *point the direction,* set the tone *call the tune, take the lead, set the fashion* **1.3** bijverdiensten ~ *give details of additional earnings;* een dief/diefstal ~ *r. a thief/a theft (to the police);* een geboorte/huwelijk ~ *register a birth/marriage* **1.4** de thermometer geeft dertig graden aan *the thermometer is reading/registering 30 degrees;* ↓*says (it is) 30;* de maat ~ *beat time;* wijzigingen steeds met potlood aan te geven *emendations/alterations are always to be made in pencil* **1.¶** de mode ~ *set the fashion;* de pas ~ *take the lead* **3.3** hebt u nog iets aan te geven? *have you anything (else) to declare?* **4.3** zich ~ voor een examen *enter for an examination;* de dader heeft zichzelf aangegeven *the culprit turned himself in/gave himself up* **5.2** tenzij anders aangegeven *except where otherwise specified, unless stated/shown otherwise;* nauwkeurig ~ *specify (in detail)* **5.4** kunt u ongeveer ~ waar het is? *can you i. approximately where it is?* **5.5** dat zou ik hem niet ~ *I wouldn't think that of him, I wouldn't think him up to that.*

aangever 〈de (m.)〉 **0.1** [iem. die aangeeft] *informant,* 〈bij belasting〉 *person submitting a/the declaration* **0.2** [ernstige partner in een komisch duo] *feed,* [^A]*feeder* ⇒*foil* **0.3** [〈voetbal〉] *feeder* ◆ **¶.1** ~tje (*welcome) opening, opportunity.*

aangewezen 〈bn.〉 ◆ **1.¶** dit is niet de ~ methode *this is not the proper/correct/right/appropriate way/method;* het ~ middel *the obvious means;* de ~ persoon *the right/obvious person/man/woman (for the job), just the person/man/woman;* dat is de ~ weg *that's the way to go/line to take;* de ~ weg is de obvious way **6.¶** voor olie is ons land aangewezen op ...*as regards oil our country is dependent/depends/is reliant/relies on ...;* **op** iets ~ zijn *have to turn to/rely on sth., be thrown (back) on sth.;* zij zijn **op** elkaar ~ *they are thrown onto each other's company/society, they are thrown together;* we zijn **op** het boek zelf ~ *we have to resort to/rely on the book itself.*

aangezicht 〈het〉 (→sprw. 442) **0.1** *face* ⇒〈schr.〉 *countenance* ◆ **6.1** 〈fig.〉 **in** het ~ v.d. dood *in the f. of death, staring death in the f., f. to f. with death;* **in** het ~ des Heren *in the sight of the Lord;* **van** ~ **tot** ~ *met f. to f. with s.o..*

aangezichtsligging 〈de (v.)〉 〈med.〉 **0.1** *face presentation.*

aangezichtspijn 〈de (v.)〉 **0.1** *facial pain* ⇒〈scherts.〉 *face-ache,* 〈med.〉 *facial neuralgia.*

aangezien 〈vw.〉 **0.1** *since* ⇒*as, seeing (that).*

---

aangifte 〈de (v.)〉 **0.1** *declaration* 〈waarde, belasting, douane〉; 〈handeling〉 *reporting,* 〈inhoud〉 *report* 〈misdaad〉*; registration* 〈bevolkingsregister〉; 〈geboorte ook〉 *notification; entry* 〈wedstrijd〉*; registration* 〈congres〉 ◆ **1.1** ~ inkomstenbelasting *income tax return;* de juistheid v.d. ~ werd betwijfeld *the accuracy of the declaration/report was in doubt;* memorie van ~ *notification* **3.1** ~ doen v.e. vacature/ongeval *notify of a vacancy/an accident;* ~ doen v.e. misdrijf *inform of a crime;* 〈belasting〉 ~ doen *make a declaration, declare;* ~ doen van geboorte/huwelijk/overlijden *register a birth/marriage/death;* de ~ sluit 1 oktober *the closing date is/registration closes on 1 October;* bij diefstal wordt altijd ~ gedaan *shoplifters/shoplifting will be prosecuted.*

aangifteformulier 〈het〉 **0.1** 〈belasting〉 (*income) tax form/return;* 〈douane〉 *declaration;* 〈geboorte, overlijden〉 *registration form.*

aangloeien 〈onov.ww.〉 **0.1** *light (up).*

aangooien 〈ov.ww.〉 **0.1** *throw (against)* ⇒〈honkbal〉 *pitch,* 〈cricket〉 *bowl* ◆ **5.1** fout ~ *overthrow.*

aangorden 〈schr.〉
I 〈ov.ww.〉 **0.1** [om het middel binden] *gird on* ◆ **1.1** het harnas/de wapens ~ (voor/tegen iem./iets) *take up arms (for/against s.o./sth.);*
II 〈wk.ww.; zich ~〉 **0.1** [zich wapenen] *gird o.s. up; gird up one's loins* 〈ook scherts.〉 **0.2** [zich gereedmaken voor] *gird o.s. up; gird up one's loins* 〈ook scherts.〉.

aangrenzend 〈bn.〉 **0.1** *adjoining* ⇒〈ihb. huis/vertrek〉 *adjacent,* 〈naburig; land〉 *neighbouring,* 〈schr.〉 *contiguous.*

aangrijnzen 〈onov.ww.〉 **0.1** *grin at* ⇒〈fig.〉 *stare in the face* ◆ **1.1** de honger/dood grijnst de verdwaalden aan *starvation/death stares the lost group in the face.*

aangrijpen 〈ov.ww.〉 **0.1** [treffen] *lay low* ⇒*strike (at the heart of),* 〈emotioneel〉 *make a deep impression on* **0.2** [met kracht aantasten] *attack* ⇒*assail* **0.3** [beetpakken] *seize (at/upon)* ⇒*grip, clutch (at)* ◆ **1.1** dit boek heeft me zeer aangegrepen *this book has made a deep impression on me/has deeply moved me;* de koorts had hem aangegrepen *the fever had laid him low;* dit soort situaties grijpt haar nogal aan *this sort of situation affects her a lot!* 〈sterker〉 *takes it out of/a toll on her* **1.3** het aanbod (gretig) ~ *jump at the offer;* een gelegenheid met beide handen ~ *s. an opportunity with both hands;* een strohalm ~ *clutch at a straw;* een voorwendsel ~ *latch onto/s. (upon) an excuse* **6.2** door koude/schrik/angst aangegrepen *gripped/seized by cold/terror/fear.*

aangrijpend 〈bn., bw.; -ly〉 **0.1** *moving* ⇒*touching, poignant,* 〈boeiend〉 *gripping, stirring.*

aangrijpingspunt 〈het〉 **0.1** [punt om aan te grijpen] *excuse, pretext* **0.2** [〈nat.〉] *point of application/action* 〈v.e. kracht〉 ◆ **3.1** ze zochten/vonden een ~ om tot actie over te gaan *they were looking for/found an e. to act.*

aangroei 〈de (m.)〉 **0.1** [het aangroeien] *growth* ⇒*increase* **0.2** [wat ergens aan vastgegroeid is] *growth* ⇒〈aan schip〉 *fouling* ◆ **1.1** de ~ v.d. bevolking *the g./increase in/of the population.*

aangroeien 〈onov.ww.〉 **0.1** [toenemen] *grow* ⇒*increase, swell* **0.2** [opnieuw groeien] *grow again* **0.3** [begroeid worden] *develop growths* ⇒*become fouled* 〈schip〉 ◆ **1.1** de snel aangroeiende bevolking *the rapidly growing/increasing/swelling population* **3.1** doen ~ *swell, increase;* 〈rente〉 *accrue* **3.2** doen ~ *regenerate* **6.1** ~ tot iets *g. into sth..*

---

aanhaken
I 〈onov.ww.〉 **0.1** [〈schaatssport〉] *hang/hitch on* **0.2** [doorgaan op het voorafgaande] *take it* 〈enz.〉 *up* ⇒*follow on (from), come in* ◆ **6.2** ik wilde graag even **bij** het zojuist gezegde ~ *I would like to come in here, could I just come in here?;*
II 〈ov.ww.〉 **0.1** [al hakend verbinden aan] *crochet on* **0.2** [met een haak vasthechten] *hook up/on (to)* ⇒*couple (to)* 〈wagon〉 ◆ **1.1** een aangehaakt randje *a crocheted-on border.*

aanhalen
I 〈onov., ov.ww.〉 **0.1** [liefkozen] *caress* 〈mens〉 *stroke, pet, fondle* 〈dier〉; 〈lief zijn〉 *be affectionate* **0.2** [citeren] *quote* ⇒*cite* ◆ **1.2** op de aangehaalde plaats *loc. cit., loco citato;* als voorbeeld/bewijs ~ *q. as an example/as evidence* **4.2** ik haal aan (and) *I quote* **5.1** die jongen haalt graag aan *that boy/lad is very affectionate* **5.2** een boek/schrijver verkeerd ~ *misquote a book/an author;*
II 〈ov.ww.〉 **0.1** [naar zich toe trekken] *pull/draw in;* 〈touw〉 *haul in* **0.2** [vaster trekken] *pull/draw tighter* ⇒*tighten* **0.3** [beginnen] *let o.s. in for* ⇒*get o.s. lumbered with* **0.4** [in beslag nemen] *seize* ◆ **1.1** de teugels ~ *draw in/tighten the reins;* deze verrekijker haalt sterk aan *these binoculars are very strong/bring everything very close* **1.2** 〈scheep.〉 de schoten ~ *sheet home, haul home the sheets;* 〈fig.〉 de banden nauwer ~ (met) *strengthen the ties/bonds (with);* we moeten allemaal de buikriem ~ *we'll all have to tighten our belts* **1.4** de narcoticabrigade haalde de cocaïne aan *the cocaine was seized by the drugs squad* **1.¶** een cijfer ~ *bring down a number* **4.3** je weet niet wat je aanhaalt *you don't know what you're letting yourself in for;*
III 〈onov.ww.〉 **0.1** [krachtiger worden] *strengthen;* 〈wind ook〉 *freshen.*

aanhalerig 〈bn., bw.; -ly〉 **0.1** *(over-)affectionate*.

aanhalig 〈bn., bw.〉 **0.1** *affectionate* ⇒*sweet* ◆ **3.1** hij kon zeer ~ doen *he could be very a./sweet*.

aanhaling 〈de (v.)〉 **0.1** [het citeren] *quotation* ⇒*citation* **0.2** [citaat] *quotation* ⇒〈inf.〉 *quote*, 〈schr.〉 *citation* **0.3** [inbeslagneming] *seizure* ◆ **2.2** verkeerde ~ *misquotation*; [+] *misquote*.

aanhalingsteken 〈het〉 **0.1** [〈onderscheidt aangehaalde woorden〉] *quotation mark* ⇒〈inf.〉 *quote*, 〈BE ook〉 *inverted comma* **0.2** [〈geeft herhaling aan〉] *ditto (mark)* **0.3** [〈geeft fig. betekenis aan〉] *quotation mark* ⇒〈inf.〉 *quote*, 〈BE ook〉 *inverted comma* ◆ **3.1** ~s openen *quote, open inverted commas/quotes*; ~s sluiten *unquote, close inverted commas/quotes* **6.1** tussen ~s plaatsen *put between/in quotation marks/inverted commas/quotes*; **tussen** ~s *in quotation marks/inverted commas/quotes*; onze Duitse beschermers, **tussen** ~s *our German protectors, in inverted commas*.

aanhang 〈de (m.)〉 **0.1** *following* ⇒*followers*, 〈partij, enz.〉 *supporters*, 〈theorie〉 *adherents* ◆ **2.1** over een grote ~ beschikken *have a large following, be well supported* **3.1** algemeen ~ vinden *find general support*; 〈mening〉 *be (up)held*; veel/weinig ~ vinden onder *find little/considerable support among, have a large/small following among*; zijn denkbeelden vonden enige ~ *his ideas found some support/were (up)held by a number of people* **6.1** 〈scherts.〉 daar komt X. **met** zijn ~ *here comes X. with the wife and kids in tow/with all his appendages*.

aanhangen

I 〈ov.ww.〉 **0.1** [toegedaan zijn] *adhere to* ⇒*be attached to, support* **0.2** [door hangen bevestigen] *hitch on* ⇒*couple on, connect up* ◆ **1.1** de Griekse beginselen ~ *be gay*; een geloof/partij ~ *adhere to a faith, support a party*; het volk hangt nieuwe leiders aan *the people support/back new leaders*; de revolutie ~ *support the revolution*; dit standpunt wordt door velen aangehangen *this point of view is held by many*;

II 〈onov.ww.〉 **0.1** [hangende vast blijven zitten] *cling (to)* **0.2** [mbt. textiel] *catch fluff* ◆ **1.1** spinazie koken met het ~de water *cook spinach in its own water* **1.2** die jas hangt erg aan *everything sticks to that coat*.

aanhanger¹ 〈de (m.)〉, **-ster** 〈de (v.)〉 **0.1** *follower*; 〈partij, enz.〉 *supporter*; 〈theorie〉 *adherent* ◆ **2.1** een vurig/trouw ~ (van) *an ardent/faithful f./s. (of)* **3.1** iemands ~ zijn *be s.o.'s follower/supporter, be a follower/supporter of s.o.* **6.1** een ~ **van** een sekte *an a./a devotee of a sect*.

aanhanger² 〈de (m.)〉 **0.1** *trailer*.

aanhangig 〈bn.〉 **0.1** *pending* ⇒〈jur.〉 *before the courts* ◆ **3.1** de zaak is voor het gerecht ~ *the case is before the courts/sub judice*; een zaak weer ~ maken *re-open a case*; een kwestie ~ maken bij de autoriteiten *take a matter up with the authorities*; een zaak ~ maken voor de rechtbank *bring a case before the court*; een rechtsvordering ~ maken *commence an action*; een wetsontwerp ~ maken *introduce a bill*.

aanhangsel 〈het〉 **0.1** [iets aan een groter geheel] *appendage*; 〈med.〉 *appendix* **0.2** [mbt. een boek/document] *appendix* ⇒*annex* ◆ **2.1** het wormvormig ~ *the vermiform appendix* **3.1** sinds haar benoeming is hij slechts een ~ van zijn vrouw *since she was appointed he's only been an appendage to his wife* **6.2** een ~ **bij** een testament *a codicil to a will*; een ~ **bij** een polis/document *an appendix/annex to a policy/document*.

aanhangwagen 〈de (m.)〉 **0.1** *trailer* 〈ook van tram〉; 〈fig.〉 *appendage*.

aanhankelijk

I 〈bn.〉 **0.1** [geneigd zich aan iem. te hechten] *affectionate, devoted* ⇒*clinging, attached*;

II 〈bw.〉 **0.1** [met liefde en gehechtheid] *affectionately, devotedly* ⇒*lovingly*.

aanhankelijkheid 〈de (v.)〉 **0.1** *affection* ⇒*attachment, adhesion, adherence, devotion, loyalty* ◆ **3.1** iem. zijn ~ betonen *show one's devotion/attachment to s.o.*.

aanharken 〈ov.ww.〉 **0.1** [door harken in orde brengen] *rake (over)* **0.2** [bij elkaar harken] *rake (up)*.

aanhebben 〈ov.ww.〉 **0.1** [aan het lijf hebben] *have on, be wearing* **0.2** [brandende hebben] *have on/burning/lighted* ◆ **1.1** 〈fig.〉 de broek ~ (be) *wear(ing) the breeches/trousers/ᴬpants* **1.2** wij hebben de kachel al aan *we have already got the heater on/lighted the stove*.

aanhechten 〈ov.ww.〉 **0.1** [door hechten bevestigen] *attach* ⇒〈met draad〉 *stitch/tack/fasten on*, 〈plakken〉 *affix, append, annexe* 〈bijlage〉 **0.2** [mbt. een draad] 〈nieuwe draad beginnen〉 *start off*; 〈afgebroken draad vasthechten〉 *piece, join (on)*.

aanhechting 〈de (v.)〉 **0.1** *attachment* 〈ook van spier〉 ⇒*fastening, accretion*, 〈med.〉 *insertion*.

aanhechtingspunt 〈het〉 **0.1** *join, juncture, point of attachment* ⇒〈van spier〉 *origin*.

aanhef 〈de (m.)〉 **0.1** [lezing, artikel] *opening words/lines/sentences* ⇒*exordium, introduction*, 〈brief〉 *greeting* ◆ **6.1** in de ~ **van** *at the beginning/in the opening of*.

aanheffen 〈onov., ov.ww.〉 **0.1** *start* ⇒*begin, break into* 〈lied〉, *raise* 〈gejuich〉, *strike up* 〈volkslied〉.

aanhikken 〈onov.ww.〉 〈inf.〉 **0.1** 〈ergens tegen op zien〉 *dread, fear,*

shrink (from); 〈moeite hebben met〉 *have problems (with/about), find difficult to accept/hard to take, kick against* ◆ **6.1** hij hikte erg **tegen** het karwei aan *he dreaded the job greatly, he was not looking/did not look forward to the job at all*; hij hikte erg **tegen** het besluit van zijn chef aan *he found it difficult to accept his boss's decision*; hij zit **tegen** zijn proefwerk aan te hikken *he's having problems/worrying about his test*.

aanhitsen 〈ov.ww.〉 **0.1** *incite* ⇒*stir up, egg on, set on* 〈hond〉 ◆ **6.1** zijn hond **op** iem. ~ *set one's dog on/at s.o..*

aanhobbelen 〈onov.ww.〉 ◆ **3.¶** komen ~/ aangehobbeld *come hobbling/limping along* 〈persoon〉; 〈kind ook〉 *come toddling/tottering along*; *come jolting/bumping along/down the road* 〈kar〉.

aanhollen 〈onov.ww.〉 ◆ **3.¶** komen ~/ aangehold *come running/rushing on/in/along*.

aanhoren 〈ov.ww.〉 **0.1** [luisteren naar] *listen to* ⇒*hear, give a hearing*, 〈schr.〉 *give audience* **0.2** [tot het einde toe horen] *hear out* ⇒*give a hearing* **0.3** [opmaken uit de taal/spraak] *hear, tell* ◆ **1.2** iemands relaas geduldig ~ *give s.o. a patient hearing, listen patiently to s.o.'s story/account* **3.3** het is hem aan te horen, dat hij een vreemdeling is *you can t./h. (from his speech) that he is a foreigner, he sounds like a foreigner* **6.1** ten ~ **van** *in the hearing/presence of, before, in front of* **6.2** dat is niet **om** aan te horen *I can't bear to hear (it) anymore*.

aanhouden

I 〈ov.ww.〉 **0.1** [tegenhouden] *stop* ⇒〈door politie〉 *arrest, detain, hold, apprehend*, 〈inf.〉 *pick up*, 〈beroven〉 *hold up* **0.2** [bij zich houden] *hold on to* ⇒*keep, continue* 〈abonnement〉, *adhere/stick to* 〈methode〉 **0.3** [uitstellen] *hold (over)* ⇒*leave, adjourn, reserve, postpone* 〈rechtzaak e.d.〉, 〈inf.〉 *put off* **0.4** [laten voortduren] *prolong* ⇒*keep up* 〈vriendschap〉, *hold, sustain* 〈noot〉 **0.5** [aan het lijf houden] *keep on* **0.6** [aan de gang houden] *keep on/up* ⇒*leave on* 〈radio, licht〉, *keep going/alight* 〈vuur〉 ◆ **1.1** een bekende ~ *s. an acquaintance (in the street)*; een kabel ~ *hold a cable*; een verdachte ~ *take a suspect into custody* **1.2** een kavel ~ *withdraw a (p)lot/parcel* **1.3** een agendapunt ~ tot een volgende vergadering *h. over a matter/point of discussion to the next meeting*; een rechtszaak ~ *adjourn a case, hold/leave over a case, let a case stand over* **1.¶** houdt die hoeveelheid maar aan *(you can) take/use that amount*; als je het recept aanhoudt, kan er niets misgaan *if you follow/stick to the recipe, nothing can go wrong*;

II 〈onov.ww.〉 **0.1** [niet ophouden te doen] *keep/go on* ⇒*persist (in), insist (on), persevere (in), stick (at)* **0.2** [voortduren] *go on, continue* ⇒*persist, hold, last, keep up* 〈ook van weer〉 **0.3** [〈+op〉] *keep* 〈links of rechts〉; *make/head (for)* 〈bepaald doel〉; 〈scheep.〉 *bear down (on), stand (in)/steer (for)* ◆ **3.1** blijven ~ *persevere, insist* **4.2** dat zal nog wel even ~ *that will c./last for a while (yet)* **5.1** je moet niet zo ~ *you shouldn't insist/k. going on about it like that* **5.3** links/rechts ~ *keep to the left/right, bear left/right* **6.3 op** de kust ~ *head for/bear down on the coast, stand in for the shore*.

aanhoudend 〈bn., bw.; -ly〉 **0.1** [zonder ophouden] *continuous, persistent* ⇒*constant, ceaseless, incessant, lasting, protracted, all the time* 〈alleen bw.〉 **0.2** [met geringe tussenpozen] *continual* ⇒*continuing, repeated, perpetual, time and again, always* 〈alleen bw.〉 ◆ **1.1** een ~e droogte *a prolonged period of drought*; er is ~e vraag naar dat artikel *there is (a) constant/persistent demand for this article* **1.2** ~e interruptions *repeated interruptions* **2.1** ~ te nat voor de tijd van het jaar *persistently too wet for the time of the year* **2.2** hij is ~ ziek *he is always (being) ill*.

aanhouder 〈de (m.)〉, **-houdster** 〈de (v.)〉 (→sprw. 3) **0.1** *sticker, go-getter* ⇒*trier*.

aanhouding 〈de (v.)〉 **0.1** [arrestatie] *arrest* ⇒*apprehension, detention* **0.2** [uitstel van behandeling] *adjournment* ⇒*postponement, holding over* ◆ **3.1** verzoeken om iemands ~ *issue a warrant for s.o.'s arrest* **6.2** verzoek **tot** ~ v.e. proces *request the a. of a case/an a.* **6.¶** bij ~ *continually, persistently*.

aanhoudingsbevel 〈het〉 **0.1** *arrest warrant* ⇒〈jur. ook〉 *capias* ◆ **6.1** een ~ **tegen** hem *there is a warrant out for his arrest*.

aanjagen 〈ov.ww.〉 **0.1** [veroorzaken bij] *fill with* ⇒*inspire (into)* **0.2** [feller aansturen] *boost* ⇒*stoke up, stir up* **0.3** [sneller aandrijven] *boost* ⇒*supercharge* 〈motor〉 **0.4** [aansporen] *drive/push (on)* ⇒*goad on, spur/urge on* 〈paard〉 ◆ **1.1** iem. schrik ~ *frighten/terrorize/terrify s.o., put the fear of God/strike terror into s.o.*; iem. vrees ~ *daunt/intimidate s.o..*

aanjager 〈de (m.)〉 **0.1** [toestel dat aanjaagt] *booster (pump)* ⇒*supercharger*, 〈van brandspuit〉 *feeder (pump)*, 〈van schoorsteen〉 *blower*, 〈van locomotief〉 *blast-pipe*, 〈raket〉 *booster (rocket)* **0.2** [mbt. een motor] *supercharger* ⇒*booster*, 〈luchtv.〉 *compressor*.

aankaarten 〈ov.ww.〉 **0.1** *raise* ⇒*broach, introduce, touch on* ◆ **6.1** een zaak ~ **bij** *r. a matter with*.

aankakken 〈ww.〉 〈inf.〉 ◆ **3.¶** komen ~/ aangekakt *come sauntering/dawdling along/in, show/turn up*.

aankijken 〈ov.ww.〉 **0.1** [kijken naar] *look at* ⇒*eye, view, give (sth.) a look* **0.2** [in beraad houden] *(wait and) see* ⇒*await further developments, think the matter over* **0.3** [verdenken] *suspect* ⇒*have one's eye on, consider (s.o.) capable of (sth.)*, 〈verwijten〉 *blame, put the blame* *on* ◆ **1.2** de zaak nog eens ~ *wait and see, think the matter over* **3.1** elkaar zitten ~ *(just) sit looking at one another* **4.1** elkaar veelbetekenend ~ *give each other a meaningful / knowing look / glance* **5.1** ⟨fig.⟩ iets niet ~ *not so much as glance at sth., have no time for sth.;* iem. recht / goed / onderzoekend ~ *look s.o. (straight) in the eye / face, take a good look at s.o., look s.o. through and through, give s.o. a searching look;* iem. zwart ~ *scowl / glare at s.o., give s.o. a black look* **6.1** ⟨fig.⟩ iem. **met** schele ogen ~ *view s.o. with a jealous eye* ¶**.1** het ~ niet waard *not worth looking at.*

aanklacht ⟨de⟩ **0.1** *charge* ⟨ook geschrift⟩ ⇒⟨officieel⟩ *indictment, complaint, information, accusation* ◆ **1.1** een punt v.e. ~ *a count* **3.1** een ~ afwijzen *turn down / reject a complaint / charge;* een ~ indienen tegen iem. (bij) *file / lodge / lay a complaint against s.o. (with), bring a charge against s.o.;* de ~ werd ingetrokken *the charge was dropped* **6.1** ⟨fig.⟩ deze misstand is een ~ **tegen** de maatschappij *this abuse is an indictment against society;* een ~ **wegens** diefstal *a charge of theft;* een ~ **wegens** smaad *a libel action.*

aanklagen ⟨ov.ww.⟩ **0.1** *bring / prefer charges / a charge against, press charges against* ⇒*lay / lodge / file a complaint against, charge (with),* ⟨officieel⟩ *indict, accuse (of)* ◆ **4.1** ik zal je ~ *I'll sue you* **6.1** iem. ~ **wegens** diefstal / moord *charge s.o. with theft / murder;* ⟨moord ook⟩ *indict s.o. for murder;* iem. ~ **wegens** smaad *serve a writ of libel against s.o.;* iem. ~ **wegens** hoogverraad *impeach s.o. for high treason.*

aanklager ⟨de (m.)⟩,**-klaagster** ⟨de (v.)⟩ **0.1** *accuser;* ⟨eiser in zaak⟩ *complaining party, complainant;* ⟨jurist⟩ *plaintiff, prosecutor* ◆ **2.1** openbare ~ *public / Crown prosecutor,* ^*prosecuting attorney.*

aanklampen ⟨ov.ww.⟩ **0.1** [aanspreken] *stop* ⇒*buttonhole,* ⟨schr.⟩ *accost,* ⟨fig.⟩ *approach, apply to* **0.2** [enteren] *board* ◆ **6.1** iem. ~ **om** hulp *approch s.o. / apply to s.o. for help;* iem. ~ **om** geld ⟨ook⟩ *touch s.o. for money* **6.¶** ⟨(wieler)sport⟩ ~ **bij** de kopgroep *join / stay with the leaders.*

aankleden ⟨ov.ww.⟩ **0.1** [kleding aantrekken] *dress* ⇒*get dressed,* ⟨van kleren voorzien⟩ *clothe, fit out,* ⟨in toga⟩ *robe,* ⟨→aangekleed⟩ **0.2** [versieren] *decorate, furnish* ⇒*do / fit up, garnish, dress* ⟨gerecht⟩, ⟨→aangekleed⟩ ◆ **1.2** een kamer ~ *do up / f. a room* **2.1** je moet die jongen warm ~ *you must wrap / bundle the boy up well* **2.2** hij kleedde het verhaal mooi aan *he dressed the story up nicely* **4.1** zich ~ *get dressed.*

aankleding ⟨de (v.)⟩ **0.1** ⟨het aankleden v.e. kamer⟩ *furnishing, fitting up;* ⟨versiering v.e. kamer⟩ *decor, furnishings,* ⟨toneel⟩ *decor, staging, setting;* ⟨voorstel⟩ *presentation.*

aankleef ⟨de (m.)⟩ ⟨schr.⟩ ◆ **6.¶** met (al) den aankleve van dien *with all that appertains to it, and everything connected with it.*

aankleven ⟨onov.ww.⟩ **0.1** [eigen zijn aan] *attach to* ⇒*belong to, appertain to, be germane / incidental to, stick to* **0.2** ⟨schr.⟩ *hang on to* ⇒ *stick to, cling to, mark* ◆ **4.1** gebrek kleeft ons aan *we have our shortcomings / defects.*

aankloppen ⟨onov.ww.⟩ **0.1** [op de deur kloppen] *knock / rap (at the door)* ⇒ ⟨fig.⟩ *come knocking, appeal / apply (to)* **0.2** [door kloppen vaster maken] *tamp* ⇒*compact, ram / knock down* ◆ **5.1** ⟨fig.⟩ tevergeefs bij iem. ~ *appeal to s.o. in vain;* ⟨geld ook⟩ *get no change out of s.o.* **6.1** ⟨fig.⟩ **bij** iem. ~ **om** hulp / geld *come / appeal to s.o. for help / money, come knocking on s.o.'s door.*

aanknippen ⟨ov.ww.⟩ **0.1** [knippen met een ander deel] *cut in / as one (piece) with* **0.2** [in werking stellen] *flick / click / switch / snap on* ◆ **1.1** aangeknipte mouwen *sleeves cut in one with the bodice.*

aanknoeien ⟨onov.ww.⟩ ◆ **4.¶** zij knoeiden maar wat aan *they were just fiddling / fooling / messing around.*

aanknopen
I ⟨onov.ww.⟩ **0.1** [aansluiten] *tie in / fall in / link up (with)* ⇒*continue* ◆ **6.1** ~ **bij** het reeds eerder behandelde *link up / tie in with what has gone before;*
II ⟨ov.ww.⟩ **0.1** [vastknopen] *tie up / together* **0.2** [beginnen met] *enter into* ⇒*engage in, open, begin* ◆ **1.1** ⟨fig.⟩ we hebben er nog maar een dagje aangeknoopt *we're staying another day* **1.2** betrekkingen ~ met *establish relations with;* een gesprek / vriendschap ~ met *begin / strike up a conversation / friendship with;* onderhandelingen ~ met *enter into negotiations with* **5.2** weer ~ *resume.*

aanknopingspunt ⟨het⟩ **0.1** ⟨voor onderzoek⟩ *clue, lead;* ⟨als uitgangspunt⟩ *point of departure, starting-point;* ⟨tussen twee mensen⟩ *point of contact, thing in common* ◆ **6.1** een ~ **voor** verder onderzoek *a lead / point of departure for further research.*

aankoeken ⟨onov.ww.⟩ **0.1** [zich als een koek vastzetten] *cake, stick* ⇒ *cling, catch, set* **0.2** [met een koeklaag bedekt worden] *be(come) caked / (en)crusted (with)* ⇒*cake, crust* ◆ **1.1** het eten was aangekoekt *the food had caked / stuck / burned on to the pan* **1.2** zo'n pan koekt snel aan *these pans stick easily.*

aankomen
I ⟨onov.ww.⟩ **0.1** [arriveren] *arrive* ⇒*get to / there, reach,* ⟨trein / boot ook⟩ *come / pull in,* ⟨sport⟩ *finish* **0.2** [het doel treffen] *hit home / hard* ⇒*find (its) mark* **0.3** [komen aanzetten] *come (with)* ⇒*put (to)* **0.4** [naderen] *come (along)* ⇒*approach, draw in / near* **0.5** [bij toeval aan-

raken] *touch, hit* ⇒*come up (against)* **0.6** [in gewicht toenemen] *put on / gain weight / flesh* **0.7** [neerkomen] *come down (to), depend (on)* ⇒ *fall (to)* **0.8** [eigen worden] *come / get to* ⇒*be acquired* **0.9** [genezen] *improve, pick up* ⇒*come on* **0.10** [door erfenis eigendom worden] *come (down) to* ⇒*be inherited, accrue to* ◆ **1.2** die klap is hard aangekomen *that blow hit home / (him) hard;* ⟨fig.⟩ *that was a great blow to him* **1.8** die gewoonte is hem langzamerhand aangekomen *he has acquired that habit gradually / over the years* **3.1** de trein kan elk ogenblik ~ *the train is due (in) any moment* **3.3** hij zal je zien ~ *he'll see you coming;* ⟨fig.⟩ *you needn't try that one on him, it's no use going to him with that plan / idea* **3.4** een ~ *see a crash coming, anticipate a crash* **5.1** daar komt iem. aan *s.o. is coming;* te laat ~ *come in (too) late, be overdue / late* **5.3** en daar kom je nu pas mee aan? *now you tell me!* **5.5** niet ~! *don't (you) t. (it)!* **5.7** het erop een laten komen *let things come to a head* **5.8** er valt moeilijk aan te komen *it's difficult to come by* **6.1** even **bij** iem. ~ *stop / call in at s.o.'s place, drop in on s.o.* **6.3** je hoeft met dat plan **bij** hem niet aan te komen *it's no use putting / proposing that plan to him, it's no use going to him with that plan* **6.4** **op** iem. ~ *approach s.o., come up to s.o.* **6.5** zij kwam met haar elleboog **tegen** de deurpost aan *she hit her elbow against / on the doorpost* **6.7** alles komt **op** hem aan *it all depends on him / comes down to him;* iets **op** het laatste ogenblik laten ~ *leave sth. to the last moment;* het **op** een scheiding laten ~ *allow things to develop into a separation;* we kunnen het er niet **op** aan laten komen *we cannot take the risk;* **op** die paar gulden komt het niet aan *those few guilders do not matter* **8.1** ⟨sport⟩ als derde ~ *finish third.*
II ⟨onp.ww.⟩ **0.1** [gelden, betreffen] *come (down)(to)* ⇒*boil down (to), be a matter of* ◆ **5.¶** het komt er niet op aan *it doesn't matter, never mind;* nu komt het erop aan *this is it, now comes the tug of war, now comes the crunch;* als het erop aan komt *when the chips are down, when it's really important* **6.1** als het **op** betalen aankomt *when it comes to paying;* waar het **op** aankomt *the crucial point, what really matters, what it comes down to.*

aankomend ⟨bn.⟩ **0.1** [nog niet volwassen] ⟨generatie⟩ *rising, coming;* ⟨jongens en meisjes⟩ *adolescent, growing* **0.2** [nog niet volleerd] ⟨studerend⟩ *prospective, future,* ⟨onbedreven⟩ *budding, fledgling;* ⟨leerjongen⟩ *junior, apprentice, trainee* **0.3** [aanstaand] *next, coming* ◆ **1.2** een ~ actrice *a starlet, an up-and-coming actress;* een ~ advocaat *a prospective lawyer;* een ~ bediende *a junior / an apprentice clerk / assistant;* een ~ leraar *a prospective / young teacher;* een ~ predikant *a prospective / young minister, an ordinee;* een ~ schrijver *a budding author.*

aankomst ⟨de (v.)⟩ **0.1** *arrival* ⇒*advent, coming (in),* ⟨sport⟩ *finish(ing),* ⟨vliegtuig⟩ *landing,* ⟨in land⟩ *entry* ◆ **1.1** ⟨sport⟩ in volgorde van ~ *in (the) order of finishing, in finishing order* **1.¶** ⟨jur.⟩ titel van ~ *investitive fact* **2.1** ⟨hand.⟩ verkopen na / bij ~ *sell to arrive* **6.1** ~ volgens dienstregeling ...*due in at ...;* **bij** ~ v.d. trein *when the train comes in, on the a. of the train;* **bij** ~ on a..

aankomsthal ⟨de⟩ **0.1** *arrival(s)(hall)* ⇒ ⟨op vliegveld⟩ *arrival lounge,* ⟨gecombineerd met vertrekhal⟩ *(air) terminal.*

aankomsttijd ⟨de (m.)⟩ **0.1** *hour of arrival* ◆ **6.1** ~ volgens dienstregeling ...*scheduled arrival time ....*

aankondigen
I ⟨ov.ww.⟩ **0.1** [officieel bekendmaken] *announce* ⇒⟨plechtig⟩ *proclaim,* ⟨in krant ook⟩ *advertise,* ⟨met plakkaten⟩ *bill* **0.2** [te kennen geven] *indicate, reveal* ⇒*signal, betoken, spell (out), announce* **0.3** [inluiden] *announce, herald* ⇒*foretell, forebode, foreshadow* **0.4** [meedelen] *announce* **0.5** [het verschijnen bekendmaken] *announce, give notice of* ⇒ ⟨uitgebreid⟩ *review* **0.6** [⟨kaartspel⟩ *bid* ◆ **1.1** een bezoeker ~ *announce / usher in a visitor;* een huwelijk / sterfgeval ~ *announce / advertise a marriage / death* **1.3** het vertrek van de zwaluwen kondigt de winter aan *the departure of the swallows heralds the coming of winter* **1.4** de volgende plaat ~ *a. / introduce the next record;* een trein ~ *a. (the arrival of) a train;*
II ⟨wk.ww.; zich ~⟩ **0.1** [zich openbaren] *reveal o.s.* ⇒*show / prove o.s. be / stand revealed, turn out (to be)* ◆ **8.1** zij kondigde zich aan als de nieuwe opera-diva *she revealed herself as the new diva / opera star.*

aankondiging ⟨de (v.)⟩ **0.1** [handeling] *announcement* ⇒*notice,* ⟨teken⟩ *signal,* ⟨inluiding⟩ *foreboding,* ⟨plechtig⟩ *proclamation* **0.2** [bericht] *announcement, statement* ⇒*notice, bulletin,* ⟨in krant ook⟩ *advertisement,* ⟨van boek⟩ *(press-)notice,* ⟨plakkaat⟩ *bill, notice* ◆ **2.2** tot nadere ~ *until further notice* **3.2** ~en doen *make announcements;* ⟨bv. in vergadering⟩ *give out notices.*

aankoop ⟨de (m.)⟩ **0.1** [handeling] *buying* ⇒*purchase, purchasing, acquisition* **0.2** [het aangekochte] *purchase(s)* ⇒*acquisition, shopping* ◆ **2.2** grote aankopen doen *make large purchases* **6.1** **bij** ~ van drie flacons krijgt u een poster cadeau *(you get a) free poster with every three bottles.*

aankoopsom ⟨de (m.)⟩ **0.1** *purchase / price* ⇒ ⟨BE; hand.⟩ *ingoing.*

aankopen ⟨ov.ww.⟩ **0.1** *buy, purchase* ⇒*acquire, obtain.*

aankoppelen ⟨ov.ww.⟩ **0.1** [verbinden] *link up, attach* ⇒*hitch on, couple (up),* ⟨ruimtevoertuig⟩ *dock* **0.2** [mbt. delen v.e. machine] *couple, link up* **0.3** [mbt. dieren] *couple* ⇒*leash* ◆ **1.3** de jachthonden ~ *c. the hounds.*

aankrijgen ⟨ov.ww.⟩ **0.1** [aan het lichaam krijgen] *get on* ⇒*get into* **0.2** [aan de gang krijgen] *get going* ⇒*set in motion, get to burn* ⟨kachel⟩ **0.3** [als levering ontvangen] *receive, get/take in* ◆ **1.2** ik krijg de kachel niet aan *I can't get the stove to burn/light* **1.3** nieuwe voorraad~ *r. / get (in) new stock(s)*.

aankruipen ⟨onov.ww.⟩ **0.1** [zich kruipend voortbewegen] *creep/crawl along* **0.2** [zich aanvleien (tegen)] *cuddle up/nestle (up) to/against*.

aankruisen ⟨ov.ww.⟩ **0.1** *tick*, ^*check* ⇒*mark, cross (out)* ◆ **4.1** ~wat van toepassing is *t. where appropriate*.

aankunnen ⟨onov.ww.⟩ **0.1** [opgewassen zijn tegen] *be a match for* ⇒ *(be able to) hold one's own (against), be able to take on/cope with/ deal with* **0.2** [berekend zijn voor] *be prepared for, be equal/up to* ⇒*be able to manage/cope with* **0.3** [in staat zijn te gebruiken] *(be able to) manage* ⇒*have a way with, require* **0.4** [kunnen bereiken] *be able to reach/touch* ◆ **1.2** zij kon het lesgeven niet aan *she wasn't up to teaching;* zij kon het werk niet aan *the work was too much for her, she couldn't cope (with the work)* **4.1** het alleen~ *hold one's own* **6.¶** niet **op** iem. *~not be able to rely/depend on/trust s.o.* **7.3** veel~ *be a great /big spender/eater* **¶.¶** kan ik ervan op aan, dat je komt? *can I depend / bank on your coming?*.

aankweek ⟨de (m.)⟩ **0.1** [het aankweken] *cultivation* ⇒*growing, culture, breeding, development* **0.2** [wat aangekweekt is/wordt] *culture, breed* ⇒*reserve, growth, generation*.

aankweken ⟨ov.ww.⟩ **0.1** [opkweken] *cultivate* ⇒*grow, breed, culture* **0.2** [opwekken] *cultivate* ⇒*generate, foster, breed, build up, create* ◆ **1.2** een geest van verzet~ *foster/breed/build up a spirit of resistance;* een gewoonte *~get into/c. a habit;* vriendschap~ *breed/c. friendship*.

aanlachen ⟨onov.ww.⟩ **0.1** [toelachen] *smile at* **0.2** [⟨fig.⟩] *appeal to, (al)lure* ⇒*be relished, commend (itself) to* ⟨plan⟩ **0.3** [gunstig gezind zijn] *smile (up)on* ◆ **1.3** de fortuin lacht hem aan *fortune smiles upon his*.

aanlanden ⟨ov.ww.⟩ **0.1** [voor de wal komen] *land* ⇒*touch at, come alongside/to land/on shore* **0.2** [zijn bestemming bereiken] *finish, land (up)* ⇒*arrive at, reach, come to rest, find o.s.* **0.3** [aanslibben] *increase, grow* ⇒ ⟨dichtslibben⟩ *silt up* ◆ **4.2** waar we nu zijn aangeland? *where are we now/have we landed now?* **5.2** hij is er nog goed aangeland *he got there safe and sound in the end* **¶.3** voor we goed en wel waren aangeland *...hardly had we arrived ....*

aanlandig ⟨bn.⟩ ⟨scheep.⟩ **0.1** *onshore* ◆ **3.1** de wind is~ *there is an o. wind, the wind is blowing home*.

aanleg ⟨de (m.)⟩ **0.1** [constructie] *construction, building* ⇒⟨weg⟩ *laying,* ⟨kanaal⟩ *digging,* ⟨stad, tuin⟩ *planning, lay-out* **0.2** [begaafdheid] ⟨kunstzinnig⟩ *talent, genius, gift (edness);* ⟨zaken⟩ *aptitude, capacity; tendency* **0.3** [vatbaarheid] *sensitivity* ⇒*tendency, predisposition, inclination* **0.4** [uitgevoerd (grond)werk] *grounds, park* **0.5** [geneigdheid] *tendency, bent, temperament* ⇒*turn (of mind), inclination, disposition* **0.6** [⟨bk.⟩] *(first) sketch* **0.7** [het richten v.e. wapen] *aim-(ing)* **0.8** [⟨jur.⟩ instantie] *instance* ◆ **2.2** kunstzinnige~ *artistic talent / turn (of mind)* **3.2** ~ tonen voor talen *show an aptitude for languages* **6.1 in** *~under c.;* ~ **van** spoorwegen *railroad c.;* ~ **van** gas/water/ elektriciteit *installation of gas/water/electricity* **6.2** hij heeft veel~ **voor** wiskunde *he has a mathematical turn of mind/a good head for figures/a good deal of aptitude for mathematics;* daar moet je *~* **voor** hebben *it's a gift;* ~ **voor** muziek *a talent for music* **6.3** ~ **voor** griep *s. / predisposition to the flu* **6.8 in** eerste *~in the first i.* **6.¶ in** *~* aanwezig present in rudimentary form **7.5** ik heb geen~ om dik te worden *I have no tendency to get fat!* ↑*inclination towards obesity.*

aanleggen

I ⟨ov.ww.⟩ **0.1** [aanbrengen tegen/om] *apply* ⇒*lay/place (on/ around/against)* **0.2** [doen overeenkomstig een doel] *contrive* ⇒*set/ go about, manage* **0.3** [bezig zijn tot stand te brengen] *construct, build* ⇒*lay* ⟨straat⟩, *dig* ⟨kanaal⟩, *lay out* ⟨park, tuin⟩, *lay on* ⟨gas, licht, water⟩, *install* ⟨verwarming, riolering⟩, *build up* ⟨voorraad⟩ **0.4** [besteden] *spend* ⇒*pay,* ⟨belegген⟩ *invest,* ⟨mbt. een proces⟩ *commence* ⇒*start, begin, bring* ◆ **1.1** ⟨fig.⟩ een maatstaf~ *a. a standard/criterion;* de thermometer *~insert/put the thermometer in/ under;* een verband *~dress (a wound), bandage;* een zuigeling *~give a baby the breast* **1.3** licht *~lay on electric light(ing);* een spoorweg/ weg *~c. / build a railway/road;* een verzameling *~start/begin a collection;* een vijver *~sink a pond;* voorraden *~build up stocks, stockpile (goods), stock up on provisions;* een vuur *~build/lay a fire;* een nieuwe wijk *~develop/build a new estate* **3.2** het zó weten aan te leggen dat *~contrive to ...* **5.2** het breed *~live in a grand way;* het erop *~dat/om ...set out/c. to ...;* het handig/goed/verkeerd *~go/set about it cleverly/the right way/the wrong way;* hoe leg ik dat aan? *how do I go/set about this?;* het zuinig *~economize* **6.2** het **met** de buurvrouw *~start carrying on with the woman next door;* het **met** iem. ~ ⟨zich inlaten met⟩ *take up with/get involved with/get mixed up with s.o.;* ⟨ruzie krijgen met⟩ *fall out with s.o.;* ⟨gemene zaak maken met⟩ *join forces with/make common cause with/throw in one's lot with/side with s.o.;* het **op** iets *~be getting/aiming at sth.;*

II ⟨onov.ww.⟩ **0.1** [voor de wal komen] ⟨vastleggen⟩ *moor, fasten, tie up;* ⟨aandoen⟩ *touch (at), berth* **0.2** [onderweg stilhouden] *stop (off)/ call in (at);*

III ⟨onov., ov.ww.⟩ **0.1** [richten] *aim* ⇒*point, level* ◆ **¶.1** leg aan! *take aim!.*

aanleghaven ⟨de⟩ **0.1** *port of call.*

aanlegplaats ⟨de⟩ **0.1** [mbt. vaartuigen] *landing stage/place* ⇒*mooring place, berth,* ⟨van veer⟩ *ferry bridge* **0.2** [pleisterplaats langs de weg] *stopping place* ⇒⟨scherts.⟩ *port of call.*

aanlegsteiger ⟨de (m.)⟩ **0.1** *jetty* ⇒*landing stage,* ⟨voor kleine vaartuigen⟩ *marina.*

aanleiding ⟨de (v.)⟩ **0.1** *occasion* ⇒*reason, (immediate) cause, provocation* ◆ **3.1** er bestaat geen~ om/tot *there is no reason to;* dit gaf ons~ om *...this caused/induced us to ...;* iem. (geen)~ geven *(not) provoke s.o., give s.o. (no) cause;* ~ geven tot klachten/protesten *give cause/ o. for complaints/protests;* geen~ hebben om *have no call/cause to, see no reason to;* (alle)~ hebben om *have (every) reason to;* ~vinden in *find a(n) excuse/pretext in, take as one's excuse/pretext;* ~zijn/ geven tot *be the o. of, spark off, lead to, give rise to, occasion* **6.1 bij** de geringste *~at the slightest pretence/provocation, at the drop of a hat;* **naar** *~* **van** *as a result of;* **naar** *~* **van** uw schrijven *in response to/in reply to/with reference to/further to your letter;* de *~* **voor** mijn klacht *the reason for my complaint;* **zonder** enige~ *without any reason/provocation, for no (apparent) reason.*

aanlengen ⟨ov.ww.⟩ **0.1** *dilute* ⇒*water down,* ⟨knoeien⟩ *adulterate, doctor.*

aanleren

I ⟨ov.ww.⟩ **0.1** [leren] *learn* ⇒*acquire, pick up* **0.2** [onderwijzen] *teach* ⇒*train (in)* ◆ **1.1** slechte manieren *~acquire/pick up bad habits/manners;* een aangeleerde smaak *an acquired taste;* een vreemde taal *~l. / pick up a foreign language;* een aangeleerde toon ⟨pej.⟩ *an affected tone* **1.2** een hond kunstjes *~teach a dog tricks;*

II ⟨onov.ww.⟩ **0.1** [in kennis/bekwaamheid vooruitgaan] *improve* ⇒ *make progress, come on.*

aanleunen ⟨onov.ww.⟩ **0.1** *lean (against/towards)* ◆ **3.¶** zich iets laten~ ⟨belediging⟩ *take/accept/put up with/swallow sth.;* ⟨compliment⟩ *take sth. as one's due;* zich iets niet laten *~not take sth. lying down.*

aanleveren ⟨ov.ww.⟩ **0.1** *deliver for shipment* ⟨lading⟩ ◆ **7.1** het *~delivery for shipment.*

aanliggen ⟨onov.ww.⟩ **0.1** [aan de dis liggen] *recline at table* **0.2** [de bijslaap uitoefenen] *have (sexual) intercourse (with)* ⇒*lie/sleep (with)* **0.3** [zekere koers houden] *bear, stand* ⇒*hold course* **0.4** [⟨+tegen⟩ grenzen] *be close (to)* ⇒⟨fig. ook⟩ *come close* ◆ **5.3** oostelijk *~s. to the east, b. eastward, hold course for the east* **6.4** het is niet helemaal hetzelfde maar het ligt er wel dicht **tegen** aan *it's not quite the same but it comes close* **¶.1** aangelegen zijn ⟨be⟩ *recline(d) at table.*

aanliggend ⟨bn.⟩ **0.1** *adjacent* ⇒*adjoining, neighbouring, contiguous* ◆ **1.1** ⟨wisk.⟩ ~e hoek bij een zijde *adjacent/contiguous angle of a side;* ⟨wisk.⟩ ~e zijde v.e. hoek *adjacent/contiguous side of an angle.*

aanlijnen ⟨ov.ww.⟩ **0.1** *leash* ⇒*put a leash/lead on* ◆ **3.1** aangelijnd houden *keep on a/the leash/lead.*

aanlokkelijk ⟨bn.⟩ **0.1** *attractive* ⇒*tempting, inviting, alluring, charming* ◆ **1.1** een~ voorstel/aanbod *an attractive proposition/offer* **7.1** een weinig~ vooruitzicht *a rather uninviting prospect.*

aanlokken ⟨ov.ww.⟩ **0.1** [⟨fig.⟩] *attract* ⇒*allure, tempt, invite, entice* **0.2** [aantrekken] *attract* ⇒*lure, entrap, decoy, draw* ◆ **1.2** zo'n warenhuis lokt kopers aan *such a department store attracts many costumers* **4.1** dat voorstel lokte hem erg aan *this proposition appealed to him very much.*

aanloop ⟨de (m.)⟩ **0.1** [inleidende loop] *run up* ⇒⟨luchtv.⟩ *take-off run,* ⟨machine⟩ *zun-in* **0.2** [inleidende woorden] *introduction* ⇒*introductory remarks, preamble* **0.3** [bezoek] *visitors, callers* ⇒⟨klanten⟩ *customers, patronage* ◆ **2.2** een lange~ nemen *take a long time to get/ come to the point, give a long introduction* **3.1** een~ nemen *take a r. u.* **3.3** zij hebben altijd veel~ *they always have lots of v. / customers;* ⟨winkel ook⟩ *they are well patronized* **6.1** een sprong **met/zonder** ~ *a running/standing jump* **6.2 na** een korte/lange~ *after a few introductory remarks/a long preamble.*

aanloophaven ⟨de⟩ **0.1** *port of call.*

aanloopkoppel ⟨het⟩ ⟨tech.⟩ **0.1** *starting torque.*

aanloopkosten ⟨zn.mv.⟩ **0.1** *initial costs/expenses* ⇒*running-in expenses.*

aanloopmoeilijkheden ⟨zn.mv.⟩ **0.1** *initial problems/difficulties* ⇒⟨mbt. nieuwe zaak, enz.⟩ *teething troubles.*

aanlooppeiler ⟨de (m.)⟩⟨luchtv.⟩ **0.1** *(aircraft) direction finder* ⇒*radiogoniometer.*

aanloopperiode ⟨de (v.)⟩ **0.1** *introductory/initial/running-in/trial period* ⇒ ⟨mbt. produkt: tijd tussen concept en produktie⟩ *lead time.*

aanloopspreekuur ⟨het⟩ **0.1** *direct access consultation.*

aanlooptijd ⟨de (m.)⟩ **0.1** *warm(ing)-up (period)* ⟨ook fig.⟩; ⟨→aanloopperiode⟩.

aanlooptransformator ⟨de (m.)⟩ **0.1** *starting transformer.*

aanlopen

I ⟨onov.ww.⟩ **0.1** [in een richting gaan] *walk/come (towards);* ⟨bezoeken⟩ *call by/in, drop by/in;* ⟨schip⟩ *sail (towards/for)* **0.2** [in zijn loop gestuit worden] ⟨rem⟩ *rub, drag;* ⟨wiel ook⟩ *not run true, run out of* *true* **0.3** [op zich laten wachten] *take time* ⇒*be some time* **0.4** [genoemde kleur krijgen] *grow/become/turn …(in the face)* ⇒⟨rood⟩ *colour up, glow, flush* **0.5** [zich haasten met lopen] *hurry up, walk faster* ⇒*mend/quicken one's pace, step out* ◆ **1.3** die beslissing zal nog wel even ∼ *that decision will take some time yet* **2.4** blauw/paars ∼ *t. blue (in the face)*; rood/paars ∼ *t. / go red/purple in the face* **3.1** kom eens ∼ *call/drop by/in some time*; die kat is komen ∼ *that cat has strayed (in) here*; (langzaam) komen ∼ *approach (slowly)*; hij kwam (hard) ∼ / aangelopen (om te zien …) *he came (running) along (to see …)* **6.1 achter** iem. ∼ *follow s.o., dog s.o.'s (foot)steps*; ⟨verliefd⟩ *chase (after) s.o.*; ⟨fig.⟩ **achter** de feiten ∼ *not be up to date/in the picture/abreast of events/things, be behind the times*; (even) **bij** iem. ∼ *call in/drop in/look in on s.o./at s.o.'s (place)*; het schip liep **op** de Azoren aan *the ship sailed towards/for the Azores*; **tegen** iets ∼ *walk/run into sth.*; ⟨fig.⟩ *chance/stumble on sth., come across sth. (by accident)*; zo is hij **tegen** zijn vrouw aangelopen *that's how he met his wife*; **II** ⟨onov.ww.⟩ **0.1** [binnenlopen en afmeren] *touch/call/dock at* ◆ **1.1** morgen wordt Antwerpen aangelopen *tomorrow we shall call at Antwerp.*

aanmaak ⟨de (m.)⟩ **0.1** *manufacture, production* ⇒*making,* ⟨munten⟩ *coinage,* ⟨papiergeld⟩ *printing* ◆ **6.1 in** ∼ zijn *be in the making/in production.*

aanmaakblokje ⟨het⟩ **0.1** *firelighter.*

aanmaakhout ⟨het⟩ **0.1** *kindling(-wood),* [A]*lightwood.*

aanmaakhoutje ⟨het⟩ **0.1** *kindling* ⇒*spill.*

aanmaakkosten ⟨zn.mv.⟩ **0.1** *manufacturing/production costs* ⇒⟨grote machines e.d.⟩ *construction costs,* ⟨drukwerk⟩ *printing costs.*

aanmaken ⟨ov.ww.⟩ **0.1** [vervaardigen] *produce, manufacture* ⇒*make, mint* ⟨munten⟩, *print* ⟨drukwerk, bankbiljetten⟩ **0.2** [toebereiden] *mix* ⟨verf, deeg, sla⟩; *prepare* ⟨groenten⟩ **0.3** [doen branden] *light* ⇒*kindel, make* ◆ **1.2** beton ∼ *m. concrete*; aangemaakte saus *ready-made sauce*; sla ∼ *p. / m. / dress/make salad*; aangemaakte verf *ready-mixed paint*; wijn ∼ *water down wine* **1.3** een vuur/de kachel ∼ *l. a fire/the stove.*

aanmanen ⟨onov., ov.ww.⟩ **0.1** [aansporen] *urge* ⇒*exhort, advise, call on* **0.2** [sommeren] *order* ⇒*summon, press, demand,* ⟨tot betaling⟩ *dun* ◆ **6.1** tot kalmte ∼ *ask (people) to remain calm*; **tot** voorzichtigheid ∼ *u. / advise caution* **6.2** iem. **tot** betaling ∼ *demand payment from s.o., press s.o. for payment.*

aanmaning ⟨de (v.)⟩ **0.1** [woorden] *exhortation* ⇒*advice, order,* ⟨minder sterk⟩ *reminder* **0.2** [formulier] *summons, demand note* ⇒*dunning-letter,* ⟨minder sterk⟩ *request, reminder, warning notice* **0.3** [⟨fig.⟩] *warning(sign)* ⇒*symptom* ◆ **1.3** hij heeft al vaak een ∼ van die ziekte gehad *he has had quite a few warning signs/symptoms of this illness/disease before* **2.1** een vriendelijke ∼ *a gentle reminder* **2.2** een gerechtelijke ∼ *a judicial demand/reminder* **6.2** ∼ **tot** betaling ⟨eerste⟩ *reminder;* ⟨laatste⟩ *final notice.*

aanmatigen ⟨wk.ww.; zich ∼⟩ **0.1** *arrogate, usurp, assume* ⟨rechten⟩; *presume* ⟨oordeel⟩ ◆ **1.1** zich een oordeel ∼ *take it upon o.s. to pass judgement*; zich rechten ∼ *arrogate/assume rights to o.s., u. rights.*

aanmatigend ⟨bn., bw.; -ly⟩ **0.1** *presumptuous* ⇒*arrogant, highhanded, self-assertive,* ⟨inf.⟩ *cocksure* ◆ **1.1** een ∼e houding *a p./an arrogant manner*; op ∼e toon spreken *speak arrogantly/in a high-handed manner* **3.1** ∼ optreden *act presumptuously/arrogantly.*

aanmatiging ⟨de (v.)⟩ **0.1** [onrechtmatige opeising] *arrogation* ⇒*usurpation, appropriation, assumption* **0.2** [laatdunkende taal/daad] *arrogance* ⇒*insolence, pretentiousness, bumptiousness, highhandedness.*

aanmelden

I ⟨ov.ww.⟩ **0.1** [aandienen] *announce* ⇒⟨bezoekers ook⟩ *usher in, report, give notice of* ⟨berichten⟩ **0.2** [als kandidaat opgeven] *present* ⇒*enter/put forward/put down (s.o.'s name), apply* ⟨baan⟩ ◆ **4.2** zich voor een examen ∼ *present o.s. for an exam*; zich komen ∼ *present o.s., report*; zich ∼ voor een betrekking *apply for a position/post* **5.2** gegadigden kunnen zich schriftelijk/persoonlijk ∼ bij *candidates may apply by letter/in person to* **6.1** bezoekers werden eerst **bij** de commandant aangemeld *visitors were first reported to the commandant* **8.2** hij meldde zijn zoontje aan als nieuw lid *he put forward his little boy for membership*; **II** ⟨wk.ww.; zich ∼⟩ **0.1** [zich bekendmaken] *come forward* ⇒⟨bij politie⟩ *give o.s. up* ◆ **8.1** hij meldde zich als de schrijver van dat pamflet aan *he made himself known as the author of the pamphlet.*

aanmelding ⟨de (v.)⟩ **0.1** [aandiening] *announcement* ⇒*notice, notification* **0.2** [kandidatuur] ⟨deelneming⟩ *entry,* ⟨baan⟩ *application;* ⟨toetreding⟩ *enrolment* [A]*vollment, enlistment* **0.3** [registratie] *registration* ◆ **2.3** verplichte ∼ van AIDS-patiënten *compulsory r. of AIDS cases* **3.2** de ∼ is gesloten *applications will no longer be accepted* **8.2** zijn ∼ als vrijwilliger *his enlistment as a volunteer.*

aanmeldingsformulier ⟨het⟩ **0.1** ⟨voor deelneming⟩ *entry form;* ⟨voor baan⟩ *application form.*

aanmengen ⟨ov.ww.⟩ **0.1** *mix* ⇒⟨verdunnen⟩ *dilute, prepare* ◆ **1.1** verf ∼ *m. / prepare paint*; deze verf is aangemengd te koop *this paint is sold ready-mixed.*

aanmeren

I ⟨onov., ov.ww.⟩ **0.1** [voor en achter vastleggen] *moor* ⇒*fasten, tie up;*

II ⟨onov.ww.⟩ **0.1** [aangemeerd worden] *anchor, dock* ⇒*be moored.*

aanmerkelijk

I ⟨bn.⟩ **0.1** [tamelijk groot] *considerable* ⇒*substantial,* ⟨merkbaar⟩ *appreciable, marked, noticeable* ◆ **1.1** een ∼ verschil met vroeger *a c. change on the former situation;*

II ⟨bw.⟩ **0.1** [in aanzienlijke mate] *considerably* ⇒*substantially,* ⟨merkbaar⟩ *appreciably, markedly, noticeably* ◆ **2.1** het gaat ∼ beter *things have improved markedly/noticeably.*

aanmerken ⟨ov.ww.⟩ **0.1** [zeggen] *comment* ⇒*find fault (with), quarrel (with), criticize, take exception (to)* **0.2** [beschouwen] *regard (as)* ⇒*consider (as/to be), hold/deem (to be)* ◆ **6.1** hij heeft altijd wat **op** iem. / iets aan te merken *he is forever finding fault with people/things*; ik heb er niets/weinig/veel/één ding **op** aan te merken *I found no/little/much/one fault with it*; **op** de uitvoering viel heel wat aan te merken *the performance/execution left much to be desired*; **op** zijn gedrag valt niets aan te merken *his conduct is above/beyond reproach/is irreproachable* **8.2** iets als zijn plicht ∼ *regard sth. as one's duty, consider sth. (as/to be) one's duty.*

aanmerking ⟨de (v.)⟩ **0.1** *comment* ⇒*criticism, remark* ◆ **3.1** ∼en maken (over) *comment (on);* ∼en maken/hebben (op) *find fault (with), criticize* **6.¶ in** ∼ nemen *consider;* **in** ∼ komen **voor** een betrekking/pensioen/prijs *qualify/be eligible for a position/pension/prize*; alles **in** ∼ genomen *all things considered, all in all, on balance;* **in** ∼ genomen (dat) *considering (that), seeing (that)*; niet **in** ∼ komen (**voor**) *not be under consideration (for), be ineligible/unqualified (for)*; niet **in** ∼ nemen *not take into account, disregard, make no allowance for;* **in** ∼ komend *eligible, qualified;* ⟨geschikt⟩ *suitable, appropriate;* voor een uitkering **in** ∼ komen *qualify/be eligible for a benefit*; het eerst **in** ∼ komen *be the most likely candidate, be the first to be considered, be top of the list*; zij kwam niet voor de baan **in** ∼ *she was not considered for the job*; haar leeftijd **in** ∼ genomen … *considering/in view of her age ….*

aanmeten ⟨ov.ww.⟩ **0.1** *take s.o.'s measurements for, measure s.o. for* ⇒⟨fig.⟩ *assume* ◆ **1.1** zich een nieuw kapsel laten ∼ *change one's hairdo*; een aangemeten kostuum *a costume made to measure, a made-to-measure/tailor-made costume* **4.1** zich een pak laten ∼ *have one's measurements taken for a suit, be measured for a suit*; ⟨fig.⟩ hij heeft zich een villa aangemeten/laten ∼ *he has had a villa built*; ⟨fig.⟩ zich een beleefde houding ∼ *assume a polite attitude, strike a polite pose.*

aanminnig ⟨bn., bw.; -ly⟩ **0.1** *charming* ⇒*attractive, sweet, lovable, lovely* ◆ **3.1** ∼ glimlachen *smile sweetly.*

aanminnigheid ⟨de (v.)⟩ **0.1** *charm* ⇒*attractiveness, sweetness, loveliness.*

aanmodderen ⟨onov.ww.⟩ ⟨inf.⟩ **0.1** *soldier/stumble/blunder/muddle/bungle on* ◆ **3.1** zij bleven ∼ *they just soldiered/stumbled/blundered/muddled/bungled on* **4.1** maar wat ∼ *mess/play around*; zij lieten haar maar wat ∼ in haar eentje *they just left her to muddle on on her own.*

aanmoedigen

I ⟨onov., ov.ww.⟩ **0.1** [moed geven] *encourage* ⇒*spur on, give courage to, cheer on* ◆ **1.1** ∼de woorden *encouraging words* **6.1** iem. **tot** iets ∼ *encourage s.o. to do sth., spur s.o. on to do sth.*; dat moedigt maar aan **tot** misbruik *that will only e. / lead to abuse;*

II ⟨ov.ww.⟩ **0.1** [stimuleren] *encourage* ⇒*stimulate, foster, countenance* ◆ **4.1** ja, moedig hem nog even aan ook! *that's right, e. him!, you're just as bad, you e. him.*

aanmoediging ⟨de (v.)⟩ **0.1** [het moed geven] *encouragement* ⇒*cheering on* **0.2** [het stimuleren] *encouragement* ⇒*stimulation, fostering, furtherance, countenance* **0.3** [stimulans] *stimulus* ⇒*boost, furtherance* ◆ **3.1** het publiek schreeuwde ∼en *the audience shouted e.* **6.1 onder** ∼ **van** het publiek *while the spectators cheered him/her/them on;* **ter** ∼ *by way of e.*; **zonder** ∼ *unprompted* **7.1** hij had geen/weinig ∼ nodig *he needed no/little e..*

aanmoedigingsprijs ⟨de (m.)⟩ **0.1** *incentive prize.*

aanmonsteren

I ⟨onov.ww.⟩ **0.1** [dienst nemen] *sign on/up* ⇒*sign the articles, muster in* ◆ **8.1** ∼ als matroos *sign on/up as a sailor;*

II ⟨ov.ww.⟩ **0.1** [in dienst nemen] *engage* ⇒*sign on/up, ship.*

aanmunten ⟨ov.ww.⟩ **0.1** [tot munten slaan] *coin, mint* **0.2** [door aanmunten maken] *coin, mint* ◆ **1.1** goud ∼ *c. / m. gold, m. gold into coins* **1.2** er worden geen centen meer aangemunt *cents are no longer being minted/coined;* ⟨fig.⟩ nieuw aangemunte woorden *newly-coined words.*

aanmunting ⟨de (v.)⟩ **0.1** *coinage, minting.*

aannaaien ⟨ov.ww.⟩ **0.1** *sew on* ◆ **1.¶** iem. een oor/oren ∼ *fool/cheat s.o., make a(n) fool/ass of s.o.* **3.¶** ik laat mij niets ∼ *I wasn't born yesterday.*

aanname ⟨de⟩ **0.1** [veronderstelling] *assumption* ⇒*hypothesis, premiss* **0.2** [aanneming] *acceptance* ⇒*recognition, reception.*

aanneemsom ⟨de⟩ **0.1** *contract/building sum/price.*

aannemelijk 〈bn.〉 **0.1** [geloofwaardig] *plausible* ⇒*likely, credible, convincing* **0.2** [aanvaardbaar] *acceptable* ⇒*reasonable, fair* **0.3** [bevattelijk] *teachable* ◆ **1.1** een ~ excuus *a p. excuse;* niet ~ kunnen maken *fail to make a reasonable case for, fail to show;* een ~e verklaring geven voor iets *give a p. / convincing explanation for sth.* **1.2** tegen elk ~ bod *any reasonable offer accepted;* op ~e voorwaarden *on a. terms* **3.1** het is (niet) ~ dat ...*it is (un)likely / (im)probable that ...;* iets ~ maken *make a reasonable case for sth..*

aannemen 〈ov.ww.〉 **0.1** [aanpakken] *take* ⇒*accept,* 〈aan deur〉 *take in,* 〈telefoon〉 *pick up, answer* **0.2** [accepteren] *accept* ⇒*take (on), receive, allow,* 〈wet〉 *pass,* 〈motie〉 *carry* **0.3** [zich eigen maken] *adopt* ⇒*assume, take up / over,* 〈godsdienst / opvatting ook〉 *embrace* **0.4** [geloven] *accept* ⇒*believe, take, expect, imagine* **0.5** [veronderstellen] *assume* ⇒*presume, suppose, grant, allow,* 〈→aangenomen²〉 **0.6** [zich verbinden uit te voeren] *undertake* ⇒*contract for, take* **0.7** [in dienst nemen] *engage* ⇒*take on, hire, employ* **0.8** [zich ontfermen over] *adopt* ⇒*take up* **0.9** [gaan dragen,〈ook fig.〉] *assume, adopt, take (on / over), acquire* **0.10** [als lid opnemen] *admit* ⇒*let in, adopt, confirm,* 〈→aangenomen¹〉 ◆ **1.1** kan ik een boodschap ~? *can I take a message?, is there a / any message?* **1.2** een aanbod met beide handen ~ *jump at an offer;* de begroting is tenslotte toch aangenomen *the budget was passed in the end;* een opdracht / voorstel ~ *accept a commission / proposal;* een raad ~ *accept a piece of advice;* de uitdaging ~ *accept the challenge, take up / on the challenge;* een verontschuldiging ~ *accept an apology;* een wetsontwerp ~ *pass a bill* **1.3** een menselijke gedaante ~ *assume / adopt a human shape / form;* een gewoonte ~ *contract / pick up / get into a habit;* een godsdienst ~ *adopt / embrace a religion;* een houding ~ *adopt an attitude, strike a pose;* een maatstaf ~ *adopt a standard / criterion;* zijn plannen namen vastere vorm aan *his plans began to take shape;* ernstige vormen ~ *grow to an alarming extent, become serious* **1.6** de bouw v.e. blok woningen ~ *contract for (the building of) a block of houses* **1.9** 〈fig.〉 dat dier neemt de kleur v.d. achtergrond aan *this animal adapts its colouring to that of its environment;* 〈fig.〉 de paus heeft de naam Johannes Paulus II aangenomen *the pope has taken / assumed the name John Paul II;* de rouw ~ *go into mourning* **1.10** catechisanten ~ *confirm catechumens;* een kind ~ *adopt a child* **1.¶** 〈sport〉 een bal ~ *receive a ball* **3.5** naar men mag ~ *presumably;* mag ik ~ dat u het ermee eens bent? *may I take it that you agree?* **5.4** ik wil graag van u aannemen dat ...*I am quite willing to believe that ...;* stilzwijgend ~ *tacitly assume* **5.5** algemeen werd aangenomen dat ...*it was generally assumed / believed / accepted that ...* **6.2 bij** stemming ~ *carry by vote;* **met** algemene stemmen ~ *carry unanimously* **6.4** u kunt het van mij ~ *you can take it from me / take my word for it;* neem één ding van mij aan, ...*you may / can take it from me, ...;* iets **voor** waar ~ *accept / believe sth.;* 〈sterker〉 take sth. for gospel truth; iets voor zoete koek ~ *swallow sth.* **6.7** iem. **op** proef ~ *appoint s.o. for a trial period* **6.8** in genade ~ *pardon* **8.5** als vaststaand / vanzelfsprekend ~ *take for granted;* als regel ~ *make it a rule;* laten we nu eens ~, dat ...*let's assume / suppose that ...* **¶.1** ~! *waiter! (may I order / I have the bill?).*

aannemer 〈de (m.)〉, **-neemster** 〈de (v.)〉 **0.1** [iem. die iets aanneemt] *accepter* **0.2** 〈bouwk., wwb.〉 *(building) contractor* ⇒*builder, constructor.*

aannemersbedrijf 〈het〉 **0.1** *firm of contractors* ⇒*contractor.*

aanneming 〈de (v.)〉 **0.1** [acceptatie] *acceptance* ⇒*passage, carrying* **0.2** [veronderstelling] *assumption* ⇒*supposition* **0.3** [mbt. werkzaamheden] *contracting* ⇒*undertaking* **0.4** [tewerkstelling] *employment* **0.5** [mbt. lid] *admission* ⇒*adoption, confirmation.*

aannemingssom 〈de〉 **0.1** *contract súm* ⇒*sum contracted for.*

aanpak 〈de (m.)〉 **0.1** [ter hand nemen] *tackling* ⇒*setting to (work), taking in hand, proceeding* **0.2** [wijze van iets ter hand nemen] *approach* ⇒*method, line, policy* ◆ **1.2** de ~ van dit probleem *the way to deal with this problem* **2.1** het is een hele ~ *it's quite a business / job* **2.2** een heel eigen ~ *his / her* 〈enz.〉 *own personal / special a.;* een verkeerde ~ *the wrong a.;* een zakelijke ~ *a pragmatic a. / policy / line* **3.1** het is maar een ~ *it's just / simply / only a matter of getting started.*

aanpakken 〈onov., ov.ww.〉 **0.1** [aanvatten] *take / catch / lay / get hold of, seize, grasp* **0.2** [(zaak) ter hand nemen] *go / set about (it)* ⇒ 〈beginnen〉 *set to work (on), take in hand, enter / take on,* 〈behandelen〉 *deal with, handle,* 〈probleem〉 *tackle, grapple with,* 〈gelegenheid〉 *seize, take* **0.3** [(persoon) onder handen nemen] *deal with* ⇒ 〈aanvallen〉 *attack, assail,* 〈jur.〉 *proceed against, come down on, sue* **0.4** [aangrijpen] (emotioneel) *make an impression (on), have an impact (on);* 〈fysiek〉 *weaken, try* ◆ **1.2** een probleem ~ *tackle a problem, (try to) come to grips with a problem* **1.3** weten hoe iemand aan te pakken *know how to deal with s.o.* **1.4** het verhaal pakte aan *the story made a deep impression;* de ziekte had het kind sterk aangepakt *the disease had weakened / tried the child considerably.* **4.2** alles ~ *turn one's hand to anything, take on anything;* hoe zullen we dat ~? *how shall we set / go about it?;* flink ~ *be up and doing* **5.1** pak eens aan *get (a) hold of this* **5.2** het anders ~ *go about it in a different way;* een zaak goed / verkeerd ~ *go the right / wrong way about a matter;* de zaken groots ~ *think big;* je zult harder moeten ~ *you will have to go*

about it more vigorously / to work harder; mee ~ *make oneself useful;* iets ruw / voorzichtig ~ *handle sth. roughly / cautiously;* iem. ruw / voorzichtig ~ *deal roughly / gently with s.o.* **5.3** iem. flink ~ *take a firm line with s.o., be tough on s.o.;* iem. stevig / streng ~ *close down on s.o.* **5.4** de toestand had haar sterk aangepakt *the situation had been getting her down* **6.2** hij weet **van** ~ *he knows how to set about his work, he does not shirk his work* **¶.¶** pak aan!, ~! 〈mbt. klap〉 *take that!.*

aanpakker 〈de (m.)〉 **0.1** [persoon] *doer, go-getter;* 〈vnl. AE〉 *hustler* **0.2** [voor pan] *panholder.*

aanpalend 〈bn.〉 **0.1** *adjacent* ⇒*adjoining.*

aanpappen 〈onov.ww.〉 〈inf.〉 **0.1** *pick / chum / pal up (with)* ⇒ 〈versieren〉 *chat up,* 〈sl.; slijmen〉 *suck up (to)* ◆ **6.1** met iedereen ~ *take / pick up with everybody.*

aanpassen

I 〈ov.ww.〉 **0.1** [passen] *try / fit on* **0.2** [passend maken] *adapt (to)* ⇒ *adjust / fit (to)* ◆ **1.1** een nieuwe jas ~ *try on a new coat;* iem. een pak ~ 〈fig.〉 *give s.o. a sound thrashing* **1.2** de lonen / huren zullen opnieuw aangepast worden *wages / rents will be readjusted;* een tekst ~ *adapt a text* **6.2** zijn kleding ~ **aan** de omstandigheden *adapt one's clothes to the circumstances;*

II 〈wk.ww.; zich〉 **0.1** [zich schikken] *adapt o.s. (to)* ⇒*adjust / accommodate o.s. (to), conform (to), assimilate (to / with)* ◆ **5.1** zich gemakkelijk ~ *be adaptable* **6.1** zich **aan** de omstandigheden / een nieuwe omgeving ~ *adapt / adjust o.s. to circumstances / a new environment.*

aanpassing 〈de (v.)〉 **0.1** [het in overeenstemming gebracht worden] *adaptation (to)* ⇒*adjustment (to)* **0.2** [het zich aanpassen] *adaptation (to)* ⇒*adjustment / accommodation / conformation (to), assimilation (to / with).*

aanpassingsmoeilijkheden 〈zn.mv.〉 **0.1** *problems of adaptation / assimilation.*

aanpassingsproces 〈het〉 **0.1** *adaptation* ⇒*process of adjustment.*

aanpassingsvermogen 〈het〉 **0.1** [vermogen om zich te schikken] *adaptability (to)* ⇒*flexibility,* 〈ogen〉 *accommodation* **0.2** [〈biol.〉] *(natural) adaptation* ◆ **1.1** gebrek aan ~ *unadaptiveness.*

aanpezen 〈onov.ww.〉 〈inf.〉 **0.1** [snel rijden] *race* ⇒*chase, put one's foot down, scorch* **0.2** [hard werken] *keep one's head down* ◆ **5.2** flink ~ *keep one's nose to the grindstone.*

aanpikken 〈ov.ww.〉 **0.1** [door pikken beschadigen] *chip* 〈ei, door kuiken〉; *peck at / away* 〈vrucht, door vogel〉 **0.2** [aan een haak bevestigen] *hook (up).*

aanplakbiljet 〈het〉 **0.1** *poster* ⇒*bill, placard.*

aanplakbord 〈het〉 **0.1** *notice board,* ^*bulletin board;* 〈reclame〉 *boarding,* ^*billboard.*

aanplakken

I 〈onov.ww.〉 **0.1** [met lijm vasthechten] *affix* ⇒*paste (up), post (up), placard* 〈aanplakbiljet〉 ◆ **3.1** verboden aan te plakken *no billposting / sticking (here), no posters (here), billposters will be prosecuted;*

II 〈ov.ww.〉 **0.1** [door aanplakbiljetten bekendmaken] *post (up)* ⇒ *placard* ◆ **1.1** een toneelstuk laten ~ *post (up) a play.*

aanplakzuil 〈de (v.)〉 **0.1** *advertising / poster column.*

aanplant 〈de (m.)〉 **0.1** [handeling] 〈het planten〉 *planting;* 〈het kweken〉 *cultivation;* 〈bos〉 *afforestation* **0.2** [het geplante] *plantings* ⇒ *plants, plantation,* 〈bos〉 *afforestation* **0.3** [grond] *plantation* ◆ **1.1** ~ van tarwe *wheat c.* **2.2** nieuwe / jonge ~ *new / young plantings* **3.2** de ~ bedraagt 8000 stekken *the plantation comes to 8000 cuttings.*

aanplanten 〈ov.ww.〉 **0.1** [kweken] *plant (out)* ⇒*cultivate, grow, afforest* 〈bos〉 **0.2** [door planten vergroten] *extend with new plantings.*

aanplanting 〈de (v.)〉 **0.1** [handeling] 〈→aanplant 0.1〉 **0.2** [het geplante] 〈→aanplant 0.2〉 **0.3** [jong plantsoen] *new park.*

aanporren 〈ov.ww.〉 **0.1** [een por geven] *prod* ⇒*poke, jab, nudge* **0.2** [aansporen] *prod* ⇒*spur (on), stir up, rouse* ◆ **6.2** iem. **tot** verzet / grotere activiteit ~ *spur s.o. on to resistance / greater activity;* iem. **tot** werken / actie ~ *prod s.o. into work / to action.*

aanpoten

I 〈onov.ww.〉 〈inf.〉 **0.1** [flink aanstappen] *stride (out)* ⇒*step out* **0.2** [flink voortgang maken] *hurry (up)* ⇒*push on / ahead, work hard, step up* ◆ **5.2** flink ~ *keep one's nose to the grindstone,* 〈sl.〉 *sweat / work one's guts out;*

II 〈ov.ww.〉 **0.1** [poten om de voorraad te vermeerderen] *plant.*

aanpraten 〈ov.ww.〉 **0.1** [aansmeren] *palm off on, talk into* **0.2** [op de mouw spelden] *put into s.o.'s head, kid into* ◆ **1.1** iem. zijn waar weten aan te praten *know how to press one's wares / goods on s.o.* **1.2** iem. een ziekte ~ *kid s.o. into an illness* **4.1** iem. iets ~ *trick / talk s.o. into (doing) sth., palm sth. off on s.o., persuade s.o. to do sth.* **4.2** zichzelf iets ~ *persuade o.s. of sth..*

aanprijzen 〈ov.ww.〉 **0.1** *recommend* ⇒*praise,* 〈sterk〉 *puff (up)* ◆ **4.1** goede waar prijst zichzelf aan *good wine needs no bush* **5.1** iets luid ~ *sing the praises of sth.;* 〈inf.〉 *bark sth..*

aanpunten 〈ov.ww.〉 **0.1** [een punt maken aan] *sharpen* 〈potlood〉; *point* 〈paal〉 **0.2** [〈fig.〉] *accentuate* ⇒*highlight* ◆ **1.2** in haar weerwoord puntte zij zijn zwakheden nog wat aan *in her repartee she highlighted / accentuated his failings a bit more.*

aanraakbeeldscherm ⟨het⟩⟨comp.⟩ **0.1** *touch-sensitive display unit.*

aanraden ⟨ov.ww.⟩ **0.1** *advise* ⇒*recommend* ⟨produkt⟩,*suggest* ⟨plan⟩
♦ **1.1** de dokter raadde hem rust aan *the doctor advised (him to take) rest;* de dokter raadde hem een andere specialist aan *the doctor recommended another/a different specialist to him* **3.1** dat is (niet) aan te raden *that is (not) advisable/to be recommended;* ik raad u aan deze te nemen *I a. you to take these, I recommend these* **5.1** iem. sterk /dringend∼ iets te doen *advise s.o. urgently/urge s.o. to do sth.* **6.1** op ∼ van *at/on the advice/recommendation of.*

aanrader ⟨de (m.)⟩ **0.1** *must* ♦ **1.1** die film is een∼(tje) *this film is highly recommended.*

aanraken ⟨ov.ww.⟩ **0.1** [beroeren] *touch* **0.2** [in het voorbijgaan behandelen] *touch upon* ⇒*glance at* ♦ **1.1** zijn eten niet ∼ *not t. one's food* **1.2** hij raakte het onderwerp slechts even aan *he just touched upon/glanced at the subject* **2.1** verboden aan te raken *(please) do not t.* **4.1** ze raakten elkaar net niet aan *they nearly touched (each other);* raak mij niet aan *do not t. me* **6.1** de bal mag niet met de hand worden aangeraakt *the ball mustn't be handled;* **met** geen vinger ∼ *not lay a finger on.*

aanraking ⟨de (v.)⟩ **0.1** [het aanraken/aangeraakt worden] *touch* **0.2** [contact, omgang] *contact* ⇒*touch* ♦ **2.1** de minste ∼ doet de zieke pijn *the slightest t. gives the patient pain/hurts the patient* **6.2** in ∼ met iem. komen *come/get into touch/c. with s.o.;* in ∼ brengen met *bring/put into c./in touch with;* hij is nog nooit met de politie **in** ∼ geweest *he has never come into c. with the police, he has never got into trouble with the police.*

aanrakingspunt ⟨het⟩ **0.1** [raakpunt] *point of contact* **0.2** [⟨fig.⟩] *point of contact* ♦ **3.2** zij hadden geen ∼en *they had nothing in common (with each other).*

aanranden ⟨ov.ww.⟩ **0.1** *assault* ⇒*assail* ♦ **1.1** een meisje∼ *assault a girl indecently/sexually* **6.1** iem. **in** zijn eer/zijn goede naam∼ *injure s.o.'s honour/reputation.*

aanrander ⟨de (m.)⟩, **-randster** ⟨de (v.)⟩ **0.1** *assailant* ⇒*assaulter, assailer.*

aanranding ⟨de (v.)⟩ **0.1** *(criminal) assault* ♦ **1.1** een∼ v.d. eerbaarheid *an indecent assault.*

aanrecht ⟨het, de (m.)⟩ **0.1** *draining board* ⇒*kitchen sink, worktop* ♦ **4.1** het enige recht van mijn vrouw is haar ∼ *my wife belongs in the kitchen.*

aanrechtblad ⟨het⟩ **0.1** *draining board,* ᴬ*drainboard* ♦ **2.1** een roestvrijstalen ∼ *a stainless steel d. b..*

aanrechtkastje ⟨het⟩ **0.1** *sink cupboard;* ⟨in volledig uitgeruste keuken⟩ *base unit.*

aanrechtkeuken ⟨de⟩ **0.1** *pantry* ⇒*servery.*

aanreiken ⟨ov.ww.⟩ **0.1** *pass* ⇒*hand,* ⟨inf.⟩ *reach.*

aanrekenen ⟨ov.ww.⟩ **0.1** [de schuld geven van] *blame (for)* **0.2** [beschouwen] *consider* ⇒*deem* **0.3** [in rekening brengen] *charge* **0.4** [voor een bewezen dienst verplicht rekenen] *give credit (for)* ♦ **5.1** het iem. niet ∼ *not blame s.o. for it* **5.2** het zou hem zwaar aangerekend worden *it would be strongly/dearly/heavily reckoned/counted against him* **6.2** het zich **tot** eer ∼ te mogen meedoen *c. it an honour to be allowed to join* **8.2** iem. iets als boos opzet∼ *count sth. against s.o. as malice* **8.4** het iem. als verdienste ∼ *give s.o. credit for it.*

aanrennen ⟨onov.ww.⟩ **0.1** *run along* ⇒*rush* ♦ **3.1** er kwam een bode∼ /aangerend *a courier came running along* **6.1** de ruiterij rende **op** de vijand aan *the cavalry rushed at/upon the enemy;* **tegen** iets ∼ *run/crash into sth..*

aanrichten ⟨ov.ww.⟩ **0.1** *cause* ⇒*bring about, do, create* ♦ **1.1** een bloedbad∼ (onder) *create a massacre/slaughter/carnage (among);* schade/onheil∼ *do damage/mischief;* grote verwoestingen∼ (bij) *create/wreak havoc (on), ravage* **1.¶** een (feest)maal(tijd) ∼ *lay on a feast.*

aanrijden
I ⟨onov.ww.⟩ **0.1** [rijden in een richting] *drive/ride up* **0.2** [doorgaan met rijden] *drive/ride on* ♦ **1.2** die brommers rijden maar aan *those moped riders just r.o. (recklessly)* **6.1** bij iem. ∼ *pull up/stop at s.o.'s house/door;* ∼ **op** *drive/ride towards;*
II ⟨ov.ww.⟩ **0.1** [botsen tegen] *collide (with)* ⇒*crash (into),* run into **0.2** [aanvoeren] *cart* ⇒*bring, transport* ♦ **1.1** hij heeft een hond aangereden *he has knocked down/ran into/hit a dog* **5.1** hij is lelijk aangereden ⟨lett.⟩ *he had a nasty accident;* ⟨fig.⟩ *he took a tumble* **6.1** **tegen** een muur ∼ *run into a wall.*

aanrijding ⟨de (v.)⟩ **0.1** *collision* ⇒*crash* ♦ **3.1** een∼ hebben *be involved in a collision/crash* **6.1** een∼ **met** dodelijke afloop *a fatal collision/crash/accident.*

aanrijgen ⟨ov.ww.⟩ **0.1** [tot een snoer vormen] *string* **0.2** [met een rijgsteek vastmaken] *baste* ⇒⟨BE ook⟩ *tack* **0.3** [aan elkaar bevestigen] *lace up.*

aanrimpelen ⟨ov.ww.⟩ **0.1** *gather (in)* ♦ **1.1** een aangerimpelde rok *a gathered skirt.*

aanroep ⟨de (m.)⟩ **0.1** [handeling] *calling* **0.2** [woorden] *call.*

aanroepen ⟨ov.ww.⟩ **0.1** [door roepen de aandacht trekken van] *call* ⇒ *hail* **0.2** [om hulp vragen] *call on/upon* ⇒⟨in gebed ook⟩ *invoke* ♦

1.1 de schildwacht riep hem aan *the sentry challenged him;* een taxi∼ *c./hail a taxi* **1.2** de heiligen∼ *invoke the saints* **8.2** iem. als getuige∼ *call s.o. to witness/as a witness.*

aanroeping ⟨de (v.)⟩ **0.1** *calling* ⇒⟨in gebed ook⟩ *invocation.*

aanroeren ⟨ov.ww.⟩ **0.1** [opzettelijk aanraken] *touch* **0.2** [opppervlakking behandelen] *touch upon* **0.3** [door roeren gereedmaken] *stir (up)* ⇒*mix* ♦ **1.1** het eten was nauwelijks aangeroerd *the food had hardly been touched* **5.2** even/terloops iets ∼ *refer to/mention sth. incidentally/in passing.*

aanrollen
I ⟨onov.ww.⟩ ♦ **3.¶** komen ∼/ aangerold *come rolling along/on* **6.¶** ∼ **tegen** *roll against;*
II ⟨ov.ww.⟩ **0.1** [rollend dichterbij brengen] *roll on.*

aanrommelen ⟨onov.ww.⟩ **0.1** *mess about/around* ⇒*fiddle/fool about/ around* ♦ **4.1** ik rommel maar wat aan *I'm just messing around a bit.*

aanrukken ⟨onov.ww.⟩ **0.1** [⟨mil.⟩] *march (on)* **0.2** [snel en dreigend naderen] *advance* ♦ **1.1** ⟨scherts.⟩ nog een fles laten ∼ *have another bottle (up);* versterkingen laten ∼ *move up/call in reinforcements* **6.1** ∼ **op** *make a dash/push for.*

aanschaf ⟨de (m.)⟩ **0.1** *purchase* ⇒*buy, acquisition, procurance* ♦ **2.1** dat is een hele ∼ *that's quite a purchase.*

aanschaffen ⟨ov.ww.⟩ **0.1** *purchase* ⇒*buy, acquire, procure* ♦ **4.1** zich ∼ *purchase, buy, acquire.*

aanschaffing ⟨de (v.)⟩ **0.1** [het aanschaffen] *purchase* ⇒*purchasing, buy(ing), acquisition, procurement* **0.2** [wat is aangeschaft] *purchase* ⇒*buy, procurance* ♦ **2.2** nieuwe ∼ *new purchases.*

aanschaffingskosten ⟨zn.mv.⟩ **0.1** *purchasing costs, cost(s) of acquisition* ⇒⟨van machine⟩ *initial cost(s)/expense(s).*

aanscherpen ⟨ov.ww.⟩ **0.1** [weer scherp maken] *sharpen* **0.2** [⟨fig.⟩] *accentuate* ⇒*highlight* ♦ **1.2** een probleem(stelling)∼ a./ *highlight a problem;* tegenstellingen ∼ a. *contrasts.*

aanschieten
I ⟨ov.ww.⟩ **0.1** [haastig aantrekken] *slip/rush into* ⇒*throw on* **0.2** [licht verwonden] *hit* **0.3** [aanspreken] *buttonhole* ⇒*accost* ♦ **1.1** iets gemakkelijks∼ *slip on sth. comfortable* **1.2** een aangeschoten hert *a shot/wounded deer* **¶.3** de eerste de beste ∼ b. *the first person one meets;*
II ⟨onov.ww.⟩ ♦ **3.¶** nieuwsgierig kwamen de jongens aangeschoten *the boys came rushing along inquisitively* **6.¶** ∼ **op** *rush/dart at.*

aanschijn ⟨het⟩ **0.1** [aangezicht] *countenance* ⇒*face* **0.2** [nabijheid] *presence* ⇒*face* ♦ **1.1** in het licht van∼s *in the light of thy c.;* in het zweet des∼s *by/in the sweat of one's face* **6.2** in het ∼ van *in the face of.*

aanschikken ⟨onov.ww.⟩ **0.1** [dichter bijeen gaan zitten] *come/draw closer together* **0.2** [zich aan tafel zetten] *sit down (to table).*

aanschoppen ⟨onov.ww.⟩ **0.1** [een schop geven tegen] *kick (against)* **0.2** [kritiek leveren] *kick (against)* ⇒*go on (at)* ♦ **6.2 tegen** het koningshuis/gezag∼ *kick against the monarchy/authority.*

aanschouwelijk
I ⟨bn.⟩ **0.1** [zichtbaar, duidelijk voorgesteld] *clear* ⇒*illustrative, graphic* ♦ **1.1** ∼ onderwijs *teaching with visual aids;* ∼ onderwijs geven *teach by illustration* **3.1** iets ∼ maken *illustrate sth.* ⟨met voorbeelden⟩; *demonstrate sth.* ⟨met proeven⟩.
II ⟨bw.⟩ **0.1** [zo dat men het voor zich ziet] *graphically* ♦ **3.1** iets ∼ voorstellen *give a graphic representation of sth..*

aanschouwen ⟨ov.ww.⟩ **0.1** [zien] *behold* ⇒*see* **0.2** [aandachtig bekijken] *watch* ⇒*observe* **0.3** [met de geest waarnemen] *behold* ⇒*see,* ⟨overwegen⟩ *contemplate* ♦ **1.1** het levenslicht∼ *(first) see the light* **1.2** de natuur/hemel ∼ w./ *observe nature/the sky* **6.1** met eigen ogen ∼ b./ *see with one's own eyes;* **ten** ∼ **van** *in the presence/sight of.*

aanschouwing ⟨de (v.)⟩ **0.1** [daad van aanschouwen] *observation* **0.2** [⟨mystiek⟩] *vision* **0.3** [verkregen voorstelling] *sight* ⇒*vision* ♦ **2.2** zalige ∼ *beatific(al) v.* **6.1** uit eigen∼ *from/by own o..*

aanschrijven ⟨ov.ww.⟩ **0.1** [in rekening brengen] *charge* **0.2** [ambtshalve bevelen] *summon(s)* ⇒*instruct, order* ♦ **1.1** iem. alle kosten∼ *c. all the costs to s.o.'s account* **1.2** de gemeente zal de eigenaar∼ het dak te repareren *the local authorities will order/summons the proprietor to repair the roof.*

aanschrijving ⟨de (v.)⟩ **0.1** [handeling] *instruction* ⇒*order, summons* **0.2** [stuk] *instruction* ⇒*order, summons* ♦ **2.1** een ministeriële∼ *a ministerial order* **6.2** er rust een∼ **op** dit huis *a summons has been issued for this house.*

aanschroeven ⟨ov.ww.⟩ **0.1** [met schroeven vastmaken] *screw down/ home* **0.2** [vaster draaien] *screw tighter.*

aanschuiven
I ⟨onov.ww.⟩ **0.1** [schuivend dichterbij komen] *shuffle along* ♦ **3.1** daar komt die vervelende vent weer∼/ aangeschoven *there is that bore shuffling along again* **5.1** mee∼ *draw up a/one's chair;*
II ⟨ov.ww.⟩ **0.1** [schuivend dichterbij brengen] *push/shove on* ⇒ *draw/pull up* ♦ **1.1** een stoel ∼ *draw up a chair.*

aansjokken ⟨onov.ww.⟩ ♦ **3.¶** komen∼/ aangesjokt *come slouching along.*

aansjorren ⟨ov.ww.⟩ **0.1** *lash.*

aansjouwen
I ⟨ov.ww.⟩ **0.1** [ergens heendragen] *bring (along)* ⇒*carry (along),* ⟨slepend⟩ *drag/lug along;*
II ⟨onov.ww.⟩ ◆ **3.¶** komen ~/ aangesjouwd *come jogging along.*

aanslaan
I ⟨ov.ww.⟩ **0.1** [snel en kort raken] *touch* ⇒*strike, hit* **0.2** [de waarde bepalen van] *estimate* ⇒*assess, value, tax* **0.3** [mbt. een geweer] *present* **0.4** [gereedmaken] *start (up)* **0.5** [beslag leggen op] *seize* ⇒*confiscate* **0.6** [vaster/dieper indrijven] *drive home* **0.7** [vastslaan] *nail down* ⟨plank⟩ ◆ **1.1** een akkoord ~ *strike a chord;* een letter ~ op een schrijfmachine *strike/hit a letter on a typewriter;* een toets/snaar ~t./hit/strike a key/string;* een hoge toon ~ ⟨fig.⟩ *put on the high and mighty;* een andere toon ~ ⟨fig.⟩ *change one's tune, sing another/a different tune* **1.4** de motor ~ *start the engine;* een vat bier ~ *broach a beer barrel;* de zeilen ~ *bend the sails* **1.5** iem. ~ *charge s.o.* **5.1** licht ~ *have a light touch* **5.2** iem. hoog ~ ⟨waarderen⟩ *think highly of s.o.,* *have a high opinion of s.o.;* ⟨belasting⟩ *assess s.o.;* iets hoog ~ *place sth. at a premium;* iem. niet hoog ~ *not think much of s.o.;* iemands kansen niet hoog ~ *not give much for s.o.'s chances;* te hoog/laag ~ ⟨waarderen⟩ *over/underestimate;* ⟨belasting⟩ *assess too high/low;*
II ⟨onov.ww.⟩ **0.1** [mbt. een motor] *start* ⇒*fire* **0.2** [zich aan de oppervlakte vasthechten] *form a deposit* ⇒*cake (on), build up* **0.3** [beslaan] *steam up, mist up/over* ⟨glas⟩; *get furred* ⟨ketel⟩; *tarnish, get tarnished* ⟨metaal⟩ **0.4** [beschimmelen] *grow mouldy* **0.5** [goed ontvangen worden] *catch on* ⇒*be successful* **0.6** [even geluid geven] *give tongue* ⟨hond⟩; *start singing* ⟨vogel⟩; *warn* ⟨klok⟩ **0.7** [wortel schieten] ⟨ook fig.⟩ *strike (root)* ⇒*take* **0.8** [salueren] *salute* **0.9** [mbt. paarden] *overreach* ⇒*click* **0.10** [mbt. projectielen] *ricochet* ◆ **1.2** de rook slaat aan *smoke deposits are forming* **1.3** de ruiten slaan aan *the windows are getting steamed up/are steaming up* **5.1** niet ~ *misfire* **6.5** dat plan is **bij** hen goed/niet erg aangeslagen *that plan has (not) caught on well with them* **6.8** ~ **voor** iem. *salute s.o..*

aanslag ⟨de (m.)⟩ **0.1** [⟨muz.⟩] *touch* **0.2** [mbt. een typemachine] *touch* **0.3** [mbt. een vuurwapen] *present* **0.4** [poging tot moord, overrompeling] *attempt* ⇒*attack, assault,* ⟨een⟩ *outrage* **0.5** [aanslagbiljet] *assessment notice* **0.6** [laag die zich vastgezet heeft] *deposit, moisture* ⟨op ruit⟩; *scale* ⟨in ketel/bad, op tanden⟩; *fur* ⟨in ketel, op tong⟩ **0.7** [bedrag aan belasting] *assessment* ◆ **1.2** het aantal ~ per minuut *the number of touches per minute* **1.7** ~ inkomstenbelasting *income tax a.* **2.1** een lichte/zware ~ *a light/heavy t.* **2.2** een light/stiff t. **2.6** een vieze ~ op het plafond *a nasty (smoke) deposit on the ceiling* **2.7** een te hoge/lage ~ *an over/under-assessment;* een negatieve ~ hebben *have a negative (income tax) a.;* een voorlopige/definitieve ~ *a provisional/final a.* **3.6** de ~ van een ketel krabben *scrape the scale/fur off/from the kettle* **6.3** met het geweer **in** de ~ *with one's rifle at the p.;* **in** de ~ brengen *bring to the p.;* ⟨fig.⟩ met de pen **in** de ~ *with one's pen poised/at the ready;* een schot **op** de ~ *a snap shot;* schieten **op** de ~ *snap a rifle/pistol* **6.4** een ~ **op** het parlementsgebouw *an attack on (the Houses of) Parliament;* een ~ **op** iemands leven/iem. plegen *make an attempt/commit an assault on s.o.'s life/s.o.;* ⟨fig.⟩ een ~ doen **op** iemands beurs *make a demand on s.o.'s purse, hurt s.o.'s pocketbook* **6.7** een ~ **van** f 1000,- *a f 1000,-a..*

aanslagbiljet ⟨het⟩ **0.1** *assessment notice* ⇒*demand note, tax demand/form.*

aanslepen
I ⟨onov.ww.⟩ ◆ **1.¶** een ~d probleem *a persistent/long-lasting problem* **3.¶** die kwestie blijft maar ~ *that matter keeps dragging/lingering on/just drags on;* daar komt hij ~/ aangesleept *there he comes dragging himself along;*
II ⟨ov.ww.⟩ **0.1** [erbij halen] *drag in* **0.2** [in grote hoeveelheden aandragen] *get in (a lot of), stock up with/on* **0.3** [slepend voorttrekken] *drag along* ⇒⟨over de schouder⟩ *lug along* ◆ **1.1** opmerkingen ~ *drag in remarks* **3.1** het bier viel niet aan te slepen ⟨snelheid⟩ *the beer couldn't be got to the table fast enough;* ⟨hoeveelheid⟩ *you couldn't get enough beer to the table.*

aanslibben ⟨onov.ww.⟩ **0.1** *form a deposit* ⇒⟨dichtslibben⟩ *silt up* ◆ **1.1** aangeslibd land *alluvium, alluvial land* **5.1** het slibt hier sterk aan *there is a lot of silting (up) here.*

aanslibbing ⟨de (v.)⟩ **0.1** [het aanslibben] *deposit(ion)* ⇒*accretion, alluvion* **0.2** [aangeslibde grond] *alluvial deposit* ⇒⟨in vaargeul⟩ *silty deposit.*

aanslijpen ⟨ov.ww.⟩ **0.1** [scherper maken] *sharpen* **0.2** [door slijpen vormen aan] *facet* ⇒*cut facets (up)on* ⟨diamant⟩ ◆ **1.2** een aangeslepen vlak *a faceted surface.*

aansluipen ⟨onov.ww.⟩ **0.1** *sneak along/up to* ◆ **1.1** de ~de ouderdom *age creeping up* **3.1** komen ~/ aangeslopen *come sneaking along/up* **6.1** op een prooi ~ *steal up on/stalk a prey.*

aansluiten
I ⟨ov.ww.⟩ **0.1** [verbinden] *connect* ⇒*join, link* **0.2** [doen sluiten zonder tussenruimte] *close* ⇒*link up, butt* ⟨voegen⟩ ◆ **1.1** een nieuwe abonnee ~ *c. a new subscriber* ⟨telefoon, enz.⟩; een huis op de riolering ~ *c. a house to the sewage main* **1.2** de gelederen ~ *c. the ranks* **5.1**

⟨euf.⟩ ik ben verkeerd aangesloten *I have got the wrong number* **6.1** niet alle stakers zijn (**bij** een vakbond) aangesloten *not all the strikers are affiliated/associated with a union;* **op** het net ~ *c. to the supply* **6.2** sluit deze dozen maar **bij** die stapel aan *(just) put these boxes with that pile;*
II ⟨onov.ww.⟩ **0.1** [passen] *fit* ⇒*fit close, be tight-fitting* ⟨kleren⟩, *butt* ⟨voegen⟩, ⟨harmoniëren⟩ *fit in (with), be in keeping (with)* **0.2** [mbt. personen] *close up* ◆ **1.1** die plank sluit niet aan *that board does not fit/butt up* **3.2** wilt u daar ~? *will you queue up there, please?* **6.1** de zeewering sluit **aan** de duinenrij aan *the sea-wall runs into the range of dunes;* deze treinen sluiten **op** elkaar aan *these trains connect/run in connection with each other, these are connecting trains;* deze route sluit aan **op** de snelweg *this route/road links up with the motorway;* de scholen sloten niet erg **op** elkaar aan *the schools didn't link up well with each other/didn't really match* **¶.2** ~! *close up!;*
III ⟨wk.ww.; zich ~⟩ **0.1** [zich voegen bij] *join* ⇒*associate o.s. with, become a member of* **0.2** [partij/standpunt kiezen] *join (in)* ◆ **5.1** zij sluit zich niet gemakkelijk aan (bij anderen) *she does not readily mix (with others), she is (rather) shy in joining in (with others)* **6.2** zich **bij** de vorige spreker ~ *concur with/agree with/support the preceding speaker;* zich **bij** een partij ~ *join a party;* zich **bij** de meerderheid ~ *join the majority, follow the crowd;* zich **bij** een verzoek ~ *join in a request;* daar sluit ik me graag **bij** aan *I should like to second/endorse that;* zich ~ **bij** de staking *join in the strike.*

aansluitend ⟨bn.⟩ **0.1** [⟨mbt. kleding⟩] *close-fitting, fully-fashioned,* ⟨vnl. AE⟩ *full-fashioned* **0.2** [mbt. tijd/volgorde] *next (to), following on (from), contiguous* ◆ **¶.2** ~ zou ik nog willen zeggen *following on from that/in connection with that I would like to say.*

aansluiting ⟨de (v.)⟩ **0.1** [het zich voegen bij iets/iem.] *joining* ⇒*association (with), affiliation (to/with)* **0.2** [⟨verkeer⟩] *connection* **0.3** [het in verbinding gebracht worden] *connection* ◆ **0.4** [wat een verbinding tot stand brengt] *junction* ⇒*connection* ◆ **1.2** de ~ v.d. treinen laat te wensen over *train connections leave much to be desired* **3.1** ~ vinden bij iem./iets join in with s.o./sth. **3.2** de ~ missen *miss the c.;* ⟨fig.⟩ *miss the boat;* ⟨niet meer bij de tijd⟩ *fall/lag behind the times, be out of step with the times;* ⟨fig.⟩ ~ zoeken bij *seek alliance/contact with, try to join* **3.4** ~ hebben (met) *be connected (with/to);* ~ krijgen (met) ⟨telefoon⟩ *be put through (to);* op ~ wachten ⟨telefoon⟩ *be waiting to be connected* **6.1** ~ van Spanje **bij** de EEG *Spain's entry (in)to the EEC* **6.3** ~ **op** het gasnet *c. to the gas mains* **6.4** ik kreeg geen ~ **met** hem *I could not get in touch with him;* ⟨telefoon⟩ *I was not put through to him;* de ~en **op** de snelweg *the junctions on the motorway* **6.¶ in** ~ **aan/op** *with reference to, referring to, following on.*

aansluitingskosten ⟨zn.mv.⟩ **0.1** *connection charges.*

aansluitingspunt ⟨het⟩ **0.1** ⟨mechanisme⟩ *connecting point, point of connection;* ⟨spoor, kanaal⟩ *junction;* ⟨elek.⟩ *terminal;* ⟨elek. net⟩ *power point.*

aansluitklem ⟨de⟩ ⟨elek.⟩ **0.1** *terminal (clamp)* ⇒*(cable) connector.*

aansluitmogelijkheid ⟨de (v.)⟩ ⟨elek.⟩ **0.1** *terminal* ⇒*provision for connection.*

aansmeden ⟨ov.ww.⟩ **0.1** *forge* ⇒*weld on.*

aansmeren ⟨ov.ww.⟩ **0.1** [te duur verkopen] *palm off (on)* ⇒*fob off (with), pass off (on)* **0.2** [met metselspecie/kalk bestrijken] *skim, daub* ◆ **1.1** iem. een tweedehands auto ~ *palm off a secondhand car on s.o., fob s.o. off with a secondhand car.*

aansnellen ⟨onov.ww.⟩ **0.1** *run up* ⇒*hurry on,* ⟨verkeer⟩ *rush on* ◆ **3.1** komen ~ *come running/hurrying on/along, dash up.*

aansnijden ⟨ov.ww.⟩ **0.1** [de eerste snee maken in] *cut (into)* **0.2** [beginnen te bespreken] *broach* ⇒*bring up, enter upon* ◆ **1.1** een aangesneden brood *a partly cut loaf.*

aansnoeren ⟨ov.ww.⟩ **0.1** [vaster snoeren] *draw (up) tight(er)* ⇒*tighten up* **0.2** [vastsnoeren] *lace up.*

aanspannen
I ⟨ov.ww.⟩ **0.1** [⟨jur.⟩] *institute* ⇒*start* **0.2** [vastmaken aan de paarden] *hitch to* ⇒*put (the horses) to* **0.3** [strakker spannen] *tighten* ◆ **1.1** een geding ~ *take legal action;* een proces (tegen iem.) ~ *i. (legal) proceedings (against s.o.)* **1.2** de wagen ~ *hitch/put the horses to the wagon;*
II ⟨onov., ov.ww.⟩ **0.1** [mbt. trekdieren] *put the horses to* ⇒*hitch (up)* ◆ **1.1** ik zal (de paarden) ~ *I'll put the horses to.*

aanspeelbaar ⟨bn.⟩ ⟨sport⟩ ◆ **5.¶** goed ~ zijn *be in position.*

aanspelen ⟨ov.ww.⟩ ⟨sport⟩ **0.1** [⟨balsport⟩] *pass* **0.2** [⟨biljart⟩] *play up to* ⇒*contact, kiss.*

aanspeten ⟨ov.ww.⟩ **0.1** *put on the/a spit.*

aanspoelen
I ⟨onov.ww.⟩ **0.1** [aan wal komen drijven] *wash ashore* ⇒*be washed ashore/up* **0.2** [ontstaan door aanslibbing] *increase by alluvial deposition* ⇒*be washed up* ◆ **1.1** er is een lijk aangespoeld *a corpse has been washed ashore* **1.2** die strook land is hier aangespoeld *that strip of land was washed up/deposited here by the sea/river;*
II ⟨ov.ww.⟩ **0.1** [op het strand werpen] *wash/drift ashore* **0.2** [vormen door aanslibbing] *deposit* ◆ **1.1** aangespoeld (wrak)hout *driftwood* **1.2** aangespoelde grond *alluvial land/soil, alluvium.*

aansporen ⟨ov.ww.⟩ **0.1** *urge (on)* ⇒*spur/egg on, stimulate, inspire, incite, spur (on)* ⟨dieren⟩ ◆ **1.1** een luie leerling ~ (tot ijver) *u. / prod a lazy pupil (to assiduity/diligence).* **6.1** iem. **tot** iets ~ *urge s.o. to (do) sth.;* ⟨iets verkeerds⟩ *goad s.o. into (doing) sth.;* iem. ~ **tot** grotere inspanning *prompt s.o. to greater efforts;* iem. ~ **tot** nadenken *encourage s.o. to think.*

aansporing ⟨de (v.)⟩ **0.1** [handeling] *exhortation* ⇒*stimulation, incitement* **0.2** [middel] *incentive* ⇒*stimulus* ◆ **6.1** op ~ **van** *at the instance of, with the encouragement of;* ⟨medeplichtigheid⟩ *aided and abetted by* **6.2** die beloning betekende een ~ **voor** hem *that reward was an i. to him* ¶.**1** hij heeft ~ nodig *he needs to be urged on/prodded.*

aanspraak ⟨de⟩ **0.1** [gelegenheid om met iem. te spreken] *contacts* ⇒ *company* **0.2** [claim] *claim* ⇒*right, title* ◆ **2.2** de oudste aanspraken hebben (op) *have first c. (on)* **3.1** weinig ~ hebben *have few contacts* **3.2** geen ~ kunnen doen gelden (op iets) *not be able to lay any c. / have no c. (to sth.);* ~ hebben op iets *have a c. to/on sth., have a right to sth., be entitled to sth.;* ~ maken op iets *claim sth., lay c. to sth.;* geen ~ maken op *make no c. to;* (geen) ~ maken op volledigheid *make no claims to being exhaustive, not pretend to be exhaustive;* alle ~ verliezen *lose all c.* **6.2** zijn aanspraken **op** de erfenis niet kunnen waarmaken *he was not able to prove his c. / right to the heritage.*

aansprakelijk ⟨bn.⟩ **0.1** *responsible (for)* ⇒*answerable (for),* ⟨jur.⟩ *liable (for)* ◆ **3.1** de directie is/stelt zich bij diefstal niet ~ *the management accepts no liability for theft;* zich voor iets ~ stellen *take responsibility for sth., assume liability for sth.;* iem. ~ stellen voor iets *hold/make s.o. r. / liable for sth.;* zich niet ~ stellen *take no responsibility, disclaim responsibility* **5.1** hoofdelijk en gezamenlijk ~ *jointly and severally r. / liable;* hij is wettelijk ~ *he is liable in law/legally liable.*

aansprakelijkheid ⟨de (v.)⟩ **0.1** [vervolgbaarheid] *liability (for)* **0.2** [verplichting om zich te verantwoorden] *responsibility* **0.3** [opzicht waarin men aansprakelijk is] *liability* ◆ **2.3** beperkte ~ *limited l.* **6.3** ~ **tegenover** derden *third-party l..*

aansprakelijkheidsverzekering ⟨de (v.)⟩ **0.1** *third-party insurance* ⟨ook wettelijke ~⟩.

aanspreekbaar ⟨bn.⟩ **0.1** *approachable* ⇒⟨inf.⟩ *get-at-able.*

aanspreektitel ⟨de (m.)⟩ **0.1** *term of address* ⇒*title.*

aanspreekvorm ⟨de (m.)⟩ **0.1** *form of address.*

aanspreken
I ⟨ov.ww.⟩ **0.1** [beginnen te gebruiken] *draw on* ⇒*break/dip into* **0.2** [toespreken] *speak/talk to* ⇒*address* ◆ **1.1** de fles duchtig ~ *not spare the bottle, have a (good) go at the bottle;* de fles ~ *have recourse to the bottle;* een gerecht ~ ⟨inf.⟩ *tuck into/tackle a dish;* zijn kapitaal ~ *break into one's capital/reserves* **1.2** iem. op straat ~ *accost s.o. (in the street)* **5.1** duchtig ~ *make a hole in* ⟨fles drank, eten, geld⟩ **5.2** iem. vriendelijk ~ *speak kindly to s.o.* **6.2** iem. **met** jij/u ~ *address s.o. with 'jij/u' / with the informal/formal pronoun, be informal/polite with s.o.;* iem. **met** zijn titel ~ *address s.o. by his title;* iem. **met** mevrouw/meneer ~ *address s.o. as madam/sir, madam/sir s.o.;* iem. **om** een bijdrage ~ *apply to/ask s.o. for a contribution;* iem. **over** zijn gedrag ~ *talk to/tackle s.o. about/on his conduct;* iem. **over** de schade ~ *tackle s.o. about the damage* **8.2** iem. ~ als dokter *address s.o. as doctor* ¶.¶ iem. in rechte ~ *sue s.o.;*
II ⟨onov., ov.ww.⟩ **0.1** [in de smaak vallen bij] *appeal to* ◆ **5.1** het boek sprak me niet erg aan *the book had little appeal for me.*

aanspreker ⟨de (m.)⟩ **0.1** *undertaker's man.*

aanstaan ⟨onov.ww.⟩ **0.1** [op een kier staan] *be (standing) ajar* **0.2** [aangenaam zijn] *please* **0.3** [ingeschakeld zijn] *be running* ⟨motor⟩; *be (turned) on* ⟨radio, enz.⟩ ◆ **4.2** zijn gezicht staat mij niet aan *I do not like the look of him;* de kleur staat mij niet aan *I don't like the colour, the colour offends me.*

aanstaande¹ ⟨de (m.)⟩ **0.1** *fiancé* ⟨m.⟩, *fiancée* ⟨v.⟩ ◆ **4.1** mijn ~ *my future husband/wife;* ⟨inf.⟩ *my intended.*

aanstaande² ⟨bn.⟩ **0.1** [eerstkomend] *next* **0.2** [toekomstig] ⟨te verwachten⟩⟨*forth*⟩*coming;* ⟨komend⟩ *approaching;* ⟨in opleiding⟩ *intending* **0.3** [nabij in de tijd] *near* ◆ **1.1** ~ maandag, maandag ~ *this Monday;* ⟨maandag over een week⟩ *n. Monday;* ⟨schr.⟩ *Monday n.* **1.2** de ~ burgemeester *the prospective mayor;* ~ moeders *expectant mothers;* onze ~ schoonzoon *our future son-in-law, our son-in-law to be;* zijn ~ vrouw *his future/intended wife* **3.3** ~ zijn *be at hand/n.;* ⟨dreigen⟩ *be imminent.*

aanstalten ⟨zn.mv.⟩ ◆ **3.**¶ ~ maken voor de reis/om te vertrekken *make/get ready for the trip/to leave;* geen ~ maken (om) *make no show/sign (of), show no intention (of).*

aanstampen ⟨ov.ww.⟩ **0.1** *tamp (down)* ⇒*ram down.*

aanstappen ⟨onov.ww.⟩ **0.1** [sneller voorstappen] *stride out* ⇒*mend/quicken one's pace* **0.2** [met vaste schreden naderen] *stride along/up* ◆ **3.2** komen ~/ aangestapt *come striding along/up* **5.1** kom, stap wat aan! *come on!, hurry up!, get a move on!* **6.2** kom als je in de stad bent eens bij mij ~ ⟨inf.⟩ *drop/pop in sometime when you are in town;* de agent stapte aan op de krakers *the policeman stepped up to the squatters.*

aanstaren ⟨ov.ww.⟩ **0.1** *stare at* ⇒*gaze at* ◆ **5.1** iem. strak ~ *stare hard at s.o.* **6.1** iem. **met** open mond ~ *stare open-mouthed/gaping at s.o., gape at s.o.* ¶.**1** iem. vol bewondering ~ *gaze at s.o. admiringly.*

aanstekelijk
I ⟨bn., bw.; -ly⟩ **0.1** [navolging opwekkend] *infectious* ⇒*contagious, catching* ◆ **3.1** ~ lachen *laugh contagiously;*
II ⟨bn.⟩ **0.1** [besmettelijk] *infectious* ⇒*contagious, catching* ◆ **3.1** geeuwen is/werkt ~ *yawning is/proves i..*

aansteken ⟨ov.ww.⟩ **0.1** [doen branden] *light* ⇒⟨vuur ook⟩ *kindle,* ⟨elektriciteit⟩ *turn/switch on* **0.2** [besmetten] *infect* ⇒*contaminate* ◆ **1.1** die brand is aangestoken *that fire was started deliberately;* een kaars/lamp ~ *l. a candle/lamp* **1.2** ⟨fig.⟩ één schurftig schaap kan een hele kudde ~ *one black sheep can i. the whole flock* **1.**¶ een vat ~ *broach/tap a cask* **4.2** ze steken elkaar aan ⟨fig.⟩ *they are a bad/good influence on one another* **6.1** de ene sigaret **met** de andere ~ *l. one cigarette from another;* ⟨vulg.⟩ *have a Dutch fuck;* ⟨ketting-roken⟩ *chain-smoke, on a chain smoker* **6.2** ⟨fig.⟩ aangestoken **door** de algemene vrolijkheid *infected by universal cheerfulness.*

aansteker ⟨de (m.)⟩ **0.1** *(cigarette) lighter.*

aanstellen
I ⟨ov.ww.⟩ **0.1** [in dienst stellen/nemen] *appoint* ◆ **5.1** opnieuw ~ *reappoint;* iem. vast ~ *appoint s.o. permanently, put s.o. on the permanent staff* **6.1** iem. ~ **om** toezicht te houden *appoint s.o. to exercise supervision;* iem. **op** proef ~ *place s.o. on probation;* iem. **tot** burgemeester ~ *appoint s.o. mayor* **8.1** iem. als burgemeester ~ *appoint s.o. as mayor;*
II ⟨wk.ww.; zich ~⟩ **0.1** [zich op overdreven wijze uiten] *put on airs* ⇒*pose, show off* ◆ **5.1** zich idioot ~ *play the idiot;* zich kinderachtig/belachelijk ~ *make a child/fool of o.s.;* stel je niet aan! ⟨mbt. kinderachtigheid⟩ *be your age!, don't behave like a child!;* ⟨mbt. overdrevenheid⟩ *stop showing off!, who do you think you are?.*

aansteller ⟨de (m.)⟩, **-ster** ⟨de (v.)⟩ **0.1** [mbt. overdreven gedrag] *affected person* ⇒*poseur,* ⟨inf.⟩ *swank, poser, show-off* **0.2** [mbt. kinderachtig gedrag] *baby* ◆ **2.2** wat ben je toch een kleine ~ *don't put it on like that.*

aanstellerig
I ⟨bn.⟩ **0.1** [geneigd zich aan te stellen] *affected* ⇒*theatrical, highfalutin, attitudinizing* **0.2** [blijk gevend van aanstellerij] *affected* ⇒*stilted* ⟨spraak⟩ ◆ **1.1** een ~ mens *an a. / a gushing person;*
II ⟨bw.⟩ **0.1** [op sterk overdreven wijze] *affectedly.*

aanstellerij ⟨de (v.)⟩ **0.1** [overdreven gedrag] *affectation* ⇒*pose, showing off* **0.2** [kinderachtig gedrag] *babyish behaviour* ◆ **5.1** het is maar ~ *it's only showing off/a pose* **6.2** is het nu uit **met** die ~? *don't be such a baby!.*

aanstelleritis ⟨de (v.)⟩ ⟨scherts.⟩ **0.1** *touch of the theatricals.*

aanstelling ⟨de (v.)⟩ **0.1** [benoeming] *appointment* ⇒⟨officier⟩ *commission* **0.2** [ambtelijke kennisgeving] *letter/announcement of appointment* ◆ **1.1** akte van ~ *appointment* **2.1** een vaste/tijdelijke ~ hebben/krijgen *hold/obtain a permanent/temporary a.* **6.1** de ~ **tot** burgemeester *the a. as mayor.*

aanstellingsbrief ⟨de (m.)⟩ **0.1** *letter of appointment.*

aansterken ⟨onov.ww.⟩ **0.1** *get stronger* ⇒*recuperate, regain one's strength, convalesce* ◆ **3.1** doen ~ *feed/build up.*

aanstevenen ⟨onov.ww.⟩ **0.1** [aanvaren] *sail along* **0.2** [aanstappen] *stride along/up* ◆ **3.2** komen ~/ aangestevend *come striding along* **6.1** het schip stevende **op** de haven aan *the ship was heading/making for the port.*

aanstichten ⟨ov.ww.⟩ **0.1** *instigate* ⟨opstand, enz.⟩; *cause* ⟨onheil⟩; *start, set on foot* ⟨steunbeweging⟩.

aanstichting ⟨de (v.)⟩ **0.1** *instigation* ◆ **6.1** op ~ **van** *on the initiative of;* ⟨ongunstig⟩ *at the i. of.*

aanstiefelen ⟨ww.⟩ ◆ **3.**¶ ⟨inf.⟩ komen ~ *dawdle along, amble/saunter/stroll along.*

aanstippen ⟨ov.ww.⟩ **0.1** [terloops vermelden] *mention by the way/briefly* ⇒*touch on, indicate briefly* **0.2** [even aanraken] *touch* **0.3** [⟨med.⟩] *dab* **0.4** [met een stip aantekenen] *check/tick off* ◆ **6.3** ~ **met** jodium *d. with iodine.*

aanstoken ⟨ov.ww.⟩ **0.1** [aanwakkeren] *stir up* ⇒*fan, foment* **0.2** [feller laten branden] *stir* ⇒*poke* **0.3** [opruien] *stir up* ⇒*incite, instigate* ◆ **1.1** een twist ~ *stir up a quarrel* **6.1** iem. ~ **tot** opstand/verzet *incite s.o. to rebellion/resistance.*

aanstoker ⟨de (m.)⟩, **-stookster** ⟨de (v.)⟩ **0.1** *instigator.*

aanstonds ⟨bw.⟩ **0.1** *directly* ⇒*immediately, at once, straight away* ◆ **5.1** al ~ *from the outset/start;* zo ~ *presently, in a little while.*

aanstoot ⟨de (m.)⟩ **0.1** *offence* ⇒↑*umbrage* ◆ **1.1** een steen des ~s *a stumbling block, a bone of contention* **3.1** ~ geven *give o. / umbrage;* ~ nemen *take/take o. at/umbrage at/over/exception to.*

aanstootgevend ⟨bn., bw.; -ly⟩ **0.1** *offensive* ⇒*offending, objectionable,* ⟨sterker⟩ *scandalous, shocking* ◆ **1.1** zijn gedrag is ~ *his conduct/behaviour is offensive/scandalous/most objectionable;* ~e gedrag *obnoxious behaviour;* ~e passages in een boek *offensive in a book.*

aanstormen ⟨onov.ww.⟩ **0.1** *rush* ⇒*tear, storm* ◆ **1.1** de ~de troepen *the onrushing troops* **3.1** komen ~/ aangestormd *come rushing/tearing up/along* **6.1** ~ **op** de vijand *storm (upon) the enemy.*

aanstotelijk →**aanstootgevend.**

aanstoten

I ⟨onov.ww.⟩ **0.1** [botsen] **knock (against)** ⇒*strike (against), bang (against), bump (into)* ◆ **6.1** hij stootte **tegen** de tafel aan *he knocked against/bumped into the table;*
II ⟨ov.ww.⟩ **0.1** [porren] **nudge** ⇒*jog, push, prod* ⟨met voorwerp⟩ **0.2** [door stoten in aanraking brengen met] **push** ⇒*knock, clink, touch* ⟨glazen⟩ **0.3** [door stoten voortduwen] **push** ⇒*shove* ◆ **1.1** zijn buurman ~ *n. one's neighbour* **1.3** stoot de deur wat aan *push the door to* **4.3** stoot mij eens aan ⟨op schommel⟩ *give me a push* **5.2** stoot eens aan *let's drink to it, here's to it.*
aanstouwen ⟨ov.ww.⟩ **0.1** *pile up* ⇒*stow up* ◆ **1.1** goederen ~ *pile up goods.*
aanstrepen ⟨ov.ww.⟩ **0.1** *mark* ⇒*tick (off)* ◆ **1.1** een plaats in een boek ~ *m. a place in a book.*
aanstrijken ⟨ov.ww.⟩ **0.1** [door strijken bedekken] **brush (over)** ⟨met kwast⟩ ⇒*coat, plaster* **0.2** [door strijken doen ontbranden] **strike 0.3** [mbt. een snaar] **bow** ◆ **1.1** een muur ~ *plaster a wall.*
aanstromen ⟨onov.ww.⟩ **0.1** [stromend in een richting gaan] **flow** ⇒*stream, course* **0.2** [toestromen] **stream** ⇒*flow, pour,* ⟨menigte ook⟩ *flock* ◆ **3.2** komen ~ *come flowing along/up, come flocking up.*
aanstrompelen ⟨onov.ww.⟩ ◆ **3.¶** komen ~/ aangestrompeld *come hobbling/stumbling along/up.*
aanstuiven ⟨onov.ww.⟩ **0.1** [aanstormen] **rush** ⇒*tear, storm* **0.2** [naar een plaats toestuiven] **drift** ⇒*pile up* **0.3** [zich vormen door aangewaaid zand] **drift** ◆ **1.2** de zeedijk is door aangestoven zand bedekt *the sea dike is covered with drifting/drifts of sand* **3.1** komen ~/ aangestoven *come rushing/tearing along/up.*
aansturen
I ⟨onov., ov.ww.⟩ **0.1** [⟨+op⟩ naar een punt richten] **head for** ⇒*aim at/for, make for* **0.2** [⟨+op⟩ trachten te bereiken/verkrijgen] **aim for /at** ⇒*steer towards,* ⟨bedoelen⟩ *drive at, press for* ◆ **6.1** op de wal ~ *head for shore* **6.2** (het) **op** een breuk ~ *a. at/head for a break-up;* ik zou niet weten waar hij **op** aanstuurt *I don't know what he's driving/getting at;*
II ⟨ov.ww.⟩ **0.1** [naar iem. zenden] **send** ◆ **1.1** ik stuur een van de kinderen wel even aan *I'll s. one of the children (over).*
aansukkelen ⟨onov.ww.⟩ **0.1** [aansjokken] **stagger** ⇒*stumble* **0.2** [voortsukkelen] **plod along** ⇒*trudge, jog, drag along* ◆ **3.1** komen ~/ aangesukkeld *come staggering along/up.*
aantal ⟨het⟩ **0.1** *number* ◆ **1.1** een ~ jaren lang *for a n. of years;* het ~ leden nam toe *the n. of members/membership increased;* een ~ personen kreeg toestemming om ... *a n. of/several people received permission to ...* **2.1** een flink ~ boeken *quite a few books;* een groot ~ deelnemers/huizen/kinderen *a large entry, a good few houses, a lot of children;* het totale ~ werkende vrouwen *the total of working women;* het vereiste ~ werd niet bereikt *the necessary quorum/quota was not reached* **3.1** hij kreeg er een ~ bij elkaar *he got some of them together/gathered some of them round;* wij kreeg het ~ bij elkaar *he got the n. required/the necessary n. together* **6.1** in ~ overtreffen *outnumber.*
aantasten ⟨ov.ww.⟩ **0.1** [aanvreten] **affect** ⟨gezag, schadelijk⟩ ⇒*harm, attack* **0.2** [aanvallen] **attack** ⇒*assail, seize, injure* **0.3** [gaan gebruiken] **draw on** ⇒*break/cut/dig into* ⟨voorraad⟩ ◆ **1.1** de zee tast de kust steeds verder aan *the sea is encroaching further and further on the land;* dit zuur tast metalen aan *this acid attacks/corrodes/eats into metals;* die geruchten tasten onze goede naam aan *those rumours injure/tarnish our good name/reputation;* die ziekte heeft hem/zijn gezondheid danig aangetast *the illness greatly/seriously affected his constitution/impaired his health* **1.2** iedereen werd door de goudkoorts aangetast *everyone was seized by gold fever;* door een ziekte aangetast worden *be taken ill, be attached by/stricken with a disease* **6.2** iem. **in** zijn eer/goede naam ~ *injure/impugn s.o.'s honour/good name;* iem. **in/van** zijn zwakke zijde ~ *attack s.o. in his weak spot.*
aantekenboek ⟨het⟩ **0.1** *notebook* ⇒*memorandum,* ⟨inf.⟩ *jotter.*
aantekenen
I ⟨ov.ww.⟩ **0.1** [opschrijven] **take/make a note of** ⇒*note/write down, record,* ⟨inf.⟩ *jot down,* ⟨bv. in register/bij instantie⟩ *enter, lodge, register,* ⟨→aangetekend⟩ **0.2** [vermelden] **comment, note** ⇒*remark,* ⟨mbt. tekst- en literaire kritiek⟩ *annotate, gloss* ◆ **1.1** hoger beroep ~ *lodge/give notice of (an) appeal;* cassatie ~ *lodge/give notice of (an) appeal to the Supreme Court;* ⟨fig.⟩ ergens verzet/protest tegen ~ *enter/lodge a protest against sth.* **3.1** brieven laten ~ *have letters registered* **6.2** daarbij tekende spreker aan, dat ... *the speaker gave as (an) illustration (that)/further observed that;*
II ⟨onov.ww.⟩ **0.1** [zich in ondertrouw laten opnemen] ⟨gemeentehuis⟩ *enter a/give notice of marriage;* ⟨kerk⟩ *put up the banns.*
aantekening ⟨de (v.)⟩ **0.1** [het noteren] **noting** ⇒*making note, recording* **0.2** [notitie] **note** ⇒*annotation, record, entry* **0.3** [noot] **note** ⇒*footnote, gloss, comment, annotation* **0.4** [bijzondere vermelding] **endorsement** ⟨cheque, rijbewijs, diploma⟩ ⇒*registration* ◆ **3.1** ~ houden van iets *keep a note/tally/record/account of sth.* **3.2** ~en maken *take notes* ⟨bv. student⟩ *make notes;* zijn ~en overlezen *read through/over one's notes* **6.1** ⟨jur.⟩ ~ **van** hoger beroep *lodgement/notice of appeal* **6.3** een uitgave van Erasmus **met** ~en *an anotated (Erasmus) edition (of Erasmus), an edition of Erasmus with notes/commentary*

6.4 ~ **voor** kraamverpleging *registration for maternity/post-natal care.*
aantekenschrift ⟨het⟩ **0.1** *copybook* ⇒⟨AE⟩ *cahier,* ⟨inf.⟩ *jotter, note-pad.*
aantijgen ⟨ov.ww.⟩ **0.1** *impute* ⇒*arraign, charge, accuse* ◆ **6.1** hij tijgde haar aan **wegens** ontrouw *he imputed unfaithfulness to her, he accused her of unfaithfulness.*
aantijging ⟨de (v.)⟩ **0.1** *imputation* ⇒*allegation, accusation.*
aantikken
I ⟨onov.ww.⟩ **0.1** [oplopen] **mount up** ⇒*add up, tot up* **0.2** [tikken aan] **tap** ⟨aan deur/raam⟩ ⇒*knock* **0.3** [groeten] **tip/touch one's cap** ◆ **5.1** dat tikt lekker aan *that's mounting/adding up nicely* **6.2** bij iem. ~ *t./knock on s.o.'s door;* ⟨langsgaan⟩ *look s.o. up* **¶.¶** ⟨bij zwemmen⟩ zij tikte als eerste aan *she touched first;*
II ⟨ov.ww.⟩ **0.1** [even aanraken] **tip** ⇒*tap, touch* ◆ **1.1** ⟨voetbal⟩ de middenvoor werd aangetikt *the centre forward was tackled;* de pet ~ *tip/touch one's cap* **5.1** iem. even ~ *tap a.s.o..*
aantocht ⟨de (m.)⟩ ◆ **6.¶ in** ~ zijn *be on the way/at hand, be coming/approaching;* de winter is **in** ~ *winter's coming/on the way.*
aantonen ⟨ov.ww.⟩ **0.1** [bewijzen] **demonstrate** ⇒*prove, show, establish* **0.2** [aanwijzen] **demonstrate** ⇒*show, indicate, point out, reveal* ⟨vnl. passief⟩ **0.3** [tot uitdrukking brengen] **show 0.4** [⟨schei.⟩] **demonstrate** ◆ **1.1** de juistheid v.e. bewering ~ *justify a statement* **1.2** de oorzaak v.d. narigheid ~ *d./show up the cause of the misery* **5.1** er werd ruimschoots aangetoond, dat ... *there was ample/abundant evidence/proof that ...* **8.1** ik zal u ~ dat ik gelijk heb *I'll show you that I'm right* **8.3** zijn houding toonde aan, dat hij schuldig was *his attitude was indicative of his guilt, it was clear from his attitude that he was guilty.*
aantonend ⟨bn.⟩ ◆ **1.¶** ⟨taal.⟩ de ~e wijs *the indicative mood.*
aantoonbaar
I ⟨bn.⟩ **0.1** [aangetoond kunnende worden] **demonstrable** ◆ **5.1** deze vervalsing is gemakkelijk ~ *this is clearly a d. falsification, this falsification can be/is easily demonstrated;*
II ⟨bw.⟩ **0.1** [zoals aangetoond kan worden] **demonstrably** ⇒*evidently, patently* ◆ **2.1** dat is ~ onjuist *that is evidently/patently incorrect.*
aantrappen
I ⟨onov.ww.⟩ **0.1** [stevig(er) trappen] **tread hard(er)(on the pedals)** ⇒*pedal hard(er)* ◆ **3.1** met die wind is het ~ *you have to pedal hard(er) in this wind;*
II ⟨ov.ww.⟩ **0.1** [door trappen doen aanslaan] **kick-start** ⟨motor e.d.⟩ **0.2** [door trappen aandrukken] **tread down** ⇒*stamp in.*
aantreden
I ⟨onov.ww.⟩ **0.1** [in een richting stappen] **come/step forward** ⇒ ⟨dans⟩ *step off* ⟨met de linker- of rechtervoet⟩ **0.2** [zich verzamelen] **fall in** ⇒*form into line, form/line up* **0.3** [sneller voortgaan] **step out/step up the pace** ◆ **3.2** de manschappen doen/laten ~ *fall the men in* **3.3** wij moeten wat ~! *we'll have to step it out* **¶.2** op bevel ~ *fall in on command;*
II ⟨ov.ww.⟩ **0.1** [aanstampen] **stamp in** ⇒*tread down.*
aantreffen ⟨ov.ww.⟩ **0.1** [mbt. personen] **find** ⇒*encounter, come across, meet* **0.2** [mbt. zaken] **find** ⇒*come across, happen upon, discover* ◆ **1.2** deze bloemen worden alleen in het wild aangetroffen *these flowers are only found growing wild* **2.1** iem. dood ~ *find s.o. dead* **5.1** iem. niet thuis ~ *find s.o. out.*
aantrekkelijk ⟨bn.⟩ **0.1** *attractive* ⇒*inviting* ⟨bv. aanbod⟩, *alluring, engaging* ◆ **1.1** ~e modellen/perspectieven *fetching models/attractive perspectives* **3.1** iets ~ maken *glamourize sth., make sth. attractive* **4.1** zij heeft niets ~s *she's (most) unattractive, she has no charm/holds no attraction* **5.1** ik vind ze erg ~ *I find them very attractive/pretty, I find they look very well* **7.1** weinig ~s bieden *offer little attraction/allure.*
aantrekkelijkheid ⟨de (v.)⟩ **0.1** [het aantrekkelijk zijn] *attractiveness* ⇒*allure, appeal* **0.2** [wat aantrekkelijk is] *attraction* ⇒*allure, appeal* ◆ **3.2** voetbal heeft voor mij nog niets van zijn ~ verloren *football has lost none of it's attraction for/appeal to me;* zijn ~ verliezen *lose it's attraction, pall.*
aantrekken ⟨→sprw. 527⟩
I ⟨ov.ww.⟩ **0.1** [naar zich toetrekken] **attract** ⇒*draw, pull* **0.2** [vaster doen sluiten] **tighten** ⇒*draw tighter, fasten* **0.3** [bekoren] **draw** ⇒*attract* **0.4** [aan zich verbinden] **take on** ⇒*draw* ⟨een menigte⟩, *attract* **0.5** [aandoen] **put on** ◆ **1.1** de aarde wordt door de zon aangetrokken *the earth gravitates towards the sun;* zout trekt vocht aan *salt attracts moisture* **1.2** de buikriem ~ *t. one's belt* ⟨ook fig.⟩; de deur ~ *pull the door to;* een knoop ~ *t. a knot* **1.4** nieuwe industrieën ~ *attract new industries;* vreemd kapitaal ~ *draw/attract foreign capital;* nieuwe medewerkers ~ *take on/enlist/recruit new staff* **1.5** andere kleren/schoenen ~ *change one's clothes/shoes;* zijn schoenen/jas/kousen ~ *p. on/get into one's shoes/coat, put on one's stockings* **1.¶** de stoute schoenen ~ *pluck/screw up courage, take one's courage in one's hands;* de sprint ~/ het tempo ~ *increase the sprint/speed* **3.3** zich aangetrokken voelen door/tot iem./iets *feel drawn/attracted to s.o./sth.* **4.3** dat trekt mij wel aan *that appeals to me/takes my fancy* **¶.5** ik heb weer niets om aan te trekken *I have nothing to wear again;*
II ⟨wk.ww.; zich ~⟩ **0.1** [grote aandacht schenken aan] **be concerned**

about ⇒*take seriously* ♦ **1.1** zich een advies~ *take s.o.'s advice seriously/to heart;* zich iemands lot ~ *take s.to heart, concern o.s. about s.o.('s fate)/on s.o.'s behalf;* zich verwijten ~ *be very sensitive to reproaches, take reproaches to heart* **5.1** zich alles erg ~ *take everything to heart/very seriously;* zij trok het zich erg aan *she took it badly/hard, it bothered/upset her a lot;* zich alles persoonlijk ~ *take everything personally* **6.1** zich niets ~ **van** *not care/mind/bother about, not take the slightest notice of;* ze scheen zich **van** de hele zaak niets aan te trekken *she seemed unconcerned/not to be bothered about the whole affair;* je hoeft je **van** mijn kritiek niets aan te trekken ⟨*you shouldn't let my criticism worry you/take my criticism too seriously/too much to heart;* hij trok zich geen reet/lor aan **van** wat de anderen dachten *he didn't care/give a damn what the others thought;* **III** ⟨onov.ww.⟩ **0.1** [in een richting gaan] *head for* ⇒*make for,* ⟨troepen ook⟩ *advance, move towards* **0.2** [bijtrekken] *pick up* ⇒*improve* ⟨economie⟩, ⟨prijzen ook⟩ *firm up* ♦ **1.2** de markt trekt aan *the market is picking up* **6.1** we trokken **op** huis aan *we headed for home.*

aantrekking ⟨de (v.)⟩ **0.1** [⟨nat.⟩] *attraction* ⇒*gravitation* **0.2** [⟨schei.⟩] *affinity* **0.3** ⟨⟨fig.⟩] *attraction* ⇒*appeal,* ⟨sterker⟩ *seduction, allurement* ♦ **2.1** magnetische/elektrische ~ *magnetic/electric(al) attraction.*

aantrekkingskracht ⟨de⟩ **0.1** [⟨nat.⟩] *(force of) attraction* ⇒*attractive/gravitation(al) force* **0.2** [⟨schei.⟩] *affinity* **0.3** [⟨fig.⟩] *attraction* ⇒*appeal,* ⟨sterker⟩ *seductiveness, allure* ♦ **3.3** een grote ~ bezitten voor iem. *have/hold (a) great attraction for s.o.;* ~ uitoefenen op iem. *attract s.o., have/exert an attraction for/on s.o..*

aanvaardbaar ⟨bn.⟩ **0.1** *acceptable* ⇒*admissable, allowable, plausible* ⟨argument, theorie⟩ ♦ **1.1** een aanvaardbare oplossing *an acceptable/a palatable solution* **3.1** de president achtte dit voorstel niet ~ *the president did not consider this proposal to be acceptable/considered this proposal unacceptable.*

aanvaarden ⟨ov.ww.⟩ **0.1** [accepteren] *accept* ⇒*agree to, take* ⟨klap, tegenslag⟩ **0.2** [beginnen te doen] *begin* ⇒*commence, set out on* ⟨reis⟩ **0.3** [op zich nemen] *accept* ⇒*assume, take on, adopt* **0.4** [in ontvangst/gebruik nemen] *accept* ⇒*take possession of, receive* ♦ **1.1** ik aanvaard uw aanbod *I accept your offer;* de consequenties ~ *take the consequences;* hij moest zijn nederlaag wel ~ *he was forced to accept defeat;* de strijd/uitdaging ~ *take up the gloves/gauntlet/challenge;* dit tragisch verlies moeten wij ~ *we shall have to accept this tragic loss;* een voorstel ~ *accept/agree to a proposal;* een weddenschap ~ *accept a bet* **1.2** een reis/de aftocht/de terugtocht ~ *set out on/commence a journey/beat a retreat/begin the return journey* **1.3** een functie ~ *accept/assume a function;* de regering ~ *assume governement;* een rol ~ *assume/take on/adopt a role;* de verantwoordelijkheid ~ *assume the responsibility;* hij aanvaardde het voorzitterschap *he acceded to/accepted the chairmanship* **1.4** een erfenis/boedel ~ *receive an inheritance, come into an estate;* gelieve mijn verontschuldigingen te ~ *please a. my apologies* **3.1** je zal dat moeten leren ~ *you will have to come to terms with it* **5.4** het huis is dadelijk te ~ *the house is available for immediate possession;* leeg te ~ *with immediate possession;* leeg te ~ *vacant possession* **5.¶** dat wordt algemeen aanvaard *that is generally acknowledged/universally accepted.*

aanvaarding ⟨de (v.)⟩ **0.1** [het in ontvangst/gebruik nemen] *(taking)*
possession ⇒*receipt* **0.2** [het zich schikken] *acceptance* ⇒*resignation* **0.3** [het op zich nemen] *assumption* ⇒*taking on, adoption, acceptance* ♦ **1.1** ~ v.e. erfenis *acceptance of/taking possession of a legacy/an inheritance* **1.3** ~ v.e. ambt *assumption of/accession to an office* **2.2** innerlijke ~ *inner a.* **6.3 bij** de ~ van zijn ambt *on the acceptance/assumption of his office.*

aanval ⟨de (m.)⟩ **0.1** [offensief] *attack* ⇒*assault, charge, offensive* **0.2** [aandoening] *attack* ⇒*fit* **0.3** [⟨sport⟩] *attack* ⇒⟨voetbal⟩ *tackle* ♦ **1.2** een ~ van koopwoede *a shopping spree;* een ~ van koorts/kiespijn/woede *an a. of fever/toothache, a fit of anger* **2.1** een felle ~ doen op iem. *make a vicious attack on s.o.;* een hevige ~ *a violent attack, an onslaught* **2.2** een lichte ~ *a mild dose, a touch;* in een plotselinge ~ van woede *in a sudden burst of anger* **3.1** ⟨fig.⟩ een ~ doen op iemands beurs *appeal to s.o.'s generosity;* ⟨sport⟩ een ~ doen op het doel v.d. tegenpartij *attack the opponent's goal;* een ~ ondernemen/afslaan *make/beat off an attack;* tot de ~ overgaan *take/go over to the offensive* **6.1 in** de ~ zijn/gaan *be on/go into the offensive;* een ~ **op** het wereldrecord verspringen *an attempt on the world record for the long jump;* **ten** ~ trekken *go into the attack/the offensive, mount/launch an attack* **¶.1** de ~ is de beste verdediging *attack is the best defence, best defence is offence.*

aanvallen
I ⟨onov., ov.ww.⟩ **0.1** [een aanval doen op] *attack* ⇒*assail, assault, fall/set on* ♦ **1.1** dat elftal valt voortdurend aan *that team is always on the attack;* de keeper ~ *tackle the keeper* **6.1** de vijand in de rug/flank ~ *attack/take the enemy from the rear/in the flank* **8.1** hij viel als eerste aan *he led the attack;*
II ⟨ov.ww.⟩ ⟨fig.⟩ **0.1** [met woorden bestrijden] *attack* ⇒*contest, challenge,* ↓*have a go at (s.o.)* ♦ **1.1** een tegenstander ~ *a. / assail/* ↓*have a go at an opponent;* een testament ~ *contest a will* **6.1** een poli-

***

ticus **op/over** zijn uitspraken ~ *a. / challenge a politician about his statements;*
III ⟨onov.ww.⟩ **0.1** [afstormen op] *fall/set upon* ⇒*charge, attack* ♦ **6.1** de vijand viel **op** de stad aan *the enemy charged the town;* ⟨**op** het eten⟩ ~ *attack (the food),* ↑*fall to (eating);* ⟨inf.⟩ *dig/bog in.*

aanvallend ⟨bn., bw.;-ly⟩ **0.1** [offensief] *offensive* ⇒*aggressive, attacking* **0.2** [⟨sport⟩] *offensive* ⇒⟨negatief⟩ *aggressive* ♦ **1.1** ~e beweging *aggressive movement;* ~ verbond *o. alliance* **1.2** ~ voetbal *attacking football* **¶.1** ~ te werk gaan *act/set about sth. aggressively.*

aanvaller ⟨de (m.)⟩, **-ster** ⟨de (v.)⟩ **0.1** [aanvallende persoon/partij] *assailant* ⇒*attacker, agressor* **0.2** [⟨sport⟩] *attacker* ⇒⟨voetbal, rugby⟩ *tackler,* ⟨voetbal ook⟩ *forward, striker.*

aanvallig ⟨bn.⟩ **0.1** *delightful* ⇒*sweet, charming, lovely.*

aanvalligheid ⟨de (v.)⟩ **0.1** *charm* ⇒*loveliness.*

aanvalsactie ⟨de (v.)⟩ **0.1** *offensive* ⇒*attack.*

aanvalskracht ⟨de⟩ ⟨mil.⟩ **0.1** *attacking force* ⇒*offensive power.*

aanvalslinie ⟨de (v.)⟩ **0.1** *advance guard* ⇒*vanguard,* ⟨sport⟩ *forward line.*

aanvalsoorlog ⟨de (m.)⟩ **0.1** *offensive war* ⇒*war of aggression.*

aanvalsplan ⟨het⟩ **0.1** *plan of attack.*

aanvalssein ⟨het⟩ **0.1** *signal for attack.*

aanvalswapen ⟨het⟩ **0.1** *offensive weapon* ⇒*aggressive weapon, weapon of offence.*

aanvang ⟨de (m.)⟩ ⟨schr.⟩ **0.1** *commencement* ⇒*inception, outset, beginning* ♦ **1.1** ~ der voorstelling: 20.00 u. *curtain (up) at 20.00* **3.1** een ~ nemen *commence, open;* een ~ maken met de arbeid *commence work, make a start on the job* **6.1 bij/in** de(n) ~ *at the start/onset;* **van** de ~ *af from the outset.*

aanvangen
I ⟨ov.ww.⟩ **0.1** [begin maken met] *begin* ⇒*start, commence* **0.2** [trachten/beginnen te doen] *do* ♦ **1.1** de arbeid/een reis/een lezing/de werkzaamheden ~ *b. work, set out on a journey, b. a lecture, commence activity/duties* **4.2** de brandweer kon niets meer ~ *the firebrigade was helpless/at a loss;* daar is niets mee aan te vangen *that/it is hopeless/useless/worthless, there is no doing anything with that/nothing to be done with that;* met haar is niets aan te vangen *there is nothing to be done/nothing can be done with her;* ⟨minder wanhopig⟩ *you can't get anywhere with her* **6.2** wat moet ik **met** zo'n jongen ~? *what am I (supposed) to do with a boy like that;*
II ⟨onov.ww.⟩ **0.1** [beginnen te bestaan/te gebeuren] *begin* ⇒*start, commence* ♦ **1.1** de reis ving aan *the journey began.*

aanvangsklas ⟨de (v.)⟩ **0.1** [B]*infants' class,* [A]*elementary grade.*

aanvangspunt ⟨het⟩ **0.1** *starting point.*

aanvangssalaris ⟨het⟩ **0.1** *starting salary.*

aanvangstijd ⟨de (m.)⟩ **0.1** *(scheduled) starting time* ♦ **2.1** let op! gewijzigde ~en *note changed starting times.*

aanvankelijk
I ⟨bw.⟩ **0.1** [in het begin] *initially* ⇒*at first, in/at the beginning, originally* ♦ **3.1** ~ won hij *at first he was winning/used to win;*
II ⟨bn.⟩ **0.1** [waarmee begonnen wordt] *initial* ⇒*original, starting, commencing* ♦ **1.1** ⟨mechanica⟩ ~e snelheid *i. velocity.*

aanvaren
I ⟨ov.ww.⟩ **0.1** [varende in aanraking komen met] *run into* ⇒*collide with, strike, hit, fall foul of* ♦ **1.1** een ander schip ~ *collide/come into collision with/run into/hit another ship;*
II ⟨onov.ww.⟩ **0.1** [in een richting varen] *sail* ♦ **3.1** komen ~ / aangevaren *come sailing up/along, s. up* **6.1 op** iets ~ *make/head for sth., steer/s. towards sth.;* **tegen** een brug ~ *run into/hit/strike a bridge.*

aanvaring ⟨de (v.)⟩ **0.1** *collision* ⇒*crash* ♦ **6.1 in** ~ komen met *come into collision/collide with, fall foul of.*

aanvatten ⟨ov.ww.⟩ ⟨schr.⟩ **0.1** [beetpakken] *seize (hold of)* ⇒*grasp* **0.2** [beginnen] *commence* ⇒*launch* ⟨bv. project⟩ **0.3** [te baat nemen] *seize* ⇒*grasp* ♦ **1.1** een beker ~ *seize hold of a beaker/mug* **1.2** ⟨AZN⟩ een reis/taak ~ *c. a journey/task* **1.3** een gelegenheid ~ *s. an opportunity* **6.1** hij is te vuil om **met** een tang aan te vatten *he's too dirty to touch with a barge-pole.*

aanvechtbaar ⟨bn.⟩ **0.1** *contestable* ⇒*disputable,* ⟨zwakker⟩ *debatable, impugnable, challengeable* ♦ **1.1** een ~ standpunt *a contestable/disputable/debatable point of view.*

aanvechten ⟨ov.ww.⟩ **0.1** [aanvallen] *assail* ⇒*attack* **0.2** [betwisten] *contest* ⇒*dispute, challenge, impugn* ♦ **1.1** ⟨fig.⟩ de schipbreukeling werd aangevochten door wanhoop *the castaway was assailed by despair* **1.2** een beslissing ~ *challenge a decision;* een dagvaarding ~ *contest a summons;* een stelling ~ *impugn/challenge/dispute a statement/thesis* **6.1** ⟨fig.⟩ **door** slaap aangevochten *assailed by/struggling with sleep.*

aanvechting ⟨de (v.)⟩ ⟨fig.⟩ **0.1** [aantasting, bestrijding] *contesting* ⇒*disputation, impeachment* **0.2** [onweerstanbare neiging] *urge* ⇒*impulse, temptation, inclination, attack* ♦ **1.1** de ~ v.e. vonnis *the c. of/* ≠*the appeal against a sentence* **6.2** een ~ **van** (de) slaap/onpasselijkheid *an attack of sleepiness/nausea.*

aanvegen ⟨ov.ww.⟩ **0.1** [door vegen in orde brengen] *sweep* ⇒*sweep out* ⟨kamer⟩ **0.2** [opvegen] *sweep up* ♦ **1.¶** de kamer/vloer met iem. ~ *wipe the floor with s.o., take s.o. to the cleaners.*

aanverwant¹ ⟨de (m.)⟩ **0.1** *in-law.*

aanverwant² ⟨bn.⟩ **0.1** [door huwelijk verwant] *related by marriage* **0.2** [in nauwe betrekking staand] *related* ⇒*cognate* ⟨wetenschap, onderwerp⟩, *allied, kindred* ◆ **1.2** de geneeskunde en ~e vakken *medicine and r. professions;* ~e talen *cognate languages.*

aanvliegen
I ⟨ov.ww.⟩ **0.1** [vliegend naderen] *approach* ⇒*fly towards* **0.2** [aanvallen] *fly at* ⇒*attack* **0.3** [⟨luchtv.⟩] *fly (in/over)* ⇒*transport/bring by air* ◆ **1.1** een vliegveld ~ *a. an airport* **1.2** de hond vloog de man aan *the dog flew at the man;*
II ⟨onov.ww.⟩ **0.1** [in een richting vliegen] *fly (towards)* **0.2** [snel ontbranden] *ignite* ⇒*burst into flames, light* ◆ **3.1** ⟨fig.⟩ de ziekenauto kwam ~/ aangevlogen *the ambulance came flying/racing along/up* **6.1** ⟨fig.⟩ woedend vloog hij **op** mij aan *he lashed out furiously at me;* **tegen** iets ~ *f. against/hit sth.;* ⟨auto ook⟩ *crash into sth..*

aanvliegroute ⟨de⟩ **0.1** *approach route.*

aanvlijen ⟨wk.ww.; zich ~⟩ **0.1** ⟨+tegen⟩ *nestle/cuddle up (against/to).*

aanvoegend ⟨bn.⟩ ◆ **1.¶** ⟨taal.⟩ de ~e wijs *the subjunctive mood.*

aanvoelen
I ⟨ov.ww.⟩ **0.1** [tot zijn gevoel laten spreken] *feel* ⇒*sense,* ⟨instinctief⟩ *intuit* **0.2** [even aanraken] *feel* ⇒*finger, touch* ◆ **1.1** iem. ~ *understand/* ⟨sterker⟩ *empathize with s.o.;* een stemming ~ *f. an atmosphere* **5.1** iets beter ~ dan beredeneren *it's easier sensed than rationalized/sth. like that is better felt than rationalized about/discussed* **5.1** elkaar goed ~ *speak the same language, be of the same mind, have fellow feeling;* hij had de situatie goed aangevoeld *he had a good appreciation of the situation;*
II ⟨onov.ww.⟩ **0.1** [het genoemde gevoel veroorzaken] *feel* ◆ **5.1** het voelt koud/zacht/als zijde aan *it feels cold/soft/silky, it is cold/soft/silky to the touch.*

aanvoelingsvermogen ⟨het⟩ **0.1** *intuition* ⇒*instinctive feel/feeling, sensitivity* ◆ **2.1** fijn psychologisch ~ *keen psychological intuition.*

aanvoer ⟨de (m.)⟩ **0.1** [het naar de bestemde plaats brengen] *supply* ⇒*delivery* **0.2** [het aangevoerd worden] *supply* **0.3** [het aangevoerde] *supply* ⇒*arrival* ⟨import⟩, *landing* ⟨vis⟩, *delivery* **0.4** [buis, kanaal] *supply/feed pipe/duct* ◆ **1.3** de ~ van levensmiddelen *food supplies* **2.3** de voorraad is op, maar wij verwachten nieuwe ~ *stocks are exhausted/we are out of stock but we are expecting new supplies;* de ~ was onvoldoende/te groot *the s. was inadequate, there was a surplus (in the s.)* **2.4** de ~ is verstopt *the supply(-pipe)/feed pipe is blocked* **7.2** er is geen ~ *there is no s..*

aanvoerbuis ⟨de⟩ **0.1** *feed/supply pipe* ⇒*service pipe* ⟨vnl. gas, water, enz.⟩.

aanvoerder ⟨de (m.)⟩, **-ster** ⟨de (v.)⟩ **0.1** [leider] *leader* ⇒*captain* ⟨ook sport⟩, *head, chief* **0.2** [iem. die de aanvoer regelt] *supplier.*

aanvoeren ⟨ov.ww.⟩ **0.1** [leiden] *lead* ⇒*command, captain* ⟨ook sport⟩, *conduct* **0.2** [met een vervoermiddel aanbrengen] *supply* ⇒*bring,* ↑*convey, import* ⟨uit buitenland⟩ **0.3** [als bewijs naar voren brengen] *adduce* ⇒*bring/put forward, advance, produce* ⟨reden⟩, *argue* ◆ **1.1** een leger/bende ~ *command an army, l. a gang;* de stoet ~ *head the procession* **1.3** hij voerde enige bijbelcitaten aan *he adduced/produced/brought forward several Bible quotations, he quoted several Bible references* **6.2** de olie wordt **door** buizen aangevoerd *the oil is piped (in);* het graan wordt **met** vrachtwagens/schepen aangevoerd *the grain is trucked/shipped in;* troepen/goederen werden **per** vliegtuig aangevoerd *troops/goods were flown in* **8.3** hij voerde als verontschuldiging/verdediging aan dat … *he pleaded/urged in excuse/as defence that …;* hij voerde aan dat … *he argued/urged that ….*

aanvoerhaven ⟨de⟩ **0.1** *port where … is imported; fishing port* ⟨vis⟩ ◆ **1.1** Port Headland is een ~ van ijzererts *Port Headland is an iron are port;* Rotterdam is een ~ van olie *Rotterdam is an oil port.*

aanvoering ⟨de (v.)⟩ **0.1** *command* ⇒*leadership,* ⟨vnl. sport⟩ *captaincy* ◆ **6.1** onder ~ van *under the c. / leadership of, headed by, led by.*

aanvoerpijp →**aanvoerbuis.**

aanvoerweg ⟨de (m.)⟩ **0.1** *feeder (road)* ⇒*supply route.*

aanvraag ⟨de⟩ **0.1** [verzoek] *application* ⇒*request, demand, inquiry* ⟨om inlichtingen enz.⟩ **0.2** [bestelling] *request* ⇒*demand, order* **0.3** [het aangevraagde] *application* ⇒*request, demand, inquiry* ◆ **3.1** ~ doen om iets *make a. / apply for sth., submit a request for sth.;* een ~ indienen *make a., submit a request; file a petition* ⟨echtscheiding, faillissement⟩ **3.2** wij konden niet aan alle aanvragen voldoen *we couldn't meet the demand/meet/cope with all the requests/orders* **6.1** ~ **om** eervol ontslag *request for honourable discharge;* **op** ~ te vertonen *to be shown on demand;* ~ **tot** eerherstel/rechtsherstel *demand for redress;* een ~ **tot** iem. richten *make a. / apply to s.o.;* ~ **voor** een uitkering *a. for social welfare payment* **6.2 op** ~ verkrijgbaar *available on r. / demand.*

aanvraagformulier ⟨het⟩ **0.1** *application (form)* ⇒*proposal form* ⟨levensverzekering⟩, *requisition* ⟨voor formeel verzoek⟩, *request slip* ⟨bibliotheek⟩.

aanvraagprocedure ⟨de⟩ **0.1** *application procedure* ◆ **6.1** ~ **voor** de financiering v.e. onderzoek *a. p. for (the financing of) research funding.*

aanvragen ⟨ov.ww.⟩ **0.1** [op officiële wijze verzoeken] *apply for* ⇒*request* **0.2** [verzoeken te mogen ontvangen] *request* ⇒*order, send/ask for* ◆ **1.1** echtscheiding ~ *petition for/seek a divorce;* ontslag/een studiebeurs/een audiëntie ~ *submit one's resignation/apply for a scholarship/seek/request an audience;* een vergunning/octrooi ~ *take out/apply for a licence/patent;* verlof ~ *put in for/request leave* **1.2** een boek ~ *send for/order a book, place/put in a request for/apply for a book;* vraag gratis folder aan *send for free brochure;* informatie ~ over treinen in Engeland *inquire about trains in England;* ⟨kaartspel⟩ kaarten ~ *r. / ask for cards;* een plaatje ~ voor zijn jarige zusje *r. a record for his sister's birthday;* plaatsen ~ *reserve places* **1.¶** een telefoongesprek ~ *place/put in a call.*

aanvrager ⟨de (m.)⟩, **-vraagster** ⟨de (v.)⟩ **0.1** *applicant* ⇒*caller* ⟨telefoon⟩, ⟨jur.⟩ *petitioner,* ⟨om inlichtingen⟩ *inquirer.*

aanvreten ⟨ov.ww.⟩ **0.1** [door vreten aantasten] *eat away (at)/into* ⇒*gnaw (at)* **0.2** [aantasten] *eat away (at)/into* ⇒*erode, attack* ◆ **1.2** door het gifgas aangevreten longen *lungs attacked by the toxic gas* **6.2** door roest aangevreten *corroded by rust.*

aanvullen ⟨ov.ww.⟩ **0.1** [voltallig/volledig maken] *complete* ⇒*finish, fill (up), round up/out* **0.2** [vol maken] *fill (up)* ⇒*replenish, complement, supplement* **0.3** [dichtmaken] *fill (up/in)* ⇒*close* ◆ **1.1** een bestuur/voetbalelftal ~ *fill up the board (of directors)/make up a football team;* een tekort ~ *fill a gap, make good/up a shortage/deficit;* vacatures ~ *fill vacancies;* de voorraad ~ *replenish stocks;* iemands woorden ~ *complete/finish s.o.'s sentence for him/her, finish s.o.'s words* **4.1** 'voor maar …' 'dertig gulden' vulde zijn vrouw hem aan *'for only …' 'thirty guilders' his wife finished for him/supplied* **5.1** zij vullen elkaar goed aan *they complement each other well.*

aanvullend ⟨bn.⟩ **0.1** *supplementary* ⇒*additional, complementary* ◆ **1.1** bepalingen van ~ recht *permissive/directory provisions;* een ~e cursus *a supplementary/follow-up course;* een ~e overeenkomst/verklaring *a s. agreement/statement;* een ~ pensioen *s. / supplemental pension;* ~ recht *permissive law, ius dispositivum;* ⟨volkenrecht⟩ *s. law;* een ~e uitgave *an additional/a top-up spending/expense.*

aanvulling ⟨de (v.)⟩ **0.1** [handeling] *suplementation* ⇒*addition, completion, filling (up/in)* **0.2** [middel] *supplement* ⇒*addition, complement* ◆ **6.1 ter** ~ **van** *to fill (up)/complete, as a supplement/an addition, by way of supplement.*

aanvuren ⟨ov.ww.⟩ ⟨fig.⟩ **0.1** [aanwakkeren] ⟨stimuleren⟩ *fan;* ⟨doen ontbranden⟩ *fire* ⇒*inflame* ⟨hartstochten⟩, *kindle, spark off* ⟨woede, een vechtpartij⟩ **0.2** [mbt. personen] *rouse* ⇒*stimulate, incite,* ⟨sterker⟩ *galvanize,* ⟨inf.⟩ *egg on* ◆ **1.1** iemands ijver ~ *fire s.o.'s zeal* **1.2** de troepen ~ *rouse the troops.*

aanvuring ⟨de (v.)⟩ ⟨fig.⟩ **0.1** *firing* ⇒*inflammation, stimulation, incitement, fanning.*

aanwaaien ⟨onov.ww.⟩ **0.1** [zonder moeite eigen worden] *come naturally to* **0.2** [tegen iem. / iets waaien] *blow against* **0.3** [door de wind aangevoerd worden] *blow about/along* ◆ **1.1** kennis waait niemand zomaar aan *there is no royal/short road to learning* **1.3** er waait hier veel zand aan *there is a lot of sand being blown about/up here* **3.¶** kom nog eens ~ *drop/pop/breeze in again some time;* van uit het verre Chine komen ~ *hail/breeze in from China* **4.1** alles waait hem zo maar aan *everything just falls into his lap.*

aanwakkeren
I ⟨onov.ww.⟩ **0.1** [toenemen in kracht] *strengthen* ⇒*increase, pick up,* ⟨wind ook⟩ *freshen* ◆ **1.1** zijn verlangen wakkerde aan *his desire grew stronger;*
II ⟨ov.ww.⟩ **0.1** [feller doen branden] *fan* ⇒*stir up* **0.2** [in kracht doen toenemen] *stimulate* ⇒*stir up, fan, foster* ◆ **1.1** het vuur ~ *f. the fire* **1.2** iemands ijver ~ *rouse/kindle s.o.'s zeal;* de kooplust ~ *stimulate buying;* iemands verlangen ~ *(a)rouse/stimulate/encourage/increase s.o.'s desire.*

aanwas ⟨de (m.)⟩ **0.1** [het groter worden] *growth* ⇒⟨bevolking ook⟩ *increase, rise* ⟨rivier⟩, *accretion* **0.2** [door aanslibbing verkregen grond] *accretion* ◆ **1.1** de ~ v.d. bevolking *the g. of the population.*

aanwassen ⟨onov.ww.⟩ **0.1** [groter worden] *grow* ⇒*increase, expand, rise/swell* ⟨rivier⟩ **0.2** [zich uitbreiden] *accrete* ◆ **3.1** het smeltende ijs doet de rivier ~ *the melting ice makes the river rise/swell* **6.1** de beek wies aan **tot** een stroom *the brook grew into a stream.*

aanwendbaar ⟨bn.⟩ **0.1** *applicable* ⇒*usable, appropriable.*

aanwenden ⟨ov.ww.⟩ **0.1** *apply* ⇒*use, employ, exert* ◆ **1.1** gemeenschapsgelden ten eigen bate ~ *divert public funds to one's own use, appropriate public funds;* zijn gezag/zijn invloed ~ *use/exercise one's authority, exert one's influence;* al zijn kracht ~ *a. / exert all one's force /strength;* verkeerde/allerlei middelen ~ *a. / employ the wrong/all sorts of means;* alle beschikbare middelen ~ *use all available means/resources, put all available means/resources to use;* pogingen ~ *endeavour, make attempts/efforts (to).*

aanwending ⟨de (v.)⟩ **0.1** *application* ⇒*use, exertion* ⟨macht, kracht, geweld⟩, *employment* ⟨van middelen⟩, *appropriation* ⟨van geld⟩ ◆ **2.1** verkeerde/onjuiste ~ *misuse; misappropriation* ⟨van geld⟩.

aanwennen ⟨wk.ww.; zich ~⟩ **0.1** *make a/fall into/acquire the habit of* ⇒*take to* ◆ **1.1** zich slechte gewoonten ~ *get into bad habits;* zich kuren/

airs ~ *develop whims/airs* **3.1** zich het roken ~ *take to/form a habit of smoking.*

aanwensel ⟨het⟩ **0.1** *habit* ⇒*mannerism, trick, way.*

aanwerven ⟨ov.ww.⟩ **0.1** [in dienst nemen] *recruit* ⇒ ↓*take on,* ⟨mil. ook⟩ *enlist, levy* **0.2** [werven] *recruit* ⇒*bring in, enrol* ^*enroll* ♦ **1.1** meer personeel ~ *r./take on additional staff, staff up* **1.2** leden ~ *r./ enrol members.*

aanwezig ⟨bn.⟩ **0.1** [mbt. personen] *present* ⇒*attendant* **0.2** [mbt. zaken] *existing* ⟨beschikbaar⟩ *available, on/at hand* ♦ **1.1** de ~e ouders *the attendant parents, the parents who were p.;* de mooiste vrouw ~ *the most beautiful woman p.,* ⟨ook⟩ *the belle of the ball* **1.2** de ~e mogelijkheden benutten *make use of the available possibilities;* de ~e voorraden verbruiken *use up the e. stocks* **3.1** de heer Jansen is niet ~ *Mr. Jansen is not in/here;* ik kon niet ~ zijn *I couldn't be there, I was unable to attend;* ~ zijn bij *be p. at, attend* **5.1** niet ~ *absent.*

aanwezige
I ⟨het⟩ **0.1** [wat voorhanden is] *what is available/here/at hand;*
II ⟨de (m.)⟩ **0.1** [persoon] *person present* ♦ **6.1** onder de ~n bevonden zich ...*those present included, among those present were ...* **7.1** alle ~n keurden het plan goed *all (those) present approved the plan.*

aanwezigheid ⟨de (v.)⟩ **0.1** [presentie] *presence* ⇒*attendance* **0.2** [het voorhanden zijn] *existence* ⇒*presence,* ⟨beschikbaarheid⟩ *availability* ♦ **1.2** de ~ van radio-activiteit aantonen *prove the e./presence of radio-activity* **2.1** uw ~ is niet noodzakelijk *your p./attendance is not necessary/required* **6.1** in ~ van *in the p. of;* in mijn ~ *in my p.;* iem. met zijn ~ vereren *grace/honour s.o. with one's p..*

aanwijsbaar ⟨bn.⟩ **0.1** *demonstrable* ⇒*provable, assignable, apparent.*

aanwijsstok ⟨de (m.)⟩ **0.1** *pointer.*

aanwijzen ⟨ov.ww.⟩ **0.1** [wijzen naar] *point to/out* ⇒*indicate, show* **0.2** [toewijzen] *designate* ⇒*assign, allocate, appoint* **0.3** [aangeven] *indicate* ⇒*point to, show, read* ⟨thermometer enz.⟩ ♦ **1.1** de dader ~ *point out to the culprit;* een fout ~ *point out a mistake;* de naald wijst het noorden aan *the needle points north;* gasten hun plaats ~ *show guests to their places;* ik vond het document op de aangewezen plaats *I found the document in the place indicated;* de ware schuldige ~ *point out the guilty party, put the blame where it belongs* **1.2** een acteur ~ voor een rol *cast an actor for a part;* een atleet voor een wedstrijdnummer ~ *put an athlete in for an event;* iem. zijn deel in de winst ~ *allocate to s.o. his share in the profit;* een erfgenaam ~ *d. an heir;* een gebied ~ voor de bouw van goedkope huizen *allocate/designate an area as a cheap housing zone;* iem. ~ om de zaak te regelen *appoint/detail s.o. to look after the matter;* een opvolger ~ *d./appoint a successor;* de hun aangewezen plaatsen *the places allotted/allocated/given to them;* een voorzitter ~ *appoint a chairman* **1.3** de klok wijst de tijd aan *the clock shows/indicates the time* **6.1** ik kan hem/het met mijn neus ~ *≠he/it is just a stone's throw from here, he/it is within spitting distance* **6.2** iem. voor een taak ~ *name/choose/* ⟨vnl. mil.⟩ *detail/* ⟨mil.⟩ *tell off s.o. for a task* **8.2** iem. als opvolger ~ *designate s.o. as successor;* hij werd als leider aangewezen *he was marked out for leadership.*

aanwijzend ⟨bn.⟩ ♦ **1.¶** ⟨taal.⟩ ~ voornaamwoord *demonstrative pronoun.*

aanwijzer ⟨de (m.)⟩ **0.1** *indicator* ⇒*pointer, index* ♦ **6.1** ⟨wisk.⟩ de ~ in een term *the exponent/index in a term;* ⟨wisk.⟩ de ~ in de logaritme *the mantissa in a logarithm;* hij is ~ op de veiling *he is auctioneer assistant (at the auction).*

aanwijzing ⟨de (v.)⟩ **0.1** [indicatie] *indication* ⇒*sign, clue, hint, pointer* **0.2** [inlichting] *instruction* ⇒*direction* **0.3** [het aangewezene] *registration* ⇒*reading, marking* **0.4** [toewijzing] *allocation, allotment, assignment* ♦ **2.2** hij gaf nauwkeurige ~en *he gave precise/detailed instructions* **3.2** ik kan u alleen enkele nuttige ~en geven *I can only give you some useful hints* **3.3** de ~ aflezen *take the reading* ⟨bv. meter⟩ **4.1** elke ~ omtrent de moord ontbreekt *there is no sign whatever of/no clue whatever to the murder* **6.1** op de ~en v.d. politie vond hij de juiste weg *on the directions of the police he found the right way* **6.2** ~en voor het gebruik *directions for use* **7.1** er bestaat geen enkele ~ dat ...*there is no i./sign whatever that ..., there is nothing to suggest that ...;* er zijn voldoende/geen ~en dat er een misdrijf gepleegd is *there is sufficient/no evidence that a crime has been committed, there are sufficient/no indications/clues/signs of a crime having been committed.*

aanwijzingsbord ⟨het⟩ **0.1** *sign* ⇒ ⟨verkeer⟩ *road-sign.*

aanwinnen ⟨ov.ww.⟩ **0.1** *acquire* ⇒*gain, increase* ♦ **1.1** land ~ *reclaim land.*

aanwinning ⟨de (v.)⟩ **0.1** *reclamation* ⟨land⟩ ⇒*expansion, acquisition.*

aanwinst ⟨de (v.)⟩ **0.1** [het aanwinnen] *acquisition* ⇒*expansion, increase, gain* **0.2** [het aangewonnene] *acquisition* ⇒*accession* ⟨bibliotheek⟩, *addition, increase, gain* **0.3** [voordeel, verbetering] *gain* ⇒*improvement, asset, bonus, plus* ♦ **2.1** een mooie ~ voor het museum *a beautiful acquisition for the museum* **2.2** de jongste ~ *the latest acquisition/accession* **6.3** de computer is een ~ voor ieder bedrijf *the computer is an asset in every business* **7.3** dat is geen ~ *that is no asset/improvement/g..*

aanwippen ⟨onov.ww.⟩ ♦ **6.¶** bij iem. (komen) ~ *pop/drop/look in on s.o..*

aanwonenden ⟨zn.mv.⟩ **0.1** *residents.*

aanwrijven
I ⟨ov.ww.⟩ **0.1** [ten laste leggen] *impute* ⇒*blame* ♦ **3.1** dat laat ik me niet ~ *I won't be blamed for that,* ↓*I won't let that be pinned on me* **4.1** iem. iets ~ *fasten/* ↓*pin sth. on s.o., impute sth. to s.o.;*
II ⟨onov.ww.⟩ **0.1** [wrijven tegen] *rub against* ⇒*graze/brush against/past* ⟨licht, zachtjes⟩.

aanwrijving ⟨de (v.)⟩ **0.1** *imputation* ⇒*blame.*

aanzakken ⟨onov.ww.⟩ ⟨inf.⟩ ♦ **3.¶** daar komt hij eindelijk ~/aangezakt *there he comes at last, slouching/dawdling along.*

aanzeggen ⟨ov.ww.⟩ **0.1** *give notice* ⟨ook ontslag/huuropzegging⟩ ⇒*notify, announce, declare* ♦ **1.1** een mogendheid de oorlog ~ *declare war on a power;* iemands overlijden ~ *give notice of/announce s.o.'s death;* iem. de wacht ~ *issue a (serious) warning to s.o, give s.o. a talking to* **1.¶** men zou het die man niet ~ *you would not/never say/think it of that man, he doesn't look (like) it* **5.1** iem. gerechtelijk ~ *serve a summons upon s.o., issue a summons to s.o..*

aanzegger ⟨de (m.)⟩ **0.1** *announcer* ⟨dood, geboorte⟩; *declarer* ⟨oorlog⟩.

aanzegging ⟨de (v.)⟩ **0.1** [officiële bekendmaking] *notice* ⇒*notification, announcement, summons, declaration* **0.2** [het aanzeggen] *(giving) notice* ⇒*service of a notice/summons, notification, declaration* ♦ **2.1** gerechtelijke ~ *legal notice/notification/summons* **3.2** ~ doen/krijgen *give/receive notice/notification* **6.2** na ~ van ontslag *after/upon notice/notification of dismissal;* ⟨AE;inf.⟩ *after receiving a pink slip.*

aanzet ⟨de (m.)⟩ **0.1** [handeling] *start* ⇒*initiative, onset, impulse* **0.2** [⟨bouw.⟩] *spring* ⇒*springing line/point* **0.3** [⟨bk.⟩] *join* ♦ **3.1** de (eerste) ~ geven tot iets *initiate sth., give the initial impetus to sth., instigate sth..*

aanzetriem ⟨de (m.)⟩ **0.1** *(razor) strop.*

aanzetstaal ⟨het⟩ **0.1** *knife-sharpener* ⇒*steel.*

aanzetsteen ⟨de (m.)⟩ **0.1** [⟨bouw.⟩] *skewback* **0.2** [slijpsteen] *whetstone* ⇒⟨fijn⟩ *hone.*

aanzetstuk ⟨het⟩ **0.1** [verlengstuk] *extension* ⟨ook muz.⟩ ⇒⟨tafel⟩ *(side) extension, leaf* **0.2** [⟨biol.⟩] *vocal tract.*

aanzetten
I ⟨ov.ww.⟩ **0.1** [vastmaken] *put on* ⇒*sew/stitch on* **0.2** [aansporen] *spur on* ⇒*urge/egg on, prompt, incite, prod, put up to,* ⟨schr.⟩ *exhort* **0.3** [in werking stellen] *start up* ⇒*turn/put on, rev/crank up, accelerate, activate* **0.4** [meer nadruk geven] *accentuate* ⇒*set off, bring out, stress* **0.5** [(bijna) tegen iets anders zetten] *place* ⇒*join, add (on), put next to* **0.6** [scherpen] *sharpen* ⇒*whet, hone, set* ⟨scheermes⟩ **0.7** [vaster doen zitten, aandrijven] *tighten* ⟨schroef⟩ ⇒*force, ram* ♦ **1.1** een mouw ~ *sew on/set in a sleeve* **1.2** leerlingen ~ *urge students on, prod/prompt/motivate students;* de paarden ~ *spur/urge the horses on* **1.3** de motor ~ *turn the motor on, rev/crank the motor up;* de radio ~ *turn/* ^*switch on the radio, tune in;* de verwarming ~ *turn on the heat(ing)* **1.4** de lippen ~ *make up one's lips;* ⟨dram.⟩ een rol te sterk ~ *overplay a role* **1.5** de deur/het raam ~ *set/put the door/window ajar, open the door/window a crack;* een dominosteen ~ *place/put down a domino;* stoelen ~ *add chairs* **1.7** iem. de duimschroeven ~ *apply/set the screws to s.o.;* de lading ~ *ram the charge in/down/home* **6.2** iem. tot wraak ~ *incite/rouse s.o. to revenge;* iem. tot spoed ~ *urge s.o. to hurry, hurry s.o. up;* iem. tot daden ~ *incite s.o. to action;* iem. tot diefstal ~ *incite/push s.o. to steal, put s.o. up to stealing;* iem. tot plichtsverzuim ~ *seduce s.o. from his duty;* ~ tot oproer/geweld *incite/stir up/instigate to revolt/violence;*
II ⟨onov.ww.⟩ **0.1** [dik maken] *make fat* ⇒*be fattening* **0.2** [aankoeken] *stick* ⇒*catch, cake, fur* ⟨ketel⟩ ♦ **1.2** de ketel is aangezet *the kettle has become furred/scaled;* de melk is aangezet *the milk has stuck to the pan/caught;* gebonden soep zet gauw aan *thickened soups catch quickly/easily* **3.¶** kom daar nu niet weer mee ~ *don't bother me with that again;* ergens laat komen ~ *show/turn up late somewhere;* met iets komen ~ *show/turn up with sth., come up with sth.;* ze komen steeds weer met dezelfde oude troep ~ *they keep serving up/trotting out the same old nonsense/rubbish;*
III ⟨onov.,ov.ww.⟩ **0.1** [beginnen] *start* ⇒*begin, produce,* ⟨sport⟩ *put on a spurt, go into a sprint* ♦ **1.1** (een toon) ~ *s./produce a tone/note.*

aanzetter ⟨de (m.)⟩, **-ster** ⟨de (v.)⟩ **0.1** *starter* ⇒*instigator, inciter, initiator.*

aanzetting ⟨de (v.)⟩ **0.1** [het meer nadruk geven] *accentuation, accenting* **0.2** [⟨muz.⟩] *embouchure* **0.3** [opzetting] *incitement* ⇒*stirring up* **0.4** [het aankoeken] *sticking; furring* ⟨ketel⟩ **0.5** [aangezette korst, bezinksel] *accretion* ⇒*encrustation, deposit, scale* **0.6** [het scherp maken] *sharpening* ⇒*whetting.*

aanzicht ⟨het⟩ **0.1** *aspect* ⇒*look, view, appearance, respect* ♦ **2.1** nu krijgt de zaak een ander ~ *that puts a different light on/sheds a new light on matters* **3.1** ~ geven aan iets *put sth. in a given light, give sth. a certain aspect.*

aanzien[1] ⟨het⟩ **0.1** [het kijken naar] *looking (at)* ⇒*watching, witnessing,* regarding 0.2 [aanblik] *look* ⇒*aspect, appearance* 0.3 [achting] *con-siderarion* ⇒*standing, regard, prestige, esteem, consequence* ◆ **1.3** een man van ~ *a man of distinction / note* **2.1** dat is het ~ waard *that is worth watching / looking at / witnessing* **2.2** een nieuw~ *a new l.* **2.3** zijn ambt geeft hem een groot ~ *his position gives him a lot of prestige / earns him a good deal of respect* **3.2** iem. het ~ geven van *assume the air of;* iets een ander ~ geven *give sth. a different complexion, change / alter the complexion of sth.;* van ~ veranderen *look different, change in appearance* **3.3** hij wil ~ verwerven *he wants to be somebody* **6.1** te dien ~ *in that connection, as for / to that (matter);* **ten** ~ **van** *with regard / respect to, in regard to;* **zonder** ~ des persoons *without respect of persons* **6.3 in** ~ staan bij *be held in high regard / high esteem / great respect by;* hij is sterk **in** ~ gestegen *his prestige has risen sharply;* hij is **in** mijn ~ gestegen / gedaald *he has risen / fallen in my esteem / estimation;* **in** ~ komen *win respect.*

aanzien² ⟨ov.ww.⟩ **0.1** [kijken naar] *look at* ⇒*watch, witness, regard* **0.2** [toezien] *watch* ⇒*look on / at, witness, see* **0.3** [beschouwen] *consider* ⇒*regard* **0.4** [aan het uiterlijk zien] *see* ⇒*tell* **0.5** [waarderen] *respect* ⇒*look up to* ◆ **3.1** de film was niet om aan te zien *the film wasn't worth watching / looking at, it was a wretched film* **3.2** ik kon het niet langer ~ *I couldn't bear to watch it any longer, I couldn't stand by and watch it any longer;* kun je zo iets ~ *can you bear to watch sth. like that;* ik wil het nog even ~ *I want to wait a bit / look at it again (first) / await further developments* **3.4** hij is 70 en het is hem wel aan te zien / maar het is hem niet aan te zien *he is 70 and he looks his age / but he doesn't look that old;* naar het zich laat ~ *to / by / from all appearances, by the looks of it;* het laat zich mooi ~ *it looks good / promising;* het laat zich ~ dat de crisis weldra voorbij zal zijn *to all appearances the crisis will soon be over;* het laat zich ~ dat *it is likely that, there are signs / indications that* **5.1** ⟨fig.⟩ iem. niet ~ (iet willen) *not deign to look at s.o., not so much as look at s.o.;* ⟨niet durven⟩ *not dare to look at s.o.;* iem. schuins ~ *look at s.o. askance* **6.1** iem. **met** grote ogen ~ *look at s.o. in surprise / wide-eyed;* iem. **uit** de hoogte / met de nek ~ *look down upon s.o. / down one's nose at s.o.* **6.2** iets **met** lede ogen ~ *see sth. with disappointment, look on (sth.) sadly;* dat is niet **om** aan te zien *that looks frightful / is disgusting / is sth. one can hardly bear to lay eyes on* **6.3** waar zie je mij **voor** aan *what do you take me for;* iem. **voor** een ander ~ *(mis)take s.o. for s.o. else;* iem. **voor** gek ~ *take s.o. for a fool, think s.o. an idiot;* iem **voor** een ~ *(mis)take a 7 for a 1* **6.5** iem. **om** zijn geld ~ *admire a lot of s.o. because of his money* **6.¶** iem. ergens **op** ~ *consider s.o. capable of sth.;* ik zie haar er best **voor** aan *I think she's quite capable of it, I wouldn't put it past her.*

aanzienlijk
I ⟨bn.⟩ **0.1** [voornaam] *distinguished* ⇒*notable, prominent, eminent, important* **0.2** [tamelijk groot] *considerable* ⇒*substantial, fair, goodly, appreciable* ◆ **1.1** een ~e familie *a d. / prominent family;* een ~ man *a d. / prominent / eminent man* **1.2** een ~ aantal / bedrag *a goodly / c. / substantial number / amount;* een ~ e breedte *a c. / substantial width;* ~e schade ⟨ook⟩ *serious damage;* een ~ e som (gelds) *a c. / substantial / handsome sum;* een ~ e verbetering *a great / substantial improvement* **7.1** ⟨zelfst.⟩ de ~en *the notables;*
II ⟨bw.⟩ **0.1** [in hoge mate] *considerably* ⇒*substantially, appreciably* ◆ **3.1** de bustarieven zijn ~ gestegen *bus fares have been raised / hiked c. / substantially / appreciably, bus fares have risen sharply.*

aanzijn ⟨het⟩⟨schr.⟩ **0.1** [ongemarkeerd] *existence* ⇒*life, birth, being* ◆ **3.1** het ~ geven aan iem. / iets *give birth to s.o. / sth., give s.o. / sth. life.*

aanzitten ⟨onov.ww.⟩ **0.1** *sit at (the) table* ◆ **6.1** ~ **aan** het banket *be a guest at the banquet* **7.1** de ~den *the guests.*

aanzoek ⟨het⟩ **0.1** [het ten huwelijk vragen] *proposal* ⇒*offer (of marriage), suit* **0.2** [verzoek, (smeek)bede] *request* ⇒*petition, solicitation, application* ◆ **3.1** een ~ afwijzen / krijgen / aannemen *reject / receive / accept a p.;* een ~ doen *propose;* mijn dochter heeft een ~ gehad *my daughter has been proposed to / has received a p. of marriage* **6.2** op ~ **van** *by r. of.*

aanzoeken ⟨ov.ww.⟩ **0.1** [verzoeken] *apply* ⇒*request, petition, solicit, approach* **0.2** [ten huwelijk vragen] *propose (to)* ◆ **6.1** hij is aangezocht om de leiding op zich te nemen *he has been approached / asked to take over the direction* **8.1** als minister / professor aangezocht worden *be offered the position of minister / professor.*

aanzuigen
I ⟨ov.ww.⟩ **0.1** [door zuigen ergens heen brengen] *suck in* ⇒*suck up / down / under / through;*
II ⟨wkw.ww.; zich~⟩ **0.1** [zich door zuigen vasthechten] *stick / adhere by suction.*

aanzuiveren ⟨ov.ww.⟩ **0.1** [bijpassen] *pay (off / up / back)* ⇒*settle (up), make good / up* **0.2** [⟨jur.⟩] *check, verify* ◆ **1.1** achterstallige schulden ~ *pay off / up / back old debts, pay up arrears;* een tekort ~ *make up / good a deficit.*

aanzwellen ⟨onov.ww.⟩ **0.1** [opzetten] *swell (up / out)* **0.2** [in omvang, sterkte toenemen] *swell* ⇒*rise, build up, surge,* ⟨fig.⟩ *snowball* ◆ **6.2** de wind zwol **tot** een orkaan aan *the wind reached gale force.*

aanzwellend ⟨bn.⟩⟨muz.⟩ **0.1** *crescendo.*

aanzwemmen ⟨onov.ww.⟩ **0.1** *swim (towards / up)* ◆ **3.1** komen~ *come swimming along* **6.1** zij zwom snel **op** het keerpunt aan *she swam quickly towards the turning point.*

aanzwengelen ⟨ov.ww.⟩ **0.1** [dmv. een zwengel in beweging brengen] *crank (up)* ⇒⟨motor ook⟩ *turn over* **0.2** [op gang brengen] *crank up* ⇒*pump, boost* **0.3** [harder doorzwengelen] *crank up* ◆ **1.2** de economie / handel ~ *boost the economy / trade, prime the pump.*

aap ⟨de (m.)⟩⟨→sprw.4⟩ **0.1** ⟨met staart; ook fig.⟩ *monkey;* ⟨mensaap⟩ *ape;* ⟨schr.⟩ *simian* ◆ **2.1** ⟨fig.⟩ een aangeklede ~ *a dressed-up m., s.o. in a m. suit / dressed up like a dog's dinner, a gorilla* **3.1** apen apen apen na *m. see, m. do* **3.¶** zich een ~ schrikken / lachen *be scared out of one's wits / silly, laugh o.s. silly / sick;* dat ware de ~ gevlooid *that's an insurmountable job / asking the impossible* **6.¶ in** de ~ gelogeerd zijn *be in a fix, be up the / a creek,* ⟨vulg.⟩ *be up shit creek (without a paddle);* een ~ **van** een jongen *a good-for-nothing, a rogue;* ⟨klein kind⟩ *a (little) monkey;* **voor** ~ staan *look a right monkey, be made a fool of, be played (for) a fool,* ⟨AZN⟩ iem. **voor** de ~ houden *make a monkey of / play a trick on s.o.;* iem. **voor** ~ zetten *make a monkey / laughing stock out of s.o., play a trick on s.o.* **8.1** een ~ gezicht als een ~ *a face like a gorilla, the face of a goon, a m. face;* zo zat als een ~ *drunk as a skunk / a lord;* ⟨vulg.⟩ ↓*pissed as a newt* **¶.¶** daar kwam (keek) de ~ uit de mouw *finally the truth came out, that showed him* ⟨enz.⟩ *in his* ⟨enz.⟩ *true colours;* ~, wat heb je mooie jongen spelen *butter s.o. up, lay it on thick, brown-nose.*

aapje ⟨het⟩ **0.1** [kleine aap] *(little) monkey* **0.2** [huurrijtuig] *(hackney / hansom) cab.*

aapmens ⟨de (m.)⟩ **0.1** [mbt. de evolutie] *ape-man* ⇒*Trinil / Java man* **0.2** [aapachtig mens] *ape-man* ⇒*gorilla, troglodyte, Neanderthal.*

aar ⟨de⟩ **0.1** [bloeiwijze] *spike* ⇒*spica* **0.2** [mbt. gras- / graangewassen] *spike* ⇒*ear, head* ◆ **2.1** ijle ~ *lax spike;* onderbroken ~ *interrupted spike* **3.2** aren lezen *glean ears* **6.2 in** de ~ schieten *put forth ears.*

aard ⟨de (m.)⟩ **0.1** [mbt. personen] *nature* ⇒*disposition, character, make-up, constitution* **0.2** [mbt. abstracte zaken] *nature* ⇒*sort, kind* **0.3** [mbt. levende wezens, natuur] *nature* ◆ **2.1** zijn ware ~ tonen *show one's true character / colours* **2.2** van allerlei ~ *of all kinds / sorts;* niets van dien ~ *nothing of the kind / sort;* iets van dien ~ *th. of the sort / that sort / that n.;* het is niet van dien ~ dat *it is not such that;* meningen van uiteenlopende ~ *varied / divergent opinions;* dat is van voorbijgaande ~ *that is a passing thing / just a phase* **3.¶** hij werkt dat het een ~ heeft *he works with a vengeance / will* **4.1** dat is mijn ~ niet, het ligt niet in mijn ~ *it's not in me / my n.* **4.2** de eerste poging van die ~ *the first attempt of its kind;* van welke ~ dan ook *in any shape, manner or form* **6.1** dat ligt nu eenmaal **in** zijn ~, dat is de ~ **van** het beestje *that's just part of his n. / character, that's simply his n. / character, that's just in his n. / blood;* een ~ je **van** zijn vaartje *a chip off the old block;* die jongen is heftig **van** ~ *that boy is hot-tempered / has a fiery temperament;* vriendelijk **van** ~ *friendly by n., with a kindly n.;* verschillend **van** ~ ⟨ook⟩ *dissimilar;* zacht **van** ~ *sweet-tempered, gentle* **6.2** het ligt **in** de ~ der zaak *it's in the n. of things, it's a matter of course;* **naar** de ~ *naturally;* **uit** de ~ der zaak *from / in the n. of things, naturally.*

aardalkalimetalen ⟨zn.mv.⟩⟨schei.⟩ **0.1** *alkaline-earth metals.*

aardappel ⟨de (m.)⟩⟨→sprw.72⟩ **0.1** [eetbare knol] *potato* ⇒⟨AE ook⟩ *white / Irish potato,* ⟨BE; inf.⟩ *spud,* ⟨knol⟩ *potato tuber* **0.2** [plant] *potato* ◆ **2.1** bloemige ~s *floury / mealy potatoes;* hij praat of hij een hete ~ in zijn mond heeft *he talks with a plum in his mouth;* zoete ~s *sweet potato(es),* [A]*yams,* [A]*potatoes* **3.1** de ~s afgieten *drain the potatoes;* gekookte / gebakken ~s *boiled / fried potato(es);* ~s rooien *dig / lift up / raise potatoes* **¶.1** ~s in de schil potatoes *in their jackets.*

aardappelbak ⟨de (m.)⟩ **0.1** *potato bin.*

aardappelboer ⟨de (m.)⟩ **0.1** [leverancier, verkoper] *potato dealer* **0.2** [verbouwer] *potato farmer / grower.*

aardappelcampagne ⟨de⟩ **0.1** *potato (digging / lifting / raising) season / time, potato harvest.*

aardappelcroquet ⟨de⟩ **0.1** *potato croquette / puff.*

aardappelkever ⟨de (m.)⟩ **0.1** *potato beetle* ⇒*Colorado (potato) beetle, potato bug.*

aardappelkriel ⟨het⟩ **0.1** *small potatoes* ⇒*smalls.*

aardappelmeel ⟨het⟩ **0.1** *potato flour.*

aardappelmesje ⟨het⟩ **0.1** *potato peeler / parer / knife.*

aardappelmoeheid ⟨de (v.)⟩ **0.1** *potato sickness* ⇒*potato root eelworm (disease).*

aardappelneus ⟨de (m.)⟩ **0.1** *bulbous nose.*

aardappelpoter ⟨de (m.)⟩ **0.1** [machine] *potato planting machine, potato planter* **0.2** [aardappel] *seed potato* **0.3** [persoon] *potato planter.*

aardappelpuree ⟨de (v.)⟩ **0.1** *mashed potato(es)* ⇒⟨BE; inf.⟩ *mash.*

aardappelrooien ⟨ww.⟩ **0.1** *potato digging / lifting / raising / harvesting.*

aardappelrooier ⟨de (m.)⟩ **0.1** *potato digger / lifter;* ⟨machine ook⟩ *potato lifting machine, potato harvester.*

aardappelschiller ⟨de (m.)⟩ **0.1** ⟨persoon, mes⟩ *potato peeler;* ⟨schrapmachine⟩ *potato scraper.*

aardappelschillertje, -schilmesje ⟨het⟩ →**aardappelmesje.**

aardappelstamper ⟨de (m.)⟩ **0.1** *potato masher*.
aardappelteelt ⟨de⟩ **0.1** *potato growing* ⇒*cultivation of potatoes*.
aardappelziekte ⟨de (v.)⟩ **0.1** *potato disease/blight* ⇒*potato rot/canker/wart/mildew*.
aardas ⟨de⟩ **0.1** *earth's axis* ⇒*axis of the earth*.
aardatmosfeer ⟨de⟩ **0.1** *(earth's) atmosphere* ⇒*atmosphere of the earth*.
aardbaan ⟨de⟩ **0.1** *earth's orbit* ⇒*orbit of the earth*.
aardbei ⟨de⟩ **0.1** [vrucht] *strawberry* **0.2** [plant] *strawberry (plant/runner)* ◆ **1.1** een doosje ~en a box/pint/quart/ ⟨vnl. BE⟩ *punnet of strawberries*.
aardbeienbed ⟨het⟩ **0.1** *strawberry bed* ⇒*strawberry patch*.
aardbeienijs ⟨het⟩ **0.1** *strawberry ice (cream)*.
aardbeienneus ⟨de (m.)⟩ **0.1** ≠*nose like a carnation* ⇒*fiery red nose, red, bulbous nose*.
aardbeientijd ⟨de (m.)⟩ **0.1** *strawberry season* ◆ **6.1** in de ~ *when strawberries are in*.
aardbeiklaver ⟨de⟩ **0.1** *strawberry clover*.
aardbeivlek ⟨de⟩ **0.1** *strawberry mark*.
aardbeving ⟨de (v.)⟩ **0.1** *earthquake* ⇒*(earth) tremor, seism,* ⟨inf.⟩ *quake* ◆ **1.1** het centrum v.d. ~ *the (epi)centre of the earthquake/seism;* haard v.e. ~ *focus of an earthquake/a seism*.
aardbevingsgebied ⟨het⟩ **0.1** *earthquake/seismic zone*.
aardbevingsgolf ⟨de⟩ **0.1** *tidal wave, seismic sea wave* ⇒*tsunami*.
aardbevingsgordel ⟨de (m.)⟩ **0.1** *(narrow) earthquake/seismic zone*.
aardbevingshaard ⟨de (m.)⟩ **0.1** *seismic focus, focus of an earthquake*.
aardbewoner ⟨de (m.)⟩ **0.1** *earthling* ⇒*earth dweller, inhabitant of the earth, terrestrial, tellurian*.
aardbij ⟨de⟩ **0.1** *solitary bee*.
aardbodem ⟨de (m.)⟩ **0.1** *surface/face of the earth* ⇒*earth('s surface)* ◆ **1.1** op Gods ~ *on God's earth* **2.1** over de ~ *verspreid spread over the face of the earth* **3.1** honderden mensen werden v.d. ~ weggevaagd *hundreds of people were wiped off the face of the earth*.
aardbol ⟨de (m.)⟩ **0.1** [aarde] *earth* ⇒*world,* ⟨schr.⟩ *globe* **0.2** [globe] *(world/terrestrial) globe*.
aardboor ⟨de⟩ **0.1** *piercer* ⇒*earth drill*.
aardbrand ⟨de (m.)⟩ **0.1** *subterranean fire*.
aardbuil ⟨de⟩ **0.1** *puff-ball*.
aarddraad ⟨de (m.)⟩ **0.1** *ground/*[B]*earth (wire)*.
aarde ⟨de⟩ (→sprw. 5) **0.1** [wereld] *earth* ⇒*world* **0.2** [aardbodem] *ground* ⇒*earth* **0.3** [grond] *earth* ⇒*ground, soil* **0.4** [aardbol als woonplaats] *earth* ⇒*world* **0.5** ⟨⟨elektr.⟩⟩ *earth* ⇒⟨vnl. AE⟩ *ground* **0.6** [klei] *clay* **0.7** ⟨⟨schei.⟩⟩ *earth* ◆ **1.4** van het goede der ~ genieten *enjoy the good things of life, feed off the fat of the land;* de groten der ~ *the great of the e.;* tussen hemel en ~ *between heaven and e., in mid-air* **2.2** tactiek v.d. verschroeide ~ *scorched earth policy* **2.3** ⟨fig.⟩ dat valt in goede ~ *that falls on fertile ground;* ⟨fig.⟩ dat zal bij haar niet in goede ~ vallen *she's not going to like that, that won't sit well with her, that'll fall on stony ground with her;* ⟨fig.⟩ het plan viel in goede ~ *the plan was well/favourably received;* een plant nieuwe ~ geven *give a plant new soil, repot a plant;* zwarte ~ *black/rich soil* **2.7** rode ~ *ruddle* **3.1** de ~ draait om haar as *the e. rotates on its axis* **3.3** de ~ vaststampen *tread the e., pack the ground* **6.1** in een baan om de ~ *in an e. orbit, in orbit round the e.* **6.2** ⟨fig.⟩ onder de ~ zijn/liggen *be six feet under;* ⟨fig.⟩ op ~ zijn/verkeren *be among the living;* ⟨fig.⟩ over/boven ~ staan *be above e., await burial;* de ogen ter ~ slaan *cast one's eyes to the g./down;* ter ~ bestellen *commit to the earth, inhume, inter;* zich ter ~ werpen *throw o.s. to the g., prostrate o.s.* **6.4** op ~ *on e., under the sun;* de gelovigen op ~ *the faithful/believers on e., the visible Church* **6.5** met de ~ verbinden *earth;* ⟨vnl. AE⟩ *ground* **6.**¶ het heeft veel voeten in de ~ *it takes/wants some doing*.
aardedonker[1] ⟨het⟩ **0.1** *pitch-darkness* ◆ **6.1** in het ~ *in pitch-darkness*.
aardedonker[2] ⟨bn.⟩ **0.1** *pitch-dark*.
aardelektrode ⟨de (v.)⟩ **0.1** *ground/earth electrode*.
aarden[1] ⟨bn.⟩ **0.1** [van aarde gemaakt] *earthen* **0.2** [uit klei gevormd] *earthen* ⇒*clay* ◆ **1.1** een ~ wal *an earth wall, bank/wall of earth* **1.2** ~ potten *clay/earthenware/stoneware pots*.
aarden[2]
  I ⟨onov.ww.⟩ **0.1** [(+naar) de aard hebben van] *take after* ⇒*resemble* **0.2** [gedijen] *thrive* ⇒*grow, flourish* ◆ **3.2** zij kan hier niet ~ *she can't settle in here, she can't find her niche* **5.2** ik aard hier best *I fit in here, I feel at home here;* dit diertje aardt hier goed *this animal thrives here* **6.1** hij aardt **naar** zijn vader *he takes after his father;*
  II ⟨ov.ww.⟩ **0.1** ⟨⟨tech.⟩⟩ *earth* ⇒⟨vnl. AE⟩ *ground* ◆ **1.1** je moet dat toestel ~ *you have to e. that appliance/machine*.
aardewerk[1] ⟨het⟩ **0.1** [vaatwerk] *earthenware* ⇒*stoneware, pottery* **0.2** [gebakken aarde/klei] *pottery* ◆ **2.1** Delfts ~ *Delft ware/china/fayence;* Keuls ~ *Rhenish pottery* **6.2** een schaal van ~ *a p. dish*.
aardewerk[2] ⟨het⟩ **0.1** *earthenware* ⇒*stoneware, pottery* ◆ **1.1** een ~ schotel *an e. dish/platter*.
aardewerkfabriek ⟨de (v.)⟩ **0.1** *pottery* ⇒*earthenware factory*.
aardewerkindustrie ⟨de (v.)⟩ **0.1** *earthenware/ceramics industry*.
aardewind ⟨het⟩ **0.1** *capstan*.
aardfout ⟨'de⟩ **0.1** *earth fault* ⇒ ⟨vnl. AE⟩ *ground fault*.

aardgas ⟨het⟩ **0.1** *natural gas*.
aardgasbaten ⟨zn.mv.⟩ ⟨ec.⟩ **0.1** *natural gas revenues*.
aardgasbel ⟨de⟩ **0.1** *natural gas field* ⇒*natural gas reserve/deposit/pocket*.
aardgasleiding ⟨de (v.)⟩ **0.1** *natural gas pipe*.
aardgasnet ⟨het⟩ **0.1** *natural gas network*.
aardgastanker ⟨de⟩ **0.1** *(natural) gas tanker*.
aardgasterminal ⟨de (m.)⟩ **0.1** *natural gas terminal*.
aardgeest ⟨de (m.)⟩ **0.1** [gnoom] *gnome* ⇒*dwarf, goblin* **0.2** [⟨fil.⟩] *earth spirit*.
aardglobe ⟨de⟩ **0.1** *(world) globe* ⇒*terrestrial globe*.
aardgordel ⟨de (m.)⟩ **0.1** *zone*.
aardhars ⟨het, de (m.)⟩ **0.1** *bitumen*.
aardhommel ⟨de (m.)⟩ **0.1** *bumble bee*.
aardig
  I ⟨bn.⟩ **0.1** [vriendelijk] *nice* ⇒*friendly, pleasant, kind* **0.2** [bekoorlijk] *nice* ⇒*pretty, charming* **0.3** [vrij groot] *fair* ≈*nice, goodly, pretty* **0.4** [zonderling] *peculiar* ⇒*curious, funny* ◆ **1.1** een ~ mens *a n. person* **1.2** het is een ~e meid *she's a n. girl/a sweet thing;* er liepen heel wat ~e meisjes rond *there were a lot of pretty girls (to be seen/found);* een ~ tuintje *a n./pretty garden/yard* **1.3** een ~ inkomen *a nice/tidy (little) income;* een ~ poosje *quite a while, a good while;* een ~e portie *a sizeable amount;* ⟨eten⟩ *a generous helping;* ze heeft een ~ winstje gemaakt *she picked up/made a nice profit* **3.1** ⟨iron.⟩ wat doe je ~ *how charming you are!;* dat is ~ van je!, wat ~ van je! *how (awfully) n./kind/thoughtful of you;* ik vind hem wel ~ *I like him, I think he's n.;* dat vind ik niet ~ van je *I don't think that's very n. of you, I don't appreciate what you did/are doing;* iets niet ~ van iem. vinden *think sth. not very nice of s.o.* **3.4** hij deed zo ~ *he acted so strangely* **4.1** iets ~s voor iem. doen *do s.o. a good turn/kindness, do sth. nice for s.o.* **5.1** ik vond hem al direct niet ~ *I took an immediate dislike to him;* dat is vreselijk ~ *that is awfully/terribly n.* **6.1** Jan is ~ **voor** haar *Jan is good to her;*
  II ⟨bw.⟩ **0.1** [behoorlijk] *nicely* ⇒*pretty, fairly,* [B]*jolly* **0.2** [op vriendelijke wijze] *nicely* ◆ **2.1** ~ dronken *pretty sloshed;* het is ~ koud *it's pretty/jolly cold* **3.1** het heeft ~ gesneeuwd *it has snowed quite a bit, there's been a fair amount of snow;* dat komt ~ in de richting *that's more like it;* we schieten ~ op met het werk *the/our work is coming along n.;* ze timmert ~ aan de weg *she's making a name for herself* **3.2** hij kon zo ~ glimlachen *he had such a charming smile* **7.1** hij kent ~ wat Engels *he knows quite a bit of English;* ze raakte ~ wat pondjes kwijt *she lost quite a few pounds;* ~ wat geld *quite a bit/a nice bit of money;* ~ wat mensen *quite a few people, quite a crowd* ¶**.1** hij zat ~ in de nesten *he was really in a fix;* daar ben je ~ aan ontsnapt! *you're well out of that;* hij is ~ op weg om ... *he is well on his way to ....*
aardigheid ⟨de (v.)⟩ **0.1** [plezier] *fun* ⇒*pleasure, amusement* **0.2** [gezegde] *joke* ⇒*pleasantry* **0.3** [geschenk] *small present* **0.4** [handeling] *joke* ⇒*trick, game* ◆ **3.1** ~ hebben in iets *enjoy sth., take pleasure in sth.;* ~ krijgen in iets *become interested in sth., (take a) fancy (to) sth.;* ik zie (er) de ~ niet (van) in *I don't see the fun of it;* ⟨v.e. anekdote⟩ *I don't get the joke/point* **3.2** aardigheden debiteren *crack jokes* **3.3** ik heb een ~je meegebracht *I have brought a little present (with me)* **3.4** dergelijke aardigheden laat je voortaan maar! *we can do without such jokes/games, thank you!* **6.1** iets doen uit ~ *do sth. for the f. of it* **6.2** zich **met** een ~ ervan afmaken *dismiss (sth.) with a j.* **7.1** er is geen ~ meer aan vandaag de dag *it's no f. anymore/nowadays* ¶**.1** voor mij was de ~ er al lang af *as far as I was concerned, the pleasure/amusement/f. had long worn off*.
aardigjes ⟨bw.⟩ **0.1** [op aardige wijze] *nicely* ⇒*kindly* **0.2** [nogal goed/veel] *nicely* ⇒*pretty, prettily* ◆ **3.1** dat heb je ~ gezegd *you said that well* **3.2** ~ verdienen *earn a pretty penny;* hij zit er ~ bij *he is sitting pretty*.
aarding ⟨de (v.)⟩ **0.1** [verbinding met aardelektrode] *earthing* ⇒⟨vnl. AE⟩ *grounding* **0.2** [het aarden] *earthing* ⇒⟨vnl. AE⟩ *grounding*.
aardkern ⟨de⟩ **0.1** *earth's core* ⇒*core of the earth, barysphere, centrosphere*.
aardklem ⟨de⟩ **0.1** *earth/ground terminal,* [A]*ground clamp*.
aardklont ⟨de⟩ **0.1** *clod of earth/dirt* ⇒*lump of earth/mud/dirt*.
aardkloot ⟨de (m.)⟩ ⟨archaïstisch⟩ **0.1** *(terrestrial) globe*.
aardkluit ⟨de⟩ **0.1** *clod/lump of earth*.
aardkorst ⟨de⟩ **0.1** *earth's crust* ⇒*crust of the earth*.
aardkromming ⟨de (v.)⟩ **0.1** *curvature of the earth* ⇒*earth's curvature* ◆ **1.1** correctie v.d. ~ *correction for the curvature of the earth*.
aardkunde ⟨de (v.)⟩ **0.1** *geology*.
aardkundig ⟨bn.⟩ **0.1** *geologic(al)*.
aardlaag ⟨de (v.)⟩ **0.1** *layer (of the earth)* ⇒*stratum*.
aardleiding ⟨de (v.)⟩ **0.1** *earthwire* ⇒⟨vnl. AE⟩ *groundwire*.
aardmagnetisch ⟨bn.⟩ **0.1** *(geo)magnetic*.
aardmagnetisme ⟨het⟩ **0.1** *terrestrial magnetism* ⇒*geomagnetism*.
aardmannetje ⟨het⟩ ⟨germ. myth.⟩ **0.1** *gnome* ⇒*dwarf, goblin*.
aardmassa ⟨de⟩ **0.1** [grote hoeveelheid grond] *mass of earth* **0.2** [massa v.d. aarde] *mass of earth* ⇒*earth mass*.
aardmeetkunde ⟨de (v.)⟩ **0.1** *geodesy*.

aardmetalen ⟨zn.mv.⟩ **0.1** *(rare-)earth metals.*
aardmeting ⟨de (v.)⟩ **0.1** *(geodetic) surveying.*
aardnoot ⟨de⟩ **0.1** [vrucht] *peanut* ⇒*groundnut, earthnut* **0.2** [plant] *peanut* ⇒*groundnut, earthnut.*
aardnotenolie ⟨de⟩ **0.1** *peanut oil.*
aardolie ⟨de⟩ **0.1** *(mineral) oil* ⇒*petroleum.*
aardolieprodukt ⟨het⟩ **0.1** *petroleum product* ⇒*petrochemical product.*
aardoppervlak →**aardoppervlakte.**
aardoppervlakte ⟨de (v.)⟩ **0.1** *surface of the earth* ⇒*earth's surface.*
aardpeer ⟨de⟩ **0.1** [plant] *Jerusalem artichoke* **0.2** [eetbare wortelknol] *Jerusalem artichoke.*
aardpek ⟨het, de (m.)⟩ **0.1** *bitumen* ⇒*pitch, asphalt.*
aardpijler ⟨de (m.)⟩ **0.1** *earth pillar/pyramid.*
aardplooi ⟨de⟩ ⟨geol.⟩ **0.1** *(earth) fold.*
aardpool ⟨de⟩ **0.1** *(earth's) pole.*
aardprofiel ⟨het⟩ **0.1** *profile (of the earth).*
aardrijk ⟨het⟩ **0.1** [rijk der aarde] *earth* ⇒*world* **0.2** [mensdom] *earth* ⇒*world.*
aardrijkskunde ⟨de (v.)⟩ **0.1** *geography* ◆ **2.1** sociale ~ *human g.* **6.1** les in ~ *g. lesson.*
aardrijkskundig ⟨bn.⟩ **0.1** *geographic(al)* ◆ **1.1** een ~ woordenboek *a gazetteer.*
aardrijkskundige ⟨de (m.)⟩ **0.1** *geographer.*
aardrol ⟨de⟩ **0.1** *roller.*
aards ⟨bn.⟩ **0.1** [wereldlijk] *earthly* ⇒*terrestrial, worldly* **0.2** [mondain] *wordly* ⇒*earthly* ◆ **1.1** ~e goederen *e./worldly goods;* ~e machten *e. powers;* een ~ paradijs *an e. paradise, paradise (here) on earth, heaven on earth;* ⟨fig.⟩ het ~e slijk *filthy lucre* **1.2** ~e genoegens *earthly/w. pleasures* **1.¶** ~e kijker ⟨tgov. astronomische kijker⟩ *terrestrial telescope* **7.1** het ~e *all e. things;* de weg van al het ~e gaan *go the way of all flesh.*
aardschaduw ⟨de⟩ **0.1** *shadow of the earth.*
aardschijn ⟨de (m.)⟩ **0.1** *earthshine* ⇒*earthlight.*
aardschok ⟨de (m.)⟩ **0.1** [aardbeving] *earthquake* **0.2** [onverwachte gebeurtenis] *upheaval* ⇒*shock.*
aardschors ⟨de⟩ **0.1** *crust of the earth* ⇒*earth's crust.*
aardslak ⟨de⟩ **0.1** *slug.*
aardsluiting ⟨de (v.)⟩ ⟨tech.⟩ **0.1** *bad/dead earth/* ⟨vnl. AE⟩ *ground* ⇒ *earth/ground (connection).*
aardster ⟨de⟩ **0.1** *earthstar.*
aardstraal ⟨de⟩ **0.1** [halve diameter v.d. aarde] *radius of the earth* ⇒ *earth's radius* **0.2** [schadelijke straal] *terrestrial/earth ray.*
aardstraling ⟨de (v.)⟩ **0.1** *terrestrial radiation.*
aardstroom ⟨de (m.)⟩ **0.1** *earth/ground current.*
aardtrilling ⟨de (v.)⟩ **0.1** *earth tremor.*
aardvarken ⟨het⟩ **0.1** *aardvark* ⇒*ant-bear.*
aardvast ⟨bn.⟩ ⟨jur.⟩ **0.1** *(permanently) attached to the land* ◆ **2.1** hetgeen op het verkochte aard-, nagel- of wortelvast gevonden wordt, is onder de koop begrepen *all fixtures and growing plants found on the property are included in the sale;* alles wat aard- en nagelvast is *all things attached to the land and the building(s), all natural and artificial fixtures.*
aardveil ⟨het⟩ **0.1** *ground ivy* ⇒*ale hoof.*
aardverbinding ⟨de (v.)⟩ ⟨tech.⟩ **0.1** *earth connection/contact* ⇒⟨vnl. AE⟩ *ground connection/contact.*
aardverschuiving ⟨de (v.)⟩ **0.1** [afschuiving v.d. grond] *landslide* ⇒ *landslip* **0.2** [grote verandering] *upheaval.*
aardvlo ⟨de⟩ **0.1** *flea-beetle/*^A*bug.*
aardvrucht ⟨de⟩ **0.1** *root vegetables* ⟨mv.⟩.
aardwarmte ⟨de (v.)⟩ **0.1** *terrestrial heat.*
aardwetenschappen ⟨zn.mv.⟩ **0.1** *earth sciences.*
aardwind →**aardewind.**
aardworm ⟨de (m.)⟩ **0.1** [regenworm] *(earth)worm* ⇒*angleworm, rainworm* **0.2** [de mens] *worm* **0.3** ⟨dierk.⟩ klasse] *earthworm.*
aars ⟨de (m.)⟩ **0.1** *arse,* ^A*ass.*
aarsmade ⟨de⟩ **0.1** *seat worm.*
aarsopening ⟨de (v.)⟩ **0.1** *anus* ⇒^B*arsehole,* ^A*asshole.*
aarsvin ⟨de⟩ **0.1** *anal fin.*
aartsbedrieger ⟨de (m.)⟩, **-driegster** ⟨de (v.)⟩ **0.1** *arch deceiver.*
aartsbisdom ⟨het⟩ **0.1** *archbishopric.*
aartsbisschop ⟨de (m.)⟩ **0.1** *archbishop.*
aartsbisschoppelijk ⟨bn.⟩ **0.1** [mbt. de aartsbisschop] *archiepiscopal* ⇒ *pertaining to the archbishop* **0.2** [mbt. het aartsbisdom] *archiepiscopal* ⇒*pertaining to the archbishopric.*
aartsbooswicht ⟨de (m.)⟩ **0.1** [booswicht] *arch villain* **0.2** [Lucifer] *arch fiend.*
aartsconservatief[1] ⟨de (m.)⟩ **0.1** *archconservative* ⇒*diehard.*
aartsconservatief[2] ⟨bn., bw.;-ly⟩ **0.1** *archconservative* ⇒*ultraconservative.*
aartsdeugniet ⟨de (m.)⟩ **0.1** *arrant knave* ⇒*arrant rogue.*
aartsdiaken ⟨de (m.)⟩ **0.1** [⟨r.k., gesch.⟩] *archdeacon, vicar, forane* **0.2** [⟨Anglicaanse Kerk⟩] *archdeacon* **0.3** [⟨prot.⟩] *archdeacon.*
aartsdiocees ⟨het⟩ **0.1** *archdiocese.*

aartsdom ⟨bn.⟩ **0.1** *dumb as they come* ⇒*incredibly dumb/stupid.*
aartsengel ⟨de (m.)⟩ ⟨r.k.⟩ **0.1** *archangel.*
aartsgierig ⟨bn.⟩ **0.1** *miserly, tightfisted* ⇒⟨BE ook⟩ *mean.*
aartshertog ⟨de (m.)⟩ **0.1** *archduke.*
aartshertogdom ⟨het⟩ **0.1** *archduchy.*
aartshertogelijk ⟨bn.⟩ **0.1** *archducal.*
aartshertogin ⟨de (v.)⟩ **0.1** [gemalin van een aartshertog] *archduchess* **0.2** [keizerlijke prinses] *archduchess.*
aartshuichelaar ⟨de (m.)⟩ **0.1** *arch-hypocrite* ⇒*thorough/complete/ total hypocrite.*
aartsketter ⟨de (m.)⟩ **0.1** *arch-heretic* ⇒*heresiarch.*
aartsleugenaar ⟨de (m.)⟩ **0.1** *inveterate liar.*
aartslui ⟨bn.⟩ **0.1** *bone idle/lazy.*
aartsluilak ⟨de (m.)⟩ **0.1** *utter/absolute lazybones/* ⟨BE ook⟩ *layabout.*
aartspriester ⟨de (m.)⟩ **0.1** [voornaamste priester bij een kathedrale kerk] *archpriest* **0.2** [hoofd van de priesterschap] *archpriest.*
aartstwijfelaar ⟨de (m.)⟩ **0.1** ⟨aarzelaar⟩ *inveterate shilly-shallyer/waverer/wobbler;* ⟨ongelovige⟩ *inveterate doubter.*
aartsvader ⟨de (m.)⟩ **0.1** [stamvader van het Israëlitische volk] *patriarch* **0.2** [patriarch] *patriarch.*
aartsvaderlijk
  I ⟨bn., bw.;-ly⟩ **0.1** [ouderwets] *patriarchal* ⇒*old-fashioned, ancient* ◆ **1.1** een ~ gezin *a p. family,* ≠*a Victorian family;* ~e zeden *p./ancestral mores* **3.1** het ging er ~ toe *it was a p. scene, it was like the ancients, they were an old-fashioned lot;*
  II ⟨bn.⟩ **0.1** [tot een aartsvader behorend] *patriarchal.*
aartsvijand ⟨de (m.)⟩ **0.1** [doodsvijand] *arch-enemy* ⇒*mortal/deadly enemy* **0.2** [⟨fig.⟩] *arch-enemy* ⇒*great/deadly enemy* ◆ **6.2** hij is een ~ van liegen/spinnen *he is the a.-ef. of/is dead set against lying; he is a deadly enemy of spiders.*
aarvormig ⟨bn.⟩ ⟨plantk.⟩ **0.1** *spicate(d)* ⇒*spike-shaped, spiciform.*
aarzelen ⟨onov.ww.⟩ **0.1** [schromen, twijfelen] *hesitate (between, to do …)* ⇒*waver, vacillate (between), hang/hold back (from -ing)* **0.2** [mbt. licht] *waver* ◆ **1.1** hij aarzelde een beetje *he hesitated somewhat /was somewhat hesitant/wavered* **3.1** hij deed mij ~ ⟨ook⟩ *he made me pause;* ~iets te doen *hesitate about doing sth., hang/hold back from doing sth.;* zij aarzelde in te grijpen *she hesitated before intervening, she could not decide wether to intervene* **5.1** zij aarzelde niet om haar mening te geven *she didn't hesitate to give/wasn't backward in giving her opinion;* ik aarzel nog ⟨ook⟩ *I am still in doubt* **6.1** ~ op het beslissende moment ⟨ook⟩ *falter at the decisive moment;* zonder ~ ⟨ook⟩ *readily (bereidwillig); unwaveringly (vastberaden).*
aarzelend ⟨bn., bw.;-ly⟩ **0.1** *hesitant, hesitating* ⇒*irresolute, reluctant, undecided* ◆ **1.1** een ~ schijnsel *a* ⟨wisselende sterkte⟩ *wavering/* ⟨zwak⟩ *hesitant light/glimmer, a shimmer* **3.1** iets ~ doen *do sth. hesitantly/reluctantly.*
aarzeling ⟨de (v.)⟩ **0.1** [het aarzelen] *hesitancy* ⟨vnl. weifelachtigheid⟩ ⇒*hesitation* ⟨vnl. weifeling⟩, ⟨geaarzel⟩ *shilly-shallying,* ⟨twijfel⟩ *doubt* **0.2** [opzicht waarin men aarzelt] *hesitation* ◆ **3.1** haar ~ verbaast me niet *I don't wonder at her hesitancy/hesitation/doubt* **6.1** na enige ~ *after some hesitation;* zonder ~ ⟨ook⟩ *readily, promptly.*
aas
  I ⟨het⟩ **0.1** [lokspijs] *bait* **0.2** [voedsel] *food* ⇒⟨grote dieren en vogels⟩ *prey* **0.3** [kreng] *carrion* ◆ **2.1** levend ~ *live b.* **3.1** van ~ voorzien *bait (the hook/trap)* **3.2** de vogels zoeken ~ voor hun jongen *the birds hunt for f. for their young* **6.1** in het ~ bijten *swallow the b.;*
  II ⟨het, de (m.)⟩ **0.1** ⟨sport⟩ de één] *ace* **0.2** [uitblinker] *ace* ◆ **1.1** de ~ van harten/ruiten *the a. of hearts/diamonds* **6.1** slag maken met de ~ *make the a.;* onder zijn ~ uitkomen *lead (away) from one's a..*
aasdier →**aaseter.**
aaseter ⟨de (m.)⟩ **0.1** *scavenging animal* ⇒*scavenger, carrion eater/* ⟨vogel⟩ *bird.*
aasgier ⟨de (m.)⟩ **0.1** [vogel] *Egyptian vulture* **0.2** [persoon] *vulture.*
aasje ⟨het⟩ **0.1** *iota* ⇒*grain, jot, modicum, bit* ◆ **1.1** een ~ wind *a breath/whiff/puff (of wind)* **7.1** hij heeft geen ~ verstand *he hasn't a grain of (common) sense.*
aaskever ⟨de (m.)⟩ **0.1** *scavenger (beetle)* ⇒*carrion beetle.*
aasvis ⟨de (m.)⟩ **0.1** *baitfish* ⇒*gudgeon,* ⟨AE ook⟩ *killifish.*
aasvlieg ⟨de (m.)⟩ **0.1** *blue bottle, blue/meat/flesh fly.*
a.a.u.b. ⟨afk.⟩ **0.1** [antwoord alstublieft] *R.S.V.P..*
AAW ⟨de⟩ ⟨afk.⟩ **0.1** [Algemene Arbeidsongeschiktheidswet] ⟨*General Disablement Act*⟩.
a.b. ⟨afk.⟩ **0.1** [als boven] ⟨*as above*⟩ **0.2** [aan boord] ⟨*on board*⟩.
aba ⟨de⟩ **0.1** *aba* ⇒*abba.*
abactis ⟨de⟩ **0.1** *(student union) secretary.*
abacus ⟨de (m.)⟩ **0.1** [telraam] *abacus* **0.2** [dekplaat] *abacus.*
abandonnement ⟨het⟩ ◆ **1.¶** ⟨jur.⟩ recht van ~ *right of abandonment.*
abandonneren ⟨ov.ww.⟩ **0.1** [afstand doen van] *abandon* **0.2** [verlaten] *desert* ⇒*forsake, abandon* **0.3** ⟨schaakspel⟩ *resign* ◆ **1.1** geabandonneerd goed *abandoned/ownerless property* **1.2** geabandonneerd gebied *derelict/deserted area/region.*
abat-jour ⟨het⟩ **0.1** [bovenlicht] *skylight* ⇒⟨bouwk.⟩ *rooflight* **0.2** [lampekap] *lampshade* **0.3** [zonneblind] *louvred shutter* ⇒*persienne.*

abattoir ⟨het⟩ **0.1** *slaughterhouse* ⇒*abattoir.*
abbatiaal ⟨bn.⟩ **0.1** *abbatial* ♦ **1.1** abbatiale mis *a. Mass.*
abbé ⟨de (m.)⟩ **0.1** *abbé.*
abbreviatie ⟨de (v.)⟩ **0.1** *abbreviation.*
abbreviatuur ⟨de (v.)⟩ **0.1** *abbreviation.*
abbreviëren ⟨onov.,ov.ww.⟩ **0.1** *abbreviate.*
abc ⟨het⟩ **0.1** *ABC* ♦ **1.1** ⟨fig.⟩ het ~ v.e. wetenschap of kunst *the ABC of an art or science* **6.1** ⟨fig.⟩ zij is nog **aan** het ~ *she has not yet got beyond the rudiments* / *ABC (of ...), she is still a beginner* **8.1** iets kennen als het ~ *the ins and outs of a thing.*
ABC-eilanden ⟨zn.mv.⟩ **0.1** *Aruba, Bonaire and Curaçao.*
abces ⟨het⟩ **0.1** *abscess* ♦ **2.1** koud ~ *cold a..*
ABC-oorlog ⟨de (m.)⟩ **0.1** *ABC-warfare.*
ABC-wapens ⟨zn.mv.⟩ **0.1** *ABC weapons* ⟨mv.⟩ / *armament* ⟨enk.⟩.
abdicatie ⟨de (v.)⟩ **0.1** *abdication.*
abdiceren ⟨onov.ww.⟩ **0.1** *abdicate.*
abdij ⟨de (v.)⟩ **0.1** [klooster] *abbey* **0.2** [gebouw] *abbey.*
abdijschool ⟨de (v.)⟩ **0.1** *abbey school.*
abdijsiroop ⟨de⟩ **0.1** *(abbey) cough syrup.*
abdis ⟨de (v.)⟩ **0.1** *abbess.*
abdomen ⟨het⟩ **0.1** [onderbuik] *abdomen* **0.2** [achterlijf van een insect] *abdomen.*
abdominaal ⟨bn.⟩ **0.1** *abdominal.*
abductie ⟨de (v.)⟩ **0.1** *abduction.*
abecedarium ⟨het⟩ **0.1** *abecedarium.*
abeel ⟨de (m.)⟩ **0.1** ⟨Populus alba⟩ *white poplar, abele;* ⟨Populus canescens⟩ *gray poplar.*
abel ⟨bn.⟩ ♦ **1.¶** ~ spel ≠*medieval drama* / *play.*
aberratie ⟨de (v.)⟩ **0.1** [afwijking] *aberration* ⇒*deviation* **0.2** [⟨ster.⟩] *aberration* ♦ **1.1** ~ v.h. denkvermogen *a. of the mind* **2.1** ⟨nat.⟩ chromatische ~ *chromatic a.;* sferische ~ *spherical a..*
Abessijns ⟨bn.⟩ **0.1** *Abyssinian* ♦ **1.1** ~e kat *A. cat.*
Abessinië ⟨het⟩ **0.1** *Abyssinia.*
A-biljet ⟨het⟩ **0.1** *(standard) income tax return form.*
abiogenesis ⟨de (v.)⟩ ⟨biol.⟩ **0.1** *abiogenesis* ⇒*autogenesis, spontaneous generation.*
abituriënt ⟨de (m.)⟩ **0.1** *matriculant* ⇒*grammar* / *secondary* / *high* ⟨enz.⟩ *school leaver,* ⟨GB⟩ *school leaver with A-levels.*
abject ⟨bn.⟩ **0.1** *despicable* ⇒*abject.*
ablatie ⟨de (v.)⟩ **0.1** [⟨med.⟩ loslating v.h. netvlies] *retinal detachment* **0.2** [⟨med.⟩ wegneming v.e. orgaan] *ablation* **0.3** [⟨geol.⟩] *ablation* **0.4** [⟨ruim.⟩] *ablation.*
ablatief, ablativus ⟨de (m.)⟩ ⟨taal.⟩ **0.1** *ablative* ♦ **2.1** losse ablatief, ablativus absolutus *a. absolute.*
ablaut ⟨de (m.)⟩ ⟨taal.⟩ **0.1** *vowel gradation* / *change* ⇒*ablaut.*
ablutie ⟨de (v.)⟩ ⟨r.k.⟩ **0.1** [⟨r.k.⟩] *ablution* **0.2** [afbreken strafvervolging] *discontinuance* ⇒*nolle prosequi.*
A.B.(N.) ⟨het⟩ ⟨afk.⟩ **0.1** [Algemeen Beschaafd (Nederlands)] ⟨*Standard (Educated) (Dutch)*⟩.
abnormaal
   I ⟨bn.⟩ **0.1** [afwijkend v.d. gewoonte] *abnormal* ⇒*irregular, anomalous,* ⟨ihb. mbt. gedrag⟩ *deviant, aberrant* **0.2** [afwijkend v.d. gewone gedaante] *abnormal* ⇒*misshapen, deformed* **0.3** [geestelijk afwijkend] *abnormal* ⇒*subnormal, mentally handicapped* ♦ **1.1** een abnormale droogte *an abnormal* / *unnatural* / ⟨voor de tijd v.h. jaar⟩ *unseasonable drought* **1.2** een ~ hart *an a. heart* **3.3** hij is een beetje ~ ⟨ook⟩ *he is not quite normal* **4.1** niets ~s *nothing out of the ordinary, nothing unnatural* / *abnormal* / *uncommon;*
   II ⟨bw.⟩ **0.1** [op afwijkende wijze] *abnormally* ⇒*anomalously.*
abnormaliteit ⟨de (v.)⟩ **0.1** [afwijking v.h. normale] *abnormality* ⇒*irregularity, anomaly,* ⟨ihb. mbt. gedrag⟩ *deviation, aberrance* **0.2** [geestelijke afwijking] *abnormality* ⇒*mental handicap* **0.3** [afwijking v.d. gewone gedaante] *abnormality* ⇒*deformity.*
aboleren ⟨ov.ww.⟩ **0.1** *rescind.*
A-bom ⟨de (v.)⟩ **0.1** *A-bomb.*
abominabel ⟨bn., bw.;-ly⟩ **0.1** *abominable* ⇒*appalling, scandalous, shocking.*
abondant ⟨bn., bw.⟩ **0.1** *plenteous* ⇒*abundant.*
abonnee ⟨de⟩ **0.1** *subscriber (to)* ⟨krant, telefoon, concertserie⟩; *season-ticket holder* ⟨trein, tram, concertzaal, zwembad⟩.
abonneenummer ⟨het⟩ **0.1** *subscriber('s) number.*
abonneetelevisie ⟨de (v.)⟩ **0.1** *pay television* / *cable.*
abonnement ⟨het⟩ **0.1** [het zich abonneren] *subscription (to)* ⟨krant, telefoon, concertserie⟩; *taking* / *buying a season-ticket* ⟨trein, tram, concertzaal, zwembad⟩ **0.2** [kaart] *season(-ticket)* ⟨trein enz.⟩; *subscription, subscriber's ticket* ⟨concertserie⟩ ♦ **3.1** een ~ nemen op .../ opzeggen / vernieuwen ⟨krant enz.⟩ *subscribe to ..., discontinue* / *renew a subscription* **3.2** ik heb mijn ~ verloren *I have lost my subscription (card)* / *season ticket* **6.1** ik heb mijn ~ **op** die krant niet meer vernieuwd *I haven't renewed my subscription to that paper, I've dropped that paper.*
abonnementhouder ⟨de (m.)⟩, **-houdster** ⟨de (v.)⟩ **0.1** *season-ticket holder* ⟨trein, tram, concertzaal, zwembad⟩; *subscriber (to)* ⟨concertserie⟩.

---

abonnementskaart ⟨de⟩ **0.1** *season-ticket* ⟨trein, tram, concertzaal, zwembad⟩; *subscription, subscriber's ticket* ⟨concertserie⟩.
abonnementsprijs ⟨de (m.)⟩ **0.1** *subscription rate.*
abonnementsvoorwaarden ⟨zn.mv.⟩ **0.1** *terms of subscription.*
abonneren
   I ⟨wk.ww.;zich~⟩ **0.1** [zich als abonnee opgeven] *subscribe (to), take out a subscription (to)* ⟨week- en dagblad⟩; *take* / *buy a season-ticket (for)* ⟨concertserie⟩ ♦ **6.1** zich **op** concerten / **op** een krant ~ *take a season(-ticket) for concerts, subscribe to concerts* / *a paper;*
   II ⟨ov.ww.⟩ **0.1** [een abonnement verstrekken] *enter as subscriber, sell a season-ticket to* ♦ **5.1** hij is erop geabonneerd *it's always happening to him, he's a regular sucker for it.*
A.B.O.P. ⟨de (m.)⟩ ⟨afk.⟩ **0.1** [Algemene Bond van Onderwijzend Personeel] ⟨*General* / *Non-denominational Union of Teachers*⟩.
aborigines ⟨zn.mv.⟩ **0.1** *aborigines* ⇒⟨Australië⟩ *Aborigines, Aboriginals.*
aborteren
   I ⟨onov., ov.ww.⟩ **0.1** [een zwangerschap onderbreken] *abort (a pregnancy* / *foetus)* ⇒⟨onov. ww. ook; euf.⟩ *terminate a pregnancy, perform* / *carry out* / ⟨jur.⟩ *procure an abortion (on)* ♦ **3.1** zij liet zich ~ *she had an abortion;*
   II ⟨onov.ww.⟩ **0.1** [⟨med.⟩ een miskraam hebben] *abort* ⇒*miscarry.*
aborteur ⟨de (m.)⟩, **-teuse** ⟨de (v.)⟩ **0.1** *abortionist.*
abortief ⟨bn.⟩ **0.1** [vruchtafdrijvend] *abortifacient* ⇒*abortive* **0.2** [niet tot volledige ontwikkeling komend] *abortive* ♦ **1.2** een abortieve poging *an a. attempt.*
abortoir ⟨het⟩ ⟨inf.; pej.⟩ **0.1** ≠*abortion shop.*
abortus ⟨de (m.)⟩ ⟨geol.⟩ **0.1** [zwangerschapsonderbreking] *abortion* **0.2** [miskraam] *abortion, miscarriage* ♦ **2.1** illegale ~ *illegal a.;* ⟨inf.⟩ *back-street a.* **3.1** ~ plegen / opwekken *perform* / *carry out* / *induce* / ⟨jur.⟩ *procure (an) a.;* ⟨euf.⟩ *terminate a pregnancy* **¶.2** ~ provocatus *induced a..*
abortuskliniek ⟨de (v.)⟩ **0.1** *abortion clinic.*
abortusregeling ⟨de (v.)⟩ **0.1** *abortion regulation.*
abortusvraagstuk ⟨het⟩ **0.1** *issue of abortion.*
abortuswet ⟨de⟩ **0.1** *Abortion Act.*
à bout portant ⟨bw.⟩ **0.1** *point blank* ⇒⟨ook fig.⟩ *at point-blank* / *close range* ♦ **3.1** ik vroeg hem ~ ... *I asked him point blank* / *straight out ....*
ABP ⟨het⟩ ⟨afk.⟩ **0.1** [Algemeen Burgerlijk Pensioenfonds] ⟨*Non-denominational* / *National Civil Pension Fund*⟩.
abracadabra ⟨het⟩ **0.1** [toverspreuk] *abracadabra* **0.2** [wartaal] *abracadabra* ⇒*mumbo-jumbo* ♦ **3.2** dat is ~ voor hem *that is all mumbo-jumbo* / *Chinese* / *double Dutch to him.*
Abraham ⟨de (m.)⟩ **0.1** [stamvader v.d. Hebreeën] *Abraham* **0.2** [speculaaspop] '*Abraham biscuit*' ⟨*large fancy gingerbread man*⟩ ♦ **1.¶** hij rust aan ~s borst / zit in ~s schoot *he is living in clover, he has got life made* **3.¶** hij heeft ~ gezien *he won't see fifty again, he's no chicken* **¶.¶** hij weet waar ~ de mosterd haalt *he has been around, there are no flies on him.*
abrasie ⟨de (v.)⟩ ⟨geol.⟩ **0.1** *abrasion.*
abri ⟨de (m.)⟩ **0.1** *bus shelter.*
abricoteren ⟨ov.ww.⟩ **0.1** *top* / *cover with apricot jam.*
abrikoos
   I ⟨de⟩ **0.1** [vrucht] *apricot* ♦ **¶.1** abrikozen op brandewijn *brandied apricots;*
   II ⟨de (m.)⟩ **0.1** [boom] *apricot.*
abrupt
   I ⟨bn., bw.;-ly⟩ **0.1** [plotseling] *abrupt* ⇒*sudden* ♦ **3.1** ~ halthouden *stop a.* / *suddenly;* ⟨ook⟩ *come to a dead stop;*
   II ⟨bn.⟩ **0.1** [hortend] *abrupt* ⇒*disconnected, disjointed* ♦ **1.1** een ~e stijl *an a.* / *a disjointed manner* / *style.*
abscis ⟨de⟩ ⟨wisk.⟩ **0.1** *abscissa* ♦ **1.1** ~ en ordinaat *a. and ordinate.*
absence ⟨de⟩ ⟨med.⟩ **0.1** *abscence.*
absent ⟨bn.⟩ **0.1** [afwezig] *absent* **0.2** [verstrooid] *absent(-minded)* ♦ **3.1** zij is vaak ~ *she is often a.* **7.1** ⟨zelfst.⟩ de ~en aantekenen *take down the absentees.*
absenteïsme ⟨het⟩ **0.1** *absenteeism.*
absentenlijst ⟨de⟩ **0.1** *list of absentees.*
absenteren ⟨wk.ww.;zich~⟩ **0.1** *absent (o.s.), leave the room.*
absentie ⟨de (v.)⟩ **0.1** [afwezigheid] *absence* **0.2** [verstrooidheid] *absent-mindedness.*
abside ⟨de (v.)⟩ →*apsis.*
absint ⟨het, de (m.)⟩ **0.1** *absinth.*
absintalsem ⟨de (m.)⟩ ⟨plantk.⟩ **0.1** *wormwood.*
absis →*apsis.*
absolutie ⟨de (v.)⟩ ⟨r.k.⟩ **0.1** [vergiffenis van zonden] *absolution* **0.2** [formule hiervoor] *absolution* **0.3** [kwijtschelding van straffen] *absolution* **0.4** [deel van het breviergebed] *absolution* ♦ **2.3** generale ~ *general a.* **3.3** de ~ geven ⟨ook⟩ *absolve.*
absolutisme ⟨het⟩ **0.1** [volstrektheid van gelding / gezag] *absolutism* **0.2** [alleenheerschappij] *absolutism.*
absolutistisch ⟨bn., bw.⟩ **0.1** *absolutist.*

absoluut
 I ⟨bn.⟩ **0.1** [op zichzelf staand] *absolute* **0.2** [volkomen] *absolute* ⇒ *perfect, utter* **0.3** [volstrekt zuiver] *absolute* ⇒*pure* **0.4** [geheel onafhankelijk] *absolute* **0.5** [uit de eigen middelen v.e. kunst voortkomend] *absolute* ⟨muziek, film⟩ ◆ **1.1** absolute cijfers/hoeveelheden *a. numbers/quantities;* ~ geheugen *total recall;* ~ gehoor *perfect pitch* **1.2** op het absolute dieptepunt ⟨ook⟩ *when touching rock-bottom;* op het absolute hoogtepunt van haar carrière *at the a. peak/very height of her career;* een ~ minimum *an a. / irreducible/a rock-bottom minimum;* absolute onwetendheid *sheer/total/a./utter ignorance;* absolute stilte/eenzaamheid *a./dead/complete/perfect/utter silence/loneliness;* het absolute toppunt van domheid ⟨ook⟩ *the (very) ultimate in stupidity;* een absolute vereiste ⟨ook⟩ *a prerequisite;* absolute zekerheid *dead/a./utter/complete certainty* **1.3** absolute alcohol *a./pure alcohol* **1.4** ~ gezag *a. power;* een ~ vorst *an a. prince/ruler* **7.1** ⟨fil.⟩ het absolute *the a.;*
 II ⟨bw.⟩ **0.1** [volstrekt] *absolutely* ⇒*utterly, perfectly* ◆ **2.1** dat is~ onmogelijk ⟨ook⟩ *that's physically/categorically impossible, that's a physical/sheer impossibility;* ik ben (er) ~ zeker (van) dat ze er was ⟨ook⟩ *I'm positive/dead certain that she was there* **3.1** ik wil het~ weten ⟨ook⟩ *I definitely want to know, I'm determined to know;* zij wil~ actrice worden ⟨ook⟩ *she is set/* ⟨inf.⟩ *hell-bent on becoming an actress* **4.1** ~ niets *nothing at all/whatever/on earth, a. nothing* **5.1** ~ niet *by no means, on no account/condition;* ik weet het ~ niet *I really don't know at all, I don't know in the least, I simply don't know;* hij kan~ niet autorijden ⟨ook⟩ *he definitely can't drive/can't drive to save his life;* ik ben er ~ tegen ⟨ook⟩ *I'm dead against it* **7.1** ik heb~ geen tijd *I simply have no time at all, I haven't a single moment;* je hebt ~ geen kans ⟨ook⟩ *you haven't an earthly chance/* ⟨inf.⟩ *a hope in hell* ¶**.1** weet je het zeker? ~! *are you sure?* **.1/** (I'm) positive!; heb ik geen gelijk? ~! *wasn't/aren't I right?, a.!/entirely!/* ⟨AE ook⟩ *sure thing!.*
absoluutheid ⟨de (v.)⟩ **0.1** *absoluteness.*
absolveren ⟨onov., ov.ww.⟩ **0.1** [vrijstelling verlenen] *absolve* ⇒⟨examens vooral⟩ *exempt (from)* **0.2** [vergeving van zonden schenken] *absolve (from)* ◆ **1.1** ~de tentamens *exemptive examinations.*
absorbaat ⟨het⟩ **0.1** [geabsorbeerde stof] *absorbate* **0.2** [atoomkern] *isotope.*
absorbens ⟨de (m.)⟩ **0.1** *absorbent.*
absorberen ⟨onov., ov.ww.⟩ **0.1** [inzuigen] *absorb* **0.2** [⟨fig.⟩] *absorb* ◆ **1.1** ~d middel *absorbent, absorbing (agent);* ~de stof, ~d materiaal *absorbent (substance/material)* **6.2** door iets geabsorbeerd zijn *be absorbed/engrossed/wrapped up in.*
absorptie ⟨de (v.)⟩ **0.1** [inzuiging] *absorption* **0.2** [⟨med.⟩] *absorption* ◆ **1.1** ~ v.e. straling/geluid *a. of radiation/sound.*
absorptieband ⟨de (m.)⟩ **0.1** *absorption band.*
absorptiespectrum ⟨het⟩ **0.1** *absorption spectrum.*
absorptiestreep ⟨de⟩ **0.1** *absorption line.*
absorptievat ⟨het⟩ **0.1** *absorber.*
absorptievermogen ⟨het⟩ **0.1** ⟨mbt. gassen, vloeistoffen⟩ *absorptive power;* ⟨mbt. straling⟩ *absorptivity.*
absoute ⟨de⟩ ⟨r.k.⟩ **0.1** *absolution* ◆ **3.1** de~ verrichten *pronounce the a..*
abstinent[1] ⟨de (m.)⟩ **0.1** *abstainer* ⇒⟨ihb. mbt. alcohol⟩ *teetotaller* [A]*taler.*
abstinent[2] ⟨bn.⟩ **0.1** *abstinent* ⇒⟨ihb. mbt. alcohol⟩ *teetotal,* ⟨mbt. geslachtsdaad ook⟩ *continent,* ⟨matig⟩ *abstemious, moderate.*
abstinentie ⟨de (v.)⟩ **0.1** *abstinence* ⇒⟨mbt. alcohol ook⟩ *teetotallism* [A]*talism,* ⟨mbt. geslachtsdaad ook⟩ *continence.*
abstinentieverschijnsel ⟨het⟩ **0.1** *withdrawal symptom/effect.*
abstineren ⟨wk.ww.; zich~⟩ **0.1** *abstain (from).*
abstract
 I ⟨bn.⟩ **0.1** [onstoffelijk] *abstract* **0.2** [door redenering afgeleid] *abstract* ⇒*theoretical,* ⟨onduidelijk⟩ *abstruse* **0.3** [⟨bk.⟩] *abstract* ⇒ ⟨muz. ook⟩ *absolute* ◆ **1.1** een~ zelfstandig naamwoord *an a. noun* **1.2** een ~ betoog ⟨pej.⟩ *an abstruse/an academic/a far-fetched argument;* ~e denkbeelden *abstract/theoretical ideas;* ~e wetenschappen *theoretical/abstract sciences;*
 II ⟨bw.⟩ **0.1** [los v.d. aanschouwing/werkelijkheid] *abstractly* ⇒*in the abstract, absolutely* **0.2** [⟨bk.⟩] *abstractly* ◆ **3.1** ~ redeneren *reason in the abstract* **3.2** ~ schilderen *paint in the abstract/abstracts* ⟨mv.⟩ */abstractions* ⟨mv.⟩.
abstractie ⟨de (v.)⟩ **0.1** [het abstraheren] *abstraction* **0.2** [afgetrokken begrip] *abstraction* **0.3** [verstrooidheid] *absent-mindedness* ⇒*abstraction* ◆ **6.1** onder ~ van *abstracting (from).*
abstractum ⟨het⟩ **0.1** *abstraction* ⇒*abstract word/concept* ⟨enz.⟩.
abstraheren ⟨onov., ov.ww.⟩ **0.1** [ontdoen v.h. concrete] *abstract (from)* **0.2** [in gedachte afzonderen] *abstract (from).*
abstruus ⟨bn., bw.;-ly⟩ **0.1** *abstruse.*
absurd ⟨bn., bw.;-ly⟩ **0.1** *absurd* ⇒⟨ongerijmd ook⟩ *incongruous,* ⟨dwaas⟩ *ridiculous, ludicrous,* ⟨sterker⟩ *preposterous* ◆ **1.1** ~e redenaties ⟨ook⟩ *pointless/inept reasoning(s);* een ~ toeval *an extraordinary/ridiculous/daft coincidence;* ~ toneel *theatre of the a.* **3.1** dat is ~ *this is a./ludicrous/ridiculous/preposterous.*

absurdisme ⟨het⟩ **0.1** *absurdism* ◆ **1.1** het ~ van Pinter *Pinter's a..*
absurdistisch ⟨bn.⟩ **0.1** *absurdist* ◆ **1.1** ~e toneelliteratuur *a. drama, drama of the absurd.*
absurditeit ⟨de (v.)⟩ **0.1** *absurdity* ⇒⟨ongerijmdheid⟩ *incongruity,* ⟨dwaasheid⟩ *folly,* ⟨sterker⟩ *preposterousness.*
abt ⟨de (m.)⟩ ⟨→sprw.6,7⟩ **0.1** *abbot.*
abuis[1] ⟨de (m.)⟩ **0.1** *mistake* ⇒*slip, lapse, error, oversight* ◆ **3.1** een ~ begaan *make a m./an error/a slip/an oversight;* ⟨inf.⟩ *slip up;* ~ hebben *be mistaken/in error* **6.1 per/bij** ~ *by m., in error, erroneously.*
abuis[2] ⟨bn.⟩ **0.1** *mistaken* ⇒*in error, wrong* ◆ **3.1** u is ~ ⟨u hebt het mis⟩ *you are m.,* ↓*you've got it wrong;* ⟨u bent verkeerd⟩ *you are/must be m..*
abundantie ⟨de (v.)⟩ **0.1** [overvloed] *(super)abundance* **0.2** [mate waarin iets voorkomt] *abundance.*
abuseren ⟨ov.ww.⟩ **0.1** *maltreat* ⇒*ill-use.*
abusief ⟨bn.⟩ **0.1** *erroneous* ⇒*mistaken.*
abusievelijk ⟨bw.⟩ **0.1** *mistakenly* ⇒*erroneously, by mistake, unintentionally.*
ABVA ⟨de (m.)⟩ ⟨afk.⟩ **0.1** [Algemene Bond Van Ambtenaren] ⟨*National/Non-denominational Union of Civil Servants*⟩.
ABW ⟨de (m.)⟩ ⟨afk.⟩ **0.1** [Algemene Bijstandswet] ⟨*General Social Security Act*⟩.
abyssaal ⟨bn.⟩ **0.1** [⟨geol.⟩ diepzee-] *abyssal* **0.2** [⟨geol.⟩ plutonisch] *plutonic* **0.3** [⟨fig.;schr.⟩ zeer diepgaand] *abysmal* ◆ **1.1** abyssale zone *a. zone.*
A.C. ⟨afk.⟩ **0.1** [appellation contrôlée] ⟨*appellation contrôlée*⟩ **0.2** [alternating current] *AC* ⇒*a. c..*
acacia ⟨de (m.)⟩ **0.1** [⟨plantk.⟩ geslacht] *Acacia* **0.2** [boom] *locust (tree)* ⇒*(false) acacia, Robinia* ◆ **2.2** ruige ~ *rose acacia.*
acaciahout ⟨het⟩ **0.1** *acacia wood* ⇒*locust.*
acaciaschors ⟨de⟩ **0.1** *wattle bark.*
acad. ⟨afk.⟩ **0.1** [academie] *acad..*
academicus ⟨de (m.)⟩,**-ca** ⟨de (v.)⟩ **0.1** *university/college graduate* ⇒*person with a university education,* ⟨werkzaam aan universiteit⟩ *academic.*
academie ⟨de (v.)⟩ **0.1** [genootschap] *academy* **0.2** [universiteit, hogeschool] *academy* ⇒*university, college* **0.3** [gebouw] *academy (building)* ◆ **1.1** de Koninklijke Nederlandse Academie van Wetenschappen *the Royal Netherlands Academy of Sciences* **1.2** de ~ van Leiden *Leiden University* **2.1** de Koninklijke Academie voor Beeldende/Schone Kunsten *the Royal Academy of Fine Arts* **2.2** de Koninklijke Militaire Academie te Breda *the Royal Military Academy at Breda;* pedagogische ~ ⟨GB⟩ *College of Education;* ⟨USA⟩ *Teacher's College* ⟨zelfstandig⟩; *School of Education, Education Department* ⟨binnen universiteit⟩; sociale ~ *College of Social Studies;* ⟨USA⟩ *School/Department of Social Work, Social Work Department* ⟨binnen universiteit⟩ **6.2** ~ **voor** lichamelijke opvoeding ⟨binnen universiteit⟩ *Department of Physical Education.*
academiestad ⟨de⟩ **0.1** *university town/city;* ⟨Breda e.d.⟩ *town/city with an academy.*
academisch ⟨bn., bw.;-ally⟩ **0.1** [mbt. een universiteit/hogeschool] *academic* ⇒*university,* [A]*college* **0.2** [⟨bk.⟩] *academic* **0.3** [theoretisch] *academic* ◆ **1.1** een ~e graad *a university/a college/an a. degree;* ~ kwartiertje ≠*break between lectures;* een ~e opleiding *a university education;* iem. met een ~e opleiding ⟨ook⟩ *a university/college graduate, s.o. with an a. background;* een ~ salaris *an academic stipend/salary;* Academisch Statuut ≠*University Charter;* een ~e studie ⟨alg.⟩ *a. studies;* ⟨mbt. een bep. onderwerp⟩ *an a. study;* ⟨studierichting⟩ *an a. subject;* ⟨studieprogramma⟩ *a university (degree) course;* ~e titels *a. titles/degrees;* ~e vorming *a. training;* de ~e wereld ⟨ook⟩ *academia,* ⟨mbt. laksheid, conformisme en vreedzaamheid⟩ *(the groves of) Academe;* het ~ ziekenhuis *the university/teaching hospital* **1.2** zij heeft een ~e stijl *she has an a. style* **1.3** een ~e vraag/kwestie *an a. question/point* **2.1** ~ gevormd zijn *have (had) a university education, be a university/college graduate;* ~ gevormd *university educated/trained;* ⟨pred.⟩ *trained academic.*
academisme ⟨het⟩ **0.1** [opvatting van bk.] *academicism* ⇒*academism* **0.2** [het zich laten leiden door regels] *academicism* ⇒*academism.*
acajou ⟨het⟩ **0.1** [hout] *acajou* ⇒*African mahogany* **0.1** [noot] *cashew* ⇒*acajou.*
acajouboom ⟨de (m.)⟩ **0.1** *cashew tree.*
acanthus ⟨de (m.)⟩ **0.1** *acanthus.*
acanthusblad ⟨het⟩ **0.1** *acanthus.*
acanthusmotief ⟨het⟩ **0.1** *acanthus.*
a capella ⟨muz.⟩ **0.1** *unaccompanied* ⇒*a cappella.*
a-capella-koor ⟨het⟩ **0.1** *unaccompanied choir* ⇒*a cappella.*
acaricide ⟨de⟩ ⟨schei.⟩ **0.1** *acaricide.*
acc. ⟨afk.⟩ **0.1** [accept] *acc.* **0.2** [accusatief] *acc..*
accelerando ⟨bw.⟩ ⟨muz.⟩ **0.1** *accelerando.*
acceleratie ⟨de (v.)⟩ **0.1** [versnelling] *acceleration* **0.2** [⟨biol.⟩] *acceleration.*
acceleratiepomp ⟨de⟩ **0.1** *accelerator pump.*
acceleratieproef ⟨de⟩ **0.1** *acceleration test.*

acceleratievermogen ⟨het⟩ **0.1** *acceleration.*
accelerator ⟨de (m.)⟩ **0.1** [deeltjesversneller] *accelerator* **0.2** [acceleratiepomp] *accelerator pump* **0.3** [⟨schei.⟩] *accelerator* ⇒*accelerant.*
accelereren ⟨onov., ov.ww.⟩ **0.1** *accelerate.*
accent
  I ⟨het⟩ **0.1** [klemtoon] *accent* ⇒*stress* ⟨ook fig.⟩, (fig.) *emphasis* **0.2** [⟨muz.⟩] *accent* **0.3** [⟨klem⟩toonteken] *accent* ⇒⟨wisk.⟩ *prime* **0.4** [tongval] *accent(s)* ⇒⟨stembuiging⟩ *intonation* **0.5** [toon,sfeer] *accent* ⇒*note, edge, touch* **0.6** [⟨bk.⟩] *accent* ⇒*feature* ◆ **2.4** een bekakt ~ *a la(h)-di-da(h) a.;* haar Nederlandse ~ is nog goed hoorbaar *her Dutch a. still comes/shows through;* een sterk/licht Nijmeegs ~ *a broad/mild Nijmegen a.;* Frans met een (sterk) Spaans ~ *French with a (heavy/pronounced) Spanish a.* **3.1** het ~ krijgen/hebben op de eerste lettergreep *be accented/have the a. on the first syllable;* het ~ leggen op *stress, emphasize, accentuate, lay the stress/emphasis/accent on;* (fig.) het ~ verschuiven *shift the emphasis* **6.4** Engels spreken zonder ~ *speak English without an accent* **6.¶ zonder** ~ *unaccented;*
  II ⟨het⟩ (Fr.) **0.1** [klemtoonteken] *accent* ◆ **¶.1** ~ grave/aigu/circonflexe *grave/acute/circumflex a..*
accentteken ⟨het⟩ **0.1** *accent(-mark)* ⇒*stress-mark.*
accentuatie ⟨de (v.)⟩ **0.1** [het leggen van het/een accent] *accentuation* **0.2** [wijze waarop] *accenting.*
accentueren ⟨ov.ww.⟩ **0.1** [de klemtoon leggen op] *accent(uate)* ⇒*stress, emphasize* **0.2** [⟨fig.⟩] *stress* ⇒*emphasize, accentuate, highlight* **0.3** [het accentteken plaatsen op] *accent* **0.4** [⟨muz.⟩] *accentuate* ⇒*accent.*
accentuering ⟨de (v.)⟩ **0.1** [het accentueren] *accentuation* ⇒*stressing, emphasizing* **0.2** [wijze van accentueren] *accentuation.*
accentvers ⟨het⟩ **0.1** *accented verse.*
accentverschuiving ⟨de (v.)⟩ **0.1** *shift of accent/emphasis* ⇒⟨muz.⟩ *syncopation,* ⟨taal.⟩ *accent/stress shift.*
accept ⟨het⟩ **0.1** [wissel] *acceptance* **0.2** [het accepteren v.e. wissel] *acceptance.*
acceptabel ⟨bn., bw.⟩ **0.1** *acceptable.*
acceptant ⟨de (m.)⟩ **0.1** *acceptor.*
acceptatie ⟨de (v.)⟩ **0.1** [aanneming] *reception* ⇒*acceptation, acceptance* **0.2** [⟨hand.⟩ verklaring] *acceptance* ⇒*acknowledg(e)ment.*
accepteren ⟨ov.ww.⟩ **0.1** [aannemen] *accept* ⇒*take, embrace* ⟨denkbeeld⟩ **0.2** [dulden] *accept* ⇒*take,* ⟨slikken⟩ *swallow* ◆ **1.1** ⟨hand.⟩ reclames ~ *allow/acknowledge claims;* een wissel ~ *a. a bill (of exchange)* **3.2** zijn gedrag kan ik zo maar niet ~ ⟨ook⟩ *I can't just go along with/condone his behaviour/conduct;* die prijs kan ik zo maar niet ~ ⟨ook⟩ *I can't simply settle for that price* **5.2** dat accepteer je toch zeker niet! ⟨ook⟩ *surely, you're not going to take that lying down!.*
acceptgiro(kaart) ⟨de⟩ **0.1** ⟨*pre-printed giro credit slip*⟩.
acceptie ⟨de (v.)⟩ **0.1** [aanneming] *acceptance* **0.2** [aangenomen betekenis v.e. woord/zin] *acceptation.*
acceptkrediet ⟨het⟩ **0.1** *acceptance credit.*
acceptprovisie ⟨de (v.)⟩ ⟨hand.⟩ **0.1** *acceptance commission.*
acces ⟨het⟩ **0.1** [toegang tot een bijeenkomst] *access* ⇒*admission, admittance* **0.2** [⟨mil.⟩] *access* **0.3** [verkiesbaarheid tot een kerkelijk ambt] *eligibility.*
accessibel ⟨bn., bw.⟩ **0.1** *accessible* ⇒*approachable,* ⟨inf.⟩ *get-at-able.*
accessoir ⟨bn.⟩ **0.1** *accessory* ◆ **1.1** ~ recht *an a. right;* ~e verbintenis *an a. obligation.*
accessoire ⟨het⟩ **0.1** *accessory.*
accident ⟨het⟩ **0.1** [ongeluk] *misadventure* **0.2** [⟨fil.⟩] *accident(al)* **0.3** [⟨muz.⟩ verhoging, verlaging] *accidental* **0.4** [⟨muz.⟩ teken] *accidental.*
accidenteel ⟨bn., bw.;-ly⟩ **0.1** *accidental* ⇒⟨schr.⟩ *adventitious,* ⟨toevallig⟩ *fortuitous.*
accidentiën ⟨de (v.)⟩ **0.1** *perquisites* ⇒⟨inf.⟩ *perks.*
accijns ⟨de (m.)⟩ **0.1** *excise (duty/tax)* ◆ **3.1** accijnzen heffen (op) *levy/charge excise/duty (on).*
accijnsgoederen ⟨zn.mv.⟩ **0.1** *excisable goods.*
accijnskantoor ⟨het⟩ **0.1** *Customs and Excise (Office)* ⇒⟨vero.⟩ *Excise.*
accijnsplichtig ⟨bn.⟩ **0.1** *excisable.*
accijnsvrij ⟨bn.⟩ **0.1** *free of excise tax.*
acclamatie ⟨de (v.)⟩ **0.1** bij ~ verkiezen *elect by acclamation;* bij ~ aannemen *carry/pass by acclamation.*
acclimatisatie ⟨de (v.)⟩ **0.1** *acclimatization.*
acclimatisatieproces ⟨het⟩ **0.1** *acclimatization process.*
acclimatiseren ⟨onov.ww.⟩ **0.1** [aan een ander klimaat wennen] *acclimatize* ⇒*become/get acclimatized* **0.2** [aan een andere omgeving wennen] *acclimatize* ⇒*become/get acclimatized.*
acclimatisering ⟨de (v.)⟩ **0.1** *acclimatization.*
accolade ⟨de (v.)⟩ **0.1** [teken] *brace* ⇒*bracket* **0.2** [omarming] *accolade.*
accommodatie ⟨de (v.)⟩ **0.1** [gemakken] *accommodation* ⟨AE meestal mv.⟩; ⟨voorzieningen⟩ *facilities* **0.2** [aanpassing] *accommodation* ⟨ook mbt. het oog⟩ ◆ **6.1** er is ~ **voor** tien passagiers *there is* [B]*facility/*[A]*accommodation/are* [B]*facilities for ten passengers, ten passengers can be accommodated.*

accommodatieflat ⟨de (m.)⟩ **0.1** ⟨*partially⟩ serviced flat/*[A]*apartment.*
accommodatievermogen ⟨het⟩ **0.1** *capacity for accommodation* ⇒*adaptability, ability/capacity to adjust,* ⟨mbt. het oog ook⟩ *ability to focus.*
accommoderen
  I ⟨ov.ww.⟩ **0.1** [mbt. het oog] *accommodate* ⇒*focus* **0.2** [regelen] *accommodate* ⇒*arrange, organize,* ↓*sort out;*
  II ⟨wk.ww.; zich ~⟩ **0.1** [zich verzoenen] *reach a settlement* ⇒*come to terms/an agreement* **0.2** [zich schikken in] *fit in/comply (with)* ⇒*conform (to), compromise (with)* ◆ **6.1** zich ~ **naar** ⟨inf. ook⟩ *go along with.*
accomodatieplatform ⟨het⟩ **0.1** *accommodation platform/rig.*
accompagnement ⟨het⟩ ⟨muz.⟩ **0.1** [begeleiding] *accompaniment* **0.2** [bijpartij] *accompaniment.*
accompagneren ⟨ov.ww.⟩ **0.1** [begeleiden] *accompany* **0.2** [⟨muz.⟩] *accompany.*
accordeon ⟨het, de (m.)⟩ **0.1** ⟨*piano⟩ accordion* ⇒⟨BE; verfijnd soort⟩ *melodeon,* ⟨inf.⟩ *squeeze box.*
accordeonist ⟨de (m.)⟩ **0.1** *accordionist.*
accorderen
  I ⟨onov.ww.⟩ **0.1** [overeenkomen, overeenstemmen] *agree* ⇒⟨onpers.⟩ *tally/correspond/accord (with), match* **0.2** [goed overweg kunnen met elkaar] *get on (with s.o.)* ⇒⟨inf.⟩ *hit it off (together)* **0.3** [een vergelijk treffen] *reach agreement (with)* ⇒*come to terms (with),* ⟨met schuldenaar⟩ *compound (with)* **0.4** [⟨muz.⟩] *harmonize* ⇒*be in harmony* **0.5** [⟨bk.⟩] *effect a balance;*
  II ⟨ov.ww.⟩ **0.1** [vergelijken] *collate* ⇒*check (out/up)* ◆ **1.1** rekeningen ~ ⟨ook⟩ *balance accounts.*
accoucheur ⟨de (m.)⟩, **-cheuse** ⟨de (v.)⟩ **0.1** *accoucheur* ⟨m.⟩, *accoucheuse* ⟨v.⟩ ⇒*midwife, obstetrician.*
accountant ⟨de (m.)⟩ **0.1** ⟨*chartered/*[A]*certified public⟩ accountant* ⇒⟨rekeningcontroleur⟩ *auditor.*
accountant-administratieconsulent ⟨de (m.)⟩ **0.1** *accountant and management consultant.*
accountants-onderzoek ⟨het⟩ **0.1** *audit.*
accountantsverklaring ⟨de (v.)⟩ **0.1** *auditors'/audit certificate.*
account-director ⟨de (m.)⟩ **0.1** *account manager* ⇒⟨BE ook⟩ *accounts director,* ⟨AE ook⟩ *account executive.*
accrediteren ⟨ov.ww.⟩ **0.1** [erkennen] *acknowledge, recognize* **0.2** [krediet verschaffen] *(ac)credit* ⇒*give credit to* **0.3** [van geloofsbrieven voorzien] *accredit* ◆ **5.2** bij iem. slecht geaccrediteerd staan (fig.) *be held in low esteem by s.o.,* ↓*be in s.o.'s bad books* **6.2** iem. ~ bij een bank *give s.o. credit facilities at a bank.*
accreditief ⟨het⟩ **0.1** [⟨geldw.⟩] *letter of credit* **0.2** [geloofsbrief] *credentials* ⟨mv.⟩ ⇒*letter of credence.*
accres ⟨het⟩ **0.1** *increase* ⇒*growth* ◆ **1.1** het ~ v.d. bevolking *the population growth.*
accrocheren ⟨ov.ww.⟩ **0.1** *attach.*
accu ⟨de (m.)⟩ **0.1** ⟨*storage⟩ battery* ⇒*accumulator* ◆ **2.1** de ~ is leeg *the b. has run down/is dead/flat;* (fig.) *his batteries are flat, he's worn out* **6.1** de lampen branden **op** de ~ *the lights run off the b./are battery-operated.*
accubak ⟨de (m.)⟩ **0.1** *battery container, accumulator box.*
accuklem ⟨de (v.)⟩ **0.1** *battery clip.*
acculader ⟨de (m.)⟩ ⟨elek.⟩ **0.1** *battery charger* ⇒⟨voor autoaccu's⟩ *trickle charger.*
acculturatie ⟨de (v.)⟩ ⟨soc.⟩ **0.1** [aanpassing aan de overheersende cultuur] *acculturation* **0.2** [ingroeiing in de culturele omgeving] *acculturation.*
accumulatie ⟨de (v.)⟩ **0.1** *accumulation* ◆ **1.1** ~ van geld *a. of wealth;* een ~ van ongelukken *an a./* ⟨vnl. BE⟩ *a chapter of accidents.*
accumulatief ⟨bn., bw.;-ly⟩ **0.1** *accumulative.*
accumulatietheorie ⟨de (v.)⟩ **0.1** *accumulation theory, theory of the accumulation of capital.*
accumulator ⟨de (m.)⟩ **0.1** [accu] ⟨*storage⟩ battery/cell* ⇒*accumulator* **0.2** [register aan een rekenmachine] *accumulator* **0.3** [mbt. hydraulische persen, pompwerktuigen] *accumulator.*
accumulatorcentrale ⟨de⟩ **0.1** *accumulator station.*
accumuleren ⟨ov.ww.⟩ **0.1** *accumulate* ⇒*amass.*
accuplaat ⟨de⟩ **0.1** *battery/accumulator plate* ⇒*electrode plate.*
accuraat ⟨bn., bw.;-ly⟩ **0.1** *accurate, precise* ⇒⟨zorgvuldig⟩ *meticulous, particular* ◆ **3.1** hij is/werkt erg ~ ⟨ook⟩ *he's a very a. worker;* ~ werken *work accurately/meticulously.*
accuratesse ⟨de (v.)⟩ **0.1** *accuracy, precision* ⇒⟨zorgvuldigheid⟩ *meticulousness* ◆ **2.1** dit werk eist grote ~ *this work requires/demands great precision.*
accusatie ⟨de (v.)⟩ **0.1** [beschuldiging] *accusation* ⇒⟨vnl. jur.⟩ *charge* **0.2** [bericht van ontvangst] *acknowledg(e)ment of receipt.*
accusatief, accusativus ⟨de (m.)⟩ ⟨taal.⟩ **0.1** *accusative (case).*
accuvoeding ⟨de (v.)⟩ **0.1** *battery supply.*
accuzuur ⟨het⟩ **0.1** *battery acid.*
acefaal ⟨bn.⟩ ⟨biol.⟩ **0.1** *acephalous.*
acetaat ⟨het⟩ ⟨schei.⟩ **0.1** [azijnzuur zout] *acetate* **0.2** [azijnzure ester] *acetate* **0.3** [kunstzijde] ⟨→**acetaatzijde**⟩.

acetaatzijde ⟨de⟩ **0.1** *acetate (rayon)*.
acetometer ⟨de (m.)⟩ **0.1** *acetometer*.
aceton ⟨het, de (m.)⟩ ⟨schei.⟩ **0.1** *acetone*.
acetonemie ⟨de (v.)⟩ ⟨med.⟩ **0.1** *acetonaemia*.
acetyleen ⟨het⟩ **0.1** *acetylene* ⇒*ethyne*.
acetyleengas ⟨het⟩ **0.1** *acetylene gas*.
acetyleensnijder ⟨de (m.)⟩ **0.1** *(cutting) torch / burner* ⇒*flame cutter*.
ach¹ ⟨het⟩ **0.1** *oh, ah.*
ach² ⟨tw.⟩ **0.1** *oh, ah* ⇒⟨bij smart ook⟩ *ow, ouch,* ⟨bij verzuchting of berusting ook⟩ *oh / ah well,* ⟨Sch.E ook⟩ *och* ♦ **9.1** ~ kom, ~ jee *oh / dear, dear;* ~ wat, ik doe het gewoon! *oh well / who cares / what the hell, I'll just do it!;* ~ en wee over iem. roepen *sorrow and sigh / weep and wail about s.o.;* ~ zo! *I see!* **9.1** ~, je kan niet altijd winnen! *oh well, you can't win 'em all!;* ~, loop heen! *oh, clear off / get lost!;* ~, toch niet opnieuw! *oh no, not again!;* ~, wat jammer! *oh, what a pity / shame!*.
achenebbisj ⟨tw.⟩ **0.1** *shame* ⇒*dearie me, oh dear.*
achilleshiel ⟨de (m.)⟩ ⟨fig.⟩ **0.1** *weakness* ⇒*flaw, failing, drawback,* ⟨mbt. persoon⟩ *Achilles' heel,* ⟨mbt. plan ook⟩ *(soft) underbelly* ♦ **6.1** de ~ **in** het betoog *the flaw / drawback in the argument.*
achillespees ⟨de⟩ **0.1** *Achilles' tendon* ⇒⟨bij dieren ook⟩ *hamstring.*
achromatisch ⟨bn.⟩ **0.1** ⟨nat.⟩ *achromatic* **0.2** ⟨muz.⟩ *achromatic.*
achromatopsie ⟨de (v.)⟩ **0.1** *achromatopsy.*
acht¹ ⟨de⟩ **0.1** [cijfer] *eight* **0.2** [figuur] *(figure) eight* **0.3** [speelkaart] *eight* **0.4** [roeiploeg] *eight* **0.5** [zorg, aandacht] *consideration* ⇒*concern, regard, care,* ⟨aandacht⟩ *attention, notice* ♦ **1.3** ruiten ~ e. *of diamonds* **2.1** een Romeinse ~ (VIII) *a Roman e.* **3.2** een ~ maken (op het ijs) *make a figure of eight (on the ice)* **3.5** geeft ~! *attention, 'shun!;* ~ geven / slaan op ⟨aandacht⟩ *pay / give attention to;* ⟨zorg⟩ *take notice / heed of, pay heed to;* geen ~ slaan op ⟨aandacht⟩ *ignore, take no notice of;* ⟨zorg⟩ *disregard, take no heed of, not care about* **6.5** de regels **in** ~ nemen *keep / observe / comply with the rules;* zich **in** ~ nemen *look after o.s., take care (of o.s.), be careful of one's health;* zich **in** ~ nemen voor iem. *watch / mind out for s.o., be wary of s.o.;* **in** ~ nemen *observe, comply with* ⟨richtlijnen⟩; ⟨zorgen voor⟩ *have consideration / regard for, take care of;* ⟨denken aan⟩ *consider, take note of, be mindful of, bear in mind;* ⟨letten op⟩ *heed, pay attention / heed to; exercise* ⟨voorzichtigheid⟩; iets nauwgezet **in** ~ nemen *pay strict attention to;* **in** ~ genomen dat ... *considering / bearing in mind that ...;* het niet **in** ~ nemen v.d. voorschriften ... *failure to comply with / observe the regulations ...;* **zonder** ~ te slaan op mij ... *taking no notice / regardless of me ....*
acht²
   I ⟨hoofdtelw.⟩ **0.1** *eight* ♦ **1.1** een dag of ~ geleden *a week or so / about a week ago;* nog ~ dagen *another e. days, e. more days;* over ~ dagen *in a week's time, after a week* **3.1** Jantje wordt al ~ *Jantje will soon be e.* **6.1** iets **in** ~en breken *break sth. into e. pieces;* zij zijn **met** hun ~en *there are e. of them* **1.1** op slag van ~en *on the stroke / dot of e.;*
   II ⟨rangtelw.⟩ **0.1** *eighth* ♦ **1.1** ~ mei *the e. of May, May the eighth,* ^May e..
achtarmig ⟨bn.⟩ **0.1** *octopod* ♦ **7.1** ⟨dierk.⟩ de ~en *the octopods.*
achtbaan ⟨de⟩ **0.1** *roller coaster* ⇒⟨BE ook⟩ *switchback, big clipper.*
achtbaar ⟨bn.⟩ **0.1** [eerbiedwaardig] *respectable* ⇒*honourable, estimable,* ⟨deftig⟩ *dignified* **0.2** ⟨aanspreektitel⟩ *honourable* ⇒*worshipful* ♦ **1.2** ⟨bij de vrijmetselaars⟩ achtbare meester *worshipful master.*
achtdaags ⟨bn.⟩ **0.1** [acht dagen durend] *eight-day, week's* **0.2** [om de acht dagen] *eight-day* ♦ **1.1** een ~ verlof *a week's leave.*
achtdubbel ⟨bn., bw.⟩ **0.1** *octuple.*
achteloos
   I ⟨bn.⟩ **0.1** ⟨mbt. personen⟩ ⟨gedachteloos⟩ *thoughtless, careless, negligent;* ⟨onbedachtzaam⟩ *inconsiderate;* ⟨zorgeloos⟩ *casual;* ⟨onbekommerd⟩ *nonchalant, carefree* **0.2** ⟨mbt. zaken⟩ *careless* ⇒*negligent, inconsiderate, inadvertent* ⟨daad⟩, ⟨pej.⟩ *sloppy* ♦ **1.2** een ~ gebaar *a c. / indifferent gesture;* een achteloze manier van kleden *a c. way of dressing;* een achteloze stijl *a c. / sloppy / happy-go-lucky style;*
   II ⟨bw.⟩ **0.1** [zonder zorg] *carelessly* ⇒*negligently, inadvertently,* ⟨onbedachtzaam⟩ *inconsiderately, mindlessly,* ⟨zorgeloos⟩ *casually* ♦ **3.1** iets ~ afdoen *casually brush sth. off;* ~ aan iets voorbijgaan *gloss / smooth over sth..*
achteloosheid ⟨de (v.)⟩ **0.1** [onoplettendheid] ⟨gebrek aan zorg⟩ *carelessness, negligence;* ⟨onbedachtzaamheid⟩ *inconsiderateness;* ⟨onoplettendheid⟩ *inattentiveness;* ⟨zorgeloosheid⟩ *casualness* **0.2** [achteloze handeling] *carelessness* ⇒*negligence,* ⟨pej.⟩ *sloppiness* ♦ **6.1** uit ~ nalaten *neglect (to / -ing) through carelessness.*
achten ⟨ov.ww.⟩ **0.1** [hoogschatten] *esteem, respect* ⇒*value, appreciate* **0.2** [menen] *consider* ⇒*think, hold,* ⟨vóór bijzin⟩ *reckon* **0.3** [letten op] *bother about* ⇒*take notice of, pay attention to* ♦ **1.2** ik acht het mijn plicht om ... ⟨ook⟩ *I feel / count it my duty to ...* **2.1** iem. hoger ~ vanwege zijn afkomst *respect s.o. (the) more / think (the) more of s.o. because of his origin / birth;* vriendschap hoger ~ dan liefde *value friendship more highly than love* **2.2** ⟨jur.⟩ iets (niet) bewezen ~ *hold sth. (not) proven;* zich gelukkig ~ *count o.s. lucky;* het gepast / goed ~

om iets te doen ⟨ook⟩ *see / think fit to do sth.;* zich niet te goed ~ om deign / condescend to; ik acht het noodzakelijk om strenger op te treden *I think / deem / judge it necessary to act more firmly;* ik acht hem schuldig *I c. him guilty;* ⟨inf.⟩ *I reckon that he's guilty;* de mogelijkheid uitgesloten ~ dat ... *rule out the possibility that ...* **3.1** iedereen werd geacht het boek gelezen te hebben *everyone was expected / supposed to have read the book* **4.2** ik acht hem er best toe in staat ⟨ook⟩ *I wouldn't put it past him;* zij acht zich boven leugens verheven *she considers herself / thinks that she is above lying;* zich wel in staat ~ tot iets *think / c. o.s. capable of / up to sth.* **5.3** iets niet ~ *not bother about sth., take no notice / pay no attention to sth.* **1.2** iets beneden zich ~ *think / c. sth. beneath one;* hij acht het beneden zich met een boer te spreken ⟨ook⟩ *he will not deign / condescend to speak to a farmer, he is above / turns his nose up at speaking to a farmer;* die vrouw acht ik tot alles in staat *I reckon that woman is capable of anything;* iets van groot gewicht ~ ⟨ook⟩ *count sth. of great importance;* de tijd gekomen ~ om ... *c. that the time has come to ....*
achtenswaardig ⟨bn.⟩ **0.1** *respectable* ⇒*reputable, honourable, worthy, estimable.*
achter¹ ⟨bw.⟩ **0.1** [aan de achterkant] *at the rear / back* ⇒*behind* **0.2** [mbt. tijd] *slow* ⇒*behind(hand)* **0.3** [in achterstand] *behind(hand)* ⇒ *in arrears* **0.4** [aan het eind] ⟨zie 6.4⟩ ♦ **3.1** ⟨AZN⟩ ~ gaan *go to the toilet;* ⟨inf.⟩ *pay a visit;* hij is ~ *he is behind;* hij woont drie hoog ~ *he lives on the third / ^fourth floor at the back* **3.2** uw horloge loopt ~ *your watch is s.* **3.3** ik ben ~ met mijn werk *I am behind with my work;* de theorie loopt steeds ~ op de praktijk *theory always runs behind practice;* ⟨sport⟩ ~ staan *be behind / trailing;* vier punten ~ staan *be four points down;* ~ zijn / raken *be / get behind(hand)* **3.1** ⟨voetbal⟩ de bal is / ging ~ *the ball is / went behind / crossed the goalline, it's a goalkick* **5.1** ⟨scheep.⟩ voor en ~ *fore and aft* **6.1** ~ in de tuin *at the bottom of the garden;* **naar** ~ kammen *comb back;* ~ **op** de scène *up stage;* ~ **op** het schip *astern, abaft;* met zijn hoed ~ **op** zijn hoofd *with his hat on the back of his head;* ~ **uit** de zaal *from the back of the hall* **6.4** hij is ~ **in** de dertig *he is in his late thirties* **1.1** ~! *heel!*.
achter² ⟨vz.⟩ ⟨→sprw. 489,664⟩ **0.1** [mbt. plaats] *behind* ⇒*at the back / rear of, after* ⟨een woord, naam⟩, ⟨voorbij⟩ *beyond* **0.2** [mbt. tijd] *after* ♦ **1.1** ~ zijn bureau / het stuur / de knoppen ⟨ook⟩ *at his desk / the wheel / the controls;* ~ de coulissen *behind the scenes, off stage;* ~ de dijk ⟨ook⟩ *under the bank;* ~ de horizon *beneath / below the horizon;* ~ het huis *behind / at the back of the house;* ⟨fig.⟩ ~ haar man *om behind her husband's back;* ~ de mast ⟨scheep.⟩ *he stood aft of / abaft the mast;* ⟨fig.⟩ ~ het net vissen *miss the boat, be too late;* ⟨fig.⟩ ~ de rug *over (and done) with, finished, behind one;* ⟨fig.⟩ ~ zijn rug *behind one's back;* ~ slot en grendel *under lock and key;* hij bleef met zijn overhemd ~ een spijker hangen *his shirt got caught on a nail;* de heuvels ~ de stad *the hills behind / beyond the city;* schrijf je naam ~ de tijd van je keuze / een kruisje ~ je naam *write your name against the time of your choice / put a tick against your name;* ~ de tralies *behind bars;* ⟨fig.⟩ het paard ~ de wagen spannen *put the cart before the horse* **1.1** de waarheid ~ het verhaal *the truth behind the story;* iem. ~ de vodden zitten *always be on s.o.'s back, keep s.o. at it / on his toes, breathe down s.o.'s neck* **3.1** daar zit / steekt / schuilt iets ~ *there's more to it than meets the eye;* ⟨fig.⟩ there's sth. behind it / at the back of it* **3.1** ~ iets komen *find out about sth.;* ⟨mbt. een raadsel⟩ *get to the bottom of sth.;* ~ iem. staan *support / back s.o., be / stand behind s.o.;* ~ iets staan *approve of sth., agree with sth., back sth.;* er zit meer ~ *there is more to it;* ~ iets zitten *be behind sth., be at the bottom of sth.* **4.1** ~ je! *b. you!;* pas op, ~ je! *mind your back;* zij sloot de deur ~ mij *she shut the door behind / after me, she closed the door on me;* ⟨fig.⟩ hij heeft de grote meerderheid ~ zich *he's got the vast majority behind / backing / supporting him;* met de politie ~ zich aan *with the police in (hot) pursuit (of him) / (hot) on his tail / right behind him;* het volk ~ zich hebben *have the support of the people* **4.2** ~ elkaar *one after the other, in succession, in a row;* ⟨inf.⟩ *on the trot* **5.1** hoe kwam je er ~? *how did you find out about it?;* eindelijk ben ik er ~! ⟨mbt. een raadsel⟩ *at last I've got to the bottom of it;* ⟨heb ik er slag van⟩ *I've got the hang / knock of it at last;* ⟨inf.⟩ ben je er ook ~? *you're telling me!;* ⟨iron.⟩ *that was quick!*.
achteraan ⟨bw.⟩ ⟨→sprw. 487⟩ **0.1** [aan de achterkant] *at the back, at / in the rear, behind* **0.2** [achterheen] *after* ♦ **3.1** wij wandelden ~ *we were walking behind / at the back / in the rear* **6.1** ⟨helemaal⟩ ~ **in** de zaal *(right) at the back (of the hall).*
achteraanblijven ⟨onov.ww.⟩ ⟨ook fig.⟩ **0.1** *lag (behind)* ⇒*trail (behind).*
achteraandrijving ⟨de (v.)⟩ **0.1** *rear-wheel drive.*
achteraangaan ⟨ov.ww.⟩ **0.1** *go after* ⇒*chase up* ♦ **5.1** ik zou er maar eens ~ *you'd better do sth. / find out about it, I think you should follow that up, I'd do sth. about it if I were you.*
achteraankomen ⟨onov.ww.⟩ **0.1** [de laatste zijn] *come last / at the back* ⇒*bring up the rear* **0.2** [te laat zich moeite geven] *dawdle / lag (behind)* ♦ **3.1** wij komen wel achteraan *we'll follow on / come (on) after* **5.1** onze boot kwam helemaal achteraan ⟨sport; inf.⟩ *our boat finished way at the back / last by a mile.*

achteraanlopen
I ⟨onov.ww.⟩ **0.1** [lopen achter anderen] *walk on behind;*
II ⟨ov.ww.⟩ **0.1** [erop afgaan] *go after* ⇒*chase up.*

achteraanrennen
I ⟨onov.ww.⟩ **0.1** [rennen achter anderen] *run behind* ⇒*chase / charge on behind;*
II ⟨ov.ww.⟩ **0.1** [erop afgaan] *go after* ⇒*chase up.*

achteraanzicht ⟨het⟩ **0.1** *rear view / aspect.*

achteraanzitten
I ⟨onov.ww.⟩ **0.1** [achterin, achter anderen zitten] *sit at the back;*
II ⟨ov.ww.⟩ **0.1** [erop afgaan] *go after* ⇒*chase up.*

achteraf¹ ⟨het⟩ **0.1** *backwater* ⇒*out-of-the-way place* ◆ **6.1** hij woonde wel erg **op** een ~je *he did live in a bit of a backwater;* ⟨inf.⟩ *he lived right out in the sticks.*

achteraf² ⟨bw.⟩ **0.1** [in het achterste gedeelte] *at the back, in / at the rear* ⇒⟨afgelegen⟩ *out of the way* **0.2** [later] *afterwards* ⇒*subsequently, later (on),* ⟨+onvoltooid teg. tijd⟩ *now, as it is* ◆ **3.1** hij houdt zich steeds~ *he always keeps in the background / a low profile;* ~wonen *live out of the way* **3.2** ~ bekeken zou ik zeggen dat …*looking back I would say that* …; ~ betalen ⟨ook⟩ *pay in arrear;* ~ bleek dat …*it subsequently appeared that* …; ~ gezien / beschouwd was zijn voorstel niet zo gek *in retrospect / with hindsight his suggestion was not so stupid* ¶**.2** ~ is het makkelijk praten *it is easy to be wise after the event;* ~ ben ik blij dat …*now I'm glad that* ….

achterafbuurt ⟨de⟩ **0.1** *backwater* ⇒*out-of-the-way place, sleepy district / part of town.*

achteras ⟨de⟩ **0.1** *back / rear axle.*

achterbak
⟨de (m.)⟩ **0.1** *boot,* ^*trunk.*

achterbaks
I ⟨bw.⟩ **0.1** [achter de rug] *sneakily* ⇒*furtively, slily* ◆ **1.1** ~ gedoe ⟨zonder onb. lidw.⟩ *chicanery, hole-and-corner stuff;* (a) bit of *skul(l)duggery* **3.1** iets ~ doen *do sth. on the sly / behind people's backs;* zich ~ gedragen ⟨ook⟩ *behave in an underhand way;*
II ⟨bn.⟩ **0.1** [mbt. zaken] *underhand* ⇒*sneaky, sly,* ⟨methoden ook⟩ *backstairs, hole-and-corner* **0.2** [mbt. personen] *sneaky* ⇒*furtive, sly, tricky* ◆ **1.1** ~e streken *u. tricks, sharp practice(s)* **1.2** een ~e jongen *a sly one;* ⟨inf.⟩ *a wide boy, a wily / slippery customer, a slippery Jim.*

achterbaksheid ⟨de (v.)⟩ **0.1** [daad, streek] *skul(l)duggery* ⇒*sharp practice, chicanery* **0.2** [het achterbaks zijn] *underhandedness* ⇒*sneakiness, secretiveness, underhand(ed) manner.*

achterbalkon ⟨de⟩ **0.1** [mbt. een spoor- / tramwagen] *rear / observation platform* **0.2** [mbt. een huis] *rear / back balcony.*

achterban ⟨de (m.)⟩ **0.1** *supporters* ⇒⟨steun⟩ *backing,* ⟨mbt. politieke partij⟩ *grassroots support* ◆ **3.1** de ~ raadplegen *test / take the pulse of the party;* ⟨fig.⟩ *consult one's colleagues, talk to one's better half* ⟨enz.⟩ **6.1** onaanvaardbaar **voor** de ~ *unacceptable to the rank and file of the party.*

achterband ⟨de (m.)⟩ **0.1** *back / rear tyre* ^*tire.*

achterbank ⟨de⟩ **0.1** *back seat.*

achterblijven ⟨onov.ww.⟩ **0.1** [niet meekomen] *stay / stop behind* ⇒*remain (behind)* **0.2** [achtergelaten worden] *be / get left (behind)* **0.3** [achter anderen blijven, ⟨ook fig.⟩] *lag (behind), trail* ⇒*fall / drop behind,* ⟨bij wedloop⟩ *drop back,* ⟨om iets te doen⟩ *be tardy* **0.4** [het niet halen bij] *not be up to* **0.5** [blijven leven] *be left* ⇒*survive* **0.6** [niet meedoen] *back / opt out (of)* ⇒*miss out (on),* ⟨inf.⟩ *cop out (of), sit out* ⟨dans⟩ ◆ **1.2** zijn bagage is achtergebleven *his luggage got left behind* **3.5** goed verzorgd ~ *be left well off / well provided for* **3.6** toen iedereen trakteerde, wou hij niet ~ *when everyone else paid their round, he felt he had to follow suit* **5.2** moederziel alleen ~ *be left isolated / all alone / all on one's own;* ⟨BE; inf.⟩ *be left (all) on one's tod* **5.3** hij bleef steeds verder achter *he kept / was steadily falling back, he kept / was falling further and further back* **6.3** ⟨fig.⟩ hij blijft **bij** zijn klasgenoten achter *he is lagging behind his classmates* **6.4** dat schilderij blijft achter **bij** zijn vroeger werk *that painting is not up to his previous / earlier work;* ~ **bij** de verwachtingen *fall short of expectations;* ⟨mbt. personen⟩ *underachieve* **6.5** zij bleef achter **met** drie kleine kinderen *she was left with three small children* **6.6** niet **bij** de buren ~ *keep up with the Joneses, not be outdone by one's neighbours.*

achterblijvende ⟨de (m.)⟩ **0.1** *surviving relative* ⇒⟨afhankelijke⟩ *surviving dependant, ≠next of kin* ◆ **6.1** zorg **voor** de ~n *relief / concern for the bereaved.*

achterblijver ⟨de (m.)⟩, **-blijfster** ⟨de (v.)⟩ **0.1** [iem. die blijft] *stay-behind* ⇒⟨die thuisblijft⟩ *stay-at-home* **0.2** [iem. die achteraankomt] *straggler* ⇒*laggard, back marker, trailer* **0.3** [kind dat achterblijft] *slow / late developer* ⇒⟨mbt. ontwikkeling⟩ *backward child, slow learner* **0.4** [boom, plant] *straggler* ⇒*weedy specimen.*

achterbout ⟨de (m.)⟩ **0.1** *haunch, hindquarter* ⇒⟨ham⟩ ⟨varken⟩.

achterbuur ⟨de (m.)⟩ **0.1** *back / rear neighbour.*

achterbuurman ⟨de (m.)⟩, **-vrouw** ⟨de (v.)⟩ **0.1** [hij / zij die achter iem. woont] *back / rear neighbour* **0.2** [hij / zij die achter iem. zit] *person behind.*

achterbuurt ⟨de⟩ **0.1** *backstreet district* ⇒*ghetto, slum / rough area, poor quarter* ◆ **6.1 in** de ~en *in the slums;* ⟨inf.⟩ *on the wrong side of the*

---

tracks, in the rough districts; iem. **uit** de ~ *s.o. from the backstreets / ghetto / slums / poor quarter;* ⟨inf.⟩ *s.o. from the wrong side of the tracks / seedy end of town / seamy side of town.*

achterbuurvrouw →**achterbuurman.**

achterdeel ⟨het⟩ **0.1** [achtergedeelte] *back / rear (part)* ⇒⟨bij ontleedkunde⟩ *rear section* **0.2** [billen] *backside, rear end* ⇒*posterior, bottom, hindquarters, rump* ⟨dier⟩ ◆ **1.2** het ~ v.e. kalf *the hindquarters of a calf.*

achterdek ⟨het⟩ **0.1** *afterdeck* ⇒⟨achterplecht⟩ *poop (deck), quarterdeck.*

achterdeur ⟨de⟩ **0.1** *backdoor* ⇒*rear door* ⟨auto⟩ ◆ **3.1** ⟨fig.⟩ hij heeft nog een ~tje *he has still sth. to fall back on / a little nest egg;* ⟨fig.⟩ een ~tje openhouden *leave a loophole / way out, have a second string to one's bow;* ⟨fig.⟩ ~tjes zoeken ⟨uitvluchten⟩ *look for loopholes;* ⟨om iets in te voeren⟩ *try to get sth. in by the backdoor* **6.1** ⟨fig.⟩ **langs / door** de ~ / een ~tje weer binnenkomen *get back in by the b. / by b. methods;* ⟨fig.⟩ het verzamelen van informatie **via** de ~ is nu onderdeel v.h. politieke spel *collection of information by b. / backhand methods is now part of the political game.*

achterdijks ⟨bn., bw.⟩ **0.1** *behind embankments / dikes* ⟨bn. na zn. of pred.⟩ ◆ **1.1** ~ land *land behind embankments / dikes.*

achterdocht ⟨de⟩ **0.1** *suspicion* ⇒*mistrust* ◆ **3.1** ~ hebben / voelen *be / feel suspicious (of / about);* ~ inboezemen / wekken *arouse s.;* ~ koesteren *harbour suspicion(s), have one's suspicions;* ~ krijgen *begin ~ te krijgen he began to get suspicious;* ~ opvatten / krijgen (omtrent / tegen) *get / become suspicious (about / of);* ~ wegnemen *remove s.* **6.1** iets **met** de nodige ~ benaderen *approach sth. with due s.;* **zonder** ~ *unsuspecting(ly).*

achterdochtig ⟨bn., bw.⟩ **0.1** *suspicious* ⇒⟨inf.; sterker⟩ *paranoid* ◆ **1.1** een ~e aard / blik *a s. nature / look* **3.1** hij doet altijd zo ~ *he is always so s. of everything.*

achterdoek ⟨het⟩ **0.1** *backcloth, backdrop.*

achtereen ⟨bw.⟩ **0.1** [zonder tussenpozen] *in succession* ⇒*on end, consecutively, running, at a stretch* **0.2** [zonder een keer over te slaan] *in succession* ⇒*on end, in a row, running,* ⟨inf.⟩ *on the trot* ◆ **1.1** het regende vier dagen ~ *it rained for four days on end / at a stretch / together;* hij is drie weken ~ ziek geweest *he has been ill for three consecutive weeks / three weeks on end;* weken / dagen ~ *(for) weeks / days on end, week after week, day after day* **1.2** zij zijn daar drie jaren ~ op vakantie geweest *they have been there on holiday (for) three years running / in succession / on the trot* **5.2** driemaal ~ won hij de partij *he won the game three times in succession / in a row / running / on the trot.*

achtereenvolgend ⟨bn.⟩ **0.1** *successive* ⇒*consecutive, in a row, running* ⟨na zn.⟩.

achtereenvolgens ⟨bw.⟩ **0.1** *successively* ⇒*in succession, one after the other,* ⟨na opsomming⟩ *respectively, in that order.*

achtereind ⟨het⟩ **0.1** [eind v.h. achterste deel] *back / rear (end)* **0.2** [kont] *rear end* ⇒*backside, posterior, bottom, hind quarters, rump* ⟨dier⟩ ◆ **1.2** zo dom als het ~ v.e. koe / varken *as thick as two planks.*

achterelkaar ⟨bw.⟩ **0.1** *in succession* ⇒*consecutively, running* ◆ **1.1** wij hadden twee dagen ~ feest *we had a party two days running.*

achteren ⟨bw.⟩ **0.1** *(the) back* ◆ **6.1 naar** ~ gaan *go to the b.;* ⟨fig.⟩ *pay a visit, pop out to the toilet;* wilt u **naar** ~ doorlopen, alstublieft? ⟨op bus⟩ *move right (down) along the car, please!;* verder **naar** ~ *further / farther back(wards) / *^*(ward);* zijn haar **naar** ~ kammen *comb one's hair back;* **van** ~ *naar voren (from the) b. to (the) front;* ⟨spellen ook⟩ *backwards,* ^*backward;* ⟨fig.⟩ iem. liever **van** ~ zien dan van voren *be glad to see the b. of s.o.;* hij heeft ogen **van** ~ en van voren *he's got eyes in the b. of his head;* **van** ~ *from behind;* ⟨fig.⟩ iets **van** ~ naar voren kennen ⟨vnl. BE⟩ *know sth. backwards.*

achtererf ⟨het⟩ **0.1** *back yard.*

achterflap ⟨de⟩ **0.1** *back flap.*

achtergaan ⟨onov.ww.⟩ →**achterlopen.**

achtergebleven ⟨bn.⟩ **0.1** *backward* ⇒*underdeveloped* ◆ **1.1** ~ gebieden *b. / underdeveloped areas / regions.*

achtergedeelte ⟨het⟩ **0.1** *back / rear (part / section).*

achtergevel ⟨de (m.)⟩ **0.1** *back, rear* ⇒*rear side,* ⟨bouwk.⟩ *rear elevation / aspect.*

achtergrond ⟨de (m.)⟩ **0.1** [het verst afliggende deel] *background* ⇒*setting* **0.2** [diepere oorzaak] *background* **0.3** [afkomst] *background* ◆ **1.1** de ~en v.e. conflict *the b. to a dispute;* ⟨fig.⟩ op de ~ van zijn denken *at the back of his mind;* de ~ v.e. toneel / schilderstuk / panorama *the b. to a stage / painting / panorama* **2.3** de nieuwe minister mist een politieke ~ *the new minister lacks any political b.* **6.**¶ zich **op** de ~ plaatsen *take a back seat;* **op** de ~ blijven / raken / treden *stay in / fade into / retreat into the b.;* iets **op** de ~ schuiven *push sth. into the b.;* zich **op** de ~ houden *keep in the b., keep a low profile;* **op** de ~ dringen *crowd out, push into the b..*

achtergrondfiguur ⟨de (m.)⟩ **0.1** *background figure* ⇒⟨iem. achter de schermen⟩ *back-room boy / girl.*

achtergrondgeheugen ⟨het⟩ ⟨comp.⟩ **0.1** *backing store.*

achtergrondgeruis ⟨het⟩ **0.1** *background noise.*

achtergrondinformatie ⟨de (v.)⟩ **0.1** *background (information).*

achtergrondkoor ⟨het⟩ **0.1** *(vocal) backing (group)*.

achtergrondmuziek ⟨de (v.)⟩ **0.1** *background music* ⇒(in warenhuizen e.d.) *muzak*.

achtergrondstraling ⟨de (v.)⟩ **0.1** *natural / background radiation*.

achterhaalbaar ⟨bn.⟩ **0.1** *retrievable, recoverable* ⇒*ascertainable, discoverable, catchable* ⟨persoon⟩.

achterhalen ⟨ov.ww.⟩ **0.1** [inhalen] *overtake* ⇒*overhand*, ⟨bereiken⟩ *catch up with* **0.2** [terugvinden] *retrieve, recover* **0.3** [de onjuistheid aantonen van] *outdate, supersede* ⇒*superannuate* **0.4** [ontdekken] *find out* ⇒*discover* ◆ **1.1** de politie heeft de dief kunnen ~ *the police were able to catch up with / run down the thief* **1.2** die gegevens zijn niet meer te ~ *those facts / data are no longer accessible / retrievable* **1.3** je redenering rust op achterhaalde gegevens *your argument is based on outdated evidence / disproven facts;* die opvatting is al lang achterhaald *that opinion / notion has long been superseded / went out long ago;* een achterhaalde theorie ⟨ook⟩ *an exploded theory;* is het huwelijk een achterhaalde zaak? *is marriage an outmoded convention?* **1.4** iemands indentiteit ~ *discover a s.o.'s identity;* het is dikwijls moeilijk de waarheid te ~ *it is often difficult to find out / get at the truth*.

achterham ⟨de⟩ **0.1** [achterbout van het varken] *ham* **0.2** [vlees van de achterbout] *ham* ⇒(gerookt of gezouten) *gammon*.

achterhand ⟨de⟩ **0.1** [handwortel] *carpus* ⇒*wrist* **0.2** [⟨kaartspel⟩] *last hand* **0.3** [achterdeel van viervoetige dieren] *hindquarters* ⇒*rump, crupper* ⟨paard⟩ ◆ **3.2** de ~ hebben *have the last move / go* **6.2** aan / op de ~ zijn / zitten *play / go last*.

achterhandsbeentje ⟨het⟩ ⟨biol.⟩ **0.1** *carpal (bone)*.

achterheen ⟨bw.⟩ ◆ **3.¶** ergens ~ gaan *chase / follow sth. up, check up on sth.;* ergens ~ zitten *keep onto sth.;* achter iem. heen zitten *keep onto s.o.;* ⟨inf.⟩ *chivy s.o. (along);* nag s.o., *breathe down s.o.'s neck, keep s.o. hard at it*.

achterhoede ⟨de⟩ **0.1** [⟨mil.⟩] *rear(guard)* **0.2** [⟨sport⟩] *defence* ^*se* ⇒ ⟨AE ook⟩ *backfield* **0.3** [het achteraan komend gedeelte v.e. gezelschap] *rear* ◆ **3.3** de ~ vormen *bring up the r..*

achterhoedegevecht ⟨het⟩ **0.1** [⟨mil.⟩] *rearguard action* **0.2** [⟨fig.⟩] *rearguard action* ◆ **3.1** een ~ leveren *fight a r.a..*

achterhoedespeler ⟨de (m.)⟩, **-speelster** ⟨de (v.)⟩ **0.1** *defender* ⇒*back*.

achterhoofd ⟨het⟩ **0.1** *back of the head* ⇒⟨wet.⟩ *occiput* ◆ **6.1** ⟨fig.⟩ in zijn ~ dacht hij ... *he had at the back of his mind that ...;* ⟨fig.⟩ iets **in** zijn ~ hebben / houden *keep / have sth. at the back of one's mind* **6.¶** hij is niet **op** zijn ~ gevallen *he is with it / on the ball, he was not born yesterday, there are no flies on him*.

achterhoofdsbeen ⟨de (m.)⟩ **0.1** *occipital bone*.

achterhoofdsknobbel ⟨de (m.)⟩ **0.1** *(external) occipital protuberance*.

achterhoofdsligging ⟨de (v.)⟩ **0.1** *head-down position*.

achterhouden ⟨ov.ww.⟩ **0.1** [verduisteren] *keep back, withhold* ⇒*pocket, embezzle* ⟨geld⟩ **0.2** [niet mededelen] *withhold* ⇒*suppress, conceal*, ⟨inf.⟩ *keep (sth.) dark / under one's collar* **0.3** [nog niet geven / mededelen] *hold back* ⇒*peg back* ⟨uitgaven⟩ ◆ **1.2** inkomsten ~ *fail to declare income*.

achterhoudend ⟨bn.⟩ **0.1** *cagey* ⇒*reticent, secretive, close, tight-lipped*.

achterhuis ⟨het⟩ **0.1** [deel v.e. huis] *back (part) of the / a house* **0.2** [schuur, werkplaats] *outhouse* ⇒*lean-to, outbuilding*.

achterin ⟨bw.⟩ **0.1** *in the back / rear* ⇒⟨achteraan in⟩ *at the back / rear* ◆ **3.1** ik heb mijn naam ~ geschreven *I've written my name in the back;* het sportnieuws staat ~ *the sports news is at the back;* ~ zitten / leggen *sit / put in the back*.

Achter-Indië ⟨het⟩ ⟨gesch.⟩ **0.1** *Further India*.

achteringang ⟨de (m.)⟩ **0.1** *back / rear entrance* ⇒*backway*.

achterkamer ⟨de⟩ **0.1** *back room*.

achterkant ⟨de (m.)⟩ **0.1** *back* ⇒*rear (side), reverse (side)*, ⟨grammofoonplaatje ook⟩ *B-side, flip side* ◆ **1.1** ⟨fig.⟩ de ~ *the other side of the picture / coin;* de ~ v.d. maan *the far side of the moon;* op de ~ v.h. papier *on the b. of the paper, overleaf;* aan de ~ v.e. stof *at the b. of a material, backing a material* **6.1** met de ~ naar voren *end on;* ⟨achterstevoren⟩ *b. to front*.

achterklap ⟨de (m.)⟩ **0.1** *backbiting* ⇒*scandal, malicious gossip, slander*.

achterklappen ⟨ww.⟩ **0.1** *backbite* ⇒*cast aspersions, slander*.

achterkleindochter ⟨de (v.)⟩ **0.1** *great-granddaughter*.

achterkleinkind ⟨het⟩ **0.1** *great-grandchild*.

achterkleinzoon ⟨de (m.)⟩ **0.1** *great-grandson*.

achterklep ⟨de⟩ **0.1** *lid of the boot,* ^*trunk lid* ⟨auto met koffer⟩; *hatchback* ⟨auto zonder koffer⟩; *tailboard,* ^*tailgate* ⟨vrachtauto⟩.

achterklinker ⟨de (m.)⟩ **0.1** *back vowel*.

achterkwab ⟨de⟩ **0.1** *posterior lobe;* ⟨van hypofyse⟩ *neurohypophysis*.

achterlader ⟨de (m.)⟩ **0.1** *breechloader*.

achterland ⟨het⟩ **0.1** [land achter een ander / een dijk] *hinterland* **0.2** [⟨hand.⟩] *hinterland* ⟨van haven⟩; *surrounding countryside* ⟨van marktplaats⟩.

achterlaten ⟨ov.ww.⟩ **0.1** [in een toestand / op een plaats laten] *leave (behind)* ⇒⟨spullen ook; inf.⟩ *dump* **0.2** [door de dood achter doen blijven] *leave (behind)* **0.3** [laten voortbestaan] *leave (behind)* ◆ **1.1** een bericht / boodschap ~ *l. a note / message, l. word;* een last / bevel ~ *l. instructions / an order;* schulden ~ *l. debts (behind)* **1.3** een slechte indruk ~ bij iem. *l.s.o. with a poor / bad impression;* het liet een diepe indruk bij mij achter *it left a deep impression on me / my mind;* sporen / littekens ~ *l. tracks / scars* **2.1** iem. verbaasd ~ *l.s.o. astounded* **6.1** iem. **voor** dood ~ *l.s.o. for dead* **7.2** de achtergelatenen *the survivors*.

achterlating ⟨de (v.)⟩ ◆ **6.¶** met ~ van / onder ~ van *leaving (behind)*.

achterlichaam ⟨het⟩ **0.1** *posterior* ⇒*behind, backside, rear end*.

achterlicht ⟨het⟩ **0.1** *back / rear light,* ^*taillight* ⇒⟨van fiets ook⟩ *rear lamp*.

achterliggen ⟨onov.ww.⟩ **0.1** [meer naar achteren gelegen plaats hebben] *lie behind* **0.2** [⟨fig.⟩] *lag (behind)* ⇒*trail* ◆ **1.1** drie ronden / lengten ~ *be three laps / lenghts behind, be trailing by three laps / lengths* **6.2** Kees ligt in ontwikkeling duidelijk achter **bij** zijn leeftijdgenoten *Kees's development is clearly lagging behind that of his peers / age-group*.

achterligger ⟨de (m.)⟩ **0.1** [degene die achter ligt] *one behind* ⇒*following person,* ⟨bij wedstrijd⟩ *back marker,* ⟨achterblijver⟩ *laggard, trailer* **0.2** [⟨verkeer⟩] *following vehicle*.

achterlijf ⟨het⟩ **0.1** [mbt. niet-rechtopgaande dieren] *rump* **0.2** [mbt. gelede dieren] *abdomen* **0.3** [deel v.e. jas] *back*.

achterlijfssegment ⟨het⟩ **0.1** *abdominal segment*.

achterlijk

I ⟨bn.⟩ **0.1** [mbt. personen] *backward* ⇒*behind(hand)*, ⟨mbt. kind ook⟩ *retarded*, ⟨zwakzinnig⟩ *subnormal, mentally retarded / deficient* **0.2** [mbt. dieren, bomen, planten] *backward, tardy* ⇒*behind(hand)* **0.3** [nalatig] *tardy* ⇒*slow, behind(hand), sluggish* **0.4** [⟨scheep.⟩] *following* ◆ **1.1** Jan is ~ *Jan is backward / retarded / subnormal;* een school voor ~e kinderen *a school for backward / (mentally) retarded children, a school for slow learners;* dat land is ~ op politiek gebied *that country is politically backward / behind the times* **1.2** het gewas is ~ door de aanhoudende droogte *growth is late / t. because of the continuous drought* **3.3** zich ~ tonen in iets *prove sluggish at sth.;* ~ zijn met betalen *be slow / behind in paying* **5.1** hij is niet ~ *he's no fool;*
II ⟨bw.⟩ **0.1** [idioot] *like a moron / idiot* **0.2** [⟨scheep.⟩] *from aft* ◆ **3.1** doe niet zo ~ *don't be such a moron* **3.2** de wind komt ~ *in the wind is (coming) from aft*.

achterlijke ⟨de (m.)⟩ **0.1** *subnormal* ⇒*moron*.

achterlijkheid ⟨de (v.)⟩ **0.1** *backwardness* ⇒⟨mbt. kind ook⟩ *retardation,* ⟨zwakzinnigheid⟩ *subnormality*.

achterlopen ⟨onov.ww.⟩ **0.1** [mbt. uurwerken] *be slow* ⇒*lose time* **0.2** [mbt. personen] *be behind the times* ◆ **1.1** die klok loopt 5 minuten achter (per dag) *that clock is five minutes slow, that clock loses five minutes a day*.

achtermast ⟨de (m.)⟩ **0.1** *aftermast*.

achtermiddag ⟨de (m.)⟩ **0.1** *afternoon*.

achterna ⟨bw.⟩ **0.1** [later] *afterwards* ⇒*after the event* ⟨na gebeurtenis die van invloed was⟩ **0.2** [⟨vnl. in samenst.⟩ van achteren na] *after* ⇒*behind,* ⟨bv.→achternalopen 0.2⟩.

achternaad ⟨de (m.)⟩ **0.1** *back seam*.

achternaam ⟨de (m.)⟩ **0.1** *surname* ⇒*last / family / second name*.

achternadoen ⟨ov.ww.⟩ ⟨AZN⟩ **0.1** *copy* ⇒*imitate,* ⟨spottend ook⟩ *mimic, take off*.

achternagaan ⟨ov.ww.⟩ **0.1** *go after* ⇒*follow (behind)* ◆ **1.1** die jongen gaat zijn vader achterna ⟨fig.⟩ *that boy is going to be just like his father / takes after his father / is following in his father's footsteps*.

achternageven ⟨ov.ww.⟩ **0.1** *send after* ⇒*fling / hurl after*.

achternalopen ⟨ov.ww.⟩ **0.1** [lopende volgen] *follow* ⇒*run / chase after* ⟨hard⟩, ⟨heimelijk ook⟩ *tail, pursue* **0.2** [⟨fig.⟩] *follow* ⇒*tail / tag along after / behind* ⟨gedwee of hinderlijk⟩, *pursue, run / chase after* ⟨met amoureuze bedoelingen⟩.

achternamiddag ⟨de (m.)⟩ **0.1** [deel v.d. middag] *late afternoon* **0.2** [verloren uurtje] *spare / odd hour / moment* ◆ **6.2** dat kan in een ~ worden gedaan *that can be done at any old time / odd moment*.

achternarijden ⟨ov.ww.⟩ **0.1** [rijdend volgen] *follow* ⇒*drive after* ⟨auto⟩, *ride after* ⟨paard, fiets⟩ **0.2** [streng controleren] *check up on* ⇒*keep an eye on* ◆ **1.2** iem. ~ ⟨ook⟩ *breathe down s.o.'s neck*.

achternasturen ⟨ov.ww.⟩ **0.1** *send after(wards)* ⇒*send on, forward* ⟨brieven⟩.

achternazenden ⟨ov.ww.⟩ **0.1** [alsnog toezenden] *send after(wards)* ⇒*send on, forward* ⟨brieven⟩ **0.2** [afzenden om iem. in te halen] *send after* ◆ **1.1** ⟨fig.⟩ de vijand kogels / pijlen ~ *send / shoot arrows / bullets after the enemy;* iem. scheldwoorden ~ *send / fling / hurl abuse after / at s.o.*.

achternazetten ⟨ov.ww.⟩ **0.1** *chase* ⇒*give chase to*.

achternazitten ⟨ov.ww.⟩ **0.1** [achtervolgen] *chase* ⇒*give chase to* **0.2** [streng controleren] *check up on* ⇒*keep an eye on, breathe down (s.o.'s) neck* ◆ **1.1** rijke mannen ~ *c. / run after rich men;* de politie zit ons achterna *the police are after us / on our heels / on our tails*.

achterneef ⟨de (m.)⟩ **0.1** [zoon v.e. neef / nicht] *second cousin* ⟨van eigen generatie⟩; *first cousin once removed* ⟨kind van neef / nicht van eigen generatie⟩; *great-nephew* ⟨kind van oom / tantezegger⟩ **0.2** [verre bloedverwant] *second cousin*.

achternicht ⟨de (v.)⟩ **0.1** [dochter v.e. neef/nicht] *second cousin* ⟨van eigen generatie⟩;*first cousin once removed* ⟨kind van neef/nicht van eigen generatie⟩;*great-niece* ⟨kind van oom/tantezegger⟩ **0.2** [verre bloedverwante] *second cousin.*

achterom[1] ⟨het⟩ **0.1** *rear access.*

achterom[2] ⟨bw.;ook in samenst.⟩ **0.1** *round the back;* ⟨bv.→achterom-lopen⟩ ◆ **1.1** een blik ~ *a backward glance* ¶**.1** ~ is 't kermis ⟨scherts.⟩ *nothing like blocking the way/passage!.*

achteromkijken ⟨onov.ww.⟩ **0.1** *look back* ⇒*look behind one.*

achteromlopen ⟨onov.ww.⟩ **0.1** *walk round the back* ⇒*go/come round the back.*

achteromzien ⟨onov.ww.⟩ **0.1** *look back* ⇒*look behind one.*

achteronder ⟨het⟩ **0.1** *afterhold.*

achterop ⟨bw.⟩ **0.1** [aan de achterzijde op iets] *at/on the back* ⇒⟨motor ook⟩ *pillion,* ⟨scheep.⟩ *aft, at the quarterdeck* ⟨tram/bus⟩ *on the rear platform* **0.2** [in een mindere positie] *behind* ⇒⟨mbt. betaling/werk ook⟩ *behindhand* ◆ **3.1** mag ik ~? *can you give me a backward glance?;* spring maar~! *jump/get on behind me!;* ~ staan de advertenties *the advertisements are at/on the back;* hij zat bij mij ~ ⟨alg.⟩ *I was doubling him/giving him a double; he was sitting on the back of my bike/motorbike/moped;* ⟨motor ook⟩ *he was riding pillion with me* **3.2** door mijn ziekte ben ik een heel jaar~ *my illness has thrown me back a whole year;* ~ raken ⟨lopen enz.⟩ *drop behind/back, fall into the rear;* ⟨werk, betaling⟩ *fall/get/run behind/into arrears, get behindhand;* ⟨school⟩ *drop behind;* ~ zijn *be behind;* ⟨mbt. betalingen/werk ook⟩ *be in arrear(s)/behindhand/behind schedule;* ⟨mbt. levering/betaling ook⟩ *be overdue; be back in/on one's account, be overdrawn* ⟨bij bank⟩ **5.1** ⟨scheep.⟩ voor- en ~ *fore and aft.*

achteropkomen ⟨ov.ww.⟩ **0.1** *come up with* ⇒*catch up with.*

achteroplopen ⟨ov.ww.⟩ **0.1** *catch up with.*

achterover ⟨bw.;ook in samenst.⟩ **0.1** *back(wards)* ⇒⟨AE ook⟩ *backward,* ⟨bv.→achteroverwerpen⟩ ◆ **3.1** hij viel ~ op de stenen *he fell back(wards)/on his back on the stones.*

achteroverdrukken ⟨ov.ww.⟩ ⟨inf.⟩ **0.1** *pinch* ⇒*lift, palm, knock off, nick, half-inch.*

achteroverhellen ⟨onov.ww.⟩ **0.1** *tilt, slant, slope backwards.*

achteroverslaan
I ⟨onov.ww.⟩ **0.1** [onverhoeds achterovervallen] *fall down/over backwards* **0.2** [zeer verbaasd/ontsteld zijn] *stagger* ⇒ ⁺*be struck all of a heap* ◆ **5.2** hij sloeg steil achterover toen ik dat zei *when I said that, he was absolutely staggered/flabbergasted;* van zulke prijzen sla je steil achterover *those prices are staggering* ¶**.2** daar sla je van achterover *that makes you s./makes your head spin;*
II ⟨ov.ww.⟩ ⟨inf.⟩ **0.1** [snel opdrinken] *toss down/off* ⇒*gulp/bolt down, knock back/down* ◆ **1.1** er eentje ~ *have a quickie;* een fles rum~ *sink a bottle of rum.*

achterovervallen ⟨onov.ww.⟩ **0.1** [achterwaarts omvallen] *fall over backwards* ⇒*fall on one's back* **0.2** [van streek raken] *fall over backward, be bowled over* ⇒*be appalled/flabbergasted/dumbfounded* ◆ **6.2** die prijzen zijn om van achterover te vallen *those prices are appalling/staggering;* zij viel (zowat) achterover van verbazing toen ze me zag *she was bowled over/dumbfounded when she saw me.*

achteroverwerpen ⟨ov.ww.⟩ **0.1** *throw/fling back.*

achterpad ⟨het⟩ **0.1** [achterste pad] *back path* **0.2** [afgelegen pad] *by-path.*

achterpagina ⟨de⟩ **0.1** *back page.*

achterpand ⟨het⟩ **0.1** [mbt. een kledingstuk] *back* **0.2** [gebouw aan de achterkant] *back (premises).*

achterplaats ⟨de⟩ **0.1** [achter een huis of gebouw] *courtyard* ⇒*[B]backyard* **0.2** [plaats (om te zitten of te staan) ver naar achteren] *place/seat at the back.*

achterplan ⟨het⟩ **0.1** *background* ◆ **6.1** ⟨fig.⟩ iets op het ~ schuiven *relegate/push sth. to the b..*

achterplecht ⟨de⟩ **0.1** *afterdeck.*

achterpoot ⟨de (m.)⟩ **0.1** *hind leg* ◆ **3.1** de hond tilde even zijn ~ op *the dog raised his h. l.* **6.¶** op zijn achterpoten gaan staan ⟨fig.⟩ *get up on one's hind legs, flare up, bristle.*

achterportier ⟨het⟩ **0.1** *rear door.*

achterrem ⟨de⟩ **0.1** *rear brake.*

achterruim ⟨het⟩ **0.1** *aft hold* ⇒*after hold.*

achterruit ⟨de⟩ **0.1** *rear window.*

achterruitverwarming ⟨de (v.)⟩ **0.1** *rear window demister.*

achterschip ⟨het⟩ **0.1** [deel v.e. schip] *stern* ⇒*poop, after end* **0.2** [achterste schip] *rear/last ship* ◆ **6.1** op het ~ aft, at/in the s. **6.2** ⟨fig.⟩ in het ~ (ge)raken/zijn ⟨raken⟩ *come down in the world;* ⟨zijn⟩ *be down and out, be down on one's luck, have seen better days, have fallen on evil days.*

achterschot ⟨het⟩ **0.1** *tailboard;* ⟨AE ook⟩ *tailgate.*

achterspatbord ⟨het⟩ **0.1** ⟨auto⟩ *[B]rear wing,* *[A]rear fender;* ⟨fiets⟩ *[A]rear mudguard/fender.*

achterspeler ⟨de (m.)⟩ **0.1** *back.*

achterspoiler ⟨de (m.)⟩ **0.1** *rear spoiler.*

achterst ⟨bn.⟩ **0.1** *back* ⇒*rear, hind(er/most)* ◆ **1.1** de ~e rijen *the b.*

rows **1.¶** op zijn ~e poten gaan staan ⟨fig.⟩ *get (up) on one's hind legs, flare up, bristle.*

achterstaan ⟨onov.ww.⟩ **0.1** [onderdoen, achtergesteld worden] *be (put) behind* ⇒⟨minder zijn ook⟩ *be inferior (to), rank below/after* **0.2** [⟨sport⟩] *be behind* ⇒*be down, trail* ◆ **1.2** twee punten ~ *be two points down/behind, be down/trail by two points* **6.1** hij staat ver **bij** zijn klasgenoten achter *he is far behind his classmates;* hij staat **bij** niemand achter *he is second to none;* hij stond achter **bij** zijn zusjes *he lost out to his sisters* **6.2** bij de rust stonden we met 3-1 achter *at half-time we were down 3 to 1~-1.*

achterstaand ⟨bn.⟩ **0.1** *below* ⇒*overleaf* ⟨op volgende bladzijde⟩, *on/at the back* ⟨op achterzijde⟩.

achterstal ⟨de (m.)⟩ **0.1** *arrears.*

achterstallig ⟨bn.⟩ **0.1** *back* ⇒*behind, overdue,* ⟨pred. ook⟩ *in arrears* ◆ **1.1** ~e huur *rent arrears, arrears of rent, b. rent;* ~ onderhoud v.e. huis *b. repair of a house, overdue maintenance on a house;* ~e rekeningen *overdue accounts;* ~e rente *b. interest, interest still due;* ~e schulden *outstanding/b. debts, arrears* **3.1** ~ worden/zijn *fall into/be in arrears, become/be overdue* **7.1** het ~e *the arrears.*

achterstand ⟨de (m.)⟩ **0.1** [het achterop zijn, het achterblijven] *arrears* ⇒*leeway, lost ground* **0.2** [op afwerking wachtend werk] *arrears* ⇒*backlog, leeway, lost ground* **0.3** [het achterstallige] *arrears* **0.4** [achterzijde v.e. voorwerp] *back* ◆ **2.1** een culturele ~ *a cultural leeway/disadvantage;* een grote ~ *serious/considerable a. leeway;* ⟨sport⟩ een grote ~ hebben *be well down/behind, be a long way behind;* een technische ~ *technical inferiority, a technical disadvantage;* ⟨sport⟩ deze ploeg probeerde de ~ weg te werken *our side/team tried to get even/equalize/tie the score* **3.1** ⟨sport⟩ een ~ hebben van twee punten *be two points down/behind, be down/trail by two points;* een ~ hebben *be/trail behind;* een ~ oplopen ⟨ook sport⟩ *be down, trail; fall into a. a.* **3.2** de ~ inhalen *catch up;* we proberen de ~ weg te werken *we are trying to make up/good the a./leeway/lost ground/backlog, we are trying to overtake the a./leeway/lag, we're trying to catch up* **3.3** de ~ aanzuiveren *pay up/off the a.* **6.1** ⟨psych.⟩ een ~ **in** ontwikkeling vertonen *show a lag in development, be developmentally retarded;* de wielrenner kwam met grote ~ binnen *the rider came in far behind (the winner);* ⟨sport⟩ de ploeg werd **op** ~ gezet *the team fell behind;* ⟨sport⟩ tegen een ~ **van** twee tegen een aankijken *be down by two to one.*

achterste
I ⟨het⟩ **0.1** [het achtereinde] *back (part)* **0.2** [zitvlak] *backside* ⇒*bottom, behind, rear (end), bum* ◆ **1.1** het ~ van zijn tong niet laten zien *keep one's cards close to one's chest, keep one's own council* **3.2** ⟨fig.⟩ het ~ tegen de krib zetten *kick over the traces* **5.1** het ~ voor *backwards,* ⟨AE ook⟩ *backward; awry, back-to-front* **6.2** op zijn ~ vallen *fall on one's backside/bottom/rear/behind/bum/seat/tail;* ⟨fig.⟩ op zijn ~ liggen ⟨bedrijf enz.⟩ *be on its beam-ends;*
II ⟨het, de⟩ **0.1** [mbt. plaats] *back one* ⇒*hindmost/rear(most) one* **0.2** [mbt. rang] *least (one).*

achtersteek ⟨de (m.)⟩ **0.1** *backstitch.*

achterstel ⟨het⟩ **0.1** [mbt. een voertuig] *rear end/underbody* **0.2** [mbt. een dier] *hind quarters.*

achterstellen ⟨onov.ww.⟩ **0.1** [minder schatten] *rate lower/inferior* ⇒⟨zaken ook⟩ *subordinate, defer, put behind* **0.2** [minder bevoordelen] *slight* ⇒*neglect, discriminate against* ◆ **1.1** een achtergestelde lening *subordinated loan* **3.2** hij voelde zich achtergesteld *he felt slighted/discriminated against/put into second place* **6.1** neven worden achtergesteld **bij** broers *cousins are considered after/less important than brothers;* onderwijs wordt achtergesteld **bij** defensie *education is subordinated to/rated less important than defence* **6.2** iem. ~ **bij** neglect s.o. for, consider s.o. less important than.*

achterstelling ⟨de (v.)⟩ **0.1** *neglect* ⇒⟨zaken ook⟩ *subordination, postponement,* ⟨persoon ook⟩ *slight, discrimination* ◆ **6.1** met ~ **van** *discriminating against, disfavouring.*

achtersteven ⟨de (m.)⟩ **0.1** [sluitstuk van achteren aan de romp] *stern-post* **0.2** [achterste gedeelte v.e. schip] *stern* ⇒*poop* **0.3** [kont] *stern* ⇒*tail, rear (end), backside, behind* ◆ **6.2** op de ~ aft, at/in the s..*

achterstevoren ⟨bw.⟩ **0.1** *backwards,* ⟨AE ook⟩ *backward* ⇒*back-to-front, the wrong way about/round,* ⟨volgorde ook⟩ *in reverse.*

achterstraat ⟨de⟩ **0.1** [in een achterbuurt] *back street* ⇒ ⟨smal⟩ *alley-(way)* **0.2** [achter een hoofdstraat] *side street.*

achterstuk ⟨het⟩ **0.1** *back (part/piece).*

achtertuin ⟨de (m.)⟩ **0.1** [tuin achter het huis] *back garden,* *[A](back)yard* **0.2** [buitenlands gebied] *backyard.*

achteruit[1]
I ⟨de (m.)⟩ **0.1** [versnellingstand] *reverse (gear)* ◆ **6.1** een auto **in** zijn ~ zetten *put/[A]shift a car into r.;*
II ⟨het⟩ **0.1** [afgesloten plaatsje] *courtyard* ⇒*[B]backyard* **0.2** [uitzicht] *rear view* ⇒*view at the back* **0.3** [uitvlucht] *pretext* ⇒*excuse, way out.*

achteruit[2] ⟨bw.⟩ **0.1** [⟨ook in samenst.⟩ achterwaarts] *back(wards),* ⟨AE ook⟩ *backward* ⇒*rearward(s),* ⟨scheep.⟩ *sternward(s),* ⟨bv.→achteruitdeinzen⟩ **0.2** [⟨scheep.⟩] *astern* ◆ **1.1** een pas ~ *a step back;* dat is een stap~ 〈fig.〉 *that is a retrograde step* / *step backward(s)* / *backward step* / *backward move* **1.2** volle kracht ~! *full speed a.!* **3.2** ~ halen! *back her!* **5.1** ~ daar! *stand back there!*.

achteruitboeren 〈onov.ww.〉 **0.1** [mbt. een boer] *go downhill* ⇒*do worse* **0.2** [mbt. andere personen] *go downhill* ⇒*decline, get/grow worse,* 〈gezondheid ook〉 *fall off, fail*.

achteruitdeinzen 〈onov.ww.〉 **0.1** *start back* ⇒*recoil, shrink (back), flinch, back away*.

achteruitgaan 〈onov.ww.〉 **0.1** [achterwaarts gaan] *go back(wards)* ⇒*go astern* 〈schip〉, 〈ruimte maken〉 *stand/fall back, reverse, back* 〈auto〉 **0.2** [〈fig.〉 verminderen] *decline* ⇒*deteriorate, get/grow worse, go down(hill), degenerate* 〈moreel〉, 〈kwantitatief ook〉 *fall (off), diminish,* 〈gezondheid ook〉 *fail* ◆ **1.1** de barometer gaat achteruit *the barometer/glass is falling* **1.2** onze economie gaat achteruit *our economy is on the decline;* de omzet/produktie gaat achteruit *turnover/production is falling (off)/decreasing/declining/going down/on the decline;* de patiënt gaat niet achteruit *the patient is holding his own, the patient's condition has stabilized;* de toestand gaat achteruit *things are changing for the worse, things are on the decline/downgrade;* de vakbond ging achteruit *the union lost ground* **4.1** ga eens wat achteruit! *stand back a bit!* **5.2** opnieuw ~ *have a relapse* 〈gezondheid〉; haar gezondheid gaat snel achteruit *her health is failing rapidly;* hij ging zienderogen achteruit *he worsened perceptibly, he got visibly worse* **6.2** er in koopkracht op ~ *lose purchasing/spending-power;* de dollar is in waarde achteruitgegaan *the dollar has lost value, the dollar has decreased/declined/deteriorated/gone down in value, the dollar has lost ground;* daar ga je nooit op achteruit *you can't lose;* ergens op ~ *lose by sth., be the worse for sth.;* we zijn er de laatste jaren (financieel) heel wat op achteruitgegaan *we've gone downhill (financially) quite a bit the last few years;* ik ben er per maand ƒ100 op achteruitgegaan *I am a hundred guilders worse off per month* ¶.2 hij ging van uur tot uur achteruit *he got worse by the hour;* ze is achteruitgegaan *she's been taken worse.*

achter'uitgang 〈de (m.)〉 **0.1** *decline* ⇒*deterioration, decay, fall, degeneration, diminution* ◆ **1.1** de ~ van de moraal *the moral degeneration/deterioration* **2.1** de huidige economische ~ *the present economic downturn* **3.1** de nieuwe regeling is een ~ *the new settlement/arrangement is a step backwards/setback* **6.1** de ~ in levensstandaard *the fall/drop in living standards.*

'**achteruitgang** 〈de (m.)〉 **0.1** *back/rear exit* ⇒*back door, back way.*

achteruitkijkspiegel 〈de (m.)〉 **0.1** *rearview mirror.*

achteruitkrabbelen 〈onov.ww.〉 〈fig.〉 **0.1** *back out* ⇒*backtrack, backpedal, cry off, draw in one's horns.*

achteruitlopen 〈onov.ww.〉 **0.1** [teruglopen] *walk backwards* ⇒〈terug〉 *walk back* **0.2** [〈fig.〉] *decline* ⇒*deteriorate, go down,* 〈kwantitatief ook〉 *fall (off), diminish,* 〈gezondheid ook〉 *fail* ◆ **1.1** de barometer loopt achteruit *the barometer/glass is falling.*

achteruitmarcheren 〈onov.ww.〉 〈fig.〉 →**achteruitlopen 0.2.**

achteruitrijden 〈onov.ww.〉 **0.1** *reverse* ⇒*back, ride backwards* 〈ruiter〉, 〈als passagier ook〉 *face the rear, sit with one's back to the engine* 〈in trein〉 ◆ **1.1** de auto ~ een garage in *reverse/back the car into a garage.*

achteruitrijlamp 〈de〉 **0.1** *reversing light,* ^*back-up light.*

achteruitschoppen
I 〈onov.ww.〉 **0.1** [achterwaarts schoppen] *kick back* ⇒*lash out* **0.2** [〈fig.〉] *kick over the traces;*
II 〈ov.ww.〉 **0.1** [door schoppen achterwaarts doen gaan] *kick back(wards).*

achteruitschuiven
I 〈onov.ww.〉 **0.1** [schuivende achteruitgaan] *draw back(wards)* ⇒*edge/shift/move back(wards);*
II 〈ov.ww.〉 **0.1** [achterwaarts schuiven] *push back.*

achteruitslaan
I 〈onov.ww.〉 **0.1** [mbt. rij/trekdieren] *kick (out)* ⇒*lash out* **0.2** [〈scheep.〉] *reverse* ⇒*go astern* **0.3** [mbt. personen] *kick over the traces;*
II 〈ov.ww.〉 **0.1** [door slaan achteruit brengen] *hit back* ⇒*beat back.*

achteruitsteken
I 〈onov.ww.〉 **0.1** [in achterwaartse richting uitsteken] *stick out to the rear/backwards* ⇒*jut out/protrude/project backwards/to the back/from the rear/behind* **0.2** [mbt. een auto] *reverse* ⇒*back;*
II 〈ov.ww.〉 **0.1** [door steken naar achteren doen gaan] *thrust back.*

achteruitwijken 〈onov.ww.〉 **0.1** [naar achteren wijken] *back away* ⇒*shrink, step/stand/fall back* 〈om plaats te maken〉 **0.2** [zich terugtrekken] *back out/down* ⇒*back/cry off.*

achteruitzetten 〈ov.ww.〉 **0.1** [meer naar achteren zetten] *set/put back* **0.2** [mbt. uurwerken] *put/set back* **0.3** [achteruit doen gaan] *set back* ⇒*put/throw back, handicap* **0.4** [bij anderen laten achterstaan] *rate inferior* ⇒*slight, neglect, discriminate against* ◆ **1.3** die brand heeft het bedrijf achteruitgezet *the fire has set/thrown/put the firm back, the fire has been a setback to the firm;* die koorts zal de zieke ~ *the fever will set/put the patient back* **1.4** die ambtenaar is al tweemaal achteruitgezet *that clerk/official has already been passed over twice.*

achteruitzicht 〈het〉 **0.1** *rear view* 〈auto ook〉 *rearward view.*

achtervanger 〈de (m.)〉 〈sport〉 **0.1** *catcher.*

achtervleugel 〈de (m.)〉 〈dierk.〉 **0.1** *underwing.*

achtervoegen 〈ov.ww.〉 **0.1** *add* ⇒〈taal.〉 *suffix, postfix.*

achtervoegsel 〈het〉 〈taal.〉 **0.1** *suffix* ⇒*postfix.*

achtervoet 〈de (m.)〉 **0.1** *heel.*

achtervolgen 〈ov.ww.〉 **0.1** [van achteren volgen, 〈meestal fig.〉] *follow* ⇒〈heimelijk ook〉 *tail, pursue* 〈hinderlijk〉 **0.2** [met vijandige bedoelingen volgen] *pursue* ⇒*give chase to, run/chase after* 〈ook met amoureuze bedoelingen〉, 〈vervolgen〉 *persecute* **0.3** [gerechtelijk vervolgen] *prosecute* ⇒*sue, bring an action against, proceed against, institute legal proceedings against* ◆ **1.1** die gedachte achtervolgt mij *that thought haunts/obsesses me* **1.2** een moordenaar ~ *pursue/give chase to/chase (after)/track down/hunt (down) a killer* **6.1** zij werden door pech achtervolgd *they were pursued/dogged by bad luck, bad luck pursued them/dogged their footsteps;* iem. ~ met verzoeken *badger/dog s.o. with requests.*

achtervolger 〈de (m.)〉, **-volgster** 〈de (v.)〉 **0.1** *pursuer* 〈ook wielersport〉 ⇒〈vervolger〉 *persecutor.*

achtervolging 〈de (v.)〉 **0.1** *pursuit* 〈ook wielersport〉 ⇒*chase,* 〈vervolging〉 *persecution* ◆ **2.1** na een lange ~ werden de inbrekers gegrepen *after a long pursuit/chase the burglars were caught* **3.1** de ~ inzetten *pursue, set off in pursuit (of).*

achtervolgingswaan(zin) 〈de (m.)〉 **0.1** *persecution complex/mania* ⇒*paranoia.*

achtervolgingswedstrijd 〈de (m.)〉 〈sport〉 **0.1** *pursuit race.*

achterwaarts
I 〈bw.〉 **0.1** [achteruit] *back(wards),* 〈AE ook〉 *backward* ⇒*rearward(s),* 〈scheep.〉 *sternward(s)* ◆ **1.1** een stap ~ *a step back(ward(s))/rearward(s)* **3.1** ~ gaan *move/step/stand/fall back, move/go backward(s);*
II 〈bn.〉 **0.1** [naar achteren] *backward* ⇒*rearward,* 〈fig. ook〉 *retrograde,* 〈scheep.〉 *sternward* **0.2** [naar achteren gelegen] *back* ⇒*rearward* ◆ **1.1** een ~e beweging *a b./rearward movement* **1.2** een meer ~e stelling *a more rearward position, a position more to the rear.*

achterwand 〈de (m.)〉 **0.1** *back/rear wall.*

achterwege 〈bw.〉 ◆ **3.¶** een antwoord bleef ~ *an answer was not forthcoming, there was no answer;* indien betaling ~ blijft *in default of payment;* ~ blijven *not take place, not come off* 〈gebeurtenis〉; *be omitted, be left/remain undone* 〈wat men had moeten doen〉; 〈weggelaten〉 *be omitted/dropped/left out;* ~ blijven *be withheld* 〈toestemming,〉 〈enz.〉; 〈niet opdagen〉 *not turn up;* ~ houden *keep back, withhold;* die opmerking had beter ~ kunnen blijven *that remark was uncalled for,* ⌐*you/he* 〈enz.〉 *oughtn't to have said that;* laat voortaan zulke stommiteiten ~ *refrain from such stupidity/stupidities in future, don't be so stupid in future;* ~ laten *omit;* 〈weglaten ook〉 *leave/cut out, drop;* 〈niet doen ook〉 *leave undone, refrain from;* 〈niet door laten gaan〉 *cancel;* niets ~ laten *leave nothing undone, leave no stone unturned.*

achterwerk 〈het〉 **0.1** [zitvlak] *backside* ⇒*bottom, behind, rear (end),* 〈vnl. BE〉 *bum,* 〈vnl. AE〉 *butt,* 〈vulg.〉 ᴮ*arse,* ᴬ*ass* **0.2** [deel v.e. werk/toestel] *back (part);* 〈scheep.〉 *stern* ◆ **1.2** het ~ v.e. boek 〈boek.; druk.〉 *the back matter (of a book)* **2.1** met een achter ~ *broad in the beam* **6.2** het register bevindt zich in het ~ v.h. boek *the index is at the back of the book.*

achterwiel 〈het〉 **0.1** [mbt. een rij/voertuig] *back/rear wheel* **0.2** [rijksdaalder] *two and a half guilder piece.*

achterwielaandrijving 〈de (v.)〉 **0.1** *rear-wheel drive.*

achterwielophanging 〈de (v.)〉 **0.1** *rear suspension.*

achterzak 〈de (m.)〉 **0.1** *back pocket* ⇒〈broek ook〉 *hip pocket.*

achterzijde 〈de〉 **0.1** *back* ⇒*rear.*

achthoek 〈de (m.)〉 **0.1** [figuur met acht hoeken] *octagon* **0.2** [〈wisk.〉] *octagon* **0.3** [opstelling] *octagon* ◆ **2.2** bolvormige ~ *spherical octahedron;* regelmatige ~ *a regular o..*

achthoekig 〈bn.〉 **0.1** *octagonal* ⇒*octangular.*

achting 〈de (v.)〉 **0.1** *regard* ⇒*esteem, respect, estimation, opinion* ◆ **2.1** grote ~ genieten *be greatly/highly respected/esteemed/regarded, be held in high esteem/great respect* **3.1** iem. ~ bewijzen *show regard/respect for s.o.;* iemands ~ genieten *be respected/be held in (high) esteem by s.o., enjoy s.o.'s esteem;* ~ voor iem. hebben *have regard/respect for s.o.;* iemands ~ verliezen *lose/forfeit s.o.'s respect* **6.1** in (iemands) ~ dalen *go/come down in s.o.'s opinion/estimation;* in (iemands) ~ stijgen *go up/rise in s.o.'s opinion/estimation;* met (de meeste) ~ *Yours respectfully/faithfully/truly;* ~ voor zichzelf *self-respect.*

achtjarig 〈bn.〉 **0.1** [acht jaren tellend] *eight-year-old* **0.2** [acht jaren durend] *eight-year* ⇒ ↑*octennial, eight years'* 〈oorlog〉 ◆ **1.1** het ~ bestaan v.h. bedrijf *the eighth anniversary of the firm;* een ~ kind, een ~e *an eight-year-old.*

achtkant 〈het, de (m.)〉 **0.1** *octagon.*

achtkantig 〈bn.〉 **0.1** *octagonal* ⇒*octangular, eight-sided.*

achtling 〈de (m.)〉 **0.1** 〈van mens〉 *octuplets;* 〈van dier〉 *litter/nest of eight* ◆ **3.1** zij heeft een ~ gehad *she's had octuplets.*

achtmaal 〈bw.〉 **0.1** *eight times*.
achtmaands 〈bn.〉 **0.1** *eight month(s')* ◆ **1.¶** een ~ kindje *an eight months' child*.
achtpotig 〈bn.〉 **0.1** *octopod*.
achtregelig 〈bn.〉 **0.1** *eight-line* ⇒*of eight lines* ◆ **1.1** ~e strofe *octonary, e.-l. stanza*.
achtste[1] 〈bn.〉 **0.1** *eighth* ◆ **1.1** een ~ liter *one eighth of a litre* **7.1** 〈muz.〉 een ~ [B]*a quaver*, [A]*an e. note*.
achtste[2] 〈rangtelw.〉 **0.1** *eighth* ◆ **7.1** u bent de ~ *you are the e.*.
achttal 〈het〉 **0.1** [bijeenhorende eenheden] *(number of) eight* ⇒*set/ group of eight*, 〈sonnetregels, electronen〉 *octet* **0.2** [personen] *group of eight* ⇒*set of eight*, 〈sportploeg〉 *eight*, 〈vnl. musici〉 *octet* ◆ **1.1** een ~ vliegtuigen vloog over *(a flight of) eight planes flew over*.
achttien
I 〈hoofdtelw.〉 **0.1** *eighteen* ◆ **1.1** nog ~ dagen *e. more days, another e. days* **6.1** films voor **boven** de ~ *Xes*, [A]*X-rated movies*; we waren **met** ons ~ en *there were eighteen of us, we were eighteen in all/ all told*; verboden voor personen **onder** de ~ jaar *persons under eighteen not admitted*;
II 〈rangtelw.〉 **0.1** *eighteen(th)* ◆ **1.1** ~ april *April (the) eighteenth, the eighteenth of April*; hoofdstuk ~ *chapter eighteen*.
achttiende-eeuws 〈bn.〉 **0.1** *eighteenth-century*.
achturig 〈bn.〉 **0.1** *eight-hour* ◆ **1.1** de ~e werkdag *the e.-h. (working) day*.
achtvlak 〈het〉 〈wisk.〉 **0.1** *octahedron*.
achtvlakkig 〈bn.〉 **0.1** *octahedral*.
achtvoetig 〈bn.〉 **0.1** *octameter* ⇒*having eight metrical feet* ◆ **1.1** een ~e jambe *an iambic octameter*; ~ vers *octameter*.
achtvoud 〈het〉 **0.1** [achtmaal zo groot iets] *eightfold* ⇒*octuple* **0.2** [veelvoud van acht] *octuple* ◆ **6.1** een brief **in** ~ *a letter in octuplicate*.
achtvoudig 〈bn., bw.〉 **0.1** *eightfold* 〈ook bw.〉 ⇒〈bn. ook〉 *octuple*.
achtzijdig 〈bn.〉 **0.1** *octagonal* ⇒*eight-sided* ◆ **1.1** ~e figuur *octagon*.
acidimeter 〈de (m.)〉 **0.1** *acidimeter*.
acidimetrie 〈de (v.)〉 **0.1** *acidimetry*.
acne 〈de〉 **0.1** [〈verz.n.〉 jeugdpuistjes] *acne* ⇒ ↓*pimples*, ↓*spots* **0.2** [vetpuistje] ↓*pimple* ⇒ ↓*spot* ◆ **3.1** hij heeft ~ *he's got a. / spots*.
acoliet 〈de (m.)〉 **0.1** [geestelijke] *acolyte* **0.2** [misdienaar] *acolyte* ⇒ 〈jong〉 *altar boy, server* **0.3** [volgeling] *acolyte* ⇒*disciple, follower, adherent*.
aconceptief 〈bn., bw.; -ly〉 **0.1** *contraceptive* ◆ **1.1** aconceptieve tabletten *c. pills, contraceptives*.
a conto 〈hand.〉 **0.1** *on account* ◆ **3.1** ~ betalen *pay on account*.
acquisiteur 〈de (m.)〉 **0.1** *canvasser* ⇒≠*salesman*.
acquisitie 〈de (v.)〉 **0.1** [het (ver)werven] *acquisition* ⇒*canvassing* 〈klanten〉 **0.2** [aanwinst] *acquisition*.
acquisitiebeleid 〈het〉 **0.1** [beleid gericht op verwerving] *acquisitions policy* 〈ook bibliotheek〉; 〈hand.〉 *new-orders policy* **0.2** [overheidsbeleid] *policy of/ for encouraging foreign investment*.
acquisitief 〈bn.〉 **0.1** *acquiring*; 〈hebzuchtig〉 *acquisitive* ◆ **1.1** acquisitieve verjaring *acquisitive/ positive/ creative prescription*.
acquit 〈het〉 **0.1** [〈biljart〉] *spot* **0.2** [kwitantie] *receipt* ◆ **6.1** van ~ gaan *cue off* **6.2** per ~ *paid*.
acquitteren
I 〈ov.ww.〉 **0.1** [voor voldaan tekenen] *receipt, mark/ sign as paid*;
II 〈wk.ww.;zich〉 **0.1** [zich kwijten] *acquit o.s.*.
acribie 〈de (v.)〉 **0.1** *meticulousness*.
acrobaat 〈de (m.)〉, **-bate** 〈de (v.)〉 **0.1** *acrobat* ⇒*tumbler*.
acrobatie 〈de (v.)〉 **0.1** [kunst] *acrobatics* ⇒*tumbling* **0.2** [toer] *stunt* ⇒ *acrobatic feat, acrobatics* ◆ **2.1** 〈fig.〉 financiële ~ *financial a.*.
acrobatiek 〈de (v.)〉 **0.1** *acrobatics* ⇒*tumbling*.
acrobatisch 〈bn., bw.;-ally〉 **0.1** *acrobatic*.
acroniem 〈het〉 **0.1** *acronym*.
acrostichon 〈het〉 **0.1** [naamvers] *acrostic* **0.2** [naam, zinsnede] *acrostic* ◆ **2.1** enkel/ dubbel/ driedubbel ~ *single/ double/ triple a.*.
acta 〈zn.mv.〉 ◆ **¶.¶** Acta Apostolorum *Acts (of the Apostles)*; ~ criminalia *criminal acts*; de zaak ad ~ leggen *consider the matter/ case closed/ settled*.
acte ◆ **¶.¶** ~ de présence geven *put in/ make an appearance*.
acteertalent 〈het〉 **0.1** *acting talent*.
acteren 〈onov.ww.〉 **0.1** [toneelspelen] *act* ⇒*perform* **0.2** [doen alsof] *act* ⇒ 〈vnl. pej.〉 *play-act*, 〈inf.〉 *put it on, pretend* ◆ **5.1** goed ~ *a. / perform well*; slecht ~ *a. / perform badly*; 〈inf.〉 *ham*; 〈overdreven〉 *overplay*.
acteur 〈de (m.)〉, **-trice** 〈de (v.)〉 **0.1** *actor, actress* ⇒*performer* 〈m., v.〉.
acteursfilm 〈de (m.)〉 **0.1** *actor's film* ⇒≠*all-star film* ◆ **3.1** het is een ~ *the film is just a vehicle for the actor(s)*.
actie 〈de (v.)〉 **0.1** [handeling, beweging] *action* ⇒*activity*, 〈inf.〉 *goings-on* **0.2** [tot uiting gebracht streven] *action* ⇒*campaign, movement, agitation*, 〈inf.〉 *action* ⇒*activity, operation(s)*, 〈veldslag〉 *battle* **0.4** [jur.] *(legal) action* ⇒*(legal) proceedings, lawsuit* **0.5** [〈hengelsport〉] *action* **0.6** [aandeel] *share* ◆ **1.1** ~ en reactie *action and reaction* **2.3** militaire ~ *action, military activities/ operations* **3.1** en zit geen ~ in dat toneelstuk *there's no action in that play*

3.2 actie voeren voor/ tegen *agitate for/ against, carry on a campaign for/ against* **3.4** een ~ instellen *bring/ commence/ institute (an) a. (at law)/ (legal) proceedings*, 〈inf.〉 *go to court*; 〈voor schadevergoeding〉 *sue* **3.6** de actiën rijzen/ dalen *shares rise/ fall* **3.¶** de actiën zijn bij hem gedaald *he has drawn in his horns/ lowered his tone* **5.1** een boek vol ~ *an action-packed book* **6.1** in ~ komen *come/ go/ swing into action, come into operation*; 〈persoon, weer actief worden〉 *rouse o.s., make a move*; 〈inf.〉 *look lively, stir o.s., pull one's finger out*; het geschut kwam **in** ~ *the artillery/ guns came into action*; hij is weer **in** ~ *he's at it again* **6.2** een ~ **tot** loonsverhoging *agitation/ (an) action/ a campaign for higher wages* **6.4** zonder ~ *of* refactie *with all faults*.
actiecomité 〈het〉 **0.1** *action committee* ⇒*action team/ group, ≠pressure group, ≠lobby*.
actief
I 〈bn.〉 **0.1** [werkzaam] *active* ⇒*busy*, 〈druk bezig〉 *bustling*, 〈energiek〉 *energetic*, 〈doordrijverig〉 *pushy* **0.2** [in dienst, functie] *active* **0.3** [〈geldw.〉] *active* **0.4** [〈taal.〉] *active* ◆ **1.1** de actieve bevolking *the working population*; een actieve kerel *a(n) a. / energetic/ dynamic/ lively* [B]*chap*/[A]*bloke, a live wire*; actieve kool *a. / activated carbon*; het actieve leven *a. life* **1.2** uit actieve dienst ontslaan *remove from a. service*; 〈vanwege verwondingen〉 *invalid out*; in actieve dienst *on a. duty*; 〈mil.〉 *on a. service, serving with the colours*; 〈officier ook〉 *on the a. list*; actieve troepen *a. troops/ forces* **1.3** actieve fondsen *a. securities/ stocks*; een actieve handelsbalans *a favourable balance of trade*; actieve schulden *a. / outstanding debts, debts due* **1.¶** actieve handel export *(trade)* **2.¶** 〈hand.〉 ~ en passief *assets and liabilities* **3.1** hij is nog steeds ~ *he's still going strong*; ~ maken *activate*; je moet wat actiever worden *you should be a bit more a.*; 〈inf.〉 *you should make a move/ look lively/ stir yourself/ put some life into it* **3.2** na zijn ziekte was hij weer volop ~ *he was up and about/ on the go again after his illness* **5.1** zeer ~ zijn 〈ook〉 *be full of energy/ go* **6.1** hij is zeer ~ in de parochie *he takes a very a. part in parish affairs* **7.1** 〈zelfst.〉 de actieven en de niet-actieven *people in work and people out of work*;
II 〈bw.〉 **0.1** [metterdaad] *actively* ◆ **3.1** ~ optreden *take determined/ energetic action/ steps*; de gehele bevolking steunde ~ en passief het verzet *the entire population supported the resistance (both) a. and passively*.
actiefoto 〈de〉 **0.1** *action photograph*.
actiefzijde 〈de〉 **0.1** *assets/ credit side*.
actiegroep 〈de (m.)〉 **0.1** *action group* ⇒*action committee/ team, ≠pressure group, ≠lobby*, 〈binnen pol. partij〉 *ginger group*.
actiemiddel 〈het〉 **0.1** *plan of action* ⇒*tactic*.
actiepunt 〈het〉 **0.1** *action item*.
actieradius 〈de (m.)〉 **0.1** [bereik] *radius of action* ⇒*range (of action), sphere of action/ influence* **0.2** [afstand af te leggen op i tank] *range*.
actieveling 〈de〉 [meestal scherts.] **0.1** *live wire, hyperactive person* ⇒ 〈vnl. mbt. uitgaansleven;sl.〉 *swinger*.
actievoerder 〈de (m.)〉, **-ster** 〈de (v.)〉 **0.1** *campaigner, activist* ⇒ 〈gedreven〉 *crusader*.
actine 〈de〉 **0.1** *actin*.
actiniteit 〈de (v.)〉 **0.1** *actinism*.
actinium 〈het〉 **0.1** *actinium*.
actinometer 〈de (m.)〉 **0.1** *actinometer*.
actinometrie 〈de (v.)〉 〈schei.〉 **0.1** *actinometry*.
actinomyceten 〈zn.mv.〉 〈biol.〉 **0.1** *actinomycetes*.
actionaris 〈de (m.)〉 **0.1** [aandeelhouder] *shareholder* ⇒〈vnl. AE ook〉 *stockholder* **0.2** [handelaar in aandelen] *stockbroker* ⇒〈AE ook〉 *stockjobber*, 〈inf.;pej.〉 *sharepusher*.
activa 〈zn.mv.〉 **0.1** [baten v.e. boedel] *assets* ⇒*active property*, 〈AE ook〉 *resources* **0.2** [bezittingen v.d. gefailleerde] *assets* ⇒*active property*, 〈AE ook〉 *resources* ◆ **1.1** ~ en passiva *assets and liabilities*.
activeren 〈ov.ww.〉 **0.1** [actief maken] *activate* **0.2** [〈schei.〉] *activate* **0.3** [radioactief maken] *activate*.
activering 〈de (v.)〉 **0.1** [het activeren] *activation* **0.2** [〈schei.〉] *activation* **0.3** [het radioactief maken] *activation*.
activeringsschool 〈de〉 **0.1** *project school*.
activisme 〈het〉 **0.1** [〈theol.〉] *activism* **0.2** [streven] *activism* ⇒*militancy*.
activist 〈de (m.)〉, **-e** 〈de (v.)〉 **0.1** *activist* ⇒*militant, crusader*.
activiteit 〈de (v.)〉 **0.1** [werkzaamheid] *activity* ⇒*bustle, liveliness, action* **0.2** [een bepaalde werkzaamheid] *activity* **0.3** [het in werkelijke dienst zijn] *active service* **0.4** [radioactiviteit] *activity* ⇒*radioactivity* ◆ **2.2** buitenschoolse ~ en *extramural/ ≠extracurricular activities*.
activum 〈het〉 〈taal.〉 **0.1** [bedrijvend werkwoord] *active (verb)* **0.2** [bedrijvende vorm v.h. werkwoord] *active (voice)*.
actrice →**acteur**.
actualiseren 〈ov.ww.〉 **0.1** [actueel maken] *make topical* ⇒*bring into the news, give publicity to* **0.2** [maken tot iets feitelijks] *actualize* ⇒*realize, fulfil* [A]*fulfill*.
actualisme 〈het〉 **0.1** *uniformitarianism* ⇒*principle of uniformity*.
actualiteit 〈de (v.)〉 **0.1** [onderwerp v.h. ogenblik] *topical matter/ subject* ⇒ 〈gebeurtenis〉 *current event, topicality*, 〈mv. ook〉 *current affairs*,

news 0.2 [het actueel zijn] *topicality* ◆ 1.2 de ~ v.e. kwestie *the t. / topical interest / current interest of a question* 6.1 op de hoogte blijven **van** de ~en *keep abreast of topical matters / current events, keep up to date /* ⟨inf.⟩ *in the picture*.

actualiteitenprogramma ⟨het⟩ 0.1 *current affairs programme*.

actuariaat ⟨het⟩ 0.1 *profession of actuary*.

actuarieel ⟨bn.⟩ 0.1 *actuarial* ◆ 1.1 de actuariële wetenschap *a. science*.

actuaris ⟨de (m.)⟩ 0.1 *actuary*.

actueel ⟨bn.⟩ 0.1 [op het ogenblik bestaand] *current* ⇒*existent* 0.2 [aan de orde zijnd] *current* ⇒*topical, of current / topical interest, (a)live* ◆ 1.2 actuele berichten *up-to-the-minute reports;* een ~ onderwerp *a topical subject, a live / c. topic, a topic of the day / moment; an actuality, a topicality* ⟨meestal mv.⟩; ⟨mv. ook⟩ *current affairs, news;* actuele vraagstukken *questions of the day* 5.2 'Macbeth' is nog steeds zeer ~ *'Macbeth' is still very much alive / very relevant to our times*.

actueren ⟨ov.ww.⟩ 0.1 [tot werking brengen] *activate* ⇒*actualize* 0.2 [⟨taal.⟩] *actualize*.

actum ◆ ¶.¶ ~ ut supra *executed on the date first herein above mentioned*.

acultureel ⟨bn.⟩ 0.1 *uncultured* ⇒*philistine*.

acupressuur ⟨de (v.)⟩ 0.1 *acupressure*.

acupuncteur ⟨de (m.)⟩, **acupuncturist** ⟨de (m.)⟩ 0.1 *acupuncturist*.

acupunctuur ⟨de (v.)⟩ 0.1 *acupuncture*.

acustica ⟨de (v.)⟩ 0.1 *acoustics* ⇒*phonics*.

acuut
I ⟨bn.⟩ 0.1 [dringend] *acute* ⇒*critical* 0.2 [plotseling opkomend] *acute* ◆ 1.1 ~ gevaar *a. / critical danger;* acute hongersnood *a. famine* 1.2 acute ziekten *a. diseases* 3.1 de toestand begint ~ te worden *the situation is becoming critical;*
II ⟨bw.⟩ 0.1 [onmiddellijk] *immediately* ⇒*instant(aneous)ly, right away, at once* ◆ 3.1 daar ga ik ~ van over mijn nek *it gives me the willies;* ik heb ~ ingegrepen *I took immediate action, I intervened / stepped in immediately / instantly / at once*.

ad ◆ 1.¶ ~ vier procent *at four percent* ¶.¶ ~ infinitum *ad infinitum;* ~ libitum *ad lib(itum), at will;* ~ majorem Dei gloriam *to the greater glory of God;* ~ valvas ≠*on the notice-board;* ~ patres gaan *be gathered to one's fathers;* ~ absurdum *ad absurdum, to the point of absurdity*.

a/d ⟨afk.⟩ 0.1 [aan de] *on the* ⟨plaatsnaam aan rivier⟩; *on, by* ⟨aan de zee⟩ ⇒*at the*.

A.D. ⟨afk.⟩ ⟨Lat.⟩ 0.1 [Anno Domini] *A.D.* ⇒*Anno Domini, in the year of our Lord*.

adagio¹ ⟨het⟩ 0.1 *adagio*.

adagio² ⟨bw.⟩ ⟨muz.⟩ 0.1 *adagio*.

adagissimo ⟨bw.⟩ ⟨muz.⟩ 0.1 *adagissimo*.

adagium ⟨het⟩ 0.1 *adage* ⇒*maxim, proverb*.

Adam ⟨de (m.)⟩ 0.1 [⟨bijb.⟩] *Adam* 0.2 [ingeschapen aard] *Adam* ◆ 1.1 kinderen van ~ *sons (and daughters) of A., Adamites* 2.2 de oude ~ kwam weer boven *the old A. cropped up again;* de oude ~ afleggen *shake off the old A.*.

adamiet ⟨de (m.)⟩ 0.1 *Adamite*.

adamsappel ⟨de (m.)⟩ 0.1 *Adam's apple*.

adamskostuum ⟨het⟩ ⟨scherts.⟩ ◆ 6.¶ in ~ *in one's birthday suit, in the altogether, in the nude*.

adaptatie ⟨de (v.)⟩ 0.1 [aanpassing] *adaptation* ⇒*adjustment,* ⟨biol. ook⟩ *specialization* 0.2 [⟨b.k.⟩] *adaptation* ◆ 1.1 ~ v.h. oog *the adaptation / adjustment of the eye*.

adapteren ⟨ov.ww.⟩ 0.1 [aanpassen] *adapt* ⇒*adjust,* ⟨biol. ook⟩ *specialize* 0.2 [⟨b.k.⟩] *adapt* ◆ 1.1 innerlijk goed geadapteerde en gestabiliseerde personen *mentally well adjusted and stabilized persons* 1.2 een roman ~ *a. a novel, write an adapted version of a novel*.

adaptief
I ⟨bn.⟩ 0.1 [v.d. aard van adaptatie] *adaptive;*
II ⟨bw.⟩ 0.1 [(als) door adaptatie] *adaptively*.

adat ⟨de (m.)⟩ 0.1 *adat* ⇒*custom, usage, tradition,* ⟨adatrecht⟩ *customary law* ◆ 2.1 ⟨fig.⟩ de parlementaire ~ *usage since time immemorial*.

addenda ⟨zn.mv.⟩ 0.1 *addenda*.

adder ⟨de⟩ 0.1 [slang] *viper* ⇒*adder* 0.2 [persoon] *viper* ⇒*snake (in the grass)* ◆ 3.1 ⟨fig.⟩ een ~ aan zijn borst koesteren *foster a v. / snake in one's bosom;* alsof hij op een ~ getrapt had *as if he'd seen a ghost;* ⟨fig.⟩ er schuilt een ~ in het gras *there's a snake in the grass, there's a catch / snag in it somewhere*.

adderen ⟨onov., ov.ww.⟩ ⟨schei.⟩ 0.1 *add* ◆ 1.1 koolwaterstoffen kunnen waterstof ~ *hydrocarbons are able to a. hydrogen* 6.1 waterstof addeert aan ... *hydrogen adds on to ....*.

addergebroed ⟨het⟩ 0.1 [jonge adders] *brood of vipers* ⇒*nest of vipers* 0.2 [⟨scheldnaam⟩] *(generation of) vipers*.

addergif ⟨het⟩ 0.1 *viper's venom*.

additie ⟨de (v.)⟩ ⟨schei.⟩ 0.1 *addition*.

additief¹ ⟨het⟩ 0.1 *additive*.

additief² ⟨bn.⟩ 0.1 [mbt. op-, bijtelling] *additive* 0.2 [door bijeenvoeging gevormd] *additive* ◆ 1.1 additieve constante *a. constant* 1.2 additieve kleuren *a. colours*.

additioneel ⟨bn.⟩ 0.1 *additional* ⇒*accessory, supplementary* ◆ 1.1 additionele artikelen v.d. grondwet *additional / supplementary articles (of a temporary nature) of the constitution*.

adducerend ⟨bn.⟩ ⟨biol.⟩ 0.1 *adducent*.

adductie ⟨de (v.)⟩ ⟨biol.⟩ 0.1 *adduction*.

adé ⟨tw.⟩ ⟨inf.⟩ 0.1 *see you* ⇒*bye,* [B]*cheers*.

adel ⟨de (m.)⟩ ⟨→sprw.8⟩ 0.1 [hoedanigheid] *nobility* ⇒*peerage* 0.2 [adelstand] *nobility* ⇒*peerage, aristocracy,* ⟨lagere⟩ *gentry* 0.3 [voortreffelijkheid] *nobility* ⇒*nobleness* 0.4 [som van goede eigenschappen] *nobility* ◆ 1.2 Hoge Raad van Adel ≠*College of Arms,* ≠ ↓ *Herald's College* 1.3 de ~ van zijn ziel *the nobility of his soul* 2.2 de Nederlandse ~ *the Dutch n. / peerage / aristocracy* 6.1 hij is **van** ~ *he is a peer, he is of noble birth, he is highborn / highbred / titled / blue-blooded, he belongs to the n.;* met iem. **van** ~ trouwen *marry into the n. / aristocracy, marry blood*.

adelaar ⟨de (m.)⟩ 0.1 [vogel] *eagle* 0.2 [veldteken] *eagle* 0.3 [⟨herald.⟩] *eagle* ⇒*spreadeagle* 0.4 [rijk] *eagle* ◆ 2.3 de koninklijke ~ *the royal e.* 2.4 de Franse ~ *the French Eagle*.

adelaarsblik ⟨de (m.)⟩ 0.1 *imperial look* ⇒ ⟨scherpziend, gretig⟩ *eagle eye* ◆ 6.1 met ~ *eagle-eyed*.

adelaarsjong ⟨het⟩ 0.1 *eaglet*.

adelaarsvlucht ⟨de⟩ 0.1 [vlucht v.e. adelaar] *eagle's flight* 0.2 [afstand tussen de vleugeluiteinden] *wingspan of an eagle*.

adelboek ⟨het⟩ 0.1 *peerage* ⇒ ⟨inf.⟩ *blue book*.

adelborst ⟨de (m.)⟩ 0.1 *midshipman* ⇒ ⟨sl.⟩ *reefer* ◆ ¶.1 ~ tweede klas *naval cadet*.

adelbrief ⟨de (m.)⟩ 0.1 [oorkonde] *(letters) patent of nobility* 0.2 [eretitel] *patent of nobility*.

adeldom ⟨de (m.)⟩ 0.1 [het behoren tot de adel] *nobility* ⇒*peerage* 0.2 [edele geaardheid] *nobility* ⇒*nobleness* 0.3 [edelen] *nobility* ⇒*peerage, aristocracy,* ⟨lager⟩ *gentry* ◆ 6.1 een brief **van** ~ *letters patent of n., a patent of n.*.

adelen ⟨→sprw.20⟩
I ⟨ov.ww.⟩ 0.1 [in de adelstand verheffen] *ennoble* ⇒*raise to the peerage, create a peer, lord;*
II ⟨onov., ov.ww.⟩ 0.1 [zedelijk verheffen] *ennoble* ⇒*elevate*.

adellijk ⟨bn.⟩ 0.1 [v.d. adel] *noble* ⇒*nobiliary* 0.2 [zodanig als met de adel overeenstemt] *noble* ⇒*genteel* 0.3 [mbt. vlees] *high* ⇒*gam(e)y* ◆ 1.1 van ~e afkomst *of noble birth, highborn, highbred, titled, of title, blue-blooded;* ~ bloed *noble / blue blood;* een telg uit een ~ geslacht ⟨pej.⟩ *a sprig of (the) nobility;* een ~ slot *a manor (house)* 1.2 de ~e jicht *podagra, gout* 1.3 ~ wild *h. game* 2.1 ~ geboren *of noble birth, highborn, highbred*.

adelstand ⟨de (m.)⟩ 0.1 *nobility* ⇒*peerage* ◆ 3.1 iem. in / tot de ~ verheffen *ennoble s.o., raise s.o. to the peerage, create s.o. a peer*.

adem ⟨de (m.)⟩ 0.1 [lucht] *breath* 0.2 [ademtocht] *breath* ⇒*wind* 0.3 [levensbeginsel] *breath* ◆ 1.1 ⟨fig.; schr.⟩ de ~ v.d. lente / liefde *the b. of Spring / love* 1.3 de ~ Gods *the b. of the Lord* 2.1 met ingehouden ~ ⟨fig.⟩ *with bated b.;* ⟨lett.⟩ *holding one's b.;* een onrustige ~ *uneasy breathing;* slechte ~ *bad / strong b.* 2.2 de laatste ~ uitblazen *breathe / gasp one's last, expire;* ⟨fig.⟩ een spreker van lange ~ *a long-winded speaker;* ⟨fig.⟩ de langste ~ hebben *hold out longest* 3.1 de ~ benemen *take one's b. away;* zijn ~ inhouden ⟨ook fig.⟩ *hold one's b.;* ⟨van schrik⟩ *catch one's b.;* naar ~ happen *gasp for b.;* ~ scheppen *take / draw b.* 3.2 zijn ~ stokte *he stood breathless, he caught his b., he gasped;* iemands (hete) ~ in de nek voelen *feel s.o. breathing down one's neck* 3.3 al wat ~ heeft *all that draws / has b., all that (lives and) breathes* 6.1 weer op ~ komen *catch one's b., recover / get (back) one's b. / (second) wind;* ik had de tijd niet om **op** ~ te komen *I was run / rushed off my feet, I had no breathing space* 6.2 zich **buiten** ~ lopen *run o.s. out (of b.) / breathless;* **buiten** ~ raken *lose one's b., get out of b., become puffed out / breathless;* **buiten** ~ zijn *be out of b., be puffed out / breathless;* **in** één ~ *in (one and) the same b.;* zij werden altijd **in** één ~ genoemd *they are always bracketed together;* **in** één ~ iets vertellen *blurt / pour sth. out;* kort **van** ~ zijn *be short-winded / short of b.* 7.1 ⟨sport⟩ zijn tweede ~ krijgen *get one's second wind* 7.2 dat boek lees je in één ~ uit *that book is unputdownable, you can't stop reading that book, you'll finish that book at a single sitting / in one go*.

adembenemend
I ⟨bn., bw.; -ly⟩ 0.1 [zeer spannend / mooi / goed] *breathtaking* ◆ 1.1 een ~ schouwspel *a b. scene;* een ~e snelheid *a b. / breakneck speed* 3.1 zij zong ~ *she sang breathtakingly / magnificently;*
II ⟨bw.⟩ 0.1 [zeer] *breathtakingly* ◆ 2.1 ~ mooi *b. beautiful*.

adembuis ⟨de⟩ 0.1 *trachea*.

ademcentrum ⟨het⟩ 0.1 *respiratory centre*.

ademen
I ⟨onov.ww.⟩ 0.1 [ademhalen] *breathe* ⇒*draw / take breath* 0.2 [voelbaar zijn] *be perceptible* ⇒*be in the air* 0.3 [mbt. textiel, leer] *breathe* ◆ 1.2 hier ademt een geest van liefde en vrede *here lives and breathes a spirit of love and peace* 1.3 kunststof ademt niet *synthetics don't b.* 5.1 ruimer ~ ⟨fig.⟩ *b. again / more freely;* vrij ~ ⟨ook fig.⟩ *b. freely* 6.1 **op** iets ~ *b. on sth.;*
II ⟨ov.ww.⟩ 0.1 [inademen] *breathe* ⇒*inhale* 0.2 [vervuld zijn van]

breathe ⇒*be pervaded/redolent with* ◆ **1.1** ⟨fig.⟩ hier ademt men liefde en vrede *this place breathes love and peace;* de lucht die men hier ademt is verpest *the air one breathes here is poisoned* **1.2** zijn woorden ~ liefde en oprechtheid *his words b. love and honesty;* wraak ~ *live and b. vengeance.*

ademhalen ⟨onov.ww.⟩ **0.1** [ademen] *breathe* ⇒*draw/take breath* **0.2** [⟨plantk.⟩] *breathe* ◆ **3.1** weer adem kunnen halen *be able to b. again,* have some breathing space again **4.1** al wat ademhaalt *all that draws/has breath, all that (lives and) breathes, all creatures great and small* **5.1** haal eens diep adem *take a deep breath,* b. *deeply;* ruimer ~ ⟨fig.⟩ b. *again/more freely;* zwaar ~ b. *heavily/hard/labouriously,* labour for breath, wheeze.

ademhaling ⟨de (v.)⟩ **0.1** [het ademen] *breathing* ⇒*respiration* **0.2** [ademtocht] *breath* ◆ **2.1** kunstmatige ~ *artificial respiration;* een onrustige ~ *uneasy b.;* een rustige ~ *even b.* **3.1** luisteren naar iemands ~ *listen to s.o.'s breathing.*

ademhalingsapparaat ⟨het⟩ **0.1** *respirator.*

ademhalingsoefening ⟨de (v.)⟩ **0.1** *breathing exercise.*

ademhalingsorgaan ⟨het⟩ **0.1** *respiratory organ.*

ademloos ⟨bn., bw.; -ly⟩ **0.1** [buiten adem] *breathless* **0.2** [zonder adem te halen] *breathless* **0.3** [geluidloos] *breathless* ◆ **1.3** ademloze gloed b. *heat;* ademloze stilte b. *silence* **3.2** ~ toekijken *watch breathlessly/ with bated breath.*

ademnood ⟨de (m.)⟩ **0.1** *lack of breath* ⇒⟨het zwaar ademen⟩ *laboured breathing, gasping, wheezing,* (med.) *dyspn(o)ea* ◆ **6.1 in** ~ verkeren *be gasping for breath, suffer from lack of breath/from dyspnoea.*

adempauze ⟨de⟩ **0.1** [rust na de uitademing] *breathing/respiratory/atheming pause* **0.2** [ogenblik van rust] *breathing space* ⇒ ↓*breather.*

ademstilstand ⟨de (m.)⟩ **0.1** *apn(o)ea.*

ademstoot ⟨de (m.)⟩ **0.1** *gasp* ⇒*puff* ◆ **2.1** de laatste ~ *one's last/dying breath,* one's last g. / croak.

ademteken ⟨het⟩ **0.1** *breathing mark.*

ademtest ⟨de (m.)⟩ **0.1** *breath test* ◆ **3.1** iem. de ~ afnemen *breathalyse ^Aze s.o.*.

ademtester, -meter ⟨de (m.)⟩ **0.1** *Breathalyser* ⟨handelsmerk⟩ ⇒⟨AE⟩ *drunkometer.*

ademtocht ⟨de (m.)⟩ **0.1** *breath* ⇒*gasp* ◆ **2.1** tot aan de laatste ~ *until one's dying b. / day;* de laatste ~ uitblazen *breathe/gasp one's last,* expire **4.1** elke ~ *every b.* one takes **7.1** de eerste ~ *one's first b.*.

adenine ⟨de⟩ ⟨bioch.⟩ **0.1** *adenine.*

adenoïde ⟨bn.⟩ **0.1** *adenoid(al)* ◆ **1.1** ~ vegetatie *adenoids* ⟨mv.⟩.

adept ⟨de (m.)⟩ **0.1** [volgeling] *follower* ⇒*adherent, disciple, devotee, adept* **0.2** [ingewijde] *adept* ⇒*initiate.*

adequaat ⟨bn., bw.; -ly⟩ **0.1** *adequate* ◆ **3.1** ~ reageren *react adequately.*

ader ⟨de⟩ **0.1** [bloedvat] *vein* ⇒*blood vessel,* ⟨slagader⟩ *artery* **0.2** [doorgang in de aardkorst] *vein* **0.3** [oorsprong] *spring* ⇒*source, origin, fountain(-head),* well-head **0.4** [laag in de aardkorst] *vein* ⇒*lode, seam* **0.5** [kronkelige streep] *vein* **0.6** [draad in een kabel] ⟨geïsoleerd⟩ *core;* ⟨blank⟩ *conductor* **0.7** [⟨biol.⟩] *vein* ◆ **2.5** wit marmer met blauwe ~en *white marble with blue veins/streaked with blue* **3.1** een gesprongen ~ *a burst blood vessel* **6.1** ⟨fig.⟩ de liefde die **in** mijn ~en klopt *the love pulsing/throbbing in my veins.*

aderbreuk ⟨de⟩ **0.1** *rupture of a blood vessel* ⇒*bursting of a blood vessel* ◆ **3.1** een ~ krijgen/hebben *burst a blood vessel.*

adergezwel ⟨het⟩ **0.1** *dilation of a vein* ⇒⟨slagaderlijk⟩ *aneurism.*

aderiseren ⟨ov.ww.⟩ **0.1** *retread.*

aderlaten ⟨ov.ww.⟩ **0.1** [bloed aftappen] *bleed* ⇒*let blood* **0.2** [afzetten] *bleed* ⇒*fleece, skin, rip off.*

aderlating ⟨de (v.)⟩ **0.1** [bloedaftapping] *bleeding* ⇒*bloodletting* **0.2** [gevoelig verlies] *drain (on resources)* ◆ **2.2** het betekende een behoorlijke ~ ⟨financieel⟩ *it made a big hole in the budget.*

aderlijk ⟨bn.⟩ **0.1** *venous* ◆ **1.1** ~ bloed *v. blood.*

aderontsteking ⟨de (v.)⟩ **0.1** *phlebitis.*

aderverkalking ⟨de (v.)⟩ **0.1** *arteriosclerosis* ⇒*hardening of the arteries.*

ad fundum ⟨bw.⟩ **0.1** *to the dregs/last drop* ◆ **3.1** ~ drinken *drain one's glass* ¶.1 ~! *bottoms up!;* ⟨inf.⟩ *down the hatch!.*

adherent¹ ⟨de (m.)⟩ **0.1** *adherent* ⇒*follower, supporter.*

adherent² ⟨bn.⟩ **0.1** [samenhangend] *adherent (to)* ⇒*related (to),* associated (with) **0.2** [onafscheidelijk verbonden met] *inherent (in)* ⇒*inseparable from* ◆ **6.2** de verplichtingen zijn ~ **aan** die functie *these obligations are (an inherent) part of/come with/* ⟨inf.⟩ *are part and parcel of this position.*

adhesie ⟨de (v.)⟩ **0.1** [instemming] *adherence* ⇒ ↑*adhesion, endorsement, concurrence, approval* **0.2** [⟨nat.⟩] *adhesion* **0.3** [⟨med.⟩] *adhesion* ◆ **3.1** zijn ~ betuigen met *express one's adherence to/endorsement/of concurrence in/approval of, endorse, espouse.*

adhesiebetuiging ⟨de (v.)⟩ **0.1** *expression/declaration of approval/sympathy/support.*

ad hoc ⟨bn., bw.⟩ **0.1** *ad hoc* ◆ **1.1** een adhocoplossing *an a. h. solution.*

adhortatief¹ ⟨het⟩ ⟨taal.⟩ **0.1** *adhortative.*

adhortatief² ⟨bn.⟩ ⟨taal.⟩ **0.1** *adhortative* ◆ **1.1** een ~ hulpwerkwoord *an a. auxiliary.*

adie ⟨tw.⟩ ⟨inf.⟩ **0.1** *bye(-bye), bye now* ⇒⟨vnl. BE ook⟩ *cheerio, cheers,* ⟨vnl. kind. ook⟩ *ta-ta.*

adieu¹ ⟨het⟩ **0.1** *goodbye* ⇒⟨schr.⟩ *farewell, adieu* ◆ **3.1** iem. ~ zeggen *say g. / farewell to s.o..*

adieu² ⟨tw.⟩ **0.1** *goodbye* ⇒⟨schr.⟩ *farewell, adieu.*

adipeus ⟨bn.⟩ **0.1** *adipose* ⇒*obese.*

adj. ⟨afk.⟩ **0.1** [adjunct] *adj.* **0.2** [adjudant] *adj.* ⇒*adjt.* **0.3** [adjectief] *adj..*

adjectief¹ ⟨het⟩ **0.1** *adjective.*

adjectief² ⟨bn.⟩ **0.1** [bijvoeglijk] *adjectival* ⇒*adjective* **0.2** [mbt. een toevoegsel] *adjective* ◆ **1.**¶ ⟨tech.⟩ adjectieve kleurstoffen *adjective dyes.*

adjectivisch ⟨bn., bw.; -ly⟩ **0.1** *adjectival.*

adjudant ⟨de (m.)⟩ **0.1** [stafofficier] *adjutant, aide-de-camp* ⇒*aide,* ⟨AE ook⟩ *aid,* ⟨BE ook⟩ *equerry* ⟨bij vorstelijk persoon⟩, *A.D.C. (to)* **0.2** [adjudant-onderofficier] ≠*warrant-officer* **0.3** [vogel] *adjutant (bird/stork/crane).*

adjudant-onderofficier ⟨de (m.)⟩ **0.1** ≠*warrant-officer.*

adjunct ⟨de (m.)⟩ **0.1** *adjunct* ⇒⟨in samenst. vnl.⟩ *assistant,* ⟨onder-⟩ *deputy, vice-* ◆ **1.1** ~ hoofdredacteur *subeditor, deputy editor;* ~ inspecteur *assistant inspector.*

adjunct-directeur ⟨de (m.)⟩ **0.1** *assistant/deputy director/manager;* ⟨school.⟩ *deputy headmaster.*

adjunctie ⟨de (v.)⟩ **0.1** *adjunction.*

adjuvans ⟨het⟩ ⟨med.⟩ **0.1** *adjuvant.*

adjuvanstherapie ⟨de (v.)⟩ ⟨med.⟩ **0.1** *adjuvant therapy.*

a.d.l. ⟨afk.⟩ ⟨fysiotherapie⟩ **0.1** [activiteiten in het dagelijks leven] ⟨activities in daily life⟩.

adm. ⟨afk.⟩ **0.1** [administratie] *admin..*

administrateur ⟨de (m.)⟩, **-trice** ⟨de (v.)⟩ **0.1** [iem. die administratie voert] *administrator* ⇒⟨van schip⟩ *purser, steward,* ⟨boekhouder⟩ *accountant* **0.2** [beheerder namens de eigenaar] *administrator* ⇒⟨jur. ook⟩ *administratrix* ⟨v.⟩, *manager, trustee* **0.3** [ambtenaar] *administrative officer* ⇒*administrator* ◆ **1.1** de ~ v.e. universiteit *the administrative director of a university;* ⟨van inschrijvingsbureau⟩ *the (university) registrar.*

administratie ⟨de (v.)⟩ **0.1** [beheer] *administration* ⇒⟨bestuur⟩ *management,* ⟨boekhouding⟩ *accounting, accounts,* ⟨kantoorwerk⟩ *office work/duties, clerical work,* ⟨inf.⟩ *admin,* ⟨ook pej.⟩ *paperwork,* ⟨pej.⟩ *desk work* **0.2** [stukken] *records* ⇒⟨boekhouding⟩ *accounts,* ↓*books* **0.3** [gebouw, vertrek]⟨afdeling⟩ *administrative department;* ⟨gebouw⟩ *administrative building/offices* ⇒⟨clerical department,* ⟨boekhouding⟩ *accounts department,* ⟨mil.⟩ *paymaster's department* **0.4** [personen] *administration* ⇒⟨bestuur⟩ *management* ◆ **1.1** de ~ v. e. krant *the management/publishers of a paper;* raad van ~ *executive board;* ⟨in V.S. ook⟩ *general management* **3.1** de ~ voeren *do the administrative work;* ⟨boekhouding⟩ *keep the accounts/records/books* **6.3** hij zit **op** de ~ *he's in the administrative/clerical department/* ⟨inf.⟩ *in admin.*

administratief
I ⟨bn.⟩ **0.1** [mbt. de/een administratie] *administrative* ⇒⟨mbt. alg. kantoor/schrijfwerk⟩ *clerical,* ⟨mbt. bestuur⟩ *managerial* **0.2** [⟨jur.⟩] *administrative* ◆ **1.1** ~ personeel *a. / clerical staff; office/* ⟨inf.⟩ *white-collar workers;* ⟨scherts.⟩ *pen-pushers;* ~ werk *a. / clerical/office work,* ⟨ook pej.⟩ *paperwork;* ⟨pej.⟩ *desk work* **1.2** ~ recht *a. law;* administratieve rechtspraak ⟨organisatie, werkwijze⟩ *a. procedure;* ⟨zitting⟩ *a. proceedings;* ⟨jurisprudentie⟩ *a. decisions;*
II ⟨bw.⟩ **0.1** [in, wat betreft de administratie] *administratively* ⇒*clerically, managerially* ◆ **2.1** ~ onderlegd zijn *be (very) experienced in/have (a great deal of) experience in administrative/clerical work.*

administratiekantoor ⟨het⟩ **0.1** *administrative/managerial office.*

administratiekosten ⟨zn.mv.⟩ **0.1** *administrative costs/expenses/charges* ⇒*service charge(s).*

administratienummer ⟨het⟩ **0.1** *identification number.*

administratrice →*administrateur.*

administreren ⟨onov., ov.ww.⟩ **0.1** [beheren, besturen] *administer* ⟨fondsen, vermogen⟩; *manage,* ↓*run* ⟨onderneming⟩; ⟨boeken bijhouden⟩ *keep accounts* **0.2** [toedienen] *administer* ◆ **1.1** een ~d lichaam *an administrative body.*

admiraal ⟨de (m.)⟩ **0.1** [persoon] *admiral* **0.2** [schip plus bemanning] ⟨→admiraalsschip⟩ **0.3** [vlinder] ⟨→admiraalvlinder⟩.

admiraalsschip ⟨het⟩ **0.1** *admiral('s ship)* ⇒*flagship.*

admiraalsvlag ⟨de⟩ **0.1** *admiral's flag.*

admiraalvlinder ⟨de (m.)⟩ **0.1** *(red) admiral.*

admiraliteit ⟨de (v.)⟩ ⟨gesch.⟩ **0.1** *admiralty* ⇒ ⟨BE ook⟩ *Board of Admiralty.*

admiraliteitscollege ⟨het⟩ ⟨gesch.⟩ **0.1** *admiralty* ⇒ ⟨BE ook⟩ *Board of Admiralty.*

admiratie ⟨de (v.)⟩ **0.1** *admiration.*

admissie ⟨de (v.)⟩ **0.1** [toelating] *admission* ⇒*permission* **0.2** [toelatingsexamen] *entrance examination* ◆ **2.1** ⟨jur.⟩ gratis ~ ⟨vero.⟩ *taking or defending proceedings 'in forma pauperis'; granting of legal aid.*

adnominaal ⟨bn., bw.; -ly⟩ ⟨taal.⟩ **0.1** *adnominal.*

adolescent ⟨de (m.)⟩ **0.1** *adolescent* ⇒⟨m. ook⟩ *youth,* ≠*youngster,* ≠*teenager,* ≠*young adult.*

adolescentie ⟨de (v.)⟩ **0.1** *adolescence.*

adonis ⟨de (m.)⟩ **0.1** [schone jongeling] *Adonis* ⇒*Greek god,* ⟨inf; scherts.⟩ *God's gift to women, answer to a maiden's prayer* **0.2** [pronker] *≠dandy, ≠beau* **0.3** [plant] *adonis.*

adoniseren ⟨wk.ww.; zich~⟩ **0.1** [zich opdirken] *adonize (o.s.)* ⇒*≠dandify/beautify o.s.* **0.2** [alles doen om jong en mooi te zijn] *adonize (o.s.)* ⇒*≠play/imitate Dorian Gray.*

adoptant ⟨de (m.)⟩ **0.1** *adopter, adoptive parent.*

adopteren
I ⟨onov., ov.ww.⟩ **0.1** [als kind aannemen] *adopt;*
II ⟨ov.ww.⟩ **0.1** [onder zijn hoede nemen] *adopt* ⇒*take up* **0.2** [aannemen] *adopt* ⇒*take up, embrace, espouse* ◆ **1.2** een idee ~ *a. an idea.*

adoptie ⟨de (v.)⟩ **0.1** *adoption.*

adoptief ⟨bn.⟩ **0.1** ⟨vnl. mbt. ouder⟩ *adoptive;* ⟨vnl. mbt. kind⟩ *adopted.*

adoptiefouders ⟨zn.mv.⟩ **0.1** *adoptive parents.*

adoptiekind ⟨het⟩ **0.1** *adopted child* ⇒⟨AE ook⟩ *adoptee.*

adorabel ⟨bn.⟩ **0.1** *adorable* ⇒*gorgeous, lovely, delightful.*

adoratie ⟨de (v.)⟩ **0.1** [aanbidding] *adoration* ⇒*worship, veneration* **0.2** [huldiging] *adoration.*

adoreren ⟨ov.ww.⟩ **0.1** *adore* ⇒*worship, venerate, idolize.*

ad rem ⟨bn., bw.⟩ **0.1** *ad rem* ⇒(straight/right) *to the point, pertinent* ◆ **1.1** een~ antwoord *an ad rem/a pertinent retort/reply* **3.1** ~ reageren *react ad rem* **5.1** ze is zeer~ *she is quick(-witted).*

adrenaal ⟨bn.⟩ ⟨biol.⟩ **0.1** *adrenal.*

adrenaline ⟨de⟩ **0.1** *adrenaline* ⇒⟨vnl. AE⟩ *epinephrin(e).*

adres ⟨het⟩ **0.1** [woon-, verblijfplaats] *address* ⇒(place of) *residence* **0.2** [vermelding van de woon-, verblijfplaats] *address* ⇒⟨vero.⟩ *direction* ⟨op brief⟩, ⟨boven brief ook⟩ *inside address* **0.3** [rekest] *address* ⇒*petition, memorial* **0.4** [⟨comp.⟩] *address* ◆ **1.3** een ~ van adhesie *a declaration of approval/sympathy/support* **2.1** weet je een goed~ voor fotoartikelen? *do you know a good photographer's/a. for photographic materials?;* ⟨fig.⟩ je bent aan het juiste ~ *you've come to the right man/woman/* ↳*shop;* vanaf volgende maand heb ik een nieuw~ ⟨ook⟩ *I'm moving next month;* zonder vast ~ *of no fixed abode;* ⟨fig.⟩ je bent bij hem/mij aan het verkeerde ~ *you've got the wrong man/person;* ↳*you're barking up the wrong tree;* ⟨met 'mij' ook⟩ ↳*you've come to the wrong shop* **3.2** je moet hier je ~ invullen *enter your a. here;* hij verhuisde en liet geen ~ achter *he moved (house) and left no forwarding a.* **6.1** ⟨fig.⟩ die opmerking was **aan** het ~ van jouw zus *that remark was meant for/intended for/directed at your sister;* **per** ~ care of, ^in care of; ⟨afk.⟩ c/o **6.3** een ~ **aan** de Tweede Kamer *a(n) a./petition/memorial to the Second Chamber.*

adresband ⟨de (m.)⟩ **0.1** *wrapper.*

adresboek ⟨het⟩ **0.1** *directory.*

adresfirma ⟨de (v.)⟩ **0.1** *business reply firm.*

adresgroep ⟨de⟩ **0.1** *special/selective list/group of addresses.*

adreskaartje ⟨het⟩ **0.1** (*visiting*) *card* ⇒⟨AE ook⟩ *calling card,* ⟨in zakenwereld⟩ *business card.*

adreslijst ⟨de⟩ **0.1** *list of addresses* ⇒⟨verzendlijst⟩ *mailing list.*

adressant ⟨de (m.)⟩ **0.1** *petitioner* ⇒*memorialist, applicant.*

adresseermachine ⟨de (v.)⟩ **0.1** *addressing machine* ⇒⟨vnl. BE⟩ *addressograph.*

adressenbank ⟨de⟩ **0.1** *directory, list of addresses* ⇒⟨verzendlijst⟩ *mailing list.*

adres(sen)bestand ⟨het⟩ **0.1** *directory* ⇒⟨comp.⟩ *address file.*

adressenlijst →**adreslijst**

adresseren
I ⟨ov.ww.⟩ **0.1** [v.e. adres voorzien] *address* ⇒*direct, label* ⟨bagage⟩ ◆ **1.1** een brief vergeten te ~ *forget to a. a letter* **6.1** waarom werden die brieven **aan** mij geadresseerd? *why were those letters addressed/sent to me?;*
II ⟨wk.ww.; zich ~⟩ **0.1** [zich wenden] *address o.s.* (*to*) ⇒*apply (to);*
III ⟨onov.ww.⟩ **0.1** [een rekest indienen] *address a petition (to), petition* ⇒*memorialize.*

adressering ⟨de (v.)⟩ **0.1** [het adresseren] *addressing* **0.2** [adres] *address* **0.3** [⟨comp.⟩] *addressing.*

adressograaf ⟨de (m.)⟩ **0.1** ⟨vnl. BE⟩ *addressograph* ⇒*addressing machine.*

adresstrook ⟨de⟩ **0.1** *address label.*

adreswijziging ⟨de (v.)⟩ **0.1** *change of address* ◆ **3.1** ~en sturen *send change of address cards, notify people of one's change of address/new address.*

Adriatisch ⟨bn.⟩ **0.1** *Adriatic* ◆ **1.1** ~e Zee *A. Sea.*

adsorberen ⟨ov.ww.⟩ **0.1** *adsorb.*

adsorptie ⟨de (v.)⟩ **0.1** *adsorption* ◆ **2.1** polaire ~ *polar a..*

adspirant →**aspirant**

adstructie ⟨de (v.)⟩ **0.1** ⟨staving⟩ *support, substantiation;* ⟨toelichting⟩ *elucidation, explanation* ◆ **6.1** voorbeeld **ter** ~ *case in point;* **ter** ~ van mijn beweringen *in support of/to substantiate my allegations.*

adstrueren ⟨ov.ww.⟩ **0.1** ⟨staven⟩ *support, substantiate;* ⟨toelichten⟩ *elucidate, explain.*

adukiboon ⟨de⟩ **0.1** *adsuki/adzuki bean.*

adulaar ⟨het⟩ ⟨geol.⟩ **0.1** *adularia, adular* ⇒*moonstone.*

adult ⟨bn.⟩ **0.1** *adult.*

advenant ◆ **6.¶ naar** ~ *in proportion/keeping.*

advent ⟨de (m.)⟩ ⟨rel.⟩ **0.1** *Advent.*

adventief ⟨bn.⟩ **0.1** *adventive, adventitious* ◆ **1.1** adventieve planten *adventive/adventitious plants.*

adventist ⟨de (m.)⟩ **0.1** *Adventist.*

adventskaars ⟨de⟩ ⟨rel.⟩ **0.1** *Advent candle.*

adventskrans ⟨de (m.)⟩ **0.1** *Advent wreath.*

adverbiaal ⟨bn., bw.; -ly⟩ **0.1** *adverbial.*

adverbium ⟨het⟩ **0.1** *adverb.*

adverteerder ⟨de (m.)⟩, **-ster** ⟨de (v.)⟩ **0.1** *advertiser.*

advertentie ⟨de (v.)⟩ **0.1** *advertisement* ⇒⟨inf.⟩ *ad,* ⟨vnl. BE; inf.⟩ *advert,* ⟨aankondiging van huwelijk/overlijden/enz.⟩ *notice, announcement* ◆ **2.1** de kleine ~*s the small/classified ads* **3.1** op een ~ schrijven *answer an advertisement;* een ~ plaatsen *put an advertisement in the paper(s);* ⟨groot⟩ *buy space in the paper(s).*

advertentieacquisiteur ⟨de (m.)⟩ **0.1** *advertisement/advertising canvasser, advertising space salesman* ⇒⟨hoofd van dienst⟩ *advertising sales director.*

advertentieacquisitie ⟨de (v.)⟩ **0.1** *selling of advertising space, canvassing of advertisements.*

advertentieblad ⟨het⟩ **0.1** *advertiser.*

advertentiebureau ⟨het⟩ **0.1** *advertising agency/office/firm.*

advertentiecampagne ⟨de⟩ **0.1** *advertising campaign* ⇒⟨inf.⟩ *ad campaign.*

advertentiekolom ⟨de⟩ **0.1** *advertisement column.*

advertentiekosten ⟨zn.mv.⟩ **0.1** *advertising charges/costs* ◆ **6.1** tegen ~ terug te bekomen *returnable upon reimbursement of advertising charges.*

advertentiepagina ⟨de⟩ **0.1** *page of advertisements* ⇒⟨rubriekadvertenties⟩ *classified advertisements/* ⟨inf.⟩ *ads.*

adverteren
I ⟨onov.ww.⟩ **0.1** [advertenties plaatsen] *advertise* ⇒⟨aankondigen⟩ *announce* ◆ **6.1** er wordt veel geadverteerd **voor** dat artikel *there is heavy advertising of that article, that article is being heavily advertised;* ⟨inf.⟩ *they're plugging that article;*
II ⟨ov.ww.⟩ **0.1** [openbaar bekendmaken] *publicize* ⇒*advertise,* ⟨aankondigen⟩ *announce* **0.2** [door advertenties aanprijzen] *advertise* ⇒⟨inf.⟩ *plug.*

advies ⟨het⟩ **0.1** [raad] *advice* ⇒*opinion, counsel,* ⟨jur.⟩ *recommendation* **0.2** [kennisgeving, machtiging] *instructions* ⇒⟨bericht⟩ *notification, notice, advice,* ⟨machtiging⟩ *authority* ◆ **2.1** rechtskundig~ vragen *take/seek legal a.* **3.1** zij gaven mij ~ over *they advised me on;* ~/adviezen geven *give a., advise;* iem.'s ~ inwinnen over *obtain s.o.'s a. about;* het ~ van deskundigen inwinnen *obtain expert a., get the opinion of experts, get expert opinion;* iem.'s ~/advies opvolgen *act on/follow s.o.'s a.;* iem.'s ~/adviezen niet opvolgen *act against/go against/ignore s.o.'s a.;* ~ uitbrengen over de voorstellen *publish a report/report on the proposals;* ~ vragen *ask for a./ask for an opinion* ⟨v.e. deskundige⟩ **6.1 in** ~ houden *reserve judg(e)ment;* iem. **om** ~ vragen *ask s.o. for a./an opinion, seek s.o.'s a., consult s.o.;* ↳*take counsel with s.o.;* **op** ~ v.d. dokter *on the a. of the doctor, on* (the) *doctor's a./orders;* ⟨jur.⟩ **tegen** zijn ~ in *against/contrary to his recommendation/judg(e)ment;* **van** ~ dienen *advise, give/offer a./counsel (to);* ↳*counsel for a.* **6.2 volgens** ~ *as authorized, as per i./advice;* **zonder** ~ *without authority;* ⟨in afwachting van antwoord⟩ *awaiting i.* **¶.1** een ~ *a piece of a.; an opinion* ⟨v.e. deskundige⟩.

adviesbureau ⟨het⟩ **0.1** *consultancy* ⇒⟨med.⟩ *clinic,* ⟨hand.⟩ *firm of consultants.*

adviescommissie ⟨de (v.)⟩ **0.1** *advisory committee/board/panel.*

adviesorgaan ⟨het⟩ **0.1** *advisory/counselling ^eling body.*

adviesprijs ⟨de (m.)⟩ **0.1** *recommended selling/retail price, suggested retail price.*

adviesraad ⟨de (m.)⟩ **0.1** *advisory body* ⇒⟨AE ook⟩ *brain trust.*

adviesrecht ⟨het⟩ **0.1** *advisory powers/right.*

adviessnelheid ⟨de (v.)⟩ **0.1** *recommended speed.*

adviseren
I ⟨ov.ww.⟩ **0.1** [als advies geven] *recommend* ⇒*advise (s.o.)* **0.2** [⟨hand.⟩] *advise* ⇒⟨kennisgeven⟩ *notify* **0.3** [aantekenen] *register* ◆ **1.1** de arts adviseerde een nieuwe behandeling *the doctor recommended a new treatment;* een ~de stem *a consultative voice;*
II ⟨ov.ww.⟩ **0.1** [van advies dienen] *advise* ⇒*counsel* ◆ **6.1** ~ **tot** recommend, advise.

adviseur ⟨de (m.)⟩, **-seuse** ⟨de (v.)⟩ **0.1** *adviser, advisor* ⇒*counsellor ^elor, counsel,* ⟨hand., med. ook⟩ *consultant* ◆ **1.1** ~ voor beroepskeuze *careers a./officer* **2.1** ⟨r.k.⟩ geestelijk ~ *spiritual a./counsellor;* rechtskundig~ *legal a., lawyer;* ⟨BE ook⟩ *solicitor.*

advocaat ⟨de (m.)⟩, **-cate** ⟨de (v.)⟩ **0.1** [⟨jur.⟩] ⟨alg.⟩ *lawyer* ⇒⟨BE; pleiter voor hogere rechtbank⟩ *barrister,* ⟨BE; adviseur, pleiter voor lagere rechtbank⟩ *solicitor, ^attorney,* ⟨vnl. Schotland⟩ *advocate, counsel* **0.2** [pleiter] *advocate* ⇒*supporter* **0.3** [drank] *advocaat* ⇒*≠eggnog/flip* ◆ **1.1** ⟨fig.⟩ ~ v.d. duivel *the devil's advocate* **1.2** een ~ van kwade zaken zijn ⟨fig.⟩ *stand up for (all) the wrong things;* ⟨jur.⟩

be a bent l. **2.1** zijn eigen ~ zijn *represent/defend o.s. (in court)* **3.1** een ~ nemen *call in a l., appoint/engage/employ a solicitor;* voor ~ studeren *read/study for the bar, study to become a l.* **6.2** ⟨fig.⟩ hij is een goed ~ **voor** verloren zaken *he is good at getting his point across/making his point* **8.1** spreken/liegen als een ~ *talk/lie as if butter wouldn't melt in one's mouth;* als ~ toegelaten worden *be called to the bar* ¶**.3** een ~ je *a glass/tot of a..*

advocaat-fiscaal ⟨de (m.)⟩ **0.1** ≠*judge advocate;* ⟨hoofd van dienst⟩ *Judge Advocate General.*

advocaat-generaal ⟨de (m.)⟩ **0.1** ≠B*Solicitor General.*

advocatencollectief ⟨het⟩ **0.1** *law centre,* A≠*legal clinic.*

advocatenkamer ⟨de⟩ **0.1** *legal aid office* ⇒⟨BE⟩ *Citizens Advice Bureau.*

advocatenkantoor ⟨het⟩ **0.1** *lawyer's office* ⇒⟨BE ook⟩ *solicitor's office,* ⟨AE ook⟩ *attorney's office,* ⟨BE⟩ *firm of solicitors,* ⟨AE⟩ *law firm.*

advocatenpraktijk ⟨de⟩ **0.1** *legal practice* ⇒⟨BE ook⟩ *solicitor's practice.*

advocatenstreek ⟨de⟩ ⟨pej.⟩ **0.1** *(crafty) dodge* ⇒⟨jur.⟩ *legal dodge.*

advocatuur ⟨de (v.)⟩ **0.1** *Bar* ⇒*legal profession* ♦ **2.1** de sociale ~ ≠*legal aid lawyers.*

A.E. ⟨ster.⟩ ⟨afk.⟩ **0.1** [astronomische eenheid] *A.U..*

aequinoctium ⟨het⟩ **0.1** *equinox.*

aëratie ⟨de (v.)⟩ **0.1** *aeration.*

aëreren ⟨ov.ww.⟩ **0.1** *aerate.*

aëroclub ⟨de⟩ **0.1** *aeroclub* ⇒*flying club.*

aërodynamica ⟨de (v.)⟩ **0.1** *aerodynamics.*

aërodynamisch ⟨bn.⟩ **0.1** *aerodynamic.*

aërofobie ⟨de (v.)⟩ ⟨psych.⟩ **0.1** *aerophobia.*

aërograaf ⟨de (m.)⟩ **0.1** *airbrush.*

aëroliet ⟨de (m.)⟩ ⟨ster.⟩ **0.1** *aerolite* ⇒*aerolith.*

aëromechanica ⟨de (v.)⟩ **0.1** *aeromechanics.*

aërometer ⟨de (m.)⟩ **0.1** *aerometer.*

aëronautiek ⟨de (v.)⟩ **0.1** *aeronautics.*

aëronautisch ⟨bn.⟩ **0.1** *aeronautic(al).*

aëroob ⟨bn.⟩ ⟨biol.⟩ **0.1** *aerobic.*

aëroplankton ⟨het⟩ **0.1** *aeroplankton.*

aëroscoop ⟨de (m.)⟩ **0.1** *aeroscope.*

aërosol ⟨de⟩ **0.1** *aerosol.*

aërosolverpakking ⟨de (v.)⟩ **0.1** *aerosol (can/container/pack).*

aërostatica ⟨de (v.)⟩ **0.1** *aerostatics.*

aërostatisch ⟨bn.⟩ **0.1** *aerostatic.*

aërotrein ⟨de (m.)⟩ **0.1** *aerotrain* ⇒*hovertrain.*

aërotropisme ⟨het⟩ **0.1** *aerotropism.*

aetiologie ⟨de (v.)⟩ **0.1** [leer van de oorzaken van ziekten] *aetiology* **0.2** [leer van de oorzaken] *aetiology.*

af[1] ⟨het⟩ ♦ **6.¶** terug zijn **bij** ~ *be back to square one;* teruggaan **naar** ~ *go back to square one.*

af[2]

I ⟨bw.⟩ **0.1** [mbt. een verwijdering] *off, away* **0.2** [⟨+van⟩ mbt. het uitgangspunt] *from* **0.3** [mbt. een verwijderd/gescheiden zijn] *away, off* **0.4** [daar beneden] *down* **0.5** [mbt. een nadering] *to* ⟨+op⟩ *towards, up to* ♦ **1.1** ~ fabriek *ex factory;* hoeden ~! *hats o.!, o. with your hats!;* de stoep ~ en de straat op *o. the pavement and into the road* **1.3** ambtenaar ~ zijn *have retired from office/one's post;* hij is minister ~ *he has ceased to be/finished being/stood down as a minister* **1.4** de rivier ~ *d. river;* de trap ~ *d. the stairs* **1.¶** ⟨dram.⟩ Hamlet ~ *exit Hamlet* **2.¶** goed/beter/slecht ~ zijn *be well/better/badly off, come off well/better/badly* **3.3** de nieuwigheid is er een beetje ~ *the novelty has worn off a bit,* ⟨fig.⟩ dat kan er niet ~ *that's beyond my* ⟨enz.⟩ *means, I* ⟨enz.⟩ *can't afford that* **3.¶** daar wil ik ~ zijn *I wouldn't like to say* **4.¶** ⟨dram.⟩ allen ~ *exeunt omnes* **5.1** ~ en aan *back and forth, to and fro, hither and thither;* ~ en aan lopen *come and go;* ⟨als zn.⟩ *comings and goings;* ~ en aan varen ⟨dienst onderhouden⟩ *ply back and forth;* ~ en aan varen tussen *ply between;* er ~! *get o.!;* ⟨fig.⟩ hij wil er niet ~ *he won't give way/change his mind;* ⟨mbt. bezitting⟩ *he won't let it go;* het deksel wil er niet ~ *the top/lid won't come o.;* ~ en toe *(every) now and then, now and again, o. and on, on and o., occasionally, every so often;* ~ en toe zie ik hem nog wel eens *I meet him occasionally;* ~ en toe buien *intermittent showers* **5.3** de verf is er ~ *the paint has come o.;* ver ~ *a long way o.* **5.4** op en ~ *up and d.* **5.¶** ~ of aan! *yes or no!, make up your mind(s)!* **6.2** van de brug ~ ⟨gerekend⟩ *the third house (counting) f. the bridge;* **van** die dag ~ *f. that day (on/onward(s)), since that day;* **van** kind ~ / **van** jongs ~ (aan) *(ever) since I was* ⟨enz.⟩ *a child, (ever) since we were* ⟨enz.⟩ *children, (ever) since childhood;* **van** zich ~ spreken *hold one's own, keep one's end up, have a tongue of one's own;* ⟨fig.⟩ **van** zich ~ bijten *stick up for o.s., give as good as one gets;* ⟨snauwen⟩ *give (s.o.) the rough side of one's tongue;* **van** de president ~ tot de armste burger *f. the president down to the poorest inhabitant;* **van** 1 pond ~ *f. a pound* (⟨toenemend⟩ *up/*⟨afnemend⟩ *down);* we zijn nog ver **van** ons doel ~ *we are still a long way f. our goal;* **van** de grond ~ *f. the bottom, f. ground level;* **van** september ~ *f.*

September on/onward(s); ⟨mbt. regeling enz.⟩ *as f. September* **6.3** hij woont een einde **van** de weg ~ *he lives a little way o./a. from the road;* **van** iem. ~ zijn *be rid/shot of s.o., have done with s.o.;* **van** elkaar ~ zijn *be separated (from each other/one another), have parted company;* u bent nog niet **van** me ~ *you haven't seen the last/back of me;* gelukkig ben ik daar nu **van** ~ *I'm glad that's over (and done) with;* zij woont twee minuten **van** de bushalte ~ *she lives two minutes (a.) from the bus stop;* 200 meter **van** de weg ~ *200 metres o. the road;* blij **van** iem. ~ te zijn *be glad to be rid/be shot/see the back of s.o.;* het huis ligt een goed stuk **van** de weg ~ *the house is well a./stands well back from the road;* goed, dat we **van** die moeilijkheden ~ zijn *we are well rid/shot of those difficulties* **6.5** ze komen **op** ons ~ *they are coming up to/coming towards us;* **op** het geluid ~ *towards/in the direction of the sound;* ⟨fig.⟩ **op** de man ~ *directly, straight, point blank* **6.¶ bij** de beesten ~ *beastly, brutish;* **op** de minuut ~ *to the (very) minute;* ⟨stipt⟩ *on the dot, sharp;* iets doen **op** het gevaar ~ *risk/chance (doing) sth., take a chance on (doing) sth.;* dat was **op** het kantje ~ *that was a near thing/close call/close shave;* **op** 't onbeleefde ~ *to the point of rudeness;* het gebeurde **op** de dag ~, twee jaar geleden *it happened two years ago to the (very) day;* tien uur **op** de minuut ~ *ten (o'clock) on the dot, on the dot of ten (o'clock), ten (o'clock) sharp;* ik weet er niets **van** ~ *I don't know anything about it;* **van** voren ~ aan beginnen *start from scratch;* ⟨opnieuw⟩ *start all over again* **7.¶** zes bij en vier ~ *six on and four off* ¶**.1** op uw plaatsen! klaar? ~! *on your marks! get set! go!;* ⟨inf.⟩ *ready, steady, go!* ¶**.4** ~! *(get) d.!;* ⟨tegen hond ook⟩ *d. boy/girl!* ¶**.¶** iem. te vlug ~ zijn *be too quick for s.o.;*

II ⟨bn.⟩ **0.1** [afgemat] *worn out* ⇒*finished,* ⟨inf.⟩ *shattered, (dead) beat, washed out* **0.2** [afgewerkt] *finished* ⇒*done, completed,* ⟨verzorgd⟩ *polished, well-finished* **0.3** [uit]⟨toestel⟩ *off* ⇒⟨licht ook⟩ *out* **0.4** [⟨spel⟩] *out* ♦ **3.2** dat is ~ *that is done to perfection;* het werk is ~ *the job/work is done/f.;* de voorstelling was helemaal ~ *the performance was perfect;* zijn manieren zijn ~ *his manners are impeccable* **3.3** de verloving is ~ *the engagement is off;* de radio staat ~ *the radio is off* **3.4** je bent ~ *you're o..*

afaeresis ⟨de (v.)⟩ ⟨taal.⟩ **0.1** *aph(a)eresis.*

afasie ⟨de (v.)⟩ **0.1** *aphasia.*

afaticus ⟨de (m.)⟩, **-ca** ⟨de (v.)⟩ **0.1** *aphasic.*

afatisch ⟨bn.⟩ **0.1** *aphasic.*

afb. ⟨afk.⟩ **0.1** [afbeelding] *fig..*

afbakenen ⟨ov.ww.⟩ **0.1** *mark out* ⇒*stake/set/peg out* ⟨perceel⟩, *define* ⟨grens⟩, *demarcate* ⟨gebied, taak⟩, *mark off* ⟨met scheidslijn⟩, *trace (out)* ⟨weg⟩ ♦ **1.1** een stuk land ~ *mark/stake out a piece of land;* ⟨fig.⟩ de leerstof ~ *define the syllabus;* ⟨fig.⟩ iemands macht ~ *circumscribe s.o.'s powers, peg/pin back s.o.'s power;* een tracé ~ *plot/mark/trace a course;* een vaarwater ~ *buoy a channel* **5.1** duidelijk afgebakend ⟨ook⟩ *clear-cut* ⟨plan, taak⟩.

afbakening ⟨de (v.)⟩ **0.1** [handeling] *marking out/off* ⇒*delineation, definition, demarcation* **0.2** [resultaat] *delineation* ⇒*definition, demarcation* ♦ **1.1** de ~ v.e. werkterrein *job demarcation* **2.2** de ~ is niet scherp *there is no fine distinction/clear dividing line.*

afbedelen ⟨ov.ww.⟩ **0.1** [afsmeken] *cadge* ⇒⟨verzoeken⟩ *beg (s.o.) for (sth.)/*⟨daad⟩ *(sth.) of (s.o.)/*⟨ding⟩ *(sth.) from (s.o.), solicit,* ⟨inf.⟩ *pester/badger for* **0.2** [bietsen] *wheedle out of* ⇒*scrounge* **0.3** [bedelend aflopen] *go round begging for* ♦ **1.1** iem. een geschenk ~ ⟨verkrijgen⟩ *c. a gift from s.o./*⟨verzoeken⟩ *beg/solicit a gift from s.o.;* iem. een gunst ~ ⟨verkrijgen⟩ *c. a favour from/off s.o.;* ⟨verzoeken⟩ *beg a favour of s.o.* **1.3** hij heeft het hele land om werk afgebedeld *he's been all over the country/round the whole country begging for work.*

afbeelden ⟨ov.ww.⟩ **0.1** [in beeld voorstellen] *depict, portray* ⇒*picture, illustrate, represent* ⇒*show* **0.2** [beschrijven] *portray* ⇒*depict, describe* ♦ **1.2** de wanhoop ~ *p. despair.*

afbeelding ⟨de (v.)⟩ **0.1** [het afbeelden] *portrayal* ⇒*depiction, illustration, representation* **0.2** [beeld] *picture* ⇒*image,* ⟨in boek⟩ *illustration, figure* **0.3** [beschrijving] *portrayal* ⇒*description* **0.4** [⟨wisk.⟩] *mapping* ♦ **1.2** ⟨in een boek⟩ lijst van ~ en *list/table of illustrations/figures* **2.1** op de bovenstaande ~ in the *p. shown above.*

afbeeldsel ⟨het⟩ **0.1** *depiction, reproduction* ⇒⟨portret⟩ *portrait.*

afbekken ⟨ov.ww.⟩ ⟨inf.⟩ **0.1** *snap at* ⇒*snarl/bark at* ♦ **1.1** iem. ~ ⟨ook⟩ *jump down s.o.'s throat, round on s.o., bite/snap s.o.'s head off* **3.1** je moet je door hem niet laten ~ *don't take any lip/abuse from him.*

afbellen

I ⟨ov.ww.⟩ **0.1** [telefonisch afzeggen] *ring off* **0.2** [per telefoon langsgaan] *ring round* ♦ **1.2** hij belde de halve stad af om een taxi *he rang round half the city for a taxi;*

II ⟨onov.ww.⟩ **0.1** [het vertreksein geven] *ring the starting bell* **0.2** [te kennen geven dat iets is afgelopen] *ring the finishing bell.*

afbestellen ⟨ov.ww.⟩ **0.1** [mbt. zaken] *cancel (an order for)* ⇒⟨regelmatige bestelling ook⟩ *stop* **0.2** [mbt. personen] *cancel* ⇒*countermand, revoke* ♦ **1.1** goederen ~ *cancel an order for goods;* de melk/krant ~ *cancel/stop the milk/paper;* zij heeft de stoel afbesteld *she has cancelled the order for the chair.*

afbetalen ⟨ov.ww.⟩ **0.1** [geheel voldoen] *pay off* ⟨persoon, schuld⟩; *pay for* ⟨goederen⟩; *discharge, redeem* ⟨schuld⟩ **0.2** [in mindering betalen] *pay on account (for)* ⇒*make a (down) payment (on)* ◆ **1.1** het huis is helemaal afbetaald *the house is completely paid for*; de schuldeisers zijn allemaal afbetaald *the creditors have all been paid off* **6.1** f 100,-~ **voor** de wagen *pay f 100,- on account for the car, make a down payment of f 100,- on the car.*

afbetaling ⟨de (v.)⟩ **0.1** [betaling in mindering] *hire purchase,* ⟨AE alleen⟩ *credit* ⇒*payment by instalment,* ⟨inf.⟩ *h.p.* **0.2** [volledige voldoening] *payment* ⇒*discharge, redemption, clearance* ⟨schuld⟩ ◆ **6.1** ~ in termijnen *payment by instalment/in instalments*; **op** ~ kopen/leveren *buy/supply on hire purchase/credit/account/* ⟨inf.⟩ *tick*; **op** ~ *on hire purchase/ (the) h.p./ credit, by deferred payments;* ⟨euf.⟩ *on easy terms, in easy payments;* ⟨inf.⟩ *on tick/ the never-never;* een televisie **op** ~ *a hire-purchase T.V., a T.V. on credit.*

afbetalingssysteem ⟨het⟩ **0.1** *hire purchase* ⇒*deferred/ extended payment system,* [A]*installment plan.*

afbetalingstermijn ⟨de (m.)⟩ **0.1** *instalment* ⇒*term/ period of repayment.*

afbeulen ⟨ov.ww.⟩ ⟨fig.⟩ **0.1** *drive into the ground, work to death* ⇒*hold/ keep s.o.'s nose to the grindstone, overdrive,* ⟨sl.⟩ *knacker* ◆ **1.1** een afgebeuld lichaam [B]*a fagged out body, a knocked* [B]*up/*[A]*out body;* een paard ~ *drive a horse into the ground* **4.1** zich ~*slave;* ⟨inf.⟩ *work one's guts out; knacker o.s..*

afbidden ⟨ov.ww.⟩ **0.1** [mbt. iets kwaads] *ward off/ keep at bay by prayer* **0.2** [mbt. iets goeds] *pray/ beg for* ⇒*entreat, invoke* ⟨weldaad⟩ ◆ **1.2** iem. een gunst ~*entreat a favour from s.o.* **1.¶** de rozenkrans ~*count/ say/ tell one's rosary/* ⟨inf.⟩ *beads.*

afbieden ⟨ov.ww.⟩ ⟨AZN⟩ **0.1** *bring/ knock/ beat down.*

afbietsen ⟨ov.ww.⟩ ⟨inf.⟩ **0.1** *wheedle out of* ⇒*scrounge.*

afbijten
I ⟨ov.ww.⟩ **0.1** [met de tanden afsnijden] *bite off* **0.2** [schoonbijten] *strip* ⇒*remove* **0.3** [door bijten van zich afhouden] *drive off with one's teeth/ fangs* ◆ **1.1** ⟨fig.⟩ de kop ~ ⟨van borrel⟩ *take the first sip/ nip;* nagels ~ *bite nails (down);* ⟨de punt van⟩ een sigaar ~ *bite the end off a cigar;* ⟨fig.⟩ het/ de spits ~ *set the ball rolling, break the ice, volunteer first;* ⟨fig.⟩ hij had zijn tong wel kunnen ~ *he could have bitten his tongue off/ kicked himself;* ⟨fig.⟩ zijn woorden ~*clip one's words* **1.2** verf ~ *s./ remove paint;*
II ⟨onov.ww.⟩ ◆ **6.¶** van zich ~ *stick up for o.s., give as good as one gets.*

afbijtmiddel ⟨het⟩ **0.1** *(paint) stripper* ⇒*(paint) remover.*

afbikken ⟨ov.ww.⟩ **0.1** [met een bikijzer verwijderen] *chip off/ away* ⟨steen, kalk⟩ ⇒*scale* **0.2** [een laag afbikken van] *chip off* ⇒*(de)scale* ⟨ketel⟩ ◆ **1.2** een muur ~ *chip off a layer off a wall.*

afbinden ⟨de (v.)⟩ **I** ⟨med.⟩ *tie off* ⇒*ligate, ligature* **0.2** [losbinden] *untie, undo* **0.3** [toebinden] *tie up* ◆ **1.1** een dier ~*castrate/ neuter an animal by ligature;* de navelstreng ~ *tie off the umbilical cord;* een wrat ~*remove a wart by ligature* **1.2** de schaatsen ~*untie/ undo one's skates.*

afbladderen ⟨onov.ww.⟩ **0.1** *flake (off)* ⇒*peel (off), scale, exfoliate* ◆ **1.1** de kalk/ de verf bladdert af *the whitewash/ paint is flaking/ peeling off.*

afblaffen ⟨ov.ww.⟩ **0.1** *bark at* ⇒*snap/ snarl at.*

afblazen
I ⟨ov.ww.⟩ **0.1** [door blazen verwijderen] *blow off/ away* ⇒⟨met hoge druk⟩ *blast (off)* **0.2** [mbt. werk dat uit blazen bestaat] *blow (away)* ◆ **1.1** de ketel ~*blow off the boiler;* stoom ~ ⟨ook fig.⟩ *let off steam* **4.2** die muzikant heeft vandaag wat afgeblazen *that musician has been blowing (away) quite a bit today;*
II ⟨onov., ov.ww.⟩ **0.1** [mbt. een signaal] ⟨onov. ww.⟩ *blow the whistle* ⇒ ⟨ov. ww.⟩ *whistle off/ away/ to start* ⟨beginsignaal⟩, *whistle to stop* ⟨eindsignaal⟩ ◆ **1.1** de scheidsrechter had al afgeblazen *the referee had already blown the whistle.*

afblijven ⟨onov.ww.⟩ **0.1** *keep off* ⇒*leave/ let alone, keep/ stay away (from)* ◆ **6.1** blijf **van** de koekjes af *leave the biscuits alone, stay away from the biscuits;* **van** iem. ~ ⟨ook fig.⟩ *leave s.o. alone/ be/ lay off s.o.;* **van** iets ~ *keep off sth.;* ⟨fig.⟩ *have nothing to do with sth., steer clear of sth.* **¶.1** ~! ⟨met voeten⟩ *keep off!;* ⟨met handen⟩ *don't touch!, hands off!.*

afbluffen ⟨ov.ww.⟩ **0.1** *overawe, outbluff.*

afblussen ⟨ov.ww.⟩ ⟨cul.⟩ **0.1** *add water to* ◆ **6.1** ~ met bouillon/ melk *add stock/ milk to.*

afboeken ⟨ov.ww.⟩ **0.1** [volledig boeken] *enter up* **0.2** [overboeken] *transfer* **0.3** [als verlies boeken] *write off.*

afboeking ⟨de (v.)⟩ **0.1** [afsluiting van rekening] *closing* **0.2** [overboeking] *transfer* **0.3** [afschrijving] *writing off.*

afboenen ⟨ov.ww.⟩ **0.1** ⟨nat⟩ *scrub (off);* ⟨droog⟩ *rub (off, down), polish.*

afborstelen ⟨ov.ww.⟩ **0.1** [met een borstel wegnemen] *brush off/ away* **0.2** [met een borstel reinigen] *brush (down)* **0.3** [⟨fig.⟩] *give a dusting/ dressing-down* ◆ **1.2** iem. ~ *brush s.o. down;* zijn kleren ~ *brush one's clothes, give one's clothes a brush* **1.3** iem. ~ ⟨inf. ook⟩ *dust s.o.'s jacket* **4.2** zich ~ *brush o.s. down, (have a) brush up.*

afbouw ⟨de (m.)⟩ **0.1** [geleidelijke stopzetting] *run-down* ⇒*cutback, reduction* **0.2** [geleidelijke afbraak] *dismantlement* **0.3** [voltooiing v.e. bouwwerk] *completion* **0.4** [⟨mijnw.⟩ ontginning] *working* ◆ **1.1** de ~ v.d. hulpverlening *the r.-d. in aid.*

afbouwen ⟨ov.ww.⟩ **0.1** [geleidelijk beëindigen] *run down* ⇒*cut back, reduce, cut down on* **0.2** [de bouw ten einde brengen] *complete, finish* **0.3** [⟨mijnw.⟩ ontginnen] *work* ◆ **1.1** we zijn onze relatie aan het ~ *we are breaking it off* **1.¶** een afgebouwde kolenmijn *an exhausted coal mine.*

afbraak ⟨de⟩ **0.1** [handeling] *demolition* ⇒*destruction, breaking up* ⟨van schip⟩ **0.2** [resultaat] *scrap* ⇒*rubble* ⟨van (bak)stenen⟩ **0.3** [⟨schei.⟩] *decomposition* ⇒*breakdown, disintegration, degradation* ⟨van moleculen⟩ ◆ **6.1** voor ~ verkopen *sell for demolition* ⟨gebouw⟩; *sell for/ as scrap* ⟨auto, schip⟩; huizen **voor** ~ *condemned houses.*

afbraakprijs ⟨de (m.)⟩ **0.1** [sloopprijs] *scrap value* ⇒*demolition price* ⟨van gebouw⟩ **0.2** [zeer lage prijs] *knock-down price* ◆ **6.1** verkopen **tegen** ~ *sell at s. v..*

afbraakprodukt ⟨het⟩ **0.1** *decomposition/ degradation product.*

afbraakterrein ⟨het⟩ **0.1** [waarop huizen afgebroken worden] *demolition site* **0.2** [dat rest nadat puin geruimd is] *(former/ cleared) demolition site.*

afbramen ⟨ov.ww.⟩ **0.1** *(de)burr* ⇒*smooth off.*

afbranden
I ⟨onov.ww.⟩ **0.1** [door brand vernietigd worden] *burn down* ◆ **1.1** de kaars is nog niet helemaal afgebrand *the candle has not quite burned down/ out;*
II ⟨ov.ww.⟩ **0.1** [door branden wegnemen] *burn off/ away* **0.2** [door branden reinigen] *burn off* **0.3** [door brand vernietigen] *burn down* ◆ **1.1** een wrat ~*cauterize a wart.*

afbreekbaar ⟨bn.⟩ **0.1** *decomposable* ⇒*degradable,* ⟨biologisch⟩ *biodegradable* ◆ **1.1** biologisch afbreekbare wasmiddelen *biodegradable detergents.*

afbreekbaarheid ⟨de (v.)⟩ **0.1** *decomposability* ⇒*degradability,* ⟨biologisch⟩ *biodegradability.*

afbreien
I ⟨onov.ww.⟩ **0.1** [steken op de volgende naald breien] *slip (stitches);*
II ⟨ov.ww.⟩ **0.1** [breiend afmaken] *finish knitting* ◆ **1.1** een sok/ net ~ *finish knitting a sock/ making a net.*

afbreken
I ⟨onov.ww.⟩ **0.1** [door breken gescheiden worden] *break off/ away* ⇒*snap (off)* ◆ **1.1** de punt brak (v.d. stok) af *the end broke off (the stick);*
II ⟨ov.ww.⟩ **0.1** [door breken scheiden] *break (off)* ⇒*snap (off)* **0.2** [plotseling doen ophouden] *break off* ⇒*halt, interrupt, cut short* ⟨vakantie⟩ **0.3** [slopen] ⟨slechten⟩ *pull down, demolish* ⇒*break/ tear down* ⟨versperring, schutting e.d.⟩, ⟨aan stukken slaan⟩ *break up,* ⟨mbt. auto, schip⟩ *(reduce to) scrap,* ⟨ontmantelen⟩ *dismantle, take apart, take down* ⟨kast, tent⟩ **0.4** [⟨fig.⟩ afkraken] *slate* ⇒*heavily criticize,* ⟨sterker⟩ *anihilate,* ⟨inf.⟩ *pan/ slam, pull* ⟨argumenten⟩ *to pieces* ◆ **1.1** een draad ~ *break/ snap a thread;* afgebroken takken *broken-off/ fallen branches;* woorden ~ *break (off)/ divide/ split (up) words* **1.2** diplomatieke betrekkingen ~ *break/ sever diplomatic relations;* haar leven werd plotseling afgebroken *her life was suddenly cut short/ came to a sudden end;* onderhandelingen ~ *break off negotiations;* hij brak zijn reis af *he broke (off)/ cut short/ interrupted his journey;* een elektrische stroom ~ *cut (off)/ break an electric current;* een telefoongesprek ~ *hang up, break off a telephone conversation;* een verloving ~ *break off an engagement;* de wedstrijd werd afgebroken *the game was adjourned;* hij brak zijn zin plotseling af *he stopped in the middle of his sentence/ mid-sentence, he suddenly interrupted his flow* **1.3** ⟨fig.⟩ de boel ~ *go wild/ berserk/* ⟨inf.⟩ *spare;* een tent ~ *take down/ strike a tent* **1.4** iem. ~ *slate/ heavily criticize s.o., run s.o. down;* ~ de kritiek *scathing/ destructive criticism* **6.1** een tak **van** de boom/ een bloem **van** haar steel ~ *break a branch off the tree/ a flower off its stalk;*
III ⟨onov., ov.ww.⟩ **0.1** [⟨schei.⟩] *decompose* ⇒*degrade, disintegrate, break down.*

afbrekingsteken ⟨de (v.)⟩ **0.1** [teken dat een woord afgebroken is] *hyphen* ⇒*dash* **0.2** [aanduiding v.e. afkorting] *full stop, point.*

afbrengen ⟨ov.ww.⟩ **0.1** [mbt. een plaats] *get off* ⇒*move, shift,* ⟨schip ook⟩ *refloat* **0.2** [mbt. een onderwerp] *put off* ⇒*divert, deter, deflect* ◆ **5.¶** het er goed ~ *do well/ alright (at/ in), make a good job (of), bring to a successful conclusion;* het er levend ~ *escape with one's life;* het er heelhuids ~ *come off/ through unscathed;* het er slecht ~ *do badly (at/ in), make a poor job (of);* ⟨inf.⟩ *come unstuck* **6.1** ⟨fig.⟩ iem. **van** de goede weg/ het rechte pad ~ *lead s.o. astray* **6.2** iem. **van** het slechte voornemen ~ *put s.o. off/ dissuade s.o. from their bad intention(s);* het gesprek **van** iets ~ *change the subject (of a conversation) (from sth.);* iem. **van** zijn onderwerp ~ *get/ put s.o. off their subject, sidetrack s.o.;* ze zijn er niet **van** af te brengen *they are not to be put off/ deflected/ deterred/ moved.*

afbreuk ⟨de⟩ ◆ **3.¶** iem. ~ doen *do s.o. harm;* ~ doen aan de vijand *harm the enemy;* ⟨mbt. slachtoffers⟩ *cause casualties among/inflict losses on the enemy;* ~ doen aan harm, injure, damage, do (some) harm/damage to; dat doet geen ~ aan zijn verdiensten *that does not detract/that takes nothing away from his merits;* het doet een beetje ~ aan het geheel *it does mar/spoil the effect somewhat, it does put a bit of a blot on the picture.*

afbrokkelen
I ⟨onov.ww.⟩ **0.1** [in brokjes losgaan] *crumble (off/away)* ⇒*fragment* ♦ **1.1** het plafond brokkelt af *the ceiling is crumbling;* ⟨fig.⟩ de prijzen/koersen brokkelden af *prices/exchange rates were being eroded;* II ⟨ov.ww.⟩ **0.1** [in brokjes afbreken] *break bits/fragments off* ⇒ *crumble off* ♦ **1.1** kruimels ~ *break crumbs off.*

afbuigen
I ⟨onov.ww.⟩ **0.1** [een andere richting nemen] *turn off* ⇒*bear/ branch off, bend away* ♦ **1.1** die spoorlijn buigt hier af *the railway line branches off here;* het ~d verkeer *traffic turning off* **6.1 naar** rechts ~ *bear off to the right;*
II ⟨ov.ww.⟩ **0.1** [door buigen verwijderen] *bend off* **0.2** [neerwaarts buigen] *bend down* ♦ **1.1** een tak v.e. boom ~ *bend a branch off a tree.*

afbuigmagneet ⟨de (m.)⟩ **0.1** *deflecting magnet.*

afchecken ⟨ov.ww.⟩ **0.1** *check (off)(against).*

afconcluderen ⟨ov.ww.⟩⟨pol.⟩ **0.1** *end conclusively* ♦ **1.¶** ⟨jur.⟩ de zaak is afgeconcludeerd *proceedings have been completed.*

afd. ⟨de (v.)⟩⟨afk.⟩ **0.1** [afdeling] *dept.* ⇒*div., sect..*

afdak ⟨het⟩ **0.1** [afhellend dak] *side shelter* ⇒*lean-to (roof)* **0.2** [vrijstaand dak] *shelter* ⇒ ⟨voor auto⟩ *carport.*

afdalen ⟨onov.ww.⟩ **0.1** [mbt. personen] *go/come down, descend* **0.2** [mbt. zaken] *drop (down), descend* **0.3** [⟨fig.⟩] *descend, come down* **0.4** [⟨geneal.⟩] *descend* ♦ **1.1** een berg ~ d./go/come down a mountain **1.4** de ~de lijn *the line of descent* **6.1 in** de mijn ~ *go down the pit/mine* **6.2** de wegen daalden af **in** diepe kloven *the roads dropped down/descended into deep ravines* **6.3 tot** iem. ~ *come down/descend to s.o.'s level;* ⟨mbt. spreken, schrijven⟩ *talk/write down to s.o.;* v.d. hoofdlijnen **tot** de details ~ *go from broad outlines into details* **6.¶ van** het verleden **tot** het heden ~ *come from the past down to the present.*

afdaling ⟨de (v.)⟩ **0.1** [het naar beneden gaan] *descent* **0.2** [⟨sport⟩] *downhill* **0.3** [vermindering] *descent.*

afdammen ⟨ov.ww.⟩ **0.1** *dam (up), block off* ⇒*stem* ♦ **1.1** ⟨fig.⟩ geen politietoezicht kon het juichend publiek meer ~ *police control could no longer stem the enthusiasm of the public.*

afdamming ⟨de (v.)⟩ **0.1** [het afdammen] *blockage* ⇒*blocking off* **0.2** [dam] *dam.*

afdanken ⟨ov.ww.⟩ **0.1** [ontslaan] *dismiss* ⇒⟨inf.⟩ *sack,* ⟨tijdelijk⟩ *lay off, pay off* ⟨werkploeg⟩, *disband* ⟨troepen⟩, *pension off* ⟨wegens ouderdom⟩ **0.2** [buiten gebruik stellen] *discard* ⇒*cast off/aside* ⟨kleren⟩, ⟨mbt. schip, machine⟩ *(send for) scrap* **0.3** [afwijzen] *turn away/down* ♦ **1.1** personeel ~ *pay/lay off staff* **1.2** een auto ~ *scrap a car;* een machine ~ *scrap a machine;* ⟨euf.⟩ *pension off a machine* **1.3** een vrijer/minnaar ~ *turn down a suitor/lover.*

afdankertje ⟨het⟩ **0.1** *cast-off* ⇒⟨inf.⟩ *hand-(me-)down* ♦ **¶.1** ~s ⟨ook⟩ *jumble.*

afdekken
I ⟨ov.ww.⟩ **0.1** [afruimen] *clear (the table)* **0.2** [bedekken] *cover (over/up)* ⇒⟨met bovenlaag⟩ *top off, cap* ⟨een punt, top⟩ **0.3** [bedekking afnemen van] *uncover* **0.4** [⟨geol.⟩] *cover* **0.5** [⟨foto.⟩] *block out* ⇒ *opaque* ⟨deel van afdruk/negatief⟩ **0.6** [⟨inf.⟩ afranselen] *thrash, lick* ♦ **1.2** een nieuwe bestrating ~ *dust/grit new roadsurfacing/tarmac* **1.¶** een vuur ~ *bank (up) a fire* **6.2** aardappelen **met** stro ~ *cover potatoes with straw;*
II ⟨onov.ww.⟩ **0.1** [het tafeldekken afmaken] *finish (laying/setting the table).*

afdekplaat ⟨de⟩ **0.1** *cover(ing) plate.*

afdekverf ⟨de⟩ **0.1** *top/finishing coat.*

afdeling ⟨de (v.)⟩ **0.1** [deel v.e. geheel] *department* ⇒*division, section* ⟨van maatschappij/boek/weg⟩, *branch* ⟨van vereniging⟩, ⟨vak⟩ *compartment, ward* ⟨van patiënten in ziekenhuis⟩, *chapter* ⟨van boek/vereniging⟩ **0.2** [⟨mil.⟩] *division* ⇒*detachment, squad* **0.3** [⟨scheep.⟩] *division* ♦ **1.1** de ~ Borneo *the Borneo section/branch;* de ~ stoffen *the fabrics department;* de ~ Utrecht van onze vereniging *the Utrecht branch of our society;* ~ gevonden voorwerpen *lost property office/department* **4.1** dat is jouw ~ *that is your department/province* **¶.1** ~ niet roken *no(n)-smoking compartment;* ⟨inf.⟩ *non-smoker.*

afdelingsbestuur ⟨het⟩ **0.1** *departmental/divisional/branch management/ committee.*

afdelingsbibliotheek ⟨de (v.)⟩ **0.1** *departmental library.*

afdelingschef ⟨de (m.)⟩ **0.1** *department(al) manager* ⇒*head of department,* ⟨in grote winkel⟩ *floor manager, shop-walker, floorwalker.*

afdelingsvergadering ⟨de (v.)⟩ **0.1** *departmental branch meeting* ⇒⟨in parlement⟩ *Committee meeting,* ⟨op congres⟩ *congressional committee meeting.*

afdelingsvoorzitter ⟨de (m.)⟩ **0.1** ⟨in parlement⟩ *chairman of a Commit-*

tee; ⟨op congres⟩ *chairman of a congressional committee;* ⟨van vereniging⟩ *branch chairman.*

afdelven ⟨ov.ww.⟩ **0.1** *dig away* ♦ **1.1** afgedolven land *land dug away.*

afdichten ⟨ov.ww.⟩ **0.1** *seal* ⇒*stop/plug up.*

afdichtingsmiddel ⟨het⟩ **0.1** *sealer* ⇒*sealing compound, sealant.*

afdingen ⟨onov., ov.ww.⟩ **0.1** ⟨ov. ww.⟩ *bring/beat/knock down;* ⟨onov. ww.⟩ *bargain/argue/negotiate/haggle (with s.o.)* ♦ **1.1** een gulden bij iem. ~ *bring/beat/knock s.o. down a guilder* **4.1** het lukte mij er iets af te dingen *I managed to get a bit (knocked) off (the price)* **6.1** ⟨fig.⟩ daar valt niets **op** af te dingen ⟨niets aan te veranderen⟩ *that is not negotiable, that has to be accepted lock, stock and barrel;* ⟨uitstekend in orde⟩ *that's fine as it is/stands;* **op** de koopprijs ~ *argue about/haggle over the purchase price;* ⟨fig.⟩ ik wil niets **op** zijn prestaties ~ *I have no wish to detract from his achievements;* ⟨fig.⟩ er valt niets **op** hem af te dingen *nothing is to be said against him.*

afdoen ⟨ov.ww.⟩ **0.1** [afleggen] *take off* ⇒*remove* **0.2** [wegnemen] *take off* **0.3** [schoonmaken] ⟨mbt. stof⟩ *dust (off);* ⟨mbt. vuil⟩ *clean;* ⟨afvegen⟩ *wipe (off)* **0.4** [ten einde brengen] *finish, complete* ⇒*conclude* ⟨zaak⟩, *dispatch* ⟨werk⟩, ⟨afhandelen⟩ *deal with,* ⟨wegdoen⟩ *dispose of* **0.5** [betalen] *settle* ⇒*pay* **0.6** [beslissen] *conclude, determine* ♦ **1.1** zijn hoed/ceintuur ~ *t. o. one's hat/belt* **1.4** ik beschouw het onderwerp als afgedaan *I consider the matter/subject closed;* er zijn vandaag grote partijen tabak afgedaan *large quantities of tobacco were dealt with today, there was a lot of tobacco business transacted today;* een afgedane zaak *a closed matter/book;* die zaak is afgedaan *that matter/business is over and done with* **1.5** de helft v.e. schuld ~ *s. half a debt;* een zaak ~ *s. a claim* **3.4** van ~ houden *like to get things done/ sewn up* **4.4** daarmee is dat afgedaan *that is an end of that;* hij kan in korte tijd heel wat ~ *he can get through/shift a lot of work in a short space of time* **5.2** de prijs is te hoog, u kunt er wel iets ~ *the price is too high, you can knock a bit off/come down a bit* **5.5** de schade onderhands ~ *s. the damages privately/out of court* **6.2** ⟨fig.⟩ zijn armoede deed niets af **aan** zijn waardigheid *his poverty did not detract from/ took nothing away from his dignity;* ⟨fig.⟩ dat doet niets af **aan** het feit dat …*that doesn't alter the fact that …;* als je dat doet, heb je voorgoed **bij** mij afgedaan *if you do that, I'm through with you/I've finished with you for good;* het stof **van** de schoenen ~ *wipe the dust off one's shoes, dust off one's shoes;* het deksel **van** de pot/het verband **van** een wond ~ *take the lid off the jar/the bandage off the wound* **6.4** iets ~ **met** een lachertje *laugh sth. off;* het laatste agendapunt werd **met** een paar woorden afgedaan *the last item on the agenda was disposed of in a few words* **¶.2** dat doet er niets toe of af *that doesn't change/alter things in any way* **¶.4** afgedaan hebben *be finished;* ⟨fig.⟩ *be past it, have had it, have had it's/one's day;* ⟨mbt. personen⟩ *be over the hill;* ⟨niet meer nodig zijn⟩ *have served it's/one's purpose.*

afdoend ⟨bn., bw.;-ly⟩ **0.1** [voldoende] *sufficient, adequate* ⇒⟨doeltreffend⟩ *effective* **0.2** [beslissend] *conclusive* ⇒*decisive* ♦ **1.1** ~e maatregelen *a. measures;* een ~ middel *an a. / effective method;* zonder ~e reden *without s. reason/good cause, for no good reason* **1.2** een ~ bewijs *c. evidence* **3.2** dat is ~(e) *that is c. / decisive, that settles/clinches it;* ~e weerleggen *refute conclusively.*

afdoening ⟨de (v.)⟩ **0.1** [afhandeling] *completion, conclusion* **0.2** [betaling] *settlement* ⇒*payment* ♦ **1.1** er komt maar geen ~ van zaken *business is not getting done/completed* **6.2 ter** ~ **van** *in s. of* **¶.1** ⟨jur.⟩ ~ buiten proces *s. out of court;* er kwamen nauwelijks ~en tot stand *hardly any transactions were done, virtually no sales were effected/ concluded.*

afdonderen
I ⟨onov.ww.⟩ **0.1** [naar beneden storten/rollen] *roar down* **0.2** [naar beneden vallen] *roar down;*
II ⟨ov.ww.⟩ **0.1** [naar beneden gooien] *hurl down* ⇒*fling/chuck down* ♦ **1.1** pas op, of ik donder je de trappen af *watch out, or I'll hurl/fling/chuck you downstairs.*

afdouwen ⟨ov.ww.⟩ ⟨inf.⟩ **0.1** *push/shove down.*

afdraaien
I ⟨onov.ww.⟩ **0.1** [zijwaartse richting nemen] *turn off/away* ♦ **1.1** de weg draait hier af *the road turns off/away here* **5.1** hier draait men rechts af *you turn right/turn off to the right here;*
II ⟨ov.ww.⟩ **0.1** [door draaien verwijderen] *turn (away)* ⇒⟨afhouden⟩ *turn away* **0.2** [door draaien afscheiden] ⟨verwijderen⟩ *unscrew, twist off;* ⟨uitdraaien, afsluiten⟩ *turn off* **0.3** [laten zien/horen] *play* ⟨muziek⟩; ⟨plaat ook⟩ *spin; show, run* ⟨film⟩ **0.4** [ongeïnteresseerd afwikkelen] *reel/rattle off* ♦ **1.1** de brug ~ *turn the bridge;* zij draaide het hoofd af *she turned her head (away);* een schip ~ *turn away/repel a ship* **1.2** de dop van een vulpen ~ *twist the cap off/unscrew the cap of a fountain pen* **1.3** een deuntje op een orgel ~ *play/ grind out a tune on an organ* **1.4** zijn les ~ *reel/rattle/parrot off one's lesson* **6.1** draai de lamp wat **van** de muur af *turn the lamp away from the wall a bit/a little.*

afdracht ⟨de⟩ **0.1** *payment* ⇒*contribution, dues,* ⟨opbrengst⟩ *receipts, takings.*

afdragen ⟨ov.ww.⟩ **0.1** [naar beneden brengen] *carry down* **0.2** [door dragen afslijten] *wear out* 0.3 [overdragen] *make over, transfer, hand over, twin over* ◆ 1.1 afgedragen schoenen *worn (out) shoes;* wij moesten hem de trap ~ *we had to carry him downstairs* 1.3 geld ~ *hand/turn money over, transfer money* 6.3 hij moest ƒ250 van zijn loon ~ **voor** kost en inwoning *f.250 was deducted from his wages for bed and board.*

afdraven
I ⟨onov.ww.⟩ 0.1 [in draf naar beneden gaan] *trot down* ⇒*run down* ◆ 1.1 zij draafde de heuvel af *she trotted down the hill;* de trap ~ *trot downstairs;*
II ⟨ov.ww.⟩ 0.1 [dravend afleggen] *trot* 0.2 [afrijden] *exercise.*

afdreggen ⟨ov.ww.⟩ 0.1 *drag, dredge.*

afdrift ⟨de⟩ ⟨scheep.⟩ 0.1 *drift* ⇒*leeway* ⟨naar lij⟩.

afdrijven
I ⟨onov.ww.⟩ 0.1 [uit de koers drijven] *drift/float off* ⇒⟨scheep.⟩ *go adrift, make leeway* 0.2 [wegdrijven] *disperse, blow over* 0.3 [stroomafwaarts drijven] *drift along/downstream* ◆ 1.3 de rivier ~ *drift down river/downstream* 1.2 de bui drijft af *the shower is blowing over* 6.3 met de stroom ~ *drift with the current;* ⟨fig.⟩ *float with the tide;*
II ⟨ov.ww.⟩ 0.1 [door drijven verwijderen] *drive off/away, dispel* 0.2 [⟨med.⟩] *expel, abort* 0.3 [⟨schei.⟩] *refine* ◆ 1.2 een vrucht ~ *a.;* wormen ~ *e. worms.*

afdrijving ⟨de (v.)⟩ 0.1 [⟨med.⟩] *abortion* ⟨van vrucht⟩; *expulsion* 0.2 [⟨schei.⟩] *refinement, refining* 0.3 [⟨scheep.⟩] ⟨→**afdrift**⟩.

afdrinken ⟨ov.ww.⟩ 0.1 [het bovenste drinken] *drink off* 0.2 [door drinken de kwade gevolgen wegnemen] *drown* ◆ 1.2 een verkoudheid/zijn ellende ~ *d. a cold/one's sorrows* 4.2 wij zullen het ~ *we'll have a drink and make up, let's d. the hatchet.*

afdrogen ⟨ov.ww.⟩ 0.1 [het vocht wegnemen van] *dry (up)* ⇒*wipe dry* ⟨met doek⟩ 0.2 [afranselen] *thrash, give a hiding* 0.3 [met groot verschil winnen van] *hammer, trounce* ◆ 1.2 de borden/zijn handen ~ *dry (up)/(the dishes), dry one's hands (on a towel);* droog je tranen af *wipe away/dry your tears* 1.3 het team heeft de tegenstander met 6-0 afgedroogd *the team hammered/trounced the opposition 6-0* 3.1 wil je helpen met ~? *will you help dry/wipe (up)/give a hand with the drying-up/wiping-up?* 4.1 zich na een bad ~ *dry o.s. off/rub o.s. down after a bath.*

afdronk ⟨de (m.)⟩ 0.1 *aftertaste* ◆ 2.1 de ~ is zeldzaam fluwelig *it has an unusually velvety a..*

afdroogdoek ⟨de (m.)⟩ 0.1 *tea-cloth/-towel.*

afdruipbak ⟨de (m.)⟩ 0.1 *draining board,* ^*drainboard* ⇒*drip-tray.*

afdruipen ⟨onov.ww.⟩ 0.1 [in druppels neervallen] *trickle/drip down* ⟨van daken/bomen⟩; *drain* ⟨borden, groenten⟩; *gutter* ⟨kaars⟩ 0.2 [stil weggaan] *slink off/away, clear off* ⇒⟨vijand ook⟩ *fall back* ◆ 1.1 de sentimentaliteit droop er(van) af *it oozed sentimentality* 3.1 de borden laten ~ *drain the dishes (dry), let the dishes drain (dry)* 3.2 daarop kon hij ~ *after that he could do nothing but slink/clear off (with his tail between his legs).*

afdruiprek ⟨het⟩ 0.1 *plate/* ^*dish rack* ⇒*(dish) drainer.*

afdruk ⟨de (m.)⟩ 0.1 [handeling] ⟨drukken⟩ *printing;* ⟨kopiëren⟩ *copying* 0.2 [resultaat] ⟨indruk⟩ *(foot/finger)print, impression, imprint;* ⟨van voet ook⟩ *step; impress* ⟨van zegel⟩; ⟨afgietsel⟩ *mould, moulding, cast; mask* ⟨van gelaat⟩; ⟨foto, ets, litho, houtsnede e.d.⟩ *print* 0.3 [exemplaar van druk/plaatwerk] *copy* ⇒⟨gedrukt exemplaar⟩ *printed copy,* ⟨opnieuw gedrukt⟩ *reprint,* ⟨afschrift⟩ *transcript,* ⟨proefafdruk⟩ *proof,* ⟨overdruk⟩ *offprint, separate* ◆ 1.3 hij ontving 40 ~ken van zijn artikel *he received forty offprints of his article* 2.2 fotografische ~ *photographic print* 2.3 gesigneerde ~ *signed c./* ⟨proefdruk⟩ *proof* 3.2 de wielen lieten een ~ achter *the wheels left an impression/nits* 6.3 een ~ **op** Hollands papier *a printing on Holland paper* 7.3 eerste ~ *(page-)proof.*

afdrukapparaat ⟨het⟩ 0.1 [⟨comp.⟩] *printer* 0.2 [⟨foto.⟩] *printer.*

afdrukje ⟨het⟩ 0.1 *(printed) copy;* ⟨opnieuw gedrukt⟩ *reprint.*

afdrukken ⟨onov., ov.ww.⟩ 0.1 [in afbeelding overbrengen] *print (off)* ⇒⟨zegel ook⟩ *impress,* ⟨afdraaien⟩ *run off,* ⟨overbrengen⟩ *transfer,* ⟨opnieuw⟩ *reprint,* ⟨kopiëren⟩ *copy, reproduce* 0.2 [⟨foto.⟩] *print (off)* 0.3 [in werking stellen] *press (the button)* ⇒*activate, pull (the trigger), fire* ⟨vuurwapen⟩ ◆ 1.2 portretten ~ *print portraits* 1.3 een geweer ~ *pull the trigger* 1.¶ de scheidsrechter drukte 19 seconden af *the umpire/time-keeper clocked 19 seconds* 5.1 dat zegel drukt slecht af *that seal doesn't make clear impressions* 6.1 een lettervorm **op** het papier ~ *print a character on the paper* ¶.1 ~! *press!.*

afdrukpapier ⟨het⟩ 0.1 [⟨foto.⟩] *printing paper* 0.2 [papier met over te brengen voorstelling] *transfer paper* ⇒*decal.*

afdrukkraam ⟨het⟩ 0.1 *printing frame.*

afdruksel ⟨het⟩ 0.1 *print* ⇒*impression, impress* ⟨vnl. van zegels⟩, ⟨teken⟩ *mark* ◆ 6.1 ~s van zegels **in** was *impresses of seals in wax.*

afduvelen ⟨inf.⟩
I ⟨onov.ww.⟩ 0.1 [afvallen] *take a header* ⇒*tumble down,* ↑*fall off,* ↑*drop* ◆ 6.1 zij is **van** haar fiets afgeduveld *she took a header/went for six off her bike;*
II ⟨ov.ww.⟩ 0.1 [naar beneden gooien] *sling* ⇒*chuck, belt* ◆ 1.1 ik heb hem de trap afgeduveld *I slung him down the stairs.*

afduwen ⟨ov.ww.⟩ 0.1 *push/shove/boom off* ⇒*hand off* ⟨tegenspeler met de hand wegduwen⟩ ◆ 1.1 de roeiboot ~ *push/shove off the rowing-boat.*

afdwalen ⟨onov.ww.⟩ 0.1 *stray (off)(from), go astray* ⇒⟨fig. ook⟩ *wander (away/off)/ramble/travel (from)* ◆ 1.1 afgedwaalde kogel *stray bullet;* ⟨fig.⟩ de redenaar dwaalde af *the orator wandered/drifted off the subject/digressed/went off at a tangent;* een afgedwaald schaap *a stray/lost sheep;* het schip dwaalde af *the ship drifted/strayed off* 3.1 ⟨fig.⟩ iem. laten ~ *sidetrack s.o.* 6.1 ⟨fig.⟩ zijn gedachten dwaalden af **naar** haar *his thoughts wandered off to her;* ⟨fig.⟩ **van** zijn onderwerp ~ *stray/ramble/wander/travel depart from one's subject, get off one's subject;* **ván** het rechte pad ~ *stray from the right path, lapse from virtue, go astray.*

afdwaling ⟨de (v.)⟩ 0.1 *straying, wandering* ⇒⟨uitweiding⟩ *digression, excursion,* ⟨ster.⟩ *aberration* ⟨van licht/sterren⟩, ⟨misstap⟩ *aberration, aberrance, aberrancy, slip, clapse (from virtue).*

afdweilen
I ⟨onov.ww.⟩ 0.1 [feestvierend aflopen] *be on a spree/* ↓*a binge* ◆ 1.1 ze hebben de hele stad afgedweild *they painted the town red/* ⟨AE ook⟩ *the town; they were (out) on the tiles;* ⟨vnl. BE⟩ *they went pub-crawling;*
II ⟨ov.ww.⟩ 0.1 [door dweilen wegnemen] *swab/mop (up)* 0.2 [met een dweil schoonmaken] *swab, mop* ⇒*wash* ◆ 1.2 de stoep ~ *wash the doorstep.*

afdwingen ⟨ov.ww.⟩ 0.1 [door dwang verkrijgen] *exact (from)* ⟨gehoorzaamheid, betaling⟩; *enforce* ⟨gehoorzaamheid, naleving van ...⟩; *wring/wrest/extract (from)* ⟨informatie⟩; *extort (from)* ⟨geld, belofte⟩ 0.2 [onvermijdelijk opwekken bij] *command* ⟨aandacht, respect, sympathie⟩; *compel* ⟨bewondering⟩; *draw* ⟨tranen⟩ ◆ 1.1 iem. een bekentenis ~ *wrest/wring/extract a confession from s.o., force/wrest/wring a confession out of s.o.;* iem. een belofte ~ *extort/* ⟨zwakker⟩ *wheedle a promise from/out of s.o.;* iem. een zucht ~ *wrest a sigh from/out of s.o.* 1.2 die daad van de minister dwingt ons eerbied af *the minister's action compels our admiration;* hij dwong bij iedereen respect af *he won the respect of everybody, he commanded everyone's respect.*

afeten
I ⟨ov.ww.⟩ 0.1 [eten vanaf] *eat (from)* ⟨een stuk van iets⟩; *browse* ⟨takjes, bladeren⟩; *crop* ⟨gras⟩;
II ⟨onov.ww.⟩ 0.1 [ten einde eten] *finish eating/one's meal.*

af-fabrieksprijs ⟨de (m.)⟩ 0.1 *price ex-factory* ⇒*ex-factory price.*

affaire ⟨de⟩ 0.1 [zaak, aangelegenheid] *affair* ⇒⟨liefdes-⟩ *love affair,* ⟨handelszaak⟩ *business,* ⟨transactie⟩ *business, deal, transaction,* ⟨beurs ook⟩ *dealing, bargain* 0.2 [rechts/politiezaak] *case* ◆ 2.1 nou, een mooie ~ *here is a pretty/fine kettle of fish!, what a mess!* 3.1 ~s afsluiten *transact business, conclude transactions;* ⟨beurs ook⟩ *transact dealings, make/effect/do bargains* 4.¶ ⟨AZN⟩ wat een ~ *what a fuss/to-do/mess!* 7.1 er was veel ~ *there were heavy dealings (in these stocks)* 7.¶ ⟨AZN⟩ je hebt daar geen ~ mee! *it's none of your business!.*

affakkelen ⟨ov.ww.⟩ 0.1 *burn off.*

affect ⟨het⟩ 0.1 [gemoedsaandoening] *affect* 0.2 [innigheid van gevoel] *affect* 0.3 [gevoelswaarde] *affect.*

affectatie ⟨de (v.)⟩ 0.1 [gemaaktheid] *affectation, affectedness* ⇒*mannerism, pose* 0.2 [het aanwijzen voor een bestemming] *allotment, assignment* ◆ 3.2 ~ verlenen op *allot/assign (sth.) to (s.o.).*

affecteren ⟨ov.ww.⟩ 0.1 [voorgeven] *affect* 0.2 [aanwijzen ter dekking van uitgaven] ⟨passief; vero.⟩ *affect* ⇒*draw (from)* ◆ 3.2 deze gelden zijn te ~ op *these funds are to be found/drawn from.*

affectie ⟨de (v.)⟩ 0.1 [genegenheid, gunst] *affection* ⇒*fondness* 0.2 [aandoening] *affection* ◆ 6.1 in ~ hebben *be fond of s.o.;* ~ **voor** iem. hebben *feel a. for s.o.* 6.2 een ~ **van** de lever *an a. of the liver.*

affectief ⟨bn.⟩ 0.1 *affectionate* ◆ 1.1 affectieve woorden *a. words.*

affectwoord ⟨het⟩ 0.1 *word of affection.*

affekt(-) →**affect(-).**

affichage ⟨de (v.)⟩ 0.1 *posting, billing.*

affiche ⟨de/het, de⟩ 0.1 *bill, poster* ⇒*show bill, playbill* ⟨theater⟩, *placard* ◆ 6.1 zij stond **bovenaan** het ~ *she got top billing/was top of the b.;* iem. **op** het ~ plaatsen *bill s.o.* 7.1 geen ~s! *no fly-posters!.*

afficheren ⟨ov.ww.⟩ 0.1 [aanplakken] *post (up)* ⇒*placard, bill* 0.2 [⟨fig.⟩] *parade, advertise, show off, bill* ◆ 1.2 zijn schande ~ *p./a. one's shame* 8.2 hij afficheert zijn reclamebureaus als bijzonder agressief *he projects his advertising agencies as being very aggressive.*

affietsen ⟨ov.ww.⟩ 0.1 [ten einde fietsen] *cycle/pedal down* ⟨weg, heuvel⟩ 0.2 [per fiets afleggen] *cycle* ⟨afstand⟩ ◆ 1.2 stad en land ~ *c. all over the place.*

affigering ⟨de (v.)⟩ ⟨taal.⟩ 0.1 *affixation.*

affiliatie ⟨de (v.)⟩ 0.1 [samenwerking] *affiliation* ⇒*association* 0.2 [aanneming als medelid] *affiliation* 0.3 [samenvoeging] *affiliation.*

affiliëren ⟨ov.ww.⟩ 0.1 *affiliate* ⇒*associate* ◆ 1.¶ geaffilieerde loge *affiliated lodge.*

affineren ⟨ov.ww.⟩ 0.1 *fine* ⇒*refine.*

affiniteit ⟨de (v.)⟩ 0.1 [overeenkomst] *affinity* ⇒*resemblance* 0.2

[⟨schei.⟩] *affinity (for)* **0.3** [verwantschap] *affinity* ⇒*kinship* **0.4** [aantrekking bij aanraking] *affinity* ◆ **3.1** de Romaanse talen vertonen veel ~ *the Romance languages have many affinities (with each other)* **6.2** zuurstof heeft een grote ~ **tot** ijzer *oxygen has a great a. for iron.*
affirmatie ⟨de (v.)⟩ **0.1** *affirmation.*
affirmatief ⟨bn., bw.; -ly⟩ **0.1** *affirmative* ◆ **1.1** ⟨logica⟩ affirmatieve oordelen *a. propositions.*
affirmeren ⟨ov.ww.⟩ **0.1** *affirm* ⇒*assert.*
affix ⟨het⟩ ⟨taal.⟩ **0.1** *affix.*
affluiten ⟨onov., ov.ww.⟩ **0.1** *blow the final whistle.*
affodil(le) ⟨de⟩ ⟨plantk.⟩ **0.1** *asphodel.*
affreus ⟨bn., bw.; -ly⟩ **0.1** [zeer lelijk] *hideous* ⇒*horrible, horrid* **0.2** [akelig] *hideous* ⇒*horrible, horrid* ◆ **1.1** een ~ schilderij *a hideous/ horrid painting* **1.2** affreuze kwellingen *hideous/fearful torments.*
affricaat ⟨de⟩ ⟨taal.⟩ **0.1** *affricate.*
affront ⟨het⟩ **0.1** *affront* ⇒*snub.*
affronteren ⟨ov.ww.⟩ ⟨schr.⟩ **0.1** *affront, offer an affront* ⇒*snub.*
affuit ⟨het, de⟩ ⟨mil.⟩ **0.1** *(gun) carriage* ⇒*mount.*
afgaan
I ⟨onov.ww.⟩ **0.1** [afdalen] *go down* ⇒*walk/move down, descend* **0.2** [⟨+op⟩] ⟨lett.⟩ *go/walk/step up to, make/head for, proceed/go towards;* ⟨fig.⟩ *rely/depend/reckon on, trust in, go by;* ⟨inf.⟩ *bank on* **0.3** [weggaan] *leave* ⇒*get off* ⟨stoel, tapijt⟩, *go off,* ⟨afscheiden⟩ *secade (from),* ⟨opgeven⟩ *give up, drop, abandon,* ⟨boot ook⟩ *start, sail* **0.4** [verminderen] *go down* ⇒ ⟨getij ook⟩ *recede, go out* **0.5** [afgenomen worden v.e. geheel] *come off* ⇒ ⟨van geld ook⟩ *be deducted,* ⟨glans/ verf ook⟩ *wear off,* ⟨vuil ook⟩ *wash/rub off* **0.6** [in werking gebracht worden] *go off* ⟨wapen, lucifer, wekker⟩; *explode* ⟨lading⟩ **0.7** [op genoemde wijze gedaan worden] ⟨zie 5.7⟩ **0.8** [ontlasting hebben] [†*relieve/ease o.s.*, †*defecate* **0.9** [een gek figuur slaan] *lose one's face, flop, fail, be a letdown* **0.10** [afgelegd worden] *be taken off/laid down* ⟨hoed e.d.⟩ ◆ **1.1** de berg/een rivier ~ *go down the mountain/a river;* de trap ~ *go down the stairs* **1.3** het schip gaat morgen af *the ship sails/leaves tomorrow* **1.4** de aardigheid gaat eraf *it's no fun anymore, the attraction is wearing off;* de koorts gaat af *the fever is going down/receding/easing* **1.5** daar gaat 10% van af *there's 10% off that, 10% is taken off that* **3.6** een geweer doen ~ *fire/shoot a rifle* **5.5** het vuil wil er niet ~ *the dirt won't come off* **5.7** dat gaat hem handig af *it comes easy/easily/natural(ly) to him;* het ging hem slecht/niet best af *it didn't come easy to him, it wasn't in his nature, it went against the grain for him* **6.2** op een meisje ~ *step/walk/go up to a girl; look for a girl;* ⟨om haar gunst te winnen⟩ *make up to a girl;* recht **op** zijn doel ~ ⟨fig.⟩ *go straight to the point; regelrecht* ~ **op** *make a beeline for/to, go straight for, make a push for;* ik ga **op** mijn eigen oordeel af *I use my own discretion, I go by my own judgement, I take my own counsel;* je moet niet **op** het uiterlijk ~ *you mustn't trust in/go by (outward) appearances;* ~de **op** wat hij zegt *judging by/from what he says;* **op** zijn gevoel ~ *play it by ear, play a/one's hunch* **6.3** van het toneel ~ *go off, l. the stage;* **van** de rechte weg ~ ⟨fig.⟩ *go astray, stray from the straight and narrow, lapse from virtue;* **van** school ~ *l. school;* **van** elkaar ~ *part, separate;* ik ga volgend jaar **van** hockey af *I'm giving up hockey next year;* **van** de gouden standaard ~ *go off the gold standard;* wanneer je **van** je flat afgaat ... *when you move out of your appartment ...* **6.5 van** die som gaat een derde af aan onkosten *from this sum a third goes on/is deducted/charged for expenses;* ⟨fig.⟩ **van** mijn uitspraak gaat niets af *I won't withdraw anything from my statement, my statement stands (as it is);* de knoop is **van** de jas afgegaan *the button has come off the coat;* er gaat geen cent **van** af *there is absolutely no reduction, not a penny less* **8.8** ~ als een reiger ⟨sl.⟩ *have the runs* **8.9** ~ als een gieter *be a flop/total failure/flash in the pan* ¶**.3** Peter gaat at *exit Peter;*
II ⟨ov.ww.⟩ **0.1** [geheel/allemaal langsgaan] *go along the line* ◆ **1.**¶ alle deelnemers ~ *go to/see* ⟨enz.⟩ *all the participants (in turn),* go along the line seeing/shaking hands with ⟨enz.⟩ *all the participants;* hij ging de rij af *he went along the line.*
afgaand ⟨bn.⟩ **0.1** [naar beneden gaand] *descending* **0.2** [minder wordend] *decreasing* **0.3** [ten einde lopend] *terminating, expiring* ⟨contract⟩ ◆ **1.1** een ~e weg *a downhill/d. road* **1.2** ~e maan *waning moon;* ~e markt *falling/dropping market;* ~ tij *ebbing/slacking/outgoing tide* **1.3** ⟨fig.⟩ ~e pachter *outgoing tenant(-farmer).*
afgang ⟨de (m.)⟩ **0.1** [het weggaan] *leaving* ⇒ ⟨toneel ook⟩ *exit* **0.2** [hellende weg] *(downward) slope, downhill road* **0.3** [gek figuur dat iem. slaat] *comedown, failure, flop* **0.4** [stoelgang] *stool, evacuation,* ♭*motion* **0.5** [ontlasting] *stool,* ♭*motion.*
afgebrand ⟨bn.⟩ **0.1** *burnt down, burnt to ashes* ◆ **1.1** een ~ dorp ⟨lett.⟩ *a burnt-down village;* ⟨fig.⟩ *a mess.*
afgebroken
I ⟨bn.⟩ **0.1** [geen volle zin vormend] *broken* **0.2** [kort en bondig] *abrupt* ◆ **1.1** ~ woorden *b. sentences* **1.2** een ~ stijl *an a. style.*
II ⟨bw.⟩ **0.1** [hortend] *jerkily* ⇒*joltingly, in fits and starts, haltingly* ◆ **3.1** hij sprak ~ *he spoke jerkily/joltingly/in fits and starts/haltingly.*
afgedaan ⟨bn.⟩ ⟨geldw.⟩ **0.1** [op de beurs] *sold; settled, paid off* ⟨schuld⟩ ◆ **3.**¶ ze had bij Jack afgedaan *Jack had done/was done/was through*

/was finished with her; ~ hebben *have had one's/its day, have served its turn, be played out;* de kwestie is (nog niet) afgedaan *the issue is (not) settled/closed (yet).*
afgedraaid ⟨bn.⟩ **0.1** [ten einde gedraaid, versleten] ⟨ten einde⟩ *finished;* ⟨versleten⟩ *worn-out* **0.2** [doodmoe] *worn-out* ⇒*done in/up/ for, run-down,* ⟨BE ook⟩ *fagged/clapped/shagged out,* ⟨AE ook⟩ *burned-out,* ⟨door wekken⟩ ^A ↓ *pooped (out)* ◆ **3.2** ik was ~ *I was w.-o./completely exhausted/at my last gasp, I'd had it, I was pooped.*
afgeknot ⟨bn.⟩ **0.1** [⟨wisk.⟩] *truncate* **0.2** [mbt. bladeren] *truncate* ◆ **1.1** een ~te kegel/piramide *a t. cone/pyramid, a frust(r)um (of a cone/ pyramid).*
afgeladen ⟨bn.⟩ **0.1** [overvol] *packed* ⇒*crammed, jammed, jam-packed,* ♭*cramful* **0.2** [stomdronken] *tanked up, stewed, canned, smashed, sloshed* ◆ **1.1** een ~ auto *a (jam-)packed/jammed/crammed car;* het theater was ~ *the theatre was p. to the doors/was full to capacity;* de trein was ~ *the train was (jam-)packed (to the doors).*
afgelasten ⟨ov.ww.⟩ **0.1** *cancel* ⇒*call/declare/order off* ⟨staking⟩, ⟨sport ook⟩ *abandon, countermand, scratch/* ⟨inf.⟩ *scrub (out)* ◆ **1.1** de parade ~ *cancel the parade* **6.1** de wedstrijd werd afgelast wegens regen *the match was cancelled because of rain/was rained off* ^A *out.*
afgelasting ⟨de (v.)⟩ **0.1** *cancellation.*
afgeleefd ⟨bn.⟩ **0.1** [oud en zwak] *decrepit, effete* ⇒*worn with age* **0.2** [versleten] *used up, worn-out, spent* ⇒ ⟨sl.⟩ *strung out* ⟨alleen pred.⟩, *burned out* ◆ **1.1** een ~e grijsaard *a d. old man.*
afgelegen ⟨bn., bw.⟩ **0.1** [niet nabij] *remote, far(-off/-away), distant;* ⟨AE ook⟩ *way-back* ⇒*outlying, out-of-the-way, devious,* ⟨onbekend⟩ *obscure* **0.2** [eenzaam] *secluded, isolated* ⇒ ⟨dicht.⟩ *sequestered* ◆ **1.1** een ~ dorp *a remote/an out-of-the-way village;* een ~ huis *a secluded/ remote house* **3.2** u woont hier erg ~ *you live here in a very i. / secluded place* **5.1** vreselijk ~ *miles from anywhere, out in the sticks, in the middle of nowhere.*
afgeleid ⟨bn.⟩ **0.1** [met zijn aandacht weggetrokken] *diverted, distracted* **0.2** [niet-oorspronkelijk] *derived* ⇒ ⟨vaak pej.⟩ *derivative* ◆ **1.2** ⟨muz.⟩ ~e akkoorden *inversions;* een ~e betekenis *a derived meaning;* ⟨ec.⟩ ~ inkomen ⟨vnl. mv.⟩ *transfer incomes;* ⟨muz.⟩ ~e tonen *altered notes;* ~ woord *derived word, derivative* **3.1** hij is gauw ~ *he is easily distracted/diverted.*
afgeleide ⟨de⟩ ⟨wisk.⟩ ◆ **1.**¶ de ~ v.e. functie *the derivative of a function.*
afgelikt ⟨bn.⟩ **0.1** ⟨lett.⟩ *licked (clean);* ⟨fig.⟩ *used;* ⟨schr.⟩ *spent* ◆ **1.1** ⟨inf.⟩ hij ziet er uit als een ~ boterham *he looks as pale as ashes/as if he's going to fall to pieces/like death warmed up/spent* **1.**¶ een ~e boterham *the town bike.*
afgelopen[1] ⟨bn.⟩ **0.1** *last, past* ◆ **1.1** in het ~ jaar *l. year, during the p. year;* de ~ week/maand *l. / the p. week/month.*
afgelopen[2] ⟨tw.⟩ ◆ **1.**¶ ~! *stop it!, that's enough!.*
afgemat ⟨bn.⟩ **0.1** *exhausted, wearied, jaded* ⇒*(over)spent, worn out,* ⟨BE.;sl.⟩ *knackered.*
afgemeten ⟨bn., bw.; -ly⟩ **0.1** [in de juiste maat afgepast] *measured (off/ out)* **0.2** [stijf; voorzichtig] *measured* ⇒ ⟨stijf⟩ *formal, stiff,* ⟨weloverwogen ook⟩ *deliberate* ◆ **1.1** een ~ hoeveelheid *a measure (of), a measured quantity (of);* met ~ passen with *measured steps* **1.2** een ~ houding *a dignified demeanour, a formal bearing* **3.2** hij kan zo ~ spreken *he has this habit of speaking in m. words, he can be so formal in his speech.*
afgepast ⟨bn.⟩ **0.1** [mbt. stoffen] *made-up* ⇒*ready-made* **0.2** [in de juiste maat afgemeten] *measured (off/out)* **0.3** [gedwongen, stijf] *measured* ⇒*formal, stiff* ◆ **1.**¶ ~ geld *the exact sum/money;* met ~ geld betalen! *no change given!, exact fare(s)(, please)!.*
afgepeigerd ⟨bn.⟩ ⟨inf.⟩ **0.1** *done in/up/for, all in* ⇒ ⟨BE ook⟩ *fagged/ clapped/shagged out,* ⟨AE ook⟩ *burned-out* ⟨door werken⟩, *more dead than alive,* ⟨BE.;sl.⟩ *knackered,* ⟨vnl. AE⟩ *bushed, cooked.*
afgeplat ⟨bn.⟩ **0.1** *oblate* ◆ **1.1** ~te bol *o. sphere, globoid, spheroid.*
afgereden ⟨bn.⟩ **0.1** [door veel berijden uitgeput] *overridden* ⇒*worn-out, spent, used up (from being ridden on)* **0.2** [⟨druk.⟩] *worn* ◆ **1.1** ⟨fig.⟩ een ~ hoer *an worn/played-out whore, an o. whore;* een ~ paard *an o. / a spent horse* **1.2** ~ letters/zetsel *w. letters/type.*
afgericht ⟨bn.⟩ **0.1** [bekwaam, bedreven] *(well-)trained* **0.2** [listig] *crafty, artful.*
afgerond ⟨bn.⟩ **0.1** [zijn volle vorm hebbend] *(well-)rounded* **0.2** [mbt. bedragen/getallen] *round* ◆ **1.1** het vormt een ~ geheel *it forms a complete whole, it makes one whole/neat unit, it is a self-contained unit;* in ~e getallen *in r. figures;* ~e volzinnen *(well-)rounded sentences/periods.*
afgescheiden ⟨bn.⟩ **0.1** *separate* ⇒ ⟨rel.⟩ *dissenting, nonconformist, breakaway* ⟨alleen attr.⟩ ◆ **3.1** ~ houden van *keep s./apart from.*
afgescheidene ⟨de (m.)⟩ **0.1** [iem. die zich heeft afgescheiden] *separatist* ⇒ ⟨rel. ook⟩ *secessionist, dissenter* **0.2** [⟨prot.⟩] *≠dissenter* ⇒*≠nonconformist, ≠free churchgoer/church member.*
afgesloofd ⟨bn.⟩ **0.1** *worn out* ⇒*exhausted.*
afgesloten ⟨bn., bw.⟩ **0.1** [besloten] *closed* ⇒*private* **0.2** [mbt. een stelsel] *closed.*
afgesproken[1] ⟨bn.⟩ **0.1** *agreed* ⇒*settled, fixed* ◆ **1.1** de ~ plaats *the place a. on, the a. place;* ~ werk *a put-up/set-up job.*

afgesproken[2] ⟨tw.⟩ **0.1** *agreed* ⇒*all right, fine, it's a deal, o.k., done.*

afgestampt ⟨bn., bw.⟩ **0.1** *packed* ⇒*crowded* ⟨met mensen⟩ ◆ **2.1** ~ vol *p. (to capacity), chock-a-block, bursting at the seams, chock-full* **3.1** het was er ~ *it was p.*.

afgestompt ⟨bn.⟩ **0.1** [stomp van geest] *dull(ed)* ⇒*deadened, obtuse* **0.2** [niet puntig] *blunt* **0.3** [mbt. bladeren] *obtuse* ⇒*rounded at the tip*/ *apex* ◆ **1.1** een ~e dronkaard *person whose mind has been dulled*/ *deadened by drink.*

afgestorven ⟨bn.⟩ **0.1** *dead* ◆ **1.1** ~ delen *d. sections*/*parts.*

afgestorvene ⟨de (m.)⟩ **0.1** *deceased* ⇒*departed* ◆ ¶.1 de ~n *the deceased.*

afgetobd ⟨bn.⟩ **0.1** *worn out* ⇒*weary*, ⟨BE;inf.⟩ *fagged (out)* ◆ **1.1** een ~ gezicht *a (care-)worn*/*drawn*/*weary face;* het ~e lichaam *the worn out*/*spent body* **3.1** er ~ uitzien *look dead beat*/*fagged out*/*worn out.*

afgetrapt ⟨bn.⟩ **0.1** *trodden-down* ⇒*worn-out*, ⟨schoenen ook⟩ *down-at-heel.*

afgetrokken
  I ⟨bn.⟩ **0.1** [verdiept in gedachten] *abstracted* ⇒*preoccupied, absent-minded* **0.2** [abstract] *abstract* ◆ **1.2** ~ denkbeelden/wetenschappen *a. ideas*/*sciences* **3.1** hij zat ~ voor zich uit te staren *he sat staring into space with a preoccupied*/*abstracted look;*
  II ⟨bw.⟩ **0.1** [abstract] *abstractly* ◆ **3.1** hij redeneerde zo ~ dat ik hem niet volgen kon *his reasoning was so abstract that I couldn't follow him.*

afgevaardigde ⟨de (m.)⟩ **0.1** [afgezondene] *delegate* ⇒*representative* **0.2** [lid v.e. vertegenwoordigende vergadering] *delegate* ⇒*representative*, [B]*member (of parliament)* ◆ **2.2** de geachte ~ *the honourable member*, [A]*the honorable representative*/*congressman*/*congresswoman.*

afgevallene ⟨de (m.)⟩ **0.1** *apostate* ⇒*renegade, seceder.*

afgeven
  I ⟨onov.ww.⟩ **0.1** [kleurstof loslaten] *run* **0.2** [⟨+op⟩] *run down* ⇒*disparage, revile, decry* ◆ **1.1** die handschoenen geven af *those gloves are not colourfast* **6.2** op iem. of iets ~ *run s.o.*/*sth. down;* ~ op zijn eigen waar/familie/land *cry stinking fish, wash one's dirty linen in public;*
  II ⟨ov.ww.⟩ **0.1** [onvrijwillig geven] *hand over* ⇒*give up, surrender, deliver up* **0.2** [overhandigen] *hand in* ⟨stukken, kaart, telegram⟩ ⇒*deliver, leave* ⟨boodschap, krant⟩ **0.3** [als bevoegde uitreiken] *issue* ⟨paspoort, reisbiljet enz.⟩ ⇒*give (out), deliver* **0.4** [verspreiden] *give off* ⟨licht, warmte, geur⟩ ⇒*emit, exude* ⟨vocht, rook⟩, *throw out* ⟨warmte⟩ ◆ **1.1** hij weigerde zijn geld af te geven *he refused to part with his money* **1.2** de bal ~ aan *pass the ball to;* u kunt daar uw jas en paraplu ~ *you can let your coat*/*jacket and umbrella drip there;* zijn kaartje ~ *leave one's card;* een pakje bij iem. ~ *leave a parcel with s.o.* **1.3** een getuigschrift ~ *i. a testimonial;* een wissel op iem. ~ *draw a bill on s.o.* **1.4** vocht ~ *exude moisture;* ⟨mil.⟩ vuur ~ *fire, open fire;* de kachel geeft goed warmte af *the stove gives out*/*throws out a lot of heat;*
  III ⟨wk.ww.;zich ~⟩ **0.1** [zich inlaten] *take up (with)* ⇒*associate (with)* ⟨iem.⟩, *get involved with* ⟨iem.⟩/*in* ⟨iets⟩, *get mixed up (with)* ⟨iem./ iets⟩ ◆ **5.1** je moet je daar niet mee ~ *don't meddle with that, don't get mixed up in that* **6.1** zich ~ met allerlei gespuis *associate*/ *hang about with all sorts of riff-raff;* je moet je niet met hem ~ *you mustn't have anything to do with him;* zich ~ met vrouwen *play around with women.*

afgewerkt ⟨bn.⟩ **0.1** *used (up)* ⇒*spent* ◆ **1.1** ~e lucht *stale*/*spent air;* ~e mout *spent malt;* ~e olie *consumed*/*used oil;* ~e stoffen uit het lichaam *waste material from the body;* ~e stoom *dead*/*spent steam.*

afgewogen ⟨bn.⟩ **0.1** *balanced* ⇒*level, measured* ◆ **1.1** ⟨fig.⟩ hij sprak in ~ termen *he spoke in measured terms.*

afgezaagd ⟨bn.⟩ ⟨fig.⟩ **0.1** *stale* ⟨grap, idee⟩; *hackneyed* ⟨uitdrukking, idee⟩; *threadbare, well-*/*time-worn* ◆ **1.1** een oud ~ deuntje *an old tune;* een ~e grap *a threadbare*/*worn*/*over-worked*/*stale*/*corny joke;* een ~ onderwerp *a banal*/*overworked subject;* ⟨inf.⟩ an old hat.

afgezant ⟨de (m.)⟩ **0.1** *envoy* ⇒*ambassador*, ⟨geheime afgezant⟩ *emissary* ◆ **2.1** ⟨fig.⟩ de dood, Gods donkere ~ *≠the angel of death.*

afgezien ◆ **6.¶** ~ van *besides, apart from*, [A]*aside from, setting aside;* ~ van de kosten/moeite *not counting the cost*/*trouble.*

afgezonderd
  I ⟨bn.⟩ **0.1** [van andere(n) verwijderd] *isolated* ⇒*cut off, segregated* ⟨patienten, gevangenen⟩, *remote* ⟨plaats⟩ **0.2** [eenzaam, stil] *solitary* ⇒*isolated, secluded* ⟨leven, plaats⟩, *shut off* ⟨bv. v.d. maatschappij⟩ ◆ **1.1** een ~ huis *a remote*/*lonely*/*an i. house* **1.2** een ~e levenswijze *a solitary*/*secluded lifestyle.*
  II ⟨bw.⟩ **0.1** [apart] *in isolation*/*seclusion* ⇒*apart, cut off* **0.2** [eenzaam, stil] *in seclusion*/*isolation* ⇒*shut off* ◆ **3.2** hij leefde ~ *he lived in seclusion*/*isolation* **6.1** hij stond *van* de anderen ~ *he stood apart*/ *away*/*separated from the others.*

Afghaan ⟨de (m.)⟩ **0.1** *Afghan.*

Afghaans[1] ⟨het⟩ **0.1** *Pashto* ⇒*Pushtu.*

Afghaans[2] ⟨bn.⟩ **0.1** *Afghan.*

Afghanistan ⟨het⟩ **0.1** *Afghanistan.*

afgietdeksel ⟨het⟩ **0.1** *draining*/*straining lid.*

afgieten ⟨ov.ww.⟩ **0.1** [gietend het vocht verwijderen van] *pour off* ⟨water, vloeistof⟩ ⇒⟨door vergiet ook⟩ *strain, drain* **0.2** [naar beneden gieten] *pour down* ⇒*teem (down)* **0.3** [door gieten doen ontstaan] *cast* ◆ **1.1** aardappels/groente/bonen ~ *drain potatoes, drain*/*strain vegetables*/*beans* **1.2** ⟨fig.;schr.⟩ zegeningen ~ *pour*/*rain down blessings.*

afgietsel ⟨het⟩ **0.1** [afbeeldsel] *cast* ⇒*moulding* **0.2** [afgegoten vocht] *vegetable water.*

afgietseldiertje ⟨het⟩ **0.1** *infusorian.*

afgifte ⟨de (v.)⟩ **0.1** *delivery* ⟨brief⟩; *issue* ⟨munt, postzegel enz.⟩; *surrender* ⟨onvrijwillig afgeven⟩; *handing in* ⟨aan loket enz.⟩ ◆ **6.1** tegen ~ v.h. reçu *in exchange for*/*on surrender*/*presentation of the receipt.*

afgiftebewijs ⟨het⟩ **0.1** *receipt* ⇒*issue voucher* ⟨voor magazijnmeester⟩.

afglijden ⟨onov.ww.⟩ **0.1** [naar beneden glijden] *slide down* ⇒*slip down, glide down, slither down* ⟨bv. slang⟩ **0.2** [glijdend van iets af raken] *slide off* ⇒*slip off* **0.3** [vlug en stil afdalen] *slide down* ⇒*slip down, glide down* **0.4** [⟨luchtv.⟩] *stall* ⇒*slideslip* ◆ **1.2** de afgegleden dekens *the blankets which had slid*/*slipped off* **1.3** de trap ~ *slide*/ *glide down the stairs* **6.1** ⟨fig.⟩ hij was steeds verder afgegleden in … *he had slid*/*slipped further and further into ….*

afgod ⟨de (m.)⟩ **0.1** [valse godheid] *idol* ⇒*god* **0.2** [afgodsbeeld] *idol* ⇒*image* **0.3** [ideaal, idool] *idol* ⇒*(tin) god* ◆ **3.3** van zijn buik een ~ maken *make one's stomach one's god, make a god of one's belly.*

afgodendienaar ⟨de (m.)⟩, -nares ⟨de (v.)⟩ **0.1** *idolate* ⟨m.⟩, *idolatress* ⟨v.⟩.

afgodendienst ⟨de (m.)⟩ **0.1** *idolatry* ⇒*image*/*idol worship.*

afgodentempel ⟨de (m.)⟩ **0.1** *idol temple.*

afgoderij ⟨de (v.)⟩ **0.1** [handeling] *idolatry* **0.2** [verering] *idolatry* ⇒*image*/*idol worship* ◆ **3.2** ~ doen/plegen/bedrijven *practise idolatry, worship idols.*

afgodisch
  I ⟨bn.⟩ **0.1** [mbt. personen] *fanatical* ⇒*passionate* **0.2** [mbt. gemoedsaandoeningen/hartstochten] *idolatrous* ⇒*blind* **0.3** [mbt. zaken] *idolatrous* ◆ **1.1** een ~ vereerder van het toneel *a f.*/*passionate admirer of the theatre* **1.2** ~e verering/liefde *i.*/*blind veneration*/*love* **1.3** ~e plechtigheden *i. ceremonies;*
  II ⟨bw.⟩ **0.1** [op hartstochtelijke wijze dwepend] *idolatrously* ⇒*fanatically, passionately, blindly.*

afgodsbeeld ⟨het⟩ **0.1** *idol* ⇒*image.*

afgodskruid ⟨het⟩ **0.1** *shooting star, American cowslip.*

afgodspriester ⟨de (m.)⟩ **0.1** *idol priest.*

afgodstempel ⟨de (m.)⟩ **0.1** *idol temple.*

afgolven ⟨onov.ww.⟩ **0.1** [golvend neerstromen] *flow*/*stream*/*gush down (in waves)* **0.2** [in golvende beweging afdalen] *flow*/*stream down (in waves)* ⇒*undulate* ◆ **1.1** het water golfde de trap af *the water gushed (in waves) down the stairs* **6.2** het haar golfde af *langs* zijn schouders *his hair streamed over his shoulders.*

afgooien ⟨ov.ww.⟩ **0.1** [naar beneden gooien] *throw down*/*off* ⇒*toss down*, ⟨met kracht⟩ *fling down* **0.2** [zonder opzet doen vallen] *knock over*/*off* ⇒*send*/*knock down* **0.3** [door gooien doen vallen] *throw down*/*off, let fall, drop* **0.4** [haastig afdoen] *throw off* ⇒*toss off* ⟨hoed⟩, *fling off* ⟨jas⟩ ◆ **1.1** iem. de trap ~ *throw*/*fling s.o. down the stairs* **5.2** pas op dat je het er niet afgooit *take care that you don't knock it over* …

afgraven ⟨ov.ww.⟩ **0.1** *dig up*/*off* ⇒⟨vlak maken⟩ *level*, [A]*scalp* ◆ **1.1** een duin ~ *level a dune;* een veenlaag ~ *cut*/*dig peat*/*turf.*

afgraving ⟨de (v.)⟩ **0.1** [handeling] *digging up*/*off* ⇒*levelling*, [A]*scalping* **0.2** [plaats] *quarry.*

afgrazen ⟨ov.ww.⟩ **0.1** [het gras afeten van] *graze bare* **0.2** [⟨fig.⟩] *≠exhaust* ◆ **1.2** een terrein van onderzoek ~ *e. an area of research.*

afgrendelen ⟨ov.ww.⟩ **0.1** ⟨fig.⟩ *seal*/*close*/*cordon off;* ⟨lett.⟩ *bolt up.*

afgrendeling ⟨de (v.)⟩ **0.1** *sealing*/*closing*/*cordoning off* ◆ **1.1** ~ v.e. gebied *sealing off an area.*

afgrijselijk
  I ⟨bn., bw.;-(al)ly⟩ **0.1** [verschrikkelijk] *horrific* ⇒*atrocious, ghastly, horrendous* **0.2** [zeer klein, stil] *hideous* ⇒*ghastly* ◆ **1.1** een ~ moord *a gruesome murder* **1.2** dat schilderij is ~ *that painting is h.;*
  II ⟨bw.⟩ **0.1** [ontzettend] *awfully, terribly* ⇒*frightfully, fearfully, horrifically, atrociously* ◆ **2.1** wat een ~ rot weer/smerige koffie *what frightful*/*terrible*/*rotten weather, what awful coffee.*

afgrijzen ⟨het⟩ **0.1** *horror* ⇒*dread* ◆ **3.1** een ~ van iets hebben *be horrified by*/*at sth.;* met ~ vervullen *horrify;* met ~ vervuld *horror-stricken* /*-struck, filled with h.* **6.1** met ~ aan iets denken *think of sth. with h., be horrified by the thought of sth..*

afgrond ⟨de (m.)⟩ **0.1** ~ *chasm, gulf, ravine* ⟨steile rotswanden⟩ ◆ **1.1** ⟨fig.⟩ hij was aan de rand v.d. ~ *he was on the verge of disaster*/ *on the brink of ruin* **2.1** een bodemloze/gapende ~ *a bottomless a.*/ *pit, a yawning chasm*/*gulf* **6.1** in een ~ vallen *fall into an a.*/*down a precipice* ⟨van steile rots enz.⟩; iem. in de ~ storten ⟨fig.⟩ *wreck*/*ruin s.o.;* ⟨fig.⟩ een ~ *van* leed *abysmal misery*/*suffering.*

afgunst ⟨de (v.)⟩ **0.1** *envy* ⇒*jealousy* ◆ **1.1** haar ring was een voorwerp van ~ voor haar vriendin *her ring was the e. of her friend* **3.1** ~ koesteren *harbour feelings of e.;* van ~ vervuld zijn *be filled / consumed with e.* **6.1** iets **met** ~ gadeslaan *regard sth. with e.*.

afgunstig ⟨bn.⟩ **0.1** [mbt. personen] *envious* ⇒*jealous (of)* **0.2** [afgunst tonend] *envious* ⇒*jealous, grudging* ◆ **1.2** ~e blikken *e. glances;* een ~ karakter *a jealous / grudging character;* iets met ~e ogen aanzien *regard sth. with envy*.

afgutsen ⟨onov.ww.⟩ **0.1** *stream down* ⇒*gush down*.

afhaaldienst ⟨de (m.)⟩ **0.1** *collection service*.

afhaalrestaurant ⟨het⟩ **0.1** [B]*takeaway (restaurant)*, [A]*take-out* / [A]*carry-out restaurant / place*.

afhaken
I ⟨ov.ww.⟩ **0.1** [losmaken] *unhook* ⇒*unhitch, uncouple, unlimber* ⟨geweer⟩, ⟨onder het rijden⟩ [B]*slip* ⟨rijtuig⟩ **0.2** [⟨haakwerk⟩] *fasten off* ◆ **1.1** de wagons v.d. trein ~ *uncouple the carriages from the train;* **II** ⟨onov.ww.⟩ **0.1** [stoppen] *pull out* ⇒*drop out, quit* ◆ **3.1** zij fietsten zo hard dat hij moest ~ *they were riding so fast he had to drop out / back* **6.1** zelfs de meest trouwe fans van Stallone haakten af **bij** Rocky V *even Stallone's most faithful fans were turned / put off by Rocky V*.

afhakken ⟨ov.ww.⟩ **0.1** [afhouwen] *chop off* ⇒*cut off, sever, dock* ⟨staart⟩ **0.2** [in stukken hakken / snijden] *cut up* ◆ **1.2** een geslacht varken ~ *cut up a slaughtered pig* **6.1** een tak **van** de boom ~ *lop a branch off the tree*.

afhalen ⟨ov.ww.⟩ **0.1** [in ontvangst komen nemen] *collect* ⇒*call for,* ⟨vnl. BE⟩ *fetch,* ⟨vnl. AE⟩ *pick up* **0.2** [ergens gaan halen] *collect* ⇒ *meet,* ⟨vnl. BE⟩ *fetch, call for,* ⟨vnl. AE⟩ *pick up* **0.3** [van zijn plaats verwijderen] *take away / down* ⇒*remove* **0.4** [van iets anders ontdoen] *strip* ⇒⟨villen⟩ *flay, skin, string* ⟨bonen⟩ **0.5** [naar beneden halen] *take down* ⇒*fetch down* ◆ **1.1** dit pakje wordt afgehaald *this parcel is to be called for* **1.3** beddegoed ~ *strip the beds, remove bedding;* bessen ~ *strip berries;* de was ~ *take down the washing* **1.4** bedden ~ *strip the beds;* de huid ~ *skin, strip off the skin;* paling ~ *skin eels;* peulen ~ *top and tail string-peas;* de schil van een banaan ~ *peel (the skin off) a banana;* de tafel ~ *clear the table* **3.1** ik laat het morgen wel ~ *I'll have it sent for tomorrow* **3.2** ik kom je over een uur ~ *I'll pick you up in an hour's time;* komt iem. je ~? *is anyone meeting you?* **3.3** hij weet overal iets af te halen ⟨fig.⟩ *he cashes in on everything, he always spots a good thing* **6.2** iem. **van** de trein ~ *meet s.o.'s train, collect s.o. from the train* **6.3** ze hebben hem **van** de tribune afgehaald *they dragged him from the platform;* iem. **van** iets ~ ⟨fig.⟩ *get s.o. / take s.o. out of sth.* ⟨bv. verbintenis⟩.

afhameren ⟨ov.ww.⟩ **0.1** [voortvarend afhandelen] *rush through* ⇒*deal with quickly, dispose of (quickly)* **0.2** [het woord ontnemen] *silence* **0.3** [met de hamer afwerken] *hammer out* ◆ **1.2** de agressieve afgevaardigde werd regelmatig afgehamerd *the aggressive [B]member (of parliament) / representative was frequently called to order*.

afhandelen ⟨ov.ww.⟩ **0.1** [tot een besluit brengen] *settle* ⇒*conclude, deal with, put through* ⟨voorstel⟩ **0.2** [ten einde toe behandelen] *deal with* ⇒*dispose of* ◆ **1.1** deze zaak is afgehandeld *this matter has been settled / dealt with* **1.2** de spreker handelde eerst de bezwaren af *the speaker dealt with the problems first*.

afhandeling ⟨de (v.)⟩ **0.1** *settlement* ⇒*transaction, dispatch* ⟨snel⟩.

afhandig ⟨bn.⟩ ◆ **3.¶** iem. iets ~ maken *trick / do / con s.o. out of sth.;* iem. een mes ~ maken *snatch a knife from s.o.;* iem. zijn geld ~ maken *swindle / bamboozle / cheat / do s.o. out of his money;* ⟨scherts.⟩ *relieve s.o. of his money*.

afhangen
I ⟨onov.ww.⟩ **0.1** [naar beneden hangen] *hang down* ⇒*droop* **0.2** [afhankelijk zijn] *depend (on)* ⇒*hinge (on), be dependent (on) / subject (to)* ◆ **5.2** het hangt ervan af wat hij wil *it depends (on) what he wants;* het hangt ervan af of het morgen mooi weer is *it depends on whether the weather is fine / there is fine weather tomorrow (or not);* 't zal ervan ~ *that depends* **6.2** als het **van** mij afhing *if it were up to me* **5.2** hij danste alsof zijn leven ervan afhing *he danced for dear life / as though his life depended on it* **6.2** iets laten ~ **van** iets anders *let sth. depend on sth. else, let sth. be subject to sth. else;* **II** ⟨ov.ww.⟩ **0.1** [losmaken en afnemen] *take down* ⇒*unhook* ⟨van haken⟩, *hang* ⟨deur⟩, *ground (arms)* ⟨wapens⟩ ◆ **1.1** gordijnen ~ *unhook / take down curtains*.

afhangend ⟨bn.⟩ **0.1** *hanging* ⇒*drooping* ◆ **1.1** een ~ dak *overhanging eaves;* wijd~e mouwen *wide-falling sleeves;* ~e schouders *drooping shoulders*.

afhankelijk ⟨bn.⟩ **0.1** [steun, hulp behoevend] *dependent (on)* **0.2** [ondergeschikt] *dependent (on)* ⇒*subordinate (to), subsidiary to, subject (to)* **0.3** [bepaald wordend door iets anders] *dependent (on)* ⇒*subordinate (to), conditional (upon), subject to* ◆ **1.2** in een ~e betrekking *in a subordinate position;* ⟨taal.⟩ ~e zin *subordinate / d. clause* **1.3** ~e grootheden *d. variables* **3.3** iets van iem. ~ maken / stellen *leave sth. to s.o.'s discretion, leave sth. up to s.o.* **6.1** van elkaar ~ zijn *be interdependent* **6.3** ~ **van** de omstandigheden *as the case may be*.

afhankelijkheid ⟨de (v.)⟩ **0.1** *dependence* ◆ **2.1** onderlinge ~ *interdependence*.

afhappen ⟨ov.ww.⟩ **0.1** *bite off*.

afhechten ⟨ov.ww.⟩ **0.1** *fasten (off)* ⟨draad⟩ ⇒*cast off* ⟨bij breien⟩.

afhellen ⟨onov.ww.⟩ **0.1** *slant (down)* ⇒*slope (down), shelve* ⟨van terrein⟩, *steil ook*⟩ *fall / drop away*.

afhelpen ⟨ov.ww.⟩ **0.1** [ten einde toe helpen] *help down* ⟨v.d. trap af⟩ ⇒ *help off* ⟨van muur / trein af⟩ **0.2** [bevrijden] *rid (of)* ⇒*relieve (of), cure (of)* ⟨ziekte⟩ ◆ **6.2** ⟨iron.⟩ iem. van zijn geld ~ *relieve s.o. of his money;* iem. **van** de koorts ~ *cure s.o. of fever*.

afhollen
I ⟨onov.ww.⟩ **0.1** [naar beneden hollen] *dash down* ⇒*charge / rush / run down;*
II ⟨onov.ww.⟩ **0.1** [hollend afleggen] *charge along / down* ⟨bv. weg⟩ ⇒ *rush / dash / run along / down* ◆ **1.1** de trap ~ *charge down the stairs*.

afhouden
I ⟨onov.ww.⟩ **0.1** [zich zijdelings verwijderen] *turn* ⇒*veer* **0.2** [⟨scheep.⟩] *sail fuller* **0.3** [zich terugtrekken] *keep back / away / off* ⇒ *steer clear (of sth.)* ◆ **5.1** bij dat huis moet je links ~ *at that house you have to t. left / veer to the left* **6.1** van de kade ~ *steer away from the quay;*
II ⟨ov.ww.⟩ **0.1** [verwijderd houden] *keep off / out* ⇒*dissuade* ⟨door argumenten⟩, *deter, discourage* **0.2** [aftrekken, inhouden] *keep back* ⇒*withhold, deduct, stop, dock* ◆ **1.1** de boot ~ (lett.) *keep the boat away from the shore;* ⟨fig.⟩ (niet nakomen) *shirk one's responsibilities / duties;* ⟨ontwijken⟩ *refuse to commit o.s., keep one's distance;* ⟨fig.⟩ de hand van iem. ~ *drop s.o.;* zijn handen niet van iets of iem. kunnen ~ *not be able to keep one's hands off sth. / s.o.;* ⟨sport⟩ iem. (v.d. bal) ~ *screen the ball;* de ogen niet kunnen ~ van *not be able to take / keep one's eyes off, be glued to sth.;* de vijand van zich ~ *fend / fight off the enemy, keep the enemy at bay* **1.2** een deel v.h. loon ~ *stop / deduct / hold back / dock a part of the wages;* voorschot / de huishuur ~ *deduct an advance / the rent* **4.1** ⟨fig.⟩ zich van iem. ~ *steer clear of s.o., give s.o. a wide berth* **6.1** ⟨fig.⟩ iem. **van** zijn werk ~ *keep s.o. from his work*.

afhouwen ⟨ov.ww.⟩ **0.1** *chop off* ⇒*hew off / away, lop / cut off* ◆ **1.1** iem. het hoofd ~ *chop s.o.'s head off;* zware takken v.e. boom ~ *chop / lop heavy branches off a tree*.

afhuren ⟨ov.ww.⟩ **0.1** *hire* ⇒*rent, engage* ⟨lokaal⟩, *charter* ⟨vliegtuig⟩ ◆ **1.1** een kajuit / autobus / wagon ~ *h. / rent a cabin / bus / carriage;* een zaal ~ *h. / engage a room / hall*.

afijn ⟨tw.⟩ ⟨inf.⟩ **0.1** *so* ⇒*well*.

afjagen ⟨ov.ww.⟩ **0.1** [wegjagen] *chase away* ⇒*drive away* **0.2** [afmatten] *override* **0.3** ⟨jacht.⟩ *run down* ⇒*whip on* ⟨honden⟩ ◆ **1.2** hij jaagt zijn paarden af *he overrides his horses* **1.3** het hert is afgejaagd *the deer is / has been run down* **1.¶** ⟨jacht.⟩ een terrein ~ *shoot over a field* **6.1** jongens **van** de stoep / kamer / school ~ *chase boys from the door / out of the room, expel boys from school*.

afjakkeren ⟨ov.ww.⟩ **0.1** [uitputten] *overwork* ⇒*slave-drive, exhaust,* ⟨inf.⟩ *fag out, sweat* ⟨paarden, arbeiders⟩ **0.2** [overhaast en slordig afmaken] *throw together* ⇒*knock off, dash off, rush off, hurry through* **0.3** [met dolle snelheid afleggen] *tear (along)* ⇒*speed (along), charge / rush (along)* ◆ **1.2** een werk ~ *dash off a job* **1.3** een weg / een grote afstand ~ *tear along a road, speed over a long distance* **3.1** er afgejakkerd uitzien *look jaded / dead-beat* **4.1** zich ~ *overwork (o.s.), exhaust o.s.*.

afjatten ⟨ov.ww.⟩ ⟨inf.⟩ **0.1** *knock off (from)* ⇒*pinch / pilfer (from)*.

afk. ⟨afk.⟩ **0.1** [afkorting] *abbr(ev)..*

afkalken
I ⟨onov.ww.⟩ **0.1** [kalk loslaten] *scale* ◆ **1.1** de muur kalkt af *the wall is scaling;*
II ⟨onov.ww.⟩ **0.1** [van kalk ontdaan] *scale* ⇒*chip off* **0.2** [vlug en slordig afmaken] *throw together* ⟨opstel⟩ ⇒*dash off* ⟨brief⟩.

afkalven ⟨onov.ww.⟩ **0.1** [mbt. oevers / gletsjers] *cave in* ⇒*give way, founder, crumble away* **0.2** [een kalf werpen] *calve* ◆ **5.2** een vers afgekalfde koe *a cow that has recently calved*.

afkammen ⟨ov.ww.⟩ **0.1** [door kammen reinigen] *comb* **0.2** [onbillijk bekritiseren] *run down* ⇒*cut / pick / pull / take / tear (to pieces),* ⟨boek ook⟩ *slash (to shreds)* ◆ **1.1** afgekamde wol *combed wool*.

afkanten ⟨ov.ww.⟩ **0.1** [de scherpe kanten wegnemen] *blunt, square* ⇒ *level* ⟨schuin⟩, ⟨tech.⟩ *cant, chamfer* ⟨symmetrisch⟩ **0.2** [⟨handwerken⟩] *cast off* ⟨breiwerk⟩; *fasten off* ⟨haakwerk⟩.

afkappen ⟨ov.ww.⟩ **0.1** [door kappen scheiden] *chop off* ⇒*cut off, lop off* **0.2** [de buitenste delen weghalen] *cut down / off* ⟨heester⟩, *clip* ⟨heg⟩ **0.3** [overkappen] *cover over / in* ⇒*roof over / in* ◆ **1.1** de kabels ~ *cut the cables;* een hond de staart ~ *dock a dog's tail* **1.2** een tak ~ *prune a branch;* ⟨fig.⟩ een woord ~ *clip a word* **1.¶** een gesprek ~ *break off / cut short a conversation*.

afkappingsteken ⟨het⟩ **0.1** *apostrophe*.

afkatten ⟨ov.ww.⟩ ⟨inf.⟩ **0.1** *snap at*.

afkauwen ⟨ov.ww.⟩ **0.1** *bite / chew off* ◆ **1.1** een afgekauwd korstje *a chewed-off crust*.

afkeer ⟨de (m.)⟩ **0.1** *aversion (to / from / for)* ⇒*abhorrence (of), dislike (of / to / for), distaste (for)* ◆ **3.1** een ~ hebben / tonen *have / display an aversion (to / for);* een ~ krijgen (van) *take an aversion / a dislike (to)* **6.1** met ~ *with distaste;* een ~ **van** / jegens iets of iem. *a loathing for* *sth. / s.o.;* iem. ~ inboezemen **voor**/**tegen** *fill s.o. with an aversion/ loathing for.*

afkeren ⟨ov.ww.⟩ **0.1** [afwenden] *turn away*/*aside* ⇒*avert* **0.2** [afweren] *avert* ⇒*parry, ward off, divert* ⟨een andere richting⟩ ◆ **1.1** het hoofd/ de ogen ~ *turn one's head away, avert one's eyes* **1.2** een stoot/gevaar ~ *parry*/*ward off a blow, a. a danger;* water/ een stroom ~ *divert water /a stream* **6.1** zich ~ **van** iem. of iets *turn away from s.o. or sth.;* ⟨fig.⟩ zich van de wereld ~ *turn one's back on*/*withdraw from the world.*

afkerig ⟨bn.⟩ **0.1** [afkeer hebbend] *averse (to*/*from)* ⇒*loath (to), abhorrent (of), ill-disposed (to*/*toward)* **0.2** [⟨bijb.⟩] *backsliding* ◆ **3.1** iem. van iets ~ maken *make sth. abhorrent to s.o.* **6.1** ~ zijn **van** geweld *be abhorrent of violence, abhor violence;* niet ~ zijn **van** iets *not be ill-disposed to sth..*

afketsen
I ⟨onov.ww.⟩ **0.1** [afstuiten] *ricochet* ⇒*glance off, rebound, bounce off* **0.2** [⟨fig.⟩] *fall through* ⇒*fail, backfire, miscarry* ◆ **1.2** daarop is het plan afgeketst *that is where the plan came to grief, the plan foundered on that* **6.1** de kogel ketste **op** de rotsen af *the bullet ricocheted off the rocks;*
II ⟨ov.ww.⟩ **0.1** [doen afstuiten] *bounce off* **0.2** [⟨fig.⟩] *reject* ⇒*defeat* ⟨voorstel⟩, *frustrate* ⟨plannen⟩, *turn down* ⟨sollicitatie, voorstel⟩ ◆ **1.2** dat voorstel werd met grote meerderheid afgeketst *that proposal was rejected*/*defeated*/*turned down by a large majority.*

afkeuren ⟨ov.ww.⟩ **0.1** [ongeschikt verklaren] *reject* ⇒*turn down, declare unfit* **0.2** [veroordelen] *disapprove of* ⇒*condemn, censure, denounce* ⟨bv. politiek⟩, *frown on* ⟨gedrag⟩ ◆ **1.1** een dienstplichtige ~ *declare a conscript unfit (for military service);* maten en gewichten ~ *reject measurements and weights;* het sportterrein werd afgekeurd *the pitch was declared unfit for play;* afgekeurd vlees *condemned meat, meat declared unfit for human consumption* **1.2** een daad ~ *condemn a deed* **1.¶** een doelpunt ~ *disallow a goal* **5.2** openlijk ~ *(publicly) decry*/*denounce* **6.1** hij is **voor** 70% afgekeurd *he is 70% incapacitated.*

afkeurend ⟨bn., bw.; -ly⟩ **0.1** *disapproving* ⇒*frowning, condemnatory, deprecative* ◆ **1.1** ~e gebaren/blik *disapproving gestures, a disapproving look, gestures*/*a look of disapproval;* een ~ oordeel *a condemnatory judgement* **3.1** ~ kijken (naar) *look disapproving(ly) (at), frown (at), scowl (at);* hij liet zich ~ uit over die zaak *he expressed his disapproval of*/*condemned the matter;* hij schudde ~ zijn hoofd *he shook his head in disapproval.*

afkeurenswaardig ⟨bn.⟩ **0.1** *condemnable* ⇒*censurable, blameworthy, objectionable* ◆ **1.1** zijn gedrag is zeer ~ *his behaviour is strongly to be condemned*/*most objectionable.*

afkeuring ⟨de (v.)⟩ **0.1** [het ongeschikt verklaren] *rejection (on medical grounds)* ⟨gezondheid⟩ **0.2** [het ongunstig beoordelen] *disapproval* ⇒*condemnation, censure, disfavour* ◆ **1.2** een motie van ~ *a vote of censure* **3.2** ~ uitlokken/verdienen *incur*/*deserve disapproval;* zijn ~ uitspreken over *express condemnation*/*one's disapproval of;* zijn gedrag wekte algemene ~ *his behaviour provoked general disapproval/ censure.*

afkickboerderij →**afkickcentrum**
afkickcentrum ⟨het⟩ **0.1** *drug rehabilitation centre.*
afkicken ⟨onov.ww.⟩ **0.1** *kick the habit* ⇒*dry out* ⟨drank⟩ ◆ **¶.1** hij is afgekickt *he is off the habit, he has kicked the habit.*

afkijken
I ⟨ov.ww.⟩ **0.1** [ongemerkt overnemen] *copy* ⇒⟨inf.; op school ook⟩ *crib,* ⟨kunstje ook⟩ *catch, imitate, pick up* **0.2** [ten einde zien] *look down* **0.3** [door te veel kijken niet meer waarderen] ⟨zie 1.3⟩ **0.4** [ten einde toe kijken] *see out*/*through*/*to the end* ◆ **1.1** iem. de kunst/een kunstje ~ *copy the art*/*a trick from s.o.* **1.3** ik heb het mooie/het nieuwe/de aardigheid ervan afgekeken *the beauty*/*novelty*/*charm of it has worn off for me, I am tired of looking at it* **1.4** we hebben die film niet afgekeken *we didn't see the film out;*
II ⟨ov.ww.⟩ **0.1** [heimelijk overschrijven] *copy* ⇒⟨inf; op school ook⟩ *crib* **0.2** [naar beneden kijken] *look down* ◆ **1.2** hij keek de trap af *he looked down the stairs* **6.1** bij/**van** zijn buurman ~ *copy*/*crib from*/*off his neighbour.*

afkijker ⟨de (m.)⟩ **0.1** *imitator* ⇒⟨inf.⟩ *copycat.*
afklappen ⟨onov., ov.ww.⟩ **0.1** *give a slow handclap.*
afkleden ⟨onov.ww.⟩ **0.1** *be slimming* ⇒*have a slimming effect* ◆ **1.1** een zwart kostuum kleedt af *a black suit is slimming.*
afklemmen ⟨ov.ww.⟩ **0.1** *catch* ⇒*pinch (off)* ◆ **1.1** hij heeft zijn vinger tussen de deur afgeklemd *he has caught his finger in the door.*
afkletsen ⟨ov.ww.⟩ **0.1** *chat* ⇒*chatter (away), gossip* ◆ **4.1** ze hebben weer wat afgekletst *they have had a good (old) chat again.*
afklimmen ⟨ov.ww.⟩ **0.1** *climb down* ⇒*descend.*
afklokken ⟨onov., ov.ww.⟩ ⟨sport⟩ **0.1** *clock* ⇒*time* ◆ **1.1** iem. ~ *clock s.o..*
afkloppen ⟨ov.ww.⟩ **0.1** [van stof en vuil zuiveren] *dust down*/*off* ⇒ *shake, beat* **0.2** [ongeluk bezweren] *knock on*/*touch wood* ◆ **1.1** kleren ~ *dust down clothes* **1.2** klop die bewering maar even af *let's hope you're right* **5.2** even ~! *touch wood!.*
afkluiven ⟨ov.ww.⟩ **0.1** *gnaw off* ⇒*tear off* ◆ **1.1** een been ~ *pick a*

bone; gnaw a bone ⟨dier⟩; ⟨fig.⟩ zijn vingers ~ *lick one's fingers;* vlees ~ *chew*/*gnaw (meat off) bones.*

afknabbelen ⟨ov.ww.⟩ **0.1** *nibble away*/*off* ⇒*pick (clean)* ◆ **1.1** de beentjes ~ *pick the bones clean* **6.1** ⟨fig.⟩ van die voorrechten is in de loop der tijden heel wat afgeknabbeld *those privileges have been cut/ trimmed down*/*eaten*/*nibbled away at in the course of time.*

afknagen ⟨ov.ww.⟩ **0.1** [door knagen ontdoen van] *gnaw off* **0.2** [langzaam wegschuren] *eat away (at)* ⇒*erode* ◆ **1.2** de stroom knaagde de oever af *the current eroded the bank*/*ate the bank away.*

afknappen
I ⟨onov.ww.⟩ **0.1** [knappend gescheiden worden] *snap (off)* **0.2** [mbt. personen] *break down* ⇒*have a breakdown* ◆ **1.1** de veer knapte af *the spring snapped* **6.2** ⟨inf.⟩ ~ **op** iem. / iets *go off s.o. / sth., get browned off*/*fed up with s.o. / sth.* **¶.2** verleden week is hij afgeknapt *he had a breakdown last week;*
II ⟨ov.ww.⟩ **0.1** [met een knap afbreken] *snap (off)* ⇒*break (off)* ◆ **1.1** hij heeft een stuk van het glas afgeknapt *he snapped*/*broke off a piece of the glass.*

afknapper ⟨de (m.)⟩ ⟨inf.⟩ **0.1** *letdown* ⇒*nonevent,* ⟨vnl. AE; sl.⟩ *bummer.*
afknellen ⟨ov.ww.⟩ **0.1** *pinch (off)* ⇒*squeeze (off), catch* ◆ **1.1** zij heeft haar vinger tussen de deur afgekneld *she caught her finger in the door.*
afknibbelen ⟨ov.ww.⟩ **0.1** *whittle away*/*down* ⇒*beat down* ⟨prijs, argument⟩ ◆ **6.1** de regering liet niets **van** haar voorstel ~ *the government wouldn't allow its proposal to be whittled down;* een paar dubbeltjes **van**/**op** de prijs weten af te knibbelen *get a few pence knocked off.*
afknijpen ⟨ov.ww.⟩ **0.1** [door knijpen ontdoen van] *pinch*/*nip off* **0.2** [(zeer) hard aanpakken] *put through it* ⇒*put through the mill,* ⟨scherp ondervragen ook⟩ *give (s.o.) the third degree* ◆ **1.1** een spijker met een nijptang ~ *pinch off a nail with pincers.*
afknippen ⟨ov.ww.⟩ **0.1** [met een schaar afsnijden] *snip (off)* ⟨draad, bloem⟩ ⇒*clip (off)* ⟨sigaar e.d.⟩, *cut off* ⟨haar⟩, *trim* ⟨lampepit⟩ **0.2** [door een knip met de vingers verwijderen] *flick off* ◆ **1.1** het haar ~ *cut hair* **1.2** stofjes van zijn mouw ~ *flick (specks of) dust*/*fluff off one's sleeve* **5.1** het haar kort ~ *crop hair.*
afknotten ⟨ov.ww.⟩ **0.1** [v.e. uitstekend deel ontdoen] *truncate* ⇒*lop, poll, pollard, top* ⟨boom⟩, *amputate* ⟨vnl. lichaamsdeel⟩, *dock* ⟨staart⟩ **0.2** [⟨bouwk.⟩] *bevel, chamfer.*

afkoelen
I ⟨onov.ww.⟩ **0.1** [koeler worden] *cool (off*/*down)* ⇒*chill, go*/*grow cold* ◆ **1.1** het ijzer koelt reeds af *the iron is cooling down already;* ⟨fig.⟩ die liefde is ook al afgekoeld *that romance has cooled off*/*down already* **4.1** het is na het onweer erg afgekoeld *it has cooled down considerably after the thunderstorm;*
II ⟨ov.ww.⟩ **0.1** [koeler maken] *cool down*/*off* ⇒*chill* ⟨bv. wijn⟩, *refrigerate* ⟨in koelkast⟩ ◆ **1.1** de motor met water ~ *cool (down) the engine with water* **3.1** iets laten ~ *leave sth. to cool*/*chill* **4.1** dat zal hem wel ~ *that should cool him down* ⟨ook fig.⟩; ⟨fig. ook⟩ *that should calm him down.*

afkoeling ⟨de (v.)⟩ **0.1** [het koeler worden, maken] *cooling (off*/*down)* ⇒*chilling, refrigeration* ⟨in koelkast⟩, *drop in temperature* ⟨weer⟩ **0.2** [⟨fig.⟩] *cooling off* ⇒*chill(ing).*
afkoelingsperiode ⟨de (v.)⟩ **0.1** *cooling-off period.*

afkoken
I ⟨onov.ww.⟩ **0.1** [mbt. aardappels] *boil to mush;*
II ⟨ov.ww.⟩ **0.1** [door koken ontdoen van] *boil down* ⇒*decoct, boil off* ⟨water van iets⟩ ◆ **1.1** beenderen ~ *boil bones (for stock);* groenten ~ *boil vegetables down;* afgekookt vlees *bully.*

afkoker ⟨de (m.)⟩ **0.1** *mushy potato.*

afkomen ⟨onov.ww.⟩ **0.1** [zich verwijderen] *come off*/*away (from)* **0.2** [⟨+op⟩ toegaan naar] *come up to*/*towards* ⇒*advance on*/*towards, make for* **0.3** [afdalen] *come down* ⇒*descend* **0.4** [naderen langs] *come down* ⇒*descend* **0.5** [ontslagen, bevrijd raken] *get rid of* ⇒*be done*/*finished with* ⟨iets vervelends⟩, ⟨ontsnappen⟩ *get off*/*away, get out of* ⟨uitnodiging, verplichting⟩ **0.6** [ten einde komen] *end* ⇒*conclude* **0.7** [uitgaan v.e. hogere instantie] *come through* ⇒*be published* **0.8** [afstammen] ⟨geslacht⟩ *be descended (from);* ⟨woord⟩ *be derived (from)* ◆ **1.4** een weg/een rivier ~ *come down a road, come down/ descend a river* **1.6** komt dat werk nooit af? *will that work never be finished?* **1.7** wanneer komt die benoeming af? *when will that appointment come through?* **5.5** er bekaaid ~ *come off badly, get the thin end of the stick;* er met twee maanden gevangenis ~ *get off with*/*be let off with two months in prison;* er gemakkelijk ~ *get off easily*/*cheaply;* er goed ~ *come off well* **6.1** kom **van** het ijs af *come away from*/*get off the ice* **6.2** de muggen komen **op** het licht af *midges are drawn*/*attracted to the light;* ⟨fig.⟩ de dingen **op** zich laten ~ *wait and see, let things take their course;* zij zag de auto recht **op** zich ~ *she saw the car heading straight for her*/*coming straight at her* **6.5** er **met** de schrik van ~ *get away*/*off with the fright;* ergens zonder kleerscheuren **van** ~ *get off unscathed, come through without a scratch, get off scot-free;* ik kon niet **van** hem ~ *I couldn't shake him off*/*get rid of him.*

afkomst ⟨de (v.)⟩ [→sprw. 148] **0.1** *descent* ⇒⟨afstamming⟩ *origin,*

⟨geboorte⟩ *birth,* ⟨woord ook⟩ *derivation* ◆ **1.1** ⟨fig.⟩ de~v.d. taal/
v.e. woord *the origin of a language, the derivation/origin of a word*
2.1 van Franse~ ⟨in Frankrijk geboren⟩ *French by birth;* ⟨van Franse ouders⟩ *of French descent/extraction/stock/origin;* van hoge/lage
~*of noble birth/good family, of low birth* **6.1** een Zweed **van** ~*a
Swede by descent; a Swede by birth;* ⟨pregn.⟩ een meisje **zonder** ~*a
girl of low birth/poor family/humble origin.*
afkomstig ⟨bn.⟩ **0.1** [komende] *from* ⇒*coming/originating (from)* **0.2**
[afgeleid] *originating/originated (from)* ⇒*derived (from)* **0.3** [voort-
komende] *originating* ⇒*emanating, coming (from)* **0.4** [toebehoord
hebbende] *originating* ⇒*belonging, from* **0.5** [ontworpen] *originating*
◆ **6.1** ~**uit** Eindhoven f. Eindhoven; **uit** Frankrijk ~*of French origin*
6.2 dat woord is~**uit** het Engels *that word is derived/borrowed from
English* **6.3** deze planken zijn~**van** die oude eik *these shelves origi-
nate/are made from that old oak;* voorwerpen **van** diefstal ~*stolen
goods* **6.4** dit horloge is~**van** mijn vader *this watch belonged to my
father* **6.5** van wie is dat plan~? *who is responsible for that plan, from
whom does that plan emanate?.*
afkondigen ⟨ov.ww.⟩ **0.1** *proclaim* ⇒*give notice of, call* ⟨verkiezing⟩,
promulgate ⟨verordening, Koninklijk Besluit⟩ ◆ **1.1** een voorgenomen huwelijk ~*call/publish/put up the (marriage) banns, have one's
banns called* ⟨kerkelijk⟩*;give notice of a proposed marriage* ⟨wette-
lijk, gemeentelijk⟩; de regering heeft de staat van beleg afgekondigd
the government has proclaimed martial law; een staking ~*call a strike;*
de vrede ~*proclaim peace;* een wet ~*promulgate a law* **6.1** **van** de
preekstoel ~*announce/proclaim from the pulpit.*
afkondiging ⟨de (v.)⟩ **0.1** [het afkondigen] *proclamation* ⟨vrede, staat
van beleg, noodtoestand⟩ ⇒*notification* ⟨van voorgenomen huwe-
lijk⟩, *declaration* ⟨staking, onafhankelijkheid⟩, *promulgation* ⟨wet,
verordening⟩ **0.2** [het afgekondigde] *proclamation* ⇒*notification, notice, declaration* ◆ **1.1** deze wet treedt in werking op de dag van haar
~*this law takes immediate effect;* ~v.d. huwelijksgeboden *notice/
publication of the marriage banns* **3.1** ~doen van *give notice of, announce, notify* **3.2** ~en aanplakken *put up notices, post proclama-
tions.*
afkooksel ⟨het⟩ **0.1** *decoction.*
afkoop ⟨de (m.)⟩ **0.1** *buying off/out* ⇒*redemption, commutation,*
⟨verz.⟩ *surrender,* ⟨loskoping⟩ *ransom, redemption* ◆ **6.1 bij** ~v.d.
verzekering *upon surrender of the policy.*
afkoopbaar ⟨bn.⟩ **0.1** *redeemable* ◆ **1.1** de dienstplicht was~*military
service was commutable;* afkoopbare grondrenten *r. leases.*
afkoopsom ⟨de⟩ **0.1** *redemption money* ⇒*compensation, ransom,* ⟨verz.⟩
surrender value.
afkoopwaarde ⟨de (v.)⟩ ⟨verz.⟩ **0.1** *surrender value.*
afkopen ⟨ov.ww.⟩ **0.1** *buy/purchase (from)* ⇒*buy off, redeem* ⟨verplich-
ting⟩, ⟨loskopen⟩ *ransom* ◆ **1.1** een grondrente/hypotheek ~*purchase a lease, redeem a mortgage;* een polis ~*surrender a policy;* een
vennoot ~*buy out a partner;* een vervolging ~*buy off a prosecution;*
een verzekeringspolis ~ voor een uitkering ineens *commute an insurance policy into a lump sum.*
afkoppelen ⟨ov.ww.⟩ **0.1** *uncouple* ⟨wagon⟩*;disconnect* ⟨machine⟩.
afkorten ⟨ov.ww.⟩ **0.1** [verkorten door weglating] *shorten* ⇒⟨woorden
ook⟩ *abbreviate, abridge* ⟨verhaal⟩ **0.2** [in lengterichting kleiner
maken] *shorten* ◆ **1.1** een rede ~*abbreviate/s. / cut (down on) a
speech* **1.2** hop~*top/tip hop-vines.*
afkorting ⟨de (v.)⟩ **0.1** [afgekort woord] *abbreviation* ⇒*shortening* **0.2**
[mindering] *deduction, reduction* ◆ **6.1** Tony is een ~ **van** Anthony
Tony is short for Anthony **6.2 op** ~betalen *pay on account.*
afkortingsteken ⟨het⟩ **0.1** [teken dat afkorting aanduidt] *abbreviation
mark* **0.2** [weglatingsteken] *apostrophe.*
afkrabben ⟨ov.ww.⟩ **0.1** [door krabben wegnemen] *scrape/scratch off/
from* ⇒*strip off* ⟨ihb. verf, enz.⟩ **0.2** [door krabben ontdoen
van] *scrape* ◆ **1.1** een korstje v.e. wond/de verf v.d. deur ~*scratch a
scab off a wound, strape/strip the paint from the door* **1.2** ijzerwerk ~
s. ironwork.
afkrabber ⟨de (m.)⟩ **0.1** *scraper* ⇒*stripper.*
afkraken ⟨ov.ww.⟩ **0.1** *slate, slash* ⇒*run/* ⟨mbt. personen⟩ *do down.*
afkrijgen ⟨ov.ww.⟩ **0.1** [eraf kunnen halen] *get off/out* **0.2** [kunnen vol-
tooien] *get done/finished* ⇒*finish* ◆ **1.1** hij kreeg de vlek er niet af *he
couldn't get the stain out* **1.2** het werk ~*get the work done/finished*
6.1 hij kreeg de verf niet **van** de deur af *he couldn't get/strip the paint
off the door;* een paar gulden **van** een rekening ~*get a few guilders
knocked off a bill;* ik kon hem niet **van** het terrein ~*I couldn't get him
off the field.*
afkuisen ⟨ov.ww.⟩ ⟨AZN⟩ **0.1** ⟨schoonmaken⟩ *clean;* ⟨afvegen⟩ *wipe
(off).*
afkukelen ⟨inf.⟩
  I ⟨onov.ww.⟩ **0.1** [aftuimelen] *tumble/topple (off)* ◆ **6.1** het kind kukelde **van** de bank af *the child tumbled off the bench;*
  II ⟨ov.ww.⟩ **0.1** [afgooien] *knock (off)* ◆ **6.1** de jongen kukelde zijn
bord **van** de tafel af *the boy knocked his plate off the table.*
afkunnen ⟨ov.ww.⟩ **0.1** *be able to get through/cope with* ◆ **1.1** het werk
alleen niet ~*not be able to get through the work alone* **4.1** het best ~

manage (it) alone/on one's own; ik kan het zonder jou wel af *I can get
along (very well) without you.*
afkussen ⟨ov.ww.⟩ **0.1** [door kussen wegnemen] *kiss away* **0.2** [met een
kus bijleggen] *kiss away* **0.3** [met kussen bedekken] *cover/smother
with kisses* ◆ **3.2** laten we het ~*let's kiss and be friends.*
afl. ⟨afk.⟩ **0.1** [aflevering] ⟨instalment⟩ **0.2** [afleiding] ⟨derivation⟩.
aflaat ⟨de (m.)⟩⟨r.k.⟩ **0.1** *indulgence* ◆ **2.1** gedeeltelijke~*partial i.;*
volle~*plenary i.* **3.1** iem. een ~schenken *grant s.o. an i.;* een~ver-
dienen *earn an i..*
aflaatbrief ⟨de (m.)⟩ **0.1** *(letter of) indulgence.*
aflaatsluis ⟨de⟩ **0.1** *sluice.*
afladen ⟨ov.ww.⟩ **0.1** [weg-/af-/uitnemen] *unload* **0.2** [van lading ont-
doen] *unload* ⇒*discharge* **0.3** [vol laden] *complete the loading of* ⇒
ship, forward ◆ **1.1** de koffers~*u. the suitcases* **1.3** afgeladen schepen
fully loaded ships.
aflader ⟨de (m.)⟩ **0.1** *shipper.*
aflakken
  I ⟨ov.ww.⟩ **0.1** [geheel lakken] *finish, lacquer all over;*
  II ⟨onov.ww.⟩ **0.1** [laatste laklaag opbrengen] *finish lacquering* ⇒
give the finishing coat.
aflandig ⟨bn.⟩ ⟨scheep.⟩ **0.1** *offshore.*
aflaten
  I ⟨onov.ww.⟩ ⟨schr.⟩ **0.1** [ophouden] *desist (from)* ⇒*cease* ◆ **1.1** niet
~de zorg *unremitting/constant care* **5.1** zij liet niet af haar waren aan
te prijzen *she didn't cease advertising her goods;*
  II ⟨ov.ww.⟩ **0.1** [laten zakken] *lower* ⇒*let/ease down* **0.2** [bij het naar
beneden gaan vergezellen] *show down* ◆ **1.1** iem~*lower crates* **1.2**
ik zal je even de trap~*I'll show you down the stairs.*
aflatoxine ⟨de (v.)⟩⟨schei.⟩ **0.1** *aflatoxin.*
aflebberen ⟨ov.ww.⟩⟨inf.⟩ **0.1** [aflikken] *lick off* **0.2** [afzoenen]
¹*smooch,* ¹*engage in French kissing.*
afleesbaar ⟨bn.⟩ ⟨tech.⟩ **0.1** *readable.*
afleesfout ⟨de⟩ ⟨tech.⟩ **0.1** *reading error.*
afleesinstrument ⟨het⟩ ⟨tech.⟩ **0.1** *indicating instrument* ⇒*instrument
with visual display/indication.*
afleessloep ⟨de⟩ **0.1** *reading glass/amplifier.*
afleggen ⟨ov.ww.⟩ **0.1** [afdoen] *take off* ⇒*lay down* ⟨wapens⟩, ⟨afdan-
ken⟩ *cast off, discard* **0.2** [zich ontdoen van iets vervelends] *shed* ⇒
discard, lay aside **0.3** [verrichten] *make* ⟨verklaring⟩*;take* ⟨examen,
eed⟩ **0.4** [ten einde volgen] *cover* ⇒*traverse, travel, do* **0.5** [afnemen
en elders neerleggen] *lay/put aside* **0.6** [mbt. een lijk] *lay out* **0.7**
[mbt. de huid/horens van dieren] *cast* ⇒*shed* **0.8** [⟨plantk.⟩] *layer* ◆
1.1 het geschut ~ *unlimber the guns;* zij legde haar sluier af *she took
off her veil;* ⟨fig.⟩ she left the oncer/became laicised; ⟨fig.⟩ de toga ~
retire (from academic/clerical/legal ⟨enz.⟩ *office)* **1.2** slechte gewoonten ~*s. / shake off/get out of bad habits;* een last~*s. / lay aside a
burden;* zijn trots~*put/lay aside one's pride;* ⟨fig.⟩ zorgen/kommer/
wrok/angst~*s. cares/worry/rancour/fear* **1.3** een bezoek ~*pay a
visit/call, call (on s.o.);* een examen ~*take/do/sit for an exam(ination);* getuigenis ~*give evidence* **1.4** 500 mijl per dag ~*c. 500 miles a
day;* een weg te voet ~*go some way on foot* **1.5** uit een kaartsysteem
kaarten ~*transfer/take/file (away) cards out of a(n index) card system* **1.8** loten/een wijnstok ~*l. shoots/a vine* **4.** ¶ het ~*pass away/on,
die, kick the bucket,* ⟨inf.⟩ *peg out, snuff it;* het ~ tegen iem. *be
worsted/defeated/* ¹ *licked by s.o., be no match for/go under to s.o.;*
die broek begint het af te leggen *that pair of trousers is beginning to
wear thin* **6.5** leg de boeken **van** de stoel af *remove the books from the
chair.*
aflegger ⟨de (m.)⟩ **0.1** [afdankertje] *cast-off* **0.2** [plant] *layer* **0.3** [mbt.
lijken] *layer-out.*
afleidbaar ⟨bn.⟩ **0.1** *derivable* ⇒⟨logisch afleidbaar⟩ *deducible* ◆ **1.1**
Franklin ontdekte dat de bliksem ~ is *Franklin discovered that lightning can be conducted.*
afleiden ⟨ov.ww.⟩ **0.1** [wegleiden] *lead/guide away (from)* ⇒*divert
(from)* ⟨weg enz.⟩*, conduct* ⟨bliksem⟩ **0.2** [ontspanning brengen; sto-
ren] *divert* ⇒*distract* **0.3** [naar beneden leiden] *lead/guide down* **0.4**
[de oorsprong verklaren] *trace back (to)* **0.5** [van/uit bestaande woorden vormen] *derive (from)* **0.6** [deduceren] *deduce (from)* ⇒*infer/*
gather (from) **0.7** [⟨plantk.⟩] *train* ◆ **1.1** ⟨fig.⟩ zijn aandacht ~*divert
one's attention;* de bliksem ~ *conduct lightning;* het gesprek van iets ~
guide/lead the conversation away from sth.; de stroom ~*divert the
stream;* het water van de bron ~*lead/channel the water from the
source/spring* **1.3** iem. de trap ~*lead/guide s.o. down the stairs* **4.2** ik
leidde hem af *I distracted him/his thoughts/kept him from his work;*
het zal mij wat ~*it'll take my mind off things* **6.1** ⟨fig.⟩ iem. **van** de
rechte weg~*lead s.o. astray* **6.4** die familie leidt haar geslacht af **van**
Karel de Grote *that family traces its ancestry back to Charlemagne* **6.5**
spraak, spreuk en sprookje zijn afgeleid **van** spreken *'spraak',
'spreuk' and 'sprookje' are derived from/derivatives of 'spreken'.*
afleider ⟨de (m.)⟩ **0.1** ⟨bliksem⟩ *lightning conductor/rod.*
afleiding ⟨de (v.)⟩ **0.1** [het afleiden ⟨van water enz.⟩] *diversion* **0.2** [ont-
spanning] *distraction* ⇒*diversion* **0.3** ⟨taal.⟩ [het afleiden/vormen]
derivation **0.4** [⟨taal.⟩ afgeleid woord] *derivative* **0.5** [⟨med.⟩] *revul-*

sion ⇒*counterirritation* ◆ **1.3** de leer der~en *the theory of d.* **3.2** een wandeling bezorgt toch~*a walk surely provides a change/some relaxation, a change is as good as a rest;* ik heb echt~nodig *I really need a change/sth. to take my mind off it/things;* voor~zorgen *distract the mind(s), take one's mind off things* **6.2 ter**~dienen *serve as a diversion, offer a change (of scene)* **6.4** koningin is een~**van** koning '*koningin' is a d. of/from 'koning'.*

afleidingsmanoeuvre 〈het, de〉 **0.1** *diversion* 〈ook mil.〉 ⇒*diversionary tactic/action, feint* 〈ook sport〉, 〈fig.〉 *red herring.*

afleren 〈ov.ww.〉 **0.1** [zichzelf] *unlearn* ⇒*get out of, break o.s. of (the habit of), stop* **0.2** [een ander] *cure of* ⇒*break of, get out of, stop* ◆ **1.1** het stotteren/roken~*overcome/cure o.s of stammering, cure o.s of/ stop smoking* **1.2** zich een gewoonte~*get o.s. out of a habit, break a habit;* iem. iets~*knock sth. out of s.o., teach s.o. not to do sth.;* je moet hem die vooroordelen~*you must cure him of those prejudices* **4.2** ik zal het je wel~! *I'll teach/* 〈inf.〉 *learn you!.*

afleveren 〈ov.ww.〉 **0.1** *deliver* ⇒〈produceren〉 *turn out, produce* ◆ **1.1** de bestelling is op tijd afgeleverd *the order was delivered on time;* we moeten proberen goede leerlingen af te leveren *we must try to turn out good pupils.*

aflevering 〈de (v.)〉 **0.1** [bezorging] *delivery* **0.2** [〈boek.)] *instalment* ⇒*number, issue* 〈tijdschrift〉 ◆ **2.2** oude~en *back/past numbers* **6.1 bij** de~tegenwoordig zijn *be present at the d. / hand-over;* **bij**~betalen *pay/cash on d., C.O.D.* **6.2 in**~en verschenen *published serially/in parts/in instalments.*

afleveringstermijn 〈de (m.)〉 **0.1** *term of delivery, delivery date.*

aflezen 〈ov.ww.〉 **0.1** [uitlezen] *finish (reading)* ⇒*read (right) through/ to the end* **0.2** [ten einde toe voorlezen] *read out (the whole of)* **0.3** [mbt. meetwerktuigen] *read (off)* ◆ **1.1** hij wilde eerst de brief~*he first wanted to finish reading the letter* **1.2** een lijst/namen~*read out a list, call out/over names, call the names;* een verordening~*read out an ordinance* **1.3** de stand v.e. manometer~*read (out) a pressure-gauge, take a pressure-gauge reading;* 〈fig.〉 de woede van iemands gezicht~*tell the anger from/see the anger on s.o.'s face* **4.1** hij leest heel wat af *he reads a lot.*

aflikken 〈ov.ww.〉 **0.1** [door likken wegnemen] *lick off* **0.2** [door likken ontdoen van iets] *lick* **0.3** [afzoenen] ↑*smooch,* ↑*engage in French kissing* ◆ **1.1** 〈inf.;fig.〉 dat is iets om je vingers bij af te likken *that's super/mouthwatering;* zijn vingers/een lepel~*l. one's fingers/a spoon* **6.1** stroop **van** zijn vingers~*lick syrup off one's fingers.*

afloden 〈ov.ww.〉 〈scheep.〉 **0.1** *fathom* ⇒*sound, take soundings.*

afloeren 〈ov.ww.〉 **0.1** [afkijken] *copy* ⇒*catch* **0.2** [loerend bespieden] *spy out/on* ⇒*take stealthy note of* ◆ **1.1** een kunstje/handgreep~*copy/pinch/borrow a trick/knack/dodge* **1.2** de dief loerde de weg af *the thief spied out the way/road.*

afloop 〈de (m.)〉 **0.1** [einde] *end* ⇒*close, expiration, expiry, termination* 〈termijn〉 **0.2** [uitkomst, resultaat] *result* ⇒*outcome, issue* **0.3** [het af-/weglopen] *flowing off* **0.4** [pijp] *drain* ⇒*outlet* ◆ **1.2** de~v.d. examens was dit jaar gunstig *the results on the exam(ination)s were good this year* **2.2** ongeluk met dodelijke~*fatal accident* **2.3** het water op de weg heeft geen voldoende~*the water on the road has inadequate drainage, there's insufficient fall in the road* **6.1 na**~v.d. voorstelling *after the performance/show* **6.4** een gootsteen **met** een~*a sink with a waste/d..*

afloopdatum 〈de (m.)〉〈verz.〉 **0.1** *expiry date.*

aflopen

I 〈onov.ww.〉 **0.1** [weglopen] *leave* **0.2** [〈+op] zich haastig begeven naar] *rush to* ⇒*make for* **0.3** [ten einde lopen] *(come to an) end* ⇒*finish, expire, terminate, run out* 〈termijn, contract〉 **0.4** [mbt. wekkers] *go off* **0.5** [wegstromen] *run/flow down* ⇒*ebb, go out* 〈getij〉, *drain (off)* 〈regenwater〉 **0.6** [naar beneden lopen] *run/go/walk down* **0.7** [zich naar beneden uitstrekken] *slope (down)* ⇒*decline,* 〈terrein ook〉 *shelve, run downhill* 〈weg〉, *fall away* 〈terrein〉 **0.8** [ergens afgaan] *run off* **0.9** [mbt. kaars] *gutter* ⇒*run* **0.10** [v.d. helling glijden] *be launched, leave the slip* **1.3** wat ga je doen wanneer dit baantje afgelopen is? *what are you going to do once this job is over?;* de cursus is afgelopen *the course is finished;* dit jaar loopt het huurcontract af *the lease expires this year;* hiermee was de vergadering afgelopen *that concluded the meeting;* en daar is de zaak mee afgelopen *and that's the end of/that clinches the matter* **1.5** de rivier loopt hier sterk af *the river flows (down) rapidly here* **1.7** de weg loopt snel af *the road slopes down steeply/has a steep slope/plunges downhill* **3.8** een kabel laten~*run/pay out a cable* **3.10** een schip laten~*launch a ship* **5.3** de operatie is goed afgelopen *the operation was successful;* het verhaal liep goed af *the story had a happy end(ing);* goed/treurig~*turn out well/badly;* hoe is het afgelopen? *how did it (all) end/come to an end/ finish?, what was the end of it?, what was the outcome?;* hoe zal 't~? *what will be the end (of it)?* **6.1** niet **van** je plaats~*not l. your place* **6.3** het loopt met af hem *he is sinking fast/is near the end;* **met** een sisser~*blow over, fizzle out;* hoe is het met die zaak afgelopen? *what happened in the end (of that affair)?, what was the outcome of that business/affair?;* het zal slecht **met** hem~*he will come to a sticky end/ to no good* **6.5** het bloed liep hem **van** het gezicht af *the blood was*

running down his face **6.6 van** de berg/trap~*run down the mountain /stairs* **6.8** het rad liep **van** de as af *the wheel came/ran off the axle* **8.4** ~als een wekker 〈fig.〉 *rattle on (non-stop);*

II 〈ov.ww.〉 **0.1** [verslijten] *wear out* 〈ook schoenen〉 ⇒*wear down* 〈ook hak〉 **0.2** [doorlopen] *tramp* 〈land,straten〉;*scour, range* 〈bos〉; 〈plunderen〉 *plunder, ransack* **0.3** [ten einde toe doorlopen] *cover* ⇒*walk, do* ◆ **1.1** zich het vel v.d. voeten/de zolen v.d. schoenen~ 〈fig.〉 *walk one's legs off/o.s. to death/the shoes off one's feet, wear one's shoes down with walking;* dat vloerkleed is helemaal afgelopen *that carpet is completely/entirely worn out* **1.2** stad en land~om iets te vinden *search high and low/the highways and byways to find sth.* **1.3** een cursus~*finish/complete a course;* de universiteit~*go through university;* in hoeveel tijd kan men die weg~? *how long does it take to walk that (distance/route)?* **4.2** ze hebben heel wat afgelopen vandaag *they've walked a lot today.*

aflopend 〈bn.〉 ◆ **1.¶**~e annuïteit *terminable annuity;* 〈plantk.〉~e bladeren *decurrent leaves;*~e kleuren *fading colours;* 〈schei.〉~e reactie *irreversible reaction;*~e schuld *expiring debt;*~tij *outgoin/falling tide;* een~e weg *a sloping/downhill road;* de verkoop van frisbees is een~e zaak *the frisbee sales are falling off/heading downhill, the frisbee business is on its last legs/dying out/nearly finished off.*

aflosbaar 〈bn.〉〈geldw.〉 **0.1** *redeemable* ⇒*repayable* 〈schuld,pandbrief, obligatie〉.

aflossen 〈ov.ww.〉 **0.1** [vervangen] *relieve* 〈ihb. wacht〉 ⇒*take (s.o.'s place)* **0.2** [terugbetalen] *pay off* ⇒*redeem* ◆ **1.1** 〈ook fig.〉 de wacht ~*relieve the guard;* 〈marine〉 *relieve the/go on watch* **1.2** een hypotheek~*redeem/pay off a mortgage;* een lening/geleend kapitaal~*redeem/pay off a loan, pay back borrowed capital;* een schuld~*pay off/ settle a debt* **4.1** de dag- en nachtploegen lossen elkaar om zes uur af *the day and night shifts relieve/take over from each other at 6 a.m.;* laten we elkaar~*let's take turns/take it in turns* **6.1** iem. **bij** het spel~ *substitute for s.o./relieve s.o. in a game.*

aflossing 〈de (v.)〉 **0.1** [het vervangen] *relief* **0.2** [het terugbetalen] *redemption, repayment* **0.3** [termijn] *repayment (period)* ⇒*instalment* **0.4** [bedrag] *instalment* ◆ **1.2** de~v.d. wacht *the changing of the guard* **1.2** de~v.d. hypotheek *the redemption/repayment of the mortgage* **2.3** een maandelijkse/jaarlijkse~*a monthly/an annual r./ instalment* **3.4** de~bedraagt f 500 per maand *the i. amounts to f 500 a month.*

aflossingsbedrag 〈het〉 **0.1** *amount (to be) repaid* 〈totaal〉;*instalment* 〈termijn van afbetaling〉.

aflossingsdatum 〈de (m.)〉 **0.1** *repayment date* ⇒*term, redemption date.*

aflossingstermijn 〈de (m.)〉 **0.1** *term/period of redemption/repayment.*

aflossingsvoorwaarden 〈zn.mv.〉 **0.1** *terms of repayment/redemption.*

afluisterapparatuur 〈de〉 **0.1** *monitoring equipment, monitor(s);* 〈telefoon〉*(wire)tapping service(s)* ⇒〈inf.〉 *bug* 〈afluisterapparaat〉.

afluisteren 〈ov.ww.〉 **0.1** [stiekem beluisteren] *overhear* ⇒*listen in, monitor, (wire)tap* 〈ihb. telefoongesprek〉, 〈inf.〉 *bug* **0.2** [beluisteren] *listen to* ◆ **1.1** een afgeluisterd gesprek *an eavesdropped conversation;* iem.~*eavesdrop on s.o.;* 〈door politie〉 *listen in on s.o.;* 〈inf.〉 *bug s.o.;* een telefoongesprek~*listen in to/monitor/tap a phonecall* **3.1** afgeluisterd worden 〈met apparatuur〉 *be bugged.*

afluisterpost 〈de (m.)〉〈mil.〉 **0.1** *listening post.*

afluisterpraktijken 〈zn.mv.〉 **0.1** *monitoring operations;* 〈telefoon〉 *wiretapping* ⇒〈inf.〉 *bugging.*

afluisterschandaal 〈het〉 **0.1** *bugging scandal.*

afluizen 〈ov.ww.〉〈AZN〉 **0.1** *wheedle (out of/from).*

afmaaien 〈ov.ww.〉 **0.1** [langs de grond afsnijden] *mow* 〈gras,akker〉; *cut, reap* 〈gewas〉; 〈fig.;dicht.〉 *cut off* **0.2** [geheel en al maaien] *finish mowing/cutting* ◆ **1.1** het koren~en gazon~*cut/reap the corn, mow a lawn.*

afmaken

I 〈ov.ww.〉 **0.1** [een einde maken aan] *finish* ⇒*complete, bring to an end/a conclusion* **0.2** [doden] *kill* ⇒*slaughter, kill/finish off* **0.3** [vernietigend beoordelen, ongeloofwaardig maken] *demolish* ⇒*run down,* 〈BE;inf.〉 *slate* ◆ **1.1** een gerecht op smaak~f. / *season a dish to taste;* eerst je studie~! *first finish your studies/get your studies over with/get over and done with your studies;* een werkje~f. / *complete a small job/little bit of work* **1.2** het zieke vee~*slaughter the diseased cattle* **1.3** het boek werd volledig afgemaakt door de recensent *the reviewer totally demolished the book/cut the book to pieces/ran the book into the ground;* de getuige werd door de officier afgemaakt *the witness was torn to shreds/flayed/demolished by the (public) prosecutor;* de voorstelling werd door de critici afgemaakt *the performance was slashed/torn to shreds/bits by the critics* **1.¶** 〈sport〉 de bal met een smash~*kill the ball with a smash/* 〈volleybal〉 *spike;* 〈volleybal ook〉 *spike a ball,* 〈tennis〉 je moet je slag~*you must follow through* **3.2** ze hebben de hond moeten laten~*they had to have the dog put down/put away/destroyed* **5.1** iets niet~*leave sth. unfinished/at a loose end;* hij heeft Nederlands gestudeerd maar heeft het nooit afgemaakt *he studied Dutch but (he) never completed the course;* iets vlug ~*dash sth. off, hurry through sth.;*

II 〈wk.ww.;zich~〉 ◆ **6.¶** zich **van** iets~*wave sth. aside, dismiss sth., get rid of sth.;* hij maakt er zich met een grap **van** af *he brushed it* *aside* / *passed it off with a joke, he laughed it off;* zich **van** iem. ~ *dispose of s.o.;* je kunt je er niet zomaar **van** ~ *you can't get rid of it without further ado, you can't just ignore sth.* / *pretend sth. isn't there;* je kunt je er niet **van** ~ *door te zeggen …you can't excuse yourself* / *get out of it by saying …;* zich er wat al te gemakkelijk **van** ~ *make light of sth.* / *shrug sth. off too light;* zich met een paar woorden **van** iets ~ *dispose of* / *dismiss sth. in two words.*

afmaker 〈de (m.)〉 **0.1** [iem. die afmaakt, die vlug, beslist handelt] **go-getter** ⇒*fast mover* **0.2** [〈sport〉] **goal-scorer** / *-getter;* 〈volleybal〉 **spiker 0.3** [slachter] **slaughterer** ⇒〈fig.〉 *butcher* ◆ **2.2** een kille ~ *a killer.*

afmarcheren 〈onov.ww.〉 **0.1** [wegmarcheren] **march off** ⇒*file off* (één voor één) **0.2** [weggaan] **march off** ◆ **1.1** 〈mil.〉 zijn mannen (laten) ~ *march off one's men* **3.2** wij konden ~ *we could march* / *set off.*

afmars 〈de〉 **0.1** **marching off** ◆ **3.1** de troepen prepared for the marching off / the departure.

afmartelen 〈ov.ww.〉 **0.1** *torture* ⇒*torment* ◆ **1.1** een afgemarteld lichaam *a body racked with disease;* een paard ~ *flog a horse to death,* (criminally) *overwork a horse* **4.1** er wordt wat afgemarteld in die landen *there is a lot of torturing* / *a lot of torturing goes on in those countries;* hij martelt zich af om een oplossing te vinden *he racked his brains to find a solution;* zich door zware arbeid ~ *work o.s. into the ground;* 〈sl.〉 *sweat one's guts out.*

afmatten 〈ov.ww.〉 **0.1** *fatigue* ⇒*wear* / *tire out, exhaust,* 〈BE ook; inf.〉 *fag,* (ook ⇒afgemat) ◆ **1.1** die studie matte hem geheel af *that study has tired him out completely* / *exhausted him* / *finished him off;* zijn tegenstander ~ *wear one's opponent down* **4.1** zich ~ *exhaust o.s.,* ¹*fag o.s. out;* 〈sl.〉 *do for o.s.;* laat ze zich maar lekker ~ *let her tire herself out* / *exhaust herself.*

afmattend 〈bn.〉 **0.1** *tiring* ⇒*fatiguing,* 〈sterker〉 *gruelling* ^*eling,* 〈BE; sl.〉 *knackering* ◆ **1.1** ~e arbeid *gruelling labour;* ~e hitte / klimaat *trying* / *enervating heat* / *climate;* een ~ ziekbed *a debilitating, an enervating illness* **5.1** dat spel is uiterst ~ *that game is extremely t.* / *exhausting.*

afmatting 〈de (v.)〉 **0.1** [handeling] *tiring out* ⇒*exhaustion* **0.2** [resultaat] *tiredness* ⇒*weariness, exhaustion, fatigue* ◆ **6.2 van** ~ zakte hij ineen *he dropped from exhaustion.*

afmelden 〈ov.ww.〉 **0.1** *cancel* ◆ **4.1** zich ~ *check* / *sign (o.s.) out;* 〈mil.〉 *report off (duty).*

afmeren 〈onov., ov.ww.〉 **0.1** *moor.*

afmeten 〈ov.ww.〉 **0.1** [opmeten] *measure (off)* **0.2** [schatten, beoordelen] *measure* ⇒*judge, estimate* **0.3** [mbt. stoffen] *measure (off)* **0.4** [toemeten] *measure* ⇒*proportion (to), adjust (to)* ◆ **1.1** een tuin ~ *measure (out) a garden* **1.4** hij mat zijn woorden nauwkeurig af *he measured his words carefully* **6.1** 〈fig.〉 iets **met** de ogen ~ *measure sth. by eye, take a sighting measurement of sth.* **6.2** je kunt de kwaliteit v.e. opleiding niet ~ **aan** het aantal geslaagden *you cannot judge the quality of a course from the number of passes;* de invloed v.e. krant ~ **aan** de oplaag *estimate* / *assess the influence of a newspaper in terms of its circulation, judge a newspaper's influence by its circulation;* de verdiensten van twee personen **tegen** elkaar ~ *weigh one person's merits against the other's* **6.4** de straf **naar** het misdrijf ~ *make the punishment fit the crime.*

afmeting 〈de (v.)〉 **0.1** [lengtemaat] *dimension* ⇒*proportion, measurement* **0.2** [〈wisk.〉] *dimension* **0.3** [het afmeten] *measuring (off)* ⇒*measurement* ◆ **1.1** de ~en v.d. kamer *the dimensions of the room* **2.1** een standbeeld van reusachtige ~en *a statue of gigantic dimensions* / *proportions* **3.1** enorme ~en aannemen / bereiken *assume* / *reach enormous proportions.*

afmieteren 〈inf.〉
  I 〈onov.ww.〉 **0.1** [afvallen] *tumble down* / *off* ◆ **6.1** hij is **van** de trap / zijn fiets afgemieterd *he tumbled down the stairs* / *off his bike;*
  II 〈ov.ww.〉 **0.1** [afgooien] *sling* / *fling down* ◆ **6.1** iem. **van** de trap~ *sling s.o. down the stairs.*

afmijnen 〈onov.ww.〉 **0.1** *bid at a public auction* ⇒〈bij afslag〉 *buy at a Dutch auction* ◆ **1.1** het huis werd afgemijnd op f 100.000 *the house went for f 100,000 (at the auction);* iemand ~ *outbid s.o.;* een werk op f 100.000 ~ *make a successful bid of f 100,000 for a work, purchase* / *buy for f 100,000 at an auction.*

afmikken 〈ov.ww.〉 **0.1** *estimate* ⇒*guess* ◆ **5.1** iets goed~e. *(the amount of) sth. well, time sth. nicely;* is dat niet mooi afgemikt? *isn't that nicely judged* / *timed?;* het zo ~ dat …*time sth. so that ….*

afmonsteren 〈scheep.〉
  I 〈onov.ww.〉 **0.1** [ontslag nemen] *sign off;*
  II 〈ov.ww.〉 **0.1** [uit de dienst ontslaan] *pay off* ⇒*discharge.*

afmonstering 〈de (v.)〉 **0.1** *paying off* ⇒*discharge* ◆ **6.1** bij de ~ *at the time of paying off, on (his) discharge.*

afnaaien 〈ov.ww.〉 **0.1** [afmaken] *finish* ⇒*sew off* 〈zoom〉 **0.2** [〈vulg.〉] door veelvuldige geslachtsgemeenschap uitputten / doen verleppen] *fuck* / *screw* / *bugger up* **0.3** [veel en lang naaien] *sew a lot* ⇒*do a lot of sewing* **0.4** [〈vulg.〉] veel en lang copuleren] *fuck* / *screw a lot* / *to death* / *stupid* ◆ **1.2** er afgenaaid uitzien *look fucked out* **4.3** ik heb wat afgenaaid op die lange avonden *I did a lot of sewing during those long*

evenings **4.4** er wordt wat afgenaaid door die jongelui *those youngsters fuck* / *screw an awful lot* / *do nothing but fuck* / *screw.*

afname 〈de〉 **0.1** [het afnemen] *purchase* ⇒*acquisition* **0.2** [het afgenomen worden] *sale* ⇒*take-up* **0.3** [het minder worden] *diminution* ⇒*decline, decrease, shrinkage* 〈bevolking〉 ◆ **1.3** de ~ v.d. groei / werkloosheid *the decline in the growth* / *the reduction in unemployment* **2.3** een geringe ~ van de vraag *a slight easing of the demand* **6.1** bij ~ van 25 exemplaren *for quantities of 25, when taking 25 copies.*

afneembaar 〈bn.〉 **0.1** *detachable* ⇒*removable, washable* 〈afwasbaar〉 ◆ **1.1** een auto met een ~ dak *a convertible;* een ~ dak *a d. roof.*

afnemen
  I 〈ov.ww.〉 **0.1** [v.e. plaats verwijderen] *take off* / *away* **0.2** [v.h. hoofd nemen] *take off* **0.3** [wegnemen] *remove* **0.4** [ontdoen van wat er op ligt / staat] *clear* **0.5** [afpakken] *rob (of)* ⇒*deprive (of)* **0.6** [laten afleggen] *hold* ⇒*administer* **0.7** [kopen] *take* ⇒*buy, purchase* **0.8** [niet meer laten bezoeken] *take away* **0.9** [〈sport〉] *cut* ◆ **1.1** een gevangene de boeien ~ *remove a prisoner's handcuffs;* het deksel kan er afgenomen worden *the lid can be removed* / *is removable;* de gordijnen ~ *take down the curtains;* iem. een last ~ *take a burden from s.o., relieve s.o. of a burden;* 〈fig.〉 iem. een pak v.h. hart ~ *relieve s.o., take a load off s.o.'s mind;* stof ~ *dust;* 〈jur.〉 de zegels ~ *break the seals* **1.2** zijn hoed ~ *take off* / *raise* / *doff one's hat;* 〈fig.〉 daar neem ik mijn hoed voor af *I take my hat off* / *to that* **1.3** iem. bloed ~ *bleed s.o., tap s.o.'s blood, take blood* / *a blood sample;* bloed laten ~ *allow blood to be taken;* de scherpe kanten van iets ~ 〈fig.〉 *tone* / *smooth sth. down a bit, make sth. more attractive* / *palatable, polish sth. up a bit* **1.4** het aanrecht / de tafel met een spons / natte doek ~ *wipe (off) the counter* / *table with a sponge* / *damp cloth;* meubels ~ *dust furniture;* je kunt (de tafel) wel ~ *you can c. the table* / *clear away* **1.5** een speler de bal ~ *steal the ball;* iem. al zijn geld ~ *rob s.o. of all his money;* 〈school.〉 een kind een mes ~ *confiscate a child's knife;* iem. zijn portemonnee ~ *rob* / *deprive s.o. of his purse, take s.o.'s purse off s.o.;* iem. zijn rijbewijs ~ *take away* / *suspend s.o.'s driving* / ^*driver's licence, disqualify s.o. from driving;* de vijand een stad ~ *take* / *capture a town from the enemy* **1.6** iem. de biecht ~ *hear s.o.'s confession* 〈ook fig.〉; iem. een eed ~ *administer an oath to s.o.; swear s.o.* 〈bv. getuige, nieuw lid, bij ambtsaanvaarding〉; iem. een examen ~ *subject s.o. to an examination;* examens ~ *h. examinations;* ik moet nog drie examens ~ *I still have to examine three candidates* / *persons* / *take* / *prepare three exam(i-nation)s* **1.7** goederen ~ *take up goods* **1.9** de kaarten ~ *c. the cards* **1.¶** een parade / defilé ~ *take the salute* **6.1** het kleed van de tafel ~ *take* / *remove the cloth from the table;* de was **van** de drooglijn ~ *take the wash(ing) down* / *off the clothes- / washing-line* **6.3** neem maar een gulden **van** het geld af *you can take a guilder from the money* / *just subtract a guilder from what you owe me* **6.4** met zeep ~ *wash (down) with soap* **6.8** een kind **van** school / muziekles ~ *take a child from school* / *its music lessons* **6.¶** iem. iets niet **in** dank ~ *take sth. ill of s.o., not thank s.o. for sth.;* dat zal hij je niet **in** dank ~ *he won't thank you for that;*
  II 〈onov.ww.〉 **0.1** [verminderen] *decrease* ⇒*diminish, decline, wane* 〈krachten〉, *subside* 〈wind〉, *get low, run out* 〈voorraden〉, *fade* 〈licht〉, *abate* 〈storm〉, *slacken* 〈vraag, produktie〉 **0.2** [korter / kleiner worden] *shorten* ◆ **1.1** onze belangstelling nam af *our interest faded* / 〈sterker〉 *dwindled;* bij ~d tij *when the tide is falling, at ebb tide;* zijn verstandelijke vermogens namen af *his intellectual faculties* / *powers declined;* bij ~de wind *with subsiding wind* **1.2** de dagen zijn aan het ~ *the days are shortening* / *drawing in;* de maan neemt af *the moon is on the wane* / *is waning;* het wassen en ~ v.d. maan *the waxing and waning of the moon* **2.1** geleidelijk ~ *gradually decrease* / *drop (away* / *off)* **6.1** de vraag is **aan** het ~ *demand is slackening (off)* / *weakening;* **in** gewicht ~ *lose weight.*

afnemer 〈de (m.)〉, **-neemster** 〈de (v.)〉 **0.1** *buyer* ⇒*consumer, customer* ◆ **2.1** Duitsland is onze grootste ~ van snijbloemen *Germany is our largest customer for cut flowers;* een grote ~ van landbouwprodukten *a large consumer* / *user of agricultural products;* een regelmatige ~ *a regular customer* **3.1** geen ~s kunnen vinden *not be able to find any buyers.*

afnemerskrediet 〈het〉 **0.1** *buyer's credit.*

afneming 〈de (v.)〉 **0.1** [het afnemen] 〈zie 1.1〉 **0.2** [vermindering] *decrease* ⇒*decline, diminution, shrinkage* 〈bevolking〉 **0.3** [〈bk., rel.〉] *descent* / *deposition (from the Cross)* ◆ **1.1** de ~ eed *the administration of an oath;* de ~ v.e. verhoor / examen *an interrogation* / *examination* **1.2** de ~ van krachten *the decline in powers* **1.3** de ~ van Rubens *Rubens' Descent from the Cross.*

afnokken 〈onov.ww.〉 〈inf.; school.〉 **0.1** [ophouden met werken] *knock off* **0.2** [weggaan] *buzz* / *push off* ◆ **.2** ~, jongens! *let's push off, fellas.*

afnummeren
  I 〈ov.ww.〉 **0.1** [nummers geven] *number;*
  II 〈ov.ww.〉 **0.1** [in volgorde zijn nummer zeggen] *number.*

afonie 〈de (v.)〉 〈med.〉 **0.1** *aphonia, aphony.*

afoon 〈bn.〉 **0.1** *aphonic, aphonous.*

à forfait 〈bw.〉 **0.1** [bij de koop ineens] *in a single* / *lump sum; for a fixed* sum; cash down 0.2 [⟨hand.⟩ onder afstand van recht op verhaal] without recourse ◆ ¶.2 discontering ~ negotiation w.r..

aforisme ⟨het⟩ ⟨lit.⟩ **0.1** aphorism ⇒maxim.

aforistisch ⟨bn.,bw.;-ally⟩ **0.1** aphoristic ◆ **1.1** ~e behandeling v.e. wetenschap a. treatment of a science; ~e wijsheden aphorisms, maxims.

afpakken ⟨ov.ww.⟩ **0.1** [uit de hand nemen] take away, snatch **0.2** [ontnemen] take (away) ⇒pinch **0.3** [afladen] unload ⇒unpack ◆ **1.1** iem. een mes ~ take away a knife from s.o., take a knife off s.o. **1.2** een tegenstander de bal ~ snatch/take the ball from/dispossess an opponent **1.3** kisten/koffers v.d. wagen ~ unload cases/trunks from the car; de wagen ~ unload the car **3.2** je moet je de bal niet laten ~ (door) you mustn't let the ball be snatched away/lose the ball (to).

afpalen ⟨ov.ww.⟩ **0.1** [met palen afzetten] stake out ⇒lay/mark out, demarcate, ⟨omheinen⟩ fence (in/off/up) **0.2** [⟨fig.⟩ afbakenen] demarcate ⇒delimit, define ◆ **1.2** zijn onderzoeksveld ~ define/delimit one's field of research.

afpaling ⟨de (v.)⟩ **0.1** [handeling] demarcation ⇒delimitation, ⟨het omheinen⟩ fencing (in/off/up), ⟨fig.⟩ definition **0.2** [resultaat] ⟨grens⟩ fence/fencing, perimeter, line of stakes; ⟨ruimte⟩ enclosure, claim.

afpassen ⟨ov.ww.⟩ **0.1** [afmeten door passen] pace (out) ⇒stepp off/out **0.2** [nauwkeurig afmeten] measure (out) ◆ **1.1** de lengte en breedte v.e. veld ~ pace (out) the length and width of a field **1.2** geld ~ give (the) exact money, pay the exact amount; een afgepaste portie ~ a measured/an adjusted portion; ⟨wisk.⟩ op een lijn AB een stuk AC ~ measure a distance AC along a line AB.

afpeddelen ⟨ov.ww.⟩ **0.1** [veel en lang peddelen] paddle a long way, do a lot of paddling **0.2** [ten einde peddelen] paddle down ◆ **1.2** de rivier ~ paddle down the river **4.1** we hebben heel wat afgepeddeld we have paddled quite a lot.

afpegeren ⟨ov.ww.⟩ ⟨inf.⟩ **0.1** ᴮfag out, wear out ⇒ ⟨BE ook; sl.⟩ knacker, ⟨ook →afgepeigerd⟩ ◆ **4.1** zich ~ fag/wear o.s. out **4.¶** het ~ v.d. kou/dorst die of cold/thirst.

afpeil ⟨de (m.)⟩ **0.1** stocktaking of and payment on dutiable goods.

afpeilen ⟨ov.ww.⟩ **0.1** [mbt. een diepte] sound ⇒fathom **0.2** [mbt. accijnsplichtige waren] take stock of ◆ **1.2** zijn al die vaten afgepeild? have all those casks been assayed.

afpelen ⟨ov.ww.⟩ **0.1** depilate ⇒strip.

afpellen ⟨ov.ww.⟩ **0.1** peel (off) ⟨fruit⟩; skin ⟨huid⟩; shell ⟨erwt, ei⟩; husk ⟨rijst, gerst⟩ ◆ **1.1** een afgepelde sinaasappel a peeled orange.

afpennen ⟨ov.ww.⟩ ⟨inf.⟩ **0.1** [geheel afschrijven] finish writing **0.2** [veel en lang pennen] write a lot ◆ **1.1** hij had het opstel snel afgepend he had quickly finished writing the essay, he had dashed the essay off **4.2** hij heeft op school heel wat afgepend he did quite a lot of writing at school.

afperken ⟨ov.ww.⟩ **0.1** stake/peg/mark out ⇒demarcate, ⟨omheinen⟩ fence in/off/up, rail off, enclose, ⟨fig.⟩ delimit, define, ⟨omschrijven⟩ circumscribe ◆ **1.1** ⟨fig.⟩ iemands functie/bevoegdheid ~ circumscribe s.o.'s function/power(s); delimit/define s.o.'s function/power(s); een weiland/terrein ~ stake/peg off a meadow/plot.

afpersen ⟨ov.ww.⟩ **0.1** [dwingen te geven] wrest ⇒extort/wring/force/ squeeze (from) **0.2** [geheel en al persen] press (the whole of) ◆ **1.1** een geheim ~ wrest/extract a secret; iem. geld ~ extort/extract money from s.o., blackmail s.o.; iem. een verklaring/belofte ~ wring/wrest a statement/promise from s.o. **1.2** een broek ~ press (all of) a pair of trousers, finish pressing a pair of trousers.

afperser ⟨de (m.)⟩ **0.1** [chanteur] blackmailer ⇒extortioner **0.2** [⟨confectie-ind.⟩] presser.

afpersing ⟨de (v.)⟩ **0.1** extortion ⇒extraction, ⟨chantage⟩ blackmail ◆ ¶.1 zich aan ~ schuldig maken be guilty of/commit blackmail.

afpeuteren ⟨ov.ww.⟩ **0.1** pick off ⇒work/pry off/loose ◆ **6.1** het korstje van een wond ~ pick/scratch the scab off a wound.

afpijnigen ⟨ov.ww.⟩ **0.1** [uitputten door gedachten] torment **0.2** [tot uitputtens toe pijnigen] torture ⇒torment ◆ **1.1** een afgepijnigd hart a tormented heart/mind **4.1** ik pijnigde mij af om dat raadsel op te lossen I racked my brains to solve that puzzle/riddle.

afpikken ⟨ov.ww.⟩ **0.1** [wegpikken] peck off **0.2** [afhandig maken] pinch (from) ◆ **4.1** ⟨inf.⟩ ik pik het af I give it up/pack it in **4.2** elkaar klanten ~ pinch each other's customers **4.¶** ⟨inf.⟩ het ~ (v.d. hitte) pass out (from the heat) **6.2** een boek van iem. ~ pinch a book from s.o..

afpingelen ⟨onov.,ov.ww.⟩ **0.1** haggle ⇒bargain ◆ **1.1** (er) een paar gulden ~ get a few guilders knocked off **3.1** proberen af te pingelen try to beat down the price.

afplakband ⟨de (m.)⟩ **0.1** masking tape.

afplakken ⟨ov.ww.⟩ **0.1** [met plakband afdekken] tape up, cover with tape **0.2** [geheel en al plakken] tape (up) ◆ **1.1** een oog ~ tape up an eye; de ruiten ~ mask the panes/windows.

afplatten ⟨ov.ww.⟩ **0.1** flatten (off).

afplatting ⟨de (v.)⟩ **0.1** [handeling] flattening **0.2** [resultaat] flattening **0.3** [deel v.e. bol] flattened surface ◆ **1.2** de ~ v.d. aarde the f. of the earth('s surface).

afpluizen
I ⟨ov.ww.⟩ **0.1** [afknabbelen] pick;
II ⟨ov.ww.⟩ **0.1** [van pluisjes ontdoen] pick fluff (off) ◆ **1.1** een rok ~ pick fluff off a skirt.

afplukken ⟨ov.ww.⟩ **0.1** [door plukken aftrekken] pick ⇒pluck, gather **0.2** [voorzichtig aftrekken/afscheuren] ease off ⇒peel off ◆ **1.2** de veren van gevogelte ~ pluck the feathers from birds.

afpoeieren ⟨ov.ww.⟩ ⟨inf.⟩ **0.1** [wegsturen] brush off ⇒put off **0.2** [afranselen] beat up ◆ **3.1** laat je niet ~ don't let yourself be brushed/put off **4.1** iemand ~ ⟨ook⟩ give s.o. the brush-off.

afpoetsen ⟨ov.ww.⟩ **0.1** [door poetsen verwijderen] scour **0.2** [door poetsen reinigen] clean.

afpraten ⟨ov.ww.⟩ **0.1** [uit het hoofd praten] talk out of ⇒dissuade from **0.2** [over veel zaken praten] talk a lot ⇒do a lot of talking **0.3** [doorpraten] talk out/through ◆ **1.3** een zaak helemaal ~ talk a matter out fully/completely, explore every avenue **4.2** wij hebben gisteren heel wat afgepraat we talked quite a lot yesterday, we covered a lot of ground yesterday **6.1** je moet trachten hem van die dwaze plan af te praten you must try and talk him out of that stupid scheme.

afprijzen ⟨ov.ww.⟩ **0.1** reduce ⇒mark down ◆ **1.1** afgeprijsde artikelen reduced articles **4.1** alles is afgeprijsd everything is reduced (in price) **5.1** sterk afgeprijsd! prices slashed!, huge reductions! **6.1** de boeken tien gulden ~ mark down the books by ten guilders.

afprutsen ⟨ov.ww.⟩ **0.1** bungle, botch, mess up.

afpulken ⟨ov.ww.⟩ ⟨inf.⟩ **0.1** pick off ◆ **1.1** een korstje v.e. wond ~ pick a scab off a wound.

afpunten ⟨ov.ww.⟩ **0.1** trim (the ends off) ◆ **1.1** ze liet haar haar ~ she had (the ends of) her hair trimmed.

afraden ⟨ov.ww.⟩ **0.1** advise against ◆ **3.1** iem. ~ iets te doen advise s.o. against/discourage s.o. from/dissuade s.o. from/put s.o. off doing sth.; vakantiegangers wordt afgeraden deze route te gebruiken holidaymakers are discouraged from/advised against using this route **4.1** (iem.) iets ~ advise (s.o.) against (doing) sth. **5.1** dat zou ik je beslist ~ I would definitely advise you against (doing) that/not to do that.

afraffelen ⟨ov.ww.⟩ **0.1** rush (through) ⇒skimp, skip through, dash off ⟨brief⟩, rattle off ⟨boodschap, gebed⟩ ◆ **1.1** een gedicht ~ ⟨schrijven⟩ dash off a poem; ⟨voordragen⟩ rattle off a poem; zijn huiswerk ~ rush (through)/skimp one's homework.

aframmelen ⟨ov.ww.⟩ ⟨inf.⟩ **0.1** [pak slaag geven] beat up ⇒duff up, give a hiding/drubbing, knock/bash about, do over **0.2** [afraffelen] ⟨→afraffelen⟩.

aframmeling ⟨de (v.)⟩ **0.1** hiding, beating ⇒drubbing, licking, doing-/going-over ◆ **3.1** iem. een ~ geven give s.o. a h./b.; ⟨fig.⟩ give s.o. a roasting/rocket.

afranselen ⟨ov.ww.⟩ **0.1** beat, thrash ⇒ ⁴do over, flog ⟨als straf⟩, cane ⟨met rotting⟩, belt ⟨met riem⟩, whip ⟨met zweep⟩ ◆ **5.1** iem. duchtig ~ give s.o. a good/sound/thorough thrashing/going-over.

afraspen ⟨ov.ww.⟩ **0.1** [door raspen verwijderen] file down/off/away **0.2** [fijnraspen] grate ◆ **1.1** oneffenheden van houtwerk ~ file rough patches off woodwork.

afrasterdraad ⟨de (m.)⟩ **0.1** fencing wire.

afrasteren ⟨ov.ww.⟩ **0.1** fence off/in/up ⇒rail off/in ⟨met ijzeren hek⟩.

afrastering ⟨de (v.)⟩ **0.1** [handeling] fencing off/in/up ⇒railing off/in ⟨met ijzeren hek⟩ **0.2** [resultaat] fencing, railings ⟨mv.⟩ ⟨van ijzer⟩ ◆ **3.2** de ~ begaf het the fencing gave way **6.2** binnen de ~ blijven stay inside the fence/railings; over de ~ klimmen climb over the fence/railings.

afratelen ⟨ov.ww.⟩ **0.1** rattle/reel off ⇒chum out.

afreageren ⟨onov.,ov.ww.⟩ **0.1** work off/vent (one's emotions) ⇒ ⟨onov. ww. ook⟩ let off steam, ⟨ov.ww. ook; psych.⟩ abreact ◆ **6.1** zijn ongenoegen op iets/iem. ~ vent one's displeasure on sth./s.o.; iets op iem. ~ take sth. out on s.o., work sth. off on s.o., vent sth. on s.o.; als hij boos is, reageert hij (het) altijd op de hond af when he's cross he always takes it out on the dog.

afregelen ⟨ov.ww.⟩ **0.1** adjust, tune ⇒align, trim ⟨antenne⟩ ◆ **6.1** ~ op set to, adjust for.

afregenen ⟨onov.ww.⟩ **0.1** wash off (in the rain) ◆ **4.1** het heeft me wat afgeregend de laatste tijd it's been pouring down/an awful lot of rain has fallen the last few days.

afreizen
I ⟨onov.ww.⟩ **0.1** [vertrekken] set off/out (for) ⇒leave (for), depart (for), start on one's way (for), go off (to);
II ⟨ov.ww.⟩ **0.1** [geheel doorreizen] travel all over/(all) round ⇒ ⁺traverse, tour ⟨als bezoeker⟩ **0.2** [veel reizen] travel (about/round) ◆ **1.1** met een nummer de kermissen ~ travel round the fairs with an act, tour one's act round the fairs; heel het land ~ ⟨ook⟩ tour the country, travel nationwide; een landstreek ~ travel all over/tour a district/region; hij heeft alle musea afgereisd he went round/toured all the museums **1.¶** stad en land ~ look everywhere (for), go all over the place to find **4.2** heel wat ~ travel (round/about) quite a bit.

afrekenen ⟨onov.ww.,onov.ww.⟩ **0.1** settle (up) ⇒square (up) ⟨met iem.⟩, settle/pay one's bill/account(s) ◆ **1.1** ik moet mijn hotel ~ I must settle up with my hotel, I must settle/pay my hotel bill; ober, ~! waiter, bill/ᴬcheck please! **6.1** ⟨fig.⟩ definitief met iem. ~ settle scores/get even with s.o.; met de ober/een taxichauffeur ~ pay/settle up with the waiter/a taxi driver; laten we ieder voor zich ~ let's pay (our bills) separately, ⁺let's go Dutch **6.¶** met iem. of iets afgerekend hebben be fin-

ished with / have done with s.o. or sth.; met zijn verleden ~ *put one's past behind one, finish with / have done with one's past;* met zijn vijanden ~ *deal with / polish off one's enemies;* met jou heb ik nog niet afgerekend *I'm not finished / I've not done with you yet, I've still got one or two old scores to settle with you yet;* ~ met verouderde opvattingen *put outdated ideas behind one* ¶.1 reken jij af? *are you paying?, will you pay?*

afrekening ⟨de (v.)⟩ **0.1** [het afrekenen] *payment* ⇒*settlement (of accounts)* **0.2** [geschreven stuk] *receipt* ⇒*statement* ⟨van bank / giro⟩ ◆ **1.1** de dag der ~ *the day of reckoning* **3.1** ~ geschiedt op 1 mei *p. is due / settlement takes place on May 1st;* zodra de ~ heeft plaatsgevonden *as soon as p. is made / effected;* ~ houden *settle up, settle accounts* **3.2** een ~ ondertekenen *sign a r.* **6.2** op de ~ staan de af- en bijschrijvingen op uw rekening vermeld *≠additions to and subtractions from your account are indicated on the statement.*

afrekeningsdatum ⟨de (m.)⟩ **0.1** *due date* ⇒*date of payment.*

afremmen
I ⟨onov., ov.ww.⟩ **0.1** [snelheid verminderen] *slow down* ⇒*brake,* ⟨alleen ov. ww.⟩ *put the brake(s) on* ◆ **3.1** hij kon niet meer ~ *it was too late for him to brake* **4.1** iets ~ *slow sth. down,* put the brake on sth. **5.1** scherp ~ *brake hard, slam on the brake(s)* **6.1** voor een bocht ~ *slow down to take a bend, brake (going) into a bend;*
II ⟨ov.ww.⟩ ⟨fig.⟩ **0.1** [afzwakken] *curb* ⇒*check, put a check on, contain* ◆ **1.1** de groei van de werkloosheid ~ *curb / check / contain the growth in unemployment;* hierdoor wordt de inflatie afgeremd *this acts as a brake on inflation* **6.1** iem. in zijn enthousiasme ~ *curb s.o.'s enthusiasm.*

afrennen
I ⟨onov.ww.⟩ **0.1** [zich rennend verwijderen] *rush / race / run off* **0.2** [tegemoet snellen] *rush / race / run up to / towards* **0.3** [naar een lagere plaats rennen] *rush / race / run down* ◆ **1.1** de straat ~ *dash down the street* **1.3** een heuvel ~ *rush / race / run down a hill;* de trap ~ *dash downstairs / down the stair* **3.2** op iem. af komen rennen *come rushing / running up to / towards s.o.* **6.2** op iem. ~ *rush / race / run towards / up to s.o.;* op zijn tegenstander ~ ⟨ook⟩ *rush upon one's opponent;*
II ⟨ov.ww.⟩ **0.1** [afmatten] *over-race* ⇒*exhaust, tire out.*

africhten ⟨ov.ww.⟩ **0.1** [dresseren] *train* ⇒*break in* ⟨paarden⟩ **0.2** [afwenden] *avert, turn away* ◆ **1.1** je hebt je kinderen goed afgericht *you've got your children well trained;* valken ~ voor de jacht *t. falcons for hunting* **3.2** zijn ogen van iets afgericht houden *keep one's eyes averted from sth., a. one's gaze from sth.* **6.1** daar is ie op afgericht *that's what he's trained to do.*

africhting ⟨de (v.)⟩ **0.1** *training.*

afrijden
I ⟨onov.ww.⟩ **0.1** [wegrijden] *drive off / away* ⇒*ride off / away* ⟨te paard⟩, *leave, depart* ⟨bus, trein⟩, *pull out* ⟨trein⟩ **0.2** [naar een lagere plaats rijden] *drive down* ⇒*ride down* ⟨te paard⟩ **0.3** [rijexamen afleggen] *take / do one's driving test* ◆ **1.1** de straat helemaal ~ *ride / drive all the way down the street* **1.2** een heuvel ~ *ride / drive downhill / down a hill* **3.3** morgen moet ik ~ *I'm taking my driving test tomorrow;*
II ⟨ov.ww.⟩ **0.1** [ten einde doorrijden] *drive to the end of* ⇒*ride to the end of* ⟨te paard⟩ **0.2** [⟨sport⟩] *outpace, outdistance* ⇒*outride, beat, outdrive* ⟨met een wagen⟩ **0.3** [dresseren] *break in* ⇒⟨beweging geven⟩ *exercise* **0.4** [afmatten] *ride / drive into the ground* ⇒*override, overdrive,* ⟨BE; inf.⟩ *knacker* **0.5** [doen verliezen] *cut off / ↑sever* ⟨in an / the accident⟩ **0.6** [door veel / wild rijden doen slijten] *wear out* ⇒⟨inf.⟩ *ride into the ground* ⟨ook auto⟩ ◆ **1.1** de hele stad ~ *ride / drive all over town (looking for)* **1.5** iem. een been ~ *cut s.o.'s leg off / sever s.o.'s leg in an accident, run over s.o. and cut his / her leg off / sever his / her leg* **1.6** die dure fiets / auto had hij in drie jaar afgereden *he'd worn that expensive bicycle / car out / ridden that expensive bicycle / car into the ground in three years* **5.2** proberen iem. eraf te rijden *try to outpace s.o..*

Afrika ⟨het⟩ **0.1** *Africa.*
Afrikaan ⟨de (m.)⟩ **0.1** [bewoner van Afrika] *African* **0.2** [Afrikaander] ⟨→**Afrikaander**⟩.
Afrikaander ⟨de (m.)⟩ **0.1** *Afrikaner* ⇒*Boer* ⟨oorspr. van Ned. afkomst⟩.
Afrikaans[1] ⟨het⟩ **0.1** *Afrikaans* ⇒*South African Dutch,* ⟨gesch.⟩ *Cape Dutch, Taal.*
Afrikaans[2] ⟨bn., bw.⟩ **0.1** [uit / van Afrika] *African* **0.2** [Zuidafrikaans] *South African.*
afrikaantje ⟨het⟩ **0.1** [plant] *African marigold* ⇒*tagetes* **0.2** [bloem] *African marigold.*
Afrikaner →**Afrikaander**.
afrikaniseren ⟨onov., ov.ww.⟩ ⟨pol.⟩ **0.1** *Africanize.*
afrikanisering ⟨de (v.)⟩ ⟨pol.⟩ **0.1** *Africanization.*
afrikanist ⟨de (m.)⟩ **0.1** *Africanist.*
afrikanistiek ⟨de (v.)⟩ **0.1** *African studies.*
afristen ⟨ov.ww.⟩ **0.1** [v.d. rist afnemen] *strip (off)* ⇒*pick (off), string* ⟨bessen⟩ **0.2** [aftrekken] *pull off.*
afrit ⟨de (m.)⟩ **0.1** [afslag] *exit* ⟨v.e. autoweg⟩ ⇒⟨weg tot of v.e. auto-

weg⟩ [B]*sliproad* **0.2** [vertrek] *departure* ⇒*start* ⟨v.e. race, wedstrijd⟩ ◆ **1.1** op- en ~ten *sliproads; slopes* **2.1** bij de volgende ~ *at the next e..*

Afro-Amerikaans ⟨bn.⟩ **0.1** *Afro-American.*
Afro-Aziaat ⟨de (m.)⟩ **0.1** *Afro-Asian.*
Afro-Aziatisch ⟨bn.⟩ **0.1** *Afro-Asiatic.*
afrodiet ⟨de (m.)⟩ **0.1** *hermaphrodite* ⇒*androgyne.*
afrodisiacum ⟨het⟩ **0.1** *aphrodisiac.*
afrodisie ⟨de (v.)⟩ **0.1** *aphrodisia.*
afroeien
I ⟨onov., ov.ww.⟩ **0.1** [door roeien verwijderen] *row off / away* **0.2** [stroomafwaarts roeien] *row down* **0.3** [veel roeien] *row (about / round)* ◆ **1.2** de rivier ~ *row down the river* **6.1** (de boot) van de kant ~ *row (the boat) away from the side* **7.3** we hebben deze week heel wat afgeroeid *we've spent quite a time rowing this week;* ik heb heel wat afgeroeid als student *I did a lot of rowing as a student;*
II ⟨ov.ww.⟩ **0.1** [roeiend afleggen] *row* ◆ **1.1** een vaart ~ *r. down a canal, r. the length of a canal.*
afroep ⟨de (m.)⟩ ⟨hand.⟩ **0.1** ⟨zie 6.1⟩ ◆ **6.1** levering op ~ *delivery on demand / order, at buyer's option;* op ~ beschikbaar *available on demand;* ⟨mbt. persoon / dienst⟩ *on call;* op ~ verkopen *sell on demand / order.*
afroepen ⟨ov.ww.⟩ **0.1** [tot zich roepen] *call (away)* **0.2** [naar beneden roepen] *call (down)* **0.3** [één voor één opnoemen] *call out* ⇒*call over* ⟨een lijst⟩, *call off* ⟨namen, nummers⟩ ◆ **1.3** je naam is net afgeroepen *your name has just been called (out);* de namen v.d. leden ~ *call out the names of the members, call the roll of members* **6.2** een timmerman van het dak ~ *call a carpenter (down) from the roof* **6.**¶ onheil over iem. ~ *call down misfortune (up)on s.o.;* iets over iem. ~ *bring sth. down on s.o.'s head.*
afroffelen ⟨ov.ww.⟩ **0.1** [afraffelen] *rush / scramble through, scamp* **0.2** [schaven met de roffelschaaf] *rough-plane* ◆ **1.1** hij heeft zijn werk maar wat afgeroffeld *he's done the work in a slapdash / slipshod fashion.*
afrollen
I ⟨ov.ww.⟩ **0.1** [uiteenrollen] *unwind* ⟨vanaf een klos⟩; *unroll* ⟨een rol⟩ ⇒*uncoil* ⟨metaaldraad⟩, *reel off, unreel* ⟨garen⟩ **0.2** [naar beneden rollen] *roll down* **0.3** [door oprollen wegnemen] *roll away* ⇒⟨ook naar boven⟩ *roll up* ⟨rolluik⟩ ◆ **1.1** een stuk lint / een kaart ~ *unwind a piece of ribbon / unroll a map;*
II ⟨onov.ww.⟩ **0.1** [zich ontrollen] *unwind, get unwound* ⇒*unroll, get unrolled* **0.2** [zich naar beneden laten rollen] *roll down* ◆ **1.2** de trap ~ *roll down the stairs / downstairs.*
afromen ⟨ov.ww.⟩ **0.1** [room afscheppen van] *skim* ⇒*separate, skim the cream off, cream the top off* **0.2** [⟨fig.⟩] *skim / cream off* ⇒*syphon off* ◆ **1.2** de markt ~ *skim / cream off the best students / scientists / players* ⟨enz.⟩; dat vak is ook al afgeroomd *that subject has been well picked over;* winst ~ *prune away profits.*
afronden ⟨ov.ww.⟩ **0.1** [rondmaken] *round (off)* **0.2** [afmaken] *wind up, round off* ⇒*tie / sew up, finish off, wrap up* **0.3** [mbt. getallen / bedragen] *round up* ⟨naar boven⟩; *round down* ⟨naar beneden⟩ ◆ **1.1** de hoeken v.e. tafel ~ *round off the corners of a table* **1.2** wilt u (uw betoog) ~? *would you like to wind up (your argument);* een afgerond geheel vormen *form a complete whole / unit, be complete in itself;* een gesprek ~ *wind up a discussion;* een ~d gesprek voeren *conduct a final discussion;* hij moest nog even een paar zaken ~ *we just had to tie up a few things / one or two loose ends* **6.3** naar boven / beneden ~ *round up / down;* een bedrag op hele guldens ~ *express an amount to the nearest guilder.*
afronding ⟨de (v.)⟩ **0.1** [het afronden] *winding up, rounding off* ⇒*completion, conclusion* **0.2** [ronde vorm] *rounding (off)* ◆ **6.1** een werkstuk maken ter ~ van zijn studie *do a project in completion of one's study;* een plenaire vergadering houden ter ~ *hold a plenary session in conclusion.*
afrossen ⟨ov.ww.⟩ **0.1** [aframmelen] *thrash* ⇒*wallop, lambast(e), lay into* **0.2** [afrijden] *ride into the ground* ⇒⟨inf.⟩ *knacker* **0.3** [roskammen] *groom* ⇒*curry.*
afrostijl ⟨de (m.)⟩ **0.1** *Afro(-look)* ◆ **6.1** een kapsel in ~ *an Afro (hairstyle).*
afruimen ⟨ov.ww., onov.ww.⟩ **0.1** *clear (away)* ⇒*clear the table* ◆ **5.1** wie ruimt er even af? *who's going to clear the things away / clear the table?.*
afrukken
I ⟨ov.ww.⟩ **0.1** [met een ruk lostrekken] *pull off / away* ⇒*tear / wrench off / away* **0.2** [met geweld af- / uitdoen] *rip / snatch off / away* **0.3** [⟨vulg.⟩] *jack off,* [B]*wank (off),* [B]*frig,* [A]*jerk off* ⇒⟨scherts.⟩ *shake hands with the unemployed* ◆ **1.2** ⟨fig.⟩ iem. het masker ~ *pull / tear off s.o.'s mask, unmask s.o.* **1.3** een man ~ *jack / jerk a man off, give a man a handjob* **4.3** zich ~ *(have a) wank, jack / jerk (o.s.) off* **6.2** iem. de hoed van het hoofd ~ *tear / snatch the hat off s.o.'s head;*
II ⟨onov.ww.⟩ **0.1** [zich verwijderen] *withdraw* **0.2** [oprukken] *advance on.*
afsabbelen ⟨ov.ww.⟩ **0.1** *chew* ◆ **1.1** een afgesabbeld mondstuk *a chewed mouthpiece.*

afsappelen ⟨wk.ww.;zich~⟩⟨inf.⟩ **0.1** *slave/fag/toil away.*

afschaduwen ⟨ov.ww.⟩ **0.1** *(roughly) outline* ⇒*silhouette* ⟨een beeld⟩, *shade* ⟨een tekening⟩, ⟨voorspellen⟩ *foreshadow, presage,* ⟨zeldz.⟩ *adumbrate.*

afschaduwing ⟨de (v.)⟩ **0.1** [schaduwbeeld] *silhouette* ⇒*adumbration, shadow* **0.2** [⟨fig.⟩] *rough outline* ⇒⟨weerspiegeling⟩ *reflection,* ⟨voorspelling⟩ *presage, portent* ◆ **1.2** die problemen waren een~ v.d. huidige crisis *those problems were a reflection of the present crisis.*

afschaffen ⟨ov.ww.⟩ **0.1** [niet meer in dienst houden] *dispense with* ⇒*do without, do away with,* ⟨inf.⟩ *axe* **0.2** [mbt. een gewoonte/gebruik] *abolish* ⇒*do away with, scrap, lift* ⟨verbod⟩, *rescind, repeal* ⟨wet⟩, ⟨schr.⟩ *abrogate* ⟨decreet⟩, *phase out* ⟨stapsgewijs⟩ ◆ **1.2** de dienstplicht~ *do away with/a. conscription/ᴸthe draft;* die regeling is al lang afgeschaft *that rule was lifted/rescinded long ago;* een rookverbod~ *lift a ban on smoking;* de slavernij/doodstraf~ *a. slavery/capital punishment;* snelheidsbeperkingen~ *lift/remove speed restrictions.*

afschaffer ⟨de (m.)⟩ **0.1** [iem. die afschaft] *abolisher* **0.2** [geheelonthouder] *teetotaller* ⇒*(total) abstainer.*

afschaffing ⟨de (v.)⟩ **0.1** [het afschaffen/afgeschaft worden] *abolition* **0.2** [mbt. alcoholgebruik] *teetotalism* ⇒*(total) abstinence, temperance* ◆ **1.1** een voorstander v.d.~ v.d. slavernij *an advocate of the abolition of slavery, an abolitionist.*

afschampen ⟨onov.ww.⟩ **0.1** *glance off* ⇒*deflect off, ricochet off, bounce off,* ⟨snerpend⟩ *ping off, skip off* ⟨watervlak⟩ ◆ **6.1** de kogel schampte **op** de helm af *the bullet glanced off the helmet;* ⟨fig.⟩ die woorden schampten af **op** zijn onverschilligheid *those words were like water off a duck's back.*

afschatten ⟨ov.ww.⟩ **0.1** [beoordelen] *assess, estimate* **0.2** [mbt. de mate van arbeidsongeschiktheid] *re-assess degree of incapacity* ◆ **6.2** iem. ~ **tot** nul procent *declare s.o. fit (for work).*

afschaven

I ⟨ov.ww.⟩ **0.1** [gladschaven] *plane (down)* ⇒*shave (off)* **0.2** [door sterke schuring wegnemen] *wear away* ⇒*erode, graze, skin* ⟨mbt. huid⟩, ⟨schr.⟩ *abrade* ◆ **1.1** planken~ *plane down planks/boards/shelves* **1.2** de oever~ *wear away/erode the bank;* het vel van zijn hand~ *skin/graze one's hand;* het vel van zijn knokkels/knie~ *bark one's knuckles/knee.*

II ⟨onov.ww.⟩ **0.1** [door schaven verdwijnen] *wear off.*

afscheep ⟨de (m.)⟩⟨hand.⟩ **0.1** *shipment.*

afscheepgewicht ⟨het⟩⟨hand.⟩ **0.1** *shipped/shipping weight.*

afscheepmonster ⟨het⟩⟨hand.⟩ **0.1** *shipping sample.*

afscheepplaats ⟨de⟩⟨hand.⟩ **0.1** *place of shipment/despatch/loading.*

afscheid ⟨het⟩ **0.1** [handeling] *parting, leaving* ⇒⟨formeel⟩ *leave-taking, farewell, departure* **0.2** [woorden] *farewell, good-bye* ◆ **2.1** een teder/weemoedig/beleefd~ *a fond farewell/a sad p./a polite good-bye* **3.1** ⟨fig.⟩ hij nam~ van zijn geboorteplaats *he bade farewell/said good-bye to his place of birth;* van iem. ~ nemen *take leave of s.o.,* bid s.o. *farewell;* officieel~ nemen (van) *take formal leave (of),* bid a formal/an official farewell (to) **3.2** 'tot weerziens' was zijn ~ *'see you'/'be seeing you' were his parting words* **6.1** bij zijn~ **on** parting, at his farewell (party); een glaasje **ten** ~ *a parting drink,* ⟨inf.⟩ *one for the road, a stirrup-cup;* een visite **ten** ~ brengen *pay a farewell visit;* tot/**ten** ~ *in parting.*

afscheiden ⟨ov.ww.⟩ **0.1** [verwijderen] *separate* ⇒*divide (off), detach, dissociate* **0.2** [mbt. een ruimte, oppervlakte] *divide (off)* ⇒*partition off* ⟨een ruimte⟩, *fence off* ⟨door hek⟩ **0.3** [produceren] *discharge* ⟨pus⟩; *secrete* ⟨vloeistof⟩; *exude* ⟨vocht, zweet⟩; *excrete* ⟨vaste stof⟩; *produce* ⟨een produkt⟩; ⟨schei.⟩ *separate, precipitate; give off* ⟨zuurstof⟩ ◆ **1.2** een ruimte met een gordijn~ *curtain off an area* **1.3** ⟨iron.⟩ een dichtbundel~ *spawn a book of poems;* sommige bomen scheiden hars af *some trees secrete/produce resin;* melk~ ⟨ook⟩ *lactate;* vocht~ ⟨van wond⟩ ⟨ook⟩ *weep* **4.1** zich van de wereld~ *cut o.s. off/retire from the world;* zich~ (van) *break away (from), break with; secede (from)* ⟨kerkgemeenschap, federatie⟩; ⟨uit elkaar gaan⟩ *part company* **4.3** zich~ *be secreted/produced/precipitated/given off* ⟨enz.⟩; ⟨schei. ook⟩ *separate* **6.1** er hebben zich twee groepen afgescheiden **van** de beweging *two groups have broken away from the movement.*

afscheiding ⟨de (v.)⟩ **0.1** [handeling] *separation* ⇒⟨van partij/federatie ook⟩ *secession, schism* ⟨in kerk⟩, ⟨schei.⟩ *precipitation, deposition,* ⟨med.⟩ *secretion, excretion, discharge,* ⟨afbakening⟩ *demarcation* **0.2** [scheiding] *partition* ⇒⟨scheidslijn⟩ *dividing line,* ⟨hek⟩ *fence,* ⟨hekwerk⟩ *fencing* **0.3** [afgescheiden stof] *discharge* ⇒*secretion, excretion* ◆ **3.2** een~ aanbrengen *put up a p.* **6.2** een muurtje bouwen **op** de~ *build a wall on the boundary;* een~ **van** prikkeldraad *a barbed-wire fence/barrier, barbed-wire fencing.*

afscheidingsbeweging ⟨de (v.)⟩ **0.1** *secession (movement)* ⇒*separatist(ic) movement.*

afscheidingspolitiek ⟨de (v.)⟩ **0.1** *secessionism* ⇒*separatism.*

afscheidingsprodukt ⟨het⟩⟨biol.⟩ **0.1** *secretion.*

afscheidsborrel ⟨de (m.)⟩ **0.1** *farewell drink* ⇒⟨laatste drankje;inf.⟩ *one for the road, a stirrup-cup.*

afscheidsbrief ⟨de (m.)⟩ **0.1** *farewell/leave-taking/valedictory letter.*

afscheidscadeau, -geschenk ⟨het⟩ **0.1** *farewell/parting gift* ⇒*good-bye present.*

afscheidscollege ⟨het⟩ **0.1** *valedictory lecture* ◆ **3.1** zijn~ geven *deliver one's valedictory lecture.*

afscheidsdiner ⟨het⟩ **0.1** *farewell dinner/banquet.*

afscheidsfeest ⟨de⟩ **0.1** [feest ter ere van iemands vertrek] *farewell party /celebration* ⇒*going-away party,* ᶦ*send-off* **0.2** [laatste feestelijke bijeenkomst] *final/farewell celebration.*

afscheidsgroet ⟨de (m.)⟩ **0.1** *good-bye* ⇒*farewell, parting gesture,* ⟨schr.⟩ *vale, adieu.*

afscheidskus ⟨de (m.)⟩ **0.1** *farewell/good-bye/parting kiss.*

afscheidsmaal ⟨het⟩ **0.1** *farewell/valedictory dinner.*

afscheidsrede ⟨de⟩ **0.1** *valedictory/farewell speech* ⇒*valediction.*

afscheidstournee ⟨de (v.)⟩ **0.1** *farewell tour.*

afscheidsvoorstelling ⟨de (v.)⟩ **0.1** *farewell performance.*

afscheidswoord ⟨het⟩ **0.1** *farewell/parting word* ⇒⟨rede⟩ *valediction.*

afschenken ⟨ov.ww.⟩ **0.1** [inschenken] *pour (out)* **0.2** [door overschenken wegnemen] *pour off* ⇒*decant* ◆ **1.1** afgeschonken thee *watered down/spent tea;* ⟨sl.⟩ *gnat's pee* **6.2** de room **van** de melk~ *pour off the cream (from the milk)/the top of the milk.*

afschepen ⟨ov.ww.⟩ **0.1** [⟨vaak+met⟩ mbt. personen] *fob/palm (sth.) off on (s.o.), fob (s.o.) off with (sth.)* **0.2** [mbt. handelswaar] *ship (out)* ⇒*forward, dispatch* ◆ **3.1** zij laat zich niet zo gemakkelijk~ *she's not so easily put off;* zich niet laten~ *not be fobbed off* **6.1** iem. **met** een nietszeggend antwoord~ *fob s.o. off with a fatuous/inane reply;* iem. **met** mooie praatjes~ *fob s.o. off with fine talk/fair words.*

afscheppen ⟨ov.ww.⟩ **0.1** *skim* ⇒⟨verwijderen⟩ *skim/take off, scum off* ⟨slakken⟩.

afscheren ⟨ov.ww.⟩ **0.1** [door scheren wegnemen] *shave (off)* ⟨haren⟩; *shear (off)* ⟨wol⟩ **0.2** [gelijk knippen] *trim* ⟨haag enz.⟩.

afschermen ⟨ov.ww.⟩ **0.1** *screen* ⇒⟨beschermen ook⟩ *protect (from), guard (against), cover,* ⟨elek. ook⟩ *shield,* ⟨afdekken⟩ *cover, mask,* ⟨afscheiden⟩ *screen off,* ⟨beschaduwen⟩ *shade* ◆ **1.1** ⟨sport⟩ de bal met het lichaam~ *shield/screen the ball with one's body;* een deel v.e. kamer~ *screen off part of a room;* een kernreactor~ *shield a nuclear reactor.*

afscheuren

I ⟨ov.ww.⟩ **0.1** [aftrekken] *tear off* ⇒*pull off,* ⟨krachtig⟩ *rip off* ◆ **1.1** het behang~ *strip (off) the wallpaper;* een bonnetje langs de perforatie~ *detach a coupon along the perforations;* iemands kaartje~ *tear off s.o.'s ticket* **3.1** zijn kaartje laten~ *have one's ticket torn* **5.1** hierlangs~ *tear along the dotted line* **6.1** een plaat **van** de muur~ *pull /rip a plaque off the wall;*

II ⟨onov.ww.⟩ **0.1** [losgaan door scheuren] *tear, get torn* ◆ **1.1** het gordijn begint boven af te scheuren *the curtain is beginning to t./ get torn at the top.*

afscheuring ⟨de (v.)⟩ **0.1** [het afscheuren/afgescheurd worden] *tearing off/away* ⇒*pulling off, detachment, separation,* ⟨krachtig⟩ *ripping off* **0.2** [⟨fig.⟩] *split, rift, rupture* ⇒⟨kerk⟩ *schism,* ⟨afsplitsing⟩ *secession, break-away.*

afschieten

I ⟨ov.ww.⟩ **0.1** [afvuren] *fire (off)* ⇒⟨vuurwapen ook⟩ *discharge, let off, loose off, shoot* ⟨pijl⟩, *send up* ⟨vuurpijl⟩ **0.2** [door schieten wegnemen] *shoot off* **0.3** [beschadigen] *shoot* ⇒*cull* ⟨wegens overbevolking⟩ **0.4** [afscheiden dmv. een schot] *divide/partition off* ◆ **1.1** ⟨met objectsverwisseling⟩ een geweer/kanon~ *fire a gun/cannon;* een kogel~ *fire a bullet;* afgeschoten patronen *spent cartridges* **1.2** ⟨AZN⟩ de vogel~ ⟨fig.⟩ *bring home the bacon* **1.3** wild~ *s. game* **1.4** een kamertje met planken~ *divide/partition off a room with boarding* **6.1** ⟨fig.⟩ toornige blikken **op** iem. ~ *cast angry glances at s.o., look daggers at s.o.;*

II ⟨onov.ww.⟩ **0.1** [zich snel verplaatsen] *shoot* ⇒*bolt, hare, dash* **0.2** [losschieten] *slip off* ◆ **1.0** op iem. / iets~ *come/go shooting/pelting/dashing towards s.o./sth., dart at/make a dash for s.o./sth.;* de hond schoot **van** het erf af *the dog shot out of the yard* **6.2** het touw schiet **van** de takel af *the rope is slipping off the pulley.*

afschijnen ⟨onov.ww.⟩ **0.1** *shine* ◆ **6.1** ⟨fig.⟩ de doodsangst scheen hem af **van** 't gelaat *fear was written all over his face.*

afschijnsel ⟨het⟩⟨schr.⟩ **0.1** *reflection.*

afschilderen ⟨ov.ww.⟩ **0.1** [afbeelden] *paint* ⇒*depict, portray* **0.2** [uitbeelden] *portray, depict* ⇒*make out* **0.3** [afmaken] *finish painting* ◆ **1.2** die cineast kan de menselijke hartstochten levendig~ *that film-maker can p. human passions vividly* **5.2** je hoeft het niet mooier af te schilderen dan het is *you needn't paint a nicer picture of it than it really is;* iem. slechter~ dan hij is *make s.o. out to be blacker than he is* **6.1** iem. **naar** het leven~ *paint a lifelike portrait of s.o.* **8.2** iem. ~ als *depict/portray s.o. as, make s.o. out to be.*

afschildering ⟨de (v.)⟩ **0.1** [geschilderde afbeelding] *picture* ⇒*portrayal, depiction, representation* **0.2** [uitbeelding in woorden] *portrayal* ⇒*depiction, picture.*

afschilferen

afschilferen ⟨onov.ww.⟩ **0.1** [in schilfers loslaten] *flake off* ⇒*peel off, scale off*

⟨kalk⟩, ⟨plantk.; med.⟩ *exfoliate* ◆ **1.1** mijn huid schilfert af *I'm peeling;*

II ⟨ov.ww.⟩ **0.1** [v.d. buitenste laag ontdoen] *scale/peel off*.

afschillen ⟨ov.ww.⟩ **0.1** [v.d. schil ontdoen] *peel* ⇒ ⟨met mes ook⟩ *pare, bark* ⟨boom⟩, ⟨banaan ook⟩ *unrip* **0.2** [door schillen wegnemen] *peel/strip off*.

afschminken ⟨ov.ww.⟩ **0.1** [van schmink ontdoen] *remove make-up* **0.2** [het schminken voltooien] *finish making up* ◆ **4.1** zich na de voorstelling~*take off/remove one's make-up after the performance*.

afschooien ⟨ov.ww.⟩ **0.1** *cadge, scrounge* ◆ **4.1** iem. iets~*cadge sth. off s.o., wheedle sth. out of s.o..*

afschoppen ⟨ov.ww.⟩ **0.1** [door schoppen verwijderen/verjagen] *kick/boot away/off* **0.2** [naar beneden schoppen] *kick/boot down* ◆ **1.2** iem. de trap~*kick/boot s.o. downstairs* **6.1** iem. van school~*kick/boot s.o. out of the/a school, expel s.o. from school* **6.2** een steen **van** de heuvel~*kick a stone down the hill.*

afschot ⟨het⟩ **0.1** [het doodschieten] *shooting* ⇒*culling* ⟨wegens overbevolking⟩ **0.2** [afgeschoten wild] *haul, bag* ⟨van jager⟩ ⇒*cull* ⟨wegens overbevolking⟩ **0.3** [helling] *fall* ⟨v.e. (afvoer)leiding⟩; *pitch, slope* ⟨v.e. dak⟩ ◆ **1.1** men besloot tot~v.d. eenden over te gaan *it was decided to resort to culling the ducks* **2.3** een plat dak moet voldoende~hebben *a flat roof must have an adequate slope.*

afschrabben →**afschrap(p)en.**

afschrapen ⟨ov.ww.⟩ **0.1** [door schrapen verwijderen] *scrape off* ⇒*grate off* ⟨met rasp⟩ **0.2** [door schrapen reinigen] *scrape* ⇒*clean off, scale* ⟨vis⟩ **0.3** [⟨fig.⟩ afzetten] *fleece* ⇒*rook, skin,* ⟨sl.⟩ *rip off* ◆ **1.2** beenderen~*scrape bones;* vuile borden~*scrape dirty plates;* zijn laarzen~*scrape one's boots* **6.1** het vet **van** de darmen~*scrape the fat from the intestines.*

afschrappen ⟨ov.ww.⟩ **0.1** [door schrappen verwijderen] *scrape off* ⇒ ⟨afkrabben⟩ *scratch off, strip off* ⟨verf⟩ **0.2** [door schrappen reinigen] *scrape* ⇒*strip down* ⟨een deur⟩ **0.3** [doorstrepen] *cross off/out* ⇒*strike off, scratch out* ◆ **6.3** iem. **van** de lijst~*cross/strike s.o. off the list, scratch s.o. from the list.*

afschrift ⟨het⟩ **0.1** *copy* ⇒ ⟨jur. ook⟩ *transcript* ◆ **1.1** een~van een (lopende) rekening *a statement of account, a bank statement, a current account statement* **2.1** een eensluidend~*an identical/true c.;* een gewaarmerkt~*a certified/an official/authenticated c.* **6.1** ⟨jur.⟩ **voor**~getekend door *c. certified correct by;* ⟨jur.⟩ **voor**~uitgegeven door *issued as true c. by;*~van iets *vragen/ontvangen ask for/receive a c. of sth..*

afschrijven ⟨ov.ww.⟩ **0.1** [afboeken] *debit* ⇒*deduct* **0.2** [schriftelijk afzeggen] *cancel* ⇒*countermand* ⟨bevel⟩, *put off* ⟨persoon⟩ **0.3** [uit het hoofd zetten] *write off* ⇒*dismiss, rule/count out, put out of one's head* **0.4** [afpennen] *do a lot of writing* **0.5** [een afschrift maken van] *copy* ⇒*transcribe,* ⟨heimelijk⟩ *crib* **0.6** [ten einde schrijven] *finish writing* **0.7** [de boekwaarde verlagen] *write down* ⇒ ⟨voor waardevermindering⟩ *write/mark down (for depreciation), write off (as depreciation)* **0.8** [schrappen uit een lijst] *write off* **0.9** [zich schriftelijk ontdoen van] *write out of one's system* **0.10** [⟨bouwk.⟩] *mark off/out, line out, score* ◆ **1.2** iem.~*write s.o. a letter of rejection, write to turn s.o. down, write to put s.o. off* **1.3** die auto kun je wel~*you can write off that car, that car is a write-off;* dat plan kun je nu wel voorgoed~*you can write that scheme off/dismiss that scheme for good now, you can say good-bye for ever to that scheme now* **1.7** jaarlijks werd het machinepark met f 100.000 afgeschreven *the machinery was written/marked down by f 100,000 annually/by an annual depreciation of f 100,000* **1.8** oninbare posten~*write off/cancel bad debts* **4.3** we hadden haar al afgeschreven *we had already written her off (as a dead loss)/regarded her as lost* **4.4** ik heb vandaag heel wat afgeschreven *I've got through quite a bit of writing today, I've done a lot of writing today* **6.1** geld **van** een rekening~*debit money to an account, withdraw money from an account* **6.7** 10%~**op** het kapitaal *write the capital down by 10%* **6.9** zijn verleden **van** zich~*write the past out of one's system, expurge the past by writing about it.*

afschrijver ⟨de (m.)⟩ **0.1** [iem. die zich afmeldt] *withdrawal* **0.2** [kopiist] *copyist, transcriber* ⇒ ⟨spieker⟩ *copier, cribber* **0.3** [⟨bouwk.⟩ gereedschap] *marking awl, sriber* ◆ **6.1** er zijn weer veel~s **voor** deze wedstrijd *a lot of competitors have cried off/withdrawn from this race.*

afschrijving ⟨de (v.)⟩ **0.1** [het afboeken] *debit* ⇒ ⟨handeling van afschrijven⟩ *debiting, writing-off* **0.2** [⟨hand., ind.⟩] ⟨op vaste activa⟩ *depreciation* ⇒*write-down,* ⟨op immateriële activa⟩ *amortization* **0.3** [bewijs van afschrijving] *debit notice* **0.4** [afmelding] *(letter/notice of) cancellation* ^A*elation* ◆ **1.3** een~van de bank *a d. n. from the bank* **2.2** technische~*d. for wear and tear;* de totale~*the total write-down;* verplichte~en *statutory write-downs* **6.2 na**~*voor waardevermindering after d.;* voor~**op** de machines *for d. of/as a write-down on the machines.*

afschrijvingspost ⟨de (m.)⟩ **0.1** *(tax) write-off.*

afschrikken ⟨ov.ww.⟩ **0.1** [schrik aanjagen] *deter, put off* ⇒ ⟨wegjagen⟩ *frighten/scare off* **0.2** [⟨tech.⟩ mbt. metaal] *quench, chill* ◆ **1.1** ⟨fig.⟩ dergelijke berichten schrikken hem heel erg af *such reports give him a nasty shock/fright;* zo'n benadering schrikt de mensen af *such an*

approach scares/puts people off; door de hoge prijs worden veel mensen afgeschrikt *a lot of people are put off by the high price;* de ~de werking van atoomwapens *the deterrent effect of atomic weapons* **3.1** hij liet zich door niets~*he was not to be put off/deterred; nothing daunted, he ....*

afschrikking ⟨de (v.)⟩ **0.1** [het schrik aanjagen] *deterrence* **0.2** [⟨tech.⟩ mbt. metaal] *quenching* ⇒*chilling.*

afschrikkingsmiddel ⟨het⟩ **0.1** *deterrent* ⇒*determent, deterrence.*

afschrikkingspolitiek ⟨de (v.)⟩ **0.1** *policy of deterrence.*

afschrikkingswapen ⟨het⟩ **0.1** *deterrent* ⇒ ⟨concr.⟩ *nuclear weapon.*

afschrikwekkend ⟨bn., bw.⟩ **0.1** *frightening* ⇒ ᵕ*off-putting, prohibitive* ⟨prijzen⟩, *daunting* ⟨taak⟩, *deterrent* ⟨middel⟩ ◆ **1.1** een~middel *a deterrent;* een~voorbeeld *a warning/deterrent* **3.1** er~uitzien *look daunting.*

afschrobben ⟨ov.ww.⟩ **0.1** [door schrobben verwijderen] *scrub off* **0.2** [door schrobben reinigen] *scrub (down).*

afschroeien ⟨ov.ww.⟩ **0.1** *singe* ⟨varken, gevogelte⟩; *burn off* ⟨verf⟩.

afschroeven ⟨ov.ww.⟩ **0.1** *unscrew.*

afschudden

I ⟨ov.ww.⟩ **0.1** [door schudden af doen vallen] *shake off/down* **0.2** [zich ontdoen/bevrijden van] *shake off* ⇒*cast off* ⟨belemmeringen⟩ ◆ **1.2** het juk/de boeien~⟨fig.⟩ *cast/throw off the yoke/the shackles* **6.1** appels **van** de boom~*shake down apples from the tree* **6.2** ⟨fig.⟩ sombere gedachten **van** zich~*shake/cast off dismal thoughts;* een last **van** de schouders~*shake/cast a burden off/from one's shoulders;* dat schud ik **van** mij af als een poedel *that is (like) water off a duck's back (to me);* een tegenstander/achtervolger **van** zich~*shake/throw off an opponent/pursuer;*

II ⟨wk.ww.; zich~⟩ **0.1** [zich ontdoen van iets] *shake (off)* ◆ **1.1** de hond schudde zich af *the dog shook itself (off).*

afschuieren ⟨ov.ww.⟩ **0.1** [door schuieren wegnemen] *brush off* **0.2** [door schuieren reinigen] *brush (off)* ⇒ ⟨in neerwaartse richting⟩ *brush down* ◆ **1.2** iem.~*brush s.o. down;* zijn kleren~*brush (off) one's clothes* **4.2** zichzelf~*brush o.s. off/down.*

afschuifsysteem ⟨het⟩ **0.1** *shifting responsibility,* ⟨inf.⟩ *passing the buck.*

afschuimen ⟨ov.ww.⟩ **0.1** [afscheppen] *skim (off)* ⇒*scoop (off), scum* ⟨slakken⟩ **0.2** [reinigen] *scum* **0.3** [afzoeken] *scour, comb* ◆ **1.3** de stad~*s./c. the city;* de zee~*s. the seas* **6.1** het vet **van** de soep~*skim off the grease from the soup.*

afschuinen ⟨ov.ww.⟩ **0.1** *bevel (off)* ⇒*chamfer, edge* ◆ **1.1** de onderdorpels van kozijnen~*bevel the window sill.*

afschuiven

I ⟨onov.ww.⟩ **0.1** [verschuiven] *slide off* ⇒ ⟨wegglijden⟩ *slide away,* ⟨wegschuiven⟩ *shift/move away, slip* ⟨grond⟩ ◆ **1.1** het vuur~*shift/move away from the fire;* het kleed schoof **van** de tafel af *the cloth slipped off the table;* de lading is **van** de vrachtwagen afgeschoven *the load slipped off the lorry, the lorry shed its load;*

II ⟨onov., ov.ww.⟩ ⟨inf.⟩ **0.1** [betalen] *fork out* ⇒*cough/stump/pay up, shell out* ◆ **5.1** flink~*fork out a great deal;* ⟨vero.⟩ *come down handsomely* ¶.**1** hij is nogal goed **van**~*he is not afraid to fork/shell out, he's pretty generous with his money;* als zijn ouwelui nu eindelijk eens~*when his old folk finally cough up;*

III ⟨ov.ww.⟩ **0.1** [wegschuiven] *slide/shift/move away* ⇒*push away* ⟨van zich⟩ **0.2** [van zich afzetten] *put away* ⟨gedachten⟩; *skive off, shirk* ⟨arbeid⟩; *shun* ⟨omsg⟩ **0.3** [op een ander laten neerkomen] *shift/pass (onto s.o.)* ◆ **6.1** zijn bord **van** zich~*push one's plate away* **6.3** de verantwoordelijkheid **op** een ander~*pass the buck (to s.o. else);* zijn verantwoordelijkheid **van** zich~*shirk one's responsability.*

afschuren ⟨ov.ww.⟩ **0.1** [door schuren verwijderen] *rub/scour off* ⟨roest, verf⟩ **0.2** [glad schuren] *rub down* **0.3** [mbt. een stroom] *erode* ⇒*eat into* ◆ **6.2 met** schuurpapier~*rub down with sandpaper, sand down.*

afschutten ⟨ov.ww.⟩ **0.1** [afscheiden] *partition/divide off* ⇒ ⟨omheinen⟩ *hedge in/off* ⟨met haag⟩, *fence in/off* ⟨met hek⟩, ⟨met ijzeren hek ook⟩ *rail off,* ⟨afschermen⟩ *screen (off),* ⟨met planken⟩ *board off* **0.2** [door schutten/schutsluizen afsluiten] *lock off.*

afschutting ⟨de (v.)⟩ **0.1** [handeling] *partitioning off* ⇒*fencing off/in, railing off, screening (off)* **0.2** [middel] *partition* ⇒ ⟨hek⟩ *fence,* ⟨van ijzer ook⟩ *railing(s),* ⟨hekwerk⟩ *fencing,* ⟨haag⟩ *hedge, screen* ◆ **3.2** een~aanbrengen om een bouwterrein *put up/erect a hoarding round a building site.*

afschuw ⟨de (m.)⟩ **0.1** [hevige afkeer] *horror* ⇒*repugnance, disgust, abhorrence, loathing* **0.2** [afkeer opwekkend iets] *horror* ⇒*abomination* ◆ **1.1** er ging een golf van~door de menigte *a ripple of h. ran through the crowd* **3.1** een~hebben van iets *have a h. of sth., loathe/detest/abhor/abominate sth.;* ⟨iem.⟩~inboezemen *fill (s.o.) with h., horrify/disgust s.o.;* zijn~uitspreken over iets *express one's h. at sth.;* ~(ver)wekken *horrify* **6.1 met**~*with/in disgust;* de aanblik van zoveel wreedheid vervulde hem **met**~⟨ook⟩ *he was horror-stricken/-struck at the sight of such cruelty;* iets **met**~aanzien *look at/watch sth. in h.;* **tot** haar~*to her h.;* **van**~in h.; **van**~vervuld *filled with h., horrified, appalled* **6.2 tot**~worden/strekken *be an abomination.*

afschuwelijk

I ⟨bn.,bw.⟩ **0.1** [afschuw (ver)wekkend] *horrible* ⇒*abominable, atrocious, loathsome, heinous, hideous* ⟨misdaad⟩ **0.2** [ontzettend slecht/ lelijk] *shocking, awful* ⇒*appalling, atrocious, diabolical, dreadful,* (lelijk ook) *hideous* ◆ **1.1** een ~e blunder *an awful blunder, a ghastly mistake* **1.2** ik heb een ~e dag gehad *I've had a beast/hell of a day;* hij sprak een ~ Engels *he spoke appalling/dreadful English;* wat een ~ weer *what atrocious/s./beastly* **3.2** die jongen schrijft ~ *that boy writes appallingly/has got s. handwriting;* die rok staat je ~ *that dress looks awful on you;*

II ⟨bw.⟩ ⟨inf.⟩ **0.1** [enorm] *awfully* ⇒*frightfully, terribly, dreadfully, incredibly* ◆ **2.1** ~ mooi *a./ terribly nice;* ~ vervelend *a./ dreadfully boring.*

afschuwwekkend ⟨bn.⟩ **0.1** *horrific* ⇒*horrifying, horrendous* ◆ **1.1** ~e beelden *horrifying/lurid pictures;* een ~ toneel *a horrific scene.*

afsjouwen ⟨ov.ww.⟩ **0.1** [naar beneden sjouwen] *lug/hump down* **0.2** [aflopen] *trudge, plod, traipse* **0.3** [hard werken] *slog (away), graft* ◆ **1.2** we hebben de hele stad afgesjouwd *we've traipsed all over town (looking for)* **4.3** heel wat ~ *slog hard* **6.1** een kist van de zolder ~ *lug/hump a box/chest down from the attic.*

afslaan
I ⟨onov.ww.⟩ **0.1** [een andere richting nemen] *turn (off)* ⟨persoon, voertuig⟩; *branch off, veer, fork* ⟨weg⟩ **0.2** [ophouden te werken] *cut out* ⇒*stall,* ⟨inf.⟩ *conk out* **0.3** [minder worden] *go down* ⇒*drop, be reduced* **0.4** [wegspoelen] *be washed away* ⇒*be eroded* ◆ **5.1** zie je die weg/die fietser daar links/rechts ~? *do you see there where the road forks/that cyclist is turning right/left?* **6.4** het schip is van het anker afgeslagen *the ship has gone adrift* **6.¶** van zich ~ *hit out, strike back;* hij sloeg flink van zich af *he let fly;*
II ⟨ov.ww.⟩ **0.1** [door slaan verdrijven] *beat off* ⇒*repel, repulse, parry/ward off* ⟨slag⟩ **0.2** [afwijzen] *turn down* ⟨aanbod⟩; *refuse, decline* ⟨uitnodiging⟩; *reject* ⟨voorstel⟩ **0.3** [weglaan] *knock off* ⇒*beat off, strike off, flick off* ⟨bv. as van sigaret⟩ **0.4** [in prijs verlagen] *reduce* ⇒ *cut, knick down* **0.5** [doen wegspoelen] *wash away* ⇒*erode* **0.6** [bij afslag verkopen] *sell by Dutch auction* ◆ **1.1** ⟨fig.⟩ dreigende gevaren/ stormen ~ *withstand imminent dangers, weather threatening storms;* het stof van zijn kleren ~, zijn kleren ~ *dust off one's clothes;* een thermometer ~ *shake down a thermometer;* de vijand/een aanval ~ *beat/fend/ward off the enemy, repel/withstand an attack* **1.2** een geschenk/schadevergoeding ~ *refuse a gift/compensation* **1.5** de zee slaat de duinen af *the sea washes the dunes away* **5.2** iets volstrekt niet ~ *not say no to sth.;* nou, dat sla ik niet af ⟨als een borreltje aangeboden wordt⟩ *I don't mind if I do* **6.1** de vliegen van het vlees ~ *swat the flies away from/off the meat* **6.3** de storm heeft een stuk van het dak afgeslagen *the storm has blown part of the roof off;* de kop van een spijker ~ *strike the head off a nail.*

afslachten ⟨ov.ww.⟩ **0.1** [slachten] *kill off* ⇒*slaughter* **0.2** [massaal doden] *slaughter* ⇒*massacre, decimate, butcher* **0.3** [slecht beoordelen; meedogenloos ondervragen] *tear apart/to pieces/to shreds* ⇒ *murder, crucify.*

afslag ⟨de (m.)⟩ **0.1** [afrit] *turn(ing)* ⇒*fork, junction,* ⟨op autoweg⟩ *exit, slip-road* **0.2** [vermindering] *reduction* ⟨prijs⟩ ⇒*abatement* **0.3** [openbare verkoping] *Dutch auction* **0.4** [verkoopplaats] *Dutch auction* **0.5** [het wegspoelen] *erosion* ⇒*washing/wearing away* ◆ **1.3** ~ van vis *fish auction* **2.1** de volgende ~ rechts nemen *the next turning on the/your right, the next turn to the right* **3.1** een ~ nemen *turn off* **3.2** de gevangene kreeg zes maanden ~ *the prisoner got six months remission* **3.¶** ⟨hockey⟩ de ~ verrichten *bully off* **6.1** de ~ naar X. *the turn(ing) for X.* **6.3** bij ~ ~veilen *sell by D. a..*

afslager ⟨de (m.)⟩ **0.1** *auctioneer.*

afslanken
I ⟨onov.ww.⟩ **0.1** [afvallen] *slim (down)* ⇒*trim down,* ⟨vnl. AE⟩ *reduce* **0.2** [inkrimpen] *slim down* ⇒*trim, slenderize, reduce* ◆ **5.1** ze is erg afgeslankt na die kuur *she has slimmed down a lot/lost a lot of weight after that diet/treatment/cure;*
II ⟨ov.ww.⟩ **0.1** [slanker maken] *slim* ⇒*be slimming* **0.2** [doen inkrimpen] *slim (down)* ⇒*slenderize, trim (down), reduce* ◆ **1.1** die jurk slankt je af *that dress is very slimming on you.*

afslibben ⟨onov.ww.⟩ ⟨tech.⟩ **0.1** *elutriate.*

afslijpen ⟨ov.ww.⟩ **0.1** [door slijpen wegnemen] *grind (off/away)* ⟨met steen⟩ ⇒*rub off/away, file off* ⟨met metalen voorwerp⟩ **0.2** [door slijpen reinigen/gladmaken] *polish* ⟨bv. diamanten⟩ ⇒*sharpen, whet* ◆ **1.1** de scherpe kanten van een prisma ~ *grind the sharp edges of a prism;* ⟨fig.⟩ het verblijf in een hoofdstad zal bij hem het ruwe er wel ~ *staying in a capital city will knock a few rough edges off him* **1.2** verroeste bijlen ~ *p. rusty axes.*

afslijten
I ⟨ov.ww.⟩ **0.1** [de buitenste delen doen verliezen] *wear (off/down)* ⇒*rub off/away, abrade, fret* ◆ **1.1** zijn schoenen/zolen ~ *wear out his shoes/soles, wear his shoes/soles thin;*
II ⟨ov.ww.⟩ **0.1** [de buitenste delen doen verliezen] *wear out/off/away/thin* ◆ **1.1** door de golfslag van de boten slijten die oevers voortdurend af *the banks are continually being worn away/eroded by the wash from the boats;* ⟨fig.⟩ de scherpe puntjes beginnen bij hem af te

slijten *his wits are beginning to become dulled* **6.1** de verf slijt van de drempel af *the paint is wearing off the doorstep.*

afsloven ⟨ov.ww.⟩ **0.1** *wear out* ⇒*drudge, slave, fag (o.s. out), slog (away)* ◆ **1.1** een afgesloofd lichaam *a worn-out body;* zijn lichaam/ brein ~ *work (one's fingers) to the bone, rack one's brains* **4.1** zich ~ om het iedereen naar de zin te maken *do one's utmost/one's level best/bend over backwards to please everyone;* zich voor iets/iem. ~ *wear o.s. out/kill o.s. for sth./s.o..*

afsluitbaar ⟨bn.⟩ **0.1** *lockable.*

afsluitboom ⟨de (m.)⟩ **0.1** *bar* ⇒*gate, barrier, boom* ⟨van haven⟩, *level-crossing barrier* ⟨van spoorlijn⟩.

afsluitdijk ⟨de (m.)⟩ **0.1** *dam* ⇒*causeway, embankment* ⟨met weg⟩ ◆ **1.1** de ~ (van het IJsselmeer) *the IJsselmeer Dam.*

afsluitdop ⟨de (m.)⟩ **0.1** *cap.*

afsluiten ⟨ov.ww.⟩ **0.1** [ontoegankelijk maken] *close (off/up)* ⇒*fence/ cut off, rail off/in* ⟨terrein enz.⟩, *enclose, block,* ⟨met stop⟩ *stopper,* ⟨met kurk⟩ *cork* **0.2** [op slot doen] *lock (up)* ⇒*close* ⟨bus, fles, enz.⟩ **0.3** [beletten door te dringen] *cut off* ⇒*shut off* ⟨gas enz.⟩/*out* ⟨licht⟩, *close off, turn off* **0.4** [tot stand brengen] *conclude* ⇒*effect, enter into* ⟨overeenkomst⟩, *negotiate* ⟨hypotheek⟩, *arrange* ⟨kredieten⟩ **0.5** [een eind maken aan] *close* ⇒*conclude,* ⟨rekeningen ook⟩ *balance* **0.6** [verwijderd houden van] *cut off* ⇒*disconnect,* ⟨v.d. buitenwereld ook⟩ *isolate* ◆ **1.1** zijn geld/papieren ~ *lock up/away one's money/papers;* een kantoor/tuin ~ *lock up an office, fence off/ hedge in a garden;* een waterplas ~ *dam up/off a lake;* iem. de weg tot promotie ~ *block s.o.'s way to promotion;* een weg ~ voor verkeer *close a road to traffic;* een weg/toegang ~ *cordon off/block a road/an entry* **1.2** heb je de kast/koffer/voordeur goed afgesloten? *have you locked the cupboard/suitcase/front door?* **1.3** de gasleiding ~ *turn off the gas main;* de stroom ~ *cut off/disconnect the electricity;* de toevoer van water/gas ~ *cut/shut/turn off the water/gas (supply)* **1.4** een levensverzekering ~ *c./ take out a life insurance policy;* posten/een contract/een koop/vrachten ~ *close accounts, c. a contract/sale, accept cargo* **1.5** een (dienst)jaar ~ *close a year;* een (koopmans)boek ~ *balance a book;* een rekening/balans ~ *close/balance an account;* een afgesloten tijdperk *a closed era* **4.6** zich ~ *cut o.s. off, seclude o.s from others* **5.3** iets luchtdicht ~ *put an airtight seal on sth., seal hermetically* **6.1** door een gordijn ~ *curtain off* **6.6** iem. van het gas/licht ~ *disconnect s.o.'s gas/electricity.*

afsluiter ⟨de (m.)⟩ **0.1** [opmerking] *clincher* **0.2** [toestel] *cutoff* ⇒*circuit breaker* ⟨stroom⟩ ◆ **2.2** luchtdichte ~ *air(tight)/hermetic seal;* rechte ~ *globe valve.*

afsluiting ⟨de (v.)⟩ **0.1** [het ontoegankelijk maken] *closing off/up* ⇒ *fencing in/off, cutting off, hedging in, blocking, stopping* **0.2** [het op slot doen] *locking (up/away)* **0.3** [mbt. gas/water e.d.] *shut-off, cut-off, turn-off* ⇒*disconnection* **0.4** [het tot stand brengen] *conclusion* ⟨van contract⟩ ⇒*taking-out* ⟨van verzekering⟩, *arrangement* ⟨van kredieten⟩ **0.5** [het een eind maken aan] *closing* ⟨rekening⟩ ⇒ *close* ⟨jaar⟩, *balancing* ⟨boek, jaar⟩ **0.6** [het zich afsluiten] *seclusion* ⇒*cutting off, isolation* **0.7** [voorwerp] *enclosure* ⇒*barrier, bar, fence* ⟨hek⟩, *partition* ⟨tussenschot⟩, *dam* ⟨mbt. water⟩.

afsluitingsdatum ⟨de (m.)⟩ **0.1** *balancing date* ⇒*date of closing/balancing the books/accounts.*

afsluitklep ⟨de⟩ **0.1** *cutoff/shutoff valve.*

afsluitkraan ⟨de⟩ **0.1** *stopcock* ⇒*turncock.*

afsluitprovisie ⟨de (v.)⟩ **0.1** *commission (on a mortgage), brokerage.*

afsmeken ⟨ov.ww.⟩ **0.1** *beg* ⇒*implore, entreat, supplicate (for),* ⟨bidden om⟩ *invoke* ◆ **1.1** iem. een aalmoes/hulp/vergeving ~ *b. (for)/implore/beseech s.o.'s alms/help/forgiveness;* genade ~ voor alle zondaars *invoke mercy for all sinners* **6.1** iets van boven ~ *implore sth. from above.*

afsmelten ⟨ov.ww.⟩ **0.1** *melt off* ◆ **7.¶** het ~ ⟨van kernreactor⟩ *meltdown.*

afsmijten ⟨ov.ww.⟩ **0.1** [wegwerpen, naar beneden werpen] *fling down/ off* ⇒*hurl down/off, pitch down/off,* [⟩ *chuck down/off* **0.2** [haastig afdoen] *toss off* ⇒*throw off* ◆ **1.1** appels/peren/noten ~ *hurl down apples/pears/nuts* **1.2** de mantel/hoed ~ *throw off one's coat, toss off one's hat* **6.1** iem. van de trap ~ *throw/chuck s.o. down the stairs.*

afsnauwen ⟨ov.ww.⟩ **0.1** *snap at* ⇒*snub, snarl at* ◆ **1.1** iem. ~ ⟨ook⟩ *snap s.o.'s head off* **5.1** flink afgesnauwd worden *have one's nose bitten off, be utterly crushed, receive a crushing snub.*

afsnellen
I ⟨onov., ov.ww.⟩ **0.1** [omlaag snellen (van/langs)] *run/hurry/rush down;*
II ⟨onov.ww.⟩ **0.1** [⟨+op⟩] *rush up to* ⇒*rush at, run up to.*

afsnijden ⟨ov.ww.⟩ **0.1** [door snijden afscheiden] *cut off* ⇒ ⟨takken ook⟩ *lop off, dock* ⟨staart van paard⟩ **0.2** [doorsnijden] *cut* **0.3** [op de vereiste lengte doorsnijden] *cut (off)* **0.4** [afsluiten, versperren] *cut off* **0.5** [afbreken, ontnemen] *cut (short)* ⇒*interrupt* ◆ **1.1** een groot stuk ~ ⟨vlees e.d.⟩ ⟨ook⟩ *slice off a big piece* **1.2** een mens/dier de hals/ keel/strot ~ *c./ slit s.o.'s/an animal's throat* **1.3** bloemen/haarlokken /een draad/touw ~ *cut flowers, cut/clip off locks of hair, snip off a piece of thread, cut off a piece of rope;* ⟨fig.⟩ iemands levensdraad/

leven ~ *cut off s.o.'s lifeline/life* **1.4** bochten in een beek ~ *cut corners (in a stream);* iem. de pas ~ *cut off/block s.o.'s path, cut s.o. off, head s.o. off;* iem. de toegang/aftocht/terugtocht ~ *cut off/block/bar s.o.'s entry/retreat/escape;* de toevoer van levensmiddelen ~ *cut off/stop the food supply;* de waterleiding/stroom/telefoon ~ *cut off/disconnect the water supply/electricity/telephone* **1.5** de aanleiding/gelegenheid/mogelijkheid tot iets ~ *remove the reason for/opportunity for/possibility of sth.;* iemands (iem. de) hoop ~ *take away s.o.'s hope;* de onderhandelingen ~ *break off/strangle the negotiations;* de vriendschap ~ *break off the friendship;* iem. het woord ~ *interrupt s.o.* **1.¶** de bocht ~ *cut off a/the corner;* een stuk ~ *take a short cut* **6.1** ⟨fig.⟩ ik kan het niet **van** mijn lijf ~ *I cannot afford it, I am not made of money, money doesn't grow on trees.*

afsnoeien ⟨ov.ww.⟩ **0.1** [afsnijden] *prune* ⇒ *lop off, trim off/away, cut off/away* **0.2** [ontdoen van overtollige takken] *prune* ⇒ *trim* ◆ **6.1 van** die boom zal heel wat afgesnoeid moeten worden *that tree will have to be pruned a lot.*

afsnoepen ⟨ov.ww.⟩ **0.1** *steal* ⇒ *snatch* ◆ **1.1** iem. een kus ~ *steal/snatch a kiss from s.o.;* iem. een voordeeltje ~ *steal a march (up)on s.o., do s.o. out of a windfall/bonus.*

afsoppen ⟨ov.ww.⟩ **0.1** *soap off/down* ⇒ *sponge down* ⟨met spons⟩, *rinse/wash down/off (with soap and water).*

afspatten ⟨onov.ww.⟩ **0.1** *spatter (off)* ⟨vuil, modder⟩; *fly (off)* ⟨vonken⟩ ◆ **6.1** ⟨fig.⟩ een optreden waar de vonken **van** ~ *a sparkling/an electrifying performance.*

afspeelapparatuur ⟨de (v.)⟩ **0.1** *playback equipment* ⟨bandrecorder, cassettedeck⟩; *audio equipment* ⟨ook pick-up⟩.

afspeelbaar ⟨bn.⟩ **0.1** *playable* ◆ **5.1** mono en stereo ~ *mono-stereo p.;* ook mono ~ *also p. on mono, can also be played in mono.*

afspelden ⟨ov.ww.⟩ **0.1** *pin* ⟨lap stof e.d.⟩.

afspelen
I ⟨wk.ww.; zich ~⟩ **0.1** [plaatsvinden] *happen* ⇒ *take place, be enacted* ⟨scene⟩, *occur* ◆ **1.1** die gebeurtenissen speelden zich gisteren in alle vroegte af *those events took place early yesterday morning;*
II ⟨ov.ww.⟩ **0.1** [afdraaien] *play* **0.2** [uitspelen] *finish* ⇒ *play out, complete* **0.3** [te veel (be)spelen] *wear out* ◆ **1.1** een bandje op een bandrecorder ~ *p. a tape on a taperecorder* **1.2** een aria/ouverture ~ *play an aria/overture to the end, complete an aria/overture* **1.3** en afgespeelde piano *a worn-out piano.*

afspeuren ⟨ov.ww.⟩ **0.1** [afzoeken] *search* **0.2** [spiedend afzien] *scan* ⇒ ⟨AE ook⟩ *glass* ⟨met een verrekijker⟩.

afspiegelen
I ⟨ov.ww.⟩ **0.1** [weerspiegelen] *reflect* ⇒ *mirror* **0.2** [afschilderen] *depict* ⇒ *portray, describe, represent* ◆ **8.2** men spiegelt hem af als een misdadiger *he is represented as a criminal;*
II ⟨wk.ww.; zich ~⟩ **0.1** [weerspiegeld worden] *be reflected* ⟨ook fig.⟩ ⇒ *reflect, be mirrored* ◆ **6.1** huizen die zich in de gracht ~ *houses which are reflected in the canal.*

afspiegeling ⟨de (v.)⟩ **0.1** [het (zich) afspiegelen] *reflection* ⇒ *(mirror) image* **0.2** [spiegelbeeld] *reflection* ⇒ *mirror image* ◆ **2.2** ⟨fig.⟩ een zwakke ~ zijn van een dim/faint r. / a shadow of **6.1** het schijnsel was slechts door de ~ in het water waar te nemen *the glow/shine could only be perceived in the r. in the water* **6.2** ⟨fig.⟩ zijn kalm gelaat was de ~ **van** zijn vreedzaam gemoed *his calm countenance mirrored/reflected his peaceful spirit.*

afspiegelingscollege ⟨het⟩ **0.1** ⟨zie 3.1⟩ ◆ **3.1** deze stad heeft een ~ *this city's executive reflects the political composition of the council.*

afsplijten ⟨ov.ww.⟩ **0.1** [door splijten afscheiden] *split off* ⇒ *strip off* **0.2** [stukken doen afspringen/afvallen van] *strip* ◆ **1.1** dat hout is te dik voor een hoepel, je moet er wel de helft ~ *that wood is too thick for a hoop, you'll have to split it in two* **1.2** een bliksemstraal had de boom aan één kant geheel afgespleten *lightning had completely stripped the tree on one side.*

afsplitsen
I ⟨ov.ww.⟩ **0.1** [door splitsen afscheiden] *split off* ⟨ook elektronen⟩ ⇒ *separate, divide,* ⟨schei.ook⟩ *isolate* ◆ **6.1** een draad **uit** een kabel/water **uit** alcohol ~ *split (off) a piece of cable, separate water from alcohol;*
II ⟨wk.ww.; zich ~⟩ **0.1** [mbt. wegen/leidingen] *split (off)* ⇒ *branch off, fork* **0.2** [mbt. personen] *split off* ⇒ *splinter off* ⟨vnl. groepen⟩, *branch off, secede* ⟨kerk.⟩.

afspoelen
I ⟨ov.ww.⟩ **0.1** [luchtig afwassen van] *rinse (off)* **0.2** [met water reinigen] *rinse (down/off)* ⇒ *wash (down/off), sluice down* ⟨straat⟩, *swill (down)* **0.3** [doen wegspoelen] *wash away* ⇒ *erode* ◆ **4.2** zich ~ *wash/rinse o.s.* **6.2** het stof **van** zijn handen ~ *rinse/wash the dust of one's hands* **6.3** de zee spoelt grote stukken **van** dit land af *the sea is washing away large portions of this land;*
II ⟨onov.ww.⟩ **0.1** [weggespoeld worden] *be washed away* ⇒ *be eroded* ◆ **7.1** in de laatste jaren is hier veel van de duinen afgespoeld *in recent years the dunes have been eroded considerably.*

afsponsen ⟨ov.ww.⟩ **0.1** [met een spons wegnemen] *sponge off* ⇒ *wipe off* **0.2** [met een spons schoonmaken] *sponge down.*

afspraak ⟨de⟩ **0.1** *appointment* ⟨met arts enz.⟩; *engagement* ⟨bv. voor zaken of sociaal⟩; ⟨overeenkomst⟩ *agreement, arrangement, understanding* ◆ **3.1** zich niet aan een ~ houden ⟨met iem.⟩ *break an engagement;* ⟨overeenkomst⟩ *not stick to one's word;* een ~ maken/hebben bij de tandarts *make/have an appointment with the dentist;* een ~ nakomen, zich aan een ~ houden ⟨met iem.⟩ *keep an appointment/engagement;* ⟨overeenkomst⟩ *stick to/stand by an agreement, stick to/be as good as one's word* **6.1** dat was **tegen** de ~ *that was contrary to the agreement/not part of the bargain/understanding;* spreekuur **volgens** ~ *consultation by appointment.*

afspraakje ⟨het⟩ **0.1** *date* ⇒ ↑*engagement,* ↑*appointment* ◆ **3.1** een ~ hebben **van** *a d.;* ~s maken *make/fix dates.*

afspraakspreekuur ⟨het⟩ **0.1** *consultation by appointment.*

afspreken
I ⟨ov.ww.⟩ **0.1** [bij overeenkomst vaststellen] *agree (on)* ⇒ *arrange, settle (on), fix,* ⟨ook → afgesproken⟩ ◆ **1.1** een plan ~ *agree on a plan* **3.1** dat is/blijft dus afgesproken *that's a deal, that's settled/fixed then;* ~ iets te zullen doen *agree to do sth.* **4.1** alsof ze het (zo) hadden afgesproken *as if by agreement* **8.1** zoals afgesproken *as agreed (upon)* **¶.1** van te voren afgesproken *prearranged, (pre-)concerted;*
II ⟨onov.ww.⟩ **0.1** [een afspraak maken] *make an appointment* ⇒ *agree on/arrange a time/place,* ↓*fix a date* ◆ **6.1** ik heb **voor** volgende week met hem afgesproken *I have fixed up for next week with him.*

afspringen
I ⟨onov.ww.⟩ **0.1** [naar beneden springen] *jump down/off* ⇒ *leap down/off,* ⟨van paard ook⟩ *dismount, spring down/off* **0.2** [wegspringen] *jump away (from/off)* ⇒ *lead off* ⟨paard⟩ **0.3** ⟨(+op) toespringen op⟩ *jump at/on* ⇒ *pounce on* ⟨vnl. van kat⟩, *leap at, spring at* **0.4** [plotseling loslaten] *jump off* ⇒ *fly off* **0.5** [afschampen] *glance off* ⟨kogel⟩ ⇒ *ricochet* **0.6** [afgebroken worden] *fall through* ⟨koop, huwelijk⟩ ⇒ *break down* ⟨bv. onderhandelingen⟩, *bounce off* ◆ **1.1** de ruiter sprong (van het paard) af *the rider jumped/sprang off (the horse)* **1.4** de knoop sprong eraf *the button flew/burst off;* de splinters sprongen eraf *the splinters flew off* **1.6** de koop is afgesprongen *the deal is off/has fallen through* **6.2** van een zitplaats ~ *jump out of one's seat* **6.4** het vernis begint **van** dat schilderij af te springen *the varnish is beginning to chip/crack off that painting* **6.6** ons reisje is afgesprongen **op** de hoge kosten *our journey is off/has been called off because of the expense;*
II ⟨ov.ww.⟩ **0.1** [door springen afscheiden] *chip/break/wear off (from jumping)* ◆ **6.1** de jongens hebben de aarde **van** de wal afgesprongen *the boys have worn down the side of the bank with their jumping.*

afsprong ⟨de (m.)⟩ **0.1** *jump/leap (down/off)* ⇒ *dive* ⟨van duikplank⟩.

afspuiten ⟨ov.ww.⟩ **0.1** [door spuiten verwijderen] *hose (off)* ⟨met slang⟩ ⇒ *spray (off)* **0.2** [door spuiten reinigen] *hose (off/down)* ⇒ *spray (off/down)* ◆ **1.2** de ramen ~ *hose down the windows;* heb je de wielen van de auto al afgespoten? *have you hosed (down) the car wheels yet?* **6.1** het vuil **van** de ramen ~ *hose the dirt off the windows.*

afstaan
I ⟨ov.ww.⟩ **0.1** [afstand doen van] *give up* ⇒ *hand over* ⟨afdragen⟩, *yield, relinquish* ⟨erfenis, rechten⟩, *renounce, part with* ⟨goederen⟩, *renounce* ⟨adellijke titels⟩, *cede* ⟨territorium⟩ **0.2** [tijdelijk geven] *give up* ⇒ *lend, put/place at s.o.'s disposal* ◆ **1.1** het ~ v.e. gebied *the cession of a territory;* zijn plaats ~ ⟨bv. aan jongere collega⟩ *step aside/down;* zijn rechten op iets ~ *surrender/relinquish/give up* ⟨ihb. formeel⟩ *renounce one's rights to sth.* **1.2** iem. zijn kamers ~ *give s.o. (the use of) one's rooms;* iem. zijn plaats/enkele ogenblikken/het woord ~ *give (up) one's place/seat to s.o., spare s.o. a few moments, yield the floor to s.o.;*
II ⟨onov.ww.⟩ **0.1** [verwijderd staan/zijn van] *stand away/back from* ◆ **5.1** ver ~ v.d. grote weg ⟨bv. huizen⟩ *stand a long way back from the main road;* ⟨fig.⟩ ver ~ v.d. dagelijkse werkelijkheid *be remote from the realities of daily life.*

afstaand ⟨bn.⟩ **0.1** *protruding* ⇒ *prominent,* ⟨plantk.⟩ *spreading, patulous* ◆ **1.1** ⟨plantk.⟩ ~e bladsteel *spreading petiole;* hij heeft ~e oren *his ears stick out.*

afstammeling ⟨de (m.)⟩ **0.1** *descendant* ◆ **2.1** de mannelijke/vrouwelijke ~ en *male/female descendants* **6.1** ~ **in** rechte lijn *direct/lineal d.;* ~ **in** zijlinie *collateral d..*

afstammen ⟨onov.ww.⟩ **0.1** [mbt. personen/dieren] *descend (from)* **0.2** [mbt. woorden] *descend (from)* ⇒ *stem (from)* **0.3** [mbt. woorden/toestanden] *descend (from)* ⇒ *come (from), derive (from), be rooted (in), stem (from)* ◆ **6.1** in de rechte lijn **van** iem. ~ *be a direct/lineal descendant of s.o.* **6.2** 'schot' stamt van 'schieten' af *'shot' is derived/comes from 'shoot'* **6.3** sommige christelijke feesten stammen **van** oudgermaanse af *some Christian holidays stem from old Germanic ones.*

afstamming ⟨de (v.)⟩ **0.1** [mbt. personen] *descent* ⇒ *lineage,* ⟨vnl. hoge afkomst⟩ *ancestry, birth, parentage, extraction* ⟨vnl. mbt. nationaliteit⟩ **0.2** [mbt. een woord] *derivation* ⇒ *origin* ◆ **2.1** van hoge/voorname ~ *of high/gentle birth;* van Italiaanse ~ *of Italian d. / extraction/ancestry* **6.1** aanzienlijk **van** ~ *of gentle birth;* een edelman **van** ~ *a man of noble birth/ancestry/d..*

afstammingsleer ⟨de⟩ **0.1** *theory of evolution* ⇒*Darwinian theory*, *Darwinism*.

afstand ⟨de (m.)⟩ **0.1** [distantie] *distance (to, from)* ⇒⟨tussenruimte ook⟩ *interval*, ⟨mbt. schieten⟩ *range* **0.2** [het afstaan/opgeven] *renunciation* ⇒*abdication* ⟨van troon⟩, ⟨van rechten ook⟩ *cession* ◆ **2.1** van grote ~ *from a great d.*, *a long way away*; een grote/onmetelijke/kleine ~ *a great/an immeasurable/a short d.*; op korte ~ schieten *shoot/fire pointblank/at/from short range*; op veilige ~ *at a safe d.* **3.1** een ~ afleggen *cover a d.*; ~ doen v.d. troon *abdicate, renounce the throne*; geen ~ houden *tailgate*; ~ houden/bewaren *maintain/keep one's d.*; ⟨fig.⟩ ~ nemen v.e. onderwerp *be objective about/distance o.s. from a subject* **3.2** ~ doen van zijn bezit/vrijheid *part with one's possessions, give up one's freedom*; ~ doen v.d. wereld *turn one's back on the world*; hij heeft ~ gedaan van al zijn rechten *he has relinquished/surrendered/⟨ihb. formeel⟩ renounced/relinquished/ceded/⟨schriftelijk⟩ signed away all his rights* **6.1** op een ~ *at a d.*; ⟨fig.⟩ *distant, aloof, standoffish*; iem. op een ~ houden *keep s.o. at arm's length/at a d.*; zich op een ~ houden van *keep distant/away/back from*; ⟨fig.⟩ *remain distant/aloof from*; iets op een ~ navolgen ⟨fig.⟩ *not measure up to sth.*; erg op een ~ zijn tegen iem. *be very standoffish to s.o.*; op gelijke ~ **van** A en B *equidistant from A and B*; ⟨fig.⟩ de ~ **tussen** wens en vervulling *the gap between a wish and its fulfilment*; de onderlinge ~ **tussen** de rijen *the interval/d. between the rows*.

afstandelijk ⟨bn., bw.⟩ **0.1** *distant, detached* ⇒*aloof*, ⟨houding ook⟩ *standoffish*.

afstandmeter ⟨de (m.)⟩ **0.1** *telemeter* ⇒⟨foto. ook⟩ *range finder*.

afstandrit ⟨de (m.)⟩ **0.1** *long-distance race*.

afstandsbaby ⟨de (m.)⟩ **0.1** *baby given up for adoption/to be adopted* ⇒≠*adopted child*, ⟨AE ook; ong.⟩ *adoptee*.

afstandsbediening ⟨de (v.)⟩ **0.1** [handeling] *remote control* **0.2** [instrument] *remote control (box)* ⇒⟨AE vnl.⟩ *(wireless) remote* ◆ **1.1** ~ van televisie *television r. c.*.

afstandsbesturing ⟨de (v.)⟩ **0.1** *remote control* ⇒*radio control*.

afstandshoek ⟨de (m.)⟩ ⟨ster.⟩ **0.1** *elongation*.

afstandskind ⟨het⟩ **0.1** *child given up for adoption/to be adopted* ⇒≠*adopted child*, ⟨AE ook; ong.⟩ *adoptee*.

afstandsmaat ⟨de⟩ **0.1** *linear measure* ⇒*long measure*.

afstandsmoeder ⟨de (v.)⟩ **0.1** *natural mother (of an adopted child)*.

afstandsonderwijs ⟨het⟩ **0.1** ⟨schriftelijk⟩ *correspondence course*; ⟨op TV⟩ *television course*; ⟨op radio⟩ *radio course*.

afstandsschot ⟨het⟩ ⟨sport⟩ **0.1** *long shot*.

afstandverklaring ⟨de (v.)⟩ ⟨jur.⟩ **0.1** *waiver* ⟨van recht⟩; *cession* ⟨van recht/eigendom/land⟩.

afstapje ⟨het⟩ **0.1** *step* ◆ **3.1** denk om het ~ *watch/mind the s..*

afstappen ⟨onov.ww.⟩ **0.1** [naar beneden stappen] *step down* ⇒*come down/off, dismount*, ↑*alight* ⟨voertuig⟩ **0.2** [stappen naar/van] *step up/down* **0.3** [afzien, ophouden] *leave* ⇒*drop, abandon* ◆ **1.1** het hele peloton stapte (v.d. fiets) af *the entire team of cyclists dismounted*; de trap/stoep ~ *come down the stairs/steps* **1.2** een weg komen ~ *step/march down the road* **6.1** ⟨fig.⟩ van de troon ~ *step down from the throne*; **van** een paard/voertuig ~ *dismount (from a horse), alight (from a vehicle)* **6.2** ~ op iets/iem. *step up to sth./s.o.* **6.3** van zijn onderwerp ~ *drop/abandon one's subject*.

afsteekbeitel ⟨de (m.)⟩ **0.1** ⟨metaaldraaien⟩ *parting/cutting-off tool*; ⟨houtdraaien⟩ *grooving chisel*.

afsteken
I ⟨onov.ww.⟩ **0.1** [sterk uitkomen] *stand out* ⇒*show up, be silhouetted/outlined* **0.2** [wegvaren] *sail off/away* ⇒*start to sail* **0.3** [in een andere richting steken] *stab out/at* ⇒*thrust out/at* ◆ **6.1** zijn eenvoud stak sterk af **bij** al de pracht die hem omgaf *his simplicity stood out in stark contrast to/contrasted sharply with the splendour around him*; gunstig ~ **bij** *compare favourably with, show up to advantage against*; die fabrieken steken lelijk af **tegen** het landschap *the factories stick out like a sore thumb against the landscape* **6.3** van zich ~ *stab (out) about one*;
II ⟨ov.ww.⟩ **0.1** [doen ontbranden/afgaan] *let off* ⇒⟨geweer ook⟩ *fire, set off* **0.2** [uitspreken] *deliver* ⟨toespraak, lezing⟩; *make, propose* ⟨toost⟩ **0.3** [door steken verwijderen] *cut off/away* ⇒*chip off/away*, ⟨met beitel⟩ *chisel off* **0.4** [door steken van iets ontdoen] *cut off/away* ⇒*chip off/away* **0.5** [doen afvaren] *push off* ⇒*shove off* **0.6** [afbakenen] *mark off/out* ⇒*trace out* ⟨kamp⟩ ◆ **1.1** een ~ de kleur a *contrasting colour*; een vuurwerk ~ *let off fireworks* **1.2** een speech/compliment ~ *make a speech, pay compliments* **1.3** een plant/graszoden ~ *take a cutting, cut sods (of turf)* **1.4** een heideveld ~ *remove the turf*; een muur ~ *chip/hack the plaster off the wall* **6.3** een kalklaag **van** een muur ~ *chip/chisel a layer of plaster off a wall*; iem. **van** het paard ~ *knock s.o. off his horse*.

afstel ⟨het⟩ ⟨→sprw. 578,579⟩ **0.1** *cancellation* ⇒*abandonment, renunciation*.

afstellen ⟨ov.ww.⟩ **0.1** [instellen] *adjust (to)* ⇒*set, tune (up)* ⟨motor⟩ **0.2** [opgeven] *cancel* ⇒*abandon, renounce* ◆ **1.1** een tijdbom ~ *set a time bomb* **5.1** dat horloge is zuiver afgesteld *that watch has been set with precision*; de wielen zijn zuiver afgesteld *the wheels are aligned*.

afstelling ⟨de (v.)⟩ **0.1** *adjustment* ⇒⟨mbt. auto⟩ *tune-up*.

afstemeenheid ⟨de (v.)⟩ **0.1** *tuner*.

afstemknop ⟨de (m.)⟩ **0.1** *tuning knob*.

afstemmen ⟨ov.ww.⟩ **0.1** [bij stemming verwerpen] *vote down* ⇒*reject, vote out* ⟨wetsontwerp⟩, *defeat* ⟨motie⟩ **0.2** [zuiver stemmen] *tune* ⇒*attune* ⟨klokkenspel⟩ **0.3** [⟨com.⟩] *tune (to)* ⇒⟨aanzetten⟩ *tune in (to)* **0.4** [in overeenstemming brengen] *tune in (to)* ⇒*key (to), gear (to), attune* **0.5** [niet herkiezen] *vote out* ◆ **1.2** afgestemde violen *tuned violins* **5.¶** precies/fijn ~ ⟨ook fig.⟩ *fine-tune* **6.3** een radio op een zender ~ *tune a radio in to a station* **6.4** alle werkzaamheden zijn **op** elkaar afgestemd *all activities are geared for one another*.

afstemmer ⟨de (m.)⟩ →**afstemeenheid**.

afstemming ⟨de (v.)⟩ **0.1** [het bij stemming verwerpen] *rejection* ⇒*defeat* **0.2** [⟨com.⟩] *tuning (in)* ◆ **1.1** de ~ van zijn begroting gaf de minister aanleiding om af te treden *the defeat of the budget led to the minister's resignation*.

afstempelen ⟨ov.ww.⟩ **0.1** [v.e. stempel voorzien] *stamp* ⇒*cancel, postmark*, ⟨vnl. BE⟩ *frank* ⟨brief⟩ **0.2** [zuiver stemmen] *stamp* ⇒*write down* **0.3** [mbt. munten] *stamp* ◆ **1.1** bankbiljetten ~ *s. banknotes*; coupons ~ *s. coupons*; een postwissel/paspoort/kaartje ~ *s. a money order/passport/ticket*; postzegels ~ *cancel/frank postage stamps* **1.3** beide muntjes zijn waarschijnlijk door het harde metaal slecht afgestempeld *both coins have been badly stamped, probably because of the hard metal* **6.2** tien procent **op** de aandelen ~ *write the shares down by ten percent*.

afstemschaal ⟨de⟩ ⟨radio⟩ **0.1** *station scale* ⇒⟨rond ook⟩ *(tuning) dial*.

afsterven ⟨onov.ww.⟩ **0.1** [mbt. lichaams-/plantedelen] *die (off)* ⇒⟨plantk. ook⟩ *die back, mortify* ⟨lichaamsdeel⟩ **0.2** [overlijden] *decease* ⇒*die, depart, die off* ⟨vnl. vee⟩, ⟨uitsterven⟩ *die out* **0.3** [van betrekkingen] *die (out/down)* **0.4** [mbt. wijn] *deaden* ◆ **1.1** de bladeren waren afgestorven *the leaves had died* **1.3** die familietak is afgestorven *that branch of the family has died out*; de vriendschap sterft af *the friendship is dying/cooling off* **1.¶** der wereld ~ *die to/forsake/renounce/turn one's back on the world*.

afstevenen ⟨onov.ww.⟩ **0.1** *make for* ⇒*head for, bear down (up)on* ◆ **6.1** zodra hij mij zag aankomen, stevende hij **op** mij af *as soon as he saw me coming he made/headed (straight) for me*; regelrecht ~ **op** *head straight for/towards*; ⟨inf.⟩ *make a beeline for*.

afstijgen ⟨onov.ww.⟩ **0.1** [naar beneden gaan] *descend* ⇒*come/go down* **0.2** [mbt. een rijder] *dismount* ⇒*alight* ◆ **1.1** een trap ~ *descend/come down a staircase* **6.2** van zijn paard ~ *d. (from one's horse)*.

afstoffen ⟨ov.ww.⟩ **0.1** *dust (off)* ◆ **1.1** zijn boeken/tafel ~ *dust one's books/table* **4.1** zich ~ *dust o.s. down*, ⟨met borstel⟩ *brush o.s. down/one's clothes off*.

afstompen
I ⟨onov., ov.ww.⟩ **0.1** [minder ontvankelijk maken voor emoties] *blunt* ⇒*numb, dull, deaden, stupefy* ⟨bv. door drank⟩ ◆ **1.1** de diensttijd stompt (je) af *military service is soul-destroying*; het verdriet heeft zijn geest afgestompt *grief has numbed him*;
II ⟨onov.ww.⟩ **0.1** [minder ontvankelijk worden voor emoties] *become blunt(ed)/dulled/numb* ⇒*deaden* **0.2** [minder scherp worden] *become blunt* ◆ **6.1** door de eenzaamheid stompt hij af *loneliness is numbing him*;
III ⟨ov.ww.⟩ **0.1** [stomp maken] *blunt* ◆ **1.1** de hoorns v.e. stier ~ *b. a bull's horns*.

afstoppen ⟨ov.ww.⟩ **0.1** [opvullen] *fill* ⇒*stop* ⟨lek⟩, *block* ⟨tusenruimte⟩ **0.2** [⟨sport⟩] *block* ⇒*stop*, ⟨rugby⟩ *collar* ◆ **1.2** de thuisspelende ploeg stopte de aanvallen van hun tegenstanders steeds goed af *the home team kept blocking their opponents' attacks well*; ⟨wielersport⟩ de ploeggenoten v.d. koploper stopten het peloton af *the front runner's teammates slowed the pack down*.

afstormen ⟨onov.ww.⟩ **0.1** [naar beneden spoeden] *rush/charge down* **0.2** [toesnellen] *make (for), rush up (to)* ⇒*charge (at), (make a) rush (at/on)* ◆ **1.1** de trap ~ *rush/charge down the stairs* **6.2** **op** de vijand ~ *charge at/bear down on the enemy*.

afstotelijk ⟨bn.⟩ →**afstotend 0.2**.

afstoten
I ⟨ov.ww.⟩ **0.1** [door stoten verwijderen] *knock off* ⇒*break off* **0.2** [v.d. hand doen] *dispose of* ⇒*reject, hive off* **0.3** [⟨biol.⟩] *reject* ◆ **1.1** het hert stootte zijn gewei af *the deer shed its antlers*; hij heeft zijn hoorns nog niet afgestoten ⟨fig.⟩ *he hasn't pulled in his horns yet* **1.2** arbeidsplaatsen ~ *cut jobs*; filialen ~ *close down branches*; taken ~ *hive off tasks/duties* **1.3** het ruilhart werd afgestoten *the transplanted heart was rejected* **6.1** ik heb het vel **van** mijn elleboog afgestoten *I have skinned my elbow*; ⟨fig.⟩ de in vriendschap uitgestoken hand **van** zich ~ *reject the hand extended in friendship*;
II ⟨onov., ov.ww.⟩ **0.1** [onaangenaam aandoen] *revolt* ⇒*repel, put off, repulse* **0.2** [⟨nat.⟩] *repel* ◆ **1.1** zo'n onvriendelijke bejegening stoot af *such unfriendly treatment puts one off/is off-putting* **3.1** zich afgestoten voelen door iets/iem. *feel revolted/repelled by sth.*/*s.o.*;
III ⟨onov.ww.⟩ **0.1** [afketsen] *ricochet* ⇒*bounce off, glance off* **0.2** [⟨biljart⟩] *cue off* **0.3** [in een andere richting stoten] *thrust out* ⇒*lunge out, hit out* ◆ **6.3 van** zich ~ *lunge out about one*.

afstotend ⟨bn.⟩ **0.1** *repulsive* ⟨ook nat.⟩ ⇒*repellent, repelling, revolting, off-putting* ⟨gedrag, persoon⟩, ⟨persoon ook⟩ *repugnant, forbidding* ⟨uiterlijk⟩ ◆ **1.1** een ~ karakter *an obnoxious character;* de ~e kracht van gelijknamige polen *the r. force of like poles* **3.1** zijn optreden/spreken was in hoge mate ~ *his behaviour/speech was extremely obnoxious/odious.*

afstoting ⟨de (v.)⟩ **0.1** [⟨biol.⟩] *rejection* **0.2** [⟨nat.⟩] *repulsion* **0.3** [het inboezemen van afkeer/tegenzin] *repugnance* **0.4** [het v.d. hand doen] *rejection* ⇒*disposal, hiving off* ◆ **1.4** ~ van arbeidsplaatsen *cutting down on employment/jobs* **2.2** de onderlinge ~ van gelijknamige polen v.d. magneet *the mutual r. of like poles of the magnet.*

afstotingskracht ⟨de⟩⟨nat.⟩ **0.1** *repulsive force* ⇒*repulsion.*

afstraffen ⟨ov.ww.⟩ **0.1** [bestraffen] *punish* **0.2** [de mantel uitvegen] *reprimand* ⇒ ↓*tell off* **0.3** [⟨sport⟩] *cash in on* ⇒*profit from, take advantage of* ◆ **3.1** zich laten ~ *submit to one's punishment* **5.2** iem. eens duchtig ~ *give s.o. a good dressing down/a piece of one's mind,* ↑*severely/sternly reprimand s.o..*

afstralen
I ⟨ov.ww.⟩ **0.1** [stralend doen uitgaan] *radiate* ⇒*give off* ◆ **1.1** die gewitte muur straalt het zonlicht af *the whitewashed wall reflects the sunshine;*
II ⟨onov.ww.⟩ **0.1** [stralend uitgaan van] *radiate (from)* ⇒*shine (forth)* **0.2** [⟨fig.⟩] *radiate (from)* ⇒*beam* ◆ **6.1** het licht dat de hele avond van de lamp heeft afgestraald *the light that shone from/was shed by the lamp all evening* **6.2** op iets/iem. ~ *reflect on sth. / s.o.;* de blijheid straalt van hem af *joy radiated from him, he was radiant with/ radiated joy.*

afstraling ⟨de (v.)⟩ **0.1** [het afstralen] *radiation* ⇒*shining* **0.2** [afspiegeling] *radiation* ⇒*reflection* ◆ **1.1** de ~ v.e.c.v.-ketel *heat given off by a central heating boiler;* de ~ v.h. maanlicht op de toppen v.d. bomen *the moonlight shining on the treetops* **2.2** de flauwe ~ van Gods onnaspeurlijke wijsheid *the dim reflection of God's unfathomable wisdom.*

afstreek ⟨de⟩⟨muz.⟩ **0.1** *downbow.*

afstrepen ⟨ov.ww.⟩ **0.1** *cross off* ⇒*strike off.*

afstrijken ⟨ov.ww.⟩ **0.1** [mbt. lucifers] *strike* ⇒*light* **0.2** [door strijken verwijderen] *wipe off* **0.3** [door strijken van iets ontdoen] *strike off* ⇒*wipe off, level (off)* **0.4** [het persen voltooien] *finish ironing* ◆ **1.2** ⟨inf.⟩ een winstje ~ *s. lucky* **1.3** een afgestreken eetlepel *a level/flat tablespoonful;* de hoed met een borstel ~ *brush down/a hat;* een maat ~ *level off a measure;* het mes op het brood ~ *wipe the knife (off) on the bread* **4.4** ik heb vandaag wat afgestreken *I got (quite) some ironing done today* **6.2** de zalf van een pleister ~ *wipe the ointment off a plaster.*

afstrippen ⟨ov.ww.⟩ **0.1** *strip (off)* ⇒*tear (off/away)* ◆ **1.1** montagedraad ~ *strip wire;* tabak/dek ~ *strip tabacco.*

afstropen ⟨ov.ww.⟩ **0.1** [door stropen verwijderen] *strip (off)* ⇒*skin, peel off* **0.2** [villen] *skin* ⇒*flay, fleece* **0.3** [stropend aflopen] *pillage* ⇒ *ransack, plunder* ◆ **1.1** de bladeren v.e. wilgetak ~ *strip the leaves off a willow branch;* een haas de huid/een paling het vel ~ *skin a hare/an eel* **1.3** alleen enkele benden stroopten nog het platteland af *only a few bands still pillaged the countryside* **6.1** een drenkeling de kleren van het lijf ~ *strip the clothes off a drowned person.*

afstruinen ⟨ov.ww.⟩ **0.1** *comb* ⇒*scour* ◆ **1.1** het strand ~ *c. the beach;* zij struint alle veilingen af *she scours all the auctions.*

afstudeerfeest ⟨het⟩ **0.1** *graduation (party).*

afstudeeropdracht ⟨de⟩ **0.1** *subject for final/terminal project* ⇒ ≠*thesis subject.*

afstudeerproject ⟨het⟩ **0.1** *final/terminal project* ⇒ ≠*thesis.*

afstudeerrichting ⟨de (v.)⟩ **0.1** *main subject,* ᴬ*major.*

afstudeerscriptie ⟨de (v.)⟩ **0.1** *(Master's) thesis.*

afstuderen
I ⟨onov.ww.⟩ **0.1** [zijn studie voltooien] *graduate* ⇒*complete/finish one's studies/training, qualify* ◆ **5.1** een pas afgestudeerd arts *a recently qualified doctor;*
II ⟨ov.ww.⟩ **0.1** [studerende afdoen] *study* ◆ **4.1** we hebben deze week heel wat afgestudeerd *we studied a lot/hard this week, we got a lot of studying done/we covered a lot this week.*

afstuiven ⟨onov.ww.⟩ **0.1** [zich snel begeven in bep. richting] *rush* ⇒ *tear, dash, storm* **0.2** [wegstuiven] *blow off* ⇒*be blown off* **0.3** [door wegstuiven kleiner worden] *be eroded* ⇒*be eaten away* ◆ **1.1** zodra de soldaten aanrukten, stoof het volk (van) de markt af *as soon as the soldiers advanced, the people rushed/dashed/scurried out of/away from the marketplace;* hij stoof de trap/gang/heuvel af *he rushed/tore/dashed down the stairs/corridor/hill* **6.1** de kinderen stoven op de snoepjes af *the children made (a beeline) for/went for/pounced on the sweets.*

afsturen
I ⟨onov.,ov.ww.⟩ **0.1** [mbt. een vaartuig] *steer away* ◆ **6.1** de veerman stuurde (de boot) van de wal af *the ferryman steered away from/steered clear of the quay-side.*
II ⟨ov.ww.⟩ **0.1** [wegzenden] *send away* **0.2** [ergens heen zenden] *send* ⇒*dispatch* ◆ **6.1** iem. van zich ~ *send s.o. away;* van school ~ *send away/expel from school* **6.2** een vaartuig op iets ~ *s. a ship to-*

wards sth.; een knokploeg op iem. ~ *set a bunch/group of heavies/the heavy boys on s.o.;* een leger op een land ~ *unleash an army on a country;* de hond op iem. ~ *unleash/set the dog on s.o..*

aft ⟨de⟩⟨med.⟩ **0.1** *aphtha* ⇒*aphthous ulcer.*

aftaaien ⟨onov.ww.⟩⟨inf.⟩ **0.1** *buzz off* ⇒*hop, split, hit the road, beat it.*

aftakelen ⟨onov.ww.⟩ **0.1** *go/run to seed* ⇒*go to pot, be on the decline, decay, go downhill* ◆ **3.1** hij begint al flink af te takelen *he really is starting to go/run to seed/go to pot/go downhill, he's really on the decline/the downward track;* ⟨geestelijk⟩ *he's really starting to crack up /go soft.*

aftakeling ⟨de (v.)⟩ **0.1** *decay* ⇒*deterioration, decline* ◆ **2.1** seniele ~ *senile decay, softening of the brain.*

aftakken ⟨onov.ww.⟩ **0.1** *branch (off)* ⇒*fork (off), tap off* ◆ **4.1** daar takte zich een zijspoor af *at that point a side-track branched/forked off.*

aftakking ⟨de (v.)⟩ **0.1** [zijwaarts afgaande tak] *branch* ⇒*fork* **0.2** [plaats] *branch* ⇒*fork.*

aftands ⟨bn.⟩ **0.1** *long in the tooth* ⇒*broken down, seedy, decayed, dilapidated* ◆ **1.1** hij wordt een beetje ~ ⟨oud⟩ *he's getting a bit long in the tooth;* ⟨geestelijk⟩ *he's getting a bit soft/senile;* een ~e piano *a worn-out/dilapidated/played-out piano, a honky-tonk;* een ~ vehikel *a dilapidated vehicle, a broken-down/clapped-out car, a jalopy, a banger* **3.1** die zangeres is al ~ *that singer is past her prime/has had it/ seen better days.*

aftapkraan ⟨de⟩ **0.1** *drain cock* ⇒*draw-off cock, test cock* ⟨stoomketel⟩.

aftappen ⟨ov.ww.⟩ **0.1** [mbt. het omhulsel, waaruit iets wegvloeit] *draw off* ⇒*drain* **0.2** [mbt. hetgeen wegvloeit] *tap* ⇒*draw off* **0.3** [⟨med.⟩] *tap* ⇒*draw off, drain* ⟨uit abces/wond⟩ ◆ **1.1** grachten/kanalen ~ *drain canals;* vaten ~ *tap casks;* als het hard vriest, moet men de waterleiding ~ *when it freezes hard the water pipes have/water had to be drained* **1.2** de benzine ~ *run/siphon off the* ᴮ*petrol/*ᴬ*gas;* ⟨fig.⟩ elektrische stroom ~ *t. electricity;* ⟨fig.⟩ een telefoonlijn ~ *t. / *⟨AE ook⟩ *wiretap a telephone line* **1.3** iem. bloed ~ *take/t. blood from s.o., bleed s.o.;* ⟨inf.⟩ zijn water ~ *pass/make water.*

aftasten ⟨ov.ww.⟩ **0.1** [tastend onderzoeken] *feel* ⇒*sense, grope* **0.2** [fouilleren] *search* ⇒*frisk* **0.3** [⟨fig.⟩] *feel out* ⇒*sound out* **0.4** [⟨tech.⟩] *scan* ⟨bv. met laserstraal⟩; *track, trace* ⟨van pick-upnaald⟩ ◆ **1.1** een oppervlak ~ *feel one's way over a surface, explore a surface with one's hands;* zijn zakken ~ *go through/search/dive into/feel about in one's pockets* ¶ **.3** ~d *tentative, exploratory.*

aftaster ⟨de (m.)⟩⟨tech.⟩ **0.1** *scanner* ⇒*sensor, tracer* ⟨ook mbt. metaalbewerking⟩.

aftastsnelheid ⟨de (v.)⟩⟨tech.⟩ **0.1** *scanning speed/rate* ⇒*tracking/tracing speed* ⟨pick-upnaald⟩, ⟨comp.⟩ *sampling rate.*

aftekenen
I ⟨ov.ww.⟩ **0.1** [door omtrekken begrenzen] *outline* ⇒*mark off* **0.2** [afbakenen, aangeven] *mark off* **0.3** [nauwkeurig bepalen/nagaan] *define* ⇒*delineate, determine* **0.4** [ondertekenen] *sign* ⇒*endorse* ⟨cheque, rekening⟩, ⟨inf., voor gezien tekenen⟩ *OK, check/tick off* ⟨op een lijst⟩ **0.5** [nauwkeurig afbeelden] *draw* ⇒*copy* ⟨natekenen⟩, *paint, picutre, depict* ⟨ook fig.⟩ **0.6** [aantekenen op een kaart] *register, record* **0.7** [afmaken] *finish* ⇒*put/add the final strokes to* **0.8** [met tekenen afdoen] ⟨zie 4.8⟩ ◆ **1.2** de plattegrond van een plein ~ *map out a (town) square/market place, draw/outline a (town)square on a map;* de bouwvallen van de muren tekenen nog de vorm en de inrichting van het kasteel af *the ruins of the walls still show the shape and the lay-out of the castle* **1.3** de gang ~ die de ontwikkeling van ons geslacht heeft gevolgd *trace the course of our family history;* mijn leven is door God zelf afgetekend *my life has been determined by God himself* **1.4** papieren ~ *s. papers;* ⟨AZN⟩ een rekening ~ *receipt a bill* **1.6** ik heb mijn twee tentamens en mijn practicum laten ~ *I've had my two exams and my practical work registered/recorded* **4.8** we hebben heel wat afgetekend *we did quite a lot of drawing, we spent hours and hours/days on end drawing;*
II ⟨wk.ww.; zich ~⟩ **0.1** [zichtbaar/merkbaar worden] *stand out* ⇒ *show, become invisible/apparent, take shape* ◆ **6.1** de afwisselende emoties tekenden zich scherp af op zijn gezicht *his changing emotions were clearly visible/registered in his face, his face clearly registered his changing emotions;* zich ~ tegen *stand out against/from, be outlined/ silhouetted against, show up against, stand in/be thrown into relief against.*

aftelbaar ⟨bn.⟩⟨wisk.⟩ **0.1** *denumerable.*

aftelefoneren ⟨ov.ww.⟩ **0.1** [achter elkaar opbellen] *phone/*ᴮ*ring (a)round* **0.2** [afdoen met telefoneren] ⟨zie 4.2⟩ **0.3** [per telefoon afzeggen] *cancel by (tele)phone* ◆ **1.1** ik heb wel tien adressen afgetelefoneerd eer ik hem te pakken had *I called/phoned/rang about ten addresses before I got hold of him* **4.2** je hebt heel wat afgetelefoneerd *you've made quite a few calls, you've done a lot of ringing up/phoning, you've been on the telephone for ages.*

aftellen
I ⟨onov.,ov.ww.⟩ **0.1** [nauwkeurig uittellen] *count (out/off)* **0.2** [een naderend tijdstip afwachten] *count* ⇒*count down* ⟨raket⟩ ◆ **1.1** geld ~ *count out money* **1.2** de dagen/seconden ~ *count the days/seconds*

6.2 aan het ~ zijn *be near one's time;* het ~ **voor** de lancering is onderbroken *the countdown for the launch has been interrupted;*
II 〈onov.ww.〉 **0.1** [〈kind.〉] *dip for it.*
aftelrijmpje 〈het〉 **0.1** *dipping rhyme.*
aftikken
I 〈ov.ww.〉 **0.1** [〈kind.〉] *tag (out)* ⇒*touch,* 〈honkbal ook〉 *force out*
0.2 [door tikken afzonderen] *knock off* ⇒*tap off* 〈met hamer e.d.〉
0.3 [aftypen] *finish typing* ◆ **3.1** 〈fig.〉 de meisjes aan de kant mochten ~ *the girls without partners were allowed to cut in* **6.2** een rand/ hoekje **van** iets ~ *knock/tap an edge/corner off sth.;*
II 〈onov.,ov.ww.〉 **0.1** [〈muz.〉] *tap one's baton.*
aftimmeren 〈ov.ww.〉 **0.1** [timmerwerk voltooien] *finish (making)* **0.2** [afwerken] *finish (off)* ◆ **1.1** in hoeveel tijd kan zo'n schuur afgetimmerd worden? *how long does it take to finish (making)/put up a shed like that?* **6.2** dat jacht is **met** mahoniehout afgetimmerd *that yacht is finished in mahogany/has a mahogany finish.*
aftimmering 〈de (v.)〉 **0.1** *finish* ⇒*woodwork, cladding.*
aftiteling 〈de (v.)〉 〈film,t.v.〉 **0.1** *credit titles* ⇒*credits, acknowledgements.*
aftobben
I 〈ov.ww.〉 **0.1** [afmatten] *wear out* ⇒*exhaust, weary,* 〈ook →afgetobd〉 ◆ **1.1** zorgen die de ziel/geest ~ *worries/cares that weigh down/weary the soul/mind* **4.1** zich ~ met joggen *wear o.s. out/exhaust o.s. (with) jogging;*
II 〈onov.ww.〉 **0.1** [moeite/zorgen hebben] *worry* ◆ **6.1** zij heeft veel **met** dat zieke kind afgetobd *she worried herself to death over that sick child.*
aftocht 〈de (m.)〉 **0.1** *retreat* ⇒*withdrawal, pull-out* ◆ **1.1** het bevel/ teken/sein tot de ~ *gave/give the order/signal to retreat/withdraw/ pull out* **2.1** in volle ~ *in full r., routed; vrijg* ~ *unopposed withdrawal* **3.1** overhaast de ~ blazen *beat a hasty r.;* iemands ~ dekken *cover s.o.'s retreat;* de ~slaan/blazen 〈fig.〉 *beat a r.;* 〈lett.〉 *sound the r..*
aftoppen 〈ov.ww.〉 **0.1** *head (down)* ⇒*top, tip, truncate* ◆ **1.1** planten ~ *pinch off/out the tops/tips of plants;* 〈fig.〉 de salarissen ~ *level down/ cap salaries.*
aftopping 〈de (v.)〉 **0.1** [het aftoppen] *truncation* ⇒*topping, tipping, heading (down)* **0.2** [〈ec.〉] *levelling* ⇒*equalization, capping.*
aftrainen 〈onov.ww.〉 〈sport〉 **0.1** *detrain.*
aftrap 〈de (m.)〉 〈sport〉 **0.1** *kickoff* ◆ **3.1** de ~ doen *kick off* **6.1** bij de ~ *at the k..*
aftrappen
I 〈onov.ww.〉 **0.1** [〈sport〉] *kick off* ◆ **6.¶ van** zich ~ *kick right and left;*
II 〈ov.ww.〉 **0.1** [met een trap wegdrijven] *kick away/off* **0.2** [met de voet afbreken] *kick off* **0.3** [fietsend afleggen] *pedal away* **0.4** [verslijten] *wear out* ◆ **1.1** iem. de trap ~ *kick s.o. down the stairs/downstairs;* iem. (van) de zaal ~ *kick s.o. out of the room* **1.4** afgetrapte schoenen *worn-out/down-at-heel shoes* **6.1** 〈fig.〉 hij is **van** school afgetrapt *he's been kicked out of school* **6.2** in woede trapte hij een stuk **van** de stoel af *in his anger he kicked a piece off the chair.*
aftreden 〈onov.ww.〉 **0.1** *resign (one's post)* ⇒*retire (from office), step down, abdicate* 〈vorst〉 ◆ **1.1** welke leden v.d. Tweede Kamer/v.h. bestuur treden dit jaar af? *who are the outgoing MPs/members of the commitee/board this year?* **6.1 bij** zijn ~ *on his retirement/ quitting office* **8.1** als president ~ *resign from the presidency.*
aftrek 〈de (m.)〉 **0.1** [het verminderen] *deduction* **0.2** [bedrag] *deduction* ⇒〈belasting ook〉 *allowance, rebate,* [B]*relief,* [A]*benefit* **0.3** [afname] *sale* ◆ **1.1** ~van voorlopige hechtenis *d. of detention awaiting trial, d. of/allowance for time already served* **2.3** gerede/grote ~ vinden *sell/ move well, meet with/find a ready/wide/large market, be in great demand, find ready buyers* **3.3** ~ hebben/vinden *have/find a s./market, sell* **6.1** drie maanden **met** ~ *three months less detention awaiting trial/ less the period already spent in custody;* veroordeeld tot twee jaar **met** ~ **van** 3 maanden voorarrest *sentenced to two years, of three three months to count as served;* de opbrengst v.d. voorstelling zal **na** ~ v.d. onkosten voor een liefdadig doel bestemd worden *the proceeds of the performance after deducting (the) expenses/less (the) expenses/charges deducted will go to a charity;* ~ **voor** kinderen *children's (tax) allowance, tax allowance/relief for children;* **zonder** enige ~ *free of all deductions* **7.3** geen ~ vinden *not sell/go/move;* weinig ~ vinden *be in little/poor demand, sell/move slowly.*
aftrekbaar 〈bn.〉 **0.1** *deductible* ⇒*tax-deductible* 〈voor de belasting〉 ◆ **1.1** aftrekbare kosten *d. expenses* **5.1** fiscaal ~ *tax-d..*
aftrekken
I 〈onov.ww.〉 **0.1** [zich verwijderen] *withdraw* ⇒*retreat, retire, pull out,* 〈afmarcheren〉 *march off, blow/pass over* 〈storm〉 **0.2** [zich op weg begeven] *set out* ⇒*strike out* ◆ **6.1** de vijand trok **met** stille trom af *the enemy retreated/retired/withdrew/pulled out with silent drums;* 〈fig.〉 *the enemy slinked/sneaked/slipped away* **6.2** ~ **op** iets/iem. *set/ strike out for sth./s.o.;*
II 〈onov.,ov.ww.〉 **0.1** [〈wisk.〉] *subtract* **0.2** [afschieten] *fire* ⇒ 〈onov.ww. ook〉 *pull the trigger* ◆ **5.1** je hebt verkeerd afgetrokken *you've made a mistake in your subtraction* **6.1** acht **van** veertien afge-

trokken geeft zes *eight (subtracted) form fourteen is/gives six, fourteen minus/less eight is six;*
III 〈ov.ww.〉 **0.1** [inhouden] *deduct* ⇒*stop* 〈van loon〉 **0.2** [door trekken verwijderen] *pull off* ⇒*tear off, peel off* 〈schil, iets dat vastgekleefd is〉 **0.3** [afwenden, afhouden] *draw away* ⇒ 〈aandacht ook〉 *divert, distract* **0.4** [seksueel bevredigen] *jack off* ⇒[B]*wank (off),* [B]*frig,* [A]*jerk off* **0.5** [naar beneden trekken] *pull down/off* **0.6** [villen] *strip* ⇒ *flay, skin* ◆ **1.2** 〈AZN〉 een fles ~ *uncork a bottle;* iem. het masker ~ *unmask s.o., pull off s.o.'s mask* **1.3** de hand(en)(van iets) ~ *wash one's hands of sth., have nothing more to do with sth.* **1.6** een haas/ paling ~ *strip a hare, skin an eel* **4.4** iem. ~ *jack/wank s.o. off, give s.o. a handjob;* zich ~ *beat/frig/jack/jerk/whack/wank (o.s.) off, beat one's meat* **6.1** de schade zou **van** de huur afgetrokken worden *the damage would be deducted from the rent;* een tientje **van** 't loon ~ *stop ten guilders out of/d. ten guilders from the wages;* een paar gulden **van** de prijs ~ *deduct a few guilders from/take a few guilders off the price* **6.3** ik zal de tafel wat **van** de kachel ~ *I'll pull the table away from the fire* **6.3** zijn ogen **van** iem./ iets ~ *turn one's eyes/gaze away from s.o./ sth.;* zich **van** de wereld ~ *turn away/detach o.s. from the world, turn one's back on the world;* afgetrokken **van** iets *diverted from sth..*
aftrekker 〈de (m.)〉 **0.1** [〈AZN〉 kurketrekker] *corkscrew* **0.2** [〈wisk.〉] *subtrahend.*
aftrekpost 〈de (m.)〉 **0.1** *deduction* ⇒*rebate, tax-deductible item/expense, tax shelter.*
aftrekschaak 〈het〉 **0.1** *discover check* ◆ **3.1** ~ geven *discover.*
aftreksel 〈het〉 **0.1** *extract* ⇒*infusion, tincture* ◆ **2.1** een slap ~ *a weak/ diluted e./infusion/tincture;* 〈fig.〉 a *(poor) apology/excuse (for);* 〈fig.〉 deze vertaling is een slap ~ van het origineel *this translation is a poor substitute for/rendering of the original;* 〈fig.〉 zijn laatste boek is een slap ~ v.h. vorige *his last book is a poor/mere rehash of the previous one;* een sterk ~ a *strong/concentrated e./infusion/tincture.*
aftreksom 〈de〉 〈wisk.〉 **0.1** *subtraction (sum).*
aftroeven
I 〈onov.,ov.ww.〉 **0.1** [〈kaartspel〉] *trump* ◆ **3.1** nu moet je (die negen) ~ *now you must t. (that nine);*
II 〈ov.ww.〉 **0.1** [te vlug af zijn] *score (points) off* ⇒*out in (his/her) place.*
aftroggelarij 〈de (v.)〉 **0.1** *wheedling* ⇒*cajolery.*
aftroggelen 〈ov.ww.〉 **0.1** *wheedle out of* ⇒*coax/cajole/kid out of* ◆ **1.1** iem. geld/een document ~ *wheedle/cajole/kid/coax s.o. out of money/a document, coax/cajole s.o. into giving money/a document;* 〈geld ook〉 *touch s.o. for money* **3.1** iets weten af te troggelen *succeed in wheedling/cajoling/coaxing sth. out of s.o..*
aftuigen 〈ov.ww.〉 **0.1** [afranselen] *beat up* ⇒*rough/duff up, mop up on, drub* **0.2** [mbt. trekdieren] *unharness* **0.3** [〈scheep.〉] *unrig* ◆ **1.1** enige onverlaten hebben die man afgetuigd *some hoodlums have mugged the man/beaten/roughed/duffed the man up, some hoodlums have mopped up on/drubbed/clobbered/done a (face) job on the man.*
afturven 〈ov.ww.〉 **0.1** *tally up* ⇒*score up.*
afvaardigen 〈ov.ww.〉 **0.1** [met een opdracht] *send* **0.2** [als vertegenwoordiger] *delegate* ⇒*depute, return* 〈naar parlement〉 ◆ **6.1** men vaardigde een gezantschap **naar** Engeland af *a mission was sent to England* **6.2** hij was voor de afdeling Leiden **naar** de bondsvergadering v.d. KNVB afgevaardigd *he had been delegated to the annual meeting of the Royal Dutch Football Association by/as a representative of the Leiden branch.*
afvaardiging 〈de (v.)〉 **0.1** [handeling] *delegation* ⇒*deputation, return* 〈naar parlement〉 **0.2** [personen] *delegation* ⇒*deputation, mission* 〈met opdracht〉.
afvaart 〈de〉 **0.1** *sailing* ⇒*departure* ◆ **1.1** aan- en ~ *arrival and departure;* dag/datum van ~ *sailing-day/ -date, day/date of s.* **2.1** de volgende ~ vindt plaats om zes uur *the next s. will be at six o'clock.*
afval
I 〈de (m.)〉 **0.1** [het ontrouw worden] *defection* ⇒*secession,* 〈vnl. mbt. kerk ook〉 *apostasy* ◆ **6.1** iem. tot ~ bewegen/aansporen *induce s.o. to defect/secede;* ~ **van** God *turning away from God, loss of faith, loss of belief in God;*
II 〈het, de (m.)〉 **0.1** [nutteloze rest] *waste (matter)* ⇒*residue* 〈wat overblijft〉, 〈vuilnis〉 *refuse, rubbish, litter,* 〈vnl. AE〉 *trash, garbage, scraps, leavings, kitchen waste* 〈uit keuken, van tafel〉 ◆ **1.1** slechts 5% ~ a *wastage of only 5%;* ~ van geslachte dieren *offal;* ~ van leer 〈enz.〉 *leather w. (m.)/clippings/cuttings/scraps* 〈enz.〉; ~ van metaal *scrap metal* **2.1** chemisch ~ *chemical waste;* radioactief ~ *radioactive waste/fall-out, radwaste* **3.1** verboden ~ te storten [B]*no tipping,* [A]*dumping prohibited.*
afvalbak 〈de (m.)〉 **0.1** *litter bin/basket* ⇒ 〈BE ook〉 *dustbin, rubbish bin,* 〈AE ook〉 *garbage/trash can* 〈vuilnisbak〉.
afvalcompetitie 〈de (v.)〉 〈sport〉 **0.1** *knock-out (competition/tournament).*
afvalcontainer 〈de (m.)〉 **0.1** *(refuse/* 〈vnl. AE〉 *garbage) container* ⇒ 〈AE ook〉 [↑]*dumpster,* 〈BE ook; voor bouwmaterialen〉 *skip.*

afvalhoop ⟨de (m.)⟩ **0.1** *refuse / rubbish / waste / trash heap* ⇒⟨gesch.⟩ *kitchen midden* ⟨uit de prehistorie⟩.

afvallen ⟨onov.ww.⟩ **0.1** [naar beneden vallen] *fall down* ⇒*fall off* **0.2** [niet meer meetellen] *drop out* **0.3** [ontrouw worden] *desert* ⇒*abandon, defect, secede* ⟨kerk, staat⟩ **0.4** [afslanken] *lose weight* ⇒⟨met opzet ook⟩ *slim, waste (away), lose flesh* ⟨door ziekte⟩ **0.5** [overschieten] *be left (over)* **0.6** [tegenvallen] *be disappointing* ⇒*not come / live up to one's expectations, be a disappointment / let-down* **0.7** [⟨scheep.⟩] *bear away* ◆ **1.1** de bladeren / bloemen / vruchten vallen af *the leaves / flowers / fruits fall off; flowers shank (off)* ⟨door stengelrot⟩; zijn hoed viel af *his hat fell / dropped off;* het masker viel af *the mask fell, the mask was thrown off* **1.2** dat alternatief viel af *that alternative was out / dropped* **1.3** God ~ *turn away from God;* iem. ~ *let s.o. down, leave s.o. in the lurch, desert / abandon / betray s.o.* **1.4** ik ben één kilo afgevallen *I've lost a kilogram* **1.6** die nasleep zal hun ~ *the aftermath will be more than they bargained for* **4.5** er zal voor jou ook nog wel iets ~ *there will be sth. in it / some pickings for you as well* **5.3** elkaar niet ~ *hang together, stand by each other* **6.1** de schellen vielen hem van de ogen af *the scales fell from his eyes* **6.2 bij** een wedstrijd ~ *drop out of a contest* **6.3 van** het verbond ~ *withdraw from the league;* **van** het geloof ~ *backslide lapse from / fall away from / break with / leave / renounce the faith* **6.6 bij** iem. / *iets ~ be a disappointment / let-down / an anticlimax after sth. / s.o.* **6.7 van** de wind ~ *bear away.*

afvallig ⟨bn.⟩ **0.1** [ontrouw] *unfaithful* ⇒*disaffected, disloyal,* ⟨van kerk ook⟩ *lapsed, apostate* **0.2** [mbt. zeilvaartuigen] *leewardly* ◆ **1.1** een ~e priester *a renegade / fallen / lapsed priest* **3.1** ~ maken *pervert* **6.1** ~ worden **van / aan** een partij *desert a party.*

afvallige ⟨de⟩ **0.1** *deserter* ⇒*renegade, turncoat, apostate, backslider* ⟨van kerk⟩.

afvalligheid ⟨de (v.)⟩ **0.1** *apostasy, secession* ⟨van godsdienst⟩; ⟨pol.⟩ *disaffection, defection* ⟨partij⟩; *dissidence* ⟨regering⟩; *desertion* ⟨van leider, bondgenoot, vriend⟩.

afvalmateriaal ⟨het⟩ **0.1** *waste material* ⇒⟨mv. ook⟩ *scrap.*

afvalprodukt ⟨het⟩ **0.1** *by-product* ⇒*waste / residuary / residual product.*

afvalrace ⟨de (m.)⟩ **0.1** *heat* ⇒*knock-out / elimination / qualifying race.*

afvalstof ⟨de⟩ **0.1** *waste product* ⇒⟨mv. ook⟩ *waste (matter)* ◆ **2.1** schadelijke / radio-actieve ~fen *harmful / radioactive waste;* ⟨radioactief ook⟩ *radioactive fall-out, radwaste.*

afvalstort ⟨het, de (m.)⟩ **0.1** *rubbish tip / dump* ⇒*refuse tip / dump.*

afvalsysteem ⟨het⟩ **0.1** *system of elimination.*

afvalverwerking ⟨de (v.)⟩ **0.1** *treatment / processing of waste* ⇒*waste-disposal, sanitation* ⟨ophalen en behandelen van afval⟩.

afvalwarmte ⟨de (v.)⟩ **0.1** *rejected heat* ⇒*residual heat* ◆ **6.1** ~ **uit** koelwater *rejected heat in cooling water, residual heat from cooling water.*

afvalwater ⟨het⟩ **0.1** *waste water* ⇒*drain water, sewage / effluent (water), industrial water* ⟨industrie⟩.

afvalwaterzuiveringsinstallatie ⟨de (v.)⟩ **0.1** *effluent / waste water purification plant* ⇒⟨van rioolwater⟩ *sewage treatment plant, sewage works.*

afvalwedstrijd ⟨de (m.)⟩ ⟨sport⟩ **0.1** *heat* ⇒*knock-out / elimination / qualifying competition / race.*

afvangen ⟨ov.ww.⟩ **0.1** *catch from* ⇒*snatch from* ◆ **1.1** iem. een bal ~ *catch / snatch the ball from under s.o.'s hands / nose;* ⟨fig.⟩ iem. een vlieg ~ *steal a march on s.o..*

afvaren ⟨onov.ww.⟩ **0.1** [wegvaren] *sail* ⇒*depart, start, put to sea, leave* **0.2** [ergens heen varen] *sail (for)* ⇒*depart / start / set out (for)* **0.3** [stroomafwaarts varen] *sail down(stream)* ◆ **1.1** afgevaren breedte / lengte *departure fix* ⟨breedte èn lengte⟩; *point of departure by latitude / longitude;* de pont vaart daar af *the ferry starts / leaves from there* **1.3** wij voeren langzaam de rivier af *we sailed / went / floated / dropped slowly down the river* **3.2** af- en aanvaren *depart and arrive* **3.3** op- en afvaren *sail up and downstream* **6.2 op** iem. / iets ~ *make / head for s.o. / sth..*

afvegen ⟨ov.ww.⟩ **0.1** [door vegen reinigen] *wipe* ⇒⟨bril ook⟩ *polish,* ⟨bezweet voorhoofd ook⟩ *mop* **0.2** [door vegen wegnemen] *wipe off* ⇒*brush / wipe away* ⟨tranen⟩ ◆ **1.1** hij kan zijn mond ~ ⟨fig.⟩ *he could stand / sit by and watch them eat;* de tafel / zijn kleren ~ *w. the table, dust one's clothes; brush (off) one's clothes* ⟨met borstel⟩; de voeten ~ *w. one's feet* **1.2** bloed / zweet / tranen ~ *wipe off blood / sweat, wipe / brush away / dry tears* **7.¶** een kusje is geen zonde maar een ~ ≠*a kiss is certainly not one of the seven deadly sins.*

afvinken ⟨ov.ww., onov.ww.⟩ **0.1** *check off* ⇒*tick off.*

afvlaggen ⟨ov.ww., onov.ww.⟩ ⟨sport⟩ **0.1** *flag down.*

afvlakken ⟨ov.ww.⟩ **0.1** [vlak maken] *level (off)* ⇒*smooth (down), flatten (out), plane, face (up)* ⟨met schaaf⟩ **0.2** [mbt. spanningsverschillen] *smooth.*

afvloeien
I ⟨onov.ww.⟩ **0.1** [mbt. personen] *be discharged gradually* ⇒*be laid off* ⟨tijdelijk⟩, *be compulsorily retired* ⟨via VUT⟩ **0.2** [wegvloeien] *flow off / away* ⇒*drain off / away* **0.3** [naar beneden vloeien] *flow down* **0.4** [mbt. kapitaal, goud] *flow out* ⇒*be drained off / away* ◆ **1.1** overtollig personeel laten ~ *lay / stand off redundant staff, discharge redundant staff gradually, retrench the staff, release redundant / excess*

personnel **3.2** aan- en afvloeien *flow in and out* **3.3** op- en afvloeien *flow in and out;*
II ⟨ov.ww.⟩ **0.1** [met vloeipapier bestrijken] *blot.*

afvloeiing ⟨de (v.)⟩ **0.1** [mbt. personeel] *release* ⇒*gradual dismissal / discharge, cutting-back / retrenchment of staff, lay off* ⟨tijdelijk⟩ **0.2** [het wegvloeien] *drainage, outfall* ⇒*flowing / draining off / away* **0.3** [mbt. kapitaal / goud] *drain, outflow, withdrawal.*

afvloeiingsregeling ⟨de (v.)⟩ **0.1** *redundancy pay / scheme;* ⟨VUT⟩ *early retirement scheme / pay.*

afvoer ⟨de (m.)⟩ **0.1** [vervoer naar elders] *transport* ⇒*conveyance, removal* **0.2** [het afwaarts voeren] *drainage* ⇒*discharge* **0.3** [pijp] *drain / fall (pipe)* ⇒*outlet, waste (pipe), exhaust (pipe)* ⟨voor gassen e.d.⟩, *flue* ⟨kachel⟩ ◆ **1.1** de ~ van goederen *t. / conveyance / removal of goods;* de ~ van wijn en hout is dit jaar aanzienlijk geweest *the t. of wine and wood has been considerable this year* **1.2** toe- en afvoer *supply and d.;* pijpen voor de ~ v.h. water *pipes for draining water* **2.3** de ~ is verstopt *the drain / waste (pipe) is clogged / stopped (up).*

afvoerbuis ⟨de⟩ **0.1** *discharge / outlet pipe* ⇒*drain (pipe)* ⟨in grond⟩, *soil / waste pipe* ⟨riool⟩, *exhaust (pipe)* ⟨voor gassen e.d.⟩, *drainage tube, drain* ⟨na operatie⟩.

afvoeren ⟨ov.ww.⟩ **0.1** [naar elders (ver)voeren] *transport* ⇒*convoy, remove, drain away / off* ⟨water⟩, *lead away, shunt, divert* ⟨van zijn voorgenomen route af⟩ **0.2** [naar beneden / afwaarts voeren] *carry off / down* ⇒*lead down* **0.3** [schrappen] *remove* ⇒*write off* **0.4** [⟨biol.⟩ mbt. spieren] *abduct* ◆ **1.1** gevangenen / soldaten ~ *t. / convey / move prisoners / soldiers* **1.2** kolen de Rijn ~ *transport / carry coal down the Rhine;* die rivier voert veel slib af *that river carries / washes down a great deal of silt* **6.1** dat pad voert u **van** de stad af *that path takes you away from the town* **6.3** soldaten **van** de troepenmacht ~ *delete / remove (the name of) soldiers from the military forces, reduce military strength;* iem. **van** de ledenlijst ~ *drop / delete / r. s.o. from the membership list / list of members.*

afvoerpijp →afvoer **0.3**.

afvoerwater ⟨het⟩ **0.1** *effluent* ⇒*waste (water)* ⟨bad, gootsteen⟩, *drainage water* ⟨grond⟩.

afvragen ⟨wk.ww.; zich ~⟩ **0.1** [zichzelf een vraag stellen] *wonder* ⇒*ask o.s.* **0.2** [betwijfelen] *wonder* ⇒*(be in) doubt (as to)* ◆ **1.1** zich de reden van iets ~ *ask o.s the reason for sth., w. what the reason is for sth.* **4.1** ik vraag mij af, wie ... / hoe ... / waarom ... *I w. who ... / how ... / why ...;* dat had zij zichzelf nooit afgevraagd *she had never asked herself that question* **8.2** ik vraag mij af of dat juist is *I w. if / whether that is correct, I (am in) doubt (as to) whether that is correct.*

afvriezen ⟨onov.ww.⟩ **0.1** [door de vorst afsterven] *catch* ⇒*be caught by the frost* **0.2** [door de vorst losgaan en afvallen] *freeze off, be frozen / frosted off* ◆ **1.1** de aardappels zijn helemaal afgevroren *the potatoes are completely frozen;* al de bloesems van de appelboom zijn vannacht afgevroren *all the blossoms on the apple tree (were) caught (by) the frost last night* **1.2** er is hem een oor afgevroren *his ear was frostbitten* **6.2** de kalk is **van** de muur afgevroren *the plaster was lifted off the wall by the frost.*

afvuren ⟨ov.ww.⟩ **0.1** [afschieten] *fire* ⇒*let off, discharge, launch* ⟨raket⟩ **0.2** [uiten] *fire* ⇒*shoot, level* ◆ **1.1** een pistool / geweer / kanon ~ *f. / discharge a pistol / rifle / cannon* **6.2** vragen **op** iem. ~ *f. / shoot / level questions at s.o., shower / bombard s.o. with questions.*

afvuurinrichting ⟨de (v.)⟩ ⟨mil.⟩ **0.1** *launcher* ⟨voor raketten⟩; *firing mechanism* ⟨kanonnen⟩.

afwaaien
I ⟨onov.ww.⟩ **0.1** [waaien in tegengestelde richting] *blow off* **0.2** [door de wind weggedreven, gerukt worden] *blow off / away* **0.3** [naar beneden waaien] *blow off / down* **0.4** [mbt. water in zeeën / meren] *draw off (by the wind)* ◆ **6.1** de wind heeft lange tijd van het land afgewaaid *the wind has blown off shore for quite some time* **6.2** het schip was **van** zijn koers afgewaaid *the ship was blown off course* **6.3** er woei veel sneeuw **van** de bergtop af *a lot of snow blew off the mountaintop;*
II ⟨ov.ww.⟩ **0.1** [wegwaaien] *blow off.*

afwaarts
I ⟨bw.⟩ **0.1** [van iets af] *away* **0.2** [naar omlaag] *down* **0.3** [stroomafwaarts] *down(stream)* ◆ **3.1** de ogen ~ wenden *turn one's eyes a., avert one's eyes, look a.* **3.2** bij het ~ gaan, moet men voorzichtig zijn *you must be careful going d.* **5.3** schepen die de Rijn opwaarts en ~ bevaren *ships sailing up and down the Rhine;*
II ⟨bn.⟩ **0.1** [naar beneden gericht] *downward* ◆ **1.1** een ~e beweging *a d. movement.*

afwachten ⟨onov., ov.ww.⟩ **0.1** *wait (for)* ⇒*await,* ⟨tegemoetzien⟩ *anticipate* ◆ **1.1** een aanval ~ *wait for an attack;* zijn beurt ~ *wait / take one's turn;* de bui ~ *wait for the for the shower to blow / pass over, wait till the shower has blown / has passed / is over;* het resultaat moet ik nog ~ *the result has yet / remains to be seen;* een tegenstander niet (durven) ~ *not (dare) to) wait for an opponent, chicken out;* zijn tijd ~ *bide / wait / watch one's time;* de tram ~ *wait for the tram / [A]streetcar;* een nadere verklaring ~ *await (a) further explanation* **3.1** hij keek hem ~d aan *he looked at him expectantly;* we moeten maar ~ *we'll have to wait and see.*

afwachting ⟨de (v.)⟩ **0.1** *expectation* ⇒⟨tegemoetzien⟩ *anticipation* ◆ **6.1** in ~ van uw antwoord (enz.) *in anticipation of your reply …;* in ~ v.d. uitspraak v.d. rechter *pending the decision of the judge;* in ~ v.d. dingen die komen gaan *awaiting coming events,* in e. / *anticipation of things to come.*

afwas ⟨de (m.)⟩ **0.1** [vaat] *dishes* ⇒⟨BE ook⟩ *washing-up* **0.2** [het afwassen] *doing* / *washing the dishes* ⇒⟨BE ook⟩ *washing-up* ◆ **3.1** de ~ weer laten staan *leave the d.* / *washing-up again* **6.2** zij is aan de ~ *she's washing up* / *doing the dishes* / *washing the dishes.*

afwasautomaat ⟨de (m.)⟩ **0.1** *dishwasher* ⇒[B]*washing-up machine.*

afwasbaar ⟨bn.⟩ **0.1** *washable.*

afwasbak ⟨de (m.)⟩ **0.1** [B]*washing-up bowl* ⇒*sink bowl.*

afwasborstel ⟨de (m.)⟩ **0.1** *dishwashing* / [B]*washing-up brush.*

afwaskwast ⟨de (m.)⟩ **0.1** *dish* / [B]*washing-up mop.*

afwasmachine ⟨de (v.)⟩ **0.1** *dishwasher* ⇒[B]*washing-up machine.*

afwasmiddel ⟨het⟩ **0.1** *detergent* ⇒⟨BE⟩ *washing-up liquid* / *agent.*

afwassen
  I ⟨ov.ww.⟩ **0.1** [door wassen reinigen] *wash (up)* ⇒*clean* **0.2** [door wassen verwijderen] *wash off* / *away* ◆ **1.1** de handen / het gezicht ~ *wash one's hands* / *face* **1.2** ⟨bijb.; fig.⟩ de zonden ~ *wash away one's sins;* ⟨fig.⟩ zijn zorgen ~ *drown one's sorrows* / *cares* **3.2** ⟨fig.⟩ dat kan al het water v.d. zee niet ~ *all the water of the sea couldn't wash that off* / *away* **4.1** zich ~ *wash o.s.,* [A]*wash up* **6.1** ⟨fig.⟩ zijn handen van iets ~ *wash one's hands of sth.* **6.2** vuil / bloed van zijn handen ~ *wash dirt* / *blood from his hands;*
  II ⟨onov.ww.⟩ **0.1** [de afwas doen] *do* / *wash the dishes* ⇒⟨BE ook⟩ *wash up.*

afwaswater ⟨het⟩ **0.1** [water waarin men afwast] *dishwater* ⇒⟨BE ook⟩ *washing-up water* **0.2** [slecht(e) bier / koffie / thee] *dishwater* ⇒*swill-(ings), swash.*

afwateren ⟨onov.ww.⟩ **0.1** *drain* ◆ **6.1** die polder watert af op het IJsselmeer *that polder drains into the IJsselmeer.*

afwatering ⟨de (v.)⟩ **0.1** [het afvoeren van water] *drainage* ⇒*drainings, discharge,* ⟨natuurlijk ook⟩ *catchment* **0.2** [inrichting] *drainage* ⇒*drains* ◆ **3.2** een gemetselde ~ *a brick drain.*

afwateringsbuis ⟨de⟩ **0.1** *drain (pipe)* ⇒*weeper* ⟨door muur / gat⟩.

afwateringsgebied ⟨het⟩ **0.1** *drainage area.*

afwateringskanaal ⟨het⟩ **0.1** *drainage canal* ⇒*sluice.*

afweer ⟨de (m.)⟩ **0.1** *defence* [A]*se.*

afweergeschut ⟨het⟩ **0.1** *anti-aircraft guns* ⇒*ack-ack guns.*

afweerhouding ⟨de (v.)⟩ **0.1** *defensive attitude.*

afweermechanisme ⟨het⟩ **0.1** [⟨psych.⟩] *defence mechanism* **0.2** [⟨med.⟩] *defence mechanism.*

afweermiddel ⟨het⟩ **0.1** *prevent(at)ive measure (against), defence (against); repellent, repellant* ⟨insecten⟩.

afweerreactie ⟨de (v.)⟩ ⟨med.⟩ **0.1** [⟨med.⟩] *immune response* / *reaction* **0.2** [⟨psych.⟩] *defensive reaction.*

afweerstof ⟨de⟩ **0.1** *antibody.*

afwegen ⟨ov.ww.⟩ **0.1** [nauwkeurig wegen] *weigh out* **0.2** [overwegen] *weigh (up)* ⇒*consider* **0.3** [afzonderen] *weigh out* ◆ **1.2** rechten en plichten / de voor- en nadelen (tegen elkaar) ~ *weigh* / *balance rights and obligations* / *pros and cons against each other, weigh up the rights and obligations* / *pros and cons* **6.1** ⟨fig.⟩ zijn woorden op een goudschaaltje ~ ⟨voorzichtig spreken⟩ *weigh one's words;* ⟨muggeziften⟩ *weigh s.o.'s every word, pick words, split hairs* **6.3** iets van een voorraad ~ *weigh sth. out of a stock* / *supply.*

afweken
  I ⟨ov.ww.⟩ **0.1** [week maken en verwijderen] *soak off* ⇒⟨met stoom⟩ *steam off, unglue, ungum* ⟨iets gelijmds⟩ ◆ **6.1** een postzegel van een brief ~ *soak* / *steam a stamp off a letter;*
  II ⟨onov.ww.⟩ **0.1** [week worden en loslaten] *come off* ⇒*come unstuck* / *undone* ◆ **1.1** de pleister is afgeweekt *the plaster has come* / *soaked off.*

afwenden ⟨ov.ww.⟩ **0.1** [in een andere richting wenden] *turn away* / *aside* ⇒⟨blik / gedachten ook⟩ *avert* **0.2** [afweren] *avert* ⇒*ward* / *stave off,* ⟨aanval ook⟩ *parry* ◆ **1.1** het hoofd / de ogen ~ *turn one's head* / *eyes away* / *aside, avert one's head* / *eyes, look away* **4.1** zich van iem. ~ *wash one's hands of s.o., have nothing more to do with s.o.;* zich van iets ~ *turn away from* / *evade sth., shirk sth.* **6.1** de ogen niet ~ van iem. *not* / *never take one's eyes off s.o.* / *sth. (for a moment/ second);* een schip van de wal ~ *steer* / *turn a ship away from the quayside.*

afwennen
  I ⟨ov.ww.⟩ **0.1** [afleren] *cure of* ⇒*wean (away) from,* ⟨gewoonte ook⟩ *break of* ◆ **1.1** iem. zijn kuren / het roken / drinken proberen af te wennen *try to cure s.o. of* / *wean s.o. (from) his caprices* / *smoking* / *drinking;* ⟨roken / drinken ook⟩ *try to break s.o.'s habit of smoking* / *drinking* **4.1** zich het gokken ~ *cure o.s. of gambling, break one's habit of gambling;*
  II ⟨onov.ww.⟩ **0.1** [vervreemden] *become estranged (from)* ⇒*become alienated (from)* ◆ **6.1** we zijn van hem afgewend *we have become estranged* / *alienated from him.*

afwentelen

  I ⟨onov.ww.⟩ **0.1** [naar beneden rollen] *roll* / *trundle off* / *down* ◆ **6.1** de steen wentelde van de berg af *the stone rolled* / *trundled down the mountain;*
  II ⟨ov.ww.⟩ **0.1** [door rollen verwijderen] *roll off* / *away* **0.2** [door rollen omlaag brengen] *roll down* **0.3** [op anderen overdragen] *shift* ⇒*transfer* ◆ **6.3** de kosten werden op de huurders afgewenteld *the expenses were shifted on to* / *passed on to* / *transferred to the tenants;* de verantwoordelijkheid ~ op iem. anders *s. the responsibility on to s.o. else, transfer the responsibility to s.o. else, pass the buck (to s.o. else).*

afweren ⟨ov.ww.⟩ **0.1** [op een afstand houden] *keep off* / *away* ⇒*hold off,* ⟨fig.⟩ *fend* / *ward off* **0.2** [zich verzetten tegen] *wave aside* ⇒*ward* / *fend off, parry* ⟨vragen⟩ **0.3** [afslaan] *ward off* ⇒*avert, parry, repel, repulse* ◆ **1.1** iemands kussen / liefkozingen ~ *fend off s.o.'s kisses* / *caresses;* nieuwsgierigen ~ *keep gapers* / *nosey parkers at a distance* / *away* **1.2** treurige gedachten ~ *ward* / *fend off melancholy thoughts, keep the blues away;* lastige vragen / aanzoeken ~ *parry* / *duck tricky questions, evade* / *dodge* / *duck inconvenient requests* **1.3** een aanval / aanvaller ~ *repel an attack, repulse* / *repel* / *beat off an attacker;* gevaren / rampen ~ *avert* / *ward off* / *stare off dangers* / *disasters* **6.2** iets van zich ~ *defend o.s. against sth..*

afwerken ⟨ov.ww.⟩ **0.1** [afmaken] *finish* ⇒*complete* **0.2** [de laatste hand leggen aan] *finish (off)* ⇒*add the finishing touch to* **0.3** [volbrengen] *finish (off)* ⇒*complete, work* / *get through, dispatch, accomplish* **0.4** [totaal gebruiken] *exhaust* ⇒[uitputten] *exhaust* ⇒⟨BE ook; inf.⟩ *fag out, overdrive, work to death* ◆ **1.1** alle café's ~ *make a tour* / *do the rounds of all the pubs* **1.2** het ~ van houtwerk *finishing* / *the finish of* / *on woodwork;* een opstel / roman ~ *add the finishing touches to an essay* / *novel* **1.3** een programma ~ *work* / *get through* / *complete a programme* **1.5** de paarden ~ *overdrive the horses* **3.1** ⟨fig.⟩ van ~ houden *like to f. what one has started* **3.5** afgewerkt zijn *be exhausted* / *fagged out* **4.3** heel wat ~ *get a lot of work done;* hij werkt wat af! *he (sure) gets through some work!, he works like a horse!, he works night and day!* **5.2** iets netjes / grondig ~ *finish sth. off nicely* / *neatly, make a good job of sth..*

afwerking ⟨de (v.)⟩ **0.1** [handeling] *finish(ing)* ⇒*finishing touch, final stroke(s)* **0.2** [wijze] *finish* ⇒*workmanship* **0.3** [middel] *finish* ◆ **1.1** hij is aan de ~ van zijn roman *he is putting the finishing touch* / *final strokes to his novel* **1.2** de ~ van dit model is niet zo fraai *the f.* / *workmanship of his model is not very good* **2.3** koperen ~ *brass f.* **6.1** dat team is slecht in de ~ *that team is weak* / *bad at scoring.*

afwerpen ⟨ov.ww.⟩ **0.1** [afdoen] *throw off* ⇒*cast, fling* / *toss* / *hurl off* **0.2** [van zich werpen] *throw away* ⇒*cast* / *fling* / *toss* / *hurl away* **0.3** [voortbrengen, opleveren] *yield* ⇒*bear* **0.4** [naar beneden werpen] *throw down* ⇒*cast* / *fling* / *toss* / *hurl down* ◆ **1.1** ⟨fig.⟩ een gevoel van ongerustheid niet van zich kunnen ~ *be unable to shake off a feeling of anxiety;* ⟨fig.⟩ het juk / de boeien ~ *throw* / *cast off the yoke* / *the reins, break* / *burst one's chains* / *fetters;* het masker ~ *thrown off* / *drop the* / *one's mask;* veren / huid / horens ~ *moult;* ⟨huid / horens ook⟩ *cast (off)* / *shed one's skin* / *horns;* ⟨huid ook⟩ *slough, exuviate;* de wapens ~ *(throw) down one's weapons* **1.2** appels / peren enz. ~ *drop* / *shed apples* / *pears* **1.3** vruchten ~ *y. (fruit); bear fruit* ⟨ook fig.⟩; ⟨fig. ook⟩ *be fruitful* / *seminal* **1.4** het paard wierp zijn ruiter af *the horse threw (off)* / *bucked off its rider* **6.2** ⟨fig.⟩ alle verantwoordelijkheid van zich ~ *deny all responsibility* **6.4** zich van een hoogte ~ *throw* / *cast* / *fling o.s. down from a height.*

afweten ⟨ww.⟩ ◆ **3.¶** het laten ~ ⟨het niet doen⟩ *fail, play up, refuse to work;* ⟨niet op komen dagen⟩ *beg* / *cry off, not show (up);* ⟨doodgaan⟩ *kick the bucket, pop off, hop the twig.*

afwezig ⟨bn.⟩ **0.1** [absent] *absent* ⇒⟨ontbrekend ook⟩ *wanting,* ⟨weg⟩ *away, gone* **0.2** [verstrooid] *absent(-minded)* ⇒*preoccupied, abstracted, inattentive, distracted* ◆ **1.1** de secretaris noteert de ~e leden *the Secretary records the absent members* **1.2** ~e blikken *absent* / *abstracted* / *far-away* / *distracted looks* **3.1** hij is op het ogenblik ~ *he's away* / *out not in at the moment* **3.2** ~ voor zich uit staren *stare absently* / *abstractedly in front of one* **6.1** in een vergadering ~ zijn *be* / *go absent at a meeting.*

afwezige ⟨de (m.)⟩ ⟨→sprw. 9⟩ **0.1** [iem. die absent is] *absentee* **0.2** [⟨jur.⟩ *absentee* (heeft woonplaats verlaten); *absent party* ⟨niet verschenen⟩ ◆ **2.1** X was de grote ~ *X was conspicuous by his absence* **¶.1** ~ in *those absent, the absentees;* de ~n hebben altijd ongelijk *the* / *those absent are always in the wrong* / *at fault.*

afwezigheid ⟨de (v.)⟩ **0.1** [absentie] *absence* ⇒*non-attendance,* ⟨jur. ook⟩ *non-appearance* ⟨van getuige⟩ **0.2** [verstrooidheid] *absent-mindedness* ⇒*inattention* ⟨leerlingen, ook⟩ **0.3** [het ontbreken] *absence* ⇒*non-existence* ◆ **1.2** in een ogenblik van ~ *in a forgetful moment, in a momentary abstraction* / *fit of a.-m.* **1.3** de ~ van sleutelbeenderen bij hoefdieren *the a. of clavicles* / *collar bones in hoofed animals* **6.1** schitteren door ~ *be conspicuous by one's* / *its a.;* gedurende / tijdens iemands ~ *during s.o.'s a.;* in ~ *in absentia;* in / bij ~ van *in the a. of;* met ~ verlof *leave (of a.).*

afwijken ⟨onov.ww.⟩ **0.1** [een andere richting nemen] *deviate (from)* ⟨ook fig.⟩ ⇒*depart (from)* ⟨onderwerp⟩, *deflect* ⟨weg, lichtstraal⟩, *diverge (from)* ⟨lijn e.d.⟩ **0.2** [niet overeenkomen] *differ* ⇒*deviate* /

vary, dissent ⟨mening⟩, *be at variance (with)* ⟨theorie, mening⟩, *disagree (with)* ⟨persoon⟩ **0.3** [tegengesteld handelen aan] *deviate* ⇒*depart, swerve* ◆ **1.1** een kompas/kogel wijkt soms af *a compass/bullet sometimes deviates/wanders/drifts off* **3.1** doen ~ *deflect, divert, turn (away)* **3.3** iem. van zijn voornemen doen ~ *turn s.o. from his resolution* **6.1** (van schepen) **van** de rechte koers ~ *deviate/depart from a straight course;* ⟨fig.⟩ (in een betoog/verhaal) van de hoofdzaken ~ *depart/drift away/wander away from the essentials;* ⟨fig.⟩ **van** de goede weg/het rechte pad ~ *depart/deviate/swerve from the right way/path* **6.2** van de waarheid ~ *deviate/swerve/veer away from the truth* **6.3 van** een voornemen ~ *depart/swerve/turn away from a resolution;* **van** het goede voorbeeld van iem. ~ *deviate/slip away from s.o.'s good example;* **van** de regel ~ *deviate from/break the rule.*

afwijkend ⟨bn.⟩ **0.1** *deviant* ⇒*divergent, anomalous, aberrant* ⟨ook biol.⟩ ◆ **1.1** ~ gedrag *deviant/aberrant behaviour;* ~e lezingen *variant/different readings;* een ~e mening *a deviating/divergent/dissenting/dissentient/different opinion;* ~e uitkomsten *erratic results* **6.1** ~ **van** het normale *out of the ordinary, deviating from the norm.*

afwijking ⟨de (v.)⟩ **0.1** [het afwijken van een richting] *deviation* ⇒*deflection, divergence* **0.2** [wat niet overeenkomstig de norm is] *defect* ⇒*abnormality, aberration, anomaly* **0.3** [het niet-volgen van een regel, norm] *departure* **0.4** [verschil] *difference* ⇒*variance, variation* ◆ **1.1** de ~ v.h. kompas *the declination of the compass;* de ~ van lichtstralen *the aberration/deflection of rays of light* **1.3** ~en van waarheid/recht *departures from truth/justice* **2.2** een aangeboren lichamelijke ~ *a congenital physical d.;* een geestelijke ~ *a mental aberration/twist/abnormality* **3.4** een (geringe) ~ vertonen van *differ/deviate (slightly) from* **6.3** in ~ van de regel *in contravention to/contrary to the rule, as a d. from the rule.*

afwijzen ⟨ov.ww.⟩ **0.1** [niet toelaten] *not admit* ⇒*refuse admittance to, turn away* **0.2** [een graad/bevoegdheid niet toekennen] *fail* ⇒*reject* **0.3** [weigeren] *refuse* ⇒*decline, reject,* ⟨verwerpen⟩ *repudiate* **0.4** [⟨jur.⟩] *dismiss* ◆ **1.1** een bezoeker ~ *refuse admittance to/debar a visitor;* drie sollicitanten werden direct al afgewezen *three applicants were rejected outright* **1.2** kandidaten ~*f. candidates* **1.3** een aanbod/ beloning ~ *decline an offer/a reward;* een ~d antwoord *a refusal;* een ~de beschikking *a refusal/rejection;* hij maakte een ~d gebaar *he waved it aside;* ⟨fig.⟩ iem./ iemands hand ~ *reject s.o./s.o.'s hand;* mededelingen/ geruchten ~ *disclaim communications/rumours;* een verzoek/uitnodiging/voorstel ~ *refuse a request, decline an invitation/a proposal* **1.4** een ~d vonnis *dismissal* **3.3** een verzoek ~d beantwoorden *turn down/refuse a request;* op een verzoek ~d beschikken *refuse/reject a request;* ~d staan tegenover *be opposed to, be unfavourably disposed towards* **8.1** iem. als lid (v.e. vereniging) ~ *not admit s.o. as a member (of an association), refuse s.o. membership* **¶.2** afgewezen worden *fail (in an examination).*

afwijzing ⟨de (v.)⟩ **0.1** [het niet toelaten] *refusal* ⇒*rejection, denial* **0.2** [het niet toekennen van graad/bevoegdheid] *failure* **0.3** [weigering] *refusal* ⇒*rejection,* ⟨verwerping⟩ *repudiation, denial* **0.4** [⟨jur.⟩] *dismissal* ◆ **3.1** alleen maar ~en ontvangen op zijn sollicitaties *encounter/meet nothing but rejections to one's applications.*

afwikkelen ⟨ov.ww.⟩ **0.1** [afwinden] *unwind* ⇒*unroll, wind off, uncoil* **0.2** [afhandelen] *complete* ⇒*settle,* ⟨inf.⟩ *wind up* ◆ **1.1** het papier v.e. pakje ~ *remove the paper from/unwrap (the paper from) a package* **1.2** een boedel/ nalatenschap ~ *wind up/liquidate an estate/inheritance;* een contract ~ *fulfil/c. a contract;* een faillissement ~ *c./wind up bankruptcy proceedings;* een kwestie ~ *settle a question;* een interlokaal telefoongesprek ~ *c. a long-distance/* ⟨BE ook⟩ *trunk call;* een transactie ~ *carry through/c. a transaction;* de lopende zaken ~ *settle/c./wind up current business.*

afwikkeling ⟨de (v.)⟩ **0.1** *winding up* ⇒*settlement, liquidation* ⟨boedel⟩, *completion, fulfilment* ⟨contract⟩ ◆ **1.1** de ~ v.e. faillissement *the completion of bankruptcy proceedings.*

afwimpelen ⟨ov.ww.⟩ **0.1** *not follow up, pass over* ⟨voorstel⟩; *find an excuse (not to accept),* ↓*get out of* ⟨uitnodiging⟩.

afwinden ⟨ov.ww.⟩ **0.1** *unwind* ⇒*unreal, wind/reel off* ◆ **1.1** garen/wol/ touw/geweven stoffen ~ *unwind yarn/wool/rope/fabrics;* ⟨fig.⟩ een kluwen ~ *unravel a tangle/mess;* ⟨fig.⟩ de levensdraad is afgewonden *the thread of life has run out/is running out, life has run its course;* een streng/klos ~ *unwind a strand/bobbin/reel/spool.*

afwisselen

I ⟨ov.ww.⟩ **0.1** [beurtelings opvolgen] *alternate* ⇒*succeed, take turns,* ⟨aflossen⟩ *relieve* **0.2** [variëren] *vary* ⇒*diversify* ◆ **1.1** de ene regenbui wisselde de andere af *one shower followed/succeeded the other;* een zangkoor wisselde de sprekers af *the choir alternated with the speakers, the choir and speakers took it in turns* **4.1** elkaar ~ *relieve each other, take turns/each other's place;* vocale en instrumentale muziek wisselden elkaar af *vocal and instrumental music alternated (with each other), it was a mixture of singing and instrumental music* **6.1** een uitgelaten vrolijkheid, vaak afgewisseld **door** verdriet *exuberant happiness interspersed with sadness* **6.2** zijn studie/werk ~ **met** vermaak/ plezier *relieve one's study/work with relaxation, combine business with pleasure;*

II ⟨onov.ww.⟩ **0.1** [beurtelings voorkomen] *alternate* **0.2** [telkens anders worden] *vary* ◆ **6.1** hoogbouw wisselt hier af **met** laagbouw *here high-rise (building) alternates with low-rise, here high and low a..*

afwisselend

I ⟨bn.⟩ **0.1** [elkaar vervangend/opvolgend] *alternate* **0.2** [gevarieerd] *varied* ⇒*diversified, variegated* ◆ **1.1** ~ rijm *alternating rhyme* **1.2** een ~ leven *a varied life;*

II ⟨bw.⟩ **0.1** [beurtelings] *alternately* ⇒*by turns, in turn.*

afwisseling ⟨de (v.)⟩ **0.1** [opeenvolging] *alternation* **0.2** [variatie, verandering] *variety* ⇒*variation, change* **0.3** [verscheidenheid] *diversity* ⇒ *variety* ◆ **2.2** een welkome ~ vormen *make a welcome change, give (a) welcome relief* **2.3** een bonte ~ *a motley/variety/collection/away* **3.2** ~ brengen (in het leven) *provide variety/variation, give life variety/variation;* ~ geven (aan iets) *give variation (to sth.), relieve (sth.);* ~ vertonen *be varied* **6.2 ter/tot** ~ *as/for a change, by way of (a) change, for variety's sake;* **voor** de ~ *for a change.*

afwissen ⟨ov.ww.⟩ ⟨schr.⟩ **0.1** [afvegen] *wipe (off)* ⇒*mop* **0.2** [wegnemen] *wipe (out)* ◆ **1.1** zijn mond/voorhoofd ~ *wipe one's mouth, mop one's forehead* **1.2** ⟨fig.⟩ een smaad/schande ~ *wipe out a slander/ disgrace;* ⟨fig.⟩ iemands tranen ~ *wipe away/dry s.o.'s tears.*

afworpsnelheid ⟨de (v.)⟩ ⟨sport⟩ **0.1** *speed/velocity of delivery, delivery speed/velocity.*

afwrijven ⟨ov.ww.⟩ **0.1** [door wrijven verwijderen] *rub (off)* **0.2** [wrijvend afvegen] *rub off/down* ⇒*polish* ⟨om te doen glimmen⟩ ◆ **1.2** de tafel ~ *polish (up) the table* **5.2** er ~ *rub off* **6.1** een vlek **van** iets ~ *rub a stain of sth..*

afz. ⟨de (m.)⟩ ⟨afk.⟩ **0.1** [afzender] ⟨*sender*⟩.

afzadelen ⟨onov.ww., onov.ww.⟩ **0.1** *unsaddle.*

afzagen ⟨ov.ww.⟩ **0.1** [met een zaag afsnijden] *saw (off)* **0.2** [met een zaag verkorten] *saw down, shorten* ◆ **1.1** een stuk v.e. plank/een tak v.e. boom ~ *saw a piece off a board/plank, saw a branch off a tree* **1.2** een boomstam/plank ~ *saw down/shorten a trunk/board/plank.*

afzakken ⟨onov.ww.⟩ **0.1** [afglijden] *come down* ⇒*slip/slide down* **0.2** [stroomafwaarts drijven] *drift down* **0.3** [slechter worden] *fall back* ⇒ *slip/sink downwards* **0.4** [komen naar] *go/come down (to)* **0.5** [langzaam wegtrekken] *withdraw* ⇒*make off, disperse* ⟨menigte⟩, *pass over* ⟨bui⟩ ◆ **1.1** ⟨fig.⟩ zoals hij kon liegen, daar zakt mijn broek van af *the way he lies, it isn't true* **1.5** het onweer zakt af *the thunder-(storm) is passing over* **3.1** zich laten ~ *let o.s. down* **3.3** het niveau begint af te zakken *the level is beginning to drop/fall/subside* **6.1** de smeltende sneeuw zakte **langs** het dak af *the melting snow slid down/ off the roof* **6.2** ~ **met/voor** de stroom *go with/be taken by the current* **6.3** de ploeg zakte af **tot** een bedenkelijk peil *the team fell back to an alarming level.*

afzakkertje ⟨het⟩ ⟨inf.⟩ **0.1** [vóór vertrek/afscheid] *one for the road;* ⟨voor het naar bed gaan⟩ *nightcap.*

afzeggen

I ⟨ov.ww.⟩ **0.1** [meedelen dat iets niet doorgaat] *cancel* **0.2** [opzeggen] *discontinue* **0.3** [verloochenen] *give up* ◆ **1.1** een bestelling ~ *countermand/c. an order;* een bezoeker ~ *put off a visitor;* een vergadering ~ *c. a meeting;* een verkering ~ *give up a courtship* **1.2** een abonnement/ tijdschrift ~ *d./cancel a subscription/periodical;* de bakker ~ *cancel the baker;*

II ⟨onov., ov.ww.⟩ **0.1** [meedelen dat men niet komt] *call/cry off* ◆ **1.1** onze gast heeft (het) afgezegd *our guest has called (it) off* **6.1** ~ **voor** een vergadering *send apologies for absence from a meeting.*

afzeilen

I ⟨onov.ww.⟩ **0.1** [ergens heen zeilen] *sail (away)* **0.2** [stroomafwaarts zeilen] *sail down* ⟨rivier⟩ ◆ **6.1** naar een bestemming ~ *sail/make for a destination;* ⟨fig.⟩ **op** iem. ~ *sail up to/make for s.o.;* **van** een haven ~ *leave a port;*

II ⟨ov.ww.⟩ **0.1** [zeilend afleggen] *sail.*

afzenden ⟨ov.ww.⟩ **0.1** [verzenden] *send (off)* ⇒*forward, dispatch, ship* ⟨per schip⟩ **0.2** [wegzenden] *send away* ⇒*turn away* **0.3** [met een opdracht op pad sturen] *send (to)* ◆ **1.1** goederen/brieven/berichten ~ *send/forward goods/letters, dispatch news* **5.3** iem. erop ~ *send s.o. to it* **6.2** iem. **van** de deur ~ *send s.o. away from the door* **6.3** iem. ~ **om** iets te halen *send s.o. to collect/get sth..*

afzender ⟨de (m.)⟩, **-ster** ⟨de (v.)⟩ **0.1** *sender* ⇒*consignor/shipper* ◆ **¶.1** ~ ⟨achterop brief⟩ *sent by ..., from ..., sender.*

afzet ⟨de (m.)⟩ **0.1** [het verkopen] *sale* ⇒*market* **0.2** [verkochte waren] *sales* **0.3** [het zich afzetten bij het springen] *take-off.*

afzetbaar ⟨bn.⟩ **0.1** *removable* ⇒*deposable* ◆ **1.1** een ~ ambtenaar *a r./ untenured civil servant* **3.1** de rechterlijke macht is niet ~ *the judiciary is not deposable.*

afzetbaarheid ⟨de (v.)⟩ **0.1** *removability.*

afzetbalk ⟨de (m.)⟩ ⟨sport⟩ **0.1** *take-off board.*

afzetbevordering ⟨de (v.)⟩ **0.1** *sales promotion.*

afzetgebied ⟨het⟩ **0.1** *outlet* ⇒*opening, market* ◆ **2.1** een nieuw ~ zoeken/vinden *seek/look for/find a new outlet/market/opening.*

afzetmogelijkheid ⟨de (v.)⟩ **0.1** *potential market* ⇒*new outlet, sales potential.*

afzetten

I ⟨ov.ww.⟩ **0.1** [afnemen en ergens neerzetten] *take (off)* ⇒*remove* **0.2** [buiten werking stellen] *switch off* ⟨radio, motor⟩ *turn off,* ⟨motor ook⟩ *stop, disconnect* ⟨telefoon, alarm⟩ **0.3** [amputeren] *amputate* ⇒*cut off* **0.4** [ontfutselen] *cheat (out of)* ⇒*swindle (out of)* **0.5** [oplichten] *cheat* ⇒*swindle, overcharge* ⟨klanten⟩, ⟨inf.⟩ *rip off, fleece* **0.6** [afscheiden] *enclose* ⇒*fence off / in, block / close off* ⟨toegangsweg⟩ **0.7** [van/tegen iets afduwen] *push off* **0.8** [uit zijn ambt ontzetten] *dismiss* ⇒*remove, cashier* ⟨officier⟩, *depose* ⟨president⟩ **0.9** [op enige afstand plaatsen] *put / move away (from)* ⇒*take (from)* **0.10** [laten uitstappen] *drop* ⇒*set / put down* **0.11** [markeren] *mark (out)* **0.12** [omboorden] *set off* ⇒*trim* **0.13** [van de hand doen] *dispose of* ⇒*sell* **0.14** [de afmetingen/het verloop aanduiden] *set out* ⇒*mark out, peg / stake out* ⟨afbakenen⟩ **0.15** [laten bezinken/neerslaan] *deposit* ◆ **1.1** het geweer ~ *order arms* **1.4** iem. een duur etentje/tien gulden ~ *swindle / cheat / do s.o. out of an expensive dinner-party / ten guilders, do s.o. for an expensive dinner-party / ten guilders* **1.6** een bouwterrein ~ *e.a building-site*; het huis was door de politie afgezet *the house was cordoned off by the police*; de straat was afgezet met soldaten *the street was lined with soldiers*; een viswater ~ *net a fishing-water* **1.7** een sloep/boot ~ *push off a sloop / boat* **1.8** een koning ~ *dethrone / depose a king* **1.11** een landkaart ~ *mark (out) a map* **1.12** de zoom v.e. japon ~ *trim the hem of a dress* **3.5** je moet je niet overal zo laten ~! *don't pay! / * ⟨inf.⟩ *go paying through the nose for everything!, don't let them rob you (* ⟨inf.⟩ *blind)!* **4.7** zich ~ tegen (iets/iem.) *be opposed to / react against* ⟨sth.⟩ zich ~ *take off* **4.15** het vuil zet zich tegen de wand af *the dirt clings / forms a deposit on the wall* **5.10** een vriend thuis ~ *d.a friend at his home / house* **6.5** een klant voor tien gulden ~ *a customer out of ten guilders* **6.7** ⟨voetbal⟩ een speler van de bal ~ *gain possession (of the ball)*; ⟨ruw⟩ *barge a player off the ball* **6.9** de stoelen van de muur ~ *place the chairs away from the wall / bring the chairs out from the wall / forward*; ⟨fig.⟩ zorgen / kwellende gedachten van zich ~ *put away cares / harassing thoughts from one, dismiss cares / harassing thoughts from one's mind;* dat moet je van je af (kunnen) zetten *you ought to) get that out of your mind / head / clear your mind of it* **6.10** een passagier bij de halte ~ *let a passenger off! /* †*down at a stop* **6.11** de met geel en rood afgezette wagens *the carriages / cars with yellow and red markings;* ⟨fig.⟩ twee visies tegen elkaar ~ *set two opinions alongside each other, compare / contrast two opinions* **6.12** een jas, afgezet met bont *a coat trimmed with fur, a fur-trimmed coat* **6.14** een vaarwater ~ met *buoy a waterway;*
II ⟨onov.ww.⟩ **0.1** [snel afkomen] *come / rush (up to)* **0.2** [zich afzetten voor een sprong] *take off* **0.3** [van wal steken] *push / put off* ◆ **3.1** op iem. komen ~ *make / go for s.o.;* er kwam een massa sneeuw v.d. berg ~ *a mass of snow came rushing / hurtling down the mountain.*

afzetter ⟨de (m.)⟩, -**ster** ⟨de (v.)⟩ **0.1** *cheater* ⇒*swindler, shady dealer.*
afzetterij ⟨de (v.)⟩ **0.1** *swindle* ⇒*cheat, extortion,* ⟨inf.⟩ *rip-off.*
afzetting ⟨de (v.)⟩ **0.1** [amputatie] *amputation* **0.2** [ontslag] *dismissal* ⇒*removal, deposition* ⟨koning, president⟩ **0.3** [het neerslaan / bezinken] *deposition* **0.4** [neerslag, bezinksel] *(sedimentary) deposit, sediment* **0.5** [omheining] *enclosure* ⇒*fence, cordon* ⟨politie⟩.
afzettingsgesteente ⟨het⟩ ⟨geol.⟩ **0.1** *sedimentary rock.*
afzichtelijk ⟨bn., bw.; -ly⟩ **0.1** *hideous* ⇒*horrible,* ⟨wond ook⟩ *ghastly* ◆ **1.1** ~e ellende / armoede *abject misery / poverty;* een ~ individu *a hideous character* **3.1** ~ ergens bij afsteken *contrast horribly with;* hij heeft iets ~s *there is sth. hideous / horrible / ghastly about him.*
afzichtelijkheid ⟨de (v.)⟩ **0.1** [hoedanigheid] *hideousness* ⇒*ghastliness* **0.2** [zaak, toestand, voorstelling] *atrocity* ◆ **3.2** een schrijver die maar al te graag afzichtelijkheden schildert *an author who enjoys portraying atrocities / revels in lurid details.*
afzien
I ⟨onov.ww.⟩ **0.1** [⟨+van⟩] [niet doorgaan met] *abandon* ⇒*give up,* ⟨afstand doen van⟩ †*renounce,* ↑*waive,* ↑*relinquish,* ↑*forgo* ⟨bv. rechten⟩ **0.2** ⟨sport⟩ *have a hard / tough time (of it)* ⇒*really go through it* ◆ **3.1** van iets ~ / iem. doen ~ van iets *make s.o.a. / give up sth.;* ⟨ompraten⟩ *argue / talk s.o. out of sth.* **5.1** naderhand zagen ze er toch van af *afterwards they thought better of it / decided not to / didn't (do it);* ⟨afspraak ook⟩ *afterwards they backed out (of it) / cried off* **6.1** van het ministerschap ~ *renounce the ministership / ministry;* van een voornemen ~ *a. a resolution;* van rechtsvervolging ~ *decide not to prosecute;* ⟨schr.⟩ *forbear (from) prosecution;* van iem. ~ *decide not to engage s.o., turn s.o. down;*
II ⟨ov.ww.⟩ **0.1** [te lang bekijken] *see more than enough of* **0.2** [in zijn geheel overzien] *look right across / down / along / over* **0.3** [afkijken] *copy (from)* ⇒*crib (from)* ◆ **1.1** wij hebben er al de aardigheid afgezien *it has lost all its charm for us* **1.2** ⟨fig.⟩ een geval ~ *await developments, wait and see;* ⟨fig.⟩ de kans ~ *await one's chance;* een weg ~ *look down / along a road* **1.3** de kunst van iem. ~ *learn / borrow the trick / art from s.o.* **3.2** in een uur kan men heel wat ~ *you can see a lot in one hour* **4.2** ⟨fig.⟩ het met iets / iem. ~ *be content with sth. / s.o..*
afzienbaar ⟨bn.⟩ **0.1** *surveyable* ⇒*manageable* ◆ **1.1** in / binnen afzienbare tijd *in the near future, within the foreseeable / not too distant future;* een nauwelijks afzienbare vlakte *a plain that extends almost beyond the reach of the eye.*

afzijdig ⟨bn.⟩ **0.1** *aloof* ◆ **1.1** een ~e houding aannemen *adopt an a. attitude / attitude of aloofness* **3.1** zich strikt ~ houden in ruzies *stand severely a. from / take no part in / keep well away from disputes;* zich ~ houden v.d. anderen *keep o.s. apart from the others, not mix with the others;* zich ~ houden van, ~ blijven van *keep / hold / stand a. from.*
afzinken ⟨ov.ww.⟩ **0.1** *sink down.*
afzoeken ⟨ov.ww.⟩ **0.1** *search* ⇒ ⟨bos ook⟩ *beat, scour* ⟨streek⟩ ◆ **1.1** de horizon ~ (met de blik) *scan the horizon (with the eyes)* **4.1** alles ~ *look / search high and low, look / search all over the place* **6.1** de agenten zochten het hele huis af naar drugs *the police(men) searched the whole house for drugs.*
afzoenen ⟨ov.ww.⟩ **0.1** [door zoenen goedmaken] *kiss away* **0.2** [door zoenen wegnemen] *kiss away* **0.3** [veelvuldig zoenen] *kiss a lot* ◆ **1.1** (bij een kind) de pijn ~ *kiss the pain away;* een ruzie / onenigheid ~ *kiss away a quarrel / disagreement* **1.2** de tranen van iemands wangen ~ *kiss away the tears from s.o.'s cheeks* **4.1** het ~ *kiss and be friends (again)* **4.3** elkaar ~ *cover each other with kisses.*
afzonderen
I ⟨ov.ww.⟩ **0.1** [op een afzonderlijke plaats zetten] *separate (from)* ⇒ *single out* **0.2** [apart zetten en houden] *isolate* ⇒*segregate, place / set apart* **0.3** [met een schot afscheiden] *partition off* **0.4** [uit een mengsel / verbinding afscheiden] *separate* ⇒*isolate* **0.5** [apart nemen voor een doel] *put / set aside* ◆ **1.2** zijn kinderen ~ *i. one's children;* de zieke koeien ~ *i. the sick cows* **1.5** een bedrag ~ *set aside / earmark an amount* **4.6** metaal uit erts ~ *s. / isolate metal from ore;*
II ⟨wk.ww.; zich~⟩ **0.1** [mbt. personen] *separate / seclude o.s. (from)* ⇒*retire / withdraw (from)* **0.2** [mbt. zaken] *separate (out)* ◆ **3.1** ik kan me nergens ~ *I've no privacy, I can't find privacy anywhere* **5.1** hij zondert zich graag af *he's withdrawn / a withdrawn person, he keeps (himself) to himself* **6.1** ⟨fig.⟩ zich in de geest ~ *withdraw into o.s.;* zich van een gezelschap ~ *separate / detach o.s. from a party;* zich van de wereld ~ *seclude o.s. / retire / withdraw from the world.*
afzondering ⟨de (v.)⟩ **0.1** [handeling] *separation* ⇒*isolation, seclusion* **0.2** [toestand] *isolation* ⇒*seclusion* ◆ **1.1** ~ v.d. besmettelijke zieken v.d. anderen is noodzakelijk *isolation / separation of the contagious patients / diseases from the others is imperative / essential* **2.2** in strikte / strenge ~ *in close confinement / strict i.* **6.2** in ~ leven / zijn dagen doorbrengen *live in / spend one's days in seclusion, lead a secluded / withdrawn / hermit's life;* ⟨jur.⟩ gevangenisstraf in ~ ondergaan *serve one's sentence in solitary confinement.*
afzonderlijk
I ⟨bn.⟩ **0.1** [op zichzelf staande / beschouwd] *separate* ⇒*individual, single* **0.2** [bestemd voor een bijzonder doel] *separate* **0.3** [niet gezamenlijk gedaan / geuit] *private* **0.4** [eigenaardig] *special* ◆ **1.1** de keuze wordt aan de ouders van ieder ~ kind overgelaten *the choice is left to the parents of each individual child* **1.2** ~e scholen voor protestanten en katholieken *s. schools for protestants and catholics;* het bestuur heeft een ~ vergaderlokaal *the board has a s. / its own meeting room* **1.2** een ~ gesprek *a p. interview;* ~ onderwijs *p. teaching;* een ~ verdrag *a separate treaty;* ⟨jur.⟩ een ~ verhoor *a separate interrogation;*
II ⟨bw.⟩ **0.1** [alleen] *apart* ⇒*separately, singly, individually* ◆ **3.1** (met) iem. ~ spreken *speak to s.o. individually / privately;* een geschrift ~ uitgeven *publish a paper separately;* de kleintjes zitten ~ *the little ones are sitting a. / on their own.*
afzuigen ⟨ov.ww.⟩ **0.1** [door zuigen verwijderen] *extract / remove (by suction)* ⇒ ⟨tech.⟩ *exhaust* **0.2** [seksueel bevredigen] *suck off* ⇒*go down on,* ⟨AE ook⟩ *blow* ◆ **1.2** iem. ~ *suck s.o. off, give s.o.a blow-job.*
afzuigkap ⟨de⟩ **0.1** *extractor (hood)* ⇒ ⟨in fabriek⟩ *exhaust hood.*
afzuigmethode ⟨de (v.)⟩ **0.1** *vacuum method* ⟨abortus⟩.
afzwaaien
I ⟨onov.ww.⟩ **0.1** [⟨mil.⟩] †*be discharged* ⇒ †*leave the service,* ⟨BE ook⟩ *go back to civvy street* **0.2** [zich zwaaiend verwijderen] *sway (off)* ◆ **1.2** de dronken vent zwaaide de brug af *the drunken chap / fellow swayed / staggered off across the bridge;*
II ⟨ov.ww.⟩ **0.1** [met een zwaai afrukken] *rip off.*
afzwaaier ⟨de (m.)⟩ **0.1** [⟨mil.⟩ persoon] *s.o. leaving the service* **0.2** [schot] *hopeless miss* ◆ **3.2** een paar ~s produceren *produce a couple of shots that go wide.*
afzwakken
I ⟨ov.ww.⟩ **0.1** [zwakker maken] *weaken* ⇒*mitigate, tone down* ◆ **1.1** de scherpe toon van die brief ~ *soften the sharp tone of that letter, tone down the sharpness of that letter;* een verklaring ~ *qualify a statement;*
II ⟨onov.ww.⟩ **0.1** [zwakker worden, van wind] *subside* ⇒*abate, decrease, slacken.*
afzwakking ⟨de (v.)⟩ **0.1** [zwakker worden, van wind] *decrease / slackening (in)* **0.2** [zwakker maken] *weakening, toning down, qualifying* ⟨argument, mening⟩.
afzwemmen
I ⟨onov.ww.⟩ **0.1** [wegzwemmen] *swim away (from)* **0.2** [de zwemtocht beginnen] *swim off* ⇒*start* **0.3** [stroomafwaarts zwemmen] *swim down* **0.4** [mbt. het zwemdiploma] *take the final swimming test* ◆ **1.2**

hier zullen de mededingers ~ *the competitors will swim off / from here* **1.3** hij wilde de rivier ~ *he wanted to swim down the river* **1.4** morgen moeten de kinderen ~ *the children will have to take the final swimming test tomorrow;*
II ⟨ov.ww.⟩ **0.1** [ten einde zwemmen] *swim* ◆ **1.1** die afstand kun je gemakkelijk ~ *you can easily s. that distance.*

afzwenken ⟨onov.ww.⟩ **0.1** [zijwaarts afslaan] *turn off* **0.2** [zich zwenkend verwijderen] *turn away.*

afzweren
I ⟨ov.ww.⟩ **0.1** [onder ede verwerpen] *forswear* ⇒*abjure, renounce* **0.2** [mbt. een regerend vorst] *abjure* ◆ **1.1** ⟨fig.⟩ de drank / het drinken ~ *swear off drink(ing), take the oath;* ⟨schr.⟩ *renounce drink(ing);* zijn familie / naam ~ *repudiate / disown one's father / name;* zijn geloof / beginselen ~ *fall away from / renounce one's faith / principles;* het kwaad / kwalijke praktijken ~ *f. / renounce evil (practices);* rechten / aanspraken / eisen ~ *renounce rights / claims;* ⟨fig.⟩ de wereld ~ *renounce the world;*
II ⟨onov.ww.⟩ **0.1** [door verzwering afsterven] *fester and atrophy.*

a.g. ⟨afk.⟩ ⟨dram.⟩ **0.1** [als gast] ⟨*guest artist*⟩.

aga ⟨de (m.)⟩ **0.1** *aga* ⇒*agha.*

agaat
I ⟨het⟩ **0.1** [gesteente] *agate;*
II ⟨de (m.)⟩ **0.1** [siersteen] *agate.*

Agalev ⟨het⟩ ⟨afk.⟩ ⟨pol.⟩ **0.1** [Anders Gaan Leven] ⟨≠*the Green Party*⟩.

agamie ⟨de (v.)⟩ **0.1** *agamy.*

agar-agar ⟨de⟩ **0.1** *agar(-agar).*

agave ⟨de⟩ **0.1** *agave.*

agenda ⟨de⟩ **0.1** [notitieboekje] *diary* **0.2** [lijst van te bespreken onderwerpen] *agenda* **0.3** [lijst van ingekomen (post)stukken] *(list of) incoming mail* / ⟨BE ook⟩ *post / items* ⟨enz.⟩ ◆ **6.1** schrijf het maar in je ~ *note it in your d. / memo-book* **6.2** wat staat er voor vanmiddag op de ~? *what will be the business of this afternoon's meeting?, what will appear on this afternoon's agenda?, what have we got to do this afternoon?;* op de ~ staan *come up for discussion, be down for consideration.*

agendapunt ⟨het⟩ **0.1** *agenda item, item on the agenda* ◆ **7.1** alle ~en *all the items / all the business on the agenda.*

agenderen ⟨ov.ww.⟩ **0.1** [een lijst maken van] *list (the (agenda) items)* **0.2** [op de agenda plaatsen] *place / put / enter on the agenda.*

agenesie ⟨de (v.)⟩ ⟨med.⟩ **0.1** *agenesis.*

agens ⟨het⟩ **0.1** [werkende oorzaak of kracht] *agent* **0.2** [⟨schei.⟩] *agent* **0.3** [⟨med.⟩] *agent.*

agent ⟨de (m.)⟩, **-e** ⟨de (v.)⟩ **0.1** [politieagent] *policeman* ⟨m.⟩, *policewoman* ⟨v.⟩ ~ ⟨BE ook⟩ *constable,* ⟨BE; inf.⟩ *bobby* **0.2** [vertegenwoordiger] *agent* **0.3** [iem. in diplomatieke / politieke dienst] *agent* ◆ **1.1** oom ~ *bobby;* ~en van politie *policemen* **1.2** ~ v.d. Nederlandsche Bank *an a. for the 'Nederlandsche Bank';* hoofdagenten en ~en *distributors and dealers* **1.3** een ~ v.d. CIA / BVD / KGB *a CIA / BVD / KGB a.* **2.1** een bereden ~ *a mounted policeman;* een stille ~, een ~ in burger *a plain-clothes policeman* **2.3** een consulair ~ *a consular a.;* een geheim ~, *a secret a., a spy* **9.1** dag ~! *je pesten cop-baiting* **9.1** dag ~! *constable!, officer!.*

agentschap ⟨het⟩ **0.1** [betrekking] *agency* **0.2** [kantoor] *branch (office)* ◆ **1.1** hij heeft het ~ v.d. Volkskrant *he has the a. for the 'Volkskrant'.*

agentuur ⟨de (v.)⟩ **0.1** [betrekking, optreden] *agency* **0.2** [handelsvertegenwoordiging, bedrijf] *agency* ◆ **2.2** dit kantoor heeft verschillende buitenlandse agenturen *this office has several agencies abroad* **3.2** het ~ aannemen / op zich nemen voor *accept / undertake the a. for.*

ageren ⟨onov.ww.⟩ **0.1** *agitate* ⇒*manoeuvre* [A]*maneuver, (carry on a) campaign* ◆ **3.1** gaan ~ tegen *start an agitation against* **5.1** openlijk gaan ~ tegen *take open action against* **6.1** tegen iemands verkiezing / plannen ~ *manoeuvre against s.o.'s election / plans;* tegen iem. ~ *(carry on / lead a) campaign against s.o.;* ⟨jur.⟩ *bring an action against s.o.;* er werd sterk geageerd voor *there was a strong agitation for* **¶.1** achter de schermen ~ *pull strings, campaign behind the scenes.*

agglomeraat ⟨het⟩ **0.1** [opeenhoping] *agglomerate, conglomerate* ⇒*agglomeration* **0.2** [⟨geol.⟩] *agglomerate* ◆ **6.1** het is een ~ **van** mensen uit allerlei landen *it is a.g. of people from all kinds of countries.*

agglomeratie ⟨de (v.)⟩ **0.1** [uitwendige aanzetting / opeenhoping] *agglomerate* ⇒*agglomeration* **0.2** [steden en voorsteden] *conurbation* ⇒*conglomerate* ◆ **1.2** de ~ van Brussel *the Brussels conurbation / conglomerate.*

agglutinatie ⟨de (v.)⟩ **0.1** [samenklontering] *agglutination* **0.2** [⟨taal.⟩] *agglutination.*

agglutineren
I ⟨ov.ww.⟩ **0.1** [doen samenklonteren] *agglutinate* ◆ **1.1** ⟨taal.⟩ ~de talen *agglutinative / agglutinate languages;*
II ⟨onov.ww.⟩ **0.1** [samenklonteren] *agglutinate* ◆ **1.1** ~de rode bloedlichaampjes *agglutinating red blood corpuscles.*

agglutinine ⟨de (v.)⟩ **0.1** *agglutinin.*

agglutinogeen ⟨het⟩ ⟨biol.⟩ **0.1** *agglutinogen.*

aggravatie ⟨de (v.)⟩ **0.1** *aggravation.*

aggregaat ⟨het⟩ **0.1** [vereniging, ophoping] *aggregate* ⇒*combination* **0.2** [⟨bodemkunde⟩] *aggregate* **0.3** [⟨geol.⟩] *aggregate* **0.4** [toeslagstof bij betonbereiding] *aggregate* **0.5** [samenstel van werktuigen] *set* ⇒*unit.*

aggregaatstoestand →*aggregatietoestand.*

aggregatie ⟨de (v.)⟩ **0.1** [samenvoeging] *aggregation* **0.2** [⟨plantk.⟩] *aggregation* **0.3** [opneming in een lichaam / stand] *admission (to)* **0.4** [⟨AZN⟩ onderwijsbevoegdheid] *teaching qualification* ⇒*qualification as a (secondary school) teacher* ◆ **6.3** de ~ van baron A. in de orde *the a. of Baron A. to the order.*

aggregatietoestand ⟨de (m.)⟩ ⟨nat.⟩ **0.1** *state of aggregation* ⇒*physical condition / state.*

agile ⟨bw.⟩ ⟨muz.⟩ **0.1** *agilmente* ⇒*agilement.*

agio ⟨het⟩ ⟨hand., geldw.⟩ **0.1** *premium* ⇒*agio* ◆ **3.1** ~ doen *be / stand at a p.;* 10% ~ doen *be quoted at a p. of 10 per cent.*

agiobonus ⟨de (m.)⟩ **0.1** *capitalized share, premium reserve.*

agioreserve ⟨de⟩ **0.1** *share premium reserve.*

agioteren ⟨onov.ww.⟩ **0.1** *speculate in stock exchange securities / foreign exchange* ⇒⟨AE; pej.⟩ *be a stockjobber.*

agioteur ⟨de (m.)⟩ **0.1** *agio-jobber* ⇒*stock-gambler,* ⟨AE; pej.⟩ *stockjobber.*

agitatie ⟨de (v.)⟩ **0.1** [opwinding] *agitation* ⇒*excitement* **0.2** [onrust] *agitation* ⇒*commotion, unrest* **0.3** [het agiteren] *agitation* ◆ **3.2** ~ voeren / drijven *agitate* **6.1** de uitslag zorgde voor enige ~ **onder** de toeschouwers *the outcome caused some excitement among the spectators* **6.2** ten gevolge van de staking nam de ~ **onder** de bevolking snel toe *as a result of the strike the a. among the population rapidly increased.*

agitator ⟨de (m.)⟩ **0.1** [persoon] *agitator* **0.2** [trommel voor het vervoer van betonspecie] *truck mixer* ◆ **2.1** een communistisch ~ *an agitprop.*

agiteren
I ⟨ov.ww.⟩ **0.1** [in een staat van opwinding brengen] *agitate* ⇒*excite, (a)rouse* ◆ **3.1** geagiteerd zijn *be in a flutter;*
II ⟨onov.ww.⟩ **0.1** [onrust stoken] *agitate.*

agitprop ⟨de⟩ **0.1** *agitprop.*

agnaten ⟨zn.mv.⟩ **0.1** *agnates.*

agnatisch ⟨bn.⟩ **0.1** *agnate, agnatic.*

agnitie ⟨de (v.)⟩ **0.1** *agnition.*

agnosie ⟨de (v.)⟩ **0.1** [onwetendheid] *ignorance* **0.2** [overmogen om zintuigindrukken te herkennen] *agnosis* ⇒*agnosia.*

agnost →*agnosticus.*

agnosticisme ⟨het⟩ ⟨fil.⟩ **0.1** *agnosticism.*

agnosticus ⟨de (m.)⟩ **0.1** *agnostic.*

agnostisch ⟨bn., bw.; -(al)ly⟩ **0.1** *agnostic(al).*

agogentaal ⟨de⟩ ⟨iron.⟩ **0.1** *sociological jargon.*

agogie ⟨de (v.)⟩ **0.1** *social science relating to the promotion of personal, social and cultural welfare.*

agogiek ⟨de (v.)⟩ **0.1** [⟨muz.⟩] *agogics* **0.2** [systeem mbt. agogie] *theory of 'agogie'* ⟨zie aldaar⟩.

agogisch ⟨bn., bw.; -ally⟩ **0.1** [⟨muz.⟩] *agogic* **0.2** [mbt. agogie] *relating to 'agogie'.*

agologie ⟨de (v.)⟩ **0.1** *theory of social work.*

agologisch ⟨bn., bw.⟩ **0.1** *relating to social welfare.*

agonie ⟨de (v.)⟩ **0.1** *agony.*

agoog ⟨de (m.)⟩ **0.1** *student of / expert in 'agogiek'.*

agorafobie ⟨de (v.)⟩ **0.1** *agoraphobia.*

agrafe ⟨de⟩ ⟨med.⟩ **0.1** *suture clips / staples.*

agrafie ⟨de (v.)⟩ **0.1** *agraphia.*

agrariër ⟨de (m.)⟩ **0.1** *farmer.*

agrarisch ⟨bn.⟩ **0.1** [mbt. de landbouw(ers)] *agrarian* ⇒*agricultural, farming* **0.2** [mbt. het landbezit] *agrarian* ⇒*land(ed)* ◆ **1.1** de ~e bevolking *the agrarian / farming community;* ~e school *school of agriculture;* ~ waarde *agricultural value* **1.2** ~e belangen *landed interests;* ~ recht *a. law;* ~e wetten *land laws.*

agreatie ⟨de (v.)⟩ **0.1** [goedkeuring] *approval* ⇒*approbation,* ⟨diplomaten⟩ *accreditation* **0.2** [⟨hand.⟩] *approval* ◆ **6.2** verkopen / leveren **op** ~ *sell / deliver on a..*

agressie ⟨de (v.)⟩ **0.1** [aantasting met geweld] *aggression* **0.2** [vijandelijke aanval] *aggression* ⇒*attack* ◆ **1.1** een daad van ~ *an act of a., an aggressive act* **3.1** een boel ~ opwekken *provoke a great deal of a.* **¶.1** hij kan zijn ~ niet kwijt *he has no outlet for his a. / aggressivity.*

agressief ⟨bn., bw.; -ly⟩ **0.1** [aanvallend] *aggressive* ⇒*offensive* **0.2** [een conflict riskerend] *aggressive* ⇒*militant, bellicose* **0.3** [bijtend] *corrosive* ⇒*caustic, abrasive* ◆ **1.1** ⟨fig.⟩ agressieve verkooptechniek *forceful marketing;* ⟨inf.⟩ *hard sell;* ⟨fig.⟩ een agresieve verkoper *a forceful salesman* **1.3** agressieve chemicaliën *corrosive chemicals* **2.1** een agressieve oorlog *a war of aggression,* an offensive war **2.2** een agressieve politiek voeren *pursue an a. / militant / bellicose policy* **3.1** ~ worden / doen *cut up rough, turn nasty* **3.2** zij reageert altijd zo ~ *she always reacts in such an a. way.*

agressieveling ⟨de (m.)⟩ **0.1** *thug* ⇒*roughneck, tough.*

agressiviteit ⟨de (v.)⟩ **0.1** [het agressief zijn] *aggression* ⇒*belligerence,* *militancy* **0.2** [geneigdheid tot agressie] *aggressivity, aggressivenes* ⇒ *bellicosity.*

agressor ⟨de (m.)⟩ **0.1** *aggressor* ⇒*attacker.*

agricultuur ⟨de (v.)⟩ **0.1** *agriculture.*

A-griep ⟨de⟩⟨med.⟩ **0.1** *Asian/Asiatic flu.*

agrobiologie ⟨de (v.)⟩ **0.1** *agrobiology.*

agrochemie ⟨de (v.)⟩ **0.1** *agricultural chemistry* ⇒*soil chemistry.*

agrogeologie ⟨de (v.)⟩ **0.1** *agricultural geology* ⇒*agrogeology.*

agro-industrie ⟨de (v.)⟩ **0.1** *agricultural/farming industry.*

agrologie ⟨de (v.)⟩ **0.1** *agrology* ⇒*pedology, soil science.*

agroloog ⟨de (m.)⟩, **-loge** ⟨de (v.)⟩ **0.1** *agrologist* ⇒*pedologist, soil scientist.*

agronomie ⟨de (v.)⟩ **0.1** *agronomy* ⇒*agronomics.*

agronomisch ⟨bn.⟩ **0.1** *agronomic(al)* ◆ **1.1** een~e kaart *an a./a soil map.*

agronoom ⟨de (m.)⟩, **-nome** ⟨de (v.)⟩ **0.1** *agronomist* ⇒*agriculturist.*

A.G.V. ⟨de (v.)⟩⟨afk.⟩⟨comp.⟩ **0.1** [Automatische Gegevens-Verwerking] *A.D.P..*

ah¹ ⟨het⟩ **0.1** *ah.*

ah² ⟨tw.⟩ **0.1** *ah, oh.*

aha¹ ⟨het⟩ **0.1** *aha.*

aha² ⟨tw.⟩ **0.1** *aha.*

aha-erlebnis ⟨de (v.)⟩ **0.1** [⟨psych.⟩] *aha-experience* **0.2** [plotseling inzicht in een probleem] *sudden insight.*

a.h.d. ⟨afk.⟩ **0.1** [ad hoc deputatus] *ad hoc* ◆ **1.1** de ambassadeur~ *the ad hoc/special envoy/ambassador.*

ahob ⟨de (m.)⟩⟨verkeer⟩ **0.1** *(automatic) half-barrier level crossing.*

ahoi ⟨tw.⟩⟨gesch.⟩ **0.1** *ahoy.*

ahorn ⟨de (m.)⟩ **0.1** *maple.*

ahornsiroop ⟨de⟩ **0.1** *maple syrup.*

ahum ⟨tw.⟩ **0.1** *hah.*

A.H.V. ⟨zn.mv.⟩⟨afk.⟩ **0.1** [Algemene Handelsvoorwaarden] ⟨*General /Standard Conditions of Trade/Business Conditions*⟩.

a.h.w. ⟨afk.⟩ **0.1** [als het ware] ⟨*as it were*⟩.

ai¹

　I ⟨de (m.)⟩ **0.1** [dier] *ai* ⇒*three-toed sloth;*
　II ⟨het⟩ **0.1** [geluid] ⟨pijn⟩ *ouch, ow, oh;* ⟨verdriet⟩ *ai, ah, oh.*

ai² ⟨tw.⟩ **0.1** ⟨pijn⟩ *ouch, ow, oh;* ⟨verdriet⟩ *ai, ah, oh* ◆ **¶.1** ~!, dat was maar net mis *oops! that was a close shave.*

a.i. ⟨afk.⟩ **0.1** [ad interim] ⟨*temporary, ad interim, pro tem*⟩ **0.2** [alles inbegrepen] ⟨*all in(cluded), inclusive*⟩ ◆ **1.1** de minister van defensie ~ *the acting Minister of Defence.*

aide de camp ⟨de (m.)⟩⟨mil.⟩ **0.1** *aide-de-camp* ⇒*aide.*

aide-de-cuisine ⟨de (m.)⟩ **0.1** *chef's assistant* ⇒*kitchen boy.*

aide-mémoire ⟨de⟩ **0.1** [kort diplomatiek briefje] *aide-mémoire* ⇒*memorandum* **0.2** [korte nota/handleiding] *aide-mémoire* ⇒*memorandum* **0.3** [geheugensteuntje] *aide-mémoire* ⇒*reminder.*

aigrette ⟨de⟩ **0.1** [versiering] *aigrette, aigret* ⇒*spray* ⟨diamanten⟩, *plume* ⟨veren⟩ **0.2** [vogel] *little egret.*

aikido ⟨de⟩ **0.1** *aikido.*

aileron ⟨de (m.)⟩⟨luchtv.⟩ **0.1** *aileron* ⟨vliegtuigvleugel⟩ ⇒*elevator* ⟨vliegtuigstaart⟩.

aimabel ⟨bn.⟩ **0.1** *amiable* ⇒*congenial, friendly, sociable.*

air ⟨het⟩ **0.1** *air, look* ⇒*appearance,* ⟨verwaandheid⟩ *airs,* ⟨gedrag⟩ *demeanour* ◆ **3.1** zich het~ geven van *assume/take on/give o.s. an air of;* zich~s/een~ geven *give o.s. airs, think o.s. the Queen of Sheba;* een~ hebben van ik-weet-het-wel *wear a knowing air;* ~s krijgen, te veel~s hebben *get above o.s., have too much side, act high and mighty;* hij neemt een~ aan alsof hij een autoriteit is *he gives himself airs as if he were an authority* **6.1** met het~ van *with the air/look/demeanour of.*

airconditioning ⟨de (v.)⟩ **0.1** [regeling van temperatuur] *air-conditioning* **0.2** [installatie] *air-conditioning* ⇒⟨klein ook⟩ *air-conditioner* ◆ **3.2** de~ inschakelen *switch on the air-conditioning.*

airpot ⟨de (m.)⟩ **0.1** *pump thermos.*

ais ⟨de⟩⟨muz.⟩ **0.1** *A sharp.*

ajakkes ⟨tw.⟩ **0.1** *gad!* ⇒⟨niet vero.⟩ *bah!, pah!,* ⟨mbt. eten ook⟩ *yech!,* [B]*yuk,* [B]*ugh* ◆ **¶.1** ~wat ben jij gierig *g., you're so stingy!;* ~wat is dat bitter *g.; what a bitter taste!.*

ajam ⟨de⟩ **0.1** *chicken.*

ajour¹ ⟨het⟩ **0.1** *openwork, ajour* ⇒*fag(g)ot, cutwork.*

ajour² ⟨bw.⟩ **0.1** *(in) openwork* ◆ **2.1** een~bewerkte zoom *an o./faggotted hem.*

ajourrand ⟨de (m.)⟩ **0.1** *openwork border; punching* ⟨van leer⟩.

ajoursteek ⟨de (m.)⟩ **0.1** *faggot stitch.*

ajourwerk ⟨het⟩ **0.1** *drawn-thread work, drawnwork, openwork.*

aju(us) ⟨tw.⟩⟨inf.⟩ **0.1** *bye(-bye)* ⇒*see you,* ⟨BE ook⟩ *ta-ta, tara.*

akant →*acanthus.*

A-kant ⟨de (m.)⟩ **0.1** *A-side.*

akela ⟨de (m.)⟩ **0.1** *akela* ⇒*cub-mistress* ⟨v.⟩/*-master* ⟨m.⟩.

akelei ⟨de⟩ **0.1** *columbine* ⇒⟨geslacht ook⟩ *akeley.*

akelig

　I ⟨bn.⟩ **0.1** [naar] *unpleasant, nasty* ⇒*miserable, dismal,* ⟨weer ook⟩

dreary, bleak, ⟨spookachtig⟩ *ghastly* **0.2** [onwel] *ill* ⇒*sick, not well,* [B]*badly,* [A]*bad* **0.3** [onaangenaam in de omgang] *unpleasant, nasty* ⇒ *creepy, ugly, weird, horrid* ◆ **1.1** een~ geluid *a dismal sound;* een~ gezicht/beeld *an ugly/a n. sight/picture;* ⟨inf.⟩ *not a pretty sight/picture;* een~ karweitje *a n./an u./a miserable job;* een~ lachje *a ghastly/grim smile;* ~licht *bleak/dreary light;* een~e smaak *an u. taste;* een ~verhaal *a lugubrious story;* een~ voorgevoel *a grim premonition/ sense of foreboding;* ~weer *dreary/n./bleak weather* **1.3** een~wezen *an unpleasant type, a nuisance;* ⟨sterker⟩ *a creep* **3.2** ik voel me zo~*I don't feel well at all* **6.2** ik word er~van *it turns my stomach;* ~van de kiespijn/honger *sick with toothache/hunger;*

　II ⟨bw.⟩ **0.1** [in hoge mate] *greatly, very much* ⇒*mightily, ever so,* [B]*not half* ◆ **2.1** ~bleek *sickly/ghastly pale;* dat was~spannend *that made my hair stand on end, that was dead exciting;* ~zoet *sickly sweet* **5.¶** ⟨inf.; met klemtoon op 'akelig'⟩ niet zo~[B]*not half.*

Aken ⟨het⟩⟨→sprw. 10⟩ **0.1** *Aachen* ⇒*Aix-la-Chapelle.*

aki ⟨de⟩⟨verk.⟩ **0.1** [automatische knipperlicht installatie] *automatic flashing lights (on a level crossing).*

akinesie ⟨de (v.)⟩⟨med.⟩ **0.1** *akinesia* ⇒*akinesis.*

akkefietje →*akkevietje.*

akker ⟨de (m.)⟩ **0.1** [afgeperkt stuk bouwland] *field* ⇒*land,* ⟨vero.⟩ *acre* **0.2** [bouwland tussen twee voren/greppels] *land* ◆ **1.1** ⟨fig.⟩ Gods water over Gods~ laten lopen *let things take their own course, leave well alone* **1.¶** Gods~, de~ der doden *God's acre* **2.1** een onvruchtbaar ~tje *a lazybones, a stayabed* **2.2** een land op brede~s ploegen *plough a field in broad bands* **2.¶** op zijn dooie~tje *dawdling, easy-does-it;* het/iets op zijn dooie~tje doen *take one's time (over it/sth.)* **6.1** een~met tarwe/maïs *a f. of wheat/maize/* [A]*corn, a wheat/maize/* [A]*corn field;* ⟨fig.⟩ berouw/geduld/nederigheid is geen plant die **op** zijn~groeit *repentance/patience/humility is not a word in his vocabulary.*

akkerboterbloem ⟨de⟩ **0.1** *corn buttercup/crowfoot.*

akkerbouw ⟨de (m.)⟩ **0.1** *(arable) farming* ⇒*agriculture.*

akkerbouwbedrijf ⟨het⟩ **0.1** [werkzaamheden] *arable farming* **0.2** [inrichting] *arable farm.*

akkerchampignon ⟨de (m.)⟩ **0.1** *horse mushroom.*

akkerland ⟨het⟩ **0.1** *arable land* ⇒*plough land, tillage.*

akkevietje ⟨het⟩ **0.1** [lastig werk] *chore* **0.2** [karweitje] *(little) job* ⇒ ⟨vnl. AE⟩ *snap* **0.3** [zaakje] *trifle.*

akkoord¹ ⟨het⟩ **0.1** [overeenkomst] *agreement, arrangement* ⇒*settlement,* ⟨koop⟩ *bargain,* ⟨met schuldenaar⟩ *composition* **0.2** [⟨jur.⟩] *deed* ⇒*agreement, contract* **0.3** [⟨muz.⟩] *chord* ◆ **2.1** een stilzwijgend ~a tacit agreement **2.3** een gebroken~ *a broken c., an arpeggio* **3.1** ⟨jur.⟩ een~aanbieden *offer a settlement;* een~aangaan/treffen met *come to an agreement, settle with;* ⟨schuldenaar⟩ *compound with;* tot een~komen, een~bereiken (over iets) *agree ((up)on sth.);* een~ maken/aangaan/sluiten *come to an agreement/arrangement, conclude a bargain* **3.2** het~ondertekenen *sign the agreement/contract/ composition* **6.1** ⟨inf.⟩ het **op** een~je gooien *compromise, strike a bargain* **6.3** ⟨fig.⟩ het~**van** wind en golven *the harmony of wind and waves.*

akkoord² ⟨bn.⟩ **0.1** *agreed* ⇒*correct, all right, OK* ◆ **3.1** ~bevinden *find in order;* ~gaan *agree, be agreeable;* niet~gaan (met) *disagree (with);* de rekening/opgave is~ *the bill/statement is correct* **6.1** ~zijn /gaan met iets *agree to/on sth., go along with sth., be in agreement with sth.,* [A]*agree sth.;* **voor**~tekenen *sign as correct.*

akkoord³ ⟨tw.⟩ **0.1** *OK!, agreed!* ⇒*it's a bargain/deal, done* ◆ **¶.1** ~Van Putten! *(I'll say) amen to that!.*

akoepedie ⟨de (v.)⟩ **0.1** ≠*(speech and) hearing therapy* ⇒*audiotherapy.*

akoepedist ⟨de (m.)⟩ **0.1** *(speech and) hearing therapist* ⇒*audiotherapist.*

akoestiek ⟨de (v.)⟩ **0.1** [geluidsleer] *acoustics* **0.2** [wijze waarop het geluid wordt voortgeplant] *acoustics* ◆ **2.2** de~v.d. zaal is goed *the a. of the hall are good.*

akoestisch ⟨bn.⟩ **0.1** [door het gehoor kenbaar] *acoustic* ⇒*auditory, aural* **0.2** [mbt. de akoestiek] *acoustic* ⇒*sonic* ◆ **1.1** ~e mijn *acoustic /sonic mine;* ~e oriëntatie *acoustic orientation;* ~e signalen *acoustic/ auditory signals* **1.2** een~e gitaar *an a. guitar.*

akoniet ⟨de⟩⟨plantk.⟩ **0.1** *aconite* ⇒*wolfsbane, monkshood.*

aks ⟨de (v.)⟩ **0.1** [bijl] *(broad)axe* [A]*ax* **0.2** [middeleeuws strijdwapen] *(battle-)axe* [A]*ax* ⇒*(broad)axe* [A]*ax.*

akte ⟨de⟩ **0.1** [schriftelijk stuk] ⟨notariële⟩ *deed, (legal) instrument, act;* ⟨koop⟩ *contract;* ⟨oprichting⟩ *charter* **0.2** [diploma, vergunning] ⟨diploma⟩ *certificate, diploma, qualification;* ⟨vergunning⟩ *licence* **0.3** [⟨dram., film.⟩] *act* **0.4** [gebed] *Act* **0.5** [⟨gesch.⟩ staatsstuk] *act, charter* ◆ **1.1** ⟨jur.⟩ ~van beschuldiging *(bill of) indictment, brief;* ~van geboorte/overlijden/huwelijk *birth/death/marriage certificate;* ~ van oprichting ⟨firma⟩ *memorandum of association;* ⟨vereniging⟩ *charter;* ~van overdracht/afstand/vennootschap/verkoop/schenking *deed of conveyance, act of abdication, deed of partnership/sale/ donation;* ~van overlijden opmaken *make entry of a death, register a death* **1.2** ~van bekwaamheid *certificate of competency;* een~M.O. Frans ≠*a secondary school teaching certificate in French* **2.1** een notariële ~ *a notarial deed / act / instrument;* een onderhandse ~ *a private document / act / contract;* een openbare ~ *a public instrument* **3.1** een ~ opmaken *draw up an act / a deed;* ~ opmaken van *make a record of;* een ~ passeren / verlijden *execute / draw up a deed / an act;* (jur.) ~ vragen / verlenen *request / direct that sth. be entered into the records* **3.2** een ~ halen *be awarded a certificate / diploma* **3.¶** ~ nemen van iets *take note of sth.* **5.¶** waarvan ~! *objection / remark!* (enz.) *noted!* **6.1** **bij** ~ overdragen *transfer by deed, deed* **6.2** ~ **voor** de jacht / visserij *hunting / fishing permit / licence* **6.4** een ~ **van** geloof / hoop / liefde / berouw *an A. of Faith / Hope / Charity / Contrition.*

aktentas ⟨de⟩ **0.1** *briefcase* ⇒*document / dispatch case.*

aktentrommel ⟨de⟩ **0.1** *deedbox.*

AKW ⟨de⟩ (afk.) **0.1** [Algemene Kinderbijslagwet] ⟨*General Family Allowances Act*⟩.

al[1] ⟨bw.⟩ **0.1** [⟨tijd⟩] *already;* ⟨in niet-bevestigende zinnen⟩ *yet* **0.2** [⟨als modale bepaling⟩] ⟨zie 5.2⟩ **0.3** [⟨versterking⟩] *all* ⇒*far, much, indeed* **0.4** [⟨toegeving⟩] ⟨zie ¶.4⟩ **0.5** [⟨stopwoord⟩] ⟨zie ¶.5⟩ **0.6** [⟨voortdurendheid⟩] ⟨zie 3.6,5.6⟩ ♦ **1.1** ik heb ~ drie dagen niets / ~ in geen drie dagen iets gegeten *I haven't had anything to eat for / in three days;* ~ een hele tijd *for a long time now;* ~ enige tijd, ~ vanaf juli *for some time past / now, (ever) since July;* ik ben ~ een uur aan het roepen *I've been calling (you) for the last hour* **2.1** als ik het had gedaan, was het ~ klaar geweest *if I had done it, it would have been finished by now;* dat is ~ oud *that's (a.) old* **2.¶** het is ~ laat / duur ⟨enz.⟩ genoeg *it is late / expensive* ⟨enz.⟩ *enough as it is* **3.1** dat dacht ik ~ *I thought as much / so;* daar is hij ~ *there he is (a.);* is zij er ~ (weer)? *has she come (back) a.?;* is het ~ vier uur? *is it four (o'clock) a.?* **3.6** hij sprak ~ lachend *he laughed as he spoke* **3.¶** ik zie het nem ~ doen *I can (just) see him (doing it) now!;* je kunt ze ~ krijgen voor een tientje *you can buy them for as little as ten guilders* **4.¶** en wat ~ niet, en wat ~ nog meer *and all the rest of it;* wie er ~ niet rookt! *who doesn't smoke, nowadays* **5.1** ik heb het altijd ~ geweten *I've known it all along;* hij werkt daar ~ lang *he has been working there for a long time;* hij had ~ lang hier moeten zijn *she should have been here a long time ago, she is long overdue;* nu ~ a. / *as early as this;* dat wist zij toen ~ *she knew it even then / beforehand* **5.2** je kunt er ~ of niet gebruik van maken *you can take it or leave it;* ~ of niet in gezelschap van … *whether or not accompanied by …;* het ~ of niet slagen van … *the success or otherwise of …* **5.3** dat alleen ~ *that alone;* zijn komst is ~ genoeg *just his coming is good enough;* zij doen ook ~ mee *they too are in on it;* zij waren ~ te uitbundig *they were (far) too exuberant / noisy;* ~ te snel / spoedig / voorzichtig ⟨enz.⟩ *(far / a.) too fast / soon / careful* ⟨enz.⟩; hij is niet ~ te snugger / snel *he is not of the cleverest / quickest;* ~ te goed / eerlijk *good / honest to a fault;* ze weten het maar ~ te goed *they know only too well;* hij had het toch ~ moeilijk *he had enough problems as it was* **5.6** zij kwamen ~ nader en nader *they kept coming closer and closer (all the time)* **5.¶** vertel me waar je zo ~ geweest bent *tell me where you've been* **6.1** ~ in '82, ~ **voor** '82 *as early as '82, even before '82* **¶.1** daar heb je het ~ *there you are, I told you so, don't say I didn't warn you* **¶.4** als / zo hij ~ rijk wordt, gelukkig wordt hij niet *he may get rich this way, but he won't be happy;* ze zei heel weinig, als ze ~ wat zei *she said very little, if anything;* dat lijkt er ~ meer op, dat is ~ beter *that's more like it* **¶.5** daar zaten zeven kikkertjes ~ in de boerensloot *seven little frogs, sitting in a ditch* **¶.¶** ~ naar (gelang) *depending (on).*

al[2] ⟨onb.vnw.⟩ ⟨→sprw. 159⟩ **0.1** [mbt. de hele hoeveelheid / omvang] *all* ⇒*whole* **0.2** [mbt. een onderdeel] *all (of)* ♦ **1.1** ik geloof ~ zijn leven *I firmly believe;* met ~ zijn macht *with a. his might;* ~ het mijne *a. that is mine, my a.;* ~ de moeite *a. (of our / their) trouble;* ~ het vlees *a. (of) the meat* **1.2** het is niet ~ goud wat er blinkt *all that glitters is not gold* **4.1** hij was één en ~ oor *he was a. ears;* het was één en ~ ellende op t.v. *the TV showed nothing but misery / disaster;* dit is ~ wat ik kan doen *that is a. / the most I can do* **4.2** zij gelooft ~ wat hij zei *she believes everything he says;* wie ~ those who, anyone who, whoever; ⟨schr.⟩ *whosoever* **6.1** ~ **met** ~ *a. in a.* **7.1** het Al *the Universe* **¶.1** met schil en ~ opeten *eat (sth.) peel and a.;* eind goed, ~ goed *a. 's well that ends well.*

al[3] ⟨hoofdtelw.⟩ **0.1** *all (of)* ⇒⟨alle afzonderlijke⟩ *every, each* ♦ **1.1** ~ zijn gedachten *his every thought;* ~ die jaren *all these years;* ~ de kinderen *all (of) the children;* ~ de mensen *all the people;* (gehele mensheid) *all mankind.*

al[4] ⟨vw.⟩ **0.1** *though, although* ⇒*even though / if,* ⟨schr.⟩ *albeit (that)* ♦ **¶.1** ~ ben ik arm, ik ben gelukkig *I may be poor, but I'm happy;* ~ zeg ik het zelf *if / t. I say so myself;* ~ studeert hij hard, hij zal toch zakken *for all his studying he will fail;* ~ was het maar om hem te pesten *if only to annoy him;* het is duidelijk, ~ is het moeilijk *it is clear, if difficult;* ~ was het alleen maar omdat *if only because;* ~ het erg bad as / t. *it is / may be;* ik deed het niet, ~ kreeg ik een miljoen *I wouldn't do it for a million* / ⟨inf.⟩ *for all the tea in China.*

al. ⟨afk.⟩ **0.1** [alinea] *par..*

alaaf 0.1 *'alaaf'* ⟨*greeting at Carnival*⟩.

à la minute ⟨bw.⟩ **0.1** *at a moment's notice* ⇒*at once.*

alarm ⟨het⟩ **0.1** [noodsein] *alarm* ⇒*alert, call* **0.2** [alarmtoestand] *alarm* ⇒*alert, emergency,* ⟨bom⟩ *scare* **0.3** [opschudding] *uproar* ⇒*tumult, alarum* **0.4** [alarminstallatie] *alarm* ♦ **2.1** groot ~ *full / red alert;* ⟨fig.⟩ loos ~ slaan *cry wolf;* loos / vals ~ *fals alarm* **2.4** een stil ~ *a silent a.* **3.1** ~ roepen / schreeuwen *raise / call the alarm;* ~ slaan / blazen / geven *give / raise / sound the alarm* **3.4** het ~ in- / uitschakelen *set / switch off the a.* **6.2** tijdens het ~, **bij** ~ *during the alarm / alert, in case of alarm / alert* **6.3** iedereen verkeerde **in** ~ *everybody was in an u..*

alarmcentrale ⟨de⟩ **0.1** *emergency centre* ⇒*(general) emergency number.*

alarmeren ⟨ov.ww.⟩ **0.1** [door alarm oproepen] *alert* ⇒*call out, warn* **0.2** [in opschudding brengen] *alarm* ⇒*startle, frighten, disturb* ♦ **1.1** de brandweer ~ *call (out) the fire brigade;* de troepen ~ *a. / call out the troops* **1.2** ~ de berichten *disturbing messages;* (overdreven) ~ d gedoe *scaremongering.*

alarminstallatie ⟨de (v.)⟩ **0.1** *alarm (system / device / mechanism)* ⇒ ⟨tegen diefstal⟩ *burglar alarm,* ⟨tegen brand⟩ *fire alarm.*

alarmklok ⟨de⟩ **0.1** *alarm bell* ⇒*tocsin* ♦ **3.1** ⟨fig.⟩ de ~ luiden *sound / raise the alarm.*

alarmkreet ⟨de (m.)⟩ **0.1** *cry of alarm* ⇒*warning cry, hue and cry,* ⟨wapenkreet⟩ *war cry.*

alarmnummer ⟨het⟩ **0.1** *emergency number.*

alarmpistool ⟨het⟩ **0.1** *alarm gun.*

alarmsignaal ⟨het⟩ **0.1** *alarm* ⇒*alert,* ⟨fig.⟩ *tocsin.*

alarmsysteem ⟨het⟩ **0.1** *alarm (system)* ⇒ ⟨tegen diefstal⟩ *burglar alarm,* ⟨tegen brand⟩ *fire alarm.*

alarmtoestand ⟨de (m.)⟩ **0.1** *(state of) emergency* ⇒*(general) alert* ♦ **3.1** de ~ afkondigen *give the alert, proclaim a state of emergency;* de ~ opheffen *signal the end of the alert, give the all clear (signal).*

Albaans ⟨bn.⟩ **0.1** *Albanian.*

Albanees

I ⟨de (m.)⟩ **0.1** [bewoner] *Albanian;*

II ⟨het⟩ **0.1** [taal] *Albanian.*

Albanië ⟨het⟩ **0.1** *Albania.*

albast ⟨het⟩ **0.1** *alabaster* ♦ **2.1** gewoon ~ *(ordinary) a.;* oosters ~ *oriental a..*

albasten ⟨bn.⟩ **0.1** *alabaster* ⟨ook fig.⟩ ♦ **1.1** het ~ voorhoofd *the a. brow.*

albatros ⟨de (m.)⟩ **0.1** *albatross.*

albe ⟨de⟩ (r.k.) **0.1** *alb.*

albedil ⟨de (m.)⟩ **0.1** *busybody* ⇒*meddler,* ⟨criticaster⟩ *faultfinder, quibbler, nitpicker.*

albinisme ⟨het⟩ **0.1** *albinism.*

albino ⟨de (m.)⟩ **0.1** *albino.*

Albion ⟨het⟩ **0.1** *Albion* ♦ **2.1** het perfide ~ *perfidious A..*

album ⟨het⟩ **0.1** [verzamelalbum] *album* **0.2** [herinneringsalbum] *album* ⇒*scrapbook* **0.3** [feestbundel] *festschrift* **0.4** [boek met gedrukte muziek / platen] *album* **0.5** [grammofoonplaat plus hoes] *(record) album.*

albuminaat ⟨het⟩ ⟨bioch.⟩ **0.1** *albuminate.*

albumine ⟨de⟩ **0.1** *albumin.*

alchemie ⟨de (v.)⟩ **0.1** *alchemy.*

alchemisme ⟨het⟩ **0.1** *alchemy.*

alchemist ⟨de (m.)⟩ **0.1** *alchemist.*

alcohol ⟨de (m.)⟩ **0.1** [destillatieprodukt] *hol* ⇒*ethanol, ethyl alcohol, grain alcohol* **0.2** [drank] *alcohol(ic liquor)* ⇒*spirit(s), drink* **0.3** [⟨schei.⟩] *alcohol* ♦ **2.1** absolute / pure ~ *absolute / pure a.;* gedenatureerde ~ *denatured / industrial a., methylated spirits, meths* **2.2** verslaafd aan ~ *addicted to a.* **2.3** houtgeest is een vergiftige ~ *methanol / wood spirit / wood alcohol is a poisonous a.* **3.2** geen ~ drinken *abstain, be a non-drinker* **6.2** geen ~ **bij** snelverkeer *don't drink and drive;* zonder ~ *non-alcoholic, non-intoxicating;* iets / een drankje **zonder** ~ *a soft / non-alcoholic drink.*

alcoholbestrijding ⟨de (v.)⟩ **0.1** *temperance movement* ⇒ ⟨ihb. in USA⟩ *prohibitionism.*

alcoholgebruik ⟨het⟩ **0.1** *alcohol consumption.*

alcoholgehalte ⟨het⟩ **0.1** *a. content / percentage / level* ⇒ ⟨standaard⟩ *proof* ⟨ong. 50% alcohol⟩ ♦ **6.1** met een ~ **van** 38% *with a 38% a. c., 76 proof.*

alcoholhoudend ⟨bn.⟩ **0.1** *alcoholic* ⇒*intoxicating* ♦ **1.1** ~ e dranken *a. / intoxicating liquor(s) / beverages, spirits,* ⟨vnl. jur.⟩ *intoxicants.*

alcoholica

I ⟨zn.mv.⟩ **0.1** [alcoholische dranken] *spirits* ⇒*alcoholic / intoxicating liquor(s) / beverages,* ⟨vnl. jur.⟩ *intoxicants;*

II ⟨de (v.)⟩ **0.1** [verslaafde vrouw] ⟨→alcoholist⟩.

alcoholicus →alcoholist.

alcoholisch ⟨bn.⟩ **0.1** *alcoholic* ⇒*intoxicating* ♦ **1.1** ~ e dranken *spirits, a. / intoxicating liquor(s) / beverages;* ⟨vnl. jur.⟩ *intoxicants;* ~ e gisting *a. fermentation* **5.1** licht ~ *mildly a.;* niet ~ *non-a. / intoxicating;* een niet ~ drankje *a soft / non-a. drink;* sterk ~ *high-proof.*

alcoholiseren ⟨ov.ww.⟩ **0.1** *alcoholize* ⇒*fortify* ⟨wijn⟩, ⟨vnl. AE; inf.⟩ *spike.*

alcoholisme ⟨het⟩ **0.1** *alcoholism* ⇒*(problem) drinking,* ⟨vnl. scherts.⟩ *dipsomania.*

alcoholist ⟨de (m.)⟩, **-e** ⟨de (v.)⟩ **0.1** *alcoholic* ⇒*(problem) drinker*, ⟨sl.⟩ *lush*, ⟨vnl. scherts.⟩ *dipsomaniac*.

alcoholmeter ⟨de (m.)⟩ **0.1** *alcohol(o)meter*.

alcoholmisbruik ⟨het⟩ **0.1** *alcohol abuse*.

alcoholprobleem ⟨het⟩ **0.1** *alcohol/drink problem*.

alcoholpromillage ⟨het⟩ **0.1** *blood alcohol level/count*.

alcoholspiegel ⟨de (m.)⟩ **0.1** *alcohol level in the blood*.

alcoholtest ⟨de (m.)⟩ **0.1** *alcohol test* ⇒*blood (alcohol) count*, [B]*breathalyzer*, [A]*drunkometer*.

alcoholthermometer ⟨de (m.)⟩ **0.1** *alcohol thermometer*.

alcoholvergiftiging ⟨de (v.)⟩ **0.1** *alcoholic poisoning*.

alcoholvrij ⟨bn.⟩ **0.1** [geen alcohol bevattend] *non-alcoholic* ⇒*non-intoxicating*, *soft* **0.2** [geen alcohol (meer) gebruikend] *dry* ◆ **1.1** ~ bier *near beer;* ~e dranken *n.-a./soft drinks*.

alcomobilisme ⟨het⟩ **0.1** *drunken driving*.

aldaar ⟨bw.⟩ **0.1** *there* ⇒*at/of that place* ◆ **1.1** de bevolking ~ *the local population;* de heer N.N. ~ *Mr. N.N. of that place* **3.1** zie ~ *which see, Q.V.*.

aldehyde ⟨het⟩⟨schei.⟩ **0.1** *aldehyde*.

al dente ⟨bn.⟩⟨cul.⟩ **0.1** *al dente*.

aldine ⟨de (v.)⟩⟨lit., druk.⟩ **0.1** *Aldine*.

aldislamp ⟨de⟩ **0.1** *Aldis (lamp)*.

aldoor ⟨bw.⟩ **0.1** *all along/the time* ⇒*forever, always, again and again, continually* ◆ **3.1** ik ben ~ ziek geweest *I was ill all the time/*[A]*the whole time;* zij dacht ~ dat …*she kept thinking that …;* tijdens de film zat hij ~ pinda's te knabbelen *he was munching peanuts throughout the film;* hij praat ~ als ik wat zeggen wil *he is always talking when I want to say sth.*.

aldra ⟨bw.⟩ ⟨schr.⟩ **0.1** *ere long* ⇒⟨ongemarkeerd⟩ *before long, presently, soon*.

aldrin ⟨het⟩⟨schei.⟩ **0.1** *aldrin*.

aldus ⟨bw.⟩ **0.1** *thus, so* ◆ **1.1** ~ de minister *said the minister* **3.1** ~ geschiedde *and so/thus it happened;* hij stelde het ~ voor: …*he presented it like this:*….

aleatorisch, aleatoir ⟨bn.⟩ **0.1** *aleatory* ⇒⟨kunst⟩ *aleatoric* ◆ **1.1** aleatoir contract *aleatory contract;* een ~e fout *a chance mistake* **1.¶** ~e muziek *aleatoric music*.

aleer ⟨vw.⟩⟨schr.⟩ **0.1** *ere* ⇒⟨ongemarkeerd⟩ *before*.

alert ⟨bn.⟩ **0.1** *alert* ⇒*wakeful, watchful, nimble, sharp-eyed* ◆ **3.1** ~ zijn *be on the alert/on one's toes;* ⟨inf.⟩ *keep one's eyes* [B]*skinned/* [A]*peeled* **6.1** ~ zijn **op** spelfouten *be attentive to/on the look-out for spelling mistakes, have a keen eye for spelling mistakes*.

alexandrijn ⟨de (m.)⟩⟨lit.⟩ **0.1** *alexandrine*.

alexie ⟨de (v.)⟩ **0.1** *alexia* ⇒*wordblindness*.

alf ⟨de (m.)⟩ **0.1** *goblin* ⇒*elf, sprite*.

alfa ⟨de⟩ **0.1** [Griekse letter] *alpha* **0.2** [aanwijzer in verdelingen/systemen] *alpha* **0.3** [⟨school.⟩ richting] ≠*languages*, ≠*humanities*, ≠*arts* **0.4** [⟨school.⟩ leerling] ≠*language/humanities/arts student* **0.5** [ster] *alpha (star)* ◆ **1.¶** ⟨fig.⟩ de ~ en omega van iets *the be-all and end-all/ alpha and omega of sth.;* ⟨bijb.⟩ Ik ben de Alfa en de Omega *I am Alpha and Omega* **2.4** zij is een echte ~ *all her talents are on the language/humanities/arts side, she has no bent/head for sciences* **3.3** ~ doen/kiezen *do/choose l./h./a.*.

alfaatje ⟨het⟩⟨com.⟩ **0.1** *ham (radio enthusiast)*.

alfabet ⟨het⟩ **0.1** [lettertekens v.e. taal] *alphabet* ⇒*ABC* **0.2** [beginselen] *ABC* ⇒*rudiments, elements* ◆ **1.1** alle letters v.h. ~ *all the letters in the alphabet* **1.2** het ~ v.e. wetenschap *the ABC/elements/basics of a science* **2.1** het Griekse/Latijnse ~ *the Greek/Latin/Roman alphabet* **6.1** de boeken staan **op** ~/ **volgens** het ~ *the books are arranged in alphabetical order/in order of the alphabet*.

alfabetisch ⟨bn., bw.; -(al)ly⟩ **0.1** *alphabetical* ⇒*abecedarian*, ⟨zelden⟩ *alphabetic* ◆ **1.1** ~(e) gids/spoorboekje ⟨enz.⟩ *an ABC;* ⟨BE; stratengids ook⟩ *an A to Z;* een ~ register *an alphabetical index;* in ~e volgorde *in alphabetical order, alphabetized, in order of the alphabet* **3.1** de namen zijn ~ gerangschikt *the names have been arranged alphabetically/in alphabetical order*.

alfabetiseren ⟨ov.ww.⟩ **0.1** [alfabetisch rangschikken] *alphabetize* **0.2** [leren lezen en schrijven] *make literate, teach (how) to read and write* ⇒*eliminate illiteracy in* ⟨land⟩.

alfabetisering ⟨de (v.)⟩ **0.1** *teaching (people) how to read and write* ⇒*eliminating illiteracy (in)* ⟨land⟩ ◆ **1.1** de ~ v.h. land is praktisch klaar *the country is now largely literate* **2.1** de voortschrijdende ~ v.d. landen v.d. derde wereld *the increasing literacy rate in the Third World countries*.

alfabetiseringsproject ⟨het⟩ **0.1** *(adult) literacy project/campaign* ⇒*program against illiteracy*.

alfabetisme ⟨het⟩ **0.1** *literacy*.

alfadeeltje ⟨het⟩⟨nat.⟩ **0.1** *alpha particle*.

alfahulp ⟨de⟩ **0.1** [B]*home help*.

alfanumeriek ⟨bn.⟩⟨comp.⟩ **0.1** *alphanumeric(al)* ⇒*alphameric(al)*.

alfareceptor ⟨de (m.)⟩⟨med.⟩ **0.1** *alpha receptor*.

alfastralen ⟨zn.mv.⟩ **0.1** *alpha rays*.

alfawetenschap ⟨de (v.)⟩ **0.1** *arts/humanities subject* ⇒*one of the liberal arts*, ⟨mv.⟩ *humanities, liberal arts*.

alg. ⟨afk.⟩ **0.1** [algemeen] *gen.* **0.2** [algebra] *alg.*.

alg(e) ⟨de⟩ **0.1** *alga*.

algebra ⟨de (v.)⟩ **0.1** [deel v.d. wiskunde] *algebra* **0.2** [les] *algebra (period/lesson/class)* **0.3** [leerboek] *algebra book* ◆ **3.1** ⟨fig.⟩ dat is ~ voor mij *that is Greek to me*.

algebraïsch ⟨bn., bw.; -(al)ly⟩ **0.1** *algebraic(al)* ◆ **1.1** een ~e formule *an algebraic form/expression;* ~e getallen *algebraic numbers* **3.1** een vraagstuk ~ oplossen *solve a problem by means of algebra/algebraically*.

algeheel ⟨bn.⟩ **0.1** *complete* ⇒*total, universal, general* ◆ **1.1** algehele erfgenaam *sole inheritor;* met algehele steun ⟨van allen⟩ *with general/ undivided support;* ⟨van één persoon⟩ *with (my/your* ⟨enz.⟩ *) wholehearted support;* tot algehele tevredenheid *to everyone's satisfaction;* een algehele verandering/omzwenking (in denkbeelden) *a (c.) revolution in thought;* algehele vernietiging *total/general/wholesale destruction;* algehele vrijheid *c. freedom*.

algemeen¹ ⟨het⟩ **0.1** [het geheel v.e. zaak/voorstelling] ⟨zie 6.1⟩ **0.2** [de mensen] *general public* ⇒*public at large, generality* ◆ **1.2** de Maatschappij tot Nut van het ~ *the Society for the Common/Public Good* **6.1 in** het ~ hebt u gelijk *generally/broadly speaking, you're right;* zij zijn **in** het ~ betrouwbaar *they are mostly/usually reliable, they tend to be reliable;* het publiek **in** het ~ *the general public, the public at large, the public in general;* **in/over** het ~ *by and large, as things go, in the main, in general;* **over** het ~ leveren zandgronden weinig op *on (the) average/as a (general) rule, sandy soils are not very productive*.

algemeen²

I ⟨bn., bw.; -ly⟩ **0.1** [publiek, gemeenschappelijk] *public, general* ⇒ *common, popular, universal* **0.2** [voor alle gevallen geldig] *general, universal* ⇒*all-round, global,* ⟨inf.⟩ *across-the-board* **0.3** [het geheel betreffend] *general* ⇒*overall, generic* **0.4** [onbepaald] *general(ized)* ⇒ *broad, vague, indefinite* **0.5** [alledaags, veel voorkomend] *common* ⇒ *everyday, widespread, vulgar* ◆ **1.1** het ~ beschaafd (Nederlands) *(Received) Standard (Dutch);* Algemene Bond van Onderwijzend Personeel ≠*General Teachers Union;* voor ~ gebruik *for/in g. use;* algemene geschiedenis *g. history;* een ~ gesprek *a g. conversation;* met algemene instemming *by common consent;* ~ kies/stemrecht *universal suffrage;* algemene middelen *public funds;* een algemene opstand *a g. rising;* de algemene overtuiging, het ~ gevoelen *the common opinion, the consensus;* een algemene staking *a g. strike;* met algemene stemmen *unanimously;* ⟨schr.; jur.⟩ *nem con;* algemene vergadering *g. assembly/meeting;* algemene verkiezingen *g. elections;* op ~ verzoek *by popular/g. request/demand;* voor het ~ welzijn, in het ~ belang *in the public interest* **1.2** algemene belastingverlaging *all-round/general reduction in taxes;* Algemene Maatregel van Bestuur *(implementing) regulation/ordinance/order;* een algemene regel *a u./general rule;* een algemene wet *a u./general law* **1.3** de algemene aspecten v.e. zaak *the general;* algemene begrippen *general terms/concepts;* de Algemene Beschouwingen (over de begroting) *the Budget Debate;* algemene onkosten *overhead/indirect expenses, overheads;* algemene ontwikkeling *general education/knowledge;* een ~ overzicht *a bird's-eye view, a general survey/* [A]*overview;* in algemene zin *in a general/broad sense, in broad terms* **1.4** iem. met algemene beloften afschepen *put s.o. off with vague promises;* in (te) algemene bewoordingen *in (too) general/indefinite terms, in sweeping terms* **1.5** een algemene misvatting *a c./popular error/misunderstanding* **1.¶** de heer P. is ~ voorzitter *Mr. P. is the general president* **3.1** de teleurstelling/de vreugde was ~ *there was g./universal disappointment/joy* **3.2** ~ maken *universalize, generalize* **3.3** ~ maken *universalize, generalize* **3.5** dat is nu zeer ~ *that is very c./c. practice these days;*

II ⟨bw.⟩ **0.1** [bij/voor iedereen] *generally* ⇒*universally, publicly* **0.2** [op vage wijze] *generally* ⇒*vaguely, broadly* ◆ **1.1** ~ gebruik, ~ in gebruik *in general/universal use, universally used/applied* **2.1** het is ~ bekend *it is common knowledge;* een ~ bekend persoon *a public figure;* deze regel is ~ geldig *this rule is universally applicable/valid* **3.1** een ~ aanvaard feit/aanvaarde waarheid *an accepted fact/admitted truth;* ~ beschouwd worden als *be (publicly) known as;* men vlagde ~ *flags were flown all over the town/country* **3.2** zich (te) ~ uitdrukken *make sweeping statements*.

algemeenheid ⟨de (v.)⟩ **0.1** [generaliteit] *generality* ⇒*universality,* ⟨onnauwkeurigheid⟩ *indefiniteness,* ⟨veel voorkomend zijn⟩ *commonness* **0.2** [vaag gezegde] *commonplace, vague term* ⇒*generality* ◆ **3.2** hij maakt er zich met algemeenheden af *he takes refuge in vague commonplaces* **6.1 in** zijn ~ is dat waar *broadly speaking/by and large, this is true*.

algengroei ⟨de (m.)⟩ **0.1** *algal growth*.

Algerije ⟨het⟩ **0.1** *Algeria*.

Algerijn ⟨de (m.)⟩ **0.1** *Algerian*.

Algerijns ⟨bn.⟩ **0.1** *Algerian*.

algolagnie ⟨de (v.)⟩ **0.1** *algolagnia*.

algoritme ⟨het⟩ **0.1** *algorithm* ⇒*algorism* ◆ **2.1** logisch ~ *logical algorithm*.

algoritmisch ⟨bn.⟩ **0.1** *algorithmic*.

alhier ⟨bw.⟩ **0.1** *in/of this town/city* ⇒*here, local* ◆ **1.1** mevr. de Bruin ~

Mrs. de Bruin of this town; het postkantoor ~ *the local post-office* **3.1** te bevragen ~ *apply within.*

alhoewel ⟨vw.⟩ ⟨schr.⟩ **0.1** *albeit* ⇒*if, although, notwithstanding the fact that,* ⟨vero.⟩ *notwithstanding.*

alias[1] ⟨de (m.)⟩ **0.1** *alias.*

alias[2] ⟨bw.⟩ **0.1** *alias, also/otherwise known as, a.k.a.* ◆ **1.1** de heer J.H. Bruis, ~ *Buikje Mr. J.H. Bruis, a.k.a. 'potbelly'.*

alibi ⟨het, de (m.)⟩ **0.1** [⟨jur.⟩] *alibi* **0.2** [schijnreden] *alibi* ⇒*excuse, pretext* ◆ **3.1** zijn ~ bewijzen *prove/establish one's a., prove o.s. a.;* iem. een ~ bezorgen/geven *cover up for s.o.;* hij had geen ~ *he had no a.* **3.2** hij verschafte zich steeds een ~ om een glaasje te drinken *he always found an excuse to have a drink.*

alibi-Jet ⟨de (v.)⟩ **0.1** *statutory/token woman.*

aliënatie ⟨de (v.)⟩ **0.1** *alienation.*

alignement ⟨het⟩ **0.1** *alignment* ⇒*al(l)ineation.*

alikruik ⟨de⟩ **0.1** *(peri)winkle.*

alimentair ⟨bn.⟩ **0.1** *alimentary.*

alimentatie ⟨de (v.)⟩ **0.1** [toelage] *maintenance allowance/money* ⇒⟨bij scheiding⟩ *alimony, separation allowance* **0.2** [levensonderhoud] *sustenance* ⇒*maintenance, support, aliment(ation).*

alimentatieplicht ⟨de (m.)⟩ **0.1** *maintenance order* ⇒⟨bij scheiding⟩ *obligation to pay alimony.*

alimentatieplichtig ⟨bn.⟩ **0.1** *subject to a maintenance order* ⇒*obliged to pay alimony.*

alinea ⟨de (v.)⟩ **0.1** [nieuwe regel met inspringing] *indented line* ⇒*indentation* **0.2** [tekstgedeelte] *paragraph* **0.3** [deel v.e. reglement] *paragraph* ⇒*(sub)section, clause* ◆ **2.2** een nieuwe ~ beginnen *start a new p.* **7.3** artikel 42,4de ~ *section/article 42, p. 4.*

aliquottonen ⟨zn.mv.⟩ ⟨muz.⟩ **0.1** *aliquot tone.*

a-literair ⟨bn., bw.⟩ **0.1** *a-/anti-/non-literary* ⇒⟨bw.⟩ *in an a-/anti-/non-literary way.*

alk ⟨de⟩ **0.1** *auk* ⇒*razorbill, razorbilled auk* ◆ **2.1** kleine ~ *little a..*

alkaan ⟨het⟩ ⟨schei.⟩ **0.1** *alkane* ⇒*paraffin.*

alkali ⟨het⟩ ⟨schei.⟩ **0.1** *alkali* ⇒*base.*

alkalimetaal ⟨het⟩ ⟨schei.⟩ **0.1** *alkali metal.*

alkalimeter ⟨de (m.)⟩ **0.1** *alkalimeter.*

alkalimetrie ⟨de (v.)⟩ **0.1** *alkalimetry.*

alkalisch ⟨bn., bw.⟩ ⟨schei.⟩ **0.1** *alkaline* ◆ **1.1** ~e reactie *a. reaction.*

alkaliseren ⟨ov.ww.⟩ ⟨schei.⟩ **0.1** *alkalify.*

alkaloïde ⟨het⟩ ⟨schei.⟩ **0.1** *alkaloid.*

alkanna ⟨de⟩ ⟨plantk.⟩ **0.1** *alkanet* ◆ **2.1** valse ~ *dyer's bugloss.*

alkannine ⟨het⟩ **0.1** *alkanet* ⇒*alkannin, anchusin.*

alkenen ⟨zn.mv.⟩ ⟨schei.⟩ **0.1** *alkenes* ⇒*olefin(e)s.*

alkoof ⟨de⟩ **0.1** *alcove* ⇒*bed recess.*

alkylgroep ⟨de⟩ **0.1** *alkyl group.*

alla ⟨tw.⟩ **0.1** [vooruit] *all right* ⇒*let's go* **0.2** [vooruit dan maar] *all right then.*

allah **0.1** *Allah.*

allang ⟨bw.⟩ **0.1** *for a long time* ⇒*a long time ago* ◆ **2.1** ik ben ~ blij dat je er bent *I'm pleased that you're here at all* **3.1** kom maar tevoorschijn, ik heb je ~ gezien ⟨bv. bij verstoppertje⟩ *come on out, I can see you;* zij is de zestig ~ gepasseerd *she is well past sixty;* het is ~ verdwenen *it has disappeared long since, it's long gone;* ik weet ~ wat je van me wilt *I know full well/perfectly well/* ⟨pej. ook⟩ *all too/only too well what you want from me.*

alle[1] ⟨onb.vnw.⟩ ⟨→sprw. 1⟩ **0.1** *all* ⇒*every, each* ◆ **1.1** in ~ ernst *in a. seriousness/sincerity;* met/uit ~ macht iets proberen *try one's utmost;* ⟨inf.⟩ *give it everything one has;* ~ moeite was tevergeefs *every attempt was to no purpose/in vain;* hij had ~ reden om *he had every reason/right to;* te ~n tijde *at any time, always;* ⟨inf.⟩ *anytime;* boven ~ twijfel *beyond a. doubt;* ~ vlees *a. (of) the meat;* voor ~ zekerheid *just in case.*

alle[2] ⟨hoofdtelw.⟩ ⟨→sprw. 270,309,333,364⟩ **0.1** *all* ⇒*every, each,* ⟨mbt. personen, zelfst; ook⟩ *everyone, everybody* ◆ **1.1** ~ bijzonderheden *full details;* zij komt ~ dagen/ ~ veertien dagen langs *she comes/stops by every day/every fortnight;* we gingen ~ kanten op *we went in a. directions/in every direction/all over the place;* van ~ kanten *from a. sides/every side;* ~ leden hebben hun eigen nummer *a. the members have their own number;* ~ mensen! *good heavens!, 'struth!;* in ~r ogen *in the eyes of everybody;* in ~ opzichten *in every way, in a. respects* **3.1** er kwamen veel mensen die ~ iets bijdroegen *a lot of people came, each of whom contributed sth.;* ~n gingen weer naar huis *everyone went (back) home again* **4.1** het verbaasde ~n die het hoorden *it surprised everyone who heard it;* hij is ons ~r vriend *he is a friend to/of a. of us;* zij ~n waren schuldig *they were a. guilty, a. of them were guilty* **6.1** zij aten met zijn ~n *they ate together they at/got through five loaves of bread;* zij gingen met zijn ~n *they went a. together/in a group;* geen van ~n wist het *not one/none of them knew it* **7.1** we sukkelen ~ drie *a. three of us are ill/under the weather;* ~ twee, ja ik heb ze ~ twee gezien *both of them? yes, I saw both of them;* ~ twee haar oorbellen *both (of) her earrings* **¶.1** ~n zonder uitzondering *everyone without exception;* ⟨schr.⟩ *each and every one (of them/us).*

---

allebei ⟨hoofdtelw.⟩ **0.1** [alle twee] *both* ⇒*each* **0.2** [beiden] *both* ◆ **1.1** ~ de kinderen waren bang *both of the children were afraid* **5.1** het was ~ goed geweest *either would have been correct.*

alledaags ⟨bn.⟩ **0.1** [dagelijks] *daily* ⇒*everyday,* ⟨schr.⟩ *quotidian* **0.2** [gewoon] *everyday* ⇒*ordinary, commonplace* ◆ **1.1** de ~e beslommeringen *day-to-day worries/troubles;* de kleine, ~e dingen v.h. leven *the little e. things of life;* ~e koorts *quotidian (fever)* **1.2** een ~ dichter *a banal poet;* ~(e) figuur/schilderijen *ordinary figure/paintings;* een ~ gezicht *an undistinguished face;* ~e taal *e. speech/language;* ~e voorvallen *e./daily occurrences* **4.2** dat is niet iets ~ *that's not exactly commonplace/not an e. occurrence.*

alledaagsheid ⟨de (v.)⟩ **0.1** [het alledaags zijn] *commonplace* ⇒*triviality* **0.2** [⟨mv.⟩ banale gezegden/gevallen] *platitudes* ⇒*banalities.*

alledag ⟨bw.⟩ ⟨inf.⟩ **0.1** *day-to-day* ⇒*everyday, daily* ◆ **3.1** het is ~ hetzelfde *it's the same old thing day in day out* **6.1** het werk van ~ *humdrum work.*

allee ⟨tw.⟩ **0.1** *avenue.*

alleen ⟨→sprw. 92,188,468,655⟩
I ⟨bn., bw.⟩ **0.1** [zonder gezelschap] *alone* ⇒*by o.s., on one's own* **0.2** [zonder hulp] *alone* ⇒*by o.s., on one's own* **0.3** [zonder getuigen] *alone* **0.4** [uitsluitend] *only* ⇒*alone* ◆ **1.1** vrouw/man ~ *single man/woman* **1.4** groente ~ is niet voldoende *vegetables by themselves are not enough;* Jan ~/ ~ Jan heeft zijn werk gemaakt *o. Jan/Jan's the o. one who has done his work;* Jill en ~ Jill *Jill Jill and Jill a.* **3.1** hij is graag ~ *he likes to be a./on his own;* ~ is maar ~ *a. is still a.;* die moeder laat dat kleine kind vaak ~ *the mother often leaves that child on its own;* ~ staan *be on one's own;* ⟨fig.⟩ in die opvatting staat zij ~ *she is quite a. in that opinion;* ⟨fig.⟩ dit geval staat niet ~ *this is not an isolated incident;* ik wil ~ zijn *I want to be a.* **3.2** iem. ~ achterlaten *leave s.o. behind all a.;* dit werk heb ik ~ uitgevoerd *I have done this work a./on my own/unaided;* het ~ klaarspelen *manage it a.;* ~ kan ik het ~ klaarspelen *I can manage it by myself* **3.3** hij wil u ~ spreken *he wants to speak to you a.* **4.1** we hadden de coupé voor ons ~ *we had the carriage all to ourselves* **4.4** ik ~ wens u te spreken *I'm the o. one who wants to talk to you* **5.1** een auto/kamer voor hem ~ *a car/room to himself* **5.1, 5.2** helemaal ~ *all/completely a.* **5.2** helemaal ~ versloeg hij drie man *completely single-handed he overpowered three men* **5.4** enkel en ~ ik *me and me a., me myself and I;* enkel en ~ *simply and solely* **¶.4** ~ in het weekeinde geopend *o. open (at) weekends;*
II ⟨bw.⟩ **0.1** [slechts] *only* ⇒*merely, just* **0.2** [met dit voorbehoud] *only* ⇒*just, but* ◆ **3.1** je kunt daar ~ maar lopend komen *you can o. get there on foot* **5.1** de gedachte ~ al, de naam ~ al *the mere/very thought, the very name;* zijn toezegging ~ al was genoeg *his undertaking was enough in itself;* het opknappen ~ al kost een kapitaal *first fixing (it) up costs a load/lot of money;* ~ al hierom *just because of this;* ik wilde u ~ maar even spreken *I just wanted to talk to you;* al was het ~ maar om/omdat *if o. for (the fact that), if o. with a view to, if for no other reason than;* ~ maar aan zichzelf denken *o. think of o.s.;* dit werk is niet ~ aangenaam, maar ook nuttig *this work isn't just pleasant, it's useful (too);* niet ~ ... maar ook *not o. ... but also* **5.2** ~ al het feit dat ...*the very/mere fact that* **8.1** ~ indien *provided that, providing* **¶.1** zij nemen ~ (maar) vrouwelijk personeel aan *they o. employ women* **¶.2** ik vind dit opstel goed, ~ is het wat langdradig *I think this paper is good, but it's just a little long-winded.*

alleengebruik ⟨het⟩ **0.1** *exclusive use.*

alleenhandel ⟨de (m.)⟩ **0.1** *monopoly.*

alleenheerschappij ⟨de (v.)⟩ **0.1** *absolute power/monarchy/dictatorship* ⇒⟨fig.⟩ *monopoly* ◆ **3.1** de ~ voeren (over) *reign/rule supreme (over), hold absolute sway (over).*

alleenheersend ⟨bn.⟩ **0.1** *autocratic(al).*

alleenheerser ⟨de (m.)⟩ **0.1** *absolute sovereign/ruler/monarch* ⇒*autocrat.*

alleenrecht ⟨het⟩ **0.1** *exclusive right(s)* ◆ **3.1** het ~ van iets verkrijgen *obtain the exclusive right to/on sth..*

alleenspraak ⟨de (v.)⟩ **0.1** [⟨dram.⟩] *soliloquy* **0.2** [monoloog] *soliloquy* ⇒*monologue* ◆ **3.1** een ~ houden *soliloquize.*

alleenstaand ⟨bn.⟩ **0.1** [apart staand] *detached* ⇒*single* **0.2** [afzonderlijk] *isolated* ⇒*unique* **0.3** [mbt. personen] *single* ◆ **1.1** ⟨biol.⟩ ~e bloem *single bloom;* een ~e woning *a d. house* **1.2** een ~ geval, feit *an i. incident/fact* **1.3** een ~e moeder *a s. parent* **6.3** ⟨zelfst.⟩ een dansavond voor ~en *a singles' dance;* ⟨zelfst.⟩ **voor** ~en *for s. persons.*

alleenverdiener ⟨de (m.)⟩ **0.1** *sole wage-earner/* ⟨inf.⟩ *breadwinner* ⇒⟨belastingtechnisch⟩ *single-income household.*

alleenverkoop ⟨de (m.)⟩ **0.1** *sole rights of sale* ⇒*sole distributorship, sole selling rights, monopoly* ◆ **3.1** de ~ hebben *hold/have/possess the sole selling/distribution rights.*

alleenvertegenwoordiger ⟨de (m.)⟩ **0.1** *sole agent* ⇒*sole representative, exclusive distributor.*

alleenvertegenwoordiging ⟨de (v.)⟩ **0.1** *sole selling rights* ⇒*exclusive rights of representation,* ⟨agentschap⟩ *sole agency.*

alleenvertoningsrecht ⟨het⟩ **0.1** *sole exhibition rights.*

alleenwonend ⟨bn.⟩ **0.1** *living alone.*

alleenzaligmakend ⟨bn.⟩ **0.1** *one/only true* (geloof, kerk) ◆ **1.1** ~ middel ⟨vnl. pol.⟩ *nostrum.*

allegaartje ⟨het⟩ **0.1** *mishmash* ⇒*hotchpotch, jumble, medley* ◆ **2.1** het was een raar ~ op dat feest *it was a strange mishmash/weird medley at that party.*

allegatie ⟨de (v.)⟩ **0.1** [aanhaling] *allegation* **0.2** [argument] *allegation.*

allegorie ⟨de (v.)⟩ ⟨lit.; bk.⟩ **0.1** *allegory.*

allegorisch ⟨bn., bw.; -ly⟩ **0.1** *allegorical* ◆ **1.1** ~e personen *a. figures/ personifications;* ~e poëzie *a. poetry;* ~e uitlegging van de bijbel *a. interpretation of the Bible.*

allegretto¹ ⟨het⟩ ⟨muz.⟩ **0.1** *allegretto.*

allegretto² ⟨bw.⟩ ⟨muz.⟩ **0.1** *allegretto.*

allegro¹ ⟨het⟩ **0.1** [⟨muz.⟩] *allegro* **0.2** [balletoefening] *allegro.*

allegro² ⟨bw.⟩ ⟨muz.⟩ **0.1** *allegro.*

allehens ⟨onb.vnw.⟩ ⟨scheep.⟩ **0.1** *all hands* ◆ ¶**.1** ~ aan dek *all hands on deck.*

allejezus ⟨bw.⟩ **0.1** *dam(n).*

alleluja¹ ⟨r.k.⟩
 I ⟨het⟩ **0.1** [juichkreet] *alleluia* ⇒*hallelujah* **0.2** [loflied] *alleluia* ⇒*hallelujah;*
 II ⟨de⟩ **0.1** [deel v.d. mis] *alleluia.*

alleluja² ⟨tw.⟩ ⟨r.k.⟩ **0.1** *alleluia* ⇒*hallelujah.*

allemaal¹ ⟨bw.⟩ ⟨inf.⟩ **0.1** *all* ⇒*only* ◆ **1.1** hij zag ~ beestjes *a. he saw was little creatures, he saw little creatures everywhere.*

allemaal² ⟨telw.⟩ **0.1** *all* ⇒ ⟨mensen⟩ *everybody, everyone,* ⟨dingen⟩ *everything,* ⟨inf.⟩ *the (whole) lot* ◆ **1.1** beste/leukste van ~ *best/funniest/* ⟨AE; inf.⟩ *neatest of a.;* ~ hufters *boors, the lot of them;* ~ onzin *a. nonsense, poppycock* **4.1** ik hou van jullie ~ *I love you a.;* zoals jullie ~ *like a. of you;* er is niet genoeg voor jullie ~ *there isn't a. enough to go around;* hou ze maar ~ *keep a. of them/the lot* **5.1** ~ samen/tegelijk *a. together* ¶**.1** wat is er ~ aan de hand *what's going on, what's it a. about;* dat is ~ goed en wel/erg leuk *that's a. very well/very fine;* het is ~ niet makkelijk *things aren't easy;* tot ziens ~ *goodbye a./everybody;* hij geloofde het ~ direkt *he swallowed it hook, line and sinker.*

allemachtig¹
 I ⟨bn.⟩ **0.1** [geweldig groot] *colossal* ⇒*huge, vast, enormous;*
 II ⟨bw.⟩ **0.1** [geweldig] *colossally* ⇒*mighty* ◆ **2.1** ~ goed *terrific, fantastic, fabulous, great, wonderful;* een ~ groot huis *a c. big house;* ~ interessant *c. interesting.*

allemachtig² ⟨tw.⟩ **0.1** *good heavens, 'struth* ◆ **1.1** (wel) God ~! *Good Lord/God, well I'll be …* **9.1** wel ~ *well I'll be ….*

alleman ⟨onb.vnw.⟩ **0.1** *everybody* ⇒*everyone* ◆ **1.1** hij gaat om met Jan en ~ *he runs around with all and sundry;* met Jan en ~ naar bed gaan *sleep around;* Jan en ~ *one and all, all and sundry.*

allemande ⟨de⟩ **0.1** [dans] *allemande* **0.2** [muziek] *allemande.*

allemansvriend ⟨de (m.)⟩ **0.1** *everybody's friend* ◆ **3.1** hij is een ~ *he's a hail-fellow-well-met, he acts very pally with everybody.*

allen → *alle.*

allengs ⟨bw.⟩ **0.1** *gradually* ⇒*little by little, by degrees.*

alleraardigst ⟨bn., bw.; -ly⟩ **0.1** *most/very pretty* ⇒*most/very charming, attractive.*

allerarmst ⟨bn.⟩ **0.1** *(very) poorest* ◆ **7.1** de ~en *the very poorest, the poorest of the poor.*

allerbelangrijkst ⟨bn.⟩ **0.1** *all-important* ⇒*most important, crucial, vital.*

allerbest ⟨bn., bw.⟩ **0.1** *very best* ⇒*choicest, prime, best of all* ◆ **1.1** zijn ~e vrienden *his very best friends* **6.1** op zijn ~ *be at one's very best, be in (tip-)top form* **7.1** de ~e, het ~e *the tops, the very best;* het ~ kun je eerst hem opbellen *the best thing to do is to ring him first;* ik wens je het ~e *I wish you all the best.*

allereerst ⟨bn., bw.⟩ **0.1** *first of all* ⇒*very first, first and foremost* ◆ **1.1** vanaf het ~e begin *from the very beginning/start* **3.1** doe dit nu ~ *do this first (of all);* hij zocht ~ zijn moeder op *the (very) first thing he did was look up his mother* **6.1** ten ~e *to start off (with)* **7.1** het ~e wat hij at was chocola *the very first thing he went for/ate was chocolate.*

allerergst ⟨bn.⟩ **0.1** *very worst.*

allergeen ⟨het⟩ **0.1** *allergen.*

allergie ⟨de (v.)⟩ ⟨med.⟩ **0.1** *allergy.*

allergietest ⟨de (m.)⟩ **0.1** *patch/skin test.*

allergine ⟨het, de⟩ **0.1** *allergen.*

allergisch ⟨bn.⟩ **0.1** [door allergie veroorzaakt] *allergic (to)* **0.2** [lijdend aan allergie] *allergic* **0.3** [afkerig] *allergic (to)* ◆ **1.1** hooikoorts is een ~e ziekte *hay fever is an allergy* **6.3** hij is ~ voor tv-reclame *he is a. to TV commercials.*

allergologie ⟨de (v.)⟩ ⟨med.⟩ **0.1** *allergology.*

allergrootst ⟨bn.⟩ **0.1** *greatest/highest possible* ⇒*utmost, paramount* ⟨belang⟩.

allergunstigst ⟨bn.⟩ **0.1** *optimum* ⇒*most favourable, best possible* ◆ **1.1** in het ~e geval *at best.*

allerhande¹ ⟨het⟩ **0.1** *assorted* [B]*biscuits/*[A]*cookies.*

allerhande² ⟨bn.⟩ **0.1** *all sorts/kinds (of)* ⇒*all manner (of).*

Allerheiligen ⟨de (m.)⟩ **0.1** *All Saints (Day)* ⇒*All Hallows.*

Allerheiligste ⟨het⟩ **0.1** [deel v.d. tempel te Jeruzalem] *Holy of Holies* **0.2** [⟨fig.⟩] *inner sanctum* ⇒*holy of holies* **0.3** [hostie] *host* ◆ **1.2** het ~ v.d. wetenschap *the Sanctum sanctorum of learning* **3.3** het ~ toedienen *administer the h./sacrament.*

allerhoogst ⟨bn.⟩ **0.1** *highest of all, very highest* ⟨berg⟩; *supreme, paramount* ⟨belang⟩; *maximum* ⟨bedrag⟩; *top* ⟨functionaris⟩ ◆ **1.1** v.h. ~e belang *of supreme/paramount importance;* het is de ~e tijd *it's really high time* **7.1** ⟨zelfst.⟩ de Allerhoogste *the Most High.*

allerijl ◆ **6.**¶ **in** ~ *with all speed, in great haste;* ⟨schr.⟩ *posthaste, with great dispatch.*

allerkleinst ⟨bn.⟩ **0.1** *smallest possible/of all* ◆ **7.1** ⟨zelfst.⟩ een programma voor de ~en *a programme for the littlest ones/* ⟨inf.⟩ *the tinies.*

allerlaagst ⟨bn., bw.⟩ **0.1** *lowermost* ⇒*lowest possible/of all.*

allerlaatst ⟨bn., bw.⟩ **0.1** *last of all* ⇒*very last, very latest* ◆ **1.1** de ~e bus *the very last bus;* de ~e mode *the very latest style;* het ~e nieuws *up-to-the-minute/the very latest news* **6.1** ⟨zelfst.⟩ op het ~ *at the very last moment;* tot op het ~ *right up to the (very) end;* **voor** het ~ *for the very last time* **7.1** ⟨zelfst.⟩ dat is wel het ~e wat ik zou doen *that's the very last thing I would do.*

allerlei¹ ⟨het⟩ **0.1** *all sorts/kinds of things.*

allerlei² ⟨bn.⟩ **0.1** *all sorts/kinds of* ⇒*miscellaneous, sundry,* ⟨schr.⟩ *divers* ◆ **1.1** ~ werk *all sorts/kinds of work.*

allerliefst ⟨bn., bw.⟩ **0.1** [zeer lief] *(very) dearest/sweetest* ⇒*enchanting, delightful* **0.2** [liever dan iets anders] *more than anything* ◆ **1.1** een ~ hoedje *the sweetest of hats;* een ~ kind *a very dear/sweet child* **3.1** zij gaat ~ om met (de) kinderen *she has a marvellous way with (the) children;* dat meisje ziet er ~ uit *that girl looks really sweet* **3.2** (het) ~ bleef ik thuis *I'd like most of all to stay home;* hij wil het ~ acteur worden *he wants more than anything/his great desire is to be an actor* **7.2** laat me met rust, dat is mij het ~ *leave me alone, that's all I want.*

allermeest ⟨bn.⟩ **0.1** *(very) most* ◆ **4.1** ⟨zelfst.⟩ op zijn ~ *at the (very) most.*

allerminst
 I ⟨bn.⟩ **0.1** [geringst in aanzien] *least (of all)* **0.2** [geringst in aantal] *(very) least* ⇒*(very) slightest* ◆ **1.1** de ~e knecht *the lowliest servant* **6.2** ⟨zelfst.⟩ op zijn ~ *at the very least* **7.1** ⟨zelfst.⟩ ik heb er niet het ~e op aan te merken *I don't have the (very) slightest objection;*
 II ⟨bw.⟩ **0.1** [volstrekt niet] *not in the least* ◆ **3.1** dit had ik (wel het) ~ verwacht *I had not expected that in the least, that was the last thing in the world that I had expected.*

allernieuwst ⟨bn.⟩ **0.1** *very newest* ⇒*most recent/up-to-date, very latest, up-to-the-minute.*

alleroudst ⟨bn.⟩ **0.1** *very oldest* ⇒*most ancient* ⟨tijden⟩, *primitive* ⟨beschaving⟩.

allerwegen ⟨bw.⟩ **0.1** *everywhere* ⇒*on all sides.*

Allerzielen ⟨de (m.)⟩ **0.1** *All Soul's Day.*

alles¹ ⟨het⟩ **0.1** *everything* ⇒*all anything* ◆ **4.1** dat ~ wil ik deze week nog doen *I want to finish that lot this week;* jij bent mijn ~ *you are my all.*

alles² ⟨onb.vnw.⟩ ⟨→sprw. 11,12,176,191,204,237,425,480,561⟩ **0.1** *everything, anything* ◆ **3.1** ~ wel beschouwd/samen genomen *after all, all things considered;* ze eet niet zomaar ~ *she doesn't eat just anything, she picks and chooses;* hij heeft (van) ~ geprobeerd *he has tried e.; dat is nog niet ~ that's not it/quite the whole story;* is dat ~ ⟨in winkel⟩ *will that be all?; dat is ~ that's it/the lot/e.;* pak ~ maar *take all of it/it all/the lot;* dat slaat ~ *that takes the cake;* ~ wat leeft *all living creatures;* ik weet er ~ van *I know all about it* **4.1** ~ en iedereen *one and all, all and sundry;* (het is) ~ of niets *(it's) all or nothing;* hij deed ~ wat hij kon om *he did all he could/e. in his power to;* hij vervloekt ~ wat Duits is *he hates e. (that) German* **6.1** ~ op ~ zetten *go all out, stake e., give one's all;* **van** ~ (en nog wat) *all sorts/kinds of things/* [!]*stuff;* er is **van** ~ *voldoende there is enough of e.;* over **van** ~ en nog wat *praten talk about this that and the other thing/about e. under the sun;* na gister is er nog **van** ~ *over there are all sorts of leftovers from yesterday;* bijna **van** ~ *heeft hij gedaan he has done pretty well/just about e.;* hij nam/las **van** ~ *wat he took/read a bit of e./e. that came his way;* **vóór** ~ *first and foremost, above all* ¶**.1** het heeft er ~ **van** *dat it looks (very much) as if;* ~ bij elkaar *viel het mee all in all/all things considered it was better than expected;* ~ op zijn tijd *all in due course, e. in good time.*

allesbehalve ⟨bw.⟩ **0.1** *anything but* ⇒*not at, far from* ◆ **1.1** het was ~ een succes *it was anything but a success* **2.1** ~ vriendelijk *anything but friendly* ¶**.1** dat was niet prettig. nee, ~ *that wasn't a. nice, anything but/far from it.*

allesbrander ⟨de (m.)⟩ **0.1** *multi-burner.*

allesdrager ⟨de (m.)⟩ **0.1** *roof rack.*

alleseter ⟨de (m.)⟩ **0.1** *omnivore.*

allesomvattend ⟨bn.⟩ **0.1** *all-embracing* ⇒*comprehensive, all-over, global, universal, blanket* ⟨instructies⟩.

allesoverheersend ⟨bn.⟩ **0.1** *overpowering* ◆ **1.1** een ~e smaak van knoflookpoeder *an o. taste of garlic powder.*

allesreiniger ⟨de (m.)⟩ **0.1** *all-purpose cleaner.*

alleszins ⟨bw.⟩ **0.1** *in every way* ⇒*completely, in all respects, fully* ◆ **2.1** zijn houding is ~ verklaarbaar *his behaviour is entirely accountable.*

alliage ⟨het, de (v.)⟩ **0.1** [toegevoegd metaal] *alloy* **0.2** [legering] *alloy.*

alliantie ⟨de (v.)⟩ **0.1** *alliance.*

allicht ⟨bw.⟩ **0.1** [natuurlijk] *most probably/likely* ⇒*of course* **0.2** [op z'n minst] *at least* ◆ **3.1** Mary vermoedt~ iets *Mary most probably suspects sth.* **3.2** je kunt toch~ op die advertentie schrijven *you can at least reply to that ad, no harm in answering that ad* ¶**.1** ken je deze man? ja~, het is mijn vader *do you know this man? I should think so, he's my father.*

alliëren
  I ⟨ov.ww.⟩ **0.1** [samensmelten] *alloy (with);*
  II ⟨wk.ww.;zich~⟩ **0.1** [een verbond sluiten] *ally o.s. (with).*

alligator ⟨de (m.)⟩ **0.1** *alligator.*

all-in ⟨bn.,bw.⟩ **0.1** *all-inclusive* ⇒⟨BE ook⟩ *all-in* ◆ **1.1** de~ prijs *the inclusive/all-in price* **7.1** dat is *f*1.000,-~ *that is f1, 000.- everything included.*

alliteratie ⟨de (v.)⟩ **0.1** *alliteration.*

allitereren ⟨onov.ww.⟩ **0.1** *alliterate.*

allocatie ⟨de (v.)⟩ **0.1** *allocation.*

allochtoon ⟨bn.⟩ **0.1** *allochtonous.*

allocutie ⟨de (v.)⟩ **0.1** *allocution.*

allofoon ⟨de (v.)⟩ ⟨taal.⟩ **0.1** *allophone.*

allogamie ⟨de (v.)⟩ ⟨biol.⟩ **0.1** *allogamy* ⇒*cross-fertilization, cross-pollination.*

allogeen ⟨bn.⟩ **0.1** *allogenous.*

allomorf[1] ⟨de⟩ ⟨taal.⟩ **0.1** *allomorph.*

allomorf[2] ⟨bn.⟩ ⟨taal.⟩ **0.1** *allomorph.*

allonge ⟨de (v.)⟩ **0.1** [⟨geldw.⟩] *allonge* **0.2** [blad in een boek] *fold-out* **0.3** [⟨schei.⟩] *extension piece* ⇒*distillate outlet.*

alloniem ⟨het⟩ **0.1** *allonym.*

allooi ⟨het⟩ **0.1** [gehalte aan goud/zilver] *alloy* **0.2** [⟨fig.⟩] *worth* ⇒*sort, kind, quality* ◆ **2.2** poëzie van beter~ *better (quality) poetry;* lieden v.h. laagste~ *the lowest of the low;* v.h. laagste/minste~ *of the lowest/worst sort/kind;* van verdacht/twijfelachtig~ *of suspicious/dubious/ questionable character* **6.2** de heren waren van hetzelfde~ *the gentlemen were of the same cast.*

allopaat ⟨de (m.)⟩ ⟨med.⟩ **0.1** *allopath(ist).*

allopathie ⟨de (v.)⟩ **0.1** *allopathy.*

allopatisch ⟨bn.⟩ ⟨med.⟩ **0.1** *allopathic(al).*

allotria ⟨zn.mv.⟩ **0.1** [bijzaken] *trivia(l matters)* **0.2** [woorden, daden] *tomfoolery* ⇒*monkey business.*

allotroop ⟨bn.⟩ ⟨schei.⟩ **0.1** *allotrope.*

allotropie ⟨het⟩ ⟨schei.⟩ **0.1** *allotropy.*

allottava ⟨bw.⟩ ⟨muz.⟩ **0.1** *allotava.*

all-risk ⟨bn.,bw.;-ly⟩ **0.1** *comprehensive* ⇒*blanket,* [A]*no-fault* ◆ **3.1** ~ verzekerd zijn *be comprehensively insured, have a c. policy.*

all-riskdekking ⟨de (v.)⟩ **0.1** *comprehensive coverage* ⇒*blanket coverage.*

all-riskverzekering ⟨de (v.)⟩ **0.1** *comprehensive insurance.*

alluderen ⟨onov.ww.⟩ **0.1** *allude (to)* ⇒*make an allusion (to).*

allure ⟨de⟩ **0.1** [mbt. personen] *airs* ⇒*style* **0.2** [mbt. zaken] *prentensions* ◆ **2.2** een tuin van bescheiden~ *a modest garden* **3.1** de)~s aannemem (van) *assume the a. of;* ~s hebben *take on/assume a., posturize;* ~ hebben *have style/a certain elegance* **6.1** iem. met~ *s.o. with a certain presence;* iem. van~ *a striking personality* **6.2** iets met~ *sth. with a certain substance;* van (grote)~ *imposing.*

allusie ⟨de (v.)⟩ **0.1** *allusion* ⇒*reference.*

allusief ⟨bn.⟩ **0.1** *allusive.*

alluviaal ⟨bn.⟩ **0.1** [aangeslibd] *alluvial* **0.2** [van het Alluvium] *alluvial* ◆ **1.1** alluviale grond *alluvial, alluvium, alluvion* **1.2** het alluviale tijdperk *the Holocene epoch.*

alluvium ⟨het⟩ **0.1** *alluvium.*

Alluvium ⟨het⟩ **0.1** *Holocene.*

almaar ⟨bw.⟩ **0.1** *constantly* ⇒*continuously, all the time, always, only* ◆ **3.1** we liepen~ verder het bos in *we kept walking further into the forest, we walked further and further into the forest;* ~ om snoep vragende kinderen *children who are a. / constantly asking for sweets.*

almacht ⟨de (v.)⟩ **0.1** [alles/allen omvattende macht] *omnipotence* **0.2** [God] *Almighty* ⇒*God Almighty, Omnipotent.*

almachtig ⟨bn.⟩ **0.1** *almighty* ⇒*all-powerful, omnipotent* ◆ **1.1** zo waarlijk helpe mij God~ *so help me God;* de~e minister-president *the all-powerful Prime Minister* **7.1** ⟨zelfst.⟩ de Almachtige *the Almighty, God Almighty, the Omnipotent.*

almagra ⟨de⟩ **0.1** *Indian/Persian red.*

almanak ⟨de (m.)⟩ **0.1** [dagwijzer] *almanac* **0.2** [jaarboekje] *almanac* ⇒ *yearbook.*

almogend ⟨bn.⟩ **0.1** *almighty* ⇒*all-powerful, omnipotent.*

ALN ⟨de (v.)⟩ ⟨afk.⟩ **0.1** [Algemene Loterij Nederland] ≠*National/ State Lottery.*

aloë ⟨de (v.)⟩ **0.1** [plant] *aloe* **0.2** [sap] *aloes* ◆ **2.1** honderdjarige~ *agave, American a., century plant.*

alom ⟨bw.⟩ **0.1** *everywhere* ⇒*on all sides* ◆ **3.1** ~ gevreesd/bekend *generally feared/known;* stilte heerst~ *it is calm e.* **6.1** van~ *from all sides.*

alomtegenwoordig ⟨bn.⟩ **0.1** ⟨ook rel.⟩ *ubiquitous* ⇒*omnipresent.*

alomvattend ⟨bn.⟩ **0.1** *universal* ⇒*comprehensive, all-embracing* ◆ **1.1** een~e geest *comprehensive mind.*

aloud ⟨bn.⟩ **0.1** *ancient* ⇒*antique, hoary* ◆ **1.1** ~e gebruiken *time-honoured traditions;* het~e Rome *Ancient Rome.*

alp ⟨de (m.)⟩ **0.1** *alp.*

alpaca[1]
  I ⟨de (v.)⟩ **0.1** [bergschaap] *alpaca;*
  II ⟨het⟩ **0.1** [weefsel] *alpaca* **0.2** [legering] *alpaca.*

alpaca[2] ⟨bn.⟩ **0.1** *nickel silver* ⇒*nickel plate.*

alpenflora ⟨de⟩ **0.1** *alpine flora/flowers.*

alpengloeien ⟨het⟩ **0.1** *alpenglow.*

alpenhoorn ⟨de (m.)⟩ **0.1** *alpenhorn, alpine horn.*

alpenhut ⟨de⟩ **0.1** *alpine hut.*

alpenjager ⟨de (m.)⟩ **0.1** *alpine hunter;* ⟨mil.⟩ *alpine rifleman.*

alpenklokje ⟨het⟩ **0.1** *soldanella.*

alpenroos ⟨de⟩ **0.1** *alpine rose.*

alpenviooltje ⟨het⟩ **0.1** *cyclamen.*

alpenweide ⟨de⟩ **0.1** *alpine meadow.*

alpien ⟨bn.⟩ **0.1** *alpine* ◆ **1.1** het~e ras *the a. race;* ~e vegetatie *a. vegetation.*

alpineskiën ⟨ww.⟩ **0.1** *alpine skiing* ⇒*downhill skiing.*

alpinisme ⟨het⟩ **0.1** *alpinism* ⇒*mountaineering.*

alpinist ⟨de (m.)⟩ **0.1** *alpinist* ⇒*mountaineer.*

alpino ⟨de (m.)⟩ **0.1** *beret.*

alras ⟨bw.⟩ ⟨schr.⟩ **0.1** ⟨ongemarkeerd⟩ *presently* ⇒*very soon.*

alruin ⟨de⟩ **0.1** [wichelares] *alruna* ⇒*sorceress* **0.2** [wortel] *mandrake* **0.3** [plant] *mandrake.*

als ⟨vw.⟩ **0.1** [⟨overeenkomst⟩] *like* ⇒*as* **0.2** [⟨inf.;verschil⟩] *than, as* **0.3** [⟨uitzondering⟩] *as* **0.4** [⟨wijze waarop iem., iets wordt voorgesteld⟩] *as* ⇒*as if* **0.5** [⟨hoedanigheid⟩] *for* ⇒*as* **0.6** [⟨gelijktijdigheid⟩] *when* **0.7** [⟨voorwaarde⟩] *if* ⇒*as long as* **0.8** [⟨verklaring⟩] *as* **0.9** [⟨accentuering⟩] ⟨onvertaald⟩ ◆ **1.1** zich~ een dame gedragen *behave l. a lady;* hetzelfde~ ik *the same as me, just l. me;* ik wil zo'n jurk~ Mary heeft *I want a dress l. Mary's;* ~ één man *as one (man);* een kerel~ een reus *a giant of a fellow* **1.5** ik ben~ bedelaar geboren en zal~ bedelaar sterven *I was born a beggar and a beggar I'll die;* poppen~ geschenk *dolls f. presents;* ik heb die man nog~ jongen meegemaakt *I knew that man when he was still a boy;* ~ keeper is hij hopeloos, ~ vriend geweldig *he's hopeless as a goalkeeper, but wonderful as a friend;* ~ sterke man kan ik je helpen *being a strong man, I can help you;* hij staat bekend~ een eerlijk man/een gevaarlijke gek *he's known to be an honest man/a dangerous madman;* ~ vervoermiddel had hij een oude fiets *f. transportation he had an old bike;* ik spreek~ voorzitter *I'm speaking from the chair/as chairman;* ~ vrienden uit elkaar gaan *part/separate as friends* **2.1** dat is zo goed~ duidelijk *that seems pretty clear;* hij is even groot~ jij *he is as tall as you;* trots~ hij was, weigerde hij *proud as he was, he refused* **2.2** ⟨oneig. gebruik⟩ zij is knapper~ haar vriend *she is prettier t. her friend;* de vrouw was niet zozeer ziek, ~ wel moe *it wasn't that the woman was really ill, (she was) just tired* **2.3** het is nergens zo fijn~ in Amsterdam *there's no place like Amsterdam* **2.8** hij werd, ~ oudste in jaren, de tijdelijke voorzitter *as the senior/oldest he became temporary chairman* **3.1** de brief luidt~ volgt *the letter reads as follows* **3.4** hij stond~ versteend *he stood there as if rooted to the ground* **3.5** dat werd~ de beste oplossing beschouwd *that was considered the best solution* **4.5** ~ zodanig *as such* **5.2** ⟨oneig. gebruik⟩ anders~ de bedoeling was *not as intended* **5.6** telkens~ wij elkaar tegenkomen keert hij zich af *whenever we meet, he turns away* **6.4** ~ bij toverslag veranderde alles *as if by magic everything changed* **7.5** zij kwam~ zevende (aan) *she came in seventh* **7.7** zoveel knikkers~ je maar wilt *as many marbles as you like* ¶**.1** zowel in de stad~ op het land *both in the city and in the country* ¶**.4** ~ het ware *as it were* ¶**.6** ze deed weinig maar~ ze wat deed was het goed *she didn't do much but what she did do was good/all right* ¶**.7** als 't u belieft *please, if you please, here (you are);* ~ je dat doet, timmer ik je in elkaar *if you do that, I'll knock your block off;* ~ zij er niet geweest was ... *if she had not been/had she not been there ...;* ~ ze maar eens naar me wou glimlachen ... *if she would only smile at me;* hij had er een hekel aan~ ik te laat kwam *he hated me to be late;* ~ het maar gebeurt, het geeft niet hoe, ben ik tevreden *no matter how it's done, I shall be satisfied, provided it is done;* maar wat~ het regent, ~ het nu eens regent? *but what if/and if it rains?;* ~ het mogelijk is *if possible;* het maakt niet uit wat voor boek, ~ hij maar iets leest *it doesn't matter what he reads as long as he reads sth.;* ~ ze al komen *if/provided they come at all* ¶**.9** ⟨inf.⟩ hij schreef~ dat hij kwam *he wrote that he was coming* ¶**.¶** ~ we eens naar de film gingen? *what about going to the film?*

ALS ⟨de (v.)⟩ ⟨med.⟩ **0.1** [amyotrofische lateraal sclerose] *A.L.S.* ⇒ ⟨vnl. AE⟩ *Lou Gehrig's disease.*

alsdan ⟨bw.⟩ **0.1** *then* ⇒*in that case.*

alsem ⟨de (m.)⟩ **0.1** *worm wood* ⇒*absinthe* ⟨ook drank hiervan bereid⟩, *artemisia, sagebrush.*

alsembier ⟨het⟩ **0.1** *purl.*

alsjeblieft →**alstublieft.**

alsmaar ⟨bw.⟩ ⟨inf.⟩ **0.1** *constantly* ⇒*continuously, all the time, always, only* ◆ **3.1** ~ praten *talk non-stop/constantly.*

alsmede ⟨vw.⟩ **0.1** *as well as* ⇒*and also.*

alsnog ⟨bw.⟩ **0.1** *still* ⇒*yet* ◆ **3.1** je kunt ∼ van studie veranderen *you can s. change your course.*

alsof ⟨vw.⟩ **0.1** *as if* ◆ **3.1** je doet maar ∼ *you're just pretending, you just pretend;* hij keek ∼ hij mij niet begreep *he looked as if he didn't understand me;* het lijkt ∼ het mooi weer wordt *it looks as if the weather will clear;* hij had een gevoel ∼ hij maanden was weggeweest *he felt as if he had been away for months;* het was/scheen ∼ hij boos werd *it was as if he was getting angry;* ∼ je niet beter wist! *as if you didn't know (any) better* ¶.**1** hij loste het probleem op ∼ het niks was *he solved the problem just like that.*

alsook ⟨vw.⟩ **0.1** *as well as* ⇒*and also.*

alstublieft[1] ⟨bw.⟩ **0.1** *please* ◆ **1.1** een ogenblikje ∼ *one minute/just a minute, p.* **3.1** ga ∼ niet op dit onderwerp door *p. drop the subject (will you), do you mind dropping the subject;* schei toch ∼ uit met dat lawaai! *p. stop that noise/racket;* wees ∼ rustig *p. be quiet* ¶.**1** mag het raam misschien open, ∼ *do you mind if we have a window open?*

alstublieft[2] ⟨tw.⟩ **0.1** [⟨beleefdheidsuiting⟩] *please* **0.2** [⟨het toestaan v.e. verzoek⟩] *by all means* **0.3** [⟨bevestiging, beaming⟩] *how right you are* ⇒*sure thing* **0.4** [⟨verwondering⟩] *well now* ⇒*that's quite something* ◆ ¶.**1** ∼, dat is dan ƒ6,50 *(thank you), that is/will be ƒ6.50* ¶.**3** het is knap koud hé? ∼! *it's pretty cold, isn't it/don't you think?, you're dead right (it is)* ¶.¶ ∼! wat heb ik u gezegd? *there now/you are, what did I tell you?.*

alt ⟨muz.⟩
I ⟨de⟩ **0.1** [stem] *alto* ⟨v.,m.⟩ ⇒*contralto* ⟨v.⟩, *countertenor* ⟨m.⟩ **0.2** [altviool] *viola* **0.3** [altviolist] *viola* ⇒*violist* **0.4** [partij] *alto;*
II ⟨de ⟨v.⟩⟩ **0.1** [zangeres] *contralto* ⇒*alto.*

alt. ⟨afk.⟩ **0.1** [altitude] *alt..*

altaar ⟨het, de (m.)⟩ **0.1** [offertafel] *altar* **0.2** [⟨r.k.⟩] *altar* ◆ **1.1** het Sacrament des∼s *the sacrament of the a.* **3.1** ⟨fig.⟩ altaren oprichten voor iets/iem. bouwen *build an a. to sth./s.o.* **3.2** ⟨fig.⟩ een vrouw naar het ∼ geleiden/voeren *lead a woman to the a.* **6.1** ⟨fig.⟩ op het ∼ v.d. liefde/vreugde offeren *sacrifice on the a. of love/happiness.*

altaardienaar ⟨de (m.)⟩ **0.1** *acolyte, server, altar boy.*

altaarhek ⟨het⟩ **0.1** *altar rail.*

altaarsteen ⟨de (m.)⟩ **0.1** *superaltar* ⇒*altar stone.*

altaarstuk ⟨het⟩ **0.1** *altarpiece* ⇒*reredos.*

altaartafel ⟨de⟩ **0.1** *mensa* ⇒*altar slab.*

altazimut ⟨het⟩ ⟨ster.⟩ **0.1** *altazimuth.*

altblokfluit ⟨de⟩ **0.1** *treble recorder.*

alteratie ⟨de (v.)⟩ **0.1** [verandering] *alteration* **0.2** [⟨muz.⟩] *chromatic raising/lowering* **0.3** [⟨Ned. gesch.⟩] *Alteration* **0.4** [ontsteltenis] *commotion* ⇒*excitement* ◆ **6.4** ik heb in de ∼ mijn bril vergeten *in all the c. I forgot my glasses.*

alter ego ⟨het, de⟩ **0.1** *alter ego.*

altereren ⟨ov.ww.⟩ **0.1** [veranderen] *alter* **0.2** [ontstellen] *startle* ⇒ *frighten* ◆ **1.1** ⟨muz.⟩ gealtereerde/∼de akkoorden *chromatic chords.*

alternatie ⟨de (v.)⟩ **0.1** [afwisseling] *alternation* **0.2** [mbt. rijm] *alternation* **0.3** [ontsteltenis] *alarm* ⇒*dismay, consternation.*

alternatief[1] ⟨het⟩ **0.1** [andere oplossing] *alternative* **0.2** [twee mogelijkheden] *alternative* ◆ **3.2** iem. voor een ∼ stellen *give s.o. two alternatives* **7.1** er is geen enkel ∼ *there is no a.;* een keuze uit twee alternatieven *a choice of two alternatives* **8.1** als ∼ *as an a..*

alternatief[2] ⟨bn.⟩ **0.1** [een keuze latend] *alternative* ⇒*alternate* **0.2** [niet volgens de norm] *alternative* ⇒*countercultural* ◆ **1.1** alternatieve begroting *counter budget;* ⟨jur.⟩ een alternatieve verbintenis *an alternative obligation* **1.2** alternatieve (film/theater) circuit *a. cinema/theatre, a. media;* alternatieve geneeswijze *a. treatment;* alternatieve kleding *a. clothing/dress;* de alternatieve scene *the counterculture/a. society;* ⟨jur.⟩ alternatieve straf *a. punishment;* op de alternatieve toer gaan *adopt an a. life-style.*

alternatieveling ⟨de (m.)⟩ **0.1** *counterculturist.*

alterneren ⟨onov.ww.⟩ **0.1** *alternate* ◆ **1.1** ∼de reeks *alternating series;* ∼d rijm *alternating rhyme;* ⟨bouwk.⟩ ∼d stelsel *system of alternating pillars and columns.*

althans ⟨bw.⟩ **0.1** *at least* ⇒*at any rate, anyhow, anyway* ◆ **4.1** hij doet ∼ geen kwaad *at least he's harmless;* ik ∼ denk er zo over *at any rate that's how I feel about it* ¶.**1** hij is niet gekomen, ∼ ik heb hem niet gezien *he hasn't arrived, at least I haven't seen him.*

althobo ⟨de (m.)⟩ **0.1** *cor anglais* ⇒*English horn.*

althoorn ⟨de (m.)⟩ **0.1** *althorn* ⇒*alto saxhorn.*

altijd ⟨bw.⟩ ⟨→sprw. 108,211,248,326,369⟩ **0.1** [te allen tijde] *always* ⇒ *forever* **0.2** [bij voortdurende herhaling] *always* ⇒*forever* **0.3** [in elk geval] *always* ◆ **2.1** vroeger was de Franse les ∼ stomvervelend *French (lessons) used to be a real bore* **3.1** ik heb het ∼ al/wel geweten *I've known it all along;* hij zoekt∼ *he just keeps on looking/searching* **3.2** ik heb het ∼ wel gedacht *I've a. thought so;* (sinds het begin v.e. bep. gebeuren) *I thought/* (nog steeds) *I've thought so all along;* je kunt niet ∼ winnen *you can't win them all* **3.3** wat je ook doet, je verliest ∼ *no matter what you try, you a. lose* **5.1** bijna ∼ *nearly a.;* hij kookt ∼ lekker/slaapt ∼ goed *he's a good cook/a good sleep-*

er; je ziet er nog ∼ goed uit *you still look nice;* …dan kan je ∼ nog gaan werken *you can a. get a job;* wonen ze nog ∼ in Almere? *are they still living in Almere?;* ze ging nog ∼ even slordig gekleed *her clothes were as frumpy as ever* **5.2** hij kwam ∼ en eeuwig te laat *he was a., but a., late;* niet ∼ not a.; jij ook ∼ (met je eeuwige gezeur)! *isn't that just like you (to moan all the time)?, typical (of) you/that's you all over(, moaning all the time)!;* ∼ en overal *whenever and wherever;* ∼ weer *again and again* **6.1** zij zijn **voor** ∼ verbonden *they are bound to one another forever;* dat is **voor** eens en ∼ voorbij *that's over and done with;* **voor** eens en ∼ *once and for all* **8.1** hetzelfde als ∼ *the same as a., the usual* **8.2** zoals ∼ vloog de vakantie om *the holidays slipped by as fast as ever* ¶.**1** ze ging ∼ op woensdag winkelen *she used to shop/a. shopped on Wednesdays* ¶.**3** iets is ∼ nog beter dan niets *anything is better than nothing, a bird in the hand is worth two in the bush.*

altijddurend ⟨bn.⟩ **0.1** *everlasting* ⇒*unending, never-ending, perpetual* ◆ **1.1** ∼e rente *perpetual interest;* ∼e vete *never-ending feud.*

altijdgroen ⟨bn.⟩ **0.1** *evergreen* ⇒*indeciduous.*

altimeter ⟨de (m.)⟩ **0.1** *altimeter.*

altist
I ⟨de (m.)⟩ **0.1** [altviolist] *violist* ⇒*viola;*
II ⟨de (v.)⟩ **0.1** [altzangeres] *contralto* ⇒*alto.*

altoos ⟨bw.⟩ ⟨schr.⟩ **0.1** *(for) aye* ⇒*always.*

altpartij ⟨de (v.)⟩ **0.1** *alto/contralto part.*

altruïsme ⟨het⟩ **0.1** *altruism.*

altruïst ⟨de (m.)⟩ **0.1** *altruist.*

altruïstisch ⟨bn., bw.; -ally⟩ **0.1** *altruistic.*

altsaxofoon ⟨de (m.)⟩ ⟨muz.⟩ **0.1** *alto saxophone.*

altsleutel ⟨de (m.)⟩ **0.1** *alto clef.*

altstem ⟨de⟩ **0.1** *alto* ⟨v.,m.⟩ ⇒*contralto* ⟨v.⟩, *countertenor* ⟨m.⟩.

altviool ⟨de⟩ ⟨muz.⟩ **0.1** *viola.*

altzangeres ⟨de (v.)⟩ **0.1** *contralto* ⇒*alto.*

aluin ⟨de (m.)⟩ ⟨schei.⟩ **0.1** *alum.*

aluinaarde ⟨de⟩ **0.1** *alumina.*

aluinpoeder ⟨het, de (m.)⟩ **0.1** *powdered alum* ⇒*terra alba.*

aluinsteen
I ⟨het, de (m.)⟩ **0.1** [aluinerts] *alunite* ⇒*alumite, alum stone;*
II ⟨de (m.)⟩ **0.1** [scheersteen] *shaving block.*

aluminiseren ⟨onov., ov.ww.⟩ **0.1** *aluminize.*

aluminium[1] ⟨het⟩ **0.1** *aluminium,* ^*aluminum.*

aluminium[2] ⟨bn., alleen attr.⟩ **0.1** *aluminium,* ^*aluminum.*

aluminiumfolie ⟨het⟩ **0.1** *aluminium/*^*aluminum foil* ⇒*tin/kitchen foil.*

aluminiumhoudend ⟨bn.⟩ **0.1** *aluminous.*

alumnus ⟨de (m.)⟩ **0.1** *student* ⇒ (oud student) *alumnus.*

alvast ⟨bw.⟩ **0.1** *meanwhile* ⇒*in the meantime, just, now* ◆ **3.1** begin maar ∼, ik kom zo *just start, I'll be there in a moment;* zijn naam kun je ∼ doorstrepen *you can cross his name off now;* jullie hadden ∼ kunnen beginnen zonder mij *you could surely have started without me, you needn't have waited for me;* hier is ∼ iets om mee te beginnen/als aanbetaling *here is sth. to be going on with/as a downpayment.*

alveolair[1] ⟨de⟩ ⟨taal.⟩ **0.1** *alveolar.*

alveolair[2] ⟨bn.⟩ **0.1** [blaasvormig] *alveolar* ⇒*alveolate* **0.2** [⟨taal.⟩] *alveolar.*

alveole ⟨de (m.)⟩ **0.1** *alveolus* ⇒ ⟨tandkas ook⟩ *socket (of a tooth).*

alvermogen ⟨het⟩ **0.1** *omnipotence.*

alvermogend ⟨bn.⟩ **0.1** *omnipotent* ⇒*almighty, all-powerful* ◆ **1.1** het ∼e geld *the almighty pound/dollar.*

alvleesklier ⟨de⟩ **0.1** *pancreas.*

alvleessap ⟨het⟩ **0.1** *pancreatic juice.*

alvorens ⟨bw.⟩ **0.1** *before* ⇒*prior (to), previous (to).*

alweer ⟨bw.⟩ **0.1** *again* ⇒*once more* ◆ **1.1** het wordt ∼ herfst *it is autumn a., autumn has come round once more/a.;* het is nu ∼ twee jaar geleden dat hij overleed *it is already two years ago that he died;* ∼ een mond om te voeden *another mouth to feed.*

alwetend ⟨bn.⟩ **0.1** *omniscient* ⇒*all-knowing.*

alwetendheid ⟨de (v.)⟩ **0.1** *omniscience.*

alziend ⟨bn.⟩ **0.1** *all-seeing* ⇒*panoptic* ◆ **1.1** het ∼ oog *the a.-s. Eye.*

alzijdig
I ⟨bw.⟩ **0.1** [naar/in alle richtingen] *universally* ⇒*all-round* ◆ **3.1** een ∼ ontwikkeld verstand *a universal mind, an all-round intellect;*
II ⟨bn.⟩ **0.1** [naar alle kanten gekeerd] *universal* ⇒*all-round* ◆ **1.1** ∼e kennis *all-round knowledge.*

alzo ⟨bw.⟩ **0.1** *thus* ⇒*in this way/manner.*

a.m. ⟨Lat.⟩ ⟨afk.⟩ **0.1** [ante meridiem] *a.m..*

AM ⟨techn.⟩ ⟨afk.⟩ **0.1** [amplitudemodulatie] *AM.*

amalgaam ⟨het; vaak in samenst.⟩ **0.1** *amalgam* ◆ **1.1** goudamalgaam *gold a..*

amalgama ⟨het⟩ ⟨fig.⟩ **0.1** *amalgam* ◆ **6.1** een **wonderlijk** ∼ van goede en kwade eigenschappen *a strange a. of good and evil characteristics.*

amalgamatie ⟨de (v.)⟩ **0.1** *amalgamation* ⇒ ⟨van bedrijven ook⟩ *merger.*

amalgameren ⟨ov.ww.⟩ **0.1** [met kwikzilver legeren] *amalgamate* **0.2** [verbinden, samensmelten] *amalgamate* ◆ **4.2** zich ∼ *amalgamate.*

amandel ⟨de⟩ **0.1** [noot] *almond* **0.2** [boom] *almond* **0.3** [klier] *tonsil* ◆

2.1 gepelde ~en *blanched almonds;* groene ~ *pistachio;* zoete/ bittere /blanke/ gebrande ~en *sweet/ bitter/ blanched/ burnt almonds* **3.3** zijn ~en laten wegnemen/ knippen *have one's tonsils out/ a tonsillectomy.*
amandelbroodje ⟨het⟩ **0.1** *small almond-filled pastry.*
amandelgebak ⟨het⟩ **0.1** *almond pastry/ cake* ⇒*frangipane.*
amandelmelk ⟨de⟩ **0.1** *almond milk* ⇒*orgeat.*
amandelolie ⟨de⟩ **0.1** *almond oil.*
amandelontsteking ⟨de (v.)⟩ **0.1** *tonsillitis.*
amandelspijs ⟨de⟩ **0.1** *almond paste.*
amandelstaaf ⟨de⟩ **0.1** *almond-filled pastry.*
amant ⟨de (m.)⟩ ⟨vero.⟩ **0.1** *love(r)* ⇒*gallant.*
amanuensis ⟨de (m.)⟩ **0.1** *lab(oratory) assistant.*
amarant[1]
I ⟨de⟩ **0.1** [plant] *amaranth* ◆ **2.1** witte ~ *tumbleweed;*
II ⟨het⟩ **0.1** [kleurstof] *amaranthine.*
amarant[2] ⟨bn.⟩ **0.1** *amaranth(ine).*
amaril ⟨het, de⟩ **0.1** *emery.*
amarillo[1] ⟨de (m.)⟩ **0.1** *claro.*
amarillo[2] ⟨bn.⟩ **0.1** *buff.*
amaryllis ⟨de⟩ **0.1** *amaryllis.*
amateur ⟨de (m.)⟩ **0.1** *amateur* ◆ **1.1** wedstrijd voor profs en ~s *open/* ⟨vnl. AE⟩ *pro-am match;* ⟨pej.⟩ stelletje ~s *bunch of amateurs.*
amateurfotograaf ⟨de (m.)⟩ **0.1** *amateur photographer.*
amateurisme ⟨het⟩ **0.1** *amateurism.*
amateuristisch ⟨bn., bw.; -ly⟩ **0.1** *amateurish* ◆ **1.1** ~e sportbeoefening *amateur sports* **3.1** ⟨pej.⟩ dat is zeer ~ gedaan *that was done very amateurishly.*
amateurkoers ⟨de⟩ **0.1** *amateur cycling race.*
amateurswerk ⟨het⟩ **0.1** *amateurish work* ⇒*work of an amateur.*
amateurtoneel ⟨het⟩ **0.1** *amateur theatre.*
amateurvoetbal ⟨het⟩ **0.1** *amateur soccer.*
amati ⟨de⟩ **0.1** *amati.*
amazone ⟨de (v.)⟩ **0.1** [vrouwelijke ruiter] *horsewoman* **0.2** [⟨myth.⟩] ⟨ook fig.⟩ *Amazon* **0.3** [⟨met hoofdletter⟩ rivier] *Amazon* **0.4** [rijkostuum] *riding habit* **0.5** [papegaai] *amazon* ◆ **6.3** van de Amazone *Amazonian.*
amazonesteen ⟨de (m.)⟩ **0.1** *amazonite* ⇒*Amazon stone.*
amazonezadel ⟨het⟩ **0.1** *sidesaddle.*
amazonezit ⟨de (m.)⟩ **0.1** *sidesaddle style* ◆ **6.1** in (de) ~ (rijden) *(ride) sidesaddle.*
ambacht ⟨het⟩ ⟨→sprw. 13⟩ **0.1** [handwerk, vak] *trade* ⇒*(handi)craft* **0.2** [rechtsgebied] *shire* ◆ **2.1** demonstratie van oude ~en *demonstration of old trades* **3.1** het ~ uitoefenen van ... *practise the t.* **6.1** een jongen **op** een ~ doen *apprentice a boy to a t.* **7.1** het is met hem twaalf ~en, dertien ongelukken *he is a jack-of-all-trades and master of none.*
ambachtelijk ⟨bn.⟩ **0.1** *according to traditional methods* ◆ **1.1** een ~e slagerij *an old-fashioned/ a real butcher;* op ~e wijze bereid *prepared according to traditional methods.*
ambachtsgezel ⟨de (m.)⟩ **0.1** *journeyman.*
ambachtsman ⟨de (m.)⟩ **0.1** *artisan* ⇒*craftsman.*
ambachtsschool ⟨de⟩ **0.1** *technical school.*
ambassade ⟨de (v.)⟩ **0.1** [ambassadeur en beambten] *embassy* **0.2** [gebouw] *embassy* **0.3** [diplomatieke zending] *embassy* ◆ **6.1** in ~ gaan/ zenden *naar go/ send on an e. to.*
ambassaderaad ⟨de (m.)⟩ **0.1** *counsellor (of an embassy).*
ambassadeur ⟨de (m.)⟩ **0.1** *ambassador* ◆ **6.1** ⟨fig.⟩ een ~ **voor** de sport *an a. for sports.*
ambassadeurspost ⟨de (m.)⟩ **0.1** *ambassadorship.*
ambassadeursrang ⟨de (m.)⟩ **0.1** *rank of ambassador* ⇒*ambassadorial rank.*
ambassadrice ⟨de (v.)⟩ **0.1** [vrouwelijke ambassadeur] *ambassador* ⇒ ⟨zeldz.⟩ *ambassadress* **0.2** [echtgenote v.e ambassadeur] *ambassador's wife* ⇒ ⟨zeldz.⟩ *ambassadress.*
amber ⟨de (m.)⟩ **0.1** [stof uit de darm v.d. potvis] *ambergris* **0.2** [harssoort] *storax* **0.3** [barnsteen] *amber* ◆ **2.1** grijze ~ *ambergris;* witte ~ *sperm(aceti).*
amberboom ⟨de (m.)⟩ **0.1** *sweet gum.*
ambergrijs ⟨bn.⟩ **0.1** *ambergris.*
ambiance ⟨de⟩ **0.1** *ambiance.*
ambidextrie ⟨de (v.)⟩ **0.1** *ambidexterity.*
ambiëren ⟨ov.ww.⟩ **0.1** *aspire to* ◆ **1.1** een baan ~ *aspire to a job.*
ambigram ⟨het⟩ **0.1** *palindrome.*
ambigu ⟨bn.⟩ **0.1** *ambiguous* ⇒*equivocal.*
ambiguïteit ⟨de (v.)⟩ **0.1** *ambiguity.*
ambitie ⟨de (v.)⟩ **0.1** [eerzucht] *ambition* **0.2** [ijver] *ambition* ⇒*vigour* **0.3** [lust] *ambition* ◆ **3.1** zijn ~s gingen uit naar een professoraat *his a. was to get a professorship* **3.2** de leerlingen toonden niet veel ~ *the students didn't show much a.* **3.3** er was niet veel ~ bij die verkoping *there was not much activity at the sale* **6.1** een man **van** grote ~/ **met** ~ *a man of/ with great ambitions.*
ambitieus ⟨bn.⟩ **0.1** [eerzuchtig] *ambitious* **0.2** [ijverig] *ambitious* ◆ **1.1** (te) ~ iemand *(overly) a. person;* ambitieuze plannen *a. plans.*

ambivalent ⟨bn.⟩ **0.1** *ambivalent* ◆ **1.1** ~e gevoelens *a. feelings.*
ambivalentie ⟨de (v.)⟩ **0.1** [tegenstrijdigheid] *ambivalence* **0.2** [⟨psych.⟩] *ambivalence.*
amblyopie ⟨de (v.)⟩ ⟨med.⟩ **0.1** *amblyopia.*
ambo ⟨de (m.)⟩ ⟨r.k.⟩ **0.1** *lectern.*
Ambonees[1] ⟨de (m.)⟩ **0.1** *Amboinese* ⇒ ⟨Zuidmolukker⟩ *Moluccan.*
Ambonees[2] ⟨bn.⟩ **0.1** *Amboinese* ⇒*Moluccan.*
ambosexueel ⟨bn.⟩ ⟨biol.⟩ **0.1** *ambosexual* ⇒*ambisexual.*
ambrosia ⟨de⟩ **0.1** [godenspijs] *ambrosia* **0.2** [⟨fig.⟩] *ambrosia* **0.3** [⟨plantk.⟩] *ragweed* ⇒*ambrosia.*
ambrozijn ⟨het⟩ **0.1** *ambrosia.*
ambt ⟨het⟩ **0.1** [openbare betrekking] *office* **0.2** [⟨prot.⟩] *office* ⇒ ⟨van dominee⟩ *ministry* ◆ **1.1** het ~ van burgemeester *the o. of burgomaster/ mayor;* het uitoefenen v.e. ~ *the exercise of one's duties/ of official duty* **1.2** het ~ van ouderling *the o./ position of elder* **3.1** een ~ aanvaarden *take up/ assume one's duties;* zijn ~ neerleggen *resign one's position,* step down from o.; een ~ uitoefenen *carry out/ exercise one's o./ duties* **6.1** iem. **in** zijn ~ **herstellen** *reinstate s.o.;* iem. **uit** een ~ ontzetten *discharge s.o. from o.* **6.2** in het ~ staan *be a man of the cloth.*
ambtelijk ⟨bn., bw.; -ly⟩ **0.1** [van een ambt] *official* ⇒*professional* **0.2** [kenmerkend voor hetgeen van ambtswege gebeurt] *official* ⇒*professional* **0.3** [ambtshalve] *official* ⇒*professional* ◆ **1.1** het ~ karakter van deze functie *the o. character of this position* **1.2** ~e stijl *officialese, o. jargon;* ~e stukken *o. papers/ documents;* ~e weg/ werkzaamheden *o. channel/ duties* **1.3** een ~ bevel *an o. command* **3.3** iem. iets ~ gelasten *command s.o. officially to do sth..*
ambteloos ⟨bn.⟩ **0.1** *private* ◆ **1.1** een ~ burger *a p. citizen;* een ~ leven *a life of retirement.*
ambtenaar ⟨de (m.)⟩, **-nares** ⟨de (v.)⟩ **0.1** *official* ⇒*civil/ public servant* ◆ **1.1** ~ v.d. burgerlijke stand *registrar,* [A]*county clerk* **2.1** burgerlijk/ civiel ~ *civil/ public servant;* ⟨pej.⟩ hij is een echte ~ *he is a typical bureaucrat;* een hoge ~ *a high-ranking o.;* een lage ~ *a low-ranking/ petty o.;* rechterlijk ~ *judicial officer* **3.1** ~ zijn *work for the government/* [B]*crown/* [A]*state/ in the civil service* **6.1** ~ **bij/ van** het Openbaar Ministerie *counsel for the prosecution/* [B]*crown/* [A]*state* ¶**.1** een (verwaand) ~tje *a jack-in-office.*
ambtenarenapparaat ⟨het⟩ **0.1** *civil service.*
ambtenarenbond ⟨de (m.)⟩ **0.1** *civil service union.*
ambtenarengerecht ⟨het⟩ **0.1** *arbitration court for civil servants,* Civil Service Tribunal.
ambtenarenpensioen ⟨het⟩ **0.1** *retired pay* ⇒*civil service pension.*
ambtenarensalaris ⟨het⟩ **0.1** *civil service salary.*
ambtenarentaal ⟨de⟩ ⟨pej.⟩ **0.1** *officialese.*
ambtenarij ⟨de (v.)⟩ **0.1** [bureaucratie] *officialdom* ⇒*bureaucracy, red tape* **0.2** [ambtenaren] *civil service.*
ambtgenoot ⟨de (m.)⟩ **0.1** *colleague* ⇒*confrère.*
ambtsaanvaarding ⟨de (v.)⟩ **0.1** *accession to office, acceptance/ assumption of duties* ◆ **6.1** bij zijn ~ *(up)on his accession to office/ assumption of duties.*
ambtsbediening ⟨de (v.)⟩ **0.1** [bediening v.e ambt] *discharge/ exercise of one's duties/ office* **0.2** [ambt] *office* ⇒*duties.*
ambtsdrager ⟨de (m.)⟩, **-draagster** ⟨de (v.)⟩ **0.1** *office holder* ⇒ ⟨rel.; AE ook alg.⟩ *incumbent.*
ambtseed ⟨de (m.)⟩ **0.1** *oath of office* ◆ **3.1** de ~ afleggen *be sworn in, take the oath of office.*
ambtsgebied ⟨het⟩ **0.1** *district* ⇒ ⟨jur.⟩ *jurisdiction,* ⟨fig.⟩ *province.*
ambtsgeheim ⟨het⟩ **0.1** [verplichte geheimhouding] ⟨overheid⟩ *official secrecy* ⇒ ⟨alg.⟩ *professional secrecy/ confidentiality* **0.2** [geheim te houden zaak] ⟨overheid⟩ *official secret* ⇒ ⟨alg.⟩ *professional secret/ confidentiality.*
ambtsgewaad ⟨het⟩ **0.1** *official robes* ⇒*regalia.*
ambtshalve ⟨bw.⟩ **0.1** *by virtue of one's office* ⇒*in one's official capacity, officially* ◆ **1.1** aanslag ~ *official assessment* **3.1** ~ aangeslagen worden *be assessed officially;* ~ kreeg hij daarmee te maken *he had to deal with that by virtue of his office/ in his official capacity* ¶**.1** hij is ~ lid v.h. comité *he is an ex-officio member of the committee;* zaken waarvan men ~ op de hoogte moet blijven *matters one has the duty to keep abreast of.*
ambtsjubileum ⟨het⟩ **0.1** *jubilee.*
ambtsketen ⟨de⟩ **0.1** *chain of office.*
ambtsopvolger ⟨de (m.)⟩ **0.1** *successor in office.*
ambtsovertreding ⟨de (v.)⟩ **0.1** *misfeasance* ⇒*misconduct, malpractice.*
ambtsperiode ⟨de (v.)⟩ **0.1** *term of office/ service* ⇒*tenure* ◆ **3.1** zijn ~ loopt af *his term of office is drawing to a close/ nearing its end/ is running out;* de ~ verlengen *extend the term of office* **6.1** tijdens haar ~ *during her term of office;* ~ van zeven jaar *seven year term of office.*
ambtsteken ⟨het⟩ **0.1** *badge/ mark of office* ⇒ ⟨mv. ook⟩ *insignia (of office).*
ambtstermijn ⟨de (m.)⟩ →*ambtsperiode.*
ambtswege ⟨6.¶⟩ **van** ~ *officially, ex officio, by virtue of one's office.*
ambtswoning ⟨de (v.)⟩ **0.1** *official residence.*
ambulance ⟨de⟩ **0.1** [auto] *ambulance* **0.2** [veldhospitaal] *field hospital* **0.3** [dienst mbt. oorlogsgewonden] *first-aid team.*

ambulancevliegtuig ⟨het⟩ **0.1** *air ambulance.*

ambulant ⟨bn.⟩ **0.1** [niet bedlegerig] *ambulant* ⇒*ambulatory* **0.2** [zonder vaste plaats] *ambulant* ⇒*ambulatory, travelling* **0.3** [zonder vaste werkkring] *unattached* ⇒*peripatetic* ⟨onderwijs⟩, *itinerant, unlicensed* ⟨makelaar⟩ ◆ **1.1** de ~e patiënten *out-patients* **1.2** de ~e handel *street trading;* een ~e troep *a travelling group/troop* **1.3** ~ hoofd van een school *headmaster who teaches no classes* **3.2** ~ zijn *be ambulant/ambulatory.*

ambulatorium ⟨het⟩ ⟨med.⟩ **0.1** *out-patient clinic/section.*

amechtig ⟨bn.⟩ ⟨schr.⟩ **0.1** [buiten adem] *breathless* ⇒*out of/panting for breath, winded* **0.2** [kortademig] *short-winded* ⇒*wheezy* ◆ **1.1** ~e warmte *oppressive heat* **3.1** ~ neerzijgen *collapse out of breath.*

amelie ⟨de (v.)⟩ ⟨med.⟩ **0.1** *amelia.*

amen[1] ⟨het⟩ **0.1** *amen* ◆ **1.1** ⟨fig.⟩ ja en ~ (op iets) zeggen *bow to sth.* **3.1** toen het ~ uitgesproken was *when the last a. was said;* ⟨fig.⟩ ~ (op iets) zeggen *say a. (to sth.)* **6.¶** van eeuwigheid **tot** ~ *from here to eternity.*

amen[2] ⟨tw.⟩ **0.1** *amen* ◆ **5.¶** ⟨AZN⟩ ~ en uit *period.*

amendement ⟨het⟩ **0.1** [⟨pol.⟩ voorgestelde wijziging] *amendment* **0.2** [⟨pol.⟩ indienen v.e. wijziging] *amendment* ⇒*amending* **0.3** [geopperde wijziging] *amendment* ◆ **1.1** de aanneming van het ~ *the passing of an a.* **1.2** de Tweede Kamer heeft het recht van ~ *the Second Chamber has the right of amendment* **3.1** een ~ indienen *hand in/introduce an a.* **6.1** een ~ **op/bij** een wetsvoorstel *an a. / a rider to a bill.*

amenderen ⟨ov.ww.⟩ **0.1** *amend.*

amendering ⟨de (v.)⟩ **0.1** *amending* ⇒*amendment.*

amenorroe ⟨de (v.)⟩ **0.1** *amenorrh(o)ea.*

Amerika ⟨het⟩ **0.1** *America.*

Amerikaan ⟨de (m.)⟩ **0.1** [persoon] *American* **0.2** [auto] *American car* ◆ **2.2** met een dikke ~ onder zijn gat *in a big fat American car* **6.1** tot ~ naturaliseren *naturalize as an A., Americanize.*

Amerikaans[1] ⟨het⟩ **0.1** *American.*

Amerikaans[2] ⟨bn.⟩ **0.1** [uit de USA afkomstig] *American* **0.2** [uit Amerika afkomstig] *American* ◆ **1.1** de ~e Burgeroorlog *the Civil War, the War of Secession, the War Between the States;* het ~e congres *Congress, Capitol Hill, the Hill;* ~e onafhankelijkheidsverklaring *Declaration of Independence;* de ~e vlag *the A. flag, the Stars and Stripes, Old Glory;* ~e whiskey *bourbon, rye, corn whiskey* **1.2** ~e veenbes *cranberry* **5.1** typisch ~ *typically A.;* ⟨inf.⟩ *as A. as apple pie* **¶.1** door en door/op en top ~ *A. through and through, all-American.*

Amerikaanse ⟨de (v.)⟩ **0.1** *American woman/girl.*

amerikanisering ⟨de (v.)⟩ **0.1** *Americanization.*

amerikanisme ⟨het⟩ **0.1** [⟨taal.⟩] *Americanism* **0.2** [levensbeschouwing/-stijl] *American way of life* ◆ **3.1** ~n gebruiken *use Americanisms, Americanize.*

ametallisme ⟨het⟩ **0.1** *ametallism.*

amethist
I ⟨het⟩ **0.1** [gesteente] *amethyst;*
II ⟨de (m.)⟩ **0.1** [steen] *amethyst.*

ametrie ⟨de (v.)⟩ **0.1** [wanverhouding] *dissymmetry* **0.2** [⟨lit.⟩] *ametrical verse* **0.3** [⟨med.⟩] *ametria.*

ametropie ⟨de (v.)⟩ **0.1** *ametropia.*

ameublement ⟨het⟩ **0.1** *suite of furniture* ⇒*(bedroom/dining room) suite.*

amfetamine ⟨het, de⟩ **0.1** *amphetamine.*

amfibie ⟨de (m.)⟩ **0.1** [dier] *amphibian* **0.2** [voertuig] *amphibian.*

amfibietank ⟨de (m.)⟩ **0.1** *amphibious tank.*

amfibievliegtuig ⟨het⟩ **0.1** *amphibious plane* ⇒*amphibian.*

amfibievoertuig ⟨het⟩ **0.1** *amphibious vehicle* ⇒*amphibian.*

amfibisch ⟨bn.⟩ **0.1** *amphibious* ⇒*amphibian* ◆ **1.1** ~e operatie *an amphibious operation.*

amfibrachisch ⟨bn.⟩ ⟨lit.⟩ **0.1** *amphibrachic.*

amfibrachys ⟨de (m.)⟩ ⟨lit.⟩ **0.1** *the amphibrach.*

amfitheater ⟨het⟩ **0.1** [schouwburg] *amphitheatre* **0.2** [zitplaatsen] *amphitheatre* **0.3** [halfrond opgaand bouwsel] *amphitheatre.*

amfoliet ⟨de/het⟩ **0.1** *ampholyte.*

amfora ⟨de⟩ **0.1** *amphora.*

amfoteer ⟨bn.⟩ ⟨schei.⟩ **0.1** *amphoteric, amphiprotic.*

amicaal ⟨bn., bw.;-ly⟩ **0.1** *amicable* ⇒*friendly* ◆ **3.1** ~ omgaan met iem. *be on friendly terms/hobnob with s.o.* **6.1** hij is mij wat al **te** ~ *he is a little too familiar for my taste.*

amice **0.1** *(my) dear friend.*

aminozuur ⟨het⟩ ⟨schei., bioch.⟩ **0.1** *amino acid.*

am(m)ehoela ⟨tw.⟩ ⟨inf.⟩ **0.1** *not on your life* ⇒ ⟨vnl. BE⟩ *not on your nelly, no way, forget it.*

ammonia ⟨de (m.)⟩ **0.1** *(aqueous) ammonia* ⇒*ammonia water/solution.*

ammoniak ⟨de (m.)⟩ ⟨schei.⟩ **0.1** *ammonia.*

ammoniakgas ⟨het⟩ **0.1** *ammonia.*

ammoniakverbinding ⟨de (v.)⟩ **0.1** *ammine* ⇒*ammon(i)ate.*

ammoniakzout ⟨het⟩ **0.1** *ammonium salt.*

ammonium ⟨het⟩ ⟨schei.⟩ **0.1** *ammonium.*

ammonshoorn ⟨de (m.)⟩ **0.1** [fossiel weekdier] *ammonite* **0.2** [schelp] *ammonite.*

ammunitie ⟨de (v.)⟩ **0.1** *ammunition.*

amnesie ⟨de (v.)⟩ **0.1** [tijdelijk geheugenverlies] *amnesia* **0.2** [slecht geheugen] *bad memory* ⇒ ⟨scherts.⟩ *amnesia.*

amnestie ⟨de (v.)⟩ **0.1** *amnesty* ⇒*(general) pardon* ◆ **3.1** ~ verlenen (aan) *extend/grant/give a. (to).*

amnioscoop ⟨de (m.)⟩ **0.1** *amnioscope.*

amnioscopie ⟨de (v.)⟩ **0.1** *amnioscopy.*

amoebe ⟨de⟩ **0.1** *amoeba.*

amoebiasis ⟨de (v.)⟩ ⟨med.⟩ **0.1** *amoebiasis.*

amok ◆ **3.¶** ~ maken *run amok/amuck* ⟨ook fig.⟩; ⟨fig. ook⟩ *go beserk.*

amokmaker ⟨de (m.)⟩ **0.1** *troublemaker.*

Amor **0.1** *Cupid* ⇒*Eros.*

amoralisme ⟨het⟩ ⟨fil.⟩ **0.1** *amoralism.*

amoreel ⟨bn., bw.⟩ **0.1** *amoral.*

amorf ⟨bn.⟩ **0.1** [⟨nat.⟩] *amorphous* **0.2** [zonder vormgeving] *amorphous* **0.3** [⟨psych.⟩] *passive* ◆ **1.1** ~e toestand *amorphism.*

amorfisme ⟨het⟩ ⟨nat.⟩ **0.1** *amorphism.*

amoroso ⟨bw.⟩ ⟨muz.⟩ **0.1** *amoroso.*

amortisatie ⟨de (v.)⟩ **0.1** [het ongeldig verklaren van geldswaardig papier] *invalidation* **0.2** [delging v.e. schuld] *repayment, redemption; amortization* ⟨van lening⟩.

amortiseerbaar ⟨bn.⟩ **0.1** *amortizable.*

amortiseren ⟨ov.ww.⟩ **0.1** [ongeldig verklaren] *invalidate, declare null and void* **0.2** [delgen] *repay, redeem; amortize* ⟨lening⟩.

amourette ⟨de⟩ **0.1** *(love) affair* ⇒*intrigue, amourette, affair of the heart.*

amoureus ⟨bn., bw.⟩ **0.1** [gemakkelijk verliefd rakend] *amorous* ⇒*amatory* **0.2** [mbt. de liefde] *amorous* ◆ **1.2** amoureuze avonturen *a. adventures.*

amoveren ⟨ov.ww.⟩ **0.1** [verwijderen] *remove* **0.2** [uit een functie ontzetten] *remove* ⇒*dismiss* **0.3** [slopen] *pull/knock down.*

ampel ⟨bn., bw.;-ly⟩ **0.1** *ample* ⇒*lengthy,* ⟨bw. ook⟩ *at great length* ◆ **1.1** na ~e overweging *after much/careful consideration/debate/thought;* een ~ verslag *a lengthy report.*

amper ⟨bw.⟩ **0.1** *scarcely* ⇒*barely, hardly* ◆ **3.1** ze had ~ leren lezen toen ze Shakespeare kocht *she had s. learned to read when she bought Shakespeare;* het is maar ~ een voldoende *it's only just a pass, it only just passes;* hij kon ~/~ aan/~tjes schrijven *he could barely write.*

ampère ⟨de (m.)⟩ **0.1** *ampere.*

ampèremeter ⟨de (m.)⟩ **0.1** *amperemeter.*

ampère-uur ⟨het⟩ **0.1** *ampere-hour.*

ampèrewinding ⟨de (v.)⟩ **0.1** *ampere-turn.*

ampex ⟨de⟩ **0.1** *ampex.*

amplificatie ⟨de (v.)⟩ **0.1** [uiteenzetting] *amplification* **0.2** [overdrijving] *exaggeration.*

amplificeren ⟨ov.ww.⟩ **0.1** *amplify* ⇒*enlarge, increase.*

amplitude ⟨de (v.)⟩ **0.1** [slingerwijdte] *amplitude* **0.2** [⟨nat.⟩] *amplitude* **0.3** [⟨ster.⟩] *amplitude.*

ampul ⟨de⟩ **0.1** [dichtgesmolten glazen buisje] *ampoule* ⇒ ⟨vnl. AE⟩ *ampul(e)* **0.2** [⟨r.k.⟩] *ampulla.*

amputatie ⟨de (v.)⟩ **0.1** *amputation* ◆ **3.1** iem. die een ~ heeft ondergaan *amputee.*

amputeren ⟨ov.ww.⟩ **0.1** *amputate.*

amsterdammertje ⟨het⟩ **0.1** *no-parking post;* ⟨vnl. BE⟩ *bollard (to prevent parking).*

amulet ⟨de⟩ **0.1** *amulet* ⇒*talisman, charm, mascot.*

amusant ⟨bn., bw.;-ly⟩ **0.1** *amusing* ⇒*entertaining, diverting,* ⟨AE ook⟩ *fun* ◆ **1.1** het/hij is een ~ kereltje *he's an entertaining fellow;* een ~ verhaal/avondje *an a. story/evening* **3.1** iets ~ vinden *enjoy/like sth. (a lot)* **5.1** het is reuze/erg ~ *it is great/terrific fun.*

amusement ⟨het⟩ **0.1** [het amuseren] *amusement* ⇒*entertainment, diversion* **0.2** [iets waarmee men zich vermaakt] *amusement* ⇒*entertainment, diversion, pastime* ◆ **3.2** die stad biedt niet veel ~ *that town/city doesn't offer much (in the way of) entertainment/diversion* **6.1** tot ~ v.d. aanwezigen *to the a. of those present.*

amusementsbedrijf ⟨het⟩ **0.1** *entertainment industry* ⇒*show business,* ⟨inf.⟩ *show biz.*

amusementsmuziek ⟨de (v.)⟩ **0.1** *light music.*

amusementsprogramma ⟨het⟩ **0.1** *light entertainment programme* [A]*gram.*

amusementswereld ⟨de⟩ **0.1** *world of entertainment, show business* ⇒ ⟨inf.⟩ *show biz* ◆ **6.1** hij zit in de ~ *he's in entertainment.*

amuseren
I ⟨ov.ww.⟩ **0.1** [vermaken] *amuse* ⇒*entertain, divert* ◆ **4.1** zijn grappen ~ me matig *I think his jokes aren't really very funny;*
II ⟨wk.ww.;zich ~⟩ **0.1** [zich vermaken] *amuse o.s.* ⇒*have a good time, entertain/enjoy o.s.* ◆ **1.1** amuseer je je een beetje? *are you enjoying yourself?* **5.1** zich kostelijk/geweldig/uitstekend ⟨enz.⟩ ~ *have a great time/a high old time/* ⟨inf.⟩ *a ball, thoroughly enjoy o.s.* **6.1** zich ~ **met** een boek *a. / entertain/divert o.s. with a book;* zich ~ **over** iem. *make fun at s.o. else's expense.*

amuzikaal ⟨bn.⟩ **0.1** *tone-deaf.*

AMVB ⟨afk.⟩ **0.1** [Algemene Maatregel van Bestuur] ⟨*(implementing) regulation/ordinance/order*⟩.

amylacetaat ⟨het⟩ **0.1** *amyl acetate* ⇒⟨tegenwoordig⟩ *pentyl acetate*.
amylase ⟨de (v.)⟩ **0.1** *amylase* ⇒*amylopsin* ⟨v.h. alvleeskliersap⟩.
amyloplast ⟨het⟩ **0.1** *amyloplast(id)*.
amylose ⟨de (v.)⟩ **0.1** [bestanddeel van zetmeel] *amylose* **0.2** [⟨mv.⟩ koolhydraten] *amyloses*.
anaal ⟨bn., bw.⟩ **0.1** *anal*.
anabaptisme ⟨het⟩ **0.1** *anabaptism*.
anabaptist ⟨de (m.)⟩ **0.1** *anabaptist*.
anabiose ⟨de (v.)⟩ **0.1** *anabiosis*.
anabolen ⟨zn.mv.⟩ ⟨med.⟩ **0.1** *anabolics* ⇒*anabolic steroids*.
anabolisme ⟨het⟩ **0.1** *anabolism*.
anabool ⟨bn.⟩ ⟨med.⟩ **0.1** *anabolic* ◆ **1.1** anabole steroïden *a. steroids*.
anachoreet ⟨de (m.)⟩ **0.1** *anchorite* ⇒*hermit, recluse*.
anachronisme ⟨het⟩ **0.1** [zonde tegen de tijdrekening] *anachronism* **0.2** [persoon, zaak] *anachronism*.
anachronistisch ⟨bn.⟩ **0.1** *anachronistic*.
anaconda ⟨de⟩ **0.1** *anaconda*.
anaëroob ⟨bn.⟩ ⟨biol.⟩ **0.1** *anaerobic* ◆ **1.1** anaërobe bacteriën *a. bacteria*.
anafase ⟨de (v.)⟩ ⟨biol.⟩ **0.1** *anaphase*.
anafoor ⟨de⟩ **0.1** *anaphora*.
anaforisch ⟨bn.⟩ ⟨taal.⟩ **0.1** *anaphoric* ◆ **1.1** het ~ gebruik v.d. pronomina *the a. use of the pronouns*.
anafylaxie ⟨de (v.)⟩ ⟨med.⟩ **0.1** *anaphylaxis*.
anagoge ⟨de⟩ **0.1** *anagoge, anagogy*.
anagram ⟨het⟩ **0.1** [woordomkering] *palindrome* **0.2** [verschikking v.d. letters] *anagram* ◆ **3.2** een ~ vormen van *make an a. of*.
anakoloet ⟨de⟩ **0.1** *anacoluthon*.
analecten ⟨zn.mv.⟩ **0.1** *analects* ⇒*analecta*.
analepticum ⟨het⟩ ⟨med.⟩ **0.1** *analeptic*.
analgesie ⟨de (v.)⟩ **0.1** *analgesia* ⇒*analgia*.
analgeticum ⟨het⟩ **0.1** *analgesic*.
analgie ⟨de (v.)⟩ →*analgesie*.
analist ⟨de (m.)⟩, -e ⟨de (v.)⟩ **0.1** [iem. die chemisch analyseert] *(chemical) analyst* ⇒*lab(oratory) technician* **0.2** [⟨comp.⟩] *analyst*.
analistenopleiding ⟨de (v.)⟩ **0.1** *analytical training*.
analogie ⟨de (v.)⟩ **0.1** [overeenkomst] *analogy* **0.2** [⟨taal.⟩] *analogy* **0.3** [door analogie gevormd iets] *analogy* ◆ **6.1** bij ~ *redeneren reason by a.* **6.2** naar ~ *van by a. with*.
analogisch ⟨bn., bw.⟩ **0.1** *analogic(al)* ◆ **3.1** ~ denken/redeneren *think/reason a.* in terms of analogies; ~ verklaren *explain by analogy*.
analoog ⟨bn., bw.; -ly, beh. o.⟩ **0.1** [overeenkomend] *analogous* **0.2** [⟨biol.⟩] *analogous* **0.3** [⟨tech.⟩] *analogue*, ⟨AE vnl.⟩ *analog* ◆ **1.1** een ~ geval *an a. case*; een analoge redenering *an a. argument* **1.3** een analoge computer/rekenmachine *an a. computer*; een ~ horloge *an a. watch* **2.1** ~ redenerend *reasoning by means of analogies* **3.1** ~ redeneren/denken *reason/think analogously*; ~ zijn (aan/met) *be a. to*.
analysator ⟨de (m.)⟩ **0.1** *analyser* ^A*zer*.
analyse ⟨de (v.)⟩ **0.1** [het ontleden in bestanddelen] *analysis* **0.2** [⟨logica⟩] *analysis* **0.3** [⟨taal.⟩] *analysis* **0.4** [⟨wisk.⟩] *analysis* **0.5** [⟨psych.⟩] *analysis* ◆ **2.1** chemische (kwalitatieve) ~ *chemical a.*; (essaai) *assay*; een kritische ~ (v.e. roman/gedicht/politieke problemen ⟨enz.⟩) *a critical a. (of a novel/poem/political problems ⟨enz.⟩)*; kwantitatieve ~ *quantitative a.* **2.3** logische en grammatische ~ *logical and grammatical a.* **3.1** een ~ maken van *make an a. of, analyse* ^A*ze*; een ~ toepassen op *perform an a. of, analyse* ^A*ze* **6.5** in ~ gaan/zijn *undergo/be under a.*.
analyseerbaar ⟨bn.⟩ **0.1** *analysable* ^A*zable (into)* ⇒(essaaieerbaar) *assayable*.
analyserapport ⟨het⟩ **0.1** *analyst's report* ⇒*report of analysis*.
analyseren ⟨onov., ov.ww.⟩ **0.1** *analyse* ^A*ze* ◆ **1.1** een schaakpartij ~ *a. a chess game*; een techniek/kunstwerk ~ *a. a technique/work of art* **5.1** zij kon goed ~ *she could a. a problem quickly*; grondig ~ *a. thoroughly*; ⟨fig.⟩ *dissect*; syntactisch ~ *a. the syntax (of), parse*.
analyticus ⟨de (m.)⟩ **0.1** *analyst*.
analytisch
I ⟨bn., bw.; -(al)ly⟩ **0.1** [op analyse berustend] *analytical*, ⟨AE vnl.⟩ *analytic* ◆ **1.1** ⟨wisk.⟩ ~ e functie *a. function*; ~ e meetkunde *a. geometry*; ~ e oplossing v.e. vraagstuk *a. solution to a problem*; ~ e psychologie *analytic psychology*; ~ e talen *analytical languages*; een ~ verslag *an a. report* **3.1** ~ denken *think analytically*;
II ⟨bn.⟩ **0.1** [analyserend] *analytical*, ⟨AE vnl.⟩ *analytic* ◆ **1.1** een ~ e geest *an a. mind*.
anamnese ⟨de (v.)⟩ **0.1** [⟨med.⟩] *anamnesis* ⇒*case history* **0.2** [⟨fil.⟩] *anamnesis* **0.3** [⟨rel.⟩] *Anamnesis*.
anamorfose ⟨de (v.)⟩ **0.1** *anamorphosis*.
ananas ⟨de⟩ **0.1** [plant] *pineapple* **0.2** [vrucht] *pineapple* **0.3** [iets met ananassmaak] *pineapple*.

anapest ⟨de (m.)⟩ **0.1** *anap(a)est*.
anarchie ⟨de (v.)⟩ **0.1** [regeringsloosheid] *anarchy* **0.2** [ordeloosheid] *anarchy*.
anarchisme ⟨het⟩ **0.1** [leer] *anarchism* **0.2** [streven] *anarchism*.
anarchist ⟨de (m.)⟩, -e ⟨de (v.)⟩ **0.1** *anarchist*.
anarchistisch ⟨bn.⟩ **0.1** [mbt. het anarchisme/de anarchisten] *anarchist(ic)* **0.2** [de beginselen toegedaan] *anarchic* ◆ **1.1** ~ e woelingen *a. disturbances*.
anarcho-syndicalisme ⟨het⟩ ⟨pol.; gesch.⟩ **0.1** *anarcho-syndicalism*.
anastigmaat ⟨de (m.)⟩ ⟨foto.⟩ **0.1** *anastigmat* ⇒*anastigmat(ic) lens*.
anastomose ⟨de (v.)⟩ **0.1** *anastomosis*.
anastrofe ⟨de⟩ **0.1** *anastrophe* ⇒*inversion*.
anathema ⟨het⟩ **0.1** *anathema* ◆ **3.1** zijn ~ over iets uitspreken *anathematize sth.*.
Anatolië ⟨het⟩ **0.1** *Anatolia* ⇒⟨gesch.⟩ *Asia Minor*.
anatomie ⟨de (v.)⟩ **0.1** [leer] *anatomy* **0.2** [handeling] *anatomy* ◆ **2.1** pathologische ~ *morbid a.*; topografische ~ *topographical a., topography*.
anatomisch ⟨bn.⟩ **0.1** *anatomical* ◆ **1.1** ~ e bouw/beschrijving/verhandeling ⟨ook⟩ *anatomy*.
anatomiseren ⟨ov.ww.⟩ **0.1** [ontleden] *anatomize* ⇒*dissect* **0.2** [⟨fig.⟩] *anatomize* ⇒*dissect*.
anatoom ⟨de (m.)⟩ **0.1** *anatomist*.
anatoxine ⟨het⟩ ⟨med.⟩ **0.1** *toxoid*.
anatto ⟨het⟩ **0.1** *a(n)natto, anatta*.
anciënniteit ⟨de (v.)⟩ **0.1** *seniority* ◆ **2.1** (iem.) met hogere ~ *s.o. senior* **6.1** de bevordering geschiedt naar ~ *promotions are made on/according to s.*.
Andalusië ⟨het⟩ **0.1** *Andalusia*.
andante[1] ⟨het⟩ ⟨muz.⟩ **0.1** *andante*.
andante[2] ⟨bw.⟩ ⟨muz.⟩ **0.1** *andante*.
andantino ⟨bw.⟩ ⟨muz.⟩ **0.1** *andantino*.
ander[1] ⟨bn.⟩ (→sprw. 14) **0.1** [de/het tweede] *other* ⇒*another* **0.2** [niet dezelfde] *other* ⇒*another* **0.3** [zich onderscheidend] *different* ◆ **1.1** mijn ~ ik *my other ego*; aan de ~ kant ⟨lett.⟩ *on the reverse side*; ⟨anderzijds⟩ *on the o. hand*; de ~ e sekse, het ~ e geslacht *the opposite/o. sex*; (de) een of ~ e voorbijganger *some passer-by*; iem. naar de ~ e wereld zenden/helpen *blow/dispatch s.o. to kingdom come/the next world/to eternity*; iem. naar de ~ e wereld wensen *wish s.o. into eternity/the next world* **1.2** aan de ~ e kant/zijde v.h. dorp *at the far end of the village*; geen ~ e keer misschien! *maybe some o. time*; geen ~ e keuze hebben dan ...*have no option but ...*; een ~ e maal *some o. time, another time*; neem een ~ e sigaar *have a fresh/new cigar*; met ~ e woorden *in o. words* **1.3** dat is een ~ e man/woman *now*; ⟨fig.⟩ ~ e wind *a new wind*; dat is een (ge)heel ~ e zaak/kwestie *that's quite a d. matter, that's a d. matter altogether* **4.1** op één of ~ e dag *some day (or o.)*; op de een of ~ e manier/wijze *by some means or o., anyway, one way or another*; om de één of ~ e reden *for one reason or another, for some reason* **7.1** de ~ e drie *the o. three, the three others*.
ander[2] ⟨onb.vnw.⟩ (→sprw. 164,220,254,373) **0.1** [persoon] *another* ⇒⟨mv.⟩ *others* **0.2** [zaak] *another matter/thing* ⇒⟨mv.⟩ *other matters/things* ◆ **3.1** zeg het niet aan een ~ *don't tell a soul/anyone else* **3.2** men kan het ene doen en het ~ niet laten *you can have your cake and eat it too* **4.1** de een of ~ *somebody, someone* **4.2** (het) een en ~ *a few things, one thing and another; all this, matters (resulted in ...)*; hij moet het een ~ vergeten zijn *he must have forgotten something or other*; van de één naar de ~ hollen ⟨ook⟩ *rush from one thing to the other/from pillar to post* **5.1** sommigen wel, ~ en niet *some do/are, some don't* **6.1** de een na de ~ *(pick them up) one after a., one by one, in sequence*; wie? jij onder ~ en! *who? you, for one/amongst others* **6.2** het één met het ~ (genomen), ...*what with one thing and another, one way and another, ...*; onder ~ *(o.a.) among other things, including*; ⟨soms ook⟩ *e.g.* **7.1** meer dan alle ~ en bij elkaar *more than all the rest put together*; de drie ~ en *the three others, the other three*; hij kan zwemmen als geen ~ *there's no one can swim like he does*; ⟨inf.⟩ *he can swim like nobody's business* **8.1** zij kan dat net zo goed als een ~ *she can do it as well as anybody else/the next person*; de een ~ e (choose) *one or the other* **8.2** of het één, of het ~! ⟨ook⟩ *you can't have it both ways* ¶**.1** maak dat een ~ wijs! *tell me a.!, pull the other one!*.
ander[3] ⟨rangtelw.⟩ **0.1** *next* ⇒*other* ◆ **1.1** des ~ en daags, de ~ e dag *(the) n. day*; om de ~ e dag *every other day, on alternate days*; een en ~ maal *once and again, now and again/then, more than once*; ten ~ en male *one n. time*; de ~ e week *(the) n. week* **6.1** om de ~ in turns; ten ~ en *n., secondly*.
anderdaags ⟨bn.⟩ **0.1** *tertian* ◆ **1.1** ~ e koorts *t. fever*.
anderdeels ⟨bw.⟩ **0.1** *partly* ⇒*in part, on the other hand* ◆ **5.1** eensdeels ..., ~ ...*p ..., p ....*.
anderhalf ⟨hoofdtelw.⟩ **0.1** [een en een half] *one and a half* **0.2** [zeer gering aantal] ⟨zie 1.2⟩ ◆ **1.1** ⟨scherts.⟩ anderhalve cent *lofty and*

Ti(t)ch; ~ jaar *a year and a half, eighteen months;* ~ maal zoveel *half as much/many again;* ~ maal zo hoog *one and a half times as high;* ~ maal het loon (voor overwerk) *time and a half (for working overtime);* ~ uur *an hour and a half* **1.2** anderhalve bezoeker *the odd visitor, the couple of visitors;* anderhalve man (en een paardekop) [↑]*hardly anybody;* ⟨BE ook⟩ *a few odds and sods.*

andermaal ⟨bw.⟩ **0.1** *again* ◆ **5.1** eenmaal, ~, derdemaal, verkocht *going, going, gone* ¶**.1** een en ~ *once and a., more than once.*

anderman ⟨onb.vnw.⟩ ⟨→sprw. 70,448,515,533⟩ **0.1** *another (man)* ⇒ ⟨mv.⟩ *others, other people* ◆ **1.1** met ~s veren pronken *strut around in borrowed plumage;* zich met ~s zaken bemoeien *interfere in other people's business;* ⟨inf.⟩ *poke one's nose in.*

anders
I ⟨bw.⟩ **0.1** [op een andere manier] *otherwise* ⇒*differently* **0.2** [op andere tijden] *otherwise* **0.3** [in andere omstandigheden] *otherwise* **0.4** [om een andere reden] *else* ⇒*otherwise* **0.5** ⟨⟨beperking, voorbehoud⟩⟩ *though* **0.6** [voor het overige] *otherwise* ⇒*else* **0.7** [⟨toegeving⟩] *otherwise* ⇒*for the rest* ◆ **3.1** het ~ aanpakken *handle/tackle it differently, change one's tack;* ik denk er ~ over dan zij *I disagree with her there/in that respect, I differ from her;* ~ genoemd *alias, a.k.a., o.;* ~ gezegd, ... *in other words; or, ...; to put it differently, ...;* het is (met mij) ~ gegaan dan ik dacht *things turned out differently from what I had expected;* met haar is het ~ gesteld, zij staat er ~ voor *she is differently placed/in a different position, with her it's different;* kwebbelen, ~ kan je niet(s)! *chatter, that's all you're capable of!;* het kan niet ~ of ze is ziek/dan dat ze ziek is *she must be ill;* hij kan niet ~ *he can't help it;* hij kan niet ~ (dan ...) *he can't help (...), he needs must (...);* in jouw geval liggen de zaken ~ *in your case things are different;* zij zou wel ~ praten als ... *she'd sing a different song if ...;* iets ~ uitdrukken/stellen *reword/rephrase sth.* **3.2** ~ zit ik nu aan mijn bureau *normally, I'd be sitting at my desk now* **3.6** wat kon ik ~ (doen)/dan ...? *what else could I do (but ...)* **4.6** ~ niets? ⟨bv. in winkel⟩ *will that be all?* **5.1** (zo is het) en niet ~ *(I told you) and that's it/that's how it is;* we doen het zo en niet ~ *we'll do it this way and no other* **5.3** als ik het zeg, ~ niet! *only when/if I say so* **5.4** waarom zou hij ~ zo koppig zijn *why e. should he be so stubborn* **5.6** het huis is oud, maar ~ wel geschikt *the house is old, but for the rest/o. quite suitable* **5.**¶ ergens ~ *somewhere else;* ga nergens ~ heen! *don't go anywhere else* **8.1** de zakenman, ~ dan de werknemer, moet aan winst denken *the businessman, unlike/as opposed to the employee, has to consider the profits* **8.2** net als ~ *the same as ever;* niet meer zo vaak als ~ *less often than usual, not so often as usual* **8.3** maak dat je wegkomt of ~ ...! *be off/make yourself scarce, or else ...* ¶**.2** hij is ~ zeer meegaand *he is very compliant as a rule/o.* ¶**.3** hij weet het niet, ~ zou hij het wel zeggen *he doesn't know, or he would tell/say* ¶**.5** verwacht je regen? daar ziet het ~ niet naar uit *do you expect rain? it doesn't look like it, though;* het is ~ niet zo moeilijk *it is not really so difficult* ¶**.7** hoe vlug hij ~ is, dit is boven zijn krachten *however quick he may be o., this is too much for him/he won't manage this;*
II ⟨bn.; alleen pred.⟩ **0.1** [verschillend] *different (from)* **0.2** [homofiel] *different* ◆ **1.1** iem./ niemand/niets/iets/wat ~ *somebody/someone/nobody/nothing/something else* **3.1** mooi is ~ *beautiful is not what I'd call it/sth. else;* daardoor wordt de zaak ~ *that alters the matter;* onze zeden zijn ~ dan die van onze voorouders *our morals differ from those of our ancestors* **4.1** nog iets ~? *anything else?;* over iets ~ beginnen (te praten) *change the topic/subject;* mooi! maar of het werkt is iets heel ~! *fine! but whether it works is another matter/remains to be seen!;* hij wil iets ~! dat is iets/wat ~! *he doesn't want to? that's different!;* er zit niets ~ op dan ... *there is nothing for it but to ...;* ik heb niets ~ te doen *I have nothing better to do; all I have to do (is ...);* dat is heel wat ~/ iets heel ~ *that's quite a d. matter (altogether)* **5.1** het is (nu eenmaal) niet ~ *that's how it is (and there's nothing can be done about it)* **8.1** het is niet ~ dan normaal *it is no d. from usual;* het kan niet ~ dan goed zijn *it cannot but be right;* zij was ~ dan anders *she was unlike her usual self;* niemand ~ dan hij *no one but him.*

andersdenkend ⟨bn.⟩ **0.1** ⟨met afwijkende mening⟩ *dissentient, dissident;* ⟨oneens⟩ *in disagreement* ⟨alleen pred.⟩.

andersdenkende ⟨de (m.)⟩ **0.1** *dissenter, dissident.*

andersom ⟨bw.⟩ **0.1** *the other way round* ◆ **3.1** je moet die schroef ~ draaien *turn the screw the other way round* **5.1** 't is juist ~ *it's just the opposite/the reverse/the other way round.*

andersoortig ⟨bn.⟩ **0.1** *different* ⇒*heterologous.*

anderstalige ⟨de (m.)⟩ **0.1** ≠*non-native/foreign speaker.*

anderszins ⟨bw.⟩ ⟨schr.⟩ **0.1** *otherwise* ◆ **8.1** schade, zo door brand, hagel als ~ *damage caused by fire, hail or o.;* en/of ~ *and/or o..*

anderzijds ⟨bw.⟩ ⟨→ *the other hand* ◆ **5.1** het is waar, maar ~ ... *it's true, yet ...; it's true, but then again/on the other hand ....*

andijvie ⟨de⟩ **0.1** [plant] *endive* **0.2** [groente] *endive.*

andijviesla ⟨de⟩ **0.1** *endive salad.*

andijviestruik ⟨de (m.)⟩ **0.1** *head of endive.*

andoorn ⟨de (m.)⟩ **0.1** *woundwort.*

Andorra ⟨het⟩ **0.1** *Andorra.*

andragogiek ⟨de (v.)⟩ **0.1** ≠*adult/continuing/further education.*

andragogisch ⟨bn., bw.⟩ **0.1** *concerning adult/continuing/further education.*

andragologie ⟨de (v.)⟩ **0.1** ≠*adult educational theory.*

andragoloog ⟨de (m.)⟩, **-loge** ⟨de (v.)⟩ **0.1** ≠*specialist in adult education.*

andragoog ⟨de (m.)⟩, **- goge** ⟨de (v.)⟩ **0.1** ≠*worker/teacher in adult/continuing/further education.*

Andreaskruis ⟨het⟩ **0.1** *St./Saint Andrew's cross* ◆ **6.1** ⟨herald.⟩ **in** ~ *in saltire.*

androgeen ⟨bn.⟩ **0.1** *androgenic* ◆ **1.1** ~ hormoon ⟨ook⟩ *androgen.*

androgyn ⟨de (m.)⟩ **0.1** *androgyne.*

androgynie ⟨de (v.)⟩ **0.1** [⟨biol.⟩] *androgyny* **0.2** [⟨plantk.⟩] *androgyny.*

androïde ⟨de (v.)⟩ **0.1** *android.*

andromeda ⟨de (v.)⟩ ⟨ster.⟩ **0.1** *Andromeda.*

andromedanevel ⟨de⟩ ⟨ster.⟩ **0.1** *Andromeda Galaxy.*

andropauze ⟨de⟩ ⟨biol.⟩ **0.1** *male menopause* ⇒*climacteric.*

androsteron ⟨het⟩ ⟨biol.⟩ **0.1** *androsterone.*

anekdote ⟨de⟩ **0.1** [kenschetsende mededeling] *anecdote* **0.2** [amusant kort verhaal] *anecdote* ◆ **6.2** ~s over iem. (vnl. bekend persoon) *anecdotes about s.o., personal anecdotes (about s.o.).*

anekdotisch ⟨bn.⟩ **0.1** [van de aard van een anekdote] *anecdotal* **0.2** [samengesteld uit/berustend op anekdotes] *anecdotal.*

anemie ⟨de (v.)⟩ ⟨med.⟩ **0.1** *anaemia.*

anemisch ⟨bn.⟩ **0.1** [lijdend aan bloedarmoede] *anaemic* ⇒⟨fig. ook⟩ *bloodless* **0.2** [mbt. anemie] *anaemic.*

anemometer ⟨de (m.)⟩ **0.1** *anemometer.*

anemoon ⟨de⟩ **0.1** [plant] *anemone* **0.2** [bloem] *anemone.*

anencefalie ⟨de (v.)⟩ **0.1** *anencephaly.*

anergie ⟨de (v.)⟩ ⟨med.⟩ **0.1** *anergy.*

anesthesie ⟨de (v.)⟩ ⟨med.⟩ **0.1** [gevoelloosheid] *anaesthesia* **0.2** [verdoving van pijn] *anaesthesia* **0.3** [geneeskundig specialisme] *anaesthetics* ◆ **2.2** epidurale ~ *epidural/caudal a.;* lokale ~ *local a.;* totale ~ *general a..*

anesthesiologie ⟨de (v.)⟩ ⟨med.⟩ **0.1** *anaesthesiology.*

anesthesioloog ⟨de (m.)⟩, **- loge** ⟨de (v.)⟩ **0.1** *anaesthesiologist.*

anesthesist ⟨de (m.)⟩ ⟨med.⟩ **0.1** *anaesthetist.*

angarie ⟨de (v.)⟩ ⟨jur.⟩ **0.1** *angary.*

angel ⟨de (m.)⟩ **0.1** [steekorgaan] *sting* ⇒*dart* **0.2** [vishaak] *(fish-)hook* ⇒*angle* ◆ **3.1** ⟨fig.⟩ iem. de ~ uittrekken *take the s. out of sth./s.o.* **6.2** ⟨fig.⟩ hij beet **aan** de ~ *he took the bait;* ⟨fig.⟩ iem. **aan** zijn ~ krijgen *hook/corner s.o., get s.o. on the hook.*

angelica ⟨de⟩ **0.1** [⟨plantk.⟩] *angelica* ⇒*angelique* **0.2** [⟨muz.⟩ orgelregister] *vox angelica.*

Angelsaksisch[1] ⟨bn.⟩ **0.1** *Anglo-Saxon.*

Angelsaksisch[2] ⟨bn.⟩ **0.1** [Engels] *English(-speaking)* ⇒*Anglo-Saxon* **0.2** [v.d. Angelsaksen] *Anglo-Saxon.*

angelus ⟨het⟩ ⟨r.k.⟩ **0.1** [gebed] *angelus* **0.2** [klok] *angelus (bell).*

angelusklok ⟨de⟩ **0.1** [klokje dat tot het angelus oproept] *angelus (bell)* **0.2** [geluid] *angelus (bell).*

angina ⟨de⟩ ⟨med.⟩ **0.1** [keelontsteking] *tonsillitis* ⇒*quinsy, angina* **0.2** [angina pectoris] *angina (pectoris).*

angiologie ⟨de (v.)⟩ ⟨med.⟩ **0.1** *angiology.*

angioom ⟨het⟩ ⟨med.⟩ **0.1** *angioma.*

anglicaan ⟨de (m.)⟩ **0.1** *Anglican.*

anglicaans ⟨bn.⟩ **0.1** *Anglican* ◆ **1.**¶ de Anglicaanse kerk ⟨ook⟩ *the Church of England.*

anglicisme ⟨het⟩ **0.1** *Anglicism.*

anglist ⟨de (m.)⟩, **-e** ⟨de (v.)⟩ **0.1** *English specialist* ⇒*expert on/student of English (language and literature).*

anglistiek ⟨de (v.)⟩ **0.1** *English studies, English language and literature.*

Anglo-Amerikaans ⟨bn.⟩ **0.1** *Anglo-American.*

anglofiel[1] ⟨de (m.)⟩ **0.1** *Anglophil(e).*

anglofiel[2] ⟨bn.⟩ **0.1** *Anglophile.*

anglofilie ⟨de (v.)⟩ **0.1** *Anglophilia* ⇒⟨van Engelsen zelf ook⟩ *Englishism.*

anglofobie ⟨de (v.)⟩ **0.1** *Anglophobia.*

anglomanie ⟨de (v.)⟩ **0.1** *Anglomania.*

Angola ⟨het⟩ **0.1** *Angola.*

Angolees[1] ⟨de (m.)⟩, **-ese** ⟨de (v.)⟩ **0.1** *Angolan.*

Angolees[2] ⟨bn.⟩ **0.1** *Angolan.*

angora ⟨de⟩ **0.1** [dier] *angora cat/goat/rabbit* **0.2** [wol] *angora (wool).*

angorageit ⟨de⟩ **0.1** *angora goat.*

angorawol ⟨de⟩ **0.1** *angora (wool).*

angst ⟨de (m.)⟩ ⟨→sprw. 15⟩ **0.1** *fear (of)* ⟨vaak mv.⟩ ⇒⟨angstig ontzag⟩ *dread, angst (of),* ⟨hevige angst⟩ *terror (of),* ⟨psych. meestal⟩ *anxiety* ◆ **1.1** in ~ en vreze *in f. and trembling, beset by fears* **2.1** een dodelijke ~ *a deadly terror/f., deadly fears;* overdreven ~ om de kinderen *over-anxiety for the children* **3.1** ~ aanjagen *frighten;* ⟨sterker⟩ *terrify;* ~ doorstaan/uitstaan *suffer fears, be terrified/anxious;* ~ hebben voor *be afraid/scared of;* ⟨schr.⟩ *be/stand in dread/f. of;* met stijgende ~ *with growing fear(s)/anxiety* **6.1 in** ~ zitten *be afraid/scared;* ⟨inf.⟩ *be in a fright/panic;* **uit** ~ **voor** *for f. of;* sidderen/ineenkrimpen **van** ~ *shake/tremble with f., be struck with terror/f.;* ik bezweek bijna **van** ~ *I almost died/passed out with f.;* (ver)stijf(d) **van** ~ *rigid/fro-*

zen with f. / *terror* / *dread;* verlamd **van** ~ *numb with f., frightened out of one's wits, rooted to the ground with f.* **7.1** duizen ~en uitstaan *be terror-stricken, suffer agonies (of f.)* **¶.1** met ~ en beven (iets tegemoetzien) *(view* / *await sth.) with terror in one's heart* / *with f. and trembling.*

angstaanjagend 〈bn., bw.〉 **0.1** *terrifying* ⇒ *frightening,* 〈ervaring ook〉 *anxious,* 〈monster ook〉 *fearsome.*

angstcomplex 〈het〉 **0.1** *anxiety complex* / *syndrome.*

angstdroom 〈de (m.)〉 **0.1** *anxious* / *fearful dream* ⇒ *nightmare.*

angstgevoel 〈het〉 **0.1** *(feeling of) fear* / *terror* / *dread.*

angstig
  I 〈bn.〉 **0.1** [angst voelend] *terrified* ⇒ *angst-ridden, anxious,* 〈pred.〉 *afraid* **0.2** [angst verwekkend] *fearful* ⇒ *anxious, terrifying* **0.3** [van angst getuigend] *terrified* ⇒ *anxious* **0.4** [met angst gepaard gaand] *fearful* ⇒ *anxious* ◆ **1.1** het ~ hart *the anxious heart* **1.2** ~e gedachten *f.* / *anxious* / *terrifying thoughts;* ~e voorgevoelens / *vermoedens* hebben *have qualms (about)* / *presentiments (that)* **1.3** een ~e schreeuw *an t.* / *an anxious cry, a cry of distress* **1.4** het waren ~e tijden *those were f.* / *anxious times* **3.1** dat maakte mij ~ *that frightened me* / *made me afraid;*
  II 〈bw.〉 **0.1** [op van angst getuigende wijze] *fearfully* ⇒ *anxiously* **0.2** [zeer] *fearfully* ⇒ *anxiously* ◆ **2.1** ~ gespannen verwachting *anxious expectation* / *anticipation* **5.2** zij reed ~ snel *she drove f. fast* / *at fearful speed.*

angstkreet 〈de (m.)〉 **0.1** *cry of fear* / *distress* ⇒ 〈plotselinge schrik〉 *startled cry.*

angstneurose 〈de (v.)〉 **0.1** *anxiety neurosis.*

angstogen 〈zn.mv.〉 **0.1** *terrified look* ◆ **6.1** iem. met grote ~ aanstaren *look fearfully at s.o..*

angstpsychose 〈de (v.)〉 **0.1** *anxiety psychosis.*

ångström-eenheid 〈de (v.)〉 **0.1** *ångström (unit).*

angstschreeuw →angstkreet.

angsttoestand 〈de (m.)〉 **0.1** *anxiety, panic, distress* ⇒ 〈psych.〉 *anxiety state.*

angstvallig 〈bn., bw.; -ly〉 **0.1** [pijnlijk nauwgezet] *scrupulous* ⇒ *meticulous, painstaking, studious* **0.2** [schroomachtig, bangelijk] *anxious* ⇒ *nervous, timid,* 〈schr.〉 *timorous* ◆ **1.1** ~e waarheidsliefde *scrupulous* / *meticulous concern for the truth* / *honesty* **3.1** ~ een geheim bewaren *guard a secret jealously;* zij vermeed ~ alle vreemde woorden *she scrupulously* / *studiously* / *painstakingly avoided* / *she took great pains to avoid all foreign words* **3.2** ~ keek hij om *he glanced back nervously* / *anxiously* / *timorously.*

angstwekkend 〈bn., bw.〉 **0.1** *frightening* ⇒ *terrifying, alarming.*

angstzweet 〈het〉 **0.1** *cold sweat* ◆ **3.1** het ~ brak hem uit *he broke out in a c.s..*

angulair 〈bn.〉 **0.1** *angular* ⇒ *angled* 〈meetkunde〉.

anhidrose 〈de (v.)〉 〈med.〉 **0.1** *anhidrosis, anhydrosis.*

anijs 〈de (m.)〉 **0.1** [plant] *anise* **0.2** [zaad] *aniseed* **0.3** [likeur] *anisette.*

anijsmelk 〈de〉 **0.1** *aniseed milk.*

anijstablet 〈de〉 **0.1** *aniseed tablet.*

anijszaad 〈het〉 **0.1** *aniseed.*

aniline 〈de〉 **0.1** *aniline (dye).*

anima 〈de (v.)〉 〈psych.〉 **0.1** *anima.*

animaal 〈bn.〉 **0.1** *animal* ◆ **1.1** animale driften 〈ook〉 *animality.*

animatie 〈de (v.)〉 〈film.〉 **0.1** [tekeningen] *animation* **0.2** [film] 〈→animatiefilm〉.

animatiefilm 〈de (m.)〉 **0.1** *(animated) cartoon, cartoon (film)* ⇒ *animation.*

animato 〈bw.〉 〈muz.〉 **0.1** *animato.*

animator 〈de (m.)〉, **-trice** 〈de (v.)〉 **0.1** [gangmaker/ -maakster] *driving force, inspirer, instigator* ⇒ 〈mbt. gezelligheid enz.〉 *life and soul of the party,* 〈AE; inf.〉 *spark plug* **0.2** [iem. die animatiefilms maakt] *animator* ◆ **1.1** hij is de ~ v.d. actiegroep *he is the d. f. behind the action group.*

animeermeisje 〈het〉 **0.1** *hostess* ⇒ 〈in nachtclub〉 *nightclub hostess, bar girl,* 〈in 'Playboy' club〉 *bunny (girl),* 〈sl.〉 *B-girl.*

animeren 〈onov., ov.ww.〉 **0.1** ¹*liven up;* 〈stimuleren〉 *stimulate (to);* 〈ov. ww. ook〉 *animate* ⇒ *enliven,* ¹*ginger up,* 〈aanmoedigen〉 *encourage (to),* 〈aansporen〉 *urge (to* / *on)* ◆ **1.1** een vervelend feestje wat ~ *liven* / *ginger a boring party up a bit;* het weer / zo'n opmerking animeert niet erg *the weather* / *a remark like that is not very stimulating* **6.1** het verhaal animeert niet **tot** verder lezen *the story doesn't encourage* / *stimulate one to read further.*

animisme 〈het〉 **0.1** [〈fil.〉] *animism* **0.2** [levensopvatting] *animism* ⇒ ≠*nature worship* **0.3** [〈parapsych.〉] *animism* **0.4** [〈bk.〉] *animism.*

animist 〈de (m.)〉 〈rel., fil.〉 **0.1** *animist.*

animo 〈het, de (m.)〉 **0.1** [ondernemingslust] *zest (for), gusto (in), spirit* ⇒ ¹*animation, eagerness (to),* 〈inf.〉 *(get-up-and-)go, zip* **0.2** [lust tot kopen] *animation* ◆ **6.1** met ~ iets doen *do sth. with zest* / *gusto* / *spirit* / *enthusiasm* / *a will* **7.2** er was veel ~ op die verkoping *bidding was* / *biddings were animated, the sale was marked by a great a.;* 〈hand.〉 er was veel ~ *business was brisk* / *slack* / *lively* / *active;* 〈hand.〉 er was weinig ~ *business was slack, buyers held off, the market was flat;* er was

weinig ~ op die verkoping *bidding was slow at the sale, there was little inclination* / *not much disposition* / *a disinclination to buy.*

animositeit 〈de (v.)〉 **0.1** *animosity (towards* / *against)* ⇒ *hostility (to), enmity (towards), animus (against), antagonism (to).*

animoso 〈bw.〉 〈muz.〉 **0.1** *animoso* ⇒ *animato.*

anion 〈het〉 **0.1** *anion.*

anisette 〈de〉 **0.1** [likeur] *anisette* **0.2** [glas likeur] *(glass of) anisette.*

anisool 〈de (m.)〉 〈schei.; inf.〉 **0.1** *anisole.*

anisotroop 〈bn.〉 〈nat.〉 **0.1** *anisotropic* ⇒ *aelotropic.*

anjelier 〈de〉 **0.1** *carnation* ⇒ *pink, dianthus* ◆ **2.1** gestreepte ~ *flake.*

anjer 〈de〉 **0.1** *carnation* ⇒ *pink,* 〈plant ook〉 *dianthus* ◆ **2.1** ruige ~ *sweet William.*

anjerrevolutie 〈de (v.)〉 **0.1** *Portuguese revolution of 1975.*

anker 〈het〉 〈→sprw. 16〉 **0.1** [〈scheep.〉] *anchor* ⇒ 〈kleinanker ook〉 *killick, killock* 〈ihb. stenen anker〉 **0.2** [〈bouwk.〉] *anchor* ⇒ *cramp (iron), wall-tie, dog* **0.3** [inhoudsmaat] *anker* **0.4** [〈nat.〉] *armature, keeper* **0.5** [〈tech.〉] *armature* **0.6** [〈biljart〉] *anchor, square* **0.7** [mbt. uurwerk] *anchor, lever* ◆ **1.3** een ~ wijn *an a. of wine* **2.1** het ~ is blind *the a. is unmarked by a buoy;* het ~ is klaar *the a. is cock-billed* **2.2** blind ~ *concealed cramp (iron)* **3.1** zijn ~ houdt niet 〈fig.〉 *no one takes him seriously;* krabbend ~ *dragging a.;* ergens zijn ~ laten vallen / uitwerpen / neergooien *drop* / *cast a. somewhere, anchor somewhere;* 〈scheep.〉 *let go somewhere;* het ~ lichten *raise (the) a.;* 〈ook fig.〉 weigh anchor, get under weigh / way; het ~ losgooien (van) *weigh a.;* een ~ ophalen *haul an a. home;* een ~ uitbrengen *run the a.;* bij iem. / ergens zijn ~ laten vallen / uitwerpen / neergooien 〈fig.〉 *drop a. at s.o.'s house* / *somewhere* **6.1** ten / voor ~ komen / gaan *anchor, make anchorage, come to* / *drop* / *cast a.;* 〈meren〉 *moor;* 〈scheep. ook〉 *bring up, come to;* **ten** / **voor** anker liggen *be anchored, lie* / *be at* / *ride to* / *at a.;* van zijn ~ spoelen / drijven / slaan / afgeslagen worden *break* / *come adrift, lose one's mooring;* het schip rijdt **voor** zijn ~ *the ship is riding at a..*

ankerarm 〈de (m.)〉 **0.1** *(anchor) arm* / *blade.*

ankerboei 〈de〉 **0.1** *anchor-buoy.*

ankeren
  I 〈onov.ww.〉 **0.1** [voor anker gaan] *anchor* ⇒ *make anchorage, come to* / *drop* / *cast anchor,* 〈meren〉 *moor* ◆ **2.1** verboden te ~ *no anchorage, anchorage forbidden* **5.1** ergens geankerd zijn 〈ook fig.〉 *be anchored (fast) somewhere;*
  II 〈ov.ww.〉 **0.1** [voor anker leggen] *anchor* ⇒ 〈meren〉 *moor* **0.2** [〈bouwk.〉] *cramp.*

ankerhorloge 〈het〉 **0.1** *lever watch.*

ankerkerdam 〈het〉 〈biljart〉 **0.1** *balk line.*

ankerketting 〈de〉 **0.1** *chain* ⇒ *(anchor* / *chain) cable.*

ankerkruis 〈het〉 **0.1** *(anchor) crown.*

ankerlicht 〈het〉 **0.1** *anchor* / *riding light.*

ankerplaats 〈de〉 **0.1** *anchorage (berth* / *place).*

ankerschacht 〈de〉 **0.1** *(anchor) shaft* / *shank.*

ankerslot 〈het〉 **0.1** ≠*pawl lock.*

ankerspil 〈de〉 **0.1** *windlass.*

ankertouw 〈het〉 →ankertros.

ankertros 〈de (m.)〉 **0.1** *anchor mooring rope* / *cable* ⇒ *anchor hawser,* 〈scheep. ook〉 *cable,* 〈van luchtschip〉 *guiderope.*

ankerwikkeling 〈de (v.)〉 **0.1** *armature* / *barrel winding.*

anklet 〈de (m.)〉 **0.1** ᴮ*ankle sock,* ᴬ*anklet.*

annalen 〈zn.mv.〉 **0.1** [geschiedkundig verslag van jaar tot jaar] *annals* ⇒ ≠*chronicles* **0.2** [jaarboeken] *annals* **0.3** [geschiedenis] *annals* ⇒ *records, chronicles* ◆ **6.1** 〈fig.〉 iets voor de ~ / om in de ~ vast te leggen *sth. for the* / *to put in the a.;* 〈inf.〉 *one for the book.*

annalist 〈de (m.)〉 **0.1** *annalist* ⇒ *chronicler.*

annex¹ 〈bn.〉 **0.1** *adjoining* ⇒ *attached,* ¹*appendant* ◆ **1.1** een huis met garage ~ *a house with adjoining garage* / *with garage adjoining* / *attached;* te koop een brouwerij met ~e gebouwen *for sale: a brewery with* / *and adjoining* / *appendant buildings* **3.1** ~ vindt u de gevraagde documenten *enclosed please find the documents requested.*

annex² 〈vw.〉 **0.1** *with* / *and adjoining* ⇒ *with* / *and attached* ◆ **1.1** uitgeverij ~ drukkerij 〈gebouw〉 *publisher's and adjoining printer's;* 〈firma〉 *printer's and publisher's.*

annexatie 〈de (v.)〉 **0.1** [het annexeren] *annexation* ⇒ *incorporation* 〈vnl. mbt. gemeenten〉, 〈inf.〉 *take-over* **0.2** [het geannexeerd worden] *annexation* ⇒ *incorporation* 〈vnl. mbt. gemeenten〉, 〈inf.〉 *take-over* ◆ **1.1** de ~ van Oostenrijk door Duitsland in 1938 *the a. of Austria by Germany in 1938, the Anschluss.*

annexen 〈zn.mv.〉 **0.1** *annexes* ⇒ *addenda,* 〈toebehoren〉 *appurtenances* ◆ **1.1** de ~ v.e. verdrag *the annexes to a treaty* **6.1** met ~ *with annexes* / *appurtenances.*

annexeren 〈ov.ww.〉 **0.1** *annex* ⇒ *incorporate* 〈vnl. mbt. gemeenten〉, 〈inf.〉 *take over, swallow up* ◆ **1.1** 's-Gravenhage wil een deel v.d. omliggende gemeenten ~ *The Hague wishes to incorporate some of the surrounding boroughs;* 〈fig.〉 de nazi's hebben Nietzsche geheel geannexeerd *the Nazis (mis)appropriated Nietzsche for their own ends.*

annexionisme 〈het〉 **0.1** *annexationism.*

annihilator ⟨de (m.)⟩ **0.1** ≠*fire extinguisher*.
anno 0.1 *in the year* ◆ **7.1** ~ 1981 *in the year 1981* ¶.1 ~ domini *Anno Domini, A.D., in the year of Our Lord*.
annonce ⟨de⟩ **0.1** [advertentie] *advertisement* ⇒ ↓*advert*, ⟨inf.⟩ *ad, announcement* ⟨vnl. van geboorten/huwelijken/sterfgevallen⟩ **0.2** [⟨kaartspel⟩] *bid* ⇒*call* ⟨mbt. troefkaart⟩ ◆ **2.1** kleine ~s *classified advertisements/ads, small ads*.
annonceren ⟨ov.ww.⟩ **0.1** [bekendmaken, aanbieden] *announce* ⇒*advertise* ⟨ihb. reclame maken⟩, ↑*herald* **0.2** [aandienen] *announce* **0.3** [⟨kaartspel⟩] *bid* ⇒*call* ⟨troefkaart⟩ ◆ **8.2** zich laten ~ als ... ⟨fig.⟩ *pass o.s. off as/for ..., like to pass as/for ..., give o.s. out as/for ..., represent o.s./pose as ..., give s.o. to believe that one is ...*.
annotatie ⟨de (v.)⟩ **0.1** [het annoteren] *annotation* **0.2** [⟨verklarende⟩ aantekening] *annotation* ⇒*note*, ⟨voetnoot⟩ *footnote*.
annoteren ⟨ov.ww.⟩ **0.1** *annotate* ⇒≠*comment on*.
annuïteit ⟨de (v.)⟩ **0.1** [jaarlijkse uitkering] *annuity* **0.2** [jaarlijkse afbetaling] *annuity* ⇒*annual instalment* **0.3** [bewijs van betaling] *annuity (certificate)* **0.4** [⟨verz.⟩] *annuity* ◆ **2.4** aflopende ~en *terminable annuities*.
annuïteitenlening ⟨de (v.)⟩ **0.1** *annuity loan*.
annuleerbaar ⟨bn.⟩ **0.1** *annullable* ⇒*cancellable*.
annuleren ⟨ov.ww.⟩ **0.1** *annul* ⇒⟨ihb. af/opzeggen⟩ *cancel*, ⟨jur.⟩ *avoid, nullify, rescind* ◆ **1.1** een bestelling ~ *cancel an order;* de voorstelling is geannuleerd *the performance has been cancelled*.
annulering ⟨de (v.)⟩ **0.1** *annulment* ⇒*cancellation*, ⟨jur.⟩ *avoidance, recision* ◆ **1.1** ~ v.e. reservering *cancellation of a reservation*.
annuleringsverzekering ⟨de (v.)⟩ **0.1** *cancellation insurance*.
annunciatie ⟨de (v.)⟩ **0.1** [aankondiging, Maria-Boodschap] *Annunciation* **0.2** [feest] *Annunciation (Day)* ⇒⟨BE ook⟩ *Lady Day*.
anode ⟨de (v.)⟩ ⟨nat.⟩ **0.1** *anode* ⇒⟨AE, van radiobuis ook⟩ *plate*.
anodebatterij ⟨de (v.)⟩ **0.1** *anode battery* ⇒*B-battery, H.T. battery*.
anodestraal ⟨de⟩ **0.1** *anode ray*.
anodiseren ⟨ov.ww.⟩ **0.1** *anodize*.
anomaal ⟨bn.⟩ **0.1** *anomalous* ⇒*irregular, abnormal*.
anomalie ⟨de (v.)⟩ **0.1** [afwijking, tegenstrijdigheid] *anomaly* ⇒*irregularity, abnormality, aberration, deviation* **0.2** [⟨ster.⟩] *anomaly*.
anomalistisch ⟨bn.⟩ ⟨ster.⟩ **0.1** *anomalistic* ◆ **1.1** ~e maand, ~ jaar *a. month/year*.
anomie ⟨de (v.)⟩ **0.1** *anomie, anomy*.
anoniem¹ ⟨de (m.)⟩ **0.1** *anonym* ⇒*anonymous publication*.
anoniem² ⟨bn.⟩ **0.1** [naamloos, ongetekend] *anonymous* ⇒*nameless*, ⟨incognito⟩ *incognito* **0.2** [niet met een naam te onderscheiden] *anonymous* ⇒*nameless*, ⟨fig. ook⟩ *faceless* ◆ **1.1** een ~e lasterbrief *a. / faceless mass/crowd, the grey mass (of people)* **5.1** niet ~ *bearing/with the author's name;* ⟨ondertekend⟩ *signed;* ⟨tgo. anoniem⟩ *onymous*.
anonimiteit ⟨de (v.)⟩ **0.1** *anonymity* ⇒*namelessness* ◆ **1.1** zich achter het schild v.d. ~ verbergen *hide behind the veil/cloak of a..*.
anonymus ⟨de (m.)⟩ **0.1** *anonymous* ⇒⟨schrijver ook⟩ *anonymous writer, anonym*.
anorak ⟨de⟩ **0.1** *anorak* ⇒*parka, cagoule*.
anorexia nervosa ⟨de (v.)⟩ ⟨med.⟩ **0.1** *anorexia nervosa*.
anorexie ⟨de (v.)⟩ **0.1** *anorexia* ⇒ ↓*loss of appetite*.
anorganisch ⟨bn.⟩ **0.1** [⟨schei.⟩] *inorganic* **0.2** [⟨taal.⟩] *inorganic* ◆ **1.1** ~e scheikunde *i. chemistry;* ~e stoffen *i. compounds*.
anorgasmie ⟨de (v.)⟩ **0.1** ⟨mbt. vrouw⟩ *frigidity*.
ANP ⟨het⟩ ⟨afk.⟩ **0.1** [Algemeen Nederlands Persbureau] *'ANP' ⟨Dutch Press Agency⟩*.
anschluss ⟨de⟩ **0.1** *contact* ◆ **3.1** geen ~ krijgen *not be able to make c. (with s.o.);* al maanden is hij verliefd op haar, maar hij krijgt maar geen ~ *he's been in love with her for months but he can't make (any) c. with her/* ⟨zij wijst hem af⟩ *she doesn't give him a chance*.
ansicht(kaart) ⟨de⟩ **0.1** *picture postcard* ⇒≠*postcard*, ↓*card*, ⟨AE ook⟩ *postal (card)*.
ansjovis ⟨de (m.)⟩ **0.1** *anchovy*.
antagonisme ⟨het⟩ **0.1** [tegenstrijdige werking] *antagonism* **0.2** [strijd tussen twee tegengestelden] *antagonism* ⇒*opposition, conflict* ◆ **1.2** het ~ v.d. belangen *conflict of interests*.
antagonist ⟨de (m.)⟩ **0.1** [persoon] *antagonist* ⇒*adversary, opponent* **0.2** [spier] *antagonist* ⇒*opponent*.
antagonistisch ⟨bn., bw.; -ally⟩ **0.1** *antagonistic* ⇒*opponent, adverse* ◆ **1.¶** ⟨anatomie⟩ ~e spieren *a./ opponent muscles, antagonists*.
Antarctica ⟨het⟩ **0.1** *Antarctica* ⇒*(the) Antarctic Continent*, ≠*(the) South Pole*.
antarctis ⟨de⟩ **0.1** *(the) Antarctic (Zone)* ⇒*(the) South Pole*.
antarctisch ⟨bn.⟩ **0.1** *Antarctic*.
ante ⟨de⟩ **0.1** *anta*.
antecedent¹ ⟨het⟩ **0.1** [voorafgaand feit] *antecedent* ⇒*precedent*] *precedent* **0.2** [⟨taal.⟩] *antecedent* ◆ **3.1** iemands ~en natrekken/onderzoeken *look into/check s.o.'s antecedents/* ↓*record/* ↓*background;* ⟨inf.⟩ *check upon s.o.;* ⟨BE; inf. ook⟩ *vet s.o.* ⟨vnl. mbt. staatsveiligheid⟩ **4.1** zijn ~en *his antecedents/* ↓*(past) reord/* ↓*background (and experience)/ previous career*.

antecedent² ⟨bn.⟩ ⟨geol.⟩ **0.1** *antecedent* ◆ **1.1** ⟨aardr.⟩ ~e rivier *a. river*.
antecedentenonderzoek ⟨het⟩ **0.1** ≠*investigation* ⇒*security check*, ⟨BE; inf.⟩ *vetting* ⟨vnl. mbt. staatsveiligheid⟩.
antecedentie ⟨de (v.)⟩ ⟨aardr.⟩ **0.1** *antecedence*.
antecederen ⟨onov.ww.⟩ **0.1** *antecede* ⇒*precede*.
antedateren →*antidateren*.
antediluviaal, antediluvians ⟨bn.⟩ **0.1** *antediluvian* ⇒*from before the flood* ⟨alleen pred.⟩ ◆ **1.1** ⟨scherts.; fig.⟩ een antediluviaans voertuig ⟨ook⟩ *a prehistoric/stone-age/antiquated vehicle*.
antenne ⟨de⟩ **0.1** [⟨com.⟩] *aerial*, ^*antenna* ⇒⟨schotelvormig⟩ *dish (antenna)*, ⟨draaiende radarantenne⟩ *scanner* **0.2** [⟨biol.⟩] *antenna* ◆ **2.1** een gerichte ~ *a directional/beam aerial/antenna;* een verzonken ~ *a concealed aerial/antenna*.
antennekabel ⟨de (m.)⟩ **0.1** *aerial/antenna cable*.
antennesysteem ⟨het⟩ ⟨com.⟩ ◆ **2.¶** centraal ~ *community aerial/* ^*antenna television/system;* ⟨op kleinere schaal⟩ *block/party aerial/* ^*antenna*.
antepenultima ⟨de⟩ ⟨taal.⟩ **0.1** *antepenult(imate)*.
anthologie ⟨de (v.)⟩ **0.1** *anthology* ⇒⟨leesboek⟩ *reader*, ⟨lit.; over een bep. boek/onderwerp ook⟩ *casebook* ◆ **1.1** een ~ van Shakespeare kritiek(en) *an a. of Shakespeare criticism, a Shakespeare casebook*.
anthurium ⟨het⟩ **0.1** *anthurium*.
anti ⟨de (m.)⟩ **0.1** *anti* ⟨ook pol.⟩.
anti-autoritair ⟨bn.⟩ **0.1** *anti-authoritarian*.
antiballistisch ⟨bn.⟩ ⟨mil.⟩ **0.1** *antiballistic*.
antibiose ⟨de (v.)⟩ **0.1** *antibiosis*.
antibioticum ⟨het⟩ **0.1** *antibiotic* ◆ **3.1** de dokter heeft me antibiotica gegeven/voorgeschreven *the doctor has given/prescribed me antibiotics/* ⟨inf.⟩ *put me on antibiotics;* ik neem antibiotica *I'm taking/* ⟨inf.⟩ *I'm on antibiotics*.
antibiotisch ⟨bn.⟩ **0.1** *antibiotic*.
antichambre ⟨de⟩ **0.1** *antechamber, anteroom*.
antichambreren ⟨onov.ww.⟩ **0.1** *wait* ⇒⟨negatief opgevat⟩ *be kept waiting*, ⟨inf.⟩ *be left to cool one's heels* ◆ **3.1** iem. laten ~ *keep s.o. waiting, let s.o. wait;* ⟨inf.⟩ *let s.o. cool his heels*.
anticipatie ⟨de (v.)⟩ **0.1** [het vooruitgrijpen op een situatie die er nog niet is] *anticipation* **0.2** [⟨jur.⟩] *advancement of the date fixed for a hearing* **0.3** [⟨geldw.⟩] *anticipation* **0.4** [⟨lit.⟩] *prolepsis* **0.5** [⟨muz.⟩] *anticipation* ◆ **6.1** bij ~ *in a..*.
anticiperen ⟨onov.ww.⟩ **0.1** [op iets vooruitlopen] *anticipate* **0.2** [vóór iets anders plaatshebben] *anticipate* **0.3** [⟨jur.⟩] *exercise the right to advance the date fixed for a hearing* **0.4** [⟨geldw.⟩] *anticipate* ◆ **1.2** een ~de beweging *an anticipatory movement;* ~d gebruik v.h. adjectief *prolepsis* **6.1** ~ op iets *anticipate sth..*.
anticlimax ⟨de (m.)⟩ **0.1** [⟨lit.⟩] *anticlimax* **0.2** [domper, dieptepunt] *anticlimax*.
anticlinaal¹ ⟨de (m.)⟩ ⟨geol.⟩ **0.1** *anticline*.
anticlinaal² ⟨bn.⟩ ⟨geol.⟩ **0.1** *anticlinal*.
anticoagulantia ⟨zn.mv.⟩ ⟨med.⟩ **0.1** *anticoagulants*.
anticonceptie ⟨de (v.)⟩ **0.1** *contraception* ⇒ ↓*birth control*.
anticonceptiemiddel ⟨het⟩ **0.1** *contraceptive* ⇒*contraceptive device* ⟨ihb. niet de pil⟩.
anticonceptiepil ⟨de⟩ **0.1** *contraceptive pill* ⇒*(the) Pill*.
anticonceptivum ⟨het⟩ →*anticonceptiemiddel*.
anticorrosief ⟨bn.⟩ **0.1** *anti-corrosive* ⇒*rust-preventing, corrosion-inhibiting* ◆ **1.1** ~ middel *anti-corrosion agent, corrosion inhibitor, rust preventer/inhibitor*.
anticyclisch ⟨bn.⟩ **0.1** *countercyclical* ◆ **1.1** ~e begrotingspolitiek *c./ compensatory budgetary policy*.
antidateren ⟨onov.ww.⟩ **0.1** *antedate* ⇒*predate, foredate*.
antideeltje ⟨het⟩ **0.1** *antiparticle*.
antidepressivum ⟨het⟩ ⟨med.⟩ **0.1** *antidepressant*.
antidotaal ⟨bn.⟩ **0.1** *antidotal* ⇒*alexipharmic* ◆ **1.¶** ⟨jur.⟩ ~ verzoekschrift/rekest *counter-petition, answer (to a petition)*.
antidotarium ⟨het⟩ ⟨vero.⟩ **0.1** *antidotary*.
antidotum ⟨het⟩ **0.1** *antidote* ⟨ook fig.⟩ ⇒*alexipharmic*.
anti-Duits ⟨bn.⟩ **0.1** *anti-German*.
antiek¹
I ⟨het⟩ **0.1** [oude kunstvoorwerpen] *antiques;*
II ⟨de (m.)⟩ **0.1** [⟨mv.⟩ Grieken en Romeinen] *Antiquity* ⇒⟨ihb. de schrijvers⟩ *the classics*.
antiek² ⟨bn.⟩ **0.1** [oud, verouderd] *antique* ⇒*ancient, old*, ⟨pej., scherts.⟩ *antiquated*, ⟨mbt. auto; van voor 1916 of 1905⟩ *veteran*, ⟨uit de periode 1916-1930⟩ *vintage* **0.2** [mbt. de Griekse en Romeinse oudheid] *classical* ⇒*antique* ◆ **1.1** een ~e auto *a veteran/vintage car;* ⟨vnl. BE; inf.⟩ *an old crock;* ⟨AE; inf.⟩ *an oldtimer;* wat een ~e hoed ⟨scherts.⟩ *what an antiquated hat;* een ~ voorwerp *an antique* **1.2** ~e beschaving/literatuur *c. civilization/literature*.
antiekbeurs ⟨de⟩ **0.1** *antique(s) fair*.
antiekveiling ⟨de (v.)⟩ **0.1** *antique sale/auction*.
antiekwinkel ⟨de (m.)⟩ **0.1** *antique shop* ⇒⟨pej. of iron.⟩ *junk shop* ◆ **3.1** de ~s aflopen *go round the antique shops*.

antifascistisch ⟨bn.⟩ **0.1** *antifascist*.
antifonarium ⟨het⟩ **0.1** *antiphonary*.
antifoon ⟨de⟩ **0.1** [liturgisch vers] *antiphon* **0.2** [beurtzang] *antiphony*.
antifrase ⟨de (v.)⟩ ⟨lit.⟩ **0.1** *antiphrasis*.
antigeen[1] ⟨het⟩ **0.1** *antigen*.
antigeen[2] ⟨bn.⟩ **0.1** *antigenic*.
antiheld ⟨de (v.)⟩ ⟨film, lit.⟩ **0.1** *antihero*.
antihistaminicum ⟨het⟩ ⟨med.⟩ **0.1** *antihistamine*.
antiklerikaal[1] ⟨de (m.)⟩ **0.1** *anticlerical (person)*.
antiklerikaal[2] ⟨bn.⟩ **0.1** *anticlerical*.
antiklerikalisme ⟨het⟩ **0.1** [het antiklerikaal zijn] *anticlericalism* **0.2** [de antiklerikalen] *anticlericals*.
anti-klopmiddel ⟨het⟩ **0.1** *anti-knock*.
antikrist ⟨de (m.)⟩ **0.1** [naam voor personen/personificaties] *antichrist* **0.2** [⟨bijb.⟩] *Antichrist* ⇒*(the) Beast*.
antikritiek ⟨de (v.)⟩ **0.1** *reply* ⇒*rebuttal, retort, rejoinder*.
Antillen ⟨zn.mv.⟩ **0.1** *(the) Antilles* ◆ **2.1** de grote/kleine ~ *the Greater/ Lesser A.; de Nederlandse ~ the Netherlands A.*.
Antilliaan ⟨de (m.)⟩, **-se** ⟨de (v.)⟩ **0.1** *Antillean, Antillean woman*.
antilogaritme ⟨de⟩ **0.1** *antilogarithm* ⇒⟨vaak⟩ *antilog*.
antilope ⟨de⟩ **0.1** *antelope*.
antimakassar ⟨de (m.)⟩ **0.1** *antimacassar* ⇒*tidy*.
antimaterie ⟨de (v.)⟩ **0.1** *antimatter*.
antimetrie ⟨de (v.)⟩ ⟨lit.⟩ **0.1** *metrical deviation*.
antimilitarisme ⟨het⟩ **0.1** *antimilitarism* ⇒*pacifism*.
antimilitarist ⟨de (m.)⟩ **0.1** *antimilitarist* ⇒*pacifist*.
antimilitaristisch ⟨bn.⟩ **0.1** *antimilitarist* ⇒*pacifist*.
antimitotisch ⟨bn.⟩ ⟨med.⟩ **0.1** *antimitotic*.
antimonium ⟨het⟩ **0.1** *antimony*.
antinomie ⟨de (v.)⟩ **0.1** [tegenstrijdigheid] *antinomy* **0.2** [mbt. wetten] *antinomy*.
antinucleair ⟨bn.⟩ **0.1** *antinuclear* ⇒⟨inf.⟩ *antinuke* ◆ **1.1** ~e beweging *antinuclear movement;* ⟨inf.⟩ *antinukers.*
antioxidans ⟨de (m.)⟩ **0.1** *antioxidant*.
anti-papisme ⟨het⟩ **0.1** *anti-Catholicism* ⇒*anti-papism*.
antipapist ⟨de (m.)⟩ **0.1** *anti-Catholic* ⇒*anti-papist*.
antipassaat ⟨de (m.)⟩ **0.1** *antitrade (wind)*.
antipasta ⟨de⟩ ⟨cul.⟩ **0.1** *antipasto*.
antipathie ⟨de (v.)⟩ **0.1** *antipathy (towards)* ⇒*aversion (of), (hearty/ strong) dislike (of/to), hostility (towards)*, ⟨inf.⟩ *allergy (to)* ◆ **1.1** sympathieën en ~ën *likes and dislikes* **6.1** een ~ **tegen** iem./ iets krijgen *take a strong/hearty dislike to s.o./ sth.*.
antipathiek ⟨bn.⟩ **0.1** *antipathetic, unsympathetic* ◆ **3.1** ik vind hem ~ *I find him u., I dislike/don't like him*.
antipode ⟨de (m.)⟩ **0.1** [⟨aardr.⟩] *antipodean* ⇒⟨mv. ook⟩ *antipodes* **0.2** [⟨fig.⟩] *the (very) antipode (of)* ⇒*the (very) opposite (of)*.
antipodespel ⟨het⟩ **0.1** ≠*juggling with the feet*.
antipodist ⟨de (m.)⟩ **0.1** ≠*one who juggles with his/her feet*.
antipropaganda ⟨de⟩ **0.1** [gericht tegen andere propaganda] *counter-propaganda* **0.2** [met het tegenovergesteld effect] *negative propaganda* ⇒*bad publicity*.
antipsychiatrie ⟨de (v.)⟩ **0.1** *antipsychiatry*.
antipsychoticum ⟨het⟩ ⟨med.⟩ **0.1** *antipsychotic (drug)*.
antipyrine ⟨de⟩ **0.1** *antipyretic*.
antiqua ⟨de⟩ **0.1** *antique (type (face))*.
antiquaar ⟨de (m.)⟩ **0.1** *antiquarian bookseller* ⇒ ↓*second-hand bookseller.*
antiquair ⟨de (m.)⟩ **0.1** *antique dealer*.
antiquariaat ⟨het⟩ **0.1** [handel] *antiquarian book trade* ⇒ ↓*second-hand book trade* **0.2** [bedrijf] *antiquarian bookshop* ⇒ ↓*second-hand bookshop* ◆ **2.1** modern ~ *trade in remainders/remaindered books*.
antiquarisch
  I ⟨bn.⟩ **0.1** [mbt. voorwerpen uit vroeger tijd] *antiquarian* ⇒*antique* **0.2** [mbt. handel in oude boeken] *antiquarian* ⇒ ↓*second-hand;*
  II ⟨bw.⟩ **0.1** [bij een antiquair] ↓*second-hand* ◆ **3.1** ~ kan men dat werk nog wel krijgen *one can still find that book s.-h./ in the s.-h. shops.*
antiquiteit ⟨de (v.)⟩ **0.1** [voorwerp/bouwwerk uit vroeger tijd]⟨alg.⟩ *antiquity* ⟨ook bouwwerk⟩; ⟨voorwerp⟩ *antique* **0.2** [⟨scherts.⟩] *antique* **0.3** [⟨mv.⟩ gebruiken/instellingen uit de oudheid] *antiquities*.
antiracisme ⟨het⟩ **0.1** *antiracism*.
antiracistisch ⟨bn., bw.⟩ **0.1** *anti-racist*.
antiraket-raket ⟨de⟩ **0.1** *antimissile (missile)*.
antireclame ⟨de⟩ **0.1** ≠*bad publicity*.
antirevolutionair[1] ⟨de (m.)⟩ **0.1** *antirevolutionary*.
antirevolutionair[2] ⟨bn.⟩ ⟨pol.⟩ **0.1** *antirevolutionary*.
antiroestbehandeling ⟨de (v.)⟩ **0.1** *anti-corrosive treatment*.
antisatellietwapen ⟨het⟩ **0.1** *anti-satellite weapon* ⇒⟨inf.⟩ *Star Wars weapon*.
antisemiet ⟨de (m.)⟩ **0.1** *anti-Semite*.
antisemitisch ⟨bn.⟩ **0.1** [gericht tegen de joden] *anti-Semitic* **0.2** [mbt. het antisemitisme] *anti-Semitic*.
antisemitisme ⟨het⟩ **0.1** *anti-Semitism*.

antiseptisch ⟨bn.⟩ **0.1** *antiseptic*.
antiserum ⟨het⟩ ⟨med.⟩ **0.1** *antiserum*.
antislip ⟨het⟩ **0.1** *antiskid* ⇒⟨autoband⟩ *nonskid*.
antislipcursus ⟨de (m.)⟩ **0.1** *(anti)skid course/lessons*.
antistatisch ⟨bn.⟩ **0.1** *antistatic*.
antistof ⟨de⟩ **0.1** *antibody* ⇒*immune body*.
antistrofe ⟨de⟩ **0.1** [⟨lit.⟩] *antistrophe* **0.2** [herhaling van woorden in omgekeerde volgorde] *antistrophe*.
anti-tankwapen ⟨het⟩ **0.1** *antitank weapon*.
antithese ⟨de (v.)⟩ **0.1** [het tegenover elkaar plaatsen/geplaatst zijn] *antithesis* **0.2** [⟨fil.⟩] *antithesis*.
antithetisch ⟨bn.⟩ **0.1** *antithetic(al)* ⇒*adversative*.
antitoxine ⟨het⟩ **0.1** *antitoxin*.
antitrustwetten ⟨zn.mv.⟩ **0.1** ⟨vnl. AE⟩ *antitrust laws*.
antivries ⟨het, de (m.)⟩, **anti-vriesmiddel** ⟨het⟩ **0.1** *antifreeze*.
anti-zionisme ⟨het⟩ **0.1** *anti-Zionism*.
antoniem[1] ⟨het⟩ **0.1** *antonym* ⇒*opposite*.
antoniem[2] ⟨bn.⟩ **0.1** *anonymous* ⇒*opposite (in meaning)*.
antonimie ⟨de (v.)⟩ **0.1** *antonymy*.
antoniuskruis ⟨het⟩ **0.1** *St. Anthony's cross* ⇒⟨taukruis⟩ *Tau cross*.
antonomasia ⟨de⟩ ⟨lit.⟩ **0.1** *antonomasia*.
antraciet[1]
  I ⟨het, de (m.)⟩ **0.1** [steenkool] *anthracite (coal)* ⇒*hard/blind/glance /stone coal*, ⟨inferieure soort⟩ *culm;*
  II ⟨het⟩ **0.1** [kleur] *anthracite* ⇒≠*charcoal*, ≠*dark grey*.
antraciet[2] ⟨bn.⟩ **0.1** *anthracite(-coloured)* ⇒≠*charcoal*, ≠*dark grey*.
antracose ⟨de (v.)⟩ ⟨med.⟩ **0.1** *anthracosis* ⇒⟨ongemarkeerd⟩ *black long (disease), miner's lung*.
antrax ⟨de (m.)⟩ **0.1** [miltvuur] *anthrax* ⇒*splenic fever/apoplexy* **0.2** [negenoog] *anthrax* ⇒*furuncle, carbuncle*.
antropocentrisch ⟨bn., bw.; -ally⟩ **0.1** *anthropocentric*.
antropocentrisme ⟨het⟩ **0.1** *anthropocentrism*.
antropofaag ⟨de (m.)⟩ **0.1** *anthropophagus* ⇒ ↓*cannibal*.
antropofagie ⟨de (v.)⟩ **0.1** *anthropophagy* ⇒ ↓*cannibalism*.
antropofobie ⟨de (v.)⟩ **0.1** ≠*pathological shyness*, ≠*misanthropy*.
antropogeen ⟨bn.⟩ **0.1** *anthropogenic*.
antropogenese ⟨de (v.)⟩ **0.1** *anthropogenesis* ⇒*anthropogeny*.
antropografie ⟨de (v.)⟩ **0.1** *anthropography*.
antropoïde ⟨bn.⟩ **0.1** *anthropoid* ◆ **7.1** ⟨zelfst.⟩ de ~n *the anthropoids*.
antropologie ⟨de (v.)⟩ **0.1** [leer v.d. mens als natuurhistorisch wezen] *anthropology* **0.2** [⟨theol.⟩] *anthropology* ◆ **2.1** criminele ~ *criminal a.;* culturele ~ *cultural a., ethnology* **2.2** filosofische ~ *philosophical a.*.
antropologisch ⟨bn., bw.; -ly⟩ **0.1** *anthropological*.
antropoloog ⟨de (m.)⟩, **-loge** ⟨de (v.)⟩ **0.1** *anthropologist*.
antropometrie ⟨de (v.)⟩ **0.1** *anthropometry*.
antropometrisch ⟨bn.⟩ **0.1** *anthropometric(al)*.
antropomorf ⟨bn.⟩ **0.1** [mensvormig] *anthropomorphous, anthropoid* **0.2** [naar het voorbeeld v.d. mens] *anthropomorphic* ◆ **7.1** ⟨zelfst.⟩ de ~en *the anthropoids*.
antropomorfisme ⟨het⟩ **0.1** [voorstelling] *anthropomorphism* **0.2** [leer] *anthropomorphism*.
antroponiem ⟨het⟩ **0.1** *personal name* ⇒⟨zeldz.⟩ *anthroponym*.
antroposcopie ⟨de (v.)⟩ **0.1** *anthroposcopy*.
antroposofie ⟨de (v.)⟩ **0.1** *anthroposophy*.
antroposofisch ⟨bn.⟩ **0.1** *anthroposophic*.
antroposoof ⟨de (m.)⟩, **-sofe** ⟨de (v.)⟩ **0.1** *anthroposophist*.
Antwerpen ⟨het⟩ **0.1** *Antwerp*.
antwoord ⟨het⟩ **0.1** [mondelinge/schriftelijke reactie] *answer* ⇒*reply, response* **0.2** [oplossing] *answer* **0.3** [repliek, weerwoord] *answer* ⇒*retort* ◆ **1.1** adres van ~ *address in reply;* in afwachting van uw ~ *awaiting your reply;* ⟨jur.⟩ conclusie van ~ *statement of defence;* answer ⟨vnl. bij echtscheiding⟩; ⟨Sch.E⟩ *defences;* memorie van ~ *memorandum in reply* **2.1** een afwijzend ~ *a negative a., a refusal;* een bevestigend ~ *an affirmative a.;* een brutaal ~ geven *answer back, give an impudent a.;* een gepast ~ *a suitable/apt/apposite a.;* een ontwijkend ~ geven *give an evasive a., evade the question;* een positief ~ *a favourable a.* **2.2** een fout(ief) ~ *a wrong/incorrect a.* **2.3** een gevat ~ *a witty/clever retort, a repartee, a smart a., a riposte;* een vernietigend/verpletterend ~ *a crushing a./ reply* **3.1** aandringen op een ~ *press for an a.;* zonder ~ af te wachten *without waiting for a reply/an a.;* ~ betaald, betaald ~ *reply-paid;* een ~ geven *make a reply, give an a.;* geen ~ geven *give no a./ reply/response, make no reply/response;* op alles een ~ hebben, altijd een ~ klaar hebben *have an a. for everyhting, always have a ready a.;* ~ verzocht ⟨bv. in uitnodiging⟩ *RSVP, please reply/answer;* op ~ wachten *wait for an a./ a reply* **6.1** in ~ op uw brief/schrijven *in reply/response to your letter;* **ten** ~ krijgen *be told;* iets **ten/tot** ~ geven *answer/reply sth.;* iets **zonder** ~ laten *leave sth. unanswered* **7.1** dat is geen ~ op mijn vraag *that's not answering my question;* geen ~ krijgen *receive/get/obtain no a., fail to get a response* ¶ **.1** het ~ schuldig (moeten) blijven *(be forced to) make no reply/give no reply/remain silent*.
antwoordapparaat ⟨het⟩ **0.1** *answering machine* ⇒*ansaphone*.

antwoordcoupon ⟨de (m.)⟩ **0.1** *reply coupon.*
antwoorddienst ⟨de (m.)⟩ **0.1** *answering service.*
antwoorden
　I ⟨onov.ww.⟩ **0.1** [antwoord geven] *answer* ⇒*reply, return* **0.2** [reageren door een daad of handeling] *answer* ⇒*reply, respond, return* ◆ **5.1** bevestigend/ positief~ *a. in the affirmative;* brutaal~ *a. / talk back;* gevat~ *a. / reply smartly, retort;* ontwijkend/ dubbelzinnig~ *give an evasive/ ambiguous a.,* tergiversate; ⟨ontwijkend ook⟩ *equivocate;* scherp~ *give a sharp answer, a. sharply/ cuttingly/ stingingly;* vinnig~ *retort, riposte, a. tartly* **6.1** ik antwoord niet op zulke vragen *I don't a. such questions;*
　II ⟨ov.ww.⟩ **0.1** [ten/ als antwoord geven] *answer* ⇒*reply, respond* ◆ **4.1** hij wist niet wat hij moest~ *he didn't know what to a., he was at a loss for an answer.*
antwoordenveloppe ⟨de⟩ **0.1** *stamped addressed envelope,* [A]*reply-paid envelope.*
antwoordkaart ⟨de⟩ **0.1** *reply card.*
antwoordnummer ⟨het⟩ **0.1** ≠*freepost.*
anurie ⟨de (v.)⟩ **0.1** *anuria.*
anus ⟨de (m.)⟩ **0.1** *anus.*
A.N.V.R. ⟨de (v.)⟩ ⟨afk.⟩ **0.1** [Algemene Nederlandse Vereniging van Reisbureaus] ⟨*Dutch Travel Agencies Association*⟩.
ANWB ⟨de (m.)⟩ ⟨afk.⟩ **0.1** [Algemene Nederlandse Wielrijdersbond] ≠*Dutch A.A.* ⟨*Royal Dutch Touring Club*⟩.
A-omroep ⟨de (m.)⟩ ⟨radio, t.v.⟩ **0.1** ⟨*Dutch broadcasting corporation with more than 450,000 subscribers*⟩.
aoristus ⟨de (m.)⟩ ⟨taal.⟩ **0.1** [verleden tijd] *aorist* **0.2** [werkwoordsvorm] *aorist.*
aorta ⟨de⟩ ⟨biol.⟩ **0.1** *aorta* ◆ **6.1** van de~ *aortal, aortic.*
AOW ⟨de⟩ **0.1** [Algemene Ouderdomswet] ⟨*(Dutch) Old Age Pensions Law*⟩ **0.2** [premie] ⟨*pension contribution*⟩ **0.3** [uitkering] ⟨*(old age) pension*⟩.
aow'er ⟨de (m.)⟩ **0.1** [B]*OAP (old age pensioner), senior citizen.*
a.p. ⟨afk.⟩ **0.1** [a priori] ⟨*a priori*⟩.
apache ⟨de (m.)⟩ **0.1** [indiaan] *Apache* **0.2** [straatrover uit Parijs] *apache.*
apaiseren ⟨ov.ww.⟩ **0.1** *appease* ⇒*pacify, soothe, calm.*
apanage ⟨het⟩ **0.1** *ap(p)anage.*
apart ⟨bn., bw.; -ly⟩ **0.1** [afzonderlijk] *separate* ⇒*distinct, private, apart, individual* **0.2** [exclusief] *special, exclusive* **0.3** [anders, raar] *different, unusual* ◆ **1.1** een kamer~ *a s. room;* een~ e studeerkamer *a s. study;* een woordje~ *a word in private* **1.2** zij vormen een klasse~ *they are in a class of their own;* dat is een zeer~ model *that is an exclusive design/ cut* **3.1** elk geval~ behandelen/ bekijken *deal with/ treat/ look at each individual case;* we gingen elk~ naar huis *we went our s. ways home;* iem.~ nemen/ spreken *take s.o. aside;* de villa staat wat~ *that villa stands somewhat isolated/ apart;* onderdelen~ verkopen *sell parts separately;* verplaatsingskosten worden~ berekend *removal expenses are charged extra;* de kinderen zaten~ aan een kleinere tafel *the children were sitting by themselves at a smaller table;* geld~ zetten *set/ put money aside;* de jongens en meisjes~ zetten *separate the boys and girls* **4.3** dat toneelstuk is echt iets~ *that play is really sth. different;* hij ziet er wat~ uit *he looks a bit d. / unusual.*
apartheid ⟨de (v.)⟩ **0.1** [rassenscheiding] *apartheid* **0.2** [het apart/ anders zijn] *distinctness* ⇒*unusualness* ◆ **2.1** grote~ *apartheid;* kleine~ *petty a..*
apartheidspolitiek ⟨de (v.)⟩ **0.1** *apartheid (policy)* ⇒*segregation policy, policy of apartheid/ segregation.*
apartje ⟨het⟩ **0.1** [gesprek onder vier ogen] *tête à tête* ⇒*private conversation, word in private* **0.2** [onderonsje] *aside.*
apathie ⟨de (v.)⟩ **0.1** *apathy* ⇒*impassiveness, indifference* ◆ **2.1** in een doffe~ wegzinken *sink away in dull a..*
apathisch ⟨bn., bw.; -ally⟩ **0.1** *apathetic* ⇒*impassive, indifferent.*
apatride ⟨de (v.)⟩ **0.1** *stateless person.*
apatridie ⟨de (v.)⟩ **0.1** *statelessness.*
apebroodboom ⟨de (m.)⟩ **0.1** *monkey bread (tree)* ⇒*boabab (tree).*
apegapen ⟨ww.⟩ ⟨inf.⟩ ◆ **6.¶** op~ liggen *be at one's last gasp.*
apekool ⟨de⟩ ⟨inf.⟩ **0.1** *nonsense* ⇒⟨BE⟩ *bosh, codswallop,* ⟨tommy⟩-*rot,* ⟨AE⟩ ↓*crap,* ↓*rubbish* ◆ **3.1** het is maar~ ⟨BE⟩ *it's only a load of bunk, it's all bunkum,* [A]*that's a crock;* ~ verkopen *talk* ⟨tommy⟩-*rot/ crap/ rubbish.*
apekop ⟨de (m.)⟩ ⟨inf.⟩ **0.1** *monkey* ⇒*brat.*
apekuur ⟨de⟩ ⟨inf.⟩ **0.1** *monkey trick.*
apelazerus ⟨het⟩ ⟨inf.⟩ ◆ **3.¶** zich het~ schrikken *jump out of one's skin, be scared silly/ stiff/ out of one's wits;* zich het~ werken *work like blazes/ hell/ o.s. to death.*
apeliefde ⟨de (v.)⟩ **0.1** *blind/ motherly love.*
ap- en dependenties ⟨zn.mv.⟩ **0.1** *appurtenances.*
apenkooi ⟨de⟩ **0.1** *ape/ monkey/ primate house* ⇒*apery.*
Apennijnen ⟨zn.mv.⟩ **0.1** *Apennines.*
apenootje ⟨het⟩ **0.1** *monkey nut* ⇒*peanut,* ⟨vnl. BE ook⟩ *groundnut.*
apepak ⟨het⟩ ⟨inf.⟩ **0.1** [opvallende kleding] *rig-out* **0.2** [zeer net kostuum] *rig-out,* [A]*monkey suit* ◆ **6.1** in een~ (gekleed) *dressed (up) like a dog's dinner.*

apepsie ⟨de (v.)⟩ ⟨med.⟩ **0.1** *apepsia.*
aperçu ⟨het⟩ **0.1** *aperçu* ⇒*outline, summary.*
aperij ⟨de (v.)⟩ **0.1** [gekheid] ⟨tom⟩*foolery* ⇒*buffoonery* **0.2** [naäperij] *apery* ⇒*aping, mimicry, imitation.*
aperitief ⟨het, de (m.)⟩ **0.1** *aperitif* ⇒*appetizer.*
apert ⟨bn., bw.; -ly⟩ **0.1** *manifest* ⇒*patent, evident, obvious* ◆ **1.1** een~ e leugen *a patent lie.*
apertuur ⟨de (v.)⟩ **0.1** [⟨med.⟩] *aperture* **0.2** [mbt. optische instrumenten] *aperture.*
apestoned ⟨bn.⟩ ⟨inf.⟩ **0.1** [B]*stoned out of one's mind,* [A]*zonked.*
apetronie ⟨de (v.)⟩ **0.1** *monkey face.*
apetrots ⟨bn.⟩ ⟨inf.⟩ **0.1** *proud as a peacock.*
apex ⟨de (m.)⟩ **0.1** [uiteinde, punt] *apex* **0.2** [⟨plantk.⟩] *growing point* ⇒⟨vero.⟩ *apex.*
apezat ⟨bn.⟩ ⟨inf.⟩ **0.1** *blotto* ⇒⟨AE ook⟩ *plastered, smashed,* [B]*drunk as a fiddler, dead drunk.*
apezuur ⟨het⟩ ⟨inf.⟩ ◆ **3.¶** zich het~ lopen *be run off one's feet;* zich het~ werken *work like blazes/ hell/ o.s. to death/ like the devil.*
aphelium ⟨het⟩ ⟨ster.⟩ **0.1** *aphelion.*
apicaal ⟨bn., bw.; -ly⟩ **0.1** *apical.*
apicultuur ⟨de (v.)⟩ **0.1** *apiculture.*
apin ⟨de (v.)⟩ **0.1** *she-monkey/ -ape.*
apis ⟨de (m.)⟩ **0.1** *Apis.*
apitoxine ⟨het⟩ **0.1** *apitoxin.*
aplanaat ⟨de (m.)⟩ **0.1** *aplanat.*
aplanatisch ⟨bn.⟩ **0.1** *aplanatic.*
aplaneren ⟨ov.ww.⟩ **0.1** *level* ⇒*smooth (over).*
aplasie ⟨de (v.)⟩ ⟨med.⟩ **0.1** *aplasia.*
a-ploeg ⟨de⟩ ⟨sport⟩ **0.1** *A-team, first team.*
aplomb ⟨het⟩ **0.1** *aplomb* ⇒*self-possession, poise* ◆ **3.1** zijn~ niet verliezen *not be thrown out* **6.1** iets met~ zeggen *say sth. with a..*
apneu ⟨de (v.)⟩ ⟨med.⟩ **0.1** *apnoea.*
Apocalyps ⟨de (v.)⟩ **0.1** [⟨bijb.⟩] *Apocalypse* ⇒*Revelation* **0.2** [kunstwerk] *Apocalypse.*
apocalyptiek ⟨de (v.)⟩ **0.1** *apocalypticism.*
apocalyptisch ⟨bn.⟩ **0.1** [mbt. de Apocalyps] *Apocalyptic(al)* **0.2** [catastrofaal] *apocalyptic(al)* ◆ **1.1** het~ getal *the Apocalyptic number.*
apocarp ⟨bn.⟩ ⟨plantk.⟩ **0.1** *apocarpous.*
apocope ⟨de⟩ ⟨taal.⟩ **0.1** *apocope.*
apocoperen ⟨onov., ov.ww.⟩ ⟨taal.⟩ **0.1** *apocopate.*
apocrief ⟨bn.⟩ **0.1** *apocryphal* ⟨ook fig.⟩ ◆ **1.1** de~ e boeken *the Apocrypha* **7.1** ⟨zelfst.⟩ de~ en *the Apocrypha.*
apocrien ⟨bn.⟩ ⟨biol.⟩ **0.1** *apocrine* ◆ **1.1** ~ e klieren *a. glands.*
apodictisch ⟨bn., bw.; -ally⟩ **0.1** [onweerlegbaar] *apod(e)ictic* **0.2** [met al te grote stelligheid] *categorical* ⇒*dogmatic* ◆ **1.2** ~ e uitspraken *c. statements.*
apodosis ⟨de (v.)⟩ ⟨taal.⟩ **0.1** *apodosis.*
apogeum ⟨het⟩ ⟨ster.⟩ **0.1** *apogee.*
apograaf ⟨de (m.)⟩ **0.1** *apograph* ⇒*copy, transcript.*
apokoinou ⟨de (v.)⟩ ⟨taal.⟩ **0.1** *apokoinou.*
apolitiek ⟨bn., bw.; -ly⟩ **0.1** *apolitical.*
apollinisch ⟨bn.⟩ **0.1** [(als) van Apollo] *Apollonian* **0.2** [evenwichtig] *Apollonian* ⇒*harmonious.*
apollovlinder ⟨de (m.)⟩ **0.1** *Apollo (butterfly).*
apologeet ⟨de (m.)⟩ **0.1** [⟨theol.⟩] *apologist* ⇒*apologete* **0.2** [verdediger v.e. stelsel/ reputatie] *apologist.*
apologetica ⟨de (v.)⟩ ⟨theol.⟩ **0.1** [leer] *apologetic(s)* **0.2** [leerboek] *apologetic(s).*
apologetisch ⟨bn.⟩ **0.1** [verdedigend] *apologetic* **0.2** [mbt. de apologetiek] *apologetic.*
apologie ⟨de (v.)⟩ **0.1** [verdedigingsrede, verweerschrift] *apologia* ⇒*apology* **0.2** [geschrift] *apologetic(s)* **0.3** [verdediging] *apologetic(s).*
apologisch ⟨bn.⟩ **0.1** ⟨vero.⟩ *apological* ◆ **1.1** ~ e spreekwoorden *a. proverbs.*
apoloog ⟨de (m.)⟩ **0.1** *apologue.*
apoplectisch ⟨bn.⟩ **0.1** [mbt. een beroerte] *apoplectic* **0.2** [aanleg voor een beroerte hebbend] *apoplectic.*
apoplexie ⟨de (v.)⟩ **0.1** *apoplexy.*
aporie ⟨de (v.)⟩ **0.1** [radeloosheid, besluiteloosheid] *aporia* **0.2** [⟨fil.⟩ onvermogen] *aporia.*
aposiopesis ⟨de (v.)⟩ ⟨taal.⟩ **0.1** *aposiopesis.*
apostaat ⟨de (m.)⟩ **0.1** [afvallige, ketter] *apostate* ⇒*heretic, renegade* **0.2** [⟨r.k.⟩] *apostate.*
apostasie ⟨de (v.)⟩ **0.1** *apostasy.*
apostel ⟨de (m.)⟩ **0.1** [discipel] *Apostle* **0.2** [verkondiger v.h. Christendom] *apostle* **0.3** [verkondiger v.e. nieuwe leer] *apostle* ⇒*advocate, champion* ◆ **1.1** de Handelingen der Apostelen *(the) Acts (of the Apostles)* **1.3** een~ v.d. vrije gedachte *an apostle of free thought.*
aposteriori ⟨bw.⟩ **0.1** *a posteriori* ⇒*in retrospect.*
a posteriori ⟨bw.⟩ **0.1** *a posteriori* ⇒*in retrospect.*
aposteriorisch ⟨bn.⟩ **0.1** *a posteriori* ◆ **1.1** ~ bewijs *a posteriori demonstration.*
apostille ⟨de⟩ **0.1** [kanttekening] *marginal note* ⇒⟨vero.⟩ *apostil(le)* **0.2** [formulier] ↓*form.*

apostolaat ⟨het⟩ **0.1** [activiteit v.d. kerk] *evangelization* ⇒*missionary work* **0.2** [werkzaamheid als apostel] *apostolate* ⇒*apostleship* **0.3** [bisschoppelijke waardigheid] *episcopate* ⇒*pontificate*.
apostolair ⟨bn.⟩ **0.1** *apostolic(al)*.
apostolisch ⟨bn., bw.; -ally⟩ **0.1** [mbt. de apostelen] *apostolic(al)* **0.2** [pauselijk] *apostolic* ⇒*papal* ◆ **1.1** de ~e geloofsbelijdenis *the Apostles' Creed;* de Apostolische Vaders *the Apostolic Fathers* **1.2** een ~ delegaat *an a. / papal delegate;* de Apostolische Kamer *the Apostolic Chamber;* de Apostolische Stoel *the Apostolic/ Holy See;* een ~ vicaris *a vicar a.;* de ~e zegen *the a. blessing;* een ~e (zend)brief *an a. letter.*
apostrof ⟨de⟩ **0.1** [weglatingsteken] *apostrophe* **0.2** [⟨lit.⟩] *apostrophe.*
apotheek ⟨de⟩ **0.1** [werkruimte, winkel] *pharmacy* ⟨werkruimte⟩; ⟨winkel⟩ ᴮ*(dispensing) chemist's (shop)/* ᴬ*drugstore,* ⟨in ziekenhuis/ school, bij huisarts⟩ *dispensary* **0.2** [geneesmiddelen] *pharmacy* ⇒ *medicine chest* ◆ **2.1** ⟨fig.⟩ ik ben de hele ~ door geweest *I've tried every medicine on record* **2.2** ⟨fig.⟩ de ~ *the greengrocer's* **3.1** ~ houden *dispense medicine* **3.2** van zijn lichaam een ~ maken *fill o.s. up with medicine* **6.1** ⟨fig.⟩ het is in de ~ gehaald *it's very expensive;* ⟨mbt. geneesmiddelen⟩ (uitsluitend) in de ~ verkrijgbaar *offici(n)al (daar op voorraad); available at (dispensing) chemist's only.*
apotheekhoudend ⟨bn.⟩ **0.1** ⟨zie 1.1⟩ ◆ **1.1** ~ arts *surgeon apothecary, dispensing physician.*
apotheker ⟨de (m.)⟩ **0.1** *pharmacist* ⇒*dispenser,* ⟨BE ook⟩ *(dispensing/ pharmaceutical) chemist* ◆ **6.1** voor ~ studeren *study pharmacy* **8.1** zich als ~ vestigen *set up as a p. / (dispensing/pharmaceutical) chemist, start a pharmacy.*
apothekersassistent ⟨de (m.)⟩, -e ⟨de (v.)⟩ **0.1** *dispenser's assistant* ⇒ ⟨BE ook⟩ *chemist's assistant.*
apothekersexamen ⟨het⟩ **0.1** *pharmacy examination* ⇒⟨AE ook⟩ *pharmacy state boards* ◆ **3.1** ik ben vorig jaar voor mijn ~ geslaagd *I qualified as a pharmacist last year.*
apothekersflesje ⟨het⟩ **0.1** *dispensing bottle.*
apothema ⟨het⟩ ⟨wisk.⟩ **0.1** *apothem.*
apotheose ⟨de (v.)⟩ **0.1** [slotscène] *grand finale* **0.2** [vergoding] *apotheosis* ⇒⟨vergoddelijking ook⟩ *deification,* ⟨heiligverklaring ook⟩ *canonization* **0.3** [adoratie] *apotheosis* ⇒*deification, canonization, idolization, idealization* ◆ **3.1** een schitterend vuurwerk vormde de ~ v.d. zomerfeesten *a magnificent firework display formed the g. f. of the summer celebrations.*
apparaat ⟨het⟩ **0.1** [toestel] *machine* ⇒*appliance, device, contrivance,* ⟨inf.;vaak pej.⟩ *contraption, apparatus* ⟨voor wet. experiment⟩ **0.2** [personen en hulpmiddelen] *machine(ry)* ⇒*mechanism, organ, system, apparatus* **0.3** [⟨biol.⟩] *apparatus* **0.4** [mbt. een geschrift/uitgave] *apparatus* ◆ **2.1** elektrische/huishoudelijke apparaten *electrical/ household appliances;* een handig ~ (je) *a handy device/ contrivance/ gadget/* ᴬ*doodad* **2.2** het ambtelijk ~ *the administrative machine(ry)/ system, the Civil Service, bureaucracy;* het gerechtelijk ~ *the judicial/ judiciary system* **2.4** het kritisch ~ bij een tekstuitgave *the critical a. / a. criticus to an edition of a text* **6.1** een ~ om papier te vouwen *a m. / device for folding paper.*
apparatuur ⟨de (v.)⟩ **0.1** *apparatus* ⇒*equipment, machinery, hardware* ⟨ook comp.⟩, ⟨toebehoren⟩ *paraphernalia.*
appartement ⟨het⟩ **0.1** ᴮ*flat,* ᴬ*apartment* ⇒⟨BE ook⟩ *rooms,* ⟨BE; voor vakantie⟩ *apartments,* ⟨AE; koopflat⟩ *condominium* ◆ **2.1** een drie-kamer ~ *a 3-bedroomed f. / a., a f. / an a. with 3 bedrooms;* ~en gelijkvloers *ground floor/ ground level/ street level flats,* ᴬ*first floor apartments;* gemeubileerde ~en *furnished flats / apartments* **3.1** een ~ huren in Spanje *rent an a. in Spain* **6.1** een ~ op de tweede verdieping *a second floor f.,* ᴬ*a third floor apartment;* een ~ voor 6 personen *a f. / an a. / apartments sleeping / accomodating six.*
appassionato ⟨bw.⟩ ⟨muz.⟩ **0.1** *appassionato.*
ap'pel ⟨het⟩ **0.1** [⟨jur.⟩] *appeal* **0.2** [verzameling van alle aanwezige personen] *call* ⇒*muster,* ⟨naamafroeping⟩ *roll call, call-over,* ⟨mil. ook⟩ *parade* **0.3** [beroep] *appeal* ⇒*protest* ◆ **1.1** het hof van ~ *the Court of Appeal/ Appeal Court* **1.3** de jury van ~ *the a. jury* **2.2** ~ nominaal *roll call, c. of the roll of members* **3.1** ~ aantekenen tegen een vonnis *lodge an a., give notice of a., appeal against sentence* **3.2** ⟨mil.⟩ ~ blazen/ slaan *sound the roll call;* ~ houden *call the roll, take the roll call* **3.3** tegen die bewering teken ik ~ aan *I (enter a) protest against that statement* **6.1** in ~ gaan *give notice of a., lodge an a., appeal;* zonder ~ *unappealable* **6.2** ⟨fig.⟩ op het ~ zijn/ komen *turn up, be present;* op het ~ ontbreken *be absent, fail to turn up, absent o.s., miss out;* niet op het ~ verschijnen *cut the roll call* **6.3** een ~ aan *an a. to;* ⟨sport⟩ ~ voor hands *an a. for hands* **6.¶** die hond is onder ~ *that dog is well-trained;* iem. onder ~ hebben/ houden *have s.o. under one's thumb/ well in hand.*
'appel ⟨de (m.)⟩ ⟨→sprw. 17,18⟩ **0.1** [vrucht] *apple* **0.2** [boom] *apple (tree)* **0.3** [oogbol] *apple* ⇒⟨bol⟩ *ball,* ⟨gezonde⟩ *pupil, pupil* **0.4** [knop aan een zwaard] *pommel* **0.5** [versiering op een toren] *spire ball* ◆ **1.1** ⟨fig.⟩ iets voor een ~ en een ei verkopen *sell sth. at a sacrifice/ for a song/ for next to nothing* **1.2** ⟨fig.⟩ zij is de ~ van zijn ogen *she is the a. of his eye* **2.1** ⟨fig.⟩ een schip met zure ~en *a downpour, a cloud-*

---

burst, a deluge; ⟨fig.⟩ door de zure ~ heenbijten *take one's medicine swallow the pill, bite the bullet, get sth. over (and done) with* **3.1** snoep verstandig, eet een ~ ≠*an a. a day keeps the doctor away;* een ~tje met iem. te schillen hebben *to have a bone to pick with s.o.;* ⟨fig.⟩ ~s met peren vergelijken *compare apples and oranges.*
appelaar ⟨de (m.)⟩ ⟨AZN⟩ **0.1** *apple tree.*
appelazijn ⟨de (m.)⟩ **0.1** *cider vinegar.*
appelbeignet ⟨de (m.)⟩ **0.1** *apple fritter.*
appelbloesem[1]
  I ⟨de (m.)⟩ **0.1** [bloesem v.d. appelboom] *apple blossom;*
  II ⟨het⟩ **0.1** [kleur] *apple blossom pink.*
appelbloesem[2] ⟨bn.⟩ **0.1** *apple blossom pink.*
appelbol ⟨de (m.)⟩ **0.1** *apple dumpling.*
appelboom ⟨de (m.)⟩ **0.1** *apple tree.*
appelboor ⟨de⟩ **0.1** *(apple) corer.*
appelbrandewijn ⟨de (m.)⟩ **0.1** *apple brandy* ⇒*applejack.*
appelflap ⟨de⟩ **0.1** *apple turnover.*
appelflauwte ⟨de (v.)⟩ **0.1** *swoon* ⇒*faint* ◆ **3.1** een ~ krijgen *go off in a s., swoon, sham a faint.*
appelgebak ⟨het⟩ **0.1** ≠*apple pie.*
appellant ⟨de (m.)⟩ ⟨jur.⟩ **0.1** *appellant* ⇒*party appellant.*
appellatief ⟨het⟩ **0.1** *appellative* ⇒*common noun.*
appellatoir ⟨bn.⟩ **0.1** *appellate* ◆ **1.1** een ~ verzoek indienen *lodge an appeal.*
appelleren ⟨onov.ww.⟩ **0.1** [appel aantekenen] *appeal* ⇒*give notice of appeal, lodge an appeal* **0.2** [⟨sport⟩] *appeal* **0.3** [een beroep doen op] *appeal (to)* ◆ **6.1** ~ aan de Hoge Raad *a. to the High/ Supreme Court;* ~ tegen het vonnis v.e. lagere rechtbank bij een hogere *a. against the judg(e)ment of/ a. from a lower court to a higher court* **6.2** bij de scheidsrechter *a. to the referee;* ~ voor hands/ buitenspel *a. for hands/ offside* **6.3** stukken die ~ aan de gevoelens v.h. publiek *articles appealing to public sentiment.*
appelmoes ⟨het, de⟩ **0.1** *apple sauce.*
appelpit ⟨de⟩ **0.1** *apple pip.*
appelrond ⟨bn.⟩ **0.1** *(as) round as an apple* ◆ **1.1** met een ~ gezichtje *apple-cheeked.*
appelsap ⟨het⟩ **0.1** *apple juice.*
appelschimmel ⟨de (m.)⟩ **0.1** *dapple(-grey).*
appelsien ⟨de⟩ ⟨AZN⟩ **0.1** *orange.*
appelsoort ⟨het, de⟩ **0.1** *variety of apple.*
appelspijs ⟨de⟩ ⟨AZN⟩ **0.1** *apple sauce.*
appelstroop ⟨de⟩ **0.1** *apple syrup* ◆ **6.1** een boterham met ~ *an a. s. sandwich.*
appeltaart ⟨de⟩ **0.1** *apple pie* ⇒⟨BE ook⟩ *apple tart* ⟨bovenkant niet met deeg bedekt⟩.
appeltje ⟨het⟩ **0.1** *little apple* ◆ **1.1** ⟨fig.⟩ ik heb (nog) een ~ met jou te schillen! *I have a bone to pick with you!* **6.1** ⟨fig.⟩ een ~ voor de dorst bewaren *save up/ put away/ keep sth. for a rainy day;* ⟨fig.⟩ een ~ voor de dorst *a nest egg, a buffer/* ᴬ*cushion.*
appelvonnis ⟨het⟩ **0.1** *judg(e)ment on appeal.*
appelwang ⟨de⟩ **0.1** *ruddy cheek* ⇒*rosy cheek.*
appelwijn ⟨de (m.)⟩ **0.1** *(apple) cider.*
appelzaak ⟨de⟩ **0.1** *appeal case.*
appelzuur ⟨het⟩ ⟨schei.⟩ **0.1** *malic acid.*
appendage ⟨het, de; meestal mv.⟩ **0.1** *accessory* ⇒*fitting, mounting.*
appendance ⟨de (v.)⟩ **0.1** *annex.*
appendicitis ⟨de (v.)⟩ ⟨med.⟩ **0.1** *appendicitis.*
appendix ⟨de⟩ **0.1** [⟨biol.⟩] *appendix* **0.2** [aanhangsel v.e. boek] *appendix* ◆ **3.1** zijn ~ laten weghalen *have one's a. removed, have an append(ic)ectomy.*
apperceptie ⟨de (v.)⟩ **0.1** *apperception.*
appetijtelijk ⟨bn., bw.⟩ **0.1** [smakelijk] *appetizing* ⇒*tasty, palatable, mouthwatering, delicious* **0.2** [⟨scherts.⟩] *appetizing* ⇒*tempting, scrumptious, tantalizing* ◆ **3.1** dat is niet erg ~ *that is rather unsavoury;* die zalm ziet er ~ uit *that salmon looks tasty/ delicious* **3.2** dat meisje ziet er ~ uit *that girl looks a. / scrumptious.*
applaudisseren ⟨onov.ww.⟩ **0.1** *applaud* ⇒*clap* ◆ **5.1** er werd langdurig geapplaudisseerd *there was a prolonged applause;* waarom applaudisseer je niet? *why aren't you clapping?* **6.1** ~ voor iem. *applaud s.o..*
applaus ⟨het⟩ **0.1** *applause* ⇒*clapping* ◆ **2.1** een daverend ~ *thunderous a., a roar/ thunder of a.;* stormachtig ~ *a storm of a., thunderous a.;* een warm ~ krijgen *get a good/ big hand, win/ earn warm a.* **3.1** er ging een ovationeel ~ op *there was a burst of a. / an ovation;* veel ~ oogsten *win/ earn much a.* **6.1** de motie werd met ~ begroet *the motion was received with a. / applauded;* iem. met luid ~ ontvangen *recieve s.o. with loud a.;* onder luid ~ amidst loud a.;* een ~je voor X! *let's give a big hand to X!* **¶.1** ~ in ontvangst nemen *take a bow.*
applausmachine ⟨de (v.)⟩ **0.1** *canned applause.*
applicatie ⟨de (v.)⟩ **0.1** [toepassing] *application* ⇒*employment* **0.2** [⟨amb.⟩] ⟨textiel⟩ *appliqué,* ⟨hout⟩ *veneering* **0.3** [het aanbrengen/ opbrengen] *application* ⇒*applying* **0.4** [toewijding] *application* ⇒*diligence, industry, commitment, assiduity.*
applicatiecursus ⟨de (m.)⟩ **0.1** *refresher course* ◆ **3.1** een ~ volgen *take a r. c..*

applicatiewerk 〈het〉 **0.1** *appliqué*.
applicatuur 〈de (v.)〉〈muz.〉 **0.1** [kleppenmechaniek] *keys* **0.2** [vinger-zetting] *fingering*.
appliqueren 〈ov.ww.〉 **0.1** [als oplegwerk aanbrengen]〈op textiel〉 *ap-pliqué* ⇒*sew on* **0.2** [voorzien van oplegwerk] *veneer* 〈hout〉.
apporteren 〈onov.,ov.ww.〉 **0.1** *fetch* ⇒*retrieve* ◆ **1.1** een ~de hond *a retriever*, [A]*a bird dog* ¶.**1** apporte! *fetch (it)!*.
appositie 〈de (v.)〉 **0.1** [taal.] *apposition* **0.2** [aanhechting, plaatsing] *apposition* ⇒*affixture* **0.3** [〈biol.〉] *apposition* ◆ **1.2** ~ van zegels *affix-ture of stamps/seals*.
appositioneel 〈bn.,bw.〉 **0.1** [〈taal.〉] *appositional* ⇒*appositive* **0.2** [〈med.〉] *appositional* ⇒*in apposition* 〈alleen pred.〉.
appreciatie 〈de (v.)〉 **0.1** [waardering] *appreciation* ⇒〈erkentelijkheid ook〉 *acknowledg(e)ment*, 〈hoogachting ook〉 *admiration, esteem* **0.2** [beoordeling] *appreciation* ⇒*appraisal, assessment, estimation, judge-ment* **0.3** [〈hand.〉] *appreciation* ◆ **6.1** met veel ~ over iets spreken *speak highly of sth.*.
appreciëren 〈ov.ww.〉 **0.1** [beoordelen] *appreciate* ⇒*estimate, assess, ap-praise* **0.2** [waarderen] *appreciate* ⇒〈dankbaar zijn ook〉 *be grateful/thankful for*, 〈hoogachten ook〉 *value, esteem* ◆ **3.2** hij zou dat wel weten te ~ *he would a./like/enjoy that* **5.2** zij zou het zeer ~ *she would be awfully grateful, she would a. that immensely* **6.2** iem. **om** iets ~ *admire/respect s.o. for sth.*.
appreteren 〈ov.ww.〉 **0.1** *dress* ⇒*finish, size*.
appretuur 〈de (v.)〉 **0.1** [het appreteren] *dressing* ⇒*finishing, sizing* **0.2** [resultaat, glans] *finish* **0.3** [appreteermiddel] *dressing* ⇒*size*.
approbatie 〈de (v.)〉 **0.1** [officiële goedkeuring/toestemming] *approba-tion* ⇒*approval, sanction* **0.2** [〈r.k.〉] *imprimatur*.
approches 〈het,de〉 **0.1** [〈mil.〉] *approaches* **0.2** [toenaderingspogingen] *approaches* ⇒*overtures* 〈in onderhandelingen〉.
approvianderen 〈ov.ww.〉 **0.1** *provision*.
approximatief 〈bn.,bw.;-ly〉 **0.1** *approximate* ⇒*rough* 〈schatting〉, *round* 〈cijfers〉 ◆ **1.1** de approximatieve waarde/afmetingen *the a. value, the a./rough measurements*.
apraxie 〈de (v.)〉〈med.〉 **0.1** *apraxia*.
après-ski 〈de (m.); vaak attr.〉 **0.1** *après-ski*.
april 〈de (m.)〉 (→sprw. 19) **0.1** *April* ◆ **7.1** één ~ *A./All Fool's Day*; 〈kind.〉 één ~ (kikker in je bil)! *A. Fool!*.
aprilgrap 〈de〉 **0.1** *April Fool's joke* ⇒*April Fool's trick/hoax/gag*.
a prima vista 〈bw.〉 **0.1** *at first sight* ⇒*at/on sight* 〈zingen, spelen〉.
apriori 〈het〉 **0.1** [gegeven] *given circumstances* **0.2** [vooronderstelling] *presumption*.
a priori 〈bw.〉 **0.1** *a priori* ◆ **3.1** er ~ van uitgaan dat ...*presume a priori that ...*; iets ~ vaststellen *determine sth. a priori*.
apriorisch 〈bn.〉 **0.1** *a priori* ⇒*deductive, presumptive*.
apriorisme 〈het〉 **0.1** [redenering op grond van apriori's] *apriorism* **0.2** [vooronderstelling] *apriorism*.
aprioristisch 〈bn.,bw.;-ally〉 **0.1** *aprioristic* ◆ **1.1** een ~e opvatting *an a./a preconceived opinion, a presumption, a prejudice* **3.1** ~ oordelen *judge aprioristically*.
apropos 〈het〉 ◆ **6.**¶ van zijn ~ raken/zijn *lose countenance, be at a loss what to do, be embarrassed/disconcerted*; zich niet van zijn ~ laten brengen *keep one's head, keep one's shirt on*; 〈als eigenschap〉 *be un-flappable/level-headed*; iem. **van** zijn ~ brengen *put s.o. out (of coun-tenance), embarrass s.o.*.
à propos 〈tw.〉 **0.1** *apropos* ⇒*by the way, incidentally*.
apsis 〈de (v.)〉〈bouwk.〉 **0.1** *apse* ⇒*apsis*.
apsiskapel 〈de (v.)〉 **0.1** *apsidal chapel*.
APV 〈de (v.)〉〈afk.〉 **0.1** [Algemene Politieverordening] 〈*local regula-tion*, [B]*police by(e) law*〉 ◆ **6.1** het sluitingsuur van café's wordt gere-geld in de ~ *closing time is prescribed/laid down by the local authori-ties*.
aquacamping 〈de〉 **0.1** 〈aan zee〉 *seaside campsite*; 〈aan rivier〉 *riverside campsite*; 〈aan meer〉 *lakeside campsite*.
aquaduct 〈het〉 **0.1** [brug] *aqueduct (bridge)* **0.2** [Romeinse waterlei-ding] *aqueduct*.
aquamarijn[1]
  I 〈het〉 **0.1** [edelgesteente] *aquamarine* **0.2** [verf] *aquamarine*;
  II 〈de (m.)〉 **0.1** [edelsteen] *aquamarine*.
aquamarijn[2] 〈bn.〉 **0.1** *aqua(marine)*.
aquanaut 〈de (m.)〉 **0.1** *aquanaut*.
aquaplaning 〈de〉 **0.1** *skidding*.
aquarel 〈de (v.)〉 **0.1** *water colour* ⇒*aquarelle*.
aquarelleren 〈onov.,ov.ww.〉 **0.1** *paint in water colours*.
aquarellist 〈de (m.)〉 **0.1** *aquarellist* ⇒*water colourist*.
aquarium 〈het〉 **0.1** [bak] *aquarium* **0.2** [gebouw] *aquarium*.
Aquarius 〈de (m.)〉 **0.1** *Aquarius* ◆ **1.1** het tijdperk van ~ *the age of A.*.
aquaviet 〈de〉 **0.1** *aquavit, akvavit*.
aquavion 〈het〉 **0.1** *hydrofoil*.
aquicultuur 〈de (v.)〉 **0.1** *aquaculture*.
Aquitanië 〈het〉 **0.1** *Aquitaine, Aquitania*.
ar[1] 〈de〉 **0.1** *sleigh*.
ar[2] 〈bn.〉 ◆ **1.**¶ in arren moede *at one's wits' end, at a loss what to do*.

ara 〈de (m.)〉 **0.1** *macaw*.
arabesk 〈de〉 **0.1** [decoratie] *arabesque* **0.2** [kronkeling] *arabesque* ⇒ *winding, convolution, undulation* **0.3** [〈muz.〉] *arabesque* ◆ **1.2** de ~en v.e. beekje *the meanders of a stream*.
Arabië 〈het〉 **0.1** *Arabia*.
Arabier 〈de (m.)〉 **0.1** [staatsburger van Saoedi-Arabië] *Saudi (Arabian)* **0.2** [bewoner van Midden-Oosten/Oost-Afrika] *Arab* **0.3** [paard] *Arab* ⇒*Arab(ian) horse*.
Arabisch[1] 〈het〉 **0.1** [taal] *Arabic* **0.2** [schrift] *Arabic script* ◆ **6.1** in het ~ *in A.*.
Arabisch[2] 〈bn.〉 **0.1** *Arabic* 〈taal, schrift, cijfers〉; 〈mbt. Arabië〉 *Ara-bian; Arab* 〈volk, cultuur〉 ◆ **1.1** de Verenigde ~e Emiraten *the Unit-ed Arab Emirates*; ~e gom *gum arabic*; de ~e liga *the Arab League*; de ~e literatuur 〈in het Arabisch〉 *Arabic literature*; 〈van/door Ara-bieren〉 *Arab literature*; ~e tradities en gewoonten *Arab traditions and customs*; een ~e volbloed *a pure/thoroughbred Arab (horse)/ Arabian horse*; de ~e volkeren *the Arab peoples*; de ~e wereld *the Arab world*; de ~e Zee/Woestijn *the Arabian Sea/Desert*.
arabist 〈de (m.)〉 **0.1** *Arabist*.
arabistiek 〈de (v.)〉 **0.1** *Arabic (language and literature)*.
arachideolie 〈de〉〈cul.〉 **0.1** *peanut oil* ⇒*arachis oil*, 〈vnl. BE ook〉 *groundnut oil*.
arak 〈de (m.)〉 **0.1** *arrack* ⇒*arak, rack*.
aramee 〈de (m.)〉〈cul.〉 **0.1** *arame*.
Aramees[1] 〈het〉 **0.1** *Aramaic*.
Aramees[2] 〈bn.〉 **0.1** *Aramaic*.
arbeid 〈de (m.)〉 (→sprw. 20,21, 194) **0.1** [bezigheid, werkzaamheid] *labour* ⇒*work*, 〈inspanning〉 *effort, exertion*, 〈zware arbeid〉 *toil* **0.2** [〈nat.〉] *work* **0.3** [loonarbeiders] *labour* **0.4** [het tot stand gebrachte] *work* ◆ **1.1** de Dag v.d. Arbeid *Labour day*, [B]*May Day*; 〈ec.〉 de fac-tor ~ *the l. factor*; herverdeling v.d. ~ *redistribution of l.*; de Partij v.d. Arbeid *Labour, the Labour Party*; recht op ~ *right to work*; de Stichting v.d. Arbeid 〈*(Dutch) trade union federation*〉; verdeling v.d. ~ *division of l.*; de vruchten van zijn ~ oogsten *reap the fruits of ones l.* **2.1** intensieve ~ *intensive l.*; 〈on〉geschoolde ~ *(un)skilled l./ work*; dat is vergeefse ~ *that is lost l./l. in vain*; verloren ~ *l. lost, l. in vain*; vrijwillige/gedwongen ~ *voluntary/forced l.*; weinig ~ voor veel loon *little work for high wages*; wetenschappelijke ~ *scientific work/ labours*; zware/harde ~ *rough/hard work*; 〈voor een hongerloontje〉 *sweated l.* **2.2** inwendige ~ *internal w.* **3.1** de ~ hervatten/voltooien *resume/finish work*; ~ verrichten *labour, work*; 〈nat.〉 do work **3.2** wanneer verricht een kracht ~? *when does a force do work?* **6.1** aan de ~ gaan *set/go to work*; **aan** de ~ zijn *be at work*; de ~ **op** het veld *l. in the fields*; inkomen **uit** ~ *earnings*.
arbeiden 〈onov.ww.〉 **0.1** [werken] *labour* ⇒*work* **0.2** [zijn krachten aanwenden] *labour* ⇒*work* ◆ **1.1** iem. uit de ~de klasse *a member of the working class*; de ~de klasse/stand *the working/lower class(es)* **6.2** aan de welvaart v.e. volk ~ *l./work for the prosperity of a nation*; in de wijngaard v.d. Heer ~ *l./work in the vineyard of the Lord*.
arbeider 〈de (m.)〉 (→sprw. 22) **0.1** [handarbeider] *worker* ⇒*workman, hand* 〈meestal in samenst.〉, 〈machinebediener〉 *operative* **0.2** [werk-nemer] *employee* ◆ **1.1** landarbeiders *farm hands, agricultural labour-ers* **2.1** geschoolde ~s *skilled workers/labour*; een los ~ *casual labour*; een ongeorganiseerde ~ *an unorganized worker*; ongeschoolde ~s *unskilled workers/labour*, (unskilled) labourers **3.1** meer dan 200 ~s in dienst hebben *employ more than 200 workers/men, employ a la-bour/work force of over 200* ¶.**1** de ~ is zijn loon waard *that labourer is worthy of his hire*.
arbeiderisme 〈het〉〈pej.〉 **0.1** *proletarianism* ⇒*cloth-cap attitude*.
arbeideristisch 〈bn.〉 **0.1** *proletarian* ◆ **1.1** de ~ stroming in de P.v.d.A. *the p. faction in the Dutch Labour Party*.
arbeidersbeweging 〈de (v.)〉〈gesch.〉 **0.1** *labour movement* ⇒*workers' movement*.
arbeidersbuurt 〈de〉 **0.1** *working-class neighbourhood* ⇒〈pej.〉 *wrong side of the tracks/of town*.
arbeidersgezin 〈het〉 **0.1** *working-class/workman's family*.
arbeidershuisje 〈het〉 **0.1** 〈in stad〉 *working-class house*; 〈op het land〉 *working-class/labourer's cottage*.
arbeidersklasse 〈de (v.)〉 **0.1** *working class(es)* ⇒*lower classes*.
arbeiderskringen 〈zn.mv.〉 **0.1** *working-class circles*.
arbeidersparadijs 〈het〉〈iron.〉 **0.1** *workers' paradise*.
arbeiderspartij 〈de (v.)〉 **0.1** *Labour Party* ⇒*Socialist Party*.
arbeidersraad 〈de (m.)〉 **0.1** *workers' council*.
arbeiderszelfbestuur 〈het〉 **0.1** *workers' control*.
arbeidsaanbod 〈het〉 **0.1** *supply of labour* ⇒*labour market*.
arbeidsanalist 〈de (m.)〉 **0.1** *ergonomist* ⇒*work efficiency expert*.
arbeidsanalyse 〈de〉 **0.1** *time-(and-)motion study* ⇒*time/motion/work study, job analysis/study, ergonomy*.
arbeidsbemiddelaar 〈de (m.)〉 **0.1** *employment officer*.
arbeidsbemiddeling 〈de (v.)〉 **0.1** *employment-finding* ◆ **1.1** bureau voor ~ *Employment Exchange*; 〈BE ook〉 *job centre*; 〈particulier〉 *em-ployment agency/bureau*.
arbeidsbesparend 〈bn.〉 **0.1** *laboursaving* ◆ **3.1** dat werkt ~ *that saves la-bour*.

arbeidsbesparing ⟨de (v.)⟩ **0.1** *savings/reduction in labour* ◆ **3.1** dat geeft een enorme ~ *that saves an enormous amount of labour.*

arbeidsbureau ⟨het⟩ **0.1** [overheidsinstelling] *Employment Exchange* ⇒ ⟨BE ook⟩ *job centre* **0.2** [gebouw] *Employment Exchange* ⇒ ⟨BE ook⟩ *job centre* ◆ **6.1** zich inschrijven **bij** het ~ *sign on at the E. E.;* hij staat al jaren **bij** het ~ ingeschreven *he has been on the books of/ he has been signed on at the E. E. for years now.*

arbeidsconflict ⟨het⟩ **0.1** *labour/* ⟨in industrie ook⟩ *industrial dispute/ conflict.*

arbeidscontract ⟨het⟩ **0.1** *employment contract* ◆ **3.1** een ~ beëindigen/ verbreken *sever/terminate an e. c.;* een ~ verlengen *continue/extend an e. c..*

arbeidscontractant ⟨de (m.)⟩ **0.1** *employee.*

arbeidsduur ⟨de (m.)⟩ **0.1** *working hours* ⇒*hours of work/employment.*

arbeidsduurverkorting ⟨de (v.)⟩ **0.1** *reduction of working hours* ⇒*shorter working week/* ^*work week.*

arbeidsethos ⟨het⟩ **0.1** *work ethic.*

arbeidsextensief ⟨bn.⟩ **0.1** *labour extensive.*

arbeidsgeneeskunde ⟨de (v.)⟩ ⟨AZN⟩ **0.1** *industrial medicine.*

arbeidsgeschil ⟨de (v.)⟩ **0.1** *job/work dispute.*

arbeidsgewenning ⟨de (v.)⟩ **0.1** *rehabilitation.*

arbeidsinhoud ⟨de (m.)⟩ **0.1** *manufacturing/production time.*

arbeidsinspectie ⟨de (v.)⟩ **0.1** [toezicht] *labour/factory inspection* **0.2** [instelling] *labour/factory inspectorate* ◆ **1.2** een ambtenaar v.d. ~ *a factory inspector;* de voorschriften v.d. ~ overtreden *contravene occupational (health and) safety regulations* **3.2** de ~ stelt een onderzoek in *the l. / f. i. is holding an inquiry.*

arbeidsintensief ⟨bn.⟩ **0.1** [mbt. een bedrijf] *labour-intensive* **0.2** [mbt. een produkt] *labour-intensive.*

arbeidsintensiteit ⟨de (v.)⟩ **0.1** *labour intensiveness.*

arbeidsklimaat ⟨het⟩ **0.1** *working climate.*

arbeidskosten ⟨zn.mv.⟩ **0.1** *cost of labour* ⇒*labour cost(s).*

arbeidskostentheorie ⟨de (v.)⟩ ⟨ec.⟩ **0.1** *theory of labour cost.*

arbeidskracht ⟨de⟩ **0.1** [arbeider] *worker* ⇒ ⟨mv. ook⟩ *workmen, hand* ⟨meestal in samenst.⟩, ⟨machinebediener⟩ *operative* **0.2** [het vermogen om te werken] *working power* ⇒*power to work, capacity for work* ◆ **1.1** het aantal ~en *the labour/work force* **2.1** een goede/ volwaardige ~ *an able-bodied worker;* goedkope ~ *cheap labour;* mannelijke en vrouwelijke ~en *the male and female work force;* overtollige ~en *redundant workers;* een tijdelijke ~ *a temp(orary)* **6.1** een tekort/ overschot **aan** ~en *a shortage/redundancy of manpower/workers/labour, a labour shortage/redundancy.*

arbeidskundige ⟨de (m.)⟩ **0.1** *ergonomist.*

arbeidsleer ⟨de⟩ **0.1** *ergonomy.*

arbeidsloon ⟨het⟩ **0.1** *wages* ⇒*labour (costs), wage cost* ⟨op rekening⟩ ◆ **2.1** door de hoge arbeidslonen *due to high w. / the cost of labour* **6.1** meer dan fl. 100 kwijt zijn alleen al **aan** ~ *spend more than 100 guilders on labour alone* ¶**.1** geen ~ in rekening brengen *not charge for labour.*

arbeidsloos ⟨bn.⟩ **0.1** [waarin niet gearbeid wordt] *free from work* **0.2** [niet door eigen arbeid verkregen] *unearned* ◆ **1.1** arbeidsloze tijd *time free from work, leisure time* **1.2** het ~ inkomen *u. income.*

arbeidsmarkt ⟨de⟩ **0.1** *labour market* ⇒*job market* ◆ **2.1** een krappe/ overspannen ~ *a tight l. m.* **6.1** zich **op** de ~ aanbieden *offer o.s. / one's services on the labour m.;* de situatie **op** de ~ *the employment situation;* zijn kansen **op** de ~ vergroten *increase one's job opportunities.*

arbeidsmoraal ⟨de⟩ **0.1** *work ethic.*

arbeidsmotivatie ⟨de (v.)⟩ **0.1** *motivation to work* ⇒*job motivation.*

arbeidsomstandigheden ⟨zn.mv.⟩ **0.1** *working conditions.*

arbeidsongeschikt ⟨bn.⟩ **0.1** *unable to work* ◆ **1.1** 50% ~ zijn *be 50% i.* **5.1** gedeeltelijk ~ verklaard worden *be declared partially i..*

arbeidsongeschiktheid ⟨de (v.)⟩ **0.1** *incapacity for work* ⇒*disablement, incapacity for work* ◆ **2.1** bij gehele of gedeeltelijke ~ *in case for full or partial i..*

arbeidsongeschiktheidsverzekering ⟨de (v.)⟩ **0.1** *(industrial) disability insurance.*

arbeidsongeval ⟨het⟩ **0.1** *industrial accident.*

arbeidsonrust ⟨de⟩ **0.1** *industrial unrest* ⇒*labour unrest* ◆ **2.1** er heerst een toenemende ~ *there is an increasing industrial unrest.*

arbeidsovereenkomst ⟨de (m.)⟩ **0.1** *employment contract* ⇒*labour contract* ◆ **2.1** een collectieve ~ *a collective agreement;* een individuele ~ *an individual employment/labour contract.*

arbeidsplaats ⟨de⟩ **0.1** *job* ◆ **3.1** alle 200 ~en kunnen behouden blijven *all 200 jobs can be maintained;* nieuwe ~en scheppen *create j. opportunities;* er zullen 20 ~en verloren gaan *20 jobs will be lost* ¶**.1** er staan 50 ~en op de tocht *50 jobs are in danger.*

arbeidsplaatsenovereenkomst ⟨de (v.)⟩ **0.1** *job agreement* ⇒*manning level agreement* ◆ **3.1** een ~ sluiten *agree on manning levels.*

arbeidspotentieel ⟨het⟩ **0.1** *supply of labour* ⇒*labour market.*

arbeidsprestatie ⟨de (v.)⟩ **0.1** [produktiviteit] *productivity, output* **0.2** [verrichtingen] *performance.*

arbeidsproces ⟨het⟩ **0.1** [alles mbt. de maatschappelijke arbeid] *employment* **0.2** [handelingen waaruit produkten ontstaan] *production process* ◆ **3.1** de mensen die niet aan het ~ deelnemen *the unemployed* **6.1** buiten het ~ staan *be excluded from e.;* in het ~ worden opgenomen *be absorbed into e.;* vrouwen die weer **in** het ~ willen worden opgenomen *women who wish to re-enter e.;* **uit** het ~ gestoten worden *be thrown out of e..*

arbeidsproduktiviteit ⟨de (v.)⟩ **0.1** *productivity.*

arbeidspsychologie ⟨de (v.)⟩ **0.1** *industrial psychology.*

arbeidsrecht ⟨het⟩ **0.1** [deel van de rechtswetenschap] *labour law* **0.2** [rechtsvoorschriften mbt. de arbeid] *labour law.*

arbeidsrechtelijk ⟨bn., bw.⟩ **0.1** *pertaining to/concerning/on industrial law* ◆ **3.1** ~ bekeken *seen from the point of view of industrial law.*

arbeidsregister ⟨het⟩ **0.1** *list of workers employed.*

arbeidsreserve ⟨het⟩ **0.1** [personen die nog ingeschakeld kunnen worden] *surplus labour* ⇒*labour reserve* **0.2** [de werklozen] *surplus labour* ⇒*labour reserve* ◆ **6.1** de ~ **aan** vrouwelijke krachten *the surplus of female workers.*

arbeidsrust ⟨de⟩ **0.1** *industrial peace.*

arbeidsschaarste ⟨de (v.)⟩ **0.1** *shortage of employment* ⇒*job shortage.*

arbeidsschuw ⟨bn.⟩ **0.1** *workshy* ⇒*idle, shiftless.*

arbeidstherapeut ⟨de (m.)⟩, **-e** ⟨de (v.)⟩ **0.1** *occupational therapist* ⇒*ergotherapist.*

arbeidstherapie ⟨de (v.)⟩ **0.1** *occupational therapy* ⇒*ergotherapy.*

arbeidstijdverkorting ⟨de (v.)⟩ **0.1** *reduction of working hours* ⇒*shorter working week/* ^*work week* ◆ **1.1** de wettelijke invoering v.d. ~ *the introduction of shorter working hours by law.*

arbeidsveld ⟨het⟩ **0.1** *field (of activity)* ⇒*sphere (of action), scope* ◆ **2.1** een ruim ~ *ample scope, a wide field of activity, a large sphere of action* **3.1** zijn ~ uitbreiden/verleggen *extend/shift one's field of activity* **6.1** voor de toegepast taalkundige ligt hier nog een groot ~ *this offers the applied linguist ample scope/a wide field/a large sphere.*

arbeidsverdeling ⟨de (v.)⟩ **0.1** *division of labour* ⇒*specialization.*

arbeidsvergunning ⟨de (v.)⟩ **0.1** *work permit.*

arbeidsverhouding ⟨de (v.)⟩ **0.1** *industrial relation* ⇒*labour relation* ◆ **2.1** de ~en zijn er goed *industrial/labour relations are good there.*

arbeidsverloop ⟨het⟩ **0.1** *labour turnover.*

arbeidsvermogen ⟨het⟩ **0.1** ⟨nat.⟩ *energy* **0.2** [mbt. personen] *work capacity* ◆ **1.1** de wet v.h. behoud v.h. ~ *the law of conservation of e.;* ~ van beweging *kinetic e.;* ~ van plaats *potential e.;* het ~ v.e. elektrische stroom *electrical e..*

arbeidsverzuim ⟨het⟩ **0.1** *absenteeism* ◆ **2.1** het geregistreerde ~ over het eerste halfjaar *recorded a. in the first six months.*

arbeidsvolume ⟨het⟩ **0.1** ≠*number of manyears* ⇒*manpower.*

arbeidsvoorschrift ⟨het; vaak mv.⟩ **0.1** *labour regulation.*

arbeidsvoorwaarde ⟨de (v.)⟩ **0.1** *term of employment* ⇒*condition of employment* ◆ **2.1** secundaire ~n *fringe benefits;* ⟨inf.⟩ *perks.*

arbeidsvoorziening ⟨de (v.)⟩ **0.1** *measures to stimulate employment* ⇒*employment policy/strategy.*

arbeidsvraagstuk ⟨het⟩ **0.1** *labour problem/question.*

arbeidsvrede ⟨de⟩ **0.1** *industrial peace.*

arbeidsvreugde ⟨de (v.)⟩ **0.1** *job satisfaction* ⇒*joy/pleasure in one's work* ◆ **3.1** weinig ~ kennen *have/find/take little pleasure in one's work.*

arbeidswet ⟨de⟩ **0.1** *Factory Acts,* ^*Labor Law.*

arbeidswetgeving ⟨de (v.)⟩ **0.1** *labour/employment legislation.*

arbeidzaam ⟨bn.⟩ **0.1** *industrious* ⇒*hard-working, diligent, laborious* ◆ **1.1** na een ~ leven *after a useful life/a life of hard work;* een ~ leven leiden *lead/live an i. life.*

arbeidzaamheid ⟨de (v.)⟩ **0.1** *industriousness* ⇒*industry, diligence, laboriousness.*

arbiter ⟨de (m.)⟩ **0.1** [⟨sport⟩] *referee* ⇒ ⟨vnl. bij tennis/honkbal/hockey/cricket⟩ *umpire* **0.2** [⟨jur.⟩] *arbitrator* ⇒*arbiter* ⟨m.⟩, *arbitress* ⟨v.⟩.

arbitraal ⟨bn.⟩ **0.1** [bestaande uit arbiters, belast met arbitrage] *arbitral* **0.2** [onderworpen aan/afkomstig van arbiters] *arbitral* ◆ **1.1** ⟨sport⟩ het arbitrale trio *the referee and linesmen* **1.2** een arbitrale beslissing *an a. decision, arbitration award.*

arbitrage ⟨de (v.)⟩ **0.1** [⟨sport⟩] *refereeing* ⇒*umpiring* ⟨vnl. bij tennis/honkbal/hockey/cricket⟩ **0.2** [⟨jur.⟩] *arbitration* **0.3** [⟨hand.⟩] *arbitrage* ◆ **1.2** commissie van ~ *a. board, board of a.;* het Permanent Hof van Arbitrage *the Permanent Court of Arbitration* **3.2** de bonden willen ~ aanvragen *the unions want to go to a.;* een geschil aan ~ onderwerpen *refer/submit a dispute to a.* **6.2** een zaak **bij** ~ afdoen *resolve a matter by (means of) a..*

arbitrageclausule ⟨de⟩ **0.1** *arbitration clause.*

arbitragehof ⟨het⟩ **0.1** *court of arbitration* ⇒*arbitration/arbitral tribunal.*

arbitragezaak ⟨de⟩ **0.1** [⟨geldw.⟩] *arbitrage transaction* **0.2** [mbt. geschillen] *case for arbitration.*

arbitrair ⟨bn., bw.; -ly⟩ **0.1** [willekeurig] *arbitrary* **0.2** [⟨jur.⟩] *arbitral* ◆ **1.2** ~ beding *arbitration clause* **3.1** ~ te werk gaan *act arbitrarily.*

arbitreren

I ⟨onov.ww.⟩ **0.1** [⟨sport⟩ als arbiter optredend] *referee* ⇒*umpire* ⟨vnl. bij tennis/honkbal/hockey/cricket⟩ **0.2** [⟨jur.⟩ als arbiter optredend] *arbitrate, adjudicate* **0.3** [⟨hand.⟩] *arbitrage;*
II ⟨ov.ww.⟩ **0.1** [⟨sport⟩ als scheidsrechter leiden] *referee* ⇒*umpire* **0.2** [⟨jur.⟩ door arbitrage afdoen] *arbitrate, adjudicate* ◆ **1.1** een wedstrijd ~ *referee* **1.2** een geschil ~ *a. in a dispute.*

arboretum ⟨het⟩ **0.1** *arboretum* ⇒⁺ *tree collection.*

Arbowet ⟨de⟩ **0.1** ⟨GB⟩ *Factories Act*, ⟨USA⟩ ≠*Labor Law.*

arcade ⟨de (v.)⟩ **0.1** [booggewelf] *arcade* ⇒*arch* **0.2** [⟨mv.⟩ bogengalerij] *arcade* ⇒*ambulatory* ⟨vnl. in kerk⟩.

Arcadië ⟨het⟩ **0.1** *Arcadia.*

Arcadiër ⟨de (m.)⟩ **0.1** *Arcadian.*

arcadisch ⟨bn., bw.⟩ **0.1** *Arcadian* ⇒*idyllic*, ⟨landelijk⟩ *pastoral.*

arceren ⟨onov., ov.ww.⟩ **0.1** *shade* ⇒⟨tech.⟩ *hatch*, ⟨dubbel⟩ *crosshatch* ◆ **1.1** het gearceerde gedeelte *the shaded part.*

arcering ⟨de (v.)⟩ **0.1** [handeling] *shading* ⇒⟨tech.⟩ *hatching*, ⟨dubbel⟩ *crosshatching* **0.2** [resultaat] *shading* ⇒*hatching, crosshatching* **0.3** [gearceerde gedeelte] *shading* ⇒*hatching, crosshatching* ◆ **3.3** de ~ aanbrengen *put in the s. / (cross)hatching, shade in.*

archaïsch ⟨bn.⟩ **0.1** [mbt. een zeer oud tijdperk] *archaic* ⇒*antique*, ⟨ouderwets⟩ *antiquated*, ↓ *old-fashioned* **0.2** [⟨psych.⟩] *archaic* ◆ **1.1** ⟨fig.⟩ zijn ~ (aandoend) taalgebruik *his archaic/antiquated/old-fashioned language.*

archaïseren ⟨onov., ov.ww.⟩ **0.1** *archaize* ⇒*make archaic* ◆ **1.1** ~d taalgebruik *(use of) archaism, archaic language.*

archaïsme ⟨het⟩ **0.1** [uitdrukking] *archaism* ⇒*archaic expression* **0.2** [taalgebruik] *archaism* **0.3** [⟨psych.⟩] *archaism.*

archaïstisch ⟨bn., bw.;-ally⟩ **0.1** *archaistic.*

archeologie ⟨het⟩ **0.1** *archaeology* ◆ **2.1** industriële ~ *industrial a..*

archeologisch ⟨bn., bw.;-ly⟩ **0.1** *archaeological* ◆ **1.1** ~e opgravingen *a. excavation(s);* ⟨inf.⟩ *dig.*

archeoloog ⟨de (m.)⟩ **0.1** *archaeologist.*

archetype ⟨het⟩ **0.1** [oervorm] *archetype* **0.2** [oudste manuscript] *archetype, urtext* ⇒*original text.*

archetypisch ⟨bn., bw.;-(al)ly⟩ **0.1** *archetypal, archetypic(al).*

archief ⟨het⟩ **0.1** [verzameling geschreven stukken] *archives* ⇒*records, files* ⟨bij bedrijf⟩ **0.2** [bewaarplaats] *archives* ⇒⟨openbaar⟩ *record office*, ⟨registers, burgerlijke stand enz.⟩ *registry (office), files* ⟨bij bedrijf⟩ **0.3** [instelling] *archives* ⇒*record office, registry (office), filing department, files* ⟨bij bedrijf⟩ ◆ **6.1** moet dit in het ~? *do you want this filed (away)?* **6.2** iets in het ~ opbergen/bijzetten *to file sth. (away);* iets uit het ~ halen ⟨inf. ook⟩ *to dig sth. out of the a.* **6.3** op het ~ werken *work at the record office/in the filing department/archives.*

archiefafdeling ⟨de (v.)⟩ **0.1** *records department* ⇒⟨inf.⟩ *records,* ⟨bij krantenbedrijf⟩ *morgue.*

archiefbeelden ⟨zn.mv.⟩ ⟨film.⟩ **0.1** *archive films.*

archiefdoos ⟨de⟩ **0.1** *box file.*

archiefexemplaar ⟨het⟩ **0.1** *file copy, copy for filing.*

archiefkast ⟨de⟩ **0.1** *filing cabinet* ⇒⟨AE ook⟩ *file cabinet* ◆ **6.1** iets in een ~ opbergen *file sth. (away) in a f. c..*

archieflade ⟨de⟩ **0.1** *filing drawer,* ^*file drawer.*

archiefonderzoek ⟨het⟩ **0.1** *research in the records* ⇒*search/examination of the records* ◆ **3.1** ~ doen *examine the records.*

archiefruimte ⟨de (v.)⟩ **0.1** *filing space/room.*

archiefstuk ⟨het⟩ **0.1** *record* ⇒*file* ⟨bij bedrijf⟩.

archiefsysteem ⟨het⟩ **0.1** *filing system.*

archiefwezen ⟨het⟩ **0.1** *archives* ⇒⟨openbaar⟩ *public records.*

archiefzaken ⟨zn.mv.⟩ **0.1** *archival matters, archivism* ⇒*filing* ⟨bij bedrijf⟩.

Archimedes 0.1 *Archimedes* ◆ **1.1** de wet van ~ *A.' principle.*

Archimedisch ⟨bn.⟩ **0.1** *Archimedean* ◆ **1.1** ~punt *A. point.*

archipel ⟨de (m.)⟩ **0.1** [zeegebied met veel eilanden] *archipelago* **0.2** [eilanden] *archipelago.*

architect ⟨de (m.)⟩ **0.1** *architect* ◆ **1.1** ⟨fig.⟩ de ~ van zijn eigen ondergang the *a. / creator of one's own downfall;* ⟨fig.⟩ Cruyff was de ~ v.h. team *Cruyff was the a. of/brain behind the team.*

architectenbureau ⟨het⟩ **0.1** *architectural/architect's firm* ⇒⟨van meerdere architecten ook⟩ *firm of architects.*

architectenwinkel ⟨de⟩ **0.1** *architectural/architects' advice bureau.*

architectonisch ⟨bn., bw.;-ally⟩ **0.1** [mbt. de bouwkunde] *architectonic* ⇒*architectural* **0.2** [met de beginselen v.d. bouwkunde overeenkomend] *architectonic* ⇒*architectural* ◆ **1.1** een uit ~ oogpunt bevredigend compromis *a satisfactory compromise from the architectural point of view, an architecturally satisfactory compromise;* de ~e vormgeving *architectural design* **1.2** een ~e versiering/omlijsting *an architectonic ornament/frame* **2.1** een ~ fraaie oplossing *a fine architectonic solution.*

architecturaal ⟨bn., bw.;-ly⟩ **0.1** [de bouwkunst betreffend] *architectural* **0.2** [behorend tot enig bouwwerk] *architectural.*

architectuur ⟨de (v.)⟩ **0.1** [bouwkunst] *architecture* ⇒*building, architectonics* **0.2** [bouwstijl] *architecture* ⇒*building (style)* ◆ **2.2** voorbeelden van moderne ~ *examples of modern a.* **6.1** onder ~ gebouwd *architect-designed.*

architraaf ⟨de⟩ ⟨bouwk.⟩ **0.1** [hoofdbalk] *architrave* ⇒⟨epistyl⟩ *epistyle, platband* **0.2** [deel v.e. kroonlijst] *architrave* ⇒⟨epistyl⟩ *epistyle, platband* **0.3** [dekbalk v.e. kozijn] *architrave.*

archivalia ⟨zn.mv.⟩ **0.1** *archivalia* ⇒*archives, records, files* ⟨bij bedrijf⟩.

archivaris ⟨de (m.)⟩ **0.1** *archivist* ⇒*keeper of the archives/records, registrar* ⟨van registers/burgerlijke stand enz.⟩, *filing clerk* ⟨bij bedrijf⟩.

archiveren ⟨ov.ww.⟩ **0.1** *put into the archives* ⇒*file (away), record, register.*

archivist ⟨de (m.)⟩ →**archivaris.**

archivolte ⟨de⟩ ⟨bouwk.⟩ **0.1** *archivolt.*

Arctica ⟨de⟩ **0.1** *the Arctic.*

arctisch ⟨bn.⟩ **0.1** *arctic* ⇒⟨noordelijk, boreaal⟩ *boreal*, ⟨hyperboreïsch⟩ *Hyperborean* ◆ **1.1** de ~e cirkel *the Arctic Circle.*

Ardennen ⟨zn.mv.⟩ **0.1** *(the) Ardennes.*

Ardennenoffensief ⟨het⟩ ⟨gesch.⟩ **0.1** *Battle of the Bulge.*

Ardenner ⟨bn.⟩ **0.1** *Ardennes.*

ardente ⟨bn.⟩ ⟨muz.⟩ **0.1** *ardente.*

arduin ⟨het⟩ **0.1** *(Belgian) blue stone* ⇒*(grey) freestone.*

arduinen ⟨bn.⟩ **0.1** [van arduin gemaakt] *(Belgian) blue stone* ⇒*(grey) freestone* **0.2** [hecht, duurzaam] *durable, long-lasting* ◆ **1.2** ~ kastelen *impregnable castles.*

are ⟨de⟩ **0.1** *are* ◆ **7.1** één ~ is honderd vierkante meter *one a. is a hundred square metres.*

areaal ⟨het⟩ **0.1** *area* ⇒⟨in acres⟩ *acreage.*

areaalheffing ⟨de (v.)⟩ ⟨landb.⟩ **0.1** *levy (on agricultural produce) according to acreage under cultivation.*

areligieus ⟨bn.⟩ **0.1** *areligious, unreligious, non-religious.*

arena ⟨de⟩ **0.1** [⟨Romeinse gesch.⟩] *arena* ⇒⟨amfitheater ook⟩ *amphitheatre* **0.2** [⟨sport⟩] *arena* ⇒*(bull)ring* ⟨bij stierengevecht⟩, ⟨stadion⟩ *stadium*, ⟨in circus⟩ *(sawdust-)ring* ◆ **2.1** ⟨fig.⟩ de politieke ~ (betreden) *(enter) the political arena/the arena of politics.*

arenatoneel ⟨het⟩ **0.1** *theatre-in-the-round* ⇒*arena theatre.*

arend ⟨de (m.)⟩ **0.1** [vogelsoort] *eagle* **0.2** [vogel] *golden eagle.*

arendsblik ⟨de (m.)⟩ **0.1** ≠*eagle('s)-eye(s); eagle-eyed perception.*

arendsnest ⟨het⟩ **0.1** [nest] *eagle's nest, eyrie* **0.2** [hooggelegen slot] *eyrie.*

arendsneus ⟨de (m.)⟩ **0.1** *aquiline nose* ⇒*hawk/hook(ed)/Roman nose.*

arendsoog ⟨het⟩ **0.1** *eagle('s) eye* ◆ **6.1** met arendsogen rondloeren *be on the watch with eagle('s) eyes;* iem. met arendsogen *an eagle-eyed person.*

arendsvlucht ⟨de⟩ **0.1** [het vliegen] *eagle's flight* **0.2** [zwerm] *flight of eagles.*

areola ⟨de⟩ **0.1** *areola.*

areometer ⟨de (m.)⟩ ⟨nat.⟩ **0.1** *areometer* ⇒*hydrometer.*

argeloos ⟨bn., bw.;-ly⟩ **0.1** [naïef] *unsuspecting* ⇒*unwary, innocent* **0.2** [niets kwaads bedoelend] *innocent* ⇒*guileless, inoffensive, harmless, artless* ◆ **1.1** een argeloze bezoeker/wandelaar *an unsuspecting visitor/stroller;* een ~ kind *an innocent child* **3.1** zij zag hen ~ aan *she looked at them innocently.*

argeloosheid ⟨de (v.)⟩ **0.1** [naïviteit] *innocence* ⇒*naïvety, simplicity* **0.2** [niets kwaad bedoelend] *innocence* ⇒*guilelessness, inoffensiveness* ◆ **6.1** in zijn ~ verraadde hij het geheim *in his i. he betrayed the secret, he betrayed the secret in all i./unsuspectingly/without meaning to do so.*

argentaan ⟨het⟩ **0.1** *argentine.*

Argentijn ⟨de (m.)⟩, **-se** ⟨de (v.)⟩ **0.1** *Argentine* ⟨m.⟩, *Argentine woman* ⟨v.⟩ ⇒*Argentinian* ⟨m.⟩, *Argentinian woman* ⟨v.⟩.

Argentinië ⟨het⟩ **0.1** *Argentina* ⇒*the Argentine.*

arglist ⟨de⟩ **0.1** [boosaardigheid] *craft(iness), cunning, guile* **0.2** [boze/listige handeling] *piece of cunning* ⇒⟨bedrog⟩ *deceit, fraud.*

arglistig ⟨bn., bw.;-ly⟩ **0.1** [boosaardig] *crafty, cunning, guileful* **0.2** [bedrieglijk] *deceitful, fraudulent* ◆ **1.1** een ~ vorst/volk *a crafty/cunning ruler/people* **3.2** iem. ~ in een valstrik lokken *lure s.o. into a trap by deceit/deceitfully.*

arglistigheid ⟨de (v.)⟩ **0.1** *craftiness, cunning, guile.*

argon ⟨het⟩ ⟨schei.⟩ **0.1** *argon.*

argot ⟨het⟩ **0.1** [dieventaal] *argot* ⇒*(thieves') cant* **0.2** [groepstaal] *argot, jargon, slang.*

argument ⟨het⟩ **0.1** [bewijsgrond] *argument* ⇒⟨bewijs⟩ *proof, piece of evidence* **0.2** [⟨wisk.⟩ hoek] *argument, amplitude* **0.3** [⟨wisk.⟩ de onafhankelijk veranderlijke x] *argument* ◆ **1.1** de redelijkheid v.e. ~ *the validity of an a.* **1.2** ⟨wisk.⟩ ~ v.e. complex getal *a. of amplitude* **2.1** een doorslaggevend/afdoend ~ *a convincing/clinching a.;* ⟨inf.⟩ *a clincher, a trump card;* er zijn daarvoor goede ~en aan te voeren *there's a lot to be said for that;* goede ~en hebben *have good arguments/reasons;* oneigenlijke ~en *spurious arguments;* een steekhoudend ~ *a watertight/valid a.;* een sterk/zwak ~ *a strong/weak a.* **3.1** ~en aanvoeren voor/tegen iets *make out a case for/against sth.;* dat ~ gaat niet op *that a. won't stand up/* ⟨inf.⟩ *that a. won't wash;* een ~ dat zowel voor als tegen kan worden gebruikt *a double-edged a.;* zijn ~en stevig onderbouwen *construct one's arguments on solid bases;* een ~ ontzenuwen *invalidate an a.;* ⟨inf.⟩ *knock the bottom out of an a.* **6.1** voor iemands ~en zwichten *be convinced by s.o.'s arguments;* ~en

voor en **tegen** *pros and cons* 7.1 dat is geen ~ *that's irrelevant, that's no reason* 8.1 iets als ~ aanvoeren *put forward sth. as an a.* ¶.1 zijn ~en kracht bijzetten *(re-)enforce one's a.*; een ~ op de man af *argumentum ad hominem, special pleading.*

argumentatie ⟨de (v.)⟩ **0.1** [bewijsvoering] *argumentation, reasoning* ⇒ ⟨opbouw⟩ *line of reasoning* **0.2** [aangevoerde bewijsgrond(en)] *argument* ◆ **2.2** een gebrekkige ~ *defective reasoning.*

argumenteren
I ⟨onov.ww.⟩ **0.1** [bewijsgronden aanvoeren] *argue* ⇒ *reason, adduce arguments (for / in support of)* **0.2** [redetwisten] *argue* ⇒ *dispute* ◆ **6.1** ~ **voor / tegen** de kruisraketten *a. / make out a case for / against cruise missiles;*
II ⟨ov.ww.⟩ **0.1** [met argumenten staven] *argue, reason* ◆ **5.1** een goed geargumenteerd betoog *a well-reasoned argument, a well-argued / presented case.*

argusogen ⟨zn.mv.⟩ ◆ **6.**¶ iets **met** ~ bekijken *look at sth. with Argus' eyes;* iem. **met** ~ *an Argus-eyed person.*

argwaan ⟨de (m.)⟩ **0.1** *suspicion* ⇒ *mistrust, distrust* ◆ **3.1** zij had niet de minste ~ *she wasn't at all suspicious, she did not suspect anything was wrong;* ~ koesteren *entertain / have suspicions (of sth.), suspect (sth.);* ~ koesteren tegen iem. / omtrent iets *be suspicious of s.o. / sth.;* ~ krijgen *become / grow suspicious;* ⟨inf.⟩ smell a rat; de ~ opwekken van iem. *arouse s.o.'s suspicions;* ~ wekken *arouse / create / excite s.;* zonder ~ te wekken *without arousing / creating / exciting s.* 6.1 ~ **tegen** iem. opvatten *begin to suspect s.o..*

argwanend ⟨bn., bw.;-ly⟩ **0.1** *suspicious* ⇒ *distrustful,* ⟨inf.⟩ *cagey* ◆ **1.1** een ~e blik *a s. look* **3.1** iem. ~ aankijken *look at s.o. suspiciously, look askance at s.o..*

aria ⟨de⟩ ⟨muz.⟩ **0.1** *aria.*

Ariër ⟨de (m.)⟩ **0.1** [Indogermaans sprekende Indiër / Iraan] *Aryan* ⇒ *Indo-Iranian* **0.2** [blanke niet-jood] *Aryan.*

Ariërverklaring ⟨de (v.)⟩ **0.1** *declaration of Aryan origin.*

ariëtte ⟨de⟩ **0.1** *arietta* ⇒ *cavatina.*

arioso¹ ⟨het⟩ ⟨muz.⟩ **0.1** *arioso.*

arioso² ⟨bw.⟩ ⟨muz.⟩ **0.1** *arioso.*

Arisch ⟨bn.⟩ **0.1** [Indo-Iraans] *Aryan* ⇒ *Indo-Iranian* **0.2** [blank en niet-joods] *Aryan* ◆ **1.1** ~e talen *Indo-Iranian languages.*

aristocraat ⟨de (m.)⟩ **0.1** [lid v.e. adellijke klasse] *aristocrat* ⇒ *patrician, nobleman* **0.2** [iem. die door geest en karakter behoort tot de hoogste klasse v.d. beschaving] *aristocrat* **0.3** [aanhanger v.h. denkbeeld dat de aanzienlijksten in een staat de leiding moeten hebben] *aristocrat.*

aristocratie ⟨de (v.)⟩ **0.1** [regering v.d. aanzienlijksten] *aristocracy* **0.2** [staat die door de aanzienlijksten bestuurd wordt] *aristocracy* **0.3** [de aanzienlijken] *aristocracy* ⇒ *nobility,* ⟨GB⟩ *peerage, upper classes,* ⟨inf.⟩ *upper crust, top people* **0.4** [verfijning, voornaamheid] *aristocracy.*

aristocratisch ⟨bn., bw.;-ally⟩ **0.1** [bestaande uit aristocraten] *aristocratic* ⇒ *patrican, upper-class,* ⟨inf.⟩ *upper-crust* **0.2** [geneigd tot de denkwijze van aristocraten] *aristocratic* ⇒ *patrician, upper-class,* ⟨inf.⟩ *upper-crust* **0.3** [zodanig als bij een aristocraat verwacht wordt] *aristocratic* ⇒ *patrician, upper-class,* ⟨inf.⟩ *upper-crust* ◆ **4.3** hij heeft iets ~ *there's sth. a. about him.*

Aristoteles 0.1 *Aristotle.*

aritmetica ⟨de⟩ **0.1** *arithmetic.*

aritmetisch ⟨bn.⟩ **0.1** *arithmetic(al)* ◆ **1.1** een ~e reeks *arithmetic progression.*

ark ⟨de⟩ **0.1** [schip van Noach] *Ark* **0.2** [bergplaats voor wetsrollen bij de Joden] *Ark* **0.3** [woonschip] *houseboat* ◆ **1.1** de ~ van Noach / Noë *Noah's A.* **1.2** de ~ des verbonds *the A. of the Covenant.*

arm¹ ⟨de (m.)⟩ **0.1** [ledemaat] *arm* **0.2** [mouw] *arm* ⇒ *sleeve* **0.3** [ledemaat bij dieren] *paw* **0.4** [leuning v.e. zitmeubel] *arm* **0.5** [uitstekend deel v.e. voorwerp waar iets aan kan hangen] *arm* ⇒ ⟨van kandelaar / gaskroon⟩ *branch,* ⟨van balans ook⟩ *beam,* ⟨aan muur⟩ *bracket* **0.6** [afsplitsing v.e. rivier / weg] ⟨van rivier⟩ *arm* ⇒ *branch,* ⟨van weg⟩ *park* **0.7** [maat van lengte / dikte] *arm* **0.8** [maat van hoeveelheid] *armful* ◆ **1.5** de ~en v.e. kruis / balans *the arms of a cross / scales* **2.1** een gebroken ~ *a broken / fractured a.;* gespierde ~en *muscular arms;* korte ~ en hebben ⟨fig.⟩ ≠ *be short of cash / hard up / broke;* lange ~en hebben ⟨fig.⟩ *have a long a.;* ⟨fig.⟩ met open ~en ontvangen *receive / welcome with open arms* **2.**¶ de sterke ~ *the limb of the law* **3.1** iem. een ~ geven / aanbieden *give / offer s.o. one's a.;* de ~en omhoog / ten hemel heffen *throw one's arms up / to heaven;* de ~en (slap) laten hangen ⟨ook fig.⟩ *let one's shoulders droop, have drooping shoulders;* de ~(en) om de hals van iem. leggen *throw / fold one's arms around s.o.'s neck;* de ~ opheffen *raise one's arm(s);* ⟨fig.⟩ *rise up;* hij sloeg zijn ~ om haar heen *he threw his arms around her;* zijn ~ uit de kom trekken *put one's shoulder out* **3.2** de ~ zit niet goed in de *a. doesn't fit well* **6.1** met zijn meisje aan de ~ *with his girlfriend on his a.;* zij liepen ~ **aan / in** ~ *they walked a. in a.;* iem. in de **bij** de ~ grijpen *clasp s.o. by the a.;* ⟨fig.⟩ iem. **in** de ~ nemen *call in s.o.* ⟨bv. politie⟩ *consult s.o.* ⟨advocaat / arts⟩ *engage / employ s.o.;* **in** iemands ~en rusten / liggen *rest / lie in s.o.'s arms;* iem. **in** zijn ~en drukken / klemmen *press s.o. in one's arms;* **in** de ~en lopen / drijven

van *fall / walk / drive into the arms of;* **met** de ~en over elkaar *with folded arms;* ⟨fig.⟩ een slag **om** de ~ houden *not commit o.s., keep one's options open;* iem. **onder** de ~ nemen / grijpen *take s.o. by the a.;* ⟨fig.⟩ zijn benen / zijn gat **onder** zijn ~ nemen *take to one's heels;* ⟨sl.⟩ *beat it;* ⟨fig.⟩ met zijn ziel **onder** zijn ~ lopen *moon / mope about (aimlessly);* zich **uit** de ~en van iem. losrukken *pull away from s.o.'s arms / embrace* **7.7** die boom is twee ~en dik *that tree is two arms thick* **7.8** iedere koe krijgt twee ~en hooi *each cow gets two armfuls of hay* ¶.1 ⟨scherts.⟩ mijn ~ is geen uithangbord ≠ *what do you think my arm is for?.*

arm² ⟨bn.⟩ ⟨→sprw. 23,24,147⟩ **0.1** [behoeftig, bezitloos] *poor* ⇒ *needy* **0.2** [⟨met 'aan'⟩ het genoemde niet hebbend] *poor (in)* ⇒ *deficient (in), short (of), lacking* **0.3** [schraal] *poor* ⇒ *barren* **0.4** [misdeeld, zielig] *poor* ⇒ *wretched, miserable* ◆ **1.1** de ~e landen *the p. countries* **1.2** een ervaring rijker en een illusie ~er *an experience the richer and an illusion the poorer* **1.3** ~ erts, ~e brandstof *lean / smokeless ore / fuel;* ~e grond *p. / barren ground / soil* **1.4** ~ p. *me;* het ~e schaap *the p. thing / soul / dear;* ~e stumper / stakker / drommel *p. devil / ᴮblighter / ᴮsod;* wij ~e zondaars *we wretched / miserable sinners* **2.1** oud en ~ *old and p. / penniless;* ⟨fig.⟩ ~ en rijk was op het ijs *rich and p. (alike) were on the ice* **3.1** het ~ hebben *be badly / ᴮpoorly off;* ⟨AE ook⟩ *be in bad / tough shape;* ⟨erg arm⟩ *be in dire straits;* daar zal je niet ~er van worden *you won't be any the poorer / worse off for that;* ~ worden / maken *be / become reduced to poverty, impoverish;* twintig gulden ~er zijn *be twenty guilders the poorer, be out / set back twenty guilders* **6.1** ⟨zelfst.⟩ het is niet een ~ en gaat scraping the barrel a bit, aren't we? **6.2** ~ **aan** geld *lacking money;* ons land is niet ~ **aan** dichters *our country does not lack poets;* een bodem ~ **aan** voortbrengselen *a soil p. in produce, unproductive / infertile soil;* ⟨zelfst.⟩ ⟨bijb.⟩ de ~en van geest *the p. in spirit* **7.1** ⟨zelfst.⟩ de ~en en de rijken *(the) rich and (the) p., the haves and the have-nots;* ⟨zelfst.⟩ een ~e *a p. man / woman / person, a pauper* **8.1** zo ~ als Job / de mieren / een kerkrat *as p. as Job / a churchmouse.*

armada ⟨de⟩ **0.1** *armada.*

armadillo ⟨de (m.)⟩ **0.1** *armadillo.*

armatuur ⟨de (v.)⟩ **0.1** [draagconstructie] *fitting* ⇒ *bracket* **0.2** [wapening] *armature* ⇒ *armour* **0.3** ⟨nat.⟩ *armature.*

armband ⟨de (m.)⟩ **0.1** [sieraad] *bracelet* ⇒ *bangle* **0.2** [band van stof] *armband* ⇒ *armlet,* ⟨van kruier / brandweer enz.⟩ *arm-badge, brassard.*

armbandhorloge ⟨het⟩ **0.1** *wrist watch* ⇒ *wristlet watch.*

armdik ⟨bn.⟩ **0.1** *as thick as an arm* ⇒ *arm-sized* ◆ **1.1** ~ke palingen *eels as thick as your arm.*

armee ⟨de (v.)⟩ **0.1** *army.*

Armeens ⟨bn.⟩ **0.1** *Armenian* ◆ **1.1** de ~e kerk *the A. church;* de ~e taal *Armenian, the A. language.*

armelijk ⟨bn., bw.⟩ →**armoedig 0.1.**

armelui ⟨zn.mv.⟩ **0.1** *poor people* ⇒ *the poor.*

Armeniër ⟨de⟩ **0.1** *Armenian.*

armenzorg ⟨de⟩ **0.1** *poor relief.*

armetierig ⟨bn., bw.⟩ **0.1** [armoedig] ⟨→**armoedig 0.1**⟩ **0.2** [onaanzienlijk] *miserable* ⇒ *paltry, pathetic,* ⟨inf.⟩ *measly* **0.3** [zonder groeikracht] *miserable* ⇒ *pathetic* ◆ **1.2** een ~e fooi *a m. / paltry tip* **1.3** een ~ plantje *a drooping plant.*

armezondaarsgezicht ⟨het⟩ **0.1** *hangdog look* ◆ **3.1** een ~ zetten *put on / assume a h. l..*

armgebaar ⟨het⟩ **0.1** *gesture* ⇒ *gesticulation.*

arminiaans ⟨bn.⟩ **0.1** *Arminian.*

armkandelaar ⟨de (m.)⟩ **0.1** *girandole* ⇒ *candelabrum.*

armlastig ⟨bn.⟩ **0.1** *poverty-stricken* ⇒ *destitute, needy* ◆ **3.1** ~ worden / zijn *go / be on the parish / on relief* **7.1** ⟨zelfst.⟩ de ~en *the paupers / destitute / needy.*

armlegger ⟨de (m.)⟩ **0.1** *armrest* ⇒ *elbow-rest.*

armlengte ⟨de (v.)⟩ **0.1** *arm's length* ◆ **6.1** op ~ *at arm's length.*

armleuning ⟨de (v.)⟩ **0.1** *armrest* ⇒ *elbow-rest, arm.*

armoe¹ →**armoede.**

armoe² ⟨de⟩ ⟨inf.⟩ **0.1** *misery* ⇒ *wretchedness* ◆ **1.1** een hoopje ~ *a heap of m., a poor / miserable wretch* **5.1** daar kun je ~ mee krijgen *you can get into trouble with that* **6.1** van ~ ging ik maar naar bed *I was so miserable / wretched, that I went to bed.*

armoede ⟨de⟩ ⟨→sprw. 25-27⟩ **0.1** [toestand] *poverty* ⇒ *want, need,* ⟨zeer arm⟩ *destitution* **0.2** [schamel bezit] *poverty* ⇒ *want, need,* ⟨meestal bedrag⟩ *pittance* ◆ **1.1** dagen van ~ *days of p.;* gebrek en ~ *p. and need / want* **2.1** eerlijke ~ *honest p.;* geestelijke ~ *intellectuel / spiritual p.;* schrijnende / bittere ~ *abject / grinding / dire / stark / bitter p.;* stille ~ *silent p.;* vergulde ~ *glorified / gilded p.;* vrijwillige ~ *voluntary p.* **3.1** de ~ bestrijden / weren *combat / prevent p.;* de ~ lenigen *alleviate / relieve p.;* ~ lijden *suffer p. / want* **6.1** ~ **aan** geest / metalen *p. in spirit / metals;* in ~ **tot** ~ brengen / vervallen *reduce / be reduced to p.* **6.2** van ~ zijn ~ gaf hij nog een gulden weg *poor as he was he still gave a guilder* ¶.1 het is daar ~ troef ≠ *p. reigns there.*

armoedegrens ⟨de⟩ **0.1** *poverty line.*

armoedig ⟨bn., bw.;-ly⟩ **0.1** [haveloos] *poor* ⇒ *shabby* ⟨kleding, woning, uiterlijk), 〈kleding ook〉 *cheap*, 〈woning ook〉 *dingy*, 〈schr.〉 *penurious* **0.2** [schraal] *poor* ⇒*barren* 〈grond〉, *miserable* 〈bv. baan〉, *pathetic* **0.3** [〈gezegd v.e. hoeveelheid/ bedrag〉] *poor* ⇒*miserable*, *paltry* 〈bv. fooi〉, *niggardly* 〈opbrengst〉 **0.4** [gebrekkig (van geestelijke waarden)] *poor* ⇒*deficient, inadequate, weak* ◆ **1.1** een ~ gezin *a poor/poverty-stricken family;* een ~ leven leiden *live in poverty/in penury/in straitened/reduced circumstances;* het is daar maar een ~ zooitje *it's a sorry mess there* **1.4** een ~e kunst *p. art* **3.1** ~ gekleed *poorly clad, shabbily dressed;* dat staat zo ~ *that looks so shabby.*

armoedigheid 〈de (v.)〉 **0.1** *poorness* ⇒*poverty, penury, shabbiness, barrenness* 〈grond〉 ◆ **1.1** de ~ van zijn kleren *the shabbiness of his clothes.*

armoedje 〈het〉 **0.1** *hovel* ⇒*den, shack* ◆ **6.1** iem. uit zijn ~ schoppen *kick s.o. out of his h..*

armoedzaaier 〈de (m.)〉 **0.1** *down-and-out(er)* ⇒〈AE;sl.〉 *bum* ◆ **3.1** een ~ zijn *be down and out/* 〈inf.〉 *on the breadline.*

armoriaal 〈het〉 **0.1** *armorial.*

armsgat 〈het〉 **0.1** [opening v.d. mouw] *armhole* **0.2** [waar de mouw wordt ingezet] *armhole.*

armslag 〈de (m.)〉 **0.1** [bewegingsruimte] *elbow room* ⇒*scope* **0.2** [armzwaai] *gesture* ⇒*gesticulation, wave,* 〈zwemmen〉 *arm stroke, arm movement, thrust* ◆ **3.1** na de salarisverhoging hebben wij wat meer ~ *the salary increase has given us more scope* **7.1** ik krijg hier geen ~ *I have no e. r. here.*

armsleutel 〈de (m.)〉 **0.1** *angled wrench.*

armstoel 〈de (m.)〉 **0.1** *armchair* ⇒*easy chair.*

armtierig →**armetierig.**

armuitsnijding 〈de (v.)〉 **0.1** *armhole.*

armvol ◆ **1.¶** een ~ hooi *an armful of hay.*

armworp 〈de (m.)〉 〈vechtsport〉 **0.1** *arm throw.*

armzalig 〈bn., bw.〉 **0.1** [armoedig] →*armoedig* **0.1**) **0.2** [nietig] *poor* ⇒*meagre, paltry, miserable, beggarly* **0.3** [zeer dom] *pathetic* ⇒*poor, weak* ◆ **1.1** een ~ bestaan leiden *lead a poor existence, live on a pittance/shoestring* **1.2** een ~ pensioentje *a measly pension;* een ~ salaris *a pittance, a pitiful/miserable/higgardly salary* **1.3** een ~ figuur slaan *cut a sorry figure;* ~e fouten *pathetic mistakes* **3.1** er ~ uitzien *look shabby/down at heel, be a sorry sight.*

armzwaai 〈de (m.)〉 **0.1** *wave* ⇒*gesture, gesticulation.*

Arnhems 〈bn.〉 **0.1** *from Arnhem* ◆ **1.1** 〈fig.〉 ~e meisjes *'Arnhemse meisjes'* 〈type of biscuits〉.

Arob-procedure 〈de (v.)〉 **0.1** *action/claim against a Government decree* ◆ **3.1** een ~ aanspannen *bring an action against a Government decree;* 〈AE ook〉 *bring a case before the Court of Claims.*

aroma

  I 〈het〉 **0.1** [geur] *aroma* ⇒*flavour* 〈ook smaak〉, *smell* ◆ **2.1** koffie met een sterk ~ *highly flavoured/aromatic coffee;* tabak met een zacht ~ *mild(ly) flavoured tobacco;*

  II 〈de (m.)〉 **0.1** [stof] *flavouring* ◆ **3.1** geef de ~ eens door *pass the f. please.*

aromaten 〈zn.mv.〉 **0.1** [specerijen] *aromatics* **0.2** [〈schei.〉] *aromatics.*

aromatisch 〈bn.〉 **0.1** *aromatic* ⇒*fragrant, purgent* ◆ **1.1** ~e middelen *a. substances* **1.¶** 〈schei.〉 ~e verbindingen *a. compounds.*

aromatiseren 〈ov.ww.〉 **0.1** *flavour* ⇒*aromatize.*

aronskelk 〈de (m.)〉 **0.1** *arum* ◆ **2.¶** gevlekte ~ *wake-robin, friar's-cowl, lords-and-ladies;* witte ~ *a. lily, calla (lily).*

aroom →**aroma.**

arpeggio[1] 〈het〉 〈muz.〉 **0.1** *arpeggio.*

arpeggio[2] 〈bw.〉 〈muz.〉 **0.1** *arpeggio.*

arr. 〈afk.〉 **0.1** [arrondissement] *dist..*

arrangement 〈het〉 **0.1** [schikking, regeling] *arrangement* ⇒〈vorm〉 *format,* 〈rangschikking〉 *order* **0.2** [〈muz.〉] *arrangement* ⇒*score* ◆ **6.2** een ~ voor piano *an a. for piano.*

arrangeren 〈ov.ww.〉 **0.1** [rangschikken] *arrange* ⇒〈ordenen〉 *range,* 〈uitstallen〉 *set out* **0.2** [schikkingen treffen] *arrange* ⇒〈organiseren〉 *organize, get up* **0.3** [〈jur.〉 schikken] *settle* **0.4** [〈muz.〉] *arrange* ⇒*score* ◆ **6.4** voor orkest ~ *orchestrate, score.*

arrangeur 〈de (m.)〉 **0.1** *arranger* ⇒*adapter.*

arreslee 〈de〉 **0.1** *horse-sleigh/-sledge.*

arrest 〈het〉 **0.1** [voorlopige vrijheidsberoving] *arrest* ⇒*detention, custody* **0.2** [krijgstuchtelijke straf] *arrest* **0.3** [beslaglegging] *seizure* ⇒*attachment, arrest* 〈van schip〉 **0.4** [uitspraak van gerechtshof] *judgement* ⇒*decree, arret* ◆ **1.1** huis van ~ *house of detention* **1.2** drie dagen ~ *three days a.* **2.2** 〈onder〉 licht ~ *(under) open a.;* 〈onder〉 verzwaard/streng ~ *(under) close a.* **3.2** ~ hebben *be confined to barracks/to one's quarters* **3.3** iets in ~ nemen *seize sth.* **3.4** ~ wijzen *give /pronounce/render j.* **6.1** iem. in ~ houden *detain s.o.;* iem. in ~ nemen *take s.o. into custody, arrest/apprehend s.o.;* iem. in ~ stellen *place/put s.o. under a./ detention;* u staat onder ~ *you are under a.* **6.2** ~ met/zonder acces *open/close arrest* **6.4** bij ~ van 18 april 1984 *according to the decree/by a j. of 18 April 1984.*

arrestant 〈de (m.)〉 **0.1** [iem. die gearresteerd is] *detainee* ⇒*arrested man/woman,* 〈gevangene〉 *prisoner* **0.2** [〈jur.〉 beslaglegger] *(judgement) creditor* ⇒*seizor* 〈ook alg.〉 ◆ **4.1** je bent mijn ~ *you are/consider yourself under arrest.*

arrestantenbus 〈de〉 **0.1** *police van* 〈AE ook〉 *patrol/police wagon* ⇒ 〈inf.〉 *Black Maria, paddy wagon.*

arrestantenlokaal 〈het〉 **0.1** *detention room* ⇒〈mil. ook〉 *guardroom.*

arrestatie 〈de (v.)〉 **0.1** *arrest* ⇒*apprehension,* 〈beslaglegging〉 *attachment* ◆ **3.1** een ~ verrichten *make/carry out an arrest* **6.1** tot ~ overgaan *(carry out an) arrest.*

arrestatiebevel 〈het〉 **0.1** *arrest warrant* ⇒*warrant of arrest,* 〈voor ontsnapte gevangene〉 *escape warrant,* 〈jur.〉 *capias.*

arrestatiebevoegdheid 〈de (v.)〉 **0.1** *power of arrest.*

arrestatiegroep 〈de〉 **0.1** *special squad* ⇒〈inf.〉 *snatch squad.*

arrestatieteam 〈het〉 **0.1** ≠*special squad* ⇒〈inf.〉 *snatch squad.*

arresteren 〈ov.ww.〉 **0.1** [aanhouden] *arrest* ⇒*apprehend, detain* **0.2** [beslag leggen op een persoon/zijn goederen] *arrest* 〈persoon; schip〉; *seize* 〈goederen〉 ⇒*take charge of, attach* **0.3** [bij besluit vaststellen] *confirm* ⇒〈goedkeuren〉 *pass,* 〈voorschrijven〉 *prescribe* ◆ **1.3** de notulen worden goedgekeurd en gearresteerd *the minutes are approved/confirmed and signed* **3.1** iem. laten ~ *give s.o. in(to) charge/custody,* [turn s.o. in] **6.1** iem. ~ op beschuldiging van/wegens moord *arrest s.o. / make an arrest on a charge of murder.*

arrêt 〈het〉 [pal] *arrest* **0.2** [〈jacht.〉] *set.*

arrivé 〈de (m.)〉 **0.1** *arrivé* ⇒〈pej.〉 *upstart, parvenu* 〈m.〉, *parvenue* 〈v.〉.

arriveren 〈onov.ww.〉 **0.1** *arrive* ◆ **3.1** 〈fig.〉 hij is gearriveerd *he has arrived/made it* **6.1** in Amsterdam/op Schiphol ~ *a. in Amsterdam/at Schiphol (Airport).*

arrivisme 〈het〉 **0.1** *arrivism* ⇒*careerism.*

arrivist 〈de (m.)〉 **0.1** *arriviste* ⇒*careerist.*

arrogant 〈bn., bw.; -ly〉 **0.1** *arrogant* ⇒*haughty, presumptuous,* 〈uit de hoogte〉 *superior, supercilious,* 〈inf.〉 *high and mighty, stuck-up* ◆ **1.1** een ~e houding hebben *have a high-handed/haughty manner/an air of superiority;* een ~e kerel *an a. fellow* **3.1** ~ lachen *laugh superciliously.*

arrogantie 〈de (v.)〉 **0.1** *arrogance* ⇒*haughtiness, presumptuousness, superiority, superciliousness.*

arrondissement 〈het〉 **0.1** [onderdeel v.e. bestuursgebied] *district* **0.2** [〈jur.〉] *district* ⇒〈GB〉 ≠*county court district/circuit.*

arrondissementsrechtbank 〈de〉 **0.1** *district court* 〈ook USA〉 ⇒〈GB〉 ≠*country court* 〈voor civiele zaken〉, ≠*crown court* 〈voor strafzaken〉.

arroseren 〈onov.ww.〉 〈cul.〉 **0.1** *baste.*

arseen →**arsenicum.**

arseenzuur 〈het〉 **0.1** *arsenic acid.*

arsenaal 〈het〉 **0.1** [wapenhuis] *arsenal* ⇒*armoury* **0.2** [verzameling] *arsenal* ⇒*stock, store, repertory* ◆ **1.2** een ~ van bewijsgronden *an a. of proofs;* zijn hele ~ van uitvluchten kwam er aan te pas *his whole repertory of excuses was drawn upon.*

arsenicum 〈het〉 〈schei.〉 **0.1** *arsenic.*

arsenicumvergiftiging 〈de (v.)〉 **0.1** *arsenic poisoning.*

arsis 〈de (v.)〉 **0.1** [〈muz.〉] *arsis* **0.2** [〈taal.〉] *arsis.*

art. 〈afk.〉 **0.1** [artikel] *art..*

art deco 〈de (m.)〉 **0.1** *Art Deco.*

artefact 〈het〉 **0.1** [bewerkt voorwerp uit de prehistorie] *artefact* [A]*artifact* **0.2** [〈biol.; med.〉] *artefact* [A]*artifact* **0.3** [〈tech.〉] *artefact* [A]*artifact.*

arterie 〈de (v.)〉 **0.1** *artery.*

arterieel 〈bn.〉 **0.1** *arterial.*

arterieklem 〈de〉 **0.1** *artery clamp.*

arteriografie 〈de (v.)〉 **0.1** *arteriography.*

arteriosclerose 〈de (v.)〉 〈med.〉 **0.1** *arteriosclerosis.*

artesisch 〈bn.〉 ◆ **1.¶** ~e put *artesian well.*

articulatie 〈de (v.)〉 **0.1** [uitspraak] *articulation* **0.2** [〈med.〉] *articulation.*

articulatiebasis 〈de (v.)〉 **0.1** *articulatory setting.*

articulatieplaats 〈de〉 **0.1** *place of articulation.*

articulatorisch 〈bn.〉 **0.1** *articulatory.*

articuleren 〈onov.ww., ov.ww.〉 **0.1** *articulate* ⇒*enunciate* ◆ **5.1** goed/duidelijk ~ *a. well/distinctly;* slecht ~ *a. badly/poorly.*

artiest 〈de (m.)〉 **0.1** [uitvoerend kunstenaar] *artist* ⇒*entertainer, artiste* 〈vnl. zang en dans〉, *performer* **0.2** [circusartiest] *artist* ⇒*artiste, performer* **0.3** [iem. die ergens goed in is] *artiste* ⇒*expert* ◆ **2.3** die kok is een ware ~ *that cook is a real a..*

artiestenfoyer 〈de (m.)〉 〈dram.〉 **0.1** *greenroom.*

artiesteningang 〈de (m.)〉 **0.1** *stage door.*

artiestennaam 〈de (m.)〉 **0.1** *stage name.*

artificieel 〈bn., bw.〉 **0.1** *artificial* ⇒*synthetic,* 〈vnl. AE; pej.〉 *plastic.*

artikel 〈het〉 **0.1** [deel v.e. geschrift] *article* 〈in reglement/verordening〉 ⇒〈jur. ook〉 *section, clause* 〈bv. in contract〉 **0.2** [opstel, verhandeling] *article* ⇒*paper* **0.3** [lemma] *article* ⇒*entry* **0.4** [voorwerp van handel] *article* ⇒*item, commodity* **0.5** [〈taal.〉] *article* ◆ **1.1** een ~ des geloofs *an a. of faith* **1.4** er was niet veel vraag naar dat ~ *there was not much demand for that a.* **2.2** een redactioneel ~ *an editorial;* de krant wijdde er een speciaal ~ aan *the newspaper ran/did a feature on it* **2.3** in deze encyclopedie staan soms zeer lange ~en *in this encyclopae-*

dia contains some very long articles **2.4** huishoudelijke ~en *household goods;* medische ~en *medical supplies;* sanitaire ~en *sanitary ware* **3.2** daar zit een ~ in *there's a story in that* **7.1** ~ 80 v.d. grondwet *a. 80 of the constitution;* de twaalf ~en des geloofs *the Apostles' Creed.*

artillerie 〈de (v.)〉 **0.1** [legerafdeling] *artillery* **0.2** [geschut] *artillery* ⇒ *ordnance* **0.3** [tak v.d. krijgswetenschap] *artillery* ◆ **2.1** rijdende ~ *horse a.* **2.2** gemotoriseerde ~ *motorized a.;* lichte/zware ~ *light/heavy a..*

artilleriebeschieting 〈de (v.)〉 **0.1** *cannonade* ⇒ *gunnery bombardment.*

artillerievuur 〈het〉 **0.1** *artillery/gun fire.*

artillerist 〈de (m.)〉 **0.1** *gunner* ⇒ *artillerist.*

artisjok 〈de〉 **0.1** *(globe) artichoke.*

artisticiteit 〈de (v.)〉 **0.1** *artistry.*

artistiek 〈bn., bw.;-ally〉 **0.1** [kunstzinnig] *artistic* **0.2** [smaakvol] *artistic* ◆ **1.1** met ~e hand *with an a. hand;* de Italianen zijn een ~ volk *the Italians are an a. people* **1.2** ~e tekeningen/voorwerpen *a. drawings/objects;* een ~e zin voor verhoudingen *an a. feeling for proportions* **1.¶** de ~ leider 〈van toneelgezelschap〉 *the a. director* **3.1** hij is ~ aangelegd *he is artistically inclined* **3.2** een ~ ingerichte kamer *an artistically furnished room;* dat is ~ niet verantwoord *that is not artistically justifiable.*

artistiekeling 〈de (m.)〉 〈scherts., iron.〉 **0.1** *arty type* ⇒ *would-be artist.*

artistiekerig 〈bn., bw.〉 **0.1** *arty(-crafty).*

art nouveau 〈de〉 〈bk.〉 **0.1** *art nouveau.*

artotheek 〈de (v.)〉 **0.1** 〈*art (rental/lending) library*〉.

artritis 〈de (v.)〉 **0.1** *arthritis.*

artrografie 〈de (v.)〉 〈med.〉 **0.1** *arthrography.*

artrogram 〈het〉 〈med.〉 **0.1** *arthrogram.*

artrologie 〈de (v.)〉 **0.1** *arthrology.*

artroscoop 〈de (m.)〉 〈med.〉 **0.1** *arthroscope.*

artroscopie 〈de (v.)〉 〈med.〉 **0.1** *arthroscopy.*

artrose 〈de (v.)〉 〈med.〉 **0.1** *arthrosis* ⇒ *articular degeneration.*

arts 〈de (m.)〉 **0.1** *doctor* ⇒ *physician* ◆ **2.1** vrouwelijke ~ *lady/woman* **3.1** zijn ~ raadplegen *consult/see one's d.* **8.1** hij heeft zich als ~ gevestigd *he has opened/started a medical practice.*

artsenbezoeker 〈de (m.)〉, **-zoekster** 〈de (v.)〉 **0.1** *medical representative,* 〈AE vnl.〉 *drug salesman/saleswoman.*

artsenij 〈de (v.)〉 **0.1** *medicine* ⇒ *medicament* ◆ **2.1** 〈fig.〉 slaap is een gezonde ~ *sleep is a good medicine/cure.*

artsenmonster 〈het〉 **0.1** *medical sample.*

artsexamen 〈het〉 **0.1** *final examinations in medicine* ⇒ *medical finals.*

Aruba 〈het〉 **0.1** *Aruba.*

as

I 〈de〉 **0.1** [spil] *axle* 〈vnl. van wielen〉 ⇒ 〈drijfas〉 *shaft,* 〈spil〉 *spindle* **0.2** [denkbeeldige lijn waarom iets draait] *axis* **0.3** [lijn door het midden] *axis* 〈van bol/cilinder/kegel/magneet/prisma/weg/kristal〉 **0.4** [〈plantk.〉] *axis* ⇒ *stem* **0.5** [〈muz.〉] *A flat* ◆ **1.2** 〈ster.〉 ~ v.d. hemel *the a. of the sky* **1.3** 〈bij uitbr.〉 ~ van symmetrie *the a. of symmetry* **1.¶** de ~ Berlijn-Rome *the Berlin-Rome axis* **2.3** optische ~ *optical a.* **6.1** vervoer per ~ *road and rail transport;* verkeer per ~ *vehicular traffic* **6.2** om ~ zijn ~ draaien *revolve/rotate/turn on its a.;*
II 〈de〉 **0.1** [wat rest na verbranding] *ashes* ⇒ *ash* 〈van sigaret〉, *cinders* 〈van open haard〉 **0.2** [mbt. een lijk] *ashes* ◆ **1.1** 〈fig.〉 in zak en ~ zitten *be in sackcloth and ashes* **2.1** gloeiende ~ 〈glowing〉 *embers;* vulkanische ~ *volcanic ash* **6.1** een stad in de ~ leggen *reduce a city to ashes;* 〈fig.〉 men kan geen vinger in de ~ steken, of hij zit er met zijn neus bij ≠ *he doesn't miss a trick;* 〈fig.〉 ik wil er geen vinger voor in de ~ steken *I don't intend to lift a finger (for it);* het vuur smeult onder de ~ 〈fig.〉 *trouble is brewing;* de stad is uit haar ~ verrezen *the city has risen out of its ashes.*

a.s. 〈afk.〉 **0.1** [aanstaande] 〈*next*〉 ⇒ 〈*prospective*〉 ◆ **1.1** ~ maandag *next monday;* ~ moeders *mothers-to-be, expectant mothers.*

asbak 〈de (m.)〉 **0.1** [mbt. rookwaren] *ashtray* **0.2** [aslade] *ashpan* **0.3** [asemmer] *dustbin,* [A]*ash can* 〈vnl. AE ook〉 *ash bin.*

asbakkeras 〈de〉 〈scherts.〉 **0.1** ≠ *mongrel.*

asbelt 〈de〉 **0.1** [B]*(rubbish/refuse) tip,* [A]*garbage heap* ⇒ *dump.*

asbest[1] 〈het〉 **0.1** *asbestos.*

asbest[2] 〈bn.〉 **0.1** *asbestos.*

asbestose 〈de (v.)〉 〈med.〉 **0.1** *asbestosis.*

asbestplaat 〈de〉 **0.1** *asbestos sheet/board; asbestos mat* 〈op fornuis〉.

asblond 〈bn.〉 **0.1** *ash blonde.*

asbout 〈de (m.)〉 **0.1** *linch pin.*

asceet 〈de (m.)〉 **0.1** *ascetic.*

ascendant 〈de (m.)〉 **0.1** [〈astrol.〉] *ascendant* **0.2** [persoonlijke invloed] *ascendancy* ⇒ *domination, preponderance.*

ascendenten 〈zn.mv.〉 **0.1** *ancestors.*

ascendentie 〈de (v.)〉 **0.1** *ancestry.*

ascese 〈de (v.)〉 **0.1** *ascesis* ⇒ *austerity.*

ascetisch 〈bn., bw.;-ally〉 **0.1** [mbt. ascese] *ascetic* ⇒ *austere* **0.2** [mbt. asceten] *ascetic* ◆ **1.2** een ~e levenswijze *an a. lifestyle* **3.1** ~ leven *live an austere life.*

ascetisme 〈het〉 **0.1** *asceticism.*

ascorbinezuur 〈het〉 〈schei.〉 **0.1** *ascorbic acid.*

Asdag 〈de (m.)〉 〈r.k.〉 **0.1** *Ash Wednesday.*

aseksualiteit 〈de (v.)〉 **0.1** *asexuality.*

aseksueel 〈bn., bw.;-ly〉 **0.1** [ongevoelig voor seksuele prikkels] *asexual* **0.2** [ongeslachtelijk] *asexual* ⇒ *sexless* ◆ **3.2** deze organismen kunnen zich ~ vermenigvuldigen *these organisms can reproduce asexually.*

aselect 〈bn., bw.〉 **0.1** *random* ⇒ *indiscriminate, arbitrary* ◆ **1.1** a ~ getal *a r. number;* 〈stat.〉 een ~e steekproef *a r. sample* **3.1** ~ lotnummers trekken *draw raffle numbers at random.*

asem 〈de (m.)〉 〈inf.〉 **0.1** [ongemarkeerd] *breath* ◆ **1.1** 〈scherts.〉 sterven aan gebrek aan ~ *breath one's last* **3.1** 〈fig.〉 geen ~ geven (op iets/iem.) *not waste one's b. (on sth./s.o.);* 〈scherts.〉 hij heeft vergeten ~ te halen *he has conked out/*[B]*snuffed it;* 〈fig.〉 zijn ~ ergens overheen laten gaan ≠ *air one's views on sth.;* ~ scheppen *take a b.* **6.1** 〈fig.〉 〈van personen〉 lang/kort van ~ zijn *be long-/short-winded.*

asemen 〈onov.ww.〉 〈inf.〉 **0.1** 〈ongemarkeerd〉 *breathe.*

asemmer 〈de (m.)〉 **0.1** [vuilemmer voor as] *ash bucket* **0.2** [vuilnisbak] [B]*dustbin,* [A]*ash can* ⇒ 〈AE ook〉 *trash can.*

Asen 〈zn.mv.〉 **0.1** *Aesir.*

asepsis 〈de (v.)〉 〈med.〉 **0.1** *asepsis.*

aseptisch 〈bn., bw.;-ally〉 **0.1** *aseptic.*

asfalt 〈het〉 **0.1** [mineraal hars] *asphalt* **0.2** [asfaltbeton] 〈→asfaltbeton〉 **0.3** [straatdek] *asphalt* ⇒ *blacktop* ◆ **1.3** het ~ v.e. wereldstad *the streets of a metropolis* **6.2** hij smakte tegen het ~ *he fell (with a thud) on the a..*

asfaltbestrating 〈de (v.)〉 **0.1** *asphalt (paving/pavement)* ⇒ 〈vnl. AE〉 *blacktop.*

asfaltbeton 〈het〉 **0.1** [B]*hot-rolled asphalt,* [A]*asphaltic concrete.*

asfaltbitumen 〈het〉 **0.1** *asphalt (bitumen)* ⇒ *pitch.*

asfalteren 〈ov.ww.〉 **0.1** *asphalt* ⇒ 〈vnl. AE〉 *blacktop* 〈wegdek〉.

asfaltjeugd 〈de〉 **0.1** *inner city kids* ⇒ *kids from the concrete jungle.*

asfaltlinnen 〈het〉 **0.1** *asphaltic linen.*

asfaltmastiek 〈het, de (m.)〉 **0.1** *asphalt mastic.*

asfaltolie 〈de〉 **0.1** *asphalt-base oil.*

asfaltpapier 〈het〉 **0.1** *asphalt paper.*

asfaltspreider 〈de (m.)〉 〈wwb.〉 **0.1** *asphalting machine.*

asfaltweg 〈de (m.)〉 **0.1** *asphalt/bituminous road.*

asferisch 〈bn.〉 **0.1** *aspheric(al).*

asfyxiatie 〈de (v.)〉 **0.1** *asphyxiation.*

asfyxie 〈de (v.)〉 **0.1** *asphyxia.*

asfyxiëren 〈ov.ww.〉 **0.1** *asphyxiate.*

asgrauw 〈bn.〉 **0.1** *ashen* ⇒ *ashy, ash-coloured, ash-grey* [A]*-gray* ◆ **1.1** 〈ster.〉 ~ licht *earthshine, earthlight* **3.1** zijn gezicht werd ~ *his face turned ashen/grey.*

ashaai 〈de (m.)〉 **0.1** *dogfish.*

ashals 〈de (m.)〉 **0.1** *journal* ⇒ *neck.*

ashoop 〈de (m.)〉 **0.1** [overblijfsel] *ash-heap* **0.2** [vuilnisbelt] [B]*(rubbish/refuse) tip,* [A]*garbage heap* ⇒ *dump.*

ashram 〈de (m.)〉 **0.1** *ashram.*

asiel 〈het〉 **0.1** [bescherming v.d. staat/kerk] *asylum* ⇒ *sanctuary* 〈vnl. kerk.〉 **0.2** [toevluchtsoord] *asylum* ⇒ *shelter, house of refuge* **0.3** [dierenasiel] ≠ *cats' and dogs' home* ⇒ *home for lost/stray animals* ◆ **1.1** recht van ~ *right of a.* **2.1** politiek ~ vragen/krijgen/verlenen *request/obtain/grant political a.* **3.1** ~ vragen *seek a..*

asielrecht 〈het〉 **0.1** [〈pol.〉] *right of asylum* **0.2** [〈scheep.〉] *right of haven.*

asin 〈bn.〉 **0.1** *bitter* ⇒ ≠ *salty.*

asjeblieft →**alstublieft.**

asjemenou 〈tw.〉 **0.1** *oh dear!* ⇒ *my goodness!, well I never!.*

asjeweine 〈bw.〉 〈Barg.〉 ◆ **3.¶** ~ gaan [B]*snuff it,* [A]*go home in a box, conk out;* ~ maken [B]*snuff out,* [A]*chill.*

askam 〈de (m.)〉 **0.1** *cam.*

askern 〈de (m.)〉 **0.1** *core of a shaft).*

askleur 〈de〉 **0.1** *ash colour* ⇒ *colour of ashes.*

askoppelwerk 〈het〉 **0.1** *spindle/shaft coupling.*

askraag 〈de (m.)〉 **0.1** *collar.*

askring 〈de (m.)〉 〈nat.〉 **0.1** *spherical aberration.*

askruisje 〈het〉 〈r.k.〉 **0.1** *the ashes* ◆ **3.1** een ~ krijgen/geven *receive/distribute the ashes.*

askussen 〈het〉 **0.1** *(journal) bearing* ⇒ *bearing shell/liner.*

aslade 〈de〉 **0.1** *ashpan.*

aslager 〈het〉 **0.1** *(shaft) bearing.*

aslijn 〈de〉 **0.1** *axis.*

asmogendheden 〈zn.mv.〉 〈pol., gesch.〉 **0.1** *Axis powers.*

asociaal 〈bn.〉 **0.1** *antisocial* ⇒ *unsocial,* 〈niet gezellig〉 *unsociable, asocial* 〈ook egoïstisch〉 ◆ **1.1** ~ gedrag *antisocial behaviour;* een ~ gezin *an antisocial family* **3.1** 〈fig.〉 doe niet zo ~! *don't be so unsociable!;* ~ zijn 〈zelfst.〉 de asocialen *antisocial people.*

asoverbrenging 〈de (v.)〉 **0.1** *shafting.*

asp. 〈afk.〉 **0.1** [aspirant] 〈*prospective*〉.

asparagine 〈het〉 〈bioch.〉 **0.1** *asparagine.*

asparagus 〈de〉 **0.1** *asparagus.*

aspecifiek ⟨bn.⟩ **0.1** *non-specific.*

aspect ⟨het⟩ **0.1** [zijde, kant] *aspect* ⇒*side, facet, dimension, angle* **0.2** [uitzicht in de toekomst] *outlook* ⇒*prospect* **0.3** [⟨ster.⟩] *aspect* **0.4** [⟨taal.⟩] *aspect* ◆ **1.1** dit zijn alle ~en van één werkelijkheid *these are all aspects/facets of the same reality;* we moeten alle ~en v.d. zaak bestuderen *we must consider every aspect of the matter/consider the matter in all its bearings* **2.4** het perfectief ~ *the perfective a.* **6.1** iets onder zeker ~ beschouwen *look at sth. from a particular angle* **6.2** de ~en voor de scheepsbouw zijn gunstig *the prospects for shipbuilding are favourable.*

asperge ⟨het⟩ **0.1** [plant] *asparagus* **0.2** [groente] *asparagus* **0.3** [⟨mil.⟩] *dragon's teeth* ◆ **3.1** ~s steken *cut/harvest a..*

aspergebed ⟨het⟩ **0.1** *asparagusbed.*

aspergekop ⟨de m.⟩ **0.1** *asparagus tip.*

aspergepunt ⟨de m.⟩ →**aspergekop.**

aspergesoep ⟨de⟩ **0.1** *asparagus soup.*

aspergetang ⟨de⟩ **0.1** *asparagus tongs.*

aspic ⟨de m.⟩ **0.1** *aspic.*

aspidistra ⟨de⟩ **0.1** *aspidistra.*

aspiraat ⟨de⟩ ⟨taal.⟩ **0.1** *aspirate.*

aspirant ⟨de m.⟩ **0.1** [iem. in opleiding] *trainee* ⇒*student* **0.2** [⟨sport⟩] *junior* **0.3** [dingen naar iets] *candidate* ⇒*aspirant, applicant* ◆ **6.2** hij speelt nog **bij** de ~en *he's still (playing) in the j. league.*

aspirant-koper ⟨de m.⟩ **0.1** *prospective/intending buyer.*

aspirantlid ⟨het⟩ **0.1** *candidate for membership* ⇒*prospective member.*

aspirateur →**aspirator.**

aspiratie ⟨de v.⟩ **0.1** [⟨mv.⟩ eerzucht] *aspiration(s)* ⇒*ambition(s)* **0.2** [blaasklank] *aspiration* **0.3** [inademing] *inhalation* ⇒*breathing in* **0.4** [het op-, wegzuigen] *sucking (up)* ⇒*aspiration* ⟨med.⟩ ◆ **2.1** hij heeft hoge ~s *he has high ambitions/great aspirations, he aims high;* hogere ~s hebben *aim higher, have higher ambitions, aspirations* **3.1** hij heeft ~s om voorzitter te worden *it is his ambition/aspiration to be chairman, he aspires to be chairman,* ⟨inf.⟩ *he fancies becoming chairman* **6.2** de k wordt in het Duits **met** ~ uitgesproken *the 'k' is aspirate(d) in German.*

aspirator ⟨de m.⟩ **0.1** [toestel dat gassen aanzuigt] *aspirator* **0.2** [⟨med.⟩] *aspirator.*

aspireren ⟨ov.ww.⟩ **0.1** [streven] *aspire to* ⇒*aim for* **0.2** [⟨taal.⟩] *aspirate* **0.3** [opzuigen] *aspirate* ◆ **1.1** een baan ~ *aim for a job, aspire to a job.*

aspirientje ⟨het⟩ **0.1** *aspirin (tablet).*

aspirine ⟨de⟩ **0.1** *aspirin.*

asregen ⟨de m.⟩ **0.1** *ash rain.*

asrest ⟨de m.⟩ **0.1** *ash(es).*

assagaai ⟨de⟩ **0.1** *assagai* ⇒*assegai.*

assai ⟨bw.⟩ ⟨muz.⟩ **0.1** *assai.*

assaisoneren ⟨onov.ww.⟩ ⟨cul.⟩ **0.1** *season.*

assaut ⟨het⟩ **0.1** [bal] *'assaut'* ⟨*annual military school ball*⟩ **0.2** [schermdemonstratie/-wedstrijd] *fencing display/tournament* ◆ **2.2** een militair ~ *assault at/of arms.*

assegaai →**assagaai.**

assemblage ⟨de v.⟩ **0.1** [handeling] *assembly* ⇒*assembling, assemblage* **0.2** [resultaat] *assembly* ⇒*assemblage.*

assemblagebedrijf ⟨het⟩ ⟨ind.⟩ **0.1** *assembly plant.*

assemblée ⟨de⟩ **0.1** *assembly* ◆ **¶**.1 de Assemblée ⟨v.d. VN⟩ *the Assembly.*

assembleerprogramma ⟨het⟩ ⟨comp.⟩ **0.1** *assembler.*

assembleertaal ⟨de⟩ ⟨comp.⟩ **0.1** *assembler language.*

assembleren ⟨ov.ww.⟩ **0.1** *assemble* ◆ **1.1** vrachtauto's ~ *a. lorries/* [A]*trucks.*

assenkruis ⟨het⟩ ⟨wisk.⟩ **0.1** *co-ordinate system.*

assenstelsel ⟨het⟩ ⟨wisk.⟩ **0.1** *co-ordinate/coordinate system.*

assepoester ⟨de v.⟩ **0.1** [sprookjesfiguur] *Cinderella* **0.2** [verstotelinge] *waif* ⇒*outcast, Cinderella* **0.3** [slordige meid] *little tramp/ragamuffin.*

asserteren ⟨ov.ww.⟩ **0.1** *assert.*

assertie ⟨de v.⟩ **0.1** *assertion.*

assertief ⟨bn.⟩ **0.1** *assertive* ◆ **1.1** ~ gedrag *a. behaviour.*

assertiviteit ⟨de v.⟩ **0.1** *assertiveness* ⇒*self-assertion.*

assertiviteitstraining ⟨de⟩ **0.1** *assertiveness training* ⇒*assertive/assertion training.*

assertoir ⟨bn.⟩ **0.1** *assertory* ⇒*positive* ◆ **1.1** een ~e eed *an a. oath.*

assessor ⟨de m.⟩ **0.1** *assessor.*

assibilatie ⟨de v.⟩ ⟨taal.⟩ **0.1** *assibilation.*

assignaat ⟨het⟩ ⟨gesch.⟩ **0.1** *assignat.*

assignatie ⟨de v.⟩ **0.1** *(bank) draft/* ⟨BE ook⟩ *draught* ⇒*bill.*

assimilatie ⟨de v.⟩ **0.1** [gelijkmaking, -stelling] *assimilation* ⇒*integration* **0.2** [⟨taal.⟩] *assimilation* **0.3** [⟨biol.⟩] *assimilation* **0.4** [⟨psych.⟩] *assimilation* **0.5** [soc.] *assimilation* ◆ **1.1** ~ van minderheden *a. of minorities* **2.1** ~ bevorderende maatregelen *measures that futher a./ integration* **2.2** progressieve ~ *progressive a..*

assimilatieproces ⟨het⟩ **0.1** *assimilation process.*

assimileren

I ⟨ov.ww.⟩ **0.1** [gelijkvormig maken] *assimilate* **0.2** [⟨taal.⟩] *assimilate* **0.3** [⟨biol.⟩] *assimilate* **0.4** [in zich opnemen] *assimilate* ◆ **4.1** zich

~ aan/met ⟨geintegreerd worden⟩ *a. into;* ⟨zich gelijkmaken met⟩ *a. to;*

II ⟨onov.ww.⟩ **0.1** [⟨taal.⟩] *assimilate* **0.2** [zich aanpassen] *assimilate.*

assisenhof ⟨de m.⟩ ⟨AZN; jur.⟩ **0.1** *Assize Court* ⇒⟨GB⟩ ≠*Crown Court,* ⟨USA⟩ ≠*District Court.*

assistant ⟨de m.⟩ **0.1** *assistant* ⇒*aid, second, helper* ◆ **1.1** ~ v.e. hoogleraar *research assistant* **2.1** de voornaamste ~ *the senior assistant* **3.1** hij is maar een ~ je *he is just an assistant/* ⟨sl.⟩ *flunky* **6.1** ~ **bij** de botanie/**op** een laboratorium *botany/lab(oratory) assistant;* ⟨BE ook⟩ *demonstrator* ⟨in/op lab⟩.

assistent-arts ⟨de m.⟩ **0.1** [B]*registrar,* [A]*resident.*

assistente ⟨de v.⟩ **0.1** [medewerkster] *assistant* **0.2** [prostituée] *hostess* ◆ **2.2** seksclub zoekt jonge, charmante ~ *sex club seeks attractive young h..*

assistentie ⟨de v.⟩ **0.1** [bijstand, hulp] *assistance* ⇒*aid, help* **0.2** [personen] *assistance* ⇒*aid, help* ◆ **3.1** ~ verlenen *give assistance,* ⟨inf.⟩ *lend a hand* **3.2** de politie verzocht om ~ *the police asked for assistance/help* **6.1** ter ~ van *assisting.*

assistentschap ⟨het⟩ **0.1** [B]*registrarship,* [A]*residency* ◆ **6.1** hij kreeg een ~ in de gynaecologie *he received/got a r. in gynaecology.*

assisteren ⟨onov., ov.ww.⟩ **0.1** [bijstaan] *assist* ⇒*help, aid* **0.2** [als assistent optreden] *assist* ◆ **1.1** de dokter ~ *assist the doctor* **1.2** ~d personeel *support staff, assistants* **6.2** bij een bevalling ~ *a. in/at a delivery.*

associatie ⟨de v.⟩ **0.1** [mbt. personen] *association* ⇒*company* **0.2** [⟨biol.⟩] *association* **0.3** [⟨psych.⟩] *association* **0.4** [⟨schei.⟩] *association* **0.5** [⟨geol.⟩] *association* ◆ **1.3** ~ van ideeën *a. of ideas* **2.3** vrije ~ *free a.* **3.3** dat roept allerlei ~s op *that calls up all sorts of associations, that brings all sorts of associations to mind.*

associatief ⟨bn., bw.; -ly⟩ **0.1** *associative* ◆ **1.1** het associatieve geheugen *the memory that works by association;* invallen die langs associatieve weg tot stand gekomen zijn *bright idea that occured by way of association* **3.1** ~ praten *talk in a stream of consciousness/following one's free associations;* ~ reageren *respond associatively;* ~ waarnemen *apperceive.*

associé ⟨de m.⟩ **0.1** *associate.*

associëren ⟨onov., ov.ww.⟩ **0.1** [mbt. personen] *associate* **0.2** [⟨biol.⟩] *associate* **0.3** [⟨psych.⟩] *associate* **1.3** gedachten/begrippen ~ *a. thoughts/ideas* **4.1** zich ~ met *a. with, enter into association with, form a company with* **5.3** vrij ~ *free a.* **6.1** zich niet **met** het gepeupel ~ *not a./ mix with the common crowd/rabble/hoi polloi/* ⟨inf.⟩ *plebs* **6.2** vele paddestoelen zijn **met** bepaalde bomen geassocieerd *many toadstools are associated with specific trees* **6.3** ik associeer stierenvechten **met** Spanje *I a. bullfighting with Spain.*

assonant ⟨de m.⟩ **0.1** *assonant, assonance.*

assonantie ⟨de v.⟩ **0.1** *assonance.*

assoneren ⟨onov.ww.⟩ **0.1** *assonate* ◆ **1.1** ~d rijm *assonating/assonant rhyme.*

assorteren ⟨ov.ww.⟩ **0.1** *stock (up)* ⇒*lay in stock* ◆ **4.1** zich ~ in de laagste prijsklasse *(lay in) stock in the lowest price category* **5.1** die zaak is goed geassorteerd *this store has a good assortment/is well-stocked.*

assortiment ⟨het⟩ **0.1** [hand.] *assortment* ⇒*selection* **0.2** [⟨boek.⟩] *miscellaneous range* ◆ **1.1** een ~ koekjes *an a. of biscuits* [A]*cookies, assorted biscuits* [A]*cookies;* uitbreiding/beperking v.h. ~ *increase in/reduction of stock/the line/range of products* **2.1** een ruim/beperkt ~ hebben *have/carry a broad/limited range/selection/a..*

assumeren ⟨ov.ww.⟩ **0.1** [aan zich toevoegen] *co-opt* ⇒*elect, appoint, add* **2** [zich op het standpunt stellen] *asume* ⇒*suppose* ◆ **1.1** de commissie kan nieuwe leden ~ *the committee can c./ elect/appoint/ add new members.*

assumptie ⟨de v.⟩ **0.1** [het aan zich toevoegen] *co-optation* ⇒*election, appointment, addition* **0.2** [veronderstelling] *assumption* ⇒*supposition* **0.3** [⟨r.k.⟩ feestdag] *Assumption* ◆ **1.1** recht van ~ *right of c./ to co-opt.*

assuradeur ⟨de m.⟩ **0.1** *insurer* ⇒*underwriter, insurance broker.*

assurantie ⟨de v.⟩ **0.1** [overeenkomst] *insurance* ⇒⟨BE; mbt. levensverzekering ook⟩ *assurance* **0.2** [maatschappij] *insurance/assurance company* **0.3** [premie] *insurance.*

assurantieagent ⟨de m.⟩ **0.1** *insurance agent.*

assurantiekantoor ⟨het⟩ **0.1** *i. office* ⇒*i. broker's.*

assurantiemakelaar ⟨de m.⟩ **0.1** *insurance broker.*

assurantierecht ⟨het⟩ **0.1** *insurance law.*

assurantiewezen ⟨het⟩ **0.1** *insurance business.*

assureren ⟨ov.ww.⟩ **0.1** *insure* ◆ **4.1** zich ~ *insure o.s.,* ⟨inf.⟩ *get insurance/(o.s.) insured; take out an insurance.*

ast →**eest.**

astasie ⟨de v.⟩ ⟨med.⟩ **0.1** *astasia.*

astatisch ⟨bn.⟩ ⟨nat.⟩ ◆ **1.¶** ~ naaldenstelsel *astatic system.*

astatium ⟨het⟩ ⟨schei.⟩ **0.1** *astatine.*

A-status ⟨de m.⟩ ⟨radio, t.v.⟩ **0.1** ⟨*highest category of Dutch broadcasting corporations, entitling to maximum broadcasting time*⟩ ◆ **3.1** de ~ krijgen/verliezen *acquire/lose one's 'A-status'.*

aster ⟨de⟩ **0.1** [plant] *aster* **0.2** [bloem] *aster.*

asterie ⟨de v.⟩ **0.1** *asterism.*

asterisk ⟨de (m.)⟩ **0.1** *asterisk* ⇒*star* ◆ **6.1** een woord met een ~ aanduiden *asterisk/star a word, put an a. / a star against a word.*
asteroïde ⟨de (v.)⟩ **0.1** *asteroid* ⇒*planetoid, minor planet.*
asteroïdengordel ⟨de (m.)⟩ **0.1** *asteroid zone.*
asthenie ⟨de (v.)⟩ ⟨med.⟩ **0.1** *asthenia.*
asthenisch ⟨bn.⟩ ⟨med.⟩ **0.1** [voortkomende uit, gepaard gaande met asthenie] *asthenic* **0.2** [constitutioneel zwak] *asthenic* ◆ **1.1** ~e koorts *a. / debilitating fever;* het ~e type *the a. / weakly type.*
astigmatisch ⟨bn.⟩ **0.1** *astigmatic* ◆ **1.1** een ~e lens *an a. lens.*
astigmatisme ⟨het⟩ **0.1** [onscherpe beeldvorming] *astigmatism* **0.2** [⟨med.⟩] *astigmatism.*
astma ⟨het, de⟩ **0.1** *asthma* ◆ **3.1** ~ hebben *suffer from/ have a., be asthmatic.*
astma-aanval ⟨de (m.)⟩ **0.1** *asthma attack.*
astmalijder ⟨de (m.)⟩, **-lijdster** ⟨de (v.)⟩ **0.1** *asthma sufferer* ⇒*asthmatic.*
astmapapier ⟨het⟩ **0.1** *asthma paper.*
astmapatiënt →**astmalijder.**
astmasigaret ⟨de⟩ **0.1** *'asthma cigarette'* ⟨*cigarette which can bring relief to an asthma sufferer*⟩.
astmaticus ⟨de (m.)⟩ **0.1** *asthmatic.*
astmatisch ⟨bn.⟩ **0.1** [aan astma lijdend] *asthmatic* **0.2** [van de aard van astma] *asthmatic* ◆ **1.2** ~e aanvallen *a. attacks.*
astraal[1] ⟨het⟩ **0.1** *astral.*
astraal[2] ⟨bn.⟩ **0.1** [mbt. de sterren] *astral* **0.2** [⟨occultisme⟩] *astral* ◆ **1.1** astrale religie *a. religion* **1.2** het astrale lichaam *the a. body.*
astraallamp ⟨de⟩ **0.1** *astral lamp.*
astraallichaam ⟨het⟩ **0.1** *astral body.*
astraallicht ⟨het⟩ **0.1** *astral light.*
astrakan[1] ⟨de (v.)⟩ **0.1** [lamsbont] *astrakhan* **0.2** [wollen stof] *astrakhan.*
astrakan[2] ⟨bn.⟩ **0.1** *astrakhan.*
astrant ⟨bn., bw.⟩ ⟨inf.⟩ **0.1** *cool* ⇒*cheeky, brash, sassy* ◆ **3.1** ze deed erg ~ *she was very/ so cheeky;* als ik zo ~ mag zijn *if I may be so forward/ presumptuous.*
astreinte ⟨de (v.)⟩ ⟨jur.⟩ **0.1** *periodic penalty payment* ⇒ ⟨soms⟩ *per diem penalty.*
astringent ⟨bn.⟩ **0.1** *astringent.*
astro- **0.1** *astro-* ◆ **1.1** astrofotografie *astrophotography;* astrofysicus *astrophysicist.*
astrobiologie ⟨de (v.)⟩ **0.1** *astrobiology* ⇒*exobiology.*
astrodynamica ⟨de (v.)⟩ **0.1** *astrodynamics.*
astrofysica ⟨de (v.)⟩ **0.1** *astrophysics.*
astrofysisch ⟨bn.⟩ **0.1** *astrophysical* ◆ **1.1** ~e instrumenten *a. instruments.*
astrografie ⟨de (v.)⟩ **0.1** *astrography.*
astroïde ⟨de (v.)⟩ ⟨wisk.⟩ **0.1** *astroid.*
astrolabium ⟨het⟩ ⟨gesch.⟩ **0.1** *astrolabe.*
astrologie ⟨de (v.)⟩ **0.1** *astrology.*
astrologisch ⟨bn., bw.; -(al)ly⟩ **0.1** *astrologic(al).*
astroloog ⟨de (m.)⟩, **-loge** ⟨de (v.)⟩ **0.1** *astrologer.*
astrometrie ⟨de (v.)⟩ **0.1** *astrometry.*
astronaut ⟨de (m.)⟩, **-e** ⟨de (v.)⟩ **0.1** *astronaut.*
astronautiek ⟨de (v.)⟩ **0.1** *astronautics.*
astronautisch ⟨bn.⟩ **0.1** *astronautic(al).*
astronavigatie ⟨de (v.)⟩ **0.1** [astronomische navigatie] *astronavigation* ⇒*celestial navigation* **0.2** [⟨ruim.⟩] *astronavigation.*
astronomie ⟨de (v.)⟩ **0.1** *astronomy.*
astronomisch ⟨bn.⟩ **0.1** [mbt. de sterrenkunde] *astronomic(al)* **0.2** [onvoorstelbaar groot] *astronomic(al)* ◆ **1.1** de ~e breedte *celestial latitude, declination;* ~e eenheid *a. unit;* ~e horizon *celestial/ true horizon;* ~ jaar *tropical/ solar year;* ~ jaarboek *ephemeris;* ~e kijker *(observatory)/ a. telescope;* de ~e lengte *celestial longitude, right ascension;* ~e maand *lunar month* **1.2** ~e bedragen *a. amounts.*
astronoom ⟨de (m.)⟩ **0.1** *astronomer.*
asurn ⟨de⟩ **0.1** *cinerary urn.*
asvaalt →**asbelt.**
asvang ⟨de⟩ **0.1** *brake.*
aswenteling ⟨de (v.)⟩ **0.1** *rotation* ⇒*revolution* ◆ **3.1** alle planeten hebben een ~ *all planets rotate.*
aswoensdag ⟨de (m.)⟩ ⟨r.k.⟩ **0.1** *Ash Wednesday.*
asymbolie ⟨de (v.)⟩ **0.1** *asymbolia* ◆ **2.1** optische ~ *visual asymboly.*
asymmetrie ⟨de (v.)⟩ **0.1** *asymmetry* ⇒*non-symmetry, dissymmetry.*
asymmetrisch ⟨bn., bw.; -(al)ly⟩ **0.1** *asymmetric(al)* ⇒*non-symmetric(al), dissymmetric(al).*
asymptoot ⟨de (m.)⟩ ⟨wisk.⟩ **0.1** *asymptote.*
asymptotisch ⟨bn.⟩ ⟨wisk.⟩ **0.1** *asymptotic(al).*
asynchroon ⟨bn., bw.; -ly⟩ **0.1** *asynchronous* ◆ **1.1** asynchrone motor *induction motor* **3.1** het beeld en het geluid lopen ~ *the sound and pictures are not synchronised/* ⟨inf.⟩ *out of sync.*
asyndetisch ⟨bn., bw.; -ally⟩ ⟨taal.⟩ **0.1** *asyndetic* ◆ **1.1** ~e vergelijking *a. comparison.*
asyndeton ⟨het⟩ ⟨taal.⟩ **0.1** *asyndeton.*

asystolie ⟨de (v.)⟩ ⟨med.⟩ **0.1** *asystole* ⇒*asystolism.*
atactisch ⟨bn.⟩ ⟨med.⟩ **0.1** *atactic.*
atalanta ⟨de⟩ **0.1** *red admiral.*
ataraxie ⟨de (v.)⟩ **0.1** *ataraxia, ataraxy.*
atavisme ⟨het⟩ **0.1** *atavism* ⇒*reversion.*
atavistisch ⟨bn., bw.; -ally⟩ **0.1** *atavistic.*
ataxie ⟨de (v.)⟩ ⟨med.⟩ **0.1** *ataxia, ataxy.*
ATB ⟨de (v.)⟩ ⟨afk.⟩ **0.1** [automatische treinbeïnvloeding] ⟨*Automatic Train Control*⟩.
atelie ⟨de (v.)⟩ **0.1** *arrested development.*
atelier ⟨het⟩ **0.1** *studio* ⟨van kunstenaar, fotograaf enz.⟩; ⟨werkplaats⟩ *workshop;* ⟨van kunstenaar/ modeontwerper ook⟩ [1] *atelier* ◆ **6.1** werken op een ~ *work in a studio.*
atelierruimte ⟨de (v.)⟩ **0.1** *workshop, studio.*
atelierwoning ⟨de (v.)⟩ **0.1** [B]*studio flat,* [A]*studio apartment.*
a tempo ⟨bw.⟩ ⟨muz.⟩ **0.1** *a tempo.*
atemporeel ⟨bn.⟩ **0.1** *atemporal.*
aterling ⟨de (m.)⟩ ⟨schr.⟩ **0.1** *miscreant.*
Atheens ⟨bn.⟩ **0.1** *Athenian.*
atheïsme ⟨het⟩ **0.1** *atheism.*
atheïst ⟨de (m.)⟩ **0.1** *atheist.*
atheïstisch ⟨bn.⟩ **0.1** [mbt. het atheïsme] *atheistic* **0.2** [het atheïsme aanhangend] *atheistic.*
athematisch ⟨bn.⟩ **0.1** *off the subject* ⇒⟨muz., taal.⟩ *athematic.*
Athene ⟨het⟩ **0.1** *Athens.*
atheneum ⟨het⟩ **0.1** [⟨Ned.⟩] *'atheneum'* ⟨ [B]*grammar/* [A]*high school*⟩ **0.2** [⟨Belg.⟩] *'atheneum'* ⟨ [B]*secondary/* [A]*high school*⟩ ◆ **6.1** op het ~ zitten [B]≠*be at grammar school* [A]≠*be in a college-prep program.*
athermaan ⟨bn.⟩ ⟨nat.⟩ **0.1** *athermanous.*
atjar ⟨de (m.)⟩ **0.1** *(pickle) relish.*
Atjeeër ⟨de (m.)⟩ **0.1** *Atjehnese* ⇒*Achinese.*
Atjeh ⟨het⟩ **0.1** *Achin.*
atlant ⟨de (m.)⟩ ⟨bouwk.⟩ **0.1** *atlas* ⇒*telamon.*
Atlantisch ⟨bn.⟩ **0.1** [mbt. de oceaan] *Atlantic* **0.2** [mbt. de landen] *Atlantic* ◆ **1.1** de ~e Oceaan *the A. (Ocean);* ⟨sl.⟩ *the (big) pond;* het ~ Pact *the North A. Treaty;* een ~e telefoonkabel *an A. telephone cable.*
atlas
I ⟨de (m.)⟩ **0.1** [kaartenboek] *atlas* **0.2** [boek met afbeeldingen] *atlas* **0.3** [wervel] *atlas* ◆ **1.1** de ~ van Nederland *the a. of the Netherlands* **2.1** een historische ~ *a historical a.* **2.2** een letterkundige ~ *a literary a.;*
II ⟨het⟩ **0.1** [stof] *satin.*
atlasraket ⟨de⟩ **0.1** *Atlas.*
atlasvlinder ⟨de (m.)⟩ **0.1** *atlas moth.*
atleet ⟨de (m.)⟩, **-lete** ⟨de (v.)⟩ **0.1** [iem. die atletiek beoefent] *athlete* ⇒*track and field participant* **0.2** [iem. met atletische lichaamsbouw] *athlete.*
atletiek ⟨de (v.)⟩ **0.1** *athletics* ⇒*track and field events* ◆ **2.1** lichte/ zware ~ *track and field events* **3.1** de ~ beoefenen, aan ~ doen *take part in a., participate in track and field events.*
atletiekbaan ⟨de⟩ **0.1** *(athletics) track.*
atletiekploeg ⟨de⟩ **0.1** *athletics squad/ team.*
atletiekwedstrijd ⟨de (m.)⟩ **0.1** [B]*athletics meeting,* [A]*track meet.*
atletisch ⟨bn.⟩ **0.1** [mbt. de atletiek] *athletic* **0.2** [(als) van een atleet] *athletic* ◆ **1.1** ~e oefeningen *a. / track and field exercises/ training* **1.2** een ~e lichaamsbouw *an a. build* **3.2** ~ gebouwd *with an a. build, built like an athlete, mesomorphic, mesomorphous.*
atm. ⟨afk.⟩ **0.1** [atmosfeer] *atm..*
atmosfeer ⟨de⟩ **0.1** [dampkring] *atmosphere* **0.2** [dampkringslucht] *atmosphere* **0.3** [lucht waarin we ademen] *atmosphere* ⇒*air* **0.4** [omgeving] *atmosphere* ⇒*environment* **0.5** [sfeer] *atmosphere* ⇒*air* **0.6** [druk] *atmosphere* ◆ **2.1** de hogere/ lagere ~ *the upper/ lower a.* **2.2** de ~ is nevelig *it's misty* **2.3** die arbeiders werken voortdurend in een bedorven ~ *those workers are constantly exposed to work all the time in a contaminated atmosphere/ contaminated air* **2.5** er hing een geladen ~ *the air/ whole atmosphere was charged;* een verpeste ~ *a poisoned/ poisonous a., a miasma* **3.5** daar zit ~ in *that has a real atmosphere (about it)* **4.3** wat een ~ is het hier! *some atmosphere you've got in here!, the air's pretty heavy round here!* **6.4** hij was in een ~ van ruwheid opgegroeid *he had grown up in a rough environment* **7.6** stoom van 4 ~ *steam at (a pressure of) 4 a..*
atmosferisch ⟨bn.⟩ **0.1** [mbt. de atmosfeer] *atmospheric* **0.2** [mbt. de druk] *atmospheric* ◆ **1.1** ~e neerslag *precipitation;* ~e storing *static interference, a. disturbance, atmospherics* **1.2** ~e druk *a. pressure.*
atol ⟨het, de (m.)⟩ ⟨aardr.⟩ **0.1** *atoll.*
atomair ⟨bn.⟩ **0.1** [mbt. atomen] *atomic* **0.2** [werkend door splitsing in atomen] *atomic* **0.3** [mbt. atoomsplitsing] *atomic* ⇒*nuclear* ◆ **1.1** ~e verschijnselen *a. phenomena* **1.3** ~e kettingreactie *a. / chain reaction;* het ~e tijdperk *the a. / nuclear age.*
atomisch ⟨bn.⟩ **0.1** [mbt. atomen] *atomic* **0.2** [mbt. atoomsplitsing] *atomic* ⇒*nuclear* ◆ **1.2** ~e wapens *a. / nuclear weapons.*
atomiseren ⟨ov.ww.⟩ **0.1** *atomize.*
atomisme ⟨het⟩ **0.1** *atomism.*

atomistiek ⟨de (v.)⟩ **0.1** *atomism.*

atonaal ⟨bn., bw.⟩ **0.1** [⟨muz.⟩] *atonal* **0.2** [⟨lit.⟩] *experimental* ◆ **1.1** atonale muziek *a. music.*

atonie ⟨de (v.)⟩ **0.1** *atony.*

atoom ⟨het⟩ **0.1** [⟨schei.⟩] *atom* **0.2** [⟨fig.⟩] *atom* ⇒*shred, speck* ◆ **1.2** hij heeft geen ~ talent *he hasn't a shred of talent* **3.1** atomen splitsen zich *atoms divide* **6.1** een uit twee/meer atomen bestaand molecuul ⟨ook⟩ *a diatomic/polyatomic molecule.*

atoomaandrijving ⟨de (v.)⟩ **0.1** *atomic drive* ⇒⟨van schip ook⟩ *atomic propulsion.*

atoomaanval ⟨de (m.)⟩ **0.1** *nuclear/atomic attack.*

atoomafval ⟨het, de (m.)⟩ **0.1** *atomic/nuclear waste.*

atoombom ⟨de⟩ **0.1** *atom(ic)/nuclear bomb* ⇒*A-bomb.*

atoomcentrale ⟨de⟩ **0.1** *nuclear/atomic (power) plant/power station.*

atoomcentrum ⟨het⟩ **0.1** *nuclear/atomic research centre.*

atoomduikboot ⟨de⟩ **0.1** *nuclear/atomic submarine.*

atoomenergie ⟨de (v.)⟩ **0.1** *nuclear/atomic energy/power* ◆ **1.1** vreedzaam gebruik van ~ *peaceful use(s) of n. energy* **6.1** door ~ aangedreven *driven by n. power, powered by n. energy* ¶.1 ~? nee bedankt *n. energy? no thanks.*

atoomfysica ⟨de (v.)⟩ **0.1** *nuclear physics.*

atoomgetal ⟨het⟩⟨nat.⟩ **0.1** *atomic number.*

atoomgewicht ⟨het⟩⟨schei.⟩ **0.1** *atomic weight.*

atoomkern ⟨de⟩ **0.1** *(atomic) nucleus.*

atoomklok ⟨de⟩ **0.1** *atomic clock.*

atoomkop ⟨de (m.)⟩ **0.1** *nuclear/atomic warhead* ◆ **6.1** intercontinentale raketten met ~pen *intercontinental nuclear missiles/missiles with nuclear/atomic warheads.*

atoomkracht ⟨de⟩ **0.1** *nuclear power* ⇒*atomic power.*

atoomoorlog ⟨de (m.)⟩ **0.1** *nuclear/atomic war.*

atoompacifisme ⟨het⟩ **0.1** *anti-nuclear/ban-the-bomb movement* ⇒ ⟨GB⟩ *CND* ⟨*Campaign for Nuclear Disarmament*⟩.

atoompacifist ⟨de (m.)⟩, **-e** ⟨de (v.)⟩ **0.1** *anti-nuclear/*[B]*CND supporter* ⇒⟨AE;inf.⟩ *antinuke(r).*

atoomparaplu ⟨de (m.)⟩⟨fig.⟩ **0.1** *nuclear/atomic umbrella.*

atoomproef ⟨de⟩ **0.1** *nuclear/atomic test* ◆ **2.1** een ondergrondse ~ *an underground nuclear test.*

atoomreactor ⟨de (m.)⟩ **0.1** *nuclear/atomic reactor.*

atoomschuilkelder ⟨de (m.)⟩ **0.1** *nuclear/atomic (fallout) shelter, fallout shelter.*

atoomsplitsing ⟨de (v.)⟩ **0.1** *nuclear fission.*

atoomstroom ⟨de (m.)⟩ **0.1** *nuclear/atomic energy/power.*

atoomtijdperk ⟨het⟩ **0.1** *nuclear/atomic age.*

atoomvrij ⟨bn.⟩ **0.1** *nuclear-free* ◆ **1.1** ~e zone *n.-f. zone.*

atoomwapen ⟨het⟩ **0.1** *nuclear/atomic weapon* ⇒⟨AE;inf.⟩ *nuke* ◆ **3.1** de vijand met ~s aanvallen ⟨AE;inf.⟩ *nuke the enemy.*

atoomzwaard ⟨het⟩ **0.1** *nuclear/atomic weapon/threat/deterrent.*

atopie ⟨de (v.)⟩ **0.1** *atopy, atopia* ⇒*atopic constitution.*

atrium ⟨het⟩ **0.1** [⟨Rom. gesch.⟩] *atrium* **0.2** [voorhof van een basiliek] *atrium* **0.3** [binnenplein met synagoge] *atrium* **0.4** [boezem van het hart] *atrium.*

atriumfibrilleren ⟨ww.⟩⟨med.⟩ **0.1** *atrical fibrillation.*

atrofie ⟨de (v.)⟩⟨med.⟩ **0.1** *atrophy.*

atrofiëren ⟨onov.ww.⟩⟨med.⟩ **0.1** *atrophy.*

atropine ⟨de⟩ **0.1** *atropine.*

attaché ⟨de (m.)⟩ **0.1** *attaché* ◆ **2.1** militair ~ bij de Engelse ambassade *military a. at the British Embassy.*

attachékoffer ⟨de (m.)⟩ **0.1** *attaché-case.*

attacheren ⟨ov.ww.⟩ **0.1** *attach (as attaché)* ◆ **6.1** geattacheerd zijn aan een ambassade *serve as attaché at an embassy, be an embassy attaché.*

attaque ⟨de⟩ **0.1** [aanval] *attack* **0.2** [aanval v.e. ziekte] *attack* ⇒*seizure* **0.3** [lichte beroerte] *stroke* ⇒⟨vero.⟩ *apoplexy* ◆ **3.3** een ~ krijgen *suffer/have a s..*

attaqueren ⟨onov., ov.ww.⟩ **0.1** *attack* ◆ **5.1** iem. fel ~ *attack s.o. viciously, lash out at s.o., savage/flay s.o..*

attenderen ⟨onov., ov.ww.⟩ **0.1** *point out* ⇒*draw attention to, signal* ◆ **5.1** ik attendeer u erop dat ... *I draw your attention to (the fact that)* ... **6.1** mag ik u ~ op deze tekst? *may I draw your attention to this text.*

attenoj ⟨tw.⟩⟨inf.⟩ **0.1** *Lord Almighty.*

attent ⟨bn., bw.;-ly⟩ **0.1** [met veel aandacht] *attentive* **0.2** [voorkomend] *considerate* ⇒*thoughtful, kind, attentive* ◆ **3.1** iem. ~ maken op iets *draw s.o.'s attention to sth., bring sth. to s.o.'s attention;* ~ zijn op je *a. to* **6.2** wat ~/ dat is erg ~ van je! *how kind of you!;* hij was altijd heel ~ voor hen *he was always very c./ thoughtful towards them/ very kind to them.*

attentaat ⟨het⟩ **0.1** *attack* ⇒⟨moordaanslag⟩ *assassination (attempt* ⟨poging⟩).

attentie ⟨de (v.)⟩ **0.1** [daad/voorwerp] *attention* ⇒*(little) mark/token of attention, (small) courtesy/favour,* ⟨cadeau⟩ *present* **0.2** [aandacht] *attention* ◆ **2.1** ik heb een kleine ~ meegebracht *I've brought a small present;* al die kleine ~s voor haar *all those attentions/marks of attention for her* **3.1** iem. ~s bewijzen *pay one's attentions/pay court to s.o.* **3.2** zijn ~ vestigen op *draw one's a. to* **4.2** mag ik uw ~? *may I have/request your a.?* **6.2** ter ~ van *for the (personal) a. of.*

attest ⟨het⟩ **0.1** *certificate* ⇒⟨jur.⟩ *affidavit* ⟨beëdigde verklaring⟩, ⟨jur.⟩ *attestation* ⟨getuigschrift⟩ ◆ **1.1** een ~ v.d. dokter *a medical/ doctor's c.;* een ~ van goed gedrag *a c. of good behaviour, a testimonial;* een ~ van onvermogen *a c. of incompetence;* ⟨jur.⟩ *a certification of inability to pay, bankruptcy declaration.*

attestatie ⟨de (v.)⟩ **0.1** [schriftelijke verklaring] *attestation* ⇒*certificate* **0.2** [⟨prot.⟩] ⟨*certificate of Membership of the Dutch Reformed Church*⟩ ◆ ¶.1 een ~ de morte *a death certificate.*

attesteren ⟨ov.ww.⟩ **0.1** *certify* ⇒*attest,* ⟨als getuige medeondertekenen⟩ *witness.*

attitude ⟨de (v.)⟩ **0.1** *attitude.*

attractie ⟨de (v.)⟩ **0.1** [mogelijkheid tot vermaak] *attraction* ⇒*amenity, feature,* ⟨inf.⟩ *draw* **0.2** [aantrekking] *attraction* **0.3** [⟨taal.⟩] *attraction* **0.4** [⟨nat.⟩] *attraction* ◆ **2.1** zij is de grootste ~ vanavond *she is (the) top of the bill/ the main attraction/ the star turn this evening;* als speciale ~ hebben wij ... *as a special (attraction/feature) we have* **6.1** de ~s op de kermis *the attractions/side-shows at the fair.*

attractief ⟨bn., bw.⟩ **0.1** *attractive* ⇒*catching* ◆ **7.1** een weinig ~ programma *a rather plain/not a very a. programme.*

attraperen ⟨ov.ww.⟩ **0.1** [op heterdaad betrappen] *catch (at sth.)* ⇒*catch red-handed/in the act* **0.2** [in de vlucht vangen] *catch.*

attributie ⟨de (v.)⟩ **0.1** [toekenning] *attribution* **0.2** [het toegekende] *attribution* **0.3** [toeschrijving] *attribution* ⇒*ascription.*

attributief ⟨bn., bw.⟩⟨taal.⟩ **0.1** *attributive* ◆ **3.1** dit woord is ~ gebruikt *this word is used attributively/has an a. function.*

attribuut ⟨het⟩ **0.1** [eigenschap] *attribute* ⇒*quality, characteristic, adjunct, ap(p)anage* ⟨emolument⟩ **0.2** [⟨taal.⟩] *attribute* **0.3** [zinnebeeldig kenteken] *attribute* ⇒*sign, symbol* ◆ **1.3** baard en snor golden als attributen v.d. mannelijkheid *beard and moustache were seen as attributes of manliness* **2.1** schoonheid is een natuurlijk ~ v.h. geluk *beauty is a natural adjunct/a panage of happiness* **3.¶** dat behoort niet tot mijn attributen *that's not one of my attributes.*

atypisch ⟨bn.⟩ **0.1** *atypical* ⇒*untypical.*

au ⟨tw.⟩ **0.1** *ow, ouch, yow.*

a.u.b. ⟨⟨oorspronkelijk⟩ afk.⟩ **0.1** [alstublieft] *please.*

aubade ⟨de (v.)⟩ **0.1** *aubade* ◆ **3.1** een ~ brengen *sing an a. (to s.o.).*

au bain marie ⟨bw.⟩⟨cul.⟩ **0.1** *in a bain-marie* ⇒ ↓ *in a double saucepan* ◆ **3.1** ~ verwarmen *cook in a bain-marie/in a double saucepan/* [A]*double boiler.*

aubergine[1] ⟨de (v.)⟩ **0.1** *aubergine;* ⟨vnl. AE⟩ *eggplant* ⇒*brinjal.*

aubergine[2] ⟨bn.⟩ **0.1** *aubergine (purple).*

au courant ⟨bw.⟩ **0.1** *au courant (with)* ⇒*au fait (with)* ◆ **3.1** nog niet helemaal ~ zijn *not be completely au courant/fait.*

auctie ⟨de (v.)⟩ **0.1** *auction (sale), sale by auction.*

auctionaris ⟨de (m.)⟩ **0.1** *auctioneer.*

auctoriaal ⟨bn.⟩⟨lit.⟩ ◆ **1.¶** een auctoriale roman *an authorial/auctorial novel, a novel with an omniscient narrator;* een auctoriale vertelsituatie *omniscient narration.*

auctor intellectualis ⟨de (m.)⟩⟨jur.⟩ **0.1** *instigator.*

audiëntie ⟨de (v.)⟩ **0.1** [gehoor] *audience* **0.2** [rechtszitting] *session, sitting* ◆ **1.2** de ~ v.d. rechtbank *the session/sitting of the court, the court session/sitting* **3.1** een ~ aanvragen bij *ask for an a. with;* ~ geven/ verlenen *grant an a. (to s.o.)* **6.1** door de koningin in ~ ontvangen worden *be received in a. by the queen, be admitted to the royal presence;* op ~ gaan/zijn bij *have an a. with.*

audio-apparatuur ⟨de (v.)⟩ **0.1** *audio equipment* ⇒≠*stereo.*

audiologie ⟨de (v.)⟩⟨med.⟩ **0.1** *audiology.*

audiometer ⟨de (m.)⟩ **0.1** *audiometer.*

audiometrie ⟨de (v.)⟩ **0.1** *audiometry.*

audiorack ⟨het⟩ **0.1** *stereo (system)* ⇒*music centre.*

audiosignaal ⟨het⟩ **0.1** *audio signal.*

audiotheek ⟨de (v.)⟩ **0.1** *tape and record library.*

audiotoren ⟨de (m.)⟩ **0.1** *stereo (system)* ⇒*music centre.*

audiovisueel ⟨bn.⟩ **0.1** *audio-visual* ◆ **1.1** audiovisuele middelen *a.-v. aids.*

auditeur-generaal ⟨de (m.)⟩⟨AZN⟩ **0.1** *Judge Advocate General.*

auditeur-militair ⟨de (m.)⟩ **0.1** *Judge Advocate.*

auditie ⟨de (v.)⟩ **0.1** [uitvoering] *audition* ⇒*tryout,* ⟨film.⟩ *screen test,* ⟨radio⟩ *voice test* **0.2** [rechtsgebied v.e. krijgsraad] *jurisdictional area, district (of a court-martial)* ◆ **3.1** een ~ doen *(do an) audition;* ~ laten doen *(give an) audition (to).*

auditief ⟨bn., bw.⟩ **0.1** *auditive* ⇒⟨vnl. med.⟩ *auditory, audile, aural* ◆ **1.1** ~ geheugen *an audile memory;* auditieve indrukken *aural impressions;* een ~ type *an audile (person).*

auditorium ⟨het⟩ **0.1** [toehoorders] *audience* ⇒⟨vero.⟩ *auditory* **0.2** [gehoorzaal] *auditorium* ⇒*great hall,* ⟨theater⟩ *theatre,* ⟨van school ook⟩ *assembly hall.*

auerhoen ⟨het⟩ **0.1** *capercaillie, capercailzie* ⇒*cock-of-the-wood.*

Aufklärung ⟨de (v.)⟩⟨gesch.⟩ **0.1** *Aufklärung* ⇒*Enlightenment, Age of Reason.*

au fond ⟨bw.⟩ **0.1** *au fond* ⇒ ↓ *basically, ultimately* ◆ ¶.1 het maakt ~ weinig verschil *basically it doesn't much difference.*

augiasstal ⟨de (m.)⟩ **0.1** *Augean stables* ⇒ ↓ *awful/ dreadful state of af-*

fairs / mess ♦ **2.1** het is hier een ware ~ *this is an awful / dreadful state of affairs / mess, this mess / place is truly Augean* **3.1** de ~ reinigen *clean(se) the Augean stables,* ↓*clean up the mess.*

augment 〈het〉 **0.1** [toevoegsel] *augmentation* ⇒*addition, supplement* **0.2** [〈taal.〉] *augment.*

augurenlach 〈de (m.)〉 **0.1** *knowing laugh / smile.*

augurk 〈de〉 **0.1** *gherkin* ⇒≠*pickle* ♦ **3.1** wil je een~je? *would you like a g. / pickle?.*

augustijn 〈de (m.)〉 **0.1** [kloosterling] *Augustinian* ⇒*Austin* **0.2** [〈druk.〉] *cicero.*

augustus 〈de (m.)〉 **0.1** *August.*

aula 〈de (v.)〉 **0.1** *auditorium* ⇒*great hall,* 〈van school ook〉 *assembly hall.*

au pair[1] 〈de〉 **0.1** *au pair;* 〈v. ook〉 *au pair girl.*

au pair[2] 〈bw.〉 **0.1** *au pair* ⇒*on mutual terms* ♦ **3.1** ~ werken *work as an au pair.*

aura 〈de (v.)〉 **0.1** [uitstraling van een mens] *aura* ⇒*charisma, mystique* **0.2** [〈med.〉] *aura* ♦ **1.1** de ~ v.e. groot kunstenaar *the a. / charisma of a great artist* **3.1** om de bruiloft hing een ~ van romantiek *there was an a. of romance to the wedding,* ↑*the wedding was invested with an a. of romance.*

aurelia 〈de〉〈dierk.〉 **0.1** *comma butterfly* 〈vnl. de gehakkelde aurelia〉.

aureool 〈het, de〉 **0.1** [stralenkrans] *aureole, aureola, nimbus, halo* **0.2** [〈fig.〉] *aura* ⇒*charisma, mystique* ♦ **3.2** het ~ wegnemen van *demystify* **6.1** 〈bk.〉 een hoofd met een ~ *a radiate head* **6.2** een ~ van roem *an a. of fame.*

aurora 〈de (v.)〉 **0.1** [〈ster.〉] *aurora* **0.2** [dageraad] *Aurora* ⇒*dawn* ♦ **¶.1** ~ australis / borealis *a. australis / borealis,* 〈inf.〉 *the Southern / Northern Lights.*

auscultatie 〈de (v.)〉〈med.〉 **0.1** *auscultation.*

auspiciën 〈zn.mv.〉 **0.1** [toezicht] *auspices* ⇒*aegis* **0.2** [voortekens] *auspices* ⇒*omens, portents* ♦ **6.1** onder ~ van *under the auspices / aegis of, sponsored by.*

ausputzer 〈de (m.)〉〈sport〉 **0.1** *sweeper* ⇒*libero, freeback.*

austraal 〈bn.〉 **0.1** *austral* ⇒ ↓*southern.*

Austraal-aziatisch 〈bn.〉 **0.1** *Australasian* ♦ **1.1** ~e talen *Austro-Asiatic.*

Australisch 〈bn.〉 **0.1** *Australian* ♦ **1.1** de ~e taal *A..*

autarchie 〈de (v.)〉 **0.1** *autarchy.*

autarkie 〈de (v.)〉 **0.1** *autarky* ⇒*(economic) self-sufficiency.*

autarkisch 〈bn., bw.; -(al)ly〉 **0.1** *autarkic(al)* ⇒*(economically) self-sufficient.*

auteur 〈de (m.)〉 **0.1** *author* ⇒*writer* ♦ **2.1** een roman v.e. onbekende ~ *a novel by an unknown a. / writer / *↑*pen.*

auteurschap 〈het〉 **0.1** *authorship.*

auteursfilm 〈de (v.)〉 **0.1** *director's movie.*

auteursrecht 〈het〉 **0.1** [recht v.d. maker] *copyright* **0.2** [opbrengst] *royalty* 〈meestal mv.〉 ♦ **1.1** overtreding v.h. ~ *c. infringement, infringement of c.* **3.2** ~en betalen *pay royalties* **6.1** door het ~ beschermde publikaties *c. publications.*

authenticiteit 〈de (v.)〉 **0.1** *authenticity* ♦ **1.1** de ~ van dit document staat vast *the a. of this document is certain.*

authentiek 〈bn.〉 **0.1** [overeenstemmend met het oorspronkelijke] *authentic* **0.2** [rechtsgeldig] *authentic* ⇒*legitimate,* 〈jur. ook〉 *(legally) valid, valid in law,* (afschrift ook) *certified* **0.3** [niet vervalst] *authentic* ⇒*genuine, original, bona fide, real* **0.4** [betrouwbaar] *authentic* ⇒*reliable, trustworthy, authoritative, credible* **0.5** [eigen kenmerk dragend] *original* ♦ **1.1** een ~e tekst *an a. text* **1.2** een ~e akte *an a. document, a deed* **1.3** ~e champagne *genuine / real champagne;* een ~ kunstwerk *an original / a. work of art;* ~e stukken *a. pieces / documents* **1.4** ~e berichten *authentic / authorized news;* ~e landkaarten *reliable / official maps* **1.5** een ~ dichter *an o. poet.*

authentiseren 〈ov.ww.〉 **0.1** *authenticate* ⇒*notarize* 〈als notaris〉.

autisme 〈het〉 〈psych.〉 **0.1** *autism.*

autist 〈de (m.)〉 **0.1** *autist.*

autistisch 〈bn.〉 **0.1** [mbt. autisme] *autistic* **0.2** [aan autisme lijdend] *autistic.*

auto 〈de (m.)〉 **0.1** *car* ⇒ 〈BE ook〉 *motor(car),* 〈AE ook〉 *auto(mobile)* ♦ **1.1** een ~ v.d. zaak *a company c.* **2.1** een oude ~ 〈inf.〉 *a banger / crate / heap* 〈versleten〉; (oud model) *an old-timer;* 〈BE〉 *a veteran c.* 〈van voor 1916 of 1905〉, *a vintage c.* 〈uit de periode 1916-1930〉; een zuinige ~ *an economy / economical c.* **6.1** in een ~ rijden *drive, go by c.;* met de ~ *get / step into / out of the c.;* met zijn ~ tegen een boom knallen *crash (one's car) into a tree;* we gaan met de ~ *we are going by c. / driving;* het is 100 km met de ~ *it's 100 km by c. / road;* de tijd van voor de ~ 〈inf.〉 *the horse-and-buggy days.*

autoanalyse 〈de (v.)〉 **0.1** *self-analysis.*

autobaan 〈de〉 **0.1** [B]*motorway,* [A]*superhighway* ⇒〈AE ook〉 *expressway, freeway, interstate (highway),* 〈Duitsland〉 *autobahn.*

autoband 〈de (m.)〉 **0.1** *(car / automobile) tyre* [A]*tire* ⇒*slick* 〈gladde racewagenband〉, 〈sl.〉 *rubber, shoe* (groot), 〈AE sl. ook〉 *doughnut* [A]*donut tire.*

autobiograaf 〈de (m.)〉 **0.1** *autobiographer.*

autobiografie 〈de (v.)〉 **0.1** *autobiography* ⇒〈memoires〉 *memoirs* ♦ **3.1** zijn ~ schrijven *write one's a. / memoirs.*

autobiografisch 〈bn.〉 **0.1** *autobiographical.*

autobotsing 〈de (v.)〉 **0.1** *car crash.*

autobox 〈de (m.)〉 **0.1** *garage.*

autobus 〈de (m.)〉 **0.1** *bus* ⇒〈AE ook〉 *autobus,* 〈BE ook〉 *(motor)coach* 〈touringcar〉, 〈vero.〉 *omnibus,* 〈BE; vero. beh. iron〉 *charabanc* 〈voor sightseeing〉.

autobusdienst 〈de (m.)〉 **0.1** *bus service* 〈in stad〉; 〈interlokaal〉 *coach service.*

autocar 〈de (m.)〉 **0.1** *(motor-)coach* ⇒〈BE; vero. beh. iron.〉 *charabanc.*

autochtoon[1] 〈de (m.)〉 **0.1** *autochthon* ⇒*indigene,* ↓*native, aboriginal, aborigine* 〈met hoofdletter van Australië〉.

autochtoon[2] 〈bn.〉 **0.1** [de oorspronkelijke bevolking uitmakend] *autochthonous, autochtonal, autochtonic* ⇒*indigenous, native, aboriginal* 〈met hoofdletter in Australië〉 **0.2** [v.d. oorspronkelijke bewoners] *autochthonous, autochtonal, autochtonic* ⇒*indigenous, native, aboriginal* 〈met hoofdletter in Australië〉 **0.3** [in het lichaam zelf ontstaan] *autochthonous, autochtonal, autochtonic* ⇒*authigenic,* ↓*native* **0.4** 〈geol.〉 *autochthonous, autochtonal, autochtonic* ⇒*authigenic,* ↓*native* ♦ **1.1** het autochtone ras *the autochthonous / indigenous race* **1.2** een autochtone bevolking *an autochthonous / indigenous / native population.*

autoclaaf 〈de (m.)〉 **0.1** *autoclave* ⇒*sterilizer.*

autocoureur 〈de (m.)〉 **0.1** *racing(-car) driver* ⇒*racecar driver.*

autocraat 〈de (m.)〉 **0.1** [alleenheerser] *autocrat* ⇒*absolute monarch / ruler* **0.2** [〈fig.〉] *autocrat* ⇒*tyrant.*

autocratie 〈de (v.)〉 **0.1** [onbeperkte heerschappij] *autocracy* ⇒*dictatorship, autarchy* **0.2** [land] *autocracy* ⇒*dictatorship, autarchy.*

autocratisch 〈bn., bw.; -(al)ly〉 **0.1** *autocratic(al)* ⇒*dictatorial.*

autodafe 〈het〉 **0.1** *auto-da-fé.*

autodichtheid 〈de (v.)〉 **0.1** *cars per head of population.*

autodidact 〈de (m.)〉 **0.1** *autodidact* ⇒*self-taught / -educated man / woman* ♦ **3.1** ~ zijn *be self-taught / -educated.*

autodief 〈de (m.)〉 **0.1** *car thief* ⇒*joyrider.*

autodiefstal 〈de (m.)〉 **0.1** *car theft.*

autodroom 〈de (m.)〉 **0.1** *autodrome* ⇒〈BE ook〉 *(motor-)racing circuit / track.*

auto-erotiek 〈de (v.)〉 **0.1** *autoeroticism* ⇒*autoerotism.*

autofabrikant 〈de (m.)〉 **0.1** *car manufacturer.*

autofocus 〈de (m.)〉 **0.1** *autofocus* ⇒*automatic focussing.*

autogaam 〈bn.〉〈biol.〉 **0.1** *autogamous, autogamic* ⇒*self-fertile.*

autogamie 〈de (v.)〉 **0.1** *autogamy* ⇒*self-fertilization.*

autogarage 〈de (v.)〉 **0.1** 〈aan/bij huis, privé〉 *garage;* 〈parkeergarage〉 *multi-storey, (covered) car-park.*

autogas 〈het〉 **0.1** *L.P.G..*

autogeen 〈bn., bw.; -ly〉 **0.1** *autogenous, autogenic* ⇒*self-generated, endogenous* ♦ **1.1** autogene veranderingen *autogenous changes* **3.1** ~ lassen *autogenous welding.*

autogenese 〈de (v.)〉 **0.1** *autogenesis.*

autogiro 〈de (v.)〉 **0.1** *autogiro, gyroplane* ⇒〈AE ook〉 *giro.*

autoglasservice 〈de (m.)〉 **0.1** *windscreen firm.*

autogordel 〈de (m.)〉 **0.1** *seat / safety belt* ♦ **3.1** het dragen van ~s is verplicht *the wearing of seat / safety belts is compulsory* **¶.1** ~s, vast en zeker! *buckle up for safety!.*

autograaf 〈de (m.)〉 **0.1** [eigenhandig geschreven stuk] *autograph* **0.2** [oorspronkelijk document] *original manuscript.*

autografie 〈de (v.)〉 **0.1** [procédé] *autography* **0.2** [afdruk] *autograph.*

autografisch 〈bn.〉 **0.1** [eigenhandig geschreven] *autograph, autograhic(al)* **0.2** [bij het autograferen gebruikt] *autographic(al)* ♦ **1.1** een ~e brief *an autograph letter* **2.2** ~e inkt *autographic ink.*

autogram 〈het〉 **0.1** *autograph.*

autohandel 〈de (m.)〉 **0.1** 〈zaak〉 *car dealer's;* 〈bedrijfstak〉 *car trade.*

autohandelaar 〈de (m.)〉 **0.1** *car dealer.*

autoimmuniteit 〈de (v.)〉〈med.〉 **0.1** *autoimmunity.*

autoimmuun 〈bn.〉〈med.〉 **0.1** *autoimmune.*

auto-industrie 〈de (v.)〉 **0.1** *car industry* ⇒〈ook〉 *auto-industry,* 〈BE ook〉 *motor industry.*

auto-infectie 〈de (v.)〉〈med.〉 **0.1** *autoinfection.*

auto-instructeur 〈de (m.)〉 **0.1** *driving instructor.*

auto-intoxicatie 〈de (v.)〉 **0.1** *autointoxication.*

autokaart 〈de〉 **0.1** *road map* ⇒〈BE ook〉 *motoring map, motoring road atlas* 〈in boekvorm〉.

autokatalyse 〈de (v.)〉 **0.1** *autocatalysis* ⇒ ↓*self-catalysis.*

autokerkhof 〈het〉 **0.1** *junkyard, (used / old) car dump, scrapheap / yard.*

autokeuring 〈de (v.)〉 **0.1** 〈GB〉 *M.O.T.-test;* 〈USA〉 *(state) motor vehicle inspection* ♦ **2.1** verplichte / periodieke ~ *compulsory / periodical M.O.T.-test, yearly (motor vehicle) inspection.*

autologisch 〈bn.〉 **0.1** *homologous.*

autoloos 〈bn.〉 **0.1** *carless* ⇒〈autovrij〉 *car-free* ♦ **1.1** autoloze zondagen *car-free Sundays.*

autolyse 〈de (v.)〉 **0.1** *autolysis.*

automaat 〈de (m.)〉 **0.1** [machine] *automaton* ⇒*automatic, robot* **0.2** [toestel werkend op een munt] *slot machine* ⇒*dispenser, vending machine, vender* 〈vnl. voedsel〉, *ticket(-issuing / -dispensing) machine*

⟨kaarten⟩ **0.3** [auto] *automatic* **0.4** [persoon] *automaton, robot* ⇒ ⟨inf.⟩ *zombie* ◆ **6.2** munten **in** een ~ gooien *feed coins into a s. m..*

automaattanding ⟨de (v.)⟩ **0.1** ⟨*type of perforation in postage stamps dispensed by vending machines*⟩.

automatenhal ⟨de (m.)⟩ **0.1** ≠*amusement arcade.*

automatie ⟨de (v.)⟩ **0.1** *automatism.*

automatiek ⟨het, de (v.)⟩ **0.1** *automat.*

automatisch ⟨bn., bw.;-(al)ly⟩ **0.1** [zelfwerkend] *automatic* **0.2** [mbv. een automaat] *automatic* ⇒ ⟨met computer⟩ *computerized, self-regulating* **0.3** [zonder nadenken] *automatic* ⇒*mechanical* **0.4** [vanzelf tot stand komend] *automatic* ⇒*spontaneous* ◆ **1.1** machtiging voor ~e afschrijving *standing order;* een ~e piloot *an a. pilot/autopilot;* een ~e wasmachine *an a. washing-machine* **1.2** ~ telefoonverkeer *a. telephone communications, direct dialling;* een ~ wapen *an a. (firearm)* **1.3** ~e handelingen *a./mechanical gestures, automatisms;* ~ schrift *a. writing* **1.4** een ~e bevordering *an a. promotion;* de ~e werking van het prijsmechanisme *the automatism of the price mechanism;* de ~e werking v.h. prijsmechanisme *the automatism of the price mechanism* **3.1** ~ sluitende deuren *self-closing doors;* ~ sparen *save as you earn* **3.2** de temperatuur wordt hier ~ geregeld *we have a. temperature control/a self-regulating temperature device* **3.3** iets ~ doen *do sth. automatically/mechanically.*

automatiseren ⟨onov., ov.ww.⟩ **0.1** [automatisch maken] *automatize* ⇒ *automate,* ⟨met computers⟩ *computerize* **0.2** [mbt. een bedrijf] *automate* ⇒*computerize* ◆ **1.1** een administratie ~ *computerize a bookkeeping/accounting department;* geautomatiseerd telefoonverkeer *computerized/automated telephone communications.*

automatisering ⟨de (v.)⟩ **0.1** [het automatisch maken] *automation* ⇒*computerization* **0.2** [invoering van automatisch werkende machines] *automation* ⇒*computerization* **0.3** [automatiseringssector] *automation* ◆ **6.1** de steeds verder gaande ~ **in** de industrie *the ever-increasing a./computerization in industry* **6.3** zij werkt **in** de ~ *she has a job/is in a..*

automatiseringsdeskundige ⟨de (m.)⟩ **0.1** *automation expert.*

automatiseringsproject ⟨het⟩ **0.1** *automation/computerization project/programme* ^A*gram.*

automatiseringssector ⟨de (m.)⟩ **0.1** *automation sector.*

automatisme ⟨het⟩ **0.1** [het automatisch zijn] *automatism* **0.2** [onwillekeurige handeling] *automatism.*

automedicatie ⟨de (v.)⟩ ⟨med.⟩ **0.1** *self-medication.*

automerk ⟨het⟩ **0.1** *make of car.*

automobiel ⟨de (m.)⟩ ⟨schr.⟩ **0.1** *motorcar* ⇒ ⟨vnl. AE⟩ *automobile.*

automobilisme ⟨het⟩ **0.1** [automobielsport] *motoring* **0.2** [gebruik van automobielen] *motoring.*

automobilist ⟨de (m.)⟩, -e ⟨de (v.)⟩ **0.1** *motorist.*

automonteur ⟨de (m.)⟩ **0.1** *car mechanic* ⇒*motor mechanic.*

automotor ⟨de (m.)⟩ **0.1** *car engine.*

automutilatie ⟨de (med.)⟩ **0.1** *self-mutilation.*

autonomie ⟨de (v.)⟩ **0.1** [⟨volkenrecht⟩] *autonomy* ⇒*self-government, self-determination* **0.2** [⟨staatsrecht⟩] *autonomy* ⇒*self-government* **0.3** [⟨fil.⟩] *autonomy* ⇒*independence.*

autonomist ⟨de (m.)⟩ **0.1** *autonomist* ⇒*separatist.*

autonoom ⟨bn., bw.;-(al)ly⟩ **0.1** [zelfstandig] *autonomous* **0.2** [⟨jur.⟩] *autonomous* ⇒*self-governing* **0.3** [⟨biol.⟩] *autonomic* ◆ **1.1** ⟨ec.⟩ autonome investering *a. investment;* de film als autonome kunst *film-making as an a. art, the film as an a. form of act/art form;* ⟨fil.⟩ autonome wil *a. will* **1.2** de Britse dominions zijn ~/autonomen staten *the British dominions are a., the British dominions are self-governing/a. states* **1.3** het autonome zenuwstelsel *the a. nervous system.*

autonummer ⟨het⟩ **0.1** *car number.*

auto-onderdeel ⟨het⟩ **0.1** *car component;* ⟨reserve-onderdelen en accessoires; mv.⟩ *car parts.*

auto-ongeluk ⟨het⟩ **0.1** *car crash* ⇒⟨road⟩ *accident* ◆ **6.1** bij het ~ zijn drie mensen ernstig gewond geraakt *there were three serious casualties in the c. c..*

autopapieren ⟨zn.mv.⟩ **0.1** *car papers* ⇒*car documents.*

autopark ⟨het⟩ **0.1** *fleet of cars* ⇒*fleet of vans, fleet of taxis/*^A*cabs.*

autopech ⟨de (m.)⟩ **0.1** *breakdown.*

autoped ⟨de (m.)⟩ **0.1** *scooter.*

autopetten ⟨ww.⟩ **0.1** *riding a scooter.*

autoplastiek ⟨de (v.)⟩ ⟨med.⟩ **0.1** *autoplasty.*

autopletter ⟨de (m.)⟩ **0.1** *baler.*

autoportier ⟨het⟩ **0.1** *car door.*

autopsie ⟨de (v.)⟩ **0.1** *autopsy* ⇒*post-mortem (examination)* ◆ **3.1** (een) ~ verrichten (op) *perform (a)n a./post-mortem (upon).*

autorace ⟨de (m.)⟩ **0.1** *motor race* ⇒*car race.*

autoradio ⟨de (m.)⟩ **0.1** *car radio.*

autoradiografie ⟨de (v.)⟩ **0.1** *autoradiography.*

autorenbaan ⟨de⟩ **0.1** *racing circuit* ⇒*racetrack, speedway.*

autorijden ⟨onov.ww.⟩ **0.1** ⟨chaufferen⟩ *drive (a car);* ⟨tochtje maken⟩ *motor* ◆ **7.1** het ~ *driving, the driving of a car; motoring.*

autorijschool ⟨de⟩ **0.1** *driving school.*

autorisatie ⟨de (v.)⟩ **0.1** *authorization, sanction* ⇒⟨verleende bevoegd-

heid⟩ *authority* ◆ **1.1** de gemeente heeft de ~ v.d. regering nodig om een legaat te aanvaarden *the municipal corporation needs the government's s./authorization to accept a legacy;* de ~ v.d. regering verkrijgen om *obtain the government's s./an authority from the government to, be authorized by the government to.*

autoriseren ⟨ov.ww.⟩ **0.1** [vergunning verlenen] *authorize (to)* ⇒*empower (to)* **0.2** [geldigheid geven] *authorize, sanction.*

autorit ⟨de (m.)⟩ **0.1** *drive* ⇒*trip by car* ◆ **3.1** een ~ (je) maken *go for a d..*

autoritair ⟨bn., bw.⟩ **0.1** [eigenmachtig] *authoritarian* ⇒*authoritative* **0.2** [van een/de autoriteit] *authoritative* **0.3** [⟨pol.⟩] *authoritarian* ◆ **1.1** een ~ iem. *an authoritarian, a(n) a./highhanded person;* zijn ~e manier van doen *his authoritarian/highhanded manner* **1.3** ~ systeem, ~e visie/praktijken *authoritarianism* **3.1** ~ optreden *behave in an authoritarion/authoritative/a highhanded manner* **3.3** ~ geregeerde landen *countries with a. governments/regimes.*

autoriteit ⟨de (v.)⟩ **0.1** [erkend gezag] *authority* **0.2** [overheidslichaam/-persoon] *authority* **0.3** [persoonlijk overwicht] *authority* **0.4** [iem. van erkend gezag] *authority* ◆ **1.3** de ~ van een schrijver *a writer's a.* **2.1** de vaderlijke ~ *paternal a.* **2.2** zich tot de bevoegde ~ wenden *apply to the competent a.;* civiele en militaire ~en *civil and military authorities;* hoge ~ *high a.;* de plaatselijke ~ *the local government* **6.3** met ~ spreken/optreden *speak/act authoritatively/with a.* **6.4** een ~ **op** het gebied van *... an a. on/in the field of ....*

autoruit ⟨de (v.)⟩ **0.1** *car window* ⇒ ⟨voorruit⟩ *windscreen.*

autosalon ⟨de (m.)⟩ **0.1** *motor show.*

autoshop ⟨de (m.)⟩ **0.1** *car-parts shop.*

autoslaaptrein ⟨de (m.)⟩ **0.1** *car train.*

autosleutel ⟨de (m.)⟩ **0.1** *car key.*

autosloperij ⟨de (v.)⟩ **0.1** *breaker's yard* ⇒⟨vnl. AE⟩ *wrecker's yard.*

autosnelweg ⟨de (m.)⟩ **0.1** ^B*motorway,* ^A*highway* ⇒⟨AE ook⟩ *expressway, freeway, interstate (highway).*

autospiegel ⟨de (m.)⟩ **0.1** *car mirror.*

autosport ⟨de⟩ **0.1** *motor sport* ⇒*motor/car racing.*

autospuiterij ⟨de (v.)⟩ **0.1** *car respraying (shop/business).*

autostroper ⟨de (m.)⟩ **0.1** *car poacher* ⇒*motorized poacher.*

autosuggestie ⟨de (v.)⟩ ◆ **¶.1** zelfvertrouwen kun je verkrijgen door/is een kwestie van ~ ⟨ook⟩ *self-confidence is all in the mind.*

autotechniek ⟨de (v.)⟩ **0.1** *car engineering.*

autotherapie ⟨de (v.)⟩ **0.1** ⟨zelfmedicatie enz.⟩ *autotherapy;* ⟨spontane genezing⟩ *spontaneous recovery/healing.*

autotomie ⟨de (v.)⟩ **0.1** *autotomy* ⇒*self-mutilation.*

autotrein ⟨de (m.)⟩ **0.1** *car train.*

autotroof ⟨bn.⟩ **0.1** *autotrophic* ◆ **1.1** ~ organisme ⟨ook⟩ *autotroph, autophyte.*

autotunnel ⟨de (m.)⟩ **0.1** *road tunnel.*

autotype ⟨de (v.)⟩ ⟨druk.⟩ **0.1** [afdruk] ⟨*print made by the artist himself*⟩ **0.2** [cliché] *autotype block* **0.3** [machine] *autotype press.*

autotypie ⟨de (v.)⟩ ⟨druk.⟩ **0.1** [procédé] *autotype* **0.2** [cliché] *autotype block* **0.3** [afdruk] *autotype.*

autovaccin ⟨het⟩ **0.1** *autogenous vaccine.*

autoverhuur ⟨de (m.)⟩ **0.1** [bedrijf] *car hire* **0.2** [handeling] *car hiring.*

autoverhuurder ⟨de (m.)⟩ **0.1** [persoon] *car hirer* **0.2** [bedrijf] *car hire/rental firm/company.*

autoverkeer ⟨het⟩ **0.1** *motor traffic.*

autovrij ⟨bn.⟩ **0.1** *pedestrian* ⟨zone⟩; *carless* ⟨zondag⟩.

autoweg ⟨de (m.)⟩ **0.1** ^B*motorway,* ^A*highway.*

autowrak ⟨het⟩ **0.1** *wreck.*

a.v. ⟨afk.⟩ ⟨Lat.⟩ **0.1** [ad vocem] ⟨*see/with the word*⟩.

aval ⟨het⟩ **0.1** *guarantee (for a bill)* ◆ **3.1** ~ geven, voor ~ tekenen *guarantee a bill.*

avaleren ⟨onov.ww.⟩ **0.1** *guarantee a bill.*

avance ⟨de⟩ **0.1** [toenadering] *advance* ⇒*approach* **0.2** [koersstijging] *advance* ⇒*rise in price* ◆ **3.1** ~s doen, ~s maken (bij) *make overtures/approaches (to);* ⟨seksueel ook⟩ *make advances (to),* ⟨inf.⟩ *give (s.o.) the come-on* ⟨vrouw tov. man⟩, ⟨inf.⟩ *make a pass (at)* ⟨man tov. vrouw⟩.

avanceren
I ⟨onov.ww.⟩ **0.1** [voorwaarts gaan] *advance* ⇒*make progress* **0.2** [bevorderd worden] *be advanced* **0.3** [opschieten] *advance* ⇒*progress* ◆ **1.3** dat werk avanceert niet veel ⟨*the*⟩ *work is not getting on very well* **6.1** de troepen ~ **naar** de grenzen *the troops are advancing towards the borders;*
II ⟨ov.ww.⟩ ⟨hand.⟩ **0.1** [op voorschot geven] *advance.*

avant-garde ⟨de⟩ **0.1** *avant-garde.*

avantgardist ⟨de (m.)⟩ **0.1** *avant-gardist.*

avant-la-lettre ⟨de (v.)⟩ **0.1** *ahead of one's time.*

avant-scène ⟨de⟩ **0.1** [voorgrond v.h. toneel] *proscenium* **0.2** [loge] *stage/proscenium box.*

ave ⟨het⟩ ⟨r.k.⟩ **0.1** *ave* ⇒*Ave Maria, Hail Mary.*

avegaar ⟨de (m.)⟩ **0.1** *auger.*

Ave-Maria ⟨het⟩ ⟨r.k.⟩ **0.1** *Ave Maria* ⇒*Hail Mary.*

avenue ⟨de⟩ **0.1** *avenue.*
averecht ⟨handwerken⟩
  I ⟨bn.⟩ **0.1** [andersom ingestoken] *purl* ◆ **1.1** de ~ kant *the p. side;* ~e steken *p. stitches;*
  II ⟨bw.⟩ **0.1** [met de draad voor de steken] *purl* ◆ **3.1** ~ breien *purl;* één recht, één ~ breien *knit one, purl one.*
averechts
  I ⟨bw.⟩ **0.1** [achterstevoren] *back-to-front* ⇒*inside out, upside down* **0.2** [onoordeelkundig] *(all) wrong* ⇒*ill, contrarily* **0.3** [anders dan gehoopt/bedoeld] *(all) wrong* ⇒*ill, contrarily* ◆ **3.1** ~ op een stoel zitten *sit front to back on a chair* **3.3** het valt ~ uit *it goes all wrong;* mijn stilzwijgen werd door haar ~ opgenomen *my silence was taken ill by her, she got my silence wrong/misinterpreted my silence;*
  II ⟨bn.⟩ **0.1** [misplaatst] *misplaced* ⇒*wrong* **0.2** [onjuist] *unsound* ⇒*contrary, wrong* **0.3** [omgekeerd] *wrong* ⇒*reverse* ◆ **1.1** een ~ medelijden *m. pity;* een ~e uitwerking hebben *have a contrary effect/just the wrong effect, be counterproductive* **1.3** de ~e kant *the back, the reverse (side).*
averij ⟨de (v.)⟩ **0.1** [⟨scheep.⟩] *damage* ⇒⟨verz.⟩ *average* **0.2** [mbt. een voorwerp/kledingstuk] *damage* ◆ **2.1** ⟨verz.⟩ bijzondere/particuliere/kleine ~*particular average;* ⟨verz.⟩ gemene ~ *general average* **3.1** zware ~ oplopen *sustain/incur heavy d.* **6.1** ~ **aan** de machines aan boord *(a) breakdown in the engines on board* **6.2** we hebben heel wat ~ gehad **aan** de auto *we had a lot of trouble with the car.*
averijclausule ⟨de (v.)⟩ **0.1** *average clause.*
averij-grosse ⟨de (v.)⟩ **0.1** *general average.*
averijregeling ⟨de (v.)⟩ **0.1** [het regelen] *average adjustment* **0.2** [document] *average statement.*
avers ⟨de (m.)⟩ **0.1** *obverse.*
aversie ⟨de (v.)⟩ **0.1** *aversion* ◆ **6.1** ~ **tegen** iem./iets hebben *have an a. from/for s.o./sth., find s.o./sth. repugnant;* ~ krijgen **tegen** *take an a. to.*
aversief ⟨bn., bw.; -ly⟩ **0.1** *repugnant* ⇒*offensive.*
averuit ⟨de (v.)⟩ **0.1** *southernwood* ⇒*boy's love.*
aveu ⟨de (m.)⟩ ⟨jur.⟩ **0.1** *confession* ⇒*admission.*
aviair ⟨bn.⟩ **0.1** *avian* ◆ **1.1** ~e infectie *a. infection;* ~e tuberculose *a. tuberculosis.*
aviarium ⟨het⟩ **0.1** *aviary.*
aviateur ⟨de (m.)⟩, **-trice** ⟨de (v.)⟩ **0.1** *aviator* ⟨m., v.⟩ ⇒⟨v. ook⟩ *aviatrix, aviatress.*
aviatiek ⟨de (v.)⟩ **0.1** *aviation.*
avicultuur ⟨de (v.)⟩ **0.1** *aviculture* ⇒*bird-breeding.*
aviditeit ⟨de (v.)⟩ **0.1** [gretigheid] *avidity (for)* **0.2** [⟨schei.⟩] *avidity.*
avifauna ⟨de⟩ **0.1** *avifauna.*
aviobrug ⟨de⟩ **0.1** *approach/boarding ramp.*
avirulent ⟨bn.⟩ **0.1** *nonvirulent* ⇒*avirulent.*
a vista ⟨bw.⟩ **0.1** *on sight.*
avitaminose ⟨de (v.)⟩ **0.1** *avitaminosis.*
aviveren ⟨ov.ww.⟩ **0.1** *brighten (up)* ⇒*revive.*
AVO ⟨het⟩ **0.1** [algemeen vormend onderwijs] ⟨*General Education*⟩.
avocado¹
  I ⟨de⟩ **0.1** [vrucht] *avocado (pear)* ⇒*alligator pear;*
  II ⟨de (m.)⟩ **0.1** [boom] *avocado (pear)* ⇒*alligator pear.*
avocado² ⟨bn.⟩ **0.1** *avocado green.*
avocadopeer ⟨de⟩ **0.1** *avocado pear.*
avoirdupoidsstelsel ⟨het⟩ **0.1** *avoirdupois weight.*
avond ⟨de (m.)⟩ ⟨→sprw. 28,104, 105⟩ **0.1** [deel v.d. dag] *evening* ⇒*night,* ⟨voor zonsondergang⟩ *eve* **0.2** [partij, bijeenkomst ⟨ook in samenst.⟩] *evening* ⇒*night* ◆ **1.1** in de loop v.d. ~ *during the e.;* hij kwam met het vallen v.d. ~ *came home at nightfall* **2.1** de hele ~ *all e., the whole e.;* op de late ~ *late in the e.;* een mooie ~ *a splendid e.;* het is zijn vrije ~ *it is his night off* **2.2** een bonte ~ ≠*a variety show;* muzikale ~jes *musical evenings* **3.1** een ~je t.v.-kijken/lezen *(spend) the e. watching TV/reading;* de ~ valt *night is falling;* hij wijdt zijn ~en aan de studie *he spends his evenings studying;* het wordt ~ *(the) e. is approaching* **3.2** een dansavond *a dance;* een (gezellig) ~je geven *give a social e.* **4.1** alle ~en, iedere ~ *night after night, every e./night, nightly* **5.1** een ~je uit *a night/an e. out* **6.1** ~ **aan** ~ *nightly, night after night;* **bij** ~ *in/during the e., at night;* ⟨fig.⟩ **in** de ~ van zijn leven *in the autumn of his life;* **met** de ~ *at dusk/e./nightfall;* het liep **tegen** de ~ *night/(the) e. was drawing near;* **tegen** de ~ *towards dark/the e.;* de ~ **voor** de grote wedstrijd/**voor** Pasen *the eve of the big match/of Easter* **6.2** mensen **op** een ~je vragen *invite/ask people for an e.* **¶.1** de ~te voren, 's ~ste voren *(on) the previous e.;* 's ~s at night, in/during the e.;* van 's ochtends tot 's ~s *from dawn to dusk;* hij moet 's ~s altijd werken *he always works nights;* Jane werkt door de week 's ~s *Jane works on weeknights/^works weeknights;* 's ~s komt ze graag eens langs *she likes to drop in of an e..*
avondappel ⟨het⟩ ⟨mil.⟩ **0.1** *evening parade, evening roll-call.*
avondblad ⟨het⟩ **0.1** *evening paper.*
avondcursus ⟨de (m.)⟩ ⟨school.⟩ **0.1** *evening classes.*
avonddienst ⟨de (m.)⟩ **0.1** [godsdienstoefening] *evening service* ⇒*evensong,* ⟨Angl. ook⟩ *Evening Prayer,* ⟨r.k. ook⟩ *Vespers* **0.2** [werk]

⟨ind., alg.⟩ *evening shift;* ⟨in ziekenhuizen enz.⟩ *evening duty* ◆ **3.2** tweemaal per week heb ik ~ *twice a week I'm on the evening shift/on evening duty.*
avondeten ⟨het⟩ **0.1** *evening meal* ⇒*dinner, supper* ◆ **3.1** het ~ klaarmaken *get/prepare the e. m., get/prepare dinner/supper* **6.1** zonder ~ naar bed gaan *go to bed without a meal/supperless.*
avondfeest ⟨het⟩ →**avondpartij.**
avondgebed ⟨het⟩ **0.1** [gebed voor het slapen] *evening prayer* ⇒*bed-time prayer* **0.2** [avonddienst] *evening service* ⇒*evensong,* ⟨Angl. ook⟩ *Evening Prayer,* ⟨r.k. ook⟩ *Vespers.*
avondhemel ⟨de (m.)⟩ **0.1** *evening sky.*
avondhoofd ⟨het⟩ **0.1** *person in charge of the night shift.*
avondjapon ⟨de (m.)⟩ **0.1** *evening gown/dress.*
avondjurk ⟨de⟩ ⟨inf.⟩ **0.1** *evening gown/dress.*
avondkleding ⟨de (v.)⟩ **0.1** *evening dress* ⇒*evening wear.*
avondklok ⟨de⟩ ⟨mil.⟩ **0.1** *curfew* ◆ **3.1** een ~ instellen *impose a c.;* de ~ opheffen *lift/end the c..*
avondkrant ⟨de⟩ →**avondblad.**
avondland ⟨het⟩ ⟨schr.⟩ **0.1** *Occident.*
avondles ⟨de⟩ **0.1** *evening classes* ⟨mv.⟩.
avondmaal ⟨het⟩ **0.1** [avondeten] *dinner, supper* **0.2** [⟨prot.⟩] *(Holy) Communion* ⇒*the Lord's Supper* ◆ **2.1** het laatste ~ *the Last Supper* **2.2** het heilig ~ des Heren *the Lord's Supper* **3.2** het Avondmaal ᴮ*communicate,* ᴬ*commune, take Holy Communion;* iem. tot het Avondmaal toelaten *communicate s.o.;* het ~ vieren *celebrate (Holy) Communion* **8.1** brood en kaas als ~ hebben/gebruiken *have bread and cheese for supper.*
Avondmaalsbeker ⟨de (m.)⟩ ⟨prot.⟩ **0.1** *Communion cup* ⇒*chalice.*
avondmens ⟨de (m.)⟩ **0.1** *night person* ⇒⟨inf.⟩ *night owl.*
avondnevel ⟨de (m.)⟩ **0.1** *evening mist.*
avondonderwijs ⟨het⟩ **0.1** *evening education.*
avondpartij ⟨de (v.)⟩ **0.1** *evening party.*
avondpermissie ⟨de (v.)⟩ ⟨mil.⟩ **0.1** *late pass.*
avondprogramma ⟨het⟩ **0.1** *evening programme* ᴬ*gram.*
avondrood ⟨het⟩ ⟨→sprw. 29⟩ **0.1** [rode gloed aan de hemel] *sunset (glow)* ⇒*evening glow, sunset sky* **0.2** [vlinder] *elephant hawk-moth* ◆ **¶.1** ~, morgen mooi weer *red (sky) at night, shepherd's delight.*
avondschemering ⟨de (v.)⟩ **0.1** *(evening) twilight.*
avondschool ⟨de⟩ **0.1** [school die 's avonds wordt gehouden] *night-school* ⇒*evening classes* ⟨mv.⟩ **0.2** [gebouw] *night-school* ◆ **6.1** op een ~ zitten *go to n.-s./evening classes;* op een ~ Engels leren *do English at evening classes.*
avondsluiting ⟨de (v.)⟩ **0.1** [winkelsluiting] *evening closing* **0.2** [avondwijding] ≠*epilogue.*
avondspitsuur ⟨het⟩ **0.1** *evening rush-hour.*
avondster ⟨de⟩ **0.1** *evening star.*
avondstond ⟨de (m.)⟩ **0.1** *evening (hour).*
avondtoilet ⟨het⟩ **0.1** *evening dress* ◆ **3.1** ~ aantrekken (voor het eten) *dress (for dinner)* **6.1** dames en heren **in** ~ *ladies and gentlemen in e. d..*
avondduur ⟨het⟩ **0.1** ⟨zie **6.1**⟩ ◆ **6.1** in de avonduren *in/during the evening.*
avondvierdaagse ⟨de (m.)⟩ **0.1** *evening four-day marathon.*
avondvleermuis ⟨de⟩ **0.1** *frosted bat.*
avondvlinder ⟨de (m.)⟩ **0.1** *(evening-flying) moth.*
avondvoorstelling ⟨de (v.)⟩ **0.1** *evening performance.*
avondvullend ⟨bn.⟩ **0.1** *lasting the whole evening* ◆ **1.1** een ~ programma *a full evening's entertainment, a programme lasting the whole evening.*
avondwedstrijd ⟨de (m.)⟩ ⟨sport⟩ **0.1** *evening match.*
avondwijding ⟨de (v.)⟩ **0.1** ≠*epilogue.*
avondwinkel ⟨de (m.)⟩ **0.1** *late-night shop,* ᴬ*store.*
avondzon ⟨de⟩ **0.1** *evening sun.*
avonturen ⟨ov.ww.⟩ **0.1** *risk* ⇒*hazard, venture* ◆ **5.1** ik zal het er maar op ~ *I'll (take a) risk (on) it.*
avonturenfilm ⟨de (m.)⟩ **0.1** *adventure film.*
avonturenroman ⟨de (m.)⟩ **0.1** [roman met veel avonturen] *adventure story* **0.2** [genre] *picaresque novel.*
avonturier ⟨de (m.)⟩, **-ster** ⟨de (v.)⟩ **0.1** [iem. die op avontuur uitgaat] *adventurer* ⟨m.; v.⟩ **0.2** [gelukzoeker] *adventurer* ⟨m.⟩, *adventuress* ⟨v.⟩.
avontuur ⟨het⟩ **0.1** [iets ongewoons] *adventure* **0.2** [riskante onderneming] *venture* **0.3** [geluk/kans] *luck* ⇒*chance* ◆ **1.3** het rad van ~ *wheel of fortune* **2.1** galante avonturen *amorous adventures;* een vreemd ~ hebben/beleven *have a strange a.* **3.1** het ~ (op)zoeken *go looking for/go in search of a.;* avonturen verhalen/vertellen *tell stories of a.* **3.2** niet van avonturen houden *not like risky undertakings/ventures* **3.3** ik zal mijn ~ ook eens beproeven *I might as well try my l.;* op ~ (uit)gaan *set off on adventures* **6.3** **bij** ~ *by chance.*
avontuurlijk ⟨bn., bw.; -ly beh. o.⟩ **0.1** [op avonturen belust] *adventurous* **0.2** [avonturen opleverend] *full of adventure* ⇒*exciting* **0.3** [gewaagd] *risky* ⇒*hazardous* ◆ **1.2** een ~e geschiedenis *a story full of adventure, an exciting story* **1.3** een ~e onderneming *a risky/hazardous undertaking.*

avontuurtje 〈het〉 **0.1** *affair* ◆ **3.1** een ~ hebben met ... *have an a. with* ...; zij zette hem zijn ~s betaald *she paid him back his infidelities.*

AVP 〈de (v.)〉〈afk.〉 **0.1** [aansprakelijkheidsverzekering voor particulieren] 〈*third-party insurance*〉.

a.w. 〈afk.〉 **0.1** [aangehaald werk] *op. cit..*

a-wapens 〈zn.mv.〉 **0.1** *atomic weapons.*

axel 〈de (m.)〉 **0.1** *axel* ◆ **2.1** dubbele ~ *double a..*

axiaal 〈bn., bw.; -ly〉 **0.1** [de as volgend] *axial* **0.2** [behorende tot de as] *axial, axile* **0.3** [gekenmerkt door een beweging om de as] *axial.*

axillair 〈bw.〉〈biol.〉 **0.1** *axillary, axillar.*

axiologie 〈de (v.)〉 **0.1** *axiology.*

axioma 〈het〉 **0.1** [grondregel] *axiom* **0.2** [onbetwistbare waarheid] *axiom* ◆ **8.1** iets als een ~ aannemen *take/accept sth. as axiomatic.*

axiomatiek 〈de (v.)〉 **0.1** *axiomatics.*

axiomatisch 〈bn., bw.; -(al))ly〉 **0.1** *axiomatic(al).*

axiometer 〈de (m.)〉〈scheep.〉 **0.1** *telltale.*

axolotl 〈de (m.)〉 **0.1** *axolotl.*

axon 〈het〉〈med.〉 **0.1** *axon.*

ayatollah 〈de (m.)〉〈rel.〉 **0.1** *ayatollah* ◆ **1.1** ~ Khomeiny *the a. Khomeiny.*

azalea 〈de〉 **0.1** *azalea.*

azen
I 〈onov.ww.〉 **0.1** [mbt. personen] *have one's eye (on)* **0.2** [mbt. dieren] *prey (on)* ◆ **6.1** zij ~ **op** oma's mooie spulletjes/een fooitje *the have their eye on Grandma's nice things/a tip* **6.2** de sperwer aast **op** allerlei klein wild *the sparrow-hawk preys on all sorts of small game;*
II 〈ov.ww.〉 **0.1** [aas geven] *feed* ⇒ *bait* **0.2** [van aas voorzien] *bait.*

Aziatisch 〈bn.〉 **0.1** *Asian, Asiatic.*

a-ziekte 〈de (v.)〉 **0.1** *notifiable disease.*

azijn 〈de (m.)〉〈→sprw. 608〉 **0.1** *vinegar* ◆ **8.1** zo zuur als ~ (kijken) *be sour-faced.*

azijnaaltje 〈het〉 **0.1** *vinegar eel* ⇒ *vinegar worm.*

azijnachtig 〈bn.〉 **0.1** *vinegary* ⇒ *vinegarish.*

azijnpisser 〈de (m.)〉〈inf.〉 **0.1** *sourpuss, crab-apple.*

azijnstel[1] 〈het〉 ◆ **1.¶** olie- en azijnstel *cruet stand.*

azijnzuur[1] 〈het〉 **0.1** *acetic acid.*

azijnzuur[2] 〈bn.〉 ◆ **1.¶** azijnzure gisting *acetic fermentation;* azijnzure zouten *acetates.*

azimut 〈het〉 **0.1** [〈ster.; scheep.)] *azimuth* **0.2** [〈landmeetk.)] *azimuth.*

azoïsch 〈bn.〉〈geol.〉 **0.1** *azoic* ◆ **1.1** de ~e periode *the a. period.*

azoöspermie 〈de (v.)〉〈med.〉 **0.1** *azoospermia.*

azotisch 〈bn.〉 **0.1** *azotic.*

azotometer 〈de (v.)〉 **0.1** *azotometer.*

azotum 〈het〉〈schei.〉 **0.1** *azote.*

azoturie 〈de (v.)〉 **0.1** *azoturia.*

azoverbinding 〈de (v.)〉 **0.1** *azoxy-combination.*

Azteeks 〈bn.〉 **0.1** *Aztec.*

Azteken 〈zn.mv.〉 **0.1** *Aztecs.*

azuki 〈de〉 **0.1** *adzuki/adsuki bean.*

azuren 〈bn.〉 **0.1** *azure.*

azuur 〈het〉 **0.1** [verf, kleurstof] *azure* **0.2** [kleur] *azure* **0.3** [lucht] *azure.*

azuurkwarts 〈het〉 **0.1** *sapphire quartz.*

azuursteen 〈het, de (m.)〉 **0.1** *lapis lazuli, azure stone.*

b[1] 〈afk.〉 **0.1** [breedte] *w., b..*

b[2] 〈de〉〈→sprw. 1〉 **0.1** [letter, klank] *b* **0.2** [namen/woorden beginnend met b] 〈*the letter*〉 *B* **0.3** [het als tweede genoemde] *b* **0.4** [〈wisk.)] *b* **0.5** [〈muz.〉 toon] *B* **0.6** [〈muz.〉 molteken] *flat* ⇒ b **0.7** [〈school.)] ≠*sciences.*
B 0.1 [〈op auto's〉 België] *B* **0.2** [borium] *B* **0.3** [Romeins cijfer] *CCC.*

ba[1]
I 〈het〉 **0.1** [het geluid/zeggen van 'ba'] *boo* ◆ **1.1** 〈fig.〉 bij het minste ~ of boe *at the slightest squeak/peep;* 〈fig.〉 zonder boe of ~ te zeggen *without so much as a word;* hij zegt boe noch ~ *he wouldn't say b. to a goose;*
II 〈de (m.)〉〈kind.〉 **0.1** [ontlasting, urine] *business* ⇒ *job(s)* ◆ **2.1** een grote ~ doen *do big b. / a big job/big jobs/number two;* een kleine ~ doen *do little b. / a little job/little jobs/number one* **3.1** ~ doen 〈ook〉 *do/make a poo.*

ba[2] 〈bn.; alleen pred.〉〈kind.〉 **0.1** *poo, pooh* ◆ **3.1** niet aankomen, dat is ~! *don't touch it, it's poo/mucky/yucky!.*

ba[3] 〈tw.〉 **0.1** *ugh!;* 〈luchtje〉 *poo!, phew!;* 〈vnl. AE〉 *yuck!.*

baadje 〈het〉 **0.1** *jacket* ◆ **6.¶** iem. op zijn ~ geven *dust s.o.'s j. (for him), give s.o. a good hiding;* op zijn ~ krijgen *get one's j. dusted (for one), get a good hiding.*

baai
I 〈de〉 **0.1** [inham] *bay* ⇒ 〈klein〉 *cove, inlet,* 〈diep en wijd〉 *sound;*
II 〈het, de (m.)〉 **0.1** [weefsel] *baize;*
III 〈de (m.)〉 **0.1** [tabak] *Maryland.*

baaien 〈bn.〉 **0.1** *baize.*

baaierd 〈de (m.)〉 **0.1** [de chaos] *chaos* **0.2** [warboel] *chaos* ⇒ 〈a〉 *muddle, (a) mess.*

baakafstand 〈de (m.)〉〈landmeetk.〉 **0.1** *distance between staffs/*[A]*rods.*

baakzetten 〈ww.〉〈scheep.〉 **0.1** *placing/setting markers/beacons.*

baal 〈de〉 **0.1** [zak met handelswaar] *bag, sack* ⇒ 〈geperst〉 *bale* **0.2** [hoeveelheid koopwaar] *bag* ⇒ 〈geperst〉 *bale* **0.3** [papiermaat] *ten reams* ◆ **1.1** een ~ katoen/tabak *a bale of cotton/tabacco;* een ~ rijst *a bag/sack of rice* **1.2** een ~ noten *a bag of nuts* **3.¶** balen hebben van iets *have had (more than) enough of sth., be fed up with/sick (to death) of sth.* **6.1** in balen verpakken *bale;* tot balen persen *bale, compress.*

Baäl 〈de (m.)〉 **0.1** [zonnegod] *Baal* **0.2** [afgod] *Baal, baal.*

baaldag 〈de (m.)〉 **0.1** [dag waarop men baalt van iets] *off-day* **0.2** [extra verlofdag] ≠*day off.*

baalkatoen 〈het〉〈AZN〉 **0.1** *coarse cotton* ⇒ ≠*crash.*

baan 〈de〉 **0.1** [betrekking] *job* **0.2** [aangelegde weg] *path* 〈ook fig.〉;

⟨rijstrook⟩ *lane* **0.3** [strook op sneeuw/ijs] *path* **0.4** [⟨sport⟩]⟨ren-/wielerbaan⟩ *track;* ⟨tennis⟩ *court;* ⟨ijs⟩ *rink;* ⟨wedstrijdschaatsen⟩ *speed skating track;* ⟨ski⟩ *run, piste;* ⟨golf⟩ *course;* ⟨afgebakend deel⟩ *lane* **0.5** [route v.e. voortbewegend lichaam] *path* ⇒⟨schr.⟩ *trajectory,* ⟨ruim. ook⟩ *orbit* **0.6** [strook stof/behang] *length, width* ⇒*strip,* ⟨vlag⟩ *bar* **0.7** [⟨luchtv.⟩] *runway* ⇒⟨klein⟩ *landing-strip* **0.8** [⟨tech.⟩] *path* ◆ **2.1** gemakkelijk/goedbetaald~(tje) *soft j.;* ⟨inf.⟩ *cushy number;* een halve~ hebben *have a half-time j., be on half-time;* vaste~ *steady j.;* een vaste~ hebben *have a permanent/steady/nine-to-five j.* / ⟨inf.⟩ *a nine-to-fiver;* een vet~tje *a cosy/fat j.* **2.2** ⟨fig.⟩ iets in goede banen leiden *steer sth. in the right direction, put sth. on the right road/lines;* ⟨fig.⟩ iets op de lange~ schuiven *shelve sth., postpone sth. indefinitely, put sth. on a back burner;* ruim~ geven *give a clear field (for);* ruim/vrij~ maken ⟨ook fig.⟩ *make way / clear a p.* / *clear the way/stand aside (for)* **2.3** een gladde~ *a smooth p.* **2.4** wedstrijden op de lange/korte~ *long-/short-distance races;* een snelle/trage~ *a fast/slow court/rink* ⟨enz.⟩ **3.1** iem. aan een goede~ helpen *find/get s.o. a good j.;* een~(tje) hebben *be out of a j.* / *jobless;* zijn~ opgeven *give up/* ⟨inf.⟩ *chuck in one's j.;* een~ zoeken *look for a j., be job-hunting* **3.2** ~ breken ⟨fig.⟩ *break new ground, be a pioneer, blaze a trail, forge ahead;* nieuwe banen openen voor … *open up new paths/avenues for …* **3.3** een~tje trekken *do a lap (on the track), skate a lap;* een~ vegen *sweep a p. clear, clear a p.* **3.4** een~tje trekken/zwemmen *do/swim a lap* / *a few laps* **3.5** een~ om de aarde beschrijven/maken *orbit the earth* **6.1** een~ **bij** de overheid *a government j.* **6.2** ⟨fig.⟩ iemands gedachten/het gesprek **in** een bepaalde~ / **in** nieuwe banen leiden *lead/send/direct s.o.'s thoughts/the conversation in a particular/another direction;* ⟨fig.⟩ dat is van de~ *that's off;* ⟨fig.⟩ ik wilde het **van** de~ hebben *I wanted (to get) it over (and done) with;* ⟨fig.⟩ Plannen Nieuw Zwembad **van** de Baan *New pool plans dropped, New pool sunk* **6.4 op** de~ komen *appear* **6.5 in** een~ naar de aarde *on an earthward course;* **in** een~ om de aarde komen/brengen *enter/send into earth orbit/orbit around the earth;* **uit** zijn~ gaan/halen *go/bring out of orbit* **6.6** de vloerbedekking werd **in** drie banen van elk twee meter gelegd *the flooring was laid in three two-metre widths/strips* **7.4** starten in~ drie *start in lane three.*

baanbed ⟨het⟩ **0.1** [⟨wwb.⟩] *roadbed* **0.2** [⟨spoorw.⟩] *roadbed* ⇒*permanent way* **0.3** [⟨tech.⟩] *slide bed.*

baanbrekend ⟨bn.⟩ **0.1** *pioneering* ⇒*epoch-making, trail-blazing* ◆ **1.1** ~e onderzoekingen *p. research;* ~werk verrichten *do p. work, break new ground.*

baanbreker ⟨de (m.)⟩ **0.1** *pioneer* ⇒*trailblazer.*

baancommissaris ⟨de (m.)⟩ **0.1** *marshal, track official;* ⟨paarden- en motorraces⟩ *clerk of the course.*

baanfiets ⟨de⟩ ⟨sport⟩ **0.1** *track bike.*

baanherstel ⟨het⟩ **0.1** *creation of new job opportunities.*

baanhoek ⟨de (m.)⟩ ⟨luchtv.⟩ **0.1** *flight path angle.*

baanloos ⟨bn.⟩ **0.1** *jobless* ⇒*out of work, unemployed.*

baanopzichter ⟨de (m.)⟩ **0.1** *track supervisor/walker.*

baanrace ⟨de (m.)⟩ ⟨sport⟩ **0.1** *track race.*

baanrecord ⟨het⟩ ⟨sport⟩ **0.1** *track record.*

baanrenner ⟨de (m.)⟩ ⟨sport⟩ **0.1** *track racer.*

baanruimer ⟨de (m.)⟩ **0.1** [toestel] (→**baanschuiver**) **0.2** [persoon] ⟨→**baanveger**⟩.

baanschouwer ⟨de (m.)⟩ ⟨spoorw.⟩ **0.1** *track inspector.*

baanschuiver ⟨de (m.)⟩ **0.1** *cowcatcher* ⇒⟨guard, ⟨tram ook⟩ *tray.*

baansport ⟨de⟩ **0.1** *track racing/events* ⇒⟨AE ook⟩ *track.*

baantjerijden ⟨ww.⟩ **0.1** *skating up and down.*

baantjesjager ⟨de (m.)⟩ ⟨inf.⟩ **0.1** *place-hunter.*

baanvak ⟨het⟩ ⟨spoorw.⟩ **0.1** *section (of track/of a/the line).*

baanveger ⟨de (m.)⟩ **0.1** [mbt. de ijsbaan] *rink/track sweeper* **0.2** [mbt. de trambaan] *track sweeper.*

baanwachter ⟨de (m.)⟩ ⟨spoorw.⟩ **0.1** [toezichthouder] *platelayer,* [A]*trackman;* ⟨bij spoorwegovergang⟩ *gatekeeper, level-/*[A]*grade-crossing keeper.*

baanwedstrijd ⟨de (m.)⟩ **0.1** *track race.*

baar[1]

 I ⟨de⟩ **0.1** [staaf edelmetaal] *ingot* ⇒*bar* **0.2** [draagtoestel] ⟨draagbaar⟩ *litter, stretcher;* ⟨lijkbaar⟩ *bier* **0.3** [golf] *billow* **0.4** [zandbak voor een riviermonding] *(sand) bar* ⇒*sand bank, shoal* **0.5** [⟨herald.⟩] *bend sinister* ◆ **1.1** een~ goud *a gold bar/i.* **2.3** de woeste baren *the wild billows;*

 II ⟨de (m.)⟩ **0.1** [matroos] *rookie* **0.2** [nieuweling aan Mil. Academie] *rookie.*

baar[2] ⟨bn.⟩ **0.1** [zonder vermomming] *himself/itself* ⟨enz.⟩ ⇒⟨schr.⟩ *incarnate* ⟨na zn.⟩ **0.2** [duidelijk] *utter* ⇒*rank* ◆ **1.1** dat was de bare duivel in eigen persoon *he was the devil himself/the very devil/the devil incarnate* **1.2** een bare leugen *an u.* / *bare-faced lie* **1.¶** ~ geld *(hard) cash, ready money/cash;* de bare zee *the high seas.*

baard ⟨de (m.)⟩ **0.1** [haar op de kin] *beard* ⇒⟨van vis⟩ *barb(el),* ⟨van kat⟩ *whiskers* **0.3** [⟨plantk.⟩] *beard* ⇒*awns, aristae* **0.4** [mbt. een sleutel] *bit* **0.5** [oneffenheid] *burr* ⇒*fin* **0.6** [scherpe

---

kant v.e. bijl] *edge* **0.7** [mbt. walvissen] *plates of baleen* ◆ **1.1** ⟨fig.⟩ om 's keizers~ spelen *play for love* **2.1** een lange/volle/grijze~ *a long/full/grey b.;* het was iem. met een rode~ *he had a red b.* / *was red-bearded;* een woeste~ *a straggly/tangled/matted b.* **3.1** ⟨fig.⟩ hij krijgt de~ in de keel *his voice is breaking;* zijn~ laten staan *grow a b.;* ⟨AZN⟩ een~je zetten *rub s.o.('s cheeks) with one's b.* **6.1** ⟨scherts.⟩ een mop **met** een~ *a joke with whiskers (on), an old chestnut, a hoary old joke;* **met** een~ van drie dagen/een week *with a three-day(-old)/week-old b., with three days'/a week's growth of b. (on his/one's face).*

baardaap ⟨de (m.)⟩ **0.1** [dier] *wanderoo* **0.2** [persoon] *beardie* ⇒⟨BE ook⟩ *fungus-face, bearded wonder.*

baarddracht ⟨de⟩ **0.1** [het dragen v.e. baard] *wearing (of) a beard* **0.2** [wijze waarop een baard gedragen wordt] *way of wearing a beard.*

baardeloos ⟨bn.⟩ **0.1** [zonder baard] *beardless* **0.2** [onmondig] *beardless* ⇒*downy-faced* ◆ **1.2** baardeloze knapen *b.* / *callow youths.*

baardgier ⟨de (m.)⟩ **0.1** *lammergeyer* ⇒*bearded vulture.*

baardgras ⟨het⟩ **0.1** *beard grass.*

baardgroei ⟨de (m.)⟩ **0.1** *(a) growth of beard* ◆ **3.1** ~ hebben/krijgen *have* / *develop a growth of beard.*

baardhaar

 I ⟨het, de⟩ **0.1** [haar uit een baard] *bristle* ⇒*beard hair;*

 II ⟨het⟩ **0.1** [haar v.d. baard] *beard hair.*

baardig ⟨bn.⟩ **0.1** *bearded.*

baardman ⟨de (m.)⟩ **0.1** *bearded man* ⇒⟨inf.⟩ *beardie.*

baardmannetje ⟨het⟩ ⟨dierk.⟩ **0.1** *bearded tit(mouse)* ⇒*reedling, reed pheasant.*

baardmees ⟨de⟩ →**baardmannetje** 0.1.

baardmos ⟨het⟩ **0.1** *beard lichen/moss.*

baardrager ⟨de (m.)⟩ **0.1** *(pall)bearer.*

baardschimmel ⟨de (m.)⟩ **0.1** *tinea barbea* ⇒*ringworm of beard area.*

baardschurft ⟨het, de⟩ **0.1** *scabies.*

baardvin ⟨de (m.)⟩ **0.1** *sycosis* ⇒⟨inf.⟩ *barber's itch.*

baardwalvis ⟨de (m.)⟩ **0.1** *whalebone/baleen whale.*

baarhaven ⟨de⟩ **0.1** *bar harbour/port.*

baarkleed ⟨het⟩ **0.1** *pall.*

baarlijk ⟨bn.⟩ **0.1** [zich onbedekt vertonend] *himself/itself* ⟨enz.⟩ ⇒⟨schr.⟩ *incarnate* ⟨na zn.⟩ **0.2** [duidelijk] *utter* ⇒*rank* ◆ **1.1** de~e duivel zijn *be the devil incarnate, out-herod Herod* **1.2** ~e onzin *u. nonsense.*

baarmoeder ⟨de⟩ **0.1** *womb* ⇒⟨med.⟩ *uterus* ◆ **6.1** bevruchting **buiten** de~ *in vitro fertilization;* **in** de~ ⟨bn.⟩ *intrauterine;* ⟨bw.⟩ *in the womb/uterus;* ⟨schr.⟩ *in utero.*

baarmoederhals ⟨de (m.)⟩ **0.1** *cervix* ⇒*neck of the womb.*

baarmoederhalskanker ⟨de (m.)⟩ **0.1** *cervical cancer* ⇒*cancer of the cervix.*

baarmoederkanker ⟨de (m.)⟩ **0.1** *uterine cancer* ⇒*cancer of the womb.*

baarmoederkoek ⟨de (m.)⟩ **0.1** *placenta.*

baarmoederlijk ⟨bn.⟩ **0.1** *uterine.*

baarmoedermond ⟨de (m.)⟩ **0.1** *cervix.*

baarmoederontsteking ⟨de (v.)⟩ **0.1** *uteritis.*

baarmoederring ⟨de (m.)⟩ **0.1** *pessary.*

baarmoederslijmvlies ⟨het⟩ **0.1** *endometrium* ◆ **1.1** ontsteking v.h.~ *endometritis.*

baarmoederverzakking ⟨de (v.)⟩ **0.1** *prolapse/prolapsus of the womb/uterus.*

baars ⟨de (m.)⟩ **0.1** *perch* ⇒*bass* ◆ **2.1** zwarte~ *black bass* **3.1** ⟨als stofn.⟩ van~ houden *like p.* **3.¶** de~ vergallen *cook the/our* ⟨enz.⟩ *goose,* [B]*throw a spanner in the works.*

baarsachtigen ⟨zn.mv.⟩ **0.1** *Percidae.*

baarstoel ⟨de (m.)⟩ **0.1** *birthing chair.*

baarzen ⟨onov.ww.⟩ **0.1** *angle for perch/bass.*

baas ⟨de (m.)⟩ ⟨sprw. 30,357⟩ **0.1** [chef, leider] *boss* ⇒⟨werkkring ook⟩ [↑]*employer, manager,* ⟨inf.⟩ *the old man,* ⟨fig.⟩ *master* **0.2** [eigenaar v.e. zaak] *boss* ⇒*owner,* [↑]*proprietor* **0.3** [mbt. een huisdier] *owner* ⇒⟨van hond ook⟩ *master* (m.), *mistress* (v.) **0.4** [man, jongen] *fellow* ⇒*bloke,* [B]*chap, guy* **0.5** [iem., zeer bedreven in iets] *ace* ⇒ *whizz,* ⟨BE ook⟩ *dab hand* **0.6** [kanjer] *whopper* **0.7** [heer des huizes] *man/owner/master of the house* ◆ **1.2** een geleuter in de~ zijn tijd *no dawdling during the b.'s time* **2.1** eigen~ zijn *be one's own master/b., be a free agent;* de grote~ *the big b.* **2.4** een vriendelijke oude~ *a friendly old c.;* ik ben de~ in huis *I'm in charge, what I say goes, I run things my way;* iem. de~ blijven *keep the upper hand/the whip-hand over s.o., keep s.o. under control, manage s.o., cope with s.o.;* hij kon het personeel niet de~ *he couldn't handle/manage/control the staff;* men kon de brand niet meer de~ *the fire got out of control/out of hand/became unmanageable;* iem./ iets gemakkelijk de~ kunnen *easily get the better of s.o./sth.;* ⟨persoon ook⟩ *tie s.o. into knots, run rings around s.o.;* iem./ de situatie/ moeilijkheden de~ kunnen/ zijn *cope with/ deal with/ handle/ manage s.o./ the situation/ the problems;* de~ spelen ⟨fig.⟩ *play/act the b. (with s.o.), boss s.o. (around);* haar gevoelens werden/ waren haar de~ *her feelings overcame her/ were too strong for her, she could not control her feel-*

ings; een probleem de ~ worden ⟨ook⟩ *crack/lick a problem;* zijn zenuwen/twijfels de ~ worden *get the better of/conquer one's nerves/doubts;* (ergens) de ~ zijn *be the b. (somewhere)/the master (of sth.);* iem. (in iets) de ~ zijn *be the master of s.o./outstrip s.o./be more than a match for s.o. (in/at sth.);* de situatie de ~ zijn *be in control of the situation, have the situation in hand;* zijn gevoelens de ~ zijn *master/be master of one's feelings;* zij zijn daar vrijwel de ~/ helemaal de ~ *they're pretty much/completely in charge there, they have things pretty much/completely their own way/as they want them there;* de Japanners zijn ons verreweg de ~ op het gebied v.d. elektronica *the Japanese are far and away the leaders in electronics* 6.1 er is altijd ~ **boven** ~ *there's always s.o. bigger/better* ⟨enz.⟩ / *a bigger fish;* zijn vrouw is de ~ **in** huis *his wife wears the trousers/^pants, his wife's the b.;* hij is de ~ **over** het geld *he's in charge of the money, he holds the purse strings;* hij is de ~ **van** het spul *he runs the show (around here), he rules the roost* 6.3 kom **bij** de ~! *here, boy/girl!* ¶.1 ~ in eigen huis *women's/(a) woman's/the right to choose (abortion)* ¶.7 is de ~ thuis? *is your old man/the boss in?.*
baasachtig ⟨bn., bw.⟩ **0.1** *bossy.*
baasje ⟨het⟩ **0.1** *little boss;* ⟨jongen⟩ *little man/fellow* ⇒⟨vnl. BE ook⟩ *laddie, sonny(-boy), youngster, young 'un,* ⟨echtgenoot⟩ *hubby* ◆ **2.1** een dik ~ *a fat little/little fat guy/* ⟨vnl. BE⟩ *chap* **2.**¶ het zo druk hebben als een klein ~ *be as busy as a (little) bee, be running around in circles.*
baat ⟨de⟩ ⟨→sprw. 368⟩ **0.1** [nut, voordeel] *benefit* ⇒*profit, advantage,* ⟨→bate⟩ **0.2** [geldelijk voordeel] *profit(s)* ⇒*benefit,* ⟨→bate⟩ **0.3** [lichamelijke vooruitgang] *benefit* ⇒⟨verlichting⟩ *relief* ◆ **1.1** de baten en lasten (van iets) *the pros and cons (of sth.)* **1.2** de baten en lasten (v.e. bedrijf) *the assets and liabilities (of a firm)* **3.1, 3.3** ergens weinig ~ bij vinden *get little (b.) out of/draw little b. from sth.* **3.2** baten afwerpen *show a profit, be/prove profitable* **3.3** ~ vinden bij *benefit from/find (some) b. in, obtain relief from;* daar zul je veel ~ bij vinden/hebben *that'll do you a/the world/power of good* **6.1** de gelegenheid/het middel **te** ~ nemen *take/seize the/avail o.s. of the opportunity, avail o.s. of the means;* niet **te** ~ nemen *pass up/over;* ⟨ongewild⟩ *let slip.*
baattrekking ⟨de (v.)⟩ ⟨jur.⟩ **0.1** *enrichment (at the expense of another)* ◆ **6.1** actie **uit** ~ *action for unjust enrichment.*
baatzucht ⟨de⟩ **0.1** *self-interest* ⇒*self-seeking, selfishness, egocentricity.*
baatzuchtig
I ⟨bn.⟩ **0.1** [uit hebzucht handelend] *self-interested* ⇒*self-seeking, selfish, egocentric* **0.2** [uit hebzucht voortkomend] *self-interested* ⇒*self-seeking, selfish* ◆ **1.2** ~e liefde *cupboard love;* een ~ plan *a s.-i./self-seeking/selfish plan;*
II ⟨bw.⟩ **0.1** [als een hebzuchtig iem.] *self-interestedly* ⇒*self-seekingly, selfishly.*
baba ⟨de⟩ ⟨cul.⟩ **0.1** *baba.*
babbel ⟨de (m.)⟩ **0.1** [mond] *trap* **0.2** [verhaal] *chat* ⇒⟨inf.⟩ *tongue-way,* ⟨vnl. BE ook⟩ *natter* **0.3** [persoon] *chatterbox* ⇒*chatterer, prattler* ◆ **2.2** een gezellige ~ *a cosy c., a good natter;* hij heeft een vlotte ~ *the words flow off his tongue, he's a smooth/good talker* **3.1** houd je ~! *cut the chat/cackle!, hold your tongue!,* ˟*shut your t.!* **3.2** ~s hebben *be a great talker, have a big mouth, be big-mouthed.*
babbelaar ⟨de (m.)⟩ **0.1** [persoon] *chatterbox* ⇒*chatterer, prattler* **0.2** [snoepje] ≠*bull's eye* ◆ **2.1** die man is een gezellige ~ *that man loves a good chat, he's a great one for a chat.*
babbelaarster ⟨de (v.)⟩ →**babbelaar 0.1.**
babbelachtig ⟨bn.⟩ **0.1** *talkative* ⇒⟨inf.⟩ *chatty, gabby,* ⟨schr.⟩ *garrulous.*
babbelen ⟨onov.ww.⟩ **0.1** [veel praten] *chatter* ⇒*prattle* **0.2** [gezellig praten] *chat* ⇒⟨vnl. BE ook⟩ *natter,* ↓ *chew the fat* **0.3** [roddelen] *gossip* **0.4** [uit de school klappen] *blab* ⇒*tell tales, (tittle-)tattle.*
babbelkous ⟨de⟩ →**babbelaar 0.1.**
babbelpraatje ⟨het⟩ **0.1** *(piece of) gossip* ⇒(juicy) *titbit.*
babbeltje ⟨het⟩ **0.1** [praatje] *chat* **0.2** [briefje, stukje] *note* ◆ **3.1** een ~ maken met de nieuwe buurman *have a c. with the new neighbour.*
babbelziek ⟨bn.⟩ **0.1** *talkative* ⇒⟨inf.⟩ *chatty, gabby,* ⟨schr.⟩ *garrulous, loquacious* ◆ **3.1** ~ zijn *have a loose tongue/a big mouth,* ⟨BE ook⟩ *talk nineteen to the dozen, be able to talk the hind leg off a donkey;* ⟨AE ook⟩ *talk o.s. sick, talk the pants off/from s.o..*
babbelzucht ⟨de⟩ **0.1** *talkativeness* ⇒⟨inf.⟩ *chattiness, gabbiness,* ⟨schr.⟩ *garrulousness.*
Babel ⟨het⟩ **0.1** *Babel* ◆ **1.1** ⟨fig.⟩ een toren van ~ bouwen *produce/create a white elephant;* de toren van ~ *the tower of B..*
babi ⟨de⟩ **0.1** *pork* ◆ ¶.1 ~ panggang *roast p..*
baboe ⟨de (v.)⟩ **0.1** ≠*ayah,* ≠*amah.*
baby ⟨de (m.)⟩ **0.1** *baby* ⇒⟨schr.⟩ *infant,* ⟨inf.;scherts.⟩ *tiny* ◆ **2.1** een blauwe ~ *a blue b.* **3.1** een te vroeg geboren ~ *a premature b.;* jij was toen nog een ~ *you were still just/only a b. (then)* **6.1** een ~ **van** vier maanden *a four-month-old b..*
babybadje ⟨het⟩ **0.1** *baby bath/* ⟨AE vnl.⟩ *bathtub.*
babybedje ⟨het⟩ **0.1** *(baby's) cot/crib.*
babyblauw ⟨bn.⟩ **0.1** *baby blue.*

babybox ⟨de (m.)⟩ **0.1** *(play)pen.*
babybus ⟨de⟩ **0.1** *mobile baby clinic.*
babydoll ⟨de (m.)⟩ **0.1** *baby-doll nightdress/^nightgown* ⇒⟨inf.⟩ *baby-doll nightie/pyjamas.*
babydraagzak ⟨de (m.)⟩ **0.1** *(baby) sling* ⇒*Easy Rider* ⟨handelsmerk⟩.
babyfoon ⟨de (m.)⟩ **0.1** *baby alarm* ⇒*baby intercom.*
babykleertjes ⟨zn.mv.⟩ ⟨inf.⟩ **0.1** *baby clothes.*
babylance ⟨de⟩ **0.1** *baby ambulance.*
Babylonisch ⟨bn.⟩ **0.1** *Babylonian* ◆ **1.1** de ~e gevangenschap *B. captivity, the Captivity, the Exile;* van na de ~e gevangenschap *postexilic;* een ~e spraakverwarring *a (tower of) Babel, Babel-like confusion (of tongues).*
babysit ⟨de (m.)⟩ **0.1** *(baby) sitter.*
babysitten ⟨ww.⟩ **0.1** *(baby-)sit.*
babysitter ⟨de (m.)⟩ **0.1** [persoon] *(baby) sitter* ⇒*baby minder* **0.2** [kinderzitje] *baby seat* ⇒*child's (car) seat.*
babyuitzet ⟨de (m.)⟩ **0.1** *layette.*
babyvoeding ⟨de (v.)⟩ **0.1** *baby food* ⇒⟨fig.⟩ *pap.*
baccalaureaat ⟨het⟩ **0.1** [algemene opleiding] *first degree course* **0.2** [graad] *baccalaureate* ⇒*Bachelor's (degree)* **0.3** [op de praktijk gerichte opleiding] ≠*practical degree course* ⇒≠^Bsandwich course.
baccalaureus ⟨de (m.)⟩ **0.1** *Bachelor* ◆ **6.1** ~ **in** de letteren/exacte wetenschappen *B. of Arts/Science; B.A., B.Sc..*
baccarat ⟨het⟩ **0.1** [kaartspel] *baccarat* **0.2** [kristal] *Baccarat glass.*
bacchanaal ⟨het⟩ **0.1** *Bacchanal* ⇒*Bacchanalia* ⟨mv.⟩, *carousal.*
bacchant ⟨de (m.)⟩, **-e** ⟨de (v.)⟩ **0.1** [priester] *Bacchanal* ⇒*Bacchant* ⟨m.⟩, *Bacchante, maenad* ⟨v.⟩ **0.2** [iem. die zich aan dronkenschap/ wellust overgeeft] *Bacchanal* ⇒*Bacchant* ⟨m.⟩, *Bacchante* ⟨v.⟩.
bacchantisch ⟨bn., bw.⟩ **0.1** *bacchanalian* ⇒*bacchic, dionysian.*
Bacchus ⟨de (m.)⟩ **0.1** *Bacchus* ◆ **3.1** aan ~ offeren ⟨fig.⟩ *worship (at the shrine of) B..*
bacchuslied ⟨het⟩ **0.1** *Bacchanalian song.*
bacil ⟨de (m.)⟩ **0.1** [staafvormige bacterie] *bacillus* **0.2** [bacterie] *bacillus* ⇒*bacterium, microbe,* ⟨inf.⟩ *germ, bug.*
bacillair ⟨bn.⟩ **0.1** *bacillary.*
bacillendrager ⟨de (m.)⟩, **-draagster** ⟨de (v.)⟩ **0.1** *carrier (of bacilli)* ⇒⟨inf.⟩ *germ-carrier,* ⟨schr.⟩ *vector.*
backen
I ⟨onov.ww.⟩ ⟨balspel⟩ **0.1** [als back spelen] *play back;*
II ⟨ov.ww.⟩ **0.1** [steunen] *back (up)* **0.2** ⟨muz.⟩] *back (up)* ◆ **1.1** iem. ~ *back s.o. (up).*
back-hand ⟨de⟩ ⟨sport⟩ **0.1** *backhand(er)* ⇒*backhand stroke.*
backing ⟨de (m.)⟩ **0.1** [steun] *backing* ⇒*back-up* **0.2** [⟨muz.⟩] *backing* ⇒*back-up.*
baco ⟨de (m.)⟩ →**bahco.**
bacove ⟨de⟩ **0.1** *cooking banana.*
bactericide[1] ⟨het⟩ **0.1** *bactericide.*
bactericide[2] ⟨bn.⟩ **0.1** *bactericidal.*
bacterie ⟨de (v.)⟩ **0.1** *bacterium* ⇒*microbe.*
bacteriecultuur ⟨de⟩ **0.1** *bacterial culture.*
bacteriedodend ⟨bn.⟩ **0.1** *bactericidal* ◆ **1.1** ~ middel *bactericide.*
bacteriedrager ⟨de (m.)⟩, **-draagster** ⟨de (v.)⟩ **0.1** *carrier (of bacteria)* ⇒⟨inf.⟩ *germ-carrier,* ⟨schr.⟩ *vector.*
bacterieel ⟨bn.⟩ **0.1** [door bacterien veroorzaakt] *bacterial* **0.2** [bacteriën betreffende] *bacterial* ◆ **1.1** bacteriële infecties *b. infections* **1.2** ~ onderzoek *b. research.*
bacteriekweek ⟨de (m.)⟩ ⟨med.⟩ **0.1** [middel] *bacterial culture* ⇒⟨dmv. diepgestoken naald⟩ *stab culture* **0.2** [handeling] *bacterial culture* ◆ **3.2** een ~ doen *do a b. c..*
bacterievrij ⟨bn.⟩ **0.1** *free from/of bacteria.*
bacteriocide →**bactericide.**
bacteriofaag ⟨de (m.)⟩ **0.1** *(bacterio)phage* ⇒*bacterial virus.*
bacteriologie ⟨de (v.)⟩ **0.1** *bacteriology.*
bacteriologisch ⟨bn.⟩ **0.1** *bacteriological* ⇒*bacterial, microbial, microbic* ◆ **1.1** een ~ onderzoek *bacteriological/bacterial research;* ~e oorlogvoering *bacteriological/bacterial/biological/microbial/* ⟨inf.⟩ *germ warfare.*
bacterioloog ⟨de (m.)⟩, **-loge** ⟨de (v.)⟩ **0.1** *bacteriologist.*
bacteriolyse ⟨de (v.)⟩ **0.1** *bacteriolysis.*
bacteriostatisch ⟨bn.⟩ ⟨med.⟩ **0.1** *bacteriostatic* ◆ **1.1** ~e antibiotica *b. antibiotics.*
bad ⟨het⟩ **0.1** [badkuip] *bath;* ⟨AE vnl.⟩ *bathtub* **0.2** [water] *bath* **0.3** [⟨schei., tech.⟩ ⟨ook in samenst.⟩] *bath* **0.4** [zwembad] *pool* ⇒⟨BE ook⟩ *bath(s)* **0.5** [geneeskrachtige bron] *spa* ⇒*health-resort, baths* ◆ **1.3** zinkbad *zinc b.* **2.2** iem. een ~oud ~ geven ⟨illusies ontnemen⟩ *burst s.o.'s balloon (for him/her), bring s.o. (back) down to earth;* ⟨kalmeren⟩ *cool s.o. down* **2.5** geneeskrachtig ~ ⟨ook⟩ *medicated bath* **3.1** het ~ laten vollopen *fill the b.;* een ~ vullen *fill/run a b.* **3.2** de planten een ~ je geven *soak/saturate/drench the plants;* een ~ nemen *have/* ⟨AE vnl.⟩ *take a b., bath,* ^bathe **6.1** de baby/kinderen **in** ~ stoppen/doen *bath* ^*bathe the baby/children;* kamer **met** ~ *room with b..*
badartikelen ⟨zn.mv.⟩ **0.1** ⟨voor badkamer⟩ *toilet/bathroom things/* ↑*requisites;* ⟨voor zwemmen⟩ *bathing things/* ↑*requisites.*

badborstel ⟨de (m.)⟩ **0.1** *bath brush.*
badbroek ⟨de⟩ **0.1** *swim(ming) trunks* ⇒*bathing trunks.*
badcel ⟨de⟩ **0.1** *bath/shower cubicle/cabinet.*
badderen ⟨onov.ww.⟩ ⟨inf.,kind.⟩ **0.1** [B]*have bathies,* [A]*take a bathy, go splishy splashy.*
badding ⟨de (m.)⟩ **0.1** *batten.*
baddoek ⟨de (m.)⟩ **0.1** *bath towel.*
baden
I ⟨onov.ww.⟩ **0.1** [een bad nemen]⟨in kuip⟩ *bath,* [A]*bathe* ⇒*take a bath/a tub,* ⟨in zee⟩ *(go for a) swim, bathe,* ⟨inf.⟩ *take a dip, go for a plunge* **0.2** [mbt. lichaamsvocht] *bathe (in)* ⇒*be bathed (in)* **0.3** [geheel gehuld zijn in] *be bathed/steeped (in)* **0.4** [een overvloed bezitten van] *roll (in)* ⇒*wallow/swim (in)* ◆ **6.2** ~ in zijn bloed *(be) bathe(d) in one's (own) blood;* ~ in het zweet *be bathed in sweat, swelter;* ~d in het zweet werd hij wakker *he woke up in a pool of sweat/bathing/bathed in sweat* **6.3** het paleis baadde in het licht v.d. schijnwerpers *the palace was bathed in the light from the floodlights* **6.4** ~ in weelde ⟨ook⟩ *live in the lap of luxury;*
II ⟨ov.ww.⟩ **0.1** [een bad geven] *bath,* [A]*bathe* ◆ **1.1** een kind ~ *bath/a child* **4.1** zich ~ in de rivier *bathe(e) in the river;*
III ⟨wk.ww.;zich ~⟩ **0.1** [zich koesteren] *roll (in)* ⇒*wallow/swim (in).*
bader ⟨de (m.)⟩ **0.1** *bather* ⇒*swimmer.*
badessence ⟨de⟩ **0.1** *bath essence.*
badextract ⟨het⟩ **0.1** *bath extract.*
badgast ⟨de (m.)⟩ **0.1** *seaside visitor.*
badge ⟨het,de (m.)⟩ **0.1** [speldje met naamkaartje] *(name-)badge/tag* **0.2** [speldje met tekst/afbeelding] *badge,* [A]*button* **0.3** [⟨mil.⟩] *badge* ⇒*insignia.*
badhanddoek ⟨de (m.)⟩ **0.1** *bath towel.*
badhokje ⟨het⟩ **0.1** *bathing cubicle.*
badhuis ⟨het⟩ **0.1** *bathhouse* ⟨ook sauna⟩ ⇒*(public) baths,* [↑]*bathing establishment.*
badinage ⟨de (v.)⟩ **0.1** *badinage* ⇒*banter, chaff.*
badineren ⟨onov.ww.⟩ **0.1** *banter* ⇒*chaff* ◆ **1.1** op ~ de toon *in a bantering/facetious/teasing tone (of voice).*
badinrichting ⟨de (v.)⟩ **0.1** *bathing establishment* ⇒*bathhouse, (public) baths* ◆ **1.1** een zwem- en ~ *(public) baths, a b.e..*
badjakker ⟨de (m.)⟩ **0.1** *scamp* ⇒⟨BE ook⟩ *tyke,* ⟨AE ook⟩ *scallywag.*
badjas ⟨de⟩ **0.1** *(bath)robe, bath(ing) wrap* ⇒*wraparound.*
badjuffrouw ⟨de (v.)⟩ **0.1** *(woman/female) bath superintendent/attendant.*
badkamer ⟨de⟩ **0.1** *bathroom.*
badkleding ⟨de (v.)⟩ **0.1** *swimwear* ⇒*bathing wear/gear.*
badkuip ⟨de⟩ **0.1** *bathtub* ⇒⟨BE ook⟩ *bath,* ⟨AE ook⟩ *tub.*
badlaken ⟨het⟩ **0.1** *bath towel/sheet.*
badmantel ⟨de (m.)⟩ **0.1** →*badjas.*
badmat ⟨de⟩ **0.1** *bath mat.*
badmeester ⟨de (m.)⟩ **0.1** *bath superintendent/attendant.*
badmintonner ⟨de (m.)⟩ **0.1** *badminton player.*
badmode ⟨de⟩ **0.1** *(the) fashion in swimwear* ⇒*bathing fashion.*
badmuts ⟨de⟩ **0.1** *bathing/swimming cap* ◆ **3.1** een ~ opzetten *put on/wear a b.c..*
badpak ⟨het⟩ **0.1** *swimming suit, swimsuit* ⇒*bathing suit,* ⟨BE ook⟩ *(swimming/bathing) costume* ◆ **2.1** tweedelig ~ *two-piece (swimming suit), bikini.*
badplaats ⟨de⟩ **0.1** [aan zee] *bathing/seaside resort* **0.2** [met geneeskrachtige bronnen] *spa* ⇒*health resort* ◆ **6.1** naar een ~ gaan *go to the sea(side).*
badschuim ⟨het⟩ **0.1** *bath foam* ⇒*bubble bath.*
badseizoen ⟨het⟩ **0.1** *bathing/swimming season.*
badslip ⟨de (m.)⟩ **0.1** *bathing/swimming briefs.*
badspons ⟨de⟩ **0.1** *bath sponge.*
badstof ⟨de⟩ **0.1** *towelling* [A]*eling* ⇒*terry cloth/towelling.*
badstrand ⟨het⟩ **0.1** *bathing beach.*
badtas ⟨de⟩ **0.1** *beach bag* ⇒*swimming bag.*
badwater ⟨het⟩ **0.1** *bath water* ◆ **6.1** ⟨fig.⟩ het kind met het ~ weggooien *throw away/out the baby with the b. w..*
badzeep ⟨de⟩ **0.1** *bath soap.*
badzout ⟨het⟩ **0.1** *bath salts.*
bagage ⟨de (v.)⟩ **0.1** [reisgoed] *luggage,* ⟨AE vnl.⟩ *baggage* **0.2** [⟨fig.⟩] *baggage* ⇒[beschikbare kennis] *stock-in-trade* ◆ **1.1** vier stuks ~ *four items/pieces of l.* **1.2** iemands culturele ~ *s.o.'s cultural b./ stock-in-trade;* met weinig geestelijke ~ *unballasted, unhampered by intellect, not very well-up on things* **3.1** weinig ~ bij zich hebben *have little l./b., travel light.*
bagageband ⟨de (m.)⟩ **0.1** *baggage claim* ⇒⟨roterend⟩ *carousel.*
bagagedepot ⟨het,de (m.)⟩ **0.1** *left luggage (office),* [A]*baggage room* ⇒⟨BE ook⟩ *parcel(s) office,* ⟨AE ook⟩ *checkroom.*
bagagedrager ⟨de (m.)⟩ **0.1** *(luggage) carrier.*
bagagekluis ⟨de⟩ **0.1** *(luggage/baggage) locker.*
bagagelabel ⟨het⟩ **0.1** [B]*luggage label,* [A]*baggage tag.*
bagagelift ⟨de (m.)⟩ **0.1** *luggage lift.*

bagagemandje ⟨het⟩ **0.1** *basket* ⇒⟨achterop⟩ *rear basket.*
bagagenet ⟨het⟩ **0.1** *luggage rack.*
bagagepunt ⟨het⟩ **0.1** *luggage/baggage space.*
bagagereçu ⟨het⟩ **0.1** [B]*luggage ticket,* [A]*baggage check.*
bagagerek ⟨het⟩ **0.1** [bagagenet] *luggage rack* **0.2** [imperiaal] *roof rack.*
bagagerijtuig ⟨het⟩ →*bagagewagen 0.2.*
bagageruim ⟨het⟩ **0.1** *luggage compartment.*
bagageruimte ⟨de (v.)⟩ **0.1** *boot,* [A]*trunk* ◆ **1.1** een auto met een hoop ~ *a car with lots of luggage space.*
bagagewagen ⟨de (m.)⟩ **0.1** [aanhangwagen] *trailer* **0.2** [wagon] [B]*luggage van,* [A]*baggage car* **0.3** [wagentje op perron/vliegveld] *luggage trolley.*
bagasse ⟨de (m.)⟩ **0.1** *bagasse.*
bagatel ⟨het,de (m.)⟩ **0.1** [kleinigheid] *bagatelle* ⇒*trifle* **0.2** [kleine geldsom] *trifle* ◆ **3.1** dat is me een ~ *it's nothing, that's as easy as pie* **3.2** dat kost maar een ~ *that costs a mere t..*
bagatelle ⟨de (v.)⟩ **0.1** *bagatelle.*
bagatelliseren ⟨ov.ww.⟩ **0.1** *trivialize* ⇒*play down, underplay.*
bagger ⟨de⟩ **0.1** *mud* ⇒*slush,* ⟨opgehaald⟩ *dredgings* ◆ **3.1** ⟨inf.;fig.⟩ (zeven kleuren) ~ schijten *shit a brick.*
baggeraar ⟨de (m.)⟩ **0.1** *dredger.*
baggerbedrijf ⟨het⟩, **-maatschappij** ⟨de (v.)⟩ **0.1** *dredging company/firm/business.*
baggereiland ⟨het⟩ **0.1** *floating dredge.*
baggeremmer ⟨de (m.)⟩ **0.1** *dredging bucket/scoop.*
baggeren
I ⟨onov., ov.ww.⟩ **0.1** [ophalen] *dredge* ⇒*scoop out* **0.2** [transporteren] *dredge;*
II ⟨onov.ww.⟩ ⟨inf.⟩ **0.1** [waden] *wade.*
baggerketting ⟨de⟩ **0.1** *bucket chain.*
baggerlaars ⟨de⟩ **0.1** *wader* ⟨vnl. mv.⟩.
baggermachine ⟨de (v.)⟩ **0.1** *dredge* ⇒*dredger, dredging machine.*
baggermolen ⟨de (m.)⟩ →*baggermachine.*
baggerschuit ⟨de⟩ **0.1** *dredger* ⇒*dredge.*
baggerwerk ⟨het⟩ **0.1** *dredging (work/operations).*
baggerzuiger ⟨de (m.)⟩ **0.1** *suction dredger.*
baghera ⟨de⟩ **0.1** *akela* ⇒*cub-master* ⟨m.⟩/*-mistress* ⟨v.⟩.
baguette ⟨de⟩ **0.1** [stokbrood] *French stick* ⇒*French loaf/bread, baguette* **0.2** [stukje diamant] *baguette.*
bah →*ba.*
Bahamaans ⟨bn.⟩ **0.1** *Bahamian.*
Bahama's ⟨zn.mv.⟩ **0.1** *(the) Bahamas, Bahama Islands.*
bahco ⟨de (m.)⟩ **0.1** *adjustable spanner.*
Bahrein ⟨het⟩ **0.1** *Bahrain, Bahrein.*
baileybrug ⟨de⟩ **0.1** *Bailey bridge.*
bain-marie ⟨het⟩ **0.1** *bain-marie* ⇒⟨toestel ook⟩ *double boiler* ◆ **¶.1** iets au ~ verwarmen/bereiden *heat up/cook sth. in a b.-m..*
baisse ⟨de (v.)⟩ ⟨hand.⟩ **0.1** *fall in the price* ◆ **¶.1** à la ~ speculeren *bear the market, sell short;* speculant à la ~ *bear.*
baissemarkt ⟨de⟩ **0.1** *bear market* ⇒*bearish market.*
baissestemming ⟨de (v.)⟩ **0.1** *bearish tendency/tone* ⟨van beurs⟩; *bearish mood/feeling* ⟨van speculanten⟩.
baissier ⟨de (m.)⟩ **0.1** *bear.*
bajadère[1]
I ⟨de (v.)⟩ **0.1** [persoon] *bayadere* **0.2** [snoer] *string of coral/jet beads;*
II ⟨het⟩ ⟨ind.⟩ **0.1** [stof] *bayadere.*
bajadère[2] ⟨bn.⟩ **0.1** *bayadere.*
bajes ⟨de⟩ ⟨inf.⟩ **0.1** *can* ⇒*cooler, jug* ⟨zonder lidw.⟩, ⟨AE ook⟩ *brig, pen* ◆ **6.1** John zit in de ~ wegens moord *John's in for murder.*
bajesklant ⟨de (m.)⟩ ⟨inf.⟩ **0.1** *jailbird,* [B]*goalbird* ⇒*lag, con.*
bajesmaf ⟨bn.⟩ ⟨inf.⟩ **0.1** *(ex-)con-crazy.*
bajonet ⟨de⟩ **0.1** *bayonet* ◆ **2.1** een aanval met gevelde ~ *a fixed b. charge/attack* **2.2** ⟨inf.⟩ op blote ~ten [↑]*barefoot* **6.1** met de ~ doorsteken/doodsteken *bayonet;* ~ op/af *fix/unfix bayonets.*
bajonetaanval ⟨de (m.)⟩ **0.1** *bayonet charge/attack.*
bajonetfitting ⟨de (m.)⟩ **0.1** *bayonet socket/fitting.*
bajonetschermen ⟨ww.⟩ **0.1** *bayonet practice.*
bajonetsluiting ⟨de (v.)⟩ **0.1** *bayonet catch.*
bajonetstoot ⟨de (m.)⟩ **0.1** *bayonet thrust.*
bak[1] ⟨de (m.)⟩⟨→sprw. 583⟩ **0.1** [voorwerp om iets in te bergen] *(storage) bin;* ⟨reservoir⟩ *cistern, tank;* ⟨ondiep⟩ *tray;* ⟨nat.⟩ *vessel;* ⟨trog⟩ *trough;* ⟨etensbak⟩ *dish, bowl;* ⟨in auto⟩ *boot,* [A]*trunk;* ⟨kattebak⟩ *tray* **0.2** [grap] *rib-tickler* ⇒*joke* **0.3** [gevangenis] *can* ⇒[B]*quod, jug, clink* **0.4** [kop] *cup* **0.5** [kopje koffie] *cup (of coffee)* **0.6** [auto] *big car* **0.7** [⟨tuinb.⟩] *cold-frame* ⇒*garden-frame* **0.8** [radiozendapparatuur] *rig* **0.9** [vaartuig] *barge* **0.10** [baksel] *batch* ⇒*baking* **0.11** [⟨sport⟩] *rowing exerciser/machine* ◆ **2.1** een houten/plastic ~ *a wooden/plastic dish/b./tray;* een ronde/vierkante ~ *a round/square dish/b./tray* **2.2** een goede/schuine ~ *a good/dirty joke* **2.6** een Amerikaanse ~ *an American car* **2.¶** een volle ~ *a full house* **3.2** dat is me ook een ~ *well, I'll be damned; big joke!;* een ~ vertellen *crack a j.* **3.3** de ~ ingaan/indraaien *go down, be put aside/clapped in jail/locked up* **6.1** ⟨fig.⟩ de regen komt bij ~ken uit de lucht *it's raining*

cats and dogs, it's bucketing down; doe even wat water **in** zijn ~ *could you put some water in his dish/bowl?;* een ~ **met** planten *a tray/box of plants;* een ~ **met** groente *a vegetable storage bin;* ~ken **voor** rijst/meel *(storage) bins for rice/flour* **6.3 in** de ~ zitten *do/serve time,* [B]*do porridge* **6.7** sla **uit** de ~ken *c.-f. lettuce* **6.¶ aan** de ~ komen *get a job/turn.*

bak² ⟨bw.⟩ ⟨scheep.⟩ ◆ **3.¶** ~ liggen *have been laid back;* ~ staan *have been taken back.*

bakaal ⟨de (m.)⟩ **0.1** *elver.*

bakbanaan ⟨de⟩ **0.1** *cooking banana.*

bakbeest ⟨het⟩ **0.1** [dier] *colossus* ⇒*hulk, monster* **0.2** [voorwerp] *colossus* ⇒*monster* ◆ **6.1** een ~ van een hond *a monster/hulk of a dog* **6.2** een ~ van een kast *a hulking great thing of a cupboard.*

bakblik ⟨het⟩ **0.1** *baking tin* ⇒*cake tin* ⟨ook voor tulband⟩, ⟨rechthoekig⟩ *loaf tin,* ⟨bakplaat⟩ *baking sheet/tray* ◆ **3.1** het ~ invetten *butter/grease a baking tin.*

bakbokking ⟨de (m.)⟩ **0.1** *bloater.*

bakboord ⟨het⟩ **0.1** *port* ⇒*larboard* ◆ **1.1** roer ~! *put the helm to p.* **6.1** naar ~ draaien *port;* het schip ligt **over** ~ *the ship is listing to p..*

bakboordslicht ⟨het⟩ **0.1** *port light.*

bakcultuur ⟨de (v.)⟩ **0.1** *cold-frame cultivation.*

bakeliet ⟨het⟩ **0.1** *bakelite.*

bakelieten ⟨bn.⟩ **0.1** *bakelite.*

baken ⟨het⟩ ⟨→sprw. 31,32⟩ **0.1** [⟨scheep.⟩] *beacon* **0.2** [⟨verkeer⟩] *beacon* ⇒*radio beacon* ◆ **3.1** ⟨fig.⟩ de ~s verzetten *move with the times, adapt o.s. to the altered circumstances;* ⟨fig.⟩ de ~s zijn verzet *times have changed.*

bakenen ⟨ov.ww.⟩ **0.1** *beacon.*

bakengeld ⟨het⟩ **0.1** *beaconage.*

bakenlijn ⟨de⟩ **0.1** *radio beam* ⇒*beam.*

bakenzender ⟨de (m.)⟩ **0.1** *(radio) beacon.*

baker ⟨de (v.)⟩ **0.1** *(dry) nurse.*

bakeren
I ⟨wk.ww.; zich ~⟩ **0.1** [zich koesteren] *bask* ◆ **6.1** zich ~ **in** de zon *b. in the sun;*
II ⟨onov.ww.⟩ **0.1** [als baker werkzaam zijn] *dry-nurse* **0.2** [in doeken wikkelen] *swaddle* ◆ **3.1** uit ~ gaan *go out dry-nursing.*

bakermat ⟨de⟩ **0.1** [plaats van oorsprong] *cradle* ⇒*origin, home, nursery* **0.2** [geboorteplaats] *birthplace* ◆ **1.1** de ~ v.h. christendom/de filmkunst *the c. of Christianity, the home of the cinema.*

bakerpraatje ⟨het⟩ **0.1** [beuzelpraat] *idle gossip* **0.2** [bijgelovige bewering] *old wives' tale.*

bakerrijmpje ⟨het⟩ **0.1** *nursery rhyme.*

bakersprookje ⟨het⟩ **0.1** *nursery tale/story.*

bakfiets ⟨de⟩ **0.1** [driewieler] *carrier tricycle* **0.2** [fiets] *delivery bicycle* ⇒*carrier cycle.*

bakharing ⟨de (m.)⟩ **0.1** *herring.*

bakhitte ⟨de (v.)⟩ **0.1** *baking temperature.*

bakje ⟨het⟩ **0.1** [kleine bak] *(small) box* ⇒*(small) tray, saucer* **0.2** [kopje] *(little) cup* **0.3** [kopje koffie] *cup (of coffee)* ◆ **1.2** een ~ koffie *a c. of coffee;* een ~ leut [↑]*a c. of coffee* **2.3** een lekker ~ *a nice c. (of coffee);* een slap ~ *slipslop.*

bakkebaard ⟨de (m.)⟩ **0.1** *side-whisker* ⇒⟨inf.⟩ [B]*sideboard,* [A]*sideburn,* ⟨op wang⟩ *mutton-chop, muttonchop whisker* ◆ **6.1** het was iem. **met** (lange) ~en *it was s.o. with sideboards.*

bakkeleien ⟨onov.ww.⟩ ⟨inf.⟩ **0.1** [ruzie maken] *squabble* ⇒*wrangle* **0.2** [vechten] *scuffle* ⇒*tussle, scrap* ◆ **6.1** die jongens zijn altijd **aan** het ~ *those boys are always squabbling.*

bakken ⟨→sprw. 95,405⟩
I ⟨ov.ww.⟩ **0.1** [mbt. deeg/beslag] *bake* **0.2** [mbt. spijzen] *fry* ⇒⟨snel met weinig vet⟩ *sauté,* ⟨op een plaat⟩ *griddle,* ⟨frituren⟩ *deep-fry* **0.3** [mbt. klei] *bake* ◆ **1.1** vers gebakken brood *freshly baked bread;* brood/cake/koekjes ~ *b. bread/a cake, b. biscuits/* [A]*cookies;* zoete broodjes ~ ⟨fig.⟩ *butter s.o. up, play up to s.o., lay it on thick, cat humble pie* **1.2** frites ~ *deep-fry chips;* karbonaadjes ~ *f. chops/cutlets;* een omelet ~ *make an omelet* **1.3** potten/stenen ~ *fire/b. pots/bricks* **1.¶** iem. een poets ~ *play a trick/iem. een hoax s.o.* **2.2** iets lekker bruin ~ *brown sth., fry sth. till golden brown* **2.¶** ze bruin ~ *overdo it, lay it on rather thick;* kun je ze nog bruiner ~ *how idiotic can you get/be?* **4.¶** ⟨inf.⟩ er niets van ~ *make a complete mess of it* **6.2** ~ **in** een koekepan *panfry, f. in a frying pan;*
II ⟨onov.ww.⟩ **0.1** [deegwaar bereiden] *bake* **0.2** [zich vastzetten] *stick* ⇒*burn* **0.3** [zonnebaden] *bake* ⇒*broil* **0.4** [⟨inf.⟩ mbt. school] ⟨vnl. AE⟩ *flunk,* [B↓]*plough* ◆ **3.1** ik heb de hele middag staan ~ *I've been baking all afternoon* **3.3** ik heb de hele middag liggen ~ *I've been baking in the sun all afternoon* **4.1** hij bakt altijd zelf *he always bakes his own* **6.2** het eten is **aan** de pan gebakken *the food has stuck to the pan, the food is burnt on to the pan;* ⟨fig.⟩ dat is mij **aan** het hart gebakken *that is dear to my heart.*

bakkenist ⟨de (m.)⟩ **0.1** [meerijder in de zijspan] *(sidecar) passenger* **0.2** [amateurzender] *(radio) ham.*

bakker ⟨de (m.)⟩ **0.1** [iem. die als beroep bakt] *baker* **0.2** [verkoper] *baker* **0.3** [winkel] *bakery* ⇒*baker's* ◆ **2.1** een warme ~ *a baker who*

bakes his own bread **2.2** koude ~ *bread shop;* ⟨BE vnl.⟩ ≠*ordinary baker* **6.¶** ⟨het/dat is⟩ **voor** de ~ *it/that is settled, everything is A-OK.*

bakkerij ⟨de (v.)⟩ **0.1** [plaats] *bakery* ⇒*baker's shop, bakehouse* **0.2** [vak] *baking trade/business* **0.3** [handeling] *baking.*

bakkersarmen ⟨de (m.)⟩ ⟨scherts.⟩ **0.1** ≠*white arms.*

bakkersbedrijf ⟨het⟩ **0.1** *baker's trade/business.*

bakkersbroek ⟨de (m.)⟩ **0.1** ≠*baker's trousers/* [A]*pants.*

bakkersgist ⟨de⟩ **0.1** *(baking) yeast.*

bakkerskar ⟨de⟩ **0.1** *baker's cart.*

bakkersknecht ⟨de (m.)⟩ **0.1** ⟨in bakkerij⟩ *journeyman;* ⟨bezorger⟩ *baker's (rounds)man.*

bakkersmand ⟨de⟩ **0.1** *baker's bread-basket* ◆ **6.1** met de ~ lopen *sell bread from house to house.*

bakkersoven ⟨de (m.)⟩ **0.1** *baker's oven* ◆ **8.1** een mond als een ~ *a cavernous mouth.*

bakkersschotel ⟨de (m.)⟩ **0.1** *peel* ⇒*(bread-)shovel.*

bakkerstor ⟨de⟩ **0.1** *cockroach.*

bakkersvet ⟨het⟩ **0.1** *shortening* ⇒*(cooking) fat.*

bakkes ⟨het⟩ ⟨inf.⟩ **0.1** [gezicht] *mug* ⇒*map,* ⟨BE ook⟩ *phiz,* ⟨zeldz.⟩ *puss* **0.2** [mond] *kisser* ⇒*trap,* [B]*gob* ◆ **2.1** een lelijke ~ *an ugly mug, a mug only a mother could love* **2.2** iem. een vuile ~ geven *sauce/* [A]*sass s.o.* **3.2** houd je ~ *shut your trap/face* **6.1** iem. **op** zijn ~ geven *give it to s.o. in the k..*

bakkie ⟨het⟩ ⟨inf.⟩ **0.1** [radiozendapparatuur] *rig* **0.2** [kopje (koffie)] *cup* **0.3** [aanhangwagentje] *trailer* ◆ **1.2** een ~ troost [↑]*a cup of coffee* **3.2** zullen we een ~ doen? [↑]*shall we have a c. of coffee?* **6.¶** kat in 't ~ *shoo-in.*

baklap ⟨de⟩ **0.1** *frying steak.*

baklucht ⟨de⟩ **0.1** *baking/frying odours.*

bakmeel ⟨het⟩ **0.1** *self-raising/* [A]*-rising flour* ◆ **2.1** zelfrijzend ~ *self-raising/-rising flour.*

bako ⟨de⟩ **0.1** *adjustable spanner.*

bakoven ⟨de (m.)⟩ **0.1** *(baking) oven* ⇒*baker's oven.*

bakpan ⟨de⟩ **0.1** *frying pan.*

bakplaat ⟨de⟩ **0.1** *baking sheet/tray.*

bakpoeder ⟨het, de (m.)⟩ ⟨cul.⟩ **0.1** *baking powder.*

bakschipper ⟨de (m.)⟩ **0.1** *bargee,* [A]*bargeman.*

baksel ⟨het⟩ **0.1** *baking* ⇒*(hoeveelheid) batch* ◆ **7.1** het is van één ~ *it's (all) from the same batch;* ⟨fig.⟩ zij zijn van één ~ *they're (all) both) of a kind/all alike/the same, they're birds of a feather.*

baksen ⟨onov., ov.ww.⟩ **0.1** [in het horizontale vlak draaien] *swivel* ⇒ *turn* **0.2** [mbt. vrachten] *pivot.*

bakspel ⟨het⟩ **0.1** *trictrac* ⇒≠*backgammon.*

bakstag ⟨het⟩ **0.1** *back stay.*

baksteen
I ⟨de (m.)⟩ **0.1** [gebakken steen] *brick* ⇒⟨vnl. AE ook⟩ *block* ◆ **3.1** ⟨fig.⟩ het regent bakstenen *it's raining cats and dogs, it's coming down in bucketfuls, it's throwing/* ⟨inf.⟩ *chucking it down* **8.1** zinken als een ~ *sink/swim like a stone;* ⟨iron.⟩ drijven als een ~ *float like a lump of lead;* ⟨bij een examen⟩ zakken als een ~ *fail utterly;* ⟨inf.⟩ do abysmally;* ⟨fig.⟩ iem. laten vallen als een ~ *drop s.o. like a hot brick/potato/like a red-hot coal/like a ton of bricks;* ⟨geldw.⟩ de dollar zakte als een ~ *the dollar dropped/fell/went through the floor, the dollar plummeted;*
II ⟨het, de (m.)⟩ **0.1** [stof] *brick* ◆ **2.1** een uit rode ~ opgetrokken gebouw *a red-brick(ed) house* **6.1** een huis **uit** ~ optrekken *build a house (out) of b..*

bakstenen ⟨bn.⟩ **0.1** *brick.*

bakster ⟨de (v.)⟩ **0.1** *(woman) baker.*

baktong ⟨de⟩ **0.1** *lemon sole.*

baktrog ⟨de (m.)⟩ **0.1** *kneading trough.*

bakvet ⟨het⟩ **0.1** *(cooking/frying) fat.*

bakvis
I ⟨de (v.)⟩ **0.1** [meisje] *teenage girl* ⇒*teenager, schoolgirl,* ⟨AE: vero.⟩ *bobby-soxer, teeny-bopper, young miss/(Miss);*
II ⟨de (m.)⟩ **0.1** [vis om te bakken] *frying fish* ⇒*pan fish.*

bakvoorn ⟨de (m.)⟩ **0.1** *roach/rudd for frying.*

bakvorm ⟨de (m.)⟩ **0.1** *baking tin* ⇒*cake tin* ⟨ook voor tulband⟩, ⟨rechthoekig⟩ *loaf tin.*

bakzeilhalen ⟨onov.ww.⟩ **0.1** [terugkrabbelen] *back down* ⇒*climb down (from)* **0.2** [mbt. zeilen] *take in sail* ⇒*back the sails.*

bal ⟨→sprw. 320⟩
I ⟨de (m.)⟩ **0.1** [⟨sport⟩] *ball* ⇒⟨leren bal ook⟩ *leather* **0.2** [tot een ronde bol gevormde massa] *ball* **0.3** [gulden] [↑]*guilder,* ⟨AZN⟩ [↑]*franc* **0.4** [testikel] *ball* ⇒*nut,* ⟨BE ook⟩ [↓]*bollock, rock* **0.5** [⟨+geen⟩] *a bloody/* [A↓]*goddam thing* ⇒⟨BE ook⟩ *sweet fanny adams/f.a.,* ⟨AE ook⟩ *a damn bit* **0.6** [helemaal niets] *not a bloody/* [A↓]*goddam thing* ⇒ [B↓]*bugger/fuck all,* ⟨AE ook⟩ *not a damn bit* **0.7** [mbt. de hand/voet] ⟨van voet⟩ *ball;* ⟨van hand⟩ *heel* **0.8** [wijze waarop de bal gespeeld wordt] *ball* **0.9** [persoon] *snob;* ⟨inf.⟩ *stuck-up/toffee-nosed/hoity-toity person* ◆ **1.2** een ~(letje) gehakt *a meatball;* ⟨BE ook⟩ *faggot* **1.¶** ⟨scheldnaam⟩ ~gehakt [A]*meathead* **2.1** ⟨biljart⟩ rode/witte ~ *red/object ball, white/cue ball* **2.8** mooie ~! *nice b.! one!* **2.9** een

rechtse ~ *a conservative / right-wing snob* **3.1** een ~ gooien / vangen *throw / catch a b.*; de ~ in eigen ploeg / kamp houden ⟨ook fig.⟩ *hold / hang on to the b.*; een ~ missen *miss a b.*; ⟨inf.⟩ *muff / fluff a b.*; ⟨biljart⟩ *miscue*; de ~ misslaan ⟨fig.⟩ *be wide off the mark / way off*; ⟨inf.⟩ *have another think coming*; ⟨fig.⟩ een ~letje over iets opgooien *put out a feeler about sth.*; ⟨biljart⟩ de ~ stoppen *pocket / pot the b.*; de ~ terugkaatsen ⟨fig.⟩ *put the ball back in(to) the other person's ⟨enz.⟩ court, retort*; elkaar de ~ toespelen ⟨fig.⟩ *scratch each other's backs*; iem. de ~ toespelen *pass (the b. to s.o.)*; een ~letje trappen *kick a b. (about)*; John vangt iedere ~ *John is a safe catch* **3.2** een ~letje slaan *hit a b.* **3.4** het is zo koud dat je ~len eraf vriezen / vallen *it's cold enough to freeze the balls off a brass monkey*; ⟨BE ook⟩ *brass monkeys today!, brass monkey weather (today)!* **3.6** de ~len van iets begrijpen *not understand a bloody thing / understand bugger all about sth.*; ⟨AE ook⟩ *not understand beans about sth.* **3.9** het zijn (echte) ~len *they're so stuck-up, they think they're really sth.*; ᴮ*posh* **3.¶** ⟨biljart⟩ een ~ maken *cannon*, ᴬ*carom* **6.1 aan** de ~ zijn *play the b.*; ⟨fig.⟩ *be on the b.*; **met** de ~ spelen *play (with a) b.*; op de ~ spelen, niet op de man *play the b., not the man* **7.5** geen ~ uitvoeren *not do a (bloody) stroke / damn bit, not lift (so much as) a finger*; geen ~ van iets snappen / weten *not understand / know a bloody thing / ᴬbeans about sth.*; het kan me geen ~ schelen *I don't give a damn / rap, I couldn't care less* **¶.¶** ⟨inf.⟩ de ~len! *cheers!*, ᴬ*take it easy!*

II ⟨het⟩ **0.1** [danspartij] *ball* ⇒ ˪*dance*, ˪*dancing* ◆ **2.1** gekostumeerd ~ *fancy (dress) b.*; ~ masqué, gemaskerd ~ *masked b.* **3.1** een ~ geven *give / hold a dance / b.*; het is (er) weer ~ ⟨fig.⟩ *they're at it / away / off again*; het ~ openen *open the b.* **¶.1** na afloop ~, ~ na *followed by dancing*.

balalaïka ⟨de⟩ **0.1** *balalaika.*

balanceerstok ⟨de (m.)⟩ **0.1** *balancing pole.*

balanceren
I ⟨onov.ww.⟩ **0.1** [zich in evenwicht houden] *balance* ⇒ ⟨schr.⟩ *equilibrate* **0.2** [besluiteloos zijn] *hesitate* ⇒ *hover*, ⟨schr.⟩ *vacillate, poise* ◆ **6.1** op het slappe koord ~ *b. on the tight-rope*; ⟨fig.⟩ **op** de rand v.e. bankroet ~ *be / b. / hover on the verge of bankruptcy*; ~ **op** de rand v.d. dood *hover between life and death, be on the verge of death* **6.2 tussen** twee meningen ~ *hesitate between two different opinions*;
II ⟨ov.ww.⟩ **0.1** {⟨tech.⟩} *balance.*

balanitis ⟨de (v.)⟩ ⟨med.⟩ **0.1** *balanitis.*

balans ⟨de⟩ **0.1** [weegwerktuig] *(pair of) scales* ⇒ ⟨wet.⟩ *balance* **0.2** [evenwicht] *balance* ⇒ *equilibrium* **0.3** [tabellarisch overzicht] *balance sheet* ⇒ *audit (report)* **0.4** [deel v.e. ophaalbrug] *bascule* **0.5** [deel v.e. uurwerk] *balance (wheel)* **0.6** [deel v.e. stoommachine] *beam* ◆ **2.1** Romeinse ~ *steelyard* **2.3** een negatieve ~ hebben *be in the red*; passieve ~ *adverse b.* **3.1** ⟨fig.⟩ de ~ doen doorslaan *tip the scale(s) / balance* **3.3** de ~ afsluiten *balance the books / an account*; de ~ opmaken *draw up the b. s., prepare the accounts*; ⟨fig.⟩ *take stock (of sth.)*; de ~ sluit niet *the books won't balance* **6.2** iets in ~ houden *balance sth., keep sth. in b. / equilibrium*; **uit** zijn ~ zijn *be out of, be off b.*; **uit** ~ geraken *get out of b. / off b. / ⟨fig. ook⟩ out of one's stride*.

balansarm ⟨de (m.)⟩ **0.1** *arm, beam (of a pair of scales / a balance).*

balansboek ⟨het⟩ **0.1** *account(s) book.*

balanscijfers ⟨zn.mv.⟩ ⟨hand.⟩ **0.1** *balance sheet figures.*

balansopruiming ⟨de (v.)⟩ **0.1** *(stocktaking) clearance (sale).*

balansrekening ⟨de (v.)⟩ ⟨hand.⟩ **0.1** *making-up of (the) accounts / of a / the balance sheet.*

balansverlies ⟨het⟩ **0.1** *negative balance.*

balansvlak ⟨het⟩ ⟨luchtv.⟩ **0.1** *(trim) tab.*

balanswaarde ⟨de (v.)⟩ **0.1** *book value.*

balata ⟨de (m.)⟩ **0.1** *balata.*

balatum ⟨het, de (m.)⟩ **0.1** *balata (floor covering).*

balbehandeling ⟨de (v.)⟩ ⟨sport⟩ **0.1** *handling of the ball, ball technique.*

balbezit ⟨het⟩ ⟨sport⟩ ◆ **6.¶ in** ~ zijn *have the / be in possession of the ball*; **op** ~ spelen *hold on / hang on to the ball.*

balboekje ⟨het⟩ **0.1** *dance-card* ⇒ ⟨BE ook⟩ *dancing-programme.*

balcontrole ⟨de⟩ ⟨sport⟩ **0.1** *ball control* ◆ **2.1** een goede ~ hebben *have good b. c..*

baldadig ⟨bn., bw. / -ly⟩ **0.1** *wanton* ⇒ *lawless*, ⟨roekeloos⟩ *reckless.*

baldadigheid ⟨de (v.)⟩ **0.1** [het baldadig zijn] *wantonness* ⇒ *lawlessness* **0.2** [daden van overmoed] *wanton / lawless behaviour / acts* ◆ **6.1 uit** ~ hadden ze de auto op zijn kant gezet *they had turned the car over on its side (just) for kicks / for the sheer hell of it / out of sheer / wanton destructiveness.*

baldakijn ⟨het, de (m.)⟩ **0.1** [(troon)hemel] *canopy* ⇒ *baldachin(o)* **0.2** [⟨r.k.⟩] *canopy* ⇒ *baldachin(o)* **0.3** [⟨luchtv.⟩] *cabane.*

balderen ⟨onov.ww.⟩ **0.1** [bulderen] *rumble* ⇒ *thunder* **0.2** [roepen / dansen in de paartijd] *perform a courtship dance.*

balein
I ⟨het⟩ **0.1** [stof] *whalebone* ⇒ *baleen*;
II ⟨de⟩ **0.1** [staafje van balein] *(whale)bone* ⇒ *rib, stiffener* **0.2** [staafje van andere stof] *(whale)bone* ⇒ *rib, stiffener, stay* ◆ **6.1** met ~en verstevigd ⟨ook⟩ *boned.*

baleinen ⟨bn.⟩ **0.1** *whalebone* ◆ **1.1** een ~ bezem *a w. broom.*

baleintje ⟨het⟩ **0.1** [staafje van balein] *(whale)bone* **0.2** [pijpdoorsteker] *pipe cleaner.*

balen ⟨onov.ww.⟩ ⟨inf.⟩ **0.1** *be fed up (with)* ⇒ *be sick (and tired / to death) (of)*, ⟨vnl. BE⟩ *be browned / cheesed off*, ⟨vnl. AE⟩ *have got a bellyful (of)* ◆ **3.1** ~d ging zij weg *she went off in a bad / filthy mood* **5.1** ik baal ervan *I'm fed up with it, I've had it up to here, I'm sick (and tired / to death) of it, it gives me the hump, I hate it*; stevig ~ *be fed up (to the back teeth)* **6.1** zij baalt **van** haar werk *she's fed up with her job, she hates / can't stand / stick her work, her job (really) gets her down* **8.1** ~ als een stier *be sick to death of sth..*

balg ⟨de (m.)⟩ **0.1** [geplooide leren zak] *bellows* ⇒ *windbag* **0.2** [buik, maag] *gut(s)* ⇒ ˪*belly* **0.3** [geul in de Wadden] *(tidal) creek* **0.4** [afgestroopte huid] *skin, hide* **0.5** [opgestopt dier] *stuffed animal.*

balhoofd ⟨het⟩ **0.1** [kogelgewricht] *ball-(and-socket) joint* **0.2** [mbt. een fiets] *fork / steering head.*

balie ⟨de (v.)⟩ **0.1** [toonbank] *counter* ⇒ *desk* ⟨ook receptie⟩, *bar* **0.2** [leuning] *railing* **0.3** [advocaten(stand)] *bar* **0.4** [rechtbank] *bar, bench* ⇒ *law* **0.5** [grote tobbe] *tub* ◆ **1.3** lid v.d. ~ zijn *be a member of the b.* **3.3** voor de ~ bestemd *intended for the b.*; voor de ~ studeren *study for the b.* **6.1 aan** de ~ verstrekt men u graag alle informatie *you can obtain all the information you need at the c. / desk* **6.4 voor** de ~ verschijnen *appear at the bar / before the bench*; iem. **voor** de ~ brengen / laten komen *bring s.o. to the bar / up before the bench*; ⟨fig.⟩ *have / put s.o. on the carpet / the mat, carpet s.o..*

balie-employé ⟨de (m.)⟩ **0.1** *counter / desk clerk* ⇒ *receptionist.*

baliefunctie ⟨de (v.)⟩ **0.1** *information function.*

baliekluiver ⟨de (m.)⟩ **0.1** *loafer* ⇒ ⟨BE ook⟩ *layabout.*

Balinees¹
I ⟨de (m.)⟩ **0.1** [persoon] *Balinese*;
II ⟨het⟩ **0.1** [taal] *Balinese.*

Balinees² ⟨bn.⟩ **0.1** *Balinese.*

baljapon ⟨de (m.)⟩, **-jurk** ⟨de⟩ **0.1** *ball dress* ⇒ ⟨schr.; AE⟩ *gown.*

baljuw ⟨de (m.)⟩ ⟨gesch.⟩ **0.1** *bailiff* ⇒ *reeve, steward.*

balk ⟨de⟩ **0.1** [stuk hout / staal / beton] *beam* ⇒ ⟨metaal ook⟩ *girder*, ⟨in vloer / plafond ook⟩ *joist*, ⟨in dak ook⟩ *rafter*, ⟨hout ook⟩ *timber, balk* **0.2** [notenbalk] ⟨BE vnl.⟩ *stave*, ⟨AE vnl.⟩ *staff* **0.3** [rechte band] *bar* ⟨ook herald.⟩ **0.4** [rangonderscheidingsteken] *chevron* ⇒ ⟨inf.⟩ *stripe* **0.5** [mbt. muziekinstrumenten] *sound post* ◆ **6.1** ~en onder het dak *roof beams, rafters* **6.3** er lopen ~en **over** het beeld *there are stripes / lines / bands across / on the screen* **6.¶** dat mag wel met een krijtje **aan** de ~ *sth. like that only happens once in a blue moon*; een ~ **in** zijn wapen voeren *bear a / the bar* ⟨herald.⟩ *bend sinister in one's shield*; er liggen ~en **onder** het ijs *≠the ice is very strong*; zij gooien het geld niet **over** de ~ *they don't throw / splash (their) money about / around*; het geld **over** de ~ gooien / smijten *spend money like water, throw / splash (one's) money about / around, blue / blow (one's) money*; geld **over** de ~ gooien *waste / squander / ⟨sl.⟩ blow money, throw one's money about.*

Balkan ⟨de (m.)⟩ **0.1** *(the) Balkans.*

balkaniseren
I ⟨ov.ww.⟩ **0.1** [in kleine staten verdelen] *balkanize*;
II ⟨onov.ww.⟩ **0.1** [in kleine staten uiteenvallen] *become balkanized.*

balk-anker ⟨het⟩ **0.1** [⟨scheep.⟩] *stocked anchor* **0.2** [⟨bouwk.⟩] *stirrup (strap), (wall) hanger* ⇒ ⟨AE ook⟩ *bridle iron.*

balken ⟨onov.ww.⟩ **0.1** *bray* ⇒ ⟨bij uitbr. mbt. mensen⟩ *yell, scream, bawl, screech, howl* ◆ **8.1** de jongen balkte of hij vermoord werd *the boy yelled / screamed blue murder / squealed like a stuck pig.*

balkenbrij ⟨de (m.)⟩ **0.1** ⟨AE⟩ *scrapple* ⇒ *dish made from offal, buckwheat flour and raisins.*

balkenzolder ⟨de (m.)⟩ **0.1** *open floor.*

balkhaak ⟨de (m.)⟩ **0.1** *holdfast.*

balkhoofd ⟨het⟩ **0.1** *beam head, head of a beam* ⇒ ⟨uitstekend⟩ *sally.*

balkhout ⟨het⟩ **0.1** *wood for beams.*

balklaag ⟨de⟩ **0.1** [balken in één vlak] *joisting* **0.2** [muur] *supporting wall.*

balkon ⟨het⟩ **0.1** [uitbouw aan een huis] *balcony* ⇒ ⟨vnl. AE⟩ *(sun) deck, terrace* **0.2** [rang van plaatsen] *balcony* ⇒ ⟨dress⟩ *circle, gallery*, ⟨AE ook⟩ *mezzanine* **0.3** [mbt. openbaar vervoer] *platform* ◆ **6.1** een huis met ~s *a balconied house*; op het ~ zitten (met warm weer) *sit (out) on the b.*; ᴬdeck **¶.2** ~ tweede rang *upper circle.*

balkondeur ⟨de⟩ **0.1** *balcony door* ⇒ ⟨meestal mv.⟩ *French windows* / ⟨vnl. AE⟩ *doors.*

balkspiraal ⟨de⟩ ⟨ster.⟩ **0.1** *spiral nebula.*

ballade ⟨de (v.)⟩ **0.1** [dichtstuk] *ballad* ⇒ ⟨gesch.⟩ *lay* **0.2** [muziekstuk] *ballade.*

ballast ⟨de (m.)⟩ **0.1** [⟨scheep.⟩] *ballast* **0.2** [overbodige last] *lumber* ⇒ *dead weight*, ⟨vnl. mbt. mensen⟩ *deadwood, impedimenta*, ⟨fig. ook⟩ *excess baggage* **0.3** [mbt. een luchtballon] *ballast* **0.4** [⟨spoorw.⟩] *ballast* ◆ **3.1** ~ innemen *take on b.* **3.2** al die kennis is maar ~ *all that knowledge is just so much lumber / dead weight* **6.1 in** ~ varen / liggen *be in b.*; **zonder** ~ *unballasted.*

ballasten

I ⟨ov.ww.⟩ **0.1** [van ballast voorzien] *ballast;*
II ⟨onov., ov.ww.⟩ ⟨spoorw.⟩ **0.1** [ballast aanbrengen] *ballast.*

ballaster ⟨de m.⟩ →*ballastschop.*

ballastschop ⟨de⟩ **0.1** *shovel* ♦ **6.1** ~*pen van handen hands like garden spades.*

ballaststof ⟨de⟩ **0.1** [mbt. voedsel] *roughage* ⇒*bulkage, fibre* **0.2** [mbt. drogerijen] *vehicle, excipiens.*

ballasttank ⟨de m.⟩⟩ **0.1** *ballast tank.*

ballastzak ⟨de m.⟩⟩ **0.1** *bag of ballast, ballast bag.*

ballen
I ⟨onov.ww.⟩ **0.1** [met de bal spelen] *play (with a) ball* **0.2** [tot een bal worden] *form | make a ball* ♦ **1.2** die sneeuw balt niet *the snow won't make | is no good for snowballs;*
II ⟨ov.ww.⟩ **0.1** [tot een bal vormen] *clench* ♦ **1.1** de vuist(en) ~ *c. one's fist(s)* **4.1** zijn vuisten balden zich *his fists clenched.*

ballenjongen ⟨de m.⟩ **0.1** *ball boy.*

ballentent ⟨de⟩ **0.1** [uitgaansgelegenheid] *snooty | stuck-up |* [B]*posh place | joint* ⇒ ⟨BE zeldz.⟩ *Hurray henries' hangout* **0.2** [kermistent] *(cock)shy.*

ballenvanger ⟨de m.⟩ **0.1** [vangnet] *(practice) net* ⇒*back stop* **0.2** [catcher] *catcher* **0.3** [b.h.] ≠[A]*(over the shoulder) boulder holder.*

ballerina
I ⟨de (v.)⟩ **0.1** [danseres] *ballerina* ⇒*ballet dancer | girl, danseuse;*
II ⟨de⟩ **0.1** [schoen] *ballerina* ⇒*pump, ballet shoe.*

ballerino ⟨de m.⟩ **0.1** *ballet danser* ⇒*danseur.*

ballet ⟨de⟩ [dans] *ballet* **0.2** [dansers] *ballet (company | troupe)* **0.3** [balletkunst] *ballet (dancing)* **0.4** [les, beoefening] *ballet, dancing (lessons)* ♦ **2.3** modern | klassiek ~ *modern | classical b. | dance* **6.4** aan ~ doen *do ballet dance, be in b.;* **op** ~ zitten *take | go to b. | dancing lessons* ¶.2 corps de ~ *corps de b..*

balletdanser ⟨de (m.)⟩, **-es** ⟨de (v.)⟩ **0.1** *(ballet) dancer* ⟨m., v.⟩ ⇒*ballet girl, danseuse, ballerina* ⟨v.⟩, *danseur* ⟨m.⟩.

balletgroep ⟨de⟩ **0.1** *ballet (company).*

balletkunst ⟨de (v.)⟩ **0.1** *ballet (dancing)* ⇒*dancing.*

balletmeester ⟨de (m.)⟩, **-es** ⟨de (v.)⟩ **0.1** *ballet master | mistress.*

balletmuziek ⟨de (v.)⟩ **0.1** *ballet (music).*

balletrokje ⟨het⟩ **0.1** *ballet skirt* ⇒*tutu.*

balletschoentje ⟨het⟩ **0.1** *ballet shoe.*

balletstijl ⟨de (m.)⟩ **0.1** *ballet style, style of ballet.*

balling ⟨de (m.)⟩ **0.1** *exile* ⇒*deportee, outcast, outlaw.*

ballingschap ⟨de (v.)⟩ **0.1** *exile* ⇒*banishment* ♦ **2.1** de Babylonische ~ *the (Babylonian) Captivity;* vrijwillige ~ *voluntary e.* **3.1** tot ~ veroordelen *banish, exile, sentence to be banished | to e.* **6.1** in ~ gaan *go into e..*

ballingsoord ⟨onov.ww.⟩ **0.1** *place | country of exile.*

ballistiek ⟨de (v.)⟩ **0.1** *ballistics.*

ballistisch ⟨bn.⟩ **0.1** *ballistic* ♦ **1.1** ~e galvanometer *b. galvanometer;* ~e raket *b. missile;* ~e slinger *b. pendulum.*

ballon ⟨de m.⟩ **0.1** [⟨meestal ballonnetje⟩ dun zakje van rubber dat kan worden opgeblazen tot een bolvormig voorwerp] *(toy) balloon* **0.2** [luchtballon] *(hot-air | gas-filled balloon* ⇒ ⟨bestuurbare⟩ *dirigible (balloon),* ⟨omhulsel⟩ *envelope* **0.3** [tekstballon] *balloon* **0.4** [⟨euf.⟩ meestal ballonnetje⟩ condoom] *sheath, French letter* ⇒ ⟨vnl. AE⟩ *rubber (johnny | boot)* ♦ **3.1** ⟨fig.⟩ het ~netje doorprikken *prick | break the bubble, puncture the b.;* een ~ leeg laten lopen *let the air out of a b.,* i.e. b. *(go) down;* een ~ opblazen *blow | pump up a b.;* er werden honderden ~nen opgelaten *hundreds of balloons were sent up | let loose;* een ~netje oplaten *fly a b. | kite, make a tentative proposal* ¶.1 ~ d'essai ⟨ook fig.⟩ *ballon d'essai, trial b.* ¶.2 ~ captif *captive b..*

ballonband ⟨de m.⟩ **0.1** *balloon tyre* [A]*tire.*

ballondoek ⟨het⟩ **0.1** *balloon fabric | cloth.*

ballonfok ⟨de⟩ ⟨scheep.⟩ **0.1** *balloon sail, ballooner* ⇒*spinnaker.*

ballonmand ⟨de⟩ **0.1** *(balloon) basket.*

ballontent ⟨de⟩ **0.1** *inflatable sport(s) hall* ⇒*inflatable tennis court* ⟨enz.⟩.

ballonvaarder ⟨de (m.)⟩, **-ster** ⟨de (v.)⟩ **0.1** *balloonist, aeronaut.*

ballonvaart ⟨de⟩ **0.1** [het ballonvaren] *ballooning;* ⟨tocht⟩ *trip by balloon, balloon ride.*

ballonvaren ⟨ww.⟩ **0.1** *balloon.*

ballotage ⟨de (v.)⟩ **0.1** [stemming over iemands toelating] *ballot, election* **0.2** [herstemming] *ballotage.*

balloteren ⟨onov.ww.⟩ **0.1** [stemmen over iemands toelating] *ballot* ⇒ *stage | hold a ballot | an election, vote on s.o.'s admission* **0.2** [het heen-en-weer bewegen] *perform a ballot* **0.3** [herstemmen] *hold a ballotage* ♦ **6.1** ~**over** iem. | over iemands toetreding *vote on s.o. | b. on s.o.'s admission, put s.o.'s admission to a | the vote;* morgen moet er over hen geballoteerd worden *they come up for b. tomorrow.*

ballpoint ⟨de m.⟩ →*balpen.*

bal-masqué ⟨het⟩ **0.1** *bal masqué, masked ball.*

balmuziek ⟨de (v.)⟩ **0.1** *dance music* ⇒*ballroom music.*

balnet ⟨het⟩ **0.1** *net.*

balorig ⟨bn.⟩ **0.1** [onwillig] *contrary, refractory* ⇒*recalcitrant, perverse, unmanageable, wayward* **0.2** [ontevreden] *peevish* ⇒*cross, crabbed,*

sullen, ill-tempered ♦ **3.2** ik word altijd een beetje ~ van die urenlange vergaderingen *those long meetings always make me a bit p. | bad-tempered.*

balpen, balpuntpen ⟨de⟩ **0.1** *ball pen* ⇒*ball-point (pen),* [B]*biro,* [A]*ball-point* ♦ **6.1** een met ~ geschreven brief *a letter (written) in biro.*

balsa ⟨bn.⟩ **0.1** *balsa(-wood).*

balsa(hout) ⟨het⟩ **0.1** *balsa (wood).*

balschoen ⟨de (m.)⟩ **0.1** *dancing shoe | slipper.*

balsem ⟨de (m.)⟩ **0.1** [geneesmiddel, parfumerie] *balm, balsam* ⇒*ointment, unction, salve* **0.2** [⟨fig.⟩] *balsam, balm* ♦ **6.2** ~**in** de wond(e) gieten *pour balm into the wound;* dat was ~ op de wond(e) *that was a balsam | balm to the wound;* ~**voor** de ziel *balm to the soul.*

balsemachtig ⟨bn.⟩ **0.1** *balsamy, balmy* ⇒*balsamic.*

balsemboom ⟨de m.⟩ **0.1** [gewas] *balm | balsam (tree)* ⇒ ⟨ihb.⟩ *balm of Gilead, Mecca balsam* ⟨Commiphora opobalsamum⟩ *meccanensis)* **0.2** [⟨mv.⟩ familie] *Burseraceae, torchwood.*

balsemen ⟨ov.ww.⟩ **0.1** [geurig maken] *perfume* ⇒*scent, make fragrant,* ⟨vero., schr.⟩ *embalm* **0.2** [mbt. een lijk] *embalm* ⇒*mummify* **0.3** [lichaamspijn verzachten] *salve* ⇒*soothe, ease, alleviate,* ⟨vero.⟩ *balm* **0.4** [smart lenigen] *balm* ⇒*soothe, alleviate, relieve.*

balsemgeur ⟨de (m.)⟩ ⟨schr.⟩ **0.1** *balm* ⇒*balmy | balsamic fragrance.*

balsemiek ⟨bn.⟩ **0.1** *balsamic* ⇒*balsamy, balmy* ♦ **3.¶** ⟨inf.⟩ het is ~ (warm) *it's a sweltering day | suffocatingly warm.*

balsemien ⟨de⟩ **0.1** *balsam* ⇒ ⟨ihb.⟩ *garden balsam, balsamine.*

balsemkruid ⟨het⟩ **0.1** *water mint.*

balsemlucht ⟨de⟩ **0.1** *balmy air | breeze* ⇒*fragrant | balsamy air.*

balslaan ⟨ww.⟩ **0.1** ⟨kind of Dutch ballgame⟩.

balspel ⟨het⟩ **0.1** *ball game* ⇒*ball.*

balsturig ⟨bn.⟩ ⟨schr.⟩ **0.1** [ongezeglijk] *obstinate, pertinacious* ⇒*refractory, unmanageable, intractable, wayward* **0.2** [grillig] *capricious* ⇒ *wayward, fitful, unruly, rough* ♦ **1.2** het ~lot *c. fate, the whims | freaks of fate* **1.¶** ~ weer *rough | freakish weather.*

balsturigheid ⟨de v.)⟩ ⟨schr.⟩ **0.1** *contrariness* ⇒*pertinacity, perversity, obstinacy, intractability.*

baltechniek ⟨de (v.)⟩ **0.1** *ball skill* ⇒*skill with the ball.*

Baltisch ⟨bn.⟩ **0.1** *Baltic* ♦ **1.1** ~e talen *B. languages;* ~e Zee *Baltic (Sea), the Baltic.*

balts ⟨de (m.)⟩ ⟨biol.⟩ **0.1** *display* ⇒*courtship.*

baltsen ⟨onov.ww.⟩ **0.1** *display.*

baltsgedrag ⟨het⟩ **0.1** *courtship behaviour* ⇒*display.*

baltsgeluid ⟨het⟩ **0.1** *mating call, courtship | display call | signal.*

baltstijd ⟨de (m.)⟩ **0.1** *mating season* ⇒*courtship season | period.*

baltsvlucht ⟨de⟩ **0.1** *mating | courting | courtship flight.*

baluster ⟨de (m.)⟩ **0.1** *baluster.*

balustrade ⟨de (v.)⟩ **0.1** *balustrade* ⇒*railing,* ⟨van trap⟩ *banister(s),* ⟨van muur | toren⟩ *parapet.*

balzaal ⟨de⟩ **0.1** *ballroom* ⇒*dance-hall, palais (de dance).*

balzak ⟨de (m.)⟩ **0.1** [scrotum] *scrotum* ⇒*bag,* ⟨vero.⟩ *cod* **0.2** [biljartzak] *pocket.*

bambino ⟨de (m.)⟩ **0.1** *bambino.*

bamboe[1]
I ⟨het, de (m.)⟩ **0.1** [gewas] *bamboo* **0.2** [stengel] *bamboo (cane | stem)* ⇒*cane;*
II ⟨de (m.)⟩ **0.1** [stok van bamboe] *bamboo cane.*

bamboe[2] ⟨bn.⟩ **0.1** *bamboo.*

bamboegordijn ⟨het⟩ **0.1** ⟨ook pol.⟩ *bamboo curtain.*

bamboespruit ⟨de⟩ **0.1** *bamboo shoot | sprout.*

bami ⟨de (m.)⟩ **0.1** *chow mein* ⇒*Chinese noodles | noodle dish* ♦ **¶.1** ~ goreng *c. m., fried noodles.*

bamibal ⟨de (m.)⟩ **0.1** *chow mein ball.*

bamzaaien ⟨onov.ww.⟩ **0.1** ≠*draw lots | straws.*

ban ⟨de (m.)⟩ **0.1** [excommunicatie] *excommunication* ⇒*anathema, ban* **0.2** [betovering] *spell* ⇒*charm, fascination, enchantment, enthrallment, entrancement* **0.3** [huwelijksafkondiging] *banns* **0.4** [⟨gesch.⟩ straf] *ban, sentence of outlawry* ⇒*proscription* **0.5** [⟨gesch.⟩ rechtsgebied] *jurisdiction* **0.6** [⟨gesch.⟩ heerban] *ban* ♦ **3.1** de ~ uitspreken over *put | place under a ban, excommunicate* **3.3** de ~nen afroepen *publish the b. (of marriage)* **6.1** Luther werd in de ~ gedaan *Luther was excommunicated.* **6.2** in de ~ van iets zijn | raken *be | fall under the spell of sth.;* het publiek in zijn ~ houden *hold one's audience spellbound;* in zijn ~ brengen | doen geraken *captivate, enthrall* **6.4** in de ~ doen *(put under the | a) ban, outlaw.*

banaal ⟨bn., bw.; -ly⟩ **0.1** *banal* ⇒*corny, trite, hack(neyed), trivial* ♦ **1.1** een banale uitdrukking | opmerking *a trite | corny expression | remark, a commonplace.*

banaan ⟨de⟩ **0.1** [plant] *banana* **0.2** [vrucht] *banana* ♦ **1.1** een kam | tros bananen *a hand | bunch of bananas.*

banaanboom →*bananeboom.*

banaliteit ⟨de (v.)⟩ **0.1** [opmerking] *banality* ⇒*platitude, cliché, banal | corny | trite remark,* ⟨vnl. mv.⟩ *bromide, triviality* **0.2** [hoedanigheid] *banality* ⇒*triteness, corn, bathos, triviality.*

bananeboom ⟨de (m.)⟩ **0.1** *banana (tree | palm | plant).*

bananeijs ⟨het⟩ **0.1** *banana(-flavoured) icecream.*

bananenrepubliek ⟨de (v.)⟩ **0.1** *banana republic.*
bananeschil ⟨de⟩ **0.1** *banana peel/skin* ◆ **3.1** uitglijden over een~*slip on a b.s..*
bananevlieg ⟨de⟩ **0.1** *fruit fly* ⇒*drosophila.*
banbliksem ⟨de (m.)⟩ **0.1** *anathema* ⇒*ban, curse* ◆ **3.1** de~slingeren naar iem. *call down a curse on s.o., fulminate against s.o., fling one's thunderbolt(s) at s.o..*
bancair ⟨bn.⟩ **0.1** *bank(ing)* ⇒*in/of/through the bank(s)* ◆ **1.1** ~geldverkeer *monetary exchange via the banks.*
banco ⟨het⟩ **0.1** [geldswaarde] *banco* **0.2** [bankgeld] *banco.*
band
   I ⟨de (m.)⟩ **0.1** [strook stof] *band* ⇒*ribbon, tape,* ⟨in haar⟩ *braid, fillet,* ⟨om dicht te knopen⟩ *string,* ⟨karate, judo⟩ *belt* **0.2** [ring om een wiel] *tyre* ^*tire* **0.3** [magneetband] *tape* **0.4** [transportband] *conveyor (belt)* ⇒*moving belt,* ⟨travelling ^eling⟩ *apron* **0.5** [nauwe betrekking] *tie, bond* ⇒*link, alliance, association, affiliation* **0.6** [boekband] *binding* ⇒*cover,* ⟨boekdeel⟩ *volume* **0.7** [⟨com.⟩] *(wave-)band* ⇒*wave* **0.8** [bindweefselvezels] *ligament* ⇒ ⟨abnormaal⟩ *band* **0.9** [rand als afscheiding] *edging* ⇒*border,* ⟨trottoir⟩ *kerb(stone),* ^*curb,* ⟨bouwk.⟩ *fascia* **0.10** [wat random iets wordt bevestigd] *band* ⇒*hoop, binding, collar,* ⟨voor afbinden van ader⟩ *ligature,* ⟨verband⟩ *bandage,* ⟨breukband⟩ *truss,* ⟨draagverband⟩ *sling* **0.11** [⟨biljart⟩] *cushion* ⇒*bank* **0.12** [door licht-/kleurcontrast gevormde streep] *band* ⇒*zone, belt* **0.13** [⟨herald.⟩] *bend* ◆ **1.5** ~en van vriendschap *ties/bonds of friendship* **2.1** ⟨karate, judo⟩ zwarte/bruine~*black/brown belt* **2.2** een lekke~*a flat (tyre), a puncture, a blow-out;* we hebben een lekke~*we burst a tyre* **2.4** de lopende~*the conveyor belt, the assembly/production line* **2.5** nauwe~en met het moederland *maintain strong ties/relationships with the/one's mother country;* er bestaat een sterke~tussen ons *there are strong ties /bonds between us* **2.6** in kalfslederen/linnen/leren ⟨enz.⟩~*calf-/ cloth-/leather-* ⟨enz.⟩ *bound;* in heel linnen~*bound in full cloth;* een losse~*a binding-case;* in slappe/stijve~*in limp/stiff covers* **2.10** een knellende~om het hoofd *a splitting headache* **2.11** over de losse~spelen *play from the c.* **2.¶** aan de lopende~doelpunten scoren/rotopmerkingen maken *pile on scores, make scathing remarks all the time/on after the other/another* **3.2** er een nieuwe~omdoen/om laten leggen *put, put on a new tyre/have a new tyre put on;* een~oppompen *pump up/inflate a tyre* **3.3** een~afspelen *play a tape back;* de~starten *start the t./get the t. rolling* **3.5** de~en der vriendschap aanhalen *tighten the bonds of friendship;* geen enkele~meer hebben met zijn familie/met dat stelletje oplichters *have severed all connections with one's family/with that bunch of crooks* **3.10** de hond zijn~omdoen *put on the dog's collar/leash* **3.¶** de~en verbreken *sever the ties/bonds* **6.3** iets op de~opnemen *tape sth., record/get sth. on tape* **6.4** aan de~staan *work on the assembly line/at the c. b.* **6.10** een hond aan de~leggen, de hond ligt aan de~*tie up a dog, the dog is on the leash;* een~om zijn haar doen *bind one's hair (in a ribbon), tie a ribbon in one's hair* **6.11** over de~spelen *bank, play bricole,* ⟨fig.⟩ *work indirectly/through devious ways* **6.¶** iem. in~restrain/curb s.o.;* de wildgroei in illegale eethuisjes **aan**~en leggen *curb/check/impose some restraints on the uncontrolled proliferation of illicit restaurants;* **door** de~op average, by and large, ordinarily;* **uit** de~springen *kick over the traces, run riot, get out of hand* **¶.7** 27 MC ~citizen's band;*
   II ⟨het⟩ **0.1** [lintvormig weefsel] *tape* ⇒⟨breed⟩ *ribbon,* ⟨smal⟩ *string,* ⟨hoed⟩ *band, binding* ◆ **1.1** handelaar/zaak in garen en~*haberdasher, draper;*
   III ⟨de (m.)⟩ ⟨Eng.⟩ **0.1** *band* ⇒*orchestra, ensemble, combination,* ⟨popmuziek ook⟩ *group,* ⟨vnl. jazz, kleine groep⟩ *combo.*
bandafnemer ⟨de (m.)⟩ **0.1** *tyre* ^*tire lever.*
bandage ⟨de (v.)⟩ **0.1** [zwachtel, windsel] *bandage* ⇒*dressing, roller bandage* **0.2** [breukband] *truss* ⇒*bandage.*
bandagist ⟨de (m.)⟩ **0.1** *bandager* ⇒⟨van breukbanden⟩ *truss-maker.*
bandbliksem ⟨de⟩ **0.1** *bandlight lightning.*
bandbreedte ⟨de (v.)⟩ **0.1** [breedte v.e. band] *tyre* ^*tire/tape/ribbon width* **0.2** [⟨com.⟩] *band width* **0.3** [mbt. salarissen] *range (of salaries).*
bandceramiek ⟨de (v.)⟩ ⟨gesch.⟩ **0.1** *bandkeramik.*
bandchef ⟨de (m.)⟩ ⟨ind.⟩ **0.1** *assembly-line supervisor.*
banddiagram ⟨het⟩ **0.1** ≠*histogram.*
band-diamontage ⟨de (v.)⟩ **0.1** *tape-slide production.*
banddikte ⟨de (v.)⟩ **0.1** *tyre's,* ^*tire width* ⇒⟨BE ook⟩ *tyre width* ◆ **1.1** ⟨sport⟩ een~voorsprong hebben *be a t. w. ahead* **6.1** ⟨sport⟩ **met** een~winnen *win by a t. w./hair('s breadth)/(short) head.*
bande ⟨de⟩ ⟨geneal.⟩ **0.1** *bend.*
bandeau ⟨de (m.)⟩ **0.1** *bandeau* ⇒*fillet.*
bandeerder ⟨de (m.)⟩ **0.1** *bander.*
bandelichter ⟨de (m.)⟩ **0.1** *tyre* ^*tire lever.*
bandelier ⟨de (m.)⟩ **0.1** *bandolier* ⇒*crossbelt, shoulder belt,* ⟨gesch., versierd⟩ *baldric.*
bandeloos
   I ⟨bn.⟩ **0.1** [mbt. gemoedsuitingen/hartstochten] *unrestrained* ⇒*raging, rampant, riotous* **0.2** [mbt. personen] *lawless* ⇒⟨onordelijk⟩ *un-*

disciplined, disorderly, ⟨losbandig⟩ *wild, riotous, licentious* ◆ **1.2** een bandeloze troep *a lawless band;*
   II ⟨bw.⟩ **0.1** [mbt. personen] *in an undisciplined/disorderly manner; wildly, riotously, licentiously.*
bandenbedrijf ⟨het⟩ **0.1** *tyre* ^*tire dealer/seller.*
bandenpartij ⟨de (v.)⟩ ⟨sport⟩ **0.1** *cushion billiards/*^*caroms.*
bandenplak ⟨het⟩ ⟨inf.⟩ **0.1** *rubber solution.*
bandenspanning ⟨de (v.)⟩ **0.1** *tyre* ^*tire pressure.*
bandenspectrum ⟨het⟩ ⟨nat.⟩ **0.1** *band spectrum.*
bandepech ⟨de (m.)⟩ **0.1** *tyre* ^*tire trouble* ⇒⟨lekke band⟩ *flat (tyre* ^*tire), puncture.*
bandera ⟨de⟩ **0.1** [vlag] *banner* **0.2** [vreemdelingenlegioen] *'bandera'* ⟨Spanish Foreign Legion⟩.
banderen ⟨ov.ww.⟩ **0.1** *address wrap* ⇒*put address wrappers on/round.*
banderilla ⟨de⟩ **0.1** *banderilla.*
banderillero ⟨de (m.)⟩ **0.1** *banderillero.*
banderol ⟨de⟩ **0.1** [belastingbandje om sigaren] ≠*revenue band* **0.2** [vaan] *banderole* **0.3** [spreukband] *banderole.*
bandfilter ⟨het, de (m.)⟩ ⟨com.⟩ **0.1** *bandpass filter.*
bandgeheugen ⟨het⟩ ⟨comp.⟩ **0.1** *tape storage.*
bandiet ⟨de (m.)⟩ **0.1** [misdadiger] *bandit* ⇒*gangster,* ⟨struikrover⟩ *brigand, desperado* **0.2** [schavuit] *blackguard* ⇒*hooligan, ruffian, rogue, crook* ◆ **6.2** een~**van** een jongen *a roguish boy, a young hooligan.*
bandijk ⟨de (m.)⟩ **0.1** *main dike* ◆ **1.1** de wederzijdse~en v.d. Lek *the main dikes along the forelands/foreshores of the Lek.*
bandijzer ⟨het⟩ **0.1** *strip/hoop/band iron.*
banditisme ⟨het⟩ **0.1** *banditry* ⇒*gangsterism.*
bandje ⟨het⟩ **0.1** [kleine band] *band* ⇒*strip, ribbon, string* **0.2** [magneetband; opname] ⟨magneetband⟩ *tape;* ⟨opname⟩ *tape recording* **0.3** [sigarenbandje] *(cigar) band* **0.4** [schouderbandje] *strap* ◆ **3.2** een~afspelen *play a tape* **6.1** tijdschriften in een~versturen *send magazines in a wrapper* **6.4** een b.h. **zonder**~*s a strapless bra.*
bandleider
   I ⟨de (m.)⟩ **0.1** *assembly-line supervisor;*
   II ⟨de (m.)⟩ **0.1** *bandleader.*
bandlezer ⟨de (m.)⟩ ⟨comp.⟩ **0.1** *tape reader.*
bandlichter →**bandelichter.**
bandmicrofoon ⟨de (m.)⟩ **0.1** *ribbon microphone.*
bandoneon ⟨het⟩ **0.1** *bandoneon.*
bandopname ⟨de (v.)⟩ **0.1** [handeling] *tape recording, recording a tape* **0.2** [resultaat] *tape recording.*
bandopnemer ⟨de (m.)⟩ →**bandrecorder.**
bandplooibroek ⟨de⟩ **0.1** *pleated (front) trousers.*
bandponser ⟨de (m.)⟩ ⟨comp.⟩ **0.1** *(paper)tape punch.*
bandrecorder ⟨de (m.)⟩ **0.1** *tape recorder.*
bandrem ⟨de⟩ **0.1** [rem die op de band werkt] *tyre* ^*tire brake* **0.2** [bandstopper] *band/strip brake.*
bandreparatie ⟨de (v.)⟩ **0.1** [handeling] *puncture repair* **0.2** [materiaal] *puncture repair kit* ◆ **1.2** een doosje~*a p. r. k..*
bandriem ⟨de (m.)⟩ **0.1** *belt.*
bandschuurmachine ⟨de (v.)⟩ **0.1** *belt sander.*
bandsnelheid ⟨de (v.)⟩ **0.1** *tape speed/velocity.*
bandspanning ⟨de (v.)⟩ **0.1** *tyre* ^*tire pressure.*
bandspectrum ⟨het⟩ →**bandenspectrum.**
bandspreiding ⟨de (v.)⟩ ⟨com.⟩ **0.1** *band spread.*
bandstaal ⟨het⟩ **0.1** *strip steel/metal.*
bandsteek ⟨de (m.)⟩ **0.1** *slip stitch.*
bandstoot ⟨de (m.)⟩ **0.1** *cushion shot* ⇒*cushion* ^B*cannon/*^*carom.*
bandstopper ⟨de (m.)⟩ **0.1** *band/strip brake.*
bandstoten ⟨ww.⟩ **0.1** *cushion billiards/*^*caroms.*
bandsysteem ⟨het⟩ **0.1** *conveyor-belt/assembly-line system.*
bandtekening ⟨de (v.)⟩ **0.1** *cover design.*
bandtransporteur ⟨de (m.)⟩ **0.1** *conveyor/moving belt.*
bandversiering ⟨de (v.)⟩ →**bandtekening.**
bandwiel ⟨het⟩ **0.1** *(belt-)driving wheel.*
bandwipper ⟨de (m.)⟩ **0.1** *tyre* ^*tire lever.*
bandzaag ⟨de⟩ **0.1** *band/ribbon saw.*
banen ⟨ov.ww.⟩ ◆ **1.¶** een weg~*clear/pave/prepare the way, clear a path;* de weg voor iem. ~*prepare/clear/pave the way for s.o.;* nieuwe wegen~*break fresh/new ground;* gebaande wegen *beaten track(s)* **4.¶** zich een weg~*work/edge one's way through;* ⟨met meer kracht⟩ *force/fight/push/blast one's way through;* ⟨al zoekend⟩ *thread one's way through;* ⟨in de wereld⟩ *carve one's (own) way (in the world).*
banenmarkt ⟨de⟩ **0.1** *job fair* ⇒*jobs market* ◆ **3.1** een door het G.A.B. georganiseerde~*a jobs market organised by the local council.*
banenplan ⟨het⟩ **0.1** *employment plan/package* ⇒*jobs package.*
bang¹ ⟨bn.⟩ **0.1** [vrees voelend] *afraid* ⟨alleen pred.⟩: *frightened* ⇒*scared (of), fearful,* ⟨doodsbang⟩ *terrified* **0.2** [angstig makend] *frightening* ⇒*anxious, scary, creepy* **0.3** [gauw angstig] *timid* ⇒*fearful, chicken(-hearted), nervous* **0.4** [bezorgd] *afraid* ⇒*anxious, apprehensive* ◆ **1.2** ~e dagen *anxious days;* een~e droom *a scary dream, a nightmare;* een~voorgevoel *misgivings, an anxious feeling, a presage;*

ik heb een ~ voorgevoel *I have a foreboding (about it)* **1.3** ⟨inf.⟩ ~e schijter *fraid(y)-cat, scaredy-cat* **3.1** ~ maken *scare, frighten;* ~ worden *take fright, get the wind up, get cold feet;* ~zijn *have the wind up/ the jitters* **3.3** ~ uitgevallen zijn *be a mouse, be chicken-/pigeon-hearted, chicken-/lily-livered* **3.4** ik ben ~ dat het niet lukt *I'm afraid it won't work;* wees daar maar niet ~ voor *never fear, don't worry about that* **6.1** ~ **in** het donker *a. of the dark* **6.3** daar is hij veel te ~ **voor!** *he's too frightened/chicken-hearted for that!* **6.4** ⟨inf.⟩ daar ben ik niet ~ **voor** *I don't doubt it.*

bang² ⟨tw.⟩ **0.1** *bang, wham.*

bangelijk
  I ⟨bn.⟩ **0.1** [gauw bang] *timid* ⇒*fearful, chicken-hearted/-livered, lily-livered* ◆ **3.1** hij is ~ *he's a nervous type, he's easily frightened;* **II** ⟨bw.⟩ **0.1** [als iem. die bang is] *timidly* ⇒*nervously,* ⟨laf⟩ *cowardly, anxiously* ◆ **3.1** ~ in elkaar kruipen *cower.*

bangerd ⟨de (m.)⟩ **0.1** *coward* ⇒*chicken, mouse,* ↓*'fraid(y)-cat,* ↓*scaredy-cat.*

bangerik ⟨de (m.)⟩ →**bangerd.**

bangheid ⟨de (v.)⟩ **0.1** [angst] *fear* ⇒*anxiety, fright,* ⟨doodsangst⟩ *terror* **0.2** [het gauw angstig zijn] *timidity* ⇒*fearfulness, nervousness.*

bangig ⟨bn.⟩ **0.1** *anxious* ⇒*timid, nervous, jittery.*

bangigheid ⟨de (v.)⟩ **0.1** *timidity* ⇒*nervousness, apprehension, fearfulness.*

Bangladesh ⟨het⟩ **0.1** *Bangladesh.*

bangmaker ⟨de (m.)⟩ **0.1** ⟨persoon⟩ *intimidator* ⇒*browbeater, scaremonger,* ⟨zaak⟩ *intimidation* ◆ **8.1** een schot in de lucht als ~ *a shot in the air by way of intimidation.*

bangmakerij ⟨de (v.)⟩ **0.1** *intimidation* ⇒*browbeating,* ^Abogey, ⟨bluf⟩ *bluff* ◆ **3.1** 't is maar ~ *it is only i./bluff* ¶**.1** een ~tje *a little browbeating, a trick to scare s.o..*

banier ⟨de⟩ **0.1** *banner* ⇒*standard, pennon, banderole* ◆ **3.1** de ~ hooghouden ⟨fig.⟩ *keep the banner/flag up/flying;* de ~ ontplooien *unfurl /fly the banner/standard* **6.1 onder** iemands ~ *under s.o.'s banner.*

banierdrager ⟨de (m.)⟩ **0.1** [iem. die de banier draagt] *standard-bearer* **0.2** [initiatiefnemer] *standard-bearer* ⇒*front-runner, vanguard.*

banistiek ⟨de (v.)⟩ **0.1** *vexillology.*

banjeren ⟨onov.ww.⟩ ⟨inf.⟩ **0.1** [heen en weer lopen] *pace (up and down)* **0.2** [veel drukte maken] *swagger* ⇒*swank, throw one's weight about.*

banjo ⟨de (m.)⟩ **0.1** *banjo.*

bank ⟨de⟩ **0.1** [meubelstuk] ⟨onbekleed⟩ *bench;* ⟨bekleed⟩ *couch, settee, sofa;* ⟨in voertuig⟩ *seat* **0.2** [instelling] *bank* **0.3** [gebouw] *bank* **0.4** [⟨in samenst.⟩] *bank* **0.5** [schoolbank] *desk* ⇒⟨lang⟩ *form* **0.6** [kerkbank] *pew* **0.7** [casino] *casino* ⇒*gambling house* **0.8** [werkbank] *(work)bench* **0.9** [zandbank] *bank, shoal, reef, hurst* **0.10** [hard aardlaag] *bank* **0.11** [donkere streep van wolken] *bank* ⇒*wall* **0.12** [inzet] *bank* ◆ **1.2** een ~ van lening *a pawnbroker's shop, a pawnshop* **1.4** bloedbank *blood b.* **1.11** een ~ van wolken *a cloud-bank* **2.1** een houten ~ *a wooden bench/seat* **3.12** de ~ hebben *keep the b.;* de ~ laten springen *break the b.* **6.1 op** de ~ zitten *sit on the couch* **6.2 bij** welke ~ beleg jij je geld/ben jij aangesloten? *with whom/where do you bank?;* geld **op** de ~ hebben *have money in the b.;* **op** een ~ werken *work in a b.;* geld **op** de ~ zetten *bank money, deposit/lodge money in a b.* **6.5** ga **in** je ~ zitten *sit down at your d.* **6.8 aan** de ~ staan/werken *stand/work at the bank* **6.¶** door de ~ (genomen) *on average, by and large* **8.2** zo vast als de ~ *as safe as houses.*

bankaandeel ⟨het⟩ **0.1** ⟨vaste coupures⟩ *bank(ing) shares;* ⟨anders⟩ *bank stock.*

bankaangelegenheden ⟨de (v.)⟩ **0.1** *bank(ing) affairs/matters.*

bankaanwijzing ⟨de (v.)⟩ **0.1** [lastgeving aan de bank] *bank draft* **0.2** [lastgeving v.d. bank] *payment order.*

bankabel ⟨bn.⟩ ⟨hand.⟩ **0.1** *bankable* ⇒*readily negotiable.*

bankaccept ⟨het⟩ **0.1** [het geaccepteerd zijn v.e. wissel] *bank(er's) acceptance* **0.2** [geaccepteerde wissel] *bank(er's) acceptance,* ^Bbank bill, ^Abankable bill.

bankactie ⟨de (v.)⟩ **0.1** *bank share.*

bankafschrift ⟨het⟩ **0.1** *bank statement.*

bankagio ⟨het⟩ **0.1** [opgeld] *bank premium* **0.2** [bankdisconto] *bank discount rate* ⇒*market rate of discount.*

bankassignatie ⟨de (v.)⟩ **0.1** [geldaanwijzing] *bank draft* **0.2** [cheques] *bank (post) bill,* ^Abankable bill.

bankbed ⟨het⟩ **0.1** *sofa bed bank.*

bankbediende ⟨de (m.)⟩ **0.1** *bank clerk/employee.*

bankbeitel ⟨de (m.)⟩ **0.1** *bench/cold chisel.*

bankberoving ⟨de (v.)⟩ **0.1** *bank robbery.*

bankbiljet ⟨het⟩ **0.1** ^B(bank) note, ^Abill ⇒⟨mv. ook⟩ *paper currency.*

bankboekje ⟨het⟩ **0.1** *bankbook,* ^Apassbook.

bankbreuk ⟨de⟩ **0.1** *bankruptcy* ◆ **2.1** eenvoudige en bedrieglijke ~ *simple/casual and fraudulent/culpable bankruptcy.*

bankbrief ⟨de (m.)⟩ ⟨geldw.⟩ **0.1** *bill.*

bankbriefje ⟨het⟩ ⟨AZN⟩ **0.1** ^B(bank) note, ^Abill.

bankcheque ⟨de (m.)⟩ **0.1** *bank cheque, banker's draft.*

bankconsortium ⟨het⟩ **0.1** *bankers'/banking syndicate/consortium* ⇒ *group banking.*

bankconto ⟨het⟩ **0.1** *bank account.*

bankdeposito ⟨het⟩ **0.1** *bank deposit.*

bankdirecteur ⟨de (m.)⟩ **0.1** *bank manager.*

bankdisconto ⟨het⟩ **0.1** *bank discount rate* ⇒*market rate of discount.*

bankdrukken ⟨ww.⟩ ⟨sport⟩ **0.1** *benchpressing.*

bankemployé ⟨de (m.)⟩ **0.1** *bank employee/clerk/official.*

banken ⟨onov.ww.⟩ **0.1** [blijven] *remain* ⇒*stay* **0.2** [⟨kaartspel⟩] *play at vingt-et-un/twenty-one/blackjack* **0.3** [vissen op een zandbank] *bank.*

bankenpacht ⟨de⟩ ⟨r.k.⟩ **0.1** *pewage.*

banket ⟨het⟩ **0.1** [diner] *banquet* ⇒*public/formal dinner, feast* **0.2** [gebak] ≠*(almond) pastry* ⇒*confectionery* ◆ **3.1** een ~ geven/aanbieden *give a b., entertain (people) at a b.* **6.2** zijn naam **in** ~ krijgen ≠*be given one's name in pastry letters.*

banketbakker ⟨de (m.)⟩ **0.1** [persoon] *confectioner* ⇒*pastry cook* **0.2** [bakkerij] ⟨→**banketbakkerij**⟩.

banketbakkerij ⟨de (v.)⟩ **0.1** *confectionery* ⇒*patisserie, confectioner's (shop).*

banketbakkersroom ⟨de (m.)⟩ **0.1** *pastry cream/custard.*

banketbakkersspijs ⟨de⟩ **0.1** *(imitation) almond paste.*

bankethammetje ⟨het⟩ **0.1** [kleine ham] *small choice ham* **0.2** [gebak] ⟨(almond) pastry in the shape of a small ham⟩.

banketletter ⟨de⟩ **0.1** *(almond) pastry letter.*

banketstaaf ⟨de (m.)⟩ **0.1** *(almond) pastry roll* ⇒*(almond) pastry.*

banketwinkel ⟨de (m.)⟩ **0.1** *confectionery* ⇒*patisserie, confectioner's shop.*

bankfiliaal ⟨het⟩ **0.1** *branch bank.*

bankgarantie ⟨de (v.)⟩ **0.1** *bank guarantee.*

bankgebouw ⟨de (m.)⟩ **0.1** *bank building.*

bankgeheim ⟨het⟩ **0.1** *bank secrecy* ⇒*banker's duty of secrecy.*

bankgeld ⟨het⟩ **0.1** [krediet bij een bank] *cash in bank* ⇒⟨AE ook⟩ *deposit currency, bank credit* **0.2** [tegoed bij de centrale bank] *reserve balance.*

bankgiro ⟨de (m.)⟩ **0.1** *bank giro.*

bankgirocentrale ⟨de⟩ ⟨ec.⟩ **0.1** *bank giro centre* ⇒⟨GB⟩ *clearing house.*

bankhamer ⟨de (m.)⟩ **0.1** *bench hammer.*

bankharing ⟨de (m.)⟩ **0.1** ≠*prime quality herring (caught off Dogger's bank).*

bankhouder ⟨de (m.)⟩, **-ster** ⟨de (v.)⟩ **0.1** [iem. die een speelbank/bank van lening houdt] *pawnbroker* **0.2** [⟨spel⟩] *banker.*

bankier ⟨de (m.)⟩ **0.1** [hoofd v.e. bank] *banker* **0.2** [bank] *bank(er)* **0.3** [⟨spel⟩] *banker* ◆ **3.2** wie is uw ~? *where do you bank?, who(m) do you bank with?*

bankieren ⟨onov.ww.⟩ **0.1** *bank* ⇒*act as banker.*

bankiersclearing ⟨de⟩ **0.1** *(bank) clearings.*

bankiershuis ⟨het⟩ **0.1** [bedrijf] *banking house* **0.2** [aandeelhouders] *bank shareholders.*

bankinstelling ⟨de (v.)⟩ **0.1** *bank* ⇒*banking institution.*

bankje ⟨het⟩ **0.1** [zit-/voetbankje] ⟨zitbankje⟩ *small sofa, settee;* ⟨voetbankje⟩ *stool, foot rest* **0.2** [⟨inf.⟩ bankbiljet] *note* ⇒⟨USA⟩ *greenback* ◆ **2.2** valse ~s *forged notes/money* **3.¶** een ~ maken *bank, act as banker* **6.2** een ~ **van** duizend *a one thousand guilder note.*

bankkluis ⟨de⟩ **0.1** *(bank) vault/strong room* ⇒⟨voor cliënt⟩ *safe-deposit box.*

bankkrediet ⟨het⟩ **0.1** *bank credit.*

bankloper ⟨de (m.)⟩ **0.1** *bank messenger* ⇒*runner.*

bankman ⟨de (m.)⟩ **0.1** *a big banker.*

banknoot ⟨de⟩ →**bankbiljet.**

bankoctrooi ⟨het⟩ **0.1** *bank charter.*

bankonderneming ⟨de (v.)⟩ **0.1** *banking undertaking/enterprise.*

bankoperatie ⟨de (v.)⟩ **0.1** *banking operation.*

bankoverval ⟨de (m.)⟩ **0.1** *bank raid/holdup* ⇒*bank robbery.*

bankpapier ⟨het⟩ **0.1** *bank-paper* ⇒*banknotes.*

bankpost(papier) ⟨het⟩ **0.1** *bond (paper).*

bankprovisie ⟨de (v.)⟩ **0.1** *bank(er's) commission.*

bankraad ⟨de (m.)⟩ **0.1** ≠*banking commission.*

bankrekening ⟨de (v.)⟩ **0.1** [rekening-courant bij een bank] *bank account* ⇒*current account,* ^Ademand deposits **0.2** [bedrag v.d. rekening-courant] *bank account.*

bankrelatie ⟨de (v.)⟩ **0.1** *bank(er).*

bankroet¹ ⟨het⟩ **0.1** [bankbreuk] *bankruptcy* **0.2** [faillissement] *bankruptcy* **0.3** [⟨fig.⟩ ineenstorting] *bankruptcy* ◆ **1.3** het ~ v.d. verzorgingsstaat *the b. of the welfare state* **2.1** frauduleus ~ *fraudulent/culpable b.* **3.2** hij heeft onze firma naar het ~ gevoerd *he has bankrupted our firm/led our firm into b..*

bankroet² ⟨bn.; alleen pred.⟩ **0.1** *bankrupt* ⇒⟨inf.⟩ *broke, bust* ◆ **3.1** ~ gaan *go bankrupt, become a bankrupt, fail;* (*go*) *bust;* die zaak is ~ *that business has gone bankrupt.*

bankroetier ⟨de (m.)⟩, **-ster** ⟨de (v.)⟩ **0.1** *bankrupt.*

bankroetje ⟨het⟩ **0.1** *(small) loss* ◆ **3.1** dat is een ~ voor mij *that is a bad bargain for me.*

bankroof ⟨de (m.)⟩ **0.1** *bank robbery.*

banksaldo ⟨het⟩ **0.1** *bank balance* ◆ **6.1** zij heeft een ~ **van** tweeduizend

121

gulden *her account is two thousand guilders in credit* / ⟨inf.⟩ *in the black*.

bankschroef ⟨de⟩ **0.1** *(bench-)vice* ^A*vise*.

bankspeler ⟨de (m.)⟩ ⟨sport⟩ **0.1** *reserve, substitute (player)* ⇒⟨AE;sl.⟩ *bench warmer*.

bankstaat ⟨de (m.)⟩ **0.1** *bank return*.

bankstel ⟨het⟩ **0.1** *lounge suite*.

bankverkeer ⟨het⟩ **0.1** *bank transactions / operations*.

bankwerk ⟨het⟩ **0.1** *bench work*.

bankwerken ⟨ww.⟩ **0.1** *work as a fitter*.

bankwerker ⟨de (m.)⟩ **0.1** *(bench) fitter* ⇒*benchman*.

bankwet ⟨de⟩ **0.1** *Bank Act*.

bankwezen ⟨het⟩ **0.1** *banking*.

bankwissel ⟨de (m.)⟩ **0.1** *bank bill / draft, money order*.

bankzaken ⟨zn.mv.⟩ **0.1** *banking business*.

banneling ⟨de (m.)⟩, -e ⟨de (v.)⟩ **0.1** *exile*.

bannen ⟨ov.ww.⟩ **0.1** [verdrijven] *exile (from)* ⇒*expel (from)*, ⟨vnl. fig.⟩ *banish* **0.2** [door bezwering verdrijven] *exorcize* ⇒*lay* **0.3** [bezweren] *enchant* ⇒*charm* ◆ **1.1** ban de bom *ban the bomb* **1.2** de duivel / de boze ~ *e. the devil / the evil one* **6.1** iem. **uit** het land ~ *exile / expel s.o. (from the country)*; iets **uit** zijn geheugen ~ *efface sth. from one's memory, efface the memory of sth.*; een vreemd denkbeeld **van** zich ~ *banish a strange idea*.

banning ⟨de (v.)⟩ **0.1** [verbanning] *exile* ⇒*expulsion, banishment* **0.2** [bezwering] *exorcism*.

bantamgewicht ⟨het⟩ **0.1** *bantam(weight)*.

Bantoe ⟨de (m.)⟩ **0.1** *Bantu*.

bantoeïstiek ⟨de (v.)⟩ **0.1** *bantuistics*.

Bantoetaal ⟨de⟩ **0.1** *Bantu language*.

banvloek ⟨de (m.)⟩ **0.1** *anathema* ⇒*ban, curse* ◆ **3.1** de ~ over iem. uitspreken *anathematize s.o., fulminate a ban against s.o.*.

banvloeken ⟨ov.ww.⟩ **0.1** *anathematize*.

banvonnis ⟨het⟩ **0.1** *sentence of exile* ⇒⟨kerk.⟩ *excommunication* ◆ **3.1** het ~ over iem. uitspreken *pronounce a sentence of exile against s.o., banish / exile s.o.; excommunicate s.o.*.

baobab ⟨de (m.)⟩ **0.1** *baobab (tree)* ⇒*monkey bread (tree)*.

baptist ⟨de (m.)⟩ **0.1** *baptist*.

baptisterium ⟨het⟩ **0.1** *baptistery*.

bar¹
I ⟨de⟩ **0.1** [hoge tafel met krukken] *bar* **0.2** [café] *bar* **0.3** [vertrek in een hotel] *bar* **0.4** [meubel voor de drankvoorraad] *bar* **0.5** [⟨in samenst.⟩] *bar* **0.6** [⟨sport⟩]⟨ballet⟩ *bar(re)* ⟨gymnastiek⟩ *parallel bar* ◆ **1.5** hakkenbar *heel b.*; koffiebar *coffee b.* **3.4** een rijdende ~ *a mobile b.* **6.1 aan** de ~ zitten *sit at the b.*; wie staat er **achter** de ~? *who's behind / running the b.?, who's the barman / barwoman* / ⟨vnl. AE⟩ *bartender?* **6.3 in** de ~ zitten *sit in the b.* **6.6** oefeningen **aan** de ~ *exercises at the bar(re)*;
II ⟨de (m.)⟩ **0.1** [⟨nat.⟩] *bar* ◆ **2.1** meteorologische ~ *meteorological b., 1000 millibar*.

bar²
I ⟨bn.⟩ **0.1** [kaal] *barren* **0.2** [koud] *severe* ⇒*inclement, biting*, ⟨klimaat ook⟩ *rigorous* **0.3** [grof] *rough* ⇒*gross* ◆ **1.1** een ~re woestijn *a b. desert* **1.2** ~ weer *s. / brutal / foul weather;* een ~re winter *a s. winter* **2.¶** ~ en boos *really awful / terrible / appalling / dreadful* **3.3** jij maakt het wat al te ~ *you are carrying things / are going too far;* nu wordt het toch te ~! *this is carrying things / is going too far!;* ⟨BE ook⟩ *this is really getting a bit much!;*
II ⟨bw.⟩ **0.1** [erg] *extremely* ⇒*awfully, horribly* ◆ **2.1** ~ slecht ⟨inf. ook⟩ *no class;* het is ~ vervelend *it is awfully / e. boring*.

barak ⟨de⟩ **0.1** [tijdelijk woon- / werkverblijf] *shed* ⇒⟨ihb. mil.⟩ *hut, barracks* **0.2** [veldhospitaal] *emergency / field hospital* **0.3** [gebouw apart v.e. ziekenhuis] *isolation hospital* ◆ **2.1** ⟨fig.⟩ deze oude ~ *this old barracks*.

barakkenkamp ⟨het⟩ **0.1** *hutted camp* ⇒⟨vnl. mil.⟩ *hutment*.

barbaar ⟨de (m.)⟩ **0.1** [onbeschaafd mens] *barbarian* ⇒*philistine* **0.2** [wreedaard] *barbarian* **0.3** [⟨gesch.⟩ vreemdeling] *barbarian* ◆ **3.2** die ~ mishandelt zijn hond *that b. ill-treats his dog*.

barbaars ⟨bn., bw.; in bet. 0.2-1y⟩ **0.1** [onbeschaafd] *barbarian* ⇒*barbarous*, ⟨woest⟩ *barbaric, savage* **0.2** [wreed] *barbarous* ⇒*barbaric, atrocious* ◆ **1.1** een ~e gewoonte *a barbaric custom* **1.2** het slachtoffer was op ~e wijze vermint *the victim had been barbarically mutilated* **2.2** het was ~ koud *it was atrociously cold*.

barbaarsheid ⟨de (v.)⟩ **0.1** [het onbeschaafd zijn] *barbarism* ⇒*philistinism* **0.2** [onbeschaafde daad / toestand] *barbarism* **0.3** [wreedheid] *barbarity* ⇒*barbarism* **0.4** [wrede daad / toestand] *barbarity* ⇒*atrocity, barbarism*.

Barbados ⟨het⟩ **0.1** *Barbados*.

barbarisme ⟨het⟩ **0.1** *barbarism*.

barbecue ⟨de (m.)⟩ **0.1** [toestel] *barbecue* **0.2** [gelegenheid] *barbecue (party)*.

barbecuen ⟨onov.ww.⟩ **0.1** *barbecue*.

barbediende ⟨de (m.)⟩ **0.1** *barman, barwoman* ⇒⟨vnl. AE⟩ *bartender*.

barbeel ⟨de (m.)⟩ **0.1** [riviervis] *barbel* **0.2** [zeevis] *red mullet*, ^A*goatfish*.

barbertje ⟨het⟩ **0.1** ≠*space saver*.

Barbertje 0.1 *Babs, Barbie* ◆ **3.¶** ~ moet hangen *there must be a scapegoat*.

barbier ⟨de (m.)⟩ **0.1** *barber*.

barbituraat ⟨het⟩ **0.1** [zout van barbituurzuur] *barbiturate* **0.2** [farmaceutisch produkt] *barbiturate* ⇒⟨sl.⟩ *down(er)*.

barbituurzuur ⟨het⟩ **0.1** *barbituric acid*.

barcarolle ⟨de⟩ **0.1** *barcarol(l)e*.

bard ⟨de (m.)⟩ **0.1** [⟨gesch.⟩] *bard* **0.2** [dichter] *bard* **0.3** [volksdichter] *bard*.

barderen ⟨ov.ww.⟩ **0.1** *bard(e)*.

bareel ⟨de (m.)⟩ ⟨AZN⟩ **0.1** *barrier* ⇒⟨spoorboom⟩ *(level / ^Agrade) crossing barrier*.

baren ⟨ov.ww.⟩ ⟨→sprw. 460,562⟩ **0.1** [ter wereld brengen] *bear* ⇒*give birth to, bring forth* **0.2** [veroorzaken] *cause* ⇒*occasion, create* ◆ **1.2** dit baart mij kommer *this causes / gives me trouble;* zorg / angst / opzien ~ *cause anxiety / fear / a sensation* **1.¶** de berg heeft een muis gebaard *it was much ado about nothing, it was / turned out to be a damp squib;* ⟨schr.⟩ *the mountain (laboured and) brought forth a mouse*.

barensnood ⟨de (m.)⟩ **0.1** *labour* ⇒⟨schr.⟩ *travail* ◆ **6.1 in** ~ verkeren *be in l.* ⟨ook scherts.⟩ / *travail, labour, travail*.

barenswee ⟨het⟩ **0.1** [pijnen voor het baren] *contraction* ⇒*(birth) pang*, ⟨mv. ook⟩ *labour pains, pains / pangs of childbirth* **0.2** [⟨fig.⟩] *throe* ◆ **3.1** de ~ën kunnen elk moment beginnen *she is near her time*.

baret ⟨de⟩ **0.1** [slappe muts] *cap* ⇒*beret* ⟨voor vrouwen⟩, ⟨voor kinderen ook⟩ *tam(-o'-shanter)* **0.2** [⟨mil.⟩] *(soldier's) beret* **0.3** [muts behorend bij de toga] *cap* ⇒⟨van geestelijke⟩ *biretta* ◆ **2.2** de groene ~ten *the Green Berets*.

baretembleem ⟨het⟩ **0.1** *beret emblem / badge*.

barg ⟨de (m.)⟩ **0.1** *hog* ⇒*barrow*.

Bargoens¹ ⟨het⟩ **0.1** [geheimtaal] *(thieves') slang* ⇒*argot* **0.2** [onverstaanbare taal] *jargon* ⇒⟨inf.⟩ *lingo*.

Bargoens² ⟨bn.⟩ **0.1** *slangy*.

barheid ⟨de (v.)⟩ **0.1** [kaalheid] *barrenness* **0.2** [koude] *severity* ⇒*inclemency, inclementness*, ⟨ontberingen⟩ *rigours*.

barhouder ⟨de (m.)⟩ **0.1** *bar owner*.

bariet ⟨het / schei.⟩ **0.1** [bariumsulfaat] *barytes*, ⟨AE vnl.⟩ *barite* ⇒ *heavy spar* **0.2** [bariumhydroxyde] *baryta* ⇒*barium hydroxide*.

baring ⟨de (v.)⟩ **0.1** *(child)birth* ⇒*parturition*.

bariton ⟨de (m.)⟩ **0.1** [stem] *baritone* **0.2** [zangpartij] *baritone part* **0.3** [zanger] *baritone (singer)* **0.4** [blaasinstrument] *baritone* **0.5** [oud strijkinstrument] *baritone* ⇒*viola bastarda*.

baritonhobo ⟨de (m.)⟩ **0.1** *baritone oboe* ⇒*heckelphone*.

baritonzanger ⟨de (m.)⟩ **0.1** *baritone (singer)*.

barium ⟨het⟩ ⟨schei.⟩ **0.1** *barium*.

bariumhydroxyde ⟨het⟩ ⟨schei.⟩ **0.1** *barium hydroxide* ⇒*baryta*.

bariumpap ⟨de⟩ **0.1** *barium meal*.

bariumsulfaat ⟨het⟩ ⟨schei.⟩ **0.1** *barium sulphate* ⇒*barytes*, ⟨AE vnl. ook⟩ *barite*.

barjuffrouw ⟨de (v.)⟩ **0.1** *barmaid*.

bark ⟨de⟩ **0.1** [zeilschip] *barque;* ⟨AE vnl.⟩ *bark* **0.2** [oud, slecht schip] *barge* ⇒*tub*.

barkas ⟨de⟩ **0.1** *longboat* ⇒⟨vero.⟩ *launch*.

barkastje ⟨het⟩ **0.1** *bar* ⇒*cocktail* ^A*liquor cabinet*.

barkeeper ⟨de (m.)⟩ **0.1** *barman* ⇒⟨vnl. AE⟩ *bartender*, ^A*barkeep(er)*.

barkelner ⟨de (m.)⟩ **0.1** *bar waiter*.

barkruk ⟨de⟩ **0.1** *bar stool*.

barman ⟨de (m.)⟩ **0.1** →*barkeeper*.

barmeid ⟨de (v.)⟩ **0.1** ↑*barmaid*.

barmeisje ⟨het⟩ **0.1** *barmaid*.

barmeubel ⟨het⟩ **0.1** *bar* ⇒*cocktail* ^A*liquor cabinet*.

barmhartig
I ⟨bn.⟩ **0.1** [mededogen hebbend] *merciful* ⇒*clement*, ⟨weldoend⟩ *charitable* ◆ **1.1** de ~e Samaritaan *the good Samaritan;*
II ⟨bw.⟩ **0.1** [als iem. die mededogen heeft] *mercifully* ⇒*charitably*.

barmhartigheid ⟨de (v.)⟩ **0.1** *mercy* ⇒*mercifulness, clemency*, ⟨het weldoen⟩ *charitableness, charity* ◆ **1.1** werken van ~ *works of mercy* **2.1** de christelijke ~ *Christian charity* **6.1 uit** ~ *in / out of charity*.

barmsijsje ⟨het⟩ **0.1** *redpoll*.

barnevelder ⟨de (m.)⟩ **0.1** *barnevelder*.

barnsteen ⟨het, de (m.)⟩ **0.1** *amber*.

barnsteenvernis ⟨het, de (m.)⟩ **0.1** *amber varnish*.

barograaf ⟨de (m.)⟩ **0.1** *barograph*.

barogram ⟨het⟩ **0.1** *barogram*.

barok¹ ⟨het, de⟩ **0.1** *baroque*.

barok² ⟨bn.⟩ **0.1** [onregelmatig, grillig] *baroque* ⇒*ornate* **0.2** [v.d. barok] *baroque* ◆ **1.1** een ~ taaltje schrijven *have an elaborate style of writing*.

barometer ⟨de (m.)⟩ **0.1** [meter] *barometer* ⟨ook fig.⟩ ⇒*glass* ◆ **1.1** de ~ v.d. economie *the b. of the economy* **3.1** de ~ staat op mooi weer / storm *the b. is set at fair / points to storm;* ⟨fig.⟩ *things are looking good / bad;* de ~ stijgt / daalt *the b. / glass is rising / falling*.

barometerstand ⟨de (m.)⟩ **0.1** *barometric pressure* ◆ **2.1** bij hoge / lage ~ *at high / low b. p., when the barometer is high / low*.

barometrisch ⟨bn.⟩ **0.1** *barometric(al)* ◆ **1.1** ~ maximum *b. maximum;* ~e waarnemingen *b. observations.*

baron ⟨de (m.)⟩ **0.1** [adellijk persoon] *baron* **0.2** [⟨in samenst.⟩] *baron* ◆ **1.1** meneer de ~ *his/your Lordship* **1.2** oliebaron *oil baron;* staalbaron *steel baron* **3.1** ⟨fig.⟩ de ~ spelen *lord it.*

barones ⟨de (v.)⟩ **0.1** [dame met baronnentitel] *baroness* **0.2** [gemalin/dochter v.e. baron] *baroness* ◆ **1.2** mevrouw de ~ *her/your Ladyship.*

baronesse ⟨de (v.)⟩ →**barones.**

baronie ⟨de (v.)⟩ **0.1** *barony.*

baroreceptor ⟨de (m.)⟩⟨med.⟩ **0.1** *baroreceptor.*

baroscoop ⟨de (m.)⟩ **0.1** *baroscope.*

barotrauma ⟨het, de⟩⟨med.⟩ **0.1** *barotrauma.*

barouche ⟨de (m.)⟩ **0.1** *barouche.*

barquette ⟨de⟩ **0.1** *barquette* ⇒*pastry shell.*

barracuda ⟨de (v.)⟩ **0.1** *barracuda.*

barrage ⟨de (v.)⟩ **0.1** [⟨sport⟩] *barrage* ⇒*decider,* ⟨paardesport ook⟩ *jump-off* **0.2** [versperring] *barrier* ⇒*barrage* **0.3** [spervuur] *barrage* ⇒ *curtain fire.*

barrebiesjes ⟨zn.mv.⟩ ◆ **6.¶** naar de ~ gaan *go west, kick the bucket, go to ruin.*

barrel ⟨de (m.)⟩ **0.1** *trash* ◆ **6.¶** aan ~en/~s (slaan) *(smash) to pieces/smithereens.*

barrevoets ⟨bn., bw.⟩ **0.1** *barefoot* ◆ ⟨bn. ook⟩ *barefooted* ◆ **3.1** ~ lopen *go/walk barefoot.*

barricade ⟨de (v.)⟩ **0.1** [straatversperring] *barricade* **0.2** [⟨fig.⟩] *barrier* ◆ **3.1** ~n opwerpen *raise/throw up barricades* **6.1** voor iets op de ~ gaan staan ⟨fig.⟩ *stand/fight on the barricades for sth..*

barricadegevecht ⟨het⟩ **0.1** *barricade fighting.*

barricaderen ⟨ov.ww.⟩ **0.1** *barricade* ⇒⟨deur ook⟩ *bar* ◆ **4.1** zich ~ *barricade o.s. in.*

barrière ⟨de⟩ **0.1** [slagboom] *barrier* **0.2** [hindernis] *barrier* **0.3** [⟨mijnw.⟩] *barrier* **0.4** [tolhuis] *barrier* **0.5** [ingang v.d. manege] *barrier* ◆ **2.2** zijn eisen bleken een onoverkomelijke ~ te vormen *his demands proved to constitute an insurmountable b.* **3.2** ~s opwerpen *put up barriers.*

barrièremiddel ⟨het⟩⟨med.⟩ **0.1** *mechanical barrier, (cervical) occlusive device.*

barrièrerif ⟨het⟩ **0.1** *barrier reef* ◆ **2.1** het Grote Barrièrerif *the Great Barrier Reef.*

barring ⟨de⟩ **0.1** *booms and spars.*

bars ⟨bn., bw.; -ly⟩ **0.1** *stern, grim* ⇒*forbidding* ⟨uiterlijk⟩, *harsh, gruff* ⟨stem⟩ ◆ **1.1** ~ antwoord *a blunt answer;* ~ en ~ gezicht zetten *put on a grim face* **3.1** hij wees hem ~ de deur *he sternly showed him the door.*

barsheid ⟨de (v.)⟩ **0.1** *sternness, grimness* ⇒*harshness, gruffness.*

barst ⟨de⟩ **0.1** [scheur] *crack* ⇒*fissure,* ⟨in huid⟩ *chap* **0.2** [⟨inf.⟩ ⟨+geen⟩] *(not a) damn/thing/bit* ⟨zie verder 7.2⟩ ◆ **3.1** er komen ~en in it's *cracking* **6.1** een ~ in een muur/het ijs/een kopje/het vernis *a crack in a wall/the ice/a cup/the varnish* **7.2** ik vond er geen ~ aan ≠*it was a complete waste of time;* het kan haar geen ~ schelen *she doesn't give a damn,* [†]*she couldn't care less;* geen ~ waard *not worth a damn thing/pigshit;* ik geloof er geen ~ van *I'm not buying that,* [†]*I don't believe a single word of it;* het helpt geen ~ *it's no (bloody/damn) use.*

barsten ⟨bn.⟩ **0.1** *amber.*

barstensvol ⟨bn.⟩ ◆ **3.¶** hij zit ~ ideeën *he is brimming over with/full off ideas.*

Bartholomeusnacht ⟨de (m.)⟩⟨gesch.⟩ **0.1** *massacre of St.Bartholomew.*

Bartje(n)s ⟨de (m.)⟩ ◆ **6.¶** volgens ~ *according to Cocker/*[A]*Gunter.*

barysfeer ⟨de⟩ **0.1** *barysphere.*

barzoi ⟨de (v.)⟩ **0.1** *borzoi* ⇒*Russian wolfhound.*

bas ⟨de⟩ **0.1** [hoofdstem in een muziekstuk] *bass* **0.2** [mannenstem] *bass* **0.3** [zanger, speler] *bass (singer/player)* ⇒⟨zanger ook, vnl. opera/solo⟩ *basso* **0.4** [contrabas] *double bass* ⇒⟨contra⟩bass, ⟨AE ook⟩ *bass viol* **0.5** [lagere partij] *secondo* ◆ **3.2** ~ zingen *sing b.* **3.4** ~ spelen *play the b..*

basaal ⟨bn.⟩ **0.1** [bij de basis] *basal* ⇒*basic* **0.2** [fundamenteel] *basal* ⇒ *fundamental, basic* ◆ **1.1** basale cellen *basal cells* **1.2** basale biologische mechanismen *basal biological mechanisms;* basale metabolie *basal metabolism.*

basalt ⟨het⟩ **0.1** *basalt.*

basalten ⟨bn.⟩ **0.1** *basalt.*

basaltine ⟨de⟩ **0.1** *basaltine.*

bas-aria ⟨de⟩ **0.1** *bass aria.*

basbazuin ⟨de⟩ **0.1** *bass trumpet.*

basblokfluit ⟨de⟩ **0.1** *bass recorder.*

bascule ⟨de⟩ **0.1** [weegwerktuig voor zware lasten] *platform weighing machine* **0.2** [weegschaal] *balance* ⇒*(pair of) scales* **0.3** [wip v.e. brug] *bascule* **0.4** [zwengel v.e. waterput] *sweep.*

basculebrug ⟨de⟩ **0.1** *bascule bridge.*

basculesluiting ⟨de (v.)⟩ **0.1** *espagnolette.*

base ⟨de (v.)⟩⟨schei.⟩ **0.1** [loog] *base* **0.2** [stof die neigt een proton op te nemen] *base.*

baseballen ⟨onov.ww.⟩ **0.1** *play baseball.*

basedow ⟨de⟩⟨med.⟩ **0.1** *Basedow's disease* ⇒*exophthalmic goitre.*

basement ⟨het⟩ **0.1** [voetstuk] *base* **0.2** [fundering] *foundation* **0.3** [onderste verdieping] *basement.*

basen ⟨ww.⟩⟨inf.⟩ **0.1** *free-basing.*

baseren
I ⟨ov.ww.⟩ **0.1** [doen steunen] *base (on)* ⇒*found (on)* ◆ **5.1** dat is daarop gebaseerd dat... *that rests on* ... **6.1** een mening/stelling ~ op *b./found an opinion/a thesis on;*
II ⟨wk.ww.; zich ~⟩ **0.1** [steunen op, uitgaan van] *base (o.s.)/rely on* ⇒*go on* ◆ **6.1** zich op iets ~ *base o.s./one's case on sth.;* we hadden niets om ons op te ~ *we had nothing to go by/on;* zich op premissen ~ *reason from premisses;* op niets gebaseerde beweringen *unfounded statements.*

basgitaar ⟨de⟩ **0.1** *bass (guitar).*

bashoorn ⟨de (m.)⟩ **0.1** *bass horn.*

basilica ⟨de (v.)⟩ **0.1** *basilica.*

basilicum ⟨het⟩ **0.1** [kruid] *basil* **0.2** [zalf] *basilicon (ointment).*

basiliek ⟨de (v.)⟩ **0.1** [kerk] *basilica* **0.2** [eretitel v.e. kerk] *basilica* **0.3** [⟨Rom. gesch.⟩] *basilica* ◆ **2.2** de kathedrale ~ van St.-Jan in 's-Hertogenbosch *St.John's cathedral in 's-Hertogenbosch.*

basiliekruid ⟨het⟩ **0.1** *basil.*

basilisk ⟨de (m.)⟩ **0.1** [fabeldier] *basilisk* ⇒*cockatrice* **0.2** [boomhagedis] *basilisk.*

basinstrument ⟨het⟩ **0.1** *bass instrument.*

basis ⟨de (v.)⟩ **0.1** [grondslag, fundament] *basis* ⇒*base, foot(ing), foundation* **0.2** [⟨fig.⟩ grondslag] *basis* ⇒*footing, groundwork* **0.3** [hoofdbestanddeel] *base* ⇒*basis* **0.4** [achterban] *rank and file* **0.5** [⟨mil.⟩] *base* **0.6** [⟨wisk.⟩ grondvlak/-lijn] *base* **0.7** [⟨wisk.⟩ grondgetal] *base* ◆ **1.1** de ~ v.d. zendmast *the base/foot of the transmitter mast* **2.2** op brede/smalle ~ *broad-/narrow-based;* op commerciële ~ *on business lines;* een slechte ~ voor verdere onderhandelingen *a bad/weak b. for further negotiations;* een wankele ~ *an unsound b.* **3.2** de ~ leggen voor iets *lay the foundation of sth.* **6.2** een voorlopige conclusie op ~ van de beschikbare gegevens *a tentative conclusion on the b. of the available data;* een ~ voor akkoord *common ground* **6.3** een shampo op ~ van natuurlijke bestanddelen *a shampoo with a base of natural ingredients* **8.3** een saus met een groentebouillon als ~ *a sauce with a vegetable stock as a base.*

basisarts ⟨de (m.)⟩ **0.1** *Doctor of Medicine, M.D..*

basisbegrip ⟨het⟩ **0.1** *basic concept* ◆ **3.1** iem. de ~pen bijbrengen *teach s.o. the basics.*

basisbehandeling ⟨de (v.)⟩⟨med.⟩ **0.1** *basic treatment.*

basisch ⟨bn., bw.⟩⟨schei.⟩ **0.1** *alkaline* ⇒*basic* ◆ **1.1** ~e gesteenten *basic rocks;* ~e kleurstof *basic dye/colour;* ~e zouten *basic salts* **3.1** ~ maken *basify;* ~ reageren *give/show an a. reaction* **5.1** ~ carbonaat *basic carbonate.*

basischemicaliën ⟨zn.mv.⟩ **0.1** *basic chemicals.*

basiscomponent ⟨de (m.)⟩⟨taal.⟩ **0.1** *base (component).*

basiscursus ⟨de (m.)⟩ **0.1** *basic/elementary course.*

basiseducatie ⟨de (v.)⟩ **0.1** *basic education.*

basiselement ⟨het⟩ **0.1** *basic element.*

basisengels ⟨het⟩ **0.1** [voor beginners] *elementary/basic English* **0.2** [voor internationaal gebruik] *Basic (English).*

basisgegeven ⟨het⟩ **0.1** *basic fact* ⇒*basic data* ⟨enk. en mv.⟩.

basisgemeente ⟨de (v.)⟩ **0.1** *base community.*

basishoek ⟨de (m.)⟩⟨wisk.⟩ **0.1** *base angle.*

basisidee ⟨het⟩ **0.1** *basic/underlying idea.*

basisindustrie ⟨de (v.)⟩ **0.1** *basic industry.*

basisinkomen ⟨het⟩ **0.1** [uitkering v.d. staat] *guaranteed minimum income* **0.2** [inkomen zonder toeslagen] *basic income.*

basisjaar ⟨het⟩ **0.1** *base year.*

basiskennis ⟨de (v.)⟩ **0.1** *rudiments* ⟨mv.⟩ ⇒*basic knowledge,* ⟨inf. vaak⟩ *basics* ◆ **3.1** doe eerst de ~ op *learn the basics first.*

basisloon ⟨het⟩ **0.1** *basic wage.*

basismethode ⟨de (v.)⟩ **0.1** *base method.*

basismeting ⟨de (v.)⟩⟨landmeetk.⟩ **0.1** *base measurement.*

basismodulus ⟨de (m.)⟩⟨amb.⟩ **0.1** *basic module.*

basisonderwijs 〈het〉 **0.1** [lager onderwijs] *primary education* **0.2** [onderwijs in eerste beginselen] *elementary/basic instruction*.
basisopleiding 〈de (v.)〉 **0.1** *basic training*.
basisopstelling 〈de (v.)〉 〈sport〉 **0.1** *the line-up of the team*.
basispremie 〈de (v.)〉 **0.1** *basic premium*.
basisprijs 〈de (m.)〉 〈hand.〉 **0.1** *base price*.
basisprincipe 〈het〉 **0.1** *basic principle*.
basispunt 〈het〉 〈wisk.〉 **0.1** *base point*.
basissalaris 〈het〉 **0.1** *basic salary*.
basisschool 〈de〉 **0.1** *primary school* ⇒〈USA〉 *elementary/grade school*.
basistarief 〈het〉 **0.1** *base rate*.
basistekst 〈de (m.)〉 **0.1** [mbt. een verklaring] *primary text* **0.2** [mbt. een uitgave] *original text*.
basisvak 〈het〉 **0.1** *basic subject* ◆ **1.1** de~ken v.h. lager onderwijs *the b. subjects of primary education*.
basiswedde 〈de〉 **0.1** *base pay/wage*.
Baskenland 〈het〉 **0.1** *Basque Provinces*.
basketbal 〈het〉 **0.1** *basketball*.
basketballen 〈onov.ww.〉 **0.1** *play basketball*.
basketbalspeler 〈de (m.)〉, **-ster** 〈de (v.)〉 **0.1** *basketball player*.
Baskisch 〈het〉 **0.1** *Basque*.
basklarinet 〈de〉 **0.1** *bass clarinet*.
baspartij 〈de (v.)〉 〈muz.〉 **0.1** *bass (part)*.
baspijp 〈de〉 〈muz.〉 **0.1** *bourdon* ⇒〈van doedelzak ook〉 *drone*.
basreflexkast 〈de〉 〈audio〉 **0.1** *bassreflex (loud)speaker*.
bas-reliëf 〈het〉 **0.1** *bas-relief* ⇒*basso-relievo, low relief*.
basreliëffotografie 〈de (v.)〉 **0.1** *bas-relief photography*.
bassen 〈onov.ww.〉 **0.1** [blaffen] *bark* **0.2** [snauwen, tekeergaan] *bark* ⇒ *bay*.
basset 〈de (m.)〉 **0.1** *basset (hound)*.
bassethoorn 〈de (m.)〉 〈muz.; pass.〉 **0.1** *basset horn*.
bassin 〈het〉 **0.1** [zwembad] *(swimming) pool* **0.2** [waterbekken] *basin* **0.3** [kom] *basin*.
bassist 〈de (m.)〉, **-e** 〈de (v.)〉 **0.1** 〈speler〉 *bassist* ⇒*bass player*, 〈zanger〉 *bass (singer)*.
bassleutel 〈de (m.)〉 **0.1** [om de bassnaren te spannen] *bass peg* **0.2** [muzieksleutel] *bass clef* ⇒ *F clef*.
bassnaar 〈de〉 **0.1** *drone*.
basso continuo 〈de (m.)〉 〈muz.〉 **0.1** *(basso) continuo* ⇒*thorough bass*.
basstem 〈de〉 **0.1** *bass (voice)* ⇒〈muz.〉 *bass part* ◆ **2.1** diepe~ *deep b.*; 〈opera〉 *basso profundo*.
bast 〈de (m.)〉 **0.1** [schors] *bark* ⇒*rind*, 〈schil, peul〉 *husk, shell* **0.2** [〈inf.〉 huid] *hide* ⇒*skin* **0.3** [〈inf.〉 buik, lichaam] *belly, paunch* **0.4** [weefsellaag tussen schors en hout] *bast* ⇒*phloem* **0.5** [huid om het gewei] *velvet* ◆ **2.2** hij heeft een lekker bruine~ *he has a nicely tanned skin* **6.2** op zijn~ geven/krijgen *give/get a hiding* **6.4** een touw van ~ *a b. rope*.
basta 〈tw.〉 **0.1** *stop!* ⇒*enough!* ◆ **5.1** en daarmee~! *and there's an end to it!, that's the end of it!, that that/enough!*.
bastaard 〈de (m.)〉 **0.1** [onwettig kind] *bastard* **0.2** [rasloos dier] *mongrel* **0.3** [door vermenging van verwante soorten ontstaan dier] *crossbreed* ⇒*mongrel* **0.4** [nieuwe plantevorm] *hybrid* ⇒*crossbreed* **0.5** [mindere kwaliteit] *seconds* 〈alleen mv.〉 ◆ **3.1** tot~ verklaren *bastardize*.
bastaardaap 〈de (m.)〉 **0.1** *half-ape*.
bastaardbroeder 〈de (m.)〉 **0.1** *bastard brother*.
bastaarderen 〈ov.ww.〉 〈biol.〉 **0.1** *hybridize*.
bastaardering 〈de (v.)〉 **0.1** [het bastaarderen] *hybridization* **0.2** [〈taal.〉] *creolization*.
bastaardhond 〈de (m.)〉 **0.1** *mongrel*.
bastaardkind 〈het〉 **0.1** *bastard (child)* ⇒*illegitimate child*.
bastaardnachtegaal 〈de (m.)〉 **0.1** *hedge sparrow* ⇒*dunnock, hedge accentor*.
bastaardsatijnvlinder 〈de (m.)〉 **0.1** *brown-tail moth*.
bastaardspin 〈de〉 **0.1** *harvest spider* ⇒*harvestman*, 〈AE ook; inf.〉 *daddy-longlegs*.
bastaarduitgang 〈de (m.)〉 **0.1** *loan-suffix*.
bastaardvijl 〈de〉 **0.1** *bastard file*.
bastaardvloek 〈de (m.)〉 **0.1** *disguised/wild oath*.
bastaardvorm 〈de (m.)〉 **0.1** [mengvorm] *hybrid* **0.2** [〈biol.〉] *cross* ⇒〈plant ook〉 *hybrid*, 〈dier ook〉 *crossbreed* **0.3** [〈taal.〉] *hybrid*.
bastaardwoord 〈het〉 **0.1** *loan(-word)*.
bastaardzoon 〈de (m.)〉 **0.1** *bastard son*.
bastaardzuster 〈de (v.)〉 **0.1** *bastard sister*.
bastachtig 〈bn.〉 **0.1** *barky*.
basterd- →*bastaard-*.
basterdsuiker 〈de (m.)〉 **0.1** [soort suiker] *soft brown sugar* **0.2** [cocaïne] *snow* ⇒*coke, slap*.
bastion 〈het〉 **0.1** *bastion*.
bastonnade 〈de (v.)〉 **0.1** [pak slaag] *bastinado* **0.2** [stokslagen op de voetzolen] *bastinado*.
bastonneren
I 〈onov.ww.〉 **0.1** [met stokken exerceren] *bastinado*;

II 〈ov.ww.〉 **0.1** [afranselen met een stok] *bastinado*.
basviool 〈de〉 **0.1** *(violon)cello*.
baszanger 〈de (m.)〉 **0.1** *bass (singer)* ⇒*bassist*, 〈vnl. opera〉 *basso*.
Bataaf 〈de (m.)〉 **0.1** [〈gesch.〉] *Batavian* **0.2** [Nederlander] *Batavian*.
Bataafs 〈bn.〉 **0.1** [v.d. Bataven] *Batavian* **0.2** [Nederlands] *Batavian* ◆ **1.2** de~e Republiek *the B. Republic*.
Batavier 〈de (m.)〉 **0.1** *Batavian*.
bataljon 〈het〉 **0.1** *battalion* ◆ **1.1** aan het hoofd v.e. ~ staat meestal een majoor *a b. is usually commanded by a major*.
batch 〈zn.mv.〉 〈comp.〉 **0.1** *batch* ◆ **6.1** dit programma draait in de ~ *this is a b. program*.
bate 〈de〉 ◆ **6.¶ ten** ~ **van** *for the benefit/good of, on behalf of*; iets ten eigen~ aanwenden *use for one's own purpose/benefit, turn/use to one's own advantage*; een inzameling **ten** ~ **van** Ethiopië *a collection for/in aid of Ethiopia*; de opbrengst van dit boek komt **ten** ~ **van** het gehandicapte kind *the proceeds from the sale of this book will be used to aid/will go to/be given to the handicapped children*.
baten 〈onov.ww.〉 **0.1** *avail* ◆ **5.1** wij zouden erdoor gebaat zijn *it would prove very helpful to us*; uw pogingen ~ niet *your attempts are of no avail*; het zal u volstrekt niet ~ *it will a. you nothing/be of no avail to you at all*; het mocht niet ~ *it was of no avail* **8.1** het baat niet of hij hard werkt *it is of no avail to him to work hard*.
bathometer 〈de (m.)〉 **0.1** *bathometer*.
bathyaal 〈bn.〉 ◆ **1.¶** bathyale zone *bathyal zone*.
bathyscaaf 〈de (v.)〉 **0.1** *bathyscaphe*.
bathysfeer 〈de〉 **0.1** [stalen bol voor diepzeeonderzoek] *bathysphere* **0.2** [diepste laag v.d. zee] *deep sea*.
batig 〈bn.〉 **0.1** 〈zie 1.1〉 ⇒*in s.o.'s favour* ◆ **1.1** ~slot/saldo *surplus, credit balance*.
batik 〈de (m.)〉 **0.1** *batik (fabric)*.
batikken 〈onov., ov.ww.〉 **0.1** *batik* ◆ **1.1** gebatikte stoffen *batiks*.
batikker 〈de (m.)〉, **-ster** 〈de (v.)〉 **0.1** *batik maker*.
batist 〈het〉 **0.1** *batiste* ⇒*cambric, lawn*.
batisten 〈bn.〉 **0.1** *batiste*.
bâton 〈de (m.)〉 **0.1** [stok] *baton* **0.2** [ordeteken] *ribbon* **0.3** [iets in staafvorm] *baton*.
batonneerstok 〈de (m.)〉 **0.1** *singlestick*.
batonneren 〈onov.ww.〉 **0.1** *play at singlestick*.
bats 〈de〉 **0.1** *(garden) shovel*.
batten 〈onov.ww.〉 〈cricket〉 **0.1** [het bat hanteren] *bat* **0.2** [het wicket verdedigen] *bat*.
batterij 〈de (v.)〉 **0.1** [toestel met daarin elektrische energie] *battery* **0.2** [bij elkaar horend geschut] *battery* **0.3** [eenheid v.d. artillerie] *battery* **0.4** [vuurmonden] *battery* **0.5** [〈inf., scherts.〉 achterwerk] *behind, bottom,* ^*buns* **0.6** [groep gelijksoortige eenheden] *battery* ⇒*array* ◆ **1.6** een ~ schrijfmachines *a b. of typewriters* **2.1** droge/elektrische ~ *dry/electric b.*; galvanische ~ *galvanic b.*; lege ~ *exhausted b.* **3.¶** van ~ veranderen *change front* **6.1** die radio werkt op ~en *this radio runs on batteries* **6.5** iem. op de ~ geven *give s.o. a sound thrashing*.
batterijkip 〈de (v.)〉 **0.1** *battery hen*.
batterijklok 〈de〉 **0.1** *battery(-run) clock*.
batterijkooi 〈de〉 **0.1** *battery cage*.
batterijlamp 〈de〉 **0.1** *battery lamp*.
batterijontsteking 〈de (v.)〉 **0.1** *battery ignition*.
batterijvoeding 〈de (v.)〉 **0.1** *battery supply*.
batting →*badding*.
baud 〈de〉 **0.1** *baud*.
bauwen 〈onov.ww.〉 **0.1** ≠*bawl*.
bauxiet 〈het〉 **0.1** *bauxite*.
bauxietmijn 〈de〉 **0.1** *bauxite mine*.
Bavaria 〈het〉 **0.1** *Bavaria*.
bavaroise 〈de (v.)〉 **0.1** *bavarois* ⇒*Bavarian cream*.
bavetje 〈het〉 〈AZN〉 **0.1** *(baby's) bib* ⇒*feeder*.
baviaan 〈de (m.)〉 **0.1** [aap] *baboon* **0.2** [〈als scheldwoord〉] *baboon* ⇒ *ape, yahoo*.
baxter 〈de (m.)〉 〈AZN; med.〉 **0.1** *drip*.
bazaar 〈de (m.)〉 **0.1** [oosterse marktplaats] *baza(a)r* **0.2** [verkoping voor een liefdadig doel] *baza(a)r* ⇒*(fancy)fair*, 〈BE ook〉 *jumble sale* **0.3** [grote winkel] *baza(a)r* ⇒≠*(department) store*, 〈AE ook〉 ≠*dime store* **0.4** [〈AZN〉 rommel] *rubbish, junk*.
bazelen 〈onov.ww.〉 **0.1** *drivel (on)* ⇒〈sl.〉 *blah-blah*, 〈BE ook〉 *waffle*.
bazen 〈onov.ww.〉 **0.1** *domineer (over)* ⇒〈inf.〉 *boss* ◆ **6.1** over iem. ~ *lord it over s.o., boss s.o. (around/about)*.
bazielkruid 〈het〉 →*basiliekruid*.
bazig 〈bn., bw.;-ly〉 **0.1** *overbearing* ⇒*domineering*, 〈inf.〉 *bossy*, 〈schr.〉 *imperious* ◆ **1.1** een~ventje *a bossy little fellow*.
bazin 〈de (v.)〉 **0.1** [eigenaar v.e. huisdier] *mistress* **0.2** [vrouw des huizes] *lady of the house* ⇒ ↓*old lady/woman* 〈vnl. mbt. de eigen vrouw〉 ◆ **3.2** ik moet het eerst aan de ~ vragen *I'll have to ask the lady of the house/the old lady/woman*.
bazuin 〈de〉 **0.1** [soort trompet] *trumpet* ⇒〈vero., schr.〉 *trump* **0.2** [〈fig.〉 loftrompet] *trumpet* **0.3** [schuiftrompet] *trombone* **0.4** [orgelregister] *trombone, posaune* ◆ **1.1** de ~ v.h. Laatste Oordeel *the Last*

Trump(et), the Trump of Doom **3.2** de ~ steken *blow the t. (for s.o.), sing (s.o.'s) praises.*

bazuingeschal ⟨het⟩ **0.1** *sound/blast of trumpets* ◆ **2.1** het laatste ~ *the Last Trump(et), the Trump of Doom.*

B.B. ⟨de (v.)⟩ ⟨afk.⟩ **0.1** [Bescherming Burgerbevolking] *C.D. (Civil Defence ^se).*

b.b.h.h. ⟨afk.⟩ **0.1** [bezigheden buitenshuis hebbende] ⟨*away all day*⟩.

B-biljet ⟨het⟩ **0.1** ⟨*tax return*⟩.

B.B.K. ⟨de (v.)⟩ ⟨afk.⟩ **0.1** [Beroepsvereniging van Beeldende Kunstenaars] ⟨*Association of Artists and Sculptors*⟩.

b.d. ⟨afk.⟩ **0.1** [buiten dienst] *ret., retd.* **0.2** [biologisch-dynamisch] ⟨*biodynamic*⟩.

beaat ⟨bn.⟩ ⟨meestal iron.⟩ **0.1** *beatific* ⇒*blissful* ◆ **1.1** een beate glimlach *a beatific/blissful smile.*

beademen ⟨ov.ww.⟩ **0.1** [adem inblazen] *breathe air into* ⇒⟨med.⟩ *insufflate* **0.2** [behandelen met een beademingstoestel] *apply artificial respiration to* **0.3** [de adem laten gaan over] *breathe upon.*

beademing ⟨de (v.)⟩ **0.1** [het inblazen van adem] *breathing of air into* ⇒ ⟨med.⟩ *insufflation* **0.2** [het behandelen met een beademingstoestel] *artificial respiration* **0.3** [over iets de adem laten gaan] *breathing (upon).*

beademingstoestel ⟨het⟩ **0.1** *respirator.*

beambte ⟨de (m.)⟩ **0.1** *functionary* ⇒*(subordinate) official, office worker,* ⟨employé⟩ *employee.*

beamen ⟨ov.ww.⟩ **0.1** *endorse, indorse* ⇒*assent to, echo,* ⟨het eens zijn met⟩ *agree (with), concur (with s.o./in sth.)* ◆ **1.1** een bewering/stelling ~ *endorse a claim/thesis* ¶.1 wat de spreker daar zei, beaam ik *I (fully) endorse/echo what the speaker has just said;* iets ten volle ~ *fully endorse sth..*

beangst ⟨bn.⟩ **0.1** ⟨verontrust⟩ *alarmed* ⇒*uneasy, anxious,* ⟨angstig⟩ *frightened,* ⟨schuw⟩ *timorous, timid* ◆ **3.1** iem. ~ maken *alarm s.o., make s.o. uneasy.*

beangsten ⟨ov.ww.⟩ →**beangstigen.**

beangstigen ⟨ov.ww.⟩ **0.1** ⟨verontrusten⟩ *alarm;* ⟨bang maken⟩ *frighten.*

beantwoorden ⟨→sprw. 183⟩
I ⟨ov.ww.⟩ **0.1** [voldoen] *answer* ⇒*meet, fulfil, comply with* **0.2** [geheel overeenkomen met] *answer (to)* ⇒*correspond (to)* ◆ **1.1** niet ~ aan de verwachtingen *fall short of expectations;* beantwoorde liefde *requited love* **6.1** aan een bestemming/doel ~ *a./fulfil/fit/meet/serve purpose;* aan de verwachtingen van iem. ~ *come up to s.o.'s expectations* **6.2** aan een beschrijving ~ *answer (to) a description;* aan al de vereisten ~ *meet all the requirements;*
II ⟨ov.ww.⟩ **0.1** [antwoord geven op] *answer* ⇒⟨mbt. brief/argument /rede/opmerking/aanval/dronk ook⟩ *reply to* ⟨meestal niet mbt. vraag⟩, ⟨gevoelens ook⟩ *respond to, reciprocate,* ⟨vergelden⟩ *retaliate* ◆ **1.1** een bezoek ~ *return a visit,* ⟨fig.⟩ het vijandelijk vuur ~ *return the enemy's fire* **6.1** een belediging met stilzwijgen ~ *ignore an insult, respond to an insult with silence, remain silent in the face of an insult.*

beantwoording ⟨de (v.)⟩ **0.1** [het voldoen] *fulfilment ^fulfillment (of)* **0.2** [het overeen komen] *correspondence (to)* ⇒⟨beschrijving⟩ *likeness (to), answering (to)* **0.3** [het antwoord geven] *answering* ⇒*replying/responding (to),* ⟨vergelding⟩ *retaliation* ◆ **1.3** de ~ van die vragen is vrij moeilijk *these questions are quite difficult to answer* **6.3** ter ~ van *in answer/reply/response to.*

bearbeiden ⟨ov.ww.⟩ ⟨schr.⟩ **0.1** ⟨ongemarkeerd⟩ *work* ⇒⟨mbt. grond ook⟩ *cultivate, till* ◆ **1.1** het veld/de akker ~ *w./till/cultivate the field.*

béarnaisesaus ⟨de⟩ ⟨cul.⟩ **0.1** *béarnaise (sauce)* ⇒*sauce béarnaise.*

beatgroep ⟨de⟩ **0.1** *beat group.*

beatmuziek ⟨de⟩ **0.1** *beat music.*

beaufortschaal ⟨de⟩ **0.1** *Beaufort scale.*

beaujolais ⟨de (m.)⟩ **0.1** *Beaujolais.*

beau-monde ⟨de (m.)⟩ **0.1** *beau monde* ⇒*high/fashionable society.*

beauty ⟨de (v.)⟩ **0.1** [schoonheid] *beauty* **0.2** [mooi meisje] *beauty* ◆ **6.1** een ~ van een doelpunt *a lovely/beautiful goal, a beauty/^beaut.*

beauty-case ⟨de (m.)⟩ **0.1** *vanity case/bag/box.*

bebakenen ⟨ov.ww.⟩ **0.1** *beacon* ⇒⟨met boeien⟩ *buoy.*

bebakening ⟨de (v.)⟩ **0.1** het aanwijzen v.d. grenzen] *beaconing* ⇒ ⟨met boeien⟩ *buoyage* **0.2** [bakens] *beacons* ⇒⟨met boeien⟩ *buoys, buoyage* **0.3** [⟨verkeer⟩] *marking and signposting.*

bébé ⟨de (m.)⟩ **0.1** *baby.*

bebloed ⟨bn.⟩ **0.1** *bloody* ⇒*blood-stained/covered* ◆ **1.1** zijn gezicht was geheel ~ *his face was completely covered in blood;* ~e kleren *blood-stained clothes;* een ~e neus *a bloody nose.*

beboeten ⟨ov.ww.⟩ **0.1** *fine* ⇒*impose a fine on,* ⟨AE ook⟩ *give a ticket to, ticket* ⟨vnl. door politie wegens verkeersovertreding⟩ ◆ **3.1** beboet worden *be fined, incur a fine; get a ticket, be ticketed* **6.1** iem. met 100 gulden ~ *fine s.o. 100 guilders.*

beboomd ⟨bn.⟩ **0.1** *planted with trees* ⇒⟨ook⟩ *lined with trees* ⟨mbt. weg⟩.

bebop ⟨de⟩ **0.1** *bebop* ⇒*bop.*

bebopkoppie ⟨het⟩ **0.1** *crew cut.*

bebording ⟨de (v.)⟩ ⟨bouwk.⟩ **0.1** *boarding.*

bebossen ⟨ov.ww.⟩ **0.1** *(af)forest* ◆ **1.1** een beboste helling *a wooded slope;* een beboste streek *a wooded/forested area;* bebost terrein *woodland.*

bebossing ⟨de (v.)⟩ **0.1** [handeling] *afforestation* **0.2** [resultaat] *forest(s), wood(s).*

beboteren ⟨ov.ww.⟩ **0.1** *butter.*

bebouwbaar ⟨bn.⟩ **0.1** [geschikt om bebouwd te worden] *arable* ⇒*cultivable, tillable* **0.2** [geschikt om erop te bouwen] *fit/suitable for building.*

bebouwd ⟨bn.⟩ **0.1** [met huizen bezet] *build-on/over* **0.2** [ontgonnen] *cultivated* ⇒*tilled, farmed* ◆ **1.1** de ~e kom *the built-up area, ≠the town centre.*

bebouwen ⟨ov.ww.⟩ **0.1** [met gebouwen bezetten] *build on/over* **0.2** [met gewassen beplanten] *cultivate* ⇒*till, farm, have/put under* ◆ **1.2** de grond ~ *till the land* **6.2** hij heeft 3 ha met tarwe bebouwd *he's got/put 3 hectares under wheat.*

bebouwing ⟨de (v.)⟩ **0.1** [handeling, wijze] *building (on/over)* **0.2** [resultaat] *buildings* ◆ **2.1** open ~ *open-space development/planning, low density development.*

bebouwingscoëfficiënt ⟨de (m.)⟩ **0.1** *building density.*

bebrild ⟨bn.⟩ **0.1** *(be)spectacled.*

bebroeden ⟨ov.ww.⟩ **0.1** *sit on, hatch* ⇒^incubate ◆ **1.1** een bebroed ei *a (hard-)set egg;* vogels ~ hun jongen *birds brood over their young.*

béchamelsaus ⟨de⟩ **0.1** *béchamel (sauce).*

becijferen ⟨ov.ww.⟩ **0.1** [door rekenen uitmaken] *calculate* ⇒*work/figure out,* ⟨schatten⟩ *compute, estimate* **0.2** [door cijfers aanwijzen] *figure* **0.3** [⟨muz.⟩] *figure* **0.4** [met cijfers beschrijven] *cover with figures* ◆ **1.3** een becijferde bas *a figured bass* **1.4** een geheel becijferd papier *a sheet of paper completely covered with figures* **3.1** de schade valt niet te ~ *it is impossible to work out/c. the damage.*

becijfering ⟨de (v.)⟩ **0.1** [berekening] *calculation* ⇒⟨schatting⟩ *computation* **0.2** [het aangeven dmv. cijfers] *figuring* **0.3** [cijfers] *figures.*

becommentariëren ⟨ov.ww.⟩ **0.1** *comment (on).*

beconcurreren ⟨ov.ww.⟩ **0.1** *compete with* ⇒⟨produkten/firma's ook⟩ *be in competition with* ◆ **4.1** de banken ~ elkaar scherp *there is fierce competition among the banks.*

becquerelstraling ⟨de (v.)⟩ ⟨gesch.; nat.⟩ **0.1** *Becquerel radiation* ⇒ ⟨teg.⟩ *radioactivity.*

becritiseren →**bekritiseren.**

bed ⟨het⟩ ⟨→sprw. 33⟩ **0.1** [slaapplaats] *bed* ⇒⟨op schip⟩ *berth* **0.2** [plaats in een verdedigingslinie] *bed* **0.3** [leger van wild] *bed* **0.4** [onderlaag v.e. weg] *bed* **0.5** [plaats in een tuin] *bed* **0.6** [bedding] *bed* ◆ **1.1** op de rand v.h. ~ zitten *sit on the side of the bed* **1.¶** ⟨jur.⟩ scheiding van tafel en ~ *judicial/legal separation, separation from bed and board* **3.1** het ~ (moeten) houden *have to keep to one's bed, be confined to bed;* zijn ~ je is gespreid ⟨fig.⟩ *he's got it made;* het ~ opmaken *make the bed* **5.1** je ~ uit! *get out of bed!, show a leg!* **5.2** aan iemands ~ geroepen worden ⟨wegens ziekte⟩ *be called to s.o.'s bedside;* aan/bij mijn ~ *at/by my bed(side);* de bezoekers zaten bij zijn ~ *the visitors sat at his bedside;* in ~ zijn *be good in bed, be a good lay;* in/te ~ liggen *lie/be in bed;* naar ~ gaan *go to bed;* ⟨inf. ook⟩ *turn in;* ⟨wegens ziekte ook⟩ *take to one's bed;* naar ~ gaan met iem. *sleep /go to bed with s.o.;* ⟨fig.⟩ hij gaat ermee naar ~ *he can't stop thinking about it;* hij was twee nachten niet naar ~ geweest *he had missed two nights' sleep, he had gone without sleep for two days/nights;* met jan en alleman naar ~ gaan *sleep around;* naar ~ brengen, in ~ stoppen *put/take to bed;* altijd laat naar ~ gaan *keep late hours, go to bed late;* bij het naar ~ gaan *at bedtime;* vlak voor het naar ~ gaan *just before going to bed, last thing at night;* op ~ liggen *lie on one's bed;* ontbijt op ~ krijgen *get breakfast in bed;* iem. uit ~ halen *drag/twin s.o. out of bed;* iem. uit/van zijn ~ lichten *haul s.o. out of bed;* ⟨fig.⟩ dat is ver van mijn ~ *that does not concern me/is none of my business.*

bedaagd ⟨bn.⟩ **0.1** [niet jong meer] *elderly* ⇒*of advanced years,* ⟨inf.⟩ *getting on (in years)* **0.2** [afgeleefd] *worn out with age.*

bedaard ⟨bn., bw.; -ly⟩ **0.1** [onbewogen] *composed* ⇒*collected, calm, serene, quiet,* ⟨bezadigd⟩ *sedate* **0.2** [kalm, rustig] *calm, quiet* ◆ **3.1** iem. ~ aanhoren *listen to s.o. calmly* **3.2** ~ optreden *act calmly.*

bedaardheid ⟨de (v.)⟩ **0.1** *composure* ⇒*calmness,* ⟨bezadigdheid⟩ *sedateness* ◆ **3.1** zijn ~ verliezen *lose one's composure,* ↓*get upset.*

bedacht ⟨bn.⟩ **0.1** [⟨+op⟩ erop uit] *bent/intent (on)* **0.2** [voorbereid] *prepared (for)* ◆ **2.2** ~ of onbedacht *premeditated or not (premeditated)* **6.1** op voordeel/eigen belang ~ zijn *seek one's own advantage* **6.2** hij is op alles ~ *he is p. for anything;* op zoveel verzet waren ze niet ~ geweest *they had not bargained for so much resistance.*

bedachtzaam ⟨bn., bw.; -ly⟩ **0.1** ⟨omzichtig⟩ *cautious, circumspect;* ⟨weloverwogen⟩ *deliberate* ◆ **1.1** een ~ antwoord *a guarded/cautious reply* **5.1** heel ~ te werk gaan *go very carefully, act with great caution/ circumspection.*

bedachtzaamheid ⟨de (v.)⟩ **0.1** *caution, circumspection; deliberation; guardedness.*

bedankbrief ⟨de (m.)⟩ **0.1** [waarin men zijn dank betuigt] *letter of thanks* ⇒ ⟨voor genoten gastvrijheid⟩ *bread-and-butter letter/note* **0.2** [waarin men iets afwijst] *letter of refusal*.

bedanken
I ⟨ov.ww.⟩ **0.1** [zijn dank betuigen] *thank* ⇒ ↑ *render thanks* ♦ **6.1** iem. **voor** iets~ *thank s.o. for sth.;*
II ⟨onov.ww.⟩ **0.1** [niet aannemen] *decline* ⇒*refuse* **0.2** [zijn lidmaatschap opzeggen] *resign* ⇒*retire* ♦ **3.1** mag ik~? *no, thank you!* **6.1 voor** een betrekking~ *d. / refuse a post;* **voor** iets (stichtelijk/feestelijk)~ ⟨iron.⟩ *decline sth. with thanks* **6.2 voor** een krant~ *terminate/withdraw one's subscription to a newspaper* **8.2** ~ als lid v.e. commissie/partij *resign one's membership of a committee/party.*

bedankje ⟨het⟩ **0.1** [dankbetuiging] *thank-you* ⇒*thanks,* ⟨brief⟩ *letter of thanks,* ⟨dankwoord⟩ *word of thanks* **0.2** [beleefde weigering] *refusal* ♦ **2.1** het is allicht een~ waard *it won't hurt to say/there's no harm in saying t.-y. for it* **3.1** er kon nauwelijks een~ af! *(and) small thanks I/he* ⟨enz.⟩ *got (for it)!, (and) he/she* ⟨enz.⟩ *hardly said t.-y.!.*

bedankt ⟨tw.⟩⟨inf.⟩ **0.1** *thanks* ♦ **5.1** reuze~ *t. a lot/a million.*

bedaren ⟨onov.ww.⟩ **0.1** *quiet/calm down* ⇒ ⟨vnl. BE ook⟩ *quieten down* ♦ **1.1** het onweer bedaart *the (thunder-)storm is dying down/blowing over/dropping/subsiding* **6.1 tot** ~ komen *calm down;* iem. **tot** ~ brengen/doen~ *calm/quiet(en) s.o. down.*

bedauwen ⟨ov.ww.⟩ **0.1** [met dauw bedekken] *bedew* **0.2** [bevochtigen] *bedew* ♦ **1.1** bedauwde bladeren *bedewed/dew-laden leaves, leaves heavy with dew* **1.2** bedauwde wangen *cheeks bedewed with tears.*

bedbank ⟨de⟩ **0.1** *sofa bed.*

beddegoed ⟨het⟩ **0.1** [lakens, slopen, dekens] *(bed)clothes* ⇒*bedding* **0.2** [matras, kussen, enz.] *bedding.*

beddekleedje ⟨het⟩ **0.1** *bedside rug.*

beddelaken ⟨het⟩ **0.1** *sheet.*

beddepan ⟨de⟩ **0.1** [ondersteek] *bedpan* **0.2** [beddewarmer] *warming pan* ⇒*bedwarmer.*

beddeplank ⟨de⟩ **0.1** *bed board.*

beddesprei ⟨de⟩ **0.1** *bedspread* ⇒*counterpane, coverlet.*

beddetijk
I ⟨de (m.)⟩ **0.1** [overtrek v.e. matras] *(bed)tick;*
II ⟨het⟩ **0.1** [stof hiervoor] *(bed)tick(ing).*

beddewants ⟨de⟩ **0.1** *bedbug.*

bedding ⟨de (v.)⟩ **0.1** [watergeul] *bed* ⇒*channel* **0.2** [onderlaag voor zware dingen] *bed(ding)* ⇒*foundation,* ⟨artillerie⟩ *platform* ♦ **2.1** ⟨fig.⟩ iets in goede~ leiden *steer sth. in the right direction, put sth. on the right road/lines.*

bede ⟨de⟩ **0.1** [smeekbede] *entreaty* ⇒*supplication, plea, imploration* **0.2** [gebed tot God] *prayer* ♦ **3.1** zijn~ werd niet verhoord *his prayer remained/went unanswered* **6.1** ~ **om** hulp *plea for help;* **op** zijn~ *at his e..*

bedeesd ⟨bn., bw.; -ly⟩ **0.1** *diffident* ⇒*shy, timid,* ⟨schroomvallig⟩ *bashful* ♦ **1.1** een~ meisje *a diffident/shy girl;* een~ stemmetje *a timid (little) voice.*

bedeesdheid ⟨de (v.)⟩ **0.1** *diffidence* ⇒*shyness, timidity, bashfulness.*

bedehuis ⟨het⟩ **0.1** *place/house of worship/prayer.*

bedekken ⟨ov.ww.⟩ **0.1** [aan het oog onttrekken] *cover* ⇒ ⟨toedekken⟩ *cover up,* ⟨geheel⟩ *cover over* **0.2** [⟨fig.⟩] *cover (up)* ⇒*hide* ♦ **1.1** bloemen bedekten het graf *flowers covered the grave* **1.2** haar schaamte~ *cover (up)/hide her shame* **5.1** geheel~ met iets *c. in sth.* **6.1** bedek de zuurkool met een paar plakken ham *c. the sauerkraut with a few slices of ham;* ⟨fig.⟩ iets **met** de mantel der liefde~ *draw a (discreet) veil over sth.;* **met** sneeuw bedekte bergen *snow-capped mountains;* **met** een zoutkorst bedekt *crusted over with salt.*

bedekking ⟨de (v.)⟩ **0.1** [het bedekken, bedekt worden] *cover* **0.2** [wat bedekt] *cover(ing)* **0.3** [⟨ster.⟩] *occultation* **0.4** [⟨mil.⟩] *cover* ⇒ ⟨gewapend geleide⟩ *convoy* ♦ **6.1 onder** ~ v.d. nacht *under c. of darkness/night.*

bedekt
I ⟨bn.⟩ **0.1** [niet open] *covered* ⇒*overcast* ⟨lucht⟩;
II ⟨bn., bw.; -ly⟩ **0.1** [niet openlijk] *covert* ♦ **1.1** in ~e termen *in guarded terms;* ~e toespeling(en) *insinuation(s), innuendo(es)* **3.1** ~ te kennen geven *hint (at/that).*

bedektzadig ⟨bn.⟩ **0.1** *angiospermous* ♦ **7.1** ⟨zelfst.⟩ de ~en *the angiosperms.*

bedelaar ⟨de (m.)⟩ **0.1** [iem. die aalmoezen vraagt] *beggar* ⇒ ⟨AE; inf.⟩ *panhandler,* ⟨schr.⟩ *mendicant* **0.2** [iem. die/dier dat aanhoudend om iets vraagt] *cadger* ⇒*scrounger.*

bedelaarsgebed ⟨het⟩ ♦ **3.** ~ een~ doen *count one's money/change.*

bedelachtig ⟨bn.⟩ **0.1** *beggarly, beggar-like* ♦ **3.1** dat staat zo~ *that looks like begging.*

bedelares ⟨de (v.)⟩ **0.1** *beggar(woman).*

bedelarij ⟨de (v.)⟩ **0.1** [het vragen om aalmoezen] *begging* ⇒ ⟨schr.⟩ *mendicancy, mendicity* **0.2** [vraag om ondersteuning] *begging.*

bedelarmband ⟨de (m.)⟩ **0.1** *charm-bracelet.*

bedelbrief ⟨de (m.)⟩ **0.1** *begging-letter.*

be'delen ⟨ov.ww.⟩ **0.1** [als zijn deel toewijzen] *endow* **0.2** [vaste uitdeling geven] *distribute charity to* ⇒ ⟨gesch.⟩ *bestow alms upon* ♦ **1.2**

armen~ *distribute charity to/bestow alms upon the poor* **5.1** hij is rijk bedeeld *he is* ⟨getalenteerd⟩ *very gifted/* ⟨rijk⟩ *well off;* iem. ruim~ *give s.o. a generous share.*

'bedelen ⟨onov.ww.⟩ **0.1** [aalmoezen vragen] *beg (for)* **0.2** [aanhoudend vragen] *beg (for)* ♦ **1.1** zijn brood (moeten)~ *(have to) b. for one's living* **3.1** hij zou nog liever gaan~ dan werken *he'd sooner go begging than work;* lopen te~ go *(round) begging* **6.1 uit** ~ gaan *go (out) begging* **6.2 om** iets~ *b. for sth..*

bedeling ⟨de (v.)⟩ **0.1** [handeling] *charity* ⇒*poor relief* **0.2** [plaats] *poor-house* ⇒ ⟨BE ook⟩ *almshouse* ♦ **6.1** in de ~ zijn, **tot** de ~ behoren *be on the breadline/* ⟨vero.⟩ *on the parish;* ik ben niet **van** de ~ *I am not a charitable institution;* **van** de ~ leven *live on c., be on the breadline* **6.2 naar** de ~ gaan *go on the parish.*

bedelman ⟨de (m.)⟩ ⟨arch.⟩ **0.1** *beggar(man)* ♦ **¶.1** ⟨kinderversje⟩ edelman, ~, dokter, pastoor *the butcher, the baker, the candlestick-maker; tinker, tailor, soldier, sailor, rich man, poor man, beggarman, thief.*

bedelmonnik ⟨de (m.)⟩ **0.1** *mendicant (friar).*

bedelnap ⟨de (m.)⟩ **0.1** *begging bowl.*

bedelorde ⟨de (v.)⟩ **0.1** *mendicant order.*

bedelstaf ⟨de (m.)⟩ **0.1** *begar's staff* ♦ **6.1** die onderneming heeft hem **aan** de ~ gebracht *that venture has reduced him to beggary/has left him a pauper;* **tot** de ~ komen *be reduced to beggary, be left a pauper.*

bedeltje ⟨het⟩ **0.1** *charm.*

bedelven ⟨ov.ww.⟩ **0.1** [geheel bedekken] *bury* ⇒ ⟨fig. ook⟩ *swamp,* ⟨ook →bedolven⟩ **0.2** [overmannen] *overwhelm;* ⟨ook →bedolven⟩ **0.3** [door mensen verbergen] *bury* ♦ **1.1** zij werden door het puin bedolven *they were buried under/by the rubble* **3.3** bedolven liggen *lie buried.*

bedelzak ⟨de (m.)⟩ **0.1** [zak voor aalmoezen; symbool voor armoede] *beggar's pouch* **0.2** [zeurpiet] *cadger* ⇒*scrounger* ♦ **6.1** iem. **tot** de ~ brengen *reduce s.o. to beggary, leave s.o. a pauper.*

bedenkelijk
I ⟨bn.⟩ **0.1** [ongerustheid wekkend] *worrying* ⇒ ⟨gevaarlijk⟩ *precarious,* ⟨twijfelachtig⟩ *dubious, questionable,* ⟨kritiek⟩ *serious* **0.2** [nadenken/twijfel uitdrukkend] *doubtful* ⇒*dubious* ♦ **1.1** een~ geval *a w./serious case;* een ~e ziekte *a precarious illness* **1.2** een~ gezicht zetten *put on a doubtful face, look doubtful* **3.1** dat ziet er~ uit *that looks precarious/serious;*
II ⟨bw.⟩ **0.1** [op nadenken/twijfel uitdrukkende wijze] *doubtfully* ⇒*dubiously* ♦ **3.1** ~ het hoofd schudden *shake one's head doubtfully.*

bedenkelijkheid ⟨de (v.)⟩ **0.1** *precariousness; dubiousness, questionableness; seriousness.*

bedenken
I ⟨ov.ww.⟩ **0.1** [denken over] *think (about)* ⇒*consider* **0.2** [uitdenken] *think of/up* ⇒*invent,* ↑ *devise* **0.3** [als geschenk doen toekomen aan] *remember* ♦ **1.2** een raadsel/oplossing~ *think of/up a riddle/solution* **4.1** bedenk, wat de gevolgen zullen zijn *t. what the consequences will be* **4.2** bedenk maar wat *just think sth. up* **5.3** iem. goed~ *remember s.o. generously* **6.3** iem. **in** zijn testament~ *remember s.o. in one's will;* iem.~ *remember s.o. with sth.* **8.1** als men bedenkt, dat ...*if you think (that) ..., considering (that) ...;*
II ⟨wk.ww.; zich~⟩ **0.1** [nadenken over] *think (about)* ⇒*consider* **0.2** [van gedachten veranderen] *think again* ⇒*change one's mind, have second thoughts* ♦ **5.1** zij zal zich wel tweemaal~ voordat ...*she'll think twice before ...* **6.1** zonder mij te~ gaf ik toestemming *I gave permission without thinking twice;* **zonder** zich te~ *without (so much as) thinking/a moment's thought* **¶.1** ik hoop dat hij zich zal~ *I hope he'll reconsider/think better of it* **¶.2** ze heeft zich bedacht *she thought again/changed her mind/had second thoughts.*

bedenking ⟨de (v.)⟩ **0.1** [bezwaar] *objection* **0.2** [het bedenken] *consideration* ⇒*thought* ♦ **3.1** weinig ~en maken *have/make/raise little o. / few objections (to)* **6.1** tegen iets~ hebben *have/make/raise objections to/against sth.* **6.2** iets **in** ~ geven/houden/nemen *suggest sth., think sth. over, consider sth., object to sth..*

bedenksel ⟨het⟩ **0.1** *hair/hare-brained scheme.*

bedenktijd ⟨de (m.)⟩ **0.1** *time for reflection* ⇒*time to reflect (on the matter)* ♦ **1.1** hij kreeg drie dagen~ *he was given three days to think (the matter over)/to consider (the matter).*

bederf ⟨het⟩ **0.1** [ontbinding] *decay* ⇒*rot,* ⟨mbt. vlees ook⟩ *taint,* ⟨wet.⟩ *putrefaction* **0.2** [verslechtering] *deterioration* ⇒*decay,* ⟨zedelijk ook⟩ *depravity,* taint ♦ **1.2** het~ v.d. zeden *moral decay/depravity/taint* **2.1** aan~ onderhevig *perishable.*

bederfelijk ⟨bn.⟩ **0.1** *perishable* ♦ **1.1** ~e goederen *perishables* **5.1** licht ~ *highly p..*

bederfwerend ⟨bn.⟩ **0.1** *preservative* ⇒ ⟨med.⟩ *antiseptic* ♦ **1.1** ~e middelen *preservatives* **1.¶** ~e watten *antiseptic swabs.*

bederven ⟨→sprw. 156⟩
I ⟨onov.ww.⟩ **0.1** [tot bederf overgaan] *decay* ⇒*rot, go bad/off,* ⟨mbt. vlees ook⟩ *taint,* ⟨ook →bedorven⟩;
II ⟨ov.ww.⟩ **0.1** [verknoeien] *spoil* ♦ **1.1** de eetlust~ *s. one's appetite;* dat kleed is totaal bedorven *that tablecloth/carpet is completely ruined;* hij zal met dat peuterwerk zijn ogen nog ~ *he'll ruin his eyes doing that fiddly work;* iemands plezier~ *s. / ruin*

s.o.'s fun **4.1** het bij iem. ~ *get into s.o.'s bad books* / *on the wrong side of s.o.* **5.1** grondig ~ 〈inf.〉 *louse up* **6.1 aan** die kleren valt niets meer te ~ *those clothes are fit to be thrown away.*

bedevaart 〈de〉 **0.1** [reis naar een heilige plaats] *pilgrimage* **0.2** [〈fig.〉] *pilgrimage* ◆ **3.1** een ~ doen *go on* / *make a p.* **6.1 ter** ~ gaan / reizen *go on a p..*

bedevaartganger 〈de (m.)〉, **-ster** 〈de (v.)〉 **0.1** *pilgrim.*

bedevaartplaats 〈de〉 **0.1** *place of pilgrimage.*

bedgeheim 〈het〉 **0.1** *bedroom secrets.*

bedgenoot 〈de (m.)〉, **-note** 〈de (v.)〉 **0.1** *bedfellow.*

bedienaar 〈de (m.)〉 **0.1** *server* ◆ **1.1** 〈r.k.〉 ~ des altaars *priest;* ~ van begrafenissen *undertaker;* 〈AE ook〉 *mortician;* ~ der H. Mis *s. (at Mass);* ~ v.h. Goddelijke Woord *minister (of the Gospel).*

bediend 〈bn.〉〈r.k.〉 ◆ **3.¶** ~ zijn *have been anointed, have received* / *had the last sacraments* / *rites* / *extreme unction have had the last sacraments* / *rites administered.*

bediende 〈de (om.)〉 **0.1** [iem. in ondergeschikte betrekking] *employee* ⇒ 〈kantoor ook〉 *clerk,* 〈winkel ook〉 *assistant,* ^*clerk,* 〈lift e.d.〉 *attendant* **0.2** [iem. die persoonlijke / huiselijke diensten verricht] *servant* **0.3** [beambte] *official* ◆ **2.1** jongste ~ *junior clerk;* 〈inf.〉 *office boy* **2.2** persoonlijke ~ *valet* **6.1** ~ **in** een koffiehuis *waiter* 〈m.〉 / *waitress* 〈v.〉 *in a coffee-shop* **6.2** ~ **n in** livrei *liveried servants;* 〈pej.〉 *flunkeys* **7.1** eerste ~ *chief* / *senior clerk* **7.2** eerste ~ *major-domo, butler.*

bedienen

I 〈ov.ww.〉 **0.1** [dienen, helpen] *serve* ⇒ *attend to* **0.2** [mbt. de horeca] *serve* ⇒ ↑ *wait on* **0.3** [zorg dragen voor, doen functioneren] *operate* ⇒ *work* **0.4** [〈r.k.〉] *anoint, administer* / *give the last sacraments* / *rites* / *extreme unction to* ⇒ 〈bij onbewustheid〉 *say the last rites over* **0.5** [van dienst zijn] *serve* ◆ **1.2** het ~d personeel *the staff* **1.3** de machine is eenvoudig te ~ *the machine is simple to o.;* een schakelbord ~ *o.* / *work a switchboard;* 〈inf.〉 *be on a switchboard;* de telefoon ~ *o.* / *work the telephone* **1.4** de mis ~ *serve Mass* **1.5** die melkboer bedient deze hele wijk *that milkman serves* / *supplies the whole district* **6.1** iem. **op** zijn wenken ~ *wait on s.o. hand and foot, be at s.o.'s beck and call* **¶.2** aan tafel ~ *serve* / *wait at (the) table;*
II 〈wk.ww.;zich ~〉 **0.1** [gebruiken] *use* ⇒ *make use of, avail o.s. of* **0.2** [mbt. de spijzen] *help o.s. (to)* ◆ **5.2** bedien je gerust *please (feel free to) help yourself* **6.1** hij bediende zich van leugens *he availed himself of lies* **6.2** ze bediende zich rijkelijk **van** de diverse gerechten *she helped herself generously to* / *took generous helpings of the various dishes.*

bediening 〈de (v.)〉 **0.1** [mbt. de horeca] *service* **0.2** [het doen functioneren] *operation* ⇒ *working,* 〈mbt. auto〉 *controls* **0.3** [ambt, kerkelijke functie] *office* ⇒ *post, function* **0.4** [〈r.k.〉] *anointing, (administration of) the last sacraments* / *extreme unction* ⇒ *(giving of) the last rites* ◆ **1.2** de ~ v.e. apparaat / sluis / sein *the o. of a machine* / *lock* / *signal* **2.1** een prompte ~ *prompt s.;* een vlotte ~ *smooth s.* **2.2** 〈in lesauto〉 dubbele ~ *dual controls;* de ~ is heel eenvoudig *it's very simple to operate* **5.1** al onze prijzen zijn inclusief ~ *all prices include s. (charges).*

bedieningsfout 〈de〉 **0.1** *operating error.*

bedieningsgeld 〈het〉 **0.1** *service charge* ◆ **3.1** ~ berekenen *make a s. c..*

bedieningsgemak 〈het〉 **0.1** *ease of operation.*

bedieningsknop 〈de (m.)〉 **0.1** *control (switch* / *knob* / *button).*

bedieningsmachinist 〈de (m.)〉 **0.1** *operator.*

bedieningspaneel 〈het〉 **0.1** *control* / *operating panel* ⇒ 〈in auto / boot / vliegtuig〉 *dash(board),* 〈comp.〉 *console.*

bedieningsplaats 〈de〉 **0.1** *control* / *operating position* / *point.*

bedieningspost 〈de (m.)〉 **0.1** *control* / *operating position* / *point.*

bedieningsstraat 〈de〉 **0.1** *service road.*

bedieningsvoorschriften 〈zn.mv.〉 **0.1** *operating instructions.*

bedijken 〈ov.ww.〉 **0.1** [met dijken omringen] *dike (in)* **0.2** [dijken leggen langs] *embank* **0.3** [met een dijk afsluiten] *dam up* ◆ **1.1** laag gelegen land / slikgronden / een polder ~ *low-lying land* / *mud flats* / *a polder.*

bedijking 〈de (v.)〉 **0.1** [handeling] *diking(-in)* ⇒ *damming-up* **0.2** [dijken] *dikes* ⇒ *embankment, levee* 〈van rivier〉 *dams* **0.3** [polder] *polder.*

bedilal, bedilgeest 〈de (m.)〉 → **bediller.**

bedillen 〈ov.ww.〉 **0.1** [aanmerkingen maken op] *find fault* ⇒ 〈inf.;bevitten〉 *nitpick, carp,* 〈schr.〉 *cavil* **0.2** [zich teveel bemoeien met] *meddle (with)* ⇒ *interfere (with),* 〈inf.〉 *butt in(to)* ◆ **1.2** een alles ~ de overheid *a meddling* / *an (ever-)interfering government, a busybody of a government* **3.1** ik laat mij niet ~ *I'm not having any nitpicking.*

bediller 〈de (m.)〉, **-ster** 〈de (v.)〉 **0.1** [vitter] *fault-finder* ⇒ 〈inf.〉 *nit-picker* **0.2** [iem. die alles wil regelen] *busybody* ⇒ *meddler.*

bedillerig 〈bn.〉 → **bedilziek.**

bedilziek 〈bn.〉 **0.1** [vitziek] *fault-finding* ⇒ 〈inf.〉 *nitpicking,* ↑ *carping, captious* **0.2** [bemoeiziek] *meddling* ⇒ *interfering.*

bedilzucht 〈de (v.)〉 **0.1** [vitzucht] *fault-finding* ⇒ 〈inf.〉 *nitpicking,* ↑ *carping* **0.2** [bemoeizucht] *meddling* ⇒ *interfering, captiousness.*

bedilzuchtig 〈bn.〉 → **bedilziek.**

beding 〈het〉 **0.1** *condition* ⇒ *stipulation, proviso* ◆ **1.1** ~ van rente *interest-subject to negociation* **6.1 onder** ~ **van** *subject to;* ik wil het doen,

onder één ~ *I'll do it on one c.;* **onder** geen ~ *under no circumstances, on no account;* **onder** ~ dat ... *on c.* / *the understanding that ....*

bedingen 〈ov.ww.〉 **0.1** *stipulate (for* / *that)* ⇒ 〈eisen〉 *insist on, require,* 〈overeenkomen〉 *agree (on)* ◆ **1.1** het bedongen loon *the agreed wages* **3.1** die prijzen kan men niet ~ *one cannot insist on such prices* **5.1** dat is er niet bij bedongen *that was not part of the bargain* / *agreement.*

bedinging 〈de (v.)〉 **0.1** [het bepalen] *stipulation* **0.2** [wat bepaald is] *stipulation.*

bediscussiëren 〈ov.ww.〉 **0.1** *discuss.*

bediscuteren 〈ov.ww.〉 → **bediscussiëren.**

bedisselen 〈ov.ww.〉 **0.1** *fix (up)* ⇒ *arrange* ◆ **3.1** hij heeft altijd wat te ~ *he's always fixing sth. up* **4.1** hij bedisselt daar alles *he runs the show there,* he fixes everything *there* **6.1** dat is **buiten** mij om bedisseld *that was fixed up* / *arranged behind my back.*

bedjasje 〈het〉 **0.1** *bed jacket.*

bedklos 〈de〉 **0.1** *(bed) block.*

bedkruik 〈de〉 **0.1** 〈met water〉 *hot-water bottle;* 〈elektrisch〉 *electric bedwarmer.*

bedlampje 〈het〉 **0.1** 〈naast bed〉 *bedside lamp;* 〈boven hoofdeinde〉 *bedhead light.*

bedlegerig 〈bn.〉 **0.1** *ill in bed* ⇒ 〈inf.〉 *laid up,* 〈chronisch〉 *bedridden* ◆ **3.1** hij is al maanden ~ *he has been bedridden* / *confined to his bed* / 〈inf.〉 *laid up* / *on his back for months;* ~ worden *take to one's bed* **5.1** niet ~ *ambulant, ambulatory;* 〈inf.〉 *up and about.*

bedlegerigheid 〈de (v.)〉 **0.1** *confinement to bed* ⇒ *bedridden condition.*

bedoeïen 〈de (m.)〉 **0.1** *Bed(o)uin.*

bedoelen 〈ov.ww.〉 **0.1** [met een woord aanduiden] *mean* ⇒ 〈zinspelen op〉 *refer* 〈ook jur.〉 / *allude to* **0.2** [met een bedoeling doen] *mean* ⇒ *intend* ◆ **1.1** de in artikel 3 bedoelde instantie *the body referred to in section 3;* de bedoelde persoon *the person referred to* / *in question* **4.1** wat bedoel je? *what do you m.?, what are you driving at?;* ik begrijp volkomen wat je bedoelt *I quite see your point;* ik begrijp niet wat je bedoelt *I don't see what you're getting at, I fail to understand your point;* ieder wist wie ik bedoelde *everyone knew who(m) I meant* / *had in mind* / *was referring to* / *was alluding to* **5.1** ik bedoel maar ... *as* / ↓ *like I said* ... **5.2** het was goed bedoeld *it was meant well* / *meant for the best;* goed bedoelde raadgevingen *well-meaning* / *-meant* / *-intended* / *-intentioned advice;* het was niet kwaad bedoeld *no harm (was) meant;* zo was het niet bedoeld *it wasn't meant like that, not offence (meant);* niet bedoelde neveneffecten *unintended side-effects* **6.2** dit is bedoeld **voor** kinderen *this is designed* / *intended* / *meant for children;* die opmerking is **voor** mij bedoeld *that remark was meant for* / *directed at* / *intended for* / *a sly dig at me* **8.2** het was als een grap bedoeld *it was meant as a joke.*

bedoeling 〈de (v.)〉 **0.1** [doel] *intention* ⇒ *aim, purpose, object, idea* **0.2** [zin, strekking] *meaning* ⇒ *drift* 〈mbt. brief / toespraak〉 **0.3** [voornemen] *intention* ⇒ *aim, plan* ◆ **1.2** de ~ van deze maatregel is dat... *the object* / *aim* / *idea of this measure is that* ..., *the purpose behind this measure is that* / *to* ...; je hebt de ~ v.h. stuk niet begrepen *you have not understood the m.* / *intention of the play* **2.1** de ~ was goed *the intention was good, it was meant well;* met een goede ~ *iets doen do sth. with good intentions* / *from good motives;* zonder kwade ~ en *without malice* / *evil intention* / *evil intent* **3.1** hij heeft er een ~ / zo zijn ~ (en) mee *he is doing it for his own purposes* / *purposes of his own, he has his own reasons for doing it;* dat was niet de ~ *that was not intended, that wasn't supposed to happen* / *what was wanted* **6.1** met de ~ om te ... *with a view to* / *with the intention of (...ing);* met de beste ~ en *with the best of intentions* **6.3** het ligt **in** de ~ *it is the i., it is intended, I* / *we intend* / *plan* / *purpose.*

bedoening 〈de (v.)〉 **0.1** [drukte] *to-do* ⇒ *job, fuss, ado* **0.2** [toestand] *affair* ⇒ *business, job, how-do-you-do* **0.3** [inrichting, spullen] *things* ⇒ *belongings, worldly goods* ◆ **2.1** het was een hele ~ *it was quite a job* / *business* / *t.-d.* **2.2** een fraaie ~ *a nice* / *pretty how-do-you-do* / *state of affairs* / *kettle of fish;* een rare ~ *strange goings-on, a strange a.* / *business;* het is hier een rijke ~ *this is a pretty posh* / *classy* / ↓ *flash a.* **2.3** ze staat met haar hele ~ **op** straat *she's been turned out of house and home with all her belongings* / *wordly goods* / *bits and pieces.*

bedolven 〈bn.〉 **0.1** [bedekt met] *covered (with)* **0.2** [overmand door] *snowed under (with)* ⇒ *swamped (with), flooded (with), overwhelmed (with)* **0.3** [begraven] *buried (under)* ◆ **6.1** die papieren lagen **onder** het stof ~ *the papers were covered with* / *lay under a layer of dust* **6.2** ~ **onder** het werk *overwhelmed* / *showed under with work, up to one's ears* / *eyebrows in work;* ~ **onder** brieven *showed under with letters, bogged down with correspondence;* ~ **onder** schuldgevoelens *overwhelmed with feelings of guilt.*

bedompt 〈bn.〉 **0.1** [benauwd] *stuffy* ⇒ *close, musty,* 〈kamer ook〉 *airless,* 〈lucht ook〉 *stale,* 〈klam〉 *dank* **0.2** [bekrompen] *stuffy* **0.3** [beslagen] *steamed (up)* ⇒ *steamy, blurred* ◆ **1.1** een ~ e atmosfeer *a stuffy* / *musty* / *stale* / *close atmosphere;* 〈vnl. BE ook〉 *a fug,* [B] ↓ *a frowst;* ~ licht *dim light;* een ~ vertrek *a stuffy* / *musty* / *airless* / [B] *frowsty room;* ~ weer *dank* / *sultry* / *humid* / *muggy weather* **1.2** een ~ stelletje *a s. pair* / *couple.*

bedonderd ⟨bn.⟩⟨inf.⟩ **0.1** [gek] *crazy* ⇒*mad, nuts, barmy,* ^A*balmy* **0.2** [slecht] *rotten* ⇒*beastly* **0.3** [beroerd] *idle* ⇒*lazy, good-for-nothing* **0.4** [beteuterd] *non-plussed* ⇒*taken aback, crestfallen* ◆ **3.1** ben je (helemaal) ~? *are you (quite) c. / mad?, are you (right) off your rocker?* **3.2** het gaat ~ *things are r. / beastly;* hij ziet er ~ uit *he looks shocking / awfull / seedy / down-and-out* **3.3** hij is nog te ~ om uit zijn ogen te kijken *he's too lazy to scratch himself / too feeble to raise a finger* **3.4** ~ (staan) kijken *look on perplexed / taken aback.*

bedonderen ⟨ov.ww.⟩⟨inf.⟩ **0.1** *cheat (on)* ⇒*trick, do (in the eye), sell,* ↓*con, gyp,* ⟨met geld ook⟩ *swindle* ◆ **1.1** de boel ~ *mess things up;* de kluit ~ *take everybody for a ride, lead everybody up the garden path.*

bedorven ⟨bn.⟩ **0.1** *bad* ⇒*off, contaminated,* ⟨vlees ook⟩ *tainted, decayed,* (fig.) *spoilt* ◆ **1.1** ~ eieren *b. / addled eggs;* ~ lucht *b. / vitiated / foul / musty / stale /* ^B*frowsty air,* ^B*a frowst;* de melk is ~ *the milk has gone / is b. / off / sour;* ~ vlees *b. / contaminated / tainted meat;* dit worstje is ~ *this sausage is off* **1.¶** een ~ maag hebben *have an upset / a disordered stomach.*

bedotten ⟨ov.ww.⟩ **0.1** *fool* ⇒*take in, kid, gull, hoodwink* ◆ **3.1** hij laat zich gauw ~ *he is easy to f. / take in / an easy victim / mark.*

bedotter ⟨de (m.)⟩, **-ster** ⟨de (v.)⟩ **0.1** *trickster* ⇒*cheat.*

bedplank →**beddeplank.**

bedplassen ⟨het⟩ **0.1** *bed-wetting.*

bedrading ⟨de (v.)⟩ **0.1** [voorziening met draden] *wiring* **0.2** [draden v.e. toestel] *wiring* ⇒*circuit* ◆ **2.2** defecte ~ *faulty w.* **3.2** nieuwe ~ aanleggen in een kamer *rewire a room.*

bedradingsschema ⟨het⟩ **0.1** *wiring diagram.*

bedrag ⟨het⟩ **0.1** [grootte v.e. geldsom] *amount* ⇒*sum* **0.2** [geldsom] *sum* ◆ **2.1** voor het exorbitante ~ van 1000 pond *to the tune of 1000 pounds, for the ridiculous / excessive price of 1000 pounds;* voor het luttele ~ van *for the matter / mere consideration of* **2.2** er zijn grote ~en voor uitgetrokken *large / considerable sums of money have been appropriated for it;* een rond ~ *a round s.;* ⟨cijfer⟩ *a round figure;* een vast ~ *a fixed s. / amount* **3.2** een ~ storten *deposit a s. of money, pay / make a deposit* **5.2** een ~ ineens *a lump s.* **6.1** tot een ~ van **van, ten** ~e van *to the a. / extent of, amounting to, in the sum of.*

bedragen ⟨onov.ww.⟩ **0.1** *amount to* ⇒*number* ⟨aantal⟩, ⟨geld ook⟩ *come to, run (up) to, add up to* ◆ **1.1** de verhuiskosten ~ 3000 gulden *the moving expenses amount / come to 3000 guilders;* de hoogte bedraagt 200 meter *the height measures 200 metres;* het bedraagt een grote som *a great sum is involved.*

bedrand ⟨de (m.)⟩ **0.1** *edge of the bed* ◆ **6.1** op de ~ zitten *sit on the edge of the bed.*

bedreigen ⟨ov.ww.⟩ **0.1** [dreigen kwaad te berokkenen] *threaten* ⇒⟨intimideren⟩ *intimidate* **0.2** [gevaar vormen voor] *threaten* ⇒*endanger* **0.3** [als dreigement voorhouden] *threaten (with)* ◆ **1.1** bedreigde diersoorten *endangered species, species threatened with extinction;* iem. ~ *threaten s.o., utter threats against s.o.;* een land ~ *t. a country, constitute / be a threat to a country* **1.2** ⟨sport⟩ er was maar één deelnemster die haar eerste plaats nog kon ~ *there was only one competitor left to challenge her number / no. 1 position* **4.2** dat lot bedreigt ons allen *that fate hangs over us all* **6.1** iem. **met** de dood ~ *threaten s.o. with death, t. to kill s.o..*

bedreiging ⟨de (v.)⟩ **0.1** [handeling] *threat* ⇒⟨intimidatie⟩ *intimidation* **0.2** [datgene waardoor / waarmee gedreigd wordt] *threat (to)* ⇒*menace (to),* ⟨gevaar⟩ *danger (to)* ◆ **2.2** de nationaal-socialistische politiek was een voortdurende ~ v.d. vrede *national-socialist politics were a constant t. to peace* **3.2** ~en uiten *utter threats, threaten, intimidate* **6.1** iets **onder** ~ verkrijgen *obtain sth. by threats / intimidation / under duress;* **onder** ~ v.e. vuurwapen *at gun-point.*

bedremmeld ⟨bn., bw.; -ly⟩ **0.1** *bashful* ⇒*embarrassed, crestfallen, covered with confusion* ◆ **3.1** ~ staan / toezien *stand (by) bashfully / embarrassed / covered with cunfusion.*

bedremmelen ⟨ov.ww.⟩ **0.1** *embarrass.*

bedreven ⟨bn.⟩ **0.1** *adept (at / in)* ⇒*expert (at / in),* ⟨vakkundig⟩ *proficient (at / in), skilled (in),* ⟨vaardig⟩ *skilful* ^A*skillful (in),* ⟨goed op de hoogte⟩ *(well-)versed (in), conversant (with)* ◆ **5.1** niet ~ zijn in iets *be inexperienced at / in sth., be unskilled / unversed in sth.;* zeer ~ iem. *virtuoso, wizard, past-master;* ⟨sl.⟩ *wiz-kid.*

bedrevenheid ⟨de (v.)⟩ **0.1** *adaptness* ⇒*expertise, proficiency, skill* ◆ **2.1** grote ~ *virtuosity, (past-)mastery, expertise.*

bedriegal ⟨de (m.)⟩ **0.1** *cheat* ⇒*fraud, deceiver,* ⟨oplichter⟩ *con-man, swindler.*

bedriegen ⟨→sprw. 166,526⟩
I ⟨ov.ww.⟩ **0.1** [misleiden] *deceive* ⇒*cheat, play false,* ⟨oplichten⟩ *swindle,* ⟨inf.⟩ *con,* ⟨ook →bedrogen⟩ **0.2** [ontrouw zijn] *deceive* ⇒*cheat (on), play false,* ^A*step out on,* ⟨ook →bedrogen⟩ ◆ **1.1** mijn geheugen bedriegt mij *my memory deceives me / plays me false / plays tricks on me;* als mijn geheugen mij niet bedriegt *if my memory serves me (well);* als mijn ogen me niet ~ *if my eyes do not d. me / play me false / play tricks on me* **1.2** hij bedriegt zijn vrouw *he deceives / cheats on his wife, he plays her false* **4.1** zichzelf ~ *d. o.s.* **6.2** zij bedriegt haar man met een collega *she's having an affair with a colleague / is unfaithful to / cuckolding her husband with a colleague (of his);*

II ⟨onov.ww.⟩ **0.1** [misleidend zijn] *be deceptive* ◆ **1.1** tenzij alle tekenen ~ *unless all the evidence is nothing to go by, if you can trust what you see / hear* **3.1** hij hangt van liegen en ~ aan elkaar *he's a born liar and a cheat.*

bedrieger ⟨de (m.)⟩ **0.1** *cheat* ⇒*fraud, deceiver,* ⟨iem. die zich voor een ander uitgeeft⟩ *impostor,* ⟨oplichter⟩ *swindler,* ⟨inf.⟩ *con man* ◆ **2.1** hij is een bedrogen ~ *he's a born cheat / fraud / con man* **3.1** de ~ bedrogen *the bitter bit, the cheat / fraud / imposter / swindler hoist with his own petard.*

bedriegerij ⟨de (v.)⟩ **0.1** [het bedriegen] *cheating* ⇒*trickery, deception, deceit,* ⟨mbt. geld⟩ *fraud,* ⟨inf.⟩ *monkey business,* ⟨oplichterij⟩ *swindling* **0.2** [bedrieglijke handeling] *trick* ⇒*piece of trickery / deceit / deception,* ⟨vnl. mbt. geld⟩ *fraud, piece of monkey business, swindle,* ⟨inf.⟩ *con (trick /* ^A*game)* ◆ **3.1** het is allemaal ~ *it's all a cheat / hoax / con (trick).*

bedrieglijk ⟨bn., bw.; -ly⟩ **0.1** *deceptive* ⇒*false, misleading, deceitful* ⟨karakter⟩, *fraudulent* ⟨praktijken⟩ ◆ **1.1** ~e bankbreuk *fraudulent / culpable bankruptcy;* een ~ beeld *a false picture;* ~e handelingen *fraudulent practices, frauds;* dit licht is ~ *this light is deceptive / tricky / plays tricks on one;* een ~e rust *a deceptive / misleading / seeming tranquility;* het weer is ~ *the weather is deceptive / misleading.*

bedrijf ⟨het⟩ **0.1** [onderneming, zaak] *business, company* ⇒*enterprise, firm, business undertaking,* ⟨groot⟩ *concern,* ⟨landb.⟩ *farm* **0.2** [(in samenst.)] *business* **0.3** [akte] *act* **0.4** [werking] *operation* ⇒*(working) order* ⟨mbt. apparaat⟩ **0.5** [beroepswerkzaamheid] *business* ⇒⟨handwerk, handel⟩ *trade,* ⟨handwerk ook⟩ *craft* ◆ **1.2** het uitgeversbedrijf *the printing b.* **1.5** het ~ van meubelmaker *the trade / craft of cabinet-making* **2.1** gemengd ~ *mixed farm;* openbare bedrijven *public services / utilities* **3.5** een ~ uitoefenen *carry on / pursue / conduct / practise a b. / trade, ply / follow / exercise a trade* **6.4** buiten ~ zijn *be out of order / action* ⟨machine⟩; *be idle / closed down* ⟨fabriek⟩; **buiten** ~ stellen *close / shut down* ⟨fabriek⟩; *put out of operation / action, turn off* ⟨machine⟩; **in** ~ stellen *bring / put into operation;* ⟨machine ook⟩ *bring / put / set into action, turn on;* ⟨fabriek ook⟩ *start, put / set to work;* ⟨schip⟩ *commission;* **in** ~ zijn *be in operation;* ⟨fabriek ook⟩ *be operating / running / at work / open / humming* **6.¶** een cursus typen doet hij **tussen** de bedrijven door *he takes a typing course in his stride / in his free time, he fits a typing course in with all the other things (he does);* **tussen / onder** de bedrijven door *as one goes along, meanwhile, incidentally, taking in one's stride* **7.3** het eerste / tweede ~ *Act One / Two.*

bedrijfleider ⟨de (m.)⟩, **-ster** ⟨de (v.)⟩ **0.1** *manager* ⇒⟨in fabriek⟩ *works manager / superintendent,* ⟨landb.⟩ *farm manager.*

bedrijfsadministrateur ⟨de (m.)⟩ **0.1** *company accountant.*

bedrijfsadministratie ⟨de (v.)⟩ **0.1** *business administration* ⇒⟨industrie ook⟩ *works administration,* ⟨boekhouding⟩ *business / industrial accountancy.*

bedrijfsadviseur ⟨de (m.)⟩ **0.1** *business / management consultant.*

bedrijfsafval ⟨het⟩ **0.1** *industrial waste* ⇒⟨van fabriek⟩ *factory waste.*

bedrijfsanalyse ⟨de (v.)⟩ **0.1** *company / corporate analysis.*

bedrijfsarts ⟨de (m.)⟩ **0.1** *company doctor* ⇒^B*company / industrial medical officer.*

bedrijfsauto ⟨de (m.)⟩ **0.1** *company car* ⇒*commercial / salesman's car / van,* ⟨bestelwagen⟩ *tradesman's van.*

bedrijfsbelang ⟨het⟩ **0.1** *business interest.*

bedrijfsberichten ⟨het⟩ **0.1** *company / trading reports / returns.*

bedrijfsbezetting ⟨de (v.)⟩ **0.1** *sit-in (strike)* ⇒*sit-down strike, occupation.*

bedrijfsblindheid ⟨de (v.)⟩ **0.1** *organisational blindness / myopia.*

bedrijfschap ⟨het⟩ **0.1** *(wholly owned subsidiary) group* ◆ **2.1** licht ~ *associated companies, trading organisation / association.*

bedrijfscommissie ⟨de (v.)⟩ **0.1** *wages council / board* ⇒⟨tijdelijk⟩ *arbitration (committee), industrial tribunal.*

bedrijfsconcentratie ⟨de (v.)⟩ **0.1** *integration* ⇒*agglomeration* ◆ **2.1** horizontale / verticale ~ *horizontal / vertical i..*

bedrijfscorrespondentie ⟨de (v.)⟩ **0.1** *business correspondence* ⇒*company mail, commercial correspondence.*

bedrijfsdienst ⟨de (m.)⟩ **0.1** *staff / functional organisation.*

bedrijfsdoorlichting ⟨de (v.)⟩ **0.1** *efficiency / work-measurement study* ⇒*time and motion study.*

bedrijfseconomie ⟨de (v.)⟩ **0.1** *business /* ⟨landb.⟩ *farm economics.*

bedrijfseconomisch ⟨bn.⟩ **0.1** *of / about business / farm economics* ⟨pred.⟩ ◆ **1.1** ~e aangelegenheden *matters pertaining to business economics;* ~e boeken *books on business economics.*

bedrijfsgeneeskunde ⟨de (v.)⟩ **0.1** *industrial medicine.*

bedrijfsgroep ⟨de⟩ **0.1** *industrial confederation / council* ⇒*industrial section, industry group,* ⟨handel⟩ *trading group / section,* ⟨landb.⟩ *branch of agriculture.*

bedrijfsgrootte ⟨de (v.)⟩ **0.1** *size of a business.*

bedrijfshoofd ⟨het⟩ **0.1** *head of a business / company* ⇒⟨met eigenaar⟩ *business / company manager / director / superintendent.*

bedrijfshuishoudkunde ⟨de (v.)⟩ →**bedrijfseconomie.**

bedrijfskader ⟨het⟩ **0.1** *business / company executives* ⇒*industrial executives,* ⟨bedrijfsleiding⟩ *board (of directors), management.*

bedrijfskantine ⟨de (v.)⟩ **0.1** *works canteen.*

bedrijfskapitaal ⟨het⟩ **0.1** *working capital* ⇒*business / operating / trading capital.*

bedrijfsklaar ⟨bn.⟩ **0.1** *in working order* ⇒*in running order, in working / running condition, ready for operation* ◆ **3.1** ~ maken *put into working / running order / condition, make ready for work / to start; fire up* ⟨smeltovens e.d.⟩.

bedrijfskleding ⟨de (v.)⟩ **0.1** *industrial clothing.*

bedrijfskosten ⟨zn.mv.⟩ **0.1** *running costs* ⇒*working / business / running / operating expenses,* ⟨landb. ook⟩ *farming costs* ◆ **1.1** ~ v.e. auto / installatie *running costs of a car / installation* **2.1** algemene ~ *overheads.*

bedrijfskunde ⟨de (v.)⟩ **0.1** *business administration* ⇒*management.*

bedrijfskundig ⟨bn.⟩ **0.1** *managerial* ⇒⟨attr.⟩ *management, business,* ⟨na zn.⟩ *of management* ◆ **1.1** ~ ingenieur *industrial engineer.*

bedrijfsleer ⟨de⟩ **0.1** *business economics.*

bedrijfsleiding ⟨de (v.)⟩ **0.1** *management* ⇒*board (of directors).*

bedrijfsleven ⟨het⟩ **0.1** [praktisch economisch leven] *business* ⇒*trade and industry, economic / industrial / business life / activity* **0.2** [personen, bedrijven] *business community* ⇒*business / trade / industrial circles* ◆ **2.1** het particuliere ~ *private enterprise* **6.1** in het ~ gaan *go / enter into b. / industry.*

bedrijfsmaatschappelijk ⟨bn.⟩ **0.1** *company / industrial welfare* ⟨attr.⟩ ◆ **1.1** ~ werkster *company / industrial welfare worker.*

bedrijfsmiddelen ⟨zn.mv.⟩ **0.1** *capital equipment* ⇒*fixed / capital assets, capital / producers' goods.*

bedrijfsongeval ⟨het⟩ **0.1** *industrial accident* ◆ **¶.1** aanspraak maken op een uitkering op grond v.e. ~ *claim industrial injuries benefit.*

bedrijfsopbrengst ⟨de (v.)⟩ **0.1** [het geleverde] *output, production;* ⟨landb.⟩ *produce, yield, crop* **0.2** [rendement] *returns* ⇒*profit, trading income, revenue, earnings.*

bedrijfsoppervlakte ⟨de (v.)⟩ **0.1** *floor / working area;* ⟨landb.⟩ *(farm) acreage.*

bedrijfsorgaan ⟨het⟩ **0.1** [vereniging] *trade body* **0.2** [blad] *house organ / journal / newsletter.*

bedrijfsorganisatie ⟨de (v.)⟩ **0.1** [v.e. bedrijf] *industrial organization* ⇒ *business organization, business / industrial planning* **0.2** [v.h. bedrijfsleven / een bedrijfstak] *industrial organization* ⇒*trading organization, works council* ◆ **1.1** bureau voor interne ~ *planning office.*

bedrijfspand ⟨het⟩ **0.1** ⟨kantoor / winkel⟩ *business / commercial property / premises;* ⟨fabriek⟩ *industrial property / premises / building.*

bedrijfspensioen ⟨het⟩ **0.1** *staff / company pension;* ⟨voor arbeiders ook⟩ *workers' pension.*

bedrijfspensioenfonds ⟨het⟩ **0.1** *staff / company pension fund* ⇒ ⟨voor arbeiders ook⟩ *workers' pension fund.*

bedrijfsplan ⟨het⟩ **0.1** *industrial* / ⟨landb.⟩ *farming plan(ning).*

bedrijfspluimvee ⟨het⟩ **0.1** *commercial poultry.*

bedrijfspolitiek ⟨de (v.)⟩ **0.1** *business policy* ⇒⟨specifiek⟩ *company* / ⟨handel⟩ *trading* / ⟨landb.⟩ *farm(ing) policy.*

bedrijfspsychologie ⟨de (v.)⟩ **0.1** *industrial psychology.*

bedrijfspsycholoog ⟨de (m.)⟩, **-loge** ⟨de (v.)⟩ **0.1** *industrial psychologist.*

bedrijfsraad ⟨de (m.)⟩ **0.1** *Joint Industrial Councils* ⟨mv.⟩ ⇒≠*Whitley council,* ⟨vnl. BE⟩ *works council / committee.*

bedrijfsresultaat ⟨het⟩ **0.1** *trading results* ⇒*operating / working results,* ⟨landb. ook⟩ *farm profits.*

bedrijfsrisico ⟨het⟩ **0.1** *business / trading risk.*

bedrijfsruimte ⟨de (v.)⟩ **0.1** *working accomodation* ⇒*work(ing) / factory / manufacturing space, business accomodation.*

bedrijfsschade ⟨de⟩ **0.1** *loss of profits* ⇒*consequential / trading loss* ◆ **1.1** een verzekering tegen ~ *consequential loss / loss of profits insurance, insurance against loss of profits* **3.1** zich tegen ~ verzekeren *take out a loss of profits.*

bedrijfssector ⟨de (m.)⟩ **0.1** *branch of industry* ⇒*line of business, trading section / sector,* ⟨landb.⟩ *branch of agriculture.*

bedrijfssluiting ⟨de (v.)⟩ **0.1** *shut-down* ⇒*close-down.*

bedrijfssociologie ⟨de (v.)⟩ **0.1** *industrial sociology.*

bedrijfsspanning ⟨de (v.)⟩ **0.1** *operating / working voltage.*

bedrijfsspionage ⟨de (v.)⟩ **0.1** *industrial espionage / spying* ⇒ ↓*(industrial) piracy.*

bedrijfsstoring ⟨de (v.)⟩ **0.1** [stagnatie] *interruption / stoppage of operations / work* **0.2** [bij machines] *breakdown* ⇒*operational trouble / failure.*

bedrijfstak ⟨de (m.)⟩ **0.1** [onderdeel v.e. bedrijf] *department* ⇒*line (of business)* **0.2** [groep van bedrijven] *(branch of) industry* ⇒*(branch of) trade / business, enterprise.*

bedrijfstechnicus ⟨de (m.)⟩ **0.1** *company engineer / technician.*

bedrijfsuitkomsten ⟨zn.mv.⟩ **0.1** *trading results.*

bedrijfsuitrusting ⟨de (v.)⟩ **0.1** *industrial equipment* ⇒*factory equipment, plant* ⟨van fabriek⟩.

bedrijfsveiligheid ⟨de (v.)⟩ **0.1** *industrial safety* ⇒*safety at work, safety of operation* ⟨machines e.d.⟩.

bedrijfsvereniging ⟨de (v.)⟩ **0.1** *industrial insurance board.*

bedrijfsvergunning ⟨de (v.)⟩ **0.1** *business / operating licence* ^*se* ⇒ ⟨handel⟩ *trade licence* ^*se.*

bedrijfsverzekering ⟨de (v.)⟩ **0.1** *business interruption insurance* ⇒*consequential loss insurance,* ⟨AE ook⟩ *use and occupancy insurance, (loss-of-) profits insurance.*

bedrijfsvoering ⟨de (v.)⟩ **0.1** *management.*

bedrijfsvoetbal ⟨het⟩ **0.1** *industrial football.*

bedrijfsvoorlichter ⟨de (m.)⟩, **-ster** ⟨de (v.)⟩ **0.1** *public relations / P.R. officer.*

bedrijfswagen ⟨de (m.)⟩ →**bedrijfsauto.**

bedrijfswinkel ⟨de (m.)⟩ **0.1** *company shop /* ^*store.*

bedrijfswinst ⟨de (v.)⟩ **0.1** *operating profit.*

bedrijfszeker ⟨bn.⟩ **0.1** *safe (to operate)* ◆ **3.1** de heftruck is na deze revisie weer volkomen ~ *the fork-lift truck is completely safe to operate again after this overhaul.*

bedrijfszekerheid ⟨de (v.)⟩ **0.1** *(operational) safety.*

bedrijven ⟨ov.ww.⟩ **0.1** *commit* ⇒ ↑*perpetrate* ◆ **1.1** kwaad / onheil ~ *perpetrade / do evil, make mischief;* de liefde ~ *make love;* een misdaad ~ *c. a crime;* zonde ~ *c. sin, sin.*

bedrijvend ⟨bn.⟩ ⟨taal.⟩ ◆ **1.¶** de ~e vorm v.e. werkwoord *the active voice of a verb;* ~ werkwoord *transitive verb.*

bedrijver ⟨de (m.)⟩ ⟨pej.⟩ **0.1** *culprit* ⇒*committer,* ↑*perpetrator* ◆ **1.1** de ~ v.h. kwaad *the evil-doer / culprit.*

bedrijvig ⟨bn.⟩ **0.1** [werkzaam] *active* ⇒*busy,* ⟨hard werkend⟩ *industrious,* ⟨toegewijd⟩ *diligent,* ⟨altijd bezig⟩ *bustling* **0.2** [druk, levendig] *active* ⇒*busy, lively, bustling* ◆ **1.1** een ~ leven *a busy life;* een ~ type *an industrious / hard-working type* **1.2** een ~ kind *an a. child;* een ~e stad *a busy / bustling town.*

bedrijvigheid ⟨de (v.)⟩ **0.1** [het werkzaam zijn] *activity* ⇒*busyness, industriousness, diligence* **0.2** [drukte, levendigheid] *activity* ⇒*busyness, hustle, bustle, hustle and bustle* ◆ **2.2** economische ~ *economic a.;* koortsachtige ~ *feverish a..*

bedrijving ⟨de (v.)⟩ **0.1** *committing* ⇒ ↑*perpetrating.*

bedrinken ⟨wk.ww.; zich ~⟩ **0.1** *get drunk / slashed / smashed (on)* ⇒ ↑*become intoxicated.*

bedroefd
I ⟨bn.⟩ **0.1** [verdrietig] *sad (about)* ⇒*sorrowful, dejected,* ⟨van streek⟩ *upset / distressed (about)* ◆ **1.1** een ~ gezichtje *a dejected face* **3.1** ~ maken *sadden, upset;*
II ⟨bw.⟩ **0.1** [zeer] *deplorably* ⇒*distressingly, miserably, extremely* ◆ **2.1** een ~ klein beetje *precious little.*

bedroefdheid ⟨de (v.)⟩ **0.1** *sadness* ⇒*sorrow, dejection, distress.*

bedroeven ⟨ov.ww.⟩ ⟨schr.⟩ **0.1** *sadden* ⇒*grieve, afflict* ◆ **4.1** je gedrag bedroeft mij *your conduct saddens me* **5.1** diep ~ *deeply distress, afflict, harrow.*

bedroevend
I ⟨bn.⟩ **0.1** [droefheid wekkend] *sad(dening)* ⇒*depressing, distressing* **0.2** [armzalig] *pathetic* ⇒*pitiful, miserable, lamentable* ◆ **1.1** een ~ schouwspel *a sad spectacle* **1.2** ~e resultaten *pathetic / pitiful results;*
II ⟨bw.⟩ **0.1** [zeer] *pathetically* ⇒*miserably, deplorably, extremely* ◆ **2.1** zijn werk is ~ slecht *his work is lamentably poor* **7.1** ~ weinig *precious little.*

bedrog ⟨het⟩ ⟨→sprw. 34,132⟩ **0.1** [bedriegerij] *deceit* ⇒*deception, delusion,* ⟨oplichting⟩ *fraud, swindle* **0.2** [bedrieglijke voorstelling] *deception* ⇒*delusion* ◆ **1.1** door list een ~ *by means of trickery, by craft / ruse and guile* **2.1** vroom ~ *pious fraud* **2.2** optisch ~ *optical illusions* **3.1** ~ plegen *cheat, swindle, deceive, commit fraud* **6.1** zonder ~ *guileless* **¶.2** dromen zijn ~ *dreams are deceptive / a delusion.*

bedrogen ⟨bn.⟩ **0.1** *deceived* ⇒*duped,* ↓*had, done* ◆ **1.1** een ~ echtgenoot *a cuckold, a deceived husband* **3.1** ~ uitkomen *be deceived / disappointed;* ⟨inf.⟩ catch a cold, get the short end; zich ~ vinden *be duped / had / done.*

bedrogene ⟨de (m.)⟩ **0.1** *dupe* ⇒*deceived.*

bedruipen ⟨ov.ww.⟩ ⟨→sprw. 168⟩ **0.1** *sprinkle* ⇒*baste* ⟨vlees⟩ ◆ **1.1** het vlees elk half uur even ~ *baste the meat every half hour / thirty minutes* **4.¶** zichzelf (kunnen) ~ *be able to pay one's way / support o.s..*

bedrukken ⟨ov.ww.⟩ **0.1** *print* ⇒*inscribe, impress* ◆ **1.1** bedrukt papier *printed paper;* bedrukte stoffen *printed materials, prints* **6.1** kaartjes ~ met gegraveerde letters *p. cards in copperplate / an engravers' font.*

bedrukt ⟨bn.⟩ **0.1** *dejected* ⇒*(cast) down, low, depressed, melancholic* ◆ **1.1** met een ~ gemoed *with a stricken heart, dejectedly, in low spirits;* een ~ gezicht zetten *put on / make a dejected face, look downcast;* de ~e weduwe *the unhappy widow* **3.1** er ~ uitzien *look dejected.*

bedruktheid ⟨de (v.)⟩ **0.1** *dejection* ⇒*low spirits, melancholy.*

bedruppelen ⟨ov.ww.⟩ **0.1** *sprinkle.*

bedruppen →**bedruppelen.**

bedrust ⟨de⟩ **0.1** *bed rest* ◆ **3.1** ~ voorschrijven *prescribe b. r..*

bedscène ⟨de⟩ **0.1** *bed(room) scene.*

bedscherm ⟨het⟩ **0.1** *bed screen.*

bedstee ⟨de⟩ **0.1** *box bed.*

bedstel ⟨het⟩ **0.1** *mattress and pillows.*

bedstro ⟨het⟩ ⟨→sprw. 599⟩ **0.1** *bedding straw.*

bedtijd ⟨de (m.)⟩ **0.1** *bedtime* ⇒*time for bed* ◆ **3.1** het werd ~ *b. came / arrived, it was b. / time for bed* **6.1** om ~ ~ *at b..*

beducht ⟨bn.⟩ **0.1** *apprehensive* ⇒*anxious (for),* ⟨bang⟩ *afraid/fearful (of)* ◆ **6.1** ~ zijn **voor** gevaar/een vijand *be afraid/fearful of danger/ an enemy;* ~ zijn **voor** zijn gezondheid *be afraid/anxious for one's health;* ~ zijn **voor** zijn reputatie *be concerned/anxious for/tender of one's reputation;* ~ **voor** risico's *be risk-shy/shy of taking risks/nervous.*

beduchten ⟨ov.ww.⟩ ◆ **3.¶** het is/staat te ~ dat... *it is to be feared that ....*

beduchtheid ⟨de (v.)⟩ **0.1** *apprehension* ⇒*anxiety, fear.*

beduiden ⟨ov.ww.⟩ **0.1** [gebaren] *signal* ⇒*motion, indicate, wave* **0.2** [betekenis hebben] *signify* ⇒*mean, imply,* ⟨schr.⟩ *import* **0.3** [voorspellen] *indicate* ⇒*imply, mean,* ⟨schr.⟩ *portend* ⟨vnl. onheil⟩ **0.4** [de betekenis hebben van] *mean* ⇒*stand for, symbolize* **0.5** [aan het verstand brengen] *make clear (to)* ⇒*give to understand* ◆ **1.1** de agent beduidde mij te stoppen *the policeman signalled (to) me to stop* **1.3** dat beduidt niet veel goeds *that bodes little good* **1.4** een hart beduidt liefde *a heart symbolizes love* **3.2** die kwestie heeft weinig te ~ *the matter is of little consequence/means little.*

beduidend
I ⟨bn.⟩ **0.1** [van betekenis] *significant* ⇒*important, considerable, portentous* ◆ **1.1** een ~e som *a considerable sum;* ~e verliezen *s. losses;* een ~ verschil *a marked difference.*
II ⟨bw.⟩ **0.1** [in belangrijke mate] *significantly* ⇒*considerably, substantially* ◆ **2.1** ~ minder *considerably less.*

beduimelen ⟨ov.ww.⟩ **0.1** *thumb* ◆ **1.1** een beduimeld boek *a well-thumbed book;* een beduimelde spiegel *a thumb-marked mirror.*

bedunken ⟨het⟩ ⟨schr.⟩ ◆ **4.¶** mijns/ons ~s *methinks (that), to my/our mind, in my/our opinion.*

beduusd ⟨bn.⟩ **0.1** *bewildered* ⇒*confused, dazed, non-plussed* ◆ **3.1** hij was helemaal ~ van die opmerking *he was completely taken aback by that remark;* ~ zijn, staan *be b. ! stand there dazed;* ~ ⟨zitten⟩ kijken *look b., stare in bewilderment, look blank* **5.1** een beetje ~ *(a little) disconcerted.*

beduveld ⟨bn.⟩ ⟨inf.⟩ **0.1** [mal, gek] *crazy* ⇒*nuts, daft, barmy,* ᴬ*balmy* **0.2** [verbijsterd] *stunned* ⇒*staggered, dumbfounded, flabbergasted* ◆ **3.1** ben je nou helemaal ~! *have you gone (right) off your rocker!, are you out of your mind!* **3.2** hij stond ~ te kijken ⟨ook⟩ *you could have knocked him down with a feather.*

beduvelen ⟨ov.ww.⟩ ⟨inf.⟩ **0.1** *cheat (on)* ⇒*trick, do (in the eye),* ↓*con,* ↓*gyp,* ⟨met geld ook⟩ *swindle.*

bedverpleging ⟨de⟩ **0.1** *(sick-)bed nursing.*

bedwang ⟨het⟩ **0.1** *control* ⇒*restraint, check, curb* ◆ **6.1** zich(zelf) niet langer in ~ (kunnen) houden *lose control (of/over s.o.), no longer be able to restrain/contain/control o.s.;* iem. **in** ~ houden ⟨ook fig.⟩ *keep s.o. in check, check s.o.;* zijn stem **in** ~ hebben *have one's voice under control;* goed **in** ~ hebben *have well in hand/check/under control, have a tight rein on;* een paard **in** ~ houden *keep/hold a horse in check/under control;* zich(zelf) **in** ~ houden *restrain/contain/control o.s., keep o.s. under control.*

bedwateren ⟨ww.⟩ **0.1** *b.-wetting.*

bedwelmd ⟨bn.⟩ **0.1** [verdoofd] *stunned* ⇒*dazed, stupefied, knocked out* ⟨ook door klap⟩, ↓*dopey/overcome (with)* **0.2** [onder narcose] *anaesthetized* ⇒ ↓*drugged,* ↓*doped* ◆ **6.1** door gas ~ *overcome/ knocked out by gas;* **door** de slaap ~ *overcome/dopey with sleep;* **door** alcohol ~ *intoxicated, inebriated,* ↓*fuddled with alcohol/drink;* **door** cocaïne ~ *coked up;* ⟨AE;sl.⟩ *snowed in/up.*

bedwelmen ⟨ov.ww.⟩ **0.1** [het bewustzijn doen verliezen] *stun* ⇒*daze, stupefy, intoxicate* ⟨door alcohol⟩ **0.2** [zijn inzicht doen verliezen] *intoxicate* ⇒ ↓*fuddle* ◆ **1.1** ~de gassen *stupefying gasses;* ~de middelen *drugs, narcotics;* ⟨inf.⟩ *dope;* ⟨drank⟩ *intoxicants* **6.1** door de val bedwelmd bleef hij liggen *stunned by the fall, he couldn't/didn't get up* **6.2** door roemzucht/liefde bedwelmd *intoxicated by ambition/love.*

bedwelming ⟨de (v.)⟩ **0.1** [handeling] *stupefying* ⇒*stupefying,* ⟨ook door alcohol⟩ *intoxicating* **0.2** [toestand] *intoxication* ⇒*daze, stupor.*

bedwelmingsmiddel ⟨het⟩ **0.1** *narcotic* ⇒*drug,* ⟨inf.⟩ *dope,* ⟨drank⟩ *intoxicant.*

bedwingen ⟨ov.ww.⟩ **0.1** [onderdrukken] *suppress* ⇒*control, conquer* **0.2** [in bedwang houden] *suppress* ⇒*subdue, control,* ⟨gevoelens⟩ *restrain, keep under control, hold in check* ◆ **1.1** een brand ~ *bring/get a fire under control;* een land ~ *subjugate a country;* onlusten ~ *s. disturbances/rebellion* **1.2** zijn ongerustheid ~ *suppress/quell one's uneasiness;* zijn tranen ~ *swallow/keep back/hold back one's tears;* zijn woede ~ *restrain/control/restrain/hold back one's anger* **1.¶** bergen ~ *conquer mountains;* de natuur ~ *tame nature* **4.2** zich(zelf) niet langer (kunnen) ~ *lose control (of/over o.s.), no longer be able to restrain/contain/control o.s.;* zich(zelf) ~ *restrain/control/ contain o.s., keep o.s. under control.*

bedzeiltje ⟨het⟩ **0.1** *rubber sheet.*

beëdigd ⟨bn.⟩ **0.1** [mbt. personen] *sworn* ⇒*chartered* ⟨accountant, ingenieur, bibliothecaris, landmeter⟩ **0.2** [door een eed bekrachtigd] *sworn* ⇒*on oath* ◆ **1.1** ~ getuige/klerk *s. witness/clerk;* een ~ makelaar *a s. broker;* ~ taxateur ᴮ*official/*ᴬ*certified valuer;* ~ vertaler *s. translator* **1.2** (niet)~ getuigenissen *(un)sworn evidence/testimony,*

evidence/testimony (not) on oath; een ~e verklarings/getuigenis *a s. statement/testimony, a statement/testimony on oath;* ⟨schr. ook⟩ *affidavit;* een ~e vertaling *a certified/s. translation.*

beëdigen ⟨ov.ww.⟩ **0.1** [eed afnemen] *swear (in)* ⇒*administer an oath to, put on oath* **0.2** [door een eed bekrachtigen] *swear* ⇒*confirm on oath* ◆ **1.1** een ambtenaar ~ *swear an official into office;* een getuige ~ *swear (in) a witness, put a witness on oath;* een soldaat ~ *attest a soldier.*

beëdiging ⟨de (v.)⟩ **0.1** [bekrachtiging door een eed] *swearing* ⇒*confirmation on oath* **0.2** [het afnemen v.e. eed] *swearing (in)* ⇒*administration of the oath* ◆ **1.2** de ~ v.d. nieuwe gemeenteraadsleden *the swearing in of the new councillors.*

beëindigen ⟨ov.ww.⟩ **0.1** [een einde maken aan] *end* ⇒*finish, terminate, conclude,* ⟨voltooien⟩ *complete* **0.2** [dmv. een overeenkomst tot een einde brengen] *end* ⇒*close* ⟨vergadering⟩, ⟨afbreken⟩ *discontinue, terminate* ⟨contract⟩ ◆ **1.1** een behandeling ~ *finish treatment;* een reis ~ *finish/complete a journey;* een vriendschap ~ e. / *terminate/ break off a friendship;* een wedstrijd ~ *finish a race* **1.2** een abonnement ~ *discontinue/cancel a subscription;* een geschil ~ *terminate/e. a quarrel, e. a disagreement;* de huur ~ *stop the rent.*

beëindiging ⟨de (v.)⟩ **0.1** *end(ing)* ⇒*conclusion, termination, close.*

beek ⟨de⟩ **0.1** [smal stromend water] *brook* ⇒*stream, rivulet,* ⟨kreek⟩ *creek* **0.2** [stroom van vocht] *stream* ⇒*flood, rivulet, trickle* ◆ **1.2** beken bloed *streams of blood* **6.2** een ~ van tranen *a flood of tears ¶.1* ~je *brooklet.*

beeld ⟨het⟩ **0.1** [driedimensionale af-/uitbeelding] *statue* ⇒*sculpture, figure, image* **0.2** [tweedimensionale afbeelding] *picture* ⇒*image, illustration,* ⟨foto⟩ *photo(graph)* **0.3** [afbeelding dmv. een elektronisch apparaat] *picture* ⇒*(photographic) image* **0.4** [afschijnsel] *picture* **0.5** [voorstelling door een beschrijving] *picture* ⇒*definition, description, image* **0.6** [voorstelling in de geest] *image* ⇒*picture, idea, view* **0.7** [bijzonder mooi exemplaar] *picture* **0.8** [overdrachtelijke aanduiding] ⟨beeldspraak⟩ *figure (of speech), image* ⇒*picture, metaphor,* ⟨vnl. lit.⟩ *simile* **0.9** [evenbeeld] *image* ⇒*likeness* ◆ **1.2** ~en v.e. voetbalwedstrijd *pictures of a football match* **2.1** een gegoten ~ *a molten image, a cast (statue);* een marmeren/bronzen ~ *a marble/ bronze statue/figure;* wassen ~en *wax(work) figures, waxwork, ceroplastics;* ⟨in etalage ook⟩ *waxmodels* **2.3** het ~ is te donker *the picture is too dark;* een scherp/wazig ~ *a sharp/blurred picture* **2.4** ⟨foto.⟩ een positief, negatief ~ *a positive/negative (p.)* **2.5** een globaal/algemeen ~ *an overall p.;* een verkeerd ~ van iets hebben *misperceive sth., have the wrong impression/idea of sth.;* een verkeerd ~ geven van iets *misrepresent sth.* **2.8** een treffend ~ *a striking i.* **3.1** een ~ geven *cast a statue* **3.5** het ~ bepalen *set the scene;* iem. een ~ van iets geven *give s.o. some/an idea/a p. of sth.;* iem. een ~ geven v.d. situatie *put s.o. in the p. (about the situation);* een ~ schetsen *draw/sketch a p.* **3.6** ~en oproepen uit het verleden *evoke/recall images/pictures from the past;* zich een ~ van iets vormen *form a picture/an image of sth., visualize sth.* **6.2 in** ~ en geschrift *in words and pictures;* de Olympische spelen **in** ~ *the Olympic Games in pictures/on film* **6.3** zich **buiten** het ~ afspelen *take place off the screen/behind the scenes/ off the picture;* **in** ~ zijn/komen *be/come on (the screen);* **in** ~ brengen ⟨t.v., film⟩ *show (a picture/pictures of), put on the screen, bring into vision;* ⟨fig.⟩ *show,* ↑*portray* **6.7** een ~ **van** een hoed *a p. of a hat;* een ~je van een kind *a p. of a child.*

beeldafstand ⟨de (m.)⟩ **0.1** [afstand tot het beeld] *distance from the picture* ⇒ ⟨televisie ook⟩ *viewing distance* **0.2** [mbt. lenzen] *focal length.*

beeldband ⟨de (m.)⟩ **0.1** *videotape.*

beeldbuis ⟨de⟩ **0.1** [elektronenstraalbuis] *cathode-ray tube* **0.2** [televisietoestel] *screen* ⇒*tube,* ⟨inf.⟩ *box* ◆ **6.2** elke avond voor de ~ zitten *sit in front of the box/tube every evening.*

beeldcultuur ⟨de (v.)⟩ **0.1** *visual culture.*

beelddrager ⟨de (m.)⟩ **0.1** ⟨alg.⟩ *material (on which a picture is painted), base* ⇒ ⟨doek⟩ *canvas,* ⟨paneel⟩ *panel,* ⟨com.⟩ *vision/picture carrier.*

beeldenaar ⟨de (m.)⟩ **0.1** *effigy* ⇒*head.*

beeldend ⟨bn., bw.;-ally⟩ **0.1** *plastic* ⇒*expressive* ◆ **1.1** ~e taal *expressive/evocative/p. language;* het ~ vermogen v.e. schrijver *the expressive/wordpainting capacity of a writer, the ability of a writer to paint words* **1.¶** ~e kunsten *visual arts;* school voor ~e kunsten *school of design/visual arts;* ~ kunstenaar *visual artist.*

beeldendienst ⟨de (m.)⟩ **0.1** *image worship* ⇒*iconolatry, idolatry.*

beeldenexpositie ⟨de (v.)⟩ **0.1** *sculpture exhibition.*

beeldengalerij ⟨de (v.)⟩ **0.1** *statue gallery.*

beeldengroep ⟨de⟩ **0.1** *sculpture group.*

beeldenpark ⟨het⟩ **0.1** *statue park/garden.*

beeldenrijkdom ⟨de (m.)⟩ **0.1** →**beeldrijkheid.**

beeldenstorm ⟨de (m.)⟩ **0.1** ⟨gesch.⟩ *(16th-century) iconoclastic fury/ outbreak* ⇒*the 'breaking of the images'* **0.2** ⟨fig.⟩ *image breaking/destruction* **0.3** [het vernielen van kunstwerken] *iconoclasm.*

beeldenstormer ⟨de (m.)⟩ **0.1** ⟨gesch.⟩ *iconoclast* **0.2** ⟨fig.⟩ *iconoclast* ⇒ ⟨inf.⟩ *debunker* **0.3** [tegenstander van beeldenverering] *iconoclast.*

beeldenstrijd ⟨de (m.)⟩ **0.1** *(Byzantine) iconoclastic controversy.*

beelderig ⟨bn., bw.⟩ →**beeldig**.
beeldfrequentie ⟨de (v.)⟩ **0.1** *picture frequency* ⇒*frame frequency*.
beeldgeometrie ⟨de (v.)⟩ **0.1** *raster*.
beeldgrafiek ⟨de (v.)⟩ **0.1** *pictogram* ⇒*picture diagram*, ⟨zeldz.⟩ *pictograph*.
beeldhoek ⟨de (m.)⟩ **0.1** *angle of view*.
beeldhouwen ⟨onov., ov.ww.⟩ **0.1** *sculpture* ⇒*sculpt, carve* ⟨hout, ivoor enz.⟩.
beeldhouwer ⟨de (m.)⟩, **-ster** ⟨de (v.)⟩ **0.1** *sculptor* ⟨m.⟩, *sculptress* ⟨v.⟩ ⇒*woodcarver* ⟨hout⟩.
Beeldhouwer ⟨de (m.)⟩ **0.1** *Sculptor's Workshop*.
beeldhouwkunst ⟨de (v.)⟩ **0.1** [kunst] *sculpture* **0.2** [voortbrengselen] *sculpture* ♦ **2.1** de moderne/ Griekse ~ *modern/ Greek s..*
beeldhouwwerk ⟨het⟩ **0.1** [kunstwerk] *sculpture* ⇒⟨in hout⟩ *carving* **0.2** [versiering] *sculpture* ⇒*sculpture work, carving, dressings* ⟨mv.⟩ ♦ **1.1** de ~en v.d. Grieken *the Greek sculptures* **2.2** pilaren met kunstig ~ *pillars with ingenious/artistic sculpture work/ dressings.*
beeldig ⟨bn., bw.; -ly⟩ **0.1** *gorgeous* ⇒*adorable, divine*, ⟨pred. ook⟩ *as pretty as a picture* ♦ **1.1** het is een ~ hoedje *it's a g. / an adorable hat, a dream of a hat* **3.1** die jas staat je ~ *that coat looks g. / divine on you.*
beeldinstelling ⟨de (v.)⟩ **0.1** [wijze van instelling] *picture adjustment* **0.2** [handeling] *picture adjustment* **0.3** [knop] *picture adjustment (control).*
beeldkast ⟨de⟩ **0.1** *radarscope*.
beeldkwaliteit ⟨de (v.)⟩ **0.1** *picture quality.*
beeldlijn ⟨de⟩ **0.1** *picture line* ⇒*video line.*
beeldmateriaal ⟨het⟩ **0.1** *visual material* ⇒ ↓*pictures*, ⟨film ook⟩ *footage*, ⟨school. ook⟩ *visual aids.*
beeldmerk ⟨het⟩ **0.1** *logo(type).*
beeldopbouw ⟨de (m.)⟩ **0.1** [⟨bk.⟩] *composition* **0.2** [⟨elek.⟩ op t.v.scherm] *image formation.*
beeldoppervlakte ⟨de (v.)⟩ **0.1** *screen diameter, picture size.*
beeldoverbrenging ⟨de (v.)⟩ **0.1** *picture/ video transmission.*
beeldplaat ⟨de⟩ **0.1** *videodisc* ^*disk.*
beeldpunt ⟨het⟩ **0.1** [v.e. optisch beeld] *picture point* **0.2** [v.e. reproduktiebeeld] *picture element.*
beeldrecorder ⟨de (m.)⟩ **0.1** *videorecorder.*
beeldrijk ⟨bn.⟩ **0.1** *rich in imagery* ⇒*metaphorical, figurative, ornate,* ⟨pej.⟩ *flowery, florid* ♦ **1.1** ~e taal *metaphorical/* ⟨pej.⟩ *flowery language.*
beeldrijkheid ⟨de (v.)⟩ **0.1** *richness in imagery* ⇒*metaphoricalness, orateness,* ⟨pej.⟩ *floweriness.*
beeldroman ⟨de (m.)⟩ **0.1** *story in pictures* ⇒ ⟨komisch⟩ *comic (book),* ⟨in krant⟩ *comic strip,* ⟨BE ook⟩ *strip cartoon.*
beeldscherm ⟨het⟩ **0.1** *(picture/ viewing) screen* ⇒⟨t.v. ook⟩ *TV/ television screen,* ⟨comp.⟩ *display.*
beeldschermtypist ⟨de (m.)⟩, **-e** ⟨de (v.)⟩ **0.1** *visual display unit/ VDU operator.*
beeldscherpte ⟨de (v.)⟩ **0.1** *sharpness/ clarity/ focus (of a/ the picture/ image)* ⇒⟨tech.⟩ *definition.*
beeldschoon ⟨bn.⟩ **0.1** *gorgeous* ⇒*(ravishingly/ stummingly enz.) beautiful, stunning, ravishing,* ⟨voorwerp/ eigenschap ook⟩ *exquisite.*
beeldschrift ⟨het⟩ **0.1** *picture writing* ⇒*pictography, ideography.*
beeldsignaal ⟨het⟩ **0.1** *video signal* ⇒*picture signal.*
beeldsnijden ⟨ww.⟩ **0.1** *carve.*
beeldsnijkunst ⟨de (v.)⟩ **0.1** *carving* ⇒*woodcarving* ⟨hout⟩.
beeldspraak ⟨de⟩ **0.1** [⟨abstr.⟩] *metaphor* ⇒*imagery, metaphorical/ figurative language* **0.2** [⟨concr.⟩] *metaphor* ⇒*image.*
beeldstatistiek ⟨de (v.)⟩ **0.1** *pictogram* ⇒*picture diagram,* ⟨zeldz.⟩ *pictograph.*
beeldsynchroon ⟨bn.⟩ **0.1** *synchronized (with the picture).*
beeldtechnicus ⟨de (m.)⟩ ⟨film, t.v.⟩ **0.1** *video engineer* ⇒*vision control supervisor.*
beeldtelefoon ⟨de (m.)⟩ **0.1** *videophone* ⇒*videotelephone.*
beeldtelegrafie ⟨de (v.)⟩ **0.1** *phototelegraphy.*
beeldtrommel ⟨de⟩ **0.1** *head drum.*
beeldvenster ⟨het⟩ ⟨druk.⟩ **0.1** *display.*
beeldverhaal ⟨het⟩ **0.1** *comic strip* ⇒ ⟨BE ook⟩ *strip cartoon.*
beeldverslag ⟨het⟩ ⟨film, t.v.⟩ **0.1** *(film/ TV) report.*
beeldvertaler ⟨de (m.)⟩ **0.1** *television-standard convertor* ⇒ ⟨knop⟩ *system/ standard selector.*
beeldverwerking ⟨de (v.)⟩ **0.1** [⟨druk.⟩] *graphic processing* **0.2** [⟨comp.⟩] *image processing.*
beeldvlak ⟨het⟩ **0.1** ⟨film⟩ *projection surface;* ⟨camera⟩ *focal plane.*
beeldvorm ⟨de (m.)⟩ **0.1** [v.e. beeld] *picture form* **0.2** [van beeldspraak] *form/ type of image/ metaphor.*
beeldvorming ⟨de (v.)⟩ **0.1** *formation* ⟨ook tech.⟩ */ creation of an/ the image of a/ the picture* ⇒⟨voorstelling bv. in de pers⟩ *representation, image* ♦ **3.1** bijdragen tot een bepaalde ~ *help to create/ establish a certain image.*
beeldzijde ⟨de⟩ **0.1** *obverse* ⇒*face.*
beeldzoeker ⟨de (m.)⟩ ⟨foto.⟩ **0.1** *viewfinder.*
beeltenis ⟨de (v.)⟩ **0.1** [portret] *portrait* ⇒*likeness* **0.2** [afbeelding] *likeness* ⇒*effigy, image* ♦ **6.1** in ~ verbranden *burn in effigy.*

beëlzebub ⟨de (m.)⟩ **0.1** *beelzebub.*
Beëlzebub ⟨de (m.)⟩ **0.1** *Beelzebub* ♦ **2.1** ⟨fig.⟩ dat is een echte ~ *he's a real demon/ devil/ ogre.*
beemd ⟨de (m.)⟩ **0.1** [vlak, waterrijk land] *meadow* ⇒*pasture,* ⟨vero.⟩ *lea* **0.2** [vlakke landstreek] *fields* ⟨mv.⟩ ⇒*pastureland* **0.3** [wandeldreef] *meadow* ⇒*pasture, lea,* ⟨dreef⟩ *avenue, drive* ♦ **1.1** in veld en bos en ~en *in field, wood and meadow.*
beemdgras ⟨het⟩ **0.1** *meadow grass* ⇒*June grass, bluegrass, wire grass.*
been ⟨het⟩ ⟨→sprw. 35,46,292,395⟩ **0.1** [lichaamsdeel mbt. de mens] *leg* ⇒*limb,* ⟨in uitdrukkingen vaak⟩ *foot,* ⟨BE; inf.⟩ *pin* **0.2** [lichaamsdeel mbt. een dier] *leg* **0.3** [bot] *bone* **0.4** [stof waaruit botten bestaan] *bone* **0.5** [gebeente] *bones* ⟨mv.⟩ **0.6** [mbt. een kous] *leg* **0.7** [mbt. een voorwerp] *leg* **0.8** [mbt. letters] *downstroke* ⇒*downward stroke* **0.9** [⟨wisk.⟩] *side* ⇒*leg* **0.10** [mbt. een hijswerktuig] *arm* ♦ **1.7** de benen van een passer *the legs of a compass/ a pair of compasses* **1.9** de benen van een hoek *the sides of an angle* **2.1** ⟨fig.⟩ op zijn achterste benen gaan staan *be/ rise up in arms;* met blote benen *bare-legged;* ⟨fig.⟩ op eigen benen staan *stand on one's own (two) feet/ own legs;* een houten ~ *a wooden l.;* ⟨inf.⟩ *a peg l.;* ⟨fig.⟩ hij heeft nog jonge benen *his legs are still young;* een blondine met mooie lange benen *a leggy/ long-legged blonde;* mooie benen hebben *have nice/ good/ pretty legs;* op het verkeerde ~ gezet worden ⟨sport⟩ *be wrong-footed;* ⟨fig.⟩ be misled, be set/ put on the wrong track; ⟨inf.; fig.⟩ he sent barking up the wrong tree; ⟨fig.⟩ hij is met het verkeerde ~ uit bed gestapt *he got out of bed on the wrong side;* ⟨fig.⟩ dat was tegen het zere ~ *that cut to the quick/ touched on a sore spot* **3.1** hij brak zijn ~ *he had his l. broken, he broke his l.;* zo vlug als zijn benen hem dragen konden *as fast as his legs could carry him;* zijn benen niet meer kunnen gebruiken *no longer have the use of one's legs;* ⟨fig.⟩ het ~ stijf houden *dig one's heels/ toes in, take a firm stand;* ⟨fig.⟩ de benen nemen, benen maken *take to one's legs/ heels, (make a) run for it, bolt, make a bolt for it;* de benen strekken *stretch one's legs* **3.3** een ~ afkluiven/ aan een ~ knagen *pick a bone, gnaw at a bone* **6.1** ⟨fig.⟩ dat is een blok **aan** zijn ~ *that's a millstone round his neck/ a shackle on his foot;* ⟨AZN⟩ iets **aan** zijn ~ hebben ⟨fig.⟩ *be had/ conned/ taken in;* **met** de benen over elkaar *with one's legs crossed;* zich **op** de ~ houden ⟨ook fig.⟩ *keep going, struggle along, keep on one's feet;* er was veel volk **op** de ~ *a great many people were (out and) about;* ik kan niet meer **op** mijn benen staan *I can't keep on my feet any longer, I'll drop dead (from exhaustion);* een leger **op** de ~ brengen *raise/ recruit/ mobilize an army;* **op** de ~ blijven *remain on/ one's feet, keep one's feet/ footing, keep going;* weer **op** de ~ zijn *be up and about (again),* de back one's feet (again); zijn geloof hield hem **op** de ~ *his faith carried him through/ sustained him;* ik hielp hem **op** de ~ *I helped/ set him back on to his feet/ helped him regain his footing;* hij is al de hele dag **op** de ~ *he's been on his feet all day;* ⟨fig.⟩ dat hield me **op** de ~ *that's what kept me going;* **op** zijn benen staan te trillen *be shaking/ shivering in one's shoes;* stevig **op** zijn benen staan *be steady on one's legs/* ⟨BE; inf.⟩ *pins;* stand firm on one's feet; **over** zijn eigen benen vallen *trip over one's own feet;* goed **ter** ~ zijn *be a good walker;* ⟨voetbal⟩ de bal **tussen** de benen doorspelen *put/ play the ball through/ between one's opponent's legs* **7.1** met beide benen op de grond staan ⟨fig.⟩ *have one's head screwed on (right);* ⟨ook fig.⟩ *have one's feet firmly on the ground;* ⟨fig.⟩ weer met beide benen op de grond komen te staan *come/ be brought down to earth (with a bang / bump);* ⟨fig.⟩ met beide benen op de grond blijven staan *remain level-headed;* ⟨fig.⟩ hij staat al met één ~ in het graf *he has one foot in the grave;* ⟨fig.⟩ op één ~ winnen *win hands down;* ⟨fig.⟩ ik heb geen benen meer om op te staan *my feet are killing me, I'll drop dead from exhaustion;* ⟨fig.⟩ geen ~ hebben om op te staan *not have a l. to stand on, have no case;* ⟨kansloos zijn⟩ *not have (a cat in hell's) chance* **7.¶** ergens geen ~ in zien *make no bones about sth., think little/ nothing of sth., have no scruples about sth.* **¶.1** zich de benen uit het lijf lopen *run one's legs/ feet off;* zijn benen wat rust gunnen *take the weight off one's feet.*
beenaarde ⟨de⟩ **0.1** *bone ash* ⇒*bone earth.*
beenachtig ⟨bn.⟩ **0.1** *bony* ⇒*osseous, osteoid.*
beenbeschermer ⟨de (m.)⟩ **0.1** *legguard* ⇒⟨voetbal⟩ *shinguard, shin pad,* ⟨cricket⟩ *pad, leggings* ⟨mv.⟩.
beenblok ⟨het⟩ **0.1** *hobble* ⇒*fetter.*
beenbreuk ⟨de⟩ **0.1** *(bone) fracture* ⇒*break,* ⟨aan het been⟩ *fracture of the leg* ♦ **2.1** gecompliceerde ~ *compound f. (of the leg);* meervoudige ~ *multiple fractures (of the leg).*
beencel ⟨de⟩ **0.1** *bone cell* ⇒*bone corpuscule.*
beendergestel ⟨het⟩ **0.1** *skeleton* ⇒*bones.*
beenderlijm ⟨de⟩ **0.1** *gelatine* ⇒*(animal) glue.*
beendermeel ⟨het⟩ **0.1** *bone meal.*
beendervet ⟨het⟩ **0.1** *bone fat.*
beenfractuur ⟨de (v.)⟩ **0.1** *bone fracture.*
beengeleiding ⟨de (v.)⟩ **0.1** *bone conduction.*
beengezwel ⟨het⟩ →**beentumor**.
beenholte ⟨de (v.)⟩ **0.1** *bone cavity.*
beenhouwer ⟨de (m.)⟩ ⟨AZN⟩ **0.1** *butcher.*

beenkap ⟨de⟩ **0.1** *legging* ⇒*legguard.*
beenlichaampje ⟨het⟩ **0.1** *bone corpuscule* ⇒*bone cell.*
beenmerg ⟨het⟩ **0.1** *bone marrow.*
beenmergontsteking ⟨de (v.)⟩ **0.1** *osteomyelitis.*
beenmergpunctie ⟨de (v.)⟩ **0.1** *bone marrow puncture.*
beenpijp ⟨de⟩ **0.1** [hol been] *hollow bone* **0.2** [losse broekspijp] *waterproof leggings* ⟨mv.⟩.
beenpoeder ⟨het⟩ **0.1** *bone dust* ⇒*bonemeal.*
beenruimte ⟨de (v.)⟩ **0.1** *legroom.*
beenslag ⟨de (m.)⟩ **0.1** *leg stroke* ⇒*kick.*
beenspalk ⟨de⟩ **0.1** *(bone) splint.*
beenspier ⟨de⟩ **0.1** *leg muscle.*
beenstand ⟨de (m.)⟩ **0.1** *stance.*
beenstof ⟨de⟩ **0.1** *bone.*
beenstomp ⟨de (m.)⟩ **0.1** *(leg) stump.*
beenstuk ⟨het⟩ **0.1** *legging* ⇒*legguard.*
beentje ⟨het⟩ **0.1** [klein been] *small/little leg* **0.2** [botje] *small bone* ⇒ *bone splinter, ossicle* ◆ **2.1** ⟨fig.⟩ zijn beste ∼ voorzetten *put one's best foot forward;* ⟨mbt. gedrag⟩ *be on one's best behaviour* **3.1** iem. ∼ lichten ⟨ook fig.⟩ *trip s.o. up;* ⟨vnl. BE⟩ *knock s.o. off his pins;* ⟨fig.; eruit werken⟩ *give s.o. the push;* ⟨scherts.; BE⟩ *the bum's rush, the old heave-ho;* ⟨sl.⟩ *ditch s.o.* **3.2** pas op voor ∼tjes in de soep *look out for pieces of bone in the soup* **6.1** met de ∼s van de vloer gaan *do a knees-up, shake a leg;* ∼ **over** *(do) the outside edge* **7.1** ⟨inf.; scherts.⟩ het derde ∼ *the rod.*
beentumor ⟨de (m.)⟩ **0.1** *bone tumour.*
beenuitwas ⟨het, de (m.)⟩ **0.1** *bone/bony growth* ⇒ ⟨bij paarden⟩ *bone spavin.*
beenverharding ⟨de (v.)⟩ **0.1** *osteosclerosis* ⇒*osteopetrosis.*
beenverweking ⟨de (v.)⟩ **0.1** *softening of the bones* ⇒*osteomalacia.*
beenvissen ⟨zn.mv.⟩ **0.1** *bony/osseous fish.*
beenvlies ⟨het⟩ **0.1** *periosteum.*
beenvliesontsteking ⟨de (v.)⟩ **0.1** *periostitis.*
beenvorming ⟨de (v.)⟩ **0.1** *bone-formation* ⇒ ⟨med.⟩ *osteogenesis,* ⟨med.; ossificatie⟩ *ossification.*
beenwarmer ⟨de (m.)⟩ **0.1** *leg warmer* ◆ **3.1** zij droeg ∼s *she was wearing (a pair of) leg warmers.*
beenweefsel ⟨het⟩ **0.1** *bony tissue, bone.*
beenwerk ⟨het⟩ **0.1** [⟨sport⟩] *footwork* **0.2** [⟨veeteelt⟩] *(quality of the) legs.*
beenwindsel ⟨het⟩ **0.1** *puttee* ⟨meestal mv.⟩.
beenworp ⟨de (m.)⟩ ⟨sport⟩ **0.1** *leg throw.*
beer ⟨de (m.)⟩ ⟨→sprw. 36,48⟩ **0.1** [dier] *bear* ⇒ ⟨jong⟩ *(bear) cub* **0.2** [mannetjesvarken] *boar* ⇒ ⟨AE; gecastreerd⟩ *barrow* **0.3** [grof gebouwd mens] *bear* ⇒*bull,* ⟨scherts.⟩ *monster,* ⟨pej.⟩ *hulking brute, lumbering oaf* **0.4** [uitwerpselen] *night soil* **0.5** [te betalen rekening] ↑*debt, bill, account* **0.6** [gemetselde waterkering] *dam* ⇒*weir* **0.7** [muurstut] *buttress* ⇒*abutment, spur, pier* ⟨tussen ramen⟩ **0.8** [schroefpers] *rail bender* **0.9** [heiblok] *(monkey) ram* ⇒*monkey, rammer, pile/drop hammer* **0.10** [ijsbreker] *ice-apron* **0.11** [crediteur] *dun* ⇒↑*creditor* ◆ **2.1** de Russische ∼ ⟨Rusland⟩ *the (Russian) Bear* **2.3** een dikke ∼ *a roly-poly (child), a bouncing baby, a chubby child* **2.¶** een geile ∼ *a goat, a lecher;* een ongelikte ∼ *a bear/boor/lout, an unlicked cub, an uncouth fellow;* ⟨scherts.⟩ *a caveman* **6.3** een ∼ **van** een vent *a (great) bear of a fellow* **8.1** sterk als een ∼ *strong as an ox/a horse* **¶.¶** de ∼ is los *the fat's in the fire;* ⟨scherts., vulg.⟩ *the shit has hit the fan.*
Beer ⟨de (m.)⟩ ◆ **2.¶** Grote ∼ *Great Bear,* ᴬ*Big Dipper, Plough, (Charles's) Wain, Wag(g)on,* ↑*Ursa Major;* Kleine ∼ *Little Bear,* ᴬ*Little Dipper,* ↑*Ursa Minor.*
beerbak ⟨de (m.)⟩ **0.1** *manure tank.*
beerhouder ⟨de (m.)⟩ **0.1** *boar keeper.*
beerput ⟨de (m.)⟩ **0.1** [put voor uitwerpselen] *cesspool* ⇒*cesspit,* ⟨septische put⟩ *septic tank* **0.2** [⟨fig.⟩] *cesspool* ⇒*cesspit* ◆ **3.2** de ∼ opentrekken *blow/lift/take the lid off.*
beerton ⟨de⟩ **0.1** ≠*sewage barrel.*
beërven ⟨ov.ww.⟩ ⟨schr.⟩ **0.1** (ongemarkeerd) *inherit* ◆ **1.1** het koninkrijk der hemelen ∼ *i. the kingdom of heaven.*
beest ⟨het of (alleen in bep. vaste verb.) de (v.)⟩ ⟨→sprw. 178⟩ **0.1** [redeloos dier] *beast* ⟨ook in fabels⟩ ⇒*animal, creature,* ⟨ook ∼beestje⟩ **0.2** [huisdier] *animal* ⇒ ⟨lievelingsdier⟩ *pet,* ⟨grote viervoeter⟩ *beast,* ⟨mv.; vee⟩ *cattle, livestock* **0.3** [eng dier] *thing* ⇒ ⟨vnl. AE⟩ *bug,* ⟨inf.⟩ *creepycrawly* **0.4** [persoon] *beast* ⇒*brute, animal* ◆ **2.1** wilde ∼en *wild animals/beasts, savage beasts* **2.2** braaf ∼ *good boy* ⟨tegen hengst/reu⟩; *good girl* ⟨tegen merrie/teef⟩; *good dog* ⟨tegen hond⟩ **2.4** een lui ∼ zijn *be a lazy dog/a lazy-bones;* ⟨BE; vulg.⟩ *be a lazy bugger/sod* **3.1** ⟨fig.⟩ de ∼ uithangen *behave like a b./brute/animal, make a b. of o.s.* **6.1** bij de ∼en af *unspeakable, beastly, bestial, too awful/dreadful!* ⟨enz.⟩ *for words;* het ∼ in de mens *the b./brute/animal in man, man's animal instincts/nature* **6.3** er zit een ∼ **op** je arm *there's a t./creepycrawly/bug on your arm* **6.4** een ∼ **van** een kerel *a beast/brute (of a fellow);* ⟨sterker⟩ *a swine;* een ∼ **van** een

vrouw *a slut (of a woman);* ⟨sterker⟩ *a bitch* **8.1** als een ∼ *like a b./brute/an animal;* ⟨dom⟩ *brutishly;* ⟨wreed⟩ *brutally;* ⟨bestiaal, wreed⟩ *bestially.*
beestachtig
  I ⟨bn., bw.; -ly⟩ **0.1** [als (van) een beest] *bestial* ⇒ ⟨wreed⟩ *brutal, savage,* ⟨dom⟩ *brutish* ◆ **1.1** een ∼e moord/verkrachting *a bestial murder/rape;* ze werd op ∼e wijze vermoord/verkracht *she was murdered/raped in a bestial manner* **3.1** zich ∼ gedragen *behave like a beast/brute/animal,* ⟨ook⟩ *make a beast of o.s.;* ∼ tekeergaan *play/raise hell, go mad/wild/crazy;*
  II ⟨bw.⟩ ⟨inf.⟩ **0.1** [rommel] *beastly* ⇒*terribly, awfully, dreadfully* ◆ **2.1** het is ∼ koud *it's b./perishing/freezing cold;* ⟨BE; scherts.⟩ *it's brass monkey weather/brass monkeys.*
beestachtigheid ⟨de (v.)⟩ **0.1** [laagheid] *bestiality, beastliness* ⇒*depravity,* ⟨wreedheid⟩ *brutality* **0.2** [beestachtige gedraging] *(act of) bestiality, depravity* ⇒*debauch(ery), beastly/depraved act/action* ⟨enz.⟩, ⟨wreedheid⟩ *brutality.*
beestenbende ⟨de⟩ **0.1** [beestenboel] (→**beestenboel**) **0.2** [al de beesten samen] *livestock* ⟨op boerderij⟩ ◆ **2.2** de hele ∼ *the entire l..*
beestenboel ⟨de (m.)⟩ ⟨inf.⟩ **0.1** [rommel] *pig-sty* ⇒*zoo,* ↑*great/awful mess,* ↑*hell of a mess* **0.2** [herrie] *racket* ⇒*circus,* ↓*hell of a noise* ◆ **3.1** een ∼ aanrichten *turn a/the place upside down, make a hell of a mess.*
beestenspel ⟨het⟩ **0.1** *menagerie* ⇒*circus.*
beestenstal ⟨de (m.)⟩ **0.1** [stal voor het vee] *cowshed* ⇒*cowhouse* **0.2** [smeerboel] (→**beestenboel 0.1**).
beestenvoeder ⟨het⟩ →**beestenvoer 0.1.**
beestenvoer ⟨het⟩ **0.1** [veevoer] *cattle/animal feed, (animal) fodder* ⇒*provender* **0.2** [oneetbare kost] *pigswill* ⇒*garbage, muck,* ⟨vulg.⟩ *crap, shit.*
beestenwagen ⟨de (m.)⟩ **0.1** ⟨spoorw.⟩ ᴮ*cattle-truck,* ᴬ*stock car;* ⟨wegverkeer⟩ ᴮ*cattle lorry,* ᴬ*cattle car.*
beestenweer ⟨het⟩ ⟨inf.⟩ **0.1** *beastly/rotten/lousy weather.*
beestig ⟨bn., bw.⟩ →**beestachtig.**
beestje ⟨het⟩ **0.1** [klein beest] *little animal* ⇒*small/little creature, small beast* ⟨in fabel⟩ **0.2** [luis] *louse* ⇒ ⟨mv. ook⟩ *vermin,* ⟨inf.; scherts.⟩ *livestock* ◆ **1.1** ⟨fig.⟩ het is de aard v.h. ∼ *that's just the way he/she is, that's just his/her nature* **2.1** ze is bang voor enge ∼s *she is afraid of creepycrawlies/bugs* **3.1** ⟨fig.⟩ het ∼ bij zijn naam noemen *call a spade a spade, not mince matters/words;* ∼s zien ⟨fig.⟩ *see things/ pink elephants* **3.2** ∼s hebben *have lice, be verminous/lousy.*
beestmens ⟨de (m.)⟩ **0.1** *beast* ⇒*brute, animal.*
beet¹
  I ⟨de (m.)⟩ **0.1** [daad van bijten] *bite* ⇒ ⟨van hond uit valsheid ook⟩ *snap, nip,* ⟨van slang/spin ook⟩ *sting* **0.2** [afgebeten stuk] *bite* ⇒*bit, morsel, mouthful* **0.3** [te pakken hebben] *catch* ⇒ ⟨ziekte/verliefdheid ook⟩ *have caught* ◆ **1.3** hij heeft de slag ervan beet *he's got the knack of it;* hij heeft de smaak ervan beet *he's developed/acquired a taste for it, he's taken to it* **4.1** 'm ∼ ⟨fig.⟩ *be tipsy, have had a few (too many)* **4.2** hij heeft haar beetgehad *he took her in, he fooled her, he made a fool of her, he pulled her leg* **4.3** eindelijk had hij het beet *he finally got it/got the message/*↑*understood* **5.1** iets stevig ∼ *have (got) a firm hold of/grip on sth.* **5.3** hij heeft het lelijk beet ⟨ziekte, liefde enz.⟩ *he's (really) got it bad(ly), he's (really) caught it badly;*
  II ⟨onov.ww.⟩ **0.1** *have a bite* ⇒*have a rise/nibble* ◆ **5.1** na twee uur had hij nog niet beetgehad *after two hours (of) fishing he hadn't had a b./rise/nibble.*
beet² ⟨tw.⟩ ⟨vis.⟩ **0.1** *I've got sth./a bite!.*
beetgaar ⟨bn.⟩ **0.1** *al dente* ⟨vnl. mbt. pasta⟩.
beethebben
  I ⟨ov.ww.⟩ **0.1** [vasthebben] *have (got)(a) hold of* ⇒*have caught* **0.2** [bedriegen] *take in* ⇒*fool, trick,* ⟨in de maling nemen⟩ *make a fool of,* ⟨bedriegen⟩ *cheat* **0.3** [te pakken hebben] *have* ⇒ ⟨ziekte/verliefdheid ook⟩ *have caught* ◆ **1.3** hij heeft de slag ervan beet *he's got the knack of it;* hij heeft de smaak ervan beet *he's developed/acquired a taste for it, he's taken to it* **4.1** 'm ∼ ⟨fig.⟩ *be tipsy, have had a few (too many)* **4.2** hij heeft haar beetgehad *he took her in, he fooled her, he made a fool of her, he pulled her leg* **4.3** eindelijk had hij het beet *he finally got it/got the message/*↑*understood* **5.1** iets stevig ∼ *have (got) a firm hold of/grip on sth.* **5.3** hij heeft het lelijk beet ⟨ziekte, liefde enz.⟩ *he's (really) got it bad(ly), he's (really) caught it badly;*
  II ⟨onov.ww.⟩ **0.1** *have a bite* ⇒*have a rise/nibble* ◆ **5.1** na twee uur had hij nog niet beetgehad *after two hours (of) fishing he hadn't had a b./rise/nibble.*
beetje¹ ⟨het⟩ ⟨→sprw. 37⟩ **0.1** *(little) bit, little* ◆ **1.1** een ∼ citroensap *a squeeze of lemon (juice);* een ∼ Frans kennen *have/know a smattering of French, know a little (bit of)/a bit of French;* het ∼ geld dat hij heeft *what/the little money he has;* een ∼ hoofdpijn *a slight headache, a bit of a headache;* ik neem (alleen) een (klein) ∼ melk in de koffie *I take (only) a (little) drop/spot/bit of milk in my coffee;* een ∼ suiker/melk graag *a (little) bit/a little sugar/milk please;* (melk ook) *a drop/spot of milk, please;* nog een ∼ water *a bit more water;* wil je nog een ∼ wijn? *would you like some more wine?;* een ∼ zout toevoegen *add a pinch of salt* **2.1** hij heeft maar een klein ∼ *he's only got a little bit, he's only got a wee bit;* wil je nog een whisky? een heel klein ∼ maar *would you like another whisky? just a small one/a drop/a thimbleful* **6.1** bij stukjes en **bij** ∼s *bit by bit, little by little, step by step, a little bit at a time, by degrees.*

beetje²
I ⟨bw.⟩ **0.1** [ietwat] *(a)(little) bit* ⇒(a) little, (a) trifle, (a) shade, some-what, rather **0.2** [⟨om aan te geven dat iets idioot is⟩]⟨zie 7.2⟩ ◆ **4.1** dat is een ~ weinig *that's not very much;* dit is een ~ te weinig *that's not quite enough;* hij zal kwaad zijn, en nog niet zo'n ~ ook *he's going to be more than a little angry!;* kan hij dansen? nou, en niet zo'n ~ *can he dance? and how!;* hij kon zo'n ~ koken *he could cook after a fash-ion;* hij was niet zo'n ~ blij *he was not a little happy* **7.1** een ~ verve-lend zijn ⟨lastig⟩ *be a bit of a nuisance/pain, be a bit/ rather an-noying,* ⟨iron.⟩ *be just the tiniest bit of a nuisance/pain/annoying;* ⟨saai⟩ *be rather/somewhat/a bit/little (bit) boring, be a bit of a bore,* ⟨vnl. AE;inf.⟩ *be kind of/kinda boring;* een ~ opgewonden zijn *be rather/a bit/a little excited;* een ~ opschieten *hurry up a bit, get a bit of a move on;* ⟨vnl. gebw.⟩ *look sharp (a bit);* een ~ uitrusten *take/have a bit of a/a little rest;* hij zat maar 'n ~ uit zijn neus te vreten *he just sat there picking his nose;* ⟨fig.⟩ *he was just hanging around/lazing about* **7.2** ja zeg, ik ga daar een ~ tien kilometer omrijden voor jouw plezier *I'm blowed if I'm going to make a ten kilometre detour just to please you, (do) you think/you don't seriously think I'm going to make a ten kilometre detour just to please you?, if you think I'm going to make a ten kilometre detour just to please you you've got another think com-ing;*
II ⟨bn.⟩ ⟨inf.⟩ **0.1** [wat/ wie ook maar enigszins zo is]⟨zie 7.1⟩ ◆ **7.1** een ~ technicus verhelpt dat zo *anyone who calls himself a technician could fix that in a jiffy;* een ~ kunstkenner ... *anyone who knows the slightest bit/ thing about art ...;* een ~ kantoor heeft zo'n machine *any self-respecting office/anyplace fit to be called/ calling itself an office has got one of those machines;* als hij maar een ~ automonteur was, zou hij dat kunnen maken *if he were half a car-mechanic/ if he knew the slightest thing about cars he'd be able to fix it.*

beetkrijgen
I ⟨ov.ww.⟩ **0.1** [vastkrijgen] *get/ catch/ grab/ a hold of* ⇒*get one's hands on, lay (one's) hands on, grab* **0.2** [beginnen te begrijpen] *get* ⇒*I understand* **0.3** [oplopen] *catch* ◆ **1.1** hij kon de jongen niet ~ *he couldn't get/ catch (a) hold of/ lay (his) hands on/ get his hands on the boy* **1.2** de slag er van ~ g. /↑*acquire the knack of it* **4.2** 'm ~ g. it/ the message* **4.3** het ~ c. it;
II ⟨onov.ww.⟩ **0.1** [⟨vis.⟩] *have/ get a bite* ⇒*have/ get a rise/ nibble* ◆ ¶**.1** na twee uur kreeg ik beet *after two hours I got a bite.*

beetnemen ⟨ov.ww.⟩ **0.1** [beetpakken] *lay hold of* ⇒*take (a) hold of, get one's/lay hands on* **0.2** [bij de neus nemen] *take in* ⇒*make a fool of, fool, pull a fast one on,* ⟨vnl. BE⟩ *do* ◆ **1.2** zij hebben John beetgeno-men *they've pulled a fast one on John, they've taken John in, they've made a fool of John, they've pulled John's leg, they've put one over on John* **3.2** hij heeft zich laten ~ *he's let himself be taken in/ tricked/ fooled;* ⟨vnl. AE⟩ *he's been a sucker* ¶.2 je bent beetgenomen! *you've been had/ done!, you've had your leg pulled!.*

beetpakken ⟨ov.ww.⟩ →**beetnemen 0.1.**

beetsuiker ⟨de (m.)⟩ **0.1** *beet sugar.*

beetwortel ⟨de (m.)⟩ **0.1** *sugar beet* ⇒*sugar root.*

bef ⟨de⟩ **0.1** [doek om de hals]⟨breed⟩ *jabot* ⇒⟨twee smalle, geschei-den slippen⟩ *bands* **0.2** [kraag] *jabot* ◆ **1.1** ~ en toga ⟨bands and gown 2.¶** de hond/ poes heeft een witte ~ *the cat/ dog has got a white chest/ breast/ bib.*

befaamd ⟨bn.⟩ **0.1** [beroemd] *famous (for)* ⇒*renowned/ noted/ distin-guished/ celebrated/ famed (for)* **0.2** [berucht] *notorious (for).*

befaamdheid ⟨de (v.)⟩ **0.1** *fame* ⇒*renown, distinction.*

beffen ⟨onov.,ov.ww.⟩ ⟨inf.⟩ **0.1** *eat (s.o.), French/ tongue (s.o.)* ⇒⟨AE ook⟩ *go down on (s.o. (and do tricks)), eat pussy* ◆ **7.1** het ~ *French,* ⟨ongemarkeerd⟩ *cunnilingus.*

befkraag ⟨de⟩ **0.1** (→**bef**).

beflijster ⟨de⟩ **0.1** *(ring-)ouzel.*

befloersen ⟨ov.ww.⟩ **0.1** [omfloersen] *muffle* **0.2** [met een waas over-trekken] *shroud* ⇒*veil* ◆ **1.2** een befloerste blik ~ *a hazy look; a misty gaze* ⟨door tranen⟩.

befrommelen ⟨ov.ww.⟩ **0.1** *crumple (up)* ⇒*crush, wrinkle,* ⟨kleding ook⟩ *rumple.*

begaafd ⟨bn.⟩ **0.1** [talentvol] *gifted* ⇒*talented, able* **0.2** [bedeeld met] *gifted (with)* ⇒*endowed (with), possessed (of)* ◆ **1.1** een ~ jongmens *a g. / talented/ clever/ bright young person* **5.1** hij is maar middelmatig ~ *he's just average;* zwak ~ *feeble-minded* **6.1** met rede ~ *rational, en-dowed with reason* **6.2** het was een man, met alle deugden ~ *he was a man g. / endowed with all (the) virtues, he was a man of parts.*

begaafdheid ⟨de (v.)⟩ **0.1** [het begaafd zijn] *talent* ⇒*ability, aptitude,* ⟨intelligentie⟩ *intelligence,* ⟨genialiteit⟩ *genius* **0.2** [talent] *talent (for)* ⇒*gift (for), aptitude (for).*

begaan¹ ⟨bn.⟩ **0.1** *sympathetic (towards)* ⇒ ↓*sorry (for)* ◆ **6.1** hij is ~ met haar lot *he is sympathetic towards/ sorry for her, he sympathizes with her, he feels sorry/ sympathy/ compassion for her, his sympathies are with her.*

begaan²
I ⟨onov.ww.⟩ **0.1** [zijn gang gaan] *do as one likes/ pleases* ⇒⟨zijn zin krijgen⟩ *have one's (own) way,* ⟨zonder toezicht werken⟩ *carry on*

by o.s., get on with it ◆ **3.1** laat hem maar ~ (hij krijgt het wel voor elkaar) *leave/ let him alone/ be, leave him to (get on with) it (he'll man-age), he can be trusted (to get it done) by himself;* iem. stil laten ~ *leave / let s.o. alone/ be, let s.o. do as he/she likes/pleases, let s.o. have his/ her (own) way, leave s.o. to it/ himself/ herself, not interfere with s.o.;* ⟨op eigen wijze te werk laten gaan⟩ *give/ allow s.o. a free hand;* hij wilde haar zoenen en ze liet hem ~ *he wanted to kiss her and she let him/ she submitted;*
II ⟨ov.ww.⟩ **0.1** [bedrijven] *commit* ⇒⟨moord, blunder ook⟩ ↑*perpe-trate,* ⟨fouten ook⟩ *make* **0.2** [betreden] *walk on* ⇒*tread* ◆ **1.1** een blunder/ flater ~ *c. a blunder, blunder;* ⟨inf.⟩ *drop a brick, put one's foot in it;* ⟨vnl. AE⟩ *boob;* ⟨sport⟩ een overtreding ~ tegenover een tegenspeler *foul an opponent* **1.2** ~ pad *beaten track, well-trodden path* **1.¶** begane grond *ground level* ⟨terrein⟩; *ground floor,* ⟨AE ook⟩ *first floor* ⟨van gebouw⟩.

begaanbaar ⟨bn.⟩ **0.1** *passable* ⇒*negotiable, practicable* ◆ **5.1** de weg is niet ~ *the road is impassable;* de weg is slecht ~ *the road is only passa-ble with difficulty, the road is/ makes hard/ heavy going.*

begaanbaarheid ⟨de (v.)⟩ **0.1** *passableness* ⇒*negotiability.*

begankenis ⟨de (v.)⟩ ⟨AZN⟩ **0.1** *turnout* ⇒*attendance,* ⟨menigte⟩ *crowd, throng.*

begeerlijk ⟨bn., bw.;-ly⟩ **0.1** *desirable* ⇒⟨geschikt⟩ *suitable,* ⟨mens ook⟩ *eligible* ◆ **1.1** ~e goederen *d. goods;* een ~e werkkring *a d. / suitable post, suitable employment.*

begeerlijkheid ⟨de (v.)⟩ **0.1** [bekoring] *attraction, allurement* ⇒*charm,* ⟨verzoeking⟩ *temptation* **0.2** [wenselijkheid] *desirability* ⇒*attractive-ness* **0.3** [hebzucht] *covetousness* ⇒*avarice, greed(iness), cupidity* ◆ **1.1** de wereld en haar begeerlijkheden *the world and its temptations/ allurements* **1.2** de ~ van de matigheid *the d. of temperance.*

begeerte ⟨de (v.)⟩ ⟨→sprw. 23⟩ **0.1** [het verlangen naar iets] *desire (for)* ⇒*wish (for), eagerness (for), craving (for), thirst (for), appetite (for),* ↑*avidity* **0.2** [wat begeerd wordt] *desire* ⇒*wish, dream* ◆ **2.1** geeste-lijke ~ *spiritual d. / longing;* zinnelijke ~ *sensuality, sensual desire/ ap-petite;* ⟨mbt. seksualiteit ook⟩ *sexual desire/ appetite, passion, lust,* ↑*concupiscence* **3.2** iemands ~n inwilligen *fulfil* ^*fulfill s.o.'s desires/ wishes, grant s.o.'s wishes, make s.o.'s dreams come true.*

begeesterd ⟨bn.⟩ **0.1** *enthusiastic (about)* ⇒*inspired (by),* ⟨sterker⟩ *en-raptured/ rapt (with).*

begeesteren ⟨ov.ww.⟩ **0.1** *fill with enthusiasm, inspire* ⇒⟨sterker⟩ *throw into a rapture/ ecstasies.*

begeestering ⟨de (v.)⟩ **0.1** *enthusiasm* ⇒*inspiration,* ⟨sterker⟩ *ecstasy, rapture.*

begeleiden ⟨ov.ww.⟩ **0.1** [vergezellen] *accompany* ⇒ ↑*conduct, escort* ⟨met eerbetoon/ bescherming⟩, *attend* ⟨als dienaar⟩, *chaperon(e)* ⟨meisje⟩, *convoy* ⟨schip⟩ **0.2** [met raad en daad bijstaan] *guide* ⇒*counsel, support, see through, look after,* ⟨bij studie ook⟩ *supervise, coach* **0.3** [samengaan met] *accompany* ⇒*go with* **0.4** [⟨muz.⟩] *accom-pany* ◆ **1.1** Lady L. begeleidde de Koningin *Lady L. was attendant on / attended the Queen* **1.2** een leerling/ student ~ *give guidance to/ su-pervise/ coach a pupil/ student* **6.2** iem. ~ tijdens een stage *supervise s.o. during his/ her practical work* **6.4** zang begeleid door pianomu-ziek *singing to the accompaniment of the piano/ to (a) piano accompa-niment;* (op de piano) begeleid door Alfred Brendel *accompanied (at the piano) by Alfred Brendel,* ↓*with Alfred Brendel at the piano;* iem. ~ op de gitaar *accompany s.o. on the guitar.*

begeleidend ⟨bn.⟩ **0.1** *accompanying* ⇒*attendant* ◆ **1.1** ~e muziek ⟨bij film/ toneelstuk⟩ *incidental music;* ~e omstandigheden *attendant/ ac-companying circumstances;* met ~ schrijven *with an accompanying/ a covering letter.*

begeleider ⟨de (m.)⟩, -**ster** ⟨de (v.)⟩ **0.1** [iem. die vergezelt] *companion* ⇒*escort* ⟨met eerbetoon/bescherming⟩, ⟨dienaar⟩ *attendant,* ⟨cha-peronne⟩ *chaperon(e)* **0.2** [iem. die met raad en daad bijstaat] *guide* ⇒*counsellor,* ⟨bij studie ook⟩ *supervisor, coach* **0.3** [⟨muz.⟩] *accom-panist* **0.4** [⟨ster⟩] *companion (star)* ⇒⟨planeet⟩ *satellite* ◆ **2.1** de hond was zijn trouwe ~ *the dog was his constant/ faithful/ trusty com-panion* **2.3** haar vaste ~ op de piano *her regular (piano) a..*

begeleiding ⟨de (v.)⟩ **0.1** [het vergezellen] *accompaniment, accompa-nying* ⇒*escort(ing)* ⟨met eerbetoon/ bescherming⟩, *attendance* ⟨door dienaar⟩ **0.2** [het bijstaan] *guidance* ⇒*counselling, support,* ⟨bij stu-die ook⟩ *supervision, coaching* **0.3** [⟨muz.⟩] *accompaniment* **0.4** [konvooi] *convoy* ⇒*escort* **2.2** de ~ na de operatie was erg slecht *the af-tercare following/ the follow-up care after the operation was very poor* **6.1** zonder ~ *unaccompanied, unattended, unescorted, unchaperoned* **6.3** met ~ van *to the a. of;* zonder ~ *unaccompanied; a(lla) capella* ⟨koor⟩.

begeleidingsdienst ⟨de⟩⟨school.⟩ **0.1** *educational guidance centre.*

begeleidingsverschijnsel ⟨het⟩ **0.1** *accompaniment, accompanying phe-nomenon.*

begenadigen ⟨ov.ww.⟩ **0.1** [met bewijzen van genade begiftigen] *bless* **0.2** [gratie verlenen] *pardon* ⇒⟨amnestie verlenen⟩ *amnesty,* ⟨mbt. doodstraf ook⟩ *reprieve* ◆ **1.1** de begenadigde zielen *the blessed souls* **1.¶** een begenadigd kunstenaar *an inspired artist, an artist of god-given talent(s)* ¶.2 hij is begenadigd, men heeft hem begenadigd *he has been pardoned/ reprieved, he has had a pardon/ reprieve.*

begenadiging ⟨de (v.)⟩ **0.1** [het begiftigen met bewijzen van genade] *blessing* **0.2** [gratie] *pardon* ⇒⟨amnestie⟩ *amnesty*, ⟨mbt. doodstraf ook⟩ *reprieve* ◆ **3.2** zijn~ kwam te laat *his p. / reprieve came / arrived too late.*

begeren ⟨ov.ww.⟩ ⟨schr.⟩ **0.1** [sterk wensen] ⟨ongemarkeerd⟩ *desire* ⇒ *crave, wish (for), long for, want* **0.2** [verlangen te bezitten] *covet* ⇒ ⟨ongemarkeerd⟩ *desire* ◆ **1.2** alles wat zijn hartje maar kon~ / begeert *all one / he could possibly wish for / desire, his heart's desire;* ⟨bijb.⟩ gij zult niet~ uws naasten huis *thou shalt not c. thy neighbour's house;* de meest begeerde vrijgezel *the most eligible bachelor;* een vrouw~ *lust for / after / desire a woman* **3.1** zij begeerde niet langer te leven *she no longer desired / wished to live, she had no desire to live any longer.*

begerenswaardig ⟨bn.⟩ **0.1** *desirable* ⇒⟨geschikt⟩ *suitable,* ⟨mens ook⟩ *eligible,* ⟨benijdenswaardig⟩ *enviable* ◆ **1.1** ~e vrijgezellen *eligible bachelors.*

begerig ⟨bn., bw.; -ly⟩ **0.1** [sterk verlangend] *desirous (of), longing (for)* ⇒*eager (for),* ↓*keen (to / on),* ↓*set on,* ⟨hartstochtelijk⟩ *passionate,* ⟨wellustig⟩ *lustful,* ⟨hongerig; ook fig.⟩ *hungry (for)* **0.2** [verlangend (veel) te bezitten] *avaricious* ⇒*covetous, greedy, grasping* ◆ **1.1** ~e blikken *longing / passionate / hungry looks;* met een~ oog iets volgen *follow sth. with eager / longing eyes* **3.1** ik ben~ te horen *I'm eager / anxious to hear;*~ kijken *look longingly, look with longing eyes* **6.1** hij is zeer~ naar roem *he is greedy / (very) eager for fame, he has a great desire for fame.*

begerigheid ⟨de (v.)⟩ **0.1** [sterk verlangen] *desire (for)* ⇒*eagerness (for),* ⟨seksueel⟩ *lust (for),* ⟨pej.⟩ *greed(iness) (for)* **0.2** [hebzucht] *avarice, avariciousness* ⇒*covetousness, greed(iness), cupidity.*

begeven
I ⟨ov.ww.⟩ **0.1** [kapotgaan] *break down* ⇒*fail,* ⟨instorten⟩ *collapse,* ⟨doorzakken, doorbreken⟩ *give way,* ⟨opraken⟩ *give out,* ⟨inf.⟩ *conk out, pack it in* **0.2** [verlaten] *forsake* ⇒*leave, fail* ⟨kracht, hoop⟩ **0.3** [aan iem. geven] *bestow (on)* ⇒*confer (on)* ◆ **1** de auto kan elk ogenblik~ *the car is liable to break down / conk out (at) any minute;* de brug begaf het *the bridge collapsed;* de ketting begaf het *the chain broke / snapped;* na al deze jaren heeft mijn typemachine het~ ⟨inf.⟩ *after all these years my typewriter has given up the ghost / packed it in / conked out* **1.2** zijn stem begaf hem *his voice broke* **1.3** wie heeft het ambt te~? *who has the post in his gift?;*
II ⟨wk.ww.; zich~⟩ **0.1** [ergens heengaan] *proceed* ⇒*embark ((up)on)* ⟨reis, onderneming⟩, ↓*go,* ↓*make one's way (to),* ↓*make for,* ↑*betake o.s. (to), adjourn (to)* ⟨naar andere kamer⟩ ◆ **6.1** zich in gevaar~ *expose o.s. to danger / risks, place / put o.s. in danger;* zich naar de vergaderzaal~ *p. / make one's way / go to the meeting room;* na het diner begaven ze zich naar de salon *after dinner they adjourned to the drawing room;* zich onder de mensen~ *mingle / mix with other people;* zich op het slechte pad~ *go astray / wrong, go to the bad, fall into evil ways, stray from / leave the straight and narrow,* ↑*stray from / leave the path(s) of righteousness;* zich te water~ *take to / enter the water* ¶**.1** zich op weg~ *set out / off (for).*

begieren ⟨ov.ww.⟩ **0.1** *dress / feed with liquid manure.*

begieten ⟨ov.ww.⟩ **0.1** *water* ⇒*wet* ◆ **1.1** bloemen / een tuin~ *water flowers / a garden,* ⟨scherts.⟩ een werk~ *drink to the success of a job.*

begiftigde ⟨de (m.)⟩ ⟨schr.⟩ **0.1** *donee* ⇒*grantee, presentee.*

begiftigen ⟨ov.ww.⟩ ⟨schr.⟩ **0.1** *endow (with)* ⇒*present (with), gift (with), invest (with)* ⟨ambt, ereteken, deugd⟩, ⟨deugd ook⟩ *endue (with)* ◆ **6.1** iem. met een ambt~ *bestow / confer an office (up)on s.o.;* iem. met zijn bezittingen~ *endow / present / gift s.o. with one's property, bestow / confer one's property on s.o.;* begiftigd met grote muzikaliteit *endowed / gifted with great musical talent.*

begiftiger ⟨de (m.)⟩, **-ster** ⟨de (v.)⟩ ⟨schr.⟩ **0.1** *donor* ⇒*giver,* ⟨van kerkelijk ambt⟩ *patron, collator.*

begiftiging ⟨de (v.)⟩ **0.1** *gift* ⇒*bestowal, endowment, donation.*

begijn ⟨de (v.)⟩ **0.1** *beguine.*

begijnhof ⟨het⟩ **0.1** *beguinage.*

begillen ⟨wk.ww.; zich~⟩ **0.1** *split one's sides* ⇒*scream* ◆ **6.1** het was om je te~ *it was a scream;* zich~ van het lachen *split one's sides laughing / with laughter, scream with laughter.*

begin¹ ⟨het⟩ ⟨→sprw. 38,39⟩ **0.1** [allereerste deel / tijd] *beginning* ⇒ *start,* ⟨schr.⟩ *commencement, outset* ⟨project⟩, *opening* ⟨boek, brief, wedstrijd, rede⟩ **0.2** [oorsprong] *beginning* ⇒*start* ◆ **1.1** een~ van bewijs *a b. of proof;* een~ van brand *an outbreak of fire;* het~ v.e. brief *the beginning / opening (lines) of a letter;* het~ van roodvonk *the onset of scarlet fever;* het~ v.e. toespraak *the opening (words) of a speech* **1.2** het prille~ v.d. geschiedenis *the beginnings / dawn(ing) of history* **2.1** een veelbelovend~ *a promising start* **3.1** ~ vormen v.e. periode *mark the b. of a period / age / era;* dit is nog maar het~ *this is only the b.;* ⟨pej.⟩ *this is (just) the thin end of the wedge;* het~ is er *it's a start;* the ice is broken ⟨onderhandelingen e.d.⟩; een~ maken met iets *begin / start* ⟨schr.⟩ *commence sth., make a start with sth., get started with sth.* **6.1** aan het~ staan van zijn loopbaan / een moeilijke tijd *be / stand on the threshold of one's career / a difficult time;* aan / bij het~ at the b. / start / outset; (weer) helemaal bij het~

(moeten) beginnen *(have to) begin / start at the b. / start, (have to) start from scratch;* in het~ van dat boek *at the b. of / in the early / opening chapters of the book;* in het~ at the b. / start / outset, ⟨itt. later⟩ *at first, initially, to start with;* in het~ v.h. jaar / de eeuw ⟨ook⟩ *in the early part of the year / century;* van het~ af *from the (very) first / start / outset / b., right from the b. / start;* ⟨inf.⟩ *right from the word go;* een boek van~ tot eind lezen *read a book from cover to cover;* van ⟨het⟩~ tot ⟨het⟩ eind *from b. to end, from start to finish,* ⟨inf.; ook⟩ *all along the line* **6.2** ⟨bijb.⟩ in den~ne *in the b.* ¶**.1** een~ zonder einde *an endless job / task.*

begin² ⟨bw.⟩ **0.1** *early* ◆ **1.1** sinds~ februari *since e. February;*~ juli e. *in July, at the beginning of July* ¶**.1** ~ volgend jaar *e. next year.*

begindatum ⟨de (m.)⟩ **0.1** *commencing / starting date* ⇒*date of commencement.*

beginfase ⟨de (v.)⟩ **0.1** *opening* ⇒*initial phase, early stages* ⟨mv.⟩.

beginkapitaal
I ⟨het⟩ **0.1** [kapitaal] *starting capital* ⇒*opening capital, seed money, venture capital;*
II ⟨de⟩ **0.1** [letter] *(initial) capital (letter).*

beginklank ⟨de (m.)⟩ ⟨taal.⟩ **0.1** *initial sound* ⇒⟨fon., mbt. segment⟩ *onglide.*

beginletter ⟨de⟩ **0.1** [eerste letter v.e. woord] *initial letter* ⇒*first letter,* ⟨als afkorting naam⟩ *initial* **0.2** [eerste letter op een bladzijde] *initial letter.*

beginneling ⟨de (m.)⟩ **0.1** *beginner* ⇒*novice, fledgeling, tyro* ◆ **6.1** dat is geen werk voor~en *this is no job for beginners / novices / tyros.*

beginnen ⟨→sprw. 58,627⟩
I ⟨ov.ww.⟩ **0.1** [starten / openen] *begin* ⇒*start,* ⟨schr.⟩ *commence, open* ⟨toespraak, spel, onderhandelingen⟩ **0.2** [gaan doen] *do* ◆ **1.1** een brief~ b. / start / open *a letter;* een gesprek~ b. / strike up / start *a conversation;* inleidende gesprekken over ontwapening~ enter *into preliminary talks about disarmament;* een commerciële loopbaan~ *go into trade / commerce / business;* een winkel~ *start / open a shop;* een zaak~ *start / set up in a business, set up shop* **3.2** wat moet ik~! *what am I to do?, whatever shall I do?;* ik weet niet wat ik zonder jou had moeten~ *I don't know what I should have done without you* **4.2** wat moet ik met hem~? *what am I to do with him?* **6.1** de leraar begon de les met een overhoring *the teacher began / started the lesson with a test* **6.2** er is niets meer met hem te~ *he's hopeless /* ⟨lastig⟩ *unmanageable;*
II ⟨onov.ww.⟩ **0.1** [de eerste handeling verrichten] *begin* ⇒*start,* ⟨schr.⟩ *commence* **0.2** [als eerste iets doen] *begin* ⇒*start, open,* ⟨schr.⟩ *commence* **0.3** [zich vanaf een punt uitstrekken] *begin* ⇒*start,* ⟨schr.⟩ *commence* **0.4** [aanvangen] *begin (to / -ing)* ⇒*start (to / -ing),* ⟨schr.⟩ *commence, set about (-ing)* **0.5** [zich bezighouden met] *begin* ⇒*start* **0.6** [gaan praten] *bring up* ⇒*broach, raise, introduce, start* ⟨over een onderwerp⟩ ◆ **1.2** wit begint *white opens, white has the first move* **1.4** een~de hoofdpijn *the beginnings of a headache;* ~de kaalheid *incipient baldness;* en toen begon de pret *and that's when the fun really started* **3.4** ~ te bloeien *come into blossom / flower;* het begint te dooien *the thaw has set in;* ~ te drinken / roken *start drinking / smoking;* laten we~ *let's get started,* ⟨BE; inf.⟩ *let's get cracking / weaving,* ⟨AE; inf.⟩ *let's get this show on the road;* ⟨fig.⟩ het begint er op te lijken *that's more like it;* weer van voren af aan moeten~ *be back to square one;* het begon te regenen *it began / started to rain, it came on to rain;* ~ te werken b. / start working, set to work, b. / start work, get to work, set about one's work* **5.2** begin maar! *go ahead!;* ⟨met vragen ook⟩ *fire away!* **5.4** daar kan ik niets mee~ *that's (of) no use to me;* goed / slecht~ *get off to a good / bad start, get off on the right / wrong foot;* klein~ b. / start in a small way;* begin maar (te eten) *just dig / tuck in, get stuck in;* opnieuw~ *start (over) again,* ⟨AE ook⟩ *start over, start afresh / anew, make a fresh start; restart, recommence* ⟨werkzaamheden⟩; begin je weer (met dat gezeur)? *there you go again (with your nagging)!;* daar beginnen ze weer (te vechten / over voetbal) *they're off again (figthing / on football)* **5.5** je weet niet waar je aan begint *you don't know what you are letting yourself in for;* was ik er maar nooit aan begonnen *I should / I wished I had never have begun / started it;* ik begin er niet aan! *I wouldn't touch it with a ≠barge-pole! /^ten-foot pole* **5.6** begin er nu niet wéér over *don't start (off on) that again* **5.¶** daar kunnen we niet aan~ *there's no way we can do that, that's out of the question, don't let's get on to that;* als je daar eenmaal mee begint ... *≠there'll be no end to it;* als je zó begint... *if that's the way you feel about it ...* **6.1** laat ik~ met iedereen welkom te heten *let me start (off) / b. by bidding everyone welcome;* toen begon hij tegen mij *then he turned / started on me* **6.4** bij het begin~ b. / start at the beginning;* het leven begint bij zestig *life begins at sixty;* bij begon met te zeggen *he started off / began by saying;* te beginnen met de eerste dinsdag in juni *beginning / commencing on / with the first Tuesday in June, as from ..., ^as of ...;* laten we~ met soep *let's have soup to start with /* ⟨BE; inf.⟩ *for starters;* met een schone lei~ *turn over a new leaf, wipe the state clean;* met niets~ *start from scratch;* het begint te lijken *it's beginning / starting to show a likeness* **6.5** aan iets nieuws~ *start sth. new, take up sth. new;* (laat) aan kinde-

ren ~ *start a family (late in life);* **aan** zoiets kun je beter niet ~ *such things are better/best left alone;* hij begon **met** Frans *he took up French;* het stuk begint **met** een scene over *the play opens/starts with a scene about* ... **6.6 over** politiek ~ *bring up politics, raise/open/introduce/broach the subject of politics, start off on politics;* **over** iets anders ~ *change the subject* **6.¶** het is haar **om** de erfenis begonnen *it's the inheritance she's after;* **om** te ~ ... *first of all, for a start, to start/b. with, for one thing;* ⟨BE, inf.⟩ *for starts* **7.5** er is geen ~ aan *why even start?* **¶.1** ja, maar hij is begonnen! *yes, but he started it!* **¶.4** het begint donker te worden *it's getting dark* **¶.¶** voor zichzelf ~ *start one's own business, set up shop (as).*

beginpunt ⟨het⟩ **0.1** *starting point* ⇒*point of departure, start,* ⟨renbaan ook⟩ *starting post.*

beginrijm ⟨het⟩ **0.1** *alliteration.*

beginsaldo ⟨het⟩ **0.1** *initial/opening/starting balance.*

beginsel ⟨het⟩ **0.1** [grondbegrip] *principle* ⇒*rudiment, basic, fundamental* **0.2** [grondstelling] *principle* ⇒*doctrine, fundamental* **0.3** [overtuiging] *principle* ♦ **1.1** de ~en v.d. algebra *the rudiments/basic principles/fundamentals of algebra* **1.2** de ~en v.h. communisme *the principles/fundamentals of communism;* in ~ *in p.;* ⟨theoretisch ook⟩ *in theory, theoretically;* ⟨gewoonlijk ook⟩ *normally* **1.3** een man van ~en *a man of p., a principled man* **2.3** iem. van christelijke ~en *s.o. with Christian principles* **6.2** uit ~ *on p., as a matter of p.* **6.3** volgens/naar een ~ handelen *act in accordance with a p..*

beginselprogramma ⟨het⟩ **0.1** *manifesto* ⇒*political programme* [A]*gram.*

beginselvast ⟨bn.⟩ **0.1** *consistent* ⇒*firm of principle.*

beginselverklaring ⟨de (v.)⟩ **0.1** *statement of prinicples* ⇒*declaration of principles/intent, affirmation of principles, manifesto* ⟨van partij⟩.

beginsignaal ⟨het⟩ ⟨sport⟩ **0.1** *starting whistle* ⇒⟨schot⟩ *starting shot.*

beginsnelheid ⟨de (v.)⟩ **0.1** ⟨nat.⟩ *initial velocity;* ⟨tech.⟩ *initial speed.*

beginstadium ⟨het⟩ **0.1** *initial stage(s)* ⇒*early stages* ⟨mv.⟩.

begintijd ⟨de (m.)⟩ **0.1** [aanvangstijd] *starting time* **0.2** [aanvangsstadium] *prime* ⟨lente, enz.⟩ **0.3** [⟨rel.⟩] *noviciate.*

beglazer ⟨de (m.)⟩ **0.1** *glazier.*

beglazing ⟨de (v.)⟩ **0.1** *glazing* ♦ **2.1** dubbele ~ *double g..*

begluren ⟨ov.ww.⟩ **0.1** *peep at* ⇒*spy on.*

begonia ⟨de⟩ **0.1** *begonia.*

begoochelen ⟨ov.ww.⟩ **0.1** *delude* ⇒*beguile, blind* ♦ **6.1** ze liet zich door die illusie ~ *she allowed herself to be deluded/beguiled/blinded by that illusion.*

begoocheling ⟨de (v.)⟩ **0.1** [bedrog] *delusion* ⇒*deception, illusion* **0.2** [zelfbedrog] *self-delusion* ⇒*self-deception.*

begraafplaats ⟨de⟩ **0.1** *cemetery* ⇒*graveyard, burial ground/place,* ⟨AE ook⟩ *memorial park* ♦ **2.1** op de algemene ~ *in the public c..*

begrafenis ⟨de (v.)⟩ **0.1** [plechtigheid] *funeral* **0.2** [stoet] *funeral* **0.3** [handeling] *burial* ⇒*interment.*

begrafenisauto ⟨de (m.)⟩ **0.1** *hearse.*

begrafenisfonds ⟨het⟩ **0.1** [vereniging] *burial club/society* **0.2** [kas] *burial fund.*

begrafenisgezicht ⟨het⟩ **0.1** *gloomy/sombre face/look/expression* ♦ **3.1** trek niet zo'n ~ *don't look so deadly serious.*

begrafeniskosten ⟨zn.mv.⟩ **0.1** *funeral expenses/costs.*

begrafenismaal ⟨het⟩ **0.1** *funeral repast* ⇒*meal after the funeral.*

begrafenisondernemer ⟨de (m.)⟩ **0.1** *undertaker* ⇒*funeral director,* ⟨AE ook⟩ *mortician.*

begrafenisonderneming ⟨de (v.)⟩ **0.1** *undertakers's (business)* ⇒*undertaking business,* ⟨AE ook⟩ *mortician's (business).*

begrafenisstoet ⟨de (m.)⟩ **0.1** *funeral procession* ⇒*cortege,* ⟨vnl. AE⟩ *funeral.*

begraven ⟨ov.ww.⟩ **0.1** [onder/in de aarde bergen] *bury* **0.2** [mbt. een dode] *bury* ⇒*inter* **0.3** [afzonderen] *bury* ♦ **1.1** de strijdbijl ~ *b. the hatchet;* ⟨fig.⟩ het verleden ~ *b. the past, wipe the slate clean, turn over a new leaf* **2.2** dood en ~ zijn *be dead and gone;* ⟨fig.⟩ ergens levend ~ zijn *be completely cut off somewhere* **3.2** ergens ~ liggen *be buried somewhere;* ⟨schr.⟩ *lie/rest/repose somewhere* **4.3** zich in een afgelegen dorp ~ *hide o.s. away in a remote village/the sticks;* zich in/bij zijn boeken ~ *bury o.s. in one's books* **6.1** hij is **met** militaire eer ~ *he was buried with full military honours.*

begrensd ⟨bn.⟩ **0.1** [binnen nauwe grenzen besloten] *limited* ⇒*finite, restricted* **0.2** [beperkt] *limited* ⇒*finite, exhaustible* ⟨voorraad⟩ ♦ **1.1** een ~e ruimte *a l. space;* een ~ uitzicht *a l. / obstructed view* **1.2** de mogelijkheden zijn ~ *the possibilities are l.;* een ~ verstand *a l. grasp/intellect.*

begrenzen ⟨ov.ww.⟩ **0.1** [de grens vormen van] *bound* ⇒*border* **0.2** [⟨fig.⟩] *define* ⇒*delimit(ate), determine the limits of* **0.3** [beperken] *limit* ⇒*restrict, circumscribe, confine* ♦ **1.1** de duinen ~ *the view is bounded (there) by the dunes in the distance* **1.2** een voorstel scherp ~ *sharply define a proposal* **1.3** iemands macht ~ *restrict s.o.'s power* **6.1** door de zee begrensd *bounded/confined by the sea;* ⟨wisk.⟩ een begrensde **functie** *a bounded function.*

begrijpelijk

  I ⟨bn.⟩ **0.1** [te begrijpen] *understandable* ⇒*comprehensible, intelligible* **0.2** [vlug van begrip] *clever* ⇒*quick-witted,* ⟨AE ook⟩ *smart* **0.3**

[verklaarbaar] *natural, obvious* ♦ **1.3** een ~e vergissing *an u. mistake, a mistake anyone can make* **3.1** iem. iets ~ maken *make sth. clear/accessible to s.o.* **3.3** dat is nogal ~ *that's pretty obvious/hardly surprising;* het is heel ~ dat hij bang is *it's only natural/hardly surprising that he* [B]*should be/*[A]*he be frightened;*

  II ⟨bw.⟩ **0.1** [op duidelijke wijze] *clearly* ⇒*comprehensibly, intelligibly.*

begrijpelijkerwijze ⟨bw.⟩ **0.1** *understandably* ⇒*obviously, for obvious reasons.*

begrijpen ⟨ov.ww.⟩ **0.1** [met het verstand bevatten] *understand* ⇒*comprehend, grasp, make out* **0.2** [opvatten] *understand* ⇒*gather, take* **0.3** [omvatten] *include* ⇒*cover* **0.4** [bevatten] ⟨ongemarkeerd⟩ *include* ⇒*embrace, hold* ♦ **1.1** een som ~ *u. / comprehend/grasp a sum;* hij begreep de wenk *he took the hint, he got the message* **3.1** dat kan ik me ~ *I (can) understand that;* dat laat zich ~ *that's understandable/easy to u. / easily understood* **3.¶** dat kun je ~ *not likely!, you must be joking!* **4.1** o, ik begrijp het *oh, I see;* ik begrijp er niets van *I don't u. it, I don't know what to make of it;* ⟨mbt. probleem⟩ *I can't make head or tail of it/make anything of it, I can't make it out, it's beyond me,* ⟨inf.⟩ *it beats me;* begrijp je het nu **5.1** ik begrijp het al *I see!;* ik begrijp best dat ... *I quite u. that ...;* laten we dat goed ~ *let's get that clear;* begrijp me goed *don't get me wrong;* ik begrijp heel goed dat ... *I fully/quite u. / realize that ...;* I am quite/fully aware that ...; begrijp ik je goed ... *do I understand you correctly?, do I get you right?;* ik begrijp jou niet *I don't get you, I can't make you out, you're beyond me;* ik begreep niet wat hij bedoelde *I couldn't get/grasp his meaning, I couldn't see/get his point, I missed his point;* dat begrijp ik niet helemaal *I don't quite u. / follow that;* ik begreep al niet waar je uiting *I was wondering/I couldn't think/I couldn't imagine where you were at;* ik begrijp niet wat daar aan mankeert ⟨ook⟩ *I fail to see what's wrong with that;* hij begrijpt het nog steeds niet ⟨mbt. verrassende gebeurtenis⟩ *he can't get over it;* begrijp je het/me nog? *are you still with me?* **5.2** iem. / iets verkeerd ~ *misunderstand s.o. / sth., get s.o. / sth. wrong* **5.3** alles er in begrepen *everything included, no extras;* de onkosten zijn eronder begrepen *expenses are included* **6.1** ik begrijp **er** hoe langer hoe minder **van** *I understand (it) less and less* **6.2** ik heb **uit** zijn woorden begrepen dat... *I u. / gather from his words that ...* **6.¶** het niet **op** iets/iem. begrepen hebben ⟨niet vertrouwen⟩ *mistrust/distrust s.o. / sth.;* ⟨een hekel hebben aan⟩ *disapprove of/dislike s.o. / sth.;* ik heb het niet zo **op** hem/haar begrepen *there's no love lost between us;* ze hebben het **op** uw baan begrepen *they're after/out for your job* **8.1** u moet ~ dat we dat niet kunnen tolereren *I must make it quite clear/clearly understood that we cannot tolerate that;* jullie zullen ~ dat ...*it will be clear to you, you will have understood/gathered* **¶.1** dat laat je voortaan, begrepen! *I'll have no more of that, is that clear/get the message/do you hear?;* als je begrijpt wat ik bedoel *if you know/see/get what I mean.*

begrijpend ⟨bn.,bw.,-ly⟩ **0.1** *understanding* ♦ **1.1** een niet ~de blik *a puzzled/ uncomprehending look* **3.1** ~ knikken *nod understandingly;* ~ lezen *reading comprehension.*

begrip ⟨het⟩ **0.1** [besef, inzicht] *understanding* ⇒*comprehension, conception, grasp, notion* **0.2** [denkbeeld] *concept* ⇒*idea, notion,* ⟨opvatting⟩ *conception* **0.3** [eenheid van denken] *concept* ⇒⟨fil. ook⟩ *notion, intention* **0.4** [het willen/kunnen begrijpen van] *understanding, sympathy* **0.5** [samenvattende inhoud] *abstract* ⇒*argument, summary, epitome, synopsis* ♦ **1.3** het ~ 'communicatie' *the c. of 'communication'* **2.1** voor een goed ~ v.d. zaak *for a clear u. of the matter;* een goed ~ v.d. leerstof *a good u. / grasp of the subject matter* **2.2** negatieve ~pen *negative concepts/ideas;* verkeerde ~pen *misconceptions, fallacies, delusions, erroneous ideas* **2.3** de elementaire ~pen v.d. algebra *the rudiments/basics of algebra;* ⟨fil.⟩ primaire/secundaire ~pen *first/second notions/intentions* **3.3** ⟨pregn.⟩ dat is een ~ *that is a household word* **3.4** ~ voor iets kunnen opbrengen *appreciate* ⟨problemen⟩; hun sympathy for, sympathize with ⟨mening, moeilijkheden⟩; daar kan ik geen ~ voor opbrengen *I find that hard to understand/accept;* wij vragen uw ~ voor dit ongemak *we hope you will forgive the inconvenience/delay* **5.4** ze was ~ vol *she was very understanding* **6.1** naar Westerse ~pen *by Western standards;* vlug **van** ~ *quick-/ready-witted, quick on the uptake/off the mark/to understand;* traag **van** ~ *slow on the uptake/to understand* **6.2** zijn ~ **van** vrijheid *his conception/idea of freedom* **6.4** hij toont geen enkel ~ **voor** de situatie *he was completely unsympathetic* **7.1** geen ~ van tijd hebben *have no sense/ notion/idea of time* **¶.1** dat gaat mijn ~ te boven *that is beyond me/my comprehension/my u.;* alle ~ te boven gaan *be beyond all comprehension, pass all u..*

begrippenpaar ⟨het⟩ **0.1** *twin concepts* ⇒*pair of concepts.*

begripsverwarring ⟨de (v.)⟩ **0.1** *confusion of ideas/concepts.*

begroeid ⟨bn.⟩ **0.1** *grown over (with)* ⇒*overgrown/covered (with),* ⟨met bos⟩ *wooded* ♦ **6.1** met varens ~ *ferny hillsides, slopes covered with ferns;* met klimop ~ *ivied, ivy-clad;* met onkruid ~ *overgrown/overrun with weeds;* met mos ~ *covered with moss; moss-covered* ⟨attr.⟩.

begroeien ⟨ov.ww.⟩ **0.1** *grow over (with)* ⇒*cover (with), overgrow (with)*

◆ **6.1** zijn hele lichaam is **met** haar begroeid *his entire body is covered with hair.*

begroeiing 〈de (v.)〉 **0.1** [het begroeien] *overgrowth* **0.2** [dat wat iets groeiend bedekt] *overgrowth* ⇒*covering* ◆ **2.2** lage ~ *low cover* **3.2** een terrein van zijn ~ ontdoen *clear a site of its growth.*

begroeten 〈ov.ww.〉 **0.1** *greet* ⇒ 〈roepend〉 *hail,* 〈met een handgebaar ook〉 *salute* ◆ **1.1** de gastvrouw ~ *pay one's respects to the hostess* **3.1** hij ging haar ~ *he went over to g. her/say hello to her* **4.1** elkaar ~ *exchange greetings* **6.1** het voorstel werd/zijn woorden werden met applaus/gejuich begroet *the proposal/his words were greeted with applause/cheering;* iem. **met** gejuich ~ g. / hail *s.o. with cheers* **8.1** iem. ~ als de bevrijder *hail/welcome s.o. as the liberator.*

begroeting 〈de (v.)〉 **0.1** *greeting* ⇒*salutation, hail, salute.*

begrotelijk 〈bn.〉 **0.1** *expensive* ⇒〈BE ook〉 *dear.*

begroten 〈ov.ww.〉 **0.1** *estimate (at)* ⇒*cost (at)* ◆ **1.1** de kosten ~ *give an estimate of the costs;* de kosten v.h. gehele project worden begroot op 12 miljoen *the whole project is costed at 12 million;* de begrote productie *the estimated production;* een werk ~ *give/send in/submit an estimate for a job/project, cost a project.*

begroting 〈de (v.)〉 **0.1** [berekening] *estimate* ⇒*budget* **0.2** [stuk]〈jaarstuk bedrijf/overheid〉 *budget* ⇒*estimate* ◆ **1.2** de ~ van Onderwijs *the Education Budget* **2.1** met een open ~ werken *work with open books* **2.2** de ~ sluitend maken *balance the books* **3.1** een ~ maken *make/draw up/prepare an e.;* een ~ laten opmaken *have an e. drawn up;* hij overschreed de ~ *he exceeded the e. / budget* **3.2** een ~ indienen *submit an estimate; present the/one's Budget* 〈regering〉 **6.1** binnen de ~ blijven *keep within the budget* **6.2** een tekort op de ~ *a deficit on the b..*

begrotingscijfer 〈het〉 **0.1** *estimate* ⇒*budget figure.*

begrotingsjaar 〈het〉 **0.1** *financial/fiscal year* ⇒*budget(ary) year/period.*

begrotingspolitiek 〈de (v.)〉 **0.1** *budgetary policy.*

begrotingsruimte 〈de (v.)〉 **0.1** *budget leeway.*

begum 〈de (v.)〉 **0.1** *begum.*

begunstigde 〈de (m.)〉 **0.1** *beneficiary* ⇒*payee* 〈cheque〉, 〈kredietbrief ook〉 *party accredited, remittee* 〈overschrijving〉, 〈jur., cessionair〉 *transferee.*

begunstigen 〈ov.ww.〉 **0.1** [bevoordelen] *favour* ⇒ 〈met klandizie〉 *patronize,* 〈met erfenis〉 *benefit* **0.2** [bevorderen] *support* ⇒*promote, patronize* 〈kunst〉 ◆ **1.1** vrienden ~ *f. friends* **6.1** iem. **met** een ridderorde ~ *favour s.o. with a knighthood.*

begunstiger 〈de (m.)〉, **-stigster** 〈de (v.)〉 **0.1** *patron* ⇒*supporter, promoter* ◆ **1.1** ~ v.d. kunst *a patron of the arts.*

begunstiging 〈de (v.)〉 **0.1** *favour* ⇒ 〈bevordering〉 *patronage, support,* 〈tussen handelsstaten〉 *preference, preferential treatment,* 〈voortrekkerij〉 *favouritism* ◆ **6.1** onder ~ van mooi weer *favoured by lovely weather;* een samenleving gebaseerd op ~ **van** de rijken *a society which favours the rich.*

beha 〈de (m.)〉 **0.1** *bra* ◆ **2.1** een voorgevormde ~ *a pre-formed/padded b..*

behaaglijk 〈bn., bw.;-ly〉 **0.1** [aangenaam] *pleasant* ⇒*comfortable* **0.2** [op zijn gemak] *comfortable* ⇒*relaxed* **0.3** [knus] *cosy* ⇒*snug* ◆ **1.1** een ~ gevoel *a p. / comfortable feeling, a sense of comfort/well-being* **2.1** ~ warm *comfortably/pleasantly warm* **3.2** zich ~ uitstrekken *stretch like a cat;* zich ~ voelen *feel comfortable/at (one's) ease/relaxed* **3.3** het ziet er hier ~ uit *this place looks comfortable/comfy/c. / snug.*

behaagziek 〈bn., bw.;-ly〉 **0.1** *coquettisch* ⇒*flirtatious* ◆ **1.1** een ~ meisje *a coquette, a flirt.*

behaagzucht 〈de〉 **0.1** *coquetry.*

behaard 〈bn.〉 **0.1** *hairy* ⇒*hirsute,* 〈biol.〉 *pilose* ◆ **1.1** een ~e hand *a hairy hand;* de huid is daar ~ *the skin is covered with hair there.*

behagen[1] 〈het〉 **0.1** *pleasure* ⇒*delight, enjoyment* ◆ **3.1** ~ scheppen in *take (a) p. / delight in, find p. / enjoyment in.*

behagen[2] 〈onov.ww.〉 **0.1** *please* ◆ **1.1** als het Gode behaagt *please God, God willing;* het heeft de Heer behaagt haar tot zich te nemen *the Lord has seen fit to take her from us;* het heeft Hare Majesteit behaagd om ... *Her Majesty has been graciously pleased to ...* **4.1** naar het u behaagt *as you p., at your pleasure.*

behalen 〈ov.ww.〉 **0.1** *gain* ⇒*obtain, achieve, score, win* ◆ **1.1** een hoog cijfer ~ *g. / obtain a high mark;* een diploma ~ *obtain/*[B]*take a certificate;* eer ~ met g. *honour/credit by;* een graad/titel ~ ≠*g. a degree;* lof ~ *win praise;* de overwinning ~ *be victorious, g. victory, carry/win the day;* een prijs ~ g. */carry off/win a prize;* veel punten ~ *score highly/a lot of points, g. a high score;* roem ~ *reap glory;* 100% winst ~ g. / *secure/earn/make a 100% profit* **6.1** daar is geen eer **aan** te ~ *that's not worth bothering with.*

behalve[1] 〈vz.〉 **0.1** [uitgezonderd] *except (for)* ⇒*but (for), with the exception of, excepting, apart from, other than,* 〈AE ook〉 *outside of* **0.2** [naast] *besides* ⇒*in addition to* ◆ **1.1** ik lust alles ~ koolraap *I like everything except (for)/but swedes;* ~ de neus lijkt hij sprekend op zijn vader *except for/with the exception of his nose, he's the spitting image of his father;* allen ~ Peter *everyone except/but Peter* **1.2** ~ de

voorzitter zijn er zeven leden *b. / in addition to the chairman there are seven members* **4.1** ~ mij heeft hij geen enkele vriend *he has no friend except (for)/but/save/other than me.*

behalve[2] 〈vw.〉 **0.1** *except* ⇒*save* ◆ **8.1** ik weet er niets van, ~ dat ik er gisteren terloops over hoorde spreken *I don't know anything about it, e. that I heard someone mention it in passing yesterday.*

behandelen 〈ov.ww.〉 **0.1** [omgaan met] *handle* ⇒*deal with, treat* **0.2** [uiteenzetten] *treat (of)* ⇒*discuss, deal with, handle* **0.3** [afhandelen] *deal with* ⇒*attend to, handle, conduct, manage* **0.4** [begejenen] *treat* ⇒*deal with/by* **0.5** [als arts verzorgen] *treat* ⇒*attend to,* 〈verplegen〉 *nurse* **0.6** [〈jur.〉 berechten] *hear* ⇒ 〈strafrecht vnl.〉 *try* **0.7** [〈jur.〉 verdedigen] *handle* ⇒ 〈in gerechtszaal zelf〉 *plead* ◆ **1.2** een onderwerp ~ *t. / discuss/deal with/handle/tackle a subject;* dit probleem zal in deel 2 behandeld worden *this problem will be dealt with/discussed in part 2* **1.3** dergelijke aangelegenheden behandelt de directeur zelf *the manager deals with/attends to/handles such matters himself;* klachten ~ *deal with/handle complaints;* de secretaresse behandelt de post *the secretary deals with incoming letters;* de vergadering heeft het rapport behandeld *the meeting has considered the report* **1.5** de ~d geneesheer *the doctor in attendance/attending him/her;* een kwaal ~ *t. / nurse a complaint* **5.1** iets ruw ~ *maul/manhandle sth., mishandle sth.;* voorzichtig ~ ! *h. with care!* **5.2** iets oppervlakkig ~ *scratch the surface of sth. / deal summarily with sth.;* iets uitputtend ~ *t. / deal with / go into sth. fully, exhaustively* **5.3** zaken verkeerd ~ *mismanage affairs* **5.4** eerlijk behandeld worden *be treated fairly, get a square/fair deal;* zijn ondergeschikten goed ~ *t. one's subordinates well;* de dieren werden goed behandeld *the animals were well looked after;* oneerlijk behandeld *hard done by, unfairly treated;* oneerlijk behandeld worden *receive unfair treatment;* iem. oneerlijk ~ *do the dirty on s.o., do s.o. wrong;* hij heeft ons smerig behandeld *he treated us shabbily;* iem. voorzichtig ~ *go easy with s.o., handle/treat s.o. with kid gloves;* zo behandel je een dame toch niet! *that's no way to t. a lady* **5.5** iem. medisch ~ *be in attendance on s.o., give s.o. medical treatment;* thuis behandeld worden *receive (medical) treatment at home* **6.5** hij werd behandeld **voor** een hartkwaal *he was treated/received treatment for a heart condition* **6.7** een zaak **voor** het gerecht ~ *h. a court-case* **8.4** iem. als een kind ~ *treat s.o. as/like a child.*

behandeling 〈de (v.)〉 **0.1** [het omgaan met iets] *handling* ⇒*use, treatment, operation* 〈machine〉 **0.2** [het afhandelen] *handling* ⇒*management,* 〈vergadering ook〉 *consideration* **0.3** [geneeskundige verzorging] *treatment* ⇒*attendance, attention, aid, therapy* **0.4** [uiteenzetting] *treatment* ⇒*discussion* **0.5** [begejening] *treatment* ◆ **1.1** de ~ van rozen *the care of roses* **1.2** de ~ van dringende zaken *the transaction/dispatch of urgent business* **2.1** de garantie vervalt bij ondeskundige ~ *the guarantee does not cover damage caused by improper use* **2.2** een verkeerde ~ van zaken *mismanagement of affairs* **2.3** geneeskundige ~ *medical t. / attention;* geneeskundige ~ van patienten *medical t. of patients;* gratis ~ *free medical aid/care* **2.5** een mensonterende ~ *inhuman/degrading t.,* an *indignity;* een oneerlijke/ruwe/gemene ~ *a rough/raw deal;* een rechtvaardige ~ *a fair/square deal;* slechte ~ *ill-treatment* **6.2** een wetsontwerp in ~ nemen *consider/discuss a bill;* uw klacht is in ~ *your complaint is being considered/dealt with/taken up;* de rechtzaak komt/is in ~ *the case is coming up for trial/being tried;* het wetsontwerp komt morgen in ~ *the bill will be coming up for discussion/be given a reading tomorrow;* in ~ nemen *take up, deal with, attend to;* in ~ zijn *be under discussion/consideration, be being attended to, be in hand* **6.3** zij staat onder ~ v.d. beroemdste specialisten *she is being treated by the most famous specialists;* zich onder ~ stellen *call in/go to a doctor;* onder ~ zijn *voor be treated for, receive t. for;* zich onder ~ moeten stellen wegens *have to be treated for.*

behandelkamer 〈de〉 **0.1** *surgery,* [A]*doctor's office* ⇒ 〈van specialist〉 *rooms.*

behandelstoel 〈de (m.)〉 **0.1** 〈bij tandarts〉 *dentist's chair.*

behang 〈het〉 **0.1** *wallpaper* ◆ **2.1** afstripbaar ~ *adhesive w.;* akoustisch/muzikaal ~ *background music,* [B]*w. music;* 〈vnl. pej.〉 *Muzak;* 〈inf.〉 er zit een nieuw ~etje op *it's been newly (wall)papered* **3.1** ~ afstomen *steam off w.;* ~ uitkiezen *pick out/choose w.* **6.1** 〈fig.〉 **door** het ~ gaan *be driven up the wall, be driven/go round the bend;* 〈uit wanhoop〉 *be frantic with despair;* 〈uit woede〉 *blow one's top, go off one's brain.*

behangen

I 〈onov.ww., ov.ww.〉 **0.1** [met behang bekleden] *(wall)paper (a room)* ⇒ *hang (wallpaper)* ◆ **3.1** kun jij ~? *can you hang wallpaper?, have you ever done any wallpapering?;* een kamer (opnieuw) ~ en schilderen *paint and re-paper a room;*

II 〈ov.ww.〉 **0.1** [bedekken] *hang (with)* ⇒*drape (with), cover/* ↑ *deck (out) (with)* ◆ **1.1** hun met onderscheidingen ~ uniformen *their uniforms decked/hung with medals* **6.1** zij was rondom **met** goud ~ *she was covered/decked (out)/draped with gold from head to foot;* de wanden waren **met** schilderijen/vlaggen ~ *the walls were hung with paintings/flags.*

behanger 〈de (m.)〉 **0.1** *paperhanger* ⇒*paperer* ◆ **1.1** ~ en stoffeerder *upholsterer.*

behangersbij 〈de〉 **0.1** *leaf-cutter bee* ⇒*upholsterer bee*.

behangerslijm 〈de (m.)〉 **0.1** *wallpaper paste*.

behangpapier 〈het〉〈AZN〉 →**behangsel(papier)**.

behangsel(papier)〈het〉 **0.1** *wallpaper*.

behappen〈ww.〉 ◆ **3.¶** dat kan ik niet in m'n eentje ~ *I can't handle that all at once on my own*.

beharing 〈de (v.)〉 **0.1** (*growth/coat of*) *hair* ◆ **1.1** de ~ v.d. schaamstreek *the hair in the pubic region*, *pubic hair* **2.1** een dichte ~ *a dense growth/coat of hair*.

behartigen 〈ov.ww.〉 **0.1** *look after* ⇒*promote, serve, protect* ◆ **1.1** iemands belangen ~ *look after/promote s.o.'s interests, take s.o.'s interests to heart;* een vakbond behartigt de belangen van zijn leden *a trade union protects/promotes the interests of its members;* ik kan mijn eigen belangen wel ~ *I can manage/handle my own affairs;* uit ontevredenheid over de manier waarop hij haar belangen behartigd had *out of dissatisfaction with the way he had handled her affairs;* iemands zaken ~ *manage/look after s.o.'s affairs*.

behartigenswaardig 〈bn.〉 **0.1** *worthy of consideration/notice* ◆ **1.1** ~e woorden 〈ook〉 *words worth listening to*.

behartiging 〈de (v.)〉 **0.1** *promotion (of)* ⇒*protection (of), management (of)* ◆ **6.1** een organisatie ter ~ van de belangen v.d. consument *an organization for the protection of consumer interests*.

behavio(u)risme 〈het〉 (psych.) **0.1** *behaviourism*.

beheer 〈het〉 **0.1** [het beheren van andermans eigendom] *management* ⇒〈toezicht〉 *control, supervision, stewardship, guardianship* (mbt. nalatenschap) **0.2** [gezag] *administration* ⇒*rule* **0.3** [administratie, bestuur] *administration* ⇒*management* ◆ **1.1** voor het milieu~ verantwoordelijk zijn *be in charge of/responsible for the environment;* de curator is belast met het ~ v.e. failliete onderneming *the receiver is entrusted with the administration of a bankrupt enterprise* **1.3** raad van ~ *board of directors* **2.1** een boek in eigen ~ uitgeven *publish a book on one's own/one's own books;* een plaat in eigen ~ produceren *produce a record on one's own/one's own records;* (een) werk in eigen ~ laten uitvoeren *have one's own staff to do the work;* het werk wordt in eigen ~ uitgevoerd *the work is done by our own staff/on our own account;* de gemeente heeft de gasvoorziening in eigen ~ genomen *the council has taken over control of the gas supply;* als gevolg v.e. slecht financieel ~ *owing to financial mismanagement;* onder gemeenschappelijk ~ van *under communal m./ direction of;* een voorzichtig/strak financieel ~ voeren *manage the finances prudently/tightly* **2.2** dat eiland staat onder Engels ~ *that island is under British a./ rule* **3.1** het ~ van zijn bezittingen aan iem. overdragen *place one's property in trust;* het ~ voeren over iemands nalatenschap *steward/be guardian of s.o.'s estate;* het ~ voeren over iemands eigendom *hold s.o.'s property in/under trust* **6.1** dat is onder zijn ~ gebeurd *that occurred under his administration/m.;* goederen onder zijn ~ hebben *have goods in/ under trust;* de penningmeester heeft het ~ over de kas *the treasurer is in charge of the funds;* het ~ over wegen en rivieren hebben *be in charge of/responsible for roads and waterways*.

beheerder 〈de (m.)〉 **0.1** [exploitant] *manager* 〈camping, kantine, filiaal〉 *warden* 〈jeugdherberg〉 **0.2** [mbt. andermans eigendom] *administrator* ⇒*trustee* 〈van failliete boedel〉, *steward, guardian* 〈van nalatenschap〉 **0.3** [bewindvoerder] *administrator*.

beheerraad 〈de (m.)〉〈AZN〉 **0.1** *Board of Directors*.

beheersbaar 〈bn.〉 **0.1** *controllable* ⇒*manageable* ◆ **3.1** de inflatie ~ maken *bring inflation under control*.

beheersen 〈ov.ww.〉 **0.1** [heersen over] *control* ⇒*govern, rule, have control/* ↑ *sway over,* ↑*sway,* 〈domineren〉 *dominate* **0.2** [kennis hebben van] *master* ⇒(*have*) *command (of)* **0.3** [feilloos kunnen uitvoeren] *master* ◆ **1.1** de alles ~ de kwestie *the dominant/ (pre)dominating question;* die gedachte beheerst zijn leven *that thought dominates/ governs his life;* zijn hele leven wordt door zijn verslaving beheerst *his addiction dominates/governs his whole life;* lonen/prijzen ~ c. *wages/prices;* de Japanners ~ de markt *the Japanese c./ dominate the market;* taxi's/tanks ~ het straatbeeld *taxis/tanks dominate the streets;* (mil.) een terrein ~ c. *a terrain;* de toestand ~ *be in control of the situation, have the situation under control* **1.2** zijn stof ~ m./ *have a thorough command/knowledge/mastery of one's subject matter;* een vreemde taal ~ *have a thorough command of/be fluent/proficient in/ m. a foreign language* **1.3** er zijn maar weinig schaatsers die deze sprong ~ *few skaters have mastered this jump;* een bepaalde techniek ~ m. *a special technique* **3.1** hij kon zich nauwelijks ~ *he could barely c. himself;* kon je je weer niet ~! *couldn't you get a grip on/c. yourself once again?, couldn't you demonstrate a little more self-control once again?;* je moet je gevoelens beter leren ~ *you should learn to c. your feelings more* **4.1** zich ~ *keep a grip on/control o.s., keep/c. one's temper* **5.1** niet te ~ *uncontrollable, unmanageable;* tijdrekken? dat ~ ze perfect *wasting time? they've got that down to a fine art*.

beheersing 〈de (v.)〉 **0.1** *control* ⇒*command* 〈ook van taal〉, 〈dominantie〉 *domination, check* ◆ **1.1** de ~ v.d. natuur *the control over nature* **2.1** een praktische ~ v.h. Spaans *a working knowledge of Spanish;* een verdere ~ v.d. inflatie *a further check on inflation* **6.1** de ~ **over** zichzelf verliezen *lose one's self-control/temper,* ↓*cool/grip on o.s.*.

beheerst 〈bn., bw.;-ly〉 **0.1** *collected* ⇒*composed, cool,* 〈evenwichtig〉 *poised,* 〈zichzelf meester〉 (*self-*)*controlled,* (*self-*)*restrained* ◆ **3.1** ~ boksen/stoten *box/punch in a controlled/restrained way* **6.1** hij is zeer ~ in zijn optreden *his is very self-controlled/self-restrained/ poised in what he does*.

beheksen 〈ov.ww.〉 **0.1** [betoveren] *bewitch* ⇒*bedevil, cast/put a spell/ charm on* **0.2** [(fig.)] *bewitch* ⇒*cast/put a spell/charm on*.

behelpen[1] 〈het〉 **0.1** *makeshift solution* ◆ **3.1** het is een ~ *it's a way of making do, it's a makeshift (solution/arrangement)*.

behelpen[2] 〈wk.ww.;zich ~〉 **0.1** *manage* ⇒*make do/swift (with), shift* ◆ **3.1** hij moet zich erg ~ *he lives in straitened circumstances;* we zullen ons moeten ~ *we'll just have to make do/make shift/m. (as best we can);* je zult je ermee moeten ~ *you'll just have to do the best you can/ make do/shift/m. with that;* hij weet zich te ~ *he manages, he can m.;* 〈financieel〉 *he gets by* **5.1** het is erg ~ zonder stroom *it's really roughing it without electricity;* zich zo goed mogelijk ~ (met iets) *make do (with sth.)*.

behelzen 〈ov.ww.〉 **0.1** *contain* ⇒*include, comprehend* ◆ **1.1** zolang we niet weten wat het plan behelst *as long as we don't know/are unaware of what the plan amounts to;* het voorstel behelst het volgende *the proposal/suggestion is this*.

behendig 〈bn., bw.;-ly〉 **0.1** 〈handig〉 *dexterous* ⇒*adroit,* 〈vaardig〉 *skilful* [A]*skillful, deft, nimble,* 〈bijdehand〉 *clever, smart* ◆ **1.1** een ~e jongen *a dexterous/agile/clever/smart boy;* een ~e manoeuvre *a dexterous/skilful, an adroit/a clever manoeuvre;* een ~e tactiek *clever tactics* **3.1** ~ klom ze achterop *she nimbly/deftly/agilely climbed up on the back*.

behendigheid 〈de (v.)〉 **0.1** *dexterity* ⇒*adroitness, agility, skill*.

behendigheidsspel 〈het〉 **0.1** *game of skill*.

behendigheidswedstrijd 〈de (m.)〉 **0.1** *contest of skill* ⇒*gymkhana* 〈van ruiters〉.

behept 〈bn.〉 **0.1** *cursed (with)* ⇒*-ridden* ◆ **6.1** met ondeugden ~ *vice-ridden;* **met** vooroordelen ~ *prejudice-ridden*.

beheren 〈ov.ww.〉 **0.1** [het beheer hebben over] *manage* ⇒*administer* 〈financiën〉 **0.2** [leiden, exploiteren] *manage* ⇒*run, conduct, operate* ◆ **1.1** een erfenis/geld van minderjarigen ~ *administer an inheritance / the money of persons under age;* de financiën ~ *control the finances,* ↓*hold the purse strings* **1.2** een bibliotheek/camping ~ *run a library/ camping ground;* een winkel ~ *be in charge of/run a shop* **3.1** zijn vermogen door iem. laten ~ *let s.o. manage/administer one's estate/ property*.

behoeden 〈ov.ww.〉 **0.1** [beschermen] *guard (from)* ⇒*keep/preserve (from)* **0.2** [waken over] *guard* ⇒*watch over* ◆ **1.2** God behoede ons (may) *God keep/preserve us* **6.1** iem. **voor** gevaar ~ *keep/preserve s.o. from danger;* iem. **voor** een misstap/val ~ *keep s.o. from doing wrong/falling*.

behoedzaam 〈bn., bw.;-ly〉 **0.1** *cautious* ⇒*wary, careful, circumspect,* 〈op zijn hoede〉 *guarded* ◆ **3.1** iets ~ ergens afhalen/uithalen *cautiously/carefully take sth. off/out of somewhere;* ~ schreed ze voort *she advanced cautiously/warily/carefully* **¶.1** ~ te werk gaan *proceed / go at it cautiously/carefully/with caution*.

behoedzaamheid 〈de (v.)〉 **0.1** *cautiousness* ⇒*wariness, care, caution, circumspection*.

behoefte 〈de (v.)〉 **0.1** [gemis] *need (of)* ⇒*want (of),* 〈vraag〉 *demand (for)* **0.2** [ontlasting] *nature's call* **0.3** [benodigdheden] *necessities* ⇒*requirements, necessaries* ◆ **2.1** in eigen ~ (kunnen) voorzien *be self-sufficient/ self-supporting/ able to meet/ fulfil one's own needs;* een schreeuwende ~ aan arbeidsplaatsen *a crying n. for job opportunities* **2.3** de dagelijkse ~n *daily necessities* **3.1** iemands (seksuele) ~n bevredigen *satisfy/ fulfil s.o.'s (sexual) needs;* in een ~ voorzien *fill/ meet/supply a n./ want;* dat is voor hem een ~ geworden *that has become a necessity for him;* nieuwe ~n scheppen *create new needs;* zodra de ~ zich doet voelen *as soon as the n. makes itself felt;* een cursus die voorziet in de ~n van bepaalde groepen leerders *a course that caters for the needs of certain types of learners* **3.2** zijn ~ doen *answer nature's call, relieve nature/o.s., move one's bowels* **5.1** daar heeft niet iedereen evenveel ~ aan *not everyone needs that as much* **6.1** ~ hebben **aan** rust/ gezelschap *have a n. for quiet/company;* er bestaat een grote ~ aan geneesmiddelen *there is an enormous shortage of medecines/a crying n. for medecines;* dringend ~ hebben **aan** iets *have an urgent n. for sth., need sth. urgently;* daar heb ik geen ~ **aan** *that's one thing I can do without/ don't need;* minder ~ **aan** afleiding hebben *have less n. for distraction;* waar we het meest ~ **aan** hebben *what we are most in want of/need;* **naar** ~ *according to one's needs, as much as one needs;* niet de minste ~ hebben **om** te reageren *not have the slightest n. to react*.

behoeftebevrediging 〈de (v.)〉 **0.1** *satisfying needs/wants*.

behoeftig 〈bn.〉 **0.1** *needy* ⇒*destitute,* 〈schr.〉 *indigent,* 〈noodlijdend〉 *distressed* ◆ **1.1** het zijn ~e mensen *these are people in need/ n. people;* in ~e omstandigheden geraken/ verkeren *be/ find o.s. destitute/ in n./ reduced circumstances* **7.1** de armen en de ~en *the poor and the n. / destitute*.

behoeve 〈het〉 ◆ **6.¶** 〈schr.〉 **te** eigen/ uwen ~ ↓*for one's own/ your ben-*

efit/*use*; **ten** ~ **van** *on*/^*in behalf of, for the benefit*/*purpose of;* faciliteiten **ten** ~ **van** de recreant *recreational facilities;* uitgaven **ten** ~ **van** de bibliotheek *library expenses;* mededelingen **ten** ~ **van** de landbouw *agricultural news;* zich inzetten **ten** ~ **van** politieke gevangenen *devote o.s. to the cause of political prisoners.*

behoeven (→sprw. 654)

I (ov.ww.) **0.1** [nodig hebben] *(be in) need (of)* ⇒*require, (be in) want (of)* ◆ **1.1** hulp/ondersteuning ~ *(be in) need (of)*/*require aid*/*support;* dit behoeft enige toelichting *this requires some explanation;* (schr.) daartoe behoeft men de toestemming v.d. inspectie *for this the inspector's permission is required;*
II (onov.ww.) (schr.) **0.1** [nodig zijn] *need* ◆ **3.1** behoef ik u te zeggen, dat... *need I tell you that ....*

behoorlijk

I (bn.) **0.1** [fatsoenlijk] *decent* ⇒*appropriate, proper, fitting, respectable* **0.2** [voldoende] *adequate* ⇒*sufficient* **0.3** [toonbaar] *decent* ⇒*respectable, presentable* **0.4** [tamelijk groot, flink] *considerable* ⇒ ↑*substantial, good-sized, sizable, fair, reasonable* ◆ **1.1** in strijd met de beginselen van ~ bestuur *contrary to the principles of good managment;* ~ gedrag *good behaviour;* producten van ~e kwaliteit *good quality products;* dit is geen ~e tijd om iem. op te bellen *this is not a*/*no d.*/*respectable hour to be calling s.o. (up)* **1.4** hij houdt er een heel ~e boterham aan over *he's doing quite nicely for himself;* dat is een ~ eind lopen/fietsen/rijden *that's quite a distance to walk*/*cycle*/*ride;* met een ~ gangetje *at a reasonable pace;* hij heeft een ~ kapitaal *he has c.*/*substantial capital;* ze verdient een heel ~ salaris *she's earning a decent salary* **3.3** die jas is nog heel ~ *that coat is still quite d.*/*respectable*/*presentable;* hij zit weer ~ te overdrijven *he's exaggerating all over the place again;* dat ziet er heel ~ uit *that's looking*/*looks very reasonable*/*well*/*good, that's shaping up very nicely* **4.3** trek asjeblieft iets ~s aan *for heaven's sake, put on some d. clothes* **5.1** dat is heel ~ van ze *that's very d.*/*civil of them* **5.4** een heel ~e kamer *quite a d.*/*reasonable room;*
II (bw.) **0.1** [fatsoenlijk] *decently* ⇒*appropriately, properly, fittingly, respectably* **0.2** [in voldoende mate] *adequately* ⇒*sufficiently, enough* (na bn./bw.) **0.3** [nogal] *pretty* ⇒*quite, fairly* **0.4** [goed] *decently* ⇒ *well (enough)* ◆ **3.1** gedraag je ~ *behave respectably*/*yourself;* we zijn niet eens ~ voorgesteld *we haven't even been properly introduced* **3.4** je kunt hier heel ~ eten *you can get a very decent meal here;* zij schildert vrij ~e *she paints well enough*/*pretty well*/*d.* **4.3** ze zit zich weer eens ~ aan te stellen *she's being a real show off again* **7.3** ~ wat *q. a lot, a reasonable amount.*

behoren (onov.ww.) (schr.) **0.1** [toebehoren] *belong (to)* ⇒*be owned by, be the property of* **0.2** [vereist worden] *require* ⇒*need, be necessary*/*needed* **0.3** [betamen] *should* ⇒*ought (to), be fit, be proper* **0.4** [onderdeel uitmaken van] *belong (to)* ⇒*go together*/*with, be part of* **0.5** [zijn plaats hebben/vinden] *belong* **0.6** [gerekend worden] *belong* ⇒*be part of, be among* ◆ **3.3** jongeren ~ op te staan voor ouderen *young people s. stand up for older people* **5.4** een auto met de daarbij ~de groene kaart *a car with its green card;* een groep waartoe twee Nederlanders behoorden *a group including*/*which included two Dutch people* **6.2** naar ~ *as it should be, properly;* (sport) zijn doel **naar** ~ verdedigen *do a good job defending one's goal;* alles ging **naar** ~ *everything went as it should* **6.4** die tafel behoort **bij** deze stoelen *that table goes with these chairs;* **bij** elkaar ~ *go together;* de Krim behoort **tot** de USSR *the Crimea is part of the USSR;* dat behoort niet **tot** zijn vakgebied *that's outside his field*/*his area of competence;* dat behoort niet **tot** de competentie van dit hof *that's beyound this court's competence*/*the competence of this court;* hij behoort **tot** de betere leerlingen *he ranks among*/*is one of the better pupils;* dit boek behoort **tot** de beste van deze schrijver *this book ranks among*/*with*/*is one of the best written by this author;* **tot** de rooms-katholieke kerk ~ *belong to*/*be member of the (Roman) Catholic church;* **tot** deze groep behoorde ook een vrouw *this group also included a woman;* dat behoort niet **tot** mijn taak *that isn't included in my responsibilities,* ↓*that's not part of my job* **6.6** dat behoort **tot** de zeldzaamheden *that's a rarity*/*very rare;* dat behoort nu **tot** het verleden *that's history, we're going to put that*/*that's behind us now, that's now a part of the past;* dat behoort **tot** de normale gang van zaken *it's common practice.*

behoud (het) **0.1** [het in stand houden/blijven] *preservation* ⇒*maintenance, conservation* (ook van natuur/monumenten) **0.2** [doorgaand bezit/genot] *retention* **0.3** [het in goede staat houden] *preservation* ⇒*conservation, care* **0.4** [redding] *salvation* ◆ **6.1** de steun v.d. regering betekent het ~ **van** 2000 arbeidsplaatsen *government(al) support means the p. of 2000 jobs* **6.2** verlof **met** ~ **van** salaris *leave of absence on full pay;* (voor studie/onderzoek) *sabbatical leave;* vakantie **met** ~ **van** salaris *paid holiday/*^*vacation, holiday/*^*vacation with pay;* werken **met** ~ van uitkering *work while retaining unemployment benefits* **6.3** goed onderhoud betekent het ~ **van** uw parketvloer *good maintenance insures the p. of your parquet*/*inlaid floor.*

behouden[1] (bn., bw.;-ly) **0.1** *safe* ◆ **1.1** (fig.) in ~ haven zijn *be in a s. haven;* iem. (een) ~ reis wensen *wish s.o. a s. trip;* ik wens u een ~

vaart *I wish you a s. journey* **3.1** dat glaswerk is ~ overgekomen *that glassware arrived safely*/*s. and sound;* hij is gelukkig ~ gebleven *luckily he is unharmed*/*he came through unscathed* **¶.1** iem. ~ aan land brengen *bring s.o. safely ashore*/*to shore, bring s.o. to shore s. and sound.*

behouden[2] (ov.ww.) **0.1** [niet verliezen] *preserve* ⇒*keep, conserve* (ook natuur/monumenten) *,retain* **0.2** [niet opgeven] *maintain, keep* **0.3** [in leven houden] *save* ◆ **1.1** (bijb.) onderzoekt alle dingen en behoudt het goede *test everything and hold fast to what is good;* zijn goede humeur ~ *keep smiling;* zijn invloed ~ *retain*/*keep one's influence;* zijn zetel ~ *retain one's seat* **1.2** de verkregen snelheid ~ *m. the speed acquired;* zijn vorm ~ *stay*/*k. fit*/*in shape* **1.3** zijn geloof heeft hem ~ *his faith is what saved him.*

behoudend (bn., bw.;-ly) **0.1** *conservative* ◆ **1.1** hij behoort tot de ~e vleugel v.d. partij *he belongs to the c. section of the party;* (sport) met ~ voetbal/spel proberen te winnen *try to win by playing a cautious*/*wary game*/*the catenaccio system*/*a catenaccio game* **3.1** (sport) ~ spelen/voetballen *play a cautious*/*wary game.*

behoudenis (de (v.)) (schr.) **0.1** *salvation.*

behoudens (vz.) **0.1** [met voorbehoud van] *subject to* **0.2** [behalve] *except (for)* ⇒*barring, save* **0.3** [met behoud van] (zie 1.3) ◆ **1.1** ~ goedkeuring door de gemeenteraad *s. to the council's approval;* ~ onvoorziene omstandigheden *barring unforeseen circumstances* **1.2** ~ enkele wijzigingen werd het plan goedgekeurd *except for*/*with a few alterations, the plan was approved* **1.3** ~ alle titels *titles and honours omitted.*

behoudzucht (de) **0.1** *conservatism.*

behuild (bn.) ◆ **1.¶** een ~ gezicht *a tear-stained*/*teary-eyed*/*tearful face, a face wet with tears.*

behuisd (bn.) **0.1** *-housed* ◆ **5.1** goed/ruim ~ zijn *live in a fine*/*roomy house, be well-housed;* klein ~ zijn *live in a small*/*cramped house;* slecht ~ zijn *be badly-*/*poorly-housed.*

behuizing (de (v.)) **0.1** (woonruimte) *housing* ⇒*accomodation,* (woning) *house, dwelling* ◆ **2.1** passende ~ zoeken *look for suitable accommodation;* een schamele ~ *miserable housing.*

behulp (het) ◆ **6.¶** met ~ **van** iem. *with the help*/*aid*/*assistance of s.o., through (the help of) s.o.;* **met** ~ **van** iets *with the help*/*aid*/*assistance of sth., through the help of sth., by means of sth..*

behulpzaam (bn.) **0.1** [hulpverlenend] *helpful* **0.2** [hulpvaardig] *helpful* ⇒*cooperative, obliging* ◆ **3.1** zij is altijd ~ *she's always ready to help;* iem. op alle mogelijke manieren ~ zijn *help s.o. in as many ways as one can* **5.2** zij was niet erg ~ *she wasn't very h.* **6.1** iem. ~ zijn **bij** iets *be of use*/*help to s.o. in doing sth.;* **in**/**bij** iets ~ zijn *tend a (helping) hand with sth..*

behuwd (bn.) **0.1** *in-law.*

beiaard (de (m.)) (AZN) **0.1** *carillon.*

beiaardier (de (m.)) **0.1** *carilloneur.*

beide (hoofdtelw.) (→sprw. 254,337) **0.1** *both* ⇒*either (one),* (twee) *two* ◆ **1.1** het is in ons ~r belang *it's in the interest of both of us, it's in both of our interests;* in jullie ~r belang *for both your sakes;* een opvallend verschil tussen hun ~ dochters *a striking difference between their two daughters;* in ~ gevallen *in either case*/*both cases;* deze ~ machines *both these machines;* je kunt het op ~ manieren doen *you can do it either way*/*both ways;* ~ personen ken ik *I know both of them;* ons ~r vriend *our mutual friend;* aan ~ zijden *at both ends*/*either end* **1.¶** je kunt ~ wegen nemen *you can take either road* **3.1** ze kunnen het ~n gedaan hebben *either of them could have done it;* ze zijn ~n getrouwd *they are both (of them) married, both (of them) are married* **3.¶** welk boek kies je? je kunt ze ~ nemen; ze zijn even duur *which book do you choose? you can take either; they're equally expensive* **4.1** wie van ~n kies je? *which of the two do you choose?* wij ~n *both of us, we two, the two of us* **7.1** één van ~n heeft het gedaan *one of the two has done it;* het is één van ~n: óf hij is gek, óf ik ben het *it's one of the two: either he is mad or I am;* ze weten het geen van ~n *neither of them knows;* geen van ~ kandidaten *neither candidate.*

beiden (schr.) (→sprw. 40)

I (onov.ww.) **0.1** [wachten] *tarry* ⇒*linger;*
II (ov.ww.) **0.1** [afwachten] *bide* **0.2** [te wachten staan] *wait for, await* ◆ **1.1** zijn tijd ~ *bide one's time.*

beiderhande, beiderlei (bn.) **0.1** *both* ⇒*either* ◆ **1.1** van ~ kunne *of b. sexes*/*either sex.*

beidjes (telw.) ◆ **6.¶** wij met ons ~ *just the two of us.*

beieren (onov.ww.) **0.1** [luiden] *chime* ⇒*ring, peel, sound* **0.2** [klokkenspel bespelen] *ring (the) bells* ⇒*play a*/*the carillon* **0.3** [schommelen] *dangle* ⇒*sway (to and fro), swing* ◆ **7.1** onder het ~ v.d. alarmklok *while*/*as the alarm bell was*/*is ringing*/*sounding.*

Beieren (het) **0.1** *Bavaria.*

Beiers (bn.) **0.1** *Bavarian.*

beige[1] (het) **0.1** *beige.*

beige[2] (bn.) **0.1** *beige.*

beignet (de) **0.1** *fritter.*

beijveren (wk.ww.;zich ~) **0.1** *apply o.s. (to)* ⇒*devote o.s. (to),* (sterker) *exert o.s. (to), do one's best*/*utmost (to), try one's hardest (to).*

beijzeld ⟨bn.⟩ **0.1** *ice-covered* ◆ **1.1** ~e wegen *icy roads*.

beïnkten ⟨ov.ww.⟩ **0.1** *ink*.

beïnvloedbaar ⟨bn.⟩ **0.1** *impressionable, suggestible, (com)pliant*.

beïnvloeden ⟨ov.ww.⟩ **0.1** *influence* ⇒*affect* ◆ **1.1** ⟨sport⟩ de scheidsrechter proberen te ~ *try to i. the referee;* ⟨sport⟩ dat beïnvloedt zijn spel *that has an effect on/affects his game* **3.1** zich niet (gemakkelijk) laten ~ *not let o.s. be (easily) influenced;* zich door iets laten ~ *be influenced/swayed by sth.* **5.1** gemakkelijk te ~ *impressionable, easily influenced/swayed;* de verkoop gunstig/nadelig ~ *have a positive/ negative effect on (the) sales.*

beïnvloeding ⟨de (v.)⟩ ◆ **6.¶** ~ van de jury *manipulation of/swaying/ influencing the jury.*

Beiroet ⟨het⟩ **0.1** *Beirut, Beyrouth.*

beitel ⟨de (m.)⟩ ⟨→sprw. 358⟩ **0.1** *chisel* ◆ **2.1** een getande ~ *a gradin(e);* een holle ~ *a gouge;* een schuine ~ *a skew c..*

beitelen
I ⟨onov.ww.⟩ **0.1** [met de beitel werken] *chisel;*
II ⟨ov.ww.⟩ **0.1** [met een beitel uithakken] *chisel* ⇒*chip* **0.2** [houwen uit] *carve* ⇒*chisel* ◆ **6.2** een beeld ~ uit marmer *carve a statue/sculpture out of marble.*

beits ⟨het, de (m.)⟩ **0.1** [kleurstof] *stain* **0.2** [fixeermiddel] *mordant* ◆ **2.1** dekkende ~ *opaque/non-transparent s.;* transparante ~ *transparent s..*

beitsen ⟨ov.ww.⟩ **0.1** *stain.*

bejaagd ⟨bn.⟩ **0.1** ≠*blooded, ≠experienced.*

bejaard ⟨bn.⟩ **0.1** *elderly* ⇒*aged, old* ◆ **1.1** een ~ echtpaar *an e. couple.*

bejaarde ⟨de (m.)⟩ **0.1** *old/elderly/man/woman* ⇒⟨vnl. AE⟩ *senior (citizen),* (gepensioneerde) *old-age pensioner* ◆ **¶.1** de ~n *the old/ aged/elderly;* ~n *old/elderly people, senior citizens.*

bejaardenaftrek ⟨de (m.)⟩ **0.1** *tax-free foot for old age pensioners/retired people* ⇒⟨GB⟩ *old age relief.*

bejaardenboerderij ⟨de (v.)⟩ **0.1** *retirement farm.*

bejaardenflat ⟨de (m.)⟩ **0.1** *old people's flat.*

bejaardenhelper ⟨de (m.)⟩, -ster ⟨de (v.)⟩ **0.1** *geriatric helper/assistant* ⇒⟨thuis; BE⟩ *home help.*

bejaardenhuisvesting ⟨de (v.)⟩ **0.1** *sheltered accommodation.*

bejaardenhulp ⟨de⟩ →**bejaardenhelper.**

bejaardenoord ⟨het⟩ →**bejaarden(te)huis.**

bejaardenpaspoort ⟨het⟩ **0.1** *over sixties/60's plus pass* ⇒[B]*senior citizen's pass,* [B]*Golden Age Pass.*

bejaardensociëteit ⟨de (v.)⟩ **0.1** *over-sixties club, Senior citizens' club* ⇒⟨BE ook⟩ *Darby and Joan club.*

bejaarden(te)huis ⟨het⟩ **0.1** *old people's/*[A]*folks' home* ⇒*home for the elderly.*

bejaardenverzekering ⟨de (v.)⟩ **0.1** *senior citizen's insurance.*

bejaardenverzorger ⟨de (m.)⟩, -ster ⟨de (v.)⟩ **0.1** *geriatric helper≠attendant.*

bejaardenvraagstuk ⟨het⟩ **0.1** ≠*the ag(e)ing question;* ⟨duidelijker⟩ *the issue/problem of ag(e)ing of the population.*

bejaardenwerk ⟨het⟩ **0.1** *care of/work involving/with the elderly/the old/ old people* ⇒*geriatric care/work* ◆ **6.1** hij zit in het ~ *he looks after/ works with the elderly/the old/old people.*

bejaardenwoning ⟨de (v.)⟩ **0.1** *old people's flat.*

bejaardenzorg ⟨de⟩ **0.1** *care of the elderly/the old/of old people.*

bejag ⟨het⟩ **0.1** *pursuit (of).*

bejegenen ⟨ov.ww.⟩ **0.1** *treat* ⇒⟨vero.⟩ *use* ◆ **5.1** iem. koeltjes/hartelijk ~ ⟨bij aankomst⟩ *receive s.o. coolly/warmly;* iem. onheus ~ *snub/rebuff s.o.;* iem. onvriendelijk ~ *rebuff s.o.;* iem. welwillend ~ *treat s.o. kindly, use s.o. well* **6.1** met smaad bejegend worden *suffer indignity.*

bejegening ⟨de (v.)⟩ **0.1** *treatment* ⇒⟨vero.⟩ *use* ◆ **2.1** hen allen viel dezelfde onheuse/onvriendelijke ~ ten deel *they all met with the same rebuff;* een smadelijke ~ *indignity* **3.1** een onaangename ~ ondergaan *suffer unpleasant treatment;* ⟨bij aankomst⟩ *receive an unfriendly welcome.*

bejubelen ⟨ov.ww.⟩ **0.1** *cheer* ⇒*applaud.*

bek ⟨de (m.)⟩ ⟨→sprw. 491⟩ **0.1** [snavel] ⟨kort en stevig⟩ *beak;* ⟨anders, en ook van duiven⟩ *bill* **0.2** [muil] *snout, muzzle* ⇒⟨wolf, haai, enz. ook⟩ *jaws* **0.3** [mond] [↑]*mouth* ↓ *trap, gob* **0.4** [gezicht] *mug* ⇒ *chops,* [↑]*face* **0.5** [zaak] ⟨bankschroef, nijptang⟩ *jaws;* ⟨kan, goot⟩ *spout;* ⟨brand/tuinslang, blaasbalg⟩ *nozzle;* ⟨pen⟩ *nib* ◆ **1.5** de ~ v.e. schaaf *the mouth of a plane* **2.3** een brutale ~ hebben *have a rough tongue;* een grote ~ hebben *have a big/loud m., be big/ loud-mouthed, be a big/loudmouth* **3.3** ⟨inf.⟩ breek me de ~ niet open *don't let me get started on that!, you're telling me!;* hij deed geen ~ open *he never (so much as) said a word/opened his mouth;* ze doen gewoon hun ~ niet open *they just keep their mouths shut;* ⟨inf.⟩ hou je grote ~ *shut up!, put a sock in it!, stuff it!, button your lip!, shut your trap/gob/face!* **3.4** ⟨gekke⟩ ~ken trekken *make (silly) faces* **6.3** uit de ~ hangen ⟨van tong⟩ *loll out* **6.4** iem. op ~ geven *wallop/belt/hit s.o. in the m. / chops/face;* op zijn ~ gaan *come a cropper, take a nose-dive;* goed op ~ zijn ~ vallen ⟨ook fig.⟩ *come a real cropper, take a real nose-dive.*

bekaaid ⟨bn.⟩ ◆ **3.¶** er ~ afkomen *come off badly/worst, get/have the worst of it, get/have a raw/rough deal, come away with one's tail between one's legs/with a flea in one's ear, get the rough/thick end of the stick.*

bekabelen ⟨ov.ww.⟩ **0.1** *lay a/*⟨t.v./radio⟩ *the cable in* ◆ **3.1** de hele stad is bekabeld *the whole town has cable television.*

bekaf ⟨bn.⟩ ⟨inf.⟩ **0.1** *done/all in* ⇒*dead tired, dead-beat, dead on one's feet,* ⟨BE ook⟩ ↓*knackered, shattered.*

bekakken ⟨ov.ww.⟩ **0.1** [door kakken bevuilen] *shit on/(all) over* **0.2** [bedriegen] *screw* ⇒⟨AE ook⟩ *shaft.*

bekakt ⟨bn., bw.⟩ **0.1** *stuck-up* ⇒*toffee-nosed, posh,* ⟨AE ook⟩ *fancy,* ⟨BE ook⟩ *la(h)-di-da(h)* ◆ **1.1** een ~ accent *a s.-u. / posh/fancy/ la(h)-di-da(h) accent;* een ~ ventje zijn *be s.-u. / toffee-nosed/ la(h)-di-da(h), think o.s. (awfully) posh;* ⟨BE ook⟩ *be a s.-u. / toffee-nosed/la(h)-di-da(h) twit* **3.1** ~ praten *talk posh/fancy/ la(h)-di-da(h).*

bekappen ⟨ov.ww.⟩ **0.1** [een kap maken op] *roof (in/over)* ⟨huis⟩;*cope* ⟨muur⟩ **0.2** [door kappen bewerken] *lop;hew* ⟨balk⟩ **0.3** [hoeven besnijden van] *trim* ⇒*pare* ◆ **1.2** bomen ~ *l. trees, l. the branches off.*

bekapping ⟨de (v.)⟩ **0.1** [overkapping] ⟨huis⟩ *roof(ing);* ⟨muur⟩ *coping* **0.2** [het maken van een overkapping] ⟨huis⟩ *roofing(-in/over);* ⟨muur⟩ *coping* **0.3** [het door kappen bewerken] *lopping.*

bekeerd ⟨bn.⟩ **0.1** [tot het christendom overgegaan] *converted* **0.2** [tot een overtuiging overgegaan] *converted* **0.3** [tot inkeer gekomen] ⟨zie 1.3,3,3⟩ ◆ **1.3** ~e prostituée ⟨schr.⟩ *magdalene;* ~e vrijgezel ⟨schr.⟩ *benedick, benedict* **3.3** hij is ~ *he has repented/* ⟨inf.⟩ *has seen the light /has mended his ways/has seen the error of his ways* **7.1** een ~e *a convert, proselyte;* ⟨tot vorig geloof⟩ *a revert.*

bekeerling ⟨de (m.)⟩ **0.1** *convert* ⇒*proselyte* ◆ **3.1** ~en maken ⟨ook fig.⟩ *make converts.*

bekeken
I ⟨bn.⟩ **0.1** [uitgemaakt] *settled* **0.2** [uitgekauwd] *thrashed out* **0.3** [uitgekiend] *well-judged* ◆ **1.1** dat is een ~ zaak *that matter has been settled* **1.3** een ~ pass *a w.-j. pass;*
II ⟨bw.⟩ **0.1** [uitgekiend, handig] *deliberately* ⇒*deftly.*

bekend ⟨bn.⟩ **0.1** [ter kennis gekomen] *known* **0.2** [kennis hebbende van] *familiar (with)* ⇒*acquainted/* ⟨schr.⟩ *conversant (with)* **0.3** [door velen gekend] *well-known* ⇒*noted/known (for),* ⟨pej.⟩ *notorious (for)* **0.4** [niet vreemd] *familiar* ◆ **1.1** dit feit was mij ~ *I knew (of) this, I was acquainted with this;* er zijn twee gevallen van hondsdolheid ~ *two cases of rabies have been recorded/are known to exist;* er zijn mij gevallen ~ waarin ... *I know of cases where ...;* ⟨fig.⟩ vragen naar de ~e weg *ask a question one (already) knows the answer to;* het grootste tot dusver ~e zonnestelsel *the largest solar system k. / discovered so far* **1.3** de feiten zijn ~ *the facts are w.-k. / are common knowledge;* Italië speelt in de ~e kleuren *Italy is playing in its usual colours;* een film met ~e namen *a film with a star-studded cast;* ~e Nederlanders *Dutch celebrities;* ~e personen *celebrities;* de bekendste schrijvers *the best-known authors* **1.4** het bier in de ~e beugelfles *the beer in the f. wire-stoppered bottle;* een ~(e) gezicht/stem *a f. face/ voice;* een ~e stem horen *hear a f. voice;* ⟨fig.⟩ het is weer het ~e verhaal *it's the same old story, it's the same old song and dance (all over again)* **3.1** het is algemeen ~ *it's common knowledge;* iets (als) ~ veronderstellen *take sth. for granted, take sth. to be common knowledge;* als dit bij de directie ~ wordt *if this comes to the notice/knowledge of the management, if the management hears/gets to hear/learns of this;* zodra het nieuws ~ wordt *as soon as the news gets out* **3.2** ~ zijn met een taal *be f. with a language* **3.3** zij werd ~ door haar kinderboeken *she became (w.-)k. for/acquired a reputation through her books for children;* ~ zijn in Londen/in de stad *be w.-k. in London/around/ about the town;* te goeder naam en faam ~ zijn *have a good name/ reputation* **3.4** bent u hier ~? *do you know your way (a)round here?;* u komt me ~ voor *haven't we met (somewhere) (before)?, don't I know you (from somewhere)?, you look/your face looks familiar;* dat komt me ~ voor *that looks/sounds/seems f.;* ⟨inf.⟩ *that rings a bell* **4.1** is het u ~ dat ... *are you aware/do you know that ...;* voor zover mij ~ *as far as I know/am aware, to the best of my knowledge;* voor zover mij niet ~ *not to my knowledge, not as far as I know* **5.1** zodra dat algemeen ~ wordt *as soon as this gets out/around/* ⟨vero. of scherts.⟩ *abroad;* hij zei dat hem dat niet ~ was *he said he did not know about this;* ⟨jur.⟩ *he pleaded ignorance;* de plannen waren hem volledig ~ *he was fully aware of the plans* **5.2** enigszins/oppervlakkig ~ zijn met de materie/iem. *have a nodding acquaintance with the subject/s.o.* **5.3** Einsteins naam is algemeen ~ *Einstein's name is a household word;* beter ~ als *better known as;* dat zal gauw genoeg ~ zijn *the knowledge will spread soon enough;* weinig ~e schrijvers *little-known /obscure authors;* wijd en zijd ~ zijn *be widely known, be known far and wide* **5.4** ik ben hier (ook) niet ~ *I'm a stranger here (myself);* hij is hier niet ~ *he's a stranger here/to the town/to the area* **6.1** gevraagd programmeur, ~ met PASCAL *wanted: programmer with knowledge /experience of PASCAL;* Venetië is ~ om haar schoonheid *Venice is k. / noted for its beauty;* er zijn voorbeelden ~ uit de geschiedenis *there are instances on record;* ambtenaren van wie algemeen ~ is dat ze corrupt zijn *civil servants (that are) generally k. to be corrupt* **6.2** hij

is ~ **met** de procedure *he's f. / acquainted with the procedure;* ~ worden **met** iets *become/get acquainted with sth., get to know sth.* **6.3** ~ zijn **onder** de naam van *be known as/by the name of, go by/under the name of;* een merk dat ~ is **over** de hele wereld *a brand with a world-wide reputation;* ~ **van** radio en t.v. *fame* **6.4** ~ zijn **in** Londen *know (one's way round) London;* goed ~ zijn **in** de streek *know the area well* **8.1** zoals ~ *as is well-known, as already k.* **8.3** (fig.) als de bonte hond ~ zijn *have a bad reputation, be notorious;* het is ~ dat *…it's (a) w.-k. (fact) that …, it's common knowledge that …* ¶.1 voor zover ~ *so/as far as is k..*
bekende ⟨de (m.)⟩ **0.1** *acquaintance* ⇒*friend* ◆ **1.1** hartelijke groeten aan alle vrienden en ~n *regards to all friends and acquaintances* **2.1** ⟨scherts.⟩ een oude ~ v.d. politie *an old friend of the police* **3.1** waren er nog ~n? *was anyone else you knew there?.*
bekendheid ⟨de⟩ **0.1** [het bekend zijn met] *familiarity (with)* ⇒*acquaintance (with), experience (of)* **0.2** [het gekend worden] *name* ⇒*being (well-)known, fame* ◆ **3.2** ~ geven aan iets *make sth. public, reveal/disclose/divulge sth.;* grote ~ aan iets geven *make sth. widely known, publicize sth.;* meer ~ aan iets geven *give greater publicity to sth., make sth. more public/better-known/more widely known;* plotseling ~ krijgen *burst upon the public, come into/enter the public eye;* ⟨inf.⟩ *make a splash* **3.3** grote ~ genieten *be widely known;* ~ krijgen *become (well-)known* **6.1** ~ **met** …strekt tot aanbeveling *experience of/f. with … will be an asset.*
bekendmaken ⟨ov.ww.⟩ **0.1** [aankondigen] *announce* ⇒⟨schr.⟩ *give notice of,* ⟨officieel ook⟩ *proclaim* **0.2** [publiek maken] *publish* ⇒*make public/known* **0.3** [onthullen] *reveal* ⇒*disclose, divulge* **0.4** [vertrouwd maken] *familiarize* ⇒*acquaint* ◆ **1.2** de verkiezingsuitslag ~ *declare the results of the election* **4.3** zich ~ (aan) *make o.s. known (to).*
bekendmaking ⟨de (v.)⟩ **0.1** [aankondiging] *announcement* ⇒⟨schr.⟩ *notice,* ⟨officieel ook⟩ *proclamation* **0.2** [publicatie] *publication* ⇒⟨in krant, op bord⟩ *notice,* ⟨van verkiezingsuitslag⟩ *declaration, communiqué* **0.3** [onthulling] *revelation* ⇒*disclosure.*
bekendstaan ⟨onov.ww.⟩ **0.1** *be known (as)* ⇒*be known/reputed (to be)* ◆ **5.1** een goed ~de firma *a well-known/reputable firm;* gunstig/slecht ~ *have a good/bad reputation/name, be reputable/disreputable;* ongunstig ~ *have a poor reputation* **6.1** ~ **om** zijn gevoel voor humor *be noted/known for one's sense of humour* **8.1** hij staat bekend als 'de Vos' *he's known as/by the name of 'the Fox', he goes by the name of the Fox'.*
bekennen ⟨→sprw. 534⟩ **0.1** *I* ⟨onov., ov.ww.⟩ **0.1** [(jur.)] *confess* ⇒⟨voor het gerecht⟩ *plead guilty* **0.2** [toegeven] *confess* ⇒*admit, acknowledge, own* (⟨inf.⟩ *up)* ◆ **1.1, 1.2** schuld ~ *c. / admit one's guilt* **1.2** kleur ~ ⟨kaartspel⟩ *follow suit;* ⟨fig.⟩ *have the courage of one's convictions;* zijn ongelijk ~ *admit one is wrong* **3.2** dat wil ik wel ~ *I'll admit that much;* het was erger dan hij wel wilde ~ *it was worse than he would admit* **4.2** naar hij zelf bekent *by/according to his own admission* **5.1** volledig ~ *make a full confession* **5.2** je kunt beter eerlijk ~ *you'd better come clean/make a clean breast of it/own up;* ⟨kaartspel⟩ niet ~ *revoke, refuse;* ⟨AE ook⟩ *reneg(u)e;* openlijk ~ *make a public confession/admission;* ronduit ~ *c. straight out* **8.1** hij bekende dat hij medeplichtig was *he confessed to being involved in the crime* **8.2** ik moet ⟨eerlijk⟩ ~ dat *I must c. (that)* ¶.2 beken nu maar ⟨ook⟩ *be honest (about it);* **II** ⟨ov.ww.⟩ **0.1** [bespeuren] *see* ⇒*detect* **0.2** [(bijb.)] *know* ◆ **1.2** een man/een vrouw ~ *k. a man/woman* **3.1** er is geen mens te ~ *there isn't a (living) soul (to be seen)* **5.1** hij was nergens te ~ *there was no sign/trace of him (anywhere).*
bekentenis ⟨de (v.)⟩ **0.1** [het bekennen] *confession* ⇒*admission, acknowledgement,* ⟨schr.⟩ *avowal* **0.2** [⟨jur.⟩] *confession* ⇒⟨voor het gerecht⟩ *plea of guilty* ◆ **2.1** een pijnlijke ~ *an embarrassing admission* **2.2** een volledige ~ *a full c.* **3.2** een ~ afleggen/intrekken *make/withdraw a c..*
bekentenisli(t)teratuur ⟨de (v.)⟩ **0.1** *confessional literature.*
beker ⟨de (m.)⟩ **0.1** [drinkgerei] *mug* ⇒*cup,* ⟨sierlijk⟩ *goblet* **0.2** [⟨sport⟩] *cup* **0.3** [iets met de vorm v.e. beker] ⟨laboratorium⟩ *beaker;* ⟨dobbelstenen⟩ *dice-box;* ⟨ijs⟩ *tub* **0.4** [⟨als symbool⟩] ⟨ook bij avondmaal⟩ *cup* ⇒⟨schr.⟩ *chalice* ◆ **1.3** de ~ v.e. trompet *the bell of a trumpet* **1.4** de ~ v.h. genot *the cup of pleasure* **2.1** een plastic ~tje *a plastic cup/beaker* **3.2** de ~ winnen *win the c.* **3.4** de ~ drinken *bear one's cross;* laat deze ~ aan mij voorbijgaan *let this cup pass from me.*
be'keren
I ⟨ov.ww.⟩ **0.1** [tot een (andere) godsdienst doen overgaan] *convert* **0.2** [tot andere inzichten brengen] ⟨alg.⟩ *convert* ⇒⟨ten goede⟩ *reform;*
II ⟨wk.ww.; zich ~⟩ **0.1** [tot een (andere) godsdienst overgaan] *be converted* ⇒⟨AE ook⟩ *convert* **0.2** [tot andere inzichten komen] *reform* ⟨misdadiger, enz.⟩ ⇒*repent,* ⟨inf.⟩ *mend one's ways, see the light, turn over a new leaf* ◆ **6.1** hij heeft zich **tot** het katholieke geloof bekeerd *he has been converted to Catholicism.*

'**bekeren** ⟨onov.ww.⟩ ⟨sport⟩ **0.1** *play in a/the cup* ◆ **5.1** Ajax bekert verder/niet verder *Ajax has qualified for the next round/has been knocked out.*
bekerfinale ⟨de⟩ **0.1** *cup final.*
bekerglas ⟨het⟩ **0.1** [drinkglas] *tumbler* **0.2** [⟨laboratorium⟩] *beaker.*
bekering ⟨de (v.)⟩ **0.1** [het (doen) overgaan tot een (andere) godsdienst] *conversion* **0.2** [het tot andere inzichten brengen/komen] ⟨van misdadiger, enz.⟩ *reform.*
beker(korst)mos ⟨het⟩ **0.1** *cup lichen/moss.*
bekerkraakbeentje ⟨het⟩ **0.1** *arytenoid.*
bekerplant ⟨de⟩ **0.1** *pitcher plant.*
bekerwedstrijd ⟨de (m.)⟩ **0.1** *cup tie/match.*
bekeuren ⟨ov.ww.⟩ **0.1** *fine (on the spot)* ◆ **6.1** bekeurd worden **voor** te hard rijden *be fined/get a ticket for speeding.*
bekeuring ⟨de (v.)⟩ **0.1** *(on-the-spot) fine, ticket* ◆ **3.1** iem. een ~ geven *fine s.o. (on the spot), give s.o. a t.;* een ~ krijgen *be fined, get a t.;* er werden tientallen ~en uitgedeeld *several dozen people were fined.*
bekijk ⟨het⟩ ◆ **7.**¶ veel ~s hebben *attract a great deal of/a lot of attention/notice.*
bekijken ⟨ov.ww.⟩ **0.1** [bezichtigen] *look at* ⇒*examine* **0.2** [overwegen] *look at* ⇒*consider* **0.3** [klaarspelen] *(get) do(ne)* ⇒*sort out, fix (up)* **0.4** [opvatten] *see* ⇒*look at, consider, view* ◆ **1.1** een huis ~ *look at/round a house;* de stad ~ *look round the town* **1.2** een zaak van alle kanten ~ *look at sth. from every angle* **4.3** het is zó bekeken *it'll only take a second/minute* **4.**¶ het is bekeken! *that's the end of that, we can forget that;* het is bekeken met hem *he's had it, he's done for, he's finished (with), he can forget it;* je bekijkt het maar! *suit yourself!, be like that!, see if I care!* **5.1** bekijk het eens goed *have/take a good look at it;* iets vluchtig ~ *glance at sth.* **5.2** iedere aanvraag wordt afzonderlijk bekeken *each application will be examined/considered separately;* iets nog eens goed ~ *have another good/hard look at sth., take a closer look at sth.;* de alternatieven nauwkeurig ~ *have/take a close look at the alternatives;* iets opnieuw ~ *take another look at/re-examine sth.;* alles wel bekeken *all things considered* **5.4** hij bekijkt die zaak heel anders *he sees it completely differently, he has a completely different slant (on it);* goed bekeken! ⟨goed gedaan⟩ *well done!;* ⟨slim⟩ *how clever of you!;* hoe je het ook bekijkt *whichever way/however you look at it;* als je het zo bekijkt *if you look at it from that angle* **6.1** iets **van** onder **tot** boven ~ *examine sth. carefully, go over sth. with a fine-tooth comb* **6.2** bekijk het eens **van** mijn kant *put yourself in my place, look at it from my point of view* **6.4** iets van een andere kant ~ *look at sth. from another angle;* je kunt die zaak **van** twee kanten ~ *you can s. / consider/view the matter from (either of) two angles* ¶.1 van dichtbij ~ *have/take a close(r) look at.*
bekijven ⟨ov.ww.⟩ **0.1** *scold* ⇒*upbraid, reprove, chide.*
bekisten ⟨ov.ww.⟩ **0.1** *form.*
bekisting ⟨de (v.)⟩ **0.1** [handeling] *framing* **0.2** [resultaat] *formwork* ⇒ ⟨vnl. BE ook⟩ *shuttering.*
bekje ⟨het⟩ **0.1** [kleine bek] ⟨→**bek 0.1,0.2,0.5**⟩ **0.2** [mond] ↑ *mouth* **0.3** [gezicht] *face* ◆ **2.2** een scherp ~ hebben *he's had it, have a sharp tongue* **2.3** een aardig ~ *a pretty f.* **6.2** ⟨fig.⟩ dat is geen spekje **voor** jouw ~ *hands off!, down, boy!/girl!.*
bekken[1] ⟨het⟩ **0.1** [ondiepe kom] *basin* **0.2** [⟨biol.⟩] *pelvis* **0.3** [⟨muz.⟩] *cymbal* **0.4** [kom, holte] *cavity* ⇒⟨nier⟩ *pelvis* **0.5** [⟨geol.⟩] ⟨ook van rivier⟩ *basin.*
bekken[2] ⟨onov.ww.⟩ **0.1** [met de bek pikken] *peck (at)* **0.2** [snauwen] *snap (at)* **0.3** [⟨scheep.⟩] *gripe* ◆ **1.**¶ ⟨dram.⟩ die tekst bekt niet/goed *that text doesn't read well/reads well.*
bekkeneel ⟨het⟩ ⟨schr.⟩ **0.1** ⟨ongemarkeerd⟩ *skull.*
bekkenholte ⟨de (v.)⟩ **0.1** *pelvic cavity.*
bekkenist ⟨de (m.)⟩ **0.1** *cymbalist.*
bekkentrekken ⟨ww.⟩ **0.1** *making/pulling faces.*
beklaagde ⟨de (m.)⟩ **0.1** *accused* ⇒*defendant,* ⟨gedetineerde ook⟩ *prisoner (at the bar).*
beklaagdenbank ⟨de⟩ **0.1** *dock* ◆ **6.1** in de ~ moeten plaatsnemen ⟨ook fig.⟩ *end up in/land in/find o.s. in the d..*
bekladden ⟨ov.ww.⟩ **0.1** [bevlekken] ⟨met inkt⟩ *blot;* ⟨met verf⟩ *daub; plaster* ⟨muur⟩ **0.2** [belasteren] *blacken* ⇒*sully,* ⟨schr.⟩ *besmirch* ◆ **1.1** een muur met hakenkruisen beklad *a wall plastered with swastikas* **1.2** iemands goede naam ~ *blacken s.o.'s name, drag s.o.'s name through the mud/mire, sully s.o.'s reputation.*
beklag ⟨het⟩ **0.1** [het zich beklagen] *complaint* **0.2** [⟨mil.⟩] *appeal* ◆ **1.2** recht van ~ *right of a. / to appeal* **3.1** zijn ~ doen/indienen (bij) *make a c. (to), lodge a c. (with).*
beklagen
I ⟨ov.ww.⟩ **0.1** [medelijden uiten] *pity* **0.2** [weeklagen over] *lament* ⇒*bemoan* ◆ **1.2** iemands dood ~ *lament s.o.'s death* **3.1** je bent wel te ~ ⟨ook scherts.⟩ *my heart bleeds for you!, you poor thing!* **4.1** ik beklaag je *I p. you;*
II ⟨wk.ww.; zich ~⟩ **0.1** [een klacht indienen] *complain (to)* ⇒*make a complaint (to), lodge a complaint (with)* ◆ **6.1** zich ~ **over** de slechte service *c. / make a complaint about the (poor) service.*
beklagenswaardig ⟨bn.⟩ **0.1** *pitiable* ⇒*lamentable, deplorable, woeful,*

wretched ◆ **1.1** een ~e figuur *a p.* / *lamentable* / *sorry figure* **3.1** hij is ~ *he is (much) to be pitied.*

beklant ⟨bn.⟩ **0.1** *patronized* ◆ **1.1** een goed~e zaak *a well-patronized store.*

bekleden ⟨ov.ww.⟩ **0.1** [bedekken] *cover* ⇒⟨met verf, enz.⟩ *coat,* ⟨binnenkant⟩ *line,* ⟨lambrizeren⟩ *wainscot, panel,* ⟨voorzijde van muur ook⟩ *face,* ⟨meubelen ook⟩ *upholster* **0.2** [uitoefenen, bezetten] *hold* ⇒*occupy* **0.3** [opdragen] *invest* ⇒*vest, entrust* ◆ **1.1** een stoomketel ~ *lag a boiler;* de trap ~ *carpet the stairs;* een wand ~ met jute *cover a wall with jute* **1.2** een leerstoel/professoraat ~ *h. a chair;* een hoge positie ~ *h. a high position;* ⟨ambtenaar⟩ *h. high office;* een ~ *rank* **6.3** iem. **met** een ambt ~ *invest s.o. with an office;* iem. **met** gezag ~ *invest s.o. with authority.*

bekleding ⟨de (v.)⟩ **0.1** [resultaat] *covering* ⇒*coat(ing), lining, wainscot, panelling* ^*eling, facing, upholstery* **0.2** [handeling] *covering* ⇒*coating, lining, panelling, facing, upholstering, upholstery* **0.3** [uitoefening] *tenure, holding* ◆ **2.1** fluwelen ~ ⟨voering⟩ *velvet lining;* een auto met leren ~ *a leather-upholstered car;* metalen ~ *metal sheeting* / ⟨omhulsel⟩ *sheathing.*

bekleed ⟨bn.⟩ **0.1** [met kleding(stuk)] *dressed* ⇒⟨schr.; fig.⟩ *clad* **0.2** [⟨herald.⟩] *lozengy* ◆ **1.¶** ~ metaal *clad metal;* met nikkel ~ staal *nickel-clad steel* **6.1** met een toga ~ *wearing / dressed in / clad in a toga, togaed.*

beklemd ⟨bn.⟩ **0.1** [vast] *jammed, wedged* ⇒*stuck, pinned, locked, trapped* **0.2** [benauwd, beangst] *heavy* ⇒*oppressed* ◆ **1.1** een ~e breuk *a strangulated hernia* **1.2** met een ~ gemoed *with a h. heart* / *a heart of lead, heavy-hearted(ly)* **3.1** ~ raken tussen *get j.* / *w.* / *stuck in between* **6.2** ~ **op** de borst *oppressed in the chest.*

beklemmen ⟨ov.ww.⟩ **0.1** [vastklemmen] *jam* ⇒*wedge, stick* **0.2** [benauwen] *oppress* ⇒*weigh (down) on.*

beklemmend ⟨bn.⟩ **0.1** *oppressive* ⇒*heavy, sinking, depressing* ◆ **1.1** een ~e gedachte *a depressing thought;* een ~ gevoel *a sinking* / *an o. feeling.*

beklemming ⟨de (v.)⟩ **0.1** [⟨med.⟩] *constriction* ⇒*tightness* **0.2** [mbt. gemoed] *oppression* ⇒*sinking* / *oppressive feeling, heaviness (of heart), heavy-heartedness, tightening* ◆ **6.1** last hebben van ~ **op** de borst *suffer from c.* / *tightness in* / *of the chest.*

beklemtonen ⟨ov.ww.⟩ **0.1** [klemtoon leggen op] *stress* ⇒*accent(uate), emphasize* **0.2** [⟨fig.⟩] *stress* ⇒*emphasize, underline* ◆ **1.1** (on)beklemtoonde lettergrepen *(un)stressed syllables.*

beklijven ⟨onov.ww.⟩ **0.1** *sink in* ⇒*take root, leave* / *make an* / *a lasting impression* ◆ **5.1** dan beklijft het veel beter *then it will sink in properly.*

beklimmen ⟨ov.ww.⟩ **0.1** *climb* ⇒ ↑*mount, ascend, scale,* ⟨mil.⟩ *scale, escalade* ◆ **1.1** een heuvel ~ *c.* / *scale* / *mount a hill;* de kansel ~ *ascend* / *mount the pulpit;* de ladder/trap ~ *mount the ladder* / *stairs;* een muur ~ *c.* / *scale a wall;* ⟨fig.⟩ de troon ~ *ascend* / *mount the throne.*

beklinken
I ⟨ov.ww.⟩ **0.1** [vast afspreken] *settle* ⇒*clinch* **0.2** [met het glas klinken] *drink to* ◆ **3.1** de zaak is beklonken *the matter's settled;* ⟨inf.; hand.⟩ *the deal's sewn up* **3.2** de vrede ~ *drink to peace, raise one's glass to peace* **6.2** de koop **met** een drankje ~ ⟨inf.⟩ *wet a bargain;* een koop die **met** een drankje (begeleid) beklonken wordt *a wet* / *Dutch bargain;*
II ⟨onov.ww.⟩ **0.1** [inzakken] *settle* ◆ **1.1** ingedijkte gronden ~ *diked(-in) land settles.*

bekloppen ⟨ov.ww.⟩ **0.1** [kloppen op] *tap* / *knock on* **0.2** [door kloppen onderzoeken/peilen] *sound* ⇒⟨med. vnl.⟩ *percuss.*

beknibbelen
I ⟨onov.ww.⟩ **0.1** [geld inhouden, uitsparen] *cut back (on)* ⇒*skimp (on), stint (on)* ◆ **6.1** op deze post moeten we niet ~ *we mustn't skimp on this post;* **op** de lonen ~ *cut back on wages, pare* / *whittle down wages;* **op** het eten ~ *skimp* / *stint on food;* er wordt nu ook **op** defensie beknibbeld *cutbacks are now being made in defence too;*
II ⟨ov.ww.⟩ **0.1** [afdingen op] *beat down* **0.2** [inhouden van] *cut back* ◆ **1.1** iemands lof ~ *detract from s.o.'s fame.*

beknopt
I ⟨bn.⟩ **0.1** [kort, bondig] *brief(ly-worded)* ⇒*concise, succinct, terse* **0.2** [samengevat] *summarized* ⇒*abridged* ⟨boek⟩ ◆ **1.1** ⟨taal.⟩ een ~e bijzin *free adjunct;* een ~e handleiding *a concise handbook;* een ~ overzicht *a brief outline,* ↑*a compendious survey;* in ~e vorm *in brief, briefly;* ⟨samengevat⟩ *in summary form* **1.2** een ~e uitgave *an abridged edition;* ~ verslag *summary report;* ⟨als titel boven nieuwsmededelingen⟩ *in brief;*
II ⟨bn., bw.; -ly⟩ **0.1** [in/met weinig woorden] *brief* ⇒*succinct,* ⟨pej.⟩ *short, curt, terse* ◆ **3.1** iets ~ uitdrukken/weergeven *express* / *reproduce sth. in brief.*

beknotten ⟨ov.ww.⟩ **0.1** *curtail* ⇒*cut short, restrict, reduce* ◆ **1.1** de spreektijd ~ *cut short* / *curtail the time allotted for speeches;* iemands vrijheid ~ *curtail* / *restrict s.o.'s freedom.*

bekocht ⟨bn.⟩ **0.1** *cheated* ⇒⟨inf.⟩ *taken in, taken for a ride,* ⟨BE ook⟩ *done* ◆ **3.1** zich ~ voelen ⟨ook fig.⟩ *feel c.* / *taken in;* ~ zijn *have been c.* / *taken in* / *taken for a ride* / *done* **6.1** daar ben je niet **aan** ~ *you've*

got a good bargain there, that was value for money, that was a good buy.

bekoelen
I ⟨onov.ww.⟩ **0.1** [koel(er) worden] *cool (off* / *down)* **0.2** [⟨fig.⟩] *cool (off)* ⇒*flag* ◆ **1.2** de vriendschap/haar enthousiasme is bekoeld *their friendship* / *her enthusiasm has cooled (off)* / *flagged* **3.2** dat heeft hun enthousiasme doen ~ *that's dampened, that has dampened their enthusiasm;*
II ⟨ov.ww.⟩ **0.1** [koel(er) maken] *cool (off* / *down)* ⇒*damp (down), dampen.*

bekogelen ⟨ov.ww.⟩ **0.1** *pelt* ⇒*bombard, pepper* ◆ **6.1** de voetballers werden **met** bierblikjes bekogeld *the footballers were pelted with beer-cans.*

bekokstoven ⟨ov.ww.⟩ **0.1** *cook up* ⇒*scheme,* ↑*concoct, engineer* ◆ **1.1** plannen ~ *cook up plans* **6.1** wat ben je nu weer **aan** 't ~? *what are you cooking up now?.*

bekomen
I ⟨onov.ww.⟩ **0.1** [gevolgen hebben voor]⟨goed⟩ *agree with, suit;* ⟨slecht⟩ *disagree with* **0.2** [bijkomen] *recover, revive, get over;* ⟨inf.; na flauwvallen⟩ *come round* / *to* ◆ **5.1** die wijn is mij niet goed ~ *that wine disagreed with me;* wel bekome het u! ≠*I hope you have enjoyed your meal* (enz.); ⟨iron.⟩ *good luck to you* / *him* / *her* (enz.) **6.2 van** de (eerste) schrik ~ *recover from* / ⟨inf.⟩ *get over the (initial) shock;*
II ⟨ov.ww.⟩ ⟨schr.⟩ **0.1** [krijgen] *receive* ⇒⟨verwerven⟩ *obtain,* ⟨letsel ook⟩ *sustain,* ⟨inf.⟩ *get* ◆ **5.1** dat zal je slecht ~ *you'll be the worse for that, that will not do you any good, you'll be sorry (for that).*

bekommerd ⟨bn.⟩ **0.1** *concerned (about)* ⇒*troubled* / *anxious (about),* ⟨inf.⟩ *worried (about).*

bekommeren
I ⟨wk.ww.; zich~⟩ **0.1** [zich zorgen maken] *worry* / *bother (about)* ⇒*concern* / *trouble o.s. (with), trouble o.s. (about)* ◆ **5.1** daar heb ik me niet verder om bekommerd *I gave no further thought to it, I didn't worry about it anymore* **6.1** zonder zich **om** haar te ~ *without concerning himself about her;* zonder zich **om** de kosten te ~ *without worrying about the costs, heedless of the costs;*
II ⟨ov.ww.⟩ ⟨schr.⟩ **0.1** [met zorg vervullen] *trouble* ⇒*weigh on one's mind.*

bekommernis ⟨de (v.)⟩ ⟨schr.⟩ **0.1** *solicitude* ⇒*concern, trouble,* ⟨angst⟩ *distress.*

bekomst ⟨de (v.)⟩ **0.1** *(one's) fill* ◆ **3.¶** zijn ~ van iets hebben *have had one's fill of sth.;* ⟨inf.⟩ *be fed up with* / *sick (and tired) of sth., have had one's bellyful of sth..*

bekonkelen ⟨ov.ww.⟩ **0.1** *cook up* ⇒*plot, hatch* ⟨plan⟩, ⟨inf.⟩ *wangle, wheel and deal* ⟨zaken ten eigen voordele⟩.

bekoorlijk ⟨bn., bw.; -ly⟩ **0.1** *charming* ⇒*lovely, attractive, appealing,* ⟨verleidelijk⟩ *beguiling* ◆ **1.1** een ~ landschap *a c. landscape;* een ~e oogopslag *a c. / beguiling glance.*

bekoorlijkheid ⟨de (v.)⟩ **0.1** *charm* ⇒*loveliness, appeal.*

bekopen
I ⟨ov.ww.⟩ **0.1** [boeten] *pay for* ◆ **5.1** hij heeft zijn misstap zwaar moeten ~ *he had to pay dearly for his error* **6.1** iets **met** de dood ~ *pay for sth. with one's life;*
II ⟨wk.ww.; zich~⟩ **0.1** [te veel betalen voor] *make a bad buy* ⇒*get* / *be cheated,* ⟨inf.⟩ *get* / *be taken in* / *taken for a ride* / ⟨BE ook⟩ *done* ◆ **6.1 aan** die auto heb je je mooi bekocht *that car was a really bad bargain* / *buy, you really got cheated* / *done over that car.*

bekoren ⟨ov.ww.⟩ **0.1** [aantrekken] *charm* ⇒*seduce, beguile, appeal to, attract* **0.2** [verleiden tot zonde] *tempt* ⇒*seduce* ◆ **3.1** zijn spel kan mij niet ~ *I'm not taken with his performance;* ⟨inf.⟩ *I don't think much of his acting;* zijn nieuwe boek kon mij niet ~ *his new book did not appeal to me;* ⟨inf.⟩ *I didn't go much on his new book.*

bekoring ⟨de (v.)⟩ **0.1** [aantrekking] *charm* ⇒*appeal, attractiveness,* ⟨verleidelijkheid⟩ *allure* **0.2** [verleiding tot het kwaad] *temptation* ◆ **1.1** de ~ v.h. buitenleven *the c.* / *appeal of life in the country* **3.1** zijn ~ verliezen *lose one's c.* **6.1 onder** iemands ~ komen *come under s.o.'s spell* **6.2** leid ons niet in ~ *lead us not into t..*

bekorten ⟨ov.ww.⟩ **0.1** *shorten* ⇒*shorten, curtail, cut down,* ⟨boek ook⟩ *abridge* ◆ **1.1** een brief ~ *cut a letter short* **6.1** zijn reis **met** een week ~ *cut one's journey short by a week, cut a week off one's journey;* een hoofdstuk **tot** de helft ~ *cut a chapter down to half, reduce a chapter to* / *by half.*

bekostigen ⟨ov.ww.⟩ **0.1** *bear* / *defray the cost of* ⇒*pay for* ◆ **3.1** ik kan dat niet ~ *I can't afford that.*

bekrachtigen ⟨ov.ww.⟩ **0.1** [officieel erkennen] *ratify* ⇒*confirm, pass* ⟨wet⟩, ⟨koninklijk⟩ *assent to* **0.2** [bevestigen] *confirm;* ⟨vonnis ook⟩ *uphold* ◆ **1.1** een benoeming door een handtekening ~ *confirm an appointment with a signature;* een overeenkomst ~ *r.* / *confirm an agreement;* een testament ~ *authenticate a will* **3.1** ⟨mbt. wet⟩ bekrachtigd worden *be passed* ⟨door senaat enz.⟩; *receive (the royal) assent* ⟨door koning(in)⟩ **6.2** een verklaring **met** een eed ~ *confirm a statement on oath.*

bekrachtiging ⟨de (v.)⟩ **0.1** [wettiging] *ratification* ⇒*confirmation, authentication* ⟨testament⟩, *passing* ⟨wet⟩, ⟨koninklijk⟩ *assent* **0.2** [bevestiging] *confirmation;* ⟨vonnis⟩ *upholding* 0.3 [⟨vnl. in samenst.⟩ versterking v.e. uitgeoefende kracht] *servo-mechanism* ◆ 1.3 rembekrachtiging *servo-assisted brakes* 2.1 de koninklijke∼ v.e. wet *royal assent to a law.*

bekrassen ⟨ov.ww.⟩ **0.1** *scratch* ⇒⟨krabbelen op⟩ *scrawl on, scrape away at* ⟨viool, enz.⟩.

bekreunen ⟨wk.ww.; zich∼⟩ **0.1** *bother o.s. with/about* ◆ **6.1** zich niet **om** iets∼ *not bother/be bothered about sth.;* hij bekreunt zich niet **om** zijn werk *he can't be bothered about his work,* ⤸*he doesn't care a damn about his work.*

bekrimpen ⟨wk.ww.; zich∼⟩ **0.1** *cut down on expenses* ⇒*cut back (on expenses), go short, stint o.s..*

bekritiseren ⟨ov.ww.⟩ **0.1** *criticise* ⇒*find fault with, carp on* ⟨persoon⟩, ⟨inf.⟩ *blast, slam, pan* ◆ **5.1** de oppositie heeft de regeringsbeslissingen scherp bekritiseerd *the government's decisions have come under heavy criticism from the opposition;* iem./ iets scherp/ fel∼ *scarify/attack s.o./ sth., criticise s.o./ sth. sharply.*

bekrompen ⟨bn., bw.; -ly⟩ **0.1** [kleingeestig] *narrow(-minded)* ⇒*petty, blinkered,* ⟨sterker⟩ *bigoted,* ⟨ouderwets⟩ *hidebound* **0.2** [niet ruim] *cramped* ⇒*confined,* ⟨inf.⟩ *poky* **0.3** [armoedig] *straitened* ⇒*reduced* ◆ **1.1** een∼ figuur *a n.-m. character;* ⟨BE ook⟩ *a Mrs. Grundy;* wat een∼ gedoe! *how n.-m./ petty can you get!;* een∼ geest *a narrow/ petty/ blinkered mind;* ∼ opvattingen *narrow/ hidebound/ bigoted views;* zijn ouders zijn vreselijk∼ *his parents are awfully n.-m.* **3.2** ∼ wonen *live in cramped conditions* **3.3** ∼ leven *live in s. circumstances.*

bekronen ⟨ov.ww.⟩ **0.1** [toekenning van een prijs] *award a prize to* **0.2** [een goed einde geven aan] *crown* ⇒*be the pinnacle of,* ⤸*top/ round off* **0.3** [van boven bedekken] *crown* ◆ **1.1** een inzending∼ *award a prize to a contribution;* een bekroond ontwerp *a (prize-)winning design* **1.3** een kasteel bekroonde de heuvel *a castle crowned the hill* **5.1** de meest bekroonde t.v.-serie *the most prize-winning TV series* **6.1** **met** goud bekroond *awarded a gold medal; gold-winning* ⟨alleen attr.⟩ **6.2** zijn pogingen werden **met** succes bekroond *his efforts were successful/ succeeded/ met with success.*

bekroning ⟨de (v.)⟩ **0.1** [een prijs toekennen] *award* **0.2** [toegekende de prijs] *award* **0.3** [gelukkige voltooiing] *pinnacle* ⇒*acme* **0.4** [versierende top] *crown(ing)* ◆ **1.3** het eredoctoraat betekent de∼ van zijn levenswerk *this honorary degree is the p./ acme of his life's work, his life's work has been crowned by this honorary degree.*

bekruipen ⟨ov.ww.⟩ **0.1** [mbt. gevoelens] *come over* ⇒*steal/ creep up on/ over* **0.2** [heimelijk naderen] *steal/ creep up on* ◆ **1.1** het spijt me, maar nu bekruipt me toch het gevoel dat ... *I'm sorry, but I can't help feeling that ... / I've got a sneaking feeling that ...;* als ik zoiets hoor bekruipt me de lust om ... *when I hear sth. like that I feel like ...-ing* **1.2** de vijand∼ *steal/ creep up on the enemy.*

bekruisen ⟨wk.ww.; zich∼⟩ **0.1** *cross o.s..*

bekvechten ⟨ww.⟩ **0.1** *argue, squabble, spar (with)* ⇒*bicker, quarrel, wrangle.*

bekwaam ⟨bn.⟩ **0.1** [kundig] *competent* ⇒*capable, able, good, efficient* **0.2** [in staat tot] *capable (of)* ⇒*able (to)* **0.3** [doelmatig, gepast] *due, appropriate* **0.4** [⟨jur.⟩ bevoegd] *competent (to)* ⇒*authorized (to)* ◆ **1.1** een bestuurder *a competent/ capable/ an able/ efficient/ skilful manager* **1.3** met bekwame spoed *with all convenient/ practicable/ possible speed;* ⟨jur.⟩ *with (all) due despatch* **5.1** daar is hij zeer∼ in *he's very competent/ skilful/ good at that* **6.1** hij is zeer∼ **in** zijn vak *he is very competent/ skilful in his field.*

bekwaamheid ⟨de (v.)⟩ **0.1** [eigenschap] *competence* ⇒*(cap)ability, capacity, efficiency, skill* **0.2** [opzicht] *(cap)ability* ⇒*capacity, gift, skill* **0.3** [⟨jur.⟩ bevoegdheid] *competence* ⇒*authority* ◆ **6.1** een vrouw **met** grote bekwaamheden *a highly competent/ capable/ a very able/ efficient/ gifted/ skilled woman.*

bekwamen ⟨ov., wk.ww.⟩ **0.1** *qualify* ⇒⟨wk.ww. ook⟩ *train (o.s.), study,* ⟨ov.ww. ook⟩ *train, educate, teach* ◆ **5.1** zich verder∼ *undergo further training, do further studies, acquire further qualifications;* ⟨zonder diploma⟩ *skills* **6.1** zich in iets∼ *train (o.s.)/ study for sth., become competent/ proficient/ skilled in/ at sth.* **8.1** zich als kok∼ *train (o.s.) as a cook.*

bekwijlde ⟨de (v.)⟩ **0.1** *width between jaws, size of jaws.*

bel ⟨de⟩ **0.1** [mbt. klank] *bell* ⇒⟨aan deur⟩ *chime, gong (bell),* ⟨inf.⟩ *ding-dong,* ⟨ook∼ belletje⟩ **0.2** [gas-/ luchtbel] *bubble* **0.3** [groot glas] *(brandy) balloon (glass)* ⇒*snifter* **0.4** [oorbel] *eardrop, (drop) earring* ◆ **1.3** een∼ cognac *a large cognac/ brandy, a balloon/ snifter of cognac/ brandy* **2.1** een elektrische∼ *an electric b.* / gong **3.1** de∼ doet het niet *the (door)bell is not working;* de∼ gaat *there's s.o. / a ring at the door, there goes the b.;* ik laat de∼ driemaal overgaan *I'll let it/ the phone ring three times;* de∼ luiden *ring the b.;* de∼ stond niet stil *the doorbell never stopped ringing* **3.2** ∼ len blazen *blow bubbles* **6.1** **aan** de∼ trekken bij iem./ een instantie ⟨fig.⟩ *raise the alarm (over sth.), notify/ alert s.o./ an organisation;* **op** de∼ drukken *push the b.;* de∼ **voor** de laatste ronde *the b. for the final lap* / ⟨boksen⟩ *last round* ¶.1 de∼ van Slochteren *the Slochteren (natural) gas b. / resources;* ⟨fig.⟩ de kat de∼ aanbinden *bell the cat.*

belabberd ⟨bn., bw.⟩ ⟨inf.⟩ **0.1** *rotten* ⇒*lousy, rough* ◆ **1.1** ∼ weer *rotten*

/ *stinking/ lousy weather* **3.1** ik vind het∼ voor je *that's rough/ tough on you/ rotten for you;* ik voel me nogal∼ *I feel pretty rough/ rotten/ lousy/ seedy* / ⟨vnl. mbt. kater⟩ *fragile.*

belachelijk ⟨bn., bw.; -ly⟩ **0.1** *ridiculous* ⇒*absurd, laughable,* ↑*ludicrous* ◆ **1.1** dat∼ e mens van hiernaast *that r. / preposterous woman next door;* weggaan voor een∼ e prijs ⟨lage⟩ *go for a song/ a laughable price;* ∼ e prijzen vragen ⟨hoge⟩ *charge r. / absurd/ ludicrous prices/ the earth* **2.1** op een∼ vroeg uur *at a(n)/ some unearthly/ ungodly/ ridiculously early hour* **3.1** doe niet zo∼ *don't be (so) r., stop making such a fool of yourself;* zich onsterfelijk∼ maken *make a hopeless/ utter fool/ ass of o.s.;* iem. ∼ maken *make a fool of s.o., make s.o. look r.;* zich∼ maken/ aanstellen *make a fool/ an ass of o.s. / an exhibition of o.s., (make o.s.) look r.* **5.1** het is te∼ om over te praten *it's too r. for words.*

beladen ⟨ov.ww.⟩ **0.1** *load* ⟨ook fig.⟩ ⇒*burden* ◆ **5.1** een rijk∼ dis *a richly-laden table;* een te zwaar∼ wagen *an overloaded car;* ⟨fig.⟩ zwaar∼ bomen *heavily-laden trees* **6.1** ∼ **met** schuld *guilt-ridden;* **met** zonde∼ *sin-laden;* **met** pakjes∼ *loaded (up)/ laden with parcels;* ∼ **met** roem *famed, renowned;* ⟨gesch.⟩ *covered with glory.*

belader ⟨de (m.)⟩ **0.1** *loader.*

belagen ⟨ov.ww.⟩ **0.1** [zich verdringen rond] *beset* ⇒⟨sterker⟩ *besiege, beleaguer, waylay, corner, hem in* **0.2** [bedreigen] *menace* ⇒*endanger* ◆ **1.1** de minister werd belaagd door journalisten *the minister was hemmed in/ waylaid/ cornered by the press.*

belager ⟨de (m.)⟩ **0.1** *waylayer* ⇒*attacker, enemy, rival.*

belanden ⟨onov.ww.⟩ **0.1** *land (up)* ⇒*finish/ end up, find o.s.* ◆ **6.1** hij belandt nog eens **in** de gevangenis *he'll land (up)/ finish up/ end up/ find himself in jail (the way he's going);* ⟨toevallig⟩ **in** een café∼ *find o.s. in a pub;* **in** het water∼ *land in the water;* **in** de prullenmand∼ *end up/ land (up)/ finish up in the waste-paper basket;* waardoor hij **in** de gevangenis belandde *which landed him in prison.*

belang ⟨het⟩ **0.1** [iets dat iem. raakt ivm. voordeel/ voorspoed] *interest* ⇒*concern,* ⟨baat⟩ *good* **0.2** [belangstelling] *interest (in)* **0.3** [gewicht, waarde] *importance* ⇒*significance* ◆ **2.1** het algemeen∼ *the common good, the public i., the general good;* iemands/ zijn eigen∼ en behartigen *promote/ look after s.o.'s/ one's own interests;* het is in je eigen∼ *it's in your own i. / to your own advantage/ for your own good;* zijn eigen∼ en voor ogen hebben *put one's own interests first, look to one's own interests;* gevestigde∼ en ⟨ook fig.⟩ *vested interests;* tegengestelde∼ en hebben *have conflicting interests/ a clash of interests* **2.3** ⟨een zaak⟩ v.h. hoogste∼ *(an) all-important (matter), (a matter) of the highest/ utmost/ first i. / of major concern;* dat is van minder∼ *that is a matter of lesser/ secondary/ minor i. / significance/ concern, that is a minor consideration;* een zaak van ondergeschikt∼ *a matter of lesser/ secondary/ minor i. / significance/ concern;* overdreven∼ hechten aan formaliteiten *be a stickler for procedure;* een zaak van weinig∼ *an unimportant/ insignificant matter, a matter of little account* **3.1** ∼ (en) hebben in een bedrijf *have an i. in a company;* ∼ bij iets hebben *have an i. in sth.;* daar hebben we allemaal∼ bij *we're all affected by that, we all have an i. in that;* persoonlijk∼ bij iets hebben *have a personal i. in sth.;* hij heeft er alle∼ bij het te verzwijgen *he has every i. in keeping it quiet* **3.2** ∼ stellen in *be interested/ take an i. / interest o.s. in* **3.3** veel∼ hechten aan iets *attach great i. to/ set great store by/ make much of sth.;* weinig∼ hechten aan iets *make little/ light of sth., set little store by sth.;* in∼ toenemen *become more important/ significant, gain/ increase/ grow in i. / significance* **6.1** in het∼ van uw gezondheid *for the sake of your health* **6.3** **van**∼ zijn voor iem. *matter to/ concern/ be of important relevance to s.o.;* de presentatie is daarbij **van** groot∼ *the presentation is (highly) important/ matters (greatly);* het is niet **zonder**∼ *it is not without significance/ not unimportant* **6.**¶ het was er een drukte **van**∼ *there was a huge/ an enormous bustle/ crowd.*

belangeloos ⟨bn., bw.; -ly⟩ **0.1** [onbaatzuchtig] *unselfish* ⇒*altruistic, selfless, disinterested* **0.2** [gratis] *free of charge* ⇒*for nothing* ◆ **1.1** belangeloze hulp *u. / disinterested help;* ⟨inf.⟩ *help with no strings attached* **3.2** de artiesten zullen geheel∼ optreden *the performers will appear entirely free of charge;* de bank werkt geheel∼ *mee the bank donates its services.*

belangengemeenschap ⟨de (v.)⟩ **0.1** *community of interest(s)* ⇒*combine.*

belangengroep ⟨de⟩ **0.1** *interest group* ⇒*lobby, pressure group.*

belangenorganisatie ⟨de⟩ **0.1** *(organized) interest group* ⇒*(organized) pressure group/ lobby.*

belangensfeer ⟨de⟩ **0.1** *sphere of interest.*

belangenspreiding ⟨de (v.)⟩ **0.1** *spread of interests* ⇒⟨ec.⟩ *diversification.*

belangenstrijd ⟨de (m.)⟩, **-tegenstelling** ⟨de (v.)⟩ **0.1** *conflict/ clash of interests.*

belanghebbend ⟨bn.⟩ **0.1** [betrokken] *interested* ⇒*concerned* **0.2** [⟨taal.⟩] *indirect* ◆ **1.1** ∼ e partijen *i. parties, parties concerned* **1.2** ∼ voorwerp *i. object.*

belanghebbende ⟨de (m.)⟩ **0.1** [betrokkene] *interested party* ⇒*party concerned* **0.2** [belastingplichtige] ⟨→ **belastingplichtige**⟩ ◆ **6.1** ∼ n bij de nalatenschap *beneficiaries of a will.*

belangrijk ⟨→ sprw. 376⟩

I ⟨bn.⟩ **0.1** [van grote betekenis] *important* ⇒*significant, major* **0.2** [groot] *considerable* ⇒*substantial, major* ◆ **1.1** een ~e dag *an i. / a great day;* ~e gebeurtenissen *significant events;* de ~ste gebeurtenissen/onderwerpen *the main/major events/topics;* een ~ man *a man of importance/consequence;* een ~ punt *an i. / a major point;* ik vind dat een ~ punt *I think this is i.;* één v.d. ~ste Nederlandse schilders *one of the most i. Dutch painters, a major Dutch painter* **1.2** in ~e mate *considerably, substantially, to a c. extent;* een ~ verschil *a marked/significant/important difference* **3.1** niet dat het zo ~ is, maar ... *not that it matters but ...;* andere dingen ~er vinden *give priority to other things, put other things first;* zijn carrière ~er vinden dan zijn carrière *put one's family before one's career;* ~ zijn *matter, be of importance, be i.* **4.1** wel wat ~ers te doen hebben *have other fish to fry/more important things to do* **5.1** een minder ~ dichter *a less i. / minor poet;* en wat nog ~er is *and, more important(ly), ...;*
II ⟨bw.⟩ **0.1** [zeer veel] *considerably* ⇒*significantly, appreciably.*

belangrijkheid ⟨de (v.)⟩ **0.1** *importance* ⇒*significance.*

belangstellend
I ⟨bn.⟩ **0.1** [geïnteresseerd] *interested* ⇒*attentive,* ⟨bezorgd⟩ *concerned* ◆ **1.1** een ~ toehoorder *an i. listener* **3.1** ze waren heel ~ *they were most/very i. / attentive/concerned;*
II ⟨bw.⟩ **0.1** [geïnteresseerd] *interestedly* ⇒*with interest, sympathetically,* ⟨bezorgd⟩ *concernedly, with concern* ◆ **3.1** ~ informeren hoe het met iem. is *enquire with interest/concern/sympathetically how s.o. is (getting on).*

belangstellende ⟨de (m.)⟩ **0.1** *person interested* ⇒*interested party* ◆ **2.1** eventuele ~n *anyone interested.*

belangstelling ⟨de (v.)⟩ **0.1** [interesse] *interest (in)* **0.2** [zin om iets te kopen] *interest (in)* ◆ **1.1** blijken van ~ *signs of i., expressions of concern/sympathy;* wegens gebrek aan ~ *for lack of i.;* in het middelpunt van de ~ staan *be the/a centre of i. / attraction, be in centre stage, be in the spotlight* **2.1** een man met een brede ~ *a man of wide interests;* een levendige ~ voor iets hebben *show/take a lively i. in sth.* **3.1** toen zijn ~ eenmaal gewekt was *once his i. had been aroused/awakened/stirred/kindled;* computers hebben altijd haar ~ gehad *she has always been interested in computers;* ~ tonen voor iets *show (an) i. in sth.;* weer ~ beginnen te tonen voor de omgeving *start to take an/show i. in one's surroundings again;* veel ~ trekken *attract a great deal of attention/i.;* zijn ~ voor iets verliezen *lose (one's) i. in sth.;* iemands ~ voor iets proberen te wekken *try to arouse/awaken/stir/kindle i. in s.o. for sth.* **6.1** in de ~ staan *receive a lot of attention;* iets met ~ aanhoren *listen to sth. with i. / attentively;* iets met grote ~ tegemoet zien *look forward to sth.;* onder grote publieke ~ *amid great public i.;* uit ~ *out of i.;* een vraag stellen puur uit ~ *ask a question purely out of i., as a matter of i.* **6.2** voor dit artikel bestond grote ~ *there was great i. in this article* **7.1** geen ~ meer voor iets hebben *have lost i. in sth., no longer be interested in sth.;* daar heb ik geen ~ voor *I have no i. in that, I'm not interested in that;* onderwerpen waar geen ~ voor bestaat *subjects in which nobody is interested.*

belangwekkend ⟨bn.⟩ **0.1** *interesting* ⇒*of interest* ⟨alleen pred.⟩, *conspicuous, prominent* ◆ **1.1** een ~e figuur *a conspicuous/prominent person, a leading light.*

belast ⟨bn.⟩ **0.1** [als toegewezen taak hebbend] *responsible (for)* ⇒*in charge (of), entrusted (with),* ⟨schr.⟩ *charged (with)* **0.2** [met een last bezwaard] *loaded (up/down)* ⇒*laden* ⟨ook fig. en in samenstellingen⟩ **0.3** [⟨genetica⟩] *defective;* ⟨vero.⟩ *tainted* **0.4** [belastbaar] *taxable* ⇒*assessable, dutiable* ⟨mbt. douane⟩, *excisable* ⟨mbt. accijns⟩ ◆ **3.2** ~ en beladen *loaded up/down, laden down, heavily laden* **5.3** erfelijk ~ zijn *have a hereditary defect* **6.1** hij is ~ met de verkoop *he is r. for/in charge of sales;* ~ zijn **met** *be r. for/in charge of/entrusted with.*

belastbaar ⟨bn.⟩ **0.1** [belast kunnende worden] *capable of carrying a load* **0.2** [waarvan belasting mag worden geheven] *taxable* ⇒*assessable, dutiable* ⟨mbt. douane⟩, *excisable* ⟨mbt. accijns⟩, [B]*rat(e)able* ⟨onroerend goed⟩ ◆ **1.2** ~ inkomen *t. income* **3.1** de vloer is ~ met 1000 kg/m³ *the floor has a (load-)bearing/carrying capacity of 1000 kg/m³;* nieuwe vloeren zijn de eerste week niet ~ *the new floors cannot carry any loads/should not be loaded during the first week.*

belasten ⟨ov.ww.⟩ **0.1** [gewichten plaatsen op] *load* **0.2** [als prestatie vergen van] *(place a) load (on)* **0.3** [opdracht geven] *make responsible (for)* ⇒*put in charge (of), entrust (with),* ⟨schr.⟩ *charge (with)* **0.4** [bezwaren met een verplichting] *burden, charge* ⇒*encumber* **0.5** [op iemands rekening brengen] *charge/debit (to s.o.'s account)* **0.6** [belasting leggen op] *tax* ⇒*charge/levy duty on* ⟨douane⟩, *charge/levy excise on* ⟨accijns⟩ ◆ **1.1** een brug ~ om de draagkracht te toetsen *place a load on a bridge to test its strength* **1.4** ⟨AZN⟩ een huis (met hypotheek) ~ *mortgage a house* **4.3** zich ~ met iets *take responsibility for/charge of sth.* **5.1** iets te zwaar ~ *overload sth.* **5.3** iem. te zwaar ~ *overtax, overburden s.o.* **6.3** iem. **met** een taak ~ *make s.o. responsible for/put s.o. in charge of/entrust s.o. with/assign s.o. to a task.*

belastend ⟨bn.⟩ **0.1** *aggravating* ⟨omstandigheden⟩; ⟨jur.⟩ *incriminating, incriminatory* ⟨bewijzen⟩; *damning, damaging* ⟨feiten, beweringen⟩.

belasteren ⟨ov.ww.⟩ **0.1** *slander* ⟨ook jur.⟩ ⇒*malign,* ⟨schr.⟩ *calumniate,* ⟨in geschrifte⟩ *libel.*

belasting ⟨de (v.)⟩ **0.1** [druk door een last] *load* ⇒*stress* **0.2** [psychische druk] *burden, pressure* **0.3** [verplichte bijdrage aan de overheid] *tax(ation)* ⇒⟨plaatselijk, op onroerend goed; BE⟩ *rate(s)* **0.4** [bedrag] *tax* ⇒*rates* **0.5** [dienst] *tax authorities* ⇒[B]≠*Inland Revenue,* [B]≠*exchequer,* [A]≠*IRS* ≠*Internal Revenue Service,* ⟨inf.⟩ *(the) taxman* **0.6** [⟨genetica⟩] *hereditary defect* ◆ **2.1** dode ~ *dead weight;* geconcentreerde ~ *concentrated l.;* nuttige ~ *payload;* de maximaal toelaatbare ~ *the maximum permitted l.;* verdeelde ~ *distributed l.;* bij volle ~ *when fully loaded/laden* **2.2** de studie is een te grote ~ voor haar *studying is too great a b. on/for her* **2.3** directe ~en *direct taxes/taxation;* indirecte ~en *indirect taxes/taxation;* progressieve ~ *progressive/graduated taxation* **2.6** erfelijke ~ *hereditary defect* **3.3** geen ~ betalen ⟨legaal ook⟩ *avoid tax;* ~ heffen *levy taxes;* ~ inhouden op het loon *deduct tax from one's wages;* ~ innen *collect tax(es);* ~ ontduiken *evade tax* **6.3** in de ~ aangeslagen worden *be assessed for tax;* in de ~ vallen *be liable for tax;* ~ **op** de toegevoegde waarde, BTW *value-added tax, VAT* **6.5** hij werkt **bij** de ~en *he works for the Inland Revenue/the IRS/the taxman/in taxes;* iem. **van** de ~en *s.o. from the tax office, a taxation official;* ⟨inf.⟩ *a taxman.*

belastingaangifte ⟨de (v.)⟩ **0.1** *tax declaration/return* ◆ **3.1** zijn ~ doen *make one's t. d. / return;* iemands ~ verzorgen *do/take care of s.o.'s t. d. / return/* ⟨inf.⟩ *taxes.*

belastingaanslag ⟨de (m.)⟩ **0.1** [vastgesteld bedrag] *tax assessment* **0.2** [kennisgeving van dit bedrag] *tax assessment* ◆ **2.1** een voorlopige/definitieve ~ *a provisional/final tax assessment.*

belastingadvies ⟨het⟩ **0.1** *advice in fiscal/tax matters* ⇒⟨BE ook⟩ *tax counselling.*

belastingadviseur ⟨de (m.)⟩ **0.1** *tax consultant.*

belastingaftrek ⟨de (m.)⟩ **0.1** *tax deduction* ⇒⟨BE ook⟩ [B]*tax relief* ◆ **3.1** (geen) ~ genieten *(not) be entitled to/eligible for/receive tax deductions.*

belastingbetaler ⟨de (m.)⟩ **0.1** *taxpayer* ⇒⟨BE ook⟩ *ratepayer* ⟨van onroerend goed/gemeentebelasting⟩.

belastingbiljet ⟨het⟩ **0.1** *tax (declaration) form* ⇒*tax return* ◆ **3.1** zijn ~ invullen *fill in/*[A]*fill out one's t. f. / r..*

belastingboekhouding ⟨de (v.)⟩ **0.1** *tax accounting.*

belastingconsulent ⟨de (m.)⟩ **0.1** *tax consultant/*[B]*counsellor.*

belastingdruk ⟨de (m.)⟩ **0.1** *burden of taxation* ⇒*tax burden.*

belastingformulier ⟨het⟩ **0.1** *tax form.*

belastingfraude ⟨de⟩ **0.1** *tax fraud.*

belastinggelden ⟨zn.mv.⟩ **0.1** *tax money/revenues.*

belastinggids ⟨de (m.)⟩ **0.1** *taxpayer's handbook/guide.*

belastinggroep ⟨de⟩ **0.1** *tax bracket.*

belastinginspectie ⟨de (v.)⟩ **0.1** [instelling] [B]*Inland Revenue,* [A]*Internal Revenue Service,* [A]*IRS* **0.2** [handeling] *tax audit.*

belastingjaar ⟨het⟩ **0.1** *fiscal/tax year.*

belastingkamer ⟨de⟩ **0.1** *division (of a court) for fiscal cases.*

belastingkantoor ⟨het⟩ **0.1** *tax(-collection) office.*

belastingmoraal ⟨de (v.)⟩ **0.1** *attitude to(ward) paying taxes* ⇒*fiscal ethics.*

belastingontduiking ⟨de (v.)⟩ **0.1** *tax evasion;* ⟨inf.⟩ *tax-dodging,* [B]*tax-fiddling.*

belastingontvanger ⟨de (m.)⟩ **0.1** *collector of taxes.*

belastingparadijs ⟨het⟩ **0.1** *tax haven.*

belastingplichtig ⟨bn.⟩ **0.1** *liable for tax* ⇒*taxable.*

belastingquote ⟨de⟩ ⟨pol.⟩ ◆ **3.¶** de ~ bedraagt 54% v.h. nationale inkomen *the burden of taxation amounts to 54% of net national income.*

belastingsambtenaar ⟨de (m.)⟩ **0.1** *revenue/tax officer.*

belastingschijf ⟨de (v.)⟩ **0.1** *tax(ation) bracket.*

belastingschuld ⟨de⟩ **0.1** *(tax) arrears.*

belastingstelsel, -systeem ⟨het⟩ **0.1** *tax system* ⇒*system of taxation.*

belastingtarief ⟨het⟩ **0.1** *revenue tariff* ⇒*tax rate.*

belastingtechnisch ⟨bn.⟩ **0.1** *taxational;* ⟨AE ook⟩ *taxwise.*

belastingtruc ⟨de (m.)⟩ **0.1** *tax evasion scheme;* ⟨pej.⟩ *tax dodge/*[B]*fiddle.*

belastingverhoging ⟨de (v.)⟩ **0.1** *tax increase;* ⟨AE ook⟩ *tax hike.*

belastingverlaging ⟨de (v.)⟩ **0.1** *tax reduction/cut* ⇒*cut in taxes.*

belastingvoordeel ⟨het⟩ **0.1** *tax/fiscal advantage/benefit* ⇒*privilege,* ⟨geen belasting betalend⟩ *exemption,* ⟨inf.⟩ *tax shelter.*

belastingvrij ⟨bn.⟩ **0.1** *tax-free* ⇒*duty-free/paid* ⟨van goederen⟩, *untaxed, uncustomed* ⟨van accijns⟩.

belastingwetenschap ⟨de (v.)⟩ **0.1** *fiscal science.*

belatafeld →**belazerd 0.1.**

belatafelen →**belazeren.**

belazerd ⟨bn.⟩ ⟨inf.⟩ **0.1** [gek] *crazy* ⇒*out of one's mind, off one's head, round the bend* **0.2** [erg slecht] *rotten* ⇒*stinking, lousy, rough* ◆ **3.1** ja, ik ben daar ~ *you won't/don't catch me!, catch me doing that!,* [B]*pull the other one (, it's got bells on);* ben je ~! *you must be c.!/out of your mind!/off your head!/round the bend!* **3.2** het ging ~ *it went lousy, things went pretty rough, it was rotten/stinking.*

belazeren ⟨ov.ww.⟩ ⟨inf.⟩ **0.1** *take in* ⇒*take for a ride, lead up the garden path, pull a fast one on, have s.o. on,* ⟨BE ook⟩ *do,* ⟨grap⟩ *pull (s.o.'s) leg* ◆ **1.1** de kluit ~ [B]*do/*[A]*screw (people), take (people) for a ride* **3.1** je bent belazerd *you've been taken for a ride/done/screwed* *s.o.'s pulled a fast one on you;* ik laat me niet ~ *you won't/ don't catch me!, catch me doing that!,* [B]*pull the other one(, it's got bells on!).*

belboei ⟨de⟩ **0.1** *bell-buoy.*
belbus ⟨de⟩ **0.1** *call-up bus service.*
belcanto ⟨het⟩ **0.1** *bel canto.*
beledigen ⟨ov.ww.⟩ **0.1** [kwetsen] *offend* ⇒⟨sterker⟩ *insult, affront, injure* **0.2** [in strijd zijn met] *offend* ⇒*be an insult to* ◆ **1.1** ⟨jur.⟩ de beledigde partij *the injured party* **1.2** de smaak/het gevoel~ *o. one's taste/feelings* **3.1** zich beledigd achten/voelen door *be/feel offended by, take offence* [A]*se/* ⟨ook scherts.⟩ *umbrage at;* zich laten~ *put up with an insult, take an affront* **5.1** gauw beledigd zijn *be quick to take offence* [A]*se;* iem. zwaar/diep~ *offend s.o. seriously/deeply* ¶**.1** mevrouw was weer eens beledigd *Her Ladyship had gone into a huff again.*
beledigend ⟨bn., bw.;-ly⟩ **0.1** *offensive (to)* ⇒*insulting/abusive (to)* ◆ **1.1** ~e taal *abuse, o. / insulting/abusive language.*
belediging ⟨de (v.)⟩ **0.1** [kwetsing] *insult* ⇒*affront* **0.2** [beledigende uiting] *insult* ⇒*(piece of) abuse* **0.3** [⟨jur.⟩] *defamation (of character)* ◆ **2.1** een grove/zware~ *a gross/serious i. / affront, an outrage* **3.1** een~ moeten slikken/incasseren *have to swallow/take an i.* **6.1** een~ **voor** de goede smaak *an i. / affront to good taste;* een~ **voor** het oog *an i. / affront to the eye, an eyesore* **6.3** ~ **van** een ambtenaar in functie *insulting behaviour/using insulting language towards a public servant /* ⟨tgov. politieagent door arrestant ook⟩ *obstructing a police officer in the execution of his duty.*
beleefd ⟨bn., bw.;-ly⟩ **0.1** *polite* ⇒*courteous,* ⟨welgemanierd⟩ *well-mannered, mannerly,* ⟨ook koel⟩ *civil* ◆ **1.1** een~bedankje *(a) p. acknowledgement/* ⟨weigering⟩ *refusal, apologies;* ~e opmerking ⟨ook⟩ *courtesy, civility* **3.1** dank u~ *much obliged, sir/madam;* het is niet meer dan~ te … *it's only common courtesy/polite(ness) to …;* wij verzoeken u~ doch dringend … *we urgently request that you kindly;* ik vraag/verzoek u~ *may I request you to …, would you be so kind as to …, may I kindly ask you to …;* ~ tegen iem. zijn *be p. to s.o.* **5.1** dat is niet~ *that's bad manners/not good manners/not p.;* wilt u zo~ zijn om … *would you be so kind as to …, you kindly …;* hij had toch zo~ kunnen zijn om … *he could have had the (good) grace to ….*
beleefdheid ⟨de (v.)⟩ (→sprw. 41) **0.1** [welgemanierdheid] *politeness* ⇒*courtesy, courteousness, civility, (good) manners* **0.2** [uiting, handeling] *courtesy* ⇒*civility* **0.3** [welwillendheid] *courtesy* ◆ **2.1** de burgerlijke~ in acht nemen *observe/show common courtesy, be civil* **3.1** doen wat de~ eist *do the polite/civil thing* **3.3** de vergoeding laat ik aan uw~ over *I will leave the matter of compensation to your discretion* **4.1** hij is de~ zelve/een en al~ *he is a model of p. / courtesy/civility, he is p. / courtesy/civility itself* **6.1** iets doen **uit** ~ *do sth. out of p. / courtesy.*
beleefdheidsbezoek ⟨het⟩ **0.1** *courtesy/duty call/visit.*
beleefdheidsformule ⟨de⟩ **0.1** *polite phrase/formula.*
beleefdheidshalve ⟨bw.⟩ **0.1** *as a matter of/out of politeness/courtesy.*
beleefdheidsvorm ⟨de (m.)⟩ **0.1** *polite form (of address)* ⇒*rule of etiquette, formality* ◆ **3.1** de~en achterwege laten *dispense with formalities;* de~en in acht nemen *observe the rules of etiquette, observe formalities/the proprieties.*
beleerd ⟨bn.⟩ **0.1** *trained* ⇒*performing.*
beleg ⟨het⟩ **0.1** [belegering] *siege* **0.2** [broodbeleg] *(sandwich) filling* **0.3** [⟨naaiwerk⟩] *facing* ◆ **1.1** de staat van~ afkondigen *proclaim/declare martial law/* ⟨minder gebruikelijk⟩ *a state of s.* **3.1** het~ doorstaan/opbreken *stand/raise the s.;* het~ slaan (voor) *lay s. (to).*
belegen ⟨bn.⟩ **0.1** *mature(d)* ⇒⟨kaas ook⟩ *ripe, seasoned* ⟨wn.⟩, ⟨fig.⟩ *stale, corny* ◆ **1.1** ~ bier *fully fermented beer* **3.1** ~ (laten) worden *mature* **5.1** jong/licht~ kaas *semi-mature(d) cheese.*
belegeraar ⟨de (m.)⟩ **0.1** *besieger.*
belegeren ⟨ov.ww.⟩ **0.1** [⟨mil.⟩] *besiege* ⇒*lay siege to, beleaguer* **0.2** [⟨fig.⟩] *besiege.*
belegering ⟨de (v.)⟩ **0.1** *siege.*
beleggen
I ⟨onov., ov.ww.⟩ **0.1** [⟨geldw.⟩] *invest* ◆ **1.1** kapitaal/winst opnieuw~ *reinvest capital, reinvest/plough back profits* **6.1** in effecten~ *i. in stocks and shares;*
II ⟨ov.ww.⟩ **0.1** [bijeenroepen] *convene* ⇒*call, summon, convoke* **0.2** [bedekken] *cover* ⇒*fill, put meat* ⟨enz.⟩ *on* ⟨boterham⟩, *trim* ⟨japon⟩, *overlay* ⟨fineerhout, goud⟩ **0.3** [vastmaken] *lash* ⇒*belay* ◆ **1.1** een vergadering~ *convene/call/summon/convoke/arrange a meeting* **1.2** belegde boterham *(filled) sandwich;* belegde broodjes *(filled) rolls, rolls with sth. in them;* broodjes met ham~ *make ham rolls* **6.2** met goud~ *overlay with gold;* ⟨vergulden⟩ *gild;* ⟨plateren⟩ *gold-plate.*
belegger ⟨de (m.)⟩ **0.1** *investor.*
belegging ⟨de (v.)⟩ **0.1** [⟨geldw.⟩] *investment* **0.2** [het beleggen v.e. oppervlak] *covering* ⇒*filling* ⟨boterham⟩, *trimming* ⟨japon⟩, *overlay* ⟨fineerhout, goud⟩ **0.3** [wat dient om te beleggen] *covering* ⇒*filling* ⟨boterham⟩, *trim* ⟨japon⟩, *overlay* ⟨fineerhout, goud⟩ ◆ **6.1** ~ **op** lange termijn *long-term i..*
beleggingsadviseur ⟨de (m.)⟩ **0.1** *investment consultant.*

beleggingsfonds ⟨het⟩ **0.1** [instelling] *investment trust/fund* **0.2** [effecten] ≠*gilt-edged/government securities.*
beleggingsgelden ⟨zn.mv.⟩ **0.1** *investment funds.*
beleggingsmaatschappij ⟨de (v.)⟩ **0.1** *investment company.*
beleggingsmarkt ⟨de⟩ **0.1** *investment market.*
beleggingsobject ⟨het⟩ **0.1** *investment.*
beleggingspand ⟨het⟩ **0.1** *investment property.*
beleghout ⟨het⟩ **0.1** [⟨scheep⟩ belegklamp] *cleat* **0.2** [om meubelen mee te beleggen] *veneer* ⇒*inlay, overlay.*
belegsel ⟨het⟩ **0.1** *covering* ⇒*trimming* ⟨japon⟩, *facings* ⟨uniform⟩, *overlay* ⟨fineerhout, goud⟩.
belegstuk ⟨het⟩ **0.1** [naaiwerk] **0.1** *facing.*
beleid ⟨het⟩ **0.1** [wijze van behandeling] *policy* ⟨vaak mv.⟩ **0.2** [overleg] *tact* ⇒*discretion, skill* ◆ **1.1** het~ van deze regering *the policies of this government* **2.1** een doortastend/mager~ *a tough/poor p.;* verkeerd/slecht~ *mismanagement;* ⟨van regering ook⟩ *misrule* **3.1** een~ uitstippelen *outline a p.;* een (goed/verkeerd)~ voeren *pursue a (good/bad) p.* **6.1** het~ **inzake** de woningbouw *housing p.;* het~ **inzake** immigratie *the p. on immigration* **6.2** met~ te werk gaan *handle things tactfully/skilfully* [A]*skillfully.*
beleidskwestie ⟨de (v.)⟩ **0.1** *matter of policy.*
beleidslijn ⟨de⟩ **0.1** [wijze waarop] *(line of) policy* **0.2** [richting waarin] *(line of) policy.*
beleidsmaker ⟨de (m.)⟩ **0.1** *policymaker.*
beleidsmatig ⟨bn., bw.⟩ **0.1** ⟨bn.⟩ *policy;* ⟨bw.⟩ *in accordance with policy.*
beleidsnota ⟨de (v.)⟩ **0.1** *policy document.*
beleidsombuiging ⟨de (v.)⟩ **0.1** [wijziging van beleid] *policy review* ⇒*change/switch in policy* **0.2** [bezuiniging] *cut(back)* ⇒*reduction.*
beleidsplan ⟨het⟩ **0.1** *policy plan.*
beleidsruimte ⟨de (v.)⟩ **0.1** *scope for policy-making.*
beleidsteam ⟨het⟩ **0.1** *management team.*
beleidsvorming ⟨de (v.)⟩ **0.1** *policymaking.*
beleidvol ⟨bn., bw.;-ly⟩ **0.1** *tactful* ⇒*discreet, skilful* [A]*skillful.*
belemmeren ⟨ov.ww.⟩ **0.1** *hinder* ⇒*hamper,* ⟨sterker⟩ *impede,* ⟨storend werken op⟩ *interfere with,* ⟨onmogelijk maken⟩ *obstruct, block* ◆ **1.1** de groei~ van ⟨ook⟩ *stunt/check the growth of;* de rechtsgang~ *obstruct the course of justice;* iem. het uitzicht~ *obstruct/block s.o.'s view;* de weg/de doorgang/het verkeer~ *obstruct/block the way/passage/traffic* **3.1** ~d werken op *check, hinder, impede, hamper, act prohibitively/as a check on* **6.1** een ambtenaar~ in de uitoefening van zijn ambt *obstruct an official in the exercise/execution of his duty.*
belemmering ⟨de (v.)⟩ **0.1** [handeling] *hindering* ⇒*impeding, hampering, interference, obstruction, blockage* ⟨doorgang⟩ **0.2** [middel] *hindrance* ⇒*impediment, interference, obstruction, blockage* ⟨doorgang⟩ ◆ **1.2** ~ van de groei *impediment to growth;* wettelijke~ *legal impediment* **3.2** een~ vormen/zijn voor *form/be a h. to, stand in the way of, be a bar/barrier to* **6.2** ⟨jur.⟩ **zonder** (enige)~ *without let or hindrance;* ⟨onbevoegdheid⟩ *disability, incompetence* ¶**.2** iem. ~en in de weg leggen *put obstacles in s.o.'s way/path.*
belenden ⟨onov.ww.⟩ **0.1** *adjoin* ⇒*border on, be adjacent to.*
belendend ⟨bn.⟩ **0.1** *adjoining* ⇒*adjacent, neighbouring,* ⟨schr.⟩ *contiguous, abutting* ◆ **1.1** de~e percelen *the adjoining/adjacent properties/* ⟨gebouwen ook⟩ *premises/* ⟨stukken land ook⟩ *plots.*
belenen ⟨ov.ww.⟩ **0.1** *pawn* ⟨goederen⟩; ⟨bij bank⟩ *borrow money on, raise a loan on* ◆ **1.1** effecten~ *use stocks and shares as collateral for a loan, borrow money/raise a loan on (the security of) stocks and shares.*
belerend ⟨bn.⟩ **0.1** *pedantic* ⇒*didactic(al).*
bel-esprit ⟨de (m.)⟩ **0.1** *bel esprit* ⇒*wit.*
belet ⟨het⟩ ⟨schr.⟩ ◆ **3.**¶ ~ geven *refuse to see/be unable to see s.o.;* ~ hebben *be otherwise engaged;* ~ krijgen *be refused an appointment, be unable to get an appointment;* ~ roepen *call 'don't come in!'/'wait a moment';* ~ (laten) vragen *ask for an appointment.*
bel-etage ⟨de⟩ **0.1** *first/* [A]*second floor.*
beletsel ⟨het⟩ **0.1** [hindernis] *obstacle* ⇒*impediment, hindrance* **0.2** [bezwaar] *hindrance* ⇒*impediment* ◆ **2.2** wettelijk~ *legal impediment* **3.1** ~en uit de weg ruimen *clear away obstacles* **7.2** dat hoeft (voor u) toch geen~ te zijn om … *that need not stand in the way of (your) …/ prevent (you from) …/ stop you ….*
beletten ⟨ov.ww.⟩ **0.1** *prevent* ⇒*obstruct, bar,* ⟨inf.⟩ *stop/keep (from)* ◆ **1.1** iem. het spreken~ *stop s.o. speaking, p. / keep s.o. from speaking,* ⟨door geschreeuw⟩ *shout s.o. down;* het belette hem het spreken *it made it impossible for him to speak;* iem. de toegang~ *bar the way;* ⟨jur.⟩ de uitvoering v.e. vonnis~ *obstruct/hinder the execution of a sentence* **3.1** iem. ~ iets te doen *p. / keep s.o. from doing sth.;* niets belet je gaan *there is nothing to stop you/p. you from going.*
beleven ⟨ov.ww.⟩ **0.1** [meemaken] *go through* ⇒*live through, experience, pass through* **0.2** [lang genoeg leven om iets mee te maken] *live to see* **0.3** [leven in] *live in* ◆ **1.1** de meest spannende avonturen~ *have/undergo the most exciting adventures;* het boek heeft vele herdrukken beleefd *the book has run/gone through a large number of reprints;* plezier~ aan *enjoy, get enjoyment/pleasure/* ⟨inf.⟩ *fun out of* **1.2** zijn tachtigste verjaardag~ *live to see one's eightieth birthday, live*

to be eighty **1.3** moeilijke tijden ~ *live in troubled times, have fallen on hard times* **2.1** ik heb gisteren toch iets geks beleefd *I had this funny experience yesterday* **3.1** hier valt niets te ~ *there's nothing doing (a)round here;* nu zul je eens iets ~! *now you'll see sth.!, watch this!;* wat zullen we nu ~? *what are we in for now?, whatever next?, what's this supposed to be/mean?, what do you think you're doing?* **3.2** dat ik dit nog mag ~ *that I should live to see this!;* hij heeft het niet mogen ~ *he didn't live to see it* **4.1** in Amsterdam, daar valt wat te ~ *Amsterdam, that's where the action is* **5.1** iets weer/opnieuw ~ *relive sth.* **6.1** veel vreugde ~ **aan** zijn gezin *get a great deal of enjoyment out of one's family* **8.2** we zullen het nog ~ dat …, *next thing, …, before we know it, …* **¶.1** er is daar voor de kinderen van alles te ~ *there's lots of fun for the kids there.*

belevenis 〈de (v.)〉 **0.1** *experience* ⇒*adventure*.

belevingswereld 〈de〉 **0.1** *experience(s)* ⇒*(perception of the) environment* ◆ **3.1** het onderwijs moet aansluiten bij de ~ v.d. leerlingen *education should be geared to the pupils' perception of their environment/must fit in with the pupils, environment.*

belezen[1] 〈bn.〉 **0.1** *well-/widely-read* ⇒*literate* ◆ **1.1** een (zeer) ~ man 〈ook〉 *a man of wide reading.*

belezen[2] 〈ov.ww.〉 **0.1** [bezweringsformule uitspreken] *exorcize* **0.2** [uitbannen] *exorcize* **0.3** [overreden] *persuade* ◆ **4.3** zich laten ~ *be persuaded, be talked into (sth.).*

belfort 〈het〉 **0.1** *belfry* ⇒*bell-tower, clock-tower.*

belg 〈de (m.)〉 **0.1** *Belgian-bred horse, Belgian cart-/shire-horse.*

Belg 〈de (m.)〉 **0.1** *Belgian* ◆ **3.1** bent u een ~? *are you B.?;* hij is een ~ *he's (a) B..*

belgenmop 〈de〉 **0.1** *Belgian joke* ⇒〈GB〉 *Irish/*〈USA〉 *Polish joke.*

belgicisme 〈het〉 **0.1** *Belgianism* **0.1** *Belgicism.*

België 〈het〉 **0.1** *Belgium.*

Belgisch 〈bn.〉 **0.1** *Belgian;* 〈Oudbelgisch〉 *Belgic.*

Belgrado 〈het〉 **0.1** *Belgrade.*

belhamel 〈de (m.)〉 **0.1** [kind] *rascal* ⇒*scamp, rogue,* 〈BE ook〉 *tyke* **0.2** [ram met bel] *bell-wether.*

belichamen 〈ov.ww.〉 **0.1** *embody* ⇒*epitomize,* 〈als persoon〉 *personify* ◆ **5.1** opnieuw ~ *re-embody.*

belichaming 〈de (v.)〉 **0.1** *embodiment, epitomization* ⇒〈als vlees〉 *incarnation,* 〈als persoon〉 *personification.*

belichten 〈ov.ww.〉 **0.1** [licht laten vallen op] *illuminate* ⇒*light (up)* **0.2** [uiteenzetten] *discuss* ⇒*shed/throw light on, elucidate* **0.3** [〈foto.〉] *expose* ◆ **1.2** een probleem van verschillende kanten ~ *discuss different aspects of a problem* **5.2** iets nader ~ *shed/throw more light on sth.* **5.3** een opname te lang/kort ~ *overexpose/underexpose a shot.*

belichter 〈de (m.)〉 **0.1** *lighting technician.*

belichting 〈de (v.)〉 **0.1** [mbt. toneel/schilderij] *lighting* **0.2** [uiteenzetting] *elucidation* ⇒*clarification* **0.3** [〈foto.〉] *exposure* 〈van film〉.

belichtingsmeter 〈de (m.)〉 〈foto.〉 **0.1** *exposure meter* ⇒*light meter.*

belichtingstijd 〈de (m.)〉 〈foto.〉 **0.1** *exposure time.*

beliegen 〈ov.ww.〉 **0.1** *lie to* ⇒*tell a lie/lies to.*

believen[1] 〈het〉 **0.1** [welbehagen] *pleasure* ⇒*satisfaction* **0.2** [goeddunken] *discretion* ◆ **6.1** is alles naar ~? *is everything to your liking?/to your satisfaction?/as you would wish?* **6.2** ergens naar ~ gebruik van maken *use sth. at one's own discretion, be free to use sth.;* suiker toevoegen naar ~ *add sugar to taste;* naar (eigen) ~ handelen/beslissen *act at/decide at/use one's (own) discretion, do as one pleases.*

believen[2] 〈schr.〉

I 〈onov.ww.〉 **0.1** [behagen aan] *please* ◆ **1.1** als het God belieft *God willing, please God;*

II 〈ov.ww.〉 **0.1** [willen hebben] *wish* ⇒*desire* **0.2** [willen doen] *choose (to)* ⇒*prefer (to)* ◆ **1.1** belieft u een kop koffie? *can I help you to/will you have/would you like a cup of coffee?* **3.2** hij belieft dat in twijfel te trekken *he chooses/prefers to doubt it, he has his doubts about that* **4.1** belieft u (anders) nog iets? *would you like anything else?, will/would that be all?;* wat belieft u? (*I beg your) pardon?, pardon me?;* 〈BE ook〉 *sorry?.*

belijden 〈ov.ww.〉 **0.1** [bekennen] *confess* ⇒*admit, acknowledge,* 〈openlijk〉 *avow* **0.2** [een geloof aanhangen] *profess* ⇒*acknowledge* **0.3** [(geloofs)overtuiging uitdragen] *avow* ◆ **1.1** schuld ~ c. / admit (one's) guilt* **1.2** het christendom ~ *p. Christianity;* ~d lid v.e. kerk *practising member of a church* **1.3** zijn geloof ~ 〈ook〉 *testify* **6.3** iets met de mond ~ *pay lip service to sth.;* 〈inf.〉 *not put one's money where one's mouth is.*

belijdenis 〈de (v.)〉 **0.1** [verklaring] *confession (of faith)* ⇒〈als lidmaat〉 *confirmation* **0.2** [leerstellingen] *creed* ⇒〈kerkgenootschap〉 *denomination* **0.3** [bekentenis] *confession* ◆ **3.1** 〈fig.〉 ik hoef hier geen ~ af te leggen *I don't need to make a confession of faith here;* ~ doen be *confirmed* **3.2** tot een ~ behoren *belong to a denomination.*

belijder 〈de (m.)〉, **es** 〈de (v.)〉 **0.1** [aanhanger v.e. geloof] *professor* **0.2** [aanhanger v.e. leer] *adherent* ⇒*professor* **0.3** [heilige] *confessor.*

belladonna 〈de〉 **0.1** *deadly nightshade* ⇒*belladonna.*

belle 〈de〉 〈sport〉 **0.1** *decider* ⇒〈schermen〉 *deciding bout.*

bellefleur 〈de (m.)〉 **0.1** *pearmain* ◆ **8.1** een kleur als een ~ hebben *be rosy-cheeked.*

bellen

I 〈onov.ww.〉 **0.1** [aanbellen] *ring (a/the bell)* **0.2** [een signaal geven] *ring (a/the bell)* ⇒*sound a/the bell* ◆ **1.2** de fietser belde *the cyclist rang his bell* **3.1** er wordt gebeld! *there's a ring at the door, there's the bell, s.o.'s ringing the door bell/ringing at the door* **5.1** heb je al gebeld? *have you rung (the bell) yet?;* voor Peters: driemaal ~! *for Peters ring (bell) three times;*

II 〈onov., ov.ww.〉 **0.1** [opbellen] *ring (up)* ⇒*give a ring/call/* 〈inf.〉 *buzz, call* ◆ **3.1** kan ik even ~? *may I use the (tele)phone?* **5.1** nog eens ~ *call back, ring again* **6.1** heb je al **naar** huis gebeld? *have you phoned/rung home yet?;*

III 〈ov.ww.〉 **0.1** [door een bel roepen] *ring for.*

bellenblazen 〈onov.ww.〉 **0.1** *blow bubbles.*

bellengeheugen 〈het〉 〈comp.〉 **0.1** *bubble storage.*

belletje 〈het〉 **0.1** [klokje] *tintinnabulum* **0.2** [〈inf.〉 telefoontje] *buzz, call, ring* ◆ **3.1** ~ trekken 〈kinderspel〉 *ring the bell(s) and run away.*

belletristisch 〈bn.〉 **0.1** *belletristic.*

bellettrie 〈de (v.)〉 **0.1** *belles-lettres* ⇒*(fine) literature, fiction.*

bellevue 〈de〉 **0.1** *beautiful view* ⇒〈als naam〉 *Fairview, Bellevue.*

beloeren 〈ov.ww.〉 **0.1** [loeren op] *watch (secretly)* **0.2** [bespieden] *spy (up)on* ⇒*peep at.*

belofte 〈de (v.)〉 **0.1** *promise* ⇒〈plechtig〉 *pledge* ◆ **1.1** 〈jur.〉 eed van ~ *promissory oath;* ~n van trouw *lovers' vows* **1.¶** het land van ~ *the promised land* **2.1** plechtige ~ *(solemn) pledge/undertaking* **3.1** iem. aan zijn ~ houden *keep s.o. to his promise;* 〈plechtig〉 ~n afleggen *take (solemn) oaths, affirm;* 〈jur.〉 een ~ afleggen 〈ipv. eed〉 *affirm, make (one's) affirmation;* iem. een ~ doen *make a promise;* zijn ~ houden/nakomen *segnover* iem. *keep/fulfil/carry out/ make good one's promise/pledge to s.o.;* dat houdt grote ~n in voor de toekomst *that promises well/shows great promise for the future;* een ~ inlossen *redeem a promise/pledge;* zijn ~ (ver)breken *break one's/go back on one's promise/pledge.*

beloken 〈bn.〉 ◆ **1.¶** ~ Pasen *Low Sunday.*

belonen 〈ov.ww.〉 **0.1** [betalen] *pay* ⇒〈schr.〉 *remunerate,* 〈vinder van verloren voorwerp, enz.〉 *reward* **0.2** [voldoening geven voor] *reward* ⇒*repay,* 〈schr.〉 *recompense* ◆ **1.1** de eerlijke vinder ~ *reward the finder* **1.2** uw moeite zal dubbel en dwars beloond worden *your efforts will be amply/richly rewarded/repaid* **5.2** mijn moeite werd slecht beloond *my efforts were poorly rewarded/repaid.*

beloning 〈de (v.)〉 **0.1** *reward* ⇒〈schr.〉 *recompense,* 〈loon〉 *pay(ment),* 〈schr.〉 *remuneration* ◆ **3.1** een ~ uitloven *offer a reward* **6.1** **ter/als** ~ (van/voor) *as a/in reward for, in return for, in reward of;* iets **tot** ~ krijgen *be rewarded with sth., get sth. in remuneration of/as remuneration for (sth.).*

beloop 〈het〉 **0.1** [ontwikkeling, gang] *course* ⇒*way* **0.2** [richting, vorm] *course* ⇒*line, direction, track* **0.3** [〈ec.〉 bedrag] *amount* **0.4** [talud] *slope* ◆ **1.1** dat is 's werelds ~ *that's the way of the world* **1.2** het ~ v.e. lijn *the direction/c. of a line* **1.4** het ~ v.e. dijk *the s. of a dike* **3.1** dat moet zijn ~ maar hebben *it'll just have to run/take its c.* **6.1** iets op zijn ~ laten *let sth. run/take its c.;* 〈nalatig zijn ook〉 *let things drift/ slide/rip* **6.3** een bedrag **ten** belope **van** *a sum amouting to, the amount of.*

belopen 〈ov.ww.〉 **0.1** [lopen over] *walk (along/up/down)* ⇒〈schr.〉 *tread* **0.2** [lopende afleggen] *walk* **0.3** [bedragen] *amount to* ⇒*total, come to,* 〈schade, schuld ook〉 *run (in)to* **0.4** [zich verbreiden over, door] *run* ◆ **1.4** een (met bloed) ~ oog *a bloodshot eye* **3.1** die weg is haast niet te ~ *that road's almost impassable on foot* **3.2** die afstand is in één dag niet te ~ *you can't w. that distance in one day* **6.1** door een storm ~ worden *be overtaken by/caught in a storm* **6.3** het beloopt **over** de honderd gulden *it amounts to/comes to/totals over 100 guilders.*

beloven 〈ov.ww.〉 〈→sprw. 44,45〉 **0.1** [toezeggen] *promise* ⇒〈jur.〉 *affirm,* 〈plechtig〉 *vow, pledge* **0.2** [doen verwachten] *promise* ⇒〈schr.〉 *bid fair* **0.3** [in het vooruitzicht stellen] *promise* ◆ **1.1** 〈fig.〉 iem. gouden bergen ~ *promise s.o. the earth/moon* **1.2** dat belooft niet veel goeds *that does not p.;* 〈schr.〉 *augur well* **3.2** het belooft een mooie dag/een succes te worden *it promises to be/has all the signs of/looks like a fine day/a success;* 〈schr.〉 it bids fair to be a fine day/to be a success/to succeed* **4.1** ik beloof je niets, dat kan ik je niet ~ *I make no promises, I can't p. that* **4.2** dat beloof ik! *(it's a) promise!;* 〈plechtig〉 *I swear!;* dat belooft wat! 〈positief〉 *that's promising!, that promises to turn into sth.!,* 〈negatief〉 *now there'll be trouble/ructions!* **5.1** iets plechtig ~ *pledge o.s. to (do) sth., pledge to do sth.* **7.2** spelers die veel ~ *players who show great promise* **¶.3** het wordt flink aanpakken, dat beloof ik je *it's going to be hard work, I (can) p. you!/I'm telling you!/I can tell you!.*

belroos 〈de〉 **0.1** *erysipelas* ⇒*(St.) Anthony's fire.*

belt 〈de〉 〈ind.〉 **0.1** [asbelt] *refuse/rubbish dump/heap* ⇒〈BE ook〉 *tip* **0.2** [kleine hoogte] *hillock* ⇒*hummock.*

beluchten 〈ov.ww.〉 **0.1** *aerate* ⇒*oxygenate* ◆ **1.1** boomwortels ~ met kunststof buizen *a. tree-roots using plastic tubes.*

beluisteren 〈ov.ww.〉 **0.1** [luisteren naar] *listen to;* 〈omroep ook〉 *listen in to* **0.2** [luisterend waarnemen] *hear* ⇒*overhear* **0.3** [afluisteren] *lis-*

ten in to ⇒*eavesdrop on,* ⟨radio ook⟩ *monitor* **0.4** [⟨med.⟩] *auscultate* ◆ **1.1** het programma is iedere zondag te ~ *the programme* ^*gram is broadcast every Sunday* **1.2** hij meende enige aarzeling/ironie te ~ in hun reacties *he seemed to detect some hesitation/a note of irony in their reactions* **5.1** het best beluisterde programma *the programme* ^*gram with the biggest audience.*

belust ⟨bn.⟩ **0.1** *eager (for)* ⇒*keen (on), bent (on), out (for)* ◆ **6.1** ~ zijn **op** *be keen on/e. for/bent on/out for, thirst/hunger/lust for/after;* ~ zijn **op** schandaaltjes *love scandal;* ~ zijn **op** wraak *be bent on/be out for vengeance;* het **op** sensatie/schandaaltjes ~ e publiek *the sensation-/scandal-loving public.*

belvédère ⟨de (m.)⟩ **0.1** *belvedere.*

bemachtigen ⟨ov.ww.⟩ **0.1** [te pakken krijgen] *get hold up* ⇒*get/lay one's hands on,* ↑*secure* **0.2** [zich meester maken van] *seize* ⇒*capture, take (possession of), make o.s. master of, acquire* ⟨diploma, enz.⟩ ◆ **1.1** een order/zitplaats ~ *secure an order/a seat;* een uurtje rust ~ *grab/snatch an hour's rest* **1.2** een nieuw afzetgebied ~ *capture a new market;* een stad ~ *s./capture/take (possession of) a city;* de troon (onrechtmatig) ~ *seize the throne (unlawfully), usurp the throne* **3.1** ik heb kaartjes kunnen ~ *I've managed to get (hold of/my hands on) some tickets.*

bemalen ⟨ov.ww.⟩ **0.1** [ontlasten van overtollig water] *drain* **0.2** [⟨AZN⟩ beschilderen] *paint.*

bemaling ⟨de (v.)⟩ **0.1** *drainage.*

bemannen ⟨ov.ww.⟩ **0.1** [van personeel voorzien] *man* ⇒⟨fabriek ook⟩ *staff,* ⟨schip ook⟩ *crew,* ⟨vesting ook⟩ *garrison* **0.2** [het personeel uitmaken van] *man* ⇒*staff,* ⟨schip ook⟩ *crew,* ⟨vesting ook⟩ *garrison* ◆ **1.1** een bemand ruimtevaartuig *a manned spacecraft* **3.1** een karwei niet kunnen ~ *not have enough manpower/personnel/people/men for the job* **3.2** het crisiscentrum wordt dag en nacht bemand *the crisis centre is manned/staffed day and night/round the clock* **5.1** onvoldoende bemand *undermanned, understaffed, undergarrisoned,* ⟨schip ook⟩ *below full complement.*

bemanning ⟨de (v.)⟩ **0.1** [personeel] *crew;* ⟨schip ook⟩ *ship's company, complement;* ⟨vesting⟩ *garrison* **0.2** [het van personeel voorzien] *manning* ⇒⟨schip ook⟩ *crewing,* ⟨vesting ook⟩ *garrisoning* ◆ **2.1** de voltallige ~ *(full) complement, the entire crew* **3.1** het schip heeft een ~ van 120 man *the ship has a crew/complement of 120.*

bemanningslid ⟨het⟩ ⟨scheep.⟩ **0.1** *crewman* ⇒*crewmember, hand,* ⟨v.e. duikboot⟩ *submariner, privateer(sman)* ⟨v.e. kaapschip⟩.

bemantelen ⟨ov.ww.⟩ **0.1** *cloak* ⇒*disguise, cover up* ◆ **1.1** hij probeerde zijn hebzucht te ~ *he tried to disguise his greed.*

bemensen ⟨ov.ww.⟩ **0.1** [van personeel voorzien] *staff* ⇒*crew* **0.2** [het personeel uitmaken van] *staff* ⇒*crew.*

bemerken ⟨ov.ww.⟩ **0.1** *notice* ⇒*note, observe,* ↑*perceive.*

bemerking ⟨de (v.)⟩ **0.1** *remark* ⇒*observation, comment.*

bemesten ⟨ov.ww.⟩ **0.1** *manure* ⇒⟨ihb. anorganisch⟩ *fertilize, dress* (with manure/fertilizer).

bemesting ⟨de (v.)⟩ **0.1** *manuring* ⇒⟨ihb. met kunstmest⟩ *fertilization.*

bemeten ⟨bn.⟩ **0.1** -*sized* ⇒*of ... dimensions* ◆ **5.1** de achterbank is wat krap ~ *the back seat is a little cramped/on the small side;* met 3 uur is de tijd wat krap ~ *three hours is a bit on the short side;* een ruim ~ plaats *a spacious/large(-sized) area, a place of large dimensions.*

bemeubelen ⟨ov.ww.⟩ ⟨AZN⟩ **0.1** *furnish.*

bemiddelaar ⟨de (m.)⟩, -ster, -lares ⟨de (v.)⟩ **0.1** [tussenpersoon] *intermediary* ⟨m., v.⟩ ⇒⟨mbt. geschil⟩ *mediator* ⟨m., v.⟩, ⟨v. ook⟩ *mediatrix,* ⟨internationaal ook⟩ *honest broker,* ⟨ambtelijk ook⟩ *arbitrator, conciliator, arbitration officer* ⟨m., v.⟩, ⟨inf.⟩ *go-between* **0.2** [mbt. een arbeidsbureau] *employment officer* ◆ **8.1** als ~ optreden *mediate, arbitrate, act as (a) mediator/arbitrator/go-between.*

bemiddeld ⟨bn.⟩ **0.1** *affluent* ⇒*of (...) means, well-to-do,* ⟨inf.⟩ *well-off, comfortable* ◆ **1.1** een ~ man *a man of means/substance, a well-to-do /well-off/an a. man* **3.1** ~ zijn *be well-to-do/a. /well-off/comfortable* **4.1** weinig/minder ~ *less/not so well-off, of small means.*

bemiddelen ⟨onov.ww.⟩ **0.1** *mediate* ⇒⟨ambtelijk ook⟩ *arbitrate* ◆ **3.1** bemiddelend optreden *m. /arbitrate, act as (a) mediator/arbitrator* **6.1** ~ in een twist *m. in a dispute.*

bemiddeling ⟨de (v.)⟩ **0.1** *mediation* ⇒⟨ambtelijk ook⟩ *arbitration, conciliation* ◆ **3.1** zijn ~ aanbieden *offer to mediate/act as (a) mediator;* ~ verlenen bij een verkoop *act as middleman in/intermediary for a sale* **6.1** door ~ van *through, through the agency of;* ⟨beleefd ook⟩ *through the kind offices of.*

bemiddelingsvoorstel ⟨het⟩ **0.1** *compromise (proposal)* ⇒*conciliation/ mediatory proposal.*

bemind ⟨bn.⟩ **0.1** *dear (to)* ⇒*(well-/much-)liked (by), popular (with),* ⟨schr.⟩ *beloved (of)* ◆ **3.1** door zijn charme maakte hij zich bij iedereen ~ ⟨ook⟩ *his charm endeared him to everyone;* zich ~ (weten te) maken bij *endear o.s. to, make o.s. popular with;* zich ~ trachten te maken bij ⟨pej.⟩ *ingratiate o.s. with, curry favour with.*

beminde ⟨de (m.)⟩ **0.1** *beloved* ⇒*sweetheart, love(r),* ⟨verloofde⟩ *fiancé(e).*

beminnaar ⟨de (m.)⟩ **0.1** *lover (of).*

beminnelijk ⟨bn.⟩ **0.1** *amiable* ⇒*engaging, lovable.*

beminnelijkheid ⟨de (v.)⟩ **0.1** *amiability* ⇒⟨passief⟩ *lovableness.*

beminnen ⟨ov.ww.⟩ ⟨schr.⟩ **0.1** ⟨ongemarkeerd⟩ *love* ⇒*hold dear.*

bemodderd ⟨bn.⟩ **0.1** *muddy* ⇒*muddied, mud-stained, bemired,* ⟨kleren ook⟩ *bedraggled.*

bemoederen ⟨ov.ww.⟩ **0.1** *mother.*

bemoedigen ⟨ov.ww.⟩ **0.1** *encourage* ⇒*hearten, cheer* ◆ **1.1** ~ de resultaten *encouraging/heartening results* **5.1** weinig ~ d *discouraging, disheartening, hardly encouraging.*

bemoediging ⟨de (v.)⟩ **0.1** [aanmoediging] *encouragement* ⇒*cheer* **0.2** [troost] *comfort* ⇒*consolation.*

bemoeial ⟨de (m.)⟩ **0.1** *busybody* ⇒*meddler,* ⟨inf.⟩ *fusspot,* ⟨BE ook⟩ *nos(e)y parker.*

bemoeien ⟨wk.ww.; zich ~⟩ **0.1** [mbt. iets waar men niets mee te maken heeft] *meddle (in)* ⇒*interfere (in)* **0.2** [mbt. het in orde maken van iets] *deal with* ⇒*handle, look after, take in hand,* ⟨zich mengen in⟩ *step in* **0.3** [mbt. personen] *have (sth.) to do with (s.o.)* ◆ **5.1** bemoei je er niet mee! ⟨ook⟩ *stay out of this (will you?);* ⟨onbeleefd⟩ *butt out!;* ik wil me er niet mee ~ maar ...*of course it's none of my business/no business of mine, but ...;* bemoei je niet overal mee! *stop meddling (in everything)!, mind your own business!;* hij bemoeit zich overal mee *he's always interfering/meddling, he sticks his nose in everywhere;* waar bemoei je je eigenlijk mee? *what's that got to do with you?, what's that to you?* **5.2** als ik me daar ook nog mee moet gaan ~ ...*do I have to take care of everything here?;* daar bemoei ik me niet mee *I don't want to get mixed up in that, that's not my problem/lookout;* daar hoeven we ons niet mee te ~ *we're not concerned/need not concern ourselves with that;* zich nergens mee ~ *not get involved in anything;* ⟨inf.⟩ *keep well out of things/it* **6.1** zich **met** de zaak gaan ~ *take the matter in hand, interfere in the matter, step in* **6.2** wilt u zich **met** de afwikkeling van deze kwestie ~? *will you deal/handle/look after this?/take this in hand?;* zich helemaal niet **met** iets ~ *have nothing whatever/refuse to have anything to do with sth., leave sth. well enough alone* **6.3** ze bemoeit zich **met** niemand *she won't have anything to do with anybody/keeps herself (very much) to herself.*

bemoeienis, bemoeiing ⟨de (v.)⟩ **0.1** [moeite] *exertion* ⇒*effort, pains, trouble* **0.2** [betrokkenheid] *concern* ⇒*involvement* **0.3** [inmenging] *interference* ⇒*meddling* **0.4** [bevoegdheid] *competence* ◆ **2.1** door zijn vriendelijke ~ *through his kind/good offices* **3.2** geen ~ hebben met *not be concerned with, have nothing to do with.*

bemoeilijken ⟨ov.ww.⟩ **0.1** *hamper* ⇒*hinder, interfere with, impede* ⟨voortgang⟩, ⟨situatie ook⟩ *aggravate, complicate, make/render more difficult.*

bemoeiziek ⟨bn.⟩ **0.1** *interfering* ⇒*meddling, meddlesome* ◆ **1.1** ~ gedrag *interfering/meddling/meddlesome behaviour* **3.1** ~ zijn *be a meddler/busybody/* ⟨BE ook⟩ *a nos(e)y parker.*

bemoeizucht ⟨de⟩ **0.1** *meddlesomeness.*

bemorsen ⟨ov.ww.⟩ **0.1** *soil* ⇒*dirty,* ⟨met vocht ook⟩ *splash.*

ben ⟨de⟩ **0.1** *(wicker) basket* ⇒*crib,* ⟨voor vis⟩ *creel,* ⟨voor fruit⟩ *trug.*

benadelen ⟨ov.ww.⟩ **0.1** *harm* ⇒*damage, injure, put at a disadvantage, handicap,* ⟨jur.⟩ *prejudice* ⟨rechten⟩, *aggrieve* ⟨personen⟩ ◆ **1.1** hierdoor wordt het bedrijf voor miljoenen benadeeld *this means a loss of millions to the firm* **3.1** benadeeld worden door de scheidsrechter *be treated unfairly by the referee* **6.1** ⟨jur.⟩ iem. **in** zijn rechten ~ *prejudice/infringe (on) s.o.'s rights* **7.1** ⟨jur.⟩ de benadeelde *the injured/aggrieved party.*

benaderbaar ⟨bn.⟩ **0.1** *approachable* ⇒*accessible.*

benaderen ⟨ov.ww.⟩ **0.1** [nader komen tot] *approach* ⇒⟨fig. ook⟩ *approximate to, come close to* **0.2** [zich wenden tot] *approach* ⇒*get in touch with* **0.3** [aanpakken] *approach* **0.4** [⟨wisk.⟩] *calculate/estimate (roughly)* **0.5** [beslag leggen op] *seize* ⇒*confiscate, impound* ◆ **1.3** we moeten dit probleem anders ~ *we'll have to find another approach to this problem/a. this problem in another way* **1.4** de juiste hoeveelheid trachten te ~ *try to calculate/estimate the right amount* **5.1** gemakkelijk/moeilijk te ~ *(un)approachable, (in)accessible* **5.2** iem. officieel/officieus ~ *approach s.o. officially/unofficially* **6.2** iem. ~ **over** een kwestie *approach s.o. on a matter* **6.4** een getal ~ **tot** in vijf decimalen *calculate a figure to five decimal places.*

benadering ⟨de (v.)⟩ **0.1** [het nader komen] *approach* ⇒⟨fig. ook⟩ *approximation (to)* **0.2** [aanpak] *approach* **0.3** [het polsen van iem.] *approach* **0.4** [⟨wisk.⟩] *(rough) calculation* ⇒*(rough) estimate, approximation* **0.5** [beslaglegging op goederen] *seizure* ⇒*confiscation, impounding* ◆ **2.2** de kwantitatieve ~ *the quantitative a.* **6.1** de ~ **van** een ideaal *an approach to an ideal* **6.¶ bij** ~ *approximately, roughly;* **bij** ~ juist *roughly/approximately correct.*

benaderingskromme ⟨de⟩ ⟨nat., schei.⟩ **0.1** *approximation curve.*

benadrukken ⟨ov.ww.⟩ **0.1** *emphasize* ⇒*stress, underline.*

benaming ⟨de (v.)⟩ **0.1** *name* ⇒*designation,* ⟨schr.⟩ *appellation* ◆ **2.1** een wettelijk beschermde ~ *a (legally) registered n.;* onjuiste/verkeerde ~ *misnomer* **6.1** de firma is bekend **onder** de ~ **van** ...*the firm is known as .../by the n. of ....*

benard ⟨bn.⟩ **0.1** ⟨moeilijk⟩ *awkward;* ⟨gevaarlijk⟩ *perilous;* ⟨benauwend⟩ *distressing, distressful, distressed, hard-pressed* ◆ **1.1** in ~ e omstandigheden verkeren *find o.s. /be in dire/desperate straits/in a* *(bad) plight/position/in straitened circumstances;* iem. uit zijn ~e positie bevrijden *release s.o. from his awkward/perilous/distressful position;* het zijn ~e tijden *these are trying times/hard times of stress;* een ~e toestand/situatie *an awkward/a perilous/distressful situation, a terrible plight.*

benauwd
I ⟨bn.⟩ **0.1** [belemmerd in de ademhaling] *short of breath* **0.2** [de ademhaling belemmerend] *close* ⇒*sultry, muggy,* ↑*oppressive,* ⟨onfris⟩ *stuffy* **0.3** [angstig] *anxious* ⇒*afraid* **0.4** [angstig makend] *upsetting* ⇒⟨inf.⟩ *scary* **0.5** [nauw] *narrow* ⇒*cramped,* ⟨vertrek; inf.⟩ *poky* ◆ **1.2** een ~ gevoel op de borst *a tight/constricted feeling in one's chest* **1.5** een ~ gezichtje *an anxious expression* **1.5** een ~ hok *a poky little room* **3.1** de patiënt is wat ~ *the patient is rather short of breath;*
II ⟨bw.⟩ **0.1** [de ademhaling belemmerend] *closely* ⇒*sultrily, muggily,* ↑*oppressively,* ⟨onfris⟩ *stuffily* **0.2** [angstig] *anxiously* ◆ **2.1** ~ warm *close, sultry, muggy, oppressive.*
benauwdheid ⟨de (v.)⟩ **0.1** [bemoeilijkte ademhaling] *tightness of the chest* **0.2** [bedomptheid] *closeness, stuffiness* **0.3** [angst] *fear, anxiety* **0.4** [nood] *distress.*
benauwen ⟨ov.ww.⟩ **0.1** [benauwd maken] *distress* ⇒*close in on,* ↑*oppress* **0.2** [beklemmen] *weigh (down/heavily) on* ⇒ ↑*oppress, depress* **0.3** [angstig maken] *scare* ⇒*upset, frighten* ◆ **1.2** al die verplichtingen ~ me wel eens *all these obligations weigh heavily on me now and then.*
benauwend
I ⟨bn.⟩ **0.1** [de ademhaling belemmerend] *close* ⇒*sultry, muggy,* ↑*oppressive,* ⟨onfris⟩ *stuffy* **0.2** [angstig makend] *upsetting* ⇒⟨inf.⟩ *scary;*
II ⟨bw.⟩ **0.1** [de ademhaling belemmerend] ⟨→**benauwd** II 0.1⟩.
bende ⟨de⟩ **0.1** [rommel] *mess* ⇒*shambles* **0.2** [groot aantal] *mass* ⇒ ⟨mbt. mensen/dieren⟩ *swarm, flock, crowd, horde,* ⟨mbt. dingen ook⟩ *heap, load, pile* **0.3** [troep] *gang* ⇒⟨dieven ook⟩ *pack,* ⟨schr.⟩ *band, crew* ◆ **1.2** een ~ werk *a pile/heap/m. of work* **2.1** het is daar één grote ~! *it's a real m.! shambles there!, it's like a bomb site there!;* de hele ~ *the (whole) lot;* ⟨sl.⟩ *the whole caboodle* **2.3** een goddeloze ~ *a rough crew* **3.1** een ~ vormen *gang up/together, band together* **7.3** de ~ van vier *the Gang of Four.*
bendeleider ⟨de (m.)⟩ **0.1** *gang leader.*
bendelid ⟨het⟩ **0.1** *gangster* ⇒⟨AE ook⟩ *hood(lum), mobster.*
bendevorming ⟨de (v.)⟩ **0.1** *formation/forming of a gang* ⇒*ganging up.*
beneden¹ ⟨bw.⟩ **0.1** *down* ⇒ ⟨ook schr.⟩ *below,* ⟨in huis⟩ *downstairs,* ⟨pagina⟩ *at the bottom* ◆ **3.1** ~ komen *come down(stairs);* zoals ~ vermeld *as stated below;* ~ wonen *live on the ground floor/* ⟨AE ook⟩ *first floor* **5.1** hier ~! *down here!;* ⟨bijb.⟩ *here below* **6.1** van boven **naar** ~ *downwards;* iem. **naar** ~ halen ⟨fig.⟩ *run s.o. down;* **naar** ~ komen ⟨langs trap enz.⟩ *come down(stairs);* ⟨vallen⟩ *fall down; crash* ⟨vliegtuig⟩; *collapse* ⟨muur, dak enz.⟩; **naar** ~ gaan *go down(stairs);* ⟨helling ook⟩ *slope down;* ⟨met prijzen⟩ *lower; go/come down* ⟨prijzen⟩; **naar** ~ brengen *bring down;* ⟨kosten ook⟩ *reduce;* de punt wijst **naar** ~ *the tip's pointing downwards;* **naar** ~ halen *lower* ⟨vlag⟩; *bring down* ⟨vliegtuig⟩; **naar** ~ (laten) vallen *drop;* de vijfde regel **van** ~ *the fifth line up, the fifth line from the bottom.*
beneden² ⟨vz.⟩ **0.1** *under* ⇒*below, beneath* ◆ **1.1** ~ de grond *underground;* kinderen ~ de zes jaar *children under six (years of age);* ⟨scheep.⟩ ~ de koers liggen *drift, make leeway;* ~ de vereisten/verwachtingen blijven *fall short of requirements/expectations;* ~ de waarde verkopen *sell below value;* ~ mijn waardigheid is *beneath my dignity/me;* ⟨scheep.⟩ ~ de wind *(to) leeward, downwind* **3.1** ~ iem. staan *be under s.o.* **4.1** het ~ zich achten *consider it beneath one.*
benedenbewoner ⟨de (m.)⟩ **0.1** *downstairs occupant/* ⟨als buur gezien⟩ *neighbour.*
benedenbuur ⟨de (m.)⟩ **0.1** *downstairs neighbour.*
benedendek ⟨het⟩ ⟨scheep.⟩ **0.1** *lower deck.*
benedendijks ⟨bw.⟩ **0.1** *at the foot of a/the dike.*
benedenhoek ⟨de (m.)⟩ **0.1** *bottom corner.*
benedenhuis ⟨het⟩ **0.1** *ground-floor flat;* ⟨AE ook⟩ *first-floor apartment.*
benedenkant ⟨de (m.)⟩ **0.1** *bottom* ⇒*underside.*
benedenloop ⟨de (m.)⟩ **0.1** *lower reaches.*
benedenrivier ⟨de⟩ **0.1** *tidal river.*
benedenstad ⟨de⟩ **0.1** *lower town* ◆ **6.1** in de ~ ⟨AE ook⟩ *downtown.*
benedenste¹ ⟨het⟩ **0.1** *bottom.*
benedenste² ⟨bn.⟩ **0.1** *lowest* ⇒*bottom,* ⟨v.e. stapel ook⟩ *undermost.*
benedenstrooms ⟨bw.⟩ **0.1** *downstream.*
benedenverdieping ⟨de (v.)⟩ **0.1** *ground floor;* ⟨AE ook⟩ *first floor* ⇒ ⟨lagere verdieping⟩ *lower floor, floor below.*
benedenwaarts
I ⟨bn.⟩ **0.1** [de richting naar beneden hebbend] *downward;*
II ⟨bw.⟩ **0.1** [in de richting naar beneden] *downwards,* ^*downward.*
benedenwinds
I ⟨bn.⟩ **0.1** [beneden de wind gelegen] *leeward* ◆ **1.¶** de ~e eilanden *the Leeward Islands;*
II ⟨bw.⟩ **0.1** [aan de lijzijde] *to leeward.*
benedenwoning ⟨de⟩ **0.1** *ground-floor flat;* ⟨AE ook⟩ *first-floor apartment.*

benedenzon ⟨de⟩ **0.1** *parhelion* ⇒*mock sun, sundog.*
benedictie ⟨de (v.)⟩ **0.1** *benediction.*
benedictijn ⟨de (m.)⟩ **0.1** *Benedictine (monk)* ⇒*Black Monk.*
benedictine ⟨de⟩ **0.1** *Benedictine.*
benedictines ⟨de (v.)⟩ **0.1** *Benedictine (nun).*
benedictuskruid ⟨het⟩ **0.1** *(herb) bennet* ⇒*wood avens.*
benedijen ⟨ov.ww.⟩ ⟨vero.⟩ **0.1** *bless.*
benefice ⟨de (v.)⟩ ◆ **6.¶** ter ~ **van** *for the benefit of.*
beneficevoorstelling ⟨de (v.)⟩ →**benefietvoorstelling.**
beneficiair ⟨bn., bw.⟩ ⟨jur.⟩ ◆ **1.¶** ~e aanvaarding *acceptance without liability to debts beyond the assets descended;* ~ erfgenaam *beneficiary.*
beneficiant ⟨de (m.)⟩ **0.1** [iem. in het genot v.e. beneficie] *beneficiary* **0.2** [iem. voor wie een benefiet wordt gegeven] *object of a benefit (performance/match).*
beneficie ⟨de (v.)⟩ **0.1** [r.k. waardigheid] *benefice* **0.2** [postje] *benefice* ⇒⟨BE ook⟩ *living* ◆ **1.¶** ⟨jur.⟩ ~ van inventaris *benefit of inventory, beneficium inventarii.*
benefiet ⟨het⟩ **0.1** *benefit.*
benefietvoorstelling ⟨de (v.)⟩ **0.1** *benefit (performance/evening/night).*
benefietwedstrijd ⟨de (m.)⟩ **0.1** *benefit (match).*
Benelux ⟨de (m.)⟩ **0.1** *Benelux* ⇒*the Benelux countries.*
benemen ⟨ov.ww.⟩ **0.1** [ontnemen] *take away (from)* **0.2** [(AZN) innemen] *take up* ◆ **1.1** iem. de adem ~ *take s.o.'s breath away;* iem. de eetlust ~ *spoil/take away s.o.'s appetite;* ⟨inf.⟩ *put s.o. off his food;* zich het leven ~ *take one's (own) life,* ↓ *do away with o.s.;* iem. het licht ~ *block s.o.'s light;* iem. de lust ~ (om) *spoil s.o.'s pleasure (in doing) sth.);* ⟨inf.⟩ *put s.o. off (doing) sth.);* iem. de moed ~ *take the heart out of s.o.;* iem. het uitzicht ~ *cut off/block s.o.'s view, rob/deprive s.o. of his view.*
benen¹ ⟨bn.⟩ **0.1** *bone.*
benen² ⟨onov.ww.⟩ **0.1** *leg it* ⇒*hare* ◆ **5.1** heen en weer ~ *pace up and down/to and fro* **6.1** op iets af ~ *leg it/hare towards sth..*
benenwagen ⟨de (m.)⟩ ⟨scherts.⟩ ◆ **6.¶** met de ~ gaan *go on/ride (on)/travel by shanks's pony, hoof it.*
benenwerk ⟨het⟩ ⟨sl.⟩ *leg-piece, leg-show.*
benepen ⟨bn., bw.⟩ **0.1** [bekrompen] *small-minded* ⇒*petty, narrow-minded* **0.2** [verlegen] *timid* ⇒*anxious,* ⟨stem ook⟩ *small* **0.3** [mbt. ruimte] *cramped* ⇒*confined,* ⟨inf.⟩ *poky* **0.4** [kleinmoedig] *faint-hearted* ⇒*pusillanimous* ◆ **1.1** een ~ gedachte *a small-minded idea/way of thinking* **1.2** een ~ gezicht zetten *have an anxious expression (on one's face)* **1.4** met een ~ hart *faint-hearted(ly)* **3.3** ~ wonen *live in cramped conditions, be cramped for space.*
benepenheid ⟨de (v.)⟩ **0.1** [bekrompenheid] *small-mindedness* ⇒*pettiness, narrow-mindedness* **0.2** [verlegenheid] *timidity* **0.3** [mbt. ruimte] *crampedness;* ⟨inf.⟩ *pokiness* **0.4** [kleinmoedigheid] *faint-heartedness* ⇒*pusillanimity.*
benevelen ⟨ov.ww.⟩ **0.1** [met nevel bedekken] *cloud* ⇒*(be)fog, mist (over/up)* **0.2** [bedwelmen] *cloud* ⇒*(be)fog* **0.3** [verbergen] *obscure* ⇒*cloud* ◆ **1.1** een benevelde lucht *a misty sky* **1.2** de geest ~ *c. one's mind;* in benevelde toestand ⟨dronken⟩ *fuddled (with drink), muzzy* ⟨verstand⟩ *hazy, mixed-up* **1.3** de waarheid ~ *o./cloud the truth* **3.2** zijn verstand raakte even beneveld *his brain clouded/misted over for a moment;* beneveld zijn *be in a fog/a mist;* ⟨dronken⟩ *be fuddled (with drink)/muzzy* **5.2** licht(elijk) beneveld ⟨inf.⟩ *tipsy, woozy.*
benevens ⟨vz.⟩ ⟨schr.⟩ **0.1** *plus* ⇒*together with, in addition to* ◆ **1.1** f 2000 salaris ~ vrije woning *a salary of 2000 guilders p. free accommodation.*
benevolentie ⟨de (v.)⟩ **0.1** *benevolence.*
Bengaals ⟨bn.⟩ **0.1** *Bengal* ⇒ ⟨vnl. mbt. inwoners/taal⟩ *Bengali, Bengalese* ◆ **1.1** ⟨plantk.⟩ ~e hennep *sunn (hemp), Indian hemp;* ~e tijger *Bengal tiger* **1.¶** ~ vuur/licht *Bengal fire/light, Indian fire.*
Bengalees ⟨de (m.)⟩ **0.1** *Bengalese.*
bengaline ⟨het⟩ **0.1** *bengaline.*
bengel ⟨de (m.)⟩ **0.1** *(little) rascal, scamp* ⇒*scallywag* ^*scalawag, little beggar, (little) terror.*
bengelen ⟨onov.ww.⟩ **0.1** [bungelen] *dangle* ⇒*swing (to and fro)* **0.2** [luiden] *ring* ◆ **3.1** iets laten ~ *dangle sth.* **5.1** ⟨fig.⟩ ergens maar bij ~ *not really belong (to), just be a hanger-on.*
benieuwd ⟨bn.⟩ **0.1** *curious* ◆ **3.1** ik ben wel ~ *I'm really c.;* ik ben ~ wat hij zal zeggen *I wonder what he'll say* **5.1** ze was erg ~ (te horen) wat hij ervan vond *she was anxious/couldn't wait/was dying to hear what he thought of it* **6.1** ik ben ~ **naar** zijn plannen *I'm c. about his plans/to know his plans, I wonder what he's planning/what his plans are.*
benieuwen ⟨onov.ww.⟩ **0.1** *arouse curiosity* ◆ **8.1** het zal mij ~ of hij komt *I wonder if/whether he'll come;* ⟨iron.⟩ *I have my doubts whether he'll come, I'm not too sure that he'll come (at all).*
benig ⟨bn.⟩ **0.1** [(als) van been] *bony* ⇒⟨med.⟩ *asseous, osteoid* **0.2** [uitkomende beenderen] *bony* ⇒⟨vnl. mbt. gezicht⟩ *angular* **0.3** [vol been] *bony.*
benijdbaar ⟨bn.⟩ **0.1** *enviable.*
benijden ⟨ov.ww.⟩ **0.1** *envy* ⇒*be envious/jealous (of)* ◆ **3.1** hij is niet te ~ *I don't envy him, I wouldn't want/like to be in his shoes, he is not to*

be envied **6.1** zij werd benijd **om** haar succes *she was begrudged/envied her success, her success aroused envy/made people vious/jealous;* al onze vrienden ~ ons **om** ons huis *all our friends envy us our house, our house is the envy of all our friends.*

benijdenswaardig ⟨bn., bw.; -ly⟩ **0.1** *enviable.*

benjamin ⟨de (m.)⟩ **0.1** *Benjamin* ⇒ ↓*baby, babby* ♦ **3.1** hij is de ~ thuis *he is the Benjamin/baby/babby of the family* **5.1** ~ af zijn *no longer be the baby of the family/the youngest.*

benodigd ⟨bn.⟩ **0.1** *required, necessary* ⇒*wanted,* ↑*requisite* ♦ **1.1** ~ gereedschap *required/n. equipment, stock in trade;* de ~e ingrediënten *the n. ingredients;* de daarvoor ~e tijd *the time required/needed (for this), the time this takes* **7.1** al het ~e *everything required/n..*

benodigdheden ⟨de (v.)⟩ **0.1** *requirements, necessities, needs* ⇒⟨vereisten⟩ *requisites,* ⟨dram.⟩ *props.*

benoembaar ⟨bn.⟩ **0.1** [benoemd kunnende worden] *eligible (for)* ⇒*qualified (for)* **0.2** [waaraan men een naam kan geven] *nameable* ♦ **1.2** dat gevoel is niet ~ *there's no word for/I can't put a name to that feeling.*

benoemen ⟨ov.ww.⟩ **0.1** [aanstellen] *appoint* ⇒*designate, assign (to), nominate* ⟨ook jury⟩, *enrol* [A]*enroll* ⟨jury⟩ **0.2** [noemen] *name* ⇒*nominate* ♦ **1.¶** ⟨wisk.⟩ benoemde getallen *concrete numbers* **5.1** vast benoemd zijn *have tenure, be appointed permanently* **6.1** iem. **bij** een firma ~ *place s.o. with a firm;* iem. **in** een ambt ~ *appoint/assign s.o. to a post/an office;* iem. **tot** burgemeester ~ *appoint s.o. burgomaster;* iem. **tot** zijn erfgenaam ~ *name s.o. as/make s.o. one's heir.*

benoeming ⟨de (v.)⟩ **0.1** [handeling] *appointment* ⇒*designation, assignment, nomination* **0.2** [keur, geval] *appointment* ⇒*designation, assignment, nomination* **0.3** [geschrift] *letter/notice of appointment* ♦ **3.1** een ~ aanvaarden *accept an appointment;* een ~ weigeren *decline/turn down an appointment* **3.3** zijn ~ ontvangen *receive notice of one's appointment/one's letter of appointment* **6.1** ~ in een ambt *appointment to a post/an office;* **ter** ~ voordragen *propose s.o./submit s.o.'s name for appointment;* zijn ~ **tot** directeur *his appointment as director/to the post of director.*

benoemingscommissie ⟨de (v.)⟩ **0.1** *selection committee.*

benoorden ⟨vz.⟩ **0.1** *(to the) north of* ⇒*northward of* ♦ **1.1** ~ de Moerdijk *north of the big rivers.*

bent ⟨het, de⟩ **0.1** [bentgras] ⟨→bentgras⟩ **0.2** [hennep] *tow of hemp.*

bentgras ⟨het⟩ **0.1** [Molinia caerulea] *bent(-grass)* ⇒*flying bent, moorgrass* **0.2** [Deschampsia/Aira cespitosa] *hair grass.*

bentheimersteen ⟨het, de (m.)⟩ **0.1** ≠*gritstone.*

bentpol ⟨de (m.)⟩ **0.1** *tuft of bent/hair grass.*

benul ⟨het⟩ ⟨inf.⟩ **0.1** *notion, inkling, idea* ♦ **3.1** hij heeft er geen (flauw) ~ van *he hasn't (got) the foggiest/slightest/faintest/remotest notion/idea (of it), he hasn't (got) a clue.*

benutten ⟨ov.ww.⟩ **0.1** *utilize, make use of, exploit* ♦ **1.1** een gelegenheid ~ *om avail o.s. of an opportunity to;* zijn kansen ~ *make the most of one's opportunities;* een situatie ~ ⟨ook⟩ *take advantage of/make the most of a situation;* ⟨sport⟩ een strafschop ~ *score from/* ⟨rugby⟩ *convert a penalty* **5.1** ⟨sport⟩ een kans niet ~ *fluff a scoring chance.*

B. en W. ⟨de⟩ ⟨afk.⟩ **0.1** [Burgemeester en Wethouders] ⟨*Mayor and Aldermen*⟩.

benzedrine ⟨het, de⟩ **0.1** *Benzedrine* ⇒*amphetamine.*

benzeen ⟨het⟩ **0.1** [als brandstof] *benzene* ⇒*benzol(e)* **0.2** [koolwaterstof] *benzene* ⇒*benzol(e).*

benzine ⟨de⟩ **0.1** ≠*petrol,* [A]*gas(oline)* ⇒*motor-spirit* ♦ **2.1** gewone/normale ~ ⟨inf.⟩ *normal,* [B]*two star p.,* [A]*regular (g.);* superbenzine ⟨inf.⟩ *super,* [B]*four star p.,* [A]*premium (g.)* **3.1** ~ tanken *fill (a car) up (with p./g.)* **6.1** zonder ~ komen te staan *run out of petrol/g..*

benzineaccijns ⟨de (m.)⟩ **0.1** *duty on* [B]*petrol/* [A]*gas(oline).*

benzineblik ⟨het⟩ **0.1** *petrol/* [A]*gas can* ⇒*jerrycan.*

benzinebom ⟨de (m.)⟩ **0.1** *petrol bomb,* ⟨AE alleen⟩ *molotov cocktail.*

benzinebon ⟨de (m.)⟩ **0.1** *petrol/* [A]*gas(oline) coupon.*

benzinedamp ⟨de (m.)⟩ **0.1** *petrol vapour, gas(olene) fumes.*

benzineleiding ⟨de (v.)⟩ **0.1** *fuel pipe(s).*

benzinemeter ⟨de (m.)⟩ **0.1** *fuel gauge* ⇒⟨BE ook⟩ *petrol gauge.*

benzinemotor ⟨de (m.)⟩ **0.1** [B]*petrol/* [A]*gasoline engine/motor* ⇒*internal combustion engine.*

benzinepomp ⟨de⟩ **0.1** [toestel] [B]*petrol/* [A]*gas(oline) pump* **0.2** [benzinestation] [B]*petrol/* [A]*gas(oline) station* ⇒*filling station,* ≠*service station* **0.3** [brandstofpomp] *fuel pump* ⇒[B]*petrol/* [A]*gas(oline) pump.*

benzinestation ⟨het⟩ ⟨→benzinepomp 0.2.

benzinetank ⟨de (m.)⟩ **0.1** [B]*petrol/* [A]*gas(oline) tank* ⇒*fuel tank.*

benzineverbruik ⟨het⟩ **0.1** *petrol/fuel/* [A]*gas consumption.*

beo ⟨de (m.)⟩ **0.1** *myna(h), grackle.*

beoefenaar ⟨de (m.)⟩ **0.1** *student* ⟨taal, kunst⟩; *practitioner* ⟨geneeskunde, kunst⟩ ♦ **1.1** het aantal ~s v.d. tennissport *the number of people playing this game/tennis;* de ~s v.d. hengelsport/bokssport ⟨ook⟩ *the angling/boxing fraternity;* een ~ v.d. letterkunde *a man of letters* **2.1** een enthousiast ~ v.d. zeilsport *a keen yachtsman.*

beoefenen ⟨ov.ww.⟩ **0.1** [zich geregeld bezighouden met] *practise* ⇒*pursue, follow, study,* ⟨inf.⟩ *go in for* **0.2** [in praktijk brengen] *cultivate* ⇒*put into practice* ♦ **1.1** een kunst/ambacht ~ *practise an art/trade;*

⟨ambacht ook⟩ *ply a trade;* sport ~ *go in for sport, be a sportsman;* wetenschap ~ *study science, be a scientist* **1.2** de deugd ~ *c. virtue.*

beogen ⟨ov.ww.⟩ **0.1** *have in mind/view, aim at, intend* ⇒⟨overwegen⟩ *contemplate* ♦ **1.1** het beoogde doel *the object in view/intended purpose;* een bepaald effect ~ *have a particular effect in mind, intend/aim at a particular effect;* het beoogde resultaat *the intended/desired result, the result aimed at/desired/in view.*

beoordelaar ⟨de (m.)⟩, **-ster** ⟨de (v.)⟩ **0.1** *judge, critic* ⇒⟨recensent⟩ *reviewer.*

beoordelen ⟨ov.ww.⟩ **0.1** [een oordeel vellen] *judge* ⇒*assess* **0.2** [zich een oordeel vormen over] *judge* ⇒*assess, evaluate* ♦ **1.1** een boek ~ j./adjudge a book;* een voorstel ~ j./assess/evaluate a proposal* **4.1** ik denk dat je dat het beste zelf kunt ~ *I think you're the best judge of that* **4.2** dat kan ik zelf wel ~! *I can j. for myself (, thank you very much)!* **5.1** je moet elk geval apart/op zichzelf ~ *each case must be judged on its (own) merits;* iem. streng ~ *judge s.o. harshly;* iem. verkeerd ~ *misjudge s.o.* **5.2** dat is moeilijk te ~ *that's hard to say/difficult to form an opinion of;* dat kun je van hieraf niet ~ *it's hard to tell from here.*

beoordelingsfout ⟨de⟩ **0.1** *error of judg(e)ment* ⇒*mistake, misjudg(e)ment* ⟨van persoon⟩.

beoordelingsstaat ⟨de (m.)⟩ **0.1** *(assessment) report.*

beoorlogen ⟨ov.ww.⟩ **0.1** *make/* ↑*wage war (on/against)* ⇒⟨vnl. fig.⟩ *do battle with* ♦ **6.1** ⟨fig.⟩ elkaar **in** geschriften ~ *do battle with/go hammer and tongs at one another in writing.*

bepaald

I ⟨bn.⟩ **0.1** [aangewezen] *particular, specific* **0.2** [vastgesteld] *specific* ⇒*fixed, set, specified,* ⟨willekeurig⟩ *given* **0.3** [een of ander, sommige] *certain* ⇒*particular* ♦ **1.1** doe je dat met een ~ doel? *are you doing that for any particular reason/purpose?;* in dit ~e geval *in this particular/specific case;* heb je een ~ iemand in gedachten? *are you thinking of anyone in particular?* **1.2** een ~e som *a specific/specified sum;* het ~e uur ⟨ook⟩ *the appointed hour/time* **1.3** ~e mensen *c. people;* een ~ probleem *a particular problem;* om ~e redenen *for certain reasons* **1.¶** ⟨wisk.⟩ een ~e integraal *a definite integral;* ⟨taal.⟩ het ~ lidwoord *the definite article* **4.¶** niets ~s *nothing definite/specific* **5.2** vooraf ~ *predetermined.*

II ⟨bn., bw.; -ly⟩ **0.1** [beslist] *definite* ♦ **2.1** ~ lelijk/onbehoorlijk *downright ugly/rude;* het is ~ misdadig *it is a positive crime;* het is ~ onjuist *it is definitely wrong/untrue;* hij was ~ vriendelijk *he was positively friendly* **3.1** ik krijg ~ de indruk dat ... *I have a distinct impression that ...* **5.1** het is ~ niet eenvoudig *it is by no means easy;* ze was ~ niet gelukkig *she was far from happy;* niet ~ slim *not particularly clever;* dat is niet ~ een compliment *that is hardly/not exactly a compliment;* hij is niet ~ rijk *he is not exactly rich* **7.1** het was ~ geen succes *it was anything but a success.*

bepaaldelijk ⟨bw.⟩ **0.1** [uitdrukkelijk, stellig] *expressly, specifically* **0.2** [vooral] *especially, particularly* ♦ **3.1** iem. iets ~ voorschrijven/verbieden *e.! s. prescribe/forbid s.o. sth..*

bepaaldheid ⟨de (v.)⟩ **0.1** [het onderscheiden zijn] *definition* **0.2** [juistheid, stelligheid] *definiteness, positiveness* ♦ **1.¶** ⟨taal.⟩ lidwoorden van ~ *definite articles.*

bepakken ⟨ov.ww.⟩ **0.1** *pack, load (up)* ♦ **3.1** bepakt en bezakt *≠with bag and baggage, packed up and ready, all ready to go.*

bepakking ⟨de (v.)⟩ **0.1** *pack, load, burden* ⇒⟨mil.⟩ *(marching) kit* ♦ **2.1** ⟨mil.⟩ met volle ~ *in full (marching) kit/order.*

bepalen ⟨→sprw. 53⟩

I ⟨ov.ww.⟩ **0.1** [voorschrijven] *prescribe, lay down* ⇒*determine, set, fix, stipulate* **0.2** [vaststellen] *determine* ⇒*define, decide, ascertain* **0.3** [vastleggen aan] *fix (on)* ⇒⟨concentreren⟩ *concentrate (on)* **0.4** [oorzaak zijn van] *determine* **0.5** ⟨taal.⟩ *qualify, modify* ♦ **1.1** een datum ~ voor iets *set/fix a date for sth.;* zijn keus ~ *make one's choice;* de rechtbank heeft bepaald dat ... *the court has decreed/decided/ruled that ...;* de wet bepaalt, dat ... *the law prescribes/lays down/says that ...* **1.2** u mag de dag zélf ~ *(you may) name the day;* het tempo ~ *set the pace;* de waarde van het huis werd bepaald op *the house was assessed* **4.2** dat bepaal ik zelf wel! *I'll decide that myself!, that's for me to decide/my responsibility/up to me!* **5.1** een nog nader te ~ som *a sum still to be fixed/determined;* vooraf/van tevoren ~ *determine in advance, predetermine* **5.2** zijn standpunt nader ~ *(further) define one's position;* een niet nader te ~ hoeveelheid *an undefinable amount* **5.3** om de gedachten te ~ *to give a better idea, to clarify the issue, to take a concrete example* **6.1** de prijs werd bepaald **op** f 100,- *the price was set at 100 guilders* **6.2** de schade werd bepaald **op** f 1000,- *the damage was assessed at/determined to be 1000 guilders* **6.3** zijn aandacht/gedachten ~ **bij/tot** iets *fix one's attention/thoughts/concentrate on sth.;*

II ⟨wk.ww.; zich ~⟩ **0.1** [zich beperken] *confine/restrict (o.s. to).*

bepalend ⟨bn.⟩ ⟨taal.⟩ **0.1** *modifying* ⇒*qualifying* ♦ **1.1** het ~ lidwoord *the definite article.*

bepaling ⟨de (v.)⟩ **0.1** [omschrijving] *definition* **0.2** [voorschrift] *provi-*

sion ⇒ *stipulation, regulation* **0.3** [beding] *condition* ⇒ *stipulation, proviso, clause,* ⟨mbt. contract ook⟩ *terms* ⟨mv.⟩ **0.4** [vaststelling] *determination* **0.5** [⟨taal.⟩] *adjunct* ⇒ *modifier* ◆ **1.4** ~ v.h. soortelijk gewicht *d. of the specific gravity* **1.5** ~ van gesteldheid *predicative a.* **2.1** een nauwkeurige ~ van iets geven *give a detailed d. of sth.* **2.2** een wettelijke ~ *a legal p. / stipulation* **2.3** bepaarkende ~ en *restrictions, provisos* **2.5** bijvoeglijke / bijwoordelijke ~ *attributive / adverbial a.* **5.3** ~ vooraf *precondition.*

bepalingaankondigend ⟨bn.⟩ ⟨taal.⟩ ◆ **1.¶** ~ voornaamwoord *determinative pronoun, antecedent pronoun.*

bepantseren ⟨ov.ww.⟩ **0.1** *armour(plate).*

bepeinzen ⟨ov.ww.⟩ **0.1** *ponder / meditate / muse / reflect on, consider, think over.*

beperken
I ⟨ov.ww.⟩ **0.1** [met een grens afsluiten] *limit, restrict* **0.2** [zekere maat niet laten overschrijden] *restrict (to), limit (to)* ⇒ *confine (to), keep (to)* **0.3** [kleiner maken] *reduce, decrease* ⇒ *restrict, cut (down (on)), curtail* ◆ **1.2** de geldhoeveelheid ~ *restrict / limit the amount of money, set limits to the amount of money;* de uitgaven ~ *keep expenditure down / within bounds / within limits* **1.3** de consumptie / het verbruik ~ van *cut (down (on)) / restrict / reduce / decrease the consumption / use of;* de uitgaven ~ *reduce / cut down expenditure* **6.2** iem. **in** zijn vrijheid ~ *restrict / limit s.o.'s freedom;* het aantal is beperkt **tot** zes *the number is restricted / limited to six;* **tot** het minimum / zoveel mogelijk ~ *restrict / confine / keep (down) / limit to a minimum;* het onderzoek werd **tot** één provincie beperkt *the investigation / enquiry was confined / restricted / limited to a single province* **6.3 tot** het minimum ~ *cut (down) / reduce to a minimum, minimize;*
II ⟨wk.ww.; zich ~⟩ **0.1** [zich houden bij] *limit / restrict / confine (o.s. to)* ◆ **6.1** ik beperk me **tot** de situatie in ons land *I am confining / limiting / restricting myself to the situation in our own / this country.*

beperkend ⟨bn.⟩ **0.1** *restrictive* ⇒ *limiting* ◆ **1.1** zonder ~e bepalingen / voorwaarden *without restrictions / provisos;* ⟨inf.⟩ *with no strings attached;* ~e maatregelen *restrictive measures;* ⟨inf.⟩ *clampdown.*

beperking ⟨de (v.)⟩ **0.1** [het binnen bepaalde grenzen houden] *limitation, restriction, confinement, restraint* **0.2** [maat, grens] *limit(ation)* **0.3** [inkrimping] *reduction, curtailment* ⇒ *cut(ting down), cutback* **0.4** [het begrenzen] *demarcation* ⇒ *delimitation* ◆ **1.1** ~ v.d. geboorten *birth control* **1.3** een ~ v.d. uitgaven *a r. of / a cut in expenditure, a cut* **3.1** zich ~en opleggen *impose restrictions / restraints on o.s., exercise restraint* **3.2** zijn ~en kennen *know one's limitations;* ~en opleggen aan *impose limits / limitations on.*

beperkt ⟨bn., bw.⟩ **0.1** [geen volle vrijheid hebbend] *limited, restricted, confined* **0.2** [verminderd] *limited, restricted, reduced, confined* **0.3** [niet ver reikend] *limited, restricted, confined* ◆ **1.2** een bewegingsvrijheid *restricted / limited freedom of movement;* een ~e ruimte *a confined space* **1.3** ~e aansprakelijkheid *limited liability;* een ~e blik hebben op iets *have a narrow view of sth.;* een ~e keuze *a limited / restricted choice* **2.2** ~ houdbaar *perishable;* dat artikel is ~ leverbaar *that article is in short supply* **3.3** ~ blijven tot *be limited / confined / restricted to.*

beplaasteren ⟨ov.ww.⟩ ⟨AZN⟩ → **bepleisteren.**

beplakken ⟨ov.ww.⟩ **0.1** *cover / plaster with* ⇒ ⟨met posters ook⟩ *placard (with),* ⟨met behang⟩ *(wall-)paper (over),* ⟨clandestien⟩ *flypost.*

beplanten ⟨ov.ww.⟩ **0.1** *plant* ⇒ ⟨zaaien⟩ *sow* ◆ **6.1** een tuin **met** aardappelen ~ *p. a garden with potatoes;* **met** bomen ~ *p. with trees;* ⟨bebossen⟩ *afforest;* land tarwe beplant *land sown with / under wheat.*

beplanting ⟨de (v.)⟩ **0.1** [handeling] *planting* **0.2** [gewassen] *crop(s)* ⇒ ⟨vnl. mbt. bomen / thee / koffie / suikerriet enz.⟩ *plantation,* ⟨bebossing⟩ *afforestation.*

bepleisteren ⟨ov.ww.⟩ **0.1** *plaster (over)* ⇒ ⟨berapen⟩ *render,* ⟨ruw bepleisteren⟩ *rough-cast,* ⟨witten⟩ *stucco.*

bepleiten ⟨ov.ww.⟩ **0.1** *argue, plead, advocate, champion, urge* ◆ **1.1** de noodzakelijkheid ~ van *urge / argue / advocate the necessity of;* iemands zaak ~ (bij iem.) *argue / plead / urge s.o.'s case (with s.o.).*

beploegen ⟨ov.ww.⟩ **0.1** [met de ploeg bewerken] *plough* **0.2** [bevaren] *plough* ◆ **1.2** de zee ~ *p. the (seven) seas.*

beplooien ⟨ov.ww.⟩ **0.1** *tuck away / hide (in a pleat)* ◆ **1.1** een scheur ~ *tuck away / hide a tear in a pleat;* ⟨fig.⟩ een zaak voor iem. ~ *fix sth. up / arrange sth. for s.o..*

bepoederen ⟨ov.ww.⟩ **0.1** *powder* ⇒ *dust.*

bepoetelen → **bepotelen.**

bepotelen ⟨ov.ww.⟩ ⟨AZN⟩ **0.1** *paw* ⇒ *finger, meddle with.*

bepraten ⟨ov.ww.⟩ **0.1** [bespreken] *talk over / about, discuss* **0.2** [ompraten] *talk round / into, persuade* ⇒ ↑ *prevail upon* ◆ **1.1** wij zullen die zaak nader ~ *we will talk the matter over further / discuss the matter further* **1.2** iem. ~ (om) iets te doen *talk s.o. into doing sth., persuade s.o. to do sth.;* iem. ~ (om) iets niet te doen *talk s.o. out of doing sth., persuade s.o. not to do sth.;* het voorval werd door iedereen in de stad bepraat *the event was the talk of the town* **3.2** zich laten ~ *let o.s. be talked round / into / persuaded.*

beproefd ⟨bn.⟩ **0.1** *(tried and) tested, (well-)tried, approved, proven* ⇒

trusty ◆ **1.1** een ~e methode *a tried and tested / well-tried / approved method;* een man van ~e trouw *a man of proven loyalty.*

beproeven ⟨ov.ww.⟩ **0.1** [op de proef stellen] *(put to the) test, try* **0.2** [aanwenden] *try* **0.3** [testen] *test* **0.4** [trachten] *attempt, endeavour* ◆ **1.1** zijn geluk ~ *try one's luck, put one's luck to the test;* zijn krachten ~ *try / test one's strength, put one's strength to the test;* iemands trouw ~ *put s.o.'s loyalty to the test, test s.o.'s loyalty* **1.2** verschillende middelen ~ *t. various methods;* al het mogelijke ~ *t. everything possible* **1.3** materiaal / apparatuur ~ *t. material / apparatus* **5.1** zwaar beproefd worden *be sorely tried.*

beproeving ⟨de (v.)⟩ **0.1** [het op de proef stellen / gesteld worden] *testing* **0.2** [ongeluk] *ordeal, trial* ⇒ *affliction, tribulation* **0.3** [proef] *trial, test* ◆ **2.2** harde / zware ~en *terrible ordeals.*

beraad ⟨het⟩ **0.1** [overleg] *consideration* ⇒ *deliberation,* ⟨beraadslaging⟩ *consultation* ⟨vaak mv.⟩ **0.2** [gelegenheid] *opportunity / time to consider* ◆ **1.1** ⟨jur.⟩ het recht van ~ *the right to accept or to forgo a succession* **1.2** enige dagen ~ krijgen / vragen *get / ask for a few days to consider* **2.1** onderling ~ houden *consult one another;* na rijp ~ *after careful / serious deliberation, after serious thought* **6.1** in ~ houden *keep under consideration, consider;* iets **in** ~ nemen *consider sth., take sth. into consideration;* de zaak is nog **in** ~ *the matter is still under consideration.*

beraadslagen ⟨onov.ww.⟩ **0.1** *deliberate (upon), consider, discuss, confer* ◆ **6.1** met iem. **over** iets ~ *consult / confer with s.o. about sth.;* **over** die zaak wordt nog beraadslaagd *the matter is still under discussion / consideration.*

beraadslaging ⟨de (v.)⟩ **0.1** *deliberation, consideration, discussion, consultation.*

beraden[1] ⟨bn.⟩ **0.1** *sensible, well-considered / -advised* ⇒ ⟨vastbesloten⟩ *resolute* ◆ **1.1** zijn ~ optreden *his resolute action.*

beraden[2] ⟨wk.ww.; zich ~⟩ **0.1** [bij zichzelf overleggen] *consider, think over* **0.2** [zich bedenken] *reconsider, think better of (sth.), change one's mind* ◆ **1.1** zich nader ~ *consider further* **6.1** zich ~ **op** *consider, think over;* zich ~ **over** *deliberate about / over / upon, consider.*

beradenheid ⟨de (v.)⟩ **0.1** [bezonnenheid] *level-headedness, steadiness* **0.2** [besluitvaardigheid] *resolution, resoluteness.*

beramen ⟨ov.ww.⟩ **0.1** [ontwerpen] *devise, plan, contrive, design* **0.2** [begroten] *estimate, calculate* ◆ **1.1** een aanslag ~ *plot an attack;* middelen tot de vlucht ~ *plot / contrive means of escape;* een plan ~ *devise a plan* **1.2** de kosten van iets ~ *e. / c. the costs of sth..*

beraming ⟨de (v.)⟩ **0.1** [het ontwerpen, ontwerp] *devising, planning, design* **0.2** [begroting] *estimate, calculation* ⇒ ⟨budgettaire raming⟩ *budget.*

berapen ⟨ov.ww.⟩ **0.1** *render, roughcast.*

berber ⟨de (m.)⟩ **0.1** [kleed] *berber* **0.2** [persoon] *Berber.*

berberideeën ⟨de⟩ **0.1** *Berberidaceae.*

berberine ⟨het, de⟩ **0.1** *berberine.*

berberis ⟨de⟩ **0.1** [plantengeslacht] *barberry, berberry* **0.2** [gewone berberis] *(common) barberry / berberry* **0.3** [vrucht] *barberry / berberry.*

berberisachtigen ⟨zn.mv.⟩ **0.1** *Berberidaceae.*

berbertapijt ⟨het⟩ **0.1** *berber carpet.*

berceau ⟨de (m.)⟩ **0.1** [wandelpad] *pergola, covered walk* **0.2** [prieel] *arbour, bower.*

berceuse ⟨de (m.)⟩ **0.1** [wiegeliedje] *berceuse* ⇒ ↓ *cradlesong, lullaby* **0.2** [schommelstoel] *rocking-chair* ⇒ ↓ *rocker.*

berd ⟨het⟩ ⟨AZN⟩ **0.1** *board* ◆ **6.¶** iets te ~ brengen *bring a matter up, raise a matter, broach a subject;* bezwaren **te** ~ brengen *put forward / raise / come up with objections;* zijn verleden zal wel **te** ~ komen *his past will be brought up / will come up for discussion.*

berechten ⟨ov.ww.⟩ **0.1** [rechtspreken] *try* ⇒ *court-martial* ⟨voor krijgsraad⟩, *adjudge, adjudicate* ⟨vnl. in civiele zaken⟩ **0.2** [laatste sacramenten toedienen] *anoint* ⇒ *administer / give the Last Sacraments / Rites (to s.o.).*

berechting ⟨de (v.)⟩ **0.1** [het rechtspreken] *trial* ⇒ ⟨krijgsraad⟩ *court-martial,* ⟨uitspraak⟩ *judgement, adjudication* **0.2** [toediening v.d. laatste sacramenten] *anointing* ⇒ *administration of the last Sacraments / Rites.*

beredderen ⟨ov.ww.⟩ **0.1** *arrange, manage, see to* ⇒ *straighten out, put / set straight, put in order* ◆ **1.1** een boedel ~ *administer / settle the estate* **3.1** hij weet alles te ~ *he's always able to fix things (up) / put things straight.*

beredderig
I ⟨bn.⟩ **0.1** [steeds beredderend] *fussy* ⇒ *governessy;*
II ⟨bw.⟩ **0.1** [met veel beredddering] *fussily* ⇒ *with a lot of fuss / trouble / to-do.*

bereddering ⟨de (v.)⟩ **0.1** [het beredderen] *fixing / tidying up, straightening out, putting / setting straight, putting in order* **0.2** [drukte] *fuss, trouble, bother* ⇒ ⟨inf.⟩ *to-do* ◆ **3.2** dat gaf veel ~ *that caused a lot of f. / trouble / to-do / b..*

bereden ⟨bn.⟩ **0.1** [te paard] *mounted* **0.2** [afgereden] *broken(-in)* ◆ **1.1** de ~ politie *the m. police* **1.2** een ~ paard *a b. (-i.) horse.*

beredeneerd ⟨bn., bw.⟩ **0.1** [met redenen omkleed / toegelicht] *(well-)reasoned* ⟨mening, conclusie⟩; *annotated* ⟨verslag, catalogus⟩

0.2 [zich door redenering latend leiden] *rational* ⇒*clear-thinking* ◆ **1.1** een ~ antwoord geven *give an answer with reasons / a (well-)reasoned answer* **1.2** een ~ mens *a person of sound judgement, a clear-thinking person.*
beredeneren ⟨ov.ww.⟩ **0.1** *argue, reason (out).*
beredruif ⟨de⟩ **0.1** *bearberry* ⇒*crowberry, dogberry* ◆ **2.1** Californische ~ *manzanita.*
beregenen ⟨ov.ww.⟩ ⟨landb.⟩ **0.1** *sprinkle;* ⟨uit vliegtuig⟩ *spray.*
beregoed ⟨bn., bw.⟩ **0.1** *terrific, great, fantastic, super.*
beregroot ⟨bn., bw.⟩ **0.1** *enormous, huge, monstrous.*
bereid ⟨bn.⟩ **0.1** [geen bezwaren hebbend] *prepared* ⇒*ready, willing* **0.2** [genegen te doen] *ready, willing* ⇒*inclined, disposed* **0.3** [gereedgemaakt] *ready, ready-made* ◆ **3.1** zich tot iets ~ verklaren *express one's willingness to do sth., declare oneself p. / ready / willing to do sth.* **5.2** ik ben gaarne ~ u te helpen *I shall be glad / pleased / happy to help you* **6.2** ~ zijn om te helpen *be w. to help;* **tot** wederdienst ~ *r. to reciprocate;* **tot** alles ~ zijn *be prepared to do anything;* ⟨inf.⟩ *be game for anything.*
bereiden ⟨ov.ww.⟩ **0.1** [klaarmaken] *prepare, get ready* ⇒⟨mbt. eten ook⟩ *cook,* ⟨maken⟩ *make* ⟨ook mbt. jam / boter⟩, ⟨vnl. AE; inf.⟩ *fix* **0.2** [voor iets geschikt maken] *prepare* ◆ **1.1** een maaltijd ~ *prepare a meal, get a meal ready;* ⟨vnl. AE; inf.⟩ *fix a meal;* mortel ~ *mix mortar;* ⟨fig., vaak iron.⟩ iem. een hartelijke / warme ontvangst ~ *give s.o. a warm welcome;* een recept / geneesmiddel ~ *make up a prescription;* thee ~ ⟨drogen⟩ *cure tea;* ⟨zetten⟩ *brew / make tea;* ⟨fig.⟩ voor iem. / iets de weg ~ *pave / p. the way for / set the stage for s.o. / sth.* **1.2** leer ~ *dress / curry leather;* wijn ~ *clarify wine.*
bereidheid ⟨de (v.)⟩ **0.1** *readiness* ⇒*preparedness, willingness.*
bereiding ⟨de (v.)⟩ **0.1** *preparation* ⇒*making,* ⟨vervaardigen⟩ *manufacture,* ⟨produktie⟩ *production.*
bereidingswijze ⟨de⟩ **0.1** *method of preparation* ⇒⟨vervaardiging⟩ *process / method of manufacture, manufacturing process, procedure.*
bereidvaardig →**bereidwillig.**
bereidverklaring ⟨de (v.)⟩ **0.1** *declaration of willingness (to).*
bereidwillig ⟨bn., bw.; -ly⟩ **0.1** *obliging, willing* ⇒⟨hulpvaardig ook⟩ *helpful* ◆ **1.1** ~ te hulp *ready help* **3.1** ~ iets doen *do sth. willingly.*
bereidwilligheid ⟨de (v.)⟩ **0.1** *willingness, obligingness* ⇒⟨hulpvaardigheid ook⟩ *helpfulness.*
bereik ⟨het⟩ **0.1** [gebied dat bestreken kan worden] *reach* ⇒*range* **0.2** [meet- / frequentiegebied] *range* ◆ **2.1** geschut met kort ~ *short-range artillery* **6.1** binnen het ~ v.d. stem *within earshot / call;* het mes lag binnen zijn ~ *the knife lay within his reach / grasp;* die snelheid ligt niet binnen het ~ van mijn auto *that speed is beyond my car;* buiten het ~ v.h. geschut *out of range of the artillery;* buiten het ~ v.d. strafwet *beyond the reach of the law;* ⟨fig.⟩ dit blijft buiten het ~ v.d. meeste mensen ⟨te duur⟩ *that is beyond the reach / means /* ⟨inf.⟩ *pocket of most people;* ⟨te moeilijk⟩ *that is beyond most people / above the heads of most people;* zijn uiteenzetting lag buiten het ~ v.d. leek *his exposition was beyond the grasp of the layman;* hij was vlug buiten ~ *he was quickly out of range;* buiten (het) ~ van kinderen houden / bewaren *keep away from children.*
bereikbaar ⟨bn.⟩ **0.1** *accessible* ⇒*attainable, within reach,* ⟨inf.⟩ *reachable* ◆ **3.1** waar bent u ~? *where can you be reached / contacted?* **5.1** het hotel is gemakkelijk ~ vanaf het station *the hotel is within easy reach of the station;* een moeilijk bereikbare plaats *a place which is difficult to reach / to get to;* is / bent u telefonisch bereikbaar? *can you be reached by phone?;* ⟨op het net aangesloten⟩ *are you on the phone?.*
bereiken ⟨ov.ww.⟩ **0.1** [aankomen in] *reach* ⇒*arrive in / at, get to, make,* ↑*gain* **0.2** [komen tot] *reach* ⇒*achieve, attain, gain* **0.3** [contact krijgen met] *reach* ⇒*contact,* ⟨verbinding krijgen⟩ *get through* **0.4** [mbt. een leeftijd] *reach* ⇒*live to, attain* ◆ **1.1** een bestemming ~ *r. a destination* **1.2** een dieptepunt ~ *hit / r. (rock) bottom; be at a low ebb;* zijn doel ~ *attain / achieve one's object / goal;* een hoog niveau ~ *achieve / r. a high level;* goede resultaten ~ *achieve / get good results* **1.4** een hoge ouderdom ~ *live to / r. a great age* **3.3** iem. niet kunnen ~ *be unable to r. / contact s.o.* **4.2** iets ~ in het leven *achieve sth. in life, do sth. with / make sth. of one's life;* zo bereik je niets! *that will get you nowhere / won't get you anywhere* **5.1** het dorp is gemakkelijk te ~ met de trein *the village is easy to r. / is easily accessible by train;* mijn huis is makkelijk te ~ vanaf het station *my house is within easy reach of the station* **5.2** de brief bereikt hem misschien niet *the letter may not r. / find him / isn't sure to find him* **5.3** hij is gemakkelijk te ~ *he is easy to r.;* hij is niet te ~ *he can't be reached, he is unobtainable;* dit nummer is niet te ~ *this number is unobtainable;* iem. telefonisch ~ *r. / get s.o. on the phone;* telefonisch te ~ zijn *be obtainable / reachable by telephone;* ⟨zelf telefoon hebben⟩ *be on the (tele)phone* **7.2** met geld kan men veel ~ *money talks* **8.2** hij kon ~ dat de vergadering uitgesteld werd *he was able to get the meeting postponed, he succeeded in getting / having the meeting postponed.*
bereisbaar ⟨bn.⟩ **0.1** *fit / able to be travelled across / in.*
bereisd ⟨bn.⟩ **0.1** *much- / widely-travelled* ◆ **1.1** een ~ man *much- / widely-travelled* ^A*eled man;* ⟨inf.⟩ *a globetrotter* **5.1** een druk ~e streek *a much-frequented / -visited area.*

bereizen ⟨ov.ww.⟩ **0.1** *travel (across / through), tour* ⇒*visit,* ⟨mbt. zee ook⟩ *navigate* ◆ **1.1** de kermissen ~ *do the fairs* ⟨als beroep⟩; klanten ~ *visit / call on customers;* een land ~ *travel (across / through) / tour a country.*
berejong ⟨het⟩ **0.1** *bear cub.*
berekenbaar ⟨bn.⟩ **0.1** *calculable* ⇒*computable, estimable.*
berekend ⟨bn.⟩ **0.1** [geschikt voor] ⟨mbt. dingen⟩ *meant / designed for, geared to;* ⟨vnl. mbt. mensen⟩ *equal / suited to;* ⟨inf.⟩ *up to* **0.2** [niet spontaan] ⟨mbt. mensen⟩ *calculating, designing, scheming;* ⟨mbt. zaken⟩ *calculated* ◆ **1.2** een ~e tante *a calculating bitch* **6.1** de zaal was op zo'n grote toeloop niet ~ *the hall was not meant to / designed to / built to hold so many people;* zijn optreden was op succes ~ *his performance was calculated to be a success;* op effect ~ *designed / intended for effect;* hij is (niet) ~ voor zijn taak *he is (not) equal to / up to his job.*
berekenen ⟨ov.ww.⟩ **0.1** [door rekenen vaststellen] *calculate* ⇒*compute, determine, work / figure out,* ⟨optellen⟩ *add / reckon up* **0.2** [in rekening brengen] *charge* **0.3** [uit gegevens afleiden] *work out, calculate, estimate* ⇒ ↓*figure out* **0.4** [voor- en nadeel afwegen van] *calculate* ◆ **1.2** iem. de volle prijs ~ *charge s.o. the full price* **1.3** zijn kansen ~ *work out / estimate one's chances* **4.2** voor verpakking wordt niets berekend *no charge is made for packing* **4.4** altijd alles ~ *always be (cool and) calculating, always weigh the pros and cons of everything* **7.2** iem. te veel / weinig ~ *overcharge / undercharge s.o., charge s.o. too much / little;* het te veel / weinig berekende *the overcharge / undercharge.*
berekenend ⟨bn.⟩ **0.1** *calculating* ⇒*scheming, designing* ◆ **1.1** een ~e egoïst *a c. egoist.*
berekening ⟨de (v.)⟩ **0.1** [becijfering] *calculation* ⇒*computation* **0.2** [cijfers] *calculation* ⇒ ↓*sum* **0.3** [conclusie van overweging] *calculation, estimate, assessment* **0.4** [overweging van voor- en nadeel] *calculation, evaluation, assessment* ◆ **6.1** naar / volgens een ruwe ~ *at a rough estimate* **6.3** naar mijn ~ *according to my calculations / estimate / assessment;* volgens ~ *according to estimates / calculations* **6.4** hij handelt alleen uit ~ *he is always so (cool and) calculating;* een huwelijk uit ~ *a marriage of convenience* ¶.1 iemands ~ in de war sturen *throw out / upset s.o.'s calculations.*
bereklauw ⟨de (m.)⟩ ⟨plantk.⟩ **0.1** [plantengeslacht] *hogweed, cowparsnip* ⇒*alexanders* **0.2** [sierplant] *acanthus* ⇒*bears-breech, brankursine.*
berekuil ⟨de (m.)⟩ **0.1** *bear-pit.*
bereleuk ⟨bn., bw.⟩ **0.1** *smashing, fantastic, great, super.*
berelul ⟨de (m.)⟩ ⟨scherts., inf.⟩ **0.1** [croquet] ⟨ongemarkeerd⟩ *rissole, croquet* **0.2** [dekenrol] ⟨ongemarkeerd⟩ *bedroll.*
beremuts ⟨de (m.)⟩ **0.1** *bearskin cap / hat* ⇒⟨mil.⟩ *bearskin* ⟨vnl. van Britse garderegimenten⟩ *busby* ⟨kolbak⟩.
beren
I ⟨ov.ww.⟩ **0.1** [met beer bemesten] *manure (with human excrement);*
II ⟨onov.ww.⟩ **0.1** [schreeuwen] ⟨alg.⟩ *roar* ⇒*trumpet* ⟨olifant⟩ **0.2** [(ver)kopen van goederen op krediet] ⟨verkopen⟩ *sell /* ⟨kopen⟩ *buy on* ^B*tick / ^A*time* **0.3** [⟨vulg.⟩ schijten] *(take a) shit / crap.*
berenburg ⟨de (m.)⟩ **0.1** *'berenburg'* ⟨Frisian gin bitters⟩.
beresterk ⟨bn., bw.⟩ **0.1** *(as) strong as a lion / ox.*
berezat ⟨bn.⟩ **0.1** *sloshed, dead / blind drunk* ⇒ ↑*drunk as a lord.*
berg ⟨→sprw. 49,209⟩
I ⟨de (m.)⟩ **0.1** [verheffing v.d. aardoppervlakte] *mountain* ⇒*hill* ⟨heuvel⟩, ⟨hoge berg ook⟩ *peak,* ⟨vnl. Noord-Engeland ook⟩ *fell* **0.2** [grote hoeveelheid] *mound, pile, load, heap* ⇒⟨scherts.⟩ *mountain* **0.3** [open schuur] *Dutch barn* **0.4** [mannelijk zwijn] *boar* ◆ **1.1** ~en en dalen *mountains and valleys, hills and dales* **1.2** ~en geld *piles / stacks / loads / heaps of money;* een ~ papieren *a pile / heap / mountain of papers;* een ~ werk *a mountain of work, piles / loads of work* **2.1** ⟨fig.⟩ iem. gouden ~en beloven *promise s.o. the earth / moon* **3.1** de ~ heeft een muis gebaard *the m. has brought forth a mouse;* ⟨fig.⟩ ~en verzetten *move mountains* **5.1** ~ op, ~ af *up hill and down dale* **6.1** boven op ~ *on top of a m. / hill;* ergens tegenop zien als tegen een ~ *dread / shudder to think of sth.* **6.¶** toestanden waarvan je de haren te ~e rijzen *hair-raising situations / states of affairs;* de haren rezen hem te ~e *his hair stood on end;* als ik het je zou vertellen zouden de haren je te ~e rijzen *if I told you it would make your hair stand on end* ¶.1 de ~ in *the mountains / hills / highlands / hill-country;*
II ⟨het, de (m.)⟩ **0.1** [uitslag op het hoofd] ⟨bij pasgeborenen⟩ *cradle cap;* ⟨dauwworm⟩ *ringworm.*
bergachtig ⟨bn.⟩ **0.1** *mountainous, hilly.*
bergaf ⟨bw.⟩ **0.1** *downhill.*
bergafwaarts ⟨bw.⟩ **0.1** [naar beneden] *downhill* **0.2** [⟨fig.⟩] *downhill* ◆ **3.2** de koersen gaan ~ *rates are going down / showing a downward trend / dropping;* het gaat ~ met hem *he's going d., he's on the downgrade /* ⟨inf.⟩ *the skids / the slide / down the drain.*
bergahorn ⟨de⟩ **0.1** *maple.*
bergamot ⟨de⟩ **0.1** *bergamot (pear / orange).*
bergamotolie ⟨de⟩ **0.1** *bergamot (oil), oil / essence of bergamot.*
bergbeklimmen ⟨ww.⟩ **0.1** *mountaineering* ⇒*(rock-)climbing, alpinism*

◆ **3.1** doet hij aan~? *does he climb/mountaineer, is he an alpinist/ mountaineer?*.

bergbeklimmer ⟨de (m.)⟩,**-ster** ⟨de (v.)⟩ **0.1** *mountaineer, (moun-tain-)climber* ⇒⟨ook⟩ *alpinist* ⟨in de Alpen/Himalaya enz.⟩, *rock-climber* ⟨specialist in het beklimmen van korte moeilijke routes⟩.

bergblauw ⟨de (m.)⟩ **0.1** [verf] *mountain blue* ⇒*azurite blue, bice (blue)* **0.2** [kleur] *ultramarine (blue)*.

bergdorp ⟨het⟩ **0.1** *mountain village*.

bergeend ⟨de⟩ **0.1** *shel(d)duck* ⟨ook gebruikt voor wijfje⟩ ⇒⟨woerd ook⟩ *sheldrake*.

bergen
I ⟨ov.ww.⟩ **0.1** [opbergen] *store* ⇒*put away, stow (away)* ⟨vnl. scheep.⟩ **0.2** [⟨scheep.⟩] *salvage* ⇒*salve* **0.3** [opnemen] *hold, contain* ⇒*take, accommodate* **0.4** [in veiligheid brengen] *rescue, save* ⇒*shel-ter* ⟨personen en dieren⟩, *recover* ⟨wrakstukken, ruimtevaartuig⟩ ◆ **1.1** ⟨scheep.⟩ de vlag~ *strike the flag* **1.2** de beschadigde tanker is nog te ~/ kan nog geborgen worden *the damaged tanker can still be salvaged/is still salvable* **1.3** dat schip kan veel lading ~ *that ship can take/h. a lot of cargo* **3.4** ⟨fig.⟩ hij is geborgen *his future is assured; he is a made man/made (for life)⟨financieel binnen⟩; he is provided for* ⟨voor hem is gezorgd⟩ **6.1** mappen **in** een la~ *put files away in a drawer;*
II ⟨wk.ww.; zich~⟩ **0.1** [maken dat men wegkomt] *get out of the way* ⇒*take cover* ◆ **5.1** berg je maar! *get out of harm's/the way!, watch out (for yourself)!*.

bergengte ⟨de (v.)⟩ **0.1** *defile, narrow pass, gorge*.

bergère ⟨de⟩ **0.1** *bergère*.

bergetappe ⟨de⟩ ⟨sport⟩ **0.1** *mountain stage*.

bergformatie ⟨de (v.)⟩ **0.1** [bergvorming] *mountain formation, formation of mountains* **0.2** [gebergte] *mountain range, range of mountains*.

berggeit ⟨de⟩ **0.1** *chamois* ⟨gems⟩*; mountain goat* ⟨Oreamnos americanus⟩.

berggeld ⟨het⟩ **0.1** *salvage (money/charges)*.

berghelling ⟨de (v.)⟩ **0.1** *mountain slope* ⇒*mountainside, versant*.

berghok ⟨het⟩ **0.1** *coalshed, coalhole* ⟨voor kolen⟩ ⇒*shed* ⟨schuur-(tje)⟩, ⟨opslagkamer in huis⟩ *storeroom,* ⟨BE ook⟩ *box/lumber room*.

berghut ⟨het⟩ **0.1** *mountain/climbers' hut, mountain refuge, refuge hut* ⇒ ⟨in Alpen ook⟩ *Alpine hut, chalet,* ⟨in GB ook⟩ ⟨*(mountain) bothy*.

berging ⟨de (v.)⟩ **0.1** [⟨scheep.⟩ in veiligheid brengen] *salvage* ⇒*re-covery* **0.2** [bergruimte] *storeroom; shed* ⟨schuur(tje), loods⟩, *tool-shed* ⟨voor gereedschap⟩ ⇒⟨BE; in huis ook⟩ *box/lumber room*.

bergingsmaatschappij ⟨de (v.)⟩ **0.1** *salvage company* ⇒*wrecking com-pany, wrecker*.

bergingsschip ⟨het⟩ **0.1** *salvage vessel/ship* ⇒*wrecker, salvor*.

bergingswerken ⟨zn.mv.⟩ **0.1** *salvage work/operations*.

bergkam ⟨de (m.)⟩ **0.1** *(mountain) ridge* ⇒*arête, knife-edge* ⟨zeer scherp⟩.

bergkap ⟨de⟩ **0.1** *Dutch barn*.

bergkast ⟨de⟩ **0.1** *store cupboard* ⇒*dresser,* ^closet, ⟨AE ook⟩ *hutch* ⟨met laden en planken⟩.

bergketen ⟨de⟩ **0.1** *chain/range of mountains, mountain chain/range*.

bergklassement ⟨het⟩ ⟨sport⟩ **0.1** *mountain classification*.

bergklimaat ⟨het⟩ **0.1** *mountain climate*.

bergkristal ⟨het⟩ **0.1** *rock-crystal* ⇒*rhinestone*.

bergland ⟨het⟩ **0.1** *mountain(ous) country, highlands, hill-country*.

berglandschap ⟨het⟩ **0.1** *mountain scenery* ⇒*mountain/mountainous landscape*.

bergloon ⟨het⟩ **0.1** *salvage (money/charges)*.

berglucht ⟨de⟩ **0.1** *mountain air*.

bergmassief ⟨het⟩ **0.1** *(mountain) massif*.

bergmeubel ⟨het⟩ **0.1** *storage cabinet*.

bergmispel ⟨de⟩ **0.1** *juneberry, serviceberry*.

bergmus ⟨de⟩ **0.1** *tree sparrow*.

bergop ⟨bw.⟩ **0.1** *uphill*.

bergopwaarts ⟨bw.⟩ **0.1** [de berg op] *uphill* **0.2** [steeds beter] *better and better*.

bergpad ⟨het⟩ **0.1** *mountain path*.

bergpas ⟨de (m.)⟩ **0.1** *(mountain) pass* ⇒⟨col⟩ *col*.

bergpek ⟨het⟩ **0.1** [bitumen] *bitumen;* [asfalt] *asphalt*.

bergplaats ⟨de⟩ **0.1** *storage (space)* ⇒*storeroom* ⟨in huis⟩, ⟨schuur(tje), loods⟩ *shed,* ⟨pakhuis⟩ *warehouse, storehouse, repository, depository* ◆ **2.1** een geheime ~ in een schrijfbureau *a secret compartment/hid-ing place in a writing-desk*.

Bergrede ⟨de⟩ ⟨bijb.⟩ **0.1** *Sermon on the Mount*.

bergrit ⟨de (m.)⟩ ⟨sport⟩ **0.1** *mountain stage*.

bergrug ⟨de (m.)⟩ **0.1** [bergkam] *(mountain) ridge* ⇒*arête, knife-edge* ⟨zeer scherp⟩ **0.2** [bergtop] *mountain top, summit*.

bergruimte ⟨de (v.)⟩ **0.1** *storage (space/room)* ⇒⟨capaciteit⟩ *storage capacity*.

bergschoen ⟨de (m.)⟩ **0.1** *mountaineering/climbing boot*.

bergsport ⟨de⟩ **0.1** *mountaineering, (mountain) climbing* ⇒⟨in de Alpen /Himalaya enz. ook⟩ *alpinism,* ⟨het beklimmen van korte moeilijke routes⟩ *rock-climbing*.

bergstok ⟨de (m.)⟩ **0.1** *alpenstock*.

bergstroom ⟨de (m.)⟩ **0.1** *mountain torrent* ⇒⟨bergrivier⟩ *mountain stream*.

bergteer ⟨de⟩ **0.1** *mineral tar*.

bergtijdrit ⟨de (m.)⟩ ⟨sport⟩ **0.1** *mountain time trial* ⇒*uphill time trial*.

bergtocht ⟨de (m.)⟩ **0.1** *mountain excursion/trip*.

bergtop ⟨de (m.)⟩ **0.1** *summit* ⇒*mountain top,* ⟨spits⟩ *peak, pinnacle*.

bergwand ⟨de (m.)⟩ **0.1** *mountain side* ⇒*face of a mountain, mountain wall* ⟨verticaal⟩.

bergwei(de) ⟨de⟩ **0.1** *mountain meadow*.

bergziekte ⟨de (v.)⟩ **0.1** *altitude sickness, mountain sickness*.

bergzout ⟨het⟩ **0.1** *rock salt* ⇒*halite*.

beriberi ⟨de⟩ **0.1** *beriberi*.

bericht ⟨het⟩ **0.1** [mededeling] *message* ⇒*notice, communication,* ⟨mbt. nieuwsberichten⟩ *report, news* **0.2** [onderricht] *notice* ◆ **1.1** ~ van aankomst krijgen *receive notice/word of arrival;* een ~ v.h. ANP *a m. from ANP;* ~ van ontvangst sturen *send (an) acknowledgement of re-ceipt;* toen het ~ van zijn overlijden arriveerde *when/the news of his death arrived/came;* ~ van verhindering *apology for absence* **2.1** bin-nenlandse/buitenlandse ~en *domestic/foreign news (reports);* ⟨GB ook⟩ *home/overseas news;* ⟨USA ook⟩ *US/world news;* gemengde ~en *short news (items);* het was slechts een kort ~ *je it was only a brief m. / note;* volgens de laatste ~en *according to the latest reports/ information;* tot nader ~ *until further notice;* nagekomen ~en ⟨kran-ten⟩ *stop press(news);* ⟨televisie⟩ *reports just in;* schriftelijk/telefo-nisch ~ *written/telephone m. / communication;* u krijgt telefonisch/ schriftelijk ~ *you will be informed by telephone, you will receive writ-ten notice/notification;* zonder voorafgaand ~ *without prior notice* **3.1** ~ achterlaten dat *leave word at m. that;* ~ geven van *give notice of, notify (s.o.) of;* heb je nog wel eens ~ van haar gehad? *have you had any news/word from her?;* hij heeft geen ~ gehad/gekregen *he has had/received no word/news/information;* ik hoor daar alleen maar goede ~en over *I hear only good things/news about it, I get nothing but good reports about it;* ~ krijgen dat/van *receive word/informa-tion that/about;* je krijgt ~ van me zodra ik wat meer weet *you will re-ceive word from me as soon as I know more;* uit Parijs kwam het ~ dat *from Paris it is reported that;* eindelijk kwam er ~ van haar *at last there was some news from her;* het ~ luidde dat *the m. said that;* een ~ uit Parijs meldt dat *a report from Paris states that, according to a re-port from Paris;* ~ ontvangen (over) *receive word (about);* een ~ op-hangen *put/pin up a notice;* er stond maar een kort ~ *je je van vijf regels in de krant over die zaak *there was just a brief item/a para-graph of a mere five lines about the matter in the (news)paper;* iem. ~ sturen *(that men verhinderd is) send word (that one is unable to come/attend)* **6.2** ~ **aan** de lezer *n. to the reader* ¶**.1** het ~ deed de ronde dat *the news got/went (a)round that*.

berichten ⟨ov.ww.⟩ **0.1** *report* ⇒*send word, inform, advise, let know* ◆ **1.1** het persbureau bericht dat *the news agency reports that* **4.1** iem. iets ~ *inform/advise s.o. of sth.* **6.1** ~ **over** de stand van zaken *r. on the current situation;* **uit** Londen wordt bericht dat *it is reported from London that, a message/report from London states that* **8.1** wij ~ u hierbij dat *we hereby notify/inform you that;* ~ wanneer men aan-komt *send word of when one is; he will be arriving*.

berichtgever ⟨de (m.)⟩,**-geefster** ⟨de (v.)⟩ **0.1** *correspondent* ⇒*reporter, source*.

berichtgeving ⟨de (v.)⟩ **0.1** *reporting, (news) coverage* ⇒*report(s)* ◆ **6.1** de ~ **uit/over** Zuid-Afrika is zeer gebrekkig *the (news) coverage/re-ports from/of South Africa is quite poor*.

berig ⟨bn.⟩ **0.1** *on/^in heat*.

berijdbaar ⟨bn.⟩ **0.1** [mbt. wegen] *passable* ⇒*rid(e)able* **0.2** [mbt. voer-tuigen/rijdieren] *rid(e)able* ◆ **5.1** goed ~ zijn *be in good condition*.

berijden ⟨ov.ww.⟩ **0.1** [rijden op] *ride* ⟨paard e.d.⟩ **0.2** [rijden over] *ride (on)* ⇒*drive (on)* ◆ **1.1** een goed bereden paard *a well-broken-in horse;* ⟨fig.⟩ zijn stokpaardje ~ *be on/r. one's hobby-horse* **1.2** een weg ~ *ride/drive on a road* **5.1** deze pony laat zich makkelijk ~ *this pony is easy to r.* **5.2** een druk bereden weg *a much used/a busy road* **6.1** Hazelaar, bereden **door** Roos, won de race *Hazelaar, ridden/ mounted by Roos/with Roos up, won the race*.

berijder ⟨de⟩ **0.1** *rider* ⟨paard, (motor)fiets⟩*; horseman* ⟨paard⟩.

berijmen ⟨ov.ww.⟩ **0.1** *rhyme* ◆ **1.1** de berijmde psalmen *the rhymed version of the psalms*.

berijming ⟨de (v.)⟩ **0.1** *rhyming* ⇒*rhymed version*.

berijpt ⟨bn.⟩ **0.1** [met rijp bedekt] *rimed* ⇒*frosted, covered with (hoar-)frost* with rime **0.2** [met een fijn waas bedekt] *pruinose* **0.3** [mbt. bladeren] *pruinose*.

beril
I ⟨het⟩ **0.1** [(edel)gesteente] *beryl;*
II ⟨de (m.)⟩ **0.1** [steen] *beryl*.

berin ⟨de (v.)⟩ **0.1** *she-bear* ⇒*female bear*.

beringen ⟨ov.ww.⟩ **0.1** [met een ringdijk omgeven] *ring/encircle/en-close with a dike* **0.2** [met een beringing afsluiten] *close off with a dike*.

berispen ⟨ov.ww.⟩ **0.1** [ongenoegen/afkeuring te kennen geven] *reprimand* ⇒*reprove, rebuke, chide, admonish* **0.2** [mbt. een autoriteit] *reprimand* ⇒*censure* ◆ **1.1** iem. ~ omdat hij te laat komt *reprimand/ chide s.o. for being/coming late;* op ~de toon *in a reproving/an admonishing tone (of voice)* **1.2** hij is door het Medisch Tuchtcollege berispt *he was censured by the* [B]≠*British Medical Association/* [A]≠*American Medical Association* **5.1** iem. streng ~ om iets *severely reprimand s.o. for sth.* **5.2** officieel ~ *r. / censure (officially)*.

berisping ⟨de (v.)⟩ **0.1** [uiting van ongenoegen, afkeuring] *reprimand* ⇒ *reproof, rebuke, reproach, admonition* **0.2** [mbt. een autoriteit] *reprimand* ⇒*censure* ◆ **2.1** een milde/strenge ~ *a mild/sharp reprimand/ rebuke* **2.2** een officiële ~ krijgen *receive an official r.* **3.1** (iem.) een ~ geven *admonish (s.o.);* ⟨inf.⟩ *give (s.o.) a talking-to;* een ~ krijgen *be reprimanded;* ⟨inf.⟩ *receive a talking-to;* iem. een ~ toevoegen *reprimand/admonish s.o.*.

berk ⟨de (m.)⟩ **0.1** *birch.*
berkebladwesp ⟨de⟩ **0.1** *birch sawfly.*
berkeboleet ⟨de (m.)⟩ **0.1** *rough boletus.*
berkeboom ⟨de (m.)⟩ **0.1** *birch (tree).*
berkelium ⟨het⟩ **0.1** *berkelium.*
berken ⟨bn.⟩ **0.1** *birch* ⇒*birchen.*
berkhoen ⟨het⟩ **0.1** *black grouse* ⇒*black cock* ⟨m.⟩, *grey hen* ⟨v.⟩.
berkoen ⟨de (m.)⟩ **0.1** *shore* ⇒*prop, stanchion.*
Berlijn ⟨het⟩ **0.1** *Berlin.*
berlijns-blauw ⟨het⟩ **0.1** *Prussian blue* ⇒*iron/Berlin blue.*
berlijns-bruin ⟨het⟩ **0.1** *Prussian brown.*
Berlijnse muur ⟨de (m.)⟩ **0.1** *Berlin wall.*
berlijns-groen ⟨het⟩ **0.1** *Prussian green.*
berlijns-rood ⟨het⟩ **0.1** [Engels rood] *Prussian red* ⇒*English red colcothar* **0.2** [gebrande oker] *burnt ocher.*
berlijns-zilver ⟨het⟩ **0.1** *nickel silver* ⇒*German silver.*
berlitzmethode ⟨de (v.)⟩ **0.1** *Berlitz method.*
berm ⟨de (m.)⟩ **0.1** *shoulder,* ⟨vnl. BE⟩ *verge* ⇒*roadside, bank* ◆ **2.1** zachte ~! *soft s. / v.!* **3.1** de ~ afweiden *let/have the animals graze on the roadside* **6.1** in de ~ zitten *sit on the v./bank;* in de ~ vastraken *get stuck in the v./on the s., get bogged down in the v..*
bermflora ⟨de⟩ **0.1** *roadside flora* ⇒*roadside/wayside flowers/shrubs.*
bermlamp ⟨de⟩ **0.1** *spotlight.*
bermpje ⟨het⟩ ⟨dierk.⟩ **0.1** *loach.*
bermplank ⟨de⟩ ⟨verkeer⟩ **0.1** *reflector pole.*
bermprostitutie ⟨de (v.)⟩ **0.1** *kerbside* [A]*curbside prostitution.*
bermtoerisme ⟨het⟩ **0.1** *roadside picknicking.*
bermuda ⟨de⟩ **0.1** *Bermuda shorts* ⇒*Bermudas.*
bermudatuig ⟨het⟩ **0.1** *Bermuda rig.*
bernage ⟨de⟩ **0.1** *borage.*
beroemd ⟨bn.⟩ **0.1** *famous* ⇒*renowned,* ⟨gevierd⟩ *celebrated,* ⟨befaamd⟩ *famed* ◆ **1.1** ~e personen *celebrities, famous people* **3.1** het boek dat hem ~ zou maken *the book that was to make him famous/ bring him (to) fame;* ~ worden *become famous, win/achieve fame, rise to fame;* op slag ~ worden *become famous overnight, spring to fame;* alom ~ zijn *be widely/internationally famous* **6.1** ~ om *famous/ renowned/famed for;* ~ om zijn zandstrand *renowned/celebrated for its sandy beaches;* de stad is ~ om haar bouwkunst *the city is famous/ renowned/noted for its architecture.*
beroemdheid ⟨de (v.)⟩ **0.1** [het beroemd zijn] *fame* ⇒*renown, celebrity* **0.2** [beroemd persoon] *celebrity* ⇒*personality, star, VIP* ◆ **2.2** een plaatselijke ~ *a local hero/c..*
beroemen ⟨wk.ww.; zich~⟩ **0.1** *boast* ⇒*brag (about), take pride (in), pride o.s. ((up)on)* ◆ **5.1** Rotterdam beroemt zich erop dat het de grootste haven ter wereld is *Rotterdam prides itself on having the largest harbour in the world* **6.1** zich op zijn familie ~ *boast about one's family;* zij beroemt zich op haar meedogenloosheid *she takes pride in her ruthlessness.*
beroep ⟨het⟩ **0.1** [betrekking] *occupation* ⇒*profession* ⟨waar opleiding voor nodig is⟩, *vocation,* ⟨bedrijf, ambacht⟩ *trade,* ⟨zaak⟩ *business,* ⟨carrière⟩ *career* **0.2** [verzoek om bijstand] *appeal* **0.3** [⟨jur.⟩] *appeal* **0.4** [het roepen tot een waardigheid, ambt] *call* ⇒*invitation* ◆ **1.1** in de uitoefening van zijn ~ *in the exercise of one's profession* **1.3** raad van ~ ⟨GB⟩ *Court of Appeal;* ⟨USA⟩ *Court of Appeals* **2.1** het oudste ~ ter wereld *the world's oldest profession;* vrij ~ *profession* **2.2** een krachtig ~ doen op *make a strong a. / plea to* **2.3** er is geen hoger ~ mogelijk *no further a. lies/is possible;* met uitsluiting van hoger ~ of recht van cassatie *final/barring which judgement no a. (of any kind) lies/shall lie* **3.1** haar ~ is buschauffeur *she is a bus driver (by o.);* een ~ maken van *make a business/trade of;* een ~ uitoefenen *have an o., follow a profession/a trade* **3.2** een ~ doen op iem. / iets *make an a. to s.o. / sth., appeal to s.o. / sth.* **3.3** ~ instellen tegen *enter/lodge/bring an a. against* **3.4** een ~ krijgen/aannemen *receive/accept a c.* **6.1** mevrouw C., wat ~ / journaliste *Ms. C., a journalist (by profession);* wat ben jij van ~? *what is your o.?;* ⟨inf.⟩ *what do you do for a living?;* zonder ~ *of no o.* **6.2** met een ~ op *with a plea of, by pleading* **6.3** in (hoger) ~ gaan *appeal (to a higher court), take one's case to a higher court, enter /lodge an a.;* de zaak zal over 14 dagen in hoger ~ worden behandeld *the a. will be heard/handled in two weeks' time/two weeks from now;* in hoogste ~ veroordeeld *be sentenced on a. in the court of last resort;* het vonnis werd in hoger ~ bekrachtigd/vernietigd *the judgment was upheld/reversed on a.* **6.4** op ~ preken *preach with a view to the pastorate* ¶ **.1** ~: geen *o.: none;* uit hoofde van zijn ~ *professionally, in one's professional capacity* ¶ **.3** ~ in cassatie *a. in cassation/to the Supreme court.*
beroepbaar ⟨bn.⟩ **0.1** *eligible.*
beroepen
 I ⟨wk.ww.; zich~⟩ **0.1** [autoriteit inroepen van] *call (upon)* ⇒*appeal (to), refer (to)* **0.2** [⟨jur.⟩] *appeal* ◆ **6.1** zich op iem. / iets ~ *appeal to s.o. / sth., use/plead s.o. / sth. as an excuse;* zich op een passage/clausule v.h. contract ~ *refer to a passage/clause in the contract;*
 II ⟨ov.ww.⟩ **0.1** [benoemen] *call* **0.2** [uitdagen] *challenge* **0.3** [met de stem bereiken] *shout out to* ◆ **5.3** te/niet te ~ *within/beyond earshot/ calling distance/hearing* **6.1** iem. als/tot predikant ~ naar *c. o. as minister to.*
beroepencode ⟨de (m.)⟩ **0.1** *professional code.*
beroepene ⟨de (m.)⟩ **0.1** *new minister.*
beroepengids ⟨de⟩ **0.1** [telefoongids] *classified directory* ⇒⟨inf.⟩ *yellow pages* **0.2** [gids met beroepen] *professional directory.*
beroepenvoorlichting →**beroepsvoorlichting.**
beroeping ⟨de (v.)⟩ **0.1** *calling* ⇒*call.*
beroepingswerk ⟨het⟩ **0.1** *the calling of a new minister.*
beroeps ⟨bn.⟩ **0.1** *professional* ⇒*vocational, career* ◆ **3.1** ~ worden ⟨sport⟩ *turn p., become a professional.*
beroepsbegeleidend ⟨bn.⟩ ◆ **1.**¶ ~ onderwijs voor werkende jongeren [B]*day-release/*[A]*day-time education for young employees.*
beroepsbevolking ⟨de (v.)⟩ **0.1** [bevolking met een beroep] *employed/ working population* ⇒*labour force* **0.2** [⟨statistiek⟩] *labour force.*
beroepsbezigheid ⟨de (v.)⟩ **0.1** *professional duty* ⇒*professional activity* ◆ **3.1** zijn ~ hervatten *resume one's professional duties.*
beroepsblind ⟨bn.⟩ **0.1** *dulled by routine.*
beroepsbokser ⟨de (m.)⟩ **0.1** *prize fighter.*
beroepschrift ⟨het⟩ ⟨jur.⟩ **0.1** *appeal.*
beroepsdanser ⟨de (m.)⟩, **-es** ⟨de (v.)⟩ **0.1** *professional dancer.*
beroepsdeformatie ⟨de (v.)⟩ **0.1** [psychische afwijking] *occupational disability* ⇒*job-related disability* **0.2** [misvorming] *occupational disability* ⇒*job-related disability.*
beroepseer ⟨de (v.)⟩ **0.1** *professional ethics.*
beroepsethiek ⟨de (v.)⟩ **0.1** [waarden en normen] *professional standards* **0.2** [morele betekenis van beroepsuitoefening] *professional ethics.*
beroepsgeheim ⟨het⟩ **0.1** *professional secrecy* ◆ **3.1** zich beroepen op het ~ *appeal to p. s.;* het ~ schenden *violate/break one's p. s.* **6.1** gebonden zijn door het ~ *bound by p. s..*
beroepsgoederenvervoer ⟨het⟩ **0.1** *road transfer and haulage* ⇒⟨vnl. AE⟩ *(road) transport and hauling.*
beroepsgroep ⟨de⟩ **0.1** *professional group* ⇒*occupational group* ◆ **2.1** indeling v.d. bevolking in sociale ~en *breakdown of the population into occupational groups.*
beroepsgrond ⟨de (m.)⟩ ⟨jur.⟩ **0.1** *grounds for appeal* ◆ **3.1** wellicht kunnen de ~en worden uitgebreid *perhaps more grounds for appeal can be found.*
beroepshalve ⟨bw.⟩ **0.1** *by virtue of one's profession* ⇒*professionally* ◆ **3.1** ik zie haar alleen nog ~ *I see her only professionnally these days.*
beroepsinbreker ⟨de (m.)⟩ **0.1** *professional burglar.*
beroepskeuze ⟨de⟩ **0.1** *choice of (a) career* ⇒*choice of profession/occupation* **1.1** bureau voor ~ *careers office* **6.1** begeleiding bij de ~ *careers guidance/counselling.*
beroepskeuzeadviseur ⟨de (m.)⟩ **0.1** *counsellor* ⇒*careers adviser/(advisory) officer, vocational guidance officer,* ⟨op school; BE⟩ *careers master* ⟨m.⟩ */mistress* ⟨v.⟩.
beroepsklasse ⟨de (v.)⟩ **0.1** [sociale klasse] *occupational group* **0.2** [⟨sport⟩] *professional league.*
beroepskleding ⟨de (v.)⟩ **0.1** *professional dress* ⇒*uniform.*
beroepskracht ⟨de⟩ **0.1** *professional.*
beroepsleger ⟨het⟩ **0.1** *regular army* ⇒⟨vnl. AE⟩ *professional army.*
beroepsmatig ⟨bw.⟩ **0.1** *by virtue of one's profession* ⇒*professionally.*
beroepsmilitair ⟨de (m.)⟩ **0.1** *regular (soldier)* ⇒*professional soldier/ serviceman.*
beroepsmisdadiger ⟨de (m.)⟩ **0.1** *professional criminal.*
beroepsmisvorming →**beroepsdeformatie.**
beroepsmogelijkheid ⟨de (v.)⟩ **0.1** [⟨jur.⟩] *possibility of appeal* **0.2** [mogelijkheid om een beroep uit te oefenen] *career opportunity* ⇒*job opportunity.*
beroepsonderwijs ⟨het⟩ **0.1** *vocational training* ⇒*professional training* ◆ **2.1** lager/middelbaar/hoger ~ *technical and vocational training for 12-16 years old* ⟨lager⟩ */for 16-18 years old* ⟨middelbaar⟩ */for 18+* ⟨hoger⟩.
beroepsopleiding ⟨de (v.)⟩ **0.1** *professional/vocational/occupational training.*
beroepsorganisatie ⟨de (v.)⟩ **0.1** *professional association/body.*
beroepsploeg ⟨de⟩ **0.1** *professional team.*

beroepsrecht ⟨het⟩ **0.1** *right of appeal*.
beroepsrijder ⟨de (m.)⟩ **0.1** ⟨wielrijder⟩ *professional (cyclist);* ⟨schaatser⟩ *professional (skater);* ⟨motorrijder⟩ *professional (rider)*.
beroepsrisico ⟨het⟩ **0.1** *occupational hazard/risk*.
beroepsschool ⟨de⟩⟨AZN⟩ **0.1** *technical school/college*.
beroepsspeler ⟨de (m.)⟩ **0.1** ⟨sport⟩ *professional (player)* ⟹⟨inf.⟩ *pro* **0.2** [acteur] *professional actor*.
beroepssport ⟨de⟩ **0.1** *professional sport*.
beroepsstructuur ⟨de⟩ **0.1** *social structure according to occupation*.
beroepstaal ⟨de⟩ **0.1** *professional language* ⟹*professional/technical terminology/vocabulary,* ⟨inf.⟩ *professional slang, jargon*.
beroepsverbod ⟨het⟩ **0.1** *'Berufsverbot'* *(prohibition to pursue one's profession)* ◆ **3.1** een~ instellen tegen iem. *ban s.o. from a profession*.
beroepsvervoer →**beroepsgoederenvervoer**.
beroepsvervoerder ⟨de (m.)⟩ **0.1** *long-driver,* [A]*trucker*.
beroepsvoetballer ⟨de (m.)⟩ **0.1** *professional footballer/football player*.
beroepsvoorlichting ⟨de (v.)⟩ **0.1** *careers guidance*.
beroepsziekte ⟨de (v.)⟩ **0.1** *occupational disease/illness*.
beroerd ⟨bn., bw.;-ly⟩ **0.1** [naar] *miserable, wretched, horrid, awful, terrible, rotten* **0.2** [lamlendig] *indolent* ⟹*lazy* ◆ **1.1** een~e dag *a rotten/wretched/horrid/m. day;* dat~e raam wil niet open *that wretched window won't open;* 't is een~e toestand/zaak/boel *it's a rotten/nasty/beastly situation/matter/mess;* een~e vent *a horrid/vile fellow, a rotter, a nasty piece of work* **2.1** ~ slecht *downright m.* **3.1** het ging~ it went miserably/wretchedly; zij hebben het nog veel~er *they are a lot worse off;* ik vind het heel~ maar ik kan niet komen *it's a dreadful shame, but I can't come;* ik word er~van *it makes me ill/sick;* hij/het ziet er~ uit *he looks terrible/wretched/m., it looks horrible;* er~ aan toe zijn *be in a very bad way* **4.1** wat~ voor je *how horrid/awful for you* **5.1** dat is knap~ *that is simply rotten/horrid/beastly* **6.1** ~ **van** iets zijn *be shaken by sth.* **6.2** niet te~zijn **om** *not be above (-ing);* nog te~zijn **om** een poot uit te steken *be too damn lazy to lift a finger* **7.1** het~e is dat *the wretched/rotten thing is that;* dat is juist het~e *that's the worst part of it*.
beroerdigheid ⟨de (v.)⟩ ⟨inf.⟩ **0.1** *trouble* ⟹*unpleasantness, wretchedness*.
beroeren ⟨ov.ww.⟩ **0.1** [even aanraken] *touch* ⟹*brush* **0.2** [verontrusten] *trouble* ⟹*agitate, disturb* **0.3** [mbt. water] *stir* ⟹*disturb* ◆ **5.3** het water werd licht/hevig beroerd *the water was disturbed/troubled* **6.2** **door** iets beroerd worden/zijn *be/become disturbed/troubled by sth.*.
beroering ⟨de (v.)⟩ **0.1** [onrust, opschudding] *trouble* ⟹*agitation, unrest,* ⟨commotie⟩ *commotion, turmoil, tumult* **0.2** [het aanraken] *touch* ⟹*brushing* ◆ **1.1** in tijden van~ *in times of trouble/unrest, in troubled times* **2.1** maatschappelijke~ *social unrest* **3.1** er ontstond enige~ in de zaal *there was some commotion in the room;* ~ verwekken *stir up/foment trouble, create unrest, cause a commotion, cause/create a disturbance, cause turmoil* **6.1** in~ brengen *trouble, disturb;* het hele land was in ~ *the whole country was in turmoil*.
beroerling ⟨de (m.)⟩ ⟨fig.⟩ **0.1** *rotten/vile fellow* ⟹[B]*rotter, nasty piece of work*.
beroerte ⟨de (v.)⟩ **0.1** [verlamming] *stroke* ⟹*fit, seizure,* ⟨vero.⟩ *apoplexy* **0.2** [rustverstoring] *trouble(s)* ⟹*disturbance(s)* ◆ **1.1** de Raad van Beroerten *the Council of Troubles* **2.1** een lichte~ *a mild/minor stroke* **3.1** door een~ getroffen worden *have/suffer a stroke;* ze kreeg bijna een~ toen ze hem zag *she nearly had/threw a fit when she saw him* **3.¶** iem. een~ op het lijf jagen *scare the life/wits out of s.o.;* zich een (rol)~ lachen *laugh o.s. silly/sick, fall about laughing, be in stitches, be convulsed with laughter;* zich een~ schrikken *scare o.s. silly/sick, jump out of one's skin, be frightened to death/out of one's wits*.
berokkenen ⟨ov.ww.⟩ **0.1** *cause* ◆ **1.1** iem. schade/leed~ *cause s.o. harm/sorrow/grief* **4.1** zich schande~ *bring dishonour on o.s.*.
berooid ⟨bn.⟩ ⟨→sprw. 50⟩ **0.1** [arm] *destitute* ⟹*penniless,* ⟨inf.⟩ *down and out, broke* **0.2** [dronken] *drunk(en)* ⟹*intoxicated, inebriated, tipsy* ◆ **1.1** ~e bedelaars *beggars;* een~e beurs/schatkist *an empty purse/coffer* **1.2** met een~ hoofd kwam hij thuis *he came home three sheets in the wind* **2.1** arm en~ rondzwerven *wander around destitute/penniless* **3.1** ~ kwam hij hier aan *he came here penniless/destitute*.
berookt ⟨bn.⟩ **0.1** *blackened* ⟹*smutty, smoked* ⟨glas⟩ ◆ **1.1** ~e gordijnen *smutty/smoke-filled;* ~e schoorstenen *b. chimneys*.
berouw ⟨het⟩ ⟨→sprw. 51⟩ **0.1** *remorse* ⟹*repentence, contrition, regret, compunction* ◆ **1.1** tranen van~ *tears of remorse/repentence/regret* **2.1** oprecht~ *sincere remorse/repentence* **3.1** ~ hebben over/van *re-gret, rue, be remorseful for;* ~ tonen *show remorse/contrition;* ~ voelen *feel remorse*.
berouwen ⟨onov.ww.⟩⟨→sprw. 249⟩ **0.1** *regret* ⟹*repent, rue, feel sorry* ◆ **1.1** die daad berouwt hem *he regrets the deed, he feels sorry about the deed* **3.1** dit zal je~ *you'll be sorry, you'll (live to) regret this*.
berouwvol ⟨bn.⟩ **0.1** *remorseful* ⟹*repentent, contrite, penitent*.
beroven ⟨ov.ww.⟩ **0.1** [door roof ontnemen] *rob* ⟹*despoil, plunder* **0.2** [beschikking over iets doen missen] *deprive of* ⟹*strip, defraud, denude* **0.3** [ontdoen van] *deprive* ⟹*strip* ◆ **1.1** een bank~ *r. a bank* **6.1** iem. ~ **van** iets *rob s.o. of sth.;* **van** alles beroofd zijn *be stripped/rob-*

bed of everything **6.2** zich **van** het leven~ *take one's own life;* iem. **van** zijn vrijheid~ *deprive s.o. of his freedom;* iem. **van** zijn rechten~ *deprive s.o. of his rights* **6.3** in deze versie is het verhaal **van** al zijn charme beroofd *this version deprives the story of all its charm*.
beroving ⟨de (v.)⟩ **0.1** [handeling] *robbery* ⟹*deprivation, stripping, despoliation, despoilment* **0.2** [keer, geval] *robbery* ⟹*deprivation, stripping, despoliation, despoilment* ◆ **¶.1** een~ op klaarlichte dag *daylight r.*.
berrie ⟨de⟩ **0.1** *(hand)barrow* ⟹*bier* ⟨voor dode⟩, *stretcher* ⟨voor zieke⟩.
bersten ⟨onov.ww.⟩ ⟨→sprw. 372⟩ **0.1** *burst*.
bertillonnage ⟨de (v.)⟩ **0.1** *Bertillon system*.
berucht ⟨bn.⟩ **0.1** *notorious (for)* ⟹*infamous, disreputable, of ill fame/repute* ⟨na zn.⟩ ◆ **1.1** zijn naam was hier~ *he was n. in these parts;* een~ persoon *a n./disreputable person, a person of ill repute;* een~ proces *a n. trail;* een~e wijk *a n. area, an area of ill fame/repute* **6.1** hij was~ **wegens** zijn wreedheid *he was n. for his cruelty*.
berusten ⟨onov.ww.⟩ **0.1** [⟨+op⟩ steunen op] *rest on* ⟹*be based/founded on* **0.2** [zich schikken in] *resign o.s. to* **0.3** [in bezit zijn van] *rest at/with* ⟹*be deposited at/with* ◆ **1.2** op~de toon *resignedly, in a resigned tone* **6.1** deze conclusie berust **op** onjuiste gegevens *this conclusion is based/founded on inaccurate data;* **op** vrees~ *be based on/grounded in fear;* dit moet **op** een misverstand~ *this must be due to/be the result of a misunderstanding;* deze stelling berust nergens **op** *this proposition is groundless* **6.2** ze~ **in** hun verlies *they have resigned themselves to their loss;* we zullen hier niet **in** ~ *we won't take this lying down, we won't put up with this;* ~ **in** zijn lot *resign o.s. to one's fate* **6.3** de verzegelde dokumenten~ **bij** een notaris *the sealed documents are held by/deposited with a notary;* de beslissing berust **bij** de directeur *the decision rests with the director;* die bevoegdheid berust **bij** de Kroon *this power rests with/is vested in the Crown, the Crown is vested with this power;* de wetgevende macht berust **bij** het parlement *parliament is vested with (the) legislative power, legislative power rests with parliament*.
berustend ⟨bn.⟩ **0.1** *resigned, acquiescent*.
berusting ⟨de (v.)⟩ **0.1** [schikking] *resignation* ⟹*acceptance, acquiescence, passivity* **0.2** [bewaring] *possession* ⟹*keeping, custody* ◆ **2.1** in stille~ *in quiet r.* **6.1** ~ in een vonnis/in zijn lot *being resigned to a verdict/one's fate;* **met** ~ zijn lot dragen *resign o.s. to one's fate/lot* **6.2** de papieren zijn **onder** ~ v.d. notaris *the papers are in the hands of/the custody/the keeping of the notary;* **onder** zijn~ hebben *hold, have p. of*.
beryl →**beril**.
beryllium ⟨het⟩ **0.1** *beryllium*.
bes
I ⟨de⟩ **0.1** [vrucht] *berry* ⟹⟨aalbes⟩ *currant* **0.2** [jenever] ⟨→**bessenjenever**⟩ **0.3** [⟨muz.⟩] *B-flat;*
II ⟨de (v.)⟩ ⟨meestal 'besje'⟩ **0.1** [oude vrouw] *old lady* ⟹*granny* ◆ **2.1** een oud~je *a little old lady/granny*.
beschaafd[1] ⟨het⟩ ◆ **2.¶** het algemeen~ ⟨Ned.⟩ *Standard Dutch;* ⟨Eng.⟩ ≠*Standard English,* ≠*received pronunciation,* [A]*Received Standard*.
beschaafd[2]
I ⟨bn.⟩ **0.1** [keurig, net] *cultured* ⟹*polite, cultivated, refined, well-bred* **0.2** [niet meer in natuurstaat levend] *civilized* ◆ **1.1** een~ gezicht/uiterlijk *a refined face/appearance;* een~ man *an educated/a cultured man;* ~e manieren *refined/polite manners;* ~e taal *refined/cultivated/polite speech/language* **1.2** de~e volkeren *the c. peoples;* de~e wereld *the c. world, civilization;*
II ⟨bw.⟩ **0.1** [keurig, net] *polite* ⟹*in a cultivated/refined/cultured/well-bred manner* ◆ **3.1** ~ eten *have good table manners;* ~ spreken *speak in a cultured/refined manner, speak p.*.
beschaafdheid ⟨de (v.)⟩ **0.1** [welgemanierdheid] *politeness* ⟹*good manners* **0.2** [verfijning] *refinement* ⟹*culture, cultivation, finish*.
beschaamd ⟨bn., bw.⟩ **0.1** [vervuld van schaamte] *ashamed, shamefaced, abashed, embarrassed* **0.2** [schuchter] *bashful* ◆ **1.1** met~e kaken *ashamed, shamefaced* **3.1** ~ kijken *look shamefaced;* ~ het hoofd laten hangen *hang one's head in shame;* iem. ~ maken *shame s.o., put s.o. to shame, embarrass s.o.;* ~ zijn over *be ashamed of/about*.
beschadigd ⟨bn.⟩ **0.1** *damaged* ◆ **1.1** ~ porselein *chipped/d. porcelain;* ~e postzegels *damaged stamps* **1.¶** ⟨jur.⟩ ~e borg *surety who has paid the debts/discharged the obligation*.
beschadigdheid ⟨de (v.)⟩⟨verz.⟩ **0.1** *average* ◆ **2.1** vrij van~ *free from a.*.
beschadigen ⟨ov.ww.⟩ **0.1** *damage* ⟹*injure, harm, deface* ◆ **5.1** licht/zwaar beschadigd *slightly/badly damaged* **6.1** de goederen zijn **door** zeewater beschadigd *the goods were damaged by seawater;* **door** brand/regen/storm/water beschadigde goederen *fire/rain/storm/water damaged goods*.
beschadiging ⟨de (v.)⟩ **0.1** [plaats, toegebrachte schade] *damage* ⟹*lesion* **0.2** [het beschadigen] *damage* ⟹*damaging, injury, deterioration, impairment, defacement* ◆ **6.2** de~van ... *damage (done) to ....*.
beschaduwen ⟨ov.ww.⟩ **0.1** *shade* ⟹*overshadow* ◆ **1.1** een beschaduwd plaatsje *a shady spot*.

beschamen ⟨ov.ww.⟩ **0.1** [tot schaamte brengen] *(put to) shame* ⇒*confound,* ⟨schr.⟩ *discomfit* **0.2** [teleurstellen] *disappoint* ⇒*let down, betray* ⟨vertrouwen⟩ ◆ **1.1** zijn edelmoedigheid heeft mij beschaamd *his generosity / magnanimity put me to shame* **1.2** hun hoop werd beschaamd *their hopes were dashed;* iemands vertrouwen (niet) ~ *(not) betray s.o.'s confidence* **6.2** zij werden in hun verwachtingen beschaamd *they were disappointed in their hopes / expectations.*

beschamend ⟨bn.⟩ **0.1** [teleurstellend] *shameful* ⇒*disgraceful* **0.2** [vernederend] *shameful* ⇒*humiliating, ignominious* ◆ **1.1** een ~ resultaat *s. / disgraceful outcome* **1.2** een ~e vertoning *a humiliating / pathetic / an ignominious performance.*

beschaven ⟨ov.ww.⟩ **0.1** [ontwikkelen] *civilize* ⇒*educate, develop* **0.2** [gladmaken] *plane* ⟨hout⟩ ◆ **1.1** een volk ~ *c. a people.*

beschaving ⟨de (v.)⟩ **0.1** [toestand van beschaafdheid] *civilization* **0.2** [het beschaafd zijn] *culture* ⇒*refinement, polish* **0.3** [het beschaven] *civilization* ◆ **1.1** een hoge trap van ~ *a high degree / level of c.* **1.2** een dun laagje ~ *a thin veneer of c. / refinement* **2.1** sporen v.e. oude ~ *traces of an ancient / a former c.;* de westerse ~ *Western c.,* the Occident **2.2** innerlijke ~ *innate refinement* **3.2** iem. enige ~ bijbrengen *teach s.o. some manners* **4.2** ver weg van alle ~ *out in the wilds, far from civilization.*

beschavingsgeschiedenis ⟨de (v.)⟩ **0.1** *history of civilization* ⇒*cultural history.*

beschavingspeil ⟨het⟩ **0.1** *standard of culture* ⇒*cultural level.*

beschavingsziekte ⟨de (v.)⟩ **0.1** *disease of civilization, Western disease(s).*

bescheid ⟨het⟩ **0.1** [geschreven stuk] *record* ⇒*document* **0.2** [antwoord] *answer* ⇒*reply* **0.3** [ontbieding] *summons* ⇒*call* ◆ **2.1** echte ~en *original / authentic documents* **3.1** iem. de ~en doen toekomen *send s.o. the records / documents* **3.2** ~ geven *give an a. / reply* **3.¶** iem. ~ doen ⟨zijn dronk beantwoorden⟩ *respond to s.o.'s toast, propose a toast in return* **6.3** op uw~ kom ik hier *I am here at your s. / bidding.*

bescheiden[1] ⟨bn., bw.: -ly⟩ **0.1** [niet aanmatigend] *modest* ⇒*unassuming, self-effacing, unpretentious* **0.2** [discreet] *discreet* **0.3** [niet groot] *modest* ⇒*small, little* ◆ **1.1** een ~ persoon *a m. / an unassuming / an self-effacing person* **1.2** een ~ klopje op de deur *a d. knock at the door;* volgens mijn ~ mening *in my humble opinion;* een ~ opmerking *d. remark* **1.3** een ~ optrekje *a m. / little cottage;* op ~ voet / schaal speculeren *speculate on a modest / m. scale* **3.1** je bent al te ~ *you're too m.;* zich ~ terugtrekken *withdraw / retire discreetly* **3.3** een ~ ingerichte woning *a modestly furnished house.*

bescheiden[2] ⟨ov.ww.⟩ ⟨schr.⟩ **0.1** [toewijzen] *appoint* ⇒*apportion, assign, allot* **0.2** [ontbieden] *summon* ◆ **1.1** de ons ~ tijd *our allotted time.*

bescheidenheid ⟨de (v.)⟩ **0.1** [het niet aanmatigend zijn] *modesty* ⇒*unpretentiousness, unobtrusiveness* **0.2** [beleefdheid] *politeness* ⇒*deference* **0.3** [geringheid] *modesty* **0.4** [discretie] *discretion* ◆ **2.1** valse ~ *false / feigned m.* **2.2** met de meeste ~ iets verzoeken *politely request* **3.4** aan iemands ~ iets toevertrouwen *leave sth. to s.o.'s discretion* **6.1** in alle ~ wil ik opmerken dat *with all due respect / deference may I point out.*

beschenken ⟨ov.ww.⟩ ⟨schr.⟩ **0.1** *donate* ⇒*present, confer, endow, bestow.*

bescheren ⟨ov.ww.⟩ **0.1** *(be)fall* ◆ **1.1** het geluk was hem beschoren, dat *…it was his good fortune that, the good fortune befell him / was granted him that …;* haar was slechts een kort leven beschoren *she was granted only a short life;* het hem beschoren lot *his lot in life, the lot that fell to him;* dit harde lot is mij beschoren *this harsh / bitter fate has fallen to / befallen me.*

beschermeling ⟨de (m.)⟩, **-e** ⟨de (v.)⟩ **0.1** [in bescherming genomen iem.] *ward* **0.2** [iem. die vooruitgeholpen wordt] *protégé* ⟨m.⟩, *protégée* ⟨v.⟩.

beschermen ⟨ov.ww.⟩ **0.1** [behoeden] *protect* ⇒*keep, preserve, (safe)guard, shelter* **0.2** [bevorderen] *foster* ⇒*promote, further, patronize* ◆ **1.1** een beschermde diersoort *a protected species;* met een ~d gebaar *with a protective gesture;* beschermde industrieën *protected industries;* ~ de laag / kleding *protective layer / clothing;* een beschermd leventje *a protected / cushioned life;* een overdreven ~de moeder *an over-protective mother;* door het auteursrecht beschermde publikaties *copyrighted publications* **1.2** de kunst ~ *promote / further / patronize the arts* **6.1** ~ tegen indringers / het weer / concurrentie *protect against intruders / the weather / competition;* iem. tegen zichzelf ~ *protect s.o. from himself, save s.o. from himself;* ~ tegen ⟨te felle zon / te harde wind⟩ *screen from.*

beschermengel ⟨de (m.)⟩ **0.1** [⟨r.k.⟩] *guardian angel* **0.2** [⟨fig.⟩] *guardian angel.*

beschermer ⟨de (m.)⟩, **-ster** ⟨de (v.)⟩ **0.1** [behoeder] *defender* ⟨m., v.⟩ ⇒*guardian* ⟨m., v.⟩, *protector* ⟨m.⟩, *protectress* ⟨v.⟩ **0.2** [begunstiger] *patron* ⟨m.⟩, *patroness* ⟨v.⟩ ◆ **1.1** ~ van de onschuld *d. / protector of innocence* **1.2** ~ van de kunst *p. of the arts.*

beschermgod ⟨de (m.)⟩, **-in** ⟨de (v.)⟩ **0.1** *tutelary deity* ⇒*genius loci* ⟨plaatselijk⟩.

beschermheer ⟨de (m.)⟩, **-vrouw(e)** ⟨de (v.)⟩ **0.1** [beschermer] *patron* ⟨m.⟩, *patroness* ⟨v.⟩ ⇒*protector* ⟨m.⟩, *protectress* ⟨v.⟩ **0.2** [eretitel] *patron* ⟨m.⟩, *patroness* ⟨v.⟩ ◆ **8.2** als ~ optreden *act as p..*

beschermheerschap ⟨het⟩ **0.1** *patronage* ◆ **6.1** onder (het) ~ van *under the p. of.*

beschermheilige ⟨de (m.)⟩ ⟨r.k.⟩ **0.1** *patron saint* ⟨m., v.⟩ ⇒*patron* ⟨m.⟩, *patroness* ⟨v.⟩ ◆ **1.1** de ~ van de jagers *the p. s. of hunters* **3.1** zijn ~ aanroepen *call upon one's p. s..*

beschermhoes ⟨de⟩ **0.1** *(protective) cover* ⇒*(record) sleeve* ⟨van plaat⟩.

bescherming ⟨de (v.)⟩ **0.1** [hoede] *protection* ⇒*(safe)guarding, shelter, cover* **0.2** [begunstiging] *patronage* ◆ **1.1** Bescherming Burgerbevolking *Civil Defence;* de ~ v.d. mensenrechten / v.h. milieu *the safeguarding of human rights, the p. of the environment* **3.1** ~ bieden aan *offer p. to;* duinen bieden ~ tegen de zee *dunes are a defence against the sea;* ~ zoeken tegen *take cover from, seek refuge from* **3.2** de ~ genieten van *have / enjoy the p. of* **6.1** iem. in ~ nemen *take s.o. under one's p. /* ⟨fig.⟩ *under one's wing* **4.1** ~ d. nacht *under cover of night / darkness;* onder ~ van gevechtsvliegtuigen *under cover of fighter planes;* ter ~ van *for the p. of* **6.2** onder de ~ staan van *be under the p. of;* onder de (hoge) ~ van Hare Majesteit *under the (Gracious) p. of Her Majesty the Queen.*

beschermingsgraad ⟨de (m.)⟩ ⟨comp.⟩ **0.1** *data privacy.*

beschermkap ⟨de⟩ **0.1** *protective hood / cover* ⇒*shield, guard* ⟨van machine⟩.

beschermlaag ⟨de⟩ **0.1** *protective layer / coating* ⇒*resist* ⟨tegen corrosie⟩, *pad(ding)* ⟨dik, zacht materiaal⟩.

bescheten ⟨bn.⟩ ⟨inf.⟩ **0.1** [met drek bevuild] *fouled* ⇒*dirtied, soiled* **0.2** [bekaaid] *shitty* **0.3** [ongezond] *shitty* **0.4** [laf] *shit-scared, scared shitless* ◆ **3.2** ~ uitkomen *turn out / end up s.* **3.3** er ~ uitzien *look s.* **5.4** te ~ zijn om *…be too shit-scared to ….*

bescheuren ⟨wk.ww.; zich~⟩ ⟨inf.⟩ **0.1** *laugh loudly, die laughing, split one's sides laughing* ◆ **6.1** om je te ~ *to make you die laughing, damned funny.*

bescheurkalender ⟨de (m.)⟩ **0.1** *(the) rip off annual.*

beschieten ⟨ov.ww.⟩ **0.1** [schieten op] *fire (up)on / at* ⇒*shell, bombard, pelt* **0.2** [bekleden] *panel* ⇒*line, wainscot* **0.3** [afsluiten] *close off* ⇒*plank, (weather)board* ◆ **1.1** een vesting / een vijand ~ *fire (up)on / shell / bombard a fortress / an enemy* **1.3** het dak ~ *weatherboard the roof;* een met glas beschoten galerij *a gallery / veranda closed in with glass* **6.1** een stad met granaten / kanonnen / raketten ~ *bombard a city with grenades / cannon(s) / rockets* **6.2** met hout ~ *panel;* met eikehout beschoten muren *oak panelled walls.*

beschieting ⟨de (v.)⟩ **0.1** [het schieten] *bombarding, bombardment* ⇒*firing, shelling, pelting* **0.2** [bekleding] *panelling* [A]*eling* ⇒*lining, wainscot(t)ing.*

beschijnen ⟨ov.ww.⟩ **0.1** *shine (up)on* ⇒*light (up), spotlight, radiate* ◆ **6.1** door de zon beschenen *sunlit.*

beschijten ⟨ov.ww.⟩ ⟨vulg.⟩ **0.1** [schijten op / in] *shit (up)on* **0.2** [bedriegen] *fuck (s.o.) over* ⇒*screw* **0.3** [maling hebben aan] *not give a shit / damn.*

beschikbaar ⟨bn.⟩ **0.1** *available* ⇒*at one's disposal, free* ◆ **1.1** ~ kapitaal *liquid capital;* alle beschikbare middelen aanwenden *use all a. means / resources, devote all liquid assets to;* de beschikbare ruimte was klein *the a. space was limited* **3.1** ik houd die week daarvoor ~ *I'll keep that week free / hold that week open for it;* niet veel tijd voor iets ~ hebben *not have much time a. for sth.;* zich ~ houden *hold o.s. open / in readiness;* ~ komen *become / be made / be rendered a.;* zich ~ stellen *put o.s. at s.o.'s disposal, make o.s. available;* geld / een geldprijs ~ stellen *put up a purse / prize;* ~ stellen *make a., place at s.o.'s disposal, provide;* gratis een vliegtuig ~ stellen *make a(n aero)plane a. free of cost / charge* **5.1** vrij ~ vanaf juni *a. from June (onwards).*

beschikbaarheid ⟨de (v.)⟩ **0.1** *availability.*

beschikken ⟨→sprw. 428⟩

I ⟨onov.ww.⟩ **0.1** [⟨+over⟩ bezitten] *dispose of* ⇒*have (control of), command, have disposal of* **0.2** [⟨+over⟩ bestemming geven aan] *dispose of* ⇒*see to, have control of, set aside* **0.3** [beslissen] *decide* ⇒*ordain, resolve* ◆ **5.3** afwijzend / gunstig ~ op een verzoek *grant / deny a request* **6.1** ~ over een groot vermogen *dispose of / have substantial means;* over een meerderheid ~ *command / have a majority;* over genoeg tijd ~ *have enough time at one's disposal;* zodra wij ~ over de juiste gegevens *as soon as we have / possess the correct data* **6.2** ~ over een bedrag ten gunste v.h. Rode Kruis *set aside a sum for the Red Cross;* wie beschikt over de opbrengst? *who takes care of / sees to / disposes of the proceeds?;* bij testament ~ over goederen *dispose of one's property by will;* u kunt over mij ~ *I am at your disposal;* over iemands lot ~ *decide / determine s.o.'s fate / lot;* over iets kunnen ~ *have free disposal / disposition of sth., have sth. at one's disposal;* ze kon zelf niet over het geld ~ *she had no control of her money, she did not have free disposition / disposal of her money;* de tsaar beschikte over het leven en de dood van zijn onderdanen *the tsar had the power of life and death over his subjects* **8.3** het zo ~ dat *ordain that;*

II ⟨ov.ww.⟩ **0.1** [regelen] *see to* ⇒*arrange, order, manage, direct* ◆ **5.1** God had het anders beschikt *God willed / ordained it otherwise.*

beschikking ⟨de (v.)⟩ **0.1** [macht om over iets te beschikken] *disposition* ⇒*disposal* **0.2** [besluit] *order* ⇒*command, decision* ◆ **1.1** een ~ der Voorzienigheid *a dispensation of Providence, a providence* **2.1** de vrije ~ hebben over *have free disposition/disposal of* **2.2** een afwij-zende/gunstige ~ op het bezwaarschrift *a rejection/grant of the peti-tion, a decision rejecting/granting the petition;* een bindende ~ *binding ordinance, absolute rule;* bij ministeriële/rechtelijke ~ *by ministerial/judicial o.;* testamentaire ~en *testamentary disposition* **3.1** de ~ hebben over *possess, have the disposal of, dispose of;* de ~ krijgen over *get/obtain command of, dispose of, acquire* **3.2** een ~ uitvaardigen *issue an o.* **6.1** hij staat te mijner ~ *he is at my disposal/*⟨vnl. iron.⟩ *command;* kranten liggen **ter** ~ in de leeszaal *newspapers are availa-ble in the reading room;* een deliquent **ter** ~ stellen v.d. regering ⟨geestelijk gestoorde⟩ *place an offender under a hospital/restriction order;* ⟨minderjarige⟩ *commit an offender to a youth custody centre;* welwillend **ter** ~ gesteld door *by courtesy of, by kind permission of;* iets **ter** ~ stellen van iem. *place/put sth. at s.o.'s disposal;* er stonden hem geen andere middelen **ter** ~ *he had no other means available/at his disposal;* (zich) **ter** ~ houden van *hold/keep o.s. at the disposal of;* **ter** ~ gesteld v.d. regering *committed to a forensic mental hospital;* **tot** zijn (onmiddellijke) ~ hebben *have at one's (immediate) disposal;* ik sta geheel **tot** uw~ *I am entirely/completely at your disposal/com-mand* **6.2** bij ~ van *bij o. of.*

beschikkingsbevoegdheid ⟨de (v.)⟩ **0.1** *(power of) disposal (of), control (over)* ⟨eigendom⟩ ⇒*(power of) disposition.*

beschikkingsrecht ⟨het⟩ **0.1** [tot beslissing] *power of decision* **0.2** [tot vrije beschikking over] *power of disposal (of)* ⇒*right to dispose of.*

beschilderen ⟨ov.ww.⟩ **0.1** [voorstellingen schilderen op] *paint* ⇒*picture* **0.2** [verven, kleuren] *paint (over)* ⇒*cover with paint* ◆ **1.1** beschilder-de glazen *stained glass, pictorial glass;* beschilderde panelen *painted panels;* beschilderde ramen *stained glass windows* **6.1 met** de hand beschilderd *hand painted.*

beschildering ⟨de (v.)⟩ **0.1** [handeling] *painting* **0.2** [resultaat] *painting.*

beschimmeld ⟨bn.⟩ **0.1** [met schimmel bedekt] *mouldy* ⇒*mildewy, musty* **0.2** [oud en onfris] *mouldy* ⇒*musty* ◆ **1.1** ~ brood *mouldy bread* **1.2** ~e papieren *musty/*⟨fig.⟩ *mouldy papers.*

beschimmelen ⟨onov.ww.⟩ **0.1** *become mouldy* ⇒*grow/get/become mouldy/musty/mildewy* ◆ **3.1** hij laat zijn geld niet ~ *his money burns a hole in his pocket;* ⟨scherts.⟩ zijn geld niet laten ~ ⟨ongemar-keerd⟩ *be spendthrift.*

beschimpen ⟨ov.ww.⟩ **0.1** *taunt* ⇒*jeer at, call names, abuse, scoff (at).*

beschimping ⟨de (v.)⟩ **0.1** *taunt(ing)* ⇒*jeering, scoffing, abuse.*

beschoeien ⟨ov.ww.⟩ **0.1** *face* ⇒*timber* ⟨mijn⟩.

beschoeiing ⟨de (v.)⟩ **0.1** [wand] *facing* ⇒*campshot, campshed(ding), campsheeting, sheetpiling* ⟨rivieroever⟩*, timbering* ⟨mijn⟩ **0.2** [han-deling] *facing* ⇒*campshedding, campsheeting, sheet-piling, timbering.*

beschonken ⟨bn.⟩ **0.1** *drunk* ⇒*intoxicated, inebriated, tipsy, (inf.) boozy* ◆ **1.1** met zijn ~ kop *in his drunken state, as drunk as he is/was;* in ~ toestand *under the influence (of alcohol/drink)* **5.1** zwaar ~ *plastered, pie-eyed, dead drunk.*

beschonkene ⟨de (m.)⟩ **0.1** *drunk.*

beschot ⟨het⟩ **0.1** [houten bekleedsel] *panel(ling)* ⇒*wainscot(ing)* **0.2** [afscheiding] *partition* **0.3** (⟨landb.⟩] *yield* ⇒*crop, production* ◆ **2.1** een eiken ~ *oak panelling* **3.3** een goed ~ opleveren *yield/produce a good crop.*

beschouwelijk ⟨bn.⟩ **0.1** *contemplative* ⇒*reflective* ◆ **1.1** hij heeft een ~e aard *he has a c. nature.*

beschouwen ⟨ov.ww.⟩ **0.1** [beoordelen] *consider* ⇒*contemplate* **0.2** [houden voor] *consider* ⇒*regard, look upon as, deem, esteem* **0.3** [be-kijken] *consider* ⇒*look at, view, contemplate, envisage* **0.4** [ambtshal-ve keuren] *inspect* ⇒*examine, survey* **0.5** [⟨vis.⟩] *receive one's portion/share of the catch* ◆ **1.4** dijken ~ *inspect the dikes* **5.1** (alles) wel be-schouwd *all things (being) considered, (all) in all* **5.2** achteraf be-schouwd *looked at/regarded in retrospect* **5.3** iets aandachtig ~ *con-sider/look at sth.* attentively **6.1 op** zichzelf beschouwd *considered/taken on its own/alone* **8.2** een zaak als afgedaan ~ *c. a matter closed;* iets als zijn plicht ~ *c. sth. (as) one's duty;* als verloren ~ *give up (for lost);* ik beschouw dit als een eer *I regard this as an honour, I c. this an honour;* een brief als niet geschreven ~ *disregard/ignore a letter;* hij wordt beschouwd als de leider *he is considered to be/regarded as/looked upon as/taken as the leader* ¶.1 op de keper beschouwd *exam-ined/looked at carefully.*

beschouwend ⟨bn.⟩ **0.1** *contemplative* ⇒*reflective* ◆ **1.1** de ~e orden *the c. orders.*

beschouwing ⟨de (v.)⟩ **0.1** [beoordeling] *consideration* ⇒*view* **0.2** [geui-te overweging] *opinion* ⇒*view, dissertation* **0.3** [het gadeslaan] *obser-vation* ⇒*contemplation* **0.4** [inspectie] *inspection* ⇒*examination, sur-vey* ◆ **2.1** bij nadere ~ *(up)on closer c.;* een al te optimistische ~ *an all too optimistic view* **2.2** ⟨pol.⟩ de algemene ~en *general debate;* een korte/uitgebreide ~ wijden aan *discuss (sth.) briefly/extensively, give brief/extensive consideration to* **3.2** hij hield een ~ over de gevaren v.d. grote stad *he gave a dissertation on/he held forth on the dangers of the big city* **6.1** een punt **buiten** ~ laten *leave a point aside, leave a point outside of c./account;* dit **buiten** ~ gelaten *leaving this aside;* een zaak **in** ~ nemen *consider a matter/an issue, take a matter/an issue into c..*

beschreeuwen ⟨ov.ww.⟩ ◆ **3.**¶ iem. kunnen ~ *have s.o. within shouting/hailing distance/hail* **6.**¶ **te** ~ zijn *be within shouting distance.*

beschrijven ⟨ov.ww.⟩ **0.1** [schrijven op] *write (on)* **0.2** [een voorstelling geven] *describe* ⇒*paint, picture, portray* **0.3** [opsommen] *draw up* ⇒*prepare* **0.4** [mbt. het beloop v.e. gebogen lijn] *follow* ⇒*trace, form, draw* **0.5** [schriftelijk samenroepen] *call* ⇒*convoke, convene* ◆ **1.3** de boedel ~ *draw up/prepare the inventory* **1.4** een baan om de aarde ~ *trace a path/blaze a trail around the earth;* het vliegtuig beschreef een grote cirkel in de lucht *the (aero)plane traced/described a circle in the sky* **1.5** een vergadering ~ *call/convoke/convene a meeting* **3.2** dat is met geen pen te ~ *no pen could d. that, that is indescribable/beyond all words* **4.**¶ ⟨jur.⟩ er is niets beschreven *nothing has been put down in writing/has been written down* **5.1** dicht beschreven vellen *closely covered/written pages* **5.2** iets zeer kleurrijk ~ *paint in glowing terms* **6.2** niet/moeilijk **te** ~ *indescribable/nondescript* ¶.2 in't kort ~ d. *briefly, sketch.*

beschrijving ⟨de (v.)⟩ **0.1** [voorstelling in woorden] *description* ⇒⟨beel-dend ook⟩ *depiction,* ⟨bekopt⟩ *sketch* **0.2** [opsomming van de bijzon-derheden, kenmerken] *specification* ⇒⟨inventarisatie⟩ *inventory, ac-count* ⟨van feiten/gebeurtenissen⟩ ◆ **1.2** ~ van de inboedel *inven-tory* **2.1** een levendige/korte ~ *a vivid picture, a thumb-nail sketch* **3.1** de ~ klopt met de foto *the description fits the photograph/*^*checks out with the photograph;* de ~ komt niet overeen met de werkelijk-heid *the description isn't true to life/fails to fit the facts* **3.2** een ~ van iem. geven *give a description of s.o.* ¶.1 dat gaat alle ~ te boven *that defies/is beyond all description.*

beschroomd ⟨bn., bw.; -ly⟩ **0.1** *diffident* ⇒*timid, bashful, shy.*

beschuit ⟨de⟩ **0.1** *Dutch rusk* ⟨niet als collectivum⟩ ⇒*biscuit rusk, zwie-back* ◆ **2.1** ronde/lange ~ *round/sweet oblong rusk(s);* Weerter ~ *rusk.*

beschuitbol ⟨de (m.)⟩ **0.1** ⟨*double-baked roll*⟩.

beschuitbus ⟨de⟩ **0.1** ≠*rusk tin/box.*

beschuldigde ⟨de (m.)⟩ **0.1** *accused* ⇒*defendant* ⟨gedaagde⟩ ◆ ¶.1 de ~n *the a., the defendants.*

beschuldigen ⟨ov.ww.⟩ ⟨~sprw. 648⟩ **0.1** *accuse (of)* ⇒*charge (s.o. with sth.),* ⟨de schuld geven van⟩ *blame (s.o. for sth.)* ◆ **3.1** iets ~d zeggen /beweren *say/allege sth. accusingly* **4.1** elkaar ~ ⟨ook⟩ *recriminate;* ik beschuldig niemand, maar ... *I'm not blaming anybody, but ..., I won't point a finger, but ...;* zichzelf ~ *blame o.s.* **5.1** valselijk beschul-digd *(be) wrongly/falsely accused* **6.1** iem. **van** een diefstal ~ *accuse s.o. of a theft;* beschuldigd worden **van** moord *be charged with/ac-cused of murder;* iem. onder ede **van** iets ~ *bring a charge against/ac-cuse s.o. on oath;* de regering wordt altijd **van** van alles beschuldigd *the government is always blamed for everything, the blame is always put on the government* ¶.1 iem. in het openbaar ~ *accuse s.o. publicly,* ⟨aan de kaak stellen⟩ *denounce s.o..*

beschuldigend ⟨bn.⟩ **0.1** *accusatory* ⇒*imputative, inculpatory, denuncia-tive, denunciatory,* ⟨wederzijds⟩ *recriminative, recriminatory* ◆ **1.1** het ~e vingertje opheffen (tegen) *shake/wag one's finger (at).*

beschuldiging ⟨de (v.)⟩ **0.1** [het beschuldigen, beschuldigd worden] *ac-cusation* ⇒*imputation* **0.2** [aanklacht] *charge* ⇒*imputation, accusa-tion,* ⟨tenlastelegging⟩ *indictment* ◆ **1.1** iem. in staat van ~ stellen (wegens) *indict s.o. (for/on a charge of)* **2.2** een valse/onbewezen ~ *a false/an unproven accusation* **3.2** ~en inbrengen tegen *bring charges against;* een ~ staven *validate an accusation;* ~en uiten/doen *utter/make charges/accusations;* een ~ weerleggen *disprove/rebut/refute a c./an accusation* **6.2** onder/**op** ~ van moord (gearresteerd) *(arrested) on a charge of murder, for alleged murder* ¶.2 ~en over en weer mu-tual recriminations;* de ~en vlogen over en weer *accusations were flying.*

beschut ⟨bn.⟩ **0.1** *sheltered* ⇒*protected* ◆ **1.1** ⟨econ.⟩ ~te bedrijven *s. industries;* ⟨tegen buitenlandse concurrentie⟩ *protected industries;* een ~te haven *a s. harbour;* ⟨door aangelegde dam⟩ *a mole;* een ~ le-ven *a s. life;* een ~ plekje opzoeken *look for a s. spot;* een ~te werk-plaats *a s. workshop* **3.1** hier zitten we ~ *we're s. here (from the rain)* **6.1** ~ **door** hoge bomen *s. by tall trees.*

beschutten ⟨ov.ww.⟩ **0.1** [mbt. dreigend gevaar] *shelter (from)* ⇒*protect (from/against),* ⟨afschermen⟩ *shield (from)* **0.2** [mbt. iets onge-wenst] *protect, shield, shelter* ◆ **6.2 tegen** wind en tocht beschut zijn *be sheltered/protected from the wind;* door een strohoed **tegen** de felle zon ~ *protected against the blazing sun by a straw hat.*

beschutting ⟨de (v.)⟩ **0.1** [beschutsel] *shelter* ⇒*protection* **0.2** [het be-schutten] *protection* ◆ **3.1** (geen) ~ bieden *offer (no) protection/s.;* de schipbreukelingen zochten ~ bij elkaar *the shipwrecked people stuck together for protection;* ~ zoeken *seek s.;* ⟨zich ingraven⟩ *burrow* **6.1 onder** de ~ v.d. kust *under the lee of the coast;* ~ **tegen** de wind *s. from the wind;* ~ **tegen** de zon *protection from the sun.*

besef ⟨het⟩ **0.1** [begrip] *understanding* ⇒*consciousness, idea,* ⟨innerlij-ke overtuiging⟩ *sense* **0.2** [bewustzijn] *consciousness* ◆ **2.1** geen goed ~ hebben van zijn plichten/van wat er gebeurd is *have no proper u. of one's duties/what happened;* het groeiende ~ (dat/(van) *the grow-ing awareness/realization/sense (that/of);* moreel ~ *moral conscious-ness/sense;* een vaag ~ *a vague idea/u.* ⟨van iemands bedoeling⟩; *a* *vague sense* ⟨van normen/de werkelijkheid⟩; in het volle ~ van zijn verantwoordelijkheid *fully aware of/fully understanding his responsibility* **3.1** ze had (er) geen/geen flauw ~ (van) *she had no/not the slightest idea (of/that)*; van niets meer ~ hebben *have lost all sense of reality* **6.1** tot het ~ komen dat *come to realize that;* **zonder** enig ~ v.d. waarde *without any u. / idea of the value, totally unaware of the value.*

beseffen ⟨ov.ww.⟩ **0.1** *realize* ⇒*be aware (of),* ⟨bevatten⟩ *grasp,* ⟨zich bewust zijn⟩ *be conscious (of)* ◆ **3.1** ik begon te/ging ~ dat *it/the realization dawned (up)on me that, it gradually came home to me that* **4.1** voor ik het besefte, had ik ja gezegd *before I knew it, I had consented/said yes;* ~ wat iem. te wachten staat *r. what is in store for s.o.;* niet ~ wat men heeft verloren *fail to grasp/r. what one has lost* **5.1** duidelijk/vaag besefte zij dat er iets niet klopte *she had a real/vague sense of sth. being wrong;* (iets) heel goed ~ *be only too aware of sth.* **¶.1** (iets) ten volle ~ *be fully aware (of sth.), realize (sth.) full well.*

besgal ⟨de⟩ **0.1** *lenticular oak gall.*

besheester ⟨de (m.)⟩ **0.1** *berrying shrub.*

besheide ⟨de⟩ **0.1** *crowberry.*

beshulst ⟨de (m.)⟩ **0.1** *pyramid holly.*

besjoemelen ⟨ov.ww.⟩ ⟨inf.⟩ **0.1** *bamboozle.*

beslaan ⟨→sprw. 490⟩

I ⟨onov.ww.⟩ **0.1** [met een waas overtrokken worden] *mist up/over* ⇒*steam up/over, be(come) tarnished* ⟨chroom⟩, *be furred/coated* ⟨tong⟩ ◆ **1.1** toen ik binnenkwam, besloeg mijn bril *when I entered, my glasses steamed up;* de ruiten zijn beslagen *the windows are misted/steamed up;* door het koken zijn de ruiten beslagen *the windows have steamed up from the cooking;*

II ⟨ov.ww.⟩ **0.1** [bekleden] ⟨met accessoires, hang- en sluitwerk⟩ *fit;* ⟨langs de rand⟩ *bind* ⇒*tip* ⟨wandelstok⟩ **0.2** [mbt. paarden] *shoe* **0.3** [innemen] *take up* ⇒*fill, cover,* ⟨woorden, tekst ook⟩ *run to* **0.4** [mbt. boomstammen] *square* **0.5** [aanmengen met een vloeistof] *mix* ◆ **1.1** dijkwerken ~ *mattress dikes* **1.3** deze kast beslaat de halve kamer *this cupboard takes up/occupies half the room;* het complex beslaat een grote oppervlakte *the complex takes up/covers a large area/space* **1.4** beslagen/onbeslagen hout ⟨ook⟩ *hewn/unhewn timber* **1.5** meel ~ m. /fold flour (into a dough/batter)* **6.1** een **met** koper beslagen kist *a chest with brass fittings;* een **met** zilver/goud beslagen bijbel ⟨ook⟩ *a silver-clasped/gold-clasped bible;* een **met** zilver beslagen deur ⟨ter versiering⟩ *a door with silver trimmings/fittings* **¶.¶** beslagen ten ijs komen *be well-prepared, have done one's homework.*

beslag ⟨het⟩ **0.1** [met een vloeistof aangemengde stof] *batter* **0.2** [metalen belegsel] *fitting(s)* ⇒⟨deur, venster⟩ *ironwork, metalwork,* ⟨sieraad⟩ *mounting, setting,* ⟨vat⟩ *band(s),* ⟨paard⟩ *shoe,* ⟨wandelstok⟩ *ferrule,* ⟨noppen⟩ *stud(s)* **0.3** [gebruik, bezit] *possession* ⟨zie 3.3, 6.3⟩ **0.4** [⟨jur.⟩ *attachment* ⇒⟨onder derden⟩ *garnishment order,* ⟨met inbeslagname, ook⟩ *seizure,* ⟨roerend goed⟩ *distress,* ⟨op schip in oorlogstijd⟩ *embargo* **0.5** [regeling] *completion* **0.6** [oeverbekleding] *mattress* **0.7** [gistmengsel] *dough;* ⟨brouwerij⟩ *mash* **0.8** [bed aangemengde kalk] *mortar bed* ~ *bed of mortar* **0.9** [drukte] *ado* **0.10** [veestapel] *stock of cattle* ⇒*livestock* **0.11** [oogstopbrengst] *crop* ⇒*yield* **0.12** [aanslag op tong] *fur(ring), coat* ◆ **2.1** een dik ~ maken *make a thick b.* **2.2** een bijbel met gouden ~ *a bible with golden mount/* ⟨sloten⟩ *clasps;* een stok met ijzeren ~ *an iron-tipped stick;* een kist met koperen ~ *a chest with brass fittings* **3.3** hij legde ~ op de derde plaats *he took/secured the third place;* ~ leggen op iets *take p. of sth., lay (one's) hands on sth.; occupy, secure* ⟨zitplaats⟩; ~ leggen op iem. *take up s.o.'s time, trespass on s.o.'s time;* ~ leggen op de conversatie *monopolize the conversation;* ~ leggen op een stuk land *take a claim to a piece of land;* dit legt teveel ~ op mijn tijd *this is too large a call on/takes up too much of my time* **3.4** ~ aanzeggen *serve with a writ of a. /* ⟨conservatoir⟩ *writ of sequestration/* ⟨executoriaal⟩ *writ of fieri facias/* ⟨derde⟩ *garnishment order;* ~ leggen op een deel van iemands salaris *attach part of s.o.'s earnings;* ~ leggen ⟨embargo op schip⟩ *embargo;* het ~ opheffen *grant replevin;* er werd ~ gelegd op het meubilair door de deurwaarder *the bailiff took possession (of the furniture)/seized the furniture, the furniture was seized/distrained by the bailiff* **3.5** een zaak haar ~ geven *bring a matter to c. / to a conclusion;* de zaak heeft voor juni haar ~ gekregen *the matter was settled before June;* zijn ~ krijgen *come to a conclusion;* ⟨ingevoerd/uitgevoerd worden⟩ *be put into effect* **6.3** iemands tijd in ~ nemen *take up s.o.'s time;* iemands aandacht in ~ nemen *engage s.o.'s attention; engross s.o.;* haar werk neemt haar helemaal in ~ ⟨altijd werkend⟩ *she is obsessed/completely occupied by her work;* ⟨geboeid⟩ *she is completely engrossed in/absorbed by her work;* deze kast neemt te veel ruimte in ~ *this cupboard takes up too much space;* de vergadering nam de hele dag in ~ *it was an all-day meeting;* in ~ genomen door *caught up in* ⟨dromerij⟩ *preoccupied with* ⟨de kinderen, zijn zorgen⟩ *absorbed in* ⟨klus, boek, eigen gedachten⟩; *engrossed in* ⟨boek, werk, de drukte buiten⟩; *taken up by* ⟨boek, raadsel, taken⟩; *engaged in* ⟨bezigheid⟩; *occupied by* ⟨het roeien, werk, gezeur⟩; het artikel neemt ruim vijf pagina's in ~ *the article takes up/runs to over five pages;* geheel in ~ genomen *monopolized* ⟨beschikbare ruimte, mankracht⟩; *spell-bound* ⟨door film/woorden⟩; *consumed* ⟨door wraakzucht⟩ **6.4** smokkelwaar in ~ nemen *confiscate contraband.*

beslagbak ⟨de (m.)⟩ **0.1** ⟨brouwerij⟩ *mash tub/tun/vat.*

beslagen ⟨bn.⟩⟨AZN⟩ **0.1** *well-grounded.*

beslagkom ⟨de⟩ **0.1** *mixing bowl.*

beslaglegging ⟨de (v.)⟩ ⟨jur.⟩ **0.1** *attachment* ⇒*seizure, distress (on),* ⟨ook →beslag 0.4⟩ ◆ **6.1** ~ **op** eigendom *a. of property.*

beslapen

I ⟨ov.ww.⟩ **0.1** [slapen op] *sleep on* ◆ **1.1** een bed ~ *sleep on a bed;* een niet ~ bed *a fresh bed* **1.¶** een vrouw ~ *sleep with a woman;*

II ⟨wk.ww.; zich~⟩ **0.1** [overwegen] *sleep on* ◆ **6.1** op iets ~ *sleep on sth..*

beslechten ⟨ov.ww.⟩ **0.1** [tot een oplossing/einde brengen] *settle* ⇒*decide* **0.2** [vlak maken] *level* ◆ **1.1** het pleit is beslecht *the dispute has been settled/decided;* laat haar de zaak tussen hen ~ *let her sort things out between them.*

beslechting ⟨de (v.)⟩ **0.1** *settlement* ⇒⟨verzoening⟩ *conciliation* ◆ **1.1** de ~ van geschillen *the s. / conciliation of differences.*

beslijkt ⟨bn.⟩ **0.1** *muddy* ⇒*miry.*

besliskunde ⟨de (v.)⟩ **0.1** *management science, operations / operational research.*

beslissen

I ⟨onov.ww.⟩ **0.1** [besluit nemen] *decide* ⇒*resolve* ◆ **1.1** het parlement beslist *Parliament decides* **3.1** hij kon maar niet ~ *he was just unable to/couldn't make up his mind;* het lot laten ~ *let change/fate d.* **4.1** je kon het zelf ~ *it was up to you to d.* **6.1** de commissie zal spoedig **over** deze zaak ~ *the committee will soon come to a decision on/take a decision in the matter;* bij stemming/referendum ~ over een voorstel *d. (on) a proposition by a vote/referendum* **¶.1** ten gunste/nadele van iem. ~ *d. for/against s.o.;* het is aan u te ~ *the decision is yours;*

II ⟨ov.ww.⟩ **0.1** [besluiten] *decide* ⇒*rule* **0.2** [een bepaalde uitkomst doen hebben] *decide* ◆ **1.2** dit voorval zou de wedstrijd ~ *this incident was to d. the match;* de zaak is (allang) beslist *the matter has (long) been decided.*

beslissend ⟨bn.⟩ **0.1** [doorslaggevend] *decisive* ⇒*conclusive,* ⟨uiteindelijk⟩ *final,* ⟨belangrijkste⟩ *crucial* **0.2** [geen tegenspraak duldend] *decisive* ⇒*conclusive* ◆ **1.1** van ~e betekenis zijn *be of crucial importance, be d. (for);* het ~e doelpunt *the deciding goal;* de ~e factoren (voor) *the determinant factors, the determinants (of);* op het ~e ogenblik *at the critical moment;* een ~e slag *a d. / crucial battle;* een ~e slag toedienen ⟨ook fig.⟩ *deal a d. / final blow;* in een ~ stadium komen/zijn *come/have come to a crisis/head;* de ~e stap nemen *take the definitive/d. step;* de voorzitter heeft een ~e stem *the chairman has the casting vote* **6.1** deze gebeurtenis was ~ **voor** zijn verdere leven *this event determined the course of his further life.*

beslissing ⟨de (v.)⟩ **0.1** [besluit] *decision* ⇒⟨uitspraak van bevoegd gezag ook⟩ *ruling* **0.2** [doorslag] *decision* ◆ **1.1** zich neelеggen bij een ~ v.d. scheidsrechter *abide by the umpire's/referee's d.* **2.1** een gerechtelijke ~ *a judicial d.* **3.1** een ~ forceren *force a d. / the issue, bring matters to a head;* de ~ is gevallen *the d. has been made/taken;* de ~ ligt bij ons *the d. is ours, it's up to us (to decide);* een ~ nemen *make/take a d., decide (on) (sth.);* een ~ nemen in een zaak *decide on/make a d. in a matter;* vandaag valt de ~ *today a d. will be made/taken* **3.2** het ingrijpen v.d. luchtmacht gaf de ~ *the intervention by the airforce decided the war/the matter/the battle* **6.1** bij zijn ~ blijven *keep to one's d. / resolve;* tot een ~ komen *reach/arrive at/come to a d.;* **voor** een ~ staan *be faced with a d..*

beslissingsbevoegdheid ⟨de (v.)⟩ **0.1** *power of decision* ⇒*say, choice, right to decide.*

beslissingsrecht →beslissingsbevoegdheid.

beslissingswedstrijd ⟨de (m.)⟩ **0.1** *decider* ⇒*play-off* ◆ **3.1** een ~ spelen ⟨ook⟩ *play off.*

beslist

I ⟨bn.⟩ **0.1** [ontegenzeggelijk waar] *definite* **0.2** [niet weifelend] *decided* ⇒*sure, decisive,* ⟨vaak ongunstig⟩ *assertive* ◆ **1.1** een ~e leugen *a d. / positive lie;* geen ~e meerderheid hebben *lack a clear majority* **1.2** ~e gebaren *decisive/resolute gestures* **6.2** ~ **in** zijn antwoorden *sure of his answers;*

II ⟨bw.⟩ **0.1** [zeker] *certainly* ⇒*definitely, decidedly* **0.2** [vastberaden] *definitely* ⇒*decidedly* ◆ **2.1** het is ~ waar *it is bound to be true, it is definitely true* **3.1** ik geloof ~ dat ... *I definitely think that ...;* zij is het ~ it is her all right, it is bound to be her;* hij komt ~ *he'll come all right;* je moet ~ eens langs komen *you really must come and see us some day;* ik weet het ~ *I'm absolutely certain/sure* **3.2** ze sprak zeer ~ *she sounded very definite* **5.1** komt zij echt niet? ~ niet! *are you sure she won't come? no fear* **¶.1** komt hij echt? ~! *is he sure to come? dead sure!* **¶.2** ik ben er ~ tegen ⟨ook⟩ *I'm dead/absolutely against it.*

beslistheid ⟨de (v.)⟩ **0.1** *decisiveness, determination, resolution* ◆ **6.1** met ~ optreden *act positively/firmly/with decision.*

beslommeren ⟨de (v.)⟩ **0.1** *worry* ⇒*bother* ◆ **2.1** de dagelijkse ~en *the day-to-day worries* **3.1** vele ~en aan zijn hoofd hebben *have much to worry about/to trouble one/to bother about.*

besloten ⟨bn.⟩ **0.1** [gesloten] *closed* ⇒*private* **0.2** [(vast) van plan] *resolved (to)* ⇒*firm, resolute* ⟨in iets⟩ ◆ **1.1** een ~ huis *a private house/*

home; ~ *jacht in/during the close season;* in ~ kring *private(ly);* een ~ ruimte *an enclosed space;* ~ testament *sealed will/testament;* ~ vennootschap *private company;* een ~ vergadering *a c. meeting;* bij ~ water *when the coast/the river/* ⟨enz.⟩ *is/the waters are/navigation is icebound;* in ~ zitting *in camera, behind/with c. doors* 3.2 ~ zijn iets te doen *be r./determined to do sth..*

beslotenheid ⟨de (v.)⟩ **0.1** [het afgesloten zijn] *privacy* ⇒⟨afzondering⟩ *seclusion,* ⟨verborgenheid⟩ *secrecy,* ⟨ongunstiger⟩ *isolation,* ⟨beschutting⟩ *shelter* **0.2** [vastberadenheid] *resolution* ◆ **1.1** de ~ v.e. leefgemeenschap *the closed character of a commune;* de ~ v.e. rusthuis *the sheltered character of a nursing home* **6.1** in alle ~ iets doen ⟨ook⟩ *do sth. in secrecy;* **in** de ~ van zijn eigen kamer *in the seclusion of his own room.*

besluipen ⟨ov.ww.⟩ **0.1** *steal up on* ⇒*creep up on, stalk* ⟨wild⟩ ◆ **1.1** ⟨fig.⟩ de vrees besloop hen *(the) fear crept over them.*

besluit ⟨het⟩ **0.1** [beslissing] *decision* ⇒*resolution, resolve, determination* ⟨ook als voornemen⟩ **0.2** [wat een einde aan iets maakt] *conclusion* **0.3** [maatregel] *order* ⇒*decree* **0.4** [conclusie] *conclusion* ◆ **1.1** de ~ en v.e. vergadering *the resolutions of/taken in a meeting* **1.3** het ~ inkomstenbelasting *Income Tax provisions* **2.3** bij Koninklijk ~ *by Royal Decree,* [B]*by Order in Council;* een ministerieel/parlementair/pauselijk ~ *a Ministerial Order, a Parliamentary Order/Decree, a papel decree* **3.1** ik heb mijn ~ genomen ⟨ook⟩ *I have made up my mind, my mind is made up;* hij kan niet makkelijk ~ en nemen *he is slow to decide/make up his mind;* een ~ nemen/vormen *take/come to a decision;* mijn ~ staat vast *I'm quite determined/resolved* **3.4** tot het ~ komen dat... *reach/arrive at the c. that* **6.1** dit bracht me **tot** een ~ *this resolved me/made up my mind for me;* **tot** het ~/een ~ komen (dat) *arrive at/come to/reach a/the decision (that);* wat bracht je **tot** dit ~? *what induced/led you to take this decision?* **6.2** een gebed **tot** ~ *a prayer to close;* **tot** ~, wil ik opmerken *winding up/in c. I wish to remark;* **tot** ~ v.h. feest te top off/end up the party **6.3** vastgesteld **bij** ~ *van laid down/enacted by order of.*

besluiteloos ⟨bn.⟩ **0.1** *indecisive* ⇒*irresolute,* ⟨nog niet besloten⟩ *unresolved* ◆ **1.1** iem. met een ~ karakter *a feeble-minded/wavering person* **3.1** ~ zijn ⟨ook⟩ *lack decision;* hij is altijd zo ~ *he will always shilly-shally;* ~ staan *be unresolved, waver.*

besluiten
I ⟨ov.ww.⟩ **0.1** [beëindigen] *conclude* ⇒*close, end* **0.2** [een besluit nemen] *decide* ⇒*resolve, determine* **0.3** [afleiden] *conclude* ⇒*gather, infer* **0.4** [omsluiten] *comprise* ⇒*include, contain* ◆ **1.2** de vergadering besloot het volgende/stappen te nemen *the meeting resolved as follows/to take steps* **3.4** het lag al in de opzet besloten *it had been inherent in the plans;* in die woorden ligt veel waars besloten *there's much that's true/a great deal of truth in those words* **6.1** met deze documentaire ~ we onze uitzending *with this documentary we conclude our broadcast;* een feest **met** een lied ~ *round off/conclude a party with a song;* hij besloot **met** de opmerking *he concluded/ended with the remark/by remarking* **8.2** de scheidsrechter besloot dat de wedstrijd niet door kon gaan *the referee decided to call off the match;*
II ⟨onov.ww.⟩ **0.1** [kiezen voor] *decide* ⇒*settle (for sth.)* ◆ **3.1** dit heeft ons ertegen doen ~ *this has decided us against it;* ik kon maar niet ~ *I couldn't make up my mind* **5.1** overhaast ~ *make a hasty decision* **6.1** **tot** die maatregel kon hij niet ~ *he couldn't d. to take measure.*

besluitvaardig ⟨bn.⟩ **0.1** *decisive* ⇒*resolute, purposive.*

besluitvorming ⟨de (v.)⟩ **0.1** *decision-making* ⇒*decision process.*

besmeren ⟨ov.ww.⟩ **0.1** [bestrijken] *spread* ⇒*butter* ⟨brood met boter⟩, *daub* ⟨met verf⟩ **0.2** [bevuilen] *smear* ⇒*spread* ◆ **5.1** dik ~ met *s. thickly with, plaster with* **6.1** een geroosterd sneetje brood **met** boter en honing besmeerd *a toast and honey.*

besmet ⟨bn.⟩ **0.1** [ziektekiemen dragend] *infected (with)* ⇒*contaminated (with), tainted* ⟨als overbrenger⟩ **0.2** [bevuild] *tainted* ⇒*contaminated (with), polluted (by)* ◆ **1.1** ~/ niet langer ~ ⟨mbt. veeziektes⟩ *infective/released area* **1.2** ⟨radio-actief⟩ ~ gebied *contaminated area;* ~ te melk *t./contaminated milk* **1.¶** ~ te lading *contraband;* ~ werk *blackleg/blacked work* **3.¶** ~ verklaren *black (a firm/goods)* **6.1** met t.b.c.~i. *with TB* **6.2** met bloed ~ *t. with blood.*

besmettelijk ⟨bn.⟩ **0.1** [infectieus] *infectious* ⇒*contagious, catching* **0.2** [⟨fig.⟩] *infectious* ⇒*contagious, catching* **0.3** [gemakkelijk bevuild kunnende worden] *(be) easily soiled* ◆ **1.1** een ~e ziekte *an i./contagious disease* **1.2** een ~e danswoede *an i. dancing craze* **3.1** ⟨scherts.⟩ ik ben niet ~ *it's not catching;* tyfus is ~ *typhus is i.* **3.¶** ⟨med.⟩ ~ verwerpen *contagious abortion* **5.3** wit is erg ~ *white soon gets dirty.*

besmetten ⟨ov.ww.⟩ ⟨→sprw. 498⟩ **0.1** [aansteken] *infect (with)* ⇒*contaminate (with)* **0.2** [⟨fig.⟩] *infect (with)* ⇒⟨ongunstiger⟩ *contaminate (with), corrupt, taint* ⟨in morele zin⟩ **0.3** [bevlekken] *taint* ⇒*soil* ◆ **3.1** besmet worden met een virus *be infected with a virus;* met/door tyfus besmet raken *catch/contract typhus (from s.o.)* **6.2** ben jij nou ook al besmet **door** die nieuwe rage? *has the new craze infected you as well?.*

besmetting ⟨de (v.)⟩ **0.1** [infectie] *infection* ⇒*contagion* ⟨door aanraking⟩ **0.2** [ziektekiemen] *infection* ⇒*disease* ◆ **1.1** het gevaar voor ~

is nu geweken *the danger of i. is past* **2.1** radio-actieve ~ *radio-active contamination;* rechtstreekse ~ *contagion* **3.2** ratten brengen de ~ over *rats communicate the i./disease* **6.1** ~ van water **met** bacteriën *contamination of water by/with bacteria* **8.1** de angst greep als een ~ om zich heen *the fear was contagious.*

besmettingsgevaar ⟨het⟩ **0.1** *danger/risk of infection/contagion.*

besmetverklaring ⟨de (v.)⟩ **0.1** *quarantine notice.*

besmeuren ⟨ov.ww.⟩ **0.1** *stain* ⇒*soil, daub, (be)smear, smirch* ⟨ook fig.⟩ ◆ **6.1** met bloed besmeurde handen ⟨fig.⟩ *blood-stained hands;* **met** inkt besmeurd *inky, ink-stained.*

besmuikt ⟨bn., bw.;-ly⟩ **0.1** *sniggering* ⇒⟨steels⟩ *furtive* ◆ **1.1** een ~ lachje *a snigger.*

besnaren ⟨ov.ww.⟩ **0.1** *string.*

besneden ⟨bn.⟩ **0.1** [door snijden gevormd] *carved* ⇒*chiseled* **0.2** [besnijdenis ontvangen hebbend] *circumcised* ◆ **5.1** een fijn ~ gezicht *a finely/chiseled face;* een fijn ~ schip *a trim/sleek ship.*

besneeuwd ⟨bn.⟩ **0.1** *snowy* ⇒*snow-clad/covered, snow-capped* ⟨bergen⟩.

besnijden ⟨ov.ww.⟩ **0.1** [door snijden vormen] *carve* ⟨ivoor, hout enz.⟩ ⇒⟨stukjes afsnijden⟩ *whittle,* ⟨overtollig wegsnijden⟩ *trim* **0.2** [de voorhuid wegnemen] *circumcise* ◆ **1.1** een paardehoef ~ *pare a horse's hoof* **1.2** een jongen laten ~ *have a boy circumcised;* de voorhuid ~ *remove the fore skin* **6.1** iets **met** letters ~ *c. letters in sth..*

besnijdenis ⟨de (v.)⟩ **0.1** *circumcision.*

besnoeien
I ⟨ov.ww.⟩ **0.1** [inkorten] *trim (off/down)* ⇒*cut (down/back), curtail* **0.2** [door snoeien bewerken] *pruce* ⇒*lop* ⟨bomen⟩, ⟨tot bepaalde vorm⟩ *trim, clip* ◆ **1.1** iemands macht ~ *curtail s.o.'s power;* een toneelstuk ~ *make cuts in/cut a play;* uitgaven ~ *cut down (on)/cut back/curtail/trim (down) expenses* **5.1** steeds verder ~ *whittle down/away* **6.1** hij werd in zijn vrijheid besnoeid *his freedom was curtailed, restrictions were imposed on his freedom;*
II ⟨onov.ww.⟩ **0.1** [bezuinigen] *cut down (on)* ◆ **6.1 op** enkele posten ~ *cut a few posts.*

besnuffelen ⟨ov.ww.⟩ **0.1** [snuffelend onderzoeken] *sniff* **0.2** [doorsnuffelen] *nose through.*

besodemieterd ⟨bn., bw.⟩⟨inf.⟩ **0.1** [dwaas] *cracked* ⇒*crackers, barmy* **0.2** [ontsteld] *flabbergasted* **0.3** [beroerd] *rotten* ⇒*crummy* ◆ **1.1** een ~ gezicht trekken *look f.* **3.1** ben je nou ~? *are you cracked/crackers?* **3.3** hij is nog te ~ om dat te doen *he's too bloody-minded to do it.*

besodemieteren ⟨ov.ww.⟩ ⟨inf. BE⟩ *bugger around/about* ⇒ *mess around, take for a ride* ◆ **3.1** ik laat me niet nog een keer ~ *I won't be buggered around again;* ⟨AE⟩ *I won't be taken (so easily) again, I won't be screwed like that again;* je wordt besodemieterd waar je bij staat *you get taken for a ride/*[A]*get the shaft/*[A]*got shafted.*

besogne ⟨het, de⟩ **0.1** [zaak, aangelegenheid] *affair* **0.2** [bijeenkomst] ⟨zie 6.2⟩ ◆ **3.1** veel ~ s hebben *have a lot of things to attend to/cares/worries* **6.2** in ~ zijn *be busy/engaged/tied up/in conference.*

bespannen ⟨ov.ww.⟩ **0.1** [overspannen] *stretch* ⟨mbt snaren⟩ **0.2** [mbt. trekdieren] *harness (a horse to a cart)* ◆ **1.2** gesloten voor ~ wagens *closed to vehicles pulled by draught animals* **6.1** een viool **met** snaren ~ *string a violin;* een **met** doek ~ raam *a frame with cloth stretched over it* **6.2** een rijtuig **met** paarden ~ *put horses to a carriage;* een **met** zes paarden ~ rijtuig *coach-and-six.*

bespanning ⟨de (v.)⟩ **0.1** [dat wat over/in iets gespannen is] *stringing* ⟨van racket⟩ **0.2** [trekdieren] *team (of)* ◆ **1.1** de ~ van dat racket is niet strak genoeg *that racket is not strung tightly enough.*

besparen ⟨ov.ww.⟩ **0.1** [uitsparen] *save* **0.2** [niet belasten met] *spare* ⇒ *save* ◆ **1.1** de zomertijd bespaarde veel kunstlicht *much electricity was saved by (the change to) summer time* **1.2** die moeite had u zich wel kunnen ~ *you could have spared your pains;* de rest zal ik je maar ~ *I'll spare you the rest (of it);* dat verdriet had hij mij kunnen ~ *he might have spared me this grief* **3.2** daar ben ik voor bespaard gebleven *I have been spared that* **6.1** geld ~ **op** het onderhoud *s. on maintenance.*

besparing ⟨de (v.)⟩ **0.1** [het uitsparen] *saving* ⇒*economy* **0.2** [het uitgespaarde] *saving(s)* ⇒*economy, economies* ◆ **2.2** dat geeft een belangrijke ~ op de uitgaven *that is an important money-saver* **6.1 ter** ~ van ruimte *in order to save space.*

besparingsmaatregel ⟨de (m.)⟩ **0.1** *economy measure* ⇒*austerity measure* ⟨vnl. van overheid⟩.

bespeelbaar ⟨bn.⟩ **0.1** [⟨sport⟩] *playable* **0.2** [⟨muz.⟩] *playable* ◆ **1.1** het veld was niet ~ *the ground was unplayable* **3.¶** deze videoband is aan beide zijden ~ *this videotape is playable on both sides* **5.1** een moeilijk bespeelbare tegenstander *an opponent who is hard to play against* **5.2** een gemakkelijk ~ instrument *an instrument that is easy to play* **5.¶** deze schouwburg is goed ~ *this theatre plays well.*

bespelen ⟨ov.ww.⟩ **0.1** [⟨sport⟩] *play on/in* ⟨veld⟩ **0.2** [⟨muz.⟩] *play (on)* **0.3** [invloed uitoefenen op] *manipulate* ⟨omstandigheden⟩; *play on* ⟨gevoelens⟩ ◆ **1.1** een biljart ~ *play on a billiard-table* **1.2** een viool ~ *play (on) a violin* **1.3** een gehoor ~ *play to an audience* **1.¶** een schouwburg ~ *play a theatre;* een zaal ~ *perform/play in a hall* **3.3** iem. weten te ~ *know how to manipulate s.o..*

bespeler ⟨de (m.)⟩ **0.1** [toneel] *player* ⇒*performer, actor* **0.2** [⟨muz.⟩] *player* ♦ **2.1** vaste ~s *resident company.*

bespeuren ⟨ov.ww.⟩ **0.1** *sense* ⇒*notice, perceive, find* ♦ **1.1** onenigheid ~*s. discord;* onraad/bedrog~*s. danger/deceit* **3.1** er is nog steeds geen verandering te~ *there is still no noticeable change;* er viel geen stofje te~ in de kamer *not a speck of dust was to be found in the room* **8.1** ze bespeurde dat we iets van plan waren *she sensed that we had a plan up our sleeve.*

bespieden ⟨ov.ww.⟩ **0.1** [met oplettendheid waarnemen] *study* ⇒⟨onderzoeken⟩ *scrutinize* **0.2** [bespioneren] *spy (on)* ⇒*watch* ♦ **1.1** de geheimen van de natuur~ *study the secrets of nature* **1.2** iemands doen en laten~ *watch/follow s.o.'s movements* **3.2** iem. laten~ *have s.o. watched/followed.*

bespiegelen ⟨ov.ww.⟩ **0.1** *reflect (on)* ⇒*contemplate* ♦ **1.1** een~de geest *a contemplative/meditative mind, a speculative mind;* de~de wijsbegeerte *speculative philosophy.*

bespiegeling ⟨de (v.)⟩ **0.1** *reflection (of),* ⟨speculatie⟩ *speculation (on)* ♦ **2.1** onvruchtbare~en *idle speculation(s)* **3.1** ~en houden over *speculate on* **6.1** ~en omtrent de godsdienst *meditations on religion.*

bespijkeren ⟨ov.ww.⟩ **0.1** [met spijkers beslaan] *nail* **0.2** [door spijkeren aanbrengen op] *nail on* ♦ **1.1** bespijkerde schoenen *hobnailed shoes* **6.2** een kist met pakdoek~ *nail packing-cloth on (to) a box;* met planken~ *board up; nail planks on (to) ….*

bespioneren ⟨ov.ww.⟩ **0.1** *spy on* ♦ **3.1** iem. laten~ *have s.o. spied on/ watched;* ik heb het gevoel alsof ik bespioneerd word *I have a feeling I am being watched.*

bespoedigen ⟨ov.ww.⟩ **0.1** *accelerate* ⇒*speed up, expedite, hasten, precipitate* ♦ **1.1** dit heeft zijn ondergang bespoedigd *this has precipitated his downfall;* een ontwikkeling~ *speed up a development;* zijn reis~ *speed up one's journey.*

bespoediging ⟨de (v.)⟩ **0.1** *acceleration* ⇒*speeding up, hastening, expedition, precipitation* ♦ **6.1** ter~ v.h. werk *to speed up the work.*

bespottelijk
I ⟨bn.⟩ **0.1** [belachelijk] *ridiculous* ⇒*absurd, ludicrous* ♦ **1.1** iets/ iem. in een~ daglicht stellen *caricature/ridicule sth. / s.o., hold sth. / s.o. up to ridicule;* een~ figuur slaan *(make o.s.) look r.* **3.1** zich~ maken *make a fool of o.s., lay o.s. open to ridicule* **5.1** wat je zegt is volmaakt~ *what you say is absolutely r. / ludicrous* **¶.1** hoe kom je erbij? ~! *what makes you think that? ridiculous!;*
II ⟨bw.⟩ **0.1** [op belachelijke wijze] *ridiculously* ♦ **3.1** zich~ aanstellen *behave r., make a ridiculous fuss/scene.*

bespotten ⟨ov.ww.⟩ **0.1** *ridicule* ⇒*mock, deride, scoff at* ♦ **3.1** zij werd voortdurend bespot *she was always mocked/ridiculed.*

bespotting ⟨de (v.)⟩ **0.1** *ridicule* ⇒*mockery* ♦ **1.1** dit besluit is een~ v.h. recht *this decision is a travesty of justice;* een voorwerp van~ *an object of r. / derision* **3.1** iem. aan~ blootstellen *expose s.o. to r..*

bespraakt ⟨bn.⟩ **0.1** *eloquent* ♦ **1.1** een zeer~ man *an e. talker.*

bespreekbaar ⟨bn.⟩ **0.1** [onderwerp van bespreking] *debatable* ⇒*discussible,* ⟨voor onderhandeling vatbaar⟩ *negotiable* ♦ **1.1** een vrij gesproken kan worden] *debatable* ⇒*discussible* ♦ **1.¶** bespreekbare plaatsen *bookable seats* **3.1** bij het loonoverleg is arbeidsduurverkorting nu ook~ *in the negotiations over wages the reduction of working hours can now also be discussed;* iets~ maken ⟨ook⟩ *make sth. a subject of discussion* **6.2** homofilie is niet **voor** iedereen~ *not everyone will discuss homosexuality.*

bespreekbureau ⟨het⟩ **0.1** *booking office, ticket agency* ⇒*box office* ⟨van theater⟩.

bespreken ⟨ov.ww.⟩ **0.1** [spreken over] *discuss* ⇒*talk about,* ⟨behandelen⟩ *consider* **0.2** [beoordelen] *discuss* ⇒*comment (up)on, examine, review* ⟨boek, film⟩ **0.3** [reserveren] *book* ⇒*reserve* ♦ **1.1** een probleem~ *go into/over a problem, examine a problem* **1.3** een hotel~ *b. a hotel;* kaartjes/plaatsen~ *book (seats), reserve tickets/seats, make reservations;* alle plaatsen waren al lang van te voren besproken *all seats had been booked long in advance* **5.1** de zaak werd druk besproken *the matter was much debated;* we zullen deze kwestie nog nader~ *we shall give the matter further consideration/ the matter in more detail;* iets uitvoerig met iem.~ *talk sth. over thoroughly with s.o.* **5.2** het debuut werd niet/overal besproken *the début went unnoticed/was widely reviewed* **6.1** iets **onder** een drankje~ *discuss sth. over a drink;* iets **onder** vier ogen met iem.~ *talk about sth. with s.o. in private, have a private interview with s.o.* **7.1** het besprokene blijft onder ons *our discussion should not go any further.*

bespreking ⟨de (v.)⟩ **0.1** [het bespreken/besproken worden] *discussion* ⇒*talk* **0.2** [onderhandeling] *meeting* ⇒*conference, talks* **0.3** [recensie] *review* ⇒⟨beknopter⟩ *notice* **0.4** [het reserveren] *booking* ⇒*reservation* ♦ **1.1** de~v.e. wetsontwerp *the deliberations (on)/d. of a Bill* **1.4** de~ van plaatsen *the b. / reservation of seats* **2.1** een korte/lange~ wijden aan een plan *consider a plan briefly/in much detail* **2.2** internationale~ en beginnen/openen over *begin/open international talks on;* voorlopige~en *preliminary talks* **3.2** de~ heeft niet tot resultaat geleid *the talks have not been successful;* hij heeft nu een~ *he is in a conference/m. now;* ~en voeren over *have talks on* **6.1** buiten~ blij-

ven *be left out of the d. / the debate;* morgen komt de zaak in~ *the matter will come under consideration/be discussed tomorrow;* met iem. een~ houden over iets *discuss sth. with s.o., consult with s.o. about sth..*

besprenkelen ⟨ov.ww.⟩ **0.1** *sprinkle* ♦ **6.1** sla met azijn~*s. lettuce with vinegar.*

bespringen ⟨ov.ww.⟩ **0.1** [springen op] *pounce (up)on* ⇒*jump* **0.2** [onverhoeds aanvallen] *pounce (up)on* ⇒⟨mil.⟩ *raid* ⟨dorp⟩, *assault* ⟨vesting⟩ **0.3** [dekken] *cover* ⇒*mount, tread* ⟨haan⟩, *tup* ⟨ram⟩ **0.4** [springende bereiken] *jump* ♦ **1.1** de kat besprong de muis *the cat pounced on the mouse* **1.4** de afstand tot de dakgoot/naar de overkant was net te~ *it was just possible to j. (the distance) to the gutter/ the other side* **3.3** een merrie laten~ *have a mare covered.*

besproeien ⟨ov.ww.⟩ **0.1** [sproeiend begieten] *sprinkle* ⇒⟨sproeiend doordrenken⟩ *perfuse* **0.2** [⟨landb.⟩] *irrigate* ⇒*spray* ⟨met insecticiden e.d.⟩, *water* ⟨met water⟩ ♦ **1.1** de wegen~ tegen het stof *s. the streets to lay the dust* **6.1** ⟨fig.⟩ de maaltijd werd rijkelijk met wijn besproeid *the wine flowed freely (with the meal).*

besproeiing ⟨de (v.)⟩ ⟨landb.⟩ **0.1** *irrigation.*

besproeiingswagen ⟨de (m.)⟩ **0.1** *sprinkler.*

bespuiten ⟨ov.ww.⟩ **0.1** [spuiten op/tegen] *spray (on)* **0.2** [⟨landb., tuinb.⟩] *spray (with)* ♦ **1.1** de plantjes~ ⟨met water⟩ *spray the young plants (with water), water the young plants* **1.2** gewas tegen luis~ *spray crops against aphids,* bespoten groenten *sprayed vegetables.*

besseboompje ⟨het⟩ **0.1** *currant bush.*

besseldraad ⟨de (m.)⟩ **0.1** *tacking thread.*

bessenjenever ⟨de (m.)⟩ **0.1** ≠*blackcurrant gin.*

bessensap ⟨het⟩ **0.1** ⟨rood⟩ *(red)currant juice;* ⟨zwart⟩ *blackcurrant juice.*

bessenvlinder ⟨de (m.)⟩ **0.1** *(common) magpie moth.*

bessenwijn ⟨de (m.)⟩ **0.1** *(red)currant wine.*

bessesap ⟨het⟩ **0.1** *(red)currant juice.*

best¹ ⟨→sprw. 683⟩
I ⟨het⟩ ♦ **3.¶** zijn~ doen *do one's best;* zijn uiterste~ doen om op tijd te komen *try as hard as one can to be on time;* je hebt je~ gedaan, meer kan je niet doen *you have done the best you could, you can't do anymore;* ik heb nu wel genoeg mijn~ gedaan *I've tried hard enough by now* **6.¶** op zijn~ zijn~ *he is at his best …;* **op** zijn ~ zijn er veertig *there are forty of them at most;* ze is **op** haar~ ⟨gekleed⟩ *she looks her best;* iets ten~e geven *oblige the company with sth.; give (a rendering of), render* ⟨lied enz.⟩; ten~e keren *turn to advantage;* een mening ten~e geven *vent/air/ volunteer an opinion;* een kunstje/liedje ten~e geven *perform a trick/song;*
II ⟨de (v.)⟩ **0.1** [oude vrouw] *granny.*

best² ⟨→sprw. 52,90,310,319,380,389,466,482,492,558⟩
I ⟨bn.⟩ **0.1** [⟨overtr. trap van 'goed'⟩] *best* ⇒*better, optimum* **0.2** [van uitstekende kwaliteit] *excellent* ⇒*very good* **0.3** [braaf] *good* ⇒*decent* **0.4** [mbt. instemming, onverschilligheid] *well* ⇒*all right* **0.5** [⟨bij aanspreekwoorden⟩] *dear* ⇒*good* ♦ **1.1** met de~e bedoelingen *with the best of intentions;* in zijn~e kleren *in his (Sunday) best, in his best clothes;* ⟨artikelen v.d.⟩~e kwaliteit *choice/excellent/prime/superior quality;* ~e maatjes zijn met *be very thick with, be hand in glove with;* dat apparaat heeft~e tijd gehad *that device/machine has had its day;* iets naar zijn~e vermogen/weten doen *do sth. to the best of one's ability/knowledge;* de~e wensen! ⟨met kerstmis/nieuwjaar⟩ *the season's greetings to you* **1.2** een~ biertje *an e. beer* **1.3** het zijn ~e mensen *they are g. people* **1.5** beste Jan ⟨als briefaanhef⟩ *d. John;* ~e jongen, doe nu niet zo eigenwijs *(my) d. boy, don't be so obstinate* **2.1** je bent een bovenste~e *you are a brick, you are tops* **3.4** alles~ vinden *be easy(-going)* **4.4** ⟨inf.⟩⟨het is⟩ mij~ *I don't mind, it's fine/ all right (with me)* **4.5** mijn~e! *my d. fellow!* **5.1** hij is niet~ in Engels *he isn't much good at English;* Peter ziet er niet al te~ *Peter looks none too well;* dit jasje ziet er niet al te~ meer uit *this jacket has seen its best days* **5.2** deze appels zijn niet al te~/al te~ meer *these apples are of poor quality/have gone bad* **7.1** zij kwam als de~e uit de bus *she came out tops;* dat kan de~e overkomen *that can happen to the best of us;* hij kan koken als de~e *he can cook like the best of them;* op een/twee na de~e *the second/next best, the third best;* je bent een ~e *you're a dear one;* aan hem hebben we geen~e *with him we got none of the best;* het~e van iets hopen *hope for the best;* het~e van iets maken *make the best of sth.;* het~e ermee! *good luck!;* ⟨bij ziekte ook⟩ *best wishes!;* ik wens je het~e ⟨bij afscheid⟩ *all the best;* ⟨bij ziekte⟩ *all the best;* ⟨bij problemen⟩ *I wish you luck/well;* het~e met je man/griep *all the best with your husband/flu;* zo is het maar het~e *it's all for the best, it's better like this;* dit zal wel het~e zijn *this will be the best thing/plan;* zij is er relatief het~e aan toe *of all of them/compared to the others, she has the best of it;* het~e is dat we nu maar gaan *we'd better/best go now;* ik wil alleen het~e v.h. ~e *I want prime quality only, I only want the best* **7.¶** de eerste, de~e *anyone, anything, any;* de eerste, de~e die nu nog z'n mond opendoet, krijgt een dreun *the very first of you who still dares to open his mouth is in for it;* het eerste, het~e excuus *the first excuse available;*
II ⟨bw.⟩ **0.1** [⟨overtr. trap van 'goed'⟩] *best* **0.2** [uitstekend] *very well*

0.3 [⟨om ontkenning tegen te spreken⟩] *sure* **0.4** [⟨stellige overtuiging⟩] *sure* **0.5** [⟨afzwakking⟩] *quite* **0.6** [⟨erkenning⟩] *really* **0.7** [⟨mogelijkheid, waarschijnlijkheid⟩] *possibly* ⇒*well* ◆ **1.5** hij is ~ een schatje *he's a darling* **2.3** ik vind het~ lekker *I do like it* **2.5** het is ~ een goed boek *it's a (fairly) good book* **2.6** ik voelde me ~ eenzaam *I did feel lonely;* hij heeft het er~ moeilijk mee *it's r. very difficult for him* **2.7** het is ~ mogelijk *it's quite possible/likely* **3.1** je versterker doet het ook niet ~ meer *your amplifier isn't any too good these days;* jij kent hem het ~e *you know him b.* **3.2** ik heb me ~ geamuseerd *I enjoyed thoroughly myself;* ik kan me dat ~ voorstellen *I can very well imagine/believe that* **3.3** je weet het ~ *you know very well* **3.4** dat kunnen we ~ in één uur doen *we can easily do that in an hour;* het zal ~ lukken *it's going to work out all right/fine;* ze zal ~ komen *she is s. to come* **3.7** hij kan ~ thuis zijn *he may well be at home/in;* dat zou ~ kunnen *that's very possible;* ze zou ~ willen ...*she wouldn't mind ...;* ik zou ~ een pilsje lusten *I could do with a (glass of) beer* **5.5** eigenlijk ~ wel een goede film *it's) actually not at all bad/actually quite a reasonable film;* hij schildert ~ wel aardig *his painting's o.k., he paints pretty well/quite reasonable* **7.1** hij kan het/danst het ~ *he is best at it/at dancing* **¶.2** komt hij niet? ~! *he is not coming? very well!*.

bestaan¹ ⟨het⟩ **0.1** [het er zijn] *existence* **0.2** [leven] *existence* **0.3** [broodwinning] *living* ⇒*livelihood* ◆ **1.1** het ~ van God *the e. of God;* in het ~ van kabouters/geesten geloven *believe in fairies/ghosts* **1.2** de strijd om het ~ *the struggle for life* **1.3** een middel van ~ zoeken *look/for/seek a livelihood/a means of support* **2.1** die firma viert vandaag haar vijftigjarig/honderdjarig ~ *that firm is celebrating its fiftieth anniversary/centenary today* **2.2** een heerlijk/zorgeloos ~ *a delightful/carefree life/way of life;* dat is geen menswaardig ~ *that is a degrading e.* **2.3** hij vindt het ~ een fair/decent wage/salary **3.1** zijn ~ danken aan *owe one's e. to* **3.3** ergens een ~ in vinden *make a living out of, gain/earn a living by* **5.2** wat een ~! *what a life!* **7.2** dat is toch geen ~! *that is a miserable life!, that's no life!*.

bestaan² ⟨→sprw. 130⟩
I ⟨onov.ww.⟩ **0.1** [er zijn] *exist* ⇒*be (in existence)* **0.2** [inhouden] *consist (in/of)* ⇒*include,* ⟨opgebouwd zijn⟩ *be made up (of)* **0.3** [rondkomen] *live* **0.4** [mogelijk zijn] *be possible* **0.5** [verwant zijn] *be kindred* ◆ **1.1** er ~ geen bezwaren meer tegen *any objections about it have been removed;* God bestaat *God exists;* geloven dat God bestaat *believe in God's existence;* laat daar geen misverstand over ~ *let there be no mistake about it;* deze wet bestaat nog *this law still exists;* die zaak/dat volk bestaat niet meer *that business has discontinued, that people has become extinct* **3.1** dat kan allemaal waar zijn, het feit blijft ~ dat *all of this may be true, but it doesn't alter the fact that/yet the fact remains that;* onze liefde zal altijd blijven ~ *our love will live on forever;* ergens geen misverstanden over laten ~ *make it perfectly clear (that);* ophouden te ~ *cease to e., disappear* **5.1** je bent de mooiste vrouw/grootste schurk die er bestaat *you are the prettiest woman/worst rascal in existence/in the world/I know;* de beste auto die er bestaat *the best car in existence, the best car going;* al lang ~ *be of long standing, have long been in existence* **5.4** dat bestaat niet *there is no such thing, impossible;* hoe bestaat het! *can you believe it!* **6.1** ~ sinds *date back to;* wat haar bestaat hij niet *to her, he does not e.* **6.2** dit werk bestaat uit drie delen *this work consists of/in three volumes/parts* **6.3** hij moet van zijn zaak ~ *he has to make a living out of his business;* goed/nauwelijks kunnen ~ van *live comfortably/well on, scrape an existence by* **6.5** in den bloede ~ *be a blood relation;*
II ⟨ov.ww.⟩ **0.1** [wagen] *dare* ◆ **3.1** hij heeft het bestaan mij op te zoeken *he had the nerve to visit me.*
bestaanbaar ⟨bn.⟩ **0.1** *possible* ⇒*thinkable,* ⟨wisk.⟩ *real* ◆ **6.1** ⟨fig.⟩ ~ met *compatible/consistent with.*
bestaand ⟨bn.⟩ **0.1** *existing, existent* ⇒*in being, current, actual* ◆ **1.1** een ~ geval *an existing case;* de thans ~e rassen *the races/breeds now in existence;* de ~e toestand *the existing situation, things being what they are* **5.1** een al lang ~ gewoonte/firma *a time-honoured practice/ practice of long standing, an old-established firm;* niet ~ *non-existent;* een nog ~e/niet meer ~e gewoonte *a practice still current/no longer current* **7.1** de nieuwe wet is duidelijker dan de ~e *the new law is clearer than the existing one.*
bestaansgrond ⟨de (m.)⟩, **-reden** ⟨de⟩ **0.1** *raison d'être* ⇒*reason for existence.*
bestaansminimum ⟨het⟩ **0.1** *subsistence level* ◆ **6.1** beneden/boven het ~ *below/above s. l./the poverty/bread line.*
bestaansrecht ⟨het⟩ **0.1** *right to exist* ⇒*rationale (of one's/its existence)* ◆ **3.1** geen ~ hebben *have no right to exist;* zijn ~ ontlenen aan *be justified by.*
bestaansterrein ⟨het⟩ **0.1** *area of life.*
bestaansvoorwaarden ⟨zn.mv.⟩ **0.1** *conditions of/for existence.*
bestaanszekerheid ⟨de (v.)⟩ **0.1** *social security.*
bestaanszin ⟨de (m.)⟩ ⟨taal.⟩ **0.1** *existential sentence.*
bestand¹ ⟨het⟩ **0.1** [wapenstilstand] *truce* ⇒*armistice* **0.2** [verzameling (gegevens)] *file* ⇒ ⟨aanwezige exemplaren⟩ *stock,* ⟨om uit te putten⟩ *pool, fund* ◆ **2.1** Het Twaalfjarig Bestand *The Twelve Years' Truce* **6.1** het ~ tussen Israël en Egypte *the t. between Israel and Egypt.*

bestand² ⟨bn.⟩ ◆ **6.¶** ~ zijn tegen *withstand, resist;* ⟨onkwetsbaar⟩ *be immune to;* deze laag is ~ tegen roest *this coat is rust-proof;* tegen hitte ~ *heat-resistant;* tegen die verleiding was zij niet ~ *she couldn't resist the temptation;* tegen die behandeling was zij niet ~ *she couldn't stand up to that treatment.*
bestanddeel ⟨het⟩ **0.1** *constituent, element* ⇒⟨onderdeel waaruit iets is opgebouwd⟩ *component (part),* ⟨ingrediënt⟩ *ingredient* ◆ **2.1** een aanzienlijk ~ v.d. bevolking *a considerable e. of/in the population;* een belangrijk ~ van onze taal *an important constituent/e. of our language;* vreemde bestanddelen *foreign elements/substances.*
bestandslijn ⟨de⟩ **0.1** *demarcation line.*
bestandsorganisatie ⟨de (v.)⟩ ⟨comp.⟩ **0.1** *file organization.*
besteden ⟨ov.ww.⟩ **0.1** [inzetten voor een doel] *spend* ⇒*take devote/ give (to), employ for* **0.2** [mbt. tijd] *spend (on)* ⇒*devote (to)* **0.3** [mbt. geld] *spend (on)* ⇒*lay out on* ◆ **1.1** geen aandacht ~ aan *pay no attention to;* veel aandacht/moeite ~ aan iets *take a lot of time/trouble over sth.;* zorg ~ aan *take care over (work)* **5.2** ik kan mijn tijd wel beter ~ *I have better things to do with my time* **5.3** het geld is goed/ nuttig/slecht besteed *the money was well-spent/went to good use/was ill-spent* **6.2** al zijn tijd en energie aan zijn werk ~ *s. all one's time and energy on one's work* **6.3** daar is veel geld aan besteed *a lot of money has been put into that/spent on that/laid out on that* **6.¶** het is wel aan hem besteed *it isn't wasted/lost on him;* zoiets is niet aan haar besteed *such a thing is lost/wasted on her.*
besteding ⟨de (v.)⟩ **0.1** [mbt. tijd] *spending* **0.2** [mbt. geld] *spending* ◆ **1.1** de ~ van mijn tijd is mijn zaak *how I spend my time is my own business* **3.2** ~en doen *make expenditures;* ⟨onkosten oplopen⟩ *incur expenses.*
bestedingsbeperking ⟨de (v.)⟩ **0.1** *cuts in spending, restriction on spending* ⇒⟨vnl. pol.⟩ *retrenchment.*
bestedingsnota ⟨de⟩ **0.1** *the budget.*
bestedingspakket ⟨het⟩ **0.1** *budget.*
bestedingspatroon ⟨het⟩ **0.1** *pattern of spending.*
bestedingspolitiek ⟨de (v.)⟩ **0.1** *spending policy.*
besteedbaar ⟨bn.⟩ **0.1** *spendable* ◆ **1.1** het besteedbare inkomen *s. income.*
bestek ⟨het⟩ **0.1** [eetgerei] *cutlery* **0.2** [beschrijving van uit te voeren werk] *specifications* **0.3** [beschrijving van maatregelen] *plan* ⇒*scheme* **0.4** [begrensde ruimte] *compass* ⇒*scope* **0.5** [opzet] *plan* ⇒*scheme, scope* **0.6** [⟨scheep.⟩] *position, fix* ◆ **2.1** (een) zilveren ~ *a set of silver c.* **2.4** iets in kort ~ uiteenzetten *explain sth. in brief* **3.6** het ~ opmaken *ascertain the p., take a f.* **6.2** volgens ~ *gemaakt made/built according to s.;* ⟨op schaal⟩ *made to scale* **6.4** binnen het ~ van drie jaar *in the space of three years* **6.5** binnen het ~ van dit boek *within the scope of this book;* dit uitvoeriger te omschrijven valt buiten ons ~ *a more detailed definition is outside our p./scope.*
bestekamer ⟨de⟩ ⟨vero.⟩ **0.1** *privy.*
bestekbak ⟨de (m.)⟩ **0.1** *cutlery tray/drawer.*
bestekhout ⟨het⟩ ⟨amb.⟩ **0.1** *timber sawed to specification.*
bestektekening ⟨de (v.)⟩ **0.1** *plan.*
bestel ⟨het⟩ **0.1** [bestaande ordening] *existing order* ⇒*establishment* **0.2** [personen, instellingen, regelingen] *existing order* ⇒*establishment* **0.3** [regeling, bestuur] *ordainment* ⇒*disposition* ◆ **1.3** door Gods ~ *through God's ordaining* **2.1** het heersende ~ *the establishment;* het maatschappelijk ~ *the social order* **6.1** binnen/buiten het ~ *within/ inside the existing order, out of/outside the existing order.*
besteladres ⟨het⟩ ◆ **¶.¶** ~ BBC, Bush House, London *orders to be addressed to BBC* ⟨enz.⟩.
bestelauto ⟨de (m.)⟩ **0.1** ᴮ*delivery van,* ᴬ*truck* ⇒⟨open⟩ *pickup truck.*
bestelbon ⟨de (m.)⟩ **0.1** *order form.*
besteldatum ⟨de (m.)⟩ **0.1** [datum van order] *order date* ⇒*date of order-(ing)* **0.2** [datum van aflevering] *delivery date.*
besteldienst ⟨de (m.)⟩ **0.1** [expeditieafdeling] *delivery service* ⇒*parcel delivery* **0.2** [expeditiebedrijf] *delivery service.*
bestelen ⟨ov.ww.⟩ **0.1** *rob.*
bestelformulier ⟨het⟩ **0.1** *order form* ⇒*order sheet, docket.*
bestelhuis, -kantoor ⟨het⟩ **0.1** *receiving office/station.*
bestelkaart ⟨de⟩ **0.1** *order card* ⇒*order form, book order* ⟨van boeken⟩, *despatch note* ⟨bij postpakketten⟩.
bestellen
I ⟨ov.ww.⟩ **0.1** [laten komen] *order* ⇒*place an order (for), send for* ⟨ihb. personen⟩ **0.2** [aan huis bezorgen] *deliver* **0.3** [reserveren] *book;* ⟨vnl. AE⟩ *reserve* ◆ **1.1** een timmerman/een taxi ~ *send for a carpenter, call a taxi* **1.2** brieven/telegrammen ~ *d. letters/telegrams* **1.3** ik wil voor morgen vijf stokbroden ~ *can I order five French loaves for tomorrow, please?* **5.1** goederen telefonisch/schriftelijk ~ *o. goods by telephone, send/write off for* **6.1** iets ~ bij *order sth. from, place an order with;* iets uit een catalogus ~ *o./send for sth. from a catalogue* **6.¶** iem. ter aarde ~ *inter/bury s.o., commit s.o. to the earth* **7.1** het bestelde *the goods ordered, the order;*
II ⟨onov., ov.ww.⟩ **0.1** [⟨horeca⟩] *order* ◆ **3.1** zullen we al ~? *shall we o. now?.*
besteller ⟨de (m.)⟩ **0.1** [bezorger] *delivery man; postman* ⟨brieven⟩; *mes-*

senger ⟨telegrammen, expressestukken⟩ **0.2** [iem. die goederen laat komen] *≠customer* ◆ **1.1** de ~ van Van Gend en Loos *the Van Gend & Loos delivery man* **1.2** de vracht komt voor rekening v.d. ~ *freight to be paid by the c.* **3.1** de ~ is al geweest *the postman has already been.*

bestelling ⟨de (v.)⟩ **0.1** [het thuis bezorgen] *delivery* **0.2** [order] *order* **0.3** [bestelde goederen] *order, goods on order, goods ordered* ◆ **2.2** telefonische / schriftelijke ~ *telephone / written o.* **3.2** een ~ doen / uitvoeren *place / execute an o.*; de ~ komen opnemen *come to take s.o.'s order, call for s.o.'s order* **3.3** ~en afleveren *deliver goods ordered* **6.1** er was vertraging in de ~ *we / they were behind with the deliveries* **6.2** in ~ zijn *bij be on o. from;* **op** ~ gemaakt *made to o., custom-made;* op ~ **van** *as ordered by* ¶.1 ~ op naam *personal d..*

bestelnummer ⟨het⟩ **0.1** *order number.*

bestelwagen →**bestelauto.**

bestemmeling ⟨de (v.)⟩ ⟨AZN⟩ **0.1** *addressee.*

bestemmen ⟨ov.ww.⟩ **0.1** [aanwijzen, bedoelen] *mean, intend, reserve;* ⟨geschikt maken⟩ *design* **0.2** [voorbestemmen] *destine* ◆ **1.1** het daarvoor bestemde hokje *the appropriate box;* ter bestemder tijd *in due time* **3.2** het was bestemd dat it *had been ordained that* **6.1** bestemd **voor** uitwendig gebruik *intended for external application;* een stuk grond **voor** moestuin ~ *reserve / allot a piece of ground for a kitchen-garden;* geld ~ **voor** iem. *iets earmark money for s.o. / sth., allocate funds to sth.;* niet **voor** publicatie bestemd *not intended for publication;* dit pakje had ik **voor** jou bestemd *this parcel was intended for you;* deze opmerking is **voor** Jan bestemd *that remark was meant for John;* oorspronkelijk waren deze gebouwen bestemd **voor** bewoning *originally, these buildings were meant to be lived in / were designed as dwellings* **6.2** voor het geluk bestemd zijn *be destined for happiness;* hij is bestemd **voor** de handel / balie / dominee / advocaat / koopman *he is intended / meant / destined for business / for the bar / to be(come) a clergyman / to be(come) a lawyer / to be(come) a businessman;* zij zijn **voor** elkaar bestemd *they were meant / made for each other.*

bestemming ⟨de (v.)⟩ **0.1** [bedoeling] *intention, purpose, use* ⇒*allocation* ⟨gelden⟩ **0.2** [doel, eindpunt] *destination* **0.3** [levensdoel] *destiny* ⇒*lot,* ⟨levenstaak⟩ *vocation* ◆ **1.2** plaats van ~ *destination* **2.1** een andere ~ krijgen *have a change of u.,* ⟨van een gebouw⟩ *the original p. of this building* **2.2** hij is met onbekende ~ vertrokken *he has left without leaving any address / a forwarding address;* een reis met onbekende ~ *a mystery tour* **3.1** ergens een ~ aan geven *put sth. to a specific u.;* we hebben hier geen ~ voor *we have no u. for this;* een ~ vinden voor *find a u. for* **3.2** zijn ~ bereiken *arrive at / reach one's d.* **3.3** zijn ~ vinden *find one's way (in life) / one's vocation;* dat was nu eenmaal zijn ~ *it was his d.* **6.2** reizigers met ~ Groningen *moeten hier overstappen passengers for Groningen, please change here.*

bestemmingsplan ⟨het⟩ **0.1** *zoning plan / scheme.*

bestemmingsreserve ⟨de⟩ ⟨ec.⟩ **0.1** *earmarked funds / reserves.*

bestemoer ⟨de⟩ ⟨schr.⟩ **0.1** *old crone.*

bestempelen ⟨ov.ww.⟩ **0.1** [noemen] *label* ⇒*call, tag,* ⟨pej.⟩ *brand* **0.2** [een stempel drukken op] *stamp* ◆ **1.2** bestempelde postzegels *cancelled* ^*eled (postage) stamps* **6.1** iets / iem. ~ **met** naam *label sth. / s.o. as* **8.1** iets ~ als *designate sth. as, l. / call sth.;* het boek wordt als provocerend bestempeld *the book was tagged / labelled provocative;* dat bestempel ik als oplichting *I call this a swindle.*

bestendig ⟨bn., bw.⟩ **0.1** [duurzaam] *durable* ⟨materialen⟩; *lasting, abiding, enduring* ⟨vrede, vriendschap⟩; *permanent* ⟨kleur⟩ **0.2** [niet veranderlijk] *stable, steady* ⇒*invariable, continuous* **0.3** [(in samenst.)] bestand tegen] *-proof, -resistant* ◆ **1.1** ~e vrede *lasting peace* **1.2** ~ van natuur zijn *be reliable / stable;* ~ weer *settled weather* **1.3** hittebestendig *heat-resistant;* roestbestendig *rust-proof;* vochtbestendig *damp-proof* **3.1** op aarde is niets ~ *nothing here on earth is lasting* **3.2** de barometer geeft 'bestendig' aan *the barometer is set fair.*

bestendigen ⟨ov.ww.⟩ **0.1** [continue] ⇒*make / render permanent, perpetuate* ⟨toestand⟩ ◆ **1.1** het contract wordt bestendigd *the contract is renewed;* de voorlopige toestand wordt bestendigd *the provisional arrangement is made permanent* **8.1** hij is bestendigd als tijdelijk assistent *his temporary assistantship is continued.*

bestendigheid ⟨de (v.)⟩ **0.1** [duurzaamheid] *durability* ⟨materialen⟩; *permanency* ⟨kleuren⟩; *lastingness* ⟨vriendschap⟩ **0.2** [onveranderlijkheid] *stability* ⇒*constancy, steadiness, invariability.*

bestendiging ⟨de (v.)⟩ **0.1** *continuation* ⇒*making (the arrangement) permanent, perpetuation* ⟨toestand⟩, *renewal* ⟨contract⟩.

besterven
I ⟨onov.ww.⟩ **0.1** [sterven] *die* **0.2** [mbt. vlees] *≠be hung* **0.3** [mbt. stoffen] *set, harden* **0.4** [doodsbleek worden] *blanch* **0.5** [door sterven erven] *inherit* ◆ **1.2** bestorven vlees *well-hung meat* **3.1** dat ligt haar in de mond bestorven *that is constantly on her lips* **3.2** vlees laten ~ *hang meat* **3.3** kalk / verf laten ~ *let plaster / paint h.* **6.1** het woord bestierf **op** zijn lippen *the word died on his lips;*
II ⟨ov.ww.⟩ ◆ **4.**¶ het ~ van schrik *die of fright;* het ~ v.h. lachen *die with laughter, laugh o.s. to death.*

bestiaal ⟨bn., bw.; -ly⟩ **0.1** *bestial.*

bestialiteit ⟨de (v.)⟩ **0.1** [beestachtigheid] *bestiality* **0.2** [zoöfilie] *bestiality.*

bestiarium ⟨het⟩ **0.1** *bestiary.*

bestieren ⟨ov.ww.⟩ ⟨schr.⟩ **0.1** *govern, rule* ◆ **1.1** God die 't al bestiert *God who governs all.*

bestijgen ⟨ov.ww.⟩ **0.1** [klimmen op] *mount* ⇒*ascend* ⟨troon⟩ **0.2** [mbt. een berg] *climb, ascend* ◆ **1.1** hij besteeg zijn paard *he mounted his horse.*

bestijging ⟨de (v.)⟩ **0.1** [het klimmen op] *mounting* ⟨paard⟩ ⇒*ascension, ascent, accession* ⟨troon⟩ **0.2** [mbt. berg] *climbing* ⇒*ascension, ascent, conquest* ⟨zeer hoge berg⟩.

bestikken ⟨ov.ww.⟩ **0.1** *stitch* ⇒*embroider.*

bestoft ⟨bn.⟩ **0.1** *dusty* ⇒*covered with dust* ◆ **1.1** zijn kleren zijn ~ *his clothes are all covered with dust.*

bestoken ⟨ov.ww.⟩ **0.1** [aanvallen, beschieten] *harass, press* ⇒*shell, bomb(ard)* ⟨met bommen / granaten⟩, *barrage* ⟨met spervuur⟩ **0.2** [lastig vallen] *harass* ⇒*bombard, besiege* ◆ **1.1** de vijand / een verschansing ~ *h. the enemy, p. the enemy hard; shell an entrenchment* **3.2** hij werd van alle kanten bestookt *he was beset / beleaguered from all sides* **5.2** fel bestookt *hard-pressed* **6.1** met bommen ~ *bomb(ard)* **6.2** ik wordt hier bestookt **door** muggen *I'm being tormented / attacked by gnats here;* iem. **met** vragen ~ *bombard s.o. with questions.*

bestormen ⟨ov.ww.⟩ **0.1** [storm lopen op] *storm, attack, assail* ⇒*assault, rush* **0.2** [met grote aantallen afkomen op] *storm* ⇒*besiege, beleaguer* **0.3** [overladen] *assail* ⇒*beleaguer, pelt, ply* ◆ **1.1** een vesting ~ *s. / assail a stronghold* **1.2** het loket werd bestormd *the (ticket-)window was besieged;* de demonstranten bestormden het politiebusje *the demonstrators stormed the police van* **4.2** ⟨fig.⟩ allerlei herinneringen bestormden me *all sorts of memories rushed / crowded in upon me* **6.3** iem. **met** vragen ~ *a. / ply s.o. with questions.*

bestorming ⟨de (v.)⟩ **0.1** [stormaanval] *storming, siege, assault* ⇒*attack* **0.2** [het bestormd worden] *rush (for / upon)* ⇒*run* ⟨van bank⟩ ◆ **1.2** de ~ v.d. winkels *the rush on the shops.*

bestorven ⟨bn.⟩ **0.1** [orphaned] *orphaned* ⟨kind⟩, *widowed* ⟨partner⟩ ◆ **1.1** een ~ meisje *an orphan(ed) girl* **5.1** een jong ~ weduwe *a young widow.*

bestoven ⟨bn.⟩ **0.1** *covered with dust* ⇒*dusty.*

bestraffen ⟨ov.ww.⟩ **0.1** [straf doen ondergaan] *punish* ⇒*correct,* ⟨schr.⟩ *chastise* **0.2** [berispen] *reprove, reprimand* ⇒*rebuke, scold* **0.3** [straf geven voor] *punish* ◆ **1.3** het kwaad / de ondeugd ~ *p. evil / vice* **3.2** iem. ~d aankijken *give s.o. a look of reproof* **6.1** iem. ~ **voor** / **wegens** *punish s.o. for.*

bestraffing ⟨de (v.)⟩ **0.1** [het bestraffen / bestraft worden] *punishing* ⇒*correcting, chastising* **0.2** [datgene waarin een straf bestaat] *punishment* ⇒*correction, chastisement* **0.3** [het berispen / berispt worden] *reproving* ⇒*scolding* **0.4** [berisping] *rebuke* ⇒*scolding.*

bestralen ⟨ov.ww.⟩ **0.1** [stralen op iets werpen] *irradiate* ⇒*shine upon* ⟨zon⟩ **0.2** [(med.)] *give radiation treatment / radiotherapy* ◆ **1.1** de zon bestraalt de aarde *the sun shines upon / irradiates the earth* **1.2** de patiënt moet bestraald worden *the patient needs radiation treatment.*

bestraling ⟨de (v.)⟩ **0.1** *irradiation* ⇒⟨als behandeling⟩ *radiotherapy, radiation treatment* ◆ **1.1** ~ v.e. tumor *i. / radiation treatment of a tumor* **7.1** drie ~en per week *three radiation treatments per week.*

bestralingsinstituut ⟨het⟩ **0.1** *institute for radiotherapy.*

bestraten ⟨ov.ww.⟩ **0.1** *pave* ⇒⟨verharden⟩ *surface,* ⟨met keien⟩ *cobble.*

bestrating ⟨de (v.)⟩ **0.1** [handeling] *paving* ⇒⟨verharding⟩ *surfacing,* ⟨met keien⟩ *cobbling* **0.2** [materiaal] *pavement, paving* ⇒*surface, cobbles.*

bestrijden ⟨ov.ww.⟩ **0.1** [betwisten] *dispute* ⇒*challenge, contest, oppose, resist* ⟨plan⟩ **0.2** [tegengaan] *combat, fight, suppress* ⇒*counteract, control* ⟨plaag⟩ **0.3** [vechten tegen] *fight* ⇒⟨niet fysiek ook⟩ *contend (with)* ◆ **1.1** de oppositie ~ *challenge / fight the opposition;* een zienswijze ~ / de echtheid v.e. document ~ *oppose a view, challenge / d. the genuineness of a document* **1.2** stank ~ *suppress smells;* het vloeken / alcoholisme ~ *combat swearing / alcoholism* **1.**¶ de onkosten ~ *meet / cover the costs* **3.1** wie zou dat willen ~? *who would (like to) quarrel with that?* **4.3** elkaar op leven en dood ~ *be at one another's throats* **5.2** hevig / krachtig ~ *put up a vigorous fight against, offer vigorous resistance to* **6.3** iem. **met** zijn eigen wapens ~ *give s.o. a taste of his own medicine* ¶.1 ik wil dit met kracht ~ *I wish to speak out strongly against this.*

bestrijder ⟨de (m.)⟩ **0.1** *opponent* ⇒*adversary.*

bestrijdingsmiddel ⟨het⟩ **0.1** *pesticide* ⟨m.n. dieren⟩; *herbicide, weed killer* ⟨planten⟩; *fungicide* ⟨schimmels⟩.

bestrijken ⟨ov.ww.⟩ **0.1** [kunnen bereiken] *cover* **0.2** [kunnen beschieten] *cover, command* ⇒*have within range* **0.3** [besmeren] *spread* ⟨jam⟩; *coat* ⟨verf⟩; *smear* ⟨vet⟩ ◆ **1.1** deze oplage bestrijkt de hele regio *this edition covers the entire area;* een uitgave die de hele stad bestrijkt ^*a cross-town edition;* een wet die een breed terrein bestrijkt *a law with a wide scope* **1.2** dit fort bestrijkt het hele gebied *this fortress commands the entire area;* vanaf dit punt kunnen we de hele vallei ~ *from this point we've got the entire valley covered / within* *range* **6.2** de straat ~ **met** een machinegeweer *have the street covered with a machine-gun.*

bestrooien ⟨ov.ww.⟩ **0.1** *sprinkle (with)* ⟨met korrels⟩; *cover/spread (with)* ⟨met mest⟩; *powder/dust (with)* ⟨met poeder⟩ ◆ **6.1** een boterham ~ **met** hagelslag *sprinkle a sandwich with chocolate grains/hundreds-and-thousands;* een graf bestrooid **met** bloemen *a grave strewn with flowers;* gladde wegen **met** zand/zout ~ *sand/salt icy roads.*

bestudeerd ⟨bn., bw.⟩ **0.1** *studied* ⇒*(carefully) composed, practised, contrived* ◆ **1.1** met ~e beleefdheid *with s. politeness;* een ~e glimlach *a s./carefully composed smile;* een ~e houding *a s. attitude.*

bestuderen ⟨ov.ww.⟩ **0.1** [met aandacht lezen] *study* ⇒*pore over, peruse* ⟨krant⟩ **0.2** [een studie maken van] *study* ⇒*read up, prepare, learn* ⟨examenstof⟩ **0.3** [onderzoeken] *study* ⇒*investigate, research, explore* ◆ **1.1** iem. ~ *look s.o. over, peer at s.o., study s.o.*('s face); een niet vooraf bestudeerde tekst *an unseen text* **1.2** een veel bestudeerd/nog niet bestudeerd gebied *a well-studied/virgin field;* de middeleeuwse geschiedenis ~ s./ *read up on medieval history* **1.3** een kwestie ~ s./ *examine/investigate a matter/subject* **5.1** iets aandachtig/lang ~ *pore over sth.* **5.2** iets opnieuw ~ *revise sth..*

bestuiven ⟨ov.ww.⟩ **0.1** *pollinate* ⟨bloemen⟩; *dust, powder* ⟨met meel/stof⟩.

bestuiving ⟨de (v.)⟩ **0.1** *pollination.*

besturen ⟨ov.ww.⟩ **0.1** [mbt. een voer-/vaartuig] *drive* ⇒*steer, navigate* **0.2** [mbt. een werktuig] *control, operate* **0.3** [leiden] *govern* ⇒*administrate, manage, run* ◆ **1.1** een auto/tram ~ *d. a car/tram;* een schip/vliegtuig ~ *sail/steer/navigate a ship, fly/navigate a plane* **1.2** een hijskraan/een laadklep ~ *o. a crane/loading-ramp* **1.3** een stad ~ *g./run a town;* een stichting ~ *administrate/run an institution* **5.2** een radiografisch bestuurde raket *a remote-controlled rocket* **5.3** slecht ~ *misgovern, mismanage* **6.2** door de computer bestuurd *computer-operated/-controlled.*

besturing ⟨de (v.)⟩ **0.1** [stuurinrichting] *control(s)* ⇒*steering, drive* **0.2** [het besturen, wijze van besturen] *steering* **0.3** [het beheersen] *control* ⇒*operation* ◆ **1.3** de ~ van technologische processen *the c. of technological processes* **2.1** een auto met dubbele ~ *a dual-control car;* een auto met linkse ~ *a car with left-hand drive* **2.2** automatische ~ *automatic pilot.*

besturingsorgaan ⟨het⟩ ⟨comp.⟩ **0.1** *control unit.*

bestuur ⟨het⟩ **0.1** [het leiden] *government, rule* ⟨van land⟩; *administration* ⟨van gemeente/ziekenhuis/school⟩; *management* ⟨van bedrijf⟩ **0.2** [gezag, regeringssysteem] *administration* ⇒*government, rule* ⟨van land⟩, *management* ⟨van bedrijf⟩ **0.3** [lichaam, college] *government* ⟨van land⟩; *council, corporation* ⟨van stad⟩; *(board of) governors* ⟨van school⟩; *(executive) committee* ⟨van vereniging⟩; *(board of) directors management* ⟨van fabriek⟩; *board* ⟨van PTT/spoorwegen⟩ ◆ **1.1** het ~ v.d. gemeenten is bij de wet geregeld *local government/administration is regulated by law;* algemene maatregelen van ~ *administrative measures;* de raad van ~ *the Board of Governors* ⟨van school⟩/*Directors* ⟨van bedrijf⟩ **1.3** het ~ v.d. universiteit *the governing body/board of governors of the university* **2.1** het burgerlijk/openbaar ~ *civil/public administration;* slecht ~ *misgovernment, misrule, maladministration, mismanagement* **2.2** onder eigen ~ *self-governing, autonomous* **2.3** het dagelijks ~ *the executive (committee)* **6.2** het land kwam onder Nederlands ~ *the country came/was placed under Dutch government/rule;* tijdens zijn ~ *under his a./government* **6.3** in het ~ zitten *be on the board (of directors/governors)/on the committee;* iem. in het ~ kiezen *elect s.o. to the board/committee.*

bestuurbaar ⟨bn.⟩ **0.1** [bestuurd kunnende worden] *controllable* ⇒*manageable, navigable* ⟨schip, vliegtuig⟩ **0.2** [geleid/geregeerd kunnende worden] *manageable* ⇒*governable, controllable, administrable* ◆ **1.1** een bestuurbare ballon *a dirigible (balloon)* **5.1** gemakkelijk ~ zijn *be easy to steer/control/handle; be of easy steerage* ⟨schip⟩; niet meer ~ zijn *be out of control; have run out of hand* ⟨schip⟩ **5.2** een groot staatslichaam is moeilijk ~ *a large government body is hard to administrate;* niet meer ~ zijn *be in a state of anarchy, be ungovernable.*

bestuurder ⟨de (m.)⟩ **0.1** [chauffeur] *driver* ⟨van auto⟩; *pilot* ⟨van vliegtuig/ballon⟩; *operator* ⟨van grote machine⟩ **0.2** [iem. die bestuur voert] *administrator* ⇒*governor* ⟨van school⟩, *director, manager* ⟨van bedrijf⟩, *ruler* ⟨van land⟩ **0.3** [directeur] *director, manager, head* ◆ **1.2** de ~s v.h. land/v.e. instelling *the administrators of a country, the governors of an institution* **2.2** een bekwaam ~ *a capable a./ruler.*

bestuurdersplaats ⟨de (v.)⟩ **0.1** *driver's seat* ⇒*driving seat.*

bestuurlijk ⟨bn.⟩ **0.1** *administrative* ⇒*governmental, managerial* ◆ **1.1** een ~ gewest/district *an a. unit, a district, a department/county;* ~e maatregelen *a. measures;* op ~ niveau *on the managerial level.*

bestuursambtenaar ⟨de (m.)⟩ **0.1** *administrator* ⇒*civil servant, administrative officer.*

bestuursapparaat ⟨het⟩ **0.1** *administrative machinery.*

bestuurscollege ⟨het⟩ **0.1** *governing body* ⇒*board of governors, directorate.*

bestuurservaring ⟨de (v.)⟩ **0.1** *administrative/managerial experience.*

bestuursfunctie ⟨de (v.)⟩ **0.1** [v.e. persoon] *position on the board/execu-*

---

tive **0.2** [v.e. bestuurslichaam] *administrative function* ◆ **2.1** een hoge ~ *a senior position on the board/executive* **3.1** een ~ bekleden *be on the board/executive.*

bestuurskunde ⟨de (v.)⟩ **0.1** *(science of) public/social administration.*

bestuurslid ⟨het⟩ **0.1** *member of the Board (of Governors* ⟨van instelling⟩/*Directors* ⟨van bedrijf⟩); *committee member* ⟨van vereniging⟩ ◆ **1.1** ~ v.e. voetbalclub zijn *be a director of a soccer club* **6.1** tot ~ benoemen *appoint to the Board/Committee* **8.1** als ~ bedanken *retire from the Board/Committee.*

bestuursrecht ⟨het⟩ **0.1** *administrative law.*

bestuursschool ⟨de⟩ **0.1** ≠*school for administrative and business studies.*

bestuurstafel ⟨de⟩ **0.1** *board* ⟨van bedrijf⟩; *board/committee table.*

bestuursvergadering ⟨de (v.)⟩ **0.1** *committee/board meeting.*

bestuursvorm ⟨de (m.)⟩ **0.1** *form/type of administration/government* ⇒*polity.*

bestuurswetenschap ⟨de (v.)⟩ **0.1** *(science of) public/social administration.*

bestuurswisseling ⟨de (v.)⟩ **0.1** *change in the board/committee* ⇒*management change.*

bestuurszaak ⟨de⟩ **0.1** *administrative matter/business.*

bestwil ⟨→sprw. 392⟩ ◆ **6.¶** ik doe/zeg het om uw (eigen) ~ *I'm doing/saying this for your own good/benefit;* een leugen om ~ *a white lie.*

besuikeren ⟨ov.ww.⟩ **0.1** *sugar* ⇒*sift/sprinkle/put sugar on* ◆ **1.1** een beschuit ~ *sprinkle/put sugar on a rusk* **¶.¶** ben je besuikerd? *have you gone out of your mind?.*

bèta

I ⟨de⟩ **0.1** [Griekse letter] *beta* **0.2** [⟨school.⟩] *science* ◆ **1.2** ~ afdeling *s. department* **3.2** ~ doen/kiezen *go in for/choose s. (as a subject);*

II ⟨de (m.)⟩ **0.1** [leerling] *science student/pupil.*

betaalautomaat ⟨de (m.)⟩ **0.1** ≠*ticket machine* ◆ **6.1** een ~ in een parkeergarage *a t. m. in a car park.*

betaalbaar ⟨bn.⟩ **0.1** [te betalen] *affordable* ⇒*reasonably priced* **0.2** [⟨hand.⟩] *payable* ⇒*bankable,* ⟨op bep. plaats of bij bep. bank⟩ *domiciled* ◆ **1.1** kwaliteit voor een betaalbare prijs *quality at prices you can afford* **3.2** ~ stellen bij een bank *domicile/make p. at a bank;* de wissel wordt op 1 mei ~ gesteld *the draft becomes p. on the 1st of May* **6.1** voor iedereen ~ *which everybody can afford* **6.2** ~ **aan** toonder *p. to bearer;* ~ **op** zicht *p. at sight.*

betaalbaarstelling ⟨de (v.)⟩ ⟨hand.⟩ **0.1** *making payable* ⇒⟨op bep. plaats of bij bep. bank⟩ *domiciling.*

betaalcheque ⟨de (m.)⟩ **0.1** *(bank-)guaranteed cheque* ^*check.*

betaald ⟨bn.⟩ **0.1** [beroeps] *paid* ⇒*hired, professional, commercial* **0.2** [gekocht, gehuurd] *paid (for), hired* ◆ **1.1** ~ voetbal *professional soccer* **1.2** ~e liefde *prostitution;* ~e moordenaars *hired killers/assassins* **1.¶** ~ antwoord *reply paid;* een zeer goed ~e baan *a plum job,* a highly paid job; ~ verlof *paid leave* **3.¶** iem. iets ~ zetten *get even with s.o., settle/square one's account with s.o.;* iem. iets dubbel en dwars ~ zetten *return sth. to s.o. with interest, give sth. back to s.o. with interest.*

betaaldag ⟨de (m.)⟩ **0.1** [dag van uitbetaling] *payday* **0.2** [⟨hand.⟩ vervaldag] *due date, maturity;* ⟨vaste geregelde datum⟩ *quarter/term day* ◆ **6.2** op de ~ *on the due date, at maturity.*

betaalkaart ⟨de⟩ **0.1** *(guaranteed) giro cheque* ^*check.*

betaalmiddel ⟨het⟩ **0.1** *tender, currency* ⇒*means/instrument of payment, circulating medium* ◆ **2.1** buitenlandse ~en *foreign currency;* bankpapier is wettig ~ *bank-notes are legal t.* **3.1** een cheque is een ~ *a cheque* ^*check is an instrument of payment* **8.1** schelpen als ~ *shells as a means of payment/as a currency.*

betaalopdracht ⟨de⟩ **0.1** *payment order.*

betaalpas ⟨de (m.)⟩ **0.1** *cheque (guarantee) card, banker's card.*

betaaltelevisie ⟨de (v.)⟩ **0.1** *pay T.V.* ⇒*coin-in-the-slot television.*

bètablokker ⟨de (m.)⟩ ⟨med.⟩ **0.1** *beta-blocker.*

bètadeeltje ⟨het⟩ **0.1** *beta particle.*

betalen ⟨→sprw. 53⟩

I ⟨onov., ov.ww.⟩ **0.1** [het verschuldigde doen toekomen] *pay* ⟨iem., een rekening⟩, *pay for* ⟨iets⟩ ⇒⟨na protest⟩ *pay up,* ⟨ten volle⟩ *pay off, settle,* ⟨clear, ↑discharge,* ⟨ook ~ betaald⟩ ◆ **1.1** het nog te ~ bedrag is ...*the amount still due is ...;* de chauffeur/de ober/de huisbaas ~ p./ *settle (up) with the driver/the waiter/the landlord;* een deel v.d. kosten ~ *share in the costs;* ieder zijn deel ~ *share and share alike;* de gasrekening werd niet meer betaald *the gas bills were left unpaid;* mijn ouders ~ al mijn kleren ⟨ook⟩ *my parents keep me in clothes;* de kosten ~ *bear/meet the expenses/costs,* ⟨fig.⟩ leergeld ~ *learn one's lesson, learn by (bitter) experience;* ~d lid *sustaining member;* ~de passagier *(fare-)paying passenger;* ⟨vnl. in taxi⟩ *fare;* de rente/huur moet morgen betaald worden/had al betaald moeten worden *the interest/rent is due tomorrow/is already overdue;* te ~ saldo, ⟨nog⟩ te ~ *balance due;* zijn schulden (niet) ~ *(not) pay off/settle one's debts* **3.1** zoveel kan hij niet ~, hij kan maar f 50,- ~ *he cannot afford that much, he can only p. f 50,-;* zij laat hem altijd ~ *she always makes him p.;* iem. te veel laten ~ *overcharge s.o.;* iem. een ontzettend bedrag laten ~ *make s.o. pay through the nose/bleed;* en de gewone mensen (het) maar laten ~ *and let the ordinary people foot the bill;* mag ik even ~? *could I have the bill!* ^check *please?;* weigeren te ~, niet meer ~ ⟨rekeningen⟩ *repudiate/suspend payment* **4.1** alles ~ *stand treat;* en wij moeten alles maar ~ *and we have to foot the bill;* wie zal dit ~? *who's going to p. for this?;* wie zal dat ~, zoete lieve Gerritje *who'll pay the piper?* **5.1** je wordt daar wel beter betaald *you do get better wages there;* contant ~ *p. (in) cash;* iets duur (moeten) ~ *p. dear for sth.;* elektronisch ~ *pay by computer (transfer);* wat heb je ervoor moeten ~ *what did they charge you for it?;* hoeveel krijgen zij ervoor betaald? *what's in it for them?;* goed ~ ⟨baas⟩ *p. well;* ⟨klanten⟩ *be good payers;* (een rekening) niet ~ ⟨inf. ook⟩ *bilk (a bill);* hij wilde niet ~ ⟨inf.⟩ *he wouldn't cough up;* die huizen zijn niet te ~ *the price of these houses is prohibitive/astronomic;* ze worden niet betaald, het is vrijwilligerswerk *they receive no pay, it is a voluntary work;* nog te ~ lonen/rekeningen *unpaid wages, outstanding bills;* met honderd gulden is het ruim/goed betaald *a hundred guilders is a good price for it;* zij betaalden het samen *they shared the cost, they went halves;* slecht/te weinig ~ ⟨van baas⟩ *underpay;* terug te ~ *repayable, returnable;* traag/slecht ~ de klanten *customers who are slow to p.;* vooruit te ~, vooraf ~ *to be paid in advance* **6.1** door de staat betaald worden ⟨mensen, projecten⟩ *be paid (for) by the government;* ⟨personen ook⟩ *be in the pay of the government;* elkaar **met** gesloten beurzen ~ *settle on mutual terms, conduct a paper transaction;* iem. **met** gelijke munt ~ *give s.o. a taste of his own medicine, get one's own back on s.o.;* **met** een cheque/**met** cheques ~ *p. by cheque* ^check; **met** Duits geld ~ *p. / make one's payment in German currency;* **per** uur/stuk betaald worden *be paid by the hour, be on piece-work;* het wordt betaald **uit** het boekenfonds *it will be paid out of the books fund;* **uit** eigen portemonnee ~ *p. out of one's own pocket;* hij is slecht/langzaam **van** ~ *he is a bad/slow payer;* hij kan dat nooit ~ **van** een uitkering *he couldn't possibly p. that out of his benefit;* ieder **voor** zichzelf ~ ⟨inf.⟩ *go Dutch;* ieder betaalt **voor** zichzelf, neem ik aan *Dutch treat, I presume?;* hier hoeft u niets **voor** te ~ *there is no charge (for this);* weggaan **zonder** te ~ *abscond, levant, jump one's bill* **7.1** (te) veel voor iets ~ *p. through the nose for sth.;* te veel ~ ⟨van baas⟩ *overpay;* het te weinig betaalde *the deficiency, the amount underpaid* ¶**.1** heb je al betaald? *have you paid (the bill/*^check*)?;* ~ wat er nog staat (op de rekening) *settle/square one's account;* hier kun je alles kopen als je maar betaalt *you can buy anything here, at a price;* **II** ⟨onov.ww.⟩ **0.1** [geld opleveren] *pay (off)* ⇒*be rewarded/remunerated* ♦ **5.1** dit werk betaalt slecht *this work pays very badly/is not very well paid/is underpaid;* **III** ⟨ov.ww.⟩ **0.1** [bekopen] *pay for* ⇒*answer (with)* **0.2** [vergelden] *repay* ⇒*reward, remunerate* ♦ **6.1** een roekeloosheid zijn leven ~ *pay for a reckless with one's life* **6.2** een weldaad **met** ondank ~ *repay a generosity with ingratitude.*

betaler ⟨de (m.)⟩ (→sprw. 424) **0.1** *payer* ♦ **2.1** het zijn kwade ~ s *they are bad payers.*

betaling ⟨de (v.)⟩ **0.1** *payment* ⇒(voor diensten) *reward, remuneration,* (van schulden) *settlement* ♦ **1.1** bij gebrek aan ~ *in case of non-payment;* wijze van ~ *method of p.* **2.1** tegen contante ~ *cash (down)* **3.1** ~ en doen *make payments;* ~ ontvangen/eisen *receive/demand p.;* zijn ~ en staken *suspend payment* **4.1** ~ **bij** levering *p. / cash on delivery;* **bij** ~ binnen een week *if paid within a week;* ~ **in** termijnen *p. in instalments, deferred p.;* **tegen** ~ van ...*on p. of;* **tegen** ~ wil ik dat wel doen *for a (small) remuneration/consideration I'm willing to do it;* **tegen** ~ mag je de auto gebruiken *you can use the car at a charge;* **ter** ~ **van** in *p. of.*

betalingsbalans ⟨de⟩ **0.1** *balance of payments* ♦ **6.1** een tekort op de ~ *a deficit in the balance of payments.*

betalingsbewijs ⟨het⟩ **0.1** *receipt* ⇒⟨concr.⟩ *voucher,* ⟨abstr.⟩ *proof of payment.*

betalingsopdracht ⟨de⟩ **0.1** *payment order.*

betalingsregeling ⟨de (v.)⟩ **0.1** *settlement* ⇒*payment agreement.*

betalingstermijn ⟨de (m.)⟩ **0.1** [termijn] *term/time of payment* **0.2** [bedrag] *instalment.*

betalingsverkeer ⟨het⟩ **0.1** *payments.*

betalingsvoorwaarden ⟨zn.mv.⟩ **0.1** *terms of settlement.*

betamelijk ⟨bn., bw.; -ly⟩ **0.1** *decent* ⇒*fit(ting), seemly, becoming, proper* ♦ **1.1** een ~ gedrag *decorous behaviour;* op ~ e wijze *decently, decorously.*

betamen ⟨onov.ww.⟩ **0.1** *become* ⇒*befit, be proper/becoming,* ⟨schr.⟩ *behove* ^behoove ♦ **1.1** hij redde haar, zoals een echte held betaamt *he saved her like a true hero (should);* een man/koning ~d *fit for a man/king* **4.1** het betaamt u niet *it doesn't become you, it behoves you not;* dat is niet zoals het betaamt *that is unbecoming.*

bètamensen ⟨zn.mv.⟩ **0.1** *science people* ⇒*scientifically-oriented people, people with a science background.*

betasten ⟨ov.ww.⟩ **0.1** [bevoelen] *feel* ⇒*finger, handle,* ⟨fouilleren⟩ *frisk* **0.2** [⟨med.⟩] *feel, palpate.*

betasting ⟨de (v.)⟩ **0.1** [het betasten] *fingering* ⇒*feeling, handling* **0.2** [⟨med.⟩] *palpation.*

bètastralen ⟨zn.mv.⟩ **0.1** *beta rays.*

bètatron ⟨het⟩ **0.1** *betatron.*

bètawetenschappen ⟨zn.mv.⟩ **0.1** *science (and medicine).*

bète ⟨bn., bw.; -ly⟩ **0.1** *inane* ⇒*stupid, imbecile* ♦ **1.1** een ~ gezicht *a stupid face* **3.1** iem. ~ aanstaren *stare stupidly at s.o.;* doe niet zo ~! *don't be so stupid!, stop acting so silly!.*

betegelen ⟨ov.ww.⟩ **0.1** *tile.*

betekenen ⟨ov.ww.⟩ **0.1** [de aanduiding in een woord zijn voor] *mean* ⇒*signify, stand for* **0.2** [te kennen geven] *mean* ⇒*signify, betoken,* ⟨vero.⟩ *import* **0.3** [een bep. waarde hebben] *mean* ⇒*count for, amount to* **0.4** [met zich meebrengen] *mean* ⇒*involve, entail* **0.5** [⟨jur.⟩ bekendmaken] *serve* **0.6** [vol tekenen] *cover with drawings* ♦ **1.4** deze verbetering betekent een grote besparing in ...*this improvement means a large saving in ...;* dit betekende het einde van zijn theorie *this gave the death-blow to his theory, this marked the end of his theory;* deze maatregelen ~ de ondergang van ...*these measures sound the knell for ...;* de bedrijfssluiting betekent ontslag voor veertig mensen *the plant closure means/entails the dismissal of forty people* **1.5** een zin/een dagvaarding ~ *s. a sentence/writ (upon s.o.)* **3.2** wat heeft dit te ~? *what's the meaning of this?;* ⟨afkeurend⟩ what do you think you're doing?, what's all this?; rood licht betekent stoppen *a red light means you have to stop* **4.2** wat betekent N.N.? *what does N.N. stand for?;* al die drukte, wat moet dat allemaal ~? *what's all the fuss about?* **4.3** mijn auto betekent alles voor mij *my car is/means everything to me;* iem. die iets betekent *a person of consequence/of some weight;* hij betekent iets/niet veel *he is somebody/(a) nobody;* iedereen die iets/wat betekende/te ~ had/die ook maar iets te ~ had in de muziekwereld *everybody who is somebody/who carried some weight in the world of music;* cijfers die niets ~ *meaningless figures/statistics;* het heeft niets te ~ *it doesn't matter;* niets ~ ⟨van wond/opmerkingen/prestaties enz.⟩ *be nothing;* dat betekent niets in vergelijking met *this is nothing compared with;* hij/het betekent niets voor mij *he/it is nothing to me;* wat hij schrijft betekent niets/nog niet veel *his writings do not amount to anything/to much yet* **4.4** ⟨fig.⟩ hij weet niet wat ziek zijn betekent *he doesn't (even) know the meaning of the word illness;* dat betekent nogal wat *that's rather a tall order* **5.3** het heeft niet veel te ~ *it does not amount to much, it is of little consequence;* hoezo niet veel te ~? *what are you m. not important?;* de vergoeding had niet veel te ~ *it wasn't much of a remuneration;* niet veel/weinig ~ *be of little importance/consequence/moment* **6.3** wat betekent je moeder **voor** jou? *what does your mother m. to you?* **6.4** besef je wel wat het **voor** ons betekende om alles te moeten terugbetalen? *do you realize what it meant to us to have to pay back everything?;* wat betekent dat **voor** onze verhouding? *what does this m./imply for our relationship?;* wat betekent het geloof **voor** jou? *what is religion to you?* **7.3** die baan betekent veel voor haar *that job means a lot to her* **8.4** zijn opmerkingen ~ dat ...*the import/meaning of his remarks is that ...;* dat betekent nog niet ...*that does not m. that ..., that is not to say that ...;* John en Bill samen betekent dat er herrie op komst is *John plus Bill spells/means trouble* ¶**.4** zijn komst betekent niet veel goeds ⟨schr.⟩ *his coming portends little good.*

betekenis ⟨de (m.)⟩ **0.1** [begrip/inhoud v.e. woord] *meaning* ⇒*denotation, sense* **0.2** [wat door een voorstelling wordt uitgedrukt] *meaning* ⇒*import* **0.3** [strekking] *meaning* ⇒*import, purport* **0.4** [belang] *significance* ⇒*importance, moment, consequence* ♦ **1.1** de ~ v.e. woord nagaan *find out the m. of a word* **1.3** de ~ v.e. daad *the purport of an action* **2.1** in dit licht kreeg alles een nieuwe ~ *seen in this light everything took on a new m.;* aan iemands woorden een verkeerde ~ toeschrijven *misinterpret/misconstrue s.o.'s words* **2.4** van doorslaggevende ~ *of decisive importance, crucial;* grote ~ krijgen *become very important, acquire great s.;* van historische ~ *epoch-making* **3.1** een ~ geven aan iets *put a m. on sth.* **3.4** ~ hechten aan *attach s. / importance to;* in ~ toenemen *rise in importance, acquire additional s.;* alle ~ verliezen *lose all importance* **6.1** pas later kreeg dit woord de ~ **van** ...*it was only later that this word came to mean ...;* **zonder** ~ *meaningless;* **zonder** enige ~ *without rhyme or reason* **6.4** een man **van** ~ *a man of consequence;* **van** ~ zijn *be of consequence, be significant;* **van** geen ~ zijn voor *have no bearing on;* het is een stad **van** ~ geworden *it has become a town of consequence;* **van** niet geringe ~ *of no mean importance;* niet **van** ~ zijn *count for little, be of little account;* allemaal lui/dingen **van** geen ~ *all people/matters of no consequence/weight, all light-weight people/matters;* landbouw **van** enige ~ was er niet *there was no agriculture to speak of;* **zonder** ~, **van** geen ~, **van** weinig ~ *insignificant, irrelevant;* het is niet **zonder** ~ dat ...*it is not without (its) s. that ...* **7.4** geen (enkele) ~ hebben *have no significance (at all), mean nothing.*

betekenisleer ⟨de⟩ **0.1** *semantics* ⇒⟨logica⟩ *semasiology.*

betekenisnuance ⟨de⟩ **0.1** *shade of meaning* ⇒*nuance.*

betekenisvol ⟨bn.⟩ **0.1** [vol uitdrukking] *expressive* **0.2** [van grote betekenis] *significant* ⇒*meaningful, pregnant (with meaning).*

beter¹ ⟨bn.⟩ **0.1** *sth. / something better* ♦ **6.1** ik geef het **voor** ~ *I'll trade it in for sth. better* ¶**.1** bij gebrek aan ~ *for want of anything better.*

beter² (→sprw. 16,61,65,148,252,357,377) **I** ⟨bn.⟩ **0.1** [⟨vergr. trap van 'goed'⟩] *better* **0.2** [genezen] *recovered* ⇒

well again **0.3** [een zeker niveau hebbend] *better (class of)* ⇒*superior* **0.4** [⟨AZN, beh. in 3.4⟩ minder ziek] *better* ◆ **1.1** iemands ~e ik *s.o.'s better self* **1.3** de ~e boekhandel *the b. class of bookshop;* de ~e kringen *high circles;* uit/v.d. ~e kringen *upper-class;* ~e kwaliteit (van) koffie *superior quality/grade of coffee;* ~e (woon)wijk *better class residential district* **3.1** ik ben er niet ~ van/op geworden *I'm none the b. for it;* waarschijnlijk is het ook ~ zo *it is probably b. this way, it is probably all for the best;* het is ~ dat je nu vertrekt *you'd b. leave now;* ze is ~ in wiskunde dan haar broer *she's b. at maths than her brother;* alles is ~ dan een bezoek aan haar *anything is preferable to visiting her;* dat is al ~ *that's more like it;* huilen maakt het er helemaal niet ~ op voor je *crying won't do you any good, it's no use crying;* dat maakt de zaken nog niet ~ *that does not mend matters;* ~ maken *improve, mend, ameliorate;* hij was ~ af zonder hun hulp *he'd be b. off without their help;* het werd er niet ~ op, toen zij dat zei *her saying that didn't make things (any) b.;* ergens ~ van worden *benefit from sth.;* ~ worden *improve, look up;* onze kansen worden ~ *our chances are improving;* er niet ~ op worden *decline, deteriorate* ⟨smaak-/gezichtsvermogen⟩; daar wordt het niet ~ van *that will not make things any b.;* het weer wordt weer ~ *the weather is picking up;* je ziet er echt veel ~ uit *you've really smartened up;* zij zijn niet ~ dan wij *they are as bad as us/no b. than us;* het zou ~ zijn als/dat ik dat vergat *I'd b. forget it* **3.2** hij is weer helemaal ~ *he has completely recovered/made a complete recovery;* ~ maken, weer ~ maken *heal, cure;* ~ worden, weer ~ worden *recover, get well again, come on/along;* ⟨inf.⟩ be on the mend; dokter, zal hij weer ~ worden? *doctor, will he recover?* **3.4** de zieke is alweer een stuk ~ *the patient is much b./improved* **4.1** bij gebrek aan iets ~s *for want of anything b.;* wel wat ~s te doen hebben *have b./more important things to do* **8.1** iets ~ dan gemiddeld *slightly/a cut above average;* een klasse ~ dan *a class/notch/cut above;* veel ~ *miles ahead of* **¶.1** er niet veel ~ aan toe zijn *be hardly any b. off;*
II ⟨bw.⟩ **0.1** [⟨vergr. trap van 'goed'⟩] *better* **0.2** [anders] *better* ◆ **3.1** nou, doe het eens ~ *well, (try and) beat that if you can!;* het ~ doen (dan een ander) *do b. than/improve upon/beat/top (s.o. else);* het gaat ze nu ~ *they are doing b. now;* het gaat nu ~ ⟨van werk, hoofdpijn enz.⟩ *things are improving/looking up;* hij kan zijn geld wel ~ gebruiken *he knows b. than to spend his money on that;* ~ gezegd *rather;* vanaf dat moment ging het hem steeds ~ *since then he's never looked back;* je had ~ kunnen helpen, je had er ~ aan gedaan te helpen *you would have done b. to help;* het ~ hebben (dan vroeger/dan een ander) *be better off (than before/than s.o. else);* hoe gaat het? kan niet ~! *how are you? top of the world!;* de leerling kon ~ *the student could do b.;* om (des te) ~ te kunnen zien *(all) the b. to see;* jij kunt ~ je mond houden *you'd b. keep your mouth shut;* John tennist ~ dan ik *John is b. at tennis/is a b. tennis-player than me;* vader weet het ~/father knows best; ⟨iron.⟩ het ~ weten *know best;* iets tegen ~ weten in doen *do sth. against one's b. judgement;* ze weten niet ~ of … *for all they know …,* to the best of their knowledge … **3.2** jij weet wel ~ *you ought to know b., you know b. than that;* hij weet nu wel ~ *he knows b. now, he is wiser now;* ik wist niet ~ of … *to the best of my knowledge* **5.1** hoe eerder hoe ~ *the sooner the b.;* zoveel/des te ~, des te ~ voor ons *so much the b. (for us)* **¶.1** de volgende keer ~ *b. luck next time.*
be'teren ⟨ov.ww.⟩ **0.1** *tar.*
'beteren
I ⟨onov.ww.⟩ **0.1** [beter worden] *improve* ⇒*get better, be on the mend* ◆ **1.1** aan de ~de hand zijn *be on the mend/getting better/coming along;* de wond betert al aardig *the wound is healing well;*
II ⟨wk.ww.; zich ~⟩ **0.1** [zich beter gaan gedragen] *mend one's ways* ⇒*reform, make amends* ◆ **3.1** ik zal me ~ *I shall mend my ways/turn over a new leaf;*
III ⟨ov.ww.⟩ ◆ **1.¶** God betere het *may God (bring) help;* zijn leven ~ *mend one's ways, turn over a new leaf;* een dief die zijn leven gebeterd heeft *a reformed thief* **3.¶** hij kon het niet ~ *he couldn't help it.*
beterhand ⟨de⟩ ◆ **6.¶** aan de ~ zijn *be improving/coming along/on the mend.*
beterschap ⟨de (v.)⟩ **0.1** [verbetering in de gezondheid] *improvement* ⇒ *change for the better* **0.2** [herstel van gezondheid] *recovery (of health)* **0.3** [verbetering van gedrag] *improvement* ⇒*better behaviour* ◆ **3.1** na die kuur trad ~ in *after this therapy he began to recover* **3.2** ik wens u ~ *I wish you a speedy r.* **3.3** ~ beloven *promise to mend one's ways* **¶.2** ~! *get well soon!.*
beteugelen ⟨ov.ww.⟩ **0.1** *curb, check* ⇒*suppress, rein in, control, restrain* ◆ **1.1** zijn ongeduld ~ *control one's impatience;* een oproer ~ *suppress/subdue a riot;* een rivier ~ *dam a river* **5.1** iets krachtig ~ *put a strong check/curb on sth..*
beteuterd ⟨bn.⟩ **0.1** *taken aback* ⇒*crestfallen, perplex, dumbfounded, bewildered* ◆ **1.1** met een ~ gezicht/~e blik *with a look of dismay* **3.1** ~ kijken *stand abashed, look dismayed.*
betichte ⟨de (m.)⟩ ⟨AZN of schr.⟩ **0.1** *accused* ⇒*defendant, prisoner (at the bar).*
betichten ⟨ov.ww.⟩ ⟨AZN of schr.⟩ **0.1** *accuse (of)* ⇒ ⟨schr.⟩ *charge (with), bring a charge (of sth.) against* ◆ **6.1** hij werd er ten onrechte van beticht dat hij … *he was alleged to have ….*

betijen ⟨onov.ww.⟩ **0.1** [mbt. personen]⟨zie 3.1⟩ **0.2** [mbt. zaken]⟨zie 3.2⟩ ◆ **3.1** laat hem maar ~ *leave/let him alone/be* **3.2** dat moet even ~ *it'll sort itself out.*
betimmeren ⟨ov.ww.⟩ **0.1** [van timmerwerk voorzien]⟨met planken⟩ *board; panel, wainscot* ⟨kamerwand⟩ **0.2** [door timmerwerk afsluiten] *board up* ◆ **1.2** iemands licht ~ ⟨lett.⟩ *board up the windows of s.o.'s house;* ⟨fig.⟩ *stand in s.o.'s light* **5.1** een goed betimmerd huis, alles is met eikehout betimmerd *a solidly-built/-framed house, it is entirely oak-timbered* **6.1** de badkamer met schrootjes ~ *panel the bathroom wall;* met planken ~ *board.*
betitelen ⟨ov.ww.⟩ **0.1** [noemen] *call* ⇒*style, describe, dub, label* **0.2** [met een titel aanspreken] *address (as)* ⇒*title* ◆ **4.1** hij die zichzelf betitelt als expert op muziekgebied *this self-styled music-expert* **6.1** iem. met 'uilskuiken' ~ *dub/call s.o. an ass* **8.1** betiteld worden als de voorvechter v.d. vrede *be described as a champion of peace;* iets als onzin/leugens ~ *label sth. nonsense/lies.*
betjah ⟨de (m.)⟩ **0.1** ≠*(Jin)rickshaw.*
betoelagen ⟨ov.ww.⟩ ⟨AZN⟩ **0.1** *subsidize.*
betoeterd ⟨bn.⟩ **0.1** *out of one's mind, cracked, crazy* ◆ **3.1** ben je ~? *have you gone out of your mind/taken leave of your senses?.*
betogen[1] ⟨bn.⟩ ⟨schr.⟩ **0.1** *suffused* ⇒*covered, wreathed.*
betogen[2]
I ⟨onov.ww.⟩ **0.1** [demonstreren] *demonstrate* ⇒*march* ◆ **1.1** de ~de menigte *the crowd of demonstrators/marchers* **6.1** voor de vrede ~ *march/d. for peace;*
II ⟨ov.ww.⟩ **0.1** [trachten aan te tonen] *argue* ⇒*contend* ◆ **1.1** de noodzakelijkheid ~ van … *urge the necessity of …* **8.1** de spreker betoogde dat … *the speaker argued/contented that …;* met klem/nadruk ~ dat … *stress the point that …;* volgens zijn woorden heb jij betoogd dat … *he quotes you as having argued that ….*
betoger ⟨de (m.)⟩ **0.1** *demonstrator* ⇒*marcher.*
betoging ⟨de (v.)⟩ **0.1** *demonstration* ⇒*march.*
betomen ⟨ov.ww.⟩ **0.1** *curb, check* ⇒*suppress, control, subdue* ◆ **1.1** zijn woede ~ *suppress/check one's anger.*
beton ⟨het⟩ **0.1** *concrete* ◆ **2.1** gewapend ~ *reinforced c., ferroconcrete;* voorgestort/voorgespannen ~ *precast/prestressed c.* **3.1** ~ storten *pour c.* **6.1** in ~ storten *(embed in) concrete;* niet van ~ zijn *not be made of wood, be only human* **8.1** het ligt als ~ op de maag *it lies very heavy on the stomach, it lies on the stomach like lead.*
betonbouw ⟨de (m.)⟩ **0.1** *concrete construction.*
betonen
I ⟨ov.ww.⟩ **0.1** [betuigen] *show* ⇒*display, evince,* ⟨dankbaarheid/medeleven ook⟩ *extend* **0.2** [benadrukken] *stress* ⇒*accent, emphasize* ◆ **1.1** iem. dankbaarheid ~ s. */extend (one's) gratitude to s.o.;* eerbied ~ s. *deference, pay respect;* wegens betoonde moed *for bravery;*
II ⟨wk.ww.; zich ~⟩ **0.1** [zich doen kennen als] *show (o.s.)* ◆ **2.1** zich ongenegen ~ s. *no inclination (to)* **8.1** zich als een man van karakter ~ *show o.s. (to be) a man of character.*
betonijzer ⟨het⟩ **0.1** *reinforcing bars/steel.*
betonijzervlechter ⟨de (m.)⟩ **0.1** *steel/bar bender.*
betonmolen ⟨de (m.)⟩ **0.1** *concrete mixer.*
betonnen[1] ⟨bn.⟩ **0.1** *concrete.*
betonnen[2] ⟨ov.ww.⟩ **0.1** *buoy* ⇒⟨afsluiten⟩ *buoy off.*
betonning ⟨de (v.)⟩ **0.1** [bakentonnen] *buoyage* **0.2** [het betonnen] *buoying.*
betonrock ⟨de⟩ ⟨muz.⟩ **0.1** *heavy metal* ⇒*heavy rock.*
betonrot ⟨het⟩ **0.1** *decay of concrete.*
betonvlechter ⟨de (m.)⟩ **0.1** *steel/bar bender.*
betonvloer ⟨de (m.)⟩ **0.1** *concrete floor.*
betonvoetbal ⟨het⟩ ⟨sport⟩ **0.1** *catenaccio, passive resistance.*
betonweg ⟨de (m.)⟩ **0.1** *concrete road.*
betoog ⟨het⟩ **0.1** *argument* ⇒ ⟨pleidooi⟩ *plea* ◆ **2.1** een uitvoerig ~ houden over *expatiate on* **3.1** het behoeft geen ~ (dat) *it goes without saying that, it is self-evident that;* een ~ houden *argue, hold forth;* een knap ~ leveren over/voor *argue well for;* iem. van zijn ~ afbrengen *deflect s.o. from his line of reasoning* **6.1** ten betoge dat *(in order) to prove/show that;* volgens zijn ~ is dat niet nodig *he argues that this is unnecessary.*
betoogtrant ⟨de (m.)⟩ **0.1** *line of argument* ⇒*line of reasoning, argumentation.*
betoon ⟨het⟩ **0.1** *demonstration* ⇒*show, display, manifestation* ◆ **1.1** een ~ van dankbaarheid *a demonstration of gratitude.*
betoveren ⟨ov.ww.⟩ **0.1** [beheksen] *put/cast a spell on* ⇒*bewitch* **0.2** [bekoren] *enchant* ⇒*allure, fascinate, enthrall, charm* ◆ **1.2** een ~de schoonheid *a ravishing beauty;* ~d uitzicht *magnificent/gorgeous/magic view* **6.1** betoverd door haar ogen ⟨ook⟩ *under the spell of her eyes* **¶.1** betoverd *elf-struck, bewitched.*
betovergrootmoeder ⟨de (v.)⟩ **0.1** *great-great-grandmother.*
betovergrootvader ⟨de (m.)⟩ **0.1** *great-great-grandfather.*
betovering ⟨de (v.)⟩ **0.1** [beheksing] *spell* ⇒*bewitchment, magic, witchery* **0.2** [bekoring] *enchantment* ⇒*charm, allure, glamour, fascination, beguilement* ◆ **6.1** iem. onder ~ brengen *cast a s. on s.o..*
betr. ⟨afk.⟩ **0.1** [betreffend(e)] *conc.* **0.2** [betrekkelijk(e)] *rel.* **0.3** [betrokken] ⟨*involved*⟩.

betraand ⟨bn.⟩ **0.1** *tearful* ⇒*bleary* ⟨ogen⟩, *tear-stained* ⟨gezicht⟩.

betrachten ⟨ov.ww.⟩ **0.1** [in acht nemen] *practise* ^*ice* ⇒*exercise, observe* ⟨geheimhouding⟩, *show* ⟨genade, terughoudendheid⟩ **0.2** [trachten te bevorderen/verkrijgen] *promote* ⇒*foster, further* ◆ **1.1** de deugd ~ *p. virtue(s), lead a virtuous life;* enige gematigdheid/zuinigheid ~ *p. / exercise some moderation / economy;* zijn plicht ~ *do/discharge/fulfil ^fulfill one's duty;* rechtvaardigheid ~ *act fairly.*

betrappen ⟨ov.ww.⟩ **0.1** *catch* ⇒*surprise* ◆ **3.1** zij werd in bed betrapt met haar vriendje *she was caught in the act with her boyfriend* **4.1** ik betrapte hem toen hij net een sigaret in zijn mond had *I surprised/caught him with a cigarette in his mouth;* zichzelf op iets ~ *catch o.s. doing sth.* **5.1** als ik je er nog een keer op betrap ... *if I c. you at it again ...* **6.1** op heterdaad betrapt *caught redhanded;* iem. op een leugen/op diefstal ~ *catch s.o. lying/in the act of stealing;* iem. op een fout ~ *catch s.o. out.*

betreden ⟨ov.ww.⟩ ⟨schr.⟩ **0.1** [zich begeven op/in] *enter* ⇒*set foot on/in, tread on, mount* ⟨kansel⟩ **0.2** [bewandelen] *tread* ◆ **1.1** een huis ~ *e. a house;* het is verboden dit terrein te ~ *no entry, keep out* ⟨off⟩ **1.2** het pad der deugd ~ *t. the path of virtue;* veel ~ paden *well-trodden/beaten paths;* de planken ~ *t. the boards;* nieuw terrein/nieuwe paden ~ *break new/fresh ground, strike out upon new paths.*

betreffen ⟨ov.ww.⟩ **0.1** [aangaan] *concern* ⇒*regard, affect, touch* **0.2** [handelen over] *concern* ⇒*bear upon, relate to* ◆ **1.1** waar het politiek betreft *where it comes to politics;* de zaak betreft mijn toekomst *the matter touches my future, my future is at stake here;* wanneer het vrienden betreft *where friends are concerned* **1.2** de eerste hoofdstukken ~ de voorgeschiedenis *the first chapters c. / bear upon the previous history* **4.1** het betreft hier iem. die altijd klaagt *this is s.o. who is always complaining;* dit betreft jou *this concerns/affects you;* wat de kritiek betreft/wat betreft de kritiek, wil ik het volgende opmerken *as for the criticism, I should like to make the following observation;* wat mij betreft is het in orde *it's all right with me;* wat ons onderwerp betreft *about/as regards/apropos (of) our subject;* wat dit/dat betreft doe ik voor niemand onder *I bow to nobody in this (respect);* wat dat betreft (heb je gelijk) *for that matter/come to that, you're right;* wat betreft (je broer/voorstel ⟨enz.⟩) *with regard to (your brother/proposition ⟨enz.⟩);* wat voedsel betreft hebben we genoeg *we're O.K. for food;* wat het weer betreft *weather-wise;* dit wat hen betreft, en nu wat betreft jullie *so much for them, and now as for you;* wat mijzelf/mij persoonlijk betreft ga ik net zo lief lopen *I for my part would rather walk* ¶**.2** ⟨schr.; voor brief/memo⟩ Betreft: *Re:*.

betreffende¹ ⟨bn.⟩ **0.1** [betrekking hebbend op] *concerning, regarding* ⇒*with regard/respect/reference to, about* **0.2** [desbetreffende] ⟨na zn.⟩ *concerned* ⇒*involved* ◆ **1.1** geruchten de kabinetsformatie ~ *rumours concerning/about the formation of a government* **1.2** de ~ minister *the minister c..*

betreffende² ⟨vz.⟩ **0.1** *concerning, regarding* ⇒*with regard/respect/reference to, about,* ⟨schr.⟩ *re* ◆ **1.1** aanwijzingen ~ het onderhoud *instructions for maintenance;* ~ uw rol in deze zaak *as regards your role in this matter.*

betrekkelijk
I ⟨bn.⟩ **0.1** [relatief] *relative* **0.2** [horend tot/bij] *relating (to)* ⇒*(ap)pertaining (to),* ⟨schr.⟩ *relative (of)* **0.3** [⟨taal.⟩] *relative* ◆ **1.1** ~e begrippen *r. notions/concepts* **1.3** ~ voornaamwoord *r. pronoun* **1.¶** ⟨geol.⟩ de ~e hoogte v.e. berg *the relative height of a mountain* **3.1** dat is ~ *that depends (how you look at it);* geluk/alles is ~ *happiness/everything is r.;*
II ⟨bw.⟩ **0.1** [nogal] *relatively* ⇒*comparatively, fairly, rather* ◆ **2.1** alles gaat ~ goed *things are going well, considering;* ~ goedkoop *fairly/relatively cheap;* ~ groot ⟨inf.⟩ *biggish* **5.1** ze wonen ~ klein *their house/flat is relatively small.*

betrekkelijkheid ⟨de (v.)⟩ **0.1** *relativeness* ⇒*relativity.*

betrekken
I ⟨ov.ww.⟩ **0.1** [erbij halen] *involve* ⇒*draw in, include,* ⟨pej.⟩ *implicate, mix up* **0.2** [zich vestigen in] *move into* ⇒*take possession of, enter, occupy, take up* ⟨kamp⟩ **0.3** [kopen bij] *obtain* ⇒*buy, draw, procure, derive* ⟨grondstoffen⟩ **0.4** [voor de rechter brengen] *take proceedings (against)* ⇒*sue, implead* ⟨persoon⟩, *take to court* ⟨zaak⟩ **0.5** [halen] *recruit* ⟨personeel⟩ ◆ **1.2** een huis ~ *move into/take possession of a house;* wanneer kunnen we het huis ~? *when can we move into the house?, when is the house available (for occupation)?* **1.¶** de wacht ~ *mount guard* **3.1** zich betrokken voelen bij de problemen in het onderwijs *be concerned about educational problems* **5.1** hij wenst er niet in betrokken te worden *he does not want to get involved/get mixed up in it;* te veel mensen zijn erbij betrokken *too many people are in on it;* alle grote multinationals zijn erbij ~ *it affects all the big multi-nationals;* zij deden alles zonder de anderen erin te ~ *they did everything without consulting the others* **5.2** onmiddellijk te ~ *immediate possession/occupation* **6.1** betrokken zijn bij *be involved/implicated/mixed up in;* ik wil jou er niet bij ~ *I don't want to involve you/get you mixed up/draw you into this;* betrokken raken bij (een intrige/oorlog) *get caught up (in an intrigue/a war);* hij is bij het complot betrokken *he is in (on) the plot;* rechtstreeks bij een transactie

betrokken zijn *be on the inside in a transaction;* niet betrokken zijn bij *be unconcerned with;* emotioneel/financieel betrokken zijn bij iets *be emotionally/financially involved in sth.;* wij zijn niet betrokken bij hun ruzies *we have no part in/have nothing to do with their quarrels;* iem. bij/in een misdaad ~ *implicate s.o. in a crime;* iets in zijn overweging ~ *take sth. into consideration;* de politie in de zaak ~ *bring in the police;* iem. tegen zijn zin ergens in ~ *drag s.o. into sth.;* iem. in een gesprek ~ *draw s.o. into the conversation* **6.3** hij betrekt alles van hen *he gets all his requirements from them;*
II ⟨onov.ww.⟩ **0.1** [mbt. de lucht] *become overcast/cloudy, cloud over* **0.2** [somber worden] *cloud over, darken* ⟨gezicht⟩; *sadden, grow gloomy* ⟨stemming⟩.

betrekking ⟨de (v.)⟩ **0.1** [baan] *post* ⇒*job, position,* ⟨ambtenaar ook⟩ *office,* ⟨dienstpersoneel⟩ *situation* **0.2** [band, verhouding] *relation(-ship)* **0.3** [verband] *relation, connection* ⇒*reference, bearing* **0.4** [bloedverwant] *relative, relation* ⇒*kinsman, kinswoman* **0.5** [het kopen] *purchase* ⇒*obtaining, buying,* ⟨grondstoffen⟩ *derivation,* ⟨personeel⟩ *recruitment* **0.6** [vestiging in huis] *moving in* ⇒*occupation* ◆ **2.1** een ondergeschikte ~ *a subordinate position,* ↓*a menial job;* een openbare ~ *a public office;* een openstaande ~ *an opening, a vacancy;* een tijdelijke ~ *a temporary job/position;* het een vaste ~ kun je wel een huis kopen *a steady job will enable you to buy a house* **2.2** diplomatieke ~en *diplomatic relations;* goede ~en onderhouden met maintain good relations/a good relationship with; wederzijdse ~en, hun onderlinge ~ *their interrelations* **3.1** een (vaste) ~ aannemen *settle down (in a steady job);* zijn nieuwe ~ aanvaarden *take up one's new duties;* een ~ bekleden *occupy a post, hold an office;* iem. een ~ geven/aan een ~ helpen *place/engage s.o., help s.o. find a job;* zijn ~ kwijtraken/neerleggen *lose/resign one's position/job;* nauwe ~en met iem. onderhouden *maintain close ties/connections with s.o.;* zijn ~ opzeggen *give notice, resign (one's position);* van ~ veranderen *change one's job/occupation;* ⟨schr.⟩ *employ;* een ~ zoeken *seek/require employment/a position* **3.2** ~en aanknopen met *enter into relation(s) with;* de ~en verbreken *sever the relations* **3.3** ~ hebben op *relate/refer to, concern;* dat heeft geen ~ daarop *that has no bearing on it, that has nothing to do with it* **6.1** een goede ~ hebben bij het rijk *have a good position with the Government* **6.2** in (geen) ~ staan tot/met iem. / iets *be (un)connected with s.o./sth.;* zij staan in geen enkele ~ tot de concurrerende firma *they have no relations at all with the competing firm;* zich in ~ stellen tot/met iem. *communicate/get in(to) touch with s.o.* **6.3** met ~ tot *with regard/respect to.*

betreuren ⟨ov.ww.⟩ **0.1** [spijt/droefheid voelen over] *regret* ⇒*be sorry for,* ⟨sterker⟩ *deplore* **0.2** [mbt. het verlies/gemis van iem./iets] *mourn (for/over)* ⇒*be sorry for, miss,* ⟨sterker⟩ *lament, bewail* ◆ **1.1** een vergissing ~ *r. a mistake* **1.2** zijn overlijden werd algemeen betreurd *his demise caused widespread mourning;* het verlies van ... ~ *mourn the loss of ...* **3.2** er zijn drie slachtoffers te ~ *three lives were lost* **4.1** al betreur ik het ten zeerste *much to my regret* **8.1** het is (diep) te ~ dat *it is (most) regrettable that ...;* wij ~ het dat je niet kunt komen *we are sorry you cannot come.*

betreurenswaard(ig) ⟨bn.⟩ **0.1** *regrettable* ⇒*sad, unfortunate,* ⟨sterker⟩ *deplorable, lamentable.*

betrokken ⟨bn.⟩ **0.1** [in iets gemoeid] *concerned* ⇒*involved* ⟨na zn.⟩, ⟨pej.⟩ *implicated, mixed up* ⟨alleen pred.⟩ **0.2** [met wolken bedekt] *overcast* ⇒*cloudy, clouded over* **0.3** [somber, treurig] *gloomy* ⇒*moody, sad, sombre, glum* **0.4** [flets] *pale* **0.5** [van belang] *relevant* ◆ **1.1** de ~ ambtenaar *the official c.;* de ~ persoon *the person in question* **1.2** een ~ lucht *an o./a cloudy sky* **1.3** een ~ gezicht *a sad/gloomy face* **1.5** de ~ stukken *the r. documents* **5.1** zij is er emotioneel bij ~ ⟨ook⟩ *she has an emotional interest in this;* hij wil hier niet bij ~ zijn *he wants no part in this;* ⟨schr.⟩ *he does not want to be a party to this.*

betrokkene ⟨de (m.)⟩ **0.1** [die ergens in betrokken is] *person/party concerned/in question/involved* **0.2** [⟨hand.⟩] *drawee* ◆ **2.1** de naaste ~n *the people most concerned/interested;* ⟨familie⟩ *next of kin* **6.1** alle bij het grootwinkelbedrijf ~n *all those involved in the multiple store business* **7.1** alle (erbij) ~n *all those concerned/involved/interested.*

betrokkenheid ⟨de (v.)⟩ **0.1** [geëngageerdheid] *involvement, commitment* ⇒*concern, participation, engagement* **0.2** [bewolktheid] *cloudiness* **0.3** [somberheid] *gloom* ⇒*sadness* **0.4** [fletsheid] *paleness* ◆ **2.1** politieke/maatschappelijke ~ *political/social i. / engagement.*

betrouwbaar ⟨bn.⟩ **0.1** [mbt. personen] *reliable* ⇒*trustworthy, dependable, trusty, bona fide* **0.2** [mbt. inlichtingen/berichten/geschriften] *reliable* ⇒*sound, dependable* **0.3** [mbt. zaken] *reliable, secure, solid, sound,* ⟨tech. ook⟩ *fail-safe, fail-proof* ◆ **1.2** uit betrouwbare bron *on good authority;* zijn geloofsbrieven zijn ~ *there is no question about his credentials;* van betrouwbare zijde *from r. sources* **1.3** een ~ voorbehoedmiddel *a r. / dependable contraceptive* **5.1** door en door ~, absoluut ~ *as firm/steady as a rock, as straight/true as a die.*

betrouwbaarheid ⟨de (v.)⟩ **0.1** *reliability* ⇒*dependability,* ⟨personen ook⟩ *trustworthiness* ◆ **1.1** de ~ v.d. berichten *the dependability of the news (items)* **2.1** politieke ~ *political r.* **3.1** zijn ~ laat te wensen over *he is not entirely reliable/trustworthy.*

betrouwbaarheidsinterval ⟨het⟩ ⟨statistiek⟩ **0.1** *confidence interval.*
betrouwbaarheidsrit ⟨de (m.)⟩ **0.1** *reliability trial/run.*
betrouwen ⟨ov.ww.⟩ ⟨schr.⟩ **0.1** [vertrouwen] *trust* **0.2** [toevertrouwen] *(en)trust* **0.3** [door trouwen verwerven] *acquire by marriage* ◆ **4.2** iem. iets ~ *(en)trust sth. to s.o., (en)trust s.o. with sth.* **6.1** betrouw **op** God *t. / put your trust in God.*
betten ⟨ov.ww.⟩ **0.1** *bathe* ⇒*dab* ◆ **1.1** een wond ~ *b. / dab a wound.*
betuigen ⟨ov.ww.⟩ **0.1** *declare* ⇒*affirm, proclaim, protest,* ⟨uiten⟩ *express* ◆ **1.1** hij vroeg het publiek de gastspreker hun dank te ~ *he proposed a vote of thanks to the guest/ visiting speaker;* iem. zijn deelneming/medeleven ~ *condole with s.o., express one's condolences/ sympathy to s.o.;* zijn erkentelijkheid ~ voor iemands diensten *recognize s.o.'s services;* instemming ~ met *express approval with;* zijn leedwezen/ zijn dank ~ *express one's regret/ thanks/ gratitude.*
betuiging ⟨de (v.)⟩ **0.1** *declaration* ⇒*affirmation, expression* ⟨uiting⟩ ◆ **1.1** ~ van deelneming *expression of sympathy/ condolence;* ~en van instemming ontvangen *receive letters of approval/ supporting letters;* ~en van vriendschap *expressions/ professions of friendship.*
betuline ⟨de⟩ **0.1** *betulin(ol).*
betuttelaar ⟨de (m.)⟩ **0.1** *faultfinder* ⇒*caviller.*
betuttelen ⟨ov.ww.⟩ **0.1** *find fault with* ⇒*cavil at,* ⟨paternalistisch behandelen⟩ *patronize.*
betutteling ⟨de (v.)⟩ **0.1** [het betuttelen] *faultfinding* ⇒*cavilling,* ⟨paternalisme⟩ *paternalism* **0.2** [kleingeestige kritiek] *cavil.*
betweter ⟨de (m.)⟩, **-weetster** ⟨de (v.)⟩ **0.1** *pedant* ⇒*wiseacre, wise guy,* ⟨inf.⟩ *know-(it)-all.*
betweterig ⟨bn.⟩ **0.1** *pedantic* ⇒*smarty, smartalecky,* ⟨inf.⟩ *clever-clever.*
betwijfelen ⟨ov.ww.⟩ **0.1** *doubt* ⇒*(call in) question* ◆ **1.1** de waarheid van iets ~ *have doubts about/ question the truth of sth.* **4.1** ik betwijfel het (ten zeerste) *I'm (very) doubtful about it/ have my doubts* **8.1** het valt niet te ~ dat... *there can be no doubt/ question that...;* ik betwijfel, of ... *I d. / am doubtful whether/ if...;* het valt te ~ of... *it is doubtful/ questionable whether/ if....*
betwistbaar ⟨bn.⟩ **0.1** [waarover getwist kan worden] *disputable* ⇒*debatable, contestable, challengeable* **0.2** [twijfelachtig] *questionable* ◆ **1.1** een ~punt *a moot point, a matter of (some) dispute* **1.2** een betwistbare schoonheid/ aanspraak *a q. beauty/ claim.*
betwisten ⟨ov.ww.⟩ **0.1** [over het bezit strijden] *dispute* ⇒*contest* **0.2** [tegenspreken] *dispute* ⇒*contest, challenge* **0.3** [ontzeggen] *deny* ⇒*dispute* ◆ **1.1** betwist gebied *disputed territory;* ⟨fig.⟩ *debatable ground/ territory;* de vijand de overwinning ~ *contest the enemy's victory* **1.2** de geldigheid v.d. afspraak wordt door de vakbond betwist *the validity of the agreement is being challenged by the trade union;* een stelling ~ *d. / controvert a thesis* **1.3** iemand's positie ~ *challenge/ dispute s.o.'s position;* iem. de toegang/ een recht ~ *deny s.o. admittance/ a right* **4.1** de partijen ~ elkaar dat gebied *the parties d. that territory* **8.2** ik betwist niet, dat ... *I do not deny that....*
beu ⟨bn.⟩ ◆ **3.¶** tot ik het ~ ben *until I have had enough of it/ am brassed off with it;* hij was het ~ steeds door critici aangevallen te worden *he was tired of critics always sniping at him;* het ~ worden alles steeds te moeten uitleggen *tire/ get tired/ have enough of always having to explain everything;* iets ~ zijn *be tired/ sick of sth., be fed up with sth.;* ⟨inf.⟩ *be fed to the (back) teeth/ be browned off/ be cheesed off with sth.;* ⟨sl.⟩ *be pissed off with sth..*
beug ⟨de⟩ **0.1** *longline* ◆ **3.1** de ~ schieten *put out the lines.*
beugel ⟨de (m.)⟩ **0.1** [mbt. het gebit] *brace(s)* **0.2** [toestel tegen het kromgroeien] *(surgical) irons* **0.3** [stijgbeugel] *stirrup* **0.4** [metalen band/ staaf] ⟨draagbeugel⟩ *brace;* ⟨stelbeugel⟩ *clamp;* ⟨bevestigingsbeugel⟩ *bracket;* ⟨ter bevestiging van leiding/ kabel aan muur⟩ *clip;* ⟨van mand⟩ *handle;* ⟨van hangslot⟩ *shackle;* ⟨van geweer⟩ *trigger guard;* ⟨kompasbeugel⟩ *gimbals* ⟨mv.⟩; ⟨stroomafnemer van tram⟩ *bow (collector)* **0.5** [sluitring] *clasp* ◆ **1.5** de ~ v.e. stopfles *the c. / stopper of a stoppered bottle;* de ~ v.e. tas *the c. / frame of a bag* **3.1** een ~ dragen *wear a brace* **6.2 in** ~s lopen *wear (leg) irons* **6.¶** dat kan niet **door** de ~ *that cannot/ will not pass (muster), that won't do.*
beugelbaan ⟨de⟩ **0.1** *(pall-)mall.*
beugelen ⟨onov.ww.⟩ ⟨amb.⟩ **0.1** *iron/ plate/ glaze chrome leather.*
beugelfles ⟨de⟩ **0.1** *wire/ swing-stoppered bottle.*
beugelsluiting ⟨de (v.)⟩ **0.1** *swing stopper.*
beugelspel ⟨het⟩ **0.1** *(pall-)mall.*
beugeltas ⟨de⟩ **0.1** *chatelaine (bag).*
beugelzaag ⟨de⟩ **0.1** *bow saw* ⇒*hacksaw.*
beugvisser ⟨de (m.)⟩ **0.1** *long-liner.*
beuk
I ⟨de (m.)⟩ **0.1** [loofboom] *beech* **0.2** [haagbeuk] *hornbeam* **0.3** [⟨inf.⟩ harde klap] *whang, thwack, thud* ◆ **2.1** groene/ rode/ bruine ~ *green/ red/ copper b.* **3.3** iem. een ~ verkopen *slam/ thump s.o.* **3.¶** de ~ ~ ging er weer in ⟨bv. Ajax-Feijenoord⟩ *it was a tough/ hard-fought game/ a real battle* **5.¶** de ~ erin! ⟨hard aan het werk gaan⟩ *get stuck in!, go/ get to it;* ⟨vnl. sport; tegenstander hard aanpakken⟩ *get stuck in, go for it/ him/ them;* de ~ erin zetten ⟨hard aan werk gaan⟩ *pound away at it, give it stick;* ⟨tegenstander hard aanpakken⟩ *give him/ them hell;*

II ⟨de⟩ **0.1** [⟨bouwk.⟩] ⟨hoofdbeuk⟩ *nave;* ⟨zijbeuk⟩ *aisle.*
beukeboom ⟨de (m.)⟩ **0.1** *beech tree.*
beukehout ⟨het⟩ **0.1** *beech wood.*
beukelaar ⟨de (m.)⟩ **0.1** [beukeboom] *beech (tree)* **0.2** [schild] *buckler.*
beuken¹ ⟨het⟩ **0.1** *beech wood.*
beuken² ⟨bn.⟩ **0.1** *beech.*
beuken³ ⟨onov., ov.ww.⟩ **0.1** *batter* ⇒*beat, pound,* ⟨golven ook⟩ *lash* ◆ **1.1** de golven beukten het schip *the waves lashed/ pounded the ship;* stokvis ~ *pound hake;* vlas/ katoen ~ *beat flax/ cotton* **6.1** stevig (los) ~ **op** *take a wild swipe at, pound away at;* **op/tegen** iets ~ *hammer on sth., batter at sth.* **7.1** het ~ v.d. golven *the pounding of the waves.*
beukenootje ⟨het⟩ **0.1** *beech-nut.*
beukhamer ⟨de (m.)⟩ **0.1** *maul* ⇒*mallet.*
beul ⟨de (m.)⟩ **0.1** [scherprechter] *executioner* ⇒⟨ophangen ook⟩ *hangman,* ⟨onthoofding ook⟩ *headsman* **0.2** [wreedaard] *tyrant* ⇒*brute, bully* **0.3** [toestel om gegoten ijzer fijn te maken] *iron crusher* ◆ **8.¶** zo brutaal als de ~ *as bold as brass.*
beulen ⟨onov.ww.⟩ **0.1** *work o.s. to the bone/ to death/ into the ground* ⇒ ⟨schr.⟩ *toil.*
beulenwerk ⟨het⟩ **0.1** *grind* ⇒*labour,* ⟨schr.⟩ *toil.*
beuling ⟨de (m.)⟩ ⟨inf.⟩ ⟨vaak in samenst.⟩ **0.1** *sausage* ⇒*pudding* ◆ **1.1** bloedbeuling *blood-sausage.*
beun ⟨de⟩ **0.1** [bun, viskaar] *(fish) well* ⇒*corf* **0.2** [open ruim] *bin* **0.3** [zolder] *loft.*
beunhaas ⟨de (m.)⟩ **0.1** [knoeier] *bungler* ⇒⟨inf.⟩ *cowboy* **0.2** [zwartwerker] *moonlighter, black worker; blackie.*
beunhazen ⟨onov.ww.⟩ **0.1** [knoeien] *bungle* ⇒*botch, dabble* **0.2** [zwart werken] *moonlight, work black.*
beunhazerij ⟨de (v.)⟩ **0.1** [knoeiwerk] *bungling* ⇒*botch-up, botch job, dabbling* **0.2** [zwartwerk] *moonlighting, black work, working black.*
beuren
I ⟨ov.ww.⟩ **0.1** [tillen] *lift (up)* ◆ **3.1** die kist is haast niet te ~ *that crate is almost too heavy to lift, you won't lift that crate in a hurry;*
II ⟨onov., ov.ww.⟩ **0.1** [innen] *receive* ⇒*take (money)* ◆ **1.1** geld ~ *r. money* **5.1** ik heb vandaag gebeurd *I got my money today.*
beurs¹ ⟨de⟩ ⟨→sprw. 50,54,625⟩ **0.1** [studiebeurs] *scholarship* ⇒*grant, studentship,* ⟨kleine toelage⟩ *bursary, exhibition* **0.2** [gebouw] *Exchange* ⇒⟨buiten GB en USA⟩ *Bourse* **0.3** [handel] *exchange* ⇒*market* **0.4** [⟨vaak in samenst.⟩ tentoonstelling] *fair* ⇒*show, exhibition* **0.5** [portemonnaie] *purse* **0.6** [⟨med.⟩] *capsule* **0.7** [⟨dierk.⟩] *pouch* ◆ **1.4** energiebeurs *energy exhibition;* huishoudbeurs *home f.,* [B]*ideal home exhibition* **2.3** een zwakke/ levendige ~ *a dull/ lively market* **2.5** elkaar met gesloten beurzen betalen *settle on mutual terms, conduct a paper transaction;* mensen met een minder goed gevulde ~ *people of modest means;* het komt uit een ruime ~ *everything is done regardless of expense/ on a lavish scale;* ⟨inf.⟩ *they're made of it;* een ruime ~ *a long p.* **3.1** een ~ hebben, van een ~ studeren *have/ hold a scholarship / grant/* ⟨enz.⟩; een ~ krijgen *win/ gain a scholarship/ studentship/ bursary/ exhibition, get/ obtain a grant* **3.5** zijn ~ spekken *line one's p.;* zijn ~ trekken *put one's hand in one's pocket* **4.5** voor ieders ~ *to suit all purses* **6.1** naar Amerika gaan **op/met** een ~ *go to America on a grant* **6.3 op** de ~, **ter** beurze *on/ in the E.* **6.4** een stand **op** de ~ *a stand at the f. / show* **6.5 met** zijn ~ te rade gaan *consult one's p.;* een aanslag **op** iemands ~ *a strain on one's resources,* ↓ *a hole in one's p.* **¶.¶** ⟨plantk.⟩ *beursje bursicle.*
beurs² ⟨bn.⟩ **0.1** *overripe* ⇒*mushy,* ⟨peren ook⟩ *sleepy* ◆ **1.1** peren zijn gauw ~ *pears easily go sleepy* **3.¶** ⟨inf.⟩ iem. ~ slaan *beat s.o. black and blue/ to pulp.*
beursagent ⟨de (m.)⟩ **0.1** *stock broker/* ↓*jobber.*
beursbelasting ⟨de (v.)⟩ **0.1** *(stock) exchange duty/ tax* ⇒*duty/ tax on (stock) exchange dealings.*
beursbericht ⟨het⟩ **0.1** *stock market news/ report/ results.*
beursfonds ⟨het⟩ **0.1** *stock exchange security.*
beurshandel ⟨de (m.)⟩ **0.1** *(stock) exchange business/ dealings.*
beursindex ⟨de (m.)⟩ **0.1** *stock market price index, share price index.*
beursklimaat ⟨het⟩ **0.1** *mood of the stock market.*
beurskrach ⟨de (m.)⟩ **0.1** *crash* ⇒*slump, panic on the stock exchange.*
beurskringen ⟨zn.mv.⟩ **0.1** *(stock) exchange circles.*
beursnotering ⟨de (v.)⟩ **0.1** [koersen] *foreign exchange rate* ⇒*foreign exchange market quotation* **0.2** [prijscourant] *official/ stock market list / quotation(s)* ◆ **3.2** geen ~ hebben *not be quoted on the stock exchange/ in the official list;* in de ~ opnemen *admit onto official/ stock market quotations* **6.2** opname **in** de ~ aanvragen *apply for an official / stock market quotation.*
beursoverzicht ⟨het⟩ **0.1** *(stock) market report* ⇒⟨financieel⟩ *money market report.*
beurssluiting ⟨de (v.)⟩ **0.1** *close of trading/ business.*
beursspeculant ⟨de (m.)⟩ **0.1** *(stock exchange) speculator/ operator* ⇒*agio-jobber,* [A]*stock jobber.*
beursstudent ⟨de (m.)⟩ **0.1** *student on a grant/ in receipt of a grant, scholar* ⇒⟨vnl. Sch. E⟩ *bursar.*
beurstikker ⟨de (m.)⟩ **0.1** [B]*tape machine,* [A]*(stock) ticker.*
beursverloop ⟨het⟩ **0.1** *market trend.*

beursverslag 〈het〉 **0.1** *market report*.
beurswaarde 〈de (v.)〉 **0.1** *market/quoted/stock exchange value*.
beurt 〈de〉 **0.1** *turn* ◆ **2.1** een goede ~ krijgen *get a thorough turnout/ cleaning/spring-clean*; een goede ~ maken *score (a good mark), make a good impression*; een grote ~ 〈auto〉 *a long* 〈2,000 *mile service*〉; een slechte ~ maken *put up a poor show, blot one's copybook* **3.1** zijn ~ afwachten *wait one's t., take one's t. (in the queue)*; 〈vulg.〉 iem. een ~ geven 〈neuken〉 *lay s.o.*; de kamer een grondige ~ geven *give the room a spring-clean/good cleaning*; de auto/oude machines een flinke ~ geven *overhaul the car/old machines*; een leerling de ~ geven *hear a pupil's work*; 〈school.〉 hij krijgt een ~ *it's his t. (to show his work/speak)*; je moet drie ~en voorbij laten gaan *you have to miss three turns, you forfeit three turns* **4.1** het is jouw ~ om te bieden *(it is) your bid*; jouw ~ 〈spel〉 *it's your t., over to you* **6.1** hij is **aan** de ~ *it's his t., he's next*; tot zijn naam op de lijst weer **aan** de ~ kwam *until his name came round again on the list*; deze onderwerpen komen later **aan** de ~ in dit boek *these subjects will be considered/discussed later in this book*; ik kom voor u **aan** de ~ *I am in front of you*; hij scoorde acht in één ~ *he scored eight at one go*; iedereen zit **om** de ~ voor everybody takes the chair in rotation, the chair rotates; **om** de ~ kom ik bij haar en zij bij mij *I call on her and she calls on me alternately, we call one another in turns*; **om** de ~/**om** ~ en rijden/iets doen *take turns driving/doing sth.*; **om**/**op** de ~ in *t., by turns*; iem. **op** zijn ~ complimenteren *return a/the compliment*; hij, **op** zijn ~, vond het maar niks *he for his part found it very poor*; mocht hem in de toekomst een erfenisje te ~ vallen *if ever a legacy/an inheritance should come his way*; het succes dat/de ontvangst die hem te ~ viel *the success/reception that he met with*; de eer die hem te ~ viel *the honour which was conferred upon them*; **voor** zijn ~ gaan *jump the queue*; **vóór** zijn ~, niet **op** zijn ~ *out of t.* **6.**¶ te ~ vallen *fall to s.o.'s lot/share*.
beurtelings 〈bw.〉 **0.1** *alternately* ⇒*by turns, in turn* ◆ **2.1** hij werd ~ rood en bleek *he turned red and pale by turns* **3.1** ~ iets doen *do sth. in rotation*; het ~ warm en koud krijgen *go hot and cold (all over)*; wij roeiden ~ *we took turns rowing, we rowed a. / in turns*.
beurtgezang 〈het〉, **beurtzang** 〈de (m.)〉 **0.1** *antiphonal singing* ⇒ 〈kerk〉 *versicles and responses*.
beurtjaren 〈zn.mv.〉 〈landb.〉 **0.1** *biennial/alternate bearing*.
beurtschipper 〈de (m.)〉 **0.1** *bargeman assigned to regular service*.
beurtvaart 〈de〉, **beurtdienst** 〈de (m.)〉 **0.1** *regular (barge) service* ⇒*regular line*.
beurzenstelsel 〈het〉 **0.1** *scholarship system*.
beuzelaar 〈de (m.)〉, **-ster** 〈de (v.)〉 **0.1** [iem. die onzin vertelt] *twaddler* ⇒*drivel(l)er* **0.2** [iem. die zich met nietigheden ophoudt] *trifler* ⇒ *dawdler*.
beuzelachtig 〈bn.〉 **0.1** *trifling* ⇒*trivial, futile* ◆ **1.1** om een ~e reden *for a futile/trivial reason*.
beuzelarij 〈de (v.)〉 **0.1** [onbeduidend vertelsel] *twaddle* ⇒*drivel, humbug, poppycock* **0.2** [nietigheid] *trifle* ⇒ **3.2** zich met ~en ophouden *busy o.s. with trifles*.
beuzelen 〈onov.ww.〉 **0.1** [onzin vertellen] *drivel* ⇒*twaddle, talk nonsense/rubbish* **0.2** [zich met nietigheden bezighouden] *trifle* ⇒*dawdle*.
beuzelpraatje 〈het〉 **0.1** *twaddle* ⇒*idle talk, drivel, humbug, poppycock*.
bevaarbaar 〈bn.〉 **0.1** *navigable* ◆ **5.1** een moeilijk bevaarbare rivier *a river difficult to navigate*.
bevallen 〈onov.ww.〉 **0.1** [baren] *give birth (to)* ⇒*be delivered (of)* **0.2** [aanstaan] *please* ⇒*suit*, 〈voldoen〉 *give satisfaction* ◆ **1.2** het leven hier bevalt mij *I like life/living here, life here suits me* **3.1** ze moet bijna/kan elk moment ~ *she is near her term, could give birth/have the baby at any moment*; ze moet in januari ~ *she is expecting in January* **4.2** en bevalt het je hier? *and do you like it this place/are you happy here?*; het bevalt mij niets dat *I'm not at all pleased/happy that*, ↑*it's not at all to my liking that* **5.1** ontijdig ~ *abort, have a miscarriage*; ze wil thuis ~ 〈ook〉 *she wants/prefers a home delivery* **5.2** ik ben goed ~ want ze vragen me weer *they seem to have liked me/approved of me since I've been invited again*; hoe is het u ~? *how did you like it?, how did you get on?*; hoe bevalt het je op school? *how do you like school?*; dit soort dingen bevalt me niet *I don't care for things of this nature/this kind of thing*; de nieuwe kapper/auto bevalt uitstekend *the new hairdresser/car gives every satisfaction/suits (me) fine* **6.1** zij is ~ van een dochter ~ *she gave birth to/was delivered of a daughter* **7.2** het beviel hem maar weinig *it wasn't much to his liking*.
bevallig 〈bn.,bw.;-ly〉 **0.1** *graceful* ⇒*charming* ◆ **1.1** een ~e houding *a graceful posture*; een ~ meisje *a charming girl*.
bevalligheid 〈de (v.)〉 **0.1** [het bevallig zijn] *grace(fulness)* ⇒*charm* **0.2** [iets dat bevallig is] *grace*.
bevalling 〈de (v.)〉 **0.1** *delivery* ⇒*childbirth, confinement, parturition* ◆ **2.1** 〈fig.〉 dat was een hele/zware ~ *that was some undertaking/job/a tough business*; ontijdige/pijnloze/voorspoedige ~ *premature/painless/successful d.*.
bevallingsverlof 〈het〉 **0.1** *maternity leave*.
bevangen[1] 〈bn.〉 **0.1** [schuchter, verlegen] *shy* ⇒*timid, bashful, embarred, self-conscious* **0.2** [benauwd] *tight* ⇒*constricted* ◆ **6.2** hij is ~ op de borst *he is t. / constricted in the chest*; 〈fig.〉 ~ **van** schrik *terror/ panic-stricken, terrified, paralyzed with fear*.
bevangen[2] 〈ov.ww.〉 **0.1** *seize* ⇒*overcome, come over* ◆ **1.1** de slaap beving mij *sleep overcame me* **6.1** hij werd **door** angst ~ *he was terror/ panic-stricken, he was paralyzed with fear*; hij werd plotseling ~ **door** een vreselijke gedachte *a terrible thought suddenly struck him*; **van** kou/**door** de warmte ~ *seized/stiff with cold, overcome by the heat*.
bevaren[1] 〈bn.〉 **0.1** *experienced* ⇒*able-bodied* 〈matroos〉.
bevaren[2] 〈ov.ww.〉 **0.1** [mbt. een schip] *navigate* ⇒*sail* **0.2** [mbt. de bemanning] *sail (on)* ◆ **1.1** een rivier/zee ~ *n. a river, sail a sea* **1.2** hij heeft dat schip twintig jaar ~ *he has sailed on that ship for twenty years* **5.1** een druk ~ 〈zee〉route *a busy (sea) route/lane*.
bevattelijk
I 〈bn., bw.;-ly〉 **0.1** [duidelijk] *intelligible* ⇒*comprehensible, clear, lucid* ◆ **1.1** een ~e uiteenzetting *a comprehensible/lucid explanation*;
II 〈bw.〉 **0.1** [vlug van begrip] *intelligent* ⇒*teachable, bright, quick in the uptake* ◆ **1.1** een ~ kind *an i. / a bright child*.
bevattelijkheid 〈de (v.)〉 **0.1** [duidelijkheid] *intelligibility* ⇒*comprehensibility, clarity, lucidity* **0.2** [vlugheid van begrip] *intelligence* ⇒*teachability, receptiveness*.
bevatten 〈ov.ww.〉 **0.1** [inhouden] *contain* ⇒*hold* **0.2** [begrijpen] *comprehend* ⇒*understand, grasp* ◆ **1.1** de brief bevat weinig nieuws *there is not much news in the letter*; dat boek bevat een schat aan informatie *that book is a treasury of information*; het rapport bevatte diverse suggesties voor verbetering *the report contained/included several suggestions for improvement*; deze bus bevat suiker *this tin contains sugar*; uw opzet bevat vele tekortkomingen *there are many deficiencies in your scheme* **3.1** kunnen ~ 〈van gebouw/ruimte〉 *hold, accommodate, seat* **3.2** iets nauwelijks kunnen ~ *be hardly/scarcely able to grasp sth.*; iets niet meer kunnen ~ *lose one's grasp/grip of sth.* **5.2** moeilijk te ~ *difficult to grasp*; niet te ~ *incomprehensible*.
bevattingsvermogen 〈het〉 **0.1** *comprehension* ⇒*intellectual/mental grasp* ◆ ¶**.1** zijn ~ te boven gaan *be beyond one's c.*.
bevechten 〈ov.ww.〉 **0.1** [vechtend verkrijgen] *gain* ⇒*win* **0.2** [vechten tegen] *fight (against)* ⇒*combat* ◆ **1.1** de vrijheid/de zege ~ *g. freedom/the victory* **1.2** de vijand ~ *f. (against) the enemy* **5.1** de zwaar/ hard bevochten positie/vrijheid *the hard-won/dearly won position/ freedom*.
beveiligen 〈ov.ww.〉 **0.1** *protect* ⇒*secure*, 〈fig. ook〉 *safeguard* ◆ **1.1** een beveiligde overweg *a protected lecel/^grade crossing* **4.1** zich ~ tegen *ensure o.s. against, protect o.s. from* **6.1** artikelen ~ **tegen** diefstal *secure articles/belongings against theft*; **tegen** inbraak beveiligd *burglarproof*; **tegen**/**voor** de regen ~ *shelter from the rain*.
beveiliging 〈de (v.)〉 **0.1** [handeling] *protection* ⇒*security*, 〈fig. ook〉 *safeguard(s)* **0.2** [middel] *safety/protective/security device* ◆ **3.1** de nodige ~ geven aan *provide the necessary safeguards for/to* **6.1** ter ~ **van** *for the p. of*.
bevel 〈het〉 **0.1** [opdracht] *order* ⇒*command*, 〈bevelschrift〉 *warrant, writ* **0.2** [gezag] *command* ◆ **2.1** een rechterlijk ~ *an injunction*; op/ krachtens rechterlijk ~ *by an o. of the court, by court o.*; tegenstrijdige ~en *conflicting orders* **3.1** ~en geven *give orders/commands*; 〈het〉 ~ geven tot/om *give the o. to*; hij heeft mij geen ~en te geven *I'm not taking orders from him*; ~ 〈gekregen〉 hebben (om) te trekken *be under orders to leave for*; 〈een〉 ~ is 〈een〉 ~ *orders are orders*; het regiment kreeg ~ naar het front te trekken *the regiment was ordered up to the front*; zijn ~en krijgen/uit *take one's orders from*; het ~ luidt *the o. is (to the effect that)*; ~en in ontvangst nemen/uitdelen *take/issue orders*; een ~ uitvaardigen *make promulgate/issue an o.*; een ~ uitvoeren/opvolgen *execute a command, carry out/obey an o., do (s.o.'s) bidding* **3.2** het ~ neerleggen/krijgen *relinquish/be given (the) c.*; het ~ op zich nemen *take/assume (the) c.*; het ~ voeren over een leger *be in c. of an army* **5.1** tegen zijn uitdrukkelijk ~ *against his express orders* **6.1** op ~ to o.: op ~ zijn *on/at by his command*; **op** ~ **van** de generaal *at the general's command, on orders from the general*; **op** ~ **van** by o. of; **op** ~ **van** de dokter in bed blijven *stay in bed on/under doctor's orders*; een ~ **tot** arrestatie *an arrest warrant, a warrant of apprehension*; ~ **tot** uitzetting *eviction o.*; ~ **tot** beslaglegging/huiszoeking *distress/search warrant* **6.2** onder ~ **van** *under the c. of*; de gemeentepolitie staat **onder** ~ **van** de burgemeester *the municipal police are subject to the orders of the mayor*.
bevelen
I 〈ov.ww.〉 **0.1** [het bevel geven tot] *order* ⇒*command, instruct* **0.2** [(schr.) toevertrouwen] *commend* ⇒*entrust* ◆ **1.1** de generaal beval de terugtocht *the general ordered the retreat* **1.2** Heer, in Uw handen beveel ik mijn geest *Father, into thy hands I c. my spirit* **3.1** de dokter beval hem in bed te blijven *the doctor ordered him to stay in bed*; hij heeft mij niet te ~ *I won't take orders from him*; zij deed zoals haar was bevolen *she did as she had been told/directed/instructed*; iem. ~ weg te gaan/te vertrekken *order s.o. out/away*;
II 〈onov.ww.〉 **0.1** [bevelen geven] *give orders* ⇒*be in command* ◆ **3.1** ze is gewend te ~ *she is used to ordering people about* **5.1** ik beveel hier *I give the orders around here*.
bevelend 〈bn.〉 **0.1** *commanding* ⇒*peremptory, imperative* ◆ **1.1** een ~

gebaar *a gesture of command;* op ~e toon *in a c. / peremptory tone, commandingly.*
bevelhebbend 〈bn.〉 **0.1** *commanding* ⇒*in command.*
bevelhebber 〈de (m.)〉〈mil.〉 **0.1** *commander* ⇒*commanding officer.*
bevelschrift 〈het〉 **0.1** *warrant, writ* ◆ **6.1 krachtens** ~ *under an order of the court, by court order;* ~ **tot** betaling *pay warrant;* een ~ **tot** aanhouding *a warrant of apprehension, arrest warrant;* ~ **tot** voorleiding *writ of habeas corpus;* ~ **tot** huiszoeking *search warrant;* een ~ **tot** aanhouding uitvaardigen *issue a warrant (against s.o.).*
bevelvoerder 〈de (m.)〉 **0.1** *commander* ⇒*commanding officer.*
bevelvoerend 〈bn.〉 **0.1** *commanding* ⇒*in command* ◆ **1.1** de ~e officier *the c. officer, the officer in command.*
beven 〈onov.ww.〉 **0.1** [rillen] *shake* ⇒*tremble, shiver,* 〈mbt. stem〉 *quiver, quaver* **0.2** [bang zijn] *tremble* ⇒*quake* ◆ **1.1** de grond beefde onder zijn voeten *the ground shook / trembled under his feet;* zijn handen beefden *his hands shook;* met bevende stem *in a quivering / quavering voice* **1.2** iets met schrik en ~ tegemoet zien *anticipate sth. with / in fear and trembling* **1.3** de explosie deed het eiland ~ *the explosion shook the island* **6.1 over** zijn hele lichaam ~ *tremble all over / in every limb, be all of a tremble;* 〈vrees ook〉 *quake in one's shoes;* ~ **van** koude / angst *shiver / shake with cold, tremble / shake / quake with fear* **6.2** ~ **bij** de gedachte *t. at the idea;* **voor** iem. ~ *be in fear and trembling of s.o.* **8.1** ~ als een riet *tremble like a leaf (on a tree).*
bever 〈de (m.)〉 **0.1** [dier] *beaver* **0.2** [weefsel] *beaver (cloth).*
beverbont 〈het〉 **0.1** [bevervellen] *beaver* **0.2** [imitatie] *beaver.*
beverig 〈bn., bw.; -ly〉 **0.1** [bibberig] *trembling* ⇒*shaking,* ↑*tremulous,* 〈mbt. stem ook〉 *quavering, quavery,* 〈mbt. handschrift〉 *shaky, wobbly,* 〈van ouderdom〉 *doddering* **0.2** [koortsachtig] *feverish* ◆ **1.1** met ~e stem *in a trembling / tremulous / quavering voice* **3.1** ~ schrijven *write shakily.*
beverrat 〈de〉 **0.1** *coypu* ⇒〈bont〉 *nutria.*
beverstaarten 〈zn.mv.〉 **0.1** 〈dakpan〉 *plain tiles.*
bevestigen 〈ov.ww.〉 〈→sprw. 580〉 **0.1** [vastmaken] *fix* ⇒*fasten, attach, secure, mount,* 〈als aanhangsel〉 *append* **0.2** [als juist doen erkennen] *confirm* ⇒*bear out,* 〈met bewijs〉 *corroborate* **0.3** [zeggen dat iets zo is] *affirm* ⇒*confirm* **0.4** [bekrachtigen] *confirm* ⇒*endorse, validate* **0.5** [inhuldigen] *induct* ⇒*institute* **0.6** [〈prot.〉 als lid inzegenen] *confirm* **0.7** [versterken] *consolidate* 〈troon〉 ⇒*cement,* 〈gesch.〉 *fortify* 〈plaats, fort〉 ◆ **1.2** mijn mening wordt hierdoor bevestigd *this bears out / confirms my opinion;* de nieuwe orde van zaken ~ *confirm the new order of things;* de uitzondering bevestigt de regel *the exception proves the rule;* de uitkomst zal het ~ *the result will corroborate / endorse this;* een vonnis ~ *confirm a sentence* **1.3** de ontvangst ~ van *acknowledge (the) receipt of ...;* onze vermoedens worden nog onvoldoende bevestigd *we need more confirmation for our suspicions* **1.4** zijn benoeming moet nog bevestigd worden *he has not been confirmed in office yet;* de uitspraak werd in hoger beroep bevestigd *the judgement was confirmed on appeal;* iemands verklaring ~ *bear s.o. out* **1.5** een predikant (in een plaats) ~ *induct a minister (to a living)* **1.6** lidmaten ~ *c. members* **3.3** de woordvoerder wilde het gerucht ~ noch ontkennen *the spokesman would neither confirm nor deny the rumour* **5.4** niet bevestigd *unconfirmed;* 〈officieus〉 *unofficial;* een telefonische afspraak schriftelijk ~ *confirm a telephone agreement by letter* **6.2** iem. ~ **in** zijn mening *confirm s.o. in his opinion* **6.4** een verklaring **met** een eed ~ *c. a statement with an oath* **8.3** op mijn vraag bevestigde hij dat hij er geweest was *in reply to my question he affirmed that he had been there;* mijn vrouw kan u ~ dat ik thuis was *my wife can confirm that I was at home.*
bevestigend
I 〈bn.〉 **0.1** [instemmend] *affirmative* ◆ **1.1** een ~ antwoord *an a. answer;* in ~e zin beantwoorden *take the a. view;* 〈taal.〉 een ~e zin *an a. sentence;*
II 〈bw.〉 **0.1** [zó dat iets erkend wordt] *affirmatively* ◆ **3.1** hij antwoordde ~ *he answered a. / in the affirmative;* ~ knikken *nod an affirmative.*
bevestiging 〈de (v.)〉 **0.1** [het vastmaken] *fixing* ⇒*fastening, attachment, securing, mounting* **0.2** [erkenning] *confirmation* ⇒〈met bewijs〉 *corroboration,* 〈ontvangst van brief〉 *acknowledgement* **0.3** [tgov. ontkenning] *affirmation* ⇒*confirmation* **0.4** [bekrachtiging] *confirmation* ⇒*endorsement, validation* **0.5** [inhuldiging] *induction* **0.6** [〈prot.〉 inzegening] *confirmation* **0.7** [versterking] *consolidation* 〈gesch.〉 *fortification* ◆ **3.2** ~ vinden in *be borne out / confirmed / corroborated by* **6.2 ter** ~ van *in confirmation / acknowledgement of.*
bevestigingsmiddel 〈het〉 **0.1** *fastener* ⇒*means of attachment, fixing medium,* 〈plakmiddel〉 *adhesive, fastening.*
bevind 〈het〉 ◆ **6.¶ naar** ~ **van** zaken handelen *act according to circumstances / as one thinks fit, use one's judgment / discretion.*
bevindelijkheid 〈de (v.)〉〈prot.〉 **0.1** *(pietistic) experience of God.*
bevinden
I 〈ov.ww.〉 **0.1** [vaststellen, achten] *find* ⇒*deem, consider* ◆ **2.1** gezien en goed bevonden *seen and approved;* iem. waardig ~ voor een ambt *find s.o. worthy of an office* **5.1** hij werd geschikt bevonden voor zijn werk *he was found fit for his work / suited to his tasks;* schuldig ~ (aan een misdaad) *f. guilty (of a crime);*

II 〈wk.ww.; zich ~〉 **0.1** [in een toestand zijn] *be* ⇒*find o.s.* **0.2** [aanwezig zijn] *be (situated / located)* ◆ **1.2** de zich in het pakje ~ de monsters *the samples enclosed in the packet* **6.1** zich in gevaar ~ *be in danger;* zich **in** een lastig parket ~ *find o.s. in a difficult / an awkward position / a predicament;* zich **in** de mogelijkheid ~ *be in a position (to)* **6.2 bij** de stukken bevindt zich een artikel over ... *the documents are accompanied by an article about ...;* alle papieren ~ zich nu **bij** de politie *all the papers are now in the hands of the police;* toen ik bijkwam bevond ik mij **in** een donkere kamer *when I came round I found myself in a dark room;* **onder** de aanwezigen bevindt zich de dief / ~ zich de koningin en de prins *among those present is the thief / are the queen and the prince;* zich **te** Amsterdam ~ *be in Amsterdam.*
bevinding 〈de (v.)〉 **0.1** [waarneming na onderzoek] *finding* ⇒*result,* 〈ervaring〉 *experience,* 〈slotsom〉 *conclusion* **0.2** [〈prot.〉] *(pietistic) experience of God* ◆ **2.1** op grond van nieuwe wetenschappelijke ~en *on the basis of new scientific findings* **3.1** mijn ~ is (niet) dat ... *I (do not) find that ..., in my experience this is (not) ...;* ik zal u mijn ~en mededelen *I shall communicate my findings to you;* tot de volgende ~ komen *arrive at the following conclusion;* ~en uitwisselen *compare / swap notes* **¶.1** verslag doen van zijn ~en *report on one's findings.*
beving 〈de (v.)〉 **0.1** [mbt. personen] *trembling* ⇒〈van angst〉 *trepidation,* 〈van kou〉 *shiver, quiver* **0.2** [mbt. zaken] *tremor* ⇒*vibration.*
bevingeren 〈ov.ww.〉 **0.1** [met de vingers betasten] *finger* **0.2** [doffe plekken maken op] *thumb* ⇒*soil.*
bevissen 〈ov.ww.〉 **0.1** *fish* ◆ **1.1** de Noordzee ~ *f. the North Sea.*
bevitten 〈ov.ww.〉 **0.1** *cavil / nag at* ⇒*find fault with.*
bevleesd 〈bn.〉 **0.1** 〈in samenst.〉 *-meated* ⇒〈zelfst.〉 *meaty* ◆ **5.1** goed ~e varkens *well-meated pigs.*
bevlekken 〈ov.ww.〉 **0.1** [besmetten] *soil* ⇒*stain, spot, blot* **0.2** [〈fig.〉] *defile* ⇒*besmirch, sully* ◆ **1.1** een bevlekt boek *a spotted / blotted / stained book* **1.2** een bevlekt geweten *a defiled conscience;* een bevlekte naam *a besmirched name* **4.2** 〈schr.〉 zich ~ *pollute o.s., be guilty of self-abuse / pollution, masturbate* **6.1** met bloed bevlekt *bloodstained.*
bevleugelen 〈ov.ww.〉〈schr.〉 **0.1** *inspire* ⇒*fire* 〈verbeelding〉 ◆ **1.1** bevleugelde verbeelding *winged / elevated imagination, inspiration;* bevleugelde voeten *winged / swift feet.*
bevliegen 〈ov.ww.〉 **0.1** *fly* ⇒*operate on* ◆ **5.1** een druk bevlogen route *a busy / heavily used air route.*
bevlieging 〈de (v.)〉 **0.1** *whim* ⇒*impulse, caprice, fit, rage* ◆ **2.1** een rare ~ *a queer w.* **3.1** hij kreeg een ~ om ... *the fancy took him to ..., he was seized by the w. to ...;* een ~ krijgen (om iets te doen) *get an impulse (to do sth.)* **6.1** een ~ **om** elke ochtend te gaan zwemmen *an impulse to have a swim every morning;* een ~ **van** vroomheid *a wave / fit of devotion.*
bevloeien 〈ov.ww.〉 **0.1** *irrigate* ⇒*water.*
bevloeiing 〈de (v.)〉 **0.1** *irrigation* ⇒*watering.*
bevloeiingswerken 〈het〉 **0.1** *irrigation works.*
bevloeren 〈ov.ww.〉 **0.1** *floor* ◆ **6.1** een met marmer bevloerde zaal *a marble-floored hall;* iets **met** planken / tegels / plavuizen ~ *board / tile / flag sth..*
bevlogen 〈bn.〉 **0.1** *animated* ⇒*inspired, enthusiastic* ◆ **1.1** een ~ partijlid *an enthusiastic party member* **5.1** hij is artistiek ~ *he is artistically inspired.*
bevlogenheid 〈de (v.)〉 **0.1** *animation* ⇒*inspiration, enthusiasm.*
bevochtigen 〈ov.ww.〉 **0.1** *moisten* ⇒*wet, damp, humidify* 〈lucht〉.
bevochtiger 〈de (m.)〉 **0.1** [apparaat] *moistener* ⇒〈van lucht〉 *humidifier* **0.2** [middel] *wetting agent.*
bevoegd 〈bn.〉 **0.1** [gerechtigd] *competent* ⇒*qualified, authorized, entitled, empowered* **0.2** [bekwaam] *competent* ⇒*qualified, licensed* ◆ **1.1** de ~e ambtenaar *the c. / proper official;* ~e leerkrachten *qualified teachers;* de ~e overheden / autoriteiten *the c. / proper authorities;* ~e personen *authorized / proper persons* **1.2** het is ons van ~e zijde medegedeeld *we have learnt / been informed on good authority* **3.1** de rechter verklaarde zich niet ~ in deze zaak vonnis te wijzen *the judge declared the case beyond / outside the competence / jurisdiction of the court;* ~ verklaren om *empower to;* wij zijn daartoe ~ *we are acting within the scope of our authority;* ~ zijn (leraar) *be qualified* **3.2** zich ~ achten om *deem o.s. qualified / c. to, feel qualified to;* ik reken mij niet ~ om hierover te oordelen *I consider myself unqualified to judge this matter* **5.1** niet ~ zijn (leraar) *be unqualified / uncertificated;* volledig ~ zijn (leraar) *be fully qualified* **5.2** ik ben niet terzake ~ *that's outside my field* **6.1** ~ zijn **om** stukken te tekenen *be entitled to / have the power to sign documents;* ~ zijn **om** een overeenkomst te sluiten *be authorized to conclude an agreement;* ~ zijn **om** ... *have the power / authority to, be qualified / entitled / empowered to.*
bevoegde 〈de (m.)〉 **0.1** *competent / qualified / authorized / licensed person.*
bevoegdheid 〈de (v.)〉 **0.1** [recht tot uitoefenen] *competence* ⇒*qualification, authority, power,* 〈jur.〉 *jurisdiction* **0.2** [bekwaamheid] *competence* ⇒*qualification, licence* ◆ **1.1** de ~ van de burgemeester *the powers of the mayor;* misbruik van ~ 〈jur.〉 *misfeasance* **2.1** een medische ~ *a medical degree / qualification;* ruime bevoegdheden hebben *enjoy wide powers* **2.2** iem. van erkende ~ op dit terrein *a*

person of repute in this field **3.1** Engelse diploma's geven geen ~ in Nederland *English certificates are not recognized in the Netherlands;* de ~ hebben om *possess/have the power to, be authorized to;* iem. de ~ verlenen/geven om *empower s.o. to, grant s.o. (the) power to;* de arts werd zijn ~ ontnomen *the doctor was struck off the register* **6.1** dat valt niet **binnen**/ligt **buiten** de ~ van *that is outside the scope/c. of;* **buiten** de ~ v.h. hof *beyond/outside the c./jurisdiction of the court;* ~ **tot** geven van lager onderwijs *qualification for primary education;* **zonder** ~ *unauthorized, unqualified* **¶.1** zijn bevoegdheden te buiten gaan *exceed one's c./authority, act outside one's power(s).*
bevoelen ⟨ov.ww.⟩ **0.1** *feel* ⇒ *finger, handle.*
bevolken ⟨ov.ww.⟩ **0.1** [van bewoners voorzien] *populate* ⇒ *people* **0.2** [als bewoner leven op] *inhabit* ⇒ *populate* ◆ **1.1** ⟨fig.⟩ een school ~ *populate a school* **1.2** dat gebied wordt door allerlei wilde dieren bevolkt *that territory is inhabited by all kinds of wild animals;* de Kirgiezen die de steppen ~ *the Kirghiz who i. the steppes* **3.1** bevolkt raken *people* **5.1** opnieuw ~ *repopulate, repeople.*
bevolking ⟨de (v.)⟩ **0.1** [populatie] *population* ⇒ *inhabitants* **0.2** [⟨dierk.⟩] *population* **0.3** [bevolkingsbureau] *register office* ⇒ *registry, registrar's office* ◆ **1.1** ⟨fig.⟩ de ~ v.e. school *the p. of a school* **2.1** de inheemse ~ *the native/indigenous p.;* de oorlog had desastreuze gevolgen voor de mannelijke ~ v.h. land *the war was disastrous for the nation's manhood/the male p. of the country;* relatieve ~ *relative p.;* volstrekte/absolute ~ *absolute p.;* werkende ~ *labour force, working p.* **3.1** rijdende ~ ≠*gypsies;* varende ~ ≠*seafarers.*
bevolkingsaanwas ⟨de (m.)⟩ **0.1** *population growth* ⇒ *increase/rise in population.*
bevolkingsaccres ⟨het⟩ **0.1** *population growth* ⇒ *increase/rise in population.*
bevolkingsbureau ⟨het⟩ **0.1** *register office* ⇒ *registrar's office, (civil) registry.*
bevolkingscijfer ⟨het⟩ **0.1** *population figure* ⇒ *number/size of the population.*
bevolkingsdichtheid ⟨de (v.)⟩ **0.1** *population density* ⇒ *density of population.*
bevolkingsexplosie ⟨de (v.)⟩ **0.1** *population explosion.*
bevolkingsgroei ⟨de (m.)⟩ **0.1** *population growth* ⇒ *increase/rise in population.*
bevolkingsgroep ⟨de⟩ **0.1** *community* ⇒ *population group, section of the population.*
bevolkingsleer ⟨de⟩ **0.1** *theory/doctrine of population* ◆ **1.1** ~ van Malthus *the Malthusian population theory.*
bevolkingsonderzoek ⟨het⟩ **0.1** *screening* ⇒ *medical examination of the population.*
bevolkingsopbouw ⟨de (m.)⟩ **0.1** *composition of the population.*
bevolkingsoverschot ⟨het⟩ **0.1** *surplus (of) population.*
bevolkingspiramide ⟨de (v.)⟩ **0.1** *population pyramid.*
bevolkingspolitiek ⟨de (v.)⟩ **0.1** *population policy.*
bevolkingsregister ⟨het⟩ **0.1** *register (of population)* ⇒ *register of births, deaths and marriages.*
bevolkingstheorie ⟨de (v.)⟩ **0.1** *theory of population.*
bevolkingsvraagstuk ⟨het⟩ **0.1** *population probleme/issue.*
bevolkt ⟨bn.⟩ **0.1** *populated* ◆ **5.1** te dicht ~ *over-populated/peopled;* een dicht/dun ~e streek *a densely/sparsely p. area/region;* te dun ~ *under-populated/peopled.*
bevoogden ⟨ov.ww.⟩ **0.1** [zich te veel bemoeien met] *patronize (s.o.)* ⇒ *be paternalistic/patronizing to(wards) (s.o.), be patronizing about (sth.), treat like a child* **0.2** [als voogd optreden over] *tutor* ◆ **3.1** hij doet altijd zo ~ d tegen zijn vrouw *he is always so patronizing to his wife.*
bevoordelen ⟨ov.ww.⟩ **0.1** *benefit* ⇒ *favour, advantage, give (undue) preference to, give preferential treatment to* ◆ **1.1** familieleden ~ boven anderen *show favour to relatives above others* **4.1** zich ongeoorloofd ~ *feather one's nest;* zichzelf ~ *benefit o.s., give o.s. advantages.*
bevooroordeeld ⟨bn.⟩ **0.1** *prejudiced* ⇒ *bias(s)ed* ◆ **3.1** iem. ~ maken *prejudice/bias/influence s.o.* **6.1** ~ zijn **tegen**/**voor** *be prejudiced/bias(s)ed/have a prejudice against/in favour of.*
bevoorraden ⟨ov.ww.⟩ **0.1** *provision* ⇒ *supply, stock up.*
bevoorrading ⟨de (v.)⟩ **0.1** *provisioning* ⇒ *supply.*
bevoorradingsschip ⟨het⟩ **0.1** *supply ship.*
bevoorradingsvliegtuig ⟨het⟩ **0.1** *supply aircraft/plane.*
bevoorrechten ⟨ov.ww.⟩ **0.1** *privilege* ⇒ *favour, prefer, give undue preference to* ◆ **1.1** een bevoorrechte positie innemen *enjoy/occupy a privileged position;* ⟨jur.⟩ bevoorrechte schuldeisers *preferential/privileged creditors;* ⟨fig.⟩ de bevoorrechte standen *the privileged/favoured classes;* een bevoorrechte streek *a privileged/favoured area/region* **3.1** ⟨ec.,jur.⟩ bevoorrecht zijn ⟨mbt. aandelen, obligaties, schulden⟩ *rank first, take precedence, have priority* **5.1** de minder bevoorrechte klasse *the underprivileged/disadvantaged* **6.1** hij was **boven** velen bevoorrecht *he was given preference over many/preferential treatment.*
bevorderaar ⟨de (m.)⟩, **-ster** ⟨de (v.)⟩ **0.1** *promoter* ⇒ ⟨mbt. kunsten en wetenschappen ook⟩ *patron, sponsor.*

bevorderen ⟨ov.ww.⟩ **0.1** [de werking/ontwikkeling begunstigen] *promote* ⇒ *further, advance,* ⟨helpen⟩ *boost, aid, support,* ⟨aanmoedigen⟩ *encourage, foster, stimulate,* ⟨leiden tot⟩ *lead to, be conducive to,* make for **0.2** [in rang verhogen] *promote* ⇒ ⟨school. ook⟩ *move up* ◆ **1.1** zo'n maatregel bevordert het alcoholgebruik/het ontduiken van belasting *such a measure leads to an increase in alcohol consumption/puts a premium on tax-dodging;* dat bevordert de bloedsomloop *that aids the circulation of the blood;* de verkoop van iets ~ *boost the sale of sth., push sth.;* vrijhandel bevordert de welvaart *free trade makes for/is conducive to prosperity;* dat zou de zaak zeer kunnen ~ *that might do much to help the matter* **5.2** deze leerling is niet bevorderd *this pupil has to stay down* **6.2** hij werd tot kapitein bevorderd *he was promoted (to) captain/to the rank of captain;* **tot** officier bevorderd worden *be commissioned, rise from the ranks;* een leerling **tot** /**naar** een hogere klas ~ *move a pupil up to a higher form/class.*
bevordering ⟨de (v.)⟩ **0.1** [het vooruithelpen] *promotion* ⇒ *furtherance, advancement,* ⟨aanmoediging⟩ *encouragement, stimulation* **0.2** [verhoging in rang] *promotion* ◆ **1.1** de ~ van de wetenschappen *the advancement of science* **6.1** ter ~ **van** *for the p./advancement of* **6.2** bij ~ **tot** chef-kok verdient u meer *you will earn more on p. to head chef;* ~ **naar** anciënniteit *p. by seniority* **¶.2** voor ~ in aanmerking komen *be eligible for p..*
bevorderlijk ⟨bn.⟩ **0.1** *beneficial (to)* ⇒ *conducive (to), good (for)* ◆ **5.1** zo'n opmerking is niet ~ voor een goede verstandhouding *such a remark does not tend to promote/is not conducive to good understanding* **6.1** lichaamsbeweging is ~ **voor** de gezondheid *physical exercise is b. to/good for one's health;* ~ **voor** de goede zeden *conducive to good morals;* ~ zijn **voor** *promote, be conducive to, make for, boost, stimulate* ⟨→bevorderen o.1⟩.
bevrachten ⟨ov.ww.⟩ **0.1** [vracht laden in/op] *load* ⇒ *lade,* ⟨mbt. schepen ook⟩ *ship* **0.2** [charteren] *charter* ⇒ *(af)freight* ◆ **5.1** de zwaar bevrachte wagen *the heavily loaded/laden van* **6.1** een **met** boeken bevrachte piano *a piano piled high/laden with books.*
bevrachting ⟨de (v.)⟩ **0.1** [het bevrachten] *loading* ⇒ *freighting, chartering, (af)freightment* **0.2** [overeenkomst] *chartering* ◆ **6.1** ~ **bij** de roes *chartering for a lump sum* **6.2** **bij** ~ **op** … *when chartering for ….*
bevrachtingskantoor ⟨het⟩ **0.1** *shipping office* ⇒ *chartering broker's office.*
bevragen
I ⟨ov.ww.⟩ ◆ **6.¶** (dit is) te ~ **bij** … *apply (for this) to …, further details can be obtained from/at …;* dit huis is te bevragen bij X. *apply for/about this house to X.;* hier/binnen **te** ~ *apply/inquire within;* nadere inlichtingen **te** ~ **bij** … *for further particulars apply to …;*
II ⟨wk.ww.;zich ~⟩ ⟨AZN⟩ **0.1** [inlichtingen vragen] *ask for information, make enquiries.*
bevredigen ⟨ov.ww.⟩ **0.1** [geheel voldoen aan] *satisfy* ⇒ ⟨mbt. wensen/lusten ook⟩ *gratify,* ⟨mbt. verlangens, nukken ook⟩ *indulge,* ↑ *assuage* ⟨honger, dorst⟩ **0.2** [tot tevredenheid stemmen] *satisfy* ⇒ *please* **0.3** [voldoen aan de seksuele begeerte] *satisfy* **0.4** [tot vrede brengen] *pacify* ⇒ *conciliate, appease* ◆ **1.1** zijn nieuwsgierigheid/zijn lusten ~ *gratify one's curiosity/desires* **1.2** dat werk/die voorstelling bevredigde haar niet *she was not pleased/satisfied with that work/performance* **4.3** zichzelf ~ *masturbate* **5.1** moeilijk te ~ *hard to please* **5.2** dat bevredigt mij allerminst *that does not s./please me at all.*
bevredigend ⟨bn.⟩ **0.1** *satisfactory* ⇒ *satisfying,* ⟨aangenaam⟩ *gratifying, palatable, pleasing,* ⟨behoorlijk⟩ *fair* ◆ **1.1** een ~ gevoel ⟨ook⟩ *a feeling of satisfaction;* een ~e oplossing *a satisfactory/palatable solution;* een ~e uitkomst *a satisfactory/fair result* **3.1** de toestand is ~ *the situation is satisfactory* **5.1** een niet/weinig ~e oplossing *an unsatisfactory/a hardly satisfactory solution.*
bevrediging ⟨de (v.)⟩ **0.1** [het bevredigen/bevredigd worden] *satisfaction* ⇒ *fulfilment* ^*fulfillment,* ⟨mbt. wensen/lusten ook⟩ *gratification,* ⟨mbt. honger/verlangen⟩ ↑ *assuagement* **0.2** [pacificatie] *pacification* ◆ **2.1** seksuele ~ *sexual fulfilment/gratification* **3.1** dit werk geeft mij weinig ~ *this work does not give me much s./is not very rewarding;* ~ in iets vinden *find s. in sth..*
bevreemd ⟨bn.⟩ **0.1** *surprised.*
bevreemden ⟨ov.ww.⟩ **0.1** *surprise* ◆ **4.1** dat zal niemand ~ *that won't s. anybody;* het bevreemdt mij, dat u zo iets vraagt *I wonder (that) you ask such a thing, I am surprised (to find) (that) you ask such a thing;* het bevreemdt mij *I wonder at it, I'm surprised at it;* het bevreemdt mij van haar *it surprises me in her.*
bevreemdend ⟨bn.⟩ **0.1** *peculiar, singular* ⇒ ↓ *odd* ◆ **5.1** dat bericht is hoogst ~ *that is a highly p. piece of news.*
bevreemding ⟨de (v.)⟩ **0.1** *surprise* ⇒ *wonder(ment), astonishment* ◆ **3.1** zijn ~ te kennen geven *express one's s.;* het wekt ~ dat *it is surprising that;* het wekte zijn ~ *it surprised him* **6.1** tot zijn ~ *to his s..*
bevreesd ⟨bn.⟩ **0.1** *afraid/ apprehensive* ⟨bang⟩ *of/* ⟨bezorgd⟩ *for)* ⇒ *fearful (of)* ◆ **3.1** zij keken ~ toe *they looked on frightened;* ⟨schr.⟩ *they watched in fear;* ~ maken *frighten;* zich ~ tonen *voor express one's fears for* **6.1** ~ **voor** straf *afraid of punishment;* ze is ~ **voor** de toekomst *she is afraid/apprehensive for the future.*
bevriend ⟨bn.⟩ **0.1** *friendly (with)* ⇒ ⟨inf.⟩ *going round (with), thick*

(with), mat(e)y (with) ◆ **1.1** een ~bedrijf *a business connection;* met een ~e filmer *with a filmmaker friend;* een ~e mogendheid *a f. nation /power;* van ~e zijde vernemen *hear from friends /a friend,* ↑*learn from a sympathetic source* **1.¶** (wisk.) ~e getallen *amicable numbers* **3.1** ~ raken met/worden met *make friends with s.o., become f. / friends with s.o., take up with s.o.* **5.1** goed ~ zijn (met iem.) *be close/ great friends (with s.o.)* **6.1** zij is met hem ~ *she is on f. terms with him /* ⟨inf.⟩ *goes round with him.*

bevriezen
I ⟨onov.ww.⟩ **0.1** [in vaste toestand overgaan] *freeze (up/over)* ⇒*become/ be frozen (up/over),* (wet.) *congeal* **0.2** [onder invloed van vorst veranderen] *freeze* **0.3** [met een dun ijslaagje bedekt worden] *frost (up/over)* ⇒*become frosted, ice (up)* **0.4** [⟨fig.⟩] *freeze (up)* ⇒ *chill* ◆ **1.1** het water is bevroren *the water is frozen (over), the water has frozen up/solid* **1.2** alle leidingen zijn bevroren *all pipes are/ have frozen up/are solid;* de planten zijn bevroren *the plants are* ⟨dood⟩ *frozen/* ⟨beschadigd⟩ *frostbitten* **1.3** de ruiten zijn bevroren *the windows are frosted/ have frosted over;* over de bevroren sneeuw lopen *walk over the frozen/frosted snow* **1.¶** zijn gezicht was bevroren en hij had bevroren vingers *his face and fingers were frostbitten;* de bevroren grond was onbespeelbaar *the frozen/frostbound field was unfit for play* **5.2** ⟨fig.⟩ ik ben half bevroren *I'm frozen to the bone/ freezing cold/frozen stiff;* de was hing stijf bevroren aan de lijn *the washing had/ was frozen to/ on the line* **6.2** ⟨fig.⟩ het is hier **om** te ~ *it is freezing in here* **¶.4** ze bevroor bij het horen van die opmerking *she froze (up) at the remark;*
II ⟨ov.ww.⟩ **0.1** [in vaste toestand doen overgaan] *freeze* **0.2** [invriezen] *freeze* ⇒*deep-freeze* **0.3** [niet meer verhogen] *freeze* ⇒ ↓*peg* **0.4** [niet uitbetalen] *freeze* ⇒*block* **0.5** [⟨med.⟩] *freeze* **0.6** [stilleggen, opschorten] *freeze* ◆ **1.3** lonen/de kinderbijslag ~ *f. wages/family allowance;* de prijs ~ op …*peg/f. the price at* … **1.4** gelden/saldo's ~ *f. / block credits/saldi;* bevroren tegoed *frozen assets* **1.6** alle contacten/ contracten ~ *f. all contacts/ contracts* **1.¶** ⟨film, t.v.⟩ het beeld ~ *f. the frame;* ⟨sport⟩ het spel ~ *f. the game.*

bevriezing ⟨de (v.)⟩ **0.1** [het bevriezen] *freezing (over)* ⇒⟨wet.⟩ *congelation, frost, frostbite* **0.2** [stabilisatie] *freeze* **0.3** [blokkering] *freeze* ◆ **1.2** ~ v.h. aantal kernwapens *nuclear f.;* ~ v.d. lonen *wage f..*

bevrijden ⟨ov.ww.⟩ **0.1** [vrij maken] *freeze (from)* ⇒*liberate, release, set free/ at liberty* ⟨gevangenen⟩, ⟨redden⟩ *rescue,* ⟨maatschappelijk⟩ *emancipate* **0.2** [⟨fig.⟩] *free (from/ of)* ⇒*(get) rid of, deliver (from)* ⟨kwaad⟩, *relieve (from)* ⟨zorgen⟩ **0.3** ⟨bevrijden, sparen⟩ *preserve/ save (from)* ◆ **1.1** een land/ een gevangene ~ *f. / liberate a country/ prisoner* **1.2** een bevrijd gevoel *a feeling of relief* **4.1** zich ~ van/uit zijn ketenen *throw off one's shackles/ chains;* zich uit een benarde positie ~ *extricate o.s. from a difficult situation* **4.2** zich ~ van angst/ vooroordelen, bevrijd raken van vooroordelen *get rid of/rid o.s. of fear/ prejudices;* ook mannen moeten eerst zichzelf ~ *men too must emancipate themselves first* **6.1** iem. **uit** zijn benarde positie ~ *rescue s.o. from a desperate position;* een dier **uit** een klem ~ *rescue an animal from a trap;* de slachtoffers **uit** het wrak ~ *rescue/extricate victims from the wreck* **6.2** ik ben **van** die overlast bevrijd *I am relieved of that burden.*

bevrijding ⟨de (v.)⟩ **0.1** [het vrij maken/ worden] *liberation* ⇒⟨van gevangenen ook⟩ *release,* ⟨redding⟩ *rescue,* ⟨maatschappelijk⟩ *emancipation,* ⟨schr.⟩ *deliverance* **0.2** [⟨fig.⟩] *relief* ⇒*riddance* ◆ **1.2** een gevoel van ~ *a feeling of relief* **6.1** ~ **uit** slavernij *emancipation from slavery, enfranchisement.*

bevrijdingsbeweging ⟨de (v.)⟩ **0.1** *liberation movement.*
bevrijdingsdag ⟨de (m.)⟩ **0.1** [herdenkingsdag] *liberation day* **0.2** [dag v.d. bevrijding] *liberation day.*
bevrijdingsfront ⟨de (v.)⟩ **0.1** *liberation front* ◆ **2.1** het Palestijnse Bevrijdingsfront *the Palestine Liberation Front.*
bevrijdingsleger ⟨het⟩ **0.1** *liberation army.*
bevrijdingsoorlog ⟨de (m.)⟩ **0.1** *war of liberation.*
bevrijdingstheologie ⟨de (v.)⟩ **0.1** *liberation theology.*
bevrijdingstheoloog ⟨de (m.)⟩, *-loge* ⟨de (v.)⟩ **0.1** *liberation theologist.*
bevroeden ⟨ov.ww.⟩ ⟨schr.⟩ **0.1** [vermoeden] *suspect* ⇒*divine, surmise* **0.2** [begrijpen] *understand* ⇒*realize, comprehend* ◆ **3.1** dat had ik niet kunnen ~ *that's sth. I could never have expected, I couldn't have counted on that* **5.2** om nauwelijks te ~ redenen *for almost incomprehensible reasons, for reasons that are hard to u..*
bevruchten ⟨ov.ww.⟩ **0.1** [⟨biol.⟩] *fertilize* ⇒⟨zwanger maken⟩ *impregnate,* ⟨vruchtbaar maken⟩ *fecundate,* ⟨insemineren⟩ *inseminate,* ⟨doen bloeien⟩ *fructify,* ⟨bestuiven⟩ *pollinate* **0.2** [⟨schr.; fig.⟩] *fecundate, fructify* ◆ **1.2** ~de wisselwerking (tussen twee kunststromingen) *cross-fertilization (between two art movements).*
bevruchting ⟨de (v.)⟩ **0.1** *fertilization* ⇒⟨bezwangering⟩ *impregnation,* ⟨inseminatie⟩ *insemination,* ⟨bestuiving⟩ *pollination,* ⟨doen bloeien⟩ *fructification* ◆ **2.1** kunstmatige ~ *artificial insemination* **6.1** ~ **buiten** de baarmoeder *in vitro fertilization.*
bevuilen ⟨ov.ww.⟩ ⟨→sprw. 611⟩ **0.1** *soil, dirty, foul* ◆ **1.1** hij had zich/ zijn kleren bevuild *his clothes were filthy/ all messy, he had* [B]*got/* [A]*gotten himself into a mess;* het eigen nest ~ *foul one's own nest* **6.1** **door** vliegen bevuild *flyblown, flyspecked.*

bewaarappel ⟨de (m.)⟩ **0.1** *store apple* ⇒*keeping apple.*
bewaarder ⟨de (m.)⟩ **0.1** [⟨vnl. in samenst.⟩ iem. die iets/iem. bewaakt] *keeper* ⇒*guardian,* ⟨van gevangenen ook⟩ *jailor, warder, custodian,* ⟨van woning ook⟩ *caretaker,* ⟨van registers⟩ *registrar* **0.2** [iem. die iets onder zijn berusting heeft] *keeper* ⇒*depository, depositary,* ⟨jur.; bewaarnemer⟩ *bailee,* ⟨beheerder⟩ *custodian, custos,* ⟨sekwester⟩ *sequestrator* ◆ **1.1** ordebewaarder *k. / preserver of law and order/ the peace* **2.2** gerechtelijk ~*sequestrator* **3.2** een ~ aanstellen over in beslag genomen goed *appoint a receiver of/ put a k. over/ a man in possession of confiscated goods.*
bewaarengel ⟨de (m.)⟩ **0.1** *guardian angel.*
bewaargever ⟨de (m.)⟩ **0.1** *depositor* ⇒⟨jur.⟩ *bailor.*
bewaargeving ⟨de (v.)⟩ ⟨jur.⟩ **0.1** [het in bewaring geven]⟨Anglo-Am. recht⟩ *bailment;* ⟨Schots en Romeins recht⟩ *deposit* **0.2** [sekwestratie] *sequestration* ◆ **2.1** gesloten ~*safe deposit/ custody;* open ~ *holding/ safe keeping (of securities) for/ under management and supervision* **3.1** een ~ gedaan door …*a deposit made by* ….
bewaarheiden ⟨ov.ww.⟩ **0.1** *confirm* ⟨gerucht, vermoeden⟩; *verify* ⟨voorspelling, vermoeden⟩; *justify* ⟨angst⟩; *come true, materialize* ⟨dromen, voorspelling⟩; *corroborate, bear out* ⟨verklaring⟩ ◆ **3.1** hun verwachtingen over hun dochter werden alleen maar gedeeltelijk bewaarheid *their expectations about their daughter were only partially fulfilled;* de voorspellingen zijn bewaarheid/ hebben zich bewaarheid *the predictions have come true/ materialized/ been fulfilled;* de voorspellingen zijn niet bewaarheid/ hebben zich niet bewaarheid *the predictions have not come true/ materialized/ have proved false.*
bewaarkluis ⟨de (m.)⟩ **0.1** *safe* ⇒*safe(ty) deposit, strong room.*
bewaarkool ⟨de⟩ **0.1** *winter cabbage.*
bewaarloon ⟨het⟩ **0.1** *warehouse rent, storage charges* ⟨voor pakhuis⟩; *(safe) custody/ keeping charges* ⟨voor bagage⟩; *(safe) custody fee.*
bewaarnemer ⟨de (m.)⟩ **0.1** *depositary, depository* ⇒*depositee,* ⟨jur.⟩ *bailee,* ⟨beheerder⟩ *custodian.*
bewaarplaats ⟨de (v.)⟩ **0.1** *depository* ⇒*repository,* ⟨pakhuis⟩ *store(house), repetory* ⟨van informatie⟩, *storage* ⟨van inboedel⟩, *shelter* ⟨van fietsen⟩ ◆ **2.1** een ondergrondse ~ *an underground d., a vault* **6.1** een veilige ~ **voor** geld en juwelen *a place of safekeeping for money and jewelry.*
bewaarschool ⟨de⟩ ⟨vero.⟩ **0.1** *nursery school* ⇒*kindergarten,* ⟨BE ook; 5-7 jaar⟩ *infant school.*
bewaarstelling ⟨de (v.)⟩ ⟨jur.⟩ **0.1** [consignatie] *deposit/ payment into court* **0.2** [sekwestratie] *sequestration.*
bewaartijd ⟨de (m.)⟩ ⟨comp.⟩ **0.1** *storage time.*
bewaasd ⟨bn.⟩ **0.1** *steamed up* ⇒*steamy.*
bewaken ⟨ov.ww.⟩ **0.1** [waken over] *guard* ⇒*watch (over), keep guard (over),* ⟨controleren⟩ *monitor,* ⟨AE ook⟩ *surveil* **0.2** [zorgen dat iem. niet ontsnapt] *guard* ⇒*watch,* ⟨AE ook⟩ *surveil* **0.3** [⟨fig.⟩] *watch* ⇒*mind, keep an eye/ (a) close/ careful watch on* ◆ **1.1** de hond bewaakt het huis *the dog guards the house;* bewaakte overweg *protected level/* [A]*grade crossing;* patienten/ bedden ~ *keep patients/ beds in intensive care;* een terrein ~ *g. (over) a territory/ an area* **1.2** een gevangene ~ *g. a prisoner* **1.3** het budget ~ *w. / control the budget* **3.1** laten ~ *get a watch on;* iem. laten ~ *have s.o. guarded, put s.o. under surveillance* **5.2** streng bewaakt worden *be kept under close surveillance/ guard;* zwaar/ licht bewaakte gevangenis *maximum/ minimum security prison* **6.1** deze buurt wordt zorgvuldig **door** de politie bewaakt *this area is being carefully watched by the police/ is under close police surveillance.*
bewaking ⟨de (v.)⟩ **0.1** [beveiliging, surveillance] *guard(ing), watch-(ing), surveillance* ⇒*policing* ⟨van stad door politie⟩ **0.2** [het in het oog houden ⟨ook in samenst.⟩] *control* ⇒*monitoring* ◆ **1.2** budgetbewaking *budget c.;* ~ van patiënten *intensive care* **6.1** onder ~ van de politie *under police s.;* **onder** strenge ~ staan *be kept under strict s./ security;* **onder** ~ gesteld *put/ placed under guard/s.;* **zonder** ~ *unattended.*
bewakingsdienst ⟨de (m.)⟩ **0.1** *(private) security service/ firm* ⇒*security men/ guards.*
bewakingskorps ⟨het⟩ **0.1** *guard (detail); guards.*
bewakingspersoneel ⟨het⟩ **0.1** *(security) guards* ⇒*safetymen* ⟨in mijnen⟩, *watchmen* ⟨in havens⟩.
bewandelen ⟨ov.ww.⟩ **0.1** [wandelen op] *walk (on/ over)* ⇒*tread (on)* **0.2** [⟨fig.⟩] *take/follow/ steer al the … course* ◆ **1.2** de middenweg ~ *steer the/ a middle course, compromise;* het pad der deugd ~ *walk in the ways of virtue;* de officiële weg ~ *take the official course/ line;* de wettelijke weg met iem. ~ *follow a lawful course with s.o.;* de veilige weg ~ *keep on the safe side, take the safe course;* ongebaande/ gebaande wegen ~ *go off/ keep to the beaten track;* zij kunnen twee wegen ~ *two courses are open to them.*
bewapenen ⟨ov.ww.⟩ **0.1** *arm* ◆ **4.1** zich ~ *arm;* ⟨AE; sl.⟩ *gat up* **5.1** zwaar bewapend *heavily armed/ armoured.*
bewapening ⟨de (v.)⟩ **0.1** [het van wapens voorzien] *armament* ⇒*arming* **0.2** [wapens] *armament, arms* ⇒*weaponry,* ⟨vnl. individueel⟩ *weapons,* ⟨vero.⟩ *armature* **0.3** [wapening, versterking] *reinforcement, armouring* ◆ **1.1** beperking v.d. ~ *arms limitation* **1.3** de ~ van beton *the r. / pre-stressing of concrete.*

bewapeningspolitiek ⟨de (v.)⟩ **0.1** *arms policy*.
bewapeningsprogramma ⟨het⟩ **0.1** *arms programme* ^*gram*.
bewapeningswedloop ⟨de (m.)⟩ **0.1** *arms race*.
bewaren ⟨ov.ww.⟩ ⟨→sprw. 55⟩ **0.1** [niet wegdoen] *keep* ⇒*save, retain*, ⟨grondstoffen ook⟩ *conserve* **0.2** [wegbergen] *keep* ⇒*store, stock (up)*⟨voorraad⟩, *preserve, save* **0.3** [in acht nemen] *keep* **0.4** [niet verliezen, handhaven] *keep* ⇒*maintain, preserve* **0.5** [behoeden] *preserve / save (from)* ⇒*defend / protect (from), guard (from / against)* ◆ **1.1** een kassabon ~ *k. / retain a receipt*; tijdschriften ~ *k. / save periodicals* **1.2** appels ~ *store apples*; een onderwerp tot / voor de volgende keer ~ *leave a topic / matter for the next time*; kostbare oudheden ~ *preserve precious antiquities*; zal ik je portemonnee zolang ~ of bewaar je hem zelf? *shall I hold on to your purse or are you going to look after / take care of it yourself?*; een voorraadje van iets ~ *stock up on / with sth.*; wijn om te ~ *wine for keeping* **1.3** afstand ~ *k. (one's) distance*; ⟨fig. ook⟩ *hold / keep aloof* **1.4** zijn evenwicht ~ *k. / maintain one's balance*; zijn kalmte ~ *k. calm / one's head (one's temper*⟨inf.⟩ *(one) cool*; de orde ~ *k. / maintain order* **1.5** een geheim ~ *k. / guard a secret* **3.2** deze gebouwen / manuscripten / gebruiken zijn bewaard gebleven *these buildings / manuscripts / customs have survived / have been handed down to us / have come down to us / have been preserved* **3.5** voor een ziekte bewaard blijven *remain free of (a) disease, be spared an illness* **4.5** God bewaar me! *God forbid! God gracious!*; God beware / bewaar me voor mijn vrienden! *God s. / protect me from my friends!* **5.2** koel / in de koelkast ~ *keep fresh / under refrigeration / refrigerated / on ice*; men kan deze wijn lang ~ *this wine keeps / ages / matures well*; vlees kun je moeilijk / niet lang ~ *meat is hard to k. / (inf.) doesn't keep / does not k. long* **5.5** een goed bewaard geheim *a closely guarded secret* **6.2** tegen bederf ~ *preserve (from decay)*; ~ **voor** later *save up / put away / put by / keep for a rainy day*; het lekkerste **voor** het laatst ~ *save the best piece for the end* **6.4** goede herinneringen ~ **aan** *treasure (up) / retain / have happy memories of.*
bewaring ⟨de (v.)⟩ **0.1** [het bewaren] *keeping* ⇒*care*, ⟨opslaan⟩ *storage, storing*, ⟨beheer⟩ *custody* **0.2** [opsluiting] *custody* ⇒*detention* **0.3** [handhaving] *keeping, preservation* ◆ **1.2** huis van ~ *house of detention, pound*; ⟨BE; mil.; sl.⟩ *glass-house* **2.1** in gerechtelijke ~ stellen *take / place / put into care* ⟨kinderen⟩; ⟨consigneren⟩ *pay a sum into court*; ⟨sekwestreren⟩ *sequestrate*; in veilige ~ stellen (bij) *place in safekeeping (with)* **2.2** verzekerde ~ *detention*; in verzekerde ~ nemen / stellen *take / place into c.* **6.1** bagage in ~ geven *deposit luggage (at the station)*; zich in ~ bevinden bij ..., **in** ~ zijn bij *be in the care / change / k. of, be held for safekeeping*; **in** ~ geven (aan / bij) *deposit (in / at / with)* ⟨bank⟩; *entrust (to), leave / lodge / place (with)*; **in** ~ hebben *hold in / unter trust, have charge of, have in one's k. / custody*; **in** ~ nemen *take charge of / into one's custody*; ⟨confisqueren⟩ *impound*.
bewasemen ⟨ov.ww.⟩ **0.1** *steam up* ◆ **1.1** bewasemde ruiten *steamy / steamed up windows.*
bewassen¹ ⟨bn.⟩ **0.1** *grown over, overgrown*.
bewassen² ⟨ov.ww.⟩ **0.1** [het linnengoed schoon houden van] *do the washing for / laundry of* **0.2** [schoon houden door wassen] *wash* ◆ **1.1** iem. ~ *do the washing for s.o., do s.o.'s laundry.*
bewateren ⟨ov.ww.⟩ **0.1** [besproeien, bevloeien] *water* ⇒*irrigate* **0.2** [wateren op] *urinate on.*
beweegbaar ⟨bn.⟩ **0.1** *mov(e)able* ◆ **1.1** beweegbare delen *moving / working parts.*
beweegkracht ⟨de (v.)⟩ **0.1** *motivity* ⇒⟨ook fig.⟩ *motive power, moving / driving force*, ⟨voortstuwing⟩ *propulsion*.
beweegreden ⟨de⟩ **0.1** *motive* ⇒⟨mv. ook⟩ *grounds, cause, rationale* ◆ **1.1** de ~ en van zijn gedrag *the motivation for / motives underlying his behaviour.*
bewegen
I ⟨ov.ww.⟩ **0.1** [in beweging brengen] *move* ⇒*stir* **0.2** [mbt. werktuigen] *move* ⇒*set / put in motion, start (up), operate, run* ⟨motor, machine⟩, ⟨aandrijven⟩ *actuate* **0.3** [ontroeren] *move* ⇒*stir, affect*, ⟨ook →bewogen⟩ **0.4** [overhalen, aanzetten] *move* ⇒*induce / bring / get (s.o. to)*, ⟨schr.⟩ *prevail upon (s.o. to do)*, ⟨animeren⟩ *animate* ◆ **1.1** de foto is bewogen *the camera moved*; ⟨fig.⟩ hemel en aarde ~ *m. heaven and earth* **1.2** de veer beweegt het uurwerk *the spring keeps the watch in motion* **5.1** zijn wenkbrauwen op en neer ~ *wiggle one's eyebrows*; op en neer / heen en weer ~ *m. up and down / to and fro*; ⟨snel⟩ *bob; wag, waggle* ⟨lichaamsdeel⟩ **6.4** iem. **tot** iets ~ *move s.o. to do sth., induce / bring / get s.o. to do sth.*;
II ⟨wk.ww.; zich~⟩ **0.1** [in beweging zijn / komen] *move* ⇒*stir*, ⟨inf.⟩ *budge*, ⟨tech. ook⟩ *travel* **0.2** [omgang hebben met] *move (in)* ⇒*travel (in), mix (with)* **0.3** [met een bep. onderwerp / terrein te maken hebben] *be engaged (in), be active (in the field of)* ⟨mbt. personen⟩; *be concerned (with)* ⟨mbt. boek, film e.d.⟩ ◆ **3.1** ik kan me nauwelijks ~ *I can hardly m.* **5.1** beweeg je niet *don't m. / get up /* ⟨inf.⟩ *budge*; zich op en neer / heen en weer ~ *m. up and down, m. to and fro*; ⟨snel⟩ *bob; fluctuate* ⟨prijzen⟩; *wag, waggle* ⟨lichaamsdeel⟩; zich voortdurend ~ *m. about / around, keep / be constantly on the move*; u beweegt u te weinig *you don't take / get enough exercise* **5.2** zich niet / slecht weten te ~ *have no / bad manners* **6.2** hij heeft zich veel **in** het vereni-

gingsleven bewogen *he was a good club type, he was a real joiner*; hij beweegt zich **in** de hoogste kringen *he moves / travels in the highest circles* **6.3** haar tweede boek beweegt zich ongeveer **in** dezelfde sfeer *her second book is more or less set in the same world*; zij ~ zich **op** het gebied v.d. elektronica *they are active in the field of electronics*;
III ⟨onov.ww.⟩ **0.1** [van plaats / stand veranderen] *move* ⇒*stir*, ⟨inf.⟩ *budge*, ⟨tech. ook⟩ *travel* ◆ **1.1** geen blad bewoog *not a leaf stirred*; het ~ v.d. boot *the movement of the boat*; ~de delen *moving / working parts* **4.1** kijk, het beweegt *look, it is moving* **5.1** niet ~! *keep still!*; op en neer / heen en weer ~ *m. / go up and down, m. to and fro*; ⟨snel⟩ *bob; fluctuate* ⟨prijzen⟩; *wag, waggle* ⟨lichaamsdeel⟩; de zuiger beweegt op en neer *the piston travels up and down* **6.1** in een baan rond de aarde ~ *orbit the earth.*
beweging ⟨de (v.)⟩ **0.1** [het bewegen] *movement* ⇒*move, motion*, ⟨gebaar⟩ *gesture*, ⟨lichaamsbeweging⟩ *exercise* **0.2** [het doen bewegen] *movement* ⇒*motion* **0.3** [ontwikkeling] *movement* ⇒*move, motion* **0.4** [organisatie ook] *movement* ⇒*organization, pressure group* **0.5** [aandrift] ⟨zie 2.5⟩ **0.6** [bedoening] *affair, business* **0.7** [drukte] *bustle* ⇒*commotion, stir, agitation* **0.8** [beroering] *commotion* ⇒*stir, flux, excitement* ◆ **1.4** een milieubeweging *an environmental / ecological m.*; de vredesbeweging *the peace m.* **2.1** een omtrekkende ~ maken (om) ⟨mil.; ook fig.⟩ ⟨mil.⟩ *outflank / turn the flank of (an army)*; ⟨fig. ook⟩ *bypass, accumvent*; een verkeerde ~ maken *make a wrong move* **2.2** de wagen reageert op de geringste ~ van het stuur *the car responds to a touch / the slightest movement of the wheel* **2.4** een sociale / godsdienstige ~ *a social / religious m.* **2.5** uit eigen ~ iets doen *volunteer to do sth., to do sth. of one's own accord* / ⟨inf.⟩ *off one's own bat*; uit eigen ~, eigener ~ *of one's own accord / free will / volition*; ⟨BE; inf.⟩ *off one's own bat* **3.1** er is geen ~ in te krijgen *it won't budge / move*; ~ nemen *take / get exercise* **3.3** als er weer wat ~ komt in de huizenmarkt, dan ... *when the market for houses* ^*real estate begins to move again, when there's some sign of movement in the housing* ^*real estate market* **3.7** (veel) ~ maken over *kick up / make a great fuss about, create a commotion* **6.1** in ~ komen *begin to move, start*; ⟨actief worden ook⟩ *stir o.s.*; vrij zijn in zijn ~ en *have freedom of action*; **in** ~ brengen, **in** ~ zetten *get going, set / put in motion, actuate*; ⟨machines ook⟩ *start*; **in** één ~ met een move, at one fell swoop; **in** ~ blijven *keep moving*; altijd en eeuwig **in** ~ zijn *be forever on the go*; zij is moeilijk **in** ~ te krijgen *I can't get her to budge, she is a slow mover*; de stoet zette zich **in** ~ *the procession moved off* **6.3 in** ~ zijn *be moving / in motion / on the move / on the go*; de gezondheidszorg is **in** ~ *sth. is stirring in the health service, the health service is in turmoil / a state of flux*; **in** ~ brengen *stir (s.o.), get (s.o. / sth.) on the move* **6.8** de gemoederen **in** ~ weten te brengen *know how to stir an audience / the massses*; de tongen **in** ~ brengen *set the tongues wagging.*
bewegingloos ⟨bn.⟩ **0.1** *motionless* ⇒*immobile, unmoving*, ⟨kalm⟩ *impassive*.
bewegingsenergie ⟨de (v.)⟩ **0.1** *kenetic energy* ⇒*impetus*.
bewegingskunst ⟨de (v.)⟩ **0.1** *op(tical) art* ⇒⟨vnl. beeldhouwkunst⟩ *kenetic art*.
bewegingsleer ⟨de (v.)⟩ **0.1** *kinetics, kinematics* ⇒*motion study*, ⟨med.⟩ *kinesiology*.
bewegingstherapeut ⟨de (m.)⟩ **0.1** *kines(i)otherapist* ⇒*physiotherapist*.
bewegingstherapie ⟨de (v.)⟩ **0.1** *kines(i)otherapy* ⇒*physiotherapy*.
bewegingsvrijheid ⟨de (v.)⟩ **0.1** ⟨ook fig.⟩ *freedom of movement / action, scope*, ↓*elbowroom*.
bewegingswetten ⟨zn.mv.⟩ **0.1** *laws of motion*.
bewegingszenuw ⟨de⟩ **0.1** *motory nerve*.
bewegingsziekte ⟨de⟩ ⟨med.⟩ **0.1** *motion sickness*.
bewegwijzeren ⟨de (v.)⟩ **0.1** *signpost*.
bewegwijzering ⟨de (v.)⟩ **0.1** [resultaat] *signposting* **0.2** [handeling] *signposting*.
beweiden ⟨ov.ww.⟩ **0.1** *graze, pasture*.
bewenen ⟨ov.ww.⟩ **0.1** *mourn for / over (s.o. / sth.)* ⇒*weep for / over (s.o.), mourn (sth.), deplore, lament*, ⟨schr.⟩ *bemoan, bewail* ◆ **1.1** een verlies ~ *mourn a loss.*
beweren
I ⟨ov.ww.⟩ **0.1** [zeggen dat iets zo is] *assert, claim, maintain* ⇒⟨betogen⟩ *contend, allege* ⟨iets onbewezens⟩, ⟨voorgeven⟩ *pretend*, ⟨beschuldigen⟩ *charge* ◆ **3.1** durven te ~ dat *venture / dare to claim that*; ik heb je wel eens iets heel anders horen ~ *I've heard you say quite sth. else*; ik meen te mogen ~ dat ... *I submit that ...*; dat iets wil ik niet willen ~ *I wouldn't (go as far as to) say that*; hij is niet zo slecht als algemeen beweerd wordt *he is not so black as he is painted*; zij beweerde onschuldig te zijn *she claimed to be innocent / maintained her innocence*; zoiets zou ik nooit hebben durven ~ *I would never have ventured / have gone as far as to say such a thing* **4.1** wat ik wil ~ is dat *the point I want to make / my point is that*; dat is precies wat wij ~ *that's the very point we're making* **5.1** te veel ~ *overstate one's case* **6.1** hetzelfde kan men niet **van** elke school ~ *the same can't be said of / no such claim can be made for every school* **8.1** hij beweert dat hij niets gehoord heeft *he maintains that he did not hear anything*; blijven ~

dat *insist/stick to it that;* zij ~ (ten onrechte) dat zij rijk zijn *they make themselves out/set themselves up to be rich;* ~ dat men deskundig is *call o.s. / claim to be an expert;* met klem ~ dat *contend/* ⟨schr.⟩ *aver that;* sommige critici (willen) ~ dat ...*some critics (would) say (that)* ...; er wordt beweerd dat hij erbij was *he is alleged to have been involved;* hij beweerde dat de minister onzorgvuldig was geweest *he claimed/charged that the minister had been negligent;* naar hij zelf beweert *by his own account, according to his claims;* naar beweerd wordt/men beweert *reputedly, allegedly, supposedly;*
II ⟨onov.ww.⟩ **0.1** [vrijmoedig en druk praten] *talk/chat away.*

bewering ⟨de (v.)⟩ **0.1** *assertion,* ⟨uitspraak⟩ *statement,* ⟨onbewezen⟩ *allegation,* ⟨aanvechtbaar⟩ *claim,* ⟨mening⟩ *contention* ◆ **2.1** ongegronde ~ *unfounded allegation* **3.1** bij zijn ~ blijven *stick to one's claim/allegation;* kun je deze ~ staven/hard maken? *can you make good/substantiate/sustain that claim?.*

bewerkelijk ⟨bn.⟩ **0.1** *laborious* ⇒*toilsome, elaborate* ⟨gerecht⟩ ◆ **1.1** een ~ huis *an inconvenient/time-consuming house;* ~ materiaal *intractable material* **3.1** ~ zijn *be hard to work/run* ⟨enz.⟩.

bewerken ⟨ov.ww.⟩ **0.1** [werk verrichten aan] *treat* ⇒*work* ⟨land, deeg, boter⟩, *process* ⟨grondstoffen, gegevens⟩, *tool* ⟨steen⟩, *hammer, beat* ⟨ijzer⟩, ⟨redigeren⟩ *edit,* ⟨herzien⟩ *rewrite, revise,* ⟨omwerken⟩ *adapt, update,* ⟨vervaardigen⟩ *manufacture,* ⟨vormen⟩ *fashion, model* **0.2** [versieren] *work, tool* **0.3** [overreden] *work on* ⇒*manipulate, use one's influence with, ply* ⟨s.o. with sth.⟩ **0.4** [met overleg/volgens regels werken aan] *process* ⟨gegevens⟩ **0.5** [teweegbrengen] *bring about* ⇒*accomplish, effect(uate), work (out),* ⟨beramen⟩ *contrive* ◆ **1.1** een Frans boek voor het Nederlandse taalgebied ~ *adapt a French book for the Dutch reader;* een bewerkt boek/stuk/artikel *a rewrite, an adaptation;* dierehuiden ~ *dress animal skins;* bewerkte goederen *finished/manufactured goods;* de grond ~ *till the land/soil, farm;* bewerkt marmer *worked marble;* muziek voor orgel/orkest ~ *arrange/transcribe music for organ/orchestra;* ⟨voor orkest ook⟩ *score music for orchestra, orchestrate music* **1.2** bewerkt hout *worked wood* **1.3** kamerleden ~ *lobby M.P.'s;* de kiezers ~ *canvass the voters;* zijn ouders ~ *work on one's parents* **1.4** een rekenkundige opgave ~ *work on a mathematical problem* **1.5** een gunstige afloop weten te ~ *bring about a happy/favourable ending;* zijn eigen ondergang ~ *put one's head in the noose, dig one's own grave* **3.5** hij trachtte te ~ dat zijn boek gepubliceerd werd *he tried to secure the publication of his book* **5.1** te fijn ~ *overlabour;* goed te ~ ⟨materiaal/grond⟩ *easy to work;* half bewerkt *rough-wrought;* machinaal ~ *machine;* koper is makkelijk te ~ *copper works/machines easily;* moeilijk te ~ ⟨grond/materiaal⟩ *stubborn, intractable (soil/material);* geheel opnieuw bewerkt door *completely revised by* **5.2** fijn bewerkt *high-wrought, finely tooled;* een prachtig bewerkte zilveren schaal *a finely/handsomely wrought silver dish* **6.1** dit lemma is bewerkt door ...*this entry was prepared/* ⟨opnieuw⟩ *revised by;* met teer ~ ⟨balken⟩ *treat with tar;* iem. met een mes ~ *set/lay about s.o. with a knife;* ~ tot *work up to/make into;* een roman ~ voor het toneel/tot een stuk *adapt a novel for the stage, dramatize a novel;* ~ voor de/tot een film *adapt for the screen* **8.1** bewerkt naar het origineel *adapted from the original.*

bewerking ⟨de (v.)⟩ **0.1** [handeling] *treatment* ⇒*tillage, cultivation* ⟨bodem⟩, *working, tooling* ⟨materiaal⟩, *process(ing)* ⟨voedsel, goederen⟩, *manufacturing* ⟨goederen⟩, ⟨redactie⟩ *editing* **0.2** [resultaat] ⟨boek, tekst, film, toneel⟩ *adaptation, version,* ⟨muziek⟩ *arrangement, transcription;* ⟨voor orkest⟩ *orchestration;* ⟨herziene uitgave⟩ *revision;* ⟨redactie⟩ *edit, redaction* **0.3** [het beïnvloeden] *manipulation* ⇒*influencing, canvassing* ⟨klanten, kiezers⟩, *lobbying* ⟨kamerleden⟩ **0.4** [het met overleg/regels werken aan] *processing* ⟨gegevens⟩. ⟨wisk.⟩ *operation* **0.5** [uitwerking] *calculation, computation* **0.6** [bewerkstelliging] *bringing about* ⇒*working out, achievement, accomplishment* ◆ **1.5** de ~ v.d. som moet blijven staan *the calculation of the problem should not be removed/corped out* **2.2** de Nederlandse ~ van dit boek *the Dutch v. / adaptation of this book;* een nieuwe ~ v.e. oud stuk/oude film *a rewrite/remake* **2.4** rekenkundige ~ en *arithmetical operations/calculations* **3.1** een ~ ondergaan *be processed/treated, undergo a process/treatment* **6.1** de derde druk is in ~ *the third impression/* ⟨herbewerking⟩ *edition is in preparation* **6.2** in ~ voor koor en orkest *arranged for choir and orchestra;* ~ ⟨v.e. roman⟩ voor de film *screen v., adaptation for the screen;* ~ ⟨v.e. roman⟩ voor toneel *dramatization, stage/drama v., adaptation for the stage.*

bewerkstelligen ⟨ov.ww.⟩ **0.1** *bring about/off* ⇒*effect, realize, procure* ◆ **1.1** iem. zijn eigen ondergang laten ~ *give s.o. enough rope to hang himself, let s.o. dig his own grave;* een ontmoeting/verzoening ~ *bring about/arrange* ⟨ondanks moeilijkheden⟩ *engineer a meeting/reconciliation.*

bewesten ⟨vz.⟩ **0.1** *(to the) west of.*

bewieroken ⟨ov.ww.⟩ **0.1** [in wierook hullen] *(in)cense* ⇒*fume* **0.2** [⟨fig.⟩] *adulate* ⇒*fawn on.*

bewijs ⟨het⟩ **0.1** [feit, redenering] *proof* ⇒*evidence, demonstration* **0.2** [teken] *proof* ⇒*evidence, sign, token, mark* **0.3** [schriftelijke verklaring, ⟨ook in samenst.⟩] *proof* ⇒*certificate, confirmation, acknowl-*

edgement, ⟨identiteit⟩ *card* ◆ **1.3** ~ van aandeel *share certificate, bearer warrant;* betalingsbewijs *p. of payment, receipt, docket;* ~ (je) v.d. dokter *doctor's certificate;* ~ van herkomst *certificate of origin;* ~ van lidmaatschap *membership card/ticket;* ~ van Nederlanderschap *certificate of Dutch nationality;* ~ van storting *receipt, scrip;* ~ van toegang *admission ticket, pass* **2.1** concreet ~ *material/solid evidence;* een direct ~ *direct p.;* niet het geringste ~ *not a shred of evidence;* ⟨jur.⟩ indirect ~ *circumstantial evidence;* mondeling ~, ~ door getuigen *parol/oral evidence, evidence by parol;* het overtuigende ~ van iets leveren *establish conclusive p. / p. positive of sth.;* ⟨jur.⟩ schriftelijk ~ *documentary evidence, written proof;* waterdicht ~ *sure, solid evidence;* wettig en overtuigend ~ *conclusive evidence, p. positive* **3.1** bewijzen aanvoeren *adduce/bring/furnish p.;* hij heeft dat gezegd, ik heb het ~ *he said that, I have chapter and verse for it/I have p. of it;* ⟨wisk.⟩ het ~ leveren v.e. stelling *demonstrate a theorem;* het ~ leveren (dat/van) *furnish/produce/adduce p. / evidence (that/of), testify (that/to), make one's case;* het is aan haar om het ~ te leveren *the onus of p. lies/rests with her;* ⟨wisk.⟩ het ~ omkeren *reverse the operation* **3.2** ~ geven van *give p. / show evidence of* ⟨moed, oordeel⟩; ~ zijn van *be testimony to, be evidence/p. of* **3.3** een ~ afgeven *issue a certificate* **6.1** een bewering met bewijzen staven *substantiate/sustain/prove/make good a statement;* met bewijzen aantonen *demonstrate;* ten bewijze dat als *(a) p. / evidence that, to show that, to the effect that;* ~ uit het ongerijmde *indirect demonstration/p.* **6.2** een ~ van trouw *a token of fidelity/faith;* een ~ van moed *a sign of courage;* als ~ van erkentelijkheid *...as a token of gratitude;* als ~ van *as (a) p. / evidence of* **6.3** ~ van goed gedrag *certificate/testimonial of good conduct/* ⟨politie⟩ *of good character;* ~ van onvermogen ≠*certificate of insufficient means;* ~ van betaling *p. of payment, receipt, docket;* ~ van ontvangst *receipt* **8.1** als ~ aanvoeren *quote (in evidence)* ⟨persoon, passage⟩; als ~ overleggen *produce/give in evidence;* stukken die kunnen dienen als ~ *documents which may be used in evidence* ¶ **.3** een ~ je ⟨bonnetje⟩ *a receipt/voucher/chit.*

bewijsbaar ⟨bn.⟩ **0.1** *demonstrable* ⇒*provable* ◆ **2.1** moeilijk ~ *hard to prove.*

bewijsexemplaar ⟨het⟩ **0.1** ⟨van schrijver⟩ *author's copy;* ⟨van krant⟩ *reference/voucher copy.*

bewijsgrond ⟨de (m.)⟩ **0.1** *argument.*

bewijskracht ⟨de⟩ **0.1** *evidential/probative value* ⇒⟨van stukken/feiten⟩ *value as evidence,* ⟨van argument/redenering⟩ *cogency* ◆ **3.1** ~ hebben *have evidential value, be admissible as evidence, form legal evidence;* ~ ontlenen aan *derive evidential value from;* ~ toekennen aan *admit in evidence.*

bewijslast ⟨de (m.)⟩ **0.1** *onus of proof* ⇒*onus probandi* ◆ **2.1** omgekeerde ~ *onus of proof lying with the insured;* een zaak met een sterke ~ *a good prima facie case* **3.1** zij heeft de ~ *the onus of proof falls on/lies with her;* de ~ rust op/ligt bij de eiser *the onus of proof rests with the plaintiff.*

bewijsmateriaal ⟨het⟩ **0.1** *evidence* ⇒*proof* ◆ **3.1** geen/onvoldoende ~ hebben ⟨ook⟩ *have no case.*

bewijsplaats ⟨de⟩ **0.1** *reference* ⇒*authority.*

bewijsstuk ⟨het⟩ **0.1** *proof, evidence* ⇒⟨jur.⟩ *piece/item of evidence, exhibit,* ⟨geldw.⟩ *voucher* ⟨rekening en verantwoording⟩.

bewijsvoering ⟨de (v.)⟩ **0.1** [betoog] *argumentation* ⇒⟨wiskunde ook⟩ *demonstration, showing* **0.2** [⟨jur.⟩ handeling v.h. bewijzen] *furnishing of proof* ⇒⟨door bewijs te leveren⟩ *averment,* ⟨door getuigenis/bewijzen⟩ *verification.*

bewijzen ⟨ov.ww.⟩ **0.1** [aantonen dat iets zo is] *prove* ⇒*establish, demonstrate, show,* ⟨schr.⟩ *aver* **0.2** [betuigen, betonen] *render* ⇒*show, prove* ◆ **1.1** het heeft zijn bestaansrecht bewezen *it has justified itself/its existence, it has proved its worth;* je hebt je gelijk bewezen ~ *you have proved your point/* ⟨inf.⟩ *point taken;* zijn identiteit ~ *give evidence of one's identity;* iemands schuld ~ *p.s.o. guilty, bring a charge home to s.o.;* een stelling ~ *p. / demonstrate a proposition/theory/claim;* om zijn stelling te ~ *to sustain/substantiate/p. one's claim* **1.2** een dienst ~ *do/r. a service, do/confer a favour, accomodate (s.o.), oblige;* iem. een slechte dienst ~ *do s.o. a bad turn/a disservice;* als beloning voor bewezen diensten *in recognition of services rendered;* de kaart bewees goede diensten *the map was/proved to be a great help/very useful;* de laatste eer ~ aan een overledene *r. the last honours to a deceased person, pay s.o. one's last respects;* eer ~ aan *pay tribute to* **3.1** dat moet nog altijd bewezen worden *that remains/still has to be proved, that has still not been proved;* trachten te ~ *p.) make a case for proof, argue* **4.1** dat bewijst nog niets *that doesn't p. anything;* zich ~, ~ wat men kan/waard is *p. o.s., show what one is capable of, p. one's worth* **4.¶** zichzelf moeten ~ *have to p. o.s.* **5.1** niet bewezen *unproved, unproven* **6.1** te ~, moeilijk/makkelijk te ~ *demonstrable, easy/hard to p.;* het is aan jou om dit te ~ ⟨ook⟩ *the onus of proof is yours* **8.1** dit bewijst dat dit *proves/goes to show that;* bewijs maar dat het niet zo is ⟨just⟩ *disprove it/p. the contrary;* het is bewezen dat *it's a proven/established fact that;* dit bewijst toch afdoende dat hij bekwaam is *this is sufficient proof of his competence;* hij had bewezen dat hij de juiste man was *he had proved himself to be the right man;*

zij kan niet ~ dat ik het gedaan heb ⟨ook⟩ *she cannot p. the case against me.*

bewilligen
I ⟨ov.ww.⟩ **0.1** [toestaan, inwilligen] *consent to* ⇒*allow, grant, approve* ◆ **1.1** een verzoek ~ *grant a request;*
II ⟨onov.ww.⟩ **0.1** [toestemmen in] *assent (to)* ⇒*consent (to), agree (to), approve* ◆ **6.1** hij bewilligde in mijn vertrek *he consented to my departure.*

bewimpelen ⟨ov.ww.⟩ **0.1** *smooth/gloss over* ⇒*palliate, extenuate, get round* ⟨moeilijkheden⟩ ◆ **1.1** een fout ~ *smooth over/cover up a mistake.*

bewind ⟨het⟩ **0.1** [bestuur, beheer] *government* ⇒*regime, rule, management* **0.2** [regerende macht] *administration* ⇒*government, authorities* ◆ **1.2** de val v.h. ~ *the fall/collapse of the a./government* **2.1** militair ~ *military rule/g.;* voorlopig ~ *temporary g./rule* **3.1** een ~ erkennen *recognize a g.;* het ~ voeren over *govern, rule (over); manage, administer* ⟨goederen, zaak⟩ **6.1 aan** het ~ komen *come to power, take (up)/* ⟨schr.⟩ *accede to office;* **aan** het ~ zijn/blijven *be/remain in power/office;* weer **aan** het ~ komen *return to power/office, resume office;* **onder** zijn ~, **tijdens** zijn ~ *under/during his regime/government, during his period of office;* **tijdens** het ~ van Queen Mary *during Queen Mary's reign/under (the reign of) Queen Mary.*

bewindhebber ⟨de (m.)⟩ **0.1** *administrator* ⇒*director, governor.*

bewindsman ⟨de (m.)⟩, **-vrouw(e)** ⟨de (v.)⟩, **bewindspersoon** ⟨de (m.)⟩ **0.1** *member of government/cabinet* ⇒*minister, secretary.*

bewindvoerder ⟨de (m.)⟩, **-ster** ⟨de (v.)⟩ **0.1** [gezagdrager] *administrator* ⇒*director,* ⟨jur.⟩ *conservator* **0.2** [beheerder] *manager* ⇒*director, administrator,* ⟨bij faillissement, enz.⟩ *receiver.*

bewogen ⟨bn.⟩ **0.1** [ontroerd] *moved* ⇒*stirred, touched, affected* **0.2** [vol gebeurtenissen] *stirring* ⇒*eventful, busy,* ⟨vnl. negatief⟩ *unsettled* **0.3** [vol emotie] *moving* ⇒*emotive, stirring* ◆ **1.1** een ~ gemoed *stirred emotions,* duply moved feelings **1.2** een ~/weinig ~ middag *an eventful/uneventful afternoon* **1.3** een ~ stijl/trant *an emotive/emotional style/manner* **5.1** hij was diep ~ *he was deeply m.;* sociaal ~ zijn *have a social conscience* **6.1** ~ zijn met *pity, commiserate, sympathize with, feel for;* **tot** tranen toe ~ *m./stirred to tears.*

bewolken
I ⟨onov.ww.⟩ **0.1** [betrekken] *cloud over/up* ⇒*become clouded/cloudy/overcast* ◆ **3.1** de lucht begint te ~ *it's clouding over;*
II ⟨ov.ww.⟩ **0.1** [met wolken overdekken] *cloud* ⇒*overcloud.*

bewolking ⟨de (v.)⟩ **0.1** *cloud(s)* ⇒*cloudiness* ◆ **2.1** laaghangende ~ *cloud-bank, low cloud;* een zware/lichte ~ *heavy/light cloud* **7.1** veel ~ vandaag *much cloud/overcast today.*

bewolkt ⟨bn.⟩ **0.1** [betrokken] *cloudy* ⇒*overcast* **0.2** [⟨fig.⟩] *clouded* ⇒*overcast, dark(ened)* ◆ **1.1** bij ~ weer *under a c. sky* **1.2** een ~ gezicht *a c. countenance* **5.1** een licht ~e hemel *a dull sky;* zwaar ~ *with heavy clouds/clouding.*

bewonderaar ⟨de (m.)⟩, **-ster** ⟨de (v.)⟩ **0.1** *admirer* ⇒⟨inf.⟩ *fan.*

bewonderen ⟨ov.ww.⟩ **0.1** [ontzag/waardering hebben voor] *admire* ⇒*look up to, revere* **0.2** [met ontzag/waardering kijken naar] *admire* ◆ **1.1** ~de lezers *admiring readers, admirers;* ⟨inf.⟩ *fans;* alle meisjes ~ hem *all the girls adore him, he is the admiration of all the girls* **3.1** iem. ~d aankijken *look admiringly at s.o.;* ⟨vnl. pej.⟩ *ogle at s.o.; stare at s.o. in admiration* **6.1** iem. ~ **om** zijn geduld *admire s.o. for his patience.*

bewonderenswaard, -ig ⟨bn., bw.; -ly⟩ **0.1** *admirable* ⇒*wonderful, remarkable, noble* ⟨daad⟩ ◆ **2.1** ze bleef ~ kalm *she remained wonderfully/admirably calm.*

bewondering ⟨de (v.)⟩ **0.1** *admiration* ⇒*reverence, wonder* ◆ **3.1** ~ afdwingen/koesteren voor *compel/win a., hold in great a.* **5.1** vol ~ in a., full of a./wonder* **6.1** iets met ~ gadeslaan *regard sth. with a.;* **uit** ~ voor *in a. for;* grote ~ hebben voor iem. *have a great a. for s.o..*

bewonen ⟨ov.ww.⟩ **0.1** *inhabit* ⟨land, eiland⟩ *occupy, live in* ⟨huis, kamer, gebouw⟩ ◆ **1.1** mijlen ver v.d. bewoonde wereld *miles away from anywhere/nowhere/civilization;* ⟨inf.⟩ *in the middle of nowhere;* in de bewoonde wereld terugkeren *return to civilization* **5.1** drie v.d. twee kamers zijn niet bewoond *three of the four rooms are not occupied/lived in;* het huis is al jaren niet bewoond *the house has been unoccupied for years.*

bewoner ⟨de (m.)⟩, **-woonster** ⟨de (v.)⟩ **0.1** ⟨stad, land⟩ *inhabitant* ⇒⟨huis⟩ *occupant,* ⟨stad, tehuis, huis ook⟩ *resident* ◆ **1.1** ~ v.e. voorstad *suburban, suburbanite;* ~ van eigen woning *owner-occupier* **8.1** met de eigenaar als ~ *owner-occupied.*

bewoning ⟨de (v.)⟩ **0.1** ⟨stad⟩ *habitation* ⇒⟨huis⟩ *occupation, residence* ◆ **2.1** geschikt voor permanente ~ *suitable for permanent residence* **3.1** een deel v.d. stad voor ~ bestemmen *plan (a) part of the town as a residential area* **6.1** ongeschikt voor ~ *unfit for (human) habitation/occupation, condemned.*

bewoonbaar ⟨bn.⟩ **0.1** ⟨streek⟩ *(in)habitable* ⇒⟨huis⟩ *liv(e)able, fit for (human) habitation* ◆ **5.1** het huis is niet ~ *the house is not fit to live in.*

bewoording ⟨de (v.)⟩ **0.1** *wording* ⇒*phrasing, phraseology, expression,* ⟨mv.⟩ *terms* ◆ **2.1** iets in duidelijke ~en te verstaan geven *express*

sth. in clear/no uncertain terms; de juiste ~en v.h. artikel *the exact w. of the article;* (gesteld) in krachtige/warme ~en *strongly worded; warmly expressed;* in welgekozen ~en *in well-chosen words* **6.1 in** de ~en van Shakespeare *in Shakespeare's phrase/language.*

bewust
I ⟨bn.⟩ **0.1** [betreffend] *concerned* ⇒*involved* **0.2** [besef hebbend van] *aware* ⇒*conscious* **0.3** [⟨in samenst.⟩] *conscious* ⇒*aware, concerned* **0.4** [door het bewustzijn gecontroleerd] *conscious* ⇒*aware* **0.5** [in het bewustzijn aanwezig] *conscious* ◆ **1.1** op de/die ~e dag *on that particular afternoon, on the afternoon in question;* de ~e persoon/zaak *the person/matter c./in question* **1.3** energiebewust *energy-conscious;* milieubewust *environment-conscious;* modebewust *fashion-conscious* **2.2** politiek ~ (worden) *(become) politically conscious* **3.1** iets ~ doen *do sth. consciously/deliberately/knowingly;* (zeer) ~ leven *live a life of (total) awareness* **3.2** iem. ~ maken (van) *awaken/alert s.o. (to)* **4.2** voorzover ik mij ~ ben *to my knowledge, that I am aware of;* tot hij het zich ~ werd *until it dawned on/came home to him, until he realized it* **6.2** zich van geen kwaad/schuld ~ zijn *be unaware/unconscious/oblivious of any harm/guilt;* zich ~ zijn van ...*be a./conscious of, be alive to (verantwoordelijkheid)/awake to* ⟨gevaar⟩, *appreciate;* zich ~ worden van ...*become a./conscious of;* ⟨inf.⟩ *cop/cotton onto;* zich **van** geen gevaar ~ *(quite) unaware of any danger* **8.1** ervan ~ dat *a. that* **8.2** ik ben me (er) niet ~ (van) dat ooit beweerd te hebben *I am unaware of having ever said that;*
II ⟨bn., bw.; -ly⟩ **0.1** [opzettelijk] *conscious* ⇒*knowing, witting, intentional, deliberate* ◆ **3.1** iem. ~ navolgen *(consciously) follow in s.o.'s footsteps.*

bewusteloos ⟨bn.⟩ **0.1** *unconscious* ⇒*senseless,* ⟨inf.⟩ *out cold, insensible* ◆ **3.1** zich ~ drinken *drink o.s. senseless/into a coma/stupor;* ~ houden met morfine *keep under with morphine;* iem. ~ slaan *knock s.o. out, knock s.o. senseless, stun s.o. with a blow;* ~ worden ⟨ook⟩ *pass out.*

bewusteloosheid ⟨de (v.)⟩ **0.1** *unconsciousness.*

bewustheid ⟨de (v.)⟩ **0.1** [besef] *consciousness* ⇒*awareness* **0.2** [bezit van vol besef] *consciousness* ⇒*awareness, realization, appreciation* ◆ **2.2** hij heeft dat met volle ~ gedaan *he did that in all c./fully consciously.*

bewustmaking ⟨de (v.)⟩ **0.1** *alerting (to)* ⇒⟨van eigen identiteit⟩ *consciousness-raising.*

bewustwording ⟨de (v.)⟩ **0.1** *awakening (to)* ⇒*realization, becoming conscious/aware,* ⟨van eigen identiteit⟩ *consciousness-raising.*

bewustzijn ⟨het⟩ **0.1** [vermogen tot besef] *consciousness* ⇒*awareness* **0.2** [besef van een gesteldheid/van verhoudingen] *consciousness* ⇒*awareness* **0.3** [zintuiglijk besef] *consciousness* ◆ **2.1** het menselijk ~ *human c.* **2.2** het nationaal ~ *national c./awareness, sense of nationhood;* redelijk ~ *moral awareness, conscience* **3.3** weer tot ~ komen *regain/recover c.;* ⟨ook fig.⟩ *come to one's senses;* zijn ~ verliezen *lose c., become unconscious* **6.1** bij ~ *conscious* **6.3 bij/tot** ~ brengen *bring round/to, pull round;* **buiten** ~ zijn *be unconscious.*

bewustzijnsdaling ⟨de (v.)⟩ **0.1** *diminution of consciousness/awareness.*

bewustzijnsgraad ⟨de (v.)⟩ ⟨psych.⟩ **0.1** *level of consciousness.*

bewustzijnsniveau ⟨het⟩ ⟨psych.⟩ **0.1** *level of consciousness* ◆ **1.1** verlaging van het ~ *lowering of the level of consciousness.*

bewustzijnsveranderaar ⟨de (m.)⟩ **0.1** *psychotomimetic (drug).*

bewustzijnsvernauwing ⟨de (v.)⟩ **0.1** *restricted awareness.*

bewustzijns(ver)ruimend ⟨bn.⟩ **0.1** *consciousness/mind-expanding, psychodelic* ◆ **1.1** ~ middel *consciousness/mind-expanding drug, mind-expander, p. drug.*

bezaaien ⟨ov.ww.⟩ ⟨⇒sprw. 643⟩ **0.1** [met zaad bestrooien] *sew* ⇒*seed* **0.2** [overdekken met iets anders] *strew* ⇒*stud, litter, dot* ◆ **5.2** dicht bezaaid *thickly studded/strewn* **6.1** een veld met rogge ~ *sew/seed a field of rye* **6.2** de hemel was met sterren bezaaid *the sky was studded/spangled with stars;* bezaaid met *strewn with* ⟨papier, bladeren enz.⟩; *studded with* ⟨licht, sterren, edelstenen⟩; *littered with* ⟨papier, rommel, speelgoed enz.⟩; *dotted with* ⟨bloemen⟩; bezaaid **met** lovertjes *sequined.*

bezaan ⟨de⟩ ⟨scheep.⟩ **0.1** *mizzen* ⇒*spanker.*

bezaansmast ⟨de (m.)⟩ **0.1** *mizzen(mast).*

bezadigd ⟨bn., bw.; -ly⟩ **0.1** *steady, sedate* ⇒*sober(minded), dispassionate, balanced, level-headed, moderate* ◆ **1.1** ~ gedrag *sedate behaviour;* zij heeft een ~ iem. nodig *she needs s.o. steady;* ~e meningen *dispassionate/moderate views;* een ~ persoon *a level-headed person* **3.1** ~(er) worden *steady/settle/calm down.*

bezatten ⟨wk.ww.; zich~⟩ ⟨inf.⟩ **0.1** *get sloshed/plastered* ⇒*hit the bottle,* ⟨sl.⟩ *get pissed.*

bezegelen ⟨ov.ww.⟩ **0.1** [bekrachtigen] *seal* ⇒*bind, clinch* **0.2** [v.e. zegel voorzien] *seal* ⇒*stamp* ◆ **1.1** een koop ~ *clinch a bargain;* dat bezegelde zijn lot *that did for/finished him, that cooked his goose, that settled his hash;* een overeenkomst met een glas/borrel ~ s./clinch a deal over a drink* **1.2** met daden bezegelde brieven *sealed letters, letters carrying/bearing a seal;* het lot ~ van ...*seal the fate of* **6.1** zijn beloften **met** daden ~ s./bear out/bind one's promises with actions;* zijn toewijding **met** de dood ~ *put a seal on one's devotion with one's death.*

bezeilen ⟨ov.ww.⟩ ⟨→sprw. 56⟩ **0.1** [zeilen over] *sail* **0.2** [door zeilen bereiken] *sail for/towards* ⇒*approach* ♦ **1.2** een haven ~ *sail for a harbour* ¶.¶ er is geen land (geen haven) met hem te ~ *there is absolutely nothing to be done with him, there is no doing anything with him, he's a hopeless case.*

bezem ⟨de (m.)⟩ ⟨→sprw. 57⟩ **0.1** *broom* ⇒ ⟨van takken⟩ *besom* ♦ **3.1** ⟨fig.⟩ ergens de ~ door halen *make a clean sweep (of sth.).*

bezemklas ⟨de (v.)⟩ **0.1** ≠*transitional class.*

bezemschoon ⟨bn.⟩ **0.1** *swept clean.*

bezemsteel ⟨de (m.)⟩ **0.1** [steel van een bezem]⟨ook van heks⟩ *broomstick* ⇒*broomhandle* **0.2** [persoon] *beanpole* ⇒*stick* ♦ **3.1** ⟨fig.⟩ een ~ ingeslikt hebben *be very wooden, be like a stick.*

bezemwagen ⟨de (m.)⟩ ⟨sport⟩ **0.1** *sagwagon, broomwagon.*

bezen →*basen.*

bezending ⟨de (v.)⟩ **0.1** [hoeveelheid] *consignment* ⇒ ⟨scheep.⟩ *shipment, load, lot* **0.2** [⟨gesch.⟩ gezantschap] *embassy* ⇒*delegation, mission* ♦ **2.1** het is een hele~ *that's quite a load.*

bezeren

I ⟨wk.ww.; zich ~⟩ **0.1** [zich pijn doen] *hurt o.s.* ⇒*get hurt,* ⟨sterker⟩ *injure o.s., get injured;*
II ⟨ov.ww.⟩ **0.1** [pijn doen] *hurt* ⇒*bruise,* ⟨sterker⟩ *injure, inflict pain* ♦ **5.1** een babyhuidje is gauw bezeerd *a baby's skin is easily bruised.*

bezet ⟨bn.⟩ **0.1** [mbt. een ruimte] *occupied* ⇒⟨plaats ook⟩ *taken,* ⟨toilet ook⟩ *engaged, in use* **0.2** [mbt. tijd] *taken up* ⇒*occupied, busy, full* **0.3** [mbt. personen] *engaged* ⇒*occupied, busy* **0.4** [mbt. een gebied/land] *occupied* **0.5** [mbt. een gebouw] *occupied* **0.6** [mbt. de borst/longen] *congested* ♦ **1.1** alle kamers/plaatsen zijn ~ *all rooms/places are o./taken* **1.4** ~ gebied *o. territory;* de door de Amerikanen ~te gebieden *American-occupied territory* **1.5** ~te bedrijven *o. factories* **1.¶** de lijn is ~ ⟨telefoon⟩ *the line is* ᴮ*engaged/*ᴬ*busy* **3.2** mijn tijd is ~ *my time is taken up/fully occupied* **3.3** ik ben ~ *I am busy/booked up, my time is taken up, I am (otherwise) engaged, I am tied up;* ben je vanavond ~? *have you anything on/are you free/are you doing anything this evening?* **3.4** ~ houden *occupy, keep occupied* **5.1** dicht ~ (zijn met) *(be) thick (with)/crowded/packed;* geheel ~ ⟨trein, hotel⟩ *full up, fully o.;* de voorstelling was matig/slecht ~ *the attendance was poor/bad, the performance was poorly/badly attended* **5.2** druk ~te avond *busy/full evening;* een druk ~ leven leiden *lead a busy life* **5.3** (te) druk ~ iem. *everbusy person;* dat meisje is nog niet ~ *that girl is unattached/is still free* **6.1** tot de laatste plaats ~ *full up, filled to capacity, booked out* **6.6** hij is ~ op de borst *his chest is c.* **6.¶** met juwelen ~ *set with jewels.*

bezeten ⟨bn.⟩ **0.1** [boze geest in zich hebbend] *possessed (by)* ⇒*obsessed (by)* **0.2** [dol op] *obsessed (by)* ⇒ ⟨inf.⟩ *mad/crazy (about),* ⟨door een idee ook⟩ *seized* ♦ **6.1** ~ van de duivel *p. by the devil* **6.2** ~ van stripverhalen *mad about comic strips;* van één gedachte ~ *o./possessed by one idea;* ⟨pej.⟩ *with a one-track mind;* ~zijn van/door *have an obsession about* **8.1** ⟨zelfst.⟩ als een ~e tekeergaan *run amok, go berserk;* ⟨zelfst.⟩ werken als een ~e *work like one p., be a demon for work;* ⟨zelfst.⟩ als een ~e *frenetically, madly.*

bezetsel ⟨het⟩ ⟨AZN⟩ **0.1** *plaster.*

bezetten ⟨ov.ww.⟩ **0.1** [mbt. een plaats/ruimte] *occupy* ⇒*take, fill, engage* **0.2** [mbt. een gebied] *occupy* ⇒*hold* **0.3** [mbt. een gebouw] *occupy* ⇒*sit in* **0.4** [voorzien van] *set* ⇒*inset,* ⟨edelstenen ook⟩ *encrust* **0.5** [bekleden] *occupy* ⇒*hold* **0.6** [mbt. tijd] *occupy* ⇒*take up, engage* **0.7** [⟨muz., toneel⟩] *man* ⇒*cast* ♦ **1.1** een belangrijke plaats ~ in *o. an important place in;* ⟨toneel, film⟩ *feature in;* het gezelschap bezette een hele rij stoelen *the party took up a whole row of seats* **1.5** een leerstoel ~ *hold/o. a chair;* een post ~ *man a post* **1.7** de rollen zijn goed bezet *the roles are well cast* **5.7** een sterk bezet orkest *a strongly/well manned orchestra* **6.4** een ring met edelstenen ~*s. a ring with precious stones* **6.6** al zijn avonden zijn met lessen bezet *all his evenings are taken up/filled with classes.*

bezetter ⟨de (m.)⟩ ⟨mil.⟩ **0.1** *occupier(s)* ⇒*occupying force(s)* **0.2** [actievoerder] *(the) workers/students* ⇒ ⟨enz.⟩ *occupiers/who have taken over the building/*⟨enz.⟩ ⇒ ⟨zeldz.⟩ *occupiers.*

bezetting ⟨de (v.)⟩ **0.1** [het bezetten/bezet zijn] *occupation* ⇒ ⟨ambt⟩ *filling,* ⟨plaats⟩ *filling up,* ⟨personeel⟩ *complement* **0.2** [mbt. een gebouw] *occupation* ⇒*sit-in,* ᴬ*lock-in,* ⟨fabriek ook⟩ *work-in* **0.3** [mbt. een gebied] *occupation* **0.4** [manschappen] *garrison* ⇒ ⟨tank⟩ *crew* **0.5** [⟨muz., toneel⟩] ⟨toneel⟩ *cast;* ⟨orkest⟩ *strength* **0.6** [benauwdheid door slijmvorming] *congestion* ⇒*constriction* ♦ **2.1** de fabriek draait met een halve ~ *the factory is running on half its manpower/labour force;* personele ~ *(complement of) staff, staffing;* met een volledige ~ van tachtig man ⟨ook toneel⟩ *with a full complement of eighty men.*

bezettingsgraad ⟨de (m.)⟩ **0.1** ⟨vervoermiddel⟩ *seat occupancy;* ⟨fabriek, machine⟩ *(degree of) capacity utilization* ♦ **1.1** de ~ van een buslijn *percentage of occupied route.*

bezettingsleger ⟨het⟩ **0.1** *army of occupation* ⇒*occupying force(s).*

bezettingsmaatregel ⟨de (m.)⟩ **0.1** *occupation measure.*

bezettoon ⟨de (m.)⟩ **0.1** ᴮ*engaged signal/tone,* ᴬ*busy signal.*

bezichtigen ⟨ov.ww.⟩ **0.1** *(pay a) visit (to)* ⟨kasteel, kerk, museum⟩ ⇒

⟨kasteel enz. ook⟩ *see, look over,* ⟨huis ook⟩ *view,* ⟨stad/fabriek ook⟩ *tour, inspect* ⟨huis, fabriek⟩, ⟨inf.⟩ *do* ♦ **1.1** een huis ~ *see over/see round/inspect/go over/view a house;* een tentoonstelling ~ *visit/ (go to) see/look round an exhibition* **6.1** te ~ *on view/show;* ⟨goederen ook⟩ *on display;* ⟨huis ook⟩ *open to inspection;* het huis is te ~ *the house can be visited/seen/* ⟨vnl. nieuw huis⟩ *is on view.*

bezichtiging ⟨de (v.)⟩ **0.1** *visit* ⇒*view, inspection, tour* ♦ **1.1** *consent/toestemming tot* ~ *bill of sight* **3.1** iets ter ~ stellen *place/put sth. on view/show; open (a house) to the public;* ⟨goederen ook⟩ *display* **6.1** alles ligt ter ~ *everything is ready/available for inspection, everything is on show/may be viewed/is on display.*

bezield ⟨bn.⟩ **0.1** [geestdriftig] *animated* ⇒*inspired, impassioned, spirited* **0.2** [met een ziel] *alive, living* ♦ **1.1** ~e taal *impassioned language* **3.1** ~ zijn *glow, be a./spirited.*

bezielen ⟨ov.ww.⟩ **0.1** [in geestdrift brengen] *inspire* ⇒*animate, impassion* **0.2** [aandrijven] *possess* ⇒*activate, inspire* **0.3** [leven geven aan] *animate* ⇒*inspirit, vitalize, breathe life into* ♦ **1.1** onder de ~de leiding van *under the inspiring leadership of;* ~de woorden *inspiring words* **1.3** de kunstenaar bezielde het stilleven *the artist put/breathed life into the composition/brought the composition to life* **3.1** bezield worden *become inspired, come alive* **3.2** wat kan hem toch bezield hebben om zo raar te doen? *what can have possessed him to act so strangely?* **4.2** wat bezielt je! *waht has got into/come over you!* **6.2** bezield door een groot verlangen om *possessed with a great desire to.*

bezieling ⟨de (v.)⟩ **0.1** [het bezielen] *inspiration* ⇒*animation, vivification* **0.2** [geestdrift] *inspiration* ⇒*animation, vitality* ♦ **3.2** er ging geen enkele ~ vanuit *there was no go/spark/animation in it;* het ontbreekt zijn kunst aan ~ *his art lacks soul/vitality* **6.2** met ~ spreken *speak with i./inspiringly.*

bezien ⟨ov.ww.⟩ **0.1** [overwegen] *see* ⇒*consider, look on, regard* **0.2** [bekijken] *look at* ⇒*regard, view,* ⟨kritisch⟩ *inspect* ♦ **5.1** achteraf ~ *looking back, in retrospect;* nuchter ~ *seen in the cold light of day/dawn/reason;* opnieuw ~, het nog eens ~ *rethink, reconsider (it)* **6.1** iets met welgevallen ~ *look with favour on sth.;* dat staat nog te ~ *that remains to be seen.*

bezienswaardigheid ⟨de (v.)⟩ **0.1** *object/place of interest/worht seeing* ⇒*sight* ♦ **3.1** de bezienswaardigheden bezoeken *see the sights, go sightseeing.*

bezig ⟨bn.⟩ **0.1** [werkzaam] *busy (with/-ing)* ⇒*working (on),* ⟨ook in gedachten⟩ *occupied (with), engaged (in)* **0.2** [ijverig] *busy* ⇒*industrious* **0.3** [⟨pej.⟩] ⟨zie 3.3⟩ ♦ **1.2** de ~e bij *the b. bee* **3.1** zij waren al ~ inlichtingen in te winnen *they were b. making inquiries;* de wedstrijd is al ~ *the match is on/has started;* ze is ~ met schilderen ⟨ook⟩ *she is painting;* hij is ~ de grootste wielrenner van deze tijd te worden *he is (in the process of) becoming/about to become the greatest cyclist of our day;* ~ een opera te schrijven *engaged in composing an opera;* hij was juist ~ het kantoor te sluiten *he was just about to close the office;* ik was ~ mijn sommen te maken *I was al/doing my sums;* waar zijn we eigenlijk mee ~! *just what are we doing/getting into/getting involved in!* **3.3** waar ben je eigenlijk mee ~! *what do you think you're up to!;* hij is weer ~ *he's at it again* **5.1** druk ~ zijn *be busy/hard at work;* als je er toch mee ~ bent *while you are at/about it;* wij zijn even niet ~ of zij komt al weer *just as we stop (working) she's back* **6.1** hij is ~ aan zijn boek *he's working on his book;* wij zijn aan/met uw bestelling ~ *your order is on hand, we are working on your order;* ~ met zijn werk *working;* met iem. ~ *be b. with s.o., be engaged;* de hele dag met iets ~ zijn *be b. with/working on/occupied with sth. all day; be thinking about sth. all day, be taken up by sth. all day;* geconcentreerd ~ met zijn werk *bent on one's work;* met iets nieuws ~ zijn *be on to/working on sth. new;* ~ met een studie over opera *engaged on a study of opera;* Hanny is altijd met zichzelf ~ *Hanny is such a self-centered person/only concerned about herself;* hij was te zeer ~ met zijn eigen gedachten *he was too (much) occupied/involved with his own thoughts;* de hele dag door met zaken ~ zijn *think business all day;* met andere dingen ~ zijn *be otherwise engaged;* de buren waren ~ met een boor *the neighbours were doing sth. with a drill;* vreselijk lang met iets ~ zijn *be an awful long time over/about sth..*

bezigen ⟨ov.ww.⟩ ⟨schr.⟩ **0.1** *employ* ⇒*use, apply* ♦ **1.1** al zijn invloed ~ *use all of one's influence;* versluierende taal ~ *use veiled language/words;* verstandige taal ~ *talk sense.*

bezigheid ⟨de (v.)⟩ **0.1** [werk, verrichting] *activity* ⇒*occupation, work,* ⟨hobby ook⟩ *pursuit* **0.2** [het bezig zijn] *work(ing)* ⇒*busyness* ♦ **2.1** de dagelijkse bezigheden *daily activities/pursuits/* ⟨karweitjes⟩ *chores, the daily round/work;* zinloze ~ *futile occupation;* ⟨BE; inf.⟩ *mug's game* **3.1** andere bezigheden hebben *have other work, have sth. else to do/keep one occupied, be otherwise engaged;* geen andere bezigheden hebben *have no other work/occupation, have nothing else to do/keep one occupied;* bezigheden buitenshuis hebbend ⟨in advertenties⟩ *away all day* **6.1** wegens te drukke bezigheden *owing to pressure of work/business.*

bezigheidstherapie ⟨de (v.)⟩ **0.1** *occupational therapy.*

bezighouden

I ⟨ov.ww.⟩ **0.1** [de aandacht in beslag nemen] *occupy* ⇒*keep busy/*

going, engage, tie down **0.2** [werk verschaffen] *employ* ⇒*engage, provide work/employment* ◆ **1.1** die problemen houden hem bezig *those problems are keeping him busy;* de geldproblemen die velen ~ the *money problems which are bothering/preoccupying/in the minds of many people;* terwijl ik de vijand bezighield *while I engaged/occupied the enemy/kept the enemy busy/occupied* **1.2** deze taak houdt honderden ambtenaren bezig *this assignment/job/task provides work for hundreds of civil servants* **4.1** het houdt ons allemaal bezig *we are all concerned about it/interested in it* **4.2** zichzelf ~ *find sth. to do, busy o.s. with sth.* **5.1** iem. aangenaam ~ *entertain/amuse s.o.; keep s.o. amused* ⟨kinderen⟩ ¶**.1** het houdt me bezig *it occupies my mind;* **II** ⟨wk.ww.; zich ~⟩ **0.1** [zich ophouden met] *occupy/busy o.s. with* ⇒ *engage (o.s.) in, deal with, pursue* ◆ **3.1** zich bezig gaan houden met *engage/embark upon, throw o.s. into* **5.1** ik heb geen tijd om me daarmee bezig te houden *I have no time to attend to/bother with that;* de liefhebberijen waarmee wij ons ~ *the hobbies we pursue* **6.1** zich **met** iem./iets ~ *occupy o.s. with s.o./sth.;* zich **met** *engage in politics;* zich wat ~ **met** *take a spell/have a go at, dabble in;* zich ~ **met** minder belangrijke zaken *turn one's thoughts to less serious matters;* zich niet ~ **met** *be unconcerned with, not bother with;* ik zal me vooral ~ **met** de volgende problemen *I shall be concerned/deal chiefly with the following problems;* de bladen houden zich pagina's lang bezig **met** dit geval *the newspapers devote pages to this case.*

bezijden ⟨vz.⟩ **0.1** *beside* ⇒*wide of* ◆ **1.1** ~ de waarheid *wide of/far from the truth.*

bezingen ⟨ov.ww.⟩ **0.1** *sing (about/of)* ⇒*sing the praises of* ◆ **1.1** een held/de lente ~ *sing (the praises) of a hero/of spring.*

bezinken ⟨onov.ww.⟩ **0.1** [uit een vloeistof neerslaan] *settle (down)* ⇒ *sink (to the bottom), subside* **0.2** [helder worden door stilstaan] *clarify* ⇒*settle (out)* **0.3** [verwerkt worden] *sink in* ◆ **3.1** doen ~ ⟨schei.⟩ *precipitate; deposit, clarify* **3.2** wijn laten ~ *c./settle wine* **3.3** de stof laten ~ *let the material sink in, digest the material;* dit moet even ~ *this has to sink in first* **6.1** uit de vloeistof bezinkt een zwart poeder *a black powder is deposited from the liquid.*

bezinking ⟨de (v.)⟩ **0.1** [het bezinken] *sedimentation* ⇒*settlement, subsidence,* ⟨schei.⟩ *precipitation* **0.2** [bezinksel] *deposit* ⇒*sediment, residue.*

bezinkingssnelheid ⟨de (v.)⟩⟨med.⟩ **0.1** *erythrocyte sedimentation rate, E.S.R.* ⇒*rate of settling, settling rate.*

bezinksel ⟨het⟩ **0.1** *sediment* ⇒*deposit, residue,* ⟨in olietank ook⟩ *sludge,* ⟨in koffie ook⟩ *dregs,* ⟨in wijn ook⟩ *lees.*

bezinnen ⟨→sprw. 58⟩
I ⟨wk.ww.; zich ~⟩ **0.1** [nadenken] *contemplate* ⇒*reflect (on), consider* **0.2** [van gedachten veranderen] *think better of it* ⇒*change one's mind, think twice about it* ◆ **5.1** bezin je eens even *think (twice) about it;* zich nog eens ~ *think twice (about sth.)* **6.1** zich ~ **op** iets *reflect on/think about sth., consider sth. carefully;* ⟨iets afwegen⟩ *count the cost;* zich ~ **over** het nut van iets *contemplate/reflect on the value of sth.;* **II** ⟨onov.ww.⟩ ⟨vero.⟩ **0.1** [nadenken] *contemplate* ⇒*reflect on, consider, ponder (over).*

bezinning ⟨de (v.)⟩ **0.1** [het zich bezinnen] *reflection* ⇒*contemplation, consideration* **0.2** [helder en rustig besef] *sense(s)* ⇒*reason, wit(s)* **0.3** [bewustzijn] *sense(s)* ⇒*reason, wit(s), sanity* ◆ **3.2** tot ~ komen *come to one's senses, sober up, remember s.o.s;* iem. tot ~ brengen *bring s.o. to his senses* **3.3** zijn ~ verliezen *lose one's senses* ⟨fig.⟩ *head;* zijn ~ niet verliezen *keep one's head, keep one's wits about one.*

bezit ⟨het⟩ ⟨→sprw. 196⟩ **0.1** [eigendom] *possession* ⇒*property,* ⟨landgoed⟩ *estate* **0.2** [het bezit] *possession* **0.3** [⟨jur.⟩] *tenure* ◆ **2.1** haar juwelen zijn haar gehele ~ *her jewels are her all/all she possesses/has;* gezondheid is een kostbaar ~ *good health is a precious possession* **2.2** collectief/gemeenschappelijk/gezamenlijk ~ *collective ownership/community of property/joint tenancy;* in iemands ~ komen/raken *come into s.o.s possession/ownership/hands* **6.1** uit particulier ~ *from private ownership/property/residences;* een schilderij uit zijn ~ *a painting from his collection/in his possession* **6.2** in het ~ van iets komen/zijn *come into/be in p. of sth.;* **in** ~ hebben/houden *have/keep in one's p.;* **in** ~ krijgen *come into/get p. of;* het landgoed kwam **in** zijn ~ *the estate fell to him;* gearresteerd worden wegens het **in** ~ hebben van verdovende middelen/van een vuurwapen *be arrested on narcotics/firearms charges/for p. of narcotics/firearms;* **in** openbaar ~ *in the public domain, in public ownership;* zich **in** het ~ bevinden **van/in** het ~ zijn van particulieren *be in private ownership/hands;* een huis **in** eigen ~ hebben *own a house;* het stuk kwam vervolgens **in** het ~ van mijn zoon *my son then received/gained p. of the document, the document then passed into the hands of my son;* wij kwamen/zijn **in** het ~ van uw brief *we are in receipt of your letter;* **in** ~ trachten te krijgen *try to obtain/gain p. of; get hold of;* weer **in** ~ krijgen/nemen *regain p. of;* iem. **in** het ~ stellen van *place/put s.o. in p. of, give s.o. possession of;* iets **in** ~ nemen, zich **in** het ~ stellen van *take/assume/secure p. of, possess o.s. of;* ⟨vaak negatief⟩ *appropriate;* **in** het gelukkige/trotse ~ zijn van twee kinderen *be fortunate in having/be the proud parent of two children;* **in** het volle ~ van zijn geestvermogens *in full p. of one's mental faculties;* ⟨jur. of inf.⟩ *compos men-*

tis; 55% van de aandelen zijn **in** het ~ van *55% of the shares are held by;* onrechtmatig **in** ~ nemen *usurp, seize illegally;* **uit** het ~ stoten *dispossess* **6.3** een recht verkrijgen door een ~ **van** 30 jaar *obtain a right from tenure of 30 years/a 30 year tenure.*

bezitloos ⟨bn.⟩ **0.1** *propertyless* ⇒*unpropertied.*

bezitsactie ⟨de (v.)⟩ ⟨jur.⟩ **0.1** *possessory action.*

bezitsvorming ⟨de (v.)⟩ **0.1** [het verwerven van bezit] *acquisition/accumulation of property* **0.2** [hulp aan de lagere inkomensklassen] *ownership incentives.*

bezittelijk ⟨bn.⟩⟨taal.⟩ **0.1** *possessive* ◆ **1.1** ~ voornaamwoord *p.pronoun.*

bezitten ⟨ov.ww.⟩ **0.1** *possess* ⇒*own, have* ◆ **1.1** aandelen ~ *hold/have stock/shares;* geen cent ~ *not have a cent (to call one's own), not p./have a farthing (to one's name), be penniless;* een goede gezondheid ~ *enjoy/have good health, be in good health;* kapitalen ~ *own capital;* ⟨inf.⟩ veel geld ~ *have pots/bags of money;* de ~de klasse *the propertied/* ⟨schr.⟩ *moneyed class;* totaal geen schaamtegevoel ~ *be without any sense of shame, be utterly shameless;* een titel ~ *hold/have a title;* veel vrienden ~ *have many friends;* hij verloor het weinige wat hij bezat *he lost his little all* **5.1** iets onvoldoende ~ ⟨moed, geld⟩ *lack in, be lacking in* **6.1** **in** volle/beperkte eigendom ~ *hold in full/restricted ownership* **7.1** hoeveel bezit jouw vader? *how much does your father own/have?;* ⟨inf.⟩ *how much is your father worth?.*

bezitter ⟨de (m.)⟩, **-ster** ⟨de (v.)⟩ **0.1** *owner* ⇒⟨aandelen, titel⟩ *holder, possessor,* ⟨huis, hotel⟩ *proprietor* ◆ **1.1** alleen voor ~s v.e. eigen huis *owner-occupiers only, house owners only, (sorry) no tenants;* de ~s en de niet-bezitters *the haves and the have-nots.*

bezitting ⟨de (v.)⟩ **0.1** *property* ⇒*possession, belongings,* ⟨onroerend goed ook⟩ *estate* ◆ **2.1** koloniale ~en *colonial possessions, colonies;* persoonlijke ~en *personal belongings/effects;* ⟨jur.⟩ *goods and chattels;* waardevolle ~en *valuables* **3.1** ~en hebben *own property;* hij heeft al zijn ~en verloren *he has lost everything (he owns)* ¶**.1** de ~en van iem. in beslag nemen *confiscate s.o.'s property;* ⟨vnl. communistische landen⟩ *expropriate s.o..*

bezocht ⟨bn.⟩ **0.1** [bezoek hebbend] *visited* ⇒*attended, frequented* **0.2** [beproefd] *afflicted* ⇒*stricken, visited, tried* ◆ **1.1** een slecht ~e dienst *a poorly attended service;* een veel/druk ~e plaats *a much frequented place;* een weinig/slecht ~e plaats *a little frequented/known place;* een druk ~e receptie *a busy/well-attended/crowded reception* **1.2** een zwaar ~ gezin *a sorely a. family.*

bezoedelen ⟨ov.ww.⟩ **0.1** *defile, besmirch, sully* ⇒*stain,* ⟨naam, eer ook⟩ *tarnish, taint, blemish,* ⟨handen ook⟩ *soil, dirty* ◆ **1.1** ⟨fig.⟩ een bezoedeld geweten *a guilty conscience;* iemands goede naam ~ *tarnish s.o.'s reputation* **6.1** ⟨fig.⟩ zijn handen zijn **met** bloed bezoedeld *his hands are stained with blood.*

bezoek ⟨het⟩ **0.1** [het bezoeken] *visit* ⇒⟨kort, formeel of zakelijk⟩ *call* **0.2** [personen] *visitor(s)* ⇒*guest(s), caller(s),* ⟨vnl. AE⟩ *company* ◆ **2.1** een onverwacht ~ *a surprise v.* **2.2** hoog ~ ⟨krijgen⟩ *(have) a distinguished visitor* **3.1** een ~ aan de huisarts afleggen *pay a v. to the G.P.;* een ~ beantwoorden *return a v.;* iem. een ~je/kort ~ brengen *drop in on, pay a brief v. to s.o.* **3.2** ze hadden vandaag veel ~ *they had many visitors today;* altijd veel ~ hebben *entertain a lot;* we hebben (bijna) nooit ~ *we don't entertain much, we don't see/have many visitors;* ~ hebben/krijgen *have a visitor/visitors/company/* ⟨inf.⟩ *people;* we kregen onverwacht ~ *we received unexpected guests/had callers/guests unexpectedly;* op deze kamer mag je geen ~ ontvangen *no visitors are allowed in this room;* zij ontvangt vandaag geen ~ *she's not receiving visitors today;* ⟨euf.⟩ *she's not at home today* **6.1** bij ons ~ **aan** Londen *during our v. to London;* op ~ gaan bij iem. (pay a) call on/pay a v. to s.o.;* hij komt hier vaak **op** ~ *he's a frequent* ⟨plaatselijk⟩ *caller/* ⟨om te logeren⟩ *visitor;* we komen morgen even **op** ~ *we'll call round/drop by in tomorrow;* hij komt hier voor een paar dagen **op** ~ *he's coming to stay for a few days;* ik heb een tante/politieagent **op** ~ gehad *I have had a v. from an aunt/a policeman;* **op** ~ vragen *invite;* **op** ~ zijn/komen bij iem. *be on a v./be visiting/come on a v., come to visit s.o.;* toen hij hier **op** ~ was *when he paid us a v.;* ⟨als logé ook⟩ *when he was staying with us;* we krijgen ~ **van** Mary/de buren *we are expecting (a call from) Mary/the neighbours* **6.2** het ~ **op/aan** de Firato was teleurstellend dit jaar *the number of visitors to the Firato/the interest in the Firato was disappointing this year* ¶**.1** Brussel is een ~ waard *Brussels is worth visiting.*

bezoekdag ⟨de (m.)⟩ **0.1** *visiting day* ⟨ziekenhuis, gevangenis⟩; *at-home (day)* ⟨visites⟩.

bezoeken ⟨ov.ww.⟩ **0.1** [een bezoek brengen] *visit* ⇒*pay a visit to, pay a call on, call (up)on, (go to/and) see* **0.2** [gaan zien/horen] *visit* ⇒*attend, pay a visit to* **0.3** [geregeld ergens heen gaan] *visit* ⇒*frequent, attend* **0.4** [beproeven] *try* ⇒*afflict, test,* ⟨schr.⟩ *visit upon* ◆ **1.1** reiziger gevraagd voor het ~ van particulieren/artsen *traveller/salesman required for door-to-door sales/sales to doctors;* een jarige tante ~ *v. an aunt on her birthday* **1.2** Europa ~ *tour/v./* ⟨inf.⟩ *do Europe;* vreemde landen ~ *v./tour foreign countries;* het aantal mensen dat de lezing bezocht *the number of people who attended the lecture, the attendance at the lecture;* een museum ~ *pay a visit to/* ⟨inf.⟩ *do a museum;*

het toilet ~ *pay a visit to / use / go to the toilet / lavatory* **1.3** een school ~ *attend a school* **1.4** ⟨bijb.⟩ ik zal aan hen hun zonde ~ *I shall visit their sins upon them* **3.1** iem. gaan ~ *go to see / visit s.o.*; iem. komen ~ *v. / come to see s.o.* **5.1** iem. onverwachts ~ *pay s.o. a surprise visit* **5.2** opnieuw/weer ~ *revisit* **6.4** bezocht door het ongeluk *tried / afflicted by (the) misfortune;* bezocht **met / door** de pest *visited with / by the plague.*

bezoeker ⟨de (m.)⟩ **0.1** [gast] *visitor* ⇒*guest* **0.2** [visiteur] *visitor* ◆ **1.2** het aantal ~s viel tegen *the attendance was disappointing;* de ~s van het theater *visitors to the theatre, theatre-goers* **2.1** een onverwachte ~ *an unexpected guest, a surprise v.* **2.2** regelmatige / trouwe ~s *frequenters, regulars;* vaste ~ *habitual, habitué* **3.1** ⟨sport⟩ de ~s staan voor *the visitors are leading* **7.2** er waren 5.000 ~s op de tentoonstelling ⟨ook⟩ *5,000 people visited the exhibition.*

bezoekersvisum ⟨het⟩ **0.1** *visitor's visa.*

bezoeking ⟨de (v.)⟩ **0.1** [beproeving] *trial* ⇒*visitation* **0.2** [kwelling, ramp] *trial* ⇒*affliction, ill, scourge* ◆ **1.1** het is een ~ des Heren *it is a visitation of the Lord* **3.2** hij is een ~ voor zijn ouders *he is a t. / horror / ⟨inf.⟩ pain to his parents;* het is een ~ als zo iets je overkomt *it's a t. / curse / an ordeal if sth. like that happens to you.*

bezoekrecht ⟨het⟩ **0.1** *visiting rights.*

bezoekregeling ⟨de (v.)⟩ **0.1** *visiting arrangements* ◆ **6.1** volgens de ~ gaan de kinderen elk weekend naar hun vader *according to the agreement the children go to their father at the weekends.*

bezoektijd ⟨de (m.)⟩ **0.1** *visiting hours / time.*

bezoekuur ⟨het⟩ **0.1** *visiting hour(s) / time.*

bezoldigen ⟨ov.ww.⟩ **0.1** *pay (salary to)* ⇒*salary* ◆ **1.1** dit ambt wordt niet bezoldigd *this is an honorary position / post;* bezoldigd ambtenaar *paid official;* de gemeente bezoldigt de politieambtenaren *the local authorities pay the salaries of the police officers* **5.1** een goed bezoldigd ambt *a well-paid position / post.*

bezoldiging ⟨de (v.)⟩ **0.1** *pay, salary* ⇒ ⟨vnl. van geestelijken / academici⟩ *stipend.*

bezondigen ⟨wk.ww.; zich~⟩ **0.1** *sin* ⇒*be guilty of, err, perpetrate* ◆ **3.1** je zou je ~! *get away with you!* **6.1** **aan** te grote beleefdheid heeft hij zich nooit bezondigd *overpoliteness has never been one of his failings;* zich ~ **aan** dronkenschap / **jegens** God *be guilty of drunkenness / s. against God;* zich **aan** iem. ~ *wrong s.o.;* daar heb ik mij nog nooit **aan** bezondigd *I am innocent / not guilty of that;* ⟨iron.⟩ hij zal zich niet gauw ~ **aan** het schrijven van lange brieven *he is no letter-writer, he is not likely to be guilty of excessive correspondence.*

bezonken ⟨bn.⟩ **0.1** *(well-)considered, mature, thoughtful* ⟨oordeel⟩; *mature, collected* ⟨geest⟩.

bezonkenheid ⟨de (v.)⟩ **0.1** *maturity* ⇒*matureness.*

bezonnen ⟨bn.⟩ **0.1** *sensible* ⇒*considered, well thought out* ⟨mening, plan⟩, ⟨plan ook⟩ *well-advised, cool- / level-headed, steady, deliberate* ⟨persoon⟩ ◆ **¶.1** ~ te werk gaan *act sensibly.*

bezopen ⟨inf.⟩
I ⟨bn.⟩ **0.1** [dronken] *sloshed* ⇒*plastered, smashed, (well-)oiled,* ^A*jagged, sozzled, soused, boozed, stewed,* ⟨sl.⟩ *pissed* ◆ **3.1** ~ zijn / raken *be / get sloshed / plastered / pissed / tanked up;* ⟨AE⟩ *lush up* **5.1** hij was straal ~ *he was absolutely stoned / blind drunk / sloshed to the eyeballs / pissed;*
II ⟨bn., bw.⟩ **0.1** [onzinnig] *daft* ⇒*cracked, crack-pot, dotty* ◆ **1.1** een ~ idee *a daft / crack-pot idea* **3.1** zich ~ aanstellen *act the idiot;* ben je nou helemaal ~ *have you completely gone off your rocker.*

bezorgd ⟨bn., bw.⟩ **0.1** [zorgzaam] *concerned (for / about)* ⇒*caring, solicitous, anxious* **0.2** [ongerust] *worried* ⇒*anxious (about), apprehensive (for / about), troubled* ◆ **1.1** de ~e moeder *the caring mother* **1.2** een ~ gezicht *a w. face;* met een ~ hart *with a troubled heart;* op een ~e toon in a *w. voice,* with a *tone / note of concern* **3.2** ~ kijken *look w. / troubled, wear a w. look;* men maakt zich ~ over ... *concern is felt about ...;* zij maakten zich ernstig ~ over de situatie *they were gravely concerned about the situation;* zich ~ maken over *worry / fret about, grow uneasy / alarmed about;* waarom zou je je ~ maken? *why worry?;* zich niet ~ maken (over) *not worry about, have no anxiety about;* maken jullie je daar maar niet ~ over / om *don't bother your head / trouble / worry / fret about that, don't let that worry you;* ~ iets vragen *ask sth. with concern;* wees maar niet ~ *don't worry / fret / be afraid* **6.1** vader was altijd ~ **voor** het geluk van zijn kinderen *father was always concerned for / about the happiness of his children* **6.2** hij was ~ **over** zijn zoon / de toekomst *he was w. about / apprehensive for his son / about the future;* zij was alleen maar ~ **over** haar dochter *her only concern was her daughter;* ~ zijn **over / om / voor** iets *be w. / anxious about sth., be apprehensive / fear for sth.*.

bezorgdheid ⟨de (v.)⟩ **0.1** *concern (for / about)* ⇒*worry, anxiety, apprehension* ◆ **1.1** er is geen reden tot ~ *there is no cause for c.* **2.1** het vervult ons met grote ~ *it causes us great anxiety* **3.1** ~ teweegbrengen *give reason to c. / worry;* zijn ~ uitspreken *express one's c.* **6.1** iets **met** ~ tegemoetzien *face sth. with apprehension;* **uit** ~ **voor** haar kinderen *out of c. for her children.*

bezorgen ⟨ov.ww.⟩ **0.1** [verschaffen] *get* ⇒*procure, provide, furnish* **0.2** [veroorzaken] *give* ⇒*cause* **0.3** [afleveren] *deliver* ⇒*bring, send* **0.4**

[⟨boek.⟩] *edit* ⇒⟨herzien⟩ *revise* ◆ **1.1** het bezorgde haar wat afleiding *it took her mind off things;* iem. een baan ~ *fix s.o. up with a job, find / g. s.o. a job;* wie zal mij dat geld ~? *who'll find the money for me?;* hij bezorgt me grijze haren *he gives me grey hair, turns me grey;* hij zal zichzelf nog een minderwaardigheidscomplex ~ *he'll give himself / end up with an inferiority complex;* als je mij een leuke order kunt ~ *if you can put a nice order my way;* zijn goede opleiding bezorgde hem een plaatsje bij ... *his good education secured him a place with ...;* iem. / zichzelf een slechte reputatie ~ *disgrace s.o., cheapen / disgrace o.s.;* wat heeft hem deze reputatie / bijnaam bezorgd? *what gave / earned him this reputation?, how did he come by this nickname?;* zijn gedrag bezorgde hem veel vrienden / de haat v.d. buren *his behaviour won him many friends / earned him the hatred of the neighbours / put his neighbours' backs up;* dat bezorgt ons heel wat extra werk *that causes / lands us with a lot of extra work* **1.2** iem. kippevel ~ *make s.o.'s flesh creep, give s.o. the creeps, give s.o. goose-flesh;* iem. een hoop last ~ *put s.o. to great trouble / inconvenience;* iem. een stuip / beroerte ~ *throw s.o. into a fit, give s.o. a fit;* iem. verdriet ~ *cause s.o. sorrow* **1.3** goederen / boodschappen ~ *d. goods / messages;* de post ~ *d. the post* **1.4** zevende uitgave, bezorgd door dr. A.B. *seventh edition, edited by dr. A. B.* **3.3** moeten we het (laten) ~ of neemt u het zelf mee? *do we have to d. it / send it round to you, or will you take it with you?* **4.1** iem. iets ~ *get sth. for s.o., provide s.o. with sth.* **5.3** ⟨iron.⟩ ik zal u dochter weer veilig thuis ~ *I shall d. your daughter safely home* **6.3** iets ~ **op** een bepaald adres / **bij** iem. thuis *send sth. to a certain address, deliver sth. to s.o.'s home.*

bezorger ⟨de (m.)⟩, **-ster** ⟨de (v.)⟩ **0.1** *delivery man / woman / boy / girl* ⇒*deliverer,* ⟨brood, melk, enz.⟩ *roundsman,* ⟨van brief⟩ *bearer,* ⟨expediteur⟩ *forwarding / haulage agent.*

bezorging ⟨de (v.)⟩ **0.1** *delivery* ◆ **6.1** ~ **aan** huis / **op** een verkeerd adres *door-to-door-delivery, d. to the wrong address.*

bezorgloon ⟨het⟩ **0.1** *delivery charge / fee.*

bezuiden ⟨vz.⟩ **0.1** *(to the) south of.*

bezuinigen ⟨onov., ov.ww.⟩ **0.1** *economize* ⇒*save, cut (down), skimp* ◆ **3.1** er moet bezuinigd worden *economies will have to be made, the purse strings will have to be tightened* **5.1** drastisch ~ *cut down drastically, axe* **6.1** de minister wil 10 miljoen ~ **op** de onderwijsbegroting *the minister wants to cut / reduce the education budget by 10 million;* ~ **op** de uitgaven voor luxe-artikelen *curtail expenditure on luxury goods;* waar kunnen we verder nog ~ **op**? *where can we e. further?, where can we make further savings?;* ~ **op** het eten *e. in food, cut down on food bills.*

bezuiniging ⟨de (v.)⟩ **0.1** [handeling] *economy* ⇒*retrenchment, cut(-back), saving* **0.2** [bedrag] *saving(s)* ◆ **6.1** ~ **op** de uitgaven *retrenchment / cut-back in expenditure;* **uit** ~ de telefoon wegdoen *get rid of the phone in order to economize* **6.2** deze maatregelen leveren een ~ **op van** 250 miljoen *these measures yield / effect a saving of 250 million.*

bezuinigingsmaatregel ⟨de (m.)⟩ **0.1** *economy measure* ⇒⟨bestedingsbeperking⟩ *expenditure / spending cut.*

bezuinigingspolitiek ⟨de (v.)⟩ **0.1** *austerity policy* ⇒*policy of retrenchment.*

bezuinigingswoede ⟨de⟩ **0.1** *mania for economics* ⇒*compulsive economizing.*

bezuipen ⟨wk.ww.; zich~⟩ ⟨vulg.⟩ **0.1** ^B*get pissed,* ^A*lush up* ⇒*get smashed / sloshed / plastered.*

bezuren ⟨→sprw. 133⟩
I ⟨ov.ww.⟩ **0.1** [bekopen] *pay for* ◆ **6.1** iets **met** de dood ~ *pay for sth. with one's life;*
II ⟨onov.ww.⟩ **0.1** [opbreken] *suffer* ◆ **4.1** dat zal je ~ *you'll regret / pay for / s. for that.*

bezwaar ⟨het⟩ **0.1** [belemmering, nadeel] *drawback* ⇒*difficulty, trouble* **0.2** [bedenking] *objection* ⇒*complaint,* ⟨gewetens-⟩ *scruple, grievance* **0.3** [(financiële) druk, last] *cost* ⇒*onus, burden* ◆ **3.1** dit heeft het ~ dat ... *this has the drawback that ..., the trouble with this is ...;* onoverkomelijke bezwaren met zich meebrengen / opleveren *incur / present insurmountable obstacles / problems;* op de volgende bezwaren stuiten *encounter / meet with the following obstacles / difficulties* **3.2** ~ aantekenen (tegen iets) *lodge an o. (to sth.) / complaint (against sth.);* als je er geen ~ hebt, steek ik een sigaret op *if you don't object / mind / have any o. I'll light a cigarette;* de verstrekking van heroïne heeft zijn bezwaren / het ~ dat *the distribution of heroin is open to objections / the o. that;* ze maakte nogal ~ toen ik om opslag vroeg *she made a bit of a fuss / was rather sticky when I asked for a rise;* bezwaren maken tegen een onbezonnen voorstel *gib at / object to a rash proposal;* ik zie er geen ~ in mijn toestemming te geven *I have no o. to consenting / giving my consent;* hij ziet er geen ~ in zijn vriend op te lichten *he has no scruples about cheating his friend* **6.1** als dit alles **zonder** ~ kan *if this can be done without inconvenience / causing trouble;* dit kunt u **zonder** enig ~ doen *you can do this without any problem* **6.2** ~ **tegen** een belastingaanslag *o. to a tax assessment;* ~ / bezwaren **tegen** iets hebben / maken / opperen *have / raise an o. to sth., take exception to sth., demur to sth., object to sth.;* de verzekering heeft alles **zonder** ~ betaald *the insurance has paid everything without demur / o.;* **zonder** enig ~ *without any o. / problem, easily* **6.3 buiten** ~ v.d. schatkist *without c. to the State / Treasury;* op verlof gaan **buiten** ~ (v.d. schatkist) *take unpaid leave* **7.1** een beetje regen is toch geen ~ *a little rain is no problem, is it?* **7.2** een of twee kinderen geen ~ *one or two children acceptable;* verklaring van geen ~ *certificate of incorporation;* er is geen ~ tegen als je met ons meegaat *there is no o. to your coming with us.*

bezwaard (bn.) **0.1** [gedrukt door schuldgevoel] *troubled* ⇒*conscience-stricken* **0.2** [bekommerd] *concerned* ⇒*worried, aggrieved* ◆ **1.1** een ~ geweten *a t. / an uneasy conscience, a heavy heart* **3.1** zich ~ voelen over iets *feel conscience-stricken about sth.;* zich ~ voelen iets te doen *feel embarrassed / have scruples / qualms about doing sth.;* daar hoef je je niet ~ over te voelen *you need have no qualms about that* **6.2** zich ~ **over** iets maken *be c. about sth.* **6.¶** (jur.) ~ zijn **door** een beslissing *be aggrieved by a decision.*

bezwaarde (de (m.)) **0.1** [iem. die zich bezwaard voelt] *(the) concerned / troubled / conscience-stricken (person)* **0.2** [(jur.) iem. die verzet aantekent] *aggrieved (party)* **0.3** [(jur.) erfgenaam] *fiduciary heir.*

bezwaarlijk
I (bn.) **0.1** [lastig] *troublesome* ⇒*problematic, inconvenient, awkward* ◆ **1.1** ~e uitgaven *t. expenses* **3.1** kan ik blijven slapen of is dat ~? *can I stay overnight or is it inconvenient?;*
II (bw.) **0.1** [moeilijk] *with difficulty* ⇒ (nauwelijks) *scarcely, hardly* ◆ **3.1** ik kan het ~ geloven *I find it hard to believe, I can scarcely believe it;* dit kan ~ verboden worden *you can scarcely forbid this, you can't really forbid this.*

bezwaarschrift (het) **0.1** *(notice of) objection* (ook jur.) ⇒*protest, petition,* (tegen belasting ook) *appeal* ◆ **3.1** ~en behandelen / in het openbaar behandelen *consider objections (lodged), hear publicly / give a public hearing to objections (lodged);* een ~ indienen *lodge an objection / appeal (in writing);* een ~ tegen zijn aanslag indienen (bij) *lodge a notice of objection to / appeal against one's assessment (with).*

bezwadderen (ov.ww.) **0.1** [bevuilen] *(be)foul* ⇒*besmirch, contaminate, soil* **0.2** [belasteren] *defile* ⇒*sully, stain, blacken.*

bezwangerd (bn.) **0.1** laden ⇒*charged, filled, impregnate* ◆ **6.1** de lucht is ~ met donderwolken bezwangerd *the sky is heavy with thunder-clouds;* ~ met dreigend geweld *fraught with violence.*

bezwaren (ov.ww.) **0.1** [beladen] *weight* ⇒*load,* (te beladen) *weigh down* **0.2** [de druk v.e. schuld doen voelen] *weigh down* ⇒*burden, weigh on* **0.3** [belasten, drukken] *burden* ⇒ (met hypotheek) *encumber, weigh / lie on* ◆ **1.3** bezwaard eigendom *mortgaged / entailed property;* een huis ~ *mortgage a house* **4.3** dat bezwaart mij te veel *I find that too inconvenient, I cannot afford that* **5.2** ik wil hem niet ~ *I don't want to make it any worse for him* **6.2** zijn geweten is **met** een misdaad bezwaard *his conscience is burdened / troubled / stricken with / by a crime.*

bezwarend (bn.) **0.1** [lastig, moeilijk] *onerous, burdensome* ⇒*tiresome* **0.2** [een schuldlast leggend op] *incriminating* ⇒*damaging, damning* ◆ **1.1** ~e omstandigheden *tiresome / awkward circumstances* **1.2** ~ bewijs leveren *provide i. / damaging proof;* er staan ~e gegevens voor het bestuur in dit stuk *there are allegations against the board in this document;* ~e feiten / getuigenissen *i. facts / evidence;* een ~e verklaring *a damaging statement* **1.¶** (jur.) onder ~e titel *for valuable consideration* **3.2** ~ zijn voor *be damaging / damning for.*

bezweet (bn.) **0.1** *sweaty* ⇒*sweating, perspiring* ◆ **1.1** een ~ gezicht *a sweating / perspiring face* **3.1** ik ben helemaal ~ *I'm covered / bathed in sweat / all sweaty.*

bezwendelen (ov.ww.) **0.1** *swindle* ⇒*cheat, defraud, deceive.*

bezweren (ov.ww.) **0.1** [betogen, verklaren] *swear (to)* **0.2** [smeken] *implore* ⇒*beseech, adjure, entreat* **0.3** [in zijn macht brengen, uitdrijven] *raise* ⇒ (oproepen) *invoke, conjure up* (geest, duivel), *call up,* (uitdrijven) *exorcise* (geest, duivel), *charm* (slangen) **0.4** [tijdig afwenden] *allay* (vrees); *ward off, avert* (gevaar) **0.5** [onder ede bevestigen] *swear (to)* ⇒*declare / confirm on oath* **0.6** [een eed afleggen op] *swear to* ◆ **1.3** een geest ~ *lay a spirit / ghost* **1.4** een crisis ~ *defuse / avert a crisis;* het gevaar voorlopig ~ *avert the danger for the time being, throw a sop be Cerberus* **1.5** zijn onschuld ~ *s. one's innocence* **1.6** de grondwet ~ *s. to the constitution* **1.¶** met een ~d gebaar *with an imploring / a defiant gesture* **3.2** hij bezwoer mij van dat plan af te zien *he implored me to give up that plan* **8.1** ze bezwoer dat ze onschuldig was *she swore to me that she was innocent.*

bezwering (de (v.)) **0.1** [het bezweren] (betogen, onder eed bevestigen, eed afleggen) *swearing;* (smeken) *adjuration;* (geesten uitdrijven) *exorcism;* (geest oproepen) *conjuration;* (afwenden) *allaying* **0.2** [formule] *incantation* ⇒*invocation, spell, charm.*

bezweten (wk.ww.; zich ~) **0.1** *get / work o.s. into a sweat* ⇒*get hot and bothered.*

bezwijken (onov.ww.) **0.1** [niet meer bestand zijn tegen] *give (way / out)* ⇒*go, fold up, collapse* **0.2** [toegeven, wijken] *succumb* ⇒*yield, give in / way, collapse* **0.3** [sterven] *go under* ⇒*give out, succumb* ◆ **6.1** de vloer bezweek **onder** de last *the floor gave way under the load* **6.2 onder** een last ~ *collapse under a load* (ook fig.); *fold up / go to pieces*

under a burden (fig.); **voor** de overmacht ~ *s. / yield to the superior power;* **voor** de verleiding ~ *s. / yield / give in to the temptation* **6.3 aan** een ziekte ~ *succumb to a disease.*

bezwijmen (onov.ww.) (schr.) **0.1** [in onmacht vallen] *swoon* ⇒*faint, collapse* **0.2** [wegvallen] *fade (away)* ⇒*evaporate, disintegrate* ◆ **1.2** de laatste hoop bezwijmt *the last hope is fading* **6.1** (fig.) **tot** ~s toe genieten *have a good time till one drops, exhaust o.s. having fun.*

BG (afk.) **0.1** ((op auto's) Bulgarije) *BG* **0.2** [Begane Grond] *ground floor.*

b.g.g. (afk.) **0.1** [bij geen gehoor] *if (there is) no answer.*

b.h. (de (m.)) (afk.) **0.1** [bustehouder] *bra.*

Bhoetaans (bn.) **0.1** *Bhutan(ese).*

Bhoetan (het) **0.1** *Bhutan.*

bi (bn.) (afk.) (inf.) **0.1** [biseksueel] *bisexual.*

b.i. (afk.) **0.1** [bouwkundig ingenieur] *C.E..*

biaisband (de (m.)), -lint (het) **0.1** *bias binding.*

bibberatie (de (v.)) (inf.) **0.1** *(the) shivers* ⇒*(the) shakes* ◆ **3.1** de ~ krijgen van *get the shivers from.*

bibberen (onov.ww.) **0.1** *shiver (with)* ⇒*shake / tremble / quake (with)* ◆ **6.1** ~ **van** angst / de kou *shake / quake / tremble with fear, shiver with the cold;* ~d **van** de zenuwen *all in a tremor, quaking (with nerves).*

bibberig (bn., bw.) **0.1** *trembling* ⇒*shivering, shaking, quivering* ◆ **1.1** een ~ stemmetje *a quavering voice.*

biblicisme (het) **0.1** *biblicism.*

bibliobus (de (m.)) [B]*mobile library,* [A]*bookmobile* ⇒ (BE; inf.) *mobile.*

bibliofiel[1] (de (m.)) **0.1** *bibliophile.*

bibliofiel[2] (bn.) **0.1** *bibliophile* ⇒*bibliophilic.*

bibliofilie (de (v.)) **0.1** *bibliophily* ⇒*bibliophilism.*

bibliograaf (de (m.)) **0.1** *bibliographer.*

bibliografie (de (v.)) **0.1** [lijst van boeken] *bibliography* **0.2** [boekbeschrijving] *bibliography.*

bibliografisch (bn.) **0.1** *bibliographic(al).*

bibliologie (de (m.)) **0.1** *bibliology.*

bibliomanie (de (v.)) **0.1** *bibliomania.*

bibliothecaris (de (m.)), -resse (de (v.)) **0.1** *librarian.*

bibliotheek (de (v.)) **0.1** [plaats] *library* **0.2** [instelling] *library* **0.3** [verzameling] *library* ◆ **2.2** openbare ~ *public l.* **2.3** een particuliere ~ *private / personal l..*

bibliotheekboek (het) **0.1** *library book.*

biblist (de (m.)) **0.1** [bijbelkenner] *bibl(ic)ist* **0.2** [aanhanger v.h. biblicisme] *bibl(ic)ist.*

biblistiek (de (v.)) **0.1** *biblicism.*

bibs (de (v.)) **0.1** *bottom* ⇒*buttocks.*

bicamerrisme (het) (pol.) **0.1** *bicameral / two-chamber system.*

bicarbonaat (het) (schei.) **0.1** *bicarbonate.*

biceps (de (m.)) **0.1** [armspier] *biceps* **0.2** [beenspier] *biceps* ◆ **6.¶** een man met ~ *a muscle man.*

bichloride (het) (schei.) **0.1** *dichloride* ⇒*bichloride.*

biconcaaf (bn.) **0.1** *biconcave* ⇒*concavo-concave.*

biconvex (bn.) **0.1** *biconvex* ⇒*convexo-convex, lenticular.*

bicultureel (bn.) **0.1** *bicultural.*

bidbank (de) (r.k.) **0.1** *prie-dieu* ⇒*prayer desk, prayer stool.*

biddag (de (m.)) **0.1** [dag van algemeen gebed] *day of prayer* ⇒*prayer day* **0.2** (r.k.) *prayer day* ◆ **6.1** ~ **voor** het gewas ≠*day of prayer for the crops / a good harvest.*

bidden (→sprw. 85)
I (onov., ov.ww.) **0.1** [zich in een gebed richten tot God] *pray* ⇒ (onov.ww. ook) *say one's prayers* **0.2** [smeken] *pray* ⇒*beseech, implore, entreat, bid* ◆ **1.1** (r.k.) de rozenkrans ~ *say the rosary;* het Onze Vader ~ *say / repeat the Lord's Prayer / 'Our Father'* **3.2** (met zwak volt. deelw.) ik heb gebid en gesmeekt om medewerking *I have begged and pleaded for cooperation;* wat ik u ~ mag *I p. you;* ~ en smeken beg and plead / implore / entreat **3.¶** zich laten ~ *play hard to get* **6.1 tot** God ~ om *p. to God for;* ~ **voor** de verdrukten *p. for the oppressed;* vandaag wordt er gebeden **voor** de overledenen *today prayers are offered for the dead* **6.2 om** een gunst ~ *beg a favor* **¶.1** daar helpt geen ~ aan *that's a lost cause, it doesn't have a prayer (of a chance);* ~ voor / na het eten *say grace;*
II (onov.ww.) **0.1** [mbt. dieren] (hond) *beg;* (vogels) *hover.*

bidder (de (m.)) **0.1** [iem. die bidt / smeekt] *prayer* **0.2** [nodiger ter begrafenis] ≠*undertaker('s assistant).*

bidet (het, de (m.)) **0.1** *bidet.*

bidmatje (het) **0.1** *prayer mat / rug.*

bidon (de (m.)) **0.1** *water bottle* ⇒ (wielrennen ook) *bidon.*

bidonville (de (v.)) **0.1** *bidonville* ⇒*shanty town.*

bidprentje (het) (r.k.) **0.1** [heiligenprentje] *devotional picture* **0.2** [prentje ter nagedachtenis] *mortuary / obituary card.*

bidsnoer (het) **0.1** [(rel.)] *prayer beads* ⇒ (ook) *rosary* **0.2** [(r.k.)] *rosary.*

bidsprinkhaan (de (m.)) **0.1** *praying mantis.*

bidstoel (de (m.)) **0.1** *prie-dieu.*

bidstond (de (m.)) (prot.) **0.1** *prayer meeting* ◆ **6.1** ~ **voor** het gewas *p. m. for a good harvest / the crops.*

bidweek ⟨de⟩ **0.1** *prayer week* ⇒*week of prayer.*

bie ⟨bn.⟩⟨inf.⟩ **0.1** *great* ⇒*fantastic* ♦ **3.1** ik vond het niet zo ~ *I didn't think it was all that great.*

bieb ⟨de (v.)⟩⟨inf.⟩ **0.1** ⟨ongemarkeerd⟩ *library.*

biecht ⟨de⟩⟨→sprw. 144⟩ **0.1** [⟨r.k.⟩] *confession* **0.2** [belijdenis] *confession* ♦ **2.1** generale ~ *general c.;* private ~ *private c.* **3.1** iem. de ~ afnemen ⟨lett.⟩ *hear s.o.'s confession, confess s.o.;* ⟨fig.⟩ *cross-examine s.o.;* ⟨de⟩~ horen *hear c.* **3.¶** ⟨fig.⟩ iem. de ~ voorlezen *remind s.o. of his duty* **6.1** ⟨fig.⟩ bij de duivel te ~ gaan *confide in the wrong person;* te ~ gaan *go to c.;* ⟨fig.⟩⟨AZN⟩ uit de ~ klappen *tell tales out of school, tell a secret.*

biechteling ⟨de (m.)⟩, **-e** ⟨de (v.)⟩⟨r.k.⟩ **0.1** *confessant.*

biechten

 I ⟨onov., ov.ww.⟩ **0.1** [⟨r.k.⟩] *confess* ⇒*go to confession, make one's confession* **0.2** [opbiechten] *confess* ⇒*admit;*

 II ⟨onov.ww.⟩ **0.1** [de biecht afnemen] *hear/take confession.*

biechtgeheim ⟨het⟩⟨r.k.⟩ **0.1** *secret of the confessional.*

biechthoren ⟨ww.⟩⟨r.k.⟩ **0.1** *hear/take confession.*

biechtstoel ⟨de (m.)⟩⟨r.k.⟩ **0.1** *confessional (box).*

biechtvader ⟨de (m.)⟩ **0.1** *(father) confessor.*

bieden

 I ⟨ov.ww.⟩ **0.1** [toekeren, toesteken] *offer* ⇒*extend* **0.2** [opleveren, geven] *offer* ⇒*present* **0.3** [aanbieden] *offer* **0.4** [⟨kaartspel⟩] *bid* **0.5** [⟨geldw.⟩] *offer* ⇒*bid* ♦ **1.1** iem. de arm/de wang ~ *offer s.o. one's arm/cheek;* ⟨fig.⟩ iem. de helpende hand ~ *offer s.o. a helping hand* **1.2** de omgeving biedt gelegenheid tot tal van uitstapjes *the area invites numerous excursions;* mogelijkheden ~ *open up/o. great possibilities, provide opportunities;* de mogelijkheid ~ tot *offer/afford the possibility of, open the door to;* plaats/onderdak ~ aan *house, shelter;* een fraai schouwspel ~ *make a splendid picture;* uitzicht ~ op *provide/command a view;* (hardnekkig) weerstand ~ (aan) *resist (stubbornly), put up a (stubborn) resistance, fight off, repel* **1.3** een volledig leerplan ~ *offer a full curriculum* **1.¶** het hoofd ~ aan *offer resistance to, resist* **3.3** ⟨fig.⟩ meer te ~ hebben *have more to offer* **6.3** iets te koop ~ *offer sth. for sale* **6.4** het is jouw beurt **om te** ~ *it's your (turn to) bid now;*

 II ⟨onov., ov.ww.⟩ **0.1** [een bod doen] *(make an) offer* ⇒*(make a) bid* ♦ **1.1** ik bied er twintig gulden voor *I'll offer/give you 20 guilders for it;* ⟨op veiling⟩ *I bid 20 guilders for it;* er wordt al een ton geboden ⟨voor een huis⟩ *there is already an offer of 100,000 guilders/* ⟨AE; sl.⟩ *1 grand/1 g* **3.1** met loven en ~ werden zij het eens *they reached agreement by haggling* **5.1** één meer ~ *go one better;* meer/minder ~ (dan de anderen) *outbid/underbid* **6.1 op** een nummer ~ *bid for a lot* **7.1** er is 75 geboden, niemand meer dan 75 ⟨op veiling⟩ *75, I have 75, anyone bid more than 75; going at 75, going at 75* **8.1** als eerste ~*open the bidding.*

bieder ⟨de (m.)⟩ **0.1** *bidder* ♦ **2.1** op één na hoogste ~ *second-highest b..*

biedermeier¹ ⟨het⟩ **0.1** ⟨tijdperk⟩ *Biedermeier period;* ⟨stijl⟩ *Biedermeier style.*

biedermeier² ⟨bn.⟩ **0.1** *Biedermeier.*

biedkoers ⟨de (m.)⟩ **0.1** *bid/offer/buying price.*

biedprijs ⟨de (m.)⟩ **0.1** *offered price.*

bief ⟨de (m.)⟩ **0.1** *(beef)steak* ♦ **1.1** een broodje ~ *a steak sandwich.*

biefburger ⟨de (m.)⟩ **0.1** [schijf vlees] *beefburger* **0.2** [broodje met dat vlees] *hamburger.*

biefstuk ⟨de (m.)⟩ **0.1** *steak* ⇒*rump steak* ♦ **1.1** ~ v.d. haas *fillet steak* **2.1** Duitse/Amerikaanse ~ *ground-beef ball topped with onions, onion-topped hamburger* **¶.1** ~ tartaar *steak tartare.*

biefstuksocialisme ⟨het⟩⟨scherts.⟩ **0.1** *populist socialism.*

biefstukzwam ⟨de⟩ **0.1** *beefsteak fungus/mushroom.*

biels ⟨de⟩ **0.1** [⟨spoorw.⟩] *(railway) sleeper,* ᴬ*railroad tie* **0.2** [balk, als decoratief element] *(railway) sleeper,* ᴬ*railroad tie.*

bielsen ⟨bn.⟩ **0.1** *made of (railway) sleepers/*ᴬ*railroad ties.*

biënnale ⟨de⟩ **0.1** *Biennale.*

bier ⟨het⟩ **0.1** [drank] *beer* ⇒*ale* **0.2** [glas bier] *beer* ♦ **2.1** dik/zwaar ~ *strong b./ale;* donker ~ *stout;* bock ~ ⇒*flat/stale b.;* dun/klein ~ *light/pale ale;* ⟨fig.⟩⟨AZN⟩ het is geen klein ~ *that is no small b. matter;* een lekker ~tje *a good b.;* licht ~ ⟨Engels⟩ *light ale;* ⟨pils⟩ *lager* **3.1** ~ brouwen *brew b.;* ~ tappen *draw b.* **3.2** een ~tje drinken *drink/have a (glass of) b.* **6.1** ~ **uit** de tap/vat *draught b.* **7.2** één ~ alstublieft *a b., please* **¶.1** ⟨fig.⟩ dat ~tje heb je zelf gebrouwen, en nu moet je het ook uitdrinken *you've made your bed, now lie in it.*

bieraccijns ⟨de (m.)⟩ **0.1** *tax on beer.*

bierblikje ⟨het⟩ **0.1** *beer can.*

bierbrouwer ⟨de (m.)⟩ **0.1** *beer brewer.*

bierbrouwerij ⟨de (v.)⟩ **0.1** [plaats, inrichting] *brewery* **0.2** [het bereiden van bier] *brewing.*

bierbuik ⟨de (m.)⟩ **0.1** [dikke buik] *beer belly/gut* **0.2** [persoon] *beer guzzler* ⇒*froth blower.*

bierfeest ⟨het⟩ **0.1** *beer party* ⇒*beer festival* ⟨vnl. in Duitsland⟩, ⟨Austr.E;sl.⟩ *beer-up.*

bierfles ⟨de⟩ **0.1** *beer bottle.*

biergist ⟨de (m.)⟩ **0.1** *brewer's yeast.*

bierglas ⟨het⟩ **0.1** *beer glass.*

bierkaai ⟨de⟩ ♦ **6.¶** vechten **tegen** de ~ *fight a losing battle.*

bierkaart ⟨de⟩ **0.1** ≠*bar tariff, list of bar prices.*

bierkan →**bierpul.**

bierkelder ⟨de (m.)⟩ **0.1** *beer cellar* ⇒⟨café⟩ *cellar bar.*

bierkrat ⟨het⟩ **0.1** *beer crate.*

bierlucht ⟨de⟩ **0.1** *beery smell.*

bierpomp ⟨de⟩ **0.1** *beer pump.*

bierpul ⟨de⟩ **0.1** *beer mug* ⇒*tankard.*

biersoort ⟨het, de⟩ **0.1** *type of beer.*

biertapperij ⟨de (v.)⟩ **0.1** *beer house* ⇒*beer hall.*

bierviltje ⟨het⟩ **0.1** *beermat* ⇒*coaster.*

bierwacht ⟨de⟩ **0.1** *beer-pump maintenance service.*

bies ⟨de⟩ **0.1** [boordsel] *piping* ⇒*border, edging* **0.2** [oevergewas] *rush* **0.3** [steel van dit gewas] *rush* **0.4** [versieringslijn] *line* ⇒*stripe* ♦ **2.1** met gouden biezen *with gold p.* **2.2** grote/zoete ~ *bulrush* **2.4** het hok was met witte biezen afgezet *the edges of the hutch were picked out in white* **3.¶** zijn biezen pakken *pack one's bags, make o.s. scarce;* ⟨sl.⟩ *take a powder* **5.2** vol/begroeid met biezen *full of rushes, rushy* **6.¶** knopen in biezen zoeken *split hairs;* v.d. klaver **naar** de biezen *from the top of the heap to the bottom.*

biesbos ⟨het⟩ **0.1** *'biesbos' (marshland with rushes).*

bieslint ⟨het⟩ **0.1** *braid* ⇒*piping.*

bieslook ⟨het⟩ **0.1** *chive* ⇒⟨cul.⟩ *chives.*

biest ⟨de⟩ **0.1** [koemelk] *beestings* **0.2** [moedermelk] *colostrum.*

biesvaren ⟨de⟩ **0.1** *quillwort.*

biet ⟨de⟩ **0.1** *beet* ♦ **2.1** gare ~jes, gekookte ~en ⟨bij de groenteman⟩ *cooked beetroot* **4.¶** ⟨inf.⟩ mij geen ~ *I don't give a damn* **5.¶** ⟨inf.⟩ ook een ~ *so what* **7.¶** ⟨inf.⟩ het kan me me geen ~ schelen *I couldn't care less* **8.1** zo rood als een ~ *as red as a beetroot.*

bietebauw ⟨de (m.)⟩ **0.1** *boogey man.*

bietekroot ⟨de⟩ **0.1** *beetroot.*

bietencampagne ⟨de⟩ **0.1** *beet-lifting (season).*

bietenoogst ⟨de (m.)⟩ **0.1** *beet crop.*

bietenpap ⟨de⟩ **0.1** ≠*mashed beets.*

bietensalade ⟨de⟩ **0.1** *beetroot/*ᴬ*beet salad.*

bietensap ⟨het⟩ **0.1** *beetroot juice.*

biets ⟨de (m.)⟩ **0.1** [het bietsen] *scrounging* ⇒*cadging, sponging,* ⟨AE ook⟩ *panhandling, bumming* **0.2** [armoe] ⁺*poverty* ♦ **6.1 op** de ~ (lopen) *(be) on the scrounge/bum.*

bietsen ⟨onov., ov.ww.⟩⟨inf.⟩ **0.1** [bedelen] *scrounge* ⇒*cadge,* ᴬ*panhandle,* ⟨onov.ww. ook⟩ *sponge,* ᴬ*bum* **0.2** [lenen en niet teruggeven] *scrounge* ♦ **3.1** altijd om sigaretten lopen te ~ *always bumming/scrounging/cadging cigarettes* **¶.1** zijn maaltje bij elkaar ~ *scrounge one's meal.*

bietser ⟨de (m.)⟩ **0.1** [bedelaar] *scrounger* ⇒*cadger,* ᴬ*bum* **0.2** [iem. die iets pikt] *scrounger* ⇒*filcher, sponge.*

bietsuiker ⟨de (m.)⟩ **0.1** *beet sugar.*

biezen¹ ⟨de⟩ **0.1** *rush* ♦ **1.1** ~ stoelen *rush-bottomed/seated chairs;* een ~ zitting *rush-seat.*

biezen² ⟨ov.ww.⟩ **0.1** [reepje stof ter versiering aanbrengen] *pipe* ⇒*braid, edge* **0.2** [sierlijntje aanbrengen] *pick out the edges of.*

biezenmandje ⟨het⟩ **0.1** *rush basket.*

biezenmat ⟨de⟩ **0.1** *rush mat.*

bifilair ⟨bn.⟩ **0.1** *bifilar* ♦ **1.1** ~e hygrometer ᴮ*hygristor;* ~e ophanging *b. suspension.*

bifocaal ⟨bn.⟩ **0.1** *bifocal* ♦ **1.1** een bifocale bril *bifocals;* bifocale brilleglazen *b. lenses.*

bifurcatie ⟨de (v.)⟩ **0.1** *bifurcation.*

big ⟨de⟩ **0.1** *pigling* ⇒*piglet, piggy* ♦ **2.¶** Guinees ~getje *guinea pig* **3.1** ~gen werpen *farrow, pig.*

bigamie ⟨de (v.)⟩ **0.1** *bigamy.*

bigamisch ⟨bn.⟩ **0.1** *bigamous.*

bigamist ⟨de (m.)⟩ **0.1** *bigamist.*

bigarreau ⟨de (m.)⟩ **0.1** *bigarreau (cherry);* ⟨gekonfijt⟩ *glacé cherry.*

biggelen ⟨onov.ww.⟩ **0.1** *trickle* ♦ **6.1** tranen biggelden **langs** zijn wangen *tears trickled down his cheeks.*

biggemerk ⟨het⟩ **0.1** *ear tag (for piglets).*

biggen ⟨onov.ww.⟩ **0.1** *farrow, pig.*

bignonia ⟨de⟩ **0.1** *bignonia* ⇒*trumpet flower.*

bigotterie ⟨de (v.)⟩ **0.1** *bigotry.*

bigram ⟨het⟩ **0.1** *bigram.*

bij¹ ⟨de⟩ **0.1** *(honey)bee* ♦ **2.1** tamme/gewone ~ *honeybee.*

bij²

 I ⟨bn.⟩ **0.1** [bij kennis] *conscious* **0.2** [gelijk] *up-to-date* **0.3** [van alles op de hoogte] *up-to-date* ⇒*in touch, in the know, on top of* ♦ **3.1** de drenkeling is nog niet ~ *the person they pulled out of the water hasn't come round/to yet/isn't c. yet* **3.2** ik ben nog niet ~ *I'm not up-to-date yet;* de leerling is weer/nog niet ~ met de lessen *the pupil has now caught up (with the rest)/is still behind in his lessons;* ~ zijn met betalen *be up-to-date/current with payments;* de (kas)boeken zijn ~ *the (cash)books are up-to-date* **3.3** dit boek is niet ~ *this book is dated;* (goed) ~ zijn *be (well) on top of things, be with it, be sharp;* goed ~ zijn in een vak *be well up on a subject;*

II ⟨bw.⟩ ◆ **5.**¶ er warmpjes/goed ~ zitten *be comfortable, be comfortably/well off;* het koren staat er best ~ *the corn looks good/promising;* om en(de) ~ *more or less, about* ¶.¶ ten naasten ~ *practically, virtually.*

bij³ ⟨vz.⟩ **0.1** [in de nabijheid van] *near (to)* ⇒*close (by/to)* **0.2** [mbt. een raken aan/bereiken] *at* ⇒*to, by* **0.3** [mbt. een niet verder gaan/een niet afwijken] *to* ⇒*with* **0.4** [in het bezit van, tijdens] *while* ⇒*during* **0.5** [mbt. een aanwezigheid] *at* **0.6** [mbt. een toevoeging] *along (with)* ⇒*with, by* **0.7** [mbt. een gebondenheid] *for* ⇒*with* **0.8** [mbt. een meevoeren] *with* ⇒*along* **0.9** [voor, in tegenwoordigheid van] *with* ⇒*to* **0.10** [aan, met] *by* **0.11** [gedurende, onder] *by* ⇒*during, at, while* **0.12** [gelijktijdig met] *on* ⇒*at, over, during* **0.13** [in geval van] *in case of* **0.14** [wegens] *by* ⇒*due to* **0.15** [door, voor, door middel van] *from* ⇒*by means of, by* **0.16** [mbt. een omstandigheid] *by way of* ⇒*for, as* **0.17** [⟨in eden en verzekeringen⟩] *by* **0.18** [in vergelijking met] *in comparison to* ⇒*as compared with* **0.19** [mbt. een hoeveelheid] *by* ⇒*(along) with* **0.20** [in de ogen van] *for* ⇒*in the eyes of* **0.21** [⟨+af⟩ bijna] *almost* **0.22** [langs] *by* ⇒*along* ◆ **1.1** iets ~ de hand hebben *have sth. at hand/close to hand;* ~ iem. gaan zitten *sit by/next to s.o.;* ~ ontvangst *on receipt;* ~ het raam *close to/next to the window;* ~ het stadhuis *close to/near the town hall;* een streepje zetten ~ iets *put a tick/mark next to sth.;* ~ Tiel is de Waal het breedst *the Waal is at its widest near Tiel;* ~ het vuur zitten *sit by/close to/next to the fire;* een stoel ~ het vuur trekken *pull/draw a chair up to the fire;* ~ de wind zeilen *sail close to the wind* **1.2** ~ een kruispunt/een splitsing komen *come to an intersection/junction/fork* **1.3** ~ een mening blijven *stick to an opinion;* alles blijft ~ het oude *we'll stick to the old way(s), nothing will be altered;* het blijft ~ woorden ⟨ze gaan niet vechten⟩ *they're not coming/they won't come to blows;* ⟨plannen niet uitvoeren⟩ *it won't come to anything, it's/they're all talk* **1.4** ~ zijn dood *at his death;* ~ leven en welzijn *God willing;* ~ zijn leven *during his life;* ~ zinnen zijn *be sane* **1.5** zij was ~ haar tante *she was at her aunt's;* ik was niet ~ de vergadering *I wasn't (present) at the meeting* **1.6** wat drink je ~ het eten? *what do you drink with your meal?;* heb je iets ~ de koffie? *do you have anything to go with the coffee?;* soort ~ soort leggen *put like with like* **1.7** ~ een baas werken *work for a boss;* bediende ~ de heer X. *servant to Mr. X.;* dat is ~ de boeren zo de gewoonte *that is the habit/custom with farmers;* ~ sommige dieren …*in some animals …;* ~ familie logeren *stay (overnight) with one's family/relatives;* ~ het leger/de marine *in the army/navy;* ~ Lloyd verzekerd zijn *be insured by Lloyd's;* ~ Vondel *in Vondel* **1.9** zich ~ een instantie beklagen *lodge a complaint with the authorities;* inlichtingen ~ een loket inwinnen *request information at a window/desk* **1.10** iem. ~ de hand nemen *take a person by the hand;* iem. ~ zijn kraag vatten *grab s.o. by his collar;* iem. ~ name kennen *know s.o. by name* **1.11** ~ dag/nacht *by day/night;* ~ het lezen v.d. krant *(when) reading the newspaper;* ~ een noordenwind *with a northerly wind;* ~ het ontbijt *at breakfast;* ~ het oversteken *while/in crossing;* ~ de derde poging *at the third attempt;* ~ tijden *at times;* ~ het vallen v.d. nacht *at nightfall;* ~ vlagen *in fits and starts;* ~ mooi weer *when/if the weather is nice;* ~ het weggaan *at parting/leaving;* ~ deze woorden *at these words* **1.12** ~ deze bekentenis bloosde hij *be blushed at this confession;* ~ haar bezoek aan …*during her visit to …;* ~ je volgende bezoek *on your next visit;* ~ gelegenheid van *on the occasion of;* ~ een glas wijn iets bespreken *discuss sth. over a glass of wine;* ~ een transactie geld verliezen *lose money in a transaction* **1.13** ~ deling door twee *when divided by two;* ik zal het ~ gelegenheid wel eens doen *if I get the chance I will do it;* ~ mogelijk verzet *if there is resistance, force will be used;* ~ ziekte/een sterfgeval *in case of illness/death* **1.14** ~ gebrek aan bewijs *due to lack of proof;* ~ (on)geluk/~ toeval iets krijgen/zien *get/see sth. by accident/chance* **1.15** ~ advertentie oproepen *call (up/together) by means of an advertisement;* een kind ~ haar tweede man *a child by her second husband;* ~ monde van *as related by;* iets ~ (de) wet bepalen *establish sth. by law* **1.16** ~ uitzondering *as an exception;* ~ voorbeeld *for example;* ~ wijze van spreken *so to speak, in a manner of speaking* **1.17** ~ God *by God;* ~ mijn zolen *by jim(m)iny, my foot!* **1.18** wat is hij nu ~ een dichter als Achterberg *what is he in comparison to a poet like Achterberg?* **1.19** ~ paren *by twos, in pairs;* iets ~ het vat/de fles/het gewicht ⟨enz.⟩ verkopen *sell sth. by the barrel/the bottle/by weight* ⟨enz.⟩ **1.20** zij kan ~ de buren geen goed doen *she can do no good as far as the neighbours are concerned/in the eyes of the neighbours;* zij staat ~ haar collega's goed aangeschreven *she has a good reputation among her colleagues* **1.22** ~ het kantje af *almost, just about, by a hair* **3.2** kan jij ~ de hoogste plank? *can you reach the top shelf?* **3.5** als er niemand ~ is *when nobody is there/present;* ⟨fig.⟩ er niet ~ zijn met zijn gedachten *have only half one's mind on it* **3.6** een kopje koffie is er tegenwoordig niet meer ~ *you don't even get a cup of coffee these days;* er wat ~ verdienen *make some money/a little on the side* **3.7** altijd ~ H. kopen *always shop at H's* **4.6** ~ elkaar zijn het er 20 *there are 20 altogether* **4.7** ~ ons *at our house; back/at home; in our country, in the Netherlands* ⟨enz.⟩; *in our family* **4.8** iets ~ zich hebben *have sth. with o.s.;* zij had haar dochter ~ zich *she had her*

daughter with her; geen lucifers/geld ~ zich hebben *have no matches/money on one* **4.9** ~ hem kun je van alles verwachten *you can expect anything from him;* het staat ~ mij vast *I have no doubt about it, it's clear to me;* ~ zichzelf (denken/zeggen) *(think/say) to o.s.* **4.15** ~ dezen hereby **5.1** ik woon hier vlak ~ *I live nearby/close by, I live close to here* **5.2** er(gens) niet ~ kunnen ⟨fig.⟩ *not understand/get sth.;* iets er(gens) ~ halen/slepen ⟨fig.⟩ *drag sth. up/in* **5.3** het er niet ~ laten *not leave it at that;* we zullen het er maar ~ laten *let's leave it there/at that, let's drop it* **5.5** er niet ~ zijn *not be there/present;* ik ben er toch zeker zelf ~ *I know what I'm doing, I can take care of myself;* je moet er gauw ~ zijn, anders zijn ze uitverkocht *you better hurry/you better get your skates on, or everything will be sold out;* er(gens) gauw ~ zijn ⟨fig.⟩ *respond quickly;* ⟨mbt. ziekte⟩ *catch (a disease) in time* **5.6** er mag nog wel wat ~ *you could add (sth.) to it;* ⟨fig.⟩ dat is er niet ~ *that is out of the question;* er moet geld ~ ⟨iron.⟩ *the idea is to make money* **7.1** ~ de vijftig *close fifty;* ~ zessen *almost/nearly/going on 6 (o'clock)* **7.18** de kamer is 6 ~ 5 *the room is 6 by 5* **7.19** de mensen kwamen ~ duizenden toelopen *the people arrived on foot by the thousand/in thousands* ¶.¶ je bent er ~ *got ye!, you're (in) for it, the game is up;* het is een schande zoals vader er 's ochtends ~ loopt *father looks an absolute disgrace/terrible in the morning.*

bijaccent ⟨het⟩ **0.1** *secondary stress/accent.*

bijaldien ⟨vw.⟩ **0.1** [wanneer] *in case of* ⇒*if, in the event of* **0.2** [doordat] *because of* ⇒*owing to* ◆ **5.1** ~ ook *even in the event of.*

bijas ⟨de⟩ **0.1** [⟨nat.⟩] *secondary axis* **0.2** [⟨plantk.⟩] *secondary axis/branch/stem.*

bijbaantje ⟨het⟩ **0.1** *sideline* ⇒*job on the side* ◆ **3.1** een ~ hebben *moonlight.*

bijbal ⟨de (m.)⟩ ⟨med.⟩ **0.1** *epididymis.*

bijbedoeling ⟨de (v.)⟩ **0.1** *double meaning* ⇒*ulterior motive/design/object* ◆ **1.1** een ~ met iets hebben *have an ulterior motive/design with sth.;* hij heeft een ~ *he has an ulterior motive/design;* ⟨inf.⟩ *he has sth. up his sleeve* **6.1** iets met een ~ zeggen *say sth. with a double meaning, use duplicitous speech;* met een bep. ~ *with a specific ulterior motive/design;* met de ~ dat *with the implication that;* zonder ~ *en without any ulterior motive/design.*

bijbehorend ⟨bn.⟩ **0.1** *accompanying* ⇒*matching, corresponding* ◆ **1.1** een ~ boekdeel *a companion volume;* ~e onderdelen *accessories;* een jas met ~e sjaal *a coat with matching scarf;* een huis met ~e tuin *a house with garden* **7.1** de ~ ⟨van sok enz.⟩ *the mate/fellow/twin.*

bijbel ⟨de (m.)⟩ **0.1** [Heilige Schrift] *Bible* ⇒*(Holy) Scriptures* **0.2** [lijfboek] *bible* **0.3** [dik boek] *tome* ◆ **1.2** de ~ v.d. communisten *the b. of the communists, the communists' b.* **2.3** dat is een echte ~ geworden *that has turned into a real t.* **6.1** dat staat in de ~ *that's in the B., it says so in the B.;* een ~ met koperen sloten *a B. with a copper clasp;* school met de ~ *(Protestant) denominational school;* een eed op de ~ *a gospel oath;* op de ~ zweren *swear an oath on the B..*

bijbelbeschouwing ⟨de (v.)⟩ **0.1** *interpretation of the Bible.*

bijbelboek ⟨het⟩ **0.1** [boek v.d. bijbel] *book of the Bible* **0.2** [de bijbel] *Bible* **0.3** [lijfboek] *bible.*

bijbelcodex ⟨de (m.)⟩ **0.1** *codex of the Bible.*

bijbelcommissie ⟨de (v.)⟩ ⟨r.k.⟩ **0.1** *Bible commission.*

bijbelgenootschap ⟨het⟩ **0.1** *Bible society.*

bijbelkennis ⟨de (v.)⟩ **0.1** *biblical/scriptural knowledge.*

bijbelkring ⟨de (m.)⟩ **0.1** *Bible group/club.*

bijbelkritiek ⟨de (v.)⟩ **0.1** *biblical/textual criticism* ⇒*textualism.*

bijbellezing ⟨de (v.)⟩ **0.1** *Bible/Scripture reading* ◆ **3.1** ~en houden *give Bible classes* **6.1** naar de ~ gaan *go to/attend a Bible class.*

bijbelplaats ⟨de (v.)⟩ **0.1** *scriptural passage* ⇒*passage in the Bible.*

bijbels ⟨bn.⟩ **0.1** [v.d. bijbel] *biblical* ⇒*scriptural* **0.2** [altijd de bijbel aanhalend] †*textualist* ⇒*religious, always quoting the Bible* ◆ **1.1** ~e aardrijkskunde *b. geography;* ~e geschiedenis *b. history;* het ~e land *the Holy Land;* ~e theologie *b. theology;* ~e treurspelen *b. drama/tragedy;* dit verstoot niet met de ~e voorstelling *this does not fit in with the b. account* **3.2** hij is zo ~ *he is such a textualist, he is so religious, he is always quoting the Bible.*

bijbelspreuk ⟨de⟩ **0.1** *biblical proverb* ⇒*proverb from the Bible.*

bijbelstudie ⟨de (v.)⟩ **0.1** *Bible study.*

bijbeltaal ⟨de⟩ **0.1** *biblical language* ◆ **3.1** dat is ~ ⟨fig.⟩ *that's biblical.*

bijbeltekst ⟨de (m.)⟩ **0.1** *scriptural passage* ⇒*passage in the Bible.*

bijbelvast ⟨bn.⟩ **0.1** *well-versed in the Scriptures/the Bible* ◆ **1.1** een ~ iem. *s.o. who is well-versed in the Scriptures/the Bible, a textualist.*

bijbelverhaal ⟨het⟩ **0.1** *Bible story.*

bijbelverklaring ⟨de (v.)⟩ **0.1** *exegesis.*

bijbelvers ⟨het⟩ **0.1** *Bible verse.*

bijbelvertaling ⟨de (v.)⟩ **0.1** [resultaat] *translation of the Bible* **0.2** [handeling] *translation of the Bible* ◆ **1.1** de ~ van Coverdale *the Great Bible* **2.1** de herziene Amerikaanse ~ *the Revised Standard Version;* de officiële Engelse ~ *the Authorized Version, the King James Version;* de herziene Engelse ~ *the Revised Version.*

bijbelwoord ⟨het⟩ **0.1** *biblical passage* ◆ **6.1** en het geschiedde naar het ~ *and it happened just as it said in the Bible/just as the Bible said it would.*

bijbenen ⟨ww.⟩ **0.1** [lopende bijhouden] *keep pace/up (with)* **0.2** [⟨fig.⟩] *keep pace/up (with)* ♦ **3.2** ik kan al deze ontwikkelingen niet ~ *I can't keep abreast of all these developments;* hij dicteerde zo vlug, dat ik het niet kon ~ *he dictated so fast I couldn't keep pace/up.*

bijberekenen ⟨ov.ww.⟩ **0.1** *add/make an additional charge of.*

bijbestellen ⟨ov.ww.⟩ **0.1** *reorder* ⇒*order a further/fresh supply (of), repeat an order (for).*

bijbetalen ⟨onov.,ov.ww.⟩ **0.1** *pay extra* ⇒*pay an additional/extra charge, make an additional further/supplementary payment* ♦ **1.1** tien gulden ~ *pay an extra 10 guilders* **4.1** je hoeft niets bij te betalen *you needn't pay anything extra/additional.*

bijbetaling ⟨de (v.)⟩ **0.1** [het bijbetalen] *additional/extra payment* **0.2** [bedrag] *additional/extra payment* ♦ **6.1** tegen ~ *at an addtional charge/cost, upon payment of an additional sum;* zonder ~ *without additional charge/cost, without any further/extra charge/cost/payment.*

bijbetekenis ⟨de (v.)⟩ **0.1** *connotation* ⇒*secondary meaning* ♦ **2.1** dat woord heeft een ongunstige ~ *that word has a negative c..*

bijbetrekking ⟨de (v.)⟩ **0.1** *additional job.*

bijblad ⟨het⟩ **0.1** [bijvoegsel] *extra sheet* ⇒*supplement* **0.2** [inlegblad] *(extra) leaf* ♦ **6.2** een uittrektafel met drie ~en *an extendable table with three (extra) leaves.*

bijblijven ⟨onov.ww.⟩ **0.1** [gelijk blijven] *keep pace/up* **0.2** [in het geheugen blijven] *stick/stay in one's memory* ♦ **1.1** een melodietje dat je bijblijft *a melody that you can't get out of your head, a haunting melody;* ik heb moeite om bij te blijven *I find it hard to keep up* **1.2** de herinnering aan haar zal mij altijd ~ *I'll always carry her memory with me* **4.2** dat is mij van mijn jeugd bijgebleven *that's what I remember of/from my youth, that's how I remember my youth;* dat zal mij altijd ~ *that will stick in my mind forever* **6.1** door studie ~ *keep up-to-date by studying.*

bijboeken ⟨ov.ww.⟩ **0.1** *post* ⇒*enter, write up* ♦ **1.1** een post v.d. ene rekening afboeken en op de andere ~ *transfer/carry entries/items from one account to another;* zijn die posten al bijgeboekt? *are the books already posted?.*

bijbouwen ⟨ov.ww.⟩ **0.1** *build on* ⇒*add (on)* ♦ **1.1** een paar kamers ~ *build/add on a couple of rooms;* er werd een stuk bijgebouwd *a new addition was erected, an extension was built* **5.1** er is flink bijgebouwd aan de school *considerable additions have been made to the school;* er wordt weinig bijgebouwd in die stad *there has been little construction/building (going on) in that city.*

bijbrengen ⟨ov.ww.⟩ **0.1** [leren] *impart (to)* ⇒*convey (to), instill (into), provide, give* **0.2** [weer tot bewustzijn brengen] *bring to/round* ⇒*restore to consciousness* ♦ **1.1** iem. verkeerde dingen ~ *lead s.o. astray, get s.o. into bad habits;* iem. bepaalde kennis ~ *impart (a certain) knowledge to s.o.* **5.1** iem. hardhandig iets ~ *drum/drub sth. into s.o.* **6.2** iem. met koud water ~ *bring s.o. to/round with cold water.*

bijdehand ⟨bn.⟩ **0.1** [vlug van begrip] *bright* ⇒*sharp, quick-witted, smart* **0.2** [vrijpostig] *forward* ⇒*bold* ♦ **1.1** een ~ kind *a b./sharp/smart child* **3.1** ~ zijn *be all there.*

bijdehandje ⟨het⟩ **0.1** *bright/sharp thing/child/woman.*

bijdehands ⟨bn.⟩ ♦ **1.¶** het ~e paard *the near/left horse.*

bijdetijds ⟨bn.⟩ **0.1** *modern* ⇒*up-to-date.*

bijdoen ⟨ov.ww.⟩ **0.1** *add* ⇒*put in, increase* ⟨aanbod⟩, ⟨inf.⟩ *throw in* ♦ **1.1** er nog tien gulden ~ *a. 10 guilders.*

bijdraaien
I ⟨onov.ww.⟩ **0.1** [mbt. personen] *come round* **0.2** [⟨scheep.⟩] *heave to* ⇒*head up (into the wind)* ♦ **3.1** iem. doen ~ *bring s.o. round/to terms* **3.2** de kapitein liet ~ *the captain had (the boat) hove to;*
II ⟨ov.ww.⟩ **0.1** [bijwerken] *hone (down).*

bijdrage ⟨de⟩ **0.1** [gave] *contribution* ⇒*offering* **0.2** [letterkundig geschrift/verhandeling] *contribution* **0.3** [geschrift, opstel] *contribution* ♦ **2.1** geldelijke ~ *financial c.;* kerkelijke ~ ≠*a c. to the church;* de kosten worden door vrijwillige ~n gedekt *the costs are covered by voluntary contributions;* een vrijwillige ~ *a donation* **3.3** een ~ leveren voor *contribute to* **5.1** een ~ ineens *a lifetime c.* **6.1** een ~ in de kosten *a c. towards the cost;* ⟨inf.⟩ *a c. to the kitty.*

bijdragen ⟨ov.ww.⟩ **0.1** [als zijn aandeel inbrengen] *contribute* ⇒*add* **0.2** [bevorderlijk zijn voor] *contribute* ⇒*add* ♦ **1.2** zijn steentje/het zijne ~ *do one's part/share/(little) bit* **3.1** ik wil gaarne iets ~ *I would like to c.* **5.1** dit zal er toe ~ dat alles beter gaat *this will c. to the improvement of the situation* **6.1** 100 gulden in de kosten ~ *c. 100 guilders towards the cost;* ⟨inf.⟩ *to the kitty* **6.2** verantwoorde voeding draagt bij tot een goede gezondheid *good nutrition contributes to good health* **7.1** veel/in hoge mate ~ tot *c./add greatly to.*

bijdrukken ⟨ov.ww.⟩ **0.1** *print more/additional* ⟨zn.⟩ ♦ **1.1** er zijn 1000 exemplaren bijgedrukt *1000 additional copies were printed.*

bijeen ⟨bw.⟩ ⟨→sprw. 655⟩ **0.1** *together* ♦ **3.1** ik heb nog nooit zo'n verzameling ~ gezien *I have never seen such a collection all t.;* de huizen van dit dorp staan dicht ~ *the houses in this village are (built) close t.* **6.1** in vergadering ~ *assembled in a meeting.*

bijeenbehoren ⟨onov.ww.⟩ **0.1** *belong together* ♦ **1.1** die vazen behoren bijeen *the vases belong together/are a set.*

bijeenbinden ⟨ov.ww.⟩ **0.1** [samenbinden] *bind together* **0.2** [⟨boek.⟩] *bind.*

bijeenblijven ⟨onov.ww.⟩ **0.1** *remain/stay together* ♦ **5.1** men bleef na de voorstelling nog gezellig bijeen *the group stayed and chatted after the presentation.*

bijeenbrengen ⟨ov.ww.⟩ **0.1** *bring/get together* ⇒*raise* ♦ **1.1** een bibliotheek ~ *build a library;* geld ~ *raise money;* met moeite geld ~ *scrape together some money, raise money with difficulty;* een leger ~ *raise an army.*

bijeendrijven
I ⟨ov.ww.⟩ **0.1** [samendrijven] *round up* ⇒*herd/drive together, have a dragnet* ⟨politie⟩ ♦ **1.1** de herder dreef de schapen bijeen *the shepherd herded the sheep together;*
II ⟨onov.ww.⟩ **0.1** [komen samendrijven] *pile/stack up* ♦ **1.1** wat een vuil is hier bijeengedreven *what a lot of dirt has piled up here.*

bijeengaren ⟨ov.ww.⟩ ⟨schr.⟩ **0.1** *gather together* ⇒*amass* ⟨feiten, fortuin⟩, *accumulate.*

bijeenhalen ⟨ov.ww.⟩ **0.1** *get together* ⇒*collect* ♦ **1.1** de hele buurt ~ *get the whole neighbourhood together;* geld ~ *collect money.*

bijeenhouden ⟨ov.ww.⟩ **0.1** *keep/hold together* ⇒*save, conserve* ♦ **1.1** zijn geld ~ *save one's money;* zijn zinnen ~ *keep one's senses.*

bijeenkomen ⟨onov.ww.⟩ **0.1** [samenkomen] *meet* ⇒*assemble, congregate, gather* **0.2** [bij elkaar passen] *match* ⇒*go with/together* ♦ **1.1** bij het (weer) ~ v.d. kamer *on the (re)assembly of the Chamber/House;* de vergadering is bijeengekomen *the meeting has assembled/convened* **1.2** die kleuren komen goed/niet bijeen *those colours m./don't m./go together/don't go together* **6.1** in grote getale ~ *gather/congregate in large numbers.*

bijeenkomst ⟨de (v.)⟩ **0.1** [samenzijn, vergadering] *meeting* ⇒*gathering, assembly, session* **0.2** [bijeengekomen personen] *meeting* ⇒*assembly* **0.3** [ontmoeting] *meeting* ⇒*encounter* ♦ **2.1** een drukke ~ *a well-attended/crowded m.;* een geheime ~ *a secret m., conclave;* een gezellige ~ *a social (m./gathering);* een politieke ~ *a political m./rally.*

bijeenleggen ⟨ov.ww.⟩ **0.1** *put together* ⇒*combine* ♦ **1.1** geld ~ *pool money, club together.*

bijeenlopen ⟨onov.ww.⟩ **0.1** *congregate* ⇒*flock together* ♦ **1.1** de hele buurt liep bijeen om het schouwspel te zien *the whole neighbourhood congregated to see the spectacle.*

bijeenrapen ⟨ov.ww.⟩ **0.1** [oprapen en bijeendoen] *collect* ⇒*pick up* **0.2** [verenigen, in verband brengen] *lump together* ⇒*assemble* **0.3** [met moeite verzamelen] *rally* ⇒*muster, collect, summon (up/together)* ♦ **1.1** snippers papier ~ *gather up scraps of paper* **1.2** een bijeengeraapt leger *a hastily assembled army;* een bijeengeraapt zootje ⟨voorwerpen⟩ *a scratch lot, a jumble;* ⟨mensen⟩ *a mixed bunch* **1.3** zijn krachten ~ *summon up/muster/gather all one's strength;* al zijn moed ~ *muster/summon up one's courage;* al zijn verstand ~ *bring one's whole mind to bear on.*

bijeenroepen ⟨ov.ww.⟩ **0.1** *call together* ⇒*convene, convoke* ♦ **1.1** alle buren ~ *call together all the neighbours;* het parlement ~ *convene/summon Parliament;* (leden voor) een vergadering ~ *convene (members for) a meeting* **5.1** opnieuw ~ *reconvene* **6.1** in algemene vergadering ~ *convene for a general meeting.*

bijeenscharrelen ⟨ov.ww.⟩ ⟨inf.⟩ **0.1** *scrape together* ⇒*scratch together/up* ♦ **1.1** de hele stad aflopen om honderd gulden bijeen te scharrelen *go all over the town to scratch up a hundred guilders;* met moeite zijn kostje ~ *scratch/scrape a living;* een maaltijd ~ *scramble up a meal;* wat voorbeelden ~ *muster up a few examples.*

bijeenschrapen ⟨ov.ww.⟩ **0.1** [met moeite bij elkaar brengen] *scrape (up/together)* **0.2** [door schrapen bijeenbrengen] *scrape (up/together)* ♦ **1.1** bijeengeschraapt(e) schatten/geld *a fortune/money scraped together.*

bijeensteken ⟨ov.ww.⟩ ♦ **1.¶** de hoofden/koppen ~ *put heads together.*

bijeentellen ⟨ov.ww.⟩ **0.1** *add (up)* ♦ **1.1** posten v.e. rekening ~ *add up items of an account.*

bijeentrommelen ⟨ov.ww.⟩ ⟨inf.⟩ **0.1** *drum up.*

bijeenvoegen
I ⟨ov.ww.⟩ **0.1** [samenvoegen] *join* ⇒⟨in/bij elkaar zetten⟩ *assemble,* ⟨als één beschouwen⟩ *lump together,* ⟨verenigen⟩ *unite, combine* ♦ **5.1** opnieuw ~ *rejoin; reassemble; reunite, recombine;*
II ⟨wk.ww.; zich~⟩ **0.1** [samenkomen] *meet.*

bijeenzetten ⟨ov.ww.⟩ **0.1** *put together* ⇒*place/stand together, combine,* ⟨samenvoegen⟩ *join,* ⟨naast elkaar zetten; fig.⟩ *juxtapose* ♦ **1.1** bewijsplaatsen/argumenten ~ *juxtapose/collocate references/arguments;* stoelen ~ *put/place/stand chairs together.*

bijeenzijn¹ ⟨het⟩ **0.1** *gathering.*

bijeenzijn² ⟨onov.ww.⟩ **0.1** *be together/gathered* ♦ **1.1** de commissie is bijeengeweest *the commission has met;* als de kamer niet bijeen is *when the Chamber is not sitting/is not in session;* de kring is/was bijeen *the circle has a meeting/has gathered, the circle (has) met/was together;* het parlement is bijeen *Parliament is in session/is sitting;* de vrienden zijn bijeen *the friends are together/have gathered.*

bijeenzoeken ⟨ov.ww.⟩ **0.1** *collect* ⇒*gather, get together* ♦ **1.1** zijn spullen ~ *c./gather one's things.*

bijenboek ⟨het⟩ **0.1** *handbook of bee-keeping* / ⟨schr.⟩ *apiculture.*

bijendans ⟨de (m.)⟩ **0.1** *bees' dance.*

bijenhoni(n)g ⟨de (m.)⟩ **0.1** *bee honey.*

bijenhouder ⟨de (m.)⟩ **0.1** *bee keeper* ⇒*bee master, apiarist.*

bijenkap ⟨de⟩ **0.1** *bee veil.*

bijenkast ⟨de⟩ **0.1** *(bee)hive.*

bijenkoningin ⟨de (v.)⟩ **0.1** *queen bee* ◆ **2.1** onbevruchte ~ *virgin queen.*

bijenkorf ⟨de (m.)⟩ **0.1** [bijenwoning] *beehive* ⇒*hive* **0.2** [bijen] *hive* ⇒ *hiveful of bees* **0.3** [⟨fig.⟩] *beehive* ⇒*hive.*

bijentaal ⟨de⟩ **0.1** *bee language* ⇒*language of bees.*

bijenteelt ⟨de⟩ **0.1** *apiculture* ⇒*bee culture* ◆ **6.1** *van/mbt.* de ~*apiarian, apicultural.*

bijenvolk ⟨het⟩ **0.1** [bijen v.e. korf/stam] *hive* **0.2** [de bijen] *bees* ◆ **2.2** het nijvere ~(je) *the busy b..*

bijenwas ⟨het, de (m.)⟩ **0.1** *beeswax* ◆ **3.1** met ~ opboenen ⟨ook⟩ *beeswax.*

bijenzwerm ⟨de (m.)⟩ **0.1** *swarm of bees.*

bijfiguur ⟨de⟩ **0.1** [minder belangrijke figuur] *minor/secondary figure/character* ⇒*supporting actor/actress* ⟨toneel⟩ **0.2** [figurant] *super(numerary)* **0.3** [⟨wisk.⟩] *subordinate figure.*

bijgaand ⟨bn.⟩ **0.1** *enclosed* ⇒*appended* ◆ **1.1** zie ~ briefje *see e./accompanying note, see note under cover;* de ~e foto *the photograph e. herewith;* de ~e illustraties *the e. illustrations;* de ~e stukken *the enclosures.*

bijgebouw ⟨het⟩ **0.1** *annex(e)* ⇒*outbuilding, outhouse.*

bijgedachte ⟨de (v.)⟩ **0.1** [onwillekeurig opkomende voorstelling] *association* **0.2** [bijbedoeling] *ulterior motive/design/object* ◆ **6.2** zonder enige ~ toejuichen *applaud unreservedly.*

bijgelegen ⟨bn.⟩ **0.1** *adjacent* ◆ **1.1** ~ landerijen *a. lands/grounds.*

bijgeloof ⟨het⟩ **0.1** [geloof aan bovennatuurlijke verschijnselen] *superstition* **0.2** [hieruit voortvloeiende praktijk] *superstition* **0.3** [ander geloof dan dat van spreker/schrijver] *superstition.*

bijgelovig ⟨bn., bw.; -ly⟩ **0.1** [van bijgeloof vervuld] *superstitious* **0.2** [door bijgeloof ontstaan] *superstitious.*

bijgelovigheid ⟨de (v.)⟩ **0.1** [geneigdheid] *superstition* ⇒*superstitiousness* **0.2** [vorm, uiting] *superstition.*

bijgeluid ⟨het⟩ **0.1** *noise* ⇒*background noise* ◆ **2.1** storende ~en *irritating background noise.*

bijgenaamd ⟨bn.⟩ **0.1** *surnamed* ⇒*called,* ⟨mbt. spotnaam⟩ *nicknamed* ◆ **1.1** Willem, ~ de Zwijger *William called the Silent.*

bijgerecht ⟨het⟩ **0.1** *side-dish.*

bijgeval ⟨bw.⟩ **0.1** *by (any) chance* ◆ **3.1** heb je ~ een potlood voor me (te leen)? *do you happen to have a pencil for me?.*

bijgeven ⟨ov.ww.⟩ **0.1** [extra geven] *add* ⇒⟨aanvullen⟩ *supplement* **0.2** [⟨kaartspel⟩] *follow suit* ◆ **1.1** geef me nog maar wat suiker bij *give me some more sugar, please.*

bijgevolg ⟨bw.⟩ **0.1** *as a consequence/result* ⇒*consequently.*

bijgewas ⟨het⟩ **0.1** *secondary crop.*

bijgieten ⟨ov.ww.⟩ **0.1** *add* ⇒*supplement* ⟨aanvullen⟩, *pour (some more …).*

bijhalen ⟨ov.ww.⟩ **0.1** [naderbij halen] *pull/draw/bring near(er), bring (up) close(r)* **0.2** [⟨bij deling⟩ aanhalen] *bring down* ◆ **1.1** die verrekijker haalt goed bij *those binoculars bring it (enz.) (up) quite close.*

bijharken ⟨ov.ww.⟩ **0.1** *rake (up)* ◆ **1.1** een tuin ~ *r. a garden.*

bijhart ⟨het⟩ **0.1** *pulsating organ.*

bijhebben ⟨ov.ww.⟩ ⟨AZN⟩ **0.1** *have (up)on/about (one).*

bijholte ⟨de (v.)⟩⟨med.⟩ **0.1** *paranasal sinus.*

bijholteontsteking ⟨de (v.)⟩ **0.1** *sinusitis.*

bijhouden ⟨ov.ww.⟩ **0.1** [houden bij iets anders] *hold out/up to* **0.2** [gelijkblijven] *keep up (with)* ⇒*keep pace (with)* **0.3** [niet achter laten raken] *keep up to date* ◆ **1.1** houd je bord bij *hold out your plate* **1.2** een auto ~ *keep up with a car;* iem. ~ met drinken ⟨ook⟩ *stay with s.o.;* het onderwijs niet kunnen ~ *be unable to keep up at school;* de vakliteratuur ~ *keep abreast of/keep up with professional literature* **1.3** een dagboek ~ *keep a diary;* zijn Frans ~ *keep up one's French;* een kasboek ~ *keep an account book up to date;* de stand ~ *keep tally/count/the score* **4.2** zoveel cadeaus, ik kon het niet ~ *so many presents, I lost count/couldn't keep count.*

bijhuis ⟨het⟩⟨AZN⟩ **0.1** *branch.*

bijkaart ⟨de⟩ **0.1** [kleine kaart in een grote] *inset (map)* **0.2** [⟨kaartspel⟩] *plain card/suit* ◆ **1.1** een kaart van Engeland met een ~ van Londen *a map of England with a map of London inset* **2.2** een mooie ~ hebben *have a good supporting card/hand.*

bijkans ⟨bw.⟩ **0.1** *wellnigh* ⇒*almost, nearly.*

bijkantoor ⟨het⟩ **0.1** *branch (office)* ⇒⟨klein postkantoor/filiaal⟩ *sub-office* ◆ **6.1** op het ~ in Leiden *at the Leyden branch.*

bijkeuken ⟨de⟩ **0.1** *scullery.*

bijklank ⟨de (m.)⟩ **0.1** *ring* ⇒⟨fig. ook⟩ *undertone,* ⟨bijbetekenis ook⟩ *connotation, overtone* ◆ **3.1** een ~ hebben *be equivocal, have an undertone.*

bijkleuren
I ⟨ov.ww.⟩ **0.1** [de kleur bijwerken van] *touch up (the colour of);*

II ⟨onov.ww.⟩ **0.1** [wat kleur krijgen]⟨na ziekte⟩ *get a bit of colour back in one's cheeks;* ⟨in de zon⟩ *get a tan* ◆ **3.1** zijn bleke gezicht een beetje laten ~ in de zon *get a bit of sun on one's face, get a bit of colour in one's cheeks.*

bijknippen ⟨ov.ww.⟩ **0.1** *trim* ⇒*clip* ◆ **1.1** zijn haar wat laten ~ *have one's hair trimmed (a bit).*

bijkomen ⟨onov.ww.⟩ **0.1** [weer bij bewustzijn komen] *come to/round* **0.2** [op adem komen] *(re)gain (one's) breath* ⇒*pick (o.s.) up, recover (o.s.)* **0.3** [flinker/gezonder worden] *recover* ⇒*gain (three/four pounds), put on flesh, revive* ⟨opbloeien⟩ **0.4** [inhalen] *catch up (with)* **0.5** [komen bij] *get at* ◆ **1.3** na lang verval komt de handel weer wat bij *after a long decline trade is gaining ground once more/is reviving (once more)* **3.1** doen ~ *bring to/round, revive* **5.2** ik moet eerst even ~ *I'll have to recover myself/get my breath (back) first;* niet meer ~ (v.h. lachen) *be in fits (of laughter), be helpless/overcome (with laughter)* **5.3** zij is goed bijgekomen *she has made a proper recovery* **7.5** er is geen ~ aan *it is not to be got at, I/we* ⟨enz.⟩ *cannot get there/at it/near it.*

bijkomend ⟨bn.⟩ **0.1** *additional* ⇒*accessory, attendant, concomitant, incidental,* ⟨ondergeschikt⟩ *subordinate* ◆ **1.1** ~e kleuren *matching colours;* de dichtst ~e maat *the nearest size;* ~e omstandigheden/onkosten *incidental/concomitant circumstances, additional/attendant/incidental/extra expenses;* een ~ recht/voordeel [behorend bij bep. eigendom] *appurtenant right/benefit;* ⟨jur.⟩ ~e verbintenissen *collateral obligations* **1.¶** ⟨med.⟩ ~e zenuw *accessory nerve.*

bijkomstig ⟨bn.⟩ **0.1** ⟨toevallig⟩ *accidental, incidental, concomitant;* ⟨niet wezenlijk⟩ *inessential, external;* ⟨ondergeschikt⟩ *secondary, subordinate* ◆ **1.1** ~e omstandigheden *incidental factors/circumstances, inessentials* **4.1** dat is iets ~s *that is a side issue, that is of secondary/subordinate importance.*

bijkomstigheid ⟨de (v.)⟩ **0.1** *incidental circumstance* ⟨meestal mv.⟩ ⇒ *inessentials* ⟨alleen mv.⟩ *adjunct* ◆ **2.1** door allerlei bijkomstigheden is het werk lang opgehouden *through various incidental circumstances the work has suffered a long delay* **¶.1** wanneer we in het nieuwe huis trekken is maar een ~ *the date we move into the new home is of secondary consideration.*

bijkopen ⟨ov.ww.⟩ **0.1** *buy (sth.) in addition/(sth.) to match/additional (sth.)/extra (sth.)* ◆ **1.1** het ~ van materiaal *additional purchase(s) of material;* onderdelen ~ *buy extra spare parts.*

bijkrabbelen
I ⟨ov.ww.⟩ **0.1** [bijschrijven] *scribble (besides/below/in addition)* ⇒ *add* ◆ **1.1** enige bijgekrabbelde woorden *a few words scribbled in the margin/between the lines/a few scribbled words;*
II ⟨onov.ww.⟩⟨inf.⟩ **0.1** [achterstand inlopen] *pick up* ⇒*catch up* **0.2** [beter worden] *pick up* ⇒*improve* ◆ **5.2** hij is weer aardig bijgekrabbeld *he has picked up nicely again.*

bijl ⟨de⟩ **0.1** *axe* ^A*an* ⇒⟨kleine bijl⟩ *hatchet* ◆ **2.1** een dubbele ~ *a double a.;* ⟨fig.⟩ er met de grove/botte ~ in hakken *wield the axe* **3.1** ⟨fig.⟩ ik heb al vaker met dat ~tje gehakt *I'm an old hand at it/at the game;* ⟨fig.⟩ de ~ aan de wortel leggen *strike at the roots (of …)* **3.¶** het ~tje erbij neerleggen *chuck it, knock off, call it a day; sign off* ⟨ook het opgeven⟩ **6.1** ⟨fig.⟩⟨onherroepelijk⟩ *voor* de ~ gaan *give in, bow before the storm, capitulate.*

bijl. ⟨afk.⟩ **0.1** [bijlage] *enc(l)..*

bijladen
I ⟨onov., ov.ww.⟩ **0.1** [aan de lading toevoegen] *take in additional cargo* ⟨lading⟩ ⇒*complete/supplement the cargo (with), fill up (with), refuel, bunker* ⟨brandstof⟩ ◆ **3.1** zand ~ *fill up with sand* **3.1** het schip moet daar ~ *the ship has to bunker/take in cargo/fill up (with …) there;*
II ⟨ov.ww.⟩ **0.1** [de lading aanvullen] *recharge* ⟨accu⟩.

bijlage ⟨de⟩ **0.1** *enclosure* ⇒*appendix, annex(e)* ⟨aanhangsel⟩, *schedule* ⟨bij wet⟩, *inset* ⟨los, meegevouwen vel⟩, *supplement* ⟨bij krant/tijdschrift⟩ ◆ **2.1** een losse ~ *a loose supplement, lift-out pages* **8.1** als/in ~ ⟨ook⟩ *under cover.*

bijlange ⟨bw.⟩ ◆ **5.¶** ~ (na) niet *not anything like (as nice* ⟨enz.⟩ *), not nearly (so nice* ⟨enz.⟩ *); niet ~ toe *not by a long shot/chalk!.*

bijlappen ⟨ov.ww.⟩ **0.1** *patch up* ◆ **1.1** die schoenen kunnen niet meer bijgelapt worden *those shoes are beyond patching (up);* een bijgelapt stuk *a patch.*

bijbrief ⟨de (m.)⟩ **0.1** *builder's certificate.*

bijlegbestek ⟨het⟩ **0.1** *serving utensils.*

bijleggen
I ⟨onov., ov.ww.⟩ **0.1** [bijbetalen] *contribute* ⇒*pay,* ⟨bijpassen⟩ *make up* ◆ **1.1** het tekort ~ *make up the deficit* **5.1** als ik het zo verkoop, moet ik erop ~ *if I sell it like this, I lose (money) on/by it;*
II ⟨ov.ww.⟩ **0.1** [goedmaken] *settle* ⇒*reconcile* ◆ **1.1** een geschil ~ *s. a dispute* **4.1** het ~ *make up;*
III ⟨onov.ww.⟩ **0.1** ⟨scheep.⟩ *lay to/by.*

bijles ⟨de⟩ **0.1** *coaching* ⇒*extra lessons* ◆ **3.1** ~ Engels geven *coach in English.*

bijleveren ⟨ov.ww.⟩ **0.1** *supply ((sth.) in addition/extra)* ⇒*supplement* ⟨aanvullen⟩, *(supply (sth.) to) match* ⟨iets bijpassends⟩ ◆ **1.1** de delen van dit servies kunnen altijd worden bijgeleverd *replacement parts of this dinner service will remain available;* vervangingsonderdelen worden bijgeleverd *spare parts are (also) supplied (with the apparatus/machine).*

bijlichten ⟨ov.ww.⟩ **0.1** *light* ◆ **1.1** iem. ~ *give (a) light to s.o., light s.o./ s.o.'s way.*

bijliggen ⟨onov.ww.⟩ **0.1** *have a* ⟨herinnering⟩ *feeling/recollection/* ⟨voorgevoel⟩ *presentiment* ◆ **4.1** het ligt mij bij dat er iets naars gaat gebeuren *I feel in my bones/I have a presentiment that sth. unpleasant is on its way;* er ligt me zo iets bij v.e. ongeluk, dat hem overkomen is *I have a vague feeling/I seem to remember that there was an accident, involving him.*

bijlslag ⟨de (m.)⟩ **0.1** *stroke of the axe* ^ax/*hatchet.*

bijltjesdag ⟨de (m.)⟩ **0.1** [⟨gesch.⟩] ≠*day of reckoning* **0.2** [uur van de waarheid] *moment of truth.*

bijmaan ⟨de⟩ ⟨ster.⟩ **0.1** *paraselene* ⇒*mock moon, moon dog.*

bijmaken ⟨ov.ww.⟩ **0.1** *make ((sth.) in addition/extra)* ⇒*supplement* ⟨aanvullen⟩, *(make (sth.) to) match* ⟨bijpassend iets⟩ ◆ **1.1** die leerling moet nog sommen ~ *that pupil must do some more sums* **3.1** het is niet in voorraad, maar het kan voor u bijgemaakt worden *it's not in stock but it can be made specially for you.*

bijmengen ⟨ov.ww.⟩ **0.1** [toevoegen] *add* ⇒*mix in addition/in* **0.2** [bijmaken] *mix again/* ⟨meer van hetzelfde⟩ ⇒*match* ⟨bijpassend iets⟩ ◆ **1.1** ik zal nog wat salpeter ~ *I'll a. some (more) saltpetre/mix some (more) saltpetre in* **1.2** kunt u deze kleur voor me ~? *can you once more mix this colour for me?, can you match this colour for me?.*

bijna ⟨bw.⟩ **0.1** *almost, nearly* ⇒⟨voor telwoorden enz. ook⟩ *close on,* ⟨in samenst.⟩ *near* ◆ **1.1** ~ de hele dag ⟨ook⟩ *the best part of the day;* het is ~ tien uur *it is getting on for ten;* ~ zestig jaar/zestig mensen *close on sixty/sixty people* **2.1** ~ klaar *a. / nearly ready;* ~ onmogelijk *next to impossible;* het was ~ raak *it was a near-miss;* ~ wit **3.1** ~ gaan huilen *be close to tears;* ze viel ~ flauw *she nearly/all but fainted;* ik was ~ niet gegaan *I a. / nearly didn't go* **4.1** ~ alles (van iets) ⟨ook⟩ *the best part (of …);* ~ niets/niemand/nooit/geen *a. nothing/no-one/never/none;* ⟨ook⟩ *hardly anything/anyone/never/any;* ~ zoveel *nearly/a. as much* **5.1** ~ niet *hardly (at all), scarcely (at all);* er was ~ niets over *there was hardly anything/next to nothing left* **7.1** Jan is ~ tien *Jan is going on ten.*

bijnaam ⟨de (m.)⟩ **0.1** [spotnaam] *nickname* **0.2** [toegevoegde naam] *surname* ⇒*epithet* ◆ **3.1** dat bezorgde haar de ~ van *that earned her the n. of;* iem. de ~ X geven *nickname/dub a person X* **6.1** hij droeg de ~ *van* Buikje *he was nicknamed/carried the n. of Potbelly* **6.2** Hendrik IV verdiende de ~ *van* 'de Grote' *Henry IV earned himself the epithet/s. of 'the Great'.*

bijnier ⟨de⟩ **0.1** *adrenal gland* ⇒⟨van mens soms ook⟩ *suprarenal gland.*

bijniermerg ⟨het⟩ **0.1** *adrenal medulla.*

bijnierschors ⟨de⟩ **0.1** *adrenal cortex.*

bijnierschorshormoon ⟨het⟩ **0.1** *adrenocorticotropic hormone.*

bijnummer ⟨het⟩ **0.1** *side-show* ⟨ook fig.⟩.

bijou ⟨het⟩ **0.1** *bijou* ⇒*jewel, gem* ⟨ook fig.⟩, ⟨van geringe waarde⟩ *trinket.*

bijouterie ⟨de (v.)⟩ **0.1** [voorwerpen] *bijouterie* ⇒*jewellery* ^*jewelry* ⟨geen mv.⟩, ⟨van geringe waarde⟩ *trinketry, trinkets* **0.2** [winkel] *jeweller's (shop).*

bijpassen ⟨onov., ov.ww.⟩ **0.1** *pay* ⇒*contribute,* ⟨aanzuiveren⟩ *make up* ◆ **1.1** een gulden ~ ⟨ook⟩ *find a guilder;* een tekort ~ *p. a deficit* **3.1** je zult moeten ~ *you will have to p. / make up the difference.*

bijpassend ⟨bn.⟩ **0.1** *matching* ⇒*to match* ⟨na zn.⟩ ◆ **1.1** een spijkerbroek met ~ jack *jeans and a jacket to match.*

bijplakken ⟨ov.ww.⟩ ◆ **1.¶** een postzegel ~ *affix an additional stamp.*

bijplaneet ⟨de⟩ **0.1** *satellite* ⇒*secondary (planet).*

bijpleisteren ⟨ov.ww.⟩ **0.1** [pleisterwerk aanvullen] *repair the plastering* **0.2** [⟨fig.⟩] *patch up.*

bijpompen ⟨ov.ww.⟩ **0.1** *pump* ◆ **1.1** een band ~ *p. a tyre up;* water/lucht ~ *p. in more water/air.*

bijpraten ⟨onov., ov.ww.⟩ **0.1** *catch up (on news/gossip)* ◆ **4.1** we hadden heel wat bij te praten *we had a lot to tell each other* **5.1** we moeten weer eens ~ *we should have a good long talk soon, we need to catch up one of these days;* we zijn weer helemaal bijgepraat *we're au fait again.*

bijprodukt ⟨het⟩ **0.1** *by-product* ⇒*residual product, spin-off* ◆ **3.1** de gasfabrieken leveren tal van ~en *the gasworks yield numerous by-products.*

bijpunten ⟨ov.ww.⟩ **0.1** [puntig bijwerken] *point* ⇒*give (sth.) a point, sharpen, cut into a point* **0.2** [scherper maken] *sharpen* **0.3** [mbt. haar] *trim.*

bijregelen ⟨ov.ww.⟩ **0.1** *regulate* ⇒⟨met knop⟩ *readjust,* ⟨automatisch⟩ *control.*

bijrijder ⟨de (m.)⟩ **0.1** *driver's mate* ⇒⟨bij wedstrijd⟩ *co-driver.*

bijrol ⟨de⟩ ⟨dram., lit.⟩ **0.1** *supporting role/part* ⟨ook fig.⟩.

bijschaven ⟨ov.ww.⟩ **0.1** [glad schaven] *plane (down)* **0.2** [⟨fig.⟩] *polish (up)* ⇒*refine, touch up, trim* ◆ **1.2** je mag je Frans wel eens ~ *your*

French needs a brushup;* een opstel ~ *touch/polish up an essay;* zijn stijl bijschaven *polish/refine one's style.*

bijschenken ⟨onov., ov.ww.⟩ **0.1** *pour* ⇒*fill up* ⟨glas⟩ ◆ **1.1** thee ~ *p. more tea* **5.1** wil je nog eens ~? *will you p. (us) another cup?;* zal ik nog eens ~? *may I fill you up/^freshen your drink?.*

bijschikken ⟨onov.ww.⟩ **0.1** [op/aanschuiven] *come/move close(r)* ⇒ *draw near* **0.2** [mede aan tafel gaan zitten] *join.*

bijschilderen ⟨ov.ww.⟩ **0.1** [aanvullen] *paint in* ⇒*touch up* **0.2** [bijwerken] *touch up* ⇒*repaint, paint (sth.) over.*

bijschildklier ⟨de⟩ **0.1** *parathyroid (gland).*

bijscholen ⟨ov.ww.⟩ **0.1** *give further training* ◆ **4.1** zich ~ *go on/take/attend a training/refresher course.*

bijscholing ⟨de (v.)⟩ **0.1** *(extra) training* ⇒*in-service training, refresher course.*

bijschrift ⟨het⟩ **0.1** [onderschrift] *caption* ⇒*legend,* ⟨in platenboek⟩ *letterpress* **0.2** [kanttekening] *note* ⇒*gloss.*

bijschrijven ⟨ov.ww.⟩ **0.1** [toevoegen, bijboeken] *enter* ⇒*include, add* **0.2** [bijhouden] *enter* ⇒*book, keep/write up* ◆ **1.1** rente/een post ~ *e. interest/an item* **1.2** iemands boeken ~ *keep up s.o.'s books, keep s.o.'s books (up to date)* **6.1** op een lijst ~ *include in a list, list;* op iemands tegoed/rekening ~ *credit to s.o.('s account).*

bijschrijving ⟨de (v.)⟩ **0.1** [het bijschrijven/-boeken] *entering (in the books)* **0.2** [het bijgeschrevene/bijgeboekte] *amount/item/* ⟨enz.⟩ *entered, entry, addition, insertion* **0.3** [het door schrijven bijhouden] *keeping (of the books/the books up to date).*

bijschuiven
I ⟨ov.ww.⟩ **0.1** [naderbij schuiven] *pull/draw (a chair) up to (the table);*
II ⟨onov.ww.⟩ **0.1** [mede aan tafel gaan zitten] *join.*

bijslaap ⟨de (m.)⟩ ⟨schr.⟩ **0.1** [coïtus] *intercourse* ⇒*coition, copulation, cohabitation* **0.2** [persoon] *bedfellow* ⇒*lover, mate, partner.*

bijslag ⟨de (m.)⟩ **0.1** [bijkomend voordeel] *bonus* ⇒*supplement, extra allowance* **0.2** [extra heffing] *extra charge* ⇒*supplementary/additional payment, surcharge* ◆ **3.2** een ~ van 10 dollar heffen *charge an additional \$10, make an additional charge of \$10.*

bijslapen ⟨ww.⟩ **0.1** *catch up on one's sleep* ◆ **3.1** ik moet eerst eens ~ *I have to catch up on my sleep first.*

bijslijpen ⟨ov.ww.⟩ **0.1** [slijpend bewerken] *sharpen* ⟨potlood, mes⟩; *cut, grind* **0.2** [⟨fig.⟩] *polish (up)* ⇒*refine.*

bijsloffen ⟨ww.⟩ ⟨inf.⟩ **0.1** [lopend bijlopen] *keep up (with)* **0.2** [volgen met het begrip] *keep up* ⇒*manage* ◆ **1.1** ik kan dit tempo niet ~ ⟨ook fig.⟩ *I can't keep up this pace* **3.1** niet zo snel, ik kan je niet ~ *not so fast, I can't keep up with you* **3.2** ik doe echt mijn best, maar ik kan het niet ~ *I do my very best, but I can't keep up/manage.*

bijsluiter ⟨de (m.)⟩ **0.1** *instructions.*

bijsluiting ⟨de (v.)⟩ ◆ **6.¶** onder ~ van een postzegel *enclosing a stamp.*

bijsmaak ⟨de (m.)⟩ **0.1** *taste* ⇒*flavour, smack* ◆ **2.1** een politieke ~ hebben *have a political flavour/a smack of politics* **3.1** een ~je hebben ⟨lett.⟩ *have a funny/bad t. / flavour;* ⟨fig.⟩ *be a bit doubtful/ shady;* ⟨sl.⟩ *fishy* **6.1** er is een ~ **aan** de koffie *there is a funny t. to the coffee;* ⟨fig.⟩ geleerdheid met een ~ van pedanterie *scholarship with a smack of pedantry.*

bijsmeren ⟨ov.ww.⟩ **0.1** [smerend bijvoegen] *rub in* ⇒*oil, lubricate* ⟨motor⟩, *do up, repair* ⟨muur, pleisterwerk⟩ **0.2** [aan het gesmeerde toevoegen] ⟨zie 1.2⟩ ◆ **1.2** nog wat boterhammen ~ *butter some more slices of bread.*

bijsnijden ⟨ov.ww.⟩ **0.1** [aan het gesnedene toevoegen] ⟨zie 1.1⟩ **0.2** [snijdend afwerken] *cut (to shape)* ⇒*trim* ◆ **1.1** nog wat plakken koek ~ *cut some more slices of cake.*

bijsnoeien ⟨ov.ww.⟩ **0.1** *clip, trim* ⟨heg⟩.

bijspelen ⟨ov.ww.⟩ ⟨sport⟩ **0.1** *follow* ⇒*play* ◆ **1.1** de gevraagde kleur ~ *f. suit.*

bijspijkeren
I ⟨ov.ww.⟩ **0.1** [op het vereiste niveau brengen] *brush up* **0.2** [goedmaken, zijn schade inhalen] *make up (for)* **0.3** [door spijkeren herstellen] *nail back in place/up* **0.4** [bijbetalen] *stand by (s.o.), back up (s.o.), make up (for s.o.)* ◆ **1.1** zijn kennis ~ *brush up one's knowledge;* een zwakke leerling ~ *bring a weak pupil up to standard* **3.2** nog heel wat bij te spijkeren hebben *have a lot left to make up for;*
II ⟨ov.ww.⟩ **0.1** [herstellen] *catch up* ⇒*recover* ◆ **5.1** hij is weer aardig bijgespijkerd *he has recovered nicely.*

bijspringen ⟨onov., ov.ww.⟩ **0.1** *support* ⇒*step in (for s.o.)* ◆ **1.1** iem. ~ *support s.o., come to s.o.'s aid/help, come to s.o.'s rescue, help s.o. out* **3.1** vader moet nogal eens ~ *father has to step in every now and then.*

bijstaan
I ⟨ov.ww.⟩ **0.1** [helpen] *assist* ⇒*aid, help,* ⟨jur.⟩ *act for* ◆ **1.1** een stervende ~ *lend succour to a dying person;* ⟨van geestelijke⟩ *say the last rites over/perform the last rites to a dying person* **4.1** de hemel sta mij bij! *God help me!* **6.1** iem. ~ **in** de nood *stand by s.o. in their hour of need, come to s.o.'s assistance;* iem. **met** raad en daad ~ *help s.o. by work and deed;*
II ⟨onov.ww.⟩ **0.1** [vaag herinnerd worden] *dimly recollect* **0.2** [nabij

iets/iem. staan] *stand near (by)* **0.3** [⟨scheep.⟩] *be set* ◆ **1.2** zie ~de tekening *see (accompanying) drawing* **1.3** de zeilen staan bij *the sails are set;* zij heeft alle zeilen ~ *she spares/has spared no effort or expenditure, she has mobilized all resources* **4.1** er staat me iets bij van een vergadering waar hij heen zou gaan *I dimly recollect/I have a vague feeling that he was to go to a meeting.*

bijstand ⟨de (m.)⟩ **0.1** [financiële hulp] *assistance* ⇒⟨vnl. bij rampen⟩ *relief,* ⟨v.d. sociale dienst⟩ ᴮ*social security,* ᴮ*supplementary benefit,* ᴬ*welfare* **0.2** [instantie] ᴮ*Social Security,* ᴬ*Welfare* **0.3** [hulp, ondersteuning] *assistance* ⇒*aid, help, relief, support* ◆ **2.1** bureau voor rechtskundige ~ *legal aid bureau;* sociale ~ *social security* **2.3** geestelijke ~ *spiritual aid, ministration;* militaire ~ *military relief/assistance;* rechtskundige ~ ⟨rechtshulp⟩ *legal aid;* ⟨alg.⟩ *legal advice* **3.1** hij leeft van de ~ *he's on social security/the dole/on welfare;* ~ trekken *get social security/welfare* **3.3** ~ verlenen *render assistance* **6.1** in de ~ zitten *be on social security/welfare;* in de ~ terechtkomen/gaan *go on social security/welfare/the dole.*

bijstandsgezin ⟨de (m.)⟩ **0.1** ᴮ*family on social security,* ᴬ*welfare family.*

bijstandsmoeder ⟨de (v.)⟩ **0.1** ᴮ*mother on social security,* ᴬ*welfare mother.*

bijstandsuitkering ⟨de (v.)⟩ **0.1** ᴮ*social security (payment),* ᴬ*welfare (payment)* ◆ **2.1** aanvullende ~ *supplementary benefit.*

bijstandsvrouw ⟨de (v.)⟩ **0.1** *woman on* ᴮ*social security/*ᴬ*welfare.*

bijstandswet ⟨de⟩ **0.1** ᴮ*Social Security Act.*

bijstandtrekker ⟨de (m.)⟩ **0.1** *person on social security/*ᴬ*welfare* ⇒⟨mv. ook⟩ *those on social security,* ⟨AE; bel.⟩ *welfarite.*

bijstellen ⟨ov.ww.⟩ **0.1** [in de juiste stand brengen] *adjust* **0.2** [aanpassen] *adjust* ◆ **1.2** het regeerakkoord zal worden bijgesteld *the administration agreement will be adjusted.*

bijstelling ⟨de (v.)⟩ **0.1** [het in de juiste stand brengen] *adjustment* **0.2** [het aanpassen] *adjustment* **0.3** [⟨taal.⟩] *apposition.*

bijstellingszin ⟨de (m.)⟩ **0.1** *appositional clause.*

bijster

I ⟨bn.⟩ **0.1** [niet meer wetend] *off* ⇒*on the wrong track* ◆ **1.1** het spoor ~ zijn ⟨ook fig.⟩ *be on the wrong track;* het spoor ~ raken/worden *lose the scent/one's way;* iem. het spoor ~ maken/doen worden *put s.o. off the track;*

II ⟨bw.⟩ **0.1** [zeer] *unduly* ⇒⟨niet iron.⟩ ⇒*(none) too* ⟨alleen neg.⟩ ◆ **2.1** de tuin is niet ~ groot *the garden is none too large;* hij is niet ~ slim *he's none too bright* ¶**.1** ze was niet ~ onder de indruk *she was not impressed.*

bijstorten ⟨ov.ww.⟩ **0.1** [⟨geldw./hand.⟩] *pay (a supplement)* ⇒*supplement,* ⟨op aandelen⟩ *pay a call* **0.2** [bijvoegen door storten] *deposit.*

bijstrijken ⟨ov.ww.⟩ **0.1** *touch up* ⟨verf⟩.

bijsturen ⟨onov., ov.ww.⟩ **0.1** [mbt. een schip/voertuig] *steer (away from/clear from/towards)* **0.2** [⟨fig.⟩] *steer away from/clear from* ⇒*adjust* ⟨plan, actie⟩.

bijt ⟨de⟩ **0.1** *hole (in the ice)* ◆ **3.1** een ~ hakken *cut a hole in the ice;* hij heeft alle ~ jes afgevist *he has tapped all his sources* **6.1** een vreemde eend in de ~ *an intruder/outsider, the odd one out.*

bijtanken ⟨onov.ww.⟩ **0.1** [nieuwe brandstof innemen] *refuel* **0.2** [⟨fig.⟩] *rebuild one's reserves.*

bijtekenen

I ⟨onov.ww.⟩ **0.1** [zich verbinden langer in dienst te blijven] *renew a contract* ◆ **6.1** hij heeft ⟨voor 6 jaar⟩ bijgetekend ⟨mil. ook⟩ *he has re-enlisted, he has enlisted/signed (for six more years);*

II ⟨ov.ww.⟩ **0.1** [in een tekening bijwerken] *touch up* **0.2** [door tekening bijvoegen] *draw (in).*

bijtellen ⟨ov.ww.⟩ **0.1** *add (to).*

bijten ⟨→sprw. 119,288⟩

I ⟨onov.ww.⟩ **0.1** [de tanden in iets zetten] *bite* **0.2** [sterk prikkelen] *sting* ⇒*smart* **0.3** [⟨schei.⟩] *be corrosive* ⇒*etch, bite into, burn* ◆ **1.2** de wond bijt geweldig *the wound smarts/stings terribly* **2.1** zijn tanden ergens op stuk ~ ⟨fig.⟩ *be defeated by sth.* **3.1** ze willen vandaag/het wil hier niet ~ *they won't b. today/here, I haven't had a bite today/here* **6.1** ⟨fig.⟩ door de zure appel (heen) ~ *face/come to grips with the task;* in een appel ~ *bite an apple;* om (rauw) in te ~ ⟨fig.⟩ *good enough to eat;* ⟨fig.⟩ in het zand ~ *b./lick/kiss/eat the dust;* op zijn lippen ~ ⟨fig.⟩ *b. back (fear, anger, ⟨enz.⟩);* zich op de tanden ~ ⟨fig.⟩ *grind one's teeth;* op zijn nagels ~ ⟨fig.⟩ *be taken aback, be perplexed/nonplussed/crestfallen;* van zich af ~ *b. back, give (s.o.) tit for tat, give as good as one gets* **6.2** de kou bijt in het gezicht *the cold is biting;* peper bijt op de tong *pepper burns the tongue* **6.3** het zuur bijt in de plaat *the acid bites into the plate;*

II ⟨onov., ov.ww.⟩ **0.1** [de tanden zetten in] *bite* ◆ **5.1** ik zal je heus niet ~ *I won't eat you* **6.**¶ *van* het hondje gebeten zijn *put on airs, like to lord/queen it;*

III ⟨ov.ww.⟩ **0.1** [door bijten in een toestand brengen] *bite* **0.2** [kortaf zeggen] *bite (at)* ⇒*snap (at),* ⟨sterker⟩ *bite s.o.'s head off* ◆ **2.1** iets stuk ~ *bite sth. to pieces.*

bijtend

I ⟨bn.⟩ **0.1** [wat bijt] *biting* ⇒*sharp, snappy* **0.2** [invretend] *biting* ⇒*corrosive, caustic* **0.3** [hekelend] *biting* ⇒*caustic, mordant, scalding,*

stinging ◆ **1.1** ~ paard *biting/snappish horse* **1.2** een ~e damp *a corrosive vapour;* ~e kalk *quicklime, live lime;* ~ middel *caustic substance;* ⟨voor metaal⟩ *pickle;* ⟨voor verf⟩ *solvent;* ~e stoffen *corrosive/caustic substances, caustics* **1.3** een ~e kritiek *b./stinging criticism;* ~e spot *sarcasm, stinging/pungent/sarcastic mockery;*

II ⟨bw.⟩ **0.1** [op scherpe/kwetsende wijze] *bitingly* ⇒*sharply, stingingly, sarcastically* ◆ **3.1** ~ antwoorden *answer sharply.*

bijtijds ⟨bw.⟩ **0.1** [vroegtijdig] *early* **0.2** [op tijd] *early* ⇒*(well) in advance* ◆ **3.1** sta morgen wat ~ op *get up early/on time tomorrow* **3.2** ~ de nodige maatregelen nemen *take measures (well) in advance, take early measures.*

bijtmiddel ⟨het⟩ **0.1** *solvent* ⇒⟨voor verf ook⟩ *paint remover,* ⟨voor metaal⟩ *pickle.*

bijtoon ⟨de (m.)⟩ **0.1** [⟨muz.⟩] *combination tone* ⇒⟨boventoon⟩ *overtone* **0.2** [⟨taal.⟩] *secondary stress.*

bijtreden ⟨onov.ww.⟩ ⟨AZN⟩ **0.1** *agree (to/with)* ⇒*go with.*

bijtrekken

I ⟨onov.ww.⟩ **0.1** [zich herstellen] *straighten (out)* ⇒*improve, get right* **0.2** [in een beter humeur komen] *come (a)round* ◆ **1.1** die kleuren zijn al bijgetrokken *those colours have blended in nicely;* het weer trekt bij *the weather is improving* **5.2** hij trekt wel weer bij *he'll come round all right;*

II ⟨ov.ww.⟩ **0.1** [naderbij trekken] *pull up* ⇒*draw up/near* ◆ **1.1** trek de tafel wat bij *pull the table a bit closer.*

bijtring ⟨de (m.)⟩ **0.1** *teething ring.*

bijv. ⟨afk.⟩ **0.1** [bijvoorbeeld] *e.g..*

bijvak ⟨het⟩ **0.1** ᴮ*subsidiary/*ᴬ*minor (subject)* ◆ **1.1** het examen omvat een hoofdvak en twee ~ken *the examination comprises one main subject and two subsidiaries/minors* **6.1** een student in een ~ *a* ᴮ*subsidiary student* ᴬ*a minor* **8.1** afstuderen met als ~ ... ᴮ*graduate with a subsidiary* ᴬ*minor in ....*

bijval ⟨de (m.)⟩ **0.1** *approval* ⇒*approbation,* ⟨aanvaarding⟩ *acceptance,* ⟨applaus⟩ *applause,* ⟨steun⟩ *support* ◆ **2.1** die maatregel vond grote ~ *that measure was widely approved/supported/applauded;* stormachtige ~ *deafening applause* **3.1** ~ oogsten/schenken *gain support/applause; support, approve, applaud;* algemeen ~ vinden *meet with general approval/support* **7.1** geen ~ vinden *fail to gain approval.*

bijvallen ⟨ov.ww.⟩ **0.1** *agree (with)* ⇒*applaud* ⟨idee⟩, *support, back up* ⟨persoon, idee⟩ ◆ **1.1** iem. ~ ⟨in gesprek⟩ *go along with s.o., agree with s.o.;* de oppositie ~ *go with the opposition* **4.1** velen vielen haar bij *many people took her side/sided with her.*

bijvalsbetuiging ⟨de (v.)⟩ **0.1** *applause* ⇒*cheer(s).*

bijveld ⟨het⟩ ⟨sport⟩ **0.1** *side-field.*

bijverdienen

I ⟨ov.ww.⟩ **0.1** [extra verdienen] *have/earn an additional income* ⇒*have a sideline, moonlight;*

II ⟨onov.ww.⟩ **0.1** [een extra inkomen inbrengen] *supplement the family income* ◆ **1.1** een paar pond ~ *earn a few pounds extra;* zijn vrouw verdient aardig bij *his wife makes a fair supplementary income /has a nice sideline.*

bijverdienste ⟨de (v.)⟩ **0.1** [extra verdienste] *extra earnings* ⇒*extra/additional/supplementary income* **0.2** [aanvullende verdienste] *extra/additional/supplementary/spare-time income* ◆ **1.1** weinig kans op ~n *little chance of adding to one's income* **2.1** een welkome ~ *a welcome addition to one's income* **3.1** hij heeft veel ~n *he earns/makes a lot of extra money;* ~n zoeken *try to supplement one's income/look for spare-time employment* **4.1** haar ~n *the extra money she earns/makes* **8.1** als ~ *as an extra.*

bijverlichting ⟨de (v.)⟩ **0.1** *extra lighting* ⇒*additional/supplementary lighting.*

bijverschijnsel ⟨het⟩ **0.1** *additional effect* ⇒*side effect,* ⟨med.⟩ *additional symptom.*

bijverven ⟨ov.ww.⟩ **0.1** *touch up* ⟨het beschadigde⟩; *finish off painting, paint* ⟨het nog niet geverfde⟩ ◆ **1.1** de deuren wat ~ *touch up the doors.*

bijvijlen ⟨ov.ww.⟩ **0.1** [door vijlen afwerken] *touch up* ⇒*file a bit, (finish off with a) file* **0.2** [⟨fig.⟩] *touch up* ⇒*polish up* ◆ **1.2** een gedicht/zin nog wat ~ *touch up/polish up a poem/sentence.*

bijvoeding ⟨de (v.)⟩ **0.1** *supplementary/additional feeding.*

bijvoegen ⟨ov.ww.⟩ **0.1** *add* ⇒⟨bijsluiten⟩ *enclose,* ⟨aanhechten⟩ *attach,* ⟨schr.⟩ *append, annex* ⟨documenten⟩, ⟨schr.⟩ *subjoin* ⟨zin aan het einde⟩ ◆ **1.1** bijgevoegde cheque *enclosed cheque;* nog een postscriptum ~ *add a postscript;* enige voorbeelden ~ *add a few examples.*

bijvoeglijk ⟨taal.⟩

I ⟨bn.⟩ **0.1** [nader bepalend] *adjectival* ◆ **1.1** ~e bepaling *attributive adjunct;* ~ naamwoord *adjective;* als ~ naamwoord gebruikt *used adjectivally/adjectively/as an adjective;* ~ voornaamwoord *a. pronoun;* ~ woord *epithet;*

II ⟨bw.⟩ **0.1** [als bijvoeglijke bepaling] *attributively* ◆ **3.1** een ~ gebruikt voornaamwoord/telwoord *a pronoun/number used a..*

bijvoegsel ⟨het⟩ **0.1** *supplement, addition* ⇒⟨bij boek⟩ *addendum,* ⟨taal.⟩ *affix* ◆ **2.1** het zaterdags ~ *the Saturday s.* **3.1** bij dit nummer hoort een ~ *there is a s. with this issue.*

bijvoorbeeld ⟨bw.⟩ **0.1** *for example* ⇒*for instance* ◆ **1.1** Jan, ~, heeft bezwaren *John, for one, objects;* iets moeilijks, ~ theoretische natuurkunde *sth. difficult, theoretical physics,* say/say, *theoretical physics* **8.1** een leider zoals ~ de paus *a leader such as the Pope/like the Pope.*

bijvorm ⟨de (m.)⟩ **0.1** *variant* ⇒*collateral form.*

bijvrouw ⟨de (v.)⟩ **0.1** [vrouw naast de hoofdvrouw] *concubine* **0.2** [concubine] *concubine.*

bijvullen ⟨ov.ww.⟩ **0.1** *top up (with)* ⇒⟨vol doen⟩ *fill up (with)* ◆ **1.1** een glas/tank ~ *top up/fill up a glass/tank.*

bijwagen ⟨de (m.)⟩ **0.1** [aanhangwagen] *trailer (coach/car)* **0.2** [⟨fig.⟩] *second fiddle* ◆ **1.2** de oppositie noemde het C.D.A. de ~ v.d. V.V.D. *the opposition said the C.D.A. was playing second fiddle to the V.V.D.* **6.1** in de ~ zitten ⟨fig.⟩ *play second fiddle, take second place.*

bijwerken ⟨ov.ww.⟩ **0.1** [gelijkbrengen, aanvullen] *improve* ⇒*catch up (on),* ⟨bij de tijd brengen⟩ *bring up to date, update, coach* ⟨leerling, student⟩, *fill in* ⟨met nieuws⟩ **0.2** [netter afwerken] *touch* ⟨wb up **0.3** [bijverdienen] *also work, earn additional/supplementary/extra income* ◆ **1.1** hij moet zijn aardrijkskunde nog wat ~ *he has to catch up on his geography;* een dagboek ~ *bring a diary up to date;* nieuwe bijgewerkte druk *new updated edition;* een kasboek ~ *bring a cashbook up to date* **1.2** de tekening nog wat ~ *touch up the drawing* **3.3** zijn vrouw moet ~ *his wife has to work as well.*

bijwerking ⟨de (v.)⟩ **0.1** [bijkomende werking] *side effect* **0.2** [het bijwerken/gelijkbrengen] *catching up* ⇒*bringing up to date, updating, coaching* ⟨van leerling⟩ **0.3** [het afwerken] *touching up* ⇒*finishing touches* ◆ **2.1** deze medicijnen hebben een vervelende ~ *these medicines have an unpleasant s.e..*

bijwijlen ⟨bw.⟩ ⟨schr.⟩ **0.1** *on occasion.*

bijwonen ⟨ov.ww.⟩ **0.1** [opzettelijk] *attend* ⇒*be present at* **0.2** [zonder opzet] *witness* ◆ **1.1** de dienst ~ *a. the service;* de mis ~ *hear/a./go to mass* **1.2** een opstootje ~ *w. a disturbance.*

bijwoord ⟨het⟩ ⟨taal.⟩ **0.1** *adverb.*

bijwoordelijk ⟨taal.⟩
I ⟨bn.⟩ **0.1** [als bijwoord dienst doend] *adverbial* ◆ **1.1** ~e bijzin *a. clause;* ~ gebruik *a. use/usage;*
II ⟨bw.⟩ **0.1** [in de functie van bijwoord] *adverbially* ◆ **3.1** ~ gebruikt *used a..*

bijz. ⟨afk.⟩ **0.1** [bijzonder] *esp..*

bijzaak ⟨de⟩ **0.1** *side issue* ⇒*matter of secondary/minor importance, (minor) detail, minor consideration/point, irrelevance* ◆ **3.1** dat is ~! *that is irrelevant/not important* **6.1** een betoog dat zich in bijzaken verliest *an argument that gets bogged down in inessentials/details/trivialities/side issues.*

bijzettafel ⟨de⟩ **0.1** *occasional table* ◆ **1.1** een mimi ~ *a nest of (occasional) tables.*

bijzetten ⟨ov.ww.⟩ **0.1** [plaatsen bij] *add* **0.2** [begraven] *inter* ⇒*bury* **0.3** [toevoegen] *add* **0.4** [⟨scheep.⟩] *set* **0.5** [⟨spel⟩] *increase one's stake/ the stakes* ◆ **1.1** een paar stoelen ~ *a. a few (extra) chairs* **1.3** aan iets kracht ~ *a. /lend force/weight to sth.;* aan iets luister ~ *a. lustre to sth., shed lustre on sth., raise the tone of* **1.4** een zeil ~ *s. a sail;* alle zeilen ~ ⟨fig.⟩ *do one's very best, go all out;* ⟨lett.⟩ *crowd (on)/press sail, pack on all sails, carry a press of sail/canvas* **4.¶** hij heeft niets meer (om) bij te zetten *he has no more resources to draw on.*

bijzetting ⟨de (v.)⟩ **0.1** *interment* ⇒*burial.*

bijziend ⟨bn.⟩ **0.1** *short-sighted* ⇒*near-sighted, myopic* ◆ **1.1** ~e ogen *s.-s. eyes* **3.1** hij is ~(e) *he is s.-s. /near-sighted.*

bijzijn ⟨het⟩ **0.1** *presence* ◆ **3.1** ik kan zijn ~ niet verdragen *I can't stand him in the place/vicinity* **6.1** in (het) ~ van *in the p. of, in front of.*

bijzin ⟨de (m.)⟩ ⟨taal.⟩ **0.1** *subordinate clause* ⇒*(dependent) clause.*

bijzit ⟨de (v.)⟩ **0.1** *concubine* ⇒*mistress.*

bijzitten ⟨onov.ww.⟩ ⟨AZN⟩ **0.1** *sit with s.o..*

bijzitter ⟨de (m.)⟩ **0.1** [bijstaand rechter/bestuurder] *assessor* **0.2** [toeluisterende examinator] *assessor, external/assistant/second examiner.*

bijzon ⟨de⟩ **0.1** *mock sun* ⇒*parhelion, sun dog.*

bijzonder
I ⟨bn.⟩ **0.1** [niet algemeen] *particular* **0.2** [ongewoon] *special* ⇒*extraordinary, exceptional, unusual* **0.3** [zonderling] *peculiar* ⇒*unique, rare, strange, funny,* ⟨excentriek⟩ *eccentric* **0.4** [zeer groot] *special* **0.5** [niet van de overheid] *private* **0.6** [zeer speciaal] *particular* ⇒*special* **0.7** [eigen, particulier] *own (special)* ⇒*individual* ◆ **1.1** de algemene en de ~e scheikunde *general and special chemistry* **1.2** een ~ kind *an exceptional child* **1.4** een ~ aantrekkingskracht uitoefenen *exert a s. / very great attraction;* (een zaak) van ~ belang *(a matter) of s. / extreme /exceeding/outstanding importance* **1.5** het ~ onderwijs *private/* ⟨op rel. grondslag⟩ *denominational education;* een ~ school *a private/* ⟨op rel. grondslag⟩ *denominational school* **1.6** met ~e zorg *with p. / special care* **1.7** ieder gewest had vroeger zijn ~e munten *at one time every region had its own (special) coins* **1.¶** ~ verlof *special leave;* ⟨wegens ziekte/sterfgeval ook⟩ *compassionate leave* **3.3** hij was altijd een beetje ~ *he always was a bit p. / strange/funny* **4.2** iets ~s *sth. special;* het is niets ~s *it is nothing s. / out of the ordinary* **6.1** in het ~ *in p. / especially;* het geldt voor allemaal, maar voor u in het ~ *it ap-*

plies to everyone, but to you in p., particularly/especially to you **7.1** v.h. algemene tot het ~e *afdalen go/pass from the general to the p.* **7.¶** ⟨AZN⟩ het ~ste *the main/most important thing;*
II ⟨bw.⟩ **0.1** [vooral] *particularly* ⇒*in particular, especially* **0.2** [zeer, buitengewoon] *very (much)* **0.3** [bepaaldelijk] *particularly* ⇒*specially, specifically, expressly* **0.4** [zeer goed] *very well* ◆ **2.2** het vreemdelingenbezoek is ~ sterk *tourism is very/particularly strong* **3.1** dit geldt ~ voor u *this applies p. / especially to you, this applies to you in particular* **3.2** iem. ~ aanbevelen *thoroughly recommend s.o.* **3.3** dat was meer ~ voor hem bestemd *that was more specifically meant for him* **3.4** het ga je ~! *all the (very) best!.*

bijzonderheid ⟨de (v.)⟩ **0.1** [detail] *detail* ⇒*particular* ⟨meestal mv.⟩ **0.2** [bijzondere omstandigheid, eigenaardigheid] *special circumstance* ⇒*peculiarity* **0.3** [merkwaardigheid, bezienswaardigheid] *curiosity* **0.4** [het niet algemeen/speciaal zijn] *particular nature* **0.5** [het ongewoon /opmerkelijk zijn] *special nature* ⟨mbt. dingen⟩; *(special) quality* ⟨mbt. personen⟩ ⇒⟨mbt. dingen ook⟩ *extraordinary/unusual/exceptional nature* **0.6** [het zonderling zijn] *peculiarity* ⇒*strangeness* ◆ **2.1** bijzondere bijzonderheden *technical detail(s)* **3.1** bijzonderheden ontbreken nog *no details are yet available, details are still lacking;* niet alle bijzonderheden kunnen onthouden *not to be able to remember all (the) details/particulars* **3.2** er kwam nog een ~ bij *there was one other peculiarity* **6.1** een zaak in bijzonderheden bestuderen *study a matter in detail.*

bikhamer ⟨de (m.)⟩ **0.1** *chipping/scaling hammer.*

bikini ⟨de (m.)⟩ **0.1** *bikini.*

bikkel ⟨de (m.)⟩ **0.1** *knucklebone* ⇒⟨beentje ook⟩ *hucklebone, jackstone,* ⟨BE ook⟩ *dibstone* ◆ **8.1** zo glad als een ~ *as smooth as a baby's bottom;* zo hard als een ~ *as hard as (a) rock* ⟨mbt. dingen⟩; *as hard as nails* ⟨mbt. personen⟩.

bikkelen ⟨onov.ww.⟩ **0.1** [met bikkels spelen] *play knucklebones* ⇒*play jacks,* ⟨BE ook⟩ *play dibs* **0.2** [zeer hard spelen] *play/go all/flat out.*

bikkelhard ⟨bn.⟩ **0.1** [erg hard] *rock-hard* **0.2** [zeer hardvochtig] *very hard* ⇒*as hard as nails* ⟨alleen pred.⟩.

bikkelspel ⟨het⟩ **0.1** *jacks* ⇒*knucklebones,* ⟨BE ook⟩ *dibs.*

bikken ⟨onov., ov.ww.⟩ **0.1** [hakken op] *chip* ⇒*scrape* ⟨ketel⟩, *dress* ⟨molensteen, marmer⟩ **0.2** [⟨inf.⟩ eten] *(have some) grub/nosh* ⇒ ⟨sl.⟩ *chow* ◆ **1.1** stenen ~ *c. stones* **3.2** gaan ~ *have some grub/nosh.*

bikker ⟨de (m.)⟩ ⟨inf.⟩ **0.1** *pimp* ⇒⟨BE ook⟩ *ponce.*

bil ⟨de⟩ ⟨sprw. 59⟩ **0.1** [deel v.h. zitvlak] *buttock* ⇒⟨inf.⟩ *cheek* ⟨vnl. mbt. mensen⟩, *ham* **0.2** [bovenbeen] *thigh* ◆ **2.1** ⟨fig.⟩ zien wie de blankste ~len heeft *see who is most beyond reproach;* dikke/blote ~len *a fat/bare bottom;* rode ~len ⟨van baby⟩ *nappy rash* **6.1** hij moet met de ~len bloot ⟨fig.⟩ *they'll have to get to the bottom of just what he has been up to;* een kind op/voor de ~len geven *smack a child's bottom* **6.¶** ⟨sl.⟩ van ~ gaan [B]*have it off with s.o. / together,* [A]*get it on.*

bilabiaal[1] ⟨de (m.)⟩ **0.1** *bilabial.*

bilabiaal[2] ⟨taal.⟩
I ⟨bn.⟩ **0.1** [met beide lippen gesproken] *bilabial* ◆ **1.1** een bilabiale medeklinker *a b. consonant;*
II ⟨bw.⟩ **0.1** [met beide lippen] *bilabially* ◆ **3.1** ~ uitgesproken *pronounced b..*

bilateraal ⟨bn.⟩ **0.1** *bilateral* ◆ **1.1** een ~ akkoord *a b. agreement;* ~ contract *b. contract;* bilaterale onderhandelingen *b. negotiations;* bilaterale symmetrie *b. symmetry.*

bilineair ⟨bn.⟩ ⟨wisk.⟩ **0.1** *bilinear.*

bilinguïsme ⟨het⟩ **0.1** *bilingualism.*

bilirubine ⟨de (v.)⟩ **0.1** *bilirubin.*

biljard ⟨hoofdtelw.⟩ **0.1** [B]*thousand billion(s),* [A]*quadrillion.*

biljart ⟨het⟩ **0.1** [spel] *billiards* **0.2** [tafel] *billiard table* ◆ **1.1** een partij ~ *a game of b.* **2.1** Amerikaans ~ *pool* **3.1** ~ spelen *play b., have a game of b..*

biljartbal ⟨de (m.)⟩ **0.1** *billiard ball* ◆ **8.1** ⟨scherts.⟩ zo kaal als een ~ *bald as a coot* **¶.¶** ~len *billiard balls;* ⟨sl. ook⟩ *ivories.*

biljartband ⟨de (m.)⟩ **0.1** *cushion.*

biljarten ⟨onov.ww.⟩ **0.1** *play billiards* ◆ **1.1** een partijtje ~ *a game of billiards.*

biljarter ⟨de (m.)⟩ **0.1** *billiards player* ⇒⟨AE ook⟩ *billiardist, cueist.*

biljartkeu ⟨de⟩ **0.1** *billiard cue.*

biljartlaken ⟨het⟩ **0.1** *billiard cloth* ⇒*green baize/cloth.*

biljet ⟨het⟩ **0.1** [stuk papier, kaartje] *ticket;* (aankondiging) *bill, poster* **0.2** [bankbiljet] [B]*note,* [A]*bill* ◆ **2.2** een vals ~ *a counterfeit/forged n. / b.;* ⟨sl.⟩ *a dud* **3.1** ~ten aanplakken *put up posters/placards, stick bills* **6.2** een ~ van f 50,- *a 50-guilder n. / b..*

biljoen ⟨hoofdtelw.⟩ **0.1** [B]*billion,* [A]*trillion.*

billekoek ⟨de (m.)⟩ ⟨kind.⟩ **0.1** *smacking* ⇒*spanking* ◆ **3.1** pas op, of je krijgt ~ *just watch it, or you'll get a smacking/spanking.*

billen ⟨onov.ww.⟩ **0.1** *dress.*

billentikker ⟨de (m.)⟩ ⟨scherts.⟩ **0.1** *shortie (coat)* ⇒↓*bum-coat.*

billewagen ⟨de (m.)⟩ ⟨inf.; scherts.⟩ ◆ **6.¶** met de ~ gaan *go on/use Shanks'(s)* [B]*pony,* [A]*hoof it.*

billijk

I ⟨bn., bw.⟩ **0.1** [rechtvaardig en redelijk] *fair* ⇒*reasonable,* ⟨gematigd⟩ *moderate* **0.2** [rechtmatig] *legitimate* ◆ **1.1** een ~ oordeel *a f. judg(e)ment;* een ~e prijs *a reasonable/ moderate price* **1.2** ~e verwachtingen *legitimate expectations* **3.1** ~ handelen *act fairly/ reasonably* **6.1** hij was nogal ~ in zijn eisen *he was very f. / reasonable/ moderate in his demands;* ~ zijn tegenover iem. *be f. to/ on s.o.* ¶**.1** dat is niet meer dan ~ *that is only f.; / no more than f.;*
II ⟨bw.⟩ **0.1** [met reden] *rightly so.*

billijken ⟨ov.ww.⟩ **0.1** *approve of* ⇒*appreciate* ◆ **1.1** iemands reden ~ *appreciate s.o.'s motives* **3.1** dat kan ik ~ *I approve of that, I can appreciate that;* dat kan men/ valt te ~ *that is quite reasonable.*

billijkerwijze ⟨bw.⟩ **0.1** *fairly* ⇒*reasonably.*

billijkheid ⟨de (v.)⟩ **0.1** *fairness* ⇒*reasonableness* ◆ **1.1** recht en ~ betrachten *act justly and fairly, be just and fair in one's dealings* **3.1** de ~ eist dat... *it is only fair/ right that ...* **6.1** naar ~ *in f.;* uit ~ (tegenover) *in f. / justice (to).*

billijking ⟨de (v.)⟩ **0.1** *approval* ⇒*acceptance.*

bilnaad ⟨de (m.)⟩ **0.1** [spleet tussen de billen] *anal cleft* **0.2** [huid tussen anus en geslachtsdelen] *perineum.*

bilocatie ⟨de (v.)⟩ **0.1** *bilocation.*

bilspier ⟨de⟩ ⟨med.⟩ **0.1** *gluteus* ◆ **2.1** de grootste/ middelste/ kleinste ~ *g. maximus/ medius/ minimus.*

bilstuk ⟨het⟩ **0.1** *rump.*

bilzekruid ⟨het⟩ **0.1** *henbane.*

bimbam[1] ⟨de (m.)⟩ **0.1** *ding-dong.*

bimbam[2] ⟨tw.⟩ **0.1** *ding-dong.*

bimbambeieren ⟨het⟩ **0.1** *ding-dong.*

bimester ⟨het⟩ **0.1** *(period of) two months* ⇒ ⟨AE ook⟩ *bimester.*

bimetaal ⟨het⟩ **0.1** *bimetal, bimetallic strip.*

bimetalliek ⟨bn.⟩ **0.1** *bimetallic* ⟨ook geldw.⟩.

bimetallisme ⟨het⟩ **0.1** *bimetallism.*

bims ⟨het⟩ **0.1** *pumic powder/ stone.*

binair ⟨bn.⟩ **0.1** *binary* ◆ **1.1** ⟨biol.⟩ ~e afdeling *b. fission;* ⟨wisk.⟩ een ~ cijfer/ getal *a b. digit;* ⟨biol.⟩ ~e nomenclatuur *b. nomenclature;* ⟨wisk.⟩ ~ stelsel *b. notation/ number system/ system of numbers;* ⟨schei.⟩ ~e verbindingen *b. compounds.*

binden
I ⟨ov.ww.⟩ **0.1** [knopen] *tie* ⇒*knot* **0.2** [vastmaken] *tie (up)* ⇒*bind, fasten,* ⟨pakket ook⟩ *knot, strap* ⟨met riem⟩, *rope* ⟨met dik touw⟩ **0.3** [boeien] *tie (up)* ⇒*bind* ⟨i.h.b. iemands armen⟩ **0.4** [⟨fig.⟩] *bind* ⇒*tie, unite* **0.5** [in zijn vrijheid beperken] *tie* ⇒*bind* ⟨door wet/ belofte⟩, *fetter* ⟨tegen iemands zin⟩ **0.6** [⟨boek.⟩] *bind* **0.7** [door vastbinden doen ontstaan] *bind* ⇒*tie* **0.8** [dik maken] *bind* ⇒*thicken* **0.9** [⟨muz.⟩] *tie* **0.10** [⟨schei.⟩] *combine with* ⇒*form a compound with* ◆ **1.3** een gevangene ~ *tie (up)/ bind/ pinion a prisoner;* iem. de handen ~ *tie s.o.'s hands* ⟨ook fig.⟩; [⟨fig.⟩] *tie s.o. down, be a tie to s.o.* **1.4** mijn belofte bindt mij *I am bound by my promise;* door de huwelijksband gebonden zijn *be bound by the ties of marriage, be tied by the bonds of marriage* **1.5** door voorschriften gebonden zijn *be bound by regulations* **1.7** bezems ~ *make brooms* **5.5** contractueel ~ *b. by contract* **6.1** een touwtje aan iets ~ *t. a string to sth.* **6.2** graan aan schoven ~ *sheaf/ sheave grain, tie/ bind grain into sheaves;* een pakje aan zijn fiets ~ *tie/* ⟨met riem⟩ *strap a package to one's bicycle;* ⟨fig.⟩ iem. iets op het hart ~ *enjoin sth. (up)on s.o.;* iets op een imperiaal ~ *lash sth. onto a roof rack* **6.3** ⟨fig.⟩ ik ben aan huis gebonden *I'm tied to the house;* ⟨fig.⟩ aan zijn tijd gebonden zijn *be pressed for time, be tied up;* aan handen en voeten gebonden zijn ⟨ook fig.⟩ *be tied/ bound hand and foot* **6.4** hij weet zijn personeel aan zich te ~ *he knows how to hold on to his staff;*
II ⟨wk.ww.; zich ~⟩ **0.1** [een verplichting op zich nemen] *commit o.s (to)* ⇒*bind/ pledge o.s.* (to), *tie o.s. down (to)* ◆ **3.1** wij willen ons niet ~ *we do not wish to c. / bind/ pledge ourselves, we do not want to tie ourselves down;*
III ⟨onov.ww.⟩ **0.1** [dik worden] *bind* ⇒*thicken* **0.2** [⟨fig.⟩ een band smeden] *be a bond* ◆ **1.1** de saus bindt niet *the sauce refuses to/ won't b. / thicken* **1.2** een gemeenschappelijke vijand bindt *a common enemy is a bond/ binds people together.*

bindend ⟨bn.⟩ **0.1** *binding* ⇒*stringent, obligatory* ◆ **1.1** een ~ advies *b. advice;* een ~e overeenkomst *a b. agreement;* ⟨jur.⟩ een ~ vonnis *an absolute judgement;* ~e voorschriften *b. / strict/ stringent regulations* **3.1** ~ verklaren *declare (legally) b., give the force of law;* ~ zijn/ ~e kracht hebben (tegenover) *be b. (upon), bind (upon), have b. / obligatory effect/ force (upon);* niet ~ zijn/ geen ~e kracht hebben *have no effect, have no b. / obligatory effect/ force, be null (and void)* **5.1** wederzijds ~ *bilateral.*

binder ⟨de (m.)⟩ **0.1** [boekbinder] *binder* **0.2** [machine voor het binden van schoven] *(sheaf-)binder* **0.3** [band aan een kledingstuk] *band* ◆ **6.1** het boek is bij de ~ *the book is at the b.'s/ is binding/ is being bound.*

binderij ⟨de (v.)⟩ **0.1** *bindery.*

bindfoneem ⟨het⟩ ⟨taal.⟩ **0.1** *(intrusive) linking phoneme* ⇒*epenthetic/ connecting phoneme.*

bindgaren ⟨het⟩ →**bindtouw.**

binding ⟨de (v.)⟩ **0.1** [band tussen personen] *bond* ⇒*tie,* ⟨relatie⟩ *relationship* **0.2** [⟨psych.⟩] *relationship* ⇒⟨met een persoon⟩ *close bond,* ⟨ziekelijk⟩ *fixation (on)* **0.3** [⟨sport⟩] *binding* **0.4** [⟨schei.⟩] *combination* ⇒⟨kracht tussen atomen⟩ *bond* **0.5** [mbt. weefsels] *weave* ◆ **2.4** covalente ~ *covalent bond;* dubbele ~ *double bond* **2.5** effen ~ *taffetta w..*

bindmiddel ⟨het⟩ **0.1** [middel om een vloeistof dik te maken] *binding agent* ⇒*binder, thickener,* ⟨cul.⟩ *thickening* **0.2** [deel v.e. verf/ vernis] *vehicle, medium.*

bindmorfeem ⟨het⟩ ⟨taal.⟩ **0.1** *(intrusive) linking morpheme* ⇒*epenthetic/ connecting morpheme.*

bindrijs ⟨het⟩ **0.1** *osier* ⇒*withy, withe.*

bindtouw ⟨het⟩ **0.1** *string* ⇒*(binder) twine, packthread,* ⟨tuinieren⟩ *tying twine.*

bindvlies ⟨het⟩ ⟨med.⟩ **0.1** *conjunctiva* ◆ **6.1** van/ mbt. het ~ *conjunctival.*

bindvocaal ⟨de⟩ **0.1** *epenthetic/ connecting vowel* ⇒⟨thema vocaal⟩ *thematic vowel.*

bindweefsel ⟨het⟩ ⟨med.⟩ **0.1** *connective tissue* ⇒*interstitial tissue.*

bindweefselontsteking ⟨de (v.)⟩ ⟨med.⟩ **0.1** *fibrositis* ⇒*phlegmon.*

bindwerk ⟨het⟩ **0.1** [⟨boek.⟩ handeling] *binding* **0.2** [⟨boek.⟩ resultaat] *binding* **0.3** [het opbinden van bloemen] ≠*wreath and bouquet making* ⇒*floristry* **0.4** [opgebonden bloemen] ≠*wreaths and bouquets* ◆ **2.4** mooi ~ *fine flower-arranging/ bouquet work.*

bingo ⟨het⟩ **0.1** *bingo* ⇒⟨vero.⟩ *housey-housey* ◆ **1.1** een spelletje ~ *a game of b.;* ⟨op grote schaal⟩ *a b. drive* ¶.¶ ~! *bingo;* ⟨vero.⟩ *house!.*

bingoavond ⟨de (m.)⟩ **0.1** *bingo drive* ⇒*bingo night.*

bink ⟨de (m.)⟩ ⟨inf.⟩ **0.1** *he-man* ⇒*tough guy, beach boy* ◆ **2.1** de populaire ~ uithangen *(try to) make o.s. popular, (try to) be the life and soul of the party, play to the gallery;* een stoere ~ *hot stuff, a hunk of a man/ guy, a hefty (great) fellow;* een vlotte ~ *a swinger* **3.1** de ~ uithangen *show off, try to impress, throw one's weight around, play the tough guy.*

binnen[1] ⟨bw.⟩ **0.1** *inside* ⇒*in,* ⟨in huis ook⟩ *indoors, within* ◆ **3.1** met zo'n klus ben je ~ *a job like that will set you up for life;* ~ blijven *remain/ stay/ keep indoors;* ⟨vis.⟩ *keep in port;* ~ brandt de kachel *inside/ indoors the stove is burning;* niets ~ kunnen houden *be unable to keep one's food down/ retain one's food;* de oogst is ~ *the harvest is in/ is under cover;* hij is ~ *he's a made man, he has made his pile, he's got it made (for life);* de boot/ trein is ~ *the boat/ train is in/ has arrived;* de buit is ~ *the spoil has been secured;* staat je fiets al ~? *is your bicycle inside yet?, have you brought your bike in yet?;* hoe laat moet je ~ zijn? *what time do you have to be in?* **5.1** daar ~ *inside, in there* **6.1** naar ~ gaan *go in/ inside, enter;* ⟨inf.⟩ iets naar ~ slaan *bolt (down) sth., gobble sth. down;* ⟨schrokken⟩ *wolf sth. down;* ⟨snel opeten⟩ *polish sth. off, put/ tuck sth. away, dispatch sth.;* ⟨knock back ⟨borrel⟩; de deur gaat naar ~ open *the door opens inwards;* zich iets te ~ brengen *recall/ recollect/ remember sth., call sth. to mind;* het schoot mij te ~ *it suddenly came/ occurred to me, I suddenly remembered;* het wil me niet te ~ schieten *I can't hit upon/ think of it now, it's on the tip of my tongue;* van ~ *(on the) inside, internally;* hij weet niet hoe een kroeg er van ~ uitziet *he doesn't know what the inside of a pub is like;* mooi van ~ en lelijk van buiten ⟨huis, persoon⟩ *beautiful within and ugly without, beautiful inside and ugly outside, beautiful on the inside and ugly on the outside* ¶.1 ~ zonder kloppen *please walk in, walk straight in;* '~!' ⟨na kloppen⟩ *come in!.*

binnen[2] ⟨vz.⟩ **0.1** [mbt. een ruimte] *inside, within,* [A]*inside of* **0.2** [in minder tijd dan] *within* ⇒*inside (of), under* ◆ **1.1** het ligt ~ mijn bereik ⟨ook fig.⟩ *it is w. my reach/ grasp;* het huis ligt nog ~ ⟨de grenzen van⟩ de stad *the house is just w. the city (limits);* hij had het klusje ~ het uur af *he finished the job w. / inside (of)/ in less than an hour* **1.2** de rekening moet ~ drie dagen betaald worden *the invoice must be paid w. three days;* ~ een uur ben ik bij je *I'll be with you w. / in less than an hour.*

binnenantenne ⟨de⟩ **0.1** *indoor aerial.*

binnenbaan ⟨de⟩ ⟨sport⟩ **0.1** [baan het dichtst bij het midden] *inside/ inner lane/ track* **0.2** [overdekte baan] *indoor track;* ⟨tennis⟩ *indoor/ covered court.*

binnenbad ⟨het⟩ **0.1** *indoor/ covered swimming pool* ⇒⟨AE ook⟩ *natatorium.*

binnenbal ⟨de (m.)⟩ **0.1** *bladder.*

binnenband ⟨de (m.)⟩ **0.1** *(inner) tube* ◆ **3.1** een ~ opleggen *tube a tyre* [A]*tire* **6.1** (luchtband) zonder ~ *tubeless tyre* [A]*tire.*

binnenbekleding ⟨de (v.)⟩ **0.1** *lining.*

binnenblad ⟨het⟩ **0.1** *inside page.*

binnenbocht ⟨de (m.)⟩ **0.1** *inside bend; convex bank* ⟨van rivier⟩.

binnenboordmotor ⟨de (m.)⟩ **0.1** *inboard motor.*

binnenbouw ⟨de (m.)⟩ **0.1** [inwendige bouw] *inner structure* **0.2** [⟨taal.⟩] *internal structure.*

binnenbrand ⟨de (m.)⟩ **0.1** *domestic/ indoor fire.*

binnenbreken ⟨ov.ww.⟩ ⟨AZN⟩ **0.1** *break into* ⇒*burgle,* [A]*burglarize.*

binnenbrengen ⟨ov.ww.⟩ **0.1** *bring in* ⇒*take/ carry in* ◆ **1.1** het koren/ hooi ~ *bring in/ gather in/ get in/ harvest the corn/ hay;* ⟨scheep.⟩ een schip ~ *bring/* ⟨met loods⟩ *pilot a ship into port.*

binnendeur ⟨de⟩ **0.1** *inner door* ⇒*inside door.*

binnendienst ⟨de (m.)⟩ **0.1** *inside service* ⇒*office duty* ◆ **1.1** personeel v.d. ~ *inside/office staff.*

binnendijk ⟨de (m.)⟩ **0.1** [niet meer aan het water gelegen] *inner dike* **0.2** [langs een binnenwater] *embankment.*

binnendijks
I ⟨bw.⟩ **0.1** [op een plaats binnen de dijk] *inside the dike(s), on the landside of the dike(s)* ◆ **3.1** ~ gelegen gronden *land/farmlands inside the dike(s)/lying inland;*
II ⟨bn.⟩ **0.1** [binnen de dijk gelegen] *(lying/situated) inside the dike(s)/on the landside of the dike(s).*

binnendoor ⟨bw.⟩ ◆ **3.¶** ~ gaan/rijden/lopen *take a short cut;* als er een file is, kun je ook ~ *if there's a tailback you can take a secondary road/leave the motorway/go across country;* loop maar even ~ *go through the house.*

binnendraad ⟨de (m.)⟩ **0.1** *female thread.*

binnendragen ⟨ov.ww.⟩ **0.1** *carry in(to).*

binnendringen ⟨onov.ww.⟩ **0.1** *penetrate (into)* ⇒*enter,* ⟨gewelddadig⟩ *break/get in(to), force one's way in(to), enter by force* ◆ **1.1** de menigte drong het gebouw binnen *the crowd forced/pushed/fought its way into the building, the throng crowded/jammed into the building;* dieven drongen het huis binnen *thieves broke into/forced an entrance into the house;* stof dringt alle kieren binnen *dust finds its way into/intrudes/gets into every nook and cranny;* een land ~ *invade a country;* het water drong binnen *the water found its way in/seeped through* **7.1** het ~ van stof *the ingress of dust.*

binnendruppelen ⟨onov.ww.⟩ **0.1** [druppelsgewijs binnenkomen] *trickle in(to)* **0.2** [⟨fig.⟩] *trickle in(to)* ⇒*come trickling in(to), come in(to) in a trickle* ◆ **3.2** de bezoekers kwamen de zaal ~ *the audience came trickling into the auditorium.*

binnengaan ⟨onov.ww.⟩ **0.1** *enter* ⇒*go/walk in(to)* ◆ **1.1** het Koninkrijk Gods ~ *e. into the Kingdom of God;* zij ging een winkel binnen ⟨ook⟩ *she turned into a shop* **6.1** bij iem. ~ *look/call in on s.o..*

binnengaats ⟨bw.⟩⟨scheep.⟩ **0.1** *in port/the harbour* ◆ **3.1** de koopvaardijvloot bleef *the merchant fleet remained in port;* ~ brengen *take/bring in.*

binnengedeelte ⟨het⟩ **0.1** *interior* ⇒*inner part.*

binnenglippen ⟨onov.ww.⟩ **0.1** *slip in(to)* ⇒*sneak/steal in(to).*

binnengrens ⟨de⟩ **0.1** *internal border.*

binnenhalen ⟨ov.ww.⟩ **0.1** [binnen iets halen] *get/bring/fetch in* ⇒*pocket, rake in, net* ⟨winst⟩, *land* ⟨grote vis, belangrijke order⟩ **0.2** [aan boord halen] *pull/draw/haul in* **0.3** [in de haven halen] *bring into port* ⇒*take into port,* ⟨met loods⟩ *pilot into port* ◆ **1.1** de buit ~ *secure the spoil;* de oogst ~ *bring/get/gather in the crops/harvest;* alle prijzen ~ *net/scoop all the prizes, make a clean sweep;* de was ~ *fetch/bring/get in the washing;* een dikke winst ~ *rake in/net a fat profit* **1.2** de netten ~ *draw/haul in the nets.*

binnenhandel ⟨de (m.)⟩ **0.1** *home trade* ⇒*domestic/internal/inland trade.*

binnenhaven ⟨de⟩ **0.1** *inland harbour/* ⟨stad⟩ *port* ⇒⟨i.t.t. buitenhaven⟩ *inner harbour* ◆ **6.1** in de ~ van H. *in H. inner harbour.*

binnenhoek ⟨de⟩ **0.1** [aan de binnenzijde gelegen hoek] *inner/inside corner* **0.2** [⟨wisk.⟩] *interior angle* ◆ **1.1** de ~ v.h. oog *the inner corner of the eye.*

binnenhof ⟨het⟩ **0.1** [binnenplaats] *(inner) court(yard)* **0.2** [⟨met hoofdletter en bep. lidw.⟩ gebouw] *the Binnenhof,* ⟨ter aanduiding v.h. Ned. Parlement⟩ *the Dutch Parliament* ◆ **6.2** op het Binnenhof zitten *be a member of the Dutch Parliament.*

binnenhouden ⟨ov.ww.⟩ **0.1** [binnenshuis houden] *keep in(doors)* **0.2** [niet uitspreken] *keep in* ⇒*keep down, check, hold in* ◆ **1.1** ⟨fig.⟩ de vuile was ~ *not wash one's dirty linen in public* **1.2** boze woorden met moeite ~ *keep angry words down/in with difficulty, manage with difficulty to hold in/check angry words* **1.¶** zijn eten ~ *keep down/retain one's food.*

binnenhuis ⟨het⟩ **0.1** *(domestic) interior.*

binnenhuisarchitect ⟨de (m.)⟩ **0.1** *interior designer (and decorator).*

binnenhuisarchitectuur ⟨de (v.)⟩ **0.1** *interior design.*

binnenin ⟨bw.⟩ **0.1** *inside* ◆ **3.1** de doos is ~ bekleed *the box is lined on the inside, the inside of the box is lined;* ~ ⟨de doos⟩ zitten sieraden *there's jewellery i. (the box).*

binnenkant ⟨de (m.)⟩ **0.1** *inside* ⇒*interior* ◆ **2.1** de ~ was al even mooi als de buitenkant *the interior/inside was as beautiful as the exterior/outside, it was just as beautiful on the outside as on the inside* **6.1** aan de ~ geverfd *painted on the inside/inner surface;* aan de ~ op slot *locked on the inside.*

binnenkomen ⟨onov.ww.⟩ **0.1** [in een ruimte komen] *come/walk in(to)* ⇒*enter,* ⟨trein ook⟩ *arrive* **0.2** [in de haven komen] *come in(to)* ⇒*arrive, get in(to), enter, drop in(to)* **0.3** [verkregen worden] *come in* ⇒⟨mbt. documenten ook⟩ *come to hand* ◆ **1.1** de laatste binnengekomen berichten *the latest reports;* de trein moet over een half uur ~ *the train is due (to arrive/come in) in half an hour* **1.2** binnengekomen schepen *arrivals* **1.3** het geld komt van alle kanten binnen *money is coming in from every quarter/all over the place* **3.1** laat je de volgen-

de ~? *will you show in/summon the next one?, next please!* **5.1** zij mocht niet ~ *she was not allowed (to come) in/not admitted;* weer ~ *re-enter, come back in(to).*

binnenkomertje ⟨het⟩⟨inf.⟩ **0.1** [aanloopje tot het eigenlijke onderwerp] *introduction* ⇒*introductory remarks, preamble* **0.2** [grappige introductie] *introductory/warming-up spiel* ⇒*(comic) intro* ◆ **2.2** die cabaretier heeft vaak geestige ~s *that cabaret artist's intros are often very amusing/witty.*

binnenkomst ⟨de (v.)⟩ **0.1** *entry* ⇒*entrance,* ⟨mbt. goederen/schepen/treinen⟩ *arrival,* ⟨mbt. geld/brief⟩ *receipt* ◆ **1.1** orders worden behandeld in volgorde van ~ *orders are attended to in order of receipt* **6.1** bij haar ~ *at her entry/entrance, as she entered.*

binnenkort ⟨bw.⟩ **0.1** *soon* ⇒*shortly, presently, before (very) long, in the not too distant/the near/immediate future,* ⟨hand.⟩ *at an early date* ◆ **3.1** zij wordt ~ zestig *she's coming sixty, she'll be sixty soon;* wij zullen het u ~ toezenden *we will send it to you by early mail* **5.1** zeer ~ *very soon/shortly, in the very near future.*

binnenkrijgen ⟨ov.ww.⟩ **0.1** [in de maag krijgen] *get down* ⇒*swallow* **0.2** [ontvangen] *get* ⇒*obtain, receive, recover, collect* ⟨schuld⟩ **0.3** [in zijn binnenste krijgen] *ship/take in water* ◆ **1.1** hij had vergif binnengekregen *he had swallowed poison* **1.2** het geld kreeg hij binnen *he got/obtained/received/recovered/collected the money* **1.3** water ~ *ship water/a sea* ⟨schip⟩; *swallow water* ⟨zwemmer⟩ **3.1** de zieke kon niets ~ *the patient couldn't get any food down.*

binnenkruipen ⟨onov.ww.⟩ **0.1** *crawl in(to)* ⇒*creep in(to).*

binnenlaag ⟨de⟩ **0.1** *inner layer* ⇒*interior layer.*

binnenland ⟨het⟩ **0.1** [het inwendige v.e. land] *interior* ⇒*inland,* ⟨ihb. uitgestrekt, dunbevolkt land⟩ *upcountry* **0.2** [land binnen de grenzen] *home* **0.3** [binnendijks land] *land inside the dikes* ◆ **1.1** de ~en van Afrika *the interior/inland (parts) of Africa, inner Africa;* de ~en van Australië *the Australian outback* **1.2** gasten uit binnen- en buitenland *guests from h. and abroad* **6.1** steden in het ~ *inland towns;* in /naar/van het ~ *inland;* als in/van het ~ *inlandish.*

binnenlander ⟨de (m.)⟩ **0.1** *inlander.*

binnenlands ⟨bn.⟩ **0.1** *home* ⇒*internal, domestic, native, inland* ◆ **1.1** een ~e briefkaart *an inland postcard;* ~ fruit *home-grown fruit,* h. *produce;* ~e handel *h./domestic/internal trade;* ~ nieuws *h./national news;* ~e posttarieven *inland/domestic (letter) rates;* ~e produkten *home-made/domestic/native products, domestics;* vliegrecht op ~e routes *cabotage;* Binnenlandse Strijdkrachten *Forces of the Interior;* ~e veiligheidsdienst *Internal Security Service;* Binnenlandse Zaken *Ministry of Home Affairs;* ⟨GB⟩ *the Home Office;* ⟨USA⟩ *the Department of the Interior;* Minister van Binnenlandse Zaken [B]*Home Secretary,* [B]*Secretary of State for Home Affairs,* [A]*Minister of the Interior.*

binnenlaten ⟨ov.ww.⟩ **0.1** *let in(to)* ⇒*admit (to),* ⟨naar binnen geleiden ook⟩ *show/usher in(to)* ◆ **1.1** een bezoeker ~ *let/show in/admit a guest;* wilt u de volgende patiënt ~? *will you show in the next patient?, next please!.*

binnenleiden ⟨ov.ww.⟩ **0.1** *show/usher/lead in(to).*

binnenleiding ⟨de (v.)⟩ **0.1** [bedrading] *internal wiring* **0.2** [gas- en waterleiding] *internal piping.*

binnenlijn ⟨de⟩⟨com.⟩ **0.1** *house line* ⇒*internal line.*

binnenlokken ⟨ov.ww.⟩ **0.1** *lure in(to).*

binnenloods ⟨de (m.)⟩ **0.1** *river pilot.*

binnenloodsen ⟨ov.ww.⟩ **0.1** [⟨scheep.⟩] *pilot into port* **0.2** [⟨fig.⟩] *sneak in(to).*

binnenlopen ⟨onov.ww.⟩ **0.1** [ruimte inlopen] *go/walk in(to)* **0.2** [ruimte invloeien] *run in(to)* ⇒*pour in(to),* ⟨langzaam⟩ *seep in(to)* **0.3** [⟨scheep.⟩] *put in (at)* ⇒*put into (a) port, arrive in harbour, make the harbour* ◆ **1.1** de trein kwam het station ~ *the train drew into the station* **6.1** even bij iem. ~ *look/drop/pop in on s.o.* at *s.o.'s house.*

binnenmaat ⟨de⟩ **0.1** *inside measurement(s), internal dimension(s).*

binnenmuur ⟨de (m.)⟩ **0.1** [muur in een gebouw] *inner wall* ⇒*interior/inside wall,* ⟨dun wandje⟩ *partition* **0.2** [binnenste muur v.e. spouwmuur] *inner wall* ⇒*interior/inside/core wall.*

binnennoor ⟨het⟩ **0.1** *inner ear.*

binnenopname ⟨de⟩ **0.1** [geluidsopname] *indoor/studio recording;* ⟨foto⟩ *indoor shot/photo(graph);* ⟨film.⟩ *indoor filming/shooting, indoor shot.*

binnenpad ⟨het⟩ **0.1** *bypath* ⇒*byway,* ⟨kortere weg⟩ *short cut* ◆ **6.1** langs ~en *along bypaths/byways, by short cuts.*

binnenpagina ⟨de⟩ **0.1** *inside page* ⇒*centre page.*

binnenplaats ⟨de⟩ **0.1** *(inner) court(yard)* ⇒*yard* ⟨van fabriek⟩, *backyard* ⟨achter huis⟩.

binnenplein ⟨het⟩ **0.1** *inner court* ⇒*ward.*

binnenpolder ⟨de⟩ **0.1** *inland polder.*

binnenpraten ⟨ov.ww.⟩ **0.1** *talk down.*

binnenpretje ⟨het⟩ **0.1** *private joke* ⇒*secret amusement, chuckle* ◆ **3.1** ~jes hebben *chuckle to o.s., be secretly amused, be filled with silent laughter, laugh inwardly.*

binnenrijden ⟨ov.ww.⟩ **0.1** *draw/run/pull in* ⟨trein⟩; *drive in* ⟨auto⟩; *ride in* ⟨ruiter⟩.

binnenrijm ⟨het⟩ **0.1** *internal rhyme.*

binnenroepen ⟨ov.ww.⟩ **0.1** *call in(to).*

binnenscheepvaart ⟨de⟩ **0.1** *inland navigation* ⇒⟨bedrijfstak ook⟩ *inland shipping, inland carrying trade, canal shipping trade* ◆ **1.1** reglement op de ~ *rules of inland navigation.*

binnenschip ⟨het⟩ **0.1** *inland navigation vessel* ⇒*inland/canal boat/barge, river-vessel,* ⟨mv. ook⟩ *inland/river craft.*

binnenschipper ⟨de (m.)⟩ **0.1** *barge master* ⇒*barge skipper,* ᴮ*bargee,* ᴬ*bargeman.*

binnenschrijden ⟨onov.ww.⟩ ⟨schr.⟩ **0.1** *stride in(to).*

binnenshuis ⟨bw.⟩ **0.1** *indoors* ⇒*inside, within doors* ◆ **1.1** samenscholingen ~ *indoor assembly* **5.1** ~ en buitenshuis *in and out of doors, within doors and without.*

binnenskamers ⟨bw.⟩ **0.1** *in the room;* ⟨fig.⟩ *privately, in private, in camera, behind closed doors* ◆ **3.1** iets ~ doen *do sth. in private/privately/in camera;* iets ~ houden *keep sth. private.*

binnenslands ⟨bw.⟩ **0.1** *in the country* ⇒*at home* ◆ **3.1** ~ blijven *remain in the country, stay at home.*

binnenslepen ⟨onov.ww.⟩ **0.1** *drag in(to).*

binnensluipen ⟨onov.ww.⟩ **0.1** *slip/creep in(to)* ⇒⟨in het geniep⟩ *sneak/steal in(to).*

binnensmokkelen ⟨ov.ww.⟩ **0.1** [door smokkelen binnenbrengen] *smuggle in(to)* ⇒*run in(to)* **0.2** [in het geheim binnenbrengen] *smuggle in(to)* ⇒*sneak in(to), shuffle into* ◆ **1.1** wapens ~ in Ierland *run arms into Ireland.*

binnensmonds ⟨bw.⟩ **0.1** *inarticulately* ⇒*indistinctly,* ⟨inf.⟩ *under one's breath, between the teeth* ◆ **3.1** ~ praten *speak inarticulately/indistinctly, mumble;* ~ vloeken *swear under one's breath/inwardly/between the teeth.*

binnenspelen ⟨ov.ww.⟩ ⟨AZN;inf.⟩ **0.1** *tuck away/in* ⇒*put away, dispatch, knock back* ⟨drank⟩.

binnenspeler ⟨de (m.)⟩ ⟨sport⟩ **0.1** *inside (forward).*

binnenspiegel ⟨de (m.)⟩ **0.1** *rear-view mirror.*

binnensport ⟨de⟩ **0.1** *indoor sport.*

binnenst ⟨bn.⟩ **0.1** *in(ner) most* ⇒*interior, inner* ◆ **1.1** de ~e lagen v.d. aardkorst *the in(ner)most/inner/interior/deepest layers of the earth's crust.*

binnenstad ⟨de⟩ **0.1** *town centre* ⇒*city centre* ⟨van grote stad⟩, *inner-city,* ᴬ*downtown* ◆ **2.1** de oude ~ *the old t. c.* **6.1** een hotel in de ~ᴮ *a hotel in the t. c., a downtown hotel;* naar de ~ gaan ᴮ*go into town,* ᴬ*go downtown.*

binnenstappen ⟨onov.ww.⟩ **0.1** *walk (right) in(to)* ⇒*march in(to).*

binnenste ⟨het⟩ **0.1** [het meest naar binnen gelegen deel] *inside* ⇒*interior, in(ner)most/interior/inner part* **0.2** [gemoed, hart, geweten] *heart (of hearts)* ⇒*soul (of souls), inner self* ◆ **1.1** het ~ der aarde *the bowels/entrails of the earth;* het ~ v.e. appel *the core of an apple* **3.1** het ~ buiten keren *turn (everything) inside out;* ⟨fig. ook⟩ *turn the place upside down* **6.2** in zijn ~ had hij er spijt van *deep down (in his heart)/in his h. (of hearts)/in his soul (of souls) he regretted it.*

binnenstebuiten ⟨bw.⟩ **0.1** *inside out* ⇒*wrong side out* ◆ **3.1** keer uw tas ~! *turn out your handbag!;* iets ~ keren *turn sth. inside out;* je linker sok zit ~ *your left sock is inside out/wrong side out.*

binnenstijds ⟨bw.⟩ **0.1** *before the appointed time* ◆ **3.1** ~ ontslagen worden *be dismissed before the time agreed upon/before the expiry of the period agreed upon;* ~ terugkomen *return before one's time.*

binnenstormen ⟨onov.ww.⟩ **0.1** *storm in(to)* ⇒*tear/dash/rush/barge in(to)* ◆ **1.1** zij kwam de kamer ~/ binnengestormd *she came storming/tearing/dashing/rushing/barging into the room.*

binnenstromen ⟨onov.ww.⟩ **0.1** [binnen een ruimte stromen] *stream in(to)* ⇒*pour/flow in(to),* ⟨krachtig ook⟩ *rush/surge in(to)* **0.2** [⟨fig.⟩] *stream in(to)* ⇒*pour/flow/rush/surge/flood in(to)* ◆ **1.1** het ~de water *the incoming/inrushing/insurgent water, the water streaming/pouring/flowing/rushing/surging/gushing in* **1.2** de aanvragen stromen binnen *the applications are pouring/rolling/flooding in;* het publiek stroomde binnen *the public streamed/poured in; the public piled/crowded/surged/rushed in* ⟨met geweld⟩ **3.2** het geld bleef ~ *the money kept pouring/flowing/rolling/flooding in* **7.2** het ~ van kapitaal *the inflow/influx of capital.*

binnenstuiven ⟨onov.ww.⟩ **0.1** *rush in(to)* ⇒*tear/dash/storm/barge in(to)* ◆ **1.1** ze kwam de kamer ~/ binnengestoven *she came storming/tearing/dashing/rushing/barging into the room.*

binnentemperatuur ⟨de (v.)⟩ **0.1** *room temperature.*

binnentreden ⟨onov.ww.⟩ ⟨schr.⟩ **0.1** ⟨ongemarkeerd⟩ *enter* ◆ **¶.1** treed u maar binnen *please come in.*

binnentrekken ⟨onov.ww.⟩ **0.1** *march in(to)* ⇒*enter, move in(to).*

binnenvaart ⟨de⟩ **0.1** *inland navigation* ⇒⟨bedrijfstak ook⟩ *inland shipping, inland carrying trade, canal shipping trade.*

binnenvaartuig ⟨het⟩ **0.1** *barge* ⇒*inland/canal boat, river-vessel,* ⟨mv. ook⟩ *inland/river craft.*

binnenvallen ⟨onov.ww.⟩ **0.1** [onverwachts binnenkomen] *burst in(to)* ⇒*barge in(to), drop in/by, invade* ⟨land⟩ **0.2** [⟨scheep.⟩] *put in(to port)* ◆ **1.1** een goktent ~ *swoop down on a gambling club;* een dorp ~ *descend upon/(suddenly) attack/enter a village;* een haven ~ *put in at/into a port* **3.1** bij iem. komen ~ *burst in on/descend on s.o..*

binnenvaren ⟨onov.ww.⟩ **0.1** *put into, enter* ◆ **1.1** ~de schepen *inward-bound/incoming ships.*

binnenveld ⟨het⟩ ⟨honkbal⟩ **0.1** *infield* ⇒*diamond.*

binnenvelder ⟨de (m.)⟩ ⟨honkbal⟩ **0.1** *infielder* ⇒*infieldsman,* ⟨verz.n. ook⟩ *infield.*

binnenvering ⟨de (v.)⟩ **0.1** *interior/inner spring* ◆ **6.1** matras met ~ *interior-sprung/*ᴬ*inner spring mattress.*

binnenverlichting ⟨de (v.)⟩ **0.1** *interior light(ing)* ⇒⟨v.e. auto⟩ *courtesy light, interior lamp* ◆ **6.1** een molentje met ~ *a windmill with a light inside/interior light.*

binnenvetter ⟨de (m.)⟩ **0.1** [introvert persoon] *introvert* ⇒≠*worrier* **0.2** [iem. die meer waard is dan men dacht] *dark horse, deep one* ◆ **3.1** hij is een ~ *he always bottles/corks things/it all up, he keeps his feelings bottled/corked/pent up.*

binnenvisser ⟨de (m.)⟩ **0.1** *inland (water) fisher(man).*

binnenvliegen ⟨onov.ww.⟩ **0.1** [vliegend binnenkomen] *fly in(to)* **0.2** [⟨fig.⟩] *rush in(to)* ⇒*tear/dash/storm/blow in(to).*

binnenwaaien ⟨onov.ww.⟩ **0.1** ⟨ook fig.⟩ *blow in* ⇒⟨fig. ook⟩ *breeze in.*

binnenwaarts
I ⟨bw.⟩ **0.1** [naar binnen] *in(wards)* ⇒⟨AE ook⟩ *inward* ◆ **3.1** de voeten ~ gekeerd *the feet turned inward(s);*
II ⟨bn.⟩ **0.1** [naar binnen gericht] *inward* ◆ **1.1** een ~e beweging *an i. movement.*

binnenwacht ⟨de⟩ **0.1** [bewaking binnenshuis] *house guard, internal security service* **0.2** [naaste medewerkers] *insiders* ⇒*intimates, in-crowd, inner circle.*

binnenwater ⟨het⟩ **0.1** [niet in zee uitmondende stroom] *inland waterway* **0.2** [rivier, kanaal] *inland waterway* ⇒*canal, river* **0.3** [polderwater] *polder water.*

binnenweg ⟨de (m.)⟩ **0.1** *by-road* ⇒⟨kortere weg⟩ *short cut.*

binnenwerk ⟨het⟩ **0.1** [werk binnenshuis] *indoor work* **0.2** [werk binnen in een gebouw] *indoor work* ⇒*inside/interior work* ⟨aan de binnenkant van een gebouw⟩ **0.3** [inwendige delen] *mechanism* ⇒*interior work, works* ⟨horloge⟩, *interior* ⟨piano, matras⟩, *filler* ⟨sigaar⟩ **0.4** [binnenbekleding] *lining* ⇒*inside/interior work* ⟨auto⟩ ◆ **1.3** het ~ v.d. piano was niet meer te maken *the m./ interior of the piano was beyond repair* **2.3** het ~ van de klok is nog gaaf *the clock-mechanism is/the works of the clock are still intact* **3.1** ~ doen *work indoors.*

binnenwerks ⟨bn., bw.⟩ **0.1** ⟨bn.⟩ *inside;* ⟨bw.⟩ *on the inside* ◆ **1.1** de ~e maat *the internal dimensions.*

binnenwippen ⟨onov.ww.⟩ **0.1** *drop in/by* ⇒*pop/nip in, look in* ◆ **1.1** een winkel ~ *pop/nip into a shop* **6.1** bij iem. ~ d./ *pop/look in on s.o..*

binnenzak ⟨de (m.)⟩ **0.1** *inside pocket* ⇒*inner pocket.*

binnenzee ⟨de⟩ **0.1** [(bijna) geheel door één land ingesloten zee] *inland sea* **0.2** [baai] *bay* ⇒*inlet.*

binnenzij(de) ⟨de⟩ **0.1** *inside* ⇒*interior* ◆ **6.1** aan de ~ *on the inside.*

binnenzool ⟨de⟩ **0.1** *insole* ⇒*inner sole.*

binocle ⟨de (m.)⟩ **0.1** *(pair of) binoculars* ⇒⟨veldkijker⟩ *(pair of) field glasses,* ⟨toneelkijker⟩ *(pair of) opera-glasses.*

binoculair¹ ⟨het⟩ **0.1** [veldkijker] *(pair of) binoculars* ⇒*(pair of) field glasses* **0.2** [microscoop] *binocular microscope.*

binoculair² ⟨bn.⟩ **0.1** *binocular* ◆ **1.1** een ~e microscoop *a b. microscope.*

binominaal ⟨bn.⟩ **0.1** *binominal* ◆ **1.1** ~ systeem *binominal system/nomenclature.*

binomisch ⟨bn.⟩ ⟨wisk.⟩ **0.1** *binomial* ◆ **1.1** ~e coëfficiënten *b. coefficients.*

bint ⟨het⟩ **0.1** [balk] *beam* ⇒⟨vloer-/plafondbalk⟩ *joist,* ⟨horizontale balk onder dakspanten⟩ *tie/hammer beam, ba(u)lk,* ⟨schuine dakbalk⟩ *rafter* **0.2** [spant] *truss.*

bintje ⟨het⟩ **0.1** *'bintje'* ⟨early summer potato⟩.

bintlaag ⟨de⟩ **0.1** ⟨balken⟩ *joisting* ⇒*(bridging) joists.*

biochemicus ⟨de (m.)⟩ **0.1** *biochemist.*

biochemie ⟨de (v.)⟩ **0.1** *biochemistry.*

biochemisch ⟨bn.⟩ **0.1** *biochemic(al)* ◆ **1.1** ~e industrie *biochemical industry.*

bio-energetica ⟨de (v.)⟩ ⟨biol.⟩ **0.1** *bioenergetics.*

bio-energie ⟨de (v.)⟩ **0.1** *bioenergy.*

biofysica ⟨de (v.)⟩ **0.1** *biophysics.*

biofysicus ⟨de (m.)⟩, **-ca** ⟨de (v.)⟩ **0.1** *biophysicist.*

biogas ⟨het⟩ **0.1** *biogas.*

biogasgenerator ⟨de (m.)⟩ **0.1** *biogas generator/plant.*

biogeen ⟨bn.⟩ **0.1** *biogenic* ⇒*biogenous.*

biogenesis ⟨de (v.)⟩ **0.1** *biogenesis* ⇒*biogeny.*

biogenetisch ⟨bn.⟩ **0.1** *biogenetic* ◆ **1.1** ~e wet *biogenesis, recapitulation theory.*

biogeografie ⟨de (v.)⟩ **0.1** *biogeography.*

biograaf ⟨de (m.)⟩, **-grafe** ⟨de (v.)⟩ **0.1** *biographer.*

biografie ⟨de (v.)⟩ **0.1** *biography* ⇒*life* ◆ **1.1** een ~ van Beethoven *a b./ life of Beethoven.*

biografisch ⟨bn.⟩ **0.1** *biographic(al)* ◆ **1.1** ~ woordenboek *a b. dictionary, a 'who's who?'.*

bio-industrie ⟨de (v.)⟩ **0.1** *factory farming* ⟨veehouderij⟩ ⇒*agribusiness* ⟨industrietak⟩.
biokatalysator ⟨de (m.)⟩ **0.1** *biocatalyst*.
biologeren ⟨ov.ww.⟩ **0.1** *mesmerize* ⇒*spellbind, bewitch, cast a spell on, fascinate* ◆ **8.1** als gebiologeerd naar iets zitten staren *sit staring at sth. as if mesmerized/spellbound/bewitched/under a spell*.
biologie ⟨de (v.)⟩ **0.1** *biology*.
biologiewinkel ⟨de (m.)⟩ **0.1** ≠*biological advice centre*.
biologisch ⟨bn., bw.⟩ **0.1** [mbt. de biologie] *biological* **0.2** [dmv. organische reacties] *biological* **0.3** [zonder chemicaliën] *biological* ⇒*organic, macrobiotic* ◆ **1.1** ~ potentieel *biotic potential;* ~e preparaten *b./ microscope slides* **1.2** ~e oorlogvoering *b./ germ/bacterial warfare, biowarfare;* ~e preparaten *b. preparations,* ᴬ*biologic(al)s;* ~e reiniging van afvalwater *b. sewage purification;* ~e wasmiddelen *b. detergents* **1.3** ~e groenten *b./ organic vegetables* **2.2** ~ afbreekbaar *biodegradable* **3.3** ~ tuinieren *organic gardening*.
biologisch-dynamisch ⟨bn., bw.; -(al)ly⟩ ⟨landb.⟩ **0.1** *bio-dynamic* ◆ **1.1** ~ verbouwde groenten *biodynamically grown vegetables*.
bioloog ⟨de (m.)⟩, **-loge** ⟨de (v.)⟩ **0.1** *biologist*.
bioluminescentie ⟨de (v.)⟩⟨biol.⟩ **0.1** *bioluminescence*.
biomagnetisme ⟨het⟩ **0.1** *animal magnetism*.
biomassa ⟨de⟩ ⟨biogeografie⟩ **0.1** *biomass*.
biomathematica ⟨de (v.)⟩ **0.1** *biomathematics*.
biomechanica ⟨de (v.)⟩ **0.1** [mbt. levende organismen] *biomechanics* **0.2** [mbt. het bewegingsapparaat van mens en dier] *biomechanics*.
biomechanisch ⟨bn.⟩ **0.1** *biomechanical*.
biomedisch ⟨bn.⟩ **0.1** *biomedical*.
biometeorologie ⟨de (v.)⟩ **0.1** *biometeorology*.
biometrie ⟨de (v.)⟩ **0.1** *biometrics* ⇒*biometry*.
bionica ⟨de⟩ **0.1** *bionics*.
bionisch ⟨bn.⟩ **0.1** *bionic*.
bionomie ⟨de (v.)⟩ **0.1** *bionomics* ⇒*bionomy*.
biopsie ⟨de (v.)⟩ **0.1** *biopsy*.
bioritme ⟨het⟩ **0.1** *biorhythm*.
bioritmiek ⟨de (v.)⟩ **0.1** *(study of) biorhythmicity*.
bios ⟨de (m.)⟩⟨inf.⟩ **0.1** *flicks* ⇒*pictures,* ᴬ*movies*.
bioscoop ⟨de (m.)⟩ **0.1** [gebouw] *cinema,* ᴬ*movie theater/house* **0.2** [toestel] *film projector* ◆ **3.1** ⟨inf.⟩ een ~je pikken *go to the c./ flicks/pictures/*ᴬ*movies* **6.1** wat draait er in de ~? *what's showing at the c.?;* naar de ~ gaan *go to the c./ flicks/pictures/*ᴬ*movies*.
bioscoopbezoek ⟨het⟩ **0.1** *cinema attendance*.
bioscoopbezoeker ⟨de (m.)⟩ **0.1** *cinema goer* ⇒*filmgoer, moviegoer, picturegoer*.
bioscoopbon ⟨de (m.)⟩ **0.1** *free ticket for the cinema*.
bioscoopbond ⟨de (m.)⟩ **0.1** *union of cinema owners/proprietors*.
bioscoopfilm ⟨de (m.)⟩ **0.1** *(cinema)film,* ᴬ*motion picture* ⇒⟨AE ook⟩ *movie*.
bioscooppubliek ⟨het⟩ **0.1** *cinema audience(s)*.
bioscoopreclame ⟨de⟩ **0.1** *cinema advertising*.
bioscoopvoorstelling ⟨de (v.)⟩ **0.1** *cinema/picture/film show*.
biosfeer ⟨de (v.)⟩ **0.1** *biosphere*.
biosofie ⟨de (v.)⟩ **0.1** *life philosophy* ⇒*philosophy of life*.
biotechniek ⟨de (v.)⟩⟨biol., tech.⟩ **0.1** *bionics*.
biotechnisch ⟨bn.⟩ **0.1** [mbt. de biotechniek] *bionic* **0.2** [mbt. de biotechnologie] *bioengineering*.
biotechnologie ⟨de (v.)⟩⟨biol., tech.⟩ **0.1** *bioengineering* ⇒*biotechnology*.
biotoop ⟨de (m.)⟩ **0.1** [⟨biol.⟩] *biotope* **0.2** [homogeen woon/groeigebied] *biotope*.
biowetenschap ⟨de (v.)⟩ **0.1** *bioscience* ⇒*biological science, bioresearch*.
bips ⟨de⟩⟨kind.⟩ **0.1** *bottom* ⇒*backside, rear (end), bum*.
biradiaal ⟨bn.⟩⟨com.⟩ **0.1** *biradial* ◆ **1.1** biradiale naald *b. stylus*.
Birma ⟨het⟩ **0.1** *Burma*.
Birmaans ⟨bn.⟩ **0.1** *Burmese* ⇒*Burman*.
bis¹ ⟨bw.⟩ **0.1** [nog eens] *(once) again* ⇒*once more* **0.2** [⟨na een telw.⟩] ⟨op rekening, in adres⟩ *b* ⇒⟨in wetteksten ook; zeldz.⟩ *bis* ◆ **7.2** nummer 3 en nummer 3 ~ *No. 3 and No. 3 b;* artikel 65 ~ *section 65 b*.
bis² ⟨tw.⟩ **0.1** *encore* ⇒*we want more* ◆ **1.1** ~ roepen *encore*.
bisamrat ⟨de⟩ **0.1** *muskrat* ⇒*musquash* ⟨als pels(dier)⟩.
biscuit ⟨het, de (m.)⟩ **0.1** *biscuit* ◆ **¶.1** ~je *cooky/ie*.
biscuitblik ⟨het⟩ **0.1** *biscuit tin*.
biscuitdeeg ⟨het⟩ **0.1** *sponge*.
bisdom ⟨het⟩ **0.1** [gebied] *diocese* ⇒*bishopric, episcopacy* **0.2** [bestuur] *diocese* ⇒*bishopric, episcopacy*.
biseks ⟨bn.⟩⟨inf.⟩ **0.1** ↑*bisexual,* ⟨AE ook⟩ *AC/DC* ◆ **3.1** hij is ~ *he's AC/DC, he goes/swings both ways*.
biseksualiteit ⟨de (v.)⟩ **0.1** *bisexuality*.
biseksueel ⟨bn.⟩ **0.1** *bisexual*.
bismut ⟨het⟩ **0.1** *bismuth*.
bisnummer ⟨het⟩ **0.1** *repeat, encore*.
bisschop ⟨de (m.)⟩ **0.1** *bishop* ⇒⟨verz.n. ook⟩ *episcopacy, episcopate* ◆ **3.1** tot ~ wijden *bishop, mitre, raise to the bench*.

bisschoppelijk ⟨bn.⟩ **0.1** *episcopal* ⇒*pontifical* ⟨mis⟩ ◆ **1.1** de ~e waardigheid *the episcopacy/episcopate/bishopric;* een ~e zetel *a bishop's chair*.
bisschopsambt ⟨het⟩ **0.1** *episcopacy* ⇒*episcopate, bishopric*.
bisschopsmijter ⟨de (m.)⟩ **0.1** *(bishop's) mitre*.
bisschopsring ⟨de (m.)⟩ **0.1** *bishop's ring*.
bisschopsstad ⟨de⟩ **0.1** ᴮ*(cathedral) city*.
bisschopsstaf ⟨de (m.)⟩ **0.1** *crosier/zier* ⇒*crook, pastoral/bishop's staff*.
bisschopssynode ⟨de (v.)⟩ **0.1** *synod of bishops*.
bisschopswijding ⟨de (v.)⟩ **0.1** *(episcopal) consecration*.
bisschopszetel, -stoel ⟨de (m.)⟩ **0.1** *bishop's/episcopal see* ⇒*bishopric*.
bisschopwijn ⟨de (m.)⟩ **0.1** *mulled/spiced wine* ⇒*bishop, cardinal*.
bissectrice ⟨de⟩⟨wisk.⟩ **0.1** *bisector*.
bisseren ⟨ov.ww.⟩ **0.1** [herhalen op verzoek] *play/sing/do again/as an encore* **0.2** [verzoeken te herhalen] *encore*.
bistouri ⟨de⟩⟨med.⟩ **0.1** *bistoury*.
bistro ⟨de (m.)⟩ **0.1** *bistro*.
bit
I ⟨het⟩ **0.1** [mondstuk] *bit* ◆ **3.1** het ~ tussen de tanden nemen ⟨fig.⟩ *kick over the traces;*
II ⟨de⟩ **0.1** [⟨comp.⟩] *bit*.
bits ⟨bn., bw.; -ly⟩ **0.1** *snappy, snappish* ⇒*curt, brusque, short(-spoken) -tempered), sharp(-tongued)* ◆ **1.1** een ~e opmerking *a snappy/snappish/acid/acrid/acidulous/tart remark* **3.1** ~ antwoorden ⟨ook⟩ *answer sharply/acidly/acridly;* sorry dat ik zo ~ tegen je was *sorry I was so short with you.*
bitsheid ⟨de (v.)⟩ **0.1** *snappiness, snappishness* ⇒*curtness, brusqueness, acidity, acridity*.
bitter¹ ⟨het, de (m.)⟩ **0.1** [jenever] *(gin and) bitters* **0.2** [aromatisch extract] *elixer* **0.3** [cichorei] *chicory* ◆ **3.1** een ~tje drinken *have a glass of (gin and) b.* **7.1** twee ~tjes *two (gins and) bitters*.
bitter² ⟨→sprw. 60⟩
I ⟨bn.⟩ **0.1** [⟨smaakgewaarwording⟩] *bitter* ⇒*acrid, acid, acerbic* **0.2** [bijtend] *bitter* ⇒*severe, perishing* **0.3** [pijnlijk treffend, zwaar te verduren] *bitter* ⇒*dire, hard, sore* **0.4** [scherp] *bitter* ⇒*acrid, acid, acrimonious, astringent* **0.5** [gegriefd] *bitter* ⇒*sour* ◆ **1.1** ⟨fig.⟩ een ~e nasmaak hebben *leave a bad/nasty/unpleasant taste (in the mouth);* een ~e pil ⟨ook fig.⟩ *a b. pill (to swallow)* **1.2** ~e kou *b./ severe/perishing/piercing cold* **1.3** ~e armoede *dire/grinding poverty;* de ~e dood *b. death;* doorgaan tot het ~e einde *go on to the b. end/to the end of the chapter, go all the way;* doorvechten tot het ~e einde *fight to the finish, die in the last ditch;* ~e ernst *b./ dire earnest;* iets door ~e ervaring leren *learn sth. the hard way, know sth. from b. experience;* ~ leed *b./ dire/severe suffering* **1.4** ~e spot *sarcasm* **1.¶** ~e tranen *b./ salt tears* **3.1** dat smaakt ~ *that tastes b./ acrid* **3.5** ~e tranen wenen *cry one's heart out, cry b./ salt tears;* ~ worden *embitter;* ~ zei hij ... *bitterly he said ...* **8.1** zo ~ als gal *(as) b. as gall;*
II ⟨bw.⟩ **0.1** [zeer] *extremely* ⇒*awfully, terribly, dreadfully* ◆ **2.1** het ~ arm hebben *be poor/ distressingly poor;* het ~ koud hebben *be bitterly/ dreadfully/icily/perishing cold;* ~ weinig *precious little, next to nothing*.
bitteraarde ⟨de⟩⟨schei.⟩ **0.1** *magnesia* ⇒*terra alba*.
bitterbal ⟨de (m.)⟩ **0.1** ⟨*type of croquette served as an appetizer*⟩.
bittergarnituur ⟨de (v.)⟩ **0.1** *(assorted) appetizers*.
bitterheid ⟨de (v.)⟩ **0.1** [het bitter zijn, bittere smaak] *bitterness* ⇒*acridity, acerbity* **0.2** [het pijnlijk grievend/gegriefd zijn] *bitterness* ⇒*gall,* ⟨grievend ook⟩ *acridity, acerbity, acrimony* **0.3** [uiting] *bitterness* ⇒*gall,* ⟨grievend ook⟩ *acridity, acerbity, acrimony*.
bitterkoekje ⟨het⟩ **0.1** *macaroon*.
bitterkruid ⟨het⟩ **0.1** *bitterweed*.
bittertafel ⟨de⟩ **0.1** *cocktail/drinking table*.
bitterzoet¹ ⟨het⟩ **0.1** *bittersweet, woody nightshade*.
bitterzoet² ⟨bn.⟩ **0.1** *bittersweet*.
bitumen ⟨het⟩ **0.1** *bitumen*.
bitumineren ⟨ov.ww.⟩ **0.1** [met bitumen bedekken] *bituminize* ⇒⟨weg ook⟩ *tar* **0.2** [bitumen toevoegen aan] *bituminize*.
bitumineus ⟨bn.⟩ **0.1** *bituminous* ◆ **1.1** bitumineuze bouwstoffen *b. materials;* bitumineuze kalksteen, ~ zand *b. limestone/sand*.
bivak ⟨het⟩ **0.1** *bivouac* ◆ **3.1** ergens zijn ~ opslaan ⟨fig.⟩ *pitch one's tent somewhere;* een ~ opslaan *make a b.*.
bivakkeren ⟨onov.ww.⟩ **0.1** [de nacht in de open lucht doorbrengen] *bivouac* **0.2** [voor korte tijd gevestigd zijn] *lodge* ⇒*be put up, stay* ◆ **6.2** hij heeft een tijdje bij ons gebivakkeerd *he lodged/stayed with us for a while, we put him up for a while*.
bivakmuts ⟨de (v.)⟩ **0.1** *balaclava*.
bivalent ⟨bn.⟩ **0.1** [⟨schei.⟩] *bivalent* ⇒*divalent* **0.2** [⟨biol.⟩] *bivalent*.
bivalentie ⟨de (v.)⟩⟨schei.⟩ **0.1** *bivalency, divalency;* ⟨AE ook⟩ *bivalence*.
Biza ⟨het⟩⟨afk.⟩ **0.1** [Binnenlandse Zaken]⟨GB⟩ *H.O.*.
bizar ⟨bn., bw.; -ly⟩ **0.1** *bizarre* ⇒*grotesque, extravagant, weird, outlandish*.
bizon ⟨de (m.)⟩ **0.1** *bison* ◆ **2.1** de Amerikaanse ~ *the buffalo/(American) b.;* de Europese ~ *the (European) b., the wisent/aurochs*.

B-kant ⟨de (m.)⟩ **0.1** *flip side* ⇒*B side.*
B.K.R. ⟨de (v.)⟩ ⟨afk.⟩ **0.1** [beeldende kunstenaarsregeling] ⟨*system of (official) artist's allowances*⟩ ◆ **6.1** hij zit **in** de ~ *he gets an artist's allowance (from the government).*
blaadje ⟨het⟩ ⟨→sprw. 73⟩ **0.1** [klein blad] *leaf(let)* ⇒ ⟨papier⟩ *sheet/ piece (of paper),* ⟨krant⟩ *paper,* ⟨krant/tijdschrift; pej.⟩ *rag,* ⟨dienblad⟩ *tray* **0.2** [⟨plantk.⟩]⟨van samengesteld blad⟩ *leaflet, foliole;* ⟨gras⟩ *blade;* ⟨bloem⟩ *petal;* ⟨van geveerd blad⟩ *pinn(ul)a* ◆ **2.¶** bij iem. in een goed ~ staan *be (well) in/in good with s.o., be in s.o.'s good books/graces, stand well with s.o., be/stand high in s.o.'s favour;* bij iem. in een goed ~ proberen te komen *keep in with s.o., make/suck up to s.o.;* bij iem. in een slecht ~ staan *be in bad with s.o., be in s.o.'s bad/black books, be out of favour with s.o.* **3.¶** het ~ is gekeerd *the tables are turned.*
blaag ⟨de⟩ **0.1** *brat* ⇒⟨jongetje ook⟩ *urchin.*
blaam ⟨de⟩ **0.1** [afkeuring] *blame* ⇒*censure, reproach* **0.2** [smet] *slur, blot, stain* ⟨op iemands eer, goede naam⟩ ◆ **2.2** iem. van alle ~ zuiveren *exonerate/exculpate/vindicate s.o.;* zich van alle ~ zuiveren *clear/ exonerate o.s.* **3.2** een~ werpen op *cast a slur on* **7.1** hem treft/op hem rust geen ~ *he is not to blame, no blame attaches to him.*
blaar ⟨de⟩ ⟨→sprw. 59⟩ **0.1** [blaasachtige opzwelling] *blister* ⇒⟨med.⟩ *vesicle* **0.2** [witte plek] *blaze* **0.3** [koe] *cow with a blaze* ◆ **3.1** een ~ doorprikken *prick a b.;* ⟨fig.⟩ er komen blaren op de verf *the paint is blistering/bubbling, blisters/bubbles are beginning to appear on the paint;* blaren trekken *blister, raise blisters;* zich de blaren werken *work one's fingers to the bone* **6.1** ⟨fig.⟩ iem. (de) blaren **aan** het hoofd praten *talk s.o.'s head off, talk nineteen/twenty/forty to the dozen;* hij kreeg door het roeien blaren **in** zijn handen *rowing raised blisters on his hands, his hands blistered with rowing.*
blaarkop ⟨de (m.)⟩ **0.1** *cow with a blaze* ⇒*cattle* ⟨mv.⟩ *with a blaze.*
blaartrekkend ⟨bn.⟩ **0.1** *blistering* ⇒*raising blisters,* ⟨med. ook⟩ *vesicant, vesicatory, epispastic* ◆ **1.1** ~e gassen *blister(ing) gases;* ~ middel *epispastic, vesicant, vesicatory.*
blaas
    I ⟨de⟩ **0.1** [⟨biol.⟩] *bladder* ⇒*cyst, vesica* **0.2** [voorwerp] *bladder* ⇒ *bag, pouch* **0.3** [met gas gevulde holte] *bubble* **0.4** [blaar] *blister* ⇒ ⟨med.⟩ *vesicle* ◆ **6.1** kou **op** de ~ *chill on the b.* **6.2** een ~ **met** ijs op het hoofd *an ice pack/* ^**blow(hard).**

^ blow on one's head **6.3** blazen **in** gegoten voorwerpen *bubbles in cast objects;*
    II ⟨de (m.)⟩ **0.1** [ademstoot] *blow* **0.2** [vermogen] *wind* ⇒*breath* ◆ **3.2** wat heeft hij een ~ *what good lungs he has.*
blaasbalg ⟨de (m.)⟩ **0.1** (*pair of) bellows* ◆ **3.1** aan de ~ trekken *blow the b..*
blaasinstrument ⟨het⟩ **0.1** *wind instrument* ◆ **2.1** de houten ~en *the wood-wind instruments, the wood-wind(s), the wood-wind section;* de koperen ~en *the brass instruments, the brass (section).*
blaasje ⟨het⟩ **0.1** [⟨biol.⟩]⟨met vocht⟩ *vesicle, follicle;* ⟨holte⟩ *saccule, alveolus* **0.2** [met gas gevulde holte] *bubble.*
blaaskruid ⟨het⟩ **0.1** *bladderwort.*
blaaskaak ⟨de⟩ **0.1** *bighead* ⇒*stuffed shirt, windbag, gasbag,* ^*blow(hard).*
blaaskapel ⟨de⟩ **0.1** *wind band* ⇒⟨alleen koper⟩ *brass band.*
blaaskwartet ⟨het⟩ **0.1** [musici] *wind quartet* **0.2** [muziekstuk] *wind quartet.*
blaasmuziek ⟨de (v.)⟩ **0.1** *music for wind instruments.*
blaasontsteking ⟨de (v.)⟩ **0.1** *cystitis* ⇒*inflammation of the bladder.*
blaasorkest ⟨het⟩ **0.1** *wind orchestra* ⇒*wind band,* ⟨alleen koper⟩ *brass band.*
blaaspijp ⟨de⟩ **0.1** [⟨verkeer⟩] *breathalyser,* ^*drunkometer* **0.2** [pijp om lucht door te blazen] *blowpipe* ⟨ook van glasblazer⟩ **0.3** [⟨sport⟩] *blowpipe* ⇒*blowgun, blowtube.*
blaaspoot ⟨de (m.)⟩ **0.1** *thrips.*
blaasproef ⟨de⟩ **0.1** *breathalyser test, breath test* ◆ **3.1** de ~ niet willen doen ⟨ook⟩ *refuse to be breathalysed.*
blaasroer ⟨het⟩ **0.1** *blowpipe, blowgun.*
blaassteen ⟨de (m.)⟩ **0.1** *stone in the bladder* ⇒ ⟨med.⟩ *vesical calculus.*
blaasvoetbal ⟨het⟩ **0.1** *blow football.*
blaasvormig ⟨bn.⟩ **0.1** *vesicular, bladder-shaped* ⇒*alveolar, utricular.*
blaaswerktuig ⟨het⟩ **0.1** *blower.*
blaaswier ⟨het⟩ **0.1** *bladder wrack* ⇒*bladder-kelp, bladderweed, fucus.*
blaasworm ⟨de (m.)⟩ **0.1** *bladder worm.*
blabla ⟨de (m.)⟩ **0.1** [hol gepraat] *blah(-blah)* ⇒*gas, wind, hot air* **0.2** [drukte om niets] *much ado about nothing, fuss.*
black jack ⟨het⟩ **0.1** *blackjack* ⇒*vingt(-et)-un.*
blad ⟨het⟩ **0.1** [⟨plantk.⟩] *leaf* ⇒*petal* ⟨bloem⟩ **0.2** [dienblad] *tray* **0.3** [vel] *sheet* ⇒*leaf, page* ⟨in boek⟩ **0.4** [tijdschrift, krant]⟨krant⟩ *(news)paper* ⇒ ⟨pej.⟩ *rag,* ⟨tijdschrift⟩ *magazine, journal* **0.5** [plat, breed (deel v.e.) voorwerp] *sheet* ⇒*top* ⟨tafel⟩, *leaf* ⟨uittrek-/inlegblad; goud⟩, *blade* ⟨zaag, roeiriem, gras, tong⟩, *bowl* ⟨lepel⟩ **0.6** [tandwiel] *sprocket (wheel)* ⟨van sportfiets⟩ ◆ **1.1** de ~eren van kool *cabbage leaves* **1.3** een ~ muziek *a s. of music* **1.5** het ~ v.e. anker *the fluke of an anchor;* het ~ v.e. bijl/een zaag *the blade of an axe/saw;* ~en mahoniehout *sheets of mahogany;* het ~ v.e. tafel *the top of a*

---

table, a tabletop **2.1** enkelvoudige ~eren *simple leaves;* gezaagde/gekartelde ~eren *serrate/crenate leaves;* samengestelde ~eren *compound leaves* **2.3** een beschreven/bedrukt ~ *a written/printed s./leaf;* zij is een onbeschreven ~ *she's virgin soil, she's a tabula rasa* **2.5** bureau met houten ~ *wood-topped desk* **3.1** de ~eren vallen van de bomen *the leaves are falling from the trees;* ⟨fig.⟩ he ⟨enz.⟩ *is going soft in the head/is losing his marbles;* wandelende ~en *l. insects, walking leaves* **3.3** de ~en van dit boek gaan los *the leaves/pages of this book are coming loose* **3.4** de ~en melden... *the papers state* ... **3.¶** geen ~ voor de mond nemen *not mince matters/one's words, call a spade a spade, talk straight from the shoulder, speak plainly/out* **6.1** ⟨verz.n.⟩ er zit haast geen ~ **aan** de bomen *the trees are almost bare/ have hardly any l.;* in 't ~ komen/**in** ~ schieten *come/burst into l./ bud, put forth/out leaves, leaf out;* in 't ~ staan *be in l.* **6.3** van het ~ zingen/spelen *play/sing at sight/prima vista; sight-reading* ⟨zn.⟩ **7.3** ⟨boekw.⟩ een boek van 100 ~en *a book of 100 sheets* **7.5** schroef met drie ~en *three-bladed propeller* **8.1** hij is omgedraaid als een ~ aan een boom *he's changed like a l. on a tree, he's another/a different man, he's boxed the compass, he's made an about-face.*
bladaaltjes ⟨zn. mv.⟩ **0.1** *eelworms* ⇒*nematodes.*
bladaarde ⟨de⟩ **0.1** *leaf mould* ⇒*leaf soil, humus.*
bladachtig ⟨bn.⟩ **0.1** *leaf-like* ⇒*leafy, foliate* ◆ **1.1** de ~e plantedelen *the leaf-like parts of the plant, the foliage leaf of the plant.*
bladader ⟨de⟩ **0.1** *vein of a leaf, leafvein.*
bladbegonia ⟨de⟩ **0.1** *rex begonia.*
bladder ⟨de⟩ **0.1** *blister* ⇒*bladder, bubble.*
bladderen ⟨onov. ww.⟩ **0.1** *blister* ⇒*bubble,* ⟨losraken⟩ *flake, peel* ◆ **3.1** de verf begint te ~ *the paint is beginning to blister/bubble/flake/peel.*
bladderig ⟨bn.⟩ **0.1** [vol bladders] *blistering* ⇒*bladdery, bubbly,* ⟨losrakend⟩ *flaky, peeled* **0.2** [licht bladderend] *blistering* ◆ **1.1** ~e verf *blistering paint.*
bladerdak ⟨het⟩ **0.1** *(roof of) foliage* ◆ **2.1** een dicht ~ *a (roof of) dense foliage.*
bladerdeeg ⟨het⟩ **0.1** *puff pastry.*
bladeren ⟨onov. ww.⟩ **0.1** *thumb* ⇒*glance, leaf* ◆ **6.1** in een boek ~ *t./ glance/leaf through a book.*
bladeter ⟨de (m.)⟩ **0.1** *phyllophagous animal.*
bladgeel ⟨het⟩ **0.1** *yellow leaf pigment.*
bladgoud ⟨het⟩ **0.1** *gold leaf* ⇒*gold foil, leaf/beaten/rolled gold.*
bladgroen ⟨het⟩ ⟨plantk.⟩ **0.1** *chlorophyll* ⇒*leaf green.*
bladgroenkorrel ⟨de (m.)⟩ **0.1** *chloroplast.*
bladgroente ⟨de (v.)⟩ **0.1** *leaf(y) vegetable(s)* ⇒*green vegetable(s), greens* ⟨mv.⟩.
bladgrond ⟨de⟩ **0.1** *leaf mould* ⇒*leaf soil, humus.*
bladhaantje ⟨het⟩ **0.1** *leaf beetle.*
bladhark ⟨de⟩ **0.1** *lawn rake.*
bladhout ⟨het⟩ **0.1** [loofdragend hout] *broad-leaved wood/branches* **0.2** [takken met alleen bladeren] *non-fructiferous branches.*
bladijzer ⟨het⟩ **0.1** *sheet iron.*
bladkever ⟨de⟩ **0.1** *leaf chafer.*
bladkleurstof ⟨de⟩ **0.1** *leaf pigment.*
bladknop ⟨de (m.)⟩ **0.1** *leaf bud.*
bladkoper ⟨het⟩ **0.1** *sheet/leaf copper* ⇒*beaten copper.*
bladlood ⟨het⟩ **0.1** *sheet lead.*
bladluis ⟨de⟩ **0.1** *plant louse* ⇒*greenfly, aphid, aphis.*
bladmaag ⟨de⟩ ⟨dierk.⟩ **0.1** *psalterium* ⇒*omasum, third stomach.*
bladmetaal ⟨het⟩ **0.1** *sheet metal* ⇒⟨zeer dun⟩ *foil,* ⟨edelmetaal⟩ *leaf metal.*
bladmoes ⟨het⟩ ⟨plantk.⟩ **0.1** *mesophyll.*
bladmos ⟨het⟩ **0.1** *moss.*
bladmotief ⟨het⟩ **0.1** *leaf pattern* ⇒*ornamental leaf.*
bladmuziek ⟨de (v.)⟩ **0.1** *sheet music.*
bladoksel ⟨de (m.)⟩ ⟨plantk.⟩ **0.1** *leaf axil.*
bladplant ⟨de⟩ **0.1** *foliage plant.*
bladroller ⟨de (m.)⟩ ⟨dierk.⟩ **0.1** *leaf roller* ⇒*tortricid.*
bladrozet ⟨de⟩ **0.1** *rosette* ⇒*leaf rosette, head* ⟨krop⟩.
bladrups ⟨de⟩ **0.1** *cankerworm.*
bladschede ⟨de⟩ ⟨plantk.⟩ **0.1** *leaf base/sheath* ⇒*vagina.*
bladschikking →**bladstand.**
bladselderij ⟨de (m.)⟩ **0.1** *celery.*
bladskelet ⟨het⟩ ⟨plantk.⟩ **0.1** *leaf skeleton.*
bladspiegel ⟨de (m.)⟩ ⟨boek.⟩ **0.1** *type page.*
bladstand ⟨de (m.)⟩ ⟨plantk.⟩ **0.1** *phyllotaxis, phyllotaxy* ⇒*arrangement of leaves, leaf arrangement.*
bladsteel, -stengel ⟨de (m.)⟩ ⟨plantk.⟩ **0.1** *leaf stalk* ⇒ ⟨wet.⟩ *petiole.*
bladstil ⟨bn.⟩ **0.1** *dead calm* ◆ **3.1** het was ~ *not a leaf stirred, it was dead calm, there wasn't a breath of wind/a stir of air;* het werd ~ *it became dead calm.*
bladtin ⟨het⟩ **0.1** *tinfoil* ⇒*tain* ⟨voor spiegel⟩.
bladveer ⟨de⟩ **0.1** *leaf spring.*
bladverliezend ⟨bn.⟩ **0.1** *deciduous* ⟨boom e.d.⟩.
bladversiering ⟨de (v.)⟩ **0.1** [ornament in bladvorm] *leaf-work* ⇒*foliage* **0.2** [⟨boek.⟩] *illumination* ⇒*ornamentation, illustration.*

bladvezel ⟨de⟩ **0.1** *leaf fibre*.
bladvorm ⟨de (m.)⟩ **0.1** *form of a leaf*.
bladvulling ⟨de (v.)⟩ **0.1** *in-fill* ⇒*filler, fill-up (article)*.
bladwesp ⟨de⟩ **0.1** *sawfly*.
bladwijzer ⟨de (m.)⟩ **0.1** [inhoudsopgave] *table of contents* **0.2** [register] *index* **0.3** [boekelegger] *bookmark(er)*.
bladziekte ⟨de (v.)⟩ **0.1** *leaf disease*.
bladzijde ⟨de⟩ **0.1** [pagina] *page* **0.2** [blad] *page* ⇒*leaf* ◆ **3.2** een ~ om-slaan *turn a p./leaf* **6.1** ik sloeg het boek open **op** ~ 58 *I opened the book at p.58*.
bladzilver ⟨het⟩ **0.1** *leaf silver*.
bladzink ⟨het⟩ **0.1** *sheet zinc*.
blaf ⟨de (m.)⟩ **0.1** [handeling] *barking* **0.2** [keer] *bark*.
blaffen ⟨onov.ww.⟩ (→sprw. 288,289) **0.1** [mbt. honden] *bark* ⇒(luid en aanhoudend) *bay* **0.2** [hard hoesten] *cough* **0.3** [tekeergaan] *bark (at)* ⇒*snap (at)* ◆ **3.3** je hoeft niet zo te ~ *you needn't bark/snap like that* **6.1** (fig.) tegen de maan ~ *bay at the moon*.
blaffer ⟨de (m.)⟩ **0.1** [⟨sl.⟩ revolver] *piece* ⇒(AE ook) *heater* **0.2** [hond] *barker* ⇒*yelper* **0.3** [iem. die hard hoest] *person with a barking cough* **0.4** [iem. die tekeergaat] *snappy/bad-tempered person*.
blafhoest ⟨de (m.)⟩ **0.1** *bark* ⇒*barking cough*.
blague ⟨de⟩ **0.1** *blague* ⇒*humbug*.
blaken ⟨onov.ww.⟩ **0.1** [gloeiende hitte afgeven] *burn* ⇒*blaze* (van zon), (schroeien) *scorch* **0.2** [mbt. personen] *burn (with)* ⇒*glow (with)* ◆ **1.1** ~de hitte *scorching heat*; de zon blaakt *the sun is blazing/beating down* **1.¶** in ~de gezondheid/welstand *in the pink of health, brimming/blooming with health*; in ~de vorm *in peak condition* **6.2** ~ van toorn/ijver *blaze with anger, b. with zeal*; ~ van gezondheid *glow with health, be in roaring/radiant (good) health/in the best of health*.
blaker ⟨de (m.)⟩ **0.1** *sconce* ⇒*flat candlestick*.
blakeren ⟨ov.ww.⟩ **0.1** *scorch* ⇒*burn* ◆ **1.1** (zwart) geblakerde muren *blackened walls*; de zon blakert de velden *the sun is beating down on the fields*; door de zon geblakerd *sun-baked*.
blamage ⟨de (v.)⟩ **0.1** *disgrace*.
blameren ⟨ov.ww.⟩ **0.1** *blame* ⇒*rebuke*, (te schande maken) *discredit, disgrace* ◆ **4.1** zich ~ *disgrace o.s., lose face*.
blancheren ⟨ov.ww.⟩ **0.1** [⟨cul.⟩] *blanch* **0.2** [⟨landb.⟩] *blanch*.
blanc-manger ⟨cul.⟩ **0.1** *blancmange*.
blanco ⟨bn., bw.; -ly⟩ **0.1** *blank* ◆ **1.1** ~ *accept acceptance in b.*; er waren drie biljetten ~ ingeleverd *three b./unmarked ballot papers had been handed/given in*; een ~ schrift *an unruled exercise book*; een ~ stem *an abstention*; een ~ strafblad/-register *a clean record/sheet*; een ~ wissel *a b. bill* **3.1** ergens ~ tegenover staan *have an open mind about sth.*; ~ stemmen *obstain from voting, give in a b. ballot paper*; (in) ~ tekenen *sign in b.* **6.1** in ~ verkopen/kopen *sell/buy short*; **in** ~ opmaken *make out in b.*.
blancokrediet ⟨het⟩ **0.1** [ongelimiteerd krediet] *blank/open credit* **0.2** [krediet zonder onderpand/zekerheid] *unsecured credit*.
blancovolmacht ⟨de⟩ **0.1** *blank power of attorney* ⇒(fig.) *free hand, carte blanche*.
blank ⟨bn.⟩ **0.1** [licht gekleurd, ongekleurd] *white* ⇒⟨mbt. huid ook⟩ *fair, clear* **0.2** [blinkend] *bright* **0.3** [onbeschreven, onbedrukt] *blank* **0.4** [zuiver] *pure* **0.5** [onbedekt] *naked* ⇒*cold* **0.6** [onder water] *flooded* ◆ **1.1** het ~e duin *the w. dune*; ~ hout *w./plain/natural wood*; het ~e ras *the w. race* **1.2** ~e guldens *b./shiny guilders*; ~e wapenen *bladed weapons, blades* **1.4** ⟨tech.⟩ ~e oliën *white oils* **1.5** een charge met de ~e sabel *a charge with the n. sword*; ~ water *unfrozen water* **1.¶** ~e slavinnen *white slaves*; ~e verzen *blank verse* **3.2** koperwerk ~ schuren *polish brassware* **3.6** de kelder staat ~ *the cellar is f.*.
blanke ⟨de (m.)⟩ **0.1** *white (man/woman)* ◆ **¶.1** de ~n *the whites/white people*.
blanketsel ⟨het⟩ **0.1** *white powder*.
blankheid ⟨de (v.)⟩ **0.1** [het blank zijn] *whiteness* ⇒*fairness* **0.2** [reinheid] *purity*.
blankhouten ⟨bn.⟩ **0.1** *whitewood* ◆ **1.1** een ~ eierdopje *a w. eggcup*.
blankvoorn ⟨de (m.)⟩ **0.1** *roach*.
blankwerk ⟨het⟩ **0.1** *natural wood(work)*.
blasé ⟨bn.⟩ **0.1** *blasé*.
blasfemeren ⟨onov.ww.⟩ **0.1** *blaspheme*.
blasfemie ⟨de (v.)⟩ **0.1** *blasphemy*.
blasfemisch ⟨bn., bw.; -ly⟩ **0.1** *blasphemous*.
blastoderm ⟨het⟩ ⟨biol.⟩ **0.1** *blastoderm*.
blastomeren ⟨zn.mv.⟩ ⟨biol.⟩ **0.1** *blastomeres* ⇒*blastula cells*.
blaten ⟨onov.ww.⟩ **0.1** *bleat* ⇒*baa*.
blauw¹ ⟨het⟩ **0.1** [kleur] *blue* **0.2** [verfstof] *blue* **0.3** [porselein] *Delft blue* ◆ **1.3** een mooie collectie ~ *a beautiful collection of Delft blue* **2.2** Berlijns ~ *Prussian b.* **6.1** in het ~ gekleed *dressed in b.*.
blauw² ⟨bn.⟩ **0.1** [de kleur blauw hebbend] *blue* **0.2** [min of meer blauw] *blue* ⇒*black, dark* ◆ **1.1** (fig.) een ~e boon *an ounce of lead,* ↑*a bullet*; ~e boorden *blue-collar workers*; ~e haai *b. shark*; onder de ~e hemel slapen *sleep under the b. sky/(out) in the open*; hij is v.d. ~e knoop *he has signed/taken the pledge, he has gone on the (water) wagon*; het Blauwe Kruis *the Blue Cross Temperance League*; ~e

zone *b. zone, restricted parking area/zone* **1.2** ~e klei *blue clay*; ~e kringen onder de ogen *dark rings under one's eyes*; hij heeft een pracht v.e. ~ oog *he has got a real shiner*; iem. een ~ oog slaan *give s.o. a black eye*; een ~e plek *a bruise*; de ~e verte *the b. (yonder)* **1.¶** ~ bloed hebben *have blue blood*; hij is er een ~e maandag geweest *he was there for only a very short time* **2.2** iem. bont en ~ slaan *beat s.o. black and blue* **3.1** iets ~ verven *paint/dye sth. blue* **3.2** hij ergerde zich ~ *he was utterly vexed*; de kamer stond ~ (v.d. rook) *the room was blue with smoke*; hij zag ~ v.d. kou *he looked blue with cold*; ~ zijn (dronken) *be drunk*.
blauwachtig ⟨bn.⟩ **0.1** *bluish*.
blauwbaard ⟨de (m.)⟩ **0.1** [sprookjesfiguur] *bluebeard* **0.2** [wreedaard tegenover vrouwen] *bluebeard*.
blauwbekken ⟨onov.ww.⟩ **0.1** *stand in the cold*.
blauwblauw ⟨bn.⟩ **3.¶** iets (maar) ~ laten *let the matter rest*.
blauwboek ⟨het⟩ **0.1** *blue book*.
blauwbok ⟨de (m.)⟩ **0.1** *blaubok* ⇒*blue buck*.
blauwborstje ⟨het⟩ **0.1** *bluethroat*.
blauwdruk ⟨de (m.)⟩ **0.1** [kopie op blauw papier] *blueprint* **0.2** [ontwerp, plan] *blueprint* ⇒*plan, scheme*.
blauwen
 I ⟨ov.ww.⟩ **0.1** [blauw verven] *blue* ⇒*paint/dye blue* **0.2** [blauw maken] *blue*;
 II ⟨onov.ww.⟩ **0.1** [blauw worden, zijn] *become/get blue* ◆ **3.1** de lucht begint te ~ *the sky is turning blue*.
blauweregen ⟨de (m.)⟩ **0.1** *wistaria*.
blauwfilter ⟨het, de (m.)⟩ ⟨foto.⟩ **0.1** *blue filter*.
blauwgeruit ⟨bn.⟩ **0.1** *blue-checked* ◆ **1.1** ~e kiel *blue check frock*.
blauwgras ⟨het⟩ **0.1** *bluegrass*.
blauwgrijs ⟨bn.⟩ **0.1** *bluish grey* ⇒(donker; ook) *slate grey, smoke, perse*, (licht; ook) *battleship grey*.
blauwkous ⟨de (v.)⟩ **0.1** *bluestocking*.
blauwsel ⟨het⟩ **0.1** [poeder tegen vergelen] *blue* ⇒*blu(e)ing* **0.2** [blauwe kleurstof] *blue*.
blauwtje ⟨het⟩ **3.¶** een ~ lopen *be turned down*.
blauwverven ⟨ww.⟩ **0.1** *dye blue*.
blauwvoet ⟨de (m.)⟩ ⟨AZN⟩ **0.1** *fulmar (petrel)*.
blauwwieren ⟨zn.mv.⟩ **0.1** *blue-green algae*.
blauwzuur ⟨het⟩ **0.1** *hydrocyanic/prussic acid*.
blazen (→sprw. 61)
 I ⟨onov.ww.⟩ **0.1** [krachtig uitademen] *blow* **0.2** [mbt. de wind] *blow* **0.3** [mbt. dieren] *blow* ⇒*snort* **0.4** [⟨muz.⟩] *blow* ⇒*sound* **0.5** [in het blaaspijpje blazen] *breathe into a breathalyser/^drunkometer* ◆ **1.3** katten ~ als ze kwaad zijn *cats spit/swear when they are angry* **3.¶** van toeten noch ~ weten *not know chalk from cheese* **5.4** hij blaast mooi *he plays beautifully* **6.1** ~ en puffen **van** de warmte *puff and b. with heat* **6.2** de wind blaast mij in het gezicht *the wind is blowing in my face* **6.4 op** de trompet/de fluit/het fluitje/de hoorn ~ *sound the trumpet, play the flute, b. the whistle, play the horn*; hoog **van** de toren ~ *bang/beat the big drum*;
 II ⟨ov.ww.⟩ **0.1** [laten horen] *blow* ⇒*sound* **0.2** [verplaatsen, verwijderen door blazen] *blow* **0.3** [door blazen vervaardigd] *blow* ◆ **1.1** de aftocht ~ (ook fig.) *sound the retreat*; snel de aftocht ~ (fig.) *beat a hasty retreat*; een deuntje ~ *b. a tune*; het rappel/de reveille ~ *sound the recall/reveille* **1.2** ⟨dammen⟩ een schijf ~ *huff a man* **1.3** flessen/bellen ~ *b. bottles/bubbles* **3.¶** het is oppassen geblazen *we/you need to watch out* **4.2** het is geblazen *it's gone* **6.2** stof **van** de tafel ~ *b. dust off the table* **¶.¶** (inf.) ik zou je ~! *nothing doing?*.
blazer¹ ⟨de (m.)⟩ ⟨Eng.⟩ **0.1** *blazer*.
blazer² ⟨de (m.)⟩ **0.1** [iem. die een blaasinstrument bespeelt] *player of a wind instrument* **0.2** *blazer* **0.3** [iem. die blaast] *s.o. who blows* ◆ **1.2** de ~s v.h. orkest *the wind section of the orchestra*.
blazoen ⟨het⟩ **0.1** [heraldiek wapen, schild] *blazon* **0.2** [wapen(schild) als kenteken] *blazon*.
bleek¹ ⟨de⟩ **0.1** [grasveld] *bleach(ing) ground/field/green* **0.2** [linnengoed] *washing* **0.3** [bleekwateroplossing] *bleach* **0.4** [het bleken van linnengoed] *bleach(ing)* ◆ **2.4** droge/natte ~ *dry/wet bleach* **3.2** de ~ binnenhalen *get in the w.* **6.3** het goed staat **in** de ~ *the laundry is being bleached*.
bleek² ⟨bn.⟩ (→sprw. 123) **0.1** [mbt. personen] *pale* ⇒*pallid, wan* **0.2** [zeer licht van kleur] *pale* ⇒*whitish, white* **0.3** [mat, flauw] *pale* ⇒*dim* ◆ **1.1** bleke wangen *pale/wan/pallid cheeks* **1.2** ~ goud *white gold*; bleke inkt *p. ink*; het bleke zand *the white sand* **1.3** het bleke maanlicht *the p. moonlight* **3.1** ~ worden (ook) *pale*; ~ worden ⟨mbt. kleuren⟩ *fade*; ~ zien *look pale* **6.1** ~ **om** de neus worden *grow green about the gills*; ~ **van** schrik *pale with fear, ashen-faced* **8.1** zo ~ als de dood/een doek *as pale as death, as white as a sheet*.
bleekgezicht ⟨het⟩ **0.1** *paleface*.
bleekgoed ⟨het⟩ **0.1** *washing*.
bleekheid ⟨de (v.)⟩ **0.1** *paleness* ⇒(ihb. ziekelijke/onnatuurlijke kleur) *pallor*.
bleekjes ⟨bn., bw.; -ly⟩ **0.1** [witjes] *palish* **0.2** [zwak] *weakish* ◆ **3.1** er ~ uitzien *look rather pale* **3.2** hij glimlachte ~ *he smiled faintly*.

bleekmiddel ⟨het⟩ **0.1** *bleach* ⇒ *bleaching agent.*
bleekneus ⟨de⟩ **0.1** *pale person* ⇒ *delicate/sickly-looking person* ◆ **4.1** wat een ~ je *what a pale child.*
bleekpoeder ⟨het, de (m.)⟩ **0.1** *bleaching powder* ⇒ *chloride of lime, chlorinated lime.*
bleekscheet ⟨de⟩ ⟨inf.; bel.⟩ **0.1** *milksop.*
bleekselderij ⟨de (m.)⟩ **0.1** *blanched celery.*
bleekveld ⟨het⟩ **0.1** *bleach(ing) field.*
bleekwater ⟨het⟩ **0.1** *Javel(le) water* ⇒ *bleaching agent.*
bleekzucht ⟨de⟩ **0.1** *chlorosis* ⇒ *greensickness.*
blei ⟨de⟩ **0.1** *white bream.*
bleken
  I ⟨onov.ww.⟩ **0.1** [lichter worden] *bleach* ⇒ *blanch, whiten* ◆ **1.1** in de zon gebleekte beenderen *bones bleached by the sun;*
  II ⟨ov.ww.⟩ **0.1** [lichter laten worden] *bleach* ⇒ *blanch, whiten* **0.2** [⟨landb.⟩] *blanch* ◆ **1.1** lakens ~ *bleach sheets* **1.2** selderij ~ *b. celery.*
blende ⟨de⟩ **0.1** [⟨geol.⟩] *blende* **0.2** [wieldop] *hub cap* ⇒ *wheel cover.*
blèren ⟨onov.ww.⟩ **0.1** [mbt. personen] *squall* ⇒ *bawl, bleat* **0.2** [mbt. schapen] *bleat.*
bles
  I ⟨de⟩ **0.1** [witte plek] *blaze* ⇒ *star;*
  II ⟨de (m.)⟩ **0.1** [paard] *blazed horse* ⇒ *horse with a blaze.*
blesseren ⟨de⟩ **0.1** *injure* ⇒ *hurt, wound* ⟨vnl. in gevecht/oorlog⟩ ◆ **3.1** geblesseerd worden ⟨ook⟩ *receive an injury/injuries.*
blessure ⟨de (v.)⟩ **0.1** *injury.*
blessuretijd ⟨de (m.)⟩ ⟨sport⟩ **0.1** *injury time* ◆ **6.1** scoren in ~ *score in i. t..*
bleu[1] ⟨het⟩ **0.1** *light blue.*
bleu[2] ⟨bn.⟩ **0.1** [verlegen] *timid* ⇒ *shy, bashful* **0.2** [blauw] *light blue* ◆ **1.1** wat is dat kind nog ~ *how t. that child is* ¶**.2** ⟨gesch.⟩ oranje-blan-je-~ *(the colours of) the Orangist flag.*
bliek ⟨de (m.)⟩ **0.1** [blei] *white bream* **0.2** [sprot] *sprat* ◆ **3.2** ⟨fig.⟩ een ~ je werpen om een snoek te vangen *throw a s. to catch a mackerel/herring/whale.*
bliep ⟨tw.⟩ **0.1** *bleep* ⇒ *pip.*
bliepen ⟨ov.ww.⟩ **0.1** *bleep* ⇒ *pip.*
blieven ⟨ov.ww.⟩ **0.1** [lusten] *like* **0.2** [wensen] *please* ◆ **1.1** ik blief geen oesters *I don't l. oysters* **4.1** blief je nog wat? *(would you l.) anything else?* **4.2** wat blieft u? *I beg your pardon?.*
blij
  I ⟨bn.⟩ **0.1** [verheugd] *glad, happy* ⇒ *pleased, content(ed)* **0.2** [tot vreugde stemmend] *happy* ⇒ *joyful, joyous, glad, festive* **0.3** [fris, lustig] *gay, merry* ⇒ *cheerful, joyous, gleeful* ◆ **1.2** de Blijde Boodschap *the Gospel;* ~ de gebeurtenis *h. event/occasion;* ik ben ~ te maken *please s.o. with sth.;* ik ben ~ u te zien *I'm g. / pleased to see you* **5.1** daar ben ik ~ om *I'm g. of/about it;* ze was maar al te ~ *she was only too pleased;* ⟨inf.⟩ ~ toe! *thank heavens!* **6.1** ik ben ~ **met** deze afloop *I'm g. it ended this way/about the way it turned out;* ~ zijn **met** iets *enjoy sth., be pleased with/g. of sth.;* ⟨schr.⟩ *rejoice at sth.;* ~ zijn **met** een dooie mus *get (all) excited about nothing (in particular);* ⟨zeldz.⟩ *find a mare's nest;* ~ zijn **voor** iem. *be h. for s.o.* **8.1** zo ~ als een kind *(as) pleased as Punch, (as) h. as a sandboy;* ik was (wat) ~ dat het afgelopen was *I wasn't half g. it was over,* ^boy, *was I g. it was over;*
  II ⟨bn., bw.; -ly⟩ **0.1** [vrolijk] *cheerful* ⇒ *merry, gay, happy, in good/high spirits* ◆ **1.1** een ~ gezicht *a c. face;* een ~ (d)e lach *merry laughter, a gay laugh* **3.1** ~ lachen/zingen *laugh/sing cheerily/merrily.*
blijdschap ⟨de (v.)⟩ **0.1** [blijheid] *joy, gladness* ⇒ *cheer(fulness), merriment, happiness, good/high spirits, glee* **0.2** [dat waarin men zich verheugt] *joy* ⇒ *happiness* ◆ **2.1** dat is geen lange ~ geweest *that happiness was short-lived* **3.2** ⟨bijb.⟩ Gij zijt onze ~ *Thou art our j.* **6.1 met** ~ iem. begroeten/helpen *greet s.o. cheerfully, be glad to help s.o.;* haar hart klopte **van** ~ *her heart pounded/jumped with j..*
blijf ⟨zn.mv.⟩ ⟨AZN⟩ ◆ **3.¶** met iem. / iets geen ~ weten *not know what to do with s.o. / sth..*
blijf-van-mijn-lijfhuis ⟨het⟩ **0.1** ≠ *home for battered wives* ⇒ *women's shelter/hostel.*
blijgeestig ⟨bn.⟩ **0.1** *cheerful* ⇒ *jovial, merry, high-spirited, good-natured.*
blijheid ⟨de (v.)⟩ **0.1** *gladness, joy* ⇒ *(good) cheer, merriment, happiness, high spirits, glee* ◆ **1.1** vrijheid, ~ *it is a free country.*
blijk ⟨het⟩ **0.1** [teken] *mark, token;* ⟨bewijs⟩ *evidence, proof* ⇒ *testimony* ◆ **3.1** hij gaf ~ een gezond oordeel te bezitten *he gave evidence of being a sound judge, he displayed sound judgment* **6.1** ten ~ waarvan deze akte is opgesteld en ondertekend *in witness/evidence whereof this certificate/document was drawn up and signed;* een ~ **van** vertrouwen *a token of faith/confidence;* hij ontving veel ~ en **van** belangstelling bij zijn jubileum *he received many tributes at his jubilee;* hij gaf ~ **van** grote vreugde *he showed/exhibited great joy;* geen enkel ~ **van** verzet *no evidence/trace of resistance;* ~ geven **van** belangstelling *show one's interest;* als ~ **van** mijn achting *as a token of my respect;* ~ en **van** instemming/afkeuring/waardering *signs/expressions of approval/disapproval/appreciation.*

blijkbaar
  I ⟨bn., bw.; -ly⟩ **0.1** [duidelijk] *evident* ⇒ *obvious, clear, manifest* ◆ **1.1** het is een blijkbare vergissing *it is an e. / obvious mistake, it is clearly a mistake* **3.1** hij heeft ~ te veel van zichzelf gevraagd *he has obviously overtaxed himself;*
  II ⟨bw.⟩ **0.1** [kennelijk] *apparently, evidently* ◆ **3.1** hij heeft daartoe ~ geen gelegenheid meer gehad *a. he has not had time/the opportunity.*
blijken ⟨onov.ww.⟩ **0.1** *appear* ⇒ *prove, turn out, emerge, be shown/proved/found* ◆ **1.1** het bleek een leugen te zijn *it proved to be a lie;* hun onschuld is gebleken *their innocence has been established;* het bleek een truukje te zijn *it turned out to be a trick* **2.1** hij blijkt betrouwbaar (te zijn) *he has been found (to be) reliable* **3.1** doen ~ van *give evidence of, show, express;* laten ~ *show, betray;* hij probeerde zijn woede niet te laten ~ *he tried to hide/conceal his anger;* hij liet er niets van ~ *he gave no hint/sign of it;* ik liet niet ~ dat ik het door had *I did not let on that I knew;* ze liet duidelijk ~ dat ...*she made it (abundantly) clear that ...;* dat moet nog ~ *that remains to be seen* **8.1** 't blijkt, dat ... *it turns out/was found that ..., evidently/apparently ...;* uit zijn weigering blijkt dat ... *his refusal implies/is a clear indication that ...;* ze was dolblij toen bleek dat hij vertrokken was *she was overjoyed to find him gone;* het bleek duidelijk, dat ... *it was obvious/apparent that ...;* uit dit alles blijkt, dat ... *all this shows/proves/goes to show that ...;* het zal spoedig ~ of hij geschikt is *we shall soon find out if he is the right man;* zoals blijkt *as it turns out.*
blijkens ⟨vz.⟩ **0.1** *according to, as appears/is evident from* ◆ **1.1** ~ oude oorkonden bestond die stad reeds in de tiende eeuw *old documents show this town to date back as far as the tenth century.*
blijmoedig ⟨bn., bw.; -ly⟩ **0.1** *cheerful* ⇒ *merry, gay, jovial, jolly* ◆ **3.1** ~ zijn werk doen *cheerfully go about one's work;* ~ zijn kruis dragen *bear one's cross with cheer,* ↓ *grin and bear it.*
blijspel ⟨het⟩ **0.1** *comedy.*
blijspelauteur, -dichter ⟨de (m.)⟩ **0.1** *comedy-writer* ⇒ ⟨AE ook⟩ *comedist.*
blijven ⟨→sprw. 62, 170, 180, 226, 529⟩
  I ⟨onov.ww.⟩ **0.1** [voortgaan te bestaan] *remain* ⇒ *continue to exist* **0.2** [niet veranderen] *remain(-ing)* ⇒ *stay (on), continue/keep(-ing),* ⟨vnl. ondanks tegenstand⟩ *hang on* **0.3** [niet verder gaan] *be* ⇒ *keep* **0.4** [sterven] *perish, be left/remain behind* ◆ **1.1** het blijft een open vraag *it remains unanswered/an open question;* vrienden ~ r. / continue friends;* de zorg voor dit kind blijft *this child will always have to be taken care of* **1.2** twee commissieleden ~, de rest neemt ontslag *two committee members are staying on, the rest are standing down* **2.1** zo iets blijft altijd gevaarlijk *this sort of thing is always/will always be dangerous;* ik blijf je nog 10 gulden schuldig *I'll owe you ten guilders* **2.2** de wedstrijd bleef onbeslist *the game ended in a draw;* het antwoord schuldig ~ *have no answer, not be able to give an answer* **2.3** plotseling dood ~ *die suddenly,* ⟨inf.⟩ *drop dead (all of a sudden/in one's tracks)* **3.2** zo kan het niet ~ duren *things cannot go on like this;* ~ leven/logeren/eten/wonen *stay alive/the night/for dinner/on (in the house);* ze is wat ~ praten *she stayed for a chat;* we moeten deze politiek ~ volgen *we must adhere/stick to this policy;* ~ wachten/hopen *go on waiting/hoping;* ik blijf werken *I'll go/keep on working;* ~ zitten/liggen *r. sitting/lying* **3.3** er blijft nog veel te doen *much remains to be done, there's a lot still to do;* ~ staan ⟨stoppen⟩ *stand still, stop;* ⟨overeind blijven⟩ *remain standing;* ~ staan *be stuck;* het wil niet ~ zitten/op zijn plaats *it won't stay put/in its place* **4.2** je weet niet waar je blijft, als je daaraan begint *once you go in for that, you don't know where it is going to end;* en ik dan?, waar blijf ik dan? *and where do I come in?, what about me then?;* waar blijf je nu met al je grootspraak? *what price your boasting now?* **4.3** er bleef hem niets anders over dan ... *he had no other choice but to ...;* waar blijf je toch? *what's keeping you?;* waar blijf je nou met je bewijzen? *so where is your evidence?;* ⟨bij weerlegging⟩ *so much for all your evidence;* waar zijn wij gebleven? *where were we?, where did we stop/leave off?, where had we got to?;* waar is mijn portemonnaie gebleven? *where is my purse?, where has my purse got to?, where did I leave my purse?;* waar blijft m'n biertje? *where's my beer?;* waar blijft het geld? *where does the money go?* **5.2** en daar blijft het bij! *and that's final/flat/it!;* en daarbij bleef het *and that was it, and that ended the matter;* erbij ~ ⟨ook⟩ *stick to one's guns;* ik blijf erbij, dat ... *I still think that ..., I maintain that ...;* waar ben je zo lang gebleven? *where have you been all this time?;* hij bleef langer dan me lief was *he overstayed/outstayed his welcome;* zij bleef langer dan de anderen *she outstayed the others;* blijf nog wat! *don't go yet, please stay,* ↓ *hang on a while;* ik blijf een paar dagen thuis *I'm taking a few days off;* ik blijf vandaag *I'll stay the day;* het was weg en het bleef weg *it was gone and could not be found* **5.3** achterwege ~ ⟨niet geschieden⟩ *not take place / happen;* ⟨overgeslagen worden⟩ *be left out/omitted;* daarbij blijft het dus *that's all I agreed then;* ik blijf daar buiten *I'll stay/keep out of that, I won't have anything to do with that;* blijf maar! *don't bother, I'll take/do it!* **6.2** ik blijf **aan** mijn werk *I'll go on working/with my work, I'll carry on with what I'm doing;* blijft u even **aan** de lijn? *hold*

on / the line, please; de winst bleef **beneden** de verwachtingen *the profits fell short of expectations;* **bij** zijn woord ~ *be as good as one's word;* **bij** iets ~ *stick to sth.;* hij bleef **bij** zijn standpunt *he refused to / wouldn't budge;* **bij** de zaak / het onderwerp ~ *keep to the point;* maar het bleef niet **bij** stoeien *but it did not end with / went beyond a romp;* alles bleef **bij** het oude *everything stayed the way it was;* het bleef **bij** plannen *it never got beyond the planning stage;* blijf **bij** de reling vandaan *keep clear of the railings;* **bij** de tijd ~ *keep up with the times;* (inf.) *stay with it;* hij blijft **bij** zijn weigering *he persists in his refusal;* laat dit **onder** ons ~ *let this go no further, keep it to yourself / under your hat, this is just between ourselves;* dat blijft dus **op** maandag? *so Monday still stands?;* je moet **op** het voetpad ~ *you have to keep to the footpath;* **tot** het einde v.d. film ~ *sit / stay out the film* 6.3 blijf **van** mijn lijf *keep your hands off me / to yourself;* **voor** het avondeten ~ *stay to supper* 6.4 ergens in ~ *die, choke;* (fig.) *die (laughing / with fright* (enz.) *);* hij is **op** zee gebleven *he died at sea;* **op** het slagveld ~ *be left / remain behind on the battlefield, not come back from the battle / the war;* dat schip is **op** zee gebleven *that ship was wrecked at sea* 7.3 3 van de 7 blijft 4 *3 from 7 leaves 4;*
II ⟨kww.⟩ **0.1** [niet ophouden te zijn] *remain* ⇒*stay, always be,* ⟨schr.⟩ *continue* ◆ **1.1** het blijft de vraag of ... *the question remains whether ..., it remains a moot point whether ...;* jij bent en blijft mijn beste vriend *you will always be my best friend* **2.1** beleefd ~ *r. polite;* de lucht blijft bewolkt *the sky remains overcast;* ernstig / rustig ~ *keep serious / quiet;* gezond ~ *keep one's health;* goed ~ *keep / r. fresh;* deze appel blijft lang goed *this apple keeps well, this is a good keeping apple;* jong ~ *stay young;* het weer blijft mooi *the fine weather is holding;* onbeantwoord / geheim ~ *r. unanswered / a secret;* ongetrouwd ~ *r. single / a bachelor* **5.1** en zo blijft het! *and that's final / flat / that!, period!.*
blijvend ⟨bn.⟩ **0.1** *lasting, abiding* ⟨vrede, vriendschap⟩; ⟨waarde / herinnering ook⟩ *enduring; permanent* ⟨maatregel⟩ ⇒⟨duurzaam⟩ *durable,* ⟨niet aflatend⟩ *persistent, fast* ⟨kleur⟩ ◆ **1.1** van ~ e aard *(of a) permanent (character), on a permanent basis;* een ~ e herinnering *a lasting / an enduring / abiding memory;* een ~ invalide *a lifelong invalid, a cripple for life;* ~ letsel *permanent damage, (a) permanent injury;* zich een ~ e plaats verwerven *come to stay, be a permanent feature;* van ~ e waarde *immortal, classic, of lasting value;* zonder ~ e waarde *ephemeral, of no / little lasting value.*
blijver ⟨de (m.)⟩ **0.1** [iem. die op dezelfde plaats blijft] *stayer* ⇒ ⟨scherts.⟩ *fixture* **0.2** [wat in leven blijft] *s.o. who will live long* ◆ **3.1** die predikant is een ~ *this vicar is a s. / is here to stay* **3.2** dat kind is geen ~ tje *the child is not long for this world.*
blik
I ⟨de (m.)⟩ **0.1** [oogopslag] *look* ⇒⟨vluchtig⟩ *glance, glimpse,* ⟨lang⟩ *gaze* **0.2** [uitdrukking] *look (in one's eyes)* ⇒*expression* **0.3** [vermogen om te zien] *eye(sight)* ⇒*eyes* **0.4** [visie] *view* ⇒*outlook* ◆ **1.2** een ~ van verstandhouding *a knowing l. / glance* **2.1** begerige ~ ken op iets werpen *cast covetous eyes upon;* een haastige ~ op iets werpen *cast a quick l. / glance at sth.;* een heimelijke ~ werpen op iets *steal a glance at sth., watch sth. out of the corner of one's eye;* een vluchtige ~ werpen in / op iets *pass one's eye over sth., take a quick glance at sth.* **2.3** een geoefende / scherpe ~ *a trained / sharp / keen eye;* iem. met een vooruitziende ~ *a man / woman of foresight* **2.4** iem. met een brede / ruime ~ *s.o. with a broad / wide outlook;* hij heeft een goede ~ op de zaak *he has a sound view of the matter, he knows what's what / what he's about in this business* **3.1** de ~ afwenden *avert one's eyes, look away;* een ~ op iem. werpen *take a l. at s.o., look s.o. over;* een ~ in de toekomst werpen *look into the future* **6.1** iem. **met** geen ~ verwaardigen *not deign to look at s.o., look through s.o.;* **met** één ~ *at a glance, with one l.;*
II ⟨het⟩ **0.1** [plaatstaal] *tin(plate)* **0.2** [doos, bus] *can;* ⟨BE vnl.⟩ *tin* ⟨voor conserven⟩ ⇒⟨trommel⟩ *tin, can* ⟨voor bier⟩, *canister* ⟨met deksel⟩ **0.3** [voorwerp om vuil op te vegen] *dustpan* ◆ **1.2** een ~ groenten *a t. / can of vegetables;* een ~ koekjes *a t. of biscuits* **1.3** stoffer en ~ *d. and brush* **6.1** in ~ *canned;* ⟨BE vnl.⟩ *tinned;* bier **uit** ~ *canned beer.*
blikachtig ⟨bn., bw.; -ly⟩ **0.1** *tinny.*
blikconserven ⟨zn.mv.⟩ **0.1** *canned* / ⟨BE vnl.⟩ *tinned food.*
blikgroente ⟨de (v.)⟩ **0.1** *canned* / ⟨BE vnl.⟩ *tinned vegetables.*
blikje ⟨het⟩ **0.1** [blikken doosje] *tin* **0.2** [conservenblikje] *can;* ⟨BE vnl.⟩ *tin* ◆ **1.2** een ~ bier *a c. of beer;* een ~ melk *a c. / t. of (evaporated) milk;* ⟨AE; sl.⟩ *a city cow* **2.2** een leeg ~ *a tin c..*
blikken¹ ⟨bn.⟩ **0.1** *tin* ◆ **1.1** ~ doosjes *t. boxes / canisters* **1.¶** de ~ bruiloft ≠*the wooden* ⟨7 jaar⟩ / *tin* ⟨10 jaar⟩ *wedding (anniversary);* een ~ dominee ⟨AE; sl.⟩ *a gospel grinder / pusher;* een ~ fluitje *a t. / penny whistle.*
blikken²
I ⟨ww.⟩ ◆ **3.¶** zonder ~ of blozen ⟨fig.⟩ *without a blush, unblushingly, without batting an eyelid.*
II ⟨onov.ww.⟩ ⟨schr.⟩ **0.1** [kijken] *look* ⇒*glance, cast an eye,* ⟨lang⟩ *gaze* ◆ **6.1** ~ **op / naar / uit** l. *(down) on / at / out of.*
blikkeren ⟨onov.ww.⟩ **0.1** *flash* ⇒*gleam* ◆ **6.1** het water blikkert **in** de zon *the water gleams / flashes in the sunlight.*

blikkerig ⟨bn.⟩ **0.1** *tinny* ⇒⟨mbt. geluid ook⟩ *thin.*
blikkering ⟨de (v.)⟩ **0.1** *flashing* ⇒*gleam(ing).*
blikogen ⟨onov.ww.⟩ **0.1** ⟨zie 6.1⟩ ◆ **6.1** hij blikoogt **van** woede *his eyes are popping out of his head with rage, he's apoplectic (with rage).*
blikopener ⟨de (m.)⟩ **0.1** *can* / ⟨BE vnl.⟩ *tin opener.*
blikschaar ⟨de⟩ **0.1** *tin-snips, tinman's shears* ⟨van blikslager⟩; *flying shears* ⟨in staalfabriek⟩.
blikschade ⟨de⟩ **0.1** *damage to the bodywork* ◆ **3.1** er was alleen wat ~ *the car was only slightly dented.*
bliksem ⟨de (m.)⟩ **0.1** [⟨meteo.⟩] *lightning* **0.2** [⟨krachtterm⟩] *deuce, devil, hell* **0.3** [kerel, vent] *devil* **0.4** [⟨+geen⟩] *damn(-all)* **0.5** [ondergang] *(rack and) ruin* ◆ **2.3** een arme ~ *a poor d.* **2.¶** (inf.) er als de gesmeerde ~ vandoor gaan *be off / run like greased lightning, show a clean pair of heels* ~ ⟨stewed apples and potatoes served hot⟩ **3.1** als door de ~ getroffen *thunderstruck, dumbfounded;* de ~ treft / slaat in *l. strikes* **4.2** wat ~! *what the deuce / devil!* **6.2** om de ~ niet! *forget it!, no way!;* ⟨BE ook⟩ not on your nelly!; vooruit voor de ~! *go on, damn you!* **6.5** loop **naar** de ~ *go to hell / blazes;* iem. **naar** de ~ jagen *ruin s.o.;* alles is **naar** de ~ *everything is ruined / has gone to the dogs;* **naar** de ~ gaan *go to pot;* ⟨sl.⟩ *go west;* wéér 1000 gulden **naar** de ~ *another 1000 guilders down the drain* **6.¶** (inf.) iem. **op** zijn ~ geven ⟨pak slaag⟩ *give s.o. a good hiding;* (uitbrander) *dress s.o. down, tear a strip off s.o.* **7.4** het interesseert hem geen ~ *he doesn't give / care a damn* **8.1** zo snel als de ~ *at l. speed* **8.¶** als de ~ *immediately, right now, this minute, on the double* **¶.1** de ~ was niet v.d. lucht *there was l. everywhere.*
bliksemactie ⟨de (v.)⟩ **0.1** *hit- / tip-and-run operation, lightning operation / action / raid.*
bliksemafleider ⟨de (m.)⟩ **0.1** [staaf] *lightning conductor* / ^A*rod* **0.2** [persoon] *lightning rod* ⇒*whipping-boy* ◆ **8.2** ze gebruikt hem altijd als ~ *she always takes it out / vents her anger on him.*
bliksembezoek ⟨het⟩ **0.1** *flying / lightning visit* ⇒⟨AE; vnl. pol.; inf.⟩ *whistlestop.*
bliksemcarrière ⟨de⟩ **0.1** *lightning career* ⇒*rapid / meteoric rise* ◆ **3.1** een ~ maken *rise rapidly.*
bliksemen
I ⟨onov.ww.⟩ **0.1** [vuur schieten] *flash* ⇒*blaze* **0.2** [vallen] *drop* ⇒*fall, tumble* **0.3** [voorbij flitsen] *flash / streak / whizz past* ◆ **1.1** ~ de ogen *flashing / blazing eyes* **6.2** ik ben **van** de trap gebliksemd *I fell /* ^B*took a purler down the stairs;*
II ⟨ov.ww.⟩ **0.1** [door bliksems neerwerpen] *cast out / down by lightning / thunderbolts* **0.2** [gooien] *throw* ⇒*chuck, fling,* ⟨BE ook⟩ *bung* ◆ **5.2** iem. eruit ~ *chuck s.o. out, bounce s.o.* **6.1** de reuzen werden door Zeus **van** de Olympus gebliksemd *the giants were thrown off Mount Olympus by Zeus and his thunderbolts* **6.2** iem. **op** straat ~ *chuck s.o. out into the street;* iets **van** de tafel ~ *shove / fling sth. off the table;*
III ⟨onp.ww.⟩ **0.1** [lichten] ⟨zie 4.1⟩ ◆ **4.1** het heeft de hele nacht gebliksemd *there were flashes of lightning all night, the lightning / thunderstorm didn't stop flashing all night.*
bliksemflits ⟨de (m.)⟩ **0.1** *(flash of) lightning, thunderbolt.*
bliksemslag ⟨de (m.)⟩ **0.1** *stroke / bolt of lightning* ⇒*lightning stroke, thunderbolt.*
bliksemlicht ⟨het⟩ **0.1** *flash of lightning.*
bliksemoorlog ⟨de (m.)⟩ **0.1** *blitz(krieg).*
bliksemoperatie ⟨de (v.)⟩ →**bliksemactie.**
bliksems¹
I ⟨bn.⟩ **0.1** [zeer ondeugend] *devilish, infernal* ⇒*damned, darned* ◆ **1.1** een stel ~ e jongens *a bunch of little devils / rascals;*
II ⟨bw.⟩ **0.1** [zeer] *damn(ed), dashed, infernally,* ^B*jolly* ◆ **2.1** je weet ~ goed ... *you know damn(ed) well;* het gaat ~ goed *it is going j. well;* het is ~ moeilijk *it's i. difficult.*
bliksems² ⟨tw.⟩ **0.1** *dash (it)!, damn (it)!, hell('s bells)!.*
bliksemschade ⟨de⟩ **0.1** *damage caused by lightning.*
bliksemschicht ⟨de (m.)⟩ **0.1** *thunderbolt* ⇒*flash / stroke / bolt of lightning.*
bliksemsnel ⟨bn., bw.⟩ **0.1** ⟨bn.⟩ *lightning* ⇒*instantaneous, meteoric,* ⟨bw.⟩ *at / with lightning speed, quick as lightning, like greased lightning.*
bliksemstraal ⟨de (m.)⟩ **0.1** [bliksemschicht] ⟨ook fig.⟩ *thunderbolt* ⇒*flash / stroke / bolt of lightning* **0.2** [deugniet] *(little) devil / rascal* ⇒⟨BE ook⟩ *blighter* ◆ **3.1** haar ogen schoten bliksemstralen *her eyes flashed fire / thunderbolts.*
bliksemvuur ⟨het⟩ **0.1** *flash.*
blikskaters¹ ⟨bn.⟩ **0.1** *devilish / infernal* ⇒*damned, darned.*
blikskaters² ⟨tw.⟩ **0.1** *damn!, hell('s bells)!, the devil!, what the deuce!.*
blikslager ⟨de (m.)⟩ **0.1** *tinsmith* ⇒*tinman, whitesmith, tinner* ◆ **1.1** blik- en koperslager *tin- and coppersmith.*
blikvanger ⟨de (m.)⟩ **0.1** *eye-catcher* ⇒*(eye)stopper, attention-getter,* ⟨schr.⟩ *cynosure.*
blikveld ⟨het⟩ **0.1** *field of vision* ⇒*visual field,* ⟨fig.⟩ *horizon, perspective.*
blikvernauwing ⟨de (v.)⟩ **0.1** *narrowing of vision, narrow-mindedness.*

blikverruiming ⟨de (v.)⟩ **0.1** *broadening/widening of one's outlook/horizon(s)*.

blikwerk ⟨het⟩ **0.1** *tinware*.

blind¹ ⟨het⟩ **0.1** [vensterluik] *(window) shutter* ⇒*blind* **0.2** [⟨scheep.⟩] *blind*.

blind² ⟨bn.⟩ ⟨→sprw. 399,488⟩ **0.1** [niet kunnende zien] *blind* ⇒*sightless, eyeless* **0.2** [zonder eigen oordeel] *blind* ⇒*mindless, implicit, unquestioning* ⟨vertrouwen,gehoorzaamheid⟩ **0.3** [onzichtbaar] *blind* ⇒*concealed* **0.4** [zonder opening] *blind* ⇒*blank* **0.5** [met een opening aan één zijde] *blind* **0.6** [waarbij men niet zien kan] *blind* **0.7** [wat niet de verwachte bestemming heeft] *blind, false* ⇒*ornamental* **0.8** [waaraan ontbreekt wat men erin/erbij verwacht] *blank* ◆ **1.1** een~e man *a b. man;* ⟨fig.⟩ een~paard kan er geen schade doen *what a dump! not even an earthquake could do much damage here;* ~e vlek *b. spot, optic disc;* ⟨fig.⟩ een~e vlek voor iets hebben *have a b. spot for sth./in a particular area* **1.2** ~e gehoorzaamheid *b./unquestioning obedience;* ~geloof *b. faith;* het~e geluk *mere luck/chance;* een~toeval *sheer coincidence;* een~vertrouwen in iem. hebben *trust s.o. implicitly, have implicit faith in s.o.;* ~e woede/razernij *b. rage* **1.3** ~anker *unmarked anchor;* een~e klip *a sunken/submerged/b. rock, needles;* een~e passagier *a stowaway;* een~e sluiting *an invisible fastener/fastening;* ~e vernageling *b.nailing* **1.4** ~e muren *blind/blank walls* **1.5** de~e darm *the b. gut, the cecum;* ⟨niet med.⟩ *appendix;* een~e steeg *a b. alley* **1.7** een~e deur *a blank/false door;* ~e hutspot *vegetarian stew/casserole;* ~e pijpen *dummy/mute pipes;* een~venster *a blank/walled-up window;* een~e vloer *a counterfloor* **1.8** ~e bijen *drone flies;* een~e landkaart *outline/teaching map;* een~schot *a b. (shot)* ⟨niet op doel gericht⟩; ⟨losse flodder⟩ *shot with a blank;* ~e vragen *questions without set answers* **1.¶** ~e vinken *≠olives of beef/veal* **3.1** ⟨fig.⟩ zich~kijken/staren (op) *overestimate the importance/influence (of), concentrate too much on sth. (to the detriment of other aspects);* iem. ~maken ⟨lett.⟩ *make s.o. b., blind s.o.;* ⟨fig.⟩ *blind s.o. (to);* je moet je niet~staren op details/de problemen *don't let yourself be put off/obsessed by details/the problems;* ~worden *go b.;* ⟨fig.⟩ ziende~zijn ⟨niet willen zien⟩ *there's none so blind as those who won't see;* ⟨niet kunnen zien⟩ *not be able to see for looking;* ⟨fig.⟩ hij is ziende~⟨fig.⟩ *he was born without eyes in his head* **3.6** ~schaken *play (a game of) chess blindfold, play blindfold chess;* ~spelen *play b.;* ~typen *touch-type;* ~vliegen *fly b./on instruments* **3.8** ~slaan *≠get paid without having to work* **6.1** zij is aan *she is b. in one eye* **6.2** ik was~voor zijn gebreken *I was b. to his shortcomings* **6.6** in den~e rondtasten *be grope around in the dark* **8.1** zo~als een mol *as b. as a bat.*

blinddoek ⟨de (m.)⟩ **0.1** *blindfold* ⇒*bandage, blind* ◆ **3.1** iem. een~voor de ogen binden ⟨fig.⟩ *hoodwink s.o., lead s.o. up the garden path.*

blinddoeken ⟨ov.ww.⟩ **0.1** [een doek voor de ogen binden] *blindfold* **0.2** [misleiden] *hoodwink*.

blinddruk ⟨de⟩ ⟨druk.⟩ **0.1** *blind stamp(ing)/tooling*.

blinde ⟨de (m.)⟩ ⟨→sprw.63,64⟩ **0.1** *blind person* ⇒*blind man* ⟨m.⟩, *blind woman* ⟨v.⟩ ◆ **6.1** ⟨bridge⟩ met een~spelen *play with a dummy* **8.1** hij oordeelt als een~over kleuren *he has no judg(e)ment (in these matters), one cannot trust his judg(e)ment* **8.¶** hij slaat ernaar als een~naar het ei *he's just making wild guesses* **¶.1** de~n *the blind.*

blindedarm ⟨de (m.)⟩ **0.1** *blind gut* ⇒*caecum*, ⟨wormvormig aanhangsel⟩ *(vermiform) appendix.*

blindedarmontsteking ⟨de (v.)⟩ **0.1** ⟨van wormvormig aanhangsel⟩ *appendicitis* ⇒⟨van blindedarm zelf⟩ *typhlitis.*

blindelings ⟨bw.⟩ **0.1** [zonder te zien] *blindly* ⇒*blindfold, unseeingly* **0.2** [in het wilde weg] *blindly* ⇒*at random, unthinkingly* **0.3** [in vol vertrouwen] *blindly* ⇒*implicitly, through thick and thin* ◆ **3.1** ~de weg kunnen vinden *know the way blindfold* **3.3** ~gehoorzamen *obey implicitly;* iem. ~vertrouwen *trust s.o. implicitly;* ~volgen *follow b./through thick and thin* **¶.2** ~te werk gaan *go about one's work in a random/disorganized fashion.*

blindeman ⟨de (m.)⟩ **0.1** [geblinddoekte speler] *blindfolded player* **0.2** [blinde] *blind man.*

blindemannetje ⟨het⟩ **0.1** *blindman's buff* ◆ **3.1** ~spelen *play at blindman's buff.*

blindenbibliotheek ⟨de (v.)⟩ **0.1** *library for the blind.*

blindengeleidehond ⟨de (m.)⟩ **0.1** *guide dog (for the blind)* ⇒⟨AE ook⟩ *seeing eye (dog).*

blindeninstituut ⟨het⟩ **0.1** *home/institute/institution for the blind.*

blindenschool ⟨de⟩ **0.1** *school for the blind.*

blindenstip ⟨de (m.)⟩ **0.1** *raised dot (on a banknote).*

blindenstok ⟨de⟩ **0.1** *white stick.*

blinderen ⟨ov.ww.⟩ **0.1** [bom-/kogelvrij maken] *armour* **0.2** [bekleden, aan het gezicht onttrekken] *clad* ⇒*face*, ⟨vnl. mil.⟩ *blind* ◆ **1.1** een geblindeerde trein/auto *an armoured train/car* **1.2** metselwerk~met tegels *face brickwork with tiles.*

blindering ⟨de (v.)⟩ **0.1** [het bom-/kogelvrij maken] *armouring* **0.2** [middel] *armour (plate)* **0.3** [het bekleden/aan het gezicht onttrekken] *cladding* ⇒*facing*, ⟨vnl. mil.⟩ *blinding* **0.4** [middel] *cladding* ⇒⟨vnl. mil.⟩ *blind(age).*

blindganger ⟨de (m.)⟩ **0.1** *dud* ⇒*unexploded bomb/shell.*

blindgeboren ⟨bn.⟩ **0.1** *born blind* ⇒*blind from birth* ◆ **7.1** een~e *a person born blind.*

blindheid ⟨de (v.)⟩ **0.1** *blindness* ◆ **6.1** ⟨fig.⟩ met~geslagen zijn *be (struck) blind;* ⟨fig.⟩ ~voor de toekomst *short-sightedness.*

blindkap ⟨de⟩ **0.1** *hood* ⇒*≠blinders.*

blindslang ⟨de⟩ **0.1** [familie van slangen] *blind snake* ⇒*worm snake* **0.2** [hazelworm] *blindworm* ⇒*slow-worm.*

blindvliegen ⟨ww.⟩ **0.1** *fly blind.*

blink ⟨de (m.)⟩ ⟨AZN⟩ **0.1** [schoensmeer] *(shoe) polish* **0.2** [glans] *shine* ⇒*brightness, gloss.*

blinken ⟨onov.ww.⟩ ⟨→sprw. 242⟩ **0.1** [fonkelen] *shine* ⇒*glisten, glitter, glare* **0.2** [⟨AZN⟩ schoenen poetsen] *shine* ⇒*polish* ◆ **1.1** er blonken lichtjes in de verte *lights were shining in the distance;* in haar ogen blonken tranen *tears were shining/glistening in her eyes* **4.1** alles blinkt er *everything is spotless/spic-and-span* **6.1** ⟨fig.⟩ zijn gezicht blonk van vreugde *his face was radiant/beaming with joy* **8.1** koper-werk poetsen dat het blinkt *polish the brass until it shines/gleams* **¶.1** ~d *shining, shiny, glittering; aglitter, agleam* ⟨alleen pred.⟩.

blinker ⟨de⟩ ⟨comp.⟩ **0.1** *cursor.*

blinkerd ⟨de (m.)⟩ **0.1** [duintop] *≠white dune* **0.2** [plek aan de hemel] *≠clear spot/patch* **0.3** [kunstaas aan sleeplijn] *spoon (bait).*

blisterverpakking ⟨de (v.)⟩ **0.1** *blister pack* ◆ **6.1** een speelgoedauto in ~*a toy car in a b.p..*

blits¹ ⟨de (m.)⟩ ◆ **3.¶** de~maken *steal the show, make a good show.*

blits² ⟨bn.,bw.;-ly⟩ ⟨inf.⟩ **0.1** *trendy* ⇒*hip, groovy, far-out, wild* ◆ **1.1** ~e kleren *t./groovy clothes* **3.1** er~uitzien *look t./hip.*

blitskikker ⟨de (m.)⟩ ⟨inf.⟩ **0.1** *trendy* ⇒*hipster, groover.*

blitzaanval ⟨de⟩ ⟨mil.⟩ **0.1** *lightning raid/attack* ⇒*blitz.*

blo →**blode.**

blocnote ⟨de (m.)⟩ **0.1** *(writing) pad* ⇒*tablet, jotter, block.*

blode ⟨bn.⟩ ⟨schr.⟩ ⟨→sprw. 65⟩ **0.1** [laf] *cowardly* ⇒*fainthearted* **0.2** [verlegen] *bashful* ⇒*timorous, timid.*

bloed ⟨het⟩ ⟨→sprw.66⟩ **0.1** *blood* ◆ **1.1** ~en bodem *b. and soil;* ⟨r.k.⟩ het~van Christus *the b. of Christ/the Lamb;* goed en~*life and property;* de stem v.h. ~*the call of the b.;* mensen van vlees en~*flesh-and-b. people;* mijn eigen vlees en~*my own flesh and b.;* ⟨fig.⟩ water/etter en~zweten *be in a cold sweat, feel one's b. run cold* **2.1** ⟨fig.⟩ blauw~hebben *have blue b., be a blue b./of the blue b.;* iem. met blauw~trouwen *marry s.o. blue-blooded;* eigen~bevoordelen *advance one's family's interests;* ⟨r.k.⟩ het heilig~*the holy b., the b. of the Lamb;* ⟨fig.⟩ in koelen~e *in cold b.;* ⟨fig.⟩ moord in koelen~e *cold-blooded murder;* iem. van koninklijken~e *s.o. of the (royal) b.;* ⟨fig.⟩ dat zet kwaad~*that will heed/create bad b., make/stir up bad b./feeling(s);* ⟨fig.⟩ wij moeten nieuw~in het bestuur hebben *we need new/fresh/young b. in the committee;* ⟨biol.⟩ vreemd~invoeren *cross-breed* **3.1** ~doen vloeien *draw b.;* ⟨fig.⟩ iem. het~in de aderen doen stollen *make s.o.'s blood run cold/curdle;* ⟨fig.⟩ iemands~(wel) kunnen drinken *hate s.o., be out for s.o.'s blood;* ⟨fig.⟩ hij heeft~geroken *he has tasted b.;* ⟨fig.⟩ mijn~kookte *my b. boiled/was up;* ~opgeven/spuwen *cough up/spit b.;* er zal~stromen/vloeien b. *will flow/be shed/be spilled, there will be bloodshed;* ~vergieten *shed/spill b.;* geen~kunnen zien *not be able to stand the sight of b.;* geen~willen zien *try to avoid bloodshed* **6.1** ⟨fig.⟩ ~aan de paal willen *be out for b.;* in zijn~baden *swim/bathe in one's (own) b.;* dat zit hem in het~*it's in his b.;* prins van den~e *prince of the b.* **¶.1** ⟨fig.⟩ iem. het~onder de nagels vandaan halen *plague/exasperate s.o., get under s.o.'s skin.*

bloedappel ⟨de (m.)⟩ **0.1** *blood orange.*

bloedarm ⟨bn.⟩ **0.1** *anaemic* ⇒*exsanguine, exsanguinous.*

bloedarmoede ⟨de⟩ **0.1** *anaemia* ⇒*exsanguinity* ◆ **3.1** hij lijdt aan~*he's anaemic.*

bloedbaan ⟨de⟩ **0.1** *bloodstream.*

bloedbad ⟨het⟩ **0.1** *bloodbath* ⇒*carnage, slaughter, massacre, butchery* ◆ **3.1** een~aanrichten *cause a b.;* een~aanrichten onder de inwoners *massacre the inhabitants.*

bloedband ⟨de (m.)⟩ **0.1** *blood relationship* ⇒*blood-tie.*

bloedbank ⟨de⟩ **0.1** *blood bank.*

bloedbeeld ⟨het⟩ **0.1** *blood picture* ⇒*haemogramme* ᴬ*hemogram, ≠blood count.*

bloedbezinking ⟨de (v.)⟩ **0.1** *erythrocyte sedimentation rate, ESR.*

bloedblaar ⟨de⟩ **0.1** *blood blister.*

bloedbraking ⟨de (v.)⟩ ⟨med.⟩ **0.1** *haematemesis* ⇒*vomiting of blood.*

bloedbroeder ⟨de (m.)⟩ **0.1** *blood brother.*

bloedbroederschap ⟨de (v.)⟩ **0.1** *blood brotherhood.*

bloedcel ⟨de⟩ **0.1** *blood cell/corpuscle.*

bloeddonor ⟨de (m.)⟩ **0.1** *blood donor.*

bloeddoop ⟨de (m.)⟩ ⟨rel.⟩ **0.1** *blood baptism* ⇒*baptism of blood.*

bloeddoorlopen ⟨bn.⟩ **0.1** *bloodshot* ◆ **1.1** met~ogen *with b. eyes.*

bloeddoping ⟨de (v.)⟩ ⟨med.;sport⟩ **0.1** *blood doping/boosting.*

bloeddorst ⟨de (m.)⟩ **0.1** *bloodthirstiness* ⇒*bloodlust, craving/lust/thirst for blood.*

bloeddorstig ⟨bn.,bw.;-ly⟩ **0.1** *bloodthirsty.*

bloeddruk ⟨de (m.)⟩ **0.1** *blood pressure* ◆ **2.1** diastolische ~ *diastolic b. p.;* hoge ~ *high b. p., hypertension;* lage ~ *low b. p., hypotension;* systolische ~ *systolic b. p.* **3.1** de ~ meten *take s.o.'s b. p..*

bloeddrukmeter ⟨de (m.)⟩ ⟨med.⟩ **0.1** *sphygmo(mano)meter* ⇒*tonometer.*

bloeddrukverhogend ⟨bn.⟩ **0.1** *hypertensive.*

bloeddrukverlagend ⟨bn.⟩ **0.1** *hypotensive* ◆ **1.1** ~ middel *anti-hypertensive.*

bloedeigen ⟨bn.⟩ **0.1** *(very) own* ◆ **1.1** mijn ~ kind *my own child / flesh and blood.*

bloedeloos ⟨bn.⟩ **0.1** [arm aan / zonder bloed] ⟨zonder bloed⟩ *bloodless;* ⟨arm aan bloed⟩ *anaemic* **0.2** [lusteloos] *lifeless* ⇒*listless, burned / worn out, weak-kneed.*

bloeden ⟨onov.ww.⟩ **0.1** [bloed laten uitvloeien] *bleed* **0.2** [boeten] *pay* ◆ **1.1** mijn hand bloedt *my hand is bleeding;* ⟨fig.⟩ mijn hart bloedt *my heart bleeds* ⟨vaak iron.⟩; ⟨fig.⟩ met ~d hart *with bleeding / heavy heart;* hij doet alsof zijn neus bloedt *he's acting as though it's not concern of his / he's got nothing to do with it* **5.1** erg ~ *b. profusely* **5.2** hij zal ervoor ~ *he'll p. for this* **6.1** tot ~s toe *until it bleeds / bleeding occurs* **8.1** ~ als een rund *b. like a stuck pig.*

bloeder ⟨de (m.)⟩ **0.1** *bleeder* ⇒*haemophiliac.*

bloederig ⟨bn.⟩ **0.1** *bloody* ⇒*gory, bloodstained, sanguinary* ◆ **1.1** een ~ boek, een ~e film *a gory book / film;* ~e ontlasting *bloodstained stools;* een ~ verhaal *a gory tale, a blood-and-thunder story;* ~ vlees *bloody meat;* een ~e wond *a bloody / gory wound.*

bloederziekte ⟨de (v.)⟩ **0.1** *haemophilia.*

bloedfactor ⟨de (m.)⟩ **0.1** *blood factor.*

bloedgang ⟨de (m.)⟩ ⟨inf.⟩ **0.1** *breakneck speed* ◆ **6.1** met een ~ *at (a) breakneck speed / a tearing pace.*

bloedgeld ⟨het⟩ **0.1** [loon voor een misdaad] *blood money* **0.2** [karig loon voor zwaar werk] *starvation wages* ⇒*pittance,* ↓*peanuts.*

bloedgetuige ⟨de (m.)⟩ **0.1** *martyr.*

bloedgever ⟨de (m.)⟩, **-geefster** ⟨de (v.)⟩ **0.1** *blood donor.*

bloedgroep ⟨de⟩ **0.1** *blood group / type* ◆ **3.1** iemands ~ bepalen *type / group s.o.'s blood;* ~ B hebben *be b. g. / t. B.*

bloedheet ⟨bn.⟩ ⟨inf.⟩ **0.1** *sweltering (hot)* ⇒*broiling / boiling (hot).*

bloedhond ⟨de (m.)⟩ **0.1** [dier] *bloodhound* ⇒*sleuth(hound)* **0.2** [persoon] *brute* ⇒*monster, butcher.*

bloedig
I ⟨bn.⟩ **0.1** [met bloed] *bloody* ⇒*gory, bloodstained, sanguinary* **0.2** [door bloedvergieting gekenmerkt] *bloody* ⇒*gory, sanguinary* **0.3** [⟨fig.⟩] *bitter* ⇒*painful* ◆ **1.1** ~e doeken *bloody / blood-soaked towels;* ~ slijm *bloodstained mucus;* ~e wond *a bloody / bleeding / gory wounds* **1.2** een ~e ontknoping *a b. / gory ending;* een ~e slag *a b. / red / savage battle;* een ~e sport *a blood sport* **1.3** ~e ernst *deadly seriousness;* ~e tranen storten *shed hot / b. tears / tears of blood;*
II ⟨bw.⟩ **0.1** [zeer hard] *very hard* ⇒*with all one's force / energy* ◆ **3.1** hij heeft er zo ~ zijn best op gedaan *he did his utmost / level best;* zij moest er ~ voor werken *she had to sweat and toil / work her guts out / toil and moil for it.*

bloeding ⟨de (v.)⟩ **0.1** *bleeding* ⇒⟨meestal hevig⟩ *haemorrhage* ◆ **1.1** ~ v.h. tandvlees *b. (of the) gums* **2.1** herhaalde ~en *repeated haemorrhages;* een inwendige ~ *an internal b. / haemorrhage.*

bloedje ⟨het⟩ **0.1** *(poor) little thing / mite* ◆ **6.1** die ~s van kinderen *those poor little things / children / kids.*

bloedkanker ⟨de (m.)⟩ **0.1** *leukaemia* ⇒*blood cancer.*

bloedkleurstof ⟨de⟩ **0.1** *haemoglobin.*

bloedkoek ⟨de (m.)⟩ **0.1** *(blood) clot* ⇒*coagulum.*

bloedkoraal
I ⟨het⟩ **0.1** [skelet v.e. soort poliep] *red coral;*
II ⟨het⟩ **0.1** [kraal, bolletje] *red coral.*

bloedkoralen ⟨bn.⟩ **0.1** *(red) coral* ◆ **1.1** een ~ ketting *a c. necklace.*

bloedlichaampje ⟨het⟩ **0.1** *blood corpuscule / cell.*

bloedlink ⟨bn., bw.; -ly⟩ ⟨inf.⟩ **0.1** [zeer riskant] *(extremely) dicey* ⇒*risky, dangerous, unsafe* **0.2** [woedend] *hopping mad* ⇒*furious* ◆ **3.2** hij werd ~ toen hij ervan hoorde *he went into a rage when he heard about it.*

bloedloogzout ⟨het⟩ **0.1** *prussiate of potash* ◆ **2.1** geel ~ *yellow prussiate of potash, potassium ferrocyanide;* rood ~ *red prussiate of potash, potassium ferricyanide.*

bloedmonster ⟨het⟩ ⟨med.⟩ **0.1** *blood sample.*

bloedmooi ⟨bn.⟩ ⟨inf.⟩ **0.1** *stunning* ⇒*dazzling, gorgeous.*

bloedneus ⟨de (m.)⟩ **0.1** *bloody nose* ◆ **3.1** hij had een ~ *his nose was bleeding;* zij sloegen elkaar een ~ *they gave each other a bloody nose.*

bloedonderzoek ⟨het⟩ **0.1** *blood test(s) / examination.*

bloedpens ⟨de⟩ ⟨AZN⟩ **0.1** *black / blood pudding* ⇒*blood sausage.*

bloedplaatje ⟨het⟩ **0.1** *(blood) platelet* ⇒*thrombocyte.*

bloedplasma ⟨het⟩ **0.1** *(blood) plasma.*

bloedproef ⟨de⟩ **0.1** *blood test* ◆ **3.1** een ~ afnemen *take a blood sample.*

bloedprop ⟨de (m.)⟩ **0.1** *blood clot* ⇒*thrombus.*

bloedraad ⟨de (m.)⟩ ⟨gesch.⟩ **0.1** *Council of Blood* ⇒*Council of Troubles.*

bloedrood ⟨bn., bw.⟩ **0.1** *blood-red* ⇒*scarlet,* ⟨vnl. herald.⟩ *sanguine* ◆ **3.1** de zon ging ~ onder *the sinking sun was b.-r. / deep red.*

bloedschande ⟨de⟩ **0.1** *incest.*

bloedschender ⟨de (m.)⟩ **0.1** *incestuous person, person who commits incest.*

bloedschendig, -schennend ⟨bn.⟩ **0.1** *incestuous.*

bloedschuld ⟨de⟩ **0.1** *blood-guilt(iness).*

bloedserum ⟨het⟩ **0.1** *blood serum.*

bloedsinaasappel ⟨de (m.)⟩ **0.1** *blood orange.*

bloedsomloop ⟨de (m.)⟩ **0.1** *(blood) circulation* ◆ **2.1** de grote ~ *the greater circulation;* de kleine ~ *the lesser circulation.*

bloedspat ⟨de⟩ **0.1** [zwelling / ontsteking van een ader] *blood spavin* **0.2** [spetter bloed] *spot / drop / splash of blood* ⇒*bloodstain.*

bloedspiegel ⟨de (m.)⟩ **0.1** *level / concentration (of sth.) in the blood.*

bloedspoor ⟨het⟩ **0.1** *trail of blood.*

bloedspuwing ⟨de⟩ **0.1** *coughing up of blood* ⇒*haemoptysis.*

bloedstelpend ⟨bn.⟩ **0.1** *haemostatic, styptic* ◆ **1.1** een ~ middel *a h. / s. (agent);* ~e watten [B]*s. cotton wool,* [A]*s. cotton.*

bloedstollend ⟨bn.⟩ ⟨inf.⟩ **0.1** *blood-curdling* ◆ **1.1** een ~e film *a b.-c. film,* [A]*movie.*

bloedstolling ⟨de (v.)⟩ **0.1** *coagulation (of the blood).*

bloedstolsel ⟨het⟩ **0.1** *blood clot.*

bloedsuiker ⟨de (m.)⟩ **0.1** *blood sugar.*

bloedsuikerspiegel ⟨de (m.)⟩ ⟨med.⟩ **0.1** *blood sugar level.*

bloedtransfusie ⟨de (v.)⟩ ⟨med.⟩ **0.1** *(blood) transfusion* ◆ **3.1** een patiënt een ~ geven *give a patient a b. t., transfuse a patient.*

bloeduitstorting ⟨de (v.)⟩ **0.1** *extravasation (of blood)* ⇒*contusion, bruise* ◆ **6.1** een ~ in de hersenen *cerebral / brain haemorrhage.*

bloedvat ⟨het⟩ **0.1** *blood vessel.*

bloedvatenstelsel ⟨het⟩ **0.1** *vascular / circulatory system.*

bloedverdunnend ⟨bn.⟩ ⟨med.⟩ **0.1** *blood-diluting* ◆ **1.1** ~ middel *diluent.*

bloedvergieten ⟨ww.⟩ **0.1** *bloodshed* ⇒*bloodletting* ◆ **5.1** nodeloos ~ *needless shedding of blood* **6.1** een revolutie zonder ~ *a bloodless revolution.*

bloedvergiftiging ⟨de (v.)⟩ **0.1** [bacteriën in de bloedbaan] *blood-poisoning* ⇒⟨wet.⟩ *septicaemia* **0.2** [ontsteking v.e. lymfevat] *lymphangitis.*

bloedverlies ⟨het⟩ **0.1** *loss of blood* ◆ **6.1** uitgeput door ~ *weakened by loss of blood.*

bloedvernieuwing, bloedverversing ⟨de (v.)⟩ **0.1** *injecting new blood.*

bloedverwant ⟨de (m.)⟩ **0.1** *(blood) relation* ⇒*relative, kinsman* ⟨m.⟩, *kinswoman* ⟨v.⟩ ◆ **2.1** naaste ~en *close relatives, next of kin;* verre ~en *distant relatives / relations.*

bloedverwantschap ⟨de (v.)⟩ **0.1** *(blood) relationship* ⇒*relation, kinship,* ↑*consanguinity.*

bloedvete ⟨de⟩ **0.1** *blood feud* ⇒*vendetta.*

bloedvlek ⟨de⟩ **0.1** *bloodstain.*

bloedvorming ⟨de (v.)⟩ **0.1** *(red) blood cell production* ⇒*hematopoiesis.*

bloedwei ⟨de⟩ **0.1** *(blood) serum.*

bloedwijn ⟨de⟩ **0.1** *tonic wine.*

bloedworst ⟨de⟩ **0.1** *black / blood pudding* ⇒⟨AE ook⟩ *blutwurst, blood sausage.*

bloedwraak ⟨de⟩ **0.1** *blood feud* ⇒*vendetta.*

bloedziekte ⟨de (v.)⟩ **0.1** *disease of the blood* ⇒*hematologic disorder.*

bloedzuiger ⟨de (m.)⟩ **0.1** [ringworm] *leech* ⇒*bloodsucker* **0.2** [persoon] *leech* ⇒*extortioner, parasite,* [A]*loan shark.*

bloedzuiverend ⟨bn.⟩ **0.1** *depurant.*

bloei ⟨de (m.)⟩ **0.1** [⟨plantk.⟩] *bloom* ⇒*flower(ing), blossoming* ⟨van vruchtbomen⟩ **0.2** [⟨fig.⟩] *bloom* ⇒*flower, prime, florescence, vigour* ◆ **1.2** de ~ v.d. kunsten / handel / v.e. maatschappij *the flowering / blossoming of the arts, the flourishing / burgeoning of commerce, the flourishing of a society;* een tijdperk van ~ *a flourishing period* **2.1** in volle ~ *in full bloom* **3.1** de ~ van deze plant valt in april *this plant blooms in April;* ⟨fig.⟩ de ~ zit in het water *the fish are biting* **3.2** tot ~ komen *thrive, bloom (out), flourish* **6.1** in ~ staan *be in bloom / flower / blossom* **6.2** iem. in de ~ van zijn leven *s.o. in the prime of (his) life;* tot ~ brengen *bring to prosperity / into blossom.*

bloeien ⟨onov.ww.⟩ **0.1** [in bloei staan] *bloom* ⇒*flower, blossom* ⟨vruchtbomen⟩ **0.2** [⟨fig.⟩] *prosper* ⇒*flourish, thrive* ◆ **1.1** een ~de boomgaard *an orchard in full bloom, a flowering orchard;* onze perzik bloeit in april *our peach-tree blooms / blossoms in April* **1.2** de kunsten bloeiden in dat tijdvak *the arts flourished / flowered in that period;* een ~de stad *a flourishing city;* het zakenleven bloeit *business is booming / thriving / flourishing* **5.1** laat bloeiende plant *late flower-er, late flowering plant.*

bloeimaand ⟨de⟩ **0.1** *May.*

bloeiperiode ⟨de (v.)⟩, **bloeitijd** ⟨de (m.)⟩ **0.1** [⟨plantk.⟩] *flowering time / season* **0.2** [⟨fig.⟩] *prime* ⇒*hey-day, bloom, florescence* ◆ **1.2** de ~ van de jeugd *the p. / bloom / palmy days of youth;* de ~ van kunsten en wetenschappen *the Golden Age of the arts and sciences;* de ~ v.e. vereniging *the palmy days of an association / a society.*

bloeiwijze ⟨de⟩ ⟨plantk.⟩ **0.1** *inflorescence.*

bloem ⟨de⟩ **0.1** [deel v.e. plant] *flower* ⇒*bloom, blossom* **0.2** [plant die bloemen draagt] *flower* ⇒*flowering plant* **0.3** [meel] *flour* **0.4** [⟨schr.⟩

puik, keur] *flower* ⇒*choice, pick* ◆ **1.1** een bos ~en *a bouquet/bunch of flowers/nosegay* **1.4** de ~ v.d. dichtkunst *the finest examples of poetry;* de ~ v.d. natie *the f. of the nation* **2.1** dubbele ~en *double/full flowers* **3.1** ~en schikken *arrange flowers;* ⟨fig.⟩ de ~en staan op de ruiten *frost-flowers have formed on the windows, the windows are frosted over* **3.2** de ~en begieten/water geven *water the flowers, give the flowers water* **7.1** geen ~en (of kransen) ⟨op overlijdensberichten⟩ *no flowers.*

bloembak ⟨de (m.)⟩ **0.1** *flower-box* ⇒⟨aan raam⟩ *window-box, planter,* ⟨op straat⟩ *flower tub.*

bloembed ⟨het⟩ **0.1** *flowerbed* ⇒*flower-plot* ◆ **3.1** een ~ aanleggen *arrange a flowerbed.*

bloembekleedsel ⟨het⟩ **0.1** *perianth* ⇒⟨floral⟩ *envelope.*

bloemblad ⟨het⟩ **0.1** *petal.*

bloembodem ⟨de (m.)⟩ **0.1** *receptacle* ⇒*torus, thalamus.*

bloembol ⟨de (m.)⟩ **0.1** *bulb.*

bloembollencultuur ⟨de (v.)⟩, **-teelt** ⟨de (v.)⟩ **0.1** *bulb-growing/culture/cultivation.*

bloemdieren ⟨het⟩ **0.1** *Anthozoa* ⇒*anthozoans.*

bloemdragend ⟨bn.⟩ **0.1** *flower-bearing* ⇒*floriferous.*

bloemen ⟨onov.ww.⟩ **0.1** [bloeien] *bloom* ⇒*flower, blossom* **0.2** [kruimelig worden] *become mushy/mealy/floury.*

bloemencorso ⟨het, de (m.)⟩ **0.1** *flower parade/pageant* ⇒*floral procession.*

bloemenhandelaar ⟨de (m.)⟩ **0.1** *florist.*

bloemenhoni(n)g ⟨de (m.)⟩ **0.1** *nectar.*

bloemenhulde ⟨de (v.)⟩ **0.1** *floral tribute.*

bloemenkas ⟨de⟩ **0.1** *hothouse/greenhouse for flowers.*

bloemenkinderen ⟨zn.mv.⟩ **0.1** *flower children/people.*

bloemenman ⟨de (m.)⟩ **0.1** *flower-seller.*

bloemenmand ⟨de⟩ **0.1** *flower-basket.*

bloemenmarkt ⟨de⟩ **0.1** *flower market.*

bloemenmeisje ⟨het⟩ **0.1** *flower girl.*

bloemenslinger ⟨de (m.)⟩ **0.1** *garland* ⇒⟨Hawaï⟩ *lei.*

bloemenspuit ⟨de⟩ **0.1** *atomizer* ⇒*plant-sprayer.*

bloemenstalletje ⟨het⟩ **0.1** *flower-stand* ⇒[B]*flower-stall.*

bloementeelt ⟨de⟩ **0.1** *floriculture* ⇒*flower culture, cultivation of flowers.*

bloementhee ⟨de (m.)⟩ **0.1** *scented tea.*

bloementuin ⟨de (m.)⟩ **0.1** *flower garden.*

bloemenvaas ⟨de⟩ **0.1** ⟨flower-⟩*vase.*

bloemenwinkel ⟨de (m.)⟩ **0.1** *florist's (shop)* ⇒*flower shop.*

bloemenzee ⟨de⟩ **0.1** *sea of flowers.*

bloemetje ⟨het⟩ **0.1** [kleine bloem] *(little) flower* **0.2** [boeket] *flowers* ⇒ *nosegay* ◆ **3.2** een ~ meebrengen *bring (some) flowers* **3.¶** de ~s buiten zetten *paint the town red, live it up, have a ball* **6.2** iem. in de ~s zetten ⟨lett.⟩ *surround/shower s.o. with flowers;* ⟨fig.⟩ *treat s.o. like a king/queen.*

bloemetjesstof ⟨de⟩ **0.1** *floral/flower-patterned fabric/material.*

bloemhoofdje ⟨het⟩ **0.1** *flower head.*

bloemig ⟨bn.⟩ **0.1** *mushy, mealy* ⇒*floury, crumbly* ◆ **1.1** ~e aardappelen *mushy/mealy potatoes.*

bloemist ⟨de (m.)⟩ **0.1** *florist.*

bloemisterij ⟨de (v.)⟩ **0.1** ⟨bedrijf⟩ *florist's business* ⇒⟨winkel⟩ *flower shop.*

bloemkelk ⟨de (m.)⟩ **0.1** *calyx.*

bloemknop ⟨de (m.)⟩ **0.1** *bud.*

bloemkool ⟨de⟩ **0.1** *cauliflower.*

bloemkooloor ⟨het⟩ **0.1** *cauliflower ear.*

bloemkoolroosje ⟨het⟩ **0.1** *cauliflower floret* ⇒*curd.*

bloemkorf ⟨de⟩ **0.1** *flower-basket.*

bloemkrans ⟨de (m.)⟩ **0.1** [van gelijksoortige bloemdelen] *floral wreath* ⇒*garland, diadem, chaplet* **0.2** [van bloemen gevlochten] *floral wreath* ⇒*garland, diadem, chaplet.*

bloemkroon ⟨de⟩ **0.1** *corolla* ⇒*crown, envelope,* ⟨trompetvormig⟩ *trumpet.*

bloemkweker ⟨de (m.)⟩ **0.1** *florist* ⇒*flower-grower,* ↑*floriculturist.*

bloemkwekerij ⟨de (v.)⟩ **0.1** *nursery* ⇒*florist's business.*

bloemlezing ⟨de (v.)⟩ **0.1** ⟨lit.⟩ *anthology* ⇒⟨mengeling⟩ *miscellany, miscellanea,* ⟨pedagogisch⟩ *reader* **0.2** [verzameling andere zaken] *collection* ⇒*miscellany, miscellanea* ◆ **6.2** ⟨iron.⟩ een ~ van fouten *a marvellous c. of mistakes.*

bloemmaand ⟨de⟩ **0.1** *May.*

bloemmotief ⟨het⟩ **0.1** *floral design* ⇒*floral pattern.*

bloempap ⟨de⟩ **0.1** [B]*wheat porridge* ⇒*panada.*

bloemperk ⟨het⟩ **0.1** *flowerbed* ⇒*flower-plot.*

bloempot ⟨de⟩ **0.1** *flowerpot.*

bloempotkapsel ⟨het⟩ **0.1** *pudding-basin haircut.*

bloemrijk ⟨bn.⟩ **0.1** *flowery* ⟨ook fig.⟩ ⇒*full of flowers, blossomy, florid* ◆ **1.1** ⟨fig.⟩ een ~ e stijl/taal *a flowery/ornate style/language.*

bloemsaus ⟨de⟩ ⟨cul.⟩ **0.1** *white sauce.*

bloemschikken ⟨het⟩ **0.1** *(art of) flower arrangement* ⇒⟨Japans⟩ *ikebana.*

bloemsierkunst ⟨de (v.)⟩ **0.1** *(art of) flower arrangement* ⇒⟨Japans⟩ *ikebana.*

bloemsteel, -stengel ⟨de (m.)⟩ **0.1** *flower stalk/stem.*

bloemstuk ⟨het⟩ **0.1** [sierlijk gerangschikte bloemen] *bouquet* ⇒*flower arrangement* **0.2** [schilderij, tekening] *flower piece.*

bloemsuiker ⟨de (m.)⟩ ⟨AZN⟩ **0.1** *powdered sugar.*

bloemtuil ⟨de (m.)⟩ **0.1** [ruiker] *posy* **0.2** [bloeiwijze] *corymb.*

bloemzaad ⟨het⟩ **0.1** *flower-seed(s).*

bloesem ⟨de (m.)⟩ **0.1** [bloem waaruit zich een vrucht ontwikkelt] *blossom* ⇒*flower, bloom* **0.2** [al de bloemen v.e. plant/boom] *blossoms* ⇒ *flowers* ◆ **3.2** ~ dragen *be in bloom/blossom;* de ~ valt af *the b. are falling off* **6.2** in ~ staan/zijn *be in bloom/blossom.*

bloesemboom ⟨de (m.)⟩ ⟨schr.⟩ **0.1** *flowering tree.*

bloesemtak ⟨de (m.)⟩ ⟨schr.⟩ **0.1** *flowering sprig.*

bloesemtooi ⟨de (m.)⟩ ⟨schr.⟩ **0.1** *show of flowers/blossom* ◆ **6.1** de boomgaarden met hun ~ *the orchards with their fine show of blossom.*

bloezen ⟨onov.ww.⟩ **0.1** *blouse.*

blohartig ⟨bn., bw.; -ly⟩ ⟨schr.⟩ **0.1** [lafhartig] *faint-hearted* ⇒*cowardly* **0.2** [schuchter] *timid* ⇒*timorous, bashful.*

bloheid ⟨de (v.)⟩ ⟨schr.⟩ **0.1** *timidity* ⇒*bashfulness.*

blok ⟨het⟩ **0.1** [stuk hout] *block* ⇒*chunk,* ⟨ruwe vorm⟩ *log* **0.2** [stuk van ander materiaal] *block* ⇒*chunk* **0.3** [meetkundig lichaam] *block* ⇒*cuboid, parallelpiped* **0.4** [huizen] *block* **0.5** [vierkant, rechthoekig veld] *block* ⇒*check* ⟨van stof⟩ **0.6** [coalitie] *bloc(k)* **0.7** [periode] *unit* **0.8** [katrol] *(pulley-)block* **0.9** [deel van een terrein] *plot* ⇒*block,* [A]*lot* **0.10** [⟨spoorw.⟩] *block* **0.11** [⟨sport⟩] *block* **0.12** [strafwerktuig] *stocks* ◆ **1.1** het ~ v.e. schaaf *the stock of a plane;* het ~ v.e. slager *the butcher's b.;* een vuur van ~ ken *a log fire* **1.2** een ~ marmer/zandsteen *a b. of marble/sandstone;* een ~ noga *a piece of nougat;* ~ ken tin/lood *blocks/ingots of pewter/lead* **1.3** een doos met ~ ken *a box of (building) blocks/bricks* **1.5** een ~ postzegels *a b. of stamps* **2.6** een Westeuropees ~ *a West European bloc* **2.8** een enkel/een dubbel ~ *a block with a single/double sheave* **3.4** een ~ je omlopen *walk around the b., go for a walk* **3.¶** er valt nogal wat van het ~ *there's generally something left over* **6.1** een stam in ~ ken zagen *saw a tree trunk into logs* **6.3** ~ jes **voor** het rekenonderwijs *blocks for arithmetic-instruction* **6.12** in 't ~ sluiten *put in the s.* **6.¶** een ~ **aan** het been zijn voor iem. *be a millstone around s.o.'s neck;* voor het ~ komen te zitten *have no options left;* iem. **voor** het ~ zetten *put a person on the spot* **7.4** hij woont hier drie ~ ken vandaan *he lives three blocks away from here* **7.7** de cursus wordt gegeven in drie ~ ken van twee dagen *the course is given in three units of two days each* **8.2** neervallen als een ~ *collapse;* slapen als een ~ *sleep like a log/baby.*

blokband ⟨de (m.)⟩ **0.1** [B]*chequered/*[A]*checkered strip* ⟨op taxi⟩ /*band* ⟨op pet⟩.

blokcursus ⟨de (m.)⟩ **0.1** ≠*intensive/crash course.*

blokdiagram ⟨het⟩ **0.1** [⟨comp.⟩] *block diagram* **0.2** [⟨geol.⟩] *block diagram.*

blokdruk ⟨de (m.)⟩ **0.1** [handeling] *block printing* **0.2** [resultaat] *block print.*

blokfluit ⟨de⟩ **0.1** [houten fluit] *recorder* **0.2** [orgelpijp] *recorder* ◆ **3.1** ~ spelen *play the r..*

blokhak ⟨de⟩ **0.1** *platform heel.*

blokhoofd ⟨het⟩ **0.1** *civil defence* [A]*se warden.*

blokhuis ⟨het⟩ **0.1** [klein fort] *blockhouse* **0.2** [huis van op elkaar gestapelde blokken] *blockhouse* **0.3** [⟨spoorw.⟩] *signal box/*[A]*tower.*

blokhut ⟨de⟩ **0.1** *log cabin.*

blokje ⟨het; zie ook blok⟩ **0.1** [klein blok] *cube* ⇒*square* **0.2** [⟨druk.⟩] *square* ◆ **6.1** in ~s snijden *dice, cube.*

blokkade ⟨de (v.)⟩ **0.1** *blockade* ◆ **1.1** ~ v.e. kerncentrale/fabrieksterrein *b. of a nuclear power station, picket of factory-grounds* **2.1** een effectieve ~ *a b. that has not been implemented* **3.1** een ~ opheffen *raise/lift a b..*

blokken ⟨onov.ww.⟩ ⟨inf.⟩ **0.1** *cram* ⇒[B]*swot,* [A]*grind, mug up* ◆ **6.1** hij zit op zijn aardrijkskunde te ~ *he's cramming for/*[A]*grinding away at geography;* ~ **voor** een tentamen *c. for an examination.*

blokkendoos ⟨de⟩ **0.1** [kinderspeelgoed] *box of (building) blocks/bricks* **0.2** [flatgebouw] ≠*tower-block.*

blokker ⟨de (m.)⟩ ⟨inf.⟩ **0.1** *crammer* ⇒[B]*swot,* [A]*grind.*

blokkeren
I ⟨ov.ww.⟩ **0.1** [afsluiten] *blockade* ⇒*obstruct, block, embargo* **0.2** [⟨geldw.⟩] *block* ⇒*freeze* **0.3** [de beweging onmogelijk maken] *block* ⇒*jam, lock* **0.4** [⟨veldsport⟩] *block* ⇒*obstruct* **0.5** [⟨volleybal⟩] *block* ◆ **1.2** een cheque ~ *countermand payment of/stop a cheque* [A]*check;* fondsen/effecten/een rekening ~ *freeze securities/stocks/an account* **1.3** de remmen werden geblokkeerd *the brakes jammed.* **II** ⟨onov.ww.⟩ **0.1** [niet meer kunnen bewegen] *lock* ⇒*jam* ◆ **1.1** ~ de voorwielen *locked/jammed front wheels.*

blokletter ⟨de⟩ **0.1** [schrijfletter] *block letter* ⇒*printing* **0.2** [⟨druk.⟩] *block letter* ◆ **6.1** met ~s opschrijven *print.*

blokmodel ⟨het⟩ **0.1** *block model.*

blokpatroon ⟨het⟩ **0.1** *tile design.*

blokrem ⟨de⟩ **0.1** *block brake* ◆ **6.1** een fiets met ~ men *a bike with block brakes.*

blokschaaf ⟨de⟩ ⟨amb.⟩ **0.1** *block plane.*
blokschema ⟨het⟩ **0.1** *block diagram.*
blokschrift ⟨het⟩ **0.1** *block writing* ⇒*block letters* ♦ **6.1 in** ~ *in block letters;* ⟨op formulier, enz. ook⟩ *please print.*
bloksignaal, -sein ⟨het⟩ ⟨spoorw.⟩ **0.1** *block signal.*
blokstelsel, -systeem ⟨het⟩ ⟨spoorw.⟩ **0.1** *block system* ⇒*staff system* ⟨op lijn met slechts één spoor⟩.
blokuur ⟨het⟩ **0.1** ≠*double period / lesson.*
blokverband ⟨het⟩ ⟨bouwk.⟩ **0.1** *English bond.*
blokverwarming ⟨de (v.)⟩ **0.1** *central heating of a whole block of flats.*
blokvorming ⟨de (v.)⟩ **0.1** *formation of a / the bloc.*
blom ⟨de⟩ ⟨fig.⟩ ♦ **2.¶** jonge ~ *lovely young thing, young lovely.*
blond ⟨bn.⟩ **0.1** [mbt. haar] *blond* ⟨m. en v.⟩, *blonde* ⟨v.⟩ ⇒*fair* **0.2** [lichtkleurig] *golden* ♦ **1.1** hij heeft ~ haar *he has blond / fair hair, he is fair-haired;* een zwak voor ~ e vrouwen hebben *have a weakness for blonde women / blondes* **1.2** ~ bier *lager;* de ~ e duinen, het ~ e graan *the golden dunes / grain.*
blonderen ⟨ov.ww.⟩ **0.1** [mbt. haar] *bleach* ⇒*peroxid(e)* **0.2** [goudgeel laten bakken] *bake (sth.) till it is golden brown.*
blondgelokt ⟨bn.⟩ ⟨schr.⟩ **0.1** *flaxen-haired.*
blondine ⟨de (v.)⟩ **0.1** *blonde* ⇒*fair-haired girl* ♦ **2.1** een knappe ~ ⟨inf.⟩ *a goldilocks.*
blondje ⟨het⟩ **0.1** *blonde* ♦ **2.1** een dom ~ *a dumb b..*
bloodaard ⟨de (m.)⟩ **0.1** *coward, faint-heart.*
bloosangst ⟨de (m.)⟩ **0.1** *erythrophobia.*
bloot¹ ⟨het⟩ **0.1** *nudity* ⇒*flesh* ♦ **7.1** een film met veel ~ erin *a film / ^movie with a lot of nude scenes in it;* ⟨inf.⟩ *a nudie / sexploiter / ^skin-flick.*
bloot²
    I ⟨bn.⟩ **0.1** [naakt] ⟨vaak van lichaamsdeel⟩ *bare* ⇒*naked, nude* **0.2** [zonder hulpmiddel] *naked* ⇒*bare, unaided, unassisted* **0.3** [zonder dek/bedekking] *bare* ⇒*open* **0.4** [enkel, louter] *mere* ⇒*bare* ♦ **1.1** blote armen *b. arms;* met zijn billen ~ komen ⟨fig.⟩ *lay bare one's position;* blote foto's *nude photographs;* met blote hals *in a low-cut dress;* ⟨vulg.⟩ zijn blote kont *stark naked;* op het blote lijf dragen *wear next (to) the skin;* op blote voeten lopen *go barefoot(ed)* **1.2** met blote handen *with one's bare hands;* uit het/zijn blote hoofd spreken *speak ad lib;* met het blote oog iets waarnemen *observe sth. with the n. eye* **1.3** ⟨elek.⟩ blote geleiding *b. wiring;* op de blote grond slapen *sleep on the b. ground;* onder de blote hemel *in the open (air), under the open sky;* een blote jurk *a revealing dress;* een jurk met blote rug *a barebacked dress* **1.4** de blote eigendom / eigenaar *the bare ownership, the owner of the bare property rights;* het blote feit *al the m. fact;* de blote feiten *the cold / bald facts;* een blote formaliteit *a m. formality;*
    II ⟨bw.⟩ ♦ **2.¶** open en ~ *in full view / broad daylight* **3.¶** ~ paardrijden *ride bareback.*
blootgeven ⟨wk.ww.; zich ~⟩ **0.1** [zich blootstellen aan gevaar] *expose o.s.* **0.2** [zijn zwakheid laten blijken] *give o.s. away* ⇒*commit o.s.* **0.3** [⟨schermsport⟩] *lay o.s. open* ⇒*not commit o.s.,* be noncommittal **6.2 zonder** zich bloot te geven *noncommittally, without giving anything away.*
blootje ⟨het⟩ ⟨inf.⟩ **0.1** ⟨zie 6.1⟩ ♦ **6.1 in** zijn ~ *in the altogether / nude / buff.*
blootleggen ⟨ov.ww.⟩ **0.1** [vrij maken van bedekking] *lay open / bare* ⇒*expose, uncover* **0.2** [⟨fig.⟩] *lay open / bare* ⇒*reveal, uncover, bare* ♦ **1.1** de fundamenten / een overgeschilderd fresco ~ *expose the foundations / an overpainted fresco* **1.2** de feiten ~ *lay bare / disclose / reveal the facts;* zijn plannen ~ *reveal one's plans;* zijn zaken / zaak ~ *state one's case;* zijn ziel ~ *bare one's soul.*
blootliggen ⟨onov.ww.⟩ **0.1** *lie open (to)* ⇒*be exposed (to).*
blootshoofds ⟨bw.⟩ **0.1** *bareheaded* ⇒*with bared head(s)* ♦ **3.1** ~ lopen *go / walk bareheaded.*
blootstaan ⟨onov.ww.⟩ **0.1** *be exposed (to)* ⇒⟨onderhevig zijn⟩ *be liable / subject / open (to)* ♦ **6.1** ~ **aan** weer en wind *be exposed to all sorts of weathers;* **aan** veel kritiek ~ *be subject / exposed to a lot of criticism;* **aan** gevaren / verleiding / beledigingen ~ *be exposed to dangers / seduction / insults;* **aan** iemands willekeur ~ *be a victim of s.o.'s capriciousness.*
blootstellen ⟨ov., wk.ww.⟩ **0.1** *expose (o.s.)(to)* ♦ **6.1 aan** de koude blootgesteld zijn *be exposed to cold;* zich **aan** gevaar ~ *expose o.s. to danger;* zich **aan** een berisping ~ *lay o.s. open to a rebuke.*
blootsvoets ⟨bw.⟩ **0.1** *barefoot(ed)* ♦ **3.1** ~ lopen *go / walk barefoot(ed).*
blootwoelen ⟨wk.ww.; zich ~⟩ **0.1** *kick the bedclothes off.*
blos ⟨de (m.)⟩ **0.1** [gezonde kleur op de wangen] *bloom* **0.2** [verhoogde gelaatskleur] *flush* ⟨van emotie, door koorts⟩; *blush* ⟨van verlegenheid⟩ **0.3** [mbt. vruchten] *bloom* ♦ **2.1** een gezonde ~ *a rosy complexion* **3.2** een ~ vloog hem naar de wangen *his cheeks flushed* **6.2** een ~ **van** schaamte *a blush of shame.*
blotebillengezicht ⟨het⟩ ⟨inf.; scherts.⟩ **0.1** *moonface* ⇒*pudding-face.*
bloterik ⟨de (m.)⟩ ⟨scherts.⟩ **0.1** *nudist* ♦ **6.¶ in** zijn ~ *in the altogether;* ⟨inf.⟩ *in one's birthday suit.*
blouse ⟨de (v.)⟩ **0.1** *blouse.*

blouson ⟨de (m.)⟩ **0.1** *blouson.*
blow ⟨de⟩ **0.1** [trekje] *blow* ⇒*drag* **0.2** [stikkie] *joint.*
blowen ⟨onov.ww.⟩ ⟨inf.⟩ **0.1** *blow* ⇒*smoke dope.*
blozen ⟨onov.ww.⟩ **0.1** [een blos hebben van gezondheid] *bloom (with)* **0.2** [rood in het gezicht worden] *flush (with)* ⟨van opwinding⟩; *blush (with)* ⟨van verlegenheid⟩ ♦ **3.1** er blozend uitzien *look healthy, bloom* **3.2** ⟨fig.⟩ zonder blikken of ~ *unblushingly, without a blush;* iem. doen ~ *cause s.o. to blush* **5.2** diep ~ *blush / flush deeply;* zij moest er van ~ *she blushed at it;* snel ~ *blush easily* **6.2** ~ **tot** achter zijn oren *blush to the roots of one's hair;* zij bloosde **van** genoegen *she flushed with satisfaction.*
blozend ⟨bn.⟩ **0.1** *flushing* ⟨van opwinding⟩; *blushing* ⟨van verlegenheid⟩; *blooming, rosy* ⟨van gezondheid⟩ ♦ **1.1** een ~ gezicht *a rosy face;* met ~ e wangen *with rosy cheeks, rosy-cheeked* **6.1** ~ **van** gezondheid *blooming with health.*
blubber ⟨de (m.)⟩ **0.1** [modder] *mud* ⇒*gunge, slush, sludge* **0.2** [speklaag van walvissen] *blubber.*
blubberen ⟨onov.ww.⟩ **0.1** *wade* ⇒*slush.*
blubberig ⟨bn.⟩ **0.1** *muddy* ⇒*slushy, sludgy.*
blueszanger ⟨de (m.)⟩, **-es** ⟨de (v.)⟩ **0.1** *blues singer.*
bluf ⟨de (m.)⟩ **0.1** [poging anderen te overdonderen] *bluff* ⇒*bluffing* **0.2** [grootspraak] *boast(ing)* ⇒*brag(ging), big talk* ♦ **2.¶** Haagse ~ *red currant whip / snow* **3.2** het is allemaal maar ~ *it's all talk;* ~ slaan (met) *cut a dash (with)* **6.1** zich er **met** ~ doorheen slaan *bluff one's way out of it, bluff it out.*
bluffen ⟨onov.ww.⟩ **0.1** *bluff* ⟨ook bij kaartspel⟩ ⇒⟨pochen⟩ *boast, brag, talk big* ♦ **6.1 met** iets ~ *boast / brag about sth..*
bluffer ⟨de (m.)⟩, **-ster** ⟨de (v.)⟩ **0.1** *bluffer* ⇒*boaster, braggart.*
blufpoker ⟨het⟩ **0.1** [spel] ⟨kaartspel⟩ *brag* ⇒ ⟨dobbelspel⟩ *liar dice* **0.2** [grootspraak] *boasting* ⇒*bragging* ♦ **1.1** hij speelde een partijtje ~ *he tried to brazen it out.*
blufpolitiek ⟨de (v.)⟩ **0.1** *bluffing tactics.*
blunder ⟨de (m.)⟩ **0.1** *blunder* ♦ **3.1** een (kapitale) ~ begaan *make a (capital) b..*
blunderen ⟨onov.ww.⟩ **0.1** *blunder* ⇒*make a blunder.*
blusapparaat ⟨het⟩ **0.1** *fire-extinguisher.*
blusbaar ⟨bn.⟩ **0.1** *extinguishable* ⇒ ⟨ook fig.⟩ *quenchable.*
blusboot ⟨de⟩ **0.1** *firefloat.*
blusmiddel ⟨het⟩ **0.1** *extinguishing agent.*
blusschuim ⟨het⟩ **0.1** *foam.*
blussen ⟨ov.ww.⟩ **0.1** [uitdoven] *extinguish* ⇒*put out* **0.2** [⟨fig.⟩] *extinguish* ⇒*quench* **0.3** [⟨tech.⟩ koelen] *quench* ♦ **1.1** ⟨fig.⟩ die brand is alweer geblust *it's been put right / to rights* **1.2** z'n dorst ~ *quench one's thirst* **1.3** gloeiend ijzer ~ *q. glowing iron;* kalk ~ *slake / slack lime;* gebluste kalk *slaked lime.*
blusser ⟨de (m.)⟩ **0.1** *quencher* ⇒*extinguisher.*
blussingswerken ⟨zn.mv.⟩ **0.1** *extinguishing / fire-fighting operations.*
bluswater ⟨het⟩ **0.1** *(fire extinguishing) water* ♦ **6.1** schade **door** ~ *water damage.*
blut ⟨bn.⟩ **0.1** [geen geld hebbend] *broke* ⇒*skint, on the rocks* **0.2** [⟨spel⟩ alles verloren hebbend] *cleaned out* ♦ **3.1** ik ben ~ *I am b.* **3.2** iem. ~ spelen / maken *clean s.o. out* **5.1** volkomen ~ *stony(-broke), flat b..*
bluts ⟨de⟩ ⟨→sprw. 67⟩ **0.1** [deuk] *dent;* ⟨kneuzing⟩ *bruise.*
blutsen ⟨ov.ww.⟩ **0.1** ⟨deuken⟩ *dent;* ⟨kneuzen⟩ *bruise.*
bl(z). ⟨afk.⟩ **0.1** [bladzijde] *p..*
BM-jacht ⟨de⟩ **0.1** *BM dinghy.*
B.N.P. ⟨afk.⟩ **0.1** [bruto nationaal produkt] *G.N.P..*
boa ⟨de⟩ **0.1** [slang] *boa* **0.2** [sjaal] *boa.*
boa-constrictor ⟨de (m.)⟩ **0.1** *boa constrictor.*
board ⟨het⟩ **0.1** *hardboard* ⇒*(fibre ^fiber)board* ♦ **2.1** hard ~ *(standard) h.;* zacht ~ *medium h.* **6.1** een kamertje **met** ~ afschutten *partition a room using h..*
bob ⟨de⟩ **0.1** [slee] *bobsleigh* ⇒*bobsled* **0.2** [haarstijl] *bob.*
BOB ⟨afk.⟩ **0.1** [Belgische Opsporings Brigade] *Belgian Detective Division.*
bobbel ⟨de (m.)⟩ **0.1** [bolle verhevenheid] *bump* ⇒*lump, cockle* ⟨papier, glas, enz.⟩, *hummock* ⟨ijs⟩ **0.2** [lucht / gasbel] *bubble* ♦ **5.1** het papier zit vol ~ s *the paper is full of cockles / is cockled* **¶.1** ~ tje *bleb.*
bobbelen ⟨onov.ww.⟩ **0.1** *bubble* ⟨van water⟩; *cockle, bulge* ⟨van papier⟩.
bobbelig ⟨bn.⟩ **0.1** *bumpy* ⇒*lumpy* ⟨matras⟩, *cockled* ⟨papier, enz.⟩, *hummocky* ⟨ijs⟩.
bobben ⟨onov.ww.⟩ **0.1** *bob.*
bobine ⟨de (v.)⟩ **0.1** [spoel v.e. inductieklos] *bobbin* **0.2** [inductiespoel] *ignition coil.*
bobslee ⟨de⟩ **0.1** *bobsleigh* ⇒*bobsled.*
bobsleebaan ⟨de⟩ **0.1** *bobsleigh run* ⇒*bobsled run,* ⟨AE ook⟩ *coast.*
bobsleeën ⟨ww.⟩ ⟨sport⟩ **0.1** *bob.*
bochel ⟨de (m.)⟩ **0.1** [kromme / hoge rug] ⟨bult⟩ *hump* ⇒*hunch,* ⟨kromme rug⟩ *hunchback, humpback* **0.2** [persoon] *hunchback* ⇒*humpback* **0.3** [kromming in een oppervlak] *lump* ⇒*bump.*
bocht

I ⟨de⟩ **0.1** [buiging in een weg] *bend* ⇒*curve* **0.2** [buiging in een lijn] *curve* **0.3** [⟨sport⟩]⟨zie 6.3⟩ **0.4** [buiging v.e. kust] *bight* ⇒*bay* ◆ **2.1** een scherpe/ruime ~ *a sharp/wide b.* **2.2** zich in allerlei ~en wringen *wriggle, squirm* **3.1** een ~ te ruim/krap nemen *take a b. too wide/ sharp* **6.1** door de ~ gaan ⟨fig.⟩ *give away;* in de ~ *at the b.;* uit de ~ vliegen *go off the road* **6.3** in de ~ springen *jump in under/over the rope;* voor iem. in de ~ springen ⟨fig.⟩ *take s.o.'s part;* inspringen **met** de ~/ **tegen** de ~ *jump in over/under the rope* **6.¶** daar hebben we Harry in de ~ hoor! *Harry is at it again!;*
II ⟨het, de (m.)⟩ **0.1** [rommel] *rubbish* ⇒*trash,* ⟨mbt. drank⟩ *cheap drink,* ⟨inf.⟩ *rotgut* ◆ **3.1** die wijn is ~ *that wine is undrinkable/cheap and nasty.*

bochtig ⟨bn.⟩ **0.1** *winding* ⇒*tortuous.*

bod ⟨het⟩ **0.1** [handeling] *offer* ⇒*bid* ⟨ihb. hand.⟩ **0.2** [geboden som] *offer* ⇒*bid* ⟨ihb. hand.⟩ ◆ **2.1** het hoogste ~ doen *make the highest bid* **2.2** een hoger/lager ~ doen dan *outbid, underbid* **3.1** een ~ doen *make a bid;* een ~ doen naar ⟨ook fig.⟩ *make a bid for* **3.2** zijn ~ verbeteren/verhogen *amend/increase one's bid* **6.1** aan ~ komen ⟨fig.⟩ *get a chance;* ⟨kaartspel⟩ wie is er **aan** ~? *whose bid (is it)?;* niet **aan** ~ komen ⟨fig.⟩ *get no chance;* twee **aan** ~! *I have two bids!;* een ~ **op** iets doen *make a bid for sth.* **7.1** het eerste ~ doen op iets *make the opening bid for sth..*

bode ⟨de (m.)⟩ ⟨→sprw. 68,69,467⟩ **0.1** [boodschapper] *messenger* **0.2** [boodschapper van beroep] *messenger* ⇒⟨post⟩ *postman,* ⟨vrachtrijder⟩ *carrier,* ⟨geldophaler⟩ *collector* ◆ **1.1** ⟨fig.⟩ de ~n v.d. lente *the harbingers of spring;* een ~ van slecht nieuws *a bearer of bad tidings* **1.2** de ~ der goden *m. of the gods;* de ~n v.e. ministerie/de Hoge Raad/het stadhuis *the messengers of a ministry/the Supreme Court/ the townhall* **6.2** post meegeven **met** de ~ *entrust the mail to the postman;* **per** ~ verzenden *send by special m..*

bodedienst ⟨de (m.)⟩ **0.1** *parcel delivery service* ◆ **6.1** een ~ **op** Amersfoort *a parcel delivery service to Amersfoort.*

bodega ⟨de (m.)⟩ **0.1** *wine bar* ⇒*bodega.*

bodem ⟨de (m.)⟩ **0.1** [grondvlak v.e. voorwerp] *bottom* **0.2** [grond onder het water] *bottom* ⇒⟨oppervlak⟩ *floor* **0.3** [grond v.d. aarde] *ground* ⇒*soil* **0.4** [natuurlijke oppervlakte v.d. grond] *soil* **0.5** [grondgebied] *territory* ⇒*soil* **0.6** [⟨scheep.⟩] *ship* ⇒*bottom* ◆ **2.1** een dubbele ~ *a double b.;* ⟨fig.⟩ *a hidden meaning* **2.3** ⟨fig.⟩ vaste ~ onder de voeten hebben *be on firm ground* **2.5** produkten van eigen ~ *homegrown products;* op vreemde/vaderlandse ~ *on foreign/native soil* **3.1** ⟨fig.⟩ plannen/verwachtingen de ~ inslaan *dash plans/expectations;* een ~ in een vat slaan *bottom a cask* **6.1** ⟨fig.⟩ een ~ in de markt leggen *fix a bottom price;* ⟨fig.⟩ iets tot de ~ uitzoeken *examine sth. down to the last detail;* **tot op** de ~ *leegmaken drain to the last drop/to the dregs* **6.2 op** de ~ van de zee *at the b. of the sea* **¶.1** de ~ raakt in zicht *we are getting to/reaching the b.;* ⟨fig.⟩ de ~ viel uit de markt *the b. fell out of the market.*

bodemanalyse ⟨de (v.)⟩ **0.1** *soil analysis.*
bodembedekker ⟨de (m.)⟩ **0.1** *ground cover* ⇒*creeper.*
bodembedekking ⟨de (v.)⟩ **0.1** *ground cover.*
bodembemesting ⟨de (v.)⟩ **0.1** *manuring of the soil* ⟨met natuurlijke mest⟩; *soil fertilization* ⟨met kunstmest⟩.
bodemcultuur ⟨de (v.)⟩ **0.1** *cultivation of the soil.*
bodemerosie ⟨de (v.)⟩ **0.1** *erosion.*
bodemexploitatie ⟨de (v.)⟩ **0.1** *exploitation of mineral resources.*
bodemgesteldheid ⟨de (v.)⟩ **0.1** *condition/composition of the soil* ⇒*soil conditions.*
bodemkaart ⟨de⟩ **0.1** *soil map.*
bodemklink ⟨de⟩ ⟨landb.⟩ **0.1** *subsidence.*
bodemkoers ⟨de (m.)⟩ ⟨hand.⟩ **0.1** *bottom* ◆ **3.1** de aandelen hebben de ~ bereikt *shares are at rock b..*
bodemkunde ⟨de (v.)⟩ **0.1** *soil science* ⇒*pedology.*
bodemlaag ⟨de⟩ **0.1** *bed* ⟨van rivier⟩.
bodemloos ⟨bn.⟩ **0.1** [zonder bodem] *bottomless* **0.2** [onpeilbaar diep] *bottomless* **0.3** [mbt. begeerten] *bottomless* ⇒*insatiable* ◆ **1.1** een bodemloze put *a b. pit;* ⟨fig.⟩ het is een bodemloze put *it's like pouring money down the drain;* ⟨fig.⟩ een ~ vat vullen ≠*carry coals to Newcastle;* ⟨fig.⟩ hij is een ~ vat *he spends money like water.*
bodemmoeheid ⟨de (v.)⟩ **0.1** *soil exhaustion.*
bodemmonster ⟨het⟩ **0.1** *soil sample.*
bodemonderzoek ⟨het⟩ **0.1** *soil research* ⇒*soil testing/examination,* ⟨van streek⟩ *soil survey,* ⟨mijnbouw⟩ *prospecting* ◆ **2.1** het oudheidkundig ~ *archaeological s.r. /s. examination.*
bodemopbrengst ⟨de (v.)⟩ **0.1** *crop* ⇒*yield.*
bodemoppervlak ⟨het⟩ **0.1** *floor (surface).*
bodempensioen ⟨het⟩ **0.1** *basic pension.*
bodempje ⟨het⟩ **0.1** [kleine bodem] *little/small bottom* **0.2** [restje] *(last) drop* ⇒*(last) dregs.*
bodemprijs ⟨de (m.)⟩ **0.1** *minimum price* ⇒*price floor.*
bodemprofiel ⟨het⟩ **0.1** [verticale gronddoorsnede] *soil profile* ⇒*ground profile* ⟨beloop v.d. zeebodem⟩ *ocean bottom contour.*
bodemrijkdom ⟨de (m.)⟩ **0.1** *mineral wealth.*
bodemschatten ⟨de⟩ **0.1** *mineral resources.*

bodemstructuur ⟨de (v.)⟩ **0.1** *soil structure.*
bodemtemperatuur ⟨de (v.)⟩ **0.1** *soil/ground temperature.*
bodemuitkering ⟨de (v.)⟩ **0.1** *basic* [B]*social security benefit/*[A]*welfare payment.*
bodemverbetering ⟨de (v.)⟩ **0.1** *soil improvement.*
bodemverontreiniging ⟨de (v.)⟩,**-vervuiling** ⟨de (v.)⟩ **0.1** *soil/ground pollution.*
bodemvoorziening ⟨de (v.)⟩ **0.1** *basic* [B]*social security/*[A]*welfare payment.*
bodemvorming ⟨de (v.)⟩ **0.1** *pedogenesis.*
bodemwater ⟨het⟩ **0.1** *ground water.*
bodenkamer ⟨de⟩ **0.1** *messenger/page's room.*
Bodenmeer ⟨het⟩ **0.1** *Lake Constance.*
body ⟨het, de⟩ **0.1** *body* ◆ **1.1** de ~ v.e. camera *the b. of a camera* **2.1** mijn hele ~ doet mij pijn *my whole b. hurts* **3.1** ⟨inf.⟩ iem. op zijn ~ geven/zitten/komen *give s.o. a thrashing/beating, tan s.o.'s hide, beat s.o. up;* dat heeft geen ~ *that doesn't have any b. /substance;* deze bouillon heeft geen ~ *this bouillon/stock doesn't have any b. /substance* **7.1** met veel ~ *strong-bodied.*
body-builder ⟨de (m.)⟩ **0.1** *body-builder* ⇒*muscleman.*
body-buildersveer ⟨de⟩ **0.1** *body-builder's arm/leg/hand exerciser.*
boe ⟨tw.⟩ **0.1** [⟨om schrik aan te jagen⟩] *boo* **0.2** [⟨afkeuring, protest⟩] *boo* **0.3** [⟨geloei van koeien⟩] *moo* ◆ **3.2** ~ roepen *boo, jeer* **9.¶** hij zegt ~ noch ba *he doesn't utter a word/open his mouth/have a word to throw at a dog;* zonder ~ of ba te zeggen *without saying/uttering a word/opening one's mouth* **¶.3** ⟨kind.⟩ koetje ~ *moo-cow.*
Boedapest ⟨het⟩ **0.1** *Budapest.*
boeddha ⟨de (m.)⟩ **0.1** [stichter v.h. boeddhisme] *Buddha* **0.2** [beeld] *Buddha.*
boeddhabeeld ⟨het⟩ **0.1** *Buddha.*
boeddhisme ⟨het⟩ **0.1** *Buddhism.*
boeddhist ⟨de (m.)⟩ **0.1** *Buddhist.*
boeddhistisch ⟨bn.⟩ **0.1** *Buddhist* ⇒*Buddhistic(al)* ◆ **1.1** een ~e monnik /priester *a Buddhist monk/priest, a talapoin/lama.*
boeddhologie ⟨de (v.)⟩ **0.1** *Buddhology* ⇒*study of Buddhism.*
boedel ⟨de (m.)⟩ **0.1** [nalatenschap] *estate* **0.2** [inboedel] *property* ⇒*household effects, goods and chattels* ◆ **2.1** gemene ~ *community e.;* een gladde ~ *an unattached e., an e. free of claims* **2.2** een desolate ~ *a bankrupt's rejected p.;* een failliete ~ *a bankrupt's appropriable p.;* een insolvente ~ *a bankrupt's insolvent p.* **3.1** een ~ aanvaarden *take possession of an e.;* een ~ beheren/beschrijven/scheiden *administer/ draw up an inventory of/distribute an e.;* een ~ beredderen *settle an e..*
boedelafscheiding ⟨de (v.)⟩ ⟨jur.⟩ **0.1** *partition.*
boedelbeschrijving ⟨de (v.)⟩ ⟨jur.⟩ **0.1** *inventory* ◆ **1.1** voorrecht van ~ *benefit of i., beneficium inventarii* **3.1** een ~ opmaken *draw up/make an i..*
boedelceel ⟨het, de⟩ **0.1** *inventory* ◆ **3.1** een ~ opmaken *draw up/make an i..*
boedelhuis ⟨het⟩ **0.1** *auction house/hall.*
boedellijst ⟨de⟩ **0.1** *inventory.*
boedelscheiding ⟨de (v.)⟩ **0.1** *partition/division* ⟨mbt. erfenis⟩ *of the estate/* ⟨bij echtscheiding⟩ *of the joint/matrimonial property.*
boedelveiling ⟨de (v.)⟩ **0.1** *public sale of property* ⇒*auction of an estate.*
boedelverdeling ⟨de (v.)⟩ **0.1** *apportionment/distribution* ⟨mbt. erfenis⟩ *of the estate/* ⟨bij echtscheiding⟩ *of the joint/matrimonial property.*
boef ⟨de (m.)⟩ **0.1** *scoundrel* ⇒*rascal, villain, knave, wretch* ◆ **2.1** een gemene/vuile ~ *a nasty/filthy s.;* ouwe ~! *old rascal!.*
boefje ⟨het⟩ **0.1** [kwajongen] *scamp* ⇒*(street) urchin, gutter-snipe* **0.2** [⟨troetelnaam⟩] *(old) scamp/rascal.*
boeg ⟨de (m.)⟩ **0.1** [voorste gedeelte v.d. romp] *bow(s)* ⇒*prow* **0.2** [zijde v.h. voorschip] ⟨aan stuurboord⟩ *starbord bow;* ⟨aan bakboord⟩ *port bow* **0.3** [⟨sport⟩ roeier] *bow* ⇒*bow oar* **0.4** [van paard] *shoulders* ⇒*chest, breast* ◆ **2.2** het schip over een andere ~ wenden/draaien/gooien *start on/take a different/another tack;* ⟨fig.⟩ het over een andere ~ gooien *change (one's) tack, try another tack, shuffle the cards;* ⟨mbt. gesprek⟩ *change the subject;* over een andere ~ gaan *change one's tack;* de beste ~ *the best course/tack* **3.1** de ~ wenden *set one's course* **6.1** met de ~ in de wal liggen *head for shore;* **voor** de ~ afkomen *come across s.o.'s bow;* een schot **voor** de ~ ⟨fig.⟩ *a warning shot, a shot across s.o.'s bow/the bows;* ⟨fig.⟩ nog heel wat **voor** de ~ hebben *have a lot of work on hand/in front/ahead of one/a long way to go* **6.2** dwars **voor** de ~ *right in front of the bow, athwart-hawse;* ⟨fig.⟩ iem. dwars **voor** de ~ komen *cross s.o.'s path* **7.2** over één ~ liggen *take the same tack/* ⟨fig. ook⟩ *line* **7.3** tweede ~ *second bow.*
boeganker ⟨het⟩ ⟨scheep.⟩ **0.1** *bower (anchor).*
boegbeeld ⟨het⟩ **0.1** *figure-head* ⟨ook fig.⟩.
boegeroep ⟨het⟩ **0.1** *booing* ⇒*hooting* ◆ **2.1** onder luid ~ *to the tune of loud jeers* **6.1** iem. **door** ~ het spreken onmogelijk maken *hoot down a speaker;* de premier moest **onder** ~ het podium verlaten *the prime minister was booed off the stage.*
boeggolf ⟨de⟩ **0.1** *bow wave* ⇒*backwash.*
boegseren ⟨ov.ww.⟩ ⟨scheep.⟩ **0.1** *tow.*

boegspriet ⟨de (m.)⟩ ⟨scheep.⟩ **0.1** *bowsprit* ◆ **2.1** losse/inklapbare~ *running b.*.

boegwater ⟨het⟩ ⟨scheep.⟩ **0.1** *backwater.*

boei ⟨de⟩ **0.1** [baken] *buoy* ⇒*marker* **0.2** [ankerboei] *buoy* ⇒*marker, float* **0.3** [kluister] *chain* ⇒*handcuff,* ⟨inf.⟩ *cuff, fetter, shackle* ◆ **2.3** ⟨fig.⟩ gouden ~en *gilded cage* **3.1** de ~ markeren *turn on the b.*; de route was door ~en aangegeven/gemarkeerd *the route was marked/ indicated by buoys* **3.3** de ~en afschudden/verbreken *cast off one's/ break the chains* **6.3** iem. in de ~en slaan/klinken/sluiten *(hand)cuff s.o., slap the cuffs on s.o., clap/put s.o. in irons;* ⟨fig.⟩ een volk in ~en *a people/nation in chains* **8.1** een kop/een kleur als een ~ *(a face) as red as a beetroot.*

boeien ⟨ov.ww.⟩ **0.1** [in boeien sluiten] *chain* ⇒*(hand)cuff, shackle, fetter, manacle* **0.2** [de aandacht vasthouden] *captivate* ⇒*grip, fascinate, enthrall, arrest* ◆ **1.2** de aandacht/zinnen ~ *grip s.o.'s attention/emotions;* iem. weten te ~ *know how to capture s.o.'s attention/keep s.o. enthralled/get across to s.o.* **3.1** ⟨scheep.⟩ geboeid raken *run aground* **3.2** het publiek geboeid houden *hold/keep the audience riveted/en-thralled/captivated;* het stuk kon ons niet (blijven) ~ *the play failed to hold our attention/interest.*

boeiend ⟨bn., bw.⟩ **0.1** *fascinating* ⇒*gripping, absorbing, captivating, enthralling* ◆ **1.1** dat is een ~ boek *that is a f./gripping/absorbing book, that book makes f. reading* **2.1** een ~ verteller *an enthralling/ gripping storyteller* **3.1** zij weet ~ te vertellen *she can tell gripping/ab-sorbing stories, she knows how to grip her hearers.*

boeienkoning ⟨de (m.)⟩ **0.1** *escape artist* ⇒⟨BE ook⟩ *escapologist.*

boeier ⟨de (m.)⟩ **0.1** *boyer* ⇒*smack* ◆ **2.1** een Friese ~ *a Frisian b.*.

boek ⟨het⟩ ⟨→sprw. 70⟩ **0.1** [gebonden/ingenaaid aantal bladen] *book* **0.2** [letterkundig produkt] *book* **0.3** [schrijfboek] *book* **0.4** [hoofdaf-deling v.e. letterkundig werk] *book* **0.5** [iets in boekvorm] *book* **0.6** [hoeveelheid] *quire* ◆ **1.2** het ~ Gods/Boek (der Boeken) *God's Book, the (Good) Book, the Book of Books;* het ~ der natuur *nature's b.* **1.4** het ~ Genesis *the b. of Genesis* **1.6** een ~ bladgoud *a book of gold leaf;* een ~ papier *a q. of paper* **2.1** een ingenaaid/gebonden ~ *a paperback, a sewn b./hardback b.* **2.2** ⟨fig.⟩ dat is voor hem een ge-sloten ~ *that is/remains a closed/sealed b. to/for him;* een gesproken ~ *a talking b.;* ⟨fig.⟩ een open ~ zijn *be an open b.* **3.3** de ~en bijhou-den/afsluiten/nazien *keep/close/audit the books/accounts;* de ~en bijwerken *balance the books;* de ~en controleren *examine/check/ audit the books;* de ~en vervalsen *doctor the accounts* **6.1** een ~ in losse vellen *un unbound b., a b. in quires/sheets;* altijd met zijn neus in de ~en zitten *always have one's nose in a b./be at one's books* **6.2** iets te ~ stellen *record/note/write up sth.* **6.3** dat blijft buiten de ~en *that will remain unentered/will not be entered/will not be put up on the books;* een post te ~ stellen/in de ~en inschrijven *post/book an entry, enter an item;* bij iem. te ~ staan voor *be in s.o.'s debt for, owe s.o.;* zij staat onder een andere naam te ~ *she was registered under another name;* ⟨fig.⟩ als goed/eerlijk/verstandig te ~ staan *be repu-ted to be a good/honest/sensible person, have a good/honest/sensible reputation* **6.¶** een ~ met stalen *a sample book.*

boekaankondiging ⟨de (v.)⟩ **0.1** *book announcement* ⇒*book notice.*

boekanier ⟨de (m.)⟩ **0.1** *buccaneer* ⇒*freebooter.*

Boekarest ⟨het⟩ **0.1** *Bucharest.*

boekband ⟨de (m.)⟩ **0.1** *binding (of a book)* ⇒*(hard) cover.*

boekbespreking ⟨de (v.)⟩ **0.1** *book review.*

boekbinden ⟨het⟩ **0.1** *(book)binding.*

boekbinder ⟨de (m.)⟩, **-ster** ⟨de (v.)⟩ **0.1** *(book)binder.*

boekbinderij ⟨de (v.)⟩ **0.1** [bedrijf, werkplaats] *(book)bindery* ⇒ *(book)binder's* **0.2** [werk] *(book)binding.*

boekbindersleer ⟨het⟩ **0.1** *Russia leather.*

boekbinderslinnen ⟨het⟩ **0.1** *book muslin* ⇒*buckram, crash.*

boekblok ⟨het⟩ **0.1** *book* ⇒⟨boek.⟩ *book-block.*

boekcassette ⟨de⟩ **0.1** *slipcase* ⇒⟨AE ook⟩ *slipcover, slip.*

boekdeel ⟨het⟩ **0.1** [deel v.e. meerdelig werk] *volume* **0.2** [boek] *volume* ⇒⟨lijvig⟩ *tome* ◆ **2.1** een rijk geïllustreerd ~ *a richly illustrated v.;* een zwaar ~ *a tome/fat v.* **3.2** ⟨fig.⟩ zo iets spreekt boekdelen *sth. like that speaks volumes;* boekdelen over/van iets kunnen volschrijven *be able to write volumes about sth./reams on sth..*

boekdruk ⟨de (m.)⟩ **0.1** *letterpress (printing).*

boekdrukken ⟨het⟩ **0.1** *printing (books).*

boekdrukker ⟨de (m.)⟩ **0.1** *printer.*

boekdrukkerij ⟨de (v.)⟩ **0.1** [werkplaats] *printing house/office* ⇒*print shop* **0.2** [bedrijf, zaak] *printer's.*

boekdrukkunst ⟨de (v.)⟩ **0.1** *(art of) printing* ⇒*typography.*

boekdrukpers ⟨de⟩ **0.1** *printing press/* ⟨BE ook⟩ *machine.*

boekebon ⟨de (m.)⟩ **0.1** *book token* ◆ **6.1** een ~ van 25 gulden *a b. t. for 25 guilders.*

boekelegger ⟨de (m.)⟩ **0.1** *book mark(er).*

boeken ⟨ov.ww.⟩ **0.1** [te boek stellen] *book* ⇒*post, enter (up), record, re-gister* **0.2** [bespreken] *book* **0.3** [behalen] *achieve, reach, show* ◆ **1.1** een bedrag ~ ten laste van *debit s.o. for an amount;* posten ~ (in het debet) *record entries (on the debit side)* **1.2** passage ~ *b. (a) passage* **1.3** resultaten ~ *show results;* succes ~ *show/a. success, have great suc-

cess, get ahead;* vooruitgang ~ *show/make/a. progress, make head-way;* winst ~ *show/record/make a profit* **3.1** geboekt staan als ⟨fig.⟩ *be recognized/known as, be reputed to be* **6.1** een bedrag **op** rekening/**in** zijn credit ~ *charge/credit an amount to s.o.'s account;* **op** een nieuwe rekening ~ *carry forward/over to a new account* **¶.1** ~ op naam van *enter against, put on/charge (to) the account of.*

boekenantiquariaat ⟨het⟩ **0.1** *second-hand/antiquarian bookshop/* ᴬ*bookstore.*

boekenbal ⟨het⟩ **0.1** *literary ball.*

boekenbeurs ⟨de⟩ **0.1** [tentoonstelling] *book fair* **0.2** [ruilhandel] *book fair.*

boekenbewijs ⟨het⟩ **0.1** *evidence from the books* ◆ **3.1** tot het ~ toelaten *admit evidence from the books, allow one to enter/produce/submit one's books as/in evidence.*

boekencensuur ⟨de (v.)⟩ **0.1** *book censorship.*

boekenclub ⟨de⟩ **0.1** *book club.*

boekengek ⟨de (m.)⟩ **0.1** *bibliomaniac.*

boekengids ⟨de (m.)⟩ **0.1** [boekenlijst] *(required) reading list* ⇒*book list* **0.2** [catalogus van leverbare boeken] *(book) catalogue/list.*

boekenkast ⟨de⟩ **0.1** *bookcase* ⇒*bookshelves.*

boekenkennis ⟨de (v.)⟩ **0.1** [boekwijsheid] *book(ish) knowledge* ⇒ *book learning* **0.2** [kennis van boeken] *knowledge of books/bibliogra-phy* ⇒*bibliology.*

boekenlijst ⟨de⟩ **0.1** *(required) reading list* ⇒*book list.*

boekenluis ⟨de⟩ **0.1** *booklouse.*

boekenmarkt ⟨de⟩ **0.1** [markt waar boeken te koop zijn] *book market* **0.2** [⟨ec.⟩] *book trade/business/market* ◆ **3.2** de ~ is overvoerd *there is a glut in the b. m..*

boekenmolen ⟨de (m.)⟩ **0.1** *revolving bookcase.*

boekenplank ⟨de⟩ **0.1** *bookshelf.*

boekenrek ⟨het⟩ **0.1** *bookshelf/shelves* ⇒*bookrack.*

boekenstalletje ⟨het⟩ **0.1** *bookstall.*

boekensteun ⟨de (m.)⟩ **0.1** *bookend.*

boekenstut →**boekensteun.**

boekentaal ⟨de (v.)⟩ **0.1** [literaire schrijftaal] *literary language* **0.2** [stijve taal] *bookish language.*

boekentas ⟨de⟩ **0.1** *briefcase* ⇒*school/*ᴬ*book bag, satchel* ⟨van school-gaande kinderen⟩.

boekenweek ⟨de⟩ **0.1** *book week.*

boekenwijsheid ⟨de (v.)⟩ **0.1** *book learning/knowledge* ⇒*booklore,* ⟨pej.⟩ *armchair learning.*

boekenworm ⟨de (m.)⟩ **0.1** [persoon] *bookworm* **0.2** [dier] *bookworm.*

boekerij ⟨de (v.)⟩ **0.1** *library.*

boeket ⟨het/de (m.)⟩ **0.1** [bloemruiker] *bouquet* **0.2** [mbt. wijn] *bouquet* ◆ **1.1** een ~ rozen *a b. of roses* **¶.1** een ~ je *a posy,* ⟨schr.⟩ *nosegay.*

boekformaat ⟨het⟩ **0.1** *format.*

boekgrafiek ⟨de (v.)⟩ **0.1** *graphics.*

boekhandel ⟨de (m.)⟩ **0.1** [het uitgeven en verhandelen] *book trade/ business* **0.2** [winkel, zaak] *bookshop,* ᴬ*bookstore* **0.3** [boekhande-laars] *booksellers* ◆ **6.2** bestellen **bij/via** de ~ *order at/from the book-seller's/bookshop/*ᴬ*bookstore.*

boekhandelaar ⟨de (m.)⟩ **0.1** *bookseller* ⇒*book dealer* ⟨antiquariaat⟩, ⟨vertegenwoordiger⟩ *book salesman,* ⟨inf.⟩ *bookman.*

boekheiden ⟨de⟩ **0.1** *(cultural) philistine* ⇒*(wo)man of little read-ing/culture,* ⟨scherts.⟩ *illiterate.*

boekhouden[1] ⟨het⟩ **0.1** *bookkeeping* ⇒*accounting, accountancy* ◆ **1.1** kennis van ~ *knowledge of b.k./accounting* **2.1** het dubbel/Italiaans ~ *double-entry b.k., double-entry;* enkelvoudig ~ *single-entry b.k., single entry* **6.1** leraar in het ~ *a b./accountancy teacher.*

boekhouden[2] ⟨onov.ww.⟩ **0.1** [administratief verwerken] *keep the books* ⇒*do the accounting, do/keep the accounts* **0.2** [stelselmatig aanteke-nen] *record* ⇒*note (down), make/keep a record of, chronicle* ◆ **6.2** hij hield boek **van** al wat hij beleefde *he recorded/kept a record of everything he experienced.*

boekhouder ⟨de (m.)⟩, **-ster** ⟨de (v.)⟩ **0.1** *bookkeeper.*

boekhouding ⟨de (v.)⟩ **0.1** [administratieve verwerking] *accounting* ⇒ *bookkeeping* **0.2** [afdeling] *accounting department/section* ⇒*book-keeping department/section, accounts department* ◆ **1.1** geknoei met de ~ *doctored/tampered books, cooked accounts* **2.1** een dubbele ~ voeren *employ/use double-entry bookkeeping;* de hele ~ is in de war *the books are a total mess;* machinale ~ *computerized/mechanized a.* **3.1** de ~ doen *do the bookkeeping/books* **6.2** dat werk wordt **op** de ~ gedaan *that work is done in the a.s..*

boekhoudkundig ⟨bn., bw.⟩ **0.1** *accounting* ⇒*bookkeeping* ◆ **3.1** de oudste kraakinstallatie is inmiddels ~ afgeschreven *the oldest (cataly-tic) cracker has now been written off (the books).*

boekhoudmachine ⟨de (v.)⟩ **0.1** [schrijf-, tel- en rekenmachine] *account-ing machine* **0.2** [naam voor ponskaarten/schrijfmachine(s)/kasre-gister(s)] *piece of office equipment* ⇒⟨mv.⟩ *office equipment.*

boekhoudsysteem ⟨het⟩ **0.1** *accounting/bookkeeping system.*

boeking ⟨de (v.)⟩ **0.1** [bespreking] *booking* ⇒*reservation* **0.2** [⟨sport⟩] *warning* **0.3** [mbt. boekhouden] *entry* ◆ **3.1** een ~ annuleren *cancel a reservation/b.* **3.2** een ~ krijgen *receive a w., be booked.*

boekjaar ⟨het⟩ ⟨hand.⟩ **0.1** *fiscal/financial year* ◆ **3.1** het ~ afsluiten *close/end the fiscal/financial year*.

boekje ⟨het⟩ **0.1** [klein boek] (*small/little*) *book* ⇒*booklet* **0.2** [bundeltje] *book* ◆ **1.2** een ~ postzegels *a b. of stamps* **3.**¶ hij houdt zich aan het ~ *he sticks to/does the book, he's a stickler for rules*; een ~ over iem. opendoen *tell (s.o.) what sort of person s.o. really is* **6.**¶ **buiten** zijn~ gaan *go beyond/exceed one's authority/jurisdiction/orders, overstep one's bounds*; dat staat niet **in** mijn ~ *that's not in my dictionary;* alles gaat daar **volgens** het ~ *everything goes according to the book there.*

boeklong ⟨de⟩ ⟨dierk.⟩ **0.1** *booklung.*

boekmaag ⟨de⟩ **0.1** *third stomach* ⇒*manyplies, psalterium, omasum.*

boekmerk ⟨het⟩ **0.1** *bookplate.*

boeknummer ⟨het⟩ **0.1** *class mark/number* ⟨in bibliotheek⟩.

boekomslag ⟨het, de (m.)⟩ **0.1** *dust jacket/cover* ⇒(*book*) *jacket.*

boekrol ⟨de⟩ **0.1** *scroll* ◆ **1.1** de~len v.d. Dode Zee *the Dead Sea Scrolls.*

boekschuld ⟨de⟩ **0.1** [handelsschuld] *book debt* ⟨vnl. mv.⟩ ⇒*accounts receivable* ⟨mv.⟩ **0.2** [inschuld] *book debt* ⟨vnl. mv.⟩ ⇒*accounts receivable* ⟨mv.⟩.

boekstaven ⟨ov.ww.⟩ **0.1** [opschrijven] (*put on*) *record* ⇒*set down, note, chronicle* **0.2** [met stukken staven] *substantiate* ⇒*produce evidence/proof/substantiation* ◆ **3.1** dat staat geboekstaafd *that has been noted/recorded.*

boekuitgave ⟨de⟩ **0.1** *publication in book form* ⇒*book* ◆ **6.1** van dat feuilleton is nu ook een ~ *that serial is now also available in book form/as a book.*

boekverbranding ⟨de (v.)⟩ **0.1** *book burning.*

boekverkoper ⟨de (m.)⟩ **0.1** *bookseller.*

boekvink ⟨de (m.)⟩ **0.1** *chaffinch* ⇒*whitewing.*

boekvorm ⟨de (m.)⟩ **0.1** *book form* ◆ **6.1** in ~ uitgeven *publish in b.f./as a book.*

boekwaarde ⟨de (v.)⟩ **0.1** *book value* ◆ **6.1** tegen ~ at *b. v..*

boekweit ⟨de⟩ **0.1** [gewas] *buckwheat* **0.2** [graansoort] *buckwheat.*

boekweitegrutten ⟨zn.mv.⟩ **0.1** *buckwheat groats/grits.*

boekweitmeel ⟨het⟩ **0.1** *buckwheat (flour).*

boekwerk ⟨het⟩ **0.1** *book* ⇒*work.*

boekwezen ⟨het⟩ **0.1** *book world/book business.*

boekwinkel ⟨de (m.)⟩ **0.1** *bookshop,* ^A*bookstore.*

boekwinst ⟨de (v.)⟩ **0.1** *book profit* ⇒*paper profit.*

boekworm ⟨de (m.)⟩ **0.1** [insekt] *bookworm* **0.2** [persoon] *bookworm.*

boel[1] ⟨de (m.)⟩ ⟨inf.⟩ **0.1** [de dingen] *things, matters* ⇒*business,* ⟨ongunstig: rommel⟩ *mess* **0.2** [bedoening] *affair, business* ⇒*matter, situation* **0.3** [grote hoeveelheid] *a lot, heaps* ⇒*lots, loads, oodles, piles* ◆ **2.1** de hele ~ loopt in het honderd *it's a complete/total/hopeless mess;* de vuile ~ (afwassen) *(wash … up) the dirty t., clean up the mess* **2.2** zij maakten er een dolle ~ van ⟨ook⟩ *it turned into a riot;* er een dolle ~ van maken *turn it into a mad a./wild situation;* de hele ~ kort en klein slaan *smash everything (in sight) to bits/pieces;* een mooie ~ *a fine mess, a fine/pretty kettle of fish/state of affairs;* het is er een saaie/dooie ~ *the place is dead; it's a boring business/show* **2.3** een hele ~ *a whole lot, loads (and loads), piles (and piles), h. (and h.), oodles (and oodles), no end/amount* **3.1** de ~ belazeren *fix/rig the show;* de ~ de ~ laten *leave t. as they are, leave t. in a mess;* de (hele) ~ erbij neergooien *chuck it, toss it in;* zijn ~tje pakken *pack one's t., pack up;* de ~ verraden *give away the show, squeal, tell;* de ~ verzieken *muck up/muddle/spoil/ruin t.;* laat de ~ maar waaien *let t. run/take their own course, let t. slide* **¶.1** de ~ aan kant maken *straighten/tidy t. (up);* de ~ in de war sturen *make a (proper) mess of t..*

boel[2] ⟨bw.⟩ ⟨inf.; scherts.⟩ **0.1** *a lot* ⇒*heaps, lots* ◆ **1.1** een beetje? een beetje ~ *a bit? more than a bit.*

boelage ⟨de (v.)⟩ ⟨lit.⟩ **0.1** *fornication;* ⟨overspel⟩ *adultery.*

boeldag ⟨de (m.)⟩ **0.1** *public sale* ⇒*auction day.*

boelen →*boeleren.*

boeleren ⟨onov.ww.⟩ ⟨lit.⟩ **0.1** *fornicate; commit adultery.*

boelgoed ⟨het⟩ **0.1** [inboedel] *personal/household goods/contents of a house put up for auction* **0.2** [veiling] *auction* ⇒*estate sale* ◆ **3.2** ~ houden *have/hold an a.;* estate sale **6.2** bij ~ verkopen *auction.*

boelhuis ⟨het⟩ **0.1** [huis waarvan de inboedel wordt geveild] ⟨*house whose contents are up for auction*⟩ **0.2** [veiling] *auction* ◆ **3.2** ~ houden *have/hold an a..*

boelijn ⟨de⟩ ⟨scheep.⟩ **0.1** *bowline* ◆ **6.1** bij de ~ ophalen *sail close to the wind;* ⟨fig.⟩ *pull sth. off.*

boem ⟨tw.⟩ **0.1** *bang* ⇒*boom, bounce* **¶.1** pats~! *bang!, suddenly!, out of a clear blue sky!.*

boeman ⟨de (m.)⟩ **0.1** [denkbeeldig wezen] *bog(e)yman* ⇒*bugbear, bugaboo* **0.2** [persoon] *ogre* ◆ **3.2** de ~ spelen *play the o.;* als ~ dienen *be the o..*

boemel ⟨de (m.)⟩ **0.1** [het boemelen/uitgaan] *binge, spree* ⇒*pub-crawl, booze-up* **0.2** [trein] (→*boemeltje*) ◆ **6.1** aan de ~ zijn/gaan *go (out) on the town/a s., paint the town red, have a fling, go on a binge/a pub-crawl.*

boemelaar ⟨de (m.)⟩ **0.1** *pub-crawler, boozer.*

boemelbus ⟨de (m.)⟩ **0.1** *boozer's bus* ⇒ ↑*late night bus.*

boemelen ⟨onov.ww.⟩ **0.1** [stappen] *go/be out boozing* ⇒*go on a spree/binge/pub-crawl, paint the town red, have a fling* **0.2** [met de boemeltrein gaan] *take the slow train/local* **0.3** [telkens stoppen] *stop a lot/all the time.*

boemeltrein →*boemeltje.*

boemerang ⟨de (m.)⟩ **0.1** [werphout] *boomerang* **0.2** [⟨fig.⟩] *boomerang* ◆ **8.2** als een ~ werken *boomerang.*

boemerangeffect ⟨het⟩ **0.1** *boomerang effect* ◆ **3.1** een ~ hebben *boomerang, have a b. e., backfire, rebound (on).*

boender ⟨de (m.)⟩ **0.1** [werktuig om mee te boenen] *scrub(bing) brush* **0.2** [uitbrander] *dressing-down* ⇒*telling-off* ◆ **2.1** lange ~ *floor brush;* platte ~ *brush* **3.**¶ iem. de ~ geven *give s.o. a d.-d., dress s.o. down* **6.1** met een ~ schoonmaken *clean with a scrub(bing) brush, scrub.*

boenen ⟨onov., ov.ww.⟩ **0.1** [glanzend wrijven] *polish* **0.2** [schrobben] *scrub* ◆ **5.2** flink ~ *s. well/vigorously.*

boenwas ⟨het, de (m.)⟩ **0.1** *polishing/furniture wax* ⇒*beeswax.*

boer ⟨de (m.)⟩ (→sprw. 71,72,187,619) **0.1** [landbouwer, veehouder] *farmer* ⇒⟨AE; mbt. vee ook⟩ *grazier, rancher,* ⟨mbt. specifieke culturen, ihb. Z. Am.⟩ *peasant* **0.2** [bewoner v.h. platteland] *country dweller/person* ⇒⟨pej.⟩ *provincial, peasant* **0.3** [lomp persoon] *boor* ⇒⟨country⟩ *yokel/bumpkin, peasant* **0.4** [ontsnapping van gassen uit de maag] *burp* ⇒*belch* **0.5** [⟨in samenst.⟩] *man* **0.6** [speelkaart] *jack* ⇒*knave* **0.7** ⟨gesch.⟩ *Boer* ◆ **1.2** burgers en~en *city people and country people* **1.5** een grote/kleine ~ *a small/large landowner/f.* **3.4** een ~ laten (vliegen) *burp, belch;* een baby een ~tje laten doen *burp a baby* **3.**¶ de ~ opgaan *go on the road;* (pol.) go on tour/ ⟨AE⟩ *on the stump;* (om te bedelen) *go on (the) tramp;* ⟨Austr.E⟩ *go bush* **6.2** op de ~ wonen *live in the country* **¶.2** (pej.) een ~tje van buten *a country cousin;* ⟨AE⟩ *a hillbilly, a hick, a hayseed* **¶.3** een ~ op klompen *a country bumpkin* **¶.**¶ lachen als een ~ die kiespijn heeft *laugh on the wrong side of one's face.*

boerde ⟨de⟩ ⟨lit.⟩ **0.1** *fabliau.*

boerderij ⟨de (v.)⟩ **0.1** [boerenwoning] ⟨woning⟩ *farmhouse, ranchhouse;* ⟨woning en land⟩ *farm,* ^A*ranch,* ⟨Austr.E⟩ *station* ⟨groot en met vee⟩ **0.2** [bedrijf, nering] *farm* ⇒⟨vnl. AE⟩ *farming* ◆ **2.2** een kleine/grote ~ *a small/large farm/spread* **3.2** de ~ afschaffen/verminderen *give up farming, reduce one's farm* **¶.1** een ~tje ⟨woning⟩ *a small farmhouse;* (small) *country(style)house;* een ~tje ⟨woning en land⟩ *a small/little farm.*

boeren ⟨onov.ww.⟩ **0.1** [het boerenbedrijf uitoefenen] *farm, run a farm* ⇒⟨vnl. AE⟩ *run a ranch,* ⟨Austr.E⟩ *run a station* **0.2** [enig beroep/bedrijf uitoefenen] *manage one's affairs* ⇒*get on, do* **0.3** [gassen uit de maag lozen] *burp* ⇒*belch* **0.4** [afbrokkelen] *crumble (away)* ⇒*erode* ◆ **5.1** goed ~ *be a good farmer* **5.2** hij heeft goed/slecht geboerd dit jaar *he has managed his affairs well/badly this year, he has done well/badly this year.*

boerenantiek ⟨het⟩ **0.1** *farm antique(s).*

boerenarbeider ⟨de (m.)⟩ **0.1** *farm-hand* ⇒*farm/* ⟨vnl. AE⟩ *ranch labourer/worker,* ⟨Austr.E⟩ *station hand* ◆ **2.1** losse ~ *extra hand;* ⟨Austr.E⟩ *rouseabout.*

boerenbedrijf ⟨het⟩ **0.1** [beroep] *farming* ⇒*agriculture,* ⟨vnl. AE⟩ *ranching,* ⟨zelden⟩ *husbandry* **0.2** [kleine boerenhofstede] *farm* ◆ **3.1** het ~ uitoefenen *farm, be a farmer.*

boerenbedrog ⟨het⟩ **0.1** *cheap swindle* ⇒*fraud, humbug, bunk* ◆ **2.1** dat is je reinste ~ *that is clearly/obviously humbug/total bunk.*

boerenbevolking ⟨de (v.)⟩ **0.1** *farming/rural population* ⇒⟨gesch.⟩ *peasantry.*

boerenbond ⟨de⟩ **0.1** *farmers' union.*

boerenbont ⟨het⟩ **0.1** [aardewerk] *old colonial* **0.2** [stof] *checkered gingham* ◆ **¶.2** een ~je *a piece of gingham.*

boerenboter ⟨de⟩ **0.1** *farm butter.*

boerenbruiloft ⟨de⟩ **0.1** *country wedding.*

boerenbruin ⟨het⟩ **0.1** ≠*brown bread;* ⟨concr.⟩ *brown loaf.*

boerendans ⟨de (m.)⟩ **0.1** *country dance* ⇒*barn dance, hay.*

boerendeern(e) ⟨de (v.)⟩ **0.1** *wench* ⇒*country lass, peasant girl.*

boerendochter ⟨de (v.)⟩ **0.1** *farmer's daughter.*

boerenerf ⟨het⟩ **0.1** [grond met gebouwen] ^A*farmstead,* ^B*farm buildings* **0.2** [onbebouwde ruimte rondom een boerderij] *farmyard* ⇒⟨deel rond schuur⟩ *barnyard* ◆ **6.2** op het ~ *in the f..*

boerenfluit ⟨de (v.)⟩ **0.1** *shepherd's flute.*

boerenfluitjes ⟨inf.⟩ ◆ **¶.**¶ op z'n (jan-) ~ *in a slaphappy way, in a slapdash/happy-go-lucky way.*

boerenham ⟨de⟩ **0.1** *country ham.*

boerenhoeve ⟨de⟩ **0.1** *farmstead* ⇒*farmhouse.*

boerenhofste(de) ⟨de⟩ **0.1** *farmstead* ⇒*farmhouse (of a gentleman farmer).*

boerenhufter →*boerenkinkel.*

boerenjongen ⟨de (m.)⟩ **0.1** [boerenzoon] *country boy/lad* **0.2** [⟨mv.⟩ drank] *brandied raisins.*

boerenkaas ⟨de (m.)⟩ **0.1** *farm cheese.*

boerenkaffer →**boerenkinkel.**
boerenkalk ⟨de (m.)⟩ **0.1** ⟨plaster made of clay and chopped straw⟩.
boerenkandeel ⟨de⟩ **0.1** café au lait à la paysanne ⟨coffee boiled with milk and sugar⟩.
boeren(kar)hengst ⟨de (m.)⟩ **0.1** clodhopper ⇒lout.
boerenkermis ⟨de (v.)⟩ **0.1** [dorpskermis] country fair **0.2** [luidruchtige feestviering] riotous party ⇒bash.
boerenkers ⟨de⟩ **0.1** [plantengeslacht] pennycress **0.2** [veldkruidkers] field cress ⇒pepperwort, ^peppergrass.
boerenkiel ⟨de (m.)⟩ **0.1** peasant blouse ⇒smock.
boerenkinkel ⟨de⟩ ⟨inf.⟩ **0.1** boor ⇒clodhopper, lout.
boerenknecht ⟨de (m.)⟩ **0.1** (farm-)hand ⇒farm / ⟨vnl. AE⟩ ranch labourer, ⟨vnl. AE⟩ ranch hand, ⟨Austr.E⟩ station hand.
boerenknoop ⟨de (m.)⟩ ⟨scheep.⟩ **0.1** granny('s) knot.
boerenkoffie ⟨de (m.)⟩ **0.1** [met kaneel en suiker] cinnamon coffee **0.1** [met melk] white coffee.
boerenkool ⟨de⟩ **0.1** [koolsoort] (curly) kale, borecole **0.2** [gerecht] ≠kale (hotchpotch) ♦ **6.2** ~ met worst kale and sausage.
boerenkost ⟨de (m.)⟩ **0.1** peasant food / fare ⇒country food / fare ♦ **2.1** stevige ~ a square meal.
boerenkrijt ⟨het⟩ **0.1** white chalk.
boerenkrijtje ⟨het⟩ **0.1** piece of white chalk.
boerenlatijn ⟨het⟩ **0.1** dog Latin.
boerenleenbank ⟨de⟩ **0.1** agricultural co-operative / loan bank ⇒farm credit bank.
boerenlelie ⟨de⟩ **0.1** bulb-bearing / orange lily.
boerenlul ⟨de (m.)⟩ ⟨vulg.⟩ **0.1** dirty bastard, son-of-a-bitch ⇒⟨AE ook⟩ motherfucker.
boerenmeid ⟨de (v.)⟩ **0.1** [dochter v.e. boer] country girl ⇒⟨pej.⟩ peasant girl **0.2** [dienstmeid] farm maid.
boerenmeisje ⟨het⟩ **0.1** [persoon] country girl ⇒⟨pej.⟩ peasant girl **0.2** [⟨mv.⟩ drank] brandied apricots.
boerenmetworst ⟨de⟩ **0.1** ≠German sausage.
Boerenoorlog ⟨de (m.)⟩ **0.1** Boer War.
boerenopstand ⟨de (m.)⟩ ⟨alg.⟩ **0.1** peasants' revolt / rising / rebellion; ⟨gesch.; GB⟩ Peasants' Revolt; ⟨Fr.⟩ Jacqerie.
boerenpaard ⟨het⟩ **0.1** carthorse ⇒farm horse, shire (horse).
boerenpioen ⟨de⟩ **0.1** peony.
boerenpummel ⟨de (m.)⟩ ⟨inf.⟩ **0.1** yokel, ^hayseed ⇒lout, boor.
boerenschuur ⟨de⟩ **0.1** barn.
boerensjees ⟨de⟩ **0.1** [tweewielig rijtuig] gig **0.2** [boerenkarretje, tilbury] tilbury.
boerenslimheid ⟨de (v.)⟩ **0.1** [aangeboren slimheid] foxiness ⇒craftiness **0.2** [het gezonde verstand] horse sense ⇒common sense, gumption.
boerenstand ⟨de (m.)⟩ **0.1** [maatschappelijke staat] agrarian / farming classes ⇒⟨kleine boeren en landarbeiders⟩ peasantry, peasant class **0.2** [boeren] farming community ⇒peasantry.
boerenstulp ⟨de⟩ **0.1** (peasant) cottage ⇒peasant hut.
boerentrien ⟨de (v.)⟩ **0.1** lumpish / clumsy girl ⇒lump of a girl.
boerenverstand ⟨het⟩ **0.1** horse sense ⇒common sense ♦ **6.1** daar kan ik niet bij met mijn ~ that's beyond ⟨simple folks like⟩ me.
boerenwagen ⟨de (m.)⟩ **0.1** wag(g)on ⇒cart.
boerenwerk ⟨het⟩ **0.1** farmwork.
boerenwerken ⟨zn.mv.⟩ ⟨landb.⟩ **0.1** farm development works.
boerenwit ⟨het⟩ **0.1** farmhouse loaf.
boerenwormkruid ⟨het⟩ **0.1** tansy.
boerenzoon ⟨de (m.)⟩ **0.1** farmer's son.
boerenzwaluw ⟨de⟩ **0.1** swallow.
boerin ⟨de (v.)⟩ **0.1** [vrouw v.e. boer] farmer's wife **0.2** [vrouw met een boerenbedrijf] woman farmer **0.3** [vrouw v.h. platteland] country woman / girl **0.4** [lompe vrouw] lumpish / clumsy woman / girl ⇒lump of a woman / girl.
boerka ⟨de⟩ **0.1** burka.
boernoes ⟨de (m.)⟩ **0.1** [Arabische mantel] burnous **0.2** [officiersmantel] officer's greatcoat.
Boeroendisch ⟨bn.⟩ **0.1** Burundi.
boers ⟨bn., bw.; -(al)ly⟩ **0.1** [als (van) een boer] rustic ⇒⟨attr.⟩ peasant **0.2** [lomp, grof] lumpish ⇒coarse, churlish, uncouth ♦ **1.1** een ~ accent a r. accent; ~e manieren ⟨ook⟩ countrified manners **6.1** op zijn ~ peasant fashion.
boersheid ⟨de (v.)⟩ **0.1** [het boers zijn] rusticity **0.2** [lompheid] lumpishness ⇒coarseness, churlishness.
boert ⟨de⟩ **0.1** [scherts] buffoonery ⇒jest, jape **0.2** [grove aardigheid] coarse joke(s), broad humour ♦ **6.1** uit / in ~ iets zeggen say sth. in jest; iets voor ~ opnemen take sth. in jest.
boertachtig ⟨bn., bw.; -ly⟩ ⟨schr.⟩ **0.1** chaffing ⇒jocular.
boertig ⟨bn., bw.; -ly⟩ **0.1** jocular ⇒farcical, waggish, ⟨grof⟩ broad, coarse ♦ **1.1** ~e humor broad humour.
boetceremonie ⟨de (v.)⟩ **0.1** penance.
boete ⟨de⟩ **0.1** [geldstraf] fine ⇒penalty **0.2** [⟨rel.⟩] [penitentie] penance; ⟨genoegdoening⟩ atonement **0.3** [straf] penalty ♦ **1.1** op straffe van ~ ⟨gehouden zijn om …⟩ be under penalty (to) **1.3** schuld en ~

crime and punishment **3.1** een ~ bepalen fix / stipulate a penalty; wie te laat komt, betaalt ~ latecomers will pay a f.; een ~ krijgen van f100 be fined 100 guilders, receive a 100 guilder f.; iem. een ~ opleggen (van f1000) fine s.o. (1000 guilders), impose a (1000 guilder) f. on s.o.; op die overtreding staat een zware ~ this offence carries a heavy f., there is a heavy f. on this offence; een ~ stellen op attach a penalty to; iem. tot een ~ veroordelen fine s.o. **3.2** ~ doen do p. (for sins); atone for sins, expiate sins **3.3** hij zal daarvoor ~ moeten doen he will have to pay the p. (for it) **6.1** op ~ van under / on penalty of **8.2** als ~ voor as a p. for.
boetebeding ⟨het⟩, **clausule** ⟨de (v.)⟩ **0.1** penalty clause.
boetedag ⟨de (m.)⟩ **0.1** day of penance.
boetedoening ⟨de (v.)⟩ **0.1** penance ⇒atonement, expiation ♦ **8.1** als ~ voor as a p. for.
boetekleed ⟨het⟩ **0.1** hair shirt ⇒white sheet ♦ **3.1** het ~ aandoen ⟨ook fig.⟩ put on the h. s.; het ~ aanhebben stand in a white sheet.
boeteling ⟨de (m.)⟩, **-e** ⟨de (v.)⟩ **0.1** penitent ⇒repentant sinner ♦ **1.1** ⟨lit.⟩ het verblijf der ~en the abode of sinners.
boeten ⟨→sprw. 534⟩
  I ⟨onov.ww.⟩ **0.1** [straf ondergaan] suffer (for) ⇒pay ((the penalty / price) for), ⟨rel.⟩ atone (for), do penance (for) ♦ **5.1** zwaar voor iets ~ pay a heavy penalty for sth. **6.1** voor iem. ~ pay / s. for s.o. else's deed / crime ⟨enz.⟩; voor een misdrijf ~ pay / s. for a crime; daar zul je voor ~! you'll pay for that!; iem. voor iets laten ~ make s.o. pay for sth.;
  II ⟨ov.ww.⟩ **0.1** [de straf ondergaan voor] pay / suffer for ⇒pay the penalty / price for, ⟨rel.⟩ expiate, atone for, suffer for **0.2** [herstellen] mend ⟨net⟩; tinker ⟨ketel⟩ **0.3** [vergoeden] make amends for ⇒make reparation for ♦ **1.1** ⟨fig.⟩ zijn dapperheid ~ met het leven pay with one's life for one's courage **3.1** iem. iets doen / laten ~ make s.o. pay for sth..
boetepreek ⟨de⟩, **boetpredikatie** ⟨de (v.)⟩ **0.1** [⟨r.k.⟩] penitential sermon **0.2** [strafrede] sermon ⇒homily ♦ **3.2** een ~ houden read (s.o.) a lecture / lesson.
boetestelsel ⟨het⟩ **0.1** system of fines.
boetgezant ⟨de (m.)⟩ **0.1** preacher of penitence.
boetiek ⟨de (v.)⟩ **0.1** [winkel] boutique **0.2** [afdeling in een warenhuis] boutique.
boetprediker ⟨de (m.)⟩ **0.1** [profeet, priester] preacher of penitence **0.2** [iem. die zedelijke vermaningen houdt] preacher.
boetpsalm ⟨de (m.)⟩ **0.1** penitential psalm ♦ **7.1** de zeven ~en the seven penitential psalms.
boetseerklei ⟨de⟩ **0.1** modelling clay.
boetseren
  I ⟨onov.ww.⟩ **0.1** [vorm geven aan kneedbaar materiaal] model;
  II ⟨ov.ww.⟩ **0.1** [vormen uit kneedbaar materiaal] mould ^mold ⇒model **0.2** [⟨fig.⟩] mould ^mold ⇒model ♦ **6.1** ~ in / naar mould / model in ⟨materiaal⟩ / upon ⟨voorbeeld⟩.
boetvaardig ⟨bn., bw.; -ly⟩ **0.1** penitent ⇒repentant, contrite ⟨gezicht, woorden⟩, ⟨vol spijt⟩ remorseful ♦ **1.1** de ~e zondares the repentant sinner.
boetvaardigheid ⟨de (v.)⟩ **0.1** penitence ⇒repentance, ⟨berouw⟩ contrition, ⟨spijt⟩ remorse ♦ **1.1** sacrament van ~ sacrament of penance; stoel van ~ ⟨biechtstoel⟩ confessional; ⟨zondaarsbankje⟩ anxious seat, stool of repentance, penitent form.
boevenbende ⟨de⟩ **0.1** pack of thieves ⟨ook fig.⟩.
boevenpakje ⟨het⟩ **0.1** †prison suit ♦ **3.1** een ~ dragen ⟨ook⟩ wear the stripes.
boeventaal ⟨de⟩ **0.1** ⟨thieves'⟩ slang ⇒thieves' Latin.
boeventronie ⟨de (v.)⟩ **0.1** villain's face.
boeventuig ⟨het⟩ **0.1** villains ⇒pack of thieves.
boevenwagen ⟨de (m.)⟩ **0.1** Black Maria ⇒⟨AE; sl.⟩ paddy wagon.
boezelaar ⟨de (m.)⟩ ⟨vero.⟩ **0.1** ⟨ongemarkeerd⟩ pinafore (dress), ^jumper.
boezem ⟨de (m.)⟩ **0.1** [borst(en)] bosom ⇒breast **0.2** [gemoed, hart] bosom ⇒heart **0.3** [waterplas] 'boezem' ⟨(polder) outlet / drainage pool⟩ **0.4** [deel v.h. hart] atrium ⇒auricle **0.5** [zeeinham] bay **0.6** [kring personen] bosom ⇒circle **0.7** [binnenste] heart ⇒centre **0.8** [ruimte tussen borst en gewaad] bosom ♦ **1.7** de ~ der aarde the h. / centre of the earth **2.1** een zware / flinke ~ hebben be bosomy / busty / full-bosomed **2.3** besloten ~ maximum-level 'boezem'; vrije ~ permanently available / accessible 'boezem' **2.6** verdeeldheid in eigen ~ strife / division among themselves / yourselves / ourselves; zij waren verdeeld in eigen ~ they were divided (among themselves) **2.8** ⟨fig.⟩ de hand in eigen ~ steken look at home (for the cause), have only o.s. to blame **3.2** zijn ~ zwelt / gloeit he is swelling / is glowing (with) **3.3** ~ hebben have a low waterlevel in the 'boezem'; ~ malen lower the waterlevel in the 'boezem' **6.1** iem. aan de ~ drukken press s.o. to one's bosom / breast; zij een adder aan / in zijn ~ koesteren cherish / nourish / foster a viper in one's bosom **6.2** in de ~ v.e. vriend zijn geheimen uitstorten disclose one's secrets to a friend; een steen in zijn ~ dragen be hard-hearted **6.3** op de ~ uitmalen pump (water) into the 'boezem' **7.1** veel / weinig ~ hebben be bosomy / flat-chested ¶ .2 zijn ~ lucht geven unbosom o.s..

boezemfibrilleren ⟨ww.⟩ ⟨med.⟩ **0.1** *atrial fibrillation*.
boezemgebied ⟨het⟩ **0.1** ≠*polder drainage area*.
boezemland ⟨het⟩ **0.1** *polder area with natural drainage*.
boezemmeer ⟨het⟩ **0.1** *'boezem' lake* ⇒*outlet/drainage lake/reservoir*.
boezempeil ⟨het⟩ **0.1** *maximum level in a/the 'boezem'*.
boezemvriend ⟨de (m.)⟩, **-in** ⟨de (v.)⟩ **0.1** *bosom friend* ⇒⟨sterker⟩ *soul mate*.

boezeroen ⟨het, de (m.)⟩ **0.1** *smock* ◆ **1.1** Jan Boezeroen ⟨arbeider⟩ [B]*navvy* ⟨arbeidersklasse⟩ *the cloth caps* **6.1** in zijn ~ zijn/zitten/lopen *be in one's shirt-sleeves*.
bof[1] ⟨de (m.)⟩ **0.1** [doffe slag] *bump* ⇒*thud, thump* **0.2** [goed geluk] *(good) luck* ⇒*fluke* **0.3** [ziekte] *mumps* ⟨mv.⟩ **0.4** [slag, stoot] *blow* ⇒*knock* ◆ **3.3** de ~ hebben/krijgen *have/get the m.* **3.¶** de ~ krijgen ⟨ontslag krijgen⟩ *get the sack* **4.2** wat een ~, dat ik hem nog thuis tref *I'm lucky/what a fluke/what l. to find him still at home;* wat een ~ je *what a stroke/piece of l.* **6.2** op de ⟨wilde⟩ ~ iets doen *trust to l.* **6.4** met een ~ *all of a sudden;* met één ~ *at a b., at one fell swoop*.
bof[2] ⟨tw.⟩ **0.1** *wham!, bam!, pow!*.
boffen ⟨onov.ww.⟩ **0.1** *be lucky* ⇒*fluke* ◆ **5.1** jij boft ook altijd! ⟨ook⟩ *you always strike lucky!;* bof jij even! *are you lucky!;* geweldig ~ (met iets) *be jolly lucky (with sth.), have all the luck;* zij ~ ook nooit eens *they are always unlucky/out of luck* **6.1** bij een examen ~ *be lucky in an examination, pass an examination by a fluke* **8.1** niet iedereen boft zoals hij *not everyone has his luck* **¶.1** dat is ~ *that's a bit of good luck /a fluke*.
boffer ⟨de (m.)⟩ **0.1** [persoon] *lucky dog* **0.2** [toevallig gelukje] *bit of luck* ⇒*fluke*.
bofkont ⟨de (m.)⟩ ⟨inf.⟩ **0.1** *lucky dog*.
bogaard ⟨de (m.)⟩ **0.1** *orchard*.
bogen ⟨onov.ww.⟩ **0.1** [zich kunnen beroemen op] *boast, pride o.s. ((up)on); ⟨pochen⟩ boast (of/about)* ◆ **6.1** hij kan op zijn ervaring ~ ⟨ook⟩ *he can show experience;* deze stad kan ~ op een stadion *this town boasts a stadium*.
bogengang ⟨de (m.)⟩ **0.1** *(row of) arches*.
Boheems ⟨bn.⟩ **0.1** *Bohemian*.
bohème ⟨de⟩ **0.1** ⟨milieu⟩ *Bohemia;* ⟨levenswijze⟩ *Bohemianism*.
Bohemen ⟨het⟩ **0.1** *Bohemia*.
bohémien ⟨de (m.)⟩ **0.1** *Bohemian*.
boiler ⟨de (m.)⟩ **0.1** *water heater* ⇒*boiler*.
boiseren ⟨ov.ww.⟩ **0.1** [met houtgewas beplanten] *plant with shrubs/trees* ⇒⟨bebossen⟩ *afforate* **0.2** [met hout bekleden] *(wood-)panel* ⇒*wainscot*.
bojaar ⟨de (m.)⟩ ⟨gesch.⟩ **0.1** *boyar(d), boiar*.
bok ⟨→sprw. 73,74⟩
 I ⟨de (m.)⟩ **0.1** [mannetje v.d. geit] *(male) goat* ⇒*billy goat, he-goat* **0.2** [mannetje van andere dieren] ⟨herten, antilopen⟩ [↑]*buck* ⇒⟨herten, elanden⟩ *stag* **0.3** [draaggestel] ⟨vnl. in samenst.⟩ *horse* ⇒*rack, frame, trestle,* ⟨biljart⟩ *bridge, jigger* **0.4** [hijswerktuig] *(hoisting) sheers* ⇒*sheerlegs,* ⟨giek⟩ *jig, boom* **0.5** [gymnastiektoestel] *buck;* ⟨voor vrouwen⟩ *side horse* **0.6** [zitplaats v.d. koetsier] *box* ⇒*coach-box,* ⟨BE ook⟩ [B]*dicky* **0.7** [↑spel] *back* **0.8** [koppig mens/dier] *mule* **0.9** [↑muz.] *dais* **0.10** [vaartuig] *barge* **0.11** [↑spoorw.] *buffer (stop)* ◆ **2.2** ⟨fig.⟩ een ouwe ~ ⟨geil⟩ *an old goat* **2.4** een drijvende ~ ⟨ook⟩ *a floating sheerlegs crane* **3.1** ⟨fig.⟩ de ~ken v.d. schapen scheiden *separate the sheep from the goats* **3.7** ~ staan *give (s.o.) a b., make a b. (for s.o.)* **3.¶** een ~ schieten/maken *blunder, drop a brick, make a howler* **6.8** een ~ van een vent/paard *a stubborn fellow/horse;* ⟨horse vert⟩ *grumbler* **8.1** erop zitten als de ~ op de haverkist *jump at sth., be as keen as mustard* **¶.3** zaagbok *sawhorse;*
 II ⟨het⟩ **0.1** [bier] *bock*.
bokaal ⟨de (m.)⟩ **0.1** [drinkbeker] *goblet* ⇒*bowl* **0.2** [glazen kom/fles] *beaker* ⇒*bowl*.
bokbenig ⟨bn.⟩ **0.1** *knee-sprung*.
bokbier ⟨het⟩ **0.1** *bock(beer)*.
bokje ⟨het⟩ **0.1** [vogel] *jacksnipe* **0.2** [krukje] *stool* **0.3** [slechte sigaar] *cheap (* [B]*threepenny/* [A]*five-cent) cigar* **0.4** [korte dikke sigaar] *stubby cigar* **0.5** [jonge bok] *kid*.
bok(je)springen ⟨ww.⟩ ⟨spel⟩ **0.1** *leapfrog* ⇒*play leapfrog, cockalorum*.
bokkebaard ⟨de (m.)⟩ **0.1** [baard van een bok] *goat's beard* **0.2** [sik] *goatee*.
bokken ⟨onov.ww.⟩ **0.1** [nors zijn] *sulk* **0.2** [mbt. geiten] *be on* [A]*in heat* **0.3** [mbt. paarden] *buck* ◆ **3.1** hij loopt al twee dagen te ~ *he has been sulking for two days*.
bokkenees →bokkinees.
bokkepoot ⟨de (m.)⟩ **0.1** [poot v.e. bok] *goat's leg* **0.2** [teerkwast] *tar brush*.
bokkepootje ⟨het⟩ **0.1** *cat's paw* ⇒*langue de chat* ⟨sic⟩.
bokkepruik ⟨de⟩ ◆ **3.¶** de ~ ophebben *be in a bad mood*.
bokkerijder ⟨de (m.)⟩ ⟨gesch.⟩ **0.1** *Goat rider*.
bokkesprong ⟨de (m.)⟩ **0.1** [sprong] *caper* **0.2** [handeling] *caper* ⇒*prank* ◆ **3.1** ~en maken *caper (around)* **3.2** ⟨rare⟩ ~en maken *cut capers* **3.¶** ik kan daarvan geen ~en maken *I won't be able to paint the town red with that*.

bokketuig ⟨het⟩ **0.1** [mbt. soldaten] *leather belts/straps* ⟨mv.⟩ **0.2** [mbt. vliegeniers] *harness*.
bokkewagen ⟨de (m.)⟩ **0.1** *goat-cart* ◆ **6.1** ⟨iron.⟩ een mooi span voor een ~ *an odd couple*.
bokkig ⟨bn., bw.⟩ **0.1** [mbt. personen] *gruff* ⇒*surly, sullen,* ⟨koppig⟩ *mulish, pigheaded* **0.2** [mbt. geiten] *on/* [A]*in heat* **0.3** [als van bokken] *goatish*.
bokkinees ⟨de (m.)⟩ ⟨inf.⟩ **0.1** ⟨ruw⟩ *brute;* ⟨nors⟩ *surly fellow;* ⟨wonderlijk⟩ *queer/odd fellow* ◆ **2.1** een rare ~ *a queer/odd fellow*.
bokking ⟨de (m.)⟩ **0.1** *smoked herring* ⇒≠*red herring,* ≠*kipper* ◆ **2.1** Engelse ~ ≠*red herring;* verse ~ ≠*bloater,* ≠*buckling* **3.¶** iem. een ~ geven *give s.o. a telling-off/* ⟨vnl. BE⟩ *ticking-off/dressing-down/* ⟨BE ook⟩ *wigging*.
bokkraan ⟨de (m.)⟩ **0.1** *gantry crane*.
bokpaal ⟨de (m.)⟩ **0.1** ≠*telegraph pole*.
boksbaard ⟨de (m.)⟩ ⟨plantk.⟩ **0.1** *goat's-beard, goatsbeard*.
boksbal ⟨de (m.)⟩ **0.1** *punch-ball,* [A]*punching bag*.
boksbeugel ⟨de (m.)⟩ **0.1** *knuckleduster* ⟨vaak mv.⟩, [A]*brass knuckles* ⇒⟨AE ook;sl.⟩ *knuckles, knucks*.
bokschip ⟨het⟩ **0.1** ⟨getrokken⟩ *(horse-drawn) barge* ⇒⟨geduwd⟩ *barge (pushed by another boat)*.
boksdoorn ⟨de (m.)⟩ ⟨plantk.⟩ **0.1** *boxthorn* ⇒*matrimony vine*.
boksen
 I ⟨onov.ww.⟩ **0.1** [⟨sport⟩ met de vuist vechten] *box* **0.2** [⟨scheep.⟩] *sail into/against the wind* ⇒*sail to windward* ◆ **6.1** ~ tegen/met b. *against/with;*
 II ⟨ov.ww.⟩ ◆ **¶.¶** hoe heb je het voor elkaar kunnen ~? *how did you manage it?*.
bokser ⟨de (m.)⟩ **0.1** [persoon] *boxer* **0.2** [hond] *boxer*.
boksersneus ⟨de (m.)⟩ **0.1** *boxer's nose*.
bokshandschoen ⟨de⟩ **0.1** *boxing glove*.
bokshoorn ⟨de (m.)⟩ **0.1** *buckhorn*.
bokskampioen ⟨de (m.)⟩ **0.1** *boxing champion*.
bokspoot ⟨de (m.)⟩ **0.1** [sater, duivel] *Pan, satyr, faun, devil* **0.2** [bokkepoot] *goat's leg*.
bokspringen ⟨ww.⟩ ⟨sport⟩ **0.1** [squat] *vaulting* ⇒*vaulting exercise*.
boksring ⟨de (m.)⟩ **0.1** *boxing ring*.
bokssport ⟨de⟩ **0.1** *boxing* ⇒*pugilism,* ⟨vero.⟩ *(the) fancy*.
bokstriller ⟨de (m.)⟩ ⟨muz.⟩ **0.1** *botched triller*.
bokswedstrijd ⟨de (m.)⟩ **0.1** *boxing match/contest* ⇒*(prize) fight*.
boktor ⟨de⟩ **0.1** *long-horned beetle* ⇒*longicorn (beetle)*.
bol[1] ⟨de (m.)⟩ **0.1** [rond voorwerp] *ball* ⇒*globe* ⟨van lamp⟩, *bulb* ⟨van thermometer⟩ **0.2** [↑wisk.] *sphere* **0.3** [hoofd] *head* **0.4** [brood] *(small) round loaf;* ⟨zacht ook⟩ *bap* **0.5** [↑plantk.] *bulb* **0.6** [deel v.e. hoed] *crown* **0.7** [hemellichaam] *sphere* ⇒*globe* **0.8** [plaat aan de zeekust] *shoal* ◆ **1.1** een ~ garen *a ball of thread* **2.1** de glazen ~ v.e. waarzegster *the crystal ball of a fortune-teller* **2.2** een afgeplatte ~ *an oblate spheroid* **2.3** ⟨fig.⟩ een knappe ~ *a clever chap/* [A]*guy* **2.4** Berliner ~len ≠*doughnuts* **2.5** gerokte ~ *tunicate b.;* geschubde ~ *scaly b.* **2.6** een hoge/platte/ronde ~ *a high/flat/round c.* **3.3** zijn ~ stoten *knock/bump one's h.* **6.3** het hoog in de ~ hebben *have big ideas;* het is hem in zijn ~ geslagen *he's gone off his h. / round the bend;* een kind over zijn ~ strijken *stroke a child's h.; uit* zijn ~ raken/gaan *go crazy/out of one's mind*.
bol[2] ⟨bn., bw.⟩ **0.1** [bolvormig van oppervlak] *round* **0.2** [rond en dik] *round* ◆ **1.1** een ~le lens *a convex lens* **1.2** een ~le toet *a r. / full/plump/chubby face;* ~le wangen *r. / plump/chubby cheeks* **1.¶** een ~le wind *a gusty wind* **3.1** de zeilen gingen ~ staan *the sails bellied (out)/bulged/swelled/billowed/ballooned;* ~ doen staan *bulge;* ⟨mbt. zeilen ook⟩ *belly;* ⟨fig.⟩ die recensie stond ~ v.d. vooroordelen *that review was (absolutely) full of prejudices* **¶.2** ⟨zelfst.⟩ hé, ~le! *hey, Fatso!*.
bola ⟨de⟩ **0.1** *bola(s)*.
bolbaak ⟨de⟩, **-baken** ⟨het⟩ **0.1** *perch with a ball-shaped topmark*.
bolbliksem ⟨de (m.)⟩ **0.1** *ball lightning* ⇒*globe lightning*.
bolder ⟨de⟩ ⟨scheep.⟩ **0.1** [palen om trossen vast te maken] *bollard* ⇒*dolphin, bitt* **0.2** [hout waarlangs de reep schuift] *bitt*.
bolderen ⟨onov.ww.⟩ **0.1** *rumble* ◆ **6.1** de lege boerenwagen boldert over de weg *the empty farm-cart is rumbling over the road*.
bolderik ⟨de (m.)⟩ ⟨plantk.⟩ **0.1** *(corn) cockle*.
bolderkar ⟨de⟩ **0.1** *(type of) cart*.
bolderpen ⟨de⟩ **0.1** *bollard*.
bolderwagen →bolderkar.
boldriehoek ⟨de (m.)⟩ ⟨wisk.⟩ **0.1** *spherical triangle*.
boldriehoeksmeting ⟨de (v.)⟩ ⟨scheep., wisk.⟩ **0.1** *spherical trigonometry*.
boleet ⟨de (m.)⟩ ⟨plantk.⟩ **0.1** *boletus*.
bo'lero ⟨de (m.)⟩ **0.1** [dans] *bolero* **0.2** [lied] *bolero* **0.3** [hoed] *bolero hat*.
'bolero ⟨de (m.)⟩ **0.1** *bolero*.
bolfunctie ⟨de (v.)⟩ ⟨wisk.⟩ **0.1** *spherical function*.
bolgewas ⟨het⟩ **0.1** *bulbous plant*.
bolglas ⟨het⟩ **0.1** *bulb jar*.

bolhamer ⟨de (m.)⟩ **0.1** *ball-peen hammer.*

bolhoed ⟨de (m.)⟩ **0.1** *bowler/ ^Aderby (hat).*

bolhol ⟨bn.⟩ **0.1** *concavo-convex.*

bolide

I ⟨de (v.)⟩ **0.1** [meteoor] *bolide;*

II ⟨de⟩ **0.1** [raceauto] *racing car.*

Bolivia ⟨het⟩ **0.1** *Bolivia.*

Boliviaan ⟨de (m.)⟩, -se ⟨de (v.)⟩ **0.1** *Bolivian.*

bolk ⟨de⟩ **0.1** *bib, (whiting) pont* ⟨Gadus luscus⟩.

bolkaf ⟨het⟩ **0.1** *flax chaff.*

bolkap →**bolsegment.**

bolknak ⟨de (m.)⟩ **0.1** *big/ fat cigar, Havana.*

bolknop ⟨de (m.)⟩ **0.1** *offset bulb.*

bolkop ⟨de⟩ **0.1** *round head.*

bolkopschroef ⟨de⟩ **0.1** *round head screw.*

bolland ⟨het⟩ ⟨vero.⟩ **0.1** [ongemarkeerd] *bogland* ⇒*marshland.*

bollandisten ⟨de (m.)⟩ **0.1** *Bollandists.*

bollantaarn ⟨de⟩ **0.1** *globe lamp/ lantern.*

bolleboos ⟨de (m.)⟩ **0.1** *clever clogs* ◆ **2.1** het is een echte ~ *he's/ she's very bright* **6.1** zij is een ~ in natuurkunde *she's very good at physics;* hij is geen ~ in scheikunde *he's not much good at/ no great shakes in chemistry.*

bollen

I ⟨onov.ww.⟩ **0.1** [bol gaan staan] *bulge* ⇒⟨zeilen ook⟩ *belly (out), swell, billow, balloon* **0.2** [mbt. koeien] *be in/* ⟨BE ook⟩ *on heat* **0.3** [rollen] *bowl along* ◆ **1.1** die muur bolt *that wall is bulging* **3.1** doen ~ *bulge;* ⟨mbt. zeilen ook⟩ *belly* **3.2** een koe laten ~ *put a cow to a/ the bull;*

II ⟨ov.ww.⟩ **0.1** [v.d. zaadbollen ontdoen] *ripple* **0.2** [doden met een hamer] ^Bpoleaxe ^Apoleax.

bollenbedrijf ⟨het⟩ **0.1** [bedrijfstak] *bulb-growing industry* **0.2** [bedrijf] *bulb farm.*

bollenhandelaar ⟨de (m.)⟩ **0.1** *bulb merchant.*

bollenkweker ⟨de (m.)⟩ **0.1** *bulb grower.*

bollenkwekerij ⟨de (v.)⟩ **0.1** *bulb farm.*

bollenschuur ⟨de⟩ **0.1** *bulb-shed.*

bollenstreek ⟨de⟩ **0.1** *bulb(-growing) area* ◆ **¶.1** de Bollenstreek *the bulb-growing area in Holland.*

bollenteelt ⟨de⟩ **0.1** *bulb-growing (industry).*

bollentijd ⟨de (m.)⟩ **0.1** *bulb season.*

bollenveld ⟨het⟩ **0.1** *bulb-field* ◆ **2.1** bloeiende ~en *bulb-fields in (full) bloom.*

bolletje ⟨het⟩ [kleine bol] *(little) ball* ⇒*globule* ⟨druppeltje⟩, *golf ball* ⟨van schrijfmachine⟩ **0.2** [broodje] *(soft) roll* **0.3** [hoofdje] *head* ◆ **1.2** witte/ bruine ~s *white/ brown rolls* **6.1** een schrijfmachine met ~ a golf ball typewriter* **6.3** en de zon scheen op zijn ~ *and the sun shone on his h..*

bolletjesmachine ⟨de (v.)⟩ ⟨inf.⟩ **0.1** *golf ball typewriter.*

bolletjestrui ⟨de⟩ ⟨sport⟩ **0.1** *spotted jersey.*

bolletjesvaren ⟨de⟩ **0.1** *sensitive fern.*

bolletrieboom ⟨de (m.)⟩ **0.1** *balata (tree)* ⇒*bully tree.*

bollewangenhapsnoet ⟨de⟩ **0.1** *chubby-face.*

bollig ⟨bn.⟩ **0.1** *on/ ^Ain heat.*

Bolognezer ⟨bn.⟩ **0.1** *Bolognese* ◆ **2.¶** ~ fles *Bologna flask/ phial/ vial.*

bolometer ⟨de (m.)⟩ **0.1** *bolometer.*

boloppervlak ⟨het⟩ ⟨wisk.⟩ **0.1** *surface of a sphere.*

bolpen ⟨de⟩ **0.1** *ball-point (pen).*

bolpuntpen →**bolpen.**

bolrond ⟨bn.⟩ **0.1** [bolvormig] *spherical* **0.2** [min of meer bolvormig] *round* **0.3** [deel v.e. bolvlak uitmakend] *convex* ◆ **1.2** een ~ gezicht *a r./ full/ plump/ chubby face* **5.1** de aarde is niet zuiver ~ *the earth is not perfectly s..*

bols ⟨de (m.)⟩ **0.1** *Dutch gin* ⇒*Hollands, geneva* ◆ **1.1** een glaasje ~ *a glass of D. g..*

bolscharnier ⟨het⟩ **0.1** *ball-and-socket joint.*

bolschijf ⟨de⟩ **0.1** [deel v.e. bol] *spherical segment* **0.2** [schijf v.e. bloembol] *segment of a bulb.*

bolschil ⟨de⟩ ⟨wisk.⟩ **0.1** *spherical shell.*

bolsector ⟨de (m.)⟩ ⟨wisk.⟩ **0.1** *sector of a sphere* ⇒*spherical sector.*

bolsegment ⟨het⟩ ⟨wisk.⟩ **0.1** *segment of a sphere.*

bolsjewiek ⟨de (m.)⟩ **0.1** [bolsjewist] *Bolshevik* **0.2** [revolutionair] *Bolshevik.*

bolsjewisme ⟨het⟩ **0.1** *Bolshevism.*

bolsjewist ⟨de (m.)⟩ **0.1** *Bolshevist.*

bolsjewistisch ⟨bn., bw.⟩ **0.1** *Bolshevist* ⇒*Bolshevistic,* ⟨bel.⟩ *bolshie, bolshy.*

bolspits ⟨de⟩ **0.1** *onion(-shaped) spire/* ⟨kerk ook⟩ *steeple* ⇒*steeple ball.*

bolstaand ⟨bn.⟩ **0.1** *bulging* ◆ **1.1** een ~ conservenblikje *a b. can/* ⟨BE vnl.⟩ *tin;* een ~ e muur *a b. wall;* een ~ zeil *a bellying/ b. / swelling/ billowing/ ballooning sail* **6.1** een van leugens ~ artikel *an article (absolutely) full of lies.*

bolster ⟨de (m.)⟩ **0.1** [mbt. noten/ kastanjes] *shell* ⇒*husk* **0.2** [mbt. graan/ peulvruchten] *hull* ⇒⟨graan ook⟩ *husk,* ⟨peulvruchten ook⟩ *pod* **0.3** [peluw met kaf gevuld] *bolster* ◆ **2.1** ⟨fig.⟩ de ruwe ~ moet eraf *the rough edges will have to be knocked off;* ⟨fig.⟩ ruwe ~, blanke pit *(he's/ she's) a rough diamond.*

boltoren ⟨de (m.)⟩ **0.1** *steeple with a ball.*

bolus ⟨de (m.)⟩ **0.1** [gebak] ≠*Chelsea bun* **0.2** [kleiaarde] *bole* **0.3** [drol] *turd* ⇒*droppings* **0.4** [strooppil] *bolus.*

bolvorm ⟨de (m.)⟩ **0.1** *spherical shape.*

bolvormig

I ⟨bn., bw.;-ly⟩ **0.1** [de bolvorm hebbend] *spherical* ⇒*convex* ⟨vnl. mbt. lenzen⟩, *globular* ◆ **1.1** een ~e spiegel ≠*a convex mirror;*

II ⟨bn.⟩ **0.1** [deel v.e. boloppervlak vormend] *spherical* ◆ **1.1** ~e driehoek *a s. triangle.*

bolwangig ⟨bn.⟩ **0.1** *round-cheeked* ⇒*full-/ plump-/ chubby-faced.*

bolwassing ⟨de (v.)⟩ ⟨AZN⟩ **0.1** *dressing down* ⇒*what for, rollicking,* ⟨BE ook⟩ *rocket* ◆ **3.1** iem. een ~ geven *dress s.o. down, give s.o. what for/ a rocket, tear a strip off s.o., ^Achew s.o. out.*

bolwerk ⟨het⟩ **0.1** [stad, land] *bulwark* **0.2** [⟨fig.⟩] *bulwark* ⇒*bastion, stronghold* **0.3** [deel v.e. vestingwal] *bulwark* ⇒*bastion, rampart* **0.4** [paalwerk bij een zeedijk] ≠*bulwark* ◆ **2.2** een conservatief ~ *a conservative bulwark/ bastion/ stronghold, a bulwark/ bastion/ stronghold of conservatism* **8.2** als ~ dienen tegen *provide/ form a bulwark/ bastion/ stronghold against.*

bolwerken ⟨ov.ww.⟩ **0.1** ⟨klaarspelen, tot stand brengen⟩ *manage, bring / pull off;* ⟨uithouden⟩ *stick it out, hold one's own* ◆ **3.1** ze kan het niet meer ~ *she can't take any more* **4.1** het (kunnen) ~ *manage (it), bring/ pull it off; stick it out;* het wel ~ *manage it all right, cope.*

bolwolk ⟨de⟩ ⟨ster.⟩ **0.1** *(interstellar) cloud.*

bolworm ⟨de (m.)⟩ ⟨dierk.⟩ **0.1** *coenurus* ◆ **3.1** ⟨fig.⟩ de ~ hebben *be like a bear with a sore head, have got out of bed (on) the wrong side;* ⟨fig.⟩ de ~ steekt hem weer *he's having/ in one of his moods again.*

bolwortel ⟨de (m.)⟩ **0.1** *bulbous root* ⇒*bulb.*

bolzaad ⟨het⟩ **0.1** [papaverzaad] *poppyseed* **0.2** [lijnzaad] *linseed.*

bom¹ ⟨de⟩ **0.1** [met explosieven gevuld voorwerp] *bomb* ⇒ ↑*explosive device* **0.2** [grote hoeveelheid] ⟨alg.⟩ *load, pile* ⇒⟨mbt. geld ook⟩ *bomb* **0.3** [stop v.e. vat] *bung* **0.4** [stuk lava] *(volcanic) bomb* ◆ **1.2** een ~ duiten *a bomb, a packet, a (small) fortune, a bundle, a mint, a ton (of money), bags/ lots/ pots/ loads/ a load/ a heap of money;* hij verdient een ~ duiten/ geld *he's earning/ making a bomb/ packet/ fortune;* een ~ huiswerk *piles/ a p. of homework* **2.1** een doelzoekende ~ *a smart b.;* een zoete ~ ⟨tgov. dummy⟩ *a live b.;* een rijdende ~ *a b. on wheels;* een vliegende ~ *a flying b.;* ⟨vnl. BE; inf.⟩ *buzz b., doodle-bug* ⟨V¹, V²⟩ **2.2** hij heeft een hele ~ geërfd *he's inherited a bomb/ mint/ fortune, he's come into a pile (of money)* **2.¶** zure ~ *men pickled gherkins* **3.1** men ~ men bestoken *bomb* **3.2** de ~ is gevallen *jackpot!* **3.3** ⟨fig.⟩ de ~ is gebarsten *the bombshell's been dropped, the fat's in the fire; the balloon's gone up;* ⟨sl.⟩ *the shit's hit the fan;* ⟨fig.⟩ hij slaat de ~ op het vat, voor het vol is *he's counting his chickens before they're hatched* **7.1** duizend ~ men en granaten! *my/ good God!* **8.1** als een ~ uit de lucht komen vallen *come as a (real) bombshell;* het bericht sloeg in als een ~ *the report was really dynamite/ came as a real bombshell.*

bom² ⟨tw.⟩ **0.1** *boom.*

B.O.M. ⟨afk.⟩ **0.1** [bewust ongehuwde moeder] ⟨≠*bachelor mother*⟩

bomaanslag ⟨de (m.)⟩ **0.1** *bomb attack* ⟨vnl. op specifieke mens(en)/ doel⟩ ⇒*bombing* ⟨vnl. willekeurig⟩, *bomb outrage* ◆ **3.1** een ~ plegen (op) *carry out a b. a. (on)* **7.1** de vele ~en in Noord-Ierland *the many bombings in Northern Ireland.*

bomaanval ⟨de (m.)⟩ **0.1** *bomb(ing) raid/ attack* ⇒*air raid, bombardment.*

bomalarm ⟨het⟩ **0.1** *bomb alert* ⇒*air-raid warning/ alert* ⟨in oorlogstijd⟩, *bomb scare* ⟨niet in oorlogstijd⟩ ◆ **2.1** groot ~ geven *sound a general/ full-scale alert* **3.1** er is ~ op Schiphol *they are having a b. a. at Schiphol, there's a bomb scare (on) at Schiphol.*

bombarde ⟨de⟩ **0.1** [kanon] *bombard* **0.2** [⟨muz.⟩] *bombarde, bombardon.*

bombardement ⟨het⟩ **0.1** *bombardment* ⇒⟨uit de lucht ook⟩ *bombing,* ⟨met granaten ook⟩ *shelling* ◆ **2.1** een zwaar ~ uitvoeren *carry out a heavy b., carry out heavy/ saturation bombing;* ⟨inf.⟩ *plaster, pound, zap, batter, blitz* **6.1** het ~ van Antwerpen *the b. / bombing of Antwerp.*

bombarderen ⟨ov.ww.⟩ **0.1** [bommen werpen op] *bomb* ⇒*bombard,* ⟨inf.⟩ *blitz, batter, plaster, pound, zap* **0.2** [beschieten] *bombard* ⇒⟨met granaten ook⟩ *shell,* ⟨inf.⟩ *batter, plaster, pound, zap,* ⟨tot maten⟩ *pelt* **0.3** [⟨fig.⟩] *bombard* ⇒*shower,* ↑*inundate* **0.4** [tot een hoog ambt benoemen] *pitchfork/ thrust (s.o.) into (a job)* **0.5** [⟨nat.⟩] *bombard* ◆ **6.3** ze ~ ons hier met nota's *they b. / inundate us with memoranda here* **6.4** iem. tot burgemeester ~ *pitchfork s.o. into the job of mayor;* ik werd tot notulist gebombardeerd *I got volunteered to take the minutes* **6.5** een kern met neutronen ~ *b. a nucleus with neutrons.*

bombardeur ⟨de (m.)⟩ **0.1** [vliegtuig] *bomber* **0.2** [persoon] *member of a bomber crew* ⇒⟨verantwoordelijk voor mikken op doel⟩ *bombardier, bomb-aimer.*

bombardon ⟨de (m.)⟩ **0.1** *bombardon*.

bombarie ⟨de (v.)⟩⟨inf.⟩ **0.1** *fuss* ⇒*noise, to-do, song (and dance)* ◆ **3.1** ~ maken *throw one's weight around/about;* ~ maken/schoppen (over) *kick up/raise/make/cause a f./to-do (about)* **4.1** wat een~ om zo'n kleinigheid! *what a f./to-do/song and dance about such a small matter!*.

bombast ⟨de (m.)⟩ **0.1** *bombast* ⇒*fustian, grandiloquence* ◆ **1.1** stuk~ *windbag*.

bombastisch ⟨bn., bw.;-ally⟩ **0.1** *bombastic* ⇒*pompous* ◆ **1.1** ~e verzen *b. verse*.

bombaynoot ⟨de⟩ **0.1** *cashew (nut)*.

bombazijn ⟨het⟩ **0.1** *bombazine* ⇒*fustian*.

bomberen

I ⟨ov.ww.⟩ **0.1** [bol maken] *bend* ⟨hout⟩; *curve* ⟨metaal⟩; ⟨opvullen⟩ *stuff* ◆ **1.1** een zitting ~ *stuff a seat;*

II ⟨onov.ww.⟩ **0.1** [zich welven, opgezet zijn] *bulge* ◆ **1.1** een ~d voorhoofd *a bulging/domed forehead.*

bombrief ⟨de (m.)⟩ **0.1** *letter bomb* ⇒*mail bomb.*

bomen

I ⟨onov.ww.⟩⟨inf.⟩ **0.1** [praten] *have a nice/good long talk/an endless discussion* ⇒*argufy* ◆ **6.1** we hebben de hele nacht zitten ~ over ... *we sat up all night, talking and arguing about ...;*

II ⟨onov.ww.⟩ **0.1** [met een vaarboom voortduwen] *pole* ⇒ ⟨ook⟩ *punt, quant* ⟨vnl. mbt. punter⟩.

bomenrij ⟨de⟩ **0.1** *row/line of trees* ⇒⟨op regelmatige afstand⟩ *colonnade.*

bomgat ⟨het⟩ **0.1** [krater] *(bomb) crater* **0.2** [vulopening] *bunghole* **0.3** [galmgat] *belfry window* ◆ **3.2** (fig.) te veel naar het ~ kijken *be too fond of a drink/the bottle, be given to/have a weakness for drink;* ⟨sterker⟩ *be addicted/a slave to drink, be on the bottle* **6.¶** een woord in het ~ zeggen *tell s.o. sth. in confidence/sub rosa.*

bomijs ⟨het⟩ **0.1** *cat ice.*

bominslag ⟨de (m.)⟩ **0.1** *(bomb) hit* ⇒*(bomb) explosion.*

bomkrater ⟨de (m.)⟩ **0.1** *(bomb) crater.*

bommel

I ⟨de (m.)⟩ **0.1** [vulstop] *bung* ◆ **3.1** (fig.) de ~ is los(gebroken) *the cat's out of the bag, there's been a leak, the word's out* **6.¶** hij is op weg naar Bommel *he's breathing his last, he's not long for this world;*

II ⟨de (v.)⟩⟨AZN⟩ **0.1** [dikke vrouw] *dumpling* ⇒⟨BE ook⟩ *Bessie Bunter,* ⟨AE ook⟩ *cow, mound of flesh.*

bommelding ⟨de (v.)⟩ **0.1** *bomb alert* ⇒*bomb scare* ⟨niet in oorlogstijd⟩ ◆ **2.1** een valse ~ *a bomb hoax* **3.1** er is een ~ binnengekomen op Schiphol *they've had a b. a. at Schiphol, there's a bomb scare (on) at Schiphol.*

bommen ⟨onov.ww.⟩ **0.1** [dof weerklinken] *boom* **0.2** [luiden] *toll* ⇒ *peal, ring, re(sound)* **0.3** [bonzen] *bang, hammer* ◆ **6.3** op de deur ~ *b./h. on/at the door* **¶.¶** (inf.) (het) kan mij wat/niet ~! *(a) fat lot I care!, I should worry!, I couldn't care less (about it)!, I don't care a hang/a rap/a toss/two pins/a damn/about it!.*

bommenlast ⟨de (m.)⟩ **0.1** *bomb load.*

bommenluik ⟨het⟩ **0.1** *bomb (bay) door.*

bommenregen ⟨de (m.)⟩ **0.1** *rain/hail of bombs.*

bommenrek ⟨het⟩ **0.1** *bomb rack/carrier.*

bommenrichter ⟨de (m.)⟩ **0.1** ⟨persoon⟩ *bomb-aimer,* [A]*bombardier;* ⟨apparaat⟩ *bombsight.*

bommenruim ⟨het⟩ **0.1** *bomb bay.*

bommentapijt →**bomtapijt.**

bommenwerper ⟨de (m.)⟩ **0.1** [vliegtuig] *bomber* **0.2** [geschut] *bomb-thrower.*

bommerd ⟨de (m.)⟩ **0.1** *whopper* ◆ **1.1** ~s van aardappelen *whopping great/massive potatoes.*

bom-moeder ⟨de (m.)⟩ →**B.O.M..**

B-omroep ⟨de (m.)⟩⟨radio, t.v.⟩ **0.1** ⟨*Dutch broadcasting corporation with 300,000 – 450,000 subscribers*⟩.

bomschade ⟨de⟩ **0.1** *bomb damage.*

bomtapijt ⟨het⟩ **0.1** *carpet of bombs* ◆ **3.1** een ~ leggen op *carpet-bomb, lay a carpet of bombs on;* het leggen van een ~ *carpet/pattern/saturation/area bombing.*

bomtrechter ⟨de (m.)⟩ **0.1** *(bomb) crater* ⇒*bomb-hole.*

bomvol ⟨bn.⟩ **0.1** *chock-/cram-full* ⇒*chock-a-block, crammed, packed, stuffed* ◆ **1.1** een ~le zaal *a crammed/packed hall.*

bomvrij ⟨bn.⟩ **0.1** *bombproof* ⇒⟨tegen granaten ook⟩ *shellproof* ◆ **1.1** een ~e schuilkelder *a b./an underground/an air-raid shelter.*

bomvrouw ⟨de (v.)⟩ →**B.O.M..**

bon ⟨de (m.)⟩ **0.1** [formulier met het te betalen bedrag] *bill* ⇒⟨ontvangstbewijs ook⟩ *receipt,* ⟨van kasregister ook⟩ *cash register slip,* ⟨AE; in bar/restaurant⟩ *check* **0.2** [waardebon] *voucher, coupon* ⇒ ⟨cadeaubon/boekebon ook⟩ *token,* ⟨tegoedbon⟩ *credit note,* ⟨sl.; vnl. consumptie/maaltijdbon⟩ *chit* **0.3** [bewijs van bekeuring] *ticket* ⇒⟨parkeerbon ook⟩ *parking ticket,* ⟨wegens te hard rijden ook⟩ *speeding ticket,* ⟨vnl. AE, parkeerbon ook⟩ *tag* **0.4** [bewijs van kooprecht] *coupon* **0.5** [formulier] *form* ◆ **6.1** zonder ~ geen ruiling *goods can only be exchanged (up)on presentation of the receipt* **6.2** ~ voor

een lunch *a luncheon voucher* **6.3** iem. op de ~ zetten/slingeren *book s.o.; give s.o. a ticket;* ⟨vnl. AE ook⟩ *ticket/tag s.o.;* ⟨BE ook; sl.⟩ *do s.o.;* op de ~ gaan voor te hard rijden *be booked for speeding, get a speeding ticket;* ⟨BE; sl.; ook⟩ *be done for speeding* **6.4** vlees ging op de ~ *meat was rationed;* **van** de ~ gaan *be derationed, be taken off (the) ration;* een ~ **voor** suiker *a c. for sugar, a sugar c.;* **zonder** ~ verkrijgbaar *coupon-free* **6.¶** iets op de ~ halen/kopen *buy sth. on credit/* [B]*tick/* [A]*time* **¶.1** een ~netje *a b./receipt/cash register slip.*

bonafide ⟨bn., bw.⟩ **0.1** *bona fide* ⇒*in good faith,* ⟨inf.⟩ *on the level.*

bonboekje ⟨het⟩ **0.1** [boek met formulieren] *receipt book* **0.2** [waardebonnen in boekvorm] *book of vouchers/coupons* ⇒⟨met distributiebonnen⟩ *ration book.*

bonbon ⟨de (m.)⟩ **0.1** *chocolate* ⇒*bonbon,* ⟨AE ook⟩ *candy* ◆ **1.1** een doos ~s *a box of chocolates* **2.1** gevulde ~s *chocolate creams.*

bonbonnière ⟨de⟩ **0.1** *sweet box* ⇒*bonbonnière.*

bonbonschaaltje ⟨het⟩ **0.1** *bonbon dish, bonbonnière* ⇒⟨BE ook⟩ *sweet dish,* ⟨AE ook⟩ *candy dish.*

bond ⟨de (m.)⟩ **0.1** [duurzame vereniging] *(con)federation* ⇒*confederacy, league, alliance, union* **0.2** [federatie] *(con)federation* **0.3** [vereniging ter behartiging van belangen] *union* ⟨ook vakbond⟩ ⇒*association, society, (con)federation* ⟨ook in namen van vakbonden⟩, *alliance* **0.4** [vereniging tot verspreiding van denkbeelden] *society, association* ⇒*league* **0.5** [verdrag tot onderlinge hulp] *alliance, pact, treaty* **0.6** [bondgenootschap] *alliance* ⇒*pact, league* ◆ **1.3** de ~ van onderwijzers *the teachers' u.* **1.4** ~ van geheelonthouders *temperance society/association* **2.2** de Duitse ~ *the German Confederation* **3.3** naar de ~ stappen *take sth. to the u., take sth. up with the u..*

bondgenoot ⟨de (m.)⟩ **0.1** [staat/persoon met wie men een verdrag heeft gesloten] *ally* ⟨ook tijdelijk⟩ ⇒*confederate* **0.2** [iem. met hetzelfde doel] *ally* ⇒*confederate, partner, associate* **0.3** [deelgenoot in een statenbond] *member state* ◆ **3.2** in iem. een ~ herkennen/begroeten *see/greet s.o. as an ally.*

bondgenootschap ⟨het⟩ **0.1** [onderlinge betrekking van bondgenoten] *alliance* ⟨vaak tijdelijk⟩ ⇒*confederacy, (con)federation* **0.2** [verdrag] *alliance* **0.3** [bondgenoten] *alliance, (con)federation* ⇒*confederacy* **0.4** [statenbond] *(con)federation* ◆ **2.2** het Atlantisch ~ *the Alliance* **3.2** een ~ aangaan/sluiten *enter into/conclude/form/contract an a. (with).*

bondig ⟨bn., bw.;-ly⟩ **0.1** [beknopt] *succinct, concise, terse* ⇒*laconic,* ⟨kernachtig⟩ *pithy* **0.2** [deugdelijk, afdoende] *deugdelijk, valid* ⇒ *sound, reliable, solid, substantial;* ⟨afdoende⟩ *conclusive, decisive, valid* ◆ **1.1** een ~ antwoord *a terse/curt/laconic answer;* een ~e stijl *a terse style* **1.2** een ~e reden *a sound/valid/sufficient reason* **2.1** kort en ~ (briefly and) to the point, concise, succinct, terse;* ⟨iron.⟩ *short and sweet* **3.1** iets ~ uitdrukken *put sth. in a nutshell, go right to the point* **5.1** kort en ~ antwoorden *give a succinct/terse reply, give an answer right to the point.*

bondigheid ⟨de (v.)⟩ **0.1** [kracht] *force* ⇒*forcibleness, power* **0.2** [beknoptheid] *succinctness, conciseness, terseness* ⇒⟨kernachtigheid⟩ *pithiness* **0.3** [degelijkheid] *soundness, validity.*

bondsafdeling ⟨de (v.)⟩ **0.1** *union branch.*

bondsbestuur ⟨het⟩ **0.1** *society/association executive* ⇒⟨van vakbond⟩ *union executive.*

bondsbestuurder ⟨de (m.)⟩ **0.1** *union official* ⇒ [B]*trades* [A]*trade union official* ⟨van vakbond⟩.

bondsbureau ⟨het⟩ **0.1** *society/association headquarters* ⇒⟨van vakbond⟩ *union headquarters.*

bondscoach ⟨de (m.)⟩⟨sport⟩ **0.1** *national coach.*

bondsdag ⟨de (m.)⟩ **0.1** *Bundestag* ⇒*(the Lower House of) the West German Parliament.*

bondselftal ⟨het⟩ **0.1** *the national team/eleven* ⇒*the English/Dutch* ⟨enz.⟩ *first eleven.*

bondshotel ⟨het⟩ **0.1** ≠*listed hotel.*

bondskanselier ⟨de (m.)⟩ **0.1** *Federal Chancellor* ⇒⟨mbt. Duitse Bondsrepubliek ook⟩ *Chancellor (of the Federal Republic (of Germany))/of Germany* ◆ **3.1** toen Schmidt ~ was *when Schmidt was Chancellor (of Germany).*

bondskas ⟨de⟩ **0.1** *union funds.*

bondskist ⟨de⟩ **0.1** *toolkit (provided by the Dutch Automobile Association).*

bondslid ⟨het⟩ **0.1** *union member, unionist* ⟨van vakbond⟩.

bondsorgaan ⟨het⟩ **0.1** *association/society journal* ⇒⟨van vakbond⟩ *union journal.*

bondsploeg ⟨de⟩⟨sport⟩ **0.1** *national team.*

bondspresident ⟨de (m.)⟩ **0.1** *(Federal) President* ⇒⟨in Oostenrijk⟩ *President of the Republic,* ⟨in Zwitserland⟩ *President of the Confederation* ◆ **2.1** de Duitse ~ *the West German President, the President of West Germany/the Federal Republic of Germany.*

bondsraad ⟨de (m.)⟩ **0.1** ⟨alg.⟩ *federal council/diet* **0.2** [mbt. West-Duitsland] *Bundesrat.*

bondsregering ⟨de (v.)⟩⟨pol.⟩ **0.1** *federal government* ⇒⟨Dui.⟩ *Government of the (German) Federal Republic.*

bondsrepubliek ⟨de (v.)⟩ **0.1** *federal republic* ◆ **2.1** Duitse Bondsrepubliek, Bondsrepubliek Duitsland *Federal Republic of Germany, German Federal Republic,* ↓*West Germany.*

bondsstaat ⟨de (m.)⟩ **0.1** *(con)federation, federal/ federated state.*

bondstrainer ⟨de (m.)⟩ ⟨sport⟩ **0.1** *national trainer, trainer of the national team.*

bondsvoorzitter ⟨de (m.)⟩ **0.1** *society/association chairman* ⇒⟨van vakbond⟩ *union chairman.*

bonekever ⟨de (m.)⟩ ⟨dierk.⟩ **0.1** *bean weevil.*

bonekruid ⟨het⟩ ⟨plantk.⟩ **0.1** *(summer) savory.*

bonensoep ⟨de⟩ **0.1** *bean soup.*

bonestaak ⟨de (m.)⟩ **0.1** [stok] *beanpole* **0.2** [persoon] *beanpole, string bean* ⇒⟨AE ook⟩ *broomstick* ♦ **8.1** zo stijf als een ~ *as stiff as a rake.*

bongerd ⟨de (m.)⟩ **0.1** *orchard.*

bongo ⟨de⟩ ⟨muz.⟩ **0.1** *bongo (drum).*

bonheur du jour ⟨de (m.)⟩ **0.1** *bonheur du jour* ⇒≠*escritoire, writing desk.*

bonhomie ⟨de (v.)⟩ **0.1** *bonhomie* ⇒*geniality, joviality, good-naturedness, good-heartedness.*

bonhomme ⟨de (m.)⟩ **0.1** *good-natured/ nice fellow/* [B]*chap/* ⟨BE; inf.⟩ *bloke/* ⟨vnl. AE⟩ *guy.*

boni ⟨het⟩ **0.1** *profit.*

bonificatie ⟨de (v.)⟩ **0.1** *indemnification* ⇒⟨wielrennen⟩ *time bonus.*

bonificeren ⟨ov.ww.⟩ **0.1** *indemnify* ⇒⟨wielrennen⟩ *give a time bonus to.*

boniment ⟨het⟩ **0.1** *patter* ⇒⟨vnl. AE ook⟩ *spiel,* ⟨van verkoper ook⟩ *sales talk/ pitch.*

bonis ♦ **6.¶** een man in ~ *a well-to-do/ wealthy man, a man of means/ substance.*

bonje ⟨de⟩ ⟨inf.⟩ **0.1** *row* ⇒*rumpus, ructions, bother, bust up* ♦ **3.1** ~ hebben *have a row/ bust up;* ~ maken *start a/ kick up a row* **6.1** en toen was er ~ **in** de keet/ tent *and then all hell broke loose, and that caused pandemonium/ a dreadful rumpus.*

bonjour ⟨tw.⟩ **0.1** ⟨begroeting⟩ *good day/* ⟨'s ochtends ook⟩ *morning/* ⟨'s middags ook⟩ *afternoon;* ⟨afscheid⟩ *goodbye.*

bonjouren ⟨ov.ww.⟩ ⟨inf.⟩ ♦ **5.¶** iem. eruit ~ *throw/ chuck/ turn/ bundle s.o. out, get rid of s.o.;* ⟨uit horecabedrijf ook⟩ *bounce s.o.* ⟨door uitsmijter/ portier⟩.

bonk ⟨de (m.)⟩ **0.1** [groot stuk] *lump* ⇒*chunk, hunk* **0.2** [lomp persoon] *lump* ⇒⟨mbt. man ook⟩ *oaf, lout* **0.3** [been, bot] *bone* **0.4** [oud/ mager paard/ rund] ⟨paard⟩ *(old) nag, hack* ⇒*jade,* ⟨sl.⟩ *screw,* ⟨rund⟩ *bag of bones* ♦ **1.1** een ~ klei *a l. of clay* **2.2** een ruwe/ onverschillige ~ *a coarse/ indifferent l./ lout* **6.2** een ~ van een jongen *a ((hulking) great) l. of a boy* **7.1** die jongen is één ~ gezondheid *that lad is a picture of/ is bursting with health;* één ~ zenuwen *a bundle of nerves, one/ a mass of nerves;* zij is één ~ zelfvertrouwen *she oozes self-confidence.*

bonkaart ⟨de⟩ **0.1** *ration card.*

bonken ⟨onov.ww.⟩ **0.1** [hard aankomen tegen] *crash/* ⟨inf.⟩ *bash/ bang/ bump (against/ into)* **0.2** [hard slaan] *bang* ⇒*thump, hammer, pound, batter,* ⟨inf.⟩ *bash* **0.3** [neuken] *bang, hump* ⇒ ↓*fuck* ♦ **6.1** het schip bonkte **tegen** de rotsen *the ship crashed/ bashed against the rocks* **6.2** op een deur ~ *bang/ thump/ hammer on/ at a door, pound/ batter at a door;* op een piano ~ *bang/ thump/ hammer away at the piano;* je kon het kind met het hoofd **tegen** het ledikant horen ~ *you could hear the child banging its head on the bedstead.*

bonkig ⟨bn.⟩ **0.1** *scraggy, scrawny* ⇒*bony* ♦ **1.1** een ~ achterwerk ⟨van koe⟩ *bony hindquarters;* een ~ lijf *a scrawny body;* ⟨fig.⟩ hij heeft een ~e stijl *he has a spare style.*

bon-mot ⟨het⟩ **0.1** *bon mot* ⇒*witticism, witty remark.*

bonnefooi ♦ **6.¶** op de ~ ergens heen gaan *go somewhere on the off chance/ on spec;* wij gingen **op** de ~ op vakantie *we went on holiday without having arranged anything.*

bon(nen)stelsel ⟨het⟩ **0.1** *coupon system.*

bonnet ⟨de⟩ **0.1** [hoofddeksel] *biretta* **0.2** [verlenging v.e. gaffelzeil] *bonnet.*

bonnetterie ⟨de (v.)⟩ **0.1** ⟨handel⟩ *hosiery trade;* ⟨winkel⟩ *hosiery/ hosier's shop, hosier's.*

bons[1] ⟨de (m.)⟩ **0.1** [stoot] *bump* ⇒*thump, thud, bang* **0.2** [geluid] *bump* ⇒*bang, thud, thump* **0.3** [bonze] ⟨big⟩ *(big) boss, big shot, bigwig* ⇒*honcho* ♦ **3.¶** iem. de ~ geven *give s.o. the push/ brush-off, ditch s.o., chuck s.o.;* ⟨omwille v.e. nieuwe vriend(in)⟩ *jilt s.o.;* de ~ krijgen *get the brush-off/ push, be ditched;* ⟨omwille v.e. nieuwe vriend(in)⟩ *be jilted.*

bons[2] ⟨tw.⟩ **0.1** *bump* ⇒*bam, pow, bang.*

bonsai ⟨de (m.)⟩ **0.1** [dwergboompje] *bonsai* **0.2** [kweektechniek] *bonsai.*

bont[1] ⟨het⟩ **0.1** [pels] *fur* **0.2** [voorwerpen] *fur* ⟨vaak mv.⟩ ⇒⟨bontjas/ mantel⟩ *fur coat* **0.3** [stof] (cotton) print ⇒[A]*calico,* ⟨met ruiten⟩ *check* **0.4** [kleurschakering] *play of colours* ♦ **1.4** het ~ v.d. veren *the play of colours in the feathers* **3.2** ~ dragen *wear furs/ a fur coat;* ~ wegbergen voor de zomer *put furs/ a fur coat away for the summer* **6.1** met ~ gevoerd *fur-lined, lined with f.;* met ~ afgezet *fur-trimmed,*

trimmed with f. **¶.2** ⟨vulg.⟩ van boven ~, van onder stront ≠*all that glisters is not gold.*

bont[2] ⟨bn., bw.⟩ ⟨→sprw. 360,370⟩ **0.1** [meer-, veelkleurig] *multicoloured* ⇒⟨vnl. mbt. planten⟩ ↑*variegated,* ⟨appelgrauw/ grijs, van paard⟩ *dapple(d),* ⟨wit en zwart, van paard⟩ *pied, piebald,* ⟨vaak mbt. kleding⟩ *particoloured* **0.2** [gemengd] *colourful* ⇒*varied,* ⟨ook pej.⟩ *motley* ♦ **1.1** de ~e ekster *the magpie;* ~e kleuren *bright/ gay/* ⟨inf.⟩ *jazzy colours;* ⟨pej.⟩ *gaudy/ garish/ showy colours;* een ~e koe *a spotted cow;* de ~e kraai *the hooded/ grey/ Royston crow;* ~ marmer *veined marble;* een ~ paard *a pied horse/ piebald (horse)/ pinto;* de ~e was *the coloured wash, the coloureds;* een ~e zomerrok *a bright/ gay summer dress;* ⟨pej.⟩ *a gaudy/ garish summer dress* **1.2** een ~e avond *an evening of varied entertainment;* een ~ gezelschap *a c./ varied group of people;* ⟨pej.⟩ *a motley/ raggle-taggle crowd/ crew;* het ~e leven *the c. life;* een ~ programma *a varied programme;* ⟨inf.⟩ *a mixed bag, a ragbag;* een ~e verzameling boeken *a motley collection of books* **2.1** ⟨fig.⟩ ~ en blauw zien *be black and blue;* iem. ~ en blauw slaan *beat s.o. black and blue* **3.1** zich ~ kleden *dress in bright colours;* ⟨pej.⟩ *dress garishly/ gaudily/ showily* **3.¶** het te ~ maken *go too far.*

bontbladig ⟨bn.⟩ **0.1** ↑*variegated* ♦ **1.1** een ~e klimop *a v. (species of) ivy.*

bonten ⟨bn.⟩ **0.1** *fur* ⇒*furry* ♦ **1.1** een ~ muts *a fur hat/ cap.*

bontgekleurd ⟨bn.⟩ **0.1** *colourful* ⇒*brightly-/ gaily-coloured,* ⟨pej.⟩ *gaudily/ garishly coloured.*

bontgoed ⟨het⟩ **0.1** [stoffen] *(cotton) prints* **0.2** [voorwerpen] *(cotton) prints* ⇒⟨was⟩ *coloureds, coloured wash.*

bonthandel ⟨de (m.)⟩ **0.1** *fur trade.*

bonthandelaar ⟨de (m.)⟩ **0.1** *furrier* ⇒*skinner.*

bontheid ⟨de (v.)⟩ **0.1** [veelkleurigheid] *multicolouredness* ⇒⟨mbt. planten⟩ *variegation* **0.2** [gemengdheid] *variety* ⇒*colourfulness.*

bonthoed ⟨de (m.)⟩ **0.1** *fur hat* ⇒*fur cap.*

bontjas ⟨de⟩ **0.1** *fur coat.*

bontje ⟨het⟩ **0.1** *fur (boa/ scarf/ tie).*

bontkluis ⟨de⟩ **0.1** *fur safe.*

bontkraag ⟨de (m.)⟩ **0.1** *fur collar* ⇒*fur-trimmed collar.*

bontlaars ⟨de⟩ **0.1** *fur-lined boot.*

bontmantel ⟨de (m.)⟩ **0.1** *fur coat.*

bontmuts ⟨de⟩ **0.1** *fur cap/ hat.*

bon ton ⟨de (m.)⟩ **0.1** *good form/ taste/ style/ manners, the done thing* ⇒⟨mode⟩ *the fashion/ style,* ⟨vero.⟩ *bon ton* ♦ **3.1** het is daar ~ om in jacquet te dineren *it's good manners/ the done thing/ the fashion there to dress for dinner;* dat is geen ~ *that's not done.*

bontoog ⟨de (m.)⟩ **0.1** ⟨genus⟩ *euglena.*

bontrand ⟨de (m.)⟩ **0.1** *furred edge* ⇒⟨witte bontrand langs ceremoniële kledij⟩ *miniver.*

bontstola ⟨de⟩ **0.1** *fur stole.*

bontvoering ⟨de (v.)⟩ **0.1** *furring* ⇒*fur lining.*

bontwerk ⟨het⟩ **0.1** *furs, fur goods.*

bontwerker ⟨de (m.)⟩ **0.1** *furrier, fur worker.*

bonus ⟨de (m.)⟩ **0.1** *bonus* ⇒*premium, bounty,* ⟨in beroepssport ook⟩ *talent money* ⟨overwinningspremie⟩.

bonusaandeel ⟨het⟩ **0.1** *bonus share.*

bonus-malussysteem ⟨het⟩ **0.1** *no-claims bonus system.*

bon-vivant ⟨de (m.)⟩ **0.1** *bon vivant* ⇒*jovial fellow.*

bonze ⟨de (m.)⟩ **0.1** [invloedrijk persoon] *(big) boss, big shot, bigwig* ⇒⟨AE ook⟩ *honcho* **0.2** [boeddhistische priester] *bonze* ♦ **2.1** de politieke ~n *political/ party bosses/ bigwigs.*

bonzen

I ⟨onov.ww.⟩ **0.1** [beuken] *bang* ⇒*thump, hammer, pound, batter,* ⟨inf.⟩ *bash* **0.2** [botsen] *bump/ crash/ bang/* ⟨inf.⟩ *bash (against/ into)* **0.3** [onstuimig kloppen] *pound* ⇒*throb, thump* **0.4** [dreunen] *boom* **0.5** [neuken] *bang, hump* ⇒ ↓*fuck* ♦ **1.4** met ~d hart *with (a) pounding heart* **6.1** op een deur ~ *bang/ thump/ hammer on/ at a door, pound/ batter at a door* **6.2** op de grond ~ *fall to the ground with a bump;* tegen iem. aan ~ *bump/ bash/ bang into s.o.;* met het hoofd **tegen** de muur ~ *bump/ bang one's head against the wall* **6.3** het hart bonst hem **in** de keel *his heart was in his mouth;* zijn hart bonsde **van** angst/ ontroering *his heart was pounding with fear/ emotion;*
II ⟨ov.ww.⟩ **0.1** [hevig kloppen/ slaan] *bang* ⇒*thump, hammer, pound, batter,* ⟨inf.⟩ *bash* ♦ **2.1** iem. wakker ~ *knock s.o. up* **6.1** iem. op de schouders ~ *thump s.o. on the shoulder.*

boodschap ⟨de (v.)⟩ ⟨vaak mv.⟩ ⇒⟨mv. ook⟩ *(the) shopping* **0.2** [opdracht] *errand* ⇒⟨missie⟩ *mission* **0.3** [bericht] *message* ⇒*communication* **0.4** [mededeling met een strekking] *message* ♦ **1.3** (het feest van) Maria Boodschap *(the feast of) the Annunciation* **2.2** een lastige ~ *an awkward mission* **2.3** de Blijde Boodschap *the Gospel, the Glad Tidings/ News;* Koninklijke ~ *Royal Message;* een nare ~ *an unpleasant m.* **2.¶** een grote ~ doen *do one's business, answer the call of nature;* ⟨kind.⟩ *do (a) number two;* een kleine ~ doen *spend a penny,* ↓*have a pee;* ⟨kind.⟩ *do (a) number one* **3.1** een ~ doen *go (out) and/ to buy sth., do/ run an errand;* ~pen gaan doen *go (out) shopping, do the/ one's/ some shopping;* is je moeder thuis?

nee, ze is ~pen doen *is your mother home? no, she's (out) shopping;* ~pen inslaan (voor het weekend) *stock up (for the weekend);* ~pen laten thuisbezorgen *have the/one's shopping delivered;* een ~ vergeten hebben ⟨ergens hebben laten liggen⟩ *have forgotten one of one's purchases;* ⟨vergeten te kopen⟩ *have forgotten to buy sth.* **3.2** een kind een ~ laten doen *send a child on an e.* **3.3** kan ik de ~ aannemen/overbrengen? *can I take/give a(ny) m.?;* een ~ voor iem. achterlaten *leave a m. for s.o.;* een ~ krijgen *get/receive a m. (that);* iemands ~ overbrengen *deliver s.o.'s m., deliver a m. for s.o.;* hij stuurde een ~ dat hij niet kon komen *he sent word/a m. that he couldn't come* **3.4** de ~ kwam niet over *the m. didn't get across, he/she* ⟨enz.⟩ *didn't get the m.;* een ~ uitdragen *spread a m.* **3.¶** oppassen is de ~ *the watchword is: be careful!,* you/we must be careful, *keep your eyes peeled/skinned;* zwijgen is de ~ *mum's the word;* ↓ *keep your mouth shut* **6.1** bij elke *f*25,- **aan** ~pen krijgt u één zegel *you get a stamp with/for each/every 25 guilders-worth of purchases;* voor honderd gulden **aan** ~pen besteden *spend a hundred guilders on shopping, buy a hundred guilders-worth of shopping;* **om** een ~ gaan *go on an errand;* een kind **om** een ~ sturen ⟨fig.⟩ ≠*spoil the ship for a ha'p'orth/ha'penny worth of tar;* die kun je wel **om** een ~ sturen ⟨fig.⟩ *you can leave things to him/her;* ⟨mbt. kind⟩ *he's/she's big enough to do it* **6.2** iem. **met** een ~ belasten *send s.o. on an e.* **6.3** hij kwam thuis **met** de ~ dat ... *he came home with the m. that/brought word home that ...* **6.4** een roman **met** een ~ *a novel with a m.* **7.¶** geen ~ aan iets/iem. hebben *not want to have anything to do with sth. / s.o.;* daar heb ik geen ~ aan *that's no concern of mine.*

boodschappen ⟨ov.ww.⟩ **0.1** *bring a message (that), bring word (that)* ⇒ *announce (that).*

boodschappendienst ⟨de (m.)⟩ **0.1** *messenger service* ⇒ ⟨privé expres-besteldienst, vaak op motoren⟩ *courier service.*

boodschappenjongen ⟨de (m.)⟩ **0.1** *errand-boy* ⇒*messenger boy,* ⟨bezorger ook⟩ *delivery boy* ◆ **8.1** ik laat me door niemand als ~ gebruiken *I'm not your/his* ⟨enz.⟩ *e.-b., you're/he's* ⟨enz.⟩ *not ordering me around/telling me what to do, you/he* ⟨enz.⟩ *can't order me around.*

boodschappenlijstje ⟨het⟩ **0.1** *shopping list.*

boodschappenmand ⟨de⟩ **0.1** *shopping basket.*

boodschappennet ⟨het⟩ **0.1** *string bag.*

boodschappentas ⟨de⟩ **0.1** *shopping bag* ⇒ ⟨vnl. BE⟩ *carrier (bag)* ⟨van plastic of papier⟩, ⟨vnl. AE⟩ *tote bag, sack* ⟨van papier⟩.

boodschappenwagentje ⟨het⟩ **0.1** *shopper, shopping cart.*

boodschapper ⟨de (m.)⟩ **0.1** *messenger* ⇒ ⟨koerier⟩ *courier* ◆ **2.1** de blijde ~ *the m. / bearer of good news/* ⟨schr. of scherts.⟩ *glad tidings.*

boodschapper-RNA ⟨het⟩ ⟨biol.⟩ **0.1** *messenger RNA, m-RNA.*

boog ⟨de (m.)⟩ ⟨→sprw. 77⟩ **0.1** [schiettuig] *bow* **0.2** [⟨bouwk.⟩ gebogen constructie] *arch* ⇒ ⟨van brug ook⟩ *span* **0.3** [⟨bouwk.⟩ overdekking] *arch* **0.4** [deel v.e. kromme lijn] *arc* ⇒ ⟨bocht⟩ *curve, bend* **0.5** [schriftteken] ⟨mbt. noten van zelfde toonhoogte⟩ *tie, bind;* ⟨legato-teken⟩ *slur, legato mark;* ⟨fraserings-teken⟩ *phrase mark;* ⟨portamento-teken⟩ *portato mark* **0.6** [(ere)poort] *arch(way)* ◆ **1.1** met pijl en ~ *with b. and arrow* **2.2** een platte ~ *a straight a.* **2.3** omgekeerde ~ *inverted a.* **2.¶** elektrische ~ *(electric) arc, (electric) spark* **3.1** een ~ spannen/ontspannen *draw/unbend a b.;* ⟨spannen ook⟩ *bend a b.* **6.1** ⟨fig.⟩ meer dan één pijl **op** zijn ~ hebben *have more than one string to one's b.;* ⟨fig.⟩ als een pijl **uit** een ~ *like a shot, like greased lightning;* ⟨mbt. mens ook⟩ *like a scalded cat* **6.2** een brug met een ~ *an arched bridge* **6.4** **met** een (grote) ~ / **met** een ~ je om iets heenlopen *go out of one's way to avoid sth., give sth. a wide berth, skirt round sth..*

boogballetje ⟨het⟩ ⟨sport⟩ **0.1** *chip* ⇒ ⟨hoog⟩ *loft, lob.*

boogbrug ⟨de⟩ **0.1** *arch(ed) bridge.*

boogconstructie ⟨de (v.)⟩ **0.1** *arch (construction).*

boogelement ⟨het⟩ **0.1** *element of arc.*

boogfries ⟨het⟩ **0.1** *arcature.*

booggewelf ⟨het⟩ **0.1** *arched vault.*

booggraad ⟨de (m.)⟩ ⟨wisk.⟩ **0.1** *degree (of arc).*

booglamp ⟨de⟩ **0.1** *arc lamp/light.*

booglassen ⟨ww.⟩ **0.1** *arc welding.*

booglicht ⟨het⟩ **0.1** *arc light.*

booglijst ⟨de⟩ **0.1** *archivolt.*

boogminuut ⟨de⟩ ⟨wisk.⟩ **0.1** *minute (of arch).*

boogpasser ⟨de (m.)⟩ **0.1** ⟨om te meten⟩ *(bowlegged) outside caliper(s), bowleg caliper(s).*

boograam ⟨het⟩ **0.1** *arched window.*

boogschieten ⟨ww.⟩ **0.1** *archery.*

boogschild, boogveld ⟨het⟩ ⟨bouwk.⟩ **0.1** *tympanum.*

boogschot ⟨het⟩ **0.1** [schot uit een boog] *bowshot, shot from a bow* **0.2** [afstand] *bowshot* **0.3** [schot uit een vuurmond] ≠*plunging fire.*

boogschutter ⟨de (m.)⟩ **0.1** [persoon] *archer, bowman* ⇒ ↑*toxophilite* **0.2** [⟨astrol.⟩] *Sagittarius, Archer.*

boogsgewijs ⟨bw.⟩ **0.1** *in the form of an arch, like an arch, arch-like.*

boogspanning ⟨de (v.)⟩ **0.1** [lengte v.d. ruimte] *span of an arch* **0.2** [⟨elek.⟩] *arc voltage.*

boogtafel →boogfries.

boogtrommel ⟨de⟩ ⟨bouwk.⟩ **0.1** *tympanum.*

boogvijl ⟨de⟩ **0.1** *saw file* ⇒*rod saw, tension file.*

boogvormig ⟨bn., bw.⟩ **0.1** *arched* ⇒ ↑*arcuate(d).*

boogzaag ⟨de⟩ **0.1** *bow/frame saw* ⇒*sweep/turning saw.*

bookmaker ⟨de (m.)⟩ **0.1** *bookmaker* ⇒ ⟨vnl. BE ook⟩ ↑*turf accountant,* ⟨turf⟩ *commission agent,* ⟨inf.⟩ *bookie.*

boom ⟨de (m.)⟩ ⟨→sprw. 18,75,76,78-81,87,537⟩ **0.1** [gewas] *tree* **0.2** [voorwerp] ⟨bezaans/laad/havenboom⟩ *boom;* ⟨afsluit/slagboom⟩ *bar, barrier, gate;* ⟨spoorboom⟩ *gate;* ⟨disselboom⟩ *pole;* ⟨lamoenboom⟩ *shaft;* ⟨ploegboom⟩ *(plough-)beam;* ⟨vaarboom⟩ *pole,* [B]*guant;* ⟨weversboom⟩ *beam;* ⟨mbt. kippen⟩ *perch;* ⟨kraanarm⟩ *jib* **0.3** [tekening, diagram] *tree* ⇒ ⟨taal. ook⟩ *tree diagram* **0.4** [gezwel] *growth* ◆ **1.1** de ~ des doods *yew (t.);* ⟨fig.⟩ huisje, ~pje, beestje ≠*a house, a garden, and a pair of slippers by the fireside;* de ~ der kennis/van goed en kwaad *the t. of knowledge/of good and evil;* de ~ des levens *the t. of life* **2.1** een geknotte ~ *a pollard;* daar zijn wel hoger bomen geveld ⟨fig.⟩ *stranger things have happened;* een jong ~pje *a sapling* **3.1** ⟨fig.⟩ de bomen groeien niet tot in de hemel ≠*all good things (must) come to an end,* ≠*you can't always get what you want;* opgaande ~ *tall t.* **3.2** een ~ sluiten/openen *raise/lower a barrier* **3.¶** een ~ opzetten over iets *have a good long talk/ discussion on sth.;* ~pje verwisselen *puss in the corner, pussy wants a corner* **6.1** ⟨fig.⟩ als een blad **aan** een ~ omdraaien *be like a leaf in the wind, change/turn with every wind that blows;* ze zien **door** de bomen het bos niet *they can't see the wood for the trees;* ⟨fig.⟩ je kunt me de ~ **in** ⟨hoepel op⟩ *(you can) get lost;* ⟨dat komt niets van⟩ *forget it, no way;* appels **op** de ~ verkopen *sell apples on the trees;* een ~ **van** een vent *a great big fellow, a strapping fellow.*

boombrand ⟨de (m.)⟩ **0.1** ≠*tree blight* ⇒ *(tree) canker.*

boomchirurg ⟨de (m.)⟩ **0.1** *tree surgeon.*

boomchirurgie ⟨de (v.)⟩ **0.1** *tree surgery.*

boomdiagram ⟨het⟩ ⟨taal.⟩ **0.1** *tree diagram* ⇒*tree.*

boomgaard ⟨de (m.)⟩ **0.1** *orchard.*

boomgeld ⟨het⟩ **0.1** ⟨aan haven⟩ *harbour/dock-charges/dues;* ⟨aan vaart⟩ *toll.*

boomgrens ⟨de⟩ **0.1** *tree line* ⇒*timber line.*

boomgroep ⟨de (m.)⟩ **0.1** *group/clump/copse/stand of trees.*

boomhagedis ⟨de⟩ **0.1** *agamid.*

boomheide ⟨de⟩ **0.1** *brier.*

boomkanker ⟨de (m.)⟩ **0.1** *tree canker/blight.*

boomkever ⟨de (m.)⟩ **0.1** [meikever] *maybug* ⇒*cockchafer* **0.2** [boktor] *house longhorn* ⇒*longhorn/(ed) beetle), cerambycid.*

boomkikvors ⟨de (m.)⟩ **0.1** *tree frog/toad.*

boomklever ⟨de (m.)⟩ **0.1** *nuthatch.*

boomkor ⟨de⟩ **0.1** ≠*trawl.*

boomkorkotter ⟨de⟩ **0.1** ≠*trawler.*

boomkruin ⟨de⟩ **0.1** *crown of a/the tree.*

boomkruipertje ⟨het⟩ **0.1** *tree-creeper.*

boomkunde ⟨de (v.)⟩ **0.1** *dendrology.*

boomkweker ⟨de (m.)⟩ **0.1** *tree-nurseryman* ⇒ ↑*arboriculturist.*

boomkwekerij ⟨de (v.)⟩ **0.1** [kunst, bedrijf] *tree cultivation* ⇒ ↑*arboriculture* **0.2** [zaak] *tree nursery* **0.3** [plaats] *tree nursery.*

boomladder ⟨de⟩ **0.1** *extension ladder.*

boomleeuwerik ⟨de (m.)⟩ **0.1** *woodlark.*

boommarter ⟨de (m.)⟩ **0.1** *pine marten.*

boommes ⟨het⟩ **0.1** *pruning knife.*

boommos ⟨het⟩ **0.1** *tree-moss.*

boommus ⟨de⟩ **0.1** [B]*tree sparrow.*

boompieper ⟨de (m.)⟩ **0.1** *tree pipit.*

boompioen ⟨de⟩ **0.1** *tree peony.*

boomplantdag ⟨de (m.)⟩ **0.1** *tree-planting day;* ⟨USA⟩ *Arbor Day.*

boomschaar ⟨de⟩ **0.1** *pruning shook.*

boomschors ⟨de⟩ **0.1** [omkleedsel v.e. boom] *(tree-)bark* **0.2** [chocolaatje] ≠*chocolate flake.*

boomslang ⟨de⟩ **0.1** *tree-snake;* ⟨Zuidafrikaanse soort⟩ *boomslang.*

boomspecht ⟨de (m.)⟩ **0.1** *woodpecker.*

boomstam ⟨de (m.)⟩ **0.1** [deel v.e. boom] *(tree-)trunk* **0.2** [gebak] *log (cake)* **0.3** [zeer groot, dik iets] *tree-trunk* ◆ **6.3** een ~ **van** een potlood *a pencil like a t.-t..*

boomstronk ⟨de (m.)⟩ **0.1** *tree-stump.*

boomstructuur ⟨de (v.)⟩ **0.1** *tree (diagram)* ⇒*phrase marker.*

boomtak ⟨de (m.)⟩ **0.1** *branch, bough.*

boomvalk ⟨de (m.)⟩ **0.1** *hobby.*

boomvaren ⟨de (m.)⟩ **0.1** *tree fern.*

boomvrucht ⟨de⟩ **0.1** *tree-fruit.*

boomwagen ⟨de (m.)⟩ **0.1** *timber-wag(g)on.*

boomzaag ⟨de⟩ **0.1** *(two-man) crosscut saw.*

boomzwam ⟨de⟩ **0.1** *tree fungus.*

boon ⟨de⟩ ⟨→sprw. 82,294⟩ **0.1** [zaad v.d.] *peulvrucht] bean* **0.2** [peulgewas] *bean* ◆ **1.¶** hij doet voor spek en bonen mee/zit er voor spek en bonen bij *his presence is purely decorative* **2.1** bruine bonen ≠*kidney beans;* witte bonen in tomatensaus ≠*baked beans;* witte bonen haricot/navy beans* **2.¶** een blauwe ~ *(an ounce of) lead* **3.1** bonen afhalen/repen *string beans;* ik ben een ~ als ik het weet *search me!,*

(I'm/I'll be) dashed/ ↓ *damned if I know!, (I) haven't the foggiest (idea)!, I haven't a clue;* ik ben een ~ als het waar is *if that's true (then) I'll eat my hat/I'm a Dutchman, that's untrue or I'll eat my hat/I'm a Dutchman,* ↓ *(I'm/I'll be) damned if that's true!* **6.¶ in** de bonen zijn/ zitten be *(all) at sea/in a complete fog/(way) off beam.*

boonkoning ⟨de (m.)⟩, **-koningin** ⟨de (v.)⟩ **0.1** *Twelfth-Night King* ⟨m.⟩/ *Queen* ⟨v.⟩.

boontje ⟨het⟩ **0.1** *bean* ◆ **2.1** ⟨fig.⟩ hij is (bepaald) geen heilig~ *he's (certainly) no saint* **2.¶** een heilig~ *a goody-goody/prig;* ze is zo'n heilig~ *she's so holier-than-thou/such a goody-goody* **3.1** ⟨fig.⟩ hij kan zijn eigen~s wel doppen *he can look after himself/take care of himself/fight his own battles/paddle his own canoe, he doesn't need spoon-feeding/a wet-nurse;* ⟨fig.⟩ ik kan mijn eigen~s wel doppen *you don't need to spoon-feed/wet-nurse me;* ⟨fig.⟩ hij moet zijn eigen ~s maar doppen *he'll just have to fend for himself/fight his own battles.*

boonvormig ⟨bn., bw.⟩ **0.1** *bean-shaped.*

boor
I ⟨de⟩ **0.1** [handboor] ⟨omslagboor⟩ *brace;* ⟨omslagboor met boorijzer⟩ *brace and bit;* ⟨fretboor, klein⟩ *gimlet;* ⟨fretboor, groot⟩ *auger* **0.2** [boorijzer] *bit;* ⟨voor boormachine ook⟩ *twist bit* **0.3** [boormachine] *drill* ⟨ook tandarts⟩ ⇒⟨voor rots ook⟩ *borer* ◆ **2.2** gewonden ~ *spiral b.* **6.2** een ~tje van 6 mm (doorsnee) *a 6 mm b.;*
II ⟨het⟩ ⟨schei.⟩ **0.1** [borium] *boron.*

booras ⟨de⟩ **0.1** *drill spindle/shaft.*

boorbank ⟨de⟩ **0.1** *drilling bench.*

boorbeitel ⟨de (m.)⟩ **0.1** ⟨draaibank⟩ *boring tool;* ⟨timmerwerk⟩ *flattened chisel;* ⟨mijnw.⟩ *drilling bit.*

boorbuis ⟨de⟩ **0.1** [voor het boren naar olie] *drill pipe* **0.2** [voor bekleding v.h. boorgat] *casing.*

boord ⟨→sprw. 29,83⟩
I ⟨het, de (m.)⟩ **0.1** [afwerking aan een kledingstuk] *border* ⇒*band, trim* **0.2** [kraag] *collar* **0.3** [losse kraag] *collar* **0.4** [scheepswand] *board;* ⟨boven het water⟩ *freeboard* **0.5** [schip, luchtvaartuig] *board* ◆ **2.1** elastische ~en *elastic bands* **2.2** een bloesje met een hoge ~ *a high-collared blouse;* een omgeslagen ~ *a turned-down c.;* een opstaande ~ *a stand-up c.;* slappe/stijve ~en *soft/stiff collars;* ⟨fig.⟩ witte ~en *white-collar workers* **3.4** het schip had maar 1 dm ~ *the ship had only a few inches of freeboard* **6.2** een ~ **met** omgeslagen punten *a wing c.* **6.4** het roer **aan** ~ leggen ≠*put the helm down/up;* het roer **aan** ~ leggen en vastzetten ⟨fig.⟩ *(decide to) ride out the storm;* ~ **aan** ~ slepen *tow abreast/alongside;* zij vochten ~ **aan** ~ *they fought b. on/ and/by b.;* land **aan** ~ krijgen/lopen/zien *sight land;* een schip **aan** ~ komen *approach a ship from* ⟨bakboord⟩ *port/* ⟨stuurboord⟩ *starboard;* ⟨fig.⟩ iem. met iets **aan** ~ komen *approach/* ⟨lastig vallen⟩ *bother s.o. with sth.;* ⟨fig.⟩ hij moet mij niet mee **aan** ~ te komen *he'd better not annoy me with that/try that on (with) me!, that's not on with me;* ⟨fig.⟩ kom me nou niet weer met die onzin **aan** ~ *don't give me that nonsense!, none of your nonsense!, don't try that stuff on me!;* **binnen** ~ *inboard;* ⟨fig.⟩ *in(side);* ⟨fig.⟩ de benen **binnen** ~ houden *keep one's legs in(side);* de riemen **binnen** ~ leggen ⟨ook fig.⟩ *ship (the) oars;* ⟨fig.⟩ throw/chuck it in;* iem. **buiten** ~ smijten *chuck/ throw s.o. overboard* **6.5 aan** ~ gaan *go aboard/on b.;* ⟨als passagier ook⟩ *embark;* het schip/vliegtuig had 120 passagiers **aan** ~ *the ship/ plane had 120 passengers on b./aboard;* **aan** ~ blijven *stay on b./ aboard;* **aan** ~ v.d. QE 2 *on b./aboard the QE 2;* radio/radar **aan** ~ hebben *have radio/radar on b.;* schipbreukelingen **aan** ~ nemen *pick up/take on castaways;* **aan** ~ v.h. schip/vliegtuig gaan *board the ship/ plane;* franco **aan/langs** ~ *free on board, f.o.b./free alongside ship, f.a.s.;* **van** ~ gaan ⟨schip⟩ *go ashore;* ⟨vliegtuig⟩ *disembark;* de bemanning **van** ~ halen *disembark the crew* **6.¶** ⟨AZN⟩ iets **aan** ~ leggen *tackle sth., go about sth.;*
II ⟨de (m.)⟩ **0.1** [oever] *edge* ⇒⟨rivier⟩ *bank,* ⟨zee, meer⟩ *shore* **0.2** [⟨AZN⟩ rand, kant] *edge* **0.3** [⟨AZN⟩ berm] *edge/side/shoulder of a/ the road* ⇒*roadside, verge* **0.4** [mbt. vaatwerk] *brim* **0.5** [⟨plantk.⟩ ⟨bladschijf⟩ *leafblade* ⇒*lamina* ◆ **1.2** de ~en v.h. woud *the edges of the forest* **6.4** tot de ~ toe vol *full to the b.,*

boordband ⟨het⟩ **0.1** *band, trimming* ⇒*piping, galloon.*

boordcomputer ⟨de (m.)⟩ **0.1** *onboard computer.*

boordeknoop ⟨de (m.)⟩ **0.1** *collar-stud,* ᴬ*collar-button.*

boorden ⟨ov.ww.⟩ **0.1** [een boordsel naaien om/aan] *edge* ⇒*trim, pipe, set off* **0.2** [⟨mil.⟩ *hem in* **0.3** [als (met) een boord omgeven] *border* ⇒*run/stretch along* ◆ **1.1** een japon ~ *e./trim/pipe/lace a dress.*

boordevol ⟨bn.⟩ **0.1** *full/filled to overflowing* ⇒⟨glas ook⟩ *full to the brim, brimfull, brimming,* ⟨zak ook⟩ *bulging,* ⟨bord ook⟩ *heaped,* ⟨vertrek ook⟩ *crammed (full), packed,* ⟨AE ook⟩ *chockablock* ◆ **1.1** hij zit ~ energie *he's bursting/overflowing with energy;* ~ nieuwe ideeën *bursting/brimming/* ⟨boek⟩ *crammed with new ideas;* ~ mensen *packed with/crammed with/(chock)full of/chockablock with people* **3.1** zijn bord ~ laden *heap/pile one's plate;* een glas ~ schenken *fill a glass to the brim.*

boordiamant
I ⟨de (m.)⟩ **0.1** [diamanten boorpunt] *diamond tip;*

II ⟨het⟩ **0.1** [kunstdiamant] *boron-based synthetic diamond.*

boordlantaarn ⟨de⟩ **0.1** *sidelight.*

boordlint →*boordband.*

boordradio ⟨de (m.)⟩ **0.1** *(ship's/aircraft) radio.*

boordroeien ⟨ww.⟩ **0.1** *rowing (as opposed to sculling).*

boordschutter ⟨de (m.)⟩ **0.1** [mbt. een gevechtsvliegtuig] *gunner* **0.2** [mbt. een tank/pantservoertuig] *gunner.*

boordsel ⟨het⟩ **0.1** *edging, trimming* ⇒*piping.*

boordtelegrafist ⟨de (m.)⟩ **0.1** *radio operator.*

boordvrij ⟨bn., bw.⟩ ⟨hand.⟩ **0.1** *ex ship* ⇒*free on board, f.o.b..*

boordwapen ⟨het⟩ **0.1** *gun.*

boordwerktuigkundige ⟨de (m.)⟩ **0.1** *flight engineer.*

boordwijdte ⟨de (v.)⟩ **0.1** *collar width.*

booreiland ⟨het⟩ **0.1** *drilling rig/platform;* ⟨olie⟩ *oilrig.*

boorgat ⟨het⟩ **0.1** [door boren ontstaan gat] *drill hole, borehole* **0.2** [mbt. delfstoffen] *drill hole, borehole* **0.3** [mbt. een schietlading] *drill hole, borehole.*

boorgereedschap ⟨het⟩ **0.1** *drilling tools.*

boorhamer ⟨de (m.)⟩ **0.1** *jackhammer.*

boorijzer ⟨het⟩ **0.1** *bit* ◆ **¶.1** een ~ met een doorsnede van 8 millimeter *an 8 mm b..*

boorinstallatie ⟨de (v.)⟩ **0.1** *drilling rig* ⇒*drilling installation/equipment.*

boorkern ⟨de⟩ **0.1** *(drill) core.*

boorkever ⟨de (m.)⟩ **0.1** *borer* ◆ **2.1** de gewone ~ *the deathwatch beetle.*

boorkop ⟨de (m.)⟩ **0.1** *(drill) chuck.*

boormaatschappij ⟨de (v.)⟩ **0.1** *drilling company.*

boormachine ⟨de (v.)⟩ **0.1** ⟨handboor⟩ *(electric) drill;* ⟨in fabriek, enz.⟩ *drilling machine, drill press.*

boormal ⟨de⟩ **0.1** *drilling jig* ⇒*template.*

boormeester ⟨de (m.)⟩ **0.1** *foreman driller.*

boormossel ⟨de (m.)⟩, **boorschelpdier** ⟨het⟩ **0.1** *(stone) borer* ⇒*piddock.*

booromslag ⟨het, de (m.)⟩ **0.1** *brace.*

boorplatform ⟨het⟩ **0.1** *drilling rig/platform;* ⟨olie⟩ *oilrig.*

boorput ⟨de (m.)⟩ **0.1** *well* ⇒*borehole.*

boorschip ⟨het⟩ **0.1** *drilling-vessel.*

boorschoen ⟨de (m.)⟩ **0.1** *drive shoe.*

boorspil →*booras.*

boort ⟨het⟩ **0.1** *bort.*

boortol ⟨de (m.)⟩ **0.1** *electric hand-drill.*

boortoren ⟨de (m.)⟩ **0.1** *derrick* ⇒*drilling rig.*

boorwater ⟨het⟩ **0.1** *boracic lotion.*

boorworm ⟨de (m.)⟩ **0.1** *shipworm* ⇒*pileworm.*

boorzalf ⟨de⟩ **0.1** *boracic ointment.*

boorzuur[1] ⟨het⟩ **0.1** *bor(ac)ic acid.*

boorzuur[2] ⟨bn.⟩ **0.1** *boric* ◆ **1.1** boorzure zouten/esters *b. salts/esters.*

boos ⟨bn., bw.;-ly⟩ **0.1** [kwaad] *angry* ⇒⟨woedend⟩ *furious,* ⟨nijdig⟩ *cross,* ⟨AE ook⟩ *mad, sore,* ⟨Austr. E⟩ *crook* **0.2** [bars] *angry* ⇒ *nasty, hostile, ill-tempered,* ⟨minder erg⟩ *mean* **0.3** [kwaadwillig] *evil* ⇒*malicious, wicked,* ↑*malevolent,* ⟨minder erg⟩ *bad,* ⟨zaken ook⟩ *vile, foul* **0.4** [zedelijk verdorven] *evil* ⇒*foul, vile* **0.5** [kwaadaardig] *evil* ⇒*bad,* ⟨inf.⟩ *nasty, vicious,* ᴬ*mean* ⟨minder erg⟩ *bad* ⇒ *rough,* ⟨inf.⟩ *nasty, vile, foul* **0.7** [verderfelijk] *evil, wicked, corrupt, depraved* ⇒⟨minder erg⟩ *bad* **0.8** [zorgvol] *bad* ⇒*troubled, perilous* ◆ **1.1** een boze blik op iem. werpen *give s.o. an a./ugly/a furious look;* in een boze bui *in a fit of anger/a temper, in a bad mood* **1.2** hij liep met een boze kop de deur uit *he walked/stamped out with a furious look on his face/in high dudgeon/in a temper/in a huff;* een ~ wijf *a nasty/mean woman;* ⟨inf.⟩ *a fishwife/bitch* **1.3** de boze fee/ stiefmoeder *the wicked fairy/stepmother;* een boze lach *an e./a wicked/malicious laugh;* boze listen *e./dirty tricks;* met boze opzet ⟨ook jur.⟩ *with malice aforethought, with malicious intent;* het was geen boze opzet *there was no harm intended;* geen boze opzet ⟨jur.⟩ *absence of malice;* boze plannen *e./wicked plans;* boze tongen *e. tongues;* de boze wereld *the wicked world* **1.4** de boze geesten *e. spirits;* een boze lust *e./foul/vile urges* **1.5** de boze wolf *the big bad wolf* **1.6** een ~ water *a b./rough/nasty sea;* ~ weer ⟨ook, inf.⟩ *nasty/rotten weather* **1.7** de boze gevolgen *the e. consequences* **1.8** wij beleven boze tijden *we are living in/these are b./troubled times* **1.¶** het boze oog *the evil eye* **3.1** ~ kijken *scowl (at s.o.);* iem./scowl (at s.o.);* iem./ maken *make s.o./get a.;* ⟨zich⟩ *lose one's temper;* je moet niet ~ worden *don't be a.* **3.3** het was niet ~ gemeend *it wasn't badly meant* **3.8** het ziet er ~ uit *it looks b./* ⟨inf.⟩ *nasty* **5.1** daar kan ik me geweldig ~ om maken *that makes me really a.* **6.1** zich ~ maken *om* iets *get a. at/ over sth., lose one's temper at/over sth.;* hij is ~ **op** zichzelf *he's a. with/at himself;* ~ worden **op** iem. *get a. with/at s.o., loose one's temper with/at s.o..*

boosaardig ⟨bn., bw.;-ly⟩ **0.1** [kwaadaardig] *malignant* ⇒*virulent* **0.2** [vijandig] *malicious* ⇒*vicious, spiteful,* ↑*malevolent* ◆ **1.1** een ~e koorts *a virulent fever;* een ~e ziekte *a m./virulent disease* **1.2** een ~e blik *a leering look;* een ~e glimlach *a sinister smile;* ~e laster *malicious gossip;* ~e moedwil *malicious wilfulness* **3.2** ~ grommen *snarl viciously;* ~ verspreide leugens *vicious lies.*

boosdoener ⟨de (m.)⟩ **0.1** [iem. die kwaad doet] *wrongdoer* ⇒ ↑*evildoer,* ↑*malefactor* **0.2** [⟨scherts.⟩ dader] *the villain (of the piece)* ⇒⟨schuldige⟩ *culprit* ♦ **3.2** ...dan ben ik de ~ ⟨dan krijg ik de schuld⟩ ... *(then) I shall get the blame;* wie is de ~ *who is the culprit?.*

boosheid ⟨de (v.)⟩ **0.1** [woede] *anger* ⇒⟨grote woede⟩ *fury,* ⟨groot⟩ *madness* **0.2** [boze daad] *wickedness, wicked deed* **0.3** [kwaadwilligheid] *malice* ⇒*wickedness,* ↑*malevolence* **0.4** [slechtheid] *wickedness* ⇒*badness* ♦ **3.1** uitg ~ *ging over his a. passed off/blew over* **6.1** ze begon van ~ te huilen *she began to cry with a..*

boosterdosis ⟨de (v.)⟩ ⟨med.⟩ **0.1** *booster (dose/shot).*

boostereffect ⟨het⟩ ⟨med.⟩ **0.1** *booster effect.*

booswicht ⟨de (m.)⟩ **0.1** *villain* ⇒*wretch.*

boot ⟨de⟩ ⟨→sprw.84⟩ **0.1** [⟨alg.⟩ vaartuig] *boat* ⇒*vessel,* ⟨groot⟩ *steamer, ship* **0.2** [veerboot] *ferry* **0.3** [reddingsboot] *(life) boat* ♦ **3.1** de ~ afhouden ⟨fig.⟩ *play for time, stall s.o.;* de ~ missen ⟨ook fig.⟩ *miss the b.;* gaan ~ je varen *go out boating* **3.3** een ~ uitzetten *lower a b.* **6.1** zij staken met de ~ naar *they crossed the lake by b.;* met de ~ reizen *travel by b./sea;* iem. op de ~ naar Australië zetten ⟨iem. lozen⟩ *bundle s.o. off to Australia;* uit de ~ vallen ⟨zijn positie verliezen⟩ *be eliminated;* ⟨zich terugtrekken⟩ *opt out;* ⟨fig.⟩ studenten die om wat voor reden dan ook uit de ~ vallen *students who, for whatever reason, drop out/fall by the wayside* **6.2** de ~ naar Engeland nemen *take the f. to England;* de ~ naar Breskens *the Breskens f.* **6.3** de bemanning ging in de boten *the crew took to the boats* **6.¶** iem. in de ~ nemen *pull s.o.'s leg* **¶.1** de ~ is aan ⟨fig.⟩ *now there's hell to pay /the fat's in the fire.*

bootdienst ⟨de (m.)⟩ **0.1** *boat/steamer service.*

boothals ⟨de (m.)⟩ **0.1** *boat-neck* ♦ **6.1** een trui/jurk met een ~ *a boat-n. sweater/dress.*

boothuis ⟨het⟩ **0.1** *boathouse.*

boothuur ⟨de⟩ **0.1** *boat hire.*

bootlengte ⟨de (v.)⟩ **0.1** *(boat's) length* ♦ **2.1** met een halve/volle ~ winnen *win by half a/a full length.*

bootreis ⟨de⟩ **0.1** *voyage* ⇒⟨plezierreis⟩ *boat trip/excursion, cruise* ♦ **3.1** een ~ maken *make a v.; take a boat trip, go on a cruise.*

boots ⟨de (m.)⟩ **0.1** *bo(')s'n, bo(')sun* ⇒*boatswain.*

bootsgezel ⟨de (m.)⟩ **0.1** *sailor.*

bootshaak ⟨de (m.)⟩ **0.1** *boathook.*

bootsman ⟨de (m.)⟩ **0.1** [⟨marine⟩] *boatswain* ⇒*bo(')s'n, bo(')sun* **0.2** [mbt. koopvaardijschepen] *boatswain* ⇒*bo(')s'n, bo(')sun.*

boottocht ⟨de (m.)⟩ **0.1** *boat trip/excursion.*

boottrailer ⟨de (m.)⟩ **0.1** *boat trailer.*

boottrein ⟨de (m.)⟩ **0.1** *boat train.*

bootvluchtelingen ⟨zn.mv.⟩ **0.1** *boat people.*

bootwerker ⟨de (m.)⟩ **0.1** [havenarbeider] *docker* ⇒*dockhand, dock labourer,* ^A*roustabout,* ^A*longshoreman* **0.2** [onbehouwen persoon] ^B*navvy* ♦ **8.2** eten als een ~ *eat like a pig.*

boraat ⟨het⟩ **0.1** *borate.*

borax ⟨de (m.)⟩ **0.1** *borax.*

boraxzuur ⟨het⟩ **0.1** *boric acid.*

bord ⟨het⟩ **0.1** [stuk vaatwerk] *plate* **0.2** [plaat met opschrift] *sign* ⇒*notice,* ↑*plate* **0.3** [schoolbord] *(black)board* **0.4** [speelbord] *board* **0.5** [mededelingenbord] *notice board* **0.6** [mbt. een windmolen] *pale* **0.7** [schoep v.e. scheprad] *paddle* **0.8** [karton] *cardboard* **0.9** [⟨basketbal⟩] *backboard* ♦ **1.1** een ~ soep *a p. of soup* **2.1** zijn ~ leeg eten *clean one's p.;* platte en diepe ~en *dinner and soup plates* **2.6** lang ~ *long p.* **3.1** ~en wassen *wash (up) the dishes* **3.2** de ~jes zijn verhangen ⟨fig.⟩ *the tables are turned, the boot is on the other leg* **3.3** het ~ uitvegen *clean/wipe the blackboard* **3.¶** ⟨inf.⟩ een ~ voor zijn kop hebben *be thick-skinned* **5.1** een ~ vol *a plateful* **6.1** ⟨fig.⟩ alle probleemgevallen komen op zijn ~ je terecht *he ends up with all the difficult cases on his p.;* ⟨fig.⟩ een probleem bij een ander op zijn ~ schuiven *push/shove a problem on to s.o. else;* van een ~ eten *eat off a p.* **6.2** een ~ met 'verboden toegang' *a 'no admittance' notice;* de hele route is met ~en aangegeven *it's signposted all the way;* een ~ je op de deur *a door-plate/name-plate* **6.3** voor het ~ komen *come to the blackboard* **7.4** ⟨schaakspel⟩ aan het eerste ~ zitten *be/compete on first/top board* **¶.1** eerst je ~ je leeg eten *first finish your meal.*

bordeaux [superscript] ¹
I ⟨de (m.)⟩ **0.1** [wijn] *bordeaux* ⇒⟨rode⟩ *claret;*
II ⟨het⟩ **0.1** [kleur] ≠*burgundy* ⇒*claret-colour.*

bordeaux ² ⟨bn.⟩ **0.1** ≠*burgundy* ⇒*claret-coloured.*

bordeauxrood ⟨bn.⟩ **0.1** *burgundy.*

bordeauxs ⟨bn.⟩ **0.1** *bordeaux* ♦ **1.¶** ~e *p-eap b. mixture.*

bordeel ⟨het⟩ **0.1** *brothel* ⇒*whorehouse.*

bordeelbezoeker ⟨de (m.)⟩ **0.1** *s.o. who goes to brothel/brothels.*

bordeelhouder ⟨de (m.)⟩, -ster ⟨de (v.)⟩ **0.1** *brothel keeper* ⟨m., v.⟩ ⇒ *madam(e)* ⟨v.⟩.

bordeelsluiper ⟨de⟩ ⟨inf.⟩ **0.1** ^B*brothel-creeper.*

bordelaise ⟨de (v.)⟩ **0.1** [saus] *bordelaise (sauce)* **0.2** [maat] *bordeaux cask of about 225 litres* **0.3** [fles] *bordeaux bottle of about 3/4 litre.*

bordendoek ⟨de (m.)⟩ **0.1** [mbt. eetborden] *tea-cloth/towel* ⇒⟨vnl. BE⟩ *dishcloth* **0.2** [mbt. schoolborden] *(board) eraser.*

bordenwarmer ⟨de (m.)⟩ **0.1** *plate-warmer.*

bordenwasser ⟨de (m.)⟩ **0.1** *dishwasher* ⇒⟨BE ook⟩ *washer-up.*

bordenwisser ⟨de (m.)⟩ **0.1** *(board) eraser.*

borderel ⟨het⟩ **0.1** [specificatielijst] *list* ⇒*statement* **0.2** [speciebriefje] *coinage specification* **0.3** [lijst van te verzenden goederen, te incasseren wissels] *docket* **0.4** [lijst van onderdelen] *specification* **0.5** [uittreksel v.e. rekening] *statement (of account)* **0.6** [rekeningboek] *ledger* **0.7** [lijst van dossierstukken] *docket* **0.8** [mbt. hypotheek] *extract of the mortgage deed.*

bordes ⟨het⟩ **0.1** [verhoogde stoep] ≠*steps* **0.2** [trapportaal] *landing* **0.3** [laadvloer] *loading platform.*

bordestrap ⟨de (m.)⟩ **0.1** ≠*perron.*

bordpapier ⟨het⟩ **0.1** *cardboard.*

bordspel ⟨het⟩ **0.1** *board game.*

borduren ⟨onov., ov.ww.⟩ **0.1** *embroider* ♦ **1.1** ⟨fig.⟩ een roman, geborduurd op het stramien van de geschiedenis *a novel, embroidered on the pattern of history* **6.1** iets met zilverdraad ~ *embroider sth. in silver thread.*

borduurgaas ⟨het⟩ **0.1** *embroidery canvas.*

borduurgaren ⟨het⟩ **0.1** *embroidery thread.*

borduurlamp ⟨de⟩ **0.1** *magnifying light.*

borduurlinnen ⟨het⟩ **0.1** *embroidery linen.*

borduurnaald ⟨de⟩ **0.1** *embroidery needle.*

borduurraam ⟨het⟩ **0.1** *embroidery frame* ⇒*tabo(u)ret.*

borduurring ⟨de (m.)⟩ **0.1** *embroidery hoop.*

borduurschaar ⟨de⟩ **0.1** *embroidery scissors.*

borduursel ⟨het⟩ **0.1** [wat op een stof geborduurd wordt] *embroidery* **0.2** [boord waarop geborduurd is] *embroidery.*

borduursteek ⟨de (m.)⟩ **0.1** *embroidery stitch.*

borduurster ⟨de (v.)⟩ **0.1** *embroiderer* ⇒*embroideress.*

borduurwerk ⟨het⟩ **0.1** [werk/kunst van borduren] *embroidery* **0.2** [borduursel] *(piece of) embroidery.*

borduurwol ⟨de⟩ **0.1** *crewel.*

borduurzijde ⟨de⟩ **0.1** *embroidery silk* ⇒*floss (silk).*

boreaal ⟨bn.⟩ **0.1** *boreal.*

boreling ⟨de (m.)⟩ ⟨AZN of schr.⟩ **0.1** *baby* ⇒*infant.*

boren
I ⟨ov.ww.⟩ **0.1** [met een boor maken] *bore* ⇒*drill, sink* ⟨put⟩ **0.2** [doorboren] *pierce* ⇒*perforate, core* ⟨appel, hyacint⟩ **0.3** [uitboren] *bore (out)* ⟨hout⟩ ⇒*drill* ⟨metaal⟩, ⟨als monster uitboren⟩ *core, take a sample of* **0.4** [draaiend drijven, steken door] *pierce* ⇒*stab* ♦ **1.1** gaten ~ b./drill holes;* een plan de grond in ~ *ruin/wreck/torpedo a plan;* een tunnel ~ b./drive/cut a tunnel* **1.2** de hersenpan ~ *trepan the skull* **1.3** een kanon ~ *bore a gun;* kiezen ~ *drill molars* **1.¶** een schip de grond in ~ *sink a ship;* iem. de grond in ~ *reduce s.o. to nothing;* de grond in geboord worden *be reduced to nothing* **6.4** iem. een degen door het lijf ~ *run s.o. through with a sword* **6.¶** iem. iets door de neus ~ *do s.o. out of sth.;*
II ⟨onov.ww.⟩ **0.1** [met een boor werken] *bore* ⇒*drill* **0.2** [door iets heen, in iets dringen] *pierce (into)* ⇒*penetrate (into)* **0.3** [zich hoog verheffen] *pierce* **0.4** [mbt. geluiden, licht, de blik] *pierce* ⇒*penetrate* ♦ **4.2** de kogel boorde zich in de muur *the bullet penetrated into the wall;* zich in/door iets ~ *bore (one's way) into/through sth.;* ⟨van insekt ook⟩ *tunnel into/through sth.* **6.1** naar olie/gas ~ b./drill for oil/gas* **6.4** een lichtstraal boorde door de nevel *a beam of light pierced through the mist.*

borg ⟨de (m.)⟩ **0.1** [persoon] *surety* ⇒*guarantor, guarantee,* ⟨mbt. gevangene⟩ *bail* **0.2** [onderpand] *security* ⇒*guaranty,* ⟨borgsom bij koop/huur⟩ *deposit,* ⟨borgtocht; vnl. BE ook⟩ *caution money* **0.3** [waarborg] *guarantee* ⇒*pledge* **0.4** [⟨tech.⟩] *keeper* ⇒*safety device* ♦ **1.2** de ~ in v.d. koper/huurder *the buyer's/tenant's deposit* **2.2** geen voldoende ~ kunnen stellen *be unable to give sufficient s.* **3.1** de ~(en) aanspreken *call upon the s./sureties;* ~ staan voor een betaling *stand s. for a payment;* ⟨fig.⟩ ~ staan voor iemands betrouwbaarheid *vouch for s.o.'s reliability;* zich ~ stellen voor f 10.000/iem. *stand s. for 10,000 guilders/s.o.;* zich ~ stellen voor een gevangene *stand bail for a prisoner, bail a prisoner out;* ~ stellen/opgeven *give/provide sureties* **3.2** f 10.000 ~ stellen *provide s. for 10,000 guilders* **3.3** de zorgvuldige voorbereiding staat ~ voor een vlekkeloos verloop *careful preparation guarantees things will go smoothly.*

borgbout ⟨de (m.)⟩ **0.1** *lock bolt.*

borgen ⟨onov., ov.ww.⟩ ⟨→sprw.85⟩ **0.1** [het losgaan beletten] *secure* ⇒*lock* **0.2** [waarborgen] *guarantee.*

borghaak ⟨de (m.)⟩ **0.1** *safety hook/catch.*

borgketting ⟨de⟩ **0.1** [ketting tegen het verschuiven v.d. lading] *safety chain* **0.2** [veiligheidskoppeling] *safety chain.*

borgmoer ⟨de⟩ **0.1** *locknut* ⇒*safety nut.*

borgpen ⟨de⟩ **0.1** *lock(ing) pin.*

borgsom ⟨de⟩ **0.1** [bij huur/koop] *deposit; security (money);* ⟨vnl. BE⟩ *caution money* ♦ **6.1** een ~ van f 1.000 betalen *pay a 1,000 guilder d..*

borgstelling ⟨de (v.)⟩ **0.1** [handeling] *suretyship* **0.2** [geldsom] *security (money)* ⇒⟨vnl. BE⟩ *caution money* **0.3** [akte] *guarantee* ⇒*security/suretyship bond* **0.4** [⟨jur.⟩] *bail* ♦ **2.4** een ongeldige ~ *a straw b.* **3.2**

een ~ storten *deposit a sum as security* **6.1** geld lenen **onder** ~ van on-roerend goed *borrow money with real property as security* **6.2** geld verstrekken **tegen** een ~ *lend money on security* **6.4** iem. vrijlaten **onder** ~ *release s.o. on b..*

borgtocht ⟨de (m.)⟩ **0.1** [overeenkomst] *security (bond)* ⇒*guarantee* **0.2** [geldsom] *security (money)* ⇒ ⟨vnl. BE⟩ *caution money* **0.3** [jur.] *bail* ⇒*recognizance* ♦ **2.1** onder persoonlijke ~ *on personal security, with a personal guarantee;* een zakelijke ~ *collateral (security)* **2.3** onder persoonlijke ~ *on one's own recognizance* **3.3** zijn ~ verbeuren *forfeit* / ⟨AE ook⟩ *jump one's b.* **6.3 op** ~ vrijgelaten worden *be released on b.;* vrij zijn **op** ~ *be out on b.;* weigeren iem. **op** ~ vrij te laten *refuse b.;* iem. **op** ~ vrij krijgen *bail s.o. out.*

boride ⟨het⟩ **0.1** *boride.*

boring ⟨de (v.)⟩ **0.1** [het boren] *boring* ⇒*drilling* **0.2** [kaliber] *bore* ♦ **1.2** ~en slag *b. and stroke* **2.1** een speculatieve ~ ⟨ook, vnl. AE⟩ *a wildcat* **3.1** de ~en stopzetten *discontinue drilling operations;* ~en verrichten *doen effect / make borings / drillings* **6.1** een ~ **naar** olie / gas *a b. / drilling for oil / gas.*

borium ⟨het⟩ ⟨schei.⟩ **0.1** *boron.*

Borneër ⟨de (m.)⟩ **0.1** *Bornean.*

borneren ⟨ov.ww.⟩ **0.1** *limit* ⇒*restrict.*

borrel ⟨de (m.)⟩ **0.1** [glas sterkedrank] *drink* ⇒*dram, drop, spot, nip* **0.2** [het drinken, gelegenheid] *drink* ⇒*get-together, gathering, social,* [A]*sociable* ♦ **1.1** ⟨fig.⟩ het scheelt wel een slok op een ~ *it makes quite a difference* **2.1** een drinkende ~ *ophebben have a drop in, be half seas over, be three sheets to the wind;* een stevige ~ lusten / drinken *be a heavy drinker* **3.1** een ~ nemen / pakken *have a drink / dram / drop / spot / nip / short one / shot, have sth. short;* een ~ te veel ophebben *have had a drop / glass too much* **3.2** een ~ geven / houden *organize a get-together / gathering / social / sociable;* iem. voor een ~ uitnodigen *ask s.o. round / invite s.o. for a d.* **6.1** hij is **aan** de ~ *he's an alcoholic / a wino / drunk / boozer.*

borrelen ⟨onov.ww.⟩ **0.1** [mbt. vloeistoffen] *bubble* ⇒ ⟨sterk⟩ *boil, gurgle* ⟨mbt. geluid⟩, *effervesce* ⟨zoals koolzuurhoudende drank⟩ **0.2** [borrels drinken] *have a drink* **0.3** [bobbelend naar boven komen] *bubble (up)* ⇒*surge up* **0.4** [⟨fig.⟩ opstijgen] *bubble (up)* ⇒*rise, surge up.*

borrelgarnituur ⟨het⟩ **0.1** *snacks, appetizers.*

borrelglas ⟨het⟩ **0.1** *shot glass.*

borrelhapje ⟨het⟩ **0.1** *snack, appetizer.*

borrelpraat ⟨de (m.)⟩ **0.1** *twaddle* ⇒*drivel, blather, piffle.*

borreltijd ⟨de (m.)⟩, **-uur** ⟨het⟩ **0.1** *(the) cocktail hour* ⇒*cocktail / apéritif time,* ⟨AE ook⟩ *happy hour.*

borrelzoutje ⟨het⟩ **0.1** [B]*cocktail biscuit,* [A]*saltine.*

borsalino ⟨de (m.)⟩ **0.1** *trilby.*

borst
I ⟨de⟩ **0.1** [mbt. mensen] ⟨borstkas⟩ *chest* ⇒ ⟨schr.⟩ *breast* **0.2** [mbt. dieren] *breast* ⟨paard⟩; *chest* ⟨hond⟩; *brisket* ⟨koe⟩ **0.3** [mbt. vrouwen] *breast* ⟨mv. ook⟩ *bosom, bust,* ⟨med.⟩ *mamma* **0.4** [vooruitstekend deel v.d. borst v.e. dier] *breast* **0.5** [voorzijde v.e. voorwerp] ⟨voorpand jurk⟩ *breast, bosom;* ⟨voorpand overhemd⟩ *front;* ⟨voorstuk schort⟩ *bib* **0.6** [verdikking v.e. voorwerp] *breast* ⇒*bulge, shoulder, collar* **0.7** [mbt. houtverbindingen] *gain* ♦ **1.5** de ~ v.e. molen *the front of a windmill* **2.1** ⟨fig.⟩ een hoge ~ (op)zetten *strut about / around, throw one's weight about;* ⟨ook fig.⟩ *stick / thrust / throw / puff out one's breast;* een platte / ronde / brede ~ hebben *be flat- / barrel- / broad-chested;* uit volle ~ zingen *sing lustily / at the top of one's voice;* een zwakke ~ hebben *have a weak / delicate c. be weak-chested* **2.3** een dame met flinke ~en *a chesty / bosomy lady;* zware ~en hebben *have a heavy bosom* **3.1** de ~ vooruitsteken ⟨ook fig.⟩ *throw / stick / thrust / puff out one's chest* **3.3** een kind de ~ geven *give the breast to / nurse / breast-feed a child;* de ~en onderzoeken *examine the breasts* **3.4** een gebraden / gerookte ~ *roast / smoked brisket* **5.1** ~ vooruit! *chest out! shoulders back!* **6.1** aan iemands ~ liggen *lie against s.o.'s c. / on s.o.'s breast;* iem. **aan** de ~ drukken *embrace s.o., press / clasp s.o. to one's bosom;* zich **op** de ~ slaan / kloppen ⟨zich beroemen⟩ *congratulate o.s., boast, brag;* ⟨als (al dan niet gemeend) teken van (be)rouw⟩ *beat one's breast;* **op** de ~ kloppen *tap the c.;* het **op** de ~ hebben, vol **op** de ~ zijn *suffer from congestion / constriction of the c., be asthmatic / short-breathed / chesty;* ⟨fig.⟩ dat stuit mij **tegen** de ~ *that goes against the grain with me, that sticks in my gizzard, that disgusts me, that is distasteful / repugnant to me;* een kind **tegen** de ~ gedrukt houden *clasp / strain a child to one's breast;* zij klemde de doos **tegen** haar ~ bij het rennen *she hugged the box / clasped the box to her chest as she ran;* **tot aan** de ~ in het water staan *stand breast-high / -deep in the water, stand in the water up to one's c.;* **uit** de ~ zingen *sing from the c.* **6.3** een kind **aan** de ~ leggen *nurse / breast-feed a child, give a child the breast;* het kind is **van** de ~ *the child is off the breast / is weaned;*
II ⟨de (m.)⟩ **0.1** [jongen] *lad* ⇒*youth* ♦ **2.1** een brave ~ *an honest brother;* een jonge ~ *a stripling.*

borstademhaling ⟨de (v.)⟩ **0.1** *chest breathing.*

borstamputatie ⟨de (v.)⟩ **0.1** *mastectomy.*

borstbeeld ⟨het⟩ ⟨bk.⟩ **0.1** *bust* ⇒ ⟨op munt⟩ *effigy.*

borstbeen ⟨het⟩ **0.1** *breastbone* ⇒ ⟨med.⟩ *sternum.*

borstcrawl ⟨de (m.)⟩ **0.1** *(Australian) crawl* ⇒*freestyle.*

borstel ⟨de (m.)⟩ **0.1** [gereedschap om te reinigen / glad te strijken] *brush* **0.2** [grove kwast] *brush* **0.3** [glijcontact] *brush* **0.4** [mbt. varkens / wilde zwijnen] *bristle* **0.5** [mbt. insekten] *bristle* **0.6** [mbt. planten] *bristle.*

borstelbaan ⟨de (m.)⟩ ⟨sport⟩ **0.1** *artificial / dry ski run.*

borstelen ⟨onov., ov.ww.⟩ **0.1** [met een borstel reinigen / gladstrijken] *brush* **0.2** [⟨ind.⟩] *brush* ♦ **1.1** een hond ~ *b. (down) a dog;* zijn haar kammen en ~ *b. and comb one's hair* ⟨sic⟩; zijn kleren ~ *b. (down) one's clothes.*

borstelgras ⟨het⟩ **0.1** *matgrass* ⇒*bent.*

borstelig ⟨bn.⟩ **0.1** [op borstels lijkend] *bristly* ⇒*brushy, bushy* **0.2** [met stijve haren begroeid] *bristly* ⇒*stubby, stubbly,* ⟨biol.⟩ *hispid, setaceous* ♦ **1.1** ~ haar *bristly / bushy hair;* ~e wenkbrauwen *beetle brows, bushy eyebrows.*

borsteltrommel ⟨de⟩ **0.1** *rotating brush.*

borstelwormen ⟨zn.mv.⟩ **0.1** *Chaetopodes.*

borsthaar ⟨het⟩ **0.1** *chest hair* ⇒*hair on one's chest.*

borstharnas ⟨het⟩ ⟨gesch.; mil.⟩ **0.1** *breastplate* ⇒ ⟨borst en rug⟩ *cuirass, cors(e)let,* ⟨vnl. bij Grieken⟩ *thorax.*

borstholte ⟨de (v.)⟩ **0.1** *thoracic / chest cavity.*

borsthoogte ⟨de (v.)⟩ ♦ **6.¶ op** ~ *breast-high, up to one's chest;* het water kwam tot (op) ~ *the water was breast-high / -deep.*

borstkanker ⟨de (m.)⟩ **0.1** *breast cancer.*

borstkas ⟨de⟩ **0.1** [geraamte v.d. borst] *chest* ⇒ ⟨med.⟩ *thorax* **0.2** [holte daarbinnen] *chest* ⇒ ⟨med.⟩ *thoracic cavity.*

borstkind ⟨het⟩ **0.1** *breast-fed child.*

borstklier ⟨de⟩ ⟨med.⟩ **0.1** *mammary gland* ⇒*mamma.*

borstkolf ⟨de⟩ **0.1** *breast pump.*

borstkruis ⟨het⟩ **0.1** *pectoral (cross).*

borstkwaal ⟨de⟩ **0.1** *chest complaint* ⇒*chest trouble.*

borstmicrofoon ⟨de (m.)⟩ **0.1** *chest microphone* ⇒*clip-on microphone.*

borstonderzoek ⟨het⟩ ⟨med.⟩ **0.1** [onderzoek v.d. ademhalingsorganen] *chest examination* **0.2** [onderzoek v.d. borsten v.e. vrouw] *breast examination.*

borstontsteking ⟨de (v.)⟩ **0.1** *mastitis.*

borstplaat ⟨de⟩ **0.1** [lekkernij] *≠fondant* **0.2** [⟨als stofnaam⟩] *≠fondant.*

borstrok ⟨de (m.)⟩ **0.1** [B]*(under)vest,* [A]*undershirt* ⇒*chest protector.*

borstslag ⟨de (m.)⟩ **0.1** ⟨schoolslag⟩ *brest stroke;* ⟨borstcrawl⟩ *(Australian) crawl, freestyle.*

borstspier ⟨de⟩ **0.1** *pectoral (muscle).*

borststem ⟨de⟩ **0.1** *chest voice* ♦ **6.1** in ~ *chesty.*

borstster ⟨de⟩ **0.1** *star.*

borststreek ⟨de⟩ **0.1** *chest region* ♦ **6.1** pijn in de ~ *pain in (the region of) the chest.*

borststuk ⟨het⟩ **0.1** [iets dat de borst bedekt] ⟨harnas⟩ *breast-plate* ⇒ ⟨harnas⟩ *plastron,* ⟨voorpand jurk⟩ *breast, bosom,* ⟨voorpand overhemd⟩ *front,* ⟨voorstuk schort⟩ *bib* **0.2** [mbt. insekten] *thorax* ⇒ *trunk* **0.3** [tot de borst behorend stuk] *brisket.*

borsttoon ⟨de (m.)⟩ **0.1** *chest tone* ⇒*chest voice / register* ♦ **6.1** met ~ *chesty.*

borstvin ⟨de⟩ **0.1** *pectoral (fin).*

borstvlies ⟨het⟩ **0.1** *pleura* ⇒*thoracic membrane.*

borstvliesontsteking ⟨de (v.)⟩ **0.1** *pleurisy* ⇒*pleuritis.*

borstvoeding ⟨de (v.)⟩ **0.1** [voeding met moedermelk] *breast-feeding* **0.2** [keer] *(breast-)feed* **0.3** [moedermelk] *mother's milk* ⇒*breast milk* ♦ **3.1** een kind ~ geven *breast-feed / nurse a baby, give a baby the breast, feed a baby naturally, suckle a baby;* ~ krijgen *nurse, be breast-fed* **¶.3** ~ is beter dan die oplosrommel *mother's / breast milk is better than that powdered stuff.*

borstwand ⟨de (m.)⟩ **0.1** *chest wall.*

borstwering ⟨de (v.)⟩ **0.1** [muurtje, hekwerk] *parapet* ⇒ ⟨langs balkon⟩ *balustrade* **0.2** [wal rondom een te verdedigen ruimte] *parapet* ⇒ *breastwork, breast wall* **0.3** [deel v.e. vestingmuur] *parapet* ⇒*rampart.*

borstwervel ⟨de (m.)⟩ **0.1** *thoracic vertebra.*

borstwijdte ⟨de (v.)⟩ **0.1** *width of the chest* ⇒ ⟨mbt. kledingstuk⟩ *chest (measurement),* ⟨van dameskleding ook⟩ *bust (measurement).*

borstzak ⟨de (m.)⟩ **0.1** *breast pocket.*

borstzwemmen ⟨ww.⟩ **0.1** ⟨schoolslag⟩ *swim / do the breast stroke;* ⟨borstcrawl⟩ *swim freestyle, crawl.*

bos ⟨→sprw. 305⟩
I ⟨de (m.)⟩ **0.1** [bundel] *bundle* ⇒ ⟨sleutels, radijs e.d.⟩ *bunch* **0.2** [zwaar uitgegroeid gras] *bent* ⇒*rough patch* ♦ **1.1** een ~ bloemen *a bouquet;* ⟨niet opgemaakt, zelf geplukt⟩ *a bunch of flowers;* een ~ haar *a head of hair;* een wilde ~ haar *a shock / fell of hair;* een ~ hooi / stro *a bundle / bottle / wisp of hay / straw;* een ~ takken *a bundle of sticks / twigs, a faggot* [A]*fagot;* een ~ touw *a hank of rope;* een ~ wortelen / bieten *a bunch of carrots / beets / beetroot;* ⟨fig.; inf.⟩ zo slim als een ~ wortels *fat-headed, dim-witted, dense* **2.1** ⟨fig.; inf.⟩ een flinke ~ hout voor de deur hebben *be bosomy / chesty* **6.1** in ~sen binden *bundle, tie up into bundles; bunch* ⟨bloemen⟩;

II ⟨het⟩ ⟨AZN ook de (m.)⟩ **0.1** [woud] *woods* ⇒⟨BE ook⟩ *wood*, ⟨groot⟩ *forest* ◆ **1.1** een stuk ~ *a stretch of woods/forest/woodland* **3.1** met ~ begroeide heuvels *wooded hills;* ⟨fig.⟩ hij ziet door de bomen het ~ niet meer *he can't see the wood for the trees* **5.1** ⟨fig.⟩ iem. het ~ in sturen *fob s.o. off with fair promises* **6.1** ⟨fig.⟩ huilen met de wolven in het ~ *(when in Rome) do as the Romans do;* hout naar het ~ dragen *carry coals to Newcastle.*

bosaanplant ⟨de (m.)⟩ **0.1** [handeling] *afforestation* ⇒*foresting* **0.2** [plaats] *forest reserve* **0.3** [geplante bomen] *newly planted trees.*

bosaardbei ⟨de⟩ **0.1** *wild strawberry.*

bosanemoon ⟨de⟩ **0.1** *wood anemone.*

bosbedrijf ⟨het⟩ **0.1** *forestry.*

bosbeheer ⟨het⟩ **0.1** [⟨alg.⟩] *forestry* ⇒*forest management* **0.2** [rijksdienst] [B]*Forestry Commission,* [A]*Forest Rangers Department.*

bosbes ⟨de⟩ **0.1** [vrucht] [B]*bilberry,* [A]*blueberry* ⇒*heath berry, worthleberry)* **0.2** [heester] [B]*bilberry,* [A]*blueberry* ⇒*heath berry, worthle(berry)* ⟨Vaccinium myrtillus⟩ ◆ **2.1** rode ~ *cowberry.*

bosbies ⟨de⟩ **0.1** *wood club-rush.*

bosbouw ⟨de (m.)⟩ **0.1** [handeling] *forestry* ⇒*silviculture* **0.2** [leer] *forestry* ⇒*silviculture.*

bosbouwer ⟨de (m.)⟩ **0.1** *forester* ⇒⟨vnl. USA en Canada ook⟩ *lumberer, lumberjack, lumberman.*

bosbouwkunde ⟨de (v.)⟩ **0.1** *forestry.*

bosbraam ⟨de⟩ **0.1** *blackberry* ⇒*bramble.*

bosbrand ⟨de (m.)⟩ **0.1** *forest fire* ⇒⟨aan de bosrand⟩ *brushfire.*

boscultuur ⟨de (v.)⟩ **0.1** *forestry* ⇒*silviculture.*

bosduif ⟨de⟩ **0.1** *wood pidgeon* ⇒*ringdove* ◆ **2.1** kleine ~ *stock dove.*

bosduivel ⟨de (m.)⟩ **0.1** *mandrill.*

bosfazant ⟨de (m.)⟩ **0.1** *ring-necked pheasant.*

bosflora ⟨de⟩ **0.1** *forest flora.*

bosgemeenschap ⟨de (v.)⟩ **0.1** *forest ecosystem.*

bosgeur ⟨de (m.)⟩ **0.1** *smell of woods* ⇒⟨AE ook⟩ *woodsy smell.*

bosgeus ⟨de (m.)⟩ ⟨gesch.⟩ **0.1** *Wild Beggar, Beggar of the Woods.*

bosgod ⟨de (m.)⟩ ⟨myth.⟩ **0.1** *sylvan deity* ⇒*faun, satyr.*

bosgodin ⟨de (v.)⟩ **0.1** *sylvan deity* ⇒*wood/tree nymph, dryad.*

bosgrond ⟨de (m.)⟩ **0.1** *woodland* ⇒⟨grondsoort⟩ *forestland, timberland, woodland soil.*

boshoen ⟨het⟩ **0.1** *grouse* ⇒⟨auerhaan⟩ [B]*wood grouse,* ⟨sneeuwhoen⟩ *snow-grouse,* ⟨korhoen⟩ *black grouse.*

bosje ⟨het⟩ **0.1** [bundeltje] *bundle* ⇒*bunch* ⟨sleutels, radijs e.d.⟩, ⟨haar, gras, wol⟩ *tuft,* ⟨haar/gras ook⟩ *wisp* **0.2** [klein woud] *grove* ⇒ *coppice, copse, clump of trees,* [B]*spinney* **0.3** [stuk grond met kreupelhout] *thicket* ⇒*brake, shrubbery* **0.4** [bosachtig park] ⇒*park* **0.5** [struik] *bush* ⇒*shrub* **0.6** [groep struiken] *bushes* ⇒*shrubbery* ◆ **6.1** bij ~s *by the dozen/handful.*

Bosjesman ⟨de (m.)⟩ **0.1** *Bushman.*

boskat ⟨de⟩ **0.1** *wild cat.*

bosloop ⟨de (m.)⟩ **0.1** *cross-country.*

boslucht ⟨de⟩ **0.1** *forest air.*

bosmier ⟨de⟩ **0.1** *wood ant.*

bosneger ⟨de (m.)⟩ **0.1** *maroon.*

bosnimf ⟨de (v.)⟩ **0.1** *wood nymph* ⇒*tree nymph, dryad.*

bospad ⟨het⟩ **0.1** *wood-path* ⇒*forest path/trail.*

bospeen ⟨de⟩ ⟨landb.⟩ **0.1** *bunched (-up) carrots.*

Bosporus ⟨de (m.)⟩ **0.1** *Bosp(h)orus.*

bosrand ⟨de⟩ **0.1** *fringe/edge of a/the wood.*

bosrank ⟨de⟩ **0.1** *traveller's joy* ⇒*old man's beard, virgin's bower.*

bosrijk ⟨bn.⟩ **0.1** *woody* ⇒⟨AE ook⟩ *woodsy.*

bossanova ⟨de⟩ **0.1** [dans] *bossa nova* **0.2** [ritme] *bossa nova.*

bosschage ⟨het⟩ ⟨schr.⟩ **0.1** *boscage, boskage* ⇒*grove, spinney, hurst.*

bosschap ⟨het⟩ **0.1** ≠*Forestry Board.*

bosselderij ⟨de (m.)⟩ **0.1** *celery.*

bossen ⟨ov.ww.⟩ **0.1** *bundle* ⇒*tie into bundles, bunch* ⟨bloemen⟩, *faggot* ⟨houtjes, takjes⟩.

bosterrein ⟨het⟩ **0.1** *(stretch of) woodland* ⇒*wooded ground.*

bosuil ⟨de (m.)⟩ **0.1** *wood owl* ⇒*hoot owl, tawny owl.*

bosvaren ⟨de (v.)⟩ **0.1** *male fern.*

bosveen ⟨het⟩ **0.1** [in bosgrond gevormd veen] *peat* **0.2** [veen ontstaan uit de resten van moerasbossen] *peat.*

bosviooltje ⟨het⟩ **0.1** *wood/hedge violet.*

boswachter ⟨de (m.)⟩ **0.1** *forester* ⇒⟨U.S.A., Canada, Australië⟩ *(f.) ranger,* ⟨privé ook⟩ *gamekeeper, gamewarden.*

boswachterij ⟨de (v.)⟩ **0.1** *forestry area.*

boswandeling ⟨de (v.)⟩ **0.1** *walk in the forest/wood(s).*

boszanger ⟨de (m.)⟩ **0.1** *willow warbler* ⇒*willow sparrow/wren.*

bot¹ ⟨→sprw. 285⟩
I ⟨de (m.)⟩ **0.1** [vis] *flounder* ⇒*flatfish, fluke* ◆ **3.1** de ~ vergallen ⟨lett.⟩ *cut/pierce the fish's gall bladder;* ⟨fig.⟩ *spoil the game/things* **3.¶** ~ vangen *draw a blank* **¶.¶** een ~je zonder gal *a person without guile;*
II ⟨het⟩ **0.1** [been] *bone* ⇒⟨med.⟩ *os* **0.2** [⟨mv.⟩ leden, lichaam] *bones* ◆ **1.1** het is niets dan vel en ~ten *he's (just) skin and bones* **3.1** men kan zijn ~ten tellen *you can count his ribs* **6.1** tot op het ~ ver-

kleumd zijn *chilled to the b.* **6.2** ⟨inf.⟩ hij heeft het in zijn ~ten ⟨jicht⟩ *he's got gout;* ⟨ziekte⟩ *it's in his system;* ⟨vnl. mbt. kanker⟩ *he's riddled with it;* ⟨fig.⟩ het zit hem nog in de ~ten *he's still getting over it;*

III ⟨de⟩ **0.1** [⟨AZN⟩ laars] *boot* **0.2** [⟨plantk.⟩] *bud* ◆ **6.2** in ~ staan *be in b..*

bot²
I ⟨bn.⟩ **0.1** [niet scherp] *blunt* ⇒*dull* ⟨vnl. mes, gereedschap e.d.⟩ **0.2** [dom] *dull(-witted)* ⇒*dumb,* ↑*obtuse, thick(-headed/-skulled/-witted)* **0.3** [stroef] *not smooth/slippery* ⇒*dull, rough* ◆ **1.1** met de ~te bijl ⟨fig.⟩ *like a bull at the gate/in a china shop, heavy-handedly, hamfistedly, hamhandedly;* ~te kant ⟨van bijl, hamer e.d.⟩ *poll* **1.2** ⟨inf.⟩ dat snap jij niet met je ~te hersens *you're too dull/stupid/thick to understand that/to get that into your thick head/skull* **1.3** ~ ijs *rough/uneven* ⟨mbt. schaatsen⟩ *slow ice;* ~te tanden *blunt teeth* **3.1** ~ maken *blunt/dull (the point/edge* ⟨enz.⟩ *of);* ~ worden *become/get b./ dull, lose one's point/edge* ⟨enz.⟩;
II ⟨bn., bw.; -ly⟩ **0.1** [plomp, grof] *blunt* ⇒*curt, abrupt, gruff, grumpy* ◆ **1.1** een ~te opmerking *a b./ curt remark* **3.1** iets ~ weigeren *refuse sth. bluntly/flatly/pointblank, give a (point)blank/flat/b./ out-and-out refusal.*

botanica ⟨de (v.)⟩ →*botanie.*

botanicus ⟨de (m.)⟩ **0.1** *botanist.*

botanie ⟨de (v.)⟩ **0.1** *botany.*

botanisch ⟨bn.⟩ **0.1** *botanic(al)* ◆ **1.1** een ~e tuin *botanic(al) garden(s).*

botaniseertrommel ⟨de⟩ **0.1** *(botanical) collecting/specimen box/case, vasculum.*

botaniseren ⟨onov.ww.⟩ **0.1** *botanize* ⇒*herborize.*

botboring ⟨de (v.)⟩ **0.1** ⟨voor onderzoek beenstructuur⟩ *bone biopsy;* ⟨voor mergonderzoek⟩ *marrow biopsy.*

botbreuk ⟨de⟩ **0.1** *break* ⇒*broken bone,* ↑*fracture* ◆ **2.1** open en gesloten ~en *open and closed fractures.*

botel ⟨het⟩ **0.1** *bo(a)tel* ⇒*floating hotel.*

botenbouwer ⟨de (m.)⟩ **0.1** *boat builder.*

botenhuis →*boothuis.*

botenverhuurder ⟨de (m.)⟩ **0.1** *boatman.*

boter ⟨de⟩ ⟨→sprw. 86,87⟩ **0.1** [zuivelprodukt] *butter* ⇒⟨vloeibare boter, vnl. van buffelmelk, in India⟩ *ghee* **0.2** [margarine] *butter* ⇒ *margarine,* ⟨BE; inf.⟩ *marge* ◆ **1.1** een klontje/kluitje ~ *a pat/knob/ square of b., a butterball* **2.1** zoete ~ *unsalted b.* **3.1** de ~ afhalen *skim off the b.;* in ~ bereiden *cook in b., make with b.* **5.1** ⟨inf.⟩ het is ~tje boven ⟨let.⟩ *it's the buttered side up;* ⟨fig.⟩ *that's a stroke of good luck* **6.1** ⟨fig.⟩ ~ bij de vis *cash on the nail/barrelhead, cash down;* met zijn neus in de ~ vallen *find one's bread buttered on both sides, be in luck;* ⟨inf.⟩ met zijn gat in de ~ vallen ⟨iem. met geld trouwen⟩ *marry money/a fortune* ⟨het materieel goed treffen⟩ *strike it lucky/rich;* dik met ~ besmeerd *thickly buttered, smothered in b.* **6.¶** ⟨fig.⟩ een haar in de ~ *a rift in the lute, a fly in the ointment* **8.1** zo mals als ~ *as tender as a chicken;* het smelt als ~ in je mond *it melts in your mouth (like b.);* zo glad als ~, het glijdt als ~ *as smooth as silk;* ⟨vulg.; fig.⟩ zo geil als ~ *horny/randy as hell;* zo week als ~ zijn ⟨zich gemakkelijk laten leiden⟩ *be easily led;* ⟨lusteloos, moe⟩ *as limp as a rag/dishcloth* **¶.1** wie ~ op zijn hoofd heeft, moet niet in de zon lopen *those who live in glass houses should not throw stones.*

boterachtig ⟨bn.⟩ **0.1** *buttery, like butter* ⇒⟨wet.⟩ *butyraceous.*

boterbabbelaar ⟨de (m.)⟩ **0.1** *butterscotch.*

boterberg ⟨de (m.)⟩ **0.1** *butter mountain.*

boterbiesje ⟨het⟩ **0.1** *(round) butter biscuit/* [A]*cookie.*

boterbloem ⟨de⟩ **0.1** *buttercup* ⇒*butterflower, crowfoot* ◆ **2.1** gulden ~ *goldilocks;* scherpe ~ *kingcup.*

boterboer ⟨de (m.)⟩ **0.1** *butterman* ⇒*buttermaker.*

boterbriefje ⟨het⟩ ⟨inf.⟩ **0.1** [B]*marriage lines* ⇒ ↑*marriage certificate* ◆ **3.1** het ~ halen *get hitched/spliced, tie the knot* **6.1** zij wonen samen zonder ~ *they are (just) living together, they are shacking/shacked up;* ⟨pej. of scherts⟩ *they are living in sin;* huwelijk zonder ~ ↑*common-law marriage.*

botercontrole ⟨de⟩ **0.1** ≠*butter inspectorate.*

boterdoos ⟨de⟩ **0.1** *butter box.*

boteren ⟨onov.ww.⟩ **0.1** [smeren] *butter, spread (with butter)* **0.2** [tot boter worden] *turn into butter* **0.3** [gedijen, lukken] *work* ⇒*come off* ◆ **1.2** de melk wil niet ~ *the butter will not come* **5.1** dik geboterd *thickly buttered, smothered in butter* **5.3** het wil niet ~ *I'm/he's/ they're* ⟨enz.⟩ *making no headway/progress, it won't w.;* het wil tussen hen niet ~ *they don't/can't get on/hit it off (together)* **¶.1** als jij ze snijdt, zal ik ze ~ *you slice and I'll spread/butter.*

botergeel¹ ⟨het⟩ **0.1** ≠*butter colour* ⇒*annatto, orlean.*

botergeel² ⟨bn.⟩ **0.1** *butter-coloured.*

boterham ⟨de⟩ **0.1** [snee brood] *slice/piece of bread (and butter)* ⇒⟨inf.; kind.⟩ *piecie* **0.2** [broodmaaltijd] *sandwiches* ⇒⟨lunch⟩ *spot of/some lunch, sth. to eat* **0.3** [levensonderhoud] *living, livelihood* ⇒*daily bread, bread and butter,* ⟨AE ook⟩ *meal ticket* **0.4** [sandwich] *sandwich* ⇒⟨BE; inf.; gew.⟩ *butty, sarnie, sannie* ◆ **2.1** hij verdient een aardige/dikke ~ *he makes a decent living, he's doing very nicely;*

⟨pej.; fig.⟩ een afgelikte ~ *a soiled dove, the town bike;* een belegde ~ *a sandwich (with filling);* een droge ~ *a slice / piece of dry bread;* hij verdient slechts een schrale ~ *he just manages to scrape a living* **2.3** er zit een dikke (flinke, goede) ~ in *there's good money to be made out of / in* **2.¶** dubbele ~ *a sandwich* **3.1** ~men snijden *slice bread* **3.2** we gaan een ~ eten *we are going to have a sandwich / sth. to eat / a spot of / some lunch* **3.3** zijn ~ verdienen met ... *earn one's living / livelihood / daily bread / bread and butter by* ... **3.4** zijn ~men meenemen *take sandwiches /* ⟨lunch⟩ *a sandwich lunch* **6.1** ⟨fig.⟩ een ~ **met** tevredenheid *a slice / piece of dry bread;* ⟨fig.⟩ iets **op** zijn ~ krijgen *get sth. on one's plate, get blamed for sth., get no thanks for it* **6.4** een ~ **met** ham *a ham sandwich.*
boterhambeleg ⟨het⟩ **0.1** *sandwich filling.*
boterhampapier ⟨het⟩ **0.1** *greaseproof paper.*
boterhampasta ⟨het, de (m.)⟩ **0.1** *sandwich spread.*
boterhamtrommeltje ⟨het⟩ **0.1** *sandwich / lunch box* ⇒ ⟨AE ook⟩ *lunch pail.*
boterhamworst ⟨de⟩ **0.1** ≠*luncheon meat.*
boterhamzakje ⟨het⟩ **0.1** *sandwich bag.*
boter-kaas-en-eieren 0.1 [B]*noughts and crosses,* [A]*tick-tack-toe.*
boterkoek ⟨de (m.)⟩ **0.1** *butter biscuit.*
boterletter ⟨de⟩ **0.1** *(almond) pastry letter.*
botermals ⟨bn.⟩ **0.1** *(as) tender as a chicken.*
botermerk ⟨het⟩ **0.1** *quality control stamp (on butter)* ⇒*(official) butter print.*
botermesje ⟨het⟩ **0.1** *butter knife.*
botermijn ⟨de⟩ **0.1** *butter market.*
boterolie ⟨de⟩ **0.1** *colza oil* ⇒*rape oil.*
boterpeer ⟨de⟩ **0.1** *beurré, butter-pear.*
boterpot ⟨de (m.)⟩ **0.1** *butter crock.*
botersaus ⟨de⟩ **0.1** *butter sauce.*
botersprits ⟨de⟩ **0.1** *(Dutch) shortbread.*
boterstaaf ⟨de⟩ **0.1** *(almond) pastry role.*
botervakje ⟨het⟩ **0.1** *butter compartment.*
botervet ⟨het⟩ **0.1** *butter fat.*
botervis ⟨de (m.)⟩ **0.1** *butterfish* ⇒*gunnel.*
botervlinder ⟨de (m.)⟩ **0.1** *puff paste wings.*
botervloot ⟨de⟩ **0.1** *butter dish.*
boterwaag ⟨de⟩ ⟨vnl. AZN⟩ **0.1** *weighhouse for butter.*
boterzacht ⟨bn.⟩ **0.1** *(as) soft as butter.*
boterzuur[1] ⟨het⟩ **0.1** *butyric acid.*
boterzuur[2] ⟨bn.⟩ **0.1** *butyrate, butyric* ◆ **1.1** boterzure esters *butyrates.*
botheid ⟨de⟩ **0.1** [het stomp zijn] *bluntness* ⇒*dullness* ⟨vnl. mes, gereedschap e.d.⟩ **0.2** [grofheid] *bluntness* ⇒*curtness, abruptness, gruffness* **0.3** [domheid] *dullness* ⇒*stupidity, thickness, dullwittedness,* ↑*obtusity.*
botje ⟨het⟩ **0.1** [kleine bot] *(small / little) flounder* ⇒*(small / little) flatfish / fluke* **0.2** [beentje] *(small / little) bone* **0.3** [⟨vero.⟩ schaats] *bone skate* ◆ **6.¶** ~ **bij** ~ leggen *pool one's money, put one's money together, club in / together, chip in, go shares / halves.*
bots ⟨de (m.)⟩ **0.1** [het opspringen] *bounce* ⇒⟨van over water gekeild steentje⟩ *skip* **0.2** [het terugstuiten] *bounce* ⇒*bump,* ⟨lichte aanraking; biljarten⟩ *kiss,* ⟨van projectiel⟩ *ricochet.*
botsautootje ⟨het⟩ **0.1** *dodgem (car).*
botsen ⟨onov.ww.⟩ ⟨⇒sprw. 354⟩ **0.1** [met een schok aankomen tegen] *collide (with)* ⇒*bump / run into / against, strike / dash against,* ⟨voetgangers ook⟩ *barge into,* ⟨voertuigen ook⟩ *crash / smash into / against, run foul of* ⟨schepen⟩ **0.2** [⟨fig.⟩] *conflict (with),* ↑*discord (with)* ◆ **1.2** hun karakters ~ *their characters clash / conflict, it's a personality clash;* ~ de meningen *conflicting opinions, a clash of opinions* **6.1** twee wagens botsten **tegen** elkaar *two cars collided with one another / crashed / smashed / ran into one another / were in collision with one another;* **tegen** een lantaarnpaal ~ *crash / bump / run into a lamp-post.*
botsing ⟨de (v.)⟩ **0.1** [het botsen] *collision* ⇒*impact, smash(-up), crash* ⟨vnl. van voertuigen⟩, ⟨van schepen⟩ *foul* **0.2** [⟨fig.⟩] *clash, conflict* ◆ **1.2** een ~ der meningen *a clash / conflict of opinions* **2.1** een frontale ~ *a frontal / head-on collision* **3.1** we hadden een ~ (met de auto) *we had a (car) crash, we were in a (car) crash* **6.1** met elkaar **in** ~ komen *come into collision / collide with one another, crash / smash / run into one another, run foul of one another* **6.2** de stakers kwamen **in** ~ met de politie *the strikers clashed with the police;* belangen die **in** ~ komen *conflicting interests.*
Botswaans ⟨bn.⟩ **0.1** *Botswana.*
Botswana ⟨het⟩ **0.1** *Botswana.*
bottel ⟨de⟩ **0.1** *(rose-)hip.*
bottelaar ⟨de (m.)⟩ **0.1** *bottler;* ⟨kleinhandelaar in bier⟩ *beer retailer.*
bottelarij ⟨de (v.)⟩ **0.1** *bottling plant.*
bottelbier ⟨het⟩ **0.1** *bottled beer.*
bottelen ⟨ov.ww.⟩ **0.1** *bottle.*
bottellijn ⟨de⟩ **0.1** *bottling unit / machine.*
bottelroos ⟨de⟩ **0.1** *rosa pomifera.*
botten ⟨onov.ww.⟩ **0.1** *bud (out), put out buds.*

bottenkraker ⟨de (m.)⟩, **-kraakster** ⟨de (v.)⟩ ⟨inf.⟩ **0.1** *bonesetter* ⇒ ↑*chiropractor,* ↑*osteopath.*
botter ⟨de (m.)⟩ **0.1** *smack* ⇒*fishing boat.*
botterik ⟨de (m.)⟩ **0.1** [domoor] *dullard, dunce, blockhead, numpskull, thickhead* **0.2** [lomperd] *boor, lout* ⇒*churl.*
bottine ⟨de (v.)⟩ **0.1** ⟨mv.⟩ *high-lows.*
botulisme ⟨het⟩ **0.1** [vergiftiging v.h. oppervlaktewater] *botulism* ⇒ ↓*duck sickness, limberneck* **0.2** [voedselvergiftiging] *botulism* ⇒ ≠ ↓ *food poisoning.*
botvieren ⟨ov.ww.⟩ **0.1** *give (full / free) rein / vent (to)* ⇒*loose,* ↑*indulge* ◆ **1.1** zijn lusten / hartstochten ~ *give (full / free) rein / vent to one's desires / passions;* ⟨inf.⟩ *let o.s. go, let one's hair down;* zijn vreugde ~ *give full vent to one's joy, go mad for / with joy* **6.1** dat moet je niet **op** haar ~ *you mustn't take it out on her.*
botweg ⟨bw.⟩ **0.1** *bluntly* ⇒*flatly, pointblank* ◆ **3.1** iets ~ ontkennen *flatly deny sth., give a flat denial;* iets ~ weigeren *refuse b. / flatly / pointblank;* ⟨direkt, zonder te overwegen⟩ *refuse out of hand;* iem. ~ de waarheid zeggen *tell s.o. the naked truth, give it to s.o. straight (from the shoulder);* iets ~ zeggen *say sth. bluntly, give (s.o.) sth. straight, not mince one's words.*
bouderen ⟨onov.ww.⟩ **0.1** *sulk, pout.*
boudoir ⟨het⟩ **0.1** *(lady's) boudoir.*
boudweg ⟨bw.⟩ **0.1** *boldly* ⇒*fearlessly, undauntedly, valiantly.*
bouffante ⟨de⟩ **0.1** *muffler* ⇒[B]*comforter, (woollen) scarf.*
bougainville ⟨de⟩ **0.1** *bougainvillaea.*
bougie ⟨de (v.)⟩ **0.1** [mbt. een verbrandingsmotor] *spark /* ⟨BE ook⟩ *sparking plug* ⇒⟨inf.⟩ *plug* **0.2** [⟨med.⟩] *bougie* ⇒*dilator* **0.3** [smal onderdeel] *bougie* **0.4** [kaars] *candle* ⇒*bougie* **0.5** [kaarsvorm voor elektrische verlichting] *candle lamp* **0.6** [eenheid van lichtsterkte] *candlepower.*
bougiekabel ⟨de (m.)⟩ **0.1** *plug lead / wire* ⇒*ignition wire / cable.*
bougiesleutel ⟨de (m.)⟩ **0.1** *(spark) plug spanner / wrench.*
bougisseren ⟨onov., ov.ww.⟩ ⟨med.⟩ **0.1** *dilate* ◆ **7.1** het ~ *bougi(e)rage, dilation.*
bouillabaisse ⟨de⟩ **0.1** *bouillabaisse.*
bouillon ⟨de (m.)⟩ **0.1** *broth, beef tea, clear soup* ⇒⟨BE ook⟩ *bovril* ⟨merknaam⟩, ⟨als basis voor gerecht⟩ *stock* ◆ **1.1** ~ van blokjes *broth / stock made from beef / stock cubes;* een kop ~ drinken *drink a cup of broth / beef tea / clear soup* **2.1** blanke ~ *white stock;* heldere ~ *clear soup, cullis, consommé.*
bouillonblokje ⟨het⟩ **0.1** *beef cube* ⇒⟨merknaam⟩ *Oxo cube,* ⟨om bouillon te maken als basis voor gerecht⟩ *stock cube.*
boulevard ⟨de (m.)⟩ **0.1** [brede straat] *boulevard* ⇒⟨laan⟩ *avenue, esplanade* **0.2** [wandelweg langs de zee] *promenade* ⇒*(sea-)front, esplanade,* ⟨inf.⟩ *prom.*
boulevardblad ⟨de⟩ **0.1** ≠*tabloid* ⇒⟨roddelblad⟩ ≠*scandal sheet,* ⟨op glanzend papier⟩ ≠*glossy* ◆ **¶.1** de ~en *the tabloids, the yellow / sensational /* ⟨pej.⟩ *gutter press.*
boulevardjournalistiek ⟨de (v.)⟩ **0.1** *yellow / sensational journalism* ⇒ ⟨pej.⟩ *gutter journalism.*
boulevardkrant ⟨de⟩ ⇒**boulevardblad.**
boulevardpers ⟨de⟩ **0.1** *yellow press* ⇒⟨pej.⟩ *gutter press.*
bouquet ⟨het, de (m.)⟩ **0.1** *bouquet.*
bourbon ⟨de (m.)⟩ **0.1** *bourbon (whiskey)* ⇒*corn (whiskey).*
bourdon ⟨de (m.)⟩ ⟨muz.⟩ **0.1** [diepe bas] *bourdon* ⇒*drone (bass)* **0.2** [snaar] *bourdon* ⇒*bass string* **0.3** [orgelregister] *bourdon* **0.4** [luidklok] *bourdon* **0.5** [deel van doedelzak] *drone* ⇒*bourdon.*
bourgeois[1] ⟨de (m.)⟩ **0.1** [burger] *bourgeois* **0.2** [⟨pej.⟩] *bourgeois* ⇒*petit / petty bourgeois,* ⟨sl.⟩ *square.*
bourgeois[2] ⟨bn., bw.⟩ **0.1** *bourgeois* ⇒*middle-class,* ⟨pej. ook⟩ *petit / petty bourgeois,* ⟨sl.⟩ *square.*
bourgeoisie ⟨de (v.)⟩ **0.1** *bourgeoisie* ⇒*middle-class(es),* ≠*establishment.*
bourgogne ⟨de (m.)⟩ **0.1** *burgundy.*
Bourgondiër ⟨de (m.)⟩ **0.1** *Burgundian;* ⟨fig.⟩ *flamboyant personality.*
bourgondisch
I ⟨bn.⟩ **0.1** [van Bourgondië] *Burgundian* ◆ **1.1** ~e wijn *burgundy* **1.¶** ~ kruis *St. Andrew's cross;*
II ⟨bn., bw.⟩ **0.1** [uitbundig] *exuberant* ◆ **3.1** ~ tafelen *dine heartily.*
bourrée ⟨de (v.)⟩ **0.1** [dans] *bourrée* **0.2** [muziek] *bourrée.*
bourrettezij(de) ⟨de⟩ **0.1** *bourette.*
bout ⟨de (m.)⟩ **0.1** [schroefbout] *bolt* ⇒*pin* ⟨hout⟩ **0.2** [soldeerbout] *soldering iron* **0.3** [strijkbout] *iron* **0.4** [poot v.e. geslacht stuk vee / wild] *leg* ⇒*quarter,* ⟨van vogel ook⟩ *drumstick,* ⟨lendestuk⟩ *haunch* **0.5** [eendevlees] *duck* **0.6** [grendel] *bolt* **0.7** [drol] *turd* ◆ **2.1** blinde ~en *blind bolts* **2.4** dat is een lekker ~je voor hem ⟨ook fig.⟩

that's a nice titbit for him, there's a nice bit/piece for him **3.¶** ⟨vulg.⟩
je kan me de~ hachelen *kiss my ass, go to hell* **6.1** een ~ **met** moer *a nut and b.* ⟨sic⟩.
boutade ⟨de (v.)⟩ **0.1** *witticism* ⇒*quip, sally,* ⟨inf.⟩ *dig, crack.*
boutonnière ⟨de⟩ **0.1** [bloem in het knoopsgat] *boutonnière* ⇒⟨vnl. BE⟩ *buttonhole* **0.2** [teken v.e. ridderorde] *buttonhole insignia/ribbon (of an order of chivalry).*
bouvier ⟨de (m.)⟩ **0.1** *Bouvier des Flandres.*
bouw ⟨de (m.)⟩ **0.1** [het bouwen] *building* ⇒*construction, erection* ⟨niet mbt. wegen⟩ **0.2** [plaats] *building site* **0.3** [bouwbedrijf] *building industry/trade* ⇒*construction industry* **0.4** [constructie] *structure* ⇒*construction, form, build* ⟨van dieren/mensen⟩ **0.5** [het bebouwen] *cultivation* ⇒*tillage* **0.6** [het verbouwen v.e. gewas] *growing* ⇒*cultivation* **0.7** [veldvruchten] *produce* ⇒*crops* ◆ **1.4** ⟨fig.⟩ de ~ v.e. roman *the s. of a novel* **2.4** gedrongen ~ *stocky build* ⟨van mens⟩; de inwendige ~ v.d. zenuwen *the internal s. of the nerves;* dat huis heeft een vreemde ~ *that house is of strange construction/is strangely built* **2.6** groenten van eigen ~ *home-grown vegetables* **6.3** in de ~ werken *be in the building trade/construction industry* **6.4** die dieren zijn krachtig **van** ~ *those animals are solidly/heavily/powerfully built.*
bouwbedrijf ⟨het⟩ **0.1** [tak v.h. economisch leven] *building industry/trade* ⇒*construction industry* **0.2** [bedrijf in deze sector] *construction firm/company* ⇒*builders.*
bouwbeleid ⟨het⟩ **0.1** *construction policy* ⇒*building policy.*
bouwblok ⟨het⟩ **0.1** [huizengroep] *block (of houses)* **0.2** [blok waarmee gebouwd wordt] *building block* ⇒^B*breeze block,* ^A*cinder/clinker block* ⟨B-2-blok⟩ **0.3** [eenheid in de montagebouw] *building block.*
bouwboer ⟨de (m.)⟩ **0.1** *arable farmer.*
bouwcombinatie ⟨de (v.)⟩ **0.1** *building consortium* ⇒*construction consortium.*
bouwcommissie ⟨de (v.)⟩ **0.1** [commissie van toezicht] *building authority/department* **0.2** [commissie die een streekplan opstelt] *planning commission/committee.*
bouwconstructie ⟨de (v.)⟩ **0.1** *structure (of a building).*
bouwcontingent ⟨het⟩ **0.1** *building quota.*
bouwdok ⟨het⟩ **0.1** *dry dock.*
bouwdoos ⟨de⟩ **0.1** [blokkendoos] *box of building blocks* **0.2** [montagedoos] *(do-it-yourself) kit.*
bouwen (→sprw. 10,232)
I ⟨onov., ov.ww.⟩ **0.1** [construeren] *build* ⇒*construct,* ⟨oprichten⟩ *erect, put up* ◆ **1.1** gebouwde en ongebouwde eigendommen *land and buildings;* een feestje ~ *give/throw a party;* huizen ~ *b. houses;* ⟨fig.⟩ luchtkastelen ~ *b. castles in the air/in Spain;* de vogels ~ nesten *the birds are building (their) nests;* een nestje ~ ⟨fig.⟩ *start a family;* spoorwegen, havens, dijken ~ *construct railways/ports/dikes;* ⟨fig.⟩ stelsels ~ *b. construct systems;* keurige zinnen ~ *construct neat sentences* **4.1** zich in de grond/zich arm ~ *ruin/bankrupt o.s. building;* zich rijk ~ *get rich in the building/construction business* **6.1** een theorie/zijn hoop/verwachting **op** iets ~ *b. base a theory/one's hope/expectation on sth.;* ⟨fig.⟩ men zou huizen **op** hem ~ *he's as solid as a rock;* **op** zand/een zandgrond ~ ⟨fig.⟩ *b. on sand;* **van** steen ~ *b. with/of stone;*
II ⟨onov.ww.⟩ **0.1** [(+op) zich verlaten op] *rely* ⇒*depend/bank/count on, trust (in)* **0.2** [het boerenbedrijf uitoefenen] *farm* ◆ **3.1** iem. waarop je kunt ~ *s.o. you can rely/depend/count on;* ⟨inf.⟩ a *tower of strength* **6.1 op** iem./ **op** God~ *rely/depend/count on s.o., trust in God;*
III ⟨ov.ww.⟩ **0.1** [de bodem bewerken] *till* ⇒*cultivate,* ⟨ploegen⟩ *plough* **0.2** [verbouwen] *cultivate* ⇒*grow,* ⟨oogsten⟩ *harvest, make* ⟨hooi⟩ **0.3** [bevaren] ⟨vnl. schr.⟩ *plough (the sea)* ◆ **1.1** de akker ~ *t. the land;* een rechte voor ~ *plough a straight furrow* **1.2** hooi ~ *make hay;* koren ~ *harvest corn;* tarwe/boekweit ~ *grow wheat/buckwheat.*
bouw-en-woningtoezicht ⟨het⟩ **0.1** *building inspectorate* ⇒*building control department.*
bouwer ⟨de (m.)⟩ **0.1** [landbouwer] *farmer* **0.2** [huizen-/schepenbouwer] *builder* ⇒⟨mbt. huizen ook⟩ *(building) contractor,* ⟨mbt. schepen⟩ *shipbuilder.*
bouwerij ⟨de (v.)⟩ **0.1** [het bouwbedrijf] *building* ⇒*construction* **0.2** [bedrijvigheid v.h. bouwen] *building (industry/trade)* ⇒*construction (industry)* **0.3** [wijze van bouwen] *building(s)* ◆ **6.1** hij gaat in de ~ *he's going into the building trade* **6.3** de ~ **in** die buurt is niet veel zaaks *the buildings in that district are not up to much.*
bouwfonds ⟨het⟩ **0.1** *building fund.*
bouwgrond ⟨de (m.)⟩ **0.1** [bouwterrein] *building land* ⇒*building lot* **0.2** [voor landbouw geschikte grond] *farmland* ⇒*farming/arable land* **0.3** [stuk bouwland] *farmland* ⇒*farming/arable land* ◆ **1.1** een stuk ~ a *building lot* **2.2** een goede ~ eist weinig mest *good arable land needs little manure.*
bouwjaar ⟨het⟩ **0.1** *date of building/construction;* ⟨mbt. gebouw⟩ *date/year of construction/manufacture* ⟨mbt. auto, machine enz.⟩ ◆ **7.1** te koop: auto ~ 1981 *for sale: 1981 car/car of 1981 vintage, car for sale: 1981 model.*
bouwkas ⟨de⟩ **0.1** *(cooperative) housing society/association.*

bouwkeet ⟨de⟩ **0.1** *site hut* ⇒⟨voor directie, opzichters enz.⟩ *site office(s),* ⟨AE;sl.⟩ *doghouse.*
bouwklimaat ⟨het⟩ **0.1** *state of the building trade* ⇒*state of the building industry/of the construction industry.*
bouwkosten ⟨zn.mv.⟩ **0.1** *building costs* ⇒*construction costs, cost of building/construction.*
bouwkraan ⟨de⟩ **0.1** *builder's crane.*
bouwkuip ⟨de⟩ **0.1** *(building) excavation.*
bouwkunde ⟨de (v.)⟩ **0.1** *architecture* ◆ **2.1** burgerlijke ~ *civil engineering.*
bouwkundig ⟨bn.⟩ **0.1** *architectural* ⇒*constructional, structural* ◆ **1.1** ~ ingenieur *construction(al)/structural eniginer;* ~ tekenaar *(a.) draughtsman* ^A*draftsman* **3.1** ~ tekenen *a. drawing.*
bouwkundige ⟨de (m.)⟩ **0.1** *architect* ⇒*construction(al)/structural engineer.*
bouwkunst ⟨de (v.)⟩ **0.1** [het optrekken van bouwwerken] *building* ⇒*construction, architecture, civil engineering* **0.2** [architectuur] *architecture.*
bouwlaag ⟨de⟩ **0.1** *floor* ⇒*storey* ^A*story* ◆ **7.1** flat met dertien bouwlagen *a thirteen-stor(e)y* ^B*block of flats/*^A*apartment block, a* ^B*block of flats/*^A*an apartment block with thirteen floors.*
bouwland ⟨het⟩ **0.1** [voor de akkerbouw geschikt land] *farmland* ⇒*farming/arable land* **0.2** [akker] *field* ⇒*stuk ~ field.*
bouwlat ⟨de⟩ **0.1** ^B*profile,* ^A*batterboard* (alleen bij hoek gebruikelijk).
bouwlift ⟨de (m.)⟩ **0.1** [in het steigerwerk] *builder's hoist* **0.2** [om materialen en onderdelen te verplaatsen] *builder's hoist.*
bouwmaatschappij ⟨de (v.)⟩ **0.1** *development company* ⇒*building company.*
bouwmateriaal ⟨het⟩ **0.1** *building material* ⟨meestal mv.⟩ ◆ **6.1** handelaar in bouwmaterialen *builder's merchant, contractor.*
bouwmeester ⟨de (m.)⟩ ⟨meestal gesch.⟩ **0.1** *master builder* ⇒*architect.*
bouwmodulus ⟨de (m.)⟩ **0.1** *module.*
bouwmuur ⟨de (m.)⟩ **0.1** *boundary wall.*
bouwnijverheid ⟨de (v.)⟩ **0.1** *building industry* ⇒*building trade, construction industry.*
bouwondernemer ⟨de (m.)⟩ **0.1** *(building) contractor* ⇒*builder (and contractor).*
bouwopdracht ⟨de⟩ **0.1** *building order.*
bouwopzichter ⟨de (m.)⟩ **0.1** ⟨in belang van klant⟩ *clerk of works;* ⟨in belang van ondernemer⟩ *building supervisor/* ⟨BE ook⟩ *surveyor.*
bouworde ⟨de⟩ **0.1** *order (of architecture)* ⇒*style of architecture/building, architectural style* ◆ **2.1** de Ionische ~ *Ionic order* **7.1** de vijf (klassieke) ~n *the five classical orders (of architecture).*
bouwpakket ⟨het⟩ **0.1** *(do-it-yourself) kit* ◆ **6.1** ik heb het **van** een ~ gemaakt *I built it from a kit* **8.1** sommige auto's zijn verkrijgbaar als ~ *some cars are available in kit form/as a kit* **¶.1** een ~ om een clavecimbel te bouwen *a harpsichord kit.*
bouwplaat ⟨de⟩ **0.1** [bouwkarton] *cut-out* **0.2** [bouwmateriaal] *wallboard* ⟨voor beschieting⟩ ⇒⟨gipsplaat⟩ *plasterboard.*
bouwplan ⟨het⟩ **0.1** [volgens welk gebouwd wordt] *building plan(s)* **0.2** [van aanleg van straten en wijken] *development plan.*
bouwpolitie ⟨de (v.)⟩ **0.1** *building inspectors* ⇒*building control department.*
bouwpremie ⟨de (v.)⟩ **0.1** *building subsidy.*
bouwput ⟨de (m.)⟩ **0.1** *(building) excavation.*
bouwrijp ⟨bn.⟩ **0.1** *ready for building* ◆ **3.1** een terrein ~ maken *prepare a site (for building), clear land (for building).*
bouwsel ⟨het⟩ **0.1** *building* ⇒*structure, erection.*
bouwsom ⟨de⟩ **0.1** *(total) building cost(s).*
bouwsteen ⟨de (m.)⟩ **0.1** [steen om mee te bouwen] *building stone* ⇒⟨baksteen⟩ *building brick* **0.2** [blok uit een bouwdoos] *building block* **0.3** [⟨comp.⟩] *building block* ◆ **1.1** ⟨fig.⟩ de bouwstenen v.d. revolutie *the materials of the revolution.*
bouwsteiger ⟨de (m.)⟩ **0.1** [⟨bouwk.⟩] *scaffold(ing)* **0.2** [⟨scheep.⟩] *building slip, slipway.*
bouwstelsel ⟨het⟩ **0.1** [⟨landb.⟩] *crop rotation* **0.2** [⟨bouwk.⟩] *building scheme.*
bouwstijl ⟨de (m.)⟩ **0.1** *architectural style* ⇒*architecture* ◆ **2.1** de Byzantijnse ~ *Byzantine architecture.*
bouwstof ⟨de⟩ **0.1** [bouwmateriaal] *building material* **0.2** [⟨fig.⟩] *material(s)* ◆ **6.2** ~fen voor een woordenboek *materials for a dictionary.*
bouwstop ⟨de (m.)⟩ **0.1** *building freeze.*
bouwsubsidie ⟨het, de (v.)⟩ **0.1** *building grant.*
bouwtekening ⟨de (v.)⟩ ⟨bouwk.⟩ **0.1** *floor plan.*
bouwterrein ⟨het⟩ **0.1** [grond/terrein om op te bouwen] *building land* ⇒*building lot* **0.2** [plaats/terrein waar gebouwd wordt] *building/construction site* ◆ **8.1** grond als ~ verkopen *sell plots of land for building (on).*
bouwtoezicht →**bouw-en-woningtoezicht, bouwpolitie.**
bouwtrant ⟨de (m.)⟩ **0.1** *architectural style.*
bouwvak
I ⟨het⟩ **0.1** [het vak van bouwen] *building (trade)* **0.2** [tot het bouwbedrijf behorend ambacht] *building/construction industry* ⇒*building trade;*

II ⟨de (v.)⟩ **0.1** [vakantie van bouwvakkers] *construction industry holiday*.
bouwvakarbeider →**bouwvakker**.
bouwvakker ⟨de (m.)⟩ **0.1** *construction worker* ⇒⟨vnl. BE ook⟩ *building worker/tradesman*, ⟨ongeschoold, halfgeschoold⟩ *building/builder's labourer*, ⟨AE; inf.⟩ *hard-hat*.
bouwval ⟨de (m.)⟩ **0.1** [overblijfselen van een ingestort gebouw] *(heap of) rubble* **0.2** [vervallen gebouw] *ruin* ⇒*wreck* ◆ **3.2** ⟨fig.⟩ deze man is nu niets meer dan een ~ *this man is now just a wreck*.
bouwvallig ⟨bn.⟩ **0.1** *crumbling* ⇒*tumbledown, ramshackle, ruinous, dilapidated, rickety* ⟨vnl. mbt. houten bouwsels zoals trappen, leuningen enz.⟩ ◆ **3.1** ~ worden ⟨ook⟩ *fall into ruin/decay*.
bouwverbod ⟨het⟩ **0.1** *building ban* ⇒*construction ban*.
bouwvergunning ⟨de (v.)⟩ **0.1** *building/construction permit/licence* ᴬ*se, permit/licence to build* ⇒ ⟨vnl. BE ook⟩ *planning permission*.
bouwverordening ⟨de (v.)⟩ **0.1** *building regulations/*ᴬ*code*.
bouwvolume ⟨het⟩ **0.1** [capaciteit voor een categorie van bouwwerken] *building capacity* **0.2** [inhoud v.e. te maken bouwwerk] *cubic content/volume (of a building)* ⇒*cubage, cubature*.
bouwvoor ⟨de⟩ **0.1** *soil*.
bouwwereld ⟨de⟩ **0.1** *building industry* ⇒*building/construction trade*.
bouwwerk ⟨het⟩ **0.1** *building* ⇒*structure, construction*, ⟨kerk, paleis ook⟩ *edifice* ◆ **2.1** burgerlijke ~en *public works*.
boven¹ ⟨bw.⟩ **0.1** [op een hoger gelegen plaats] *above* ⇒*up* ⟨met ww. van richting⟩, *upstairs* ⟨in gebouw⟩ **0.2** [op de bovenverdieping] *upstairs* ⇒*overhead* ⟨loodrecht⟩, *up* ⟨met ww. van beweging⟩ **0.3** [op de hoogst gelegen plaats] *on top* ⇒*uppermost* **0.4** [aan de oppervlakte] *up* **0.5** [in het voorafgaande] *above* **0.6** [aan de winnende hand] *on top* ⇒*at the top/head* **0.7** [⟨+vz.⟩] *on top* ⇒*at the top* ◆ **1.1** deze kant/dit ~! *this side/end up!* **1.6** Oranje ~! *up with Orange!, Orange for-ever!* **3.1** ~ was het uitzicht fantastisch *the view from a.* ⟨op hoogste punt⟩ *at the top was magnificent*; de zielen van de gestorvenen zwerven ~ *the souls of the deceased roam on high* **3.2** (naar) ~ brengen *take/carry up; bring back* ⟨herinneringen e.d.⟩; ⟨AZN⟩ ~ gaan *go up*; kom maar ~ *come on; up*; woon je ~ of beneden? *do you live up-stairs or down?* **3.4** weer ~ komen *come u. again* **3.5** ~ is aangetoond dat …it has been demonstrated a. that …; zie ~ *see a.* **3.6** ⟨AZN⟩ de liberalen zijn ~ *the liberals are on top/winning, the liberals have got the upper hand* **5.1** daar ~ *up there*; ⟨aan de hemel⟩ *on high, above* **6.1** ~ in de bergen *up (in) the mountains*; **naar** ~ gaan *go up, ascend*; ⟨trap ook⟩ *go upstairs*; de weg loopt **naar** ~ *the road goes up/rises*; de weg **naar** ~ *the way up*; **naar** ~ afronden *round up*; **van** ~ bekijken *view from a.*; **van** ~ is het wit *it is white on top* **6.3 te** ~ komen *get over, overcome, recover from*; ⟨moeilijkheden ook⟩ *weather*; iem. **te** ~ gaan *surpass/excel s.o., go one better than s.o.*; iets **te** ~ gaan *exceed/be beyond sth.*; hij is het verlies/de operatie **te** ~ (gekomen) *he has recovered from the loss/operation*; hij is alle moeilijkheden **te** ~ (gekomen) *he has overcome/surmounted the difficulties, he has won through, he is out of the wood*; dat gaat mijn verstand/begrip **te** ~ *that is beyond my comprehension/me*; ⟨te moeilijk ook⟩ *that's over my head*; het gaat elke beschrijving te ~ *it beggars/defies all description*; dat dwepen met popsterren is ze **te** ~ *she has outgrown that pop-star worship*; de schande **te** ~ komen *live down the shame*; **tot** ~ aan toe *to the (very) top*; de vierde regel **van** ~ *the fourth line from the top*; **van** ~ af(aan) *from the top*; een lijst **van** ~ naar beneden aflezen *read down a list (from top to bottom)*; hij zat **van** ~ tot beneden onder de modder *he was covered with mud from top/head to toe*; **van** ~ af voorschrijven *prescribe authoritatively*; **van** ~ uit ⟨uit de hemel⟩ *from above/on high* **6.7** ~ **aan** de lijst staan *be at the top/head of the list*; de grootste bekers staan ~ **in** de prijzenkast *the biggest trophies are at the top/on the top shelf of the display cabinet*; de man zat ~ **in** de mast *the man sat at the top of the mast/in the crow's nest*; de man zat ~ **op** het huis *the man sat on top of the house*; ~ **op** elkaar stapelen *pile one on top of the other*; hij is ~ **over** het dak geklommen *he climbed over the top of the roof* **8.5** als ~ ⟨as (stated) a.⟩; zoals ~ gezegd/aangehaald *as mentioned a./before/earlier (on)*.
boven² ⟨vz.⟩ ⟨→sprw. 30,222,440⟩ **0.1** [hoger dan] *above* ⇒⟨recht boven⟩ *over* **0.2** [verder dan] *above* ⇒*beyond* **0.3** [in rangorde hoger] *above* ⇒*over, superior to* **0.4** [een maat/hoeveelheid overtreffend] *over* ⇒*above, beyond* **0.5** [behalve] *over and above* ⇒*on top of* **0.6** [stroomopwaarts] *above* **0.7** [ten noorden van] *above* **0.8** [bovenwinds van] *to windward of* ◆ **1.1** hij woont ~ een bakker *he lives over a baker's shop*; iem. de hand ~ het hoofd houden ⟨fig.⟩ *support s.o., back s.o. up; shield/screen s.o.* ⟨die iets verkeerds heeft gedaan⟩; hij groeit mij ~ het hoofd ⟨fig.⟩ *he's leaving me behind/standing*; de hemel ~ onze hoofden *the sky a. us;* ~ zijn macht werken ⟨lett.⟩ *do work a. one's head*; ⟨fig.⟩ *bite off more than one can chew*; de bel zit ~ het naamplaatje *the bell is a./over the name-plate;* ~ water komen ⟨lett.⟩ *surface, come up for air;* ⟨fig.⟩ *turn up*; het hoofd ~ water houden *keep one's head a. water* ⟨ook fig.⟩; hij is ~ de wolken ⟨fig.⟩ *he's up in the clouds/on cloud nine/in seventh heaven* **1.2** dat gaat mij ~ mijn begrip/verstand *that is beyond my comprehension/me* **1.3** hij

stelt zijn carrière ~ zijn gezin *he puts his career before his family;* een majoor staat ~ een kapitein *a major is superior to a captain;* ~ zijn stand trouwen *marry a. o.s.;* hij staat ver ~ zijn tijdgenoten *he far sur-passes/excels his contemporaries;* wonder ~ wonder *wonder of won-ders, miracle of miracles* **1.4** niet ~ de begroting gaan *not exceed the budget;* de rekening komt ~ de honderd gulden *the bill amounts to o. a hundred guilders;* kinderen ~ de drie jaar *children o. three;* de effec-ten staan ~ pari *the stocks are above par;* ~ zijn stand leven *live beyond one's means;* ~ alle twijfel *beyond (a/all) doubt;* hij is ~ alle verdenking/kritiek verheven *he is above all suspicion/criticism;* dat is ~ verwachting geslaagd *that has succeeded beyond our expectations;* tien graden ~ het vriespunt *ten degrees above freezing point;* hij is al ~ de zeventig *he is already o./turned seventy* **1.5** ~ zijn bankrekening bezit hij nog drie spaarrekeningen *as well as his bank account he has three savings accounts;* hij verdient nog wel duizend gulden ~ zijn maandsalaris *he earns as much as a thousand guilders over and above /on top of his monthly salary* **1.6** Bonn ligt ~ Lobith *Bonn is a. Lobith* **1.7** Noord-Holland ~ het IJ *North-Holland a. the IJ* **1.8** ~ de wind to windward **1.9** hij is ~ zijn bier/theewater/taks *he's had a drop too much/one too many* **3.1** ⟨fig.⟩ daar moet je ~ staan *you should be a. that sort of thing;* uitsteken ~ *stand out/rise above; tower above* ⟨zeer hoog⟩ **3.3** iem. bevoorrechten ~ een ander *favour s.o. more than s.o. else;* er gaat niets ~ Belgische friet *there's nothing like Belgian chips;* ~ iem. staan *be s.o.'s superior, be over s.o.;* uitmunten ~ *excel* **3.4** ~ de tien seconden blijven *not get below the ten seconds* **3.5** de verzend-kosten komen nog ~ de verkoopprijs *postage not included in the price* **4.1** de flat ~ ons *the* ᴮ*flat/*ᴬ*apartment overhead* **4.3** veiligheid ~ alles *safety (comes) first* **6.4** ~ het lawaai **uit** praten *talk against/above the noise.*
bovenaan ⟨bw.⟩ **0.1** [aan het boveneinde] *at the top* **0.2** [in het bovenste gedeelte] *in/at the top* ⇒ **3.1** ~ staan *be (at the) top, lead, head/top the bill, be number one, come/rank first;* haar naam staat ~ op de lijst ~ *her name tops/heads the list, her name is at the top of the list;* Nederland staat als bollenproducent ~ *the Netherlands takes pride of place as a producer of bulbs* **3.2** het ligt ~ in de kast *it's somewhere at/in the top of the cupboard.*
bovenaanzicht ⟨het⟩ **0.1** *view from above* ⇒⟨plattegrond⟩ ⟨ground-/floor-)plan.*
bovenaards ⟨bn.⟩ **0.1** [boven de aardoppervlakte] *surface* ⇒*over-ground, overhead* ⟨leiding⟩ **0.2** [goddelijk] *superterrestrial* ⇒*super-nal, supermundane* ◆ **1.1** ~e bol *aerial bulb;* ~e stengeldelen *over-ground parts of the stem.*
bovenal ⟨bw.⟩ **0.1** *above all* ◆ **1.1** hij is een muzikant *above all things he is a musician* **3.1** dat geldt ~ in deze crisistijd *that holds true more than ever in this time of crisis;* hij haatte ~ zijn huisbaas *he hated his landlord most of all* **6.1** dat zie je ~ in Amsterdam *you see that in Am-sterdam more than anywhere else* ¶ .1 ~ zorg dragen voor iemands ge-zondheid/welzijn *make s.o.'s health/well-being one's prime concern.*
bovenarm ⟨de (m.)⟩ **0.1** *upper arm.*
bovenarms ⟨bw.⟩ **0.1** *overarm* ⇒⟨vnl. AE⟩ *overhand* ◆ **3.1** ~ gooien *throw overarm.*
bovenbed ⟨het⟩ **0.1** *upper/top bunk* ⟨bij stapelbedden⟩; ⟨schip, trein ook⟩ *upper/top berth.*
bovenbedoeld ⟨bn.⟩ **0.1** *referred to above.*
bovenbeen ⟨het⟩ **0.1** *upper leg* ⇒*thigh.*
bovenbesteding ⟨de (v.)⟩ ⟨ec.⟩ **0.1** *overspending.*
bovenbewust ⟨bn., bw.; -ly⟩ **0.1** *conscious* ⇒*superconscious.*
bovenbewustzijn ⟨het⟩ **0.1** *consciousness* ⇒*superconsious, supracon-sious.*
bovenblad ⟨het⟩ **0.1** [dekblad aan een tafel] *top* **0.2** [bovenste blad] *top* ◆ **1.2** het ~ v.e. gitaar *the belly of a guitar.*
bovenblijven ⟨onov.ww.⟩ **0.1** [niet zinken] *stay above water* **0.2** [de over-hand behouden] *stay on top* ⇒*hold one's own.*
bovenbouw ⟨de (m.)⟩ **0.1** [bovenste gedeelte v.e. bouwwerk] *super-structure* **0.2** ⟨school.⟩ *upper school* ⇒≠ᴮ*sixth form,* ≠ᴬ*(senior) high school* ◆ **6.2** een ~ van twee klassen *sixth form (college).*
bovenbuik ⟨de (m.)⟩ **0.1** *epigastrium.*
bovenbuur ⟨de (m.)⟩ **0.1** *upstairs neighbour.*
bovenconjunctie ⟨de (v.)⟩ ⟨ster.⟩ **0.1** *superior conjunction.*
bovendek ⟨het⟩ **0.1** *upper deck* ⇒*main deck, sun deck.*
bovendeur ⟨de⟩ **0.1** [bovenste halve deur] *upper door* **0.2** [deur boven aan de stoep] *front door.*
bovendien ⟨bw.⟩ **0.1** *moreover* ⇒*in addition, furthermore, besides, what's more* ◆ **3.1** deze oplossing heeft ~ nog het voordeel …*this so-lution has the added advantage …;* hij werkt hard en is ~ niet onvrien-delijk *he's hard-working and not unfriendly either;* hij is onslagen en krijgt nog boete ~ *he's been fired and is to get a fine to boot/in(to) the bargain/on top of that* **8.1** een verstandig, mooi en ~ nog rijk meisje *a sensible, beautiful and, what's more, a rich girl; a sensible, beautiful girl, and rich at that/to boot/in(to) the bargain* ¶ .1 ~, hij is niet meer-derjarig *besides, he's a minor.*
bovendominant ⟨de⟩ ⟨muz.⟩ **0.1** *dominant.*
bovendrempel ⟨de (m.)⟩ **0.1** [mbt. raam/deur] *top rail* ⟨deur⟩; *top edge*

⟨raam⟩ **0.2** [mbt. een raam-/deurkozijn] *lintel* ⇒*transom,* ⟨mbt. deur ook⟩ *doorhead.*

bovendrijven ⟨onov.ww.⟩ ⟨→sprw. 462⟩ **0.1** [op/aan de oppervlakte drijven] *float* **0.2** [de overhand krijgen] *prevail* ⇒*predominate, rule, get the upper hand* ◆ **1.1** een ~e laag *a supernatant layer* **1.2** de ~de partij *the ruling party* **3.1** komen ~ *float/rise to the surface, surface.*

boveneind(e) ⟨het⟩ **0.1** [het bovenste uiteinde] *top* ⇒*upper/top end* **0.2** [het voornaamste gedeelte] *head* ⇒*upper end* ⟨zaal⟩ ◆ **6.2** hij zat **aan** het ~ v.d. tafel *he sat at the h. of the table.*

bovengebit ⟨het⟩ **0.1** *upper/top teeth;* ⟨kunstgebit⟩ *upper denture.*

bovengedeelte ⟨het⟩ **0.1** *upper part* ⇒*top part* ◆ **1.1** het ~ v.e. rivier *the upper reaches of a river.*

bovengemeld →bovengenoemd.

bovengenoemd ⟨bn.⟩ **0.1** *above(-mentioned)* ⇒*mentioned/stated above* ⟨pred.⟩, ⟨jur.⟩ *(afore)said, aforecited, aforementioned* ◆ **7.1** het ~e *the above-mentioned;* ⟨jur.; vnl. mbt. panden en erven⟩ *the premises.*

bovengistend ⟨bn.⟩ ◆ **1.¶** ~ *bier top fermentation beer.*

bovengreep ⟨de (m.)⟩ ⟨sport⟩ **0.1** *overgrasp.*

bovengrens ⟨de⟩ **0.1** *upper limit.*

bovengronds ⟨bn.⟩ **0.1** *aboveground* ⇒*surface, overground, overhead* ⟨leiding⟩ ◆ **1.1** een ~e kabel/geleiding *an overhead cable/wire;* een ~e kruising *a fly-over;* ~e mijn *opencast mine,* ^A^*strip-mine;* ~e mijnwerkers *aboveground/surface workers;* ~ werk bij de mijn *grasswork.*

bovenhalen ⟨ov.ww.⟩ **0.1** *bring to the surface* ⇒*haul up.*

bovenhand ⟨de⟩ ◆ **3.¶** de ~ hebben over/op *have the upper hand of/the advantage over;* de ~ krijgen over/op *get/gain the upper hand of.*

bovenhands
I ⟨bw.⟩ **0.1** [met de hand boven de schouders geheven] *overarm* ⇒ ⟨vnl. AE⟩ *overhand* ◆ **3.1** ~ gooien *throw overarm;* ~ werken *do work above one's head;*
II ⟨bn.⟩ **0.1.¶** een ~e worp *an overarm/* ⟨vnl. AE⟩ *overhand throw.*

bovenharmonisch ⟨bn.⟩ ⟨muz.⟩ **0.1** *harmonic* ◆ **1.1** ⟨zelfst.⟩ de reeks van ~en *the upper partials, the harmonics, the overtones.*

bovenhelft ⟨de⟩ **0.1** *upper half.*

bovenhoek ⟨de (m.)⟩ **0.1** *top/upper corner.*

bovenhouden ⟨ov.ww.⟩ **0.1** *keep up* ◆ **1.1** het hoofd ~ ⟨fig.⟩ *keep one's head above water.*

bovenhuis ⟨het⟩ **0.1** ⟨enkel⟩ *upstairs flat/*^A^*apartment;* ⟨dubbel en anderhalf⟩ *maisonette* ◆ **2.1** een vrij ~ *a self-contained flat,* ^A^*an upstairs apartment with its own staircase* **7.1** een eerste/tweede ~ *a first/second floor flat,* ^A^*a second/third floor apartment;* ⟨BE ook⟩ *a first/second storey (flat).*

bovenin ⟨bw.⟩ **0.1** *at the top* ⇒*on/up top* ◆ **3.1** de boeken liggen ~ *the books are at the/on/up top.*

bovenkaak ⟨de⟩ **0.1** [opperkaak] *upper jaw* **0.2** [één v.d. twee opperkaakbeenderen] *upper jaw* ⇒⟨med.⟩ *maxilla* ◆ **6.1** een kies **uit** de ~ *a molar from the upper jaw.*

bovenkamer ⟨de⟩ **0.1** [kamer op een bovenverdieping] *upstairs room* **0.2** [hoofd] ⟨zie 6.2⟩ ◆ **6.2** het mankeert/scheelt hem **in** zijn ~ *he's funny in the head, he has bats in the belfry;* ⟨sl.⟩ *he has apartments to let.*

bovenkant ⟨de (m.)⟩ **0.1** *top.*

bovenkast[1] ⟨de⟩ ⟨druk.⟩ **0.1** [kast met de hoofdletters] *upper case* **0.2** [lettertype] *upper case* ⇒*capital.*

bovenkast[2] ⟨bw.⟩ ⟨druk.⟩ **0.1** *in capitals* ◆ **3.1** dit moet ~ gezet worden *this must be set in capitals, this must be upper-cased.*

bovenkleding ⟨de (v.)⟩ **0.1** *outer clothes/clothing/garments, outerwear.*

bovenkomen ⟨onov.ww.⟩ **0.1** [aan de oppervlakte van het water komen] *come up* ⇒*come to the/break (the) surface, surface* **0.2** [op een hogere verdieping komen] *come up(stairs)* **0.3** [aan dek komen] *come up on deck* **0.4** [boven iem. komen te liggen] *come out on top* **0.5** [in iem. opwellen] *occur* ⇒*surface* ◆ **1.1** de drenkeling is tweemaal bovengekomen *the drowning man/woman/child has come up twice* **1.5** de oude vriendschapsgevoelens kwamen weer boven *the old feelings of friendship resurfaced* **3.1** walvissen moeten ~ om te ademen *whales must surface/come up for air* **3.2** laat hem ~! *show/send him up!.*

bovenkruier ⟨de (m.)⟩ **0.1** *smock (wind)mill.*

bovenlaag ⟨de⟩ **0.1** *upper layer* ⇒*upper(most)/top(most)/surface layer/* ⟨geol.⟩ *stratum,* ⟨geol.⟩ *superstratum, top coat* ⟨verf⟩ ◆ **1.1** de ~ v.d. maatschappij *the upper class;* ⟨inf.⟩ *the upper crust/ten thousand;* ⟨AE; inf.⟩ *the Four Hundred.*

bovenlader ⟨de (m.)⟩ **0.1** *top-loader.*

bovenlaken ⟨het⟩ **0.1** *top sheet.*

bovenland ⟨het⟩ **0.1** *upland* ◆ **6.1** mensen uit het ~ *people from the uplands, upland people.*

bovenlat ⟨de⟩ ⟨sport⟩ **0.1** *crossbar.*

bovenlaten ⟨ov.ww.⟩ **0.1** [laten bovenkomen] *show up(stairs)* **0.2** [boven laten blijven] *leave upstairs* ◆ **3.1** wil je hem maar ~? *will you show him up?.*

bovenleer ⟨het⟩ **0.1** [leer voor de bovenzijde van schoenen] *upper leather* **0.2** [deel v.e. schoen] *upper* ⇒*top, vamp* ⟨ook voorste deel⟩.

bovenleiding ⟨de (v.)⟩ **0.1** ⟨tram, trein⟩ *overhead (contact) wire* ⇒ ⟨tram, bus ook⟩ *trolley wire.*

bovenlichaam ⟨het⟩ **0.1** *upper part of the body.*

bovenlicht ⟨het⟩ **0.1** [licht dat van boven valt] *top light* ⇒*overhead light* **0.2** [lichtopening boven een deur] *fanlight* ⇒*transom window* **0.3** [lichtopening in dak] *skylight.*

bovenliggen ⟨onov.ww.⟩ **0.1** [boven op iem. liggen] *lie on top* **0.2** [iem. de baas zijn] *dominate* ⇒*have the upper hand.*

bovenlijf ⟨het⟩ **0.1** *upper part of the body* ◆ **2.1** met ontbloot ~ *stripped to the waist.*

bovenlip ⟨de⟩ **0.1** [mbt. personen] *upper lip* ⇒*top lip* **0.2** [mbt. een bloemkelk] *upper lip* **0.3** [mbt. een orgelpijp] *upper lip* **0.4** [mbt. insekt] *labrum* ◆ **3.1** ⟨inf.⟩ je ruikt je ~ *you can smell yourself.*

bovenloop ⟨de (m.)⟩ **0.1** *upper course* ⇒*upper reaches/waters, headwaters* ◆ **6.1** aan de ~ v.d. rivier *on the upper course/reaches/waters of the river, upriver.*

bovenmaats ⟨bn.⟩ **0.1** *oversize(d)* ⇒*outsize.*

bovenmanuaal ⟨het⟩ **0.1** *upper manual.*

bovenmate ⟨bw.⟩ **0.1** *exceedingly* ⇒*extremely, beyond measure.*

bovenmatig ⟨bn., bw.; -ly⟩ **0.1** *extreme* ⇒*excessive* ◆ **2.1** ~ schoon *extremely beautiful.*

bovenmenselijk ⟨bn., bw.⟩ **0.1** *superhuman* ◆ **1.1** ~e inspanning *s. effort.*

bovennatuurlijk
I ⟨bn., bw.; -ly⟩ **0.1** [het natuurlijke te boven gaand] *supernatural* ⇒ *preternatural* ◆ **1.1** men schreef aan tovenaars ~e macht toe *magicians were accredited with s. powers;* een ~ verschijnsel *a s. phenomenon, a prodigy;* ⟨helderziendheid e.d.⟩ *a psychic phenomenon;* aan ~e wezens geloven *believe in s. beings* **7.1** ⟨zelfst.⟩ het ~e *the s.;*
II ⟨bn.⟩ **0.1** [⟨r.k.⟩] *divine* ◆ **1.1** de genade is een ~e gave *grace is a d. gift.*

bovennormaal ⟨bn.⟩ **0.1** *supernormal, supranormal.*

bovenop ⟨bw.⟩ **0.1** [op de bovenzijde] *on top* **0.2** [in orde] *on one's feet* ⇒*on one's legs* **0.3** [onmiddellijk volgend op] *instantly* ⇒*immediately, promptly, straight/right away* ◆ **3.1** dat bedrag komt er nog ~ *that amount comes on top (of it);* het er te dik ~ leggen *lay it on too thick;* ⟨avances ook⟩ *come on too strong;* ⟨fig.⟩ ergens ~ springen/zitten *pounce on sth., be (right) on the ball* **3.2** het land er financieel ~ brengen *set a country on its feet (again);* iem. er weer ~ brengen/helpen *put/get/set s.o. back on his feet/legs, put s.o. right;* ⟨na ziekte/moeilijke tijd ook⟩ *pull/bring s.o. through;* er niet meer ~ komen *not pull through, not live;* hij komt er weer ~ *he'll pull through;* ⟨na ziekte ook⟩ *he'll make it/recover, he's on the mend, he'll live;* die fabriek komt er wel weer ~ *that factory will pull through/recover/will regain/find its feet;* na iedere tegenslag komt hij er toch weer ~ *after every setback he just seems to bounce back/come up smiling;* de zieke kwam er snel weer ~ *the patient made a quick recovery;* er weer ~ zijn *be back on one's feet/legs;* ⟨zieke ook⟩ *have got over it, be right as rain/o.s. again;* ⟨mbt. moeilijkheden ook⟩ *have turned the corner, be out of the wood* **5.3** hij antwoordde er pal ~ *he answered without hesitation/straight away/instantly/promptly* **6.1** met chocola ~ *topped (off) with chocolate, with chocolate topping.*

bovenover ⟨bw.⟩ **0.1** *over/along the top.*

bovenpersoonlijk ⟨bn.⟩ **0.1** *suprapersonal.*

bovenraam ⟨het⟩ **0.1** [bovenste deel v.e. schuifraam] *upper window* **0.2** [venster v.e. bovenverdieping] *upstairs window* **0.3** [bovenste raamwerk] *upper/top window* ⇒*fanlight,* ^A^*transom.*

bovenrand ⟨de (m.)⟩ **0.1** *top/upper edge* ⇒*top, brim.*

bovenrivier ⟨de⟩ **0.1** *upper river.*

bovensmering ⟨de (v.)⟩ **0.1** *upper cylinder lubrication.*

bovenst ⟨bn.⟩ **0.1** *top* ⇒*topmost, upper(most)* ◆ **1.1** ⟨sport⟩ de ~e bal *the furthest ball;* je bent een ~e beste *you're marvelous/great,* ^A^*you're a swell guy/girl;* ~e plank *first class, blue ribbon, topnotch, of the first water;* de ~e verdieping ⟨ook fig.⟩ *the upper storey* ^A^*ry, upstairs* **7.1** ⟨zelfst.⟩ het ~e *the top (part).*

bovenstaand ⟨bn.⟩ **0.1** [hoger op dezelfde bladzijde staand] *above* **0.2** [eerder vermeld] *above* ⇒*above-mentioned, mentioned/stated above* ◆ **1.1** ~ schema *the a. diagram, the diagram a.* **7.1** ⟨zelfst.⟩ het ~e *the above* **7.2** ⟨zelfst.⟩ in het ~e *in the above/afore(-mentioned), in what has been stated above;* ⟨jur.⟩ *hereinbefore.*

bovenstad ⟨de⟩ **0.1** *upper town* ◆ **1.1** de ~ van Brussel *uptown Brussels* **6.1** van/in/naar de ~ *uptown.*

bovenstandig ⟨bn.⟩ ⟨plantk.⟩ ◆ **1.¶** ~e bloembekleedsels *epigynous perianths;* ~ vruchtbeginsel *superior ovary.*

bovenstel ⟨het⟩ **0.1** *upper part.*

bovenstem ⟨de⟩ ⟨muz.⟩ **0.1** *treble, soprano* ⇒*top, descant.*

bovenstrooms ⟨bw.⟩ **0.1** *upstream* ⇒*upriver.*

bovenstuk ⟨het⟩ **0.1** *top/upper part, rider* ⟨van machine⟩.

bovenstukje ⟨het⟩ **0.1** *top* ◆ **6.1** zonder ~ *topless.*

boventallig ⟨bn.⟩ **0.1** *supernumerary* ⇒⟨niet meer nodig⟩ *redundant* ◆ **1.1** ~e krachten/medewerkers *s. staff.*

boventand ⟨de⟩ **0.1** *top/upper tooth.*

boventoon ⟨de (m.)⟩ **0.1** [boven alle andere uit klinkende toon] *dominant tone* **0.2** [bijtoon] *overtone* ⇒*(upper) partial, harmonic (tone)* ◆ **3.1** ⟨fig.⟩ de ~ voeren *play first fiddle, rule the roost, monopolize the conversation* ⟨persoon⟩; *predominate* ⟨gevoel⟩.

boventuig ⟨het⟩ **0.1** [tuigage] *rigging* **0.2** [hersens] *upstairs* ⇒*upper storey* [A]*ry*.

bovenuit ⟨bw.⟩ **0.1** *above* ♦ **3.1** zijn stem klonk overal ~ *his voice could be heard a. everything;* hij komt er net ~ *he scarcely appears a. it;* overal ~ steken *rise/tower a. everything;* ⟨fig. ook⟩ *outshine/eclipse everything.*

bovenverdieping ⟨de (v.)⟩ **0.1** [verdieping hoger dan gelijkvloers] *upper storey* [A]*ry* ⇒*upper floor,* ⟨bovenste⟩ *top floor/stor(e)y* **0.2** [hoofd, hersens]⟨zie 6.2⟩ ♦ **6.1** met drie ~ en *four-storeyed* [A]*ried;* **naar/op** de ~ en *upstairs* **6.2** het scheelt/mankeert hem **in** zijn ~ *he's funny in the head, he's got bats in the belfry, he's soft in the head, he's got a screw loose (somewhere).*

bovenvlak ⟨het⟩ **0.1** [vlak dat de bovenkant vormt] *upper surface* ⇒*top* **0.2** [⟨wisk.⟩] *top face* ♦ **1.2** het ~ v.e. kubus *the t. f. of a cube.*

bovenwaarts ⟨bw.⟩ **0.1** *upward* ⇒*up(wards).*

bovenwijdte ⟨de (v.)⟩ **0.1** *chest* ⇒ ⟨bij dameskleding ook⟩ *bust.*

bovenwind ⟨de (m.)⟩ **0.1** [wind in de bovenlucht] *upper wind* ⇒*winds aloft* ⟨mv.⟩ **0.2** [oostenwind] *east(erly) wind.*

bovenwinds
I ⟨bw.⟩ ⟨scheep.⟩ **0.1** [aan de windzijde] *windward;*
II ⟨bn.⟩ **0.1** [hoger aan de wind gelegen] *windward* ♦ **1.1** de Bovenwindse eilanden *the Windward Islands.*

bovenwoning ⟨de (v.)⟩ **0.1** *upstairs flat/*[A]*apartment* ⇒*upstairs maisonette.*

bovenzees ⟨bn.⟩ ♦ **1.**¶ de ~ e marine *the surface fleet.*

bovenzijde ⟨de⟩ →**bovenkant.**

bovenzinnelijk ⟨bn.,bw.;-ly⟩ **0.1** *supersensory, supersensible* ⇒*transcendental, extrasensory* ♦ **7.1** ⟨zelfst.⟩ het ~ e *the supersensible/transcendental/metaphysical.*

bovien ⟨bn.⟩ **0.1** *bovine.*

bovist ⟨de⟩ **0.1** *lycoperdacea* ⇒*puffball.*

bowdenkabel ⟨de (m.)⟩ **0.1** *bowden cable.*

bowl ⟨de (m.)⟩ **0.1** [kom, schaal] *punch bowl* **0.2** [drank] *punch* ⇒*cup* ♦ **3.2** een ~ maken *mix a p. / cup.*

bowlen ⟨onov.ww.⟩ ⟨sport⟩ **0.1** [bowling spelen] *bowl* ⇒*play tenpins* **0.2** [⟨cricket⟩] *bowl* ♦ **3.1** gaan ~ *go bowling.*

bowling
I ⟨het⟩ **0.1** [spel] *bowling (game)* ⇒*(game of) tenpins, tenpinbowling;*
II ⟨de⟩ **0.1** [gebouw] *bowling alley.*

bowlingbaan ⟨de⟩ **0.1** [waarlangs de ballen geworpen worden] *bowling alley* ⇒*bowling lane* **0.2** [baan, kegels, ballen] *bowling alley* ⇒*bowling lane.*

box ⟨de (m.)⟩ **0.1** [speaker] *(loud-)speaker* **0.2** [stalling voor één paard] *(loose) box* ⇒*stall, stable* **0.3** [plaats voor één auto] *garage* ⇒[B]*lock-up (garage)* **0.4** [zitje in een café] *box* ⇒*alcove* **0.5** [bergruimte] *storage room* ⇒*box toom,* [B]*lock up* **0.6** [loophek] *(play)pen* **0.7** [fototoestel] *box camera.*

boxermotor ⟨de (m.)⟩ **0.1** *horizontally opposed engine* ⇒⟨3-cilindermotor⟩ *flat twin.*

boycot ⟨de (m.)⟩ **0.1** *boycott* ♦ **6.1** de culturele ~ **tegen/van** Zuid-Afrika *the cultural b. against/of South Africa.*

boycotactie ⟨de (v.)⟩ **0.1** *boycott.*

boycotten ⟨ov.ww.⟩ **0.1** *boycott* ⇒⟨persoon/firma ook⟩ *freeze out* ♦ **1.1** goederen b. *goods.*

boze
I ⟨de (m.)⟩ **0.1** [de duivel] *Evil One* ⇒*Wicked One, Adversary, Enemy* **0.2** [goddeloze] *wicked person* ⇒*sinful/evil person* ♦ **3.1** verlos ons van de(n) ~ *deliver us from evil* **6.2** het is **uit** den ~ ⟨zondig⟩ *it is wicked/sinful,* ⟨ontoelaatbaar⟩ *it is fundamentally/altogether wrong/absolutely forbidden;*
II ⟨het⟩ **0.1** [het kwaad] *evil* ⇒*wickedness, sin.*

B-ploeg ⟨de⟩ ⟨sport⟩ **0.1** *reserve team, second (team).*

br. ⟨afk.⟩ **0.1** [broeder] *Br.* **0.2** [breed(te)] *w.* **0.3** [bruto] *gr..*

braadjus ⟨de (m.)⟩ **0.1** *gravy.*

braadkip ⟨de⟩ **0.1** *fryer* ⇒*broiler, roasting chicken.*

braadlucht ⟨de⟩ **0.1** *smell of frying* ⟨op vuur⟩; *smell of roasting* ⟨in oven⟩.

braadoven ⟨de (m.)⟩ **0.1** *oven* ⇒*roaster.*

braadpan ⟨de⟩ **0.1** *casserole* ⇒*Dutch oven, cooking pot.*

braadschotel ⟨de⟩ **0.1** [voorwerp] *roasting tin* ⇒*roaster* **0.2** [gerecht] *roast* ⇒*fry.*

braadslee ⟨de⟩ **0.1** [braadschotel] *roasting tin* ⇒*roaster* **0.2** [verdiepte ovenplaat] *roasting tin.*

braadspit ⟨het⟩ **0.1** *(roasting) spit* ⇒*broach,* ⟨draaiend⟩ *turnspit.*

braadstuk ⟨het⟩ **0.1** *roast* ⇒*roasting-joint,* ⟨gevogelte⟩ *roaster.*

braadvet ⟨het⟩ **0.1** [om mee te braden] *cooking/frying fat* **0.2** [uitgebraden vet] *dripping.*

braadworst ⟨de⟩ **0.1** [worst om te braden] *(frying) sausage* **0.2** [gebraden metworst] *German sausage, bratwurst.*

braaf ⟨bn.,bw.⟩ **0.1** [rechtschapen] *good* ⇒*honest,* ⟨vaak iron.⟩ *respectable, decent* **0.2** [niets verkeerd doende] *good* ⇒*well-behaved, obedient,* ⟨pej.⟩ *goody-goody, virtuous* **0.3** [argeloos] *innocent* ⇒*artless* **0.4** [⟨in aanspreekvormen⟩] *good* ♦ **1.1** een brave borst/ziel/vent a

g. soul/[A]guy, a solid fellow, [B]an honest burgher **1.2** ~ beessie g. dog(gy); wees een brave jongen, en eet je bord leeg *eat your food, there's/that's a g. boy* **1.3** ⟨pej.⟩ een ~ gezicht zetten *look as if butter wouldn't melt in one's mouth, assume a sanctimonious/pious expression* **1.**¶ een brave Hendrik *a goody-goody, a goody-two-shoes, a paragon of virtue,* [A]*a sissy* **3.1** de kinderen zijn heel ~ geweest *the children have been as g. as gold* **3.2** zij deden ~ alles wat hun werd opgedragen *they dutifully/obediently did all they were told;* hij heeft ~ gehandeld *he has done the right thing* **¶.2** ~ zo, dat is ~! *there's a dear/a g. boy/girl!.*

braafheid ⟨de (v.)⟩ **0.1** *goodness* ⇒*decency, honesty,* ⟨soms iron.⟩ *respectability,* ⟨meestal pej.⟩ *virtue,* ⟨gehoorzaamheid ook⟩ *obedience.*

braak[1] ⟨de⟩ **0.1** [inbraak] *breaking* ⇒⟨gebouw ook⟩ *burglary, cracking* ⟨kluis⟩, *picking* ⟨slot⟩ **0.2** [werktuig] *brake* ♦ **1.1** diefstal met ~ *breaking and entering, burglary.*

braak[2] ⟨bn.⟩ **0.1** [onbebouwd] *fallow* ⇒*waste, out of crop, untilled* **0.2** [⟨fig.⟩] *fallow* ⇒*undeveloped, unexplored* ♦ **3.1** ~ laten liggen *leave/ lay f., rest, let lie f.;* 's winters/'s zomers ~ laten liggen *winter-/summer-fallow;* ~ liggen *lie f. / waste, rest, be out of crop* **3.2** die kennis ligt ~ *that knowledge lies f.;* er ligt nog een heel terrein ~ voor je *there is still a wide (unexplored) field open to you.*

braakbal ⟨de (m.)⟩ **0.1** *pellet.*

braakgas ⟨het⟩ **0.1** *vomiting gas.*

braakjaar ⟨het⟩ **0.1** *year of rest.*

braakland ⟨het⟩ **0.1** *fallow* ⇒*fallow land/ground/fields, refuse/untilled /waste land.*

braakmiddel ⟨het⟩ **0.1** *emetic* ⇒*vomitive, vomitory.*

braakneiging ⟨de (v.)⟩ **0.1** *qualm* ⇒*queasiness.*

braakpoeder ⟨de⟩ **0.1** *emetic powder.*

braakschade ⟨de (v.)⟩ **0.1** *damage by burglary* ⇒*damage through breaking and entering.*

braaksel ⟨het⟩ **0.1** *vomit* ⇒⟨inf.⟩ *sick, puke.*

braam ⟨de⟩ **0.1** [oneffen rand] *burr* ⇒*bur* **0.2** [spoor v.h. slijpen] *wire edge* **0.3** [struik] *blackberry(-bush)* ⇒⟨wild⟩ *bramble* **0.4** [bes] *blackberry* ♦ **3.2** ⟨van geslepen schaatsen⟩ de ~ afrijden *skate the w. e. off (skates), break in (skates)* **3.4** bramen gaan plukken *go blackberrying /brambling* **3.**¶ de ~ afnemen/verwijderen van *trim, smooth.*

braambes ⟨de⟩ **0.1** *blackberry* ♦ **3.1** ~ sen gaan plukken *go blackberrying/ brambling.*

braambos ⟨het⟩ **0.1** *bramble (bush)* ⇒⟨gecultiveerd⟩ *blackberry(-bush)* ♦ **2.1** het brandende ~ *the burning bush.*

braamstruik ⟨de (m.)⟩ **0.1** *bramble (bush)* ⇒⟨gecultiveerd⟩ *blackberry (bush).*

braamvlinder ⟨de (m.)⟩ **0.1** *peach-blossom.*

Brabançonne ⟨de (v.)⟩ **0.1** *'Brabançonne'* ⟨*national anthem of Belgium*⟩.

Brabander ⟨de (m.)⟩ **0.1** *Brabantine* ♦ **2.1** de Spaanse ~ *the Spanish Brabanter.*

Brabants ⟨bn.⟩ **0.1** *Brabantine.*

brabbelarij ⟨de (v.)⟩ **0.1** *babble* ⇒⟨aapachtig, snel⟩ *chatter, jabber, gibberish, baby-talk* ⟨van kind⟩.

brabbelen ⟨onov.,ov.ww.⟩ **0.1** *babble* ⇒*jabber, gibber,* ⟨langzaam, promerig⟩ *maunder, talk baby-talk* ♦ **3.1** hij begint al wat te ~ *he's starting to b.* **¶.1** alles door elkaar ~ *b. / jabber/gibber/chatter/ blather incoherently, talk gibberish/double Dutch.*

brabbeltaal ⟨de⟩ **0.1** *gibberish* ⇒*double Dutch, mumbo-jumbo, baby-talk.*

bracelet ⟨de (m.)⟩ **0.1** [armband] *bracelet* **0.2** [handboei] *handcuff* ⇒*manacle,* ⟨mv. ook; inf.⟩ *bracelets, cuffs.*

brachiaal ⟨bn.⟩ **0.1** *brachial.*

brachycefaal ⟨bn.⟩ **0.1** *brachycephalic* ⇒*brachycephalous* ♦ **7.1** ⟨zelfst.⟩ de brachycefalen *the brachycephals/brachycephali.*

brachygrafie ⟨de (v.)⟩ **0.1** *brachygraphy* ⇒*stenography, shorthand.*

bracteaat[1] ⟨de⟩ **0.1** [middeleeuwse munt] *bracteate* **0.2** [nabootsing van Romeinse munten] *bracteate.*

bracteaat[2] ⟨bn.⟩ ⟨plantk.⟩ **0.1** *bracteate.*

bractee ⟨de (v.)⟩ ⟨plantk.⟩ **0.1** *bract.*

braden ⟨onov.,ov.ww.⟩ **0.1** [mbt. vlees/gevogelte] ⟨in oven, aan spit, bij open vuur⟩ *roast;* ⟨met vet op fornuis⟩ *fry;* ⟨in gesloten pan⟩ *pot-roast;* ⟨op rooster⟩ *grill,* [A]*broil* **0.2** [mbt. de zon] *roast* ⇒*broil, bake* ♦ **1.1** appels ~ *bake apples;* gebraden gehakt *meatloaf;* een stuk gebraden kalfsvlees *a joint of roast veal;* kastanjes ~ *roast chestnuts* **1.2** in de ~ de zon *in the roasting/broiling (hot) sun* **2.1** bruin ~ ⟨*roast/ fry/grill/broil*⟩ *brown* ⟨*vlees*⟩; *toast, r.* ⟨o.s.⟩ *brown, get toasted/* [A]*broiled* **3.2** in de zon liggen ~ *roast* ⟨o.s.⟩ *in the sun* **5.1** het vet/de boter eruit ~ ⟨fig.⟩ *live it up.*

braderie ⟨de (v.)⟩ **0.1** *fair.*

braderij ⟨de (v.)⟩ **0.1** [plaats waar men braadt] *rotisserie* **0.2** [braderie] *fair.*

bradertjes ⟨zn.mv.⟩ **0.1** *fried new potatoes.*

brahmaan ⟨de (m.)⟩ **0.1** [aanhanger v.h. brahmanisme] *Brahman* ⇒*Brahmin* **0.2** [lid v.d. hoogste kaste] *Brahman* ⇒*Brahmin.*

Brahmaans ⟨bn.⟩ **0.1** *Brahmanic(al).*

brahmanisme ⟨het⟩ **0.1** *Brahmanism* ⇒*Brahminism*.

braille ⟨het⟩ **0.1** *braille* ◆ **6.1** in ~ gedrukt *printed in b.*, brailled; in ~ omzetten/ transcriberen *braille, transcribe into b.*.

brailleschrift ⟨het⟩ **0.1** *braille*.

brainstormen ⟨onov.ww.⟩ **0.1** *do some brainstorming*.

braintrust ⟨de (m.)⟩ **0.1** *think tank,* ᴬ*brain trust*.

braiseren ⟨ov.ww.⟩ **0.1** *braise*.

brak[1] ⟨de (m.)⟩ **0.1** [jachthond] *beagle* ⇒*harrier, basset (hound)* **0.2** [iem. die geheimen probeert te ontdekken] *hound* ⇒*sleuth,* ⟨vero.⟩ *beagle* **0.3** [bengel] *urchin* ⇒*brat, young rogue, gamin* ◆ **3.1** met ~ken jagen *beagle, go beagling*.

brak[2] ⟨bn.⟩ **0.1** *brackish* ◆ **1.1** ~ke grond *b. soil*.

braken
I ⟨onov., ov.ww.⟩ **0.1** [overgeven] *vomit* ⇒⟨BE ook⟩ ᴮ*be sick,* ᵈ*throw/heave up,* ↑ *regurgitate,* ⟨inf.⟩ *puke* **0.2** [braak laten liggen] *lay fallow* ⇒*leave fallow, rest, let lie fallow* **0.3** [stengels kneuzen/breken] *brake* ⇒*scutch* ◆ **1.1** bloed ~ *v.* / *regurgitate blood;* zijn hart uit zijn lijf ~ *heave one's heart up;* ⟨fig.⟩ scheldwoorden/ vloeken ~ *v. abuse/ curses;* ⟨fig.⟩ de vulkaan braakt vlammen *the volcano belches (out/ forth)/ vomits flames* **¶.1** ze heeft de hele keuken onder gebraakt *she threw up/ was sick all over the kitchen;*
II ⟨onov.ww.⟩ **0.1** [walgen] *loathe* **0.2** [braak liggen] *lie fallow/ waste* ⇒*rest, be out of crop* ◆ **5.1** ik braak ervan *I l. it, it makes me sick, it turns my stomach, it disgusts/ revolts/ nauseates me;* ⟨heb er genoeg van⟩ *I'm sick of it, it makes me puke*.

brallen ⟨onov.ww.⟩ **0.1** ⟨ongemarkeerd⟩ *brag* ⇒*bluster, boast, crow*.

bramzeil ⟨het⟩ ⟨scheep.⟩ **0.1** *topgallant (sail)* ◆ **3.1** de ~en bijzetten ⟨fig.⟩ *do one's utmost, give all one's got/ one's all;* hij heeft zijn ~ bijgehesen ⟨fig.⟩ *he's had a drop too much, he's half seas over, he's three sheets to the wind*.

brancard ⟨de (m.)⟩ **0.1** *stretcher* ⇒*litter* ◆ **6.1** ze moet per ~ vervoerd worden *she's a stretcher-case/* ⟨AE; sl.⟩ *carry*.

brancardier ⟨de (m.)⟩ **0.1** *stretcher-bearer* ⇒ ⟨mv. ook⟩ *stretcher party*.

branche ⟨de⟩ **0.1** [afdeling] *branch* ⇒*department,* ⟨handel ook⟩ *line (of business), (branch of) trade* **0.2** [⟨lit.⟩] *'branche'* ⇒*text, poem, working, version* ◆ **3.1** dat is zijn ~ niet *that's not his department/ line/ field* **6.1** een reiziger in een of andere ~ *a salesman in some b. (of trade)/ line (of business)/ trade or other*.

branchevervaging ⟨de (v.)⟩ **0.1** *diversification*.

branchevreemd ⟨bn.⟩ **0.1** *not in one's line (of business), outside the sector*.

brand ⟨de (m.)⟩ ⟨→sprw. 88,636⟩ **0.1** [vertering door vuur] *fire* **0.2** [geval van brand] *fire* ⇒ ⟨fel, uitslaand⟩ *blaze,* ⟨groots⟩ *conflagration, burnout* **0.3** [problematische situatie] *fix* ⇒*scrape, predicament, spot, hole* **0.4** [het gloeien van lichaam(sdeel)] *heat* ⇒*inflammation, fire, burn(ing)* ⟨bij brandwond/ zonnebrand⟩ **0.5** [ziekte tengevolge van ontsteking] *inflammation* **0.6** [geestdrift, hartstocht] *fire* ⇒*heat* **0.7** [ziekte in gewas] *smut* ⇒*blight, rust, ergot* **0.8** [brandstof] *fuel* ⇒*firing* ◆ **1.1** er is gevaar voor ~ *there is a fire hazard/ risk;* de ~ v.d. zon *the heat of the sun* **1.6** Venus' ~ *the f. of love, the heat of passion* **2.2** een korte, hevige ~ *a flash f.* **2.5** koude ~ *gangrene, mortification, necrosis* **3.1** er is een hevige ~ uitgebroken *a fierce blaze has broken out;* er is ~ uitgebroken *a f. has started, there has been an outbreak of f.;* ⟨mbt. sigaar/ pijp⟩ er de ~ in steken *light up;* ~ stichten *commit arson, raise a f.;* er was ~ op je kamer/ bij de buren *your room/ the neighbours' house was on f., there was a f. in your room/ at the neighbours' house;* weet je ook al van de ~? ⟨fig.⟩ *have you heard the news?* **3.2** die ~ is weer geblust ⟨fig.⟩ *so much for that, that's that;* de ~ is waarschijnlijk opzettelijk aangestoken *the f. was probably started wilfully/ on purpose;* ~jes maken *make fires* **3.4** de ~ eruit trekken met lijnolie *draw out the h. with linseed oil* **3.5** de koe is gestorven aan ~ *the cow died of the fire* **6.1** papier/ krullen in ~ steken *set paper/ shavings on f.*/ *afire/ alight, put/ set a match to paper/ shavings, set f. to / fire paper/ shavings;* een boom in ~ steken *make/ pass water/* ᵈ*pee against a tree;* ⟨fig.⟩ hij steekt zijn huis in ~ *om zich aan de kolen te warmen he's his own worst enemy, he's cutting his own throat, he's standing in his own light, he's cutting off his nose to spite his face;* ⟨fig.⟩ hij kijkt naar de Klundert of Willemstad in ~ staat *he's cross-eyed;* ⟨fig.⟩ de wereld staat in ~ *the world is in flames;* in ~ staan *be on f.*/ *afire/ ablaze/ aflame/ in flames, burn, be burning;* in ~ raken/ vliegen *catch f.*/ *alight, burst into flames;* ⟨ontbranden⟩ *ignite;* ⟨fig.⟩ gearmd naar ~ *go ~ hand in hand, side by side* **6.2** iets uit de ~ redden ⟨fig.⟩ *pull sth. out of the f.* **6.3** in de ~ zitten *be in hot water, be in a f.*/ *scrape/ predicament/ spot/ hole;* er is ~ in de ondernemingsraad *there's a great deal of commotion/ big trouble in the works council;* iem. uit de ~ helpen *help s.o. out (of a f. enz.)*); bridge/ tide *s.o. over* ⟨bij geldnood⟩; uit de ~ zijn *be out of the wood, come in from out of the cold* **6.4** zijn keel staat in ~ *he must be parched* **6.5** ~ aan de mond hebben *have cold sores/ fever blisters on one's mouth;* ~ in het gezicht/ aan het voorhoofd hebben *have a rash on one's face/ forehead;* ⟨door zeer warm weer⟩ *suffer from prickly heat on one's face/ forehead;* ~ in de ingewanden/ longen *i. of the intestines/ lungs* **¶.1** er is ~! *(there's a) f.!* **¶.2** ~ meester *fire under control*.

branden
I ⟨onov.ww.⟩ **0.1** [verbranden] *burn* ⇒*be on fire,* ⟨fel⟩ *blaze* **0.2** [licht/ warmte uitstralen] *burn* **0.3** [smeulen] *burn* **0.4** [mbt. lichaamsdelen] *burn* **0.5** [hitte afgeven] ⟨ook fig.⟩ *burn* ◆ **1.1** het gas brandt te hoog *the gas is too high;* droog hout brandt fel *dry wood burns fiercely;* ⟨fig.⟩ een krom hout brandt zowel als een recht *if I can't have the Rolls, I'll take the Mini;* een ~d perceel/ huis *a burning building/ house, a building/ house on fire* **1.2** de kachel brandt lekker *the (gas-)fire/ stove is burning nicely;* de lamp brandt *the lamp is on* **1.3** een ~de pijp/ sigaar *a burning/ lit pipe/ cigar* **1.4** mijn hoofd brandt *my head is burning/ throbbing;* mijn ogen ~ mij in het hoofd *my eyes are burning out of my skull;* die wonden ~ those *wounds are inflamed* **1.5** ⟨fig.⟩ een ~de dorst *raging thirst;* ~de hitte *burning/ torrid heat;* ⟨fig.⟩ ~de liefde *burning love;* ⟨fig.⟩ ~d verlangen *fervent/ ardent/ burning desire;* ⟨fig.⟩ een ~d vraagstuk *a burning issue;* de zon brandt *the sun is burning/ blazing;* de zon brandde op mijn weg *the sun beat/ blazed down on my back* **1.9** ⟨plantk.⟩ ~de liefde *Maltese cross* **3.1** uit zichzelf beginnen te ~ *burst into flame/ ignite spontaneously;* het vliegtuig stortte ~d neer *the plane crashed in flames;* hij keek of hij water zag ~ *he stared in utter amazement, he was thunderstruck/ dumbfounded/ flabbergasted* **3.2** de kachel/ alle lampen laten ~ *leave the (gas-)fire/ lights (turned) on/ burning* **4.¶** het brandt niet ⟨fig.⟩ *there's no hurry/ rush* **5.1** ik ~ *I'll be) damned/ hanged, I'll burn in hell;* ⟨sl.⟩ *strike me dead* **5.2** feller/ minder fel gaan ~ *b. up, b. down/ low* **5.¶** ik ben er niet op gebrand *I'm not all that keen (on it)/ not crazy about it* **6.1** het vuurtje aan het ~ maken ⟨fig.⟩ *fan the flame(s)* **6.2** dit stelletje brandt op petroleum *this stove burns* ᴮ*paraffin/* ᴬ*kerosene* **6.4** ik brand van (de) dorst *I'm parched;* ⟨fig.⟩ ~ van ongeduld *b. with/ be in a fume/ flame of impatience;* ⟨fig.⟩ ~ van nieuwsgierigheid *b. with/ die of/ be devoured/ consumed by/ be bubbling (over) with curiosity;* ⟨fig.⟩ ~ van verlangen *b. with desire;* ⟨fig.⟩ ~ van liefde/ hartstocht/ wraak *be aflame/ b. with love/ passion/ revenge* **6.5** cognac brandt in de keel *brandy burns the/ one's throat;* ⟨fig.⟩ het geld brandt in zijn zak *money burns a hole in his pocket;* ⟨fig.⟩ de grond brandt onder zijn voeten *he's itching to go;* ⟨fig.⟩ de vraag brandde mij op de lippen *the question trembled on my lips/ was on the tip of my tongue, I was burning/ dying/ itching to ask* **8.1** dat brandt als olie/ een fakkel/ lier *that will b. like matchwood/ a torch* **¶.¶** niet vooruit te ~ zijn ⟨lui⟩ *have a bone in one's arm/ leg;* ⟨langzaam⟩ *be as slow as molasses;* ze was het huis niet uit/ de school niet in te ~ *there was no way of getting her out of the house/ into school;*
II ⟨ov.ww.⟩ **0.1** [door vuur doen verteren] *burn* **0.2** [doen smeulen] *burn* **0.3** [schroeien, dmv. vuur bewerken] *burn* ⇒*scald* ⟨aan heet water/ stoom⟩, *roast* ⟨noten, koffie e.d.⟩, ⟨brandmerken⟩ *brand, distil* ⟨tot alcohol⟩ **0.4** [vastleggen] *burn* ⇒*brand* **0.5** [door vuur bezeren] *burn* ⇒*scorch, scald* ◆ **1.2** wierook ~ *b. incense* **1.3** gebrande amandelen/ pinda's *roast(ed)* ⟨met suiker⟩ *burnt almonds/ peanuts;* een gat in een kleed ~ *burn a hole in a carpet;* gips ~ *calcine/ b.*/ *roast gypsum;* glas ~ *stain glass;* hout ~ ⟨krommen⟩ *warp wood;* ⟨versieren, kleuren⟩ *decorate wood by pyrography/ with poker work;* kalk ~ *b. chalk/ lime;* porselein/ stenen ~ *fire/ bake china/ bricks;* ⟨stenen ook⟩ *burn bricks;* een schip ~ *bream a ship;* een wond ~ *cauterize a wound* **1.5** zijn tong ~ *b. one's tongue;* zijn vingers/ zich de vingers ~ ⟨fig⟩ *b. one's fingers, get one's fingers burnt, sear one's wings* **4.5** ⟨kinderspel⟩ je brandt *je you're burning/ (getting) hot* **6.4** die gebeurtenis is in mijn herinnering gebrand *that event has been burnt into/ branded on my memory* **6.5** zich aan de kachel ~ *b. one's hand on the (gas-)fire;* zich aan brandnetels ~ *be stung by nettles;* ⟨fig.⟩ hij is bang zich aan koud water te ~ *he's overcautious, he doesn't dare to make a move*.

brandend ⟨bw.⟩ ◆ **2.¶** ~ heet *burning hot;* ⟨vloeistof ook⟩ *scalding hot;* ⟨weer ook⟩ *baking/ roasting/ broiling (hot);* hij is ~ nieuwsgierig *he is burning/ bubbling (over)/ bursting with curiosity, he is dying of curiosity, he is consumed/ devoured by curiosity*.

brandalarm ⟨het⟩ **0.1** *fire alarm/ call* ⇒ ⟨stil alarm⟩ *still (alarm)*.

brandassurantie ⟨de (v.)⟩ **0.1** *fire insurance*.

brandbaar ⟨bn.⟩ **0.1** *combustible* ⇒ ⟨licht ontvlambaar⟩ *(in)flammable* ◆ **1.1** (zeer) brandbare stof *a combustible, an inflammable, a (highly) c.*/ *inflammable material* **3.1** benzine is zeer ~ ᴮ*petrol/* ᴬ*gasoline is highly c.*/ *(in)flammable*.

brandbeveiliging ⟨de (v.)⟩ **0.1** *fire protection*.

brandblaar ⟨de⟩ **0.1** *blister*.

brandblusinstallatie ⟨de (v.)⟩ **0.1** *sprinkler system*.

brandblusser ⟨de (m.)⟩ **0.1** *(fire) extinguisher*.

brandbom ⟨de⟩ **0.1** *fire bomb* ⇒*incendiary (bomb)* ◆ **3.1** (een) ~(men) gooien naar, met ~men bombarderen *fire bomb*.

brandbrief ⟨de (m.)⟩ **0.1** [aanmaningsbrief] *dun* ⇒*dunning letter,* ⟨niet financieel⟩ *pressing letter* **0.2** [waarin men met brandstichting dreigt] *threatening letter*.

brandcilinder ⟨de (m.)⟩ **0.1** *incendiary (device)*.

branddeur ⟨de⟩ **0.1** [nooduitgang] *fire exit* **0.2** [deur in een brandmuur] *fire door* ⇒*fireproof/ fire-resistant door*.

brander ⟨de (m.)⟩ **0.1** [uiteinde v.e. gasbuis] *burner* **0.2** [verwarmings-/verlichtingstoestel] *burner* ⇒⟨lasapparaat⟩ *blowlamp, blowtorch,* [A]*torch* **0.3** [persoon] *burner* ⇒⟨kolenbrander⟩ *charcoal burner,* ⟨drankstoker⟩ *distiller,* ⟨illegaal⟩ *moonshiner* **0.4** [⟨gesch.⟩ schip] *fire ship.*

branderig ⟨bn.⟩ **0.1** [aan brand doend denken] *burnt* **0.2** [bijtend] *irritant* ⇒*caustic* **0.3** [ontsteking vertonend] *inflamed* ⇒*burning, irritated* ⟨ogen, huid⟩ ◆ **1.1** een ~e lucht *a b. smell, a smell of burning* **1.2** ~ sap van planten *i. sap of plants* **1.3** een ~e wond *an inflamed wound* **3.1** het smaakt ~ *it has a b. taste, it tastes b..*

branderij ⟨de (v.)⟩ **0.1** [werkplaats waar gebrand wordt] *roasting house* **0.2** [plaats waar gedistilleerd wordt] *distillery.*

brandewijn ⟨de (m.)⟩ **0.1** *brandy* ◆ **6.1** vruchten op ~ *brandied fruits.*

brandgang ⟨de (m.)⟩ **0.1** ⟨in bos⟩ *fire lane, firebreak;* ⟨tussen huizen⟩ *narrow lane/alley/passage (to prevent fire spreading).*

brandgevaar ⟨het⟩ **0.1** *fire hazard* ⇒*fire risk* ◆ **1.1** bestrijding van ~ *fire prevention* **6.1** extra maatregelen tegen ~ *extra fire precautions.*

brandgevaarlijk ⟨bn.⟩ **0.1** *(in)flammable* ◆ **1.1** een ~ gebouw *a fire trap;* ~e stoffen *f. materials, fire risks.*

brandgevel ⟨de (m.)⟩ **0.1** *fire wall* ⇒*fire break/guard.*

brandglas ⟨het⟩ **0.1** *burning glass.*

brandhaard ⟨de (m.)⟩ **0.1** *seat of a fire;* ⟨fig.⟩ *hotbed.*

brandhelder ⟨bn.⟩ **0.1** *spotless* ⇒*immaculate.*

brandhout ⟨het⟩ **0.1** [hout bestemd tot verbranden] *firewood* **0.2** [stuk hout om te verbranden] *firewood* ◆ **1.1** een stapel ~ *a woodpile* **3.1** dat is ~ ⟨fig.⟩ *that's junk/no good/*[A]*trash/*[A]*garbage, that stinks* **8.1** hij is zo mager als ~ *he's as lean/thin as a rake, he's all skin and bone(s).*

brandijzer ⟨het⟩ **0.1** [om wonden dicht te branden] *cauterizing iron* **0.2** [om een merk in te branden] *branding iron* ⇒*brand, searing iron.*

branding ⟨de (v.)⟩ **0.1** *surf* ⇒⟨golven⟩ *breakers* ◆ **3.1** de ~ slaat op de kust/rolt aan/gaat liggen *the breakers dash against the coast/come rolling in/subside* **6.1** ⟨fig.⟩ in de ~ raken *get into hot water/a fix/a hole.*

brandkast ⟨de⟩ **0.1** [brandvrije stalen kast] *safe* **0.2** [inhoud] *safe* ◆ **6.1** ⟨fig.⟩ zijn ziel in de ~ sluiten *sell one's soul/(grand)mother* **8.1** hij is zo gesloten als een ~ *he's a close one, he's (as close as) an oyster/a clam.*

brandkastkraker ⟨de (m.)⟩ **0.1** *safeblower/breaker/cracker* ⇒⟨sl. ook⟩ *peterman.*

brandkeur ⟨de⟩ **0.1** *brand.*

brandkist ⟨de⟩ **0.1** *strongbox.*

brandklok ⟨de⟩ **0.1** *fire bell* ⇒*fire alarm* ◆ **3.1** ⟨fig.⟩ de ~ luiden *kick up a fuss.*

brandkluis ⟨de⟩ **0.1** *strong room* ⇒*vault.*

brandkogel ⟨de (m.)⟩ **0.1** *incendiary (device/projectile).*

brandkoren ⟨het⟩ **0.1** *smutty corn* ⇒*smutted/blighted/rusted corn, scald.*

brandkraan ⟨de⟩ **0.1** *(fire) hydrant* ⇒*fireplug.*

brandlaan ⟨de⟩ **0.1** *firebreak* ⇒*fireguard.*

brandladder ⟨de⟩ **0.1** [op een wagen gemonteerde ladder] *fire ladder* ⇒ *scaling ladder* **0.2** [om een gebouw te kunnen verlaten] *escape ladder.*

brandlucht ⟨de⟩ **0.1** *smell of burning* ⇒*burnt/burning smell.*

brandmeester ⟨de (m.)⟩ **0.1** *chief fireman.*

brandmelder ⟨de (m.)⟩ **0.1** *fire alarm* ⇒⟨installatie⟩ *fire alarm system, smoke detector system.*

brandmelding ⟨de (v.)⟩ **0.1** *fire alarm.*

brandmerk ⟨het⟩ **0.1** [ingebrand merk] *brand(-mark)* **0.2** [schandmerk] *brand(-mark)* **0.3** [⟨fig.⟩] *brand* ⇒*mark,* ⟨schr.⟩ *stigma* ◆ **1.3** het ~ v.h. verraad *the b./mark/stigma of a traitor/of treachery* **3.3** dat heeft een ~ op hem gedrukt *it has branded/marked him (for life).*

brandmerken ⟨ov.ww.⟩ **0.1** [met een brandmerk tekenen] *brand* **0.2** [⟨fig.⟩] *brand* ⇒*mark,* ⟨schr.⟩ *stigmatize* ◆ **2.2** iets als onzedelijk ~ *brand sth. (as) obscene.*

brandmuur ⟨de (m.)⟩ **0.1** *fire(proof) wall.*

brandnetel ⟨de⟩ **0.1** *(stinging-)nettle.*

brandnetelsoep ⟨de⟩ **0.1** *nettle soup.*

brandoefening ⟨de (v.)⟩ **0.1** *fire drill/practice.*

brandoffer ⟨het⟩ **0.1** *burnt offering.*

brandpiket ⟨het⟩ **0.1** *fire* [B]*officer/*[A]*marshall* ⇒⟨scheep.⟩ *fire combat stations* ⟨mv.⟩ ◆ **3.1** ~ hebben *be the/a fire officer/marshall.*

brandplaat ⟨de⟩ **0.1** *heat screen.*

brandplek ⟨de⟩ **0.1** *burn.*

brandpreventie ⟨de (v.)⟩ **0.1** [voorzorgsmaatregel] *fire precaution* **0.2** [geheel van maatregelen] *fire prevention.*

brandprijs ⟨de (m.)⟩ ⟨inf.⟩ **0.1** *rock-bottom/* ⟨tijdelijk ook⟩ *slashed price.*

brandpunt ⟨het⟩ **0.1** [focus] *focus* **0.2** [⟨fig.⟩ middelpunt] *focus* ⇒*centre* **0.3** [⟨wisk.⟩] *focus* ◆ **1.2** Athene was een ~ van wetenschap *Athens was a centre of learning* **2.1** denkbeeldig/virtueel ~ *virtual f.* in een ~ (doen) samenkomen/brengen *focus, focalize* **6.2** in het ~ v.d. belangstelling staan *be the centre/f. of interest/attention;* ⟨inf.⟩ *be the man/woman of the moment, hit the headlines, be the talk of the town.*

brandpuntsafstand ⟨de (m.)⟩ **0.1** *focal distance/length.*

brandschade ⟨de⟩ **0.1** *damage/*⟨verz.⟩ *loss by/due to fire* ⇒*fire damage/* ⟨verz.⟩ *loss* ◆ **3.1** tegen ~ verzekerd zijn *be insured against fire, have fire insurance.*

brandschatten ⟨ov.ww.⟩ **0.1** [onder dreiging een schatting opleggen] *exact a levy under threat (of pillage and fire raising)* **0.2** [uitplunderen] *pillage, plunder, loot* ⇒*despoil, ravage.*

brandscherm ⟨het⟩ **0.1** [scherm dat een ruimte kan afsluiten] *fire wall* ⇒⟨BE; in schouwburg⟩ *safety curtain* **0.2** [vonkenscherm] ⟨vnl. BE⟩ *fireguard;* ⟨vnl. AE⟩ *firescreen.*

brandschilderen ⟨ov.ww.⟩ **0.1** [mbt. glas] *stain* **0.2** [mbt. ander materiaal] *burn designs* ⟨enz.⟩ *on/into* ⟨hout, leer, enz.⟩ ◆ **7.2** het ~ van hout/leer *pyrography.*

brandschimmel ⟨de (m.)⟩ **0.1** *smut.*

brandschoon ⟨bn.⟩ **0.1** [geheel schoon] *spotless* ⇒*(as) clean as a new pin /a whistle, spick-and-span* **0.2** [op wie/waarop niets aan te merken is] *spotless* ⇒*blameless, innocent,* ⟨inf.⟩ *clean* ◆ **3.2** de beklaagde bleek ~ *the accused turned out to be completely innocent;* bij de alcoholcontrole bleken de automobilisten niet allen ~ *the breath test showed some of the motorists to be less than sober.*

brandslang ⟨de⟩ **0.1** *fire-hose.*

brandspiegel ⟨de (m.)⟩ **0.1** *burning-mirror.*

brandspiritus ⟨de (m.)⟩ **0.1** *methylated spirit(s)* ⇒⟨BE; inf.⟩ *meths,* ⟨Austr. E; inf.⟩ *metho.*

brandspuit ⟨de⟩ **0.1** *fire engine* ◆ **3.1** drijvende ~ *fireboat, firefloat.*

brandspuitgast ⟨de (m.)⟩ **0.1** *fireman* ⟨m.⟩ *firewoman* ⟨v.⟩.

brandstapel ⟨de (m.)⟩ **0.1** *stake* ⇒⟨voor lijkverbranding⟩ *funeral pyre/pile* ◆ **3.1** tot de ~ veroordeeld zijn *be sentenced/sent to the s.* **6.1** op de ~ moeten/sterven/komen *go to/die at/be burnt/*[A]*burned at the s..*

brandsteen ⟨de (m.)⟩ **0.1** *firebrick* ⇒*refractory brick.*

brandstichten ⟨ww.⟩ **0.1** *commit arson.*

brandstichter ⟨de (m.)⟩, -ster ⟨de (v.)⟩ **0.1** *arsonist* ⇒*fire-raiser,* ⟨inf.⟩ *firebug* ◆ **1.1** een groepje ~s *a gang of arsonists/fire-raisers, fire-raising gang.*

brandstichting ⟨de (v.)⟩ **0.1** *arson* ⇒*fire-raising* ◆ **6.1** schuldig aan ~ *guilty of a..*

brandstof ⟨de⟩ **0.1** [stof ter verwarming/om beweegkracht te leveren] *fuel* **0.3** [⟨fig.⟩ stof die energie vrijmaakt] *fuel* ◆ **2.1** fossiele ~fen *fossil fuels;* natuurlijke ~fen *natural fuels;* synthetische ~fen *synthetic/man-made fuels* **3.1** ~ innemen *fuel up;* nieuwe ~ innemen *refuel.*

brandstofbesparend ⟨bn.⟩ **0.1** *fuel-saving.*

brandstofbesparing ⟨de (v.)⟩ **0.1** *saving of fuel* ⇒*fuel savings.*

brandstofelement ⟨het⟩ **0.1** *fuel element.*

brandstofpomp ⟨de⟩ **0.1** *fuel pump.*

brandstofschaarste ⟨de (v.)⟩ **0.1** *fuel shortage.*

brandstoftank ⟨de⟩ **0.1** *fuel tank.*

brandstoftoeslag ⟨de (v.)⟩ **0.1** *fuel surcharge.*

brandstofverbruik ⟨het⟩ **0.1** *fuel consumption.*

brandtrap ⟨de⟩ **0.1** *fire escape.*

branduur ⟨het⟩ **0.1** *burning-hour.*

brandveilig ⟨bn.⟩ **0.1** *fireproof* ⇒*fire-resistant.*

brandveiligheid ⟨de (v.)⟩ **0.1** *fire safety.*

brandverf ⟨de⟩ **0.1** *pigment/paint used in pyrography* ⟨op hout, leer, enz.⟩ */in the technique of stained glass* ⟨op glas⟩.

brandverzekering ⟨de (v.)⟩ **0.1** *fire insurance.*

brandvos ⟨de (m.)⟩ **0.1** [vos met zwarte pluim aan de staart] *red fox (with a black-tipped brush)* **0.2** [paard] *sorrel (horse).*

brandvrij ⟨bn.⟩ **0.1** *fireproof* ⇒*fire-resistant* ◆ **1.1** ~e kluizen *fireproof vaults;* een ~ vertrek *a fireproof room* **3.1** ~ maken *fireproof.*

brandwacht
I ⟨de⟩ **0.1** [afdeling] *firemen on duty/stand-by/call* **0.2** [het houden van wacht] *duty/stand-by (as a fireman);*
II ⟨de (m.)⟩ **0.1** [brandweerman in wachtdienst] *fireman on duty/stand-by/call* **0.2** [brandweerman v.d. laagste rang] *fireman.*

brandweer ⟨de⟩ **0.1** *fire brigade/*[A]*department* ◆ **3.1** de ~ alarmeren *call (out)/* ⟨schr.⟩ *alert the f. b./d..*

brandweerauto ⟨de⟩ **0.1** *fire engine.*

brandweercommandant ⟨de (m.)⟩ **0.1** [B]*senior fireman,* [A]*fire chief.*

brandweergreep ⟨de (m.)⟩ **0.1** *fireman's lift.*

brandweerhelm ⟨de (m.)⟩ **0.1** *fireman's helmet.*

brandweerkazerne ⟨de⟩ **0.1** *fire station* ⇒⟨AE ook⟩ *firehouse, station house.*

brandweerman ⟨de (m.)⟩ **0.1** *fireman* ⇒*firefighter.*

brandweg ⟨de (m.)⟩ **0.1** *firebreak.*

brandwerend ⟨bn.⟩ **0.1** *fire-resistant.*

brandwond ⟨de⟩ **0.1** *burn;* ⟨door vloeistof⟩ *scald* ◆ **3.1** met ~en overdekt *covered in burns, burnt/*[A]*burned all over (one's body).*

brandwondencentrum ⟨het⟩ **0.1** *burns unit.*

brandzalf ⟨de⟩ **0.1** *ointment for burns (and scalds).*

brandziekte ⟨de (v.)⟩ **0.1** *smut.*

brandzwam ⟨de⟩ **0.1** *smut.*

branie ⟨de (m.)⟩ **0.1** [kranig persoon, durfal] ⟨durfal⟩ *daredevil* ⇒⟨bluffer〉 *swaggerer,* ^*blowhard,* 〈BE ook〉 *swank(pot)* **0.2** [kranigheid, drukte]〈kranigheid〉 *daring, pluck;* 〈drukte〉 *swagger(ing), swank* ◆ **3.2** ~schoppen *show off, swagger* **4.2** wat een ~ *what swagger / swank!.*

branieschopper 〈de (m.)〉 **0.1** *show-off* ⇒*swaggerer,* ^*blowhard.*

bras 〈de (m.)〉 **0.1** [〈scheep.〉] *brace* **0.2** [rijst] *(uncooked), hulled rice* ◆ **2.1** grote ~sen *main braces.*

brasem 〈de (m.)〉 **0.1** *bream.*

braseren (ov.ww.) **0.1** *solder.*

braspartij 〈de (v.)〉 **0.1** *binge* ⇒*orgy (of eating and drinking),* 〈inf.〉 *blow-out.*

brassen
I 〈onov.ww.〉 **0.1** [overdadig eten en drinken] *binge, guzzle* ⇒*have an orgy (of eating and drinking),* 〈inf.〉 *have a (regular) blow-out, make a pig of o.s.* ◆ **3.1** ~ en slempen *whoop / rave it up;* 〈schr.〉 *carouse, go carousing;* 〈inf.〉 *have a (regular) blow-out;*
II 〈onov., ov.ww.〉 **0.1** [〈scheep.〉] *brace* ◆ **5.1** breed ~ *b. up;* langsscheeps ~ *traverse, b. fore and aft;* vierkant ~ *square (away)* ¶**.1** bij de wind ~ *haul to / (up) on the wind.*

brassière 〈de (v.)〉 **0.1** *brassiere* ⇒〈inf.〉 *bra.*

bravissimo 〈tw.〉 **0.1** *bravissimo.*

bravo[1] 〈het〉 **0.1** *bravo.*

bravo[2] 〈tw.〉 **0.1** *bravo!* ⇒ ~! *well done!,* 〈overeenstemming〉 *hear! hear!.*

bravouraria 〈de〉 **0.1** *bravura (aria).*

bravoure 〈de〉 **0.1** [zelfverzekerdheid] *bravura* **0.2** [〈muz.〉] moeilijke passage] *bravura* ◆ **6.1** vol/ met veel ~ *dashing.*

bravour(e)stuk(je) 〈het〉 **0.1** *piece of bravado* ⇒〈stuntje met auto / vliegtuig〉 *stunt.*

braziel 〈het〉 **0.1** [houtsoort] *brazil (wood)* **0.2** [tabak] *Brazilian tobacco.*

Braziliaans 〈bn.〉 **0.1** *Brazilian.*

Brazilië 〈het〉 **0.1** *Brazil.*

break 〈de (m.)〉 **0.1** [〈tennis〉] *(service) break* ⇒*break of service / of serve* **0.2** [〈boksen〉] *break* **0.3** [snelle tegenaanval] *break* **0.4** [rijtuig] *break.*

break-down 〈de (m.)〉 **0.1** [geestelijke inzinking] *(nervous) breakdown* **0.2** [〈elek.〉] *breakdown* **0.3** [afbraak] *breakdown.*

breeches 〈zn.mv.〉 **0.1** *riding breeches.*

breed (→sprw.89)
I 〈bn.〉 **0.1** [een grote breedte hebbend] *wide* ⇒*broad* **0.2** [een bep. breedte hebbend] *wide* ⇒*broad* **0.3** [〈met vermelding v.e. maat〉] *wide* ⇒*broad* **0.4** [groot, uitgebreid] *broad* ⇒*wide* **0.5** [royaal] (zie 3.5, 6.5) ◆ **1.1** een ~gezicht *a broad face;* met een brede grijns / glimlach *with a broad grin / smile, grinning from ear to ear;* brede rand/ plank *a w. brim / board;* een brede rivier / straat *a w. / broad street / river;* hij heeft een brede rug 〈ook fig.〉 *he has a broad back;* een ~voorhoofd *a broad / w. forehead* **1.3** de kamer is 6 m lang en 5 m ~ *the room is 6 metres (long) by 5 metres (w. / broad) / 6 by 5 metres / 6 metres by 5;* een vier meter brede kamer *a room 4 meters w. / across, a 4-metre-wide room* **1.4** brede gebaren *b. gestures;* kiesrecht op brede grondslag *broad(ly)-based franchise / suffrage;* brede ontwikkeling 〈ook〉 *liberal education;* een ~publiek *a wide audience;* in brede trekken *in b. outline* **3.1** breder worden / maken *broaden / widen (out)* **3.2** het is zo lang als het ~ is *it's six of one and half a dozen of the other;* 〈BE ook〉 *it's as broad as it's long;* 〈BE; inf.〉 *it's the same difference* **3.5** het niet ~ hebben *be poorly off, be short of money;* het ~ hebben *be well off;* 〈inf.〉 *be rolling in it* **5.3** niet breder dan twee meter *not more than 2 metres w. / in width* **6.5** Holland op zijn ~st *the best / better side of Holland / the Dutch, Holland at its most / the Dutch at their most generous /* 〈gastvrij〉 *hospitable* 〈enz.〉;
II 〈bw.〉 **0.1** [in de breedte] *widely* ⇒〈kraag enz. ook〉 *loosely* **0.2** [ruim] (zie 3.2) ◆ **3.1** een ~omgeslagen kraag *a wide / loose collar;* ~zitten *be a loose / wide fit* **3.2** ik hoop dat we het nu wat breder krijgen *I hope the money's going to start coming in now, I hope we're going to be a bit better off now;* 〈fig.〉 het ~laten hangen *be a big spender, spend money like water;* ze kunnen er ~ van leven *they can live on that with ease;* ~opgezet *wide-ranging, broadly-based;* iets ~uitmeten *lay sth. on thick(ly)* **5.**¶ ik was al lang en ~thuis *I'd been home for ages (by then).*

breedbandantenne 〈de〉 **0.1** *wide-band / broadband aerial /* 〈vnl. AE〉 *antenna.*

breeddenkend 〈bn.〉 **0.1** *broad-minded.*

breedfok 〈de〉 **0.1** *foresail.*

breedgebouwd 〈bn.〉 **0.1** *broad(ly-built), square-built.*

breedgerand 〈bn.〉 **0.1** *broad- / wide-brimmed* ⇒*wide-awake* 〈hoed〉.

breedgeschouderd 〈bn.〉 **0.1** *broad-shouldered* ⇒*square-shouldered.*

breedheid 〈de (v.)〉 **0.1** *breadth* ⇒*broadness* ◆ **1.1** ~v.e. schrijver *a writer's expansiveness /* 〈pej.〉 *verbosity /* 〈schr.〉 *prolixity / long-windedness* **6.1** ~van blik / van inzichten *broad-mindedness /* 〈visie〉 *vision.*

breedspoor 〈het〉〈spoorw.〉 **0.1** *broad gauge, broad-gauge track.*

breedsprakig 〈bn., bw.; -ly〉 **0.1** *long-winded* ⇒*verbose,* 〈schr.〉 *prolix,* 〈inf.〉 *wordy,* 〈met veel omhaal〉 *circumlocutory* ◆ **1.1** een ~mens *a l.-w. / verbose / wordy person;* een ~verhaal *a l.-w. story.*

breedstraler 〈de (m.)〉〈tech.〉 **0.1** *broad- / wide-beam light / lamp.*

breedte 〈de (v.)〉 **0.1** [afmeting] *width* ⇒*breadth* **0.2** [mbt. stoffen] *width* **0.3** [〈aardr.〉] *latitude* ◆ **2.3** astronomische ~ *astronomic l.* **6.1** in de ~ *breadthways, breadthwise, widthways, widthwise* **6.3** Rotterdam ligt op dezelfde ~ als ... *Rotterdam is at / on the same l. as ... /* 〈inf.〉 *is on a level with ...* **6.1** over de hele ~ *v.h. huis / v.d. bladzijde right across the w. of the house / page;* ter ~ van ... *the w. / breadth of ..., ... in breadth / w.;* 〈fig.〉 het moet uit de lengte of de ~ komen *the money's got to come from somewhere* **7.2** er gaan vier ~n in deze rok *this skirt takes four widths, four widths are needed for this skirt.*

breedtecirkel 〈de (m.)〉〈aardr.〉 **0.1** *parallel (of latitude)* ◆ **6.1** bij de 49ste ~ *at the 49th parallel.*

breedtedraad 〈de (m.)〉 **0.1** *weft* ⇒*woof, filling.*

breedtegraad 〈de (m.)〉 **0.1** *degree of latitude* ◆ **6.1** nabij / op de dertigste ~ *near / at the 30th degree of latitude / the 30th parallel.*

breedte-investering 〈de (v.)〉〈ec.〉 **0.1** *capital widening.*

breedte-onderzoek 〈het〉 **0.1** *broad(ly-based) study* ⇒*across the board study.*

breedtepass 〈de (m.)〉 **0.1** *lateral (pass).*

breedtesport 〈de〉 **0.1** *popular / recreational sport.*

breeduit 〈bw.〉 **0.1** [in zijn volle breedte] *spread (out)* **0.2** [onverholen] *out loud* ◆ **3.1** ~gaan zitten *sprawl (on), spread o.s.* **3.2** ~lachen *laugh out loud.*

breedvoerig 〈bn., bw.; -ly〉 **0.1** *circumstantial* ⇒〈uitpuitend〉 *exhaustive,* 〈gedetailleerd〉 *detailed* ◆ **3.1** ~bespreken *discuss at (some) length / in detail / extensively.*

breekbaar 〈bn.〉 **0.1** *fragile* ⇒*breakable,* 〈broos〉 *brittle, frangible* ◆ **1.1** breekbare dingen / voorwerpen *breakables;* het is een ~oud mensje *he / she is f. / old and infirm* ¶**.1** voorzichtig! ~! *f.!, handle with care!.*

breekbeitel 〈de (m.)〉 **0.1** [beitel om iets open te breken] *wrecking-bar* ⇒*jemmy,* ^*jimmy, pinch bar* **0.2** [〈scheep.〉] *ripping chisel.*

breekgeld 〈het〉 **0.1** *(money for) breakage(s).*

breekhout 〈het〉 **0.1** *foot hold.*

breekijzer 〈het〉 **0.1** *crowbar* ⇒〈van inbreker〉 *jemmy,* ^*jimmy.*

breekmesje 〈het〉 **0.1** *snap-off blade knife* ⇒*snappy knife* 〈ook handelsmerk〉.

breekpunt 〈het〉 **0.1** [punt waar iets gebroken is] *breaking point* **0.2** [〈fig.〉] *breaking point* ⇒*end of the line.*

breekschade 〈de〉 **0.1** *breakage.*

breeuwen 〈ov.ww.〉 **0.1** [〈scheep.〉] *caulk* **0.2** [〈wwb.〉] *caulk* ◆ **5.**¶ hij zal het wel ~ *he'll manage / pull it off / fix it up.*

breeuwhamer 〈de (m.)〉 **0.1** *caulking mallet.*

breeuwijzer 〈het〉 **0.1** *caulking iron / chisel.*

breeuwnaad 〈de (m.)〉 **0.1** *caulk weld.*

breeuwwerk 〈het〉 **0.1** *oakum.*

breeveertien 〈de〉 **0.1** *'breeveertien'* ⇒*long, wide sandbank off the Dutch coast* ◆ **3.1** 〈fig.〉 de ~opgaan / opvaren *go astray / to the bad.*

brei 〈de (m.)〉〈AZN〉 **0.1** *knitting.*

breidel 〈de (m.)〉 **0.1** *curb* ⇒*check, bridle, restrain* ◆ **3.1** zijn hartstochten aan ~aanleggen *curb / check one's passion.*

breidelen 〈ov.ww.〉 **0.1** *curb* ⇒*bridle, check, restrain* ◆ **1.1** de pers ~ *curb (the freedom of) the press, put the press under a curb.*

breidelloos 〈bn.〉 **0.1** *unbridled* ⇒*uncurbed, unchecked, unrestrained.*

breien
I 〈onov., ov.ww.〉 **0.1** [〈handwerken〉] *knit* **0.2** [mbt. netten] *make* ◆ **1.1** gebreide kleding *knitwear;* hij droeg een door hemzelf gebreide muts *he was wearing a woolly hat that he'd knitted himself* **3.1** zij kan praten en ~ 〈fig.〉 *she can do two things at once* **5.1** één recht, één averecht(s) ~ *k. one, purl one* **6.1** ze ~aan een trui *they're knitting a sweater;*
II 〈onov.ww.〉 **0.1** [〈sport〉] *move / play the ball round and round / backwards and forwards, keep passing the ball.*

breigaren 〈het〉 **0.1** *knitting yarn.*

breikatoen 〈het〉 **0.1** *knitting cotton.*

breimachine 〈de (v.)〉 **0.1** *knitting machine.*

breimandje 〈het〉 **0.1** *knitting basket.*

brein 〈het〉 **0.1** [hersens] *brain* 〈ook fig.〉 ⇒〈fig. ook〉 *brains* **0.2** [verstand] *brain* ◆ **2.1** elektronisch ~ *electronic brain* **2.2** een helder ~ *a sharp b.* **3.1** door iemands ~spoken *cross s.o.'s mind* **6.1** 〈fig.〉 het ~zijn **achter** een project / actie *be the brain(s) behind a project / an operation, mastermind a project / an operation.*

breinaald 〈de (v.)〉 **0.1** *knitting needle.*

breinbreker 〈de (m.)〉 **0.1** *brainteaser* ⇒*braintwister.*

breipatroon 〈het〉 **0.1** *knitting pattern.*

breipen 〈de (v.)〉 **0.1** *knitting pin.*

breisteek 〈de (m.)〉 **0.1** *knitting stitch* ◆ **2.1** afgehaalde ~ *slip stitch;* rechte / averechtse ~ *knit / purl stitch.*

breister 〈de (v.)〉 (→sprw. 90) **0.1** *knitter.*

breiwerk 〈het〉 **0.1** [wat men bezig is te breien] *knitting* **0.2** [gebreid goed] *knitted clothing* 〈enz.〉 ⇒*knitwear* **0.3** [handeling] *knitting* ◆ **3.1** een ~opzetten *cast on.*

breiwol 〈de〉 **0.1** *knitting wool.*

brekebeen 〈de (m.)〉 **0.1** *dead loss* ⇒*dunce, dud,* 〈vero.〉 *duffer* ◆ **3.1** ik

zal in de wiskunde wel altijd een ~ blijven ⟨ook⟩ *I expect I'll always be useless / hopeless / I'll never be much good at maths.*
breken (→ sprw. 340,372,408,455,685)
I ⟨ov.ww.⟩ **0.1** [in stukken vaneenscheiden] *break* ⇒ ⟨med. ook⟩ *fracture* **0.2** [een breuk doen oplopen] *break* ⇒ ⟨med. ook⟩ *fracture* **0.3** [een einde maken aan] *break* **0.4** [schenden] *break* ⇒ ⟨schr.⟩ *violate* **0.5** [v.e. geheel scheiden] *break* **0.6** [de loop / duur storen] *break* ⇒ ⟨licht⟩ *refract* **0.7** [⟨herald.⟩] *difference* ◆ **1.1** iem. de benen ~ *break s.o.'s legs;* het brood ~ ⟨rel.⟩ *b. bread;* ⟨AZN⟩ geld ~ met hamers *burn money, spend money like water;* een weide ~ *plough up a meadow* **1.2** ⟨fig.⟩ zich het hoofd ~ over *rack one's brain(s) about;* breek je nek *drop dead;* vaatwerk / zijn been ~ *b. crockery, b. / fracture one's leg* **1.3** een code ~ *b. a code;* een record ~ *b. a record;* een staking ~ *b. a strike;* tovermacht / verzet / stilzwijgen ~ *b. a spell / resistance / silence;* iemands wil / koppigheid ~ *break s.o.'s will, b. down s.o.'s stubbornness* **1.4** de huisvrede ~ *disturb domestic peace* **1.5** zich baan ~ *force one's way (in / through)* (enz.)); e een uurtje uit ~ *take an hour's break, b. (off) for an hour* **1.6** ⟨tech.⟩ hoeken / kanten ~ *smooth / round off angles / edges;* ⟨nat.⟩ ~d oppervlak *refractive surface;* zijn val werd gebroken *his fall was broken;* zo'n vrije dag breekt de week ~ *a day off like this breaks up the week (nicely) / makes a nice break in the week* **1.¶** de lading ~ *break bulk* **6.1** brood in stukken ~ *b. up bread, b. bread into pieces;* iets **in** tweeën ~ *break sth. in two / in half* **6.5** een bloem **van** de stengel ~ *b. a flower off its stalk;*
II ⟨onov.ww.⟩ **0.1** [stukgaan] *break* ⇒ ⟨med. ook⟩ *fracture* **0.2** [een doorgang / scheiding forceren] *break* **0.3** [mbt. een jongensstem] *break* **0.4** [mbt. stralen] *be refracted* ◆ **1.1** ⟨fig.⟩ zijn hart brak *his heart broke;* de lucht breekt *the clouds part;* de ogen zijn gebroken ⟨bij stervende⟩ *his / her eyes have clouded over / grown dim / glazed over;* de ruit / het ijs / het touw is gebroken *the glass / ice / rope broke* **4.1** het was alsof er iets in mij brak *sth. snapped / seemed to snap inside / within me* **5.1** plotseling ~ ⟨van draad⟩ *snap* **6.1** de golven ~ **tegen** de kust *the waves b. on the shore* **6.2** de zon breekt **door** de wolken *the sun breaks through the clouds;* **door / uit** iets ~ *b. through / out of sth.;* ⟨fig.⟩ *b. off (relations) with* ⟨liefde⟩ *b. up with s.o.;* ⟨schr.⟩ *b. with s.o.;* ⟨fig.⟩ **met** een gewoonte ~ *b. a(n old) habit;* ⟨fig.⟩ **met** de oude sleur ~ *b. out of a rut.*
breker ⟨de (m.)⟩ **0.1** [golf] *breaker* **0.2** [⟨vnl. in samenst.⟩ persoon] *breaker(-up)* ◆ **1.2** echtbreker, baanbreker *adulterer, pioneer* **3.1** het schip kreeg een ~ over *a wave broke over the ship.*
breking ⟨de (v.)⟩ **0.1** [het breken] *breaking* ⇒ ⟨med. ook⟩ *fracture, fracturing* **0.2** [het gebroken worden] *refraction* **0.3** [⟨taal.⟩] *breaking* ◆ **1.1** ⟨muz.⟩ ~ van akkoorden *arpeggio* **2.2** dubbele ~ *double r..*
brekingshoek ⟨de (m.)⟩ **0.1** *angle of refraction* ⇒ *refraction angle.*
brekingsindex ⟨de (m.)⟩ **0.1** *refractive index.*
brem ⟨de (m.)⟩ **0.1** *broom.*
brems ⟨de (v.)⟩ **0.1** *horsefly* ⇒ *gadfly,* ⟨BE ook⟩ *cleg.*
bremzout ⟨bn.⟩ **0.1** *(as) salty as brine.*
brengen ⟨ov.ww.⟩ (→ sprw. 85,188,245) **0.1** [vervoeren naar de spreker toe] *bring* ⇒ ⟨v.d. spreker af⟩ *take* **0.2** [begeleiden naar] *take* **0.3** [doen toekomen] *bring* ⇒ *take, give,* ⟨voor publiek⟩ *perform, present* **0.4** [in een toestand doen komen] *bring* ⇒ *send, put, drive* ◆ **1.2** de kinderen halen en ~ *t. the children to and from school* ⟨enz.⟩; ze bracht haar kinderen overal heen *she took her children everywhere* **1.3** iem. dank / hulde ~ *give s.o. thanks, pay s.o. tribute;* een lied ~ *perform a song;* goed nieuws ~ *b. good news;* een offer ~ *make a sacrifice;* in deze aflevering ~ wij drie reportages *in this week's / today's* ⟨enz.⟩ *programme* ᴬ*gram we have / present three reports;* wat zal de tijd ons ~? *what will the future b. (us)?;* ~ zij dit jaar weer een toneelstuk? *will they be performing?* / ⟨inf.⟩ *putting on / doing another play this year?* **3.1** de boodschappen laten ~ *have the shopping delivered* **5.4** iem. erbovenop ~ *put s.o. on his feet;* iem. ertoe ~ dat hij ... / om ..., iem tot een daad ~ ⟨drijven⟩ *drive s.o. to (sth.), get s.o. to do sth.;* zich(zelf) ertoe ~ om ... *bring o.s. to;* wat bracht je ertoe het niet te doen? *what(ever) stopped you ((from) doing it)?;* wat bracht je ertoe het te doen? *what(ever) made you do it?;* wat brengt u hier? *what brings you here?;* studie zal hem verder ~ *studying will help him get on (in the world);* jouw oplossing brengt ons niets / geen stap verder *your solution doesn't get us any further / anywhere* **5.¶** jawel! morgen ~ *not (* ⟨vulg.⟩ *bloody) likely!, no fear!, no way!;* het ver ~ *go / get far / a long way* **6.1** het glas **aan** de lippen ~ *raise the glass to one's lips;* breng jij de was **naar** de wasserij? *will you t. the washing to the laundry / laundrette?;* breng dit even **naar** de post *will you go and post / * ᴬ*mail this, please?* **6.2** mensen (weer) **bij** elkaar ~ *bring / get people (back) together;* een vrouw **in** een familie ~ *marry a woman into a family;* iem. **naar** de tram ~ *t. s.o. to the tram;* breng haar naar de wachtkamer *show her into the waiting-room;* **naar** huis ~ *t. home;* een kind **naar** bed ~ *put a child to bed, t. a child off to bed;* deze trein brengt ons **tot** Stockholm *this train will t. / get us as far as Stockholm* **6.3** **naar** voren / in het midden ~ *come up with, bring up* ⟨zaak⟩; *put forward, come out with* ⟨mening⟩; iets **over** iem. ~ ⟨schande, ongeluk⟩ *bring sth. (down) (up)on s.o.;* **ter** tafel / **te** berde ~ *b. up, raise;* een zaak **voor** het gerecht ~ *take a matter to court* **6.4** iem. **aan** het

twijfelen ~ *raise doubt(s) in s.o.'s mind;* zijn dochters **aan** de man ~ *marry off one's daughters;* iets **aan** de man ~ *sell sth.;* iem. iets **aan** het verstand ~ *get sth. through to s.o. /* ⟨inf.⟩ *into s.o.'s head;* de zaak **aan** het rollen ~, iets **aan** de gang ~ *get things moving / going / rolling;* iem. **aan** het lachen ~ *make s.o. laugh;* een bedrag **bij** elkaar ~ *get an amount together, raise an amount;* iets **in** rekening ~ *charge for sth.;* ⟨fig.⟩ *count sth. (in);* iem. **in** verrukking ~ *delight / enchant /* ⟨in extase⟩ *enrapture s.o.;* iem. **in** de war ~ *confuse s.o., throw s.o. into confusion;* ⟨inf.⟩ *mix s.o. up,* get *s.o. mixed up;* iem. **naar** ~ *reduce s.o. to tears;* **naar** boven ~ ⟨herinneringen, gevoelens⟩ *b. out / up, arouse;* alles **onder** één noemer / hoofd ~ *include everything under one heading;* iets **op** papier / **in** tekening ~ *put sth. (down) on paper;* het gesprek **op** iets / een bepaald onderwerp ~ *b. the conversation round to sth. / a particular subject;* het gesprek **op** iets anders ~ *change the subject;* wie / wat heeft hem **op** dat idee gebracht? *who(ever) / what(ever) gave him that idea / put him on / up to that? / put that idea into his head?;* de kamer **op** een lekkere temperatuur ~ *heat the room to a pleasant temperature;* dat brengt het totaal dan **op** f 30,- *that brings the total to 30 guilders;* iets **te** binnen ~ *remember, recall;* iets **ten** einde ~ *conclude sth., bring sth. to a conclusion;* iem.) **tot** zichzelf ~ *bring (s.o.) to himself;* **tot** staan ~ *stand (up);* **tot** elkaar ~ ⟨tegenstanders⟩ *b. (back) together;* ⟨schr.⟩ *reconcile;* het ~ **tot** eigenaar v.d. zaak *rise to be the owner of the business;* het nooit en te nimmer **tot** iets ~ *never get anywhere, always be a failure;* iem. **van** zijn stuk ~ *upset s.o., put s.o. out of his stride /* ⟨BE ook; inf.⟩ *off his stroke;* ⟨inf.⟩ *throw s.o.;* ⟨AE; inf.⟩ *faze s.o.* **¶.4** het **voor** elkaar ~ *fix things (up), sort things out;* ⟨inf.⟩ *get it together.*
bres ⟨de⟩ **0.1** *breach* ⇒ *hole* ⟨ook fig.⟩ ◆ **3.1** (een) ~ schieten *make a b. (in sth.), breach (sth.)* **6.1** ⟨fig.⟩ dat heeft een ~ in mijn beurs / financiën geschoten *that's made a hole in my pocket / wallet / finances;* een ~ slaan **in** ⟨ook fig.⟩ *make a hole in / * ⟨fig. ook⟩ *inroads on;* voor iem. **op** de ~ staan / **in** de ~ springen *step into / throw o.s. into the b. for s.o..*
Bretagne ⟨de⟩ **0.1** *Brittany.*
bretel ⟨de⟩ **0.1** *braces,* ᴬ*suspenders* ⟨alleen mv.⟩.
Bretons ⟨bn.⟩ **0.1** *Breton.*
breuk ⟨de⟩ **0.1** [het breken] *break(ing)* ⇒ *breakage* ⟨ook hand.⟩ **0.2** [plaats] *crack* ⇒ *split, flaw* ⟨ook fig.⟩, *fault* ⟨ook geol.⟩ **0.3** [⟨med.⟩ fractuur] *fracture* ⇒ *break* **0.4** [⟨med.⟩ uitzakking] *rupture* ⇒ *hernia* **0.5** [gebroken waar] *breakages* **0.6** [het verbreken van betrekkingen] *rift* ⇒ *breach, split, break* **0.7** [⟨wisk.⟩] *fraction* ◆ **1.5** vergoeding voor ~ *breakage(s)* **2.3** een gecompliceerde ~ *a compound f.* **2.4** beklemde ~ *strangulated hernia;* dubbele ~ *double hernia;* vrije / beweeglijke ~ *reducible hernia* **2.6** een radicale ~ *a clean break* **2.7** decimale / tiendelige ~ *decimal f.;* een echte / onechte ~ *a proper / improper f.;* enkelvoudige / eenvoudige ~ *simple f.;* gewone ~ *vulgar f.;* samengestelde ~ *complex / compound f.* **3.4** een ~ hebben / krijgen *have / get a hernia;* ⟨krijgen ook⟩ *rupture o.s.;* ⟨fig.⟩ zich een ~ lachen *rupture o.s. /* ⟨inf.⟩ *split o.s. laughing;* zich een ~ aan iets tillen *rupture o.s. / give o.s. a r. lifting sth.* **3.6** we zullen het niet op een ~ laten aankomen *we must avoid a break / r., we mustn't let matters come to a head* **3.7** repeterende ~ *recurring decimal* **6.1** verlies van goederen **door** ~ *loss of goods through / by / owing to breakage* **6.6** de ~ **tussen** de vrienden / **met** zijn vader / **in** het CDA *the r. / split between friends / with his father / in the CDA;* een ~ veroorzaken **tussen** mensen *cause a r. / split between people, set people at odds with each other.*
breukband ⟨de (m.)⟩ **0.1** *truss.*
breukbelasting ⟨de (v.)⟩ **0.1** *breaking strain.*
breukdal ⟨het⟩ **0.1** *rift valley.*
breuklijn ⟨de⟩ **0.1** [lijn waarlangs iets gebroken is] *(line of a / the) break* ⇒ *line of fracture* ⟨ook med.⟩ **0.2** [⟨geol.⟩] *fault line.*
breukspanning ⟨de (v.)⟩ **0.1** *breaking stress.*
breukstreep ⟨de⟩ ⟨wisk.⟩ **0.1** *fraction bar / line* ⇒ ⟨BE ook; schr.⟩ *solidus,* ⟨BE ook; inf.⟩ *(fraction) stroke.*
breukvastheid ⟨de (v.)⟩ **0.1** *breaking strength* ⇒ ⟨treksterkte⟩ *tensile strength.*
breukvlak ⟨het⟩ **0.1** [vlak waarlangs iets is gebroken] *plane of fracture* **0.2** [oppervlak v.d. breuk] *fracture(d) surface* **0.3** [afmetingen van dit oppervlak] *fracture area.*
breve ⟨de⟩ **0.1** *brief* ⇒ *breve.*
brevet ⟨het⟩ **0.1** *certificate* ⇒ ⟨luchtv.⟩ *licence* ᴬ*se* ◆ **1.1** ⟨iron.⟩ een ~ van onbevoegdheid *a c. of incompetence;* ⟨iron.⟩ zichzelf een ~ van onvermogen geven *show one's inability /* ⟨onbekwaamheid⟩ *incompetence;* een ~ van piloot *a pilot's licence;* ⟨AZN⟩ een ~ van uitvinding *a patent* **6.1** akte in ~ *original instrument / deed.*
bevetteren ⟨ov.ww.⟩ **0.1** *certify* ⇒ ⟨luchtv.⟩ *license,* ⟨AZN, octrooi verlenen⟩ *patent.*
breviatuur ⟨de (v.)⟩ **0.1** *abbreviation.*
brevier
I ⟨het⟩ **0.1** [gebedenboek] *breviary* **0.2** [gebeden] *breviary* **0.3** [verzameling uitspraken] *code (of behaviour)* ◆ **3.2** zijn ~ bidden / lezen *recite one's b.;*
II ⟨de⟩ ⟨drukw.⟩ **0.1** [letter] *brevier.*
breviter ⟨bw.⟩ **0.1** *in short* ⇒ *shortly, briefly.*

bric-à-brac ⟨het⟩ **0.1** [snuisterijen] *bric-à-brac* ⇒*curios* **0.2** [rommel] *rubbish* ⇒ ↓*junk*, ⟨AE ook⟩ *trash.*

bricoleren ⟨onov.ww.⟩ **0.1** [(biljart)] *play a cushion shot* / ⟨AE ook⟩ *cushion carom* **0.2** [⟨fig.⟩ omwegen gebruiken] *be underhand* / *devious, act deviously.*

bridgen ⟨onov.ww.⟩ **0.1** *play bridge.*

bridgetoernooi ⟨het⟩ **0.1** *bridge tournament.*

brie ⟨de (m.)⟩ **0.1** *Brie (cheese).*

brief ⟨de (m.)⟩ **0.1** [geschreven boodschap] *letter* ⇒⟨vero. of scherts.⟩ *epistle* **0.2** [bladen papier] *letter* **0.3** [⟨vnl. in samenst.⟩ schriftelijk bewijsstuk] *paper* **0.4** [hoeveelheid spelden/naalden] *paper* ♦ **1.1** de brieven van Paulus *the epistles of St. Paul* **1.3** kaperbrief *letter(s) of marque (and reprisal)* **1.4** een ~ naalden/spelden *a p. of needles/pins* **2.1** open ~ *open l.* **2.2** aangetekende ~ *registered l., recorded delivery (l.)* **2.3** hij heeft de oudste brieven *he has first claim, a/the prior claim* **3.1** zij had hem er een boze ~ over geschreven *she had written him an angry/a strong/sharp l. about it;* rondgaande ~ *circular (l.);* iem. een ~ schrijven *write s.o. a l.;* ~ volgt *l. follows* **3.2** een ~ ontvangen *receive* / ⟨inf.⟩ *get a l.;* brieven posten *post* /^A*mail letters, put letters in the post* /^A*mail* **6.1** (als boektitel) brieven **uit** Berlijn *Letters from Berlin;* in antwoord op uw ~ **van** de 25ste *further to* / in reply to your l. of the 25th. **6.2 per** ~ *by l., in writing* **7.1** tweede ~ *follow-up l..*

briefadres ⟨het⟩ **0.1** *postal address.*

briefbom ⟨de⟩ **0.1** *letter bomb* ⇒*mail bomb.*

briefdrager ⟨de (m.)⟩ ⟨AZN⟩ **0.1** *postman,* ^A*mailman* ⇒ ⟨AE ook⟩ *mail carrier.*

briefgeheim ⟨het⟩ **0.1** *confidentiality of the mail(s)* ♦ **1.1** schending v.h. ~ *breach of the confidentiality of the mail(s).*

briefhoofd ⟨het⟩ **0.1** *letterhead(ing)* ♦ **3.1** het ~ luidde ... *the letter was headed ....*

briefje ⟨het⟩ **0.1** [los stukje papier] *note* **0.2** [bankbiljet] *note,* ^A*bill* ♦ **1.1** een ~ v.d. dokter *a n. from the doctor, a doctor's n.* **1.2** een ~ wisselen *change a n.* **6.1** dat geef ik je **op** een ~ *you can take it from me.*

briefkaart ⟨de⟩ **0.1** *postcard* ⇒⟨AE ook⟩ *postal card.*

briefmodel ⟨het⟩ **0.1** *model/specimen letter.*

briefopener ⟨de (m.)⟩ **0.1** [vouwbeen] *paperknife* ⇒*letter-opener* **0.2** [toestel] *letter-opener* ⇒*letter-opening machine.*

briefpapier ⟨het⟩ **0.1** *writing paper* ⇒*notepaper, letter paper.*

briefroman ⟨de (m.)⟩ **0.1** *epistolary novel.*

briefstijl ⟨de (m.)⟩ **0.1** *letter-writing/epistolary/correspondence style.*

brieftelegram ⟨het⟩ **0.1** *letter telegram,* ^A*mailgram.*

briefvorm ⟨de (m.)⟩ **0.1** *letter form* ⇒*form of correspondence* ♦ **6.1** een roman **in** ~ *an epistolary novel, a novel in the form of correspondence.*

briefweger →**brieveweger.**

briefwisselen ⟨ww.⟩ ⟨AZN⟩ **0.1** *correspond* ⇒*exchange correspondence/letters.*

briefwisseling ⟨de (v.)⟩ **0.1** [het corresponderen] *correspondence* ⇒*exchange of letters* **0.2** [brieven] *correspondence* ⇒*exchange of letters* ♦ **3.1** een ~ houden/voeren (met) *carry on/keep up (a) c. (with), correspond (with)* **3.2** een ~ publiceren *publish c.* / *an exchange of letters* **6.1 in** ~ staan/zijn met iem. *be in c. with s.o.;* **in** ~ treden met *enter into c. with.*

bries ⟨de⟩ **0.1** *breeze* ♦ **2.1** een fikse/stijve/stevige ~ *a stiff b..*

briesen ⟨onov.ww.⟩ **0.1** [mbt. wilde dieren] *roar* **0.2** [mbt. paarden] *snort* ♦ **6.1** ~ van toorn *r. with anger.*

briesje ⟨het⟩ **0.1** *light breeze* ♦ **2.1** een zacht ~ *a whiff* **3.1** er kwam een ~ opzetten *there was a light breeze coming up.*

brievenbesteller ⟨de (m.)⟩ **0.1** *postman,* ^A*mailman* ⇒⟨AE ook⟩ *mail carrier.*

brievenboek ⟨het⟩ **0.1** [kopieboek] *letter book* **0.2** [verzameling voorbeelden] *letter writer* ⇒*correspondence manual.*

brievenbus ⟨de⟩ **0.1** [bus voor te verzenden brieven] *postbox,* ^A*mailbox* ⇒⟨BE ook; op straat⟩ *pillar-box* **0.2** [bus aan/bij een huis] *letterbox,* ^A*mailbox* **0.3** [opening om post door te gooien] *letterbox,* ^A*mailbox* **0.4** [rubriek] *postbox* ⇒*letterbox, postbag,* ^A*mailbox,* ^A*mailbag.*

brievenbusfirma ⟨de⟩ ♦ **3.¶** dat is alleen maar een ~ *that firm is just an accomodation address.*

brievenmaal ⟨de⟩ **0.1** [zak voor brieven] *mailbag* ⇒⟨BE ook⟩ *postbag* **0.2** [zending brieven] *mail* ⇒⟨BE ook⟩ *post.*

brievenpost ⟨de⟩ **0.1** [het vervoer van brieven] *post* **0.2** [dienst, organisatie] *postal service* ⇒*post (office)* **0.3** [zending bestaande uit brieven] ^B*letter post,* ^A*first-class mail.*

brievenrubriek ⟨de (v.)⟩ **0.1** *readers' letters* ⇒*letters column.*

brieventas ⟨de⟩ **0.1** *letter case.*

brieveweger ⟨de (m.)⟩ **0.1** *letter-balance/-scale(s).*

brigade ⟨de⟩ **0.1** [legerafdeling] *brigade* **0.2** [⟨vaak in samenst.⟩ groep met een opdracht/doel] *squad* ⇒*team* ♦ **1.2** reddingsbrigade *rescue s.* / *team* **2.2** vliegende ~ *flying s..*

brigadegeneraal ⟨de (m.)⟩ **0.1** *brigadier,* ^A*brigadier general.*

brigadier ⟨de (m.)⟩ **0.1** [⟨AZN⟩ korporaal] *corporal (in a mounted unit)* **0.2** [ambtenaar v.d. gemeentepolitie] *police sergeant* **0.3** [klaar-over] *crossing guard* ⇒⟨BE ook⟩ *lollipop lady/man.*

brij ⟨de (m.)⟩⟨→sprw. 363⟩ **0.1** [pap] *porridge* ⇒*pap* ⟨ook pej.⟩, ⟨dun⟩ *gruel* **0.2** [halfvloeibare stof] *pulp* ⇒*mush* ♦ **2.1** ⟨fig.⟩ om iets heen lopen als de kat om de hete ~ *pussyfoot around, be fatally attracted by sth.* **2.2** een kleverige ~ *goo;* ⟨AE ook⟩ *glop* **6.2 tot** een grote ~ maken *pulp, mash;* **tot** een grote ~ worden *pulp/mash down.*

brik

I ⟨de⟩ **0.1** [rijtuig] *brake, break* **0.2** [fiets] *bike* **0.3** [zeilvaartuig] *brig* ♦ **2.1** een ouwe ~ *a(n old) heap/bus/rattletrap/crate* /^B*banger,* ^A*a jalopy* **6.3** ~ **met** barkstuig *barque schooner;*
II ⟨de⟩ **0.1** [niet goed gebakken/gebroken steen] *misfire* **0.2** [⟨AZN⟩ baksteen] *brick;*
III ⟨het⟩ **0.1** [steenslag] *rubble.*

briket ⟨de⟩ **0.1** [stuk brandstof] *briquet(te)* **0.2** [blok van andere stof] *briquet(te).*

bril ⟨de (m.)⟩⟨→sprw. 91,315⟩ **0.1** [montuur plus glazen, ⟨ook in samenst.⟩] *(pair of) glasses* / ↑*spectacles* / ⟨inf.⟩ *specs* ⇒⟨dikke bril als bescherming⟩ *(pair of) goggles* **0.2** [vlekken op het lichaam v.e. dier] *spectacled pattern* **0.3** [zitting v.e. w.c.] *(toilet* / ↓*loo) seat* **0.4** [steun aan werktuigen] *rest* ⇒*steady (rest)* **0.5** [hulpdeel aan een draaibank] *lathe steady* ♦ **1.1** motorbril, zonnebril *motor-cycle goggles, sunglasses* **2.1** ⟨fig.⟩ alles door een donkere ~ zien *take a gloomy view of everything, look on the dark side of things;* ⟨fig.⟩ elk ziet door zijn eigen ~ *everyone has his own point of view* / ⟨alg.⟩ *way of seeing things;* ⟨fig.⟩ iets door een gekleurde ~ zien *see sth. through tinted glasses;* een goudkleurige ~ *gold-rimmed glasses;* ⟨fig.⟩ alles door een roze ~ zien *see everything through rose-coloured glasses, take a rosy view of everything* **2.4** meelopende ~ *travelling/follow r.;* vaste ~ *fixed r.* **3.1** ik moet een ~ gaan dragen *I've got to start wearing glasses;* zijn ~ erbij opzetten *look harder/more closely at sth., give sth. a closer look;* lasbril *welding-goggles;* iem. een ~ opzetten ⟨fig.⟩ *put s.o. straight* **6.1** ⟨fig.⟩ **door** de ~ v.e. ander zien *rely on s.o. else for one's opinions;* die man met een ~ op *that man in glasses,* ↑*that bespectacled man;* lezen **zonder** ~ *read without glasses* **7.1** twee ~len *two pairs of glasses.*

brildrager ⟨de (m.)⟩, **-draagster** ⟨de (v.)⟩ ♦ **3.¶** hij/zij is ~ *he/she wears spectacles/glasses.*

brilduiker ⟨de (m.)⟩, **-eend** ⟨de⟩ **0.1** *goldeneye.*

brilgarnituur ⟨het⟩ **0.1** *spectacle/glasses frame.*

briljant[1] ⟨de (m.)⟩ **0.1** [diamant] *(cut) diamond* ⇒⟨zelden⟩ *brilliant* **0.2** [⟨druk.; vero.⟩ half nonpareil] ⇒⟨ongemarkeerd⟩ *four-to-pica.*

briljant[2] ⟨bn., bw.; -ly⟩ **0.1** *brilliant* ♦ **1.1** ~ jongmens *whiz(z)-kid;* een ~e partij / ~ geleerde *a b. game/academic;* een ~e studente *a b.* / ⟨inf.⟩ *straight-A student.*

briljanten ⟨bn.⟩ **0.1** *diamond* ♦ **1.1** een ~ bruiloft *a d. wedding/anniversary;* een ~ ring *a d. ring.*

brillantine ⟨de⟩ **0.1** [polijstmiddel] *polish* **0.2** [haarcrème] *brilliantine* **0.3** [weefsel] *brilliant,* ^A*brilliantine.*

brilledoos ⟨de⟩ →**brillekoker.**

brilleglas ⟨het⟩ **0.1** *(spectacle) lens.*

brillehuis ⟨het⟩ →**brillekoker.**

brillejood ⟨de (m.)⟩ ⟨bel.⟩ **0.1** *four-eyes.*

brillekoker ⟨de (m.)⟩ **0.1** *spectacle/glasses case.*

brillen ⟨onov.ww.⟩ **0.1** *wear glasses* / ↑*spectacles* / ⟨inf.⟩ *specs.*

brilmontuur ⟨het, de (v.)⟩ **0.1** *spectacle/glasses frame.*

brilslang ⟨de⟩ **0.1** *(spectacled/Indian) cobra.*

brilstand ⟨de (m.)⟩ ⟨sport⟩ **0.1** *scoreless draw* ⇒*zero all,* ⟨als eindstand bij voetbal ook⟩ *goalless draw,* ⟨cricket⟩ *pair (of spectacles).*

brink ⟨de (m.)⟩ **0.1** [met gras begroeid erf] *(grassy) farmyard* **0.2** [dorpsplein] *village square,* ≠*village green.*

brio ⟨het, de (m.)⟩ **0.1** *brio* ⇒*verve, vigour* ♦ **6.1 met** veel ~ iets zeggen *say sth. with plenty of b.* / *verve.*

brioche ⟨de⟩ **0.1** *brioche.*

brique ⟨bn.⟩ **0.1** *brick-red.*

brisant ⟨bn.⟩ **0.1** *highly explosive* ♦ **1.1** ~e stoffen *high explosives.*

brisantbom ⟨de⟩ **0.1** *high-explosive bomb.*

brisantgranaat ⟨de⟩ **0.1** *high-explosive shell.*

Brit ⟨de (m.)⟩, **-se** ⟨de (v.)⟩ **0.1** *Briton.*

brits ⟨de⟩ **0.1** [rustbank] *plank/wooden bed* **0.2** [achterste] *behind* ⇒ *bottom* ♦ **6.2 voor** de ~ krijgen *get a spanking, get one's bottom tanned.*

Brits ⟨bn.⟩ **0.1** *British.*

broccoli ⟨de⟩ **0.1** *broccoli.*

broche ⟨de⟩ **0.1** *brooch* ♦ **2.1** een diamanten ~ *a diamond b..*

brocheren ⟨ov.ww.⟩ ⟨amb.⟩ **0.1** [mbt. boeken] *sew* **0.2** [mbt. stoffen] *brocade.*

brochette ⟨de⟩ **0.1** *skewer* ⇒*kebab stick.*

brochure ⟨de⟩ **0.1** *pamphlet* ⇒*brochure, leaflet.*

broddelaar ⟨de (m.)⟩, **-ster** ⟨de (v.)⟩ **0.1** *bungler* ⇒⟨BE ook; inf.⟩ *cowboy.*

broddelen ⟨onov.ww.⟩ **0.1** *bungle (one's work)* ⇒*botch (up)(one's work), bungle/botcher.*

broddellap ⟨de (m.)⟩ **0.1** *practice piece* ⇒*scrap of cloth.*

broddelwerk ⟨het⟩ **0.1** *botch-job/-up* ⇒*botched-up job, bungled/botched work,* ⟨BE ook⟩ *piece of bungling.*

brodeloos ⟨bn.⟩ **0.1** *without means of support* ⇒*penniless* ♦ **3.1** iem. ~ maken *leave s.o. without means of support/penniless.*

broderie ⟨de (v.)⟩ **0.1** [handborduurwerk] *embroidery* **0.2** [⟨muz.⟩] *ornament(ation)* ⇒*grace (note),* fioritura.

broed ⟨het, de (m.)⟩ **0.1** [uitgebroede eieren] *clutch/hatch (of eggs)* ⇒ ⟨van vissen/weekdieren/amfibieën/slangen/bijen⟩ *spawn* **0.2** [familie, geslacht] *brood* ♦ **3.2** de vader, de moeder, de kinderen, 't hele ~ deugt niet *father, mother, children, the whole b. is good for nothing* **6.1** een ~ van vier eieren *a clutch/hatch of four eggs.*

broedei ⟨het⟩ **0.1** *hatching egg* ♦ **1.1** stel ~eren *set, sitting, clutch of eggs.*

broeden ⟨onov.ww.⟩ **0.1** [mbt. vogels] *brood* ⇒*sit (on eggs)* **0.2** [uitdenken] *brood on* ⇒*hatch* ♦ **1.1** onze kanarie broedt *our canary is brooding/sitting;* kippen ~ 21 dagen *hens sit 21 days;* ~de vogel *sitting, sitting bird* **3.1** een kip te ~ zetten *set a hen* **6.2** hij zit op iets te ~ *he is brooding on/hatching sth..*

broeder ⟨de (m.)⟩ **0.1** [broer] *brother* **0.2** [medemens] *brother* **0.3** [⟨r.k.⟩] *brother* ⇒*friar* **0.4** [lid v.e. christelijke gemeente] *brother* **0.5** [ambtgenoot] *brother* ⇒*companion* ⟨mbt. ridderorde⟩ **0.6** [verpleger] *male nurse* ♦ **1.2** ben ik mijn ~s hoeder? *am I my b.'s keeper?* **1.4** ⟨fig.⟩ een ~ v.d. natte gemeente *a tippler;* ~s en zusters (in de Heer) *brothers and sisters (in the Lord)* **2.1** mijn oudste ~ *my eldest/oldest b.* **2.2** een valse ~ *a sneak/traitor;* dat is de ware ~ niet *he isn't the right man/sort;* 't is een zwakke ~ *he is a weak b.* **2.3** barmhartige ~s *brothers of charity* **2.4** de Zeister ~s *the Moravian Church* **3.2** alle mensen zijn ~s *all men are brothers* **6.5** ⟨fig.⟩ een ~ in het kwaad *an accomplice* ¶**.2** ~ geef mij de hand *we can shake hands (then).*

broederdienst ⟨de (m.)⟩ **0.1** [dienst aan de naaste] *brotherly service* **0.2** [⟨mil.⟩] *brother's service* ♦ **3.1** elkaar bewijzen *render/do s.o. a brotherly service, do s.o. a kind turn* **6.2** vrijstelling wegens ~ *exemption owing to one's brother's (military) service.*

broedergemeente ⟨de (v.)⟩ **0.1** *Community of the Moravian Brethren.*

broederij ⟨de (v.)⟩ **0.1** *(poultry) hatchery.*

broederliefde ⟨de (v.)⟩ **0.1** *brotherly/fraternal love.*

broederlijk ⟨bn., bw.;-ly⟩ **0.1** *fraternal* ⇒*brotherly* ♦ **3.1** ~ met elkaar omgaan *fraternize with each other/one another* **5.1** daar zaten allen ~ bijeen *there they were all sitting together like brothers.*

broederlijkheid ⟨de (v.)⟩ **0.1** *fraternity.*

broedermoord ⟨de⟩ **0.1** *fratricide.*

broederschap
I ⟨het, de (v.)⟩ **0.1** [betrekking (als) tussen broers] *brotherhood* ⇒*fraternity* ♦ **1.1** vrijheid, gelijkheid en ~ *liberty, equality and fraternity;*
II ⟨de (v.)⟩ **0.1** [⟨r.k.⟩] *brotherhood* ⇒*fraternity* **0.2** [⟨prot.⟩] *brotherhood* **0.3** [vereniging van beroepsgenoten] *fraternity* ⇒*brotherhood, g(u)ild, company* ♦ **1.3** de ~ der notarissen *the f. of public notaries* **2.2** de Remonstrantse Broederschap *the Remonstrant Brotherhood.*

broedgast ⟨de (m.)⟩ **0.1** *summer bird.*

broedgebied ⟨het⟩ **0.1** *breeding/nesting ground/place* ⇒*nesting home.*

broedhen ⟨de⟩ **0.1** *broodhen* ⇒*sitter.*

broedhok ⟨het⟩ **0.1** *breeding pen.*

broedknop ⟨de (m.)⟩ **0.1** *gemma* ⇒*germ, brood bud, bulbil.*

broedkolonie ⟨de (v.)⟩ **0.1** *nesting ground.*

broedmachine ⟨de (v.)⟩ **0.1** *incubator* ⇒*hatcher, brooder* ♦ **6.1** in de ~ doen *set.*

broedpest ⟨de⟩ **0.1** *foulbrood.*

broedplaats ⟨de⟩ **0.1** ⟨ook fig.⟩ *breeding ground/place;* ⟨van vogels ook⟩ *nesting place, nest site; spawning ground/bed* ⟨van vis⟩.

broeds ⟨bn.⟩ **0.1** *broody* ♦ **1.1** de kip is ~ *the hen wants to sit.*

broedsel ⟨het⟩ **0.1** [eieren] *sitting* ⇒*spawn* ⟨vissen⟩ **0.2** [jongen] *brood* ⇒*hatch, fry* ⟨i.h.b. vissen⟩.

broedstoof ⟨de⟩ **0.1** *incubator.*

broedtijd ⟨de (m.)⟩ **0.1** *breeding season.*

broedvijver ⟨de (m.)⟩ **0.1** *breeding pond, hatchery.*

broedvogel ⟨de (m.)⟩ **0.1** →*broedgast.*

broei ⟨de (m.)⟩ **0.1** *heating* ♦ **3.1** de brand in de hooiberg is door ~ ontstaan *the fire in the hay-stack was caused by overheating;* er zit ~ in de lucht *the air is sultry* **6.** ¶ in de ~ zitten *be in a scrape.*

broeibak ⟨de (m.)⟩ **0.1** *cold/garden frame.*

broeibed ⟨het⟩ **0.1** *hotbed* ⇒*forcing bed.*

broeien
I ⟨onov.ww.⟩ **0.1** [heet worden] *heat* ⇒*get heated/hot* **0.2** [zwoel zijn] *be sultry* **0.3** [beraamd worden] *brew* ♦ **1.1** het hooi broeit *the hay heats/gets heated;* ~d hooi *heated hay* **1.2** de lucht broeit *the air is already getting sultry* **1.3** er broeit verraad *there is treason brewing, treason is brewing/in the air* **2.2** 't is ~d heet *it's boiling (hot)/sweltering* **3.1** ⟨fig.⟩ hij heeft de hele dag op kantoor zitten ~ he had been sweating away at the office all day **4.3** er broeit iets *there is sth. brewing;*
II ⟨ov.ww.⟩ **0.1** [⟨tuinb.⟩] *force* **0.2** [in de broeikuip doen gisten] *ferment* **0.3** [in heet water zetten] *scald* ♦ **1.3** een varken ~ *s. a pig.*

broeierig ⟨bn., bw.;-ly⟩ **0.1** [mbt. het weer] *sultry, sweltering* ⇒*muggy,* ⟨drukkend⟩ *close* **0.2** [zwoel] *sultry* ⇒*sensual.*

broeikas ⟨de⟩ **0.1** *hothouse* ⇒*greenhouse,* ⟨plantenkas⟩ *conservatory* ♦ **6.1** in een ~ kweken *raise in a h..*

broeikaseffect ⟨het⟩⟨nat.⟩ **0.1** *greenhouse/hothouse effect.*

broeimest ⟨de (m.)⟩ **0.1** *forcing/hotbed manure.*

broeinest ⟨het⟩⟨pej.;fig.⟩ **0.1** *hotbed* ♦ **6.1** een ~ van misdaad/ziekte *a h. of crime/disease.*

broek
I ⟨de⟩ **0.1** [kledingstuk]⟨lang⟩*(pair of) trousers* ⇒⟨AE ook⟩ *pants,* ⟨kort⟩ *shorts,* ⟨vero.⟩ *(pair of) breeches* **0.2** [reddingstoestel] *breeches buoy* **0.3** [mbt. paardetuig] *breech(ing)* **0.4** [mbt. kanon] *breech* **2.1** corduroy ~ *cord(uroy)* **3.1** zijn vrouw heeft de ~ aan/draagt de ~ *his wife wears the t. / pants;* ergens zijn ~ aan scheuren ⟨fig.⟩ *suffer (great) losses, lose one's shirt* **6.1** ⟨fig.⟩ iem. **achter** de ~ zitten *keep s.o. up to the mark/in his work, see that s.o. gets on with his work;* iem. **achter** de ~ zitten *keep s.o. on his toes;* dat zal ze dun **door** hun ~ lopen *they've no idea what they're letting themselves in for;* hij heeft het **in** zijn ~ gedaan *he has wet his pants/shit himself;* het **in** zijn ~ doen van angst *(nearly) shit/wet o.s.;* jullie hebben flink **op/voor** jullie ~ gehad ⟨fig.⟩ *you were given a walloping/were trounced, they walked all over you;* je hemd steekt **uit** je ~ *your shirt is sticking out;* ik moet even **uit** de ~ *I need a toilet/^john;* **voor** de ~/op zijn ~ krijgen *be spanked;* **voor/op** de ~ geven *spank* **6.** ¶ een proces **aan** zijn ~ krijgen *get taken to court;* ⟨BE;inf.⟩ *get hauled up before the beak;* hij had een vette bekeuring **aan** zijn ~ *he had a heavy fine slapped on him;*
II ⟨de⟩ **0.1** [drasland] *marsh* ⇒*marshy land, swamp.*

broekeman ⟨de (m.)⟩ **0.1** *toddler* ⇒*(little) mite, little man.*

broeking ⟨de (v.)⟩ **0.1** [touw mbt. een kanon] *breeching* **0.2** [deel v.e. zeil] *reef.*

broekje ⟨het⟩ **0.1** [kleine broek]⟨onderbroek⟩*(under)pants* ⇒*briefs,* ⟨slipje⟩ *panties, knickers* **0.2** [persoon] *whippersnapper* ♦ **2.2** jong ~ *youngster* **3.2** nog een ~ zijn *be in short pants* **3.** ¶ een ~ krijgen *be drummed out (of the navy),* ↑*be given a dishonourable discharge* **6.1** ⟨fig.⟩ dat is er een met een ~ aan *that is a cleverly disguised lie.*

broekjurk ⟨de⟩ **0.1** *culotte dress* ⇒*pantdress.*

broekklem ⟨de⟩ **0.1** *trouser hanger.*

broekknoop →*broeksknoop.*

broekland ⟨het⟩ **0.1** *marshland* ⇒*marshy land.*

broekpak ⟨de (m.)⟩ **0.1** ᴮ*trouser suit;* ⟨vnl. AE⟩ *pantsuit; pants suit.*

broekpers ⟨de⟩ **0.1** *trouser press.*

broekriem ⟨de (m.)⟩ **0.1** *belt* ♦ **3.1** de ~ aanhalen *draw in.*

broekrok ⟨de⟩ **0.1** *culottes* ⇒*pantskirt, divided skirt.*

broeksband ⟨de (m.)⟩ **0.1** *waistband* ⇒*belt.*

broekspijp ⟨de⟩ **0.1** *(trouser-)leg* ♦ **2.1** omgeslagen ~en *turnups, turned-up trousers.*

broekstuk ⟨het⟩ **0.1** *breech.*

broekzak ⟨de (m.)⟩ **0.1** *trouser(s) pocket* ♦ **1.1** dat is ~ vestzak *it is robbing Peter to pay Paul* **8.1** iets kennen als zijn ~ *know sth. inside out/like the back of one's hand.*

broer ⟨de (m.)⟩ **0.1** *brother* ♦ **2.1** een volle ~ *a full b. / b.-german* **8.1** als ~ en zuster leven *live together like b. and sister.*

broertje ⟨het⟩ **0.1** *little brother* ♦ **2.1** jonger ~ *kid brother* **2.** ¶ een ~ dood aan iets hebben *hate sth., not be able to stand sth., detest sth.* **3.1** heb je nog ~s? *have you got any little brothers?.*

broes ⟨de⟩ **0.1** *rose.*

brok ⟨het, de (m.)⟩ **0.1** [afgebroken stuk] *piece* ⇒*fragment, lump, morsel, chunk* **0.2** [een zekere hoeveelheid] *piece* ⇒*bit* **0.3** [stevig persoon] *lump* ⇒*hunk* **0.4** [aantrekkelijk persoon] *bit, piece* ♦ **1.1** een ~ marmer *a p. / lump of marble;* in ~ aan/bij stukken en ~ *bits and pieces, piecemeal* **1.2** een ~ ideologie *a bit of ideology;* zij was één ~ zenuwen voor het examen *she was a bundle of nerves before the exam* **2.1** droge ~ken *dry dog/cat food;* hapklare ~ken *bite-sized chunks;* de overgebleven ~ken *the remnants, the odds and ends/bits and pieces left over* **3.1** ~ken maken *smash/mess things up;* ⟨ongelukken maken⟩ *be accident-prone;* ⟨fig. ook⟩ *blunder* **6.1** hij had een ~ in zijn keel *he had a lump in his throat;* hij kreeg er een ~ van in zijn keel *it brought a lump to his throat;* nu zitten ze **met** de ~ken *now they are in a fix/mess/jam, now they're left holding the baby;* iets **tot** ~jes kruimelen *crumble sth.* **6.3** een ~ van een jongen *a hunk of a boy.*

brokaat ⟨het⟩ **0.1** [weefsel] *brocade* **0.2** [bronspoeder] *bronze powder* **0.3** [gekleurd papier] *tinsel.*

brokaten ⟨bn.⟩ **0.1** *brocade.*

brokjes ⟨zn.mv.;vaak in samenst.⟩ **0.1** *dried pet food,* ᴬ*dog/cat* ⟨enz.⟩ *chow* ♦ **1.1** visbrokjes, vleesbrokjes *fish/meat c..*

brokkelen
I ⟨ov.ww.⟩ **0.1** [in stukjes breken] *crumble* ♦ **3.1** ⟨fig.⟩ hij heeft heel wat in de melk/pap te ~ *he has a considerable say in things/an influential voice, he is a man of weight;*
II ⟨onov.ww.⟩ **0.1** [in brokken uiteenvallen] *crumble* ♦ **1.1** dit gesteente brokkelt sterk *this stone crumbles easily.*

brokkelig ⟨bn.⟩ **0.1** *crumbly* ⇒ ⟨bros⟩ *brittle, short* ⟨deeg⟩, ⟨ihb. mbt. gesteente⟩ *friable.*

brokken ⟨ov.ww.⟩ **0.1** *break* ♦ **3.1** ⟨fig.⟩(niet) veel in de melk te ~ hebben *(not) have much say/in things;* ⟨fig.⟩ iets/niets in de melk te ~ hebben *count for sth./ nothing* **6.1** brood in de soep ~ *b. bread into the soup.*

brokkenmaker ⟨de (m.)⟩, **-maakster** ⟨de (v.)⟩ **0.1** *accident-prone person.*

brokkenpiloot ⟨de (m.)⟩ **0.1** *hard-luck pilot, prune.*

brokstuk ⟨het⟩ **0.1** *(broken) fragment* ⇒*piece, scrap,* ⟨mv. ook⟩ *debris, débris* ◆ **1.1** ~ken v.e. gedicht *snatches/scraps of a poem;* overal lagen ~ken v.h. vliegtuig *the debris of the plane was scattered all over.*

brom ⟨de (m.)⟩ **0.1** *buzz* ⇒⟨in radio e.d.⟩ *hum.*

bromaat ⟨het⟩ **0.1** *bromate.*

brombeer ⟨de (m.)⟩ **0.1** *grumbler* ⇒*grump(y).*

bromelia ⟨de⟩ **0.1** *bromelia(d).*

bromfiets ⟨de⟩ **0.1** *moped,* [A]*motorbike.*

bromfietser ⟨de (m.)⟩ **0.1** *moped rider/driver.*

bromide ⟨het⟩ **0.1** *bromide.*

bromium ⟨het⟩ **0.1** *bromine.*

brommen
I ⟨onov., ov.ww.⟩ **0.1** [mompelen] *mutter* ◆ **6.1** in zijn baard ~ *m. under one's breath* ¶.1 ⟨inf.⟩ ze komen niet, wat ik je brom *they aren't coming, I'm telling you;*
II ⟨onov.ww.⟩ **0.1** [grommend geluid voortbrengen] *hum* ⟨insekten, motor, radio e.d.⟩ ⇒*growl* ⟨persoon, motor⟩, ⟨insekten ook⟩ *buzz, drone* **0.2** [mopperen] *grumble (at)* **0.3** [gevangen zitten] *serve one's term of imprisonment* ⇒*do time* **0.4** [op een bromfiets rijden] *ride a moped* ◆ **1.3** hij zal zes weken moeten ~ *he will have to do six weeks* **6.2** op een kind ~ *chide/scold a child;* ~n over iets *grumble at sth..*

brommer ⟨de (m.)⟩ **0.1** [bromfiets] *moped,* [A]*motorbike* **0.2** [iem. die bromt] *grumbler* **0.3** [bromvlieg] *bluebottle* **0.4** [standje] *telling-off, scolding* ◆ **3.4** hij zal een ~ krijgen *he is going to get a scolding/be told off.*

brommerig ⟨bn.⟩ **0.1** *grumbly* ⇒*grumpish, grumpy.*

brompot ⟨de (m.)⟩ **0.1** *grumbler* ⇒*grump(y).*

bromstem ⟨de⟩ **0.1** *humming/low voice.*

bromtandem ⟨de (m.)⟩ **0.1** *motor tandem.*

bromtol ⟨de (m.)⟩ **0.1** *hummingtop.*

bromtoon ⟨de (m.)⟩ **0.1** *buzz* ⇒⟨in radio e.d.⟩ *hum.*

bromvlieg ⟨de⟩ **0.1** *bluebottle.*

bron ⟨de⟩ **0.1** [opwellend water] *well* ⇒*spring, fountain* **0.2** [oorsprong v.e. rivier] *source* ⇒*fountain(head)* **0.3** [oorsprong, oorzaak] *source* ⇒*spring, fountain, cause* **0.4** [geschrift, persoon] *source* ⇒*authority* ◆ **1.3** ~nen van bestaan *means of living;* een voortdurende ~ van ergenis *a thorn in one's flesh/side;* de ~ van alle kwaad *the source of all evil* **1.4** de ~nen van onze kennis *the sources of our knowledge* **2.1** geneeskrachtige ~ *medicinal spring;* hete ~ *hot springs;* intermitterende ~ *intermittent spring* **2.4** tip uit betrouwbare ~ *straight tip;* hij heeft het uit betrouwbare/gezaghebbende ~ *he has it from a reliable/an authoritative s./ on reliable authority;* een rijke/onuitputtelijke ~ van informatie *a (gold) mine/inexhaustible source of information* **3.1** een aanboren *strike/drill a w.* **3.3** die ~ is opgedroogd *that source has run dry* **6.1** water aan/uit de ~ putten *dip water out of the w.;* aan de ~ ⟨ook fig.⟩ *at source* **6.3** een ~ van inkomsten *a source of income/revenue;* een ~ van lijden/vreugde/welvaart/informatie *a source of suffering/joy/prosperity/information;* zijn zoon was een ~ van zorgen voor hem *his son was a (great) worry to him* ¶.1 ~netje *springlet.*

bronader ⟨de⟩ **0.1** ⟨ook fig.⟩ *well/fountain-head.*

bronbelasting ⟨de (v.)⟩ ⟨geldw.⟩ **0.1** *tax on unearned income abroad.*

bronbemaling ⟨de (v.)⟩ **0.1** *well-painting.*

bronchiaal ⟨bn.⟩ **0.1** *bronchial.*

bronchiën ⟨zn.mv.⟩ **0.1** *bronchi.*

bronchitis ⟨de (v.)⟩ **0.1** *bronchitis.*

brongas ⟨het⟩ **0.1** *natural gas.*

bronnengids ⟨de (m.)⟩ **0.1** *source book* ◆ **6.1** ~ voor de studie v.d. Nederlandse taal *a s. b. for the study of the Dutch lanuage.*

bronnenkritiek ⟨de (v.)⟩ **0.1** *source-criticism.*

bronnenlijst ⟨de⟩ **0.1** *index/list of sources/source material.*

bronnenmateriaal ⟨het⟩ ⟨wet.⟩ **0.1** *source material.*

bronnenstudie ⟨de (v.)⟩ **0.1** *study of the (original) sources/source material.*

brons[1] ⟨het⟩ **0.1** *bronze* ◆ **2.1** verguld ~ *ormolu* **6.1** een figuur in ~ gieten *cast a figure in b.;* uit ~ gegoten *cast from b..*

brons[2] ⟨bn.⟩ **0.1** *bronze* ⇒*bronzy,* ⟨door de zon⟩ *bronzed, tanned* ◆ **2.1** ze had een ~ getinte huid *her skin was bronzed.*

bronsgroen[1] ⟨het⟩ **0.1** *bronze green.*

bronsgroen[2] ⟨bn.⟩ **0.1** *bronze green.*

bronspanning ⟨de (v.)⟩ ⟨elek.⟩ **0.1** *electromotive force.*

bronst ⟨de⟩ **0.1** *rut* ⟨m. dier⟩; *heat* ⟨v. dier⟩.

bronstig ⟨bn.⟩ **0.1** *rutting, ruttish* ⟨m. dier⟩; *on* [A]*in heat, in season* ⟨v. dier⟩.

Bronstijd ⟨de (m.)⟩ ⟨gesch.⟩ **0.1** *Bronze Age.*

bronsttijd ⟨de (m.)⟩ **0.1** *mating season* ⇒*rutting season, rut* ⟨m. dier⟩, *heat, season* ⟨v. dier⟩.

brontaal ⟨de⟩ **0.1** *source language.*

brontosaurus ⟨de (m.)⟩ **0.1** *brontosaurus.*

bronvermelding ⟨de (v.)⟩ **0.1** *acknowledgement/quotation of (one's) sources* ⇒⟨AE ook⟩ *credit (line)* ◆ **3.1** de precieze ~ geven *give chapter and verse* **6.1** iets zonder ~ overnemen *copy/borrow sth. without acknowledgement/crediting the source.*

bronwater ⟨het⟩ **0.1** *spring water.*

bronzen[1] ⟨bn.⟩ **0.1** [(als) van brons] *bronze* **0.2** [bronskleurig] *bronze* ⇒*bronzy* ◆ **1.1** een ~ medaille *a b. (medal);* een ~ standbeeld *a b. statue;* het ~ tijdperk *the b. age.*

bronzen[2] ⟨ov.ww.⟩ **0.1** *bronze* ⇒⟨door de zon ook⟩ *tan* ◆ **1.1** een gebronsd beeld *a bronzed statue;* gebronsde gezichten *bronzed/(sun)tanned faces.*

brood ⟨het⟩ ⟨→sprw. 92-95,120⟩ **0.1** [voedsel] *bread* **0.2** [brood in een bep. vorm] *loaf (of bread)* **0.3** [kost, levensonderhoud] *bread (and butter)* ⇒*living, livelihood,* ⟨AE;inf.⟩ *corn* **0.4** [boterhammen] ≠*sandwiches* ⇒*lunch* **0.5** [Avondmaalsspijs] *bread* **0.6** [hoeveelheid stof in een bep. vorm] *loaf* ⇒*brick* ◆ **1.1** het ~ der Engelen *the b. of angels;* een stuk ~ *a piece/slice of b.;* op water en ~ zitten *be on b. and water rations* **1.2** een snee ~ *a slice of b.* **1.3** ~ en spelen *bread and circuses* **1.5** het ~ des levens *the Bread of Life;* ~ en wijn *b. and wine;* ⟨rel. ook⟩ *the Elements* **1.6** een ~ klei *a brick of clay* **2.1** droog ~ eten ⟨fig.⟩ *be on the breadline, live from hand to mouth;* ⟨lett.⟩ *eat dry b.;* daar is geen droog ~ mee te verdienen *you won't/wouldn't make a penny on/from it;* vers ~ *fresh b.;* wit/bruin ~ *white/brown b.* **2.3** dagelijks ~ *daily bread;* het dagelijkse ~ bij elkaar scharrelen/verdienen *eke out/scrape a living* **2.¶** het hemels ~ *the bread of heaven* **3.1** ⟨fig.⟩ ~ op de plank hebben *be able to keep the wolf from the door/make ends meet;* ⟨fig.⟩ hij ging tekeer, dat de honden er geen ~ van lustten *he did his nut, he let fly;* ⟨fig.⟩ iem. het ~ uit de mond nemen/stoten *take the b. out of s.o.'s mouth;* ongezuurd/eigengebakken ~ *unleavened/home-made b.;* voor iem. het ~ uit de mond sparen *stint o.s./scrimp and save for s.o.'s sake* **3.3** zijn ~ verdienen (in/met) *earn one's living/make a living (on/with);* een eerlijk stuk ~ verdienen *earn/turn an honest penny, make an honest living;* er een behoorlijk/schamel stuk ~ mee verdienen *earn a good/scrape a meagre living out of it;* ergens (geen) ~ in zien *(not) think sth. will pay;* daar zit (geen) ~ in *one can(not) make a living from that, that will/won't pay* **3.5** ⟨rel.⟩ het breken v.h. ~ *the Fraction* **6.1** ⟨fig.⟩ zorgen dat er ~ op de plank komt *keep the pot boiling/wolf from the door;* ⟨fig.⟩ zich de kaas niet van het ~ laten eten *stand/stick up for o.s.;* ⟨fig.⟩ de mens leeft niet van/bij ~ alleen *man does not live on/by b. alone* **6.3** om den brode *for a living, for the money/*⟨inf.⟩ *dough, to keep the wolf from the door;* een baantje om den brode *a bread-and-butter job* **6.4** bij mijn ~ drink ik melk *I have milk with my s.;* ⟨fig.⟩ dat krijg ik alle dagen op mijn ~ *that is thrown in my face every day;* dat zal zij hem op zijn ~ geven *she'll make him pay/tell him off for that* **7.2** twee broden *two loaves (of bread).*

broodbeleg ⟨het⟩ **0.1** *sandwich filling.*

broodbezorger ⟨de (m.)⟩ **0.1** *baker's roundsman/delivery boy* ⇒*breadman.*

broodboom ⟨de (m.)⟩ **0.1** *breadfruit (tree).*

broodbus ⟨de (v.)⟩ **0.1** *bread tin.*

brooddeeg ⟨het⟩ **0.1** *(bread) dough.*

brooddief ⟨de (m.)⟩ ⟨fig.⟩ **0.1** *s.o. who takes the bread out of another's mouth* ⇒*unfair competitor.*

brooddronken ⟨bn., bw.⟩ **0.1** ≠*slaphappy* ⇒*headstrong, unruly.*

broodfabriek ⟨de (v.)⟩ **0.1** *bread factory.*

broodfietser ⟨de (m.)⟩ ⟨sport⟩ **0.1** *professional cyclist* ⇒*cycling pro.*

broodheer ⟨de (m.)⟩ ⟨inf.⟩ **0.1** *boss.*

broodje ⟨het⟩ **0.1** [klein brood] *(bread) roll* ⇒*bun* **0.2** [kost, levensonderhoud] *bread (and butter)* ⇒*living, livelihood,* ⟨AE;inf.⟩ *corn* ◆ **1.1** een ~ (met) kaas *a cheese roll* **2.1** fijne ~s *bridge rolls;* ⟨AZN⟩ ⟨fig.⟩ platte ~s bakken *give in, pipe down* ⟨in argument⟩; ⟨fig.⟩ als warme ~s verkocht worden/over de toonbank gaan/de winkel uitvliegen *go/sell like hot cakes;* ⟨fig.⟩ zoete ~s bakken *eat humble pie, grovel* **3.2** hij heeft er een ~ aan *he makes a modest living on/from/out of it;* ⟨AZN⟩ zijn ~ is gebakken *his bread is buttered on both sides;* zijn ~ bij elkaar scharrelen *eke out a living.*

broodjeswinkel ⟨de (m.)⟩ →**broodjeszaak.**

broodjeszaak ⟨de⟩ **0.1** *sandwich bar* ⇒≠*snack bar,* ⟨AE ook⟩ *coffee shop.*

broodkast ⟨de⟩ **0.1** [broodbin] ⇒≠*pantry* ◆ **3.1** ⟨fig.⟩ de ~ hangt er hoog *they/we are on the breadline* **6.1** ⟨fig.⟩ de muizen liggen er dood in de ~ *they are hard up/poor as a church mouse/without a bean.*

broodkeuken ⟨de⟩ **0.1** *pantry.*

broodkever ⟨de (m.)⟩ ⟨AE⟩ *drugstore beetle/weevil.*

broodkorst ⟨de⟩ **0.1** [korst van brood] *crust of bread, bread-crust* **0.2** [stuk brood met korst] *crust/heel (of a loaf).*

broodkruim ⟨het⟩ **0.1** *bread crumbs.*

broodkruimel ⟨de (m.)⟩ **0.1** *bread crumb.*

broodmaaltijd ⟨de (m.)⟩ **0.1** *cold meal/lunch* ⇒*sandwiches.*

broodmager ⟨bn.⟩ **0.1** *skinny* ⇒*bony, skin and bone(s), thin as a rake.*

broodmand ⟨de⟩ **0.1** [om brood rond te brengen] *breadbasket* **0.2** [waarin het brood op tafel komt] *breadbasket* ◆ **6.1** met de ~ lopen *deliver bread.*

broodmes ⟨het⟩ **0.1** *breadknife.*

broodmix ⟨de (m.)⟩ **0.1** *bread-mix.*

broodnijd ⟨de (m.)⟩ **0.1** *professional jealousy.*

broodnodig ⟨bn.⟩ **0.1** *much-needed, badly/sorely needed* ⇒*highly necessary, bread-and-butter* ◆ **3.1** ik heb 't ~ *I need it badly.*

broodnuchter ⟨bn.⟩ **0.1** *stonesober.*

broodoorlog ⟨de (m.)⟩ **0.1** *bread war.*

broodpap ⟨de⟩ **0.1** *bread and milk;* ⟨med.⟩ *bread poultice.*

broodplank ⟨de⟩ **0.1** *breadboard.*

broodroof ⟨de (m.)⟩ ◆ **3.¶** ~ aan iem. plegen *take the bread out of s.o.'s mouth.*

broodrooster ⟨het, de (m.)⟩ **0.1** *toaster.*

broodschrijver ⟨de (m.)⟩ **0.1** *(grub-street) hack* ⇒*hodman,* ⟨inf.⟩ *(penny-a-)liner,* ⟨inf.; pej.⟩ *ink-slinger* ◆ **3.1** ~ zijn *live on Grub Street.*

broodschrijverij ⟨de (v.)⟩ ⟨pej.⟩ **0.1** *hackwork.*

broodsnijmachine ⟨de (v.)⟩ **0.1** *bread-slicer.*

broodsuiker ⟨de (m.)⟩ **0.1** *loaf sugar* ◆ **2.1** gestampte ~ *powdered/ground l.s..*

broodtrommel ⟨de⟩ **0.1** [trommel om brood in te bewaren] *breadbin* **0.2** [lunchtrommel] *lunchbox, breadbox.*

broodvorm ⟨de (m.)⟩ **0.1** *loaf tin/* [A]*pan.*

broodvraag ⟨de⟩ ◆ **3.¶** 't is voor mij een ~ *it's my bread and butter* **¶.¶** de ~ *(the question of) how to make a living/make ends meet/keep the pot boiling.*

broodvrucht ⟨de⟩ **0.1** *breadfruit.*

broodwijk ⟨de⟩ **0.1** *bread round.*

broodwinner ⟨de (m.)⟩ **0.1** *breadwinner.*

broodwinning ⟨de (v.)⟩ **0.1** *livelihood* ⇒⟨AE; sl.⟩ *meal ticket* ◆ **2.1** het is een prima ~ *it's a good business, one can make a good l. out of it/ live well on it* **3.1** die zaak is geen ~ maar een geldwinning *that business is a real moneyspinner;* iem. zijn ~ ontnemen *take the bread out of s.o.'s mouth.*

broodwortel ⟨de (m.)⟩ **0.1** *manioc* ⇒*cassava.*

broom ⟨het⟩ **0.1** [bromium] *bromine* **0.2** [broomkali] *bromide.*

broomdrankje ⟨het⟩ **0.1** *bromide mixture.*

broomkali ⟨het⟩ **0.1** *bromide.*

broomvergiftiging ⟨de (v.)⟩ **0.1** *bromi(ni)sm.*

broomzilver ⟨het⟩ ⟨foto.⟩ **0.1** *bromic silver* ⇒*silver bromide.*

broomzilverpapier ⟨het⟩ **0.1** *bromide paper.*

broomzuur[1] ⟨het⟩ **0.1** *bromic acid.*

broomzuur[2] ⟨bn.⟩ **0.1** *bromic acid* ◆ **1.1** broomzure zouten *bromates.*

broos[1] ⟨de (v.)⟩ **0.1** *buskin* ⇒*cothurnus* ◆ **1.1** ⟨fig.⟩ Thespis' brozen *the Thespian art.*

broos[2] ⟨bn., bw.⟩ **0.1** [breekbaar] *fragile* ⇒*breakable, delicate, brittle* **0.2** [zwak, vergankelijk] *fragile* ⇒*delicate, brittle, frail* ◆ **1.1** ~ glas *f./ brittle glass* **1.2** hun geluk was erg ~ *their happiness was very fragile/ frail;* een broze stem *a brittle voice;* broze vriendschap *brittle/frail friendship* **6.2** ~ van gezondheid *in delicate health.*

broosheid ⟨de (v.)⟩ **0.1** [breekbaarheid] *fragility* ⇒*delicacy, brittleness* **0.2** [vergankelijkheid, zwakheid] *fragility* ⇒*delicacy, brittleness, frailness* ◆ **1.2** de ~ des levens *the fragility of life.*

broots ⟨de⟩ ⟨tech.⟩ **0.1** *broach.*

brootsen ⟨ww.⟩ ⟨tech.⟩ **0.1** *broach.*

brootsmachine ⟨de (v.)⟩ ⟨tech.⟩ **0.1** *broaching machine, broacher.*

bros[1] ⟨de⟩ **0.1** *awl.*

bros[2] ⟨bn.⟩ **0.1** *brittle* ⇒*crisp(y), crumbly, friable* ◆ **1.1** ~se beschuit *crisp/crumbly rusks;* gegoten ijzer is ~ *cast iron is b.* **3.1** ~ maken *make b., embrittle;* ⟨cul.⟩ *shorten;* ~ worden *become b.;* ⟨cul.⟩ *become short.*

broskuif ⟨de⟩ **0.1** *crop, crew cut.*

brosse ⟨de (v.)⟩ **0.1** *crop, crew cut* ◆ **¶.1** en ~ geknipt *(closely) cropped, cut very short.*

brossen ⟨onov.ww.⟩ ⟨AZN⟩ **0.1** *play truant.*

brouilleren ⟨ov.ww.⟩ **0.1** *embroil* ◆ **6.1** gebrouilleerd zijn met elkaar *be embroiled with one another, have fallen out, be on bad terms/at loggerheads;* zich met iem. ~ *embroil o.s. with s.o..*

brouillon ⟨het⟩ **0.1** *rough copy/draft.*

brouwen

I ⟨onov.ww.⟩ **0.1** [⟨taal.⟩] *burr (one's r's);*

II ⟨ov.ww.⟩ **0.1** [mbt. bier] *brew* **0.2** [samenstellen] *brew* ⇒*mix, concoct* **0.3** [beramen] *brew* ⇒*stir up* ⟨onrust, twist⟩, *hatch (up)* ⟨verraad, boze plannen⟩ ◆ **1.2** drankjes/gif ~ *b./concoct potions/a potion;* zal ik wat koffie voor je ~? *shall I b. some coffee for you?.*

brouwer ⟨de (m.)⟩ **0.1** [bierbrouwer] *brewer* **0.2** [⟨taal.⟩] *burrer* ⇒*s.o. who speaks with a burr.*

brouwerij ⟨de (v.)⟩ **0.1** [bedrijf] *brewery* **0.2** [beroep, vak] *brewing* ◆ **6.¶** er komt leven in de ~ *things are looking/picking up* ⟨vooruitgang⟩; *things are livening up/coming to life;* ze brachten wat leven in de ~ *they jazzed/livened things up;* het was Piet die die avond leven in de ~ bracht *Pete livened things up that night/was the life and soul of*

the evening; dat brengt tenminste leven in de ~ *that stirs/livens things up (a bit).*

brouwerijcafé ⟨het⟩ **0.1** ⟨GB⟩ *tied house.*

brouwersknecht ⟨de (m.)⟩ **0.1** *drayman.*

brouwketel ⟨de (m.)⟩ **0.1** *hop/wort boiler* ◆ **6.1** ⟨fig.⟩ het is een boon in een ~ *it doesn't matter/make much difference, it's (only) a drop in the ocean.*

brouwkuip ⟨de⟩ **0.1** *premasher/converter (for mixing grist and water).*

brouwsel ⟨het⟩ **0.1** [hetgeen gebrouwen is] *brew(age)* ⇒⟨bep. hoeveelheid bier⟩ *gyle, brewing/batch (of ale/beer)* **0.2** [zelfgemaakt drankje] *brew* ⇒*potion, mixture, concoction* **0.3** [raar produkt] *concoction* ⇒*brew* ◆ **1.2** ⟨fig.⟩ alle baksels en ~s zijn niet gelijk *no-one is infallible* **2.2** slap ~ *dishwater.*

Browns ⟨bn.⟩ ◆ **1.¶** ~e beweging *Brownian movement/motion.*

brozem ⟨de⟩ ⟨iron.⟩ **0.1** *rocker* ⇒*hell's angel,* ⟨AE; inf.⟩ *biker.*

brr ⟨tw.⟩ **0.1** *brr* ⟨bij koude⟩; *ugh* ⟨afschuw⟩ ◆ **¶.1** ~! wat is 't guur! *brr it's raw!.*

BRT ⟨de⟩ ⟨afk.⟩ **0.1** [Belgische Radio en Televisie] *BRT* **0.2** [bruto register ton(nage)] *[deadweight capacity/tonnage]* **0.3** [Bijzondere Regionale Toeslag] ⟨Special Regional Allowance ⟨uitbetaling⟩/Tax ⟨belasting⟩⟩.

brug ⟨de⟩ ⟨→sprw. 269⟩ **0.1** [⟨verkeer⟩] *bridge* **0.2** [gebitsprothese] *bridge(work)* **0.3** [⟨sport⟩ toestel] *parallel bars* **0.4** [⟨scheep.⟩] *bridge* **0.5** [worstelhouding] *bridge* **0.6** [⟨scheep.⟩ loopplank] *gangplank* ◆ **1.¶** ~ van Varol *pons Varolii* **3.1** een ~ dichtdraaien *close a b.;* ⟨fig.⟩ de ~ is opgehaald *there's no going/way back, they/we have burned their/our bridges/boats;* een ~ opendraaien *open/raise a b.;* een ~ slaan/leggen over *bridge, span* **6.1** een ~ met bogen *an arch(ed) b.;* ⟨fig.⟩ een ~ tussen de volkeren *a b. between nations;* we moesten wachten voor de ~ *we had to wait at the b.* **6.¶** hij moet over de ~ komen *he has to fork out/cough up/deliver the goods;* royaal over de ~ komen *come across generously/handsomely.*

brugbalans ⟨de⟩ **0.1** *platform scale/balance.*

brugdek ⟨het⟩ **0.1** *roadway.*

brugfunctie ⟨de (v.)⟩ **0.1** *bridging function.*

Brugge ⟨het⟩ **0.1** *Bruges.*

bruggebouwer ⟨de (m.)⟩ **0.1** [iem. die bruggen bouwt] *bridge builder/ constructor* **0.2** [bemiddelaar] *mediator.*

bruggedek ⟨het⟩ **0.1** [brugdek] *roadway* **0.2** [⟨scheep.⟩] *bridge deck.*

bruggegeld ⟨het⟩ **0.1** *(bridge) toll* ⇒*bridge dues.*

bruggehoofd ⟨het⟩ **0.1** [walhoofd] *abutment* **0.2** [⟨mil.⟩ stelling voor de verdediging v.e. brug] *bridgehead* **0.3** [⟨mil.⟩ vooruitgeschoven stelling] *bridgehead; beachhead* ⟨op strand⟩.

bruggewachter → **brugwachter.**

brugjaar ⟨het⟩ **0.1** [overbruggingsjaar] *transitional year* **0.2** [jaar v.d. brugklas] *first class/year (of secondary school).*

brugkanaal ⟨het⟩ **0.1** *aqueduct.*

brugklas ⟨de (v.)⟩ **0.1** *first class/form (at secondary school)* ⇒≠[B]*Upper Third,* ≠[A]*12 grade.*

brugkraan ⟨de⟩ **0.1** *bridge/gantry crane.*

brugleuning, -reling ⟨de (v.)⟩ **0.1** *bridge railing* ⇒⟨van steen⟩ *parapet.*

Brugman ◆ **8.¶** praten als ~ ≠*have the gift of the gab.*

brugoefening ⟨de (v.)⟩ ⟨sport⟩ **0.1** *parallel bar exercise(s).*

brugpensioen ⟨het⟩ ⟨AZN⟩ **0.1** *early retirement.*

brugrestaurant ⟨het⟩ **0.1** *overhead motorway restaurant.*

brugstand ⟨de (m.)⟩ **0.1** *bridge (position).*

brugvak ⟨het⟩ **0.1** [mbt. een vaste brug] *bridge section* **0.2** [mbt. een schip-/pontonbrug] *pontoon.*

brugverbinding ⟨de (v.)⟩ **0.1** *bridge connection* ⇒*connection by bridge.*

brugwachter ⟨de (m.)⟩ **0.1** *bridgeman* ⇒⟨BE ook⟩ *bridgemaster.*

brui ⟨de (m.)⟩ ◆ **2.¶** daar heb je de hele ~ *that's the whole show, that's it* **3.¶** er de ~ aan geven *chuck it (in), throw it up.*

bruid ⟨de (v.)⟩ ⟨→sprw. 106⟩ **0.1** *bride* ◆ **1.1** een ~ van Christus *a b. of Christ* **2.1** de aanstaande ~ *the bride-to-be;* een eeuwige ~ ≠*an eternal spinster;* zij is de koperen/zilveren/gouden ~ *she is celebrating her copper/silver/golden wedding (anniversary)* **3.1** zij is de ~ *she is the bride(-to-be).*

bruidegom ⟨de (m.)⟩ **0.1** *(bride)groom* ◆ **2.1** hij is de zilveren/gouden ~ *he is celebrating his silver/golden wedding (anniversary)* **3.1** de ~ zijn *be the (future) b..*

bruidje ⟨het⟩ ⟨r.k.⟩ **0.1** *child making her first communion.*

bruidsbed ⟨het⟩ **0.1** *bridal bed* ⇒*nuptial couch.*

bruidsbloem ⟨de⟩ **0.1** *stephanotis.*

bruidsboeket ⟨het, de⟩ **0.1** *bridal bouquet.*

bruidsdagen ⟨zn.mv.⟩ **0.1** ⟨days leading up to wedding⟩ ◆ **¶.1** de ~ zijn voorbij ⟨fig.⟩ *the honeymoon is over.*

bruidsfoto ⟨de⟩ **0.1** *wedding photo(graph).*

bruidsgift ⟨de⟩ **0.1** *wedding present.*

bruidsjapon ⟨de (m.)⟩ **0.1** *bridal gown, wedding dress.*

bruidsjonker ⟨de (m.)⟩ **0.1** *best man* ⇒*groomsman,* ⟨jongetje⟩ *page.*

bruidsmeisje ⟨het⟩ **0.1** *bridesmaid* ⇒⟨getrouwd bruidsmeisje⟩ *matron of honour,* ⟨eerste bruidsmeisje⟩ [A]*maid of honor.*

bruidsmystiek ⟨de (v.)⟩ **0.1** *mystical union.*

bruidsnacht ⟨de (m.)⟩ **0.1** *wedding night.*
bruidspaar ⟨het⟩ **0.1** *bride and (bride)groom* ⇒*bridal couple.*
bruidsschat ⟨de (m.)⟩ **0.1** *dowry* ⇒*bride's / marriage portion.*
bruidssluier ⟨de (m.)⟩ **0.1** [sluier v.d. bruid] *bridal veil* **0.2** [⟨plantk.⟩] *baby's-breath.*
bruidsstoet ⟨de (m.)⟩ **0.1** *wedding / bridal procession.*
bruidssuiker ⟨de (m.)⟩ **0.1** ⟨*sweet(s) handed out by bride*⟩.
bruidssuite ⟨de⟩ **0.1** *bridal suite.*
bruidstaart ⟨de⟩ **0.1** *wedding cake.*
bruidstranen ⟨zn.mv.⟩ **0.1** [drank] ⟨*hippocras served in days leading up to wedding*⟩ **0.2** [partijtje] ⟨*party after obtaining marriage licence*⟩ ⇒ ≠^*shower.*
bruidsvlucht ⟨de⟩ **0.1** *nuptial flight.*
bruigom →**bruidegom.**
bruikbaar ⟨bn.⟩ **0.1** *usable* ⇒⟨nuttig⟩ *useful, practicable* ⟨voorstel⟩, *serviceable* ⟨machines, auto's enz.⟩, *employable* ⟨arbeidskracht⟩ ◆ **1.1** ⟨fig.⟩ een ~ mens *an accomodating / obliging person;* een bruikbare methode / hypothese *a workable method / hypothesis* **3.1** ~ zijn *be of use, serve the purpose* **5.1** niet erg ~ *not much use.*
bruikbaarheid ⟨de (v.)⟩ **0.1** *utility, usefullness; practicability; serviceability; employability; workability, workableness.*
bruikleen ⟨het, de (m.)⟩ **0.1** *loan* ◆ **6.1** iets **in** ~ hebben *have the l. / use of sth., have sth. on l.;* iets aan iem. **in** ~ geven *give sth. on l. to s.o., loan sth. to s.o., give s.o. the use of sth..*
bruiklening ⟨de (v.)⟩ **0.1** *gratuitous / free loan.*
bruiloft ⟨de⟩ ⟨→sprw. 96⟩ **0.1** [trouwfeest] *wedding* **0.2** [gedenkfeest] *wedding (anniversary)* ◆ **2.2** koperen / zilveren / gouden / diamanten ~ *copper / silver / golden / diamond w. (a.)* **3.1** het is alle dagen geen ~ *life is not all beer and skittles;* ~ vieren *celebrate a w.* **6.1** op een ~ genodigd (zijn) *(be) invited to / a guest at a w..*
bruiloftsgast ⟨de (m.)⟩ **0.1** *wedding guest.*
bruiloftskleed ⟨het⟩ **0.1** [op de bruiloft gedragen kleding] *wedding garment / attire* **0.2** [bont uiterlijk van dieren] *nuptial plumage / dress, breeding plumage* ⟨vogel⟩.
bruiloftslied ⟨het⟩ **0.1** *hymeneal* ⇒*prothalamium.*
bruiloftsmaal ⟨het⟩ **0.1** *wedding breakfast* ⇒*wedding reception.*
bruiloftsmars ⟨de⟩ **0.1** *wedding march.*
bruiloftsvlucht ⟨de⟩ **0.1** *nuptial flight.*
bruin ⟨bn., bw.⟩ **0.1** *brown* ⇒⟨paard ook⟩ *bay, amber* ⟨glas⟩ ◆ **1.1** ~e beer / rat *brown bear / rat;* ~e beuk *copper beach;* ~ bier / haar *(brown) beer, brown hair;* een ~ café *≠a pub;* de koffie is ~ *the coffee is ready;* een schilderij in ~e tinten *a painting in browns / shades of brown* **1.¶** ~ leven *a good / an easy life;* ~e sympathieën *fascist sympathies* **3.1** ~ bakken / braden *brown;* ⟨aardappelen / uien ook⟩ *sauté;* zich ~ laten bakken *tan (o.s.), sunbathe;* ~ worden *get a (sun)tan, go / get brown, tan;* wat zie je ~ *my, aren't you brown?, don't you have a tan!* **3.¶** wat bak je ze weer ~ *you're laying it on thick!, you're really going to town on it* **7.1** ⟨zelfst.⟩ het ~ *brown.*
Bruin 0.1 ⟨beer⟩ *Bruin;* ⟨paard⟩ *bay* ◆ **3.1** dat kan ~ niet trekken *that's beyond my pocket, the exchequer won't allow it.*
bruinbrood ⟨het⟩ **0.1** *brown bread.*
bruinen
I ⟨ov.ww.⟩ **0.1** [bruin maken] *brown* ⟨ook cul.⟩ ⇒⟨door de zon⟩ *tan, bronze* ◆ **1.1** de zon heeft zijn vel gebruind *the sun has tanned his skin / turned his skin brown;*
II ⟨onov.ww.⟩ **0.1** [bruin worden] *brown* ⇒*go / turn brown,* ⟨door de zon ook⟩ *tan, bronze* ◆ **3.1** hij begint al te ~ *he's already turning brown.*
bruineren ⟨ov.ww.⟩ **0.1** [bruin maken] *brown* ⇒*tan* **0.2** [met zuur behandelen] *brown* **0.3** [⟨boek.; goudsmid⟩ polijsten] *burnish* ⇒*furbish* ◆ **1.2** een geweerloop ~ *b. a gun barrel.*
bruinhemd ⟨de (m.)⟩ ⟨pol.⟩ **0.1** *brownshirt.*
bruinjoekel ⟨de (m.)⟩ ⟨pej.⟩ **0.1** *wog.*
bruinkool ⟨de⟩ **0.1** *brown coal* ⇒*lignite.*
bruinogig ⟨bn.⟩ **0.1** *brown-eyed.*
bruinsteen ⟨het, de (m.)⟩ **0.1** *black manganese* ⇒*pyrolusite.*
bruintje ⟨het⟩ **0.1** *brown roll.*
bruinvis ⟨de (m.)⟩ **0.1** *porpoise* ⇒*sea hog.*
bruinwerker ⟨de (m.)⟩ ⟨pej.⟩ **0.1** [kontlikker, uitslover] ^B*arselicker,* ^A*brownnose* ⇒*toady, creep* **0.2** [homoseksueel] *brown hatter.*
bruinwier ⟨het⟩ **0.1** *brown algae / seaweeds.*
bruisen ⟨onov.ww.⟩ **0.1** *foam* ⇒*effervesce, fizz* ⟨van gazeuse dranken⟩, *seethe* ⟨van woede⟩ ◆ **1.1** ⟨fig.⟩ zijn bloed bruist *his heart is pounding;* de ~de golven *the seething / foaming waves* **6.1** ⟨fig.⟩ ~ **van** geestdrift / energie *bubble / brim over with enthusiasm / energy.*
bruispoeder ⟨het, de (m.)⟩ **0.1** *effervescent powder.*
bruistablet ⟨het⟩ **0.1** *effervescent tablet.*
brulaap ⟨de (m.)⟩ **0.1** [⟨mv.⟩ apenfamilie] *New World monkeys* **0.2** [dier] *howler (monkey)* ⇒*howling monkey* **0.3** [persoon] *bawler* ⇒ ⟨huilebalk⟩ *cry-baby.*
brulboei ⟨de⟩ **0.1** [zeeboei] *whistling buoy* **0.2** [persoon] *bawler.*
brullen
I ⟨onov.ww.⟩ **0.1** [mbt. dieren] *roar;* ⟨roerdomp⟩ *boom* **0.2** [hard

schreeuwen] *roar* ⇒*bawl, howl, bellow* ◆ **1.2** de ~de stormwind, een ~d vuur *the howling gale, a roaring fire* **3.2** de zaal / toehoorders doen ~ *set the hall / audience roaring / howling* **6.2** de jongen zette het **op** een ~ *the boy set up a roar;* hij brulde **van** woede *he roared / bellowed with anger;* ~ **van** het lachen *r. / howl with laughter;* ~ **van** de pijn *r. / bellow with pain;*
II ⟨ov.ww.⟩ **0.1** [brullend meedelen] *roar* ⇒*blare, bellow* ◆ **6.1** een dove iets **in** 't oor ~ *blare sth. into a deaf person's ear.*
brulvogel ⟨de (m.)⟩ **0.1** *bittern* ⇒*bull-of-the-bog.*
brulziekte ⟨de (v.)⟩ **0.1** *heat.*
brunchen ⟨onov.ww.⟩ **0.1** *have brunch* ⇒*brunch.*
brunel ⟨de⟩ ⟨plantk.⟩ ◆ **2.¶** gewone ~ *self-heal.*
bruneren →**bruineren.**
brunette ⟨de (v.)⟩ **0.1** *brunette.*
Brunswijk ⟨het⟩ **0.1** *Brunswick.*
Brussel ⟨het⟩ **0.1** *Brussels.*
Brusselaar ⟨de (m.)⟩, **Brusselse** ⟨de (v.)⟩ **0.1** *Brussels man* ⟨m.⟩, *Brussels woman* ⟨v.⟩.
Brussels ⟨bn.⟩ **0.1** *Brussels* ◆ **1.1** ~e kant *B. lace;* ~e kermis ⟨*kind of sugared biscuit*⟩; ~ lof *chicory;* ~e spruitjes *B. sprouts.*
brut ⟨bn.⟩ **0.1** *brut* **7.1** ⟨zelfst.⟩ een ~ van 1961 *a 1961 b..*
brutaal ⟨bn., bw.; -ly⟩ ⟨→sprw. 97⟩ **0.1** [zonder respect] *cheeky* ⇒*brazen, impudent, impertinent, insolent* **0.2** [vrijpostig] *bold* ⇒*forward, brazen, shameless* ◆ **1.1** een ~ antwoord *a c. answer;* een brutale leugen *a brazen / barefaced lie;* houd je brutale mond *none of your cheek / sauce!;* een ~ nest *a brazen / shameless hussy;* een brutale streek *a barefaced trick;* een ~ stukje *a piece of cheek* **1.2** een paar brutale kijkers hebben *have an impudent stare;* een brutale opmerking *a forward remark* **3.1** ~ antwoorden *answer back;* dat is ~! *some cheek / nerve!;* iets ~ volhouden *brazen sth. out;* dat was ~ van hem *that was rather cool of him;* niet ~ worden, hè! *none of your cheek!* ⟨sl.⟩ *lip!* **4.1** wan ~! *of all the cheek / nerve!* **5.1** zij was zo ~ om ...*she had the cheek / nerve / gall to ...* **6.1** ~ zijn **tegen** iem. *give s.o. cheek;* ⟨AE; inf.⟩ *sass s.o.* **7.1** wat minder ~ jij! *less of your cheek!* **8.2** hij is zo ~ als de beul *he is as bold as brass.*
brutaaltje ⟨het⟩ ⟨inf.⟩ **0.1** *saucy imp, cheeky monkey, saucebox;* ⟨meisjes ook⟩ *hussy, huzzy, (saucy) baggage.*
brutaalweg ⟨bw.⟩ **0.1** *insolently* ⇒*barefacedly, brazenly, cheekily* ◆ **3.1** iem. ~ de waarheid zeggen *give s.o. a piece of one's mind.*
brutaliseren ⟨ov.ww.⟩ **0.1** *bully* ⇒*browbeat,* ⟨brutaal zijn⟩ *cheek, sauce* ^A*sass.*
brutalisme ⟨het⟩ **0.1** *brutalism.*
brutaliteit ⟨de (v.)⟩ **0.1** [vrijpostigheid] *cheek* ⇒*impudence, insolence, impertinence* **0.2** [uiting, daad] *cheek* ⇒*impudence, insolence, impertinence* ◆ **3.1** hij heeft de ~ te zeggen dat ik lieg *he has the c. / nerve / gall to say that I'm lying* **4.2** wat een ~! *of all the c. / nerve!* **5.2** zo'n ~! *what c. / sauce / impudence!.*
bruto ⟨bw.⟩ **0.1** [⟨hand.⟩] *gross* ⇒*all up* ⟨bv. gewicht⟩ **0.2** [mbt. een salaris / opbrengst] *gross* **0.3** [mbt. goud / zilver] *alloyed* ◆ **1.¶** ~ nationaal produkt *g. national product* **3.1** de kist weegt ~ 800 kg *the crate weighs 800 kg g.* **3.2** het concert heeft ~ ƒ1100 opgebracht *the concert raised 1100 guilders g.* **6.1** ~ **voor** netto *g. (weight) for net.*
brutogewicht ⟨het⟩ **0.1** *gross weight.*
brutoloon ⟨het⟩ **0.1** *gross income.*
brutosalaris ⟨het⟩ **0.1** *gross salary.*
brutowinst ⟨de (v.)⟩ **0.1** *gross profit.*
bruusk ⟨bn., bw.; -ly⟩ **0.1** *brusque* ⇒*abrupt, curt* ◆ **1.1** een ~ antwoord *an abrupt / curt answer;* een ~ optreden *a b. manner.*
bruuskeren ⟨ov.ww.⟩ **0.1** *snub* ⇒*brush off* ◆ **1.1** de zaak ~ *push the matter through.*
bruut¹ ⟨de (m.)⟩ **0.1** *brute* ⇒*beast, bully, ogre.*
bruut² ⟨bn., bw.⟩ **0.1** [gewelddadig] *brute* ⇒*brutal* ⟨gruwelijk⟩ **0.2** [rustiek] *rustic* ◆ **1.1** ~ geweld *brute force* **1.2** brute steen *r. work / stone.*
bruutheid ⟨de (v.)⟩ **0.1** *brutality* ⇒*bruteness.*
bruyère(hout) ⟨het⟩ **0.1** *briar, brier.*
BS ⟨de⟩ ⟨afk.⟩ **0.1** [burgerlijke stand] ⟨*register of births, marriages and deaths*⟩ **0.2** [Binnenlandse Strijdkrachten] ⟨*Forces of the Interior*⟩.
B-status ⟨de (v.)⟩ ⟨radio, t.v.⟩ **0.1** ⟨*middle category of Dutch broadcasting corporations*⟩.
BTW ⟨de (v.)⟩ ⟨afk.⟩ **0.1** [belasting op de toegevoegde waarde] *V.A.T..*
bubbelbad ⟨het⟩ **0.1** [whirlpool] *whirlpool bath* ⇒*jacuzzi* **0.2** [schuimbad] *bubble bath.*
bucentaur ⟨de (m.)⟩ ⟨myth.⟩ **0.1** *bucentaur.*
bucht ⟨de (m.)⟩ ⟨AZN⟩ **0.1** *rubbish* ⇒*junk,* ^A*garbage,* ^A*trash.*
bucolisch ⟨bn.⟩ **0.1** *bucolic* ◆ **1.1** ~e zangen / poëzie *b. songs / poetry.*
buddleja ⟨de (m.)⟩ ⟨plantk.⟩ **0.1** *buddleia* ⇒*butterfly bush.*
buddy-seat ⟨de⟩ **0.1** *pillion.*
budget ⟨het⟩ **0.1** *budget* ◆ **2.1** we hebben een zeer beperkt ~ *we are living on a shoe-string* **6.1** dat past niet **in** mijn ~ *that doesn't suit my b.;* een aanslag **op** mijn ~ *an inroad on my b..*
budgetafspraak ⟨de⟩ **0.1** *budgetary arrangement.*
budgetbewaking ⟨de (v.)⟩ **0.1** *budgetary control.*
budgetrecht ⟨het⟩ **0.1** *right to approve the budget;* ⟨vnl. AE⟩ *power of the purse.*

budgettair ⟨bn.⟩ **0.1** *budgetary* ◆ **1.1** de ~e gelden *the b. funds.*

budgetteren ⟨onov.ww.⟩ **0.1** [ramingen en bedrijfsuitkomsten vergelijken] *budget* **0.2** [begroting maken] *budget.*

budgettering ⟨de (v.)⟩ **0.1** *budgeting.*

budo ⟨het⟩ **0.1** *budo.*

buffel ⟨de (m.)⟩ **0.1** [⟨dierk.⟩] *buffalo* **0.2** [lomperd] ≠[B]*navvy,* [A]*lummox, bear* ◆ **2.1** de Kaapse ~ *the (Cape) b.* **6.2** het is een ~ **van** een kerel *he's a great l. / a b. of a man.*

buffelen ⟨inf.⟩
  I ⟨onov.ww.⟩ **0.1** [gulzig eten] *wolf (down)* ⇒*gobble;*
  II ⟨onov.ww.⟩ **0.1** [afrossen] *thrash* ⇒*wallop, trounce, beat up.*

buffer ⟨de (m.)⟩ **0.1** [spoorw.] *buffer* **0.2** [⟨comp.⟩] *buffer* ◆ **8.1** ⟨fig.⟩ dat kind fungeert als ~ tussen zijn ouders *that child acts as a b. between his parents.*

buffercapaciteit ⟨de (v.)⟩ **0.1** *buffer capacity.*

bufferen ⟨onov.,ov.ww.⟩ **0.1** [bufferwerking uitoefenen/teweegbrengen] *buffer* ⇒*cushion* **0.2** [voorraad aanleggen] *stockpile.*

bufferfonds ⟨het⟩ **0.1** *buffer fund.*

buffermengsel ⟨het⟩ ⟨schei.⟩ **0.1** *buffer (solution).*

bufferstaat ⟨de (m.)⟩ **0.1** *buffer state.*

buffervoorraad ⟨de (m.)⟩ **0.1** *buffer stock.*

bufferwerking ⟨de (v.)⟩ **0.1** *buffer effect.*

bufferzone ⟨de (m.)⟩ **0.1** *buffer zone* ◆ **3.1** tussen de woonkernen zijn ~s gepland *buffer zones are planned between the residential centres* **8.1** het gedemilitariseerde gebied diende als ~ *the demilitarized area served as a b. z..*

buffet ⟨het⟩ **0.1** [meubelstuk] *sideboard* ⇒*buffet* **0.2** [tapkast] *refreshment bar* ⇒*buffet* **0.3** [beheer] *refreshment bar* ⇒*buffet* **0.4** [wat verkrijgbaar is] *buffet* ◆ **2.4** koud ~ *cold b.;* [lopend ~ *buffet* **3.3** wat brengt het ~ op? *what does the r. b. bring in?;* het ~ verpachten *lease the r. b. concession.*

buffetbediende ⟨de (m.)⟩ **0.1** *barman* ⟨m.⟩, *barmaid* ⟨v.⟩ ◆ **3.1** ooit ~ geweest? *ever worked behind a counter (before)?.*

buffetwagen ⟨de (m.)⟩ **0.1** *refreshment trolley.*

bugel ⟨de (m.)⟩ **0.1** [blaasinstrument] *bugle* **0.2** [muzikant] *bugler* **0.3** [partij] *bugle part* ◆ **3.1** (op) de ~ blazen *(play the) bugle.*

bühne ⟨de⟩ **0.1** *boards* ⇒*stage* ◆ **6.1** op de ~ voelde hij zich een ander mens *he felt like a different person on the b..*

bui ⟨de⟩ **0.1** [periode van neerslag] *shower* ⇒*squall, (short) storm* ⟨hevig, met onweer; vaak **4.1** [⟨humeur⟩] *mood* ⇒*humour, temper* ◆ **1.1** maartse ~en *April showers* **2.1** een fikse ~ *a sharp shower/hard rain;* ⟨scheep.⟩ witte/droge ~en *(white) squalls* **2.2** hij heeft weer eens een boze ~ *he is having another one of his tantrums/moods;* in een driftige ~ *in a fit of temper/rage;* een energieke ~ *a fit/burst of energy;* hij had een jolige ~ *he was in jolly spirits/a jolly m.;* hij was in een zeer knorrige ~ *he was in a terribly grouchy/grumpy/cranky m.;* een kwade/goede/vrolijke ~ hebben *be in a bad/good/cheerful m.;* in een nijdige ~ *in a fit of pique* **3.1** de ~ barst los *it started to rain, the clouds opened;* een ~ op zijn kop krijgen *get a soaking;* we krijgen een ~ *we are in for a storm;* de ~ laten overdrijven ⟨fig.⟩ *wait until the storm has passed/blows over;* er komt een ~ opzetten *a storm is brewing;* schuilen voor een ~ *take shelter from a storm;* de ~ trekt af/waait over ⟨fig.⟩ *the storm has passed/blown over;* de ~ zien aankomen/zien hangen ⟨fig.⟩ *see the storm coming/building* **3.2** soms heeft hij van die ~en *he has these mood sometimes* **5.1** hier en daar een ~ *scattered showers* **6.1** voor de ~ binnen zijn ⟨fig.⟩ *be in before the rain* **6.¶** **bij** ~en *by fits and starts, fitfully* **¶.1** het was maar een ~tje *it was just a brief shower.*

buidel ⟨de (m.)⟩ **0.1** [beurs] *purse* ⇒*pouch* **0.2** [huidplooi] *pouch* ◆ **2.1** een dikke welgevulde ~ *a fat/bulging purse* **6.1** hij tast niet graag in de ~ *he reaches into his pocket/opens the purse reluctantly;* een ~ met geld *a sack of money, money in a pouch.*

buidelbeer ⟨de (m.)⟩ **0.1** *koala (bear).*

buideldier ⟨het⟩ **0.1** *marsupial.*

buidelrat ⟨de⟩ **0.1** *opossum.*

buien ⟨onp.ww.⟩ **0.1** ⟨zie 4.1⟩ ◆ **4.1** het buit *it is showery.*

buigbaar ⟨bn.⟩ **0.1** *flexible* ⇒*pliant, pliable, bendable.*

buigen ⟨→sprw. 80,98,559⟩
  I ⟨ov.ww.⟩ **0.1** [doen krommen] *bend* ⇒*bow, flex* ◆ **1.1** het hoofd ~ ⟨fig.⟩ *bow/give in/submit (to);* het hoofd ~ van schaamte *hang one's head in shame;* de knieën ~ *kneel (in prayer), genuflect;* een teen/stok/plank ~ *bend a toe/stick/board;* iemands wil ~ *bend s.o.'s will* **3.1** ~ en strekken *bend and strech* **4.1** zich ~ *bend, bow* ⟨mensen, takken⟩; curve, bend ⟨rivier, weg⟩ **6.1** zich **over** de balustrade ~ *lean over the railing;* zich **over** het werk ~ ⟨fig.⟩ *buckle down to/get stuck into one's work;* zich **over** een probleem ~ ⟨fig.⟩ *go into/tackle a problem;*
  II ⟨onov.ww.⟩ **0.1** [een buiging maken] *bow* **0.2** [zich krommen] *bend (over)* ◆ **3.1** alles voor zich doen ~ *make everything bend to one's will;* ~d weggaan *b. one's way out* **3.2** het is ~ of barsten ⟨fig.⟩ *it's b. or break* **5.1** hij boog diep *he bowed deeply* **5.2** plastic buigt gemakkelijk *plastic bends easily* **6.1** voor iem. ~ *b. to s.o.;* voor iem. in 't stof ~ ⟨fig.⟩ *lick s.o.'s boots;* voor iemands wil ~ ⟨fig.⟩ *b. / yield to s.o.'s will;* voor de Mammon ~ ⟨fig.⟩ *b. to Mammon* **6.2** de weg buigt hier **naar** links *the road curves to the left here;*

III ⟨onov.,ov.ww.⟩ **0.1** [⟨nat.⟩] *diffract.*

buigijzer ⟨het⟩ ⟨amb.⟩ **0.1** *moving/bending iron.*

buiging ⟨de (v.)⟩ **0.1** [bocht] *bend* ⇒*curve, flexure* **0.2** [uiting van eerbied, groet] *bow* ⇒*curtsy* ⟨vrouwen⟩ **0.3** [⟨taal.⟩] *inflection* **0.4** [wijziging van toon] *modulation* **0.5** [⟨nat.⟩] *diffraction* ◆ **1.1** de ~ v.d. arm *the b. of the arm* **1.4** een ~ v.d. stem *voice m.* **3.1** de weg maakt hier een ~ *the road bends/curves here/takes a b. / curve here* **3.2** een ~ maken *bow, curtsy* **3.4** zijn stem heeft veel ~ *his voice has a broad range, there is great m. to his voice* **6.2** ze bedankte **met** een ~ *she bowed her thanks;* iem. **met** ~en verwelkomen/uitgeleide doen *bow s.o. in/out.*

buigingsleer ⟨de (v.)⟩ **0.1** *accidence* ⇒*inflectional morphology.*

buigingsrooster ⟨het⟩ ⟨nat.⟩ **0.1** *diffraction grating.*

buigingsuitgang ⟨de (m.)⟩ ⟨taal.⟩ **0.1** *inflection* ⇒*inflectional ending.*

buigingsvorm ⟨de (m.)⟩ ⟨taal.⟩ **0.1** *inflection* ⇒*inflectional ending/ form.*

buigproef ⟨de⟩ **0.1** *bending test.*

buigpunt ⟨het⟩ ⟨wisk.⟩ **0.1** *point of inflection.*

buigspanning ⟨de (v.)⟩ **0.1** *bending stress.*

buigspier ⟨de⟩ **0.1** *flexor.*

buigtang ⟨de⟩ **0.1** *(pair of) pliers.*

buigvastheid ⟨de (v.)⟩ **0.1** *bending/flexural strength.*

buigzaam ⟨bn.⟩ **0.1** [lenig] *flexible* ⇒*pliant, pliable, supple, malleable* **0.2** [zich gemakkelijk schikkend] *flexible* ⇒*adaptable, compliant, yielding* ◆ **1.2** een ~ karakter *a compliant/yielding disposition.*

buiig ⟨bn.⟩ **0.1** [onbestendig] *showery* ⇒*gusty, squally* **0.2** [van stemming wisselend] *temperamental* ⇒*volatile.*

buik ⟨de (m.)⟩ **0.1** [mbt. personen] *belly* ⇒*stomach,* ⟨kind.⟩ *tummy,* ⟨onderste gedeelte⟩ *abdomen* **0.2** [mbt. dieren] *belly* ⇒*stomach* **0.3** [mbt. voorwerpen] *belly* ⇒*body, thickest part/section,* ⟨van zeil ook⟩ *bunt,* ⟨med., van spier ook⟩ *venter,* ⟨van ton ook⟩ *bilge* **0.4** [⟨nat.⟩] *antinode* ◆ **1.3** de ~ v.e. fles *the body of a bottle;* de ~ v.e. schip *the belly of a ship;* de ~ v.e. zuil *the thickest part of a column* **2.1** een dikke ~ *a fat b. / stomach, a paunch, a (fat) gut, a pot b.;* ⟨fig.⟩ er de ~ van vol hebben *be fed up with (it), be sick and tired of (it), be fed up to the back teeth* **3.1** zijn ~ inhouden *hold in one's stomach;* zijn ~ vasthouden v.h. lachen *hold one's sides with laughter* **5.1** zijn ~ rond gegeten hebben *have eaten one's fill, be sated with food* **6.1** ⟨fig.⟩ met het mes in de ~ rondlopen *carry the (weight of the) world on one's shoulders;* ⟨vulg.⟩ een ~ **met/vol** benen hebben, met een dikke ~ lopen ⟨scherts.⟩ [B]*have a bun in the oven, be in the pudding club;* **op** zijn ~ liggen *lie on one's stomach b.;* ⟨inf.;fig.⟩ schrijf het maar **op** je ~ *not on your life, forget it;* hij heeft **van** zijn ~ een afgod gemaakt *all the thinks about is his stomach* **8.1** hij heeft een ~ als een burgemeester *he's got a paunch.*

buikademhaling ⟨de (v.)⟩ **0.1** *abdominal respiration.*

buikbreuk ⟨de (v.)⟩ **0.1** *hernia* ⇒*rupture.*

buikdans ⟨de (m.)⟩ **0.1** *belly dance.*

buikdansen ⟨ww.⟩ **0.1** *(do a) belly dance.*

buikdanseres ⟨de (v.)⟩ **0.1** *belly dancer.*

buikdenning ⟨de (v.)⟩ ⟨scheep.⟩ **0.1** *ceiling.*

buikfles ⟨de⟩ **0.1** *flagon.*

buikgording ⟨de (v.)⟩ ⟨scheep.⟩ **0.1** *buntline.*

buikgriep ⟨de⟩ **0.1** *gastroenteritis.*

buikholte ⟨de (v.)⟩ **0.1** *abdomen* ⇒*abdominal cavity.*

buikig ⟨bn.⟩ **0.1** [dik] *paunchy* ⇒*corpulent* **0.2** [buikvormig] *bulbous* ⇒*rounded, full* ◆ **1.1** een ~ heerschap *a corpulent gentleman* **1.2** een ~e vaas *a b. vase.*

buikijzer ⟨het⟩ **0.1** *scoop.*

buikje ⟨het⟩ **0.1** [kleine buik] *little/small stomach/belly* ⇒⟨inf.;kind.⟩ *tummy* **0.2** [dikke buik] *belly* ⇒*paunch, (fat) gut* ◆ **3.2** een ~ krijgen *get/develop a paunch/gut/middle-age(d) spread/a pot b.* **5.2** het ~ eraf lopen *walk off one's fat/dinner;* zijn ~ rond/vol eten *eat one's fill.*

buikkramp ⟨de⟩ **0.1** *stomach/abdominal cramp* ⇒*the gripes* ⟨mv.⟩.

buiklanding ⟨de (v.)⟩ **0.1** *belly landing* ⇒*belly flop.*

buikloop ⟨de (m.)⟩ **0.1** *diarrhoea* ⇒⟨inf.⟩ *the runs/trots.*

buikoperatie ⟨de (v.)⟩ **0.1** *abdominal operation* ⇒*laparotomy.*

buikorgel ⟨het⟩ **0.1** *belly organ.*

buikpijn ⟨de⟩ **0.1** *stomachache* ⇒*bellyache, abdominal pain* ◆ **3.1** ⟨fig.⟩ ~ om/over/van iets hebben *have the collywobbles;* ⟨fig.⟩ 't is om er ~ van te krijgen *it will make you ill/sick.*

buikplaat ⟨de⟩ **0.1** *sternite.*

buikpotig ⟨bn.⟩ ⟨dierk.⟩ ◆ **1.¶** de ~e weekdieren *gast(e)ropods* **7.¶** ⟨zelfst.⟩ de ~en *gast(e)ropods.*

buikriem ⟨de (m.)⟩ **0.1** [gordel] *belt* **0.2** [zadelriem] *girth* ⇒*bellyband,* ⟨vnl. AE⟩ *cinch* ◆ **3.1** zij zullen de ~ wat moeten aanhalen *they will have to tighten their belt(s) a bit.*

buikspeekselklier ⟨de⟩ **0.1** *pancreas.*

buikspier ⟨de⟩ **0.1** *stomach muscle* ⇒*abdominal muscle.*

buikspieroefening ⟨de (v.)⟩ **0.1** *stomach (muscle) exercise* ⇒*abdominal exercise.*

buikspreken ⟨ww.⟩ **0.1** *ventriloquize* ⇒*throw one's voice* ◆ **7.1** ⟨zelfst.⟩ het ~ *ventriloquism.*

buikspreker ⟨de (m.)⟩, **-spreekster** ⟨de (v.)⟩ **0.1** *ventriloquist.*
buikstreek ⟨de⟩ **0.1** *abdomen* ⇒*abdominal region.*
buikvin ⟨de⟩ ⟨dierk.⟩ **0.1** *pelvic fin;* ⟨buik- en aarsvin⟩ *ventral fin.*
buikvlies ⟨het⟩ **0.1** *peritoneum.*
buikvliesontsteking ⟨de (v.)⟩ **0.1** *peritonitis.*
buikwand ⟨de (m.)⟩ **0.1** *abdominal wall.*
buikweger →**buikdenning.**
buikwind ⟨de (m.)⟩ **0.1** ↓*fart* ⇒⟨mv.⟩ *wind, flatulence.*
buikwond ⟨de⟩ **0.1** *abdominal injury/wound* ⇒*stomach wound.*
buikzijde ⟨de⟩ **0.1** *ventral side.*
buikzuiverend ⟨bn.⟩ **0.1** *purgative.*
buikzwam ⟨de⟩ **0.1** *gasteromycete.*
buil ⟨→sprw. 67⟩
   I ⟨de⟩ **0.1** [bult] *bump* ⇒*lump, swelling, protuberance* ◆ **3.1** ⟨fig.⟩ daar kun je/zul je je geen ~ aan vallen *you can't go wrong on/with that;* zich een ~ vallen/stoten *get a b./bruise from falling/from bumping into sth., bump o.s. falling/from running into sth.;*
   II ⟨de (m.)⟩ **0.1** [⟨vnl. in samenst.⟩ papieren zakje] *paper bag/sack* **0.2** [zeef] *bolter* ◆ **1.1** een theebuiltje *tea bag.*
builen ⟨ov.ww.⟩ **0.1** *bolt.*
builenpest ⟨de⟩ **0.1** *bubonic plague.*
buis
   I ⟨de⟩ **0.1** [koker, pijp] *tube* ⇒*pipe, tubing, conduit, flue* ⟨kachel⟩, *valve, tube* ⟨van radio e.d.⟩ **0.2** [⟨plantk.⟩ *tube* **0.3** [televisie] ᴮ*box*, ᴮ*telly*, ᴬ*tube* ⇒*TV* **0.4** [⟨mil.⟩] *fuse* **0.5** [slag, vlaag] *gust* ⇒*burst* **0.6** [schip] *herring boat* ◆ **1.1** de ~ van Eustachius *Eustachian tube;* de buizen v.d. waterleiding *water pipes* **2.1** ⟨med.⟩ Falloppische ~ *Fallopian tubes;* een glazen ~ *a glass tube;* een tinnen ~ *a tin pipe* **3.1** buizen trekken/persen *make/produce tubes/tubing* **3.¶** ⟨AZN⟩ een ~ krijgen/er met een ~ je afkomen *fail/*ᴬ*flunk an exam* **6.3** op de ~ *on the* ᴮ*box/*ᴬ*tube;*
   II ⟨het⟩ **0.1** [jasje] *(tight) jacket.*
buisje ⟨het⟩ **0.1** *tube* ⇒*vial* ◆ **1.1** een ~ aspirine *a bottle/vial of aspirin.*
buislamp ⟨de⟩ **0.1** *strip light* ⇒*fluorescent/tubular lamp.*
buisleiding ⟨de (v.)⟩ **0.1** *pipe(line)* ⇒*pipes, piping* ◆ **1.1** de ~ van de gasfabriek *the gas (company) pipes/pipeline.*
buispost →**buizenpost.**
buisverlichting ⟨de (v.)⟩ **0.1** *strip/fluorescent lighting.*
buisvormig ⟨bn.⟩ **0.1** [met de vorm v.e. buis] *tubular* ⇒*tubulate(d), tubate* **0.2** [⟨plantk.⟩] *tubular.*
buiswater ⟨het⟩ **0.1** *spray.*
buit ⟨de (m.)⟩ **0.1** [wat men veroverd heeft] *booty* ⇒*spoils, plunder, loot, haul* **0.2** [jachtbuit] *catch* ⇒*bag, take* ◆ **2.1** er met de hele ~ vandoor gaan *make off with all the loot* **2.2** met een flinke ~ thuiskomen *come home with a big c.;* met rijke ~ keerde de jachtstoet huiswaarts *the hunting party headed for home with their handsome take* **3.1** de ~ binnenhalen *haul in the loot,* ↑*reap a rich reward;* de gestolen ~ verdelen *divvy up/divide the stolen loot/b.;* iets ~ maken *capture sth.* **6.1** met de ~ gaan strijken *carry off the prize;* op ~ varen *plunder.*
buitelaar ⟨de (m.)⟩, **-ster** ⟨de (v.)⟩ **0.1** *tumbler.*
buitelen ⟨onov.ww.⟩ **0.1** [duikelen] *tumble* ⇒*somersault* **0.2** [failliet gaan] *bankrupt* ⇒*broke* ◆ **1.1** kopje ~ *turn somersaults* **1.2** die koopman is gebuiteld *that dealer is bankrupt/broke.*
buiteling ⟨de (v.)⟩ **0.1** [bokkesprong] *capriole* ⇒*caper* **0.2** [duikeling over het hoofd] *tumble* **0.3** [bankroet] *bankruptcy* ◆ **3.1** vreemde/rare ~ en maken *take a strange/crazy approach* **3.2** een lelijke ~ maken *take a nasty spill/t..*
buiten¹ ⟨het⟩ **0.1** *country place* ⇒*countryhouse* ◆ **6.1** ⟨AZN⟩ van ~ zijn *be from the country/provinces.*
buiten² ⟨bw.⟩ **0.1** *outside* ⇒*out, outdoors* ◆ **1.1** een dagje ~ *a day in the country, a country outing;* honden ~ *no dogs allowed* **3.1** daar wil ik ~ blijven ⟨fig.⟩ *I want to stay/keep out of that;* de koeien ~ doen *let/turn the cows out;* ~ slapen *sleep in the open/outdoors;* de kinderen spelen ~ *the children are playing outside;* hij woont ~ *he lives in the country;* de vuilnisbak ~ zetten *put the rubbish (bin)/*ᴬ*trash out* **6.1** naar ~ opengaan *open outwards;* de voeten naar ~ zetten *turn one's toes/feet out;* naar ~ gaan ⟨buitenshuis⟩ *go outside(doors);* ⟨naar het platteland, de stad uit⟩ *go to the country/out of town;* ⟨scheep.⟩ *put to sea;* naar ~ brengen *take out* ⟨voorwerp⟩ *lead/show out* ⟨persoon⟩; naar ~ rennen *run out(side)/outdoors;* naar ~ volgen *follow out;* zijn voeten staan naar ~ *his feet/toes point outwards;* dat gaat alles te ~ *that goes beyond/exceeds the limit;* hij ging zijn bevoegdheid te ~ *he exceeded his authority/competence;* zich te ~ gaan (aan) *overindulge (o.s.) (in);* zich aan eten/drinken/roken te ~ gaan *eat/drink/smoke to excess;* van ~ *from/on the outside;* leerlingen van ~ *commuting students;* zo stad van ~ kennen *know a city inside out;* van ~ komen ⟨v.h. platteland⟩ *come from the country/provinces;* ⟨van buiten naar binnen⟩ *come from outside;* hulp/invloeden van ~ *outside help/influences;* van ~ gezien *seen/viewed from the outside;* een gedicht van ~ leren/kennen/opzeggen *learn/know/repeat a poem by heart.*
buiten³ ⟨vz.⟩ **0.1** [uit] *outside* ⇒*beyond* **0.2** [niet betrokken bij] *out of* ⇒ *outside of* **0.3** [behalve] *except (for)* ⇒*outside of* **0.4** [zonder] *without*

⇒*outside of* ◆ **1.1** dat ligt ~ zijn bereik ⟨fig.⟩ *that is beyond his scope/grasp;* ~ het bereik van *out of reach/range of;* ~ zijn boekje gaan *go beyond one's powers/authority;* ~ boord *outboard;* ~ de deur *outside, outdoors;* dat valt ~ mijn gebied ⟨fig.⟩ *that is/falls o. of my area/scope;* ~ gevaar *out of danger;* ~ het huis *o./* ⟨Sch.E⟩ *outwith the house;* zich ~ schot houden *keep o.s. out of range* **1.2** iets ~ beschouwing laten *leave sth. aside/out of consideration;* ~ dienst zijn *be retired;* iem. ~ gevecht stellen *put s.o. out of action;* ~ verwachting *contrary to expectations;* ~ werking/gebruik *out of order/use;* ik sta geheel ~ de zaak *I am completely/totally out of this matter, I have nothing to do with/am not involved in this matter* **1.4** zich ~ adem lopen *run so hard/long that one is out of breath, be out of breath from running;* ~ kennis *unconscious;* 't is ~ mijn medeweten gebeurd *it happened w. my knowledge;* dat is ~ zijn schuld *that is not his fault;* ~ twijfel/kijf *beyond doubt/dispute;* ⟨fig.⟩ ~ de waard rekenen *miscalculate, not take everything into account, overlook sth.* **1.¶** ~ westen *unconscious* **3.2** er ~ blijven *stay/keep out of it;* hou je er ~! *stay/keep out of it!;* zich ergens ~ houden *keep/stay out of sth., stand aside;* iem. ergens ~ houden/laten *keep/leave s.o. out of sth.;* hij staat ~ alles ⟨neemt nergens deel aan⟩ *he is always on the outside, he's a bit of a loner;* ⟨is er niet bij betrokken⟩ *he's not involved* **3.4** ik kan er niet/moeilijk ~ *I can't do/cannot do w. it* **4.1** hij was ~ zichzelf van angst/woede/blijdschap enz. *he was beside himself with fear/anger/happiness* **4.3** ~ hem bestaat niets voor haar *nothing exists for her aside from/except for/outside of him* **4.4** hij kon niet ~ mij *he couldn't do w. me;* hij heeft de zaak ~ mij om beslist *he decided the matter w. (consulting) me* **¶.3** ~ en behalve *over and above, exclusive.*
buitenaanzicht ⟨het⟩ **0.1** *external/outside aspect/appearance.*
buitenaards ⟨bn.⟩ **0.1** *extraterrestrial* ◆ **1.1** een ~ wezen *an extraterrestrial, an alien.*
buitenaf ⟨bw.⟩ **0.1** [van/aan de buitenzijde] *outside* ⇒*external, from/on the outside* **0.2** [afgelegen] *on the outskirts* ◆ **3.1** ~ beginnen *start from/on the outside;* een zaak ~ bekijken/~ over iets oordelen *superficially examine a matter, make a superficial judgment about sth.;* zich ~ houden *stay on the sidelines* **3.2** zij wonen nogal ~ *they live quite a long way out* **6.1** tussenkomst van ~ *o. interference;* studenten van ~ *external students;* zonder druk van ~ *without external pressure;* iets van ~ horen *hear sth. from an outsider;* hulp van ~ *o. help.*
buitenantenne ⟨de⟩ **0.1** *outdoor aerial* ⇒ ⟨vnl. AE⟩ *outdoor antenna.*
buitenbaan ⟨de⟩ ⟨sport⟩ **0.1** *outside track/lane.*
buitenbaarmoederlijk ⟨bn.⟩ **0.1** *ectopic* ◆ **1.1** ~e zwangerschap *e. pregnancy.*
buitenbad ⟨het⟩ **0.1** *open-air/outdoor pool.*
buitenband ⟨de (m.)⟩ **0.1** *tyre* ᴬ*tire.*
buitenbeens ⟨bw.⟩ **0.1** ≠*(on the) outside edge* ◆ **3.1** ~ schaatsenrijden ≠*skate/glide on the outside edge.*
buitenbeentje ⟨het⟩ **0.1** *odd man out* ⇒*outsider,* ⟨AE ook⟩ *maverick* ◆ **2.1** een socialistisch ~ *a socialist outsider/maverick socialist.*
buitenbocht ⟨de⟩ **0.1** *outside curve/bend.*
buitenboel ⟨de (m.)⟩ **0.1** *outside* ◆ **3.1** de ~ doen *clean the outside of the house/the paintwork/the windows* ⟨enz.⟩.
buitenboordbeugel ⟨de (m.)⟩ ⟨inf.; scherts.⟩ **0.1** *brace.*
buitenboordmotor ⟨de (m.)⟩ **0.1** *outboard motor.*
buitenboordskraan ⟨de⟩ ⟨scheep.⟩ **0.1** *sea cock.*
buitenbus ⟨de⟩ **0.1** *letterbox/*ᴬ*mailbox on the road.*
buitendeur ⟨de⟩ **0.1** [deur in een buitenmuur] *front door* ⇒*outside door* **0.2** [sluisdeur] *sluice gate.*
buitendien ⟨bw.⟩ **0.1** *moreover* ⇒*besides.*
buitendienst ⟨de (m.)⟩ **0.1** [werk] *external duty, fieldwork* **0.2** [organisatie] *field organization* ◆ **3.1** ~ hebben *work outside the office/in the field.*
buitendijk ⟨de (m.)⟩ **0.1** *outer dike.*
buitendijks ⟨bn., bw.⟩ **0.1** *outside the dike(s)* ◆ **1.1** ~s hooi *hay outside the dike.*
buitenechtelijk ⟨bn.⟩ **0.1** *extramarital* ◆ **1.1** ~e gemeenschap/omgang *e. relations;* ~ kind *illegitimate child, child born out of wedlock.*
buitenenkel ⟨de (m.)⟩ **0.1** *outer ankle.*
buitengaats ⟨bw.⟩ **0.1** *offshore* ◆ **1.1** een eindje ~ *some way o..*
buitengebeuren ⟨het⟩ **0.1** [wat zich buitenshuis afspeelt] *outside events* **0.2** [wat niet bij het interieur hoort] *exterior.*
buitengebruikstelling ⟨de (v.)⟩ **0.1** *discontinuation* ⇒*disuse, closedown.*
buitengemeen ⟨bn., bw.; -ly⟩ ⟨schr.⟩ **0.1** *exceptional* ⇒*extraordinary, superlative, wondrous* ◆ **1.1** buitengemene talenten *exceptional talents* **2.1** hij was ~ knap *he was exceptionally bright;* ~ zeldzaam *exceedingly rare.*
buitengerechtelijk ⟨bn., bw.; -ly⟩ **0.1** *extrajudicial* ◆ **1.1** een ~ onderzoek naar zijn verleden *an e. investigation into his past.*
buitengewesten ⟨zn.mv.⟩ **0.1** *outlying districts/provinces.*
buitengewoon
   I ⟨bn.⟩ **0.1** [v.h. gewone afwijkend] *special* ⇒*extra* **0.2** [boven het gewone uitstekend] *exceptional* ⇒*extraordinary, uncommon, unusual* ◆ **1.1** buitengewone dienst *one-time/s. item on the budget;* ~ gezant *envoy extraordinary;* ~ hoogleraar ≠*associate professor;* buitengewo-

buitengoed - buitentent 224

ne leden *associate/adjunct members;* buitengewone omstandigheden/ lasten *unusual/s. circumstances/charges;* ~ onderwijs *s. education;* buitengewone uitgaven *extra expenses, extras;* een buitengewone vergadering *an extraordinary meeting* **1.2** een man met een buitengewone moed *a man of unusual/singular/extraordinary courage;* buitengewone talenten *exceptional talents;* buitengewone zorg aan iets besteden *devote special/extra care to sth.* **4.2** iets ~s *sth. out of the ordinary;* niets ~s *nothing unusual/out of the ordinary;*
II ⟨bw.⟩ **0.1** [zeer] *extremely* ⇒*exceptionally, extraordinarily, uncommonly* ◆ **2.1** 't is ~ heet/goed *it is extremely/uncommonly hot/good;* ~ mooi *uncommonly/strikingly pretty;* ~ ver *extremely far* **3.1** ~ genieten *enjoy (sth./o.s.) to the utmost/thoroughly.*

buitengoed ⟨het⟩ **0.1** *countryseat* ⇒*estate.*
buitenhaven ⟨de⟩ **0.1** *outer harbour.*
buitenhoek ⟨de (m.)⟩ **0.1** [uithoek] *backwater* **0.2** [⟨wisk.⟩] *exterior angle* **0.3** [hoek aan de buitenkant] *outside/outer corner.*
buitenhuis
I ⟨het⟩ **0.1** [plein in Den Haag] *'buitenhof'* ⟨*square in The Hague*⟩;
II ⟨de (m.)⟩ **0.1** [tuin buiten de stad] *country place.*
buitenhuis ⟨het⟩ **0.1** *country house* ⇒*(country) cottage/* ⟨inf.⟩ *place* ◆ **6.1** 's zomers woont hij in zijn ~ je *he spends his summers in his country cottage.*
buitenissig ⟨bn.⟩ ⟨inf.⟩ **0.1** *unusual* ⇒*strange, peculiar, eccentric.*
buitenissigheid ⟨de (v.)⟩ **0.1** *uncommonness* ⇒*oddity, eccentricity.*
buitenkansje ⟨het⟩ **0.1** *stroke/bit/piece of luck* ◆ **3.1** hij had een ~ *he had a windfall* ⟨geld⟩ */a bit of luck* **4.1** wat een ~! dat krijg je nooit meer *this is the opportunity/chance of a lifetime!.*
buitenkant ⟨de (m.)⟩ **0.1** [buitenzijde] *outside* ⇒*exterior* **0.2** [de buitenwijken] *outskirts* ⇒*outlying districts* ◆ **6.1** ⟨fig.⟩ het zit bij hem maar **aan** de ~ *it's only skin deep with him;* **aan** de ~ *on the o./surface, superficially;* het zag er **aan** de ~ *deftig uit it looked respectable enough on the o.;* hoe breed is het **aan** de ~ *what are the outside/outer dimensions?, how is it on the o.?;* **op** de ~ *afgaan judge by appearances.*
buitenkerkelijk ⟨bn.⟩ **0.1** [buiten de kerk omgaande] *lay* ⇒*non-denominational* **0.2** [niet tot een kerkgenootschap behorend] *non-church* ⇒*churchless.*
buitenkerkelijken ⟨zn.mv.⟩ **0.1** *non-church members* ◆ **6.1** een preek **voor** ~ *a sermon for the churchless.*
buitenkleur ⟨de⟩ **0.1** *outdoor complexion.*
buitenkoersstelling ⟨de (v.)⟩ **0.1** [mbt. munten] *retirement* **0.2** [mbt. effecten] *withdrawal (from the market).*
buitenkomen ⟨onov.ww.⟩ **0.1** *come outside/outdoors/out of doors.*
buitenkraan ⟨de⟩ **0.1** *outside tap.*
buitenlamp ⟨de⟩ **0.1** *outside lamp/light.*
buitenland ⟨het⟩ **0.1** [buiten de staatsgrenzen] *foreign country/countries* **0.2** [buitendijks] *land outside of the dike(s)* ◆ **6.1** dat wordt in het ~ gemaakt *that is made abroad, that is an import/is not domestically produced;* **naar** het ~ vertrekken/gaan *leave for abroad, go abroad;* voor zijn werk moet hij **naar** het ~ *he has to travel abroad quite often for his work, his work often takes him abroad;* invoer **uit** het ~ *import(ation);* tomaten **uit** het ~ *foreign(-grown) tomatoes;* **van/uit** het ~ terugkeren *return/come home/back from abroad.*
buitenlander ⟨de (m.)⟩, **-landse** ⟨de (v.)⟩ **0.1** *foreigner* ⇒*alien.*
buitenlands ⟨bn.⟩ **0.1** [uit het buitenland] *foreign* **0.2** [het buitenland betreffend] *foreign* ⇒*external, international* ◆ **1.1** onze ~e afdelingen ⟨ook⟩ *our overseas offices/branches;* ~e produkten *f. products;* ⟨zelfst.⟩ hij spreekt geen woord ~ *he doesn't speak any f. language* **1.2** het ~ beleid *the f. policy;* ~e dienst *ᴮDiplomatic Service, ᴬf. service;* een ~e reis *a trip abroad;* ~e schuld *international dept;* minister van ~e zaken *Minister of Foreign Affairs, ᴮForeign Secretary/Minister, ᴮSecretary of State for Foreign Affairs, ᴬSecretary of State;* Ministerie van Buitenlandse Zaken *Ministry of Foreign Affairs, ᴮForeign Office, ᴬDepartment of State.*
buitenlandspecialist ⟨de (m.)⟩ **0.1** *international/foreign affairs expert* ⇒ *specialist in international/foreign affairs.*
buitenlaten ⟨ov.ww.⟩ **0.1** [buiten laten blijven] *leave out* **0.2** [uitlaten] *let /put out* ◆ **1.2** wil je de kat even ~? *would you let/put the cat out, please?.*
buitenleven ⟨het⟩ **0.1** *country life/living* ⇒*life in the country/open air.*
buitenlid ⟨het⟩ **0.1** *non-resident member.*
buitenlijn ⟨de⟩ **0.1** *(outside) line.*
buitenlucht ⟨de⟩ **0.1** *open (air)* ⟨buitenshuis⟩; *country air* ⟨v.h. platte)land⟩ ◆ **3.1** de gezonde ~ *the healthy c. a.* **3.1** de ~ zal haar goeddoen *the c. a. will benefit her/do her good* **6.1** in de ~ slapen *sleep in the open/outdoors, sleep out.*
buitenlui ⟨zn.mv.⟩ → **buitenman.**
buitenmaat ⟨de⟩ **0.1** *outside/external dimension.*
buitenman ⟨de (m.)⟩ **0.1** *man from the country* ⇒*countryman, rustic* ◆ **1.1** burgers en buitenlui *city and country people.*
buitenmate ⟨bw.⟩ **0.1** *extremely* ⇒*exceedingly, excessively,* ⟨vnl. AE/Sch.E.⟩ *overly* ◆ **2.1** ~ fraai *extremely attractive.*
buitenmatig ⟨bn., bw.; -ly⟩ **0.1** *extreme* ⇒*excessive* ◆ **1.1** een ~e belangstelling *an extreme/excessive interest.*

buitenmens ⟨het, de (m.)⟩ **0.1** [iem. die v.h. buitenleven houdt] *outdoor(s)man* ⟨m.⟩, *outdoor(s)woman* ⟨v.⟩ **0.2** [plattelander] *person from the country* ⇒*countryman* ⟨m.⟩, *countrywoman* ⟨v.⟩, *rustic* ◆ **3.1** ik ben geen ~ *I'm not an/no o..*
buitenmodel¹ ⟨het⟩ ⟨mil.⟩ **0.1** *non-regulation uniform.*
buitenmodel² ⟨bn., bw.⟩ **0.1** *non-standard* ⇒*out-size* ⟨kleren⟩, *special* ◆ **1.1** een ~ vrachtauto *a n.-s.* ᴮ*lorry/* ᴬ*truck.*
buitenmuur ⟨de (m.)⟩ **0.1** *outside/outer/exterior wall.*
buitennatuurlijk ⟨bn.⟩ **0.1** *supernatural* ⇒*metaphysical.*
buitenom ⟨bw.⟩ **0.1** *around* ⇒*round the house/town* ⟨enz.⟩ ◆ **3.1** voor het toilet moet je ~ gaan *to go to the toilet you have to go round the back* **6.1** ⟨fig.⟩ van ~ *roundabout.*
buitenomgaan ⟨onov.ww.⟩ **0.1** *go (a)round.*
buitenop ⟨bw.⟩ **0.1** *(on the) outside.*
buitenopname ⟨de⟩ **0.1** *exterior* ⇒*outdoor shot/scene, shot(s) (taken) on location.*
buitenparlementair ⟨bn., bw.⟩ **0.1** *extraparliamentary* ◆ **1.1** ~e oppositie/actie *opposition/action from the outside, outside opposition/action.*
buitenparochie ⟨de (v.)⟩ **0.1** *rural/outlying parish.*
buitenpasser ⟨de (m.)⟩ ⟨tech.⟩ **0.1** *(outside) callipers* ᴬ*calipers.*
buitenplaats ⟨de⟩ **0.1** [landhuis] *country estate* ⇒*countryhouse, countryseat* **0.2** [afgelegen plaats] *remote/out-of-the-way spot/place* ◆ **¶** noem maar een ~ (op) *what's that got to do with the price of fish/tea (in China)?, what's the odds?.*
buitenplaneet ⟨de⟩ **0.1** *superior/exterior planet.*
buitenpolder ⟨de (m.)⟩ **0.1** [polder buiten de hoofdwaterkering] *reclaimed land/polder outside of the main dike* **0.2** [uithoek v.h. land] *the sticks* ◆ **6.2** hij woont ergens **in** 2o'n ~ *he lives out in the sticks somewhere/* ⟨AE; sl.⟩ *down in the boondocks.*
buitenpost ⟨de (m.)⟩ **0.1** *outpost* ⇒*outstation* ◆ **6.1** op een ~ zitten *live in an outpost.*
buitenreclame ⟨de⟩ **0.1** *outdoor advertising.*
buitenschools ⟨bn., bw.⟩ **0.1** *extracurricular* ⇒*extramural, outside of school* ⟨na zn.⟩ ◆ **1.1** ~e activiteiten *extracurricular activities, activities outside of school.*
buitenschriftuurlijk ⟨bn.⟩ **0.1** *non-scriptural* ⇒*outside of the Scripture.*
buitenshuis ⟨bw.⟩ **0.1** *outside* ⇒*out(side) of the house, outdoors, out of doors* ◆ **3.1** ~ eten *eat/dine out;* rustige jongeman, bezigheden ~ hebbende, zoekt woonruimte *quiet young man, out all day, seeks accommodation;* zij slaapt ~ *she sleeps out;* ~ werken *work outside the house;* ⟨mbt. werkende vrouw⟩ *work outside the home.*
buitenslands ⟨bw.⟩ **0.1** *abroad* ⇒*out of the country,* ⟨overzee⟩ *overseas* ◆ **3.1** hij is/reist ~ *he is (travelling) a..*
buitensluiten ⟨ov.ww.⟩ **0.1** [niet binnenlaten] *shut out* ⟨ook kou, licht⟩ ⇒*lock out* **0.2** [niet laten meedoen] *leave/shut out* ⇒*exclude* **0.3** [onmogelijk maken] *preclude* ⇒*render impossible, rule out* ◆ **1.1** het zonlicht ~ *shut out the light* **1.3** vergissingen zijn zo goed als buitengesloten *mistakes have been rendered nearly impossible/have been as good as ruled out* **4.1** hij had zichzelf buitengesloten *he had locked himself out* **6.2** hij voelde zich **door** zijn klasgenoten buitengesloten *his classmates made him feel left out/excluded.*
buitenspel¹ ⟨het⟩ ⟨sport⟩ **0.1** *offside* ◆ **3.1** de scheidsrechter fluit voor ~ *the referee whistles for o..*
buitenspel² ⟨bw.⟩ ⟨sport⟩ **0.1** *offside* ◆ **3.1** ⟨fig.⟩ iem. ~ zetten *sidetrack s.o..*
buitenspeler ⟨de (m.)⟩, **-speelster** ⟨de (v.)⟩ ⟨sport⟩ **0.1** *outside (player)* ⇒*(right/left) winger.*
buitenspelpositie ⟨de (v.)⟩ ⟨sport⟩ **0.1** *offside* ◆ **6.1** in ~ staan *be o..*
buitenspelregel ⟨de (m.)⟩ ⟨sport⟩ **0.1** *offside rule.*
buitenspelval ⟨de (m.)⟩ ⟨sport⟩ **0.1** *offside trap* ◆ **3.1** de ~ openzetten *open (up) the o. t.;* de ~ omzeilen *avoid/spring the o. t.* **6.1** in de ~ lopen *to be caught offside.*
buitenspiegel ⟨de (m.)⟩ **0.1** *outside mirror* ⇒*wing mirror.*
buitensporig ⟨bn., bw.; -ly⟩ **0.1** *extravagant* ⇒*excessive, exorbitant, inordinate, prohibitive* ◆ **1.1** een ~ gedrag *extravagant/intemperate behaviour, excesses;* ~e ontwerpen *extravagant plans;* ~e schatten *priceless treasures* **2.1** ~ hoge prijzen *exorbitant prices, excessively high prices* **3.1** hij drinkt ~ *he drinks to excess/excessively.*
buitensporigheid ⟨de (v.)⟩ **0.1** [het buitensporig zijn] *extravagance* ⇒*excessiveness, exorbitance* **0.2** [wat buitensporig is] *extravagance* ⇒*excess* ◆ **¶.2** die buitensporigheden zijn hem duur te staan gekomen *his excesses have cost him dearly.*
buitensport ⟨de (m.)⟩ **0.1** *outdoor sports;* ⟨mbt. jagen/vissen⟩ *field sports.*
buitenst ⟨bn.⟩ **0.1** *out(er)most* ⇒*exterior, outer.*
buitenstaan ⟨onov.ww.⟩ **0.1** *stand outside.*
buitenstaander ⟨de (m.)⟩ **0.1** *outsider* ◆ **3.1** hij voelde zich een ~ *he felt like an o., he felt excluded/left out.*
buitenste ⟨het⟩ **0.1** *outside* ⇒*exterior* ◆ **1.1** het ~e v.h. brood is zwart geworden *the o. of the bread became black.*
buitentemperatuur ⟨de (v.)⟩ **0.1** *outside temperature.*
buitentent ⟨de⟩ **0.1** *fly* ⇒*flysheet.*

buitentijds ⟨bw.⟩ **0.1** *out of season* ⇒*at an unscheduled/ irregular time, out of hours* ◆ **3.1** een vergadering~ bijeenroepen *call an extraordinary/ unscheduled meeting;* iem. ~ wegzenden *send s.o. home early.*
buitenveld ⟨het⟩ ⟨cricket, honkbal⟩ **0.1** *outfield.*
buitenvelder ⟨de (m.)⟩ ⟨cricket, honkbal⟩ **0.1** *outfielder.*
buitenverblijf ⟨het⟩ **0.1** [woning] *countryhouse* ⇒*country place/ cottage,* ⟨groot⟩ *countryseat* **0.2** [het verblijven] *stay/ sojourn in the country.*
buitenverlichting ⟨de (v.)⟩ **0.1** *exterior lighting.*
buitenwaarts
I ⟨bw.⟩ **0.1** [in de richting naar buiten] *outward(s)* ◆ **3.1** de voeten~ zetten *turn one's feet/ toes out;*
II ⟨bn.⟩ **0.1** [naar buiten gericht] *outward* ◆ **1.1** een ~e beweging *an o. movement.*
buitenwacht ⟨de⟩ **0.1** *outside world* ⇒*public, outsiders* ⟨mv.⟩ ◆ **6.1** hij heeft het *van* de ~ *he has it from s.o. who is not directly involved;* iets voor de ~ verborgen houden *keep sth. from the public/ from becoming public, prevent sth. getting abroad.*
buitenweg ⟨de (m.)⟩ **0.1** *country road.*
buitenwereld ⟨de⟩ **0.1** [alles buiten het lichaam] *objective/ external world* **0.2** [het grote publiek] *public (at large)* ⇒*outside world* ◆ **3.2** afgesneden van de ~ *cut off from the outside world;* wat zal de ~ zeggen? *what will people say?* **6.2** dat is geen zaak *voor* de ~ *this shouldn't get abroad.*
buitenwerk ⟨het⟩ **0.1** [buitenshuis] *outdoor work* ⇒*work out-of-doors/ outside* **0.2** [in de buitenlucht] *outdoor work* ⇒⟨op het land ook⟩ *work on the land* **0.3** [mbt. huis/gebouw] *exterior.*
buitenwerks ⟨bn., bw.⟩ **0.1** *outside* ◆ **3.1** de breedte v.e. kozijn~ gemeten *the width of a frame out-to-out, the overall width of a frame* ¶.**1** 7 duim bij 8~7 inches by 8, *o. measurement.*
buitenwijk ⟨de⟩ **0.1** *suburb* ⇒⟨mv. ook⟩ *outskirts* ◆ **2.1** een armoedige ~ *a poor/ run-down district/ area;* de betere ~en *exclusive/ expensive areas/ suburbs;* de groene ~(en) *suburbia, the leafy suburbs.*
buitenzetten ⟨ov.ww.⟩ **0.1** *put out(side)* ◆ **1.1** de bloemetjes ~ ⟨fig.⟩ *go/ be on the/ a spree paint the town red.*
buitenzijde ⟨de⟩ **0.1** *outside* ⇒*exterior,* ⟨fig.vnl.⟩ *surface* ◆ **1.1** de ~ v.e. stof *the right side of a material.*
buitenzintuiglijk ⟨bn., bw.⟩ **0.1** *extrasensory* ◆ **1.1** ~e waarnemingen *e. perception* **3.1** ~ verkregen kennis *e. knowledge.*
buitmaken ⟨ov.ww.⟩ **0.1** *seize* ⇒*capture* ⟨schip⟩.
buizen
I ⟨onov.ww.⟩ **0.1** [mbt. zeilboten] *take in/ ship water;*
II ⟨ov.ww.⟩ ⟨AZN⟩ **0.1** [laten zakken] *fail* ⇒*plough,* ⟨vnl. AE; inf.⟩ *flunk.*
buizennet ⟨het⟩ **0.1** *piping, pipes* ⇒*mains* ◆ **1.1** het ~ v.d. waterleiding *the water pipes/ mains* **3.1** een ~ aanleggen ⟨van gas/ water⟩ *construct (gas/ water) mains/ a (gas/ water) main, install (gas/ water) pipes.*
buizenpost ⟨de⟩ **0.1** *pneumatic dispatch.*
buizerd ⟨de (m.)⟩ **0.1** *buzzard.*
bukken
I ⟨onov.ww.⟩ **0.1** [voorover buigen] *stoop* ⇒⟨wegduiken⟩ *duck,* ⟨buigen⟩ *bend* **0.2** [⟨+voor⟩ zwichten] *bow (to)* ⇒*bend (before)* ◆ **3.1** gebukt gaan *be bent (down), stoop* **5.1** laag~ *crouch, lie low* **6.1** ⟨fig.⟩ hij gaat gebukt *onder* veel zorgen *he is weighed down by much care* ¶.**1** ~! *head(s) down!;*
II ⟨wk.ww.; zich~⟩ **0.1** [voorover buigen] *stoop* ⇒*lean down.*
buks ⟨de⟩ **0.1** *(short) rifle.*
buksboom ⟨de (m.)⟩ ⟨plantk.⟩ **0.1** *box (tree).*
bukshaggie ⟨het⟩ **0.1** *(cigarette rolled from/ out of (thrown-away) dog-ends).*
bukskin ⟨het⟩ **0.1** *buckskin.*
bul
I ⟨de (m.)⟩ **0.1** [stier] *bull* **0.2** [dik kind] *dumpy child* ◆ **8.1** een kop als een~ hebben *have a red, puffy face;*
II ⟨de⟩ **0.1** [oorkonde] *degree certificate* **0.2** [mbt. paus] *bull* ◆ **2.1** doctorale ~ *doctoral d. c.* **2.2** pauselijke ~ *papal b.* **3.1** de ~ uitreiken *present/ award the d. c..*
bulderaar ⟨de⟩ **0.1** *blusterer.*
bulderbaan ⟨de⟩ ⟨inf.⟩ **0.1** [ongemarkeerd] *direct flight path.*
bulderen ⟨onov.ww.⟩ **0.1** [dreunen, razen] *roar* ⇒⟨dreunen⟩ *boom,* ⟨donderen⟩ *thunder* **0.2** [luidruchtig spreken] *bluster* ⇒*roar, boom, bellow, thunder* ◆ **1.1** het kanon buldert *the cannon is pounding/ booming/ thundering;* de stormwind bulderde door de dalen *the storm raged through the valleys, the stormwind swept/ thundered/ roared through the valleys* **1.2** met~de stem iets bevelen *command sth. in a booming/ bellowing voice* **6.2** tegen iem. ~ *roar/ bellow at s.o.* **6.¶** ~ van het lachen *roar with laughter, guffaw.*
bulderlach ⟨de (m.)⟩ **0.1** *guffaw* ⇒*roar of laughter,* ⟨schr.⟩ *cachinnation.*
bulderstem ⟨de⟩ **0.1** *booming voice* ⇒*boom, bellow, roar.*
buldog ⟨de (m.)⟩ **0.1** *bulldog.*
Bulgaars ⟨bn.⟩ **0.1** *Bulgarian.*
Bulgarije ⟨het⟩ **0.1** *Bulgaria.*
bulkartikelen ⟨zn.mv.⟩ **0.1** *bulk* ⇒*bulk(ed) goods.*

bulkboek ⟨het⟩ **0.1** *cheap re-print (in newspaper format).*
bulken ⟨onov.ww.⟩ **0.1** [veel hebben] *roll (in)* ⇒*teem (with), overflow (with)* ⟨v.⟩ **0.2** [loeien] *low* **0.3** [hard schreeuwen] *low* ⇒*bellow, roar* ◆ **6.1** zij bulkt *van* het geld *she is rolling in money.*
bulksilo ⟨de (m.)⟩ **0.1** *bulk feed silo/ elevator.*
bulkvaart ⟨de⟩ **0.1** *bulk transportation.*
bullebak ⟨de (m.)⟩ **0.1** [boeman] *bog(e)yman* **0.2** [nors persoon] *bully* ⇒*ogre, browbeater* ◆ **3.1** de ~ spelen *act the bully.*
bullebijter ⟨de (m.)⟩ **0.1** [Engelse dog] *mastiff* **0.2** [kwaadaardige hond] *hellhound* **0.3** [persoon] ⟨→**bullebak** 0.2⟩.
bullekop ⟨de (m.)⟩ **0.1** *thickhead.*
bullen ⟨zn.mv.⟩ **0.1** *things* ⇒*stuff* ⟨enk.⟩, ⟨kleren⟩ *clobber* ⟨enk.⟩, *togs* ◆ **3.1** hij kent zijn ~goed *he knows what's what, he's done his homework;* hij weet nooit waar hij ~laat *he never knows where he's put/ left his things/ clobber/ togs.*
bullepees ⟨de⟩ **0.1** [gedroogde spier] *pizzle* **0.2** [touw] ≠*cat.*
bulletin ⟨het⟩ **0.1** [bericht in de media] *bulletin* ⇒*report* **0.2** [buitengewone bekendmaking] *bulletin* ⇒*announcement.*
bulletje ⟨het⟩ **0.1** *French bulldog* ◆ **1.¶** ~ en bonestaak ≠*Laurel and Hardy.*
bult ⟨de (m.)⟩ **0.1** [buil] *lump* ⇒*bump* ⟨door stoten enz.⟩ **0.2** [bochel] *hunch* ⇒*hump* **0.3** [oneffenheid] *bulge* ⇒*lump, bump* ◆ **1.1** een~ v.e. muggebeet *a l. caused by a gnat bite* **3.2** ⟨fig.⟩ zich een~ lachen *be in convulsions/ in fits (of laughter), split one's sides* **6.2** met een ~ *hunchbacked, humpbacked, crookbacked.*
bultenaar ⟨de (m.)⟩ **0.1** *hunchback* ⇒*humpback, crookback.*
bul-terriër ⟨de (m.)⟩ ⟨dierk.⟩ **0.1** *bull terrier.*
bultig ⟨bn.⟩ **0.1** *lumpy* ⇒*bulging,* ⟨knobbelig⟩ *knobbly.*
BUMA ⟨de⟩ ⟨afk.⟩ **0.1** [Bureau voor Muziek-Auteursrecht] ⟨*Bureau of Musical Copyright*⟩.
bumper ⟨de (m.)⟩ **0.1** *bumper* ◆ **6.1** ⟨fig.⟩ iem. *op* de ~ zitten *sit on s.o.'s tail,* ⟨AE⟩ *tailgate s.o..*
bumpersticker ⟨de (m.)⟩ **0.1** *bumper sticker/ strip.*
bun ⟨de⟩ **0.1** *corf* ⇒⟨op schip⟩ *well.*
buna ⟨het⟩ **0.1** *Buna.*
bundel ⟨de (m.)⟩ **0.1** [bos] *bundle* ⇒*sheaf* ⟨papieren, pijlen, aren⟩, *faggot* [A]*fagot* ⟨houtjes, staven, kruiden⟩, *fascicle* ⟨bladeren, takjes⟩ **0.2** [boekje] *collection* ⇒*volume,* ⟨verzamelwerk⟩ *compilation,* ⟨bloemlezing⟩ *anthology* **0.3** ⟨wisk.⟩ *pencil* ◆ **1.1** een ~ bankbiljetten *a wad/ roll of banknotes;* een~ hout *a b. of wood;* ⟨takkenbos⟩ *a faggot;* een~ stro *a b. of straw* **3.1** zijn~tje pakken *pack one's bags.*
bundelen ⟨ov.ww.⟩ **0.1** *bundle* ⇒*cluster, join, combine* ⟨krachten⟩, *compile, collect* ⟨geschriften⟩ ◆ **1.1** zijn verspreide geschriften laten ~ *publish one's miscellaneous writings in one volume;* ⟨fig.⟩ krachten ~ *join/ combine forces;* postzakken ~ *b. mailbags;* stralen ~ *focus/ concentrate beams/ rays.*
bunder ⟨het, de (m.)⟩ **0.1** *hectare.*
bungalow ⟨de (m.)⟩ **0.1** [vrijstaand huis] *bungalow* **0.2** [zomerhuisje] *(summer) cottage* ⇒*bungalow, chalet.*
bungalowdorp ⟨het⟩ **0.1** *holiday village.*
bungalowpark ⟨het⟩ **0.1** *holiday park* ⇒[A]*vacationland.*
bungalowtent ⟨de⟩ **0.1** *family (frame) tent.*
bungelen ⟨onov.ww.⟩ **0.1** *dangle* ⇒*hang* ◆ **5.1** hij bungelde er maar wat bij *he just tagged along* **6.1** *aan* de galg ~ *swing from the gallows;* een zware gouden horlogeketting bungelde *op* zijn vest *a heavy golden watch chain dangled on his waistcoat.*
bunker ⟨de (m.)⟩ **0.1** [verdedigingsstelling] *bunker* ⇒*pillbox, blockhouse,* ⟨schuilplaats⟩ *bomb/ air raid shelter,* ⟨voor onderzeeërs⟩ *pen* **0.2** [bergplaats] *bunker.*
bunkeren ⟨onov.ww.⟩ **0.1** [de bunker vullen] *bunker* ⇒*refuel* **0.2** [veel eten] *stuff o.s.* ⇒*stoke up.*
bunkerhaven ⟨de⟩ **0.1** *bunkering port* ⇒⟨olie ook⟩ *(re)fuelling port,* ⟨steenkool ook⟩ *coaling station.*
bunkerkolen ⟨zn.mv.⟩ **0.1** *bunker coal.*
bunkertank ⟨de⟩ **0.1** *fuel storage tank.*
bunsenbrander ⟨de (m.)⟩ **0.1** *Bunsen burner.*
bunzing ⟨de (m.)⟩ **0.1** *polecat* ⇒*fitch(ew)* ◆ **8.1** hij stinkt als een ~ *he stinks like a p..*
bups ⟨de (m.)⟩ ⟨inf.⟩ **0.1** *bunch* ⇒*lot* ◆ **2.1** ik geef ƒ25 voor de hele ~ *I'll give 25 guilders for the whole lot.*
burcht ⟨de⟩ **0.1** *castle* ⇒*fortress, citadel, stronghold* ◆ **1.1** ⟨fig.⟩ ~en v.h. kapitalisme *strongholds of capitalism* **2.1** ⟨fig.⟩ een vaste~ is onze God *a safe stronghold our God is still.*
bureau ⟨het⟩ **0.1** [schrijftafel] *(writing) desk* ⇒[B]*bureau* **0.2** [gebouw] *office* ⇒*bureau, department,* ⟨adviserend, bemiddelend⟩ *agency, (police) station* **0.3** [afdeling, kantoor] *bureau* ⇒*department, office* **0.4** [voorzitter en secretaris] ≠*officers* ⟨mv.⟩ **0.5** [personeel] *office* ⇒*department, bureau* ◆ **1.3** het ~ onderwijs *the education department* **2.2** electrotechnisch ~ *electrical engineering firm/ company, electrical engineers/ dealers* ⟨mv.⟩ **6.2** iem. *naar* 't ~ brengen *turn s.o. in, take s.o. into custody;* ~ *voor* huwelijksvoorlichting [B]*office of the Marriage Guidance Council,* [A]*Marriage Counseling Center;* ~ *voor* rechtskundig advies *legal advice/ law centre;* centraal ~ *voor* statistiek *central*

bureau of statistics; ~ **voor** gevonden voorwerpen *lost property o.* **6.3** het ~ **in** een schouwburg *the box-office.*
bureau-agenda ⟨de⟩ **0.1** *desk/office diary.*
bureauambtenaar, -beambte ⟨de (m.)⟩ **0.1** *office clerk* ⇒*deskman.*
bureaubehoeften ⟨zn.mv.⟩ **0.1** *office requisites* ⟨alg.⟩; *stationery* ⟨v.d. kantoorboekhandel⟩.
bureauchef ⟨de (m.)⟩ **0.1** *office manager* ⇒*managing/head clerk.*
bureaucraat ⟨de (m.)⟩ ⟨pej.⟩ **0.1** *bureaucrat* ⇒*legalist.*
bureaucratie ⟨de (v.)⟩ **0.1** [ambtenarij] *bureaucracy* ⇒⟨gewichtigdoenerij⟩ *officialdom* **0.2** [ambtenaren] *bureaucracy* ⇒⟨gewichtigdoeners⟩ *officialdom.*
bureaucratisch ⟨bn., bw.;-ally⟩ **0.1** *bureaucratic* ◆ **1.1** een ~e regering *a b. government;* ~e rompslomp *red tape.*
bureaukosten ⟨zn.mv.⟩ **0.1** *office expenses.*
bureaula ⟨de⟩ **0.1** *(desk) drawer* ◆ **6.1** een plan uit de ~ halen ⟨fig.⟩ *take an idea/plan out of mothballs.*
bureaulamp ⟨de⟩ **0.1** *desk lamp.*
bureaulandschap ⟨het⟩ **0.1** *open-plan office.*
bureau-ministre ⟨het⟩ **0.1** *pedestal desk.*
bureauredacteur ⟨de (m.)⟩, **-trice** ⟨de (v.)⟩ **0.1** *copy editor* ⇒*deskman* ⟨m.⟩, *deskwoman* ⟨v.⟩.
bureaustoel ⟨de (m.)⟩ **0.1** *office/desk chair.*
bureau-uren ⟨zn.mv.⟩ **0.1** *office hours.*
bureauwerk ⟨het⟩ **0.1** *office/clerical work.*
bureel ⟨het⟩ ⟨vnl. AZN⟩ **0.1** *office.*
burelist ⟨de⟩ **0.1** *ticket agent* ⇒⟨theater⟩ *box-office clerk,* ⟨station⟩ *booking clerk.*
burengerucht ⟨het⟩ **0.1** ≠*disturbance* ◆ **3.1** ~ maken *cause a nuisance by noise, make a d.* **6.1** een klacht **over** ~ *a complaint about the noise.*
burenhulp ⟨de⟩ **0.1** *neighbourly help/assistance.*
burenplicht ⟨de⟩ **0.1** *duty to one's neighbours, one's duty as a neighbour.*
burenruzie ⟨de (v.)⟩ **0.1** *neighbourhood/neighbours' quarrel.*
buret ⟨de⟩ **0.1** *buret(te).*
burg ⟨de⟩ **0.1** *castle* ⇒*stronghold, citadel, fortress.*
Burg. ⟨afk.⟩ **0.1** [Burgemeester] ⟨*mayor, burgomaster*⟩.
burgemeester ⟨de (m.)⟩ **0.1** *mayor* ⇒⟨Ned., Belg., Duitsland, Oostenrijk⟩ *burgomaster,* ⟨Schotland⟩ *provost,* ⟨in enkele grote steden⟩ *Lord Mayor, Lord Provost* ◆ **1.1** vrouw v.d. ~ *mayoress;* ~ en wethouders *m. and aldermen;* ⟨gemeentebestuur⟩ *municipal executive* **2.1** vrouwelijke ~ *mayoress.*
burgemeestersambt ⟨het⟩ **0.1** *mayoralty; burgomaster's office.*
burgemeestersketen ⟨de (m.)⟩ **0.1** *mayor's/burgomaster's chain of office.*
burger ⟨de (m.)⟩ **0.1** [inwoner v.e. gemeente] *citizen* **0.2** [lid v.e. staatsgemeenschap] *citizen* **0.3** [lid v.d. bevolking] [B]*civilian,* [A]*citizen* **0.4** [burgerkleding] ⟨politie⟩ *plain clothes;* ⟨mil.⟩ *civilian clothes/dress;* ⟨inf.⟩ *civ(v)ies* **0.5** ⟨gesch.⟩ *commoner* ⇒*commons* ⟨mv.⟩, ⟨vnl. Ned., Duitsland⟩ *burgher* ◆ **1.3** ~s en boeren *town(speople) and country(people);* militairen en ~s *military and civilian people, soldiers and civilians;* studenten en ~s *town and gown* **1.5** ~s en buitenlui *townspeople and countryfolk;* edelen en ~s *nobles and commoners,* the nobility and the commons **2.1** de eerste ~ *the mayor;* een gezeten ~ *a bourgeois;* de kleine ~s *the petty bourgeoisie, the lower middle class* **6.4** een agent **in** ~ *a plain-clothes policeman, a policeman in plain clothes* ¶**.2** ⟨scherts.⟩ dat geeft een (de) ~ *moed that's heartening.*
burgerbescherming ⟨de (v.)⟩ **0.1** *civil defence.*
burgerbetrekking ⟨de⟩ **0.1** *civil/civilian post.*
burgerbevolking ⟨de (v.)⟩ **0.1** *civilian population* ◆ **1.1** Bescherming Burgerbevolking *Civil Defence (Corps).*
burgerdocent ⟨de (m.)⟩ **0.1** *civilian teacher.*
burgerij ⟨de (v.)⟩ **0.1** ⟨gezamenlijke burgers⟩ *citizenry, citizens* ⟨mv.⟩; ⟨tgov. militairen⟩ *civilians* ⟨mv.⟩; ⟨gezeten burgerij⟩ *(petty) bourgeoisie, middle class(es);* ⟨het gewone volk⟩ *commonalty, commoners* ◆ **1.1** het hoofd van de ~ *the mayor* **2.1** de kleine ~ *the petty bourgeoisie, the lower middle class(es).*
burgerinformatica ⟨de (v.)⟩ **0.1** *citizen informatics.*
burgerjongen ⟨de (m.)⟩ **0.1** *middle class boy.*
burgerjuffrouw ⟨de (v.)⟩ **0.1** *middle-class woman.*
burgerkleding ⟨de (v.)⟩ **0.1** ⟨politie⟩ *plain clothes;* ⟨mil.⟩ *civilian clothes/dress;* ⟨inf.⟩ *civ(v)ies* ◆ **6.1** een agent **in** ~ *a plain-clothes policeman.*
burgerkost ⟨de (m.)⟩ **0.1** *plain fare.*
burgerlijk ⟨bn., bw.⟩ **0.1** [tot de burgers behorend] *middle-class* ⇒*bourgeois* **0.2** ⟨pej.⟩ *bourgeois* ⇒*conventional, middle-class,* ⟨vulgair⟩ *philistine,* ⟨kleinburgerlijk⟩ *smug* **0.3** [behorend bij de staatsburger] *civil* ⇒*civic* **0.4** [niet militair] *civil(ian)* ◆ **1.1** van ~e afkomst *of m.-c./respectable/bourgeois origin;* ~e personen *common citizens* **1.3** ⟨AZN⟩ ~e begrafenis *civil burial;* ~e beleefdheid *common civility;* ⟨jur.⟩ de ~e dood *attainder, civil death;* een ~ huwelijk *a civil marriage;* het ~ jaar *the civil year;* ~e ongehoorzaamheid *civil disobedience;* de ~e rechtspleging, het ~ wetboek *civil law, the Civil Code;* ~e staat/stand *civil status/state;* (bureau v.d.) ~e stand *Registry of*

Births, Deaths and Marriages, [B]*Registry Office,* [A]*Country Clerk's/Records Office;* op het bureau v.d. ambtenaar v.d. ~e stand *at the Registrar's/*[A]*Country Clerk's office;* ~e vruchten *income derived from capital* **1.4** ~e en militaire autoriteiten *civilian and military authorities;* een ~e betrekking *civilian employment, a civilian job* **3.2** ~ denken/spreken *think/speak like a bourgeois;* zich ~ gedragen *behave conventionally;* dat staat zo ~ *it looks so very conventional/low/b..*
burgerlijkheid ⟨de (v.)⟩ **0.1** *bourgeois/middle-class mentality* ⇒*small-mindedness, smugness.*
burgerluchtvaart ⟨de (v.)⟩ **0.1** *civil aviation* ⟨geen lidw.⟩.
burgermaatschappij ⟨de (v.)⟩ **0.1** *civilian society* ⇒*civilian life,* ⟨BE; sl.⟩ *Civvy Street* ◆ **6.1** bij zijn terugkeer in de ~ *on his return to civilian life/Civvy Street.*
burgerman ⟨de (m.)⟩ **0.1** [iem. uit de burgerstand] *commoner* ⇒*middle class man, bourgeois* **0.2** [iem. van eenvoudige afkomst] *ordinary man* ⇒*ordinary person* **0.3** [⟨pej.⟩] *bourgeois.*
burgermannetje ⟨het⟩ **0.1** *ordinary little man* ◆ **2.1** 't is maar zo'n gewoon ~ *he is just an ordinary little man.*
burgeroorlog ⟨de (m.)⟩ **0.1** *civil war* ◆ **2.1** de Spaanse/Amerikaanse ~ *the Spanish/American Civil War.*
burgerpersoneel ⟨het⟩ **0.1** *civilian personnel.*
burgerplicht ⟨de⟩ **0.1** *civic duty* ◆ **3.1** het bewaren v.d. orde is een ~ *it is a civic duty to maintain order;* het kiesrecht uitoefenen is ~ *it is one's/a civic duty to exercise one's right to vote;* zijn ~en vervullen *discharge one's duties as a citizen.*
burgerrecht ⟨het⟩ **0.1** *civil rights* ⟨mv.⟩ ◆ **3.1** ⟨fig.⟩ dit woord heeft in onze taal ~ verkregen *this word has been adopted/become accepted/become established in our language;* het ~ verkrijgen/verbeuren/verliezen *obtain/forfeit/lose one's civil rights.*
burgerregering ⟨de (v.)⟩ **0.1** *civil/civilian government.*
burgerschap ⟨het⟩ **0.1** *citizenship.*
burgerschapskunde ⟨de (v.)⟩ **0.1** *civics.*
burgerstand ⟨de (m.)⟩ **0.1** *middle class* ⇒*bourgeoisie* ◆ **2.1** de kleine/deftige ~ *the lower/upper middle class.*
burgervader ⟨de (m.)⟩ **0.1** *mayor.*
burgerwacht
I ⟨de⟩ **0.1** [korps] *vigilante patrol* ⇒⟨BE ook⟩ *neighbourhood watch-group,* ⟨AE ook⟩ *vigilance committee,* ⟨gesch.⟩ *militia;*
II ⟨de (m.)⟩ **0.1** [persoon] *vigilante.*
burgerwerk ⟨het⟩ ⟨ambt.⟩ **0.1** ≠*maintenance.*
burgerzaal ⟨de⟩ **0.1** *(main) reception room (of a/the town hall).*
burgerzin ⟨de (m.)⟩ **0.1** *sense of public responsibility* ◆ **2.1** een daad van echte ~ *a really public-spirited act.*
burggraaf ⟨de (m.)⟩, **-gravin** ⟨de (v.)⟩ **0.1** *viscount* ⟨m.⟩, *viscountess* ⟨v.⟩.
burgwal ⟨de (m.)⟩ **0.1** *rampart.*
Burkina Fasso ⟨het⟩ **0.1** *Burkino Fasso.*
burlen ⟨ww.⟩ **0.1** *troat, bell.*
burlesk ⟨bn., bw.⟩ **0.1** *burlesque* ◆ **1.1** een ~e show *a b. show;* ⟨AE; sl.⟩ *a burleycue.*
burleske ⟨de⟩ **0.1** *burlesque* ◆ ¶**.1** ~en ten beste geven *burlesque.*
bursaal ⟨de (m.)⟩ **0.1** *scholarship student, student on a scholarship/fellowship* ⇒⟨gevorderde student⟩ *grant recipient.*
bus ⟨de⟩ **0.1** [autobus] *bus* ⇒⟨voor lange afstanden⟩ [B]*coach,* ⟨AE; inf.⟩ *greyhound* **0.2** [blikken doos] *tin* ⇒⟨om thee te bewaren ook⟩ *caddy,* ⟨om droge stoffen te bewaren ook⟩ *canister,* ⟨grote bus⟩ *drum* **0.3** [doos/kastje met gleuf] *box* **0.4** [ring ter bevestiging/versteviging] [B]*bush,* [A]*bushing* ⇒*sleeve* ◆ **1.2** een ~ je thee *a t. of tea* **2.1** een extra ~ *a relief b.;* ⟨AE ook⟩ *an extra/rush-hour b.* **3.1** de ~ missen ⟨fig.⟩ *miss the boat/b.* **3.3** de ~ legen *collect/pick up the post,* [A]*empty the mailbox* ⟨privé brievenbus⟩, [B]*empty the post/pillarbox/mailbox* ⟨openbare brievenbus⟩ **6.1** met de ~ op vakantie gaan *go on holiday by coach* [A]*b.* **6.2** een ~ **voor** koffie *a t./canister for coffee, a coffee t.* **6.3** ⟨fig.⟩ het komt in de ~ *it's all being/it will all be taken care of;* in krijgt de folders morgen in de ~ *you will have/get the brochures tomorrow in the post;* ik krijg het elke week in de ~ *it's delivered here/I get it every week;* een brief **in/op** de ~ doen *post/*[A]*mail a letter;* niemand weet wat er **uit** de ~ komt *nobody knows what the result will be/what will happen;* het is nog niet zeker wie als winnaar **uit** de ~ zal komen *it is not yet certain who will (turn out to) be the winner* **6.4** een ~ **aan** een wiel *a b. in a wheel;* een ~ **om** een kachelpijp *a sleeve around a stove/pipe* **8.¶** dat klopt/sluit als een ~ *it all/that fits (exactly)* ¶**.1** ~je *minibus;* ⟨bestelwagen⟩ *van.*
busaansluiting ⟨de (v.)⟩ **0.1** *bus connection* ◆ **3.1** met deze trein heb je geen ~ *this train does not connect with a bus.*
busabonnement ⟨het⟩ **0.1** *season ticket.*
busbaan ⟨de⟩ **0.1** *bus lane.*
buschauffeur ⟨de (m.)⟩, **-feuse** ⟨de (v.)⟩ **0.1** *bus driver* ⇒*coach driver.*
busdienst ⟨de (m.)⟩ **0.1** *bus service* ⇒*coach service.*
bushalte ⟨de⟩ **0.1** *bus stop* ⇒*coach stop* ◆ **6.1** bij de ~ *at the bus/coach stop.*
buskaartje ⟨het⟩ **0.1** *bus ticket* ⇒[B]*coach ticket.*

buskruit ⟨het⟩ **0.1** *gunpowder* ◆ **1.1** een vaatje ~ *a keg of g.*; ⟨fig.⟩ *an explosive temperament* **3.1** ⟨fig.⟩ hij heeft het ~ niet uitgevonden *he's not one of the brightest* **8.1** ⟨fig.⟩ opvliegen als ~ *flare up.*

buslading ⟨de (v.)⟩ **0.1** *bus load.*

buslichting ⟨de (v.)⟩ **0.1** *collection* ◆ **2.1** de laatste ~ is 's avonds om zes uur *the last c. is at 6 p.m.*.

buslijn ⟨de⟩ **0.1** *bus route* ⇒B*coach route.*

busonderneming ⟨de (v.)⟩ **0.1** [bedrijf dat het openbaar vervoer verzorgt] *bus company* **0.2** [bedrijf dat autobussen verhuurt] B*coach hire firm/company.*

buspassagier ⟨de (m.)⟩ **0.1** *bus passenger* ⇒B*coach passenger.*

busreis ⟨de⟩ **0.1** *bus journey/trip* ⇒*coach journey/trip.*

busrit ⟨de (m.)⟩ **0.1** *bus ride* ⇒B*coach ride.*

bussel ⟨de⟩ ⟨AZN⟩ **0.1** *bundle.*

busstation ⟨het⟩ **0.1** *bus station* ⇒*coach station* ⟨voor bussen voor lange afstanden⟩.

bustaxi ⟨de (m.)⟩ **0.1** *minibus taxi/service.*

buste ⟨de⟩ **0.1** [boezem] *bust* ⇒*bosom* **0.2** [borstbeeld] *bust* **0.3** [paspop] *dressmaker's dummy* ◆ **2.1** zij heeft een mooie ~ *she has a good/nice bust*; een zware/volle ~ *a big/large bust/bosom.*

bustehouder ⟨de (m.)⟩ **0.1** *brassiere* ⇒*bra.*

bustemaat ⟨de⟩ **0.1** *bust size/measurement.*

bustenaad ⟨de (m.)⟩ **0.1** *bust seam.*

bustocht ⟨de (m.)⟩ **0.1** *bus trip* ⇒*coach trip.*

busverbinding ⟨de (v.)⟩ **0.1** *bus connection* ⇒*coach connection.*

busziek ⟨bn.⟩ **0.1** B*coach-sick.*

butaan ⟨het⟩ **0.1** *butane.*

butagas ⟨het⟩ **0.1** *calor gas*, A*butane (gas/fuel)* ◆ **6.1** op ~ koken *cook with c. g. / b.*.

buten ⟨ov.ww.⟩ ⟨spel⟩ **0.1** *get (s.o. out* ◆ **4.1** ik heb je gebuut *you're out.*

buts ⟨de⟩ **0.1** *dent.*

butsen ⟨ov.ww.⟩ **0.1** *dent.*

butterfly ⟨de (m.)⟩ **0.1** *bow tie.*

button ⟨de⟩ **0.1** [speld met afbeelding/tekst] *badge* ⇒⟨vnl. AE⟩ *button* **0.2** [overhemdsboord] *button-down collar.*

buur ⟨de (m.)⟩ ⟨→sprw.99⟩ **0.1** *neighbour* ◆ **3.1** niet voor de buren willen onderdoen, niet bij de buren willen achterblijven *keep up with the Joneses* **8.1** ze kunnen als buren goed met elkaar opschieten ⟨ook⟩ *they're on neighbourly terms;* als buren heb je niet veel aan ze ⟨ook⟩ *they're not very neighbourly* ¶**.1** de buren *the (next-door) neighbours; the people/population/inhabitants of neighbouring countries, our neighbours in Belgium* ⟨enz.⟩.

buurjongen ⟨de (m.)⟩ **0.1** ⟨van hiernaast⟩ *boy next door;* ⟨vlak in de buurt⟩ *boy who lives/boy living nearby.*

buurkind ⟨het⟩ **0.1** *neighbour's child.*

buurland ⟨het⟩ **0.1** *neighbouring country* ⇒*neighbour.*

buurman ⟨de (m.)⟩ ⟨→sprw. 100,240⟩ **0.1** [man naast wie men woont] *(next-door) neighbour* ⇒*man next door* **0.2** [man naast wie men zit/staat] *neighbour* ◆ **3.1** vraag het mijn~, die weet het ook niet *don't ask me!* ⟨klemtoon op 'me'⟩, *ask me another!.*

buurmeisje ⟨het⟩ **0.1** ⟨van hiernaast⟩ *girl next door;* ⟨vlak in de buurt⟩ *girl who lives/girl living nearby.*

buurpraatje ⟨het⟩ **0.1** [kletspraatje] *gossip* **0.2** [praatje met de buren] *talk/chat with the neighbours* ◆ **3.1** een ~ houden *gossip.*

buurschap ⟨de (v.)⟩ **0.1** ⟨zie 3.1⟩ ◆ **3.1** ~ houden *be on friendly terms with the neighbours.*

buurt ⟨de⟩ **0.1** [deel v.e. wijk] *neighbourhood* ⇒*area, district* **0.2** [bewoners] *neighbourhood* **0.3** [nabijheid] *neighbourhood* **0.4** [bij elkaar staande woningen] *hamlet* ◆ **2.1** rosse ~ *red-light district* **2.2** de hele ~ bij elkaar schreeuwen *shout/scream the place down* **6.1** Rijkaard komt hier uit de ~ ⟨ook⟩ *Rijkaard is a local boy* **6.3** daar ergens in die ~ *somewhere around there;* ergens in de ~ **van** Reading ⟨ook⟩ *somewhere Reading way;* in de ~ van het station *near the station;* er was niemand in de ~ *there was nobody around/about;* alle huizen hier in de ~ *all the houses around/about here;* blijf een beetje in de ~ *don't go too far (away);* kom eens langs, als je in de ~ bent *call in if you happen to be (passing) this way;* een prijs in de ~ van vierduizend gulden *a price in the region/n. of four thousand guilders;* in/uit de ~ wonen *live nearby/a distance away;* hij moet uit mijn ~ blijven *he'd better keep away from me/keep out of my way/not come near me;* ver uit de ~ a long way ⟨fig.⟩ *out/* ⟨lett.⟩ *off.*

buurtbewoner ⟨de (m.)⟩ **0.1** *local resident* ◆ **7.1** alle ~s zijn uitgenodigd voor de wijkvergadering *all local residents are invited to the residents' association meeting.*

buurtbezoek ⟨het⟩ **0.1** *visit to/from one's/the neighbours/a neighbour* ◆ **6.1** op ~ gaan *visit one's/the neighbours/a neighbour.*

buurtbus ⟨de⟩ **0.1** *local bus (driven by volunteers), volunteer bus service.*

buurtcafé ⟨het⟩ **0.1** B*local (pub)*, A*corner/neighbourhood bar/restaurant.*

buurtcentrum ⟨het⟩ **0.1** *community centre.*

buurten ⟨onov.ww.⟩ **0.1** *visit/go to the neighbours/one's/a neighbour* ◆ **3.1** jullie moeten eens komen ~ *you must come round/over some time.*

buurthuis ⟨het⟩ **0.1** *community centre.*

buurthuiswerk ⟨het⟩ **0.1** *community centre work.*

buurtschap ⟨de (v.)⟩ **0.1** *hamlet.*

buurtschool ⟨de⟩ **0.1** *local school.*

buurtspoorweg ⟨de (m.)⟩ **0.1** *branch line*, A*local.*

buurtvereniging ⟨de (v.)⟩ **0.1** *residents'/*A*neighborhood association.*

buurtverkeer ⟨het⟩ **0.1** *local traffic* ◆ **6.1** treinen in het ~ *trains on the local service.*

buurtvoorzieningen ⟨zn.mv.⟩ **0.1** *local amenities/facilities.*

buurtweg ⟨de (m.)⟩ ⟨AZN⟩ **0.1** *local road.*

buurtwerk ⟨het⟩ **0.1** *community work.*

buurtwerker ⟨de (m.)⟩, **-ster** ⟨de (v.)⟩ **0.1** *community worker.*

buurtwinkel ⟨de (m.)⟩ **0.1** *local shop*, A*(local) neighborhood/corner store.*

buurvrouw ⟨de (v.)⟩ **0.1** [vrouw naast wie men woont] *neighbour* ⇒*woman/lady next door* **0.2** [vrouw naast wie men zit/staat] *neighbour.*

buut ⟨het⟩ ⟨spel⟩ **0.1** *home.*

buutplaats ⟨de⟩ **0.1** ≠*target area/zone.*

buutspel ⟨het⟩ ⟨spel⟩ **0.1** *hide-and-seek* ⇒⟨AE ook⟩ *hide-and-go-seek.*

Buza ⟨verk.⟩ **0.1** [Buitenlandse Zaken] *(the) F.O.*.

b.v. ⟨afk.⟩ **0.1** [bij voorbeeld] *e.g.*.

BV ⟨de (v.)⟩ ⟨afk.⟩ **0.1** [Besloten Vennootschap] B*Ltd.*, A*Inc.*.

BVD ⟨de (m.)⟩ ⟨afk.⟩ **0.1** [Binnenlandse Veiligheidsdienst] ⟨*(Dutch) National Security Service*⟩ ⇒*Dutch Secret Service.*

B.W. ⟨het⟩ ⟨afk.⟩ **0.1** [Burgerlijk Wetboek] ⟨*Civil Code*⟩.

B-weg ⟨de (m.)⟩ ⟨verkeer⟩ **0.1** *B-road* ⇒*secondary/minor road.*

Byzantijns ⟨bn.⟩ **0.1** [van/uit Byzantium] *Byzantine* **0.2** [mbt. Grieks-katholieke kerk en cultuur] *Byzantine* **0.3** [slaafs] *sycophantic* ◆ **1.3** een ~e geest *a s. nature.*

~ drukken op *set one's seal to / the seal of approval on* **6.3** het ~ **op** een akte *the seal on a deed*.

cachexie ⟨de (v.)⟩ ⟨med.⟩ **0.1** *cachexia, cachexy*.

cachot ⟨het⟩ **0.1** *lockup* ⇒*(police) cell(s)*, ⟨sl.⟩ *slammer, military prison*, ⟨ihb. mil. sl.⟩ *black hole*, [B]*glasshouse* ◆ **6.1 in** het ~ stoppen *lock up (in a cell)*.

cactus ⟨de (m.)⟩ **0.1** *cactus*.

cactusachtigen ⟨zn. mv.⟩ **0.1** *cactaceae*.

CAD[1] ⟨afk.⟩ **0.1** [Computer Assisted Design] *CAD*.

CAD[2] ⟨het⟩ **0.1** *clinic for alcohol and drug abuse*.

cadanceren ⟨ov. ww.⟩ **0.1** *give rhythm to, put rhythm into, bring out the rhythm of*.

cadans ⟨de⟩ **0.1** [ritme] *cadence* ⇒*rhythm* **0.2** [cadens] *cadence* ⟨serie akkoorden⟩; *cadenza* ⟨improvisatie⟩ ◆ **3.1** in dit gedicht is de ~ goed bewaard *in this poem the c. is well preserved*.

caddie ⟨de (m.)⟩ **0.1** [⟨sport⟩] *caddie / dy* **0.2** [boodschappenwagentje] *trolley*, [A]*caddie (cart)* ◆ **3.1** iem.'s ~ zijn *caddy for s.o.*.

cadeau ⟨het⟩ **0.1** *present* ⇒*gift* ◆ **3.1** iem. iets ~ doen / geven *make a person a p. of sth., give a person sth. as a p.;* boeken om ~ te geven *gift books;* ik zou het niet eens ~ willen hebben *I wouldn't have it as a gift / take it if it was handed to me on a silver platter / if you paid me;* de intekenaars op de encyclopedie kregen één deel ~ *the subscribers to the encyclopedia got one volume free;* ⟨iron.⟩ dat krijg je van me ~ *you can have / keep it, it's all yours;* iets ~ krijgen ⟨ook fig.⟩ *get sth. for nothing / free, get a free gift of sth.* **5.1** ⟨euf.⟩ iets niet ~ geven *not give sth. away, not let s.o. off lightly*.

cadeaubon ⟨de (m.)⟩ **0.1** *gift voucher / coupon / token*.

cadeaustelsel ⟨het⟩ **0.1** *(free-)gift system* ⇒*gift scheme, coupon / gift trading*.

cadens ⟨de⟩ ⟨muz.⟩ **0.1** *cadence* ⟨serie akkoorden⟩; *cadenza* ⟨improvisatie⟩.

cadet ⟨de (m.)⟩ **0.1** *cadet*.

cadettenschool ⟨de⟩ **0.1** *cadet school* ⇒*military / naval / airforce academy / college / school*.

cadmium ⟨het⟩ **0.1** [⟨schei.⟩] *cadmium* **0.2** [cadmiumgeel] *cadmium yellow / sulphide*.

cadmiumgeel ⟨bn.⟩ **0.1** *cadmium yellow*.

cadrist ⟨de (m.)⟩ ⟨biljart⟩ **0.1** *balkline billiard player / billiardist*.

caesar ⟨de (m.)⟩ **0.1** *Caesar*.

caesium ⟨het⟩ ⟨schei.⟩ **0.1** *caesium*, [A]*cesium*.

caesuur → **cesuur**.

café ⟨het⟩ **0.1** ⟨met vergunning⟩ *café, cafe* ⇒⟨BE; ong.⟩ *pub, bar*, [↑]*public house*, ⟨AE; ong.⟩ *bar(room), saloon*, ⟨zonder vergunning⟩ *café, cafe, coffeeshop*.

cafébezoeker ⟨de (m.)⟩, **-ster** ⟨de (v.)⟩ **0.1** *café-goer* ⇒≠[B]*pub-goer*.

café-chantant ⟨het⟩ **0.1** *café-chantant* ⇒⟨ihb. AE⟩ *cabaret*.

café complet ⟨de (m.)⟩ **0.1** *coffee and cake*.

caféhouder ⟨de (m.)⟩ **0.1** *café proprietor / owner* ⇒[B]≠*publican*, [A]*saloon-keeper*, ⟨zonder vergunning⟩ *café / coffeeshop owner*.

cafeïne ⟨de⟩ **0.1** *caffein(e)* ⇒⟨ihb. in thee⟩ *theine*.

cafeïnevrij ⟨bn.⟩ **0.1** *decaffeinated* ◆ **1.1** ~e koffie *d. coffee*.

caféloper ⟨de (m.)⟩ **0.1** [B]*pub crawler*, [A]*barfly*.

café-restaurant ⟨het⟩ **0.1** *restaurant* ⇒⟨zonder vergunning⟩ *café*.

cafetaria ⟨de⟩ **0.1** *cafetaria* ⇒*snack bar*.

cafétariahouder ⟨de (m.)⟩, **-ster** ⟨de (v.)⟩ **0.1** *cafeteria / snack-bar manager* ⟨m.⟩ / *manageress* ⟨v.⟩.

caféterras ⟨het⟩ **0.1** *café terrace* ⇒*pavement terrace / area / café* ◆ **6.1** hij zat **op** het ~ voor Americain *he was sitting outside the American Hotel*.

cahier ⟨het⟩ **0.1** *excercise book* ⇒*copy book* ⟨schoonschrift⟩.

CAI ⟨afk.⟩ **0.1** [Computer Assisted Instruction] *CAI*.

C.A.I. ⟨afk.⟩ **0.1** [Centrale Antenne Inrichting] *CATV, community antenna installation*.

caissière ⟨de (v.)⟩ **0.1** *cashier* ⇒*cash girl, box-office girl* ⟨theater, bioscoop⟩.

caisson ⟨de (m.)⟩ **0.1** [⟨wwb.⟩ werkkamer] *caisson* **0.2** [⟨wwb.⟩ zinkbak] *caisson* **0.3** [munitiewagen] *caisson* ⇒*ammunition wag(g)on*.

caissonwet ⟨de⟩ **0.1** *Caisson Act, Decompression Act*.

caissonziekte ⟨de (v.)⟩ **0.1** *caisson disease* ⇒*decompression sickness*, [↓]*the bends*.

cajunmuziek ⟨de (v.)⟩ **0.1** *cajun music*.

cake ⟨de (m.)⟩ **0.1** *(madeira) cake*.

cakebeslag ⟨het⟩ **0.1** *cake mixture*.

cakeblik ⟨het⟩ **0.1** *cake tin*.

cakemeel ⟨het⟩ **0.1** ≠*plain flour*.

cal. ⟨afk.⟩ **0.1** [calorie] *cal*.

calamiteit ⟨de (v.)⟩ **0.1** *calamity* ⇒*disaster, catastrophe*.

calamiteus ⟨bn.⟩ **0.1** *calamitous* ⇒*necessitous*.

calando ⟨bw.⟩ ⟨muz.⟩ **0.1** *calando*.

calcificatie ⟨de (v.)⟩ **0.1** *calcification*.

calcinatie ⟨de (v.)⟩ **0.1** *calcination*.

calcitonine ⟨het⟩ ⟨med.⟩ **0.1** *calcitonin*.

calcium ⟨het⟩ ⟨schei.⟩ **0.1** *calcium*.

c ⟨de⟩ **0.1** [letter, klank] *c, C* **0.2** [namen / woorden beginnend met c] *c, C* **0.3** [toon] *c, C* **0.4** [⟨muz.⟩ teken] *C* **0.5** [derde v.e. reeks onbekenden] *c*.

c. ⟨afk.⟩ **0.1** [cent(um)] *c.* **0.2** [caput] *c.* **0.3** [circa] *approx.* ⇒⟨ihb. bij data⟩ *c.*.

C ⟨afk.⟩ **0.1** [Celsius] *C* **0.2** [⟨schei.⟩ carbonium] *C* **0.3** [Romeins cijfer] *C* ◆ **7.2** ⟨arch.⟩ ~-14 methode *(radio) carbon dating, carbon-14 dating*.

ca ⟨Lat.⟩ ⟨afk.⟩ **0.1** [circa] *approx.* ⇒⟨ihb. bij data⟩ *ca.*.

cabaratesk ⟨bn.⟩ **0.1** *like a cabaret*.

cabaret ⟨het⟩ **0.1** *cabaret* ◆ **2.1** politiek ~ *political c. / satire*.

cabaretgezelschap ⟨het⟩ **0.1** *troupe of cabaret performers, cabaret company*.

cabaretier ⟨de (m.)⟩, **-tière** ⟨de (v.)⟩ **0.1** *cabaret performer* ⇒*cabaret artist(e)*.

cabaretprogramma ⟨het⟩ **0.1** *cabaret (show)*.

cabine ⟨de (v.)⟩ **0.1** [bestuurdershokje] *cab(in)* **0.2** [passagiersruimte] *cabin* **0.3** [hokje voor filmprojectie] *projection room* ⇒*operating box* **0.4** [kleedhokje] *cubicle* **0.5** [wagentje v.e. kabelbaan] *(cable) car* **0.6** [hokje in talenlab / platenzaak enz.] *booth*.

cabinepersoneel ⟨het⟩ **0.1** *cabin crew / staff*.

cabretleder → **cabretleer**.

cabretleer ⟨het⟩ **0.1** *kid(-leather)* ⇒*cabretta*.

cabriolet ⟨de (m.)⟩ **0.1** *convertible* ⇒⟨vero.⟩ *cabriolet, drophead coupé*.

cacao ⟨de (m.)⟩ **0.1** [zaad] *cacao* **0.2** [poeder] *cacao* **0.3** [drank] *cacao* ⇒*(drinking) chocolate* ◆ **1.2** het ~ wil u een kopje ~? *would you like a cup of (hot) chocolate / a cup of cocoa*.

cacaoboom ⟨de (m.)⟩ **0.1** *cacao(-tree)* ⇒*cocoa tree*.

cacaoboon ⟨de⟩ **0.1** *cocoa bean* ⇒*cacao bean*.

cacaoboter ⟨de⟩ **0.1** *cocoa butter* ⇒*cacao butter*.

cacaoplantage ⟨de (v.)⟩ **0.1** *cocoa plantation*.

cacaopoeder ⟨het, de (m.)⟩ **0.1** *cocoa (powder)* ⇒*powdered cocoa*.

cachelot ⟨de (m.)⟩ **0.1** *cachalot* ⇒*sperm whale*.

cache-nez ⟨de (m.)⟩ **0.1** *muffler* ⇒*comforter*.

cache-pot ⟨de (m.)⟩ **0.1** *cachepot* ⇒*flowerpot container / holder / cover*.

cachet ⟨het⟩ **0.1** [distinctie] *cachet* ⇒*(touch of) prestige / distinction* **0.2** [kenmerk] *cachet* ⇒*stamp, (hall)mark* **0.3** [stempel] *seal* ⇒*signet*, ⟨filatelie⟩ *cachet* **0.4** [ouwel] *cachet, capsule* ◆ **1.2** het ~ van oorspronkelijkheid dragen *bear the stamp / mark of originality* **2.2** een persoonlijk ~ geven / verlenen aan *give personality / a personal touch to;* een wetenschappelijk ~ aan iets geven *give a scholarly c. to sth.* **3.1** zijn handelingen hebben ~ *whatever he does has style about it* **3.3** zijn

calciumcarbid ⟨het⟩ **0.1** *(calcium) carbide*.
calciumcarbonaat ⟨het⟩ **0.1** *calcium carbonate*.
calciumhoudend ⟨bn.⟩ **0.1** *calcic*.
calciumhydroxyde ⟨het⟩ **0.1** *calcium hydroxide*.
calculatie ⟨de (v.)⟩ **0.1** *calculation* ⇒*computation*, ⟨hand.; achteraf⟩ *cost accounting*, ⟨vooraf⟩ *estimating*.
calculatiemethode ⟨de (v.)⟩ **0.1** *calculation method* ⇒⟨kostprijsberekening⟩ *estimating* / *cost accounting* / ⟨BE ook⟩ *costing method*.
calculator ⟨de (m.)⟩ **0.1** ⟨persoon⟩ *calculator* ⇒*computer*, ⟨hand.⟩ *cost accountant* **0.2** ⟨machine⟩ *calculator* ⇒*calculating machine*.
calculeren ⟨ov.ww.⟩ **0.1** *calculate* ⇒*compute*, ⟨hand.⟩ *cost*.
calculus ⟨de (v.)⟩ ⟨wisk.⟩ **0.1** *calculus*.
calèche ⟨de⟩ **0.1** *barouche*.
Caledonië ⟨het⟩ **0.1** *Caledonia*.
kaleidoscoop ⟨de (m.)⟩ **0.1** *kaleidoscope*.
calendarium ⟨het⟩ **0.1** *calendar (of saints)*.
calgon ⟨het⟩ ⟨schei.⟩ **0.1** *calgon*.
calico(t) ⟨het⟩ **0.1** *calico* ⇒*dowlas, dungaree, crash*, ⟨voor boekbanden⟩ *book muslin*.
Californië ⟨het⟩ **0.1** *California* ◆ **1.1** de staat ~ *the State of C.*.
californium ⟨het⟩ ⟨schei.⟩ **0.1** *californium*.
call-geld ⟨het⟩ **0.1** *call money* ⇒*money on* / *lent at* / *payable at* / *on call*.
call-geldlening ⟨de (v.)⟩ **0.1** *call* / *demand loan* ⇒*loan (payable) on call* / *demand*, ⟨AE ook⟩ *day-to-day loan*.
calorie ⟨de (v.)⟩ **0.1** ⟨warmte-eenheid⟩ *calorie* **0.2** ⟨eenheid van voedingswaarde⟩ *estimating* / *cost accounting* / ⟨BE ook⟩ *costing method*.
calorie ⟨de (v.)⟩ **0.1** ⟨warmte-eenheid⟩ *calorie* **0.2** ⟨eenheid van voedingswaarde⟩ *calorie* ◆ **2.1** grote ~ *large* / *great c.*; kleine ~ *small c.*.
caloriearm ⟨bn.⟩ **0.1** *low-calorie, low in calories*.
calorierijk ⟨bn.⟩ **0.1** *high-calorie* ⇒*calorie-rich, rich in calories* ⟨na zn.⟩ ◆ **1.1** een ~ dieet *a h.-c. diet*.
calorimeter ⟨de (m.)⟩ **0.1** *calorimeter*.
calorimetrie ⟨de (v.)⟩ **0.1** *calorimetry*.
calorisch ⟨bn.⟩ **0.1** *calorie* ⇒*calorific* ◆ **1.1** ~e machine *calorie engine*; de ~e waarde van brandstoffen *the calorific value of fuels*.
calque ⟨de (v.)⟩ **0.1** ⟨tekening⟩ *tracing* **0.2** ⟨vertaling⟩ *calque* ⇒*loan translation*.
calqueerlinnen ⟨het⟩ **0.1** *tracing cloth*.
calqueerpapier ⟨het⟩ **0.1** *tracing paper* ⇒*transfer paper*.
calqueerplaatje ⟨het⟩ **0.1** *transfer (picture)*.
calqueren ⟨ov.ww.⟩ **0.1** ⟨overtrekken⟩ *trace* ⇒*calk, calque* **0.2** ⟨nabootsen⟩ *calque, imitate*.
calumet ⟨de (m.)⟩ **0.1** *calumet* ⇒*peace pipe*.
calvarieberg ⟨de (m.)⟩ **0.1** ⟨⟨bijb.⟩⟩ *Mount Calvarie* ⇒*Golgotha* **0.2** ⟨kruisheuvel⟩ *calvary* **0.3** ⟨r.k., bk.⟩ *calvary* ◆ **3.1** ⟨fig.⟩ iem. de Calvarieberg opleiden *pester the life out of s.o.*.
calvinisme ⟨het⟩ **0.1** *Calvinism*.
calvinist ⟨de (m.)⟩ **0.1** *Calvinist*.
calvinistisch ⟨bn., bw.; -(al)ly⟩ **0.1** ⟨volgens (de leer van) Calvijn⟩ *Calvinistic(al), Calvinist* **0.2** ⟨behoudend⟩ *calvinistic(al)* ◆ **1.2** een ~e kijk op de samenleving *a calvinistic view of society*.
calypso ⟨de⟩ **0.1** *calypso*.
cambiëren ⟨onov., ov.ww.⟩ **0.1** *exchange money* ⇒*deal in bills of exchange* / *money exchange*.
cambio ⟨het⟩ ⟨hand.⟩ **0.1** *(foreign) bill of exchange* ⇒*treasury bill*.
cambist ⟨de (m.)⟩ **0.1** *cambist* ⇒*(foreign) exchange dealer* / *broker, moneychanger, dealer in bills*.
Cambrium ⟨het⟩ ⟨geol.⟩ **0.1** *Cambrian (period)*.
camee ⟨de (v.)⟩ **0.1** *cameo*.
camel ⟨bn.⟩ **0.1** *camel* ⇒*fawn*.
camelia ⟨de⟩ ⟨plantk.⟩ **0.1** *camel(l)ia* ⇒*japonica*.
camembert ⟨de (m.)⟩ **0.1** *Camembert (cheese)*.
camera ⟨de⟩ **0.1** ⟨foto-, filmtoestel⟩ *camera* ◆ **2.1** verborgen ~ *candid* / *hidden c.* **3.1** laat de ~ lopen! *roll the c.!* ¶.¶ ~ obscura *camera obscura*; ~ lucida *camera lucida*.
cameraploeg ⟨de⟩ **0.1** *camera crew* / *team*.
camerawagen ⟨de (m.)⟩ **0.1** *dolly*.
camion ⟨de (m.)⟩ ⟨AZN⟩ **0.1** *lorry*, ^*truck*.
camouflage ⟨de (v.)⟩ **0.1** ⟨het camoufleren⟩ *camouflage* ⇒*camouflaging*, ⟨fig.⟩ *covering-up* **0.2** ⟨wat tot camoufleren dient⟩ *camouflage* ⇒ ⟨fig.⟩ *cover, front* ◆ **6.2** ter ~ dienen *serve as camouflage*.
camouflagekleur ⟨de⟩ **0.1** *camouflage colour*.
camouflagestift ⟨de⟩ **0.1** *cover-up stick*.
camouflage-uitrusting ⟨de (v.)⟩ **0.1** *camouflage (kit)* ◆ **6.1** een militaire eenheid in ~ *a military unit in camouflage kit*.
camoufleren ⟨ov.ww.⟩ **0.1** ⟨onopvallend maken⟩ *camouflage* **0.2** ⟨fig., mbt. handelingen, gevoelens enz.⟩ *camouflage* ⇒*cover up, disguise*.
campagne ⟨de⟩ **0.1** ⟨publieke actie⟩ *campaign* ⇒*drive* **0.2** ⟨seizoen⟩ *(working) season* **0.3** ⟨veldtocht⟩ *campaign* ◆ **1.3** een plan de ~ ⟨ook fig.⟩ *a plan of c.* / *action, scheme of action* **2.1** een grootscheepse ~ op touw zetten *start a great drive*; een politieke ~ *a political c.* **3.1** ~ voeren (voor / tegen) *campaign (for* / *against)* **3.2** de ~ openen / beginnen *launch* / *mount the c.* **3.3** hij heeft heel wat ~s meegemaakt ⟨fig.⟩ *he's an old campaigner, he's seen many a battle in his time* **6.1** een ~ tegen iem. voeren *(conduct* / *run* / *lead) a) campaign against s.o.*.

campagnejaar ⟨het⟩ **0.1** *year of hard graft* / *slogging* ◆ **3.1** het was een ~ *that was a year and a half*.
campagneleider ⟨de (m.)⟩, **-ster** ⟨de (v.)⟩ **0.1** ⟨pol.⟩ *campaign manager, head of a* / *the campaign* ⇒⟨mil. ook⟩ *spearhead*.
campanologie ⟨de (v.)⟩ **0.1** *campanology*.
camper ⟨de⟩ **0.1** *camper* ⇒⟨BE ook⟩ *dormobile*, ⟨AE ook⟩ *motor home*.
camping ⟨de⟩ **0.1** ⟨kampeerterrein⟩ *camp(ing) site* ⇒*camp(ing)ground*, ⟨voor caravans⟩ ^B*caravan park*, ^A*trailer park* **0.2** ⟨het kamperen⟩ *camping (out)*.
campingbeheerder ⟨de (m.)⟩ **0.1** *campsite manager*.
campinggas ⟨het⟩ **0.1** *butane gas*.
campus ⟨de (m.)⟩ **0.1** *campus* ⇒*university* / *college* / *school grounds* ◆ **6.1** op de ~ *on (the) campus, in the university* / *college* / *school grounds*.
canada ⟨de (m.)⟩ ⟨plantk.⟩ **0.1** *black Italian poplar*.
Canada ⟨het⟩ **0.1** *Canada*.
Canadees[1] ⟨de (m.)⟩, **-dese** ⟨de (v.)⟩ **0.1** *Canadian* ⟨m., v.⟩ ⇒*Canadian (woman* / *girl)* ⟨v.⟩.
Canadees[2] ⟨bn.⟩ **0.1** *Canadian, Canada* ◆ **1.1** Canadese den *hemlock (fir, spruce)*; Canadese gans *Canada (goose)*.
canaille
  I ⟨het⟩ **0.1** ⟨gepeupel⟩ *canaille* ⇒*rabble, riff-raff, mob*, ↓*scum*;
  II ⟨het⟩ **0.1** ⟨vrouw⟩ *shrew* ⇒*vixen*, ↓*bitch*.
canailleus ⟨bn., bw.; -ly⟩ **0.1** *coarse* ⇒*common, vulgar*, ↓*bitchy* ⟨vrouw⟩.
canapé ⟨de (m.)⟩ **0.1** ⟨sofa⟩ *sofa* ⇒*settee, couch*, ^*davenport, divan* ⟨vaak zonder rugleuning⟩ **0.2** ⟨belegd stukje geroosterd brood⟩ *canapé*.
canard ⟨de (m.)⟩ **0.1** ⟨eend⟩ *duck* **0.2** ⟨leugenbericht⟩ *canard* ⇒*media rumour, hoax, false report* **0.3** ⟨suikerklontje⟩ *'canard'* ⟨*sugar cube dipped in coffee*⟩.
Canarische Eilanden ⟨zn.mv.⟩ **0.1** *(the) Canaries, (the) Canary Islands*.
canasta ⟨het⟩ **0.1** *canasta*.
cancan ⟨de (m.)⟩ **0.1** *cancan*.
cancellen ⟨ov.ww.⟩ **0.1** *cancel* ⇒*annul*.
cancerologie ⟨de (v.)⟩ **0.1** *cancerology* ⇒*oncology, cancer research*.
cand. ⟨de (m.)⟩ ⟨afk.⟩ **0.1** ⟨candidatus, kandidaat⟩ *candidate*.
candela ⟨de⟩ **0.1** *candela*.
canna ⟨de⟩ ⟨plantk.⟩ **0.1** *canna*.
cannabis ⟨de (v.)⟩ **0.1** *cannabis* ⇒*hemp, marijuana, hashish*.
canneleren ⟨ov.ww.⟩ **0.1** *flute* ⇒*groove, channel*, ⟨van hout⟩ *chamfer*.
cannelure ⟨de⟩ **0.1** *cannelure* ⇒*flute, glyph*, ⟨mv. ook⟩ *fluting, fluted work, channelling* ^*neling, grooves*, ⟨van hout⟩ *chamfer*.
canon ⟨de (m.)⟩ **0.1** ⟨⟨muz.⟩⟩ *round* ⇒*catch, canon* **0.2** ⟨norm⟩ *canon* ⇒*norm, standard, criterion* **0.3** ⟨kerkelijke leerstelling⟩ *canon* ⇒*dogma* **0.4** ⟨⟨bijb.⟩⟩ *canon* **0.5** ⟨druk.⟩ *canon* **0.6** ⟨jaarlijks te betalen erfpacht⟩ *ground-rent* **0.7** ⟨r.k.⟩ *canon* ◆ **6.1** in zijn ~ zingen *sing in a r.* / *in canon*.
canoniek ⟨bn.⟩ **0.1** ⟨volgens de canon⟩ *canonical* **0.2** ⟨kerkrechtelijk⟩ *canonical* **0.3** ⟨normatief⟩ *canonical* ⇒*authoritative, standard, approved* ◆ **1.1** de ~e boeken *the canon (of Scripture), the c. books* **1.2** ~ recht *canon law* **1.3** dit is geen ~e spelling *this is not the accepted* / *standard* / *normal spelling*.
canonisatie ⟨de (v.)⟩ ⟨r.k.⟩ **0.1** *canonization*.
canoniseren ⟨ov.ww.⟩ ⟨r.k.⟩ **0.1** *canonize*.
Canossa ⟨zn.mv.⟩ **0.1** *Canossa* ◆ **6.1** naar ~ gaan ⟨fig.⟩ *go to C., eat humble pie*.
cantabile[1] ⟨het⟩ ⟨muz.⟩ **0.1** *cantabile*.
cantabile[2] ⟨bw.⟩ ⟨muz.⟩ **0.1** *cantabile*.
cantate ⟨de (v.)⟩ **0.1** ⟨zangstuk⟩ *cantata* **0.2** ⟨⟨vero.⟩ vierde zondag na Pasen⟩ *fourth Sunday after Easter*.
cantharel ⟨de⟩ **0.1** *chanterelle*.
cantilene ⟨de⟩ **0.1** *cantilena* ⇒*cantilène*.
cantille ⟨de⟩ **0.1** *purl* ⇒*filigree* / *filagree wire, gold stitchery*.
canto ⟨het⟩ **0.1** ⟨⟨muz.⟩⟩ *canto, cantus* **0.2** ⟨⟨lit.⟩⟩ *canto* ◆ **1.1** ~ fermo *cantus firmus, canto fermo*; ~ figurato *coloratura, musica figurata* / *coloratura*.
cantor ⟨de (m.)⟩ **0.1** *cantor* ⇒*precentor, music director*, ⟨jud.⟩ *(c)hazan*.
cantorij ⟨de (v.)⟩ **0.1** *(church) choir*.
canule ⟨de⟩ **0.1** *cannula* ⇒*tube, drain*.
canvas ⟨het⟩ **0.1** *canvas* ⇒*sailcloth, tarpaulin* ◆ **6.1** tegen het ~ gaan *be knocked out* / *ko'd, hit the c.*; ⟨fig.⟩ *bite the dust*.
canvassen ⟨ov.ww.⟩ **0.1** ⟨leden voor een politieke partij⟩ *canvassing*; ⟨colporteren⟩ *hawking*.
cao ⟨de (v.)⟩ ⟨afk.⟩ **0.1** ⟨collective arbeidsovereenkomst⟩ *(collective (labour) agreement)* ◆ **2.1** meerjarige ~'s afsluiten *sign long-term labour agreements* / *contracts* **6.1** dat staat niet in mijn ~ *that's not part of my job description, I'm not paid to do that*.
cao-onderhandelingen ⟨zn.mv.⟩ **0.1** *collective bargaining*.
caoutchouc[1] ⟨de, het (m.)⟩ **0.1** *caoutchouc* ⇒*(india* / *natural) rubber*.
caoutchouc[2] ⟨bn.⟩ **0.1** *caoutchouc* ⇒*(india* / *natural) rubber*, ⟨rekbaar⟩ *elastic, flexible, rubbery*.
cap. ⟨het⟩ ⟨afk.⟩ **0.1** ⟨caput⟩ *chap.*.

capabel 〈bn.〉 **0.1** [bekwaam] *capable* ⇒〈veelbelovend〉 *able*, 〈geschikt〉 *competent*, 〈bevoegd〉 *qualified* **0.2** [in staat] *capable (of, of doing sth.)* ⇒*able (to)* ◆ **3.1** voor die functie bleek hij uiterst ~ *he seemed more than qualified for the job* **5.1** hij is niet ~ om te rijden *he's in no shape/condition to drive;* hij is niet ~ 〈dronken〉 *he's drunk and incapable;* 〈niet bekwaam〉 *he's unsuited (for the job);* 〈onverantwoordelijk〉 *he's irresponsible.*

capabiliteit 〈de (v.)〉 **0.1** *capability* ⇒*ability, competence.*

capaciteit 〈de (v.)〉 **0.1** [vermogen] *capacity* ⇒*output, volume, power* **0.2** [bekwaamheid] *ability* ⇒*capability* ◆ **1.1** de ~ van een kachel *the c. / output of a heater;* de ~ v.e. ziekenhuis *the c. of a hospital* **2.1** effectieve ~ *actual c.;* elektrische ~ *(electrical) capacitance/c.;* de fabriek werkt op volle ~ *the factory is operating at full c.* **2.2** geestelijke ~ en *mental abilities, intellectual power* **6.1** een motor met kleine ~ *a low-powered engine* **6.2** iem. met grote ~ en *s.o. with tremendous abilities, a very able person, a man of good parts.*

capacitief 〈bn.〉〈elek.〉 **0.1** *capacitive* ◆ **1.1** capacitieve koppeling *c. coupling.*

capillair¹ 〈het〉 **0.1** *capillary.*

capillair² 〈bn.〉 **0.1** *capillary* ◆ **1.1** ~e aantrekking/werking *c. attraction /action;* ~e buizen/vaten *c. tubes/vessels, capillaries;* ~ stelsel *c. network;* ~e verschijnselen *capillarity* **2.1** ~ actief *c. active.*

capillair-actief 〈bn.〉 **0.1** *surface-active* ⇒*surfactant.*

capillariteit 〈de (v.)〉 **0.1** *capillarity.*

capita selecta 〈zn.mv.〉 **0.1** *Selected Topics.*

capitonnage 〈de (v.)〉 **0.1** *padding* ⇒*stuffing.*

capitonneren 〈ov.ww.〉 **0.1** *pad* ⇒*stuff.*

Capitool 〈het〉 **0.1** [〈gesch.〉 burcht] *capitol* **0.2** [gebouw in Washington] *Capitol.*

capitulatie 〈de (v.)〉 **0.1** [verdrag] *capitulation (treaty)* **0.2** [overgave] *capitulation* ⇒*surrender.*

capitulatievoorwaarde 〈de (v.)〉 **0.1** *condition for capitulation.*

capituleren 〈onov.ww.〉 **0.1** *capitulate* ⇒*surrender,* ↓*give in,* 〈inf.〉 *throw in the towel.*

cappuccino 〈de (m.)〉 **0.1** *cappuccino.*

capriccio 〈het〉〈muz.〉 **0.1** *cappricio* ⇒*caprice.*

caprice 〈de〉 **0.1** *caprice* ⇒*whim, (passing) fancy.*

capricieus 〈bn.〉 **0.1** *capricious* ⇒*whimsical,* 〈pej.〉 *fickle, temperamental.*

capriool 〈de〉 **0.1** *capriole* ⇒*caper, prank,* 〈mv.ook〉 *antics,* 〈paardesport ook〉 *curvet* ◆ **3.1** capriolen maken 〈paardesport〉 *perform caprioles/curvets;* capriolen uithalen *cut capers,* ᴬ*cut up.*

caprolactam 〈het, de (m.)〉 **0.1** *caprolactam.*

capsule 〈de〉 **0.1** [omhulsel om geneesmiddelen] *capsule* **0.2** [geneesmiddel] *capsule* **0.3** [〈ruim.〉] *(space) capsule* **0.4** [dop] *(bottle-)/top* ⇒*cap* **0.5** [zaaddoos] *capsule.*

captie 〈de (v.)〉 ◆ **3.¶** ~(s) maken 〈bezwaar/aanmerkingen maken〉 *raise an objection/(captious) objections, find fault;* 〈chicaneren, uitvluchten zoeken〉 *chicane;* 〈tegenstribbelen〉 *jib, recalcitrate, resist.*

capuchon 〈de (m.)〉 **0.1** *hood* ◆ **3.1** zijn ~ opdoen, opzetten *pull on/up one's h..*

cara 〈zn.mv.〉〈afk.〉 **0.1** [chronische aspecifieke respiratoire aandoeningen] *CNSLD (Chronic Non Specific Lung Disease)* ⇒*COLD (Chronic Obstructive Lung Disease), COPD (Chronic Obstructive Pulmonary Disease).*

carabinieri 〈de (m.)〉 **0.1** *carabinieri.*

Caraïbiër 〈de (m.)〉 **0.1** *Carib(ee).*

Caraïbisch 〈bn.〉 **0.1** *Caribbean* ◆ **1.1** de ~e Eilanden *the Caribbees/ Caribbean Islands;* het ~ gebied *the Caribbean;* de ~e Zee *the Caribbean (Sea).*

carambole 〈de (m.)〉〈biljart〉 **0.1** *cannon,* ᴬ*carom* ◆ **3.1** een ~ maken *get/make a cannon/*ᴬ*carom* **6.1** ~ over de band *cannon/*ᴬ*carom off the cushion.*

caramboleren 〈onov.ww.〉 **0.1** [〈biljart〉] *cannon,* ᴬ*carom* ⇒*get/make a cannon/*ᴬ*carom* **0.2** [botsen] *collide (with, into)* ⇒*cannon, crash, bump (into).*

caravan 〈de (m.)〉 **0.1** ᴮ*caravan,* ᴬ*trailer (home),* ᴬ*mobile home.*

caravanterrein 〈het〉 **0.1** ᴮ*caravan park,* ᴬ*trailer park,* ᴬ*mobile home park.*

carbid 〈het〉〈schei.〉 **0.1** *(calcium) carbide.*

carbidlamp 〈de〉 **0.1** *carbide lamp* ⇒*acetylene lamp.*

carbol 〈het, de (m.)〉 **0.1** *carbolic (acid)* ⇒*phenol.*

carbolineren 〈ov.ww.〉 **0.1** *apply Carbolineum* ⇒*creosote.*

carbolineum 〈het〉 **0.1** *carbolineum* ⇒*creosote (oil).*

carboliseren 〈ov.ww.〉 **0.1** *carbolize.*

carbolzuur 〈het〉 **0.1** *carbolic acid* ⇒*phenol.*

carbon 〈het〉 **0.1** *carbon (paper).*

carbonaat 〈het〉〈schei.〉 **0.1** *carbonate.*

carbonatie 〈de (v.)〉 **0.1** [het doen opnemen van koolzuur] *carbonation* **0.2** [het harden van staal] *carburization.*

carbondoorslag 〈de (m.)〉 **0.1** *carbon copy* ⇒*duplicate.*

carboniseren

I 〈onov., ov.ww.〉 **0.1** [verkolen] *carbonize* ⇒*carbonate;*
II 〈ov.ww.〉 **0.1** [zuiveren van wol] *carbonize* **0.2** [koolzuur toevoegen aan] *carbonate.*

carbonpapier 〈het〉 **0.1** *carbon paper.*

carbonzuur 〈het〉〈schei.〉 **0.1** *carboxylic acid.*

carboon 〈het〉 **0.1** [〈schei.〉] *carbon* **0.2** [〈geol.〉] *Carboniferous (period).*

carburator 〈de (m.)〉 **0.1** *carburetter, carburettor* ᴬ*retor* ◆ **2.1** dubbele ~ *twin carburetters;* 〈inf.〉 *dual/twin carbs.*

carbureren 〈ov.ww.〉 **0.1** [lichtgas met koolwaterstof verbinden]〈van lichtgas〉 *carburet* ⇒〈metallurgie〉 *carburize* **0.2** [brandstof met lucht vermengen] *vaporize.*

carcinogeen¹ 〈het〉〈med.〉 **0.1** *carcinogen.*

carcinogeen² 〈bn.〉〈med.〉 **0.1** *carcinogenic.*

carcinogeniteit 〈de (v.)〉 **0.1** *carcinogenicity.*

carcinoom 〈het〉 **0.1** *carcinoma* ⇒*malignant tumour, cancer* ◆ **2.1** hard ~ *scirrhus.*

cardanas 〈de〉 **0.1** *prop(ellor) shaft, drive shaft, crank shaft.*

cardankoppeling 〈de (v.)〉 **0.1** *cardan, cardan/universal joint.*

cardantunnel 〈de (m.)〉 **0.1** *transmission tunnel.*

cardiaal 〈bn.〉〈anatomie〉 **0.1** *cardiac.*

cardiochirurg 〈de (m.)〉 **0.1** *cardiosurgeon* ⇒*heart surgeon.*

cardiochirurgie 〈de (v.)〉 **0.1** *cardiosurgery* ⇒*heart surgery.*

cardiograaf 〈de (m.)〉 **0.1** *cardiograph.*

cardiografisch 〈bn.〉 **0.1** *cardiographic* ◆ **1.1** ~ onderzoek *cardiography, examination by cardiograph.*

cardiogram 〈het〉 **0.1** *cardiogram.*

cardiologie 〈de (v.)〉 **0.1** *cardiology.*

cardioloog 〈de (m.)〉, -loge 〈de (v.)〉 **0.1** *cardiologist.*

cardiovasculair 〈bn.〉〈med.〉 **0.1** *cardiovascular.*

cardulance 〈de〉 **0.1** *'cardulance'* 〈ambulance specially equipped for cardiac victims〉.

cargadoor 〈de (m.)〉 **0.1** *ship broker.*

cargadoorsbedrijf 〈het〉 **0.1** *ship-broker's firm/company.*

cargalijst 〈de〉 **0.1** *cargo list, ship's manifest.*

cargo 〈de (m.)〉 **0.1** [schip] *cargo ship/vessel/boat* **0.2** [lading] *cargo* ⇒*load.*

cargoverzekering 〈de (v.)〉 **0.1** *cargo insurance.*

cariës 〈de〉 **0.1** *caries* ⇒*tooth decay.*

carieus 〈bn.〉 **0.1** *carious* ⇒*decayed.*

carillon 〈het, de (m.)〉 **0.1** *carillon* ⇒*chimes, (peal/set of) bells* ◆ **1.1** het spelen v.h. ~ *the ringing of the bells/chimes.*

caritas 〈de (v.)〉 **0.1** *charity.*

carnaval 〈het〉 **0.1** [dagen] *Shrovetide* ⇒*carnival (time/season)* **0.2** [viering] *carnival* ⇒*Mardi Gras* ◆ **1.2** prins ~ *King Carnival* **3.2** ~ vieren *celebrate c., go to Mardi Gras.*

carnavalesk 〈bn., bw.〉 **0.1** *carnivalesque* ⇒*(of) carnival, carnival-like.*

carnavalsclub 〈de〉 **0.1** *carnival club.*

carnavalskraker 〈de (m.)〉 **0.1** *carnival hit/song.*

carnavalslied 〈het〉 **0.1** *carnival song.*

carnavalsoptocht 〈de (m.)〉 **0.1** *carnival procession.*

carnavalstijd 〈de (m.)〉 **0.1** *carnival (time/season)* ⇒*Shrovetide.*

carnavalsviering 〈de (v.)〉 **0.1** *celebration of carnival/Shrovetide/Mardi Gras.*

carnavalswagen 〈de (m.)〉 **0.1** *(carnival) float.*

carneool 〈het, de (m.)〉 **0.1** *carnelian* ⇒*carneol(e).*

carnet 〈het〉 **0.1** [aantekenboekje] *notebook* **0.2** [autopaspoort] *carnet.*

carnivoor 〈de (m.)〉 **0.1** *carnivore* ⇒*carnivorous/flesh-eating animal,* 〈mv.ook〉 *carnivora.*

carobbe 〈het〉 **0.1** *carob* ⇒*St.-John's-bread, locust bean/pod.*

caroteen 〈het〉, **carotine** 〈het, de〉 **0.1** *carotene, carotin.*

carpoolen 〈ww.〉 **0.1** *carpool.*

carrageen 〈het〉 **0.1** *car(r)ag(h)een* ⇒*Irish moss.*

carré 〈het, de (m.)〉 **0.1** [vierkant] *square* **0.2** [〈mil.〉] *square* **0.3** [gebak] *pastry* **0.4** [〈kaartspel〉] *four of a kind* ◆ **1.4** ~ azen *four aces* **2.1** open ~ *hollow s.* **6.2** zich in ~ opstellen *form (into) a s., take up a s. formation.*

carrière 〈de〉 **0.1** [loopbaan] *career* **0.2** [〈ruitersport〉 volle ren] *(full) gallop, full career* ◆ **1.1** aan het begin/op het einde van zijn ~ *at the beginning/end of his c.* **2.1** een snelle ~ *a success story, a lightning c.* **3.1** zijn ~ beginnen *enter on/start one's c.;* 〈scherts.〉 hij is zijn ~ misgelopen *he missed his vocation, he's in the wrong business;* ~ maken *make a c. for oneself, succeed in life, get ahead;* zijn ~ mislopen *not get as far as expected (in one's c. / profession), not make the grade.*

carrièrediplomaat 〈de (m.)〉 **0.1** *career diplomat.*

carrièrejager 〈de (m.)〉, **-jaagster** 〈de (v.)〉 **0.1** *careerist* ⇒〈v. ook〉 *career girl/woman.*

carrièreplanning 〈de (v.)〉 **0.1** *career planning* ◆ **3.1** niet aan ~ doen *not go in for c. p..*

carrosserie 〈de (v.)〉 **0.1** *body* ⇒*bodywork, carriage work, coachwork* ◆ **2.1** open en gesloten ~ *open and enclosed body* **3.1** zelfdragende ~ *monocoque.*

carrosseriebedrijf 〈het〉 **0.1** *car/motor body works/workshop* ⇒*bodyworks, coachworks.*

carrosseriefabriek ⟨de (v.)⟩ **0.1** *bodywork/coachwork factory* ⇒*body-works, coachworks.*

carrousel ⟨het, de (m.)⟩ **0.1** [draaimolen ⟨ook fig.⟩] *merry-go-round,* ^A*carousel* ⇒*roundabout, whirligig* **0.2** [werktuig] *turret* ⇒*lathe,* ⟨draaitafel⟩ *turntable* ◆ **3.1** ~ rijden *have a ride on the m.-g.-r., car(r)ousel.*

carte ⟨de (v.)⟩ **0.1** *carte* ◆ **¶.1** dineren à la ~ *dine à la c..*

carter ⟨het⟩ **0.1** *crankcase* ⇒⟨oliereservoir onder in het carter⟩ *sump.*

Cartesiaan ⟨de (m.)⟩ **0.1** *Cartesian.*

cartesiaans ⟨bn.⟩ **0.1** *Cartesian* ◆ **1.1** ~ duikertje/duiveltje *C. diver.*

cartesisch ⟨bn.⟩ **0.1** *Cartesian* ◆ **1.1** ~ assenstelsel *(system of) C. coordinates.*

Carthaags ⟨bn.⟩ **0.1** *Carthaginian* ◆ **1.1** ~e oorlogen *C./ Punic wars;* ~e vrede *C. peace.*

Carthager ⟨de (m.)⟩, **Carthaagse** ⟨de (v.)⟩ **0.1** *Carthaginian.*

Carthago ⟨het⟩ **0.1** *Carthage.*

cartograaf ⟨de (m.)⟩ **0.1** *cartographer* ⇒*map-maker.*

cartografie ⟨de (v.)⟩ **0.1** *cartography* ⇒*map-making.*

cartografisch ⟨bn., bw.; -(al)ly⟩ **0.1** *cartographic(al)* ◆ **1.1** ~e afdeling *map department.*

cartogram ⟨het⟩ **0.1** *cartogram.*

cartometrie ⟨de (v.)⟩ **0.1** *cartometry.*

cartotheek ⟨de (v.)⟩ **0.1** *filing system* ⇒*card index, card-index system, index file, card catalogue* ^A*log.*

cartouche ⟨de⟩ **0.1** [omlijst muurvlak] *cartouche* ⇒*tablet, scroll* **0.2** [vlak op schilderij] *cartouche* **0.3** [schietpatroon] *cartridge* ⇒*round, cartridge case* **0.4** [rolletje munten] *cartridge* ⇒*roll of coins.*

C.A.S. ⟨het⟩ **0.1** [centraal antenne systeem] ⟨*community antenna television, central aerial system,* ^A*central antenna system*⟩.

Casanova **0.1** *Casanova* ⇒*ladykiller,* ⟨vero.⟩ *Lothario.*

cascade ⟨de (v.)⟩ **0.1** *cascade* ⇒*waterfall.*

cascadeschakeling ⟨de (v.)⟩ ⟨elek.⟩ **0.1** *cascade connection* ⇒*concatenated/tandem connection.*

cascadeur ⟨de (m.)⟩ **0.1** *circus clown* ⇒≠*acrobat,* ≠*tumbler.*

casco ⟨het; vaak attr.⟩ **0.1** [schip met uitrusting] *body* ⇒*vessel* **0.2** [scheepsromp, schip] *hull* **0.3** [romp] *body.*

cascopolis ⟨de⟩ **0.1** ⟨scheep.⟩ *hull policy;* ⟨auto⟩ *all risk policy, comprehensive (car) insurance policy.*

cascoschade ⟨de⟩ **0.1** ⟨scheep.⟩ *damage to the hull;* ⟨auto⟩ *damage to the car/body.*

cascoverzekering ⟨de (v.)⟩ **0.1** ⟨scheep.⟩ *hull insurance/underwriting* ⇒*insurance on hull (and appurtenances),* ⟨auto⟩ *insurance on bodywork.*

caseïne ⟨de⟩ **0.1** *casein.*

cash[1] ⟨de (m.)⟩ **0.1** *cash.*

cash[2] ⟨bw.⟩ **0.1** *cash* ◆ **3.1** wilt u ~ uitbetaald worden? *would you like to be paid in cash?.*

cashdividend ⟨het⟩ ⟨hand.⟩ **0.1** *cash dividend.*

cashewnoot ⟨de⟩ **0.1** *cashew (nut).*

casino ⟨het⟩ **0.1** [gokhuis] *casino* **0.2** [feestgebouw] *casino* ⇒*kursaal, club(-house)* **0.3** [brood] *white tin-loaf.*

casinobrood ⟨het⟩ →*casino* **0.3.**

cassatie ⟨de (v.)⟩ ⟨jur.⟩ **0.1** *cassation* ⇒*annulment, quashing, reversal of judgment* ◆ **1.1** hof van ~ *court of c.;* middel van ~ *objection in c.* **6.1** in ~ gaan *appeal to the court of c.;* beroep in ~ instellen *lodge an appeal with the court of c..*

cassatiemiddel ⟨het⟩ **0.1** *cassation plea* ⇒*grievance, objection* ◆ **3.1** een ~ ontwikkelen/voordragen *bring forward grounds for an appeal to the court of cassation.*

cassatierechter ⟨de (m.)⟩ **0.1** *judge of the court of cassation/appeal/review* ⇒*judge of the court of cassation.*

cassatietermijn ⟨de (m.)⟩ **0.1** *period for lodging an appeal with the court of cassation.*

cassatiezaak ⟨de⟩ **0.1** *case for the court of cassation.*

cassave ⟨de⟩ **0.1** *cassava* ⇒*manioc.*

casselerrib ⟨de⟩ **0.1** *cured side of pork.*

casseren ⟨ov.ww.⟩ **0.1** [vernietigen] *quash* ⇒*annul, reverse* **0.2** [ontslaan] *cashier* ◆ **1.1** een vonnis ~ *quash a judgment.*

cassette ⟨de⟩ **0.1** [kistje] *box* ⇒*cascet, coffer* ⟨juwelen⟩, *slip-case,* [↑]*solander* ⟨boeken⟩, *cash-/money-box* ⟨geld⟩ **0.2** [voor tafelgerei] *canteen* ⇒*cutlery cabinet/tray, silverware case* **0.3** [voor geluidsband] *cassette* **0.4** [voor fotonegatieven en films] *cassette* ⇒*cartridge* **0.5** [vuurvaste doos] *oven-proof tray* **0.6** [⟨bouwk.⟩] *coffer* ◆ **3.6** een zoldering van ~s voorzien *coffer a ceiling.*

cassetteband ⟨de (m.)⟩ **0.1** *cassette (tape)* ◆ **3.1** een ~je afspelen *play (back) a cassette.*

cassettedeck ⟨de (m.)⟩ **0.1** *cassette deck* ⇒*tape deck.*

cassettefilm ⟨de (m.)⟩ **0.1** *cassette film* ⇒*cartridge film,* ⟨platencamera⟩ *film park.*

cassetteprojector ⟨de (m.)⟩ **0.1** ⟨voor films⟩ *cinema/movie projector;* ⟨voor dia's⟩ *(semi-)automatic slide projector.*

cassetterecorder ⟨de (m.)⟩ **0.1** *cassette recorder* ⇒*tape recorder.*

cassettescoop ⟨de (m.)⟩ **0.1** *sound projector.*

cassettewisselaar ⟨de (m.)⟩ **0.1** *automatic cassette changer.*

cassettotheek ⟨de (v.)⟩ **0.1** *cassette library* ⇒*tape library.*

cassière →**caissière.**

cassis ⟨de⟩ **0.1** *cassis* ⇒*black currant drink.*

cast ⟨de (m.)⟩ **0.1** *cast* ⇒*dramatis personae* ◆ **2.1** die film heeft een erg slechte ~ *that film has been totally miscast.*

castagnetten ⟨zn.mv.⟩ **0.1** *castanets.*

casten ⟨onov.ww.⟩ **0.1** *cast.*

castigatie ⟨de (v.)⟩ **0.1** *chastisement* ⇒⟨vnl. met woorden⟩ *castigation,* ⟨verwijdering van aanstootgevende passages⟩ *expurgation, censorship,* ⟨pej.⟩ *bowdlerization.*

castigeren ⟨ov.ww.⟩ **0.1** [tuchtigen] *castigate* ⇒*chastise, lambast(e)* **0.2** [censureren] *expurgate* ⇒*bowdlerize, censor.*

Castiliaan ⟨de (m.)⟩ **0.1** *Castilian.*

Castiliaans ⟨bn.⟩ **0.1** *Castilian, Castile.*

Castilië ⟨het⟩ **0.1** *Castile.*

castorolie ⟨de (v.)⟩ **0.1** *castor oil* ⇒*ricinus oil.*

castorzaad ⟨het⟩ **0.1** *castor bean.*

castraat ⟨de (m.)⟩ **0.1** *castrated person/animal* ⇒*eunuch,* ⟨zanger⟩ *castrato,* ⟨paard⟩ *gelding.*

castratie ⟨de (v.)⟩ **0.1** [ontmanning] *castration* ⇒*emasculation, gelding* ⟨paard⟩, *doctoring* ⟨mannelijk dier⟩ **0.2** [sterilisatie] *sterilisation* ⇒*vasectomization.*

castratiecomplex ⟨het⟩ **0.1** *castration complex.*

castreren ⟨ov.ww.⟩ **0.1** [ontmannen] *castrate* ⇒*neuter, doctor* ⟨dier⟩, *geld* ⟨paard⟩, *caponize* ⟨vogel⟩, *vasectomize* ⟨mannen⟩, *spay* ⟨wijfjesdier⟩.

casualisme ⟨het⟩ **0.1** *casualism.*

casueel ⟨bn., bw.; -ly⟩ **0.1** [toevallig] *casual* ⇒*accidental, fortuitous,* ⟨attr. bn.⟩ *chance,* ⟨bw.⟩ *by chance* **0.2** [merkwaardig] *curious* ⇒*strange* ◆ **1.1** casuele voorwaarde *fortuitous condition.*

casuïst ⟨de (m.)⟩ **0.1** *casuist* ⇒*sophist,* ≠*equivocator.*

casuïstiek ⟨de (v.)⟩ **0.1** [gewetensleer] *casuistry* ⇒*situation ethics* **0.2** [⟨pej.⟩] *casuistry* ⇒*sophistry* **0.3** [⟨med.⟩] *casuistry* ⇒*case histories.*

casuïstisch ⟨bn., bw.; -ly⟩ **0.1** *casuistic(al).*

casu quo 0.1 *or ... (if any/as the case may be/where appropriate).*

casus ⟨de (m.)⟩ **0.1** [naamval] *case* **0.2** [geval] *case* ⇒*instance, event, example* ◆ **¶.1** ~ obliquus *oblique c.* **¶.2** ~ criticus *critical c.;* in casu in this c./ instance, in the present c./ instance; een ~ belli vormen *constitute a casus belli.*

casuspositie ⟨de (v.)⟩ ⟨jur.⟩ **0.1** *case (stated)* ◆ **6.1** het heeft weinig zin te spreken in abstracto over ...in een ~ waarvan in concreto meer relevante bijzonderheden zijn komen vast te staan *there is little point in speaking in abstract terms about ...in a hypothetical case, when in concrete terms more relevant particulars of the actual case have come to be established* **8.1** een ~ als de onderhavige *a case such as the present/ of the type now under discussion/consideration.*

cat. ⟨afk.⟩ **0.1** [catalogus] *cat.* **0.2** [categorie] ⟨*category*⟩.

cataclysme ⟨het⟩ **0.1** *cataclysm* ⇒*catastrophe, disaster.*

catacombe ⟨de⟩ **0.1** [onderaardse gang] *catacomb* **0.2** [⟨mv.⟩ in het stadion] *catacombs.*

Catalaan ⟨de (m.)⟩ **0.1** *Catalan.*

Catalaans ⟨bn.⟩ **0.1** *Catalan* ⇒*Catalonian.*

catalectisch ⟨bn., bw.; -ally⟩ **0.1** *catalectic* ◆ **1.1** ~e verzen *c. verse(s).*

catalepsie ⟨de (v.)⟩ ⟨med.⟩ **0.1** *catalepsy.*

catalogiseren ⟨ov.ww.⟩ **0.1** [een catalogus maken] *catalogue* ^A*log* ⇒*list, classify, record* **0.2** [in een catalogus opnemen] *catalogue* ^A*log* ⇒*note, list, record* ◆ **1.1** schilderijen/postzegels/boeken ~ *c./ classify/record paintings/stamps/books* **1.2** de nieuwe aanwinsten zijn nog niet gecatalogiseerd *the new acquisitions/ additions have not yet been noted/catalogued/recorded/listed.*

catalogus ⟨de (m.)⟩ **0.1** *catalogue* ^A*log* ◆ **2.1** alfabetische ~ *alphabetical c.;* centrale ~ *union/consolidated c.;* systematische ~ *classified/subject c.;* thematische ~ *thematic c..*

catalogusnummer ⟨het⟩ **0.1** *catalogue* ^A*log number.*

catalogusprijs ⟨de (m.)⟩ **0.1** *list-/catalogue* ^A*log price* ◆ **3.1** de ~ hiervan is ƒ5,- *this is listed at ƒ5.-.*

catalogustitel ⟨de (m.)⟩ **0.1** *catalogue* ^A*log entry.*

cataloguswaarde ⟨de (v.)⟩ **0.1** *catalogue* ^A*log/listed value* ◆ **2.1** dat muntstuk heeft een hoge ~ *that coin has a high c. v..*

Catalonië ⟨het⟩ **0.1** *Catalonia.*

Cataloniër ⟨de (m.)⟩ **0.1** *Catalonian* ⇒*Catalan.*

Catalonisch ⟨bn.⟩ **0.1** *Catalonian.*

cataloog ⟨de (m.)⟩ ⟨AZN⟩ →*catalogus.*

catamaran ⟨de (m.)⟩ **0.1** *catamaran.*

cataract ⟨de⟩ **0.1** [⟨med.⟩] *cataract* **0.2** [waterval] *cataract* ⇒*falls.*

catarraal ⟨bn.⟩ **0.1** *catarrhal.*

catarre ⟨de⟩ **0.1** *catarrh.*

catastrofaal ⟨bn., bw.; -(al)ly⟩ **0.1** *catastrophic* ⇒*disastrous, apocalyptic(al), calamitous* ◆ **1.1** catastrofale gevolgen *disastrous consequences.*

catastrofe ⟨de⟩ **0.1** *catastrophe* ⇒*disaster, calamity* ◆ **3.1** een ~ veroorzaken *cause/bring about a catastrophe/disaster.*

catatonie ⟨de (v.)⟩ ⟨med.⟩ **0.1** *catatonia.*

catatonisch ⟨bn.⟩ **0.1** *catatonic*.

catch ⟨het⟩ ⟨sport⟩ **0.1** *catch-as-catch-can (wrestling)* ⇒*freestyle (wrestling)*.

catcher ⟨de (m.)⟩ ⟨sport⟩ **0.1** [vanger] *catcher* **0.2** [worstelaar] *catch-as-catch-can wrestler* ⇒*freestyler, freestyle wrestler*.

catecheet ⟨de (m.)⟩ **0.1** *catechist* ⇒*catechizer*.

catechese ⟨de (v.)⟩ **0.1** *catechesis* ⇒*catechism, religious instruction*.

catechetisch ⟨bn.⟩ **0.1** *catechetic(al)*.

catechisant ⟨de (m.)⟩ **0.1** *catechumen* ⇒*confirmation candidate*.

catechisatie ⟨de (v.)⟩ **0.1** *catechism* ⇒*confirmation classes* ◆ **3.1** iem. ~ geven *catechize s.o.*, *give s.o. confirmation classes/catechism* **6.1** naar ~ gaan *go to catechism/confirmation classes/sunday school/bible classes*.

catechiseermeester ⟨de (m.)⟩ **0.1** *catechist* ⇒*Sunday-school teacher, catechizer*.

catechiseren ⟨onov.ww.⟩ **0.1** *catechize* ⇒*give confirmation classes, give religious instruction*.

catechismus ⟨de (m.)⟩ **0.1** [beginselen] *catechism* **0.2** [boek] *catechism* **0.3** [les] *catechism* ⇒*confirmation classes*.

catechist ⟨de (m.)⟩ ⟨r.k.⟩ **0.1** *catechist*.

categoriaal ⟨bn.⟩ **0.1** [groeps-] *grouped* ⇒*classified, categorized* **0.2** [naar categorieën] *categorial* ◆ **1.1** categoriale bonden *non-affiliated (craft) unions, craft unions*.

categorie ⟨de (v.)⟩ **0.1** [klasse] *category* ⇒*group, class, classification, heading*, (mbt. leeftijd of inkomen) *bracket* **0.2** [⟨fil.⟩] *category* ◆ **3.1** in drie ~en onderbrengen/indelen *categorize into 3 groups, bring under 3 headings, distinguish into 3 categories* **6.1** buiten ~ *hors concours* **7.1** dat valt onder de eerste ~ *that is included in/falls/comes under/within the first category*.

categorisch ⟨bn., bw.; -ly⟩ **0.1** *categorical* ⇒*unconditional, absolute* ◆ **1.1** een ~ antwoord *a c. answer*; een ~e imperatief *a c. imperative* **3.1** iets ~ weigeren *refuse sth. categorically*.

categoriseren ⟨ov.ww.⟩ **0.1** *categorize* ⇒*compartmentalize, grade, class*.

catenen ⟨zn.mv.⟩ **0.1** *catenae* ⇒*catenas*.

cateringbedrijf ⟨het⟩ **0.1** *catering firm/company/concern* ⇒*caterer('s)*.

catharsis ⟨de (v.)⟩ **0.1** [loutering] *catharsis* ⇒*purification, purgation* **0.2** [⟨lit.⟩] *catharsis*.

cathedra ⟨de⟩ **0.1** *cathedra* ◆ **¶.1** ⟨bn., bw.⟩ ex ~ *ex c., authoritative(ly)*; ⟨pej.⟩ *authoritarian*; een beslissting ex ~ *an ex c. decision*.

catheter ⟨de (m.)⟩ **0.1** *catheter* ◆ **3.1** een ~ inbrengen bij/in *catheterize*.

catheteriseren ⟨ov.ww.⟩ **0.1** *catheterize*.

Catshuis ⟨het⟩ **0.1** ⟨*official residence of Dutch prime minister*⟩.

causaal ⟨bn.⟩ **0.1** [oorzakelijk] *causal* ⇒*causative* **0.2** [⟨taal.⟩] *causal* ◆ **1.1** ~ verband *causal connection* **1.2** ~ bijwoord/voegwoord *c. adverb/conjunction*; causale bijzin *c. clause*.

causaliteit ⟨de (v.)⟩ **0.1** *causality*.

causatief ⟨bn.⟩ **0.1** *causative* ◆ **1.1** causatieve werkwoorden *c. verbs* **7.1** ⟨zelfst.⟩ vellen is het ~ van vallen *fell is the causative of fall*.

causerie ⟨de (v.)⟩ **0.1** *causerie* ⇒*informal talk* ◆ **3.1** een ~ houden over Bredero *give a talk on Bredero*.

causeur ⟨de (m.)⟩ **0.1** [gezellige prater] *talker* ⇒*conversationalist* **0.2** [iem. die een causerie houdt] *talker* ◆ **2.1** hij is een onderhoudend ~ *he is an entertaining conversationalist/t..*.

caustisch ⟨bn.⟩ **0.1** *caustic* ◆ **1.1** ~e kali/soda *potash/soda*.

cautie ⟨de (v.)⟩ **0.1** [borgtocht] *security* ⇒⟨gerechtelijk gestelde cautie voor gedrag] *recognizance(s)* **0.2** [geldelijke zekerstelling] *security* ⇒*recognizance(s)* ◆ **3.1** ~ stellen *give s.*; ⟨gerechtelijk⟩ *enter into recognizance*; *give s. for costs* ⟨gerechtelijk voor de kosten⟩; *find/stand/go bail* ⟨voor vrijlating⟩ **3.2** ~ stelllen voor ƒ5.000 *give s. for/to the extent of ƒ5,000, put up a bail of ƒ5,000, find ƒ5,000*.

cautiesteller ⟨de (m.)⟩ **0.1** *guarantor* ⇒^bondsman, surety.

cautioneren ⟨onov.ww.⟩ **0.1** *stand/give bail* ⇒*stand surety/guarantor*, ⟨in handel⟩ *give a guarantee, guarantee*.

cavalcade ⟨de (v.)⟩ **0.1** [optocht te paard] *cavalcade* **0.2** [carnavalsoptocht] *carnival pageant*.

cavalerie ⟨de (v.)⟩ **0.1** [ruiterij] *cavalry* ⇒*horse* **0.2** [wapen] *cavalry* ⇒*tanks* ◆ **2.2** zware/lichte ~ *heavy/light cavalry/horse* **2.¶** ⟨scherts.⟩ zij behoort tot de lichte ~ *she's a woman of easy virtue*.

cavalerist ⟨de (m.)⟩ **0.1** [soldaat te paard] *cavalryman* ⇒*trooper* **0.2** [militair bij tanks] *cavalryman* ⇒*trooper* ◆ **2.1** ongeregeld ~ *rough-rider* **2.2** lichte ~ *light horseman*.

cavalier ⟨de (m.)⟩ **0.1** *cavalier* ⇒*escort, partner* ⟨op bal⟩ ◆ **2.1** een onderhoudend ~ *an entertaining c./partner*.

caverne ⟨de⟩ ⟨med.⟩ **0.1** *(tuberculous) cavern*.

caverneus ⟨bn.⟩ ⟨med.⟩ **0.1** *cavernous*.

cavia ⟨de⟩ **0.1** *guinea pig* ⇒*cavy, cavia*.

cayennepeper ⟨de (m.)⟩ **0.1** *cayenne (pepper)* ⇒*red pepper*.

CBR ⟨afk.⟩ **0.1** [Centraal Bureau voor de afgifte van Rijvaardigheidsbewijzen] ^B*DVLC* ⟨*Driver and Vehicle Licensing Centre*⟩, ⟨*A≠Department/Registry of Motor Vehicles*⟩.

C.B.S. ⟨afk.⟩ **0.1** [Centraal Bureau voor de Statistiek] ≠^B*CSO* ⟨*Central Statistical Office*⟩, ^A⟨*Census Bureau*⟩.

C.D. ⟨afk.⟩ **0.1** [Corps Diplomatique] *C.D.* **0.2** [Compact-Disc] *C.D.*.

C.D.A. ⟨het⟩ ⟨afk.⟩ **0.1** [Christen-Democratisch Appel] *CDA* ⟨*Christian Democratic Appeal*⟩.

C.D.-speler ⟨de (m.)⟩ ⟨audio⟩ **0.1** *CD player*.

cedel, ceel ⟨het, de⟩ **0.1** [kennis-/lastgeving] *warrant* ⇒*certificate, bill* **0.2** [bewijs van opslag] *warrant* ⇒⟨veemceel⟩ *warehouse/dock warrant*, ^A*receipt* **0.3** [⟨hand.⟩ verbintenis] *warrant* **0.4** [lijst] *list* ⇒*schedule* ◆ **2.4** een hele ~ *a long l., quite a l.* **3.1** een ~ opmaken *draw up/make out a w.* **6.1** op ~ brengen *prepare/draw up a w.* **6.2** ~ aan toonder *warrant to bearer* **6.3** op ~ leveren/verkopen *supply/sell on stored terms*; op ~ geleverd *stored terms*.

cedent ⟨de (m.)⟩ ⟨jur.⟩ **0.1** *assignor*.

ceder ⟨de (m.)⟩ **0.1** *cedar* ◆ **2.1** Japanse ~ *cryptomeria, Japanese c.*; Virginische ~ ⟨*eastern*⟩ *red c., pencil c., savin*.

cederappel ⟨de (m.)⟩ **0.1** ⟨*Etrog*⟩ *citron*.

cederen[1] ⟨bn.⟩ **0.1** *cedar* ⇒⟨schr.⟩ *cedarn*.

cederen[2]
  I ⟨ov.ww.⟩ **0.1** [⟨jur.⟩] *assign* ⇒*cede*;
  II ⟨onov.ww.⟩ **0.1** [zwichten] *yield* ⇒*give in*.

cederhout ⟨het⟩ **0.1** *cedar (wood)*.

cederolie ⟨de⟩ **0.1** *savin(e)*.

cedille ⟨de⟩ **0.1** *cedilla*.

ceintuur ⟨de (v.)⟩ **0.1** *belt* ⇒*waistbelt, waistband*, ⟨van kamerjas⟩ *sash* ◆ **3.1** zijn ~ dichtgespen *buckle one's b.* **6.1** met ~ *belted*; zonder ~ *unbelted*.

ceintuurbaan ⟨de⟩ **0.1** *circular railway*, ^A*beltline*, ^A*belt(-rail)way*.

cel ⟨de⟩ **0.1** [vertrek] *cell* ⟨klooster, gevangenis, enz.⟩; ⟨cel⟩ *box, kiosk, booth* ⟨telefooncel⟩ **0.2** [⟨biol.⟩] *cell* **0.3** [raat] *cell* **0.4** [afdeling v.e. organisatie] *cell* **0.5** [deel v.e. geheel] *cell* **0.6** [deel v.e. batterij] *cell* **0.7** [⟨inf.⟩ cello] *cello* ◆ **1.1** ⟨fig.⟩ hij heeft een jaar ~ gekregen *he has been given a year/year's imprisonment*, ↓*he's been put away/locked up for a year*; de ~len v.d. ter dood veroordeelden *the condemned cells/death cells*, ^A*the death house*, ^A*death row* **2.1** natte ~ ≠*bathroom unit* **2.2** ⟨inf.⟩ de grijze ~len *the grey* ^A*gray cells/matter* **2.4** een communistische ~ *a communist c.* **2.6** foto-elektrische ~ *photocell, photoelectric c.* **3.1** in een ~ opsluiten *put in a c./behind bars*.

celchemie ⟨de (v.)⟩ **0.1** *cell chemistry*.

celdeling ⟨de (v.)⟩ **0.1** *fission* ⇒*cell division* ◆ **2.1** binaire ~ *binary f.* **6.1** zich voortplanten door ~ *replicate*.

celebrant ⟨de (m.)⟩ **0.1** *celebrant* ⇒*officiant, officiating priest*.

celebratie ⟨de (v.)⟩ **0.1** *celebration*.

celebreren ⟨ov.ww.⟩ **0.1** [vieren] *celebrate* **0.2** [plechtig bedienen] *celebrate* ⇒*officiate* ◆ **1.2** een huwelijksmis ~ *officiate at a marriage ceremony*; de mis ~ *c. mass*.

celesta ⟨de (m.)⟩ ⟨muz.⟩ **0.1** *celesta, celeste*.

celestijn ⟨de (m.)⟩ **0.1** *Celestine*.

celgenoot ⟨de (m.)⟩ **0.1** *fellow prisoner, cell-mate*.

celgroei ⟨de (m.)⟩ **0.1** *cell growth*.

celibaat ⟨het⟩ **0.1** *celibacy*.

celibatair ⟨de (m.)⟩ **0.1** *celibate* ⇒⟨voorstander van celibaat⟩ *celibatarian*, ⟨vrijgezel⟩ *bachelor*.

celkern ⟨de⟩ **0.1** *(cell) nucleus*.

celleer ⟨de⟩ **0.1** *cytology*.

cel(len)beton ⟨het⟩ **0.1** *foam/cellular concrete*.

celliet ⟨het⟩ **0.1** *cellite*.

cellist ⟨de (m.)⟩ **0.1** *cellist* ⇒*cello-player*, ↑*violoncellist*.

cello ⟨de (m.)⟩ **0.1** *(violon) cello*.

cellofaan ⟨het⟩ **0.1** *cellophane* ◆ **6.1** in ~ verpakt *wrapped in c., cellophane-wrapped*.

cellulair ⟨bn.⟩ **0.1** [mbt. gevangenschap] *cellular* **0.2** [⟨biol.⟩] *cellular* ◆ **1.1** veroordelen tot een jaar ~ *condemn to a year's solitary (confinement)*; het ~ stelsel *the c. system* **1.2** de oudste ~e organismen *the oldest c. organisms*; ~e pathologie *c. pathology*.

cellulitis ⟨de (v.)⟩ ⟨med.⟩ **0.1** *cellulitis*.

celluloid[1] ⟨het⟩ **0.1** *celluloid* ◆ **6.1** van ~ gemaakt *made of c.*.

celluloid[2] ⟨bn.⟩ **0.1** *celluloid* ⇒*xylonite*.

cellulose ⟨de⟩ **0.1** [celstof] *cellulose* **0.2** [grondstof] *(chemical) cellulose*.

celotex ⟨het⟩ **0.1** ≠*fibre-board*.

celplasma ⟨het⟩ **0.1** *cytoplasm*.

Celsius ⟨zn.mv.⟩ ⟨nat.⟩ **0.1** *Celsius* ◆ **1.1** één graad ~ *one degree Celsius*; nul/tien graden ~ *zero/ten degrees Celsius*.

celstof ⟨de⟩ **0.1** [cellulose] *cellulose* **0.2** [vezelmateriaal] *cellulose* **0.3** [weefsel] *(chemical) cellulose*.

celstofluier ⟨de⟩ **0.1** *disposable* ^B*nappy*/^A*diaper*.

celstofwisseling ⟨de (v.)⟩ **0.1** *cell(ular) metabolism*.

celstraf ⟨de⟩ **0.1** *solitary confinement* ◆ **3.1** iem. ~ geven *place s.o. in solitary confinement*, ↓*give s.o. solitary*.

celtherapie ⟨de (v.)⟩ ⟨med.⟩ **0.1** *cell therapy*.

celvocht ⟨het⟩ **0.1** *cytoplasm*.

celvorming ⟨de (v.)⟩ **0.1** *cellulation*.

celwagen ⟨de (m.)⟩ **0.1** *police van* ^A*police/patrol wagon* ⇒^A↓*paddy wagon*, ⟨inf.⟩ *Black Maria*.

celwand ⟨de (m.)⟩ **0.1** *cell wall*.

celweefsel ⟨het⟩ **0.1** *cellular tissue* ⇒⟨in planten⟩ *cellulose, parenchyma*.

cembalist ⟨de (m.)⟩ **0.1** *cembalist* ⇒*harpsichordist*.
cembalo ⟨het⟩ **0.1** *cembalo*, *clavicembalo* ⇒*harpsichord*.
cement ⟨het, de (m.)⟩ **0.1** [metselspecie] *cement* ⇒*mortar* **0.2** [stof] *cement* **0.3** [verbindende kracht] *cement* **0.4** [beenachtige laag om wortels van tanden] *cement(um)* ◆ **2.1** natuurlijk ~ *natural c.*; Romeins ~ *Roman c.* **6.1** de grond verharden **met** ~ *cement over the ground, surface the ground with c.*.
cementbeton ⟨het⟩ **0.1** *cement concrete*.
cementen[1] ⟨bn.⟩ **0.1** *cement* ⇒*made of cement*.
cementen[2] ⟨ov.ww.⟩ **0.1** [cementeren] *cement* **0.2** [aaneenhechten] *cement* ◆ **1.1** een muur ~ *c. a wall over*.
cementeren ⟨ov.ww.⟩ **0.1** [met cement bestrijken] *cement* **0.2** [staal bereiden] *cement* ⇒*carburize, carbonize, caseharden*.
cementfabriek ⟨de (v.)⟩ **0.1** *cement factory*/*works*.
cementijzer ⟨het⟩ **0.1** *ferro-concrete* ⇒*reinforced concrete*.
cementkalk ⟨de (m.)⟩ **0.1** *cement mortar*.
cementlijm ⟨de (m.)⟩ **0.1** *cement*.
cementmolen ⟨de (m.)⟩ **0.1** *cement mixer*.
cementmortel ⟨de (m.)⟩ **0.1** *cement mortar*.
cementspecie ⟨de (v.)⟩ **0.1** *cement* ⇒*mortar*.
cenotaaf ⟨de (m.)⟩ **0.1** *cenotaph*.
censeren ⟨ov.ww.⟩ **0.1** [beoordelen] *judge* ⇒*assess* **0.2** [berispen] *censure* **0.3** [achten, rekenen] *deem* ⇒*assume, presume, suppose*.
censor ⟨de (m.)⟩ **0.1** [ambtenaar] *censor* ⇒*licenser*/*sor*, ⟨BE; gesch.⟩ *Lord Chamberlain* **0.2** [⟨Rom. gesch.⟩] *censor* **0.3** [recensent] *reviewer* ⇒*critic*, ⟨vnl.⟩ *censor* ◆ **6.¶ van** de ~ *censorial* ¶.1 de ~ ⟨BE, mbt. film ook⟩ *board of censors*.
censureren ⟨ov.ww.⟩ **0.1** [aan censuur onderwerpen] *censor* ⇒⟨inf.⟩ *blue-pencil*, ⟨fig.⟩ *black out* ⟨nieuws, TV⟩ **0.2** [hekelen] *censure*.
census ⟨de (m.)⟩ **0.1** [cijns, belasting] *census* ⇒⟨gesch.; ter verkrijging van kiesrecht⟩ *poll*/*head tax* **0.2** [volkstelling] *census* ⇒*population count*.
censuur ⟨de (v.)⟩ **0.1** [toezicht op publicaties] *censorship* **0.2** [kerkelijke rechtspraak/toezicht] *censorship* **0.3** [veroordeling] *censure* **0.4** [openlijke terechtwijzing] *censure* ◆ **2.1** preventieve ~ *precensorship* **3.1** ~ toepassen op, aan de ~ onderwerpen *censor*; het boek werd door de ~ verboden *the book was banned by the censor(s)* **3.3** een ~ opheffen *remove*/*lift a c.*; de ~ op iem. toepassen/over iem. uitspreken *exercise c. over s.o.*, *censure s.o.* **6.3 onder** ~ staan *be censured*; iem. **onder** ~ stellen/plaatsen *impose a c. on s.o.*.
cent ⟨de (m.)⟩ **0.1** [muntstuk] *cent* ⇒⟨AE ook⟩ *penny* **0.2** [kleine waarde] ⟨inf.⟩ *penny*, *farthing*, *sou* **0.3** [⟨vnl. mv.⟩ geld] *money* ⇒*cash*, ⟨sl.⟩ *bread*, ⟨BE; sl.⟩ *the ready*, *tin*, *rhino*, ⟨AE; sl.⟩ *dough*, *bucks*, *greenbacks* ◆ **1.3** een paar ~en verdienen *earn a bit of money*, [B]*earn a bob or two*/*some bread* **2.1** alles is tot de laatste ~ betaald *I've*/*they've* ⟨enz.⟩ *paid everything down to the last farthing*/*penny*; je zou hem je laatste ~ geven *you'd give him your last penny*/[A]*c.*/*the shirt off your back* **2.2** hij heeft/bezit geen rooie ~ *he hasn't got two half pennies to rub together*/*a sou to his name*/*a brass farthing*; dat heeft mij geen rooie ~ gekost *it didn't cost me a penny* **3.1** hij zou een ~ in tweeën bijten *he's a penny-pincher, he grudges every penny*, ↓*he's a right skinflint*/*scrooge* **3.3** bulken van de ~en *roll*/*wallow in money*, *have m. to burn*; ⟨inf.⟩ *be stinking rich*; hij heeft ~en *he's rolling in it*, [B]*he's not short of a bob*/*quid or two*, *he's got money*; hij heeft er de ~en voor *he won't miss it*, *he's got enough money for it twice over*; een mooie ~ verdienen *turn a tidy*/*pretty penny, earn good money*, ↓*be coining it*/*money* **6.1** hij zou **op** een ~ doodblijven *he grudges every penny*; iem. tot **op** de laatste ~ betalen *pay s.o. to the full*/*down to a penny*/*down to the last farthing*; iem. **voor** vijf ~ (mee)geven *give s.o. a sound thrashing*; ik zing niet tweemaal/geen twee liedjes **voor** één ~ *I'm not going to say it again* **6.3** hij doet het alleen om de ~ *he'll do anything for money*; hij is erg **op** de ~en *he's very careful with his money, he's tightfisted*/*money-mad, he's a penny-pincher*; niet **op** een ~ kijken *be generous, not count the cost, spare no expense*; **zonder** een ~ op zak *penniless, without a penny (in one's pocket)*; **zonder** een ~ zitten *be penniless*/*broke* **7.1** deze sigaar kost tachtig ~ *this cigar costs eighty cents* **7.2** geen ~ waard zijn *not worth twopence*/*a (red) cent*/*the paper it's printed on*; hij deugt voor geen ~ *he is a bad lot, he's no good*; dat deugt voor geen ~ *it is not worth a (red) cent*/*straw*; dat kan mij geen ~ schelen *I couldn't care less*/*don't care twopence*/*a tinker's damn*/*cass*; ik ben er geen ~ wijzer van geworden *I was no wiser than before, I was none the wiser for it*; ik vertrouw hem voor geen ~ *I don't trust him an inch*/*any further than I can throw him* **7.3** ze hebben geen ~ te makken *they haven't two half-pennies*/*ha'pennies to rub together*/*haven't got a brass farthing*; hij zal er geen ~ armer om/door worden *he won't be a penny the worse off*/*for it, it won't cost him a penny* ¶.¶ een fluitje van een ~ ⟨inf.⟩ *a piece of cake*; ⟨sl.⟩ *a doddle, a push-over*.
centaur ⟨de (m.)⟩ **0.1** *(hippo)centaur* ⇒*sagittary*.
centaurus ⟨de (m.)⟩ ⟨myth.⟩ **0.1** *centaur*.
centenaar ⟨de (m.)⟩ **0.1** [100 kg] *centner* ⇒*quintal* **0.2** [⟨vero.⟩ 100 of 112 oude ponden] *hundredweight* ⇒*quintal*.
centenaire ⟨de (m.)⟩ **0.1** *centenary*.

centenbak ⟨de (m.)⟩ **0.1** [geldbakje] ⟨bv. van orgelman, straatmuzikant⟩ ≠*hat* ⇒⟨van bedelaar ook⟩ *begging bowl* **0.2** [mond] ≠*Neanderthal jaw*.
centenkwestie ⟨de (v.)⟩ **0.1** [klein bedrag] *chicken-feed* ⇒*trifling amount*, ⟨AE ook; inf.⟩ *peanuts* **0.2** [kwestie van geld] *question*/*matter of money*.
center ⟨de (m.)⟩ **0.1** [gereedschap] *centre punch* ⇒*prick*/*dot punch* **0.2** [kop van een draaibank] *centre* **0.3** [⟨sport⟩] *centre*.
centerboor ⟨de⟩ **0.1** *centre bit* ⇒⟨mbt. een draaibank⟩ *centre drill*, ⟨voor elektrische boor⟩ *power bore bit*.
centeren ⟨ov.ww.⟩ **0.1** [⟨sport⟩] *centre* **0.2** [mbt. een draaibank] *centre*.
centesimaal ⟨bn.⟩ **0.1** *centesimal* ◆ **1.1** centesimale verdeling *c. division*/*graduation*.
centiare ⟨de⟩ **0.1** *centiare*.
centigraad ⟨de (m.)⟩ **0.1** *centigrade*.
centigram ⟨het⟩ **0.1** *centigramme* [A]*gram*.
centiliter ⟨de (m.)⟩ **0.1** *centilitre*.
centime ⟨de (m.)⟩ **0.1** *centime*.
centimeter ⟨de (m.)⟩ **0.1** [lengtemaat] *centimetre* **0.2** [meetlint] *(metric) tape measure*, [A]*tape line* ◆ **2.1** een kubieke ~ *a cubic c.*; een vierkante ~ *a square c.*.
centimetergolf ⟨de⟩ **0.1** *centimetre wave*.
centje ⟨het⟩ ⟨fig.⟩ **0.1** ⟨zie 2.1,7.1⟩ ◆ **2.1** hij heeft daarmee een aardig ~ verdiend *he has made a tidy sum*/*penny on*/*out of it* **7.1** geen ~ pijn *no trouble*/*problem at all*.
centraal ⟨bn., bw.; -ly⟩ **0.1** [in het midden] *central* **0.2** [het middelpunt vormend] *central* **0.3** [van één punt uitgaande] *central* ◆ **1.2** het ~ bestuur *the c. committee*; ⟨fig.⟩ een centrale figuur *a c.*/*pivotal*/*key figure*; de centrale regering *the c.*/*federal government*; het centrale zenuwstelsel *the c. nervous system* **1.3** ~ antennesysteem *community aerial* [A]*antenna television*/*system*; ⟨op kleinere schaal⟩ *block*/*party aerial* [A]*antenna*; centrale verwarming *hebben have c. heating, be centrally heated* **1.¶** centrale catalogus *union catalogue* ⟨van samenwerkende bibliotheken⟩; ⟨wisk.⟩ ~ projectie *cylindrical projection* **3.1** een ~ gelegen punt *a central(ly situated) point*; ~ staan *be (the) c. (point)*/*be at the centre*; iets ~ stellen *highlight sth., focus attention on sth.* **3.3** de toestellen worden ~ bediend *the machines are operated centrally*/*from a c. point* **7.¶** de Centralen *the Central Powers*.
centraalstation ⟨het⟩ **0.1** [station] *central station* **0.2** [voornaamste station] *central station* **0.3** [hoofdpost] *headquarters* ⇒*nerve centre*.
centrale ⟨de⟩ **0.1** [⟨elek.⟩] *power station*/*plant* ⇒*powerhouse* **0.2** [telefonie] *(telephone) exchange* ⇒⟨van bedrijf⟩ *switchboard* **0.3** [vakbonden] *federation* **0.4** [hoofdpost] *centre* ⇒*headquarters*, ⟨van firma⟩ *head office* ◆ **2.1** thermische ~ *thermal p. s.* **3.2** bel de ~ even *will you ring the operator please?*.
centralisatie ⟨de (v.)⟩ **0.1** *centralization* ⇒⟨ihb. van regering⟩ *unitarianism* ◆ **1.1** voorstander van ~ *centralist*; ⟨ihb. van regering⟩ *unitarian*.
centraliseren ⟨ov.ww.⟩ **0.1** [samenbrengen] *centralize* **0.2** [⟨pol.⟩] *centralize* ◆ **¶.2** ~d *centralist(ic)*.
centralisme ⟨het⟩ **0.1** *centralism* ⇒*unitarianism*.
centralistisch ⟨bn., bw.; -(ic)ally⟩ **0.1** *centralist(ic)* ◆ **1.1** een ~ gezagssysteem *a centralist administration*.
centreren ⟨ov.ww.⟩ **0.1** [in het middelpunt brengen] *centre* **0.2** [mbt. een draaiend lichaam] *centre* **0.3** [mbt. lenzen/kijkers] *centre* **0.4** [een projectiel in een vuurmond brengen] *centre* **0.5** [⟨landmeetk.⟩] *centre*.
centrifugaal ⟨bn.⟩ **0.1** *centrifugal*.
centrifugaalkracht ⟨de⟩ **0.1** *centrifugal force*.
centrifugaalpomp ⟨de (m.)⟩ **0.1** *centrifugal pump*.
centrifuge ⟨de⟩ **0.1** *centrifuge* ⇒⟨voor melk ook⟩ *separator*, ⟨voor fruit⟩ *extractor*, ⟨voor was⟩ *spin-drier*/*-dryer*.
centrifugeren ⟨ov.ww.⟩ **0.1** *centrifuge* ⇒*separate* ⟨melk⟩, *spin-dry* ⟨was⟩.
centripetaal ⟨bn.⟩ **0.1** *centripetal*.
centrisch ⟨bn., bw.; -(al)ly⟩ **0.1** *centric(al)* ◆ **1.1** ~e belasting *centric load(ing)* **3.1** ~ belasten *load centrically*.
centromeer ⟨de⟩ ⟨biol.⟩ **0.1** *centromere*.
centrum ⟨het⟩ **0.1** [middelpunt] *centre* **0.2** [v.e. stad] *(town*/*city) centre* **0.3** [plaats, instelling, gebouw] *centre* **0.4** [⟨med.⟩] *centre* **0.5** [⟨pol.⟩] *centre* **0.6** [winkel, bedrijf] *centre* ⇒*precinct* ◆ **1.1** in het ~ v.d. belangstelling staan *be the c. of attention, be in the public eye*/*in the limelight*; het ~ v.h. land *the middle of the country, the heartland*; ~ v.e. storm *eye of a storm* **1.3** een ~ van revolutionaire activiteit *a c.*/*focus*/*hot bed of revolutionary activity* **1.4** ~ van Broca *Broca's area* **2.2** het financieel ~ *the financial c.*; *the City* ⟨van Londen⟩; *Wall Street* ⟨van New York⟩ **2.3** medisch ~ *medical c.*; ⟨in kazerne/fabriek enz.⟩ *sickbay*; toeristisch ~ *tourist c.* **2.5** links/rechts v.h. ~ *left*/*right of c.*.
centrumfunctie ⟨de (v.)⟩ **0.1** *regional function*.
centrumpartij ⟨de (v.)⟩ **0.1** *centre party*.
centrumpolitiek ⟨de (v.)⟩ **0.1** *centrist*/⟨inf.⟩ *middle-of-the-road policy* ⇒⟨abstr.; zeldz.⟩ *centrism*.
centrumspits ⟨de (m.)⟩ ⟨sport⟩ **0.1** *centre forward* ⇒ ↓*striker*.

centstuk ⟨het⟩ **0.1** *one-cent piece.*

centurie ⟨de (v.)⟩ **0.1** *century.*

ceramiek ⟨de (v.)⟩ **0.1** [pottenbakkerskunst] *ceramics* **0.2** [produkten] *ceramics* ⇒*pottery* ◆ **1.1** een prachtig stuk ~ *a beautiful piece of ceramic work.*

ceramisch ⟨bn.⟩ **0.1** *ceramic* ⇒*pottery* ◆ **1.1** ~e produkten *ceramics, pottery.*

Cerberus, Kerberus ⟨de (m.)⟩ **0.1** ⟨ook fig.⟩ *Cerberus.*

cerebraal ⟨bn.⟩ **0.1** [de hersenen betreffend] *cerebral* **0.2** [verstandelijk] *cerebral* ⇒*intellectual* **0.3** [⟨taalk.⟩] *cerebral* ⇒*retroflex(ed), cacuminal* ◆ **1.1** cerebrale dood *c. death;* het ~ systeem *the c. system.*

ceremoniarius ⟨de (m.)⟩ ⟨r.k.⟩ **0.1** *ceremoniarius.*

ceremonie ⟨de (v.)⟩ **0.1** [plechtigheid] *ceremony* **0.2** [handelingen] *ceremony* ⇒*formality* **0.3** [plichtpleging] *ceremony* ◆ **2.3** iem. met de nodige ~ ontvangen *receive s.o. with due c.* **3.3** veel ~ maken *stand on c., do (sth.) with a great deal of c.,* ↓*make a fuss.*

ceremonieel[1] ⟨het⟩ **0.1** *ceremonial* ◆ **2.1** overdreven ~ *mummery, excessive ceremony.*

ceremonieel[2] ⟨bn.,bw.;-ly⟩ **0.1** [(als) v.e. ceremonie] *ceremonial* **0.2** [vol plichtplegingen] *ceremonial* ⇒*formal* ◆ **1.1** ceremoniële gebruiken *c. rites;* ~ tenue *c. dress;* ⟨mil.⟩ *review order, full dress* **1.2** een ceremoniële ontvangst *a formal reception.*

ceremoniemeester ⟨de (m.)⟩ **0.1** *Master of Ceremonies* ⇒⟨inf.⟩ *emcee,* ⟨bij bruiloft⟩ *best man* ◆ **8.1** als ~ optreden *act as Master of Ceremonies;* ⟨inf.⟩ *emcee.*

cerise[1] ⟨het⟩ **0.1** [kersrood] *cerise* **0.2** [frisdrank] *cherry lemonade.*

cerise[2] ⟨bn.⟩ **0.1** *cerise, cherry (red).*

cerium ⟨het⟩ ⟨schei.⟩ **0.1** *cerium.*

C.E.R.N. 0.1 [Conseil Européen pour la Recherche Nucléaire] *CERN.*

ceroplastiek ⟨de (v.)⟩ **0.1** *ceroplastics.*

certificaat ⟨het⟩ **0.1** [getuigschrift] *certificate* **0.2** [waardepapier] *certificate* ◆ **2.2** ⟨geldw.⟩ tijdelijk ~ *scrip* **3.1** een ~ verlenen aan *certify, grant/give a c. to* **6.1** een ~ van onvermogen ⟨jur.⟩ *certificate of insufficient means;* ⟨fig.⟩ *proof of incompetence;* ~ van oorsprong *c. of origin/manufacture;* een ~ van echtheid *c. of authenticity;* ~ van hofleverancier *Royal Warrant;* een ~ van beschadiging *c. of damage/average* **6.2** een ~ van aandeel *share c. / warrant;* ~ van aandeel aan toonder *share c. to bearer;* ~ van aandeel op naam *registered share c..*

certificeren ⟨ov.ww.⟩ **0.1** [waarborgen, garanderen] *certify* **0.2** [door ondertekening bevestigen] *certify* ◆ **1.1** een handtekening ~ *c. a signature* **1.2** een overeenkomst ~ *c. an agreement.*

cervelaatworst ⟨de⟩ **0.1** *saveloy* ⇒*cervelat.*

cervicitis ⟨de (v.)⟩ ⟨med.⟩ **0.1** *cervicitis.*

cervix ⟨de (m.)⟩ **0.1** *cervix.*

ces ⟨de⟩ ⟨muz.⟩ **0.1** *C flat.*

cessie ⟨de (v.)⟩ **0.1** [⟨muz.⟩] *assignment* ⇒*cession* ⟨van gebiedsdeel⟩ ◆ **1.1** akte van ~ *deed of assignment/arrangement/transfer.*

cessieakte ⟨de⟩ **0.1** *deed of assignment.*

cessionaris ⟨de (v.)⟩ **0.1** [iem. die een cessie aanneemt] *cessionary* ⇒*assignee* **0.2** [iem. die door een cessie iets verkrijgt] *cessionary* ⇒*assign.*

cesuur ⟨de (v.)⟩ **0.1** [⟨muz.⟩] *caesura* **0.2** [⟨dichtkunst⟩] *caesura.*

cesuurteken ⟨het⟩ **0.1** *caesura sign.*

ceteris paribus 0.1 *ceteris paribus* ⇒*(all) other things being equal.*

Ceylon ⟨het⟩ **0.1** *Ceylon* ⇒⟨staat⟩ *Sri Lanka.*

Ceylonees ⟨de (m.)⟩ **0.1** *Ceylonese.*

Ceylons ⟨bn.⟩ **0.1** *Ceylon(ese).*

cf. ⟨afk.⟩ **0.1** [confer] *cf..*

chagrijn ⟨het⟩ **0.1** [stemming] *chagrin* ⇒*annoyance, vexation* **0.2** [persoon] *grouch, grumbler, sourpuss* ⇒[B]*misery,* ⟨joods AE⟩ *kvetch* **0.3** [Turks leer] *shagreen* ◆ **1.2** wat een stuk ~! *what a sourpuss/grouch/* [B]*miserable sod!* **6.2** het is een ~ van een vent *he's a real pain in the neck/a real grouch.*

chagrijnig ⟨bn.,bw.;-ly⟩ **0.1** *miserable* ⇒*peevish, morose, sullen, grouchy,* ↑*cantankerous* ◆ **1.1** een ~e bui *a fit of the sulks,* [B]*a paddy-(whack)* **3.1** doe niet zo ~ [B]*stop being such a misery, don't be such a grouch/sourpuss/* [A]*pain/* [A]*kvetch,* [A]*stop bitching;* ~ kijken *scowl;* ~ zijn *sulk, be sullen.*

chaise-longue ⟨de⟩ **0.1** *chaise longue.*

chalcedon ⟨de (m.)⟩ **0.1** *chalcedony.*

Chaldeeër ⟨de (m.)⟩ **0.1** *Chald(a)ean, Chaldee.*

chalet ⟨het, de (m.)⟩ **0.1** *chalet* ⇒*Swiss cottage.*

chambreren ⟨ov.ww.⟩ **0.1** *bring (up) to room temperature, chambré.*

chambrette ⟨de (v.)⟩ **0.1** *(sleeping-)cubicle.*

chamois[1] ⟨het⟩ **0.1** *chamois (leather)* ⇒*chammy, shamoy, shammy.*

chamois[2] ⟨bn.⟩ **0.1** *chamois yellow/skin* ⇒*buff, fawn, light tan.*

champagne ⟨de (m.)⟩ **0.1** *champagne* ◆ **2.1** stille ~ *still c..*

champagnecider ⟨de (m.)⟩ **0.1** *champagne-cider.*

champagnecoupe ⟨de (v.)⟩ **0.1** *(champagne) saucer.*

champagneglas ⟨het⟩ **0.1** *champagne glass.*

champagnekoeler ⟨de (m.)⟩ **0.1** *champagne bucket/cooler.*

champignon ⟨de (m.)⟩ **0.1** *mushroom.*

champignonkwekerij ⟨de (v.)⟩ **0.1** *mushroom farm.*

champignonsoep ⟨de⟩ **0.1** *mushroom soup.*

chancroïd ⟨de (v.)⟩ ⟨med.⟩ **0.1** *chancroid.*

change ⟨de (v.)⟩ **0.1** [ruil] *exchange* **0.2** [wisselkantoor] *(foreign) exchange office, bureau de change.*

changeant[1] ⟨het⟩ **0.1** *shot fabric/material.*

changeant[2] ⟨bn.⟩ **0.1** *shot(-coloured)* ⇒*iridescent.*

changeantzijde ⟨de⟩ **0.1** *shot/changeable silk.*

changement ⟨het⟩ ⟨dram.⟩ **0.1** *scene change* ◆ **¶.1** ~ à vue *transformation (scene).*

changeren ⟨ov.ww.⟩ **0.1** *change, shift.*

chanson ⟨het, de⟩ **0.1** *song* ⇒*chanson.*

chansonnier ⟨de (m.)⟩, **-nière** ⟨de (v.)⟩ **0.1** *(cabaret) singer* ⇒*chansonnier.*

chantage ⟨de (v.)⟩ **0.1** *blackmail* ◆ **3.1** ~ plegen op iem. *blackmail s.o. (into doing sth.).*

chanteren ⟨ov.ww.⟩ **0.1** *blackmail* ◆ **6.1** iem. ~ **met** iets *blackmail s.o. with sth..*

chanteur ⟨de (m.)⟩ **0.1** [iem. die chanteert] *blackmailer* **0.2** [zanger] *singer.*

chanteuse ⟨de (v.)⟩ **0.1** *singer* ⇒*chanteuse* ⟨in cabaret⟩.

chaos ⟨de (m.)⟩ **0.1** [wanorde, bende] *chaos* **0.2** [ordeloosheid] *chaos* ⇒*disorder, havoc* **0.3** [onsamenhangend geheel] *chaos* **0.4** [baaierd] *chaos* ◆ **3.1** een enorme/geweldige ~ achterlaten *leave an enormous c. / a tremendous mess (behind one)* **3.2** er heerst ~ in het land *c. rules in the country, the country is in c.;* ~ stichten *create c., cause havoc/a c.* **6.3** een ~ **aan/van** denkbeelden *a c. / muddle/jumble of ideas;* orde in de ~ brengen *sort out the c.* ◆ **¶.1** één en al ~ *complete (and utter) chaos.*

chaotisch ⟨bn.,bw.;-ally⟩ **0.1** *chaotic* ◆ **3.1** alles lag er ~ door elkaar *everything was in a c. heap.*

chaperon ⟨de (m.)⟩, **-ronne** ⟨de (v.)⟩ **0.1** *chaperon* ⇒⟨v. ook⟩ *duenna.*

chaperonneren ⟨ov.ww.⟩ **0.1** *chaperon* ◆ **7.1** het ~ *chaperonage.*

chapiter ⟨het⟩ **0.1** [hoofdstuk] *chapter* **0.2** [onderwerp van gesprek] *subject* ◆ **2.2** dat is een heel ander ~ *that is quite another story;* dat brengt ons op een ander ~ *that brings us to another s. / point* **3.2** om op ons ~ terug te komen *to return to/get back to our s. / what we were talking about;* van ~ veranderen *change the s.* **6.2** iem. van zijn ~ brengen *put somebody off his s..*

charade ⟨de (v.)⟩ **0.1** *charade.*

charge ⟨de (v.)⟩ **0.1** [aanval] *charge* **0.2** [voorstelling] *caricature, exaggeration* ◆ **3.1** een ~ uitvoeren (met de wapenstok) *make a (baton) c.* **¶.1** ⟨jur.⟩ getuige à ~ *witness for the prosecution;* ⟨BE ook⟩ *crown witness.*

chargeren
I ⟨onov.,ov.ww.⟩ **0.1** [(iets) overdrijven] *overdo, exaggerate (it)* ⇒*lay it on thick* ◆ **1.1** een rol ~ *overact a part;*
II ⟨onov.ww.⟩ **0.1** [aanvallen] *charge* ⇒*make a charge.*

charisma ⟨het⟩ **0.1** [bijzondere gave] *charisma* **0.2** [⟨rel.⟩] *charisma.*

charismatisch ⟨bn.,bw.;-ally⟩ **0.1** *charismatic* ◆ **1.1** een ~e leider *a c. leader.*

charitas ⟨de (v.)⟩ **0.1** *charity.*

charitatief ⟨bn.⟩ **0.1** *charitable* ◆ **1.1** charitatieve instelling *charity, c. institution.*

charivari ⟨het⟩ **0.1** [siervoorwerpjes] *(bunch of) charms/seals* ⇒*trinketry, trinkets* **0.2** [geraas] *ch(ar)ivari* [A]*shivaree* ⇒*hullabal(l)oo.*

charlatan ⟨de (m.)⟩ **0.1** [oplichter] *charlatan* ⇒*quack, mountebank, trickster* **0.2** [opschepper] *charlatan* ⇒*windbag, show-off, humbug.*

charlatanerie ⟨de (v.)⟩ **0.1** [oplichterij] *charlatanism, charlatanry* ⇒*quackery, trickery* **0.2** [bluf] *charlatanism, charlatanry* ⇒*humbug.*

charleston ⟨de (m.)⟩ **0.1** *Charleston* ◆ **3.1** de ~ dansen *charleston, do the C..*

charmant ⟨bn.⟩ **0.1** [innemend] *charming* ⇒*sweet, engaging, winning* **0.2** [bekoorlijk] *charming* ⇒*sweet, engaging, delightful, attractive* **0.3** [aangenaam] *charming* ⇒*delightful, lovely* ◆ **1.1** een ~e jongeman *a c. young man* **1.2** een ~e verschijning *a c. person.*

charme ⟨de (v.)⟩ **0.1** [bekoring] *charm* **0.2** [bekoorlijkheid] *charm* ◆ **3.2** zijn/haar ~s weten uit te buiten *know how to make the most of one's charms* **6.1** de ~s **van** het buiten wonen *the attractions of living in the country* **6.2** zonder ⟨enige⟩ ~ *charmless, unprepossessing.*

charmeren ⟨ov.ww.⟩ **0.1** [oplichterij] *charlatanism* ◆ **3.1** hij weet iedereen te ~ *he's a real charmer, he can c. everyone round his little finger.*

charmeur ⟨de (m.)⟩ **0.1** *charmer* ⇒⟨tgov. vrouwen ook⟩ *Prince Charming, ladies' man* ◆ **3.1** de ~ uithangen *turn on the charm/all one's charms;* ⟨tgov. vrouwen ook⟩ *play the gallant.*

charmeuse ⟨de (v.)⟩ **0.1** [zacht zijdesatijn] *Charmeuse* **0.2** [verleidelijk(e) vrouw/meisje] *charmer* ⇒⟨inf.⟩ *glamour girl.*

charta ⟨de⟩ **0.1** *charter* ◆ **¶.1** Magna Charta *Magna Charta/the Great Charter.*

chartaal ⟨bn.⟩ ◆ **1.¶** ~ geld *money/notes and coin(s) in circulation, common money, circulating currency.*

charter ⟨het⟩ **0.1** [vlucht] *charter flight* **0.2** [vliegtuig] *chartered plane* **0.3** [oorkonde] *charter* ◆ **6.1** per ~ *by charter(flight).*

charteraar ⟨de (m.)⟩ **0.1** *charterer.*

charterdienst 〈de (m.)〉 **0.1** *charter service.*
charteren 〈ov.ww.〉 **0.1** [afhuren en bevrachten] *charter* **0.2** [inschakelen] *enlist* ⇒*charter, commission.*
charterkamer 〈de〉 **0.1** *charter room.*
chartermaatschappij 〈de (v.)〉 **0.1** *charter company.*
chartermeester 〈de (m.)〉 **0.1** *deputy archivist.*
charterpartij 〈de (v.)〉 **0.1** *charter party/^Aagreement.*
chartervliegtuig 〈het〉〈luchtv.〉 **0.1** *chartered aircraft/aeroplane.*
chartervlucht 〈de〉 **0.1** *charter flight.*
chartervracht 〈de〉 **0.1** *charter(ed) freight.*
chartreuse 〈de〉 **0.1** *chartreuse.*
chasseur 〈de (m.)〉 **0.1** [loop/beljongen] *page(-boy)* ⇒〈BE;inf.〉 *buttons,* 〈vnl. AE〉 *bellboy, bellhop* **0.2** [dameshoed] *lady's bowler (hat).*
chassidisch 〈bn.〉 **0.1** *Has(s)idic, Chas(s)idic* ◆ **1.1** ~e vertellingen *Hasidic tales.*
chassidisme 〈het〉 **0.1** *Has(s)idism, Chas(s)idism.*
chassis 〈het〉 **0.1** [raamwerk] *chassis* ⇒*frame* **0.2** [onderstel] *chassis* ⇒ *subframe* **0.3** [houder] *dark slide* ⇒*plateholder, sheet-film holder.*
chassisnummer 〈het〉 **0.1** *chassis number.*
chateaubriand 〈de (m.)〉 **0.1** *Chateaubriand.*
chauffeuren 〈onov.ww.〉 **0.1** *drive* ◆ **3.1** mag ik ~? *can I d.?.*
chauffeur 〈de (m.)〉 **0.1** *driver, chauffeur* ◆ **6.1** een auto huren **met/zonder** ~ *hire a chauffeur-driver/self-drive car.*
chauffeurscafé 〈het〉 **0.1** ≠^Bwayside inn/restaurant, ^Atruck stop.
chauffeursplaats 〈de〉 **0.1** *driver's seat* ⇒〈BE ook〉 *driving-seat.*
chaussee 〈de〉 **0.1** *road(way).*
chauvinisme 〈het〉 **0.1** *chauvinism* ⇒〈BE ook〉 *jingoism.*
chauvinist 〈de (m.)〉 **0.1** *chauvinist.*
chauvinistisch 〈bn., bw.;-(ic)ally〉 **0.1** *chauvinist(ic)* ⇒〈BE ook〉 *jingo(ist(ic))* ◆ **1.1** ~boek/lied/toneelstuk *chauvinistic book/song/play;* 〈inf.〉 *flag-waver.*
checken 〈ov.ww.〉 **0.1** *check (up/out)* ⇒*verify.*
checklist 〈de〉 **0.1** *checklist* ⇒*inventory.*
cheddar 〈de (m.)〉 **0.1** *Cheddar, ^Astore/American cheese.*
cheerio 〈tw.〉 **0.1** [prosit] *cheers* ⇒*bottoms up,* 〈BE ook〉 *cheerio,* 〈AE ook〉 *(here's) mud in your eye* **0.2** [dag] *cheerio* ⇒ ↑*goodbye.*
cheeta(h) 〈de (m.)〉 **0.1** *cheetah* ⇒*hunting cat/leopard.*
chef 〈de (m.)〉, **-fin** 〈de (v.)〉 **0.1** [baas] *boss* ⇒*leader* 〈van bende/delegatie〉, *head* 〈van organisatie/afdeling/school〉, 〈hoger geplaatste〉 *chief, superior (officer),* 〈patroon〉 ↑*principal, employer,* 〈bedrijfsleider〉 *manager, manageress* 〈v.〉, 〈stationschef〉 *stationmaster* **0.2** [hoofd(-)] *chief* ⇒*head, managing, principal* ◆ **1.1** ~v.e. afdeling *head/manager of a department, department(al)/section head;* ~ v.d. generale staf *chief of the general staff* ¶**1.** ~ de bureau *office manager, chief/head clerk;* ~ de clinique ≠*senior consultant, head of department;* ~ de cuisine *chef de cuisine, chef;* 〈sport〉 ~ d'équipe *captain;* 〈sport〉 ~ de mission *chef de mission.*
chef d'oeuvre 〈het〉 **0.1** *chef-d'oeuvre* ⇒*masterpiece.*
chef-kok 〈de (m.)〉 **0.1** *chef.*
chef-monteur 〈de (m.)〉 **0.1** *chief mechanic/fitter.*
chef-staf 〈de (m.)〉 **0.1** *Chief of Staff.*
chelatietherapie 〈de (v.)〉 **0.1** *chelation therapy.*
chemicaliën 〈zn.mv.〉 **0.1** *chemicals* ⇒*chemical products.*
chemicien 〈de (m.)〉 **0.1** [chemisch technicus] *chemical operator* ⇒ *chemical technician, analyst* **0.2** [bedieningsvakman] *lab(oratory) technician.*
chemicus 〈de (m.)〉, **-ca** 〈de (v.)〉 **0.1** *chemist.*
chemie 〈de (v.)〉 **0.1** *chemistry.*
chemigraaf 〈de (m.)〉 **0.1** *chemigrapher.*
chemigrafie 〈de (v.)〉 **0.1** *chemigraphy.*
chemisch 〈bn., bw.;-ly〉 **0.1** *chemical* ◆ **1.1** ~e industrie *c. industry;* ~e oorlogsvoering *c. warfare;* ~ e produkten/stoffen *c. products/agents;* de ~e samenstelling van een stof *the c. composition/constitution of substance;* ~ toilet *c. lavatory/closet/toilet, ^BElsan;* een ~e verbinding *a c. compound;* ~e wapens *c. weapons* **2.1** ~ afbreekbaar *degradable* **3.1** kleren ~ reinigen *dry-clean clothes.*
chemise-enveloppe 〈de〉 **0.1** ≠^Bcamiknick(er)s, ^Ateddy.
chemotaxis 〈de (v.)〉〈biol.〉 **0.1** *chemotaxis.*
chemotherapeuticum 〈het〉〈med.〉 **0.1** *chemotherapeutic(al).*
chemotherapie 〈de (v.)〉〈med.〉 **0.1** [behandeling met chemotherapeutica] *chemotherapy* ⇒*chemotherapeutics* **0.2** [behandeling met cytostatica] *chemotherapy.*
chemurgie 〈de (v.)〉 **0.1** *chemurgy.*
chenille¹ 〈het〉 **0.1** [fluweelkoord] *chenille* **0.2** [pluchegaren] *chenille.*
chenille² 〈bn.〉 **0.1** *chenille.*
cheque 〈de (m.)〉 **0.1** ^Bcheque, ^Acheck ⇒*draft* 〈tussen banken〉 ◆ **2.1** een blanco ~ 〈ook fig.〉 *a blank c., carte blanche;* een ongedekte ~ *a dud/bad,* ↓*a bouncer/stumer* **3.1** een ~ blokkeren/tegenhouden *stop (payment of)/countermand a c.;* een ~ innen *cash a c.;* een ~ kruisen *cross a c.;* een ~ uitschrijven *write (out)/make out/draw a c.* **6.1** ~ **aan** toonder *c. to bearer, bearer c.;* ~ **aan** order *c. to order, order c.;* **met** een/**per** ~ betalen *pay by c..*
chequeboek 〈het〉 **0.1** *chequebook ^Acheckbook.*

---

charterdienst - chip

chertepartij 〈de (v.)〉 **0.1** *charter (party), contract of affreightment.*
cherub 〈de (m.)〉 **0.1** *cherub.*
cherubijn 〈de (m.)〉 **0.1** [engel] *cherub* **0.2** [kind] *cherub* ⇒*cupid, angel.*
chester 〈de (m.)〉 **0.1** *Cheshire (cheese)* ⇒〈AE ook〉 *Chester.*
chevrons 〈de (m.)〉 **0.1** *chevrons* ⇒*stripes, bars.*
chiasma 〈het〉 **0.1** [stijlfiguur] *chiasmus* **0.2** [〈biol.〉] *chiasma.*
chiastisch 〈bn.〉〈taal.〉 **0.1** *chiastic.*
chic¹ 〈de (m.)〉 **0.1** [modieuze verfijning] *chic* ⇒*stylishness, smartness, style, elegance* **0.2** [mensen] *the smart set* ⇒*fashionable/elegant people* ◆ **1.1** de ~ van haar kleding *the stylishness/smart cut of her clothes.*
chic²
I 〈bn.〉 **0.1** [getuigend van verfijning] *chic, stylish* ⇒*smart, fashionable, dressy, snappy, ^Atony* **0.2** [deftig] *chic* ⇒*elegant, distinguished, distingué, fashionable* 〈buurt〉 ◆ **1.1** een ~ heer *a man of fashion, a distinguished gentleman,* ↓*a snappy dresser;* een chique mantel *a dressy/smart/swagger coat* **1.2** chique kennissen *swell/smart friends* **3.1** dat staat ~ *that looks (very) smart/* ↓*snazzy;* er ~ uitzien *look (very) smart;*
II 〈bw.〉 **0.1** [getuigend van verfijning] *chicly* ⇒*smart(ly), in style* ◆ **3.1** ~ gekleed *beautifully turned out, stylishly/* ↓*snazzily dressed, prinked (up).*
chicane 〈de〉 **0.1** [haarkloverij] *quibble* ⇒*pettifoggery* 〈in rechtspraak〉, *cavil,* ↑*sophistry* **0.2** [bocht] *chicane* ◆ **3.1** ~s maken *quibble, cavil, bicker.*
chicaneren 〈onov.ww.〉 **0.1** *quibble (over)* ⇒*cavil (at), bicker.*
chicaneur 〈de (m.)〉 **0.1** *quibbler* ⇒*pettifogger,* ↑*sophist,* 〈scheep.〉 *sea-lawyer.*
chicaneus 〈bn., bw.〉 **0.1** [afkeuringswaardig] *quibbling* ⇒*pettifogging, cavilling ^Aviling,* 〈misleidend〉 *chicaning, captious.*
chiffon 〈het〉 **0.1** *chiffon.*
chiffonnière 〈de〉 **0.1** *chiffon(n)ier* ⇒*commode, ^Btallboy.*
chignon 〈de (m.)〉 **0.1** *chignon* ⇒*bun.*
chijl 〈de〉 **0.1** *chyle.*
chijlvat 〈het〉 **0.1** *lacteal.*
chikwadraattest 〈de (m.)〉 **0.1** *chi-square (test).*
chi-kwadraattoets 〈de (m.)〉〈statistiek〉 **0.1** *chi-squared test.*
Chileen 〈de (m.)〉 **0.1** *Chilean.*
Chileens 〈bn.〉 **0.1** *Chilean.*
chili 〈de (m.)〉 **0.1** [plant] *chilli* ⇒*hot pepper* **0.2** [poeder, saus] *chilli (powder/sauce)* ◆ ¶**.1** ~ con carne *c. con carne.*
Chili 〈het〉 **0.1** *Chile.*
chiliade 〈de (v.)〉 **0.1** *chiliad.*
chiliasme 〈het〉 **0.1** *chiliasm* ⇒*millenarianism.*
chiliast 〈de (m.)〉 **0.1** *chiliast* ⇒*millenarian.*
chilisalpeter 〈het, de (m.)〉 **0.1** *Chile saltpetre/nitre* ⇒*sodium nitrate, Chilean nitrate.*
chilisaus 〈de〉 **0.1** *chilli sauce.*
chimaera 〈de (v.)〉 **0.1** [〈myth.〉] *Chim(a)era* **0.2** [dier] *chim(a)era.*
chimère 〈de (v.)〉 **0.1** *chim(a)era* ⇒*illusion, figment of the imagination.*
chimpansee 〈de (m.)〉 **0.1** *chimpanzee* ⇒〈inf.〉 *chimp.*
chinchilla¹
I 〈de〉 **0.1** [knaagdier] *chinchilla;*
II 〈het〉 **0.1** [bont] *chinchilla.*
chinchilla² 〈bn.〉 **0.1** *chinchilla.*
Chinees¹
I 〈de (m.)〉 **0.1** [bewoner van China] *Chinese* ⇒*Chinaman* **0.2** [iem. van het Chinese ras] *Chinese* ⇒*Chinaman,* 〈bel.〉 *chink* **0.3** [restaurant] *Chinese restaurant;* 〈om mee te nemen〉 *Chinese take-away* **0.4** [(-je) het opsnuiven van heroïne]〈zie 3.4〉 ◆ **2.2** 〈scherts.〉 een rare ~ *a queer customer/fish, one, a strange bird/one, ^Ba rum customer* **3.4** een ~je maken *chase the dragon* **6.3 bij** de ~ gaan eten *go out (for dinner) to/eat out at a Chinese restaurant;*
II 〈het〉 **0.1** [taal] *Chinese* **0.2** [onverstaanbare taal] *Greek* ⇒*double Dutch* **0.3** [porselein] *china(-ware)* ⇒*porcelain* ◆ **3.2** dat is ~ voor mij *it's all G./double Dutch to me.*
Chinees² 〈bn.〉 **0.1** [(zoals) van/in/uit China] *Chinese* **0.2** [behorend tot de taal] *Chinese* ◆ **1.1** Chinese kool *C. cabbage;* de Chinese muur *the Great Wall of China;* 〈fig.〉 *a c. wall;* ~ papier *India paper;* Chinese roos *China rose, C. hibiscus/rose;* Chinese schimmen *ombres chinoises;* shadowgraph, shadow play/show;* Chinese Volksrepubliek *People's Republic of China;* ~ vuurwerk *c. fireworks;* Chinese wijk/buurt *Chinatown.*
chinezen 〈ww.〉 **0.1** [eten] *go out (for dinner) to/eat out at a Chinese restaurant* **0.2** [verdampte heroïne opsnuiven] *chase the dragon.*
chinezenwijk 〈de〉 **0.1** *Chinese quarter* ⇒*Chinatown* 〈bv. in New York〉.
chinoiserie 〈de (v.)〉 **0.1** [kunstvoorwerpen] *chinoiserie, Chinese ornament/curio* **0.2** [kleingeestige formaliteit] *hair-splitting, unnecessary complications, red tape.*
chintz 〈het〉 **0.1** *chintz.*
chip 〈de (m.)〉〈elektronica〉 **0.1** [plaatje met elektronische schakelingen] *chip* ⇒*integrated circuit* **0.2** [microprocessor] *chip* ⇒*microprocessor.*

chipolatapudding 〈de (m.)〉 **0.1** *bavarois*.
chips 〈zn.mv.〉 **0.1** ᴮ*(potato) crisps*, ᴬ*chips* ⇒〈cul.〉 *game chips*.
chirograaf 〈de (m.)〉 **0.1** *chirograph*.
chirologie 〈de (v.)〉 **0.1** *chirology*.
chiromantie 〈de (v.)〉 **0.1** *chiromancy* ⇒*palmistry*.
chiropodie 〈de (v.)〉 **0.1** *chiropody*, ᴬ*podiatry*.
chiropodist 〈de (m.)〉 **0.1** *chiropodist*, ᴬ*podiatrist*.
chiropracticus 〈de (m.)〉 **0.1** *chiropractor*.
chiropraxie 〈de (v.)〉 **0.1** *chiropractic* ⇒*chiropraxis*.
chirurg 〈de (m.)〉 **0.1** *surgeon*.
chirurgie 〈de (v.)〉 **0.1** *surgery*.
chirurgijn 〈de (m.)〉〈gesch.〉 **0.1** *chirurgeon* ⇒*(barber-)surgeon*.
chirurgisch
  I 〈bn.〉 **0.1** [heelkundig] *surgical* ⇒*operative* ◆ **1.1** ~e behandeling *s. treatment, surgery*; ~e ingreep *s. operation, surgery*; ~e instrumenten *s. instruments*;
  II 〈bw.〉 **0.1** [langs operatieve weg] *surgically*.
chitine 〈het〉 **0.1** *chitin*.
chloasma 〈het〉〈med.〉 **0.1** *chloasma* ⇒*liver spots*.
chloor 〈het, de (m.)〉 **0.1** [〈schei.)] *chlorine* **0.2** [bleekpoeder] *chloride (of line)* ⇒*bleaching powder* **0.3** [oplossing van chloorkalk] *bleach*.
chlooracne 〈de〉〈med.〉 **0.1** *chloracne*.
chloorecht 〈bn.〉 **0.1** *colourfast*.
chloorethyl 〈het〉 **0.1** *chloroethyl*.
chloorgas 〈het〉 **0.1** *chlorine / chloric gas* ⇒〈mil. vnl.〉 *mustard gas, yperite*.
chloorhoudend 〈bn.〉 **0.1** *chlorous*.
chloorkali 〈de (m.)〉 **0.1** *chlorate of potash, potassium chlorate*.
chloorkalk 〈de (m.)〉 **0.1** *chloride of lime, chlorinated lime, bleaching powder*.
chloornatrium 〈het〉 **0.1** *sodium chloride, chloride of soda* ⇒*common salt*.
chloorverbinding 〈de (v.)〉 **0.1** *chlorine compound, compound of chlorine*.
chloorwater 〈het〉 **0.1** 〈schei.〉 *chlorine water; chlorinated water* 〈in zwembad〉.
chloorwaterstof 〈de〉 **0.1** *hydrochloric acid*.
chloorzuur 〈het〉 **0.1** *chloric acid*.
chloraal 〈het〉 **0.1** [〈schei.〉 vloeistof] *chloral* **0.2** [〈far.〉 chloraalhydraat] *chloral (hydrate)*.
chloren 〈ov.ww.〉 **0.1** *chlorinate*.
chloreren 〈ov.ww.〉〈schei.〉 **0.1** *chlorinate*.
chloride 〈het〉 **0.1** *chloride*.
chloriet
  I 〈de (m.)〉〈geol.〉 **0.1** [gesteente] *chlorite*;
  II 〈het〉 **0.1** [zuurverbinding] *chlorite*.
chloroform 〈de (m.)〉 **0.1** *chloroform* ◆ **6.1** onder ~ *under c., chloroformed*.
chloroformeren 〈ov.ww.〉 **0.1** *chloroform*.
chlorofyl 〈het〉 **0.1** *chlorophyll*.
chloroplast 〈het〉 **0.1** *chloroplast*.
chlorose 〈de (v.)〉 **0.1** 〈med.〉 *chlorosis* ⇒*greensickness* **0.2** [het ontbreken van chlorofyl] *chlorosis* ◆ **3.1** aan~ lijdend *chlorotic, greensick*.
chocolaatje 〈het〉 **0.1** *chocolate* ⇒〈BE; inf.〉 *choc*.
chocolade 〈het〉 **0.1** [versnapering] *chocolate* ⇒〈BE; inf.〉 *choc* **0.2** [drank] *(drinking) chocolate* ⇒*cocoa* ◆ **1.1** een doos ~ *a box of chocolates* **1.2** een kop ~ *a cup of (hot) chocolate / cocoa* **1.¶** een plak ~ *a slab of chocolate*; een reep ~ *a bar of chocolate* **2.1** gevulde ~ *chocolates with soft centres*, ᴬ*chocolate(-coated) candies*; pure ~ *plain / bitter / ᴬbittersweet chocolate* **7.2** ik kan hier geen ~ van maken 〈fig.〉 *I can't make head nor tail of it, it's no use to me*.
chocoladebruin 〈bn.〉 **0.1** *chocolate brown* ⇒*dark brown*.
chocoladehagelslag 〈de (v.)〉 **0.1** *chocolate vermicelli* ⇒*chocolate sprinkle*.
chocola(de)-ijs 〈het〉 **0.1** *chocolate ice*.
chocola(de)letter 〈de〉 **0.1** *chocolate letter*.
chocola(de)melk 〈de〉 **0.1** *(drinking) chocolate* ⇒*cocoa*.
chocola(de)pudding 〈de (m.)〉 **0.1** *chocolate pudding*.
chocolaterie 〈de (v.)〉 **0.1** *confectioners* ⇒*confectionery shop, (quality) chocolate shop*.
chocolatier 〈de (m.)〉 **0.1** *(chocolate) confectioner* ⇒*(quality) chocolate maker / seller*.
chocopasta 〈het, de (m.)〉 **0.1** *chocolate spread*.
choke 〈de (m.)〉 **0.1** [onderdeel van een carburator] *choke* **0.2** [bedieningsknop] *choke (control)*.
choken 〈onov.ww.〉 **0.1** *choke* ⇒*use / pull out / operate the choke*.
cholecystitis 〈de (v.)〉〈med.〉 **0.1** *cholecystitis*.
cholera 〈de (v.)〉 **0.1** *cholera* ◆ **2.1** Aziatische ~ *Asiatic / epidemic / Indian c.* **3.1** aan ~ lijden *be a c. patient, suffer from c.*.
cholerabacil 〈de (m.)〉 **0.1** *cholera bacillus* ⇒*cholera vibrio*, 〈wet.〉 *Vibrio cholerae*.
choleralijder 〈de (m.)〉, -ster 〈de (v.)〉 **0.1** *cholera patient / case*.

cholerisch 〈bn.〉 **0.1** *choleric* ⇒*irascible, hot-tempered* ◆ **1.1** het ~ temperament *the c. temperament*.
cholesterol 〈de (m.)〉 **0.1** *cholesterol*.
cholesterolgehalte 〈het〉 **0.1** *cholesterol level / concentration*.
chondrion 〈het〉〈med.〉 **0.1** *chondroma*.
chondrioom 〈het〉〈biol.〉 **0.1** →*chondrion*.
choquant 〈bn.〉 **0.1** *shocking* ⇒*offensive, lurid* 〈details〉.
choqueren 〈onov., ov.ww.〉 **0.1** *shock* ⇒*give offence* ◆ **3.1** gechoqueerd zijn (door) *be shocked (at / by), take offence (at)*.
chordometer 〈de (m.)〉〈muz.〉 **0.1** *chordometer*.
choreograaf 〈de (m.)〉, -grafe 〈de (v.)〉 **0.1** *choreographer*.
choreograferen 〈ov.ww.〉 **0.1** *choreograph*.
choreografie 〈de (v.)〉 **0.1** [het ontwerpen van balletten] *choreography* **0.2** [ontwerp van een ballet] *choreography* **0.3** [notering van dansbewegingen] *choreography*.
chorograaf 〈de (m.)〉〈vero.; aardr.〉 **0.1** *chorographer*.
chorografie 〈de (v.)〉〈vero.; aardr.〉 **0.1** *chorography*.
chorologie 〈de (v.)〉〈aardr.〉 **0.1** *chorology*.
chose 〈de (v.)〉 **0.1** *matter, affair* ◆ **2.1** dat is de hele ~ *that's what it's all about, that's the whole point*.
chotspe 〈de (m.)〉 **0.1** *(c)hutzpa(h)* ⇒*audacity, cheek*, ↓*nerve*.
chow-chow 〈de (m.)〉 **0.1** *chow(-chow)*.
Chr. 〈afk.〉 **0.1** [Christus] *Chr.* ◆ **¶.1** v.Chr. *B.C.*; n.Chr. *A.D.*.
chrestomathie 〈de (v.)〉 **0.1** *chrestomathy* ⇒*anthology*.
chrisma 〈het〉 **0.1** [wijolie] *chrism* ⇒*holy / consecrated oil* **0.2** [zalving] *chrism* ⇒*unction*.
chrismon 〈het〉 **0.1** *chrismon* ⇒*chi-rho, christogram*.
christelijk
  I 〈bn.〉 **0.1** [mbt. het christendom] *Christian* **0.2** [passend voor een christen] *Christian* **0.3** [op confessionele grondslag] *Christian* ⇒*confessional, denominational* **0.4** [fatsoenlijk] *Christian* ⇒*decent, civilized* ◆ **1.1** de ~e feestdagen *the feasts of the Church, the feast-l holy days, the public holidays*; de ~e jaartelling *the C. / Common / vulgar Era*; de ~e leer *C. doctrine / faith, Christianity* **1.2** ~e naastenliefde *C. love, charity*, ↑*agape, love of one's neighbour / fellow man*; 〈barmhartigheid〉 *compassion* **1.3** de ~e partijen *the confessional / C. parties*; ~e school *protestant / denominational school* **1.4** op een ~ tijdstip *at a civilized / decent hour / time of the day / night* **2.1** de Christelijk-Gereformeerde Kerk *the C. Reformed Church* **3.1** hij is erg ~ *he is very orthodox* **3.4** dat ziet er tenminste ~ uit *that's more like it, now it's beginning to look like sth.* **5.1** protestants ~ *Protestant*;
  II 〈bw.〉 **0.1** [op een voor een christen passende wijze] *in a Christian fashion / way* ⇒*decently* ◆ **3.1** 〈fig.〉 iem. ~ behandelen *treat s.o. decently / in a Christian way*.
christelijkheid 〈de (v.)〉 **0.1** *Christianity*.
Christelijk-Historische Unie 〈de (v.)〉〈gesch.〉 **0.1** *Christian Historical Union*.
christen 〈de (m.)〉 **0.1** *Christian* ◆ **3.1** ~ worden *become a C., be christened / baptized* 〈persoon〉; *be converted to C., become C.*; 〈zelden〉 *christianize* 〈land enz.〉.
christen-democraat 〈de (m.)〉 **0.1** *Christian Democrat*.
christen-democratie 〈de (v.)〉 **0.1** *Christian Democracy* ◆ **1.1** het Christen- Democratisch Appèl *the Christian Democratic Appeal*.
christendom 〈het〉 **0.1** [de christelijke godsdienst] *Christianity* **0.2** [de christelijke waarheden, voorschriften en gebruiken] *Christianity* ◆ **3.1** het ~ aannemen *embrace C.* **6.1** tot het ~ overgaan *embrace / go over to / turn to C.*.
christen(e)zielen 〈tw.〉 **0.1** *goodness gracious* ⇒ ↓*crikey*, ᴬ*jeepers*.
christengemeente 〈de (v.)〉 **0.1** *Christian congregation / community*.
christenheid 〈de (v.)〉 **0.1** [de christenen] *Christendom* **0.2** [de christelijke landen] *Christendom*.
christenhond 〈de (m.)〉 **0.1** *christian cur / dog*.
christenmens 〈de (m.)〉 **0.1** [〈inf.〉 mens] *(living) soul, human being* **0.2** [een mens als christen] *Christian* ◆ **7.1** er is geen ~ te zien *there wasn't a (living) soul to be seen*.
christenplicht 〈de〉 **0.1** *Christian duty* ⇒*(one's) duty as a Christian*.
christianisatie 〈de (v.)〉 **0.1** *Christianization*.
christin 〈de (v.)〉 **0.1** *Christian (woman)*.
christoffel 〈de (m.)〉 **0.1** *Saint Christopher (mascot)*.
christogram 〈het〉 **0.1** *christogram* ⇒*chi-rho*.
christologie 〈de (v.)〉 **0.1** *Christology*.
christologisch 〈bn.〉 **0.1** *Christological*.
christosofie 〈de (v.)〉 **0.1** *christosophy*.
christus 〈tw.〉 **0.1** *Jesus Christ* ⇒*Jesus (wept), Christ (Almighty)* ◆ **¶.1** 〈inf.〉 hoe is het in (gods) ~ mogelijk! *how could it happen, for Christ's sake*; 〈als uitweg〉 *Jesus Christ!*; 〈inf.〉 het is ~ heet vandaag *it is damn hot today*.
Christus 〈de (m.)〉 **0.1** *Christ* ◆ **1.1** Jezus ~ *Jesus C.*; de kerk van Jezus ~ van de Heiligen der Laatste Dagen *the Church of Jesus C. of Latter-day Saints*; ~ Koning *The Feast of Our Lord Jesus Christ the King*; Christus' leer *C.'s teaching(s) / doctrine* **3.1** ~ is verrezen *C. has / is risen* **6.¶** na ~ *A.D.*, *after Christ*; vóór ~ *B.C.*, *before Christ*.
Christusbeeld 〈het〉 **0.1** *figure of Christ* ⇒*crucifix, cross, rood*.

christusdoorn ⟨de (m.)⟩ **0.1** [sierplant] *crown of thorns* **0.2** [parkboom] *honey locust*.

Christuskop ⟨de (m.)⟩ **0.1** [afbeelding] *Christ's head* ⇒*veronica, vernicle* ⟨op doek⟩ **0.2** [expressief gelaat] *Christ-like face/features*.

Christuslegende ⟨de⟩ **0.1** *Christ legend*.

Christusmonogram ⟨het⟩ **0.1** *Christogram* ⇒*chi-rho*.

chroma ⟨de⟩ **0.1** [kleur] *chroma* ⇒*saturation* **0.2** [⟨muz.⟩ accidentie] *accidental* ⇒*chromatic sign* **0.3** [⟨muz.⟩ interval] *chromatic semitone/interval*.

chromaatgeel ⟨het⟩ **0.1** *chrome (yellow)*.

chromaatgroen ⟨het⟩ **0.1** *chrome green* ⇒*chromium green, Brunswick green, viridian*.

chromatiek ⟨de (v.)⟩ **0.1** [⟨muz.⟩] *chromaticism* **0.2** [leer van de kleuren] *chromatics* ⇒*chromatology*.

chromatisch ⟨bn.⟩ **0.1** [⟨muz.⟩] *chromatic* **0.2** [⟨nat.⟩] *chromatic* ♦ **1.1** ~e beweging *c. movement;* ~e tekens *accidentals, c. signs;* de ~e toonschaal *the c. scale* **1.2** ~e aberratie *c. aberration*.

chromatografie ⟨de (v.)⟩ ⟨tech.⟩ **0.1** *chromatography*.

chromen ⟨ov.ww.⟩ →**verchromen**.

chromeren ⟨ov.ww.⟩ **0.1** *chromium-plate* ⇒*chrome*.

chromium ⟨het⟩ **0.1** [⟨schei.⟩] *chromium* ⇒⟨ongemarkeerd⟩ *chrome* **0.2** [chroomleer] *chrome leather*.

chromolit(h)ografie ⟨de (v.)⟩ **0.1** [kleurensteendruk] *chromolithography* **0.2** [afbeelding] *chromolith(ograph)*.

chromosfeer ⟨de⟩ **0.1** *chromosphere*.

chromosoom ⟨het⟩ **0.1** *chromosome* ♦ **1.1** deling v.e. ~ *chromosomal division*.

chromotypie ⟨de (v.)⟩ **0.1** *chromotyp(ograph)y*.

chroniqueur ⟨de (m.)⟩ **0.1** *chronicler*.

chronisch
I ⟨bn.⟩ **0.1** [mbt. ziekten] *chronic* ⇒⟨slepend⟩ *lingering* ♦ **1.1** een~ longlijder *s.o. with a c. lung disease;* een ~e ziekte *a c./confirmed invalid, a chronically sick patient;*
II ⟨bn., bw.;-(al)ly⟩ **0.1** [aanhoudend] *chronic* ⇒*recurrent* ♦ **1.1** ~ geldgebrek *a c. lack of money/funds;* een ~ verschijnsel *a recurrent phenomenon* **2.1** hij is ~ verkouden *he has a c. cold, he's always got a cold*.

chronograaf ⟨de (m.)⟩ **0.1** *chronograph*.

chronogram ⟨het⟩ **0.1** *chronogram*.

chronologie ⟨de (v.)⟩ **0.1** [opeenvolging van tijdsmomenten] *chronology* **0.2** [tijdrekenkunde] *chronology*.

chronologisch
I ⟨bn.⟩ **0.1** [tijds-] *chronological* **0.2** [tijdrekenkundig] *chronological* ♦ **1.1** de ~e leeftijd *c. age;* in ~e volgorde plaatsen *arrange in c. order/in order of date/chronologically* **1.2** een ~ overzicht *a c. list/survey;*
II ⟨bw.⟩ **0.1** [naar de opeenvolging v.d. tijd] *chronologically*.

chronometer ⟨de (m.)⟩ **0.1** [stopwatch] *stop-watch* ⇒*chronograph* **0.2** [nauwkeurig uurwerk] *chronometer* **0.3** [metronoom] *metronome*.

chronoscoop ⟨de (m.)⟩ **0.1** *chronoscope*.

chroom ⟨het⟩ **0.1** [⟨schei.⟩] *chromium* ⇒⟨ongemarkeerd⟩ *chrome* **0.2** [chroomleer] *chrome leather*.

chroomijzer ⟨het⟩ **0.1** *ferrochrome/-chromium* ⇒*chrome iron*.

chroomleer ⟨het⟩ **0.1** *chrome leather*.

chroompoets ⟨de⟩ **0.1** *chrome polish*.

chroomstaal ⟨het⟩ **0.1** *chrome/chromium steel*.

chroomzuur ⟨het⟩ **0.1** *chromic acid*.

chrysant ⟨de⟩, **chrysanthemum** ⟨de (m.)⟩ **0.1** *chrysanthemum*.

chrysoberil ⟨de (m.)⟩ **0.1** *chrysoberyl*.

chrysoliet ⟨het⟩ **0.1** *chrysolite* ⇒*peridot*.

chulo ⟨de (m.)⟩ **0.1** *chulo*.

c.i. ⟨afk.⟩ **0.1** [civiel ingenieur] *C.E.*.

ciborie ⟨de (v.)⟩ **0.1** *ciborium* ⇒*pyx*.

cicaden ⟨zn.mv.⟩ **0.1** *Cicadidae*.

cicero ⟨de⟩ ⟨druk.⟩ **0.1** *cicero*.

cicerone ⟨de⟩ **0.1** *cicirone* ⇒*guide*.

Ciceroniaans ⟨bn.⟩ **0.1** *Ciceronian* ♦ **1.1** ~ Latijn *C. Latin*.

cichorei ⟨de⟩ **0.1** *chicory* ⇒⟨plant ook⟩ *succory*.

cider ⟨de (m.)⟩ **0.1** [B]*cider*, [A]*hard cider* ⇒⟨BE;inf.⟩ *scrumpy(-juice)*.

cie ⟨afk.⟩ **0.1** [compagnie] *Co.*.

cigarrillo ⟨de⟩ **0.1** *cigarillo* ⇒*cigarito*.

cijfer ⟨het⟩ **0.1** [teken] *figure* ⇒*numeral, digit, cipher* **0.2** [uitgedrukt getal] *figure, number* **0.3** [maatstaf] *mark* ⇒*grade* **0.4** [geheimschrift] *cipher* ⇒*code* **0.5** [monogram] *monogram* ⇒*cipher, device* ♦ **1.2** een getal van twee ~s *a double figure* **2.1** Arabische/Romeinse ~s *Arabic/Roman numerals;* ⟨comp.⟩ binaire ~s *binary digits* **2.2** officiële ~s *official figures/statistics;* ⟨fig.⟩ in de rode ~s staan *be in the red/overdrawn, have an overdraft* **2.3** hoge ~s behalen voor wiskunde *get good/high marks/*[A] *a good/high grade for maths/*[A]*math;* het hoogste ~ *the highest mark/*[A]*grade, full marks;* een laag ~ geven aan iem. *give/award a low mark/*[A]*grade to s.o.;* een lager/hoger ~ geven *mark (s.o.) down/up* **3.2** de ~s groeperen *(re)arrange/tidy up the figures* **6.2** getallen die in de vijf/zes ~s lopen *five/six-figure/-digit numbers;* iets onder ~s brengen *express sth. numerically/in figures* **6.4** een stuk

in ~ *a (text/message/piece in) cipher, a coded message* **7.1** twee ~s achter de komma *two decimal places*.

cijferaar ⟨de (m.)⟩ **0.1** [berekenend persoon] *calculating/hard-headed person* ⇒*opportunist* **0.2** [(be)rekenaar] *arithmetician* ⇒*calculator* ♦ **2.2** hij is een vlugge ~ *he's very good/quick/clever at figures*.

cijferboek ⟨het⟩ **0.1** [boek met rekenopgaven] *arithmetic* [B]*exercise book/*[A]*notebook* **0.2** [(de)codeerboek] *code/cipher(ing) book* **0.3** [⟨school.⟩] *mark(s),* [A]*grade book*.

cijfercode ⟨de (m.)⟩ **0.1** *numeric code* ⇒⟨cryptografie⟩ *cipher code*.

cijfercombinatie ⟨de (v.)⟩ **0.1** *combination (of figures)*.

cijferen ⟨onov.ww.⟩ **0.1** *do/make calculations/a calculation* ⇒*do arithmetic/sums*.

cijferfout ⟨de⟩ **0.1** *computing error* ⇒*error in calculation,* ↓*mistake in the figures*.

cijferklok ⟨de⟩ **0.1** *digital clock*.

cijferkunst ⟨de (v.)⟩ **0.1** *computing skill* ⇒*arithmetic, mathematics*.

cijferlijst ⟨de⟩ ⟨school.⟩ **0.1** *list of marks* ⇒⟨school⟩ *report*.

cijfermateriaal ⟨het⟩ **0.1** *figures* ⇒*numerical data*.

cijferschrift ⟨het⟩ **0.1** *cipher* ⇒*code,* ⟨muz.⟩ *numerical notation* ♦ **3.1** in ~ overbrengen *encipher, (en-)code* **6.1** ~ in letters/cijfers *letter/figure cipher*.

cijfersleutel ⟨de (m.)⟩ **0.1** *cipher/code key* ⇒*key (to a cipher/code), cipher*.

cijferslot ⟨het⟩ **0.1** *combination lock*.

cijferwerk ⟨het⟩ **0.1** *arithmetic* ⇒*figures, figuring, reckoning*.

cijns ⟨de (m.)⟩ **0.1** *levy, tax*.

cijnsbaar ⟨bn.⟩ **0.1** *taxable* ⇒*subject to levy/tax*.

cijnsplichtig ⟨bn.⟩ **0.1** *tributary*.

cilinder ⟨de (m.)⟩ **0.1** [koker] *cylinder* **0.2** [buis om de zuiger] *cylinder* **0.3** [⟨wisk.⟩] *cylinder* **0.4** [hoed] *top hat* ⇒ ↓*topper* **0.5** [echappement] *escapement*.

cilinderblok ⟨het⟩ **0.1** *cylinder block*.

cilinderbureau ⟨het⟩ **0.1** *roll-top desk*.

cilinderinhoud ⟨de (m.)⟩ **0.1** *cylinder capacity*.

cilinderkop ⟨de (m.)⟩ **0.1** *cylinder head*.

cilinderolie ⟨de⟩ **0.1** *cylinder oil*.

cilinderslot ⟨het⟩ **0.1** *cylinder lock* ⇒*Yale/safety lock*.

cilindervlak ⟨het⟩ **0.1** *cylinder*.

cilindervormig ⟨bn.⟩ **0.1** *cylindrical* ⇒*c.-shaped*.

cilindrisch ⟨bn.⟩ **0.1** *cylindrical* ♦ **5.1** bijna ~ *subcylindrical, cylindraceous*.

cimbaal ⟨de⟩ ⟨muz.⟩ **0.1** *cymbal*.

cimbalist ⟨de (m.)⟩ **0.1** *cymbalist*.

cimbel ⟨de⟩ ⟨muz.⟩ **0.1** *zimbel*.

cineac ⟨de (m.)⟩ **0.1** *news cinema*.

cineast ⟨de (m.)⟩ **0.1** *film/*[A]*movie maker* ⇒*film/*[A]*movie director*.

cineastisch ⟨bn.⟩ **0.1** *cinematographic*.

cinecamera ⟨de⟩ **0.1** *film/*[B]*cine/*[A]*movie camera*.

cineclub ⟨de⟩ **0.1** *cine club* ⇒*film/*[A] [B]*movie club*.

cinefiel[1] ⟨de (m.)⟩ **0.1** *film/*[A]*movie enthusiast/lover/fan* ⇒*cineast(e)*.

cinefiel[2] ⟨bn.⟩ **0.1** *film-loving* ⇒ ↓*film/*[A]*movie crazy/mad*.

cinema ⟨de (m.)⟩ **0.1** *cinema* ⇒*picture/*[A]*movie house/theatre,* ↓*flicks* ♦ **3.1** wij gaan elke week naar de ~ *we go to the pictures/*[A]*movies every week*.

cinemaorgel ⟨het⟩ **0.1** *cinema organ*.

cinemascope ⟨de (m.)⟩ **0.1** *cinemascope*.

cinematheek ⟨de (v.)⟩ **0.1** [filmarchief] *film/*[A]*movie library/archive* **0.2** [filmotheek] *film/*[A]*movie library/rental shop/*[A]*store*.

cinematograaf ⟨de (m.)⟩ ⟨vnl. BE⟩ **0.1** *cinematograph*.

cinematografie ⟨de (v.)⟩ **0.1** *cinematography*.

cinerama ⟨het⟩ **0.1** *cinerama*.

cineraria ⟨de⟩ ⟨plantk.⟩ **0.1** *cineraria*.

cingel ⟨de (m.)⟩ **0.1** [gordel] *sash, girdle* **0.2** [singel] *cincture*.

cinnaber ⟨het⟩ **0.1** *cinnaber* ⇒*vermilion*.

cinquecento ⟨het⟩ **0.1** *cinquecento*.

C.I.O.S. ⟨het⟩ ⟨afk.⟩ **0.1** [Centraal Instituut voor de Opleiding van Sportleid(st)ers] ⟨*Dutch National Sports Training Institute*⟩.

cipier ⟨de (m.)⟩ **0.1** *warder* ⇒⟨jailer, ⟨vero.⟩ *turnkey*, ⟨sl.⟩ *screw*.

cipres(seboom) ⟨de (m.)⟩ **0.1** *cypress*.

circa ⟨bw.⟩ **0.1** *approximately* ⇒*about, (a)round,* ⟨zeldz.;met jaartallen⟩ *circa* ♦ **7.1** ~ 1500 *(in) around 1500, c. 1500;* ~ honderd bomen *approximately/about a hundred trees*.

circadiaans ⟨bn.⟩ **0.1** *circadian*.

circonflexe →**circumflex**.

circuit ⟨het⟩ **0.1** [⟨sport⟩] *circuit* ⇒*(race)track* **0.2** [rondgang] *circuit* ⇒ *lap* **0.3** [kring van personen/instanties] *circuit* ⇒*scene* **0.4** [stroomkring] *circuit* **0.5** [verkeersplein] [B]*roundabout, (traffic) circle, rotary* ♦ **2.3** het alternatieve ~ *the alternative c.* ⟨ook mbt. film⟩; het ambtelijk ~ *the official c.;* ⟨pej.⟩ *the bureaucratic/government mills;* het zwarte ~ *the black market/economy, the illegal c..*

circulair ⟨bn., bw.;-ly⟩ **0.1** [kringvormig] *circular* ⇒*round* **0.2** [rondgaand] *circular* ⇒*rotating, rotary* ♦ **1.1** ~e spieren *orbicular/sphincter muscles* **1.2** ~e processie *tour, c. procession/march* **1.¶** ~e kredietbrief *c. letter of credit*.

circulaire ⟨de⟩ **0.1** *circular (letter)* ◆ **3.1** ~s zenden aan *send circulars to, circularize* **6.1 per** ~ bekendmaken *announce by c. (l.)*.

circulatie ⟨de (v.)⟩ **0.1** *circulation* ◆ **1.1** ~van hete lucht *c. of hot air, convection* **2.1** atmosferische ~ *atmospheric c.* **3.1** geld aan de ~ onttrekken *recall / call in / withdraw money (from c.)* **6.1** geld in ~ brengen *put / bring money in(to) c., circulate;* **uit** de ~ nemen *take out of c., withdraw (from c.); call in / redeem / retire* (obligaties).

circulatiebank ⟨de⟩ **0.1** *bank of circulation / issue* ⇒*issue bank, (note-)issuing bank*.

circulatiestoornis ⟨de (v.)⟩ **0.1** *circulatory disorder*.

circuleren ⟨onov.ww.⟩ **0.1** [rondgaan] *circulate* **0.2** [rondgezonden worden] *circulate* ⇒*distribute* **0.3** [in omloop zijn] *circulate* ⇒*be in circulation* ◆ **1.3** ~de geruchten *rumours in circulation* **3.3** geruchten laten ~ *put about / spread / c. rumours* **6.1** het bloed circuleert **door** de aderen *the blood circulates through the veins / arteries*.

circumcentrisch ⟨bn.⟩ **0.1** *concentric*.

circumcisie ⟨de (v.)⟩ ⟨med.⟩ **0.1** *circumcision*.

circumferentie ⟨de (v.)⟩ ⟨wisk.⟩ **0.1** *circumference*.

circumflex ⟨het, de (m.)⟩ **0.1** *circumflex (accent)*.

circumpolair ⟨bn.⟩ **0.1** *circumpolar* ◆ **1.1** ~e sterren *c. stars*.

circus ⟨het, de (m.)⟩ **0.1** [publieke vermakelijkheid] *circus* **0.2** [wat aan een circus doet denken] *(travelling) circus* ⇒*fuss, to-do* **0.3** [renbaan] *circus* ⇒*arena* ◆ **2.1** (rond)reizend ~ *travelling circus*.

circusartiest ⟨de (m.)⟩, -e ⟨de (v.)⟩ **0.1** *circus performer*.

circusdirecteur ⟨de (m.)⟩, -trice ⟨de (v.)⟩ **0.1** *ringmaster* ⇒*circus master / manager*.

circusnummer ⟨het⟩ **0.1** *circus act*.

circuspaard ⟨het⟩ **0.1** *circus / liberty horse*.

circustent ⟨de⟩ **0.1** *circus tent* ⇒*big top, canvas*.

circusvertoning ⟨de (v.)⟩ (vooral fig.) **0.1** *(ridiculous) spectacle* ⇒*farce, mockery*.

cirkel ⟨de (m.)⟩ **0.1** [⟨wisk.⟩] *circle* **0.2** [kring] *circle* ⇒*ring* ◆ **1.1** de kwadratuur v.d. ~ *the quadrature of the c.* **2.1** halve ~*semicircle* **2.2** een vicieuze ~ *a vicious c.* **3.1** de omgeschreven ~ trekken v.e. vierkant *circumscribe a square* **3.2** de ~ dichter trekken *close in the c.;* de politie vormde een steeds kleinere ~ rond het huis *the police zeroed / closed in on the house* **6.2** in een ~ staan *stand in a c.;* **in** een ~(tje) ronddraaien *circle, move / (fig.) argue in a c., go round (and round) in circles*.

cirkelbeweging ⟨de (v.)⟩ **0.1** *circular motion / course* ◆ **3.1** een ~ maken *orbit*.

cirkelboog ⟨de (m.)⟩ **0.1** *arc (of a circle)*.

cirkelbundel ⟨de (m.)⟩ ⟨wisk.⟩ **0.1** *circle bundle*.

cirkeldefinitie ⟨de (v.)⟩ **0.1** *circular definition*.

cirkeldeling ⟨de (v.)⟩ **0.1** *circle dissection*.

cirkeldiagram ⟨het⟩ **0.1** *pie chart* ⇒*circle graph*.

cirkeldoorsnede ⟨de⟩ **0.1** *circular cross-section*.

cirkeldriehoek ⟨de (m.)⟩ **0.1** *arc triangle* ⇒*circular / curvilinear triangle*.

cirkelen ⟨onov.ww.⟩ **0.1** *circle* ⇒*orbit* (satelliet), *wheel* ⟨vogel⟩.

cirkelgang ⟨de (m.)⟩ **0.1** *cycle* ⇒*circular course, circle* ◆ **1.1** de ~ v.d. beschaving *the circular course of civilisation*.

cirkelkegel ⟨de (m.)⟩ **0.1** *cone*.

cirkelmaaier ⟨de (m.)⟩ **0.1** *rotary mower*.

cirkelomtrek ⟨de (m.)⟩ ⟨wisk.⟩ **0.1** *circumference* ⇒*perimeter*.

cirkelredenering ⟨de (v.)⟩ **0.1** *circular argument / reasoning*.

cirkelrond ⟨bn.⟩ **0.1** *circular* ⇒*round*.

cirkelsector ⟨de (m.)⟩ ⟨wisk.⟩ **0.1** *sector of a circle*.

cirkelsegment ⟨het⟩ ⟨wisk.⟩ **0.1** *segment of a circle*.

cirkelvlak ⟨het⟩ **0.1** *(plane of a) circle*.

cirkelvorm ⟨de (m.)⟩ **0.1** *circular (shape / form)* ⇒*round, orbicular, spherical*.

cirkelvormig ⟨bn., bw.; -ly⟩ **0.1** *circular* ⇒*round*.

cirkelzaag ⟨de⟩ **0.1** *circular saw*.

cirrocumulus ⟨de (m.)⟩ **0.1** *cirrocumulus* ⇒*mackerel sky*.

cirrose ⟨de (v.)⟩ ⟨med.⟩ **0.1** *cirrhosis*.

cirrostratus ⟨de (m.)⟩ **0.1** *cirrostratus*.

cirrus ⟨de (m.)⟩ **0.1** *cirrus*.

cis ⟨de⟩ ⟨muz.⟩ **0.1** *C sharp*.

ciseleerder, ciseleur ⟨de (m.)⟩ **0.1** *chaser*.

ciseleerwerk ⟨het⟩ **0.1** *chased work, chasing*.

ciseleren ⟨ov.ww.⟩ **0.1** [metalen voorwerpen bewerken] *chase* ⇒*chisel* **0.2** [⟨fig.⟩ bewerken] *polish* ⇒*refine, chisel, hone*.

cisterciënzer[1] ⟨de (m.)⟩ **0.1** *Cistercian*.

cisterciënzer[2] ⟨de (m.)⟩ **0.1** *Cistercian* ◆ **1.1** een ~ monnik *a C. monk*.

cisterne ⟨de⟩ **0.1** *cistern* ⇒*water tank / reservoir*.

citaat ⟨het⟩ **0.1** [letterlijke weergave] *quotation,* ¹*quote;* ⟨aanhaling, voorbeeldzin in woordenboek⟩ *citation* ◆ **1.1** begin ~ *quote, open quotes;* einde ~ *unquote, close quotes* **2.1** een letterlijk ~ *a literal quotation;* een verkeerd ~ *a misquotation* **3.1** een ~ beëindigen *unquote;* een ~ geven *quote*.

citadel ⟨de⟩ **0.1** *citadel* ⇒*stronghold*.

citatenboek ⟨het⟩ **0.1** *book of quotations* ⇒*commonplace-book*.

citatie-index ⟨de (m.)⟩ **0.1** *citation index*.

citeertitel ⟨de (m.)⟩ **0.1** *official title*.

citer ⟨de⟩ **0.1** [instrument] *zither* **0.2** [symbool] *cither(n), cittern, cister, lyre*.

citeren ⟨ov.ww.⟩ **0.1** [aanhalen] ⟨letterlijk weergeven⟩ *quote;* ⟨ter ondersteuning van betoog⟩ *cite* **0.2** [⟨jur.⟩ dagvaarden] *cite* ⇒*summon (to appear in court)* ◆ **2.1** geschikt om te ~, het ~ waard *quotable*.

citerspeler ⟨de (m.)⟩ **0.1** *cither player*.

cito ⟨bw.⟩ **0.1** *quickly, immedeately* ⇒*on the spot, at once*.

citraat ⟨het⟩ **0.1** *citrate*.

citroen ⟨de⟩ **0.1** [vrucht] *lemon* **0.2** [boom] *lemon tree* **0.3** [jenever] *lemon geneva* ⇒*lemon(-flavoured) gin / brandy* **0.4** [sap] *(fresh) lemon juice* ◆ **2.1** tropische ~ *lime* **2.¶** uitgeknepen ~ *squeezed l.* **6.1** thee met ~ *tea with l., l. tea;* iem. knollen **voor** ~en verkopen (fig.) *sell s.o. a pup, swindle s.o.* **8.1** iem. uitknijpen als een ~ *squeeze s.o. dry / until the pips squeak*.

citroenboom ⟨de (m.)⟩ **0.1** *lemon tree*.

citroengeel ⟨bn.⟩ **0.1** *lemon (yellow)*.

citroengeranium ⟨de⟩ **0.1** *lemon geranium*.

citroengras ⟨het⟩ ⟨cul.⟩ **0.1** *lemon grass*.

citroenjenever →citroen **0.3**.

citroenknijper ⟨de (m.)⟩ **0.1** *lemon squeezer /* ᴬ*juicer*.

citroenkruid ⟨het⟩ **0.1** *southernwood* ⇒*lemon plant / verbena, boy's /* ⟨BE ook⟩ *lad's love, old man*.

citroenkwast ⟨de (m.)⟩ **0.1** ᴮ*lemon squash,* ᴬ*lemonade*.

citroenlimonade ⟨de⟩ **0.1** ⟨drank⟩ *lemonade, lemon drink* ⇒ ⟨siroop⟩ *lemon syrup,* ⟨koolzuurhoudend⟩ *lemon soda*.

citroenmelisse ⟨de⟩ **0.1** *lemon balm*.

citroenolie ⟨de⟩ **0.1** *lemon oil*.

citroenpers ⟨de⟩ **0.1** *lemon squeezer*.

citroensap ⟨het⟩ **0.1** *(fresh) lemon juice*.

citroenschil ⟨de⟩ **0.1** *lemon peel / rind* ◆ **1.1** stukjes ~ ⟨geschaafde⟩ *shredded lemon rind;* ⟨in drankje⟩ *twist of lemon*.

citroentje ⟨het⟩ **0.1** [kleine citroen] *small lemon* ⇒≠*lime* **0.2** [glaasje jenever] *(glass of) lemon geneva* **0.3** [vogel] *icterine warbler* **0.4** [vlinder] *brimstone (butterfly)*.

citroenvlinder ⟨de (m.)⟩ **0.1** *brimstone butterfly*.

citroenzuur ⟨het⟩ **0.1** *citric acid*.

citronella ⟨de⟩ **0.1** *citronella (oil)*.

citronellagras ⟨het⟩ **0.1** *citronella (grass)*.

citronellaolie ⟨de⟩ **0.1** *citronella (oil)*.

citronnade ⟨de⟩ **0.1** *lemonade,* ᴬ*lemon-lime drink, lemon soda*.

citrusboom ⟨de (m.)⟩ **0.1** *citrus (tree)*.

citruscultuur ⟨de (v.)⟩ **0.1** *citrus (fruit) cultivation*.

citrusfruit ⟨het⟩ **0.1** *citrus, citrus fruit*.

citruspers ⟨de⟩ **0.1** *lemon squeezer /* ᴬ*juicer*.

citrusvrucht ⟨de⟩ **0.1** *citrus fruit*.

city ⟨de⟩ **0.1** ᴮ*city centre,* ᴬ*downtown*.

city-bag ⟨de (m.)⟩ **0.1** *hold-all*.

cityvorming ⟨de (v.)⟩ **0.1** *depopulation of city centres* ⇒*suburbanization*.

civet ⟨het, de (m.)⟩ **0.1** [stof] *civet* **0.2** [groep van dieren] *civet*.

civetkat ⟨de⟩ **0.1** *civet (cat)* ◆ **2.1** Aziatische / Indische ~ *Asian / Indian c. (c.)*.

civiel ⟨bn., bw.; -ly⟩ **0.1** [tot de burgerstand behorend] *civil* ⇒ ⟨itt. militair⟩ *civilian* **0.2** [burgerlijk] *civil* **0.3** [billijk] *reasonable* ⇒*fair, moderate* **0.4** [behoorlijk] *civil* ⇒*polite, courteous, proper, decent* ◆ **1.1** de ~e gouverneur / ambtenaren *civil governor / servants;* een ~ huwelijk *civil marriage, register-office wedding;* de ~e staat *civil / marital status* **1.2** ~e kamer / zitting *c. division / sitting;* de ~e partij *applicant for compensation in criminal proceedings, 'partie civile';* zich ~e partij stellen *bring a c. suit / against s.o.;* een ~ proces beginnen tegen *take c. action / proceedings against;* het ~ recht *c. law;* een ~e zaak *c. case / cause / action;* hof voor ~e zaken *c. court* **1.3** een ~e prijs *a r. / fair / moderate price* **1.4** prompte en ~e bediening *prompt and friendly service* **3.4** iem. ~ behandelen *treat s.o. courteously / politely / decently* **6.1** ⟨zelfst.⟩ een officier **in** ~ ⟨politie⟩ *plain-clothes officer;* ⟨mil.⟩ *officer in civilian clothes /* ⟨inf.⟩ *in civ(v)ies*.

civiel-ingenieur ⟨de (m.)⟩ **0.1** *civil engineer*.

civielrechtelijk ⟨bn., bw.⟩ **0.1** *civil* ⇒ ⟨alleen pred.⟩ *pertaining to / according to a civil law* ◆ **3.1** iem. ~ vervolgen *bring a civil suit / action against s.o.*.

civieltechnisch ⟨bn.⟩ **0.1** *civil engineering*.

civilisatie ⟨de (v.)⟩ **0.1** *civilization*.

civilisatieziekte ⟨de (v.)⟩ **0.1** ≠(a) *Western disease* ⇒*disease of affluent societies / the West / civilization*.

civiliseren ⟨ov.ww.⟩ **0.1** *civilize*.

civilist ⟨de (m.)⟩ **0.1** *practitioner of / expert in civil law* ⇒ ⟨AE ook⟩ *civilian*.

CJP ⟨het⟩ ⟨afk.⟩ **0.1** [cultureel jongerenpaspoort] ⟨*young people's cultural pass*⟩.

c.l. ⟨Lat.⟩ ⟨afk⟩ **0.1** [citato loco] *loc. cit.* **0.2** [cum laude] ⟨*cum laude*⟩.

claim ⟨de (m.)⟩ **0.1** [vordering] *claim* ⇒*right(s), title, call* **0.2** [recht tot exploitatie] *claim* **0.3** [optie] *(subscription) right / option (on new*

shares) ⇒⟨AE ook⟩ *shareholder's pre-emptive right* ◆ **3.1** een
(zware) ~leggen op *place (a great) strain on, make heavy demands on
/of;* een ~ indienen (bij) *lodge/file a claim (with), claim (on)* **6.3 met/**
inclusief ~ *cum rights/new;* **zonder/** exclusief ~ *ex rights/new.*
claimen ⟨ov.ww.⟩ **0.1** [eisen] *(lay) claim (to)* ⇒*file/make/lodge a claim,
demand, call for* **0.2** [beweren] *claim* ⇒*contend, assert* ◆ **6.1** een be-
drag~ **bij** de verzekering *file a claim with the insurance company,
claim (money back) on one's insurance.*
claimrecht ⟨het⟩⟨hand.⟩ **0.1** *right (to subscribe/apply).*
clair-obscur ⟨het⟩ **0.1** *chiaroscuro* ⇒*clair-obscure.*
clairvoyance ⟨de (v.)⟩ **0.1** *clairvoyance* ⇒*second sight, telaesthesia.*
clairvoyant[1] ⟨de (m.)⟩ **0.1** *clairvoyant.*
clairvoyant[2] ⟨bn.⟩ **0.1** *clairvoyant* ⇒*second-sighted, telaesthetic.*
clan ⟨de (m.)⟩ **0.1** [stam] *clan* ⇒*family, tribe* **0.2** [⟨antr.⟩] *clan* **0.3**
[hechte groep] *clan* ⇒*clique, coterie* ◆ **1.1** lid v.e. ~ *clansman, clans-
woman.*
clandestien ⟨bn.,bw.;-ly⟩ **0.1** *clandestine* ⇒*surreptitious, secret, illegal,
illicit* ⟨handel⟩ ◆ **1.1** ~e activiteiten ⇒*(voor de regering) c./under-
cover/* ⟨tegen de regering⟩ *underground activities;* ⟨inf.⟩
hole-and-corner stuff; ~e boter *black-market butter;* ~e drankverkoop *illicit/* ↓*under-the-counter liquor sales,* ↓*bootlegging;* ⟨vnl. AE⟩
moonshining; een ~e kroeg *an unlicensed bar/pub;* ⟨AE⟩ *a speak-
easy,* ↑*unlicensed premises;* een ~e zender *a pirate transmitter/radio
station* **3.1** ~gestookte whisky *bootleg whisky;* hij heeft het ~ gedaan
he did it surreptitiously; ⟨inf.⟩ *he did it on the sly;* ~ slachten *slaughter
illegally/without a licence.*
claque ⟨de⟩ **0.1** *claque* ◆ ¶.¶ chapeau ~ *opera hat.*
claqueur ⟨de (m.)⟩ **0.1** *claqueur* ⇒*(paid) clapper.*
claris(se) ⟨de (v.)⟩ **0.1** *(Poor) Clare.*
classeur ⟨de (m.)⟩⟨AZN⟩ **0.1** *file* ⇒*folder, dossier.*
classicaal ⟨bn.⟩ **0.1** *classical* ◆ **1.1** de classicale vergadering *the meeting
of the classis.*
classicisme ⟨het⟩ **0.1** *classicism* ⇒*classicalism.*
classicistisch ⟨bn.,bw.⟩ **0.1** *classicistic* ⇒*classic(al)* ◆ **1.1** een ~ kunstenaar *a classical artist, a classicist.*
classicus ⟨de (m.)⟩, **-ca** ⟨de (v.)⟩ **0.1** *classicist, classicalist* ⇒*classical/
classics scholar.*
classificatie ⟨de (v.)⟩ **0.1** [klassenverdeling] *classification* **0.2** [indeling]
classification ⇒*ranking, ordering, grouping, rating.*
classificatiebureau ⟨het⟩ **0.1** *classification society.*
classificator ⟨de (m.)⟩ **0.1** [persoon] *classifier* **0.2** [werktuig] *classifier.*
classificeerder ⟨de (m.)⟩ **0.1** *ship's cleaner* ⇒*member of a (ship-)clean-
ing gang.*
classificeren ⟨ov.ww.⟩ **0.1** [ordenen] *classify* ⇒*class, group, order, rank*
0.2 ⟨scheep.⟩ schoonmaken] *clean.*
classis ⟨de (v.)⟩ **0.1** *classis.*
claus(e) ⟨de (v.)⟩ **0.1** [laatste woord v.e. passage] *cue* ⇒*catchword, tag*
0.2 [passage] *speech* ⇒*passsage* ◆ **3.1** zijn ~ missen *to miss one's cue,
miscue.*
claustra ⟨de (m.)⟩⟨bouwk.⟩ **0.1** *decorative openwork in concrete wall.*
claustrofobie ⟨de (v.)⟩ **0.1** *claustrophobia.*
claustrofobisch ⟨bn.⟩ **0.1** *claustrophobic.*
claustrofoob ⟨bn.⟩ **0.1** *claustrophobic.*
clausule ⟨de⟩ **0.1** [voorbehoud] *clause* ⇒*proviso, stipulation* **0.2** [einde
v.e. zin] *clause* ⇒⟨AE ook⟩ *close of a period* ◆ **2.1** een allesomvat-
tende ~ *a blanket/basket/comprehensive c.;* een arbitrale ~ *an arbitration c.;* een voorwaardelijke ~ *waarin staat dat with a proviso (to
the effect) that* **3.1** een misleidende/verborgen ~*a misleading/hidden
c.;* een ~ opnemen in *insert a c. in, build a c. into* ¶.1 ⟨hand.⟩ ~cassa-
toria *cancelling c..*
clausuleren ⟨ov.ww.⟩ **0.1** *add/insert a clause (stipulating that ...)* ⇒*attach conditions to, stipulate, make a proviso.*
clausuur ⟨de (v.)⟩ **0.1** [afsluiting] *clausura* **0.2** [slot] *clasp* **0.3** [ezelsoor]
↓*dog-ear, dog's-ear.*
clavecimbel ⟨het⟩ **0.1** *harpsichord* ⇒*(clavi)cembalo.*
clavecinist ⟨de (m.)⟩ **0.1** *harpsichordist.*
claviatuur ⟨de (v.)⟩ **0.1** *keyboard* ⇒*claviature, manual.*
clavichord(ium) ⟨het⟩ **0.1** *clavichord.*
clavicula ⟨de⟩ **0.1** *clavicle* ⇒*collarbone.*
claviger ⟨de (m.)⟩ **0.1** *(school) caretaker* ⇒*concierge.*
clavis ⟨de (v.)⟩⟨muz.⟩ **0.1** [sleutel] *clef* **0.2** [klep] *key.*
claxon ⟨de (m.)⟩ **0.1** *(motor) horn* ⇒⟨BE ook⟩ *hooter* ◆ **6.1** met de~
toeteren, **op** de~ drukken *sound/honk/toot one's horn, give a blast/
honk/toot on one's horn.*
claxonnade ⟨de (v.)⟩ **0.1** *honking* ⇒*tooting, hooting.*
claxonneren ⟨onov.ww.⟩ **0.1** *sound/honk/toot one's horn* ⇒*give a honk/
toot on one's horn,* ⟨BE ook⟩ *hoot.*
clean ⟨bn.,bw.⟩ **0.1** [schoon] *clean* ⇒*clinical* **0.2** [koel, emotieloos]
straight ⇒*unsentimental, unemotional* **0.3** [vrij van drugs] *clean* ⇒*off
(drugs)* **0.4** [met weinig radioactieve neerslag] *clean* ◆ **3.2** iets ~
brengen/filmen *tell s'tory/film a scene s..*
clearing ⟨de⟩⟨hand.⟩ **0.1** *clearance* ⇒*transfer.*
clearinginstituut ⟨het⟩ **0.1** *clearing house.*

cleistogaam ⟨bn.⟩⟨biol.⟩ **0.1** *cleistogamous, cleistogamic.*
clematis ⟨de⟩ **0.1** *clematis* ⇒⟨wilde clematis⟩ *traveller's* ^*eler's joy, old
man's beard,* ⟨Clematis virginiana⟩ *virgin's bower.*
clement ⟨bn.,bw.;-ly⟩ **0.1** *lenient* ⇒*merciful* ◆ **1.1** een ~e houding aannemen *take a l. stance/attitude, show/exercise clemency* **3.1** iem. ~ behandelen *deal with/treat s.o. leniently.*
clementie ⟨de (v.)⟩ **0.1** *leniency* ⇒*mercy, clemency* ◆ **3.1** ~ betrachten
be lenient, show mercy, ↑*exercise clemency;* iemands ~ inroepen
(voor) *ask (for)/beg s.o.'s indulgence (for)* **6.1** de beschuldigde **in** de
~ van de rechters aanbevelen *recommend/ask the court to show
mercy towards the defendent.*
clementine ⟨de (v.)⟩ **0.1** *clementine.*
cleresie ⟨de (v.)⟩⟨r.k.⟩ **0.1** *clergy* ◆ **2.1** de Oudbisschoppelijke ~ *the
Old Catholic Church.*
clergé ⟨de (m.)⟩ **0.1** *clergy* ⇒*(the) cloth, priesthood, ministry.*
clergyman ⟨het, de (m.)⟩ **0.1** *priest's black suit with clerical collar.*
clericus ⟨de (m.)⟩⟨r.k.⟩ **0.1** *priest* ⇒*cleric.*
clerus ⟨de (m.)⟩ **0.1** *clergy* ⇒*(the) cloth, priesthood, ministry.*
cliché ⟨het⟩ **0.1** [gemeenplaats] *cliché* ⇒*overworked/worn-out phrase*
0.2 [⟨druk.⟩ plaat] *(stereotype/electrotype) plate* ⇒*block,* ⟨ook⟩ *cliché, standing type* **0.3** [negatief] *negative* ◆ **2.1** een banaal ~ *a hack-
neyed/threadbare/moth-eaten/set phrase* **5.1** vol ~s, doorspekt met
~s *cliché-ridden, clichéd.*
clichématig ⟨bn.,bw.⟩ **0.1** *cliché'd* ⇒*commonplace,* ⟨inf.⟩ *corny.*
clicheren ⟨ov.ww.⟩ **0.1** *stereotype, electrotype.*
cliënt ⟨de (m.)⟩ **0.1** [persoon die gebruik maakt van diensten] *client* ⇒
consultant **0.2** [klant] *customer* ⇒*patron* **0.3** [⟨gesch.⟩ beschermeling]
client ◆ **2.2** de welgestelde ~en *the carriage trade/wealthy patrons.*
cliëntèle ⟨de⟩ **0.1** *clientele* ⇒*clientage, custom(ers)* ◆ **2.1** deze zaak
heeft een goede ~ *this store does a good trade/good business/has a
good run of customers/is well patronized.*
clignoteur ⟨de (m.)⟩ **0.1** *(direction) indicator* ⇒*blinker, winker.*
climacterisch ⟨bn.⟩ **0.1** *climacteric* ⇒*menopausal.*
climacterium ⟨het⟩ **0.1** *climacteric, climacterium* ⇒⟨inf.⟩ *change of life,
menopause.*
climax ⟨de (m.)⟩ **0.1** [hoogtepunt] *climax* ⇒*culmination* **0.2** [⟨stilis-
tiek⟩] *climax* ⇒*pay-off, punch line* **0.3** [mbt. orgasme] *climax* ◆ **3.1**
de ruzie bereikte een ~ *the quarrel came to a climax/head, reached its
culmination* **6.1** naar een ~ toewerken *build (up) to a climax;* gebeurtenissen die naar een ~ leiden *climactic events.*
climax-associatie ⟨de (v.)⟩⟨bosb.⟩ **0.1** *climax community.*
clinch ⟨de (m.)⟩ **0.1** [bokssport] *clinch* **0.2** [⟨fig.⟩] *tussle* ◆ **6.2** in de ~
gaan met iem. *lock horns with s.o., get into a t. with s.o.;* **in** de ~ komen met iem. *cross swords with s.o., clash with/come into conflict
with s.o., find o.s. up against s.o.;* **in** de ~ liggen met iem. *be at loggerheads with s.o., have a quarrel/disagreement with s.o..*
clinicus ⟨de (m.)⟩ **0.1** *clinician.*
clinometer ⟨de (m.)⟩ **0.1** [hellingmeter] *clinometer* **0.2** [⟨scheep.,
luchtv.⟩] *inclinometer.*
clip ⟨de (m.)⟩ **0.1** [papierklem] *paper clip/fastener* ⇒⟨groot⟩ *bulldog
clip* **0.2** [bevestigingsmiddel voor platen] *fastener* **0.3** [sierspeld] *clip*
⇒*pin, brooch.*
clipper ⟨de (m.)⟩ **0.1** *transport plane.*
clippermap ⟨de⟩ **0.1** *document case.*
clique ⟨de (v.)⟩⟨pej.⟩ **0.1** *clique* ⇒*in-crowd, set.*
clitoridectomie ⟨de (v.)⟩⟨med.⟩ **0.1** *clitoridectomy.*
clitoris ⟨de⟩⟨med.⟩ **0.1** *clitoris.*
clivia ⟨de⟩ **0.1** *clivia (miniata)* ⇒*kaf(f)ir lily.*
cloaca ⟨de⟩ **0.1** [⟨dierk.⟩] *cloaca* **0.2** [riool] *cloaca* ⇒*sewer.*
cloacadieren ⟨het⟩ **0.1** *monotremes.*
clochard ⟨de (m.)⟩ **0.1** *tramp* ⇒⟨AE ook⟩ *bum, hobo,* ↑*vagrant.*
cloisonné[1] ⟨het⟩ **0.1** *cloisonné.*
cloisonné[2] ⟨bn.⟩ **0.1** *cloisonné.*
clone ⟨de⟩ **0.1** *clone.*
clonen ⟨onov.ww.⟩ **0.1** *clone.*
clonus ⟨de⟩⟨med.⟩ **0.1** *clonus.*
cloqué[1] ⟨het⟩ **0.1** *cloqué* ⇒≠*seersucker.*
cloqué[2] ⟨bn.⟩ **0.1** ≠*seersucker.*
closet ⟨het⟩ **0.1** *lavatory* ⇒*toilet, W.C.,* ⟨AE ook⟩ *bathroom,* ⟨schr.⟩
water closet ◆ **2.1** droog ~ ⟨BE⟩ *earth closet.*
closetborstel ⟨de (m.)⟩ **0.1** *lavatory/* ⟨AE alleen⟩ *toilet brush* ⇒⟨BE;
inf.⟩ *loo brush.*
closetbril ⟨de (m.)⟩ **0.1** *lavatory/* ⟨AE alleen⟩ *toilet seat.*
closetpapier ⟨het⟩ **0.1** *lavatory/* ⟨AE alleen⟩ *toilet paper* ⇒⟨BE;inf.⟩
loo paper, ⟨AE;inf.⟩ *john paper.*
closetpot ⟨de (m.)⟩ **0.1** *lavatory/* ⟨AE alleen⟩ *toilet bowl* ⇒*lavatory pan/
pedestal.*
closetrol ⟨de⟩ **0.1** *lavatory/toilet roll,* ^*roll of toilet paper* ⇒⟨BE;inf.⟩ *loo
roll.*
closetrolhouder ⟨de (m.)⟩ **0.1** *lavatory/* ⟨AE alleen⟩ *toilet roll holder.*
clou ⟨de (m.)⟩ **0.1** *point* ⇒*essence,* ⟨van grap⟩ *punch line, pay-off* ◆ **3.1**
dat is nou juist de ~ *but that's just it/that's the whole point (of the
story);* de ~ van iets niet snappen *to miss the point (of sth.);* ik snapte
de ~ van die grap niet *I didn't get/see the joke.*

clown ⟨de (m.)⟩ **0.1** ⟨ook fig.⟩ *clown* ⇒*fool, buffoon, comedian, funny-man* ◆ **1.1** hij is zo'n beetje de ∼ v.d. familie *he's sort of the family clown / joker / jester* **3.1** de ∼ uithangen / spelen *play / act the clown / fool, clown around.*

clownachtig ⟨bn., bw.;-ly⟩ **0.1** *clownisch* ⇒*comic(al)* ◆ **3.1** zich ∼ gedragen *play / act the clown, clown around.*

clownerie ⟨de (v.)⟩ **0.1** *clowning.*

clownesk ⟨bn., bw.;-ly⟩ **0.1** *clownish* ◆ **1.1** een ∼ gebaar *a comic(al) gesture.*

club
  I ⟨de⟩ **0.1** [vereniging] *club* ⇒*society, association* **0.2** [groep vrienden] *crowd* ⇒*group, crew, gang* **0.3** [sociëteit] *club* ⇒⟨AE⟩ *fraternity, sorority, chapter, union* **0.4** [⟨sport⟩ golfstok] *(golf) club* **0.5** [bordeel] *sex club* **0.6** [⟨inf.;pej.⟩ groepering] ≠*clique* ⇒*(in-)crowd,* ↓*gang,* ↑*circle, outfit, set-up* ◆ **1.1** lid zijn van een ∼ *belong to / be a member of a c.* **3.1** een ∼ oprichten *form a c.* **6.1** van de ∼ zijn *be gay* **6.2** met een ∼ *je uitgaan go out in / with a group / crowd;*
  II ⟨de (m.)⟩ **0.1** [fauteuil] ⟨→clubfauteuil⟩.

clubblad ⟨het⟩ **0.1** *(club) newsletter* ⇒*(club) bulletin.*

clubfauteuil ⟨de (m.)⟩ **0.1** *club chair* ⇒*armchair, easy chair.*

clubgeest ⟨de (m.)⟩ **0.1** *club spirit / mentality.*

clubgenoot ⟨de (m.)⟩,**-note** ⟨de (v.)⟩ **0.1** *club mate* ⇒*fellow club member,* ⟨AE ook;studentencorps⟩ *fraternity brother, sorority sister,* ⟨sport ook⟩ *teammate.*

clubhuis ⟨het⟩ **0.1** [huis waarin een club zetelt] *club(house)* ⇒⟨sportclub ook⟩ *pavilion,* ⟨vnl. AE,studentenvereniging⟩ *chapter house* **0.2** [gebouw voor verschillende clubs] *community centre* ⇒⟨voor jeugd⟩ *youth centre.*

clubkampioen ⟨de (m.)⟩ **0.1** *club champion.*

clubkas ⟨de⟩ **0.1** *club funds* ⇒⟨inf.⟩ *kitty.*

clubkleur ⟨de (m.)⟩ **0.1** *club / team colours* ⟨mv.⟩.

clublid ⟨het⟩ **0.1** *club member* ⇒*member of a / the club.*

clubwedstrijd ⟨de (m.)⟩ **0.1** *club competition tournament / match.*

cluniacenser ⟨de (m.)⟩ **0.1** *Cluniac monk.*

cluster ⟨de (m.)⟩ **0.1** *cluster* ⇒*collection, group* ◆ **1.1** ⟨taal.⟩ ∼s van medeklinkers *consonant cluster.*

clusteren ⟨onov.ww.⟩ **0.1** *group* ⇒*classify* ◆ **1.1** leerlingen ∼ naar eindexamenvak g. / *classify pupils by final examination subject.*

co ⟨de (m.)⟩ **0.1** [co-assistent] *assistant* ⇒≠[B](assistent) houseman, [A]*intern(e)* **0.2** [compagnon] *partner* ⇒*business associate.*

coach ⟨de (m.)⟩ **0.1** [⟨sport⟩] *coach* ⇒*trainer,* ⟨begeleider bij opleiding ook⟩ *supervisor, tutor* **0.2** [personenauto] *coach* ⇒*two-door sedan* **0.3** [autobus] *coach* ⇒*motor bus,* [B]*charabanc,* ↓*chara.*

coachen ⟨ov.ww.⟩ **0.1** [⟨sport⟩] *coach* ⇒*train* **0.2** [begeleiden] *coach* ⇒*tutor* ⟨leerling⟩.

coactie ⟨de (v.)⟩ **0.1** *coercion* ⇒*force, coaction.*

coadjutor ⟨de (m.)⟩ **0.1** [helper v.e. bisschop] *coadjutor (bishop)* **0.2** [hulppriester] ≠*(assistant) curate.*

coagulatie ⟨de (v.)⟩ **0.1** *coagulation* ⇒*congelation, clotting, curdling.*

coaguleren
  I ⟨onov.ww.⟩ **0.1** [stremmen] *coagulate* ⇒*congeal, clot, curdle* **0.2** [⟨schei.⟩] *coagulate;*
  II ⟨ov.ww.⟩ ⟨med.⟩ **0.1** [(mbt. een bloedvat) dichtschroeien] *cauterize* ⇒*sear.*

coalitie ⟨de (v.)⟩ **0.1** *coalition* ◆ **1.1** lid / voorstander van een ∼ *coalitionist* **3.1** een ∼ aangaan / sluiten *form a c.* **7.1** de ∼ the *c. partners.*

coalitiekabinet ⟨het⟩ **0.1** *coalition cabinet.*

coalitiepartij ⟨de (v.)⟩ **0.1** *coalition party.*

coalitiepartner ⟨de (m.)⟩ **0.1** *coalition partner.*

coalitieregering ⟨de (v.)⟩ **0.1** *coalition government.*

coaptatie ⟨de (v.)⟩ ⟨med.⟩ **0.1** *setting of a fracture.*

co-assistent ⟨de (m.)⟩ **0.1** [rang] [B](assistant) houseman, [A]*intern(e)* **0.2** [medisch student] [B]*houseman,* [A]*intern(e).*

co-assistentschap ⟨het⟩ **0.1** [het co-assistent zijn] [B](assistant) house-manship, [A]*intern(e)ship* **0.2** [periode] [B](assistant) housemanship, [A]*intern(e)ship* **0.3** [functie] [B](assistant) housemanship, [A]*intern(e)ship* ◆ **3.2** een ∼ lopen *do / complete a(n) / one's* [B]*h. / i..*

coat ⟨de (m.)⟩ **0.1** *top coat* ⇒*finish(ing coat), protecting varnish.*

coaten ⟨ov.ww.⟩ **0.1** *coat* ⇒⟨van metaal met metaal ook⟩ *clad,* ⟨foto., ook⟩ *bloom.*

coater ⟨de (m.)⟩ **0.1** *coater* ⇒*coating machine.*

coating
  I ⟨de⟩ **0.1** [het coaten] *coating* ⇒*cladding, covering;*
  II ⟨de en het⟩ **0.1** [deklaag] *top coat* ⇒*finish(ing coat), protecting varnish.*

co-auteur ⟨de (m.)⟩ **0.1** *co-author* ⇒*co-writer, joint author, fellow-author / writer.*

coaxiaal ⟨bn.⟩ **0.1** *coaxial.*

coaxkabel ⟨de (m.)⟩ **0.1** ⟨audio, video⟩ **0.1** *coaxial* / ⟨inf.⟩ *coax cable.*

cobra ⟨de⟩ **0.1** *cobra.*

coca ⟨de⟩ **0.1** *coca.*

cocaïne ⟨de⟩ **0.1** *cocaine* ⇒↓*coke,* ↓*snow* ◆ **3.1** ∼ snuiven *snort / sniff cocaine.*

cocaïnevergiftiging ⟨de (v.)⟩ **0.1** *cocaine poisoning.*

cocaïneverslaving ⟨de (v.)⟩ **0.1** *cocaine addiction* ⇒*cocainism.*

coccus ⟨de (m.)⟩ **0.1** *coccus.*

cochenille ⟨de⟩ **0.1** [schildluis] *cochineal (insect)* **0.2** [verfstof] *cochineal.*

cocker-spaniël ⟨de (m.)⟩ **0.1** *cocker spaniel.*

cockpit ⟨de (m.)⟩ **0.1** [mbt. een vliegtuig] *cockpit* ⇒*flight deck* ⟨van lijnvliegtuig⟩ **0.2** [mbt. een motorboot] *cockpit.*

cocktail ⟨de (m.)⟩ **0.1** [drank] *cocktail* **0.2** [party] *cocktail party* **0.3** [⟨med.⟩ injectie] *cocktail* **0.4** [mengelmoes] *cocktail* ◆ **3.1** een ∼ drinken *have a c..*

cocktailbar ⟨de⟩ **0.1** *cocktail lounge.*

cocktailjapon ⟨de (m.)⟩ **0.1** *cocktail dress.*

cocktailprikker ⟨de (m.)⟩ **0.1** *cocktail stick* / [A]*pick.*

cocon ⟨de (m.)⟩ **0.1** *cocoon* ⇒*pod* ⟨van zijderups⟩.

cocotte
  I ⟨de (v.)⟩ **0.1** [vrouw] *coquette* ⇒*flirt,* ↓*tart,* ⟨vero.⟩ *cocotte;*
  II ⟨de⟩ **0.1** [vuurvaste schotel] *cocotte* ⇒*casserole.*

co-counselen ⟨onov.ww.⟩ **0.1** *co-counsel.*

cod. ⟨de (m.)⟩ ⟨afk.⟩ **0.1** [codex] *cod..*

coda ⟨de (m.)⟩ **0.1** ⟨muz.⟩ *coda* **0.2** [⟨lit.⟩] *coda* ⇒*tail.*

code ⟨de (m.)⟩ **0.1** [stelsel van signalen] *code* **0.2** [geheimschrift] *code* ⇒*cipher, cypher* **0.3** [⟨comp.⟩] *code* **0.4** [wetboek] *code* ⇒*body of law* **0.5** [voorschriften] *code* ⇒*regulations, rules, principles* ◆ **2.1** genetische ∼ *genetic c.* **3.2** een ∼ ontcijferen *break / crack a code / cipher* **6.1** volgens een bepaalde ∼ met iem. omgaan *deal with s.o. according to certain rules (of conduct)* **6.2** een bericht in ∼ *a code(d) message / dispatch, a message in cipher;* niet **in** ∼ *en clair* ¶**.4** ∼ Napoleon, ∼ civil *Napoleonic c., Civil c..*

codecommissie ⟨de (v.)⟩ **0.1** *committee on (medical / judicial* ⟨etc.⟩ *ethics, ethical standards board / commission / panel, ethics advisory board.*

codeerder ⟨de (m.)⟩ **0.1** *cipher / code clerk* ⇒*(en)coder.*

codeïne ⟨het, de⟩ **0.1** *codeine.*

codenummer ⟨het⟩ **0.1** *code-number.*

coderen ⟨onov., ov.ww.⟩ **0.1** [in code omzetten] *(en)code* ⇒*encipher* **0.2** [v.e. code voorzien] *code* ⇒*give / allot a code to.*

codetaal ⟨de⟩ **0.1** *code (language)* ◆ **2.1** geheime ∼ *cipher* **6.1** in ∼ omzetten *(en)code, put in code, encipher;* **uit** ∼ overbrengen *decode, decipher.*

codetelegram ⟨het⟩ **0.1** *code / cipher telegram.*

codeur ⟨de (m.)⟩ **0.1** [iem. die gegevens in code overbrengt] *cipher / code clerk* ⇒*(en)coder* **0.2** [⟨comp.⟩] *coder.*

codevlag ⟨de⟩ **0.1** *code flag.*

codewoord ⟨het⟩ **0.1** [sleutelwoord] *code word* **0.2** [woord van een code] *code word.*

codex ⟨de (m.)⟩ **0.1** *codex* ⇒*manuscript.*

codicil ⟨het⟩ **0.1** *codicil* ⇒⟨toevoegsel ook⟩ *rider.*

codicologie ⟨de (v.)⟩ **0.1** *codicology.*

codificatie ⟨de (v.)⟩ **0.1** *codification.*

codificeren ⟨ov.ww.⟩ **0.1** [tot een wetboek maken] *codify* **0.2** [in regels vatten] *codify* ◆ **1.2** een grammatica moet het taalgebruik ∼ *a grammar book has to c. language usage.*

coëducatie ⟨de (v.)⟩ **0.1** *coeducation* ⇒*mixed education.*

coëfficiënt ⟨de (m.)⟩ ⟨nat., wisk.⟩ **0.1** *coefficient* ◆ **3.1** in ax is a de ∼ *the c. of the term ax is a.*

coëquipier ⟨de (m.)⟩ ⟨sport⟩ **0.1** *teammate.*

coërcerend ⟨bn., bw.;-ly⟩ **0.1** *coercive.*

coërcibel ⟨bn., bw.;-ly⟩ **0.1** *coercible.*

coërcief ⟨bn., bw.;-ly⟩ **0.1** *coercive.*

coërcitie ⟨de (v.)⟩ **0.1** [het bedwingen] *coercion* **0.2** [dwang] *coercion* ⇒*force.*

coëxistentie ⟨de (v.)⟩ **0.1** [het naast elkaar bestaan] *coexistence* **0.2** [⟨pol.⟩] *coexistence* **0.3** [het tegelijk aanwezig zijn] *coexistence* ◆ **2.1** vreedzame ∼ *peaceful c..*

coëxisteren ⟨onov.ww.⟩ **0.1** *coexist.*

coferment ⟨het⟩ **0.1** *fermentation catalyst.*

coffeeshop ⟨de (m.)⟩ **0.1** *coffee bar* / ↑*house,* [A]*coffee shop* ⇒*tea shop, tearoom, café.*

coffeïne ⟨de⟩ **0.1** *caffeine.*

cofferdam ⟨de (m.)⟩ ⟨scheep.⟩ **0.1** [ruimte] *coffer(dam)* ⇒*caisson* **0.2** [droogdok] *cofferdam.*

cofiliatie ⟨de (v.)⟩ **0.1** *common descent.*

cognaat ⟨de (m.)⟩ **0.1** [bloedverwant] *cognate* **0.2** [⟨taal.⟩] *cognate.*

cognac ⟨de (m.)⟩ **0.1** *cognac* ⇒*French brandy* ◆ **7.1** een ∼ je *a (glass of) brandy.*

cognitie ⟨de (v.)⟩ **0.1** [kenvermogen] *cognition* **0.2** [kennisneming / onderzoek v.e. zaak] ⟨kennisneming⟩ *cognizance;* ⟨bevoegdheid⟩ *jurisdiction, competence.*

cognitief ⟨bn., bw.;-ly⟩ **0.1** *cognitive* ◆ **1.1** cognitieve psychologie / antropologie *c. psychology / anthropology.*

cognossement ⟨het⟩ ⟨hand.⟩ **0.1** *bill of lading* ⇒⟨vaak afgekort⟩ *B / L.*

cohabitatie ⟨de (v.)⟩ **0.1** *copulation* ⇒⟨med.⟩ *coitus, coition,* ↓*sexual intercourse.*

cohabiteren ⟨onov.ww.⟩ **0.1** *copulate* ⇒⟨med.⟩ *engage in coitus / coition,* ↓*have sexual intercourse.*

coherent ⟨bn., bw.;-ly⟩ **0.1** *coherent* ⟨ook nat.⟩ ⇒⟨zonder innerlijke tegenspraak⟩ *consistent* ◆ **3.1** hij is niet in staat~ te spreken *he is not able to speak coherently*.

coherentie ⟨de (v.)⟩ **0.1** *coherence, coherency* ⇒⟨zonder innerlijke tegenspraak⟩ *consistency*.

cohesie ⟨de (v.)⟩ **0.1** [samenhang] *cohesion* **0.2** [⟨nat.⟩] *cohesion* **0.3** [⟨taal.⟩] *cohesion*.

cohort ⟨de⟩ **0.1** [⟨Rom. gesch.⟩] *cohort* **0.2** [krijgsbende] *cohort*.

coifferen ⟨ov.ww.⟩ **0.1** *style dress* / ↓ *do s.o.'s hair*.

coiffeur ⟨de (m.)⟩ **0.1** *hairdresser* ⇒ ↑ *coiffeur*, ⟨voor mannen ook⟩ *barber*.

coiffeuse ⟨de (v.)⟩ **0.1** [kapster] *(woman) hairdresser / stylist* ⇒ ↑ *coiffeuse* **0.2** [kaptafel] *dressing-table*.

coiffure ⟨de (v.)⟩ **0.1** *hairstyle* ⇒ ↓ *hairdo* ⟨van vrouwen⟩, *hair-cut* ⟨van mannen⟩, ↑ *coiffure*, ⟨zeldz.⟩ *coif*.

coïncidentie ⟨de (v.)⟩ **0.1** *coincidence*.

coïnciden ⟨onov.ww.⟩ **0.1** *coincide*.

coïnstructie ⟨de (v.)⟩ **0.1** *coeducation* ⇒*mixed education*.

coïtaal ⟨bn.⟩ **0.1** *coital*.

coïteren ⟨onov.ww.⟩ **0.1** *copulate* ⇒ ↑ *engage in coitus / coition*, ↓ *have sexual intercourse*.

coïtus ⟨de (m.)⟩ **0.1** *coitus* ⇒*coition*, ↓ *sexual intercourse* ◆ **¶.1** ~ *interruptus coitus interruptus*.

coke ⟨de (m.)⟩ **0.1** [coca cola] *coke* **0.2** [cocaïne] *coke* ⇒*snow, Charlie, girl*.

cokes ⟨de⟩ **0.1** *coke* ◆ **1.1** een mud/stuk ~ *a bag / piece of c.*.

col ⟨de (m.)⟩ **0.1** [opstaande kraag] *rollneck* ⇒⟨BE ook⟩ *poloneck, turtleneck* **0.2** [bergpas] *col* ⇒*(mountain) pass* **0.3** [⟨AZN⟩ kraag] *collar* ⟨van hemd/jas⟩; *neck* ⟨van trui⟩.

cola ⟨de (m.)⟩ **0.1** [frisdrank] *coke* ⇒ *Coca Cola* **0.2** [glas met cola] *(glass of) coke*.

cola-tik ⟨de (m.)⟩ **0.1** ⟨bv.⟩ *rum / gin and coke*.

colbert ⟨het, de (m.)⟩ **0.1** *jacket*.

colbertjasje ⟨de (m.)⟩ **0.1** *jacket* ⇒⟨van kostuum⟩ *suit-jacket*.

colbertkostuum ⟨het⟩ **0.1** *suit* ⇒⟨vnl. BE, ook⟩ *lounge-suit*, ⟨met vest⟩ *three-piece suit*, ⟨formeel⟩ *morning dress*.

cold-turkey ⟨bw.⟩ **0.1** *cold turkey* ◆ **3.1** ~ afkicken *cold-turkey, try / take the cold-turkey cure, come off drugs c.t.*.

colibacterie ⟨de (m.)⟩ **0.1** *colon bacillus* ⇒*coli (bacillus)*.

Coliseum ⟨het⟩ **0.1** *Coliseum*.

collaar ⟨het⟩ **0.1** *stock*.

collaberen ⟨onov.ww.⟩ **0.1** *collapse*.

collaborateur ⟨de (m.)⟩ **0.1** [iem. die met de vijand heult] *collaborator* ⇒*collaborationist, quisling* **0.2** [medewerker] *collaborator* ⇒ *co-worker, fellow worker*.

collaboratie ⟨de (v.)⟩ **0.1** *collaboration*.

collaboreren ⟨onov.ww.⟩ **0.1** [met vijand meewerken] *collaborate* **0.2** [medewerken] *collaborate* ⇒*work together, cooperate*, ⟨van twee of meer mensen ook⟩ *work as a team*.

collage ⟨de (v.)⟩ **0.1** [⟨bk.⟩] *collage* ⇒*montage, paste-up* **0.2** [samenvoeging tot een geheel] *collage* ◆ **3.1** een ~ maken *make a c.*.

collageen ⟨het⟩ **0.1** *collagen*.

collaps ⟨de (m.)⟩ **0.1** *collapse*.

collateraal ⟨bn.⟩ **0.1** *collateral* ⇒⟨verwantschap ook⟩ *oblique* ◆ **1.1** ⟨plantk.⟩ collaterale knoppen *lateral buds* **7.1** ⟨zelfst.⟩ de collateralen *the collaterals*.

collatie ⟨de (v.)⟩ **0.1** [vergelijking] *collation* **0.2** [uitkomst van een collationering] *collation* **0.3** [het begeven van een ambt] *collation* **0.4** [lichte maaltijd] *collation*.

collation ⟨het⟩ **0.1** *(cold) collation* ⇒ ↓ *light meal, snack*.

collationeren ⟨ov.ww.⟩ **0.1** [vergelijken] *collate* **0.2** [controleren] *collate*.

collationering ⟨de (v.)⟩ **0.1** *collation* ◆ **6.1** telegrammen met ~ *repeated telgrams, repetition paid telegrams*.

collator ⟨de (m.)⟩ **0.1** *collator, patron* ⇒⟨jur.⟩ *advowee*.

collecta ⟨de⟩ →*collecte* **0.4**.

collectaneum ⟨het⟩ **0.1** *collectanea* ⇒*anthology, miscellany*, ⟨citatenboek⟩ *commonplace-book*.

collectant ⟨de (m.)⟩ **0.1** *collector* ⇒⟨Angl. ook⟩ *sidesman*.

collecte ⟨de (v.)⟩ **0.1** [inzameling] *collection* ⇒⟨in kerk ook⟩ *offertory*, ⟨na dienst/concert⟩ *retiring collection*, ⟨BE; spontane, informele collecte⟩ *whip-round* **0.2** [ingezameld geld] *collection (money)* ⇒ ⟨in kerk ook⟩ *offertory*, ⟨inf. vnl. mbt. straatmuzikanten enz.⟩ *hat* **0.3** [⟨r.k.⟩ gebed na Gloria] *Collect* ◆ **3.1** een ~ houden *make a c.;* ⟨onder de aanwezigen⟩ *take (up) a c.; pass / send the hat round;* ⟨BE; inf.; spontaan, informeel collecteren⟩ *have a whip-round* **6.1** een ~ **voor** de kankerbestrijding houden *collect on behalf of / for cancer research*.

collectebus ⟨de⟩ **0.1** *money- / collecting-box* ⇒⟨in kerk⟩ *offertory-box*, ⟨arm(en)bus⟩ *poor box*, ⟨voor de zending⟩ *mission- / missionary-box*.

collecteren ⟨onov.ww., ov.ww.⟩ **0.1** [inzamelen] *collect, make a collection* ⇒ ⟨in kerk⟩ *take the collection / round the plate*, ⟨onder de aanwezigen⟩ *take (up) a collection*, ⟨inf., vnl. straatmuziek, demonstraties enz.⟩

pass / send the hat round **0.2** [loten verkopen] *sell lottery / raffle tickets* ◆ **¶.1** langs de huizen ~ *collect from door to door, make a house-to-house collection*.

collecteschaal ⟨de⟩ **0.1** *(collection / offering) plate* ⇒*alms dish / basin* ◆ **3.1** met de ~ rondgaan *carry / take round the c. p., take up a / the collection / offertory*.

collecteur ⟨de (m.)⟩, **-trice** ⟨de (v.)⟩ **0.1** *collector*.

collectezakje ⟨het⟩ **0.1** *collection bag* ⇒*offertory / alms bag, collecting bag*.

collectie ⟨de (v.)⟩ **0.1** [verzameling] *collection* ⇒*assemblage, show* **0.2** [groot aantal] *collection, accumulation* ⇒*mass* **0.3** [⟨mode⟩] *collection, range* ⇒*line* ◆ **1.1** een fraaie ~ schilderijen / doeken / postzegels *a fine c. / array of paintings / canvases / stamps* **2.2** hij heeft een hele ~ *he's got quite a / some c.* **3.1** een ~ aanleggen / opbouwen *start / build up a c.*.

collectief[1] ⟨het⟩ **0.1** [verzamelnaam] *collective (noun)* **0.2** [gemeenschap] *collective, cooperative, co-operative*.

collectief[2] ⟨bn., bw.⟩ **0.1** *collective* ⇒*corporate, joint, communal* ◆ **1.1** collectieve arbeidsonderhandelingen *c. (wage) bargaining, c. bargaining on terms / conditions of employment;* collectieve arbeidsovereenkomst *c. (wage) agreement, c. agreement on terms / conditions of employment;* collectieve boerderij / ~ landbouwbedrijf *c. farm;* ⟨Sovjetunie ook⟩ *kolk(h)oz;* ⟨Israël ook⟩ *kibbutz;* ~ eigendom *c. / joint ownership;* ~ leiderschap *c. leadership;* collectieve procuratie *joint /* ⟨meer mensen ook⟩ *collective power of attorney, joint proxy;* collectieve sector *corporate / public sector;* collectieve uitgaven *public expenditure / spending;* collectieve verantwoordelijkheid / aansprakelijkheid *corporate / joint responsibility / liability;* collectieve voorzieningen *public / community services* **3.1** ~ ontslag vragen / indienen *resign in a body*.

collectioneur ⟨de (m.)⟩ **0.1** *collector*.

collectivisatie ⟨de (v.)⟩ **0.1** *collectivization* ⇒*nationalization*.

collectiviseren ⟨ov.ww.⟩ **0.1** *collectivize* ⇒*nationalize*.

collectivisme ⟨het⟩ **0.1** [⟨ec.⟩] *collectivism* **0.2** [het vooropstellen van de gemeenschap] *collectivism*.

collectivist ⟨de (m.)⟩ **0.1** *collectivist*.

collectiviteit ⟨de (v.)⟩ **0.1** *collectivity*.

collectivum ⟨het⟩ **0.1** *collective (noun)*.

collector ⟨de (m.)⟩ **0.1** [onderdeel v.e. dynamo] *collector, commutator* **0.2** [deel v.e. transistor] *collector*.

collega ⟨de (m.)⟩ **0.1** *colleague* ⇒*associate*, ↑ *confrère*, ↓ *fellow-worker, co-worker*, ⟨vnl. mbt. handenarbeid⟩ *workmate* ◆ **2.1** geachte ~ ⟨rechtszaal⟩ *my learned friend;* ⟨parlement⟩ *my honourable friend;* waarde ~ *my dear Mr / Mrs ...;* ⟨onpersoonlijk⟩ *Dear Colleague;* ⟨formeel⟩ *esteemed colleague* **3.1** hij is een ~ van mij *he's a colleague of mine, he is one of my fellow (teachers / translators / (enz.)), he is a fellow (teacher / (enz.))* **4.1** een van mijn ~'s *one of my colleagues / fellow workers,* ⟨inf.⟩ *s.o. I work with, s.o. from work*.

college ⟨het⟩ **0.1** *lecture* **0.2** [bestuurslichaam] *board* ⇒ ⟨mbt. kardinalen, herauten⟩ *college, collegium* **0.3** [school] ᴮ*college*, ᴬ*high-school* ⇒⟨BE ook⟩ *secondary school* ◆ **1.2** ~ van bestuur ⟨van school / universiteit⟩ *Governing Body;* ⟨van onderneming⟩ *Board of Directors;* het ~ van burgemeester en wethouders *the (City / Town) Council, the Municipal Executive, Mayor and Aldermen;* ⟨vnl. v.e. Nederlandse, Vlaamse, Duitse of Oostenrijkse stad⟩ *Burgomaster and Aldermen;* het ~ van kardinalen *(Sacred) College of Cardinals, Collegium;* het ~ van kerkvoogden *the Church Commissioners* **2.2** Hoge ~s van Staat *High Councils of State;* rechterlijke ~s ⟨colleges van rechters⟩ *courts of justice,* ⟨collectief ook⟩ *(the) judicature / judiciary;* ⟨voor bijzondere rechtspraak⟩ *judicial tribunals* **3.1** de ~s zijn weer begonnen *lectures have started again;* ~ houden / geven *lecture (on), give (a course of) lectures (on);* ~ lopen bij Prof. M. *attend Prof. M.'s lectures;* ~ lopen *attend (a course of) lectures;* ⟨student aan een universiteit zijn⟩ *go to / be at university / college /* ⟨AE, inf.⟩ ook⟩ *school* **6.1** naar ~ gaan *attend lectures, go to lectures*.

collegedictaat ⟨het⟩ **0.1** [tijdens college gemaakt dictaat] *lecture notes* **0.2** [vóór een college verkrijgbaar overzicht] *summary / synopsis of a lecture*.

collegegeld ⟨het⟩ **0.1** *(tuition) fees,* ᴬ*tuition and fees*.

collegejaar ⟨het⟩ **0.1** *academic year*.

collegekaart ⟨de⟩ **0.1** *student card* ⇒*(university) ID card*.

collegezaal ⟨de⟩ **0.1** *lecture-room* / ⟨groter⟩ **-hall** / ⟨amfitheater⟩ **-theatre**.

collegiaal ⟨bn., bw.;-ly⟩ **0.1** [zoals onder collega's] ↑ *fraternal* ⇒*brotherly, amicable*, ⟨kameraadschappelijk⟩ *comradely* **0.2** [door een college geleid] *collegiate* ◆ **1.1** met collegiale groet *with fraternal greetings* **1.2** collegiale kerk *collegiate church;* collegiale rechtspraak *trial by a bench / plurality of judges;* ⟨GB⟩ *trial before a full court /* ⟨vero.⟩ *at bar* **3.1** zich ~ opstellen *be a / behave like a good colleague*.

collegialiteit ⟨de (v.)⟩ **0.1** *collegiality* ⇒*(good) fellowship, fellow-feeling,* ⟨vnl. onder soldaten, vakbondsleden, socialisten⟩ *comradeship*.

collideren ⟨onov.ww.⟩ **0.1** *collide*.

collie ⟨de (m.)⟩ **0.1** *collie* ⇒⟨inf.⟩ *Lassie(-dog)*.

collier 〈het, de (m.)〉 **0.1** *necklace* ⇒*rivière*.
collimatielijn 〈de〉 **0.1** *line of sight*.
collimator 〈de (m.)〉 **0.1** *collimator*.
collineair 〈bn.〉〈wisk.〉 **0.1** *collinear*.
collisie 〈de (v.)〉 **0.1** [botsing] *collision* ⇒*clash* **0.2** [〈jur.〉 wetsconflict] *conflict of laws* ◆ **1.1** ~ van plichten *conflicting / conflict of duties / obligations* **6.1 in** ~ komen *be in / come into c. with*.
collo 〈het〉 **0.1** *package* ◆ **7.1** deze zending bestaat uit twintig colli *this shipment / delivery consists of twenty packages*.
collocatie 〈de (v.)〉 **0.1** *collocation*.
collodion 〈het〉〈schei.〉 **0.1** *collodion, collodium*.
colloïdaal 〈bn., bw.; -ly〉〈schei.〉 **0.1** *colloidal* ◆ **1.1** een colloïdale oplossing *a colloid, a disperse system, a dispersion* **2.1** ~ stabiel *colloidally stable*.
colloïde 〈de (v.)〉 **0.1** *colloid* ⇒〈inclusief oplosmiddel〉 *dispersion, disperse system*.
colloquium 〈het〉 **0.1** [discussiecollege] *colloquium* ⇒*symposium* **0.2** [〈prot.〉] *colloquy* **0.3** [onderhoud] *colloquy* ⇒*discussion*, 〈AE ook〉 *clinic* ◆ **¶.¶** ~ doctum ≠*special entrance examination (for students with insufficient formal education)*.
collusie 〈de (v.)〉 **0.1** [heimelijke verstandhouding] *collusion* **0.2** [samenspanning] *collusion*.
colluvium 〈het〉〈geol.〉 **0.1** *colluvium*.
colofon 〈het, de (m.)〉 **0.1** *colophon* ⇒*(publisher's) imprint*.
colofonium 〈het〉 **0.1** *colophonium, colophony* ⇒*resin*, 〈in blokvorm voor strijkstok〉 *rosin*.
colombine 〈de (v.)〉 **0.1** [liefje van Harlekijn] *Columbine* **0.2** [verkleed persoon] *Columbine*.
colomnist →*columnist*.
colon 〈het〉 **0.1** [karteldarm] *colon* **0.2** [dubbele punt] *colon*.
colonnade 〈de (v.)〉 **0.1** *colonnade* ⇒*portico*.
colonne 〈de〉 **0.1** *column* ◆ **1.1** een ~ vrachtauto's *a c. of* [B]*lorries /* [A]*trucks* **2.1** vliegende ~ *flying c.* **7.¶** de vijfde ~ *fifth c.*; lid v.d. vijfde ~ *fifth columnist*.
coloradokever 〈de (m.)〉 **0.1** *Colorado beetle* ⇒〈AE ook〉 *Colorado potato beetle, potato beetle / bug*.
coloratuur 〈de (v.)〉 **0.1** [〈muz.〉] *coloratura* ⇒〈vnl. mbt. instrumenten〉 *passagework*, 〈diminuties〉 *diminutions, divisions*, 〈ihb. de geïmproviseerde coloratura van de belcanto〉 *fioritura* **0.2** [kleuring] *coloration* ◆ **2.1** Farinelli versierde zijn aria's met veel coloraturen *Farinelli embellished his arias with a great deal of c. / fioritura / with a large number of divisions*.
coloratuurzangeres 〈de (v.)〉 **0.1** *coloratura* (*soprano / mezzo / enz.*)〉 ⇒〈sl.; vnl. onder musici〉 *canary*.
colorimeter 〈de (m.)〉 **0.1** *colorimeter, tintometer*.
colorimetrie 〈de (v.)〉 **0.1** *colorimetry*.
Colosseum →*Coliseum*.
colostrum 〈het〉 **0.1** *colostrum* ⇒*foremilk*, 〈vnl. mbt. koe ook〉 *beestings, beastings*.
colportage 〈de (v.)〉 **0.1** *canvassing* ⇒*vending*, 〈huis aan huis〉 *doorstep sale, selling door-to-door*, ↓ *peddling*, ↓ *hawking*, 〈ihb. van bijbels en tractaten ook〉 *colportage*.
colporteren 〈ov.ww.〉 **0.1** [huis aan huis intekenaars werven] *canvass*, 〈AE sp. ook〉 *canvas* ⇒*vend*, 〈huis aan huis〉 *sell door-to-door*, ↓ *hawk*, ↓ *peddle, doorstep* **0.2** [geruchten/leugens verspreiden] *peddle* ⇒*spread*, 〈mbt. leugens ook〉 *retail, canvass, circulate* ◆ **1.1** (met) een blad ~ *canvass for a newspaper / magazine* **1.¶** het ~ van geruchten / lasterpraat *the spreading of rumours / scandal, rumour-mongering / scandalmongering*; geruchten / leugens ~ *p. / spread / retail lies / rumours*.
colporteur 〈de (m.)〉 **0.1** *canvasser* ⇒〈huis-aan-huis〉 *(door-to-door / doorstep) salesman*, ↓ *hawker*, ↓ *peddlar*, 〈BE ook〉 *knocker*, 〈ihb. van bijbels en tractaten ook〉 *colporteur*.
colposcoop 〈de (m.)〉〈med.〉 **0.1** *colposcope*.
colt 〈de (m.)〉 **0.1** *Colt*.
coltrui 〈de〉 **0.1** *rollneck (pullover / sweater)* ⇒〈BE ook〉 *poloneck (pullover / sweater), turtleneck (pullover / sweater)*.
columbarium 〈het〉 **0.1** [grafkelder] *columbarium* ⇒*catacomb(s)* **0.2** [bewaarplaats van urnen] *columbarium*.
Columbiaan 〈de (m.)〉 **0.1** *Colombian*.
Columbiaans 〈bn.〉 **0.1** *Colombian*.
coluren 〈zn.mv.〉〈ster.〉 **0.1** *colures* 〈in Eng. ook in enk. voorkomend〉.
coma
I 〈het〉 **0.1** [bewusteloosheid] *coma* ◆ **2.1** diabetisch ~ *diabetic c.* **6.1 in** ~ liggen *be in (a) c.*; **in** (een) ~ raken *go / lapse into a c.*; **uit** een ~ bijkomen *come out of a / one's c., regain consciousness*;
II 〈de〉 **0.1** [nevelmassa] *coma* **0.2** [afbeeldingsfout] *coma*.
comapatiënt 〈de (m.)〉, **-e** 〈de (v.)〉 **0.1** *comatose patient* ⇒*person in (a) coma*.
comateus 〈bn.〉 **0.1** *comatose*.
combattant 〈de (m.)〉 **0.1** *combatant*.
combattief 〈bn.〉 **0.1** *combative* ⇒*pugnacious*.
combi 〈de (m.)〉 **0.1** *estate car*, [A]*station wagon* ⇒〈BE ook〉 *shooting-brake / -break*, 〈BE, inf. ook〉 *estate*, 〈AE, inf. ook〉 *wagon*.

combinatie 〈de (v.)〉 **0.1** [het verenigen tot een geheel] *combination, combining* ⇒*integration* **0.2** [de vereniging tot een geheel] *combination* ⇒*association, union*, 〈syndicaat〉 *combine, syndicate*, 〈ihb. illegaal / geheim syndicaat〉 *ring*, 〈samenwerking〉 *conjunction* **0.3** [het in onderling verband brengen] *combination* **0.4** [het bij elkaar brengen / naast elkaar plaatsen] *combination* ⇒*juxtaposition* **0.5** [trekker met oplegger] *combination* **0.6** [ruiter en paard] *combination* **0.7** [〈sport〉 aanval] *combination* **0.8** [〈denksport〉] *combination* **0.9** [〈wisk.〉] *combination* ⇒〈permutatie〉 *permutation* **0.10** [twee bij elkaar horende kledingstukken] *combination* ⇒*two-piece, coordinates, ensemble* **0.11** [van slot] *combination* ◆ **1.2** een ~ van factoren *a c. of factors* **2.2** een hechte / sterke ~ vormen *form a close / firm c. / alliance* **6.2 in** ~ met *in c. / conjunction with, combined with*.
combinatiebad 〈het〉 **0.1** *swimming baths with outside pool*.
combinatieklas 〈de (v.)〉 **0.1** *merged / amalgamated / combined class(es) / forms /* [A]*grades*.
combinatiepil 〈de〉 **0.1** *combined pill*.
combinatierekening 〈de (v.)〉〈wisk.〉 **0.1** *combinatorial analysis*.
combinatieslot 〈het〉 **0.1** *combination lock* ⇒*permutation lock*.
combinatietang 〈de (v.)〉 **0.1** *combination pliers* ⇒〈met isolatie〉 *electrician's pliers* ◆ **7.1** twee ~en *two pairs of c. pliers*.
combinatietoon 〈de (m.)〉 **0.1** *combination tone*.
combinatievermogen 〈het〉 **0.1** *power(s) of combining / combination* ⇒*combinatorial power(s), deductive powers*.
combinatiewagen 〈de (m.)〉 **0.1** [B]*estate car*, [A]*station wagon*.
combinatorisch 〈bn.〉 **0.1** *combinatorial* ◆ **1.1** ~e variatie / variant *c. / combinative / allophonic variation / variant*.
combine 〈de (v.)〉 **0.1** [〈landb.〉] *combine (harvester)* **0.2** [samenspanning] *combination* ⇒*combine* ◆ **3.2** een ~ vormen *form / make a combination / combine* **7.1** twee ~s *two combines, two combine harvesters*.
combineren
I 〈onov.ww.〉 **0.1** [bij elkaar passen] *go (together), match* **0.2** [〈sport〉] *play together* ◆ **1.1** die hoed en die schoenen ~ uitstekend *that hat and those shoes go well together / with each other / are a perfect match*; de kleuren ~ niet *these colours don't go (together) / m., these colours clash*;
II 〈ov.ww.〉 **0.1** [samenvoegen] *combine (with)* **0.2** [met elkaar in verband brengen] *associate (with)* ⇒*link (with)* ◆ **1.1** gecombineerde balans *consolidated balance sheet*; twee betrekkingen ~ *c. two posts* **1.2** je moet de dingen kunnen ~ *you must / should be able to put two and two together* **3.1** deze heb ik nooit eerder gecombineerd gezien *I have never seen these in combination before*.
combo 〈het, de (m.)〉 **0.1** *combo*.
come-back 〈de (m.)〉 **0.1** *come-back* ◆ **3.1** een ~ maken / proberen te maken *stage / make / attempt a c.-b.*.
Comecon 〈de (m.)〉 **0.1** *Comecon*.
comédienne 〈de (v.)〉 **0.1** *comédienne, comedy actress* ⇒〈fig.〉 *sham*.
comedy-serie 〈de (v.)〉〈t.v.〉 **0.1** *comedy series*.
comestibles 〈zn.mv.〉 **0.1** *delicatessen* ⇒*delicacies*.
comestibleswinkel 〈de (m.)〉 **0.1** *delicatessen (shop)* ⇒〈inf.〉 *deli, delly*.
comfort 〈het〉 **0.1** *comfort* 〈vaak mv.〉 ⇒*convenience* 〈vaak mv.〉 ◆ **2.1** voorzien van het meest moderne ~ *with all modern conveniences / comforts, with every modern convenience / comfort*; 〈BE; inf.〉 *with all mod cons* **6.1** gebrek **aan** ~ *lack of comfort / facilities*.
comfortabel 〈bn., bw.; -ly〉 **0.1** [comfort biedend] *comfortable* **0.2** [ruimschoots toereikend] *comfortable* ◆ **1.1** een ~ huis *a c. house* **1.2** een ~e meerderheid *a c. majority*.
comfortzuil 〈de〉 **0.1** *amenities point*.
comité 〈het〉 **0.1** *committee* ◆ **2.1** uitvoerend ~ *executive c.* **3.1** het ~ heeft besloten dat het zijn werkzaamheden zal voortzetten *the c. has / have decided that it / they will continue its / their activities* **6.1** vergaderen in ~ (over het voorstel) *sit / be in c. / behind closed doors / in camera (on the proposal)*; discuss (the proposal) in c. / behind closed doors / in camera; de vergadering ging **in** ~ generaal *the meeting went into c.* **¶.1** deze zaak werd behandeld en verit ~ *the matter was dealt with by a select c. / body / group / working party*.
commandant 〈de (m.)〉 **0.1** [〈mil.〉] *commander* ⇒*commandant* 〈van vesting / kamp〉 **0.2** [mbt. de brandweer] [B]*chief (fire) officer*, [A]*(fire) chief* **0.3** [iem. die graag de lakens uitdeelt] *bully* ⇒*petty tyrant*.
commanderen 〈onov., ov.ww.〉 **0.1** [het bevel voeren (over)] *command* ⇒*be in command (of)* **0.2** [bevelen] *give orders* ⇒〈pej.〉 *boss / order about / around* ◆ **1.1** commanderend officier *commanding officer* **1.2** commandeer je hond en blaf zelf *you needn't think you can order / boss me about (the place)* **3.2** ze laat zich niet ~ *she won't take orders from anybody / be dictated to*; hij loopt voortdurend te ~ *he's always ordering / bossing people about / around*.
commandeur 〈de (m.)〉 **0.1** [rang bij ridderorden] *(knight) commander* **0.2** [rang bij de marine] *Commodore* **0.3** [chef van dienst] *head of department / section*.
commandeurskruis 〈het〉 **0.1** *knight commander's cross*.
commanditair[1] →*commanditaris*.
commanditair[2] 〈bn.〉 ◆ **1.¶** ~ vennoot [B]*sleeping partner*, [A]*silent partner, limited partner*; ~ vennootschap *limited partnership*.

commanditaris ⟨de (m.)⟩ **0.1** ^B*sleeping partner,* ^A*silent partner* ⇒*limited partner.*

commando ⟨het⟩ **0.1** [gezag] *command* **0.2** [order] *(word of) command, order* **0.3** [selecte groep] *commando* **0.4** [soldaat] *commando* ◆ **3.1** het ~ overnemen *take (over)* c. *(of);* het ~ voeren/hebben (over) *command,* be *in* c. *(of)/* in charge *(of)* **6.1 onder** ~ staan van *be under the* c. of **6.2** ik kan niet vriendelijk zijn op ~ *I can't be friendly to o.;* iets **op** ~ doen *do sth. to o.;* huilen **op** ~ *cry at will;* **op** het ~ *at the word of* c.; iets **op** iemands ~ doen *do sth. at s.o.'s command/bidding.*

commandobrug ⟨de⟩ [scheep.] **0.1** *bridge.*

commandogroep ⟨de⟩ **0.1** *command.*

commandopost ⟨de (m.)⟩ [mil.] **0.1** *command post* ⇒*operations room, battle station.*

commandostaf ⟨de (m.)⟩ **0.1** *baton* ⇒*staff of office.*

commandotoon ⟨de (m.)⟩ **0.1** *peremptory tone* ◆ **6.1 op** (een) ~ *in a peremptory tone;* ⟨inf.⟩ *in a bossy voice/way.*

commandotoren ⟨de (m.)⟩ **0.1** *conning tower.*

commandotroepen ⟨zn.mv.⟩ **0.1** *commando troops, commando(e)s.*

commandovlag ⟨de⟩ **0.1** [op de commandopost] *standard* ⇒*banner, colours, ensign* **0.2** [op een oorlogsschip] *admiral's flag.*

commandowisseling ⟨de (v.)⟩ **0.1** *change of command.*

comme il faut ⟨bw.⟩ **0.1** *comme il faut* ◆ **3.1** dat is niet ~ *that is not comme il faut/not (quite) the done thing/bad form.*

commemorabel ⟨bn.⟩ **0.1** *memorable.*

commemoratie ⟨de (v.)⟩ **0.1** [herdenking] *commemoration* **0.2** [⟨r.k.⟩] *commemoration.*

commensaal ⟨de (m.)⟩ **0.1** [kostganger] *commensal* ⇒*lodger* **0.2** [ongedierte] *commensal.*

commensalisme ⟨het⟩ ⟨biol.⟩ **0.1** *commensalism.*

commensurabel ⟨bn.⟩ **0.1** *commensurable.*

commentaar ⟨het, de (m.)⟩ **0.1** [toelichting] *comment(s)* ⇒*remark(s), observation(s),* ⟨op teksten ook⟩ *commentary (on), annotations (to)* **0.2** [kritiek] *(unfavourable) comment* ⇒*criticism* **0.3** [rechtstreeks verslag] *(running) commentary* ◆ **1.2** een hoop ~ krijgen *receive a lot of unfavourable comment/criticism, come in for a good deal of unfavourable comment* **2.1** ~ overbodig *enough said* **3.1** ~ (op iets) geven /leveren *comment/make comments (on sth.);* heeft iem. nog ~ hierop? *has anyone any further comments/remarks?, has anyone got anything else to say?* **3.2** ~ uitlokken *provoke (unfavourable) comment* **6.2** aanleiding geven **tot** ~ *give rise to/be subject of (some) comment, give rise to/be subject of unfavourable comment/criticism* **7.1** geen ~ *no comment.*

commentaarstem ⟨de⟩ **0.1** *voice-over.*

commentariëren ⟨ov.ww.⟩ **0.1** *commentate on* ⇒*give/make a commentary on, annotate* ⟨teksten⟩.

commentator ⟨de (m.)⟩, **-trice** ⟨de (v.)⟩ **0.1** *commentator* ⇒⟨van teksten ook⟩ *annotator.*

commerce ⟨de (m.)⟩⟨AZN⟩ **0.1** *commerce* ⇒*trade.*

commercialiseren ⟨ov.ww.⟩ **0.1** *commercialize.*

commercie ⟨de (v.)⟩ **0.1** *commerce* ⇒*trade.*

commercieel ⟨bn., bw.;-(al)ly⟩ **0.1** *commercial* ◆ **1.1** commerciële radio en TV *c. radio and TV;* een comerciële loopbaan beginnen *go into commerce/business, start a* c. *career;* een ~ plaatje/sukses/~ e roman *a* c. *record/success/novel;* een ~ schrijver *a* c. *writer/hack (writer)/* ⟨vero.⟩ *penny-a-liner* **3.1** zijn gaan daar veel commerciëler te werk *they have a much more* c. *approach there, they are much more commercially oriented/orientated there;* ~ gezien *commercially speaking, from a* c. *point of view* **5.1** op niet commerciële basis *on a non-profit(-making) basis.*

commies ⟨de (m.)⟩ **0.1** [titel van ambtenaren] *clerk* ⇒*administrative assistant* **0.2** [tolbeambte] *customs (and excise) officer;* ⟨vero.⟩ *excise-man* **0.3** [klerk] *clerk* ◆ **6.2** commiezen te water *(maritime) customs officers.*

commiesbrood ⟨het⟩ **0.1** *army bread.*

commissariaat ⟨het⟩ **0.1** [ambt] *commissionership* **0.2** [bureau] *commissioner's office* ◆ **1.1** houder v.e. viertal commissariaten *holder of four commissioner's posts* **3.1** een ~ bekleden bij een bedrijf *sit on the board of a company.*

commissaris ⟨de (m.)⟩ **0.1** [gevolmachtigde] *commissioner* ⟨vaak C-⟩, *governor* **0.2** [toezichthouder op de directie] *commissioner* **0.3** [actief bestuurslid] *official, officer* ◆ **1.1** de ~ sen v.d. E.E.G. *the E.E.C. commissioners;* ~ v.d. Koningin *(Royal) Commissioner, governor,* ^B≠*Lord Lieutenant/* ^A≠*Governor;* ~ van politie ^B*Chief Constable, Chief of Police, police commisioner* **1.2** de raad van ~ sen v.e. maatschappij *a company's board of commissioners* **1.3** de ~ sen van orde *stewards* **2.1** de Britse Hoge Commissaris in Nigeria *the British High Commissioner in Nigeria.*

commissaris-generaal ⟨de (m.)⟩ **0.1** *commissioner general* ⇒⟨GB⟩ *permanent undersecretary* ⟨op ministerie⟩.

commissie ⟨de (v.)⟩ **0.1** [personen met bepaalde opdracht] *committee* ⇒ *board, commission, panel, tribunal* **0.2** [⟨hand.⟩] *commission* **0.3** [loon] *commission* ⇒*factorage* **0.4** [bestelling] *order* **0.5** [comité] *committee, delegation* ◆ **1.1** ~ van beheer *management committee;* een ~

van goede diensten *conciliation board;* ~ van onderzoek *commission of inquiry;* ⟨jur.⟩ *Court of Inquiry;* ⟨pol.⟩ *fact-finding committee;* ~ van ontvangst *reception committee;* ~ van toezicht *supervisory/ watchdog committee/commission;* ⟨school enz.⟩ *board of visitors/ governors* **2.1** de Europese Commissie *the European Commission;* de financiële ~ *financial committee;* lid zijn van een bijzondere parlementaire ~ ⟨BE; pol.⟩ *be a member of/sit on a select committee;* vaste /permanente ~ *standing committee* **3.1** de ~ heeft besloten dat zij haar werkzaamheden zal voortzetten *the committee has/have decided that it/they will continue its/their activities* **3.4** ~ s opnemen *take/collect orders* **6.1 in** een ~ zitten *be/sit on a committee* **6.2** iets **in** ~ kopen/verkopen *buy/sell sth. on* c. */consignment;* als ik lieg, dan lieg ik **in** ~ ≠*I'm telling the truth as I've been told it;* boeken **in** ~ bestellen *order books on sale or return;* goederen **in** ~ houden *hold goods on consignment* **6.5** een ~ **uit** de burgerij *a* d. *of citizens* ¶**.1** ~ ad hoc *ad hoc committee.*

commissiebasis ⟨de (v.)⟩ **0.1** *commission basis* ◆ **6.1** werken op ~ *work on a* c. b..

commissieboek ⟨het⟩ ⟨hand.⟩ **0.1** *order book.*

commissiegoed ⟨het⟩ **0.1** *goods sold on consignment/on sale or return.*

commissiehandel ⟨de (m.)⟩ **0.1** *agency business, commission selling.*

commissielid ⟨de (m.)⟩ **0.1** *committee-member* ⇒*member of a committee /board/commission/panel/tribunal, committee-man/-woman, commissioner* ⟨→ook commissie⟩.

commissieloon ⟨de⟩ **0.1** *commission.*

commissionair ⟨de (m.)⟩ **0.1** *agent* ⇒*broker, factor,* ⟨AE ook⟩ *commission merchant* ◆ **6.1** ~ **in** effecten *stockbroker.*

commissoriaal ⟨bn.⟩ **0.1** *committee* ◆ **1.1** commissoriale beraadslagingen *consultations in* c. **3.1** iets ~ maken *refer sth. to a* c..

commissuur ⟨de⟩ ⟨biol.⟩ **0.1** *commissure.*

committent ⟨de (m.)⟩ **0.1** *principal.*

committeren ⟨ov.ww.⟩ **0.1** *commission.*

commode ⟨de (v.)⟩ **0.1** *chest of drawers;* ⟨AE ook⟩ *lowboy.*

commodore ⟨de (m.)⟩ **0.1** [⟨mil.⟩] *Commodore* **0.2** [gezagvoerder bij een luchtvaartmaatschappij] *captain* **0.3** [Engels/Amerikaans gezagvoerder] *Commodore* **0.4** [gezagvoerder van koopvaardijschepen] *Commodore.*

commotie ⟨de (v.)⟩ **0.1** *commotion* ⇒*consternation,* ⟨inf.⟩ *fuss, rumpus* ◆ **3.1** ~ maken/geven *create/cause a commotion, make/kick up a fuss.*

communaal ⟨bn.⟩ **0.1** [gemeenschappelijk] *communal* **0.2** [lokaal] *communal.*

communautair ⟨bn.⟩ **0.1** *communal* ⇒⟨E.E.G.⟩ *Community* ◆ **1.1** de ~ e kwestie/moeilijkheden in België *the community question/difficulties in Belgium;* ~ e wetgeving *Community legislation.*

communauteit ⟨de (v.)⟩ **0.1** *community* ⇒⟨r.k.⟩ *congregation.*

commune ⟨de (v.)⟩ **0.1** [leefgemeenschap] *commune* **0.2** [⟨communisme⟩] *commune* ◆ **1.1** lid v.e. ~ *member of a* c., c.*-dweller, communard* **6.1** in een ~ leven *live in a* c..

communicant ⟨de (m.)⟩ **0.1** [iem. die zijn eerste communie doet] *s.o. making his/her first Communion* **0.2** [iem. die ter communie gaat] *communicant* **0.3** [lid van de kerk] *communicant.*

communicatie ⟨de (v.)⟩ **0.1** [contact] *communication* **0.2** [verbinding] *communication* ◆ **2.1** intermenselijke ~ c. *between human beings;* onderlinge ~ was niet mogelijk c. *was impossible* **6.2 in** ~ staan met *be in* c. *with.*

communicatieapparatuur ⟨de (v.)⟩ **0.1** *communication equipment.*

communicatief ⟨bn., bw.⟩ **0.1** [mbt. de communicatie] *communicative* **0.2** [mededeelzaam] *communicative* ⇒*talkative,* ¹*chatty.*

communicatiemedia ⟨zn.mv.⟩ **0.1** *communications.*

communicatiemiddel ⟨het⟩ **0.1** *means of communication.*

communicatieproces ⟨het⟩ **0.1** *communication process.*

communicatiesatelliet ⟨de (m.)⟩ **0.1** *communications satellite* ⇒⟨afk.⟩ *comsat.*

communicatiestoornis ⟨de (v.)⟩ **0.1** *breakdown in communication(s).*

communicatiewetenschap ⟨de (v.)⟩ **0.1** *communication studies.*

communiceren ⟨onov.ww.⟩ **0.1** [in verbinding staan] *communicate (with)* **0.2** [⟨r.k.⟩] *communicate,* ^A*commune* ◆ **1.1** ~ de vaten *communicating vessels.*

communie ⟨de (v.)⟩ ⟨r.k.⟩ **0.1** [het ontvangen van de eucharistie] *(Holy) Communion* **0.2** [het nuttigen van de hostie] *(Holy) Communion* **0.3** [hostie] *(Holy) Communion* ⇒*Host, Eucharist* **0.4** [deel van de mis] *(Holy) Communion* ◆ **2.1** eerste/plechtige ~ *first/solemn C.* **3.1** zijn (eerste) ~ doen *make one's first C.* **3.3** de ~ ontvangen *receive/take (Holy) C., communicate,* ^A*commune;* de ~ uitreiken *administer (Holy) C.* **6.1** te(r) ~ gaan *go to (Holy) C..*

communiebank ⟨de (m.)⟩ **0.1** *communion rail(s).*

communiedoek ⟨de (m.)⟩ **0.1** *communion cloth.*

communiekleed ⟨het⟩ **0.1** [jurk] *Communion dress* **0.2** [linnen doek] *communion cloth.*

communiqué ⟨het⟩ **0.1** *communiqué* ⇒*statement, bulletin* ◆ **3.1** een ~ uitgeven *issue a* c., *put out a statement.*

communisme ⟨het⟩ **0.1** *communism* ⇒*Bolshevism* ◆ **3.1** het ~ aanhangen *be an adherent of c.*; het ~ bestrijden *combat / fight c.*; hij sympathiseert met het ~ *he is a fellow traveller.*

communis opinio ⟨de (v.)⟩ **0.1** *general feeling, public opinion.*

communist ⟨de (m.)⟩ **0.1** [aanhanger v.h. communisme] *communist* ⇒ ⟨AE; inf.; pej.⟩ *commie* **0.2** [⟨mv.⟩ regeerders] *Communists.*

communistisch ⟨bn., bw.; -ally⟩ **0.1** *communist(ic)* ◆ **1.1** ~e agitatie *agitprop;* de ~e partij *the communist party* **2.1** ~ gezind *pro-communist.*

communiteit ⟨de (v.)⟩ **0.1** [gemeenschappelijkheid] *community* **0.2** [kloosterlingen] *community* **0.3** [gemeenschappelijk bezit] *community.*

commutatie ⟨de (v.)⟩ **0.1** *commutation.*

commutatief ⟨bn.⟩ **0.1** *commutative* ◆ **1.1** commutatieve overeenkomst *c. agreement.*

commutatieproef ⟨de⟩⟨taal.⟩ **0.1** *commutation test.*

commutator ⟨de (m.)⟩⟨tech.⟩ **0.1** *commutator.*

commuun ⟨bn.⟩ **0.1** ⟨zie 1.1⟩ ◆ **1.1** commune averij *g. average;* ~ delict *civil offence.*

compact ⟨bn., bw.; -ly⟩ **0.1** [vast] *compact* ⇒ *dense* **0.2** [weinig ruimte innemend] *compact* **0.3** [⟨fig.⟩ zich beperkend tot de essentie] *compact* ⇒ *dense* ◆ **1.1** een ~e massa *a c. mass, a dense crowd* **1.2** een ~e computer *a c. computer* **1.3** ~ proza *c. / terse / dense prose;* een ~e samenvatting *a succinct précis;* een ~e stijl *a c. / terse style.*

compact-discspeler ⟨de (m.)⟩⟨audio⟩ **0.1** *compact disc ^Adisk player.*

compactheid ⟨de (v.)⟩ **0.1** *compactness* ⇒ *density* ◆ **1.1** de ~ v.e. betoog *the terseness of an argument.*

compactplaat ⟨de⟩⟨audio⟩ **0.1** *compact disc ^Adisk* ⇒ *compact record.*

compagnie ⟨de (v.)⟩ **0.1** [⟨mil.⟩] *company* **0.2** [handelsvereniging] *company* **0.3** [vennootschap] *company* ⇒ *partnership* ◆ **1.1** een ~ infanterie *an infantry c.* **2.2** de Oostindische/Westindische Compagnie *the East / West India Company* **6.3** in ~ handelen met *act in partnership with.*

compagnie(s)commandant ⟨de (m.)⟩ **0.1** *company commander.*

compagnon ⟨de (m.)⟩ **0.1** [handelsgenoot] *partner* ⇒ *(business) assiociate, consociate* **0.2** [maat] *companion* ⇒ *comrade,* ⟨inf.⟩ *pal, chum, mate* ◆ **1.1** de ~ van iem. worden *enter / go into partnership with s.o.,* join *s.o. in partnership* **1.2** als frère en ~ met iem. omgaan *be hail-fellow-well-met with s.o., be on familiar terms with s.o.* **8.1** als ~ worden opgenomen *be taken into / admitted to partnership.*

compagnonschap ⟨het⟩ **0.1** *partnership.*

comparant ⟨de (m.)⟩, **-e** ⟨de (v.)⟩ **0.1** [iem. die voor een notaris / rechter enz. verschijnt] *appearer* ⇒ *party* **0.2** [iem. die geregeld ergens komt] *regular attender* ◆ **2.2** hij is een getrouwe ~ *he is a faithful attender* ¶ **1.** de ~en ter ene en ter andere zijde *the party of the one part and the party of the other part.*

comparatie ⟨de (v.)⟩⟨taal.⟩ **0.1** *comparison.*

comparatief¹ ⟨de⟩⟨taal.⟩ **0.1** *comparison.*

comparatief² ⟨bn.⟩ **0.1** *comparative* ◆ **1.1** wet v.d. comparatieve kosten *principle of c. costs;* de comparatieve literatuurgeschiedenis *c. history of literature.*

comparatisme ⟨het⟩ **0.1** *comparati(vi)sm.*

comparatist ⟨de (m.)⟩ **0.1** *comparatist.*

compareren ⟨onov.ww.⟩⟨jur.⟩ **0.1** *appear (in court / before a notary public)* ◆ **6.1** ~ bij een akte *appear as a party.*

compartiment ⟨het⟩ **0.1** *compartment.*

compartimenteren ⟨ov.ww.⟩ **0.1** *compartmentalize.*

compascuum ⟨het⟩ **0.1** *common.*

compassie ⟨de (v.)⟩ **0.1** *compassion.*

compatibel ⟨bn.⟩ **0.1** [verenigbaar] *compatible* **0.2** [mbt. randapparatuur] *compatible* **0.3** [⟨comp.⟩] *compatible* ◆ **1.3** ~e systemen *c. systems.*

compatibiliteit ⟨de (v.)⟩ **0.1** [verenigbaarheid] *compatibility* **0.2** [overeenstemming] *compatibility* ◆ **1.1** ⟨comp.⟩ ~ van gegevensbestanden *data c..*

compatriot ⟨de⟩ **0.1** *compatriot.*

compendium ⟨het⟩ **0.1** *compendium* ◆ **1.1** een ~ v.d. moderne geschiedenis *a c. of modern history.*

compensabel ⟨bn.⟩ ⟨vnl. AE⟩ *compensable* ◆ **1.1** ~e schuld *c. debt.*

compensatie ⟨de (v.)⟩ **0.1** *compensation* ⇒ *setoff, amends* ◆ **3.1** ~ vinden in iets *be compensated / made up for sth. by* **6.1** in ~ brengen *set off;* zich beroepen op ~ tegen iem. *plead / claim a setoff against s.o.;* hij is maar een klein ventje, dus hangt hij **ter** ~ thuis de tiran uit *he's a small guy, so he compensates for it by bullying his family;* als ~ **voor**, ter ~ van *by way of c.;* dit komt in aanmerking **voor** ~ *this can be set off / is compensable.*

compensatieorder ⟨de (m.)⟩ **0.1** *compensation order.*

compensatierecht ⟨het⟩ **0.1** *right / claim of setoff / compensation.*

compensatieslinger ⟨de (m.)⟩ **0.1** *compensation pendulum* ⇒ *gridiron (pendulum).*

compensatoir ⟨bn.⟩ **0.1** *compensatory* ⇒ *compensatoir* ◆ **1.1** ~ alcoholisme *compensatory alcoholism;* ~e interessen *compensatory interests,* ⟨taal.⟩ ~e rekking *compensatory lengthening.*

compenseren ⟨ov.ww.⟩ **0.1** *compensate for* ⇒ *counterbalance, make up*

for, make good, adjust ⟨kompas⟩ ◆ **1.1** dit compenseert de nadelen *this outweighs the disadvantages;* een tekort ~ *supply / make good a deficiency;* make good a deficit ⟨geld⟩; de ontvangsten ~ de uitgaven *the takings cover the outlay, the income covers the expenditure;* niets kan dit verlies ~ *nothing can compensate / make up for this loss* **4.1** elkaar ~ *counterbalance each other, balance out* **6.1** iem. ~ **voor** iets *compensate s.o. for sth..*

competent ⟨bn.⟩ **0.1** [deskundig] *competent* ⇒ *able, capable* **0.2** [tot handelen, oordelen bevoegd] *competent* ⇒ *qualified,* ⟨jur.⟩ *cognizant* **0.3** [iem. rechtens toekomend] *competent* ⇒ *rightful* ◆ **1.1** een ~e criticus *a competent / an able critic* **1.3** de ~e portie v.e. erfgenaam *the c. / rightful share of an heir* **5.2** hij is daartoe niet ~ *it is not competent to him to, it is not within his competence / power;* dit hof is in deze kwestie niet ~ *this court is not competent to settle this matter* **6.1** hij is (niet) ~ **op** dat gebied *he is (not) competent in that field.*

competentie ⟨de (v.)⟩ **0.1** [deskundigheid] *competence, competency* **0.2** [bevoegdheid] *competence, competency* ⇒ *capacity,* ⟨jur. ook⟩ *cognizance* **0.3** [⟨taal.⟩] *competence* ◆ **3.1** hij heeft niet de ~ om daarover te schrijven *he does not have the competence to write about this* **3.2** dat behoort niet tot zijn ~ *that is not within his competence;* dat behoort tot de ~ van dit hof *this belongs to the cognizance / jurisdiction of this court;* behoort dit tot de ~ v.h. bestuur? *is this within the province of the committee?.*

competentiegeschil ⟨het⟩ **0.1** *dispute of competence / competency.*

competentievraag ⟨de⟩ **0.1** *question of competence / competency.*

competeren ⟨onov.ww.⟩ **0.1** *be competent / due* ◆ **1.1** het hem ~ de recht *the right competent to him* **4.1** mij competeert een derde deel van de boedel *one third of that estate is competent to me.*

competitie ⟨de (v.)⟩ **0.1** [⟨sport⟩] *competition* **0.2** [concurrentie] *competition* ◆ **2.1** een spannende ~ *an exciting c.* **2.2** een moordende ~ *fierce / savage c., a rat race* **3.1** de ~ is afgelopen *the c. has come to an end* **6.1** die wedstrijd telt niet mee **voor** de ~ *this is a friendly match.*

competitiedag ⟨de (m.)⟩ **0.1** *fixture.*

competitiestand ⟨de (m.)⟩ **0.1** *^Bleague table, ^A(league / conference) standing.*

competitiewedstrijd ⟨de (m.)⟩⟨sport⟩ **0.1** *competition match.*

compie ⟨de (v.)⟩⟨sold.⟩ **0.1** *¹company.*

compilatie ⟨de (v.)⟩ **0.1** [bundeling] *compilation* **0.2** [verzamelwerk] *compilation* **0.3** [het voor publikatie bijeenbrengen] *compilation.*

compilatiewerk ⟨het⟩ **0.1** *compilation.*

compilator ⟨de (m.)⟩ **0.1** *compiler.*

compileren ⟨ov.ww.⟩ **0.1** [een compilatie maken] *compile* **0.2** [⟨comp.⟩] *compile.*

compleet

I ⟨bn.⟩ **0.1** [volledig] *complete* ⇒ *full* ◆ **1.1** een ~ ameublement *a c. set of furniture;* toen was zijn geluk ~ *that completed his happiness;* een complete Vondel *a c. Vondel* **5.1** deze jaargang is niet ~ *this volume is not c. / incomplete;*

II ⟨bn., bw.; -ly⟩ **0.1** [volslagen] *complete* ⇒ *total, utter* ◆ **1.1** een complete mislukking *a c. failure, a total flop;* complete onzin *pure / sheer / downright / total nonsense;* een complete verrassing *a bolt from the blue, an utter surprise* **2.1** dat laat me ~ onverschillig *it leaves me completely cold / I am utterly indifferent to it* **3.1** ik was het ~ vergeten *I clean forgot (it)* **6.1** je zit er ~ **naast** *you're wide of the mark.*

complement ⟨het⟩ **0.1** [aanvullend gedeelte] *complement* **0.2** [⟨wisk.⟩] *complement* **0.3** [⟨taal.⟩] *complement* **0.4** [⟨biol.⟩] *complement* ⇒ *alexin(e)* ◆ **4.3** deze begrippen zijn elkaars ~ *these concepts complement each other / one another, these concepts are complements of each other / one another.*

complementair ⟨bn.⟩ **0.1** *complementary* ◆ **1.1** ⟨ec.⟩ ~e goederen *c. goods;* ~e hoeken *c. angles;* ~e kleuren *c. / minus colours;* ~ vennoot *active partner;* ~e sociale voorzieningen *supplementary social (service) benefits.*

complet ⟨het, de (m.)⟩ **0.1** *ensemble.*

completen ⟨zn.mv.⟩⟨r.k.⟩ **0.1** *complin(e).*

completeren ⟨ov.ww.⟩ **0.1** *complete* ⇒ *make up* ◆ **1.1** een tijdschriftenreeks / verzameling ~ *c. a set of a periodical / collection.*

completering ⟨de (v.)⟩ **0.1** *completion* ◆ **6.1** ter ~ **van** *by way of / for c..*

complex¹ ⟨het⟩ **0.1** [blok] *complex* ⇒ *aggregate* **0.2** [⟨psych.⟩] *complex* **0.3** [⟨schei.⟩] *complex* ⇒ *(coordination) compound* ◆ **1.1** een ~ van factoren *a c. of factors;* een ~ huizen *a block of buildings / housing property;* een ~ van klanken / gewaarwordingen *a c. of sounds / sensations;* het hele ~ van mogelijkheden *the whole range / set of possibilities;* een heel ~ van regels *a whole c. / set of rules* **3.2** ~en hebben over iets *have a c. about sth..*

complex² ⟨bn.⟩ **0.1** *complex* ⇒ *complicated, intricate, knotty* ◆ **1.1** een ~ getal *a complex number;* een ~ probleem *a knotty problem;* een ~e situatie *a complex / an intricate situation;* een ~e verbinding *a complex combination / compound;* een ~ verschijnsel *a complex phenomenon.*

complexie ⟨de (v.)⟩ **0.1** *constitution* ⇒ *nature, temper, disposition* ◆ **2.1** iem. van verliefde ~ *s.o. of an amorous disposition.*

complexiteit ⟨de (v.)⟩ **0.1** *complexity.*

complicatie ⟨de (v.)⟩ **0.1** *complication* ◆ **2.1** een lastige ~ *an embarrass-*

ing / awkward c. **3.1** bij die ziekte treden dikwijls ~s op *complications often arise with this disease.*

complice ⟨de (m.)⟩ **0.1** ⟨vero.⟩ *complice.*

compliceren ⟨ov.ww.⟩ **0.1** *complicate* ◆ **1.1** ⟨med.⟩ een gecompliceerde breuk *a compound fracture;* een uiterst gecompliceerde zaak *an utterly complicated / complex matter / affair* **5.1** iets onnodig ~ *complicate sth. unnecessarily.*

compliciteit ⟨de (v.)⟩ **0.1** *complicity.*

compliment ⟨het⟩ **0.1** [lof] *compliment* **0.2** [beleefde begroeting] *compliment* ⇒⟨meestal mv.⟩ *regard, respect* **0.3** [⟨mv.⟩ vormelijkheid] *compliments* ⇒*ceremony* ◆ **1.2** de ~en van vader en of u even wilt komen *father sends his compliments and would you mind calling around* **2.1** een dubieus ~ *a left-handed / backhanded c.* **2.¶** ⟨AZN⟩ Franse ~en *fine words* **3.1** iem. een / zijn ~ maken over / voor / wegens iets *pay s.o. a c. on sth., compliment s.o. on sth., make s.o. compliments for sth.;* naar een ~ je vissen / hengelen *fish / angle for a c.;* het regende ~en *compliments / bouquets were flying* **3.2** doet u vooral mijn ~en aan uw vrouw *(do give) my compliments / regards / to your wife* **3.3** geen ~en met iets / iem. maken *not spare sth. / s.o.'s feelings* **6.2** ⟨iron.⟩ de ~en **aan** je vader en zeg hem maar dat … *you can tell your father from me that …* **6.3** zonder veel ~en *without ceremony / any ado, unceremoniously;* ⟨brutaal⟩ *without so much as a by-your-leave* **7.1** dit is geen ~ voor hem *this is not (exactly) a point in his favour* **7.3** geen ~en! *don't / let's not stand on ceremony.*

complimenteren ⟨ov.ww.⟩ **0.1** [gelukwensen] *compliment* **0.2** [beleefd begroeten] *compliment* ◆ **6.1** iem ~ **met** iets *compliment s.o. (up)on sth..*

complimenteus ⟨bn., bw.; -ly⟩ **0.1** [hoffelijk] *complimentary* **0.2** [vleiend] *complimentary* ◆ **3.2** dat was niet erg ~ *this was rather uncomplimentary.*

component ⟨de (m.)⟩ **0.1** *component* ◆ **1.1** ⟨wisk.⟩ de ~en v.e. vector *the components of a vector* **2.1** ⟨taal.⟩ de syntactische en de semantische ~ *the syntactic and the semantic c..*

componentenlijm ⟨de (m.)⟩ **0.1** *two-part adhesive.*

componeren ⟨onov., ov.ww.⟩ **0.1** [samenstellen] *compose* **0.2** [⟨muz.⟩] *compose.*

componist ⟨de (m.)⟩, -e ⟨de (v.)⟩ **0.1** [⟨muz.⟩] *composer* ⇒*musician* **0.2** [⟨sport⟩] *problemist.*

composer ⟨de (m.)⟩ ⟨druk.⟩ **0.1** *composer* ⇒*composing machine.*

composersysteem ⟨het⟩ ⟨druk.⟩ **0.1** *composer system.*

composerzetter ⟨de (m.)⟩ ⟨druk.⟩ **0.1** *composer typist.*

composiet[1] ⟨de⟩ ⟨plantk.⟩ **0.1** *composite (plant).*

composiet[2] ⟨bn.⟩ **0.1** *composite.*

compositie ⟨de (v.)⟩ **0.1** [muziekstuk] *composition* **0.2** [samengesteld woord] *compound (word)* **0.3** [ordening tot een geheel] *composition* **0.4** [⟨sport⟩] ⟨chess⟩ *problem* **0.5** [metaalmengsel] *composition* ◆ **1.3** de ~ van een schilderij / roman *the c. of a picture / novel* **2.3** een evenwichtige ~ *a well-balanced c..*

compositiebal ⟨de (m.)⟩ ⟨sport⟩ **0.1** *synthetic billiard ball.*

compositiefoto ⟨de (m.)⟩ **0.1** *composition photo.*

compositorisch ⟨bn., bw.; -ly⟩ **0.1** *compositional.*

compositum ⟨het⟩ **0.1** [wat samengesteld is] *composite* **0.2** [⟨taal.⟩] *compound* **0.3** [⟨mv.⟩ planten] *composite.*

compost ⟨het, de (m.)⟩ **0.1** *compost.*

composteren ⟨ov.ww.⟩ **0.1** *compost.*

compostering ⟨de (v.)⟩ **0.1** *composting.*

compote ⟨de⟩ **0.1** *compote* ⇒*stewed fruit.*

compotelepel ⟨de (m.)⟩ **0.1** *compote spoon.*

compoteschaal ⟨de⟩ **0.1** *compote, compotier* ⇒*fruit dish, stewed fruit bowl.*

compounddynamo ⟨de (m.)⟩ **0.1** *compound dynamo.*

compoundstaal ⟨het⟩ **0.1** *compound steel.*

compressibiliteit ⟨de (v.)⟩ **0.1** *compressibility.*

compressie ⟨de (v.)⟩ **0.1** *compression.*

compressieruimte ⟨de (v.)⟩ **0.1** *compression chamber.*

compressieslag ⟨de (m.)⟩ **0.1** *compression stroke.*

compressieverhouding ⟨de (v.)⟩ **0.1** *compression ratio.*

compressor ⟨de (m.)⟩ **0.1** *compressor.*

comprimeren ⟨ov.ww.⟩ **0.1** [samenpersen] *compress* ⇒*condense* **0.2** [bedwingen] *repress* ⇒*restrain* ◆ **1.1** een gecomprimeerd verslag *a condensed account* **3.1** de inhoud gecomprimeerd weergeven *sum up / report the contents in a few words / in a shortened / concise form.*

compromis ⟨het⟩ **0.1** [⟨jur.⟩] *submission to arbitration* ⇒*arbitration agreement* **0.2** [tussenoplossing] *compromise* **0.3** [verbond] *compromise* ◆ **1.1** ~ van averij *average bond (agreement)* **1.3** het ~ der edelen in 1566 *the Compromise of the Nobility of 1566* **3.1** een ~ tekenen ⟨averij⟩ *enter into an average bond (agreement);* ⟨arbitrage⟩ *sign an arbitration agreement* **3.2** een ~ aangaan / sluiten *come to / reach a c. / agreement, compromise* **6.2** tot een ~ komen *reach a c.* **7.2** hij wil van geen ~ weten *he won't hear of any c., he is completely uncompromising / intransigent.*

compromissoir ⟨bn.⟩ **0.1** *compromise* ◆ **1.1** ~ beding *arbitration agreement;* een ~e oplossing *a c. solution.*

compromisvoorstel ⟨het⟩ **0.1** *compromise proposal* ◆ **3.1** een ~ doen *put forward / make a c. p..*

compromittant ⟨bn.⟩ **0.1** *compromising* ⇒*incriminating.*

compromitteren ⟨ov.ww.⟩ **0.1** *compromise* ◆ **1.1** zijn naam ~ *c. his good name* **3.1** gecompromitteerd zijn *be compromised, be under a cloud* **6.1** zich **met** iets / iem. ~ *compromise o.s. with sth. / s.o..*

compromitterend ⟨bn.⟩ **0.1** *compromising* ⇒*incriminating* ◆ **1.1** een ~e situatie *a c. situation;* ~e verklaringen / papieren *incriminating statements / documents.*

comptabel ⟨bn.⟩ **0.1** *accountable* ⇒*answerable, responsible* ◆ **1.1** een ~ ambtenaar *(Government / Civil Service) accountant / auditor.*

comptabele ⟨de (m.)⟩ **0.1** *(Government / Civil Service) accountant / auditor.*

comptabiliteit ⟨de (v.)⟩ **0.1** [rekenplichtigheid] *accountability* ⇒*answerability, responsibility* **0.2** [afdeling] *accountancy department* ⇒*accounts (department).*

comptabiliteitswet ⟨de⟩ **0.1** *Governments Accounts Act.*

compteur ⟨de (m.)⟩ ⟨AZN⟩ **0.1** *meter.*

compulsie ⟨de (v.)⟩ **0.1** [drang] *compulsion* ⇒*urge, constraint, drive* **0.2** [aandrijving] *drive* ⇒*propulsion.*

compulsief ⟨bn., bw.; -ly⟩ **0.1** *compulsive.*

computer ⟨de (m.)⟩ **0.1** *computer* ◆ **2.1** een digitale / een analoge ~ *digital / analogue c.* **3.1** een ~ bedienen *operate / run a c.;* kan de ~ dit lezen / verwerken? *is this machine-readable?* **6.1** gegevens invoeren in een ~ *feed data into a c., read / input data into a c.;* de loonadministratie **op** de ~ zetten *computerize the wages department.*

computeradministratie ⟨de (v.)⟩ **0.1** *computer administration.*

computerbestand ⟨het⟩ **0.1** *computer file.*

computercentrum ⟨het⟩ **0.1** *computer / computing centre.*

computercriminaliteit ⟨de (v.)⟩ **0.1** *computer crimes.*

computerdeskundige ⟨de (m.)⟩ **0.1** *computer expert / specialist.*

computerfraude ⟨de (v.)⟩ **0.1** *computer fraud.*

computergeheugen ⟨het⟩ **0.1** *computer memory* ⇒*(computer) storage* ◆ **6.1** gegevens opslaan in het ~ *store data in the computer.*

computergestuurd ⟨bn.⟩ **0.1** *computer-controlled.*

computeriseren ⟨ov.ww.⟩ **0.1** [geschikt maken voor verwerking] *prepare for (automatic) processing* **0.2** [van computers voorzien] *computerize.*

computerisering ⟨de (v.)⟩ **0.1** *computerization.*

computerkraak ⟨de (m.)⟩ **0.1** *computer break-in* ◆ **3.1** een ~ plegen met behulp v.e. telefoon *break into a computer by using a telephone.*

computerlinguïstiek ⟨de (v.)⟩ **0.1** *computational linguistics.*

computerprogrammeur ⟨de (m.)⟩ **0.1** *computer programmer.*

computerspelletje ⟨het⟩ **0.1** *computer game.*

computersturing ⟨de (v.)⟩ **0.1** *computer (numeric) control* ⇒*cybernation.*

computertaal ⟨de⟩ **0.1** *computer language.*

computertechniek ⟨de (v.)⟩ **0.1** *c. technology.*

computertijd ⟨de (m.)⟩ **0.1** *machine time* ⇒*c.p.u. time, run time* ◆ **3.1** ~ huren *rent m. t. / computer time.*

computeruitdraai ⟨de (m.)⟩ **0.1** *computer output* ⇒*computer printout.*

computerverwerking ⟨de (v.)⟩ **0.1** *computer processing.*

computerwetenschap ⟨de (v.)⟩ **0.1** *computer science.*

C-omroep ⟨de (m.)⟩ ⟨radio, t.v.⟩ **0.1** ⟨Dutch broadcasting corporation with 150,000-300,000 subscribers⟩.

con ⟨vz.⟩ **0.1** *con* ◆ **¶.1** ~ amore ⟨muz.⟩ *con amore; with love / pleasure / zest;* iets ~ amore doen *do sth. with love / pleasure / all one's heart;* ~ brio ⟨muz.⟩ *con brio; with vigour / flair, energetically.*

conatief ⟨bn.⟩ **0.1** [trachtend] *conative* **0.2** [⟨taal.⟩] *conative.*

concaaf ⟨bn.⟩ **0.1** *concave* ◆ **1.1** concave lenzen / spiegels *c. lenses / mirrors.*

concelebrant ⟨de (m.)⟩ **0.1** *concelebrant.*

concelebratie ⟨de (v.)⟩ ⟨r.k.⟩ **0.1** *concelebration.*

concelebreren ⟨onov., ov.ww.⟩ ⟨r.k.⟩ **0.1** *concelebrate.*

concentraat ⟨het⟩ **0.1** *concentrate* ⇒*extract.*

concentratie ⟨de (v.)⟩ **0.1** [vereniging in één punt] *concentration* **0.2** [aandacht] *concentration* **0.3** [sterkte] *concentration* ⇒*strength, intensity* ◆ **1.1** ~ v.h. gezag *c. of authority* **2.2** in diepe ~ *in deep c.* **2.3** in sterke ~ *very / strongly concentrated, strong, in strong c.* **3.2** dit vergt de uiterste ~ *this demands the utmost c.;* zijn ~ verliezen *lose one's c.;* na enkele uren verslapt de ~ *the (power of) c. flags after a few hours.*

concentratiekamp ⟨het⟩ **0.1** *concentration camp.*

concentratiekampsyndroom ⟨het⟩ ⟨psychiatrie⟩ **0.1** *concentration camp syndrome.*

concentratievermogen ⟨het⟩ **0.1** *power(s) of concentration* ⇒*capacity / ability to concentrate.*

concentreren

I ⟨wk.ww.; zich ~⟩ **0.1** [de aandacht richten] *concentrate (on)* ⇒*centre (on), focus (on), fix (on), bend one's mind (to)* ◆ **3.1** zich (niet) kunnen ~ *be (un)able to concentrate* **6.1** zich **op** iets ~ *concentrate / fix one's attention on sth.*

II ⟨ov.ww.⟩ **0.1** [verenigen in één punt] *concentrate* ⇒*centre,* ⟨troepen ook⟩ *mass* **0.2** [sterker maken] *concentrate* ⇒*strengthen* ◆ **1.1** de macht in handen van één persoon ~ *concentrate power in the hands of* *one person* **1.2** een geconcentreerde oplossing *a concentrated/strong solution* **4.1** de besprekingen ~ zich op ... *the talks are concentrating/ centring on* ...; zijn hoop concentreerde zich op *his hopes were centred/pinned/fixed on*.

concentrisch
I ⟨bn.⟩ **0.1** [met één middelpunt] *concentric* ◆ **1.1** ~e cirkels *c. circles*; ⟨school.⟩ een ~e leergang *a concentric (teaching) method*;
II ⟨bn., bw.; -ally⟩ **0.1** [op één punt gericht] *concentric* ◆ **1.1** een ~e aanval *a c. attack.*

concept ⟨het⟩ **0.1** [ontwerp] *(rough/first) draft* ⇒*outline, plan, project* **0.2** [wijsgerig begrip] *concept* ◆ **3.1** een ~ maken van *draft*.

conceptie ⟨de (v.)⟩ **0.1** [bevruchting] *conception* **0.2** [het ontstaan van werken van de geest] *conception* **0.3** [opvatting] *conception* ⇒*understanding, idea, notion.*

conceptkunst ⟨de (v.)⟩ **0.1** *conceptual art.*

conceptnota ⟨de⟩ **0.1** *draft proposal* ⇒[B]*Green Paper.*

conceptreglement ⟨het⟩ **0.1** *draft regulations.*

conceptualisme ⟨het⟩ ⟨fil.⟩ **0.1** *conceptualism.*

conceptueel ⟨bn.⟩ **0.1** *conceptual* ◆ **1.1** conceptuele kunst *c. art.*

concept-wet ⟨de⟩ **0.1** *(draft) bill* ⇒*draft legislation.*

concert ⟨het⟩ ⟨muz.⟩ **0.1** [uitvoering] *concert* ⇒⟨solo instrument⟩ *recital* **0.2** [stuk] *concerto* ◆ **1.1** een reeks ~en voor abonnees *a series of subscription concerts* **2.¶** ⟨gesch.⟩ het Europees ~ *the Concert of Europe* **3.2** een ~ uitvoeren *perform/give/do a concert* **6.1** naar een ~ gaan *go to/attend a c.* **6.2** ~ in E grote terts *c. in E major, E major c.*; ~ voor fluit en viool *c. for flute and violin.*

concertant ⟨bn.⟩ ⟨muz.⟩ **0.1** *concertante* ◆ **1.1** de ~e partijen *the c. parts.*

concertante ⟨de⟩ ⟨muz.⟩ **0.1** *concertante.*

concerteren ⟨onov.ww.⟩ **0.1** [concert geven] *perform/give/do a concert* **0.2** [als solist spelen] *perform/play (solo)* ⇒*give a recital* ◆ **1.2** cantates van Bach met ~d orgel *Bach cantatas with organ solo* **6.1** het orkest concerteerde onder leiding van M. *the orchestra gave a concert conducted by M..*

concertganger ⟨de (m.)⟩ **0.1** *concertgoer.*

concertgebouw ⟨het⟩ **0.1** *concert hall.*

concertina ⟨de (v.)⟩ **0.1** *concertina.*

concertino ⟨het⟩ **0.1** [klein concert] *concertino* **0.2** [solisten] *concertino.*

concertist ⟨de (m.)⟩ **0.1** *concert soloist.*

concertmeester ⟨de (m.)⟩ **0.1** *(orchestra) leader* ⇒*concertmaster.*

concerto ⟨het⟩ **0.1** *concerto.*

concertpianist ⟨de (m.)⟩, -e ⟨de (v.)⟩ **0.1** *concert pianist.*

concertpodium ⟨het⟩ **0.1** *concert platform.*

concertstuk ⟨het⟩ **0.1** *concert-piece.*

concertvleugel ⟨de (m.)⟩ **0.1** *concert grand (piano).*

concertzaal ⟨de⟩ **0.1** *concert hall* ⇒*auditorium.*

concertzanger ⟨de (m.)⟩, -es ⟨de (v.)⟩ **0.1** *concert singer.*

concessie ⟨de (v.)⟩ **0.1** [toegeving] *concession* **0.2** [vergunning] *concession* ⇒*franchise, licence, permit,* ⟨jur.⟩ *charter* **0.3** [stuk land] *concession* ◆ **3.1** ~s doen aan iem. *make concessions to, concede (sth.) to s.o.* **3.2** ~ aanvragen voor iets *apply for a licence/permit for sth.*; in ~ geven *concede*; ~ verlenen *grant a c./licence/permit* **6.1** een ~ aan de mode *a c./nod to fashion.*

concessieaanvraag ⟨de⟩ **0.1** *application for a concession.*

concessief¹ ⟨de (m.)⟩ **0.1** [voegwoord] *concessive conjunction* **0.2** [modus] *concessive mood.*

concessief² ⟨bn.⟩ **0.1** *concessive.*

concessiehouder ⟨de (m.)⟩ **0.1** *concessionaire* ⇒[A]*concessionary, franchise holder, grantee.*

concessionaris ⟨de (m.)⟩ **0.1** *concessionaire* ⇒[A]*concessionary.*

conchoïde ⟨de (v.)⟩ ⟨wisk.⟩ **0.1** *conchoid.*

conchyliologie ⟨de (v.)⟩ ⟨biol.⟩ **0.1** *conchology.*

conciërge ⟨de⟩ **0.1** [B]*caretaker* ⟨vnl. school⟩ ⇒*porter* ⟨vnl. ziekenhuis, hotel, universiteit, flatgebouw⟩ *doorman, doorkeeper* ⟨vnl. hotel⟩, *warden,* [A]*super(intendant)* ⟨meestal inwonend⟩.

concies ⟨bn.⟩ **0.1** *concise* ⇒*compact, condensed.*

conciliair ⟨bn.⟩ **0.1** *conciliar.*

conciliant ⟨bn.⟩ **0.1** *conciliatory* ⇒*conciliating* ◆ **1.1** een ~ voorstel *a conciliatory proposal.*

concilie ⟨het⟩ ⟨r.k.⟩ **0.1** *council* ◆ **2.1** nationaal ~ *national c.*; het tweede Vaticaans ~ *the second Vatican Council, Vatican II.*

conciliëren ⟨ov.ww.⟩ **0.1** *conciliate* ⇒*appease.*

concipiëren ⟨ov.ww.⟩ **0.1** [opvatten] *conceive* **0.2** [ontwerpen] *conceive* ⇒*draft, plan.*

conclaaf ⟨het⟩ **0.1** *conclave* ◆ **6.1** de kardinalen zijn in ~ bijeen *the cardinals are (sitting) in c..*

conclave ⟨het⟩ **0.1** →*conclaaf.*

concluderen
I ⟨ov.ww.⟩ **0.1** [besluiten] *conclude* ⇒*deduce, infer, draw a conclusion* ◆ **3.1** wat kunnen we daaruit ~? *what can we c. from that?*; ~d kunnen we zeggen dat ... *in conclusion we can say that ...*;
II ⟨onov.ww.⟩ ⟨jur.⟩ **0.1** [tot een eis komen] *apply (for)* ⇒*move (for/ that),* ⟨laatste conclusie⟩ *close the pleading* ◆ **6.1 tot** invrijheidstel-

ling ~ *a. for/demand discharge;* ~ **tot** vernietiging van het vonnis *move to quash/set aside the verdict/judgement;* ~ **voor** eis *state the claim, claim.*

conclusie ⟨de (v.)⟩ **0.1** [slotsom] *conclusion* ⇒*inference, deduction,* ⟨onderzoek, mv.⟩ *findings* **0.2** [⟨jur.⟩ gedingstuk van partijen] *pleading* ⇒*statement, motion,* [A]*brief* **0.3** [⟨jur.⟩ sluitrede] *final pleading* **0.4** [advies van O.M.] *District Attorney's opinion given at the judge's request* ◆ **1.2** ~ van antwoord/repliek/dupliek *the (statement of) defence/reply/rejoinder;* ~ van eis (nemen) *(present/serve/deliver) the statement of claim* **2.1** voorbarige ~s trekken *jump to conclusions* **3.1** hoe luidt uw ~? *what is your c.?*; de ~ trekken *draw the c.* **6.1 tot** de ~ komen dat ... *come to/reach the c. that ....*

concordaat ⟨het⟩ **0.1** [overeenkomst tussen regering en paus] *concordat* **0.2** [⟨AZN⟩ gerechtelijk akkoord] *composition* ⇒*scheme.*

concordant ⟨bn.⟩ **0.1** [overeenstemmend] *concordant* ⇒*agreeing, harmonious, consonant* **0.2** [⟨geol.⟩] *concordant.*

concordantie ⟨de (v.)⟩ **0.1** [mbt. de bijbel] *concordance* **0.2** [mbt. een boek] *concordance* **0.3** [overeenstemming] *concordance* ⇒*agreement.*

concorderen ⟨onov.ww.⟩ **0.1** *concord* ⇒*harmonize, agree.*

concours ⟨de (m.)⟩ **0.1** [wedstrijd] *contest, concours* ◆ **3.1** deelnemen aan een ~ *enter/take part in a competition* **6.1** een ~ voor fanfares *brassband festival/competition* **¶.1** ~ hippique *horse show, show jumping (competition);* ⟨wedren⟩ *race meeting.*

concreet
I ⟨bn.⟩ **0.1** [als vorm voorstelbaar, aan een vorm gebonden] *concrete* ⇒*material* **0.2** [werkelijk bestaand] *concrete* ⇒*real, actual, tangible* **0.3** [duidelijk] *concrete* ⇒*definite, specific, particular* ◆ **1.1** een ~ begrip *a c. idea/term;* een ~ zelfst. nw. *a c. noun* **1.2** een ~ geval *an actual/a specific case;* de concrete situatie *the real/true situation* **1.3** concrete toezeggingen *definite promises/pledges;* een ~ voorstel *a c. proposal* **1.¶** concrete muziek *c. music;* concrete poëzie *c. poetry* **4.3** het overleg heeft niets ~s opgeleverd *the discussion did not result in anything c.;*
II ⟨bw.⟩ **0.1** [ondubbelzinnig] *clearly* ⇒*concretely, in a concrete manner, definitely* ◆ **3.1** zich ~ uitdrukken *express o.s. in concrete/clear terms, put it c./clearly.*

concrement ⟨het⟩ ⟨med.⟩ **0.1** *concretion.*

concretiseren ⟨ov.ww.⟩ **0.1** *concretize* ⇒*make concrete* ⟨plannen⟩, *crystallize* ⟨ideeën⟩.

concretisering ⟨de (v.)⟩ **0.1** *realization* ⇒*realizing* ◆ **1.1** ~ van de plannen *r. of plans.*

concreto ◆ **¶.¶** in ~ *in reality, actually, in point of fact, as a matter of fact.*

concubant ⟨de (m.)⟩ **0.1** *person with whom one cohabits.*

concubinaat ⟨het⟩ **0.1** *concubinage* ◆ **6.1** in ~ leven *live as common law man and wife;* ⟨gesch.⟩ *live in c..*

concubine ⟨de (v.)⟩ **0.1** *concubine.*

concurrent¹ ⟨de (m.)⟩ **0.1** [mededinger] *competitor* ⟨ook handel⟩ ⇒*rival* **0.2** [schuldeiser] *ordinary creditor/liability* ◆ **¶.1** alle ~en ver achter zich laten *leave the competitors/competition standing far behind/ miles behind, be streets/miles/way ahead of the competition.*

concurrent² ⟨bn.⟩ **0.1** *competing (with)* ⇒*rival(ling)* ◆ **1.1** ~e crediteuren *ordinary creditors/liabilities* **1.¶** ~e lijnen *concurrent lines* **6.1** ~ zijn met *rank (along) with;* ⟨bij faillissement⟩ *rank pari passu with.*

concurrentie ⟨de (v.)⟩ **0.1** [wedijver] *competition* ⇒*contest, rivalry* **0.2** [de concurrenten] *competition* **0.3** [gelijkgerechtigheid] *ranking pari passu (inter se)* ◆ **2.1** genadeloze/moordende ~ *ruthless/cutthroat/ fierce c.;* scherpe ~ *fierce/close/severe/keen c.* **3.1** iem. ~ aandoen *compete with s.o., offer c. to s.o.;* ⟨hand.⟩ *sell in c. with s.o.;* weinig/ geen ~ hebben *meet with/face little/no c., have little/no c. to contend with;* ~ ondervinden *meet with/experience c.* **3.2** de ~ het hoofd bieden *stand up to/face/meet the c.* **6.2** ik ga wel naar de ~ *I'll do business with/go to the c..*

concurrentiebeding ⟨het⟩ **0.1** [mbt. werk tijdens de overeenkomst] *(contract/agreement in) restraint of trade* **0.2** [mbt. werk na de overeenkomst] *competition clause.*

concurrentiepositie ⟨de (v.)⟩ **0.1** *competitive position* ⇒*competitiveness.*

concurrentiestrijd ⟨de (v.)⟩ **0.1** *competition* ⇒*competitive struggle/rivalry* ◆ **2.1** in een bikkelharde ~ gewikkeld zijn met iem. *be engaged in (some) cutthroat/* ⟨inf.⟩ *(very) tough competition/competitive warfare with s.o.* **3.1** de ~ aanbinden met iem. *enter into competition/rivalry with s.o..*

concurrentievervalsing ⟨de (v.)⟩ **0.1** *distortion of competition* ⇒*unfair/* ↑ *imperfect competition.*

concurreren ⟨onov.ww.⟩ **0.1** [wedijveren] *compete* **0.2** [mbt. vorderingen/schuldeisers] *compete* ⇒*rank pari passu* **5.1** andere merken eruit ~ *undercut other brands* **6.1** kunnen ~ **met** *be able to c./hold one's own with;* moeten ~ **met/tegen** *have to c. with/face the competition of.*

concurrerend ⟨bn., bw.; -ly⟩ **0.1** *competitive* ⟨prijs⟩; *competing, rival* ⟨firma⟩; *clashing* ⟨belangen⟩ ◆ **1.1** scherp ~e prijzen *keenly competitive prices.*

condens ⟨het⟩ **0.1** *condensate* ⇒*condensation.*

condensaat ⟨het⟩ **0.1** *condensate* ⇒*condensation.*

condensatie ⟨de (v.)⟩ **0.1** *condensation.*

condensatiestreep ⟨de⟩ **0.1** *condensation trail, contrail* ⇒*vapour trail.*

condensatiewarmte ⟨de (v.)⟩ **0.1** *heat of condensation / vaporization.*

condensatiewater ⟨het⟩ **0.1** *(water of) condensation.*

condensator ⟨de (m.)⟩ **0.1** [toestel tot openhopen van elektrische lading] *capacitor* ⇒*condenser* **0.2** [toestel om stoom in water om te zetten] *(steam) condenser* ◆ **2.1** variabele ~ *variable capacitor / condenser.*

condenseren
I ⟨ov.ww.⟩ **0.1** [doen verdichten] *condense* **0.2** [indampen] *condense* ⇒*boil down, evaporate* **0.3** [bekorten] *condense* ◆ **1.2** gecondenseerde melk *evaporated milk;* ⟨met suiker⟩ *condensed milk;*
II ⟨onov.ww.⟩ **0.1** [verdichten] *condense* ◆ **6.1** de waterdamp condenseert tegen de ruiten *the steam is condensing on the windows, the windows are steaming up.*

condensor ⟨de (m.)⟩ **0.1** [reservoir] *condenser* **0.2** [lenzenstelsel] *condenser.*

condenswater ⟨het⟩ →**condensatiewater.**

conditie ⟨de (v.)⟩ **0.1** [voorwaarde] *condition* ⇒*proviso,* ⟨mv. ook⟩ *terms* **0.2** [toestand] *condition* ⇒*state,* ⟨lichamelijk⟩ *form, shape, fitness* ◆ **2.2** in goede ~ zijn *be in good c. / in a good state* ⟨zaken, gebouwen⟩; *be on form, be in (good) form / condition / shape, be fit* ⟨personen, ihb. mbt. sport⟩; een goede / slechte ~ hebben *be in good / bad c. / shape / form, be fit / unfit;* in een slechte ~ zijn *be in bad / poor c. / in a bad / poor state* ⟨zaken, gebouwen⟩; *be off form, be out of form / condition / shape, be unfit* ⟨personen⟩; in uitstekende ~ *in / on top form, in the pink of c., in fine fettle* **3.1** een ~ stellen *make a c.* **6.1** onder / op ~ dat *on (the) c. that, provided that* **6.2** niet in ~ zijn *be off form, be unfit;* hij trainde veel om in ~ te blijven *he trained a lot in order to keep fit / in c. / in form* **7.2** je hebt geen ~ *you've got no stamina.*

conditietraining ⟨de (v.)⟩ **0.1** *fitness training* ⇒*callisthenics,* ⟨vero.; BE; inf.⟩ *physical jerks.*

conditio ⟨de (v.)⟩ **0.1** *condition* ⇒*term, provision* ◆ ¶.**1** ~ tacita *implicit c.;* ~ sine qua non *(conditio) sine qua non;* de ~ sine qua non is dat de lucht helder is *a clear sky is a sine qua non.*

conditionalis ⟨de (m.)⟩ ⟨taal.⟩ **0.1** *conditional.*

conditioneel ⟨bn., bw.; -ly⟩ **0.1** *conditional.*

conditioneren ⟨ov.ww.⟩ **0.1** [⟨psych.⟩] *condition* **0.2** [bedingen] *stipulate* ⇒*condition* **0.3** [in een toestand houden] *condition* **0.4** [het vochtgehalte bepalen] *condition.*

condoléance ⟨de⟩, **condoleantie** ⟨de (v.)⟩ **0.1** *condolence* ⇒*sympathy.*

condoleantiebezoek ⟨het⟩ **0.1** *call / visit of condolence / sympathy.*

condoleantiebrief ⟨de (m.)⟩ **0.1** *letter of condolence / sympathy.*

condoleren ⟨onov., ov.ww.⟩ **0.1** *offer one's condolences / sympathy (to s.o.)* ⇒*condole with s.o.* ◆ **5.1** schriftelijk ~ *send / write a letter of condolence, send one's sympathies* **6.1** iem. ~ met *condole with s.o. on, sympathize with s.o. in;* gecondoleerd met je moeder *please accept my condolences on the death of your mother* ¶.¶ gecondoleerd *accept my sympathies, you have my sympathy.*

condominium ⟨het⟩ **0.1** [gemeenschappelijk eigendom] *condominium* **0.2** [gemeenschappelijke soevereiniteit] *condominium.*

condoom ⟨het⟩ **0.1** *condom* ⇒*(protective / contraceptive) sheath,* ⟨BE; inf.⟩ *durex,* ⟨AE; inf.⟩ *rubber.*

condoomautomaat ⟨de (m.)⟩ **0.1** *condom dispenser / machine* ⇒ ⟨BE; inf.⟩ *durex machine.*

condor ⟨de (m.)⟩ ⟨dierk.⟩ **0.1** *(Andean) condor.*

conducteur ⟨de (m.)⟩ **0.1** *conductor* ⟨AE ook op trein⟩ ⇒*ticket collector,* [B]*guard* ⟨op trein⟩.

conductor ⟨de (m.)⟩ **0.1** [geleider] *conductor* **0.2** [geleibuis] *surface casing* ⇒*conductor.*

conductrice ⟨de (v.)⟩ **0.1** ⟨vnl. BE⟩ *conductress* ⇒*ticket collector,* [B] ↓ *clippie* ⟨bus⟩.

conduite ⟨de (v.)⟩ **0.1** [gedrag] *conduct* ⇒*behaviour* **0.2** [gedragsbeoordeling] *conduct record.*

conduitestaat ⟨de (m.)⟩ **0.1** *personal record* ⇒ ⟨mil.⟩ *conduct sheet.*

confectie ⟨de (v.)⟩ **0.1** [kleding] *ready-to-wear / off-the-peg / ready-made clothes / garments* **0.2** [het vervaardigen van kleding] *production of ready-to-wear clothing* ⇒*clothing manufacture.*

confectieatelier ⟨het⟩ **0.1** *(ready-made) clothing factory / workshop,* ⟨slechte werkomstandigheden⟩ *sweatshop.*

confectie-industrie ⟨de (v.)⟩ **0.1** *clothing industry* ⇒*clothing trade,* ⟨inf.⟩ *rag trade.*

confectiekleding ⟨de (v.)⟩ **0.1** *ready-to-wear / off-the-peg / ready-made clothes / garments.*

confectiepak ⟨het⟩ **0.1** *ready-to-wear / off-the-peg suit* ⇒ ⟨meestal pej.⟩ *reach- /* [A]*hand-me-down suit.*

confectionair →**confectioneur.**

confectioneren ⟨ov.ww.⟩ **0.1** *manufacture (ready-to-wear) clothes.*

confectioneur ⟨de (m.)⟩ **0.1** *ready-to-wear tailor.*

confederatie ⟨de (v.)⟩ **0.1** *confederation* ⇒*confederacy.*

confedereren ⟨ov.ww.⟩ **0.1** *confederate.*

confer ⟨schr.⟩ **0.1** *compare* ⇒*cf.* ⟨afk.⟩.

conferatur ⟨schr.⟩ **0.1** *compare* ⇒*cf.* ⟨afk.⟩.

confe'rence ⟨de (v.)⟩ ⟨Fr.⟩ **0.1** [voordracht] *(solo) sketch / act, (comic) monologue* **0.2** [praatje] *talk* ⇒ ↑*lecture,* ↑*speech* **0.3** [conferentie] *conference.*

'conference ⟨de⟩ ⟨Eng.⟩ **0.1** *conference.*

conferencier ⟨de (m.)⟩ **0.1** [komiek] ⟨vnl. BE⟩ *compère* ⇒*entertainer* **0.2** [iem. die een causerie houdt] *speaker* ⇒ ↑*lecturer.*

conferentie ⟨de (v.)⟩ **0.1** [beraadslaging] *conference* ⇒*discussion, meeting* **0.2** [toespraak] *talk* ⇒ ↑*lecture,* ↑*speech* ◆ **3.1** een ~ afgelasten *call off / cancel a c.;* een ~ beleggen *call a c.;* een ~ hebben met *have a meeting / appointment with;* een ~ houden *hold a c.* **6.1** in ~ zijn *be in c.;* een ~ met een advocaat *a consultation with a lawyer.*

conferentietafel ⟨de⟩ **0.1** *conference table* ◆ **6.1** ⟨fig.⟩ aan de ~ gaan zitten *go to the c.t..*

conferentiezaal ⟨de⟩ **0.1** *conference room / hall.*

confereren ⟨onov.ww.⟩ **0.1** *confer* ⇒*consult* ◆ **5.1** er is lang geconfereerd *the consultations went on / lasted a long time* **6.1** met iem. over iets ~ *confer with / consult (with) s.o. on sth..*

confessie ⟨de (v.)⟩ **0.1** [schuldbekentenis] *confession* ⇒*acknowledg(e)ment, admission* **0.2** [geloofsbelijdenis] *confession (of faith)* ⇒ ⟨overtuiging⟩ *(religious) denomination / belief / persuasion.*

confessionalisme ⟨het⟩ **0.1** [het vooropstellen van de belijdenis] *confessionalism* ⇒*denominationalism* **0.2** [richting] *denominationalism,* ⟨pej.⟩ *sectarianism, partisanship.*

confessioneel ⟨bn.⟩ **0.1** [overeenkomstig een geloofsbelijdenis] *confessional* ⇒ ⟨ihb. mbt. onderwijs⟩ *denominational,* [A]*parochial* **0.2** [orthodox] *orthodox* **0.3** [⟨pol.⟩] *confessional* ⇒*religious, denominational* ◆ **1.1** confessionele school *denominational school* **1.3** de confessionele partijen *the confessional / religious parties.*

confessionelen ⟨zn.mv.⟩ **0.1** [⟨pol.⟩] *(supporters of the) confessional / religious parties* **0.2** [de orthodoxen] *orthodox.*

confetti ⟨de (m.)⟩ **0.1** *confetti* ⇒ ⟨kleurenruis ook⟩ *colour noise / snow, chad(s)* ⟨bij ponsen⟩ ◆ **6.1** met ~ strooien *throw / shower confetti.*

confidentie ⟨de (v.)⟩ **0.1** [vertrouwelijke mededeling] *confidence* **0.2** [vertrouwen] *confidence* ⇒*trust* ◆ **3.1** ~s doen aan *confide in, share a c. with.*

confidentieel ⟨bn., bw.; -ly⟩ **0.1** *confidential* ⇒*(private and) confidential* ⟨op envelop⟩, ⟨jur.; gevrijwaard van gerechtelijke toetsen⟩ *privileged* ◆ **3.1** (iem.) iets ~ zeggen *tell (s.o.) sth. in confidence / sub rosa, take (s.o.) into one's confidence.*

configuratie ⟨de (v.)⟩ **0.1** [samenstel van figuren] *configuration* **0.2** [⟨wisk.⟩] *configuration* **0.3** [⟨schei.⟩] *configuration* ⇒*conformation* **0.4** [⟨ster.⟩] *configuration.*

confirmandus ⟨de (m.)⟩ **0.1** *confirmand* ⇒*candidate for confirmation.*

confirmatie ⟨de (v.)⟩ **0.1** [bevestiging] *confirmation* ⇒*corroboration* **0.2** [⟨prot.⟩] *confirmation* **0.3** [⟨statistiek⟩] *confirmation.*

confirmeren ⟨ov.ww.⟩ **0.1** [⟨prot.⟩] *confirm* **0.2** [⟨r.k.⟩] *confirm* **0.3** [⟨hand.⟩] *confirm.*

confiscabel ⟨bn.⟩ **0.1** [verbeurd verklaard kunnende worden] *confiscable* **0.2** [verboden] *prohibited* ⇒*unauthorised.*

confiscatie ⟨de (v.)⟩ **0.1** *confiscation* ⇒ ⟨algemener⟩ *seizure,* ⟨verbeurdverklaring⟩ *forfeiture.*

confiserie ⟨de (v.)⟩ ⟨schr.⟩ **0.1** *confectionery* ⇒*confectioner's (shop /* [A]*store), pastry / cake shop /* [A]*store.*

confiseur ⟨de (m.)⟩ ⟨schr.⟩ **0.1** *confectioner* ⇒*pastry cook.*

confisqueerbaar ⟨bn.⟩ **0.1** *confiscable* ⇒ ⟨algemener⟩ *seizable.*

confisqueren ⟨ov.ww.⟩ **0.1** *confiscate* ⇒ ⟨algemener⟩ *seize,* ⟨verbeurd verklaren⟩ *forfeit.*

confiteor ⟨het⟩ ⟨r.k.⟩ **0.1** *Confiteor.*

confituren ⟨zn.mv.⟩ **0.1** *conserves.*

confituur ⟨de (v.)⟩ **0.1** [jam] *jam* ⇒*confiture* **0.2** [⟨samenst.⟩] confiture] *preserve(s)* ⇒*preserved / candied fruit, conserve(s).*

conflict ⟨het⟩ **0.1** *conflict* ⇒*clash* ◆ **2.1** een gewapend ~ *an armed conflict, conflict of arms;* een innerlijk ~ *an inner struggle / conflict* **6.1** in ~ komen met *come into conflict / collision with, clash with.*

conflicthantering ⟨de (v.)⟩ ⟨welzijnswerk⟩ **0.1** *conflict management* ◆ **1.1** een cursus ~ *a course in c.m..*

conflictmodel ⟨het⟩ **0.1** *strategy of confrontation.*

conflictsituatie ⟨de (v.)⟩ **0.1** [toestand] *conflict situation* **0.2** [innerlijke strijd] *inner conflict / struggle.*

conflictueus ⟨bn.⟩ **0.1** *discordant* ◆ **1.1** een conflictueuze sfeer *a d. atmosphere, an atmosphere of discordance / conflict.*

conform
I ⟨bn.⟩ **0.1** [overeenstemmend] *in conformity / accordance with* ⇒*conformable to* ◆ **1.1** ⟨wisk.⟩ ~e afbeelding *conformal representation;* voor kopie ~ *(certified) copy, conformable to the original;* **II** ⟨bw.⟩ **0.1** [overeenkomstig] *in conformity / accordance with* **0.2** [in orde] *correct* ⇒*as agreed, in order* ◆ **1.1** ~ de eis *in accordance with the demand, as demanded;* ~ uw instructies *pursuant to / in accordance with your instructions;* zijn optreden was ~ de opdracht *he acted in accordance with his instructions* **3.2** een zaak ~ bevinden *find a matter c. / in order.*

conformeren

I ⟨wk.ww.;zich~⟩ **0.1** [zich voegen naar] *conform (to)* ⇒*comply (with)* ◆ **6.1** zich~ **aan** de publieke opinie *conform to / bow to public opinion;*
II ⟨ov.ww.⟩ **0.1** [gelijkvormig maken] *conform.*

conformisme ⟨het⟩ **0.1** *conformism.*

conformist ⟨de (m.)⟩ **0.1** [iem. die zich makkelijk schikt] *conformist* **0.2** [lid van de Engelse bisschoppelijke kerk] *conformist.*

conformistisch ⟨bn.⟩ **0.1** [geneigd zich te schikken] *conformist* **0.2** [van de conformisten] *conformist.*

conformiteit ⟨de (v.)⟩ **0.1** *conformity* ⇒*accordance, conformance* ◆ **6.1** **in** ~ **met** *in conformity / accordance with.*

confrater ⟨de (m.)⟩ **0.1** *colleague* ⇒*confrère.*

confrère ⟨de (m.)⟩ **0.1** *confrère* ⇒⟨tussen advokaten⟩ *(my) learned friend, (his) brother counsel.*

confrérie ⟨de (v.)⟩ ⟨gesch.⟩ **0.1** *confrerie* ⇒*brotherhood, fraternity.*

confrontatie ⟨de (v.)⟩ **0.1** [het confronteren / geconfronteerd worden] *confrontation* **0.2** ⟨sport⟩ *confrontation.*

confrontatiespiegel ⟨de (m.)⟩ **0.1** *two-way mirror.*

confronteren ⟨ov.ww.⟩ **0.1** [tgov. elkaar plaatsen] *confront (with)* ⇒*face (with)* **0.2** [mbt. getuigen] *confront (with)* ⇒*bring face to face (with)* ◆ **6.1 met** de werkelijkheid geconfronteerd worden *be confronted / faced with reality, come up against hard facts.*

confucianisme ⟨het⟩ **0.1** *Confucianism.*

confusie ⟨de (v.)⟩ **0.1** [verwarring] *confusion* ⇒*muddle* **0.2** [verlegenheid] *confusion* ⇒*embarrassment* **0.3** [⟨jur.⟩ schuldvermenging] *confusion.*

confuus ⟨bn.⟩ **0.1** [verward] *confused* ⇒*mixed-up, muddled* **0.2** [verlegen] *confused* ⇒*embarrassed, confounded* ◆ **3.2** iem.~ maken *confuse / embarrass / confound s.o.;* hij werd er~ van *he didn't know what to say, he was speechless / confounded.*

conga ⟨de⟩ **0.1** [trom] *conga drum* **0.2** [dans] *conga.*

congé ⟨het⟩ **0.1** [ontslag] *dismissal* ⇒*notice (to quit / leave),* ↑*congé* **0.2** [verlof] *holiday,* ᴬ*vacation* ⇒*leave, time off* ◆ **3.1** iem. zijn~ geven *dismiss / sack / fire s.o., give s.o. (his) notice;* ⟨inf.⟩ *give s.o. the boot / the sack / his cards / his marching orders, send s.o. packing;* zijn~ krijgen *[ontslagen worden] get dismissed / fired, get the boot / the sack /* ⟨inf.⟩ *one's cards; get / be given one's marching orders / the brush-off* ⟨mbt. minnaar⟩; *nemen [ontslag nemen] hand in one's cards / notice;* ⟨weggaan⟩ *take one's congé.*

congeniaal ⟨bn.⟩ **0.1** *congenial* ⇒*kindred* ⟨geesten⟩, *sympathetic.*

congenitaal ⟨bn.⟩ **0.1** *congenital* ◆ **1.1** congenitale afwijking *c. anomaly, birth defect.*

congestie ⟨de (v.)⟩ **0.1** [bloedophoping] *congestion* **0.2** [⟨fig.⟩ opstopping] *congestion.*

conglomeraat ⟨het⟩ **0.1** [samenklontering] *conglomerate* ⇒*conglomeration* **0.2** [steenmassa] *conglomerate* ⇒*pudding stone.*

conglomeratie ⟨de (v.)⟩ **0.1** *conglomeration.*

conglomereren ⟨onov.ww.⟩ **0.1** *conglomerate.*

conglutineren ⟨ov.ww.⟩ **0.1** *conglutinate.*

congregatie ⟨de (v.)⟩ ⟨r.k.⟩ **0.1** [vereniging van personen die geloften hebben afgelegd] *congregation* ⇒*order* **0.2** [kerkelijk goedgekeurde vereniging van leken] *congregation* ⇒*sodality* **0.3** [godsdienstoefeningen] *services (held by a congregation)* **0.4** [groep van kardinalen] *Congregation.*

congres ⟨het⟩ **0.1** [samenkomst ter bespreking] *congress* ⇒*conference,* ⟨vnl. AE⟩ *convention* ⟨van zakenlieden, kiesmannen van politieke partij⟩ **0.2** [wetgevende vergadering] *Congress* ◆ **1.1** de handelingen / verslagen v.e. ~ *conference proceedings* **2.1** een medisch ~ *a medical congress / conference (on)* **2.2** het (Amerikaanse) Congres *(the United States) Congress.*

congrescentrum ⟨het⟩ **0.1** *conference / congress centre.*

congresganger ⟨de (m.)⟩ **0.1** *person attending a / the conference / congress / convention* ⇒*conference participant, conferee,* ⟨afgevaardigde⟩ *delegate to a conference, conference delegate.*

congresgebouw ⟨het⟩ **0.1** *conference hall / centre.*

congreslid ⟨het⟩ **0.1** [deelnemer aan congres] *member of a / the congress, person attending a / the congress / conference / convention* **0.2** [⟨AE; pol.⟩] *Congressman* ⟨m.⟩, *Congresswoman* ⟨v.⟩ ⇒*member of Congress.*

Congrespartij ⟨de (v.)⟩ **0.1** ⟨India⟩ *Congress Party.*

congresseren ⟨onov.ww.⟩ **0.1** *hold a congress / conference.*

congressist ⟨de (m.)⟩ **0.1** →*congresganger.*

congrestolk ⟨de (m.)⟩ **0.1** *conference / congress interpreter.*

congruent ⟨bn.⟩ **0.1** [overeenstemmend] *corresponding* ⇒*matching, agreeing, congruous* **0.2** [⟨wisk.⟩ gelijk(vormig)] *congruent.*

congruentie ⟨de (v.)⟩ **0.1** [overeenstemming] *correspondence* ⇒*agreement, congruity* **0.2** [⟨taal.⟩] *concord, agreement* **0.3** [⟨wisk.⟩] *congruence.*

congrueren ⟨onov.ww.⟩ **0.1** [overeenstemmen] *correspond (to / with)* ⇒*match, agree (with)* **0.2** [⟨taal.⟩] *agree* **0.3** [⟨wisk.⟩] *be congruent* ◆ **6.2** onderwerp en persoonsvorm ~ **met** elkaar *subject and verb a. in person and number, there is subject-verb concord / concord between subject and verb.*

conifeer ⟨de (m.)⟩ **0.1** *conifer.*

conjecturaal ⟨bn.⟩ **0.1** *conjectural.*

conjectuur ⟨de (v.)⟩ **0.1** [vermoeden] *conjecture* **0.2** [vermoedelijke lezing] *conjecture* ⇒*conjectural reading.*

conjugaal ⟨bn., bw.;-ly⟩ **0.1** *conjugal.*

conjugatie ⟨de (v.)⟩ **0.1** [⟨taal.⟩] *conjugation* **0.2** [⟨biol.⟩] *conjugation.*

conjugeren ⟨ov.ww.⟩ **0.1** *conjugate.*

conjunct ⟨bn.⟩ **0.1** *conjunct.*

conjunctie ⟨de (v.)⟩ **0.1** [vereniging, verbinding] *conjunction* **0.2** [⟨ster.⟩] *conjunction* **0.3** [⟨taal.⟩] *conjunction* **0.4** [⟨astrol.⟩] *conjunction.*

conjunctief¹ ⟨de (m.)⟩ ⟨taal.⟩ **0.1** *subjunctive.*

conjunctief² ⟨bn., bw.;-ly⟩ **0.1** *conjunctive* ◆ **1.1** ⟨logica⟩ een conjunctieve propositie *a c. proposition* **1.2** men moet dit gegeven ~ zien *this item needs to be seen in its full context.*

conjunctiva ⟨de (v.)⟩ ⟨med.⟩ **0.1** *conjunctiva.*

conjunctivitis ⟨de (v.)⟩ **0.1** *conjunctivitis* ⇒*pink eye.*

conjunctureel ⟨bn., bw.;-ly⟩ **0.1** *cyclical* ⇒*economic, connected with / due to economic / market trends* ◆ **1.1** problemen van conjuncturele aard *cyclical problems, problems caused by fluctuations in the market;* conjuncturele maatregelen *(anti-)cyclical measures, economic policy measures;* de conjuncturele situatie *the economic / business situation* **3.1** ~ gezien was 1985 … *viewed in the short term / as a phase in the trade cycle, 1985 was ….*

conjunctuur ⟨de (v.)⟩ **0.1** *(short-term / general) economic situation / climate* ⇒*state / condition / trend of the market, state of trade (and industry), market conditions / trends, trade / business cycle, business outlook* ◆ **2.1** een dalende ~ *a slump, a decline / downswing in trade, a downward economic trend, a slowing economy;* hoge ~ *(cyclical) boom, (period / wave of) prosperity, booming economy;* lage ~ *recession, depression, trough, dip;* een opgaande ~ *a trade / an economic recovery / revival / upturn / upswing, an increasing economic activity.*

conjunctuurbeleid ⟨het⟩ **0.1** *trade cycle policy* ⇒*cyclical policy.*

conjunctuurbeweging ⟨de (v.)⟩ **0.1** *cyclical movement, economic trend* ⇒*trade / business cycle* ◆ **2.1** een opgaande ~ *an upward trend / revival of the business cycle / in trade.*

conjunctuurgevoelig ⟨bn.⟩ **0.1** *cyclically sensitive* ⇒*sensitive to economic / cyclical / market trends / fluctuations.*

conjunctuurgolf ⟨de⟩ **0.1** *business cycle* ⇒*trade cycle.*

conjunctuurpolitiek ⟨de (v.)⟩ **0.1** *anti- / counter-cyclical policy.*

conjunctuurschommeling ⟨de (v.)⟩ **0.1** *economic / cyclical fluctuation* ⇒*fluctuation in trade, business cycle.*

conjunctuurverschijnsel ⟨het⟩ **0.1** *cyclical phenomenon* ◆ **2.1** een veel voorkomend ~ *a common cyclical phenomenon.*

conjunctuurwerkloosheid ⟨de (v.)⟩ **0.1** *cyclical / seasonal unemployment* ⇒*unemployment due to economic factors.*

connaisseur ⟨de (m.)⟩ **0.1** *connoisseur* ⇒ ↑*cognoscente* ⟨ook iron.⟩.

connectie ⟨de (v.)⟩ **0.1** [relatie] *connection* ⇒*link, relation(ship), association* **0.2** [invloedrijke betrekkingen] *connection* ⇒⟨persoon⟩ *contact (man)* ◆ **2.2** goede ~s hebben *be well connected* **3.1** ~s aanknopen *make / establish connections* **3.2** hij heeft overal ~s *he has connections / contacts all over the place* **7.1** ~ staan met *have connections with, be associated with;* **in** ~ treden met *make / establish connections with, enter into relations with, become associated with* **7.2** veel ~s hebben *have many connections / contacts.*

conniventie ⟨de (v.)⟩ **0.1** [toegevendheid] *connivance (at sth.)* **0.2** [samenspanning bij misdrijven] *connivance (with s.o. to do sth.).*

connossement →*cognossement.*

connotatie ⟨de (v.)⟩ **0.1** *connotation.*

conrector ⟨de (m.)⟩ **0.1** [mbt. een middelbare school] ⟨vnl. BE⟩ ≠*deputy headmaster, second master; deputy principal* **0.2** [mbt. geestelijke instellingen] *vice-rector* **0.3** [mbt. een universiteit] ᴮ*deputy vice-chancellor,* ᴬ*vice-president* ⇒ᴮ*pro-vice-chancellor.*

consacreren ⟨ov.ww.⟩ **0.1** [wijden] *consecrate* **0.2** [⟨fig.⟩] *hallow* ◆ **1.2** door de tijd geconsacreerde gewoontes *customs hallowed by time.*

consciëntieus ⟨bn., bw.;-ly⟩ **0.1** *conscientious* ⇒*scrupulous, painstaking* ◆ **1.1** een ~ werker / iemand a *c. worker / person* **3.1** een taak / functie ~ vervullen *perform a task / function conscientiously;* ~ werken *(do one's) work conscientiously.*

conscriptie ⟨de (v.)⟩ **0.1** *conscription,* ᴬ*draft.*

consecratie ⟨de (v.)⟩ ⟨r.k.⟩ **0.1** [wijding door een bisschop] *consecration* **0.2** [sacramentele woorden bij het misoffer] *consecration.*

consecutief
I ⟨bn., bw.;-ly⟩ **0.1** [opeenvolgend] *consecutive;*
II ⟨bn.⟩ **0.1** [⟨taal.⟩] *consecutive* **0.2** [⟨fil.⟩] *consequent.*

consensus ⟨de⟩ **0.1** [mbt. gevoelens] *consensus* **0.2** [mbt. opvattingen] *consensus* ◆ **3.1** een ~ bereiken *reach a c..*

consent ⟨het⟩ **0.1** [vergunning] *permission* ⇒*authorization* **0.2** [verlofbriefje] *permit* ⇒*licence* ᴬ*se* **0.3** [⟨hand.⟩] *licence* ᴬ*se, permit* **0.4** [geleidebiljet] *waybill* ⇒⟨douane⟩ *permit* ◆ **1.3** ~ voor invoer / uitvoer *import / export licence.*

consenteren ⟨ov.ww.⟩ **0.1** *consent to, agree to.*

consequent

I ⟨bn.⟩ **0.1** [logisch/noodzakelijk voortvloeiend] *logical* ⇒*consequential* **0.2** [zichzelf gelijk blijvend] *consistent (with)* ◆ **1.1** de ∼e toepassing van een beginsel *the l. application of a principle* **3.2** je moet ∼ blijven *you must be c.;*
II ⟨bw.⟩ **0.1** [op logische wijze] *logically* ⇒*consequentially* ◆ **3.1** ∼ handelen *act l., do the logical thing, be consistent;* ∼ redeneren *reason l..*

consequentie ⟨de (v.)⟩ **0.1** [logisch/noodzakelijk gevolg] *consequence* ⇒ ↑*corollary* **0.2** [het trouw blijven aan beginselen] *consistency* ◆ **2.1** tot in de uiterste/verste ∼s doordacht *thought right through (to its ultimate/logical conclusion).* **3.1** die ∼ moet men aanvaarden *you have to take/accept/bear the consequences;* terugschrikken voor de ∼s (van iets) *shrink from the consequences (of sth.);* de ∼s trekken *draw the obvious conclusion, take the logical/obvious step.*

conservatie ⟨de (v.)⟩ **0.1** *conservation* ⇒*preservation.*
conservatief[1] ⟨de (m.)⟩ **0.1** [behoudend persoon] *conservative* **0.2** [⟨pol.⟩] *conservative* ⇒[B]*Tory.*
conservatief[2]
I ⟨bn.⟩ **0.1** [behoudend] *conservative* **0.2** [⟨pol.⟩] *Conservative* ⇒[B]*Tory* ◆ **1.1** conservatieve krachten *c. forces* **1.2** de conservatieve partij *the C./Tory Party* **1.¶** conservatieve therapie *c. therapy* **5.1** extreem ∼ *ultra-c., arch-c.;* ⟨BE ook⟩ *blimpish, true-blue;*
II ⟨bw.⟩ **0.1** [op behoudende wijze] *conservatively* **0.2** [⟨pol.⟩] *in Conservative/*[B]*Tory fashion.*
conservatieveling ⟨de (m.)⟩ **0.1** *conservative* ⇒*die-hard,* ⟨inf.⟩ *square(-toes), old fog(e)y,* ⟨BE;pol.⟩ *Tory,* ⟨BE;sl.⟩ *Colonel Blimp.*
conservatisme ⟨het⟩ **0.1** *conservatism* ⇒[B]*Toryism* ◆ **2.1** star∼ *arch-c.;* ⟨BE;inf.⟩ *blimpery.*
conservatoir ⟨bn.⟩ ◆ **1.¶** ∼ beslag leggen op *attach, garnish(ee), seize, distrain.*
conservator ⟨de (m.)⟩, **-trice** ⟨de (v.)⟩ **0.1** *curator* ⟨van museum⟩ ⇒ *keeper, custodian* ⟨v.e. afdeling of collectie⟩ ◆ **1.1** ∼ v.d. handschriften *custodian/keeper of the manuscripts, head of the manuscript department.*
conservatorium ⟨het⟩ **0.1** *academy/college/school of music* ⇒*conservatory, conservatoire* ◆ **1.1** het diploma ∼ *diploma/degree in music* **3.1** als docent aan het ∼ verbonden zijn *be a teacher at the school of music* **6.1** zij zit op het ∼ *she is at music school/the conservatory.*
conservatoriumleerling, -student ⟨de (m.)⟩, **-e** ⟨de (v.)⟩ **0.1** *music student* ⇒*student at a/the music academy/music school/school of music/conservatory.*
conserveermiddel ⟨het⟩ →**conserveringsmiddel.**
conserven ⟨zn.mv.⟩ **0.1** *canned/*[B]*tinned food(s)/provisions/goods* ⇒*preserved food(s).*
conservenblik ⟨het⟩ **0.1** [bus met geconserveerde produkten] *can* ⇒[B]*tin (can)* **0.2** [autootje] *jam Lizzie* ⟨AE vero.⟩, [A]*jalopy.*
conservenfabriek ⟨de (v.)⟩ **0.1** *cannery/canning/* ⟨BE ook⟩ *preserving/tinning factory, packinghouse/packing plant.*
conserveren ⟨ov.ww.⟩ **0.1** [in stand houden] *preserve, maintain* **0.2** [voor bederf bewaren] *preserve* ⇒⟨in blik⟩ *can,* [B]*tin* ◆ **1.1** het hoger onderwijs heeft ook een ∼de functie *higher education also has a conservative function;* ∼de tandheelkunde *conservative dentistry* **5.2** goed geconserveerd zijn *be well preserved.*
conservering ⟨de (v.)⟩ **0.1** [het in stand houden] *preservation* ⇒*preserving* ⟨monumenten⟩, *conservation* ⟨natuur⟩ **0.2** [het voor bederf bewaren] *preserving* ⇒⟨in blik⟩ *canning,* [B]*tinning.*
conserveringsmiddel ⟨het⟩ **0.1** *preservative.*
considerans ⟨de (v.)⟩ **0.1** [beweegreden] *consideration* ⇒*factor, reason* **0.2** [inleidende paragraaf] *preamble.*
consideratie ⟨de (v.)⟩ **0.1** [toegeeflijkheid] *consideration* **0.2** [overweging] *consideration* ⇒*factor, reason* **0.3** [aanzien] *consideration* ⇒*deference, respect, esteem* ◆ **3.1** ∼ tonen *show c. (for), be considerate (towards)* **6.1** ∼ met iem. hebben *make allowances for s.o.;* **zonder** enige ∼ *without the slightest c.* **6.2** iets in ∼ nemen *take into account, consider sth.* **6.3** iem. met ∼ bejegenen *treat s.o. considerately,* ⟨hoogachting⟩ *treat s.o. with deference;* **uit** ∼ **voor** *out of c. for;* ⟨hoogachting⟩ *in deference to* **7.1** geen enkele ∼ hebben *be completely inconsiderate.*
considereren ⟨ov.ww.⟩ **0.1** [beschouwen] *consider* **0.2** [hoogachten] *respect* ⇒*esteem.*
consignant ⟨de (m.)⟩ **0.1** *consignor, consigner.*
consignataris ⟨de (m.)⟩ **0.1** [mede-ondertekenaar] *consignatory* **0.2** [⟨hand.⟩] *consignee* **0.3** [⟨jur.⟩] *consignatory.*
consignatie ⟨de (v.)⟩ **0.1** [⟨hand.⟩] *consignment* **0.2** [⟨jur.⟩] *consignation* ◆ **6.1** goederen in ∼ geven/verzenden *consign goods, give goods in/send goods on c..*
consignatiegoederen ⟨zn.mv.⟩ **0.1** ⟨tov. consignatiegever⟩ *goods (shipped/sent (out)) on consignment/commission;* ⟨tov. consignatienemer⟩ *goods received/held on consignment/(for sale) on commission* ⇒ ⟨boekhoudkundig⟩ *outwards/inwards consignments.*
consigne ⟨het⟩ **0.1** [opdracht] *orders* ⇒*instructions* **0.2** [wachtwoord] *password* ◆ **3.1** het ∼ luidde: niemand doorlaten *the o. were to let no-one pass.*

---

consigneren ⟨ov.ww.⟩ **0.1** [verbieden de kazerne te verlaten] *confine to barracks* **0.2** [in bewaring geven] *consign* ⇒*deposit* **0.3** [verzenden] *consign* **0.4** [het wachtwoord geven] *give the password.*
consilium abeundi ⟨het⟩ **0.1** ⟨tijdelijk⟩ *(threat of) rustication, suspension (from university, college);* ⟨definitief⟩ *(threat of) expulsion* ◆ **3.1** een ∼ krijgen *≠be rusticated/sent down,* ⟨AE;inf.⟩ *flunk out.*
consistent ⟨bn.⟩ **0.1** [consequent] *consistent* **0.2** [vrij van innerlijke tegenspraak] *consistent* ⇒*solid, sound* ◆ **1.1** ∼ gedrag *c. behaviour* **1.2** een ∼e theorie *a c. theory.*
consistentie ⟨de (v.)⟩ **0.1** [samenhang, dichtheid] *consistency* **0.2** [het aan zichzelf gelijk blijven] *consistency* **0.3** [het vrijblijven van innerlijke tegenspraak] *consistency.*
consistentvet ⟨het⟩ **0.1** *lubricating grease* ⇒*mineral grease, (semi-)solid lubricant.*
consistoriaal ⟨bn.⟩ **0.1** *consistorial.*
consistorie
I ⟨de (v.)⟩ **0.1** [kamer] *consistory* ⇒*vestry;*
II ⟨het⟩ **0.1** [⟨prot.⟩ raad] *consistory, vestry; ≠parish council* **0.2** [⟨r.k.⟩ vergadering] *consistory.*
consistoriekamer ⟨de⟩ **0.1** *consistory* ⇒*vestry.*
consolbaken ⟨het⟩ ⟨verkeer⟩ **0.1** *consol beacon* ⇒*consol transmitter.*
console ⟨de⟩ ⟨amb.⟩ **0.1** [draag-, kraagsteen] *console* ⇒*corbel* **0.2** [ondersteunend deel] *bracket* ⇒*support* **0.3** [tafeltje] *console (table)* **0.4** [⟨comp.⟩] *console.*
consolekraan ⟨de⟩ **0.1** *wall-(bracket) crane.*
consoletafel ⟨de⟩ **0.1** *console (table).*
consolidatie ⟨de (v.)⟩ **0.1** [bestendiging] *consolidation* **0.2** [⟨med.⟩] *consolidation* **0.3** [schuld] *consolidation.*
consolidatieproces ⟨het⟩ **0.1** *consolidation process.*
consolideren ⟨ov.ww.⟩ **0.1** [duurzaam maken] *consolidate* ⇒*strengthen* **0.2** [vlottende schuld in vaste omzetten] *consolidate, fund* **0.3** [schulden verenigen] *consolidate, fund, unify* ◆ **1.1** zijn positie ∼ *strengthen/c. one's position* **1.2** geconsolideerde schuld *funded debt;* geconsolideerde staatsschuld *consolidated annuities/stock/*[A]*bonds, consols* **4.1** zich ∼ *consolidate, strengthen/c. one's position.*
consols ⟨zn.mv.⟩ ⟨geldw.⟩ **0.1** *consols* ⇒*consolidated annuities/stock/*[A]*bonds.*
consolsysteem ⟨het⟩ **0.1** *consol (system).*
consommé ⟨de (m.)⟩ **0.1** *consommé* ⇒*clear soup.*
consonant[1] ⟨de⟩ **0.1** [⟨taal.⟩] *consonant* **0.2** [⟨muz.⟩] *consonant tone.*
consonant[2] ⟨bn., bw.;-ly⟩ **0.1** *consonant (with)* ⇒ ⟨alleen pred.⟩ *in accordance (with), in agreement (with).*
consonantisme ⟨het⟩ **0.1** *consonantism.*
consorten ⟨zn.mv.⟩ **0.1** *confederates* ⇒*associates,* ↓*buddies,* ⟨vaak pej.⟩ *henchmen, clique* ◆ **8.1** X en ∼ *X and company, X and his pals/* ↓*lot/* ↓*gang/* ↓*mob.*
consortium ⟨het⟩ **0.1** *consortium* ⇒*syndicate* ◆ **2.1** een internationaal ∼ *an international c..*
conspiratie ⟨de (v.)⟩ **0.1** *conspiracy* ⇒*plot.*
conspireren ⟨onov.ww.⟩ **0.1** *conspire* ⇒*plot.*
constant ⟨bn., bw.;-ly⟩ **0.1** *constant* ⇒*steady, continuous,* ⟨vrienden ook⟩ *staunch, loyal* ◆ **1.1** een ∼e grootheid/waarde *a constant quantity/value;* ∼e kwaliteit *consistent quality;* ∼e liefde *undying/eternal love;* een ∼e stroom *a steady stream;* ∼e trouw *unswerving loyalty* **3.1** de toestand blijft ∼ *the situation/* ⟨mbt. ziekte⟩ *his condition remains stable/unchanged;* de temperatuur ∼ houden *maintain a steady/constant temperature* **¶.1** hij houdt me ∼ voor de gek *he never misses a chance to make fun of/make a fool (out) of me, he's forever pulling my leg.*
constante ⟨de⟩ **0.1** *constant.*
constantheid ⟨de (v.)⟩ **0.1** *constancy.*
constantie ⟨de (v.)⟩ **0.1** *constancy.*
Constantinopel ⟨het⟩ **0.1** *Constantinople.*
constateerbaar ⟨bn.⟩ **0.1** *observable* ⇒*noticeable,* ↑*perceivable,* ⟨te ontdekken⟩ *detectable.*
constateren ⟨ov.ww.⟩ **0.1** [vaststellen] *establish* ⟨een feit, de waarheid⟩ ⇒*ascertain* ⟨door onderzoek⟩, *(put, place on) record* ⟨door vermelding⟩, ⟨ontdekken⟩ *find, detect,* ⟨bemerken⟩ *observe, see, identify, diagnose* ⟨ziekte⟩ **0.2** [bevestigen] *verify* ⇒*confirm, acknowledge,* ⟨schriftelijk ook⟩ *certify* ◆ **1.1** de aanwezigheid van olie ∼ *e. the presence of oil;* de dood ∼ *certify s.o.'s death;* ik constateer slechts het feit (dat) *I'm merely recording/stating the fact (that), all I'm saying is that, the point I'm making is that;* een verschijnsel ∼ *record/observe a phenomenon;* een ziekte/hartafwijking ∼ *diagnose an illness/a heart problem* **1.2** de betaling wordt door een ontvangstbewijs geconstateerd *a receipt will be issued as proof of payment, payment will be acknowledged by a receipt* **3.1** wij moeten helaas ∼ dat *I'm afraid we have to accept the fact that, unfortunately it appears that.*
constatering ⟨de (v.)⟩ **0.1** *observation* ⇒*establishment* ⟨v.e. feit/de waarheid⟩, *discovery, detection* ⟨door onderzoek⟩, ⟨het noteren⟩ *registration, recording,* ⟨bevestiging⟩ *confirmation.*
constellatie ⟨de (v.)⟩ **0.1** [toestand] *state of affairs* ⇒*situation,* ⟨structuur⟩ *line-up, make-up* **0.2** [onderlinge stand van hemellichamen]

configuration 0.3 [groep sterren] *constellation* ✦ 2.1 de politieke ~ in Europa *the European political situation / set-up.*

consternatie 〈de (v.)〉 0.1 *consternation* ⇒*alarm, dismay, panic* ✦ 2.1 in grote ~ verkeren *be at a complete loss, be filled with c. / dismay,* ↓*be in a state of panic* 3.1 heel wat ~ geven / verwekken *cause quite a stir / commotion; put / set the cat among the pigeons* 6.1 tot ~ v.d. aanwezigen *to the horror of those present.*

constipatie 〈de (v.)〉 0.1 *constipation* ✦ 3.1 last hebben van / lijden aan ~ *be constipated.*

constituante 〈de (v.)〉 0.1 *Constituent Assembly.*

constituent 〈de (m.)〉 0.1 [onderdeel] *constituent* ⇒*component part, ingredient* 0.2 [〈taal.〉] *constituent.*

constitueren 〈ov.ww.〉 0.1 [instellen, vormen] *constitute* ⇒*(formally) establish, install, set up* 0.2 [〈jur.〉] *give formal notice of appointment, be appointed / act as attorney for the defence* ᴬ*se* 0.3 [vaststellen, verordenen] *constitute* ⇒*draw up, lay down, enact* ✦ 1.1 een nieuw bestuur ~ *install / establish a new committee / government* 4.1 zich ~ c. o.s. (into); 〈pol.〉 *resolve o.s. into a committee.*

constituerend 〈bn.〉 0.1 [mbt. tot een staatsregeling] *constituent* 0.2 [mbt. tot de samenstelling van iets] *constituent* ⇒*component* ✦ 1.1 ~e vergadering c. assembly 1.2 ~e delen *constituent / component parts.*

constitutie 〈de (v.)〉 0.1 [gestel] *constitution* ⇒*physique* 0.2 [grondwet] *constitution* 0.3 [〈r.k.〉] *constitution* 0.4 [〈gesch.〉 rechtsbepalingen] *constitution* 0.5 [wijze waarop iets samengesteld is] *constitution* ⇒*structure, make-up, nature* 0.6 [inwerkingstelling] *constitution* ⇒*installation* ✦ 1.6 ~ van een commissie *installation / appointment of a committee / commission* 2.1 een slechte ~ hebben *have a weak c., be in poor (general) health.*

constitutief 〈bn.〉 0.1 *constitutive* ⇒*investitive* ✦ 1.1 〈jur.〉 een constitutieve titel *an original title, a title acquired by an investitive fact;* 〈jur.〉 ~ vonnis *a 'c.' judgement.*

constitutioneel 〈bn., bw.; -ly〉 0.1 [grondwettig] *constitutional* 0.2 [〈med.〉] *constitutional* ✦ 1.1 constitutionele monarchie *c. monarchy.*

constructeur 〈de (m.)〉 0.1 [ontwerper] *designer* ⇒*design engineer / draughtsman* 0.2 [bouwmeester] *constructor* ⇒*builder.*

constructie 〈de (v.)〉 0.1 [het construeren] *construction* ⇒〈het bouwen / maken〉 *building, erection,* 〈het ontwerpen〉 *design(ing)* 0.2 [wijze van construeren] *construction* ⇒*design* 0.3 [wat door construeren ontstaat] *construction* ⇒*structure, building* 0.4 [〈taal.〉] *construction* 0.5 [〈wisk.〉] *construction* ✦ 1.1 de ~, bouw en installatie v.e. kernreactor *the design, c. and installation of a nuclear reactor* 1.2 de ~ v.e. schip *the c. / design of a ship* 2.3 een diepzinnige ~ *a profound way of putting sth., een theoretische ~ a theoretical construct.*

constructiebankwerker 〈de (m.)〉 0.1 *constructional fitter.*

constructief 〈bn., bw.; -ly〉 0.1 [opbouwend, vormend] *constructive* ⇒*helpful, useful, positive* 0.2 [mbt. een constructie] *constructional* ⇒*structural* 0.3 [in overeenstemming met de constructie] *constructional* ⇒*structural* ✦ 1.1 constructieve bijdragen / ideeën *helpful / useful suggestions / ideas* 1.2 constructieve details / delen *structural details / parts* 3.1 zich ~ opstellen *be c. / positive, take a positive stance / attitude* 3.¶ ~ tekenen *mechanical drawing* ¶.1 ~ te werk gaan *go about sth. in a positive / c. way.*

constructiefout 〈de〉 0.1 〈in ontwerp〉 *design error, faulty design;* 〈in bouwwerk〉 *structural / construction defect / fault, faulty construction* ✦ 3.1 een ~ constateren *find / note a fault in design / a design error;* dit is te wijten aan een ~ *this is owing to faulty construction / a structural defect.*

constructiewerkplaats 〈de〉 0.1 [werkplaats voor metaalconstructies] *assembly / engineering (work)shop* 0.2 [〈spoorw.〉] *railway engineering works* ⇒*railway workshop.*

construeren 〈ov.ww.〉 0.1 [samenstellen] *construct* ⇒〈bouwen〉 *build, erect, put together,* 〈ontwerpen〉 *design* 0.2 [〈wisk.〉] *construct* 0.3 [kunstmatig vormen] *hypothesize* 0.4 [〈taal.〉 mbt. zinnen] *construe* 0.5 [〈taal.〉 afleiden] *construe* ✦ 1.1 een plan ~ *devise a plan* 1.2 een vierkant ~ c. a square 1.3 een geconstrueerd geval *a hypothetical case* 1.5 een geconstrueerde vorm *a hypothetical / reconstructed form.*

consul 〈de (m.)〉 0.1 [mbt. een vreemde regering] *consul* 0.2 [mbt. een vereniging] *area / local representative* 0.3 [〈gesch.〉] *consul.*

consulaat 〈het〉 0.1 [bureau] *consulate* 0.2 [ambt] *consulate* ⇒*consulship.*

consulaat-generaal 〈het〉 0.1 *consulate general.*

consulair 〈bn.〉 0.1 *consular* ✦ 1.1 een ~ agent *a c. agent / representative;* ~e ambtenaren / verslagen *c. officials / reports.*

consulent 〈de (m.)〉 0.1 [adviseur] *consultant* ⇒*adviser, counsellor* 0.2 [predikant] *clergyman who has the care of a vacant parish* 0.3 [voorlichter] *(government) adviser* ⇒*information officer* ✦ 8.1 als ~ werken *be a consultant / counsellor.*

consul-generaal 〈de (m.)〉 0.1 *consul general.*

consult 〈het〉 0.1 [raadpleging, voorlichting] *consultation* ⇒*visit* 〈arts〉 0.2 [overleg tussen artsen] *consultation* ✦ 2.1 gratis ~ geven *give consultations free of charge, give free consultations* 6.2 een andere dokter in ~ roepen *seek a second opinion.*

consultant 〈de (m.)〉 0.1 *consultant.*

consultatie 〈de (v.)〉 0.1 *consultation* 〈ook jur.〉 ⇒*advice.*

consultatiebureau 〈het〉 0.1 *clinic* ⇒*health centre* ✦ 6.1 met een baby naar het ~ gaan *take one's child to the health centre,* ᴬ*(well-baby) c.;* ~ voor geslachtsziekten *VD c.;* ~ voor tuberculosebestrijding ≠*TB prevention c.;* ~ voor alcoholisme en drugs *c. for alcohol and drugs abuse;* ~ voor zuigelingen *infant welfare centre, child health centre,* ᴬ*well-baby c.;* ~ voor geboorteregeling en sexualiteit *family-planning c..*

consultatief 〈bn.〉 0.1 *consultative* ⇒*advisory.*

consulteren 〈ov.ww.〉 0.1 [raadplegen] *consult* ⇒*seek professional advice* 0.2 [onderling overleg plegen] *confer* ⇒*discuss, deliberate* ✦ 1.1 een advocaat ~ c. / ↓*see a lawyer, take / seek legal advice;* een arts ~ c. / ↓*see a doctor, take / seek medical advice;* een andere / tweede dokter ~ *get a second opinion;* een ~d geneesheer *a consulting physician, a consultant.*

consument 〈de (m.)〉 0.1 *consumer* ✦ 2.1 de uiteindelijke ~ *the ultimate c..*

consumentenbelangen 〈zn.mv.〉 0.1 *consumer('s) interests* ✦ 1.1 behartiging v.d. ~ *consumerism, promotion of the consumer's interests.*

consumentenbeleid 〈het〉 〈ec.〉 0.1 *consumer policy.*

consumentenbond 〈de (m.)〉, **-vereniging** 〈de (v.)〉 0.1 *consumers' organization / association / union,* ᴬ*Consumer's Guide.*

consumentencampagne 〈de〉 0.1 *consumer campaign.*

consumentengedrag 〈het〉 0.1 *consumer behaviour.*

consumentengids 〈de (v.)〉 0.1 *consumers' magazine.*

consumentenkrediet 〈het〉 0.1 *consumer credit.*

consumentenkring 〈de (m.)〉 0.1 ≠*coop* ⇒*cooperative buying.*

consumentenonderzoek 〈het〉 0.1 *consumer research / survey.*

consumentenprijs 〈de (m.)〉 0.1 *retail price.*

consumentenrubriek 〈de (v.)〉 0.1 *consumer programme* ᴬ*gram.*

consumentenwinkel 〈de (m.)〉 0.1 〈BE〉 *(local authority) advice centre, (voluntary) Citizens Advice Bureau.*

consumentisme 〈het〉 0.1 *consumerism* ⇒*Naderism.*

consumeren 〈ov.ww.〉 0.1 [nuttigen, gebruiken] *consume* ⇒*eat, drink,* 〈grote hoeveelheden〉 *get through* 0.2 [〈ec.〉] *deplete* ⇒*exhaust, use up* ✦ 4.1 iets ~ *eat / drink sth., have sth. to eat / drink.*

consummatie 〈de (v.)〉 0.1 *consummation.*

consumptie 〈de (v.)〉 0.1 [verbruik van goederen] *consumption* 0.2 [verbruik van levensmiddelen] *consumption* 0.3 [gemaakte vertering] *food, drinks* ⇒*refreshments* ✦ 3.3 drie ~s aangeboden krijgen *be treated to / be offered three drinks;* een ~ bestellen / gebruiken *order some refreshments, take some refreshment;* de ~s betalen *pay for the drinks,* ᴬ*pick up the tab* 4.3 alle ~s drie gulden *all drinks three guilders each* 6.1 〈hand.〉 in ~ *duty paid* 6.2 (on)geschikt voor ~ *(un)fit for (human) c.* 6.¶ met ~ spreken *spray s.o., spit (while talking).*

consumptieaardappelen 〈zn.mv.〉 0.1 *edible / eating potatoes* ⇒*potatoes for the retail market.*

consumptie-artikel 〈het〉 0.1 〈vnl. mv.〉 *consumable* ⇒〈mv. ook〉 *(basic) consumer goods.*

consumptiebeperking 〈de (v.)〉 0.1 *cut down (on) consumption.*

consumptiebon 〈de (m.)〉 0.1 *food voucher* ⇒*chit.*

consumptief 〈bn.〉 0.1 *consumptive* ✦ 1.1 consumptieve belastingen *consumption tax, excise (tax);* consumptieve bestedingen *consumer expenditure;* voor consumptieve doeleinden *(produced) for consumption / for consumer purposes;* ~ krediet *consumer credit;* consumptieve overheidsuitgaven *government / public expenditure on goods and services;* consumptieve vraag *consumer demand, demand for consumer goods.*

consumptiegoederen 〈zn.mv.〉 0.1 *consumer goods* ✦ 2.1 duurzame ~ *consumer durables, durable c. g..*

consumptie-ijs 〈het〉 0.1 *ice-cream.*

consumptiemaatschappij 〈de (v.)〉 0.1 *consumer society.*

consumptiepatroon 〈het〉 0.1 *spending pattern.*

contact 〈het〉 0.1 [aanraking] *contact* 0.2 [〈techn.〉] *contact* ⇒*connection,* 〈inf.〉 *link-up* 0.3 [onderlinge communicatie] *contact* ⇒*touch* 0.4 [band, verstandhouding] *contact* ⇒*terms* 0.5 [persoon] *contact (man)* ⇒〈relatie〉 *connection, focal point* 〈binnen organisatie〉 0.6 [〈elek.〉] *contact* 0.7 [schakelaar] *contact* ⇒*switch,* 〈van auto〉 *ignition* 0.8 [〈geol.〉] *contact* ✦ 2.2 telefonisch ~ opnemen *get in touch by phone, get on the phone to s.o.* 2.4 een goed ~ met iem. hebben *be on good / friendly terms with s.o., have a good rapport / relationship with s.o.* 3.1 vermijd ~ met de huid *avoid skin c. / c. with the skin* 3.2 het ~ is verbroken *the connection has been cut / broken, I've / we've been cut off* 3.3 we hebben geen ~ meer met elkaar *we're out of touch, we've lost c. / touch;* ~ houden met elkaar over iets *keep in touch (with one another) on sth., get back to / liaison with one another on sth.;* ~ krijgen met iem. *make c. with s.o., get in touch with s.o.;* ~(en) leggen *make contact(s), contact;* ~ opnemen met iem. *contact s.o., establish c. with s.o., get in touch with s.o.;* ~(en) verbreken *break c., sever relations / connections;* ~ zoeken met iem. *approach s.o., try to get in touch with s.o.* 3.5 ~en hebben in bepaalde kringen *have contacts / connections in (certain circles)* 3.6 ~ maken *make c., complete the circuit* 6.1 in ~

komen met iets *come in c. with sth., be exposed to sth.*; iem. **in** ~ brengen met iets/iem. *introduce/expose s.o. to sth.*/ *s.o., acquaint s.o. with sth.*/ *s.o.* **6.3 in** ~ blijven met *keep in touch with;* **in** (nauw) ~ staan met *be in (close) c.*/ *touch with;* iem. **in** ~ brengen met *put s.o. in c.*/ *touch with;* (voorstellen ook) *make s.o. acquainted with, introduce s.o. to* **6.6** het sleuteltje **in** het ~ steken *put the key in the ignition.*

contactadres (het) **0.1** [adres van een contactpersoon] *contact address* **0.2** [contactpersoon] *contact address* **0.3** [adres van iem. met wie men in (seksueel) contact kan komen] *contact address.*

contactadvertentie (de (v.)) **0.1** *personal ad(vert), advert in the personal column.*

contactafdruk (de (m.)) **0.1** *contact print* ⇒(inf.) *contact.*

contactarm (bn.) **0.1** *socially inhibited*/ (eenzaam) *isolated.*

contactarmoede (de (v.)) **0.1** *contactual problems* ⇒*inability to make friends easily, unsociability* ♦ **6.1** lijden **aan** ~ *have extreme difficulty in making friends*/ ↑*forming relationships.*

contactavond (de (m.)) **0.1** *social (evening)* ⇒*get-together,* ^A*sociable.*

contactcommissie (de (v.)) **0.1** *liaison committee* ⇒(in fabriek) *works committee.*

contactdoos (de) **0.1** *socket* ⇒^B*(power) point,* (tech.) *socket/ wall outlet,* (in toestel) *appliance inlet,* (spanningsomschakelaar) *adapter socket.*

contactdraad (de (m.)) **0.1** *contact wire.*

contactgestoord (bn.) **0.1** *(severely) withdrawn* ⇒*socially handicapped.*

contactlens (de) **0.1** *contact lens* ⇒(mv. ook; inf.) *contacts.*

contactlijm (de (m.)) **0.1** *contact adhesive.*

contactpersoon (de (m.)) **0.1** [verbindingspersoon] *contact(man)* ⇒(bron) *source, informant,* (binnen organisatie) *focal point* **0.2** [mbt. een besmettelijke ziekte] *carrier* ⇒*contact.*

contactpunt (het) **0.1** [punt] *point of contact, contact point* **0.2** [blokje metaal] (meestal mv.) *breaker point* ♦ **3.2** de ~en v.e. auto vernieuwen *replace the breaker points in a car.*

contactsleutel (de (m.)) **0.1** *ignition key.*

contactslot (het) **0.1** *ignition lock.*

contactstop (de (m.)) (elek.) **0.1** *plug.*

contactueel (bn., bw.; -ly) **0.1** *contactual* ♦ **1.1** goede contactuele eigenschappen bezitten *be able to get on well with others, have good communication/ human relations skills, be able to make friends easily* **2.1** ~ gestoord zijn *be (severely) withdrawn.*

container (de (m.)) **0.1** [laadbak, voorraadvat] *container* **0.2** [afvalbak] *(rubbish) skip,* ^A*dumpster* ⇒(AE ook) *(garbage) container.*

containerhaven (de) **0.1** *container port.*

containerschip (het) **0.1** *container ship.*

containervervoer (het) **0.1** *containerization* ⇒*container transport.*

containerwagen (de (m.)) **0.1** ^B*container lorry,* ^A*container truck.*

contaminatie (de (v.)) **0.1** (taal.) *contamination* **0.2** (let.) *contamination* **0.3** [besmeuring] *contamination.*

contamineren (onov.ww.) **0.1** *contaminate.*

contant (bn., bw.) **0.1** *cash* ⇒*ready* ♦ **1.1** korting voor ~e betaling *c. discount;* met 2% korting voor ~(e betaling) *2% discount against c. payments*/ *for c.;* f30,- ~ f30,- down/ in c.; ~ geld *ready money;* ~ e waarde *market value;* (v.e. eigendom) *proprietary equity* **1.¶** handje ~ je betalen *pay up, let me see the colour of your money* **3.1** ~ betalen *pay in c., pay money down;* over ~ geld beschikken *have c. in hand* **5.1** extra ~ *prompt/ spot c.* **¶.1** wij verkopen alleen à ~ *we do business on a c. basis only, our terms are spot c.*/ *c. down.*

contanten (zn.mv.) **0.1** *cash* ⇒*ready money, cash in hand* ♦ **1.1** gebrek aan ~ *shortage of cash, lack of funds* **6.1** honderd gulden **aan** ~ *a hundred guilders in cash;* betaling **in** ~ *cash*/ *down payment, cash on the nail;* hij drukt alles **in** ~ uit *he reduces everything to hard cash, he's always talking money;* omwisselen **in** ~ *cash* (cheque) *cash in* (aandelen).

conté (het) **0.1** *conté (crayon)* ⇒*drawing chalk.*

contemplatie (de (v.)) **0.1** *contemplation* ⇒*meditation* ♦ **6.1** (jur.) **ter** ~ **van** in re.

contemplatief (bn.) **0.1** [beschouwend, bespiegelend] *contemplative* **0.2** [(r.k.)] *contemplative* ♦ **1.2** een contemplatieve orde *a c. order.*

contemporain (bn.) **0.1** *comtemporary* ♦ **3.1** ~ zijn/ maken *contemporize.*

content (bn.) **0.1** *content (with)* ⇒*satisfied/ pleased (with).*

contentieus (bn.) ♦ **1.¶** (jur.) contentieuze rechtspraak *contentious jurisdiction.*

contestant (de (m.)) **0.1** *protester* ⇒*dissident, activist, militant.*

contestatie (de (v.)) **0.1** *protest* ⇒*anti-establishment activity*/ *action.*

contesteren (ov.ww.) **0.1** *contest* ⇒*question, dispute, protest (against).*

context (de (m.)) **0.1** [zinsverband, samenhang] *context* **0.2** [kader, situatie] *context* ⇒*framework, background* **0.3** [(jur.)] *wording* ⇒*terms (used)* ♦ **1.3** ~ der dagvaarding *w. of the summons* **2.2** een gebeurtenis uit zijn historische ~ losmaken *divorce an event from its historical c.;* je moet dat in de juiste ~ zien *you must view that in the proper c.* **6.1** iets in een bepaalde ~ plaatsen *contextualize sth., place/ put sth. in a particular c.* **6.2** iets **binnen** een bepaalde ~ behandelen *treat sth. within a particular c.*/ *against a particular background.*

contextgebonden (bn.) **0.1** (alg.) *contextual;* (taal.) *context-bound.*

contextgevoelig (bn.) (taal.) **0.1** *context-sensitive.*

contextualiseren (ov.ww.) **0.1** *contextualize.*

contextuur (de (v.)) **0.1** *contexture.*

contigu (bn.) **0.1** *adjacent* ⇒↑*contiguous, closely related* (onderwerpen), *co(n)terminous, coextensive* (in ruimte, tijd of betekenis).

contiguïteit (de (v.)) **0.1** *contiguity* ⇒*proximity, relatedness* (van onderwerpen).

continent¹ (het) **0.1** *continent.*

continent² (het) **0.1** *continent.*

continentaal (bn.) **0.1** *continental* ♦ **1.1** (geol.) continentale afzettingen *c. deposits;* het ~ plat *the c. shelf.*

continentie (de (v.)) **0.1** [matiging, onthouding] *continence* ⇒*moderation, (self-)restraint,* (mbt. geslachtsdrift) *chastity* **0.2** [mbt. de ontlasting] *continence.*

contingent (het) **0.1** [verplicht aandeel] *contingent* **0.2** (ec.) toegewezen aandeel] *quota* ⇒*share, proportion,* (toewijzing) *allocation, allotment.*

contingenteren (ov.ww.) **0.1** *allocate/ apportion/ assign by a quota system* ⇒*impose/ fix/ establish quotas (on/ for)* ♦ **1.1** de invoer van vlees ~ *restrict the import of meat;* de produktie ~ *fix/ impose/ establish quotas for the production, put/ place quotas on production.*

contingentering (de (v.)) **0.1** *quota restrictions* ⇒*fixing of quotas, quota system/ scheme* ♦ **1.1** ~ van invoer *import restrictions;* ~ van produktie/ de haringvangst *restriction of production/ herring fishing by quota* **3.1** tot ~ overgaan *introduce a quota system/ scheme.*

contingentie (de (v.)) **0.1** *contingency.*

continu
  I (bn.) **0.1** [zonder onderbreking voortgaand] *continuous* ⇒(lijn) *unbroken, uninterrupted* ♦ **1.1** een ~e stroom mensen *a c. stream of people;* (wisk.) ~e variabele *c. variable;*
  II (bw.) **0.1** [onafgebroken] *continuously* ⇒*uninterruptedly, without a break,* (schr.) *without cease* ♦ **3.1** hij loopt ~ te klagen *he is always/ c.*/ *forever complaining;* die machine werkt ~ *this machine is running c.*/ *is in continuous operation;* in dit bedrijf wordt al jaren ~ gewerkt *this factory has been working c. for years.*

continu-arbeid (de (m.)) **0.1** *shift work.*

continuatie (de (v.)) **0.1** [voortduring/ zetting] *continuance* ⇒*continuation* **0.2** [(jur.)] *adjournment,* ^A*continuance.*

continubedrijf (het) **0.1** [bedrijf] (bedrijfstak) *continuous industry* ⇒(bedrijf) *continuous working plant* **0.2** [werkwijze] *continuous process/ production/ operation* ♦ **3.1** het hoogovensbedrijf is een ~ *blast furnaces are continuous(-production) industries* **3.2** het hoogovenbedrijf is een ~ *blast furnaces operate continuously.*

continudienst (de (m.)) **0.1** *continuous working* ♦ **3.1** hoogovens kennen ~ *blast furnaces have continuous working/ work day and night/ work twenty-four hours a day.*

continueren
  I (ov.ww.) **0.1** [voortzetten] *continue (with)* ⇒*carry on (with)* **0.2** [handhaven] *continue* ⇒*retain* **0.3** [(jur.)] *adjourn,* ^A*continue* ♦ **1.2** het dienstverband wordt telkens voor één jaar gecontinueerd *tenure is renewable annually* **1.3** een zaak ~ *adjourn, continue a case* **6.2** iem. **in** zijn betrekking ~ *contain s.o. in his post/ retain s.o. in office;*
  II (onov.ww.) **0.1** [voortduren, doorgaan] *continue.*

continuering (de (v.)) **0.1** *continuation* ⇒*prolongation, extension.*

continuïteit (de (v.)) **0.1** [samenhang] *continuity* ⇒(eenheid) *unity, cohesion* **0.2** [voortduring] *continuance* ♦ **1.1** ~ van gedachten *continuity of thought* **1.3** de ~ v.e. bedrijf verzekeren *safeguard the future of a company/ business.*

continukrediet (het) (geldw.) **0.1** *continuous credit, credit facility.*

continuo (het) (muz.) **0.1** *continuo.*

conto (het) **0.1** *account* ♦ **6.1** (fig.) iets **op** iemands ~ schrijven *hold s.o. responsible/ accountable for sth., lay sth. at s.o.'s door, score sth. (up) against/ to s.o.* **¶.1** a ~ *c.;* ~ corrente *a. current, current a., check/ drawing a.;* ~ finto *pro forma a.*/ *invoice;* ~ a meta *joint a..*

contour (de (m.)) **0.1** *contour* ⇒*outline* ♦ **2.1** scherpe/ vage ~en *sharp/ vague contours/ outlines* **3.1** de ~en aangeven van iets *contour/ outline sth.;* mark the contour(s) of sth..

contourennota (de) **0.1** *policy paper.*

contourschets (de) **0.1** *profile, outline.*

contra¹ (het) ♦ **1.¶** het pro en ~ *the pros and cons, arguments in favour and against.*

contra² (bn., bw.) **0.1** [tegen] *contra* ⇒*con* **0.2** [(muz.)] *contra* ♦ **5.1** alle argumenten pro en ~ bekijken *consider all the arguments for and against*/ *all the pros and cons.*

contra³ (vz.) **0.1** *contra* ⇒*against,* (vnl.jur.) *versus,* (afk.) *v., vs.* ♦ **1.1** Smit ~ Smit *Smit versus Smit.*

contrabande (de) **0.1** *contraband (goods)* ⇒*smuggled goods, illegal imports/ exports.*

contrabas
  I (de) **0.1** [instrument] *(double)bass* ⇒*contrabass,* (in jazzband) *string bass;*
  II (de (m.)) **0.1** [musicus] *(double)bass player* ⇒*contrabassist.*

contrabassist ⟨de (m.)⟩ **0.1** *(double)bass player* ⇒*contrabassist.*

contraceptie ⟨de (v.)⟩ **0.1** *contraception* ⇒*birth control, family planning* ◆ **2.1** biologische ~ *biological c.;* chirurgische ~ *surgical c.;* hormonale ~ *hormonal c.* **3.1** ~ toepassen *pratise c., use contraceptives.*

contraceptief[1] ⟨het⟩ **0.1** *contraceptive* ◆ **2.1** een oraal ~ *an oral c..*

contraceptief[2] ⟨bn.⟩ **0.1** *contraceptive* ◆ **1.1** contraceptieve middelen *c. devices;* de contraceptieve werking *the c. effect.*

contraceptiemiddel ⟨het⟩ ⟨med.⟩ **0.1** *contraceptive.*

contraceptioneel ⟨bn.⟩ **0.1** *contraceptive* ⇒*contraception.*

contraceptivum ⟨het⟩ **0.1** *contraceptive (device).*

contract ⟨het⟩ **0.1** [overeenkomst] *contract* **0.2** [geschrift] *contract* ◆ **2.1** een lopend ~ *an (out)standing / unexpired c.* **3.1** een speler een ~ aanbieden *offer a c. to a player;* een ~ aangaan / (af)sluiten *enter into / make a c.;* ⟨sport⟩ zijn ~ loopt af *his c. is due to expire / running out;* een ~ (onder)tekenen *sign / execute a c.;* een ~ openbreken *change the terms of a c.;* ↓*tinker with a c.;* een ~ opzeggen / verbreken *terminate / break a c.* **3.2** een ~ geldig / ongeldig verklaren *validate / invalidate a c.* **3.¶** ⟨bridge⟩ het ~ maken *make the / one's contract* **6.1** ⟨sport⟩ onder ~ zijn bij *be under c. to, have a c. with;* iem. aanstellen op een tweejarig ~ *appoint s.o. on a two-year c.;* **volgens** ~ *as per c., according to c.;* een ~ **voor** de levering van aardgas *a c. for the supply of natural gas* **6.2** zich **bij** ~ verbinden goederen te leveren *contract to supply goods.*

contractant ⟨de (m.)⟩ **0.1** *contractor* ⇒*contractant, contracting party, party to a contract, stipulator.*

contractbasis ⟨de (v.)⟩ ◆ **6.¶ op** ~ werken / in dienst nemen *work / employ under contract / on a contract basis.*

contractbreuk ⟨de⟩ **0.1** *breach of contract* ◆ **3.1** ~ plegen *commit a breach of contract, break one's contract* **6.1** iem. een boete opleggen **wegens** ~ *fine s.o. for breach of contract.*

contracteren ⟨ov.ww.⟩ **0.1** [contract sluiten] *contract* **0.2** [bij contract overeenkomen] *contract* **0.3** [verbinden, engageren] *engage* ⇒⟨vnl. sport⟩ *sign up / on* ◆ **1.1** ~de partijen *contracting parties, the parties hereto* **1.2** de gecontracteerde prijs *the price agreed, the price contracted for, the contracted price* **1.3** een artiest ~ *sign up / c. a performer;* een nieuwe spits ~ *sign up a new striker.*

contractie ⟨de (v.)⟩ **0.1** *contraction.*

contractpartner ⟨de (m.)⟩ **0.1** *contractor* ⇒*contracting party, party to a contract.*

contractpolis ⟨de⟩ **0.1** *contract policy* ⇒*open / floating policy* ◆ **6.1** verzekerd **op** ~ *insured under a floating policy.*

contractueel ⟨bn., bw.; -ly⟩ **0.1** *contractual* ◆ **1.1** contractuele verplichting *c. obligation* **2.1** ~ verplicht zijn om *be under c. obligation to;* gebonden zijn aan *be bound by contract to, be under c. obligation to;* dat is niet ~ geregeld / vastgelegd *this is not regulated / fixed by contract / covered by the terms of the contract;* iets ~ vastleggen *lay sth. down / stipulate sth. in a contract;* zich ~ verplichten tot iets / iets te doen *contract for sth. / to do sth., commit o.s. to sth. / to doing sth..*

contradans ⟨de (m.)⟩ **0.1** *contredanse, contradance.*

contradictie ⟨de (v.)⟩ **0.1** *contradiction.*

contradictio in terminis 0.1 *contradiction in terms.*

contradictoir ⟨bn.⟩ **0.1** *contradictory* ◆ **1.¶** ~ vonnis *judg(e)ment in a defended case.*

contra-expert ⟨de (m.)⟩ **0.1** *assessor / adjuster acting for the opposing party.*

contra-expertise ⟨de (v.)⟩ **0.1** *countercheck* ⇒*verification, second opinion,* ⟨verz.⟩ *re-appraisel* ◆ **3.1** ~ aanvragen *apply for / request a countercheck;* ~ uitvoeren *(carry out / perform / run a) countercheck, verify* **6.1** de renner werd ook **bij** de ~ positief bevonden *the result of the countercheck on the cyclist was also positive;* ~ **op** het gebruik van doping / verboden stimulerende middelen *c. on the use of drugs / illegal stimulants.*

contrafagot ⟨de (m.)⟩ ⟨muz.⟩ **0.1** *contrabassoon* ⇒*contrafagotto, double bassoon.*

contragewicht ⟨het⟩ **0.1** *counterweight* ⇒*counterpoise, counterbalance.*

contraheren ⟨ov.ww.⟩ **0.1** *contract.*

contra-indicatie ⟨de (v.)⟩ **0.1** *contraindication.*

contrair ⟨bn.⟩ **0.1** *contrary* ◆ **1.1** ⟨jur.⟩ ~ beding *stipulation / provision to the contrary.*

contramerk ⟨het⟩ **0.1** *pass(-out) check* ⇒*re-admission pass.*

contramine ⟨de (v.)⟩ ⟨hand.⟩ **0.1** *bear campaign / operation / ^raid* ⇒ *short selling* ◆ **6.1** dekkingen **door** de ~ *bear / ^short coverings;* **in** de ~ zijn *be a bear (in the market), speculate for a fall, sell short* **6.¶ in** de ~ zijn *be uncooperative / argumentative / perverse / difficult;* ↑*contrary* ↓*bolshy;* hij is altijd **in** de ~ *he's a born moaner, he's never got a good word (to say) for anything / anybody.*

contramineur ⟨de (m.)⟩ **0.1** *bear* ⇒*speculator / operator for a fall, short-(seller).*

contramoer ⟨de⟩ **0.1** *locknut* ⇒*check / safety nut.*

contraorder ⟨het, de⟩ **0.1** *counter-order.*

contrapost ⟨de (m.)⟩ ⟨adm.⟩ **0.1** *(per) contra (item / entry)* ⇒*cross- / counter-entry, balancing / offsetting entry.*

contraprestatie ⟨de (v.)⟩ **0.1** [tegenprestatie] *quid pro quo* ⇒*return,* ⟨jur.⟩ *consideration* **0.2** [⟨bk.; vero.⟩] *work(s) of art accepted by the government in exchange for an allowance made to the artist* ◆ **6.1** een betaling als ~ **voor** het gebruik van *payment as consideration for the use of / in return for the use of;* iets doen als / **zonder** ~ *do sth. in return / without any return* **8.1** als redelijke ~ bieden wij aan om ... *as a reasonable quid pro quo we are prepared to ....*

contraprestatieregeling ⟨de (v.)⟩ ⟨vero.⟩ **0.1** *(arrangement for artists whereby they receive a government allowance in exchange for their work).*

contrapunt ⟨het⟩ ⟨muz.⟩ **0.1** *counterpoint* ⇒*contrapunto* ◆ **3.1** ~ toevoegen aan *counterpoint* ⟨ww.⟩.

contrapuntisch ⟨bn., bw.⟩ ⟨muz.⟩ **0.1** *contrapuntal.*

contrapuntist ⟨de (m.)⟩ **0.1** *contrapuntist* ⇒*contrapuntalist.*

Contrareformatie ⟨de (v.)⟩ **0.1** *Counter Reformation.*

contraremonstrant ⟨de (m.)⟩ ⟨gesch.⟩ **0.1** *counter- / contra-remonstrant.*

contrarevolutie ⟨de (v.)⟩ **0.1** *counterrevolution.*

contrarevolutionair[1] ⟨de (m.)⟩ **0.1** *counterrevolutionary* ⇒*counterrevolutionist.*

contrarevolutionair[2] ⟨bn.⟩ **0.1** *counterrevolutionary.*

contrarie ⟨bn., bw.; -ly⟩ **0.1** *contrary* ⇒*perverse, wayward* ◆ **1.1** een Jantje ~ *a c. / an uncooperative / obstructive / argumentative person* **5.1** juist ~ *just the other way about* **6.1** ⟨zelfst.⟩ hij is altijd **in** de ~ *he is always c., he's not very cooperative at the best of times.*

contrariëren ⟨ov.ww.⟩ **0.1** *thwart* ⇒*frustrate,* ↓*cross.*

contraschroef ⟨de⟩ ⟨verkeer⟩ **0.1** *counterrotating / contrarotating propeller.*

contraseign ⟨het⟩ **0.1** *countersignature.*

contrasigneren ⟨ov.ww.⟩ **0.1** *countersign.*

contraspion ⟨de (m.)⟩ **0.1** *counterspy.*

contraspionage ⟨de (v.)⟩ **0.1** *counterespionage* ⇒*counterintelligence.*

contrast ⟨het⟩ **0.1** [tegenstelling] *contrast* **0.2** [mbt. televisie] *contrast* ◆ **2.1** een schreeuwend ~ *a glaring c.* **3.1** een (sterk) ~ vormen met *contrast* ⟨ww.⟩ *(strongly) with, be in (marked) c. with / to, form a sharp c. with / to* **3.2** het ~ bijstellen *(re)adjust the c.;* het beeld heeft niet genoeg ~ *the image doesn't have enough c.* **6.1 in** (schril) ~ staan met *contrast* ⟨ww.⟩ *(sharply) with;* (bekwaam) **met** ~ en werken *use contrasts (skilfully)* **7.1** het zijn twee ~ en *they are two opposites, they're like chalk and cheese / fire and water.*

contrastek(k)er ⟨de (m.)⟩ **0.1** *coupling socket* ⇒*connector.*

contrasteren ⟨onov.ww.⟩ **0.1** *contrast (with), be in contrast (with / to)* ◆ **1.1** ~ de kleuren / temperamenten *contrasting colours / temperaments* **3.1** doen ~ *being into contrast / relief, bring out the contrast;* ~ d werken *have a contrastive effect, work contrastively.*

contrastief ⟨bn., bw.; -ly⟩ **0.1** *contrastive* (ook taal.) ◆ **1.1** een contrastieve grammatica *a c. grammar;* contrastieve linguïstiek / taalkunde *c. linguistics* **2.1** ~ relevant *contrastively relevant.*

contrastregelaar ⟨de (m.)⟩ **0.1** *contrast control / knob.*

contrastrijk ⟨bn.⟩ **0.1** *full of / rich in contrast* ⟨alleen na zn.⟩ ⇒⟨foto. ook⟩ *contrasty, with plenty of / marked contrast* ◆ **1.1** een ~ landschap *a landscape full of contrast;* een ~ negatief *a contrasty negative.*

contrastvloeistof ⟨de⟩ **0.1** *contrast fluid / medium* ◆ **3.1** iem. ~ inspuiten *inject s.o. with a c. f. / c. m. / radio-opaque fluid.*

contrastwerking ⟨de (v.)⟩ **0.1** *contrast (effect).*

contratenor ⟨de (m.)⟩ **0.1** [stem] *countertenor* ⇒*alto* **0.2** [zanger] *countertenor* ⇒*male alto,* ⟨BE; inf.⟩ *cock alto.*

contraveniëren ⟨ov.ww.⟩ **0.1** *contravene.*

contrecoeur ◆ **¶.¶** à ~ *halfheartedly;* het werd à ~ gedaan *it was done reluctantly, it went against the grain;* iets à ~ geven, à ~ toestemmen *give sth. / agree grudgingly.*

contrefilet ⟨het, de (m.)⟩ **0.1** *sirloin (steak).*

contrefort ⟨het⟩ **0.1** [steunmuur] *buttress* ⇒*counterfort* **0.2** [hielstuk] *counter* ⇒*stiffener.*

contrei ⟨de (v.); meestal mv.⟩ **0.1** *parts* ⇒*regions* ◆ **6.1 in** die ~ en *in those parts, in that area.*

contribuabel ⟨bn.⟩ **0.1** *liable to taxation* ⇒*assessable, taxable, ratable* ◆ **7.1** ⟨zelfst. gebruikt⟩ de ~ en *the tax / rate payers.*

contribuant ⟨de (m.)⟩ **0.1** *contributor.*

contribueren ⟨onov., ov.ww.⟩ **0.1** *contribute (to)* ⇒*subscribe (to)* ◆ **1.1** ~ d lid *subscribing / paying member, subscriber.*

contributie ⟨de (v.)⟩ **0.1** [periodieke vaste bijdrage] *subscription* ⟨als lid⟩; ⟨belasting⟩ *tax, contribution,* ⟨vrijwillig⟩ *contribution* **0.2** [bedrag daarvan] *(member's) subscription fee,* ⟨mv.⟩ *membership dues* ⟨als lid⟩; ⟨vrijwillig⟩ *contribution* ◆ **3.1** geen ~ meer betalen *cease to be a member, stop (paying) one's subscription.*

controle ⟨de⟩ **0.1** [inspectie] *check (on)* ⇒*checking, control,* ⟨opzicht ook⟩ *supervision (of / over), surveillance,* ⟨van gegevens ook⟩ *verification, inspection, examination* ⟨op kwaliteit⟩, ⟨med.⟩ *checkup, medical, monitoring* ⟨continu⟩, ⟨boekhouden⟩ *audit(ing), screening* ⟨antecedenten van iem.⟩ **0.2** [plaats] *control (point), checkpoint* ⇒*turnstile, (ticket) gate / barrier / box* ⟨van toegangsbewijzen⟩ **0.3** [beheersing] *control* ◆ **1.1** ~ v.d. bagage *baggage check;* de ~ v.d. boekhouding *the audit of accounts / examination of the books* **2.1** sociale ~ *social control;* onder strenge / voortdurende ~ staan *be under strict / con-*

stant supervision/surveillance/monitoring **3.1** ~ uitoefenen op *exercise supervision over, supervise, superintend, check (on)* **3.3** daar hebben wij geen ~ op *that's beyond our c., we can't keep tabs on/check everything* **6.1** hij kwam niet **door** de ~ *he didn't get through/in/out, he couldn't get past the ticket collector;* zij staat nog steeds **onder** (medische) ~ *she is still under (medical) supervision/she still has to have regular checkups;* er was weinig ~ **op** de uitgaven *little check was kept on (the) expenditure;* belast zijn met de ~ over een afdeling/bedrijf *be charged/entrusted with the supervision of a department/business;* we doen dat louter **ter** ~ *this is just a routine check, we do this as a check* **6.2** zijn kaartje **aan** de ~ *afgeven hand in one's ticket at the (ticket) gate/barrier/to the ticket collector* **6.3** zijn reacties/een brand **onder** ~ hebben *have one's reactions/a fire under c.;* de situatie/een gebied **onder** ~ hebben *be in c. / command of a situation/an area;* hij kon de bal niet **onder** ~ krijgen *he was not able to get the ball under c. / control the ball;* zij heeft de situatie volledig **onder** ~ *she's in full command of the situation/has the situation well in hand;* de ~ hebben **over** *have c. of;* de ~ **over** het stuur verliezen *lose c. of the steering-wheel.*

controleapparaat ⟨het⟩ **0.1** [toestel] *controller* ⇒*monitor, test instrument/apparatus,* ⟨registratieapparaat⟩ *recorder* **0.2** [geheel van personen] *control apparatus, machinery of control* **0.3** [regeltoestel] *control apparatus.*

controlearts ⟨de (m.)⟩ **0.1** ⟨bij keuring⟩ *medical examiner;* ⟨bij ziekte⟩ ≠*medical officer.*

controlebeurt ⟨de⟩ **0.1** ⟨mbt. auto⟩ *overhaul, servicing* ⇒ ⟨inf.⟩ *service* ◆ **¶.1** mijn auto is aan een ~ toe *my car's due for an o. / for servicing/ for a service.*

controlecommissie ⟨de (v.)⟩ **0.1** *control commission, board / committee of control* ⇒ ⟨inf.⟩ *watchdog commission/committee.*

controleerbaar ⟨bn.⟩ **0.1** *verifiable* ⇒*checkable* ◆ **1.1** een verder niet controleerbare bewering *an unverifiable claim/assertion.*

controlegroep ⟨de⟩ ⟨statistiek⟩ **0.1** *control group.*

controlekamer ⟨de⟩ **0.1** *control room* ⇒ ⟨mil.⟩ *operations / ⟨inf.⟩ ops room.*

controlelampje ⟨het⟩ **0.1** *pilot (lamp/light)* ⇒*check light, warning light.*

controlelijst ⟨de⟩ **0.1** [alfabetisch/systematisch] *check-list* ⇒ ⟨aantallen, enz.⟩ *tally / inspection sheet,* ⟨duplicaat⟩ *counterfoil.*

controlemaatregel ⟨de (m.)⟩ **0.1** *check* ⇒*control (measure).*

controlepost ⟨de (m.)⟩ **0.1** *control (point), checkpoint.*

controleren ⟨ov.ww.⟩ **0.1** [toezicht houden] *supervise* ⇒*superintend, monitor* ⟨continu⟩, ↓*keep tabs / a check on, control* **0.2** [checken] *check (up/on)* ⇒*inspect, examine,* ⟨van gegevens ook⟩ *verify,* ⟨boekhouden⟩ *audit, screen* ⟨antecedenten van iem.⟩, *keep a tally* ⟨goederen⟩ **0.3** [beheersen] *control* ⇒*regulate* ◆ **1.1** ~d geneesheer ≠*medical officer* **1.2** de boeken ~ *audit / ↓examine the books/accounts;* je moet je gebit eens laten ~ *you should have your teeth examined/a dental checkup;* geruchten/verklaringen ~ *verify / check (out) rumours/statements;* kaartjes ~ *inspect/control tickets;* het oliepeil/de bandenspanning ~ *check the oil (level)/tyre pressure* **1.3** de wedstrijd ~ *have the game sewn up,* the match **5.2** iets extra/dubbel ~ *double-check sth., (check and) recheck sth.* **6.2** iets **op** mankementen ~ *check/inspect/examine sth. for faults/defects.*

controlestation ⟨het⟩ **0.1** *control (point), checkpoint.*

controlestrookje ⟨het⟩ **0.1** *stub* ⇒*counterfoil.*

controlesysteem ⟨het⟩ **0.1** *control system* ⇒*system of checks/control.*

controleur ⟨de (m.)⟩ **0.1** [ambtenaar] *suspector* ⇒*controller, checker,* ⟨van kaartjes⟩ *ticket inspector/collector,* [A]*conductor,* ⟨boekhouden⟩ *auditor, comptroller, comptroller,* ⟨van scheepsladingen⟩ *checker, tallyman, tally clerk* **0.2** [onderinspecteur] *controller* ◆ **1.2** ⟨AZN⟩ ~ der belastingen *c. / inspector of taxes.*

controlevoorschrift ⟨het⟩ **0.1** *controle instruction/regulation* ⇒*checking /test instruction.*

controller ⟨de (m.)⟩ **0.1** *controller, comptroller.*

controverse ⟨de (v.)⟩ **0.1** *controversy* ⇒*polemic, dispute, argument, debate.*

controversieel ⟨bn.⟩ **0.1** *controversial* ⇒ ⟨mbt. zaken ook⟩ *contentious, much/highly debated* ◆ **1.1** een controversiële figuur *a controversial figure;* een ~ onderwerp/vraagstuk *a controversial/contentious subject/issue,* ↓*a hot potato.*

conurbatie ⟨de (v.)⟩ **0.1** *conurbation* ⇒*urban sprawl.*

conus ⟨de (m.)⟩ **0.1** [kegel] *cone* **0.2** [voorwerp, onderdeel] *cone* ⇒ ⟨tech. ook⟩ *taper, conoid.*

conuskoppeling ⟨de (v.)⟩ **0.1** *cone clutch.*

convalescent[1] ⟨de (m.)⟩ **0.1** *convalescent.*

convalescent[2] ⟨bn.⟩ **0.1** *convalescent, convalescing* ⇒*recovering, recuperating.*

convalescentie ⟨de (v.)⟩ **0.1** *convalescence* ⇒*recovery, recuperation.*

convectie ⟨de (v.)⟩ **0.1** [⟨nat.⟩] *convection* **0.2** ⟨⟨meteo.⟩⟩ *convection.*

convector ⟨de (m.)⟩ **0.1** *convector* ⇒*convection/convector heater.*

convenabel ⟨bn., bw.; -ly⟩ **0.1** *suitable* ⇒*fitting, becoming, proper,* ⟨schr.⟩ *seemly.*

convenant ⟨het⟩ **0.1** *covenant* ⇒*agreement, contract,* ⟨voorwaarde⟩ *condition.*

conveniënt ⟨bn.⟩ **0.1** [gepast] *suitable* ⇒*fit(ting), proper, convenient, opportune* **0.2** [inschikkelijk] *obliging* ⇒*complaisant, accommodating, agreeable.*

conveniëntie ⟨de (v.)⟩ **0.1** [gepastheid] *suitability* ⇒*propriety, convenience, opportuneness* **0.2** [inschikkelijkheid] *obligingness* ⇒*complaisance, accommodation, agreeableness.*

conveniëren ⟨onov.ww.⟩ **0.1** *be convenient/opportune (to/for)* ⇒*suit* ◆ **4.1** zo'n uitgave convenieert mij niet *I cannot afford that sort of money, that sort of expenditure/it does not suit my pocket;* tenzij het u niet convenieert *unless it is inconvenient/not convenient to/for you.*

convent ⟨het⟩ **0.1** [samenkomst, vergadering] *convention* ⇒*assembly, meeting* **0.2** [klooster] *monastery* ⟨monniken⟩*;convent* ⟨nonnen⟩ **0.3** [vergadering van kloostermonniken] *convention* ◆ **1.1** het Convent van Kerken *the World Council of Churches.*

conventie ⟨de (v.)⟩ **0.1** [verdrag] *convention* ⇒*agreement* **0.2** [vergadering] *convention* ⇒*assembly, congress* **0.3** [partijcongres in de V.S.] *convention* ⟨ook C-⟩ **0.4** [geheel van regels en normen] *convention(s)* **0.5** [⟨bridge⟩] *convention(al)* ◆ **2.4** de sociale ~s in acht nemen *observe the proper forms/social decencies* **3.4** hij hangt erg aan ~s *he clings to convention(s)* **6.¶** ⟨jur.⟩ eis **in** ~ ⟨jur.⟩ *plaintiff's (statement of) claim ¶.4* in strijd met de ~ zijn *be bad form, go against the accepted norm.*

conventikel ⟨het⟩ **0.1** *conventicle.*

conventioneel ⟨bn., bw.; -ly⟩ **0.1** [traditioneel] *conventional* ⇒*traditional, accepted, standard, customary* **0.2** [geesteloos] *conventional* ⇒*formal, academic, factitious, unoriginal* **0.3** [niet nucleair] *conventional* ◆ **1.2** er conventionele ideeën op nahouden *hold orthodox opinions 1.¶* ⟨ec.⟩ conventionele clearing *conventional clearing/clearance;* ⟨jur.⟩ conventionele eis *plaintiff's claim* **7.2** het conventionele in de kunst *academism/acadmicism in art.*

conventueel ⟨de (m.)⟩ **0.1** *conventual* ⟨ook C-⟩.

convergent ⟨bn.⟩ **0.1** *convergent, converging.*

convergentie ⟨de (v.)⟩ **0.1** [samenkomst in één punt] *convergence* ⇒ ⟨lichtstralen ook⟩ *focalization, concentration* **0.2** [wederzijdse toenadering] *convergence* ◆ **1.1** ⟨fig.⟩ deze ~ van twee theorieën *this convergence/coming together of two theories.*

convergeren ⟨onov.ww.⟩ **0.1** [zich naar één punt richten] *converge* ⇒ ⟨van lichtstralen ook⟩ *focus, focalize, concentrate* **0.2** [⟨wisk.⟩] *converge* ◆ **1.1** ~de lenzen *converging lenses, positive lenses* **2.2** ~de reeksen *convergent series* **6.1** verscheidene wegen ~ **naar** dit punt *several roads converge on/meet at this point.*

convers ⟨de (m.)⟩ **0.1** *lay brother.*

conversabel ⟨bn.⟩ **0.1** *conversational* ⇒*entertaining, conversable.*

conversatie ⟨de (v.)⟩ **0.1** [gesprek] *conversation* ⇒*talk, speech,* ⟨schr.⟩ *discourse, colloquy* **0.2** [wijze van spreken] *(gift for) conversation* ⇒*talk,* ⟨schr.⟩ *address* ◆ **2.2** een levendige/prettige ~ hebben *be a lively/pleasant talker;* ⟨inf.⟩ *have the gift of the gab* **3.2** hij heeft geen ~ *he's not much of a talker/conversationalist, he has no c..*

conversatieles ⟨de (v.)⟩ **0.1** *conversation lesson/class.*

conversatietoon ⟨de (m.)⟩ **0.1** *conversational tone (of voice).*

conversatiezaal ⟨de⟩ **0.1** ⟨in hotel enz.⟩ *(resident's) lounge* ⇒ ⟨in klooster⟩ *locutory.*

converseren ⟨onov.ww.⟩ **0.1** [gesprek voeren] *converse (with)* ⇒*engage in conversation, talk* **0.2** [omgang hebben] *associate (with)* ⇒*have (little/a lot) to do (with)* ◆ **3.1** veel mensen kunnen niet meer ~ *many people have lost the art of conversation* **5.1** zij kan heel aardig ~ *she's quite a conversationalist/a marvellous talker* **6.1** met de gasten ~ *chat/talk/make conversation with the guests.*

conversie ⟨de (v.)⟩ **0.1** [omzetting] *conversion* **0.2** [verwisseling van een openbare schuld] *conversion* **0.3** [⟨psych.⟩] *(hysterical) conversion* **0.4** [omschakeling naar civiele industrie] *conversion* ◆ **1.1** ⟨jur.⟩ ~ v.d. bewijslast *transference of the burden of proof.*

converteerbaar ⟨bn.⟩ **0.1** [inwisselbaar] *convertible* ⇒*commutable, negotiable* **0.2** [omzetbaar in een andere code] *convertible* ◆ **1.1** converteerbare obligaties *convertibles.*

converteren ⟨ov.ww.⟩ **0.1** [veranderen, verwisselen] *convert ((in)to/from … to …)* ⇒*change, adapt, transform, commute* **0.2** [omzetten in een ander codeerstelsel] *convert ((in)to)* ◆ **1.1** een polis ~ *convert a policy.*

convertering ⟨de (v.)⟩ **0.1** *conversion.*

convertibel ⟨bn.⟩ **0.1** *convertible* ⇒*commutable, negotiable.*

convertibiliteit ⟨de (v.)⟩ **0.1** *convertibility* ⇒*commutability, negotiability.*

convertiet ⟨de (m.)⟩ **0.1** *convert.*

convertor ⟨de (m.)⟩ **0.1** [ruimte/toestel voor chemische omzetting] *converter* **0.2** [signaalomzetter] *converter.*

convex ⟨bn., bw.⟩ **0.1** *convex.*

convexconcaaf ⟨bn.⟩ **0.1** *convexo-concave* ⇒*concavo-convex.*

convexiteit ⟨de (v.)⟩ **0.1** *convexity.*

convictie ⟨de (v.)⟩ **0.1** *conviction* ⇒*persuasion, (firm) belief.*

convocaat ⟨het⟩ →*convocatie 0.2.*

convocatie ⟨de (v.)⟩ **0.1** [bijeenroeping] *convocation* ⇒*summons* **0.2** [convocatiebriefje] *notice (of/convening a/the meeting)* ⇒*summons / invitation to a/the meeting.*

convocatiebriefje ⟨het⟩ 0.1 ≠*notification*/*notice of a*/*the meeting*.
convoceren ⟨ov.ww.⟩ 0.1 *convoke, convene, summon, call*.
convulsief ⟨bn., bw.;-ly⟩ 0.1 *convulsive* ⇒*convulsionary, paroxysmal, spasmodic*.
coöp. ⟨afk.⟩ 0.1 [coöperatie] ⟨co-operation⟩ 0.2 [coöperatief] *co-op*.
coöperatie ⟨de (v.)⟩ 0.1 [samenwerking] *co-operation* ⇒*collaboration* 0.2 [vereniging] *co-operative (society)* ⇒⟨inf.⟩ *co-op*.
coöperatief ⟨bn., bw.;-ly⟩ 0.1 [op coöperatie/samenwerking gebaseerd] *co-operative* ⇒*concurrent, combined* 0.2 [bereid tot samenwerken] *co-operative* ◆ 1.1 op coöperatieve basis/grondslag *co-operative(ly), on a co-operative basis;* coöperatieve winkelvereniging *co-operative wholesale society* 1.2 we zoeken iem. met een coöperatieve instelling *we're looking for s.o. with a c. attitude*/*who can work with others* 3.1 ~ bouwen *build in co-operation*.
coöperator ⟨de (m.)⟩, -trice ⟨de (v.)⟩ 0.1 [mbt. samenwerking] *co-operator* ⇒*collaborator, associate* 0.2 [mbt. een coöperatie] *co-operator*.
coöpereren ⟨onov.ww.⟩ 0.1 *co-operate (with)* ⇒*collaborate*/*combine (with)*.
coopertest ⟨de (m.)⟩ ⟨sport⟩ 0.1 *12-minute test*.
coöptatie ⟨de (v.)⟩ 0.1 *co-op(ta)tion* ◆ 6.1 iem. bij ~ benoemen/toelaten *co-opt s.o., appoint s.o. by co-option*.
coöpteren ⟨ov.ww.⟩ 0.1 *co-opt*.
coördinaat ⟨de (m.)⟩ ⟨wisk.⟩ 0.1 *co-ordinate* ◆ 7.1 tweede~*c., ordinate*.
coördinatenstelsel ⟨het⟩ ⟨wisk.⟩ 0.1 *co-ordinate system* ⇒*grid*.
coördinatie ⟨de (v.)⟩ 0.1 *co-ordination* ⟨ook taal.⟩.
coördinatiecentrum ⟨het⟩ 0.1 *co-ordinating*/*administrative centre* ⇒⟨informatiedistributiecentrum⟩ *clearing-house*, ⟨mil.⟩ *command post*/*headquarters*, ⟨ruim.⟩ *mission control*.
coördinatiecommissie ⟨de (v.)⟩ 0.1 *co-ordinating committee* ⇒*committee in charge of co-ordination*.
coördinatiegetal ⟨het⟩ ⟨schei.⟩ 0.1 *co-ordination number*.
coördinatievermogen ⟨het⟩ 0.1 *(power of) coordination* ◆ 3.1 het ontbreekt hem aan ~ *he lacks c.*.
coördinator ⟨de (m.)⟩, -trice ⟨de (v.)⟩ 0.1 *co-ordinator* ⇒⟨AE; school.⟩ *supervisor*.
coördineren ⟨ov.ww.⟩ 0.1 *co-ordinate* ⇒*arrange, organize, anchor* ⟨radio/televisieprogramma⟩, *gang* ⟨werktuigen⟩ ◆ 1.1 werkzaamheden/afspraken~ *organize tasks*/*supervise work, arrange appointments*.
copartnership ⟨het⟩ 0.1 *(co)partnership*.
Copernicaans ⟨bn.⟩ 0.1 *Copernican* ◆ 1.1 de ~e wereldbeschouwing *the C. system*/*theory* 1.¶ een ~e wending *turnabout, about-turn*/*face*.
copieus ⟨bn., bw.;-ly⟩ 0.1 *copious, plentiful* ⇒*abundant, generous, rich*, ⟨schr.⟩ *bounteous, plenteous* ◆ 1.1 een ~ diner *a lavish dinner* 3.1 ~ dineren *enjoy*/*partake of a lavish spread*.
co-piloot ⟨de (m.)⟩ 0.1 *copilot* ⇒⟨AE; sl.⟩ *meter-reader*, ⟨rallyrijder⟩ *navigator*.
copla ⟨de (m.)⟩ 0.1 *copla*.
coproduktie ⟨de (v.)⟩ 0.1 *joint production, co-production* ◆ 6.1 in ~ met *in joint production*/*co-production with*.
coprofagie ⟨de (v.)⟩ 0.1 *coprophagy*.
coproliet ⟨de (m.)⟩ 0.1 [versteende uitwerpselen] *coprolite* ⇒*coprolith* 0.2 [⟨med.⟩] *coprolith*.
coprologie ⟨de (v.)⟩ ⟨med.⟩ 0.1 *coprology* ⇒*scatology*.
copromotor ⟨de (m.)⟩ 0.1 ≠[B]*co-examiner*, [A]*co-supervisor*.
copulatie ⟨de (v.)⟩ 0.1 [paring] *copulation* ⇒*sexual intercourse, coitus, coition, coupling, mating* ⟨dieren⟩ 0.2 [entwijze] *splice*.
copulatieorgaan ⟨het⟩ 0.1 *copulatory*/*copulative organ*.
copuleren
I ⟨onov.ww.⟩ 0.1 [geslachtsgemeenschap hebben] *copulate* ⇒*have sexual intercourse, couple, mate* ⟨dieren⟩;
II ⟨ov.ww.⟩ 0.1 [een wilde boom veredelen] *improve by splicing*.
copyright ⟨het⟩ 0.1 *copyright* ◆ 3.1 op dat boek rust ~ *that book is copyright(ed), there is c. on that book*.
copywriter ⟨de (m.)⟩ 0.1 *(advertising) copywriter*.
coquette ⟨de (v.)⟩ 0.1 *coquette* ⇒*flirt*.
coquetterie ⟨de (v.)⟩ 0.1 [behaagzucht] *coquettishness* ⇒*flirtatiousness* 0.2 [uiting van behaagzucht] *coquetry* ⇒*flirtation, trifling, toying*.
coquille ⟨de⟩ ⟨tech.⟩ 0.1 *chill*/*ingot mould* ◆ 3.1 ~ gieten *gravity die-casting*.
cordiaal
I ⟨bn., bw.;-ly⟩ 0.1 [hartelijk] *cordial* ⇒*hearty, sincere, warm, friendly, kindly;*
II ⟨bn.⟩ 0.1 [hartversterkend] *cordial* ⇒*stimulating, reviving, heartening, cheering*.
cordialiteit ⟨de (v.)⟩ 0.1 *cordiality* ⇒*warmth, warmness, friendliness, kindliness*.
cordiet ⟨het⟩ 0.1 *cordite*.
Cordoba ⟨het⟩ 0.1 *Cordoba, Cordova*.
cordon bleu ⟨de (m.)⟩ 0.1 [kok] *cordon bleu cook*/⟨beroeps-⟩ *chef* 0.2 [vleesgerecht] *escalope with ham and cheese*.
corduroy[1] ⟨het⟩ 0.1 *cord(uroy);* ⟨fijn⟩ *needlecord*.
corduroy[2] ⟨bn.⟩ 0.1 *cord(uroy)* ⇒*corded* ⟨stof⟩ ◆ 1.1 een~ broek *corduroys, cords*.

co-referent ⟨de (m.)⟩ 0.1 *co-*/*second reporter*/*assessor*/*reviewer* ◆ 3.1 ~ zijn bij de beoordeling van een proefschrift *be second reader*/*examiner of a dissertation*/*thesis*.
corgi ⟨de (m.)⟩ 0.1 *(Welsh) corgi*.
Corinthe ⟨het⟩ 0.1 *Corinth*.
Corinthiër ⟨de (m.)⟩ 0.1 *Corinthian*.
Corinthisch ⟨bn.⟩ 0.1 *Corinthian* ◆ 1.1 ~e spelen *Isthmian Games;* ~e zuil *C. column*.
cornedbeef ⟨het⟩ 0.1 *corned beef* ⇒*bully (beef)*.
corner ⟨de (m.)⟩ 0.1 [⟨sport⟩] *corner* ⇒⟨hockey ook⟩ *corner-hit*, ⟨voetbal ook⟩ *corner-kick* 0.2 [⟨hand.⟩] *corner* ⇒*monopoly* ◆ 3.1 een bal die ~ gaat *a ball that goes over the goal-line, a corner ball;* de bal ~ koppen/stompen *head*/*punch the ball over the goal-line;* een ~ nemen *take a corner(-kick*/*hit);* een ~ weggeven/versieren *concede*/*force a corner* 7.1 drie ~s penalty *three corner(s) penalty*.
cornerball ⟨de (m.)⟩ ⟨sport⟩ 0.1 *corner(-kick)*.
cornerverhouding ⟨de (v.)⟩ 0.1 *corner ratio*.
cornervlag ⟨de⟩ ⟨sport⟩ 0.1 *corner flag*.
cornichon ⟨de (m.)⟩ ⟨AZN⟩ 0.1 *gherkin*, [A]*pickle*.
Cornwall ⟨het⟩ 0.1 *Cornwall* ◆ 1.1 inwoner van ~ *Cornishman* ⟨m.⟩, *-woman* ⟨v.⟩ 6.1 in/van/uit ~ *Cornish*.
corollarium ⟨het⟩ 0.1 *corollary*.
corona ⟨de⟩ 0.1 *corona* ⇒*aureole*, ⟨rond de maan; inf.⟩ *halo*.
coronaal ⟨bn., bw.⟩ ⟨taal.⟩ 0.1 *coronal*.
coronair ⟨bn.⟩ 0.1 *coronary*.
corporale ⟨het⟩ ⟨r.k.⟩ 0.1 *corporal(e)* ⇒*communion cloth*.
corporatie ⟨de (v.)⟩ 0.1 *corporation* ⇒*corporate body, body corporate*.
corporatief
I ⟨bn.⟩ 0.1 [v.e. corporatie] *corporat(iv)e;*
II ⟨bn., bw.⟩ 0.1 [volgens een systeem van corporaties] *corporative* ◆ 1.1 ⟨boekw.⟩ corporatieve auteur *corporate author;* de corporatieve staat *the corporate state*.
corporatisme ⟨het⟩ 0.1 *corporati(vi)sm*.
corporatist ⟨de (m.)⟩ 0.1 *corporati(vi)st*.
corporatistisch ⟨bn.⟩ 0.1 *corporatist(ic)* ⇒*corporativist(ic)*.
corporeel ⟨bn., bw.;-ly⟩ 0.1 *corpor(e)al* ⇒*bodily, physical*.
corps ⟨het⟩ 0.1 [groep personen] *corps* ⇒*body, brigade, staff* ⟨leraren⟩, *force* ⟨politie⟩ 0.2 [legerafdeling] *corps* 0.3 [⟨druk.⟩] *face* ⇒*fount* ◆ 1.1 ~ de ballet *c. de ballet* 3.2 drie agenten zullen het ~ verlaten *three policemen are to leave the force* 6.1 bij het ~ zijn *belong to*/*be a member of the c.*/*staff*/*force* ¶.1 ~ diplomatique *diplomatic body*/*c., c. diplomatique*.
corpsbal ⟨de (m.)⟩ 0.1 [B]≠*hearty*, [A]*frat rat, fratter, fratty*.
corpscommandant ⟨de (m.)⟩ 0.1 *corps commander*.
corpsgeest ⟨de (m.)⟩ 0.1 *esprit de corps* ⇒*corporate*/*community spirit, fellowship*.
corpsleiding ⟨de (v.)⟩ 0.1 [⟨abstr.⟩] *command of a*/*the corps* 0.2 [⟨concr.⟩] *corps leaders*.
corpspik ⟨de (m.)⟩ →*corpsbal*.
corpsstudent ⟨de (m.)⟩, -e ⟨de (v.)⟩ 0.1 *member of a student association*/⟨AE; mannen⟩ *fraternity*/⟨AE; vrouwen⟩ *sorority*.
corpulent ⟨bn.⟩ 0.1 *corpulent* ⇒*stout, ample*, ⟨inf.⟩ *tubby*.
corpulentie ⟨de (v.)⟩ 0.1 *corpulence, corpulency* ⇒*stoutness*, ⟨inf.⟩ *tubbiness*.
corpus ⟨het⟩ 0.1 [lichaam] *corpus* ⇒*body* 0.2 [⟨jur.⟩] *corpus* 0.3 [verzameling documenten] *corpus* 0.4 [⟨taal.⟩] *corpus* ◆ ¶.2 ~ delicti *c. delicti* ¶.3 ~ juris civilis *c. juris civilis, civil code*.
corpusculair ⟨bn.⟩ 0.1 *corpuscular* ⇒*particulate*.
correct ⟨bn., bw.;-ly⟩ 0.1 [zonder fouten] *correct* ⇒*accurate, precise*, ⟨juist⟩ *right, exact* 0.2 [onberispelijk] *correct* ⇒*right, proper* ◆ 1.2 ~e houding *proper conduct*/*behaviour;* ~e kleding *suitable dress* 3.1 ~ antwoorden *get the answer(s) right, answer correctly;* ~ schrijven *spell correctly* 3.2 zich ~ gedragen *behave with propriety*/*properly;* zich altijd ~ jegens iem. gedragen *always do the decent thing by s.o.;* ~ handelen *do the c.*/*proper thing, act correctly*.
correctheid ⟨de (v.)⟩ 0.1 [juistheid, zuiverheid] *correctness* ⇒*accuracy, precision, exactness* 0.2 [onberispelijkheid] *correctness, correctitude* ⇒*propriety, decorum, good form*.
correctie ⟨de (v.)⟩ 0.1 [verbetering] *correction* ⇒*rectification*, ⟨aanpassing⟩ *adjustment, revision, emendation* ⟨tekst⟩ 0.2 [mbt. schoolwerk/drukproeven] *correction* ⇒⟨school. ook⟩ *marking*, [A]*grading*, ⟨druk. ook⟩ *proofreading* 0.3 [correctiewerk] *correction* ⇒*correcting*, ⟨ihb. school.⟩ *marking*, [A]*grading* 0.4 [fouten in drukproeven] *(printing) errors*/*mistakes* 0.5 [verbeterde drukproeven] *corrected proofs*/*proofsheets* 0.6 [terechtwijzing] *reproof, rebuke, reprimand* ◆ 1.2 ~ van drukproeven *c. of proofs*/*proof sheets, proofreading* 3.1 ~s aanbrengen *make corrections;* ⟨aanpassen⟩ *adjust, make adjustments* 3.2 ~ vervalt *stet*.
correctief ⟨het⟩ 0.1 *corrective* ⇒*restorative*, ⟨med.⟩ *curative, remedy*.
correctiefactor ⟨de (m.)⟩ 0.1 *correction factor*.
correctiefout ⟨de⟩ 0.1 *faulty correction* ⇒*error in (the) correction*.
correctielak ⟨het, de (m.)⟩, -vloeistof ⟨de⟩ 0.1 *correction*/*correcting fluid*.

correctiemodel ⟨het⟩ **0.1** *correction sheet/model.*
correctiesleutel ⟨de (m.)⟩ **0.1** *grading key.*
correctieteken ⟨het⟩ **0.1** *proofreader's/correction mark/sign.*
correctietoets ⟨de (m.)⟩ **0.1** *correcting key.*
correctiewerk ⟨het⟩ **0.1** *correction* ⇒*correcting,* ⟨ihb. school.⟩ *marking,* [A]*grading* ◆ **3.1** ik moet nog een hoop ~ doen *I still have a lot of correcting/marking/grading to do;* ~ mee naar huis nemen *take home papers/exams/tests to mark/grade.*
correctioneel ⟨bn., bw.; -ly⟩ **0.1** *correctional, corrective* ◆ **1.1** een correctionele inrichting *a reform school/reformatory/* ⟨BE ook⟩ *Borstal;* een correctionele zaak *≠a misdemeanour/minor offence.*
corrector[1] ⟨de (m.)⟩, **-trice** ⟨de (v.)⟩ ⟨druk.⟩ **0.1** *proofreader* ⇒*corrector,* [B]*corrector of the press, (press) reader, reviser* [A]*or.*
corrector[2] ⟨de (m.)⟩ **0.1** *correcting fluid.*
correlaat ⟨het⟩ **0.1** *correlate,* ⟨BE sp. ook⟩ *corelate; correlative* ⇒*counterpart.*
correlatie ⟨de (v.)⟩ **0.1** *correlation,* ⟨BE sp. ook⟩ *corelation* ⇒*interdependence* ◆ **2.1** een aantoonbare/hoge ~ *a demonstrable/high c.* **3.1** er bestaat geen ~ tussen geslacht en intelligentie *there is no c. between sex and intelligence;* er kon geen ~ worden aangetoond *no c. could be proved/shown.*
correlatiecoëfficiënt ⟨de (m.)⟩ ⟨statistiek⟩ **0.1** *correlation coefficient.*
correlatief[1] ⟨het⟩ ⟨taal.⟩ **0.1** *correlative (subordinator).*
correlatief[2] ⟨bn.⟩ **0.1** *correlative.*
correleren ⟨onov.ww.⟩ **0.1** *correlate,* ⟨BE sp. ook⟩ *corelate* ⇒*correspond* ◆ **5.1** variabelen die hoog/laag ~ *variables with a high/low correlation.*
correspondent ⟨de (m.)⟩ **0.1** [iem. met wie men briefwisseling onderhoudt] *correspondent* **0.2** [berichtgever] *correspondent* **0.3** [vertegenwoordiger, agent] *correspondent* ⇒*agent, representative* **0.4** [⟨hand.⟩ met de correspondentie belast persoon] *correspondent, (foreign) correspondence clerk* ◆ **2.2** plaatselijk ~ *local c.* **4.2** van onze ~ in Parijs *from our Paris c./c. in Paris.*
correspondentie ⟨de (v.)⟩ **0.1** [briefwisseling] *correspondence* **0.2** [gewisselde brieven] *correspondence* ◆ **2.1** een drukke ~ voeren *keep up/carry on/conduct a lively correspondence* **3.1** de ~ afbreken *break off c., stop writing* **6.1** in ~ staan met *maintain/keep up a c. with;* **in** ~ treden met *enter into c. with;* alle ~ **over** dit onderwerp *all c. (exchanged) on this subject.*
correspondentie-adres ⟨het⟩ **0.1** *postal/mailing address* ⇒⟨bij vriend/hotel⟩ *address for correspondence,* ⟨AE; voor geheime communicaties⟩ *maildrop.*
correspondentiekaart ⟨de⟩ **0.1** *postcard* ⇒⟨AE ook⟩ *postal card.*
correspondentievriend ⟨de (m.)⟩, **-in** ⟨de (v.)⟩ **0.1** *pen friend/* [A]*pal.*
corresponderen ⟨onov.ww.⟩ **0.1** [beantwoorden aan, overeenstemmen met] *correspond (to/with)* ⇒*match/agree/conform/tally (with),* ⟨inf.⟩ *square (with)* **0.2** [briefwisseling houden] *correspond (with)* ⇒*write* **0.3** [⟨verkeer⟩] *connect* ◆ **1.1** ~de steekproeven *linked samples* **6.1** die twee voorstellen ~ niet met elkaar *these two proposals don't match/are incompatible* **6.2** druk **met** iem. ~ *maintain a lively correspondence with s.o.;* hij heeft jarenlang (geregeld) **met** haar gecorrespondeerd *he maintained a (regular) correspondence with her/they were (regular) correspondents for years.*
corridor ⟨de (m.)⟩ **0.1** [gang] *corridor* ⇒*hall/passage(way)* **0.2** [strook land] *corridor.*
corrigenda ⟨zn.mv.⟩ **0.1** *corrigenda* ⇒*errata.*
corrigeren ⟨ov.ww.⟩ **0.1** [verbeteren] *correct* ⇒*rectify,* ⟨aanpassen⟩ *adjust, revise, emend(ate)* ⟨tekst⟩ **0.2** [nakijken] *correct* ⇒⟨school. ook⟩ *mark,* [A]*grade,* ⟨druk. ook⟩ *(proof)read* **0.3** [berispen] *correct* ⇒*reproof, rebuke, reprimand* ◆ **1.1** werkloosheidscijfers ~ voor seizoensinvloeden *adjust unemployment figures for seasonal changes* **3.3** ~d optreden *take corrective measures.*
corroderen ⟨ov.ww.⟩ **0.1** *corrode* ⇒*rust,* ⟨wegknagen⟩ *fret, gnaw (away).*
corrosie ⟨de (v.)⟩ **0.1** [roest, verwering] *corrosion* **0.2** [⟨geol.⟩] *corrosion* ⇒*degradation.*
corrosief ⟨bn.⟩ **0.1** *corrosive* ⇒*caustic.*
corrumperen ⟨ov.ww.⟩ **0.1** *corrupt* ⇒*pervert, debase, deprave* ◆ **1.1** macht corrumpeert *power corrupts* **3.1** haar gedrag werkte ~d op de anderen *her behaviour had a corruptive effect on the others.*
corrupt ⟨bn., bw.; -ly⟩ **0.1** [verdorven] *corrupt* ⇒*dishonest, bribable, depraved* **0.2** [bedorven, vervalst] *corrupt* ⟨ook van tekst⟩ ⇒*rotten, perverted, degenerate* ◆ **1.1** ~e praktijken *venal practices.*
corruptheid ⟨de (v.)⟩ **0.1** *corruptness* ⇒*baseness, depravity.*
corruptie ⟨de (v.)⟩ **0.1** *corruption* ⟨ook van tekst⟩ ⇒⟨omkoping⟩ *bribery.*
corsage ⟨het, de (v.)⟩ **0.1** [versiersel] *corsage, spray* ⇒⟨vnl. BE ook⟩ *button hole* **0.2** [bovenstuk van een jurk] *corsage, bodice.*
corselet ⟨het⟩ **0.1** *cors(e)let* ⇒*corset.*
Corsica ⟨het⟩ **0.1** *Corsica.*
Corsicaan ⟨de (m.)⟩, **-se** ⟨de (v.)⟩ **0.1** *Corsican.*
Corsicaans ⟨bn.⟩ **0.1** *Corsican.*
corso ⟨het⟩ **0.1** *pageant, parade* ⇒*procession.*

Cortes ⟨Spanje⟩ **0.1** *Cortes.*
cortex ⟨de (m.)⟩ ⟨med.⟩ **0.1** *cortex.*
corticoïden ⟨zn.mv.⟩ ⟨med.⟩ **0.1** *corticoids.*
corticosteroïden ⟨zn.mv.⟩ ⟨med.⟩ **0.1** *corticosteroids.*
corticosteron ⟨het⟩ ⟨biol.⟩ **0.1** *corticosterone.*
corvee ⟨de (v.)⟩ **0.1** [huishoudelijke werkzaamheden] ⟨mil.⟩ *fatigue (duty); (household) chores* **0.2** [lastig/ondankbaar werk] *chore, drudgery;* ⟨vnl. BE⟩ *fag* ◆ **3.1** ~ hebben ⟨mil.⟩ *be (put) on fatigue (duty), do fatigues; do the chores.*
corveedienst ⟨de (m.)⟩ **0.1** ⟨mil.⟩ *fatigue (duty),* ⟨niet mil.⟩ *kitchen/cleaning duty, chores* ⇒⟨AE; in keuken⟩ *kitchen police, K.P.* ◆ **3.1** ~ hebben *be on fatigue (duty)/kitchen/cleaning duty/be doing (the) chores.*
coryfee ⟨de (m.)⟩ **0.1** *star* ⇒*lion, celebrity,* ↓*big wheel,* ⟨inf.⟩ *ace.*
cos ⟨wisk.⟩ ⟨afk.⟩ **0.1** [cosinus] *cos.*
coschap ⟨het⟩ **0.1** [B]*(assistant) housemanship,* [A]*intern(e)ship* ◆ **3.1** ~pen lopen *do/complete one's h./i..*
cosecans ⟨de⟩ ⟨wisk.⟩ **0.1** *cosecant.*
cosinus ⟨de (m.)⟩ ⟨wisk.⟩ **0.1** *cosine* ◆ **¶.1** ~ versus *versed c..*
cosmetica ⟨zn.mv.⟩ **0.1** *cosmetics* ◆ **1.1** afdeling ~ *cosmetics department.*
cosmetisch ⟨bn.⟩ **0.1** *cosmetic* ◆ **1.1** de ~e industrie *the cosmetics industry.*
Costa Rica ⟨het⟩ **0.1** *Costa Rica.*
Costaricaans ⟨bn.⟩ **0.1** *Costa Rican.*
costumier[1] ⟨de (m.)⟩ **0.1** *costumier, costumer* ⇒⟨dram.⟩ *dresser, wardrobe keeper/master.*
costumier[2] ⟨bn.⟩ ⟨jur.⟩ **0.1** *customary* ◆ **1.1** ~ recht *common law.*
costumière ⟨de (v.)⟩ **0.1** *costumier* ⇒⟨dram.⟩ *wardrobe mistress.*
cosy-corner ⟨de (m.)⟩ **0.1** [corner] *couch/sofa.*
cotangens ⟨de (m.)⟩ ⟨wisk.⟩ **0.1** *cotangent.*
coteren ⟨ov.ww.⟩ **0.1** [merken] *grade* **0.2** [⟨geldw.⟩] *admit to the Official List.*
couchette ⟨de⟩ **0.1** *berth* ⇒*bunk* ⟨boven elkaar⟩, [B]*couchette* ⟨in trein⟩.
coulance ⟨de (v.)⟩ **0.1** *considerateness* ⇒*compliance, courtesy,* ⟨soepelheid⟩ *reasonableness, promptness, leniency* ◆ **3.1** ~ tonen tegenover schuldenaren *show forbearance/leniency towards debtors* **6.1** verzekerden **met** ~ behandelen *treat the insured fairly.*
coulant ⟨bn., bw.; -ly⟩ **0.1** [toegevend, gedienstig] *accommodating* ⇒*compliant, obliging, courteous* **0.2** [gemakkelijk, soepel] *accommodating* ⇒*reasonably, fair, generous* ◆ **1.2** een ~e houding *an a./a generous attitude;* de ~e uitbetaling van een verzekerd bedrag *(the) prompt payment/settlement of the amount insured;* ~e voorwaarden *reasonable/generous terms* **3.1** iem. ~ behandelen *be a. towards s.o., be obliging/fair to s.o.* **3.2** zich ~ opstellen jegens klanten *be obliging towards customers.*
couleur locale ⟨de⟩ **0.1** *local colour.*
coulisse ⟨de (v.)⟩ **0.1** *(side) wing* ⟨vaak mv.⟩ ⇒*coulisse* ⟨vaak mv.⟩ ◆ **6.1 achter** de ~n ⟨ook fig.⟩ *offstage/behind the scenes/in the wings;* ⟨fig.⟩ hij heeft **achter** de ~n gekeken *he knows the ins and outs/how the land lies;* **achter** de ~n hoort men trompetten *trumpets sound within;* **tussen** de ~n staan *stand in the wings;* **tussen** de ~n verdwijnen *retreat between/step back into the wings;* **uit** de ~n te voorschijn komen *come on stage.*
coulomb ⟨de (m.)⟩ **0.1** *coulomb.*
counselen ⟨ov.ww.⟩ ⟨psych.⟩ **0.1** *counsel.*
counse(l)ling ⟨de⟩ ⟨psych.⟩ **0.1** *counselling* [A]*eling* ⇒⟨mbt. huwelijksrelatie ook⟩ *marriage guidance/encounter.*
counse(l)lor ⟨de (m.)⟩ **0.1** *counsellor* [A]*elor* ⇒*adviser,* ⟨AE sp. ook⟩ *advisor.*
counter ⟨de (m.)⟩ **0.1** [⟨sport⟩] *counter(attack/move/stroke);* ⟨schermen⟩ *riposte* ⇒*counteroffensive* **0.2** [toonbank] *counter* ⇒⟨AE ook⟩ *desk* ◆ **6.1 op** de ~ spelen *rely on breakways; try to score through counter-attacks.*
counteren ⟨onov.ww.⟩ ⟨sport⟩ **0.1** *counter(attack)* ⇒*come back,* ⟨schermen⟩ *riposte.*
countertenor ⟨de (m.)⟩ ⟨muz.⟩ **0.1** [stem] *countertenor* **0.2** [zanger] *countertenor.*
countervoetbal ⟨het⟩ **0.1** *≠defensive football.*
country ⟨de (m.)⟩ **0.1** [platteland] *country(side)* **0.2** [stijl] *country* **0.3** [muziek] *country (music).*
country-and-western ⟨de⟩ **0.1** *country-and-western* ◆ **1.1** ~ muziek *country-and-western/* ⟨vaktaal⟩ *C and W (music).*
countrymuziek ⟨de (v.)⟩ **0.1** [liedjes] *country/hillbilly music* **0.2** [muziekstroming] *country music, country-and-western/* ⟨vaktaal⟩ *C and W (music).*
coup ⟨de (m.)⟩ **0.1** [slag] *coup, stroke* **0.2** [staatsgreep] *coup, coup d'état, putsch* ◆ **3.2** een ~ plegen *stage a coup, seize power.*
coupe ⟨de⟩ **0.1** [snit, vorm] *cut* ⇒*shape, pattern, style* ⟨van haar⟩ **0.2** [wijd glas] *cup, coupe, bowl, vessel* **0.3** [ijsgerecht] *coupe* ◆ **2.1** je haar in een goede ~ laten knippen *get a nice (hair)c., have your hair styled nicely;* er zit een hele goede ~ in *it is extremely well cut* **¶.1** de hele ~ is uit mijn haar *my hair has lost its shape* **¶.3** ~ royale *≠sundae.*
coupé ⟨de (m.)⟩ **0.1** [treincoupé] *compartment* **0.2** [tweedeursauto] *coupé* ◆ **6.1** een ~ **voor** niet-rokers *a non-smoker, a no smoking c..*

coupenaad ⟨de (m.)⟩ **0.1** *dart*.

couperen ⟨onov.ww.⟩ **0.1** [afsnijden] *cut* ⇒*trim, pare* **0.2** [⟨kaartspel⟩] *cut* **0.3** [gedeelten wegknippen] *cut, make cuts* **0.4** [verhinderen] *cut short, preclude, forestall* **0.5** [versnijden] *dilute* ⟨wijn⟩ ◆ **1.1** een hond /paard~ *dock a dog/horse's tail, bobtail a dog/horse;* een kater~ *c. a (tom-)cat;* ⟨inf.⟩ *neuter/doctor a (tom-)cat;* vechthanen~ *dock/crop fighting-cocks*.

couperose ⟨de (v.)⟩ **0.1** *(acne) rosacea*.

coupeur ⟨de (m.)⟩, **coupeuse** ⟨de (v.)⟩ **0.1** *(tailor's) cutter, fitter*.

couplet ⟨het⟩ **0.1** *stanza* ⇒*strophe, verse,* ⟨tweeregelig⟩ *couplet,* ⟨vierregelig⟩ *quatrain*.

coupon ⟨de (m.)⟩ **0.1** [lap stof] *remnant, (dress) length* **0.2** [rente/dividendbewijs] *(interest/dividend/bond) coupon* **0.3** [toegangsbewijs] *ticket* ⇒*voucher* ◆ **2.2** verschenen/verjaarde~ *due/lapsed c.* **3.2** ~s inruilen *redeem coupons;* ⟨fig.⟩ ~netjes knippen *be a c. clipper/of independent means*.

couponbelasting ⟨de (v.)⟩ **0.1** *coupon and dividend tax* ⇒*tax on unearned income*.

couponbetaling ⟨de (v.)⟩ **0.1** *coupon payment*.

couponblad ⟨het⟩ **0.1** *coupon sheet, sheet of coupons*.

couponboekje ⟨het⟩ **0.1** *coupon-book, ticket-book, book of tickets/coupons*.

couponknipper ⟨de (m.)⟩ **0.1** *coupon clipper, man of independent means*.

couponring ⟨de (m.)⟩ **0.1** ≠*rubber band (for coupons)*.

couponschaar ⟨de⟩ **0.1** *(a pair of) coupon-scissors/long-bladed scissors*.

coupure ⟨de⟩ **0.1** [weglating van een gedeelte] *cut* ⇒*deletion* **0.2** [⟨geldw.⟩] *denomination* **0.3** [afsnijding] *(short) cut, cutting* ◆ **2.2** geld in kleine ~s *money of small denominations* **3.1** ~s aanbrengen in een film *cut a film, make cuts in a film* **6.1** zonder ~ *uncut, unabridged, unexpurgated* **6.2** bankbiljetten **in** ~s van 5,10,25,50, 100 enz. gulden *banknotes in denominations of 5, 10, 25, 50, 100 guilders*.

cour ⟨de⟩ ⟨AZN⟩ **0.1** *(court-)yuard, patio, playground*.

courage ⟨de (v.)⟩ **0.1** *courage*.

courant[1] →**krant**.

courant[2] ⟨het⟩ **0.1** *currency*.

courant[3] ⟨bn.⟩ **0.1** *current* ⟨ook geldw.⟩ ⇒*prevalent, prevailing, easily marketable, standard* ◆ **1.1** ~e fondsen *sal(e)able/marketable stocks;* niet~e maten *special/unusual sizes;* ~e maten/modellen *stock/standard sizes;* het meest~e model *the best-selling like, the model most in demand;* ~e rente *running interest;* ~e schulden *c. debts;* ~e waren/artikelen *c. stock, goods/articles in demand*.

courantier ⟨de (m.)⟩ **0.1** *newspaperman, journalist*.

coureur ⟨de (m.)⟩ **0.1** ⟨wielrenner⟩ *(racing) cyclist;* ⟨motorracer⟩ *racing motorcyclist;* ⟨autoracer⟩ *race-/racecar/racing driver*.

courgette ⟨de⟩ **0.1** *courgette,* [A]*zucchini*.

course ⟨de (m.)⟩ ⟨sport⟩ **0.1** *race*.

courtage ⟨de (v.)⟩ **0.1** *brokerage, (broker's) commission;* ⟨mbt. onroerend goed⟩ *estate agent's/*[A]*real estate agent's fees* ◆ **7.1** geen/dubbele ~ in rekening brengen *charge no/double commission*.

courtagekosten ⟨zn.mv.⟩ **0.1** *brokerage* ⇒*broker's fees*.

courtisane ⟨de (v.)⟩ **0.1** *Courtesan, courtezan* ⇒*hetaera, hetaira*.

courtoisie ⟨de (v.)⟩ **0.1** *courtesy, courteousness* ⇒[↑]*comity* ◆ **2.1** internationale~ *comity of nations*.

cous-cous ⟨de⟩ ⟨cul.⟩ **0.1** *couscous*.

coûte que coûte 0.1 *at all costs/any cost*.

couture ⟨de (v.)⟩ **0.1** *couture, dressmaking* ◆ ¶**.1** haute~ *haute couture, high fashion*.

couturejurk ⟨de⟩ **0.1** *designer dress*.

couturier ⟨de (m.)⟩ **0.1** *couturier, (fashion) designer*.

couvade ⟨de (v.)⟩ **0.1** *couvade*.

couvert ⟨het⟩ **0.1** [enveloppe] *cover* ⇒*envelope, wrapper* **0.2** [eetgerei] *cover* ⇒*cutlery* ⟨messen, vorken, lepels⟩ ◆ **2.1** in gesloten/open ~ *under sealed/unsealed c., in a sealed/an unsealed envelope* **6.1** een geschenk onder ~ aanbieden/overhandigen ≠*present s.o. with a cheque* **6.2** diners van dertig gulden **per** ~ *dinners of thirty guilders each/a cover* **7.2** een diner van twintig~s *a dinner of twenty covers*.

couverture ⟨de (v.)⟩ **0.1** [deksel] *cover* **0.2** [(boek)omslag] *cover, (book) jacket* **0.3** [chocolade] *couverture*.

couveuse ⟨de (v.)⟩ **0.1** [⟨med.⟩] *incubator* **0.2** [broedmachine] *incubator* ⇒*hatchery, brooder*.

couveusekind ⟨het⟩ **0.1** *premature baby*.

covariantie ⟨de (v.)⟩ ⟨statistiek⟩ **0.1** *covariance*.

cover ⟨de (m.)⟩ **0.1** [hoes, omslag] *cover, (dust) jacket; sleeve* ⟨van grammofoonplaat⟩ **0.2** [coverversie] ⟨→**coverversie**⟩.

coverartikel ⟨het⟩ **0.1** *cover story*.

coverband ⟨de (m.)⟩ **0.1** *remould* [A]*mold* ⇒*retread*.

coverbedrijf ⟨het⟩ **0.1** *tyre* [A]*tire remo(u)lding/retread business*.

coveren ⟨ov.ww.⟩ **0.1** [nieuwe versie maken] *cover* **0.2** [dekken] *cover* **0.3** [v.e. nieuw loopvlak voorzien] *remould* [A]*mold* ⇒*retread* ◆ **1.1** dit nummer v.d. Stones is veel gecoverd *this song/number of the Stones has often been covered* **1.2** deze maatregelen ~ alle problemen *these measures c. all problems*.

coverversie ⟨de (v.)⟩ ⟨muz.⟩ **0.1** *cover (version), remake*.

---

cowboy ⟨de (m.)⟩ **0.1** *cowboy* ⇒*cowhand,* ⟨AE; inf.⟩ *cowpoke*.

cowboyfilm ⟨de (m.)⟩ **0.1** *western* ⇒*cowboy film,* ⟨inf.⟩ *horse opera*.

cowboyhoed ⟨de (m.)⟩ **0.1** *cowboy hat* ⇒*stetson*.

coyote ⟨de (m.)⟩ **0.1** *coyote* ⇒*prairie wolf*.

CPB ⟨het⟩ ⟨afk.⟩ **0.1** [Centraal Planbureau] ⟨*government body for economic planning*⟩.

CPN ⟨de (v.)⟩ ⟨afk.⟩ **0.1** [Communistische Partij van Nederland] ⟨*Communist Party of the Netherlands*⟩.

CPNB ⟨de (v.)⟩ ⟨afk.⟩ **0.1** [Commissie voor de Propaganda van het Nederlandse Boek] ⟨*organization to promote the Netherlands publishing industry*⟩.

c.q. ⟨Lat.⟩ ⟨afk.⟩ **0.1** [casu quo] ⟨*casu quo*⟩.

crack ⟨de (m.)⟩ ⟨sport⟩ **0.1** [B]*crack* ⇒*ace,* ⟨inf.⟩ *hotshot*.

craniometrie ⟨de (v.)⟩ **0.1** *craniometry*.

crapaud ⟨de (m.)⟩ **0.1** *tub chair*.

crapuul ⟨het⟩ **0.1** *mob* ⇒*rabble, riff-raff,* [↑]*populace*.

craquelé ⟨het⟩ **0.1** [bankroet gaan] *crackle(ware)* ⇒*crackle china/glass* ◆ **1.1** een vaas van~, een ~ vaas *a crackleware vase*.

craquelure ⟨de⟩ **0.1** *crackle* ⇒*craquelure* ⟨schilderijen⟩.

crashen ⟨onov.ww.⟩ **0.1** [bankroet gaan] *crash* ⇒*go bankrupt, go to the wall* **0.2** [botsen, te pletter storten] *crash* ⇒⟨BE; inf.⟩ *prang* ◆ **1.2** het toestel crashte bij de landing *the plane crashed/pranged while landing*.

crawlen ⟨onov.ww.⟩ **0.1** *crawl* ⇒*do/swim the crawl*.

crawlslag ⟨de (m.)⟩ **0.1** *(Australian/front) crawl*.

crawlzwemmer ⟨de (m.)⟩, **-zwemster** ⟨de (v.)⟩ **0.1** *crawler*.

crayon
I ⟨het⟩ **0.1** [tekenstift] *crayon* ⇒*pastel, pencil* ◆ ¶**.1** en~ *with pastel/crayon pencil;*
II ⟨de (m.)⟩ **0.1** [tekening] *crayon* ⇒*pastel*.

crayontekening ⟨de (v.)⟩ **0.1** *crayon (drawing)* ⇒*pencil drawing*.

crazy ⟨bn., bw.; -ly⟩ **0.1** [waanzinnig] *mad, insane* ◆ **3.1** ik word~ van dat lawaai *that noise is driving me c./up the wall*.

creatie ⟨de (v.)⟩ **0.1** [schepping] *creation* **0.2** [modeontwerp] *creation* ⇒*design* **0.3** [⟨dram.⟩] *creation* ◆ **2.2** de nieuwste~s van Dior *Dior's latest creations/designs*.

creatief ⟨bn., bw.; -ly⟩ **0.1** [scheppend, oorspronkelijk] *creative* ⇒*originative, innovative, inventive, imaginative* **0.2** [mbt. schepping] *creative* ⇒*originative* **0.3** [mbt. zelfwerkzaamheid] *creative* ◆ **1.1** een creatieve geest *an original/inventive mind;* een creatieve periode in zijn loopbaan *a c. period in his career* **1.3** een~ centrum *a c. centre* **2.3** ~ bezig zijn *be occupied creatively/in a c. way* **3.1** ~ vertalen *translate creatively/in a c. way/with imagination* **5.1** weinig~ *unimaginative, pretty sterile*.

creatieveling ⟨de (m.)⟩, **-e** ⟨de (v.)⟩ **0.1** *creative person*.

creatinine ⟨de (v.)⟩ ⟨biol., schei.⟩ **0.1** *creatinine*.

creationisme ⟨het⟩ **0.1** *creationism*.

creationist ⟨de (m.)⟩ **0.1** *creationist*.

creativiteit ⟨de (v.)⟩ **0.1** [⟨bk.⟩] *creativity* ⇒*creativeness, creative talent, imagination* **0.2** [voortplantingsvermogen] *fecundity* ◆ **3.1** ⟨fig.⟩ haar oplossingen getuigen van~ *her solutions show imagination*.

creatuur ⟨het, de (v.)⟩ **0.1** [schepsel] *creature* **0.2** [⟨pej.⟩] *creature*.

crèche ⟨de⟩ **0.1** *crèche* ⇒*day-care centre, day nursery,* [A]*(children's) daycare* ◆ **6.1** een kind **op** de~ doen *place a child in a c./nursery*.

credens(tafel) ⟨de⟩ ⟨r.k.⟩ **0.1** *credence (table)*.

credit ⟨het⟩ ⟨hand.⟩ **0.1** [dat wat men schuldig is] *credit* **0.2** [passiva op een balans] *credit* **0.3** [tegoed van de rekeninghouder] *credit* ◆ **1.1** debet en~ *debit and c.* **3.3** zijn rekening~ houden *keep one's account in c.;* zijn rekening~ stellen *put/place one's account in c.* **6.3** voor f 1000 **in** ~ staan *have a c. (balance) of 1000 guilders;* **in** het/iemands~ boeken *pass/enter/place to s.o.'s c./to the credit of s.o.'s account;* **in** zijn~ hebben/staan *have/stand to one's c.;* iets **op** iemands~ schrijven ⟨ook fig.⟩ *put sth. to s.o.'s c.*.

crediteren ⟨ov.ww.⟩ **0.1** [op vertrouwen leveren/lenen] *give credit* ⇒⟨inf.⟩ *give on tick* **0.2** [op de creditzijde boeken] *credit* ⇒*pass/place/ put/enter/carry to s.o.'s credit/to the credit of s.o.'s account* **0.3** [als tegoed bijschrijven] *credit* ◆ **1.3** iem.~ voor 1000 gulden *credit s.o./ s.o.'s account with 1000 guilders* **6.3** het zal u **in** rekening worden gecrediteerd *it will be credited to your account*.

crediteur ⟨de (m.)⟩ **0.1** *creditor* ⇒⟨mv.; boekhouden⟩ *accounts payable* ◆ **2.1** gedekte/gewone/preferente~ *secured/ordinary/preferential c.*.

creditnota ⟨de⟩ **0.1** *credit note/slip*.

creditpost ⟨de (m.)⟩ **0.1** *credit item/entry* ⇒*item of credit, entry on the credit side, asset*.

creditrekening ⟨de (v.)⟩ **0.1** *credit/charge account*.

creditsaldo ⟨het⟩ **0.1** *credit balance*.

creditzijde ⟨de⟩ **0.1** [rechterzijde v.e. rekening-courant] *credit/creditor side* **0.2** [⟨fig.⟩ de gunstige zijde] *credit side*.

credo ⟨het⟩ **0.1** [geloofsbelijdenis] *credo* ⇒*creed* **0.2** [diepe overtuiging] *creed* ⇒*belief, conviction* **0.3** [deel van de mis] *Credo* ⇒*Creed* ◆ **2.2** iemands politiek~ *s.o.'s political creed/conviction*.

creëren ⟨ov.ww.⟩ **0.1** [scheppen] *create* ⇒*bring/call into being,* ⟨inf.⟩

drum up/*into being* **0.2** [instellen] *create* **0.3** [benoemen] *create* **0.4** [(een mode) ontwerpen] *create* **0.5** [⟨geldw.⟩] *raise* ⟨lening⟩ ♦ **1.1** een nieuwe uitdrukking ~ *c.* / *coin a new expression* / *phrase;* werkgelegenheid ~ *c. employment.*

crematie ⟨de (v.)⟩ **0.1** *cremation.*

crematorium ⟨het⟩ **0.1** *crematorium,* ^A*crematory.*

crème[1]
I ⟨het⟩ **0.1** [kleur] *cream* ♦ **6.1** zij was die avond in het ~ *she was wearing* / *dressed in c. that evening;*
II ⟨de⟩ **0.1** [kosmetika] *cream* **0.2** [room] *cream* **0.3** [fondant, likeur] *crème* **0.4** [schuimachtige substantie] *cream* **0.5** [soep] *cream soup* ♦ **3.1** ~ op zijn gezicht smeren *rub c. on one's face* ¶**.2** ~ fouettée *clotted* / *whipped* / *whipping c.;* chocolat à la ~ *c. chocolate;* café à la ~ *c. coffee* ¶**.4** ~ de vanille *c. of vanilla* ¶**.¶** ~ de la ~ *the cream* / *pick of the bunch, the crème de la crème,* ^A*the four hundred.*

crème[2] ⟨bn.⟩ **0.1** *cream* ♦ **1.1** een ~ japon *a c.(-coloured) dress* **3.1** een deur ~ schilderen *paint a door c..*

cremeren ⟨ov.ww.⟩ **0.1** *cremate* ⇒ [1] *commit to the flames.*

crèmespoeling ⟨de (v.)⟩ **0.1** *hair conditioner.*

cremometer ⟨de (m.)⟩ **0.1** *creamometer.*

cremona ⟨de⟩ ⟨muz.⟩ **0.1** *cremona.*

creneleren ⟨ov.ww.⟩ **0.1** [kerven, uittanden] *mill* ⟨munten⟩ ⇒*make a crenullation* ^A*ulation in* **0.2** [van kantelen voorzien] *crenellate* ^A*elate* ♦ **1.2** gecreneleerde muren *crenellated walls.*

crenologie ⟨de (v.)⟩ **0.1** *(literary) source study.*

creolisering ⟨de (v.)⟩ **0.1** [het creools worden] *creolization* **0.2** [⟨taal.⟩] *creolization.*

creool ⟨de (m.)⟩, -se ⟨de (v.)⟩ **0.1** [afstammeling van Europeanen] *Creole* **0.2** [persoon van gemengd Europees en niet-Europees bloed] *Creole* **0.3** [(in Suriname) afstammeling van negerslaven] *Creole.*

creools[1] ⟨het⟩ **0.1** *creole.*

creools[2] ⟨het⟩ **0.1** *creole.*

creosoot ⟨het, de (m.)⟩ **0.1** *creosote (oil).*

creosoteren ⟨ov.ww.⟩ **0.1** *creosote* ⇒*season with creosote oil.*

crêpe ⟨de (m.)⟩ **0.1** [weefsel] *crêpe, crepe, crape* **0.2** [soort rubber] *crêpe, crepe, crape* **0.3** [flensje] *crêpe, crepe* ♦ ¶**.1** ~ georgette *crêpe georgette;* ~ de Chine *crêpe de Chine* ¶**.3** ~s Suzette *crêpes Suzette.*

crepeergeval ⟨het⟩ **0.1** *desperate case.*

crèpepapier ⟨het⟩ **0.1** *crêpe* / *crepe paper.*

creperen ⟨onov.ww.⟩ ⟨inf.⟩ **0.1** [mbt. dieren; sterven] *die* **0.2** [ellendig omkomen] *die (miserably)* ⇒*perish* **0.3** [lijden] *suffer* ⇒*be racked* ♦ **3.2** ze lieten haar gewoon ~ *they let her d. like a dog* **6.2** ~ van de honger *d. of hunger, be starved to death* **6.3** ~ van de pijn *be racked* / *writhing with pain.*

crêpezool ⟨de⟩ **0.1** *crepe* / *crêpe sole.*

crescendo[1] ⟨het⟩ **0.1** *crescendo.*

crescendo[2] ⟨bw.⟩ ⟨muz.⟩ **0.1** *crescendo* ♦ **3.1** (fig.) het gaat weer ~ de laatste tijd *it has been going c.* / *uphill again lately;* een passage ~ spelen *play a passage c..*

cretin ⟨de (m.)⟩ **0.1** *cretin* (ook fig.).

cretinisme ⟨het⟩ ⟨med.⟩ **0.1** *cretinism* ⇒*infantile myxoedema.*

cretonne ⟨het⟩ **0.1** *cretonne.*

cretonnen ⟨bn.⟩ **0.1** *cretonne.*

cri ⟨de (m.)⟩ **0.1** *cry* ⇒*scream, shout* ♦ ¶**.1** le dernier ~ *the dernier cri, the latest fashion;* ~ de coeur *cri de coeur, c. from the heart.*

criant ⟨bw.⟩ **0.1** *excruciatingly* ⇒*terribly* ♦ **2.1** ~ vervelend *terminally boring, soul-destroying.*

cric ⟨de (m.)⟩ **0.1** *(screw* / *car)jack.*

cricketen ⟨onov.ww.⟩ **0.1** *play cricket.*

cricketspel ⟨het⟩ **0.1** *(game of) cricket.*

cricketveld ⟨het⟩ **0.1** *cricket ground* / *field* ♦ **6.1** op het ~ *on the c. g..*

crime ⟨de (m.)⟩ **0.1** *crime* ⇒*terror* ♦ **3.1** het is een ~ *it is dreadful* / *a shame, it is more than flesh and blood can stand* / *bear;* die zondagsrijders zijn een ~ *these week-end motorists* / *drivers are a dead loss* / *deadly* ¶**.¶** ~ passionnel *crime passionnel* / -*ionel, crime of passion.*

criminaliseren ⟨ov.ww.⟩ **0.1** *make a criminal act* ♦ **1.1** het gebruik van soft drugs word gecriminaliseerd *the use of soft drugs is being made a criminal act.*

criminalist ⟨de (m.)⟩ **0.1** *criminalist* ⇒*criminal lawyer.*

criminalistiek ⟨de (v.)⟩ **0.1** *criminalistics.*

criminaliteit ⟨de (v.)⟩ **0.1** *criminality* ⇒*delinquency* ♦ **1.1** een toename v.d. ~ *an increase of* / *in crime* **2.1** de lichte ~ *petty crime;* de zware ~ *capital crime* / *offences.*

crimineel[1] ⟨de (m.)⟩ **0.1** *criminal* ⇒*felon, malefactor, lawbreaker.*

crimineel[2]
I ⟨bn.⟩ **0.1** [strafrechtelijk] *criminal* **0.2** [misdadig] *criminal* ⇒*felonious* ♦ **1.1** criminele antropologie *c. anthropology;* ~ recht *c. law;* criminele sociologie *criminology;* een criminele zaak *a c. case* **1.2** een criminele aanleg *a c. predisposition* / *inclination;*
II ⟨bw.⟩ **0.1** [ongehoord] *horribly* ⇒*outrageously, terribly, awfully* ⟨soms positief⟩ ♦ **2.1** het is ~ koud *it's wickedly cold* **3.1** ik zou het ~ vinden als je kunt komen *it would be terrific fun if you could come;* hij vloekt ~ *he swears like a trooper.*

criminogeen ⟨bn., bw.⟩ **0.1** *conducive to crime* ♦ **3.1** een dergelijke maatregel kan ~ werken *such a measure can be an incentive to crime* / *may well lead to crime.*

criminologie ⟨de (v.)⟩ **0.1** *criminology.*

criminologisch ⟨bn.⟩ **0.1** *criminological.*

criminoloog ⟨de (m.)⟩, -loge ⟨de (v.)⟩ **0.1** *criminologist.*

crin ⟨het⟩ **0.1** *horsehair* ♦ ¶**.1** ~ végétal *vegetable hair, crin.*

crinoline ⟨de (v.)⟩ **0.1** *crinoline* ⇒*hoop skirt.*

crisis ⟨de (v.)⟩ **0.1** [⟨med.⟩] *crisis* ⇒*critical stage* **0.2** [kritieke situatie] *crisis* ⇒*critical stage* **0.3** [⟨ec.⟩] *crisis* ⇒*depression, slump* **0.4** [⟨psych.⟩] *crisis* ♦ **1.3** de ~ v.d. jaren dertig *the depression of the 1930's* **2.2** een ministeriële ~ *a cabinet* / *governmental c.* **2.3** de economische ~ verergert *the economic c. is getting worse* / *deepening* **3.2** een ~ bezweren *defuse a c.;* een ~ uit *things are coming to a head* **3.3** de ~ brak uit *the c. came* / *set in* / *blew up* **3.4** een ~ doormaken *pass* / *go through a c.;* een ~ doorstaan *weather through a c.;* zich in een ~ bevinden *undergo a c.* ¶**.1** de ~ te boven komen/zijn (ook fig.) *to have turned the corner* / *passed the critical stage* ¶**.3** de fabriek is aan de ~ ten onder gegaan *the factory was a casualty of the depression.*

crisiscentrum ⟨het⟩ **0.1** [opvangcentrum] *crisis centre* **0.2** [coördinatiecentrum] *crisis* / *emergency centre.*

crisismaatregel ⟨de (m.)⟩ **0.1** *emergency measure.*

crisissituatie ⟨de (v.)⟩ **0.1** *crisis situation* ⇒*crisis.*

crisisteam ⟨het⟩ **0.1** *crisis team.*

crisistijd ⟨de (m.)⟩ **0.1** *time of crisis* ⇒⟨ec.⟩ *depression,* ⟨geestelijk⟩ *time of stress* ♦ **6.1** in ~en *at* / *in times of crisis.*

criterium ⟨het⟩ **0.1** [maatstaf] *criterion* ⇒*test, standard, touchstone* **0.2** [⟨wielersport⟩] *criterium* ♦ **3.1** aan de criteria voldoen *meet the tests* / *criteria;* een ~ vaststellen *lay down a c.* **6.1** aan een ~ toetsen *try by a test, test by a c.* **8.1** dit kan enigszins als een ~ dienen ter beoordeling van ... *this affords some test* / *c. for determining whether ....*

criticaster ⟨de (m.)⟩ **0.1** *criticaster* ⇒*faultfinder, hairsplitter.*

criticus ⟨de (m.)⟩ **0.1** [beoordelaar, recensent] *critic* ⇒*reviewer* **0.2** [vitter] *criticaster* ⇒*faultfinder, hairsplitter* ♦ **2.1** een ongenadig ~ *a merciless c., a hatchet man* **3.1** door de critici toegejuicht worden *receive critical acclaim.*

crochet ⟨het⟩ **0.1** *crochet.*

Croesus ⟨de (m.)⟩ **0.1** *Croesus* (ook fig.). ♦ **8.1** hij is zo rijk als ~ *he is as wealthy as C..*

croissant ⟨de (m.)⟩ **0.1** *croissant.*

croissanterie ⟨de (v.)⟩ **0.1** *croissant shop.*

Cro-Magnon ⟨de (m.)⟩ **0.1** *Cro Magnon (man).*

croonen ⟨onov., ov.ww.⟩ **0.1** *croon.*

croquant ⟨bn.⟩ **0.1** *crisp(y), crunchy* ♦ **3.1** ~ maken/worden *crisp.*

croque-monsieur ⟨de (m.)⟩ ⟨AZN⟩ **0.1** *toasted ham and cheese sandwich.*

croquet ⟨de⟩ **0.1** *croquette* ⇒*rissole* ♦ **1.1** een broodje ~ *a c. roll.*

croquethamer ⟨de (m.)⟩ ⟨sport⟩ **0.1** *croquet mallet.*

crossauto ⟨de (m.)⟩ **0.1** *stock car* ⇒ (voor demolitiecross) ^B*knockabout (car), junker, demolition derbycar.*

crossbaan ⟨de⟩ **0.1** (voor het klassieke veldrijden) *(bicycle) cross-country course* / *track.*

crossen ⟨onov.ww.⟩ **0.1** [⟨sport⟩] *take part in a cross-country event* / *race* / *competition* ⇒ (atletiek ook) *do cross-country, do autocross* ⟨auto⟩, *take part in motorcycle trials, go scrambling, do motocross* / *mx* ⟨motorfiets⟩, *go BMX-ing, do BMX racing* ⟨fiets⟩, *take part in horse-trials* / *a point-to-point* ⟨paard⟩ **0.2** [scheuren] *tear* / *scoot about* ♦ ¶**.2** hij crosst heel wat af op die fiets *he's always tearing* / *scooting about on that bike of his.*

crosser ⟨de (m.)⟩ **0.1** *cross-country racer.*

crossfiets ⟨de⟩ **0.1** (voor het klassieke veldrijden) *cross-country (racing) bicycle* / ⟨inf.⟩ *bike;* (voor kinderen) *BMX (bi)cycle* / ⟨inf.⟩ *bike;* ⟨'mountain bike⟩ *mountain bike, all-terrain bicycle* / ⟨inf.⟩ *bike, ATB, off(-the-)road bicycle* / ⟨inf.⟩ *bike.*

crossmotorfiets ⟨de⟩ **0.1** *cross-country motorcycle* ⇒*scrambling motorcycle, scrambler, trials bike,* ^A*trailbike.*

crosspass ⟨de (m.)⟩ ⟨sport⟩ **0.1** *cross* ⇒*crossing pass, cross kick.*

crotonolie ⟨de⟩ **0.1** *croton oil.*

croup → kroep.

croupier ⟨de (m.)⟩ **0.1** *croupier.*

croûton ⟨de (m.)⟩ **0.1** *croûton* ⇒*sippet.*

cru[1] ⟨de (m.)⟩ **0.1** *vintage* ⇒*wine, cru* ♦ **2.1** wijnen v.d. beste ~'s *the best vintages, the greatest* / *most famous vintages* / *wines.*

cru[2] ⟨bn., bw.; -ly⟩ **0.1** [grof] *crude* ⇒*coarse, rude,* ⟨ongemanierd⟩ *rough* **0.2** [rauw] *blunt* ⇒*forthright,* ⟨wreed⟩ *cruel* ♦ **1.1** ~e woorden *blunt words* **3.1** dat klinkt ~ / is een beetje ~ *that sounds blunt, that's being a bit cruel.*

cruciaal ⟨bn.⟩ **0.1** *crucial* ⇒*vital, pivotal, critical, cardinal* ♦ **1.1** van ~ belang *of crucial* / *cardinal importance;* de cruciale vraag *the crucial* / *pivotal question.*

cruciferen ⟨zn.mv.⟩ **0.1** *Cruciferae.*

crucifix ⟨het⟩ **0.1** *crucifix* ⇒*cross.*

cruisen ⟨onov.ww.⟩ 0.1 *go for/on a cruise* ⇒*cruise.*
cruisepassagier ⟨de (m.)⟩ 0.1 *cruise passenger.*
crustaceeën ⟨zn.mv.⟩ 0.1 *Crustacea* ⇒*crustaceans.*
crux ⟨de (v.)⟩ 0.1 [kruis] *crux* ⇒*cross* 0.2 [kernprobleem] *crux* ⇒*pivot.*
cruzeiro ⟨de (m.)⟩ 0.1 *cruzeiro.*
cryobiologie ⟨de (v.)⟩ 0.1 *cryobiology* ◆ 2.1 seminale ~ *seminal c..*
cryochirurgie ⟨de (v.)⟩⟨med.⟩ 0.1 *cryosurgery* ◆ 6.1 met ~ een wrat verwijderen *remove a wart by means of c..*
cryogeen ⟨bn.⟩ 0.1 *cryogenic* ◆ 1.1 ~ laboratorium *c. laboratory;* ~ pompsysteem *cryopump (vacuum-producing) system.*
cryometer ⟨de (m.)⟩ 0.1 *cryometer.*
cryostaat ⟨de (m.)⟩ 0.1 *cryostat.*
cryotherapie ⟨de (v.)⟩⟨med.⟩ 0.1 *cry(m)otherapy.*
cryptanalyse ⟨de (v.)⟩ 0.1 *cryptanalysis.*
crypte ⟨de⟩ 0.1 [onderaardse gang] *crypt* ⇒*vault, undercroft* 0.2 [grafkelder] *crypt* ⇒*vault, undercroft* 0.3 [ontoegankelijke ruimte] *crypt* ⇒*vault, undercroft.*
cryptisch ⟨bn., bw.; -(al)ly⟩ 0.1 *cryptic(al)* ⇒*obscure, abstruse, mysterious* ◆ 1.1 ~e poëzie *cryptic poetry* 3.1 zich ~ uitdrukken *be cryptic/abstruse.*
cryptocommunist ⟨de (m.)⟩ 0.1 *crypto-communist.*
cryptogamen ⟨zn.mv.⟩ 0.1 *cryptogams* ⇒*Cryptogamia.*
cryptogram ⟨het⟩ 0.1 [stuk in geheimschrift] *cryptogram* ⇒*cryptograph* 0.2 [puzzel] *cryptogram* ⇒*cryptic (crossword)* ◆ 3.2 een ~ oplossen *do/solve a cryptogram.*
cryptologie ⟨de (v.)⟩ 0.1 *cryptography, cryptology.*
cryptologisch ⟨bn.⟩ 0.1 *cryptographic, cryptological.*
cryptomnesie ⟨de (v.)⟩⟨psych.⟩ 0.1 *cryptomnesia.*
c.s. ⟨afk.⟩ 0.1 [cum suis] *&/and co..*
csardas ⟨de (m.)⟩ 0.1 *csardas, czardas.*
CSE ⟨het⟩⟨afk.⟩⟨school.⟩ 0.1 [Centraal Schriftelijk Eindexamen] ⟨[B]≠A-/O-level examination, [A]≠comprehensive high school final examinations⟩.
CS-gas ⟨het⟩ 0.1 *CS gas.*
c-sleutel ⟨de (m.)⟩ 0.1 *C clef.*
CSSR ⟨afk.⟩ 0.1 [Ceskoslavenská Socialistická Republika] ⟨*Czechoslovakia*⟩.
C-status ⟨de (m.)⟩⟨radio, t.v.⟩ 0.1 ⟨*lowest category of Dutch broadcasting corporation, entitling to minimum broadcasting time*⟩.
c-straal ⟨de⟩ 0.1 *gamma ray.*
ct. ⟨afk.⟩ 0.1 [courant] *ct., c.* 0.2 [cent] *ct., c..*
Cuba ⟨het⟩ 0.1 *Cuba.*
Cubaan ⟨de (m.)⟩ 0.1 *Cuban.*
Cubaans ⟨bn.⟩ 0.1 *Cuban.*
cuisine ⟨de (v.)⟩ 0.1 *cuisine* ⇒*cooking* ◆ ¶.1 chef de ~ *chef;* haute ~ *haute cuisine, cordon-bleu cooking/cookery.*
cuisinier ⟨de (m.)⟩ 0.1 *cuisinier* ⇒*cook.*
cul-de-sac 0.1 *cul-de-sac* ⇒⟨ook fig.⟩ *blind alley, dead end.*
culdoscopie ⟨de (v.)⟩⟨med.⟩ 0.1 *culdoscopy.*
culinair ⟨bn.⟩ 0.1 *culinary* ◆ 1.1 ~ genot *c. delight;* de ~e kunst *c. art, the art of cooking.*
culminatie ⟨de (v.)⟩⟨ster.⟩ 0.1 *culmination* ◆ 2.1 onderste ~ *lowest c..*
culminatiepunt ⟨het⟩ 0.1 [⟨ster.⟩] *(point of) culmination* ⇒*highest point, culminating point* 0.2 [⟨fig.⟩ toppunt] *culmination* ⇒*culminating/highest point, height,* ⟨van carrière/faam/macht ook⟩ *summit, acme, pinnacle, peak, apex, zenith, climax* ⟨toneelstuk, redevoering⟩ ◆ 3.1 zijn ~ bereiken *culminate;* ⟨fig. ook⟩ *reach one's/its/a climax/height/peak.*
culmineren ⟨onov.ww.⟩ 0.1 [⟨ster.⟩] *culminate* ⇒*be on the meridian* 0.2 [⟨fig.⟩] *culminate (in)* ⇒*reach its/a climax (in).*
culotte ⟨de⟩ 0.1 *culotte(s), pair of culottes.*
culpoos ⟨bn.⟩⟨jur.⟩ 0.1 *culpable* ⇒*criminal,* ⟨nalatig⟩ *negligent* ◆ 1.1 een ~ misdrijf *a criminal offence* [A]*se;* culpose zaakbeschadiging *criminal damage (to property).*
cultisch ⟨bn.⟩ 0.1 *cult(ic)* ⇒*ritual(istic).*
cultivar ⟨de⟩⟨verk.⟩⟨landb.⟩ 0.1 *cultivar* ⇒*cultivated variety.*
cultivator ⟨de (m.)⟩ 0.1 *cultivator* ⇒*grubber, scarifier.*
cultivéparel ⟨de⟩ 0.1 *cultured pearl.*
cultiveren ⟨ov.ww.⟩ 0.1 [bebouwen] *cultivate* ⇒*till, farm* 0.2 [beschaven, vormen] *cultivate* ⇒*improve, civilise, refine* 0.3 [in stand houden] *cultivate* ⇒*foster, nurture* ◆ 1.1 ⟨scherts.⟩ een baard ~ *c. a beard* 1.2 gecultiveerde kringen *cultured/refined/sophisticated circles;* een gecultiveerde smaak *(a) cultivated/sophisticated taste;* zijn taal ~ *civilize/refine one's language* 1.3 gevoelens ~ *foster/cherish/nurture feelings;* de vriendschap met iem. ~ *cultivate s.o.'s friendship, cultivate s.o..*
culture ⟨de (v.)⟩ 0.1 *culture* ⇒*cultivated/agricultural crop.*
cultureel ⟨bn., bw.; -ly⟩ 0.1 [mbt. de cultuur] *cultural* 0.2 [aan de cultuur gewijd] *cultural* ◆ 1.1 een ~ akkoord *a c. agreement;* culturele antropologie *c. anthropology;* de Culturele Revolutie *the (Great Proletarian) Cultural Revolution;* een culturele veelvraat/alleseter *a culture vulture* 1.2 een culturele avond *a conversazione, a c. evening;* ~ centrum ⟨stad⟩ *centre of c. life, c. centre;* ⟨instelling⟩ *arts centre;* ~ werk *c. activities, social and creative activities.*

cultus ⟨de (m.)⟩ 0.1 [godsverering] *cult(us)* ⇒*worship* 0.2 [eredienst] *cult* ⇒*(form of) worship* 0.3 [verering] *cult* ⇒*worship, rage, craze* ◆ 1.3 de ~ v.h. disco-gebeuren *the discocult* 3.3 rond haar persoon is een hele ~ ontstaan *she has turned into quite a cult, they've made quite a cult out of her.*
cultusbeeld ⟨het⟩ 0.1 *religious symbol* ⇒*devotional image,* ⟨afgod⟩ *(cult-)idol.*
cultuur ⟨de (v.)⟩ 0.1 [verbouw van gewassen] *culture* ⇒*growing, cultivation* 0.2 [beschaving] *culture* ⇒*civilization* 0.3 [gekweekte bacteriën] *culture* ◆ 2.1 intensieve ~ *intensive cultivation* 2.2 primitieve culturen *primitive cultures;* de westerse ~ *western civilization* 3.2 zich aanpassen aan een andere ~ ⟨ook⟩ *acculturate (o.s.)* 6.1 een stuk grond in ~ brengen *bring land into/under cultivation;* in ~ zijn *be cultivated/under cultivation.*
cultuuraarde ⟨de⟩ 0.1 *mould, upper soil.*
cultuurbarbaar ⟨de (m.)⟩⟨bel.⟩ 0.1 *Philistine.*
cultuurbezit ⟨het⟩ 0.1 *cultural heritage.*
cultuurdrager ⟨de (m.)⟩ 0.1 *vehicle/vector of culture/civilization; purveyor of culture* ⟨persoon⟩.
cultuurfilosofie ⟨de (v.)⟩ 0.1 *philosophy of culture.*
cultuurgeschiedenis ⟨de (v.)⟩ 0.1 *history of civilization* ⇒*cultural history* ⟨van bep. land/volk⟩.
cultuurgewas ⟨het⟩ 0.1 →*culture.*
cultuurgoed ⟨het⟩ 0.1 *items of cultural worth/value/significance* ⇒ ⟨dicht.⟩ *cultural baggage.*
cultuurgrond ⟨de (m.)⟩ 0.1 *arable/crop/agricultural land* ⇒*farmland,* ⟨in cultuur gebracht ook⟩ *cultivated land* ◆ 2.1 t.b.v. de land- of bosbouw bedrijfsmatig geëxploiteerde ~ *land under commercial cultivation for agricultural or forestry purposes.*
cultuurhistoricus ⟨de (m.)⟩, -ca ⟨de (v.)⟩ 0.1 *cultural historian.*
cultuurhistorie ⟨de (v.)⟩ 0.1 →*cultuurgeschiedenis.*
cultuurhistorisch ⟨bn.⟩ 0.1 *concerned/connected with the history of civilization* ⇒*historico-cultural, cultural-historical* ◆ ¶.1 ~ is haar werk zeer interessant *seen from the point of view of the history of civilization/culture, her work is very interesting.*
cultuurinvloed ⟨de (m.)⟩ 0.1 *cultural influence/impact.*
cultuurkring ⟨de (m.)⟩ 0.1 [geografisch gebied] *culture area/complex* 0.2 [sfeer] *cultural sphere/orbit.*
cultuurlandschap ⟨het⟩ 0.1 *man-made landscape* ⇒*area (of land) developed and created by man.*
cultuurniveau ⟨het⟩ 0.1 *stage/level of civilization* ⇒*stage of/in cultural development, cultural level.*
cultuurpessimist ⟨de (m.)⟩ 0.1 *pessimist who sees little future in culture.*
cultuurpolitiek ⟨de (v.)⟩ 0.1 *cultural (and educational) policy.*
cultuurschok ⟨de (m.)⟩ 0.1 *culture shock.*
cultuursociologie ⟨de (v.)⟩ 0.1 *cultural sociology* ⇒*sociology of culture/civilization.*
cultuurstelsel ⟨het⟩ 0.1 *system of forced farming.*
cultuurtaal ⟨de (v.)⟩ 0.1 *national/standard language* ◆ 6.1 zijn werken zijn in alle cultuurtalen vertaald *his works have been translated into every civilized language.*
cultuurtechnicus ⟨de (m.)⟩ 0.1 *agricultural engineer* ⇒*land development officer, land-developer.*
cultuurtechniek ⟨de (v.)⟩ 0.1 *agricultural engineering* ⇒*land development.*
cultuurtechnisch ⟨bn.⟩ 0.1 *agricultural engineering* ⇒*land development* ◆ 1.1 de Cultuurtechnische Dienst *government service for land and water use;* ~e werken *land development projects.*
cultuurvolk ⟨het⟩ 0.1 *civilized nation/people.*
cum annexis 0.1 *with accessories/fittings* ⇒*and all that goes with it,* ⟨inf.⟩ *and all the trimmings.*
cumarine ⟨de⟩ 0.1 *c(o)umarin.*
cum laude 0.1 *with credit/distinction* ⇒⟨vnl. AE⟩ *cum laude* ◆ 3.1 hij slaagde ~ *he passed with credit/distinction.*
cum suis 0.1 *and associates/partners/collaborators/friends.*
cumulatie ⟨de (v.)⟩ 0.1 [samenvoeging, opeenhoping] *(ac)cumulation* 0.2 [⟨med.⟩] *cumulation* ⇒*cumulative action* ◆ 1.1 ~ van ambten *plurality, pluralism, combination of offices/benefices;* ~ van straffen *cumulation of penalties.*
cumulatief ⟨bn.⟩ 0.1 *cumulative* ⇒*accumulative* ◆ 1.1 het cumulatieve karakter van dit proces *the c. nature of this process;* een ~ register, een cumulatieve index *a c. register/index* 2.1 ⟨hand.⟩ ~ preferente aandelen *c. preference shares, c. preferred stock.*
cumuleren ⟨ov.ww.⟩ 0.1 *(ac)cumulate* ◆ 1.1 verschillende functies ~ *pluralize, combine offices/benefices.*
cumulo-cirrus ⟨de (m.)⟩⟨meteo.⟩ 0.1 *cirrocumulus.*
cumulo-nimbus ⟨de (m.)⟩⟨meteo.⟩ 0.1 *cumulonimbus.*
cumulo-stratus ⟨de (m.)⟩⟨meteo.⟩ 0.1 *cumulostratus* ⇒*stratocumulus.*
cumulus ⟨de (m.)⟩⟨meteo.⟩ 0.1 *cumulus* ⇒*cumulus cloud.*
cunnilingus ⟨de⟩ 0.1 *cunnilingus, cunnilinctus.*
cunnus ⟨de⟩ 0.1 *vulva.*
cupel ⟨de (m.)⟩ 0.1 *cupel.*
cupfinale ⟨de⟩⟨sport⟩ 0.1 *cup final* ◆ 3.1 in de ~ spelen *play in the c.f..*

cupido ⟨de (m.)⟩ **0.1** *cupid*.
Cupido ⟨de (m.)⟩ ⟨myth.⟩ **0.1** *Cupid, Eros*.
cupmatch ⟨de (m.)⟩ **0.1** *cup tie*.
cupriet ⟨het⟩ **0.1** *cuprite* ⇒*red copper (ore)*.
cupvoetbal ⟨het⟩ **0.1** *cup football*.
cupwedstrijd ⟨de (m.)⟩ **0.1** *cup tie*.
curabel ⟨bn.⟩ **0.1** *curable*.
curaçao ⟨de (m.)⟩ **0.1** *curaçao* ♦ **7.1** een ~tje *a (glass of) c.*.
curandus ⟨de (m.)⟩ **0.1** *person/firm under legal restraint* ⇒⟨minderjarige⟩ *ward of court, bankrupt* ⟨bij faillissement⟩.
curare ⟨het⟩ **0.1** *curare*.
curatele ⟨de⟩ ⟨jur.⟩ **0.1** *legal restraint* ⇒*receivership* ⟨bij faillissement⟩, ⟨minderjarige⟩ *wardship, guardianship* ♦ **3.1** de ~ opheffen *remove the legal restraint;* iemands ~ vragen *apply for s.o. to be placed under legal restraint; apply for a receiving/wardship order* **6.1** iem. onder ~ stellen *place s.o. under legal restraint;* ⟨fig.⟩ *clip s.o.'s wings, keep tabs/a watch on s.o.;* **onder** ~ staan/gesteld zijn *be under legal restraint; be in receivership; be made a ward of court*.
curatief ⟨bn.⟩ **0.1** *curative* ♦ **1.1** de curatieve geneeskunde *c. medicine*.
curator ⟨de (m.)⟩, **-trice** ⟨de (v.)⟩ **0.1** [beheerder, -ster] *curator* (m.), *curatrix* (v.) ⟨van museum⟩; ⟨beheerder⟩ *custodian, keeper, administrator* (m.), *administratrix* (v.), *trustee; governor* ⟨van school/instelling⟩; ⟨voogd⟩ *guardian* **0.2** [⟨jur.⟩] *curator bonis/ad litem* ⟨van onder curatele gestelde⟩; *trustee in bankruptcy, (official) receiver* ⟨bij faillissement⟩ **0.3** [lid v.e. raad van toezicht] *(custodian) trustee* ♦ **1.1** de firma staat onder het beheer v.e. ~ *the firm is in receivership* **1.3** het college van ~en *the governing body, the board of governors/trustees*.
curatorium ⟨het⟩ **0.1** *board of governors/trustees*.
curatorschap ⟨het⟩ **0.1** [van beheerder] *curatorship* ⟨van museum⟩; ⟨beheer⟩ *trusteeship* **0.2** [van voogd] *guardianship, tutelage;* ⟨faillissement⟩ *receivership* **0.3** [van college] *governorship, trusteeship*.
cureren ⟨ov.ww.⟩ **0.1** *cure* ⇒*heal, restore* ♦ **6.1** ~ **aan** het symptoom *c. the symptom*.
curettage ⟨de (v.)⟩ **0.1** *curettage* ⇒*curettement*, ⟨ihb. als vorm van abortus⟩ *dilatation and curettage, D and C*.
curette ⟨de⟩ **0.1** *curet(te)*.
curetteren ⟨ov.ww.⟩ **0.1** *curette*.
curiaal ⟨bn.⟩ **0.1** *curial* ♦ **1.1** curiale stijl *c. style*.
cu'rie ⟨de (v.)⟩ ⟨nat.⟩ **0.1** *curie*.
'curie ⟨de (v.)⟩ ⟨r.k.⟩ **0.1** [pauselijke regering] *Curia* **0.2** [beambten die een bisschop bijstaan] *curia* ♦ **2.1** de pauselijke/roomse/romeinse ~ *the papal/Roman C.* **2.2** de diocesane ~ *the diocesan c.*.
curieus ⟨bn., bw.⟩ **0.1** [merkwaardig] *curious* ⇒*strange, odd, queer* **0.2** [nieuwsgierig] *curious* ⇒*inquisitive*, ⟨inf.; bel.⟩ *nos(e)y* ♦ **1.1** een ~ boekje *a c. book;* curieuze gewoonten *c./strange/odd habits* **3.1** ik vind het ~ *I find it strange*.
curiositeit ⟨de (v.)⟩ **0.1** [merkwaardigheid] *curiosity* ⇒*oddity, strangeness* **0.2** [curieus voorwerp] *curio(sity)* **0.3** [nieuwsgierigheid] *curiosity* ⇒⟨inf.; bel.⟩ *nosiness* ♦ **2.2** ... en andere ~en ... *and other curiosities/curiosa* **6.1** ik heb het gekocht voor de ~ *I have bought it as a c.* **6.3** uit ~ *out of c.*.
curiositeitenkabinet ⟨het⟩ **0.1** *curiosity cabinet/gallery*.
curiosum ⟨het⟩ **0.1** *curiosity* ⇒*rarity, curio* ♦ **1.1** een winkeltje met antiek en curiosa *an antique and curiosity shop* **6.1** de handel in curiosa *the trade in curios/the curiosity trade* **¶.1** curiosa *curiosa*.
curriculum ⟨het⟩ **0.1** *curriculum* ♦ **¶.1** ~ vitae *curriculum vitae, c.v.;* ⟨AE ook⟩ *résumé*.
cursief¹ ⟨de⟩ **0.1** *italic (type)* ⇒*cursive*.
cursief² ⟨bn., bw.⟩ **0.1** *italic* ⇒*italicized, cursive* ♦ **1.1** ~ schrift *italics* ⟨mv.⟩ **3.1** ~ drukken *italicize, print in italics*.
cursiefje ⟨het⟩ **0.1** *(regular) column*.
cursiefjesschrijver ⟨de (m.)⟩, **-schrijfster** ⟨de (v.)⟩ **0.1** *columnist*.
cursiefletter ⟨de⟩ **0.1** *italic letter* ⇒*cursive letter*.
cursist ⟨de (m.)⟩ **0.1** *student*.
cursiveren ⟨ov.ww.⟩ **0.1** *italicize* ⇒*print/type in italics* ♦ **¶.1** ik cursiveer *my italics*.
cursivering ⟨de (v.)⟩ **0.1** [⟨druk.⟩] *italicization* ⇒*printing in italics* **0.2** [cursief gedrukte passage] *passage in italics* ♦ **4.1** mijn ~, ~ van mij *italics mine, my italics, italics supplied*.
cursor ⟨de⟩ ⟨comp.⟩ **0.1** *cursor*.
cursorisch ⟨bn., bw.; -ly⟩ **0.1** *cursory* ♦ **3.1** ~ lezen *read cursorily/in a c. manner*.
cursus ⟨de (m.)⟩ **0.1** [reeks van lessen] *course (of study/lectures)* **0.2** [leerjaar] *course* **0.3** [les] *class* ⇒*lesson* ♦ **2.1** zich voor een Franse ~ opgeven/inschrijven *register/sign up for a French c.;* een schriftelijke ~ *a correspondence course* **3.1** een ~ geven (over/in) *give/hold a c. on, hold classes in;* een ~ volgen/bijwonen/bezoeken *follow/attend a c./classes* **3.2** de ~ openen/sluiten *open/close the c.* **4.1** ik ben met mijn ~ boekhouden gestopt *I have stopped my accountancy c.* **6.1** op ~ gaan *take a c.;* ~ **voor** de hoofdakte [B]*headmaster's certificate c.*.
cursusboek ⟨het⟩ **0.1** *textbook* ⇒⟨vnl. voor beginners⟩ *course (book)*.
cursusduur ⟨de (m.)⟩ **0.1** *duration of the course*.

cursusgeld ⟨het⟩ **0.1** *course fee*.
cursusjaar ⟨het⟩ **0.1** *course (year)* ⇒⟨school⟩ *school year*, ⟨universiteit⟩ *academic year* ♦ **1.1** het begin/einde van het ~ *the beginning/end of the course* **6.1** in het derde ~ *in the third year of a course*.
cursusleider ⟨de (m.)⟩, **-ster** ⟨de (v.)⟩ **0.1** *course instructor*.
curve ⟨de⟩ **0.1** *curve* ⇒⟨grafische voorstelling ook⟩ *graph* ♦ **1.1** een ~ v.d. geluidssterkte *a sound-intensity c.;* de ~ v.d. inkomens gaat omlaag *the income c. is going down* **2.1** de bal maakte een verraderlijke ~ *the ball made a dangerous c./curved dangerously* **3.1** een ~ beschrijven *describe a c.*.
curvimeter ⟨de (m.)⟩ **0.1** *curvometer*.
custard ⟨de⟩ **0.1** *custard (powder)*.
custardpudding ⟨de (m.)⟩ **0.1** *(egg) custard*.
custode ⟨de (v.)⟩ →**custos 0.2**.
custos ⟨de (m.)⟩ **0.1** [conciërge, beheerder] *keeper* ⇒*custos, custodian* **0.2** [⟨druk.⟩ custode] *catchword*.
cut ⟨de⟩ **0.1** [moment van overschakelen] *cut* **0.2** [het aan elkaar lassen van beelden] *cut(ting)*.
cutter ⟨de⟩ **0.1** [machine] *slicer* ⇒*cutter* **0.2** [⟨film, video⟩ technicus] *cutter;* ⟨BE vnl.⟩ *editor* **0.3** [cutterzuiger] *cutter dredge(r)*.
cutterzuiger ⟨de (m.)⟩ **0.1** *cutter dredge(r)*.
CV, c.v. ⟨afk.⟩ **0.1** [centrale verwarming] *CH, c.h.* **0.2** [Commanditaire Vennootschap] ⟨*Limited/Special Partnership*⟩ **0.3** [coöperatieve vereniging] *co-op*.
CVE ⟨afk.⟩ ⟨comp.⟩ **0.1** [centrale verwerkingseenheid] *CPU*.
c.v.-ketel ⟨de (m.)⟩ **0.1** *central-heating boiler*.
cyaan ⟨het⟩ ⟨schei.⟩ **0.1** *cyanogen*.
cyaankali ⟨de (m.)⟩ **0.1** *potassium cyanide* ⇒⟨inf.⟩ *cyanide*.
cyaanwaterstof ⟨de⟩ ⟨schei.⟩ **0.1** *hydrogen cyanide* ⇒*hydrocyanic acid*.
cyanide ⟨het⟩ **0.1** *cyanide* ⇒*prussiate*.
cyanose ⟨de (v.)⟩ ⟨med.⟩ **0.1** *cyanosis*.
cybernetica ⟨de (v.)⟩ **0.1** *cybernetics*.
cyberneticus ⟨de (m.)⟩ **0.1** *cyberneticist, cybernetician*.
cybernetisch ⟨bn., bw.; -ally⟩ **0.1** *cybernetic*.
cyclaam ⟨het⟩ **0.1** *cyclamen*.
cyclamaat ⟨het⟩ **0.1** *cyclamate*.
cyclisch ⟨bn., bw.; -(al)ly⟩ **0.1** [een cyclus vormend] *cyclic(al)* **0.2** [rondgaand] *cyclic(al)* ♦ **1.1** ⟨plantk.⟩ ~e bloemen *cyclic flowers;* ~e gedicht *cyclic poem;* ⟨schei.⟩ ~e verbindingen *cyclic/ring compounds* **1.2** ~e bewegingen *cyclic movements;* ⟨wisk.⟩ ~e bewerkingen *cyclic operations;* ⟨taal.⟩ ~e transformaties *cyclic transformations* **3.2** de elementen zijn ~ geordend *the elements are cyclically arranged*.
cycloïde ⟨de (v.)⟩ ⟨wisk.⟩ **0.1** *cycloid*.
cyclonaal ⟨bn.⟩ **0.1** *cyclonic(al)*.
cycloon ⟨de (m.)⟩ **0.1** [wervelstorm] *cyclone* ⇒*hurricane* **0.2** [toestel] *cyclone*.
cycloop ⟨de (m.)⟩ **0.1** [⟨myth.⟩] *Cyclops* **0.2** [kreeftje] *cyclops*.
cyclopisch ⟨bn.⟩ **0.1** *Cyclopean* ♦ **1.1** ~e muren *C. walls*.
cyclorama ⟨het⟩ **0.1** *cyclorama* ⇒*panorama*.
cyclotron ⟨het⟩ **0.1** *cyclotron*.
cyclus ⟨de (m.)⟩ **0.1** [kring(loop), periode] *cycle* **0.2** [⟨let.⟩] *cycle* **0.3** [⟨muz.⟩] *cycle*.
cynicus ⟨de (m.)⟩ **0.1** [aanhanger v.h. cynisme] *Cynic* **0.2** [cynisch persoon] *cynic* ♦ **7.1** de cynici *the Cynics*.
cynisch ⟨bn., bw.; -(al)ly⟩ **0.1** [sarcastisch] *cynical* ⇒⟨inf.⟩ *hard-boiled* **0.2** [volgens de leer der cynici] *Cynic* ♦ **1.1** een ~ oordeel *a c. judg(e)ment;* ~e opmerkingen *c. remarks* **3.1** ~ lachen *laugh cynically*.
cynisme ⟨het⟩ **0.1** [leer v.d. cynici] *Cynicism* **0.2** [cynische houding en levensopvatting] *cynicism* **0.3** [cynische uitlating] *cynicism*.
cypers ⟨bn.⟩ ♦ **1.¶** ~e kat *tabby (cat)*.
Cyprioot ⟨de (m.)⟩ **0.1** *Cyprian, Cypriot(e)*.
Cyprisch ⟨bn.⟩ **0.1** *Cyprian, Cypriot(e)*.
Cyprus ⟨het⟩ **0.1** *Cyprus*.
cyrillisch ⟨bn.⟩ **0.1** *Cyrillic* ♦ **1.1** ~ schrift *Cyrillic (alphabet/script)*.
cyste ⟨de⟩ ⟨med.⟩ **0.1** [lichaamsholte] *cyst* **0.2** [blaas] *cyst* **0.3** [rond gezwel] *cyst*.
cystoscoop ⟨de (m.)⟩ ⟨med.⟩ **0.1** *cystoscope*.
cystoscopie ⟨de (v.)⟩ ⟨med.⟩ **0.1** *cystoscopie*.
cytogenetica ⟨de (v.)⟩ **0.1** *cytogenetics*.
cytologie ⟨de (v.)⟩ **0.1** [celleer] *cytology* **0.2** [diagnostiek] *cytology*.
cytologisch ⟨bn.⟩ **0.1** *cytological*.
cytoplasma ⟨het⟩ **0.1** *cytoplasm*.
cytosine ⟨de⟩ ⟨bioch.⟩ **0.1** *cytosine*.
cytostatica ⟨de (v.)⟩ ⟨med.⟩ **0.1** *cytostatics*.

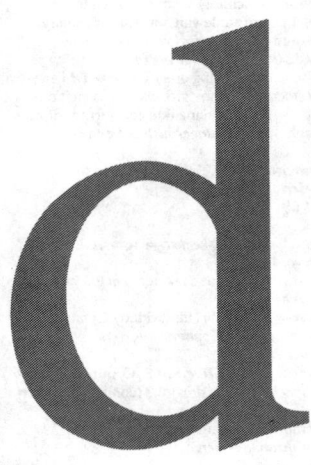

d ⟨de⟩ **0.1** [letter] *d, D* **0.2** [namen/woorden beginnend met d] *d, D* **0.3** [⟨muz.⟩] *D*.

D ⟨afk.⟩ **0.1** [⟨op auto's⟩ West-Duitsland] *D* **0.2** [⟨schei.⟩ deuterium] *D* **0.3** [Romeins cijfer] *D*.

D'66 ⟨de (v.)⟩ ⟨afk.⟩ **0.1** [Democraten '66] ⟨*Democrats '66*⟩.

daad ⟨de⟩ ⟨→sprw. 667⟩ **0.1** [verrichting] *act(ion)* ⇒*deed, activity,* ⟨meestal mv.⟩ *doing* **0.2** [roemrijke verrichting] *deed* ⇒*exploit, feat, achievement* ♦ **1.1** een man v.d. ~ *a man of action, a doer;* iem. met raad en ~ bijstaan *assist s.o. in word and deed* **2.1** iem. op heter ~ betrappen *catch s.o. red-handed / in the act (of doing sth.) / at it;* een onbezonnen ~ *a thoughtless / rash deed / step, heedless action* **3.1** iem. naar zijn daden beoordelen *judge s.o. by his actions;* gedachten/ ideeën in daden omzetten *put one's plans / ideas into action;* daden spreken duidelijker dan woorden *actions speak louder than words;* een ~ (van naasteliefde ⟨enz.⟩) stellen *perform an act (of charity* ⟨enz.⟩ *);* een goede ~ verrichten *do a good deed, do (s.o.) a good turn / kindness* **¶.1** de ~ bij het woord voegen *suit the action to the word,* put one's money where one's mouth is; de wil voor de ~ nemen *take the will for the deed.*

daadkracht ⟨de⟩ **0.1** *decisiveness, energy* ⇒*dash* ♦ **6.1** met ~ *energetically.*

daadkrachtig ⟨bn., bw.; -(al)ly⟩ **0.1** *decisive, energetic* ♦ **3.1** ~ optreden tegen terroristen *take d. / e. measures against / to counter terrorism, clamp down on / deal firmly with / take a firm stand on terrorism.*

daadwerkelijk ⟨bn., bw.; -ly⟩ **0.1** *actual* ⇒*active, practical* ♦ **3.1** ~ hulp bieden aan iem. *actively assist s.o., offer s.o. material assistance.*

daags
I ⟨bn.⟩ **0.1** [dagelijks] *daily* ⇒*everyday* **0.2** [iedere dag dienst doend] *everyday* ⇒*daily* ♦ **1.2** ~e kleren *weekday / e. / ordinary clothes / wear;*
II ⟨bw.⟩ **0.1** [per dag] *a / per day* ⇒*daily,* ⟨schr.⟩ *per diem* **0.2** [op de dag] ⟨zie 5.2,6.2⟩ ♦ **5.1** tweemaal ~ *twice a day / daily,* ⟨med.⟩ *b.i.d.* ⟨*bis in die*⟩ ⟨op recept⟩ **5.2** ~ te voren *the day before, the previous day* **6.2** ~ **daarna** *the next / following day, the day after* **6.¶** je nieuwe jasje is niet **voor** ~ *your new jacket is not for every day / everyday / ordinary wear.*

daalder ⟨de (m.)⟩ ⟨→sprw. 101⟩ **0.1** ⟨gesch.⟩ *thaler* ♦ **¶.1** ⟨fig.⟩ op de markt is uw gulden een ~ waard ≠*your money's worth more at the market.*

daaldersplaats ⟨de⟩ **0.1** *ringside seat.*

daalsnelheid ⟨de (v.)⟩ **0.1** [snelheid waarmee iets daalt] *speed / rate of descent* **0.2** [⟨luchtv.⟩ hoogteverlies] *rate of descent* ⇒ ⟨bij landing⟩ *landing speed.*

daar¹ ⟨bw.⟩ **0.1** [ginds] *(over) there* **0.2** [⟨om de aandacht op iets/iem. te vestigen⟩] *(just / over / right) there* **0.3** [er] *there* ♦ **3.1** in het kastje, ~ heb ik het neergelegd *in the cupboard, that's where I've put it;* ~ moet je wezen *that's the place to be / where you want to be / where it's happening / where it's at / where the action is, you should be t.;* zie je dat huis ~ *(do you) see that house (over t.)?* **3.2** wel, wel, wie hebben we ~! *Meneer Smit! well, well, if it / that isn't Mr. Smith!;* ~ is hij eindelijk *t. / here he is at last;* wie is ~? *who is it / t.?;* wie klopt/belt ~? *who is that knocking / ringing?* **3.3** het einde is nog niet ~ *we haven't seen the last of that, the end is not yet in sight;* het uur is ~ *the time has come* **3.¶** ze knikken en ~ blijft het bij *they just nod and that's it;* ik zal me ~ gek zijn *I'm not a fool / not that daft!, catch me!* **5.1** hier en ~ *here and t.* **6.1 tot** ~ *up to t., as far as that;* **van** ~ *from t.* **6.¶** dat is (nog) **tot** ~ aan toe *that is one thing (but … is quite another), let that pass, that's all right so far* **8.1** ze moet ~ en ~ nog voor zorgen *she still has to see to this and that / one or two things* **¶.¶** ~ niet van *to be sure, admittedly, I must say / admit;* ~ heb ik verdorie mijn sleutels vergeten *well, if I haven't forgotten my keys;* ~ zijn het kinderen voor *that's children for you / all over.*

daar² ⟨vw.⟩ **0.1** *as, because* ⇒*seeing that, since,* ⟨schr.⟩ *whereas,* ⟨inf.⟩ *seeing as* ♦ **¶.1** ~ hij verhinderd was, heeft hij afgezegd *a. / since he was unable to come / be there, he cancelled the appointment.*

daaraan ⟨bw.⟩ **0.1** [mbt. plaatselijke verbondenheid/aanraking] *on (to) it /* ⟨mv.⟩ *them* **0.2** [mbt. fig. verbondenheid] ⟨schr.⟩ *thereto, thereby* ♦ **2.2** de ~ verbonden kosten *the costs involved, the costs arising out of this* **3.1** een rivier met de steden, die ~ liggen *a river and the towns on / along it* **3.2** wat heb je ~ *what good / use is that, what is the point / use (of (doing) that);* ~ heb ik genoeg *that's all I need / want, that will do / is enough / is plenty / is sufficient for me, that suits me nicely.*

daaraanvolgend ⟨bn., bw.; -ly⟩ **0.1** *subsequent* ⇒*next, following,* ⟨bw. ook⟩ *thereupon* ♦ **1.1** de ~e dag *the next / following day, the day after (that);* de week ~ *the following / next week, the week s. to this, the week after (that).*

daarachter ⟨bw.⟩ **0.1** [achter die plaats/plek] *behind (it / that /* ⟨mv.⟩ *them / there), at the back (of it / that / there)* **0.2** [verderop] *beyond (it / that / them / there)* **0.3** [achter die zaak/kwestie] *behind it / that / them* ♦ **1.2** de duinen en de zee ~ *the dunes and the sea beyond (them)* **3.3** wat zou ~ steken? *I wonder what's behind / at the bottom of it.*

daarbeneden ⟨bw.⟩ **0.1** [beneden een plaats] *down there, below* **0.2** [onder een grens] *below, under* ♦ **1.2** kinderen van tien jaar en ~ *children of / aged ten and u. / less* **3.1** het ligt ~ *it is (lying) down there;* ~ ligt het dorp *down there / below is the village.*

daarbij ⟨bw.⟩ **0.1** [bij dat] *with it / that,* ⟨mv.⟩ *with these / those;* ⟨zie verder 3.1⟩ **0.2** [daarenboven] *besides* ⇒*moreover, furthermore, what is more, in addition (to this / that),* ⟨schr.⟩ *withal* ♦ **3.1** ~ blijft het *that's how it is, we'll keep it like that* **3.2** ~ komt, dat … *what's more, (and) another thing is* **5.2** en/ met ~ nog *and what's more, to boot, on top of that / it.*

daarbinnen ⟨bw.⟩ **0.1** *in there, inside* ⇒*in it / that,* ⟨mv.⟩ *in these / those,* ⟨schr.⟩ *within* ♦ **1.1** het huis en de mensen ~ *the house and the people in it / inside* **3.1** ~ is het warm *it's warm in there / inside.*

daarboven ⟨bw.⟩ **0.1** *up there* ⇒*above it, over it, on top of it* ♦ **1.1** de voordeur en het balkon ~ *the front door and the balcony above it* **3.1** ~ is nog een kamer *there is another room above (it) / upstairs;* God is ~ *God is up there;* ~ kwamen nog de kosten *and on top of that there were the cost* **¶.1** 100 gulden en ~ *a hundred guilders and upwards / over.*

daarbuiten ⟨bw.⟩ **0.1** [ginds] *out (there), outside (it)* **0.2** [buiten die zaak] *out of it, outside* ♦ **3.1** ~ staat hij *he is (standing) outside / out there* **3.2** jij moet ~ blijven *you must stay / keep out of it.*

daardoor ⟨bw.⟩ **0.1** [daar doorheen] *through it / that* ⟨enk.⟩, *through these / those* ⟨mv.⟩, *through there* **0.2** [⟨fig.⟩] ⟨daarom⟩ *therefore, so* ⇒ *because of this / that, that's why, consequently,* ⟨door middel daarvan⟩ *by (means of) this / that, by that means, thereby* ♦ **3.2** zij weigerde, en ~ gaf zij te kennen …*she refused, and by doing so intimated / hinted / made it clear …;* ~ werd hij ziek *that is / was what made him ill, because of this / that he became ill, that caused his illness* **¶.2** hij werd ziek, ~ kon hij niet komen *he became ill so / that's why he couldn't come.*

daarenboven ⟨bw.⟩ **0.1** *besides* ⇒*moreover, furthermore, what is more, in addition (to this / that), over and above this / that,* ⟨schr.⟩ *withal* ♦ **2.1** hij is lui en nog brutaal ~ *he is lazy and impudent into the bargain;* hij was knap en ~ rijk *he was handsome and rich besides / with it.*

daarentegen ⟨bw.⟩ **0.1** *on the other hand* ⇒*conversely* ♦ **1.1** hij is zeer radicaal, zijn broer ~ conservatief *he is a strong radical, his brother, on the other hand / whereas his brother is a conservative.*

daareven ⟨bw.⟩ →**daarnet.**

daarginder, daarginds ⟨bw.⟩ **0.1** *over there* ⇒ ⟨vero.⟩ *yonder* ♦ **6.1** ~ in Canada *over / out there in Canada.*

daarheen ⟨bw.⟩ **0.1** *(to) there* ⇒ ⟨vero.⟩ *thither* ♦ **3.1** ⟨fig.⟩ u moet het ~ zien te sturen/brengen, dat …*you must see to it that …, you must arrange / work it so that …;* wij willen ~ *we want to go (over) there, (it's) there we want / would like to go.*

daarin ⟨bw.⟩ **0.1** [mbt. een plaats] *in there/it/* ⟨mv.⟩ *those* ⇒⟨vero.⟩ *therein* **0.2** [mbt. een zaak/aangelegenheid] *in that* ◆ **2.2** hij is ~ handig/begaafd *he is good at that (kind of thing)/he has a talent/gift for that* **3.1** ~ zit de suiker *the sugar is in there* **3.2** u vergist u ~ *you are wrong there/in that, there you make a mistake.*

daarjuist ⟨bw.⟩ →**daarnet.**

daarlangs ⟨bw.⟩ **0.1** *by/past/along/that/* ⟨mv.⟩ *those* ◆ **3.1** we kunnen beter ~ gaan *we had better go along there/that way;* ~ moet de schutting komen *the fence is going to run/go along there.*

daarlaten ⟨ov.ww.⟩ **0.1** *leave aside* ⇒*not mention/count/take into consideration* ◆ **1.1** dit/deze dingen daargelaten *leaving this/these things aside;* fouten/uitzonderingen daargelaten *apart from/except for/not counting mistakes/exceptions* **8.1** daargelaten dat ... *(quite) apart from the fact that ...;* nog daargelaten of men dat wel wil *leaving aside the question of whether people want that.*

daarmee ⟨bw.⟩ **0.1** *with/by that/it/* ⟨mv.⟩ *those* ◆ **3.1** ~ kun je het vastzetten *you can fasten it with that/those;* ~ lukt het wel *that should do it/the trick* ¶.1 en ~ uit! *and that's that/all there is to it! I am going to/have to say;* en ~ was zijn geluk compleet *and this/that made his happiness complete.*

daarna ⟨bw.⟩ **0.1** *after(wards)* ⇒*next, then, from then/that time on,* ⟨schr.⟩ *thereafter, subsequently* ◆ **1.1** de dag ~ *the day after (that), the next day;* en nog jaren ~ schreven ze elkaar regelmatig *and for years to come they wrote (to each other) regularly* **5.1** snel/kort ~ *soon/shortly after (that)/afterwards* ¶.1 eerst ... en ~ ...*first ... and then/after that/afterwards ....*

daarnaar ⟨bw.⟩ **0.1** [naar die zaak] *at/to/for that/it/* ⟨mv.⟩ *those* **0.2** [overeenkomstig die zaak] *accordingly, according to that/* ⟨mv.⟩ *those* ⇒*after that/those* ◆ **3.2** ~ moet je het natekenen *you have to copy it from there/copy that;* ~ moet je handelen/je je gedragen *you must act/behave according to that/those.*

daarnaast ⟨bw.⟩ **0.1** [naast dat] *beside it, next to it* ⇒*by the side of/adjoining/joining on to it* **0.2** [bovendien] *besides* ⇒*furthermore, in addition (to this)* ◆ **1.1** de vrouw en het kind ~ *the woman and the child beside her/at/by her side* **3.1** ik zal eens ~ aanbellen *I'll try ringing next door* **3.2** ~ is hij nog brutaal ook *and as if that isn't enough/ what's more he is cheeky/impudent (too).*

daarnet ⟨bw.⟩ **0.1** *just now/then* ⇒*not long ago, only a little while/a minute ago.*

daarom ⟨bw.⟩ **0.1** [daaromheen] *(a)round/on it* **0.2** [bijgevolg] *therefore, so* ⇒*because of this/that, for that reason, that's why, on that account, accordingly, consequently* **0.3** [desondanks] *nevertheless* ⇒*for all that, in spite of this/that* ◆ **3.2** hij wil het niet hebben, ~ doe ik het juist *he doesn't like it, and that's exactly why I do it* **3.3** het is ~ niet minder waar dat ... *that doesn't make it any less true that ..., nonetheless/for all that, it's still true that ...* **5.2** waarom niet? ~ niet *why not? that's why!/because (I say so)!.*

daaromheen ⟨bw.⟩ **0.1** *(a)round/about it/* ⟨mv.⟩ *them* ◆ **1.1** een tuin met een hek ~ *a garden with a fence (a)round it.*

daaromtrent ⟨bw.⟩ **0.1** [over die zaak] *about that* ⇒*as to/concerning that* **0.2** [ongeveer, min of meer] *thereabout(s)* ⇒*or so, (round) about (that), (somewhere) in that region, (sth.) of that order* ⟨vnl. bedragen⟩ **0.3** [in die omgeving] *thereabout(s), around there* ◆ **3.1** ik kan u ~ geen inlichtingen geven *I can't give you any information about that, as to/concerning that I can't tell you anything* **8.2** ƒ 100 of ~ *a hundred guilders or t./so;* rond vier uur of ~ *round about/around four o'clock* **8.3** op het plein en ~ *in and around the square, (in) the square and t./round about.*

daaronder ⟨bw.⟩ **0.1** [beneden/onder dat] *under(neath)/below/beneath that/* ⟨mv.⟩ *those* **0.2** [onder meer] *among (them)* ⇒*including* ◆ **3.1** ~ ligt het *it is (lying) under(neath)/beneath it/that.*

daarop ⟨bw.⟩ **0.1** [mbt. die plaats] *(up)on/on top of that/* ⟨mv.⟩ *those* ⇒ *over that/* ⟨mv.⟩ *those* **0.2** [mbt. dat onderwerp] *on/to that* **0.3** [vervolgens] *thereupon* ⇒*upon this, subsequent to this, following this, after this* ◆ **1.1** de tafel en het kleed ~ *the table and the cloth on it* **1.2** uw antwoord/reactie ~ *your reply/reaction (to that)* **1.3** de dag ~ *the next/following day, the day after (that)* **3.1** het ligt ~ *it's on there/on top of that* **3.2** ~ zei hij: ... *(and) then/so he said* **3.3** ~ sloot zij de deur *at that/with this/thereupon she closed the door* **5.3** kort ~ *shortly afterwards, soon after (that).*

daaropvolgend ⟨bn., bw.⟩ **0.1** *next* ⇒*following, subsequent* ◆ **1.1** hij kwam in juli en vertrok in juni ~ *he arrived in July and left the following June;* de ~e zondag kwam hij niet *the n./following Sunday he didn't come.*

daarover ⟨bw.⟩ **0.1** [over die plaats] *on top of that* ⇒*on/over/above that, across that* **0.2** [daaromtrent] *about that* ◆ **3.1** ~ lag een zeil *there was a tarpaulin on top of/over/across it* **5.2** genoeg ~ *enough said, enough of that;* later meer ~ *more of/about that later.*

daarstraks ⟨bw.⟩ →**daarnet.**

daartegen ⟨bw.⟩ **0.1** [mbt. een plaats/positie] *against/next/on to/joining on to that/* ⟨mv.⟩ *those* **0.2** [mbt. die zaak/kwestie] *against that/* ⟨mv.⟩ *them* ◆ **3.2** ~ bleven bezwaren bestaan *objections to that/it remained.*

daartegenaan ⟨bw.⟩ **0.1** *(right) up against/(right) onto that* ⟨enk.⟩ */those*

⟨mv.⟩ ◆ **3.1** onze schuur is ~ gebouwd *our shed is built up against/ onto it;* die kwestie zit ~ *the matter is closely related to it.*

daartegenover ⟨bw.⟩ **0.1** [tegenover die zaak] *opposite/facing/in front of that/* ⟨mv.⟩ *those* **0.2** [daarentegen] *on the other hand, (but) then again* ... ◆ **1.1** de kerk met de pastorie ~ *the church with the vicarage opposite/facing it* **3.1** ~ moet je wezen *you want to be opposite it/there* **3.2** ~ staat dat dit systeem duurder is *(but) on the other hand the price of this system is higher, (but) then again this system is more expensive.*

daartoe ⟨bw.⟩ **0.1** [voor dit/dat] *for/to that,* ⟨mv.⟩ *for/to these/those* **0.2** [voor dat doel] *for that* ⇒*for that purpose, to that end* ◆ **1.2** de middelen ~ *the means thereto/to do it/to that end* **2.2** ~ bevoegd/gemachtigd zijn *be qualified for it, be authorized to do it* **3.1** ~ heb ik geen tijd/moed *for that I have no time/courage;* ~ heeft het kunnen komen *it's come to this* **3.2** ~ neme men de volgende ingrediënten *you need the following ingredients.*

daartussen ⟨bw.⟩ **0.1** [mbt. een plaats/positie] *between/among them* ⇒ *with (a space) in between* **0.2** [mbt. die zaak/kwestie] *between them* ◆ **1.1** die twee ramen en de ruimte ~ *those two windows and the space between (them)* **1.2** wat is het verschil ~? *what's the difference (between them)?* **3.2** ik kwam ~ *I came between (them).*

daaruit ⟨bw.⟩ **0.1** [mbt. een plaats] *out of that/* ⟨mv.⟩ *those* **0.2** [mbt. die zaak/kwestie] *from that* ◆ **3.1** het water spuit ~ *the water spouts/ spurts/squirts/jets/gushes out of it* **3.2** ~ kan men afleiden dat ... *from this it can be deduced/it follows that ....*

daarvan ⟨bw.⟩ **0.1** [mbt. een plaats/positie] *from it/that/there* **0.2** [mbt. die zaak/kwestie] *from that* **0.3** [mbt. een hoeveelheid] *of it/that* ⇒ *thereof* **0.4** [mbt. materiaal] *of it/that* ◆ **3.1** ver ~ verwijderd zijn *be far removed from it, be far/a long way away from it, be far off it* **3.3** gebruik/eet ~ zoveel je wilt *take/eat as much (of it) as you like* **3.4** ~ maakt men plastic *plastic is made of that, that is used for making plastic* **4.**¶ niets ~ *nothing of the sort/kind, out of the question.*

daarvandaan ⟨bw.⟩ **0.1** [van de plaats af] *(away) from there, away (from it)* **0.2** [vandaar] *hence, therefore, that's why/how.*

daarvoor ⟨bw.⟩ **0.1** [voor die plaats] *in front of it* ⇒*before that/* ⟨mv.⟩ *those* **0.2** [voor die tijd] *before (that)* ⇒*previous to that* **0.3** [voor/tbv. die zaak] *for that (purpose)* **0.4** [in plaats van] *for it/that/* ⟨mv.⟩ *those, instead (of that* ⟨enz.⟩*), in place of that* ⟨enz.⟩ **0.5** [wegens, vanwege] *that's why/what ... for* ◆ **1.2** de week ~ *the week before (that), the previous week* **3.3** ~ heb ik geen tijd *I haven't got the time,* ~ is het nu time for that;* ~ heeft hij ons gebeld *that's (just/exactly) what he rang us for /why he rang us* **3.4** ~ in de plaats) heb ik een boek gekregen *I got a book instead* **3.5** daar zijn het kinderen voor *that's children for you, children will be children.*

daarzo ⟨bw.⟩ →**daarnet.**

daas¹

   I ⟨de⟩ ⟨biol.⟩ **0.1** [steekvlieg] *horsefly* ⇒*gadfly, greenhead,* ⟨BE ook⟩ *cleg;*

   II ⟨de (m.)⟩ **0.1** [persoon] *scatterbrain* ⇒*muddlehead.*

daas² ⟨bn., bw.⟩ **0.1** *scatterbrained* ⇒*woolly-headed, muddleheaded,* ⟨vnl. BE; inf.⟩ *scatty, daft,* ⟨AE; inf.⟩ *klutzy.*

da capo¹ ⟨het⟩ ⟨muz.⟩ **0.1** *da capo.*

da capo² ⟨bw.⟩ ⟨muz.⟩ **0.1** *da capo.*

dactylisch ⟨bn.⟩ **0.1** *dactylic* ◆ **1.1** ~e verzen *d. verse.*

dactylografie ⟨de (v.)⟩ **0.1** *typewriting.*

dactylologie ⟨de (v.)⟩ **0.1** *dactylology.*

dactyloscoperen ⟨onov.ww.⟩ **0.1** *take (s.o.'s) fingerprints.*

dactyloscopie ⟨de (v.)⟩ **0.1** ⟨vnl. AE⟩ *dactylography.*

dactylus ⟨de (m.)⟩ ⟨lit.⟩ **0.1** *dactyl(ic).*

dada ⟨tw.⟩ ⟨kind.⟩ **0.1** *ta-ta* ⇒*bye-bye.*

dadaïsme ⟨het⟩ **0.1** *Dada(ism).*

dadaïst ⟨de (m.)⟩ **0.1** *Dadaist.*

dadel

   I ⟨de⟩ **0.1** [vrucht] *date;*

   II ⟨de (m.)⟩ **0.1** [dadelpalm] *date (palm).*

dadelhoning ⟨de (m.)⟩ **0.1** *date-palm resin/amber.*

dadelijk

   I ⟨bw.⟩ **0.1** [aanstonds] *immediately* ⇒*instantly, at once, right/straight away,* ⟨inf.⟩ *this/that minute* **0.2** [bepaald] *exactly* ⇒*precisely, really, quite* **0.3** [straks] *directly* ⇒⟨BE ook⟩ *presently, in a moment/minute,* ⟨inf.⟩ *any minute (now)* ◆ **3.1** ~ antwoorden *answer immediately/directly/at once* **3.3** kom je ~ even langs? *(will you) come round/drop in in a couple of minutes/a (little) while;* ik kom (zo) ~ bij u *I'll be right with you/with you d./in a moment;* ~ wil je nog beweren dat ... *I suppose you'll say next that ..., in a minute/moment you'll be saying that ...;* ik zal dat ~ wel even doen *I'll do that presently/in a moment* **5.2** niet ~ mooi, maar toch wel aardig *not e. beautiful, but still nice; not what you call beautiful perhaps, but nice nevertheless* **6.1** al ~ **bij/in** het begin *right at/from the start, at the outset* ¶.1 kom je haast? ja, ~ *are you coming now/nearly ready? yes, just a minute/I'll be right there /I won't be a minute;*

   II ⟨bn.⟩ **0.1** [onmiddellijk] *immediate* ⇒*direct.*

dadelpalm ⟨de (m.)⟩ **0.1** *date palm.*

dadelwijn ⟨de (m.)⟩ **0.1** *date wine.*

dadendrang ⟨de (m.)⟩ **0.1** *dynamism* ⇒*drive*, ⟨onstuimigheid⟩ *impetuosity*.

dader ⟨de (m.)⟩ ⟨→sprw. 102⟩ **0.1** *perpetrator* ⇒*offender, (wrong)doer, inflictor, culprit* ◆ **2.1** de vermoedelijke ~ *the suspect, the suspected offender*.

dading ⟨de (v.)⟩ **0.1** *settlement (out of court)* ⇒*arrangement, compromise* ◆ **3.1** een ~ aangaan / treffen *come to / reach / arrange a settlement / (an) agreement, settle (a dispute) (out of court)*.

Daedalisch ⟨bn.⟩ **0.1** *Daedalian* ◆ **1.1** ~ kunst *D. art.*

dag¹ ⟨de (m.)⟩ ⟨→sprw. 10,103-105,127, 170,333, 435,500⟩ **0.1** [dageraad] *day(-break)* ⇒*dawn* **0.2** [daglicht] *daylight, light of day* **0.3** [toestand / tijd dat de zon boven de horizon is] *day(time)* **0.4** [etmaal] *day* **0.5** [tijdperk] *day(s)* ⇒*age, time* **0.6** [begroeting]⟨bij aankomst⟩ *hallo, hi (there)* ⇒^*howdy*, ⟨bij vertrek⟩ *bye(-bye), see you, goodbye* **0.7** [herdenkingsdag] *Day, day* **0.8** [lichtopening] ⟨zie 6.8⟩ **0.9** [mbt. een asomwenteling v.e. hemellichaam] *sidereal day* ◆ **1.3** ~ en nacht *night and day, day and night;* het is een verschil (als) van ~ en nacht, het is ~ en nacht *they're as different as night and day / chalk and cheese;* ~ en nacht bereikbaar *available day and night / 24 hours a day, 24-hour service* **1.4** de ~ des Heren *the Lord's Day;* iem. de ~ van zijn leven bezorgen *give s.o. the time of his life, make s.o.'s d.;* het nieuws v.d. ~ *the news of the d., the day's / today's news / topic;* de ~ des oordeels *Judgement Day, the Last Day / Judgement, doomsday;* ~ noch uur weten *know neither time nor d.;* een ~ werk hebben aan iets *take a d. (to do) over sth.* **1.5** sedert jaar en ~ *for many years (now)* **1.7** ~ v.d. arbeid *May Day, Labour Day* **2.3** de hele ~ *open all day;* bij klare / lichte / klaarlichte ~ *in broad daylight* **2.4** een grote ~ ⟨belangrijke dag⟩ *a'field / big d.;* ⟨feestdag⟩ *a red-letter d.;* halve / hele ~ en werken *work half / full time;* de jongste ~ *the Last Day, Judgement Day;* lange ~ en maken *work long hours;* open ~ *open d.;* een (halve) vrije ~ *a (half) d. off, a free (half-)d.;* ⟨vnl. scholen⟩ *a (half-)holiday* **2.5** betere ~ en hebben *have seen better days;* zijn laatste ~ en slijten *end one's days;* de oude ~ komt met gebreken *infirmity comes with old age* **3.3** werken zo lang het ~ is ⟨fig.⟩ *work all the hours God gave / from dawn till dusk / all day (long);* het is / wordt ~ *day is breaking / breaks* **3.4** de ~ doorkomen *get through the d.;* er gaat geen ~ voorbij of *... not a d. passes (but / without)* ...; die ~ hoop ik nog te beleven *I hope I may live to (see it), I live for the d. (when ...);* ⟨fig.⟩ het is vandaag mijn ~ niet *it just isn't my d. (today), I'm having an off-day, it's just one of those days;* wat is het voor ~? *what d. (of the week) is it?;* morgen komt er weer een ~ *tomorrow is another d.* **3.5** er komt een ~ dat *the day will come when, there will come a d. when;* zijn dagen zijn geteld *his days are numbered* **3.6** zeg maar ~ met je handje ⟨kind.⟩ *wave bye bye goodbye;* ⟨fig.⟩ *you can kiss that goodbye / wave goodbye to that* **3.¶** de ~ hebben *be on duty* **4.5** dezer ~ en ⟨komende dagen⟩ *in the next few / coming days;* ⟨recentelijk⟩ *in the last few / in recent days* **5.3** het is kort ~ *time is running out (fast), there is not much time (left);* het is laat / lang ~ *the day is / days are long;* het is morgen vroeg ~ *it's an early start / we must get up early tomorrow* **5.4** ~ in, ~ uit *d. in d. out, for days on end* **5.5** vandaag de ~ *nowadays, these days* **6.1** voor ~ en dauw opstaan *rise with the lark, get up at the crack of dawn / at cockcrow / with the birds* **6.2** het misdrijf komt aan de ~ *the crime will come to light / come out;* veel moed / scherpzinnigheid aan de ~ leggen *show / display great courage / perspicacity / insight;* aan de ~ treden *emerge, become apparent* ⟨bv. gebreken⟩; voor de ~ komen *come to light, surface, appear;* met iets voor de ~ komen ⟨een voorstel doen⟩ *come forward / up with / put forward sth.;* ⟨zich presenteren⟩ *come forward, present o.s.;* voor de ~ ermee! ⟨vertel eens⟩ *out with it!, spit it out!;* ⟨laat zien⟩ *show me!;* ⟨fig.⟩ zo kan ik niet voor de ~ komen *I can't go (out) / appear / show myself (looking) like this;* goed voor de ~ komen *make a good impression, cut a good figure, show up well, be well turned out;* voor de ~ halen *bring out / to light, produce;* openlijk voor de ~ komen met *come out into the open with* **6.3** bij ~ *by day, in daytime;* later op de ~ *later in the day, later (that same) day;* midden op de ~ *in broad daylight;* gevraagd bediende voor ~ en nacht *wanted servant, (to) live in;* hulpje voor ~ en nacht *resident servant (girl)* **6.4** ~ aan / op / na ~ d. by / after d.;* bij de ~ veranderen *change from d. to d.;* bij de ~ leven *live from one d. to the next;* het wordt met de ~ slechter *it gets worse by the d. / every d.;* om de andere ~ / de drie ~ en *every other d., every third d. / three days;* ⟨fig.⟩ op alle ~ (en) lopen *be near one's time;* op een (goede / mooie) ~ *one (fine) day;* op de ~ af *to a / the d.; 24 uur per ~ *24 hours a d., round the clock;* tot op deze ~ / de ~ van vandaag *to this (very) d.;* ik weet het nog als de ~ van gisteren *I remember as if it was only yesterday;* ⟨fig.⟩ van de ene ~ in de andere leven *live from d. to d. / one d. to the next;* ⟨zonder geregelde verdiensten ook⟩ *live from hand to mouth;* van de ene ~ op de andere *from one d. to the next;* de ~ voor kerstmis / de wedstrijd *Christmas Eve, the eve of the match* **6.5** in mijn ~ en *in my day / time;* in de ~ en v.h. schrikbewind *during the reign of terror* **6.8** in de ~ komend metselwerk *exposed brickwork, brickwork exposed to the elements / weather* **7.4** over veertien ~ en *in a fortnight, in two weeks' time* **7.5** vanaf de eerste ~ *from day one / the very first day* **8.2** dat is zo klaar als de ~ *that is as*

dagenlang

---

clear as day **¶.2** v.d. ~ een nacht maken *turn day into night* **¶.3** een gat in de ~ slapen *sleep well into the day, sleep in* **¶.4** de ~ der ~ en *D-day* **¶.5** ouden van ~ en ⟨the⟩ *elderly, (Old Age) Pensioners, senior citizens* **¶.6** ⟨inf.⟩ ja ~! *not likely!, no, thank you!, count me out!*.

dag² ⟨tw.⟩ **0.1** ⟨als begroeting⟩ *hallo,* ↓*hi;* ⟨als afscheid⟩ *bye(-bye), goodbye* ◆ **¶.1** dàààg! *bye(-bye)!, bye then!* /^*now!, see you!;* ⟨vnl. BE⟩ *cheers, ciao, ta-ta;* ⟨vnl. BE⟩ *so long;* ⟨inf.⟩ ja, dààg! *forget it!*.

dagafschrift ⟨het⟩ **0.1** *daily statement (of account)*.

dagbalans ⟨de⟩ **0.1** *daily balance(sheet)*.

dagbedrag ⟨het⟩ ⟨verz.⟩ **0.1** *per diem insurance payment*.

dagbehandeling ⟨de (v.)⟩ **0.1** [medische behandeling gedurende één dag opname] *outpatients' treatment* **0.2** [ziekenhuisafdeling] *outpatients' (clinic / department)* ◆ **6.1** onder psychotherapeutische ~ staan *attend the psychotherapeutic clinic*.

dagblad ⟨het⟩ **0.1** *(daily) newspaper* ⇒*(daily) paper*, ⟨inf.⟩ *daily* ◆ **2.1** een landelijk / regionaal / lokaal ~ *a national / provincial / local newspaper* **6.1** het staat in alle ~ en *it's in all the (news)papers*.

dagbladpers ⟨de⟩ **0.1** *daily / newspaper press*.

dagblind ⟨bn.⟩ **0.1** *day-blind* ⇒⟨med.⟩ *hemeralopic*.

dagblindheid ⟨de (v.)⟩ **0.1** *day-blindness* ⇒⟨med.⟩ *hemeralopia*.

dagbloem ⟨de⟩ **0.1** [bloem die 1 dag leeft] *ephemeral (flower)* **0.2** [bloem die bij dag opengaat] *diurnal flower* **0.3** [winde] ⟨haagwinde⟩ *bellbine;* ⟨purperwinde⟩ *morning glory*.

dagboek ⟨het⟩ **0.1** [aantekeningenboek] *diary* ⇒*journal* **0.2** [scheepsjournaal] *(ship's) log(book)* ⇒*journal* **0.3** [⟨hand.⟩] *daybook* ⇒*journal* ◆ **3.1** een ~ (bij)houden *keep a d.*.

dagboekaantekening ⟨de (v.)⟩ **0.1** *diary note* ⇒*annotation / comment / jotting in one's diary / journal*.

dagboekstijl ⟨de⟩ **0.1** *diary style*.

dagboog ⟨de (m.)⟩ ⟨ster.⟩ **0.1** *diurnal arc*.

dagboot ⟨de⟩ **0.1** *day(light) boat / steamer* ⇒⟨scheep.⟩ *dogger*.

dagbouw ⟨de (m.)⟩ **0.1** *opencast mining* ⇒⟨AE ook⟩ *opencut mining, strip mining*.

dagcentrum ⟨het⟩ **0.1** *outpatients' clinic*.

dagcirkel ⟨de (m.)⟩ ⟨ster.⟩ **0.1** *diurnal circle*.

dagcrème ⟨de⟩ **0.1** *day cream*.

dagcursus ⟨de (m.)⟩ **0.1** *day(time) course* ⇒*day(time) classes*.

dagdeel ⟨het⟩ **0.1** *shift* ⇒⟨ochtend⟩ *morning,* ⟨middag⟩ *afternoon,* ⟨avond⟩ *evening,* ⟨nacht⟩ *night* ◆ **7.1** een baan van vijf dagdelen per week *a job for five shifts / mornings* ⟨enz.⟩ *a / per week, a job for twenty hours a / per week*.

dagdief ⟨de (m.)⟩ **0.1** *idler;* ⟨AE vnl.⟩ *lazybones* ⇒*slacker,* ↓*shirker,* ⟨BE;sl.⟩ *skiver*.

dagdienst ⟨de (m.)⟩ **0.1** [dienst bij dag] *daywork* ⇒*day-duty, days,* ⟨ploeg⟩ *day shift / tour* **0.2** [van boot] *day(time) service* ◆ **3.1** ~ hebben *be on day-duty / days / the day-shift*.

dagdieven ⟨onov.ww.⟩ **0.1** *idle (away one's time)* ⇒*slack,* ⟨BE;sl.⟩ *skive*.

dagdieverij ⟨de (v.)⟩ **0.1** *idling* ⇒*slacking,* ↓*shirking*.

dagdromen ⟨onov.ww.⟩ **0.1** *daydream* ⇒*build castles in the air / Spain*.

dagdromer ⟨de (m.)⟩ **0.1** *daydreamer* ⇒*woolgatherer, Walter Mitty* ◆ **¶.1** hé ~! *a penny for your thoughts*.

dagdroom ⟨de (m.)⟩ **0.1** *daydream* ⇒*(idle) reverie, pipe dream*.

dagelijks
I ⟨bn.⟩ **0.1** [daags] *daily* ⇒⟨ster.⟩ *diurnal,* ⟨biol.⟩ *circadian* **0.2** [gewoon] *everyday* ⇒*ordinary, day-to-day, common-or-garden, run-of-the-mill, workaday* ◆ **1.1** zijn ~ bezigheden *his routine / day-to-day / normal work, his d. routine;* ons ~ brood *our d. bread;* ⟨genoeg om van te leven⟩ *a living, our bread and butter;* zijn ~ se goede daad doen *do one's good deed for the day;* voor ~ gebruik *for everyday / normal / ordinary use;* belast met de ~ e leiding *charged with the day-to-day running / management;* de ~ e omwenteling v.d. aarde om haar as *the diurnal rotation of the earth* **1.2** ~ bestuur *executive (committee);* ~ e kost *e. food,* ↓*nothing special;* in het ~ leven *in (his) private life, in e. life;* de ~ e sleur *the daily grind, the jogtrot of daily life, the groove / rut;* de ~ e spreektaal *e. language, the vernacular;* dat is ~ werk voor hem *that's routine / e. work for him;* ~ e zonde *venial sin;* de ~ e zorgen / beslommeringen *e. problems / worries, the hurries and harries / stresses and strains of e. life;*
II ⟨bw.⟩ **0.1** [elke dag] *daily, each day, every day* ◆ **3.1** dat doe ik ~ *I do that regularly / all the time;* dat komt ~ voor *it happens every day;* ↑*it's an everyday occurrence;* ~ van A naar B reizen / pendelen *commute from A to B;* ik spreek hem ~ *I see him / talk to him every day*.

dagen
I ⟨onp.ww.⟩ **0.1** [dag worden] *dawn* ◆ **3.1** ⟨fig.⟩ het begon mij te ~ *it dawned / began to d. on me, the penny dropped, I began to see daylight* **6.1** het daagt in het oosten *the sun comes up in the east;*
II ⟨onov.ww.⟩ **0.1** [aanbreken] *dawn* ⇒*break* ◆ **1.1** de morgen daagt *day / morning is dawning / breaking;* ⟨fig.⟩ een schone toekomst daagt *a bright future is breaking / coming / in store;*
III ⟨ov.ww.⟩ **0.1** [⟨jur.⟩] *summon(s)* ⇒*cite, take out / issue a summons / writ against, subpoena* ⟨getuige⟩ ◆ **¶.1** voor het gerecht ~ *summon(s), subpoena*.

dagenlang

I ⟨bn.⟩ **0.1** [enige dagen durend] *lasting (for) days* ◆ **1.1** een ~ verhoor *an interrogation lasting (for) days;*
II ⟨bw.⟩ **0.1** [gedurende enige dagen] *for days.*

dag-en-nachtevening ⟨de (v.)⟩ **0.1** *equinox.*

dager ⟨de (m.)⟩ ⟨jur.⟩ **0.1** *plaintiff* ⇒*claimant, litigant, suitor, petitioner* ⟨bij echtscheiding⟩.

dageraad ⟨de (m.)⟩ **0.1** [morgenstond] *dawn, daybreak* ⇒*sunrise,* ᴬ*sun-up, break of day* **0.2** [begin] *dawn* ⇒*dawning* ◆ **1.2** de ~ v.h. leven *(early) childhood, the dawn of life;* de ~ v.d. vrijheid *the dawn/dawning of freedom* **3.1** de ~ brak aan *dawn/day broke/was breaking* **6.1** met de ~ *at dawn/daybreak/(the) break of day/first light.*

dagexcursie ⟨de (v.)⟩ **0.1** *day trip* ⇒*day out.*

dagge ⟨het⟩ **0.1** [ponjaard] *dagger* ⇒⟨lit.⟩ *poniard* **0.2** [voegijzer] *(brick) jointer.*

daggeld ⟨het⟩ **0.1** [loon] *daily pay/wage* ⇒⟨het bedrag zelf⟩ *daily wages* **0.2** [lening] *call money* ⇒*money lent at/payable at/on call,* ᴬ*day-to-day money/loan, overnight money* ◆ **6.1** in ~ werken *work for a daily wage.*

daggelder ⟨de (m.)⟩ **0.1** *day labourer* ⇒*journeyman.*

daggemiddelde ⟨het⟩ **0.1** *daily average.*

daggetijden ⟨zn.mv.⟩ ⟨r.k.⟩ **0.1** *Day Hours.*

daghandelaar ⟨de (m.)⟩ **0.1** *punter.*

daghit ⟨de (v.)⟩ **0.1** *daily (help/girl).*

dagindeling ⟨de (v.)⟩ **0.1** *schedule* ⇒*timetable/programme* ᴬ*gram/plan for the day* ◆ **2.1** een strakke ~ aanhouden *keep to a strict timetable.*

daging ⟨de (v.)⟩ **0.1** *summoning* ⇒*citation, subpoenaing* ⟨van getuige⟩.

dagje ⟨het⟩ **0.1** *day* ◆ **2.1** een ~ ouder worden *be getting on (a bit), not be as young as one was, not getting any younger;* een produktief ~ *a good d.'s work* **5.1** een ~ buiten *a d. (out) in the country;* een ~ uit *a d. out;* een ~ uit gaan *go out for the d., have a d. out, make a d. of it;* een ~ vrij *a d. off (duty)* **6.1** niet in zijn ~ zijn *not have one's d.* ¶**.1** dat was me het ~ wel! *what a d.!.*

dagjesmensen ⟨zn.mv.⟩ **0.1** *(day) trippers* ⇒*excursionists.*

dagkaart ⟨de⟩ **0.1** *day-ticket.*

dagkalender ⟨de (m.)⟩ **0.1** *block-calender.*

dagkoers ⟨de (m.)⟩ **0.1** ⟨wisselkoers⟩ *current/day's rate (of exchange); current rate/(market) value, quotation/rate of the day* ⟨mbt. fondsen⟩ ◆ **6.1** tegen de ~ *at the current/day's rate (of exchange); at the current quotation/market price, at the rate of the day.*

daglelie ⟨de⟩ ⟨plantk.⟩ **0.1** [plant v.h. geslacht Hemerocallis] *day lily* **0.2** [haagwinde, Convulvulus sepium] *hedge bindweed* ⇒*wild morning glory.*

dagleven ⟨het⟩ **0.1** *daytime life, life in the day(time).*

daglicht ⟨het⟩ **0.1** *daylight* ⇒*natural light,* ⟨vnl. fig.⟩ *light of day* ◆ **2.1** ⟨fig.⟩ de zaak kwam in een ander ~ te staan *the matter took on a different/new aspect, this put a different complexion on the matter;* in een belachelijk/bespottelijk ~ stellen *(hold up to) ridicule/caricature, make (sth./s.o.) look ridiculous;* in een zo gunstig mogelijk ~ stellen *show up to the best advantage, show in the best possible light;* iets in een helder ~ stellen ⟨lett.⟩ *put sth. in a clear/bright light;* ⟨fig.⟩ *show off sth. to (its) (best) advantage;* ⟨fig.⟩ bij iem. in een kwaad ~ staan *be in s.o.'s bad books/black book;* ⟨fig.⟩ in een kwaad ~ komen te staan *appear in/be put in a bad light;* ⟨fig.⟩ iem. in een kwaad ~ stellen *put s.o. in the wrong (with), discredit s.o., cast reflections on s.o., make s.o. appear in a bad light;* ⟨fig.⟩ iem. in een (on)gunstig ~ stellen *make s.o. appear in a good (bad)/(un)favourable light;* ⟨fig.⟩ iets in een verkeerd ~ stellen *misrepresent sth.;* in het volle ~ *in broad d., in the broad/full light of day* **3.1** dat kan het ~ niet verdragen ⟨lett.⟩ *that can't tolerate/bear d.;* ⟨fig.⟩ *that can't stand up to/stand/bear the light of day/examination;* een kamer waar het ~ nooit komt *a room without natural light/where the sun never comes,* ≠*a sunless room* **6.1** ⟨fig.⟩ iets aan het ~ brengen *bring sth. to light, uncover/expose sth.;* bij ~ *in/by d..*

daglichtfactor ⟨de (m.)⟩ **0.1** *daylight factor.*

daglichtlamp ⟨de⟩ **0.1** *(artificial) daylight lamp.*

daglichtopname ⟨de⟩ ⟨foto.⟩ **0.1** *daylight/natural light photo(graph)/exposure/*ᵕ*shot.*

daglichtpapier ⟨het⟩ ⟨foto.⟩ **0.1** *printing-out paper, p.o.p..*

daglomer ⟨de (m.)⟩ **0.1** *day labourer* ⇒*journeyman.*

dagloon ⟨het⟩ **0.1** *daily wage/pay* ⇒⟨het bedrag zelf⟩ *day's wages/pay, per diem* ◆ **6.1** in ~ werken *be/get paid by the day.*

dagmars ⟨de (m.)⟩ **0.1** *day's march* ◆ **7.1** drie ~en verwijderd zijn van …*be three days' march away from ….*

dagnotering ⟨de (v.)⟩ **0.1** *current rate/(market) value, quotation/rate of the day.*

dagonderwijs ⟨het⟩ **0.1** *daytime education* ⇒*daytime lessons/tuition, day(time) classes* ◆ **2.1** volledig ~ *full-time education.*

dagopening ⟨de (v.)⟩ **0.1** *morning prayer* ⇒⟨radioprogramma op BBC⟩ *Thought for the Day.*

dagopleiding ⟨de (v.)⟩ **0.1** *day(time) course/classes.*

dagorde ⟨de⟩ **0.1** [volgorde van afhandeling] *schedule* ⇒*agenda, programme, order* **0.2** [agenda] *order of the day* ⇒*order paper, agenda, order of business* ◆ **3.1** tot de ~ overgaan *proceed/pass to the order of the day* **6.2** op de ~ staan *be on the agenda/order of the day.*

dagorder ⟨het, de⟩ **0.1** [afkondiging van bevelen] *routine orders* ⇒*detail* **0.2** [bekendmaking v.h. militair gezag] *routine order* ⇒*order of the day* **0.3** [⟨geldw.⟩] *overnight order* ◆ **6.1** bij ~ vermeld worden *be mentioned in general orders.*

dagpauwoog ⟨de (m.)⟩ **0.1** *peacock butterfly.*

dagploeg ⟨de (m.)⟩ **0.1** *day-shift.*

dagprijs ⟨de (m.)⟩ **0.1** [⟨hand.⟩] *current (market) price/quotation, price of the day* **0.2** [⟨sport⟩] *prize* ◆ **6.1** tegen ~ *at the current (market) price/quotation, at the price of the day* **6.2** om de ~ strijden *compete for the p..*

dagproduktie ⟨de (v.)⟩ **0.1** *daily production.*

dagrantsoen ⟨het⟩ **0.1** *daily ration.*

dagrecreanten ⟨zn.mv.⟩ →*dagjesmensen.*

dagrecreatie ⟨de (v.)⟩ **0.1** *day trip(s)* ⇒*day's/one-day outing(s)* ◆ **3.1** ~ komt steeds meer voor *day trips are becoming more and more popular.*

dagregister ⟨het⟩ **0.1** *daily register* ⇒*day book, journal,* ⟨scheep.⟩ *(ship's) log.*

dagreis ⟨de⟩ **0.1** *day's journey.*

dagrente ⟨de⟩ ⟨geldw.⟩ **0.1** *current/the day's rate of interest.*

dagretour ⟨het⟩ **0.1** *day return, day (return) ticket,* ᴬ*round-trip ticket.*

dagschema ⟨het⟩ **0.1** *(the) day's schedule* ⇒*timetable/programme/plan for the day.*

dagscholier ⟨de (m.)⟩ **0.1** [leerling aan een dagschool] ≠*full-time pupil/student* **0.2** [externe leerling] *day pupil/student* ⇒ᵕ*day boy/girl.*

dagschone ⟨de⟩ ⟨plantk.⟩ **0.1** *morning glory.*

dagschool ⟨de⟩ **0.1** *day school.*

dagschoot ⟨de⟩ **0.1** *latch, catch bolt* ⇒⟨AE ook⟩ *latch-bolt.*

dagschotel ⟨de⟩ **0.1** *plat du jour* ⇒*dish of the day, day's menu,* ⟨van vandaag⟩ *today's special.*

dagschuw ⟨bn.⟩ **0.1** *averse/allergic to light* ⇒⟨med.⟩ *photophobic,* ⟨dierk.⟩ *lucifugous.*

dagslaper ⟨de (m.)⟩ **0.1** *nightjar, goatsucker.*

dagslot ⟨het⟩ **0.1** *latch* ⇒*catch, single lock.*

dagsluiter ⟨de (m.)⟩ **0.1** *epilogist* ⇒*writer/speaker of the epilogue* ᴬ*log.*

dagsluiting ⟨de (v.)⟩ **0.1** *epilogue* ᴬ*log.*

dagster ⟨de⟩ **0.1** [Venus] *daystar, morning star* **0.2** [Orion] *Orion* **0.3** [de zon] *daystar.*

dagtaak ⟨de⟩ **0.1** [dagelijks werk] *daily work/routine/duties/stint* **0.2** [taak voor een dag] *day's work* ◆ **1.1** het is gewoon een deel van haar ~ *it's just part of her daily routine/her duties/job/(daily) work* **2.2** een halve/gedeeltelijke ~ *a half-/part-time job* **3.1** als de ~ afgelopen is *when the day's work/business is over/done* **3.2** daar heb ik een ~ aan *that is a full day's work* **6.1** aan zijn ~ gaan *set to/get down to/start work;* met de ~ beginnen *start the day's work/the daily stint.*

dagtarief ⟨het⟩ **0.1** [overdag geldend] *day(time) rate* ⇒⟨verkeer⟩ *day-(time) fare,* ⟨een (hele) dag geldend⟩ *daily rate(s).*

dagtekenen ⟨onov., ov.ww.⟩ →*dateren* **0.1.**

dagtekening ⟨de (v.)⟩ **0.1** *date* ⇒*dateline* ⟨van kranteartikel⟩.

dagteller ⟨de (m.)⟩ **0.1** [van auto] *trip (mileage) recorder* ⇒ᵕ*trip clock.*

dagtenue ⟨het, de⟩ ⟨mil.⟩ **0.1** ⟨vnl. BE⟩ ≠*walking-out dress* ⇒⟨marine⟩ ≠*number five uniform/dress,* ⟨leger⟩ ≠*lovats.*

dagtocht, -uitstap ⟨de (m.)⟩ **0.1** *daytrip* ⇒*excursion, day out* ◆ **3.1** een ~(je) maken *go on a d.t./an excursion/for a day out.*

daguerreotyperen ⟨ov.ww.⟩ **0.1** *make a daguerreotype.*

daguerreotypie ⟨de (v.)⟩ **0.1** *daguerreotype.*

daguil ⟨de (m.)⟩ **0.1** *dayowl.*

dagvaarden ⟨ov.ww.⟩ **0.1** [⟨jur.⟩] *summon(s)* ⇒*cite, take out/issue a summons/writ against, subpoena* ⟨getuige⟩ **0.2** [ter vergadering oproepen] *convene* ⇒*summmon* ◆ **3.1** gedagvaard worden *receive a writ/be summon(s)ed (to appear in court), have a writ served on one; be subpoenaed* ⟨vnl. als getuige⟩.

dagvaarding ⟨de (v.)⟩ ⟨jur.⟩ **0.1** *(writ of) summons, writ* ⇒*citation, subpoena* ⟨vnl. van getuige⟩ ◆ **3.1** iem. een ~ sturen/betekenen *serve a summons/writ on s.o.;* een ~ uitbrengen *take out/issue a summons/writ.*

dagverblijf ⟨het⟩ **0.1** [mbt. personen] ⟨vertrek⟩ *dayroom;* ⟨dagziekenhuis⟩ *day centre* **0.2** [mbt. dieren] *outdoor enclosure, outside cage/pen* ◆ **1.1** een ~ voor kinderen *a day-care centre, a day nursery crèche,* ᴬ*(children's) day care.*

dagverpleging ⟨de (v.)⟩ **0.1** *day(time) nursing.*

dagvers ⟨bn.⟩ **0.1** *fresh daily/each day.*

dagwaarde ⟨de (v.)⟩ **0.1** *current/market value* ⇒*marketable value.*

dagwacht ⟨de⟩ **0.1** [wacht bij dag] *daytime watch* **0.2** [eerste wacht na de nacht] *morning watch.*

dagwerk ⟨het⟩ **0.1** [dagelijks werk] *(daily) work* ⇒*job, business* **0.2** [hoeveelheid arbeid] *day's work* ◆ **3.**¶ als ze die allemaal alleen moest nakijken had ze wel ~ *if she had to mark all those by herself, she'd have her work cut out (for her)/she'd be pretty well occupied all day/she'd never see the end of it.*

dagwijzer ⟨de (m.)⟩ **0.1** *calender, date-indicator.*

dagwissel ⟨de (m.)⟩ **0.1** *bill payable on/at a fixed date.*

dagziekenhuis ⟨het⟩ **0.1** *day centre.*

dagzijde ⟨de⟩ **0.1** [deel v.d. aarde] *light / day side* **0.2** [buitenzijde] *exterior, outside* ⇒*outer face / side* ◆ **1.2** de ~ van deuren / kozijnen / metselwerk *the e. / outside of walls / window-frames / masonry.*

dagzoom ⟨de (m.)⟩ ⟨geol.⟩ **0.1** *(bed) outcrop(ping)* ⇒⟨zelden⟩ *basset.*

dagzuster ⟨de (v.)⟩ **0.1** *day nurse / sister.*

dahlia ⟨de⟩ **0.1** *dahlia.*

daim ⟨het⟩ **0.1** *buckskin, doeskin* ⇒≠*suede.*

dak ⟨het⟩ **0.1** [bedekking v.e. huis / gebouw] *roof* ⇒*housetop* ⟨vnl. fig.⟩ **0.2** [⟨fig.⟩ bedekking] *roof* ⇒*cover, umbrella* **0.3** [woning] *roof* ◆ **1.1** het ~ van de wereld *the r. of the world* **2.1** een beschoten ~ *an underdrawn / boarded r.;* een gebroken *a mansard (r.), a gambrel (r.), a curb r.;* een gewelfd ~ *a vaulted r.;* een leien ~ *a slate(d) r.;* auto met open ~ *open-topped car,* ≠*convertible,* ^*cabriolet,* ≠*soft-top;* een plat ~ *a flat r.;* ⟨vnl. AE⟩ *a sun deck* ⟨waarop men kan zonnen⟩; *a terraced roof* ⟨vnl. van Spaans / oosters huis⟩; huizen met een plat / rieten ~ *flat-roofed / thatched houses;* een schuin / aflopend ~ *a pitched / sloping r.* **3.1** een ~ boven het hoofd hebben *have a r. over one's head* **6.1** onder ~ komen *find accommodation / shelter / a home;* hij is onder ~ ⟨lett.⟩ *he is under cover / has found shelter;* ⟨fig.⟩ *he is made / settled / set up (for life);* onder één ~ wonen *live under one / the same r., live in the same house;* iem. tijdelijk onder ~ brengen *find temporary accommodation / a temporary home for s.o.;* een huis onder ~ brengen *roof in / over a house, get / put the r. on a house;* iem. een nachtje onder ~ brengen *fix / put s.o. for a / the night;* toeristen onder ~ brengen *accommodate / house / find accommodation for tourists;* een kunst / boekenverzameling onder ~ brengen *house an art / a book collection;* een vluchteling onder ~ brengen *provide / find shelter for a refugee, take in a refugee;* iem. / iets op zijn ~ schuiven *lay / put / shove the blame on s.o., saddle s.o. with the blame, lay the blame at s.o's door;* iem. op zijn ~ vallen *descend on s.o.;* het viel me koud op mijn ~ *I was quite unprepared for it, it gave me quite a shock;* iem. de politie op zijn ~ sturen *put the police on to s.o.;* hij kreeg (daarvoor) de politie op zijn ~ *he got the police down on him / down on his neck;* hij kreeg opeens zijn schoonmoeder op zijn ~ *he was suddenly saddled with his mother-in-law;* ⟨fig.⟩ iets van de ~ en verkondigen / schreeuwen *shout / proclaim sth. from the housetops / rooftops;* ⟨AE; vero. in BE⟩ *bruit sth. about / abroad* **6.2** je kunt haar niet zomaar met zo'n voorstel op het ~ vallen *you can't just spring such a proposal on her* ¶.1 het gaat v.e. leien ~ *it's plain sailing (all the way), it's going like clockwork, it's as easy as falling off a log;* ga nu maar gauw op het ~ zitten *you must be kidding!, tell it to the marines!, forget it!.*

dakappartement ⟨het⟩ **0.1** *penthouse.*

dakbak ⟨de (m.)⟩ **0.1** *coupler.*

dakbalk ⟨de (m.)⟩ **0.1** *roof-beam / -timber.*

dakbedekking ⟨de (v.)⟩ **0.1** *roofing(-material)* ⇒*roof-covering.*

dakbeschot ⟨het⟩ **0.1** *roof boarding* ⇒*sheathing,* ⟨Sch.E⟩ *sarking.*

dakdekker ⟨de (m.)⟩ **0.1** *roofer* ⇒*thatcher* ⟨met riet⟩, *tiler* ⟨met pannen⟩, *slater* ⟨met leien⟩, *shingler* ⟨met spanen⟩.

dakgebint ⟨het⟩ **0.1** *truss.*

dakgoot ⟨de⟩ **0.1** *(roof- / eaves-)gutter, cullis.*

dakhaas ⟨de (m.)⟩ ⟨scherts.⟩ **0.1** *mog(gie),* ^*alley cat* ⇒ ^*cat.*

dakhelling ⟨de (v.)⟩ **0.1** *pitch / angle of a roof* ⇒*roof-slope.*

dakisolatie ⟨de (v.)⟩ **0.1** *roof / loft insulation.*

dakje ⟨het⟩ **0.1** [klein dak] *rooflet* **0.2** [accent op letter] *circumflex (accent)* ◆ **2.¶** het ging v.e. leien ~ *it was plain / smooth sailing all the way, it went swimmingly, it was a piece of cake.*

dakkamer ⟨de⟩ **0.1** *attic, garret* ⇒⟨niet bewoonbaar⟩ *loft.*

dakkap ⟨de⟩ **0.1** *truss, framework.*

dakkapel ⟨de⟩ **0.1** *dormer (window)* ⇒*lucarne, shed dormer.*

daklaag ⟨de⟩ ⟨geol.⟩ **0.1** *roof.*

dakladder ⟨de⟩ **0.1** *roof / cat ladder.*

dakleer ⟨het⟩ **0.1** ≠*roofing felt,* ^*rag felt* ⇒ ≠*(asphalt-impregnated) roofing paper.*

daklei
I ⟨de⟩ **0.1** [lei] *(roof(ing)) slate;*
II ⟨het⟩ **0.1** [verharde leem] *rag(stone).*

daklicht ⟨het⟩ **0.1** *skylight* ⇒*deadlight* ⟨dat niet open kan⟩, *clerestory, clearstory* ⟨in kerk⟩.

daklijn ⟨de⟩ **0.1** *ridge.*

daklijst ⟨de⟩ **0.1** *ridge-piece* ⇒*ridge beam / board, rooftree.*

daklook ⟨het⟩ ⟨biol.⟩ **0.1** *houseleek, hen-and-chickens.*

dakloos ⟨bw.⟩ **0.1** *homeless* ⇒*roofless,* ⟨alleen pred.⟩ *(left) without a roof over one's head* ◆ **3.1** honderden mensen werden / raakten ~ *hundreds of people were made h. / lost their homes.*

dakloze ⟨de (m.)⟩ **0.1** *homeless person* ⇒⟨zwerver⟩ *vagrant, waif* ⟨vnl. kind⟩, *stray* ⟨vnl. dier⟩.

dakpan ⟨de⟩ **0.1** *(roof(ing)) tile.*

dakpansgewijs ⟨bw.⟩ **0.1** *(overlapping) like (roof-)tiles, overlapping* ⇒ ⟨ook plantk.⟩ *imbricately,* ⟨planken in scheepshuid⟩ *clinker-built, lapstraked.*

dakpijp ⟨de⟩ **0.1** *downpipe,* ^*downspout* ⇒*drainpipe, waterspout, rainwater pipe.*

dakraam ⟨het⟩ **0.1** *skylight* ⇒*fanlight, attic / loft / garret window,* ⟨merknaam⟩ *velux window.*

dakrand ⟨de (m.)⟩ **0.1** *edge of a / the roof* ⇒⟨overhangend⟩ *eaves.*

dakriet ⟨het⟩ **0.1** *(reed-)thatch(ing).*

dakruiter ⟨de (m.)⟩ **0.1** *roof-turret* ⇒⟨ihb. op kerkdak⟩ *flèche, spire-(let).*

dakschild ⟨het⟩ **0.1** *plane / side / face of a roof.*

dakspaan ⟨de⟩ **0.1** *shingle* ⇒*shake.*

dakspar ⟨de (m.)⟩ ⟨bouwk.⟩ **0.1** *rafter.*

dakstoel ⟨de (m.)⟩ ⟨amb.⟩ **0.1** *(roof) truss(es).*

dakstro ⟨het⟩ **0.1** *thatch(ing).*

dakterras ⟨het⟩ **0.1** *terrace* ⇒*roof garden.*

daktuin ⟨de (m.)⟩ **0.1** *roof garden.*

dakvenster ⟨het⟩ **0.1** *dormer (window)* ⇒*luthern, shed dormer.*

dakvorst ⟨de (m.)⟩ **0.1** *(roof-)ridge, crest* ⇒*coping.*

dakwerk ⟨het⟩ **0.1** *roof(ing)* ⇒*roof construction.*

dal ⟨het⟩ **0.1** [vallei] *valley* ⇒⟨schr.⟩ *vale,* ⟨vnl. BE⟩ *dale,* ⟨nauw⟩ *glen,* ⟨klein⟩ *dip, hollow* **0.2** [aarde] *vale (of tears)* **0.3** [⟨fig.⟩ laagte] *pit, low* ⇒*gulf, abyss, ebb* ◆ **1.1** ⟨fig.⟩ over berg en ~ *over hill and dale, from all over (the country), (from) far and near;* het ~ v.d. Maas *the valley of the river Maas / Meuse;* ⟨fig.⟩ het ~ v.d. schaduw des doods *the Valley of the Shadow of Death* **2.2** het aardse / dit ondermaanse ~ *this earthly / mortal v.* **2.3** hij is door een diep ~ gegaan *he has had a very rough time, he has gone / been through an abyss;* ⟨inf.⟩ *he has been down in the dumps.*

dalai lama ⟨de (m.)⟩ **0.1** *Dalai Lama.*

dalen ⟨onov.ww.⟩ **0.1** [omlaaggaan] *descend, go down* ⇒*drop,* ⟨meetwaarde⟩ *fall,* ⟨zon⟩ *sink, set* **0.2** [minder worden] *fall, go / come down* ⇒*drop, sink,* ⟨waarde ook⟩ *decrease* **0.3** [mbt. geluiden] *drop* ⇒*sink, fall, be lowered* ◆ **1.1** zich in ~ de lijn bewegen *go on the downgrade, show a downward tendency;* de luchtdruk daalt *the barometer / atmospheric pressure is falling / going down;* het vliegtuig daalt *the (air)plane is descending;* ⟨landt⟩ *the plane is landing;* de weg daalt hier *the road drops / goes down / descends here;* de zon daalt reeds *the sun is already going down / sinking / setting* **1.2** de prijzen zijn een paar gulden gedaald *prices are down by a couple of guilders;* de koersen ~ *(the) prices are dropping / falling / going / coming down;* ⟨fig.⟩ *things are / business is going downhill* **5.2** de invoer is sterk gedaald *imports are down / have decreased quite a lot / considerably;* de prijzen zijn sterk gedaald *prices have plummeted / taken a plunge / dive* **6.1** hij is zeer in mijn achting gedaald *my esteem for him has plummeted, he has gone down considerably in my estimation;* ⟨fig.⟩ in het graf ~ *go to / go down / sink into the one's grave;* de club is naar de zevende plaats gedaald *the club has fallen / sunk to seventh place;* de temperatuur daalde tot beneden het vriespunt *the temperature / temperatures fell (to) below zero* **6.2** iets in waarde doen ~ *depreciate / devalue / devaluate sth., bring sth. down (in value).*

dalengte ⟨de (v.)⟩ **0.1** *glen* ⇒⟨zeer steil⟩ *gorge, gulf.*

dalgrond ⟨de (v.)⟩ **0.1** *reclaimed / cleared peatland.*

daling ⟨de (v.)⟩ **0.1** [het naar beneden gaan] *descent* ⇒*fall(ing), sinking, drop, decline* **0.2** [helling] *slope* ⇒*incline, gradient, descent, drop,* ⟨klein⟩ *dip* **0.3** [baisse] *decrease* ⇒*drop, slump, fall(ing-off)* ◆ **1.1** ~ v.d. bodem / zeespiegel *het kwik / een vliegtuig drop in the level of the land / sea level; fall(ing) of the mercury / thermometer; descent / landing of an airplane* **1.3** de ~ v.h. geboortecijfer *the decrease / drop / fall in the birth rate* **2.1** een sterke ~ v.h. het ledenaantal *a slump / a considerable drop / decrease in (the) membership* **3.3** op ~ speculeren *speculate for a fall* **6.3** verkoop op ~ *bear selling.*

dalingsgebied ⟨het⟩ **0.1** *area / zone of subsidence.*

dalkonschildje ⟨het⟩ ⟨med.⟩ **0.1** *Dalkon shield.*

dalkruid ⟨het⟩ [lelieachtige plant] *May lily* ⟨Majanthemum bifolium⟩ **0.2** [salomonszegel] *Solomon's seal* **0.3** [lelietje-van-dalen] *lily of the valley.*

dalles ⟨de⟩ ⟨barg.⟩ **0.1** *scrape, stew* ⇒*mess, state* ◆ **6.1** in de ~ zitten *be in a scrape / stew / state;* ⟨aan lagerwal⟩ *on one's uppers.*

dalleshoer ⟨de (v.)⟩ ⟨inf.⟩ **0.1** *cheap whore* ⇒⟨AE ook⟩ *cheap hooker.*

dalmatiek ⟨de (v.)⟩ ⟨r.k.⟩ **0.1** *dalmatic.*

dalmatiër ⟨de (m.)⟩ **0.1** *Dalmatian* ⇒*dalmatian,* ⟨vero.⟩ *coach / carriage dog.*

dalstuw ⟨de (m.)⟩ **0.1** *dam* ⇒*barrage.*

daltonisme ⟨het⟩ **0.1** *daltonism* ⇒*colour blindness.*

daltonmethode ⟨de (v.)⟩ **0.1** *Dalton method / plan / system.*

daltononderwijs ⟨het⟩ **0.1** *Dalton (plan) education.*

daluren ⟨zn.mv.⟩ **0.1** *off-peak (hours / period).*

dalurenkaart ⟨de⟩ ⟨spoorw.⟩ **0.1** *off-peak railcard.*

dalven ⟨onov.ww.⟩ **0.1** [bedelen] *cadge* ⇒*scrounge, sponge, beg,* ⟨AE ook⟩ *panhandle* **0.2** [zwerven] *tramp* ⇒*ramble, bum (around).*

dalver ⟨de (m.)⟩ **0.1** *tramp* ⇒*bum, beggar,* ⟨AE ook⟩ *hobo.*

dalweg ⟨de (m.)⟩ ⟨aardr.⟩ **0.1** *thalweg.*

dalwind ⟨de (m.)⟩ **0.1** *valley wind.*

dam ⟨→sprw. 271,521⟩
I ⟨de (m.)⟩ **0.1** [waterkering] *dam* ⇒*barrage,* ⟨in rivier⟩ *weir* **0.2** [toegang tot een weiland] *causeway* **0.3** ⟨med.⟩ *perineum* **0.4** [ver-

265

bindingsstuk]⟨tussen vensters/deur en venster⟩ *pier* ◆ **1.1** een~in de Nijl *a barrage in the Nile* **3.1** een~leggen *build a d.;* ⟨fig.⟩ een~ opwerpen tegen *stem the tide of, check (the progress of)* **6.1** een~**om** een bouwput *a sheetpile wall around a building site;*
II ◆ **0.1** [⟨damsport⟩] *king* ⇒*crowned man* ◆ **3.1** een~halen/ maken *crown a man.*

Damascener ⟨bn.⟩ **0.1** [mbt. Damascus] *Damascene* **0.2** [mbt. metalen] *damascene.*

damasceren ⟨ov.ww.⟩ **0.1** [mbt. staal] *damascene* ⇒*damask* **0.2** [⟨mbt. andere metalen⟩ versieren] *damascene* ⇒*inlay.*

damast ⟨het⟩ **0.1** [weefsel] *damask* ⇒*diaper* **0.2** [werkstuk van dit weefsel] *(piece of) damask (cloth).*

damastbloem ⟨de⟩ **0.1** *dame's violet/rocket.*

damasten ⟨bn.⟩ **0.1** *damask* ⇒*diapered* ◆ **1.1** een~tafelkleed *a damask tablecloth.*

damastpapier ⟨het⟩ **0.1** *damask paper.*

damastpruim ⟨de (m.)⟩ **0.1** *damson (plum).*

damaststaal ⟨het⟩ **0.1** *Damascus steel* ⇒*damask (steel).*

dambord ⟨het⟩ **0.1** [B]*draughtboard,* [A]*checkerboard.*

damclub ⟨de⟩ **0.1** [B]*draughts/*[A]*checkers club.*

dame ⟨de (v.)⟩ **0.1** [⟨voorname/beschaafde⟩ vrouw] *lady* ⇒⟨vero.⟩ *gentlewoman* **0.2** [vrouwelijke partner] *lady, partner* **0.3** [als aanspreekvorm] *lady* **0.4** [⟨schaakspel, kaartspel⟩] *queen* **0.5** [vrouw van verdachte zeden] *loose/fast woman, woman of doubtful reputation/ easy virtue* **0.6** [⟨mv.⟩ opschrift op toilet] *Ladies('),* [A]*Ladies(') room* ◆ **1.3** ~s en heren *ladies and gentlemen* **2.1** de ijzeren~ *the Iron Lady* **3.1** zij is op en top een~*she's a l. to the (very) tips of her fingers/from head to toe, she's a regular l./ every inch a l.;* de~spelen/uithangen *act/play the l./ grande dame* **3.4** een~halen *queen a pawn* ¶.**1** de~s Jansen *the Miss(es) Jansen* ⟨ongetrouwden⟩; *the Jansen ladies;* niet waar (de)~s bij zijn! *not in front of (the) ladies!, (not in) mixed company!.*

dame blanche ⟨de⟩ **0.1** *ice cream with hot chocolate sauce,* [A]*hot-fudge sundae.*

damesachtig ⟨bn., bw.⟩ **0.1** ⟨bn.⟩ *ladylike;* ⟨bw.⟩ *in a ladylike manner/ way.*

damesafdeling ⟨de (v.)⟩ **0.1** *women's-wear department.*

damesblad ⟨het⟩ **0.1** *women's magazine.*

damesconfectie ⟨de (v.)⟩ **0.1** *ladies'/women's clothing/wear* ⇒⟨BE; inf.⟩ *ladies'/women's off-the-peg clothing* ◆ **1.1** op de afdeling~in *ladies' wear.*

damesdubbel(spel) ⟨het⟩ **0.1** *ladies'/women's doubles.*

damesenkel(spel)⟨het⟩ **0.1** *ladies'/women's singles.*

damesfiets ⟨de⟩ **0.1** ⟨inf.⟩ *woman's/lady's bike* ⇒*woman's/lady's bicycle,* ⟨vaak ook⟩ *girl's bike.*

dameshoed ⟨de (m.)⟩ **0.1** *lady's hat/bonnet* ⇒⟨groot, met bloemengarnering⟩ *Dolly Varden.*

dameskapper ⟨de (m.)⟩ **0.1** [kapper] *ladies' hairdresser* ⇒⟨ladies') hair stylist* **0.2** [kapsalon] *ladies' hairdresser's* ⇒⟨ladies') hair stylist's.*

dameskapsalon ⟨het, de (m.)⟩ ⇒**dameskapper 0.2.**

dameskleding ⟨de (v.)⟩ **0.1** *ladies'/women's wear/clothing.*

dameskoor ⟨het⟩ **0.1** *women's chorus* ⇒*female/ladies' choir.*

dameskransje ⟨het⟩ **0.1** *ladies' circle/group* ⇒⟨inf.⟩ *hen party,* ⟨AE ook⟩ *coffee klatsch.*

damesmode ⟨de⟩ **0.1** [mode voor dames] *ladies'/women's fashion* **0.2** [artikelen] *ladies'/women's fashions/wear/clothing* ◆ **1.2** afdeling~ *ladies' fashions/wear (department).*

damesondergoed ⟨het⟩ **0.1** *women's/ladies' underwear* ⇒*lingerie, underthings.*

damespaard ⟨het⟩ **0.1** *ladies' mount/horse.*

damesploeg ⟨de⟩ **0.1** *women's team.*

damesroman ⟨de (v.)⟩ **0.1** *novelette.*

damesslipje ⟨het⟩ **0.1** *undies* ⇒*scanties, (women's) briefs,* ⟨AE ook⟩ *underpants.*

damestas ⟨de⟩ **0.1** *handbag* ⇒⟨met make-up spullen⟩ *vanity case/bag.*

damestoilet ⟨het⟩ **0.1** *ladies' toilet/lavatory* ⇒*ladies',* [†]*ladies (powder) room.*

damesverband ⟨het⟩ **0.1** *sanitary towel(s)/*⟨AE ook⟩ *napkin(s).*

damesvoetbal ⟨het⟩ **0.1** *ladies'/womens football/*⟨BE ook, AE vnl.⟩ *soccer.*

dameszadel ⟨het, de (m.)⟩ **0.1** *side-saddle* ⇒⟨van fiets⟩ *ladies' saddle.*

dametje ⟨het⟩ **0.1** *(little) lady* ◆ **2.1** ze/'t is al een echt~*she's (already) quite a (little) lady;* een lief, oud~*a sweet old lady.*

damhert ⟨het⟩ **0.1** *fallow deer.*

damkampioen ⟨de (m.)⟩, -**e** ⟨de (v.)⟩ **0.1** [B]*draughts/*[A]*checkers champion.*

damklok ⟨de⟩ ⟨sport⟩ **0.1** [B]*draughts/*[A]*checkers clock.*

damlijn ⟨de⟩ ⟨sport⟩ **0.1** *king/back line/row.*

dammen ⟨onov.ww.⟩ **0.1** *play (at)* [B]*draughts/*[A]*checkers* ◆ **1.1** een potje/ partijtje~*a game of d./c..*

dammer ⟨de (m.)⟩, -**ster** ⟨de (v.)⟩ **0.1** [B]*draughts/*[A]*checkers player.*

Damocles 0.1 *Damocles* ◆ **1.1** het zwaard van~*the sword of D..*

damp ⟨de (m.)⟩ **0.1** [nevel, wasem]⟨wasem⟩ *steam, vapour* ⇒⟨nevel⟩

mist, haze, fog, ⟨riekend⟩ *fume* ⟨vaak mv.⟩ **0.2** [⟨nat.⟩] *vapour* **0.3** [rook] *smoke* ⇒⟨schadelijk⟩ *smog,* ⟨vaak mv.⟩ *fume* ◆ **1.1** de~v.e. kokende ketel *the s. from a boiling kettle* **1.2** ~van jodium *iodine v.* **2.2** verzadigde~*saturated v.* **2.3** schadelijke~en *noxious fumes, effluvium* **2.**¶ kwade~en *(ill/noxious/evil) vapours* **3.1** de~slaat v.d. paarden af *the horses are steaming* **3.2** overgaan in~*evaporate, vaporize, volatilize* **3.3** wat hangt hier een~*this place is full of smoke/ fumes.*

dampartij ⟨de⟩ **0.1** *game of* [B]*draughts/*[A]*checkers.*

dampdichtheid ⟨de (v.)⟩ ⟨nat.⟩ **0.1** *vapour density.*

dampen ⟨onov.ww.⟩ **0.1** [damp afgeven] *steam* ⇒*smoke* **0.2** [rook afgeven, roken] *smoke, fume* ◆ **1.1** het paard stond te~*the horse was steaming;* ~de schotels *steaming dishes* **1.2** ~de schoorstenen *smoking chimneys* **3.2** hij zat weer flink te~*he was puffing away again for all he was worth.*

dampfase ⟨de (v.)⟩ ⟨nat.⟩ **0.1** *vapour phase.*

dampig ⟨bn.⟩ **0.1** [op damp lijkend] *vaporous* ⇒*vapour-like* **0.2** [nevelig, rokerig] ⟨nevelig⟩ *misty, hazy, foggy, steamy;* ⟨rokerig⟩ *smoky, smoggy* **0.3** [mbt. paarden] *broken-winded.*

dampigheid ⟨de (v.)⟩ **0.1** *heaves, broken wind.*

dampkap ⟨de (v.)⟩ ⟨AZN⟩ **0.1** *extractor hood.*

dampkring ⟨de (m.)⟩ **0.1** [mbt. de aarde] *(earth's) atmosphere* ⇒*air,* ⟨schr.⟩ *ether* **0.2** [mbt. andere planeten] *atmosphere* ◆ **6.1** ⟨ruim.⟩ terugkeer **in** de~*re-entry (into the (earth's) atmosphere).*

damplank ⟨de⟩ ⟨wwb.⟩ **0.1** *sheet pile.*

dampmeter ⟨de (m.)⟩ **0.1** *vaporimeter.*

damprobleem ⟨het⟩ **0.1** [B]*draughts/*[A]*checkers problem.*

dampspanning ⟨de (v.)⟩ **0.1** *vapour pressure/tension.*

dampvorming ⟨de (v.)⟩ **0.1** *vaporization* ⇒*vapour formation/production.*

damschijf ⟨de⟩ ⟨damsport⟩ **0.1** *draught(sman),* [A]*checker(man)* ⇒*man, piece.*

damslag ⟨de (m.)⟩⟨sport⟩ ◆ **3.**¶ ~gaat voor *you must take the King first.*

damslaper ⟨de (m.)⟩ **0.1** [B]≠*dosser,* [A]≠*hippie.*

damspel ⟨het⟩ **0.1** [spel] [B]*draughts,* [A]*checkers* **0.2** [benodigdheden] *set of* [B]*draughts/*[A]*checkers,* [B]*draughts/*[A]*checkers set.*

damsport ⟨de (v.)⟩ **0.1** *(competition)* [B]*draughts/*[A]*checkers.*

damsteen ⟨de (m.)⟩ ⇒**damschijf.**

damwand ⟨de (m.)⟩ **0.1** *sheet piling* ⇒*sheetpile wall.*

damwedstrijd ⟨de (m.)⟩ **0.1** [B]*draughts/*[A]*checkers match/competition.*

dan[1] ⟨de (m.)⟩ **0.1** *dan.*

dan[2] ⟨bw.⟩ **0.1** [op dat tijdstip] *then* **0.2** [daarna, daarbij] *then* ⇒⟨vervolgens⟩ *subsequently,* ⟨daarbij⟩ *besides* **0.3** [⟨bw. van voorwaarde⟩] *then* **0.4** [⟨modaal bw.⟩] *then;* ⟨zie voorbeelden⟩ ◆ **1.4** ⟨in elliptische vragen⟩ 'en je broer~?' *(and) what about your brother (t.)?* **3.1** morgen zijn we vrij, ~gaan we uit *we have a day off tomorrow, and/so we're going out* **3.2** eerst werken, ~spelen *business before pleasure* **3.3** als de trein niet rijdt, ~kan ik niet komen *if the train isn't running/doesn't run I won't be able to come;* als je het~beslist wilt *well, if you insist* **3.4** hebben~alle getuigen gelogen? *do you mean (to say) all the witnesses lied?, so I suppose all the witnesses were lying, (were they)?* **4.1** nu eens dit, ~weer dat *first one thing, t. another* **4.3** (je wilt dit niet en dat (ook al) niet); wat dàn?! *what dó you want?!, whát, t.?!* **5.1** nu en~*now and t.* **5.2** hij heeft twee huizen in de stad en~nog één buiten *he has two houses in town and one in the country as well;* (ik heb maar één vest) en~nog een oud... *and an old one at that* **5.3** zelfs~/~nog gaat het niet *even so it won't work* **5.4** ⟨met tegenstellende kracht⟩ ook goed, ~niet *all right, we won't t.; all right t. we won't;* al~niet (+bn.) ⟨bn.⟩ *or otherwise, whether* ⟨bn.⟩ *or not;* en~ zeggen ze nog dat ... *and still they say that ...;* ⟨om een onderbroken gedachtengang weer op te nemen⟩ nu~, zoals ik zei *well t./ now, as I was saying;* hij heeft niet gewerkt; hij is~ook gezakt *he didn't work; and so/not surprisingly he failed;* wees~toch eindelijk eens stil *will you shut up (for heaven's sake),* do be quiet; die schrijver had~toch maar veel succes *but that writer did have considerable success* **6.1 tot** ~*till/until t.;* ⟨als afscheid⟩ *(I'll) see you (tomorrow/Tuesday* ⟨enz.⟩ *) t.* **8.1** hij zei dat hij~en~zou komen *he said he'd come at such and such a time* **8.2** en~? *and what t.?, and t. what?* **8.4** nou, en~! ⟨wat kan mij dat schelen⟩ *well, what of it/so what?.*

dan[3] ⟨vw.⟩ **0.1** [⟨na een vergrotende trap⟩] *than* **0.2** [⟨na 'ander(s)'⟩] *than, from* **0.3** [⟨na een ontkennende zin⟩] *but* ⇒*except, besides* **0.4** [⟨na 'te'⟩] *to (do the ...), for (that);* ⟨zie **8.4**⟩ **0.5** [of] *or* ◆ **1.2** een ander~hij heeft het me verteld *I heard it from s.o. else (, not him)/ s.o. other than him* **2.1** hij is rijker/armer/groter~ik *he is richer/ poorer/bigger t. me/t. I (am)* **4.3** hij heeft niemand~zijn moeder *he has no one but/except his mother* **5.2** dat is anders~je zegt *it is not as you tell it, it's different f. the way you tell it* **5.3** ze gaat nooit uit~'s zondags *she never goes out except/but on Sundays* **5.5** al~niet geslepen *(whether) cut or not, cut or otherwise;* hij vroeg of hij morgen~ wel overmorgen zou komen *he asked whether he should come tomorrow or the day after* **8.4** hij is te trots~dat hij zo iets zou aannemen *he is too proud to/so proud that he would never accept such an offer.*

dancing ⟨de (m.)⟩ **0.1** *dance-hall* ⇒*discotheque.*

dandy ⟨de (m.)⟩ **0.1** *dandy* ⇒*swell,* ⟨AE ook⟩ *dude, fashion-plate, clothes-horse.*

dandyisme ⟨het⟩ **0.1** *dandyism* ⇒*fashion-/clothes-consciousness.*

danig
I ⟨bn.⟩ **0.1** [enorm] *sound, thorough* ⇒*good(ly), huge* ◆ **1.1** een ~ pak slaag *a good/s. hiding/thrashing.*
II ⟨bw.⟩ **0.1** [terdege, enorm] *soundly, thoroughly* ⇒*well, greatly, badly, violently, awfully* ◆ **3.1** ik heb hem ~ de waarheid gezegd *I (really) gave him a piece of my mind/told him off properly/* ⟨inf.⟩ *good and proper;* hij heeft zich ~ verveeld *he was bored stiff/to death/ to tears;* iem. ~ toetakelen *really give it to s.o., do work s.o. over, give s.o. a good beating;* zich ~ vergissen *make a big mistake, be sorely mistaken;* zich ~ weren *put up a good fight* ¶**.1** ~ in de knoei zitten *be in a terrible mess/a terrible fix;* ~ van streek zijn *be awfully upset.*

dank ⟨de (m.)⟩ **0.1** [erkentelijkheid] *thanks, gratitude* **0.2** [dankbetuiging] *thanks* ⇒⟨woord van ook⟩ *acknowledgement,* ⟨inf.⟩ *thank-you* ◆ **1.1** de hemel zij ~ *thank heaven(s);* tegen wil en ~ *unwilling, willy-nilly* **3.1** iem. ~ betuigen *show/extend one's t./g. to s.o.;* God ~ brengen *give t. to the Lord/to God;* iem. (grote) ~ verschuldigd zijn *owe many t./a large debt (of g.) to s.o.;* iem. ~ weten voor iets *be grateful to s.o. for sth.* **5.1** duizendmaal ~ *t. a million/ever so much* **6.1** iets in ~ aannemen/aanvaarden *accept sth. with t./g.;* in ~ terug/retour *returned with t.;* iem. iets niet in ~ afnemen *not thank s.o. for sth., take it ill of s.o. (that)* **7.1** geen ~ *that's all right, you're welcome, not at all, don't mention it* **7.2** is dat geen ~ je waard? *isn't that worth a thank-you?* **8.1** als ~ voor alle goede zorgen *by way of t. for all you've done (for me/us);* laat niet als ~ voor het aangenaam verpozen, de eigenaar (v.h. bos) de schillen en de dozen *take your litter home with you, don't be a litter-lout/* ᴬ*-bug* ¶**.1** God(e) zij ~ *t. be to God;* ⟨gelukkig maar⟩ *thank God;* stank voor ~ krijgen *get more kicks than halfpence/not so much as a word of/small t. for one's pains;* niet bepaald ~ zij *small/no t. to;* bij voorbaat ~ *thanking you in anticipation/advance;* en allemaal ~ zij haar *and it's all t. to her, and that is all her doing.*

dankbaar ⟨bn., bw.; -ly⟩ **0.1** [erkentelijk] *grateful* ⇒*thankful* **0.2** [voldoening gevend] *rewarding* ⇒*grateful, pleasant, pleasing* ◆ **1.1** een ~ mens/hart *a g./thankful/appreciative person, a thankful heart* **1.2** een dankbare grond/akker *a grateful/productive soil/field;* een ~ onderwerp *a r. subject;* een ~ publiek *an appreciative audience;* een dankbare taak *a r./grateful task* **3.1** zij aanvaarden de gaven ~ *they accepted the gifts with thanks/gratefully;* ik zou u zeer ~ zijn als... *I should be most g. to you/obliged if ..., I should appreciate it greatly if ....*

dankbaarheid ⟨de (v.)⟩ **0.1** *gratitude* ⇒*thanks, thankfulness, appreciation* ◆ **6.1** tot ~ stemmen *be a matter for thankfulness, make (one) grateful;* weinig/veel reden tot ~ hebben *we niet! we have little/much to be thankful for!;* **uit** ~ voor *in appreciation of, in g. for;* overlopen **van** ~ *be overflowing with g., be effusive in one's g..*

dankbetuiging ⟨de (v.)⟩ **0.1** *expression/word of gratitude/thanks;* ⟨schriftelijk⟩ *note/letter/message of thanks, acknowledgement;* ⟨motie⟩ *vote of thanks* ◆ **2.1** een schriftelijke ~ *a letter/note of thanks* **3.1** een ~ in de krant plaatsen *put a vote of thanks/an acknowledgement in the paper* **6.1** onder/**met** ~ *with thanks.*

dankdag ⟨de (m.)⟩ **0.1** *Thanksgiving Day* ⇒*day of thanksgiving* ◆ **1.1** ~ voor het gewas *Harvest Festival.*

danken
I ⟨ov.ww.⟩ **0.1** [bedanken] *thank* ⇒*acknowledge* ⟨applaus e.d.⟩ **0.2** [verschuldigd zijn] *owe* ⇒*be indebted, (have to) thank* ◆ **1.1** ik dank God dat ik daarvan verlost ben *I thank God I'm rid of that/him/her* **4.1** ja graag, dank je *yes, please/thank you;* nee, dank je *no, thanks/ thank you;* (ik) dank u/je *thank you;* ⟨bij weigering⟩ *no, thank you* **5.1** dank u zeer/wel *thank you very much, many thanks* **6.1** niet(s) **te** ~ *not at all, you're welcome, don't mention it;* iem. ~ **voor** iets *thank s.o. for sth.* **6.2** dit heb ik **aan** jou te ~ *I o. this to you, I have you to thank for this;* waar heb ik dit **aan** te ~? *to what do I o. this?, what have I done to deserve this?;* je hebt het **aan** jezelf te ~ *you have yourself to thank/blame for this, this/it is your own fault* ¶**.¶** ⟨inf.⟩ dank je de koekoek! *to be sure!, I daresay (it is)!, you bet!;*
II ⟨onov.ww.⟩ **0.1** [afslaan] *decline* **(with thanks)** ⇒*refuse, turn down* **0.2** [bidden] *say grace* ⇒*give thanks, say a prayer of thanks,* ⟨na maaltijd⟩ *return thanks* ◆ **4.1** dank je feestelijk! *thanks a lot!/bundle!, thank you for nothing!;* nee hoor, dank je (wel)! *no, thank you (very much)!* **5.2** heb je al gedankt? *have you said grace (yet)?* **6.1** daar dank ik (liever) **voor** *I'd rather not, thank you* **6.2** er is **voor** de zieke gedankt *thanks(givings) have been offered for the patient.*

dankgebed ⟨het⟩ **0.1** *prayer of thanks(giving)* ⇒⟨bij maaltijd⟩ *grace.*

danklied ⟨het⟩ **0.1** *song/hymn of thanks(giving).*

dankoffer ⟨het⟩ **0.1** *thank(s)-offering.*

dankrede ⟨de⟩ **0.1** *speech/vote of thanks* ⇒*word of thanks.*

dankwoord ⟨het⟩ **0.1** *word(s)/expression of thanks/gratitude* ⇒⟨van redenaar⟩ *speech/vote of thanks/gratitude* ◆ **3.1** een ~ richten tot *extend a word of thanks to* **6.1 in** zijn ~ **tot** de aanwezige gasten *in his speech of thanks to the guests present.*

dankzeggen ⟨ov.ww.⟩ **0.1** [bedanken] *thank* ⇒*express (one's) thanks/ gratitude to* **0.2** [een dankgebed zeggen] *thank* ⇒*give thanks to,* ⟨bij maaltijd⟩ *say grace* ◆ **1.2** God ~ *give thanks to God.*

dankzegging ⟨de (v.)⟩ **0.1** [dankbetuiging] *word(s)/expression of thanks/ gratitude* **0.2** [het zeggen v.e. dankgebed] *saying/giving thanks* ⇒*thanksgiving,* ⟨bij maaltijd⟩ *saying grace* ◆ **2.1** dat is een ~ waard *that is sth. to be grateful/thankful for* **6.1** onder ~ **voor** bewezen diensten *with thanks for services rendered.*

dankzij ⟨vz.⟩ **0.1** *thanks to* ◆ **4.1** ~ jou hebben we de wedstrijd gewonnen *thanks to you we won the match, we won the match thanks to you.*

dans ⟨de (m.)⟩ **0.1** [ritmische beweging] *dance* ⇒⟨als kunstvorm ook⟩ *dancing* **0.2** [keer] *dance* ⇒⟨als kunstvorm ook⟩ *dancing* **0.3** [danswijze] *dance* ⇒⟨als kunstvorm ook⟩ *dancing* **0.4** [stuk muziek] *dance* ⇒⟨als kunstvorm ook⟩ *dancing* ◆ **2.4** de vijfde Hongaarse ~ van Brahms *Brahms' fifth Hungarian dance* **3.1** hij beoefent de ~ als kunst *he does dance/dancing as an art* **3.2** een ~ doen *do a dance;* mag ik deze ~ van u? *may I have this dance, please?, is this dance taken?* **3.¶** de ~ ontspringen *get off scot-free, get/come off/away unscathed* **6.1** iem. **ten** ~ vragen *ask s.o. to dance/for a dance.*

dansavond ⟨de (m.)⟩ **0.1** *dance* ⇒*dancing party.*

dansclub ⟨de⟩ **0.1** *dance/dancing club.*

danse macabre ⟨de⟩ **0.1** *danse macabre* ⇒*dance of death.*

dansen ⟨→sprw. 48, 106, 199, 327, 499⟩
I ⟨onov.ww.⟩ **0.1** [ritmisch bewegen] *dance* **0.2** [⟨ook fig.⟩ springen] *dance* ⇒⟨huppelen⟩ *hop,* ⟨bootjes ook⟩ *bob (up and down)* ◆ **1.2** ~ de bijen *dancing bees;* de letters dansten voor mijn ogen *the letters danced before my eyes;* ⟨fig.⟩ ~ de lichtstralen *flickering rays (of light),* dancing sunbeams **3.1** gaan ~ *go dancing, take the floor;* uit ~ gaan *go (out) dancing,* de ~ plaats ~ *take the floor;* een goed danser **6.1** ~ **op** (de) muziek/een plaat *d. to music/a record* **6.2** ~ **van** blijdschap *leap/jump for joy* **6.¶** daar had je de poppen **aan** 't ~ *then the fun began/sparks flew/the fat was in the fire;* te dom om **voor** de du(i)vel te ~ *too stupid for words, not enough imagination to come in out of the rain* ¶**.¶** iem. naar zijn pijpen laten ~ *call the tune, have s.o. at one's beck and call;* naar iemands pijpen ~ *dance to s.o.'s piping, be at s.o.'s beck and call, do s.o.'s bidding;* als de kalveren op het ijs ~ *when pigs fly, when two Sundays come together;*
II ⟨ov.ww.⟩ **0.1** [dansfiguren maken] *dance* ◆ **1.1** een tango/Engelse wals ~ *d. a/the) tango/waltz.*

danser ⟨de (m.)⟩, **-eres** ⟨de (v.)⟩ **0.1** [iem. die danst] *dancer* **0.2** [danspartner] *(dancing) partner* **0.3** [iem. die beroepshalve danst] *dancer.*

danseur ⟨de (m.)⟩, **-seuse** ⟨de (v.)⟩ **0.1** *dancer* ⇒⟨bij ballet ook⟩ *ballet dancer.*

dansfeest ⟨het⟩ **0.1** *dance* ⇒*dancing party,* ⟨concours⟩ *dance festival.*

dansfiguur ⟨de⟩ **0.1** *(dance-)figure.*

dansgelegenheid ⟨de (v.)⟩ **0.1** *dance hall* ⇒*dancing-salon.*

dansgroep ⟨de⟩ **0.1** *dance group.*

dansinstituut ⟨het⟩ **→dansschool.**

dansje ⟨het⟩ **0.1** *dance* ⇒⟨thuis met de stoelen aan de kant⟩ *carpet dance/hop,* ⟨sprongetje⟩ *hop* ◆ een ~ maken *(do a) dance;* ⟨inf.⟩ *shake a leg;* een ~ wagen *tread a measure.*

danskunst ⟨de (v.)⟩ **0.1** *art of dance* ⇒*dancing,* ⟨vnl. modern⟩ *dance.*

dansleraar ⟨de (m.)⟩, **-lerares** ⟨de (v.)⟩ **0.1** *teacher of dancing, dancing teacher* ⟨m., v.⟩ ⇒⟨vero.⟩ *dancing-master* ⟨m.⟩.

dansles ⟨de⟩ **0.1** *dancing class/lesson* ⇒⟨cursus⟩ *dancing classes.*

dansluiting ⟨de (v.)⟩ **0.1** *crown cap/cork.*

dansmaat ⟨de⟩ **0.1** [deel v.e. dansbeweging] *step* **0.2** [opeenvolging van bewegingen] *step* **0.3** [deel v.e. muziekstuk] *bar* ◆ **2.2** een langzame/ snelle ~ *a slow/quick s..*

dansmarieke ⟨het⟩ **0.1** *(drum) majorette.*

dansmeester ⟨de (m.)⟩ **→dansleraar.**

dansmuziek ⟨de (v.)⟩ **0.1** *dance music.*

dansorkest ⟨het⟩ **0.1** *dance-band/-orchestra.*

danspaar ⟨het⟩ **0.1** *dancing couple* ⇒*dance/dancing partners.*

danspartner ⟨de (m.)⟩ **0.1** *(dancing-)partner.*

danspas ⟨de (m.)⟩ **0.1** *(dance) step.*

dansplaat ⟨de⟩ **0.1** *dance-music record.*

dansschoen ⟨de (m.)⟩ **0.1** *dancing shoe* ⇒*pump.*

dansschool ⟨de⟩ **0.1** *dancing school* ⇒*school of dance/dancing, dancing academy.*

danstent ⟨de⟩ **0.1** *dance hall* ⇒*disco,* ⟨BE; vero.⟩ *palais.*

danstheater ⟨het⟩ **0.1** [theater] *theatre of dance* ⇒*dance theatre* **0.2** [gezelschap] *dance company* ◆ **2.2** het Nederlands ~ *the Netherlands Dance Theatre.*

dansvloer ⟨de (m.)⟩ **0.1** *dancefloor.*

danswijsje ⟨het⟩ **0.1** *dance-tune* ⇒⟨op doedelzak⟩ *musette.*

danswoede ⟨de⟩ **0.1** *dancing mania/craze* ⇒⟨gesch.⟩ *dancing disease, tarantism, St. Vitus's dance.*

danszaal ⟨de⟩ **0.1** *dance hall* ⇒⟨in hotel⟩ *ballroom.*

dansziekte ⟨de (v.)⟩ **0.1** *St. Vitus's dance* ⇒⟨med. ook⟩ *chorea.*

dapper ⟨bn., bw.; -ly⟩ ⟨→sprw. 210⟩ **0.1** [onverschrokken] *brave* ⇒*valiant, courageous* **0.2** [flink] *plucky* ⇒*tough, game, hardy* ◆ **1.1** een ~ man ⟨ook⟩ *a man of character;* een ~ soldaat *a b. soldier* **3.1** ⟨iron.⟩

zich ~ houden *put a b. face on it, bear up bravely;* zich ~ verdedigen *put up a good/b. fight* ¶.2 klein maar ~ *small but tough/p./game.*
dapperheid ⟨de (v.)⟩ **0.1** *bravery* ⇒*valour, daring, courage.*
dar ⟨de (m.)⟩ **0.1** *drone.*
darcy ⟨de (m.)⟩ **0.1** *darcy.*
Dardanellen ⟨zn.mv.⟩ **0.1** *Dardanelles.*
darm ⟨de (m.)⟩ **0.1** [spijsverteringskanaal] *intestine* ⇒*gut, bowel,* ⟨voor worst⟩ *case, skin* **0.2** [⟨mv.⟩ spijsverteringsstelsel] *intestines* ⇒*entrails, guts* **0.3** [vervelend kind] *(little) brat/scamp/monster* ◆ **2.1** blinde ~ *blind gut;* ⟨aanhangsel⟩ *appendix;* dunne/dikke ~ *small/large i.;* ⟨fig.⟩ een holle ~ *a greedy guts, a dustbin;* ↑*a glutton;* twaalfvingerige ~ *duodenum* ¶.2 zijn ~ en zijn van slag *he has an upset stomach;* zijn ~ en zitten in de knoop ⟨kramp⟩ *he has a stomach/tummy-ache;* ⟨verstopping⟩ ↑*he's constipated/* ⟨BE⟩ ↓*bunged up.*
darmader ⟨de⟩ **0.1** *iliac vein.*
darmafsluiting ⟨de (v.)⟩ **0.1** *ileus.*
darmbeen ⟨het⟩ **0.1** *ilium* ⇒*iliac bone.*
darmbloeding ⟨de (v.)⟩ **0.1** *intestinal haemorrhage.*
darmcatarre ⟨de⟩ **0.1** *(gastro)enteritis.*
darmflora ⟨de⟩ **0.1** *intestinal flora/bacteria.*
darmgas ⟨het⟩ **0.1** *flatus.*
darminfectie ⟨de (v.)⟩ **0.1** *intestinal infection.*
darminhoud ⟨de (m.)⟩ **0.1** *bowel contents.*
darmkanaal ⟨het⟩ **0.1** *intestinal canal/tract/tube.*
darmkanker ⟨de (m.)⟩ **0.1** *intestinal cancer* ⇒*cancer of the intestines/bowels.*
darmklachten ⟨zn.mv.⟩ **0.1** *intestinal complaints* ⇒⟨diarree⟩ *he's got diarrhoeia/* ^A*diarrhea.*
darmkoliek ⟨de (v.)⟩ **0.1** *intestinal colic* ⇒⟨med.⟩ *enteralgia.*
darmkronkel ⟨de (v.)⟩ **0.1** *volvulus.*
darmonderzoek ⟨het⟩ **0.1** *intestinal investigation/examination.*
darmontsteking ⟨de (v.)⟩ **0.1** *(gastro)enteritis.*
darmparasiet ⟨de (m.)⟩ **0.1** *intestinal parasite.*
darmpek ⟨het⟩ **0.1** *meconium.*
darmperistaltiek ⟨de (v.)⟩ **0.1** *peristalsis* ⇒*peristaltic movement.*
darmsap ⟨het⟩ **0.1** *enteric/intestinal juice* ⇒⟨med.⟩ *succus entericus.*
darmscheel ⟨het⟩ **0.1** *mesentery* ⇒*caul.*
darmsnaar ⟨de⟩ **0.1** *catgut, gut string.*
darmspoeling ⟨de (v.)⟩ **0.1** *clyster* ⇒*lavement, lavage.*
darmstoornissen ⟨zn.mv.⟩ **0.1** *intestinal/abdominal disorders/* ⟨inf.⟩ *trouble* ◆ **1.1** maag-en ~ *gastrointestinal disorders;* ⟨inf.⟩ *tummy trouble.*
darmvlokken ⟨de⟩ **0.1** *intestinal villi.*
darmworm ⟨de (m.)⟩ **0.1** *intestinal worm.*
darrecel ⟨de⟩ **0.1** *drone cell.*
darren
I ⟨onov.ww.⟩ ⟨inf.⟩ **0.1** [heen en weer lopen] *hover (around)* ⇒*knock about* **0.2** [lummelen] *lounge/mooch (about)* **0.3** [prutsen] *mess about (with)* ⇒*fiddle (with);*
II ⟨ov.ww.⟩ ⟨inf.⟩ **0.1** [treiteren] *tease* ⇒*badger, pick on.*
dartel ⟨bn., bw.; -ly⟩ **0.1** [speels] *playful* ⇒*frisky, frolicsome,* ⟨mbt. paarden en vrouwen ook⟩ *skittish* **0.2** [wulps] *frisky* ⇒*flirtatious, flirty, playful,* ⟨vero.⟩ *sportive, wanton* ◆ **1.1** een ~ veulen *a frolicsome/frisky foal* **1.2** een ~ e grijsaard *a frisky old devil, a gay old dog;* het ~ e Franse hof *the gay French court.*
dartelen ⟨onov.ww.⟩ **0.1** *romp* ⇒*frisk, frolic, caper, gambol* ◆ **6.1** ⟨fig.⟩ door het leven ~ *have an uncomplicated life, get through life without a care in the world;* het visje dartelt in het water *the fish darts (about) in the water;* de kinderen ~ **op** het veld *the children r. in the field;* de lammetjes ~ **op** het veld *the lambs gambol/caper/frisk in the field.*
dartelheid ⟨de (v.)⟩ **0.1** [speelsheid] *playfulness* ⇒*friskiness,* ⟨mbt. paarden en vrouwen ook⟩ *skittishness* **0.2** [wulpsheid] *friskiness* ⇒*flirtatiousness, playfulness,* ⟨vero.⟩ *sportiveness, wantonness* **0.3** [dartele daad] *frolic* ⇒*caper, trick.*
darts ⟨zn.mv.⟩ **0.1** *darts* ⇒⟨BE; inf.⟩ *arrows.*
dartspel ⟨het⟩ **0.1** *(game of) darts.*
darwinisme ⟨het⟩ **0.1** *Darwinism.*
darwinist ⟨de (m.)⟩ **0.1** *Darwinist.*
darwinistisch ⟨bn., bw.⟩ **0.1** *Darwinian, Darwinist(ic).*
das
I ⟨de (m.)⟩ **0.1** [zoogdier] *badger* **0.2** [dashond] *dachshund* ◆ **8.1** zo vet als een ~ *as fat as a pig;* zweten als een ~ *sweat like a pig;* slapen als een ~ *sleep like a top/baby/log;*
II ⟨de⟩ **0.1** [stropdas] *tie,* ^A*necktie* **0.2** [halsdoek] *scarf* ⇒⟨vero.⟩ *muffler* ◆ **1.1** boorden en ~ sen *neckwear* **3.2** doe een ~ om, het is koud *put a s. on, it is cold* ¶.2 dat deed hem de ~ om *that did for/finished him, that cooked his goose, that settled his hash.*
dashboard ⟨het⟩ **0.1** *dashboard* ⇒↓*dash,* ^B*fascia,* ⟨van vliegtuig ook⟩ *instrument panel.*
dashboardkastje ⟨het⟩ **0.1** *glove compartment.*
dashond ⟨de (m.)⟩ **0.1** *dachshund.*
dashouder ⟨de (m.)⟩ →*dasspeld.*
dasspeld ⟨de⟩ **0.1** *tie-pin/clip,* ^A*stickpin.*

---

dasymeter ⟨de (m.)⟩ **0.1** *dasymeter.*
dat[1]
I ⟨aanw.vnw.⟩ **0.1** [⟨zelfst.⟩] *that* **0.2** [⟨bijv.⟩] *that* ⇒⟨onbeklemtoond⟩ *the* ◆ **1.2** ~ dorp *that village;* ⟨afkeurend⟩ ~ gezanik/gezeur *that (awful) nagging/complaining (of his/hers/theirs);* ~ mens *that (dreadful) woman,* ↓*that bitch/cow* **3.1** ben ik ~? ⟨op foto⟩ *is t. me?;* zo, denk je ~? *is t. what you think?, do you really think so?;* ~ doe je niet! *you'll do nothing of the sort!;* ~ doet maar! *some people!, the nerve of it/of those people!, some people do have a nerve/cheek!;* zij heeft ~ en ~ gezegd *she said such and such;* hoe heet ~? *what is t. called?, what's it called?, what do you call it?;* ~ is nog eens een man *he's a real man, there's a man for you;* ⟨als tegenwerping⟩ ~ is te zeggen *t. is to say, however;* ⟨schr.⟩ *albeit;* wie is ~? *who's t.?, who is it?;* ~ is het hem nu juist *t.'s just it, t.'s the problem,* ~ is/was ~ *right, t.'s t. (then)/t.'s done/so much for t.;* nou, ~ is/was het dan *t. is/was it, t.'s t.;* ~ lijkt er meer op *t.'s more like it;* wat moet ~? *what's the meaning of this?, what (on earth) is going on here?, what's all this about?;* hoe weet je ~? *how do you know?;* wandelen, ~ wil ik niet *walk? no thanks!;* walking? *that's not for me/not my cup of tea;* ⟨als verklaring⟩ ~ wil zeggen *t. means/i.e.;* zijn ~ je ouders? *is t. l are they your parents?;* wat zou ~? *what of it?, t.'s nothing to get worried about* **4.1** ~ alles is van mij *all t.'s mine, t./this is all mine;* zij zoeken alleen ~ wat voordeel geeft *they only seek (whatever is to) their own advantage* **4.¶** ⟨met nadruk⟩ het is niet je ~ *it's not that great, it's no great shakes, it's not quite the ticket* **5.¶** ⟨met nadruk⟩ niet ~ bezitten *have nothing at all* ⇒↓*damn all, not have two halfpennies to rub together;* ⟨met nadruk⟩ niet ~ er voor over hebben *not give a rap/hoot;* ⟨inf.⟩ *not give a damn/a tinker's cuss* **6.1** mijn boek en ~ **van** jullie *my book and yours;* helemaal alleen en ~ **voor** zo'n jong meisje *all by herself, (and t. for) such a young girl/and she's only young;*
II ⟨betr.vnw.⟩ **0.1** [⟨beperkend⟩] *that, which;* ⟨mbt. personen⟩ *that, who;* ⟨mbt. personen; je en 4e naamval en onmiddellijk na voorzetsels; schr.⟩ *whom,* ⟨in inf. stijl kan het betr. vnw. vervallen behalve wanneer het het onderwerp is van de betr. bijzin⟩ **0.2** [⟨uitbreidend⟩] *which;* ⟨mbt. personen⟩ *who;* ⟨mbt. personen; 3e en 4e naamval en onmiddellijk na voorzetsels; schr.⟩ *whom* ◆ **1.1** het bericht ~ hij mij bracht ...*the news/message (t./which) he brought me;* het bericht ~ mij gebracht werd ...*the news/message t./which was brought me;* het jongetje ~ ik een appel heb gegeven *the little boy (t./who) I gave an apple to/* ↑*to whom I gave an apple;* het kind ~ net riep, is mijn zoon *the child t./who just called out is my son;* het meisje ~ ik vroeger kende *a girl (t./who)* ↑*whom) I used to know lives here;* dit is het beste/enige/snelste middeltje ~ te koop is *this is the best/only/fastest remedy t. is available;* het verhaal ~ jij bedoelt, heb ik vaker gehoord *I've heard the story (t./which) you're referring to/* ↑*to which you're referring on several occasions* **1.2** het huis, ~ onlangs opgeknapt was, werd verkocht *the house, which had recently been done up, was sold;* het paard, ~ de stal rook, begon te draven smelling the stable, *the horse began to trot* **2.1** dat is het leukste ~ ik heb meegemaakt *that's the nicest thing (t./) I've ever experienced/t.'s ever happened to me.*
dat[2] ⟨vw.⟩ **0.1** [⟨ter inleiding v.e. afhankelijke mededeling⟩] *that* ⟨kan vaak vervallen⟩ **0.2** [⟨mbt. graadaanduidend gevolg⟩] ⟨zie ¶.2⟩ **0.3** [⟨mbt. reden, oorzaak⟩] *that, because* **0.4** [⟨mbt. doel⟩] *so that* **0.5** [⟨mbt. beperking⟩] *as far as* **0.6** [⟨in uitroepen⟩] ⟨zie ¶.6⟩ **0.7** [⟨inf.; expletief⟩] ⟨zie **8.7**⟩ ◆ **1.1** zij kregen bericht ~ hij niet op tijd zou zijn *they got a message (to say) t. he would be late;* de dag ~ hij thuiskwam *the day (t.) he came home;* in plaats (van) ~ je me het vertelt *instead of telling me, you;* de reden ~ hij niet komt is ...*the reason (why) he's not coming is ...;* de tijd ~ zij nog werkte *when she was still working/used to work;* uit vrees ~ for *fear t., fearing/afraid t.;* ⟨schr.⟩ *lest* **3.1** ik denk ~ hij komt *I think (t.) he's coming/he'll come;* ik weet zeker, ~ zij wegblijft *I'm sure (t.) she'll stay away/won't come* **5.4** doe het zo, ~ ik tevreden kan zijn *do it in such a way that I can be pleased with it, do it to my satisfaction* **6.1** behalve ~ *except/but/save t.;* **met** ~ hij ... *just as he ..., the moment (t.) he ...;* **zonder** ~ ik het wist *without me/my knowing, unknown to me/unbeknownst me* **8.7** hij wist niet meer of hij waakte of ~ hij droomde *he didn't know whether he was awake or dreaming;* sinds ~ *since;* terwijl ~ hij keek *while/as he was watching* **¶.2** het vriest ~ het kraakt *it's freezing (cold);* ⟨BE; sl.⟩ *it's real brass monkey weather;* ⟨inf.⟩ je liegt ~ je barst! *you're a rotten liar, there isn't a true word in what you're saying;* zij zongen ~ het een (lieve) lust was *they sang with great gusto;* het regende ~ het goot *it was pouring/tipping/* ⟨sl.⟩ *pissing down;* hij schreeuwt ~ het een aard heeft *he is shouting like mad/at the top of his voice/fit to burst;* hij vloekte ~ de honden er geen brood van lustten *he swore/cursed like a trooper/with a vengeance* **¶.3** hij is kwaad, ~ hij niet mee mag *he is angry t./b. he can't come;* ben je ziek ~ je zo bleek ziet? *don't you feel well, you look very pale* **¶.4** ik zal hard lopen, ~ ik de trein nog haal *I shall run fast so that I can/so as to catch the train* **¶.5** is ze handig, ~ u weet? *is she any good as far as you know?;* is hier ook een bioscoop? niet ~ ik weet *is there a cinema here? not that I know (of)/not to my knowledge/not as far as I know* **¶.6** smerig ~ het er uit zag! *you*

should have seen how dirty it was!; ↓it didn't half look grubby; ~ ik daar nooit erg in heb gehad! fancy me/my never realizing that!, to think (that) I never noticed!; ~ mij nu juist zoiets moest overkomen! that such a thing should happen to me right now!, of all the things that should happen to me now!; stommeling ~ je bent! you stupid/silly fool!; stommeling ~ ik ben! fool that I am!, silly me!.

dat. ⟨afk.⟩ **0.1** [datum, daterend] d. **0.2** [datief] dat..

data ⟨zn.mv.⟩ **0.1** [gegevens] data **0.2** [⟨comp.⟩] data ⇒information **0.3** [⟨mv.⟩ van datum] dates.

databank ⟨de⟩ **0.1** data bank/base.

datacommunicatie ⟨de (v.)⟩⟨comp.⟩ **0.1** data transfer.

dataloog ⟨de (m.)⟩ **0.1** computer scientist.

datanet(werk) ⟨het⟩ **0.1** d. network.

dataprivacy ⟨de (v.)⟩ **0.1** data privacy/protection.

datatransmissie ⟨de (v.)⟩ **0.1** data transmission.

datatypist ⟨de (m.)⟩, -e ⟨de (v.)⟩ **0.1** terminal operator.

dateerbaar ⟨bn.⟩ **0.1** dat(e)able ◆ **1.1** moeilijk dateerbare munten coins which are difficult to date.

dateren
I ⟨onov.ww.⟩ **0.1** [stammen uit een periode] date (from) ⇒go back (to) **0.2** [verouderde indruk maken] date ⇒become dated ◆ **1.2** een gedateerd toneelstuk a dated play **6.1** het huis dateert al uit de veertiende eeuw the house goes all the way back to the fourteenth century; deze kwesties ~ van jaren geleden these questions go back years/date from years back; de brief dateert van 6 juni the letter is dated 6th June; II ⟨ov.ww.⟩ **0.1** [van datum voorzien] date **0.2** [jaartal/periode vaststellen] date ⇒assign a date to ◆ **1.1** ze heeft deze brief gedateerd op eergisteren she dated this letter (as of) the day before yesterday, she put the day before yesterday's date on this letter; een brief gedateerd (op) 6 juni a letter dated June 6th **1.2** een oude prent ~ d. an old print; kun je het schilderij ~? can you put a(n) (exact) date to/fix a(n) (exact) date on the painting?.

datering ⟨de (v.)⟩ **0.1** [dagtekening] date **0.2** [bepaling v.d. ouderdom] dating ◆ **6.1** betaling uiterlijk tien dagen na ~ van deze rekening payment due within ten days of the invoice d./d. of this account.

datgene ⟨aanw.vnw.⟩ **0.1** what ⇒that which ◆ **4.1** ~wat anderen toebehoort, mag men niet nemen one may not take anything belonging to others; ~wat je zegt, is waar w. you say is true.

datief¹ ⟨de (m.)⟩⟨taal.⟩ **0.1** dative.

datief² ⟨bn.⟩⟨jur.⟩ **0.1** dative ◆ **1.1** datieve voogdij/voogd d. guardianship/guardian.

datje ⟨het⟩ →ditje.

dato ⟨bw.⟩ **0.1** date, dated ◆ **1.1** ~ 27 september dated September 27th **6.1** drie weken na ~ three weeks after/from date.

datowissel ⟨de (m.)⟩⟨hand.⟩ **0.1** dated security.

dattum ◆ **6.¶** van ~ you-know-what; hij denkt alleen maar aan van ~ he can only think of you-know-what/one thing, he's got a one-track mind.

datum ⟨de (m.)⟩ **0.1** [dagtekening] date ⇒ (tijd van oorsprong ook) time **0.2** [dag] date **0.3** [tijd van oorsprong] date ⇒time ◆ **1.1** ~ postmerk d. as postmark **2.1** van dezelfde/gelijke ~ of/bearing even d. **2.2** dat is een belangrijke ~ in de geschiedenis that is an important d. in history **2.3** dat is al van oude ~ that is long ago/past history; gebeurtenissen van recente ~ events of recent d., recent events **3.1** de plaats en ~ vastleggen fix the where and when/the time and place **3.2** een ~ afspreken to arrange/fix a d. **4.1** welke ~ is het? what is the d. today? **6.1** zonder ~ undated **6.2** op een nader te bepalen ~ on a d. to be fixed /specified later; vóór die ~ before that d. **¶.1** er staat geen ~ op there is no d. on it.

datumlijn ⟨de⟩ **0.1** (international) date line ⇒calendar line.

datumstempel ⟨het, de (m.)⟩ **0.1** [stempel] date/dating stamp ⇒dater **0.2** [stempelafdruk] date-stamp ⇒date-marker.

datzelfde ⟨aanw.vnw.⟩ **0.1** the same (thing).

dauphin ⟨de (m.)⟩⟨hist.⟩ **0.1** ⟨troonopvolger⟩ dauphin; ⟨vrouw van troonopvolger⟩ dauphine, dauphiness.

dauw ⟨de (m.)⟩ **0.1** [waterdamp] dew **0.2** [waas op vruchten/bloemen] bloom ◆ **1.1** ⟨fig.⟩ voor dag en ~op zijn/opstaan be up/rise with the lark/at cockcrow/with the birds; ⟨fig.⟩ voor dag en ~ at the crack of dawn, before/at cockcrow, before daybreak **3.1** over de velden lag ~ the fields were covered in d..

dauwachtig ⟨bn.⟩ **0.1** dewy.

dauwdruppel ⟨de (m.)⟩ **0.1** dewdrop.

dauwen ⟨onp.ww.⟩ **0.1** ⟨zie 5.1⟩ dew ◆ **4.1** het dauwt there's a dew falling, the dew falls/is falling **5.1** het had sterk gedauwd there has been a heavy dew, the grass was wet with dew; bij betrokken lucht dauwt het weinig when it is overcast there is little dewfall.

dauwnetel ⟨de⟩⟨plantk.⟩ **0.1** large-flowered hemp-nettle.

dauwpunt ⟨het⟩⟨nat.⟩ **0.1** dew point.

dauwtrappen ⟨het⟩ **0.1** ≠taking a walk at dawn, ≠going for an early morning walk ⟨Dutch folk ritual on certain days in spring⟩.

dauwtrapper ⟨de (m.)⟩ **0.1** person on an early walk in the country.

dauwvorming ⟨de (v.)⟩ **0.1** dew formation.

dauwworm ⟨de (m.)⟩ **0.1** [larve] larva of the horsefly/warble-fly **0.2** [ec-

---

zeem] ᴮmilk scab/crust ⇒⟨med.⟩ infantile eczema **0.3** [regenworm] earthworm.

d.a.v. ⟨afk.⟩ **0.1** [daaraanvolgend] ⟨subsequent⟩.

daveren ⟨onov.ww.⟩ **0.1** boom ⇒thunder, shake, roar, ⟨metaal op metaal⟩ clang, echo ⟨ook fig.⟩, ⟨weerklinken⟩ resound, ↑reverberate ◆ **3.1** doen ~ shake, rock **5.1** de vrachtwagen daverde voorbij the truck thundered/roared past **6.1** de grond daverde van de schok the crash shook the ground; de zaal daverde van het lachen/van het applaus the hall reverberated/rang/rocked/echoed with laughter/applause **¶.1** hij vloekte dat het daverde he swore to set the walls shaking, the walls shook with his curses.

daverend ⟨bn., bw.⟩ **0.1** resounding ⟨ook fig.⟩; thunderous ◆ **1.1** een ~ applaus t. applause; een ~ feest a roaring party, ↓a hell of a party; onder ~ gelach amidst/to roars of laughter; een ~e hoofdpijn a splitting head-ache; een ~ succes a r./tremendous success **3.1** iem. ~ toejuichen cheer s.o. to the echo, give s.o. a good/big hand **5.1** de test is niet ~ gemaakt the test was not terribly well done.

davidster ⟨de⟩ **0.1** [⟨joods symbool⟩] Star of David ⇒⟨jud.⟩ Magen David **0.2** [⟨mystiek symbool⟩] Solomon's seal ◆ **2.1** de gele ~ the (yellow) Star of David.

davit ⟨de (m.); vaak mv.⟩⟨scheep.⟩ **0.1** davit.

dazen ⟨onov.ww.⟩⟨inf.⟩ **0.1** prattle (away/on) ⇒gab, gas, blether, ↑prate ◆ **3.1** zit niet zo te ~ stop your gab/prattle, don't talk such rot.

dazig ⟨bn., bw.⟩ **0.1** silly ⇒wet, soft, daft ◆ **3.1** doe niet zo ~ don't be a ninny, stop being so silly.

D.B. ⟨het⟩⟨afk.⟩ **0.1** [dagelijks bestuur] E.C. ⟨Executive Council⟩.

D.C. ⟨afk.⟩⟨muz.⟩ **0.1** [da capo] D.C..

d.d. ⟨afk.⟩ **0.1** [de dato] dd..

DDR ⟨de (v.)⟩⟨afk.⟩ **0.1** [Deutsche Demokratische Republik] GDR.

DDT ⟨afk.⟩ **0.1** [dichlorodiphenyltrichloorethaan] DDT.

de ⟨lidw.⟩ **0.1** [lidwoord] the **0.2** [⟨met nadruk⟩ de beste in zijn soort] thé ◆ **1.1** eens in ~ week once a week **1.2** dat is ~ man for that job; dat is dé oplossing that is t./the perfect solution **7.1** ze kosten twintig gulden ~ honderd they are twenty guilders a hundred.

dealen ⟨onov.ww.⟩ **0.1** deal (in) ⇒push ◆ **6.1** hij dealt in heroïne he deals in/pushes heroin.

dealer ⟨de (m.)⟩ **0.1** [handelaar, vertegenwoordiger] dealer **0.2** [mbt. drugs] dealer ⇒pusher.

dealercampagne ⟨de⟩ **0.1** dealers' advertising campaign.

deb. ⟨afk.⟩ **0.1** [debet, debent] deb..

debâcle ⟨het, de⟩ **0.1** collapse ⇒⟨mislukking⟩ failure, ⟨ondergang⟩ downfall, ruin ◆ **2.1** een financieel ~ a financial crash/debacle/smash **3.1** het feest werd een ~ the party was a disaster/fiasco/wash-out.

deballoteren ⟨ov.ww.⟩ **0.1** blackball.

debardeur ⟨de (m.)⟩ **0.1** slipover ⇒tank top.

debarkeren ⟨onov., ov.ww.⟩ **0.1** disembark ⇒land, unload, discharge ⟨goederen⟩.

debat ⟨het⟩ **0.1** [discussie, overleg] debate ⇒↓discussion, ⟨overleg⟩ deliberation **0.2** [redetwist] argument ⇒debate, ⟨controverse⟩ controversy, ⟨woordenstrijd⟩ dispute, contest ◆ **1.1** ⟨jur.⟩ voortzetting v.d. ~ten continuation/resumption of the proceedings **3.1** ~ houden over hold a debate on/about; een ~ leiden lead/⟨als voorzitter⟩ chair a debate; het ~ openen/sluiten open/close the debate; ⟨pol.⟩ het ~ sluiten cloture the debate, apply closure/cloture to the debate; ⟨pol.⟩ voorstellen het ~ te sluiten move that the question be now put, move the closure **3.2** een ~ aangaan met iem. engage in (a) debate/an a. with s.o. **6.1** deelnemen aan een ~ participate/take part in a debate/discussion **6.2** in ~ treden met iem. over iets enter into debate with s.o. on/about sth..

debating-club ⟨de⟩ **0.1** debating society/club.

debatteren ⟨onov.ww.⟩ **0.1** debate ⇒discuss, ⟨redetwisten⟩ argue ◆ **1.1** zij verstaat de kunst v.h. ~ she is a skilled debater **6.1** ~ over iets debate sth.; ⟨overleggen⟩ deliberate about/upon sth.; daar valt over te ~ that is a matter of/for debate, some people may disagree with that; over die problemen valt niet te ~ there's no point in arguing about such problems.

debet¹ ⟨het⟩ **0.1** [⟨boekhouden⟩] debit(s) ⇒debtor/debit/liabilities side **0.2** [schuldvorderingen] debit(s) ⇒debt(s) payable, liabilities ◆ **1.1** ~ en credit debit(s) and credit(s) **6.1** een bedrag in ~ boeken pass/put/ enter a sum to the debits/debtor side/debit side; de som is in mijn ~ geboekt the sum has been charged to/against me/charged to (the debit of) my account, I have been debited with the sum; er staat niets in mijn ~ ⟨alg.⟩ I am not owing anything; ⟨op rekening⟩ there is no amount to my debit, my account is not overdrawn.

debet² ⟨bn.⟩ ◆ **3.¶** u bent mij nog iets ~ you still owe me sth., you are still indebted to me/in my debt; ~ staan bij iem. be in s.o.'s debt, be indebted to s.o.; mijn rekening staat ~ I'm/my account is overdrawn in debit, I have an overdraft, ↓I'm in the red **¶.¶** hij is er ~ aan it is his fault/doing, he's the one to blame (for it); ⟨fig.⟩ de recessie zal er ook wel ~ aan zijn the recession is likely to be one of the causes, the recession will have sth. to do with it.

debetbedrag ⟨het⟩ **0.1** debit (amount).

debetboeking ⟨de (v.)⟩ **0.1** *debit (entry)*.

debetnota ⟨de⟩ **0.1** *debit note / slip*.

debetpost ⟨de (m.)⟩ **0.1** *debit entry / item*.

debetrente ⟨de⟩ **0.1** *debit interest* ⇒⟨rentevoet⟩ *interest charged on debit balances*, ⟨rentevoet⟩ *debit interest rate*.

debetsaldo ⟨het⟩ **0.1** *debit (balance), balance due*.

debetstand ⟨de (m.)⟩ **0.1** *(state of) deficit* ◆ **1.1** de ~ v.d. rekening *the state of deficit of the account* **3.1** onze ~ blijft bestaan *our deficit remains*.

debetzijde ⟨de⟩ **0.1** [⟨hand., adm.⟩ linkerzijde] *debit / debtor side* ⇒*debit(s)* **0.2** [⟨fig.⟩ ongunstige zijde] *debit side*.

debiel[1] ⟨de (m.)⟩ **0.1** *mental defective* ⇒*moron*, ⟨scheldwoord ook⟩ *imbecile, cretin*.

debiel[2] ⟨bn., bw.; -ly⟩ **0.1** *mentally defective / deficient* ⇒⟨scheldwoord ook⟩ *feeble-minded, moronic, cretinous* ◆ **3.1** doe niet zo ~ *don't act the idiot, don't be such a cretin / moron*.

debieleninrichting ⟨de (v.)⟩ **0.1** *home for the mentally deficient / subnormal*.

debiet ⟨het⟩ **0.1** [afzet van waren] *sale(s)* ⇒*turnover (of goods)* **0.2** [opbrengst, produktie] *flow* ⇒*capacity, flow rate, output* ◆ **2.1** een groot ~ hebben *sell well / widely, have / command a large / wide / ready sale / market* ¶.**1** daar is geen ~ voor *there is no market for it*.

debietmeter ⟨de (m.)⟩ ⟨tech.⟩ **0.1** *flow meter*.

debiliteit ⟨de (v.)⟩ **0.1** *mental deficiency* ⇒*subnormality, feeble-mindedness*.

De Bilt 0.1 *the (Dutch) Meteorological Office* ⇒⟨BE; inf.⟩ *the weather people*, ⟨AE⟩ *the weather man / report* ◆ **3.1** ~ voorspelt regen *the M.O. forecasts / the weather people / man / report forecast(s) rain*.

debiteren ⟨ov.ww.⟩ **0.1** [als debet boeken] *debit* ⇒*charge* **0.2** [⟨fig.⟩ aanrekenen] *impute* ⇒*hold against* **0.3** [in het klein verkopen] *retail, sell (goods) retail* **0.4** [vertellen] *tell* ⇒⟨pompeus⟩ *deliver o.s. of* ◆ **1.4** algemeenheden ~ *deliver (o.s. of) / talk generalities;* geestigheden ~ *vent witticisms;* een grap ~ (over) *crack / tell a joke / gag (about);* leugens ~ *tell lies;* ⟨jokken⟩ *tell fibs* **4.2** iem. iets ~ *impute sth. to s.o., hold sth. against s.o.* **6.1** iem. voor een zeker bedrag ~ *debit s.o. with an amount;* iemands rekening **voor** een bedrag ~ *d. / charge an amount against / to s.o.'s account*.

debiteur ⟨de (m.)⟩ **0.1** *debtor* ⇒⟨adm.⟩ *debt / account receivable* ◆ **2.1** dubieuze ~en *doubtful / dubious debtors*.

debiteurenadministratie ⟨de (v.)⟩ **0.1** [stukken] *debtors / receivable accounts ledger / records* **0.2** [beheer] *keeping (of) / management of / control of the debtors / receivable accounts ledger / records*.

deblokkeren ⟨ov.ww.⟩ **0.1** [ontzetten] *clear* ⇒*remove / lift / raise the blockade (of)* ⟨haven, weg⟩ **0.2** [vrijgeven] *release* ⇒*unblock, unfreeze* ⟨krediet, rekening, goederen⟩, *deblock* ⟨geldverkeer⟩ **0.3** [vrijmaken] *clear* ◆ **1.2** het ~ v.h. tegoed *the release of the deposit / amount due*.

debrailleren ⟨ov.ww.⟩ **0.1** *transcribe from Braille (into normal orthography)*.

debrailleur ⟨de (m.)⟩ **0.1** *transcriber of Braille (into normal orthography)*.

debrayeren ⟨onov., ov.ww.⟩ **0.1** *declutch* ⇒*disengage / depress the clutch*.

debutant ⟨de (m.)⟩ **0.1** [iem. die voor het eerst in het openbaar optreedt] *debutant* ⇒*new face / talent*, ⟨beginner⟩ *beginner, novice, tyro,* [A]*tenderfoot* **0.2** [⟨sport⟩] *debutant(e)* ⇒*new face / talent*.

débutante ⟨de (v.)⟩ **0.1** *débutante* [A]*debutante* ⇒⟨inf.⟩ *deb* ◆ **8.1** als / van een ~ ⟨inf.⟩ [B]*debbie*, [A]*deb*.

debuteren ⟨onov.ww.⟩ **0.1** [voor het eerst in het openbaar optreden] *make a / one's debut / first appearance* ⇒⟨meisje uit hogere stand⟩ *come out*, ⟨vnl. AE⟩ ⟨in parlement⟩ *make one's maiden speech* **0.2** [⟨sport⟩] *make a / one's debut / first appearance* ⇒*turn out for the first time*, ⟨vnl. AE⟩ *debut* ◆ **6.1** ~ met *make a / one's debut / first appearance with, first come out / appear with*.

debuut ⟨het⟩ **0.1** [eerste optreden] *debut* ⇒*first appearance / effort*, ⟨meisje uit hogere stand⟩ *coming out* **0.2** [⟨sport⟩] *debut* **0.3** [datgene waarmee men debuteert] *debut* ⇒*first performance / appearance / effort*, ⟨in parlement⟩ *maiden speech* ◆ **3.1** zijn ~ maken *make one's d. / first appearance;* zijn ~ was niet gelukkig *his d. was unfortunate* **6.1** zijn ~ heeft hij ... / hebben wij ... *on making his d., he has ...; at his d., we have ...*

dec. ⟨afk.⟩ **0.1** [december] *Dec.*.

decaan ⟨de (m.)⟩ **0.1** [deken, faculteitsvoorzitter] *dean* ⇒*chairman / chairperson of the faculty / department* **0.2** [raadgever voor studenten / scholieren] *student counsellor* [A]*selor* ⇒⟨universiteit⟩ *director of studies*, ⟨met disciplinaire bevoegdheden⟩ *dean*, [B]*(moral) tutor*.

decade ⟨de (v.)⟩ **0.1** [tien dagen] *decade of days* **0.2** [tien boeken] *decade of books* ⇒*set of ten books, ten-volume set*.

decadent ⟨bn.⟩ **0.1** [in verval] *decadent* **0.2** [verfijnd, zonder innerlijke kracht] *decadent* ◆ **1.1** ~e kunst *d. art;* ⟨fin de siècle⟩ *(the) d. movement / decadents;* een ~ mens *a d. (person)*.

decadentie ⟨de (v.)⟩ **0.1** [geleidelijk verval] *decadence* ⇒*degeneration, decline* **0.2** [zucht naar verfijnd genot] *decadence* ⇒*luxuriousness*.

decaëder ⟨de (m.)⟩ **0.1** *decahedron*.

decagoon ⟨de (m.)⟩ **0.1** *decagon*.

decagram ⟨het⟩ **0.1** *decagram*.

decalcomanie ⟨de (v.)⟩ ⟨druk.⟩ **0.1** [procédé] *decalcomania* **0.2** [papier] *transfer paper* **0.3** [versiering] *transfer picture*.

decaliter ⟨de (m.)⟩ **0.1** *decalitre*.

decalogus, decaloog ⟨de (m.)⟩ ⟨bijb.⟩ **0.1** *Decalogue* ⇒*Ten Commandments*.

decameter ⟨de (m.)⟩ **0.1** *decametre*.

decanaal ⟨bn.⟩ **0.1** [van (een) decaan / deken] *decanal* **0.2** [v.e. decanaat] *decanal* ◆ **1.1** het decanale ambt *the deanship, the office of (a) dean;* decanale kerk *deanery church*.

decanaat ⟨het⟩ **0.1** [ambt] *deanship* ⇒*deanery* **0.2** [ambtsgebied] *deanery* **0.3** [woning] *deanery*.

decanteren ⟨ov.ww.⟩ **0.1** *decant*.

decasyllabisch ⟨bn., bw.; -ally⟩ **0.1** *decasyllabic*.

decatiseren, decateren ⟨ov.ww.⟩ **0.1** *decatizing* ⇒*decatizing*.

decatlon ⟨het, de (m.)⟩ ⟨sport⟩ **0.1** *decathlon*.

december ⟨de (m.)⟩ **0.1** *December* ◆ **7.1** (op) acht ~ *(on) 8(th) December, (on) December 8(th)*.

decemviraat ⟨het⟩ **0.1** *decemvirate*.

decennium ⟨het⟩ **0.1** *decade* ⇒⟨zeldz.⟩ *decennium*.

decent ⟨bn., bw.⟩ **0.1** *decent* ⇒⟨behoorlijk, netjes⟩ *proper*, ⟨eerlijk⟩ *honest* ◆ **3.1** zich ~ kleden *dress properly*, ↓*make o.s. (look) d..*

decentie ⟨de (v.)⟩ **0.1** *decency* ⇒*propriety*.

decentraal ⟨bn., bw.⟩ **0.1** *decentralized* ⇒*local* ◆ **1.1** ~ overleg *local consultations*.

decentralisatie ⟨de (v.)⟩ **0.1** *decentralization* ⇒⟨vnl. bestuurlijke macht⟩ *devolution, deconcentration*, ⟨van voorzieningen⟩ *localization*, ⟨van industrie⟩ *dispersal*.

decentraliseren ⟨ov.ww.⟩ **0.1** *decentralize* ⇒*devolve, deconcentrate* ⟨bestuurlijke macht⟩, *localize* ⟨voorzieningen⟩, *disperse* ⟨industrie⟩.

decentralisme ⟨het⟩ **0.1** *decentralism* ⇒*decentralization, devolution*.

deceptie ⟨de (v.)⟩ **0.1** *disappointment* ⇒*let-down*.

decharge ⟨de⟩ **0.1** [ont- / opheffing] *discharge* ⇒⟨mbt. schulden⟩ *acquittance (of), release (from)* ⟨verplichting⟩, ⟨jury⟩ *dismissal* **0.2** [vrijspreking] *acquittal* ⇒*discharge* ◆ **3.1** ~ verkrijgen *obtain one's discharge, be discharged (from all liability), be relieved of all responsibility;* iem. ~ verlenen ⟨na bankroet⟩ *discharge s.o.; release / relieve s.o. (from / of) ⟨verplichting⟩* **6.1** te onzer / uwer ~ to / for our / your discharge; iem. tot ~ strekken *release / acquit / discharge s.o.* ¶.**2** getuige à ~ *witness for the defence;* als getuige à ~ optreden *give evidence for the defence*.

dechargeren ⟨ov.ww.⟩ **0.1** [ontheffen] *discharge* ⇒*release (from)* ⟨verplichting⟩, *acquit (of)* ⟨schulden⟩, *relieve, dismiss* ⟨jury, commissie⟩ **0.2** [vrijspreken] *acquit* ◆ **1.1** de penningmeester ~ *discharge the treasurer, pass the treasurer's accounts* **3.1** gedechargeerd worden *obtain one's discharge (from s.o.), be cleared (of sth.)*.

deciare ⟨de (m.)⟩ **0.1** *deciare*.

decibel ⟨de (m.)⟩ **0.1** *decibel*.

decideren ⟨ov.ww.⟩ **0.1** [beslissen] *resolve* ⇒*decide* **0.2** [besluiten] *resolve* ⇒*decide ((up)on)* ◆ **1.1** een gedecideerd antwoord *a determined / decided / definite answer;* een gedecideerde houding *a resolute / firm attitude / bearing;* een gedecideerd optreden *decisive / resolute / positive action / manner* **4.2** zich ~ *come to a conclusion,* ↓*make up one's mind*.

deciel ⟨de⟩ ⟨statistiek⟩ **0.1** *decile*.

decigram ⟨het⟩ **0.1** *decigram*.

deciliter ⟨de (m.)⟩ **0.1** *decilitre*.

decimaal[1] ⟨de⟩ **0.1** *decimal (place)* ◆ **1.1** met weglating van de decimalen *leaving out the decimals, leaving out the digits to the right of the decimal point* **2.1** repeterende decimalen *recurring decimals* **6.1** tot op zes decimalen (nauwkeurig) uitrekenen *calculate to six decimal places / to six decimals (of)* **7.1** een getal met vijf decimalen *a number with five decimals*.

decimaal[2] ⟨bn.⟩ **0.1** *decimal* ◆ **1.1** decimale breuk *d. fraction, decimal;* decimale classificatie *d. classification;* een ~ getal *a d. number;* overgaan op het decimale muntstelsel *decimalize the currency, go d.; ~* stelsel *d. system*.

decimaalpunt, -teken ⟨het⟩ **0.1** *decimal point*.

decimatie ⟨de (v.)⟩ **0.1** *decimation*.

decime ⟨de⟩ ⟨muz.⟩ **0.1** [de 10e toon] *tenth* **0.2** [interval] *tenth*.

decimeren ⟨ov.ww.⟩ **0.1** [⟨gesch.⟩] *decimate* **0.2** [ter dood brengen, uitdunnen] *decimate* ◆ **1.2** de hongersnood decimeerde de bevolking *(the) famine decimated the population*.

decimeter ⟨de (m.)⟩ **0.1** [lengtemaat] *decimetre* **0.2** [liniaaltje] *ruler (graduated in centimetres and millimetres)* ⇒*metric ruler* ◆ **2.2** een dubbele ~ *a 20-cm ruler, ≠a 12-inch ruler, a footrule*.

decisie ⟨de (v.)⟩ ⟨schr.⟩ **0.1** *resolution* ⇒*decision*.

decisief ⟨bn., bw.; -ly⟩ ⟨schr.⟩ **0.1** *decisive* ⇒*crucial*.

declamatie ⟨de (v.)⟩ **0.1** [het voordragen] *declamation* ⇒*recitation* ⟨ihb. verzen⟩ **0.2** [hoogdravendheid] *(empty) rhetoric* ⇒*bombast, (theatrical) ranting, inflated talk* **0.3** [voordracht] *declamation* ⇒*recitation* ⟨ihb. verzen⟩, *tirade, harangue*.

declamator ⟨de (m.)⟩, **-trice** ⟨de (v.)⟩ **0.1** *declaimer* ⇒*reciter* ⟨ihb. verzen⟩, ⟨vaak met muzikale begeleiding⟩ *diseur* ⟨m.⟩, *diseuse* ⟨v.⟩.

declameren ⟨onov., ov.ww.⟩ **0.1** [met gevoel voordragen] *declaim* ⇒*recite* ⟨ihb. verzen⟩ **0.2** [met pathos spreken] *declaim* ⇒*rant, harangue*.

declarant ⟨de (m.)⟩ **0.1** [iem. die declareert] ⟨alg.⟩ *declarant* ⇒ ⟨bij douane⟩ *importer, exporter*, ⟨van onkostennota⟩ *claimant (for costs), submitter* **0.2** [bediende] *customs clerk* **0.3** [⟨jur.⟩] *accountable person / firm*.

declaratie ⟨de (v.)⟩ **0.1** [onkostenrekening, nota] ⟨onkostennota⟩ *(statement of) expenses*; ⟨nota⟩ *account, bill*; ⟨bij verzekering⟩ *claim (form)* **0.2** [aangifte van in- en uitvoer] *declaration* ⇒*customs entry* **0.3** [opgave voor belastingheffing] *declaration / statement of income* ⇒ [formulier] *tax return* **0.4** [verklaring] *declaration* ◆ **3.1** zijn ~ indienen *send (in) / submit one's account / bill / claim*.

declaratiebasis ⟨de (v.)⟩ **0.1** *basis of reimbursement* ⇒*reimbursement rules* ◆ **6.1** onkosten worden vergoed **op** ~ *expenses are reimbursable on presentation of a detailed account*; werken **op** ~ *do free-lance work, work on a free-lance basis*.

declaratoir¹ ⟨het⟩ **0.1** [⟨vnl. med.⟩] *certificate* **0.2** [⟨jur.⟩] *declaratory judgement*.

declaratoir² ⟨bn.⟩ **0.1** *declaratory* ◆ **1.1** ~ vonnis *d. judgement*.

declareren
I ⟨ov.ww.⟩ **0.1** [declaratie indienen van] *declare / claim (expenses)* ⇒ *make a declaration / submit a statement (of expenses)* **0.2** [aangifte doen van] *declare* ⇒*enter* **0.3** [aangeven voor de belasting] *declare* ◆ **1.1** een bedrag / driehonderd gulden ~ *charge an amount / three-hundred guilders* **1.3** zijn inkomsten ~ *d. one's income* **3.2** heeft u nog iets te ~? *have you anything to d.?*;
II ⟨wk.ww.; zich ~⟩ **0.1** [zich verklaren] *declare o.s.* ⇒ ⟨liefdesuiting⟩ *make a declaration of one's love, declare one's love*.

declasseren ⟨ov.ww.⟩ **0.1** [uit een lijst schrappen] *downgrade* ⇒*declass, relegate, reduce the status of* **0.2** [overtroeven] *outclass* ◆ **1.2** Ajax declasseerde zijn tegenstander volkomen *Ajax totally outclassed their opponents, Ajax ran rings round their opponents* **7.1** een gedeclasseerde a *déclassé(e)*.

declinatie ⟨de (v.)⟩ **0.1** [⟨taal.⟩] *declension* **0.2** [⟨nat.⟩] *declination* ⇒ *magnetic declination / variation* **0.3** [⟨ster.⟩] *declination* **0.4** [afwijzing] *refusal*, ^**declination** ◆ **2.3** schijnbare / ware ~ *apparent / true d.*.

declinatiecirkel ⟨de (m.)⟩ **0.1** *hour circle*.

declinatorium ⟨het⟩ **0.1** *declinometer*.

declineren
I ⟨ov.ww.⟩ **0.1** [⟨taal.⟩] *decline*;
II ⟨onov.ww.⟩ **0.1** [⟨nat.⟩] *decline*.

decoderen ⟨ov.ww.⟩ **0.1** *decode* ⇒*decipher* ⟨vnl. onbekende code⟩, *unscramble* ⟨vervormd gesprek, door marine⟩.

decodering ⟨de (v.)⟩ **0.1** [het decoderen] *decoding* ⇒*deciphering, decipherment, unscrambling* **0.2** [als vak] *cryptanalysis*.

decolleté ⟨het⟩ **0.1** *low neckline* ⇒*decolletage, plunging neckline* ◆ **6.1** een jurk **met** ~ *a low-necked / -cut dress, a décolleté dress / gown*.

decompositie ⟨de (v.)⟩ **0.1** [ontleding] *decomposition* **0.2** [het uiteenvallen] *decomposition*.

decompressie ⟨de (v.)⟩ **0.1** [mbt. een explosiemotor] *decompression* **0.2** [⟨med.⟩] *decompression* **0.3** [mbt. lucht- / gasdruk] *depressurization* ⇒ *decompression, pressure reduction*.

decompressiekamer ⟨de⟩ **0.1** *decompression chamber*.

decompressietijd ⟨de (m.)⟩ **0.1** *decompression period, period of decompression*.

decompressieziekte ⟨de (v.)⟩ **0.1** *decompression sickness* ⇒ ⟨inf.⟩ *(the) bends* ⟨ww. vaak enk.⟩.

decomprimeren ⟨ov.ww.⟩ **0.1** *decompress*.

deconcentratie ⟨de (v.)⟩ **0.1** ⟨pol.⟩ **0.1** *decentralization*.

deconfessionaliseren ⟨onov., ov.ww.⟩ **0.1** ⟨onov. ww.⟩ *lose one's / its denominational character*; ⟨ov.ww.⟩ *secularize* ◆ **1.1** een gedeconfessionaliseerde vakbond *a non-denominational / undenominational / secularized union*.

deconfessionalisering ⟨de (v.)⟩ **0.1** *secularization* ◆ **1.1** de ~ v.d. politieke partijen *the s. of the political parties*.

deconfiture ⟨de (v.)⟩ ⟨schr.⟩ **0.1** [mislukking] *collapse* ⇒*defeat, ruin, downfall* **0.2** [faillissement] *bankruptcy* ⇒*(financial) collapse, (financial) ruin*.

decor ⟨het⟩ **0.1** [toneeluitrusting] *décor* ⇒*scenery, setting(s), scene*, ⟨film.⟩ *set* **0.2** [decorstuk] *piece of scenery* ⇒*scene* **0.3** [⟨fig.⟩ achtergrond] *background* ⇒*scenery, setting, décor* **0.4** [versiering] *decoration(s)* ⇒*décor, design* ◆ **1.1** ~ en kostuums *settings and costumes*; wisseling van ~ *scene change / shift* **3.1** een ~ ontwerpen *design the settings*.

decorateur ⟨de (m.)⟩, **-trice** ⟨de (v.)⟩ **0.1** ⟨dram.⟩ *scene painter / artist, scenic artist*; ⟨huisschilder⟩ *(interior) decorator, ornamental painter*.

decoratie ⟨de (v.)⟩ **0.1** [het decoreren] *decoration* ⇒*adornment* **0.2** [decorstuk] *piece of scenery* ⇒*scene* **0.3** [tijdelijke versiering] *decoration* **0.4** [ordeteken] *decoration* ⇒*distinction*, ↓ *medal*.

decoratief¹ ⟨het⟩ **0.1** [wat tot decoratie strekt] *decorations* ⇒*ornamentation, adornments*, ⟨ordetekens⟩ *regalia* **0.2** [decorstukken] *scenery* ⇒*settings*.

decoratief² ⟨bn., bw.; -ly⟩ **0.1** *decorative* ⇒*ornamental*, ⟨inf.⟩ *fancy* ◆ **1.1** decoratieve kunst *d. / ornamental / flowery art*; ⟨bouwk.⟩ decoratieve stijl *decorated style / architecture*; een ~ effect *a d. effect*; ⟨fig.⟩ een decoratieve figuur *a d. / colourful / stylish character* **3.1** de bloemen staan heel ~ op je bureau *those flowers add a d. touch to your desk*.

decoratieschilder ⟨de (m.)⟩, **-es** ⟨de (v.)⟩ **0.1** *ornamental painter*.

decorbouwer ⟨de (m.)⟩ **0.1** *stage / set designer*.

decoreren ⟨ov.ww.⟩ **0.1** [(tijdelijk) versieren] *decorate* ⇒*deck (out)*, ⟨opknappen ook⟩ ↓ *do up* **0.2** [riddered] *decorate* ⇒*invest with an order, confer an order on* ◆ **3.2** gedecoreerd worden *receive a decoration, be decorated*.

decorontwerp ⟨het⟩ **0.1** *set / scenery design*.

decorontwerper ⟨de (m.)⟩, **-ster** ⟨de (v.)⟩ **0.1** *set / scene designer*.

decorschilder ⟨de (m.)⟩ **0.1** *scenery artist / painter*.

decorticatie ⟨de (v.)⟩ ⟨med.⟩ **0.1** *decortication*.

decorum ⟨het⟩ **0.1** *decorum* ⇒*propriety, (sociaal) etiquette* ◆ **3.1** het ~ bewaren / in acht nemen *maintain / observe d. / the proprieties* **¶.1** dat doet afbreuk aan het ~ *it goes against d., it's an infringement of the proprieties*.

decorwisseling ⟨de (v.)⟩ **0.1** *scene change* ⇒*sceneshifting*.

decoupeerzaag ⟨de⟩ **0.1** *jigsaw*.

decouperen ⟨ov.ww.⟩ **0.1** *cut (out / up)* ⇒*jigsaw*.

decreet ⟨het⟩ **0.1** *decree* ⇒*enactment, ordinance, edict, ukase* ⟨van dictator⟩ ◆ **3.1** een ~ uitvaardigen *issue / promulgate a d.* **6.1** bij ~ *by d.*.

decrescendo¹ ⟨het⟩ ⟨muz.⟩ **0.1** *diminuendo* ⇒*decrescendo*.

decrescendo² ⟨bw.⟩ ⟨muz.⟩ **0.1** *diminuendo* ⇒*decrescendo*.

decreteren ⟨ov.ww.⟩ **0.1** [verordenen] *decree* ⇒*ordain, order* **0.2** [apodictisch verklaren] *decree*.

decubitus ⟨de (m.)⟩ ⟨med.⟩ **0.1** *decubitus*.

dédain ⟨het⟩ **0.1** *disdain* ⇒*scorn, contempt*.

de dato ⟨bw.⟩ **0.1** *dated, bearing the date*.

dedicatie ⟨de (v.)⟩ **0.1** *dedication* ⇒*(dedicatory) inscription*.

deduceerbaar ⟨bn.⟩ **0.1** *deducible* ⇒*infer(r)able*.

deduceren ⟨onov., ov.ww.⟩ **0.1** *infer (from)* ⇒ ⟨ov. ww. ook⟩ *deduce / educe (from)*.

deductie ⟨de (v.)⟩ **0.1** [het deduceren] *deduction* ⇒*inference, eduction* **0.2** [redenering] *deduction* **0.3** [afgeleide waarheid] *deduction* ⇒*inference*.

deductief
I ⟨bn.⟩ **0.1** [op deductie berustend] *deductive* ◆ **1.1** langs deductieve weg *by deduction* ⟨ook wisk.⟩ / *inference*; een deductieve wetenschap *a d. science*;
II ⟨bw.⟩ **0.1** [met deducties] *deductively* ◆ **¶.1** ~ te werk gaan *proceed d.*.

deeg ⟨het⟩ **0.1** [dooreengekneed mengsel] *dough* ⟨mbt. brood⟩, [mbt. gebak] *paste, pastry*; ⟨in recepten ook⟩ *mixture* **0.2** [⟨hengelsport⟩] *bread* ⇒*bait* ◆ **1.1** ⟨fig.⟩ iem. een koekje van (zijn) eigen ~ bakken / geven *give s.o. a taste of his own medicine* **3.1** gedraaid ~ *twist*; gerezen ~ *sponge*; het ~ is gerezen *the d. has risen / proved*; het ~ kneden *knead the d.* **7.1** ⟨fig.⟩ zij zijn allen van één ~ *they are all of the same kidney / tarred with the same brush*.

deegachtig ⟨bn.⟩ **0.1** *doughy* ⇒*pasty*.

deeghaak ⟨de (m.)⟩ **0.1** *dough-hook*.

deegklopper ⟨de (m.)⟩ **0.1** *whisk*.

deegmachine ⟨de (v.)⟩ **0.1** *dough mixer*.

deegrol ⟨de⟩, **deegroller** ⟨de (m.)⟩ **0.1** *rolling pin*.

deegwaren ⟨zn.mv.⟩ **0.1** *pasta*.

deel (→sprw. 252)
I ⟨het⟩ **0.1** [gedeelte] *part* ⇒*piece, portion, proportion*, ⟨klein⟩ *fraction*, ⟨grootste deel⟩ *bulk*, ⟨afdeling⟩ *section* **0.2** [aandeel] *share* ⇒ *portion* **0.3** [boekdeel] *volume* ⇒ ⟨groot en zwaar⟩ *tome* ◆ **1.1** de delen v.e. eetservies *the pieces of a dinner service*; de som v.d. delen *the sum (total) of the parts*; één ~ zwavel op tien ~ salpeter *one part (of) sulphur to one part (of) saltpetre* **1.2** hij moet zijn ~ v.d. winst / buit hebben *he insists on his s. of the profits / loot* **2.1** de edele delen *the vital parts, the vitals*; een essentieel ~ *an essential to*; voor een groot ~ *largely, to a large / great extent*; voor het grootste ~ *for the most / greater part*; het grootste ~ v.d. tijd *(far) most of the time* **3.1** ~ uitmaken van *be part of, belong to*; be a member of ⟨team⟩; *sit on* ⟨commissie⟩; geen ~ uitmaken van *be extraneous to* **3.2** ~ aan iets hebben *have a s. in sth., be involved in sth.*; zijn ~ inbrengen *do one's fair s.* **4.2** elk zijn ~ *to each his own* **6.1** een hoorspel in zeven delen *a seven-part radio play*; sonate **in** drie delen *a sonate in three movements*; **in** (gelijke) delen *in aliquots*; **ten** dele *partly, in part* **7.1** een derde / vierde ~ *a third / fourth (part)*; ~ drie moet zichtbaar op de vooruit bevestigd worden *part three (of the road fund licence) must be affixed to the windscreen so as to be clearly visible* **7.3** een encyclopedie / boekwerk in tien delen *an encyclopaedia / a book in ten volumes* **¶.2** part noch ~ aan iets hebben *have no s. in sth., have nothing to do with sth., be innocent of sth.*; het viel hem ten deel *it fell to him / to his lot* **¶.¶** in genen dele *by no means / not at all*; in allen dele *in every respect*;

II ⟨de⟩ **0.1** [planken vloer] *wooden/boarded floor* **0.2** [deel v.e. boerderij]⟨overdekt⟩ *attached barn/stable;* ⟨niet overdekt⟩ *yard* **0.3** [dorsvloer] *threshing-floor* **0.4** [plank] *(floor) board* ⇒*plank, deal* ⟨van grene- of vurehout⟩.

deelachtig ⟨bn.⟩ **0.1** ⟨zie 3.1⟩ ♦ **3.1** iem. iets~ maken *impart sth. to s.o.;* iets~ worden *acquire/obtain/receive sth., be blessed with sth.;* iets~ zijn *participate/share in sth..*

deelarbeid ⟨de (m.)⟩ →**deeltijdarbeid.**

deelbaar ⟨bn.⟩ **0.1** *divisible* ⟨ook wisk.⟩ ⇒⟨scheidbaar⟩ *separable,* ⟨verdeelbaar ook⟩ *partible* ⟨vnl. erfenis⟩ ♦ **1.1** ⟨wisk.⟩ deelbare getallen *composite/d. numbers* **6.1** tien is~ **door** twee *ten can be divided/is d. by two.*

deelbaarheid ⟨de (v.)⟩ **0.1** *divisibility* ⟨ook wisk.⟩ ⇒*separability, divisibleness, partibility, sectility* ⟨door snijden⟩.

deelbewerking ⟨de (v.)⟩ **0.1** *operation.*

deelcertificaat ⟨het⟩ **0.1** *credit* ⇒*pass (certificate).*

deelcontract ⟨het⟩ **0.1** *profit-sharing agreement.*

deeldiscipline ⟨de (v.)⟩ **0.1** *subdiscipline.*

deelgebied ⟨het⟩ **0.1** *(sub)sector* ⇒*area, branch.*

deelgemeente ⟨de (v.)⟩ **0.1** ≠*borough* ⟨ihb. in Londen en New York⟩.

deelgenoot ⟨de (m.)⟩,**-note** ⟨de (v.)⟩ **0.1** [iem. die met een ander iets deelt] *partner (in)* ⇒*sharer (in), companion (in), participant (in)* ⟨winst, boedel⟩ **0.2** [compagnon] *partner* ⇒*(business) associate, co-owner, joint owner* ⟨van onverdeelde gemeenschap⟩ ♦ **1.1** hij is~ van mijn ellende *he shares my misery* **3.1** iem. ~ maken v.e. geheim *confide/impart a secret to s.o..*

deelgenootschap ⟨het⟩ **0.1** [hoedanigheid] *partnership* ⇒*companionship, participation, joint ownership* **0.2** [bond] *partnership* ⇒*association,* ⟨vooral mil.⟩ *alliance.*

deelgerechtigd ⟨bn.⟩ **0.1** *entitled to a share.*

deelhebber ⟨de (m.)⟩ **0.1** *sharer* ⇒⟨in winst/boedel⟩ *participant, participant, party,* ⟨in firma⟩⟨co-⟩*partner, (business) associate.*

deellijn ⟨de⟩ **0.1** *dividing line* ⇒*parting line* ⟨matrijs⟩, ⟨wisk.⟩ *bisector.*

deelname ⟨de (v.)⟩ →**deelneming.**

deelnemen ⟨onov.ww.⟩ **0.1** [meedoen] *participate (in)* ⇒*take part (in),* ⟨aanwezig zijn⟩ *attend, go in (for), enter, compete (in)* ⟨wedstrijd⟩, *join (in)* ⟨gesprek⟩ **0.2** [meevoelen] *sympathize (with)* ♦ **6.1 aan** een veldtocht/wedstrijd/optocht ~ *take part in a campaign/contest/parade;* ~ **aan** onderhandelingen ⟨ook⟩ *be a party to negotiations;* ~ **aan** een examen *sit (for) an exam;* ~ **aan** een project *be engaged in a project;* ~ **aan** een maaltijd *partake of a meal* ⟨vaak scherts.⟩; ~ **in** een onderneming/stichting *p. in/contribute to a company/foundation* **6.2 in** iemands droefheid ~ *s. with s.o.'s sorrow.*

deelnemend ⟨bn.⟩ **0.1** [meelevend] *sympathetic* ⇒*compassionate* **0.2** [meedoend] *participatory* ⇒*participating* ♦ **1.1** een ~e blik *a s. look* **1.2** de ~e landen v.d. EEG *the member countries of the EEC.*

deelnemer ⟨de (m.)⟩,**-neemster** ⟨de (v.)⟩ **0.1** *participant* ⇒*participator, person present/taking part,* ⟨aan congres ook⟩ *member, competitor, entrant, entry* ⟨aan wedstrijd⟩, *contestant, candidate* ⟨aan prijsvraag⟩, *candidate, entrant* ⟨aan toelatingsexamen⟩, *student* ⟨aan cursus⟩, *subscriber* ⟨aan centrale antennesysteem⟩, ⟨paard⟩ *runner* ♦ **1.1** een beperkt aantal ~s *a limited number of participants/entries* **6.1** ~ **aan** *participant/competitor/contestant in, entrant/entry/candidate for, subscriber to;* een ~ **in** het verkeer *road-user.*

deelnemersveld ⟨het⟩ **0.1** *entry* ⇒*number of entrants* ♦ **2.1** een goed ~ *a good e..*

deelneming ⟨de (v.)⟩ **0.1** [participatie] *participation* ⇒*attendance, entry, membership, candidature,* ⟨hand.⟩ *holding, interest, stake* **0.2** [medelijden] *sympathy* ⇒*compassion,* ⟨ihb. bij overlijden⟩ ♦ **1.2** betuiging van ~ *condolence(s), expression of s.* **2.1** financiële ~ is gewenst *financial p./contribution is requested;* bij voldoende ~ *if there is sufficient interest, if there are enough entries/competitors/students* ⟨enz.⟩ **2.2** innige ~ *heartfelt s.* **3.2** zijn ~ betuigen *extend one's s./condolences;* ~ tonen *be sympathetic, show s.* **6.1** ~ **aan** een wedstrijd *taking part/running in a contest/competition/ race;* ⟨jur.⟩ ~ **aan** een strafbaar feit *complicity in an (indictable) offence;* ~ **aan** de winst *profit/gain sharing, p. in profits.*

deelnemingsformulier ⟨het⟩ **0.1** *entry/enrolment* ᴬ*enrollment form/card/slip.*

deelpacht ⟨de⟩ **0.1** *métayage.*

deelprobleem ⟨het⟩ **0.1** *part of the problem.*

deelproces ⟨het⟩ **0.1** *(separate) constituent process.*

deelpunt ⟨het⟩ ⟨wisk.⟩ **0.1** *dividing point.*

deelrapport ⟨het⟩ **0.1** *section (of a report).*

deelregering ⟨de (v.)⟩ ⟨AZN⟩ **0.1** *executive* ⇒≠*regional government.*

deels ⟨bw.⟩ **0.1** *partly* ⇒*part, partially, in part* ♦ **¶.1** ~ om die reden, ~ om een andere *partly for this reason, partly for another (one);* het leger bestaat ~ uit vrijwilligers, ~ uit dienstplichtigen *the army is part volunteers, part conscripts, some of the soldiers are volunteers, others conscripts.*

deelsom ⟨de (v.)⟩ ⟨wisk.⟩ **0.1** *division sum.*

deelspanning ⟨de (v.)⟩ ⟨nat.⟩ **0.1** *component/partial stress.*

---

deelstaat ⟨de (m.)⟩ **0.1** *(federal) state.*

deelstaatverkiezing ⟨de (v.)⟩ **0.1** *state elections.*

deelstreep ⟨de⟩ **0.1** [⟨wisk.⟩] *(horizontal) line* **0.2** [mbt. meetinstrumenten] *graduation, scale mark.*

deelstudie ⟨de (v.)⟩ **0.1** *monograph.*

deeltal ⟨het⟩ ⟨wisk.⟩ **0.1** *dividend.*

deelteken ⟨het⟩ **0.1** [⟨wisk.⟩] *division sign* **0.2** [trema] *diaeresis.*

deeltentamen ⟨het⟩ **0.1** ≠*exam(ination)* ⇒⟨geschreven⟩ *paper,* ⟨mondeling⟩ *viva (voce).*

deeltijd ⟨de (m.)⟩ **0.1** *part-time, half-time* ♦ **6.1** in ~ werken *work p.-t., be on h.-t..*

deeltijdarbeid ⟨de (m.)⟩ **0.1** *part-time/half-time work, worksharing.*

deeltijdbaan ⟨de (v.)⟩ **0.1** *part-time job.*

deeltijdwerker ⟨de (m.)⟩, **-ster** ⟨de (v.)⟩ **0.1** *part-timer.*

deeltitel ⟨de (m.)⟩ **0.1** *title in a series* ⇒*title of a/the volume* ♦ **3.1** elk deel heeft een ~ *each volume has its own title.*

deeltje ⟨het⟩ **0.1** [klein deel] *particle* ⇒⟨inf.⟩ *tiny bit, grain* **0.2** [kleinst denkbare hoeveelheid] *particle* **0.3** [klein boekdeel] *volume* ♦ **6.1** in kleine ~s *finely cut/powdered.*

deeltjesstraling ⟨de (v.)⟩ ⟨kernfysica⟩ **0.1** *corpuscular emission.*

deeltjesversneller ⟨de (m.)⟩ **0.1** *particle accelerator* ⇒≠*betatron, cyclotron, synchrotron* ♦ **2.1** een lineaire ~ *a linear a..*

deelverzameling ⟨de (v.)⟩ ⟨wisk.⟩ **0.1** *subset.*

deelvisie ⟨de (v.)⟩ **0.1** *partial view* ⇒*limited view.*

deelweefsel ⟨het⟩ ⟨biol.⟩ **0.1** *meristem.*

deelwetenschap ⟨de (v.)⟩ **0.1** *(sub)discipline.*

deelwoord ⟨het⟩ ⟨taal.⟩ **0.1** *participle* ♦ **2.1** het onvoltooid/tegenwoordig~ *the present p.;* het voltooid/verleden ~ *the past p..*

deemoed ⟨de (m.)⟩ **0.1** *humility* ⇒*meekness, submissiveness* ♦ **5.1** vol ~ *humbly, in all h..*

deemoedig ⟨bn., bw.;-ly⟩ **0.1** *humble* ⇒*lowly, meek, submissive* ♦ **1.1** een ~e blik *a hangdog look* **2.1** ~ gestemd in (a) h./chastened mood.

deemoedigheid ⟨de (v.)⟩ **0.1** *humility* ⇒*meekness, submissiveness.*

deemstering ⟨de (v.)⟩ ⟨schr.⟩ **0.1** [duisternis] *murk* ⇒*tenebrosity* **0.2** [schemering] *dusk* ⇒*twilight, half-light.*

Deen ⟨de (m.)⟩, **-se** ⟨de (v.)⟩ **0.1** *Dane, Danish woman.*

Deens¹ ⟨het⟩ **0.1** *Danish* ♦ **2.1** ⟨meubelen⟩ modern ~ *D. modern.*

Deens² ⟨bn.⟩ **0.1** *Danish.*

deerlijk
I ⟨bn.⟩ **0.1** [deerniswekkend] *pitiful* ⇒*sad, pitiable, miserable* ♦ **1.1** een ~e misrekening *a tragic miscalculation;* een ~ schouwspel *a sorry sight;*
II ⟨bw.⟩ **0.1** [hevig] *badly* ⇒*pitifully, sorely, grievously, greatly* ♦ **3.1** het schip was ~ gehavend *the ship was b. damaged/was in a pitiful state;* ~ toegetakeld zijn *be in a sorry state, be b. knocked about;* je vergist je ~ *you are profoundly/very much mistaken.*

deern ⟨de (v.)⟩ **0.1** *lass* ⇒*wench,* ↓*hussy* ♦ **2.1** een aardig ~tje *a pretty lassie;* ⟨vaak scherts.⟩ *a comely wench;* een frisse/flinke/gezonde ~ *a rosy-cheeked/fine/healthy l..*

deernis ⟨de (v.)⟩ **0.1** *pity* ⇒*compassion, commiseration* ♦ **3.1** ~ gevoelen met *regard/treat with compassion,* ⟨vero.⟩ *compassionate;* ~ hebben met *take/have p. on, pity;* ~ wekken *arouse p./compassion.*

deerniswekkend ⟨bn.⟩ **0.1** *pitiful* ⇒*pitiable, pathetic, sorry, miserable* ♦ **1.1** in ~e toestand *in a pitiful/sorry state.*

deëscalatie ⟨de (v.)⟩ **0.1** *de-escalation.*

de facto ⟨bw.⟩ **0.1** *de facto* ⇒*in fact.*

defaitisme ⟨het⟩ **0.1** *defeatism.*

defaitist ⟨de (m.)⟩ **0.1** *defeatist.*

defaitistisch ⟨bn.⟩ **0.1** *defeatist.*

defect¹ ⟨het⟩ **0.1** *fault, defect* ⟨in contructie⟩ ⟨onvolkomenheid⟩ *flaw, blemish, fault;* ⟨storing⟩ *malfunction, failure, breakdown* ♦ **2.1** een gering ~ *a (slight) flaw/blemish;* mechanisch ~ *mechanical fault/defect;* ⟨storing⟩ *mechanic failure* **3.1** we hebben het ~ aan de machine kunnen verhelpen *we've managed to sort out the trouble with the engine* **6.1** het ~ **aan** de machine *engine trouble/failure.*

defect² ⟨bn.⟩ **0.1** *faulty* ⇒*defective, unserviceable,* ⟨alleen pred.⟩ *out of order,* ⟨beschadigd⟩ *damaged, broken down* ⟨auto⟩, ⟨inf.; alleen pred.⟩ *on the blink* ♦ **1.1** ⟨amb.⟩ een ~e letter *a damaged/broken character;* een ~e machine/leiding *a f. machine/connection* **3.1** ~ raken *break down, fail, malfunction, become defective/unserviceable,* ↓*go wrong* **¶.1** ~ ⟨op automaat e.d.⟩ *out of order.*

defectief¹ ⟨de (m.)⟩ ⟨taal.⟩ **0.1** *defective verb.*

defectief² ⟨bn.⟩ **0.1** *defective* ⇒*faulty, deficient, imperfect* ♦ **1.1** ⟨taal.⟩ defectieve werkwoorden *defective verbs.*

defensie ⟨de (v.)⟩ **0.1** ⟨lands⟩verdediging⟩ *defence* ᴬ*se* **0.2** [⟨jur.⟩] *defence* ᴬ*se* **0.3** [⟨sport⟩ achterhoede] *defence* ᴬ*se* ⇒*defenders, backs* ♦ **1.1** de ~ v.h. land *the d. of the country/*ᴮ*the realm;* de minister van ~ *the Minister of Defence/Defence Minister* **2.3** dat team heeft een zwakke ~ *that team has a week defence/is bad in defence* **3.2** ~ voeren *speak for the d.* **6.¶** ⟨fig.⟩ hij werkt **op** Defensie *he works for the M.o.D..*

defensieapparaat ⟨het⟩ **0.1** *defence* ᴬ*se system.*

defensiebegroting ⟨de (v.)⟩ **0.1** *defence* ᴬ*se budget.*

defensiebeleid ⟨het⟩ ⟨pol.⟩ **0.1** *defence* ᴬ*se policy* ⇒*policy on/towards defence* ᴬ*se* ◆ **3.1** het ~ moet volgens velen gericht worden op ontwapening *many people consider that d. p. should be directed towards disarmament*.

defensiecommissie ⟨de (v.)⟩ **0.1** *defence* ᴬ*se committee, committee for defence*.

defensief¹ ⟨het⟩ **0.1** *defensive* ◆ **6.1** in het ~ zijn *be on the d.; iem.* in het ~ dringen *force s.o. onto the d. / into a defensive position*.

defensief² ⟨bn., bw.;-ly⟩ **0.1** *defensive* ◆ **1.1** een ~e houding aannemen *act/be/stand on the defensive, take up/assume a d. attitude;* een ~ optreden *d. action;* ~e wapens *d. weapons, weapons of defence* **3.1** ~ ageren *act defensively, employ d. force;* zich ~ opstellen *take up a d. position*.

defensiepolitiek ⟨de (v.)⟩ →**defensiebeleid.**

defensiesysteem ⟨het⟩ **0.1** *defence/*ᴬ*se system* ⇒*system of defence.*

defibrillatie ⟨de (v.)⟩ **0.1** *defibrillation.*

defibrillator ⟨de (m.)⟩ ⟨med.⟩ **0.1** *defibrillator.*

defibrilleren ⟨ov.ww.⟩ ⟨med.⟩ **0.1** *defibrillate.*

deficiënt ⟨bn.⟩ **0.1** *deficient.*

deficiëntie ⟨de (v.)⟩ **0.1** [tekort(koming)] *deficiency* ⇒*inadequacy, imperfection, shortcoming, lack* **0.2** [ontoereikendheid] *deficiency* ⇒*insufficency, inadequacy* **0.3** [⟨taal.⟩] *deficiency.*

deficiëntieziekte ⟨de (v.)⟩ **0.1** *deficiency disease/illness.*

deficit ⟨het⟩ **0.1** *deficit* ⇒*shortfall* ◆ **3.1** er is een ~ in de kas *there is a deficit, the books show a deficit.*

deficitair ⟨bn.⟩ **0.1** *in deficit* ⇒*running to a deficit, leading to deficit* ◆ **1.1** een ~e begroting *a budget deficit;* een ~ saldo *a deficit.*

defilé ⟨het⟩ **0.1** [handeling] *parade* ⇒*procession,* ⟨mil.⟩ *march-past, defile* **0.2** [gelegenheid] *parade* ⇒*procession,* ⟨mil.⟩ *march-past, defile* ◆ **3.1** het ~ afnemen *take the salute;* een ~ houden *hold a parade/procession/march-past.*

defileren ⟨onov.ww.⟩ **0.1** *march/file (past), parade (past)* ◆ **6.1** ~ langs de katafalk *file past the bier;* **voor** de officieren ~ *march past the officers;* de troepen defileerden **voor** de koningin *the Queen took the salute.*

definieerbaar ⟨bn.⟩ **0.1** *definable* ◆ **5.1** moeilijk ~ ⟨alleen na zn.⟩ *hard to define, elusive, rather/fairly undefinable.*

definiendum ⟨het⟩ ⟨taal.⟩ **0.1** *definiendum.*

definiens ⟨de (v.)⟩ ⟨taal.⟩ **0.1** *definiens.*

definiëren ⟨ov.ww.⟩ **0.1** *define* ⇒⟨duidelijk beschrijven⟩ *be specific about* ◆ **5.1** moeilijk te ~ *hard to d., elusive;* iets nader ~ *quantify sth., define sth. more closely, be more specific about sth.;* niet te ~ *indefinable.*

definiet ⟨bn.⟩ ⟨wisk.⟩ **0.1** *definite.*

definitie ⟨de (v.)⟩ **0.1** [het definiëren] *definition* **0.2** [omschrijving] *definition* ◆ [⟨wisk.⟩] *definition* ◆ **3.2** een ~ geven van *give a d. of* **6.2** per ~ *by d..*

definitief ⟨bn., bw.;-ly⟩ **0.1** *definitive* ⇒*definite, final, permanent,* ⟨jur.⟩ *peremptory* ◆ **1.1** een definitieve benoeming *a permanent appointment;* nog geen definitieve keuze doen *keep/leave one's options open;* een definitieve transactie *a definitely settled transaction/deal;* een definitieve uitspraak doen *pass final judgment;* een definitieve versie *a definitive version;* ⟨jur.⟩ een ~ vonnis *a peremptory decree, final judgment/sentence* **3.1** ~ verbreken *break off, sever* ⟨relaties⟩; *cancel, annul* ⟨contract e.d.⟩; zich ergens ~ vestigen *settle somewhere (permanently), make somewhere one's permanent home;* ik weet het ~ *I'm positive about it, I'm absolutely certain* **¶.1** aan iets ~ een einde maken *make an end to sth. once and for all;* een gerucht ~ uit de wereld helpen *give a quietus to/put paid to a rumour.*

deflagratie ⟨de (v.)⟩ **0.1** *deflagration.*

deflatie ⟨de (v.)⟩ **0.1** [⟨ec.⟩] *deflation* **0.2** [⟨geol.⟩] *deflation* ◆ **3.1** ~ veroorzaken *deflate.*

deflatiepolitiek ⟨de (v.)⟩ **0.1** *deflationary policy, policy of deflation.*

deflationist ⟨de (m.)⟩ **0.1** *deflationist.*

deflationistisch, deflatoir ⟨bn.⟩ **0.1** *deflationary* ◆ **1.1** een ~ beleid voeren *pursue a d. policy/a policy of deflation.*

deflecteren
I ⟨ov.ww.⟩ **0.1** [ombuigen] *deflect;*
II ⟨onov.ww.⟩ **0.1** [⟨taal.⟩] *deflect* ⇒*lose its inflection(s)/ending(s).*

deflexie ⟨de (v.)⟩ ⟨taal.⟩ **0.1** *deflection.*

defloratie ⟨de (v.)⟩ **0.1** *defloration* ⇒*deflowering.*

defloreren ⟨ov.ww.⟩ **0.1** *deflower.*

deformatie ⟨de (v.)⟩ **0.1** [ver/misvorming] *deformation* ⇒*deformity, disfigurement, disfiguration* **0.2** [vormverandering] *deformation* ⇒*distortion.*

deformeren ⟨ov.ww.⟩ **0.1** [misvormen] *deform* ⇒*disfigure,* ⟨vervormen⟩ *contort, distort* ◆ **1.1** zijn arm was gedeformeerd tot een stompje *his arm was reduced to a stump* **6.1** iets ~ **tot** *deform sth. to.*

deftig ⟨bn., bw.⟩ **0.1** [voornaam] *distinguished* ⇒*fashionable, stately, aristocratic, dignified,* ↓*posh* **0.2** [⟨AZN⟩ fatsoenlijk] *respectable* ⇒ *decent, proper,* ↑*decorous* ◆ **1.1** een ~e buurt/woonstraat/woonwijk *a fashionable quarter/street/district;* van ~e familie *of high descent/birth;* een ~ gezicht *an official face;* van ~e huize *of an aristocratic*

family; een ~e indruk maken *have an air of gentility;* de ~e kringen *the distinguished/fashionable circles;* ~e manieren *formal/aristocratic manners;* ~e mensen *distinguished/aristocratic people, people of gentle birth;* de ~e stand *the upper class;* ~e stijl *grand/solemn/dignified style* **3.1** ~ doen *assume a solemn air, act grandly;* zich ~ kleden *dress stylishly/fashionably/elegantly;* zich ~ uitdrukken *express o.s. in a formal manner.*

deftigheid ⟨de (v.)⟩ **0.1** [het deftig zijn] *fashionableness* ⇒*distinction, dignity, gentility, stateliness* **0.2** [deftig persoon]⟨inf.; iron.⟩ *swell* ◆ **¶.1** alle/de ~ overboord gooien *throw respectability overboard; dispense with the formalities.*

degel ⟨de (m.)⟩ ⟨druk.⟩ **0.1** *platen.*

degelijk
I ⟨bn.⟩ **0.1** [betrouwbaar] *reliable* ⇒*respectable, solid, sound, reputable, steady, sterling* ◆ **1.1** een ~e firma *a solid/(financially) sound/reputable/respectable firm;* een ~ persoon *a respectable/steady/sterling person;*
II ⟨bn., bw.;-ly⟩ **0.1** [deugdelijke] *sound* ⇒*reliable, solid, thorough, substantial* ◆ **1.1** een ~ boek *a solid/sound work;* een ~ fabrikaat *a reliable/durable/high-quality product;* een ~ huwelijk *a sound marriage;* een ~e maaltijd *a substantial meal* **3.1** dat huis is ~ gebouwd *that house is solid/of solid construction/solidly constructed;*
III ⟨bw.⟩ **0.1** [danig] *thoroughly* ⇒*soundly, very much* ◆ **1.1¶** wel ~ *really, actually, positively, indeed;* ik meen het wel ~ *I am in earnest/quite serious, I do mean it;* ik heb hem wel ~ gezien *I saw him all right/I did see him* **¶.1** ik heb hem eens ~ onder handen genomen *I have hauled him over the coals/given him a good talking to.*

degelijkheid ⟨de (v.)⟩ **0.1** [deugdelijkheid] *soundness* ⇒*thoroughness, substance* **0.2** [betrouwbaarheid] *reliability* ⇒*solidity, respectability* ◆ **2.1** van Duitse ~ *Teutonic in its thoroughness.*

degelpers ⟨de⟩ ⟨druk.⟩ **0.1** *(automatic) platen press.*

degen ⟨de (m.)⟩ **0.1** *sword* ⇒⟨schermen⟩ *foil, épée, rapier* ◆ **3.1** de ~s kruisen (met) *have passage of/at arms (with),* ⟨ook fig.⟩ *cross swords (with), measure swords (against/with);* ⟨fig. ook⟩ *break a lance (with);* de ~ opsteken *sheath/put up the s.;* de ~ trekken *draw the s.;* de ~ voeren *carry the s.* **6.1** iem. **aan** de ~ rijgen *spit/run one's s. through s.o., pierce/transfix/stab s.o. with a s.;* **op** de ~ duelleren *fight in duel with swords* **¶.1** meester op de ~ *proficient swordsman.*

degene ⟨aanw.vnw.⟩ **0.1** ⟨enk.⟩ *he/she/the one;* ⟨mv.⟩ *those* ◆ **4.1** degene die …*he/she/the one who;* degenen die …*those who.*

degeneratie ⟨de (v.)⟩ **0.1** [verval] *degeneration* ⇒*degradation, decay* **0.2** [⟨med.⟩] *degeneration.*

degeneratief ⟨bn.⟩ **0.1** *degenerative.*

degeneratieverschijnsel ⟨het⟩ **0.1** *symptom of degeneration* ⇒*degenerative symptom.*

degeneratieziekte ⟨de (v.)⟩ **0.1** *degenerative disease.*

dégénéré ⟨de (m.)⟩ **0.1** *degenerate.*

degenereren ⟨onov.ww.⟩ **0.1** [ontaarden] *degenerate* ⇒*degrade* **0.2** [⟨biol.⟩] *degenerate.*

degenkling ⟨de⟩ **0.1** *sword blade.*

degenknop ⟨de (m.)⟩ **0.1** *pommel.*

degenkoppel ⟨de (m.)⟩ **0.1** *sword belt.*

degenkrab ⟨de⟩ **0.1** *king crab,* ᴬ*horseshoe crab.*

degenschede ⟨de⟩ **0.1** *sword sheath.*

degenslikker ⟨de (m.)⟩ **0.1** *sword swallower.*

degenstok ⟨de (m.)⟩ **0.1** *sword cane/stick.*

degenstoot ⟨de (m.)⟩ **0.1** *sword thrust, thrust of the sword.*

degenvis ⟨de (m.)⟩ **0.1** *sting-ray.*

degoût ⟨de (m.)⟩ **0.1** *disgust (at/for/of)* ⇒*distaste (for), repugnance (to).*

degoutant ⟨bn.⟩ **0.1** *disgusting* ⇒*disgustful, revolting, repugnant, distasteful.*

degradatie ⟨de (v.)⟩ **0.1** [verlaging in rang/klasse] ⟨mil.⟩ *demotion;* ⟨marine⟩ *disrating;* ⟨sport⟩ *relegation* **0.2** [ontzetting uit een waardigheid] *degradation.*

degradatiegevaar ⟨het⟩ ⟨sport⟩ **0.1** *danger/risk of degradation* ◆ **6.1** in ~ in *danger of being degraded/relegated to a lower division.*

degradatiekandidaat ⟨de (m.)⟩ ⟨sport⟩ **0.1** *relegation candidate* ⇒*candidate for relegation.*

degradatiespook ⟨het⟩ **0.1** *spectre of relegation* ◆ **3.1** het ~ dreigt voor NEC *the spectre of relegation is looming large for NEC,* ↑*NEC are in danger of being relegated.*

degradatiewedstrijd ⟨de (m.)⟩ ⟨sport⟩ **0.1** *relegation match.*

degradatiezone ⟨de⟩ ⟨sport⟩ **0.1** *relegation area.*

degraderen
I ⟨ov.ww.⟩ **0.1** [in rang/klasse verlagen] *degrade, downgrade* ⇒ ⟨mil.⟩ *reduce to the ranks/(to the rank of), demote (to),* ⟨marine⟩ *disrate,* ⟨sport⟩ *relegate* **0.2** [uit een waardigheid ontzetten] *degrade* ◆ **1.1** ⟨fig.⟩ dit heeft ons onderwijs gedegradeerd *this has down-graded the value of our education* **6.1** ⟨fig.⟩ zijn vrouw ~ **tot** huishoudster *lower/relegate his wife to the position of a mere housekeeper;*
II ⟨onov.ww.⟩ **0.1** [gedegradeerd worden] *go/move down* ⇒*fall back, drop* ◆ **6.1** deze club is gedegradeerd **naar** de 2e divisie *this team has been relegated to the second division.*

degressie ⟨de (v.)⟩ **0.1** *degression*.
degressief ⟨bn.,bw.;-ly⟩ **0.1** *degressive*.
degusteren ⟨ov.ww.⟩ ⟨cul.⟩ **0.1** *taste*.
dehydratie ⟨de (v.)⟩ **0.1** *dehydration*.
dehydreren, dehydrateren ⟨ov.ww.⟩ **0.1** *dehydrate*.
deificatie ⟨de (v.)⟩ **0.1** *deification*.
deiktisch ⟨bn.⟩ **0.1** *deictic* ◆ **1.1** de~e leervorm *the d. teaching method;* de~e pronomina *the d. pronouns*.
deinen ⟨onov.ww.⟩ **0.1** [mbt. de waterspiegel] *heave* ⇒⟨sterk⟩ *surge,* *billow* **0.2** [mbt. vaartuigen] *rock, bob, roll* **0.3** [wiegen] *rock* **0.4** [op muziek heen en weer schommelen] *rock, sway* ◆ **1.1** de zee deinde sterk *the sea billowed/surged wildly* **6.2** ~ **op** de golven *rock/bob on the waves, roll on the waves*.
deinzen ⟨onov.ww.⟩ **0.1** *wince* ⇒*start back, recoil (from), shrink (back).*
deïsme ⟨het⟩ **0.1** *deism.*
deïst ⟨de (m.)⟩ **0.1** *deist.*
deizen ⟨onov.ww.⟩ ⟨inf.⟩ **0.1** ⟨zie 3.1⟩ ◆ **3.1** hou je gedeisd *keep quiet.*
dejeuneetje ⟨het⟩ **0.1** [klein dejeuner] *breakfast* **0.2** [ontbijtstel] *breakfast set.*
dejeuner ⟨het⟩ **0.1** [lunch] *lunch(eon)* **0.2** [ontbijt] *breakfast* **0.3** [servies] *breakfast service.*
de jure ⟨bw.⟩ **0.1** *de jure* ⇒*by right.*
dek ⟨het⟩ **0.1** [bedekking] *cover(ing)* ⇒⟨wegdek⟩ *surface, blanket* ⟨sneeuw⟩ **0.2** [mbt. een sigaar] *wrapper* **0.3** [kleed voor dieren] *cover* ⇒*horse cloth* **0.4** [scheepsvloer] *deck* **0.5** [mbt. dieren]⟨haar⟩ *coat, skin, fur* **0.6** [beddegoed] *bedclothes* ◆ **2.4** glad ~*flush d.* **6.4** aan ~ gaan *g on d.*; de bemanning was **op** ⟨het⟩ ~ *the crew were on d.* **6.6** onder ~ kruipen *pull the b. up over one's head, snuggle under the covers* ¶**.4** alle hens aan~*all hands on d..*
dekbalk ⟨de (m.)⟩⟨scheep.⟩ **0.1** *(deck) beam.*
dekbed ⟨het⟩ **0.1** *quilt* ⇒⟨AE ook⟩ *eiderdown,* ⟨BE ook⟩ *continental quilt, duvet.*
dekbedovertrek ⟨het, de⟩ **0.1** *quilt cover* ⇒⟨AE ook⟩ *eiderdown cover,* ⟨BE ook⟩ *continental quilt/duvet cover.*
dekblad ⟨het⟩ **0.1** [blad dat iets afdekt] *cover (sheet/plate)* **0.2** [van boek] *fly leaf* ⇒*endpaper* **0.3** [mbt. een blocnote] *cover* **0.4** [mbt. een sigaar] *wrapper* **0.5** [⟨geol.⟩] *overlying stratum* **0.6** [⟨plantk.⟩] *bract.*
deken
I ⟨de (m.)⟩ **0.1** [overste, hoofd] *dean* ⇒*master, doyen* **0.2** [⟨r.k.⟩ hoofd v.e. kapittel] *dean* **0.3** [⟨r.k.⟩ geestelijke] *dean* **0.4** [voorzitter] *chairman* ⇒*president* ◆ **1.1** ~ v.h. brouwersgilde *master of the brewers' company;* de ~ v.h. corps diplomatique *doyen of the diplomatic corps;* de ~ v.d. orde van advocaten *the president of the Bar* [B]*Council/* [A]*Association;*
II ⟨de⟩ **0.1** [kleed] *blanket* ◆ **2.1** elektrische~*electric b.;* wollen en katoenen~s op een bed *woollen and cotton blankets on a bed* **6.1** onder de~s kruipen *pull the cover(s) over one's head, go between the sheets, turn in/go to roost;* ⟨fig.⟩ samen onder één~ liggen ⟨inf.⟩ *be hand and/in glove, be in league/collusion;* lekker (diep) onder de~s kruipen *snuggle down.*
dekenkist ⟨de⟩ **0.1** *blanket chest.*
dekensingel ⟨de (m.)⟩ **0.1** *cover girth.*
dekenstof ⟨de⟩ **0.1** *blanketing.*
dekgeld ⟨het⟩ **0.1** *stud/service fee.*
dekglaasje ⟨het⟩ **0.1** *cover glass/slip.*
dekgrond ⟨de (m.)⟩ **0.1** *etching ground* ⇒*etching varnish.*
dekhengst ⟨de (m.)⟩ **0.1** [dier] *sire* ⇒*(breeding) stallion, stud(-horse)* **0.2** [persoon] *stallion.*
dekhuis ⟨het⟩ **0.1** *deckhouse.*
dekhut ⟨de⟩ **0.1** *deck-cabin.*
dekken ⟨ov.ww.⟩ ⟨→sprw. 200⟩ **0.1** [een voorwerp/laag leggen op] *cover* ⇒*coat* ⟨deklaag⟩ **0.2** [geheel bedekken] *cover* **0.3** [overeenstemmen met] *coincide* ⇒*correspond, agree* **0.4** [verbergen] *conceal, hide* **0.5** [beschermen] *protect* ⇒*defend, shield, stand up (for), screen, cover (for)* **0.6** [vergoeden] *cover, meet* ⇒*reimburse, repay* **0.7** [bespringen, paren] *cover* ⇒*serve* ⟨merrie⟩ **0.8** [⟨sport⟩] *cover* ⇒⟨voetbal ook⟩ *mark* ◆ **1.1** bedden~*make beds;* de tafel ~ *set the table, lay the table/covers/the cloth* **1.2** ~de verf *finishing paint/paint with great covering/masking power* **1.5** ⟨sport⟩ zijn achterhoede~*back up/support one's defense;* de aftocht ~ *cover the retreat;* iem. in de rug ~*back (up)/support/stand up for/stand by s.o.;* de vlag dekt de lading *the flag covers the cargo;* ⟨schaakspel⟩ zijn loper~*cover one's bishop;* ⟨fig.⟩ iemands handelwijze/fouten~*sanction s.o.'s actions/mistakes;* de verzekering dekt de schade *the insurance covers the damage;* een schuld ~*make good a debt;* een tekort/een verlies~ *guarantee to make up a deficit/cover a loss;* de inkomsten ~ de uitgaven *the receipts meet/cover/counterbalance the expenses* **3.1** voor

hem laten~*lay/set a place for him;* ⟨BE ook⟩ *have a cloth laid for him* **3.4** hou je gedekt ⟨voorzichtig⟩ *be careful/on your guard;* ⟨kalm⟩ *keep quiet/calm;* zich gedekt houden *keep in the background, keep a low profile;* ⟨inf.⟩ *lie low* **3.6** gedekt zijn *be insured* ⟨tegen verlies⟩; *be covered* **4.3** die begrippen~ elkaar *these concepts are completely analogous* **4.5** deze twee verdachten ~ elkaar *these two suspects are covering for each other/are in league;* zich ~ ⟨ook mil.⟩ *cover/guard/shield/protect o.s.;* ⟨jacht⟩ *hide o.s.* **5.8** de midvoor kort~ c./*mark the centreforward* **6.1** een huis met pannen~ *tile a house;* voor één/twee personen ~*set the table for one/for two;* voor het ontbijt/avondeten/de lunch ~ *lay/set the table for breakfast/lunch/supper.*
dekker ⟨de (m.)⟩ **0.1** *roofer* ⇒*tiler* ⟨pannen⟩, *slater* ⟨lei⟩, *thatcher* ⟨riet⟩.
dekking ⟨de (v.)⟩ **0.1** [handeling] *covering* ⇒*coating* **0.2** [⟨mil.⟩] *cover* ⇒*shelter, protection* **0.3** [bevruchting] *service* **0.4** [⟨geldw.⟩ metaal] *backing* ⇒*cover, reserve* **0.5** [⟨geldw.⟩ activa] *security* **0.6** [⟨geldw.⟩ mbt. cheques] *cover,* [A]*margin* **0.7** [⟨geldw.⟩ compensatie] *cover* **0.8** [zekerheid] *cover* **0.9** [⟨jur.⟩] *retroactive/ex post facto authorization* **0.10** [⟨sport⟩]⟨voetbal⟩ *marking; guard* ⟨boksen e.d.⟩ **0.11** [bedekking] *cover* ⇒*coat(ing), covering/finishing/toplayer* ◆ **3.2** ~ bieden *offer c./shelter;* ~ zoeken *seek/take c. (from)* **6.2** onder ~ van de nacht *under the cloak of darkness;* onder ~ van de luchtmacht *under air c.* **6.3** ter ~ staan *be in s.* **6.6** zonder ~ *without c. uncovered, without/no funds* **6.7** ter ~ van de (on)kosten *to cover/meet/make up for the expenses* **6.8** deze polis geeft ~ **op**/bied ~ tegen inbraak *this policy c. against burglary.*
dekkingsaankoop ⟨de (m.)⟩ ⟨hand., geldw.⟩ **0.1** *covering purchase* ⇒ *(short) covering.*
dekkingsfout ⟨de⟩ ⟨sport⟩ **0.1** *failure to cover/mark.*
dekkingspakket ⟨het⟩ **0.1** *financing measures* ⇒*covering package.*
dekkingspercentage ⟨het⟩⟨geldw.⟩ **0.1** *percentage of cover.*
dekkingsplan ⟨het⟩ **0.1** *financing scheme.*
dekkleed ⟨het⟩ **0.1** [dekzeil] *cover, canvas* ⇒*tarpaulin* **0.2** [kleed voor een dier] *cover* ⇒*horse-cloth* ⟨paard⟩.
dekkleur ⟨de⟩ **0.1** [⟨dierk.⟩] *camouflage/protective colour* **0.2** [⟨bk.⟩] *scumble.*
deklaag ⟨de⟩ **0.1** [verf] *finishing coat* ⇒*top coat, surface coat(ing)* **0.2** [gesteente] *overburden* **0.3** [⟨wwb.⟩] *covering layer* ⇒*top/upper layer* **0.4** [bovenste rij stenen] *coping* ⇒*top course.*
deklading ⟨de (v.)⟩ **0.1** *deck cargo/load.*
deklanding ⟨de (v.)⟩ **0.1** *deck landing.*
deklast ⟨de (m.)⟩ **0.1** *deck cargo/load.*
deklat ⟨de⟩ **0.1** [mbt. dakbeschot] *roof batten* **0.2** [bedekkende lat] *covering strip* **0.3** [⟨sport⟩ dwarslat] *crossbar.*
deklei ⟨de⟩ **0.1** *roofing-slate.*
deklijst ⟨de⟩ **0.1** *cornice.*
dekmantel ⟨de (m.)⟩ ⟨fig.⟩ **0.1** *cover* ⇒*cloak,* ⟨ihb. mbt. misdadige praktijken⟩ *blind, front* ◆ **6.1** onder de~ van ...*under cover/colour/the cloak of ...* **8.1** iem./iets als~ gebruiken *use sth./s.o. as a front/cover(-up)/stalking-horse.*
dekmat ⟨de⟩ **0.1** *cover mat.*
deknaam ⟨de (m.)⟩ **0.1** *pseudonym* ⇒*(pen) name.*
dekolonisatie ⟨de (v.)⟩ **0.1** *decolonization.*
dekoloniseren ⟨ov.ww.⟩ **0.1** *decolonize.*
dekpassagier ⟨de (m.)⟩ **0.1** *deck passenger.*
dekplaat ⟨de⟩ **0.1** [afdekking] *capping* ⇒*cover(ing) plate* **0.2** [vloertegel] *floor(ing) tile.*
dekplank ⟨de⟩ ⟨scheep.⟩ **0.1** *deck plank.*
dekrondte ⟨de (v.)⟩ **0.1** *camber.*
dekschaal ⟨de⟩ **0.1** *vegetable/covered dish* ⇒*tureen.*
dekschild ⟨het⟩⟨dierk.⟩ **0.1** *wing case* ⇒*elytron, wing cover/shield.*
dekschub ⟨de⟩ ⟨biol.⟩ **0.1** [mbt. een kelk] *(bud) scale* **0.2** [mbt. naaldbomen] ≠*scale* **0.3** [mbt. vlinders] ≠*scale.*
dekschuit ⟨de⟩⟨scheep.⟩ **0.1** *(flat/flat-bottomed) boat* ⇒⟨vnl. BE⟩ *keel.*
deksel ⟨het⟩ ⟨→sprw. 324,503⟩ **0.1** *lid* ⇒⟨fles/mand ook⟩ *top,* ⟨ter afdekking/bescherming⟩ *cover,* ⟨goed sluitend⟩ *cap* ◆ ¶**.1** het~ op zijn neus krijgen *be rebuffed, have/get the door slammed in one's face;* dat sluit als een~ op een pot *it all fits together (beautifully), it all fits in, that figures;* ⟨inf.;fig.⟩ op ieder potje past een~tje *every Jack will find his Jill.*
deksels¹ ⟨bn.,bw.⟩ ⟨inf.⟩ **0.1** *damned* ⇒*confounded,* ⟨euf. voor damned⟩ *d-d,* [B]*dashed,* [A]*darn(ed),* ⟨vero.;euf.⟩ *deuced* ◆ **1.1** wat een~e jongen *what a confounded boy* **2.1** dat is~ mooi *that is dashed beautiful.*
deksels² ⟨tw.⟩ ⟨inf.⟩ **0.1** *the deuce* ⇒*what the devil, confound it.*
dekservet ⟨het⟩ **0.1** *place mat.*
dekstation ⟨het⟩ **0.1** *breeding centre* ⇒≠ ↓ *stud farm.*
deksteen ⟨de (m.)⟩ **0.1** [steen] *covering stone/slab* **0.2** [steenlaag] *coping stone* ⇒*capstone, coping slab* ◆ ¶**.2** de dekstenen *the coping.*
dekstier ⟨de (m.)⟩ **0.1** *breeding/* ↓ *stud bull.*
dekstoel ⟨de (m.)⟩ **0.1** *deck chair* ⇒*canvas chair.*
dekstro ⟨het⟩ **0.1** *thatch(ing)* ⇒*thatching reed.*

dekstuk ⟨het⟩ **0.1** [⟨amb.⟩ beschoeiing] *weatherboard* **0.2** [zerksteen] *abacus* **0.3** [⟨scheep.⟩ waterbord] *weatherboard*.

dekstut ⟨de (m.)⟩ **0.1** *stanchion*.

dektegel ⟨de (m.)⟩ **0.1** *coping tile*.

dekveren ⟨zn.mv.⟩ ⟨dierk.⟩ **0.1** *(wing/tail) coverts* ⇒*tectrices*.

dekverf ⟨de⟩ **0.1** [waterverf] *opaque water colour* ⇒*body colour* **0.2** [verf waarmee wordt afgeschilderd] *scumble*.

dekvlies ⟨het⟩ ⟨biol.⟩ **0.1** *operculum*.

dekzand ⟨het⟩ **0.1** [wwb.] *(road) surface sand* **0.2** [⟨geol.⟩] *wind-borne sand deposit*.

dekzeil ⟨het⟩ **0.1** *tarpaulin* ⇒*canvas*.

dekzwabber ⟨de (m.)⟩ **0.1** [zwabber] *deck swab(ber)* **0.2** [matroos] *swabber*.

del ⟨de (v.)⟩ **0.1** [slons] *slut* ⇒*slattern* **0.2** [slet] *slut* ⇒*slattern*, ⟨inf.⟩ *tart*, ⟨inf.;bel.⟩ *hussy, huzzy*.

del. ⟨afk.⟩ **0.1** [deleatur] *del.* **0.2** [delineavit] *del.*.

delcredere ⟨het⟩ ⟨hand.⟩ **0.1** *del credere*.

deleatur ⟨het⟩ **0.1** *dele* ⇒*del*.

delegaat ⟨de (m.)⟩ **0.1** *delegate* ♦ **2.1** apostolisch ~ *apostolic d.*.

delegatie ⟨de (v.)⟩ **0.1** [overdracht] *delegation* **0.2** [opdracht om voor een ander op te treden] *delegation* ⇒*delegacy* **0.3** [opdracht van bevoegdheid] *delegation* ⇒*relegation* **0.4** [het afvaardigen] *delegation* **0.5** [afvaardiging] *delegation* ⇒*deputation, delegacy*.

delegatieleider ⟨de (m.)⟩ **0.1** *delegation leader*.

delegeren ⟨ov.ww.⟩ **0.1** [overdragen] *delegate* ⇒*depute* **0.2** [afvaardigen] *delegate* ♦ **1.2** gedelegeerd commissaris *d. member of the board of supervisory directors*.

delegering ⟨de (v.)⟩ **0.1** *delegation* ⇒*delegacy*.

delen
I ⟨onov., ov.ww.⟩ **0.1** [in delen splitsen] *divide* ⇒*split* **0.2** [verdelen] *divide* ⇒*split, share* **0.3** [mbt. rekenkunde] *divide* ⟨school., als oefening⟩ *do division* ♦ **1.2** met iem. het bed ~ *share the bed with s.o.;* het verschil ~ *split the difference;* de winst/een boedel ~ *d. the profit(s)/ an estate* **3.2** u moet kiezen of ~ *you may take it or leave it* **4.1** bacteriën vermenigvuldigen zich door zich te ~ *bacteria multiply by division/fission* **5.2** eerlijk ~ *share and share alike;* samen ~ *go halves/ fifty-fifty, take equal shares* **6.1** in tweeën/drieën/vieren ~ *d. in two, d. into three/four parts;* ⟨sport⟩ de punten ~ *met draw with* **6.2** woonruimte/een kamer ~ *met double (up) with;* de tweede plaats ~ *met* iem. *tie for second place with s.o.* **6.3** honderd ~ *door* tien *d. one hundred by ten;* 6 *in/op* de 24 ~ *d. six into twenty-four;*
II ⟨onov.ww.⟩ **0.1** [deelnemen] *share (in)* ⇒*participate (in)* ♦ **3.1** iem. in de winst laten ~ *let s.o. have a share in the profits,* ┗*cut s.o. in on the profits;* iem. in zijn vreugde laten ~ *s. one's joy with s.o./ let s.o.s. in one's joy* **6.1** in de winst ~ *s./participate in the profits;* ik deel in uw droefheid *I sympathize/ise with your grief;*
III ⟨ov.ww.⟩ **0.1** [meevoelen] *share* ♦ **1.1** iemands ideeën, gevoelens ~ *share s.o.'s ideas/feelings;* een mening/opvattingen ~ *subscribe to/ s. an opinion/views.*

deler ⟨de (m.)⟩ **0.1** [iem. die deelt] *divider* ⇒*sharer* **0.2** [⟨wisk.⟩] *divisor* ♦ **2.2** de (grootste) gemene ~ *the (greatest) common d./ measure;* ⟨fig.⟩ *the common denominator.*

deletie ⟨de (v.)⟩ **0.1** [weglating] *deletion* ⇒*erasure* **0.2** [vernietiging] *deletion* **0.3** [⟨med.⟩] *deletion* ⇒*deficiency* **0.4** [⟨taal.⟩] *deletion*.

delfhamer ⟨de (m.)⟩ ⟨mijnw.⟩ **0.1** *pneumatische drill*.

Delfisch ⟨bn.,bw.⟩ **0.1** *Delphian,Delphic*.

delfstof ⟨de⟩ **0.1** [mineraal, erts] *mineral* **0.2** [anorganische stof] *mineral*.

delfstoffenleer ⟨de⟩ **0.1** *mineralogy*.

delfstofenrijk ⟨het⟩ **0.1** *mineral kingdom*.

delfstofkunde ⟨de (v.)⟩ **0.1** *mineralogy*.

Delfts ⟨bn.⟩ **0.1** *delft* ♦ **1.¶** ~ blauw ⟨aardewerk⟩ *delft(ware);* ⟨kleur⟩ *d. blue.*

delgen ⟨ov.ww.⟩ **0.1** *liquidate* ⇒*pay off, settle, extinguish, discharge* ⟨schulden⟩, *redeem* ⟨lening, zonde⟩, ⟨zonde ook⟩ *wipe out,* ⟨lening ook⟩ *amortize* ♦ **1.1** schulden ~ *pay off/settle debts.*

delging ⟨de (v.)⟩ **0.1** *liquidation* ⇒*payment, settlement, discharge* ⟨schulden⟩, *redemption* ⟨lening, zonde⟩.

delgingsfonds ⟨het⟩ **0.1** *sinking fund*.

deliberatie ⟨de (v.)⟩ **0.1** *deliberation* ⇒*consultation*.

delibereren ⟨onov.ww.⟩ **0.1** *deliberate (over/(up)on)* ⇒*consult,* ⟨discussiëren⟩ *debate* ♦ **5.1** na lang ~ werden zij het eens *they agreed after much debate.*

delicaat
I ⟨bn.⟩ **0.1** [gevoelig] *delicate* ⇒*weak* **0.2** [netelig] *delicate* ⇒*ticklish, tickly, touchy* **0.3** [mbt. spijzen] *delicate* ⇒*delicious, dainty, nice, exquisite* ♦ **1.1** een ~ gestel hebben *have a d. constitution;*
II ⟨bw.⟩ **0.1** [kies] *delicately* ⇒*considerately.*

delicatesse ⟨de (v.)⟩ **0.1** [lekkernij] *delicacy* ⇒*dainty (bit),* ⟨mv.ook⟩ *table delicacies/dainties, delicatessen* **0.2** [kiesheid] *delicacy* ⇒*consideration.*

delicatessenwinkel ⟨de (m.)⟩ **0.1** *delicatessen* ⇒⟨AE/Austr.E inf.ook⟩ *deli.*

delicieus ⟨bn.,bw.;-ly⟩ **0.1** *delicious* ⇒*dainty, exquisite.*

delict ⟨het⟩ **0.1** *offence* ⇒*delict, delinquency,* ⟨misdrijf ook⟩ *criminal offence.*

deling ⟨de (v.)⟩ **0.1** [het scheiden in delen] *division* ⇒*fission* **0.2** [het verdelen] *partition* **0.3** [het delen (in)] *participation (in)* **0.4** [⟨wisk.⟩] *division* ♦ **1.2** akte van ~ houden *divide the goods.*

delinquent ⟨de (m.)⟩ **0.1** *delinquent* ⇒*offender.*

delirium ⟨het⟩ **0.1** *delirium* ♦ **3.1** een ~ hebben *see snakes, have snakes in one's boots* **¶.1** ~ tremens *d. tremens;* ⟨inf.⟩ *D.T., the D.T.'s.*

deloyaal ⟨bn.,bw.⟩ **0.1** *disloyal* ⇒*unfair* ⟨concurrentie⟩.

Delphi ⟨het⟩ **0.1** *Delphi* ♦ **1.1** het orakel van ~ *the Delphic oracle, the oracle of D..*

delta ⟨de⟩ **0.1** [Griekse letter] *delta* **0.2** [⟨aardr.⟩] *delta* **0.3** [rivierarmen] *delta* **0.4** [⟨verkeer⟩ vleugel] *delta wing* **0.5** [vliegtuig] *delta wing*.

deltadeeltje ⟨het⟩ ⟨nat.⟩ **0.1** *delta ray*.

deltagebied ⟨het⟩ **0.1** *delta (area)*.

deltahoogte ⟨de (m.)⟩ ⟨wwb.⟩ **0.1** *minimum safe height* ♦ **6.1** dijken op ~ brengen *raise dikes to the minimum safe height.*

deltaplan ⟨het⟩ **0.1** *Delta project/plan*.

deltaschool ⟨de⟩ **0.1** ⟨*school providing fully individualized education*⟩.

deltaspier ⟨de⟩ ⟨med.⟩ **0.1** *deltoid (muscle)*.

deltastralen ⟨zn.mv.⟩ ⟨nat.⟩ **0.1** *delta rays*.

deltavleugel ⟨de (m.)⟩ **0.1** *delta wing*.

deltavliegen ⟨ww.⟩ **0.1** *hang-gliding*.

deltavormig ⟨bn.⟩ **0.1** *deltaic* ⇒*deltic, delboid*.

Deltawerken ⟨zn.mv.⟩ **0.1** *Delta works*.

delven ⟨→sprw. 589⟩
I ⟨onov., ov.ww.⟩ **0.1** [graven] *dig* ♦ **1.1** ⟨fig.⟩ hij delft zijn eigen graf *he is digging his own grave, he is making a rod for his own back* **1.¶** het onderspit ~ *get/have the worst of it, be worsted, come off worst;*
II ⟨ov.ww.⟩ **0.1** [uitspitten] *dig* ⟨aardappelen⟩; *dig, extract, mine, work* ⟨steenkolen⟩; *quarry* ⟨leien⟩ ♦ **1.1** keien/goud/grondstoffen ~ *quarry stone(s), mine gold/raw materials;* konijnen ~ *dig out rabbits.*

demagnetiseren ⟨ov.ww.⟩ **0.1** *demagnetize*.

demagogie ⟨de (v.)⟩ **0.1** *demagogy* ⇒⟨pej.ook⟩ *demagoguery.*

demagogisch ⟨bn.⟩ **0.1** *demagogic(al)* ⇒*rabble-rousing.*

demagoog ⟨de (m.)⟩ **0.1** *demagogue* ⇒*tribune, rabble-rouser.*

demarcatie ⟨de (v.)⟩ **0.1** *demarcation* ⇒*delimitation.*

demarcatielijn ⟨de⟩ **0.1** *line of demarcation* ⇒*demarcation/dividing line.*

demarche ⟨de (v.)⟩ **0.1** *démarche* ♦ **3.1** ~s doen *make a d.;* ⟨inf.⟩ *take steps.*

demarqueren ⟨ov.ww.⟩ **0.1** *demarcate* ⇒*delimit(ate).*

demarrage ⟨de (v.)⟩ **0.1** [het demarreren] *breaking away* **0.2** [uitloopoging] *breakaway* ♦ **3.2** een ~ plaatsen *attempt to break away/a b., dash away/off.*

demarreren ⟨onov.ww.⟩ ⟨sp.⟩ **0.1** *break away* ⇒*dash away/off.*

demaskeren ⟨ov.ww.⟩ **0.1** *unmask, expose.*

demasqué ⟨het⟩ **0.1** [het afnemen van de maskers] *unmasking* **0.2** [⟨fig.⟩ ontmaskering] *unmasking, exposure.*

dematerialisatie ⟨de (v.)⟩ **0.1** [ontstoffelijking] *dematerialization* **0.2** [⟨nat.⟩] *dematerialization.*

dement ⟨bn.⟩ **0.1** *demented*.

dementeren
I ⟨onov.ww.⟩ **0.1** [verkindsen] *grow demented;*
II ⟨ov.ww.⟩ **0.1** [logenstraffen] *deny* ⇒*contradict* **0.2** [ontkennen] *deny* ⇒*disclaim.*

dementi ⟨het⟩ **0.1** [logenstraffing] *denial* ⇒*contradiction,* ⟨ihb. dipl.⟩ *démenti* **0.2** [ontkenning] *denial* ⇒*disclaimer* ♦ **3.1** iem. een ~ geven *give s.o. the lie.*

dementie, dementia ⟨de (v.)⟩ **0.1** *dementia* ⇒*dotage* ♦ **¶.1** dementia paralytica *dementia paralytica, general paresis;* dementia praecox *dementia (pr(a)ecox;* dementia senilis *senile dementia.*

demi ⟨de (m.)⟩ **0.1** *spring/autumn/light overcoat.*

demilitarisatie ⟨de (v.)⟩ **0.1** *demilitarization.*

demilitariseren ⟨ov.ww.⟩ **0.1** [ontdoen van het militaire] *demilitarize* **0.2** [troepen terugtrekken] *demilitarize* ♦ **1.2** gedemilitariseerde zone *demilitarized zone/area.*

demi-mondaine ⟨de (v.)⟩ **0.1** *demimondaine* ⇒*demimonde, demirep.*

demi-monde ⟨de (m.)⟩ **0.1** *demimonde* ⇒*demiworld.*

demi-reliëf ⟨het⟩ **0.1** *mezzo-relievo/rilievo.*

demi-sec ⟨bn.⟩ **0.1** *demi-sec* ⇒*semi-dry, semi-sweet.*

demissie ⟨de (v.)⟩ **0.1** *dismissal* ♦ **3.1** iem. ~ geven *dismiss s.o.;* zijn ~ krijgen *be dismissed;* zijn ~ nemen *resign, tender one's resignation.*

demissionair ⟨bn.⟩ **0.1** *outgoing* ♦ **1.1** het kabinet is ~ *the cabinet has resigned/rendered its resignation.*

demo ⟨de (m.)⟩ **0.1** *demo (tape).*

demobilisatie ⟨de (v.)⟩ **0.1** *demobilization* ⇒⟨BE;inf.⟩ *demob.*

demobiliseren ⟨ov.ww.⟩ **0.1** [de legersterkte terugbrengen] *demobilize* ⇒⟨BE;inf.⟩ *demob* **0.2** [uit de krijgsdienst ontslaan] *demobilize* ⇒⟨BE;inf.⟩ *demob* **0.3** [⟨jur.⟩] *demobilize.*

democraat ⟨de (m.)⟩, **-crate** ⟨de (v.)⟩ **0.1** [aanhanger v.d. democratie] *democrat* **0.2** [lid v.e. democratische partij] *Democrat.*

democratie ⟨de (v.)⟩ **0.1** [staatsvorm] *democracy* ⇒*self-government* **0.2** [staat] *democracy*.

democratisch ⟨bn., bw.; -ally⟩ **0.1** [als (van) een democratie, democraat] *democratic* **0.2** [de volksregering voorstaand] *democratic* ◆ **1.2** de ~e partij *the d. party*.

democratiseren ⟨onov., ov.ww.⟩ **0.1** *democratize*.

democratisering ⟨de (v.)⟩ **0.1** *democratization*.

demograaf ⟨de (m.)⟩ **0.1** *demographer*.

demografie ⟨de (v.)⟩ **0.1** *demography*.

demografisch ⟨bn., bw.; -ally⟩ **0.1** *demographic*.

demologie ⟨de (v.)⟩ **0.1** *population studies* ⇒*demography*.

demon ⟨de (m.)⟩ **0.1** [duivel] *demon* ⇒*devil, fiend, evil spirit* **0.2** [slechtaard] *demon* ⇒*devil, fiend, ghoul, monster* ◆ **6.1** door een ~ bezeten zijn *be possessed by a demon/the/a devil/an evil spirit*.

demonenleer ⟨de⟩ **0.1** *demonology, demonism*.

demonie ⟨de (v.)⟩ **0.1** *possession (by devils/evil spirits)*.

demonisch ⟨bn., bw.; -ally⟩ **0.1** [(als) van een demon] *demoni(a)c* ⇒*satanic, devilish, fiendish, diabolic(al), ghoulish* **0.2** [⟨fig.⟩ duivelachtig] *demoni(a)c* ⇒*satanic, devilish, fiendish, diabolic(al), ghoulish*.

demonstrant ⟨de (m.)⟩, **-e** ⟨de (v.)⟩ **0.1** *demonstrator* ⇒*protester, marcher*.

demonstrateur ⟨de (m.)⟩, **-trice** ⟨de (v.)⟩ **0.1** *demonstrator*.

demonstratie ⟨de (v.)⟩ **0.1** [het aantonen van iets] *demonstration* ⇒*showing* **0.2** [⟨pregn.⟩ bewijs van kunnen] *demonstration* ⇒*display, show, exhibition* **0.3** [het vertonen] *demonstration* ⇒*display, show-(ing), exhibition, presentation* **0.4** [betoging] *demonstration* ⇒*(protest) march, manifestation*, ⟨inf.⟩ *demo* **0.5** [⟨wisk.⟩] *demonstration* ⇒*logical proof* ◆ **1.3** ~ v.e. nieuw vliegtuigtype *demonstration/presentation of a new type of airplane* **3.2** een ~ van zijn kunnen geven/weggeven *give a demonstration/show/display of one's power/ability* **6.4** een ~ tegen kernwapens *a demonstration against nuclear arms, a ban-the-bomb march/demonstration*.

demonstratief¹ [het] **0.1** *demonstrative (pronoun)*.

demonstratief² ⟨bn., bw.; -ly⟩ **0.1** [⟨taal.⟩] *demonstrative* **0.2** [erop gericht de aandacht te trekken] *ostentatious* ⇒*demonstrative, obvious, showy* ◆ **1.2** een ~ machtsvertoon *an ostentatious display of power;* zij liet op ~e wijze haar ongenoegen blijken *she made no attempt to hide her anger/displeasure* **3.2** ~ weglopen uit de vergadering *walk out of/leave the meeting as a sign of protest*.

demonstratiemodel ⟨het⟩ **0.1** *demonstration model*.

demonstratievlucht ⟨de⟩ **0.1** *demonstration flight*.

demonstreerbaar ⟨bn.⟩ **0.1** *demonstrable* ⇒*arguable*.

demonstreren

I ⟨ov.ww.⟩ **0.1** [aantonen] *demonstrate* ⇒*show* **0.2** [iets in zijn werking vertonen] *demonstrate* ⇒*display, show, exhibit* ◆ **1.1** de uitzetting door warmte ~ *show/d. expansion as a result of heat* **1.2** een stofzuiger ~ *demonstrate a vacuum cleaner;*

II ⟨onov.ww.⟩ **0.1** [een betoging houden] *demonstrate* ⇒*march, protest, hold a demo(nstration)/(protest) march* ◆ **5.1** er werd massaal gedemonstreerd *there were mass(ive) demonstrations, massive demonstrations were held* **6.1** ~ tegen/voor iets *d./march against/in favour/support of sth..*

demontabel →**demonteerbaar**.

demontage ⟨de (v.)⟩ **0.1** [handeling] *dismantling, disassembling* ⇒*taking apart/to pieces/down*, ⟨motor ook⟩ *stripping (down)*, ⟨van onderdeel⟩ *removal, detaching, taking off*, ⟨bom⟩ *defusing, deactivating* **0.2** [keer] *dismantlement, disassembly* ⇒ ⟨motor ook⟩ *stripping (down)*, ⟨onderdeel⟩ *removal, take-down*, ⟨bom⟩ *defusing, deactivation*.

demonteerbaar ⟨bn.⟩ **0.1** *sectional* ⇒*removable, detachable* ⟨onderdeel⟩, *clastic* ⟨anatomisch model⟩ ◆ **5.1** gemakkelijk ~ *easily dismantled/disassembled;* ⟨meubels ook⟩ *knockdown*.

demonteren ⟨ov.ww.⟩ **0.1** [uit elkaar nemen]⟨geheel⟩ *disassemble, dismantle, take apart/to pieces/down* ⇒*strip (down)* ⟨motor⟩, *take off, remove, detach* ⟨onderdeel⟩, ⟨vnl. passief⟩ *knock down* **0.2** [onbruikbaar maken] *deactivate* ⇒*defuse* ⟨bom⟩, *disarm* ◆ **1.1** een machine/motor ~ *strip (down)/disassemble/dismantle a machine/engine;* wapens ~ *dismount weapons* **1.2** zeemijnen ~ *deactivate/defuse mines*.

demontering →**demontage**.

demoralisatie ⟨de (v.)⟩ **0.1** [het tenietgaan van moreel besef] *demoralization* ⇒*corruption, debauching, depraving* **0.2** [ontmoediging] *demoralization* ⇒*discouragement, disheartenment*.

demoraliseren ⟨onov., ov.ww.⟩ **0.1** [zedeloos maken] *demoralize* ⇒*corrupt, debauch* **0.2** [ontmoedigen] *demoralize* ⇒*discourage, dispirit, dishearten, get/drag down* ◆ **1.1** een ~de invloed *a demoralizing/corrupting influence* **1.2** gedemoraliseerde troepen *demoralized/dispirited troops*.

demotisch ⟨bn.⟩ **0.1** [mbt. Egyptisch schrift] *demotic* ⇒*enchorial, enchoric* **0.2** [vereenvoudigd] *demotic* ⇒*popular, common* ◆ **1.1** ~ schrift *demotic (script)*.

demotiveren ⟨onov., ov.ww.⟩ **0.1** *remove/reduce (s.o.'s) motivation/impetus* ⇒ ⟨ov.ww.⟩ *discourage, dishearten*.

dempen ⟨ov.ww.⟩ **0.1** [dichtgooien] *fill (up/in)* ⇒*close/stop (up)* **0.2** [temperen] *subdue, tone down* ⟨kleuren⟩; *muffle, deaden*

⟨geluid⟩; *dim, shade* ⟨licht⟩; *cushion, buff* ⟨schok⟩ **0.3** [bedwingen] *quell, suppress* ⇒*subdue, stamp out* **0.4** [⟨nat.⟩] *damp* ⇒*attenuate* ⟨elektrische trillingen⟩ **0.5** [⟨muz.⟩] *mute* ⇒*damp* ⟨pianosnaar⟩, *soft-pedal* ⟨piano⟩ ◆ **1.1** een sloot/gracht ~ *fill in a ditch/canal* **1.2** een geluid ~ *muffle/subdue/deaden a sound;* kleuren ~ *tone down/soften colours;* gedempt licht *subdued/dimmed/soft light;* met gedempte stem *in a low voice, in an undertone, sotto voce* **1.3** een oproer ~ *q./crush/stamp out a rebellion*.

demper ⟨de (m.)⟩ **0.1** [mbt. kachels, ketels] *damper* **0.2** [⟨muz.⟩ mbt. toetsinstrumenten] *damper* **0.3** [⟨muz.⟩ sordino] *mute* ⇒*sordino* **0.4** [knaldemper] *silencer*, ^*muffler* **0.5** [⟨tech.⟩] *damper*.

demping ⟨de (v.)⟩ **0.1** [het dichtgooien] *filling (in)* **0.2** [mbt. geluiden] *muffling, deadening* **0.3** [mbt. schokken] *cushioning* ⇒*buffing* **0.4** [⟨tech.⟩] *damping* ⇒*attenuation* **0.5** [⟨muz.⟩] *muting*.

dempinrichting ⟨de (v.)⟩ ⟨tech.⟩ **0.1** *damping device* ⇒*damper*, ⟨schokdemper ook⟩ *shock absorber*.

demystificeren ⟨ov.ww.⟩ **0.1** *demystify*.

den ⟨de (m.)⟩ **0.1** *pine(-tree)* ⇒ ⟨mbt. hout vnl.⟩ *fir* ◆ **2.1** de grove ~ *the Scots pine/fir* **8.1** zo slank als een ~ *as slim as a reed*.

denappel ⟨de (m.)⟩ **0.1** *pine-cone* ⇒ ⟨van grove den⟩ *fir-cone* ⟨van spar⟩.

denasalisatie ⟨de (v.)⟩ ⟨taal.⟩ **0.1** *denasalization*.

denationalisatie ⟨de (v.)⟩ **0.1** [ontneming van de nationaliteit] *denationalization* **0.2** [het weer tot particulier eigendom maken] *denationalization* ⇒*privatization*.

denaturaliseren ⟨ov.ww.⟩ **0.1** *denaturalize*.

denatureren ⟨ov.ww.⟩ **0.1** [onbruikbaar maken voor consumptie] *denature* **0.2** [mbt. eiwitten] *denature* ◆ **1.1** gedenatureerde alcohol *denatured alcohol, methylated spirit(s);* ⟨inf.⟩ *meths*.

denderen ⟨onov.ww.⟩ **0.1** *rumble, thunder* ⇒ ⟨snel⟩ *hurtle, roar*, ⟨trillen⟩ *rattle, judder* ◆ **5.1** de trein denderde voorbij *the train thundered/hurtled/roared past*.

denderend ⟨bn., bw.; -ly⟩ **0.1** *roaring* ⇒*raging, raving, riotous, thunderous, tremendous, overwhelming* ⟨resultaat⟩ ◆ **1.1** een ~ applaus *thunderous applause, a roar of applause;* met ~ succes *with tremendous/overwhelming success* **5.1** ik vind dat boek niet ~ *I don't think that book is so marvellous, I'm not exactly wild about that book*.

dendriet ⟨de (m.)⟩ **0.1** [⟨geol.⟩] *dendrite* **0.2** [⟨biol.⟩] *dendrite*.

dendrochronologie ⟨de (v.)⟩ **0.1** *dendrochronology*.

dendrologie ⟨de (v.)⟩ **0.1** *dendrology*.

Denemarken ⟨het⟩ **0.1** *Denmark*.

denier ⟨de (m.)⟩ **0.1** *denier* ◆ **7.1** panties van twintig ~ *twenty-d. tights/* ^*panty hose*.

denigreren ⟨ov.ww.⟩ **0.1** *belittle, denigrate* ⇒*disparage, depreciate, degrade*, ↓*run down*.

denigrerend ⟨bn., bw.; -ly⟩ **0.1** *denigratory* ⇒*belittling, disparaging, depreciatory, degrading* ◆ **1.1** een ~de houding (aannemen) *(take/adopt) a denigratory stance/attitude* **3.1** ~ over iem./iets spreken *speak disparagingly/belittlingly about s.o./sth.*, ↓*run s.o./sth. down*.

denim ⟨het⟩ **0.1** *denim*.

denivelleren ⟨ov.ww.⟩ **0.1** *reverse the equalization of incomes*.

denkbaar ⟨bn.⟩ **0.1** *conceivable* ⇒*imaginable, supposable, thinkable, possible* ◆ **1.1** met alle denkbare invloeden rekening houden *take into account all possible/c. influences* **3.1** het is (zeer wel) ~ dat *it is (quite) c./(perfectly) possible that* **5.1** het is niet ~ dat *it is inconceivable/unthinkable/unlikely that*.

denkbeeld ⟨het⟩ **0.1** [idee] *concept(ion)* ⇒*idea, thought, notion*, ⟨ingewikkeld⟩ *construct* **0.2** [begrip] *notion* ⇒*concept, image* **0.3** [mening] *opinion* ⇒*idea, view* **0.4** [⟨mv.⟩ denkwijze] *opinions* ⇒*ideas, views* **0.5** [plan] *idea, plan* ⇒*prospect, concept(ion)* ◆ **2.1** een eigentijds ~ ligt aan zijn werk ten grondslag *his work is based on a modern idea/concept/notion* **2.2** een verkeerd ~ hebben van *have a false/faulty, an erroneous n./conception/idea of* **2.4** hij houdt er verouderde ~en op na *he has some antiquated ideas/o.* **3.1** zich een ~ vormen van *get/gain/form some/an idea/build up some/a mental image of* **6.3** zijn ~ omtrent de politieke situatie *his o. on/view of the political situation* **6.5** op het ~ komen om ...*hit on/conceive the plan/i. of ...;* iem. op het ~ brengen *give s.o. an/the i., put an/the i. into s.o.'s head*.

denkbeeldig ⟨bn.⟩ **0.1** [slechts in het begrip bestaand] *notional* ⇒*theoretical, hypothetical, abstract*, ⟨wisk.⟩ *imaginary* **0.2** [niet werkelijk] *imaginary* ⇒*illusory, unreal*, ⟨bedacht⟩ *fictitious, fanciful, fantastic(al)* ◆ **1.1** een ~ geval *a hypothetical case;* ~e grootheden in de wiskunde *imaginary quantities in mathematics* **1.2** een ~ gevaar *an imaginary/imagined danger;* ~e pijn *phantom pain;* een ~ succes *an illusory/unreal success;* ⟨geldw.⟩ ~e winst *fictitious/paper profit(s)* **5.2** het gevaar is niet ~ dat ...*there's a (very) real danger that ....*

denkelijk ⟨bn., bw.⟩ **0.1** [waarschijnlijk] ⟨bn.⟩ *likely, probable;* ⟨bw.⟩ *probably* **0.2** [vermoedelijk] ⟨bn.⟩ *probable* ⇒*likely*, ⟨bw.⟩ *probably* **3.2** ik kom ~ met de laatste trein *I'll probably come by the last train*.

denken

I ⟨onov.ww.⟩ **0.1** [het verstand gebruiken] *think* ⇒*consider, cogitate, reflect, ponder, meditate, reason*, ⟨inf.;vnl. AE⟩ *figure* **0.2** [van plan zijn] *think of/about* ⇒*intend (to), plan (to), propose (to)* ◆ **3.1** dat

deed me aan mijn jeugd ~ *that brought back / took me back to my youth;* het doet ~ aan *it reminds one of ...;* dit doet sterk aan omkope-rij ~ *this savours strongly of bribery;* zo kun je er ook over ~ *I sup-pose you can see it / could look at it that way;* dat kun je verschillend over ~ *there's more than one way of looking at / you can take different views on that;* ik zat net te ~ *I was just thinking;* zijn telefoontje zette mij aan het ~ *his phone call set me thinking;* waar zit je aan te ~? *what's on your mind?* **5.1** er anders over gaan ~ *change one's mind (about it);* daar valt niet aan te ~ *there can be no question of that;* denk er nog eens over *give it some more thought, t. about it (for a while), think it over;* ik denk er niet aan *I wouldn't t. / dream of it, it's out of the question!, no way!;* ik moet er niet aan ~ *I can't bear to t. about it, that doesn't bear thinking about, God forbid!;* denk er (maar eens) om! *just you watch it, don't you forget it!;* ik denk er net zo over *I (completely) agree, I feel just the same (about it);* ik zal eraan ~ *I'll bear it in mind;* nu ik eraan denk *(now I) come to t. of it;* men moet eraan ~ dat *it should be borne in mind that;* denk erom dat het niet weer gebeurt *look to it / mind / make sure that it doesn't occur again;* even ~, hoor *let's / let me see / t.,* gunstig ~ over ... *t. well of, have a fa-vourable opinion of;* hardop ~ *t. aloud, soliloquize;* logisch / helder ~ *t. logically / clearly / straight;* min ~ over *take a poor / dim view of* **5.2** ik denk erover met roken te stoppen *I'm thinking of / considering giving up smoking;* wat denk je ervan? hoe denk je erover? *well, what (are you going to do) about it? / what do you think?* **6.1** aan iets / iem. ~ *t. / be thinking of sth. / s.o., remember sth. / s.o.;* ik probeer er niet aan te ~ *I try to put it out of my mind;* zij denkt nooit aan zulke dingen *she never gives a thought to such matters;* niet aan de dag van morgen ~ *take no thought for the morrow;* hij denkt er zelden / nooit aan *he rarely / never gives it a thought;* laten we er niet meer aan ~ *let's forget about it;* ik moest er steeds maar aan ~ *I couldn't get it out of my head;* zij dacht **aan** geen kwaad *she thought of no harm;* zonder te ~ **aan** het gevaar *without realizing / unmindful of the danger;* daar dacht ik ook net **aan** *it just occurred to me too;* daar heb ik geen moment **aan** gedacht ⟨vergeten⟩ *I forgot all about it;* jij kan alleen maar **aan** geld ~ *all you can t. of is money;* zij denkt er niet **aan** een huis te kopen *she wouldn't t. / dream of buying a house;* daar ~ wij in de ver-ste verte niet aan *nothing could be further from our thoughts;* ik denk hierbij speciaal **aan** *I have in mind particularly ...;* hij dacht nooit **aan** zichzelf *he never thought of himself / considered his own interests;* iem. **aan** het ~ zetten *set s.o. thinking, give s.o. food for thought;* ik dacht **bij** mezelf *I thought / said to myself;* ~ **in** geld *t. in terms of money;* denk **om** je hoofd *mind your head;* hoe denkt u **over** dit voorstel? *what do you t. of this suggestion / proposition?;* als je er goed **over** denkt, dan ... *when one comes to think of it, (then) ...;* wij hebben er lang **over** gedacht *we have been giving a lot of thought;* er verschillend / anders **over** ~ *take a different view (of the matter), beg to differ, t. otherwise;* zij denkt er nu anders **over** *she feels differently (now);* stof **tot** ~ geven *give (s.o.) food for thought;* dat had ik niet **van** hem ge-dacht *I should never have thought / believed it of him* **6.2** ik denk er ernstig **over** om ... *I have a good mind to ..., I'm seriously thinking of / about ...;* ik denk er half en half **over** om ... *I've half a mind to ..., I'm half thinking of ...* **7.¶** geen ~ aan! *definitely not!, never!, it's out of the question!, certainly not!,* ↓ *not a hope / chance!;* (sl.) *not on your Nelly / life!* **¶.1** dat geeft te ~ *that makes one / you t., that's food for thought;* **II** ⟨ov.ww.⟩ **0.1** [menen] **think** ⇒*be of the opinion, consider,* (vnl. AE; inf.) *figure* **0.2** [vermoeden] **think** ⇒*suppose, expect, imagine, hope* **0.3** [in aanmerking nemen] **think** ⇒*understand, imagine, appre-ciate, consider* **0.4** [van plan zijn] **think of / about** ⇒*intend, be going (to), plan, propose* ♦ **1.3** ik had Peter gedacht voor de hoofdrol *I was thinking of Peter / had Peter in mind for the principal part* **3.1** dat kun je (net) ~ *not (bloody) likely, I don't t. so;* ik weet niet wat ik ervan moet ~ *I don't know what to make of it / to t.;* zou je (dat) ~? *(do) you (really) t. so?* **3.2** wat denk je daarmee te bereiken? *what do you hope to achieve by that?;* (het is niet zo ernstig als zijn woorden) zouden doen ~ *(it is not so serious as his words) ... might suggest;* wie had dat kunnen ~ *who would have thought it?;* wat hij mag hij ~ wat hij wil *he can t. what(ever) he likes (as far as I'm concerned), I don't mind what he thinks;* u moet niet ~ (dat) ... *you musn't suppose / think / don't imagine (that) ...;* hij denkt te slagen *he expects to / thinks he'll pass;* wat zullen de mensen niet (gaan) ~? *what will people t. / say?* **3.3** de beste arts die men zich maar kan ~ *the best (possible) doctor;* een groter huis kunt u zich nauwelijks ~ *you could scarcely imagine a bigger house;* je moet maar ~ dat het slechts voor heel kort is *try to remember it is only for a short period* **3.4** ik denk dit jaar examen te doen *I intend to take my exam this year;* wat denk je nu te doen? *what do you intend to do now?* **4.3** dat laat zich ~ *you / I can imagine* **5.1** wat denk je ervan? *what do you t. (about / of it)?;* het zijne ervan ~ *have one's own idea(s) / thoughts / doubts about it* **5.2** dat dacht ik al *I thought as much / so;* denk dat maar niet *dont' you believe it;* ik heb het altijd wel gedacht *I always knew it / thought so* **5.3** denk eens (aan) *imagine!, just you t. it!, fancy that!* ¶ kan je je iem. nog zo ijsje? *what about / would you say to an ice(cream)?* **6.2** hoe denkt hij **over** zijn baas? *what does he t. / what's his opinion of his boss?* **8.2** ik denk dat het goed weer blijft *I expect / t. / imagine the weather will hold;* ik denk zo dat hij wel gelijk heeft *I suppose he's right;* ik dacht dat je het wist *I thought you knew;* ik had gedacht, dat hij verstandiger zou zijn *I would have thought he had more sense;* ik zou ~, dat *I'm inclined to t. that* **¶.1** dat dacht je maar, dat had je maar gedacht *that's what you t.!, that shows how much you know!* ⟨klemtoon op 'you'⟩; ik dacht van wel / van niet *I (should) t. / thought so / not;* wie denk je wel dat je bent? *(just) who do you t. you are?;* wat denk je (eigenlijk) wel! *what are you thinking of!, who do you t. you are?;* weet je de weg? dat zou ik ~ *you know the way? I'll say / I should think so* **¶.2** dacht ik het niet! *just as I thought!, I knew it!, didn't I know it!;* hij is slimmer dan je zo zou ~ *he has more sense than one would give him credit for;* (jij went er snel genoeg aan) zou ik ~ *(...), I should imagine / think / sup-pose;* ..., denk ik ..., *I think / suppose;* om zoiets ook maar te ~ *the very thought of it!, fancy thinking that!* **¶.3** ik dacht bij mezelf dat ... *I thougt / said to myself that ...;*
III ⟨wk.ww.; zich ~, met een bep. van gesteldheid⟩ **0.1** [peinzen] **think (o.s.), imagine** ♦ **2.1** zich suf ~ *rack one's brains, t. o.s. silly* **6.1** denkt u zich eens in mijn positie *try to i. my position, put yourself in my place / position.*

denkend ⟨bn.⟩ **0.1** *thinking, rational, intelligent* ⇒*conscious, reasoning* ♦ **1.1** het ~e deel v.d. natie *the t. public, the intelligentsia;* ~e wezens *i. / rational beings / creatures* **5.1** helder ~ *clear-headed / -thinking;* hij is een logisch ~ iem. *he has a logical mind.*
denker ⟨de (m.)⟩ **0.1** *thinker* ⇒*philosopher, mind, brain(s)* ♦ **2.1** de grote ~s *the great thinkers / philosophers / minds.*
denkertje ⟨het⟩ **0.1** *food for thought;* ⟨doordenkertje⟩ *deep one.*
denkfout ⟨de⟩ **0.1** *logical error* ⇒*fallacy, mistake in thought, error of / in reasoning, wrong inference.*
denkkracht ⟨de⟩ **0.1** *mental power / capacity* ⇒*brainpower, power of thought, intelligence.*
denkpatroon ⟨het⟩ **0.1** *pattern / habit of thought* ⇒*way of thinking, frame of mind.*
denkproces ⟨het⟩ **0.1** *mental / thought process.*
denkpsychologie ⟨de (v.)⟩ **0.1** *psychology of thought.*
denkraam ⟨het⟩ **0.1** [denkvermogen] *mental power / capacity* ⇒*brain-power* **0.2** [denkwijze, denkpatroon] *pattern / habit of thought* ⇒*way of thinking, frame of mind* ♦ **2.1** een klein ~ hebben *have little reasoningpower / brainpower, have a limited mind / understanding / in-telligence.*
denkrichting ⟨de (v.)⟩ **0.1** *direction / school of thought* ⇒*line of reason-ing / thought, mindset* ♦ **1.1** de ~ van Freud *Freud's thinking.*
denkrimpel ⟨de (m.)⟩ ♦ **3.¶** ~s trekken *furrow / knit one's brow in con-centration, be deep in thought.*
denksport ⟨de⟩ **0.1** [het zich bezighouden met raadsels / puzzels] *puzzle / problem-solving* ⇒*mental exercise* **0.2** [tak daarvan] *mental / mind game* ♦ **¶.1** zij is een echte denksport-liefhebber *she loves puzzles and brain-teasers.*
denktrant ⟨de (m.)⟩ **0.1** *(line / way of) thinking* ♦ **4.1** geboeid worden door iemands ~ *be fascinated by s.o.'s (way of) thinking* **6.1** als je in die ~ doorredeneert ... *if you carry on reasoning along those lines, ...*
denkvermogen ⟨het⟩ **0.1** *intellect* ⇒*mental / intellectual capacity, reason-ing power, brainpower, (faculty of) thought,* ⟨verstand⟩ *sense* ♦ **2.1** het logisch ~ *teh capacity for logical thought.*
denkvorm ⟨de (v.)⟩ **0.1** *way of thinking* ⇒*mode / habit of thought, frame of reference.*
denkwereld ⟨de⟩ **0.1** *(way of) thinking* ⇒*mental world, mentality* ♦ **6.1** zich in zijn ~ verplaatsen *enter into his way of t., get on (to) his wave-length / line of thought.*
denkwerk ⟨het⟩ **0.1** *brainwork* ⇒*thinking* ♦ **3.1** voor de ontdekking heeft hij veel ~ moeten verrichten *he had to do a great deal of b. to make that discovery, a lot of thinking / b. went into that discovery.*
denkwijs, -wijze ⟨de⟩ **0.1** [manier van denken] *way of thinking, mode of thought* **0.2** [opvatting] *(way of) thinking, mentality* ⇒*mind, school of thought, view(s).*
denkwolkje ⟨het⟩ **0.1** *thought-balloon.*
denneappel →denappel.
denneboom →den.
dennegeur ⟨de (m.)⟩ **0.1** *pine smell / odour* ⇒*smell of pine.*
dennegroen ⟨het⟩ **0.1** *pine branches / foliage.*
dennehars ⟨het, de (m.)⟩ **0.1** *pine-resin.*
dennehout ⟨het⟩ **0.1** *fir(wood)* ⇒*pine(wood).*
dennen ⟨bn.⟩ **0.1** *pine(wood).*
dennenaald ⟨de⟩ **0.1** *pine-needle.*
dennenbos ⟨het⟩ **0.1** *pine forest / wood* ⇒*pinetum, pinery.*
dennerups ⟨de⟩ **0.1** *(caterpillar of the) nun moth* ♦ **2.1** gestreepte ~ *pine beauty caterpillar.*
dennescheerder ⟨de (m.)⟩ **0.1** *pith borer.*
denneschot ⟨het⟩ **0.1** *leaf / needle cast.*
dennetak ⟨de (m.)⟩ **0.1** *pine branch.*
denneuil ⟨de⟩ **0.1** *pine beauty.*
denominaal ⟨bn.⟩ ⟨taal.⟩ **0.1** *denominative* ⇒*denominal.*
denominatie ⟨de (v.)⟩ **0.1** [naamgeving] *denomination* ⇒*designation, appellation* **0.2** [sekte] *denomination* ⇒*persuasion, religion.*

denominatief[1] ⟨het⟩⟨taal.⟩ **0.1** *denominative*.
denominatief[2] ⟨bn.⟩⟨taal.⟩ **0.1** *denominative*.
denonceren ⟨ov.ww.⟩ **0.1** *denounce* ⇒*inform against*.
denotatie ⟨de (v.)⟩ **0.1** [aanduiding] *denotation* **0.2** [⟨taal.⟩] *denotation*.
densimeter ⟨de (m.)⟩⟨nat.⟩ **0.1** *densimeter*.
densiteit ⟨de (v.)⟩ **0.1** [⟨nat.⟩ dichtheid] *density* **0.2** [⟨foto.⟩ zwarting] *density*.
dentaal[1] ⟨de⟩⟨taal.⟩ **0.1** *dental*.
dentaal[2] ⟨bn.⟩ **0.1** [mbt. spraakklanken] *dental* **0.2** [mbt. de tand] *dental*.
dentist ⟨de (m.)⟩ **0.1** ≠*dentist*.
denuclearisatie ⟨de (v.)⟩ **0.1** *denuclearization*.
denudatie ⟨de (v.)⟩ **0.1** [ontbloting] *denudation, denuding* ⇒*exposure, stripping, baring, divestiture* **0.2** [⟨geol.⟩] *denudation*.
denuderen ⟨ov.ww.⟩ **0.1** *denude* ⟨ook geol.⟩ ⇒*expose, strip*.
deodorant ⟨de (m.)⟩ **0.1** *deodorant*.
deodorantroller ⟨de (m.)⟩ **0.1** *roll-on (deodorant)*.
deodorantspray ⟨de (m.)⟩ **0.1** *spray deodorant, deodorant spray*.
deodorantstick ⟨de (m.)⟩ **0.1** *deodorant (stick)*.
deodoriseren ⟨ov.ww.⟩ **0.1** *deodorize*.
deontologie ⟨de (v.)⟩ **0.1** *deontology*.
deontologisch ⟨bn.⟩ **0.1** *deontological*.
deontoloog ⟨de (m.)⟩, **-loge** ⟨de (v.)⟩ **0.1** *deontologist*.
departement ⟨het⟩ **0.1** [ministerie] *department, ministry* ⇒*office* **0.2** [gebouw van ministerie] *department, ministry* ⇒*office* **0.3** [provincie in Frankrijk] *department* **0.4** [afdeling v.e. vereniging] *department* ⇒*section, division* **0.5** [⟨fig.⟩ gebied] *department, province* ◆ **1.1** het ~ van Defensie *The Ministry of Defence* **1.4** hoofd v.e. ~ *head of a department* **4.5** dit behoort niet tot mijn ~ *that's not my d. / p.* **6.1** ik informeerde **op** het ~ naar *at the m. I enquired after.*
departementaal ⟨bn.⟩ **0.1** [mbt. een ministerie] *departmental* **0.2** [mbt. ambtenarenapparaat] *departmental* **0.3** [mbt. een Franse 'provincie'] *departmental*.
departementalisme ⟨het⟩ **0.1** *(governmental) departmentalism*.
depêche ⟨de⟩ **0.1** [mededeling] *dispatch* ⇒*memo(randum), message* **0.2** [telegram] *telegram*.
dependance ⟨de⟩ **0.1** *annex(e)* ◆ **1.1** een ~ v.h. hotel *an a. to the hotel* **3.1** de universiteit heeft twee ~s *the university has two auxiliary branches.*
dependentie ⟨de (v.)⟩ **0.1** *dependence, dependency* ◆ **1.1** huis met ap- en dependenties *house and outbuildings.*
depersonalisatie ⟨de (v.)⟩ **0.1** *depersonalization.*
deplorabel ⟨bn.⟩ **0.1** *deplorable* ⇒*lamentable, woeful, abominable.*
depolarisator ⟨de (m.)⟩⟨nat.⟩ **0.1** *depolarizer.*
depolariseren ⟨ov.ww.⟩⟨nat.⟩ **0.1** *depolarization.*
depolitiseren ⟨ov.ww.⟩ **0.1** *depoliticize.*
depolitisering ⟨de (v.)⟩ **0.1** *depoliticization* ⇒*depoliticizing.*
deponens ⟨het⟩⟨taal.⟩ **0.1** *deponent (verb).*
deponent ⟨de (m.)⟩ **0.1** [mbt. een promotie] *Ph.D. candidate* **0.2** [iem. die een verklaring aflegt] *deponent* **0.3** [iem. die iets in bewaring geeft] *depositor.*
deponeren ⟨ov.ww.⟩ **0.1** [ergens neerleggen] *deposit* ⇒*place, put (down)* **0.2** [overleggen] *file, lodge* ⟨document⟩ **0.3** [in bewaring geven] *deposit* ⇒*lodge, bank* **0.4** [ter inschrijving aanbieden] *register* **0.5** [als getuige verklaren] *depose* ⇒*testify* ◆ **1.1** hij deponeerde de notitie op het bureau *he placed / left the memo on the desk* **1.2** stukken ~ bij de rechtbank / griffier *f. documents with the court / with the court registry*; een voorstel ter griffie ~ ⟨fig.⟩ *shelve a proposal* **1.3** aandelen bij de bank ~ *d. shares with / in the bank*; geld in een kluis ~ *place / d. money in a safe* **1.4** een akte ~ *put a deed on file, file a deed*; een merk / een model ~ *r. a trademark / model* **5.4** wettig gedeponeerd handelsmerk *registered trademark.*
deponie ⟨de (v.)⟩ **0.1** *dump.*
deportatie ⟨de (v.)⟩ **0.1** [handeling] [verbanning] *deportation;* ⟨naar strafkolonie⟩ *transportation* **0.2** [straf] *deportation, transportation* ◆ **1.1** de ~ van miljoenen joden naar concentratiekampen *the d. of millions of Jews to concentration camps.*
deportatieoord ⟨het⟩ ⟨strafkolonie⟩ *penal colony;* ⟨verbanningsoord⟩ *place of exile.*
deporteren ⟨ov.ww.⟩ **0.1** [verbannen] *deport;* ⟨naar strafkolonie⟩ *transport* ◆ **7.1** een gedeporteerde *a deportee / transportee.*
deporthandel ⟨de (m.)⟩⟨hand.⟩ **0.1** *backwardation business.*
deposant ⟨de (m.)⟩ **0.1** [iem. die deponeert] *depositor* **0.2** [houder v.e. depositorekening] *depositor.*
depositaris ⟨de (m.)⟩ **0.1** ⟨alg., fin., Schots recht⟩ *depositary* ⇒⟨jur.⟩ *bailee.*
depositeur ⟨de (m.)⟩ **0.1** *depositor.*
depositie ⟨de (v.)⟩⟨jur.⟩ **0.1** [getuigenis] *deposition* **0.2** [het deponeren v.e. stuk] *deposition.*
deposito ⟨het⟩ **0.1** [het in bewaring geven] *deposit* ⇒*lodgement* **0.2** [in bewaring gegeven geld] *deposit* ◆ **6.1** geld à / **in** ~ geven (bij een bank) *deposit money (with a bank);* geld **in** ~ nemen *take / receive money on d.;* geld **in** ~ hebben *hold money on d.;* geld **in** ~ plaatsen *make a d., lodge (a sum of) money, place money on d.* **6.2** ~ **met** / **zonder** opzegging *d. at notice / on call.*

depositobank ⟨de⟩ **0.1** *deposit bank.*
depositobewijs ⟨het⟩ **0.1** *certificate of, d. receipt / slip.*
depositorekening ⟨de (v.)⟩⟨geldw.⟩ **0.1** *deposit account.*
depot ⟨het, de (m.)⟩ **0.1** [bewaargeving] *deposit(ing)* ⇒*consigning / committing to safe keeping* **0.2** [iets in bewaring] *(goods on) deposit* ⇒*deposited goods / documents* ⟨enz.⟩, ⟨hand.⟩ *(reserve) stock, store* **0.3** [magazijn] ⟨ook mil.⟩ *depot* ⇒*store,* ⟨hand. ook⟩ *warehouse, repository,* ⟨bank⟩ *depository,* ⟨mil., tijdelijk⟩ *dump* **0.4** [droesem] *sediment* ⇒*dregs, deposit, lees* **0.5** [mbt. een handels- / fabrieksmerk] *registration* ◆ **1.3** een ~ van dat grootwinkelbedrijf *a depot of that department store;* een ~ van koopwaren *a goods depot* **6.1** bagage **in** ~ *left luggage* **6.2** ⟨geldw.⟩ **in** ~ gegeven stukken *securities / documents deposited (with a bank);* ⟨geldw.⟩ **in** ~ hebben / nemen *hold in depositary.*
depotbewijs ⟨het⟩ **0.1** *certificate of deposit* ⇒*deposit receipt, unit.*
depotfractiebewijs ⟨het⟩ **0.1** *unit trust certificate.*
depotgever ⟨de (m.)⟩ **0.1** *consignor.*
depothandel ⟨de (m.)⟩ **0.1** [B]*trade in deposits,* [A]*money market business.*
depothouder ⟨de (m.)⟩, **-ster** ⟨de (v.)⟩ **0.1** *depository* ⇒⟨chef van depot⟩ *depot manager, agent, stockist, consignee, trustee.*
depotkosten ⟨zn.mv.⟩ **0.1** *commission* ⇒*poundage.*
depouilleren ⟨ov.ww.⟩ **0.1** [beroven] *despoil* ⇒*strip, denude, fleece, plunder* **0.2** [inventariseren] *peruse* ⇒*examine, analyse, go through* ◆ **1.2** de stembus ~ *count the votes, empty the ballot box.*
deppen ⟨ov.ww.⟩ **0.1** *dab* ⇒⟨droogdeppen⟩ *pat (dry).*
depreciatie ⟨de (v.)⟩ **0.1** [minachting] *depreciation* ⇒*disparagement, deprecation, decrial* **0.2** [lagere waardering] *depreciation* ⇒*debasement, devaluation* **0.3** [waardevermindering] *depreciation* ⇒⟨officiële devaluatie⟩ *devaluation.*
depreciëren
    I ⟨onov.ww.⟩ **0.1** [in waarde(ring) dalen] *depreciate* ⇒*devalue;*
    II ⟨ov.ww.⟩ **0.1** [de waarde verlagen] *depreciate* ⇒⟨officieel devalueren⟩ *devalue* **0.2** [minachten] *depreciate* ⇒*disparage, deprecate, decry* ◆ **1.1** de gulden is gedeprecieerd *the guilder has depreciated.*
depressie ⟨de (v.)⟩ **0.1** [⟨meteo.⟩] *depression* ⇒*low, (cyclone) trough* **0.2** [gedrukte gemoedsstemming] *depression* ⇒*low (spirits), melancholy,* ⟨med.⟩ *blues* **0.3** [⟨ec.⟩] *depression* ⇒*recession, slump* **1.3** de ~ v.d. jaren dertig *the d. of the Thirties* **2.2** postnatale ~ *post-natal depression;* ⟨inf.⟩ *the baby blues* **3.2** zij leed aan ernstige ~s *she suffered from serious depressions / severe bouts of depression.*
depressief ⟨bn.⟩ **0.1** [mbt. gemoedsstemming] *depressed, depressive* ⇒*low, downcast, dejected, heavy(-hearted),* ⟨inf.⟩ *blue* **0.2** [⟨meteo.⟩] ⟨alleen attr.⟩ *low-pressure.*
depressiegebied ⟨het⟩⟨meteo.⟩ **0.1** *area of low pressure / depression.*
depressiviteit ⟨de (v.)⟩ **0.1** [toestand] *depression* **0.2** [eigenschap] *depressive nature.*
deprimeren ⟨ov.ww.⟩ **0.1** *depress* ⇒*deject,* ⟨inf.⟩ *cast / get / drag / weigh down,* ⟨beklemmen⟩ *oppress,* ⟨ontmoedigen⟩ *dishearten.*
deprimerend ⟨bn., bw.; -ly⟩ **0.1** *depressing* ⇒⟨vooruitzicht ook⟩ *bleak,* ⟨nieuws ook⟩ *dispiriting, disheartening,* ⟨beklemmend⟩ *oppressive.*
deprivatie ⟨de (v.)⟩⟨psych.⟩ **0.1** *deprivation.*
deprivatiseren ⟨onov., ov.ww.⟩⟨pol.⟩ **0.1** *deprivatize.*
deprogrammeren ⟨ov.ww.⟩ **0.1** *deprogramme* [A]*gram* ◆ **1.1** ex-sekteleden ~ *d. former sect members.*
Dep(t). ⟨afk.⟩ **0.1** [Departement] *Dept..*
deputaat ⟨de (m.)⟩ **0.1** *deputy* ⇒*delegate, representative.*
deputatie ⟨de (v.)⟩ **0.1** [het afvaardigen] *deputation, deputing* ⇒*delegation* **0.2** [afvaardiging] *deputation* ⇒*delegation.*
deputeren ⟨ov.ww.⟩ **0.1** *depute* ⇒⟨AE ook⟩ *deputize, delegate.*
der[1] ⟨bez.vnw.⟩ **0.1** ⟨haar⟩ *her;* ⟨hun⟩ *their.*
der[2] ⟨bw.⟩ **0.1** *thither* ⇒*there.*
der[3] ⟨lidw.⟩ **0.1** *of (the)* ◆ **1.1** het boek ~ boeken *the Bible, the (Good) Book;* de koning ~ koningen *the King of Kings.*
derailleerbalk ⟨de (m.)⟩ **0.1** ⟨AE⟩ *derail(er)* ⇒⟨BE⟩ ≠*catchpoint.*
derailleerspoor ⟨het⟩ **0.1** ≠*siding(track), sidetrack.*
deraillement ⟨het⟩ **0.1** *derailment.*
derailleren ⟨onov.ww.⟩ **0.1** [ontsporen] *be / get derailed* ⇒*go off / run off / leave the rails / track, derail,* ⟨plotseling⟩ *jump the rails* **0.2** [v.d. wijs raken] *go off the rails* **0.3** [zich verspreken] *make a slip of the tongue* ⇒*slip up, make a Freudian slip* ◆ **3.1** zij lieten de trein ~ *they derailed /* ⟨inf.⟩ *ditched the train.*
derailleur ⟨de (m.)⟩ **0.1** *derailleur.*
derangeren ⟨ov.ww.⟩ **0.1** *inconvenience* ⇒*put out, disturb* ◆ **3.1** laat ik u niet ~ *don't let me disturb you, don't let me put you out / to any trouble, I don't want to i. you.*
derby ⟨de (m.)⟩ **0.1** ⟨(voetbal)wedstrijd⟩ *local derby.*
derbyschoen ⟨de (m.)⟩ **0.1** *derby.*
derde[1]
    I ⟨het⟩ **0.1** [verdelingsgetal] *third* **0.2** [⟨kaartspel⟩] *run of three* ◆ **1.1** een ~ liter *a / one t. of a litre* **7.1** de prijs werd met een ~ verhoogd *the price was raised by a t.;* twee ~ v.d. kiezers *two thirds of the voters;*
    II ⟨de (m.)⟩ **0.1** [buitenstaander] *third party / person* ◆ **1.1** in aanwe-

zigheid van ~n *in the presence of a third party* **3.1** je mag dit niet aan ~n verklappen *you mustn't tell anybody else;* 'n ~ hoeft dit niet te weten *this shouldn't go any further, this is strictly between you and me* **6.1** aansprakelijkheid jegens ~n *third-party risk, liability to a third party;* **III** ⟨de⟩ **0.1** [derde klas] *third* ◆ **6.1** in de~ zitten *be in the third form / class / ^grade.*

derde² ⟨rangtelw.⟩ ⟨→sprw. 292,553⟩ **0.1** *third* ◆ **1.1** (inf.) het ~been-(tje) *the t. leg;* de ~ leeftijd ⟨levensfase⟩ *the years of retirement;* ⟨bevolkingsgroep; vnl. AE⟩ *senior citizens;* we hebben een ~ man nodig *we need a third;* de ~ mei *the third of May, May (the) third;* de ~ Orde *the Third Order;* ⟨taal.⟩ ~ persoon *t. person;* ~ rail *t. rail;* het Derde Rijk *the Third Reich;* de ~ stand *the t. / common estate* **6.1** ten ~ *third-(ly), in the t. place.*

derdedeel ⟨het⟩ **0.1** *third* ⇒⟨vero.⟩ *third part.*

derdegraadsleraar ⟨de (m.)⟩, **-lerares** ⟨de (v.)⟩ **0.1** ⟨*non-university trained secondary school teacher, college-of-education trained teacher*⟩.

derdegraadsverbranding ⟨de (v.)⟩ **0.1** *third-degree burn* ⇒*tertiary burn.*

derdegraadsverhoor ⟨het⟩ **0.1** *third degree (interrogation)* ◆ **3.1** iem. een ~ afnemen *subject s.o. to a third degree (interrogation);* ⟨AE; inf.⟩ *cathaul s.o.; give s.o. the third degree, third degree s.o..*

derdehalf ⟨rangtelw.⟩ **0.1** *two and a half.*

derdehands ⟨bn.⟩ **0.1** [uit de derde hand] *third-hand* **0.2** [van slechte kwaliteit] *third-rate* ⇒*third-class.*

derdejaars¹ ⟨de⟩ **0.1** *third year (student),* ^*junior.*

derdejaars² ⟨bn.⟩ **0.1** *third-year.*

derdemacht ⟨de⟩ ⟨wisk.⟩ **0.1** *cube* ⇒*third power, power of three* ◆ **3.1** tot de ~ verheffen *cube, raise to the third power.*

derdemachtskromme ⟨de⟩ ⟨wisk.⟩ **0.1** *cubic curve.*

derdemachtsvergelijking ⟨de (v.)⟩ ⟨wisk.⟩ **0.1** *cubic equation.*

derdemachtswortel ⟨de (m.)⟩ ⟨wisk.⟩ **0.1** *cube root* ◆ **3.1** de ~ trekken uit *extract the c.r. of / from.*

derdendaags ⟨bn.⟩ **0.1** *tertian* ◆ **1.1** ⟨med.⟩ ~e koorts ⟨na 48 uur terugkerend⟩ *t. /* ⟨na 72 uur⟩ *quartan fever.*

derderangs ⟨bn.⟩ **0.1** *third-rate* ⇒*third-class.*

derde wereld ⟨de⟩ **0.1** *Third World.*

derde-wereldland ⟨het⟩ **0.1** *Third World country* ⇒*developing country.*

derde-wereldwinkel ⟨de (m.)⟩ **0.1** *Third-World shop* ⇒⟨BE⟩ ≠*Oxfam shop.*

dereguleren ⟨onov.ww.⟩ **0.1** *deregulate.*

deregulering ⟨de (v.)⟩ **0.1** *deregulation.*

dereguleringsbeleid ⟨het⟩ **0.1** *policy of deregulation.*

deren ⟨onov.ww.⟩ ⟨→sprw. 24,474,642⟩ **0.1** [schaden] *harm* ⇒*damage, injure, hurt* **0.2** [verdriet doen] *hurt* ⇒*upset, pain* **0.3** [medelijden inboezemen] *concern* ⇒*matter (to), touch* ◆ **5.1** dat zal mij niet ~ *that won't hurt / harm me;* dat deert niet *that doesn't matter / is not important, never mind* **5.2** hun afgunst deerde hem niet *their envy didn't bother him, he was indifferent to their envy* **5.3** mij deert jouw ziekte niet *your illness is not my concern / no concern of mine.*

derg. ⟨afk.⟩ **0.1** [dergelijke(n)] ⟨→dergelijk⟩.

dergelijk ⟨aanw.vnw.⟩ **0.1** *similar* ⇒(the) *like, such (like)* ◆ **1.1** wijn, bier en ~e dranken *wine, beer and similar drinks / drinks of that sort* **4.1** deze en ~e redenen *these and similar / other such reasons;* ⟨zelfst.⟩ iets ~s *sth. similar / of the kind / sort;* iets ~s heb ik nog nooit meegemaakt *I have never experienced anything like it;* iets ~s bestaat bij ons niet *we have nothing like that / of the kind here, there's no such thing here* **8.1** en ~e *and the like.*

derhalve ⟨bw.⟩ **0.1** *therefore* ⇒*so, accordingly, consequently.*

derivaat ⟨het⟩ **0.1** [iets dat afgeleid is] *derivative* **0.2** [⟨taal.⟩ afgeleide zinstructuur] *derivative* **0.3** [⟨taal.⟩ afgeleid woord] *derivative* **0.4** [⟨schei.⟩] *derivative* **0.5** [afgeleid produkt] *derivative.*

derivatie ⟨de (v.)⟩ **0.1** [afleiding] *derivation* **0.2** [afwijking] *deviation* **0.3** [⟨mil.⟩] *deviation* **0.4** [wat afgeleid is] *derivation* ⇒*derivative* **0.5** [afgeleide stof] *derivative.*

derivatief ⟨bn.⟩ **0.1** [afleidend] *derivative* **0.2** [afgeleid] *derived.*

dermate ⟨bw.⟩ **0.1** *so (much)* ⇒*to such an extent / a degree, such (that)* ◆ **2.1** hij was ~ opgewonden, dat… *he was so excited that ….*

dermatitis ⟨de (v.)⟩ ⟨med.⟩ **0.1** *dermatitis.*

dermatologie ⟨de (v.)⟩ ⟨med.⟩ **0.1** *dermatology.*

dermatologisch ⟨bn.⟩ **0.1** *dermatologic(al).*

dermatoloog ⟨de (m.)⟩, **-loge** ⟨de (v.)⟩ **0.1** *dermatologist.*

dermatoplastiek ⟨de (v.)⟩ **0.1** *dermatoplasty.*

dernier ⟨bn.⟩ ◆ **¶.¶** le ~ cri *the latest fashion / dernier cri / last word (in).*

derny ⟨de⟩ ⟨sport⟩ **0.1** *derny* ⇒*motor cycle* ◆ **6.1** wedstrijd achter dernies *motor-paced race.*

derogeren ⟨onov.ww.⟩ ⟨jur.⟩ **0.1** *derogate* ⇒*depart, deviate* ◆ **6.1** ~ aan de wet *set aside the law, derogate from the law;* een speciale bepaling derogeert aan een algemene *a special provision prevails over a general one.*

derrie ⟨de⟩ **0.1** [grondsoort] *peat* **0.2** [blubber] *muck* ⇒*goo* **0.3** [stront] *muck* ⇒ ↓*shit, crap* ◆ **6.2** pas op, trap niet in die ~ *be careful, don't step in that m..*

derrière ⟨de⟩ **0.1** *behind* ⇒*buttocks, bottom, posterior.*

dertien ⟨→sprw. 13⟩

I ⟨hoofdtelw.⟩ **0.1** *thirteen* ◆ **1.1** nog~ nachtjes slapen *(in) just two (more) weeks / two weeks' time, in a fortnight* **3.1** ~ is een ongeluksgetal *t. is an unlucky number;* hij wordt ~ vandaag *he is / will be t. today, it is his thirteenth birthday today* **6.1** zij zijn met hun ~en *there are t. of them, they are t.* **¶.1** zo gaan er ~ in een dozijn ᴮ*they are ten / two a penny,* ^*they are a dime a dozen;*

II ⟨rangtelw.⟩ **0.1** *thirteen(th)* ◆ **1.1** aflevering ~ *issue no. thirteen, (the) thirteenth instalment / number;* ~ augustus *the thirteenth of August, August (the) thirteenth* **1.¶** hij is er nummer ~ *he is the odd man out.*

dertiende¹ ⟨het⟩ **0.1** *thirteenth* ◆ **1.1** een ~ kilo *one t. of a kilo* **7.1** een een ~ *one and a / one t..*

dertiende² ⟨rangtelw.⟩ **0.1** *thirteenth* ◆ **1.1** het ~ vers *verse thirteen, the t. verse* **4.1** hij liep weg op zijn ~ *he ran away when he was thirteen* **7.1** Lodewijk de Dertiende *Louis the Thirteenth;* vandaag is het de ~ *it is the t. today, today is the t..*

dertig

I ⟨hoofdtelw.⟩ **0.1** *thirty* ◆ **1.1** september heeft ~ dagen *September has t. days* **3.1** vorige week is hij ~ geworden *he was t. / it was his thirtieth birthday last week;*

II ⟨rangtelw.⟩ **0.1** *thirty* ⇒*thirtieth* ◆ **1.1** ~ april *thirtieth of April, April (the) thirtieth;* bladzijde ~ *page thirty;* in de jaren ~ *in the Thirties* **6.1** hij is in de ~ *he is in his thirties;* zij is ver / diep in de ~ *she is well into her thirties / pushing forty;* zij is rond de ~ *she is thirtyish.*

dertiger ⟨de (m.)⟩ **0.1** *s.o. in his / her thirties* ◆ **2.1** hij is een goede ~ *he is well into his thirties.*

dertigjarig ⟨bn.⟩ **0.1** [dertig jaren durend] *thirty year(s)(')* **0.2** [dertig jaar oud] *thirty year old* ◆ **1.1** de Dertigjarige Oorlog *The Thirty Years(') War* **7.2** een ~ *a thirty year old.*

dertigste¹ ⟨het⟩ **0.1** *thirtieth* ◆ **7.1** een ~ uur *a t. of an hour;* zes ~ is gelijk aan een vijfde *six thirtieths equals / is one fifth.*

dertigste² ⟨rangtelw.⟩ **0.1** *thirtieth* ◆ **1.1** de ~ gele kaart v.h. seizoen *the t. yellow card of the season* **7.1** vandaag is het de ~ *it is the t. (of the month) today, today is the t..*

dertigtal ⟨het⟩ **0.1** ⟨ongeveer dertig⟩ *about / approximately / roughly thirty, thirty or so;* ⟨dertig⟩ *thirty.*

derven ⟨ov.ww.⟩ **0.1** [ontberen] *lack* ⇒*be deprived of, (have to) do / go without, forgo* **0.2** [mislopen] *lose* ⇒*miss* ◆ **1.2** inkomsten ~ *l. income.*

derving ⟨de (v.)⟩ **0.1** [gemis] *lack, loss* ⇒(de)*privation* **0.2** [⟨ec.⟩] *loss.*

derwaarts ⟨bw.⟩ ⟨schr.⟩ **0.1** *thither(ward(s))* ◆ **5.1** her- en ~ *hither and thither / yon.*

derwisj ⟨de (m.)⟩ **0.1** *dervish* ◆ **2.1** draaiende / huilende ~en *whirling / howling dervishes.*

des¹ ⟨de⟩ ⟨muz.⟩ **0.1** *D flat.*

des² ⟨bw.⟩ ⟨vero., beh. in uitdrukkingen⟩ **0.1** *wherefore* ⇒*on that / which count* ◆ **5.¶** ~ te beter *(all) the / so much the better;* ~ te erger *(all) the / so much the worse, more's the pity;* ~ te gemakkelijker naarmate … *(all) the easier / more easily as …, the more …, the easier / more easily;* ~ te meer reden *(all) the more reason;* hoe meer mensen er komen, ~ te beter ik me voel *the more people come, the better I feel;* dan kunnen we ~ te eerder komen *then we can come all the sooner;* ~ te meer omdat *all the more / the more so because;* ik zal er ~ te beter om slapen *I shall sleep (all) the better for it.*

des³ ⟨lidw.⟩ **0.1** *of (the), (the) …'s* ◆ **1.1** de heer ~ huizes *the master of the house;* ⟨van landhuis, anders scherts.⟩ *the lord of the manor;* de vrouw ~ huizes *the lady / mistress of the house;* 's ochtends *in the morning.*

DES ⟨de (m.)⟩ ⟨afk.⟩ ⟨med.⟩ **0.1** [diëthylstilbestrol] *DES.*

desa →*dessa.*

desacraliseren ⟨ov.ww.⟩ **0.1** *desecrate* ⇒*profane, unhallow.*

desagregatie ⟨de (v.)⟩ **0.1** *disintegration.*

desalniettemin ⟨bw.⟩ **0.1** *nevertheless, nonetheless* ⇒*just the same, in spite of this / that, for all that,* ↑*not withstanding.*

desapproberen ⟨ov.ww.⟩ **0.1** *disapprove of.*

desastreus ⟨bn., bw.; -ly⟩ **0.1** *disastrous* ⇒*calamitous* ◆ **3.1** de wedstrijd verliep ~ *the match turned into a disaster / was a débâcle / became a rout.*

desavoueren ⟨ov.ww.⟩ **0.1** *repudiate* ⇒*disavow, deny* ⟨belofte⟩, *disclaim* ⟨verantwoordelijkheid⟩, ⟨afzweren, onterven⟩ *disown.*

desbetreffend ⟨bn.⟩ **0.1** *relevant* ⇒*appropriate, to that effect* ⟨woorden, daden⟩, ⟨betreffende een of elk v.e. aantal⟩ *respective* ◆ **1.1** de ~e afdelingen *the departments concerned / in question;* ~e maatregelen *appropriate measures, measures to that effect;* een ~ voorstel *a relevant suggestion, a suggestion to that effect.*

descendant ⟨de (m.)⟩ ⟨astrol.⟩ **0.1** *descendant, descendent.*

descendent ⟨de (m.)⟩ **0.1** *descendant.*

descendentie ⟨de (v.)⟩ **0.1** *descent.*

descriptie ⟨de (v.)⟩ **0.1** *description.*

descriptief ⟨bn., bw.; -ly⟩ **0.1** *descriptive* ◆ **1.1** descriptieve grammatica / taalkunde *d. grammar / linguistics;* de descriptieve methode *the d. method.*

descriptor ⟨de (m.)⟩ **0.1** [persoon] *describer* **0.2** [⟨comp.⟩] *descriptor*.
DES-dochter ⟨de (v.)⟩ **0.1** *DES daughter*.
desegregatie ⟨de (v.)⟩ **0.1** *desegregation*.
desem ⟨de (m.)⟩ **0.1** [zuurdeeg] *leaven*, [A]*sourdough* **0.2** [⟨fig.⟩ wat doet groeien] *leaven*.
desensibilisatie ⟨de (v.)⟩⟨med.⟩ **0.1** *desensitization*.
desensibilisator ⟨de (m.)⟩⟨foto.⟩ **0.1** *desensitizer*.
desensibiliseren ⟨ov.ww.⟩ **0.1** *desensitize*.
desensitisatie ⟨de (v.)⟩⟨psych.⟩ **0.1** *densensitization*.
deserteren ⟨onov.ww.⟩ **0.1** [⟨mil.,scheep.⟩ weglopen] *desert* **0.2** [overlopen] *defect (to)* ⇒*desert (to), go over (to)* **0.3** [⟨fig.⟩] *desert* ⇒⟨inf.⟩ *scarper, do a bunk* ◆ **6.1** uit het leger ~ *d. (the army);* van het schip ~ *jump ship, d. one's ship*.
deserteur ⟨de (m.)⟩ **0.1** *deserter*.
desertie ⟨de (v.)⟩ **0.1** [daad] *desertion* **0.2** [geval] *desertion*.
desespereren ⟨onov.ww.⟩ **0.1** *despair* ⇒*give up/lose (all) hope* ◆ **5.1** ⟨schr.⟩ ende desespereert niet *(and) desespoir/fear not*.
desgelijks ⟨bw.⟩ **0.1** *likewise, similarly* ⇒ ↓*in the same way*.
desgevraagd ⟨bw.⟩ **0.1** *if required/requested* ◆ **3.1** ~ deelde zij mee *on being asked, she commented*.
desgewenst ⟨bw.⟩ **0.1** *if required/(so) desired* ◆ **3.1** wij zouden, ~, die informatie kunnen verschaffen *we could supply that information if desired/if you should (so) desire*.
desideratum ⟨het⟩ **0.1** *desideratum*.
designatie ⟨de (v.)⟩ **0.1** *designation* ⇒*nomination, appointment*.
designeren ⟨ov.ww.⟩ **0.1** *designate* ◆ **1.1** gedesigneerde voorzitter *chairman d.*.
desillusie ⟨de (v.)⟩ **0.1** *disillusion* ⇒⟨inf.⟩ *let-down, flop,* ⟨gemoedstoestand⟩ *disillusionment, disenchantment*.
desillusioneren ⟨ov.ww.⟩ **0.1** *disillusion* ⇒*disenchant*.
desinfectans ⟨het⟩ **0.1** *disinfectant*.
desinfecteermiddel ⟨het⟩ **0.1** *disinfectant*.
desinfecteren ⟨ov.ww.⟩ **0.1** *disinfect* ⇒*decontaminate* ⟨tegen gifgas/radioactiviteit⟩, ⟨uitroken⟩ *fumigate* ◆ **1.1** een huis ~ *disinfect/fumigate a house;* een wond ~ *disinfect/cleanse a wound*.
desinfectie ⟨de (v.)⟩ **0.1** *disinfection* ⇒*decontamination,* ⟨door uitroken⟩ *fumigation*.
desintegratie ⟨de (v.)⟩ **0.1** *disintegration* ⇒*decomposition*.
desintegreren ⟨onov.ww.⟩ **0.1** *disintegrate* ⇒*decompose, crumble, break up*.
desinteresse ⟨de (v.)⟩ **0.1** *lack of interest* ◆ **¶.1** blijk geven van ~ *show little interest;* ~ aan de dag leggen *show little interest*.
desisteren ⟨onov.ww.⟩⟨jur.⟩ **0.1** *drop (charges)* ⇒*desist, restrain*.
deskundig ⟨bn.,bw.;-ly⟩ **0.1** [vakbekwaam] *expert (in/at)* ⇒*professional* **0.2** [van kennis blijk gevend] *expert (in/at)* ⇒*professional* ◆ **1.1** een ~ onderzoek *an e. / a professional enquiry/examination* **1.2** een ~ advies/oordeel geven *give e. advice/an e. judgement;* ~ e beschouwingen *e. opinions* **3.1** ~ afhandelen ⟨ook⟩ *make a professional job (of);* ik ben niet ter zake ~ *I'm no e. on/not competent to deal with these matters, I don't know enough about such things* **3.2** een zaak ~ beoordelen *judge a matter expertly* **6.1** zij is zeer ~ op het gebied van *she's an authority on/an expert in, she's very expert in/at*.
deskundige ⟨de (m.)⟩ **0.1** *expert (in/at)* ⇒*authority (on), specialist (in),* ⟨vaak iron.⟩ *pundit,* [A]*maven,* ⟨bij examen⟩ *exam specialist, external examiner* ◆ **1.1** commissie van ~ n *panel of experts*.
deskundigheid ⟨de (v.)⟩ **0.1** [vakbekwaamheid] *expertise* ⇒*professionalism, know-how* **0.2** [bevoegdheid] *expertise* ⇒*professionalism, professional ability* ◆ **2.1** zijn grote ~ op dit gebied *his great e. / outstanding ability in this field*.
deskundologie ⟨de (v.)⟩⟨scherts.⟩ **0.1** ≠*cant, blinding with science;* ⟨als verzamelnaam⟩ *ologies and isms*.
deskundoloog ⟨de (m.)⟩⟨scherts.⟩ **0.1** ≠*so-called/self-styled expert, pundit, guru*.
desniettegenstaande ⟨bw.⟩ **0.1** *notwithstanding* ⇒*nevertheless, nonetheless*.
desniettemin →*desalniettemin*.
desnoods ⟨bw.⟩ **0.1** [zo nodig] *if need be* ⇒*if necessary* **0.2** [in het uiterste geval] *in an emergency* ⇒⟨inf.⟩ *at a pinch, if it/the worst comes to the worst* **0.3** [voor mijn part] *as far as I'm concerned, for my part*.
desobstructie ⟨de (v.)⟩⟨med.⟩ **0.1** *desob'struction*.
desolaat ⟨bn.⟩ **0.1** [troosteloos] *desolate* ⇒*dismal, bleak, disconsolate* ⟨streek, toestand⟩ **0.2** [verlaten] *desolate* ⇒*forsaken, deserted* **0.3** [diep bedroefd] *desolate* ⇒*despondent, dejected, forlorn, wretched* **0.4** [verwaarloosd] *desolate* ⇒*ruinous, dilapidated* ◆ **1.4** een desolate boedel *an abandoned/insolvent estate*.
desondanks ⟨bw.⟩ **0.1** *in spite of this/(all) that* ⇒*all the same, for all that, nevertheless* ◆ **3.1** er dreigde regen, ~ gingen wij uit *it was threatening to rain, but we went out regardless;* ~ protesteerde hij niet *he did not protest, for all that, in spite of all that he did not protest* **¶.1** hij was vriendelijk maar ~ toch een schurk *he was friendly but a rogue all the same;* ⟨vero.⟩ *he was friendly but a rogue withal*.
desorganisatie ⟨de (v.)⟩ **0.1** [ontbinding] *decomposition* ⇒*decay, disinte-*

gration **0.2** [⟨fig.⟩ chaos] *disorganisation* ⇒*confusion, disarray,* ⟨inf.⟩ *muddle*.
desorganiseren ⟨ov.ww.⟩ **0.1** *disorganize* ⇒*disrupt, throw into disarray/disorder* ◆ **3.1** zo iets werkt ~d *sth. like that causes disruption/chaos*.
desoriëntatie ⟨de (v.)⟩ **0.1** [mbt. koers] *disorientation* **0.2** [verwarring] *disorientation*.
desoriënteren ⟨ov.ww.⟩ **0.1** [uit de koers brengen] *disorient(ate),* ⟨AE alleen⟩ *disorient* **0.2** [van zijn stuk brengen] *disorient(ate),* ⟨AE alleen⟩ *disorient* ◆ **3.1** gedesoriënteerd raken ⟨ook fig.⟩ *lose one's bearings, get disorient(at)ed;* ⟨fig. ook⟩ *be thrown*.
desoxydatie ⟨de (v.)⟩⟨schei.⟩ **0.1** *deoxidation*.
desoxyribonucleïnezuur ⟨het⟩⟨bioch.⟩ **0.1** *deoxyribonucleic acid*.
desperaat ⟨bn.,bw.;-ly⟩ **0.1** *desperate* ⇒*driven to desperation*.
desperado ⟨de (m.)⟩ **0.1** *desperado*.
despoot ⟨de (m.)⟩ **0.1** [dictator] *despot* ⇒*autocrat* **0.2** [heerszuchtig persoon] *despot* ⇒*tyrant* ◆ **2.1** een verlicht ~ *an enlightened/a benevolent d.* **2.2** zijn vader is een echte ~ *his father is a right tyrant*.
despotisch ⟨bn.,bw.;-ally⟩ **0.1** *despotic* ⇒*autocratic, tyranical* ◆ **3.1** een ~ bestuurd land *a despotically governed country;* ~ optreden *act autocratically*.
despotisme ⟨het⟩ **0.1** *despotism*.
dessa ⟨de⟩ **0.1** *dessa*.
dessert ⟨het⟩ **0.1** [nagerecht] *dessert* ⇒*sweet,* ⟨vnl. BE⟩ *pudding,* ⟨BE; inf.⟩ *afters* **0.2** [laatste deel van een diner] *dessert* ⇒*sweet (course)* ◆ **6.2** aan het ~ zitten *sit down to d. / the sweet course* **8.1** wat wil je als ~? *what would you like for d.;* ⟨BE;inf.⟩ *what do you want for afters/pud?*.
dessertbord ⟨het⟩ **0.1** *dessert/puddingplate, dessert/puddingdish*.
dessertlepel ⟨de (m.)⟩ **0.1** *dessertspoon*.
dessertwijn ⟨de (m.)⟩ **0.1** *dessert wine*.
dessin ⟨het⟩ **0.1** *design* ⇒*pattern* ◆ **6.1** stoffen in gebloemde ~ s *materials in floral designs/patterns;* stoffen in geruite/gestreepte ~ s *materials in check/striped patterns*.
dessineren ⟨ov.ww.⟩ **0.1** *design (with)*.
dessous ⟨de (m.)⟩ **0.1** [(dames)ondergoed] *underwear, undergarments* ⇒*lingerie* **0.2** [geheime beweegreden] *ulterior motive(s)*.
destabilisatie ⟨de (v.)⟩ **0.1** *destabilization*.
destabiliseren ⟨onov.,ov.ww.⟩ **0.1** *destabilize*.
destalinisatie ⟨de (v.)⟩⟨pol.⟩ **0.1** *destalinization*.
destaliniseren ⟨ov.ww.⟩⟨pol.⟩ **0.1** *destalinize*.
destijds ⟨bw.⟩ **0.1** *at the/that time* ⇒*then, in those days* ◆ **1.1** Zoetermeer, ~ nog een dorp *Zoetermeer, at that time still a village;* ~ de hoofdstad v.h. land *the then capital* **3.1** de ~ genomen beslissing *the decision then taken/taken at the time;* toen wij het huis ~ huurden *at the time we rented the house*.
destil- →*distil-*.
destinatie ⟨de (v.)⟩ **0.1** [lot] *destiny* ⇒*fate, lot* **0.2** [plaats van bestemming] *destination*.
destineren ⟨ov.ww.⟩ **0.1** *destine* ⇒⟨inf.⟩ *earmark*.
destructie ⟨de (v.)⟩ **0.1** [vernietiging] *destruction* **0.2** [⟨schei.⟩] *decomposition*.
destructief ⟨bn.,bw.;-ly⟩ **0.1** *destructive* ◆ **1.1** een destructieve natuur *a d. nature*.
destructor ⟨de (m.)⟩ **0.1** *destructor* ⟨ook luchtv.⟩.
desverlangd ⟨bw.⟩ **0.1** *if required/(so) desired*.
deswege ⟨bw.⟩⟨schr.⟩ **0.1** *hence, on that account* ⇒*therefore*.
detachement ⟨het⟩ **0.1** *detachment* ⇒*contingent, draft, detail, squad* ◆ **1.1** ⟨fig.⟩ een ~ schoonmakers *a contingent/band of cleaners, a clean-up crew*.
detacheren ⟨ov.ww.⟩ **0.1** [elders te werk stellen] [B]*second* ⇒*send on secondment* **0.2** [mbt. een militair] *attach (to)* ⇒[B]*second, draft (off) (to), post (to),* ⟨voor bep. taak⟩ *detail (to)* **0.3** [mbt. troepenonderdelen] *detach (to)* ⇒*quarter (in), draft (off) (to), post (to), detail (to)* ◆ **6.3** de troepen worden nu in een andere stad gedetacheerd *the troops are now being quartered into another town*.
detachering ⟨de (v.)⟩ **0.1** [tewerkstelling] *posting (to)* ⇒⟨mbt. leraar ook⟩ [B]*secondment (to)* **0.2** [mbt. een militair] *posting (to),* [B]*secondment (to)* **0.3** [mbt. troepenonderdelen] *detachment (to)* ⇒*dispatching (to)*.
detacheur ⟨de (m.)⟩ **0.1** *dry cleaner*.
detail ⟨het⟩ **0.1** [bijzonderheid] *detail* ⇒*particular,* ⟨mv.⟩ *specifics, minutiae* **0.2** [kleinhandel] *retail* ◆ **6.1** in ~ s treden go/enter into detail(s), elaborate (on);* (iets) in ~(s) bespreken *discuss (sth.) in d.;* (iets) in ~ onderzoeken *scrutinize (sth., investigate sth. in d.);* (iets) in ~(s) vertellen *elaborate (on/relate sth. in d.);* op de ~ s ingaan *go into detail(s);* tot in de ~s minutely, *down to the last/smallest detail, in great detail, to the letter;* zij heeft een goed oog voor ~ s *she has got a keen/sharp eye for d.* **7.1** alle ~s v.h. plan *the facts and figures of the plan;* alle ~ s geven *give chapter and verse;* ⟨BE;inf.⟩ *give all the gen, give full details* **¶.2** verkoop en detail *r. trade, retailing*.
detailfoto ⟨de⟩ **0.1** *close-up* ⇒*detail (picture),* ⟨bij grotere foto⟩ *inset,* ⟨vergroting van detail⟩ *blow-up,* ⟨mbt. microscoop⟩ *photomicrograph*.

detailhandel ⟨de (m.)⟩ **0.1** *retail trade* ⇒⟨winkel⟩ *retail business/shop/* ᴬ*store.*

detailkritiek ⟨de (v.)⟩ **0.1** *detailed criticism* ⇒*minute criticism,* ⟨lit.⟩ *close reading.*

detailkwestie ⟨de (v.)⟩ **0.1** *matter/point/question of detail.*

detailleren ⟨ov.ww.⟩ **0.1** [in bijzonderheden beschrijven/afbeelden] *specify* ⇒*elaborate (on), detail,* ⟨op lijst⟩ *list, enumerate* **0.2** [in details tekenen] *draw in detail* ⇒*make a detailed plan (of)* ◆ **1.1** een gedetailleerde beschrijving/tekening *a detail(ed) description/drawing;* een gedetailleerde rekening *an itemised account* **1.2** een machine ~ *make a detail(ed) plan/diagram of a machine.*

detaillist ⟨de (m.)⟩ **0.1** *retail trader/dealer, retailer.*

detailonderzoek ⟨het⟩ **0.1** *detailed examination,(close) scrutiny* ⇒*inquiry/examination in detail.*

detailopname ⟨de⟩ **0.1** *close-up (picture/shot), detail.*

detailprijs ⟨de (m.)⟩ **0.1** *retail price.*

detailstudie ⟨de (v.)⟩ **0.1** [studie v.d. bijzonderheden] *detailed study, scrutiny* **0.2** [tekening] *study in detail, detail drawing.*

detailtekening ⟨de (v.)⟩ **0.1** *detail(ed) drawing.*

detailverkoop ⟨de (m.)⟩ **0.1** *retail sale* ⇒*sale by/at/in retail.*

detectie ⟨de (v.)⟩ **0.1** [onderzoek] *detection* **0.2** [het vaststellen v.d. aanwezigheid] *detection.*

detective ⟨de (m.)⟩ **0.1** [persoon] *detective* ⇒ᶜ*sleuth,* ⟨sl.⟩ *tec* **0.2** [verhaal] *detective/crime story/novel* ⇒⟨inf.⟩ *whodunit* ◆ **2.1** particulier ~ *private d./investigator;* ⟨inf.⟩ *private eye,* ᴬ*P.I.;* ⟨Austr. E;sl.⟩ *D, dece* **3.1** iemands gangen laten nagaan door een ~ *have s.o.'s movements checked (out) by a d.;* iem. laten volgen door een ~ *have s.o. tailed/shadowed/followed by a d..*

detectiveverhaal ⟨het⟩ **0.1** *detective/crime story* ⇒⟨inf.⟩ *whodunnit.*

detector ⟨de (m.)⟩ **0.1** *detector* ⇒⟨radio⟩ *rectifier.*

detectorvliegtuig ⟨het⟩ **0.1** *detector aircraft/plane* ⇒*early-warning aircraft/plane.*

détente ⟨de (v.)⟩ **0.1** ⟨pol.⟩ *détente.*

detentie ⟨de (v.)⟩ ⟨jur.⟩ **0.1** [hechtenis] *detention* ⇒*arrest, custody* **0.2** [houderschap] *mediate/de facto possession, custody* ⇒*(physical) detention* ◆ **2.1** militaire ~ *military d./arrest* **6.1** in ~ ⟨ook⟩ *on remand.*

detergens ⟨het⟩ **0.1** *detergent.*

determinant ⟨de (m.)⟩ **0.1** [determinerend element] *determinant* **0.2** [bepalende factor] *determinant* ⇒*deciding/decisive factor/element* **0.3** [⟨wisk.⟩] *determinant.*

determinatie ⟨de (v.)⟩ **0.1** [bepaling] *determination* ⇒*establishment,* ⟨plantk.⟩ *identification* **0.2** [⟨fil.⟩] *determination.*

determinatief ⟨bn.⟩ ⟨taal.⟩ **0.1** [bepalend] *determinative* ⇒*defining* **0.2** [bepalingaankondigend] *determinative* ⇒*conclusive.*

determineerklasse ⟨de (v.)⟩ **0.1** *orientation year* ⇒⟨GB⟩ ≠*first form (of secondary school),* ⟨USA⟩ ≠*junior high school.*

determineren ⟨ov.ww.⟩ **0.1** [bepalen] *determine* ⇒*establish* **0.2** [⟨biol.⟩] *identify* ⇒*fingerprint* ⟨scheikundige stof⟩ **0.3** [⟨fil.⟩] *determine.*

determinisme ⟨het⟩ ⟨fil.⟩ **0.1** *determinism.*

determinist ⟨de (m.)⟩ **0.1** *determinist.*

deterministisch ⟨bn.⟩ **0.1** *deterministic* ◆ **1.1** een ~e levensvisie *a d. view of life.*

detestabel ⟨bn.⟩ **0.1** *detestable* ⇒*loathesome, abhorrent.*

detineren ⟨ov.ww.⟩ **0.1** *detain* ⇒*remand in custody* ◆ **6.1** in Scheveningen gedetineerd zijn *be remanded/on remand in Scheveningen (prison).*

detonatie ⟨de (v.)⟩ **0.1** [ontploffing] *detonation* ⇒*explosion, blast* **0.2** [mbt. motoren] *detonation* ⇒*premature combustion* **0.3** [⟨muz.⟩] *false note* ⟨ook fig.⟩ ⇒*going out of tune/off key.*

detonator ⟨de (m.)⟩ **0.1** *detonator.*

detoneren ⟨onov.ww.⟩ **0.1** [⟨muz.⟩] *be out of tune/off key* **0.2** [⟨fig.⟩] uit de toon vallen] *be out of tune* ⇒*strike a false note, clash* **0.3** [ontploffen] *detonate* ⇒*explode, blow up* ◆ **1.2** een detonerende figuur *an incongruous/a discordant figure* **4.1** het detoneert *it is out of tune, it's going out of tune* **6.2** het gebouw detoneert met de omgeving *the building is out of tune with/clashes with its surroundings.*

detriment ⟨het⟩ ◆ **6.¶** ten ~e van *to the detriment of.*

deugd ⟨de⟩ ⟨→sprw. 107,175,456⟩ **0.1** [het zedelijk goed zijn] *virtuousness* ⇒*morality, chastity* ⟨vnl. mbt. vrouw⟩ **0.2** [eigenschap] *virtue* ⇒*merit, grace* **0.3** [iets goeds] *virtue* ⇒*merit* ◆ **1.1** in alle eer en ~ *in all decency* **1.2** met al zijn ~en en gebreken *with all his/its faults and virtues/pros and cons* **1.¶** het pad v.d. ~ bewandelen *keep to the straight and narrow, follow the path of virtue* **2.2** ⟨rel.⟩ goddelijke/theologische ~en *Christian/divine virtues;* naastenliefde is de hoogste ~ *love of one's neighbour is the highest v.;* dapperheid is niet zijn sterkste ~ *bravery is not his chief/greatest v./asset* **2.¶** lieve ~ *my goodness, goodness me/gracious, gracious me* **3.3** ⟨fig.⟩ v.d. nood een ~ maken *make a v. of necessity* **3.¶** dat doet me ~ *that does me (a power of) good, I'm pleased to hear it* **¶.¶** ⟨scherts.⟩ de ~ in 't midden ≠*piggy in the middle.*

deugdelijk

I ⟨bn.⟩ **0.1** [aan alle vereisten voldoend] *sound* ⇒*reliable* ⟨horloge⟩, *durable, hard-wearing* ⟨schoen⟩ **0.2** [van goede kwaliteit] *sound* ⇒

good **0.3** [gegrond] *sound* ⇒*valid, well-founded* **0.4** [⟨AZN⟩ deugdzaam] *upright* ⇒*good* ◆ **1.1** iets in ~e staat houden *maintain/keep sth. in good condition, in good/proper working order;* een ~e uitvoering *a s. performance* **1.2** ~ laken *good (quality) cloth;* ~e spijzen *substantial food* **1.3** een ~e overtuiging *a firm conviction* **3.3** ~ verklaren *declare valid, validate;*

II ⟨bw.⟩ **0.1** [goed] *well* ⇒*thoroughly* **0.2** [grondig] *thoroughly* ◆ **3.1** zijn werk ~ verrichten *do one's/the job w./thoroughly/properly* **3.2** dit is ~ bewezen *this has been proved beyond doubt.*

deugdelijkheid ⟨de (v.)⟩ **0.1** [goede kwaliteit] *soundness* ⇒*good quality, reliability* ⟨van horloge⟩, *durability* ⟨van schoen⟩ **0.2** [gegrondheid] *soundness* ⇒*validity* ◆ **1.1** ⟨scheep.⟩ certificaat van ~ *certificate of seaworthiness.*

deugdzaam ⟨bn., bw.;-ly⟩ **0.1** *virtuous* ⇒*good, upright, honest* ◆ **1.1** een ~ meisje *a v./good girl* **3.1** ~ leven *lead a v./an upright/honest life.*

deugdzaamheid ⟨de (v.)⟩ **0.1** *virtuousness* ⇒*uprightness, honesty.*

deugen ⟨onov.ww.; vnl. met ontkenning gebruikt⟩ **0.1** [met ontkenning: niet braaf zijn] *be no good* ⇒*be good for nothing, be a bad lot* **0.2** [met ontkenning: niet geschikt zijn] *be wrong/unsuitable/unfit* ⇒*not be right/suitable/fit* **0.3** [met ontkenning: niet in orde zijn] *be no good* ⇒*be bad* ⟨werk⟩, *be wrong, not be right* ⟨berekening⟩, *not be valid/sound, not hold water* ⟨argument⟩ ◆ **1.3** geloof je werkelijk dat dit essay deugt? *you don't really think this essay's any good, do you?;* die oplossing deugt niet *that's no solution/answer* **3.1** die jongen heeft nooit willen ~ *that boy has always been a bad lot/sort* **6.2** die man deugt niet **voor** zijn werk *that man's no good at his job;* nergens **voor** ~ *be no good for anything;* hij deugt niet **voor** journalist, als journalist deugt hij niet *he's a bad/hopeless journalist, he's no good as a journalist* **¶.1** hij deugt voor geen cent *he's a thoroughly bad lot.*

deugniet ⟨de (m.)⟩ **0.1** [slecht mens] *good-for-nothing, ne'er-do-well* **0.2** [ondeugende jongen] *rogue* ⇒*rascal, scoundrel* **0.3** [⟨scherts.⟩ rakker] *rascal* ⇒*scamp, scallywag, rogue* ◆ **2.1** een grote ~ *a real bad lot* **2.2** een onverbeterlijke ~ *an incorrigible rogue* **2.3** jij, (kleine) ~ *you (little) rascal/scamp/scallywag/rogue.*

deugnieterij ⟨de (v.)⟩ **0.1** *roguery* ⇒*rascality.*

deuk ⟨de⟩ **0.1** [bluts] *dent* **0.2** [⟨fig.⟩ knauw] *blow* ⇒*shock* **0.3** [⟨inf.⟩ dreun] *slap* ⇒*smack, blow* **0.4** [⟨inf.⟩ lachstuip] *fit* ◆ **2.2** zijn zelfvertrouwen heeft een flinke ~ gekregen *his self-confidence took a terrible knock;* zijn naam/zijn reputatie heeft een lelijke ~ gekregen *his name/his reputation has been badly damaged* **3.1** die hoed heeft een ~ gekregen *that hat is dented, that hat has (got) a d. in it* **3.3** iem. een ~ op zijn tronie geven *give s.o. a smack/slap in the face* **5.1** die auto zit vol ~en *that car is covered in dents/dented all over* **6.4** we lagen in een ~ *we were in fits/stitches.*

deuken

I ⟨ov.ww.⟩ **0.1** [deuken maken in] *dent* ⇒⟨fig.⟩ *damage, injure* ◆ **1.1** een gedeukte hoed *a dented hat;* een gedeukt kussen *an indented cushion/pillow;*

II ⟨onov.ww.⟩ **0.1** [deuken krijgen] *be dented.*

deukhoed ⟨de (m.)⟩ **0.1** *Homburg (hat)* ⇒*trilby (hat),* ᴬ*fedora.*

deun ⟨de (m.)⟩ **0.1** [wijsje] *tune* ⇒*air,* ⟨liedje⟩ *song, ditty* **0.2** [afgezaagde wijs] *well-worn/hackneyed tune* ◆ **2.1** een eentonig ~tje *a monotonous t., a tuneless song;* het is het oude ~tje ⟨fig.⟩ *it's the same old story, here we go again* **3.1** een ~tje fluiten *whistle a little t.;* ~tjes spelen *play simple/little tunes;* dat ~tje zit al de hele middag in mijn hoofd *that t.'s been going round and round in my head all afternoon* **4.2** hij zingt altijd dezelfde ~ ⟨fig.⟩ *he's always harping on the same subject/going on about the same thing* **7.¶** ik zing geen twee ~tjes voor één cent ≠*I'm not saying t. twice to say the same thing twice.*

deuntje ⟨het⟩ **0.1** *little* ⇒*bit* ◆ **3.1** hij ging een ~ huilen *he had a little cry, he cried a bit/little.*

deur ⟨de⟩ ⟨→sprw. 26,184, 190,253⟩ **0.1** *door* ◆ **1.1** de ~ en v.e. sluis *the gates of a lock* **2.1** een dubbele ~ *double doors;* voor een gesloten ~ komen *find no-one at home/in;* met/achter gesloten ~en *with/behind closed doors, in private;* ⟨jur.⟩ in camera; een halve/glazen ~ *a half/glass d.;* ⟨fig.⟩ open ~ inlopen/intrappen *force an open d.;* ⟨ec.⟩ de politiek v.d. open ~ *an/the open d. policy;* een zitting met open ~en *an open/a public session* **3.1** ⟨fig.⟩ de ~ voor iemands neus dichtdoen/gooien *shut/slam the d. in s.o.'s face;* de ~ achter zich dichttrekken *shut/close the d. behind one, pull the d. to behind one;* de schoenen gaan voor een habbekrats de ~ uit *in die winkel shoes are going for a song at that shop;* hij is net de ~ uitgegaan *you've just missed him, he's just walked out of the d., he's just gone out;* zij komt de ~ niet meer uit *she never goes out any more, she never darkens the d.;* jij komt de ~ niet meer in *you shan't enter my house again;* de ~ open laten/dichtgooien voor onderhandelingen *open the d. for negotiations; close the d. to negotiations;* met geld open je alle ~en *money opens any d./all doors;* ⟨fig.⟩ de ~ (wijd) openzetten voor knoeierijen *leave the d. (wide) open/open the d. (wide) to corruption;* ⟨fig.⟩ bij ons staat de ~ altijd open *we keep open house;* iem. de ~ uit krijgen/werken *get rid of s.o.;* de ~ uitgaan/openen/sluiten *go out of/open/shut, close the d.;* iem. de ~ uitzetten/buiten de ~ zetten *throw/turn s.o. out of the* *house;* 〈fig.〉 zij vliegen de ~ uit *they're selling like hot cakes, they're being snapped up; they'll sell like hot cakes, they'll be snapped up;* iem. (het gat van) de ~ wijzen 〈fig.〉 *show s.o. the d.* **3.¶** dat doet de ~ dicht *that does it, that puts the lid on it* **5.1** hij is de ~ uit *he's gone out;* 〈voorgoed〉 *he's left home;* ik mag voorlopig de ~ niet uit *I'm confined to the house at the moment / for the time being;* het is wel stil nu de kinderen de ~ uit zijn *it's quiet now the children are off my / our hands;* zijn de folders de ~ al uit(gegaan)? *have the leaflets already been sent out?;* ze wonen een paar ~en verder *they live a few doors away* **6.1 aan** de ~ kloppen *knock at the d.;* **aan** de ~ wordt niet gekocht *no hawkers!;* vroeger kwam de bakker bij ons **aan** de ~ *the baker used to call at the house;* er is iem. voor je **aan** de ~ geweest *there was s.o. at the d. for you;* dat is een mooie stok **achter** de ~ *that's a good stick to beat (s.o.) with;* **buiten** de ~ eten *eat out;* **in** de ~ staan *stand at the d., stand in the doorway;* met iets **langs** de ~en gaan *sell sth. door-to-door;* **met** de ~en gooien *slam the doors;* **met** de ~ in huis vallen *come straight to the point / out with it, not beat about the bush;* dat is niet bepaald **naast** de ~ *that isn't exactly on the doorstep;* zijn vinger / sjaal kwam **tussen** de ~ *his finger / scarf got trapped in the d.;* hij gaat **van** ~ **tot** ~ *he goes from d. to d.;* de winter staat **voor** de ~ *winter is almost here, it's almost / it will soon be winter;* veranderingen die **voor** de ~ staan *forthcoming changes* **7.1** auto met vijfde ~ *hatchback* **¶.1** 〈fig.〉 bij iem. de ~ plat lopen *be always on s.o.'s doorstep;* daar is (het gat van) de ~! *there's the d.!.*

deurbel 〈de〉 **0.1** *doorbell.*

deurbeslag 〈het〉 **0.1** *door furniture / fittings.*

deurbuffer 〈de (m.)〉 **0.1** *door protector.*

deurcontact 〈het〉 **0.1** *door switch.*

deurdranger 〈de (m.)〉 **0.1** *door-spring.*

deurketting 〈de〉 **0.1** *door-chain.*

deurklink 〈de〉 →**deurkruk.**

deurklopper 〈de (m.)〉 **0.1** *(door) knocker* ⇒*rapper.*

deurknip 〈de〉 **0.1** *door catch* ⇒*latch, door bolt.*

deurknop 〈de (m.)〉 **0.1** *doorknob.*

deurkruk 〈de〉 **0.1** *doorhandle* ◆ **6.1** 〈fig.〉 hij kan uren **met** de ~ in zijn handen staan *he can stand and talk for hours.*

deurlijst 〈de〉 **0.1** *doorcase* ⇒*casing.*

deurmat 〈de〉 **0.1** *doormat* ◆ **6.1** iem. op de ~ laten staan 〈fig.〉 *keep s.o. standing on the doorstep.*

deuropening 〈de (v.)〉 **0.1** *doorway* ◆ **6.1** door de ~ verdwijnen *vanish through the d.;* plotseling stond hij in de ~ *suddenly he was standing in the d..*

deurplaat 〈de〉 **0.1** [plaatje voor sleutelgat] *finger-plate* **0.2** [naamplaat] *doorplate.*

deurpost 〈de (m.)〉, **deurstijl** 〈de (m.)〉 **0.1** *doorpost* ⇒*(door) jamb.*

deurraampje 〈het〉 **0.1** *window in a door* ⇒〈aan balie〉 *wicket.*

deurspion 〈de (m.)〉 **0.1** *spy-hole, peephole.*

deurtelefoon 〈de (m.)〉 **0.1** *intercom.*

deurvanger 〈de (m.)〉 **0.1** *doorstop.*

deurveer 〈de〉 **0.1** *door-spring.*

deurvleugel 〈de (m.)〉 **0.1** *leaf* ⇒*door.*

deurwaarder 〈de (m.)〉 **0.1** [gerechtelijk ambtenaar] *process-server, bailiff* ⇒〈ordehandhaver in de rechtszaal〉 *usher* **0.2** [belastingambtenaar] *bailiff* ◆ **3.1** een ~ sturen *serve a writ* **6.1** zijn vorderingen **met** een ~ halen *send in the bailiffs.*

deurwaardersexploot 〈het〉 **0.1** *writ* ⇒〈dagvaarding〉 *(writ of) summons* ◆ **3.1** iem. een ~ betekenen *serve a w. on s.o.;* 〈dagvaarding〉 *summons s.o.* **6.1** bij / per ~ *by means of a w. / summons.*

deus ex machina 〈de (m.)〉 **0.1** [〈gesch., dram.〉] *deus ex machina* **0.2** [redder in de nood] *deus ex machina.*

deuterium 〈het〉 〈schei.〉 **0.1** *deuterium.*

deuteron 〈het〉 〈schei.〉 **0.1** *deuteron.*

Deuteronomium 〈het〉 〈bijb.〉 **0.1** *Deuteronomy.*

deuvel 〈de (m.)〉 **0.1** *dowel (pin).*

deuvik 〈de (m.)〉 **0.1** [deuvel] *dowel (pin)* **0.2** [afsluiter v.e. vat] *spigot.*

deux-chevaux 〈de〉 **0.1** *2 cv.*

deux-pièces 〈het, de〉 **0.1** *two-piece* ⇒〈minder gebruikelijk〉 *costume.*

devaluatie 〈de (v.)〉 〈ook fig.〉 **0.1** *devaluation.*

devalueren

I 〈ov.ww.〉 **0.1** [〈geldw.〉] *devalue* ◆ **1.1** de frank is 8% gedevalueerd *the franc has been devalued by 8%;*

II 〈onov.ww.〉 **0.1** [〈fig.〉 verminderen] *become devalued* ◆ **5.2** de betekenis v.h. festival is sterk gedevalueerd *the festival has become greatly devalued.*

deverbatief[1] 〈het〉 **0.1** *deverbative.*

deverbatief[2] 〈bn.〉 **0.1** *deverbative.*

devesteren 〈ov.ww.〉 〈r.k.〉 **0.1** *unfrock, defrock.*

devestituur 〈de (v.)〉 〈r.k.〉 **0.1** *unfrocking, defrocking.*

deviant[1]

I 〈de (m.)〉 **0.1** [persoon] *deviant;*

II 〈de〉 **0.1** [vorm] *deviant.*

deviant[2] 〈bn., bw.〉 **0.1** *deviant* ◆ **1.1** ~ gedrag *d. behaviour.*

deviatie 〈de (v.)〉 **0.1** [〈ster.; nat.〉] *deviation (from)* ⇒〈van kompas-

naald ook〉 *deflection* **0.2** [koersverandering] *deviation* **0.3** [〈med.〉] 〈alg.〉 *deviation* ⇒〈mbt. oogbol〉 *strabismus* **0.4** [mbt. de normale toestand] *deviation* **0.5** [mbt. voorgeschreven opvattingen] *deviation.*

deviationisme 〈het〉 **0.1** *deviationism.*

devies 〈het, in bet. alleen mv.〉 **0.1** [zinspreuk] *motto* ⇒〈herald. ook〉 *device* **0.2** [〈hand.〉 wissel] *bill of exchange* **0.3** [waardepapieren] *(foreign) exchange* ◆ **1.1** 'je maintiendrai' is het ~ v.h. Nederlandse wapen *'je maintiendrai' is the m. on the Dutch coat of arms* **1.3** een bron van vreemde deviezen *a foreign currency earner* **2.3** vreemde deviezen 〈geld〉 *foreign currency;* 〈wisselwaarde〉 *foreign exchange.*

deviezenbeperking 〈de (v.)〉 **0.1** *currency restrictions* 〈mv.〉 ⇒*(foreign) exchange control(s).*

deviezencontrole 〈de〉 **0.1** *exchange control.*

deviezenhandel 〈de (m.)〉 **0.1** *foreign exchange dealings / business.*

deviezenmarkt 〈de〉 **0.1** *foreign exchange / currency market.*

deviezenreserve 〈de〉 **0.1** *foreign currency / exchange reserves.*

deviezensmokkel 〈de (m.)〉 **0.1** *currency smuggling.*

deviezenverkeer 〈het〉 **0.1** *foreign currency / exchange dealings / traffic.*

deviezenverordening 〈de (v.)〉 **0.1** *exchange control regulation* ⇒*currency laws.*

Devoon 〈het〉 **0.1** *Devonian.*

devoot[1] 〈de (m.)〉 **0.1** *devotee* ⇒*votary.*

devoot[2] 〈bn., bw.; -ly〉 **0.1** [vroom] *devout* ⇒*pious, reverent* **0.2** [geheel toegewijd] *devoted* ◆ **1.1** in een devote stemming zijn *be in a reverent mood / frame of mind* **3.1** ~ bidden *pray devoutly / reverently.*

devotie 〈de (v.)〉 〈r.k.〉 **0.1** [vroomheid] *devotion* ⇒*devoutness, piety* **0.2** [godsdienstige verering] *worship* ⇒*devotion, cult* ◆ **6.2** ~ **tot** Maria *w. of the Virgin Mary* **¶.2** in onbruik geraakte ~s *dead cults.*

devotionalia 〈zn.mv.〉 **0.1** *devotional objects.*

devotioneel 〈bn.〉 **0.1** *devotional.*

dewelke 〈betr.vnw.〉〈schr.〉 **0.1** 〈ogm.〉 *who, which, that* ◆ **6.1** een regel volgens ~ *a rule according to which.*

deweysysteem 〈het〉 **0.1** *Dewey (decimal) system / classification.*

dextrien 〈de〉〈schei.〉 **0.1** *dextrin.*

dextrocardie 〈de (v.)〉〈med.〉 **0.1** *dextrocardia.*

dextrose 〈de〉 **0.1** *dextrose.*

deze 〈aanw.vnw.〉 **0.1** 〈enk.〉 *this;* 〈mv.〉 *these* ◆ **1.1** ~r dagen 〈onlangs〉 *recently;* 〈binnenkort〉 *shortly;* een ~r dagen *one of these days;* aan ~ kant v.h. kanaal *on this / the near side of the canal;* schrijver ~s *the present writer / author;* om ~ tijd vorig jaar *this time last year;* toonder ~s *bearer* **3.1** wil je ~ (hier)? *do you want this one?* **4.1** mocht ~ of gene er naar vragen *if anyone should ask;* bij ~ of gene gelegenheid *on some occasion or other;* ~ en gene heeft al gebeld *various people have rung already;* ~ of gene zal ons vast wel te hulp komen *s.o. / somebody will come to our aid* **6.1** bij ~(n) meld ik u *I herewith inform you;* **bij** ~ verklaar ik de tentoonstelling voor geopend *I hereby declare the exhibition open;* **in** ~n *in this matter;* **na** ~n *after this (date), from today;* **ten** ~n *in this respect* **7.1** de twaalfde ~r *the twelfth of this month* **¶.1** uw brief van vijftien ~r *your letter of the 15th instant / inst..*

dezelfde 〈aanw.vnw.〉〈→sprw. 165〉 **0.1** *the same* ◆ **1.1** van ~ datum of even / t. s. date;* allemaal van ~ kleur *all t. s. colour, all of a colour* **3.1** we bedoelen niet ~ *we don't mean t. s. one, we're not talking about t. s. one;* ik ben nog steeds ~ *I'm still t. s.;* wil je (hier) ~ (would you like the) same again?;* dat zijn ~n die we gisteren zagen *those are t. s. ones / peoples we saw yesterday* **5.1** op precies ~ dag *on the very same day, on exactly t. s. day* **7.1** een en ~ one and t. s.;* er waren geen twee ~ *no two were alike* **8.1** deze is ~ als die *this one is t. s. as that one.*

dezerzijds

I 〈bw.〉 **0.1** [van deze zijde] *on this / my / our side, on my / our part* ◆ **3.1** ~ zijn er geen bezwaren te verwachten *there are no objections on my / our part;*

II 〈bn.〉〈schr.〉 **0.1** [van deze kant geschiedend]〈zie 1.1〉 ◆ **1.1** ~e bezwaren *objections from this quarter.*

dezulke 〈aanw.vnw.〉〈schr.〉 **0.1** *such a person.*

dg 〈afk.〉 **0.1** [decigram] *dg.*

D.G. 〈afk.〉 **0.1** [Deo Gratia] *D.G..*

dgl. 〈afk.〉 **0.1** [dergelijke] 〈suchlike, the like〉.

Dhr. 〈afk.〉 **0.1** [〈niet alg.〉 de heer] *Mr..*

di 〈afk.〉 **0.1** [dinsdag] *Tue(s)..*

d.i. 〈afk.〉 **0.1** [dit / dat is] *i.e..*

dia 〈de (m.)〉 **0.1** [diapositief] *slide* ⇒*transparency* **0.2** [diameter] 〈afk. alleen schr.〉 *dia.* ⇒*diameter, in diameter* ◆ **1.2** de pijp is tien centimeter ~ *the pipe is ten centimetres in diameter* **3.1** ~'s vertonen *show slides* **6.1** een lezing met ~'s *a lecture with slides.*

di(a)- **0.1** [doorheen] *di(a)-* **0.2** [van elkaar af] *di(a)-.*

diabetes 〈de (m.)〉 **0.1** *diabetes.*

diabeticus 〈de (m.)〉, **-ca** 〈de (v.)〉 **0.1** *diabetic.*

diabetologie 〈de (v.)〉 **0.1** *diabetology.*

diabolisch 〈bn., bw.; -(al)ly〉 **0.1** *diabolic(al)* ⇒*devilish.*

diabolo 〈de (m.)〉 **0.1** *diabolo.*

diacassette 〈de〉 **0.1** *slide case.*

diachronie 〈de (v.)〉 **0.1** [verloop volgens de historische ontwikkeling] *diachrony* **0.2** [〈taal.〉] *diachrony.*

diachronisch ⟨bn.⟩ **0.1** *diachronic* ◆ **1.1** ~e taalkunde *d. / historical linguistics*.

diaconaal ⟨bn.⟩ **0.1** *diaconal*.

diaconaat ⟨het⟩ **0.1** [⟨r.k.⟩] *diaconate* ⇒*deaconate* ⟨ook Angl.⟩ **0.2** [⟨prot.⟩] *deaconate, diaconate*.

diacones ⟨de (v.)⟩⟨prot.⟩ **0.1** *deaconess*.

diaconessenhuis ⟨het⟩ **0.1** *deaconesses' hospital / nursing-home*.

diaconie ⟨de (v.)⟩⟨kerk.⟩ **0.1** ≠*church social welfare work* ◆ **6.1** aan de ~ komen/vervallen ⟨gesch.⟩ ≠*go on the parish;* van de ~ trekken/ leven ⟨gesch.⟩ ≠*be on the parish.*

diacritisch ⟨bn.⟩⟨taal.⟩ **0.1** *diacritic(al)* ◆ **1.1** een ~teken *a diacritic, diacritical mark / sign.*

diadeem ⟨het, de (m.)⟩ **0.1** [met edelgesteenten versierde hoofdband] *diadem* **0.2** [vrouwelijk haartooisel] *tiara* ⇒*coronet.*

diaeresis ⟨de (v.)⟩ **0.1** [⟨taal.⟩ breking v.e. tweeklank] *diaeresis* **0.2** [⟨taal.⟩ breking v.e. lettergreep] *diaeresis* **0.3** [⟨dichtkunst⟩] *diaeresis* ⇒*caesura.*

diaforese ⟨de (v.)⟩⟨med.⟩ **0.1** *diaphoresis.*

diafragma ⟨het⟩ **0.1** [middenrif] *diaphragm* **0.2** [schermpje met verstelbare opening] *diaphragm* ⇒*stop* **0.3** [tussenwand] *diaphragm* ◆ **2.2** klein/groot ~ *small/large aperture* **3.2** het ~ openen ⟨foto.⟩ *open up, increase the aperture;* ⟨film.⟩ *fade in;* het ~ sluiten ⟨foto.⟩ *stop down (a lens), reduce the aperture;* ⟨film.⟩ *fade out.*

diafragmagetal ⟨het⟩ **0.1** *f-number* ⇒*aperture value / ratio / number, relative aperture.*

diafragmaopening ⟨de (v.)⟩ **0.1** *aperture.*

diafyse ⟨de (v.)⟩⟨med.⟩ **0.1** *diaphysis.*

diagenese ⟨de (v.)⟩⟨geol.⟩ **0.1** *diagenesis.*

diagnose ⟨de (v.)⟩ **0.1** [⟨med.⟩] *diagnosis* **0.2** [⟨fig.⟩] *diagnosis* **0.3** [⟨biol.⟩] *diagnosis* ◆ **3.1** de ~ stellen *make a/one's d., diagnose.*

diagnosticus ⟨de (m.)⟩ **0.1** *diagnostician.*

diagnostiek ⟨de (v.)⟩ **0.1** *diagnostics.*

diagnostisch ⟨bn.⟩ **0.1** *diagnostic* ◆ **1.1** een ~e toets voor wiskunde *a d. test in mathematics.*

diagnostiseren ⟨onov., ov.ww.⟩ **0.1** *diagnose.*

diagonaal[1] ⟨de⟩ **0.1** *diagonal.*

diagonaal[2] ⟨bn., bw.; -ly⟩ **0.1** *diagonal* ◆ **3.1** ⟨fig.⟩ een boek ~ (sgewijs) lezen *skim through a book;* pionnen slaan ~ *pawns take diagonally.*

diagonaalband ⟨de (m.)⟩ **0.1** *cross-ply tyre,* ^*bias ply tire.*

diagonaalvlak ⟨het⟩ **0.1** *diagonal plane.*

diagram ⟨het⟩ **0.1** [schets] *diagram* **0.2** [grafische voorstelling] *diagram* ⇒*graph, chart* **0.3** [automatisch opgetekende voorstelling] *trace* **0.4** [notenbalk] *stave* ◆ **1.1** ⟨biol.⟩ het ~ v.e. bloem *the d. of a flower* **1.3** ~ v.d. polsslag *read-out of the pulse rate.*

diaken ⟨de (m.)⟩ **0.1** [⟨prot.⟩] *deacon* **0.2** [⟨r.k.⟩] *deacon* ⟨ook Angl.⟩.

dialect ⟨het⟩ **0.1** [streektaal] *dialect* **0.2** [talen met gemeenschappelijke grondtaal] *dialect.*

dialectatlas ⟨de (m.)⟩ **0.1** *dialect atlas.*

dialectgeografie ⟨de (v.)⟩ **0.1** *dialect geography* ⇒*linguistic geography.*

dialecticus ⟨de (m.)⟩ **0.1** ⟨fil.⟩ *dialectician;* ⟨discussievaardige⟩ *dialectic.*

dialectiek ⟨de (v.)⟩ **0.1** [kennisleer] *dialectic(s)* **0.2** [redeneerkunde] *dialectic(s)* **0.3** [discussievaardigheid] *dialectic skill* **0.4** [⟨fil.⟩] *dialectic(s)* ⟨meestal mv.⟩.

dialectisch
I ⟨bn.⟩ **0.1** [tot de dialectiek behorend] *dialectical* **0.2** [op dialectiek berustend] *dialectical* **0.3** [discussievaardig] *dialectic* **0.4** [⟨fil.⟩] *dialectical* ◆ **1.2** ~e theologie *d. theology* **1.4** ~ materialisme *d. materialism;*
II ⟨bn., bw.; -ly⟩ **0.1** [volgens een dialect] *dialectal* ⇒*regional* ◆ **1.1** zij heeft een ~e uitspraak *she has a regional accent* **3.1** dat woord komt alleen ~ voor *this word only occurs in dialect / as a regional / d. variant.*

dialectisme ⟨het⟩⟨taal.⟩ **0.1** *dialectal form / variant* ⇒*dialecticism.*

dialectkaart ⟨de⟩ **0.1** *dialect map.*

dialectologie ⟨de (v.)⟩, **dialectstudie** ⟨de (v.)⟩ **0.1** *dialectology.*

dialectoloog ⟨de (m.)⟩ **0.1** *dialectologist.*

dialectspreker ⟨de (m.)⟩, **-spreekster** ⟨de (v.)⟩ **0.1** *dialect speaker* ⇒ *speaker with a regional accent.*

dialogisch ⟨bn., bw.; -(al)ly⟩ **0.1** *dialogic(al).*

dialogiseren ⟨ov.ww.⟩ **0.1** *dialogize* ⇒*dialogue* ◆ **1.1** een gedialogiseerde roman *a novel in dialogue form.*

dialoog ⟨de (m.)⟩ **0.1** [tweespraak] *dialogue* ⇒*duologue* **0.2** [discussie] *dialogue.*

dialysator ⟨de (m.)⟩ **0.1** *dialyser* ^*zer* ⇒⟨med.⟩ *haemodialyser, artificial kidney.*

dialyse ⟨de (v.)⟩ **0.1** [scheiding van stoffen] *dialysis* **0.2** [⟨med.⟩] *(haemo)dialysis* ⇒*extracorporeal dialysis.*

dialyseren ⟨ov.ww.⟩ **0.1** [dialyse teweegbrengen] *dialyse* ^*ze* **0.2** [dialyse-behandeling geven] *dialyse* ^*ze.*

dialytisch ⟨bn.⟩ **0.1** *dialytic.*

diamagnetisme ⟨het⟩⟨nat.⟩ **0.1** *diamagnetism.*

diamant ⟨het, de (m.)⟩ **0.1** [edelgesteente] *diamond* **0.2** [gereedschap]

diamond ◆ **2.1** ⟨fig.⟩ een ongeslepen ~ *a rough d.;* ruwe/geslepen ~ *rough/polished d.* **3.1** ~ slijpen *polish/cut a d.;* een ~ zetten *set a d.* **6.1** een ~ van het eerste/zuiverste water ⟨ook fig.⟩ *a d. of the first water.*

diamantair ⟨de (m.)⟩ **0.1** *diamond dealer / merchant.*

diamant(be)werker ⟨de (m.)⟩, **-ster** ⟨de (v.)⟩ **0.1** *diamond worker / cutter.*

diamantboor ⟨de⟩ **0.1** *diamond drill.*

diamantboort ⟨het⟩ **0.1** *(diamond) bo(a)rt.*

diamantdruk ⟨de (m.)⟩ **0.1** ⟨druk.⟩ **0.1** *diamond (type).*

diamanten ⟨bn.⟩ **0.1** [van diamant] *diamond* **0.2** [⟨fig.⟩ uiterst hard] *adamant(ine)* **0.3** [met diamanten bezet] *diamond* ⇒*diamond-ornamented* ◆ **1.3** een ~ broche *a diamond brooch* **1.¶** ~ bruiloft *diamond wedding.*

diamanthandel ⟨de (m.)⟩ **0.1** *diamond trade.*

diamanthandelaar ⟨de (m.)⟩ **0.1** *diamond dealer / merchant.*

diamanthoudend ⟨bn.⟩ **0.1** *diamond-bearing / -yielding* ⇒⟨wet. ook⟩ *diamantiferous, diamondiferous.*

diamantindustrie ⟨de (v.)⟩ **0.1** *diamond industry.*

diamantkloven ⟨ww.⟩ **0.1** *diamond splitting / cleaving.*

diamantklover ⟨de (m.)⟩, **-kloofster** ⟨de (v.)⟩ **0.1** *diamond splitter / cleaver.*

diamantletter ⟨de⟩⟨druk.⟩ **0.1** *diamond.*

diamantnaald ⟨de⟩ **0.1** *diamond needle* ⇒*diamond (stylus / stilus).*

diamantpoeder ⟨het, de (m.)⟩ **0.1** *diamond powder / dust.*

diamantslijper ⟨de (m.)⟩, **-ster** ⟨de (v.)⟩ **0.1** *diamond cutter / polisher.*

diamantslijperij ⟨de (v.)⟩ **0.1** *diamond-cutting / polishing establishment / factory / shop.*

diamantspaat ⟨het⟩ **0.1** *diamond spar.*

diamantveld ⟨het⟩ **0.1** *diamond field.*

diamantzetten ⟨ww.⟩ **0.1** *diamond setting.*

diameter ⟨de (m.)⟩ **0.1** *diameter* ⇒⟨van cilinder ook⟩ *bore* ◆ **1.1** het heeft een ~ van 2 centimeter *it is 2 centimetres in d. / across.*

diametraal ⟨bn., bw.; -(al)ly⟩ **0.1** *diametral* =*diametric(al)* ⟨ook fig.⟩ ◆ **1.1** een diametrale doorsnede *a diametral (cross-)section* **5.1** ⟨fig.⟩ dat ligt/staat er ~ tegenover *that is diametrically opposed to it;* ⟨fig.⟩ ze staan ~ tegenover elkaar *they are diametrically opposed to (each other), they are poles apart.*

diapason ⟨de (m.)⟩⟨muz.⟩ **0.1** [toon] ⟨8e toon van grondtoon⟩ *diapason;* ⟨toonomvang van stem/instrument⟩ *compass, range* **0.2** [stemvork] *tuning fork* **0.3** [toonhoogte van A] *French pitch* ⟨A 435 trillingen per seconde⟩; *concert pitch* ⟨A 440 trillingen per seconde⟩ **0.4** [⟨fig.⟩ stemming] *mood* ⇒*tune.*

diapauze ⟨de⟩⟨biol.⟩ **0.1** *diapause.*

diapositief ⟨het⟩ **0.1** *slide* ⇒⟨niet ingeraamd ook⟩ *transparency.*

diapresentatie ⟨de (v.)⟩ **0.1** *slide presentation.*

diaprojector ⟨de (m.)⟩ **0.1** *slide projector.*

diaraampje ⟨het⟩ **0.1** *slide frame / mount.*

diarree ⟨de (v.)⟩ **0.1** *diarrhoea* ⇒⟨bij vee⟩ *scour* ◆ **3.1** ~ hebben *suffer from / have d..*

diaschuif ⟨de⟩ **0.1** *slide holder.*

diascoop ⟨de (m.)⟩ **0.1** *diascope* ⇒*slide projector.*

diascopie ⟨de (v.)⟩ **0.1** *diascopy.*

diaspora ⟨de⟩ **0.1** *Diaspora* ⇒*Dispersion.*

diaspore ⟨de⟩⟨plantk.⟩ **0.1** *diaspore.*

diastase ⟨de (v.)⟩ **0.1** [⟨schei.⟩] *diastase* **0.2** [⟨med.⟩] *diastasis.*

diastole ⟨de⟩⟨med.⟩ **0.1** *diastole.*

diastolisch ⟨bn.⟩⟨med.⟩ **0.1** *diastolic.*

diatheek ⟨de (v.)⟩ **0.1** *slide collection / library.*

diathese ⟨de (v.)⟩ **0.1** [⟨med.⟩] *diathesis* **0.2** [⟨taal.⟩] *diathesis.*

diatomeeën ⟨zn.mv.⟩ **0.1** *diatoms.*

diatonisch ⟨bn.⟩⟨muz.⟩ **0.1** *diatonic* ◆ **1.1** de ~e toonladder *the d. scale.*

diatribe ⟨de⟩ **0.1** [scherpe kritiek] *diatribe* ⇒*tirade* **0.2** [retorisch betoog] *discourse.*

diaviewer ⟨de (m.)⟩ **0.1** *slide viewer.*

dichotomie ⟨de (v.)⟩ **0.1** [indeling in tweeën] *dichotomy* **0.2** [⟨plantk.⟩] *dichotomy.*

dicht[1] ⟨het⟩ **0.1** [gedicht] *poem* **0.2** [poëzie] *poetry* ◆ **1.2** ~ en ondicht *p. and prose* **6.2** iets in ~ brengen *put into verse.*

dicht[2] ⟨→sprw. 332⟩
I ⟨bn., bw.; -ly⟩ **0.1** [met weinig tussenruimte] *close* ⇒*thick, dense, compact* ◆ **1.1** een gebied met een ~e bevolking *a densely populated area;* een ~ bos *a dense wood, a thick forest;* een ~e bos haar *a thick head of hair, a shock of hair;* in ~e drommen *in dense hordes;* ⟨geol.⟩ leisteen is een zeer ~ gesteente *slate is a highly compact rock;* ~e mist *thick / dense fog;* in ~e rijen *in serried rows / ranks;* ⟨nat.⟩ goud is een ~e stof *gold is a dense substance;* de sneeuw valt in ~e vlokken *the snow is falling in thick flakes, the air is thick with snow;* een ~e wind *a steady wind* **2.1** ~ beschreven bladzijden *closely written pages;* een ~ geweven stof *a close-weave / closely woven fabric* **3.1** ze zaten ~ opeengepakt *they sat closely / tightly packed together* **6.1** ~ op elkaar wonen *live close together / on top of one another;* zich ~ tegen iem. aanvlijen *cuddle / snuggle up to s.o., nestle up against / to s.o.;* ⟨fig.⟩

283

dichtader - dichtwerk

~er tot elkaar komen *come / draw closer, begin to find common ground;*
II ⟨bn.⟩ **0.1** [gesloten] *closed* ⇒*shut, drawn* ⟨gordijnen⟩, *off* ⟨kraan⟩ **0.2** [ondoordringbaar] *tight* **0.3** [⟨fig.⟩ niets loslatend]
close(-mouthed) ⇒*close-/tight-lipped* ◆ **1.1** kop~! ⟨inf.⟩ *shut / belt / button up!, shut your mouth / face / trap!;* mondje ~ ⟨inf.⟩ *keep mum, mum's the word* **3.1** zijn jas dichtdoen *button (up) one's coat;* die is ~! ⟨iron.⟩ *I think I heard s.o. closing a door, that's what I call closing a door;* ik krijg mijn riem niet ~ *I can't fasten my belt;* ik krijg mijn rok niet ~ *my skirt won't do up;* haar keel zit ~ *she has a lump in her throat, she is all choked up / too choked to speak;* mijn neus zit ~ *my nose is blocked / stuffed up;* de afvoer zit ~ *the drain is clogged / blocked up;* de vijver zit ~ *the pond is frozen over;* het vliegveld zit ~ *the airport is fog-bound* **8.3** zo ~ als een pot zijn *be a close one / as close as an oyster / a clam;*
III ⟨bw.⟩ **0.1** [op geringe afstand] *close (to)* ⇒*near* ◆ **5.1** we zijn er ~ aan toe geweest *we came close to doing it, we almost did it* **6.1** we zijn ~ **bij** de stad *we are close to / near the town;* ~ **bij** de wind houden ⟨ook fig.⟩ *sail close to the wind;* zijn ogen staan ~ **bij** elkaar *he has close-set eyes;* je bent er aardig ~ **bij** *you are pretty near the mark;* zij waren ~ **onder** het doel *they were close to the goal;* ⟨fig. ook⟩ *they were nearly there;* hij woont ~ **in** de buurt *he lives / is living near by / near here;* ~ **onder** de kust varen *hug the shore;* iem. ~ **op** de hielen zitten *be close (up) on s.o.'s heels.*
dichtader ⟨de⟩ **0.1** *poetic vein* ⇒*vein of poetry.*
dichtbegroeid ⟨bn.⟩ **0.1** *thick* ⇒*dense, thickly wooded / grown* ◆ **1.1** ~ terrein *overgrown land.*
dichtbevolkt ⟨bn.⟩ **0.1** *densely populated* ⇒⟨schr.⟩ *populous.*
dichtbij
I ⟨bw.⟩ **0.1** [nabij] *close by* ⇒*near by, nearby, close / near at hand* ◆ **3.1** hij woont hier ~ *he lives near / here / nearby* **6.1** van ~ *at close quarters, close to;* **van** te ~ *from too close;*
II ⟨bn.⟩ ⟨schr.⟩ **0.1** [nabijzijnd] *nearby* ⇒*proximate* ◆ **1.1** ~e geluiden *n. noises.*
dichtbinden ⟨ov.ww.⟩ **0.1** *tie up.*
dichtbranden ⟨ov.ww.⟩ ⟨med.⟩ **0.1** *canterize* ⇒*sear.*
dichtbundel ⟨de (m.)⟩ **0.1** *collection of poems* ⇒*book of poetry.*
dichtdoen ⟨ov.ww.⟩ **0.1** *close* ⇒*shut, draw* ⟨gordijnen⟩ ◆ **1.1** dat doet de deur dicht! *that clinches / settles it!;* ⟨inf.⟩ *that puts the lid on it!;* geen oog ~ *not sleep a wink, not get a wink of sleep;* ik heb er geen oog van dichtgedaan *it kept me awake all night, I couldn't sleep because of it;* we zullen nog één keer een oogje ~ *we shall turn a blind eye to it just one more time, we shall wink at it for the last time;* wil je mijn rits even ~? *will you do up my zip,* ^*zipper?.*
dichtdraaien ⟨ov.ww.⟩ **0.1** *turn off* ⟨kraan⟩ ⇒*close* ⟨deksel⟩, *turn the key in* ⟨slot⟩.
dichten
I ⟨onov.ww.⟩ **0.1** [verzen maken] *write poetry / verses* ⇒*compose verses, versify* **5.1** hij kan goed ~ *he writes good verse, he is good at verse-writing;*
II ⟨ov.ww.⟩ **0.1** [in dichtvorm behandelen] *poeticize* ⇒*poetize, versify* **0.2** [dichtmaken] *stop (up)* ⇒*fill (up), seal* ⟨gat, dijk⟩ ◆ **1.2** een gat ~ *stop a gap* ⟨ook fig.⟩; *mend a hole;* een lek ~ *stop a leak;* een scheur ~ *stop / fill up a crack / crevice;* een schip ~ *ca(u)lk a ship / vessel.*
dichter ⟨de (m.)⟩, **-es** ⟨de (v.)⟩ **0.1** *poet* ⟨m.⟩, *poetess* ⟨v.⟩ ◆ **2.1** een lyrisch ~ *a lyric poet.*
dichterbij ⟨bw.⟩ **0.1** *nearer* ⇒*closer.*
dichterlijk
I ⟨bn.⟩ **0.1** [(als) v.e. dichter] *poetic(al)* **0.2** [mbt. de dichtkunst] *poetic(al)* ◆ **1.1** een ~e natuur *a poetic nature;* ~e ontboezemingen *poetic effusions / outpourings* **1.2** ~e taal *poetic language;* ~e vrijheid *poetic licence;*
II ⟨bw.⟩ **0.1** [als een dichter] *poetically* **0.2** [als in een dichtwerk] *poetically* ◆ **3.2** iets ~ voorstellen *represent sth. p..*
dichterlijkheid ⟨de (v.)⟩ **0.1** *poetic nature* ⇒*poeticism.*
dichterschap ⟨het⟩ **0.1** [het dichter zijn] *poethood* ⇒*life / work as a poet* **0.2** [poëtische aanleg] *poetic genius.*
dichtgaan ⟨onov.ww.⟩ **0.1** *close* ⇒*shut, fasten* ⟨kledingstuk⟩, ⟨met knopen⟩ *button, close up, heal* ⟨wond⟩ ◆ **1.1** de deur gaat helemaal dicht *the door shuts to;* de deur gaat niet dicht *the door won't shut / close;* 's zomers gaat de fabriek twee weken dicht *in (the) summer the factory / works / shuts down for two weeks / a fortnight;* hoe gaat dit jasje dicht? *how does this jacket do up?;* deze jurk gaat van achteren met haakjes dicht *this dress hooks up at the back;* mijn rok gaat niet dicht *my skirt won't meet;* op zaterdag gaan de winkels vroeg dicht *the shops close early on Saturdays.*
dichtgespen ⟨ov.ww.⟩ **0.1** *buckle together* ⇒*clasp together, strap* ⟨met riem⟩.
dichtgooien ⟨ov.ww.⟩ **0.1** [krachtig dichtdoen] *slam (to / shut)* ⟨deur, boek⟩ ⇒⟨deur ook⟩ *bang* **0.2** [dempen] *fill up / in* ⟨sloot⟩ ⇒*backfill.*
dichtgroeien ⟨onov.ww.⟩ **0.1** *close, heal (up)* ⟨wond⟩; *grow thick* ⟨bos⟩.
dichtheid ⟨de (v.)⟩ **0.1** [mate van onderlinge nabijheid] *density* ⇒*thick-*

ness, compactness **0.2** [⟨nat.⟩] *density* ◆ **1.1** ⟨aardr.⟩ ~ van bevolking *population d.;* de ~ v.e. bos *the d. / thickness of a wood* **1.2** de ~ v.d. dampkringslucht bepalen *measure / determine the d. of the atmospheric(al) air.*
dichtheidsmeter ⟨de (m.)⟩ ⟨nat.⟩ **0.1** *densimeter.*
dichthouden ⟨ov.ww.⟩ **0.1** *keep shut* ⇒*keep closed* ⟨ook winkels e.d.⟩ ◆ **1.1** zijn oren ~ *stop one's ears.*
dichtingsmateriaal ⟨het⟩ **0.1** *seal.*
dichtklappen
I ⟨onov.ww.⟩ **0.1** [krachtig dichtgaan] *snap shut / to* ⟨deksel, boek, kleine deur⟩ ⇒*close with a bang* ⟨huisdeur, raam⟩ **0.2** [mbt. personen] ⟨inf.⟩ *clam up* ◆ **5.2** hij klapte volkomen dicht *he clammed up completely;*
II ⟨ov.ww.⟩ **0.1** [krachtig dichtdoen] *slam* ⟨deur⟩ ⇒*shut up, snap to / shut* ⟨boek⟩.
dichtknijpen ⟨ov.ww.⟩ **0.1** *squeeze* ◆ **1.1** de handen ~ *clench one's fingers;* ⟨fig.⟩ hij mag zijn handen ~ *he may count himself lucky;* iem. de keel ~ *take s.o. by the throat, strangle / choke a person;* met dichtgeknepen lippen *with tightly shut lips;* zijn neus ~ *hold / pinch one's nose;* een oog ~ *voor iets turn a blind eye to sth.* **5.1** de ogen half dichtgeknepen *the eyes slightly narrowed / half-closed.*
dichtknopen ⟨ov.ww.⟩ **0.1** *button (up)* ⇒*fasten* ◆ **1.1** zijn jas ~ *button up one's coat;* zijn veters ~ *tie one's (shoe) laces.*
dichtkunst ⟨de (v.)⟩ **0.1** *(art of) poetry* ⇒*poetic art* ◆ **1.1** een verhandeling over de ~ *a treatise on the art of poetry* **2.1** een bloemlezing uit de hedendaagse ~ *an anthology of contemporary poetry.*
dichtmaat ⟨de⟩ **0.1** *metre* ◆ **6.1** in ~ *in verse.*
dichtmaken ⟨ov.ww.⟩ **0.1** *close* ⇒*fasten* ◆ **1.1** een brief ~ *c. / seal a letter;* een kier / gat ~ *c. a chink / gap;* ⟨fig.⟩ *stop a gap;* veters ~ *tie (shoe) laces.*
dichtmetselen ⟨ov.ww.⟩ **0.1** *brick (up), wall (up)* ⇒*mure (up).*
dichtnaaien ⟨ov.ww.⟩ **0.1** *sew up* ⇒*stitch up* ◆ **1.1** een wond ~*sew / stitch up a wound* ¶ **.1** ⟨fig.⟩ dichtgenaaid zijn *be close-lipped / mouthed.*
dichtplakken ⟨ov.ww.⟩ **0.1** *seal (up)* ⟨brief⟩; *stick / gum down* ⟨omslag⟩; *close, stop* ⟨gat⟩.
dichtregel ⟨de (m.)⟩ **0.1** *verse* ⇒*line of poetry.*
dichtrijgen, -snoeren ⟨ov.ww.⟩ **0.1** *lace up* ⇒*tie up, string together.*
dichtschroeien ⟨ov.ww.⟩ **0.1** *sear up* ⇒*cauterize* ◆ **1.1** vlees ~ *seal meat.*
dichtschroeven ⟨ov.ww.⟩ **0.1** [dichtdraaien] *screw down* **0.2** [met schroeven dichtmaken] *screw down* ◆ **3.2** ⟨fig.⟩ zijn keel zat dichtgeschroefd *it caught him by the throat, his throat was choked up.*
dichtschuiven ⟨ov.ww.⟩ **0.1** *slide to* ⇒*push to* ◆ **1.1** een gordijn ~ *draw a curtain.*
dichtslaan
I ⟨onov.ww.⟩ **0.1** [krachtig dichtgaan] *slam (to / shut)* ⇒*bang (to / shut)* **0.2** [mbt. personen] *clam up;*
II ⟨ov.ww.⟩ **0.1** [krachtig dichtdoen] *bang / slam (shut)* ⟨deur⟩ ⇒*snap to / shut* ⟨boek⟩ ◆ **1.1** de deur voor iemands neus ~ *slam the door in s.o.'s face.*
dichtslibben ⟨onov.ww.⟩ **0.1** *silt up* ⇒*get / become / be silted up.*
dichtsmijten ⟨ov.ww.⟩ **0.1** *slam (to / shut)* ⟨deur, boek⟩ ⇒⟨deur ook⟩ *bang.*
dichtsoort ⟨de⟩ **0.1** *poetic genre.*
dichtspijkeren ⟨ov.ww.⟩ **0.1** *nail up / down* ⇒*board up* ◆ **1.1** een deksel ~ *nail down a lid;* een deur / venster ~ *board up a door / window;* ⟨inf., fig.⟩ spijker de kist dicht *let the matter rest;* een kist ~ *nail up a box / case;* ⟨fig.⟩ hij woont waar de wereld dichtgespijkerd is *he lives at the end of the world / at the back of beyond.*
dichtspringen ⟨onov.ww.⟩ **0.1** *slam shut.*
dichtstbijzijnd ⟨bn.⟩ **0.1** *nearest.*
dichtstijl ⟨de (m.)⟩ **0.1** *poetic style.*
dichtstoppen ⟨ov.ww.⟩ **0.1** *stop (up)* ⇒⟨met allerlei materiaal⟩ *fill (up),* ⟨met een prop⟩ *plug (up)* ◆ **1.1** zijn oren ~ *stuff up one's ears.*
dichttimmeren ⟨ov.ww.⟩ **0.1** *board up* ⇒*nail up.*
dichttrekken
I ⟨ov.ww.⟩ **0.1** [met wolken of mist bedekt worden] ⟨wolken⟩ *cloud over;* ⟨mist⟩ *grow foggy;*
II ⟨ov.ww.⟩ **0.1** [sluiten door te trekken] *pull closed / shut / to* ⇒⟨gordijnen ook⟩ *draw,* ⟨met ritssluiting⟩ *zip up* ◆ **1.1** trek je capuchon / broek dicht *zip up your hood / trousers;* de deur achter zich ~ *pull the door to behind one;* de gordijnen ~ ⟨ook⟩ *close / shut the curtains.*
dichtvallen ⟨onov.ww.⟩ **0.1** *fall to shut* ⇒*swing to, close* ⟨ogen⟩, *click shut* ⟨in het slot⟩ ◆ **1.1** de deur is net dichtgevallen *the door has just fallen shut / swung to.*
dichtvorm ⟨de (m.)⟩ **0.1** *form / kind of poetry* ⇒*poetic form* ◆ **6.1** in ~ *in poetic form, in verse.*
dichtvouwen ⟨ov.ww.⟩ **0.1** *fold up* ⇒*furl* ⟨paraplu, vlag⟩.
dichtvriezen ⟨onov.ww.⟩ **0.1** *freeze (over / up)* ⇒*be frozen (up)* ⟨buizen⟩, *be frozen over* ⟨kanaal, meer, e.d.⟩.
dichtwaaien ⟨onov.ww.⟩ **0.1** *blow / be blown shut.*
dichtwerk ⟨het⟩ **0.1** [gedichten] *poetical work / oeuvre* **0.2** [groot gedicht] *epic / long poem.*

dichtzitten ⟨onov.ww.⟩ **0.1** [afgesloten zijn] *be closed* ⇒*be blocked / locked* **0.2** [ontoegankelijk zijn] *be fog-bound* ⟨vliegveld⟩; *be ice- / snow-bound* ⟨wegen⟩; *be frozen over* ⟨rivier⟩ ♦ **1.1** mijn neus zit dicht *my nose is blocked / stuffed up;* vervelend dat dat raam dicht zit! *what a nuisance! that window has (got) stuck!.*

dickey seat ⟨de⟩ **0.1** ᴮ*dickey,* ᴬ*rumble seat.*

dicroot ⟨bn.⟩ ⟨med.⟩ **0.1** *dicrotic* ⇒*dicrotal, dicrotous.*

dictaat ⟨het⟩ **0.1** [aantekeningen] *(lecture) notes* **0.2** [schrift] *notebook* **0.3** [opgelegde voorwaarden] *diktat* **0.4** [het dicteren] *dictation* ♦ **3.1** ~ maken *take (down) notes* **3.4** een ~ opnemen *take (down) (a) dictation.*

dictaatcahier, -schrift ⟨het⟩ **0.1** *notebook.*

dictafonist ⟨de (m.)⟩, **-e** ⟨de (v.)⟩ **0.1** *audiotypist.*

dictafoon ⟨de (m.)⟩ **0.1** *dictaphone.*

dictator ⟨de (m.)⟩ **0.1** [alleenheerser] *dictator* **0.2** [⟨Rom. gesch.⟩] *dictator* **0.3** [⟨fig.⟩ heerszuchtig persoon] *dictator.*

dictatoriaal ⟨bn., bw.; -ly⟩ **0.1** [als (van) een dictator] *dictatorial* **0.2** [⟨fig.⟩ gebiedend] *dictatorial* ⇒*overbearing, tyrannical* ♦ **1.1** een ~ bewind *a d. regime / government / administration;* met dictatoriale macht bekleed *vested with d. power* **1.2** ~ gedrag *d. behaviour* **2.1** ~ geregeerde landen *dictatorially governed countries.*

dictatorisch ⟨bn., bw.; -ly⟩ **0.1** *dictatorial.*

dictatorschap ⟨het⟩ **0.1** *dictatorship.*

dictatuur ⟨de (v.)⟩ **0.1** [regering van een dictator] *dictatorship* **0.2** [land] *dictatorship* **0.3** [dictatorschap] *dictatorship* **0.4** [⟨fig.⟩ dwingende macht] *dictatorship* ♦ **1.4** ~ v.h. proletariaat *d. of the proletariat.*

dictee ⟨het⟩ **0.1** *dictation* ♦ **3.1** een ~ geven *give a dictation (exercise).*

dicteerapparaat ⟨het⟩ **0.1** *dictating machine.*

dicteersnelheid ⟨de (v.)⟩ **0.1** [mbt. het dicteren] *dictation speed* **0.2** [mbt. het schrijftempo] *dictation speed* ♦ **6.2** iets **op** ~ voorlezen *read sth. at d. s..*

dicteren
I ⟨onov.ww.⟩ **0.1** [voorzeggen] *dictate;*
II ⟨ov.ww.⟩ **0.1** [laten opschrijven] *dictate* **0.2** [ingeven] *dictate* ⇒*prompt, suggest* **0.3** [voorschrijven] *dictate* ⇒*prescribe, impose* ♦ **1.3** een stad die de mode dicteert *a city that dictates fashion / sets the trend;* door de omstandigheden gedicteerd *dictated by (the) circumstances;* een vrede ~ *d. a peace.*

dictie ⟨de (v.)⟩ **0.1** *diction.*

dictionaire ⟨de (m.)⟩ **0.1** *dictionary.*

dictum ⟨het⟩ **0.1** [gezegde] *dictum* **0.2** [⟨jur.⟩] *operative part / provision(s).*

didacticus ⟨de (m.)⟩, **-ca** ⟨de (v.)⟩ **0.1** [leerdichter] *didactic poet / writer* ⇒⟨vero.⟩ *didactic* **0.2** [beoefenaar v.d. didaktiek] *didactician.*

didactiek ⟨de (v.)⟩ **0.1** [onderwijskunde] *didactics* ⇒*pedagogy, pedagogics* **0.2** [mbt. een bepaald vak] *didactics.*

didactisch ⟨bn., bw.; -(al)ly⟩ **0.1** [onderwijzend] *didactic(al)* **0.2** [onderwijskundig] *didactic(al)* ♦ **1.1** ~ gedicht *didactic poem* **2.2** ~ verantwoord *didactically justified / warranted.*

die
I ⟨aanw.vnw.⟩ **0.1** [⟨om iem. / iets aan te wijzen⟩] *that,* ⟨mv.⟩ *those;* ⟨zonder zn.⟩ *that one,* ⟨mv.⟩ *those (ones)* **0.2** [⟨als terugwijzing⟩] *that,* ⟨mv.⟩ *those;* ⟨zonder zn.⟩ *that one,* ⟨mv.⟩ *those (ones)* ♦ **1.1** heb je ~ nieuwe film van Godard al gezien? *have you seen this new film by Godard?;* ~ grote of ~ kleine? *the big one or the small one?;* ~ stem van hem *that voice of his* **1.2** mijn boeken en ~ van mijn zus *my books and my sister's;* ⟨inf.⟩ *me and my sister's books;* op ~ dag, in ~ week *on that day, in that week;* ~ voorschrijven *griet is gek she's a nutcase;* ~ tijd is voorbij *those times are over / have gone* **3.2** ken je ~? *do you know him / her /* ⟨pej.⟩ *that one / them?* **4.1** niet deze maar ~ (daar) *not this one, that one;* welke heb je het liefst? deze? deze? of ~? *which do you prefer, this one, this one, or that one?* **6.1** zie je dat meisje **met** ~ groene jurk / hoge hakken? *do you see that girl in the green dress / high heels?* **6.2** wie? ~ met die lange haren who? *the one with the long hair;* met alle bezwaren **van** ~n *with all the associated drawbacks, with all its (attendant) objections;* ~ **van** mij / jou / hem / haar / ons / jullie / hen *mine / yours / his / hers / ours / yours / theirs;* ⟨inf.⟩ *his one / her one / our one / your one / their one;* ze draagt altijd **van** ~ korte rokjes *she always wears (those) short skirts;* ken je ~ **van** die Belg die … *do you know the one about the Belgian who …?;* dat zijn **van** ~ rare mensen *they're such odd people, they're so odd;* met alle gevolgen **van** ~n *with all that that entails* **8.1** ~ en ~ *so and so, such and such;* op ~ en ~ dag *on such and such a day* ¶**.2** ~ is goed *that's a good one;* het is een rare vent, ~ *Jan that Jan (guy) is rather strange;* O, ~! *oh, him / her!;* waar is je auto? ~ staat in de garage *where's your car? it's in the garage;* waar is X er ook? nee, ~ moest werken *was X there? no, he / she had to work;* sigaren? ~ rook ik al lang niet meer *cigars? I stopped smoking them ages ago;* ~ zit! *bullseye!, that (one) really went home!* ¶**.1** ⟨inf.⟩ ha, ~ Jan oh, here's Jan!, *hello, look who's here!;* ⟨inf.⟩ ~ Jan toch *what am I / are we going to do with Jan?, that Jan!;* ⟨BE ook⟩ *Jan really takes the biscuit!;* ⟨inf.⟩ ~ is gek *are you out of your (tiny) mind?;*
II ⟨ bepaling aankondigend vnw.⟩ **0.1** *the* ♦ **4.1** met ~n verstande,

dat *on t. understanding / on condition / provided / providing that;* hij heeft zijn werk gedaan met ~ nauwkeurigheid die je van hem mag verwachten *he has worked with t. accuracy one has come to expect from him;*
III ⟨betr.vnw.⟩ **0.1** [⟨antecedent nog niet geheel bekend⟩] *that* ⇒⟨persoon ook⟩ *who,* ⟨als voorwerp ook⟩ *whom,* ⟨zaak ook⟩ *which,* ⟨zonder onderwerp vaak ook onvertaald⟩ **0.2** [⟨antecedent bekend⟩] ⟨persoon⟩ *who;* ⟨als voorwerp ook⟩ *whom;* ⟨zaken⟩ *which* ♦ **1.1** de eerste / laatste ~ vertrok *the first / last (one) to leave;* de kleren ~ u besteld heeft *the clothes (which / that) you ordered;* de man ~ daar loopt, is mijn vader *the man (that's / who's) walking over there is my father;* geen mens ~ er wat aan doet *no-one does a thing about it;* de mensen ~ ik spreek, zijn heel vriendelijk *the people (who(m) / that) I talk to are very nice* **1.2** zijn vrouw, ~ arts is, rijdt in een grote Volvo *his wife, who's a doctor, drives a big Volvo* **4.1** dezelfde ~ ik heb *the same one (as) I've got;* er is hier iemand ~ u wil spreken *there's somebody here who / that wants to see you;* niemand ~ het weet *nobody knows;* er is niemand ~ niet van Londen houdt *there's no-one who doesn't love /* ⟨BE ook⟩ *no-one but loves London.*

dièder ⟨de (m.)⟩ ⟨wisk.⟩ **0.1** *dihedral (angle).*

dieet ⟨het⟩ **0.1** *diet* ⇒*regime, regimen* ♦ **2.1** een streng ~ in acht nemen *follow a strict d.* **6.1** op ~ zijn *be on a d., diet (o.s.);* iem. **op** ~ stellen *put s.o. on a d., diet s.o..*

dieetkeuken ⟨de⟩ **0.1** *diet kitchen* ⇒*dietary cuisine.*

dieetkok ⟨de (m.)⟩, **-kokkin** ⟨de (v.)⟩ **0.1** *diet cook.*

dieetkundige ⟨de (m.)⟩ **0.1** *dietician.*

dieetleer ⟨de⟩ **0.1** *dietetics.*

dieetmaaltijd ⟨de (m.)⟩ **0.1** *diet(ary) meal.*

dieetmargarine ⟨de (v.)⟩ **0.1** *diet margarine.*

dieetpatiënt ⟨de (m.)⟩ **0.1** *diet patient.*

dieetvoorschrift ⟨het⟩ **0.1** *dietary rule.*

dief ⟨de (m.)⟩ ⟨→sprw. 108, 109, 111, 207, 547, 551⟩ **0.1** [iem. die steelt] *thief* ⇒*robber* ⟨ihb. met geweld⟩, *burglar* ⟨met inbraak⟩ **0.2** [vezel v.e. kaarsepit] *thief* **0.3** [⟨plantk.⟩] *sucker* ⟨waterloot⟩ ⇒*runner* ⟨aardbeiplanten e.d.⟩ ♦ **3.1** 'houd de ~!' roepen (tegen) *raise a hue and cry (against);* houdt de ~! *stop t.!;* de gelegenheid maakt de ~ *opportunity makes the t.* **6.1** hij is een ~ **van** eigen portemonnaie *he robs / is robbing his own purse* **8.1** als een ~ in de nacht *as / like a t. in the night.*

diefachtig
I ⟨bn.⟩ **0.1** [geneigd tot stelen] *thievish* ⇒*thieving, theft prone* ♦ **1.1** een ~ e natuur *a thievish nature;*
II ⟨bw.⟩ **0.1** [als een dief] *thievishly* ⇒*stealthily.*

diefje-met-verlos ⟨het⟩ **0.1** *prisoner's base* ♦ **3.1** ~ spelen *play prisoner's base.*

diefjesmaat ⟨de (m.)⟩ ♦ **1.¶** 't is dief ~ [het zijn dikke vrienden] *they're as thick as thieves;* ⟨de een is al even erg als de ander⟩ *they're two of a kind;* ⟨kwade honden bijten elkaar niet⟩ *dog doesn't eat dog.*

diefstal ⟨de (m.)⟩ **0.1** *theft* ⇒*robbery* ⟨ihb. met geweld⟩, *burglary* ⟨met inbraak⟩, ⟨jur., vóór 1968⟩ *larceny* ♦ **2.1** gekwalificeerde ~ *aggravated t.;* kleine ~ *pilferage, pilfering, petty t.* **3.1** een ~ begaan *commit a t.* **6.1** iem. ~ van ~ beschuldigen *accuse s.o. of t..*

diefstalverzekering ⟨de (v.)⟩ **0.1** *theft insurance /* ⟨BE ook⟩ *assurance* ⇒*insurance (policy) against theft.*

diegene ⟨aanw.vnw.⟩ **0.1** *he, she* ♦ **4.1** diegenen die *those who.*

diëlektrisch ⟨bn.⟩ **0.1** *dielectric(al).*

dienaangaande ⟨bw.⟩ **0.1** *as to that* ⇒*with respect / reference to that, on that subject / score* ♦ **3.1** ~ berichten wij het volgende *with respect to that / on that subject we report the following.*

dienaar ⟨de (m.)⟩, **dienares** ⟨de (v.)⟩ ⟨→sprw. 197⟩ **0.1** [tegen loon] *servant* **0.2** [vrijwillig] *servant* ♦ **1.1** ~ v.h. gerecht *officer of the court, law officer;* ~ v.d. kroon *s. / minister of the Crown* **1.2** een ~ van Satan *a Satanist* **2.2** uw gehoorzame, onderdanige ~ *your obedient s..*

dienbak ⟨de (m.)⟩ **0.1** *(dinner-)tray* ⇒*dumb-waiter.*

dienblad ⟨het⟩ **0.1** *(dinner-)tray* ⇒*(serving) tray,* ⟨kleiner⟩ *salver.*

diender ⟨de (m.)⟩ ⟨iron.⟩ **0.1** *officer* ⇒⟨BE ook⟩ *bobby,* ↓*cop(per)* ♦ **2.1** een stille ~ *a detective, undercover man, plant* **2.¶** een dooie ~ *a dull fellow / dog.*

dienen ⟨→sprw. 214, 447, 636⟩
I ⟨onov.ww.⟩ **0.1** [geschikt, gunstig zijn voor] *serve* **0.2** [middel / werktuig zijn] *serve as / for* ⇒*be used as / for, do as / for* **0.3** [behoren] *need* ⇒*should, ought to* **0.4** [⟨jur.⟩] *come up* ⇒*be down for hearing* **0.5** [⟨mil.⟩] *serve* ⇒*be in the armed forces, do one's military service* **0.6** [in dienst zijn] *serve* ⇒*be in (domestic) service* **0.7** [tafeldienen] *serve* ⇒*wait at table* ♦ **1.1** ijs en weder ~ de *weather permitting* **1.2** vensters ~ om licht en lucht toe te laten *windows are used for letting in light and air* **1.4** wanneer dient die zaak voor de rechtbank? *when does this case come up in court?* **1.7** de ober die aan tafel dient *the waiter who is serving / waiting at table* **3.3** dat dient gezegd *that needs to be said;* dat dient u te weten *you should know that;* u dient onmiddellijk te vertrekken *you are to leave immediately* **5.1** dat dient nergens toe *that is of no use, that serves no (useful) purpose, that is no good;* waar dient dat toe? *what's that in aid of?* **6.2** een bijl dient **om**

bomen om te hakken *an axe is for felling trees;* die feiten ~ **tot** bewijs van zijn onschuld *those facts are evidence of his innocence* **6.6 bij** iem. gaan~ *take service with s.o.* **8.2** als basis~ voor *serve as a basis for;* dient dit als asbak? *does this do duty as an ashtray?, is this what you use as an ashtray?;*

II ⟨ov.ww.⟩ **0.1** [werken voor] *serve* ⇒*attend (to),* minister **0.2** [zich wijden aan] *serve* **0.3** [van dienst zijn] *serve* ⇒*help* **0.4** [bruikbaar zijn] *serve* ⇒*avail* **0.5** [geven] ⟨zie 6.5⟩ ◆ **1.1** men kan geen twee heren ~ *no man can s. two masters* **1.2** afgoden~ *s. / worship idols, practise idolatry;* dat dient het algemeen belang *it is in the public interest/ to the public good;* de waarheid~ *s. the truth* **1.3** gemak dient de mens *why do things the hard way, one of life's little luxuries* **1.¶** de mis ~ *serve at mass* **3.3** waarmee kan ik u~? *what can I do for you?, can I help you?;* ⟨in winkel⟩ *are you being served?;* hij was er niet mee gediend *that did not suit his purpose, he did not like that* **3.4** deze gegevens kunnen ons weinig~ *these facts are to little avail* **5.1** iem. trouw ~ *s.o. faithfully, be a faithful servant to s.o.* **5.4** hij was er niet van gediend *none of that with him, he didn't want that* **6.5** iem. **van** advies ~ *advise s.o., give s.o. advice;* ⟨iem.⟩ **van** repliek ~ *come right back (at s.o.),* give *as good as one gets* **6.¶** **om** u te~! *at your service!, right you are!.*

dienluik ⟨het⟩ **0.1** *serving / service hatch.*

dienovereenkomstig ⟨bw.⟩ **0.1** *accordingly* ◆ **3.1** ~ werd besloten *it was decided accordingly.*

dienschort ⟨het, de⟩ **0.1** *apron.*

dienst ⟨de (m.)⟩ ⟨→sprw. 110⟩ **0.1** [het dienen] *service* **0.2** [⟨mil.⟩] *service* **0.3** [het verrichten van werkzaamheden] *duty* **0.4** [werkzaamheden voor/door een openbare instelling] *service* **0.5** [openbare instelling] *service* ⇒*department, office* **0.6** [handeling waarmee men iem. van nut is] *service* ⇒*office* **0.7** [⟨rel.⟩] *service* **0.8** [betrekking] *place* ⇒*situation, position* ◆ **1.4** een tak van~ *a branch of the public s.* **1.5** de ~ openbare werken *the public works department/ service* **2.2** in actieve~ *on active service* **2.3** vrij van~ zijn *be off duty* **2.4** geheime~ *secret/intelligence s.;* gewone, buitengewone~ *revenue/capital account* **2.8** tuinman in losse~ *jobbing gardiner;* in vaste/tijdelijke~ zijn *hold a permanent/ temporary appointment* **3.2** ~ nemen, in ~ gaan *enlist, take s., join the army* **3.3** ik heb morgen geen~ *I am off d. tomorrow;* hij heeft van 18 tot 12~ *he is on duty from 8 a.m. till 12* **3.6** zijn goede~en aanbieden *offer one's good offices;* beloning voor bewezen~en *reward for services rendered;* iem. een goede~ bewijzen *do s.o. a good office/turn,* to serve *s.o. well;* iem. een slechte~ bewijzen *do s.o. an ill service/a disservice/ bad turn;* je kunt me een~ bewijzen *you can do me a favour;* hij heeft ons bijzonder goede~en bewezen *he has done us yeoman's s.* **3.8** de~ opzeggen *give notice (to quit);* iem. de~ opzeggen *give s.o. notice* **3.¶** ~ doen (als) *serve (as/ for),* be used *(as/for),* do duty *(as);* gooi dat niet weg, het kan nog wel eens~ doen *don't throw that away, it might come in useful some day;* die auto heeft ons veel~ gedaan *that car has served us well;* de~ uitmaken *run the show, rule the roost, lay down the law, call the shots* **6.1** zich **in**~ stellen van *place o.s. in the s. of;* in ~ treden bij *take up office, take s. (with), join;* **in**~ nemen *take into one's employment, take on, engage* **6.2 in**~ zijn *be in the forces, do one's military s.* **6.3** die wagen is **buiten**~ gesteld *that car has been withdrawn from service;* de lift is **buiten**~ *the lift is out of order/use;* **buiten**~ stellen *take out of service, withdraw from s.* **6.8 in**~ zijn bij *be in s.o.'s service;* **in**~ v.e. bedrijf *in the pay of a company* **6.¶ in**~ v.h. vaderland *in the service of the country;* met alle hem **ten**~e staande middelen *with all means at his disposal;* **tot** uw~ *don't mention it, you're welcome;* wij staan geheel **tot** uw~ *we are entirely at your service/ disposal;* dat boekje is me **van**~ geweest *this little book has been of use to me/has rendered me good service;* wat is er **van** uw~? *what can I do for you?;* kan ik u uw~ zijn? *can I help you?;* ⟨in winkel ook⟩ *are you being served?* **7.3** ⟨op bus⟩ geen~ *private* **¶.4** Dienst ⟨op envelop⟩ [B]*O.H.M.S.,* [A]*on U.S. Government Service* **¶.6** de ene~ is de andere waard *one good turn deserves another.*

dienstaanvaarding ⟨de (v.)⟩ **0.1** *entering upon/taking up one's duties/office.*

dienstaanwijzing ⟨de (v.)⟩ **0.1** *service/official instruction* ⇒⟨post⟩ *instruction relating to the postal service.*

dienstauto ⟨de (m.)⟩ **0.1** *official car* ⇒⟨mil.⟩ *service car,* ⟨firma⟩ *company car.*

dienstbaar ⟨bn.⟩ **0.1** [bevorderlijk voor] *instrumental (in)* ⇒*subservient (to)* **0.2** [dienend] *in service* ◆ **1.2** de dienstbare stand *the servant class, servants;* ⟨pej.⟩ *menials* **3.1** de omstandigheden~ maken aan zijn plannen *make (the) circumstances subservient to one's plans;* de universiteiten zijn altijd zeer~ geweest (voor/bij iets) *universities have always been very helpful (to sth. / in doing sth.)* **3.2** ⟨fig.⟩ een volk~ maken *subjugate a people* **6.1** ⟨jur.⟩ het lijdend erf is~ **aan** het heersend erf *the servient tenement is subservient to the dominant tenement.*

dienstbaarheid ⟨de (v.)⟩ **0.1** [afhankelijke staat] *servitude* ⇒*bondage* **0.2** [hulpvaardigheid] *helpfulness* ⇒*readiness/ willingness to help* **0.3** [⟨fig.⟩ slavernij] *bondage* ◆ **1.1** het brood der~ eten *eat the bread of bondage/servitude.*

dienstbetoon ⟨het⟩ **0.1** *service(s) rendered* ⇒*rendering of service(s), acts of service* ◆ **2.1** wederzijds~ *mutual service(s) rendered.*

dienstbetrekking ⟨de (v.)⟩ **0.1** [verhouding] *employer-employee relationship, master-servant relationship* **0.2** [functie] *(gainful) employment* ◆ **1.2** bij beëindiging van de~ *on the termination of service/ employment* **3.2** een~ uitoefenen/ vervullen *exercise an e., perform the duties of an e..*

dienstbevel ⟨het⟩ ⟨mil.⟩ **0.1** *order.*

dienstbode ⟨de (v.)⟩ **0.1** *servant (girl)* ⇒*maid (servant), domestic (servant)* ◆ **6.1** ~ **voor** de dag *daily (housemaid).*

dienstboek ⟨het⟩ **0.1** [boek met gegevens] *service manual* **0.2** [⟨prot.⟩] *service/ prayer book.*

dienstbrief ⟨de (m.)⟩ **0.1** *official letter.*

dienstcontract ⟨het⟩ **0.1** *contract of service/ employment, service contract.*

dienstdoend ⟨bn.⟩ **0.1** *on duty* ⟨agent, wacht⟩; *in charge* ⟨officier, ambtenaar⟩; *officiating* ⟨geestelijke, scheidsrechter, ambtenaar bij ceremonie⟩; ⟨aan hof⟩ *in waiting/ attendance;* ⟨waarnemend⟩ *acting* ◆ **1.1** de~e arts *the doctor in attendance;* de~e officier *the officer in charge;* ⟨tijdelijk⟩ *the duty officer;* de~e priester *the officiating priest;* ⟨AZN⟩ de~e voorzitter *the acting chairman.*

dienstdoener ⟨de (m.)⟩ →**dienstklopper.**

dienstenbond ⟨de (m.)⟩ **0.1** *service sector/ industries (trade) union.*

dienstencentrum ⟨het⟩ **0.1** *social service centre* ⇒*welfare centre.*

dienstenpakket ⟨het⟩ **0.1** *package of services.*

dienstensector ⟨de (m.)⟩⟨ec.⟩ **0.1** *services sector* ⇒*tertiary sector, service industries.*

dienstenvelop ⟨de⟩ **0.1** *official envelope.*

dienstenverkeer ⟨het⟩ **0.1** *invisible trade.*

dienster ⟨de (v.)⟩ **0.1** *waitress.*

dienstfiets ⟨de⟩ **0.1** [rijwiel] *company/duty bicycle* ⇒⟨inf.⟩ *company/ work bike* **0.2** [⟨scherts.⟩ bril] *⟨scherts.⟩ bril* ≠*granny glasses.*

dienstgeheim ⟨het⟩ **0.1** *official secret.*

dienstgesprek ⟨het⟩ **0.1** *business call.*

diensthond ⟨de (m.)⟩ **0.1** ⟨patrouillehond⟩ *patrol dog;* ⟨politiehond⟩ *police dog.*

diensthoofd ⟨het⟩ **0.1** *head of a (public) service department* ⇒*commissioner, deskman.*

dienstig ⟨bn.⟩ **0.1** *useful, serviceable* ⇒*handy, convenient, helpful* ◆ **3.1** iets~ achten *consider sth. worthwhile;* het~ achten om *see fit to* **5.1** nergens~ toe zijn *serve no u. purpose* **6.1 voor** iets~ zijn *be of service for sth..*

dienstijver ⟨de (m.)⟩ **0.1** *professional zeal, keenness on the job* ⇒*diligence (in office).*

dienstingang ⟨de (m.)⟩ **0.1** *trade/tradesmen's entrance.*

dienstjaar ⟨het⟩ **0.1** [jaar van dienst] *year of service* ⇒⟨mv. ook⟩ *seniority* **0.2** [mbt. de werkzaamheid v.e. instelling] *working year* ⇒*official year,* ⟨fin.⟩ *financial/*[A]*fiscal year* ◆ **6.1** ouder in dienstjaren *senior;* bevordering **naar** dienstjaren *promotion by seniority* **7.1** hij heeft dertig dienstjaren *he has done thirty years' service,* ᴸ*he has clocked up thirty years;* zij heeft/telt vier dienstjaren meer dan ik *she is four years my senior/senior to me, she is my senior by four years.*

dienstkaart ⟨de (v.)⟩ **0.1** *staff/official/duty pass.*

dienstkleding ⟨de (v.)⟩ **0.1** *uniform* ⇒*service dress/* ⟨mil.⟩ *uniform.*

dienstklopper ⟨de (m.)⟩⟨pej.⟩ **0.1** *martinet* ⇒*fusspot official, stickler for duty/ the book/ regulations* ⟨sl.⟩ *jobsworth, nark,* ↑*overzealous official.*

dienstklopperij ⟨de (v.)⟩⟨pej.⟩ **0.1** *martinetism* ⇒*stickling for regulations, overzealousness.*

dienstknecht ⟨de (m.)⟩⟨schr.⟩ **0.1** *man(servant)* ⇒⟨ongemarkeerd⟩ *servant,* ⟨lijfknecht⟩ *valet,* ⟨mil.⟩ *batman* ◆ **1.1** ⟨bijb.⟩ een~ des Heren *a servant of the Lord.*

dienstkring ⟨de (m.)⟩ **0.1** *official territory, ambit* ⇒*(service) district/ area,* ⟨inf.⟩ *(official) patch, pitch.*

dienstlift ⟨de (m.)⟩ **0.1** *service* [B]*lift/*[A]*elevator* ⇒*goods/ freight elevator,* ⟨vnl. BE⟩ *hoist.*

dienstlijn ⟨de⟩ **0.1** *pensionable service.*

dienstmaagd ⟨de (v.)⟩⟨schr.⟩ **0.1** *handmaid(en)* ⇒*maid(servant)* ◆ **1.1** ⟨bijb.⟩ een~ des Heren *a handmaiden of the Lord.*

dienstmededeling ⟨de (v.)⟩ **0.1** *staff announcement* ◆ **3.1** hier volgt een ~ *this is/the following is a s.a..*

dienstmeisje ⟨het⟩ **0.1** *maid(servant)* ⇒*housemaid, domestic servant, (serving-)girl* ◆ **3.1** ~ gevraagd *domestic/ home help wanted.*

dienstneming ⟨de (v.)⟩⟨mil.⟩ **0.1** *official enlistment.*

dienstorder ⟨het, de⟩ **0.1** *official order* ⇒*instructions.*

dienstpersoneel ⟨het⟩ **0.1** *(household) servants, domestics, domestic staff* ⇒⟨inf.⟩ *downstairs* ◆ **1.1** chef v.h. ~ *house steward.*

dienstpet ⟨de⟩ **0.1** *uniform cap.*

dienstpistool ⟨het⟩ **0.1** *duty weapon.*

dienstplicht ⟨de⟩ **0.1** *(compulsory) military service* ⇒*conscription,* ⟨vnl. BE⟩ *national service, (national) call-up* ◆ **2.1** algemene~ *general conscription;* ⟨vnl. AE⟩ *the draft;* vervangende~ *alternative national service;* ⟨maatschappelijk⟩ *community service* **3.1** de~ verlengen *extend (the period of) compulsory military/ national service;* ~ vervuld *military obligations fulfilled, military service accomplished.*

dienstplichtig ⟨bn.⟩ **0.1** *subject / liable to / eligible for national / military service,* ᴬ*draftable* ◆ **1.1** de ~e leeftijd bereiken *become of military age* **5.1** niet ~ ⟨ook⟩ *free / exempt from national / military service.*

dienstplichtige ⟨de (m.)⟩ **0.1** *conscript* ⇒⟨AE ook⟩ *draftee, national serviceman,* ⟨AE; inf.⟩ *G.I.*

dienstregeling ⟨de (v.)⟩ **0.1** [regeling van vertrek en aankomst] *timetable, schedule* **0.2** [boekje met vertrek- en aankomsttijden] *timetable,* ᴬ*schedule* **0.3** [regeling van dienst] *programme* ᴬ*gram, schedule, agenda* ◆ **2.1** volgens een stipte ~ *to a tight s.;* volgens een vaste ~ *(according) to a set t. / fixed s.;* een vlucht met vaste ~ *a scheduled flight* **3.1** in de ~ opnemen *schedule.*

dienstreglement ⟨het⟩ **0.1** *conditions / terms of service* ⇒*official regulations,* ⟨inf.⟩ *rules and regulations.*

dienstreis ⟨de⟩ **0.1** *official journey / trip* ⇒*business / duty trip, tour of duty* ◆ **6.1** op ~ zijn *be travelling on duty / (official) business.*

dienstrooster ⟨het, de (m.)⟩ **0.1** *(duty) roster* / ⟨vnl. BE⟩ *rota* ⇒*timetable.*

dienststempel ⟨de (m.)⟩ **0.1** [mbt. het slaan van munten] *die* **0.2** [mbt. officiële stukken] *official stamp.*

dienststuk ⟨het⟩ **0.1** *official document* / ⟨verzonden⟩ *dispatch* ⇒⟨mv. ook⟩ *official correspondence,* ⟨GB⟩ *parcel / letter sent on Her / His Majesty's Service (O.H.M.S.).*

diensttelefoon ⟨de (m.)⟩ **0.1** *official / service telephone / line.*

diensttijd ⟨de (m.)⟩ **0.1** [werktijd] *(period / length of) service, term of office* ⟨mbt. loopbaan⟩; ⟨dienstjaren⟩ *seniority;* ⟨tijdens dag⟩ *hours of duty / attendance, duty / office hours* **0.2** [arbeidsjaren nodig voor ambtelijk pensioen] *pensionable service* **0.3** [militaire dienst] *(time in / period / term of) military / national service* ⇒⟨inf.⟩ *time in uniform* ◆ **6.1** buiten ~ *when off duty, outside working / office / duty hours;* in / gedurende ~ zijn ~ *during his service.*

diensttrap ⟨de (m.)⟩ **0.1** *servants' / service staircase / stairs / stairway.*

dienstvaardig ⟨de⟩ ⟨bn.; -ly⟩ **0.1** *obliging* ⇒*helpful, willing* ◆ **5.1** te ~ *officious, over-zealous.*

dienstvaardigheid ⟨de (v.)⟩ **0.1** *obligingness* ⇒*helpfulness,* ⟨te groot⟩ *officiousness.*

dienstverband ⟨het⟩ **0.1** *employment, engagement in office / service* ⇒*tenure of office,* ⟨overeenkomst⟩ *work agreement, term of employment* ◆ **1.1** bij beëindiging van het ~ *on termination of employment* **2.1** los ~ afschaffen / omzetten in vast *decasualize labour;* in los / vast ~ werken *be employed on a temporary / casual / permanent basis* **3.1** een ~ aangaan voor de duur van één jaar *accept (terms of) employment for a period of one year, accept a one-year post / appointment / tenue of office.*

dienstverlenend ⟨bn.⟩ **0.1** ⟨attr.⟩ *service,* ⟨pred.⟩ *rendering a service* ⇒ *servicing* ◆ **1.1** ~e bedrijven *service industries;* ~e maatschappij / organisatie *service company / organization;* de ~e sectoren *the service industries, the services.*

dienstverlening ⟨de (v.)⟩ **0.1** [service] *service(s)* **0.2** [⟨ec.⟩] *provision of services* ◆ **1.1** uitbreiding van ~ *extension of services* **2.1** op de klant afgestemde ~ *services to suit / tailored to the customer, customer-related service.*

dienstverrichting ⟨de (v.)⟩ **0.1** [verrichting] *performance of / carrying out (of) duty / duties* **0.2** [het verrichten] *(performance of) services* ◆ **6.2** kantoor voor ~ *service / odd job agency.*

dienstvervulling ⟨de (v.)⟩ **0.1** *discharge / performance of (one's) duties.*

dienstvoorschrift ⟨het⟩ **0.1** *official instruction / regulation / order.*

dienstweigeraar ⟨de (m.)⟩ **0.1** *conscientious objector* ⇒*war resister,* ⟨vnl. AE; inf.⟩ *draft dodger.*

dienstweigering ⟨de (v.)⟩ **0.1** [⟨mil.⟩] *conscientious objection* ⇒*refusal of military service,* ⟨vnl. AE; inf.; pej.⟩ *draft-dodging* **0.2** [weigering van opgedragen diensten] *wilful disobedience* ⇒*insubordination* ⟨ook mil.⟩.

dienstwillig ⟨bn.⟩ **0.1** *willing* ⇒*keen / ready to serve, obliging, complaisant* ◆ ¶.1 uw ~e ⟨dienaar⟩ †*your obedient servant.*

dienstwoning ⟨de (v.)⟩ **0.1** *official / company house / flat* ⇒⟨BE ook⟩ *tied house, staff residence,* ⟨huisvesting⟩ ᴮ*tied accommodation.*

dienstzaak ⟨de⟩ **0.1** *official / business matter* ⇒*official business.*

dientafeltje ⟨het⟩ **0.1** *side / serving table* ⇒*serving trolley,* ᴬ*dinner wagon,* ⟨vnl. BE⟩ *dumb waiter.*

dientengevolge ⟨bw.⟩ **0.1** *consequently* ⇒*in consequence, as a consequence / result (of which / this), therefore.*

dienwagentje ⟨het⟩ **0.1** *(dinner-)wagon* / ⟨vnl. BE ook⟩ *waggon* ⇒*serving-trolley.*

diep¹ ⟨het⟩ **0.1** [plaats waar het water diep is] *deep* ⇒*depth* ⟨meestal mv.⟩, *pool, trough* **0.2** [vaargeul] *channel* ⇒*fairway* **0.3** [vaart] *canal* ◆ **2.1** het grondeloze ~ *the fathomless deep.*

diep² ⟨→sprw. 607,641⟩

I ⟨bn.⟩ **0.1** [intens] *deep* ⇒*profound* **0.2** [zich ver naar beneden uitstrekkend] *deep* **0.3** [zich ver naar achteren uitstrekkend] *deep* **0.4** [mbt. geluiden] *deep* ◆ **1.1** met ~e eerbied *with d. / profound respect;* een ~ gevoel van dankbaarheid *profound / d. gratitude;* met ~ leedwezen *with d. suffering;* ~ medelijden met iem. hebben *deeply sympathize with s.o.;* ~e minachting *profound contempt;* in ~ rouw *in d.*

mourning; een ~e smart *d. sorrow* **1.2** een ~ bord *a d. / soup plate;* een ~ décolleté *a low-cut / plunging neckline;* ⟨fig.⟩ er gaapt een ~e kloof tussen die twee *there is a d. rift between the two of them;* twee meter ~ *two metres d.;* het water is hier ~ *the water is d. here* **1.3** een ~e kast / kamer *a d. cupboard, a long room* **1.4** een ~e stem *a d. voice* **3.2** ~er maken ⟨kuil enz.⟩ *deepen;* ~er worden ⟨water waar men in zwemt⟩ *deepen* **7.2** ⟨zelfst.⟩ het ~e *the d. end;*

II ⟨bn., bw.; -ly⟩ **0.1** [ver naar binnen gaand / gelegen, ⟨ook fig.⟩] *deep* ⟨ook fig.⟩ ⇒⟨fig. ook⟩ *profound* **0.2** [ver naar achteren gelegen] *deep* **0.3** [mbt. kleuren] *deep* ◆ **1.1** een ~e duisternis *profound / utter darkness;* in ~e gedachten / ~ gepeins verzonken *(sunk) d. in thought;* iets ~ geheim houden *keep sth. strictly secret, keep sth. a close / strict secret;* een ~e indruk maken / achterlaten *make / leave a d. impression;* ~e rimpels *d. lines, furrows;* in ~e rust *resting peacefully;* alles was in ~e rust *everything was utterly peaceful;* een ~e slaap *a d. sleep;* een ~ stilzwijgen bewaren *maintain (a) complete silence;* in zijn ~ste wezen *in one's innermost being, in the depths of one's being;* een ~e wond *a d. wound;* een ~e zucht *a d. sigh* **1.2** ⟨fig.⟩ de ~ere oorzaak / bedoeling / zin *the deeper cause / meaning* **1.3** ~e tinten *d. hues* **2.3** ~ blauw *d. blue* **3.1** ~ ademhalen *breathe deeply;* ⟨een keer⟩ *take a d. breath;* ~ in iets doordringen *penetrate sth. deeply;* dat gaat tamelijk ~ *that's rather d. (for me);* zijn ogen lagen ~ *his eyes were deep-set;* ~ nadenken *think deeply / hard, rack / beat one's brains (about);* iets ~ verborgen houden *keep sth. well hidden;* het zit niet erg ~ bij hem *it doesn't go very d. (down) with him, he isn't very d.* **6.1** ~ in zijn hart *d. (down) in one's heart;* ~ in het bos *in the depths of the forest;* ~ in Rusland *in the depths of Russia;* ~ in het vlees *d. in the flesh* **7.1** uit het ~ste van zijn hart *from the bottom of one's heart;* in het ~st van in the depths of; tot in het ~ste van zijn ziel geroerd *moved to the depths of one's soul;*

III ⟨bw.⟩ **0.1** [op / tot een plaats ver beneden iets] *deep(ly)* ⇒*low* **0.2** [zeer] *deeply* **0.3** [mbt. tijd] *deep* ⇒*far* ◆ **1.1** zes voet ~ onder de grond liggen *be six feet under(ground)* **2.1** een ~ uitgesneden jurk *a low-cut dress* **2.2** ~ geroerd *d. moved;* ~ ongelukkig zijn *be d. unhappy;* het is ~ treurig *it's terribly sad;* hij is ~ verontwaardigd *he is d. indignant* **3.1** de plank boog ~ *door the shelf sagged considerably;* ~ buigen *bow deeply;* dat vooroordeel is ~ geworteld *it's a deep-(ly)-rooted prejudice;* te ~ in het glaasje hebben gekeken *have had one / a few too many, have had a drop too much;* deze boot ligt 4 voet ~ *this ship draws four feet of water;* ~ in de zak moeten tasten *have to reach deep (down) into one's pockets;* ⟨fig.⟩ iem. ~ vernederen *deeply humiliate s.o.;* ⟨fig.⟩ ~ zinken / vallen *sink low* **6.1** ~ in de aarde doordringen *penetrate deep / a long way into the earth;* ⟨fig.⟩ ~ in de put zitten *be (right) down in the dumps;* het wrak lag ~ onder de grond *the wreck lay deep;* ⟨inf.⟩ *way underground;* ~ onder de dekens kruipen *creep right down under the blankets;* ~ in de schulden zitten *be deep(ly) in debt, be up to one's neck in debts;* zich ~ in de schulden steken *accumulate / incur large debts, get d. into debt* **6.3** tot ~ in de 19e eeuw *(until) well into the 19th century;* tot ~ in de nacht *deep into the night;* ⟨inf.⟩ *till all hours.*

diepbedroefd ⟨bn.⟩ **0.1** *grieving* ⇒*deeply distressed / afflicted, heartbroken, broken-hearted* ◆ **1.1** de ~e ouders ≠*the bereaved parents.*

diepblauw ⟨bn.⟩ **0.1** *deep blue.*

diepdoordacht ⟨bn.⟩ **0.1** *carefully / well thought out / through* ⇒*carefully considered / conceived.*

diepdruk ⟨de (m.)⟩ **0.1** [⟨geen mv.⟩ methode] ⟨alg.⟩ *engraving* ⇒⟨etsen⟩ *etching,* ⟨foto.⟩ *(photo)gravure,* ⟨tgov. reliëf⟩ *intaglio* **0.2** [afdruk] *engraving, engraved print* ⇒*etching, (photo)gravure* ◆ **6.1** illustraties in ~ *engravings.*

diepgaan ⟨onov.ww.⟩ **0.1** [⟨sport⟩] *advance (quickly into the space), penetrate deeply* **0.2** [⟨scheep.⟩] *draw* ⇒*go / stretch down* ◆ **1.2** het schip gaat 18 voet diep *the ship draws / has a draught of 18 feet* **1.¶** de ijsberg gaat 20 meter diep *the iceberg goes down (to) 20 metres.*

diepgaand

I ⟨bn., bw.; -ly⟩ **0.1** [intens] *profound* ⇒*searching, in-depth,* ⟨essentieel⟩ *basic, fundamental* ◆ **1.1** ~e discussie *in-depth / deep discussion;* ~e hervormingen *radical / fundamental reforms;* ~e meningsverschillen *radical / basic / fundamental differences of opinion;* een ~ onderzoek *a searching / an in-depth investigation, a penetrating inquiry;* ~e verschillen *p. / basic / fundamental differences* **3.1** iets ~ onderzoeken / bestuderen *investigate / study sth. in depth / thoroughly / exhaustively* **5.1** niet ~ *shallow, superficial;*

II ⟨bn.⟩ **0.1** [diep in het water liggend] *deep-drawing, deep-draught-(ed)* ᴬ*-draft(ed).*

diepgang ⟨de (m.)⟩ **0.1** [⟨scheep.⟩] *draught* ᴬ*draft* ⇒*gauge* ᴬ*gage* **0.2** [⟨fig.⟩] *depth, profundity* ◆ **1.1** het vaartuig heeft een ~ van 20 voet *the vessel draws / has a d. of 20 foot / feet* **2.1** geladen ~ *laden / load(ed) d., d. when loaded;* een schip met grote / geringe ~ *a ship with a deep / shallow d., a deep- / shallow-drawing ship* **3.2** die roman heeft grote ~ *that novel has great d. / is very profound / penetrating* **6.2** een geschrift zonder enige ~ *(a piece of) shallow writing / writing without any d. / meat (to it).*

diepgangsmerk ⟨het⟩ **0.1** *Plimsoll line, load-line.*

287

diepgevoeld ⟨bn.⟩ **0.1** *acutely/keenly felt, deeply moving* ⇒*poignant* ⟨verdriet⟩,*exquisite* ⟨geluk⟩,*heartfelt* ⟨dank,wensen⟩.

diepgevroren ⟨bn.⟩ **0.1** *frozen (solid)*.

diepgeworteld ⟨bn.⟩ **0.1** *ingrained* ⇒*deep-seated, (deep(ly)) rooted, inherent,* ⟨gewoonte⟩ *intrenched* ◆ **1.1** een~ *wantrouwen a deep/instinctive distrust.*

diepgezonken ⟨bn.⟩ **0.1** *base, low(-down)* ⇒*abject, fallen,* ⟨na zn. of pred.⟩ *in the gutter, sunk low* ◆ **1.1** een~ *boaswicht a b./low-down villain, a low cur;* ⟨inf.⟩ *a guttersnipe* **3.1** hij is wel~ *he has sunk low.*

diepgravend ⟨bn.⟩ **0.1** *profound, thorough* ⇒⟨vraag ook⟩ *searching,* ⟨onderzoek ook⟩ *penetrating, in-depth.*

dieplader ⟨de (m.)⟩ **0.1** [⟨verkeer⟩] *flatbed trailer* **0.2** [⟨spoorw.⟩] *drop-frame wagon.*

diepliggend ⟨bn.⟩ **0.1** *deep-set* ⟨ogen,ramen⟩; *deep-lying* ⟨schip,aderen⟩; ⟨fig.⟩ *deep-down* ◆ **1.1** ~e vrees *deep-down/deep-seated dread.*

dieplood ⟨het⟩ ⟨scheep.⟩ **0.1** *plumb-line* ⇒*(sounding-)lead, plummet.*

diepspoeler ⟨de (m.)⟩ **0.1** *(standard) w.c. pan.*

diepstraler ⟨de (m.)⟩ **0.1** *dome reflector.*

diepte ⟨de (v.)⟩ **0.1** [het diep zijn] *depth* ⇒*profundity* **0.2** [plaats onder de oppervlakte] *depth(s)* **0.3** [plaats waar het water diep is/waar een bodeminzinking is] *trough, hollow* ⇒⟨alleen in water⟩ *pool, gulf, deep, dip* **0.4** [⟨fig.⟩] *depth(s), trough* ⇒*abyss* ◆ **1.1** de~ v.e. kanaal/huis *the d. of a channel/canal/of a house* **1.4** uit~n van ellende *from a well of sorrow/the depths of misery;* de~n v.h. menselijk hart *the depths of the human heart* **2.1** in de diepste~n v.d. aarde *deep in the bowels of the earth* **2.2** een onpeilbare~ *an unfathomable/a fathomless depth* **2.4** de diepste~n v.d. ziel *the penetralia/very depths of the soul* **6.1** een schilderij **zonder**~ *a painting with no d.* **6.2** op een~van honderd meter *at a depth of a hundred metres* **6.3** het dorp lag **in** de~ *the village lay in the h./dip;* ⟨ver beneden⟩ *the village lay in the depths below/far below.*

dieptebaan ⟨de⟩ **0.1** *underwater trajectory/path.*

dieptebom ⟨de⟩ **0.1** *depth charge/bomb.*

dieptecijfer ⟨het⟩ **0.1** *depth figure* ⇒⟨op instrument⟩ *depth reading.*

dieptedruk →diepdruk.

diepte-interview ⟨het⟩ **0.1** *in-depth interview.*

diepte-investering ⟨de (v.)⟩ **0.1** *capital deepening* ⇒*capital-intensive investment.*

dieptelijn ⟨de⟩ **0.1** *depth contour* ⇒*isobath.*

dieptemeter ⟨de (m.)⟩ **0.1** *depth gauge* ⇒*fathometer.*

diepte-onderzoek ⟨het⟩ **0.1** *in-depth examination/investigation/inquiry.*

dieptepass ⟨de (m.)⟩ ⟨sport⟩ **0.1** *long ball/pass* ⇒⟨dwars over het veld⟩ *square pass.*

dieptepsychologie ⟨de (v.)⟩ **0.1** *depth psychology.*

dieptepunt ⟨het⟩ **0.1** [laagste punt] *low point, nadir* ⇒*(absolute) low, trough* **0.2** [slechtste situatie] *all-time low* ⇒*the lowest ebb, rock bottom* ⟨zonder lidw.⟩ ◆ **3.2** een (absoluut)~ bereiken *reach rock bottom* **5.2** door het~ van het dal heen zijn *have turned the corner, have bottomed out, be over the worst* **6.2** een~**in** een relatie *a low point in a relationship.*

dieptestroom ⟨de (m.)⟩ **0.1** *(deep) undercurrent* ⇒*underwater current, deep-water current,* ⟨tegenstroom⟩ *undertow, underset.*

dieptestructuur ⟨de (v.)⟩ ⟨taal.⟩ **0.1** *deep structure.*

dieptewerking ⟨de (v.)⟩ **0.1** [effect van diepte] *depth (effect)* ⇒*three-dimensional effect* **0.2** [in de diepte gaande werking] *(downward) penetration, penetrative effect.*

dieptreurig ⟨bn.⟩ **0.1** [zeer teleurstellend] *distressing* **0.2** [schandelijk] *disgraceful.*

diepvries ⟨de (m.)⟩ **0.1** [het diepvriezen/-gevroren zijn] *deepfreeze* **0.2** [installatie] *deepfreeze, freezer* ◆ **6.2** vlees **uit** de~ *meat from the f./ (deep-)frozen meat.*

diepvriesafdeling ⟨de (v.)⟩ **0.1** [in koelkast] *freezer (compartment)* **0.2** [in winkel] *frozen food section.*

diepvriesbaby ⟨de (m.)⟩ **0.1** *baby from a deep-freeze embryo.*

diepvriescel ⟨de⟩ **0.1** *freezer (room).*

diepvriesgroente ⟨de (v.)⟩ **0.1** *(deep-)frozen vegetables.*

diepvriesinstallatie ⟨de (v.)⟩ **0.1** *deepfreeze (unit), freezer.*

diepvrieskast ⟨de⟩ **0.1** *(upright) freezer* ⇒*deep-freeze cabinet, quick-freezer.*

diepvrieskist ⟨de⟩ **0.1** *(chest-type/model) deepfreeze/freezer* ⇒ *quick-freezer.*

diepvriesmaaltijd ⟨de (m.)⟩ **0.1** *freezer meal,* [A]*TV dinner.*

diepvriesprodukt ⟨het⟩ **0.1** *(deep-)frozen product/* ⟨levensmiddel⟩ *food.*

diepvriesvak ⟨het⟩ **0.1** *freezer (compartment).*

diepvriezen ⟨ov.ww.⟩ **0.1** *(deep)freeze.*

diepvriezer ⟨de (m.)⟩ **0.1** *deepfreeze, freezer.*

diepzee ⟨de⟩ **0.1** *deep sea.*

diepzeeduiken ⟨ww.⟩ **0.1** *deep-sea diving.*

diepzeeduiker ⟨de (m.)⟩ **0.1** *deep-sea diver.*

diepzeefauna ⟨de⟩ ⟨plantk.⟩ **0.1** *deep-sea fauna.*

diepzeeonderzoek ⟨het⟩ **0.1** *deep-sea exploration.*

diepzinnig
I ⟨bn.⟩ **0.1** [diep denkend] *profound* ⇒*discerning, sagacious, penetrating* **0.2** [getuigend van diep denken] *profound* ⇒*pensive, contemplative, serious-minded* **0.3** [met diepe zin] *profound* ⇒*meaningful, significant, abstruse* ◆ **1.1** ~e wijsgeren *sagacious philosophers* **1.2** een~e blik *a thoughtful/pensive look* **1.3** een~betoog *a p./ thought-provoking argument;*
II ⟨bw.⟩ **0.1** [als iem. die diep denkt] *profoundly* ⇒*discerningly, sagaciously* **0.2** [op een van diep denken getuigende wijze] *profoundly* ⇒ *pensively.*

diepzinnigheid ⟨de (v.)⟩ **0.1** *profundity* ⇒*profoundness, depth.*

dier ⟨het⟩ **0.1** [⟨dierk.⟩] *animal* ⇒*creature,* ⟨vaak bijb., fabels⟩ *beast,* ⟨AE;inf.⟩ *critter, crittur* **0.2** [vertederend/aantrekkelijk persoon] *pet, dear* ⇒*lamb, dearie, sweetie* ⟨vnl. mbt. kind⟩ ◆ **1.1** voor mens en ~for man and beast **2.1** een onrein~ *an unclean a.;* redeloze/stomme ~en *dumb animals/creatures* **2.2** lekker~! *hi sexy/pussycat!;* ⟨iron.⟩ *charming (creature)!, delightful!* **2.¶** Lekker Dier ⟨actiegroep⟩ ≠*Friends of the Earth;* een politiek~ *a political animal.*

dierbaar ⟨bn.⟩ **0.1** *dear* ⇒*(well/much-)loved, beloved, precious* ◆ **1.1** in dierbare nagedachtenis *in fond/loving memory;* ons~ vaderland *our beloved fatherland/country;* verlies van een dierbare ≠*bereavement, loss of a d. one* **3.1** de wetenschap blijft mij~ *science remains d. to me;* zij die ons het meest~ zijn *our nearest and dearest* **4.1** mijn dierbaren *my loved ones.*

dierehuid ⟨de⟩ **0.1** *animal skin* ⇒*hide, pelt,* ⟨gelooid/verveld⟩ *spoil,* ⟨ongeprepareerd⟩ *peltry.*

dierenaanbidding ⟨de (v.)⟩ **0.1** *zoolatry.*

dierenarts ⟨de (m.)⟩ **0.1** [B]*veterinary surgeon,* [A]*veterinarian* ⇒⟨inf.⟩ *vet.*

dierenasiel ⟨het⟩ **0.1** *animal home/shelter.*

dierenbeschermer ⟨de (m.)⟩, **-ster** ⟨de (v.)⟩ **0.1** *animal protectionist* ⇒ ⟨GB⟩ *R.S.P.C.A.-member,* ⟨USA⟩ *S.P.C.A.-member.*

dierenbescherming ⟨de (v.)⟩ **0.1** [streven] *animal protection* ⇒*prevention of cruelty to animals* **0.2** [vereniging] *animal protection/humane society* ◆ **6.1** vereniging voor~ *society for the prevention of cruelty to animals;* ⟨GB⟩ *R.S.P.C.A.;* ⟨USA⟩ *S.P.C.A..*

dierenbeul ⟨de (m.)⟩ **0.1** *s.o./a person who is cruel to/ill-treats/mishandles animals.*

dierendag ⟨de (m.)⟩ **0.1** ≠*animal/pets' day* ⟨4 okt.⟩.

dierenepos ⟨het⟩ **0.1** *beast epic.*

dierenfabel ⟨de⟩ **0.1** [moraliserend verhaal] *beast fable* **0.2** [genre] *beast fable.*

dierengeneeskunde →diergeneeskunde.

dierengeografie ⟨de (v.)⟩ **0.1** *zoogeography.*

dierenkliniek ⟨de (v.)⟩ **0.1** *animal clinic.*

dierenliefde ⟨de (v.)⟩ **0.1** *love of/for animals.*

dierenliefhebber ⟨de (m.)⟩, **-ster** ⟨de (v.)⟩ **0.1** *animal lover* ⇒*lover of animals,* ⟨fanatiek⟩ *animal rights activist.*

dierenmishandeling ⟨de (v.)⟩ **0.1** *cruelty to animals* ⇒*mistreatment of animals, animal abuse.*

dierennummer ⟨het⟩ **0.1** *animal act* ⇒*animal number/turn.*

dierenpark ⟨het⟩ →dierentuin.

dierenpension ⟨het⟩ **0.1** *(boarding) kennel(s).*

dierenpsychologie ⟨de (v.)⟩ **0.1** *animal psychology.*

dierenriem ⟨de (m.)⟩ **0.1** *zodiac* ◆ **1.1** de tekens van de~ *the signs of the z..*

dierenrijk ⟨het⟩ **0.1** *animal kingdom* ⇒*animal realm/world.*

dierensage ⟨de⟩ **0.1** *animal/beast epic.*

dierensymboliek ⟨de (v.)⟩ **0.1** *animal symbolism.*

dierentaal ⟨de⟩ **0.1** *animal language.*

dierentemmer ⟨de (m.)⟩ **0.1** *animal trainer* ⇒*tamer of wild animals,* ⟨leeuwen⟩ *lion-tamer.*

dierentuin ⟨de (m.)⟩ **0.1** *zoo* ⇒⟨schr.⟩ *zoological garden(s),* ⟨park⟩ *animal park.*

dierenverzorging ⟨de (v.)⟩ **0.1** *animal care* ⇒*care of animals.*

dierenvriend ⟨de (m.)⟩ **0.1** *animal/pet lover* ⇒⟨schr.⟩ *zoophile, zoophilist.*

dierenwereld ⟨de⟩ **0.1** *animal realm/world.*

dierenziekte ⟨de (v.)⟩ **0.1** *animal disease, disease of animals.*

dierexperiment ⟨het⟩ →dierproef.

diergaarde ⟨de⟩ ⟨schr.⟩ **0.1** *zoological garden.*

diergelijk ⟨aanw.vnw.⟩ ⟨vero.⟩ →dergelijk.

diergeneeskunde ⟨de (v.)⟩ **0.1** *veterinary medicine/science* ⇒⟨med.⟩ *zootherapy.*

dierkunde ⟨de (v.)⟩ **0.1** *zoology.*

dierkundig ⟨bn.⟩ **0.1** *zoological* ◆ **1.1** ~e leerboeken *z. textbooks.*

dierkundige ⟨de (m.)⟩ **0.1** *zoologist.*

dierlijk
I ⟨bn.⟩ **0.1** [aan het dier eigen] *animal* **0.2** [de mens als dier eigen] *animal* ⇒⟨pej.⟩ *bestial, beastly,* ⟨redeloos⟩ *brute,* ⟨ruw⟩ *brutish* ◆ **1.1** de~e aard/natuur *a. nature;* ⟨schr.⟩ *animality;* het~leven *a. life;* ~magnetisme *a. magnetism;* ~e vetten *a. fats;* ~voedsel *a. food product(s);* ~e warmte *a. heat* **1.2** ~e instincten *a. instincts;* aan zijn~e lusten voldoen *satisfy one's bestial desires/lusts* **7.2** het~e in de mens *the a. in man/side of man, man's bestial nature;*
II ⟨bw.⟩ **0.1** [beestachtig] *bestially, brutishly, in a beastly manner/way.*

dierlijkheid ⟨de (v.)⟩ **0.1** *bestiality* ⇒⟨pej.⟩ *brutishness, beastliness.*
dierproef ⟨de⟩ **0.1** *animal experiment/ test, experiment/ test on an animal* ⇒⟨vnl. als pijnlijk beschouwd⟩ *vivisection.*
diersoort ⟨de⟩ **0.1** *animal species* ♦ **2.1** bedreigde ~en *threatened species of animals.*
dierverzorger ⟨de (m.)⟩ **0.1** *animal keeper/ tender* ⇒*zoo-keeper* ⟨in die-rentuin⟩.
dies[1] ⟨de (m.)⟩ **0.1** *foundation day* ⇒*commemoration day, founder's/ founders' day* ♦ **1.1** de~v.d. Leidse universiteit *Leiden University foundation day* ¶**.1** ~ irae *dies irae;* ~ natalis *foundation day.*
dies[2] ⟨bw.⟩ ⟨schr.⟩ **0.1** *wherefor(e).*
dies[3] ⟨aanw.vnw.⟩ ♦ ¶.¶ en wat ~ meer zij *and so on (and so forth), and the like;* ⟨inf.⟩ *and suchlike.*
diesel
  I ⟨de⟩ **0.1** [olie] *diesel (oil/ fuel)* ⇒*derv* ♦ **6.1** op ~ rijden *be driven by diesel, be diesel-driven, take diesel;*
  II ⟨de (v.)⟩ **0.1** [motor] *diesel (engine);*
  III ⟨de (m.)⟩ **0.1** [trein] *diesel (train).*
dieselelektrisch ⟨bn.⟩ **0.1** *diesel-electric.*
dieselen ⟨ov.ww.⟩ **0.1** *run on.*
diesellocomotief ⟨de⟩ **0.1** *diesel locomotive, diesel-electric (locomotive).*
dieselmotor ⟨de (v.)⟩ **0.1** *diesel engine* ♦ **2.1** een snellopende~ *a high-speed d. e.* **3.1** uitrusten met een~ *dieseline.*
dieselolie ⟨de⟩ **0.1** *diesel oil/ fuel.*
dieseltrein ⟨de (m.)⟩ **0.1** *diesel train, diesel-electric (train).*
diesfeest ⟨het⟩ **0.1** *foundation day celebration.*
diësis ⟨de (v.)⟩⟨muz.⟩ **0.1** [verschil octaaf-drie grote tertsen] *(enharmonic) diesis* **0.2** [kruis] *diesis* ⇒*sharp.*
diesrede ⟨de⟩ **0.1** *foundation day speech.*
diëtetiek ⟨de (v.)⟩ **0.1** *dietetics.*
diëtisch ⟨bn., bw.;-(al)ly⟩ **0.1** *dietetic(al)* ⇒⟨bn. ook⟩ *dietary.*
diëtist ⟨de (m.)⟩, **-e** ⟨de (v.)⟩ **0.1** *dietician, dietitian.*
Diets[1] ⟨het⟩ **0.1** *Middle Dutch* ⇒*medi(a)eval Dutch.*
Diets[2] ⟨de (m.)⟩ **0.1** *Middle Dutch* ⇒*medi(a)eval Dutch* ♦ **1.1** de~e taal *the Middle/ medi(a)eval Dutch language* **3.**¶ iem. iets diets maken ⟨duidelijk maken⟩ *put sth. over on s.o.;* ⟨wijsmaken⟩ *make s.o. believe/ delude s.o. into believing sth., have s.o. on.*
dievegge ⟨de (v.)⟩ **0.1** *thief* ⇒*robber, pilferer* ⟨op kleine schaal⟩, *shoplifter* ⟨in winkels⟩.
dieven ⟨onov., ov.ww.⟩ **0.1** [stelen] *thieve* ⇒*steal,* ⟨op kleine schaal⟩ *pilfer, shoplift* ⟨in winkels⟩, ⟨ov. ww ook; inf.⟩ *pinch, nick* **0.2** [⟨plantk.⟩] *nip/ pinch out.*
dievenbende ⟨de⟩ **0.1** [groep dieven] *gang/ band of thieves* ⇒*pack/ bunch of thieves* **0.2** [rommel] *shambles* ⇒*mess,* ⟨rommelige plaats⟩ *tip* ♦ **3.2** wat is het hier een~ *a right s./ mess this is; this (place) is a right tip.*
dievengespuis ⟨het⟩ **0.1** *pack of thieves* ⇒*riff-raff.*
dievengezicht ⟨het⟩ **0.1** *dishonest/ villainous face* ⇒*face of a villain/ crook* ♦ **3.1** hij heeft een echt~ *he looks a right thug/ villain.*
dievenhol ⟨het⟩ **0.1** *den/ cave of thieves* ⇒*ken.*
dievenjacht ⟨de⟩ **0.1** *hunting/ chasing of thieves* ♦ **6.1** de politie is op ~ *the police is hunting (down/ for)/ chasing thieves.*
dievenklauw ⟨de⟩ **0.1** *security lock* ⇒⟨AE ook⟩ *police lock.*
dievenlantaarn ⟨de⟩ **0.1** *dark-lantern.*
dievenpoeder ⟨het⟩ **0.1** *fingerprint powder* ⇒⟨inf.⟩ *dust* ♦ **3.1** met ~ bestrooien *dust (for fingerprints).*
dievenpoortje ⟨het⟩ **0.1** *security label detector, anti-shoplifting alarm.*
dievensleutel ⟨de (m.)⟩ **0.1** *passkey* ⇒*skeleton key.*
dievenstreek ⟨de⟩ **0.1** *thievish/ knavish trick.*
dieventaal ⟨de⟩ **0.1** [taal v.d. onderwereld] *underworld slang/ jargon* ⇒*thieves' slang/ cant, flash, argot,* ⟨inf.⟩ *thieves' Latin/ lingo* **0.2** [vaktaal] *jargon, cant.*
dievenwagen ⟨de (m.)⟩ **0.1** *police van* ⇒⟨inf.⟩ *Black Maria.*
dievenweer ⟨het⟩ **0.1** *foul/ wicked weather.*
dieverij ⟨de (v.)⟩ **0.1** *thievery* ⇒*thieving,* ⟨op kleine schaal⟩ *pilferage, pilfery.*
diezelfde ⟨aanw.vnw.⟩ **0.1** *the very same* ⇒*this/ that same, this/ that very.*
diffamatie ⟨de (v.)⟩⟨schr.⟩ **0.1** *defamation (of character)* ⇒*calumny,* ⟨ongemarkeerd⟩ *slander* ⟨gesproken⟩, *libel* ⟨geschreven⟩.
diffameren ⟨ov.ww.⟩⟨schr.⟩ **0.1** *defame* ⇒*calumniate,* ⟨ongemarkeerd⟩ *slander* ⟨mondeling⟩, *libel* ⟨schriftelijk⟩.
different ⟨bn., bw.;-ly⟩ **0.1** *distinct, differing.*
differentiaal ⟨de (v.)⟩ **0.1** *differential.*
differentiaalbeveiliging ⟨de (v.)⟩⟨tech.⟩ **0.1** *differential protective system.*
differentiaaldiagnose ⟨de (v.)⟩⟨med.⟩ **0.1** *differential diagnosis.*
differentiaalquotiënt ⟨het⟩⟨wisk.⟩ **0.1** *differential coefficient* ⇒⟨zeldz.⟩ *differential quotient.*
differentiaalrekening ⟨de (v.)⟩⟨wisk.⟩ **0.1** *differential calculus* ♦ **1.1** differentiaal- en integraalrekening *infinitesimal calculus.*
differentiaaltarief ⟨het⟩ **0.1** *sliding scale (of fares/ charges).*
differentiaalthermometer ⟨de (m.)⟩ **0.1** *differential thermometer.*
differentiaalvergelijking ⟨de (v.)⟩⟨wisk.⟩ **0.1** *differential equation.*

differentiatie ⟨de (v.)⟩ **0.1** [het uiteenlopen] *differentiation* ⇒*distinction* **0.2** [splitsing] *differentiation* ⇒*specialization* **0.3** [⟨wisk.⟩] *differentiation* ♦ **6.2** ~ naar tempo/ inhoud v.e. onderwijsprogramma *specialization according to pace/ content of a course.*
differentie ⟨de (v.)⟩ **0.1** [verschil, onderscheid] *difference* ⇒*distinction* **0.2** [⟨geldw.⟩] *differential (rate)* **0.3** [⟨wisk.⟩ verschil van twee waarden] *differential* **0.4** [⟨wisk.⟩ aangroeiing v.e. grootheid] *differential.*
differentieel[1] ⟨het⟩ **0.1** *differential (gear).*
differentieel[2] ⟨bn.⟩ **0.1** *differential* ⇒*differentiating, distinguishing, discriminative* ♦ **1.1** ⟨ec.⟩ differentiële kosten *differential costs;* ⟨psych.⟩ differentiële psychologie *differential psychology;* ⟨geldw.⟩ differentiële rechten *differential tariffs/ duties.*
differentieerbaar ⟨bn.⟩ **0.1** *differentiable* ⇒*distinguishable.*
differentiëren
  I ⟨onov.ww.⟩ **0.1** [onderscheid aanbrengen] *differentiate* ⇒*distinguish, make/ draw distinctions/ a distinction* **0.2** [zich verschillend ontwikkelen] *differentiate* ⇒*specialize* ♦ **6.1** ~ op functionele punten *differentiate/ distinguish on the basis of functional details;* ~ tussen *differentiate/ distinguish between;*
  II ⟨onov., ov.ww.⟩ **0.1** [⟨wisk.⟩] *differentiate.*
difficiel ⟨bn.⟩ **0.1** *difficult* ⇒*demanding, troublesome.*
diffractie ⟨de (v.)⟩⟨nat.⟩ **0.1** *diffraction.*
diffunderen ⟨onov.ww.⟩⟨nat.⟩ **0.1** *diffuse* ♦ **3.1** doen ~ *diffuse.*
diffusie ⟨de (v.)⟩⟨nat.⟩ **0.1** [vermenging van vloeistoffen/ gassen] *diffusion* ⇒*mixture* **0.2** [transport van moleculen] *diffusion* ⇒*pevasion* **0.3** [mbt. warmte/ lichtstralen] *diffusion* ♦ **1.2** ~ van koolstof in ijzer *d. of carbon in iron.*
diffusionisme ⟨het⟩⟨volkenkunde⟩ **0.1** *diffusionism.*
diffusor ⟨de (m.)⟩ **0.1** [buis] *diffuser* **0.2** [armatuur voor diffuus licht] *diffuser.*
diffuus ⟨bn.⟩ **0.1** [verspreid] *diffuse* ⇒*scattered, diffused* **0.2** [mbt. een stijl] *desultory* ⇒*rambling, wordy, discursive, vague* ⟨onduidelijk⟩ ♦ **1.1** ⟨nat.⟩ ~ licht *diffuse light.*
difterie, difteritis ⟨de (v.)⟩ **0.1** *diphteria.*
diftong ⟨de⟩⟨taal.⟩ **0.1** *diphtong.*
diftongeren ⟨onov. ov.ww.⟩⟨taal.⟩ **0.1** *diphtongize.*
diftongering ⟨de (v.)⟩⟨taal.⟩ **0.1** *diphtongization.*
digamma ⟨de⟩ **0.1** *digamma.*
digereren ⟨ov.ww.⟩ **0.1** [verteren] *digest* **0.2** [⟨schei.⟩] *digest.*
digestie ⟨de (v.)⟩ **0.1** *digestion.*
digestief[1] ⟨het⟩ **0.1** *digestive* ⇒⟨med. ook⟩ *digestant, digester.*
digestief[2] ⟨bn.⟩ **0.1** *digestive* ⇒*peptic* ♦ **1.**¶ ~ type *plethoric type.*
diggelen, diggels ⟨zn.mv.⟩ **0.1** *shards, potsherds* ⟨aardewerk, porselein⟩; *shivers, pieces, smithereens* ⟨ook mbt. andere stoffen⟩ ♦ **6.1** aan ~ gaan/ vallen *shalter, smash (to pieces);* aan ~ gooien/ slaan *dash/ smash to smithereens.*
digitaal ⟨bn., bw.;-ly⟩ **0.1** [cijferverwerkend] *digital* **0.2** [mbt. de vingers, de tenen] *digital* ♦ **1.1** ~ horloge *d. watch;* digitale rekenmachine *d. computer* **3.1** ~ weergeven *digitize.*
digitaline ⟨de⟩⟨med.⟩ **0.1** *digitalin.*
digitalis ⟨de⟩ **0.1** [kruid] *digitalis* ⇒*foxglove* **0.2** [geneesmiddel] *digitalis* ♦ **3.2** met ~ behandelen *digitalize.*
digitaliseren ⟨ov.ww.⟩⟨comp.⟩ **0.1** *digit(al)ize.*
diglossie ⟨de (v.)⟩ **0.1** *diglossia.*
dignitaris ⟨de (m.)⟩ **0.1** *dignitary* ♦ **2.1** de tegenwoordige~ *the present incumbent.*
digniteit ⟨de (v.)⟩ **0.1** [waardigheid] *dignity* **0.2** [ereambt] *dignity.*
digressie ⟨de (v.)⟩ **0.1** [brede uitweiding] *digression* ⇒*side-track,* ↑*expatiation* **0.2** [⟨ster.⟩] *elongation* ♦ **2.2** grootste~ *greatest e..*
dii ⟨zn.mv.⟩ ♦ ¶.¶ ~ minores ⟨lett.⟩ *minor deities;* ⟨fig.⟩ *lesser lights.*
dij ⟨de⟩ **0.1** *thigh* ⇒*ham* ⟨meestal mbt. vlees⟩ ♦ **2.1** stevige ~en *sturdy thighs* **6.1** op zijn ~en slaan (van plezier) *slap one's thighs (in pleasure), doub up with laughter.*
dijader ⟨de⟩⟨med.⟩ **0.1** *femoral artery.*
dijambe ⟨de⟩ **0.1** *di(i)amb* ⇒*diiambus.*
dijbeen ⟨het⟩ **0.1** *thighbone* ⇒⟨med.⟩ *femur.*
dijbreuk ⟨de⟩ **0.1** *hernia femoralis* ⇒[B]*femoral hernia.*
dijen ⟨onov.ww.⟩ **0.1** [opzwellen] *swell (up)* ⇒*expand, dilate* **0.2** [gedijen] *thrive* ⇒*flourish* ♦ **1.1** rijst moet ~ *rice has to s.* **1.2** die planten ~ hier niet *those plants do not t./ flourish here.*
dijkletser ⟨de (m.)⟩⟨inf.⟩ **0.1** *side-splitter* ⇒*real scream.*
dijharnas ⟨het⟩⟨gesch.⟩ **0.1** *cuisse.*
dijk ⟨de (m.)⟩ **0.1** [dam] *bank* ⇒*embankment,* ⟨mbt. Nederland⟩ *dike, dyke* **0.2** [⟨AZN⟩ promenade langs strand] *front* ♦ **2.1** een groene~ *a grassy b.* **3.1** een ~ (aan)leggen *throw up a b./ an embankment;* de ~en doorsteken *breach the banks* **6.1** ⟨fig.⟩ dat brengt/ zet geen zoden/ aarde aan de ~ *that doesn't help in the slightest, that won't get/ isn't getting us far/ anywhere;* binnen/ buiten de ~ *within/ beyond the banks* **6.**¶ iem. aan de ~ zetten *give s.o. his/ her cards;* ⟨inf.⟩ *give s.o. the push/ heave-ho/ axe, axe s.o.;* ⟨ontslaan⟩ *lay/ stand s.o. off;* een ~ van een huis/ salaris ⟨goed⟩ *a thumping good/ a cracker of a house/ salary;* ⟨groot⟩ *a thumping great/ a monster of a/ a massive house/ sal-*

ary; een ~ **van** een film/boek ⟨prachtig⟩ *a thumping good/a cracker of a film/book, a blockbuster (of a film/book)* **8.1** als een dijk *like a hulk;* ⟨attr.⟩ *a hulking/hulk of a.*

dijkage ⟨de (v.)⟩ **0.1** [het (be)dijken] *embankment, embanking* ⇒ *damming/banking up* **0.2** [dijkwerken] *embankment(s), embanking.*

dijkarbeider ⟨de (m.)⟩ **0.1** *dike worker, diker.*

dijkbeslag ⟨het⟩ **0.1** *revetment.*

dijkbestuur ⟨het⟩ **0.1** [bestuurscollege] *dike board/authority* **0.2** [toezicht op een dijk] *dike management.*

dijkbouw ⟨de (m.)⟩ **0.1** *dike construction* ⇒ *diking, dike building.*

dijkbreuk ⟨de⟩ **0.1** *bursting/giving/breaching way of a/the dike, breach in a/the dike* ◆ **¶.1** het hele dorp stond blank als gevolg v.e. ~ *the whole village was flooded when the dike burst/gave way.*

dijkdoorbraak →**dijkbreuk.**

dijken
  I ⟨ov.ww.⟩ **0.1** [bedijken] *dike, dyke* ⇒ *enclose/protect with a dike/with dikes,* ⟨met dijken omringen⟩ *build/construct a ring dike, embank* ⟨rivieren⟩;
  II ⟨onov.ww.⟩ **0.1** [een dijk maken] *build/construct a dike.*

dijker ⟨de (m.)⟩ **0.1** *rocker* ◆ **1.1** ~s en pleiners *mods and rockers* ⟨sic!⟩.

dijkgelden ⟨zn.mv.⟩ **0.1** *dike dues/* ⟨BE ook⟩ *rates.*

dijkgraaf ⟨de (m.)⟩ **0.1** *dike-grave* ⇒ ⟨GB⟩ *dike-reeve, dike-warden.*

dijkgraafschap ⟨het⟩ **0.1** [gebied] *dike district* **0.2** [waardigheid] *office of dike-grave/-reeve/-warden.*

dijkheemraad ⟨de (m.)⟩ **0.1** *member of a dike board.*

dijkheemraadschap ⟨het⟩ **0.1** [waardigheid] *membership of a dike board* **0.2** [college] *dike conservancy board.*

dijkleger ⟨het⟩ **0.1** *dike supervisors, dike watch.*

dijklichaam ⟨de (m.)⟩ **0.1** *core/body of a/the dike* ⇒ ⟨zandlichaam⟩ *sand core.*

dijkmeester ⟨de (m.)⟩ **0.1** ≠*superintendant/inspector (of dikes).*

dijkpaal ⟨de (m.)⟩ **0.1** [om golfslag te breken] *dike post* **0.2** [voor plaatsbepaling] *dike post.*

dijkraad ⟨de (m.)⟩ **0.1** [dijksbestuur] *dike board/authority* **0.2** [dijkheemraad] *member of a dike board.*

dijkrecht ⟨het⟩ **0.1** [wettelijke voorschriften] *dike law(s)* ⇒ *regulations for the maintenance of dikes* **0.2** [belastingen] *dike dues/rates* **0.3** [subjectief recht] *dike right.*

dijkrecreatie ⟨de (v.)⟩ **0.1** *dike recreation.*

dijkschouw ⟨de (v.)⟩ **0.1** ⟨*inspection of dikes/a dike*⟩.

dijksloot ⟨de⟩ **0.1** ⟨*dike) drainage ditch.*

dijkvak ⟨het⟩ **0.1** *section of a dike.*

dijkval ⟨de (m.)⟩ **0.1** *dike subsidence.*

dijkwacht
  I ⟨de⟩ **0.1** [wacht op de dijk bij gevaar] *dike watch;*
  II ⟨de (m.)⟩ **0.1** [beambte] ≠*dike warden/inspector.*

dijkwezen ⟨het⟩ **0.1** ⟨*construction and maintenance of dikes; dikes and their management*⟩.

dijkzwaluw ⟨de (m.)⟩ **0.1** *bank swallow/martin* ⇒ ⟨BE⟩ *sand martin.*

dijlap ⟨de (m.)⟩ **0.1** ≠*leather apron.*

dijn ⟨het⟩ ◆ **1.¶** hij kent het verschil tussen het mijn en het ~ niet *he doesn't know the difference between mine and thine/meum and tuum;* het mijn en het ~ *mine and thine, meum and tuum.*

dijspier ⟨de⟩ **0.1** *thigh muscle.*

dijstuk ⟨het⟩ **0.1** *leg.*

dik¹ ⟨het⟩ **0.1** [bezinksel] *grounds, dregs* **0.2** [wat dik is] *thick* **0.3** [plaats waar iets dik is] *thick* ◆ **1.1** het ~ van koffie *the coffee g.* **1.3** het ~ v.h. been *the t. of the leg* **1.¶** door ~ en dun gaan *go through t. and thin;* iem. door ~ en dun volgen *stand by s.o. through t. and thin.*

dik² ⟨→sprw. 72,416⟩
  I ⟨bn.⟩ **0.1** [niet dun] *thick* **0.2** [van aanzienlijke omvang] *thick* ⇒ *fat, bulky* **0.3** [weinig vloeibaar] *thick* **0.4** [mbt. staafvormige voorwerpen] *thick* **0.5** [gezet, corpulent] *fat* ⇒ *stout, corpulent* **0.6** [opgezet, gezwollen] *swollen* ◆ **1.1** een ~ boek *a t./fat book/tome;* tien cm ~ *10 cm. t./in thickness;* een ~ke laag *a t. layer;* een ~ke plank *a t. board/plank;* ze stonden tien rijen ~ *they stood ten (rows) deep;* een ~ke streep/lijn *a t./bold stroke/line;* een ~ke trui *a t./heavy/warm jumper/coat* **1.2** een ~ke buik *a paunch/fat stomach/* ⟨scherts.⟩ *corporation/* ↓*big belly/pot-belly,* ⟨fig.⟩ een ~ke portemonnee hebben *have a fat/bulging wallet;* ~ke tranen *big tears;* ~ke wangen *chubby/plump cheeks,* ⟨fig.⟩ ~ke woorden *long words, fancy terms* **1.3** een ~ke brij *pap* ⟨voedsel⟩; ~ke melk ⟨geronnen⟩ *curdled milk;* ~ke saus *t./rich sauce;* ~ke soep *t. soup, potage* **1.4** de ~ke darm *the large intestine;* een ~ke stok *a big stick* **1.5** een ~ke man *a f. man* **1.6** een ~ke keel *a s. throat;* ⟨gevoel⟩ *a sore throat;* ⟨fig.⟩ *a lump in one's throat;* ⟨fig.⟩ met een ~ke tong spreken *slur, speak with a thick tongue;* ⟨kort en dik⟩ *stubby fingers* **1.¶** van ~ hout zaagt men planken ⟨mbt. overdrijven⟩ *he/she* ⟨enz.⟩ *is laying it on thick;* ⟨mbt. botheid⟩ *not very subtle,* een ~ke huid hebben *have a thick skin, be thick skinned* **2.¶** ~ gekleed *warmly dressed* **3.3** ~ worden *thicken, set, congeal* **3.5** zich ~ eten *gorge o.s., make a pig of o.s.;* die jurk maakt ~ *that dress makes you*

dijkage - dildo

look f.; ~ worden *grow/get f., put on weight/flesh;* zij heeft aanleg om ~ te worden *she puts on weight easily* **3.6** ~ worden *swell (up)* **3.¶** ~ doen *swank, swagger, boast;* zich ~ maken (over iets) *get worked up/excited (about sth.), be in a stew (about sth.);*
  II ⟨bn., bw.;-ly⟩ **0.1** [ruim, royaal] *thick* ⇒ *ample, good* **0.2** [⟨van relaties⟩ hecht] *thick* ⇒ *close, great* **0.3** [dicht] *thick* ⇒ *heavy, dense* ◆ **1.1** ⟨fig.⟩ een ~ke kus *a big kiss,* ↓*a smacker;* een ~ uur *a good hour;* een ~ke voldoende *a (very) high mark* **1.2** ~ke maatjes zijn *be as t. as thieves;* ~ke vrienden zijn *be great/close friends, be the best of friends* **1.3** een ~ke bos haar *a shock of hair;* een ~ke mist *(a) dense/t. fog;* een ~ke rook *a t. smoke;* een ~ke vacht *a t. coat, t. fur* **2.1** ⟨fig.⟩ in die handel zit er ~ belegde boterham *you can make/earn a good living in that trade;* ~ tevreden (zijn) *(be) well-satisfied* **2.2** ~ bevriend zijn *be close friends, be very close* **2.3** ⟨fig.⟩ niet ~ gezaaid *thin on the ground, few and far between* **3.1** ~ verdiend *well-earned, thoroughly deserved/merited;* iem. ~ verslaan *beat s.o. by miles* **5.2** het is ~ aan tussen hen *they're as t. as thieves; they're pretty close* ⟨ook geliefden⟩; ⟨geliefden ook; inf.⟩ *they've got sth. pretty deep (together/(going on) between them)* **6.1** hij is ~ in de zeventig *he is well (on) into his seventies;* ~ onder het stof *t. with dust* **7.1** een ~ke honderd gulden *a good hundred guilders, a hundred-odd guilders* **¶.1** ~ in orde zijn *be all right;* dat komt ~ voor elkaar/mekaar *that'll work out fine;* het er ~ bovenop leggen *lay it on t.;* het ligt er ~ bovenop *it is quite obvious;* dat zit er ~ in *that is more than likely, there's every chance of that;* ~ in iets zitten *have plenty of sth., be well set up for sth..*

dikbastig ⟨bn.⟩ ⟨biol.⟩ **0.1** *thick-shelled.*

dikbek ⟨de (m.)⟩ ⟨dierk.⟩ **0.1** *hawfinch.*

dikbenig ⟨bn.⟩ **0.1** *thick-legged.*

dikbil ⟨de⟩ **0.1** [persoon] *s.o. with a fat behind/* ⟨BE; inf.⟩ *bum/* ⟨AE; inf.⟩ *ass, s.o. who is broad in the beam* **0.2** [rund] *double-muscled beef.*

dikbloedig ⟨bn.⟩ **0.1** [dik van bloed] *thick-blooded* **0.2** [flegmatisch] *cool-heated* ⇒ *unemotional.*

dikbuik ⟨de (m.)⟩ **0.1** *potbelly.*

dikbuikig ⟨bn.⟩ **0.1** *big-bellied, potbellied* ⇒ *p(a)unchy,* ↑*abdominous,* ↑*ventripotent.*

dikdoener ⟨de (m.)⟩ **0.1** *braggart* ⇒ *boaster, big-mouth.*

dikdoenerig ⟨bn., bw.;-ly⟩ **0.1** *braggart* ⇒ *boastful, big-mouthed.*

dikdoenerij ⟨de (v.)⟩ **0.1** *bragging* ⇒ *boasting.*

dikheid ⟨de (v.)⟩ **0.1** *thickness* ⇒ *fatness, corpulence* ⟨mens⟩, ⟨dichtheid ook⟩ *density, consistency.*

dikhoofdig ⟨bn.⟩ **0.1** *thick-/fat-headed.*

dikhuid ⟨de (m.)⟩ **0.1** *thick skin* ⟨ook fig.⟩ ⇒ *pachyderm* ⟨bv. olifant⟩.

dikhuidig ⟨bn.⟩ **0.1** [dik van huid] *pachyderm(at)ous* ⇒ *thick-skinned* **0.2** [bot, stompzinnig] *thick-skinned* ⇒ *pachyderm(at)ous* ◆ **1.1** de ~e zoogdieren (Pachydermata) *the pachyderms/pachydermata, the t.-skinned mammals.*

dikkedarmontsteking ⟨de (v.)⟩ ⟨med.⟩ **0.1** *colitis* ⇒ *colonitis.*

dikkerd ⟨de (m.)⟩ **0.1** *fatty* ⇒ *piggy, fatso, tub* ◆ **2.1** dat is een gezellige ~ *he/she is fat and cuddly* **¶.1** ~ kom hier, ~ come here, fatty.

dikkop ⟨de (m.)⟩ **0.1** [iem. met een dikke kop] *person with a large head/skull* **0.2** [stijfkop] *pigheaded person* ⇒ *mule* **0.3** [kikvors] *tadpole* **0.4** [vlinder] *skipper.*

diklippig ⟨bn.⟩ **0.1** *thick-lipped.*

dikoor ⟨het⟩ ⟨AZN⟩ **0.1** *mumps.*

dikschedelig ⟨bn.⟩ **0.1** *thick-skulled.*

dikte ⟨de (v.)⟩ **0.1** [het dik-zijn] *fatness* ⇒ *thickness* **0.2** [afmeting] *thickness* ⇒ *gauge* ⟨glas, metaal⟩, *girth* ⟨ronde voorwerpen⟩ **0.3** [dichtheid] *thickness* ⇒ *density, consistency* ⟨vnl. vloeistoffen⟩ **0.4** [verdikking] *swelling* ⇒ *lump* ◆ **1.2** de ~ v.e. boom *the girth of a tree;* de ~ v.h. ijs *the t. of the ice* **1.3** de ~ v.d. mist *the t./density of the fog;* de ~ v.d. verf *the t./consistency of the paint* **6.2** een ~ van vier voet *four feet thick, a t. of four feet* **6.4** een ~ **aan** een tak *a s./lump on a branch;* hij heeft een ~ **aan** zijn voet *he has a s./lump on his foot.*

dikvloeibaar ⟨bn.⟩ **0.1** *viscous* ⇒ *viscose, viscid.*

dikwangig ⟨bn.⟩ **0.1** *chubby-cheeked.*

dikwerf ⟨bw.⟩ ⟨schr.⟩ **0.1** *oft(en)times.*

dikwijls ⟨bw.⟩ **0.1** [vele malen] *often* ⇒ *frequently, many times* **0.2** [in menig geval] *often* ⇒ *frequently, many times* ◆ **3.1** dat moet je ~ doen *you have to do that frequently;* ze gaat niet ~ uit *she doesn't go out much;* wat hebben we ~ plezier gehad! *what fun we used to have!* **3.2** dat is ~ niet uit te maken *o. that can't be decided* **5.1** hoe ~ moet ik u dat nog zeggen? *how o. do I have to tell you this/repeat this (for you).*

dikzak ⟨de (m.)⟩ ⟨scherts.⟩ **0.1** *fatty* ⇒ *piggy, fatso, tub.*

dil ⟨de⟩ **0.1** ≠*fenland.*

dilatatie ⟨de (v.)⟩ **0.1** [⟨nat.⟩] *dilatation* ⇒ *expansion* **0.2** [⟨med.⟩] *dilatation, dilation.*

dilatatievoeg ⟨de⟩ **0.1** *dilatation seam/joint.*

dilatatorium ⟨het⟩ ⟨med.⟩ **0.1** *dilat(at)or, dilater.*

dilateren ⟨ov.ww.⟩ **0.1** *dilate.*

dilatoir ⟨bn.⟩ **0.1** *dilatory* ⇒ *delaying* ◆ **1.1** ⟨jur.⟩ ~e exceptie *dilatory pled.*

dildo ⟨de (m.)⟩ **0.1** *dildo.*

dilemma ⟨het⟩ **0.1** *dilemma* ⇒*quandary* ◆ **6.1 voor** een ~ staan *be in a d. / quandary;* ⟨schr.⟩ *be on the thorns of a d.;* iem. **voor** een ~ stellen *place s.o. in a d..*

dilettant ⟨de (m.)⟩**,-e** ⟨de (v.)⟩ **0.1** [amateur] *dilettante* ⇒*amateur* **0.2** [iem. met oppervlakkige kennis] *dilettante* ⇒*amateur*.

dilettantentoneel ⟨het⟩ **0.1** *amateur theatricals / theatre.*

dilettanterig ⟨bn., bw.⟩ ⟨pej.⟩ **0.1** ⟨bn.⟩ *amateurish;* ⟨bw.⟩ *in an amateurish way.*

dilettantisch ⟨bn., bw.⟩ **0.1** ⟨bn.⟩ *dilettant(e)ish* ⇒*amateur, dilettante,* ⟨bw.⟩ *in a dilettante manner, in an amateur way* ◆ **1.1** een ~ boek *a book written by a non-specialist;* ⟨pej.⟩ *an amateurish book.*

dilettantisme ⟨het⟩ **0.1** *dilettantism* ⇒*amateurism,* ⟨pej.⟩ *amateurishness.*

diligence ⟨de⟩ ⟨gesch.⟩ **0.1** *diligence* ⇒*(stage-)coach* ◆ **1.1** in de tijd v.d. ~ *in the days / period of the stage-coach.*

diligent ⟨bn.⟩ **0.1** *diligent* ⇒*hard-working, industrious,* ⟨schr.⟩ *assiduous* ◆ **3.1** ~ blijven in ... *keep ... under review* **3.¶** een commissie / iem. ~ verklaren *authorize / instruct a committee / s.o. to continue (in charge / with an / the assignment* ⟨enz.⟩ *).*

diligentverklaring ⟨de (v.)⟩ **0.1** *authority / instructions to continue (in charge / with an / the assignment* ⟨enz.⟩).

dille ⟨de⟩ **0.1** [deel v.e. spade] *socket* **0.2** [plant, kruid] *dill.*

Diluvium ⟨het⟩ **0.1** [Pleistoceen] *Diluvium* ⇒*Pleistocene* **0.2** [⟨geol.⟩ gronden uit dat tijdvak] *diluvium, Drift, Pleistocene.*

dimensie ⟨de (v.)⟩ **0.1** [afmeting] *dimension* ⇒*measurement* **0.2** [⟨fig.⟩ betekenis] *dimension* ⇒*meaning* **0.3** [⟨nat.⟩] *dimension* **0.4** [element, aspect] *dimension* ⇒*perspective* ◆ **3.2** een andere / nieuwe ~ toevoegen aan zijn bestaan *add another / a new d. to one's existence* **7.1** de vierde ~ *the fourth d..*

dimensionaal ⟨bn., bw.; -ly⟩ **0.1** *dimensional.*

dimensioneren ⟨ov.ww.⟩ **0.1** *dimension.*

diminuendo ⟨bw.⟩ ⟨muz.⟩ **0.1** *diminuendo* ⇒*decrescendo.*

diminutief ⟨het⟩ ⟨taal.⟩ **0.1** *diminutive.*

diminutiefsuffix ⟨het⟩ ⟨taal.⟩ **0.1** *diminutive suffix.*

dimlicht ⟨het⟩ **0.1** *dipped / ^dimmed headlights* ⇒⟨AE ook⟩ *dimmers.*

dimmen
I ⟨onov., ov.ww.⟩ **0.1** [licht temperen] *dip / ^dim (the headlights)* ⇒ *shade;*
II ⟨onov.ww.⟩ ⟨inf.⟩ **0.1** [rustig aan doen] *cool it* ◆ **¶.1** effe ~, anders gaan we meppen *cool it unless you're looking for a fight;* effe ~, da's niet leuk meer *cool it, it's not funny any more.*

dimmer ⟨de (m.)⟩ ⟨elek.⟩ **0.1** *dimmer(-switch).*

dimorf ⟨bn.⟩ ⟨nat.⟩ **0.1** *dimorphic, dimorphous.*

dimorfie ⟨de (v.)⟩ **0.1** [⟨biol.⟩] *dimorphism* **0.2** [⟨schei.⟩] *dimorphism.*

dimschakelaar ⟨de (m.)⟩ **0.1** ^Bdipswitch / ^dimmer ⇒⟨BE ook⟩ *dipper.*

D.I.N. ⟨afk.⟩ ⟨foto.⟩ **0.1** [Deutsche Industrie Norm] *D.I.N..*

dinar ⟨de (m.)⟩ **0.1** *dinar.*

diner ⟨het⟩ **0.1** [avondmaaltijd] *dinner* **0.2** [feestelijke, officiële maaltijd] *dinner (party)* ◆ **3.2** een ~ geven / aanbieden *give a dinner party, entertain s.o. to dinner* **6.1** aan het ~ *at d..*

diner-dansant ⟨het⟩ **0.1** *dinner-dance.*

dineren ⟨onov.ww.⟩ **0.1** *dine* ⇒*have dinner* ◆ **5.1** buitenshuis ~ *d. out* **¶.1** ~ à la carte *d. à la carte.*

ding ⟨het⟩ ⟨→ sprw. 4, 112, 130⟩ **0.1** [voorwerp] *thing* ⇒*object,* ⟨apparaatje⟩ *gadget, contraption, contrivance* **0.2** [feit, gebeurtenis] *thing* ⇒*matter, affair, business* **0.3** [jonge vrouw] *thing* ⇒⟨meestal pej.⟩ *chit* **0.4** [klein kind] *thing* ⇒*chit* **0.5** [⟨gesch.⟩] *thing* ⇒*ting,* ⟨jur.⟩ ≠*court* ◆ **1.1** en (al) dat soort ~en *and all that, and (all) that sort of t.,* and the like, and all that jazz **1.2** ~en v.d. dag *current affairs;* een goede kijk op mensen en ~en hebben *see (things) sharply, be nobody's fool* **2.1** ik zou er een lief ~ voor geven om ... *I would give my right arm to* ⟨ww.⟩ / for ⟨zn.⟩, *I wish to goodness that ...;* zij verkopen alle mogelijke ~en *they sell just about everything;* een mooi ~, dat schuurtje *a nice job, that shed* **2.2** andere ~en te doen hebben *have other things to do, be otherwise engaged, have other fish to fry;* doe geen gekke ~en *don't do anything foolish / silly / stupid;* ⟨scherts.⟩ *don't do anything I wouldn't do;* gewone / alledaagse ~en *trivial matters, commonplace things, commonplaces;* geen verkeerde ~en zeggen / doen *not do / say anything wrong* **2.3** een brutaal ~ *a chit of a girl;* een jong / aardig / lekker ~ *a young t., a nice / sweet little t.;* een lekker ~ ⟨BE; vulg. ook⟩ *a bit of fluff* **3.2** de ~en tegen elkaar afwegen *weigh (up) the pros and cons, weigh things up;* dat zijn zo van die ~en *that's just one of those things* **6.1** het is een ~ **van** niets ⟨zonder waarde⟩ *it's a worthless / useless t. / a mere puff;* ⟨gemakkelijk⟩ *it's child's play / plain sailing / nothing, there's nothing to it;* ⟨onbelangrijk⟩ *it's nothing* **6.2 over** die ~en spreekt men niet *one doesn't talk about such things, such things are better left unmentioned* **7.2** een ~ is zeker, hij komt niet *one t. is certain, he is not coming / going to come;* er is maar één ~ op tegen *there is only one drawback / snag /* ⟨inf.⟩ *t.;* er kunnen nog zoveel ~en gebeuren *anything can happen* **¶.2** de ~en bij hun naam noemen *call a spade a spade, not mince matters.*

dingen ⟨onov.ww.⟩ **0.1** [wedijveren] *compete* **0.2** [⟨+'naar'⟩ trachten te verkrijgen] *compete (for)* ⇒*strive (after / for), contend (for)* **0.3** [afdin-

gen] *bargain* ⇒*haggle* ◆ **6.2 naar** een betrekking ~ *solicit a post / position;* ~ **naar** de gunst v.h. publiek *court the public, bid for the public's favour;* **naar** de hand v.e. meisje ~ *court a girl;* ⟨vero.⟩ *pretend to a girl's hand.*

dinges ⟨de⟩ ⟨inf.⟩ **0.1** *thingummy* ⇒⟨zaak ook⟩ *what-d'you-call-it, whatchacallit, whatsit,* ⟨sl.⟩ *whatsis,* ⟨mbt. persoon ook⟩ *what's-his / her-name /* ⟨sl.⟩ *face* ◆ **1.1** meneer / mevrouw Dinges *Mr. / Mrs. what's-his / her-name / Thingummy.*

dinghy ⟨de⟩ **0.1** *dinghy.*

dingo ⟨de (m.)⟩ **0.1** *dingo.*

dingsigheidje ⟨het⟩ **0.1** *gadget* ⇒*trifle, gimrack.*

dingtaal ⟨de⟩ ⟨jur.⟩ **0.1** *pleadings* ⟨mv.⟩, *documents* ⟨mv.⟩ *in the case.*

dinner-jacket ⟨het⟩ **0.1** *dinner jacket* ⇒⟨AE ook⟩ *tuxedo.*

dinosaurus ⟨de (m.)⟩ **0.1** *dinosaur.*

dinsdag ⟨de (m.)⟩ **0.1** *Tuesday* ◆ **2.1** ⟨AZN⟩ vette ~ *Shrove T.* **7.1** de derde ~ in september *the third T. in September.*

dinsdags
I ⟨bn.⟩ **0.1** [van dinsdag] *Tuesday* **0.2** [op dinsdag vallend] *Tuesday* ◆ **1.1** de ~e markt *the T. market;*
II ⟨bw.⟩ **0.1** [op dinsdag] *on Tuesdays;* ⟨AE ook⟩ *Tuesdays* ◆ **3.1** hij kwam gewoonlijk ~ *he used to come on Tuesdays /* ⟨AE ook⟩ *Tuesdays* **6.1** elke dag **behalve** ~ *ben ik bezet I am busy every day except Tuesday.*

diocees ⟨het⟩ **0.1** *diocese.*

diocesaan[1] ⟨de (m.)⟩ **0.1** *diocesan.*

diocesaan[2] ⟨bn.⟩ **0.1** *diocesan* ◆ **1.1** diocesane synode *d. synod.*

diocesaanbisschop ⟨de (m.)⟩ **0.1** *diocesan (bishop).*

diode ⟨de (v.)⟩ **0.1** *diode* ◆ **2.1** halfgeleidende ~ *semi-conducting d..*

diofantisch ⟨bn.⟩ ⟨wisk.⟩ **0.1** *Diophantine* ◆ **1.1** ~e vergelijkingen *D. equations.*

Dionysisch ⟨bn.⟩ **0.1** [mbt. Dionysus] *Dionysian* **0.2** [uitbundig] *Dionysian / siac* ◆ **1.1** ~e feesten *Dionysia, Dionysian festivals* **1.2** ~e aard *Dionysian nature.*

dioptaas ⟨het⟩ **0.1** *dioptase.*

dioptrica ⟨de (v.)⟩ **0.1** *dioptrics.*

dioptrie ⟨de (v.)⟩ **0.1** *dioptre* ◆ **6.1** een lens van ~ *a one-d. lens, a lens of one d..*

dioptrisch ⟨bn.⟩ **0.1** *dioptric(al)* ◆ **1.1** ~e kijker *refractor, refracting / d. telescope;* ~e kleuren *d. colours.*

diorama ⟨het⟩ **0.1** *diorama* ⇒*panorama.*

dioriet ⟨het⟩ **0.1** *diorite.*

dioxine ⟨het⟩ ⟨schei.⟩ **0.1** *dioxin.*

dioxyde ⟨het⟩ ⟨schei.⟩ **0.1** *dioxide.*

diplegie ⟨de (v.)⟩ ⟨med.⟩ **0.1** *diplegia.*

diploid ⟨bn.⟩ ⟨biol.⟩ **0.1** *diploid.*

diploma ⟨het⟩ **0.1** [bewijs v.e. examen] *diploma* ⇒*certificate* **0.2** [⟨gesch.,⟩ officieel stuk] *diploma, charter* **0.3** [bewijsstuk v.e. onderscheiding] *diploma* **0.4** [⟨boek.⟩] *diploma* ◆ **1.1** hij heeft het ~ boekhouden *he is a certificated bookkeeper;* ~ van ingenieur ≠*BSc Engineering, degree in Engineering* **2.1** in het bezit zijn van alle vereiste ~'s *have all the necessary bits of paper* **3.1** een ~ behalen *qualify, graduate;* ~'s uitreiken *present diplomas / certificates,* ^graduate **6.1** zonder ~ *unqualified.* **¶.1** tegenwoordig heb je overal een ~ voor nodig *nowadays one needs a qualification for everything.*

diplomaat ⟨de (m.)⟩ **0.1** [ambassadeur, gezant] *diplomat* ⇒*diplomatist* **0.2** [⟨fig.⟩] *diplomatist* ⇒*diplomat.*

diplomatenkoffertje ⟨het⟩ **0.1** *attaché case.*

diplomatentaal ⟨de⟩ **0.1** *the language of diplomacy.*

diplomatentas ⟨de⟩ **0.1** *attaché case.*

diplomaticus ⟨de (m.)⟩ **0.1** *diplomat(ist).*

diplomatie ⟨de (v.)⟩ **0.1** [diplomatiek verkeer] *diplomacy* **0.2** [diplomaten] *diplomatic corps* ⇒*diplomats* **0.3** [diplomatieke gedragslijn] *diplomacy* ⇒*tact* ◆ **3.3** ~ gebruiken *be diplomatic, diplomatize* **6.2** hij gaat **in** de ~ *he is going to enter the diplomatic service.*

diplomatiek[1] ⟨de (v.)⟩ **0.1** *diplomatics.*

diplomatiek[2] ⟨bn., bw.; -ally⟩ **0.1** [mbt. de diplomatie] *diplomatic* **0.2** [omzichtig] *diplomatic* ⇒*tactful* **0.3** [gelijk aan het origineel] *diplomatic* ◆ **1.1** ~e betrekkingen onderhouden / verbreken *maintain / break off d. relations;* in ~e dienst treden *enter / join the d. service;* een ~e nota *an aide-mémoire, a d. memorandum;* ~e onschendbaarheid *d. immunity / privilege;* ~e stappen ondernemen *take d. steps / action;* ~e vertegenwoordiger *envoy;* langs ~e weg *through d. channels;* ⟨ook fig.⟩ *by diplomacy;* een ~e werkkring *a d. post / position* **1.2** een ~ antwoord *a d. / tactful answer* **1.3** een ~e afdruk *a d. edition;* een ~e uitgave *a d. edition;* ⟨lit.⟩ *a type-facsimile* **¶.2** ~ te werk gaan *show great tact, be d..*

diplomeren ⟨ov.ww.⟩ **0.1** *certificate* ◆ **1.1** een gediplomeerd verpleegster *a* ^BState Registered Nurse / ^Registered Nurse, *a trained nurse* **3.1** gediplomeerd zijn *be certificated / qualified / trained / registered, hold certificates* **5.1** niet gediplomeerd *unqualified, untrained.*

diplomering ⟨de (v.)⟩ **0.1** *certification.*

diplopie ⟨de (v.)⟩ **0.1** *diplopia.*

dipodie ⟨de (v.)⟩ ⟨lit.⟩ **0.1** *dipody.*

dipool ⟨de⟩ **0.1** [dubbele pool] *dipole* **0.2** [elektrisch systeem] *dipole* **0.3** [antenne] *dipole*.

dipoolantenne ⟨de⟩ **0.1** *dipole*.

dippen ⟨ov.ww.⟩ **0.1** [even indopen] *dip* **0.2** [afstellen] *dip* **0.3** [mbt. koeieuiers] *dip*.

dipsaus ⟨de⟩ **0.1** *dip*.

dipsomanie ⟨de (v.)⟩ **0.1** *dipsomania* ♦ **3.1** zij lijdt aan ~ *she is a dipsomaniac.*

diptera ⟨zn.mv.⟩ ⟨dierk.⟩ **0.1** *diptera.*

diptiek ⟨het⟩ **0.1** *diptych.*

dir. ⟨afk.⟩ **0.1** [direct] ⟨*direct*⟩ **0.2** [directeur]⟨→**directeur**⟩.

direct
I ⟨bn., bw.;-ly⟩ **0.1** [rechtstreeks] *direct* ⇒*immediate, straight* **0.2** [ogenblikkelijk] *prompt* ⇒*immediate* ♦ **1.1** ~e aandrijving *d. drive;* een ~e actie *a d. action;* een ~ antwoord *a d. / straight answer;* ⟨geldw.⟩ ~e belastingen *d. taxes;* zijn ~e chef *his immmediate superior;* ~e kosten *immediate costs / expenses;* ~e levering *prompt delivery;* hij heeft een ~e manier van spreken *he is very d.;* ⟨school.⟩ ~e methode *d. method;* de ~e omgeving *the immediate vicinity;* de ~e oorzaak *the immediate cause;* een ~e reactie *a prompt reaction;* ⟨taal.⟩ ~e rede *d. speech;* ~e uitzending *live broadcast;* een ~e verbinding *a d. line;* ⟨trein⟩ *a through train;* iem. een ~e vraag stellen *ask s.o. a straight question, ask s.o. outright* **2.1** ~ leverbaar *immediately available;* ⟨geldw.⟩ ~ opvraagbaar *(repayable) at / on call, on demand* **3.1** kom ~ *come at once / straight away;* ~ te aanvaarden *with vacant possession, available for immediate occupation* **5.1** ~ al, al ~ *from the very beginning / start, right from the beginning / start* **6.1** ~ **bij** aankomst *immediately on arriving / arrival;* ~ **uit** de fles drinken *drink straight from the bottle* **7.1** ⟨boksen⟩ een linkse / rechtse ~e *a straight left / right* **8.1** ~ toen hij haar zag *the moment he saw her;*
II ⟨bw.⟩ **0.1** [zeer spoedig] *presently* ⇒⟨inf.⟩ *directly* ♦ **2.1** ik ben ~ klaar *I'll be ready in a minute / in no time* **5.¶** niet ~ vriendelijk *not exactly kind.*

directeur ⟨de (m.)⟩, **-trice** ⟨de (v.)⟩ **0.1** ⟨zaak⟩ *manager* ⟨m.⟩, *manageress* ⟨v.⟩; ⟨NV⟩ *(managing) director;* ⟨school⟩ *(lady) principal,* ⟨BE ook⟩ *headmaster* ⟨m.⟩, *-mistress* ⟨v.⟩; ⟨ziekenhuis⟩ *superintendent,* [B]*matron* ⟨v.⟩, [A]*director of nursing;* ⟨gevangenis⟩ *governor* ♦ **1.1** ~ v.e. bibliotheek *chief librarian;* ⟨iron.⟩ meneer de ~ *Mr. Big Shot;* ~ v.h. postkantoor *postmaster* ⟨m.⟩, *-mistress* ⟨v.⟩ **2.1** algemeen ~ *general manager.*

directeur-generaal ⟨de (m.)⟩ **0.1** *director-general* ⇒⟨med.⟩ [A]*surgeon general,* ⟨ministerie ook⟩ *deputy secretary* ♦ **1.1** de ~ v.d. P.T.T. *postmaster general.*

directeurschap →**directoraat.**

directeurswoning ⟨de (v.)⟩ **0.1** *residence / dwelling of a manager / director, manager's / director's residence.*

directheid ⟨de (v.)⟩ **0.1** *directness* ⇒*straightforwardness, bluntness* ♦ **6.1** de ~ **van** zijn antwoord verbaasde mij *the d. of his answer surprised me.*

directie ⟨de (v.)⟩ **0.1** [directeuren] *management, board (of directors), directorate* **0.2** [bureau] *secretariat(e)* **0.3** [bestuur] *management, board, directorate* **0.4** [richting] *direction* **0.5** [richtlijn] *directions* ⇒*directive, instruction* ♦ **2.1** we hebben een nieuwe ~ *we're under new m.* **3.3** de ~ voeren *be the m.* **6.1** je moet even **bij** de ~ komen *you're wanted by the m.* **6.3** dat is **onder** zijn ~ gebeurd *that happened under his m. / directorship.*

directief¹ ⟨het⟩ **0.1** *directive* ⇒*direction* ⟨meestal mv.⟩.

directief² ⟨bn.⟩ **0.1** *directive* ⇒*leading* ♦ **1.1** een directieve opmerking *a leading remark.*

directiekamer ⟨de⟩ **0.1** *boardroom.*

directiekeet ⟨de⟩ **0.1** *site office* ⇒*surveyor's house.*

directielid ⟨het⟩ **0.1** *member of the board (of directors)* ⇒⟨fabrieken⟩ *management, member of the board of managers.*

directiesecretariaat ⟨het⟩ **0.1** *post / office of (the) executive secretary.*

directiesecretaris ⟨de (m.)⟩, **-resse** ⟨de (v.)⟩ **0.1** *executive secretary.*

directievergadering ⟨de (v.)⟩ **0.1** *board meeting* ⇒*meeting of a / the board (of directors).*

directioneel ⟨bn., bw.;-ly⟩ **0.1** *managerial, executive* ♦ **3.1** een ~ genomen beslissing *a m. decision.*

directoire ⟨de (m.)⟩ **0.1** *(Directoire) knickers* ⇒*drawers.*

directoraat ⟨het⟩ **0.1** ⟨zaak⟩ *managership;* ⟨mv.⟩ *directorship, directorate* ♦ **3.1** het ~ neerleggen *resign from the board / as manager* ⟨zaak⟩; *resign as principal* ⟨school⟩; *resign as government* ⟨gevangenis⟩.

directorium ⟨het⟩ **0.1** [bestuurslichaam] *board of directors* **0.2** [⟨r.k.⟩ miskalender] *directory.*

dirigeerstok ⟨de (m.)⟩ **0.1** *baton.*

dirigent ⟨de (m.)⟩ **0.1** *conductor* ⇒⟨AE ook⟩ *leader,* ⟨gesch.⟩ *Kapellmeister,* ⟨van koor⟩ *choirmaster.*

dirigeren ⟨onov., ov.ww.⟩ **0.1** [besturen] *conduct* ⟨orkest⟩; *control* ⟨groep mensen⟩ **0.2** [richten, zenden] *direct* ⇒*guide* ♦ **1.1** ⟨mil.⟩ ~d officier van gezondheid *controlling / commanding medical officer* **1.2** hij dirigeerde het publiek de zaal uit *he directed the public out of the hall.*

dirigisme ⟨het⟩ ⟨ec.⟩ **0.1** *dirigisme, statism.*

dirigistisch ⟨bn., bw.⟩ **0.1** [sterk leidend] *imperious, domineering* **0.2** [volgens het dirigisme] *dirigiste, statist.*

dirndl ⟨het⟩ **0.1** *dirndl.*

dis
I ⟨de (m.)⟩ ⟨schr.⟩ **0.1** [tafel] *table, board* **0.2** [maaltijd] *table* ⇒ *board, fare* ♦ **2.1** een goed voorziene ~ *a good table* **2.2** een feestelijke ~ *festive fare* **6.1** zich **aan** de ~ zetten *sit down to / at the table, seat o.s. at the table;*
II ⟨de⟩ ⟨muz.⟩ **0.1** [toon] *D sharp.*

disagio ⟨het⟩ ⟨geldw.⟩ **0.1** *discount.*

discant ⟨de (m.)⟩ ⟨muz.⟩ **0.1** [hoge toon] *descant* ⇒*treble* ⟨piano⟩ **0.2** [sopraan] *treble voice.*

discantsleutel ⟨de (m.)⟩ ⟨muz.⟩ **0.1** *treble clef.*

discipel ⟨de (m.)⟩ **0.1** *disciple* ⇒*follower.*

disciplinair ⟨bn., bw.;-ly⟩ **0.1** *disciplinary* ♦ **1.1** ~e bepalingen *d. provisions / regulations;* een ~e maatregel *a d. measure;* een ~ onderzoek instellen *hold a d. inquiry;* ~e straf *d. punishment* **3.1** iem. ~ straffen *take d. action against s.o..*

discipline ⟨de (v.)⟩ **0.1** [tucht, orde] *discipline* **0.2** [krijgstucht] *discipline* **0.3** [leer, tak van wetenschap] *discipline* ♦ **2.1** een strenge ~ opleggen *enforce strict d.* **3.1** de ~ handhaven *maintain / keep up d.;* ~ moet er zijn *there must be d.;* dit ondermijnt de ~ *this undermines d.* **6.1** gebrek **aan** ~ *lack of d.* **6.2** een troep **zonder** ~ *an undisciplined bunch of soldiers.*

disciplineren ⟨ov.ww.⟩ **0.1** *discipline* ⇒*train, drill* ♦ **1.1** een goed gedisciplineerd leger *a well-disciplined / -trained army* **3.1** hij werkt zeer gedisciplineerd aan zijn nieuwe roman *he applies himself to his new novel with strict self-discipline.*

disco ⟨de⟩ **0.1** [discotheek] *disco(theque)* **0.2** [muziek] *disco (music)* **0.3** [stijl] *disco* ⇒*gogo.*

discobar ⟨de⟩ **0.1** *disco(thèque).*

discodans ⟨de (m.)⟩ **0.1** *disco dance.*

discofiel ⟨de (m.)⟩ **0.1** *discophile.*

discograaf ⟨de (m.)⟩ **0.1** *discographer.*

discografie ⟨de (v.)⟩ **0.1** *discography.*

discomuziek ⟨de (v.)⟩ **0.1** *disco (music).*

discontabel ⟨bn.⟩ **0.1** [wat gedisconteerd kan worden] *discountable* **0.2** [solide] *sound.*

disconteren ⟨ov.ww.⟩ **0.1** *discount.*

disconteringsbank ⟨de⟩ **0.1** [B]*discount house,* [A]*discount company.*

discontinu ⟨bn.⟩ **0.1** *discontinuous* ⇒*intermittent.*

discontinuïteit ⟨de (v.)⟩ **0.1** *discontinuity* ⇒*intermittency.*

disconto ⟨het⟩ ⟨hand.⟩ **0.1** [korting op een wissel] *discount* **0.2** [koop van een wissel] *discount* **0.3** [rente] *discount* ♦ **2.1** officieel ~ *bank rate, minimum lending rate;* particulier ~ *cash d.* **3.3** het ~ verhogen *raise / increase the (rate of) d.;* het ~ verlagen *lower / reduce the (rate of) d.* **6.1** in ~ nemen *discount, buy at a d.;* ~ **over** de constante waarde *d. on the regular / real price* **6.2** in ~ geven *discount, sell at a d.;* ~ **over** de nominale waarde *d. on the list / nominal price.*

discontobank →**disconteringsbank.**

discontoverhoging ⟨de (v.)⟩ **0.1** *rise /* [A]*raise / increase in the discount rate.*

discontoverlaging ⟨de (v.)⟩ **0.1** *lowering of / reduction in the discount rate.*

discontovoet ⟨de (m.)⟩ **0.1** *discount rate.*

discopathie ⟨de (v.)⟩ ⟨med.⟩ **0.1** *discopathy.*

discorage ⟨de⟩ **0.1** *disco craze / rage / fever / bug.*

discordantie ⟨de (v.)⟩ **0.1** [het uiteenlopen] *discordance* ⇒*discordancy, discrepancy, disagreement* **0.2** [⟨geol.⟩] *unconformity.*

discotheek ⟨de (v.)⟩ **0.1** [verzameling grammofoonplaten] *record library / collection* **0.2** [instantie die grammofoonplaten uitleent] *record library* **0.3** [discobar] *disco(theque).*

discount ⟨de (m.)⟩ **0.1** [korting] *discount* **0.2** [winkel]⟨→**discountzaak**⟩.

discountprijs ⟨de (m.)⟩ **0.1** *discount price* ♦ **6.1** bungalowtenten nu tegen discountprijzen *frame tents now at d. prices.*

discountzaak ⟨de (v.)⟩ **0.1** *discount* [B]*shop /* [A]*store* ⇒⟨vnl. AE ook⟩ *discount house.*

discours ⟨het⟩ **0.1** [rede] *discourse* ⇒*address, talk* **0.2** [conversatie] *discourse* ⇒*talk, conversation* ♦ **3.2** weinig ~ hebben *not have much conversation / much to say.*

discreet
I ⟨bn., bw.;-ly⟩ **0.1** [kies] *discreet* ⇒*delicate, tactful* **0.2** [zacht] *discreet* ⇒*unobtrusive* ♦ **1.2** een ~ tikje op de kamerdeur *a d. tap / knock on the door* **3.1** ~ de blik afwenden *look away discreetly;* je moet in deze zaken ~ blijven / zijn *you must remain / be discreet in these matters;* iem. ~ uithoren over iets *sound s.o. out about sth.;*
II ⟨bn.⟩ **0.1** [discretie vereisend] *delicate* ⇒*secret* **0.2** [⟨wisk.⟩] *discrete* ♦ **1.1** een discrete opdracht *a d. mission.*

discrepantie ⟨de (v.)⟩ **0.1** [verschil] *discrepancy* ⇒*difference* **0.2** [tegenspraak] *discrepancy* ⇒*inconsistency.*

discretie ⟨de (v.)⟩ **0.1** [kiesheid] *discretion* ⇒*tact* **0.2** [geheimhouding] *discretion* ⇒*secrecy, delicacy* **0.3** [vrije beslissing] *discretion* ♦ **2.3** het verder optreden staat aan uw eigen ~ *further action is left to your own* *d.* **3.2** ~ gevraagd en verzekerd *d. assured, anonymity guaranteed, no questions asked.*

discriminantanalyse ⟨de (m.)⟩ ⟨statistiek⟩ **0.1** *discriminant(al) analysis.*

discriminatie ⟨de (v.)⟩ **0.1** [verwerpende onderscheiding] *discrimination* ⇒⟨rassen⟩ *segregation,* ⟨Z.-Afrika⟩ *apartheid,* ⟨AE inf. ook⟩ *Jim-Crow(ism)* **0.2** [apartstelling] *discrimination* ⇒*differentiation* ◆ **1.1** de ~ v.d. zwarte bevolking in Zuid-Afrika *the apartheid of the black population of South-Africa* **2.2** positieve ~ van vrouwen bij vacatures *positive discrimination in favour of women in the job market;* positieve ~ van minderheidsgroeperingen bij vacatures ^A*affirmative action.*

discriminatoor ⟨bn.⟩ **0.1** *discriminatory* ◆ **1.1** discriminatore wetten *d. /* ^A*Jim Crow laws.*

discrimineren ⟨onov., ov.ww.⟩ **0.1** *discriminate (against)* ⇒⟨ov. ww. ook⟩ *segregate.*

disculpatie ⟨de (v.)⟩ ⟨jur.⟩ **0.1** *exculpation* ⇒⟨zeldz.⟩ *disculpation.*

disculperen ⟨ov.ww.⟩ **0.1** *exculpate* ⇒⟨zeldz.⟩ *disculpate.*

discursief ⟨bn.⟩ **0.1** *discursive* ⇒*argumentative.*

discus ⟨de (m.)⟩ **0.1** [werpschijf] *discus* **0.2** [voorwerp] *disc* **0.3** [⟨plantk.⟩] *disc.*

discussant ⟨de (m.)⟩ **0.1** *discussant, discusser* ⇒*panel member, member of a / the panel.*

discussie ⟨de (v.)⟩ **0.1** *discussion* ⇒*debate, argument* ◆ **1.1** (het) onderwerp van ~ (zijn) *(be) under discussion / the talking point* **2.1** brede, maatschappelijke ~ *broad / wide public debate;* een diepgaande ~ *an in-depth / profound discussion;* een hevige / verhitte ~ *a heated discussion;* ⟨AE; inf.⟩ *a rhubarb;* ⟨BE ook⟩ *battle royal* **3.1** hierover kan geen ~ bestaan *this is beyond discussion;* ⟨onder ingezonden stuk⟩ hiermee sluiten wij de ~ *the debate is now closed* **6.1** iets in ~ brengen *bring sth. under discussion;* met iem. **in** ~ treden *enter into a discussion / an argument with s.o., take issue with s.o.;* **ter** ~ staan *be under discussion / dispute / debate;* iets **ter** ~ stellen *bring sth. up for discussion;* ⟨BE ook⟩ *lay sth. on the table;* een voorstel **zonder** ~ aannemen *pass a motion undiscussed.*

discussiegroep ⟨de (v.)⟩ **0.1** *discussion group* ⇒⟨dispuut⟩ *debating society.*

discussieleider ⟨de (m.)⟩, **-ster** ⟨de (v.)⟩ **0.1** *discussion leader* ⇒*leader of a discussion (group).*

discussiemethode ⟨de (v.)⟩ **0.1** *debating method.*

discussienota ⟨de⟩ **0.1** *working paper.*

discussiepunt ⟨het⟩ **0.1** *subject of discussion / for debate.*

discussiëren ⟨onov.ww.⟩ **0.1** *discuss* ⇒*debate, argue, dispute, talk* ◆ **5.1** er werd druk gediscussieerd over de vraag ... *there was much discussion on the question ...* **6.1** met iem. over iets ~ *discuss sth. with s.o.;* **over** iets ~ *discuss / debate sth.;* hier valt niet over te ~ *this is beyond debate / argument, this is not for discussion.*

discussietechniek ⟨de (v.)⟩ **0.1** *discussion technique.*

discuswerpen ⟨ww.⟩ **0.1** *discus-throwing.*

discuswerper ⟨de (m.)⟩, **-ster** ⟨de (v.)⟩ ⟨sport⟩ **0.1** *discus thrower.*

discutabel ⟨bn.⟩ **0.1** *debatable* ⇒*dubious, disputable, moot, open to question.*

discuteren ⟨onov.ww.⟩ →*discussiëren.*

disfunctioneel ⟨bn.⟩ ⟨schr.⟩ **0.1** *dysfunctional.*

disgenoot ⟨de (m.)⟩ ⟨schr.⟩ **0.1** *table companion, commensal.*

disharmonie ⟨de (v.)⟩ **0.1** *disharmony* ⇒*discord, disagreement, dissonance* ◆ **6.1** in ~ zijn *be in disharmony, jar.*

disjunct ⟨bn.⟩ **0.1** *disjunctive* ◆ **1.1** ⟨taal.⟩ ~ zinsverband *d. context.*

disjunctie ⟨de (v.)⟩ **0.1** [scheiding] *disjunction* ⇒*separation* **0.2** [⟨biol.⟩] *disjuncture* **0.3** [⟨taal.⟩] *disjunction.*

disjunctief ⟨bn., bw.; -ly⟩ ⟨taal.⟩ **0.1** *disjunctive.*

diskette ⟨de⟩ ⟨comp.⟩ **0.1** *diskette* ⇒*floppy disk.*

diskfilm ⟨de (m.)⟩ ⟨foto.⟩ **0.1** ^B*discfilm* ^A*diskfilm.*

diskrediet ⟨het⟩ **0.1** *discredit* ◆ **6.1** in ~ geraken *fall into d., become discredited;* iem. **in** ~ brengen bij *discredit s.o. with, bring s.o. into d. with;* **in** ~ zijn *be discredited;* ⟨inf.⟩ *be under a cloud.*

diskwalificatie ⟨de (v.)⟩ **0.1** *disqualification.*

diskwalificeren ⟨ov.ww.⟩ **0.1** [⟨sport⟩] *disqualify* **0.2** [ongeschikt verklaren] *disqualify* ◆ **8.2** iem. als getuige / voogd ~ *disqualify s.o. as a witness / guardian.*

dislocatie ⟨de (v.)⟩ **0.1** [verplaatsing] *dislocation* **0.2** [⟨med.⟩] *dislocation* **0.3** [⟨geol.⟩] *dislocation* **0.4** [⟨nat.⟩] *dislocation.*

dispache ⟨de⟩ **0.1** *average adjustment / statement.*

dispacheur ⟨de (m.)⟩, **-euse** ⟨de (v.)⟩ **0.1** *averager* ⇒*average adjuster.*

disparaat ⟨bn.⟩ **0.1** *disparate.*

dispariteit ⟨de (v.)⟩ **0.1** *disparity.*

dispensatie ⟨de (v.)⟩ **0.1** *dispensation* ⇒*exemption,* ⟨r.k.⟩ *indult* ◆ **3.1** ~ aanvragen *ask for exemption / a d.;* ~ verlenen (van) *grant d. / exemption (from).*

dispenseren ⟨ov.ww.⟩ **0.1** *dispense / exempt (from).*

dispergeren ⟨ov.ww.⟩ **0.1** *disperse* ⟨ook schei.⟩.

dispergerend ⟨bn.⟩ **0.1** *dispersive* ◆ **1.1** ~ vermogen *dispersive power, power of dispersion.*

dispersie ⟨de (v.)⟩ **0.1** [⟨nat.; schei.⟩] *dispersion* **0.2** [⟨aardr.⟩] *dispersion.*

dispersief ⟨bn., bw.; -ly⟩ ⟨nat.⟩ **0.1** *dispersive.*

display ⟨de⟩ **0.1** [beeldscherm] *display, VDU* **0.2** [⟨recl.⟩] *display* **0.3** [reclamebord] *advertisement (board), hoarding,* ^A*billboard.*

displayen ⟨ov.ww.⟩ **0.1** [op een scherm zichtbaar maken] *display* **0.2** [uitstallen, vertonen] *display.*

disponeren
 I ⟨onov.ww.⟩ **0.1** [beschikken over] *have at one's disposal* **0.2** [opnemen] *draw (out), withdraw* **0.3** [innen, vorderen] *collect* ◆ **1.2** gedisponeerde bedragen *withdrawals* **6.1** hij kan **over** grote sommen / reserves ~ *he has large sums / reserves of money at his disposal;* **over** zijn tegoed ~ *withdraw one's balance / account* **6.3 op** een afnemer ~ voor een bedrag *c. an amount from a customer;* **over** een verschuldigd bedrag ~ *c. the amount due;*
 II ⟨ov.ww.⟩ ◆ **5.¶** niet gedisponeerd zijn *be indisposed / disinclined / unwilling, be not in the mood.*

disponibel ⟨bn.⟩ **0.1** [beschikbaar] *available* ⇒*at one's disposal* **0.2** [⟨hand.⟩ direct leverbaar] *available, at hand* ◆ **3.1** iets ~ hebben / houden / stellen *have / keep / make sth. available.*

disposable ⟨het⟩ **0.1** *disposable (item / article).*

dispositie ⟨de (v.)⟩ **0.1** [beschikking, inrichting] *disposition, disposal* ⇒*command, arrangement* **0.2** [vatbaarheid] *disposition* ⇒*susceptibility* **0.3** [aanleg, vast gedragspatroon] *disposition* **0.4** [gemoedsstemming] *mood* **0.5** [geld] *withdrawal* ◆ **3.1** ~s treffen *make arrangements, dispose.*

disproportie ⟨de (v.)⟩ **0.1** *disproportion.*

disproportioneel ⟨bn.⟩ **0.1** *disproportional.*

disputatie ⟨de (v.)⟩ **0.1** [redetwist] *disputation* ⇒*dispute, controversy* **0.2** [⟨gesch.⟩ dialectische behandeling] *disputation.*

disputeren ⟨onov.ww.⟩ **0.1** *dispute* ⇒*debate, polemize* ◆ **6.1** met iem. ~ *dispute / debate with s.o.;* **over** iets ~ *dispute / debate about sth.;* daar valt **over** te ~ *that's disputable / open to question.*

dispuut ⟨het⟩ **0.1** [redetwist] *dispute* ⇒*controversy, debate* **0.2** [(studenten)vereniging] *debating society* ◆ **2.1** aanleiding geven tot heftige disputen *arouse a storm of controversy, cause much heated controversy;* in een verwoed ~ gewikkeld zijn *be involved in a heated dispute* **6.1** hij bleef **buiten** het ~ *he kept out of the argument;* een ~ **over** iets beginnen / hebben *enter into / have a debate about sth..*

dissectie ⟨de (v.)⟩ **0.1** *dissection.*

dissel ⟨de (m.)⟩ **0.1** [kleine bijl] *adze* **0.2** [verbindingsstang] *pole, shaft, thill.*

disselboom ⟨de (m.)⟩ **0.1** *pole;* ⟨lamoen⟩ *(pair of) shafts.*

disselen ⟨ov.ww.⟩ **0.1** *adze* ⇒*dub.*

disselpaard ⟨het⟩ **0.1** *pole horse.*

disselpin ⟨de⟩ **0.1** *pole pin.*

disseminatie ⟨de (v.)⟩ **0.1** [⟨med.⟩] *dissemination* ⇒*metastasis* **0.2** [verspreiding] *dissemination* ⇒*distribution, dispersion.*

dissenter ⟨de (m.)⟩ **0.1** *dissenter;* ⟨BE; rel.⟩ *Dissenter.*

dissertatie ⟨de (v.)⟩ **0.1** [proefschrift] *dissertation* ⇒*thesis* **0.2** [verhandeling] *dissertation.*

dissident¹ ⟨de (m.)⟩ **0.1** *dissident.*

dissident² ⟨bn.⟩ **0.1** *dissident.*

dissimileren ⟨onov., ov.ww.⟩ ⟨taal.⟩ **0.1** *dissimilate.*

dissimillatie ⟨de (v.)⟩ **0.1** [⟨taal.⟩] *dissimilation* **0.2** [⟨biol.⟩] *dissimilation* ⇒*catabolism, breakdown.*

dissimulatie ⟨de (v.)⟩ **0.1** *dissimulation.*

dissociatie ⟨de (v.)⟩ **0.1** *dissociation* ⇒*disassociation.*

dissociëren ⟨onov., ov.ww.⟩ **0.1** *dissociate* ⇒*disassociate.*

dissonant¹ ⟨de (m.)⟩ **0.1** *dissonance, discord* ⇒*discordance* ◆ **2.1** ⟨fig.⟩ die opmerking vormde een lelijk ~ *that remark provided note of discord* **3.1** ⟨fig.⟩ er was geen ~ te horen *not a note of discord was heard.*

dissonant² ⟨bn.⟩ **0.1** *dissonant* ⇒*discordant.*

dissonantie ⟨de (v.)⟩ **0.1** [onwelluidendheid] *dissonance* ⇒*disharmony* **0.2** [⟨fig.⟩ onverenigbaarheid] *dissonance* ⇒*discordance* ◆ **2.2** cognitieve ~ *cognitive d..*

dissoneren ⟨onov.ww.⟩ **0.1** *be dissonant* ⇒⟨niet bij elkaar passen⟩ *be in discord / disharmony, clash.*

dissymmetrie ⟨de (v.)⟩ **0.1** *dissymmetry.*

distantie ⟨de (v.)⟩ **0.1** [afstand] *distance* ⇒*remoteness* **0.2** [⟨fig.⟩ het zich onttrekken] *distance* ⇒*aloofness, detachment* ◆ **3.2** enige ~ bewaren / in acht nemen *stand aloof, keep one's distance.*

distantiëren ⟨wk.ww.; zich ~⟩ **0.1** [afstand nemen] *distance* ⇒*detach* **0.2** [⟨fig.⟩] *distance* ⇒*dissociate* ◆ **6.2** zich ~ **van** *distance / dissociate o.s. from.*

distantiëring ⟨de (v.)⟩ **0.1** [het afstand nemen / verkrijgen] *distancing (o.s.)* **0.2** [⟨fig.⟩ het zich onttrekken] *dissociation.*

distel ⟨de⟩ ⟨→sprw. 643⟩ **0.1** *thistle* ◆ **6.1** ⟨fig.⟩ vijgen **aan** ~s zoeken *gather figs of thistles;* ⟨fig.⟩ **onder** ~s en doornen zaaien *sow among thorns.*

distelvink ⟨de⟩ **0.1** *(European) goldfinch* ⇒*redcap.*

distelvlinder ⟨de (m.)⟩ **0.1** *painted lady* ⇒*thistle butterfly, vanessa, cosmopolite.*

distichon ⟨het⟩ ⟨lit.⟩ **0.1** *distich.*

distillaat ⟨het⟩ **0.1** *distillate* ⇒*distillation.*

distillateur, distilleerder ⟨de (m.)⟩ **0.1** *distiller.*
distillatie ⟨de (v.)⟩ **0.1** *distillation* ◆ **2.1** droge ~ *dry d.;* extractieve ~ *extractive d.;* gefractioneerde ~ *fractional d..*
distilleerderij ⟨de (v.)⟩ **0.1** *distillery.*
distilleerinrichting ⟨de (v.)⟩ **0.1** *distillery* ⇒*distilling plant.*
distilleerketel ⟨de (m.)⟩ **0.1** *distilling vessel/boiler* ⇒*still,* ⟨voor alcohol⟩ *pot still.*
distilleerkolf ⟨de⟩ **0.1** *distilling flask* ⇒*retort, alembic, cucurbit, matrass, limbeck.*
distilleertoestel ⟨het⟩ **0.1** *distilling apparatus* ⇒*still.*
distilleren ⟨ov.ww.⟩ **0.1** [mbt. vloeistoffen] *distil* **0.2** [sterkedrank bereiden] *distil* **0.3** [⟨fig.⟩ afleiden] *distil* ⇒*deduce, infer* ◆ **6.3** iets **uit** iemands woorden ~ *deduce/gather sth. from what s.o. says.*
distinctie ⟨de⟩ **0.1** [onderscheid] *distinction* ⇒*difference,* ⟨BE ook⟩ *sophistication* **0.2** [voornaamheid] *distinction* ⇒*style, refinement* ◆ **3.2** ~ geven aan *lend d. to;* alle ~ missen *have no style/* ⟨inf.⟩ *class.*
distinctief¹ ⟨het⟩ **0.1** *badge, distinction* ⇒ ⟨mv. ook⟩ *insignia.*
distinctief² ⟨bn.⟩ **0.1** [onderscheidend] *distinctive* ⇒*distinguishing, characteristic, relevant* **0.2** [⟨taal.⟩] *distinctive* ◆ **1.2** distinctieve kenmerken/eigenschappen *d. features.*
distingeren ⟨ov.ww.⟩ **0.1** *distinguish* ⇒*discriminate, characterize.*
distomatose ⟨de (v.)⟩ **0.1** *distomatosis* ⇒*liver rot.*
distr. ⟨afk.⟩ **0.1** [district] *dist..*
distractie ⟨de (v.)⟩ **0.1** [verstrooidheid] *distraction, distractedness* ⇒ *absentmindedness* **0.2** [⟨jur.⟩] *distraint.*
distribueren ⟨ov.ww.⟩ **0.1** [uit-/verdelen] *distribute* ⇒*ration (out), dispense, hand out* **0.2** [⟨boek.⟩] *distribute.*
distributie ⟨de (v.)⟩ **0.1** [verdeling, verspreiding] *distribution* **0.2** [rantsoenering] *rationing* **0.3** [het verdeeld zijn] *distribution* **0.4** [⟨wisk., statistiek⟩] *distribution* ◆ **1.1** de ~ van brieven *the delivery of letters;* ⟨ec.⟩ de ~ van goederen *the d. of goods* **1.2** de ~ van benzine afschaffen/opheffen *deration* ^*petrol/*^*gas* **1.3** ⟨taal.⟩ de ~ van fonemen en morfemen *the d. of phonemes and morphemes.*
distributie-afdeling ⟨de (v.)⟩ **0.1** *distribution department/section* ◆ **6.1** hij werkt **op** de ~ ⟨inf.⟩ *he's in distribution.*
distributie-apparaat ⟨het⟩ **0.1** *distribution machinery/system.*
distributiebedrijf ⟨het⟩ **0.1** *distribution firm* ⇒*distributive agency.*
distributiebon ⟨de (m.)⟩ **0.1** *(distribution) coupon.*
distributiecentrum ⟨het⟩ **0.1** *distribution centre* ⇒ ⟨informatie, materialen⟩ *clearing-house.*
distributief ⟨bn.⟩ **0.1** *distributive* ◆ **1.¶** ⟨jur.⟩ distributieve bevoegdheid v.d. rechter *the jurisdiction of the judge;* distributieve wet *d. law.*
distributiekaart ⟨de⟩ **0.1** *ration(ing)/food card* ⇒ ⟨GB⟩ *ration book.*
distributiekanaal ⟨het⟩ **0.1** *distribution channel/route.*
distributiekantoor ⟨het⟩ **0.1** [posterijen] *distribution centre* **0.2** [mbt. rantsoenen] *food office.*
distributiekosten ⟨zn.mv.⟩ **0.1** *distribution costs/charges* ⇒*cost(s) of distribution.*
distributiestelsel ⟨het⟩ **0.1** [mbt. verdeling] *distributive system* **0.2** [mbt. rantsoenering] *system of rationing, rationing system.*
distributiewezen ⟨het⟩ **0.1** *distribution (system/authorities).*
district ⟨het⟩ **0.1** [rechts-/ambtsgebied] *district* ⇒*division, county,* ^*precinct, section* **0.2** [kiesdistrict] *district* ⇒*constituency,* ^*precinct.*
districtenstelsel ⟨het⟩ **0.1** *constituency voting system.*
districtsbestuur ⟨het⟩ **0.1** *district committee* ⇒*regional board.*
districtsbureau ⟨het⟩ **0.1** *district office.*
districtshoofd ⟨het⟩ **0.1** *district head/manager.*
districtsklasse ⟨de (v.)⟩ **0.1** *district league.*
districtsraad ⟨de (m.)⟩ **0.1** *district/county council.*
districtsvertegenwoordiger ⟨de (m.)⟩, **-ster** ⟨de (v.)⟩ **0.1** *district/area representative* ⇒*representative of a district/an area.*
districtswedstrijd ⟨de (m.)⟩ **0.1** *district match.*
dit ⟨aanw.vnw.⟩ **0.1** *this,* ⟨mv.⟩ *these* ◆ **1.1** in ~ geval *in t. (particular) case;* het heeft ook nog ~ voordeel *it has the additional advantage* **3.1** zij die ~ zeggen/denken *those who say/think so;* ~ zijn er drie *there are three here, I have three here;* ~ zijn mijn ouders *these are my parents;* wat zijn ~? *what are these?* **4.¶** ⟨euf.⟩ loop naar de ~ en dat *go to blazes!, get a jump!, drop dead!;* ⟨euf.⟩ voor de ~ en dat *for goodness'/heaven's sake* **¶.1** ~ is zeker ...*t. much is certain;* als ~ het geval mocht zijn *if t./such should be the case.*
dithyrambe ⟨de⟩ **0.1** *dithyramb.*
ditje ⟨het⟩ ◆ **1.¶** hij heeft altijd een ~ en een datje *he always has sth.;* ~s en datjes *trifles, odds and ends, bits and pieces;* over ~s en datjes praten *talk about this, that and the other/about this and that, pass the time of day;* een kast vol ~s en datjes *a cupboard full of bits and pieces/knick-knacks;* ⌐*odds and sods.*
ditmaal ⟨bw.⟩ **0.1** *this time* ⇒*for once* ◆ **3.1** ~ loog hij eens niet *for once he wasn't lying.*
dito ⟨bn., bw.⟩ **0.1** *ditto* ◆ **1.1** Jan kreeg een uitbrander en Karel ~ *John was told off and so was Charles;* rode jasssen en ~ tassen *red coats and bags* **¶.1** ⟨pleonasme⟩ idem ~ *ditto;* bij mij idem ~ *d., that makes two of us.*
dittografie ⟨de (v.)⟩ **0.1** *dittography.*

dittum ◆ **6.¶** je weet wel, **van** ~ *you know, what's its name!;* een beetje **van** ~ en een beetje van dattum *a bit of this and a bit of that.*
ditzelfde ⟨aanw.vnw.⟩ **0.1** *this same (thing)* ◆ **1.1** op ~ moment *at this very/* ⟨schr.,scherts.⟩ *selfsame moment.*
diureticum ⟨het⟩ ⟨med.⟩ **0.1** *diuretic.*
div. ⟨afk.⟩ **0.1** [diversen] ⟨sundries⟩ **0.2** [dividend] *div..*
diva ⟨de (v.)⟩ **0.1** *diva.*
divan ⟨de (m.)⟩ **0.1** *divan* ⇒*couch, ottoman,* ^*davenport.*
divanbed ⟨het⟩ **0.1** *divan (bed).*
divergent ⟨bn.⟩ **0.1** *divergent* ◆ **1.1** ⟨med.⟩ ~ strabisme *d. strabismus, d. /outward squint;* ⟨inf.⟩ *walleye.*
divergentie ⟨de (v.)⟩ **0.1** *divergence* ⇒*divergency.*
divergeren ⟨onov.ww.⟩ **0.1** *diverge.*
divergerend ⟨bn.⟩ **0.1** *divergent* ◆ **1.1** ⟨wisk.⟩ ~e reeksen *d. series;* ~e stralen/lens *d. rays/lens.*
divers ⟨bn.⟩ **0.1** [onderscheiden] *diverse* ⇒*various* **0.2** [ettelijke] *various, several, sundry;* ⟨vero.⟩ *divers.*
diversen ⟨zn.mv.⟩ **0.1** *sundries* ⇒ ⟨in begroting ook⟩ *incidental expenses,* ⟨in catalogus⟩ *miscellaneous (items).*
diversificatie ⟨de (v.)⟩ ⟨schr.⟩ **0.1** *diversification* ⇒*diversity, variety.*
diversifiëren ⟨onov., ov.ww.⟩ ⟨schr.⟩ **0.1** *diversify.*
diversiteit ⟨de (v.)⟩ **0.1** *diversity* ⇒*variety.*
diverteren ⟨wk.ww.;zich ~⟩ **0.1** *amuse o.s..*
divertimento ⟨het⟩ ⟨muz.⟩ **0.1** *divertimento.*
dividend ⟨het⟩ **0.1** *dividend* ◆ **2.1** een vast ~ geven *yield/carry/pay a fixed d.* **3.1** een ~ uitgekeerd krijgen *receive/draw a d.;* de handelsmaatschappij maakt mooie ~en *the trading company is making large dividends;* het ~ passeren, geen ~ uitkeren *pay no d.;* het ~ vaststellen/aankondigen/uitkeren *fix/announce/pay the d.* **6.1** met/zonder ~ *with/without premium;* het ~ **over** 1986 *the d. for 1986.*
dividendaftrek ⟨de (m.)⟩ **0.1** *dividend deduction.*
dividendbelasting ⟨de (v.)⟩ **0.1** *tax on dividends.*
dividendbewijs ⟨het⟩ **0.1** *dividend coupon.*
dividendopbrengst ⟨de (v.)⟩ **0.1** *dividend yield.*
dividendreserve ⟨de (m.)⟩ **0.1** *dividend reserve.*
dividendstop ⟨de (m.)⟩ **0.1** *dividend limitation.*
dividenduitkering ⟨de (v.)⟩ **0.1** *distribution of dividends.*
dividendverhoging ⟨de (v.)⟩ **0.1** *dividend increase* ⇒*increase/rise in a/ the dividend.*
dividendverlaging ⟨de (v.)⟩ **0.1** *dividend reduction* ⇒ ⟨inf.⟩ *cut* ⇒*reduction/cut in a/the dividend.*
diviniteit ⟨de (v.)⟩ **0.1** *divinity* ⇒*deity.*
divisie ⟨de (v.)⟩ **0.1** [legerafdeling] *division* **0.2** [vlootafdeling] *division* **0.3** [⟨sp.⟩] *division, league, class* **0.4** [⟨wisk.⟩] *division* **0.5** [⟨ind.⟩ sector] *division* ⇒*branch* **0.6** [⟨druk.⟩ koppelteken] *hyphen* ⇒*dash* ◆ **1.5** de boekendivisie draait met verlies *the book trade is making a loss* **7.3** promoveren/degraderen naar de tweede ~ *be promoted/relegated to the second/* ⟨vnl. BE; voetbal⟩ *third division.*
divisiecommandant ⟨de (m.)⟩ **0.1** *divisional commander.*
dixielandmuziek ⟨de (v.)⟩ **0.1** *dixieland (music/jazz).*
dizzy ⟨bn.⟩ **0.1** [duizelig] *dizzy* **0.2** [dol] *dizzy* ◆ **3.2** ik word ~ van die stortvloed aan informatie *there's such a torrent of information it makes me dizzy/drives me round the bend.*
djahé ⟨de (m.)⟩ ⟨cul.⟩ **0.1** *dried ground ginger.*
Djakarta ⟨het⟩ **0.1** *Jakarta, Djakarta.*
djatiboom ⟨de (m.)⟩ **0.1** *teak.*
djatihout ⟨het⟩ **0.1** *teak.*
djinn ⟨de (m.)⟩ **0.1** *(d)jinn, jinnee* ⇒*genie.*
D.K.T.P.-prik ⟨de⟩ **0.1** *injection* ⇒ ⟨inf.⟩ *jab against diphteria, pertussis, tetanus and polio.*
D.M. ⟨afk.⟩ **0.1** [Deutsche Mark] *DM.*
d.m.v. ⟨afk.⟩ **0.1** [door middel van] *by means of, through).*
dn ⟨afk.⟩ **0.1** [dyne] *(dyne).*
do¹ ⟨afk.⟩ **0.1** [donderdag] *Thu(rs)..*
do² ⟨het⟩ **0.1** *do(h).*
dobbelaar ⟨de (m.)⟩, **-ster** ⟨de (v.)⟩ **0.1** *dicer, dice-player* ⇒ ⟨AE ook⟩ *crapshooter,* ⟨speler⟩ *gambler.*
dobbelbeker ⟨de (m.)⟩ **0.1** *dice cup/shaker, dicebox.*
dobbelen ⟨onov.ww.⟩ **0.1** *dice, play (at) dice* ⇒*gamble, game* ◆ **5.1** laten we erom ~ *let's d. for it;* ⟨fig.⟩ ongelukkig ~ *be down on one's luck* **6.1** kapitalen verliezen **met** ~ *d. a fortune away;* **tegen** elf ogen ~ *play a losing game, have the odds stacked against o.s..*
dobbelspel ⟨het⟩ **0.1** [spel met dobbelstenen] *dicing, game of dice* ⇒*hazard,* ⟨AE ook⟩ *craps* **0.2** [hazardspel] *game of dice, gamble, gambling* ◆ **3.2** de loterij is een ~ *the lottery is gambling/a gamble;* ⟨fig.⟩ zo'n investering is een ~ *such an investment is a gamble.*
dobbelsteen ⟨de (m.)⟩ **0.1** [⟨spel⟩] *die, dic* **0.2** [kubusvormig voorwerp] *die, dic* ⇒*cube* ◆ **6.1** ⟨fig.⟩ met twee dobbelstenen dertien ogen gooien *accomplish the impossible;* **met** dobbelstenen gooien/spelen *throw the dice, play dice* **6.2** in ~tjes gesneden vlees *diced/cubed meat.*
dobber ⟨de (m.)⟩ **0.1** [drijver] *float* ⇒*bobber, quill,* ⟨van anker⟩ *buoy* **0.2** [vistuig] *float* ◆ **2.¶** een harde ~ hebben (om) *be hard put to it*

(to), have a struggle (to); dat zal nog een hele ~ worden *that is still going to be quite a job;* hij had er een zware ~ aan *he found it a tough job / real struggle.*

dobberen 〈onov.ww.〉 **0.1** [drijvend op en neer gaan] *float* ⇒*bob* **0.2** [〈hand.〉] *fluctuate* **0.3** [aan de gang blijven] *float* ⇒〈nog net aan de gang〉 *tick over* ♦ **3.3** hij wist zijn zaak ~d te houden *he managed to keep his business afloat / ticking over* **6.1 op** het water / de zee ~ *bob up and down on the water / sea;* 〈fig.〉 **tussen** vrees en hoop ~ *hover / waver between fear and hope.*

dobermannpinscher →**pinscher.**

doceermethode 〈de (v.)〉 **0.1** *teaching method.*

docent 〈de (m.)〉 **0.1** *teacher, instructor* ♦ **6.1** ~ **aan** de universiteit *university t., professor,* [B]*lecturer,* [A]*instructor* 〈m.〉, [A]*instructress* 〈v.〉, *tutor(ess).*

docentenkamer 〈de〉 **0.1** *staff room* ⇒〈BE ook〉 *common room.*

docentenkorps 〈het〉 **0.1** *teaching staff;* 〈vnl. AE; universiteit〉 *faculty.*

docentenvergadering 〈de (v.)〉 **0.1** *staff meeting* ⇒*meeting of teaching staff* ♦ **2.1** een algemene ~ houden *hold a full / general s. m..*

docentschap 〈het〉 **0.1** *teaching post* ⇒〈universiteit〉 *lectureship, tutorship.*

doceren 〈onov., ov.ww.〉 **0.1** *teach, instruct* ⇒〈universiteit〉 *lecture* ♦ **1.1** iem. op ~de toon toespreken *lecture s.o.* **3.1** ik heb vier uur staan ~ *I have been teaching for four hours* **6.1 aan** de universiteit ~ *t. / lecture at the university.*

doch 〈vw.〉 〈schr.〉 **0.1** [ongemarkeerd] *yet, but* ⇒*still, except,* 〈vero.〉 *excepting* ♦ **1.1** hij had haar gewaarschuwd, ~ zij wilde niet luisteren *he had warned her, y. / b. / still she wouldn't listen.*

dochter 〈de (v.)〉 〈→sprw. 113〉 **0.1** *daughter* ⇒〈little〉 *girl* ♦ **2.1** een welgeschapen ~ *a fine / healthy d..*

dochterbedrijf 〈het〉 →**dochteronderneming.**

dochterlief 〈de (v.)〉 **0.1** *dear / darling / precious daughter.*

dochteronderneming 〈de (v.)〉, **-maatschappij** 〈de (v.)〉 **0.1** *subsidiary / daughter company.*

dochtertaal 〈de〉 **0.1** *daughter language.*

dociel 〈bn., bw.; -ly〉 **0.1** [gedwee] *docile* ⇒*tractable, submissive, (com)pliant, yielding* **0.2** [leerzaam] *docile* ⇒*teachable.*

dociliteit 〈de (v.)〉 **0.1** *docility* ⇒〈gedweeheid ook〉 *submissiveness, tractability.*

doctor 〈de (m.)〉 **0.1** *doctor* ⇒*Ph.D., D. Phil.* ♦ **6.1** ~ **in** de letteren / wis- en natuurkunde / muziekwetenschappen / wijsbegeerte *Doctor of Literature / Science / Music / Philosophy, Doctor of Philosophy, Ph.D.;* ~ **in** de rechten / medicijnen / theologie *Doctor of Law / Medicine / Divinity / Theology* ¶**.1** ~ honoris causa *d. honoris causa.*

doctoraal[1] 〈het〉 **0.1** *Master's (degree / exam)* ⇒≠*M.A.* 〈enz.〉 ♦ **3.1** zijn ~ doen *take one's M.A.* 〈enz.〉 / *Master's / f.* **6.1** zij zijn vorige maand **voor** hun ~ geslaagd *they graduated / passed their f. / took their degree last month.*

doctoraal[2] 〈bn.〉 **0.1** ≠*Master's* ⇒(post)*graduate,* 〈AE ook〉 *upper-class* ♦ **1.1** een ~ bijvak *a (post)graduate subsid(iary subject);* het ~ diploma *the Master's degree / certificate.*

doctoraalbul 〈de〉 **0.1** *degree.*

doctoraalfase 〈de〉 **0.1** ≠*senior years.*

doctoraalscriptie 〈de (v.)〉 **0.1** ≠*undergraduate thesis / dissertation,* 〈AE ook〉 *senior thesis* ⇒〈oneigenlijk〉 *M.A. thesis / dissertation.*

doctoraalstudent 〈de (m.)〉 **0.1** (post)*graduate (student)* ⇒*B.A.* 〈enz.〉 / *M.A.* 〈enz.〉 *student.*

doctoraat 〈het〉 **0.1** 〈graad〉 *doctorate* ⇒*doctoral / doctor's degree, Ph.D.* 〈enz.〉 〈waardigheid〉 *doctorship.*

doctorandus 〈de (m.)〉 **0.1** ≠*Master of Arts, M.A.;* 〈exacte wetenschappen〉 *Master of Science, M.Sc.* ♦ **6.1** ~ **in** de letteren / theologie / sociale wetenschappen / psychologie / taalwetenschap / literatuurwetenschap / muziekwetenschap ≠*Master of Arts, M.A..*

doctoreren 〈onov.ww.〉 **0.1** *take / receive / proceed to one's doctor's degree.*

doctorsbul 〈de〉 **0.1** *doctor's / Ph.D.* 〈enz.〉 / *degree certificate / diploma.*

doctorsgraad 〈de (m.)〉 **0.1** *doctorate* ⇒*doctor's degree, Ph.D.* ♦ **3.1** de ~ behalen *get one's / a doctorate / Ph.D..*

doctorstitel 〈de (m.)〉 **0.1** *doctorate, Ph.D.* ♦ **3.1** de ~ voeren *have / hold a d. / Ph.D..*

doctrinair 〈bn., bw.; -ly〉 **0.1** [vasthoudend aan de leerstellingen] *doctrinal* ⇒*doctrinaire, dogmatic* **0.2** [bekrompen] *doctrinaire* ⇒*pedantic, dogmatic* ♦ **1.1** ~e liberalen *doctrinal / dogmatic Liberals;* een ~e opvatting *a doctrinal opinion.*

doctrine 〈de (v.)〉 **0.1** *doctrine* ⇒*dogma, tenet.*

docudrama 〈het〉 **0.1** *docudrama.*

document 〈het〉 **0.1** [bewijsstuk] *document* ⇒*deed, paper* **0.2** [oorkonde] *document* ♦ **2.1** een menselijk ~ *a human document;* officiële ~en *official documents / records* ¶**.1** ~en tegen betaling / accept *documents against payment / acceptance, D.A. / D.D..*

documentair 〈bn.〉 **0.1** *documentary, documental* ⇒*factual* ♦ **1.1** ~ krediet *documentary credit.*

documentaire 〈de (m.)〉 **0.1** *documentary (film).*

documentalist 〈de (m.)〉, **-e** 〈de (v.)〉 **0.1** *documentalist.*

documentarist 〈de (m.)〉, **-e** 〈de (v.)〉 **0.1** *documentarian* ⇒*documentary maker.*

documentatie 〈de (v.)〉 **0.1** [het bijeenbrengen van documenten] *documentation* **0.2** [het verschaffen van toe- / inlichtingen] *documentation* ⇒〈bibliotheek ook〉 *information work / science* **0.3** [materiaal] *documentation* ⇒(re)*sources* ♦ **2.3** het werk berust op een omvangrijke ~ *the work is based on extensive d. / is extensively documented / has been well-researched.*

documentatiecentrum 〈het〉 **0.1** *documentation centre.*

documentatiemateriaal 〈het〉 **0.1** *documentation.*

documenteren 〈ov.ww.〉 **0.1** [met bewijsstukken staven] *document* ⇒*support with evidence / references* **0.2** [voorzien van documentatie] *document* ⇒*research,* 〈inf.〉 *read up (on)* ♦ **1.1** een goed gedocumenteerd betoog / boek / vonnis *a well-documented argument / book / sentence* **4.2** hij heeft zich slecht gedocumenteerd *he has documented himself badly, he has not read up / researched the subject adequately* **5.1** goed gedocumenteerd voor de dag komen *come out well documented.*

doddelen 〈onov.ww.〉 〈AZN〉 **0.1** *stammer, stutter.*

doddig 〈bn., bw.; -ly〉 **0.1** *cute, dinky, ducky* ⇒*sweet* ♦ **1.1** een ~ hoedje *a c. / dinky (little) hat.*

dode 〈de (m.)〉 〈→sprw. 114〉 **0.1** *dead man / woman / person, (the) deceased* ⇒〈vnl. AE; jur.〉 *decedent* ♦ **1.1** het totale aantal ~n en gewonden bij een ongeluk *the (total number of) casualties in an accident;* vijftig ~n en gewonden *fifty casualties / fatalities, fifty killed / dead and wounded;* het rijk der ~n *the realm of the dead* **2.1** de ~n bewenen / eren *mourn / honour the dead;* er vallen straks nog ~n *people will get killed* **6.1 van** de ~n niets dan goeds *de mortuis nil nisi bonum;* 〈inf.〉 *mustn't speak ill of the dead* **7.1** er waren vijf ~n te betreuren bij dit ongeluk *five people were killed in this accident.*

dodecaëder 〈de (m.)〉 〈wisk.〉 **0.1** *dodecahedron.*

dodecafonisch 〈bn.〉 **0.1** *dodecaphonic* ⇒*twelve-tone.*

dodelijk 〈bn., bw.〉 **0.1** [de dood veroorzakend] *deadly* ⇒*mortal, lethal, fatal* **0.2** [zeer hevig] *deadly* ⇒*mortal* **0.3** [als v.d. dood] *dead(ly)* ⇒*deathly, killing* ♦ **1.1** een ~e dosis *a lethal dose;* een ~ gif *a d. / lethal poison;* een ~ ongeluk / ongeval met ~e afloop *a fatal accident;* de ~e slag *the mortal blow, the deathblow;* de ziekte had een ~ verloop *the illness proved fatal;* een ~ wapen *a lethal / d. weapon;* een ~e wond *a fatal wound / injury;* een ~e ziekte *a fatal / d. / killing / killer disease* **1.2** ~e angst / vrees *mortal fear;* een ~e belediging *a d. / mortal insult;* ~e concurrentie *cut-throat competition;* ~e ernst *d. earnest / seriousness;* een ~e haat *a mortal hatred;* ~e kritiek / precisie *destructive / devastating criticism, devastating accuracy;* in ~e verlegenheid *painfully / mortally shy / embarrassed* **1.3** de ~e stilte *a dead(ly) silence* **2.2** ~ verliefd *desperately / head over heels in love;* ~ vermoeid *dead beat, dead(ly) tired* **3.1** met zijn auto ~ verongelukken *have a fatal / be killed in a car accident* **3.2** ~ geschrokken *frightened to death.*

dodelijkheid 〈de (v.)〉 **0.1** *deadliness* ⇒*lethality, fatality* ♦ **1.1** de ~ van dit gif berust op …*the d. / lethal effect of this poison is due to …;* 〈fig.〉 de ~ van zijn scherpe woorden *the d. / venom of his sharp words.*

doden 〈ov.ww.〉 **0.1** [doodmaken] *kill* ⇒〈vermoorden ook〉 *murder,* 〈afmaken〉 *dispatch, finish off,* 〈schr.〉 *slay* **0.2** [een einde maken aan] *kill* ⇒〈schr.〉 *mortify* ♦ **1.1** mensen ~ *k. people* **1.2** het gevoel ~ *k. / deaden feeling, do away with sentiment;* zijn lusten / het vlees ~ *mortify one's passions / the flesh;* de tijd ~ *k. time* **7.1** het ~ *(the) killing.*

dodenakker 〈de (m.)〉 **0.1** *God's acre* ⇒*last resting-place of the dead.*

dodencel 〈de〉 **0.1** *death cell* ⇒*condemned cell.*

dodencijfer 〈het〉 **0.1** *number of deaths / casualties, death toll* ♦ **2.1** het officiële ~ *the official d. t..*

dodendans 〈de (m.)〉 **0.1** *dance of death* ⇒*danse macabre* ♦ **1.1** de ~ van Holbein *Holbein's Dance of Death, the Dance of Death by Holbein.*

dodenherdenking 〈de (v.)〉 **0.1** *commemoration of the dead* ⇒〈GB〉 *Remembrance Day / Sunday,* 〈USA〉 *Memorial Day.*

dodenlijst 〈de〉 **0.1** 〈na ramp / gevecht〉 *list of the dead / killed;* 〈in jaaroverzicht〉 *obituary list;* 〈op monument〉 *death roll.*

dodenmars 〈de (m.)〉 **0.1** *dead / funeral march.*

dodenmasker 〈het〉 **0.1** *death mask.*

dodenmis 〈de〉 **0.1** *requiem (mass), Mass / Office for the Dead.*

dodenrijk 〈het〉 **0.1** *underworld, shades* ⇒*Hades,* 〈Hebreeuws〉 *Sheol.*

dodenrit 〈de (m.)〉 **0.1** *break-neck drive / ride* ⇒*death-defying / suicidal drive / ride.*

dodensprong 〈de (m.)〉 **0.1** *death-defying leap* ⇒*salto mortale.*

dodenstad 〈de〉 **0.1** *necropolis.*

dodental 〈het〉 **0.1** *number of deaths / dead / casualties / fatalities, death toll* ♦ **3.1** het ~ bedraagt ongeveer dertig *the number of deaths / dead / casualties is around thirty;* het ~ loopt in de duizenden *the number of deaths / dead / casualties is in the thousands, there are thousands of casualties / dead.*

dodenverering 〈de (v.)〉 **0.1** *worship / veneration of the dead.*

dodenwake 〈de〉 **0.1** (*death)watch* ⇒*vigil,* 〈vnl. Sch.E〉 *lyke-wake,* 〈vnl. IE〉 *wake,* 〈AE; sl.〉 *cold-meat party.*

doder 〈de (m.)〉 **0.1** *killer* ⇒*slayer.*

doedel 〈de (m.)〉 **0.1** [doedelzak] *(bag)pipes, bagpipe* **0.2** [gedachteloze krabbel] *doodle* ◆ **1.**¶ Jan ~ Tom-*noddy;* 〈sl.〉 *a noodle; simpleton.*

doedelen 〈onov.ww.〉 **0.1** [op de doedelzak spelen] *play the bagpipes* ⇒ *skirl* **0.2** [fluiten] *pipe* ⇒*skirl, tweedle* **0.3** [gedachteloos krabbels maken] *doodle.*

doedelzak 〈de (m.)〉 **0.1** *(bag)pipes, bagpipe* ◆ **6.1** op een ~ spelen *play a bagpipe/the (bag)pipes.*

doedelzakspeler 〈de (m.)〉 **0.1** *(bag)piper* ⇒*bagpipe player.*

doeg 〈tw.〉 →**doei.**

doe-het-zelf-zaak 〈de〉 **0.1** *do-it-yourself/D.I.Y.* [B]*shop/*[A]*store.*

doe-het-zelver 〈de (m.)〉 **0.1** *do-it-yourselfer* ⇒*do-it-yourself/D.I.Y. enthusiast.*

doei 〈tw.〉 〈inf.〉 **0.1** *bye(-bye), cheerio, cheers.*

doejoeng 〈de (m.)〉 **0.1** *dugong* ⇒*sea cow/pig.*

doek
I 〈het, de (m.)〉 **0.1** [geweven stof] *cloth* ⇒*linen, fabric* **0.2** [projectie-scherm] *screen* **0.3** [schilderstuk, stuk linnen] *canvas* ⇒*painting* **0.4** [toneelgordijn] *curtain* ⇒〈achterdoek〉 *back-cloth/-drop,* 〈brand-scherm〉 *safety curtain* ◆ **2.2** het witte ~ *the (silver) s.* **3.4** het ~ gaat op/valt *the c. rises/falls* **6.3** iets op ('t) ~ brengen *put sth. on c.;*
II 〈de (m.)〉 **0.1** [stuk stof] *cloth* ⇒*rag* ◆ **2.1** een wollen ~ *a woollen c.* **6.1** hij had zijn arm in een ~ *he had/carried his arm in a sling* **6.¶** iets **uit** de ~en doen *unfold/disclose/explain sth.* **8.1** hij werd zo wit als een ~ *he turned (as) white as a sheet.*

doekje 〈het〉 **0.1** *(piece of) cloth, rag* ⇒*tissue* 〈van fijne stof〉, 〈voor handen, dweil〉 [B]*flannel* ◆ **2.1** een open ~ (krijgen) *(have) a curtain call* **6.1** 〈fig.〉 een ~ **voor** het bloeden *mere eyewash, a mere palliative, a (mere) blind/pretext* **7.1** 〈fig.〉 er geen ~s om winden *not mince matters/one's words, not beat about the bush, call a spade a spade;* 〈fig.〉 om er maar geen ~s om te winden *not to put too fine a point on it;* 〈fig.〉 laten we er geen ~s om winden *let's not mince matters/make no bones about it.*

doel 〈het〉 〈→sprw. 116〉 **0.1** [voorwerp waarop men schiet] *target, mark, aim* **0.2** [〈sport〉] *goal* ⇒〈ijshockey〉 *net,* 〈o.a. bowling〉 *tee* **0.3** [mikpunt] *target* ⇒*butt, aim, object* **0.4** [wat men wil bereiken, 〈ook fig.〉] *target, purpose* ⇒*object(ive), aim, goal, aspiration,* 〈reisdoel〉 *destination* ◆ **2.1** militaire ~en *military targets* **2.2** in eigen ~ schieten *score an own g.;* missen voor open ~ *miss (with) an unguarded/empty g.* **2.4** het huwelijk is voor haar niet het enige ~ (van het leven) *marriage is not her sole object (in life);* een gemeenschappelijk ~ nastreven *work towards a common goal;* het is voor een goed ~ *it's for a good/charitable cause* **3.1** zijn ~ treffen/missen 〈ook fig.〉 *find/miss one's/the m.* **3.3** hij was het ~ van bespotting *he was held up to ridicule/made fun of* **3.4** aan een ~ beantwoorden *serve/meet/answer a p., fit/fill the bill;* zijn ~ bereiken/najagen *achieve/reach/pursue one's aim;* dat is het ~ waarnaar wij streven *that's what we're after/we want to achieve, that's our aim;* zich een ~ stellen *set o.s. a t./ an objective/a p.;* uit het oog verliezen *swerve from one's p./aims, lose sight of one's aim.* **3.4** aan een ~ beantwoorden *serve/meet/answer a p., fit/fill the bill;* **4.1** 〈bv. bedrag/aantal〉; **ten** ~ hebben *aim at, be aimed at, be intended to;* het is niet **voor** mijn ~ geschikt *it doesn't serve/suit my p.;* **zonder** ~ rond-lopen *wander around aimlessly* **¶.4** een ~ op zichzelf *an aim/objective/a p. in itself;* uit het oog verliezen *swerve from one's p./aims, lose sight of one's aim.*

doelbewust 〈bn., bw.;-ly〉 **0.1** *determined* ⇒*resolute, purposeful* ◆ **1.1** een ~e handeling/poging *a resolute act/attempt;* een ~ streven *a d. effort.*

doelbewustheid 〈de (v.)〉 **0.1** *determination* ⇒*resoluteness, purposeful-ness.*

doelcirkel 〈de (m.)〉 **0.1** 〈hockey〉 *striking circle;* 〈ijshockey〉〈goal〉 *crease;* 〈handbal〉 *goal-area circle/line.*

doeleinde 〈het〉 **0.1** [bedoeling] *purpose, aim* ⇒*design* **0.2** [bestemming] *end, aim, purpose* ⇒*destination* ◆ **6.2** die stof wordt **voor** veel ~n ge-bruikt *that material has many uses;* **voor** eigen/privé ~n *for one's own /private ends;* **voor** alle/velerlei ~n *geschikt all-p., multi-p..*

doelen[1] 〈de (m.)〉 **0.1** *schietbaan* *(shooting-)range/gallery, butts* **0.2** [gebouwen] ≠*shots,* ≠*shoots.*

doelen[2] 〈onov.ww.〉 **0.1** *aim (at), refer (to), mean* ⇒*allude (to), drive (at)* ◆ **6.1** dat doelt **op** mij *that is meant for/aimed at me;* waar ik **op** doel is dit *what I m./am referring to/am driving at is this;* **op** iets/iem. ~ *r. /allude to/mean sth./s.o.;* 〈iets〉 bedoelen ~ *aim/drive at sth..*

doelgebied 〈het〉 **0.1** *goal area, six-yard area.*

doelgemiddelde 〈het〉 **0.1** *goal average.*

doelgericht 〈bn., bw.;-ly〉 **0.1** *purposeful, purposive* ◆ **1.1** ~e vragen *purposive questions.*

doelgerichtheid 〈de (v.)〉 **0.1** *purposiveness* ⇒〈psych.〉 *goal-oriented-ness.*

doelgroep 〈de〉 **0.1** *target group* ⇒*group aimed at.*

doelkans 〈de〉 **0.1** *chance to score* ⇒*scoring opportunity.*

doellat 〈de〉 **0.1** *(cross)bar.*

doellijn 〈de〉 **0.1** *g. line* ◆ **6.1** de bal van de ~ halen *kick the ball from the line, save/make a save on the line.*

doelloos 〈bn., bw.;-ly〉 **0.1** *aimless* ⇒*purposeless, idle,* 〈van persoon ook〉 *feckless, shiftless,* 〈nutteloos〉 *pointless* ◆ **1.1** een ~ leven *a meaningless life, a futile/vacuous existence* **3.1** dat is volstrekt ~ *there's absolutely no point in that/that's completely pointless;* ~ rond-dwalen/rondlopen *drift, wander (aimlessly), swan around;* ~ voor zich uit zitten staren *stare idly into space;* zich ~ laten voortdrijven *drift/float/coast along* **7.1** 't doelloze v.d. zaak inzien *realize the futil-ity of the matter.*

doelloosheid 〈de (v.)〉 **0.1** *aimlessness* ⇒*idleness, pointlessness, futility.*

doelman 〈de (m.)〉 **0.1** *(goal)keeper/*[A]*tender* ⇒〈inf.〉 *goalie.*

doelmatig 〈bn., bw.;-ly〉 **0.1** *suitable* ⇒*appropriate, practical, function-al, efficient* ◆ **1.1** ~e werktuigen *efficient tools/implements* **3.1** het huis is zeer ~ ingericht *the house has been very functionally furnished/ appointed.*

doelmatigheid 〈de (v.)〉 **0.1** *suitability* ⇒*appropriateness, expediency, ef-ficiency, functionalism* 〈van gebouw〉.

doelmond 〈de (m.)〉 **0.1** *goalmouth.*

doelnet 〈het〉 **0.1** *net* ⇒*goal.*

doelpaal 〈de (m.)〉 **0.1** *(goal) post.*

doelpunt 〈het〉 **0.1** *goal* ⇒*score, point,* 〈o.a. rugby〉 *touchdown* ◆ **2.1** een eigen ~ *an own g.* **3.1** een ~ afkeuren *disallow a g.;* een ~ maken *kick/score a g.;* een ~ voorkomen *stop a sure g., make a (dra-matic/miraculous) save* **5.1** een ~ tegen krijgen *have a g. scored against one* **7.1** met twee ~en verschil verliezen/winnen *lose/win by two goals;* met twee ~en achterstaan/voorstaan *trail/lead by two goals.*

doelpunten 〈onov.ww.〉 **0.1** *score (a goal).*

doelpuntenmaker 〈de (m.)〉 **0.1** *(goal-)scorer* ⇒*goal-getter.*

doelpuntenverschil 〈het〉 **0.1** *goal difference.*

doelrijp 〈bn.〉 **0.1** 〈zie 1.1〉 ◆ **1.1** een ~e kans missen *miss a sure goal.*

doelsaldo 〈het〉 **0.1** *goal difference.*

doelsatelliet 〈de (m.)〉 **0.1** *target satellite.*

doelschop 〈de (m.)〉 **0.1** *goal kick.*

doelstelling 〈de (v.)〉 **0.1** [gesteld doel] *aim, object(ive)* **0.2** [het bepalen v.e. doel] *setting (of) aims/objectives* ⇒*definition of (one's) purpose.*

doeltaal 〈de (taal.)〉 **0.1** *object language.*

doeltrap 〈de (m.)〉 →**doelschop.**

doeltreffend 〈bn., bw.;-ly〉 **0.1** *effective* ⇒*efficient, efficacious* 〈zaken〉 ◆ **1.1** ~e maatregelen *effective measures;* ~e voorschriften/bepalin-gen *effective regulations* **2.1** snel en ~ *fast and efficient.*

doeltreffendheid 〈de (v.)〉 **0.1** *effectiveness* ⇒*efficiency, efficacy.*

doelverdediger 〈de (m.)〉, **-dedigster** 〈de (v.)〉 **0.1** *(goal) keeper/*[A]*tender* ⇒〈inf.〉 *goalie.*

doelvrouwe 〈de (v.)〉 **0.1** *(goal) keeper/*[A]*tender* ⇒〈inf.〉 *goalie.*

doelwit 〈het〉 **0.1** [mikpunt] *target* ⇒*butt, aim, object* **0.2** [doel(einde)] *aim, object(ive)* ◆ **2.1** een dankbaar ~ vormen *make an easy victim/t.* **3.2** ik weet niet welk ~ zij najagen *I don't know their objective/what they're after* **6.1** het ~ zijn van bespotting/plagerijen *be the t./ butt/ object of ridicule/banter;* zich het ~ maken **van** *make o.s. the butt of.*

doelzoeker 〈de (m.)〉 〈mil.〉 **0.1** *homing apparatus/equipment.*

doem 〈de (m.)〉 **0.1** [het doemen] *doom* ⇒*judgement* **0.2** [〈fig.〉 vloek] *doom* ◆ **3.2** er rust een ~ op *it is doomed/fated, there's a curse/jinx on it.*

doema 〈de〉 〈gesch.〉 **0.1** *duma.*

doemdenken 〈ww.〉 **0.1** *doom-mongering* ⇒*defeatism,* 〈inf.〉 *doom and gloom.*

doemdenker 〈de (m.)〉 **0.1** *doom-monger* ⇒*defeatist,* 〈inf.〉 *doom and gloom merchant.*

doemen 〈ov.ww.〉 **0.1** [noodzaken, bestemmen] *doom* ⇒*destine* **0.2** [ver-oordelen] *doom* ⇒*condemn* ◆ **3.1** ik ben gedoemd mijn leven in een-zaamheid te slijten *I am doomed/destined to live out my life/pass my days in solitude/loneliness* **6.1** die onderneming is **tot** mislukking ge-doemd *that enterprise/undertaking is doomed (to fail(ure));* **tot** niets-doen/werkloosheid gedoemd *be doomed to idleness/unemployment* **6.2 ter** dood ~ *condemn/doom to die, condemn (to death).*

doemsdag 〈de (m.)〉 〈schr.〉 **0.1** *Doomsday* ⇒*day of Judgement, Judge-ment day, day of reckoning, Last Day.*

doen[1] 〈het〉 ◆ **1.**¶ iemands ~ en laten *s.o.'s doings/comings and goings;* dat is geen manier van ~ *that's no way to behave* **2.**¶ uit zijn gewone ~ zijn *be not one's usual/normal self, be put out;* in goeden ~ zijn *be well/comfortably off, be in easy circumstances* **6.**¶ **uit** zijn ~ zijn *not be o.s.;* iets van ~ hebben *need sth.;* ergens mee **van** ~ hebben *have (sth.) to do with, be involved with, have business with;* **voor** hun ~, ... *for them, ...; ..., considering* **7.**¶ dat is geen ~ *that can't be done, that's impossible.*

doen[2] 〈→sprw. 117,220,238,299,318,677〉

I ⟨ov.ww.⟩ **0.1** [een handeling verrichten] *do* ⇒*make, take* **0.2** [ergens plaatsen] *put* **0.3** [laten ondergaan] *make, do* **0.4** [kosten, opbrengen] *do* ⇒*go for, cost* **0.5** [schoonmaken] *do* ⇒*clean* **0.6** [bereizen, bezichtigen] *do* ⇒*visit* **0.7** [⟨+het⟩ gewenste (uit)werking hebben] *do* **0.8** [⟨+onbep. wijs⟩ laten] *make* ◆ **1.1** een aanbetaling ~ *make a down payment/deposit;* doe mij maar een flesje bier *for me a bottle of beer;* boete/een eed ~ *d. penance, make/take an oath;* die muziek doet me niets *I don't care for that music, that music does nothing to me;* een oproep ~ *make an appeal/a summons;* hij doet rechten *he is reading/studying/doing law, he's reading/studying for the Bar;* een uitspraak ~ *pronounce (on), make a pronouncement;* uitspraak ~ *pass judgement/sentence, return a verdict;* goede zaken ~ *d. good business;* grote zaken ~ *be into/d. big business* **1.3** iem. iets cadeau ~ *m.s.o. a present of sth.;* dat doet me plezier *I'm glad about/pleased with that;* iem. recht ~ *d.s.o. justice, be fair to s.o.;* iem. verdriet/pijn ~ *hurt/distress s.o., cause s.o. grief/pain* **1.4** wat moet dat boek ~? *how much do you want for that book?;* hoeveel deden de eieren gisteren? *how much did the eggs go for yesterday?;* zulke grappen ~ opgeld *that sort of joke is all the vogue/rage* **1.5** de kamer ~ *d. the room* **1.6** die toeristen deden Europa in 7 dagen *those tourists did Europe in 7 days* **1.7** de remmen ~ *het niet the brakes don't work/aren't working;* de tv doet het niet meer *the T.V. is out of order* **3.1** ik geef 't je te ~ *it's quite a job, do you want to try?/you can have a go;* de politie kan hem niets ~ *the police can't touch/hurt him;* ⟨pregn.⟩ wat heeft dat kind gedaan? *what has that child done (wrong)?;* koken ~ we iedere dag *we cook every day;* wat kom jij ~? *what do you want?;* iets gedaan weten te krijgen *manage to get sth. done, contrive to do sth.;* als je het dan toch moet ~ *if you really have to (d. it);* dat moet je vooral ~ *you (should) d. that;* toon maar dat hij niet *he doens't smoke;* iem. iets ~ toekomen *send s.o. sth., let s.o. have sth.;* dat wordt altijd zo gedaan *it/that is always done like this/that* **3.8** dat bericht heeft de gezichten ~ betrekken *that (piece of) news caused a few faces/caused some long faces;* iets in waarde ~ dalen *reduce the value of sth., devalue/deflate sth.;* zich ~ gelden *assert o.s., m. o.s. felt;* iem. iets ~ geloven *lead s.o. to/m.s.o. believe sth.;* oud zeer ~ herleven *reopen old sores/wounds;* hij deed van zich spreken *he made his mark/a great stir he got/had people talking about him;* iem. paf ~ staan *stagger s.o., take s.o's breath away, knock s.o. out;* we weten wat ons te ~ staat *we know what (we are) to d./our job/what's to be done;* een steen deed hem struikelen *a stone made him stumble/tripped him up;* een herinnering ~ vervagen *blur a memory* **3.¶** het is niets gedaan met hem *nothing can be done/there's nothing to be done (for him);* anders krijg je met mij te ~ *or else you'll come up against me;* dat moet je altijd ~ *you always do that, don't miss/let an opportunity like that pass* **4.1** het ~ *make it, d. it (together);* ik doe het *I'll d. it, I accept, done;* ze doet het erom *she does it on purpose;* hij heeft het in zijn broek gedaan *he wet his pants/himself;* hij deed het in zijn broek (van angst) *he was (practically) wetting himself, he wet his pants (in fear);* als 't fout gaat, heb ik 't weer gedaan *if it goes wrong, I'll get the blame again;* wat doet die man (voor de kost)? *what does that man d. (for a living)?;* moet je wat ~? *do you have to go (somewhere)?;* met honderd gulden doe je al heel wat *you can do quite a bit with a hundred guilders, hundred guilders (will) last you quite a while* **4.3** het deed me niets *I couldn't have cared less;* zo'n ervaring doet je wat *such an experience moves/gets you* **4.7** de kachel doet het *the heating is on/working;* die poster doet het daar goed *that poster looks good there;* dat doet het hem *that does it/makes all the difference;* het zijn de programmes die het hem ~ *it's the programmes that do it/the trick* **4.¶** ik doe het ermee *I make do with it, I manage with/on it, I get along on it;* hij kan het wel ~ *he can do/afford it;* je kan het me ~ *you can go to blazes/hell;* daar kan hij het mee ~ *that's in the eye for him, he can put that in his pipe and smoke it* **5.1** dat heb je gauw gedaan *that was quick (work)/a quick job;* hij heeft het meer gedaan *he has done it before;* zoiets doe je niet *that's not done, you (just) don't do that (sort of thing);* ik doe het (lekker) toch niet *(well,) I won't d. it/I'm not going to;* zij deed niets dan praten *all she did was/she did nothing but talk;* die hond doet niets *that dog won't hurt you/do anything;* hij zingt beter dan hij vroeger deed *he sings better than he used to/did;* zo gezegd, zo gedaan *it will be/has been done as stated* **5.2** iets erbij ~ *add sth. (on), include sth.* **5.3** dat doet mij goed *(that's) good!, that does me good, (it's) nice to hear that* **5.¶** er het zwijgen toe ~ *not say a word, sit/keep mum;* dat doet er niets toe *that's beside the point/nothing to do with it;* je niets aan kunnen ~ *not be able to help it;* kan ik er iets aan ~! *I can't help it!, it's not my fault!;* je moet nog lang met die jurk ~ *that dress will have to last/you'll have to make do with that dress for a long time* **6.1** veel te ~ hebben *have a lot to d., be busy;* weinig te ~ hebben *have little to d.;* in die stad is veel te ~ *there's a lot doing/to d. in that town/city;* wat is hier te ~? *what's up/(going) on here?;* dat is te ~ *that can be done/is possible;* ik weet niet waar ze het van ~ *I don't know how they do/manage it/where they get the money from* **6.2** kleuren bij elkaar ~ *mix/combine colours;* iets in zijn zak ~ *put/stick sth. in one's pocket;* in de ban ~ *ban, put under a/the ban, outlaw; excommunicate* ⟨kerk⟩; de koeien in de wei ~ *put the*

cows in(to) the fields **6.¶** hij kan er niets **aan** ~ *he can't help it, it's not his fault, he can't do anything about it;* met iem. **te** ~ hebben *feel sorry for s.o.;* met iem. **te** ~ krijgen *have s.o. to deal/reckon with;* het is hem **te** ~ om *he is after (sth.)/out to (do sth.);* niets aan **te** ~ *(it) can't be helped;* **te** niet ~ *undo, nullify, neutralize, override;* het is me niet om het geld **te** ~ *I am not after/not concerned about the money* **¶.3** met een gezicht van wie-doet-me-wat *with a you-can't-/who-can-get-me expression on her face, with an air of who-can-get-me* **¶.¶** zich aan iets te goed ~ *do (o.s.) well on sth.;*

II ⟨onov.ww.⟩ **0.1** [zich gedragen, handelen] *do* ⇒*act, behave* **0.2** [bezig zijn met] *do, be* **0.3** [handel drijven] *do* ⇒*deal, trade* ◆ **5.1** dom ~ *act/behave stupidly/foolishly; do sth. stupid;* je zou er beter aan ~ je mond te houden *you would d. better to keep your mouth shut/be well-advised to say nothing;* gewichtig ~ *give o.s. airs, be pompous, make o.s. important;* heb ik daar kwaad aan gedaan? *did I d. wrong there/in that?;* doe maar net of ik er niet ben *just pretend I am not here, don't mind me;* niet ~! *don't (d. that)!;* sentimenteel ~ *act/be sentimental;* verstandig/goed ~ *act wisely, d. well/right;* vreemd/lief ~ *act/behave strangely/kindly, be strange/kind* **5.2** ik doe er twee uur over *it takes me two hours* **6.2** zij ~ niets aan hun geloof *they don't practise their religion;* aan tekenen ~ *go in for drawing, draw;* aan sport ~ *be a sportsman/athlete, do/take part in sport(s);* aan (de slanke) lijn ~ *slim, be slimming/dieting/trying to lose weight;* wij ~ dit jaar niet aan carnaval *this year we aren't celebrating/doing anything about/we'll pass over carnival;* hij doet lang over dat boek *he is taking a long time over that book;* er is niets tegen ~ *nothing can be done (about it), there's nothing to be done* **6.3** in lompen ~ *deal in rags/old clothes;* hij doet in textiel/levensmiddelen *he deals/trades in textiles/foods/foodstuffs* **8.1** ~ alsof *act/behave as if, pretend, fake;* hij deed alsof hij wegging *he made as if to leave, he pretended to be leaving* **¶.1** je doet maar ⟨vaak iron.⟩ *go ahead, suit yourself, d. as you please.*

doening ⟨de (v.)⟩ ⟨AZN⟩ **0.1** [boerenhoeve] *farm(stead)* **0.2** [herberg, winkel] *business* ⇒*establishment.*

doenlijk ⟨bn.⟩ **0.1** *practicable* ⇒*feasible, workable, viable* ◆ **5.1** niet ~ *impracticable, infeasible, unworkable.*

doerak ⟨de (m.)⟩ **0.1** [gemeen mens] *scoundrel* ⇒*rogue* **0.2** [stout kind] *rascal* ⇒*scamp, pest* ◆ **2.2** 't is zo'n kleine ~ *he/she's a (real) little r./scamp/pest* **6.1** een ~ van *an vent a (real) s./rogue.*

doerian ⟨de (m.)⟩ ⟨plantk.⟩ **0.1** [vrucht] *durian* **0.2** [boom] *durian.*

does ⟨de (m.)⟩ **0.1** [hond] *poodle* **0.2** [sproeier] *rose(head).*

doetje ⟨het⟩ **0.1** *softy* ⇒ [milksop, wet, [A]pantywaist, [A]Milquetoast.*

doe-vakantie ⟨de (v.)⟩ **0.1** *action holiday/[A]vacation.*

doezel ⟨de (m.)⟩ **0.1** [dommel] *doze* **0.2** [doezelaar] (→**doezelaar**).

doezelaar ⟨de (m.)⟩ **0.1** *stump, tortillon.*

doezelen
I ⟨onov.ww.⟩ **0.1** [suf zijn] *doze* ⇒*drowse, be drowsy* **0.2** [⟨fig.⟩ vervagen] *blur* ⇒*fade;*
II ⟨onov., ov.ww.⟩ **0.1** [kleurstof uitwrijven] ⟨onov. ww.⟩ *use a stump;* ⟨ov.ww.⟩ *stump.*

doezelig ⟨bn., bw.; -ly⟩ **0.1** [slaperig, loom] *drowsy* ⇒*dozy,* ⟨ihb. na alcoholgebruik⟩ *fuddled* **0.2** [vaag] *blurred* ⇒*fuzzy, hazy* ◆ **1.2** ~ e omtrekken *b./fuzzy outlines.*

doezelkrijt ⟨het⟩ **0.1** *soft black crayon.*

dof¹ ⟨de (m.)⟩ **0.1** [slag] *thud* ⇒*thump* **0.2** [⟨op mouw/rok/gordijn⟩ strook] *puff.*

dof²
I ⟨bn., bw.; -ly⟩ **0.1** [niet helder] *dim* ⇒*dull* **0.2** [mbt. geluiden] *dull* ⇒*muffled, muted* **0.3** [niet opgewekt] *dull* ⇒ ⟨onverschillig⟩ *listless* ◆ **1.1** een ~ fe gloed a *dim/dull glow;* een ~ fe herinnering van iets hebben *recall sth. dimly, have a dim/vague recollection of sth.* **1.2** een ~ gemompel a *d. murmur;* een ~ fe knal/dreun/bons a *muffled bang, a d. rumble/thud;* met een ~ fe stem spreken *talk in a d./flat/toneless voice* **1.3** een ~ fe onverschilligheid *d. indifference* **1.¶** ~ fe ellende *dumb misery/despair;* een ~ fe pijn a *dull ache, an obtuse pain;*
II ⟨bn.⟩ **0.1** [zonder glans] *dull* ⇒*lustreless, mat(t)* ⟨verf, metaal⟩, ⟨aangeslagen⟩ *tarnished* ◆ **1.1** een ~ fe blik a *d. gaze, lacklustre/glazed eyes;* ~ goud *d./lustreless/tarnished gold;* ~ fe tinten *d./muted hues/tints* **3.1** ~ maken/worden *tarnish.*

doffer ⟨de (m.)⟩ **0.1** *cock-pigeon.*

dofheid ⟨de (v.)⟩ **0.1** [mbt. kleuren] *dullness* ⇒*dimness, lack of lustre* **0.2** [mbt. geluiden] *dullness* **0.3** [mbt. de geest] *dullness.*

doft ⟨de⟩ **0.1** *thwart.*

dog ⟨de (m.)⟩ **0.1** *mastiff* ◆ **2.1** Deense/Duitse ~ *Great Dane.*

doge ⟨de (m.)⟩ ⟨gesch.⟩ **0.1** *doge.*

dogger ⟨de (m.)⟩ **0.1** *cod-fisher(man).*

Doggersbank ⟨de⟩ **0.1** *Dogger Bank.*

dogkar ⟨de (m.)⟩ **0.1** *dogcart.*

dogma ⟨het⟩ **0.1** [leerstuk, geloofsartikel] *dogma* ⇒ ⟨schr.⟩ *tenet* **0.2** [geloofsleer] *dogma* ⇒*doctrine.*

dogmaticus ⟨de (m.)⟩ **0.1** [leraar in de dogmatiek] *dogmatician* ⇒*dogmatist, dogmatic theologian* **0.2** [iem. die aan dogma's hangt] *dogmatist* ⇒*doctrinarian.*

dogmatiek ⟨de (v.)⟩ **0.1** [leer] *dogmatics* ⇒*dogmatic theology* **0.2** [dogma's] *dogma(s).*

dogmatisch ⟨bn.,bw.;-(al)ly⟩ **0.1** [volgens een dogma] *dogmatic(al)* **0.2** [geen tegenspraak duldend] *dogmatic(al)* ◆ **1.2** ~e leervorm d. teaching method.
dogmatiseren ⟨onov.,ov.ww.⟩ **0.1** *dogmatize* ⇒⟨ov.ww. ook⟩ *turn into a dogma.*
dogmatisme ⟨het⟩ **0.1** *dogmatism.*
dogmatist ⟨de (m.)⟩ **0.1** *dogmatist.*
dok ⟨het⟩ **0.1** [⟨scheep.⟩] *dock(yard)* **0.2** [⟨muz.⟩] *jack* ◆ **2.1** drijvend ~ *floating dock* ¶**.1** de ~ken *the docks,* ᴮ*dockland.*
doka ⟨de⟩ ⟨foto.⟩ **0.1** *darkroom.*
dokgeld ⟨het⟩ ⟨scheep.⟩ **0.1** *dock-dues* ⇒*dockage.*
dokhaven ⟨de⟩ **0.1** [dok] *dock* **0.2** [haven] *dock.*
dokken ⟨onov.,ov.ww.⟩ **0.1** [in het dok komen/ brengen] *dock* ⇒*put into dock,* ⟨onov.ww. ook⟩ *go into dock* **0.2** [⟨inf.⟩ betalen] *fork out* ⇒*cough up, shell out* ◆ **6.2 voor** iets moeten ~ *have to fork out/ cough up/shell out for sth..*
dokmeester ⟨de (m.)⟩ **0.1** *dockmaster.*
doksaal ⟨het⟩ **0.1** *rood loft.*
dokter ⟨de (m.)⟩,-es ⟨de (v.)⟩ **0.1** [arts] *doctor* ⇒⟨huisarts⟩ *GP,* ⟨schr.⟩ *physician* **0.2** [aanspreektitel] *Doctor* ◆ **3.1** zijn ~ raadplegen *consult one's d.;* een ~ roepen/laten komen *send for/call (in)/summon a d.* **3.**¶ ⟨inf.⟩ ~tje spelen *play doctors and nurses, play hospitals* **6.1** ik moet **naar** de ~ *I must see the d.* / go to the d. / ⟨BE ook⟩ d.'s; je moet met het kind **naar** de ~ *you must take the child to (see) the d.;* ga er eens mee **naar** een ~ *go to/see a/the d. about it;* **voor** ~ studeren *study/read medicine, train/study to be a d.* ¶**.1** is er een ~ in de zaal? *is there a d. in the house?.*
dokteren ⟨onov.ww.⟩ **0.1** [als dokter optreden] *practise* ᴬ*ce* ⇒⟨inf.⟩ *doctor, be in practice (as a doctor)* **0.2** [proberen te verbeteren] *tinker (with/at)* **0.3** [onder doktersbehandeling zijn] *be under medical treatment* ⇒⟨BE ook;inf.⟩ *be under the doctor* ◆ **2.3** zich arm ~ *pay a fortune in medical bills* **6.1** aan iets ~ *treat s.o.* **6.2 aan** iets ~ *t. with sth.* ¶**.3** hij doktert nu al een paar jaar *he's been under medical treatment/ the doctor for a few years now.*
doktersadvies ⟨het⟩ **0.1** *doctor's advice* ⇒m. advice, ↓*doctor's orders* ◆ **6.1 op** ~ een poosje rust houden *take some rest on doctor's/ medical advice/* ↓*by doctor's orders.*
doktersassistente ⟨de (v.)⟩ **0.1** (*medical/ doctor's) receptionist.*
doktersattest ⟨het⟩ →**doktersverklaring.**
doktersbehandeling ⟨de (v.)⟩ **0.1** *medical treatment* ◆ **6.1 onder** ~ zijn, zich **onder** ~ stellen *be/put o.s. under medical treatment.*
doktersbriefje ⟨het⟩ →**doktersattest.**
doktershulp ⟨de⟩ **0.1** *medical assistance.*
doktersjas ⟨de⟩ **0.1** *doctor's (white) coat* ⇒⟨inf.⟩ *white coat.*
dokterspraktijk ⟨de⟩ **0.1** *m. practice* ◆ **3.1** zijn ~ overdoen aan een jonger iemand *pass one's practice on/hand one's practice over to s.o. younger.*
doktersroman ⟨de (m.)⟩ **0.1** *doctor novel.*
dokterstelefoon ⟨de (v.)⟩ **0.1** *(weekend) m. switchboard* ◆ **6.1** in het weekeinde te bereiken **via** de ~ *contactable at weekends through the m. switchboard.*
doktersverklaring ⟨de (v.)⟩ **0.1** *medical certificate* ⇒*doctor's certificate.*
doktersvisite ⟨de⟩ **0.1** *(doctor's) visit/call* ⇒⟨inf.⟩ *visit from the doctor.*
doktersvoorschrift ⟨het⟩ **0.1** *medical instructions* ⇒⟨inf.⟩ *doctor's orders* ◆ **6.1 op** ~ *on prescription;* ⟨inf.⟩ *on doctor's orders;* verkrijgbaar **zonder** ~ *obtainable without a prescription.*
dokwerker ⟨de (m.)⟩ **0.1** *dockworker, docker,* ᴬ*longshoreman.*
dol¹ ⟨de (m.)⟩ **0.1** [mbt. roeiriemen] *thole(-pin), rowlock,* ᴬ*oarlock* **0.2** [pin op een rad/schijf] *thole(-pin)* **0.3** [rib passend in een sleuf] *tongue.*
dol²
I ⟨bn.,bw.;-ly⟩ **0.1** [krankzinnig] *mad* ⇒*crazy* **0.2** [onbezonnen] *mad* ⇒*wild, crazy* **0.3** [dwaas] *foolish, silly,* ↓*daft* **0.4** [verzot] *mad (about)* ⇒*crazy (about), fond (of),* ↓*nuts/nutty (about/on),* ↓*dippy (about)* **0.5** [bijzonder prettig] *great* ⇒*super, fantastic* ◆ **1.2** een ~le Dries a *loony/nut/madman/* ↑*madcap;* met een ~le kop iets doen *do sth. without so much as a thought/off the top of one's head;* een ~le vlucht *a m. / wild chase* **1.3** de ~ste dingen zeggen *say the daftest things;* een ~le klucht *a roaring farce;* ~le pret beleven/hebben *have great/glorious fun* **1.5** het was ~le pret *it was g. fun/* ↓*a giggle* **1.**¶ Dolle Mina ⟨beweging⟩ *Women's Lib(eration)(Movement);* ⟨persoon⟩ *militant feminist, Women's Libber* ⟨ook pej.⟩ **3.1** ben je ~? *are you crazy/out of your mind/off your head?;* dat geluid maakt mij ~ *that noise is driving me round the bend/up the wall;* het is om ~ te worden *it's enough to drive you crazy/send you around the bend* **3.3** dit is te ~ *this is too s. for words* **3.5** dat is dolletjes *that's g. / super* **5.3** dat is te ~ om los te lopen *that's just too crazy for words/to be true* **6.1** ~ **van** de pijn *m. with pain, in agony;* ~ **van** woede *hopping m.,* ↓*furious as hell* **6.3** ~ **van** vreugde *mad/ wild/ drunk/ distracted with joy* **6.4** ~ **op** iets, iem. zijn *be m. / crazy/ wild about sth. / s.o.;* hij is ~ **op** zijn kinderen *he's a doting father* **7.2** door het ~le heen zijn *be beside o.s. / delirious with excitement/joy, have gone/ be (completely) off one's head, flip;* ⟨AE ook;sl.⟩ *flip one's lid;* door het ~le heen raken ↓*go bonkers;*

II ⟨bn.⟩ **0.1** [versleten] *worn* ⇒*slipping, stripped* **0.2** [mbt. wijzers] *crazy* ⇒*whirling (round in circles)* **0.3** [⟨plantk.⟩] *poisonous* ⇒*deadly* **0.4** [mbt. honden] *mad* ⇒*rabid* ◆ **1.1** die schroef is ~ *the screw is w. / slipping, the thread has/is stripped* **1.2** het kompas, de naald is ~ *the compass/needle has gone c. / is whirling (round in circles)* **1.3** ~le kastanje *horse chestnut;* ~le peterselie *fool's parsley.*
dol- **0.1** *extremely* ⇒*highly, really, wildly* ◆ **2.1** doldwaas *maniacal.*
dolblij ⟨bn.⟩ **0.1** *overjoyed (about)* ⇒⟨inf.⟩ *(as) pleased as Punch (about), tickled pink (with)* ◆ **3.1** ~ zijn met iets *be over the moon about sth., feel/be on top of the world about sth..*
dolboord ⟨het⟩ ⟨scheep.⟩ **0.1** *gunwale, gunnel.*
dolce ⟨bw.⟩ ⟨muz.⟩ **0.1** *dolce* ◆ ¶**.1** ⟨fig.⟩ ~ far niente *dolce far niente;* ~ vita *dolce vita, the sweet life.*
doldraaien
I ⟨onov.ww.⟩ **0.1** [niet meer pakken] *(have) strip(ped)* ⇒*slip, not bite* **0.2** [⟨fig.⟩]⟨ding⟩ *run away with itself;* ⟨persoon⟩ *go off the rails* ◆ **1.1** de schroef is doorgedraaid *the screw/thread has stripped, the screw is slipping/isn't biting;*
II ⟨ov.ww.⟩ **0.1** [te ver doordraaien] *drive/push/turn too far* ⇒*overload* ◆ **1.1** ⟨fig.⟩ iem. ~ *drive s.o. too far/over the edge/* ↓*round the bend.*
doldriest ⟨bn.,bw.;-ly⟩ **0.1** *foolhardy* ⇒*reckless, daredevil, lunatic, rash* ◆ **1.1** een ~e daad *(an act/a piece of) recklessness/ lunacy/ daredevilry.*
doldriestheid ⟨de (v.)⟩ **0.1** *foolhardiness* ⇒*recklessness, daredevilry, lunacy, rashness.*
doldriftig ⟨bn.,bw.;-ly⟩ **0.1** *hotheaded.*
doleantie ⟨de (v.)⟩ **0.1** [klacht] *petition* ⇒*appeal* **0.2** [⟨kerk.⟩] ≠*(Dutch) Nonconformism* ⇒*Dissent,* ⟨afscheiding⟩ *secession* ◆ **6.1 in** ~ gaan *lodge an appeal, submit a p..*
dolen ⟨onov.ww.⟩ ⟨→sprw. 275⟩ **0.1** [dwalen] *wander (about)* **0.2** [zwerven] *roam* ⇒*wander, rove, ramble* **0.3** [⟨fig.⟩] *stray* ⇒*go astray, err,* ⟨schr.⟩ *stumble* ◆ **1.2** de dolende ridders *the knights-errant* **3.1** ik heb een tijd lopen ~ voor ik zijn huis vond *I wandered about for a while before I was able to find his house.*
dolente ⟨bw.⟩ ⟨muz.⟩ **0.1** *dolente.*
dolenthousiast ⟨bn.⟩ **0.1** *wild(ly enthusiastic)(about)* ⇒*(as) keen as mustard, really keen (on)* ◆ **3.1** ~ maken *make wildly/madly enthusiastic;* ⟨AE ook;sl.⟩ *whee (up).*
doler ⟨de (m.)⟩ **0.1** *wanderer* ⇒⟨schr.⟩ *rover, vagabond.*
doleren ⟨onov.ww.⟩ **0.1** [zich beklagen] *appeal* ⇒*lodge an appeal, submit a petition* **0.2** [zich afscheiden van] *secede (from)* ⇒⟨ihb. rel.⟩ *dissent (from)* ◆ **1.2** een ~de dominee ≠*a dissenting/ Nonconformist minister;* een ~de gemeente ≠*a dissenting/ Nonconformist congregation/ community.*
dolfijn ⟨de (m.)⟩ **0.1** [⟨biol.⟩] *dolphin* **0.2** [⟨ster.⟩] *Delphinus* ⇒*the Dolphin.*
dolfijnslag ⟨de (m.)⟩ ⟨sport⟩ **0.1** *butterfly (stroke).*
dolfinarium ⟨het⟩ **0.1** *dolphinarium.*
dolgelukkig ⟨bn.,bw.⟩ **0.1** *deliriously happy* ⇒*in raptures, (as) pleased as Punch, over the moon* ◆ **6.1** zij zijn ~ **met** hun huis *they're in raptures over their house.*
dolgraag ⟨bw.⟩ **0.1** *with (the) great(est of) pleasure* ⇒ ↓*ever so much* ◆ **3.1** iets ~ doen *love doing/to do sth.;* ik wil het ~ hebben *I want it badly, I'd (dearly) love (to have) it;* hij wil ~ naar het buitenland *he is itching/has an itch/is raring to go abroad;* zij wil ~ aan het toneel *she is stagestruck/has got stage fever;* iets ~ willen *want (to do) sth. very much/badly, be very keen to do/have sth.;* zij willen ~ winnen *they are keen on winning* ¶**.1** ga je mee? ~ *are you coming? sure/absolutely/ you bet!/I'd love to/try and stop me!.*
dolheid ⟨de (v.)⟩ **0.1** [ziektetoestand] *madness* ⇒*frenzy* **0.2** [dwaze streek] *(piece of) madness* ⇒*(piece of) lunacy, prank* ◆ **4.2** alweer zo'n ~! *another piece of lunacy/more lunacy.*
dolichocefaal ⟨bn.⟩ **0.1** *dolichocephalic, dolichocephalous.*
doline ⟨de (v.)⟩ ⟨aardr.⟩ **0.1** *dolina.*
doling ⟨de (v.)⟩ **0.1** [zwerftocht] *wander(ing)* ⇒*roam, ramble* **0.2** [⟨fig.⟩] *dwaling] straying, error.*
dolk ⟨de (m.)⟩ **0.1** *dagger* ⇒⟨gesch.⟩ *poniard,* ⟨vnl. Sch.E⟩ *dirk* ◆ **3.1** iem. de ~ in het hart boren *(ook fig.) stab s.o. through the heart;* ⟨fig. ook⟩ *cut s.o. to the quick;* ⟨fig.⟩ iem. een ~ in de rug steken *stab s.o. in the back, knife s.o..*
dolkmes ⟨het⟩ **0.1** *dagger.*
dolkomisch ⟨bn.,bw.⟩ **0.1** *screamingly/ killingly funny* ⇒⟨inf.⟩ *a scream* ⟨alleen pred.⟩ *killing.*
dolkruid ⟨het⟩ ⟨biol.⟩ **0.1** [zwarte nachtschade] *black nightshade* **0.2** [bitterzoet] *woody nightshade, bittersweet* **0.3** [bilzekruid] *henbane* **0.4** [doodkruid] *deadly nightshade.*
dolksteek ⟨de (m.)⟩ **0.1** [stoot] *dagger-thrust, stab;* ⟨wond⟩ *stab-wound, dagger-/knife-wound* ◆ **7.1** ⟨fig.⟩ haar woorden waren zovele dolksteken *her words cut me/him etc. to the quick, every word she spoke was a stab to the heart.*
dolkstoot ⟨de (m.)⟩ **0.1** *dagger-thrust, stab* ◆ **6.1** een ~ **in** de rug ⟨fig.⟩ a *stab in the back.*

dollar ⟨de (m.)⟩ **0.1** *dollar* ⇒⟨AE;inf.⟩ *buck, greenback* ◆ **2.1** sterke~ strong *d.* **3.1** hoe staat de~? *what is the dollar rate/rate of the d.?, how is the d. doing?*

dollarbiljet ⟨het⟩ **0.1** *(one-)dollar bill* ⇒⟨inf.⟩ *greenback,* ⟨sl.⟩ *ace, frogskin.*

dollarcent ⟨de (m.)⟩ **0.1** *cent* ⇒⟨AE;inf.⟩ *penny* ◆ **7.1** vijf/tien/ vijf-en-twintig~ *nickel, dime, quarter.*

dollargebied ⟨het⟩ **0.1** *dollar area.*

dollarkoers ⟨de (m.)⟩ **0.1** *dollar (exchange) rate* ⇒*(exchange) rate of the dollar.*

dollarlening ⟨de (v.)⟩ **0.1** *dollar loan.*

dollarteken ⟨het⟩ **0.1** *dollar sign/mark.*

dolle ⟨de (m.)⟩ **0.1** *madman* ⇒*lunatic* ◆ **8.1** als een~ wegrennen *take off like a bat out of hell/^at a rate of knots/* ↓*like a dose of salts/* ↓*like the clappers.*

dollekervel ⟨de (m.)⟩ ⟨plantk.⟩ **0.1** ⟨chaerophyllum temulum⟩ *rough chervil;* ⟨Cicuta virosa⟩ *cowbone, water hemlock.*

dolleman ⟨de (m.)⟩ **0.1** *madman* ⇒*lunatic, idiot* ◆ **8.1** hij reed als een~ *he drove like a m./like hell.*

dollemanspraat ⟨de (m.)⟩ **0.1** *mad/crazy/wild talk.*

dollemansrit ⟨de (m.)⟩ **0.1** *crazy ride.*

dollemanswerk ⟨het⟩ **0.1** *sheer/utter madness/folly* ⇒*sheer lunacy* ◆ **3.1** het is~ ⟨ook⟩ *it's (an) absurd (situation)/it's completely pointless.*

dollen ⟨onov.ww.⟩ **0.1** *horse around* ⇒*lark about, play the fool* ◆ **6.1** met iem.~ *horse around/lark about with s.o.;* ⟨inf.⟩ zonder~ *seriously.*

dolletjes¹ ⟨bn.⟩ **0.1** *great* ⇒*super, fantastic,* ↓*wild.*

dolletjes² ⟨tw.⟩ **0.1** *(what a) super/great/fantastic/* ↓*wild (idea)!* ⇒*what fun!.*

dolmen ⟨de (m.)⟩ **0.1** *dolmen* ⇒*cromlech.*

dolomiet ⟨het⟩ **0.1** *dolomite* ◆ **7.1** de Dolomieten *the Dolomites.*

dolpen ⟨de⟩ **0.1** *thole (pin).*

dolus ⟨de (m.)⟩ ⟨jur.⟩ **0.1** *malice aforethought, premeditation.*

dolverliefd ⟨bn., bw.⟩ **0.1** *madly in love* ◆ **3.1** ~ zijn (op) *be mad/crazy/ wild about, be gone on, be* ^B*over head and ears in love (with)/head over heels in love (with).*

dolzinnnig ⟨bn., bw.;-ly⟩ **0.1** *mad* ⇒*frantic, frenzied, crazy, harebrained,* ⟨ijlhoofdig⟩ *delirious* ◆ **1.1** ~e onderneming *a harebrained scheme* **6.1** ~ van vreugde *delirious/frantic with joy.*

dom¹ ⟨de (m.)⟩ **0.1** [domkerk] *cathedral* **0.2** [Portugese eretitel] *Dom* **0.3** [titel van benedictijnen] *Dom.*

dom² ⟨→sprw. 72,212⟩
I ⟨bn., bw.⟩ **0.1** [met weinig verstand] *stupid* ⇒*simple, slow, dull, dense,* ⟨inf.⟩ *thick(headed/witted),* ^A*dumb* **0.2** [onnozel] *silly* ⇒*daft, naïve* **0.3** [stomweg] *sheer* ⇒*pure* ◆ **1.1** een~me jongen *a stupid fellow/*^A*guy, a simpleton;* ik kan er niet bij met mijn~me verstand *it's too complicated for my simple mind, it (all) goes right over my head* **1.2** een~ antwoord *a s./stupid answer;* een~me gans *a silly-billy, a (s.) goose;* een~me streek uithalen *play a s./daft trick* **1.3** ~ geluk *s. luck, a fluke/freak, pure chance;* ~ geweld *brute force* **3.1** iem.~ vinden *consider s.o. stupid/a fool/an ass* **3.2** sta niet zo~ te grijnzen! *take/wipe that s. grin off your face!;* dat is nog zo~ niet *that's not such a s./daft idea/as stupid as it sounds/looks;* hoe kon ik zo~ zijn *how could I be so stupid!/such a fool!;* het zou~ zijn om ... *it would be foolish/unwise/stupid to ...* **5.2** wat~ van mij! *that was stupid/s. of me, how stupid/s. of me!* **8.1** zo~ als een ezel/als het achtereind *v.e.* koe/varken *as thick as two bricks/two (short) planks,* ^A*a real jerk* **8.2** hij is niet zo~ als hij eruit ziet *he's not such a fool as he looks;*
II ⟨bn.⟩ **0.1** [onwetend] *ignorant* ◆ **1.1** de~me massa *the i. masses* **3.1** iem.~ houden *keep s.o. in ignorance, keep s.o. ignorant* ¶**.1** zich v.d.~me houden *play i./(the) innocent, pretend/feign ignorance/innocence.*

domein ⟨het⟩ **0.1** [territorium, gebied] *domain* ⇒*land, territory,* ⟨gesch.⟩ *demesne* **0.2** [⟨fig.⟩ geestelijk gebied] *domain* ⇒*field, area* ◆ **1.2** het~ v.d. kunst *the field of art* **2.1** de koninklijke~en *the royal domains, royal lands, crown land* **2.2** publiek~ *public d./property* **3.2** dat behoort niet tot mijn~ *that is outside/not within my d./province/ area of competence,* ⟨inf.⟩ *that's not my department.*

domeinbestuur ⟨het⟩ **0.1** *domain board, management of crown-lands* ⇒⟨GB⟩ *Crown Lands/Estates Commissioners, Commissioners of the Crown Lands.*

domesticeren ⟨ov.ww.⟩ **0.1** *domesticate* ⟨dier, plant⟩.

domheer ⟨de (m.)⟩ **0.1** *canon.*

domheid ⟨de (v.)⟩ ⟨→sprw. 118⟩ **0.1** [het dom zijn] *stupidity* ⇒*idiocy, denseness, foolishness* **0.2** [domme streek] *stupid thing (to do)* ⇒*(piece of) idiocy, sth. stupid, stupid error* ◆ **2.1** hij heeft het aan zijn eigen~ te danken *he has (only) his own s. to thank for that* **3.2** een~ begaan *do sth. stupid;* een~ goedmaken *make up for/make amends for a stupid error.*

domicilie ⟨het⟩ **0.1** *domicile* ⇒*abode,* ⟨hand.⟩ *registered offices* ◆ **1.1** ~ van afkomst *d. of origin* **3.1** ~ hebben/houden *be domiciled/resident;* ⟨jur.⟩ ~ kiezen ten kantore van *elect domicile at the office of.*

domiciliëren ⟨ov.ww.⟩ **0.1** *domicile* ⟨ook hand.⟩ ◆ **1.1** ⟨hand.⟩ een wis-

sel~ *d. a bill of exchange* **6.1 in** Leuven gedomicilieerd zijn *be domiciled/resident at Louvain.*

domina → **dominee.**

dominant¹ ⟨de⟩ **0.1** [wie/wat domineert] ⟨persoon⟩ *dominant person;* ⟨ding⟩ *dominant feature* **0.2** [kleur] *dominant colour* **0.3** [⟨muz.⟩] *dominant* **0.4** [⟨biol.⟩] *dominant.*

dominant² ⟨bn.⟩ **0.1** [overheersend] *dominant* ⇒*overriding, outstanding* **0.2** [⟨biol.⟩] *dominant* ◆ **1.2** ~ gen *d. gene.*

dominantie ⟨de (v.)⟩ **0.1** [het overheersen] *dominance* ⇒⟨pol.;gesch.⟩ *ascendancy* **0.2** [⟨biol.⟩] *dominance.*

dominee ⟨de (m.)⟩, **domina** ⟨de (v.)⟩ **0.1** [titel, aanspreekvorm] *minister* ⇒*Sir* ⟨m.⟩, *Madam* ⟨v.⟩, ⟨Angl.⟩ *vicar, Reverend,* ⟨inf.⟩ *padre* ⟨m.⟩ **0.2** [predikant(e)] *minister* ⟨m.,v.⟩, *woman minister* ⟨v.⟩ ⇒*clergyman* ⟨m.⟩, *clergywoman* ⟨v.⟩, *parson, pastor, preacher,* ⟨Angl.⟩ *vicar,* ⟨mil.⟩ *padre* ◆ **2.2** ⟨fig.⟩ een blikken~ *(hot) gospeller;* ⟨AE ook; sl.⟩ *gospel grinder/pusher; soap box orater/preacher* ⟨ook pol.⟩ **3.2** ⟨fig.⟩ daar gaat de (een)~ voorbij *there's an angel passing over, there's a lull in the conversation;* je lijkt wel een~ *hark at you!, don't be so serious;* ~ worden *go into/be intended for the Church/the ministry.*

domineese ⟨de (v.)⟩ **0.1** *minister's/clergyman's wife* ⇒⟨Angl.⟩ *vicar's wife,* ⟨zeldz.⟩ *vicaress,* ⟨inf.⟩ *parson's wife.*

domineesland ⟨het⟩ ⟨iron.⟩ **0.1** *(the) provinces, the sticks.*

domineesstukje ⟨het⟩ **0.1** *rump steak.*

domineestoon ⟨de (m.)⟩ **0.1** *preaching/preachy/pious/sanctimonious tone (of voice).*

domineesvrouw ⟨de (v.)⟩ → **domineese.**

domineren
I ⟨onov., ov.ww.⟩ **0.1** [overheersen] *dominate* ⇒⟨inf.⟩ *lord it (over)* ◆ **1.1** de fagotten~ te veel *the bassoons are too dominant/tend to drown out the other instruments;* een~d karakter *a dominating/overbearing character;* hij domineert zijn hele omgeving *he dominates everyone around him;* die berg domineert de hele streek *the mountain dominates the whole district;*
II ⟨onov.ww.⟩ **0.1** [domino spelen] *play dominoes.*

dominicaan ⟨de (m.)⟩ **0.1** *Dominican* ⇒*Black Friar.*

dominicaans ⟨bn.⟩ **0.1** *Dominican* ◆ **1.¶** de Dominicaanse Republiek *the D. Republic.*

dominicaner ⟨de (m.)⟩ **0.1** *Dominican* ◆ **1.1** ~ monnik *D. friar, Black Friar;* ~ non *D. nun.*

dominicanes ⟨de (v.)⟩ **0.1** *Dominican nun.*

domino
I ⟨het⟩ **0.1** [spel] *dominoes;*
II ⟨de (m.)⟩ **0.1** [gewaad] *domino* **0.2** [persoon] *domino.*

domino-effect ⟨het⟩ ⟨fig.⟩ **0.1** ⟨alg.⟩ *knock-on effect* ⇒⟨pol.⟩ *domino effect.*

dominoën ⟨onov.ww.⟩ **0.1** *play dominoes.*

dominospel ⟨het⟩ **0.1** [spel] *dominoes* **0.2** [dominostenen] *set of dominoes.*

dominosteen ⟨de (m.)⟩ **0.1** *domino.*

dominotheorie ⟨de (v.)⟩ **0.1** *domino theory.*

domkapittel ⟨het⟩ **0.1** *(dean and) chapter.*

domkerk ⟨de⟩ **0.1** *cathedral (church).*

domkop → **domoor.**

dommekracht ⟨de⟩ **0.1** [werktuig om zware voorwerpen op te tillen] *jack* ⇒*screw jack, jackscrew* **0.2** [hefboom] *lever* **0.3** [middel om kracht uit te oefenen] *lever, leverage* **0.4** [dom log persoon] *(mindless) hulk* ◆ **3.3** een~ gebruiken *use a lever, use leverage* **3.4** het is een~ *he's all brawn and/but no brain.*

dommel ⟨de (m.)⟩ **0.1** *doze* ⇒*drowse, drowsiness* ◆ **6.1** zij waren allen **aan/in** de~ *they were all dozing/drowsing/half asleep.*

dommelen ⟨onov.ww.⟩ **0.1** *doze* ⇒*drowse, be half asleep.*

dommelig ⟨bn.⟩ **0.1** *drowsy* ⇒*dozy, half asleep.*

dommerik → **domoor.**

dommigheid ⟨de (v.)⟩ **0.1** *act/piece of stupidity/foolishness* ⇒*blunder.*

domoor ⟨de (m.)⟩ **0.1** *idiot* ⇒*fool, blockhead, dunce, fat-head, nitwit, nincompoop* ◆ **2.1** jij kleine~! *you silly little boy!,* ↓*(you) little nitwit /nincompoop!.*

dompelaar ⟨de (m.)⟩ **0.1** [vogel] *diver* **0.2** [mbt. een pomp] *plunger* **0.3** [verwarmingsstaaf] *immersion heater* **0.4** [stakker] *poor devil/wretch.*

dompelbad ⟨het⟩ **0.1** [mbt. personen] *immersion bath* **0.2** [mbt. zaken] *immersion bath* ⇒*dip.*

dompelen ⟨ov.ww.⟩ **0.1** [onder laten gaan] *plunge* ⇒*dip,* ⟨schr.⟩ *immerse, duck* ⟨ook scherts.⟩ **0.2** [⟨fig.⟩] *plunge* ◆ **6.1** zijn voeten in het water~ *dip one's feet in the water;* zijn brood in soep~ *dunk/dip one's bread in soup* **6.2** iem. in ellende~ *plunge s.o. into misery/despair;* **in** diepe slaap/armoede/schulden/rouw gedompeld *plunged in(to) a deep sleep/poverty/debt/mourning.*

domper ⟨de (m.)⟩ **0.1** [doofkapje] *extinguisher* ⇒⟨fig.⟩ *damper, chill* **0.2** [duisterling] *obscurant(ist)* ◆ **6.1** dit onverwachte bericht zette een~ **op** de feestvreugde *this unexpected news put a damper on/cast a chill over the party.*

dompig ⟨bn.⟩ **0.1** [muf] *stuffy* ⇒*close, musty* **0.2** [dampig] *clammy* ⇒*moist, dank.*

dompteur ⟨de (m.)⟩ **0.1** *animal trainer/tamer*.

domstad ⟨de⟩ **0.1** *cathedral city* ◆ **¶.1** de ~ ⟨ook⟩ *Utrecht*.

domtoren ⟨de (m.)⟩ **0.1** *cathedral tower*; ⟨met spits⟩ *cathedral spire*.

domweg ⟨bw.⟩ **0.1** *(quite) simply* ⇒*without a moment's thought, just* ◆ **3.1** iets ~ overschrijven *(quite) simply copy sth. out.*

don ⟨de (m.)⟩, **doña** ⟨de (v.)⟩ **0.1** *Don, Doña* ◆ **1.1** Don Juan *Don Juan, Casanova, Lothario, lady-killer*; Don Quichot *Don Quixote*.

donataris ⟨de (m.)⟩ **0.1** *donee*.

donateur ⟨de (m.)⟩, **donatrice** ⟨de (v.)⟩ **0.1** *donor* ⇒⟨van vereniging⟩ *contributor, supporter,* [↑]*benefactor* ◆ **1.1** leden en ~s *members and supporters*; ~ v.e. vereniging *contributors to/supporters/benefactors of an association.*

donatie ⟨de (v.)⟩ **0.1** *donation* ⇒*gift.*

Donau ⟨de (m.)⟩ **0.1** *Danube.*

donder ⟨de (m.)⟩ **0.1** [onweer] *thunder* **0.2** [lichaam] *carcase* ⇒⟨persoon⟩ *devil,* [↓]*bugger* **0.3** [⟨als krachtterm⟩] *hell, damn(ation)* ◆ **2.1** een rollende, harde ~ *rolling, loud t.* **2.2** een arme ~ *a poor devil/bastard,* [B]*a poor (old) bugger*; met zijn dikke ~ *with his fat carcase* **3.3** daar kun je ~ op zeggen *you can bet your boots/your bottom dollar/* [A]↓*your ass on that, that's a safe bet, as sure as eggs is eggs* **6.2** iem. op zijn ~ geven *give s.o. a beating/a good hiding/* ⟨fig.⟩ *a (good) dressing-down/a roasting/* [B]*a rocket*; ⟨fig.⟩ *read s.o. the riot act*; **op** zijn ~ krijgen *catch/get hell, get it in the neck, get a roasting/* [B]*a rocket* **6.3** kom hier **voor** de ~ *bloody well come here!, come here, damn it/you!* **7.3** geen ~ *not a sausage, damn all, sweet Fanny Adams/F. A.*; ik snap er geen ~ van *it's a complete mystery to me, I haven't the foggiest (idea) what you mean, I don't get it (at all)*; je krijgt geen ~ *you'll get damn all (out of me), ik weet er geen ~ van I know damn all about it, I don't know a damn thing about it, it's news to me*; het kan me geen ~ schelen *I don't give a damn about it, damned if I care,* [↓]*I don't give* [B]*a monkey's (fart)/* [A]*a tinker's (cuss)/* [A]*a flying fuck* **8.3** als de ~ wegwezen *get the hell out (of (t)here), scram,* [B]*scarper, get lost,* [A]*split* **¶.3** om de ~ niet! *like hell I/you will/are/* ⟨enz.⟩*,no way!.*

donderaal ⟨de (m.)⟩ **0.1** *pond loach.*

donderaar ⟨de (m.)⟩ **0.1** [dondergod] *thunder god* **0.2** [persoon] *blusterer, cusser.*

donderbeestje ⟨het⟩ **0.1** *thrips.*

donderbui ⟨de⟩ **0.1** [onweersbui] *thunderstorm, thunder-shower* **0.2** [⟨fig.⟩] *thunderstorm* ⇒*dressing-down,* [B]*rocket.*

donderbus ⟨de⟩ **0.1** [kanon] *name for early artillery, esp. a small bronze cannon* **0.2** [handvuurwapen] *blunderbuss.*

donderdag ⟨de (m.)⟩ **0.1** *Thursday* ◆ **2.1** Witte Donderdag *Maundy T.* **6.1** hij is **op** een ~ geboren ≠*that's the first sign of madness!* **¶.1** de ~ is de dief v.d. week ≠*where's the week gone (to)?.*

donderdags

I ⟨bw.⟩ **0.1** [op donderdag] *(on) Thursdays* ◆ **3.1** ik zie hem alleen ~ *I only see him (on) Thursdays*;

II ⟨bn.⟩ **0.1** [elke donderdag terugkerend] *Thursday* ◆ **1.1** mijn ~ bezoek *my T. visit.*

donderen

I ⟨onp.ww.⟩ **0.1** [onweren] *thunder* ◆ **3.1** ⟨fig.⟩ het in Keulen horen ~ *look stunned/flabbergasted/as if one has been poleaxed* **4.1** het dondert *it's thundering, there's thunder about*;

II ⟨onov.ww.⟩ **0.1** [tieren en razen] *thunder away, bluster* ⇒⟨schr.⟩ *fulminate* **0.2** [vallen] *tumble (down)* ⇒*come crashing down* **0.3** [zaniken] *nag* ⇒⟨inf.⟩ *go on* ◆ **1.1** een ~d applaus *thunderous applause*; met ~d geraas *with a thundering din/roar* **3.3** lig niet zo te ~ *stop nagging, don't keep going on so* **5.1** hij donderde de menigte toe *he harangued/hectored the crowd* **5.¶** dat dondert niet [↑]*that doesn't matter* **6.2 naar** beneden ~ *tumble/crash down, go/come tumbling/crashing down*;

III ⟨ov.ww.⟩ **0.1** [smijten] *chuck* ⇒*fling, hurl* ◆ **1.1** iets/iem. v.d. trap ~ *chuck sth./s.o. down the stairs* **5.1** ik heb hem de deur uit gedonderd *I chucked/flung/kicked him out (the door).*

dondergod ⟨de (m.)⟩ **0.1** *thunder god* ⇒*god of thunder.*

donderjagen ⟨onov.ww.⟩ **0.1** *be a nuisance/pest* ⇒*be a pain (in the ass),* ⟨BE ook⟩ *muck about,* ⟨zaniken⟩ *go on, nag* ◆ **3.1** 't wordt ~ *now we're in trouble/in for it* **6.1** hij is weer aan 't ~ *he's being a nuisance/pest/mucking about again.*

donderkop ⟨de (m.)⟩ **0.1** [wolk] *thunderhead* **0.2** [dikkopje] *tadpole.*

donderkruid ⟨het⟩ ⟨plantk.⟩ **0.1** [donderbaard, Sempervivum tectorum] *houseleek* **0.2** [alant, Inula conyza] *ploughman's* [A]*plowman's spikenard* **0.3** [fijnstraal, Erigeron] *fleabance.*

donderpad ⟨de⟩ **0.1** [kikkervisje] *tadpole* **0.2** [vis] *bullhead, sculpin* ⇒⟨rivier⟩ *miller's thumb,* ⟨zee⟩ *father lasher.*

donderpreek ⟨de⟩ **0.1** *fire-and-brimstone sermon* ⇒⟨niet rel.⟩ *harangue* ◆ **3.1** een ~ houden *preach fire and brimstone.*

donders[1] ⟨inf.⟩

I ⟨bn.⟩ **0.1** [vervloekt] *damn(ed)* ⇒⟨BE ook⟩ *bloody,* ⟨AE ook⟩ *goddam* **0.2** [snel als de donder] *lightning* **0.3** [tot veel in staat zijnde] *hell of a, helluva* ◆ **1.1** die ~e vent bedriegt me *that bloody fellow is cheating me* **1.2** met ~e haast *with lightning speed, like greased lightning* **1.3** een ~e kerel *a/one hell of a/helluva guy*;

II ⟨bw.⟩ **0.1** [zeer] *damn(ed)* ⇒⟨BE ook⟩ *bloody,* ⟨AE ook⟩ *goddam* ◆ **2.1** dat is ~ moeilijk *that's damn(ed)/bloody difficult* **5.1** je weet ~ goed ...*you know damn(ed) well ....*

donders[2] ⟨tw.⟩ ⟨inf.⟩ **0.1** *damn(ation)!, damn it!* ◆ **¶.1** ~, dat heb ik vergeten! *damn (it), I forgot that!.*

donderslag ⟨de (m.)⟩ **0.1** [donder v.e. bliksemstraal] *thunderclap* ⇒*thunderbolt, roll/crack/peal of thunder* **0.2** [⟨fig.⟩] *thunderbolt* ⇒*bombshell* **0.3** [huls met buskruit] *thunderflash* ◆ **2.1** een ratelende ~ *a rattling thunderclap* **6.1** als een ~ **bij** heldere hemel *like a bolt from the blue.*

donderspeech ⟨de (m.)⟩ **0.1** *sermon* ⇒*harangue* ◆ **3.1** een ~ houden *lay down the law*; ⟨BE ook⟩ *read the riot act.*

dondersteen ⟨de (m.)⟩ **0.1** [mispunt] *rascal* ⇒*rotter, stinker,* [B]*blighter* **0.2** [⟨geol.⟩] *thunderstone* ⇒*fulgurite* ◆ **2.1** 't is een echte ~ *he's a proper rascal/a real stinker.*

donderstem ⟨de⟩ **0.1** *thunderous voice* ⇒⟨lit.⟩ *voice of thunder.*

donderstenen ⟨ww.⟩ ⟨inf.⟩ **0.1** *nag* ⇒*go on* ◆ **3.1** lig niet te ~*stop nagging, don't keep going on so.*

donderstraal ⟨de (m.)⟩ ⟨inf.⟩ **0.1** *rascal* ⇒*rotter, stinker,* [B]*blighter.*

donderstralen ⟨onov.ww.⟩ ⟨inf.⟩ **0.1** [klieren] *be a pain (in the neck/* ⟨vulg.⟩ [B]*arse/* [A]*ass)* **0.2** [vallen] *crash* ⇒*clatter, thunder* ◆ **6.2** met veel lawaai donderstraalde hij **van** de trap **af** *he went crashing/clattering/thundering down the stairs with a tremendous din* **¶.¶** donderstraal op! *bugger/* ⟨vulg.⟩ *piss off!.*

donderwolk ⟨de⟩ **0.1** *thundercloud* ◆ **8.1** een gezicht als een ~ *a face like thunder.*

doneren ⟨ov.ww.⟩ **0.1** *donate.*

dong ⟨de (m.)⟩ **0.1** *dung.*

donk ⟨de⟩ ⟨aardr.⟩ **0.1** [moeras] *swamp* ⇒*marsh* **0.2** [zandhoogte] *Pleistocene dune.*

donker[1] ⟨het, de.m.⟩ **0.1** *dark(ness)* ⇒*gloom,* ⟨schr.⟩ *obscurity* ◆ **1.1** tussen licht en ~ *at twilight, at dusk, as dusk falls* **2.1** het nachtelijk ~ *the dark of night* **6.1** in het ~ rondtasten *feel around/grope (around) in the dark(ness)*; ⟨fig.⟩ hij knijpt de kat **in** het ~ *he does things on the sly*; ⟨fig.⟩ een schot in het ~ *a shot in the dark, a potshot*; **in** het ~ *in the dark*; **vóór** (het/de) ~ thuis zijn *be home before dark/nightfall/dusk.*

donker[2]

I ⟨bn.⟩ **0.1** [duister] *dark* ⇒*gloomy, murky, obscure,* ⟨lit.⟩ *tenebrous* **0.2** [somber, droevig] *dark* ⇒*dismal, gloomy, black, sombre* **0.3** [niet licht van kleur] *dark* ⇒*dusky, dim, deep, swarthy* ⟨huid⟩ **0.4** [mbt. geluiden] *low(-pitched)* ⇒⟨stem ook⟩ *grave, deep* ◆ **1.1** in ~ Afrika *in darkest Africa, in the depths of Africa*; de ~e dagen voor Kerstmis *the d. days before Christmas*; een ~e lucht *a d./gloomy sky* **1.2** een ~e bladzijde in zijn leven *a d./dismal/black chapter in his life*; door een ~e bril kijken ⟨fig.⟩ *take a dismal/black/gloomy view of things*; een ~ gezicht zetten *look black, have a black look on one's face*; een ~e toekomst *a d./dismal/black future* **1.3** ~ bier *d. beer, brown ale*; een ~ type *a complexioned/swarthy/dusky type* **1.4** een ~e stem *a low(-pitched) voice*; ⟨somber⟩ *a grave voice* **3.1** ~ maken *darken*; ~ worden *grow d./dusk, darken*; het wordt ~ *it's getting d.* **8.1** zo ~ als de nacht *pitch d.*;

II ⟨bw.⟩ **0.1** [somber] *dismally* ⇒*gloomily, blackly* ◆ **3.1** de toekomst ~ inzien *take a gloomy/black/dismal view of the future.*

donkerblauw ⟨bn.⟩ **0.1** *dark/deep blue* ⇒*mazarine (blue), Oxford blue.*

donkerblond ⟨bn.⟩ **0.1** *dark blond/* ⟨v. ook⟩ *blonde.*

donkerbruin ⟨bn.⟩ **0.1** *dark/deep brown* ⇒*brunet(te)* ⟨haar, huid, ogen⟩, *sepia, umber* ⟨attr.⟩.

donkeren ⟨onp.ww.⟩ **0.1** *grow/get dark* ⇒*grow dusk, darken* ◆ **4.1** het donkert *darkness/dusk/night is falling, it's growing/getting dark, it's growing dusk, it's darkening.*

donkerte ⟨de (v.)⟩ **0.1** *dark(ness)* ⇒*gloom,* ⟨schr.⟩ *obscurity.*

donor ⟨de (m.)⟩ **0.1** [(bloed)gever] *donor* **0.2** [iem. die sperma/een orgaan afstaat] *donor.*

donorcodicil ⟨het⟩ **0.1** *donor card.*

donorinseminatie ⟨de (v.)⟩ **0.1** *(artificial) insemination by donor* ⇒⟨med. ook⟩ *AID.*

donorland ⟨het⟩ **0.1** *donor country.*

donormoeder ⟨de (v.)⟩ **0.1** *surrogate mother.*

donquichotterie ⟨de (v.)⟩ **0.1** *quixotry.*

dons ⟨het⟩ **0.1** [veren van vogels] *down* **0.2** [zachte beharing] *down* ⇒*fuzz* ◆ **1.2** het ~ van perziken *peach d./fuzz* **6.1** een dekbed gevuld met ~ *a dawn(-filled) quilt/* [B]*duvet* **7.2** het eerste ~ op de kin *the first d. on one's chin.*

donsdeken ⟨de⟩ **0.1** ⟨op laken (en deken)⟩ *eiderdown* ⇒*(down) quilt,* ⟨ipv. laken en deken⟩ *duvet, (continental) quilt.*

donshaar ⟨het⟩ **0.1** *downy hair* ⇒⟨plantk.⟩ *pappus,* ⟨van foetus⟩ *lanugo.*

donsje ⟨het⟩ **0.1** *(powder-)puff.*

donzen ⟨bn.⟩ **0.1** *down(-filled)* ◆ **1.1** een ~ dekbed *a down(-filled) quilt/* [B]*duvet.*

donzig ⟨bn.⟩ **0.1** [donsachtig] *downy* **0.2** [zacht] *downy* ⇒*fluffy* ◆ **1.1** ~ fluweel, mos *d. velvet/moss, velvety moss*; ~e haartjes *d. hair* **1.2** een ~ bedje *a d. cot*; ~e wangen *d. cheeks.*

dood¹ ⟨de⟩ ⟨→sprw. 120-124,147⟩ **0.1** [levenloosheid] *death* **0.2** [het sterven] *death* ⇒*end* **0.3** [het eindigen] *death* ⇒*end* ◆ **1.1** op leven en ~ vechten *fight to the d.;* ~ en verderf *d. and destruction* **2.1** klinische ~ *clinical d.* **2.2** een gewelddadige/natuurlijke ~ sterven *die a violent/ natural d.;* een langzame ~ sterven *die a slow d., die by inches;* een zachte/langzame ~ *a gentle/slow d.;* de Zwarte Dood *the Black Death* **3.1** dat zal je ~ zijn *that'll be the d. of you* **3.2** aan de ~ ontkomen *escape/miss d.;* iem. de ~ injagen *drive s.o. to his d.;* dat is/wordt zijn ~ *that will be the d. of him;* ⟨fig.⟩ de ~ klopt aan de deur *d. comes knocking at the door;* de ~ vinden *meet one's d./end;* hij vond zijn ~ in de golven *he found a watery grave;* de ~ was al ingetreden *d. had already occurred* **5.2** de ~ nabij zijn *be close to d., be at death's door, be within an ace of d.* **6.1** iem. in de ~ volgen *follow s.o. to his d.;* getrouw tot in de ~ *true till d.;* uit de ~ verrijzen/opwekken *(a)rise/ (a)wake from the dead* **6.2** bij de ~ van haar vader *at/on her father's d., when her father died/dies;* met de ~ voor ogen *face to face with d., staring d. in the face;* op iemands ~ wachten *wait for s.o. to die, wait for dead men's shoes;* ten dode (toe) opgeschreven zijn *be doomed to die, be a dead/doomed man/woman;* iem. ter ~ veroordelen *condemn/sentence s.o. to d.;* ter ~ brengen *put s.o. to d.;* tot de ~ ons scheidt *till d. us do part* **6.3** dat is de ~ voor de handel *that will be the kiss of d. as far as business is concerned, that will kill (off) trade* **7.2** duizend doden sterven *die a thousand deaths* **8.1** zo bang als de ~ zijn *be frightened/scared to d.;* wit als de ~ *deathly pale* **8.¶** als de ~ voor/ van iets zijn *be scared to d. of sth.* **¶.1** de ~ voor ogen hebben/zien *have a glimpse of d., face d.;* om de (dooie) ~ niet *not on your life, over my dead body,* ↓*not on your Nelly, no way.*

dood² ⟨bn.⟩ ⟨→sprw. 119,162,264⟩ **0.1** [gestorven] *dead* ⇒*killed* **0.2** [⟨fig.⟩] *dead* ⇒*extinct, blind, lifeless* **0.3** [⟨als versterking⟩] ⟨zie 1.3⟩ ◆ **1.1** zich blij maken met een dooie mus ≠*count one's chickens (before they have hatched);* dode takken *d. branches* **1.2** een dooie boel *a dull show/affair, a d. place;* ~ kapitaal *d./idle/unproductive capital;* dode letter *d. letter;* het dode punt *d. point/centre;* ⟨fig.⟩ *deadlock;* over het dode punt heen raken *be over the hump;* over het dode punt heen helpen *remove the deadlock;* een dode (rivier)arm *a blind arm of a river;* ⟨fig.⟩ op een ~ spoor zitten *be at a d. end/up a blind alley;* ⟨inf.⟩ *up the creek;* dode stof *lifeless dust;* een dode taal *a d./an extinct language;* ~ tij *slack water;* ⟨fig.⟩ *slack time;* een dooie vent *a dull fellow;* dode vingers ~ *vlees proud flesh;* een dode vulkaan *an extinct volcano* **1.3** in zijn dooie eentje *all alone;* op zijn dooie gemak *at one's ease/leisure;* op zijn dooie gemak winnen *win hands down, have a walkover* **2.1** ~ of levend *d. or alive* **3.1** ~ en begraven *d. and buried;* ~ verklaren ⟨lett.⟩ *certify d.;* iem. voor ~ verklaren ⟨fig.⟩ *send s.o. to Coventry, ostracize s.o.* ⟨afgesproken actie⟩; *cut s.o. dead* ⟨bij ontmoeting⟩; ⟨fig.⟩ iem./zich ~ vervelen *bore s.o./be bored stiff/silly/to tears/out of his mind;* hij was op slag ~ *he died/was killed on the spot/instantly/outright* **3.¶** ⟨sport⟩ ~ zijn *be out* **5.1** ⟨jur.⟩ burgerlijk ~ *civilly d.;* meer ~ dan levend *more d. than alive;* hij is nog lang niet ~ *he's by no means d. yet, don't write him off yet, there's life in the old boy yet* **6.1** ik ben half ~ van de kou *I'm frozen (half) to death, I'm petrified with cold;* voor ~ blijven liggen *be left for d.;* voor ~ laten liggen *leave for d.* **8.1** zo ~ als een pier *d. as a doornail, stone d.* **¶.1** hij is op sterven na ~ *he is dying/as good as d., it's just a matter of time* **¶.¶** daar kan hij barsten aan ~ *it's my pet hate/pet aversion, I can't stand it, I hate it (like death)/detest it;* ⟨tegen hond⟩ ~! *die!.*

doodarm ⟨bn.⟩ **0.1** *poverty-stricken* ⇒⟨inf.⟩ *awfully/* ↓*ever so poor.*

doodbedaard ⟨bn.,bw.;-ly⟩ **0.1** *quite calm/cool* ⇒⟨inf.⟩ *dead calm/ cool, (as) cool as a cucumber.*

doodbidder ⟨de (m.)⟩ **0.1** [aanspreker] *undertaker's man* ⇒*mute* **0.2** [saai persoon] *dreadful/dead/deathly bore.*

doodbijten ⟨ov.ww.⟩ **0.1** [door bijten doden] *bite to death* **0.2** [⟨med.⟩] *cauterize.*

doodblijven ⟨onov.ww.⟩ **0.1** *drop dead* ⇒⟨schr.⟩ *fall dead* ⇒ ◆ **6.¶** op een halve cent ~ *quibble over every penny, be a (real) skinflint;* ~ op een kleinigheid *quibble over/fuss about a trifling matter;* hij zal niet ~ op een klein verschil *he won't make a fuss about/over a small discrepancy* **¶.1** ter plekke ~ *drop (down) dead (on the spot).*

doodbloeden ⟨onov.ww.⟩ **0.1** [sterven door bloedverlies] *bleed to death* **0.2** [⟨fig.⟩] *run down* ⇒*peter/fizzle out, blow over* ◆ **1.2** dat zaakje zal wel ~ *that business is likely to blow over* **3.2** een staking laten ~ *allow a strike to peter/fizzle out.*

doodbranden ⟨ov.ww.⟩ ⟨med.⟩ **0.1** *cauterize.*

dooddoen ⟨ov.ww.⟩ ⟨AZN⟩ **0.1** *kill* ⇒⟨schr.⟩ *put to death.*

dooddoener ⟨de (m.)⟩ **0.1** *unanswerable remark, bromide* ◆ **6.1** hij wist hem met een ~ af te schepen *he fobbed him off with a bromide;* ⟨BE ook⟩ *his answer put paid to any further discussion.*

dooddrukken ⟨ov.ww.⟩ **0.1** *squeeze/squash/crush to death* ⟨ook fig.⟩ ◆ **3.1** ⟨fig.⟩ door de grote concurrentie dreigen de kleine winkels doodgedrukt te worden *small shops may find themselves squeezed to death /squeezed/forced out of existence by competition from major stores.*

doodeenvoudig ⟨bn.,bw.;-ly⟩ **0.1** *perfectly/quite simple* ⇒⟨inf.⟩ *dead simple, child's play* ◆ **3.1** je zegt ~ dat je geen tijd hebt *(quite) simply say you haven't got time.*

doodeerlijk ⟨bn.⟩ **0.1** *completely/perfectly honest* ⇒⟨inf.⟩ *dead honest, as honest as the day is long.*

doodeng ⟨bn.,bw.;-ly⟩ **0.1** *really/* ⟨inf.⟩ *dead scary/creepy/eerie* ◆ **3.1** ik vind het allemaal ~ *it really gives me the creeps, it really makes my hair stand on end.*

doodenkel ⟨bn.⟩ **0.1** *occasional* ⇒*odd, rare* ◆ **1.1** een ~e bezoeker *the/ an occasional/the odd visitor;* een ~e keer komt dat voor *it happens once in a blue moon/very rarely;* een ~e keer hebben we zo'n zomer *such summers are few and far between.*

doodergeren ⟨wk.ww.;zich~⟩ **0.1** *be/get exasperated (with)* ⇒*be/get furious, be/get really annoyed, be/get really irritated* ◆ **6.1** ik erger me dood **aan** jou/**aan** zijn gedrag *you really make/his behaviour really makes me furious, you drive/his behaviour drives me up the wall/ drive(s) me berserk/bananas;* zich ~ **over** slordigheden *get exasperated over/by/with sloppiness.*

doodernstig ⟨bn.⟩ **0.1** *deadly serious* ⇒*solemn, grave,* ⟨inf.⟩ *dead serious* ◆ **1.1** met een ~ gezicht *with a grave/solemn expression (on one's face)* **3.1** ~ kijken *look as solemn as a judge;* iets ~ opmerken *make a comment in deadly earnest/in all seriousness.*

doodeter ⟨de (m.)⟩ ⟨fig.⟩ **0.1** *loafer* ⇒*idler, parasite, layabout* ◆ **3.1** hij is een ~ *all he does is loaf about, he's a parasite/layabout.*

doodfluiten ⟨ov.ww.⟩ ⟨sport⟩ ◆ **1.¶** een wedstrijd ~ *kill/spoil a game by whistling too often/* ⟨AE⟩ *by making too marry calls.*

doodgaan ⟨onov.ww.⟩ **0.1** *die* ◆ **5.1** je zult er niet aan ~ *it won't kill you, you won't d. of it, you'll live;* ⟨scherts.⟩ ik ga liever gewoon dood *I'd rather/I want to d. in my bed* **6.1** van de honger ~ *starve to death;* van schaamte *d. of shame/embarrassment.*

doodgeboren ⟨bn.⟩ **0.1** *stillborn* ⟨ook fig.⟩ ◆ **1.1** het wetsvoorstel was een ~ kind *the bill was s./never got off the ground/was a non-starter.*

doodgemakkelijk ⟨bn.,bw.;ly⟩ **0.1** *quite/perfectly easy* ⇒⟨inf.⟩ *child's play, dead easy, like taking candy from a baby, like falling off a log.*

doodgemoedereerd ⟨bn.,bw.⟩ →**doodkalm.**

doodgewoon
I ⟨bn.,bw.⟩ **0.1** [zeer gewoon] *quite/perfectly common* ⇒*everyday, commonplace, quite/perfectly ordinary, common-or-garden, plain* ◆ **4.1** iets ~s *sth. quite ordinary/common/normal, a run-of-the-mill thing;*
II ⟨bw.⟩ **0.1** [gewoonweg] *quite simply* ⇒*nothing but, plain* ◆ **1.1** dat is ~ diefstal *that's plain stealing/nothing but theft/quite simply theft.*

doodgoed ⟨bn.⟩ **0.1** *good to a fault* ◆ **3.1** hij is ~ *he wouldn't hurt a fly, he is good to a fault/goodness itself.*

doodgooien ⟨ov.ww.⟩ **0.1** [doden] *stone to death* **0.2** [⟨fig.⟩ overstelpen] *bombard* ⇒*swamp, flood* ◆ **3.1** je wordt ermee doodgegooid *you get bombarded/flooded/swamped with them.*

doodgraver ⟨de (m.)⟩ **0.1** [persoon] *gravedigger* ⇒*sexton* **0.2** [kever] *sexton beetle, burying beetle.*

doodhongeren ⟨onov.,ov.ww.⟩ **0.1** *starve to death* ⇒⟨onov.ww.ook⟩ *die of hunger/starvation.*

doodjammer ⟨bn.⟩ **0.1** *a great pity/shame* ⇒*ever such a pity/shame, a downright/crying shame.*

doodkalm ⟨bn.,bw.;-ly⟩ **0.1** *quite/perfectly calm/cool* ⇒⟨inf.⟩ *dead calm/cool, (as) cool as a cucumber, cool and collected.*

doodkist ⟨de⟩ **0.1** *coffin* ⇒⟨AE ook⟩ *casket* ◆ **2.1** ⟨fig.⟩ een drijvende ~ *a floating coffin* **6.1** ⟨fig.⟩ een nagel **aan** mijn ~ *a nail in my coffin;* ⟨fig.⟩ de sleutel **op** de ~ leggen *refuse the/one's share of the inheritance.*

doodklap ⟨de (m.)⟩ **0.1** [dodelijke klap] *deathblow* ⇒*coup de grâce* **0.2** [oorzaak van de ondergang] *deathblow* ⇒*final blow, kiss of death, coup de grâce,* ↓⟨inf.⟩ *killer* **0.3** [zeer harde klap] *almighty blow* ⇒⟨inf.⟩*(almighty) wallop/thump* **3.3** iem. een ~ geven *give s.o. an almighty blow/wallop/thump* **6.2** de ~ voor die fabriek *the deathblow/ final blow as far as the factory is concerned.*

doodknijpen ⟨ov.ww.⟩ **0.1** *pinch/squeeze to death.*

doodknuppelen ⟨ov.ww.⟩ **0.1** *club to death* ⇒⟨BE ook⟩ *cosh to death* ⟨met gummiknuppel⟩.

doodkruid ⟨het⟩ ⟨plantk.⟩ **0.1** *deadly nightshade* ⇒*belladonna, banewort.*

doodlachen ⟨wk.ww.;zich~⟩ **0.1** *die laughing* ⇒*kill o.s. laughing, laugh one's head off, split one's sides, be in stitches* ◆ **6.1** het is **om** je dood te lachen *it's killing(ly funny), it's a scream;* een verhaal **om** je dood te lachen *a side-splitting/killingly funny story, a story that leaves you in stitches.*

doodleuk ⟨bw.⟩ **0.1** *coolly* ⇒*blandly, as cool as you please* ◆ **3.1** zij vertelde hem ~ dat zij al eerder getrouwd was geweest *she had the nerve to tell him/she told him as cool as you please that she had been married before.*

doodliggen
I ⟨onov.ww.⟩ **0.1** [onbeweeglijk liggen] *lie still* ◆ **¶.1** lig dood! ⟨tegen hond⟩ *die!;*
II ⟨ov.ww.⟩ **0.1** [doden door erop te liggen] *overlie; overlay.*

doodlopen

I ⟨onov.ww.⟩ **0.1** [niet verder gaan] *come to an end/a dead end* ⇒*peter out*, ⟨straat ook⟩ *end in a cul-de-sac* **0.2** [⟨fig.⟩] *peter/fizzle out* ⇒ *lead nowhere, lead to nothing,* ⟨schr.⟩ *come to nothing* ◆ **1.1** ~e weg! *no through road; het spoor v.d. vos loopt dood the fox's trail peters out/comes to an end;* ~d steegje *blind alley;* een~de straat *a dead end, a cul-de-sac,* ᴮ*a no-through road;* ~de zijarm *blind arm of a river* **1.2** die beweging is spoedig doodgelopen *the movement soon petered/ fizzled out;* al hun onderzoekingen liepen dood *all their investigations led nowhere/to nothing;*

II ⟨wk.ww.:zich~⟩ **0.1** [zolang lopen dat men dood neervalt] *walk o.s. to death* **0.2** [zeer hard/lang lopen] *walk o.s. into the ground, walk one's feet/legs off* ⇒⟨inf.⟩ *walk like mad.*

doodmaken ⟨ov.ww.⟩ **0.1** [doden] *kill* **0.2** [⟨sport⟩] *kill* **0.3** [de mond snoeren] *silence* ⇒*shut up.*

doodmartelen ⟨ov.ww.⟩ **0.1** *torture to death.*

doodmoe ⟨bn.⟩ **0.1** *dead tired* ⇒*dead on one's feet, shattered, worn out, dead-beat* ◆ **3.1** iem. met zijn gezeur ~ maken *wear s.o. out with one's nagging, pester s.o. to death* **6.1** ~ worden van dat lawaai *be worn out by the noise;* ~ worden van het sjouwen *wear o.s. out lugging things about.*

doodnormaal ⟨bn., bw.;-ly⟩ **0.1** *quite/perfectly/absolutely normal.*

doodnuchter

I ⟨bn., bw.;-ly⟩ **0.1** [volkomen nuchter] *quite/perfectly sober* ⇒⟨inf.⟩ *sober as a judge, stone cold sober;*

II ⟨bw.⟩ **0.1** [op zeer nuchtere wijze] *coolly* ⇒*blandly, as cool as you please.*

doodongelukkig ⟨bn.⟩ **0.1** *utterly/thoroughly miserable/unhappy.*

doodongerust ⟨bn.⟩ **0.1** *worried to death* ⇒*worried sick.*

doodonschuldig ⟨bn., bw.;-ly⟩ **0.1** *perfectly innocent* ⇒⟨inf.⟩ *(as) innocent as a lamb.*

doodop ⟨bn.⟩ **0.1** *worn out* ⇒*shattered, dead-beat, washed-out,* ᴮ*fagged out* ◆ **6.1** ~ van dat werk *worn out/shattered by the work;* ~ van slaap /vermoeidheid *dead tired, dead on one's feet, unable to keep one's eyes open.*

doodpraten ⟨ov.ww.⟩ **0.1** *talk/do to death* ⇒*run into the ground* ◆ **1.1** een onderwerp helemaal ~ *run a subject right into the ground, do a subject to death, give a subject a good innings/a (good) run for its money.*

doodranselen ⟨ov.ww.⟩ **0.1** *thrash to death.*

doodrijden ⟨ov.ww.⟩ **0.1** [in het verkeer] *run over and kill* **0.2** [door rijden doden/uitputten] *ride to death* ⟨ook fig.⟩ ◆ **1.2** een paard ~ *ride a horse to death* **4.1** zich ~ *get o.s. killed (in a crash).*

doodrijder ⟨de (m.)⟩ ⟨AZN⟩ **0.1** *road hog* ⇒*maniac driver.*

doods ⟨bn.⟩ **0.1** [akelig] *deathly* ⇒*deathlike,* ⟨schr.⟩ *funereal* **0.2** [zonder leven] *dead* ⇒*dead-and-alive* **0.3** [zonder kleur] *ashen, deathly pale* **0.4** [zonder uitdrukking] *dead, wooden* ◆ **1.1** een~e stilte *a deathly hush/silence* **1.2** een~e buurt/straat *a dead neighbourhood/street;* een~ stadje/oord *a dead(-and-alive) little town/place* **1.3** een~ gelaat *an ashen face* **1.4** een~ gelaat *a dead/wooden expression* **3.2** wat is het hier~ *it's really dead (around) here.*

doodsakte ⟨de⟩ **0.1** *death certificate.*

doodsangst ⟨de (m.)⟩ **0.1** [angst voor de dood] *fear of death/dying* **0.2** [grote angst] *agony* ⇒*mortal fear, terror* ◆ **3.2** ~en uitstaan *be terrified/in mortal fear/mortally afraid, suffer agonies;* ⟨inf.⟩ *be scared stiff/to death;* ~en uitstaan dat iets verkeerd zal gaan *be terrified/in mortal fear/mortally afraid that sth. will go wrong/* ⟨schr.⟩ *lest sth. (should) go wrong* **6.2** in ~ verkeren/zitten *be terrified/in mortal fear/mortally afraid, be in an agony.*

doodsbang ⟨bn., bw.⟩ **0.1** *terrified* ⇒*mortally afraid,* ⟨inf.⟩ *scared stiff/to death* ◆ **3.1** iem. ~ maken *terrify s.o., scare/frighten s.o. stiff/to death, scare/frighten the (living) daylights out of s.o.;* zij was ~ voor haar baantje *she trembled for her job;* ~ zijn iets geks te doen/zeggen *be terrified/scared stiff of doing/saying sth. silly;* ~ zijn in een (blue) funk **6.1** voor iem. /iets ~ zijn *be t. of/scared stiff of s.o. / sth., stand in mortal fear of s.o. / sth..*

doodsbed ⟨het⟩ **0.1** *deathbed.*

doodsbedreiging ⟨de (v.)⟩ **0.1** *death threat.*

doodsbeenderen ⟨zn.mv.⟩ **0.1** *dead man's/human bones* ◆ **1.1** schedel en~ *skull and crossbones.*

doodsbenauwd ⟨bn.⟩ **0.1** [zo benauwd dat men bijna bezwijkt] *suffocating* ⇒*gasping for air* **0.2** [buitengewoon angstig] ⟨→doodsbang⟩ ◆ **3.1** de zieke was~ *the patient was s. / gasping for air.*

doodsbericht ⟨het⟩ **0.1** *obituary/funeral/death notice* ⇒⟨alg.⟩ *news of s.o.'s death.*

doodsbleek ⟨bn.⟩ **0.1** *deathly pale* ⇒*as white as a sheet* ◆ **3.1** er~ uitzien *look as white as a sheet* **6.1** ~ worden van woede *turn/go white with rage.*

doodschamen ⟨wk.ww.;zich~⟩ **0.1** *die of shame/embarrassment* ⇒*be terribly ashamed/embarrassed (about/over).*

doodschieten ⟨ov.ww.⟩ **0.1** *shoot (dead)* ⇒*shoot and kill* ◆ **2.1** hij is het ~ niet waard *death's too good for him/for that sort* **4.1** zichzelf ~ *shoot o.s..*

doodschop ⟨de (m.)⟩ **0.1** [schop die de dood tot gevolg heeft] *fatal kick*

0.2 [zeer harde schop] *violent/vicious/nasty kick* ◆ **3.2** iem. een ~ geven *give s.o. a vicious kick* **6.2** met een ~ haalde de achterspeler de topscorer onderuit *the back brought the top scorer down with a violent/vicious/nasty kick* ¶.2 ⟨sport;inf.⟩ een~ om een hoekie *a high and mean corner.*

doodschoppen ⟨ov.ww.⟩ **0.1** *kick to death* ◆ ¶.1 hij is het ~ niet waard *death's too good for him/for that sort.*

doodschrikken ⟨wk.ww.;zich~⟩ **0.1** *be frightened/terrified/scared to death* ⇒*be mortally afraid/frightened* ◆ ¶.1 hij schrok zich dood *he was scared to death/out of his wits, he got the fright of his life;* om je dood te schrikken! *how terrifying!, what a fright!.*

doodsdrift ⟨de⟩ **0.1** *death wish.*

doodserieus ⟨bn., bw.;-ly⟩ **0.1** *deadly serious* ⇒*solemn, grave,* ⟨inf.⟩ *dead serious.*

doodseskader ⟨het⟩ **0.1** *death squad.*

doodsgedachte ⟨de (v.)⟩ **0.1** *thought/idea of death.*

doodsgevaar ⟨het⟩ **0.1** *deadly peril* ⇒*mortal/deadly danger, danger of death* ◆ **6.1** in ~ zijn/verkeren *be in deadly peril/mortal danger.*

doodsgevaarlijk ⟨bn.⟩ ⟨AZN⟩ **0.1** *perilous* ⇒*mortally dangerous, hazardous, potentially fatal.*

doodsheid ⟨de (v.)⟩ **0.1** *deathliness.*

doodshemd ⟨het⟩ ⟨→sprw.674⟩ **0.1** *shroud* ⇒*winding sheet.*

doodshoofd ⟨het⟩ **0.1** [schedel] *skull* ⇒⟨fig.⟩ *death's-head* **0.2** [zeer mager, bleek gezicht] *cadaverous face* ⇒*face like death.*

doodshoofdaapje ⟨het⟩ **0.1** *squirrel monkey.*

doodshoofdvlinder ⟨de (m.)⟩ **0.1** *death's-head moth.*

doodsimpel ⟨bn.⟩ **0.1** *dead simple/easy* ⇒*child's play* ◆ **1.1** een~ zaakje *an open-and-shut case.*

doodskleed ⟨het⟩ **0.1** [lijkwade] *shroud* ⇒*winding sheet* **0.2** [op doodkist] *pall* **0.3** [⟨fig.⟩] *pall* ⇒*shroud.*

doodskleur ⟨de⟩ **0.1** *pallor/hue of death* ⇒*livid hue.*

doodsklok ⟨de⟩ **0.1** *funeral bell,* ⟨fig.; ook fig.⟩ *(death-)knell* ◆ **3.1** de ~ over iets luiden *ring/sound the (death-)knell of sth..*

doodskloppertje ⟨het⟩ ⟨dierk.⟩ **0.1** *death-watch beetle.*

doodskop ⟨de (m.)⟩ ⟨→doodshoofd.⟩

doodskreet ⟨de (m.)⟩ **0.1** *dying scream* ◆ **3.1** een~ slaken *give a d.s..*

doodslaan ⟨ov.ww.⟩ **0.1** [doden] *kill* ⟨ook fig.⟩ ⇒⟨door herhaaldelijk slaan doden⟩ *beat to death,* [met één slag] *strike dead* ◆ **1.1** een vlieg ~ *swat a fly* **6.1** ⟨fig.⟩ iem. met argumenten~ *silence s.o. / shut s.o. up with arguments* **8.1** al sla je me dood, ik zou het echt niet weten *for the life of me I don't know, (I'm) blessed if I know.*

doodslag ⟨de (m.)⟩ **0.1** *manslaughter;* ⟨vnl. AE⟩ *homicide* ◆ **1.1** daar komt moord en ~ van ⟨fig.⟩ *that will set the cat among the pigeons, there'll be hell to pay (when that gets out)* **6.1** wegens ~ veroordeeld *convicted of m..*

doodsmak ⟨de (m.)⟩ **0.1** [dodelijke smak] *fatal crash/smash* **0.2** [zware val] *cropper* ◆ **3.2** een ~ maken *come a c..*

doodsnood ⟨de (m.)⟩ **0.1** [stervensnood] *death agony/agonies* ⇒⟨lit. ook⟩ *death throes, throes of death, deathstruggle* ⇒ ⟨fig.⟩ *death throes* ⇒*fight to survive, death agony/agonies* ◆ **6.1** in ~ zijn *be in one's death agony/in the throes of death* **6.2** in ~ verkeren *be in one's death agony, be fighting to survive.*

doodsoorzaak ⟨de⟩ **0.1** *cause of death* ◆ **1.1** onderzoek naar de ~ van iem. *inquest on/concerning s.o.* **3.1** de ~ vaststellen *ascertain/establish the cause of death;* de ~ was een beroerte *death was caused by/was due to a stroke.*

doodspelen ⟨ov.ww.⟩ **0.1** *play to death.*

doodspuiten ⟨ov.ww.⟩ **0.1** [door spuiten doden] *give a fatal (over)dose/↓shot* **0.2** [⟨landb.⟩] *spray (with weedkiller)* ⇒*kill* **1.2** onkruid ~ *spray/kill weeds, use weedkiller* **4.1** de heroïneverslaafde heeft zich doodgespoten *the heroin addict gave himself a fatal (over)dose/shot/↓OD'd.*

doodsschrik ⟨de (m.)⟩ **0.1** *mortal fear/terror* ⇒⟨inf.⟩ *the fright of one's life* ◆ **1.1** iem. de ~ op het lijf jagen *frighten/scare s.o. out of his wits/ skin, give s.o. the fright of his life, scare s.o. stiff, scare the (living) daylights out of s.o..*

doodsslaap ⟨de (m.)⟩ **0.1** *sleep of death* ⇒*death-sleep.*

doodssnik ⟨de (m.)⟩ **0.1** *last gasp* ◆ **3.1** de ~ geven *give the last gasp,* ↑*breathe one's last;* ⟨scherts.⟩ *give up the ghost.*

doodsteek ⟨de (m.)⟩ **0.1** [dodelijke steek] *fatal stab/thrust* ⇒*deathblow* **0.2** [⟨fig.⟩ genadeslag] *coup de grâce* ⇒*deathblow, kiss of death, final blow* **0.3** [⟨fig.⟩ pijnlijk, kwetsend feit] *stab/thrust to the heart* ◆ **3.2** dat gaf hem de ~ *that finished him off* **6.3** die opmerking was een ~ voor hem *that comment cut him to the quick/stabbed him to the heart.*

doodsteken ⟨ov.ww.⟩ **0.1** *stab to death* ⇒*stab and kill.*

doodstil ⟨bn.⟩ **0.1** [dodelijk quiet/still;] *deathly quiet/still;* [bewegingsloos] *quite still, stock-still;* ⟨zwijgend⟩ *dead silent* ◆ **3.1** hij bleef ~ zitten *he sat stock-still/without moving a muscle;* het is in de handel ~ *trade is at a standstill, business is slack;* ~ blijven staan *stand stock-still/like a statue/without moving a muscle;* het was er ~ *it was deathly quiet;* het werd opeens ~ toen hij binnenkwam *there was a sudden hush when he came in.*

doodstraf ⟨de⟩ **0.1** *death penalty* ⇒*capital punishment,* ⟨oordeel⟩ *death* *(sentence)* ◆ **3.1** de ~ krijgen *be sentenced to death;* hier staat de ~ op *this is a capital offence, this is punishable by death.*

doodstrijd ⟨de (m.)⟩ **0.1** *death agony / agonies* ⇒⟨lit. ook⟩ *death throes, throes of death, death-struggle.*

doodsuur ⟨het⟩ **0.1** *hour of death* ⇒*dying / last / mortal / supreme hour.*

doodsverachting ⟨de (v.)⟩ **0.1** *contempt / disregard for death* ◆ **6.1** met ~ de vijand tegemoettreden *face the enemy with total contempt / disregard for death / without thought for one's own safety.*

doodsverlangen ⟨het⟩ **0.1** *longing for death.*

doodsvijand ⟨de (m.)⟩ **0.1** *mortal / deadly enemy* ⇒*arch-enemy* ◆ **3.1** zij zijn ~en (van elkaar) *they are arch-enemies, they are at daggers drawn.*

doodszweet ⟨het⟩ **0.1** [v.e. stervende] *death sweat* ⇒*sweat of death, death damps* **0.2** [⟨fig.⟩ angstzweet] *cold sweat.*

doodtij ⟨het⟩ **0.1** [zwakke eb en vloed] *neap tide* **0.2** [periode tussen eb en vloed] *slack water.*

doodtrappen ⟨ov.ww.⟩ **0.1** *kick to death* ⇒⟨onder de voet⟩ *trample (to death)* ◆ **2.1** hij is het ~ niet waard *death's too good for him / for that sort.*

doodvallen ⟨onov.ww.⟩ **0.1** [een dodelijke val maken] *fall to one's death* **0.2** [vallen en doodblijven] *drop / fall dead* ◆ **3.2** ik mag ~ als het niet waar is *if that isn't so I'll eat my hat / I'm a Dutchman / I'm a Chinaman* **6.**¶ hij zou op een (halve) cent ~ *he's a skinflint / money-grubber* ¶**.2** val dood! *drop dead!, go to hell!, to / the hell with you!.*

doodvechten ⟨wk.ww.; zich ~⟩ **0.1** [vechten tot de dood erop volgt] *fight to the death* **0.2** [zeer hard vechten] *fight hard / furiously / to the bitter end.*

doodverklaren ⟨ov.ww.⟩ ⟨fig.⟩ **0.1** [afgesproken actie] *send to Coventry, ostracize;* ⟨bij ontmoeting⟩ *cut dead.*

doodverklaring ⟨de (v.)⟩ ⟨fig.⟩ **0.1** *ostracism* ⇒*shunning.*

doodverlegen ⟨bn.⟩ **0.1** *at a loss* ⇒*at one's wits end* ◆ **5.1** ergens ~ mee zitten *be stuck with sth., be unable to get rid of sth., be unable to do anything / a thing with sth.* **6.1** om iets ~ zijn / zitten *be badly in need of / be stuck for sth..*

doodvermoeid ⟨bn.⟩ →**doodmoe**.

doodvermoeiend ⟨bn.⟩ **0.1** *exhausting* ⇒*wearing, wearying,* ⟨inf.⟩ *shattering.*

doodvervelend ⟨bn.⟩ **0.1** *deadly boring* ⇒*utterly boring.*

doodverven ⟨ov.ww.⟩ ⟨fig.⟩ **0.1** [voorbestemmen] *tip* **0.2** [doen voorkomen] *label* ◆ **1.1** de geoodverfde winnaar zijn *be tipped to win* **6.1** iem. met een ambt, post ~ *tip s.o. for an office / a post* **8.2** iem. ~ als de dader *lay it at s.o.'s door, label s.o. as the culprit;* iem. als reactionair ~ *label s.o. (as) reactionary.*

doodvissen ⟨ov.ww.⟩ **0.1** *fish out;* ⟨tot er bijna geen vis meer is⟩ *overfish.*

doodvonnis ⟨het⟩ **0.1** [vonnis] *death sentence* ⇒*sentence of death* **0.2** [einde] *death sentence* ⇒*death-warrant, kiss of death,* ⟨inf.⟩ *curtains, end of the line,* ⟨persoon ook⟩ *high jump* ◆ **3.1** het ~ voltrekken aan *execute, carry out the death sentence on* **3.2** zijn ~ horen van de dokter *receive one's death-warrant from the doctor;* je eigen ~ tekenen *sign your own death-warrant;* het ~ uitspreken / vellen over *pronounce / pass sentence of death on* **6.2** dat is het ~ **voor / over** onze handel *that's the d. s. / death-warrant / end of the line / kiss of death for our business / as far as our business is concerned.*

doodvriezen ⟨onov.ww.⟩ **0.1** *freeze / be frozen to death* ⇒*die of cold* ◆ ¶**.1** vriezen we dood dan vriezen we dood *we're just going to have to face it / go through with it, there's no way (a)round it, we've got to like it or lump it.*

doodwerken ⟨wk.ww.; zich ~⟩ **0.1** *work o.s. to death* ⇒*kill o.s. with overwork, work o.s. into the ground, work o.s. into an early grave* ◆ **3.1** moest zich bij hem ~ *he worked her to death, she had to work her fingers to the bone for him* **5.1** hij werkt zich niet bepaald dood *he's not exactly killing himself with overwork.*

doodwond ⟨de⟩ **0.1** *fatal wound* ⇒*mortal wound* ◆ **7.1** het is geen ~ ⟨fig.⟩ *that won't kill you, you'll live.*

doodziek ⟨bn.⟩ **0.1** [zwaar ziek] *critically / dangerously / ill* ⇒⟨dood volgt onvermijdelijk⟩ *mortally / fatally / terminally ill* **0.2** [⟨fig.⟩] *sick and tired* ⇒*sick to death* ◆ **3.1** je wordt ~ als je nu gaat zwemmen *you'll catch your death (of cold) if you go swimming now* **3.2** ik word ~ van die kat / van jouw gitaarspel *I'm (getting) sick and tired / sick to death of that cat / of your guitar playing.*

doodzonde¹ ⟨de⟩ **0.1** [⟨r.k.⟩] *mortal sin* **0.2** [onvergeeflijke fout] *mortal sin* ⇒*deadly sin* ◆ **3.2** dat is geen ~ *that isn't a mortal / deadly sin* **6.1** in ~ sterven *die in mortal sin* **7.2** de zeven ~n *the seven deadly sins.*

doodzonde² ⟨bn.⟩ **0.1** *a terrible / great pity, a terrible / great / crying / downright shame;* ⟨verspilling⟩ *a terrible / great waste.*

doodzwijgen ⟨ov.ww.⟩ **0.1** *hush up* ⇒*smother, keep quiet, keep dark,* ⟨inf.⟩ *keep under wraps* ◆ **1.1** we zullen deze zaak verder maar ~ *let's keep this dark / quiet / under wraps, let's keep quiet about this.*

doof ⟨bn., bw.; -ly⟩ **0.1** [slechthorend] *deaf* **0.2** [niet luisterend naar] *deaf* ◆ **1.1** een tikkeltje ~ zijn *be a shade d.;* ⟨inf.⟩ *have cloth ears, be cloth-eared* **3.1** ik ben niet ~! *I'm not d.!;* zich ~ houden, horende ~ zijn *act / play d., pretend not to hear;* helemaal ~ worden *become / go*

---

stone d. **3.2** ~ blijven voor *turn a d. ear to, remain d. to* **5.1** muzikaal ~ zijn *be tone-deaf;* Oostindisch ~ zijn *act / play d., pretend not to hear* **6.1** ~ **aan** één oor d. in one ear; ~ zijn **van** het lawaai *be d. with / deafened by the noise* **6.2** ~ zijn **voor** alle waarschuwingen *be d. to all warnings* **8.1** zo ~ als een kwartel ⟨AZN⟩ *kwakkel / pot (as) d. as a post, stone d..*

doofheid ⟨de (v.)⟩ **0.1** *deafness* ◆ **6.1** toenemende ~ **aan** het rechteroor *increasing d. in the / one's right ear.*

doofpot ⟨de (m.)⟩ **0.1** *extinguisher;* ⟨fig.⟩ *cover-up* ◆ **1.1** ⟨fig.⟩ politiek v.d. ~ *hush-hush policy* **2.1** een koperen ~ *a copper e.* **6.1** ⟨fig.⟩ die zaak is in de ~ *this has been covered up / hushed up / swept under the carpet / kept dark;* ⟨fig.⟩ iets in de ~ stoppen *stifle / smother sth., cover / hush sth. up, sweep sth. under the carpet, keep sth. dark.*

doofpotaffaire ⟨de⟩ **0.1** *cover-up.*

doofstom ⟨bn.⟩ **0.1** *deaf-and-dumb* ⇒*deaf-mute* ◆ **1.1** ~me kinderen *deaf-and-dumb children.*

doofstomheid ⟨de (v.)⟩ **0.1** *deaf-mutism / -muteness.*

doofstomme ⟨de (m.)⟩ **0.1** *deaf-mute* ⇒*deaf-and-dumb person / man / woman* ◆ **1.1** de gebarentaal v.d. ~n *deaf-and-dumb language, sign language* ¶**.1** de ~ n *the deaf-mute, the deaf-and-dumb.*

doofstommenalfabet ⟨het⟩ **0.1** *finger / manual / deaf-and-dumb alphabet.*

doofstommeninstituut ⟨het⟩ **0.1** *institute for the deaf-and-dumb / the deaf-mute.*

dooi ⟨de (m.)⟩ **0.1** *thaw* ◆ **2.1** bij invallende ~ *when the / if a t. sets in* **6.1** wat moeten we doen bij ~? *what shall we do if it thaws / if there's a t.?;* ⟨fig.⟩ een ~ **in** de betrekkingen tussen Oost en West *a t. in East-West relations.*

dooien ⟨onp.ww.⟩ **0.1** *thaw* ◆ **1.1** ⟨weg⟩ de sneeuw *slush (y snow)* **3.1** het begon te ~ *it began to t., the thaw set in;* het ziet er naar uit dat het gaat ~ *it looks as if we're in for a thaw;* ⟨fig.⟩ het kan vriezen en het kan ~ *he / she* ⟨enz.⟩ *is sitting on the fence, he / she* ⟨enz.⟩ *won't commit himself / herself* ⟨enz.⟩ *either way* **4.1** het dooit hard *it is thawing fast.*

dooier ⟨de (m.)⟩ **0.1** *(egg) yolk* ◆ **2.1** een ei met een dubbele ~ *a double-yolked egg;* wilt u uw ei met een hele of een kapotte ~? *would you like your / the yolk whole or broken?.*

dooiervlies ⟨dierk.⟩ **0.1** *yolk bag / sac.*

dooievisjes(vr)eter ⟨de (m.)⟩ ⟨inf.⟩ **0.1** *wet blanket* ⇒*dismal Jimmy.*

dooiwater ⟨het⟩ **0.1** *melt-water.*

dooiweer ⟨het⟩ **0.1** *thaw.*

dook ⟨de⟩ **0.1** *dowel.*

doolhof ⟨de (m.)⟩ **0.1** [hof, tuin] *maze* ⇒⟨gesch.⟩ *labyrinth* **0.2** [ingewikkelde zaak] *maze* ⇒*labyrinth, jungle, (rabbit) warren* **0.3** [⟨anatomie⟩ deel van gehoororgaan] *labyrinth* ◆ **1.2** een ~ van belastingwetten *a m. / jungle of fiscal legislation;* de doolhoven v.d. politiek *the political m. / jungle* **6.2** een ~ van twijfel *a welter of indecision.*

doolweg ⟨de (m.)⟩ **0.1** *wrong way* ⇒*false track* ◆ **6.1** iem. op een ~ brengen *lead s.o. astray / into error;* op een ~ geraken *go astray.*

doop ⟨de (m.)⟩ **0.1** [⟨rel.⟩] *baptism* ⇒*christening* **0.2** [⟨plg.⟩] *feestelijke inwijding] inauguration* ⇒*christening* ◆ **1.1** ~ door onderdompeling *b. by immersion;* ~ op ziek / sterfbed *b. on one's sickbed / deathbed;* ⟨jur.⟩ *clinical b.* **1.2** de ~ v.e. klok *the christening / blessing of a bell;* de ~ v.e. schip *the christening / i. of a ship* **3.1** de ~ ontvangen *receive b., be baptized;* de ~ toedienen *administer b., baptize* **6.1** een kind ten ~ houden *present a child for b. / at the font* **6.2** ⟨scheep.⟩ ~ **onder** de linie *(the ceremony of) crossing the line.*

doopakte ⟨de⟩ **0.1** *certificate of baptism* ⇒*baptismal certificate.*

doopattest ⟨het⟩, **doopattestatie** ⟨de (v.)⟩ **0.1** *certificate of baptism.*

doopbekken ⟨het⟩ ⟨rel.⟩ **0.1** *baptismal / christening font* ⇒⟨voor onderdompeling⟩ *baptist(e)ry.*

doopbelofte ⟨de (v.)⟩ **0.1** *baptismal vows* ◆ **3.1** de ~ hernieuwen *renew one's baptismal vows.*

doopbewijs ⟨het⟩ **0.1** *certificate of baptism.*

doopboek ⟨het⟩ **0.1** *register of baptisms* ⇒*baptismal register,* ⟨BE ook⟩ ≠*parish register.*

doopceel ⟨de⟩ ⟨vero.⟩ **0.1** *certificate of baptism* ◆ **3.1** ⟨fig.⟩ iemands ~ lichten *bring out / lay bare / drag out / dredge up s.o.'s past, bring out s.o.'s skeleton(s) in the cupboard /* ⁿ*closet.*

doopfeest ⟨het⟩ **0.1** *christening feast / party.*

doopformulier ⟨het⟩ ⟨rel.⟩ **0.1** *baptismal formula* ⇒⟨hele dienst⟩ *baptismal service, order of baptism.*

doopgetuige ⟨de (m.)⟩ **0.1** *godparent.*

doopjurk ⟨de⟩ **0.1** *christening dress.*

doopkaars ⟨de⟩ ⟨r.k.⟩ **0.1** *baptismal candle.*

doopkapel ⟨de⟩ **0.1** *baptist(e)ry.*

doopkleed →**doopjurk**.

dooplid ⟨het⟩ ⟨rel.⟩ **0.1** *baptized member of a church* ◆ **3.1** ~ worden v.e. kerk *be baptized into a church.*

doopnaam ⟨de⟩ **0.1** *baptismal name* ⇒*Christian name, given name* ◆ **8.1** iem. N. als ~ geven *christen / baptize s.o. N..*

doopplechtigheid ⟨de (v.)⟩ **0.1** *christening / baptismal ceremony* ◆ **3.1** de ~ voltrekken *perform the c. c..*

doopregister ⟨het⟩ →**doopboek**.

doopsel ⟨het⟩⟨r.k.⟩ **0.1** *baptism* ⇒*christening* ◆ **1.1** het ~ des bloeds/ der begeerte *b. of blood/ desire* **3.1** het ~ hebben ontvangen *have received b., have been baptized.*

doopsgezind ⟨bn.⟩ **0.1** [de kinderdoop verwerpend] *Baptist;* ⟨ihb. Nederlands⟩ *Mennonite* **0.2** [mbt. de Doopsgezinde gemeenten] *Mennonite* ◆ **1.1** de Doopsgezinde gemeenten *the M. communities* **7.2** een Doopsgezinde *a Baptist/ Mennonite.*

doopsuiker ⟨de (m.)⟩⟨AZN⟩ **0.1** *sugared almonds (given on the occasion of baptism).*

doopvont ⟨de⟩ **0.1** *(baptismal) font.*

doopwater ⟨het⟩ **0.1** *baptismal water.*

door[1] ⟨bw.⟩ **0.1** [mbt. het plaatshebben v.e. beweging] *through* **0.2** [mbt. het plaatsgevonden hebben van iets] *through* ⇒*over, out* **0.3** [gedurende] *through* ◆ **1.1** de kast kan de deur niet ~ *the cupboard won't go t. the door;* hij liep de tuin ~ *he walked t. the garden* **1.2** ik ben het boek ~ *I've got t. the book, I've finished the book;* wij zijn het bos ~ *we're out of the forest* **1.3** de hele dag ~ *all day long, throughout the day;* zijn hele leven ~ *his whole life long, throughout his life* **3.2** de zweer is ~ *the ulcer has burst/* ⟨med.⟩ *perforated;* mijn schoenen zijn ~ *my shoes are worn out* **5.1** ⟨fig.⟩ het kan ermee ~ *it's passable* **6.1** de tunnel gaat **onder** het water ~ *the tunnel passes under the water;* ⟨fig.⟩ zij lachte ~ haar tranen heen/**onder** haar tranen ~ *she laughed t. her tears* **6.¶** **tussen** de bedrijven ~ *in between (jobs);* **tussen** de buien ~ *between showers* **8.¶** ik ben ~ en ~ nat/ koud *I'm wet through (and through), I'm chilled to the bone;* hij is een ~ en ~ fatsoenlijke kerel *he's an out-and-out gentleman/ a gentleman to the core/ through and through;* zij kent het land en de mensen ~ en ~ *she knows the country and the people like the back of her hand;* ~ en ~ slecht *rotten to the core, thoroughly bad;* ~ en ~ eerlijk *perfectly honest.*

door[2] ⟨vz.⟩ **0.1** [mbt. een zijde] *through* **0.2** [mbt. een ruimte] *through* **0.3** [mbt. een opening/ doorgang] *through* **0.4** [mbt. een vermenging] *through* ⇒*into* **0.5** [middels] *through* ⟨vanwege] *because of* ⇒ ↑*owing to, by, with* **0.7** [⟨in passieve zinnen⟩] *by* ◆ **1.1** ⟨fig.⟩ dat is mij ~ het hoofd gegaan/ geschoten *I clean forgot;* de kogel drong ~ de plaat *the bullet went t. the plate* **1.2** ~ heel Europa *throughout Europe, all over Europe;* ~ Frankrijk reizen *travel t. France;* hij vertrok ~ de tuin *he left via/ through the garden* **1.3** ~ rood/ oranje rijden *jump the light;* z'n hoofd ~ het venster steken *stick/ put one's head t. the window* **1.4** zout ~ het eten doen *mix/ stir salt into the food* **1.6** ~ zijn optreden alles bederven *ruin everything by/ with one's behaviour;* ~ de rook niets meer kunnen zien *not be able to see for the/ because of the/ with the smoke;* ~ het slechte weer *because of/ owing to the bad weather;* ~ ziekte verhinderd *prevented by illness from coming/ attending* **1.9¶** zij werden ~ de menigte toegejuicht *they were cheered b. the crowd* **1.¶** ~ de jaren heen *over the years;* ~ de week *through the week, on weekdays* **3.5** ~ ijverig te werken, kun je dat doel bereiken *you can reach that goal by working hard* **3.6** dat komt ~ jou *that's (all) because of you, it's all your fault* **4.4** alles lag ~ elkaar *everything was in a mess/ muddle, everything was all muddled up* **4.5** ~ haar heb ik hem leren kennen *she introduced me to him, I met him thanks to her* **4.7** ~ wie is dat geschreven? *who wrote it?. who(m) was/ is it (written) b.?, b. who was it written?* **4.¶** een ~ hem geschreven brief *a letter written b. him.*

doorademen ⟨onov.ww.⟩ **0.1** [aanhoudend ademen] *keep (on)/ go on breathing* ⇒*continue breathing/ to breathe* **0.2** [diep ademen] *breathe deeply* ⇒*take a deep breath* ◆ **5.2** adem eens flink door *take a good deep breath.*

dooraderen ⟨ov.ww.⟩ **0.1** *vein* ◆ **5.1** blauw dooraderd marmer *blue-veined marble.*

doorbakken ⟨bn.⟩ **0.1** *well-done* ◆ **1.1** goed/ niet goed ~ brood *well-baked/ slack-baked bread.*

doorbellen ⟨ov.ww.⟩ **0.1** *pass on (by (tele)phone)* ⇒*phone through.*

doorberekenen ⟨ov.ww.⟩ **0.1** *pass on, on-charge* ◆ **1.1** doorberekende kosten *on-charged expenses* **6.1** de belastingverhoging in de prijzen ~ *pass on the tax increase to the customer.*

doorbetalen ⟨ov.ww.⟩ **0.1** *keep (on)/ go on paying* ⇒*continue paying/ to pay* ◆ **1.1** doorbetaalde vakantie *paid holiday/* ᴬ*vacation, holiday/* ᴬ*vacation with pay* **¶.1** onze bank zorgt dat alles wordt doorbetaald *our bank will ensure that everything continues to be paid.*

doorbetaling ⟨de (v.)⟩ **0.1** *continued payment* ◆ **6.1** met ~ van loon bij ziekte *with continuation of pay/ continued payment of wages in the event of sickness.*

doorbijten

I ⟨onov.ww.⟩ **0.1** [met kracht bijten] *bite (hard)* **0.2** [⟨schei.⟩] *etch/* ⟨inf.⟩ *eat through* **0.3** [voortgaan met bijten] *keep (on)/ go on biting* ⇒*continue biting/ to bite,* ⟨fig.⟩ *keep trying, grit one's teeth, keep at it* ◆ **1.1** de hond beet niet door *the dog didn't bite hard;* de vis beet niet door *the fish was only nibbling* **1.2** het zuur is helemaal doorgebeten *the acid has etched/ eaten (its way) right through* **4.3** zich ergens ~ *grit one's teeth, grin and bear it, lump it;*

II ⟨ov.ww.⟩ **0.1** [stukmaken, verdelen] *bite through* **0.2** [geheel doen vergaan] *eat through/ away* ◆ **1.1** ⟨fig.⟩ een zure appel ~ *grit one's teeth, grasp the nettle, take the bull by the horns;* een touw ~ *bite*

through a rope **1.2** het leer is doorgebeten *the leather has been eaten away/ through.*

doorbijter ⟨de (m.)⟩ **0.1** *trier* ⇒*stayer, dogged person/ type.*

doorbladeren ⟨ov.ww.⟩ **0.1** [bladerend doorlopen] *leaf through* ⇒*flick through, skim through, glance through,* ⟨boek ook⟩ *thumb through* **0.2** [⟨comp.⟩] *page, browse* ◆ **1.1** de krant ~ *leaf/ flick/ glance/ skim through the paper.*

doorblazen

I ⟨onov.ww.⟩ **0.1** [krachtig blazen] *blow hard* ◆ **1.1** de wind blies stevig door *the wind blew hard;*

II ⟨ov.ww.⟩ **0.1** [ergens doorheen blazen] *blow through* ◆ **1.1** je moet het ventiel eens goed ~ *you must give a good hard blow through the valve.*

doorbloed ⟨bn.⟩ **0.1** *rare, underdone* ⇒⟨inf.⟩ *bloody* ◆ **1.1** ik heb mijn vlees graag ~ *I like my meat rare/ underdone.*

doorbloeden ⟨onov.ww.⟩ **0.1** [aanhoudend bloeden] *keep (on)/ go on bleeding* ⇒*continue bleeding, to bleed, bleed away* **0.2** [bloed doorlaten] *saturate with blood* ⟨zie 1.2⟩ ◆ **1.2** dat verband is geheel doorgebloed *that bandage is completely saturated with blood/ completely bloody.*

doorbloeier ⟨de (m.)⟩⟨plantk.⟩ **0.1** *perpetual/ long-flowering/ remontant plant/ flower.*

doorbomen

I ⟨onov.ww.⟩ **0.1** [(een boot) blijven bomen] *go on poling/ punting* **0.2** [blijven praten] *go on talking/ chatting/ arguing/* ⟨enz.⟩*(about)* ⇒ *spin a yarn;*

II ⟨ov.ww.⟩ **0.1** [(een boot) doen doorgaan] *pole/ punt on(ward)/ ahead.*

doorborduren ⟨onov.ww.⟩ **0.1** *keep (on)/ go on embroidering* ⇒*continue embroidering/ to embroider, embroider away (on)* ⟨ook fig.⟩ ◆ **6.1** op iets ~ ⟨fig.⟩ *embroider (away) on/ enlarge on sth..*

door'boren[1] ⟨ov.ww.⟩ **0.1** *drill (through)* ⇒*bore (a hole in), pierce,* ⟨gaatjes maken⟩ *perforate, tunnel* ⟨berg⟩, ⟨met blikken/ steekwapen⟩ *pierce, stab, transfix,* ⟨spietsen⟩ *impale,* ⟨met horens⟩ *gore* ◆ **1.1** ⟨fig.⟩ de blikken *piercing gazes, gimlet eyes;* een doorboord plankje *a drilled plank, a plank with holes bored/ drilled in it* **6.1** iem. met een bajonet ~ *transfix s.o./ run s.o. through with a bayonet;* een met kogels doorboord lijk *a bullet-riddled corpse;* ⟨fig.⟩ iem. met zijn blikken ~ *transfix s.o. with one's looks/ eyes, look piercingly at s.o..*

'doorboren[2]

I ⟨onov.ww.⟩ **0.1** [voortgaan met boren] *keep (on)/ go on drilling/ boring* ⇒*continue drilling/ boring/ to drill/ bore* **0.2** [in iets doordringen] *drill* ⇒*bore;*

II ⟨ov.ww.⟩ **0.1** [door iets dringen] *drill through* ◆ **1.1** hij heeft de plank helemaal doorgeboord *he has drilled right through the board.*

'doorboring[1] ⟨de (v.)⟩ **0.1** [met boor] *drilling;* ⟨spietsing⟩ *impalement;* ⟨v.e. berg⟩ *tunnelling* ᴬ*ling.*

door'boring[2] ⟨de (v.)⟩ **0.1** [met boor] *drilling* ⇒*boring, piercing,* ⟨gaatjes⟩ *perforating, tunnel* ⟨berg⟩, ⟨met blikken/ steekwapen⟩ *piercing, stabling,* ↑*transfixion,* ⟨spietsing⟩ *impalement,* ⟨met horens⟩ *goring,* ⟨met kogels⟩ *riddling.*

doorbraak ⟨de⟩ **0.1** [het door-/ stukbreken] *bursting* ⇒*collapse,* ⟨med.⟩ *fracture, rupture* **0.2** [het door een obstakel heenbreken] *break-through;* ⟨sport ook⟩ *break* **0.3** [plaats] *break* ◆ **1.1** de ~ v.e. dijk *the collapse/ b. of the dike* **1.2** ⟨fig.⟩ ~ v.e. politieke partij *the break-through of a political party* **2.1** een politieke ~ *a political break-through;* na een snelle ~ scoorde hij de winnende treffer *he scored the winning goal after a rapid break(through)* **3.2** een ~ forceren *force a breakthrough* **6.2** ⟨fig.⟩ de ~ in een impasse/ onderzoek *the break-through in a deadlock/ in research;* ⟨fig.⟩ zijn voorstel betekende een ~ **in** de vastgelopen onderhandelingen *his proposal broke the deadlock in the talks/ was a breakthrough in the deadlocked talks.*

doorbranden

I ⟨onov.ww.⟩ **0.1** [voortgaan met branden] *keep (on)/ go on burning, burning* ⇒*continue burning/ to burn, burn on/ away* **0.2** [door en door branden] *burn through/ away* ⇒*burn properly* **0.3** [stukgaan] *burn out* ◆ **1.3** een doorgebrande kachel *a burnt-out stove;* een doorgebrande lamp *a burned-out (light) bulb* **3.1** het pakhuis bleef maar ~ *the warehouse kept on burning* **3.2** de kachel wil niet ~ *the stove will not burn properly;*

II ⟨ov.ww.⟩ **0.1** [in twee delen scheiden] *burn through* ◆ **1.1** de safedeur was doorgebrand *the door of the safe had been burned through.*

door'breken[1] ⟨ov.ww.⟩ **0.1** *break (through)* ⇒*burst (through), breach* ⟨ook fig.⟩ ◆ **1.1** een afzetting/ kordon ~ *break/ burst through a barrier/ cordon;* het finishlint ~ *breast the (finishing) tape;* de geluidsbarrière ~ *break/ burst the sound barrier;* de vijandelijke linies ~ *break/ burst through/ breach the enemy lines;* ⟨fig.⟩ de partijbindingen ~ *cut across party lines;* ⟨fig.⟩ de sleur ~ *break out/ get out of a rut;* een moeilijk te ~ spiraal *a spiral that is hard to break out of;* ⟨fig.⟩ de stilte ~ *break the silence;* ⟨fig.⟩ een taboe ~ *break down a taboo.*

'doorbreken[2]

I ⟨onov.ww.⟩ **0.1** [stuk-/ openbreken] *break (apart/ in two)* ⇒*break up, burst* ⟨ook gezwel, *perforate* ⟨zweer⟩ **0.2** [door iets heen bre-

ken] *break through* ⇒*come through*, ⟨tanden ook;schr.⟩ *erupt* **0.3** [opvallend op de voorgrond treden] *break through* ⇒*make it* ◆ **1.1** de dijken v.d. rivier zullen ~ *the river dykes will burst;* het gezwel brak door *the swelling burst/ruptured;* doorgebroken kamers *open-plan rooms* **1.2** de midvoor is doorgebroken tot vlak voor het doel *the centre forward broke through to right in front of the goal;* de tandjes zullen snel ~ *the teeth will come through fast;* de zon zal spoedig ~ *the sun will break through soon* **6.2** de vijand probeerde door te breken **naar** de kust *the enemy attempted a break-through/to break through to the coast;*
II ⟨ov.ww.⟩ **0.1** [in twee delen scheiden] *break (in two)* ⇒⟨stok ook⟩ *snap (in two)*.

doorbrengen ⟨ov.ww.⟩ **0.1** *spend* ⇒⟨schr.⟩ *pass* ◆ **1.1** de dag half slapend/feestend ~ *spend the day drowsing/feasting, drowse/feast the day away;* hoe heb je de middag doorgebracht? *how did you spend the afternoon?*, ↓*what did you do with yourself this afternoon?;* ergens de nacht ~ *spend the night/stay overnight somewhere;* zijn vakantie/wittebroodsdagen/de zomer ~ aan/in *spend one's holiday/honeymoon/the summer in/at* **6.1** de avond werd doorgebracht **met** dia's kijken *the evening was spent looking at slides;* de dag **met** nietsdoen ~ *spend the day doing nothing/idling, idle the day away.*

doorbuigen
I ⟨onov.ww.⟩ **0.1** [bocht aannemen onder een last] *bend* ⇒*sag, give* **0.2** [buiging voortzetten] *bend further (over)* ⇒*bow deeper* ◆ **1.1** het vlondertje boog sterk door *the plank-bridge sagged/gave badly* **1.2** die jongen kan wel dieper ~ *the boy must be able to bend further (over)/bow deeper;*
II ⟨ov.ww.⟩ **0.1** [door druk doen ombuigen] *bend.*

doordacht ⟨bn.⟩ **0.1** *well thought-out* ⇒*well-considered, ripe* ⟨oordeel⟩ ◆ **1.1** in goed ~e bewoordingen *with well-considered words* **5.1** het plan is goed ~ *the plan has been well thought-out.*

doordat ⟨vw.⟩ **0.1** *through (the fact that), because (of the fact that)* ⇒ *owing to/as a result of/on account of (the fact that), in that* ◆ **¶.1** ze verschillen ~ ze verschillende betekenissen hebben *they differ in that they have different meanings;* ~ ze tijd had *owing to her having/to the fact that she had no time;* ~ er gebrek aan geld was *through lack of money, through there being no money;* ze lijken op elkaar ~ ze rood haar hebben *they are alike in that they have red hair;* de auto bleef steken, ~ er geen benzine meer was *the car broke down as a result of running out of petrol.*

door'denken[1] ⟨ov.ww.⟩ **0.1** *think through* ⇒*consider fully* ◆ **1.1** heb je de gevolgen wel goed doordacht? *have you thought through the consequences?, have you considered the consequences fully?.*

'doordenken[2] ⟨onov.ww.⟩ **0.1** *reflect* ⇒*think, consider* ◆ **5.1** maar als je wat dieper doordenkt ... *but if you reflect/consider more deeply ..., but if you think it out ...;* als je even doordenkt/door had gedacht *if you think/had thought for a moment, if you give/had given it a moment's thought;* hij heeft niet doorgedacht *he didn't think (it out);* laten we maar niet zover ~ *let's not think as far as that* **6.1** **over/op** iets ~ *reflect on/think over sth., think sth. out.*

doordenker ⟨de (m.)⟩ **0.1** [persoon] *deep thinker* **0.2** [opmerking] *deep one* ◆ **3.2** dat is een ~ *you have to think about that one, that's a deep one.*

door-de-weeks ⟨bn.⟩ **0.1** *weekday* ⇒*workaday* ◆ **1.1** ~e bezigheden *weekday activities;* op een ~e dag/avond *on a weekday/week-night;* zijn ~e schoenen *his weekday/workaday shoes.*

doordien ⟨vw.⟩ **0.1** *through (the fact that), because (of the fact that)* ⇒ *owing to/as a result of/on account of (the fact that), in that.*

doordoen ⟨ov.ww.⟩ **0.1** [⟨AZN⟩ door de zeef laten gaan] *sieve* ⇒*strain* **0.2** [⟨AZN⟩ verkwisten] *run/get/go through* **0.3** [doorschrappen] *write off* ⇒*cross off, give up on, give up for lost* ◆ **4.3** ⟨fig.⟩ je kunt hem wel ~ *you can write him off/give him up (for lost)/give up on him.*

doordouwen
I ⟨onov.ww.⟩ **0.1** [doorzetten] *keep trying* ⇒*keep at it* **0.2** [⟨verkeer⟩] *insist on one's right of way* ⇒*blithely take one's right of way,* ⟨ruimer⟩ *drive like a maniac;*
II ⟨ov.ww.⟩ **0.1** [doordrukken] *push through* ⟨ook fig.⟩ ◆ **1.1** ⟨fig.⟩ zijn plannen ~ *push one's plans through.*

doordouwer ⟨de (m.)⟩ **0.1** [doorzetter] *trier* ⇒*stayer,* ⟨inf.⟩ *dogged person/type* **0.2** [⟨verkeer⟩] *cowboy* ⇒*roadhog.*

doordraaien
I ⟨onov.ww.⟩ **0.1** [voorbij een punt draaien] *revolve* **0.2** [verder draaien] *keep (on)/go on turning* ⇒*continue turning/to turn,* ⟨fig.⟩ *go on, keep moving* **0.3** [doldraaien] *slip* ⇒*not bite, have/be stripped* ◆ **1.1** ~de deuren *revolving doors* **1.2** ⟨fig.⟩ het werk moet ~ *the work must go on/keep moving* **3.2** de motor laten ~ *keep the engine running/on* **3.3** ⟨fig.⟩ ik voel me nogal doorgedraaid *I feel pretty worn out;*
II ⟨ov.ww.⟩ **0.1** [door iets heen laten gaan] *twist/put through* **0.2** [mbt. groenten] *withdraw (from the market)* **0.3** [⟨inf.⟩ verkwisten] *run/get/go through* ◆ **1.1** ik zal er een schroef ~ *I'll put a screw in it.*

doordraaier ⟨de (m.)⟩ **0.1** *wastrel* ⇒*rake, gay dog,* ↑*man-about-town.*

doordrammen
I ⟨onov.ww.⟩ **0.1** [doorzeuren] *nag* ⇒⟨inf.⟩ *go on* ◆ **5.1** wat dram jij door *you do go on!;* ⟨BE ook⟩ *you don't half go on!;*
II ⟨ov.ww.⟩ **0.1** [doordrijven] *harp on* ⇒*plug, push.*

doordrammer ⟨de (m.)⟩ **0.1** [zeurkous] *nagger* ⇒*pest* **0.2** [doordrijver] *pusher.*

doordrammerig ⟨bn., bw.⟩ **0.1** [zeurderig] *nagging* ⇒*pestering* **0.2** [doordrijverig] *pushing* ⇒*pushy.*

doordraven
I ⟨onov.ww.⟩ **0.1** [ondoordacht doorredeneren] *rattle/rabbit on/ blather on/let one's tongue run away with one (about)* **0.2** [verder draven] *keep trotting* ⇒*trot on* ◆ **¶.1** hij kan ook zó ~ *he does rattle/rabbit on, he lets his tongue run away with him;* wat draaf je weer door *you're off again!, there you go again!;*
II ⟨onov.ww.⟩ **0.1** [dravend gaan door] *trot through* ⇒*trot along/down/up* ⟨straat⟩.

doordraver ⟨de (m.)⟩, **-draafster** ⟨de (v.)⟩ **0.1** [doorprater] *rattle;* ⟨overdrijver⟩ *immoderate, fanatic.*

doordrenken ⟨ov.ww.⟩ **0.1** *soak (through)* ⇒*saturate, drench,* ⟨fig.⟩ *imbue* ◆ **1.1** het water had het papier doordrenkt *the water had soaked (through)/saturated the paper* **3.1** de grond raakte doordrenkt *the ground became/got/was getting saturated/sodden/was (getting) drenched* **6.1** een met bloed doordrenkt shirt *a blood-soaked shirt;* doordrenkt **van** revolutionaire ideeën *imbued with revolutionary ideas.*

doordrijven
I ⟨ov.ww.⟩ **0.1** [doorzetten] *push/force through* ⇒*enforce, impose* ⟨wil⟩, *press home* ⟨standpunt⟩ ◆ **1.1** hij wist zijn beslissingen door te drijven *he succeeded in forcing through his decisions;* zijn wil ~ *impose one's will/one's wishes, get/have one's way* **6.1** iets te ver/**tot** het uiterste ~ *carry things/go too far/to the (utmost) limit/to extremes;*
II ⟨onov.ww.⟩ **0.1** [doorzeuren] *nag* ⇒⟨inf.⟩ *go on* **0.2** [verder drijven] ⟨bep. kant op⟩ *float on/further;* ⟨niet zinken⟩ *go on floating* **0.3** [⟨scheep.⟩] *drift on/further* ◆ **3.1** je moet niet zo ~ *you mustn't go on so/like that, stop nagging!.*

doordrijver ⟨de (m.)⟩, **-drijfster** ⟨de (v.)⟩ **0.1** *headstrong/obstinate person* ⇒*driver,* ⟨inf.⟩ *self-willed whole-hogger.*

doordrijverij ⟨de (v.)⟩ **0.1** *obstinacy* ⇒*headstrongness, pushiness.*

doordringbaar ⟨bn.⟩ **0.1** *permeable (to), pervious (to)* ⟨warmte, vocht⟩; ⟨met het oog⟩ *penetrable;* ⟨met scherp instrument⟩ *pierceable.*

doordringbaarheid ⟨de (v.)⟩ **0.1** ⟨voor warmte/vocht⟩ *permeability, perviousness;* ⟨met het oog⟩ *penetrability;* ⟨met scherp instrument⟩ *pierceability.*

door'dringen[1] ⟨ov.ww.⟩ **0.1** [penetreren] *penetrate* ⇒*permeate* ⟨vocht; ook fig.⟩, ⟨fig. ook⟩ *pervade* **0.2** [volkomen overtuigen] *persuade* ⇒ *convince* ◆ **3.2** hij begint er eindelijk van doordrongen te raken dat het zo niet langer kan *it is finally getting through to him/sinking in/ dawning on him/he is finally awakening/waking up to the fact that this can't go on;* doordrongen zijn v.d. noodzaak ... *be convinced of/ persuaded of/imbued with the necessity of ...* **6.1** de lucht was doordrongen **van** rozegeur *the air was permeated by the perfume of roses, the perfume of roses permeated/saturated the air* **6.2** iem. **van** iets ~ *convince/persuade s.o. of sth..*

'doordringen[2] ⟨onov.ww.⟩ **0.1** *penetrate* ⇒*permeate* ⟨vocht; ook fig.⟩, ⟨fig.⟩ *get through, occur* ◆ **6.1** ~ in *penetrate; permeate, ooze/filter/ seep through* ⟨vocht⟩; *push out into* ⟨het onbekende⟩; **tot** iets ~ *penetrate as far as sth.; carry as far as sth.* ⟨stem⟩; ⟨fig.⟩ het drong niet **tot** hem door dat hij brutaal was *it didn't strike him/occur to him/dawn on him that he was being rude;* ⟨fig.⟩ niet **tot** iem. kunnen ~ *not be able to get through to s.o.;* bijna ongemerkt was zij **tot** de top doorgedrongen *she had worked her way up almost unnoticed;* ⟨fig.⟩ het drong allemaal niet meer **tot** hem door *none of it registered with him any more;* ⟨fig.⟩ iets **tot** iem. laten ~ *bring sth. home/get sth. across to s.o., make sth. register/sink in with s.o., make s.o. aware of sth., get sth. into s.o.'s head;* ⟨fig.⟩ de ernst v.d. situatie drong plotseling **tot** hem door *he suddenly became aware (of) how serious the situation was;* **tot** de kern v.d. zaak ~ *penetrate/go/get to the (very) heart/core of the matter.*

doordringend ⟨bn.⟩ **0.1** *piercing, penetrating* ⟨blik, koude, kreet⟩ ⇒ ⟨blik ook⟩ *searching, carrying* ⟨stem, geluid⟩, *pervasive* ⟨geur, instelling⟩, *pungent* ⟨geur⟩, *keen* ⟨verstand⟩ ◆ **1.1** een ~ geluid *a penetrating noise, a sound that carries (well);* een ~e koude *penetrating cold;* een ~e stem *a penetrating/carrying voice; a piercing voice* ⟨met hoge tonen⟩, *a stentorian voice* ⟨met lage tonen⟩; een ~ verstand *a penetrating mind* **3.1** iem. ~ aankijken *give s.o. a penetrating/piercing look.*

doordringendheid ⟨de (v.)⟩ **0.1** ⟨van blik/koude/kreet⟩ *piercingness, penetration;* ⟨van blik ook⟩ *searchingness;* ⟨van geluid⟩ *penetrating quality/character;* ⟨van geur/instelling⟩ *pervasiveness* ⟨van geur ook⟩ *pungency;* ⟨van verstand⟩ *keenness.*

doordrukken
I ⟨ov.ww.⟩ **0.1** [drukkend door iets heen brengen] *push/press/force through* **0.2** [⟨fig.⟩] *push/force through* ◆ **1.2** zijn eigen mening ~ *impose one's own view(s);* een plan ~ *push/force a plan through;*

II ⟨onov.ww.⟩ **0.1** [⟨druk.⟩] *show through* **0.2** [⟨foto.⟩] *burn in* ⇒ *print in* **0.3** [voortgaan met drukken] *keep (on)/go on printing, print-ing/pushing* ⟨enz.⟩ ⇒ *continue printing/to print/push* ⟨enz.⟩ ♦ **1.1** die letters drukken door *those letters show through*; het papier drukt door *the print shows through the paper*; ⟨inf.⟩ *the paper shows through.*

doordrukverpakking ⟨de (v.)⟩ **0.1** *strip.*

doorduwen
I ⟨onov.ww.⟩ **0.1** [voortgaan met duwen] *push on;*
II ⟨ov.ww.⟩ **0.1** [duwend een opening maken] *push through.*

dooreen ⟨bw.⟩ **0.1** *in a mess* ⇒in a jumble, higgledy-piggledy, jumbled *(up)* ♦ **3.1** alles lag ~ *everything was lying higgledy-piggledy/in a jumble* **3.¶** alles ~ genomen *on average, (when) averaged out.*

dooreengooien ⟨ov.ww.⟩ **0.1** *mix (up), jumble (together/up), throw into confusion* ⇒make hay of ⟨papieren⟩, *bundle/throw (together) higgle-dy-piggledy.*

dooreenhaspelen ⟨ov.ww.⟩ ⟨fig.⟩ **0.1** *jumble (up/together), mix (up)* ⇒ *muddle (up/together).*

dooreenmengen ⟨ov.ww.⟩ **0.1** *mix together* ⇒intermix, (im)mingle, ⟨zeldz.⟩ *commix* ♦ **1.1** twee lezingen v.e. tekst ~ *conflate/interweave two readings of a text;* waarheid en leugens ~ *mingle/interweave truth with falsehood.*

dooreenschudden ⟨ov.ww.⟩ **0.1** *shake (up/together)* ⇒shuffle ♦ **¶.1** in het rijtuig werd ze dooreengeschud *she was jolted (to pieces) in the carriage.*

dooreenvlechten ⟨ov.ww.⟩ **0.1** *intertwine, interlace* ⇒intertangle, inter-wind, interwreathe.

dooreenweven ⟨ov.ww.⟩ **0.1** *interweave* ⇒interwork, raddle.

dooreten ⟨onov.ww.⟩ **0.1** [voortgaan met eten] *carry on/keep (on)/go on eating* ⇒continue eating/to eat **0.2** [voortmaken met eten] *eat up (one's food)* ♦ **5.1** eet nu maar door *just carry on eating/keep (on) eating* **5.2** eet eens even door! *eat up now!;* dat kind eet niet goed door *that child doesn't eat up (his/her food) properly.*

doorfietsen ⟨onov.ww.⟩ **0.1** [met spoed/sneller fietsen] *speed up* ⇒ride/cycle/pedal faster **0.2** [doorheen fietsen] *cycle/ride through* **0.3** [voortgaan met fietsen] *keep (on) cycling/riding* ⇒go on cycling/rid-ing, continue cycling/to cycle/riding/to ride, cycle/ride on ♦ **1.2** een straat ~ *cycle/ride along/down/up a street* **1.3** wij zullen nog een kwartiertje ~ *we'll keep on riding for a quarter of an hour or so* **3.1** wij moeten ~, willen wij op tijd thuis zijn *we must speed up/pedal faster if we want to be home in time.*

doorgaan
I ⟨onov.ww.⟩ **0.1** [verder gaan] *go/walk on* ⇒continue **0.2** [voortgaan met een handeling] *continue (-ing, with)* ⇒go/carry on (-ing, with), persist (in/with), proceed (with) **0.3** [voortduren] *continue* ⇒go on, last **0.4** [door een ruimte/opening gaan] *go/pass through* ⇒pass **0.5** [geschieden] *take place* ⇒be held, be on **0.6** [ingaan op] *go into* **0.7** [aangezien worden voor] *pass for* ⇒pass o.s. off as, profess/claim to be, ⟨zonder bedrog⟩ *be considered (as)* **0.8** [heengaan, vluchten] *be off* ⇒go, get away/off **0.9** [opengaan] *burst (open);* ⟨med.⟩ *perforate, rupture* ♦ **1.5** het feest gaat door *the party is on;* zijn voorstel ging niet door *his proposal did not go through/come off* **3.2** hij bleef maar ~ over die ruzie, terwijl ik hem al lang vergeten was *he just kept/went on about that argument, whereas I had forgotten about it long ago* **3.5** iets laten ~ *allow sth. to take place/to be held;* iets niet laten ~ *cancel sth., call sth. off* **5.3** dit werk gaat altijd maar door *this work just keeps going on (and on)/is endless, there's no end to this work* **5.5** niet ~ *be off/called off/cancelled* **6.1** deze trein gaat door **tot** Amsterdam *this train goes on to/through to Amsterdam* **6.2** ~ **met** eten ⟨ook⟩ *carry on eating/with one's meal;* **tot** het uiterste ~ *persist/c. go on to the very/bitter end* **6.4** hij ging **onder** het poortje door *he went/passed through (beneath)/passed beneath the gateway/arch;* ⟨fig.⟩ **onder** het juk ~ *eat humble pie* **6.6 op** een zaak/detail ~ *go into a matter/into detail;* laten we daar maar niet **over** ~ *let's not go into/on about that, let's not press that point, shall we/let's drop that* **6.7** willen ~ **voor** iets/iem. *try to pass for/pass o.s. off as sth./s.o.;* zij gaat **voor** erg rijk door *she is said/thought to be very rich* **¶.2** dat gaat in één moeite door *we can do that as well while we're about it, we can kill two birds with one stone;*
II ⟨ov.ww.⟩ **0.1** [zich bewegen door] *go/pass through.*

doorgaand ⟨bn.⟩ **0.1** *through* ♦ **1.1** een ~ kaartje/reisbiljet nemen *buy a t. ticket;* ~e reizigers *t./on-going passengers;* ~(e) rijtuig/wagen *a t. carriage;* een ~e trein *a t. train;* ~ verkeer *t. traffic;* geen ~ verkeer *no t. traffic, no thoroughfare.*

doorgaans ⟨bw.⟩ **0.1** *generally* ⇒usually, as a rule.

doorgang ⟨de (m.)⟩ **0.1** [het doorgaan] *occurrence* **0.2** [opening] *passage(way)* ⇒way through, ⟨tussen banken, enz.⟩ *gangway,* ⟨ihb. kerk⟩ *aisle* **0.3** [gelegenheid] *passage* ♦ **2.2** ondergrondse ~ *under-ground/subterranean passage;* een ruime/nauwe ~ *a wide/narrow passage(way);* vrije ~ *free/open passage;* ⟨pol.⟩ *safe-conduct* **2.3** ver-boden/geen ~ ⟨voetpad⟩ *no (through) way, no right of way;* ⟨toe-gang⟩ *no entry, entry prohibited* **3.1** ⟨geen⟩ ~ hebben/vinden *(not) take place, (not) be held* **3.2** een ~ versperren/bezetten *block/close*

---

off a passage/a way through **3.3** ~ verlenen/weigeren *grant/refuse p..*

doorgangshoogte ⟨de (v.)⟩ **0.1** *headroom* ⇒⟨brug ook⟩ *height.*

doorgangshuis ⟨het⟩ **0.1** *(temporary) refuge/shelter;* ⟨fig.⟩ *clear-ing-house* ♦ **6.1** ⟨fig.⟩ Zürich is het ~ **voor** goud *Zurich is the clear-ing-house for gold.*

doorgangskamp ⟨het⟩ **0.1** *transit camp.*

doorgangsrecht ⟨het⟩ **0.1** *right of way/passage/entry.*

doorgeefluik ⟨het⟩ **0.1** *(serving-)hatch.*

doorgestoken ⟨bn.⟩ ♦ **1.¶** het is een ~ kaart *it's a put-up job/a fiddle/a fix, it's been cooked(-up)/rigged;* I've/he's ⟨enz.⟩ *been framed/it's a frame-up* ⟨gearrangeerde beschuldiging⟩.

doorgetript ⟨bn.⟩ **0.1** *constantly tripping/high* ♦ **3.1** hij is ~ *he never comes down, he's on a long high, he's stoned all the time.*

doorgeven
I ⟨ov.ww.⟩ **0.1** [verder geven/laten rondgaan] *pass (on/round)* ⇒ *hand on/round* **0.2** [overbrengen] *pass (on)* **0.3** [overdragen] *pass/hand on ⇒hand over* **0.4** [verder vertellen/bekend maken] *pass on ⇒ let (s.o.) know about,* ⟨inf.⟩ *let (s.o.) in on* ♦ **1.1** geef de fles eens door *pass the bottle round/on* **1.2** elkaar informatie ~ *pass informa-tion to one another* **1.3** die kennis/traditie is van geslacht op geslacht, van vader op zoon doorgegeven *that knowledge/tradition has been passed/handed on/down from generation to generation/from father to son;* een opdracht/taak ~ aan zijn opvolger *pass on/hand over a task/job to one's successor* **3.4** dat zal ik moeten ~ aan je baas *I shall have to inform/tell your boss about this/let your boss know about this* **6.2** een boodschap **aan** iem. ~ *pass a message (on) to s.o.* **¶.1** ~! *pass it on!;*
II ⟨onov.ww.⟩⟨AZN⟩ **0.1** [doorzakken] *give way* ⇒collapse.

doorgewinterd ⟨bn.⟩ **0.1** *seasoned* ⇒experienced.

doorglippen ⟨onov.ww.⟩ **0.1** *slip through.*

'doorgloeien¹
I ⟨onov.ww.⟩ **0.1** [voortgaan met gloeien] *glow on* **0.2** [door iets gloeien] *glow through* **0.3** [door en door gloeien] *glow through (and through);*
II ⟨ov.ww.⟩ **0.1** [door gloeien schaden/stukraken] *melt/burn through.*

door'gloeien² ⟨ov.ww.⟩ **0.1** *set aglow (with)* ⇒inflame, thrill (with), in-spire (with)* ⟨ook fig.⟩.

'doorgraven¹
I ⟨onov.ww.⟩ **0.1** [voortgaan met graven] *dig on;*
II ⟨ov.ww.⟩ **0.1** [door iets heen graven] *dig through* ⇒⟨berg ook⟩ *tunnel (through),* ⟨landlengte⟩ *pierce/cut through.*

door'graven² ⟨ov.ww.⟩ **0.1** *dig/turn up.*

doorgronden ⟨ov.ww.⟩ **0.1** *fathom* ⇒penetrate, plumb (the depths of) ♦ **1.1** iemands gedachte ~ *see into/read s.o.'s thoughts/mind;* een ge-heim ~ *get to the bottom of a mystery;* die man is niet te ~ *that man is inscrutable/a closed book;* iemands plannen ~ *see through s.o.'s plans* **5.1** moeilijk te ~ *difficult to fathom, unfathomable, impenetrable;* ⟨persoon⟩ *inscrutable.*

doorhakken ⟨ov.ww.⟩ **0.1** *chop in half/in two* ⇒split, cleave ♦ **1.1** ⟨fig.⟩ de knoop ~ *have done with it, take the plunge,* ⟨schr.⟩ *cut the Gordian knot.*

doorhalen
I ⟨ov.ww.⟩ **0.1** [door een opening naar zich toe trekken] *pull through* **0.2** [⟨fig.⟩ hekelen] *tell off* ⇒dress down, slate ⟨boek, film⟩ **0.3** [schrappen] *cross out* ⇒⟨schr.⟩ *delete, strike out, cross off* ⟨lijst⟩ **0.4** [door een vloeistof doen gaan] *immerse* ♦ **1.1** een pijp ~ *pull a pipe through* **1.3** een hypotheek ~ *cancel a mortgage;* een persoon ~ *cross out/off s.o.'s name;* een woord ~ *cross out/delete/strike out/scrap a word* **2.1** iem. (duchtig) ~ *give s.o. a (thorough) dressing-down, tell s.o. off (in no uncertain terms), haul s.o. over the coals, give s.o. a (proper) roasting* **¶.3** ~ wat niet van toepassing is *delete/strike out where not applicable;*
II ⟨onov.ww.⟩ **0.1** [doorzakken] ⟨→doorzakken **0.2**⟩.

doorhaling ⟨de (v.)⟩ **0.1** [geschrapt woord] *deletion* ⇒⟨inf.⟩ *cross-ing-out* **0.2** [het doorhalen] *deletion* ⇒cancellation, ⟨inf.⟩ *cross-ing-out.*

doorhangen ⟨onov.ww.⟩ **0.1** [zo hangen dat er een doorbuiging/uitzak-king ontstaat] *sag* **0.2** [mbt. deuren en ramen] *hang askew* ♦ **6.1** door het gewicht v.d. gordijnen hangt de rail door *the rail is sagging under the weight of the curtains.*

doorhebben ⟨ov.ww.⟩⟨inf.⟩ **0.1** *see (through)* ⇒be on to, be/get wise to ♦ **1.1** ik heb die grap door *I see/get the joke;* iem. ~ ⟨ook⟩ *have s.o. taped, have s.o.'s number,* ⟨sl.⟩ *cotton on/drop to s.o., psyche/figure s.o. out* **4.1** ik heb het door *I see (it), I get it, I've got it* **8.1** hij had het dadelijk door dat ... *he saw at once that ..., he was immediately on to the fact that ....*

doorheen ⟨bw.⟩ **0.1** *through* ♦ **5.1** zij komt er nooit ~ *she'll never get t. (it);* ⟨zieke ook⟩ *she'll never pull t. (it);* ik ben er ~/ erdoorheen *I'm t. (it), I've got t. (it), I've got it over with;* zich er ~/ erdoorheen slaan *get t. (it) somehow or other;* er ~ breken/gaan/kijken/zakken ⟨enz.⟩ *break/go/look/fall* ⟨enz.⟩ *t.;* er/hier/daar ~ *through (it/them/this/that/here/there).*

doorhollen ⟨onov.ww.⟩ **0.1** [voortgaan met hollen] *run on* ⟨ook fig.⟩ ⇒ *gallop on* ⟨ruiter, paard⟩ **0.2** [door een ruimte hollen] *run / race through*.

doorjagen
I ⟨onov.ww.⟩ **0.1** [voortgaan met haasten] *hurry / run / race on-(ward(s)) / ahead* **0.2** [voortgaan met de jacht] *hunt on* ⇒ *go on / continue hunting;*
II ⟨ov.ww.⟩ **0.1** [verkwisten] *squander* ⇒ *waste* **0.2** [wegjagen] *chase away / off.*

doorkiesnummer ⟨het⟩ **0.1** *direct-dialling number* ⇒ *dial-direct number,* ⟨BE ook⟩ *STD number.*

doorkiessysteem ⟨het⟩ **0.1** *direct-dialling system* ⇒ *dial-direct system,* ⟨BE ook⟩ *STD / subscriber trunk dialling system.*

doorkiezen ⟨onov.ww.⟩ **0.1** *dial direct* ⇒ ⟨BE ook⟩ *dial the / an STD number.*

doorkijk ⟨de (m.)⟩ **0.1** [gelegenheid] *view (through)* **0.2** [opening] *viewing-hole* ⇒ ⟨loergat⟩ *spyhole* **0.3** [tuinkunst] *vista.*

doorkijkblouse ⟨de (v.)⟩ **0.1** *see-through blouse.*

doorkijken
I ⟨onov.ww.⟩ **0.1** [door iets heen kijken / zichtbaar zijn] *look through* ⇒ *peer / peek out* ◆ **6.1 tussen** de hoofden ~ *peer / peek out among the heads;*
II ⟨ov.ww.⟩ **0.1** [beoordelen] *(have / take a) look / glance through / over* ⇒ *scan, skim (over), run / go through / over* ◆ **1.1** ik heb dat boek eens doorgekeken *I've had a look / glance through / over that book;* zijn werk nog eens ~ *have / take another look / glance through one's work, run / go through / over one's work again.*

doorkijkjurk ⟨de⟩ **0.1** *see-through dress.*

door'klieven[1] ⟨ov.ww.⟩ **0.1** ↑*cleave* ⇒ *cut (one's way) through* ◆ **1.1** zijn schip doorkliefde de baren *his ship ploughed through / cut through / clove / cleft / breasted the waves;* de vogels ~ de lucht *the birds speed / wing through the air;* een gil doorkliefde de lucht *a cry rent the air.*

'doorklieven[2] ⟨ov.ww.⟩ **0.1** *cleave / split / chop in two / in half.*

door'klinken[1] ⟨ov.ww.⟩ **0.1** *ring / (re)sound through(out)* ⇒ *fill with sound* ◆ **1.1** het gezang doorklinkt het hele huis *the singing rings / (re)sounds / is heard / can be heard through the (whole) house / throughout the house.*

'doorklinken[2]
I ⟨onov.ww.⟩ **0.1** [mbt. geluiden] *ring (out)* ⇒ *ring through, (re)sound, (be able to) be heard* **0.2** [zich hoorbaar maken] *be heard* ⇒ ⟨fig.⟩ *(be able to) be heard (in), be conveyed (by)* ◆ **1.1** zijn kreet klinkt het hele huis door *his shout rings (out) / (re)sounds through the whole house / throughout the house* **6.2** het geluid klonk **tot** ons door *the sound reached / came to our ears;* ⟨fig.⟩ de berusting die **uit** die woorden doorklinkt *the resignation that is heard / can be heard in his words / that his words convey;*
II ⟨ov.ww.⟩ **0.1** [⟨amb.⟩ klinken] *rivet* ⇒ *nail.*

doorknagen ⟨ov.ww.⟩ **0.1** *gnaw / chew through.*

doorkneed ⟨bn.⟩ **0.1** [terdege gekneed] *well-kneaded* **0.2** [bekwaam, ervaren] *seasoned* ⇒ *experienced / well-versed / steeped (in)* ⟨wetenschap, enz.⟩, ⟨vaardig⟩ *proficient* ◆ **1.2** een ~ diplomaat *an experienced / a s. diplomat* **3.2** ~ zijn in ⟨ook⟩ *have a thorough grasp of;* ⟨inf.⟩ *know all the ins and outs of.*

doorknippen ⟨ov.ww.⟩ **0.1** *cut through* ⇒ *snip through, cut / snip in half / in two.*

doorknoopjurk ⟨de⟩ **0.1** *button-through dress* ⇒ *coat dress.*

doorknooprok ⟨de (m.)⟩ **0.1** *button-through skirt.*

doorkoken ⟨onov., ov.ww.⟩ **0.1** *cook (right) through* ⇒ *heat / warm (right) through / thoroughly* ◆ **1.1** de soep moet nog wat doorkoken *the soup needs to heat / warm through a bit longer.*

doorkomen ⟨onov.ww.⟩ **0.1** [zijn / haar weg nemen] *come through / past / by* ⇒ *pass (through / by)* **0.2** [ten einde brengen] *get through (to the end)* ⇒ *make it through* **0.3** [door iets heen dringen] *come / get through* **0.4** [waarneembaar worden] *come out* ⇒ *show through / up* ◆ **1.1** de stoet moet hier ~ *the procession must come past / pass by here* **1.2** de dag / nacht / winter ~ *get / make it / ⟨zieke ook⟩ last through the day / night / winter;* een examen ~ *get through an examination;* de tijd ~ *pass (away) / w(h)ile away the time;* hoe komt Jan Splinter door de winter? *and what will the robin do then, poor thing* **1.3** de berichten die ~ zijn slecht *the reports coming through are bad;* zijn tanden komen door *he's cutting his teeth, his teeth are coming through;* de zon komt door *the sun comes / breaks through* **1.4** de koorts komt niet door *the fever is not coming out;* dat radiostation / programma komt niet goed door *the reception is not good on that station, there is interference in that programme* **6.1** zij kwam **tussen** de struiken door naar ons toe *she came towards us through the bushes* ¶**.2** er is geen ~ aan *there is no way to get through / to finish / of getting through / of finishing, there is no end to it* ¶**.3** de menigte was zo dicht, dat er geen ~ aan was *the crowd was so dense, that there was no way (of getting) through it.*

doorkrassen ⟨ov.ww.⟩ **0.1** *scratch out* ⇒ *cross out.*

doorkrijgen ⟨ov.ww.⟩ **0.1** [stuk krijgen] *get through* **0.2** [gaan begrijpen] *see through* **0.3** [ontvangen] *get* ◆ **1.2** iem ~ *see through s.o.;* ⟨sl.⟩ *cotton on / drop to s.o., psyche / figure s.o. out* **1.3** een bericht ~ *g. / receive a message.*

doorkruiden ⟨ov.ww.⟩ **0.1** *season* ⇒ *spice.*

door'kruisen[1] ⟨ov.ww.⟩ **0.1** [rondtrekken door] *traverse* ⇒ *roam, range (over), scour* ⟨op zoek⟩, ⟨fig.⟩ *cross, run / roam through* **0.2** [⟨fig.⟩ dwarsbomen] *thwart* ⇒ ⟨inf.⟩ *scupper, stymie* ◆ **1.1** hij heeft heel Frankrijk / alle zeeën doorkruist *he has travelled all over / traversed France / the oceans* **1.2** dat voorstel doorkruist mijn plannen *that proposal has thwarted my plans.*

'doorkruisen[2] ⟨ov.ww.⟩ **0.1** *cross out.*

doorkruising ⟨de (v.)⟩ **0.1** [het in alle richtingen door iets trekken] *traversing* **0.2** [het dwarsbomen van plannen] *thwarting* ⇒ ⟨inf.⟩ *scuppering, stymying.*

doorlaat ⟨de (m.)⟩ **0.1** *drain* ⇒ *culvert.*

doorlaatbaar ⟨bn.⟩ **0.1** *permeable.*

doorlaatpost ⟨de (m.)⟩ **0.1** *checkpoint.*

doorlaten ⟨ov.ww.⟩ **0.1** *let through / pass* ⇒ *allow through / to pass* ◆ **1.1** geen geluid ~ *be soundproof;* geen licht ~ *be opaque;* geen stof ~ *be dustproof;* deze stof laat geen water door *this material is waterproof* **4.1** hier wordt niemand doorgelaten *no one may pass / is allowed to pass, no one is allowed through here.*

doorlekken ⟨onov.ww.⟩ **0.1** *leak through.*

doorleren ⟨onov.ww.⟩ **0.1** *keep (on) studying* ⇒ *continue studying / with one's studies,* ⟨ihb.⟩ *stay (on) at school, go on to higher education.*

doorleven ⟨ov.ww.⟩ **0.1** *live through* ⇒ *spend,* ⟨schr.⟩ *pass* ◆ **1.1** de tijd in Indië doorleefde jaren *the years spent in the East Indies;* angstige ogenblikken ~ *live through / spend / have (some) anxious moments* **5.1** iets opnieuw ~ *relive sth., live sth. over again.*

doorlezen
I ⟨onov.ww.⟩ **0.1** [voortgaan met lezen] *read on* ⇒ *keep (on) / go on reading, continue reading / to read* ◆ ¶**.1** ~ op pag. 7 *turn to p. 7, now read on on p. 7, continued on p. 7;*
II ⟨ov.ww.⟩ **0.1** [ten einde toe lezen] *read (to the end / through)* ◆ **1.1** ik heb dat boek slechts vluchtig doorgelezen *I have only glanced / skimmed through that book* **5.1** iets zorgvuldig ~ *scrutinize / peruse / study sth..*

doorlichten ⟨ov.ww.⟩ **0.1** [licht doen schijnen in allen delen] *shine light through* ⇒ ⟨fig.⟩ *investigate, screen, vet* ⟨persoon⟩ **0.2** [met röntgenstralen onderzoeken] *X-ray* ⇒ ⟨schr.⟩ *radiograph* ◆ **1.1** ⟨fig.⟩ een bedrijf ~ *investigate a company* **4.2** zich laten ~ *get o.s. / be X-rayed, have an X-ray (taken).*

doorlichting ⟨de (v.)⟩ **0.1** [onderzoek met röntgenstralen] *X-ray (examination)* ⇒ ⟨schr.⟩ *radiograph(ic examination)* **0.2** [controlerend onderzoek] *investigation* ⇒ ⟨mbt. persoon⟩ *screening, vetting.*

doorliggen ⟨onov., ov.ww.⟩ **0.1** *have / get bedsores* ◆ **1.1** doorgelegen plek *bedsore;* zijn rug is doorgelegen *he has (got) bedsores on his back;* de zieke heeft zijn rug doorgelegen *the patient has (got) bedsores on his back* **3.1** om ~ te voorkomen *to prevent bedsores* **4.1** zich ~ *have / get bedsores.*

doorloop ⟨de (m.)⟩ **0.1** *passage(way)* ⇒ *way through, gangway* ⟨tussen banken, enz.⟩, ⟨ihb. kerk⟩ *aisle.*

door'lopen[1] ⟨ov.ww.⟩ **0.1** [doorkruisen] *walk / go / pass through* **0.2** [volgen] *go / pass through* ⇒ [afronden] *complete* ⟨cursus⟩ **0.3** [vluchtig lezen] *run / go / glance through* ◆ **1.1** de zon doorloopt in één jaar de 12 hemeltekens *in one year the sun passes through the 12 signs of the zodiac;* ik doorliep het hele park *I walked / went all over the park, I covered every inch of the park* **1.2** een school / cursus ~ *attend / go to a school, take a course;* alle stadia / fasen ~ *go / pass through / complete every stage / phase* **1.3** zijn aantekeningen nog even ~ *run / glance briefly through one's notes again.*

'doorlopen[2]
I ⟨onov.ww.⟩ **0.1** [lopen door iets] *walk / go / pass through* **0.2** [verder lopen] *keep (on) walking / going / moving* ⇒ *continue walking / moving / to walk / to move, walk / go / move on* **0.3** [mbt. kleuren] *run* **0.4** [niet onderbroken worden] *run on* ⇒ *carry on through, continue,* ⟨nummers ook⟩ *be consecutive* ◆ **1.1** de stad / poort ~ *walk / go / pass through the town / gate* **1.2** loop nog een stukje / eindje door *keep walking / going for a bit* **1.3** het blauw is doorgelopen *the blue has run* **1.4** de paginering van die twee delen loopt door *the page-numbering of the two parts runs on / is consecutive, the pages of the two parts are numbered consecutively* **5.3** flink / stevig ~ *step / walk / move along (briskly)* **6.1** hij liep tussen de struiken door *he walked / went through the bushes* **6.2** ~ **met** een ziekte *keep going / on one's feet despite being ill* **6.4** de eetkamer loopt door **in** de keuken *the dining-room runs (on) into / carries on through into the kitchen;* de aantekeningen lopen door **tot** bladzijde 30 *the notes run on / carry on through / continue up to page 30;* ~ **tot / naar** *walk / go on as far as / to* ¶**.2** ~ a.u.b.! *move along now, please!* ¶**.3** ⟨fig.⟩ het loopt door bij hem *he's not all there / not with it any more;*
II ⟨ov.ww.⟩ **0.1** [stuklopen] *wear out / through* ⇒ *make sore* ⟨voeten⟩ ◆ **1.1** zijn zolen / voeten ~ *wear out one's soles / feet;* ⟨voeten ook⟩ *get / become footsore.*

doorlopend ⟨bn., bw.; -ly⟩ **0.1** ⟨ononderbroken⟩ *continuous, continuing;* ⟨met onderbrekingen⟩ *continual;* ⟨opeenvolgend⟩ *consecutive* ◆ **1.1** een ~e hak *a wedge / all-in-one heel;* ~e kaart, een ~ abonnement *a season-ticket;* ⟨concerten ook⟩ *a subscription-ticket;* ~ krediet *revolving/continuous credit;* ~e lijfrente *perpetuity;* ~e order *standing order;* een ~e (spoor)wagen *an open (railway/^railroad) carriage;* een ~ verhaal *a continuous story;* een ~e voorstelling *a continuous performance* **2.1** hij is ~ dronken *he is continually/constantly drunk.*

doorloper ⟨de (m.)⟩ **0.1** [kruiswoordraadsel] *Mephisto crossword, Xenophon crossword* **0.2** [⟨mv.⟩ schaatsen] *safety speed-skates* **0.3** [postzegel] ≠*se-tenant stamp* ◆ **2.2** Friese ~s ≠*Frisian/Fen(land) skates.*

doorluchtig ⟨bn.⟩ ⟨schr.⟩ **0.1** *august* ⇒*illustrious* ◆ **1.1** (Uwe) Doorluchtige Hoogheid *(Your) Serene Highness.*

doorluchtigheid ⟨de (v.)⟩ **0.1** *illustriousness* ⇒*serenity.*

doormaken ⟨ov.ww.⟩ **0.1** *go/pass/live through* ⇒*experience, undergo* ◆ **1.1** een ontwikkeling ~ *undergo a development;* een moeilijke tijd ~ *g. t. hard times/a hard time, have a hard time (of it), go through a bad patch* ¶.**1** ik heb heel wat doorgemaakt *I have gone/been/lived through/seen a great deal.*

doormarcheren
I ⟨onov.ww.⟩ **0.1** [voortgaan met marcheren] *march on* ⇒*go on/continue marching;*
II ⟨ov.ww.⟩ **0.1** [marcherend doorlopen] *march through.*

doormeten ⟨ov.ww.⟩ ⟨tech.⟩ **0.1** *test (for) continuity* ◆ **7.1** het ~ *continuity testing.*

doormidden ⟨bw.⟩ **0.1** *in two* ⇒*in half* ◆ **3.1** iets ~ breken/snijden *break/cut sth. in two/in half;* iets ~ scheuren *tear sth. apart/across/asunder.*

doormodderen ⟨onov.ww.⟩ ⟨inf.⟩ **0.1** *muddle on* ⇒*blunder (one's way) on* ◆ **3.1** hij blijft maar ~ *he just keeps muddling on/blundering (his way) on.*

doorn ⟨de (m.)⟩ (→sprw. 518,643) **0.1** [uitsteeksel aan een plant] *thorn* **0.2** [struik, heester] *thorn-bush* **0.3** [uitsteeksel bij dieren] *spine* ⇒ ⟨van egel⟩ *spike* ◆ **1.1** (fig.) het leven is vol ~en en distels *life is not a bed of roses* **6.1** ⟨fig.⟩ dat is mij een ~ **in** het oog/vlees *that is a t. in my flesh/side;* (lelijk gebouw enz.) *an eyesore.*

doornat ⟨bn.⟩ **0.1** *wet through* ⇒*soaked (through), soaked to the skin, drenched* ◆ **3.1** ~ maken *soak (through), drench;* ~ worden *get soaked (through)/wet through* (enz.) **6.1** ~ **van** het zweet/de regen *drenched/bathed in sweat, rain-soaked.*

doornemen ⟨ov.ww.⟩ **0.1** [bestuderen] *go through/over* **0.2** [bespreken] *go over* ◆ **1.1** je moet die hoofdstukken nog eens goed ~ *you must go over/through these chapters again properly;* de post ~ *go through the post/*^*mail* **1.2** een scene met iem. ~ *go over a scene with s.o.* **5.1** een artikel vluchtig ~ *glance through/glance over/skim through/scan an article* **6.2** iets **met** elkaar ~ *go over sth. with each other/together.*

doornen ⟨bn.⟩ **0.1** [v.e. doorngewas] *thorn* **0.2** [van doornstruiken] *thorn* **0.3** [met doorns] *thorny.*

doornenkroon ⟨de⟩ **0.1** *crown of thorns.*

doornhaag ⟨de⟩ **0.1** *thorn-hedge.*

doornhaai ⟨de (m.)⟩ **0.1** *spiny dogfish.*

doornig ⟨bn.⟩ **0.1** *thorny* (ook fig.) ⇒*spiny* ◆ **1.1** ⟨fig.⟩ een ~ levenspad *a t. path.*

Doornroosje 0.1 *the Sleeping Beauty.*

doornstruik ⟨de (m.)⟩ **0.1** [doornige struik] *thorn-bush* **0.2** [gaspeldoorn] *gorse* ⇒*furze, whin.*

doornummeren ⟨ov.ww.⟩ **0.1** *number consecutively.*

doornvormig ⟨bn.⟩ **0.1** *thorn-shaped/-like.*

door'ploegen¹ ⟨ov.ww.⟩ **0.1** *plough* ^*plow* ⇒⟨fig.⟩ *furrow* ◆ **1.1** doorploegde akkers *ploughed fields;* ⟨fig.⟩ een doorploegd gelaat/gezicht *a furrowed/lined face;* de zee ~ *p. the ocean.*

'doorploegen² ⟨onov.ww.⟩ **0.1** *plough* ^*plow on* ⇒*keep (on) ploughing, go on ploughing, continue ploughing/to plough.*

doorploeteren ⟨onov.ww.⟩ **0.1** *plod/toil/plough* ^*plow on/(one's way) through* ⇒⟨ibb. BE ook⟩ *slog on.*

doorpraten
I ⟨onov.ww.⟩ **0.1** [voortgaan met praten] *keep (on) talking* ⇒*go on talking, continue talking/to talk, talk on;*
II ⟨ov.ww.⟩ **0.1** [grondig bespreken] *talk over/through* ◆ **1.1** deze zaak is nog niet voldoende doorgepraat *this matter has not yet been talked over/through sufficiently.*

doorprikken ⟨ov.ww.⟩ **0.1** [door prikken openen] *burst* ⇒*prick, puncture,* ⟨med.⟩ *lance* **0.2** [door iets heen prikken] *prick (through)* ⇒ *pierce* **0.3** [⟨fig.⟩ ontzenuwen] *burst* ⇒*prick* ◆ **1.1** een ballonnetje ~ *burst/prick a balloon/bubble;* een gezwel/blaar doorprikken *b. /prick/puncture/lance a tumour/blister;* ⟨fig.⟩ een doorgeprikte illusie *a shattered illusion* **1.3** (de houding van) iem. ~ *see through s.o..*

doorratelen ⟨onov.ww.⟩ **0.1** *rattle away/on* ⇒*chatter on,* ⟨haastig⟩ *rush on.*

doorredeneren ⟨onov.ww.⟩ **0.1** *continue a line of argument/reasoning* ⇒*follow a (line of) argument/reasoning through (to its conclusion/logical conclusion).*

doorregen ⟨bn.⟩ **0.1** *streaked* ⇒*streaky* ⟨spek⟩, *marbled* ◆ **1.1** ~ spek *streaky bacon;* ~ vlees/(runder)lapjes *streaked/marbled meat, (marbled) braising steak.*

doorregenen ⟨onov.ww.⟩ **0.1** [regen doorlaten] *leak* ⇒*let the rain*

---

through **0.2** [voortgaan met regenen] *keep on raining, rain continuously* ◆ **1.1** het dak regent door *the roof leaks/lets in the rain;* mijn jas is doorgeregend *my coat is soaked (through)/wet through;* deze jas regent beslist niet door *this coat is definitely waterproof* **4.1** het regent hier door *there is a leak here/the rain is coming in/through here* **4.2** het regende nog het hele weekend door *it kept (on) raining the whole weekend/throughout the weekend.*

doorreis ⟨de⟩ **0.1** *stop over* ⇒*stop off, passage, journey through* ◆ **6.1** hij was **op** ~ (naar Rome) *he was passing through/stopping over (on his way to Rome);* **op** zijn ~ door Texas *as he was travelling through Texas;* **op** mijn ~ blijf ik twee dagen in A. *I shall stop off for two days in A. on my trip, I shall break my journey for two days at A..*

doorreisvisum ⟨het⟩ **0.1** *transit permit/visa.*

doorreizen
I ⟨onov.ww.⟩ **0.1** [voortgaan met reizen] *continue travelling* ^*eling* ⇒ *keep on travelling/going* **0.2** [zijn reis voortzetten] *continue one's journey* ⇒*continue travelling, proceed, push/travel (on)* ◆ **1.1** wij hebben dag en nacht doorgereisd *we travelled night and day* **6.2** ze reist vandaag nog door **naar** A. *she is going on to A. today;*
II ⟨onov.,ov.ww.⟩ **0.1** [reizend doortrekken] *travel through* ◆ **1.1** ik heb heel Europa doorgereisd *I have travelled all through/over Europe.*

doorrennen ⟨onov.ww.⟩ **0.1** [verder rennen] *keep on/continue running* **0.2** [rennend doorlopen] *run through* ⇒*rush/race through* ◆ **1.2** hij rende het park door *he ran/rushed/raced through the park.*

doorrijden
I ⟨onov.ww.⟩ **0.1** [doorgaan met rijden] *keep on/continue driving/riding* ⇒*drive/ride on* **0.2** [verder rijden] *drive/ride on* ⇒*proceed, continue, push/carry (on), not stop* **0.3** [sneller rijden] *drive/ride faster* ⇒*increase speed* **0.4** [door iets heen rijden] *drive/ride through* ◆ **1.2** een ongeluk waarbij de bestuurder is doorgereden *a hit-and-run accident;* de bus reed door zonder stil te staan bij de halte *the bus carried on without stopping at the busstop* **1.4** hij reed de poort door *he drove through the gate* **3.3** je kunt hier nooit eens lekker ~ *you can never put your foot on it (along) here* **5.3** als we wat ~, zijn we er in een uur *if we step on it, we shall be/get there in an hour* **6.1** rijdt deze bus door **naar** het station? *does this bus go through to the station?* **6.2** ~ **na** een aanrijding *fail to stop after an accident;*
II ⟨ov.ww.⟩ **0.1** [door rijden stukmaken] *gall* ⟨paard⟩.

doorrijgen ⟨ov.ww.⟩ **0.1** *lace/thread through* ⟨veters⟩.

doorrijhoogte ⟨de (v.)⟩ **0.1** *head-room* ⇒*clearance, headway* ◆ **2.1** maximale ~ *maximum h.-r..*

doorrit ⟨de (m.)⟩ **0.1** [doorreis] *passage/journey through* **0.2** [doorgang] *passage* ◆ **6.1** ergens **op** ~ zijn *be passing through/stopping over somewhere.*

doorroeien ⟨onov.ww.⟩ **0.1** [voortgaan met roeien] *keep (on) rowing* ⇒ *row on, continue rowing/to row, go on rowing* **0.2** [snel(ler) roeien] *row fast(er)* **0.3** ⟨stud.⟩ opblijven] *make a night of it.*

doorroeren ⟨ov.ww.⟩ **0.1** *stir in/up* ⇒*mix (in/up)* ◆ **5.1** daarna goed ~ *then stir/mix in well.*

doorroesten ⟨onov.ww.⟩ **0.1** *rust through* ⇒*corrode* ◆ **1.1** het plaatwerk is helemaal doorgeroest *the metal plating has/is completely rusted through.*

doorroken
I ⟨onov.ww.⟩ **0.1** [doorgaan met roken] *continue smoking/to smoke;* ⟨inf.⟩ *go on/keep (on)/carry on smoking;*
II ⟨ov.ww.⟩ **0.1** [met rook doortrekken] *smoke (through)* ◆ **1.1** een pijp ~ *smoke in a pipe* **5.1** die bokking is goed doorgerookt *that bloater is well smoked.*

doorrollen ⟨onov.ww.⟩ **0.1** *roll on/along.*

doorrotten ⟨onov.ww.⟩ **0.1** *rot through.*

doorscharrelen ⟨onov.ww.⟩ **0.1** *muddle along/on* ◆ **1.1** de winter ~ *muddle/struggle through the winter.*

doorschemeren ⟨onov.ww.⟩ **0.1** [vaag zichtbaar zijn, schijnen] *shine through* ⇒*filter/glimmer/show through* **0.2** [enigermate kenbaar worden] *be hinted at* ⇒*be implied, be intimated* ◆ **3.2** hij liet ~ dat hij trouwplannen had *he hinted that he was planning to marry;* hij liet inderdaad al zoiets ~ *he did in fact drop a hint in that direction/imply some such thing.*

doorscheuren
I ⟨ov.ww.⟩ **0.1** [stukscheuren] *tear up* ⇒ ⟨in tweeën⟩ *tear in half* ◆ **1.1** hij scheurde de brief door *he tore the letter up;*
II ⟨onov.ww.⟩ **0.1** [stukgaan] *tear* ⇒*rip (through),* ⟨schr.⟩ *rend* ◆ **1.1** het papier scheurde door *the paper tore.*

door'schieten¹ ⟨ov.ww.⟩ **0.1** [doorboren] *riddle* ⟨met kogels⟩ **0.2** [⟨boek.⟩] *interleave* ⇒*interleaf* ◆ **1.1** de muur was doorschoten *the wall was riddled with bullets* **1.2** een doorschoten boek *an interleaved book.*

'doorschieten² ⟨onov.ww.⟩ **0.1** [verder schieten] *shoot through/past* **0.2** [voortgaan met schieten] *keep shooting* ⇒*fire on* ◆ **1.1** de bal schoot door *the ball shot through/past;* ⟨plantk.⟩ doorgeschoten slaplanten *lettuce which has bolted;* het vliegtuig schoot door van de landingsbaan af *the plane skidded off the runway* **3.1** de touwen laten ~ *slacken/veer the ropes, pay/run/let out the ropes, ease off the ropes.*

doorschijnen ⟨onov.ww.⟩ **0.1** [licht doorlaten] *be translucent* ⇒*be see-through* **0.2** [zichtbaar zijn] *show through* ⇒*shine through* ◆ **1.1** je jurk schijnt door *your dress is see-through* **1.2** haar slipje schijnt door *her panties are showing (through her dress).*

doorschijnend ⟨bn., bw.⟩ **0.1** *translucent* ⇒*see-through* ⟨van kleding⟩, *transparent* ◆ **1.1** een ~e beha/nachtjapon/jurk *a see-through bra/ night-gown/dress;* een ~e huid *translucent skin;* porselein is ~*china is translucent* **2.1** ~wit *transparent white.*

doorschijnendheid ⟨de (v.)⟩ **0.1** *translucence, translucency* ⇒*transparency.*

doorschrappen ⟨ov.ww.⟩ **0.1** *cross/scratch out* ⇒*cross off, strike out* ◆ **1.1** iemands naam ~ *cross/strike/scratch out s.o.'s name.*

doorschrijfsysteem ⟨het⟩ **0.1** *carbon copy system.*

doorschrijven
I ⟨ov.ww.⟩ **0.1** [met doorschrijfpapier schrijven] *write using carbon paper/a carbon* ⇒*take/make a carbon copy of;*
II ⟨onov.ww.⟩ **0.1** [voortgaan met schrijven] *keep on/continue writing* ⇒*write on* **0.2** [sneller schrijven] *write faster.*

doorschrokken ⟨onov.ww.⟩ ◆ **3.¶** hij bleef maar ~ *he kept guzzling away/kept on/went on guzzling.*

doorschudden ⟨ov.ww.⟩ **0.1** [door schudden vermengen] *mix* ⇒*shuffle* ⟨kaarten⟩, *toss* ⟨sla⟩ **0.2** [terdege schudden] *shake (up)* ⇒*shake thoroughly* ◆ **1.1** een mengsel goed ~ *shake a mixture well/thoroughly.*

doorschuifsysteem ⟨het⟩ **0.1** *promotion system* ⇒*system of promotion* ◆ **6.1** volgens het ~ *in accordance with the p.s..*

doorschuiven
I ⟨ov.ww.⟩ **0.1** [verder schuiven] *push through* ⇒*shove through* **0.2** [doorgeven naar een ander] *pass on* ⇒*saddle s.o. with* ◆ **1.2** een karwei ~ *pass on a chore, saddle s.o. with a chore, pass the buck;*
II ⟨onov.ww.⟩ **0.1** [verder schuiven] *advance* ⇒*move/close up* **0.2** [naar een andere plaats/positie gaan] *advance* ⇒*move on/up.*

doorseinen ⟨ov.ww.⟩ **0.1** *transmit* ⇒*relay, send* ◆ **1.1** een telegram ~ *send a telegram.*

doorsijpelen ⟨onov.ww.⟩ **0.1** [lekken] *seep through* ⇒*filter through, trickle out* **0.2** [fig.] *filter through* ⇒*leak out* ◆ **1.1** het water sijpelt langzaam door de dijk *the water is slowly seeping through the dike* **1.2** de informatie sijpelde langzaam door *the information slowly filtered through/leaked out* **3.1** om ~ te voorkomen *to prevent seepage.*

doorsjezen ⟨onov.ww.⟩ **0.1** *charge on.*

doorsjokken ⟨onov.ww.⟩ **0.1** *trudge/plod on/along.*

doorslaan
I ⟨onov.ww.⟩ **0.1** [voortgaan met slaan] *go on/keep (on)/continue hitting/beating* **0.2** [ergens doorheen dringen] *come through* ⇒*blot* ⟨papier⟩, *ooze (out)* ⟨olie⟩, *show through* ⟨inkt⟩ **0.3** [overhellen naar het grootste gewicht] *tip, dip* ⇒*turn* **0.4** [onzin verkopen] *run/talk on (about)* ⇒*rattle on/away, blather on/away* **0.5** [slippen] *race* ⇒*skid, slip, spin* **0.6** [met kracht/gevoelig slaan] *hit hard* ⇒*not pull one's punches* **0.7** [⟨elektr.⟩] *blow* ⇒*melt, fuse* ⟨leiding⟩, *break down* ⟨isolatie⟩ **0.8** [bekennen] *talk* ⇒~[A] *sing,* ⟨op iem.⟩ *rat (on),*[B] *grass (on)* **0.9** [met heldere slag zingen] *chirp* ◆ **1.2** de drukinkt slaat door het papier *the printer's ink shows through the paper;* de muur slaat door *the wall sweats/is damp* **1.3** de balans slaat door *the scale tips/dips* **1.7** ⟨tech.⟩ de stop is/de stoppen zijn doorgeslagen *the fuse has/the fuses have gone/blown;* ⟨fig.⟩ alle stoppen sloegen bij hem door *he blew a fuse/went (completely) berserk/hit the roof* **1.8** de verdachte sloeg door *the suspect talked* **1.¶** het paard slaat door *the horse breaks into a gallop/canter* **8.4** ~als een blinde vink *he let his tongue run away with him;*
II ⟨ov.ww.⟩ **0.1** [door slaan breken/delen] *break* ⇒*knock down* ⟨muur⟩ **0.2** [drevelen] *drift (in)* ⇒*set, punch, drive in* **0.3** [door slaan mengen, doorroeren] *beat (up)* ⇒*eieren ook⟩ whisk* **0.4** [mbt. het naaien] *use tailor's tacks* ⇒*baste, ≠tack* ◆ **1.1** een muur/een ei ~ *knock down/demolish a wall, b. an egg* **1.2** een spijker ~ *drive in a nail* **1.3** eieren/deeg ~ *beat/whisk eggs, knead dough.*

doorslaand ⟨bn.⟩ **0.1** *conclusive, convincing, decisive* ◆ **1.1** ~ bewijs *conclusive evidence, proof positive;* een ~ succes *a resounding success.*

doorslag ⟨de (m.)⟩ **0.1** [het doorslaan v.e. balans] *dip* ⇒*tip, turn* **0.2** [afschrift, kopie] *carbon copy* ⇒*carbon, duplicate* **0.3** [het ergens doorheen dringen] *penetration* ⇒*blotting* ⟨papier⟩, *seepage* ⟨olie⟩ **0.4** [ontlading in een gas] *disruptive discharge* **0.5** [vergiet] *colander* ⇒*strainer* **0.6** [drevel] *drift* ⇒*punch* ◆ **3.1** dat gaf bij mij de ~ *that decided me;* de overweging die bij de commissie de ~ gaf *the deciding factor for the committee/commission, the deciding factor in the committee's/commission's decision;* ⟨fig.⟩ dat geeft de ~ *that does it, that settles/decides/clinches it* **6.3** de ~ van dit wapen is ontzettend groot *the penetration of this weapon is extremely good.*

doorslaggevend ⟨bn.⟩ **0.1** *decisive* ⇒*deciding* ◆ **1.1** van ~e betekenis/~ belang *of overriding importance;* van ~e betekenis hierbij was *the deciding/decisive factor here was.*

doorslagpapier ⟨het⟩ **0.1** *carbon paper* ⇒*copying/copy paper.*

doorslapen ⟨onov.ww.⟩ **0.1** [verder slapen] *sleep on/through* **0.2** [slapend doorbrengen] *sleep through* ◆ **1.2** de dag ~ *sleep through the day.*

doorslenteren ⟨onov.ww.⟩ **0.1** [door iets gaan] *traipse* ⇒*rove, roam, wander, tramp* **0.2** [verder slenteren] *wander on* ◆ **1.1** de straat ~ *roam the street.*

doorslepen ⟨ov.ww.⟩ **0.1** *pull/drag through.*

doorslijten ⟨onov., ov.ww.⟩ **0.1** *wear through* ⇒*be/become threadbare, go* ◆ **1.1** de broek is doorgesleten *the trousers are worn through;* de knieën/ellebogen zijn doorgesleten *the knees/elbows are gone/worn through/threadbare.*

doorslikken ⟨ov.ww.⟩ **0.1** *swallow (down)* ◆ **1.1** ik kan die pil niet ~ *I cannot swallow this pill/tablet, I cannot get this pill/tablet down* **2.1** heel ~ *swallow whole.*

doorslippen ⟨onov.ww.⟩ **0.1** [verder slippen] *slip, side, skid* ⇒*continue slipping/sliding/skidding* **0.2** [door een opening verder of wegglippen] *slip through/past* ◆ **6.1** door de hoge snelheid is de auto doorgeslipt *the high speed caused the car to skid (some distance)* **6.2** ondanks de controle is zij doorgeslipt *she slipped through in spite of the checks.*

doorsmeerbeurt ⟨de⟩ **0.1** *lubrication* ◆ **3.1** de auto een ~ geven *lubricate the car thoroughly* **6.1** bij elke ~ *every time the care is lubricated.*

doorsmeerstation ⟨het⟩ **0.1** *lubrication station,* [A]*lubritorium.*

doorsmelten ⟨onov.ww.⟩ ⟨tech.⟩ **0.1** *melt through* ⇒*blow, fuse* ⟨zekering⟩.

doorsmeren ⟨ov.ww.⟩ **0.1** *lubricate* ◆ **3.1** de auto laten ~ *have the car lubricated.*

doorsmeulen ⟨onov.ww.⟩ **0.1** [blijven smeulen] *keep/continue smouldering* ⇒⟨fig. ook⟩ *keep/continue simmering/brewing/bubbling* **0.2** [smeulend verteerd worden] *burn out* ⇒*burn through.*

doorsne(d)e ⟨de⟩ **0.1** [snijvlak] *sectional plane* **0.2** [tekening] *section* ⇒*cross-section, cross-cut, slice, profile* **0.3** [middellijn] *diameter* **0.4** [gemiddeld] *average* ⇒*mean, common, ordinary* ◆ **1.2** een ~v.e. kubus maken *make a cross-section of a cube* **1.4** de Familie Doorsnee *the a./ ordinary family;* de ~ man *the man in the street, Mr. Average;* de ~ Nederlander/automobilist *the a. Dutchman/car driver* **2.2** horizontale/verticale ~ *horizontal/vertical section* **3.3** die bal heeft een ~ van 5 cm *this ball has a d. of 5 cm* **6.4** in ~ *on a., in the main.*

doorsneekwaliteit ⟨de (v.)⟩ **0.1** *average quality.*

doorsneeprijs ⟨de (m.)⟩ **0.1** *average price.*

doorsnellen ⟨onov.ww.⟩ **0.1** [verder snellen] *rush* ⟨inf.⟩ *shoot on/along* **0.2** [snellen door] *rush* ⟨inf.⟩ *shoot through* ⟨langs⟩ *along/down/up* ◆ **1.2** hij snelde de gang door *he rushed/shot along/down/up the corridor.*

'doorsnijden[1] ⟨ov.ww.⟩ **0.1** *cut* ⇒*slice, sever, transect,* ⟨in tweeën⟩ *cut in(to) two, bisect* ◆ **1.1** ⟨fig.⟩ hij heeft de banden met zijn familie doorgesneden *he has severed/cut the ties with his family.*

door'snijden[2] ⟨ov.ww.⟩ **0.1** *cut (through)* ⇒*transect, slice,* ⟨in alle richtingen⟩ *criss-cross* ◆ **1.1** ⟨schr., fig.⟩ dit doorsnijdt mij het hart *this cuts me to the heart/the quick;* dit land is van rivieren doorsneden *this country is criss-crossed with rivers;* de lucht/de zee ~ *cleave the air, plough through the sea/water;* de trein doorsneed de eenzame vlakte *the train cut across/through the empty plain.*

door'snuffelen[1] ⟨ov.ww.⟩ **0.1** *rummage through* ⇒*forage/hunt/nose through, search for* ◆ **1.1** hij heeft alle boeken doorsnuffeld *he has rummaged/nosed through all the books;* het hele huis ~ *rummage through the whole house;* alle kamers ~ op bewijsmateriaal *search/ rummage through all the rooms for evidence.*

'doorsnuffelen[2] ⟨onov.ww.⟩ **0.1** *hunt through* ⇒*rummage through.*

doorspekken ⟨ov.ww.⟩ **0.1** *interlard (with)* ⇒*intersperse/pepper/punctuate/sprinkle (with)* ◆ **6.1** zijn taal met vloeken ~ *pepper/punctuate one's language with swear words;* een toespraak doorspekt met grappen *a speech punctuated/peppered/interspersed with jokes.*

doorspelen
I ⟨onov.ww.⟩ **0.1** [doorgaan met spelen] *play on* ⇒*continue to play,* ⟨sport⟩ *continue play* ◆ **1.1** de hele avond ~ *play right through the evening/all evening long* **3.1** de scheidsrechter gebaarde door te spelen *the referee waved play on/signalled for play to continue;*
II ⟨ov.ww.⟩ **0.1** [ten einde toe spelen] *play through* **0.2** [aan iem. toespelen] *pass on* ⇒*feed, leak* ◆ **1.1** een stukje op de piano eens ~ *play a piece through on the piano* **6.1** een probleem ~ aan iem. anders *pass a problem on to s.o. else* **6.2** informatie aan een krant ~ *leak/feed information to/pass on information to a newspaper;* de bal ~ naar ... *pass (the ball) to ....*

doorspoelen ⟨ov.ww.⟩ **0.1** [door iets heen doen gaan] *wash down/out/ through* ⇒*swill out/through* **0.2** [reinigen] ⟨leiding⟩ *flush out;* ⟨WC⟩ *flush* **0.3** [spelend door een vloeistof halen] *rinse* **0.4** [mbt. een geluids-/videoband] *wind on* ◆ **1.1** je eten ~ *wash down your food* **1.2** zijn keel ~ *wet one's whistle* **1.3** wasgoed ~ *r. clothes.*

doorsporen ⟨onov.ww.⟩ **0.1** [verder reizen] *go/travel on (by train/rail)* **0.2** [doorkruisen] *go/travel through (by train/rail)* ◆ **1.2** het land ~ *go through the country by train* **6.1** ~ tot A. *go on by train to A..*

doorspreken
I ⟨onov.ww.⟩ **0.1** [doorgaan met spreken] *go on/continue speaking* ⇒*speak on* **0.2** [openhartig spreken] *speak out/up;*
II ⟨ov.ww.⟩ **0.1** [grondig bespreken] *discuss* ⇒*go into (in depth)* ◆

1.1 een kwestie ~ *d. a matter in depth* **6.1** iets goed met iem. ~ *discuss sth. with s.o. thoroughly, talk things/the (whole) thing over with s.o..*

doorspuiten ⟨ov.ww.⟩ **0.1** *scour, cleanse* ⟨buis⟩; *syringe* ⟨oor⟩.

doorstaan ⟨ov.ww.⟩ **0.1** *endure* ⇒*bear, (with)stand, weather, go/come through* ♦ **1.1** de eeuwen/de tijd ~ *withstand the centuries, stand/ bear the test of time;* ontberingen/martelingen/kou ~ *bear/e. hard-ship/torture/cold;* een/de proef ~ *stand/bear the test;* hij heeft heel wat rampen ~ *he has been through many crises;* de storm/crisis ~ *ride out/weather the storm; come through/survive the crisis;* dat kan de toets der kritiek ~ *that can stand/bear the test of criticism;* een ziekte ~ *come through (an illness).*

doorstappen ⟨onov.ww.⟩ **0.1** [flink voortmaken met lopen] *step out* ⇒ *walk briskly, keep up a stiff pace* **0.2** [verder stappen] *walk on* ⇒*keep going, walk/push/step along* **0.3** [door iets heen stappen] *walk through* ♦ **5.1** we kunnen beter even ~ *we had better step out/walk briskly/get a move on;* als we even ~ … *if we get a move on/hurry up/step out* ….

doorsteek ⟨de (m.)⟩ **0.1** [⟨luchtv.⟩] *descent-through-cloud landing* **0.2** [plaats waar iets doorgestoken is] *hole* ⇒ ⟨opzettelijk gemaakt ook⟩ *opening* **0.3** [kortste weg] *short-cut* **0.4** [het afsnijden v.e. rivierbocht] ≠*canalization.*

'doorsteken[1]

   I ⟨ov.ww.⟩ **0.1** [door/in een opening brengen] *run through* **0.2** [een opening maken in] *pierce* ⇒*cut, lance* ⟨gezwel⟩, *tuft* ⟨matras⟩, *prick* ⟨zweer, blaasje⟩ **0.3** [mbt. verstopte buizen] *clear* ⇒*unblock* ♦ **1.1** een bout ~ *run a bolt through* **1.2** een dijk ~ *cut a dike* **1.3** een afvoer-buis ~ *c. / unblock a waste-pipe;* een pijp ~ *clean a pipe* **1.¶** dat was doorgestoken kaart *that was a plant/put-up job/set-up;*

   II ⟨onov.ww.⟩ **0.1** [in de kortste weg nemen door] *cut through* ⇒*take a short cut (through), cut across* ♦ **1.1** als we hier het bos ~ *if we take a short cut through the wood here;* we zijn de stad dwars doorgestoken *we cut right across the town.*

door'steken[2] ⟨ov.ww.⟩ **0.1** *stab* ⇒*run through, pierce, gore, skewer,* ⟨met mes⟩ *knife.*

doorstikken ⟨ov.ww.⟩ **0.1** *stitch through* ⇒⟨met vulsel ertussen⟩ *quilt* ♦ **1.1** doorgestikte zakken *quilted pockets* **6.1** met gouddraad doorstikt *stitched through with gold thread.*

door'stoten[1] ⟨ov.ww.⟩ **0.1** *stab* ⇒*pierce (through), run through.*

'doorstoten[2]

   I ⟨onov.ww.⟩ **0.1** [voortgaan met stoten] *keep on/continue pushing* **0.2** [doordringen, oprukken] *advance* ⇒*push on/through, press/march on, thrust ahead,* ⟨ergens doorheen⟩ *break/burst through* ♦ **6.2** zij stootten door tot voor Moskou *they advanced to the outskirts of Moscow;* ⟨fig.⟩ ~ tot de kern v.d. zaak *get to the heart of the matter;* in één jaar tot/naar de top ~ *reach the top in a year;*

   II ⟨ov.ww.⟩ **0.1** ⟨biljart⟩ *play a follow shot.*

doorstrepen ⟨ov.ww.⟩ **0.1** *cross out* ⇒*delete, strike/score out/through* ♦ **1.1** doorgestreepte woorden *deleted words* **¶.1** ~ wat niet van toepassing is *delete where appropriate.*

door'stromen[1] ⟨ov.ww.⟩ **0.1** *flow through* ⇒*run through,* ⟨fig. ook⟩ *overcome.*

'doorstromen[2] ⟨onov.ww.⟩ **0.1** [mbt. woningen] ≠*buy a larger house, move up the housing ladder* **0.2** [mbt. het onderwijs] *move/go up* **0.3** [stromend door iets heengaan] *flow (through)* ⇒*stream/run through* ♦ **3.3** het verkeer (vlotter) laten ~ *let traffic circulate more freely* **5.1** ~ naar (de lerarenopleiding) naar (de universiteit) *move/go on from (teacher training college) to (university).*

doorstromer ⟨de (m.)⟩ [iem. die een andere rang/functie krijgt] *s.o. who is transferred/* ⟨naar boven⟩ *promoted* ⇒*transfer(ee), promotee* **0.2** [⟨school.⟩] *pupil who moves on (to another school), transfer(ee)* ♦ **1.2** het aantal ~s van secundair naar tertiair onderwijs wordt steeds minder *the number of pupils moving on from secondary to higher education is becoming less and less.*

doorstroming ⟨de (v.)⟩ **0.1** [mbt. woningen] ≠*buying a larger house, moving up the housing ladder* **0.2** [mbt. het onderwijs] *moving/going up/on* **0.3** [⟨verkeer⟩] *flow* ⇒*circulation* **0.4** [mbt. bloed] *flow* ⇒*circulation* ♦ **6.3** maatregelen ten behoeve van een vlottere ~ van het verkeer *measures to aid the freer f. / circulation of traffic.*

doorstroomplaats ⟨de⟩ ⟨school.⟩ **0.1** *short-term research assistanceship* ⇒*new-blood post.*

doorstroomsnelheid ⟨de (v.)⟩ ⟨tech.⟩ **0.1** *flow rate* ⇒*rate of flow.*

doorstuderen ⟨onov.ww.⟩ **0.1** [doorgaan met studeren] *continue (with)/* ⟨inf.⟩ *carry on with one's studies* **0.2** [aan een andere onderwijsinstelling] *continue/pursue one's studies.*

doorsturen ⟨ov.ww.⟩ **0.1** *send on* ⇒*redirect,* ⟨wegsturen⟩ *send away* ♦ **1.1** de bakker ~ *send the baker away;* een brief ~ *forward/readdress/redirect/send on a letter;* een patient naar een specialist ~ *refer a patient to a specialist.*

doorsukkelen ⟨onov.ww.⟩ **0.1** [sjokkend verder gaan] *jog on* ⇒*plod/jog along* **0.2** [mbt. een kwaal/ziekte] *be ailing* ⇒*be in continued poor health* **0.3** [moeilijkheden ondervinden, niet opschieten] *struggle through* ♦ **6.3** ~ met zijn studie *plod along with one's studies.*

door'tasten[1] ⟨onov.ww.⟩ **0.1** *search (through)* ⇒⟨inf.⟩ *go through.*

'doortasten[2] ⟨onov.ww.⟩ **0.1** [tot op de grond tasten] *search thoroughly* ⇒*feel/grope (all) around* **0.2** ⟨fig.⟩ krachtig ingrijpen] *take a firm line* ⇒*act vigorously/with decision, take strong action.*

doortastend ⟨bn., bw.; -(al)ly⟩ **0.1** *vigorous* ⇒*energetic, bold* ♦ **1.1** een ~ persoon *a thorough-going person* **3.1** ~ optreden *act boldly/vigorously.*

doortastendheid ⟨de (v.)⟩ **0.1** *vigorousness, energy, promptness of action, boldness;* ⟨mbt. voorstel/maatregel⟩ *thoroughness.*

doortellen ⟨onov.ww.⟩ **0.1** [verder tellen] *keep/continue counting* ⇒ *count on* **0.2** [meegerekend worden] *count* ⇒*add up* ♦ **1.2** bij onbetaald verlof tellen de dienstjaren gewoon door *unpaid leave will be reckoned/counted as years of service (for the purpose of assessing pension).*

doortimmeren ⟨bn.⟩ **0.1** *sound* ⇒*solid, well-built* ♦ **1.1** ⟨fig.⟩ een goed ~ betoog *a sound/well constructed argument* **5.1** hecht en wel/goed doortimmerd *well and solidly built.*

doortintelen ⟨ov.ww.⟩ **0.1** *set aglow/atwinkle; thrill* ⟨ook fig.⟩.

doortocht ⟨de (m.)⟩ **0.1** [het doortrekken] *crossing* ⇒*passage/way through, march through* ⟨leger⟩ **0.2** [opening, weg] *passage* ⇒*thoroughfare, way (through), through way* ♦ **2.2** vrije ~ eisen *demand free p.* **3.2** zich een ~ banen *force one's way through;* de ~ versperren *block the way through* **6.1** de ~ door de woestijn *the c. / passage through the desert;* op ~ naar Griekenland *on the way through to Greece;* op onze ~ door *on our passage/way through;* op ~ zijn *pass through, be passing through* **6.2** de noordoostelijke ~ naar Indië *the northeast p. to India.*

doortochten ⟨onov.ww.⟩ **0.1** *be aired* ♦ **3.1** een kamer laten ~ *air a room.*

doortrappen

   I ⟨onov.ww.⟩ **0.1** [doorgaan met trappen] *keep on/continue kicking* **0.2** [(per fiets) verder rijden] *pedal on* ⇒*keep/continue pedalling* **0.3** [voortmaken met fiets] *pedal faster/harder* **0.4** [trappen om te raken] *kick* ♦ **3.3** wij moeten ~ om vóór donker thuis te zijn *we shall have to pedal faster if we are to be home before dark* **3.4** bij karate mag je niet ~ *kicking isn't allowed in karate;*

   II ⟨ov.ww.⟩ **0.1** [kapot trappen] *kick to pieces.*

doortrapper ⟨de (m.)⟩ **0.1** *fixed-wheel bicycle.*

doortrapt ⟨bn., bw.⟩ **0.1** [geraffineerd in het kwaad] *cunning* ⇒*crafty, artful, wily, sly* **0.2** [door-en-door kwaad] *base* ⇒*villainous, arrant* ♦ **1.1** een ~e leugenaar *a double-dyed/arrant liar;* hij is een ~e schurk *he is a thorough/regular/unmitigated scoundrel* **1.2** een ~e schurk *an arrant knave.*

doortraptheid ⟨de (v.)⟩ **0.1** [geraffineerdheid in het kwaad] *cunning* ⇒ *craft, artfulness, wiliness, slyness* **0.2** [kwaadheid] *baseness* ⇒*villainy.*

doortrek ⟨de (m.)⟩ **0.1** *passage* ⇒*migration* ♦ **6.1** die vogels komen hier alleen op de ~ voor *those birds only occur here during migration.*

door'trekken[1] ⟨ov.ww.⟩ **0.1** *impregnate* ⇒*permeate,* ⟨vloeistof ook⟩ *soak, saturate,* ⟨geur ook⟩ *pervade* ♦ **6.1** doortrokken met humor *pervaded with a sense of humour;* zijn geest is van vooroordelen doortrokken *his mind is steeped in prejudices;* de maatschappij is doortrokken van corruptie *society is riddled with corruption;* doortrokken van de geur van rozen *soaked/impregnated/permeated/heavy with the smell of roses.*

'doortrekken[2]

   I ⟨ov.ww.⟩ **0.1** [verlengen] *extend* ⇒*continue, prolong,* ⟨meetk.⟩ *produce,* ⟨fin.⟩ *extrapolate* **0.2** [verder verplaatsen] *pull further down/in/out/up* ⟨enz.⟩ **0.3** [stuktrekken] *pull apart/to pieces* ♦ **1.1** een lijn ~ ⟨fig.⟩ *continue on/follow the same line/course;* een spoorlijn ~ *push on/extend a railway;* ⟨fig.⟩ een vergelijking ~ *carry/pursue a comparison (further)* **1.2** (de trekker van) de w.c. ~ *flush the toilet* **1.3** een touw ~ *break a rope;*

   II ⟨onov.ww.⟩ **0.1** [door iets heen reizen] *travel through* ⇒*pass/journey through, roam,* †*traverse* **0.2** [voortgaan met trekken] *continue to pull/draw, go/keep on pulling/drawing* **0.3** [met (groter) kracht trekken] *pull hard(er)* ⇒⟨kachel⟩ *draw* **0.4** [mbt. een vloeistof] *penetrate* ⇒*permeate* **0.5** [het toilet doorspoelen] *flush the lavatory* ⇒*pull the flush,* ↓*pull the chain* ♦ **1.1** het land ~ *traverse/* ⟨doelloos⟩ *roam/* ⟨als toerist⟩ *tour the country;* de verkiezingskaravaan trekt het hele land door *the election caravan is touring the entire country* **1.4** de inkt trekt door *this ink shows/runs through.*

'doortrillen[1] ⟨onov.ww.⟩ **0.1** *tremble/quake/shake/flutter on* ⇒*quaver on* ⟨stem⟩, *quiver on* ⟨lippen⟩.

door'trillen[2] ⟨ov.ww.⟩ **0.1** *tremble/quake/shake/flutter through* ⇒⟨fig.⟩ *thrill (through).*

doorvaart ⟨de⟩ **0.1** [gelegenheid om door te varen] *passage* ⇒*transit* **0.2** [geul, kanaal] *fairway* ⇒*channel* ♦ **2.1** gevaarlijke ~ *dangerous p.;* de noordwestelijke ~ *the North-West Passage;* een vrije/onbelemmerde ~ eisen *demand a clear transit.*

doorvaarthoogte ⟨de (v.)⟩ **0.1** *headroom* ⇒*(vertical) clearance.*

doorvaartwijdte ⟨de (v.)⟩ **0.1** *width of passage* ⇒*available width.*

door'varen ⟨ov.ww.⟩ ⟨schr.⟩ **0.1** *pass through* ⇒ ↓*go through,* ↓*come over* ♦ **1.1** een huivering doorvoer mij *I shuddered/shivered, a shudder/shiver/chill passed through/came over me.*

'**doorvaren**² ⟨onov.ww.⟩ **0.1** [voortgaan met varen] *sail on* **0.2** [verder varen] *sail on* ⇒*continue, proceed* **0.3** [zijn weg nemen door] *pass through* ⇒*pass along* ⟨kanaal⟩ ◆ **1.1** dat schip is de hele winter doorgevaren *that boat remained at sea all winter* **1.3** de zeestraat ~ *pass the straits* **6.2** deze boot vaart door **tot** Singapore *this ship continues to Singapore.*

doorvechten
I ⟨onov.ww.⟩ **0.1** [voortgaan met vechten] *keep/go on fighting, continue the fight, fight on* ◆ **6.1** tot het bittere einde/uiterste ~ *fight to the finish, fight on to the bitter end;*
II ⟨wk.ww.: zich ~⟩ **0.1** [zich een weg banen] *fight one's way (through).*

doorverbinden ⟨ov.ww.⟩ ⟨com.⟩ **0.1** *connect* ⇒⟨telefoon ook⟩ *put through (to)* ◆ **4.1** ik verbind u door *I'll c. you/put you through, (I'm) trying to c. you* **6.1** wilt u mij even ~ **met** meneer X? *could you put me through to Mr. X please?*

doorverkoop ⟨de (m.)⟩ **0.1** *resale.*
doorverkopen ⟨ov.ww.⟩ **0.1** *resell (to a third party).*
doorvertellen ⟨ov.ww.⟩ **0.1** *pass on* ◆ **4.1** ik zal het niet ~ *I won't pass it on/I won't tell anyone (else); ⟨inf.⟩ I won't blab, I'll keep it under my hat.*

doorverwijzen ⟨ov.ww.⟩ **0.1** *refer* ◆ **6.1** een patiënt ~ **naar** de specialist *r. a patient to a specialist.*

doorvlechten ⟨ov.ww.⟩ **0.1** *(inter)lace (with/through), intertwine/interweave (with).*

'**doorvliegen**¹
I ⟨onov.ww.⟩ **0.1** [voortgaan met vliegen] *fly on* **0.2** [verder vliegen] *fly on, continue one's flight (to);*
II ⟨ov.ww.⟩ **0.1** [snel doorgaan] *fly through* ⇒*rush, gallop, tear through,* ⟨boek ook⟩ *skim/flip through.*
door'vliegen² ⟨ov.ww.⟩ →**doorvliegen**¹ **II.**

doorvloeien ⟨onov.ww.⟩ **0.1** [voortgaan met vloeien] *flow on, continue flowing* **0.2** [verder vloeien] *flow on* ◆ **1.¶** de kleuren vloeien door *the colours are running;* dit papier vloeit door *this paper will blot.*

doorvoed ⟨bn.⟩ **0.1** *well-fed* ⇒*well-nourished.*
doorvoelen ⟨ov.ww.⟩ **0.1** [meevoelen] *feel compassion for* ⇒*sympathise with* **0.2** [innig/intens voelen] *be keenly sensitive to/sensible of* ⇒*feel intensely* ◆ **1.1** de sociale noden ~ *be acutely aware of social needs* **1.2** doorvoelde poëzie *feeling/passionate verse.*

doorvoer ⟨de (m.)⟩ **0.1** [het vervoeren van koopwaren] *transit* **0.2** [waren] *transit goods* ◆ **1.1** rechten van ~ *t. duties/dues.*

doorvoeren ⟨ov.ww.⟩ **0.1** [⟨hand.⟩] *forward/ship goods in transit* ⟨koopman⟩; *convey goods in transit* ⟨vervoerder⟩ **0.2** [uitvoering geven aan] *carry through/out* ⇒*go ahead with, put through, implement, enforce* ⟨wet⟩ **0.3** [door iets heen voeren] *conduct through* ⇒*guide/lead through, show over/around* ⟨ter bezichtiging⟩ ◆ **1.2** bezuinigingen/hervormingen ~ *bring cuts/reforms into force, carry out/implement cuts/reforms* **1.3** hij voerde mij alle zalen door *he showed me over/around all the rooms* **5.2** een methode streng/met kracht ~ *enforce a method;* een vergelijking te ver ~ *push an analogy too far/to extremes;* je moet dat niet te ver ~ *you shouldn't press the point;* zij voerden het zover door, dat ... *they carried it to such lengths/such an extent that ....*

doorvoerhandel ⟨de (m.)⟩ **0.1** *transit trade.*
doorvoerhaven ⟨de⟩ **0.1** *transit port.*
doorvoerrecht ⟨het⟩ **0.1** *transit duty* ◆ **3.1** ~ en betalen *pay transit duty/duties.*

doorvorsen ⟨ov.ww.⟩ **0.1** *scrutinize* ⇒*examine, study closely/in depth, explore.*

doorvragen
I ⟨onov.ww.⟩ **0.1** [doorgaan met vragen] *keep/go on asking (questions), continue to ask (questions);*
II ⟨ov.ww.⟩ **0.1** [vragen van begin tot eind] *ask questions on* ⟨lessen⟩ ⇒*test.*

'**doorvreten**¹
I ⟨onov.ww.⟩ **0.1** [voortgaan met vreten] *continue to stuff o.s.;*
II ⟨ov.ww.⟩ **0.1** [vretende vernielen] *eat through.*
door'vreten² ⟨ov.ww.⟩ **0.1** *eat away/through* ⇒*corrode.*

doorvriezen ⟨onov.ww.⟩ **0.1** *keep (on) freezing* ⇒*continue to freeze/freezing, go on freezing* ◆ **3.1** als het nog even wil ~ *if it just keeps (on) freezing a little longer.*

doorwaadbaar ⟨bn.⟩ **0.1** *fordable* ⇒*wad(e)able, passable* ◆ **1.1** een doorwaadbare plaats *a ford.*

doorwaaien ⟨ov.ww.⟩ **0.1** *air* ◆ **3.1** laat de kamer eens flink ~ *give the room a good airing;* ik zal me eens laten ~ *I'll go out for a breath of/some fresh air.*

doorwaden ⟨ov.ww.⟩ **0.1** *wade through* ⇒*ford* ⟨bij een voord⟩.
'**doorwaken**¹ ⟨ov.ww.⟩ **0.1** *watch through* ⇒*wake.*
door'waken² ⟨ov.ww.⟩ **0.1** *watch through* ◆ **1.1** een doorwaakte nacht *a wakeful night.*

doorwandelen ⟨onov.ww.⟩ **0.1** [verder wandelen] *walk on* **0.2** [door iets wandelen] *walk through/round/all over* **0.3** [met spoed wandelen] *stride/march along* ◆ **5.3** stevig ~ *walk briskly/at a brisk/stiff pace.*

doorweekt ⟨bn.⟩ **0.1** *wet through, soaked* ⇒*drenched,* ↑*saturated* ◆ **1.1** haar kleren waren ~ *here clothes were soacked/drenched through;* het veld was ~ *the field was sodden/soggy/waterlogged* **6.1** ~ **tot** op hun hemd kwamen ze thuis *they came home soaked/drenched to the skin/soaking wet/sopping wet/dripping wet.*

doorweken ⟨ov.ww.⟩ **0.1** *soak* ⇒*drench,* ↑*saturate.*
door'werken¹ ⟨ov.ww.⟩ **0.1** *work (with)* ⇒*interweave/interlace (with)* ◆ **6.1** met goud ~ *w. with gold.*

'**doorwerken**²
I ⟨onov.ww.⟩ **0.1** [voortgaan met werken] *go/keep on working, continue to work, work on* ⇒⟨noest⟩ *peg,* ↓*slog (away), work overtime* ⟨na werktijd⟩ **0.2** [voortgang maken met het werk] *make headway* ⇒*get on (with the job)* **0.3** [zijn werking verder uitstrekken] *make itself felt* ◆ **1.1** er werd dag en nacht doorgewerkt *they worked night and day* **1.3** zijn houding/zijn gezonde oordeel werkt door op anderen *his attitude/his common sense has its effect on others* **3.2** je kunt hier nooit ~ *one can never get on with one's work here* **5.1** wij werken vanavond door *we're working late tonight* **6.3** dat werkt door **op** zijn humeur *that affects/influences his temper;* ⟨neg. ook⟩ *that irritates him;*
II ⟨ov.ww.⟩ **0.1** [ten einde toe bestuderen] *work (one's way) through* ⇒*get/go through* ◆ **1.1** een heleboel brieven/stukken door moeten werken *have to plough/wade through a mass of letters/documents.*

doorwerking ⟨de (v.)⟩ **0.1** [het doorwerken] ⟨invloed, uitstraling⟩ *carry-over;* ⟨gevolg⟩ ⟨continued⟩ *effect* **0.2** [⟨muz.⟩] *development.*
doorwerkpak ⟨het⟩ **0.1** *all-weather clothing.*
doorwerkproject ⟨het⟩ **0.1** ≠*non-stop project.*
'**doorweven**¹ ⟨onov.ww.⟩ **0.1** *weave on, continue weaving.*
door'weven² ⟨ov.ww.⟩ **0.1** ⟨ook fig.⟩ *interlace/interweave/inweave (with)* ◆ **6.1** een gouden doekje ~ **met** blauw *a gold cloth interwoven/tissued/shot with blue.*

doorwinteren
I ⟨onov.ww.⟩ **0.1** [overwinteren] *(over)winter* ◆ **1.1** in een goede korf met genoeg voedsel kunnen bijen best ~ *bees can winter perfectly well if they have a decent hive and enough food;*
II ⟨ov.ww.⟩ **0.1** ['s winters op het veld laten] *winter* ◆ **1.1** een koe ~ *w. a cow;* kool ~ *leave cabbage standing/out throughout the winter.*

'**doorwoelen**¹
I ⟨onov.ww.⟩ **0.1** [voortgaan met woelen] ⟨in bed⟩ *continue/go on tossing and turning;* ⟨wroeten⟩ *go on/continue rooting (up)/grabbing up/burrowing;*
II ⟨ov.ww.⟩ **0.1** [stukwoelen] *burrow through, root up.*
door'woelen² ⟨ov.ww.⟩ **0.1** *root/burrow/rummage through.*

doorworstelen ⟨ov.ww.⟩ **0.1** [worstelend dringen door] *struggle through* ⇒*make one's way through* **0.2** [⟨fig.⟩] *struggle/wade/plough through* ◆ **1.2** een vervelend boek ~ *plough/wade through a dull book;* slechte tijden ~ *struggle through hard times* **4.1** zich door een menigte worstelen *force/push/elbow one's way through a crowd.*

doorwrocht ⟨bn.⟩ **0.1** *well thought-out* ⇒*solid* ⟨bouwwerk⟩, *mature* ⟨plan⟩ ◆ **1.1** een ~ betoog *a well-wrought argument;* een ~ geheel *a solid piece of work.*

'**doorwroeten**¹
I ⟨onov.ww.⟩ **0.1** [voortgaan met wroeten] *go on/continue rooting up/grabbing up/burrowing;*
II ⟨ov.ww.⟩ **0.1** [wroetend stukmaken] *root up* ⇒*uproot.*
door'wroeten² ⟨ov.ww.⟩ **0.1** *root/burrow/rummage (around/among)* ⇒*ransack.*

doorzagen
I ⟨onov.ww.⟩ **0.1** [doorgaan met zagen] *keep/go on sawing, continue to saw* **0.2** [vervelend blijven doorpraten] *keep/go/moan on (abouth sth.)* ⇒*harp on (sth./the same string), flog (sth.) to death;*
II ⟨ov.ww.⟩ **0.1** [in tweeën zagen] *saw (sth.) through* ⇒*saw in two* ◆ **1.¶** iem. over iets blijven ~ *force/thrust sth. down s.o.'s throat;* ⟨scherp ondervragen⟩ *pester s.o. with questions about sth., give s.o. the third degree about sth..*

doorzakken ⟨onov.ww.⟩ **0.1** [een doorbuiging krijgen] *sag* ⇒*give (way)* **0.2** [sterke drank drinken] *go on drinking/boozing* ⇒*make a night of it, get drunk/tight* **0.3** [verder zakken] *come down further* ◆ **1.1** met doorgezakte knieën *with sagging knees, sagging at the knees;* de vloer zakte door *the floor sagged/dropped/subsided;* doorgezakte voeten *fallen arches* **3.3** iets laten ~ *lower sth.* **5.2** zeker weer lekker doorgezakt, hè? *been out on the town again, then?.*

doorzakking ⟨de (v.)⟩ **0.1** *sag(ging)* ⇒*collapse.*
doorzeilen
I ⟨onov.ww.⟩ **0.1** [verder zeilen] *sail on* ⇒⟨fig.⟩ *trim, maintain/hold a middle course/position;*
II ⟨ov.ww.⟩ **0.1** [zeilend stukmaken] *sail through.*

doorzenden ⟨ov.ww.⟩ →**doorsturen.**
doorzetten
I ⟨onov.ww.⟩ **0.1** [met meer kracht optreden] *get/become stronger/more intense* **0.2** [volharden] *persevere* ⇒*stay the course,* ⟨pej.⟩ *persist,* ↓*hang on* ◆ **1.1** de weeën zetten door *the contractions are increasing (in intensity);* de wind zet door *the wind is rising* **1.2** als de economische groei doorzet *if economic growth continues* **5.2** nog

even ~! *don't give up now!,* ^Ahang *in there!; give it one more try!;* stug ~ *persevere* **6.2 van** ~ weten *be a go-getter/ stayer, not give up easily, not take no for an answer;*
II ⟨ov.ww.⟩ **0.1** [doen voortgaan] *press/ go ahead with* ⇒*push/ get through* ⟨plan, voorstel⟩, *press, enforce* ⟨eis⟩ **0.2** [volledig uitvoeren] *go through with* ⇒*see/ carry through, get over (and done) with* ⟨iets vervelends⟩ ◆ **1.1** een plan/besluit ~ *carry a plan/ decision through* **1.2** wij konden de genomen maatregelen niet ~ *we were unable to enforce the measures* **6.2** iets **tot** het einde toe ~ *see sth. through/ out, pursue sth. to the end.*

doorzetter ⟨de (m.)⟩, **-ster** ⟨de (v.)⟩ **0.1** *go-getter* ⇒*stayer, trier,* ↓*whole-hogger, terrier.*

doorzettingsvermogen ⟨het⟩ **0.1** *perseverance* ⇒*drive,* ⟨pej.⟩ *persistence* ◆ **3.1** het ontbrak hem aan ~ *he lacked drive, he couldn't stand the pace;* zijn ~ werd beloond *his perseverance was rewarded.*

doorzeuren ⟨onov.ww.⟩ **0.1** *harp on (about)* ⇒*keep/ go on (about), keep whining, nag* ⟨ook pijn⟩ ◆ **6.1** hij zeurt maar door **over** zijn kwalen *he never stops moaning about his aches and pains.*

doorzeven ⟨ov.ww.⟩ **0.1** *riddle* ◆ **6.1** iem./ de deur ~ **met** kogels *riddle s.o./ the door with bullets;* een **met** kogels doorzeefd lijk *a bullet-riddled corpse.*

doorzicht ⟨het⟩ **0.1** [gelegenheid om tussen iets door te zien] *view* ⇒ *perspective* **0.2** [plaats] *view(point)* ⇒*vantage-point* **0.3** [⟨fig.⟩] *insight* ⇒*perspicacity, discernment, understanding* ◆ **7.3** een man met veel/ weinig ~ *a man of great/ little discernment.*

doorzichtig ⟨bn.⟩ **0.1** [transparant] *transparent* ⇒*(trans)lucent, pellucid, see-through* ⟨kledingstuk⟩, *clear* ⟨glas⟩ **0.2** [⟨fig.⟩] *transparent* ⇒ *thin, obvious* ◆ **1.1** gewoon glas is ~, matglas doorschijnend *plain glass is transparent, frosted glass is translucent* **1.2** een ~ excuus *a t./ thin excuse;* een ~e leugen *a t./ obvious lie;* een al te ~ plan *an all too t./ obvious plan;* een ~e vermomming *a thin disguise.*

doorzichtigheid ⟨de (v.)⟩ **0.1** *transparency* ⟨ook fig.⟩ ⇒*(trans)lucency, pellucidity.*

doorzien¹ →**doorkijken.**

doorzien² ⟨ov.ww.⟩ **0.1** *see through* ⇒*be on to* ⟨persoon⟩, ⟨BE; inf.⟩ *rumble* ⟨persoon, list⟩ ◆ **1.1** hij doorzag haar bedoelingen *he saw what she was up to/ what her (little) game was;* een spelletje ~ *tumble/* ⟨inf.⟩ *rumble to s.o.'s game* **2.1** gemakkelijk te ~ *transparent, obvious* **4.1** ik doorzie je wel *I can read you like a book, I've got your number, I'm up to your tricks.*

doorzijgen
I ⟨onov.ww.⟩ **0.1** [door iets heen zijgen] *filter* ⇒*strain (through), infiltrate;*
II ⟨ov.ww.⟩ **0.1** [door iets heen doen zijgen] *filter* ⇒*strain, percolate.*

doorzitten
I ⟨onov.ww.⟩ **0.1** [⟨paardesport⟩] *ride (at) a sitting trot;*
II ⟨ov.ww.⟩ **0.1** [beschadigen] *wear out (the seat of)* ◆ **1.1** je broek is doorgezeten *you've worn out/ through the seat of your trousers/* ^Apants **4.1** zich ~ ⟨op paard, fiets⟩ *become/ get saddle-sore.*

door'zoeken¹ ⟨ov.ww.⟩ **0.1** *search/ go through* ⇒*ransack* ⟨grondig⟩, ⟨vero.⟩ *visit,* ⟨sl.⟩ *frisk* ⟨persoon⟩, ⟨AE; sl.⟩ *shake down* ◆ **1.1** een bos ~ *comb a wood;* wij hebben het hele huis doorzocht *we've been through the whole house;* het hele huis ~ op wapens *ransack/ comb the house for weapons/ in search of weapons;* zijn zakken ~ *turn one's pockets (inside) out, go through one's pockets.*

'doorzoeken² ⟨onov.ww.⟩ **0.1** *go/ keep on searching, go on with/ continue the search, search on.*

doorzonkamer ⟨de⟩ **0.1** *through lounge/ room.*

doorzonwoning ⟨de (v.)⟩ **0.1** *house/ flat with a through lounge/ room.*

doorzout ⟨bn.⟩ **0.1** [gepekeld] *salt-cured* **0.2** [⟨fig.⟩ doorspekt] *imbued/ pervaded (with).*

doorzweet ⟨bn.⟩ **0.1** [mbt. personen] *perspiring all-over* ⇒*rumming/ dripping (wet) with sweat* **0.2** [mbt. kledingstukken] *sweaty.*

doorzweten ⟨onov.ww.⟩ **0.1** *sweat* ⇒ ↑*transude* ◆ **1.1** ~de muren *damp/ sweating walls.*

doorzwikken ⟨onov.ww.⟩ **0.1** *sprain* ⇒*turn* ◆ **1.1** zijn enkel is doorgezwikt *he has a sprained ankle, he's sprained his ankle.*

doorzwoegen
I ⟨onov.ww.⟩ **0.1** [doorgaan met zwoegen] *toil on* ⇒ ⟨inf.⟩ *plug away;*
II ⟨ov.ww.⟩ **0.1** [zwoegend doorkomen] *toil through* ⇒ ⟨inf.⟩ *plug one's way through.*

doos ⟨de⟩ **0.1** [voorwerp] *box* ⇒*case* ⟨wijn⟩, *compact* ⟨gezichtspoeder⟩ **0.2** [⟨inf.⟩ w.c.] ⟨BE⟩ *loo, lav;* ⟨AE⟩ *john,* ↓*can* **0.3** [gevangenis] *clink, jug;* ⟨AE⟩ *the slammer, the can* ◆ **1.1** een ~ bonbons *a b. of chocolates;* de doos van Pandora *Pandora's b.* **2.1** een kartonnen ~ *a carton, a cardboard b.;* een liedje/ verhaal uit de oude ~ *an old(-fashioned) song/ story, a golden oldie;* ⟨luchtv.⟩ de zwarte ~ *the black b., the flight recorder* **6.1** in de ~ zitten *be in clink/ in the slammer, do time,* ^Bdo *bird* **6.2** op de ~ zitten *be in the* ^Blav/ ^Bloo/ ^Ajohn/ ^Acan.*

doosje ⟨het⟩ **0.1** ~ van ⟨karton⟩ *casket* ⟨bijouterie⟩ ◆ **1.1** een ~ aardbeien *a punnet of strawberries;* een ~ lucifers *a b. of matches* **3.1** ⟨fig.⟩ zijn ~ opendoen *give vent to/ vent one's feelings* **6.1** ⟨fig.⟩ de wereld **in** een ~ hebben *be on top of the world, have the world in*

one's pocket; hij is/ziet eruit als **uit** een ~ *he is dressed up to the nines, he looks a picture, he is dressed/ looks like a band-box;* een duveltje **uit** een ~ *Jack-in-the-box;* ⟨fig. ook⟩ *a bat out of hell.*

doosvrucht ⟨de⟩ ⟨plantk.⟩ **0.1** *capsule* ⇒*pyxidium, pyxis.*

dop ⟨de (m.)⟩ ⟨→sprw. 155⟩ **0.1** [omhulsel, schaal] *shell* ⟨eieren, noten⟩; *pod, shuck* ⟨peulvruchten⟩; *husk* ⟨zaden, granen⟩ **0.2** [voorwerp] *cap* ⟨pen, flacon, tube⟩ ⇒*top* **0.3** [⟨mv.⟩ ogen] *eyes* **0.4** [hoed] ^Bbowler *(hat),* ^Aderby ⇒ ⟨dameshoed⟩ *cloche, pillbox* **0.5** [werkloosheidsuitkering] *dole,* ^Awelfare ◆ **1.2** de ~ v.e. ventiel *a valve-(sealing) cap, a dustcap* **2.4** een hoge ~ *a topper* **6.1** een advocaat in de ~ *a budding/ would-be lawyer;* pas **uit** de ~ *hardly out of the shell, wet behind the ears* **6.3** kijk **uit** je ~ *pen! keep your eyes skinned/ peeled!, watch where you're going!* **6.5** hij leeft van de ~ *he's on the d./ on w..*

dope ⟨de (m.)⟩ **0.1** [pepmiddel] *dope* **0.2** [bijmengsel] *dope* **0.3** [drugs] *dope* ◆ **6.1** helemaal **onder** de ~ zitten *be stoned,* ↓*be doped up to the eyeballs.*

dopeling ⟨de (m.)⟩ **0.1** *child/ person to be baptized/ receiving baptism.*

dopen ⟨ov.ww.⟩ **0.1** [dompelen] *sop, dunk* ⟨in⟩ **0.2** [de doop toedienen] *baptize* ⇒*christen* **0.3** [een naam geven] *christen* ⇒*baptize, name* **0.4** [doping toedienen aan] *drug* ⇒ ↓*dope, nobble* ⟨renpaard⟩ **0.5** [dope toevoegen aan] *dope* ◆ **1.2** dat zijn gedoopte heidenen *they are most unchristian christians;* ⟨scherts.⟩ melk/ wijn ~ *doctor milk/ wine* **4.3** ik doop u X en wens u een behouden vaart *I c. thee Poseidon, and wish thee a prosperous voyage* **6.1** beschuit in melk ~ *s. rusks in milk;* zijn pen **in** de inkt ~ *dip one's pen in the ink* **6.2** ~ door onderdompeling *b. by immersion;* iem. **tot** christen ~ *baptize s.o. (as) a Christian.*

doper ⟨de (m.)⟩ **0.1** [iem. die doopt] *baptizer* **0.2** [doopsgezinde] *Baptist* ◆ **1.1** Johannes de Doper *John the Baptist.*

doperwt ⟨de⟩ **0.1** *green/ garden pea.*

dophei(de) ⟨de⟩ **0.1** *heath(er)* ◆ **2.1** gewone ~ *cross-leaved/ bottle heath, bell-heather.*

dophoed ⟨de (m.)⟩ **0.1** ^Bbowler *(hat),* ^Aderby.

doping ⟨de (v.)⟩ **0.1** [het toedienen] *doping* ⇒*nobbling* ⟨renpaard⟩ **0.2** [geval van toediening] *case of doping/ nobbling* ⟨renpaard⟩ **0.3** [middelen] *drug(s)* ⇒ ↓*dope,* ↑*narcotic(s)* ◆ **1.3** betrapt op het gebruik van ~ *caught taking drugs* **3.3** die wielrenner heeft ~ gebruikt *that cyclist has taken drugs;* iem. ~ toedienen *drug s.o.,* ↓*dope s.o., give/* ↑*administer drugs to s.o..*

dopingcontrole ⟨de⟩ ⟨sport⟩ **0.1** *anti-doping test.*

dopinggebruik ⟨het⟩ **0.1** *doping* ◆ **6.1** de strijd **tegen** het ~ *control of doping, measures to combat/ control/* ⟨inf.⟩ *stamp out d..*

dopinglijst ⟨de⟩ **0.1** *dope list.*

dopingtest ⟨de (m.)⟩ **0.1** *anti-doping test* ◆ **3.1** iem. een ~ afnemen *submit s.o. to an anti-doping test.*

dopluis ⟨de⟩ **0.1** *cottony maple scale.*

dopmoer ⟨de⟩ ⟨tech.⟩ **0.1** *cap/ dome/ box/ blind nut* ⇒*thimble.*

doppen
I ⟨ov.ww.⟩ **0.1** [pellen, schillen] *(un)shell* ⟨bonen/ erwten ook⟩ *pod, shuck, hull,* ⟨noot/ ei ook⟩ *peel,* ⟨zaden, granen⟩ *(un)husk, hull* **0.2** [(in)dopen] *sop* ⇒*dip, dunk* ◆ **1.1** ⟨fig.⟩ zijn eigen boontjes ~ *manage one's own affairs, look after o.s., take care of number one;* je zult je eigen boontjes moeten ~ *you'll have to go it alone, you'll have to stand on your own two feet;* ik kan mijn eigen boontjes wel ~ *don't wet-nurse me!, I can look after myself!;*
II ⟨onov.ww.⟩ ⟨AZN⟩ **0.1** [stempelen als werkloze] *sign on (at the employment/ labour exchange),* ^Bbe *on the dole/* ^Aon *welfare.*

dopper ⟨de (m.)⟩ **0.1** [doperwt] *(green/ garden) pea* **0.2** [⟨AZN⟩ werkloze] *unemployed person* **0.3** [dopbeitel] *snep* ◆ ¶.2 de ~s the *unemployed.*

Dopplereffect ⟨het⟩ **0.1** *Doppler effect.*

dopsleutel ⟨de (m.)⟩ **0.1** *socket spanner,* ^Asocket/ *box wrench.*

dopvrucht ⟨de⟩ **0.1** *achene* ◆ **2.1** enkelvoudige/ dubbele/ gevleugelde ~ *single/ double/ winged achene.*

dor ⟨bn.⟩ **0.1** [schraal, verdord] *barren* ⇒*arid, dry* **0.2** [mbt. planten] *withered* ⇒*wizened* ⟨vrucht⟩ **0.3** [mbt. het lichaam] *withered* ⇒*wizened* ⟨gezicht⟩ **0.4** [mbt. uitingen] *dull* ⇒*humdrum, dehydrated, insipid, prosy* ⟨geschriften⟩ **0.5** [weinig bezield] *dry (as dust)* ⇒*dull (as ditchwater), insipid* ◆ **1.1** een ~ heideveld *a b. heath* **1.2** ~re bladeren *w. leaves;* ~ hout *dry/ dead wood;* een ~re rank *a w. vine* **1.3** een ~ mannetje *a w./ dried up little fellow;* een ~re schoot *a barren womb* **1.4** op ~re toon spreken *speak in a dry voice* **1.5** een ~ scepticisme *a dry/ barren scepticism.*

dorado →**eldorado.**

doren →**doorn.**

dorheid ⟨de (v.)⟩ **0.1** [droogte] *dryness* ⇒*aridity* **0.2** [onvruchtbaarheid] *barrenness* ⇒*aridity* **0.3** [⟨fig.⟩] *dryness* ⇒*aridity, monotony, dullness.*

Dorië ⟨het⟩ **0.1** *Doria.*

Doriër ⟨de (m.)⟩, **Dorische** ⟨de (v.)⟩ **0.1** *Dorian.*

Dorisch ⟨bn.⟩ **0.1** ⟨ook bk., taal.⟩; *Dorian* ⟨ook muz., soms taal.⟩ ◆ **1.1** ~e bouworde *the Doric order;* de ~e tongval *the Doric/* ⟨zeldz.⟩ *Dorian accent;* de ~e toonaard *the Dorian mode;* ~e zuil *Doric column.*

dormitorium ⟨het⟩ **0.1** [slaapzaal] *dormitory* **0.2** [gang] *dormitory*.

dorp ⟨het⟩ ⟨→sprw. 125⟩ **0.1** [gemeente op het platteland] *village*, ^Atown **0.2** [bewoners] *village*, ^Atown ◆ **2.2** het hele ~ weet het *it's all over town* **6.1 in/op** een ~ wonen *live in a v.* / ^Atown.

dorpel ⟨de (m.)⟩ **0.1** [drempel] *threshold* ⇒*doorstep* **0.2** [deel v.e. kozijn] *threshold* ⟨benedendorpel deur⟩; *lintel* ⟨bovendorpel⟩; *sill* ⟨benedendorpel deur of raam⟩.

dorpeling ⟨de (m.)⟩ **0.1** *villager* ⇒⟨mv. ook⟩ *village people*.

dorps ⟨bn., bw.; -(al)ly⟩ **0.1** [landelijk] *rural* ⇒*rustic, countrified*, ⟨pej.⟩ *cracker-barrel* **0.2** [bekrompen] *parochial* ◆ **1.1** een ~ tafereel *a rustic scene*; ~e zeden *village morality* **1.2** een ~e geest *a p. mind/spirit* **3.1** het is daar nog echt ~ *life is still very rural there*; zich ~ kleden *dress rustically*.

dorpsbewoner ⟨de (m.)⟩ **0.1** *villager*.

dorpscentrum ⟨het⟩ **0.1** [het centrum] *town centre* **0.2** [dorpshuis] *community centre*.

dorpsgeest ⟨de (m.)⟩ **0.1** *parochialism*.

dorpsgek ⟨de (m.)⟩ **0.1** *village idiot*.

dorpsgemeenschap ⟨de (v.)⟩ **0.1** *village/rural community*.

dorpsgenoot ⟨de (m.)⟩, **-genote** ⟨de (v.)⟩ **0.1** *fellow-villager*.

dorpsgezicht ⟨het⟩ **0.1** [uitzicht] *view of a/the village* **0.2** [afbeelding daarvan] *view of a/the village*.

dorpshuis ⟨het⟩ **0.1** [gemeentehuis] *Town Hall* **0.2** [cultureel centrum] *community centre*.

dorpskom ⟨de⟩ **0.1** *town centre*.

dorpsleven ⟨het⟩ **0.1** *village life*.

dorpsmentaliteit ⟨de (v.)⟩ **0.1** *village/parochial outlook/mentality*.

dorpspastoor ⟨de (m.)⟩ ⟨r.k.⟩ **0.1** *village/parish priest*.

dorpsplein ⟨het⟩ **0.1** *(village) green/square*.

dorpspolitiek ⟨de (v.)⟩ **0.1** *village politics*.

dorpsschool ⟨de⟩ **0.1** *(village/country/rural) schoolhouse*.

dorpsschoolmeester ⟨de (m.)⟩ **0.1** *village/country schoolteacher* ⇒⟨BE ook⟩ *village schoolmaster*.

dorpsstraat ⟨de⟩ **0.1** *village street* ⇒⟨voornaamste⟩ *main street*.

dorsaal¹ ⟨de⟩ ⟨taal.⟩ **0.1** *dorsal*.

dorsaal² ⟨bn.⟩ **0.1** [⟨taal.⟩] *dorsal* **0.2** [v.d. rug] *dorsal* ⇒*tergal*.

dorsen ⟨onov., ov.ww.⟩ **0.1** *thresh* ⇒*thrash*, ⟨met vlegel, ook⟩ *flail*.

dorsgarnituur ⟨het⟩ **0.1** *threshing-machine* ⇒*thresher, thrasher*.

dorsmachine ⟨de (v.)⟩ **0.1** *threshing-machine* ⇒*thresher, thrasher*.

dorst ⟨de (m.)⟩ **0.1** [behoefte aan drinken] *thirst* **0.2** [hevig verlangen] *thirst* ⇒*craving, hunger* ◆ **2.1** erge ~ hebben *be parched, be dry as dust* **3.1** ~ hebben *be thirsty, have a t.*; daar krijg je ~ van *that makes one thirsty, that's a thirsty job*; zijn ~ lessen *quench one's t.*; ik verga v.d. ~ *I'm dying for a drink, I'm dying of t.* **6.1** een appeltje met ~ a *nest egg/buffer* **6.2** ~ **naar** rijkdom/eer/kennis *thirst for/hunger for /crave riches/honour/knowledge* **8.1** ~ als een paard *raging t.*.

dorsten ⟨onov.ww.⟩ **0.1** [begeren] *thirst for/after* ⇒*hunger for, crave, be thirsty for* **0.2** [dorst voelen naar] *thirst for/after* ⇒*hunger for, crave, be thirsty for* ◆ **6.1 naar** bloed/wraak ~ *t. for/after blood/revenge, be out for blood/revenge*.

dorstig ⟨bn.⟩ **0.1** *thirsty* ⇒*parched, dry as dust* ◆ **1.1** ~e kelen *parched throats* **3.1** dit weer maakt ~ *this is t. weather, this weather gets one's thirst up*.

dorstlessend ⟨bn.⟩ **0.1** *thirst-quenching*.

dorstlesser ⟨de (m.)⟩ **0.1** *thirst-quencher*.

dorstverwekkend ⟨bn.⟩ **0.1** *causing/producing thirst* ⇒⟨inf.⟩ *thirsty* ⟨werk⟩.

dorsvlegel ⟨de (m.)⟩ **0.1** *flail*.

dorsvloer ⟨de (m.)⟩ **0.1** *threshing floor*.

dos ⟨de (m.)⟩ **0.1** [kleding] *attire* ⇒*dress. apparel* **0.2** [vacht, veren] *coat* ⟨vacht⟩; *dress* ⟨veren⟩ ◆ **1.1** in rijke/feestelijke/plechtige ~ *in rich/festive/formal a.* **3.2** ⟨fig.⟩ natuur heeft haar ~ afgelegd *Nature has shed her summer a.*.

doseerapparaat ⟨het⟩ **0.1** *(dose-)measuring device* ⇒*(piece of) (dose-)measuring apparatus/equipment, dispenser*.

doseren ⟨ov.ww.⟩ **0.1** [een dosis bepalen] *dose* **0.2** [in doses verdelen] *dose* ⇒*divide/measure into doses* **0.3** [de genoemde dosis verstrekken] *dose* ⇒*administer a dose (to)* ◆ **5.3** een goed gedoseerd (programma-)aanbod *a well-balanced variety of programmes*.

dosering ⟨de (v.)⟩ **0.1** [afgemeten hoeveelheid] *quantity*, ⟨van geneesmiddel⟩ *dose* **0.2** [het doseren] *measurement of quantity*; ⟨van geneesmiddel⟩ *measurement of (the) dose*; ⟨met toedienen⟩ *dosage*.

dosis ⟨de (v.)⟩ **0.1** [med.] *dose; measure*, ⟨fig.⟩ *degree* ◆ **1.1** daar komt ook een ~ geluk bij kijken *that needs a certain amount of luck* **2.1** een bescheiden ~ gezond verstand *a modicum of common sense*; een fatale ~ *a fatal dose*; een flinke ~ gezond verstand *a good share/a full measure of common sense*; beschikken over een grote ~ moed *have a great stock/store/fund of courage*; een te grote/zware ~ *an overdose*; een zekere/redelijke ~ gezond verstand *a certain amount/a fair share of common sense*.

dosismeter ⟨de (m.)⟩ **0.1** *dosimeter*.

dossier ⟨het⟩ **0.1** *file* ⇒*documents, records*, ⟨politie, jur. ook⟩ *dossier* ◆ **2.1** zijn getuigenis vormt inmiddels een omvangrijk ~ *his statement has grown to an extensive file/dossier* **3.1** een ~ aanleggen van iets *file sth., place sth. on f.*; een dossier bijhouden van iets/iem. *keep a dossier/f. on sth.*/*s.o.*, *have sth.*/*s.o. on f.*; een ~ lichten *remove a f.* **6.1** iets/iem. **uit** het ~ lichten *remove sth.*/*s.o. from the f.*, *take sth.*/*s.o. off the f.*.

dot ⟨de⟩ **0.1** [dot, pluk] *tuft* ⟨haar, gras⟩ ⇒⟨haar ook⟩ *knot*, ⟨gras ook⟩ *tussock* **0.2** [iets kleins, liefs] *darling* ⇒*(little) love, dream, duck, peach* **0.3** [⟨als aanspreekwoord⟩] *darling* ⇒*sweety, sweetie-pie, love*, ^Acutie ◆ **1.1** een ~ garen/poetskatoen *a tuft of thread, a wad of cotton waste*; een flinke ~ slagroom *a dollop of cream*; een ~ watten *a wad of cotton* **1.¶** een ~ gas geven *step on it/the gas, gun the engine* **6.2** een ~ van een kind/van een hoedje *a little love/dream of a child/hat*.

dotaal ⟨bn.⟩ **0.1** *dotal* ◆ **1.1** dotale goederen *dowry*; ~ systeem *d. system*.

dotatie ⟨de (v.)⟩ **0.1** *donation* ⇒*endowment, contribution*, ⟨boekhouding⟩ *appropriation, allocation* ◆ **6.1** een ~ **uit** de winst aan het reservefonds *an allocation/appropriation/transfer out of the profits (made) to the reserve fund/to reserve, a reserve allocation/appropriation/transfer from the profits*.

doteren ⟨ov.ww.⟩ **0.1** [begiftigen] *donate (to)* ⇒*endow (with), contribute (to), present (to)* **0.2** [toevoegen/-schrijven] *allocate* ⇒*appropriate, transfer, add, carry* ◆ **5.1** een goed gedoteerde prijzenpot *a well-filled jackpot*; de hoogst gedoteerde koers *the highest price/quotation/rate offered* **6.1** een bedrag **aan** een instelling ~ *d. a sum to an institution, endow an institution with a sum* **6.2** een bedrag ~ **aan** de oudedagsreserve *contribute a sum to the pension fund*.

dotterbloem ⟨de⟩ **0.1** *marsh-marigold* ⇒*king-cup*.

douairière ⟨de (v.)⟩ **0.1** *dowager*.

douane
I ⟨de⟩ **0.1** [dienst] *customs* **0.2** [kantoor] *customs house* ⇒*customhouse* ◆ **6.1** door de ~ gaan *go through c., pass the c.*; iets **door/langs** de ~ smokkelen *smuggle sth. past the c.*;
II ⟨de (m.)⟩ **0.1** [beambte] *customs officer*.

douanebeambte ⟨de (m.)⟩ **0.1** *customs officer/official* ⇒*customs house officer, revenue officer*.

douaneformaliteiten ⟨zn.mv.⟩ **0.1** *customs formalities* ◆ **3.1** de ~ afhandelen/vervullen *conclude/complete the c. f.* **6.1 aan** de ~ is voldaan *the c. f. have been satisfied*.

douanekantoor ⟨het⟩ **0.1** *customs office/house*.

douaneloods ⟨de⟩ **0.1** *customs shed*.

douaneonderzoek ⟨het⟩ **0.1** *customs/inspection examination* ⇒⟨inf.⟩ *(the) customs*.

douanepapieren ⟨zn.mv.⟩ **0.1** *customs forms/documents*.

douanepolitiek ⟨de (v.)⟩ **0.1** *customs policy*.

douanerechten ⟨zn.mv.⟩ **0.1** *customs/revenue duties, revenue taxes* ⇒⟨inf.⟩ *(the) customs*.

douanetarief ⟨het⟩ **0.1** *customs/revenue tariff, tariff rate*.

douane-unie ⟨de (v.)⟩ **0.1** *customs union*.

douaneverklaring ⟨de (v.)⟩ **0.1** *customs declaration* ⇒⟨bij goederen⟩ *bill of entry*.

douanier ⟨de (m.)⟩ **0.1** *customhouse officer/official* ⇒*customs collector*.

doublé¹ ⟨het⟩ **0.1** *gold plate* ◆ **6.1** een armband **van** ~ *a gold-plated bracelet*.

doublé² ⟨bn.⟩ **0.1** *gold-plated*.

doubleren
I ⟨ov.ww.⟩ **0.1** [verdubbelen] *double* **0.2** [⟨biljart⟩] *double* **0.3** [voeren] *line*;
II ⟨onov., ov.ww.⟩ **0.1** [⟨school.⟩] *repeat (a class)* ⇒*stay down* ^Aback;
III ⟨onov.ww.⟩ **0.1** [⟨bridge⟩] *double*.

doublet ⟨het⟩ **0.1** [dubbel exemplaar] *duplicate* ⇒*double, twin* **0.2** [⟨taal.⟩] *doublet* **0.3** [⟨nat.⟩] *doublet* **0.4** [⟨bridge⟩] *double*.

doubleur ⟨de (m.)⟩ **0.1** [⟨school.⟩] ≠*non-promoted pupil* **0.2** [⟨film.⟩] *double*.

doublure ⟨de⟩ **0.1** [voering] *lining* ⇒⟨boek⟩ *doublure* **0.2** [⟨dram.⟩ een dubbelrol spelen] *doubling* **0.3** [⟨dram.⟩ reservespeler] *understudy* **0.4** [⟨school.⟩ het zittenblijven] *staying back* ^Adown ⇒*repeating (a class)* **0.5** [verdubbeling] *duplication* ◆ **3.5** om ~s te voorkomen *to prevent d.*.

douceur ⟨de⟩ **0.1** [fooi, geschenk in geld] *tip* ⇒*gratuity, douceur* **0.2** [bijverdienste] *extra earnings* ◆ **2.1** een aardig ~tje *a nice windfall*.

douche ⟨de⟩ **0.1** [stortbad] *shower* ⇒⟨vnl. med.⟩ *douche* **0.2** [douchecel] *shower (cubicle/stall)* **0.3** [toestel voor stortbaden] *shower* ⇒⟨vnl. med.⟩ *douche* ◆ **2.1** ⟨fig.⟩ als een koude ~ werken *on cast/throw cold water, put a damper on*; Schotse ~ *alternating hot and cold shower* **3.1** een ~ nemen *take a shower* **6.1** ze staat **onder** de ~ *she's in the shower*.

douchecabine ⟨de (v.)⟩ →**douchecel**.

douchecel ⟨de⟩ **0.1** *shower (cubicle)* ⇒⟨met deur ook⟩ *shower cabinet*, ⟨zonder deur ook⟩ *shower stall*.

douchegordijn ⟨het⟩ **0.1** *shower curtain*.

douchekop, -sproeier ⟨de (m.)⟩ **0.1** *shower head*.

douchen ⟨onov.ww.⟩ **0.1** *shower* ⇒*take/have a shower*, ⟨med.⟩ *douche*.

douw ⟨de (m.)⟩ ⟨inf.⟩ **0.1** *shove* ⇒*push, thrust, poke*, ⟨met elleboog⟩

313

nudge ◆ **3.1** ⟨fig.⟩ iem. een ~ geven *set s.o. back, rap s.o. on/ over the knuckles, throw the book at s.o.;* een ~ krijgen *catch it, take the rap, be reprimanded/ punished.*

douwen ⟨onov., ov.ww.⟩ ⟨inf.⟩ **0.1** *shove* ⇒*push, thrust, poke, crowd* ⟨opzij⟩.

dove ⟨de (m.)⟩ ⟨→sprw. 126⟩ **0.1** *deaf person* ◆ **6.1** dat was **aan** geen ~ gezegd *he took careful note of that;* **voor** ~n preken *preach to deaf ears* ¶**.1** ⟨de⟩ ~n *the deaf.*

dovekool ⟨de⟩ **0.1** *dead coal.*

dovemansdeur ⟨de⟩ ◆ **6.**¶ hij klopte **aan** ~ *his words fell on/ he spoke to deaf ears.*

dovemansoren ⟨zn.mv.⟩ ◆ **3.**¶ dat is niet aan ~ gezegd *that did not fall on deaf ears* **6.**¶ **voor** ~ spreken *not find/ obtain any hearing.*

doven ⟨ov.ww.⟩ **0.1** [blussen, uitdoen] *extinguish* ⇒*put out, turn out/ off* ⟨licht⟩, ⟨vuur ook⟩ *smother, blow out* ⟨kaars, hoogoven⟩ **0.2** [⟨fig.⟩] *extinguish* ⇒*kill, deaden, dull, dampen* **0.3** [mbt. geluiden] *deaden* ◆ **1.1** zijn enthousiasme is gedoofd *he has lost all enthusiasm for it, his enthusiasm has been dulled/ dampened;* een auto met gedoofde lichten *a car with no lights/ its lights off;* ⟨fig.⟩ het vuur is gedoofd *the fire is gone/ has gone out* **1.2** de glans/ de luister ~ *dull the brightness/ lustre.*

dovenetel ⟨de⟩ **0.1** *dead nettle* ⇒*blind nettle* ◆ **2.1** witte ~ *white dead nettle.*

doveninstituut ⟨het⟩ **0.1** *institute for the deaf.*

dovig ⟨bn.⟩ **0.1** *somewhat/ a bit deaf* ⇒*hard of hearing.*

down ⟨bn.⟩ **0.1** [neerslachtig] *down(-hearted/ in the mouth)* ⇒*downcast, out of spirits, blue, low* **0.2** [⟨bridge⟩] *down* ◆ **7.2** twee ~ (gaan) *(be/ go) down by two, (be/ go) two down.*

downslag ⟨de⟩ ⟨bridge⟩ **0.1** *undertrick.*

downstemming ⟨de (v.)⟩ **0.1** *low spirits* ⇒*downheartedness, melancholy.*

doyen ⟨de (m.)⟩ **0.1** [oudste in (dienst)jaren] *doyen* **0.2** [voorzitter op grond van leeftijd] *doyen* ⇒*dean* ⟨kerk, universiteit⟩.

dozijn ⟨het⟩ **0.1** *dozen* ◆ **1.1** (verscheidene) ~en boeken *(several) dozens of books* **2.1** een half ~ *half a d.* **6.1** bij het ~ verkopen *sell by the d./ in dozens;* zulke mannen zijn er **bij** ~en *there are dozens of men like that, such men are to be had by the d.;* zo gaan er geen twaalf **in** een ~ *this is sth. special/ out of the ordinary, you won't find many like it;* zo gaan er twaalf/ dertien **in** een ~ *things like this are a dime a d./ two a penny/ ten a penny;* voordeliger **per** ~ *cheaper by the d./ in dozens* **7.1** een/ twee ~ eieren *one/ two dozen eggs.*

dr. 0.1 [druk] *imp.* ⇒⟨oneigenlijk⟩ *ed.* **0.2** [doctor] *Dr..*

d'r[1] ⟨bez.vnw.⟩ ⟨inf.⟩ **0.1** *her.*

d'r[2] ⟨bw.⟩ ⟨inf.⟩ **0.1** *there* ◆ **5.1** ~ in en ~ uit *in and out.*

dra ⟨bw.⟩ ⟨schr.⟩ **0.1** *soon* ⇒*nigh.*

draad ⟨de (m.)⟩ ⟨→sprw. 127⟩ **0.1** [ineengedraaide vezels] *thread* ⇒ *strand, fibre* **0.2** [mbt. smeltbare stoffen] *wire* ⇒*filament* ⟨in lamp⟩ **0.3** [⟨biol.⟩ vezel] *fibre* ⇒*filament, string* ⟨vlees, peulen⟩ **0.4** [⟨biol.⟩ beloop van vezels] *grain* ⇒*staple* ⟨wol⟩ **0.5** [gegeven dat de weg wijst] *thread* ⇒*clue* ⟨misdaad⟩ **0.6** [samenhang, verband] *thread* **0.7** [mbt. schroeven] *thread* **0.8** [mbt. messen] *wire-edge* ⇒*burr* ◆ **1.1** ⟨fig.⟩ de ~ v.h. leven *the t. of life;* de ~ v.e. spinneweb *the t. of a spider's web* **1.6** de ~ v.e. verhaal/ gesprek *the t. of a story/ conversation* **2.1** geen droge ~ aan zijn lichaam hebben *not have a dry t./ stitch on one;* een rode ~ ⟨fig.⟩ *a leitmotiv/ thread* **3.1** de ~ insteken *thread* **3.6** de ~ weer opnemen/ opvatten *take up/ pick up/ resume the t.* **6.1 tot op** de ~ versleten *worn threadbare/ to a t./ to a frazzle* **6.2** een van ~ gevlochten kooi *a cage of wire-netting/ -meshing* **6.3** deze slaboontjes zijn **zonder** ~ *these green beans are stringless* **6.4 met** op ~ snijden *cut with/ in the direction of the g.;* dat hout is mooi recht **van** ~ *this wood is even-grained;* **vlees** tegen de ~ snijden *cut meat across the g.* **6.**¶ hij is altijd **tegen** de ~ in *he's always cross-grained/ perverse/ contrary;* ⟨met iets⟩ **voor** de ~ komen *come out with/ disclose sth.,* cough sth. up, make a clean breast of sth.; hup, **voor** de ~ ermee *come on, out with it/ cough it up/ make a clean breast of it* **7.1** geen ~ not a t./ stitch/ shred ¶**.6** de ~ kwijt zijn *flounder* ⟨spreken⟩; *get one's wires crossed.*

draadachtig ⟨bn.⟩ **0.1** *threadlike* ⇒*wiry* ⟨als metalen draad⟩.

draadbekleding ⟨de (v.)⟩ ⟨elek.⟩ **0.1** *insulation.*

draadbreuk ⟨de⟩ **0.1** *break* ⇒*open.*

draadgaas ⟨het⟩ **0.1** *wire gauze/ mesh* ⇒⟨fijn⟩ *wire cloth,* ⟨grof⟩ *w. netting.*

draadglas ⟨het⟩ **0.1** *wire(d) glass.*

draadijzer ⟨het⟩ **0.1** *bar-iron.*

draadje ⟨het⟩ **0.1** [kleine/ dunne draad] *thread* ⇒*strand, fibre* **0.2** [stukje draad] *wire* ⇒*piece of wiring* **0.3** [plukje] *pinch* ⟨tabak⟩ ◆ **2.1** ⟨fig.⟩ aan een zijden ~ hangen *hang/ tremble in the balance, hang by a t./ hair* **2.2** een los ~ *a loose connection* **3.1** ⟨fig.⟩ er zit een ~ los bij hem *he has a screw loose.*

draadjesvlees ⟨het⟩ **0.1** *stringy meat.*

draadklem ⟨de⟩ ⟨elek.⟩ **0.1** *wire clip/ clamp* ⇒⟨AE ook⟩ *outrigger.*

draadloos ⟨bn., bw.⟩ **0.1** *wireless* ◆ **1.1** de draadloze omroep *the wireless, the radio* **3.1** een ~ bestuurd schip *a remote controlled ship.*

draadnagel ⟨de (m.)⟩ **0.1** *wire-nail.*

draadontspanner ⟨de (m.)⟩ ⟨foto.⟩ **0.1** *cable release.*

draadpaal ⟨de (m.)⟩ **0.1** *fence-pole.*

draadplastiek ⟨de (v.)⟩ **0.1** *wire sculpture.*

draads ⟨bn.⟩ **0.1** *ply* ◆ **7.1** hoeveel ~ wol is dat? *what p. is this wool?.*

draadschaar ⟨de⟩ **0.1** *wire-cutter.*

draadsnijder ⟨de (m.)⟩ **0.1** *die* ⟨uitwendige draad⟩, *tap* ⟨inwendige draad⟩.

draadspanner ⟨de (m.)⟩ **0.1** *turnbuckle.*

draadspoel ⟨de⟩ **0.1** *bobbin* ⇒*reel, solenoid.*

draadstripper ⟨de (m.)⟩ **0.1** *wire-stripper.*

draadtang ⟨de⟩ **0.1** *(pair of) pliers/ (wire) nippers.*

draadtrekker ⟨de (m.)⟩ **0.1** *wiredrawer.*

draadverbinding ⟨de (v.)⟩ **0.1** *wire connection.*

draadversperring ⟨de (v.)⟩ **0.1** *barbed-wire barrier/ fence.*

draadvormig ⟨bn.⟩ **0.1** *threadlike* ⇒⟨van metaaldraad⟩ *filamentary,* ⟨plantk.⟩ *filamentous.*

draadwerk ⟨het⟩ **0.1** *wire work/ netting;* ⟨fijn, van goud enz.⟩ *filigree.*

draadworm ⟨de (m.)⟩ **0.1** *threadworm, nematode (worm)* ⇒*hairworm, pinworm, filaria, eel(worm).*

draadzaag ⟨de⟩ **0.1** *helicoidal saw, wire saw.*

draadzeef ⟨de⟩ **0.1** *(wire) screen.*

draagas ⟨de⟩ **0.1** *carrying axle.*

draagbaar[1] ⟨de⟩ **0.1** *stretcher* ⇒*litter, bier* ⟨voor doodskist⟩, *hand barrow* ⟨voor waren⟩.

draagbaar[2] ⟨bn.⟩ **0.1** [vervoerbaar] *portable* ⇒*transportable, movable* ⟨grote zaken⟩ **0.2** [mbt. kleding] *wearable* **0.3** [te verdragen] *bearable* ⇒*endurable, tolerable* ◆ **1.1** een draagbare radio *a p. radio;* ⟨oneig.⟩ *a transistor radio,* ¹*a tranny;* draagbare wapenen *hand weapons* **1.2** zo'n model japon is niet ~ *a dress of that style isn't w.* **1.3** draagbare temperaturen *b. temperatures* **3.1** al wat ~ was werd het huis uit gesjouwd *everything movable was carried out of the house.*

draagbal ⟨de (m.)⟩ ⟨sport⟩ **0.1** *carried ball.*

draagbalk ⟨de (m.)⟩ ⟨bouwk.⟩ **0.1** *breastsummer, girder, summer(-tree), supporting beam.*

draagband ⟨de (m.)⟩ **0.1** *belt* ⇒*strap* ⟨b.h., tas⟩, *sling* ⟨voor gebroken arm⟩.

draagdoek ⟨de (m.)⟩ **0.1** *sling.*

draaggolf ⟨de⟩ ⟨elek.⟩ **0.1** *carrier wave.*

draaghemel ⟨de (m.)⟩ ⟨r.k.⟩ **0.1** *(portable) canopy* ⇒*baldakin, tester.*

draagjuk ⟨het⟩ **0.1** *yoke.*

draagkarton ⟨het⟩ **0.1** *cardboard carrier (for beer/ soft drinks).*

draagkorf ⟨de (m.)⟩ **0.1** *pannier.*

draagkracht ⟨de⟩ **0.1** [financieel] *capacity, strength* ⇒⟨belasting⟩ *taxable/ taxbearing capacity* **0.2** [vermogen om te vervoeren] *(carrying) capacity* **0.3** [vermogen om te ondersteunen] *bearing/ supporting power* ⇒⟨vliegtuig⟩ *lift* **0.4** [bereik] *range* ◆ **2.1** financiële ~ *financial strength/ capacity/ resources/ means* **6.1 naar** ~ (laten) betalen *(make) pay according to/ in accordance with one's means;* de lasten/ kosten **naar** ~ verdelen *distribute costs according to ability to pay* ¶**.1** dat gaat mijn ~ te boven *that is beyond my means/ more than I can afford.*

draagkrachtbeginsel ⟨het⟩ ⟨ec.⟩ **0.1** *ability-to-pay principle.*

draagkrachtig ⟨bn.⟩ **0.1** *well-to-do* ⇒*well-off, of (sufficient) means/ resources* ◆ **7.1** ⟨zelfst.⟩ de minder ~en *the financially weak.*

draaglijk ⟨bn., bw.⟩ **0.1** [te verdragen] *bearable* ⇒*endurable, tolerable* **0.2** [vrij goed] *tolerable* ⇒*passable, bearable* ◆ **1.2** het eten was maar net ~ *the food was only just bearable/ edible.*

draagmoeder ⟨de (v.)⟩ **0.1** *surrogate mother.*

draagmuur ⟨de (m.)⟩ ⟨bouwk.⟩ **0.1** *supporting wall.*

draagraket ⟨de⟩ **0.1** *booster, launcher* ◆ **3.1** als de brandstof op is, wordt de ~ afgestoten *when the fuel is used up, the b. is jettisoned.*

draagriem ⟨de (m.)⟩ **0.1** *sling* ⇒*(carrying) strap,* ⟨van officier⟩ *Sam Browne (belt).*

draagspeld ⟨de⟩ **0.1** *badge.*

draagstoel ⟨de (m.)⟩ **0.1** *sedan (chair)* ⇒*litter, palanquin, keen* ⟨verre Oosten⟩, *gestatorial chair* ⟨paus⟩.

draagtas ⟨de⟩ **0.1** *carrier bag,* ^*bag.*

draagverband ⟨het⟩ **0.1** *sling* ◆ **3.1** een ~ aanleggen *put an arm in a sling* **6.1** zij had haar arm **in** een ~ *she carried her arm in a sling.*

draagvermogen ⟨het⟩ **0.1** [⟨tech.⟩ vermogen om te ondersteunen] *bearing/ supporting power* ⟨vnl. bouwk.⟩ ⇒*lift* ⟨vliegtuig⟩ **0.2** [vermogen om te vervoeren] *carrying capacity* ⇒⟨scheep.⟩ *deadweight capacity, cargo/ load capacity* **0.3** [⟨ecologie⟩] *carrying capacity.*

draagvlak ⟨het⟩ **0.1** [vlak waarop een last steunt] ⟨lett.⟩ *bearing surface* ⇒*basis, support* ⟨ook fig.⟩ **0.2** [⟨vliegtuigvleugel⟩] *airfoil* ⇒*plane* ◆ **2.1** het maatschappelijk ~ v.e. wetsontwerp *the social basis/ the public support of a bill;* de nieuwe partij heeft een breed maatschappelijk ~ *the new party is (socially) broadly based.*

draagvleugel ⟨de (m.)⟩ **0.1** [⟨luchtv.⟩] *aerofoil,* ^*airfoil* **0.2** [⟨scheep.⟩] *hydrofoil.*

draagvleugelboot ⟨de⟩ **0.1** *hydrofoil* ⇒⟨oneig.⟩ *jetfoil* ◆ **6.1 per** ~ reizen *travel by h..*

draagwijdte ⟨de (v.)⟩ **0.1** *range* ⇒⟨stem/luidspreker ook⟩ *carrying power*, ⟨fig. ook⟩ *scope, bearing* ◆ **2.1** de volle ~ van haar woorden drong pas later tot hem door *only later did he understand all the implications of what she had said.*

draagzak ⟨de (m.)⟩ **0.1** [zak om iets in mee te dragen] *carrier bag,* ^A*carry bag* **0.2** [buidel van buideldieren] *pouch.*

draai ⟨de (m.)⟩ **0.1** [wending, draaiing] *turn* ⇒*twist, bend* **0.2** [plaats waar iets draait/gebogen is] *turn(ing)* ⇒*bend, curve,* ⟨fig.⟩ *turning point* **0.3** [slag] *turn* ⇒*twist, screw* ⟨schroef⟩ ◆ **3.1** geef er maar een ~ aan *explain it how you will;* een ~ aan iets geven *twist/turn the meaning of sth., give sth. a twist/turn;* de weg maakt hier een ~ *the road bends here;* zijn ~ nemen *turn one's coat, change front* **3.¶** hij kon zijn ~ niet vinden *he couldn't find his niche/feet* **6.1** een ~ **naar** links/rechts *a left/right turn;* een ~ **van** 180° maken *make an about-turn/about-face* **6.3** iem. een ~ **om** de oren geven *box/cuff s.o.'s ears.*

draaibaar ⟨bn.⟩ **0.1** *revolving* ⇒*rotating, swinging,* ⟨op pen⟩ *pivoted,* ⟨zwenkbaar⟩ *swivelling,* ⟨op scharnier⟩ *hinging* ◆ **1.1** een draaibare (bureau)stoel *a swivel chair;* een draaibare kraan *a pivot/swing crane* **3.1** het bovenstuk is ~ bevestigd *the top part is on a pivot.*

draaibank ⟨de⟩ **0.1** *(turning/turner's) lathe* ⇒⟨van horlogemaker⟩ *(watchmaker's) lathe.*

draaibeweging ⟨de (v.)⟩ **0.1** *turn(ing movement/motion)* ⇒⟨munt, bal⟩ *spin(ning movement/motion),* ⟨trommelstok, enz.⟩ *twirl(ing movement/motion),* ⟨tech.⟩ *rotation/gyration, rotary/revolving/gyrating movement/motion.*

draaiboek ⟨het⟩ **0.1** [⟨film, t.v., radio⟩] *shooting script* ⇒*film script,* ⟨scenario⟩ *screenplay, scenario* **0.2** [schema v.d. te volgen werkwijze] *scenario* ⇒*plan, strategy, scheme.*

draaiboom ⟨de (m.)⟩ **0.1** *barrier* ⇒*turnstile.*

draaibord ⟨het⟩ **0.1** [draaischijf] *revolving disc* ⇒*spinning wheel* ⟨roulette⟩, *potter's wheel* ⟨pottebakker⟩ **0.2** [rad van avontuur] *Wheel of Fortune.*

draaibrug ⟨de⟩ **0.1** *swing bridge* ⇒*pivot-/swivel-/turnbridge.*

draaicirkel ⟨de (m.)⟩ **0.1** *turning circle* ◆ **2.1** een auto met een kleine/grote ~ *a car with a small/large t. c..*

draaideur ⟨de⟩ **0.1** *revolving door.*

draaien
I ⟨ov.ww.⟩ **0.1** [keren] *turn (around/about)* ⇒⟨snel⟩ *twirl, spin,* ⟨om spoel⟩ *wind,* ⟨artillerie⟩ *traverse* **0.2** [andere richting geven aan] *turn (around/about)* ⇒*swerve, wheel, swing around* **0.3** [doen ontstaan, draaiend bewerken] *roll* ⇒*turn* ⟨op draaibank⟩ **0.4** [in een toestand brengen] *turn* **0.5** [telefoonnummer kiezen] *dial* **0.6** [⟨comp.⟩] *run* **0.7** [afspelen] *play* **0.8** [op gang houden] *run* ⇒*keep going, work* ◆ **1.1** ⟨fig.⟩ iem. een rad voor ogen ~ *pull the wool over s.o.'s eyes* **1.2** hoe men de zaak ook draait *which way you will, which ever way you look at it* **1.3** een film ~ *shoot a film/*^A*movie;* hout/ivoor/een vaas ~ *turn wood/ivory/a vase;* pillen ~ *r. pills;* een shagje ~ *r. a cigarette* **1.4** een verhaal/stukje in elkaar ~ *throw a story/article together* **1.7** een film ~ *show a film/*^A*movie;* een plaat ~ *p. a record* **1.8** een nachtdienst ~ *work a night shift* **1.¶** de motor had al heel wat kilometers gedraaid *the engine had clocked up quite a few kilometres already;* iem. een loer ~ *do the dirty on s.o., doublecross s.o., play s.o. false/foul* **5.4** het gas hoger/lager ~ *t. the gas up/down;* kapot ~ *overwind* ⟨horloge, klok⟩; *twist (to pieces)* **¶.3** ⟨film⟩ ~ maar! *roll 'em!* **¶.4** een deur op slot ~ *lock a door;*
II ⟨onov.ww.⟩ **0.1** [zich rond een middelpunt bewegen] *turn (around)* ⇒*revolve, rotate,* ⟨planeten⟩ *orbit,* ⟨om as⟩ *pivot,* ⟨snel, tollend⟩ *spin, gyrate, whirl* **0.2** [wenden] *turn* ⇒*swerve, veer* **0.3** [draaiend komen of gaan] *turn (one's way) into/out of* **0.4** [weifelend/doelloos heen en weer lopen] *pace up and down* **0.5** [niet voor de waarheid uitkomen] *equivocate* ⇒*prevaricate, be evasive* **0.6** [vertoond worden] *be on/shown* **0.7** [klandizie aantrekken, omzetten] *work* ⇒*run, do* **0.8** [aan de gang/in werking zijn] *run* ⇒*work* ◆ **1.1** de molen draait *the windmill is turning* **1.2** de weg draait hier *the road turns/bends here;* de wind draait *the wind is shifting/changing/veering round* **1.6** die film/voorstelling draait nog steeds *that film/show is still on, that film is still showing* **1.8** met ~de motor *with the engine running* **3.2** zit niet zo te ~! *stop fidgeting!* **3.8** de zaak ~e houden *keep things going* **4.1** het begint me te ~ ⟨van verbouwereerdheid⟩ *I'm reeling, my head/brain is spinning/swimming/reeling;* van misselijkheid) *I'm beginning to feel sick/dizzy, everything is going round and round/swimming before my eyes* **5.1** een ~de bal *a spinning ball* **5.3** ⟨fig.⟩ hij zal er wel in ~ *he'll get into trouble, I reckon/daresay he'll get/catch it (all right);* ⟨fig.⟩ zich eruit ~ *wriggle out of it;* de auto draait de hoek om *the car is turning the corner* **5.5** er omheen draaien *beat about the bush, dodge/evade the question;* zonder er omheen te ~ *without heating about the bush, to come to the point, without further ado* **5.7** de ijssalon heeft dit seizoen goed gedraaid *the ice-cream parlour has had a good season* **5.8** het team draaide uitstekend *the team was functioning extremely well* **6.1** in het rond ~ *t./spin round/about;* de aarde draait **om** de zon *the earth revolves/orbits around the sun;* ⟨fig.⟩ alles draait **om** hem *everything revolves around him;* ⟨fig.⟩ daar draait het **om**

that's what it's all about; alles draaide **om** haar heen *everything swam/span/reeled before her eyes* **6.2** met het hoofd ~ *t. one's head;* met de ogen ~ *roll one's eyes;* de weg draaide scherp **naar** links *the road made a sharp turn/bend to the left* **6.3** de bal draaide het doel **in** *the ball spinned its way into the goal* **6.4** hij draaide voortdurend **om** mij heen *he was constantly hanging around me* **6.7** met winst/verlies ~ *w. at a profit/loss* **6.¶** **aan** de knoppen ~ *turn the knobs;* ⟨kind.⟩ *twiddle the knobs* **¶.2** hij draait met alle winden mee ~ *he trims/sets his sail to every wind, he blows hot and cold.*

draaier[1] ⟨de (m.)⟩, **-ster** ⟨de (v.)⟩ **0.1** [iem. die draait, werkman] *turner* **0.2** [veinzer] ^†*equivocator,* ^†*prevaricator.*

draaier[2] ⟨de (m.)⟩ ⟨med.⟩ **0.1** *axis* ◆ **1.1** de atlas en de ~ *the atlas and the a..*

draaierig ⟨bn.⟩ **0.1** [duizelig] *dizzy* ⇒*giddy* **0.2** [telkens draaiend, zeer beweeglijk] *fidgety* **0.3** [met veel bochten] *winding* ⇒*tortuous* ⟨ook fig.⟩, *sinuous* ◆ **1.2** een ~ kind *a f. child* **1.3** die weg is erg ~ *that road is full of bends* **3.1** ik voel me ~ / heb een ~ gevoel *I feel d. / giddy.*

draaierigheid ⟨de (v.)⟩ **0.1** *dizziness* ⇒*giddiness,* ⟨med.⟩ *vertigo.*

draaierij ⟨de (v.)⟩ **0.1** [werkplaats] *turner's/turning shop* ⇒⟨fabriek⟩ *turning mill,* ⟨afdeling⟩ *turning department* **0.2** [⟨fig.⟩] *equivocating, twisting* ⇒*beating about the bush, fencing, hedging* ◆ **3.2** met ~(en) omgaan *be a prevaricator/an equivocator.*

draaihek ⟨het⟩ **0.1** *turnstile* ⇒*swing gate.*

draaiing ⟨de (v.)⟩ **0.1** [het draaien, wenteling] *rotation* ⇒*turning, revolution, turn* ⟨wenteling⟩ **0.2** [duizeling] *(spell of) dizziness* ⇒*(spell of) giddiness, faint(ing spell)* **0.3** [het gedraaid zitten, knoop] *twist* ⇒*torsion, convulsion* ◆ **6.1** de ~ om de zon *the revolution around the sun;* ~ **om** een as *axial rotation;* ~ **van** het hoofd *turning of the head.*

draaiingsas ⟨de⟩ **0.1** *axis of rotation.*

draaikolk ⟨de⟩ **0.1** *whirlpool* ⇒*eddy, vortex* ◆ **2.1** een wervelende ~ *a dizzy w., a surging vortex* **6.1** in een ~ meegesleurd worden *be drawn into a vortex.*

draaikont ⟨de (m.)⟩ ⟨inf.⟩ **0.1** [onoprecht, huichelachtig persoon] *twister* **0.2** [iem. die niet stil kan zitten] *fidget* ⇒*s.o. with ants in his pants.*

draaikruk ⟨de⟩ **0.1** [v.e. wiel] *crank (handle)* **0.2** [zit] *revolving stool.*

draailicht ⟨het⟩ **0.1** *revolving light.*

draailier ⟨de⟩ ⟨tech.⟩ **0.1** *hurdy-gurdy* ⇒*vielle.*

draaimolen ⟨de (m.)⟩ **0.1** *merry-go-round* ⇒*whirligig,* ⟨BE ook⟩ *roundabout,* ⟨AE ook⟩ *carousel* ◆ **6.1** ze gingen allemaal in de ~ *they all got on the merry-go-round;* een ritje in de ~ *ride on the merry-go-round.*

draaiorgel ⟨het⟩ **0.1** *barrel organ* ⇒*street organ, hand-organ, hurdy-gurdy* ⟨draagbaar⟩ ◆ **3.1** de orgelman speelde zijn ~ *the organgrinder was grinding his b. o..*

draaipen ⟨de⟩ **0.1** [waarom iets draait] *pivot* **0.2** [om iets mee aan te draaien] *tommy (bar).*

draaipunt ⟨het⟩ **0.1** *turning point* ⟨ook fig.⟩ ⇒*centre of rotation, pivot, hinge point* ⟨deur e.d.⟩.

draairichting ⟨de (v.)⟩ **0.1** *direction/sense of rotation/revolution.*

draaischijf ⟨de⟩ **0.1** [pottenbakkersschijf] *potter's wheel* **0.2** [schijf v.e. grammofoon] *turntable* **0.3** [kiesschijf] *dial* **0.4** [schijf waarop men locomotieven laat keren] *turn)ing table* ⇒*transfer table, traverser.*

draaispiegel ⟨de⟩ **0.1** *swing-glass/mirror* ⇒*cheval-glass.*

draaispil ⟨de⟩ **0.1** *capstan* ⇒*winch, windlass.*

draaispit ⟨het⟩ **0.1** *(roasting-)spit* ◆ **6.1** aan het ~ *on the spit.*

draaistel ⟨het⟩ **0.1** *truck* ⇒⟨spoorw.⟩ *bogie.*

draaistoel ⟨de (m.)⟩ **0.1** [draaibare stoel] *swivel/revolving chair* **0.2** [draaibankje] *turn-bench.*

draaistroom ⟨de (m.)⟩ ⟨elek.⟩ **0.1** *rotary/three-phase current.*

draaitafel ⟨de⟩ **0.1** [platenspeler] *turntable* **0.2** [draaibare tafel] *revolving/swivel table* ◆ **6.1** een plaat op de ~ leggen *put a record on the recordplayer.*

draaitoestel ⟨het⟩ ⟨com.⟩ **0.1** *dial telephone.*

draaitol ⟨de (m.)⟩ **0.1** [iem. die niet stilzit] *fidget(er)* **0.2** [iem. die telkens van mening verandert] *twister* ⇒*weathercock, shilly-shallier* **0.3** [speelgoed] *(spinning) top.*

draaitoneel ⟨het⟩ **0.1** *revolving stage.*

draaiopstofzuiger ⟨de (m.)⟩ **0.1** *swivel top (vacuum) cleaner.*

draaitrap ⟨de (m.)⟩ ⟨AZN⟩ **0.1** *spiral staircase.*

draaiziekte ⟨de (v.)⟩ ⟨dierk.⟩ **0.1** *staggers* ⇒*vertigo,* ⟨bij schapen⟩ *gid, sturdy, goggle(s), waterbrain.*

draak ⟨de (m.)⟩ **0.1** [fabeldier] *dragon* ⇒*firedrake* ⟨vuurspuwend⟩, *wyvern* ⟨herald.⟩ **0.2** [persoon] *dragon* ⇒*shrew, hag, witch, old bag/hat* **0.3** [melodrama] *melodrama* ⇒*blood and thunder play, two-penny tragedy* **0.4** [smakeloos voorwerp] *monstrosity* ⇒⟨schip⟩ *dragon* **0.6** [⟨ster.⟩] *Dragon* ◆ **2.1** ⟨herald.⟩ een tweepotige gevleugelde ~ *a wyvern* **2.3** een sentimentele ~ *a weepy, a tearjerker* **3.¶** de ~ steken met *poke fun at, make fun of, ridicule, jibe at* **6.2** een ~ **van** een mens *a fierce old d. / hag* **6.4** een ~ **van** een jurk *a hideous/frightful dress.*

drab ⟨the, de)⟩ **0.1** [droesem] *dregs* ⇒*lees, sediment, grout* **0.2** [bezinksel] *dregs* ⇒*lees, sediment, grout* **0.3** [troebele, dikke vloeistof] *ooze* ⇒*slop* ⟨riool⟩.

drabbig ⟨bn.⟩ **0.1** *muddy* ⇒*turbid, feculent* ◆ **1.1** ~e inkt *m. ink;* een ~e sloot *a m. ditch.*

drabbigheid ⟨de (v.)⟩ **0.1** *muddiness* ⇒*turbidity, feculence*.

drachme ⟨het, de⟩ **0.1** [munt] *drachma* ⇒⟨gesch.⟩ *drachm* **0.2** [gewicht] *drachm* ⇒*dram*.

dracht ⟨de⟩ **0.1** [het drachtig zijn] *gestation* ⇒*pregnancy* ⟨mensen⟩ **0.2** [het dragen van kleren] *costume* ⇒*dress, garb, attire* **0.3** [last] *load* ⇒ *burden* ⟨schip⟩, *charge* ♦ **1.3** de ~ v.e. appelboom *the crop / produce of an apple-tree*; een ~ hout *a l. of wood* **2.2** een merkwaardige ~ *strange garb*; de nationale / Friese ~ *(the) national / Frisian c.*; zomerse ~ *summer wear* **7.1** 10 varkens van één ~ *ten piglets in one litter*.

drachtig ⟨bn.⟩ **0.1** *with young* ⇒*bearing* ♦ **1.1** ze ziet eruit als een ~e koe *she looks like a cow in calf*; het paard is weer ~ *the horse is carrying again* **3.1** ~ zijn *be i.c.f.*; ⟨v. dieren⟩ in foal ⟨paard⟩ / *in lamb* ⟨schaap⟩ / *in pig / farrow* ⟨varken⟩ / *in pup* ⟨teef⟩ / *in fawn* ⟨hert⟩.

drachttijd ⟨de (m.)⟩ **0.1** *gestation (period)*.

draconisch ⟨bn., bw.⟩ **0.1** *draconian* ⇒*draconic* ♦ **1.1** ~e wetten / straffen *draconian laws / punishments*.

draconitisch ⟨bn.⟩ ⟨aardr.⟩ ♦ **1.¶** ~ jaar *dracon(i)tic year*; ~e maand *dracon(i)tic month*.

dradenkruis ⟨het⟩ **0.1** *reticle* ⇒*cross hairs / wires*.

draderig ⟨bn.⟩ **0.1** *stringy* ⟨vloeistof, vlees, bonen⟩; ⟨vloeistof ook⟩ *viscous; fibrous* ⟨hout⟩.

draf ⟨de (m.)⟩ **0.1** *trot* ♦ **2.1** in gestrekte ~ *at full / extended trot*; in een kalme ~ *at a steady pace*; in korte ~ *at a jog*; in een stevige ~ *at a brisk t.*; in volle / snelle ~ *at full t.* **6.1 in** de ~ zetten / brengen *bring / urge to a t.*, *put into a t.*, *put to the t.*; in ~ zijn *be at a t.*; het **op** een ~ (je) zetten *set off running, strike / break into a t. / run*.

drafje ⟨het⟩ **0.1** *trot* ♦ **6.1 op** een ~ lopen *run along, trot*; hij liep **op** een ~ voorbij *he came running by*.

drafsport ⟨de⟩ **0.1** *trotting* ♦ **3.1** de ~ beoefenen *take part in t. races*; ⟨inf.⟩ *go in for t.*.

dragant ⟨de (m.)⟩ **0.1** [duindoren] *sea buckthorn* **0.2** [gom] *tragacanth* ⇒*gum dragon*.

dragee ⟨de (v.)⟩ **0.1** *coated tablet*.

dragen ⟨→sprw. 4,46, 160,364,496,640⟩
I ⟨ov.ww.⟩ **0.1** [boven de grond houden, ondersteunen] *support* ⇒ *bear, carry, buoy up* ⟨in water, fig.⟩, ⟨fig. ook⟩ *sustain* **0.2** [bij zich hebben] *carry* **0.3** [aan / op hebben] *wear* ⇒*have on* **0.4** [voorzien zijn van, als kenmerk hebben] *bear* **0.5** [zwanger zijn van] *carry, be pregnant* **0.6** [op- / voortbrengen] *bear* ⇒*yield* **0.7** [op zich nemen] *take* ⇒ *bear, have* **0.8** [verduren] *bear* ⇒*endure* ♦ **1.1** zo snel als je benen je ~ kunnen *as fast as your legs will carry you*; hij draagt het hele team *he carries the whole team* **1.2** geld bij zich ~ *have / c. money on one('s person)*; een revolver ~ *c. / * ⟨inf.⟩ *tote / pack a gun / revolver* **1.3** een bril gaan ~ *take to spectacles*; die broek heb ik al heel wat gedragen *these trousers have seen a lot of wear*; ⟨fig.⟩ het hart op de tong ~ *w. one's heart on one's sleeve*; gedragen kleding verkopen *sell second-hand clothes*; geen stropdas / beha / bril meer ~ *give up wearing / cease to wear a tie / bra / spectacles* **1.4** dat stuk draagt zijn naam *that document bears his name*; de sporen ~ van *b. marks / signs / evidence of* **1.5** zij draagt een kind onder haar hart *she is carrying a child under her heart, she is with child* **1.6** rente ~ *b. / carry interest*; ⟨fig.⟩ mijn bemoeiingen hebben vrucht gedragen *my pains / efforts have borne fruit / have been fruitful* **1.7** de gevolgen (moeten) ~ *suffer / bear / (have to) take the consequences*; de kosten moeten ~ *bear / defray the costs, foot the bill*; de kosten laten ~ door *bear charge expenses to*; het risico ~ *t. / run the risk*; de schuld van iets ~ *t. / bear the blame*, ⟨inf.⟩ *carry the can* **1.8** de spanning was niet langer te ~ *the suspense / tension had become unbearable / intolerable* **1.¶** kennis van iets ~ *have knowledge of, know*; op gedragen toon *in a solemn voice* **5.1** ⟨fig.⟩ hij draagt zijn jaren goed *he carries his age / years very well, he wears well* **5.3** kleren die je lang kunt ~ *clothes with a lot of wear in them* **5.8** een ziekte / tegenslag moedig ~ *bear up against an illness / against adversity* **6.1** ⟨fig.⟩ gedragen **door** een vast besluit *carried by a firm resolve*; **op** vleugels gedragen *born(e) on wings*; ⟨fig.⟩ iem. **op** handen ~ *worship s.o., put s.o. on a pedestal* **6.2** iets **bij** zich ~ *have sth. on one('s person)* **6.3** die schoenen kun je niet **bij** die jurk ~ *those shoes don't go with that dress* **8.8** hij droeg het als een man *he took / bore it like a man / standing up*;
II ⟨onov.ww.⟩ **0.1** [steunen, gedragen worden] *rest on* ⇒*be supported / carried / born(e)* **0.2** [zich over een afstand uitstrekken] *carry* **0.3** [etteren, stoffen afscheiden] *run* ⇒*suppurate, discharge* **0.4** [zwanger zijn] *be carrying* ⟨mensen⟩ ♦ **1.1** een ~de balk / muur *a supporting beam / wall* **1.3** dat oog draagt *that eye is running* **1.4** een olifant draagt bijna twee jaar *the gestation period of an elephant is almost two years* **5.2** het geweer draagt ver *that gun carries far / has a long range*; zijn stem draagt ver *his voice carries far / has great carrying power* **5.¶** hij draagt links *he dresses left*.

drager¹ ⟨de (m.)⟩, **draagster** ⟨de (v.)⟩ **0.1** [iem. die draagt] *bearer* ⟨ook begrafenis⟩ ⇒*carrier* ⟨ook van ziekte⟩, *porter* ⟨bagage⟩, *wearer* ⟨kroon, contactlenzen⟩, *holder* ⟨orde⟩ **0.2** [iem. die het genoemde bezit] *bearer* ♦ **1.1** de ~ van dit chromosoom *the carrier of the chromosome*; de ~ v.e. erfelijke ziekte *carrier of a disease* **1.2** de ~ v.d. kroon *the wearer of the crown* **4.2** ~ dezes *b. of this note / letter* **8.1** insekten als ~s van ziekten *insects as vectors / carriers of diseases*.

drager² ⟨de (m.)⟩ **0.1** [voorwerp dat iets draagt, steunt] *support* **0.2** [rechte lijn] *vector* ⇒*base*.

dragon ⟨de (m.)⟩ **0.1** *tarragon*.

dragonazijn ⟨de (m.)⟩ **0.1** *tarragon vinegar*.

dragonder ⟨de (m.)⟩ **0.1** [lichte cavalerist] *dragoon* **0.2** [manwijf] *battle-axe* ⇒*virago* ♦ **8.1** vloeken als een ~ *swear like a trooper*.

dragoniet ⟨het⟩ **0.1** *rock-crystal*.

drain ⟨de (m.)⟩ **0.1** *drain* ⟨ook med.⟩ ⇒⟨landb.⟩ *drainpipe* ♦ **3.1** een ~ aanbrengen voor het wondvocht *attach a drain*.

drainage ⟨de (v.)⟩ **0.1** *drainage*.

draineerbuis ⟨de⟩ **0.1** *drain(pipe)*.

draineerploeg ⟨de⟩ **0.1** *moleplough* ^*plow*.

draineren ⟨ov.ww.⟩ **0.1** [ontlasten v.h. water] *drain* ⇒*underdrain* **0.2** [⟨med.⟩] *drain*.

drainering ⟨de (v.)⟩ **0.1** *drainage* ⇒*draining*.

drakebloed ⟨het⟩ **0.1** [bloed v.e. draak] *dragon's blood* **0.2** [harssoort] *dragon's blood* **0.3** [bloedzuring] *bloodwort*.

drakerig ⟨bn.⟩ **0.1** *melodramatic* ⇒*sensational*, ⟨zeldz.⟩ *transpontine*.

dralen ⟨onov.ww.⟩ ⟨schr.⟩ **0.1** *tarry* ⇒*linger*, ↓*hang back (from)*, ⟨telkens uitstellen⟩ *procrastinate* ♦ **3.1** zij bleef nog even ~ *she lingered for a moment* **6.1** hij stemde zonder ~ toe *he agreed directly / without hesitation / without a moment's thought* **¶.1** wij hebben nu lang genoeg gedraald *we've been hanging about long enough*.

draler ⟨de (m.)⟩ **0.1** *dawdler* ⇒⟨uitsteller⟩ *procrastinator*.

drama ⟨het⟩ **0.1** [toneelstuk] *tragedy* ⇒⟨alg.⟩ *drama, play* **0.2** [toneelstukken v.e. land / periode] *drama* **0.3** [droevige gebeurtenis] *tragedy* ⇒*disaster, calamity, catastrophe* ♦ **2.1** de Griekse ~'s *the Greek tragedies* **2.2** het moderne / Nederlandse ~ *modern / Dutch d.* **3.1** een ~ opvoeren *perform a t.* **3.3** lach niet, het is een ~ *don't laugh, it's really tragic / it's a disaster*; een ~ van iets maken *get in a state about sth., make a mountain out of a molehill / mountains out of molehills*.

dramaticus ⟨de (m.)⟩ **0.1** *playwright* ⇒*dramatist*, ⟨toneelwetenschapper⟩ *dramatologist*.

dramatiek ⟨de (v.)⟩ **0.1** [toneelkunst] *drama(tics)* ⇒*dramatic art* **0.2** [dramatische aard] *tragic nature* ⇒⟨geschiktheid voor toneel⟩ *dramatic potential*.

dramatisch ⟨bn., bw.; -ly⟩ **0.1** [mbt. het drama] *dramatic* **0.2** [aangrijpend / rampzalig] *tragic*; ⟨tot de verbeelding sprekend⟩ *dramatic*; ⟨overdreven⟩ *theatrical* ♦ **1.1** ~e effecten *theatrical effects*; ~e expressie *d. expression*; de ~e handeling *the d. action*; de ~e kunsten *the d. arts / dramatics, the drama*; ~e poëzie *poetic drama*; ~e werkvormen *d. forms of expression* **1.2** een ~ feit *a tragic fact* **3.2** doe niet zo ~ *don't make such a drama of it*.

dramatiseren ⟨ov.ww.⟩ **0.1** [voor het toneel behandelen] *dramatize* ⇒ ⟨roman ook⟩ *adapt for the stage / theatre* **0.2** [als iets dramatisch voorstellen] *dramatize* ⇒*emotionalize, make a drama / (big) thing of* ♦ **1.2** men moet de zaken niet ~ *one mustn't d. / make too much of things*.

dramatisering ⟨de (v.)⟩ **0.1** *dramatization*.

dramatis personae ⟨zn.mv.⟩ **0.1** *dramatis personae*.

dramatologie ⟨de (v.)⟩ **0.1** *dramatology*.

dramatoloog ⟨de (m.)⟩ **0.1** *dramatologist*.

dramaturg ⟨de (m.)⟩ **0.1** [toneelkenner] *theatre / drama expert* ⇒ ⟨zeldz.⟩ *theatrician* **0.2** [toneelschrijver] *dramatist, playwright* **0.3** [mbt. een toneelgezelschap] *dramaturge, dramaturgist*.

dramaturgie ⟨de (v.)⟩ **0.1** *dramaturgy*.

drammen ⟨onov.ww.⟩ **0.1** [dwingen] *go / keep on (at)* ⇒*pester, worry* **0.2** [zeuren] *nag* ⇒*go on* ♦ **3.2** loop niet zo te ~ *don't keep / go on so*; je moet niet zo ~, jij *do stop nagging, don't be so tiresome*.

drammer ⟨de (m.)⟩ **0.1** [dwinger] *tyrant* **0.2** [zeurder] *nag* ⇒*pest*, ⟨inf.⟩ *pain in the neck / ass*.

drammerig ⟨bn., bw.⟩ **0.1** [dwingerig] *tiresome* **0.2** [zeurderig] *nagging* ⇒*insistent* ♦ **1.2** een ~ kereltje *an insistent (little) fellow* **3.1** doe niet zo ~ *do stop nagging*.

drang ⟨de (m.)⟩ **0.1** [opwelling, neiging] *urge* ⇒*instinct, impulse, tendency, drive* **0.2** [het dringen] *pressure* ⇒*force* ♦ **1.2** onder de ~ der omstandigheden *under (the) p. of circumstances, through / by / from (the) force of circumstances*; de ~ v.h. water *the p. of the water* **2.1** een innerlijke ~ *an inner u.*; een sterke ~ naar liefde / heroïne hebben *have a strong craving for love / heroine*; een sterke ~ naar de zee *a strong seafaring instinct*; een ziekelijke ~ naar macht / volmaaktheid hebben *have a morbid craving for power / perfection* **6.1** een ~ **om** te troosten *an impulse / u. to comfort*; de ~ **tot** zelfbehoud *the survival instinct* **6.2 met** zachte ~ *with gentle insistence*.

dranger ⟨de (m.)⟩ **0.1** *door-closer*.

dranghek ⟨het⟩ **0.1** *crush barrier* ♦ **3.1** ~ken plaatsen *place / put up crush barriers*; de ~ken werden omvergeworpen *the crush barriers were overturned / knocked over*.

drangreden ⟨de⟩ **0.1** *urgent / pressing reason*.

drank ⟨de (m.)⟩ ⟨→sprw. 128,637⟩ **0.1** [drinkbaar vocht] *drink* ⇒⟨op menu⟩ *beverage* **0.2** [alcoholische drank] *drink* **0.3** [medicijn] *medicine* ⇒*mixture* ♦ **1.1** spijs en ~ *food and d.* **2.1** water is geen aangename ~ *it's no fun drinking water*; niet tegen sterke ~ kunnen *be unable to carry one's liquor, not be able to hold one's d.* **2.2** alcoholhoudende

~en *alcoholic beverages;* sterke/⟨AZN⟩ korte ~ *spirits,* ᴬ*liquor, strong/hard d.;* ⟨scherts.⟩ *firewater* **3.2** ~ gebruiken *drink;* de ~ laten staan *give up drinking, keep off alcohol,* ↑ *be off the sauce* **6.2 aan** de ~ raken, naar de ~ grijpen *take to drink(ing), hit the bottle;* **aan** de ~ (verslaafd) zijn *drink, be an alcoholic, be addicted/given to d.* ¶**.2** de ~ is zijn grootste vijand *d. is his worst enemy.*

drankaccijns ⟨de (m.)⟩ **0.1** *excise/duty on liquor.*

drankbestrijder ⟨de (m.)⟩, **-ster** ⟨de (v.)⟩ **0.1** *prohibitionist* ⇒*temperance advocate.*

drankbestrijding ⟨de (v.)⟩ **0.1** [het tegengaan van drankmisbruik] *temperance movement* **0.2** [organisatie] *temperance society* ⇒ᴮ*Band of Hope, A(lcoholics) A(nonymous).*

drankduivel ⟨de (m.)⟩ **0.1** *drink-demon/fiend.*

drankenautomaat ⟨de (m.)⟩ **0.1** *drinks/* ↑ *beverage (vending) machine.*

drankfles ⟨de⟩ **0.1** *spirit bottle* ⇒*liquor bottle.*

drankgebruik ⟨het⟩ **0.1** *consumption of alcohol* ⇒⟨inf.⟩ *drinking* ◆ **2.1** overmatig ~ *excessive consumption of alcohol, excessive drinking;* ⟨wet.⟩ *alcohol abuse.*

drankgelegenheid ⟨de (v.)⟩ **0.1** *drinking-house/shop* ⇒ᴮ*licenced premises,* ⟨inf.⟩ *gin shop.*

drankhandel ⟨de (m.)⟩ **0.1** *liquor trade/business.*

drankje ⟨het⟩ **0.1** [glaasje van drank] *drink* ⇒*dram* **0.2** [geneesmiddel] *medicine* ⇒*mixture* ◆ **2.1** een laatste ~ (voor het weggaan) *one for the road;* een verkoelend ~ *a cooler* **3.2** een ~ innemen/gebruiken *take one's medicine;* een ~ klaarmaken *mix a draught;* een ~ voorschrijven *prescribe a/some medicine* **6.1** iets **in** iemands ~ doen *dope s.o.'s drink* ⟨met medicijn⟩; *spike s.o.'s drink* ⟨met drank⟩.

dranklokaal ⟨het⟩ **0.1** *drinking-place/* ↑ *-establishment* ⇒*bar.*

dranklucht ⟨de⟩ **0.1** *smell of alcohol/spirits/* ᴬ*liquor* ◆ **2.1** er hing een sterke ~ *the place smelled strongly of alcohol/spirits/liquor, the smell of alcohol/spirits/liquor pervaded the room.*

drankmeter ⟨de (m.)⟩ **0.1** *breathalyser,* ᴬ*drunkometer.*

drankmisbruik ⟨het⟩ **0.1** *alcohol abuse.*

drankoffer ⟨het⟩ **0.1** *drink offering, libation.*

drankorgel ⟨het⟩⟨inf.⟩ **0.1** *drunk(ard)* ⇒*hard drinker, soak,* ⟨AE ook⟩ *lush.*

dranksmokkel ⟨de (m.)⟩ **0.1** *liquor smuggling/running* ⇒⟨sl.⟩ *bootlegging, moonshining.*

dranksmokkelaar ⟨de (m.)⟩, **-ster** ⟨de (v.)⟩ **0.1** *liquor smuggler/runner* ⇒⟨sl.⟩ *bootlegger, moonshiner, rum-runner.*

drankverbod ⟨het⟩ **0.1** *prohibition (of liquor sales)* ◆ ¶**.1** het ~ in Amerika tussen 1920 en 1933 *Prohibition in America between 1920 and 1933.*

drankverbruik ⟨het⟩ **0.1** *alcohol/liquor consumption* ◆ **6.1** het ~ **per** hoofd van de bevolking *a./l.c. per head of population.*

drankvergunning ⟨de (v.)⟩ **0.1** *liquor licence* ᴬ*se.*

drankverkoop ⟨de (m.)⟩ **0.1** *sale of liquor/spirits/intoxicants.*

drankvoorraad ⟨de (m.)⟩ **0.1** *supply of drinks/* ⟨vaak pej.⟩ *drink* ⇒*drink(s) supply* ◆ **2.1** een ruime ~ *an ample supply of drinks.*

drankwet ⟨de⟩ **0.1** *licensing act* ◆ **1.1** veroordeeld worden wegens overtreding v.d. ~ *convicted on a l.a. offence.*

drankwinkel ⟨de (m.)⟩ **0.1** *off-licence,* ᴬ*liquor store.*

drankzucht ⟨de⟩ **0.1** *dipsomania* ⇒*addiction to drink, alcoholism.*

drankzuchtig ⟨bn.⟩ **0.1** *dipsomaniacal* ⇒*liquorish, given to drink(ing),* ⟨schr.⟩ *bibulous,* ⟨scherts.⟩ *boozy.*

drankzuchtige ⟨de (m.)⟩ **0.1** *dipsomaniac* ⇒*alcoholic, tippler, inebriate,* ⟨scherts.⟩ *boozer.*

drapeau ⟨de (m.)⟩ **0.1** *flag.*

draperen ⟨ov.ww.⟩ **0.1** *drape* ◆ **6.1** zich **in** iets ~ *wrap o.s. in sth.;* een kleed **om** een beeld ~ *d. a cloth over the statue;* iets **om** zich heen ~ *throw sth. over one's shoulders.*

dras¹ →*drassig.*

dras² ⟨de⟩ **0.1** *bog* ⇒*swamp, marsh,* ⟨modder⟩ *mud, muck.*

drasland ⟨het⟩ **0.1** *marshland, swamp* ⇒*sump, fen.*

drassig ⟨bn.⟩ **0.1** *boggy* ⇒*swampy, marshy, soggy, sodden* ◆ **1.1** een rit door ~ terrein *a ride through swampy/marshy territory/through wetlands;* een ~ ⟨voetbal⟩veld *a soggy pitch/* ᴬ*field.*

drastisch ⟨bn., bw.; -(al)ly⟩ **0.1** [doortastend] *drastic* ⇒*extreme, radical, sweeping* **0.2** [sterk en snelwerkend] *drastic* ⇒*strong* **0.3** [krachtig van toon] *strong* ⇒*harsh, severe* ◆ **1.1** ~e maatregelen/hervormingen *d./radical/sweeping measures/reforms* **1.2** een ~ purgeermiddel *a d. purgative* **3.2** de prijzen/belastingen ~ verlagen *slash prices/taxes* **3.3** zich ~ uitdrukken *call a spade a spade, not mince matters.*

draven ⟨ov.ww.⟩ **0.1** [mbt. paarden] *trot* **0.2** [rennen] *trot* ⇒*run* **0.3** [gehaast in de weer zijn] *hurry about* ⇒*be on the go* ◆ **3.1** een paard laten ~ *trot a horse* **3.3** hij loopt altijd te ~ voor zijn familie *he's always running errands for his family;* voor iem. sloven en ~ *fetch and carry for s.o., wait on s.o. hand and foot, be at s.o.'s beck and call.*

draver ⟨de (m.)⟩ **0.1** *trotter.*

draverij ⟨de (v.)⟩ **0.1** *trotting race.*

dravik ⟨de⟩⟨plantk.⟩ **0.1** *brome (grass).*

dreef ⟨de⟩ **0.1** [laan] *avenue* ⇒*lane,* ⟨in park⟩ *alley* **0.2** [⟨+op⟩ op gang] *on form* ⇒*in one's stride, at one's best, in one's element* **0.3**

[⟨mv.⟩⟨fraaie⟩ streek] *lush countryside* ◆ **1.3** door velden en dreven *through fields and pastures* **2.3** de prachtige dreven van mijn geboortestreek *the beautiful scenery of my home country* **6.2** op ~ komen *get/settle into one's stride, find one's form, get the hang of things;* ⟨spreker⟩ *warm to one's subject;* iem. **op** ~ helpen *give s.o. a start, help s.o. on;* niet **op** ~ zijn *have not got the hang of it (yet), be in poor/out of/off form;* ⟨spel⟩ *be off one's game;* hij is aardig/goed/geweldig **op** ~ *he's in good/excellent/splendid form, he's at the top of his form;* ⟨iron.⟩ je was weer behoorlijk **op** ~ *you were in fine form, weren't you;* weer **op** ~ komen *recover one's stride/form.*

dreg ⟨de⟩ **0.1** [hulpmiddel om iets/iem. uit het water te halen] *drag* ⇒*grapnel, grappling iron/hook* **0.2** [vishaak] *treble hook* ⇒*triangle.*

dreganker ⟨het⟩ **0.1** *grapnel* ⇒*grappling hook/iron.*

dreggen ⟨onov.ww.⟩ **0.1** [vissen] *drag* **0.2** [een zeegebied afzoeken] *drag* ◆ **3.1** het ~ staken *abandon/give up dragging* **6.1** in de rivier/het meer **naar** een drenkeling ~ *d. the river/lake for the body of drowned person* ¶**.1** er is gisteren de hele dag gedregd *dragging operations went on all day yesterday.*

dreigbrief ⟨de (m.)⟩ **0.1** *threatening letter.*

dreigement ⟨het⟩ **0.1** *threat* ◆ **2.1** loze ~en uiten *bluff;* een verholen ~ *a veiled t.* **3.1** ~en uiten/gebruiken tegen iem. *threaten s.o., utter/use threats against s.o..*

dreigen

I ⟨onov.ww.⟩ **0.1** [bedreigend handelen/spreken] *threaten* ⇒*menace* **0.2** [gevaar lopen, op het punt staan] *threaten* ⇒*be in danger* ◆ **1.2** er ~ acties/stakingen *industrial action is/strikes are imminent;* er dreigt gevaar/onweer *danger/a storm threatens* **3.2** het huis dreigt in te storten *the house threatened to collapse;* het dreigt te gaan regenen/sneeuwen *there's a threat of rain/snow;* de vergadering dreigt uit te lopen *the meeting threatens to go on longer than expected* **6.1** zij dreigde **met** een mes *she brandished a knife;* **met** zijn ontslag ~ *t. with dismissal;* met zijn vuist ~ *t. with one's fist, shake/put up one's fist (at s.o.);* ~ **met** straf/een boete/de dood/zelfmoord *t. punishment/a fine/death/suicide.*

II ⟨ov.ww.⟩ **0.1** [in het vooruitzicht stellen] *threaten* ◆ **3.1** hij dreigt me te slaan *he threatens to hit me;* hij dreigde hem alles te vertellen *he threatened to tell him everything* **6.1** met oorlog/geweld ~ *t. war/violence.*

dreigend

I ⟨bn., bw.; -ly⟩ **0.1** [dreiging uitdrukkend] *threatening* ⇒*ominous, menacing,* ⟨wolken ook⟩ *angry,* ⟨hemel ook⟩ *lowering,* ⟨gezicht ook⟩ *scowling, black,* ⟨muren, rotsen⟩ *frowning* ◆ **1.1** iem. een ~e blik toewerpen/~ aankijken *scowl at s.o.;* een ~e houding aannemen *adopt a t./menacing attitude, get ugly* **3.1** er ~ uitzien ⟨rotsen⟩ *frown;* ⟨hemel⟩ *lower;* ~ met een mes/zwaard zwaaien *brandish a knife/sword menacingly;*

II ⟨bn.⟩ **0.1** [op het punt staande te gebeuren] *imminent* ⇒*impending, threatening* ◆ **1.1** een ~e staking voorkomen *prevent an impending/imminent strike.*

dreiging ⟨de (v.)⟩ **0.1** [het dreigen] *threat* ⇒*menace* **0.2** [wat dreigt] *threat* ⇒*menace* ◆ **3.1** er gaat te weinig ~ uit van de voorhoede *the forward line doesn't pose enough of a t.;* er gaat geen ~ van uit *it does not pose/form a t.;* de ~ die uitgaat van kernwapens *the deterrent effect of nuclear weapons* **5.1** vol ~ *filled with/full of menace* **6.1** onder ~ toegeven *admit under t.* **6.2 bij** de eerste ~ *at the first t..*

drein ⟨de (m.)⟩ **0.1** *whiner* ⇒*whimperer.*

dreinen ⟨onov.ww.⟩ **0.1** *whine* ⇒*whimper, snivel, whinge* ◆ **6.1** ~ **om** iets *whine for sth..*

dreinerig ⟨bn., bw.⟩ **0.1** *whining* ⇒*whimpering, snivelling, whingeing.*

drek ⟨de (m.)⟩ **0.1** *dung* ⇒*muck,* ⟨mest⟩ *manure,* ⟨van dieren⟩ *droppings.*

drekkig ⟨bn.⟩ **0.1** *dungy* ⇒⟨vuil⟩ *mucky, filthy,* ⟨bevuild⟩ *excremental, feculent.*

drempel ⟨de (m.)⟩ **0.1** [verhoging] *threshold* ⇒*doorstep,* ⟨schip, raam⟩ *sill* **0.2** [mbt. een rivier/zeegat] *bar* ⇒*rise* **0.3** [⟨psych.⟩] *threshold* ⇒*barrier* ◆ **3.1** ⟨fig.⟩ ergens een ~ inbouwen *put up a barrier* **6.1** ⟨fig.⟩ **op** de ~ van een nieuwe tijd *on the t. of a new era/age;* hij komt bij mij niet meer **over** de ~ *he shall never again set foot in my house, he shall darken my doors no more;* ik verbood hem hier nog ooit een voet **over** de ~ te zetten *I forbade him ever to cross my t. again;* ik zet er geen voet meer **over** de ~ *I shall never set foot in his house/across his t. again.*

drempelprijs ⟨de (m.)⟩ **0.1** *threshold price.*

drempelverhogend ⟨bn.⟩ **0.1** *inhibiting* ⇒⟨afschrikkend⟩ *deterrent* ◆ **3.1** de dreiging van wederzijdse vernietiging werkt ~ *the threat of mutual destruction has an i./a deterrent effect.*

drempelverlagend ⟨bn., bw.⟩ **0.1** *making accessible* ⇒*breaking down barriers* ◆ **1.1** ~e maatregelen *measures to break down barriers* **3.1** ~ werken *make accessible.*

drempelverlaging ⟨de (v.)⟩ **0.1** *removal of a barrier/inhibition* ⇒*incentive, encouragement (to do sth.).*

drempelvrees ⟨de⟩ **0.1** *initial resistance* ⇒*initial hesitation/inhibition, qualms* ◆ **2.1** er bestaat een grote ~ bij het publiek *the public tends to* *hang back/is shy of coming forward* **3.1** zijn ~ overwinnen *overcome one's initial hesitation/resistance.*

drempelwaarde ⟨de (v.)⟩ **0.1** *threshold value.*

drenkeling ⟨de (m.)⟩, **-e** ⟨de (v.)⟩ **0.1** *drowning person* ⇒⟨reeds verdronken⟩ *drowned body/person* ◆ **3.1** ~en redden *rescue people from drowning* ¶**.1** ~en weer tot leven brengen *resuscitate people rescued from drowning.*

drenken ⟨ov.ww.⟩ **0.1** [drinken geven aan] *water* **0.2** [doortrekken met een vloeistof] *drench* ⇒*soak, saturate* ◆ **1.1** het vee~ *w. the cattle* **1.2** een in benzine gedrenkte doek *a cloth drenched/soaked in/with petrol* **6.2** iets **in** alcohol~ *d. sth. in pure alcohol, soak sth. in/with pure alcohol.*

drenkplaats ⟨de⟩ **0.1** *watering place* ⇒*horsepond.*

drentelaar ⟨de (m.)⟩ **0.1** *saunterer.*

drentelen ⟨onov.ww.⟩ **0.1** *saunter* ⇒*stroll* ◆ **3.1** hij loopt steeds heen en weer te~ *he keeps flitting to and fro/pacing up and down* **5.1** om iem. heen~ *hover round s.o.* **6.1** zij zijn **naar** huis gedrenteld *they strolled/sauntered home.*

drenzen ⟨onov.ww.⟩ **0.1** [dreinen] *whine* ⇒*whimper, snivel, whinge* **0.2** [zich op zeurderige wijze voordoen]⟨regen⟩ *drizzle, mizzle;* ⟨geluid⟩ *whine, sound* ◆ **1.2** het verre~ v.e. fluit *a distant (shrill) whistle;* een ~de regen *(a) drizzle.*

drenzerig ⟨bn., bw.⟩ **0.1** [lastig, dwingerig] *whining* ⇒*whimpering, petulant, snivelling* **0.2** [druilerig] *drizzling* ⇒*drizzly, sullen.*

dress-boy ⟨de (m.)⟩ **0.1** *dummy, mannequin.*

dresseren ⟨ov.ww.⟩ **0.1** [mbt. dieren] *train* **0.2** [mbt. mensen] *train* ⇒ *teach, drill, coach, discipline* ◆ **1.1** een nummer met gedresseerde dieren *an act with performing animals;* een ongetemd paard~ *break in a wild horse;* een paard/hond~ *train a horse, teach a dog tricks* **1.2** een goed gedresseerde echtgenoot *a well-trained husband* **6.1** een **op** de man gedresseerde hond *a dog trained to his master;* de dieren waren **uitstekend** gedresseerd *the animals were excellently trained.*

dresseur ⟨de (m.)⟩, **-euse** ⟨de (v.)⟩ **0.1** *(animal) trainer* ⇒⟨van paarden⟩ *horse-breaker/trainer.*

dressman ⟨de (m.)⟩ **0.1** *male model.*

dressoir ⟨het, de (m.)⟩ **0.1** *sideboard* ⇒*buffet.*

dressuur ⟨de (v.)⟩ **0.1** [africhting] *training* ⇒*drilling, teaching,* ⟨paarden⟩ *dressage, schooling* **0.2** [het afgericht zijn] *training* ⇒*dressage* ◆ **1.1** de eerste prijs bij het onderdeel~ *first prize for dressage.*

dressuursport ⟨de⟩ **0.1** *dressage.*

dreumes ⟨de (m.)⟩ **0.1** *toddler* ⇒*mite, tot, nipper* ◆ **2.1** een kleine~ *a tiny tot, a little mite/nipper.*

dreun ⟨de (m.)⟩ **0.1** [geluid, trilling] *boom* ⇒*rumble,* ⟨lang en eentonig⟩ *drone* **0.2** [eentonig ritme] *drone* ⇒⟨bij lezen⟩ *sing-song, monotone* **0.3** [harde klap] *blow* ⇒*bang, thud, crash, thump* ◆ **2.1** er klonk een doffe~ *a dull b./rumble/drone was to be heard* **3.3** geef hem 'n~ *give him one, lay one on him;* de bal een~ geven *boot/sock the ball;* iem. een~ verkopen/geven *sock s.o. one, punch/slosh s.o., give s.o. a bash/punch;* wou je 'n~? *looking for a fight/bash over the head?, d'you want a black eye/thick ear* ⟨enz.⟩ *?* **4.3** met een~! *wat een~! what a kick!* **6.2** alles **op** één~ *all in a d./a sing-song manner.*

dreunen ⟨onov.ww.⟩ **0.1** [trillen met dof geluid] *hum* ⇒*drone, buzz, rumble, reverberate* **0.2** [dof en zwaar weerklinken] *boom* ⇒*crash, thunder, shake, roar* **0.3** [met een eentonig ritme dof klinken] *drone* ◆ **1.1** het huis dreunde door het kanonschot *the gun blast shook the house;* het hele huis dreunt ervan *the whole house is rocking with it* **1.2** een~de donderslag *crashing thunder;* de woorden bleven in zijn oren~ *the words kept ringing in his ears* **3.2** hij sloeg de deur~d dicht *he slammed the door shut.*

dreutel ⟨de (m.)⟩ **0.1** [kleuter] *tot* ⇒*toddler, nipper* **0.2** [onhandig mens] *bungler* ⇒*oaf, clown.*

dreutelen ⟨onov.ww.⟩ **0.1** *dawdle* ⇒*loiter.*

drevel ⟨de (m.)⟩ **0.1** *punch* ⇒⟨gatenmaker ook⟩ *piercer,* ⟨verzinker ook⟩ *drift.*

drevelen ⟨ov.ww.⟩ **0.1** *punch* ⇒⟨gaten maken ook⟩ *pierce,* ⟨spijkers ook⟩ *drift.*

dribbel ⟨de (m.)⟩⟨sport⟩ **0.1** *dribble.*

dribbelaar ⟨de (m.)⟩⟨sport⟩ **0.1** *dribbler.*

dribbelen ⟨onov.ww.⟩ **0.1** [met kleine snelle passen lopen] *scurry* ⇒ *scuttle, scamper, flit/dash about* **0.2** [⟨sport⟩] *dribble* ◆ **1.1** dribbelende ganzen *scurrying geese* **6.1** het kind dribbelde **van** de ene stoel **naar** de andere *the child tottered from one chair to the other.*

dribbelpasje ⟨het⟩ **0.1** *tripping step.*

drie[1] ⟨de⟩ **0.1** [cijfer] *three* **0.2** [⟨sport⟩] *three* ⇒⟨op dobbelsteen⟩ *trey* ◆ **1.2** harten~ *three of hearts* **2.1** een Arabische~ ⟨3⟩ *an Arabic t.;* een Romeinse~ ⟨III⟩ *a Roman t.* **3.2** ik gooi~ *I've thrown a three/trey.*

drie[2] ⟨→sprw. 130,170⟩

I ⟨hoofdtelw.⟩ **0.1** *three* ◆ **1.1** ⟨wisk.⟩ regel van~ën *rule of t.;* ~ uur/dollar/meter *t. o'clock/dollars/metres* **6.1** ~ **aan** ~ *in/by threes;* **bij/met** ~ tegelijk *by/in threes, t. at a time;* iets **in** ~ën delen/breken *divide/break sth. in t. parts/portions;* iets **in** ~ën terugbetalen *pay sth. back in t. instalments;* zij waren **met** hun~ën *there were t. of the them,*

---

the t. of them were together; het is **tegen** ~ën *it's almost/just on t. o'clock;* ⟨fig.⟩ niet **tot** ~ kunnen tellen ⟨dom⟩ *be too stupid for words;* ⟨verlegen⟩ *be covered with confusion* **7.1** een-twee-~ *right now, just like that* ¶**.1** ~ is teveel *t. is a crowd;* met 3-0 verliezen *lose/be beaten (by) t. goals to nill/*[1]*nothing;* ~ ~, 3-3 *three-all;*

II ⟨rangtelw.⟩ **0.1** *three* ⇒⟨data⟩ *third* ◆ **1.1** ~ april *April the third, the third of April,* [A]*April third;* hoofdstuk~ *chapter three* **6.1** een auto in z'n~ zetten *put a car into third gear.*

drieachtste ⟨bn.⟩ **0.1** *three-eights* ◆ **1.1** ~ maat *three-eight (time).*

driearmig ⟨bn.⟩ **0.1** *three-armed* ◆ **1.1** ~e kandelaar *three-branched candlestick/holder.*

driebaansweg ⟨de (m.)⟩ **0.1** *three-lane road.*

driebanden(spel) ⟨het⟩⟨biljart⟩ **0.1** *three-cushion billiards* ⇒*three-cushions.*

driebandentoernooi ⟨het⟩ **0.1** *three-cushion/*⟨in krant vaak⟩ *3 cushion tournament.*

driebenig ⟨bn.⟩ **0.1** *three-legged* ⇒ [1]*tripodal* ◆ **1.1** een ~e mast *a t.-l. mast;* een ~e passer *(a) t.-l. (pair of) compasses.*

drieblad ⟨het⟩⟨plantk.⟩ **0.1** *trefoil.*

driebladig ⟨bn.⟩⟨plantk.⟩ **0.1** *trefoiled* ⇒*trifoliate(d), tripetalous, tripartite, three-leaved* ⟨blad⟩.

driedaags ⟨bn.⟩ **0.1** *three-day* ⇒*three day's* ◆ **1.1** de ~e zeeslag ⟨gesch.⟩ *the t.-d. battle off Portland/between Portland and Calais.*

driedekker ⟨de (m.)⟩ **0.1** [schip] *three-decker* **0.2** [ongemakkelijke vrouw] *virago* **0.3** [vliegtuig] *triplane.*

driedelig ⟨bn.⟩ **0.1** *tripartite* ⟨ook biol.⟩ ⇒*three-piece* [meubilair, kostuum⟩, *three-volume, in three volumes* ⟨boek⟩, *three-part, in three parts* ⟨feuilleton⟩ ◆ **1.1** ⟨muz.⟩ een ~e maat *triple time.*

driedeursauto ⟨de (m.)⟩ **0.1** *three-door car.*

driedimensionaal ⟨bn.⟩ **0.1** *three-dimensional* ⇒*tridimensional, three-D, 3-D* ◆ **1.1** een ~ lichaam *a solid.*

driedraads ⟨bn.⟩ **0.1** *three-ply* ⟨katoen⟩; *three-strand* ⟨touw⟩.

driedubbel ⟨bn., bw.⟩ **0.1** [drievoudig] *t.fold* ⇒*triple* **0.2** [driemaal zo groot] *treble* ⇒*triple* **0.3** [⟨als versterking⟩] *out-and-out* ⇒*downright, utter,* [A]*double-dyed* ◆ **1.1** de ~e kroon *the triple crown* **1.2** een ~e hoeveelheid *three times the amount/quantity;* ⟨dosis⟩ *a triple dose;* een ~e onderkin *a treble/triple chin* **1.3** ~e ezel *an utter/complete fool, a total idiot, a thorough/complete ass* **3.1** hij kan het~ betalen *he could pay for it three times over* **3.3** een~ overgehaalde zak *a rotten/filthy/fucking bastard/pig.*

driedubbelovergehaald ⟨bn.⟩ **0.1** *darned;* ⟨sl.⟩ *damned, cotton-picking* ◆ **1.1** ~e kluns *clumsy/darned/cotton-picking clod/*[A]*klutz.*

drieëenheid ⟨de (v.)⟩ **0.1** [eenheid gevormd door drie onderdelen] *triad* ⇒*trinity, trine* **0.2** [⟨rel.⟩] *the (Blessed/Holy) Trinity* ◆ **2.2** de heilige ~ *the Blessed Trinity;* het dogma v.d. Heilige Drieëenheid *Trinitarianism.*

drieënig ⟨bn.⟩ **0.1** *triune* ◆ **1.1** ~ God *t. God(head).*

drieërlei ⟨bn.⟩ **0.1** *of three sorts/kinds/types.*

driefasig ⟨bn.⟩ **0.1** *three-phase.*

driegen ⟨ov.ww.⟩⟨AZN⟩ **0.1** *baste* ⇒⟨vnl. BE⟩ *tack.*

driehelmig ⟨bn.⟩⟨plantk.⟩ **0.1** *triandrous.*

driehoek ⟨de (m.)⟩ **0.1** [⟨wisk.⟩] *triangle* **0.2** [wat de vorm heeft v.e. driehoek] *triangle* **0.3** [tekeninstrument] *setsquare* ⇒⟨AE ook⟩ *triangle* **0.4** [sterrenbeeld] *Triangulum* ◆ **1.1** ~ van krachten *t. of forces* **2.1** een vlakke/scherpe/gelijkzijdige~ *a plane/acute-angled/equilateral t.* **2.2** roze~ *pink t.;* de gouden~ ⟨in Z.O.-Azië⟩ *the Golden Triangle* **6.2** de bomen staan in een~ *the trees form a t..*

driehoekig ⟨bn., bw.;-ly⟩ **0.1** *triangular* ⟨ook wisk.⟩ ⇒*three-cornered* ◆ **1.1** ⟨astrol.⟩ in~ aspect *t.o.v. in trine to.*

driehoekschakeling ⟨de (v.)⟩⟨tech.⟩ **0.1** *delta connection.*

driehoeksmeting ⟨de (v.)⟩ **0.1** [⟨wisk.⟩] *trigonometry* **0.2** [het opmeten van land] *triangulation.*

driehoeksoverleg ⟨het⟩ **0.1** *three-cornered/*⟨inf.⟩ *three-way discussion.*

driehoeksverhouding ⟨de (v.)⟩ **0.1** [mbt. personen] *(eternal) triangle* ⇒ *triangular/three-cornered relationship* **0.2** [⟨hand., geldw.⟩] *trilateral trading relations.*

driehonderd ⟨hoofdtelw.⟩ **0.1** *three hundred.*

driehonderdjarig ⟨bn.⟩ **0.1** *tercentenary, tercentennial.*

driehoofdig ⟨bn.⟩ **0.1** *three-headed* ◆ **1.1** ~e armspier *triceps (muscle).*

drie-hoog ⟨bw.⟩ **0.1** [B]*three floors/storeys up,* [A]*four floors/stories up* ⇒ [B]*on the third floor/storey,* [A]*on the fourth floor/story* ◆ **3.1** hij woont ~ *he lives three/four floors up, he lives on the third/fourth floor* **5.1** ~ achter *a garret (room)* **6.1** die lui **van** ~ [B]*the people on the third floor,* [A]*the folks on the fourth floor* ¶**.1** nummer 12~ ⟨achter/voor⟩ *(at) Nr. 12 on the third/fourth floor (at the back/front).*

drie-in-de-pan ⟨de⟩ **0.1** *Scotch pancake.*

driejaarlijks ⟨bn., bw.;-ly⟩ **0.1** *triennial* ⇒*three-yearly* ◆ **1.1** de betaling geschiedt in~e termijnen *payment is made in three-yearly instalments* **3.1** de toekenning vindt~ plaats *the prize/award is offered every three years.*

driejarig ⟨bn.⟩ **0.1** [drie jaar oud] *three-year-old* ⇒*three years old* **0.2** [drie jaar durend] *three-year* ⇒*triennial* ◆ **1.1** op~e leeftijd *at the age of three* **1.2** een ~e cursus *a t.-y. course, a course lasting three years* **1.**¶ een ~e plant *a triennial.*

driejarige 〈de (m.)〉 **0.1** [kind] *three-year-old* **0.2** [〈sport〉 paard] *three-year-old.*

driekaart 〈de〉 **0.1** *tierce.*

driekamerflat 〈de (m.)〉 **0.1** *three-room(ed) flat* / [^A]*apartment.*

driekamerwoning 〈de (v.)〉 **0.1** *a three-roomed flat* / [^A]*apartment* / *house.*

driekamp 〈de (m.)〉 **0.1** *triathlon.*

driekantig 〈bn.〉 **0.1** *triangular* ⇒*trilateral,* 〈met 3 hoeken〉 *three-cornered, trigonal* ♦ **1.1** een ~e hoed *a three-cornered* / *a cocked hat, a tricorn(e);* een ~e vijl *a three-square file.*

drieklank 〈de (m.)〉 **0.1** [〈muz.〉] *triad* **0.2** [〈taal.〉] *thriphthong* ♦ **2.1** kleine / grote ~ *minor* / *major t..*

driekleur 〈de〉 **0.1** *tricolour* ♦ **2.1** de nationale ~ *the national flag;* 〈Franse vlag〉 *the t..*

driekleurendruk 〈de (m.)〉 **0.1** [methode] *three-colour process* / *printing* **0.2** [afdruk] *three-colour print.*

driekleurig 〈bn.〉 **0.1** *three-colour(ed)* ⇒*tricolour(ed)* ♦ **1.1** een ~ lint *a three-coloured ribbon;* het ~ viooltje *the wild pansy.*

Driekoningen 〈de (m.)〉 **0.1** *(feast of (the)) Epiphany* ⇒*Twelfth Day.*

Driekoningenavond 〈de (m.)〉 **0.1** *Twelfth Night.*

driekoningenbrood 〈het〉 **0.1** *Twelfth-cake* ⇒*Twelfth-Night cake.*

driekroon 〈de〉 **0.1** *tiara.*

driekwart 〈bn., bw.〉 **0.1** *three-quarter* ♦ **1.1** een ~ jurk *a t.-q. length dress;* 〈zelfst.〉 ~ v.d. oogst is bedorven *three-quarters of the harvest is ruined;* een ~ slag *a t.-q. turn* **2.1** 〈voor〉 ~ dicht / leeg *three-parts closed* / *empty,* 〈voor〉 ~ dronken *half-cut, well-oiled, tanked(-up);* 〈voor〉 ~ open / vol *three-quarters open* / *full.*

driekwartjas 〈de〉, **-mantel** 〈de (m.)〉 **0.1** *three-quarter (length) coat.*

driekwartsmaat 〈de〉 〈muz.〉 **0.1** *three-four (time)* ⇒ 〈vnl. AE ook〉 *three-quarter time* ♦ **6.1** een dans in ~ *a dance in t.-f. time.*

driekwartviool 〈de〉 **0.1** *three-quarter violin.*

drielandenpunt 〈het〉 **0.1** *place where (the) three countries* / 〈ihb.〉 *Holland, Germany and Belgium meet.*

drieledig 〈bn.〉 **0.1** *three-part* ⇒*threefold* 〈doel〉, 〈wisk.〉 *trinominal, three-draw* 〈telescoop〉, *three-barrelled* / [^A]*-eled* 〈vraag〉 ♦ **1.1** een ~ doel beogen *pursue a threefold purpose* / *aim;* 〈wisk.〉 ~e grootheid *a trinominal quantity.*

drielettergrepig 〈bn.〉 **0.1** *trisyllabic(al)* ⇒*three-syllable* ♦ **1.1** een ~(e) woord / versvoet *a trisyllabic* / *three-syllable word* / *foot;* 〈woord ook〉 *a trisyllable.*

drieletterwoord 〈het〉 **0.1** *four-letter word.*

drieling 〈de (m.)〉 **0.1** [drie kinderen van dezelfde zwangerschap] *(set of) triplets* **0.2** [één kind v.e. drieling] *triplet* **0.3** [drie aan elkaar verbonden zaken] *triplet* ♦ **1.1** de geboorte v.e. ~ *the birth of triplets* **3.2** zij is een ~ *she is one of triplets, she is a triplet;* dat zijn ~en *they are triplets.*

drielingszenuw 〈de〉 **0.1** *trigeminus* ⇒*trigeminal* / *trigeminus nerve.*

drielobbig 〈bn.〉 **0.1** *trilobate, three-lobed.*

drieluik 〈het〉 **0.1** *triptych.*

driemaal 〈bw.〉 〈→sprw. 131〉 **0.1** *three times* ⇒ 〈schr.〉 *thrice* ♦ **3.1** ~ kopiëren *triplicate, run off* / *make three copies* **5.1** ~ zo veel / groot geworden *increased threefold* **6.1** ~ per week verschijnend *appearing three times a week* / *thrice weekly.*

driemaandelijks 〈bn., bw.〉 **0.1** *quarterly* ⇒*three-monthly* ♦ **1.1** ~e betaling *q. payment;* een ~ tijdschrift *a quarterly, a three-monthly periodical* **3.1** ~ verschijnen *appear quarterly* / *every three months.*

driemachtenleer 〈de〉 **0.1** *separation of powers theory.*

driemalig 〈bn.〉 **0.1** *triple.*

drieman 〈de (m.)〉 〈gesch., pol.〉 **0.1** *triumvir.*

driemanschap 〈het〉 **0.1** *trio, threesome* ⇒ 〈regerend〉 *triumvirate, troika* ♦ **2.1** 〈scherts.〉 een edel ~ *a fine trio* **7.1** 〈gesch.〉 het eerste ~ *the first triumvirate.*

driemaster 〈de (m.)〉 **0.1** *three-master.*

driemijlsgrens 〈de〉 **0.1** *three-mile limit.*

driemijlszone 〈de〉 **0.1** *three-mile zone.*

driemotorig 〈bn.〉 **0.1** *three* / *triple-engined.*

driepikkel 〈de (m.)〉 〈AZN〉 **0.1** *tripod* ⇒*stool.*

driepits(stel) 〈het〉 **0.1** *cooker with three burners.*

drieploegenstelsel 〈het〉 **0.1** *three-shift system.*

driepoot 〈de (m.)〉 **0.1** [stoeltje] *tripod* ⇒*stool* **0.2** [statief] *tripod* **0.3** [letter m] *m as in Mary.*

driepuntig 〈bn.〉 **0.1** *three-pointed* / *-cornered* ⇒*tricuspid* 〈tand〉.

driepuntsgordel 〈de (m.)〉 **0.1** *three-point (inertia reel) seat-belt.*

drieregelig 〈bn.〉 **0.1** *three-line* ⇒*of three lines* ♦ **1.1** ~e strofe *t.-l. stanza, tercet.*

Dries **0.1** *Andy* ⇒*Andrew* ♦ **2.1** dolle ~ *live wire.*

drieslagstelsel 〈het〉 **0.1** *three-course rotation.*

driespan 〈het〉 **0.1** *team of three (horses).*

driesprong 〈de (m.)〉 **0.1** [mbt. wegen] *three-forked road* **0.2** [〈paardensport〉] *triple jump* ♦ **6.1** 〈fig.〉 op een ~ staan *be at the crossroads.*

driest 〈bn., bw.; -t〉 **0.1** [overmoedig] *audacious* ⇒*bold, daring,* 〈roekeloos〉 *reckless, foolhardy* **0.2** [aanmatigend] *insolent* ⇒*presumptuous* ♦ **1.2** ~e rovers *barefaced robbers* **3.1** ~ optreden *act with effrontery* / *rashly.*

driestaafs 〈bn.〉 **0.1** *three-bar* ♦ **1.1** een ~ elektrisch kacheltje *a t.-b. electric heater.*

driestar 〈de〉 **0.1** [^B]*short leader* / *leading article,* [^A]*short editorial.*

driestemmig 〈bn., bw.〉 **0.1** *three-part* ♦ **3.1** zij zingen ~ *they are singing a t.-p. song* / *piece.*

driesterrenhotel 〈het〉 **0.1** *three-star hotel.*

driesterrenrestaurant 〈het〉 **0.1** *three-star restaurant.*

driestheid 〈de (v.)〉 **0.1** [overmoed] *audacity* ⇒*boldness, daring,* 〈vero., beh. scherts.〉 *derring-do* **0.2** [aanmatiging] *insolence* ⇒*presumption.*

drietal 〈het〉 **0.1** [aantal van drie] *threesome* ⇒*trio, triad* **0.2** [lijst van drie namen] 〈vnl. BE〉 *short list* ♦ **1.1** een ~ mannen *about three men* **3.2** een ~ opmaken *make a s. l.* **6.2** op het ~ staan *be one of the candidates nominated, be on the s. l..*

drietalig 〈bn.〉 **0.1** [in drie talen] *trilingual* **0.2** [drie talen sprekend] *trilingual.*

drietallig 〈bn.〉 〈plantk.〉 **0.1** *ternate* ⇒*ternary.*

drietand 〈de (m.)〉 **0.1** [vork / staf met drie tanden] *trident* **0.2** [mestvork] *three-pronged* / *-tined fork* ♦ **1.1** de ~ van Neptunus *Neptune's t..*

drietandig 〈bn.〉 **0.1** *three tined* / *-pronged* / *-forked* 〈vork, staaf〉; 〈biol., plantk.〉 *tridentate, tridental.*

drieteenmeeuw 〈de〉 **0.1** *kittiwake (gull)* ⇒ 〈jong〉 [^B]*mackerel bird.*

drieteenstrandloper 〈de (m.)〉 **0.1** *sanderling* ⇒ 〈BE; gew.〉 *oxbird.*

drietenig 〈bn.〉 **0.1** *three-toed* ⇒*tridactyl(ous).*

drietjes 〈hoofdtelw.〉 **0.1** *the three of ...* ♦ **4.1** wij ~ *the three of us;* 〈inf. ook〉 *we three* **6.1** met z'n (ons, hun) ~ *the three of us* / *them.*

drietonner 〈de (m.)〉 **0.1** *three-tonner.*

drietrapsraket 〈de〉 **0.1** *three-stage rocket.*

drieversnellingsnaaf 〈de〉 **0.1** *three-speed gear.*

drievingerig 〈bn.〉 **0.1** *three-fingered* ⇒*tridactyl(ous).*

drievlak 〈het〉 **0.1** *trihedron.*

drievoet 〈de (m.)〉 **0.1** [schraag, voetstuk] *tripod* ⇒ 〈treeft〉 *trivet* **0.2** [〈gesch.〉 zetel] *tripod* ♦ **1.2** de ~ v.d. Pythia *the Pythia's t..*

drievoetig 〈bn.〉 **0.1** *three-footed* ⇒*tripodal.*

drievoud 〈het〉 **0.1** [grootheid, aantal] *treble* ⇒*triplicate* **0.2** [door drie deelbaar getal] *multiple of three* ♦ **6.1** een formulier in ~ ondertekenen *sign a form in triplicate;* in ~ opgemaakt *drawn up in triplicate;* zes is het ~ van twee *six is three times two.*

drievoudig
I 〈bn.〉 **0.1** [driedubbel] *treble* ⇒*triple* **0.2** [van driëerlei aard] *triple* ♦ **1.1** een ~ afschrift *a copy in triplicate;* ~e besprenkeling / onderdompeling 〈bij doop〉 *trine aspersion* / *immersion;* een ~ contract *a tripartite indenture* **1.2** 〈gesch.〉 ~ verbond *Triple Alliance* **7.1** we moesten het ~e (bedrag) betalen *we had to pay three times as much* / *three times the amount;*
II 〈bw.〉 **0.1** [op drie manieren] *in three ways.*

drievuldigheid →*drieëenheid.*

Drievuldigheidsdag 〈de (m.)〉 〈r.k.〉 **0.1** *Trinity Sunday.*

driewaardig 〈bn.〉 〈schei〉 **0.1** *trivalent* ⇒*tervalent.*

driewegbox 〈de (m.)〉 **0.1** *three-way speaker.*

driewegkraan 〈de〉 **0.1** *three-way cock.*

driewegstek(k)er 〈de (m.)〉 **0.1** *three-way plug.*

driewegsysteem 〈het〉 **0.1** *three-way system.*

driewekelijks 〈bn.〉 **0.1** *three-weekly* ⇒*triweekly* ♦ **3.1** het verschijnt ~ *it appears every three weeks* / *every third week.*

driewerf 〈bn., bw.〉 〈schr.〉 **0.1** *thrice* ♦ **1.1** een ~ hoera (voor) *three cheers (for).*

driewieler 〈de (m.)〉 **0.1** 〈fiets〉 *tricycle;* 〈auto〉 *three-wheeler, three-wheel car,* [^B]*tricar.*

driezijdig 〈bn.〉 **0.1** [met drie zijden] *three-sided* ⇒*triangular* **0.2** [van / aan drie zijden] *trilateral* ⇒*tripartite* ♦ **1.1** een ~ prisma *a triangular prism* **1.2** een ~ verdrag *a tripartite* / *trilateral pact* / *agreement.*

driezitsbank 〈de〉 **0.1** *(three-seat(er)) sofa* / *settee.*

drift 〈de〉 **0.1** [opwelling van woede] *(fit of) anger* ⇒*(hot) temper, rage* **0.2** [neiging, begeerte] *passion* ⇒*rage, desire, impulse* **0.3** [〈psych.〉] *urge* ⇒*drive* **0.4** [het drijven] *drift* **0.5** [stroming] *drift* ⇒ 〈water ook〉 *current* **0.6** [afwijking v.d. koers] *drift* **0.7** [kudde] *drift* ⇒*herd, drove, flock* 〈schapen〉 ♦ **1.1** in een opwelling van ~ *in a fit of a.* **2.1** in dolle ~ *in a towering rage* / *passion, in a blind* / *burning* / *furious rage, in a raging* / *tearing passion* **2.2** boze ~en *evil passions* **3.1** hij kon zijn opkomende ~ niet onderdrukken *he could not suppress his growing a.* **3.2** zijn ~en beteugelen *check* / *control one's urges* / *impulses* / *desires* **6.1** in ~ ontsteken *fly into a rage;* rood van ~ *red* / *flushed with a.* **6.2** een edele ~ *tot* weldoen *a noble urge to do good* **6.4** het ijs is op ~ geraakt *the ice is drifting;* een schip op ~ *a ship adrift* **6.6** op ~ gaan *break adrift* **7.5** er is veel ~ *there is a strong current.*

driftbui 〈de〉 **0.1** *fit* / *outburst of anger* ⇒*passion,* 〈AE; inf.〉 *catfit* ♦ **2.1** hij kon vreselijke ~en hebben *he could fly into terrible tempers.*

driftig
I 〈bn.〉 **0.1** [vervuld van woede] *angry* ⇒*heated* **0.2** [opvliegend] *irascible* ⇒*quick-* / *short-* / *hot-tempered, irritable* **0.3** [ronddrijvend] *adrift* ♦ **1.1** in een ~ bui *in a fit of anger* / *rage* / *passion* / *temper* **1.2** een ~ temperament *an irascible temperament* **3.1** je moet je niet zo ~ ma-

ken *you must not lose your temper* **3.2** ~ zijn *be quick-/short-/hot-tempered* **3.3** ~ worden ⟨v. schip, goederen⟩ *break a.; break away from the moorings* ⟨schip⟩ **¶.2** ~ van aard zijn *be quick-/short-tempered, have a hot temper;*
II ⟨bn., bw.; -ly⟩ **0.1** [waaruit woede spreekt] *angry* ⇒*hot-headed/-tempered* **0.2** [heftig] *vehement* ⇒*heated* **0.3** [haastig] *hasty* ◆ **1.1** een ~e beweging *an a. gesture;* ~e woorden *a. / harsh/hot-tempered words, words spoken/written in anger* **3.1** ~ spreken *speak angrily/harshly/in anger* **3.2** hij stond ~ te gebaren *he was making v. gestures, he was gesturing vehemently;* zij maakte ~ aantekeningen *she was busily taking notes* **3.3** hij kwam ~ op mij toelopen *he came rushing up to me.*
driftigheid ⟨de (v.)⟩ **0.1** [woede] *anger* ⇒*(hot) temper* **0.2** [opvliegendheid] *hot-headedness* ⇒*hot temper, passion(ate nature)* **0.3** [heftigheid] *vehemence* ⇒*heatedness* **0.4** [haastigheid] *hastiness.*
driftkikker ⟨de (m.)⟩ **0.1** *hothead* ⇒*spitfire* ◆ **2.1** hij is een echte ~ *he is a real spitfire.*
driftkop ⟨de (m.)⟩ →**driftkikker.**
drijfanker ⟨het⟩ **0.1** *sea/drift anchor* ⇒*drogue.*
drijfas ⟨de⟩ **0.1** ⟨wiel⟩ *driving axle;* ⟨schroef, machine⟩ *drive, driving/propeller shaft.*
drijfbeitel ⟨de (m.)⟩ **0.1** *chasing chisel.*
drijfgas ⟨het⟩ **0.1** *propellant.*
drijfhamer ⟨de (m.)⟩ **0.1** *chasing hammer.*
drijfhout ⟨het⟩ **0.1** *driftwood* ⇒*drift(age),* ⟨wrakstukken⟩ *flotsam.*
drijfijs ⟨het⟩ **0.1** *drifting/floating ice.*
drijfijzer ⟨het⟩ **0.1** ⟨met platte kop⟩*(pin)/*⟨met punt⟩*(centre) punch, drift.*
drijfjacht ⟨de⟩ **0.1** *drive* ⇒*battue,* ⟨fig., op persoon⟩ *man-hunt* ◆ **6.1** ⟨fig.⟩ een ~ houden op iem. *hunt s.o. down, hound s.o. (down).*
drijfkracht ⟨de⟩ **0.1** [beweegkracht] *driving power* ⇒*motive power/force,* ⟨van schip ook⟩ *propelling force,* ⟨stuwkracht⟩ *drive* **0.2** [⟨fig.⟩] *driving force* ⇒*moving spirit, dynamic force* ◆ **2.2** zij is de grote ~ v.d. vereniging *she is the driving force/moving spirit behind/of the association* **3.1** van ~ voorzien *power* **8.1** stromend water gebruiken als ~ *use flowing/running water as/to provide d. p./drive.*
drijfkunst ⟨de (v.)⟩ **0.1** *chasing.*
drijfmest ⟨de (m.)⟩ **0.1** *slurry* ⇒*semi-liquid manure.*
drijfmestput ⟨de (m.)⟩ **0.1** *slurry pit.*
drijfnat ⟨bn.⟩ **0.1** *soaking/sopping wet* ⇒*drenched, soaked, wet/drenched through* ◆ **3.1** iem. ~ maken *drench/soak s.o.;* ~ zijn ⟨ook⟩ *be drenched/soaked to the skin, be soaked from head to foot* **6.1** mijn shirt is ~ van het zweet *my shirt is dripping/soaked with sweat.*
drijfnet ⟨het⟩ **0.1** *drift(net).*
drijfriem ⟨de (m.)⟩ **0.1** *(driving/transmission) belt.*
drijfstang ⟨de⟩ **0.1** *connecting rod* ⇒*beam,* ⟨AE ook⟩ *pitman* ◆ **3.1** een warmgelopen ~ hebben *have an overheated c. r..*
drijfsteen ⟨de (m.)⟩ **0.1** *floatstone* ⇒*swimming stone.*
drijftol ⟨de (m.)⟩ **0.1** *whip(ping) top.*
drijfveer ⟨de⟩ **0.1** [beweegreden] *motive* ⇒*mainspring* **0.2** [veer] *mainspring* ◆ **6.1** de ~ en daad *the motive behind/the underlying motive for an act;* eigenbelang was de ~ van zijn handelingen *self-interest was the motive for his actions, he was motivated by self-interest.*
drijfvermogen ⟨het⟩ **0.1** *buoyancy* ⇒*floating power* ◆ **2.1** de meeste houtsoorten hebben een groot ~ *most kinds of wood are very buoyant/float easily.*
drijfwant ⟨het⟩ **0.1** *drift net.*
drijfwerk ⟨het⟩ **0.1** [het figuren slaan in metaal] *chasing* ⇒*engraving, embossing* **0.2** [gedreven metaal] *engraved/chased/embossed work* **0.3** [aandrijvende toestellen] *drive, driving gear* ⇒⟨mijnw.⟩ *headgear, transmission* in horloge).
drijfwiel ⟨het⟩ **0.1** *drive/driving wheel* ⇒*driver.*
drijfzand ⟨het⟩ **0.1** *quicksand(s)* ◆ **6.1** in ~ wegzinken *sink into quicksand;* ⟨fig.⟩ hun relatie is op ~ gebouwd *their relationship is built on quicksand.*
drijven ⟨→sprw. 462⟩
I ⟨onov.ww.⟩ **0.1** [aan de oppervlakte blijven] *float, drift* **0.2** [zweven] *float, drift* ⇒*glide* **0.3** [doornat zijn] *be soaked, be drenched, be sopping wet* ⇒⟨van schip⟩ *be waterlogged* ◆ **1.2** statig dreef de reiger op zijn lange wieken *the heron glided majestically on its long wings;* wolken dreven door de lucht *clouds drifted through the air/across the sky;* wolken dreven voor de maan *clouds drifted across the moon* **1.3** de vloer dreef (v.h. water) *the floor was under water/awash with water* **3.1** het pakje bleef ~ *the package remained/kept afloat;* doen ~ *float;* de boot/een zaak ~ d houden ⟨fig.⟩ *keep the boat/business afloat;* zich ~ de weten te houden ⟨ook fig.⟩ *manage to keep o.s. afloat /one's head above water* **4.3** ik dreef toen ik thuis kwam *I was soaked/drenched to the skin/sopping wet when I got home* **5.1** het wrakhout is naar de kust gedreven *the driftwood drifted to the shore/ashore;* naar boven komen ~ *f. up to the surface;* hout drijft op water *wood floats on water;* ⟨fig.⟩ de zaak drijft op hem *everything rests on his shoulders, he's the King-pin/the life and soul of the whole business;* op zijn

rug ~ *f. on one's back;* het schip dreef op zijn lading *the ship was waterlogged;* ⟨fig.⟩ de onderneming drijft op orders v.h. rijk *governmental orders are the mainstay/bread and butter of the enterprise;* het bier dreef over de tafel *the beer spilled all over the table* **6.2** ⟨fig.⟩ op eigen wieken ~ ⟨vnl. fig.⟩ *stand on one's own two feet* **6.3** ~ van het zweet *be dripping with sweat* **6.¶** tussen hoop en vrees ~ *hover between hope and despair;*
II ⟨ov.ww.⟩ **0.1** [voor zich uit doen gaan] *drive* ⇒*push, move, beat* ⟨wild⟩ **0.2** [⟨fig.⟩ bewegen tot] *drive* ⇒*push, compel* **0.3** [bedrijven] *run* ⇒*conduct, manage, keep* **0.4** [in beweging brengen] *drive* ⇒*propel* ⟨machine⟩*, operate* **0.5** [slaan] *drive* **0.6** [figuren slaan in metaal] *chase, emboss (on/with)* ◆ **1.1** de bal ~ ⟨sport⟩ *dribble the ball;* iem. op de vlucht ~ *put s.o. to flight, force/compel s.o. to flee;* de menigte uit elkaar ~ *break up the crowd;* vee naar de weide ~ *herd/d. cattle (in)to the field;* de vijand uit het land ~ *d. the enemy out of the country* **1.2** iem. het bloed naar de wangen ~ *cause s.o. to blush, send the blood rushing to s.o.'s cheeks;* iem. tot het uiterste ~ *push s.o. to the extreme/end of his tether;* iem. in de armen ~ van *drive s.o. into the arms of;* iem. in het nauw/een hoek ~ *drive/push s.o. to/against the wall/into a corner, bring s.o. to bay;* een onweerstaanbaar verlangen dreef het meisje naar huis *an irresistable urge drove the girl home;* hij drijft de scherts te ver *he's pushing the joke too far;* een zaak tot het uiterste ~ *push/carry sth. to the extreme;* de zaak op de spits ~ *carry the matter to an extreme/to extremers, bring the matter to a head* **1.3** illegaal handel ~ *traffic/deal/profiteer in illegal marchandise/goods;* handel ~ op/met een land *trade with a country;* een handel ~ in antiek *deal in antiques;* zwarte handel ~ *deal on the black market, have black market dealings;* de spot met iem. ~ *hold s.o. up to ridicule, make a mockery of s.o.;* een winkel ~ *r. l. keep/manage a shop/* ^store; een zaak ~ *r. l. conduct/manage a business* **1.4** die beekjes ~ tal van molens *these streams d. l. operate/propel numerous mills* **1.5** een gang/galerij ~ *d. a passage/tunnel/gallery;* een paal de grond in ~ *d. a pile* ⟨heipaal⟩*/post* ⟨hek⟩*/stake* ⟨staak⟩ *into the ground;* planken/een vloer ~ *make joints between planks/boards tight, d. together planks/boards;* een spijker in de muur ~ *d. a nail into the wall* **1.6** in goud gedreven vruchten en bloemen *fruit and flowers embossed in gold;* gedreven zilver *chased/embossed silver* **5.2** het is gevaarlijk de zaak nog verder te ~ *it's dangerous to push things any further* **6.2** door woede gedreven *spurred on/actuated/driven by anger/rage;* door nieuwsgierigheid gedreven *prompted/driven by curiosity;* door edele motieven gedreven *actuated by noble intentions* **6.4** door stoom gedreven schepen *steam-driven/propelled ships;* de prijzen naar omhoog/omlaag ~ *force prices down, d. l force prices up* **6.5** uit elkaar ~ ⟨ook fig.⟩ *wedge/force apart, d. a wedge between.*
drijvend ⟨bn.⟩ **0.1** *floating, drifting* ⇒⟨predicatief ook⟩ *afloat* ◆ **1.1** een ~e boei *a f. buoy;* een ~ brandspuit *a firefloat/fireboat;* een ~ dok *a f. dock;* een ~ hotel *an aquatel;* een ~e kraan *a f. crane;* ⟨fig.⟩ de ~e kracht (achter) *the moving spirit (behind);* ~ krijgsmaterieel *naval ships;* een ~e mijn *a f. mine* ⟨als zodanig bedoeld⟩*; a d. mine* ⟨losgeraakt⟩.
drijver ⟨de (m.)⟩ **0.1** [iem. die iets drijft] *driver, drover* ⟨van vee⟩*; beater* ⟨jacht⟩*; chaser, embosser* ⟨metaalbouw⟩ **0.2** [iem. die iets kan doorzetten] *zealot* ⇒*bigot* ⟨vnl. pej.⟩*, fanatic* **0.3** [voorwerp dat drijft] *float* **0.4** [voorwerp dat de vloeistofstand aanwijst] *float* ◆ **1.3** ~s v.e. watervliegtuig *floats of a seaplane.*
drijverij ⟨de (v.)⟩ **0.1** *fanaticism* ⇒*fanatic/intemperate zeal, zealotry.*
dril
I ⟨de⟩ **0.1** [gelei] *jelly;*
II ⟨de (m.)⟩ **0.1** [aap] *drill, mandrill* **0.2** [boor] *drill;*
III ⟨het⟩ **0.1** [stof] *drill.*
drilboog ⟨de (m.)⟩ **0.1** *drill bow.*
drilboor ⟨de⟩ **0.1** *drill.*
drillen
I ⟨onov.ww.⟩ **0.1** [trillen] *shake* ⇒*tremble, quiver* ◆ **1.1** het huis drilde v.d. slag *the house vibrated from the crash;*
II ⟨ov.ww.⟩ **0.1** [africhten] *drill* **0.2** [trillende beweging geven] *brandish* ⇒*wave* **0.3** [boren] *drill* **0.4** [slijpen] *grind* ◆ **1.1** een goed gedrilde troep *a well drilled troop* **1.2** hij drilde zijn speer *he brandished his spear* **1.4** de naalden ~ g. *needles;* de versiering op de kelk is gedrild *the decoration on the chalice is engraved* **6.1** gedrild in een vak *drilled in a subject;* de leerlingen worden voor examens gedrild *the pupils are being drilled for exams.*
dringen
I ⟨onov.ww.⟩ **0.1** [zich een weg banen] *push* ⇒*press, shove, squeeze, penetrate* **0.2** [voorwaartse druk uitoefenen] *push* ⇒*press* **0.3** [druk doen gelden] *press* ⇒*urge, compel* ◆ **1.3** als de nood dringt *if it's absolutely necessary;* de tijd dringt *time presses/is short;* de zaak dringt nogal *the matter is rather urgent* **3.2** sta niet zo te ~ *don't jostle/hustle/crowd me!;* ik sta niet bepaald te ~ om dat klusje op te knappen *I'm not exactly dying to do that job;* iedereen stond te duwen en te ~ *everyone was pushing ans shoving* **6.1** hij drong door de samengestroomde menigte heen *he pushed/elbowed/forced/squeezed his way through the gathered crowd;* het water drong door de bodem in de

boot *the water came through/penetrated the floor of the boat;* het zonlicht dringt **door** de gordijnen *the sunlight comes through/penetrates the curtains;* ⟨fig.⟩ **in** iemands geheimen ~ *penetrate (into) s.o.'s secrets;* het zand drong **in** zijn kiezen *the sand got in between his teeth;* de kogel drong **in** het hout *the bullet penetrated (into) the wood;* de menigte drong de zaal **in/uit** *the crowd pushed its way into/out of the hall;* **naar** voren ~ *push forward/to the front* **6.2** het zal wel ~ worden **om** een goede plaats *we'll probably have to fight for a good seat;* ~ **om** een plaats *jostle for a place;*

II ⟨ov.ww.⟩ **0.1** [door drukken verplaatsen] *push* ⇒*force, shove, press* **0.2** [dwingen] *force* ⇒*compel* ◆ **1.1** iem. in een hoek ~ *push s.o. into a corner;* hij drong de man van zijn plaats *he pushed the man out of his place,* †*he ousted the man from his place* **4.1** zich op de voorgrond ~ ⟨fig.⟩ *work/*⟨AE; inf.⟩ *hustle one's way to the front;* ⟨lett.⟩ *push o.s. to the foreground;* ⟨fig.⟩ zich in iemands vertrouwen ~ *worm one's way into s.o.'s confidence* **6.1** hij werd **naar** buiten/buiten de deur gedrongen *he was pushed/forced/shoved outside/out the door;* ⟨fig.⟩ iem. **naar** de achtergrond ~ *relegate s.o. to the background;* iem./ een produkt **van** de markt ~ *drive/force/oust s.o./a product from the market* **6.2** haar geweten drong haar **tot** spreken *her conscience forced/compelled her to speak.*

dringend
I ⟨bn.⟩ **0.1** [urgent] *urgent* ⟨behoefte, telegram, verzoek⟩; *pressing* ⟨behoefte, bezigheden⟩; *acute, dire, crying* ⟨nood⟩ **0.2** [met aandrang gedaan] *urgent* ⇒*earnest* ⟨verzoek⟩, *insistent, pressing* **0.3** [sterk vragend] *insistent* ⇒*earnest* ◆ **1.1** er is ~ behoefte/een ~e behoefte aan geneesmiddelen *there is urgent need of medicines, there is a pressing/urgent/dire need for medicines;* ~e bezigheden *urgent/pressing business;* in ~e gevallen *in urgent cases, in case of emergency;* een ~e oproep *an urgent call/appeal;* ~e redenen *urgent reasons* **1.2** op ~ verzoek van *at the u./earnest request/plea of/from;* een ~ verzoek (om) *an u. request/plea (for)* **3.1** ~ zijn *be urgent/pressing/dire* **5.1** uiterst ~ *dire;*

II ⟨bw.⟩ **0.1** [onmiddellijk] *urgently; pressingly; acutely, direly* **0.2** [met aandrang] *insistently* ⇒*pressingly, earnestly* ◆ **2.1** dat is ~ noodzakelijk *that is absolutely essential/u. necessary* **3.1** ik moet u ~ spreken *I must speak to you immediately* **3.2** iem. iets ~ verzoeken *plead with s.o. for sth./to do sth., beg/implore/urge s.o. to do sth.;* de situatie vraagt ~ om maatregelen *the situation urgently demands action* ¶**.1** ~ verlegen zitten om/nodig hebben *be in urgent need of.*

drinkbaar ⟨bn.⟩ **0.1** [smakelijk] *drinkable;* ⟨ongevaarlijk⟩ *potable* ◆ **1.1** eetbare en drinkbare waren *edible and d. provisions, food and drink, foodstuffs and drinks;* het water uit deze pomp is niet ~ *the water from this pump isn't d./p.* **5.1** deze wijn is al jeugdig ~ *this wine is d. even when young.*

drinkbak ⟨de (m.)⟩ **0.1** ⟨vee⟩ *drinking/water(ing) trough;* ⟨paarden ook⟩ *horse-trough;* ⟨huisdieren, kippen⟩ *waterbowl;* ⟨in kooi⟩ ⟨*drinking) fountain.*

drinkbeker ⟨de (m.)⟩ **0.1** *drinking cup* ⇒*goblet, chalice, beaker* ◆ **3.1** ⟨bijb. en fig.⟩ laat deze ~ aan mij voorbijgaan *let this cup pass from me.*

drinkebroer ⟨de (m.)⟩ **0.1** *tippler* ⇒*drunk(ard), boozer,* ⟨AE; sl.⟩ *lush.*

drinken¹ ⟨het⟩ **0.1** *drink(s)* ⇒*beverage* ◆ **1.1** dat is eten en ~ *that's a meal and a d. all in one glass;* het eten en ~ is er goed *they have good food and drink there* **3.1** heb je de hond ~ gegeven? *did you give the dog sth. to drink?;* de zieke vroeg om ~ *the patient asked for sth. to drink* **7.1** dit is geen ~ *this isn't fit to drink.*

drinken²
I ⟨onov.ww., ov.ww.⟩ **0.1** [tot zich nemen] *drink* ⇒*sip* ⟨met kleine teugjes⟩ **0.2** [opzuigen] *absorb* ⇒*soak (up)* ◆ **1.1** geen alcohol ~ *be a non-drinker;* ⟨fig.⟩ hij kan haar bloed wel ~ *he could murder her, he could wring her neck;* iem. vragen een borrel te komen ~ *invite s.o. for a drink;* drink er een van mij *have one on me;* de kudde ging ~ aan de poel *the herd watered at the pool;* we gaan thee ~ *we're having tea at Peter's;* een kop thee/koffie ~ *have a cup of tea/coffee;* een glas wijn ~ *d. a glass of wine;* wijn bij het eten ~ *d. wine with the meal* **1.2** de spons drinkt het water *the sponge soaks up/absorbs the water* **3.1** een dier te ~ geven *give an animal sth. to d.;* een paard te ~ geven *water a horse;* die koffie is niet te ~ *that coffee tastes terrible, that coffee is undrinkable* **4.1** drink nog wat voor je gaat *have a quick one before you go, have one for the road;* (wil je) wat ~? *(will you) have a drink?;* wat wil je ~?, wat drink jij? *what are you having?, what's yours?, what'll it be?;* ⟨scherts.⟩ *what's your poison?* **6.1** op iemands gezondheid ~ *d./pledge (to) s.o.'s health;* een glas ~ **op** d. *(a glass) to;* ik stel voor/laten we **op** de voorzitter (te) ~ *I'd like to propose a toast to the chairman, I give you the chairman;* ik drink **op** ons succes *here's to our success!, let's d. to our success!;* **op** de koop ~ *let's d. on/wet the bargain;* hier moet **op** gedronken worden *this calls for a toast* ¶**.1** je moet niet alles door elkaar ~ *don't mix your drinks;*
II ⟨onov.ww.⟩ ⟨pregn.⟩ **0.1** [alcohol drinken] *drink* ◆ **5.1** minder gaan ~ *cut down on one's drinking, d. less;* nooit ~ *be a teetotaller* ᴬ*taler, never touch the stuff/a drink, be on the wag(g)on;* stevig/zwaar/erg ~ *d. heavily, be a heavy drinker;* teveel ~ *drink (to excess), hit the*

---

bottle a bit too much **8.1** ~ als een tempelier/beest/spons *d. like a fish* ¶**.1** hij drinkt *he drinks, he's a boozer/drunk/*⟨AE; sl.⟩ *lush, he's on the bottle;*
III ⟨ov.ww.⟩ **0.1** [in een toestand brengen] *drink* **0.2** [⟨fig.⟩ in zich opnemen] *drink in* ⇒*take in* ◆ **1.2** frisse lucht met volle teugen ~ *drink in the fresh air* **2.1** de fles leeg ~ *finish off/kill the bottle* ¶**.1** iem. onder de tafel ~ *drink s.o. under the table;* zich een roes ~ *drink o.s. silly/into oblivion;* zich zat ~ *get dead drunk;* ⟨vulg.⟩ *get pissed;* zich dood ~ *drink o.s. to death;* zich bewusteloos ~ *drink o.s. into oblivion.*

drinker ⟨de (m.)⟩ **0.1** *drinker* ◆ **2.1** een matige ~ *a light/moderate d.;* een stevige ~ *a heavy d..*

drinkgelag ⟨het⟩ **0.1** *drinking-bout* ⇒*carousal, drinking spree* ◆ **2.1** tijdens hun stevige ~en *during their bouts of hard drinking.*

drinkgeld ⟨het⟩ **0.1** *tip(s)* ⇒*(a) gratuity/gratuities.*

drinkgewoonte ⟨de (v.)⟩ **0.1** *drinking habit.*

drinkglas ⟨het⟩ **0.1** *(drinking) glass* ⇒*tumbler, goblet.*

drinkkan ⟨de⟩ **0.1** *tankard* ◆ ⟨Sch.E; met knopdeksel⟩ *tappit-hen.*

drinkkroes ⟨de (m.)⟩ **0.1** *(drinking) mug.*

drinklied ⟨het⟩ **0.1** *drinking song.*

drinknap ⟨de (m.)⟩ **0.1** *drinking-bowl.*

drinkplaats ⟨de⟩ **0.1** *watering place.*

drinkwater ⟨het⟩ **0.1** *drinking-water* ⇒*potable water* ◆ **7.1** geen ~! ⟨als waarschuwing⟩ *not/unfit for drinking.*

drinkwaterverbruik ⟨het⟩ **0.1** *drinking-water consumption.*

drinkwatervoorziening ⟨de (v.)⟩ **0.1** *(drinking-)water supply.*

drinkwaterzuivering ⟨de (v.)⟩ **0.1** *drinking-water treatment/purification.*

drinkyoghurt ⟨de (m.)⟩ **0.1** *drinking yoghurt* ⇒*yoghurt drink.*

drive ⟨de⟩⟨comp.⟩ **0.1** *diskdrive.*

drive-in-bioscoop ⟨de (m.)⟩ **0.1** *drive-in-cinema.*

drive-in-woning ⟨de (v.)⟩ **0.1** ⟨vnl. reclametaal⟩ *drive-in home;* ⟨alledaagse taal⟩ *home with a built-in garage,* ᴮ*town house.*

droef ⟨schr.⟩
I ⟨bn.⟩ **0.1** [treurig] *sad* ⇒*sorrowful, afflicted* ⟨ihb. na trieste gebeurtenis⟩, *melancholy, down-hearted* ◆ **1.1** een droeve blik *a sorrowful look;* droeve jaren *years of suffering, time of trial;* het is mijn droeve plicht *the sad duty falls upon me, it is my sad duty* **3.1** wat stemt u zo ~? *what saddens you so?, what's the cause of your grief?* ¶**.1** het werd mij ~ te moede *I was cast down;*
II ⟨bw.⟩ **0.1** [als een treurig iem.] *sadly* ⇒*sorrowfully, mournfully.*

droefenis ⟨de (v.)⟩ ⟨schr.⟩ **0.1** *sadness* ⇒*sorrow, grief, affliction, distress* ◆ **2.1** in diepe ~ *in deep distress.*

droefgeestig
I ⟨bn.⟩ **0.1** [mbt. personen] *melancholy* ⇒*mournful, gloomy, despondent, doleful, sombre* **0.2** [mbt. zaken] *doleful* ⇒*dreary, gloomy, melancholy* ◆ **1.2** een ~ lied *a sad/melancholy song;* ~ weer *dreary/gloomy/dismal weather;*
II ⟨bw.⟩ **0.1** [mbt. personen] *dolefully* ⇒*despondently, sadly* **0.2** [mbt. zaken] *drearily* ⇒*dolefully, sadly* ◆ **3.1** ~ voor zich uit staren *stare despondently.*

droefheid ⟨de (v.)⟩ **0.1** *sorrow* ⇒*sadness, grief, mournfulness, affliction* ◆ **2.1** met grote ~ vernamen wij ... *we heard with deep regret (of/that).*

droes ⟨de (m.)⟩ **0.1** [droesem]⟨→**droesem**⟩ **0.2** [ziekte] *glanders, strangles* ⇒*farcy* **0.3** [duivel] *deuce* ◆ **2.2** goedaardige ~ *strangles;* kwade ~ *glanders, farcy.*

droesem ⟨de (m.)⟩ **0.1** ⟨ook fig.⟩ *dregs, lees* ⟨van wijn⟩ ⇒*sediment, deposit.*

droevig
I ⟨bn.⟩ **0.1** [verdrietig] *sad, sorrowful, miserable,* ↓ ᴮ*wretched* ⟨mens, dag, gelegenheid⟩ ⇒⟨mens ook⟩ *cast down* **0.2** [van droefheid getuigend] *sad* ⇒*melancholy, pathetic, doleful* **0.3** [tot droefheid stemmend] *depressing* ⇒*saddening, miserable, disheartening* ◆ **1.2** een ~e blik *a s./melancholy/dejected look* **1.3** een ~ lied *a sad/melancholy song;* een ~ thema *a sad/doleful/depressing theme;* een ~ voorval *a sad event, a tragic incident* **1.**¶ de ridder v.d. ~e figuur *the Knight of the Rueful/Doleful Countenance* **7.3** het ~e v.h. geval is dat ... *the sad part/feature/aspect of the case is that ..., the tragedy of the case is that ...;*
II ⟨bw.⟩ **0.1** [op een van droefheid getuigende wijze] *sadly* ⇒*dolefully, sorrowfully* **0.2** [bedroevend] *depressingly* ⇒*pathetically, sadly, distressingly* ◆ **3.1** ~ kijkend *sad-faced* **3.2** het is ~ gesteld met hem *he's in a distressing situation, his situation is a distressing one,* ↓ *he's in a bad way;*
III ⟨bn., bw.; -ly⟩ **0.1** [bedroevend] *depressing* ⇒*distressing, miserable* ◆ **1.1** in ~e omstandigheden verkeren *be in miserable circumstances/a sorry plight* **2.1** een ~ klein aantal vrijwilligers heeft zich gemeld *a depressingly small number of volunteers have come forward* **3.1** hij heeft het er ~ afgebracht *he did miserably (in his exams);* ⟨sl.⟩ *he really blew it this time.*

drogbeeld ⟨het⟩ **0.1** [bedrieglijk beeld] *illusion* ⇒*phantom, mirage* **0.2** [verwrongen afbeelding] *distortion, distorted image.*

droge

I ⟨het⟩ **0.1** [plek waar het droog is] *dry land* ◆ **6.1** op het ~ zitten/ verzeild zijn ⟨ook fig.⟩ *be high and dry, be stranded;* als een vis **op** het ~ *like a fish out of water;* ⟨fig.⟩ zijn schaapjes **op** het ~ hebben *have made one's pile, be in clover/on easy street/home and dry;* **op** het ~ brengen *bring to land/grass, land;*
II ⟨de (m.)⟩ ⟨fig.⟩ **0.1** [komiek] *dry one* **0.2** [droogstoppel] *dry(-as-dust) person.*

drogen
I ⟨onov.ww.⟩ **0.1** [droog worden] *dry* ◆ **1.1** ~de oliën *drying oils* **3.1** te ~ hangen *hang out to d., air;*
II ⟨ov.ww.⟩ **0.1** [afdrogen] *dry* ⇒*air,* ⟨door vegen⟩ *wipe* **0.2** [conserveren] *dry* ⇒*dehydrate* ◆ **1.1** de borden ~ *d. /wipe the plates;* zijn handen ~ (aan) *wipe/d. one's hands (on);* iemands tranen ~ ⟨ook fig.⟩ *wipe away/d. s.o.'s tears;* hij droogde zijn tranen *he wiped his eyes, he dried his tears;* goed ~d weer *good/nice drying weather* **1.2** gedroogde appelen/kabeljauw *dried/dehydrated apples, dried cod;* thee ~ *fire tea* **3.1** iets laten ~ *leave sth. to d.* **7.2** het ~ van hout *seasoning/drying wood.*
drogenaaldprent ⟨de⟩ **0.1** *dry-point.*
droger ⟨de (m.)⟩ **0.1** *drier.*
drogeren ⟨ov.ww.⟩ ⟨sport⟩ **0.1** *dope.*
drogerij ⟨de (v.)⟩ **0.1** [plaats] *drying house/shed/room* **0.2** [drogisterij-artikelen] ⟨vnl. mv.⟩ *drugs* [kruiden, geneesmiddelen]; *sundries* [toiletartikelen, kleurstoffen] ◆ **1.2** handelaar in ~en *chemist,* [B]*drysalter,* [A]*druggist;* zaak in ~en *chemist's,* [B]*drysaltery,* [A]*drugstore.*
droget ⟨het⟩ **0.1** *drugget.*
drogist ⟨de (m.)⟩ **0.1** [verkoper] *chemist,* [A]*druggist* **0.2** [winkel] *chemist's,* [A]*drugstore.*
drogisterij ⟨de (v.)⟩ **0.1** *chemist's,* [A]*drugstore.*
drogreden ⟨de⟩ **0.1** *fallacy* ⇒*sophism, specious argument.*
drogredenaar ⟨de (m.)⟩ **0.1** *sophist* ⇒⟨oneig.⟩ *casuist.*
droit de réponse ⟨het⟩ **0.1** *right of reply.*
drol ⟨de (m.)⟩ **0.1** [keutel] *turd* **0.2** [liefkozende aanduiding] ≠*pet* ⇒ *sweetie, honey (bunch), precious* **0.3** [minachtende aanduiding] *turd* ⇒⟨inf.⟩ *ass,* ⟨AE⟩ *jerk, idiot, blockhead* ◆ **2.2** wat ben je toch een ei-genwijze ~ *you're such a smart ass;* je bent een lekkere ~ *you're a sweet little thing* **3.1** een ~ draaien *have a shit,* [A]*have/take a crap* **6.3** een ~ **van** een vent *a real monster, a rotter.*
drolbaars ⟨de (m.)⟩ **0.1** [drol] *turd* **0.2** [persoon] *turd.*
drollenvanger ⟨de (m.)⟩ ⟨scherts.⟩ **0.1** *bags* ⇒*baggy trousers.*
drollig ⟨bn., bw.⟩ ⟨AZN⟩ **0.1** [kluchtig] *droll* **0.2** [lastig] *mean, nasty.*
drom ⟨de (m.)⟩ **0.1** *crowd, throng, horde, mob* ◆ **1.1** ~men mensen *throngs/mobs/crowds of people* **2.1** in dichte ~men komen opzetten *show up in force/in droves;* de vijandelijke drommen *the enemy hordes* **6.1** in ~men naar binnen/buiten stromen *come trooping in, go trooping out.*
dromedaris ⟨de (m.)⟩ **0.1** *dromedary* ⇒*Arabian camel.*
dromen ⟨→sprw. 535⟩
I ⟨onov.ww.⟩ **0.1** [een droom hebben] *dream* **0.2** [mijmeren] *dream* ⇒*muse, daydream, stargaze* **0.3** [hopen op] *dream* ⇒*fantasize* ◆ **5.1** ik heb naar gedroomd *I had a bad dream* **5.3** dingen waarvan we vroeger niet droomden, zijn nu heel gewoon *things formerly undreamt of/we never dreamed of are now part of everyday life* **6.1** ik heb **van** u gedroomd *I dreamt/dreamed about you* **6.3** ~ **van** een carrière als filmster *d. of becoming a film star;*
II ⟨ov.ww.⟩ **0.1** [tot inhoud van zijn droom hebben] *dream* **0.2** [in verbeelding beleven] *dream* ⇒[A]*imagine, fantasize* ◆ **1.1** welke avonturen heb je vannacht gedroomd? *what adventures did you d. about last night?* **1.2** ik kan dat boek wel ~ *I know that book by heart/inside out/like the back of my hand* **3.2** hij had nooit durven ~ dat zij terug zou komen *it was beyond his wildest dreams to think that she'd ever return* **4.2** dat had je gedroomd! *that's the way you'd like it!, you'd like that, wouldn't you?, forget about it!, no way!, don't you wish it was/he had/you could* ⟨enz.⟩ *!;* wie zou dat gedroomd hebben/had dat kunnen ~ *who would ever d. /could have dreamt of such a thing;* je hebt het zeker gedroomd *you must have been imagining things/dreaming.*
dromenland ⟨het⟩ **0.1** *land of Nod* ⇒*dreamland* ◆ **6.1** zij is al in ~ *she's already in the land of Nod.*
dromenrijk ⟨het⟩ **0.1** *dreamland* ⇒*land of Nod/dreams.*
dromer[1] ⟨de (m.)⟩, **droomster** ⟨de (v.)⟩ **0.1** [persoon die droomt] *dreamer* **0.2** [fantast, sufferd] *dreamer* ⇒*muser, stargazer, wool-gatherer, rainbow chaser.*
dromer[2] ⟨de (m.)⟩ **0.1** *rearmost dike (of three)* ⇒*landward dike.*
dromerig
I ⟨bn.⟩ **0.1** [geneigd te dromen] *dreamy* ⇒*moony, absorbed, faraway, meditative* **0.2** [v.d. aard v.e. droom] *dreamy* ⇒*dreamlike, illusory, fantastic, unreal* ◆ **1.1** een ~ kind *a dreamy-eyed/moony/pensive child* **1.2** een ~e melodie *a reverie;* een ~ sfeer *a dream-like/faraway feeling;*
II ⟨bw.⟩ **0.1** [als iem. die droomt] *dreamily* **0.2** [als in een droom] *dreamily* ◆ **2.2** een ~ zacht geluid *a dreamy-soft noise* **3.1** ~ uit zijn ogen kijken *gaze d. /musingly, have a faraway look.*

dromerigheid ⟨de (v.)⟩ **0.1** *dreaminess* ⇒*mooniness,* ⟨dagdromen⟩ *wool-gathering.*
dromerij ⟨de (v.)⟩ **0.1** [toestand] *dream-like state* ⇒*reverie* **0.2** [verwarde voorstelling] *delusion* ⇒*chimera, figment of the imagination* ◆ **3.2** al zijn zogenaamde plannen zijn slechts ~ *all of his so-called plans amount to nothing more than pipe-dreams.*
drommel ⟨de (m.)⟩ **0.1** [duivel] *deuce* ⇒*devil, dickens* **0.2** [beklagenswaardig persoon] *devil* ◆ **2.2** geef die arme ~ een gulden *give that poor d. /*[B]*bugger/*[A]*bastard a guilder* **4.¶** wat ~! *what the devil/deuce!,* [B]*confound it!, hang it all!* **6.1** loop **naar** de ~ *go to the devil, damn/blast you;* **voor** de ~ *how the devil, how in hell/the world, how in the name of heaven, how on earth;* wie ben jij **voor** de ~? *who the hell are you?* **6.¶** zij is **om** de ~ niet bang *she's by no means afraid, she isn't afraid by any means;* dat valt **om** de ~ niet mee *that'll be damned difficult, that sure won't be easy* ¶.¶ **om** de ~ niet *not on your life!* [B]*nelly, not for all the tea in China, no way!.*
drommels[1] ⟨inf.⟩
I ⟨bw.⟩ **0.1** [heel erg] *darn(ed),* [B]*jolly,* [B]*dashed* ⇒*confoundedly, awfully* ◆ **2.1** ~ aardig [B]*jolly nice;* hij wist ~ goed wat ik bedoelde *he knew perfectly/jolly/damn(ed) well what I meant;* het was ~ koud *it was damned/bloody/awfully cold;* ik werd ~ kwaad *I got good and mad;*
II ⟨bn.⟩ **0.1** [verwenst] *cursed* ⇒*blessed,* [B]*deuced, bloody* ◆ **1.1** die ~e kwajongens! *curse those brats!, those damned young scoundrels!;* die ~e regen *that c. /blessed rain;* die ~e vent heeft altijd geluk *that c. /blessed fellow is always lucky.*
drommels[2] ⟨tw.⟩ ⟨inf.⟩ **0.1** *darn (it) by Jove/George,* [B]*the deuce,* [A]*good grief* ◆ ¶.1 ~ nog aan toe *hang/darn it all.*
drommen ⟨onov.ww.⟩ ⟨schr.⟩ **0.1** *swarm* ⇒*throng* ◆ **5.1** de arbeiders dromden het terrein op *the workers swarmed onto the grounds* **6.1** de reizigers ~ **uit** de treinen *the passengers came out of the trains in throngs/came pouring out of the trains.*
dronk ⟨de (m.)⟩ **0.1** [slok] *drink* ⇒*draught, sip,* ⟨vnl. AE;sl.⟩ *slug* **0.2** [keer dat men drinkt] *toast* **0.3** [het drinken] *drinking* ◆ **1.1** een ~ water/wijn *a drink of water/wine* **2.3** een kwade/goede ~ hebben *be a mean/happy drunk* **3.2** een ~ instellen (op) *propose/make/give a t. (to)* **6.2** een ~ **op** iem. / iets uitbrengen *toast s.o. /sth., give a t. to s.o. /sth.* **6.3** op ~ komen *age* ⟨wijn⟩.
dronkaard ⟨de (m.)⟩ **0.1** *drunk(ard)* ◆ **2.1** een fatsoenlijke/stille ~ *a closet/clandestine drinker.*
dronkelap ⟨de (m.)⟩ **0.1** *drunk(ard)* ⇒ ↓*boozer,* ↓*wino,* ⟨vnl. BE;sl.⟩ *sot,* ⟨AE;sl.⟩ *lush.*
dronkeman ⟨de (m.)⟩ ⟨→sprw. 134⟩ **0.1** *drunk.*
dronkemansgebed(je) ⟨het⟩ ◆ **3.¶** een ~ doen *count one's money.*
dronkemansmoed ⟨de (m.)⟩ **0.1** *Dutch courage* ⇒*pot-valour.*
dronkemanspraat ⟨de (m.)⟩ **0.1** *drunken/beery/*↓*boozy talk.*
dronkemanswaanzin ⟨de (m.)⟩ **0.1** *delirium tremens* ⇒⟨inf.⟩ *D.T.'s, jim-jams, the shakes, blue devils.*
dronken ⟨bn.⟩ ⟨→sprw. 133,139⟩ **0.1** [zat] *drunken* ⟨attr.⟩; *drunk* ⟨pred.⟩ ⇒ ↑*intoxicated,* ↑*inebriated,* ⟨inf.⟩ *tipsy, tight* **0.2** [⟨+van⟩ buiten zichzelf] *drunk (with)* ⇒*intoxicated (with/from)* ◆ **1.1** hij heeft het in een ~ bui gedaan *he did it in a drunken fit;* het zijn ~ kop *drunk as he is;* ⟨fig.⟩ een ~ schroef *a wobbly screw* **3.1** zich ~ drinken *drink o.s. blind/silly;* de wijn maakt hem ~ *the wine is making him drunk/tipsy;* iem. ~ voeren *ply s.o. with drink;* zij wordt al ~ van een glas sherry *she gets drunk/tipsy on just one glass of sherry* **6.2** ~ **van** vreugde *d. with joy, heady with pleasure* **8.1** zo ~ als een tor/kanon *(as) drunk as a* [B]*lord/*[A]*skunk, tight as a drum.*
dronkenschap ⟨de (v.)⟩ **0.1** *drunkenness* ⇒*intoxication, inebriety* ◆ **1.1** in kennelijke staat van ~ (verkeren) *(be) under the influence of drink* **2.1** openbare ~ *public/open d.* **6.1** hij sloeg alles kort en klein **in** zijn ~ *he destroyed everything in his path when he was drunk.*
droog
I ⟨bn.⟩ **0.1** [niet nat] *dry* ⇒*arid* ⟨klimaat⟩ **0.2** [ontdaan van/arm aan sappen] *dry* ⇒*dried out, sapless, juiceless* **0.3** [zonder hetgeen erbij hoort] *dry* **0.4** [saai] *dry* **0.5** [mbt. opmerkingen] *dry* ⇒*wry* **0.6** [waar geen vloeistof aan te pas komt] *dry* **0.7** [mbt. wijn] *dry* ⇒*sec* **0.8** [mbt. koeien] *dry* ◆ **1.1** een ~ cognacje *a straight brandy;* geen droge draad aan het lijf hebben *be soaked to the skin;* ik kreeg een droge mond *my mouth went/became d.;* dat is niet met droge ogen aan te zien *you can't watch that dry-eyed;* droge stoom *d. steam;* een droge vorst *a d. frost;* de waterput was ~ *the well was/had gone d.;* ~ weer *d. /fine weather* **1.2** ~ hout *dry wood;* een droge huid *a dry skin;* een droge keel hebben *have a dry throat* **1.3** aardappels ~ eten *eat potatoes without gravy;* ~ brood *d. bread;* ⟨fig.⟩ het levert geen ~ brood op *it doesn't pay enough to keep body and soul together,* [A]*it doesn't pay beans* **1.4** ⟨AZN⟩ een droge haring *a dry stick;* een droge klaas/vent *a colourless fellow/character* **1.5** op droge toon *in a d. tone* **1.6** droge distillatie *d. /destructive distillation;* droge verpen pastel/droge waren *d. goods* **1.¶** Amerika was toen ~ [mbt. drankverkoop] *America was dry then* **2.1** hij zit hoog en ~ *he's sitting high and d.* **3.1** ~ bewaren, ~ houden! *store in a d. place!, keep d.!;* zou het ~ blijven?, zouden we het ~ houden? *will the weather hold?, will it stay d.?;* het is weer ~ *the*

weather has cleared, the rain has stopped 3.¶ hij is nog niet ~ achter de oren *he is still wet behind the ears* 5.1 de inkt was nog niet ~ of … *the ink was still wet (on the page)/not yet d. when* … 5.4 het is vreselijk droge kost/stof *it's terribly d. material/matter, the subject is as dry as dust* ¶.5 ~ uit de hoek komen *make a d. remark;*
II ⟨bw.⟩ 0.1 [zonder vloeistof] *dry* ♦ 3.1 ~ distilleren *dry-distil.*

droogautomaat ⟨de (m.)⟩ 0.1 *drier, drying machine* ⇒*tumbler, tumble(r) drier.*

droogbloeier ⟨de (m.)⟩ 0.1 *autumn crocus, meadow saffion.*

droogbloem ⟨de⟩ 0.1 [gedroogde bloem] *dried flower* 0.2 [samengesteld-bloemige plant] *cudweed.*

droogboeket ⟨het⟩ 0.1 *bouquet of dried flowers.*

droogdoek ⟨de (m.)⟩ 0.1 ᴮ*tea-cloth/towel,* ᴬ*dish towel.*

droogdok ⟨het⟩ 0.1 *dry dock* ⇒*graving dock* ♦ 2.1 drijvend/vast ~ *floating/stationary dock* 6.1 het schip gaat in het ~ *the ship is being drydocked/is going into dry dock.*

droogdokmaatschappij ⟨de (v.)⟩ 0.1 *dry-dock company.*

drooghekje ⟨het⟩ 0.1 *airer* ⇒*clothes-horse.*

drooghuis ⟨het⟩ 0.1 *drying-house* ⇒*sweathouse, sweating house/room* ⟨bv. voor tabak⟩.

droogje ⟨het⟩ 0.1 ≠*daily bread* ♦ 1.1 zijn natje en ~ op tijd krijgen *get one's food on the table three times a day* 6.¶ op een ~ zitten *have/get nothing to drink/* ⟨inf.⟩ *to wet one's whistle, be without anything to drink/a drink.*

droogjes ⟨bw.⟩ 0.1 *dryly, drily* ⇒*wryly* ♦ 3.1 heel ~ iets opmerken *make a very dry/wry remark.*

droogkamer ⟨de⟩ 0.1 *drying room/chamber; dry kiln* ⟨hout⟩.

droogkap ⟨de⟩ 0.1 *(hair)drier (hood).*

droogkast ⟨de⟩ 0.1 *airing cupboard.*

droogkloot ⟨de (m.)⟩ ⟨inf.⟩ 0.1 *bloody/* ᴬ*goddam bore/drag.*

droogkokend ⟨bn.⟩ ♦ 1.¶ ~e aardappels *floury potatoes;* ~e rijst *instant rice.*

droogkomiek[1] ⟨de (m.)⟩ 0.1 *dry/wry comedian/comic* ⇒*dry one.*

droogkomiek[2] ⟨bn.⟩ 0.1 *drily humorous, with dry humour/wit.*

droogkuis ⟨de (m.)⟩ ⟨AZN⟩ 0.1 *dry cleaner's* ⇒*dry cleaning shop/* ᴬ*store.*

drooglat ⟨de⟩ 0.1 *drying pole.*

droogleggen ⟨ov.ww.⟩ 0.1 [droogmaken] *reclaim* ⇒⟨vnl. mbt. Nederland⟩ *impolder* 0.2 [alcoholverkoop verbieden] *make dry* ♦ 1.2 een drooggelegde/niet drooggelegde stad/gemeente *a dry/wet city* 3.2 drooggelegd worden *become dry.*

drooglegging ⟨de (v.)⟩ 0.1 [het droogmaken] *(land) reclamation* ⇒⟨vnl. mbt. Nederland⟩ *impoldering* 0.2 [instelling v.e. verbod op alcohol-verkoop] *prohibition (of the sale of alcohol)* ♦ 1.1 het plan tot ~ *reclamation plan/program(me);* de ~ v.d. Zuiderzee *the reclamation of the Zuyder Zee* 6.1 er is een begin gemaakt met de ~ *reclamation has begun.*

drooglijn ⟨de⟩ 0.1 *(clothes-)line.*

drooglopen ⟨onov.ww.⟩ 0.1 [boven water komen] *be uncovered* ⇒*stand clear of the water* 0.2 [mbt. machines] *run dry* ♦ 1.1 deze plaat loopt bij laag water droog *this sandbank/shallow is uncovered at low tide.*

droogmachine ⟨de (v.)⟩ 0.1 *drier* ⇒*drying machine.*

droogmaken ⟨ov.ww.⟩ 0.1 [afdrogen] *dry (off)* 0.2 [droogleggen] *reclaim* ⇒⟨vnl. mbt. Nederland⟩ *impolder.*

droogmakerij ⟨de (v.)⟩ 0.1 [land] *(piece of) reclaimed land* ⇒⟨vnl. mbt. Nederland⟩ *polder* 0.2 [het droogmaken] *(land) reclamation* ⇒⟨vnl. mbt. Nederland⟩ *inpoldering.*

droogmaking ⟨de (v.)⟩ 0.1 *reclamation* ⇒⟨vnl. mbt. Nederland⟩ *inpoldering.*

droogmalen ⟨ov.ww.⟩ 0.1 *reclaim* ⇒*drain.*

droogmiddel ⟨het⟩ 0.1 *drying agent, desiccant* ⇒⟨vnl. in verf⟩ *siccative, drier.*

droogmolen ⟨de (m.)⟩ 0.1 *collapsible clothesline/* ᴬ*washline.*

droogoven ⟨de (m.)⟩ 0.1 *dry(ing) kiln.*

droogparasol →*droogmolen.*

droogproces ⟨het⟩ 0.1 *drying process.*

droogpruimen ⟨ww.⟩ 0.1 *take/have nothing to drink with one's food.*

droogpruim(er) →*droogkloot.*

droogrek ⟨het⟩ 0.1 *drying rack* ⟨ook foto.⟩ ⇒*dish drainer/rack,* ⟨voor kleren ook⟩ *clothes-horse.*

droogren ⟨de⟩ 0.1 *(small) drying shed.*

droogscheerapparaat ⟨het⟩ 0.1 *dry-shaver* ⇒*electric shaver.*

droogscheren ⟨wk.ww.; zich ~⟩ 0.1 *dry-shave* ⇒*use an electric shaver.*

droogscheur ⟨de⟩ 0.1 *shrinkage crack.*

droogschuur ⟨de⟩ 0.1 *drying shed.*

droogshampoo ⟨de⟩ 0.1 *dry shampoo.*

droogskiën ⟨ww.⟩ 0.1 *ski exercises/practice* ⇒⟨op gras⟩ *grass ski(ing).*

droogstaan ⟨onov.ww.⟩ 0.1 [geen water meer hebben] *have run/gone dry* ⇒*be dry* 0.2 [geen melk meer geven] *be dry, have gone dry* 0.3 [ge-molken staan] *be (milked) dry* 0.4 [geen alcohol meer drinken] *not drink any more, have stopped drinking* ♦ 1.1 mijn planten staan droog *my plants are dry/dried out;* de rivier staat droog *the river has run dry* ¶.1 ⟨scherts.⟩ ik sta droog *I'm dry.*

droogstaand ⟨bn.⟩ 0.1 *(temporarily) dry* ⟨koe⟩.

droogstappen ⟨onov.ww.⟩ 0.1 *cool.*

droogstempel ⟨het, de (m.)⟩ 0.1 *embossed stamp.*

droogstoken ⟨ov.ww.⟩ 0.1 *dry (out).*

droogstoof ⟨de (.)⟩ 0.1 *(drying) kiln/oven.*

droogstoppel ⟨de (m.)⟩ 0.1 [saai iem.] *dry-as-dust/colourless/prosaic person* ⇒*bore* 0.2 [iem. zonder hoger streven] *stick-in-the-mud.*

droogte ⟨de (v.)⟩ 0.1 [het droog zijn] *dryness* ⇒*aridity* ⟨mbt. klimaat⟩ 0.2 [droog weer] *drought* 0.3 [zandbank] *shoal* ⇒*(sand)bank, reef, (sand)bar* ♦ 2.2 een langdurige ~ *a long d.* 6.3 op een ~ verzeilen *run aground.*

droogteperiode ⟨de (v.)⟩ 0.1 *period of drought* ⇒*dry spell.*

droogtoestel ⟨het⟩ 0.1 *drying-apparatus* ⇒⟨chemisch⟩ *exsiccator, desic-cator.*

droogtrommel ⟨de⟩ 0.1 *drier* ⇒*drying machine, tumble(r) drier.*

droogtunnel ⟨de (m.)⟩ 0.1 *drying tunnel.*

droogvallen ⟨onov.ww.⟩ 0.1 *be uncovered* ⇒*stand clear of the water* ♦ 1.1 ~d land *tide-land.*

droogvloer ⟨de (m.)⟩ 0.1 *drying floor* ⇒⟨vnl. hop⟩ *cast,* ⟨AE; voor kof-fiebonen⟩ *barbecue.*

droogvoer ⟨het⟩ 0.1 *dry feed/fodder* ⇒*provender,* ⟨voor huisdieren⟩ *dry food.*

droogvoets ⟨bw.⟩ 0.1 *with dry feet* ⇒*without getting one's feet wet* ♦ 3.1 's zomers kan men de beek ~ oversteken *in the summer you can cross the brook without getting your feet wet.*

droogweg ⟨bw.⟩ 0.1 *drily, dryly* ⇒*wryly* ♦ 3.1 ~ iets zeggen/antwoor-den *say sth./answer drily.*

droogwrijven ⟨ov.ww.⟩ 0.1 *rub dry.*

droogzak ⟨de (m.)⟩ ⟨AZN⟩ →*droogkloot.*

droogzetten ⟨ov.ww.⟩ 0.1 [mbt. personen] *dry out* 0.2 [⟨scheep.⟩] *take out of the water;* ⟨droogdok⟩ *put in dry-dock.*

droogzolder ⟨de (m.)⟩ 0.1 *drying loft.*

droogzwemmen ⟨onov.ww.⟩ 0.1 [zwemoefeningen maken] *practise swimming on (dry) land* 0.2 [oefenen in een leersituatie] *do/make/have a dry run* 0.3 [zich behelpen] *muddle through* ⇒*manage.*

droogzwierder ⟨de (m.)⟩ ⟨AZN⟩ 0.1 *spin drier.*

droom ⟨de (m.)⟩ ⟨→sprw. 132⟩ 0.1 [toestand] *dream* 0.2 [het gedroom-de] *dream* 0.3 [fantasie] *dream* ⇒*fantasy, reverie* 0.4 [waan] *dream* ⇒*delusion, pipe-dream,* ⟨schr.⟩ *chim(a)era, illusion* 0.5 [mbt. iets heer-lijks/moois] *dream* ⇒*gem, jewel, plum* ♦ 1.3 een ~ van geluk *a d. of happiness;* het meisje van zijn dromen *the girl of his dreams* 2.1 een natte ~ *a wet d.* 2.2 ik heb een benauwde ~ gehad *I had a bad/nasty d.* 2.3 dit overtreft mijn stoutste dromen *this goes beyond/surpasses my wildest dreams* 3.2 dromen duiden *interpret dreams* 3.3 rechtvaar-digheid is een ~ *justice is a chimera/an empty d./a delusion* 6.1 dat zou ik zelfs in mijn dromen niet doen *I wouldn't dream of doing such a thing, not in my wildest dreams would I do such a thing;* uit een ~ ontwaken *awaken from a d.* 6.4 iem. uit de ~ helpen *disillusion/disen-chant/disabuse s.o., open s.o.'s eyes* 6.5 een ~ van een jurk *a fantastic /heavenly dress* ¶.3 haar ~ ging in vervulling *her d. came true.*

droombeeld ⟨het⟩ 0.1 [voorstelling uit een droom] *picture/image/vision from/out of a dream* 0.2 [fantasiebeeld] *fantasy* ⇒*illusion,* ⟨schr.⟩ *chim(a)era, dream.*

droomfabriek ⟨de (v.)⟩ 0.1 *dream factory* ⇒*film studio.*

droomgedachte ⟨de (v.)⟩ ⟨psych.⟩ 0.1 *latent dream content.*

droomgezicht ⟨het⟩ 0.1 *vision* ⇒*apparition, phantom.*

droomhuis ⟨het⟩ 0.1 *dream house* ⇒*house of one's dreams.*

droomland ⟨het⟩ 0.1 *dreamland.*

droomprins ⟨de (m.)⟩ 0.1 *Prince Charming.*

droomreis ⟨de⟩ 0.1 *trip of one's dreams.*

droomtoestand ⟨de (m.)⟩ 0.1 [⟨lett.⟩] *dreaming state* 0.2 [⟨fig.⟩] *dream-like state* ⇒⟨pej.⟩ *cloud-cuckoo-land.*

droomuitlegger ⟨de (m.)⟩, **-ster** ⟨de (v.)⟩ 0.1 *interpreter of dreams* ⇒ *oneirocritic.*

droomuitlegging ⟨de (v.)⟩ 0.1 *dream interpretation* ⇒*d. reading, oneiro-mancy,* ⟨als studie⟩ *oneirology.*

droomwereld ⟨de (m.)⟩ 0.1 *dream world* ⇒*fantasy world, fool's paradise* ♦ 1.1 de ~ van Hollywood/der sprookjes *the d. w./fantasy world of Hollywood/of fairy tales* 6.1 in een ~ verkeren ⟨ook⟩ *be out of touch with the world/reality;* ⟨inf.⟩ *have one's head in the clouds.*

droop ⟨de⟩ 0.1 *mastitis* ⇒*garget.*

drop[1] →*drup.*

drop[2] ⟨het, de⟩ 0.1 *liquorice* ᴬ*licorice* ♦ 1.1 een pijp ~ *a piece/stick of l.* 2.1 Engelse ~ *l. all-sorts;* zachte ~ *soft l.;* zoete/zoute ~ *sweet/salt(y) l..*

dropje ⟨het⟩ 0.1 *piece of liquorice* ⇒*lozenge, jujube.*

droppel →*druppel.*

droppelen →*druppelen.*

droppen
I ⟨ov.ww.⟩ 0.1 [ergens afzetten] *drop off* 0.2 [uit een vliegtuig wer-pen] *(make a) drop* ♦ 1.2 gedropt voedsel *dropped/air-lifted food;*
II ⟨onov.ww.⟩ ⟨schr.⟩ 0.1 [druppelen] *drip.*

dropping ⟨de⟩ 0.1 *drop.*

drops →drups.

dropwater ⟨het⟩ **0.1** *liquorice water*.

droschke ⟨de⟩ **0.1** *droshky*.

drosometer →drososcoop.

drososcoop ⟨de (m.)⟩ **0.1** *drew point hygrometer*.

drossaard →drost.

drossen ⟨onov.ww.⟩ **0.1** *abscond* ⇒*run away* ⟨slaaf⟩, *desert* ⟨ook mil.⟩, ⟨mil.⟩ *go AWOL* ♦ **1.1** gedroste matrozen *deserters*.

drost ⟨de (m.)⟩ ⟨vnl. gesch.⟩ **0.1** *bailiff* ⇒*sheriff*.

drostambt ⟨het⟩ **0.1** *bailiwick* ⇒*sheriffdom*.

droste-effect ⟨het⟩ **0.1** *illusion of infinity*.

drs. ⟨afk.⟩ **0.1** [doctorandus] *M.A.*, ≠*M.Sc.*.

drude ⟨de (v.)⟩ ⟨myth.⟩ **0.1** *witch*.

drudenvoet ⟨de (m.)⟩ **0.1** *pentacle* ⇒*pentagram*.

drug ⟨de (m.)⟩ **0.1** *drug* ⇒*narcotic* ♦ **3.1** aan~s weten te komen, ~s bemachtigen *get hold of drugs*; ⟨sl.⟩ *score*; ~s gebruiken *take/use drugs, be on/* ⟨sl.⟩ *into drugs*; ⟨AE ook;sl.⟩ *do drugs*; handelen in~s, ~s verkopen *deal in/sell/* ⟨inf.⟩ *push drugs* **6.1** iem. **aan** ~s helpen *get s.o. a fix*; handel **in** ~s d. *traffic(king)/dealing/trade*; ⟨inf.⟩ *drug-pushing, dealing (in drugs)*.

drugbestrijding ⟨de (v.)⟩ **0.1** *control of drug abuse/drugs* ⇒*measures to combat/control/* ⟨inf.⟩ *stamp out drug abuse/drugs*.

druggebruik ⟨het⟩ **0.1** *use of drugs, drug abuse* ♦ **2.1** toenemend ~ *increasing use of drugs/drug abuse*.

druggebruiker ⟨de (m.)⟩ **0.1** *drug user*.

drughond ⟨de (m.)⟩ **0.1** *sniffer dog*.

druglijn ⟨de⟩ **0.1** *drugs S.O.S. line*.

drugshandelaar ⟨de (m.)⟩ **0.1** *drug trafficker* ⇒⟨inf.⟩ *drug/dope pusher /dealer*.

drugsmokkel ⟨de (m.)⟩ **0.1** *drug smuggling*.

drugverslaafde ⟨de (m.)⟩ **0.1** *drug addict* ⇒*drug-dependent (person)*, ⌄*junkie*.

drugverslaving ⟨de (v.)⟩ **0.1** *drug addiction* ⇒*depence on drugs*.

druïde ⟨de (m.)⟩ **0.1** *Druid* ♦ **1.1** leer der ~n *Druidism* **2.1** vrouwelijke ~ *Druidess*.

druif
I ⟨de⟩ **0.1** [vrucht] *grape* **0.2** [⟨schr.⟩ wijn] *grape* ⇒*wine* ♦ **1.1** de druiven der gramschap *the grapes of wrath*; een tros druiven *a bunch of grapes* **2.1** witte/blauwe druiven *white/black grapes*; de druiven zijn zuur *sour grapes, the grapes are sour* **3.1** de geoogste druiven binnenhalen *bring in the harvested grapes*; ⟨fig.⟩ dat is een ~ uit mijn mond *I can't bear to part with that*; druiven plukken *pick/harvest graves* **3.¶** dat is een druifje *that's lucky*; ⟨vnl. BE⟩ *that is a stroke/bit of luck*;
II ⟨de (m.)⟩ ⟨inf.⟩ **0.1** [mal mens] *sily-billy* ⇒*goon*, ⟨vnl. AE⟩ *goof* ♦ **2.1** een rare ~ *a funny/weird one, a weirdo* **¶.1** wat ben je toch een ~! *you silly-billy!, you are a one!*.

druifhyacint ⟨de⟩ **0.1** *grape hyacinth*.

druifje ⟨het⟩ **0.1** *little grape* ♦ **2.¶** blauwe ~s *grape hyacinths*.

druifkruid ⟨het⟩ **0.1** [Chenopodium botrys] *Jerusalem oak* **0.2** [maanvaren] *grape fern* **0.3** [Scabiosa columbaria] *small scabious*.

druifluis ⟨de⟩ **0.1** *phylloxera*.

druifvormig ⟨bn.⟩ **0.1** *aciniform* ⇒*clustered*, ⟨plantk., anatomie⟩ *racemose* ♦ **1.1** ~e klieren *racemose glands, acini*.

druil ⟨de (m.)⟩ **0.1** [⟨scheep.⟩] *spanker* ⇒*driver* **0.2** [lusteloos persoon] ⟨→druiloor⟩.

druilen ⟨onov.ww.⟩ **0.1** [lusteloos zijn] *mope* **0.2** [suffen] *doze* **0.3** [mbt. het weer] *look like rain* ⇒*threaten to rain* ♦ **4.3** het druilt *it looks like rain, it's trying to rain*.

druilerig
I ⟨bn.⟩ **0.1** [mbt. het weer] *dull* ⇒*overcast, cloudy* **0.2** [mbt. personen] *mopish* ⇒*droopy, listless* ♦ **3.1** ~ worden *threaten to rain*;
II ⟨bw.⟩ **0.1** [als iem. die lusteloos is] *mopingly* ⇒*listlessly* ♦ **3.1** ~ rondhangen *mope about*.

druiloor ⟨de (m.)⟩ **0.1** *mope(r)*.

druiloren ⟨onov.ww.⟩ **0.1** *mope about*.

druilorig ⟨bn.⟩ **0.1** *mopish* ⇒*droopy,*listless.

druilregen ⟨de (m.)⟩ **0.1** *drizzle* ⇒*mizzle*.

druipen ⟨onov.ww.⟩ **0.1** [in druppels neervallen] *drip* ⇒*trickle* **0.2** [vocht laten neervallen] *drip* ⇒*trickle* **0.3** [niet slagen] *fail* ⇒^A*flunk* ♦ **1.2** de goot druipt *the gutter's dripping/leaking*; mijn kleren dropen *my clothes were dripping/soaking/sopping (wet)* **6.1** het water druipt door de doek *heen the cloth is dripping*; het zweet droop **van** zijn voorhoofd *his forehead was dripping with sweat* **6.¶** het geld druipt hem **door** de vingers *money runs through his fingers, he spends money like water*; de verwaandheid druipt **van** hem af *he exudes self-importance, he's so full of himself*.

druipende hartjes ⟨zn.mv.⟩ **0.1** *bleeding hearts*.

druiper ⟨de (m.)⟩ **0.1** [ziekte] *the clap* ⇒*a dose*, ⌐*gonorrhoea* **0.2** [gevelversiering] *dripstone* **0.3** [knop als versiering] *(pendant) boss*.

druipkaars ⟨de⟩ **0.1** *dripping candle*.

druiplijst ⟨de⟩ **0.1** *drip-moulding*, ^A*drip-mold, weather moulding*.

druipnat ⟨bn.⟩ **0.1** *dripping/sopping/soaking wet* ⇒*soaked through* ♦ **3.1** ~ worden v.d. regen ⟨ook⟩ *get drenched in the rain*.

druipneus ⟨de (m.)⟩ **0.1** [snotneus] *runny nose* **0.2** [persoon] *s.o. with a runny nose* ♦ **3.1** ik heb een ~ ⟨ook⟩ *my nose is running*.

druipoog
I ⟨het⟩ **0.1** [traanoog] *weepy/watery eye* ♦ **3.1** ik heb een ~ *my eye is watering*;
II ⟨de (m.)⟩ **0.1** [persoon] *s.o. with watery eyes*.

druiprek ⟨het⟩ **0.1** *(dish) drainer/rack*.

druipstaarten ⟨onov.ww.⟩ **0.1** *have its tail between its legs* ♦ **3.1** ~d weggaan/weglopen ⟨ook fig.⟩ *go/run off with its/one's tail between its/one's legs*.

druipsteen ⟨het, de (m.)⟩ **0.1** [hangend] *stalactite*; ⟨op de bodem⟩ *stalagmite*.

druipsteengrot ⟨de⟩ **0.1** *stalactite* [hangende druipstenen] /*stalagmite* ⟨staande druipstenen⟩ *cave*.

druisen ⟨onov.ww.⟩ **0.1** *roar*.

druiveblad ⟨het⟩ **0.1** *vine/grape leaf*.

druivelaar ⟨de (m.)⟩ ⟨AZN⟩ **0.1** *(grape-)vine*.

druivenat ⟨het⟩ **0.1** *grape juice* ⇒⟨wijn⟩ *juice of the grape*.

druivenjaar ⟨het⟩ **0.1** *vintage* ♦ **2.1** 19.. is een goed ~ geweest *19.. was a good year/*..

druivenkas ⟨de⟩ **0.1** *grape-house* ⇒*grapery, vinery*.

druivenkwekerij ⟨de (v.)⟩ **0.1** [het kweken] *viniculture, grape culture* **0.2** [gebouw] *grapery*.

druivenkuur ⟨de⟩ **0.1** *grape cure*.

druivenoogst ⟨de (m.)⟩ **0.1** *grape harvest* ⇒*vintage*, ^B *growth*.

druivenpers ⟨de⟩ **0.1** *winepress, wine presser* ⇒⟨vero.⟩ *winefat*.

druivenplukker ⟨de (m.)⟩, **-ster** ⟨de (v.)⟩ **0.1** *grape picker/gatherer* ⇒*vintager*.

druiventeler ⟨de (m.)⟩ **0.1** [om de vrucht] *grape-grower* **0.2** [om de wijn] *wine-grower*.

druiventreden ⟨ww.⟩ **0.1** *tread grapes*.

druiventros ⟨de (m.)⟩ **0.1** *bunch of grapes*.

druivepit ⟨de⟩ **0.1** *grapestone* ⇒*grape seed*.

druivesap ⟨het⟩ **0.1** *grape juice*.

druivesuiker ⟨de (m.)⟩ **0.1** *grape sugar* ⇒*dextrose*.

druk¹ ⟨de (m.)⟩ **0.1** [het duwen] *pressure* **0.2** [stuwende kracht] *pressure* **0.3** [pressie, aandrang] *pressure* ⇒⟨spanning⟩ *strain, stress*, ⟨van belasting/zorgen⟩ *burden, weight*, ⟨samendrukking⟩ *compression*, ⟨last⟩ *oppression*, ⟨stuwing⟩ *thrust* **0.4** [het drukken] *printing* **0.5** [oplage] *edition* ⇒*impression, printing* **0.6** [wijze van drukken] *print* ⇒⟨lettertype⟩ *type* ♦ **1.3** de ~ v.d. belastingen *the burden of taxation /tax burden*; de ~ v.d. tijden *the p. of the times* **1.4** 100 pagina's ~(s) *100 pages of print* **2.2** een gebied van hoge ~ *a high p. area*; te hoge ~ *overpressure*; hydraulische/atmosferische ~ *hydraulic/atmospheric p.*; zijwaartse/opwaartse ~ *lateral/upwards p.* **2.3** sociale ~ *social pressures* **2.5** een herziene ~ *a revised e.*; ⟨tweede,⟩ onveranderde ~ *second impression* **2.6** een fraaie ~ *a handsome edition*; onduidelijke/ vage ~ *mackle* **3.1** ~ uitoefenen ⟨fig.⟩ *exert p., use one's influence* **3.2** de ~ verhogen (op), onder hogere ~ zetten *increase/boost the p. (on), pressurize*; de ~ verlagen *lower/ease the p.* ⟨ook fig.⟩ *decompress* **3.3** ~ uitoefenen/aanwenden (op iem.) *put/exert p. (on s.o.)* **6.1** een ~ op de knop is voldoende *just press the button* **6.2** gas onder ~ van ~ drie atmosfeer *gas under three atmospheres of p.* **6.3** iem. **onder** ~ zetten *put p. on s.o., pressure s.o.*; ⟨inf.⟩ *lean on s.o.*; **onder** de ~ der omstandigheden handelen *be forced by circumstances to do sth., act by force of circumstances*; **onder** (hoge) ~ leven/staan *live/be under/be subjected to (great) p. / stress*; **onder** ~ toegeven *cave in/under p.*; dat zal de ~ **op** de organisatie verlichten *that will ease the p. / strain on the organisation* **6.4** in ~ verschijnen *appear in print*; een werk **in** ~ geven *have a work printed/published, publish a work* **7.5** het boek is al aan de vijfde ~ *the book is already in/has gone into its fifth e.* **¶.2** de ~ per cm² *the p. per cm²*; ~ in centimeters water *p. in centimeters water*.

druk²
I ⟨bn.⟩ **0.1** [veel werk met zich meebrengend] *busy* ⇒*demanding* **0.2** [veel te doen hebbend] *busy* ⇒*active* **0.3** [bedrijvig] *busy* ⇒*lively* **0.4** [intensief] *busy* **0.5** [luidruchtig] *busy* ⇒*active, excited, lively, boisterous* **0.6** [overladen] *busy* **0.7** [bezet, gevuld] *busy* ⇒*full, active* ♦ **1.1** een ~ke baan *a demanding job*; een ~ke zaak *a thriving business, a shop doing a good trade* **1.3** (overmatig) ~ke bijeenkomst *crowded meeting, crush*; een ~ke straat *a b. street*; ⟨verkeer⟩ ~ke uren *peak hours, rush hour* **1.4** een ~ke correspondentie *a lively correspondence*; (een) ~ gebruik maken van *use frequently, make much use of*; ~ke handel *thriving business, lively trade*; ~ verkeer *b. / heavy traffic* **1.5** ~ke kinderen *lively/boisterous children* **1.6** een ~ke stof *a b. / loud fabric* **1.7** wegens ~ke bezigheden/werkzaamheden *on account of/owing to the pressure/stress of work*; een ~ leven hebben *lead a b. / an active life*; een ~ programma *a b. / full schedule/programme* ^A*gram*; ~ke tijden/dagen *b. times/days* **3.2** wat ben je toch ~ *you are b., aren't you*; het ~ hebben *be b.*; het ~ hebben *be too b. working*; hij krijgt het steeds ~ker *he is increasingly b.* **3.3** het was er erg ~ *it was very b.*; het was ~/niet ~ op de beurs *trading was active/heavy/was light, the market was (not) busy/active* **3.5** zich ~ maken over iets *worry/get excited about sth.*; ⟨onnodig⟩ *make a fuss*

about sth.; zich niet ~ maken *be calm/relaxed/casual;* 〈inf.〉 *keep (one's) cool;* zich nodeloos ~ maken *worry/fuss needlessly;* die kinderen zijn te ~ *those children are too noisy* 8.2 het zo ~ hebben/zo ~ zijn als een klein baasje *be b. as a (little) bee;*
II 〈bw.〉 **0.1** [intensief] *busily* **0.2** [luidruchtig, opgewonden] *busily* ⇒ *noisily, excitedly* ◆ **2.1** een ~ bereden weg *a well-travelled ^Aheavily used road;* ~ bezet *busy;* ~ bezig zijn (met iets) *be busy/tied up (with/doing sth.);* te ~ bezig/bezet *overbusy* **3.1** iem. ~ bezighouden *tie s.o. up;* een ~ bezocht college *a well-attended lecture* **3.2** ~ bewegen *fidget;* ~ praten *talk animatedly, excitedly;* (als eigenschap) *be (very) talkative* **¶.1** ~ aan het schrijven zijn *be b. writing, be hard at work writing;* hij is ~ aan het werk *he is busy working;* ~ in gesprek zijn *be engaged in lively conversation;* ~ in de weer zijn *be up and about, be on the go, bustle (about).*
drukautomaat 〈de (m.)〉 **0.1** [inrichting aan een geiser] *pressure governor* **0.2** [degelpers] *platen.*
drukbel 〈de〉 **0.1** *push bell.*
drukbestendig 〈bn.〉 **0.1** *pressure-resistant.*
drukcabine 〈de (v.)〉 **0.1** *pressure cabin* ⇒ *pressurized cabin.*
drukcilinder 〈de (m.)〉 **0.1** *pressure cylinder* ⇒ *platen.*
drukcontact 〈het〉 **0.1** *push contact.*
drukdoenerij 〈de (v.)〉 **0.1** *fussing, bustling.*
drukfout 〈de〉 **0.1** *misprint* ⇒ *printing error, erratum* ◆ **1.1** lijst van ~en *errata* **2.1** een storende ~ *a serious m.* **3.1** een ~ maken *misprint a word.*
drukfoutduiveltje 〈het〉 **0.1** 〈zeldz.〉 *printer's imp.*
drukgang 〈de (m.)〉 **0.1** *printing.*
drukgolf 〈de〉 **0.1** *shock wave.*
drukhoogte 〈de〉 **0.1** [hoogte tot waar iets geperst wordt] *(pressure) head* **0.2** [hoogte berekend uit de luchtdruk] *pressure altitude.*
drukhouder 〈de (m.)〉 **0.1** *pressurized container.*
drukinkt 〈de (m.)〉 **0.1** *printer's/printing ink.*
drukken
I 〈onov.ww.〉 **0.1** [duwen] *press* ⇒ *push* **0.2** [als iets zwaars liggen op] *press* ⇒ *weigh down* **0.3** [kakken] 〈kind.〉 *do number two* ◆ **6.1** het verband drukt **op** de wond *the bandage is pressing on the wound;* druk maar **op** dit knopje *just press this button;* 〈fig.〉 **op** woorden ~ *emphasize/underline one's words;* **tegen** iets ~ *press/push against sth.* **6.2** een maatregel die **op** allen drukt *a measure/decision that burdens everyone;* zwaar **op** het geweten ~ *weigh heavily on one's conscience;*
II 〈ov.ww.〉 **0.1** [aan een kracht onderwerpen] *push* ⇒ *press* **0.2** [iets in een toestand/ergens brengen] *push* ⇒ *force* **0.3** [door drukken doen ontstaan] *force* ⇒ *make, create* **0.4** [een last zijn voor] *burden* ⇒ *trouble, bother* **0.5** [omlaag brengen] *push down* **0.6** [~(geld)] *print* **0.7** [dmv. een stempel aanbrengen] *stamp* ⇒ *impress* **0.8** [knellen] *pinch* ⇒ *squeeze* ◆ **1.1** iem. de hand ~ *shake s.o.'s hand, shake hands with s.o.;* een last die de schouders drukt 〈fig.〉 *a (heavy) burden on one's mind/heart;* 〈fig.〉 iemands voetstappen/voetspoor ~ *follow in s.o.'s footsteps* **1.4** zware onkosten drukten ons *we were burdened by heavy costs* **1.5** de beursprijzen ~ *put pressure on the market;* 〈bep. aandelen〉 *raid;* de lonen/prijzen/kosten/onkosten ~ *hold/keep down/* 〈AE;inf.〉 *keep a/the lid on wages/prices/costs/expenses;* 〈ec.〉 de markt ~ *put pressure on the market* **1.6** een boek ~ *p. a book;* het boek wordt gedrukt *the book is being printed/published;* 10.000 exemplaren ~ *p./run off 10,000 copies* **1.8** mijn schoenen ~ mij op de wreef *these shoes p./hurt my instep* **3.6** (niet) geschikt om gedrukt te worden *(un)printable* **5.2** een motie erdoor ~ *p. a motion through* **5.6** cursief ~ *italicize;* gewoon/cursief/vet ~ *p. in roman type/in italics/bold(face) type;* machinaal ~ *machine p.;* onduidelijk/vaag/dubbel ~ *mackle, smudge, p. double;* verkeerd ~ *misprint* **6.1** 〈sport〉 iem. **van** de baan ~ *force s.o. out of his lane* **6.2** een vriend **aan** het hart/de borst ~ *clasp a friend to one's heart/bosom;* iem. geld **in** de hand ~ *press money into s.o.'s hand;* **in** elkaar ~ *press/crush together;* de hoed **in** de ogen ~ *pull/cram one's hat over one's eyes;* een kurk **op** een fles ~ *force a cork (back) into a bottle;* de lippen **op** elkaar ~ *press one's lips together;* 〈fig.〉 iem. iets **op** het hart ~ *impress sth. upon s.o.;* iem. **tegen** de muur ~ *pin s.o. against the wall;* zich **tegen** de muur ~ *press s.o. against the wall;* iem. **tegen** zich aan drukken *hold s.o. close (to o.s)* **6.3** iem. een kus **op** de lippen ~ *kiss s.o. on the lips* **6.5** zich (plat) **tegen** de grond ~ *press o.s. to the ground* **6.6** een cachet **op** een brief ~ *place/impress a seal on a letter;* 〈fig.〉 een zegel **op** iets ~ *give one's blessing to sth.;* zijn stempel **op** iets ~ 〈fig.〉 *leave one's mark on sth.* **¶.6** liegen of het gedrukt staat *lie through one's teeth;* 〈AE;sl.〉 *lie like a dog/rug;*
III 〈wk.ww.;zich ~〉 〈inf.〉 **0.1** [zich aan iets onttrekken] *dodge* ⇒ *shirk,* 〈AE;sl.〉 *goldbrick* ◆ **¶.1** iem. die zich drukt *dodger, shirker,* 〈AE;sl.〉 *goldbricker;*
IV 〈onov., ov.ww.〉 **0.1** 〈sport〉 *press (weights/iron)* ⇒ 〈inf.;pej.〉 *pump (iron)* ◆ **1.1** 100 kilo ~ *press 100 kilos.*
drukkend 〈bn.〉 **0.1** [zware last vormend] *oppressive* ⇒ *heavy, burdensome, onerous* **0.2** [loom makend] *oppressive* ⇒ 〈broeierig〉 *sultry,* 〈benauwd〉 *close* ◆ **1.1** ~e belastingen *oppressive taxation;* een ~e last *a heavy burden;* een ~e stilte *an oppressive silence* **1.2** een ~e

hitte *an o. heat;* 〈broeierig〉 *a swelter;* ~ weer *o./close weather* **2.2** een ~ hete dag *a sweltering day.*
drukker 〈de (m.)〉 **0.1** [boek-/plaatdrukker] *printer* **0.2** [drukknop] *push-button* **0.3** [〈mil.〉] *shirker* ⇒ ^Ashammer ◆ **6.1** het artikel is al **bij** de ~ *the article is already at the printer's/in the hands of the printer;* het boek moet morgen **naar** de ~ *the book has to go to press/the printer's tomorrow.*
drukkerij 〈de (v.)〉 **0.1** [bedrijf] *printer* ⇒ *printing office/business,* 〈inf.〉 *printer's,* 〈werkplaats〉 *printing establisment,* ^Aprintery ◆ **2.1** kleine ~ *small printer.*
drukkersambacht 〈het〉 **0.1** *printing profession/trade.*
drukkersjongen 〈de (m.)〉 **0.1** *printer's devil/assistant* ⇒ *journeyman printer.*
drukkersmerk 〈het〉 **0.1** *printer's mark.*
drukkertje 〈het〉 **0.1** [drukknoopje] ^Bpress-stud, press fastener, 〈AE vnl.〉 *snap* ⇒ 〈BE;inf.〉 *popper* **0.2** [kleine/obscure drukker] *small printer.*
drukketel 〈de (m.)〉 **0.1** *autoclave.*
drukkie 〈het〉 〈inf.〉 **0.1** [drukte] *fuss* **0.2** [druk kind] *bundle of energy.*
drukking 〈de (v.)〉 **0.1** [het uitoefenen van druk] *pressure* **0.2** [grootte v.d. druk] *amount of pressure* **0.3** [blaar bij rij-/lastdieren] *sore* ◆ **6.1** de ~ van het water *water p..*
drukknoop 〈de (m.)〉 ⇒ **drukkertje 0.1.**
drukknop 〈de (m.)〉 **0.1** *touch/push button* ⇒ *button.*
drukknopbediening 〈de (v.)〉 **0.1** *touch/push button control.*
drukkosten 〈zn.mv.〉 **0.1** *printing costs.*
drukkunst 〈de (v.)〉 **0.1** [boekdrukkunst] *printing* ⇒ *typography* **0.2** [het drukken als kunst] *art of printing.*
drukletter 〈de〉 **0.1** [geschreven letter] *(block/printed) letter* **0.2** [letter waarmee gedrukt wordt] *type* ⇒ *letter* ◆ **1.2** (volledig) stel ~s *fount* ^Afont **6.1** de naam **in** ~s invullen s.v.p. *please print your name, please fill in name in block letters.*
drukmediaan 〈het〉 **0.1** ≠ *low-grade paper.*
drukmeter 〈de (m.)〉 **0.1** *pressure gauge.*
drukmiddel 〈het〉 **0.1** *lever.*
drukmijn 〈de (m.)〉 **0.1** *pressure mine.*
drukpak 〈het〉 **0.1** *pressure suit.*
drukpan 〈de (m.)〉 **0.1** *pressure cooker.*
drukpapier 〈het〉 **0.1** *printing paper.*
drukpatroon 〈het〉 **0.1** *(printing) pattern.*
drukpers 〈de〉 **0.1** [werktuig] *printing press* **0.2** [het drukken en verspreiden] *press* ◆ **1.2** de vrijheid van ~ *freedom of the p..*
drukplaat 〈de〉 **0.1** [〈druk.〉] *printing plate* **0.2** [plaat om druk te verdelen] *washer* ◆ **2.1** vaste ~ *standing type.*
drukproef 〈de〉 **0.1** [〈druk.〉] *proof* ⇒ *galley (proof), printer's proof* **0.2** [materiaalonderzoek] *pressure test* ⇒ *test under pressure* ◆ **2.1** nog niet gecorrigeerde ~ *pull;* gecorrigeerde/tweede ~ *revise;* laatste ~ *press p.;* losse ~ *slip;* voorgecorrigeerde ~ *author's p.;* vuile ~ *foul proofs* **3.1** drukproeven corrigeren *proofread, correct the proofs/galleys;* een ~ maken *pull a p..*
drukpunt 〈het〉 **0.1** [〈med.〉] *pressure point* **0.2** [〈mil.〉] *pressure point* **0.3** [〈scheep.〉] *centre of pressure.*
drukraam 〈het〉 **0.1** *printing frame.*
drukring 〈de (m.)〉 **0.1** [om een pakking] *pressure ring* **0.2** [in een waterkraan] *pressure ring* ⇒ *washer.*
drukschakelaar 〈de (m.)〉 **0.1** *switch* ⇒ *(push) button.*
druksel 〈het〉 **0.1** [produkt van drukkunst] *print(ing)* **0.2** [〈pej.〉 gedrukt stuk] *mere/just (as much) print* ⇒ 〈krant〉 *rag,* 〈boek ook〉 *just/so much/waste/scrap paper.*
drukspiegel 〈de (m.)〉 **0.1** *type page* ⇒ *lay-out.*
druktank 〈de (m.)〉 **0.1** *pressure tank.*
drukte 〈de (v.)〉 **0.1** [veel bezigheden] *busyness* ⇒ *pressure (of work),* 〈inf.〉 *squeeze* **0.2** [leven, vertier] *bustle* ⇒ *commotion, activity, stir, scurry, rush, coming and going, hullaba(l)loo* **0.3** [veel ophef] *fuss* ⇒ *ado, flurry, stir, ballyhoo* **0.4** [omslag, omhaal] *bother* ⇒ *fuss, to-do, ruckus* ◆ **1.1** een periode van grote ~ (in zaken) *a busy time, a period of great pressure* **2.3** kouwe ~ maken 〈zich aanstellen〉 *put on/give o.s. airs (and graces), swank;* 〈onnodige ophef〉 *make a song and dance (about sth.)/* 〈AE〉 *hoopla;* zenuwachtige, nerveuze ~ *flurry* **3.3** (veel) ~ over/om/van iets maken *make a big fuss about/over sth.* **3.4** maakt u voor mij geen ~ *don't go to any b./fuss/trouble for me* **4.2** vanwaar al die ~? *what's all this (hustle and b.) in aid of?* **6.1** door de ~ heb ik de bestelling vergeten *it was so busy/I forgot the order* **6.2** in de ~ is hem zijn horloge gerold *in all the commotion his watch was stolen;* de ~ in de straten *the commotion/b. in the streets;* het was een ~ **van** jewelste/belang *it was a ruckus/rumpus of the first order;* de ~ **voor** Kerstmis *the Christmas rush* **3.6** (een hoop kouwe) ~ **om** niets (maken) *(make) much ado/(a lot of) fuss and bother about nothing;* **over** de zaak is veel ~ geweest *there was a big to-do over that affair.*
druktechniek 〈de (v.)〉 **0.1** *printing (technique).*
druktechnisch 〈bn., bw.;-ly〉 **0.1** *typographical.*
druktemaker 〈de (m.)〉 **0.1** *show-off* ⇒ *fuss-budget/pot/box.*

drukteschopper →**druktemaker**.
druktoestel →**druktoestelefoon**.
druktoets ⟨de (m.)⟩ **0.1** *(push) button*.
druktoetstelefoon ⟨de (m.)⟩ **0.1** *push button telephone* ⇒*touch tone telephone*.
drukvat ⟨het⟩⟨schei.⟩ **0.1** *pressure vessel* ⇒⟨Papiniaanse pot⟩ *autoclave*.
drukverband ⟨het⟩ **0.1** *compress(or)* ⇒*tourniquet, pressure bandage*.
drukvorm ⟨de (m.)⟩ **0.1** [in een raam opgesloten zetsel] *form* **0.2** [gegraveerd blok] *(printing) form(e)* ⇒*matrix*.
drukvulling ⟨de (v.)⟩ **0.1** *supercharging*.
drukwal ⟨de (m.)⟩ **0.1** *hummock*.
drukweerstand ⟨de (m.)⟩ **0.1** [drukvastheid] *pressure resistance, resistance to pressure* ⇒*compressive strength* **0.2** [weerstand door verandering van druk] *resistance*.
drukwerk ⟨het⟩ **0.1** [poststuk] *printed matter* / [B]*paper* **0.2** [gedrukt stuk] *printed matter* ⇒*print* **0.3** [(opdracht tot) het drukken van iets] *printing* ◆ **3.3** wij nemen geen ~ meer aan *we're not taking on any more p.* **8.1** als ~ verzenden *send as p.m.*, [B]*send printed paper rate* / ⟨boeken ook⟩ *book post* / [A]*third class rate*.
drukzin ⟨de (m.)⟩ **0.1** *pressure perception*.
drum ⟨de (m.)⟩ **0.1** [slagwerk] *drum(s)* **0.2** [ijzeren vat] *drum* **0.3** [⟨comp.⟩] *drum*.
drumband ⟨de (m.)⟩ **0.1** *drum band* ◆ **2.1** een militaire ~ *a military (drum) band*.
drummachine ⟨de (v.)⟩⟨muz.⟩ **0.1** *rhythm* / *percussion box*.
drummen ⟨onov.ww.⟩ **0.1** *drum* ⇒*play* / *beat* / *sound a drum* / *the drum(s)*.
drummer ⟨de (m.)⟩, **-ster** ⟨de (v.)⟩ **0.1** *drummer (boy* / *girl)*.
drumstel ⟨het⟩ **0.1** *drum kit* ⇒*(set of) drums, percussion*.
drup ⟨de (m.)⟩ ⟨→sprw. 135⟩ **0.1** [omstandigheid, plaats] *drip* **0.2** [druppel] *drop* **0.3** [kleine hoeveelheid] *drop* ⇒*spot, dribble, trickle* ◆ **1.3** er is geen ~ melk in huis *there is not a drop of milk in the house* **6.1** in de ~ komen *go out of the frying-pan into the fire* / *from bad to worse*.
drupje ⟨het⟩ **0.1** [druppel] *drop* ⇒*droplet* **0.2** [slokje] *drop* ⇒⟨sl.⟩ *slug*, ⟨borrel ook⟩ *dram, tot, thimbleful*.
druppel ⟨de (m.)⟩ ⟨→sprw. 136⟩ **0.1** [vochtdeeltje] *drop(let)* ⇒*bead* ⟨o.a. zweet⟩, *drip, globule* **0.2** [kleine hoeveelheid] *drop* ⇒*spot, thimbleful* **0.3** [geneesmiddel] *drops* **0.4** [borrel] *drop* ⇒*dram, tot, thimbleful* ◆ **1.1** enige ~s citroensap *a few drops* / *a squeeze of lemon juice*; ~s zweet *beads of sweat* **2.1** alles tot de laatste ~ opdrinken *drain to the (very) last drop* ◆ **1.1** ~ aan de neus *a dew-drop* / *drip on the nose*; ⟨fig.⟩ een ~ op een gloeiende plaat *(just) a drop in the ocean*; ~ voor ~ *in drops, drop by drop* **7.2** ik heb nog geen ~ gedronken *I haven't had a d. to drink (yet)*; een ~ bloed werd gestort *not a d. of blood was shed* ¶ **.1** zij lijken op elkaar als twee ~s water *they are as like as two peas in a pod*.
druppelen
I ⟨onov.ww.⟩ **0.1** [in druppels vallen] *drip* ⇒*trickle, dribble, ooze* **0.2** [druppels laten vallen] *drip* ⇒*trickle, dribble, weep* ◆ **1.2** ~de takken *dripping branches* **6.1** uit de insnijdingen druppelt vocht *the incisions are oozing* / *exude moisture*;
II ⟨ov.ww.⟩ **0.1** [in druppels laten neervallen] *drip* ⇒*dribble, trickle* ◆ **1.1** druppel er wat azijn op *dribble some vinegar on it* **6.1** iets in het oog ~ *put drops in one's eye*;
III ⟨onp.ww.⟩ **0.1** [zachtjes regenen] *drizzle* ⇒*mizzle, spit (down)* ◆ ¶.1 ⟨fig.⟩ als het daar regent, druppelt het hier *if he sneezes, you get a cold*.
druppelflesje ⟨het⟩ **0.1** *(eye) dropper* ⇒*dropping bottle*.
druppelinfuus ⟨het⟩⟨med.⟩ **0.1** *drip* ◆ **6.1** aan een ~ liggen *be on a d.*.
druppelpipet ⟨het, de⟩ **0.1** *(dropping) pipet(te)* ⇒*dropper*.
druppelreactie ⟨de (v.)⟩⟨schei.⟩ **0.1** *spot test*.
druppelsgewijs ⟨bw.⟩ **0.1** [druppel voor druppel] *in drops* ⇒*drop by drop* **0.2** [⟨fig.⟩] *little by little* ⇒*bit by bit, in dribs and drabs* ◆ **3.2** ~ kwamen de bezoekers binnen *the visitors trickled in*; het nieuws lekt ~ uit *(gradually) the news leaked out (bit by bit)*.
druppelteller ⟨de (m.)⟩ **0.1** *(eye) dropper* ⇒⟨schei.⟩ *dropping bottle, pipet(te)*.
druppeltje ⟨het⟩ **0.1** [kleine druppel] *droplet* ⇒*driblet* **0.2** [kleine hoeveelheid vocht] *spot* ⇒*bead*.
druppelvanger ⟨de (m.)⟩ **0.1** *drip catcher*.
druppelvorm ⟨de (m.)⟩ **0.1** *teardrop form*.
druppen ⟨onov.ww.⟩ **0.1** [in druppels neervallen] *drip* ⇒*trickle, dribble, spit* **0.2** [druppels laten vallen] *drip* ⇒*trickle, dribble, ooze, drop*.
drups ⟨zn.mv.⟩ **0.1** ≠*sour* / *acid drop*.
dryade ⟨de (v.)⟩ **0.1** *dryad*.
ds. ⟨afk.⟩ **0.1** [dominee] *Rev.*.
DTB ⟨zn.mv.⟩ **0.1** [Dividend- en Tantièmebelasting] ⟨*tax on dividends and bonuses*⟩ **0.2** [Doop-, Trouw- en Begraafboeken] ⟨*registers of baptisms, marriages and burials*⟩.
d.t.p. ⟨afk.⟩ **0.1** [daar ter plaatse] ⟨*in that place, locally*⟩.
D.T.P.-prik ⟨de⟩ **0.1** ⟨med.⟩ *DTP injection* / ⟨inf.⟩ *jab*; ⟨dagelijkse taal⟩ *injection* ⟨inf.⟩ *jab against diphteria, tetanus and polio*.

D-trein ⟨de (m.)⟩ **0.1** ⟨*inter-city express with surcharge*⟩.
dualis ⟨de (m.)⟩ **0.1** *dual*.
dualisme ⟨het⟩ **0.1** [tweeheidsleer] *dualism* **0.2** [tweeslachtigheid] *dualism* ⇒*duality* **0.3** [⟨pol.⟩] *dualism*.
dualistisch ⟨bn.⟩ **0.1** *dualist(ic)*.
dualiteit ⟨de (v.)⟩ **0.1** *duality*.
dubbel[1]
I ⟨de (m.)⟩ **0.1** [stuntman/vrouw] *double* ⇒*stand-in*;
II ⟨het⟩ **0.1** [tweede gelijk exemplaar] *duplicate* ⇒*doublet* ◆ **3.1** hij verkocht zijn ~en *he sold his duplicates* **5.1** een contract en het ~ er-van *a contract and a duplicate* / *copy (of it)* **6.1** in ~ opgemaakt *drawn up in duplicate*.
dubbel[2]
I ⟨bn.⟩ **0.1** [tweevoudig] *double* ⇒*duplicate, dual, two-fold, two-part* **0.2** [tweemaal zo groot als gewoonlijk] *double (the size* ⟨enz.⟩) ⇒ *twice (as big* ⟨enz.⟩) **0.3** [van tweeërlei aard] *double* ⇒*dual, two-fold* ◆ **1.1** ~e besturing/bediening *dual control(s)*; ~ blok *double pulley(s)*; een ~e bodem *a double* / *hidden meaning*; ~e boekhouding *double* / *dual entry (bookkeeping), dual books*; een ~(e) boord *a double edge*; een ~e boterham *a sandwich*; ⟨med.⟩ ~e breuk *double hernia*; ~e controle *double check*; een ~e deur *a double* / *storm door*; een ~e één (dobbelspel) *ambsace, amesace*; ~e exemplaren *duplicate copies*; een ~e kin *a double chin*; ⟨fig.⟩ met ~ krijt schrijven *overcharge*; ⟨inf.⟩ *mark* / *bump up (the price* / *bill* ⟨enz.⟩ *)*; ~e longontsteking *double pneumonia*; ~e manchet *French cuff*; een ~e naam *a hyphenated* / *double(-barrelled) name*; ~e ramen / beglazing *double windows* / *glazing*; een weg met ~e rijbaan *a two-lane road*; ~ slot *double lock*; een lijn met ~ spoor *double-track line*; een ~e tand *a double tooth*; ⟨fig.⟩ hij praat met ~e tong *he has a thick tongue* / *is speaking thickly*; ~e vijf/zes *double five(s)* / *six(es)*; wij doen veel ~ werk *our work overlaps a great deal, we duplicate one another's work* **1.2** een ~e aflevering *d. episode* ⟨tv-programma⟩ ~ bed *d.* / *full-size bed*; ~e bessen *doubly large berries, berries twice the usual* / *normal size*; ~ bier *extra strong beer*; een vergadering in ~ getale *a doubly large meeting, a meeting attended by twice as many people as usual*; ~e likeuren *extra special liqueurs*; een ~ nummer *a d. number*; ~e stoffen *crossband* / *warp twist* / *left-hand twine fabrics* **1.3** een ~e betrekking *a dual post* / *position*; iem. met een ~ gezicht *a two-faced* / *double-faced person*; een ~ leven leiden *lead a double* / *Dr. Jekyll and Mr. Hyde life*; ⟨geldw.⟩ een ~e optie *a double option, a put and call option*; ⟨AE ook⟩ *a spread, a straddle*; ~ spel spelen *play double* / *a double game*; de ~e standaard *(the) double standard*; ⟨geldw.⟩ *symmetallism, bimetallism* [A]*alism* **1.¶** ~e twee *double skiff* / *scull* **3.1** een deken ~ leggen *fold a blanket double* / *in two* / *in half* **7.2** hij vroeg mij het ~e van de prijs *he wanted d. the price from me, he asked me for twice the price*;
II ⟨bw.⟩ **0.1** [in tweeën, twee keer] *double* ⇒*twice* **0.2** [tweemaal] *twice (as)* **0.3** [in tweemaal zo hoge mate] *doubly* ⇒*twice* ◆ **2.2** de vijand was ~ zo sterk *the enemy was twice as strong* **2.3** dat is ~ erg *that's twice as bad, that's d. bad* **3.1** ik heb dat boek ~ *I have duplicate* / *two copies of that book*; ~ interliniëren *d.-space*; ~ liggen *be doubled up*; ~ parkeren *d. park(ing)*; ⟨fig.⟩ zich ~ vouwen *bend over backwards*; hij ziet ~ *he sees* / *is seeing d.*; hij ziet ~ zo veel **5.2** ~ schaak *double check* **5.3** hij heeft zijn aandeel al ~ en dwars gekregen *he got more than his share* / *his share and more*; hij verdient het ~ en dwars *he's earned* / *he deserves more than his share*; quitte of ~? *double or quits?*; ~ zo duur / veel *twice as expensive* / *much*; ~ zo hard werken *work twice as hard*.
dubbelagent ⟨de (m.)⟩ **0.1** *double agent*.
dubbelalbum ⟨het⟩ **0.1** *double album* ⇒*double LP*.
dubbelbesluit ⟨het⟩⟨pol.⟩ ◆ ¶.¶ het NAVO-~ *the NATO twin-track decision*.
dubbelblank[1] ⟨het⟩ **0.1** *double blank* ◆ **3.1** ik heb ~ *I have the double blank*.
dubbelblank[2] ⟨bn.⟩ **0.1** *with no score* ◆ **1.1** de voetbalwedstrijd eindigde in een ~e stand *the football match ended with no score (on either side)* / ⟨BE ook⟩ *ended in a goalless draw* / *ended nil-all* / *nil nil*.
dubbelblind ⟨bn.⟩ **0.1** *double-blind*.
dubbelboek ⟨de (v.)⟩ **0.1** *double book*.
dubbelbol ⟨bn.⟩ **0.1** *biconvex* ⇒*double convex, lenticular, lentoid*.
dubbelbreed ⟨bn.⟩ **0.1** *twice as wide* ⇒*double width*.
dubbelbrekend ⟨bn.⟩⟨nat.⟩ **0.1** *double refracting* ⇒*birefringent*.
dubbeldakstent ⟨de⟩ **0.1** *double roof* / *skin tent*.
dubbeldekker ⟨de (m.)⟩ **0.1** [bus] *double deck(er)(bus)* **0.2** [vliegtuig] *biplane*.
dubbeldeks ⟨bn.⟩ **0.1** *double* / *two-deck(ed)* ◆ **1.1** die veerboot is ~ *the ferry has two decks* / *is a two-decker*.
dubbeldik ⟨bn.⟩ **0.1** *double* ⇒*doubly thick, double thickness, two-ply* ◆ **1.1** ~ke ijswafels *double ice cream sandwich*; ~ vensterglas *double (strength) (window) glass*.
dubbeldraads
I ⟨bn.⟩ **0.1** [uit dubbele draden bestaand] *two-ply* ⇒*double threaded*;
II ⟨bn.⟩ **0.1** [met dubbele draden] *two-ply* ⇒*with a double thread*.
dubbelelpee ⟨de⟩ **0.1** *double LP* ⇒*double album*.

dubbelen

I ⟨onov.ww.⟩ **0.1** [⟨sport⟩] *double* ⇒*play doubles* **0.2** [⟨kaartspel⟩] *double;*

II ⟨ov.ww.⟩ **0.1** [mbt. schepen] *sheathe* **0.2** [mbt. een prent/tekening] *remount* ⇒*(re)back* **0.3** [⟨kaartspel⟩] *double.*

dubbelepunt ⟨de⟩ **0.1** *colon.*

dubbelfocusbril ⟨de (m.)⟩ **0.1** *(pair of) bifocal glasses/* [†] *spectacles* ⇒ ⟨inf.⟩ *(pair of) bifocals.*

dubbelfout ⟨de⟩ ⟨sport⟩ **0.1** [⟨tennis⟩] *double fault* **0.2** [geval dat twee tegenstanders gelijktijdig een persoonlijke fout maken] *simultaneous foul/foul by both players/on both sides;* ⟨basketbal⟩ *multiple foul.*

dubbelfunctie ⟨de (v.)⟩ **0.1** *dual function.*

dubbelganger ⟨de (m.)⟩,**-gangster** ⟨de (v.)⟩ **0.1** *double* ⇒*look-alike, doppelgänger,* ⟨sl.⟩ *dead ringer (for).*

dubbelgebeide ⟨de (m.)⟩ **0.1** [jenever] *(gin made with twice the normal quantity of juniper berries* ⇒*prime-quality gin)* **0.2** [persoon] *artful one* ⇒ ⟨inf.⟩ *sharp/smooth customer/operator.*

dubbelgehandicapt ⟨bn.⟩ **0.1** *doubly handicapped* ⇒*having/with a dual handicap.*

dubbelgeleed ⟨bn.⟩ **0.1** *double(-jointed)* ⇒ ⟨biol. ook⟩ *bivalve/-valvate, two-part* ◆ **1.1** dubbelgelede tramwagens *double* [B]*trams/*[A]*street cars.*

dubbelgreep ⟨de (m.)⟩ ⟨muz.⟩ **0.1** *double stopping* ◆ **6.1** in dubbelgrepen spelen *double stop.*

dubbelhartig

I ⟨bn., bw.⟩ **0.1** [huichelachtig] *two-/double-faced* ⇒*double dealing, false, ambidexterous* ◆ **1.1** een~ mens *a two-faced person, a double dealer;*

II ⟨bn.⟩ **0.1** [mbt. hout] *double hearted.*

dubbelhartigheid ⟨de (v.)⟩ **0.1** *duplicity* ⇒*double-dealing, two-facedness, ambidexterity.*

dubbelhol ⟨bn.⟩ **0.1** *biconcave* ⇒*amphic(o)elus.*

dubbeling ⟨de (v.)⟩ **0.1** [het dubbelen] *doubling* **0.2** [dubbele huid]⟨van schip⟩ *sheathing.*

dubbelkoolzure soda ⟨de⟩ **0.1** *bicarbonate of soda, sodium bicarbonate.*

dubbelkromme ⟨de⟩⟨wisk.⟩ **0.1** *double curve.*

dubbelkruis ⟨het⟩ **0.1** [kruis met twee dwarsbalken] *patriarchal cross* **0.2** [⟨muz.⟩] *double sharp.*

dubbelkwartet ⟨het⟩ **0.1** *double quartet.*

dubbelloof ⟨het⟩ **0.1** *hard/deer fern.*

dubbelloop ⟨de (m.)⟩ **0.1** *double barrel.*

dubbelloopsgeweer ⟨het⟩ **0.1** *double-barrelled (shot)gun.*

dubbelmol ⟨de⟩⟨muz.⟩ **0.1** *double flat.*

dubbelnummer ⟨het⟩ **0.1** *double issue.*

dubbelparkeerder ⟨de (m.)⟩ **0.1** *double parker.*

dubbelportret ⟨het⟩ **0.1** *double portrait.*

dubbelpunt ⟨het⟩⟨wisk.⟩ **0.1** [punt op een vlakke, ruimtekromme] *double point* **0.2** [punt van een oppervlak] *double point.*

dubbelrijm ⟨het⟩ **0.1** *double rhyme/rime* ⇒*≠rich rhyme, ≠rime riche.*

dubbelrol ⟨de (v.)⟩ **0.1** [dubbele rol] *double role, twin rôles* **0.2** [twee door één persoon vervulde functies] *double role, twin rôles* ◆ **3.1** een~ spelen *play a double role.*

dubbelschalig ⟨bn.⟩ **0.1** *double-walled* ⇒*double-shelled* ⟨ei⟩.

dubbelslaan

I ⟨ov.ww.⟩ **0.1** [omvouwen] *fold in two/double/up;*

II ⟨onov.ww.⟩ **0.1** [doorbuigen] *double up/over* ◆ **1.1** ⟨fig.⟩ zijn tong sloeg~ *he spoke thickly/in a thick voice* ¶**.1** ⟨fig.⟩ ik sloeg dubbel toen ik dat hoorde *I doubled up/*⟨inf.⟩ *cracked/creased up when I heard that.*

dubbelslachtig ⟨bn.⟩ **0.1** [ambivalent] *ambivalent* ⇒*contradictory,* ⟨inf. ook⟩ *double-barrelled* **0.2** [⟨biol.⟩] *hermaphrodite* ◆ **1.1** ~e gevoelens *mixed/a. feelings.*

dubbelslag ⟨de (m.)⟩⟨muz.⟩ **0.1** *turn.*

dubbelspel ⟨het⟩⟨sport⟩ **0.1** [partij van twee tegen twee] *doubles* **0.2** [mbt. honkbal] *double play* ◆ **2.1** gemengd~ *mixed d..*

dubbelspion ⟨de (m.)⟩ **0.1** *double agent.*

dubbelspoor ⟨het⟩ **0.1** [mbt. rails] *double line/track* **0.2** [mbt. geluidsinstallaties] *double track* ◆ **3.1** van~ voorzien *double track.*

dubbelsprong ⟨de (m.)⟩ ⟨paardesport⟩ **0.1** *double.*

dubbelstekker ⟨de⟩ **0.1** *double plug.*

dubbelster ⟨de⟩ **0.1** *double star* ⇒*multiple/binary star.*

dubbeltal ⟨het⟩ **0.1** *two* ⇒*(a) couple* ◆ **6.1** iem. benoemen *uit* een~ *appoint one of two (candidates).*

dubbeltje ⟨het⟩⟨→sprw. 137⟩ **0.1** [muntstukje] ⟨Ned.⟩ *ten-cent piece* ⇒ [B]*tuppenny/two pence piece,* [A]*dime* **0.2** [⟨mv.⟩ geld] *pennies, pence* ⇒ *money* ◆ **2.1** ⟨fig.⟩ je zou hem je laatste~ toevertrouwen *you'd give him the shirt off your back, you'd trust him with your last penny/* [A]*dime* **3.1** je weet nooit hoe een~ kan rollen ⟨fig.⟩ *you never know how the cards will fall* **3.2** op de~s passen ⟨fig.⟩ *watch the pennies, keep an eye on/watch one's money* **6.1** ~ tweemaal *omkeren* ⟨fig.⟩ *be tight-fisted, be tight with/look twice at one's money, be a penny-pincher; voor* een~ op de eerste rang/rij willen zitten ⟨fig.⟩ *champagne taste on a beer/soda-pop budget* **8.1** ⟨fig.⟩ zo plat als een~ *(as) flat as a pancake* ¶**.1** ⟨fig.⟩ het is een~ op zijn kant *it's a toss-up, it's touch and go.*

dubbeltjeskwestie ⟨de (v.)⟩ **0.1** [geldkwestie] *question/matter of cash/money/* [B]*pounds/* [B]*shillings and pence/* [A]*dollars and cents* **0.2** [kwestie van gering geldelijk belang] *two-bit/* ⟨BE ook⟩ *tuppenny hapenny affair/matter* ◆ **3.1** het is een~ *it's a matter of pounds/shillings and pence/dollars and cents/money.*

dubbelverhouding ⟨de (v.)⟩⟨wisk.⟩ **0.1** *duplicate proportion* ⇒*duple/duplicate ratio.*

dubbelvouwen ⟨ov.ww.⟩ **0.1** *fold double/in two/half* ⇒*double (up), bend double/in two* ◆ **1.1** ⟨scheep.⟩ het zeil ~ *middle the sail* **3.1** dubbelgevouwen zitten/liggen *sit/lie all hunched up* **4.1** zich ~ in een kleine auto *fold o.s. into a car.*

dubbelwandig ⟨bn.⟩ **0.1** *double-walled* ◆ **1.1** een ~e theepot *a d.-w. teapot.*

dubbelwerkend ⟨bn.⟩ **0.1** *double-acting/action* ◆ **1.1** een ~e luchtpomp *a double-acting pump.*

dubbelzes ⟨het, de (m.)⟩ **0.1** [worp] *double six, two sixes* **0.2** [dominosteen] *double six* ◆ **3.1** ~ gooien *throw a double six.*

dubbelzien ⟨ww.⟩ **0.1** *see double* ⇒*have double vision.*

dubbelzijdig

I ⟨bn.⟩ **0.1** [zich aan twee zijden bevindend] *double(-sided), two-sided* ◆ **1.1** een ~e breuk ⟨uitzakking⟩ *a double hernia;* ⟨beenbreuk⟩ *double/compound fracture;*

II ⟨bw.⟩ **0.1** [aan beide kanten] *on two/both sides* ◆ **3.1** ~ getypte vellen *sheets typed on both/two sides/typed back and front.*

dubbelzinnig ⟨bn.⟩ **0.1** [voor twee uitleggingen vatbaar] *ambiguous* ⇒*equivocal,* ⟨orakelachtig ook⟩ *Delphic* **0.2** [mbt. obscene toespelingen] *ambiguous* ⇒*suggestive, with a double meaning* **0.3** [⟨jur.⟩] *ambiguous* ⇒*disputable, contestable* ◆ **1.1** een~ antwoord *an a./evasive answer;* ~e opmerking *(a) double entendre;* de orakels waren vaak zeer ~ *the oracles were often a.* **1.2** ~e grappen/opmerkingen *double entendre(s), jokes/remarks with a double meaning, suggestive remarks* **3.1** ~ spreken/zijn ⟨persoon⟩ *equivocate,* ⟨inf.⟩ *hedge.*

dubbelzinnigheid ⟨de (v.)⟩ **0.1** [ambiguïteit] *ambiguity* ⇒*equivocality* **0.2** [uitlating] *ambiguous/suggestive remark* ⇒*tergiversation/double entendre* ◆ **3.1** dubbelzinnigheden debiteren *talk double, equivocate.*

dubbelzout ⟨het⟩⟨schei.⟩ **0.1** *double salt.*

dubben ⟨onov.ww.⟩ **0.1** [piekeren] *brood* ⇒*ponder* **0.2** [weifelen] *waver* ⇒*vacillate, be in/of two minds,* ⟨vnl. BE⟩ *dither, hesitate (between/to)* ◆ **6.1** ~ over iets *b./mope about/over sth..*

dubieus ⟨bn.⟩ **0.1** [twijfelachtig] *dubious* ⇒*doubtful* **0.2** [onbetrouwbaar] *dubious* ⇒*questionable, suspect* ◆ **1.1** een~ compliment *a back-handed/left-handed compliment;* een~ geval *a dubious case* **1.2** dubieuze debiteuren *questionable debtors/lenders, shaky lenders.*

dubio ◆ ¶**.**¶ in~ staan *waver, vacillate, be in/of two minds/in doubt/undecided, hesitate (between).*

duce ⟨de⟩ **0.1** *Duce.*

duchten ⟨ov.ww.⟩ **0.1** *fear* ⇒*dread, be afraid of* ◆ **3.1** geen gevaar te ~ hebben *to have nothing to f., f. nothing* **4.1** er is niets te ~ *there is nothing to f..*

duchtig ⟨bn., bw.; -ly⟩ **0.1** *thorough* ⇒*good,* ⟨als bw.⟩ *well, sound, fearful, strong, terrible* ◆ **1.1** een ~e aframmeling *a good hiding, a sound thrashing* **3.1** hij ging ~ tekeer *he brought the roof down, he really went at it/let rip;* hij werd ~ afgerost *he was soundly/thoroughly thrashed/beaten;* zich ~ weren *exert o.s. to the utmost* ¶**.1** de stad heeft ~ weerstand geboden *the city put up a strong/stout resistance;* er iem. ~ van langs geven *really give it to s.o., lay into s.o., come down on s.o. like a ton of bricks.*

dueña ⟨de (v.)⟩ **0.1** *duenna* ⇒*chaperone.*

duecento ⟨het⟩ **0.1** *thirteenth century in Italy.*

duel ⟨het⟩ **0.1** [tweegevecht] *duel* ⇒*fight, single combat, affair of honour* **0.2** [wedstrijd] *duel* ⇒*fight, battle, fencing* ◆ **2.2** ⟨fig.⟩ een politiek ~ *political fencing, a political battle/struggle* **3.1** een~ aangaan *(fight a) duel;* uitdagen tot een~ *challenge (to a d.), defy/dare to fight;* een~ met iem. uitvechten *fight a d. with s.o., fight it out with s.o.* **6.1** een~ op de degen *a d. with swords* **6.2** een~ tussen Ajax en Feyenoord *a battle/fight/contest between Ajax and Feyenoord.*

duelleren ⟨onov.ww.⟩ **0.1** *duel* ⇒*fight* ◆ **6.1** ~ op het pistool/de degen *d. with pistols/swords.*

duet ⟨het⟩ **0.1** [muziekstuk] *duet* ⇒*duo* **0.2** [uitvoering] *duet* ⇒*duo.*

duetzanger ⟨de (m.)⟩,**-es** ⟨de (v.)⟩ **0.1** *duettist.*

duf ⟨bn., bw.⟩ **0.1** [bedompt] *musty* ⇒*stuffy, stale, frowsty, mouldy, fusty* **0.2** [⟨fig.⟩] *stuffy* ⇒*stale, mouldy, fuddy-duddy, fusty, vapid* ⟨gesprek e.d.⟩ **0.3** [dom] *dull* ⇒*muzzy, dense, dim(-witted), befuddled* ◆ **1.1** ~fe kelders *musty cellars* **1.2** ~fe boekenwijsheid *stuffy book knowledge;* ~fe burgerlijkheid *stale/stuffy/dreary middle class life/attitudes/values* **1.3** ik stak met m'n ~fe hoofd plotseling de straat over *I must have been miles away-I walked straight out into the road* **3.1** het rook daar ~ *it smelled musty* **3.3** doe toch niet zo ~! *don't be so dense/thick!.*

duffel

I ⟨de (m.)⟩ **0.1** [jas] *duffel coat;*

II ⟨het⟩ **0.1** [stof] *duffel.*

duffels ⟨bn.⟩ **0.1** *duffel* ◆ **1.1** een ~e jas *a d. coat;* ~e stof *duffel.*

dufheid ⟨de (v.)⟩ **0.1** [bedomptheid] *mustiness* ⇒*stuffiness, staleness, frowstiness, mouldiness, fustiness* **0.2** [⟨fig.⟩] *stuffiness* ⇒*staleness, mouldiness, fustiness, vapidness* **0.3** [domheid] *dullness* ⇒*denseness, dim-wittedness.*

duidelijk ⟨bn., bw.; -ly⟩ **0.1** [begrijpelijk] *clear(-cut)* ⇒*plain, obvious, evident, apparent, marked* ⟨verschil⟩, *broad, explicit* ⟨wenk⟩ **0.2** [goed waarneembaar] *clear* ⇒*distinct, plain* ◆ **1.1** een ~e beschrijving *a clear / detailed description;* zich in ~e bewoordingen / taal uitdrukken *speak plainly / in no uncertain terms;* een ~e verklaring *a clear explanation / statement* **1.2** een ~e aanwijzing *a c. indication;* een ~ beeld *a c. picture, a sharp image;* ⟨fig.⟩ een ~ besef *a c. / definite idea / notion;* ⟨fig.⟩ een ~e ontstemming *a distinct annoyance;* een ~ schrift *c. (hand)writing, a c. hand;* een ~e voorkeur hebben voor iets *have a distinct / marked preference for sth.* **2.2** deze atleet is ~ sneller dan de anderen *this athlete is clearly / visibly / manifestly faster than the others;* ~ zichtbaar / te merken zijn *be clearly visible / noticeable* **3.1** ik heb hem ~ gemaakt dat ... *I made it clear to him, that, I brought it home to him that, I told him expressly that;* je hebt je mening / bedoeling ~ genoeg gemaakt *you've made your point, you've made your view(s) / intention(s) perfectly clear;* het is ~ dat *it is plain that ...,* plainly / clearly, ...;* het is mij nu ~ (geworden) *now I understand;* het is zonder meer ~ dat ... *it is entirely clear that ..., it goes without saying that ...;* iem. iets ~ maken *make sth. clear, explain sth. clearly / unequivocally to s.o.;* ~ maken wat men bedoelt *make o.s. clear;* het werd haar ~ dat *it became clear / obvious / apparent to her that, it dawned (up)on her that;* ~ zeggen waar het op staat *not mince one's words;* om ~ te zijn, om het maar eens ~ te zeggen / stellen *to put it (quite) plainly / bluntly* **3.2** ~ spreken / uitspreken / articuleren *speak / enunciate / articulate clearly;* ~ uitkomen *stand out (clearly)* **5.2** zo ~ als wat *as plain as the nose on your face* ¶**.1** iem. iets ~ te verstaan geven *let s.o. know in no uncertain terms, make sth. perfectly clear to s.o..*

duidelijkheid ⟨de (v.)⟩ **0.1** [begrijpelijkheid] *clearness, clarity* ⇒*obviousness* **0.2** [waarneembaarheid] *clearness, clarity* ⇒*distinctness* ◆ **6.1** zijn antwoord liet **aan** ~ niets te wensen over *his answer was quite explicit / unequivocal;* iets **in** alle ~ zeggen *state sth. in no uncertain terms / quite plainly;* **voor** de / alle ~ *(just) to be perfectly clear; (so as) to leave no doubt.*

duidelijkheidshalve ⟨bw.⟩ **0.1** *for clarity's sake / the sake of clarity.*

duiden

  I ⟨onov.ww.⟩ **0.1** [wijzen] *point (to / at)* **0.2** [aanwijzing geven, zijn] *point (to)* ⇒*indicate, denote, evidence* **0.3** [zinspelen (op)] *allude (to)* ⇒*point (to), hint (at)* ◆ **6.1** hij duidde op de onweerswolk *he pointed to / at the thundercloud* **6.2** verschijnselen die **op** tuberculose ~ *symptoms that suggest / indicate tuberculosis;* er is weinig dat **op** verbetering duidt *there is little indication / sign of improvement* **6.3** ~ **op** het falen v.h. bestuur *a. / draw attention to the failures of the administration / board;*

  II ⟨ov.ww.⟩ **0.1** [uitleggen] *interpret* ⇒*read* ◆ ¶**.1** iem. iets ten kwade / euvel ~ *take sth. ill / amiss of s.o., resent s.o. for sth..*

duiding ⟨de (v.)⟩ **0.1** *interpretation* ⇒*reading.*

duif

  I ⟨de⟩ **0.1** [vogels] *pigeon, dove* **0.2** [zinnebeeld] *dove* **0.3** [⟨ster.⟩] *Columba* ⇒*Dove* ◆ **1.1** vlucht duiven *loft of pigeons* **2.1** barbarijse ~ *barb;* een gebraden ~ ⟨fig.⟩ *a windfall / godsend;* jonge ~ *squab;* Kaapse ~ *pintado (petrel), Cape p.;* tamme ~ *tame / domestic p. / d.* **3.1** duiven op zolder houden ⟨fig.⟩ *run a brothel / ⟨AE ook⟩ cathouse;* duiven houden / melken *keep / fancy / raise pigeons* **9.1** **onder** iemands duiven schieten *encroach upon / poach on s.o.'s territory / domain* **8.2** zo zacht als een ~ *gentle as a lamb;*

  II ⟨de (m.)⟩ **0.1** [⟨pol.⟩] *dove* ◆ **1.1** duiven en haviken *doves and hawks.*

duifje ⟨het⟩ **0.1** [kleine duif] *small pigeon / dove* **0.2** [onschuldig meisje] *little dove, lamb* ◆ **2.2** onnozel / onschuldig ~ [B]*innocent (lamb)* **3.1** kijk die ~s eens tortelen ⟨fig.⟩ *look at those turtle doves billing and cooing* **4.2** mijn ~ *my (little) dove, my sweet.*

duig ⟨de⟩ **0.1** [m.bet. een ton] *stave* ◆ **1.1** stel ~en *shook* **6.1** in ~en vallen ⟨fig.⟩ *fall to pieces through, collapse;* in ~en doen vallen / slaan *stave (in), crush.*

duighout ⟨het⟩ **0.1** *staving.*

duik ⟨de (m.)⟩ **0.1** [het duiken] *dive, diving* ⇒*plunge,* ⟨inf.⟩ *header* **0.2** [duikvlucht] *(nose) dive* ◆ **2.1** ⟨zwemmen⟩ platte ~ *bellyflop(per)* **2.2** snelle / plotselinge ~ ⟨ook van onderzeeër⟩ *crash dive* **3.1** een ~ nemen *dive (in), take a dip* **6.1** in ~ en het verleden *an excursion into the past* **6.2** ⟨luchtv.⟩ **uit** de ~ halen *pull out of a (nose) dive.*

duikadres ⟨het⟩ **0.1** *undercover address* ⇒*safe house, hideout.*

duikbommenwerper ⟨de (m.)⟩ **0.1** *dive bomber.*

duikboot ⟨de⟩ **0.1** *submarine* ⇒⟨inf.⟩ *sub,* ⟨Duitse; gesch.⟩ *U-boat.*

duikbootbasis ⟨de (v.)⟩ **0.1** *submarine base.*

duikbootjager ⟨de (m.)⟩ **0.1** *submarine chaser.*

duikbootnet ⟨het⟩ **0.1** *submarine net.*

duikbootoorlog ⟨de (m.)⟩ **0.1** *submarine warfare.*

duikbril ⟨de (m.)⟩ **0.1** *diving goggles / mask.*

duikelaar ⟨de (m.)⟩ **0.1** [persoon] *tumbler* **0.2** [speelgoed] *tumbler* **0.3** [vleugelvrucht v.d. esdoorn] ⟨dubbel zaad⟩ *samara;* ⟨elk v.d. twee⟩ *key of wing* ⇒⟨kind.⟩ *helicopter* **0.4** [⟨plantk.⟩] *(great) reed-mace* ⇒*cat's tail* ◆ **2.** ¶ hij is een slome ~ *he is a drip / slowpoke.*

duikelen ⟨onov.ww.⟩ **0.1** [over het hoofd buitelen] *(turn) a somersault* ⇒*go / turn head over heels, tumble* **0.2** [vallen] *(take a) tumble* ⇒*fall over / head over heels* **0.3** [dalen] *drop* ⇒*dip, fall, dive,* ⟨van koersen ook⟩ *plunge (downward)* **0.4** [failliet gaan] *go under / broke / bankrupt* ⇒*fail, crash* **0.5** [zakken voor een examen] [B]*plough,* [A]*flunk* ◆ **5.1** achterover / voorover ~ *do a backward(s) / forward(s) somersault / roll* **6.2** hij is **uit** zijn bed geduikeld *he tumbled / rolled out of bed.*

duikeling ⟨de (v.)⟩ **0.1** [⟨buiteling⟩] *somersault, roll* **0.2** [⟨val⟩] *fall, tumble* **0.3** [⟨mbt. koersen⟩] *downward plunge / dive, sharp fall.*

duiken

  I ⟨onov.ww.⟩ **0.1** [zich onder het water begeven] *dive* ⇒*plunge, duck, go under,* ⟨onderzeeër ook⟩ *submerge* **0.2** [zich in iets verbergen] *duck (down / behind)* **0.3** [zich snel naar de grond begeven] *dive* ⇒*swoop, plunge, drop* ◆ **3.1** laten / doen ~ *duck (under), dunk, submerge* **5.3** snel / plotseling (doen) ~ ⟨vliegtuig, onderzeeër⟩ *crash dive* **5.** ¶ erin ~ *turn in, hit the hay /* [A]*sack,* ⟨AE ook⟩ *sack out* **6.1 naar** parels ~ *dive for pearls;* **van** de toren / **naar** een voorwerp ~ *dive off / from the board / for an object* **6.2 in** zijn kraag / **achter** zijn krant ~ *shrink down into one's collar / behind one's paper;* hij is **in** zijn boeken gedoken *he is huddled over his books, he is engrossed / immersed in his books;* **in** een onderwerp ~ *go (deeply) into a subject;* hij is **onder** de wol / **in** een jas gedoken *he is huddled (up) under the blankets / in his coat* **6.3 in** elkaar ~ *cower, huddle together;* de keeper dook **naar** de linker hoek *the goalie dived* [A]*dove into / for the left corner;* ⟨sport⟩ **naar** een bal ~ *dive for / after a ball;* ⟨fig.⟩ de zon duikt **onder** de kim *the sun slips below the horizon;* de bal dook juist **onder** de lat *the ball ducked / slipped / just went under the bar;* een hoogspringer duikt **over** de lat *a high jumper leaps over / clears the bar* **6.** ¶ deze winkelier duikt **onder** de adviesprijs *this shopkeeper undercuts / sells below the recommended retail price;*

  II ⟨ov.ww.⟩ **0.1** [de tegenstander achteroverwerpen] *butt (over);*

  III ⟨onov., ov.ww.⟩ **0.1** [⟨kaartspel⟩] *underplay* ⇒*play low, slough, dump* ◆ **1.1** een aas ~ *play a low card under the ace.*

duiker ⟨de (m.)⟩ **0.1** [persoon] *diver* **0.2** [⟨wwb.⟩] *culvert* **0.3** [⟨dierk.⟩] *diver* ⇒*diving bird* **0.4** [spijker] *finishing nail.*

duikerhelm ⟨de (m.)⟩ **0.1** *diving helmet.*

duikerklok ⟨de⟩ **0.1** *diving bell.*

duikerpak ⟨het⟩ **0.1** *wet suit* ⇒*diving suit.*

duikers ⟨bn.⟩ **0.1** *blast, dratted* ⇒*confounded, dashed.*

duikersluis ⟨de⟩ **0.1** *culvert (sluice).*

duikersziekte ⟨de (v.)⟩ **0.1** *decompression sickness* ⇒*caisson disease,* ⟨inf.⟩ *the bends.*

duikmasker ⟨het⟩ **0.1** *diving mask.*

duikplank ⟨de⟩ **0.1** *diving board* ⇒*springboard.*

duikroer ⟨het⟩ **0.1** *diving rudder / plane.*

duiksport ⟨de⟩ **0.1** *diving.*

duiksprong ⟨de (m.)⟩ **0.1** [snoekduik] *spring* ⇒*dive* **0.2** [⟨atletiek⟩] *dive.*

duiktoren ⟨de (m.)⟩ **0.1** *diving tower.*

duikuitrusting ⟨de (v.)⟩ **0.1** *diving equipment / gear / apparatus.*

duikvlucht ⟨de (v.)⟩ **0.1** *(nose) dive* ⇒*(met motor aan) power dive,* ⟨tolvlucht⟩ *spin, swoop, stoop* ⟨vogels⟩ ◆ **3.1** een ~ maken / uitvoeren / laten nemen *(do / go / put into) a nose dive.*

duim ⟨de (m.)⟩ **0.1** [vinger] *thumb* ⇒⟨wet.⟩ *pollex* **0.2** [deel van een handschoen] *thumb* **0.3** [haakje] *hook* **0.4** [uitholling in een handgreep] *thumb* **0.5** [oude lengtemaat] *inch* ◆ **1.1** iets tussen ~ en vinger wrijven *pinch* **1.3** de ~en v. e. deur *the hooks of a door* **2.1** een dikke ~ hebben ⟨fig.⟩ *have a vivid imagination* **2.5** Engelse ~ *i.;* een ~ hoog / groot zijn *one / an i. high / tall* **3.1** ⟨fig.⟩ [A]*ZN* de ~en leggen *surrender;* de / zijn ~ opsteken *give the thumbs up* **3.5** geen ~ grondस wijken / afstaan *not give / yield an i.* **6.1 met** de ~ en draaien *twiddle one's thumbs;* **onder** de ~ houden / hebben ⟨fig.⟩ *keep / have under one's t.;* **op** zijn ~ zijn *suck one's t.* **6.** ¶ ⟨fig.⟩ iets **uit** zijn ~ zuigen *dream / make sth. up, fabricate sth., spin a yarn, tell a tall tale.*

duimafdruk ⟨de (m.)⟩ **0.1** *thumb-print.*

duimbreed ⟨het⟩ **0.1** *inch* ◆ **7.1** geen ~ toegeven / wijken *not budge an i.;* geen ~ wijken *not yield / give an i..*

duimdik ⟨bw.⟩ **0.1** *an inch deep / thick* ◆ **5.1** het stof ligt er ~ op *the dust is an inch thick on top of it;* ⟨fig.⟩ het ligt er ~ (boven)op *it's as plain as the nose on your face, it sticks out a mile.*

duimelot ⟨de (m.)⟩ **0.1** *Tommy Thumb* ⇒*Thumbkin, the little red hen* ◆ ¶**.1** naar bed, naar bed, zei ~ *to bed, to bed, said the little red hen.*

duimen ⟨onov.ww.⟩ **0.1** [om iem. iets goeds toe te wensen] *cross one's fingers, keep one's fingers crossed* **0.2** [duimendraaien] *twiddle / twirl one's thumbs* **0.3** [liften] *thumb / hitch a lift* **0.4** [duimzuigen] *suck one's thumb* ◆ **6.1** ik zal morgen **voor** je ~ *I'll keep my fingers crossed for you tomorrow.*

duimendik →**duimdik.**

duimendraaien ⟨ww.⟩ **0.1** [de duimen om elkaar (doen) draaien] *twiddle*

/*twirl one's thumbs* **0.2** [nietsdoen] *twiddle one's thumbs* ⇒*cool one's heels, fool/fidget* ^*goof around.*

duimgreep ⟨de (m.)⟩ **0.1** *thumb-index.*

duimpje ⟨het⟩ **0.1** (*little*) *thumb* ⇒(*small*) *hook* ◆ **2.**¶ Klein Duimpje *Tom Thumb* **6.**¶ iets **op** zijn ~ kennen *know sth. like the back of one's hand/inside out* ⟨stad e.d.⟩; *have sth. (down) pat, know sth. (off) by heart* ⟨les e.d.⟩.

duimplectrum ⟨het⟩ **0.1** *thumb pick/plectrum.*

duimschroef ⟨de⟩ **0.1** [schroef om te pijnigen] *thumb screw* **0.2** [schroefbout] *thumb screw* ◆ **3.1** (iem.) de duimschroeven aanleggen/aanzetten/aandraaien ⟨fig.⟩ *put/tighten the screws on (to s.o.).*

duimshout ⟨het⟩ **0.1** *one-inch planks* ⟨mv.⟩.

duimstok ⟨de (m.)⟩ **0.1** (*folding*) *rule(r)/gauge* ^*gage.*

duimzuigen ⟨onov.ww.⟩ **0.1** [zuigen op de duim] *thumb-sucking* **0.2** [fantaseren] *making things up* ⇒*fantasizing.*

duimzuiger ⟨de (m.)⟩, **-ster** ⟨de (v.)⟩ **0.1** [iem. die op zijn duim zuigt] *thumb-sucker* **0.2** [fantast] *fabricator* ⟨van verhalen⟩ ⇒⟨inf.⟩ *story teller.*

duimzuigerij ⟨de (v.)⟩ **0.1** *fabrication* ⇒(*pure*) *fantasy.*

duin
I ⟨het, de⟩ **0.1** [heuvel] (*sand*) *dune* ⇒*sand hill* ◆ **2.1** laag~ *low d.;* ⟨BE ook⟩ *dene;*
II ⟨het⟩ **0.1** [streek] *dunes.*

duinafslag ⟨de (m.)⟩ **0.1** *dune erosion* ⇒*dune abrasion, erosion/abrasion of the dunes.*

duinbeplanting ⟨de (v.)⟩ **0.1** (*sand*) *dune plantation* ⇒⟨tegen verstuiving⟩ (*sand*) *dune fixation.*

duindoorn ⟨de (m.)⟩ **0.1** [kattedoorn] *sea buckthorn* **0.2** [gaspeldoorn] *gorse* ⇒*furze, whin.*

duinenrij ⟨de⟩ **0.1** *range/chain/line of dunes.*

duingrond ⟨de (m.)⟩ **0.1** *dune soil.*

duinhagedis ⟨de⟩ **0.1** *sand lizard.*

Duinkerken ⟨het⟩ **0.1** *Dunkirk.*

duinlandschap ⟨het⟩ **0.1** [landschap] (*landscape of*) *dunes* ⇒*dune area* **0.2** [schilderij] *dune landscape* ⇒*painting of the dunes.*

duinmeer ⟨het⟩ **0.1** *lake in (the) dunes.*

duinovergang ⟨de (m.)⟩ **0.1** *dune crossing.*

duinpan ⟨de⟩ **0.1** *dip/hollow (in the dunes).*

duinpieper ⟨de (m.)⟩ **0.1** *tawny pipit.*

duinreservaat ⟨het⟩ **0.1** *dune reserve.*

duinroos ⟨de⟩ **0.1** *burnet/Scotch rose.*

duinslag ⟨het⟩ **0.1** *dune path(way).*

duinstreek ⟨de⟩ **0.1** *dune area/lands/district.*

duinwater ⟨het⟩ **0.1** [grondwater] *dune water* **0.2** [drinkwater] *dune water* ◆ **8.1** zo helder als ~ *crystal clear.*

duist
I ⟨de⟩ **0.1** [grasachtig onkruid] *black twitch* ⇒*slender foxtail;*
II ⟨het⟩ **0.1** [kaf(bolsters)] *chaff* ⟨van graan⟩; *husks* ⟨van andere zaden/vruchten⟩.

duister[1] ⟨het⟩ **0.1** [duisternis] *dark* ⇒*darkness,* ⟨schr.⟩ *dusk* **0.2** [onbekendheid] *dark* ⇒*darkness, obscurity* ◆ **3.1** het ~ wijkt *the darkness retreats* **6.1 door** het ~ overvallen *surprised by the dark(ness);* **in** het ~ zitten *sit/be sitting in the dark* **6.2** de oorzaak bleef **in** het ~ *the cause remained a mystery/unclear/obscure;* **in** het ~ rondtasten *grope/* ⟨fig. ook⟩ *be in the dark;* ⟨fig.⟩ over de oorzaken v.h. misdrijf tast men **in** het ~ *the motive for the crime is a mystery;* ⟨fig.⟩ een sprong **in** het ~ *a leap in the dark.*

duister[2] ⟨bn., bw.; -ly⟩ ⟨→sprw. 70⟩ **0.1** [donker] *dark* ⇒⟨somber⟩ *gloomy, sombre* **0.2** [⟨fig.⟩]⟨onduidelijk⟩ *dark* ⇒*dim, obscure, vague,* ⟨somber⟩ *black, bleak* **0.3** [louche] *shady* ⇒*dubious* ◆ **1.1** een ~e gevangenis/nacht *a d./night* **1.2** een ~e afkomst *an obscure origin;* de ~e machten (v.h. kwaad) *the dark powers (of evil);* ⟨verdorven⟩ *the powers of darkness;* de ~e middeleeuwen *The Dark Ages;* een ~e stijl *an obscure style;* een ~e toekomst *an uncertain/a dim future; a bleak/black future* **1.3** ~e praktijken *s./dubious practices;* een ~ zaakje *a s. affair/matter, a mysterious business* **3.1** het is ~ *it is d./gloomy;* ~ maken *darken, dim, make d.;* zijn ogen werden ~ *his eyes dimmed* ⟨bv. door tranen⟩ **3.2** het is me nog even ~ *it is still a mystery to me.*

duisteren ⟨ww.⟩
I ⟨onp.ww.⟩ **0.1** [duister worden] *dusk* ⇒⟨ongemarkeerd⟩ *grow dusky/dark* ◆ **3.1** het begint te ~ *it is growing dark;*
II ⟨onov.ww.⟩ **0.1** [duister worden/zijn] *dusk* ⇒⟨ongemarkeerd⟩ *darken, grow dusky/dark* ◆ **1.1** de avond duisterde *darkness fell;* de polder duisterde *darkness descended over/on the polder.*

duisterheid ⟨de (v.)⟩ **0.1** [onduidelijkheid] *darkness* ⇒*obscurity, vagueness* **0.2** [geheimzinnigheid] *darkness* ⇒*obscurity, mysteriousness* ◆ **1.1** de ~ v.e. redenering *lack of clarity in a (line of) reasoning* **3.2** er zijn nog tal van duisterheden in deze zaak op te lossen *there are still a number of points to be cleared up.*

duisternis ⟨de (v.)⟩ **0.1** [afwezigheid van licht] *darkness* ⇒*dark* **0.2** [plaats zonder licht] *darkness* ⇒*dark* **0.3** [⟨fig.⟩] *darkness* ◆ **1.1** het invallen v.d. ~ *dusk, nightfall;* onder de mantel v.d. ~ *under cover/*

the cloak of darkness; de ~ v.d. nacht *the dark of the night* **1.2** het rijk v.d. ~ *the realm of darkness;* de vorst der ~ *the prince of darkness;* ⟨fig.⟩ werken v.d. ~ *deeds of darkness* **1.3** een tijdperk van ~ *an era/epoch of d., a dark age* **2.1** in dichte/diepe ~ *in pitch-darkness;* een Egyptische ~ *a Cimmerian darkness* **2.2** ⟨bijb.⟩ de buitenste ~ *the outer darkness* **3.1** de ~ daalde neer over de stad *darkness settled on/descended over the town* **6.1 in** de ~ verdwijnen ⟨fig.⟩ *fall/sink into oblivion* **6.3** zich **in** ~ hullen *act mysterious(ly);* **in** ~ gehuld *shrouded/cloaked in mystery.*

duit ⟨de (m.)⟩ **0.1** [munt] ≠*farthing* ⇒*cent,* ⟨vero.⟩ *doit* **0.2** [geld] *penny* ⇒*cent* ◆ **1.2** het heeft een bom ~en gekost *it cost a bomb/mint/fortune* **2.1** een halve ~ *a mite* **2.2** hij verdient een aardige ~ *aan he makes a fair bit on/with it/turns a tidy p. with it;* dat heeft hem een hele/flinke/lieve ~ gekost *that will/must have cost him a pretty p.* **3.1** geen mens die daar een ~ voor geeft [B]*you wouldn't give a brass f. for it, it's not worth* [B]*a brass f./* [A]*a red cent* **3.2** hij heeft ~en *he has plenty of bread/dough/cash* **6.2 op** de ~ zijn *be tight(-fisted)/stingy* **7.1** hij verdiende er geen (rooie) ~ *aan he didn't make a penny/cent on it;* geen (rooie) ~ waard zijn *be not worth* [B]*a brass f./* [A]*red cent;* ik heb er geen ~ voor gekregen *I didn't get a bean/*[B]*brass f. for it* ¶.1 ⟨fig.⟩ ook een ~ in het zakje doen *put one's oar in, contribute one's mite.*

duitblad ⟨het⟩ **0.1** *frogbit.*

duitendief ⟨de (m.)⟩ **0.1** *moneygrubber.*

Duits[1] ⟨het⟩ **0.1** *German.*

Duits[2] ⟨bn.⟩ **0.1** [v.d. Duitsers/Duitsland] *German* **0.2** [v.d. Duitse taal] *German* ◆ **1.1** ~ brood *rye bread;* ~e degelijkheid/grondigheid *G./Teutonic efficiency/thoroughness;* ~e letter *Gothic letter;* ~e mark *G. mark, deutschmark;* (ridder van) de ~e Orde (*knight of*) *the Teutonic Order;* ~e Democratische Republiek *G. Democratic Republic;* ⟨gesch.⟩ het ~e rijk *the Reich;* het ~e Rijk (1871-1918) *The Second Reich* **1.2** ~ schrift *Gothic script* **1.**¶ ~e biefstuk ≠*hamburger;* ~e herdershond [B]*Alsatian,* [A]*German shepherd;* ~e staander *German pointer.*

Duitse ⟨de (v.)⟩ **0.1** *German woman/lady* ⇒⟨jongedame⟩ *German girl, Fräulein.*

Duitser ⟨de (m.)⟩ **0.1** *German* ⇒*Teuton.*

duitsgezind ⟨bn.⟩ **0.1** *pro-German* ⇒*Germanophil(e).*

Duitsland ⟨het⟩ **0.1** *Germany* ◆ **1.1** Bondsrepubliek ~ *Federal Republic of G..*

Duitstalig ⟨bn.⟩ **0.1** [Duits sprekend] *German-speaking* **0.2** [in het Duits gesteld] *German (language)* ◆ **1.1** ~ Zwitserland *G.-s. Switzerland* **1.2** het ~e exemplaar v.d. overeenkomst *the G. (language) version/copy of the agreement.*

duiveboon ⟨de⟩ **0.1** *tickbean.*

duivedrek ⟨de (m.)⟩ **0.1** [drek van duiven] *pigeon-pooh, dove-dirt* ⇒*pigeon shit* **0.2** [harssoort] *asafoetida.*

duivekaters ⟨bn.⟩ **0.1** *deuced* ⇒*confounded, dratted, darned.*

duivel ⟨de (m.)⟩ ⟨→sprw. 138-146,199,232,385,535⟩ **0.1** [⟨geen mv.⟩ Satan] *devil* **0.2** [duivelachtig wezen] *devil* ⇒*demon, fiend* ◆ **1.2** de ~ v.d. drankzucht *the demon drink, the curse/evils of drink(ing);* de ~ der ijdelheid *the curse/evils of vanity* **2.1** de baarlijke ~ *d. himself;* ⟨schr.⟩ *the d. incarnate* **2.2** de rode ~s *'the Red Devils'* ⟨the Belgian international football team⟩ **3.1** ⟨fig.⟩ zijn ziel aan de ~ verkopen *sell one's soul (to the d.);* de ~ bannen/bezweren/uitdrijven *exorcise/drive out the d.;* ⟨fig.⟩ de ~ hale je *to hell/the hell with you, go to hell, damn you;* 't is of de ~ ermee speelt *the gremlins have been busy again;* ⟨fig.⟩ hij is van de ~ bezeten *he's possessed (by/of the d.);* ⟨fig.⟩ dat mag de ~ weten *the d. only knows* **6.1** ⟨fig.⟩ naar de ~ te biecht gaan *consort with the enemy/d.;* ⟨fig.⟩ iem. naar de ~ wensen *wish s.o. (would go) to hell;* ⟨fig.⟩ loop naar de ~ *go to hell, to hell/the hell with you, damn you;* ⟨fig.⟩ naar de ~ zijn *have had it, be done for;* ⟨fig.⟩ om de ~ niet *not on your life/* ⟨BE ook;inf.⟩ *nelly!, no fear!,* ⟨inf.⟩ *no way!;* ⟨fig.⟩ hij is te dom om voor de ~ te dansen *he's as stupid as they make 'em;* ⟨BE ook⟩ *he's as thick as two (short) planks, he hasn't got the sense he was born with;* hij is voor de ~ nog niet bang *he's sure as hell not scared* **6.**¶ kom hier, voor de ~ *come here, damn you!/* ⟨AE ook⟩ *goddam it!/* ⟨BE ook⟩ *bloody well come here!;* wat/waar/wie voor de ~ *what/where/who the devil/the hell/in (the) hell* **8.1** alsof de ~ hem op de hielen zat *as if the d. were at his heels* ¶.1 ⟨fig.⟩ hij is des ~s *he's furious/livid.*

duivelachtig ⟨bn., bw.; -ly⟩ **0.1** *devilish* ⇒*diabolical, demonic, fiendish* ◆ **1.1** een ~ genoegen *a wicked/sinful pleasure.*

duivelbanner ⟨de (m.)⟩ **0.1** *exorcist.*

duivelbanning ⟨de (v.)⟩ **0.1** *exorcism.*

duivelen ⟨onov.ww.⟩ →*duvelen.*

duivelin ⟨de (v.)⟩ **0.1** [vrouwelijke duivel] *she-devil* **0.2** [gewetenloze vrouw] *she-devil* ⇒*hellcat, shrew.*

du(i)veljagen ⟨onov.ww.⟩ →*duvelen 0.1,0.3.*

duiveljager ⟨de (m.)⟩ **0.1** [duivelbanner] *exorcist* **0.2** [ruziemaker] *hell-raiser* ⇒*troublemaker.*

du(i)vels[1]
I ⟨bn., bw.; -(al)ly⟩ **0.1** [als (van) een duivel] *diabolic(al)* ⇒*devilish, demonic* **0.2** [woedend] *livid* ⇒(*raving*) *mad, furious, possessed* ◆ **1.1**

~e aantrekkingskracht/invloed *diabolic attraction/influence;* ~e geesten *diabolic/evil spirits;* een ~ genoegen *a sinful/wicked pleasure;* een ~ kabaal *a devil/hell of a noise, a diabolical din/racket;* een ~e lach *a diabolical/demonic laugh;* een ~ voornemen *a diabolical plan/intention* 3.2 hij is echt ~ *he is like a man possessed, he is l./fit to be tied;* ~ reageren be l., *react as though possessed, flare up;* het is om ~ van te worden *it's enough to provoke/vex a saint;*
II ⟨bw.⟩ **0.1** [enorm] *devilishly* ⇒*confoundedly,* ⟨AE;sl.⟩ *darned* ◆ **2.1** ~ aardig *frightfully/awfully/dreadfully nice;* dat is ~ ingewikkeld *that is devilishly complicated* **7.1** dat veroorzaakte ~ veel last *that caused a/the devil/a hell of a lot of trouble.*
du(i)vels² ⟨tw.⟩ **0.1** *the deuce* ⟨zie verder ¶.1⟩ ◆ ¶.1 (wel)(alle) ~! *the deuce!, the devil!, by George!.*
duivelsadvocaat ⟨de (m.)⟩ **0.1** *devil's advocate.*
duivelsbrood ⟨het⟩ **0.1** ≠*(poisonous) toadstools.*
duivelsdrek ⟨de (m.)⟩ **0.1** *devil's dirt, dung* ⇒*asafoetida.*
Duivelseiland ⟨het⟩ **0.1** *Devil's Island.*
duivelskermis ⟨de⟩ ⟨AZN⟩ ◆ **3.**¶ het is ~ ≠*there is rain and sunshine together/a sunny shower.*
duivelskunsten ⟨de v.)⟩ **0.1** *devilry* ⇒*diabolism, sorcery, black magic.*
duivelskunstenaar ⟨de (m.)⟩, **-nares** ⟨de (v.)⟩ **0.1** [handig mens] *wizard* **0.2** [iem. die iets perfect beheerst] *wizard* **0.3** [magiër] *sorcerer* (m.), *sorceress* ⟨v.⟩ ⇒*wizard* ◆ **6.1** een ~ zijn in iets *be a w. at sth..*
duivelskunstenarij ⟨de v.)⟩ **0.1** *sorcery* ⇒*devilry, diablerie.*
duivelsoog ⟨het⟩ ⟨plantk.⟩ **0.1** *pheasant's-eye.*
duivelsrit ⟨de (m.)⟩ **0.1** *hellride.*
duivelsstreek ⟨de (m.)⟩ **0.1** *nasty/mean trick* ◆ **3.1** een ~ uithalen *play a nasty/mean trick.*
duivelstoejager →**duivelstoejager.**
duivelswerk ⟨het⟩ **0.1** [moeilijke arbeid] *devilish work* ⇒ ¹ *a devil/hell of a job* **0.2** [werk (als) v.d. duivel] *devilish/diabolical work* ⇒*devil's work.*
duiveltje ⟨het⟩ **0.1** *imp* ⇒*little devil, elf* ◆ **6.1** ~ in een doosje *jack-in-the-box* **8.1** hij dook op als een ~ uit een doosje *he popped up out of nowhere.*
duivemelk ⟨de⟩ **0.1** *pigeon's milk.*
duivenconcours ⟨het, de (m.)⟩ **0.1** *pigeon race.*
duivendom ⟨het⟩ ⟨pol.⟩ **0.1** *doves* ⟨mv.⟩.
duivenei ⟨het⟩ **0.1** *pigeon's egg* ◆ **8.1** hagelstenen zo groot als ~eren *hail (stones) as large as plovers' eggs/* ⟨AE ook⟩ *baseballs.*
duivenhok ⟨het⟩ **0.1** *dovecot(e).*
duivenmelker ⟨de (m.)⟩, **-ster** ⟨de (v.)⟩ **0.1** [houder] *pigeon fancier;* ⟨van postduiven⟩ *pigeon flyer* **0.2** [handelaar] *pigeon breeder.*
duivenplat ⟨het⟩ **0.1** ≠*pigeon-loft.*
duivenpost ⟨de⟩ **0.1** *pigeon post* ◆ **6.1** per ~ *by p. p..*
duivensport ⟨de (m.)⟩ **0.1** *pigeon racing/flying.*
duiventil ⟨de⟩ **0.1** [duivenhok] *pigeon house, dovehouse* **0.2** [(fig.) plaats, groep] *pigeonry* ⇒*pigeon coop* ◆ ¶.2 het is hier net een ~ *it is like* ᴮ*Waterloo Station/*ᴬ*Ground Central Station here.*
duivenvlucht ⟨de⟩ **0.1** [aantal samenvliegende duiven] *flight of pigeons/ doves* **0.2** [duivenslag] ⟨→**duivenslag**⟩.
duizelen ⟨onov.ww.⟩ **0.1** [draaierig worden] *grow/get dizzy/giddy* ⇒*reel, spin* **0.2** [in een draaiende beweging zijn] *spin* ⇒*reel, whirl, twirl* ◆ **3.1** dat doet mij ~ *that makes me feel dizzy/giddy, that makes my head swim* **4.1** het duizelt mij *my head is spinning/swimming* **4.2** alles duizelde om mij heen *everything was spinning round me* **6.1** hij duizelde bij de gedachte *he felt dizzy/dazed, his mind reeled/boggled at the thought;* ik duizel/mijn hoofd duizelt van al die getallen *my brain is reeling from all those numbers.*
duizelend ⟨bn.⟩ →**duizelingwekkend.**
duizelig ⟨bn.⟩ **0.1** *dizzy (with)* ⇒*giddy (with),* ¹*vertiginous* ◆ **3.1** de drukte maakte hem ~ *the crowds made his head spin;* ~ worden *grow/ get/* ⟨inf.⟩ *come over d.;* ~ zijn *be/feel d./giddy* **6.1** ⟨fig.⟩ ~ van geluk *d. with happiness.*
duizeligheid ⟨de (v.)⟩ **0.1** *dizziness* ⇒*giddiness* ◆ **1.1** aanval van ~ *dizzy turn, attack of d..*
duizeling ⟨de (v.)⟩ **0.1** *dizziness* ⇒*dizzy spell/turn,* ⟨med.⟩ *vertigo* ◆ **3.1** een ~ krijgen *have a dizzy turn/an attack of d.* ¶.1 soms last hebben van ~en *suffer from/have dizzy spells.*
duizelingwekkend ⟨bn., bw.⟩ **0.1** [duizelingen teweegbrengend] *dizzy* ⇒ *giddy* **0.2** [enorm] *dizzy* ⇒*staggering* ◆ **1.2** ~e afstanden/hoogten/ bedragen/vaart *enormous distances, d./ giddy heights, staggering amounts/d. speed* **2.1** ~ hoog *staggeringly high;* hij reed ~ snel *he drove at a d. speed;* ~ steile bergen *d./ vertiginous mountains;* ~ steil/ snel *breathtakingly steep/fast.*
duizend
I ⟨hoofdtelw.⟩ **0.1** ⟨⟨hfd.telw.⟩⟩ *(a/one) thousand* **0.2** [⟨fig.⟩ bijzonder veel] *a thousand* ⇒*thousands* ◆ **1.1** periode van ~ jaar *millennium, millenary;* ~ pond/dollar *a t. pounds/dollars,* ⟨sl.⟩ *one grand;* een meisje van ~ *weken* ≠*a girl of eighteen or nineteen* **1.2** ~ angsten uitstaan *endure a t. terrors;* ⟨scherts.⟩ ~ bommen en granaten! *shiver me timbers!, well I'll be blowed!;* ⟨fig.⟩ ~ doden sterven *(nearly) die a t. deaths;* ⟨AZN⟩ op zijn ~ gemakken *taking one's time (doing it);* aan

~ gevaren blootstaan *exposed to a t. dangers;* ~en en nog eens ~en mensen *thousands and/upon thousands of people* **3.1** dat werk heeft (vele) ~en gekost *that work cost thousands;* ~en keken toe *there were thousands of onlookers/spectators* **6.1** ~ tegen één *a t. to one* **6.2** zij vielen bij/met ~en *they fell in their/by thousands;* dat loopt in de ~en *that runs into (the) thousands;* hij is er één uit ~(en) *he is one in a t.* **7.1** hij kent ~ en één moppen *he knows a t. and one jokes;*
II ⟨rangtelw.⟩ **0.1** ⟨⟨rangtelw.⟩⟩ *thousand* ◆ **1.1** het jaar ~ *the year t..*
duizendblad ⟨het⟩ **0.1** [vederkruid] *water milfoil* **0.2** [plant] *yarrow* ◆ **2.2** gewoon ~ *milfoil.*
duizend-en-één-nacht ⟨de (m.)⟩ **0.1** *the Thousand and One Nights, the Arabian Nights* ◆ **1.1** de Vertellingen van Duizend-en-één-nacht *Tales of a Thousand and One Nights, the Arabian Nights'.*
duizendguldenkruid ⟨het⟩ **0.1** *centaury.*
duizendjarig ⟨bn.⟩ **0.1** *thousand year (old)* ⇒*millennial, millenary* ◆ **1.1** het ~ bestaan v.e. stad *the millennia/millennium/thousandth anniversary of a city;* ~e periode *millenary, millennium;* Hitlers '~rijk' *Hitler's 'thousand-year empire';* ⟨bijb.⟩ het ~(vrede)rijk *the millennium, the thousand-year reign.*
duizendje ⟨het⟩ **0.1** *thousand guilder note.*
duizendknoop ⟨de (m.)⟩ **0.1** *knotweed* ⇒*polygonum, bistort* ◆ **2.1** oosterse ~ *prince's feather.*
duizendkoppig ⟨bn.⟩ **0.1** *multitudinous* ◆ **1.1** een ~e menigte *a crowd of thousands, an enormous/a huge crowd, a multitude.*
duizendmaal ⟨bw.⟩ **0.1** [duizend keren] *a thousand times* ⇒⟨schr.⟩ *a thousandfold* **0.2** [⟨fig.⟩ zeer groot aantal keren] *a thousand (times)* ◆ **1.2** ~ dank/bedankt *a thousand thanks;* ⟨inf.⟩ *thanks a million* **3.2** ik heb het al ~ geprobeerd *I have (already) tried it a thousand times* **5.1** ~ zo veel/groot *a thousand times more/as much, a thousand times bigger/as big* **7.1** ~ tien is tienduizend *a thousand times ten is ten thousand.*
duizendpoot ⟨de (m.)⟩ **0.1** [dier] *centipede* **0.2** [persoon] *general dogsbody, girl/man Friday, jack-of-all-trades* ◆ **2.2** deze clown is een muzikale ~ *this clown is a musical jack-of-all-trades.*
duizendschoon ⟨de⟩ **0.1** *sweet William.*
duizendste¹ ⟨bn.⟩ **0.1** *thousandth* ◆ **1.1** een ~ kilo *one t. of a kilo* **7.1** een ~ *one t..*
duizendste² ⟨rangtelw.⟩ **0.1** *(one-)thousandth* ◆ **1.1** de ~ bezoeker v.d. tentoonstelling *the (one-)thousandth visitor to the exhibition.*
duizendtal ⟨het⟩ **0.1** [duizend personen/zaken] *thousand* ⇒*chiliad* **0.2** ⟨mv.⟩ cijfers] *thousands* ◆ **7.2** de ~len *the t..*
duizendvoud¹ ⟨het⟩ **0.1** [duizendmaal iets] *(a) thousand* ⇒*(a) thousandfold* **0.2** [⟨wisk.⟩] *multiple of a thousand.*
duizendvoud² ⟨bw.⟩ **0.1** *a thousand times* ⇒*a thousandfold.*
duizendvoudig
I ⟨bn.⟩ **0.1** [uit duizend maal het grondbegrip/eenheid bestaand] *(a) thousand* **0.2** [zich duizend malen herhalend] *a thousand times* ⇒*(a) thousandfold* ◆ **1.2** een ~e weerkaatsing ≠*reflected a thousand times, multiple reflection(s);*
II ⟨bn., bw.⟩ **0.1** [duizendmaal] *(a) thousandfold* ⇒*a thousand times.*
duizendwerf ⟨bw.⟩ **0.1** *a thousand times.*
dukaat ⟨de (m.)⟩ **0.1** *ducat.*
dukatengoud ⟨het⟩ **0.1** [goud v.h. fijnste gehalte] *standard gold* ⇒*fine gold* **0.2** [soort van geel bladgoud] ≠*gold leaf.*
dukdalf ⟨de (m.)⟩ **0.1** *dolphin* ⇒*mooring post.*
duldbaar ⟨bn.⟩ **0.1** *tolerable* ⇒*supportable, endurable, bearable,* ⟨toelaatbaar⟩ *permissible, allowable.*
dulden ⟨ov.ww.⟩ **0.1** [verdragen] *endure* ⇒*bear, tolerate, stand, put up with* **0.2** [toelaten] *tolerate* ⇒*permit, allow* ◆ **1.1** geen tegenspraak ~ *not bear being contradicted, t. no contradiction;* dat duldt geen tegenspraak *that admits no contradiction* **1.2** ik duld die hond hier niet langer *I won't have that dog here any longer;* dergelijke overtredingen kunnen niet meer geduld worden *such offences can no longer be tolerated;* een voorzitter die geen tegenspraak duldt *a chairman who won't be contradicted;* dat duldt geen uitstel meer *that can no longer be put off;* ⟨schr.⟩ *that brooks no further delay* ¶.2 de oude directeur werd door zijn collega alleen nog geduld *the old director was now merely tolerated by his colleague/was only there on his colleague's sufferance.*
dumdumkogel ⟨de (m.)⟩ **0.1** *dumdum (bullet)* ⇒*soft-nosed/expanding bullet.*
dummy ⟨de (m.)⟩ **0.1** [model van uitvoering] *dummy* **0.2** [⟨kaartspel⟩] *dummy* ⇒*board* **0.3** [pop] *dummy* **0.4** [stroman, figurant] *figurehead* ⇒*puppet.*
dump ⟨de (m.)⟩ **0.1** [depot] *dump* ⇒*refuse/(ammunition-)depot,* ᴮ*tip* **0.2** [goederen] *dump* ⇒*(pile of) refuse/rubbish* **0.3** [dumphandel] ⟨→**dumphandel**⟩ ◆ **6.3** iets in de ~ doen *send/sell sth. for scrap.*
dumpen
I ⟨onov.ww.⟩ **0.1** [onder de marktprijs verkopen] *dump;*
II ⟨ov.ww.⟩ **0.1** [storten] *dump* ⇒⟨vnl. BE⟩ *tip,* ⟨AE;sl.⟩ *red-light* ⟨uit de auto gooien⟩ ◆ **1.1** radioactief afval werd in zee gedumpt *radio-active waste was dumped in the sea* **7.1** het ~ in zee *ocean dumping.*

dumpgoederen ⟨zn.mv.⟩ **0.1** *army surplus (goods)*.
dumphandel ⟨de (m.)⟩ **0.1** *(army) surplus trade*.
dumpprijs ⟨de (m.)⟩ **0.1** *bulk-purchase price* ⇒⟨stuntprijs⟩ *clearance/knockdown price*.
dumpschip ⟨het⟩ **0.1** *dumping/waste disposal vessel*.
dumpzaak ⟨de⟩ **0.1** *army surplus/army and navy store/* ⟨BE ook⟩ *shop* ⇒⟨inf.⟩ *army surplus, surplus supplies*.
dun[1] ⟨het⟩ **0.1** *thin/runny/watery part* ⇒*liquid* ◆ **1.1** het ~ v.e. ei *the white of an egg* **1.¶** met iem. door dik en ~ gaan *support s.o./stand by s.o. through thick and thin/fair and foul, follow s.o. through hell and high water/to the ends of the earth*.
dun[2] ⟨→sprw. 584⟩
  I ⟨bn.⟩ **0.1** [niet dik] *thin* ⇒⟨boom/steel/lijn/taille ook⟩ *slender*, ⟨haar, stof ook⟩ *fine, spare, gaunt* **0.2** [zich tot een geringe hoogte over iets uitbreidend] *thin* ⇒*light, fine* **0.3** [niet dicht opeen] *thin* ⇒⟨haar/bevolking ook⟩ *sparse, light, fine, scant* **0.4** [zeer vloeibaar] *thin* ⇒*runny, watery* **0.5** [mbt. lijnen/schrifttekens] *thin* ⇒*light, narrow* **0.6** [kleingeestig] *small minded* ⇒*mean, petty, shabby* ◆ **1.1** ~ne darm *small intestine;* een ~ laagje beschaving *a t. varnish/veneer of civilization;* een ~(ne) laag(je) *a thin layer;* ⟨boter⟩ *scrape, scraping;* ⟨poeder ook⟩ *dusting;* ⟨stof⟩ *film; sheet; veneer* ⟨ook fig.⟩; een ~ laagje ijs *a glaze/glare of ice;* ~ papier/glas/garen *t./flimsy paper, t./light/fine glass, t./fine yarn/thread;* een ~ straaltje water *a (t.) trickle of water* **1.3** ~ haar *t./fine/*⟨inf.⟩ *scraggy hair;* een ~ne lucht *a rare/tenuous atmosphere;* een ~ne nevel *a t./light fog/mist;* een ~ne wind *a light wind* **1.4** ~ bier *small beer;* ⟨BE;sl.⟩ *swipes;* ~ne melk *light/skimmed/non-fat milk;* ~ne ontlasting hebben *have a loose/watery/soft stool, have diarrhoea;* ~ne soep *t./light/watery soup;* een ~ne stem ⟨fig.⟩ *a t./small voice* **1.¶** ⟨geldw.⟩ een ~ markt *a thin/quiet market* **3.1** de lucht werd ~ner *the air became rarer;* ~ner (en ~ner) worden/maken *become/make thinner (and thinner);* ⟨slijten⟩ *wear thin;* ⟨sterk afnemen⟩ *become emaciated* **3.3** eerlijke mensen zijn ~ gezaaid *honest people are t. on the ground/few and far between* **3.6** dat is ~ van hem *that is shabby/mean of him* **7.4** het ~ne v.h. brouwsel wordt weggegoten *the liquid (of the mixture/brew) is poured off;*
  II ⟨bw.⟩ **0.1** [op dunne wijze] *thinly* ⇒*sparsely, lightly,* ⟨kleingeestig⟩ *meanly* **0.2** [in dunne/vloeibare toestand] *thinly* ◆ **2.1** een ~ gesmeerde boterham *t. buttered bread;* ⟨inf.⟩ *bread and scrape* **3.1** zich te ~ kleden *dress too t./lightly;* verf ~ opbrengen *(apply) paint t.;* ~ reageren *react/behave shabbily* **3.2** het loopt hem ~ door de broek ⟨lett.⟩ *he has the trots/runs;* ⟨fig.⟩ *he is scared out of his pants*.
dunbevolkt ⟨bn.⟩ **0.1** *thinly/sparsely populated/peopled* ◆ **1.1** een ~ gebied *a thinly populated area*.
dundoek ⟨het⟩ **0.1** [vlaggedoek] *bunting* **0.2** [vlag] *bunting* ⇒*flags* ◆ **3.2** vrolijk wapperde het ~ *the b. fluttered gaily*.
dundruk ⟨de (m.)⟩ **0.1** ⟨zie 6.1⟩ ◆ **6.1** dit boek is verschenen in ~ *this is an india-paper edition*.
dundrukpapier ⟨het⟩ **0.1** *india paper*.
dunheid ⟨de (v.)⟩ **0.1** *thinness* ⇒*fineness* ⟨haar, stof, glas⟩, *sparsity* ⟨bevolking, haar⟩ ◆ **1.1** de ~ v.h. boekje is een voordeel *the slimness of the book is an advantage;* de ~ v.d. lucht *the rarity of the air*.
dunk ⟨de (m.)⟩ **0.1** [mening] *opinion* **0.2** [⟨basketbal⟩] *dunk (shot)* ◆ **2.1** een geringe/lage/slechte ~ hebben van iem. *have a poor/low/bad o. of s.o., think little of s.o.;* ⟨schr.⟩ *disesteem/disfavour s.o.;* een goede/hoge ~ hebben van iem. *have a good/high o. of s.o., think/* ⟨schr.⟩ *deem highly of s.o., hold s.o. in high esteem;* ik heb er geen hoge ~ van *I don't think much of it;* een hoge ~ van zichzelf hebben *have a high o. of o.s.;* ⟨inf.⟩ *fancy o.s., have a swelled/swollen head;* een hoge/lage ~ krijgen van *form a high/low o. of*.
dunken
  I ⟨onov.ww.⟩ **0.1** [voorkomen] *be of the opinion* ⇒*consider,* ⟨schr.⟩ *deem, hold the view, think* ◆ **4.1** me dunk(t)! *I should say so!, indeed!;* mij dunkt, dat ... *it seems to me that ..., I think that ...;* ⟨vero.; beh. scherts.⟩ *methinks;* naar mij dunkt *in my opinion;* wat dunkt u ervan? *what is your opinion/view of it?;*
  II ⟨onov.ww.⟩ **0.1** [⟨basketbal⟩] *dunk* ◆ **1.1** een bal ~ *dunk (a ball), play a dunk shot*.
dunne ⟨de (m.)⟩ ◆ **6.¶** aan de ~ zijn *have the trots/runs*.
dunnen ⟨onov., ov.ww.⟩ **0.1** *thin (out/down/off)* ⇒⟨ov.ww. ook⟩ *emaciate* ⟨vnl. lichaam⟩ ◆ **1.1** een bos/bed groenten ~ *thin (out) a wood/a vegetable plot;* ziekte had de gelederen gedund *illness had depleted the ranks;* de kapper heeft zijn haar gedund *the hairdresser has thinned (out) his hair;* mijn haar begint te ~ *my hair is thinning;* de nevel dunt *the fog/mist is thinning (out/off)/is lifting*.
dunnetjes ⟨bw.⟩ **0.1** [in/met een dunne laag] *thinly* ⇒*lightly* **0.2** [⟨fig.⟩ zuinig, matig] *thin(ly)* ⇒*poor(ly)* ◆ **3.1** men moet de waterverf er ~ op brengen *the watercolour has to be applied lightly* **3.2** iets nog eens ~ overdoen *rehash sth.;* 't was maar ~ *it wasn't up to much;* ze zag er maar ~ uit na haar griep *she looked poorly/thin after her illness*.
dunschiller ⟨de (m.)⟩ **0.1** *parer* ⇒*peeler*.
dunsel ⟨het⟩ **0.1** [bomen, planten] *thinnings* **0.2** [sla] *young lettuce*.
dunwandig ⟨bn.⟩ **0.1** *thin-walled*.

duo
  I ⟨het⟩ **0.1** [tweetal] *duo* ⇒*pair, couple* **0.2** [duet] *duet* ⇒*duo* ◆ **2.1** een mooi ~ *a fine/pretty pair* **3.1** (op de) ~ rijden *ride pillion;*
  II ⟨de (m.)⟩ **0.1** [duozitting] *pillion (seat)*.
duobaan ⟨de⟩ **0.1** *shared job*.
duoblok ⟨het⟩ **0.1** *low-flush suite*.
duodecimo ⟨het⟩ **0.1** [boekformaat] *duodecimo* ⇒*twelvemo, 12mo* **0.2** [boekje] *duodecimo, twelvemo* ◆ **6.1** ⟨fig.⟩ in ~ *in miniature*.
duodenum ⟨het⟩ **0.1** *duodenum*.
duopassagier ⟨de (m.)⟩ **0.1** *pillion passenger/rider* ◆ **3.1** ~ zijn *ride pillion*.
duopolie ⟨het⟩ ⟨hand.⟩ **0.1** *duopoly*.
duozadel ⟨het, de (m.)⟩ **0.1** *pillion(-seat/saddle)*.
duozitting ⟨de (v.)⟩ **0.1** *pillion(-seat)*.
dupe ⟨de (m.)⟩ **0.1** *victim* ⇒*dupe,* ↓*bait/sucker* ◆ **3.1** hij is de ~ v.d. affaire *he is the v. of the affair;* wie zal daar de ~ van zijn? *who will (be the one to) suffer?, who will be left holding the baby?*.
duperen ⟨ov.ww.⟩ **0.1** [teleurstellen] *let down, fail;* ⟨bedriegen⟩ ↓*con* ◆ **3.1** gedupeerd zijn *be let down, be duped*.
duplexkarton ⟨het⟩ **0.1** *duplex/double cardboard/*[A]*paperboard*.
duplexpapier ⟨het⟩ **0.1** *duplex/two-ply paper*.
duplexwoning ⟨de (v.)⟩ **0.1** ≠*maisonette,* [A]≠*duplex (apartment)*.
duplicaat ⟨het⟩ **0.1** [afschrift] *duplicate (copy)* ⇒*transcript, facsimile* **0.2** [dubbelexemplaar] *duplicate*.
duplicator ⟨de (m.)⟩ **0.1** [kopieermachine] *duplicator* **0.2** [⟨foto.⟩] *duplicator* ⇒⟨mbt. dia's ook⟩ *(slide) copier*.
dupliceren
  I ⟨onov.ww.⟩ **0.1** [dupliek geven] *rejoin;*
  II ⟨ov.ww.⟩ **0.1** [herhalen] *duplicate* ⇒*reiterate*.
dupliek ⟨de (v.)⟩ **0.1** *rejoinder* ◆ **1.1** na re-en ~ ≠*after thrust and counter-thrust/a brief exchange (of words)* **3.1** ⟨jur.⟩ ~ geven *rejoin, reply by rejoinder*.
duplo ◆ **6.¶** in ~ *in duplicate;* akte/document in ~ *indenture*.
duplolamp ⟨de⟩ **0.1** [(auto)koplamp] *anti-dazzle (head)light* **0.2** [lamp met twee gloeidraden] *dual-filament lamp*.
duppie ⟨het⟩ ⟨inf.⟩ **0.1** *ten-cent piece* ⇒ ≠*penny,* ≠*cent* ◆ **6.1** drie keer gooien voor een ~ ≠*sixpence a shy/go,* ≠*three goes for sixpence*.
dur ⟨muz.⟩ **0.1** *major* ◆ **6.1** een stuk in ~ *a piece in a m. key*.
durabel ⟨bn.⟩ **0.1** *durable*.
duraluminium ⟨het⟩ **0.1** *Duralumin* ⟨merknaam⟩ ⇒*dural*.
duratief[1] ⟨het⟩ ⟨taal.⟩ **0.1** *continuous/progressive (form)*.
duratief[2] ⟨bn., bw.⟩ ⟨taal.⟩ **0.1** *continuous, progressive* ◆ **1.1** duratieve vorm *c. form*.
duren ⟨onov.ww.⟩ ⟨→sprw. 42,152,633⟩ **0.1** [mbt. een tijdruimte] *last* ⇒*take* **0.2** [voortduren] *last, take* ⇒*continue, go on* **0.3** [aarden, wennen] *settle* ◆ **1.1** de overtocht duurt tien dagen *the crossing takes/lasts ten days;* het duurt nog een jaar *it will take a/another year;* het heeft enige tijd geduurd *it has taken (quite) some time;* ⟨schr.⟩ *it has been of some duration;* een staking die een week duurt *a week-old strike* **1.2** dat zal mijn tijd wel ~ *that will l. my time;* het duurde uren/eeuwen/een eeuwigheid *it lasted hours/ages/an eternity* **3.3** hij kan hier niet ~ *he cannot s. (down) here* **4.2** het duurt nog wel even (voor het zover is) *it will be/t. a while yet (before that happens/before that stage is reached)* **5.1** het zal nog lang ~ voor(dat) er vrede komt *it will be a long time before there is peace, peace will be long in coming;* hoe lang zal het ~ voor de goederen hier zijn? *how long will it be/take for the goods to be here?;* het duurde lang voor het werk af was *the work took a long time before it was finished;* zijn slecht humeur duurt nooit lang/niet langer dan een uur *his bad temper is always short-lived/never lasts longer than an hour* **5.2** het duurde eindeloos (lang) *it took/lasted ages/forever;* het duurt me te lang *it takes too long here for me/my liking;* dat kan niet lang meer ~ *that cannot t. l./l. be for much longer* **6.1** de tentoonstelling duurt nog tot oktober *the exhibition runs until October* **8.2** zo lang als het duurt ⟨iron.⟩ *as long as/while it lasts, we'll see how long that lasts;* dat duurde en duurde maar *that/it went on and on/dragged on;* zolang de staking duurt rijden er geen treinen *there will be no trains for the duration of the strike/until the strike is over/while the strike lasts;* zolang het onderzoek duurt leg ik geen verklaring af *I shall not make any statement until the inquiry is over*.
durend ⟨bn.⟩ **0.1** *lasting* ⇒*continuing, extending* ◆ **5.1** langer ~ dan drie maanden *extending beyond three months*.
durf ⟨de (m.)⟩ **0.1** *daring* ⇒⟨inf.⟩ *guts, pluck* ◆ **2.1** een plan dat van grote ~ getuigt *a plan which shows great d.* **6.1** iem. met ~ *s.o. with guts/nerve/spirit/spunk;* iem. zonder ~ *a coward, a gutless person, s.o. without nerve*.
durfal ⟨de (m.)⟩ **0.1** *daredevil*.
durfniet ⟨de (m.)⟩ **0.1** *coward* ⇒⟨inf.⟩ *chicken*.
duro ⟨de (m.)⟩ **0.1** *duro* ⇒*spanish peso*.
durtoonladder ⟨de⟩ **0.1** *major scale*.
durven ⟨onov., ov.ww.⟩ **0.1** *dare* ⇒*venture (to/upon)* ◆ **3.1** ik durf zelfs (te) beweren dat ... *I would even venture (to say) that ..., I would even go so far as to say that ...;* hij durft niet te komen *he does not d. (to)*

come; je moet maar ~! *of all the nerve!, some the cheek!;* niemand durfde hem tegen te spreken *nobody dared to contradict him;* voor zijn mening ~ uitkomen *have the courage of one's convictions/opinions;* zij durfde het hem niet (goed) te vragen *she hesitated to ask him;* dat zou ik niet ~ zeggen *I wouldn't d. to say that, I would be afraid to say that;* ik durf erop te zweren *I would swear (it/that)* **4.1** hij durft alles *he is game for everything;* hoe durf je! *how d. you!* **5.1** als het erop aan kwam durfde hij niet *he got cold feet/* ⌐*he funked it when it came to the crunch;* hij durfde het niet *he didn't d.;* dat durft hij vast niet *he wouldn't d. (to do that)* **8.1** kom eens hier (op) als je durft *I d. you!, you're on!;* als je toch durft *don't you d.!, just you d.!;* probeer maar als je durft! *try if you d.!* **¶.1** u/jij durft! ⟨ook iron.⟩ *you have a nerve!, you've got guts!.*

dus[1] ⟨bw.⟩ **0.1** *thus* ⇒*in such a way/manner, so* ◆ **3.1** ~ doende *so (that), in such a way, thus* ⟨bijgevolg⟩ *consequently, as a result;* het ~ gewijzigd ontwerp *the t.! so altered draft/* ⟨wet⟩ *bill.*

dus[2] ⟨vw.⟩ **0.1** *so* ⇒*therefore, then* ◆ **¶.1** ik kan ~ op je rekenen? *I can count on you then?;* dat is ~ afgedaan *(s..) that's finished then.*

dusdanig[1] ⟨aanw.vnw.⟩ **0.1** *such* ⇒*that sort of* ◆ **1.1** een ~e brutaliteit *s. (a) cheek;* met ~e mensen kan men niet werken *s. people are impossible to work with.*

dusdanig[2] ⟨bw.⟩ **0.1** *so* ⇒*in such a way/manner, to such an extent* ◆ **3.1** hij heeft zich ~ gecompromitteerd dat hij moet aftreden *he has compromised himself in such a way/to such an extent that he is forced to resign;* de zaak is ~ geregeld, dat *...the matter has been s. arranged that .../ has been arranged in such a way that ....*

duster ⟨de (m.)⟩ **0.1** *housecoat,* ⁿ*duster.*

dusver ⟨bw.⟩ ◆ **6.¶** tot ~ *so far, up to now, hitherto, to date;* ik kan u tot ~ nog niets zekers meedelen *I cannot tell you anything definite as yet;* tot ~ is het/alles in orde *so far so good.*

dut ⟨de (m.)⟩ **0.1** [lichte slaap] ⟨→dutje⟩ **0.2** [twijfel, onzekerheid] *haze, fog* ◆ iem. uit de ~ helpen *put s.o. straight, open s.o.'s eyes for him;* ⟨schr.⟩ *undeceive s.o..*

dutje ⟨het⟩ **0.1** *nap* ⇒*snooze, bit of shut-eye, forty winks* ⟨BE; sl.⟩ *kip* ◆ **3.1** een ~ doen *have a n.! snooze/kip, get a bit of shut-eye, have/take forty winks.*

duts ⟨de (m.)⟩⟨AZN⟩ **0.1** *duffer* ⇒*dunce.*

dutten ⟨onov.ww.⟩ **0.1** [slapen] *(take a) nap* ⇒*snooze* **0.2** [suffen] *day-dream* ⇒*have one's head in the clouds, wool-gather.*

duümviraat ⟨het⟩ **0.1** *duumvirate.*

duur[1] ⟨de (m.)⟩ **0.1** [tijdruimte die iets beslaat] *duration* ⇒*length,* ⟨mbt. apparatuur⟩ *life,* ⟨mbt. gevangenisstraf, ambt⟩ *term* **0.2** [tijd dat men het ergens uithoudt] ⟨zie 3.2⟩ ◆ **2.1** van korte ~ of *short d., short-lived;* deze toestand is maar van korte ~ *this situation is only temporary/of short d.;* het geschil is al van lange ~ *the quarrel/dispute is of long standing;* (geldig) voor onbepaalde ~ *open* ⟨kaart⟩; *valid indefinitely/for an indefinite period;* voor onbepaalde ~ in staking gaan *strike indefinitely/for an indefinite period* **3.2** ergens geen ~ hebben *not be able to settle (down)(somewhere);* rust noch ~ hebben *be (very) restless/unsettled* **6.1** op de lange ~ *in the long run/term;* ⟨AZN⟩ *finally;* het leven is kort van ~ *life is short;* voor de ~ van *for the d. of.*

duur[2] ⟨→sprw. 509,524⟩
I ⟨bn.⟩ **0.1** [hoog van prijs] *expensive* ⇒*dear, costly, pricey* **0.2** [zwaarwegend, bindend] *solemn* **0.3** [gewichtig doend] *chic* ⇒⟨inf.⟩ *posh* ◆ **1.1** een dure aankoop *an e. buy, a big-ticket purchase;* dure gewoontes *e.! luxurious habits;* een ~ hotel *an e.! plush hotel;* ⟨sl.⟩ *plushery;* aan de dure kant *on the pricey side;* ⟨fig.⟩ dat was een dure les *that was a dearly earned lesson;* dure smaak *e. taste;* een dure studie *≠an e. subject to study;* een dure tijd *e. times, a period/time of high prices;* dure vaklui *highly-paid craftsmen;* een dure winkel *an e. shop* **1.2** hij zwoer een dure eed *he swore a s. oath;* een dure plicht *a bounden duty* **1.3** dure woorden *c./ big words;* hij gebruikt graag dure woorden *he likes to use big words* **3.1** goede raad is ~ *≠here/this is a difficult situation/fix, ≠good advice doesn't come cheap;* die auto is ~ (in het gebruik) *that car is e. to run;* dat maakt het weer ~ voor ons *that makes it dearer/more e. for us, that raises the cost of it for us;* de stookolie wordt weer ~der *heating oil is going up again* **4.1** hoe ~ is die fiets? *how much/what price is that bicycle?* **5.1** die huizen zijn ongeveer even ~ *those houses are of a price;* dat is veel te ~ *that is far too e./ much too dear/overpriced;* dat is te ~ voor mij/me te ~ *that is beyond my pocket/purse, I can't afford it;* een te ~ artikel *an overpriced item/article;* ⟨inf.⟩ *a rip-off* **¶.1** ergens ~ mee uit zijn *get a bad bargain;*
II ⟨bw.⟩ **0.1** [voor/met veel geld] *expensively* ⇒*dearly* **0.2** [zo dat men er zeer door gebonden is] *greatly* ⇒*highly* **0.3** [gewichtig] *expensively* ⇒*with chic* ◆ **3.1** onze ~ betaalde/bevochten vrijheid *our dearly bought/hard-won freedom;* iets ~ betalen *pay a high price for sth.* ⟨ook fig.⟩; ⟨fig.⟩ *pay dearly for sth.;* ⟨fig.⟩ een ~ gekochte eer *a dearly bought honour;* ⟨fig.⟩ ~ te staan komen *cost (s.o.) dearly;* ⟨fig.⟩ zijn leven/huid ~ verkopen *sell one's life dear;* die hard; allerlei afval werd ~ verkocht *all kinds of waste were sold at a high price* **3.2** aan iem. ~ verplicht zijn *be g. indebted to s.o.* **3.3** ~ doen/praten/zich ~ voordoen *show off;* ⟨inf.⟩ *strut one's stuff;* hij doet ~ met zijn nieuwe auto *he's showing off (with) his new car.*

---

duurdoenerij ⟨de (v.)⟩ **0.1** *conspicious consumption* ⇒⟨AE; sl.⟩ *putting on the dog.*

duurkoop ⟨bn.⟩ ⟨→sprw. 241⟩ **0.1** *dear, expensive.*

duurrecord ⟨het⟩ **0.1** *endurance record* ⇒⟨ruimterecord⟩ *record time in space.*

duurte ⟨de (v.)⟩ **0.1** *expensiveness* ⇒*costliness, dearness* ◆ **1.1** de ~ v.d. levensbehoeften *the high cost of living;* ⟨ec.⟩ schaarste en ~ (van goederen) *scarcity and high prices (of goods);* in tijden van ~ *when prices are high, when the cost of living is high, in times of high prices.*

duurtetoeslag ⟨de (m.)⟩ **0.1** *cost-of-living supplement/bonus/allowance* ⇒*weighting, index-linked supplement.*

duurzaam
I ⟨bn.⟩ **0.1** [bestendig] *durable, hard-wearing* ⟨materialen⟩; *(long-)lasting, enduring* ⟨vrede, vriendschap, waarde⟩ ⇒*permanent,* ⟨enkel pred.⟩ *made to last* **0.2** [voortdurend] *permanent* ⇒*perpetual, (long-)lasting, sustained* ◆ **1.1** een ~ gebouw *a permanent building, a building built to last;* een duurzame herinnering/vrede *an enduring/a lasting memory/peace;* duurzame kleuren *permanent/fast colours;* een duurzame kopie *a hard copy;* die stof is erg ~ *this material wears very well/is very durable/hard-wearing;* duurzame verbruiksgoederen *durable consumer goods, consumer durables* **1.2** voor ~ gebruik *for permanent use;*
II ⟨bw.⟩ **0.1** [langdurig] *permanently* ⇒*durably* ◆ **2.1** ~ gescheiden *divorced, permanently separated* **3.1** ~ standhouden *last well/long.*

duurzaamheid ⟨de (v.)⟩ **0.1** *durability; endurance* ⇒*permanence, permanency,* ⟨van produkt⟩ *(useful/service) life,* ⟨van levensmiddelen⟩ *keeping quality.*

duurzaamheidstest ⟨de (m.)⟩ **0.1** *endurance/durability test.*

duvel ⟨de (m.)⟩ **0.1** [persoon] *devil* ⇒*demon,* ⟨AE; inf.⟩ *hellion,* ⟨stakker⟩ *wretch* **0.2** [(inf.) lichaam] ⟨zie 6.2⟩ ◆ **2.1** een handige ~ *a handy/clever devil/* ⌐*little bugger* **3.1** de ~ hale me ⟨verwensing zeelui in komische literatuur⟩ *shiver my timbers!* **6.2** iem. op zijn ~ geven *give s.o. what for/a good hiding, keelhaul s.o., give s.o. gyp;* op zijn ~ krijgen *be told off, get a good telling-off, get what for.*

duvelen ⟨onov.ww.⟩ **0.1** [donderjagen] *be a nuisance/a pain (in the neck)* ⇒*carry on,* ⟨AE; inf.⟩ *devil,* ⟨stoelen⟩ *romp (about)* **0.2** [vallen] *topple* ⇒*tumble* **0.3** [razen] *rant* ⇒*rave, raise hell/the devil* ◆ **3.1** lig niet te ~ *don't be a nuisance;* ⟨tegen kind⟩ *stop that devilment.*

duvels →duivels.

duvelstoejager ⟨de (m.)⟩ **0.1** [persoon] *factotum* ⇒*handyman,* ⟨sloof⟩ *drudge, dogsbody* **0.2** [(scheep.) sliphaak] *pelican hook, quick-release hook, slip hook* ◆ **3.1** ~ zijn bij een advocaat *devil for a barrister.*

duveltje ⟨het⟩ **0.1** [bijdehand kind] *sharp little devil* ⇒⟨ondeugend⟩ *imp* **0.2** [kacheltje] *≠pot-bellied stove* **0.3** [poppetje] ⟨zie 6.3,8.3⟩ ◆ **6.3** een ~ in een doosje ⟨ook fig.⟩ *a jack-in-the-box* **8.3** als een ~ uit een doosje *like a bat out of hell.*

duw ⟨de (m.)⟩ **0.1** *push* ⇒*shove, thrust,* ⟨zacht⟩ *nudge,* ⟨ihb. met scherp voorwerp⟩ *poke, jab, dig* ◆ **3.1** hij gaf me een ~ (met de elleboog) *he nudged me, he gave me a prod/dig in the ribs;* ⟨fig.⟩ de zaak een ~tje geven *help the matter along;* iem. een ~tje in de goede richting ⟨fig.⟩ *a push in the right direction;* iem. iets in de hand ~ *thrust sth. into s.o.'s hand;* de gijzelaar werd in een auto geduwd *the hostage was hustled into a car;* zich iets in handen laten ~ *get sth. thrust upon one;*

een ~tje in de rug geven ⟨fig.⟩ *give s.o. a boost/leg-up;* hij moet af en toe een ~tje hebben *he needs a prod from time to time;* een ~ krijgen ⟨fig.⟩ *suffer a setback* **6.1** een ~tje in de goede richting ⟨fig.⟩ *a push in the right direction;* tegen een ~tje kunnen ⟨fig.⟩ *be used to rough handling, be able to take a knock or two.*

duwbak ⟨de (m.)⟩ **0.1** *flat-bottom craft.*

duwboot ⟨de⟩ **0.1** *push tug* ⇒*pusher (tug), towboat.*

duweenheid ⟨de (v.)⟩ **0.1** *tow (of barges)* ⇒*multiple barge convoy set.*

duwen
I ⟨ov.ww.⟩ **0.1** [voortbewegen] *push* ⇒⟨hardhandig⟩ *shove,* ⟨iets op wielen ook⟩ *wheel* **0.2** [ergens/in een toestand brengen] *push* ⇒*thrust, shove, jab,* ⟨zacht⟩ *nudge* ◆ **1.1** een auto in gang ~ *jump-start/* ⁿ*bump-start a car;* een kinderwagen ~ *wheel/a pram* **5.1** heen en weer ~ *shove around, jostle* **5.2** iem. opzij ~ *p./brush/elbow s.o. aside* **6.2** iem. de deur in het slot ~ *shut a door, p. a door shut/to;* iem. in een hoek ~ ⟨ook fig.⟩ *drive s.o. into a corner;* iem. iets in de hand ~ *thrust sth. into s.o.'s hand;* de gijzelaar werd in een auto geduwd *the hostage was hustled into a car;* zich iets in handen laten ~ *get sth. thrust upon one;*
II ⟨onov.ww.⟩ **0.1** [druk uitoefenen op] *press* ⇒*push, shove, jostle* ◆ **3.1** een ~de en dringende massa *a jostling crowd* **5.1** duw niet ~, niet ~! *don't p. (me)!, stop pushing/shoving (me)!* **6.1** ~ tegen de deur *give the door a push.*

duwfout ⟨de⟩ ⟨sport⟩ **0.1** *pushing* ⇒⟨minder duidelijk⟩ *foul* ◆ **6.1** hij kreeg een gele kaart vanwege een ~ *he got a yellow card for p..*

duwvaart ⟨de⟩ **0.1** *push-towing* ⇒*pushing.*

D.V. ⟨afk.⟩ **0.1** [Deo Volente] *DV, God willing.*

dw. ⟨afk.⟩ **0.1** [dienstwillig] *obdt.* **0.2** [deelwoord] *part.* **0.3** [dead weight] ⟨dead weight⟩ ◆ **1.1** ⟨schr.⟩ uw ~dienaar *your obdt. servant.*

dwaalbegrip ⟨het⟩ **0.1** *misconception* ⇒*fallacy, false/mistaken notion, erroneous idea/belief.*

dwaalgast ⟨de (m.)⟩ **0.1** *visitant* ⇒*(occasional) visitor.*

dwaalgeest ⟨de (m.)⟩ **0.1** *erring spirit* ⇒⟨ihb.⟩ *heretic.*

dwaalleer ⟨de⟩ **0.1** *heresy* ⇒*false doctrine, heterodoxy, error.*

dwaallicht ⟨het⟩ **0.1** [vlammetje] *will-o'-the-wisp* ⇒*wildfire, ignis fatuus, fen-fire, jack-o'-lantern* **0.2** [persoon] *false guide.*

dwaalspoor ⟨het⟩ ⟨fig.⟩ **0.1** *wrong track* ⇒*false scent* ◆ **6.1** iem. op een ~ brengen *mislead/misguide s.o.;* ⟨op de verkeerde weg⟩ *lead s.o. astray; put/throw s.o. off the scent* ⟨achtervolger⟩; op een ~ raken/ zijn *go/be on the wrong track;* ⟨honden⟩ *lose the scent; go astray* ⟨ook fig.⟩.

dwaalster ⟨de (v.)⟩ **0.1** [planeet] *planet* **0.2** [misleidend licht] *wondering star.*

dwaaltocht ⟨de (m.)⟩ **0.1** *ramble* ⇒*hike, tramp.*

dwaalweg ⟨de (m.)⟩ ⟨fig.⟩ **0.1** *wrong track* ⇒*false track* ◆ **6.1** iem. op een ~ brengen/leiden *lead s.o. astray/into error;* op een ~ zijn *be on the wrong track, delude o.s..*

dwaas¹ ⟨de (m.)⟩ ⟨→sprw. 184⟩ **0.1** *fool* ⇒*idiot, featherbrain,* ⟨BE ook⟩ *ass,* ⟨AE;sl.⟩ *bucket-head,* ⟨inf.⟩ *dope, dummy* ◆ **2.1** jij bent een grote/verdomde ~ *you're a damned/blessed/prize fool,* ᴮ*you're a right Charlie;* een verliefde ~ *a fool in love, an infatuated idiot.*

dwaas²
I ⟨bn.⟩ **0.1** [mbt. personen] *foolish* ⇒*silly, stupid,* ⟨BE;inf.⟩ *daft, potty* **0.2** [mbt. woorden/handelingen] *foolish* ⇒*silly, stupid,* ⟨BE; inf.⟩ *daft* ◆ **1.1** de dwaze moeders *the mothers of the Plaza de Mayo* **1.2** wat een ~ gedoe! *what a silly/preposterous business!;* een ~ hoedje *a silly hat;* een ~ idee/dwaze gedachte/inval *a crazy/freak idea;* een dwaze onderneming *a wild-goose chase;* dwaze streken uithalen *get up to silly/daft tricks/pranks;* de ~te vooroordelen *all kinds of silly prejudices;* dwaze wensen/hoop/dromen *fond/idle wishes/hopes /dreams* **3.1** ben je ~? *have you gone round the bend?, are you mad/ all there?;* je zulit zo ~ niet zijn *surely you won't be so mad (as to)* **5.1** hij was zo ~ het te verklappen *he was f. enough to give it away* **5.2** dat is nog zo ~ niet *it's not such a crazy/bad idea;*
II ⟨bw.⟩ **0.1** [op gekke/zotte wijze] *foolishly* ⇒*stupidly, crazily* ◆ **3.1** zich ~ aanstellen/gedragen *play the fool, make a fool of o.s.;* ~ handelen/doen *act f./like a fool.*

dwaasheid ⟨de (v.)⟩ **0.1** [eigenschap, toestand] *foolishness* ⇒*folly, stupidity, idiocy,* ⟨sterk⟩ *madness* **0.2** [handeling, uiting] *folly* ⇒*nonsense* ◆ **1.1** dat is het toppunt van ~ *it's the height of folly/quite mad* **2.1** dat is je reinste ~ *that is sheer folly/madness, it's (just) plain foolish(ness)* **2.2** het zou een grote ~ zijn dat te geloven *it would be absurd to believe that* **3.2** dwaasheden begaan *do stupid things* **4.2** wat een ~ what f./ nonsense/rot! ¶.¶ ~! *go away!, ridiculous!.*

dwalen ⟨onov.ww.⟩ ⟨→sprw. 252,275⟩ **0.1** [dolen] *stray* ⇒*err, wander* **0.2** [zonder doel rondlopen] *wander* ⇒*roam, ramble, rove* **0.3** [mbt. blikken/gedachten] *stray* ⇒*travel* **0.4** [⟨fig.⟩ zich vergissen] *err* ⇒*go astray* ◆ **6.1** hij dwaalde door de stad *he wandered round the town* **6.2** wij dwaalden twee uur in het bos *we roamed (through) the forest for two hours* **6.3** zijn blikken dwaalden door de grote kamer *his eyes travelled all over the big room;* zijn gedachten dwaalden weer **naar** het verleden *his thoughts strayed back to the past.*

dwaling ⟨de (v.)⟩ **0.1** [het dwalen] *deviation* ⇒*aberration,* ⟨schr.⟩ *divagation* **0.2** [vergissing] *error* ⇒*mistake, fallacy* **0.3** [afwijking v.h. goede pad] *digression* ⇒*deviation, error(s),* ⟨schr.⟩ *divagation* ◆ **1.3** de ~en van zijn jeugd *the errors of his youth* **2.2** dat is een grove ~ *that is a serious mistake;* een rechterlijke ~ *a miscarriage of justice, a judicial e.* **3.3** zijn ~ inzien *see the light* **6.2** in ~ verkeren *be in e., be/ labour under a misapprehension.*

dwang ⟨de (m.)⟩ ⟨→sprw. 42⟩ **0.1** [machtsuitoefening] *compulsion, coercion* ⇒ ⟨geweld⟩ *force,* ⟨verplichting⟩ *obligation,* ⟨remmend⟩ *constraint,* ⟨druk⟩ *pressure,* ⟨jur.⟩ *duress* **0.2** [pathologisch verschijnsel] *obsession* ⇒*compulsion* ◆ **2.1** met zachte ~ *by persuasion* **3.1** ~ op iem. (uit)oefenen *bring pressure to bear on s.o., pressurize s.o. (into sth./doing sth.)* **6.1** onder ~ *under duress/constraint/pressure, involuntarily;* ⟨jur.⟩ bekennnen onder ~ *confess under duress;* buigen **voor** ~ *give way/yield to pressure;* **zonder** ~ *unconstrained, without obligation.*

dwangarbeid ⟨de (m.)⟩ **0.1** *hard labour* ⇒*forced/convict labour, penal servitude* ◆ **3.1** ~ verrichten *do hard labour.*

dwangarbeider ⟨de (m.)⟩, **-ster** ⟨de (v.)⟩ **0.1** *convict* ◆ **1.1** troep ~s *convict/chain gang, forced labour (crew).*

dwangbeeld ⟨het⟩ →**dwangvoorstelling.**

dwangbehandeling ⟨de (v.)⟩ **0.1** *compulsory treatment.*

dwangbevel ⟨het⟩ ⟨jur.⟩ **0.1** ⟨mbt. belasting⟩ *distress warrant* ⇒ ⟨alg.⟩ *(bailiff's) writ, fieri facias,* ⟨ongemarkeerd⟩ *injunction, enforcement order* ◆ **3.1** iem. een ~ betekenen *serve a writ on s.o.,* ᴶ*slap an injunction on s.o..*

dwangbeweging ⟨de (v.)⟩ **0.1** *compulsive movement* ⇒*tic.*

dwangbuis ⟨het⟩ **0.1** ⟨ook fig.⟩ *straitjacket* ⇒ ⟨BE ook⟩ *strait-waistcoat* ◆ **3.1** iem. een ~ aandoen *put s.o. in a straitjacket, straitjacket s.o..*

dwanggedachte ⟨de (v.)⟩ **0.1** *obsession* ⇒*obsessional thought/idea,* ⟨inf.⟩ *hang-up.*

dwanglicentie ⟨de (v.)⟩ **0.1** *compulsory licence* ᴬ*se* ⇒*licence of right.*

dwangligging ⟨de (v.)⟩ **0.1** *forced posture.*

dwangmaatregel ⟨de (m.)⟩ **0.1** *coercive/compulsory measure* ⇒*sanction.*

dwangmatig ⟨bn., bw.; -ly⟩ **0.1** ⟨tegen iemands wil⟩ *inexorable, relentless;* ⟨van binnenuit opgedrongen⟩ *compulsive* ◆ **3.1** ~ drong zich die afschuwelijke herinnering aan haar op *the awful memory forced its way inexorably/relentlessly into her mind;* ~ handelen *act compulsively.*

dwangmatigheid ⟨de (v.)⟩ **0.1** *compulsiveness.*

dwangmedicatie ⟨de (v.)⟩ ⟨med.⟩ **0.1** [het onder dwang toedienen van geneesmiddelen] *compulsory medication* **0.2** [onder dwang toegediende geneesmiddelen] *compulsory/forced medication.*

dwangmiddel ⟨het⟩ **0.1** *means/method of coercion* ◆ **8.1** eenzame opsluiting als ~ *solitary confinement as a means of coercion.*

dwangnagel ⟨de (m.)⟩ **0.1** *hangnail* ⇒*agnail.*

dwangneurose ⟨de (v.)⟩ **0.1** *obsessive-compulsive neurosis/reaction* ⇒ *obsessional neurosis.*

dwangopname ⟨de (v.)⟩ **0.1** *compulsory admission.*

dwangpositie ⟨de (v.)⟩ **0.1** [positie waarin men tot iets gedwongen wordt] *predicament* ⇒*dilemma* **0.2** [⟨bridge⟩] *squeeze (play)* ◆ **6.1** in een ~ verkeren *have one's hands tied, not be a free agent, be in a dilemma/between the devil and the deep blue sea;* iem. **in** een ~ brengen *place/put s.o. in a dilemma, force s.o.'s hand.*

dwangrail ⟨de⟩ **0.1** *guardrail* ⇒ ⟨BE ook⟩ *checkrail.*

dwangregime ⟨het⟩ **0.1** *despotic/tyrranical/oppressive regime* ◆ **2.1** het totalitaire ~ *the totalitarian regime.*

dwangsom ⟨de⟩ **0.1** *penalty/damages (imposed on a daily basis in case of non-compliance).*

dwangverpleging ⟨de (v.)⟩ **0.1** *compulsory admission* ⇒*compulsory (psychiatric) treatment.*

dwangvoorstelling ⟨de (v.)⟩ **0.1** *obsession* ⇒*fixed idea, idée fixe.*

dwarrelen ⟨onov.ww.⟩ **0.1** *whirl* ⇒*twirl, swirl* ⟨ook snel⟩, *flutter* ⟨bladeren⟩, *eddy* ⟨vnl. water⟩ ◆ **1.1** ~de bladeren *fluttering/swirling /dancing leaves;* de sneeuwvlokken ~ langs mijn raam *the snowflakes whirled past my window* **3.1** doen ~ *blow about* **4.1** alles dwarrelt me (voor de ogen) *my head's in a spin, everything's swimming before my eyes.*

dwarreling ⟨de (v.)⟩ **0.1** *whirl* ⇒*twirl, swirl, flutter, eddy.*

dwarrelvlucht ⟨de⟩ ⟨luchtv.⟩ **0.1** *falling leaf.*

dwarrelwind ⟨de (m.)⟩ **0.1** *whirlwind* ⇒ ⟨op kleine schaal⟩ *eddy of wind.*

dwars ⟨bn., bw.; -ly⟩ **0.1** [in een richting loodrecht op een andere] *diagonal* ⇒*transverse, crosswise, crossways* **0.2** [onhandelbaar] *cross-grained* ⇒*contrary, intractable, perverse,* ⟨inf.⟩ *cussed,* ⟨AE;sl.⟩ *ornery* ◆ **1.1** een ~e doorsnede *a cross-section/transverse section;* ~e strepen *d. lines/* ⟨op stof⟩ *stripes;* ⟨scheep.⟩ met de wind ~ zeilen *sail with the wind on the beam* **1.2** een ~ karakter *an intractable character;* ⟨persoon⟩ ⟨inf.⟩ *a crosspatch* **2.1** ~ gestreept *cross-striped;* ⟨enkel pred.⟩ *with d. stripes* **2.¶** hij heeft het dubbel en ~ verdiend *he deserved every bit of it* **3.1** iets ~ doorsnijden *cut straight through/right across sth.;* ~ gebakken ⟨fig.⟩ *half-baked;* ~ tegen iets ingaan *go right against sth.;* de balken liggen ~ *the beams lie crosswise;* je moet het ~ nemen *you must take it crosswise; you must cut it across the grain* ⟨hout⟩; de straat ~ oversteken *cross the street (at right angles);* ⟨fig.⟩ iem. de voet ~ zetten *thwart/cross/frustrate s.o.* **5.1** ergens ~ doorheen gaan *go/cut right through/across sth.* **6.1** hij stak hem ~ **door** het lijf *he ran him through (with his sword);* ~ **door** het veld *straight across the field;* hij ging ~ **door** mij heen *it cut me to the heart/ quick;* ⟨fig.⟩ ~ **door** iem. heen kijken *look straight through s.o.;* het gekrijs ging ~ **door** me heen *the shrieking split my ears/went right through me;* ~ **op** de golven liggen *lie across/athwart the waves;* ~ **over** een rivier zwemmen *swim (straight) across a river;* er was een touw ~ **over** de weg gespannen *a rope had been strung across the road;* de boom lag ~ **over** de weg *the tree lay right across the road* **¶.1** iem. ~ in de weg/voor de voeten komen *thwart/cross/frustrate s.o.'s plans.*

dwarsbalk ⟨de (m.)⟩ **0.1** [⟨lett.⟩] *tra(ns)verse beam, cross beam* ⇒*cross bar/beam/* ⟨AE⟩ *tie,* ⟨van deur/raam⟩ *transom, lintel* **0.2** [⟨wapenkunde⟩] *fess* ⇒ ⟨mv.⟩ *bars* ◆ **1.1** de ~v.e. letter *the cross of a letter* **3.1** van ~en voorzien *joist* **6.1** met (een) ~(en) *transomed* ⟨raam, deurstijl⟩.

dwarsbeuk ⟨de (m.)⟩ **0.1** *transept.*

dwarsbomen ⟨ov.ww.⟩ **0.1** *thwart* ⇒*cross, frustrate* ◆ **6.1** iem. ~ **in** iets *cross s.o. in sth..*

dwarsdoorsnede ⟨de⟩ **0.1** *cross section* ⟨ook wisk.⟩ ⇒*transverse section, transection, crosscut* ◆ **1.1** ⟨fig.⟩ een ~ van de populatie *a cross section/sample section of the population* **3.1** een ~ geven van *give a profile of;* een ~ maken van *make a cross section of, transect.*

dwarsdraads ⟨bn., bw.⟩ **0.1** *cross-grained* ◆ **1.1** ~ hout *c.-g. wood* **3.1** een plank ~ doorzagen *cut/saw a plank across the grain.*

dwarsdrijven ⟨ov.ww.⟩ **0.1** *obstruct* ⇒*thwart,* ⟨vnl. AE;inf.⟩ *buck against.*

dwarsdrijver ⟨de (m.)⟩, **-drijfster** ⟨de (v.)⟩ →**dwarsligger 0.1.**

dwarsdrijverij ⟨de (v.)⟩ **0.1** [het dwarsdrijven] *obstructionism* ⇒*perverseness, pigheadedness, contrariness,* ⟨inf.⟩ *cussedness* **0.2** [domme tegenspraak] *obstruction* ⇒*thwarting, perversity.*

dwarsfluit ⟨de⟩ **0.1** *flute* ⇒*German/transverse flute* ◆ **3.1** ~ spelen *play the f..*

dwarsgestreept ⟨bn.⟩ **0.1** *horizontally striped* ◆ **1.1** ~e spieren *striated muscles;* een ~e trui *a horizontally-striped pullover, a jumper with horizontal stripes.*

dwarshelling ⟨de (v.)⟩ **0.1** [helling in dwarse richting] *transverse slope* ⇒⟨luchtv., wegen⟩ *bank, superelevation* ⟨van weg/spoor⟩ **0.2** [⟨scheep.⟩] *side-launching yard.*

dwarshoofd ⟨het⟩ →**dwarsligger 0.1.**

dwarshout ⟨het⟩ **0.1** [dwars aangebracht hout] *cross-beam* ⇒*cross-bracing,* ⟨van ladder⟩ *rung,* ⟨tussen stoelpoten e.d.⟩ *stretcher,* ⟨van raam⟩ *transom, lintel* **0.2** [soort hout] *cross-grained wood.*

dwarskijker ⟨de (m.)⟩ **0.1** [spion] *spy* ⇒*informer,* ⟨inf.⟩ *snooper* **0.2** [ongewenste getuige] ≠*Peeping Tom.*

dwarsklamp ⟨de (m.)⟩ **0.1** *brace, batten* ⇒⟨in lijst⟩ *rail.*

dwarskop ⟨de (m.)⟩ →**dwarsligger 0.1.**

dwarskrachtcompensatie ⟨de (v.)⟩⟨audio⟩ **0.1** [concr.] *anti-skating device, anti-skate control* **0.2** [abstr.] *anti-skating compensation.*

dwarslaesie ⟨de (v.)⟩⟨med.⟩ **0.1** *spinal cord lesion* ⇒⟨het gevolg⟩ *paraplegia* ◆ **2.1** totale ~ *complete paraplegia.*

dwarslat ⟨de⟩ **0.1** *cross-lath;* ⟨sport⟩ *crossbar.*

dwarsliggen ⟨onov.ww.⟩ **0.1** *be obstructive* ⇒*be contrary/awkward,* ⟨AE; inf.⟩ *buck, be a trouble-maker/* ↓ *an awkward so-and-so.*

dwarsligger ⟨de (m.)⟩ **0.1** [persoon] *obstructionist* ⇒*trouble-maker,* ↓*awkward customer/so-and-so* **0.2** [balk]⟨spoorw.⟩ ᴮ*(railway) sleeper,* ᴬ*(cross)tie* ⇒*crossbeam, (cross-)girder.*

dwarsligging ⟨de (v.)⟩⟨med.⟩ **0.1** *transverse presentation.*

dwarsprofiel ⟨het⟩ **0.1** *transverse section* ⇒*cross section.*

dwarsscheeps ⟨bn., bw.⟩ **0.1** *athwartship* ⇒*across ship,* ⟨tov. schip⟩ *abeam (of), on the beam,* ⟨bw. ook⟩ *athwartships* ◆ **3.1** ~ liggen *lie abeam, be on the beam.*

dwarsschip ⟨het⟩ **0.1** *transept.*

dwarsstraat ⟨de⟩ **0.1** *side-street* ◆ **3.1** ⟨fig.⟩ ik noem maar een ~ *just to name but one example, for example/instance.*

dwarsstreep ⟨de⟩ **0.1** *cross/transverse line;* ⟨op stof⟩ *cross/diagonal stripe, band;* ⟨druk.⟩ *serif;* ⟨dwarsbalk v.e. letter⟩ *cross.*

dwarsstuk ⟨het⟩ **0.1** *cross piece* ⇒*traverse,* ⟨in houten hek⟩ *rider.*

dwarsverband ⟨het⟩ **0.1** ⟨scheep.⟩ *bracket frame* ⇒*(cross-)bracing, strutting.*

dwarsvleugel ⟨de (m.)⟩ **0.1** *transept.*

dwarsvóór ⟨bw.⟩⟨scheep.⟩ **0.1** *athwarthawse.*

dwarsweg ⟨de (m.)⟩ **0.1** [zijweg] *side-road,* ᴬ*crossroad* **0.2** [⟨fig.⟩] *side-track* ⇒*wrong track.*

dwarszee ⟨de⟩ **0.1** *cross sea* ⇒*beam-sea.*

dwarszitten ⟨ov.ww.⟩ **0.1** *cross* ⇒*thwart, hamper* ◆ **1.1** iem. ~*foil/frustrate s.o. ('s plans), thwart s.o.,* ⟨BE; sl.; vulg.⟩ *bugger s.o. about/around* **3.1** de opmerking bleef hem ~ *the remark rankled in/preyed on his mind/stuck in his throat/rankled* **4.1** wat zit je dwars? *what's eating/biting/bugging you?, what's got your goat?.*

dweepachtig ⟨bn.⟩ →**dweeperig I.**

dweepziek ⟨bn.⟩ **0.1** *fanatical* ⇒⟨mbt. godsdienst ook⟩ *zealotic,* ⟨overdreven⟩ ↓*effusive, gushing,* ↓*gushy,* ⟨opgetogen⟩ *languishing, ecstatic,* ⟨verzot⟩ *besotted, infatuated, smitten,* ↓*gooey* ◆ **1.1** een ~ *kind an infatuated child.*

dweepzucht ⟨de⟩ **0.1** *fanaticism* ⇒⟨mbt. godsdienst ook⟩ *zealotry,* ⟨in woorden uitgedrukt⟩ *effusion, rapture,* ⟨verzotheid⟩ *infatuation, hero-worship.*

dweepzuchtig ⟨bn., bw.⟩ →**dweepziek.**

dweil ⟨de (m.)⟩ **0.1** [doek] *(floor-)cloth* ⇒*rag,* ⟨op stok⟩ *mop,* ⟨mil./ scheep. ook⟩ *swab* **0.2** [iem. die over straat sliert] *loafer* ⇒*gadabout,* ⟨dronkelap⟩ *soak, boozer,* ᴬ*lush,* ⟨slappeling⟩ *drip* **0.3** [voetveeg] *doormat* ◆ **8.2** zich voelen als een ~ *feel like a wet rag* **8.3** hij behandelde mij als ~ *he treated me like dirt.*

dweilen
I ⟨onov., ov.ww.⟩ **0.1** [schoonmaken] *mop (down)* ⇒⟨mil./scheep. ook⟩ *swab (down), mop/swab (up)* ⟨vloeistof⟩ ◆ **¶.1** ⟨fig.⟩ (dat is) ~ met de kraan open *(that's just) banging/running/beating one's head against a brick wall, (it's) a waste of time (and effort);*
II ⟨onov.ww.⟩ **0.1** [straatslijpen] *loaf (around)* ⇒*knock/hang about,* ⟨veel drinken⟩ *be/go on a spree/* ⟨sl.⟩ *bender* **0.2** [⟨verkeer⟩] *crawl* ◆ **¶.1** langs de straat ~ *knock about the streets.*

dwepen ⟨onov.ww.⟩ **0.1** [overdreven denkbeelden koesteren] *be fanatical (about)* ⇒*enthuse (over), gush (about), rave (over/about), be mad/crazy (about), go into raptures (about)* **0.2** [grote bewondering hebben voor] *adore, idolize* ⇒*be fanatical/mad/crazy (about),* ⟨mbt. personen ook⟩ *dote (on), be* ↓*sold/, soppy,* ᴬ*lush,* ⟨slappeling⟩ *gooey over* ◆ **1.1** ~de ogen *starry/fond/gooey eyes;* een ~de toon/bewondering *a rapturous tone, a fanatical admiration* **6.2** ze dweepte *met die boeken/Bach she adored those books/idolized Bach.*

dweper ⟨de (m.)⟩, **dweepster** ⟨de (v.)⟩ **0.1** [iem. die dweept] *fanatic* ⇒⟨rel.⟩ *zealot* **0.2** [aanhanger v.e. idee] *devotee* ⇒*enthusiast,* ⟨ihb. sport⟩ *fan,* ᴬ*raver, aficionado* ⟨ook scherts.⟩, ⟨fanatiek⟩ *fanatic* ◆ **2.2** religieuze ~ *religionist* **6.1** een ~ **met** *Joyce a Joyce devotee/* ⟨inf.⟩ *fan.*

dweperig

I ⟨bn.⟩ **0.1** [geneigd tot dwepen] *fanatic(al);* ⟨enthousiast⟩ *enthusiastic;*
II ⟨bw.⟩ **0.1** [op dweepzieke wijze] *fanatically* ⇒*dotingly* ◆ **2.1** ~ religieus *religiose.*

dweperij ⟨de (v.)⟩ **0.1** *zealotry* ⇒*fanaticism,* ⟨enthousiasme⟩ *enthusiasm* ◆ **2.1** religieuze ~ *religiosity.*

dwerg ⟨de (m.)⟩ **0.1** [fabelachtig wezen] *gnome* ⇒*dwarf, elf,* ⟨IE⟩ *leprechaun* **0.2** [klein mens] *dwarf* ⇒*midge(t), pygmy, Tom Thumb,* ⟨pej.⟩ *runt* **0.3** [klein voorwerp] *midget* ⇒*dwarf, pygmy* **0.4** [⟨fig.⟩ iem. die machteloos staat] *dwarf* ⇒*mouse, David* ◆ **2.2** een wanstaltige ~ *a misshapen midget/d.* **2.3** ⟨ster.⟩ witte ~ *white dwarf* **6.3** een ~ *van* een auto *a m. car, a tiny little car* **6.4** een reus onder de ~en *a giant among dwarfs, Triton among the minnows* **7.1** Sneeuwwitje en de zeven ~en *Snowhite and the Seven Dwarfs.*

dwergachtig ⟨bn.⟩ **0.1** [als een dwerg] *dwarfish* ⇒*midget(-like), elfish, gnomish* **0.2** [zeer klein/laag] *stunted* ⇒*miniature, pygmy,* ⟨schr.⟩ *pygm(a)ean* ◆ **1.2** ~e boompjes *s. trees.*

dwergberk ⟨de (m.)⟩ **0.1** *dwarf birch.*

dwergboom ⟨de (m.)⟩ **0.1** *dwarf tree* ⇒⟨ihb.⟩ *bonsai,* ⟨slecht gegroeid⟩ *stunted tree.*

dwerggroei ⟨de (m.)⟩ **0.1** *dwarfism* ⇒⟨vnl. mbt. planten⟩ *stunting.*

dwerghert ⟨het⟩ **0.1** *mouse deer* ⇒*chevrotain.*

dwergkees ⟨de (m.)⟩ **0.1** *toy keeshond.*

dwergmuis ⟨de⟩ **0.1** *harvest mouse.*

dwergpalm ⟨de (m.)⟩ **0.1** *palmetto* ⇒*dwarf fan palm.*

dwergpartij ⟨de (v.)⟩ **0.1** ≠*splinter party.*

dwergpincher ⟨de (m.)⟩ **0.1** *affenpinscher.*

dwergpoedel ⟨de (m.)⟩ **0.1** *miniature poodle.*

dwergtong ⟨de⟩ **0.1** *little sole.*

dwergvalk ⟨de⟩ **0.1** [smelleken] *pigeon hawk* ⇒*stone falcon/hawk, merlin* **0.2** [kleine roofvogel] *falconet.*

dwergvlas ⟨het⟩ **0.1** *allseed.*

dwergvleermuis ⟨de⟩ **0.1** *common pipistrelle.*

dwergvolk ⟨het⟩ **0.1** *dwarf people/tribe* ⇒*pygmies.*

dwingeland ⟨de (m.)⟩ **0.1** [tiran] *tyrant* ⇒*despot, dictator, autocrat* **0.2** [iem. die anderen zijn wil oplegt] *bully* ⇒*tyrant* ◆ **2.2** een kleine ~ *a little tyrant.*

dwingelandij ⟨de (v.)⟩ **0.1** *tyranny* ⇒*despotism, dictatorship, autocracy.*

dwingen

I ⟨onov.ww.⟩ **0.1** [⟨ihb. van kinderen⟩ zeuren] *whine (for)* ⇒*pule* **0.2** [door persing uit elkaar dreigen te gaan] *be forced apart* ◆ **1.¶** vreemde ogen ~ ≠*children behave when strangers are around;*
II ⟨ov.ww.⟩ **0.1** [noodzaken] *force* ⇒*compel, oblige, coerce, constrain, make (s.o. do sth.)* **0.2** [met geweld brengen in] *force* ⇒*push, drive* ◆ **1.1** iem. langs gerechtelijke weg ~ *coerce s.o. by legal means* **1.2** hij heeft de stop erin gedwongen *he has forced the plug/stopper in* **3.1** hij was wel gedwongen (om) te antwoorden *he was obliged to answer;* de hongerstakers werden gedwongen te eten *the hunger-strikers were force-fed;* hij laat zich niet ~ *he won't be forced/coerced/* ⟨inf.⟩ bullied, *he won't yield to force;* zoiets laat zich niet ~ *you can't force a thing like that;* iem. ~ een overhaast besluit te nemen *rush s.o. into makeing a hasty/rush decision;* ze dwongen het vliegtuig naar Cuba te vliegen *they forced the plane to fly to Cuba, the plane was hijacked to Cuba* **4.1** als hij niet wil, zullen we hem wel ~ *if he doesn't want to, we'll make him (do it);* de omstandigheden hebben mij gedwongen *circumstances have forced me;* niets dwingt u daartoe *you are not obliged/compelled to do it;* zich gedwongen zien *be forced/compelled (to);* liefde laat zich niet ~ *love cannot be forced/constrained;* zichzelf (moeten) ~ (om) niet te schreeuwen/(om) te glimlachen *(have to) f./steel o.s. not to scream/smile* **6.1** iem. ~ **tot** gehoorzaamheid *force s.o. to obey, enforce obedience from s.o.;* de tegenstander **tot** de aanval ~ *f. the opponent to attack;* ⟨kaartspel⟩ ~ het spelen van een kaart *f. a card;* een vliegtuig **tot** landen *f. a plane down;* **tot** overgave ~ *f. into submission;* iem. **tot** actie/handelen ~ *force s.o.'s hand;* (iem.) **tot** bekentenissen ~ *force (s.o.) to confess;* iem. **tot** het uiterste ~ *drive s.o. to extremes* **¶.1** iem. op de knieën ~ ⟨ook fig.⟩ *bring s.o. to his knees.*

dwingend

I ⟨bn.⟩ **0.1** [noodzakend, gebiedend] *compelling* ⇒*compulsory, coercive, peremptory, imperative* **0.2** [dwingerig] ⟨→**dwingerig**⟩ ◆ **1.1** een ~ argument *a rogent/compelling argument;* ~e eisen *imperative/peremptory demands;* ~e noodzakelijkheid *imperative need/necessity,* ⟨jur.⟩ ~ recht *imperative law;* ~e redenen *compelling reasons;* een ~ voorschrift *a compulsory instruction/directive, an order;*
II ⟨bw.⟩ **0.1** [op gebiedende wijze] *authoritatively* ⇒*peremptorily, imperatively, obligatorily, coercively* ◆ **3.1** ~ kijken *give a commanding look;* iem. iets ~ voorschrijven *make sth. compulsory for s.o., make it imperative/impose an obligation (on s.o.) to do sth..*

dwingerig ⟨bn.⟩ **0.1** *whining* ⇒*moaning,* ⟨schr.⟩ *puling.*

d.w.z. ⟨afk.⟩ **0.1** [dat wil zeggen] *i.e..*

dyname ⟨de⟩ **0.1** *dyname.*

dynamica ⟨de (v.)⟩ **0.1** *dynamics.*

dynamiek ⟨de (v.)⟩ **0.1** [(ritmische) bewogenheid, vaart] *dynamics* ⇒*vi-*

tality, dynamism **0.2** [⟨muz.⟩ leer] *dynamics* **0.3** [⟨muz.⟩ toepassing]
dynamic ◆ **2.1** ⟨fig.⟩ de maatschappelijke ~ van de 20ste eeuw *the social dynamics of the 20th century* **6.3** de ~ **in** die aria is bepalend *the d.
in that aria is all-important.*
dynamiet ⟨het⟩ **0.1** *dynamite* ⇒≠*gelignite, giant powder* ◆ **1.1** een lading ~ *a blast (of d.)* **6.1 met** ~ opblazen/ vernielen *dynamite, blast,
blow up.*
dynamietstaaf ⟨de⟩ **0.1** *stick of dynamite.*
dynamisch ⟨bn.⟩ **0.1** [mbt. de dynamica] *dynamic(al)* **0.2** [mbt. de dyna-
miek] *dynamic* **0.3** [waarin innerlijke beweging/ bewogenheid over-
heerst] *dynamic* ⇒*energetic, forceful,* ↓*full of gumption/
get-up-and-go* ◆ **1.1** ~e druk/ elektriciteit *dynamic pressure/ electricity;* ~ stelsel *dynamic system* **1.2** het ~ accent *the d. stress/ accent;* ~e
tekens *dynamics, d. marks/ markings* **1.3** een ~e persoonlijkheid *a d.
personality;* ⟨inf.⟩ *a live wire.*
dynamisme ⟨het⟩⟨fil.⟩ **0.1** *dynamism.*
dynamo ⟨de (m.)⟩ **0.1** *dynamo* ⇒*generator.*
dynamo-elektrisch ⟨bn.⟩ **0.1** *dynamoelectric.*
dynamometer ⟨de (m.)⟩ **0.1** [krachtmeter] *dynamometer* **0.2** [mbt. een
lens] *dynameter.*
dynast ⟨de (m.)⟩ **0.1** *dynast* ⇒*ruler, monarch.*
dynastie ⟨de (v.)⟩ **0.1** *dynasty* ◆ **3.1** een ~ vestigen *found/ begin a d..*
dynastiek ⟨bn.⟩ **0.1** *dynastic(al).*
dyne ⟨de (m.)⟩ **0.1** *dyne.*
dysartrie ⟨de (v.)⟩⟨med.⟩ **0.1** *dysarthria.*
dysenterie ⟨de (v.)⟩⟨med.⟩ **0.1** *dysentery.*
dysfasie ⟨de (v.)⟩ **0.1** *dysphasia.*
dysfonie ⟨de (v.)⟩⟨med.⟩ **0.1** *dysphonia.*
dysfunctie ⟨de (v.)⟩ **0.1** *dysfunction.*
dyslectisch ⟨bn.⟩ **0.1** *dyslexic.*
dyslexie ⟨de (v.)⟩ **0.1** *dyslexia.*
dysmenorroe ⟨de⟩⟨med.⟩ **0.1** *dysmenorrhoea.*
dyspepsie ⟨de (v.)⟩⟨med.⟩ **0.1** *dyspepsia* ⇒*dyspepsy,* ⟨ongemarkeerd⟩
≠*indigestion.*
dysplasie ⟨de (v.)⟩ **0.1** [⟨med.⟩ stoornis in de ontwikkeling] *dysplasia*
0.2 [⟨med.⟩ abnormale celgroei] *dysplasia* **0.3** [afwijking van het nor-
male] *dysplasia.*
dyspneu ⟨de (m.)⟩⟨med.⟩ **0.1** *dyspnoea.*
dystrofie ⟨de (v.)⟩⟨med.⟩ **0.1** *dystrophy* ⇒*dystrophia.*
dystrofisch ⟨bn.⟩⟨med.⟩ **0.1** *dystrophic.*

e ⟨de⟩ **0.1** [letter, klank] *e,E* **0.2** [namen/ woorden beginnend met e] *e,
E* **0.3** [toon] *e,E* **0.4** [snaar] *E(-string)* ◆ **2.3** E groot/ klein *E major/
minor* **2.4** een nieuwe ~ spannen *put on a new E(-string).*
E ⟨afk.⟩ **0.1** [⟨España⟩] *E.*
e.a. ⟨afk.⟩ **0.1** [en andere(n)] *et al..*
EAJ ⟨afk.⟩ **0.1** [Experimentele Arbeidsplaatsen voor Jeugdigen]
[B]≠*YTS* ⟨*Youth Training Scheme*⟩, [B]≠*YOP* ⟨*Youth Opportunities
Programme*⟩ ◆ **1.1** een EAJ-project *a YTS project.*
eau ⟨de⟩ **0.1** *water, eau* ◆ ¶..¶ ~ de cologne *cologne; Cologne w., e. de
Cologne;* ~ de lavande *lavender w.;* ~ de javelle *javel(le) w.;* ~ de toilette *toilet w..*
eb ⟨de⟩ ⟨→sprw. 609⟩ **0.1** [het aflopen van de zee] *ebb(-tide)* ⇒*outgoing
tide, reflux* **0.2** [laag getij] *low tide* ⇒*low water* ◆ **2.1** een zware ~ *a
low ebb* **3.1** het is ~ *the tide is out* **6.2 bij** ~ *at l. t./ low water, when the
tide is out* **8.1** het komt als ~ en vloed *it comes and goes.*
ebaucheren ⟨onov., ov.ww.⟩ **0.1** [schetsen] *sketch (out)* ⇒*outline* **0.2**
[een model maken (van)] *roughcast.*
ebbe →*eb.*
ebbehout ⟨het⟩ **0.1** *ebony* ◆ **2.1** meubelen van nagemaakt ~ *ebonized
furniture* **8.1** zwart als ~ *e.-black.*
ebbehouten ⟨bn.⟩ **0.1** *ebony* ◆ **1.1** een ~ ameublement *a suite of e. furniture.*
ebben[1] ⟨het⟩ **0.1** *ebony.*
ebben[2] ⟨bn.⟩ **0.1** [van ebbehout] *ebony* **0.2** [zwart als ebbehout] *ebony.*
ebben[3] ⟨onov.ww.⟩ **0.1** [mbt. de zee] *ebb* ⇒*go out, recede* **0.2** [mbt.
water] *flow back* ⇒*recede, ebb* **0.3** [⟨fig.⟩] *ebb (away)* ⇒*go out/ away*
◆ **4.1** het ebt morgen om half zeven *tomorrow the tide will be out at
6.30.*
ebdeur ⟨de⟩ **0.1** *tailgate.*
eboniet ⟨het⟩ **0.1** *ebonite, vulcanite.*
ebonieten ⟨bn.⟩ **0.1** *ebonite, vulcanite.*
ebstroom ⟨de (m.)⟩ **0.1** *ebb current/ tide, outgoing tide.*
E.B.U. ⟨afk.⟩ **0.1** [Europese Betalingsunie] *E.P.U..*
eburine ⟨het⟩ **0.1** *ivorine.*
e.c. ⟨afk.⟩ **0.1** [exempli causa] *e.g..*
ecart ⟨de (m.)⟩ **0.1** [afwijking] *difference* ⇒*deviation* **0.2** [⟨geldw.⟩]
ecart.
ecarté ⟨het⟩ **0.1** *ecarté.*
ecarteren
I ⟨ov.ww.⟩ **0.1** [ter zijde schuiven] *discard* ⇒*reject, throw away/ out,
shove/ set aside* **0.2** [⟨kaartsp.⟩] *discard;*
II ⟨onov.ww.⟩ **0.1** [ecarté spelen] *play at ecarté.*

ecce homo 0.1 *Ecce Homo.*

ecclesia ⟨de⟩ **0.1** *Church* ◆ **¶.1** ~ mater *Mother-C.;* ~ triumphans *C. triumphant.*

ecclesiastisch ⟨bn.⟩ **0.1** *ecclesiastic.*

e.c.g. ⟨het⟩⟨afk.⟩⟨med.⟩ **0.1** [elektrocardiogram] *E.C.G.* ⇒⟨AE ook⟩ *E.K.G..*

échange ⟨de (v.)⟩ **0.1** *exchange.*

echappement ⟨het⟩ **0.1** *escapement.*

echec ⟨het⟩ **0.1** *fiasco* ⇒*failure,* ⟨inf.⟩ *flop,* ⟨nederlaag bij stemming e.d.⟩ *defeat, reverse* ◆ **2.1** het was een groot ~ *it was a huge flop* **3.1** ~ lijden *fail, suffer a defeat, meet with a rebuff / repulse;* ⟨bij stemming⟩ *be defeated;* ⟨inf.⟩ *come a cropper.*

echelle ⟨de (v.)⟩ **0.1** [toonladder] *scale* **0.2** [⟨gesch.⟩ handel- en stapelplaats] *port (in the Levant).*

echelon ⟨de (m.)⟩ **0.1** [troepenafdeling] *echelon* **0.2** [niveau, rang] *echelon* ⇒*level* ◆ **¶.1** 'en échelon' opstellen *place in e..*

echelonneren ⟨ov.ww.⟩ **0.1** *echelon.*

echo ⟨de (m.)⟩ **0.1** [nagalm] *echo* ⇒*reverberation, resonance,* ⟨radar⟩ *blip* **0.2** [uiting die een andere herhaalt] *echo* **0.3** [⟨muz.⟩] *echo* ◆ **3.1** de echo weerkaatste zijn stem *his voice was echoed* **3.2** iemands ~ zijn *echo s.o.'s words / opinions.*

echobeeld ⟨het⟩ **0.1** *double image* ⇒*echo, ghost image.*

echoën ⟨onov., ov.ww.⟩ **0.1** ⟨onov. ww.⟩ *echo* ⇒*reverberate, resound, ring,* ⟨ov. ww.⟩ *echo.*

echofoon ⟨de (m.)⟩ **0.1** *echo-sounder* ⇒*sonar.*

echo(ge)dicht ⟨het⟩ **0.1** *echo verse.*

echogewelf ⟨het⟩ **0.1** *echo vault.*

echografie ⟨de (v.)⟩ **0.1** *ultra-sound scan.*

echolalie ⟨de (v.)⟩⟨med.⟩ **0.1** *echolalia.*

echolood ⟨het⟩ **0.1** *echo-sounder* ⇒ *Fathometer, depth sounder.*

echopeiling ⟨de (v.)⟩ **0.1** *echo-sounding.*

echo-praxie ⟨de (v.)⟩⟨med.⟩ **0.1** *echokinesis, echokinesia.*

echoput ⟨de (m.)⟩ **0.1** *echoing well.*

echoscopie ⟨de (v.)⟩ **0.1** *ultra-sound scan.*

echowerk ⟨het⟩ **0.1** *echo organ.*

echt[1] ⟨de (m.)⟩⟨schr.⟩ **0.1** *matrimony* ⇒*wedlock* ◆ **6.1** in (door) de ~ verbonden / verenigd worden, **in** de ~ treden *be joined in m..*

echt[2]

I ⟨bn.⟩ **0.1** [zuiver, onvervalst]⟨werkelijk, geen imitatie⟩ *real* ⇒⟨oprecht, niet vervalst⟩ *genuine,* ⟨handtekening, document⟩ *authentic,* ⟨waarlijk⟩ *true, actual* **0.2** [bij uitnemendheid] *real* ⇒*regular, true- (blue / born), perfect, downright, thorough,* ⟨schr. of scherts.⟩ *veritable* **0.3** [wettig] *legitimate* ◆ **1.1** ~ gevoel, medelijden *r. / genuine feelings / compassion;* ~ goud *r. / genuine gold;* een ~ e handtekening *an authentic signature;* het ~ e theater / toneel *the legit(imate) theatre;* een ~ e vriend *a true / real friend;* ~ e wijn *r. wine* **1.2** zij is een ~ e dame *she is a r. / regular lady;* een ~ (e) lafaard / serpent / luilak / ⟨enz.⟩ *a real / regular coward / bitch / lazybones / ⟨enz.⟩;* het is een ~ schandaal *it's a r. / first-rate scandal;* het is nog niet de ~ e zomer *it's not properly summer yet* **1.3** ⟨jur.⟩ een ~ kind *a l. child, a child born in wedlock* **1.¶** ⟨wisk.⟩ een ~ e breuk *a proper fraction* **3.1** voor ~ erkennen / verklaren *authenticate;* het zag er helemaal (als) ~ uit *it looked completely genuine / like the real thing* **7.1** zij heeft de ~ e gevonden *she's found Mr. Right* **7.2** dat is nog niet het ~ e *it's not the real thing, the genuine article /* ^*the real McCoy;*

II ⟨bw.⟩ **0.1** [werkelijk] *really* ⇒*truly, genuinely, honestly, heartily* **0.2** [inderdaad de genoemde hoedanigheid bezittend] *real, genuine(ly)* ◆ **2.1** dat is ~ Hollands *that's typically Dutch;* ~ (waar) *honest(ly)!, honest-to-God,* ^*honest Injun* **2.2** een ~ gouden horloge *a real gold watch* **3.1** het is ~ gebeurd *it's a true story, it really happened;* meen je dat ~? *are you serious?;* dat moet je ~ niet doen *you really mustn't do that* **3.2** het klinkt ~ *it rings true* **4.1** dat is ~ iets voor hem ⟨typisch voor hem⟩ *that's him all over;* ⟨daar houdt hij van⟩ *that's his cup of tea* **5.1** ik heb het ~ niet gedaan *I honestly didn't do it;* ⟨inf.⟩ *I didn't do it, honest.*

echtbreken ⟨ww.⟩ **0.1** *commit adultery* ◆ **¶.1** ⟨bijb.⟩ gij zult niet ~ *thou shalt not commit adultery.*

echtbreker ⟨de (m.)⟩, **-breekster** ⟨de (v.)⟩ **0.1** *adulterer* ⟨m.⟩, *adulteress* ⟨v.⟩.

echtbreuk ⟨de⟩ **0.1** *adultery* ⇒*infidelity* ◆ **3.1** ~ plegen *commit a..*

echtelieden ⟨zn.mv.⟩⟨schr.⟩ **0.1** *spouses.*

echtelijk ⟨bn.⟩⟨schr.⟩ **0.1** *conjugal* ⇒*marital, matrimonial, connubial* ◆ **1.1** ~(e) moeilijkheden / geluk *marital problems / bliss;* de ~ e rechten en plichten *conjugal rights and duties;* een ~ e ruzie *a domestic quarrel;* de ~ e sponde *the conjugal bed;* de ~ e staat *the married / wedded state, (the holy) estate of) matrimony, connubiality, wedlock;* ~ e trouw *conjugal fidelity;* de ~ e woning verlaten *leave the marital home.*

echten ⟨ov.ww.⟩⟨schr.⟩ **0.1** *legitimate* ⇒*legitim(at)ize* ◆ **1.1** een kind ~ *legitimate a child.*

echter ⟨bw.⟩ **0.1** *however* ⇒*nevertheless, yet, but* ◆ **3.1** dat is ~ niet gebeurd *this, h., did not take place.*

echtgenoot ⟨de (m.)⟩, **-genote** ⟨de (v.)⟩ **0.1** *husband* ⟨m.⟩, *wife* ⟨v.⟩ ⇒

⟨schr., ook scherts.⟩ *spouse* ⟨m. en v.⟩ ◆ **2.1** de aanstaande / toekomstige echtgenoten *the intending h. and w.;* een bedrogen ~ *a cuckold* ⟨alleen van man⟩; de overblijvende ~ erft alles *the surviving spouse will inherit everything;* een wettige ~ *a lawful / wedded h. / w.* **6.1** iem. tot ~ nemen *take s.o. as h. / w.;* ⟨schr.⟩ *espouse s.o..*

echtheid ⟨de (v.)⟩ **0.1** [zuiverheid, onvervalstheid] *authenticity* ⇒*genuineness* **0.2** [waarheid] *genuineness* ⇒*truth* **0.3** [wettigheid] *legitimacy* ◆ **3.1** de ~ bewijzen / bevestigen / vaststellen van iets *prove / ascertain the a. of sth., authenticate sth..*

echtheidsgarantie ⟨de (v.)⟩ **0.1** *certificate of authenticity.*

echting ⟨de (v.)⟩⟨schr.⟩ **0.1** *legitimation* ⇒*legitimization.*

echtpaar ⟨het⟩ **0.1** *married couple* ⇒*husband and wife* ◆ **1.1** het ~ de Haan *Mr. and Mrs. de Haan.*

echtscheiding ⟨de (v.)⟩ **0.1** *divorce* ◆ **1.1** ⟨jur.⟩ voorlopig vonnis van ~ *decree nisi* **3.1** hij stemde in ~ toe *he agreed to a d.;* zij weigerde in ~ toe te stemmen *she refused to give him a d.* **6.1** een verzoek / aanvraag tot ~ indienen, ~ aanvragen *sue for / seek a d., file a d. suit / a petition for a d., start d. proceedings.*

echtscheidingsaanvraag ⟨de⟩ **0.1** *divorce petition* ⇒*application / petition for (a) divorce* ◆ **3.1** een ~ indienen *file a d. p.;* ⟨inf.⟩ *file for divorce.*

echtscheidingsgrond ⟨de (m.)⟩ **0.1** *ground for divorce.*

echtscheidingsprocedure ⟨de⟩ **0.1** *divorce proceedings* ◆ **3.1** een ~ aanspannen tegen iem. *begin / instigate d. p. against s.o..*

echtverbintenis ⟨de (v.)⟩⟨schr.⟩ **0.1** *marital / matrimonial union / bond* ⇒ ^*marriage.*

echtvereniging ⟨de (v.)⟩⟨schr.⟩ **0.1** *marital union* ◆ **2.1** vijfentwintigjarige ~ *twenty-fifth wedding anniversary.*

echtverklaring ⟨de (v.)⟩ **0.1** *legitimation* ⟨bv. van kind⟩ ⇒*authentication* ⟨van document⟩.

eclat ⟨het⟩ **0.1** [glans, luister] *eclat* ⇒*glory, lustre* **0.2** [opzien] *sensation* ⇒*stir, commotion,* ⟨inf.⟩ *splash* ◆ **3.2** (veel) ~ maken *create (quite) a stir.*

eclatant ⟨bn., bw.; -ly⟩ **0.1** [schitterend] *glorious* ⇒*resounding, sensational, brilliant* **0.2** [opzienbarend] *sensational* ⇒*spectacular, startling, signal* ⟨succes⟩ ◆ **1.1** een ~ succes *a resounding success* **1.2** ~ e onthullingen *sensational disclosures, startling revelations.*

eclecticisme ⟨het⟩ **0.1** *eclecticism.*

eclecticus ⟨de (m.)⟩ **0.1** *eclectic.*

eclectisch ⟨bn., bw.; -ally⟩ **0.1** *eclectic.*

eclips ⟨de⟩ **0.1** *eclipse* ⇒≠*occultation.*

eclipseren

I ⟨ov.ww.⟩ **0.1** [verduisteren] *eclipse* ⇒≠*occult, intercept (the light of);*

II ⟨onov.ww.⟩ **0.1** [verdwijnen] *abscond* ⇒*decamp,* ⟨inf.⟩ *flit, bolt,* ⟨van werk⟩ ^B*skive off.*

ecliptica ⟨de (v.)⟩ **0.1** *ecliptic* ◆ **1.1** de helling van de ~ is 23° 27' *the obliquity of the e. is 23° 27'.*

ecloge ⟨de⟩ **0.1** *eclogue* ⇒*bucolic(s), pastoral.*

ecologie ⟨de (v.)⟩ **0.1** [mbt. dieren en planten] *ecology* **0.2** [mbt. de mens] *human ecology* ◆ **2.2** sociale ~ *social e.* **2.¶** fysiologische ~ *autecology.*

ecologisch ⟨bn., bw.; -ly⟩ **0.1** [mbt. de ecologie] *ecological* **0.2** [milieuvriendelijk] *ecological* ⇒⟨van landbouwmethoden⟩ *biological* ◆ **1.1** ~ e uitgeverij *a publisher in the field of ecology* **1.2** ~ e landbouw *e. / b. farming / agriculture.*

ecoloog ⟨de (m.)⟩ **0.1** *ecologist.*

econometrie ⟨de (v.)⟩ **0.1** *econometry.*

econometrist ⟨de (m.)⟩ **0.1** *econometrician, econometrist.*

economie ⟨de (v.)⟩ **0.1** [staathuishoudkunde] *economics* ⇒*political economy* **0.2** [zuinigheid, bezuiniging] *economy* ⇒*frugality, thrift* **0.3** [staathuishoudkundig bestuur] *economy* **0.4** [opzet uit oogpunt van doelmatigheid] *economics* ⇒*economy* **2.3** geïndustrialiseerde ~ *industrialism, industrialized economy;* geleide ~ *planned economy;* gemengde ~ *mixed economy;* vrije ~ *free-market economy.*

economisch ⟨bn., bw.; -(al)ly⟩ **0.1** [spaarzaam, zuinig] *economical* ⇒*frugal, thrifty* **0.2** [mbt. de staatshuishoudkunde] *economic* ◆ **1.1** ⟨scheep.⟩ ~ e vaart *service speed* **1.2** ~ e aardrijkskunde *e. geography;* het ~ belang / de ~ aspecten van het uitgeversbedrijf *the economics of publishing;* Economische Hogeschool / Faculteit ⟨hogeschool, faculteit⟩ *School of Economics;* ⟨BE faculteit ook⟩ *Faculty / Department of Economics;* het ~ leven *the economy / e. activities;* ~ e politiek *e. policies;* een ~ stelsel *an e. system* **3.1** een ruimte ~ indelen *make e. / efficient use of the available space* **3.2** ~ achteruit gaan ⟨van bedrijf⟩ *go into financial straits;* ⟨van land⟩ *go into e. decline.*

economiseren ⟨ov.ww.⟩ **0.1** *economize.*

economist ⟨de (m.)⟩ **0.1** *economist.*

econoom ⟨de (m.)⟩ **0.1** *economist.*

ecoplanologie ⟨de (v.)⟩ **0.1** *environmental planning.*

ecosysteem ⟨het⟩ **0.1** *ecosystem.*

ecrin ⟨het⟩ **0.1** *jewel box / case* ⇒*jeweller's case.*

ecru ⟨bn.⟩ **0.1** *ecru* ⇒*light fawn.*

ectoderm ⟨het⟩⟨biol.⟩ **0.1** *ectoderm, exoderm.*

ectopie ⟨de (v.)⟩⟨med.⟩ **0.1** *ectopia.*

ectopisch ⟨bn.⟩⟨med.⟩ **0.1** *ectopic* ◆ **1.1** een ~e zwangerschap *e. preg-nancy.*

ectoplasma ⟨het⟩ **0.1** [⟨biol.⟩] *exoplasm* ⇒*ectoplasm* **0.2** [⟨parapsych.⟩] *ectoplasm.*

ectoplastisch ⟨bn.⟩ **0.1** *ectoplasmic.*

Ecuadoriaan ⟨de (m.)⟩ **0.1** *Ecuadorian.*

Ecuadoriaans ⟨bn.⟩ **0.1** *Ecuadorian.*

eczeem ⟨het⟩ **0.1** *eczema* ◆ **2.1** vochtig ~ *weeping e..*

ed. ⟨afk.⟩ **0.1** [edidit] *ed.* **0.2** [editio] *ed.* **0.3** [editeur] *ed..*

e.d. ⟨afk.⟩ **0.1** [en dergelijke(n)] ⟨*and suchlike, and the like*⟩.

Edammer[1] ⟨de (m.)⟩ **0.1** [inwoner van Edam] *inhabitant of Edam* **0.2** [kaas] *Edam (cheese).*

Edammer[2] ⟨bn.⟩ **0.1** *Edam* ◆ **1.1** ~ kaas *E. (cheese).*

Edda ⟨de⟩ **0.1** [Oudijslands prozawerk] *Edda* **0.2** [Scandinavische goden-/heldenliederen] *Edda* ◆ **2.2** de Poëtische ~ *the Elder/Poetic E.* ¶.**1** de Snorra ~ *the Younger/Prose E..*

edel ⟨bn., bw.; -ly⟩ (→sprw. 147,148) **0.1** [van adel] *noble* ⇒*aristocratic, patrician* **0.2** [in zedelijk opzicht voortreffelijk] *noble* ⇒*magnani-mous, gentle, generous* **0.3** [voortreffelijk in zijn soort] *noble* ⇒*per-fect, fine, precious, sublime* **0.4** [mbt. bezigheden, kunsten] *noble* ⇒ *gentle* ◆ **1.1** van ~(e) geboorte/ras *high-bred, high-born;* ~e geslach-ten *n. families* **1.2** een ~ mens/karakter *a n. man/character;* de ~e wilde *the n. savage* **1.3** de ~e delen van het lichaam *the vital parts of the body;* ~e gassen *inert gases;* ~e metalen *n./precious metals;* een ~ paard *a high-bred horse;* ~e trekken *n. features;* ~e wijnen *fine wines* **1.4** de ~e kunst ⟨bv. hengelen, dichten, luieren⟩ *the n./gentle art (of angling, etc.)* **3.2** dat is ~ van u *that's very n./generous of you* **4.1** ⟨schr.⟩ U Edele *Your Honour/Worship* **7.1** de ~n *the nobility.*

edelachtbaar ⟨bn.⟩ ◆ **1.**¶ Edelachtbare Heren *My Lords,* [A](*Mr. Mayor and) Members of the Council/City Council Members* ¶.¶ ⟨aanspreek-titel van o.a. rechter⟩ Edelachtbare *Your Honour,* ⟨BE ook⟩ *My Lord, Your Worship;* ⟨BE; rechter⟩ *Mr. Justice.*

edele ⟨de (m.)⟩ **0.1** *noble* ◆ **1.1** ⟨gesch.⟩ het Verbond der ~n *the Com-promise* ¶.**1** de ~n *the nobility;* ⟨gesch.⟩ *the nobles.*

edelgas ⟨het⟩⟨schei.⟩ **0.1** *rare/noble/inert gas.*

edelgesteente ⟨het⟩ **0.1** *precious stone.*

edelhert ⟨het⟩ **0.1** *red deer.*

edelman ⟨de (m.)⟩ **0.1** *noble* ⇒*nobleman, peer, gentleman* ⟨m.; v.⟩ ⟨m.⟩, *noblewoman, peeress, lady, gentlewoman* ⟨v.⟩ ◆ **2.1** Spaans ~ *don.*

edelmoedig ⟨bn., bw.; -ly⟩ **0.1** *noble* ⇒*generous, magnanimous* ◆ **1.1** een ~ gebaar *a n. gesture, a beau geste;* een ~ persoon *a n./generous person* **3.1** ~ handelen *act with generosity;* iem. ~ vergeven *generous-ly forgive s.o..*

edelmoedigheid ⟨de (v.)⟩ **0.1** *generosity, magnanimity* ⇒*nobility,* ⟨vrij-gevigheid⟩ ⟨schr.⟩ *largesse* ◆ **1.1** toegeven aan een opwelling van ~ *give in/way to a burst of g.* **4.1** zij is de ~ zelve *she is g. itself/the soul of g..*

edelsmeedkunst ⟨de (v.)⟩ **0.1** *silversmith's/goldsmith's trade.*

edelsmid ⟨de (m.)⟩ **0.1** *worker in precious metals* ⇒⟨goudsmid⟩ *gold-smith,* ⟨zilversmid⟩ *silversmith.*

edelsteen ⟨de (m.)⟩ **0.1** *precious stone, gem(stone)* ⇒*jewel* ◆ **2.1** een ge-kaste ~ *a set stone, a jewel in a setting;* een valse ~ *a false/imitation stone/gem; a paste* **6.1** met edelstenen bezetten/tooien *set with jew-els, jewel, gem;* met edelstenen bezet/getooid *encrusted with jewels, (be)jewelled.*

edelweiss ⟨het⟩ **0.1** *edelweiss.*

Eden ⟨het⟩ **0.1** *Eden* ◆ **1.1** de Hof van ~ *the Garden of E., paradise.*

edict ⟨het⟩ **0.1** *edict* ⇒*decree.*

editie ⟨de (v.)⟩ **0.1** *edition* ⇒ ⟨van krant/weekblad ook⟩ *issue,* ⟨fig. ook⟩ *version* ◆ **2.1** een extra ~ *a special e.;* ⟨figuur⟩ een gebonden ~ *a hardback/hardcover e.;* de laatste ~ *the final e.* **6.1** ⟨fig.⟩ haar tweede man was een jongere ~ van haar eerste *her second husband was a younger e./version of her first one* **7.1** de eerste ~ *the first e., the edi-tio princeps.*

edoch ⟨vw.⟩⟨schr., iron.⟩ **0.1** *however, yet, still, but.*

educatie ⟨de (v.)⟩ **0.1** *education* ◆ **2.1** permanente ~ *continuous/per-manent e.* **3.1** geen ~ genoten hebben *have (had) no upbringing.*

educatief ⟨bn., bw.; -ly⟩ **0.1** *educational* ⇒*educative, instructional* ◆ **1.1** de educatieve diensten van de bibliotheken *the educational services of the libraries;* ~ speelgoed *educational toys.*

educt ⟨het⟩⟨schei.⟩ **0.1** *educt.*

eed ⟨de (m.)⟩ **0.1** [plechtige verklaring] *oath* ⇒*vow* **0.2** [nadrukkelijke belofte] *oath* ⇒*vow* ◆ **1.1** een ~ van geheimhouding *an o. of secrecy;* een ~ op het sterfbed *a dying o.;* een ~ van trouw aan de koning *an o. of allegiance to the king* **2.1** beslissende ~ *decisory o.;* een plechtige ~ *a solemn o./vow/promise;* promissoire ~ *promissory o.;* suppletoire ~ *suppletory o.* **3.1** de ~ afleggen in handen van *be sworn (in) by, take an o. before;* iem. de ~ afnemen *administer an o. to s.o., put s.o. under o.;* ⟨van getuige ook⟩ *swear (a witness);* ⟨van ambtenaar⟩ *swear in (a public servant);* zijn ~ breken *break one's o.;* een ~ doen/afleggen/zweren *make/take/swear an o., swear;* een ~ herroepen/in-trekken *unswear;* iem. onder ede horen *examine/hear s.o. on o.;* iem.

de ~ opleggen/laten afleggen *require/exact an o. from, make/force s.o. to take an o.;* de ~ weigeren *refuse to take the o.* **6.1** zich **bij** ede verbinden *engage o.s. on o. (to);* **onder** ede staan *be under o., be on (one's) o.;* iets **onder** ede verklaren *declare sth./give evidence on o.;* ⟨vnl. schriftelijk⟩ *depose sth.;* een getuige **onder** ede *a sworn witness;* ik zou er een/geen ~ **op** willen doen *I could swear/not swear to it;* ~ **op** de Bijbel *o. sworn on the Bible.*

eedaflegging ⟨de (v.)⟩ **0.1** *taking an/the oath.*

eedafneming ⟨de (v.)⟩ **0.1** *administration of an/the oath* ⇒ ⟨bij ambts-aanvaarding, nieuwe leden⟩ *swearing-in,* ⟨getuigen⟩ *swearing (of an/ the oath).*

eedbreker ⟨de (m.)⟩, **-breekster** ⟨de (v.)⟩ **0.1** *perjurer.*

eedbreuk ⟨de⟩ **0.1** *perjury* ⇒*breach of oath, violation of one's oath* ◆ **3.1** ~ plegen *commit p., be guilty of p., break one's oath, perjure o.s..*

eedformule ⟨de⟩, **-formulier** ⟨het⟩ **0.1** *wording of the oath* ⇒ ⟨gedrukt⟩ *printed oath.*

eedgenoot ⟨de (m.)⟩ **0.1** *confederate.*

eedgenootschap ⟨het⟩ **0.1** *confederacy, confederation* ⇒*league* ◆ **2.1** het Zwitserse ~ *the Swiss Confederation.*

e.e.g. ⟨afk.⟩⟨med.⟩ **0.1** [electro-encefalogram] *E.E.G..*

E.E.G. ⟨de (v.)⟩⟨afk.⟩ **0.1** [Europese Economische Gemeenschap] *E.E.C..*

eega ⟨de⟩⟨schr.⟩ **0.1** *spouse.*

eekhoorn ⟨de (m.)⟩ **0.1** *squirrel* ⇒ ⟨Noordamerikaanse gestreepte va-riëteit⟩ *chipmunk* ◆ **2.1** een grijze/rode ~ *a grey/red s.;* een vliegen-de ~ *a flying s.;* ⟨een kleine soort⟩ *polatouche.*

eekhoorntjesbrood ⟨het⟩ **0.1** *cep* ⇒*boletus.*

eekhoornvis ⟨de (m.)⟩ **0.1** *squirrelfish.*

eelt ⟨het⟩ ⟨vnl. van plek⟩ *call(o)us, callosity;* ⟨alg.⟩ *hard/horny skin* ◆ **3.1** ~ op zijn ziel hebben *be hardened/↓thickskinned.*

eeltig ⟨bn.⟩ **0.1** *callous, callused, horny.*

eeltknobbel ⟨de (m.)⟩ **0.1** *call(o)us* ⇒*callosity,* ⟨aan grote teen⟩ *bun-ion.*

een[1] ⟨de⟩ **0.1** *one* ◆ **2.1** ⟨dobbelspel⟩ dubbele ~ *tow ones, amesace, ambsace* **3.1** enen gooien/werpen *throw ones.*

een[2] ⟨bn.⟩ **0.1** *one* ◆ **1.1** van ~ grootte *of a size, (of) the same size* **3.1** zich ~ (ge)voelen met de natuur *be at o. with nature, commune with nature;* ~ maken *unite;* ~ worden *become o.;* ~ zijn/blijven *be/re-main o./united* **6.1** ~ **met** *o./united with.*

een[3] ⟨onb.vnw.⟩ **0.1** *one* ◆ **3.1** hij gaf hem er ~ op de neus *he gave him o. on the nose;* er is er ~ voor u geweest *s.o. came for you, there's been s.o. here for you;* er ~ laten vliegen *fart;* er ~ pakken/nemen/drinken *have a drink/drop/*⟨vnl. BE; inf.⟩ *wet; have (a quick) o.* **5.1** geef me er nog ~ *give me another (o.)/o. more* **6.1** dat is er ~ **voor** jou *that's o. up to you* ¶.**1** je bent me er (ook) ~ *you are a o./nice o.!* ↓*caution!;* als er ~ is die het kan, dan is hij het *if anyone can do it, he can;* ⟨fig.⟩ bij hem is er ~ op de loop *he's not all there, he's got a screw loose.*

een[4] (→sprw. 183,461,521,575,612)

I ⟨hoofdtelw.; met klemtoon⟩ **0.1** *one* ◆ **1.1** het ~ en ander *this and that, a few things, a thing or two;* de/het ~ of ander *someone/some-thing or other;* ik zal ~ en ander nog opzoeken *I'll check a few things/ a thing or two/o. or two points;* het ~ met het ander *one thing with an-other;* (noch) het ~ noch het ander *neither o. thing nor the other;* u krijgt ~ en ander voor fl. 100,- *you get all this for the price of fl. 100,-;* van de ~ naar de andere kijken *look from o. to the other;* van het ~ komt het ander *o. thing leads to another;* de ~ zegt dit, de andere dat *some (people) say one thing, some another;* de ene bui na de andere *o. shower after another, shower after shower;* op één dag in ~ dag *on the same day;* op (de) ~ (of andere) dag *some/o. day;* ~ dezer dagen *o. of these days;* ~ keer is voldoende *once is enough;* uit ~ mond *with o. voice;* in ~ woord *in o. word* **3.1** elke stem is er ~ *every vote counts;* elke cent is er ~ *a halfpenny saved is a halfpenny gained;* elke cent is er ~ voor hem *he has to count his pennies, he has to turn every penny twice* **4.1** ~ en dezelfde *o. and the same;* ~, geen ~ *not o., no o.* **5.1** de weg is ~ al modder *the road is a sea of mud/is nothing but mud;* zij is ~ en al oor/oog/glimlach *she is all ears/eyes/smiles;* zij was ~ en al gastvrijheid *she was hospitality itself/the soul of hospitality;* hij was ~ en al zenuwen *he was a bundle of nerves;* niet ~ heeft er iets over gezegd *nobody said anything about it;* nog ~ woord of/en ik schiet *o. more word and not another word or I'll shoot* **6.1** het is **bij** enen *it's almost o. (o'clock);* niet ~ **op** de duizend *not (a single) o. in a thou-sand;* de **op** ~ **na** laatste, **op** ~ **na** de laatste *the last but o. the penulti-mate;* de beste, **op** ~ **na** de beste *the second best;* allen **op** ~ **na** *all except/but o.;* honderd **tegen** ~ *a hundred to o.;* ~ **van** hen *o. of them;* ~ **van** tweeën *o. of two things;* ~ **van** de twee kleuren *either of the two colours;* ~ **van** beide(n) *either, o. of them, o. or the other;* ~ **voor** allen, allen **voor** ~ *all for o. and. for all;* ~ **voor/na** ~ *o. by o., o. at a time, o. after the other* **7.1** men kan het ene doen en het andere niet laten *you/one could/can do both;* (je moet kiezen) het ~ of het ander *you can't have it both ways* **8.1** als één man *as o. man, in a body;* twee weten meer dan ~ *two heads are better than o.;* ~ of ander *o. or other;* op de ~ of andere wijze (in) *o. way or another, somehow or other;* ~ of ander meisje *some girl or other;*

II ⟨rangtelw.; met klemtoon⟩ **0.1** *one* ⇒*first* ◆ **1.1** op ~ april *on April / All Fools' Day; (on) April 1(st)*, ⟨uitgesproken als: ⟩ *on the first of April / April the first/* ^A^*April first*; ~ mei vieren *celebrate May Day / the first of May;* nummer ~ *number o*. **3.1** ~ zijn *be (the) first / the winner / number o. / at the top;*
III ⟨lidw.; zonder klemtoon⟩ **0.1** [⟨onbepaald⟩] *a;* ⟨voor klinker⟩ *an* **0.2** [categoriaal] *a* **0.3** [ongeveer] *a, some* **0.4** [⟨in uitroepen⟩] *a, some* ◆ **1.1** ~ ander *another;* op ~ ⟨goeie⟩ dag *one (fine) day;* ~ Rembrandt *a Rembrandt;* neem ~ Tedje van Es *take a / s.o. like a Tedje van Es* **1.2** ~ walvis heeft longen *a / the whale has lungs, whales have lungs* **1.3** over ~ dag of wat *in a few / a couple of days;* ~ dag of wat *a day or so / what;* ~ uur of drie *three hours or so; around three o'clock* **1.4** ~ mensen dat er waren! *what a lot of people there were!, plenty of people there!;* het was daar ~ temperatuur! *s. temperature there* **2.1** ~ drukte (meneer) Jansen, ene (meneer) Jansen *a (certain) / one / s.o. like (Mr.) Jansen* **4.1** wat (voor) ~ *what a* **4.4** wat ~ weer(tje)! *what / some weather!;* wat ~ mooie bloemen! *what beautiful flowers!;* wat ~ mensen! *what a crowd!;* wat ~ idee / een geldverspilling *what an idea!, the idea!; what a waste (of money)!;* wat ~ lef! *what guts!, what a nerve!, the / some nerve!* **5.1** nog ~ woordenboek *(yet) another dictionary;* zo ~ *such a* **7.3** ~ duizend gulden *s. thousand guilder.*
eenaderig ⟨bn.⟩ ⟨elek.⟩ **0.1** *single-core* ◆ **1.1** ~ snoer *s.-c.* ^B^*flex/* ^A^*cord.*
eenakter ⟨de (m.)⟩ **0.1** *one-acter, one-act play.*
eenassig ⟨bn.⟩ **0.1** *uniaxial* ⇒*monoaxial,* ⟨auto⟩ *single-axle.*
eenbaansweg ⟨de (m.)⟩ **0.1** *single-track road, single-lane road.*
eenbenig ⟨bn.⟩ ⟨sport⟩ **0.1** ⟨zie 3.1⟩ ◆ **3.1** ~ zijn *have (only) one strong foot.*
eenbes ⟨de⟩ **0.1** *herb Paris* ⇒*truelove, leopard's-bane.*
eenbloemig ⟨bn.⟩ **0.1** *uniflorous* ⇒*unifloral.*
eenbroederig ⟨bn.⟩ ⟨plantk.⟩ **0.1** *monadelphous.*
eencellig ⟨bn.⟩ **0.1** *unicellular, single-celled* ◆ **1.1** ~e organismen *s.-c. organisms.*
eend ⟨de⟩ **0.1** [watervogel] *duck* ⇒ ⟨jong⟩ *duckling,* ⟨woerd⟩ *drake* **0.2** [scheldnaam] *goose* ⇒*gull, silly,* ⌐*ass* **0.3** [auto] *(citroen) 2 CV* ⇒ *deux-chevaux* ◆ **2.1** ⟨fig.⟩ de gebraden ~en vliegen hem in de mond *he has all the luck in the world, he is a lucky one;* een stukje ~ *a piece of duck;* ⟨fig.⟩ er is een vreemde ~ in de bijt *there's a stranger in our midst;* ⟨fig.⟩ zich een vreemde ~ in de bijt voelen *feel like a stranger / outsider / intruder, feel the odd man out;* wilde ~ *mallard;* ⟨ihb. woerd⟩ greenhead; zwarte / noordse ~ *common scoter* **2.3** (in een (lelijke) ~ rijden *drive (in) a deux-chevaux* **3.1** ~ eten *eat duck* **3.2** het is een ~ *he is such a goose;* ⌐*an ass.*
eendaags ⟨bn.⟩ [één keer per dag] *(once) daily, once-a-day* **0.2** [een dag durend / geldig] *one-day* ⇒ ⟨korstondig⟩ *ephemeral* ◆ **1.1** een ~e buslichting *one collection daily* **1.2** een ~ retour *a day return.*
eendagsbloem ⟨de⟩ **0.1** *Spiderwort, day flower.*
eendagsgeld ⟨het⟩ **0.1** *call / day-to-day money.*
eendagskuiken ⟨het⟩ **0.1** *day-old / unsexed chick.*
eendagsvlieg ⟨de (m.)⟩ **0.1** *ephemeron, ephemera* **0.2** [insekt] *mayfly, dayfly* ⇒*(green) drake, emphemerid, ephemera* ◆ **¶.1** ~en ⟨in de showbusiness⟩ *one-night stands;* ⟨in enk. ook⟩ *flash in the pan; nine days' wonders.*
eendebek ⟨de (m.)⟩ **0.1** [snavel van een eend] *duck's beak* **0.2** [⟨med.⟩ inf.) speculum] *duck's-bill.*
eendeëi ⟨het⟩ **0.1** *duck egg.*
eendegang ⟨de (m.)⟩ **0.1** *waddle.*
eendejacht ⟨de⟩ **0.1** *duck hunting /* ⟨BE ook⟩ *shooting* ⇒*ducking* ◆ **2.1** de ~ is open *ducks are in season, the duck season has begun.*
eendekker ⟨de (m.)⟩ **0.1** [bus] *single-decker, single-deck bus;* ⟨vliegtuig⟩ *monoplane.*
eendekroos ⟨het⟩ **0.1** *duckweed.*
eendekuiken ⟨het⟩ **0.1** [jong van een eend] *duckling* **0.2** [sufferd] *goose* ⇒*silly,* ⌐*ass,* ⟨vnl. AE⟩ *dummy,* ⟨sl.⟩ *dumb duck.*
eendelig ⟨bn.⟩ **0.1** *one-piece, one-part* ◆ **1.1** een ~ boekwerk *a single / one-volume work;* een ~e pyjama *one-piece pyjamas /* ^A^*pajamas.*
eendemossel ⟨de⟩ **0.1** *barnacle.*
eendenbijt ⟨het⟩ **0.1** *duck hole.*
eendenhagel ⟨de (m.)⟩ **0.1** *duck shot.*
eendenkooi ⟨de⟩ **0.1** *(duck) decoy.*
eender
I ⟨bn.⟩ **0.1** [de- / hetzelfde] *(the) same* ⇒⟨alleen pred.⟩ *alike, equal* ◆ **3.1** dat is ~ *that's all one / all the same;* dat is mij ~ *that's all one / all the same to me;* geen twee mensen zijn ~ *no two people are alike / are cut to the same pattern* **4.1** het is ~ wie / wat *it doesn't matter who / what / which* **5.1** die jonges zijn allemaal ~ *those boys are all of a kind / all the same / alike* **6.1** ~ van kleur *of the same colour;*
II ⟨bw.⟩ **0.1** [op dezelfde wijze] *alike* ⇒*equally* ◆ **3.1** zij zijn ~ gekleed *they are dressed a..*
eendje ⟨het⟩ **0.1** [kleine / jonge eend] *duckling* ⇒⟨kindertaal⟩ *ducky* **0.2** [auto] ⟨→eend **0.3**⟩ ◆ **2.1** jonge ~s *duck chicks;* het lelijke (jonge) ~ *the ugly duckling.*
eendracht ⟨de⟩ ⟨→sprw. 149⟩ **0.1** *harmony, concord* ⇒*union.*
eendrachtig ⟨bn., bw.; -ly⟩ **0.1** *united* ⇒*harmonious,* ⟨pred. en bw. ook⟩

in unity / concord, as one man ◆ **3.1** ~ samenwerken *work together in unison, work harmoniously together / hand in hand.*
eenduidig ⟨bn., bw.; -ly⟩ **0.1** *univocal* ⇒*unequivocal, unambiguous.*
eendvogel ⟨de (m.)⟩ ⟨→sprw. 531⟩ **0.1** [eend als spijs] *duck* **0.2** [stommeling] *goose* ⇒*stupid, silly,* ⌐*ass* **0.3** [⟨mv.⟩ orde van vogels] *Anseriformes.*
eeneiïg ⟨bn.⟩ **0.1** *monovular, monozygotic* ◆ **1.1** een ~e tweeling *identical twins;* ⟨wet.⟩ *monovular / monozygotic twins.*
eenentwintigen ⟨onov.ww.⟩ **0.1** *play blackjack / vingt-et-un* ⇒⟨AE ook⟩ *play twenty-one,* ⟨BE ook⟩ *play pontoon* ◆ **1.1** heeft er iem. zin om een potje te ~/ zin in een potje ~? *anybody for a game of blackjack / vingt-et-un?*
eenfasig ⟨bn.⟩ **0.1** *single-phase.*
eengezinswoning ⟨de (v.)⟩ **0.1** *single-family dwelling.*
eenheid ⟨de (v.)⟩ **0.1** [overeenstemming, harmonie] *unity* ⇒*oneness,* ⟨gelijkvormigheid⟩ *uniformity* **0.2** [maat, hoeveelheid, grootheid] *unit* **0.3** [onderdeel dat een afgerond geheel vormt] *unit* ⇒*entity* ◆ **1.1** ~ van beginselen *unity of principles;* ~ van gedachten / denken *unit / agreement of thought, marriage of minds;* de ~ van een kunstwerk *the unity of a work of art;* de ~ v.h. land wordt bedreigd *the unity of the country is in danger;* de ~ van lichaam en ziel *the unity of body and soul;* ~ van prijzen / afmetingen / loon / taal *uniformity of prices / measurements / wages / language* **1.2** eenheden en tientallen *units and tens* **2.2** abstracte ~ *abstract u.;* concrete ~ *physical u.* **2.3** administratieve ~ *an administrative u.;* de mobiele ~ *flying squad, riot police;* speciale ~ *task force / group;* strategische ~ *strategic u.;* tactische ~ *tactical u.* **3.1** ~ brengen in verschillende methodes *integrate various methods;* de ~ herstellen / verbreken *restore / destroy unity* **3.3** een (hechte / gesloten) ~ vormen *form a (tight / closed) group* **6.1** een gevoel van ~ met de natuur *a sense / feeling of oneness / communion with nature* **7.1** de drie eenheden van Aristoteles *the dramatic unities, Aristotle's unities of time, place and action.*
eenheidsfront ⟨het⟩ ⟨pol.⟩ **0.1** *united front* ⇒⟨Volksfront⟩ *popular front.*
eenheidslijst ⟨de⟩ **0.1** *single / unified / combined list (of candidates).*
eenheidspartij ⟨de (v.)⟩ **0.1** *united party* ◆ **¶.1** in sommige landen is er een ~ *in some countries there is a one-party system / there is only one political party.*
eenheidsprijs ⟨de (m.)⟩ **0.1** [prijs per eenheid] *unit price, price per unit* **0.2** [prijs voor alle artikelen geldend] *uniform price, single price.*
eenheidstarief ⟨het⟩ **0.1** *flat / uniform rate* ⇒*standard tariff.*
eenheidsworst ⟨de⟩ **0.1** *sameness* ◆ **3.1** wordt de middenschool een ~? *will the comprehensive school lead to s. / boring uniformity?.*
eenhelmig ⟨bn.⟩ ⟨plantk.⟩ **0.1** *monandrous.*
eenhoevig ⟨bn.⟩ ⟨dierk.⟩ **0.1** *single-hoofed, solidungulate* ◆ **7.1** ⟨zelfst.⟩ de ~en *the solidungulates.*
eenhoofdig ⟨bn.⟩ **0.1** *one-single-headed* ⇒*van staatsbestuur] monocratic, monarchical* ◆ **1.1** een ~e regering *a monocracy / monarchy.*
eenhoorn ⟨de (m.)⟩ **0.1** [fabeldier] *unicorn* **0.2** [vis] *unicorn (fish / whale), sea-unicorn, narwhal.*
eenhuizig ⟨bn.⟩ ⟨plantk.⟩ **0.1** *monoecious.*
eenjarig ⟨bn.⟩ **0.1** [één jaar oud] *one-year(-old)* ⇒⟨dierk.⟩ *yearling* **0.2** [één jaar durend] *one-year('s)* ⇒*yearlong,* ⟨plantk.⟩ *annual* ◆ **1.1** het ~ bestaan van de vereniging *the first anniversary of the society;* een ~ paard / veulen ⟨colt⟩ ^B^*hogg colt;* ~ schaap ^B^*hogget;* ~e windhond *sapling* **1.2** een ~e plant *an annual;* een ~ verlof *one year's leave, a one-year / yearlong vacation, a sabbatical year* **7.1** ⟨zelfst.⟩ de ~en *the one-year-olds;* ⟨dieren, ihb. (ren)paarden⟩ *yearlings.*
eenkamerwoning ⟨de (v.)⟩ **0.1** *single- / one-room* ^B^*flat/* ^A^*apartment* ⇒*studio (* ^B^*flat/* ^A^*apartment), bed-sit(ter),* ^A^*efficiency apartment.*
eenkennig ⟨bn.⟩ **0.1** *shy* ⇒⟨inf.⟩ *mummyish* ◆ **3.1** niet ~ zijn *not be s. / mummyish / clinging.*
eenlettergrepig ⟨bn., bw.; -ally⟩ **0.1** [monosyllabisch] *monosyllabic* ⇒ ⟨attr. ook⟩ *one-syllable* **0.2** [uit woorden van één lettergreep bestaand] *monosyllabic* ◆ **1.1** een ~ woord *monosyllable, a m. word* **3.2** een moeizame, bijna ~ geworden conversatie *a laboured, almost m. conversation.*
eenling ⟨de (m.)⟩ **0.1** *(solitary) individual* ⇒*solitary, lone wolf, loner* ◆ **2.1** een zelfgenoegzame ~ *a self-sufficient individual.*
eenlobbig ⟨bn.⟩ **0.1** *monocotyledonous.*
eenmaal ⟨bw.⟩ **0.1** [één keer] *once* ⇒*one time* **0.2** [ooit, eens] ⟨verleden⟩ *once;* ⟨toekomst⟩ *one day, someday* **0.3** [niets aan te veranderen] *just, simply* ◆ **3.1** wij leven maar ~ *we only live once* **3.2** als dat nu maar ~ gebeurd is *once that has happened ...; als het ~ zover komt if it ever comes to it / happens;* ~ komt de tijd… *(one day) the time will come* … **3.3** dat is nu ~ zo *that's j. the way it is* **5.1** ~, andermaal, voor de derdemaal, verkocht *going, going, gone!; once, twice, for the last time!* **5.3** ik houd nu ~ van hem *it's j. that / the fact is that I love him;* ik ben nu ~ zo *that's just the way I am, that's me all over;* zo is het leven nu ~ *that's / such is life, that's the way of the world;* ik mag hem nu ~ niet *I j. don't like him;* het / jongens zijn nu ~ jongens *boys will be boys;* er wordt nu ~ geroddeld *people will talk;* dat gebeurt nu ~, zo gaat het nu ~ *(it's) j. one of those things, that's the way*

it goes; ⟨AE;inf.⟩ *that's the way the cookie crumbles;* het moet nu~ gebeuren *it'll have to be/it must be done, there is no getting round it* ¶.1 ~ is geen maal once is no custom; als hij ~ op dreef is, houdt hij nooit meer op *once he gets started/going, there's no stopping him.*

eenmaking ⟨de (v.)⟩ **0.1** *unification* ⇒*integration.*

eenmalig ⟨bn.⟩ **0.1** *once-only, single* ⇒[B]*one-off,* ⟨inf.⟩ *one-shot,* ⟨met nadruk⟩ *once-in-a-life-time* ◆ **1.1** een ~e aanbieding *a once-only/ one-of-a-kind offer;* voor ~ gebruik *use only once, for s. use;* een ~ optreden/concert *a one-night stand, a s. performance;* ⟨inf.⟩ *a gig;* een ~e toelage *a once-only/block grant;* een ~e uitgave *a non-recurring/ recurrent expense;* een ~e uitgave/publikatie/gebeurtenis *a once-only/one-shot edition/publication/event;* ⟨BE ook⟩ *a one-off (edition/publication/event).*

eenmansfractie ⟨de (v.)⟩ ⟨pol.⟩ **0.1** *one-man faction.*

eenmansorkest ⟨het⟩ **0.1** *one-man band.*

eenmansschool ⟨de⟩ **0.1** *one-room school.*

eenmanszaak ⟨de⟩ **0.1** *one-man business.*

één-mei-feest ⟨het⟩ **0.1** *May Day (celebrations).*

eenmotorig ⟨bn.⟩ **0.1** *single-engine(d).*

eenogig ⟨bn.⟩ **0.1** *one-eyed.*

eenoog ⟨de (m.)⟩ ⟨→sprw. 64⟩ **0.1** *one-eyed person.*

éénoudergezin ⟨het⟩ **0.1** *single-parent family.*

eenpansmaaltijd ⟨de (m.)⟩ **0.1**[†] *casserole, one-pan meal.*

eenparig ⟨bn., bw.;-ly⟩ **0.1** [eensgezind] *unanimous* ⇒⟨pred. en bw.⟩ *with one voice/accord by common consent* **0.2** [zonder onderling verschil] *uniform, steady, even* ◆ **1.1** met ~e stemmen *by u. vote, unanimously;* op ~ verzoek ⟨jur.⟩ *at the joint request (of)* **1.2** een ~e beweging *a steady/uniform motion;* een ~e warmte *a even/steady heat* **3.1** een voorstel ~ aannemen *carry a proposal unanimously;* men was ~ van oordeel/mening dat *there was a general consensus that, they were all agreed that, they agreed unanimously that ...;* ~ werd besloten *it was decided by u./common consent* **3.2** ~ versnelde/vertraagde beweging *uniformly accelerated/decelerated movement.*

eenparigheid ⟨de (v.)⟩ **0.1** [eensgezindheid] *unanimity* **0.2** [gelijkmatigheid] *uniformity, steadiness, evenness* ◆ **1.1** met ~ van stemmen *by unanimous vote, unanimously;* ⟨inf.⟩ *by solid vote.*

eenpersoonsbed ⟨het⟩ **0.1** *single bed.*

eenpersoons-deken ⟨de⟩ **0.1** *single blanket.*

eenpersoonshuishouden ⟨het⟩ **0.1** *single household, one-man household, single person (household).*

eenpersoonshut ⟨de⟩ **0.1** *single(-berth) cabin.*

eenpersoonskamer ⟨de⟩ **0.1** *single room* ⇒⟨inf.⟩ *single.*

eenpitsstel ⟨het⟩ **0.1** *gas ring* ⇒*single-burner cooker/*[A]*stove.*

eenpolig ⟨bn.⟩ **0.1** *unipolar, single-pole, monopolar.*

eenpoter ⟨de (m.)⟩ ⟨landb.⟩ **0.1** *uniflorous/unifloral plant.*

eenrichtingverkeer ⟨het⟩ **0.1** [⟨verkeer⟩] *one-way traffic* **0.2** [⟨fig.⟩] *one-way traffic/communication* ◆ **1.1** straat met ~ *one-way street.*

eens ⟨→sprw. 108,180,226⟩
I ⟨bw.⟩ **0.1** [eenmaal] *once* **0.2** [nog eenmaal] *twice* **0.3** [op zekere tijd] ⟨toekomst⟩ *some/one day, sometime;* ⟨verleden⟩ *once* **0.4** [⟨ter versterking⟩] ⟨zie 3.4.5.4,¶.4⟩ ◆ **2.3** de ~ beroemde pianist *the once famous pianist* **3.3** kom ~ langs *drop in/by/come round/by sometime;* er was ~ *once upon a time (there was), there was once;* Londen is niet meer wat het ~ was *London is not what it used to be* **3.4** denk ~ even (goed) na *just think (carefully);* het gebeurt nog al ~ dat *it not infrequently happens that ..., it does (sometimes) happen that ...;* hoor ~ look! *see here!; hey! just listen!; I say ...;* nou moet je ~ goed naar me luisteren *now just listen to me carefully, you'd better listen to me;* stel je ~ voor *(just) imagine!;* zeg, vertel me ~, Jan *tell me, Jan!;* waag het ~ just try it, I dare you, don't you dare; wacht ~ *wait a minute, hang on;* je zult ~ zien wat er gebeurt *you (just)/you'll see (what happens)* **5.1** voor ~ en altijd, ~ (en) voor al, ~ en voorgoed *some time or other, sometime, o. and for all, for good and all, outright;* dat is ~ en nooit weer *never again, o. is enough* **5.2** geef mij nog ~ zoveel, a.u.b. *would you give me t. as much/many, give me as much/many again, would you;* ~ zo groot *t. as large/big* **5.3** ik heb de groenten nu ~ gestoomd *I steamed the vegetables for a change, I thought I'd steam the vegetables;* ooit ~ *some time or other, sometime;* dat is weer ~ wat anders *that's sth. else/different again* **5.4** dat zou best ~ kunnen *that might well be the case;* dat zal ik je ~ haarfijn vertellen *let me tell you in great detail, I can tell you exactly;* ik spreek nog niet ~ over de rest *I am not even talking about the rest, to say nothing of the rest;* niet ~ tijd hebben om *...not even have the time to;* hij heeft ~ *he never as/so much as looked, he did not even look;* nee en nog ~ nee *once and for all: no!;* nog ~ once more, (once) again; ⟨schr.⟩ *anew, afresh;* dat is nog ~ een flinke vent/mooie vrouw *that's quite a/some guy, that's a really beautiful woman;* schenk ze nog ~ in! *the same again!;* nu ~, dan weer *off and on, on and off;* als we nu ~ ...suppose we ..., how about ...?; u zou wel ~ gelijk kunnen hebben *you could/might (well) be right;* wel ~ *once in a while, sometimes, now and again* **6.1** ~ in het uur *hourly, every hour;* ~ in de week/drie maanden/drie jaar *weekly, three-monthly, triennially; o. a week/every three months/every three years* **6.3** ~ op een dag *once, one day* **8.1** meer dan ~ *more than o.,*

frequently ¶.1 ~ te meer *in particular, more so* ¶.4 je moet je ~ na laten kijken *you really should have a check-up;* ⟨iron.⟩ *you need your head examining;* kijk ~ aan! *well, fancy that!, just look at that!;*
II ⟨bn.⟩ **0.1** [van dezelfde mening] *agreed, in agreement* ◆ **3.1** het over de prijs ~ worden *agree on a/about the price;* het ~ worden *come to/reach an agreement/understanding, come to terms;* het erover ~ zijn, dat ...*agree/be agreed about that ...;* het ~ zijn *agree, be agreed, be in agreement* **5.1** het volkomen/roerend ~ zijn *be in heartfelt agreement, be at one with s.o., be hand and/in glove with each other* **6.1** het met iem. ~ zijn *agree with s.o., be of s.o.'s mind, see eye to eye with s.o.;* het niet ~ zijn **met** iem. *disagree/be in disagreement with s.o., differ with s.o.;* het niet ~ kunnen worden *be not able to make up one's mind, be in two minds (about sth.), be undecided;* u zult het **met** mij wel ~ zijn, dat ...*you'll agree with me that ..., you must agree that ...;* dat ben ik (niet) **met** je ~ *I (don't) agree/disagree with you there;* het **op/over** sommige punten niet ~ kunnen worden *be unable to reach agreement on/over certain points;* het ~ zijn **over** iets *agree (up)on/about sth.;* het **over** iem. ~ worden *agree about s.o.* **6.**¶ het **met** zichzelf ~ zijn *have reached a decision/made up one's mind.*

eenscharig ⟨bn.⟩ **0.1** *one-share* ⟨ploeg⟩ ⇒*with one share.*

eensdeels ⟨bw.⟩ **0.1** ⟨zie 5.1⟩ ◆ **5.1** ~ ...andersdeels *partly ..., partly; for one thing ..., for another; on the one hand ... on the other (hand).*

eensdenkend ⟨bn.⟩ **0.1** *of one mind* ⇒*like-minded.*

eensgezind ⟨bn., bw.;-ly⟩ **0.1** *unanimous* ⇒*united, harmonious, concerted* ⟨acties, pogingen⟩, ⟨schr.⟩ *concordant* ◆ **1.1** een ~e familie *a united family;* een ~e houding aannemen *take an unanimous stand;* ~e pogingen *concerted/united efforts* **3.1** ~ handelen *act with one accord/in concert/as one (man)/unanimously;* alle experts raden ~ het roken af *all experts (are) unite(d) in advising against smoking;* ~ zijn *agree to a man, be of one mind/at one* **6.1 over** iets ~ zijn *be united on/about sth.;* ~ **voor/tegen** iets zijn *be unanimously/solidly for/against sth..*

eensgezindheid ⟨de (v.)⟩ **0.1** *unanimity* ⇒*unity, consensus, harmony, accord* ◆ **1.1** de ~ v.d. werkende klasse *the solidarity of the working class.*

eensklaps ⟨bw.⟩ **0.1** *suddenly, all at once/of a sudden* ⇒⟨inf.⟩ *slap(-bang), out of the blue.*

eenslachtig ⟨bn.⟩ ⟨biol., plantk.⟩ **0.1** *unisexual* ⇒⟨biol. ook⟩ *dioecious,* ⟨plantk. ook⟩ *diclinous* ⟨bloem⟩ ◆ **1.1** ~e dieren *dioecious animals;* ~e planten *dioecious plants.*

eensluidend ⟨bn.⟩ **0.1** *identical (in content), uniform (with)* ⇒*concurrent, (exactly) corresponding, certified, true* ⟨afschrift⟩ ◆ **1.1** voor ~ afschrift *certified a true copy, I certify this to be a true copy (of ...);* een ~ afschrift, een voor ~ getekend/gewaarmerkt afschrift *a certified/ true copy, a duplicate;* ⟨jur.⟩ *a tenor;* tot een ~ oordeel komen *arrive at/come to a u./unanimous opinion/judgment* **6.1** de vertaling is ~ **met** de originele tekst *the translation agrees with/is faithful to the original text.*

eensporig ⟨bn.⟩ **0.1** *single-track.*

eensteensmuur ⟨de (m.)⟩ **0.1** *9 inch wall.*

eenstemmig ⟨bn., bw.;-ly⟩ **0.1** [unaniem] *unanimous* ⇒*consentient,* ⟨pred. en bw.⟩ *by common assent/consent, with one accord/one voice, in unison* **0.2** [met één stem gezongen] *unison* ⇒*for one voice* ◆ **1.2** een ~ liedje *a song for one voice, a u. song;* ⟨a capella⟩ *monody* **3.1** ~ verklaren dat ...*declare unanimously/with one voice that ...;* ~ werd hiertoe besloten *this was decided/agreed by common consent/ assent/nem. con.;* zij zijn ~ in hun afwijzing *they are unanimous in their rejection* **3.2** zij zongen alleen ~ *they sang only (in) u..*

eenstemmigheid ⟨de (v.)⟩ **0.1** *unanimity* ⇒*(general) agreement, consensus, concurrence,* ⟨eenparige stemmen⟩ *unanimous/* ⟨inf.⟩ *solid vote* ◆ **3.1** ~ bereiken *come to/reach (a unanimous/an) agreement;* hierover bestaat geen ~ *there is no universal agreement/consensus (of opinion) on this matter;* niet tot ~ komen *fail to reach/reach no agreement;* ⟨AE;v.e. jury⟩ *hang.*

eentalig ⟨bn.⟩ **0.1** *monolingual, unilingual.*

eentje¹ ⟨het⟩ **0.1** *a small (figure) one.*

eentje² ⟨onb.vnw.⟩ **0.1** [een van de genoemde soort] *one* **0.2** [⟨+in/op zijn⟩ alleen] *(by) oneself, (on) one's own* ◆ **3.1** geef mij er ~ *give me o. (of those/them);* hij is me er ~! *he is a o.! nice o.!* ⟨ᴸ *caution!;* neem er nog ~ *have another (o. / glass);* er ~ pakken/nemen/achteroverslaan *get/take/have a drink/drop/* ⟨vnl. BE; inf.⟩ *wet; knock o. back; have a quick o.* **5.1** ben je er zo ~? *you're o. of those, are you?* **6.2** hij zat **in** zijn ~ *he was alone/by himself/on his own;* **in** z'n ~ zitten **drinken/ zingen** *drink/sing alone/by o.s.;* **op** zijn (dooie) ~ *all alone/on his own/by himself/* ⟨BE;sl.⟩ *on his tod/lonesome* ¶.1 er ~ te veel op hebben *have had o. too many/a drop too much; he had o. over the eight.*

eentonig ⟨bn., bw.;-(al)ly⟩ **0.1** [monotoon] *monotonous* ⇒*monotone, monotonic, in the same key* **0.2** [saai] *monotonous* ⇒*drab, dull, tedious, unrelieved, unvarying, wearisome,* ⟨BE;sl.⟩ *samey, flat* ◆ **1.1** ~ gezang *monotonic/monotone singing* **1.2** een ~ landschap *a m./dull landscape;* een ~ leven/bestaan leiden *lead a humdrum/drab/grey/*

gray/jogtrot life/existence, vegetate; ~ werk *tedious/m. work;* (vnl. BE) *a fag; drudgery;* (sl.) *a drag;* ~ werk doen *do tedious/repetitive/ soul-destroying work, drudge.*

eentonigheid (de (v.)) **0.1** *monotony, monotonousness* ⇒*drabness, humdrum, sameness, tedium.*

een-tweetje (het) (sport) **0.1** *one-two* ⇒ (voetbal ook) *wall pass* ◆ **3.1** een~ spelen *do/perform a o.-t..*

eenverdiener (de (m.)) **0.1** *sole/single wage-earner.*

eenvormig (bn.) **0.1** [gelijkvormig] *uniform* ⇒*monomorphous, monomorphic* **0.2** [saai] *monotonous* ⇒*flat, dull, tedious, indistinctive* ◆ **3.1** ~ maken *make u., uniformize.*

eenvormigheid (de (v.)) **0.1** [gelijkvormigheid] *uniformity, uniformness* **0.2** [saaiheid] *monotony* ⇒*flatness, dullness.*

eenvoud (de (m.)) **0.1** [simpelheid] *simplicity, simpleness* **0.2** [ongekunsteldheid] *simplicity* ⇒*plainness, artlessness, straightforwardness, homeliness* **0.3** [afwezigheid van praal] *simlicity* ⇒*unpretentiousness, plainless* **0.4** [argeloosheid] *simplicity* ⇒*innocence, naïvety, innocence, ingenuousness* ◆ **1.1** de ~ van het systeem *the simplicity of the system* **1.2** (schr.) in ~ des harten *in singleness of heart, in all sincerity* **2.3** in alle ~ werd hij begraven *he was buried quietly in/with all s./ without ceremony* **6.4** hij zei dat in zijn ~ *he said that in his naïvety /innocence.*

eenvoudig
I (bn.) **0.1** [niet samengesteld/ingewikkeld] *simple* ⇒*uncomplicated, elementary, plain* (woorden, waarheid), (gemakkelijk) *easy* **0.2** [zonder overdaad/pronk] *simple* ⇒*unpretentious, ordinary, homespun, homely,* (van maaltijd ook) *frugal,* (zeer eenvoudig) *severe, austere, primitive* **0.3** [bescheiden] *simple* ⇒*plain, ordinary, low(ly), humble* (afkomst), *modest, unpresuming, simple-hearted* **0.4** [enkel, zonder meer] *simple* ⇒*common* ◆ **1.1** in ~e bewoordingen *in plain words/straightforward terms/language;* om de ~e reden dat hij geen geld had, kocht hij het niet *he did not buy it for the s. reason that he had no money; he did not buy it, (quite) simply because he had no money* **1.2** ~ etentje *a s./ homely/frugal meal* **1.3** van ~e afkomst *(of) humble/low (descent), lowborn;* het zijn ~e mensen *they are simple/homely people* **1.4** ~e beleefdheid *common courtesy* **3.1** dat is toch heel ~ *surely that's quite s./ straightforward, that's plain sailing, isn't it?;* dat is het ~ste *that's the simplest/easiest way;* dat maakte de zaak stukken ~er *that simplified matters considerably* **5.1** kinderlijk ~ *childishly/ludicrously/ridiculously s.;* (inf.) *foolproof;* zo ~ ligt dat niet *it's not that s., that is far from being a/no s. matter* **7.3** de ~en van geest *simple(-hearted) souls,* ⟨the simple-minded **8.1** zo ~ als wat *as easy as winking/falling off a log, a piece of cake;*
II (bw.) **0.1** [op eenvoudige wijze] *simply* ⇒*plainly* **0.2** [zonder meer] *simply* ⇒*just* ◆ **3.1** hij kleedt zich ~ *he dresses s./ soberly;* zij leven ~ *they lead a simple life, they live plainly/quietly/in a small way;* ~ uitgedrukt/gezegd *in plain words;* (schr.) *in common parlance;* (al) te ~ voorstellen *(over)simplify* ¶ **.2** het is ~ onzin *it is (just) sheer nonsense, it is utter/downright nonsense;* ik doe het ~ niet! *I s. won't do it!.*

eenvoudigheid (de (v.)) **0.1** *simplicity, simpleness;* (ook →eenvoud).

eenvoudigweg (bw.) **0.1** *simply* ⇒*just* ◆ **2.1** ik heb er ~ genoeg van *I have s. had enough of it;* (inf.) *I am s. fed up with it, I've just had my fill of it/had it up to here.*

eenwaardig (bn.) **0.1** *monovalent, univalent* ⇒ (schei. ook) *monatomic* ◆ **1.1** natrium is een ~ element *natrium is a monad.*

eenwording (de (v.)) **0.1** *unification* ⇒*integration, union,* (pol. ook) *federation, alliance, coalition,* (dicht., rel. ook) *communion* ◆ **2.1** mystieke ~ *mystic (comm)union;* de politieke ~ van Europa *the political unification/integration of Europe* **6.1** (fig.) de ~ van het individu met God *the communion of the individual with God.*

eenzaadlobbig (bn.) (biol.) **0.1** *monocotyledonous* ◆ **1.1** ~e plant *monocotyledon* **7.1** (zelfst.) de ~en *the monocotyledones, the monocotyledonae.*

eenzaam (bn., bw.;-ly) **0.1** [alleen] *solitary* ⇒*isolated, lonely, lone(some),* (verlaten) *desolate, forlorn,* (schr. of scherts.) *lorn* **0.2** [stil, afgelegen] *solitary* ⇒*isolated, lonely, secluded,* (doods) *desolate* **0.3** [zonder gezelschap verricht/doorgebracht] *solitary* ⇒*lonely, lone(some), retired* ◆ **1.1** een ~ huisje *an isolated/secluded house;* ~ mens *lonely/solitary person, lonely heart* (vindt het erg om alleen te zijn); *loner* (vindt het niet erg); eenzame opsluiting *s. confinement* **1.2** eenzame plaats/plek *lonely/solitary/secluded/isolated place/spot;* het eenzame strand *the deserted/desolate beach;* eenzame wegen *lonely/ unfrequented roads* **1.3** een ~ leven leiden *live a s./ retired life, live in solitude* **3.1** zich ~ voelen *be/feel lonely/lonesome* **6.1** hij bleef in zijn ouderdom ~ achter *he was left on his own/alone in his old age.*

eenzaamheid (de (v.)) **0.1** [afzondering, stilte] *solitude, solitariness, loneliness* ⇒ (afzondering) *isolation, retirement, seclusion, privacy* **0.2** [verlatenheid] *desolation* ⇒*loneliness* ◆ **3.1** de ~ zoeken *seek privacy/seclusion* **6.1** zijn leven in ~ slijten *spend one's life/pass one's days in solitude.*

eenzelvig (bn., bw.) **0.1** *self-contained* ⇒*retiring, solitary, introverted,* (terughoudend) *unsociable, reserved* ◆ **1.1** een ~ kind *a solitary/*

self-contained child; een ~ mens *a loner;* (inf.) *a lone wolf; an introvert;* (pej.) *a bad mixer* (in gezelschap) **3.1** hij is erg ~ *he keeps (very much) himself/to himself, he likes/tends to go it alone;* zij leven zeer ~ *they lead a very solitary life/self-contained existence;* ~ worden *be(come) turned in on o.s./ withdrawn.*

eenzelvigheid (de (v.)) **0.1** *self-containment* ⇒*introversion, solitariness,* (terughoudendheid) *unsociability, reserve.*

eenzijdig (bn., bw.;-ly) **0.1** [met/aan één zijde] *one-sided, unilateral* ⇒*one-legged* (strijd), (biol.; plantk.) *secund,* (asymmetrisch ook) *lopsided,* (jur.) *ex parte* **0.2** [partijdig, bevooroordeeld] *one-sided* ⇒*biased, partial, partisan* **0.3** [in slechts één richting gaand] *one-sided* ⇒*one-track, limited* ◆ **1.1** (jur.) een ~e akte *(a) deed poll;* ~e ontwapening *unilateral disarmament;* ~e overeenkomst *(jur.) a unilateral contract/agreement;* een ~ verkeersongeval *an accident involving only one car, a one car accident* **1.2** een ~ oordeel *a o.-s./ biased opinion/judgment* **1.3** een ~e ontwikkeling *a unidirectional development* **3.1** een verdrag ~ opzeggen *terminate/denounce a treaty unilaterally;* iets ~ voorstellen *give a o.-s./ biased/portrayal/representation* **3.3** hij is erg ~ *he is very one-sided/rather limited.*

eenzijdigheid (de (v.)) **0.1** [partijdigheid, vooringenomenheid] *one-sidedness* ⇒*bias(edness), partiality* **0.2** [actie van één van beide partijen] *unilaterality* **0.3** [gebrek aan veelzijdigheid] *imbalance, one-sidedness.*

eer¹ (de) (→sprw. 150,151,161,383) **0.1** [achting, roem] *honour* **0.2** [eerbetoon, hulde] *honour(s)* ⇒*credit* **0.3** [hoog aanzien] *honour* ⇒*respect* **0.4** [kuisheid] *honour* ⇒*virtue, modesty* ◆ **1.1** op het veld van ~ vallen *fall on the field of h.* **2.2** dat is een grote/hele ~ *that/this is a great honour/quite an honour;* iem. de laatste ~ bewijzen *pay s.o. the last honours/one's last respects;* met militaire ~ begraven worden *be buried with military honours, be given a military funeral* **3.1** de ~ aan zichzelf houden *take the honourable way out;* zijn ~ ophouden *uphold one's h./ reputation;* de ~ redden *save one's face;* (sport ook) *score in reply* **3.2** zijn naam ~ aandoen *live up to one's name, do/be (a) credit to o.'s family/name;* de tafel ~ aandoen *do credit/honour/justice to the meal;* er is geen ~ aan te behalen *(van iemand) good advice is thrown away on him, he is past praying for;* (van iets) *little (credit) can be gained by (it/this job);* ~ behalen met *gain credit by;* de (over)winnaar ~ bewijzen/geven *do honour/pay tribute to the winner;* met wie heb ik de ~ *(te spreken) with whom have I the pleasure (of speaking);* (iets formeler) *with whom have I the honour (of speaking);* te veel ~ voor me/niet *the honour/pleasure of (-ing);* de/geen ~ van iets hebben *get/receive credit/honour for sth.;* hem komt alle ~ toe *he deserves all the credit, all credit to him;* er een ~ in stellen *consider it an honour/make it a point of honour to, take (a) pride in (-ing), be proud (to);* wat verschaft mij de ~? *to what do I owe the honour?;* het zal me een (grote/bijzondere) ~ zijn *I shall be (greatly) honoured (to)* **3.4** ze heeft haar ~ verloren *she lost her h./ virtue;* een meisje haar ~ ontnemen/roven *deprive a girl of her h./ good name* **5.1** het is mijn ~ te na *I have my pride, that piques my pride* **6.1** aan de ~ (om te beginnen) *your h. to start, you have the h. (of starting);* iets/het aan zijn ~ verplicht zijn *be (in) h. bound;* iem. in zijn ~ herstellen *restore s.o. to h., rehabilitate s.o., clear the h./ the name of s.o.;* iets in ere herstellen *restore (a principle), reinstate (a custom);* iem. in zijn ~ (aan)tasten *impugn s.o.'s h., hurt s.o.'s pride;* naar ~ en geweten antwoorden *answer to the best of one's knowledge /in all consience/good faith;* op mijn ~ (woord van) ~ (up)on my h., you have/I give you my word (of h.);* een zaak/man van ~ *a question/ point/man of h.* **6.2** ~ met iets inleggen *gain honour/credit by sth.;* te zijner ~ *in his honour;* ter ere van *in honour of (s.o./ sth.);* dat strekt u niet tot ~ *that is not to your credit, that does not reflect well on you;* dat moet men hem tot zijn ~ nageven *it must be said to his credit;* (inf.) *to give him his due;* tot zijn ~ moet gezegd worden *that much should be said for him, it must be said to his credit, that should be handed to him;* dat strekt u tot ~ *it does you credit, it is to your credit;* (schr.) *this will redound to your honour/credit;* (iron.) voor de ~ bedanken *decline the honour, decline with thanks* **6.3** in ~ en aanzien leven *be held in high esteem/great respect, be a man/woman of high standing;* iem. in ere houden *hold s.o.'s memory dear/in esteem, cherish s.o.'s memory, keep s.o.'s memory green;* een dag/gebruik in ere houden *observe a (feast) day, keep up/maintain a custom* **6.4** in (alle) ~ en deugd *in (all) h. and decency* ¶ **.2** ere wie ere toekomt *((to) give) honour where it is due, to whom honour is due;* ere zij God *glory to God.*

eer² (bw.) (schr.) →eerder² 0.1,0.2.

eer³ (vw.) **0.1** *before* ⇒ (liever ... eer) *(rather ...) than* ◆ **3.1** ik zou nog liever m'n tong afbijten, ~ ik dat zou zeggen *I'd rather bite my tongue (off)/lips than tell him.*

eerbaar (bn., bw.;-ly) **0.1** *honourable* ⇒ (kuis ook) *virtuous, chaste, modest* ◆ **1.1** eerbare bedoelingen *h. intentions;* een ~ voorstel *an h. proposal;* een eerbare vrouw *a virtuous woman.*

eerbaarheid (de (v.)) **0.1** *virtue, chastity, modesty, decency* ◆ **1.1** aanranding van de ~ *indecent assault;* openbare schennis van de ~ *offence against public decency, (act of) indecency, public offence;* (exhibitionisme) *indecent exposure.*

eerbetoon ⟨het⟩ **0.1** *(mark of) honour* ⇒*homage, obeisance* ⟨hulde⟩, *accolade, tribute* ◆ **6.1 met** veel ~ ontvangen *receive with full honours.*

eerbewijs ⟨het⟩ **0.1** [uiterlijke blijk van verering] *(mark of) honour* ⇒ *homage, accolade, tribute, commendation* **0.2** [⟨mil.⟩]⟨vnl. mv.⟩ *honour* ◆ **2.2** iem. de militaire eerbewijzen brengen *bestow military honours (upon)* **3.1** hij werd met eerbewijzen overladen *he received many accolades, he was showered with honours.*

eerbied ⟨de (m.)⟩ **0.1** *respect* ⇒⟨achting⟩ *esteem, regard, deference,* ⟨diepe eerbied⟩ *reverence, veneration, worship* ◆ **2.1** ⟨schr.⟩ met alle /verschuldigde ~ *with all (due) respect* **3.1** ~ afdwingen *command/inspire respect/admiration;* ~ betonen/betuigen/bewijzen aan *show respect for/toward(s), show/pay deference to;* ~ voor iem. hebben/ koesteren/krijgen *have/feel/come to respect (for) s.o.;* iem. ~ verschuldigd zijn *owe s.o. respect/duty* **6.1 uit** ~ voor het leven *out of/in respect for life;* **uit** ~ voor zijn leeftijd *in deference to/out of consideration for his age.*

eerbiedig ⟨bn., bw.;-ly⟩ **0.1** *respectful* ⇒*deferent(ial), reverential, regardful* ◆ **1.1** ⟨iron.⟩ op ~e afstand *at a respectful distance;* ⟨schr.⟩ met ~e hoogachting *respectfully Yours;* ⟨BE ook⟩ *Yours faithfully;* op ~e toon *in a respectful/deferential tone* **3.1** iem. ~ groeten *greet s.o. respectfully/with respect;* ~ verzoeken *respectfully request.*

eerbiedigen ⟨ov.ww.⟩ **0.1** [eerbied voelen voor/bewijzen aan] *respect* ⇒ *venerate, revere, worship, stand in awe of* **0.2** [respecteren] *respect* ⇒ *defer to, regard,* ⟨naleven⟩ *observe* ◆ **1.1** God ~ *worship/honour God* **1.2** de mening van anderen ~ *respect the opinion(s)/view(s) of others;* iemands verdriet ~ *show regard/consideration/respect for s.o.'s grief;* zijn wensen ~ *respect/defer to/be regardful of his wishes;* de wetten ~ *obey/observe the law* **3.2** de wet doen ~ *enforce the law.*

eerbiediging ⟨de (v.)⟩ **0.1** *respect* ⇒*deference, observance* ◆ **6.1 met** ~ van uw gevoelen ⟨in brief⟩ *with r. for/in deference to your feelings/ sensibility.*

eerbiedwaardig ⟨bn.⟩ **0.1** *respectable* ⇒⟨alleen pred.⟩ *commanding/worthy of respect* ⇒*estimable, worthy, venerable* ⟨oude man, baard, gebouwen⟩, *time-honoured, hallowed, sacrosanct* ⟨gebruiken⟩, ⟨schr.⟩ *reverend* ⟨oude man⟩.

eerbiedwaardigheid ⟨de (v.)⟩ **0.1** *venerability* ⇒*venerableness, sanctity, holiness.*

eerdaags ⟨bw.⟩ **0.1** *one of these days* ⇒*soon, ere/before long.*

eerder¹ ⟨bn.⟩ **0.1** *earlier.*

eerder² ⟨bw.⟩ **0.1** [vroeger] *before (now), sooner, earlier* **0.2** [als iets waarschijnlijkers] *rather* ⇒*sooner,* ⟨inf.⟩ *more (likely), first, in preference (to)* **0.3** [liever] *rather* ⇒*sooner* ◆ **1.1** een paar dagen ~ *a few days before/earlier* **3.1** ik heb u al eens ~ gezien *I have seen you (somewhere) before/prior to this;* ~ vermeld/genoemd *mentioned/ given before/* ⟨in tekst ook⟩ *above, supra;* ⟨schr.⟩ *aforesaid, aforementioned* **3.2** ik denk ~ dat hij zich vergist heeft *I r. /more likely think, that he has made a mistake;* ik zou ~ denken dat *I am more inclined/I prefer to think that;* ik geloof ~ hem dan jou *I believe him r. / sooner than you;* hij zal ~ liegen dan bekennen *he is more likely to lie than confess/he'll lie sooner than confess* **3.3** ik wil ~ sterven, dan dat doen *I'll die first, r. /I'd r. die than do that* **4.1** hoe ~ hoe beter (liever) *the sooner the better* **5.1** op 21 juni en niet ~ *on June 21 and not before;* we schieten al lekker op, des te/zoveel te ~ kunnen we naar huis *we're getting on/moving along so well, we'll be able to go home even sooner* **5.2** des te ~ *a fortiori, all the more (so)* **8.1** hij was er ~ dan ik *he was there earlier than/before me/I* **8.2** zij is ~ blond dan donker *she is blonde r. than dark;* ~ meer dan minder *r. more than less* **¶.2** hij is ~ te beklagen dan dat je hem verwijten kunt *he is r. to be pitied than reproached.*

eergevoel ⟨het⟩ **0.1** *(sense/feeling of) honour* ⇒*pride* ◆ **3.1** (geen/weinig) ~ hebben *have no/little sense of honour* **6.1 op** iemands ~ werken *play upon/appeal to s.o.'s honour;* dat gaat tegen mijn ~ *that wounds/piques my pride/offends my sense of honour.*

eergisteren ⟨bw.⟩ **0.1** *the day before yesterday* ◆ **6.1** ⟨fig.⟩ hij is niet **van** ~ *he was not born yesterday, he knows a thing or two.*

eerherstel ⟨het⟩ **0.1** [mbt. gekwetste eer] *rehabilitation* **0.2** [⟨r.k.⟩] *satisfaction, atonement.*

eerlang ⟨bw.⟩ ⟨schr.⟩ **0.1** *before long, shortly* ⇒⟨vero. of scherts.⟩ *erelong.*

eerlijk ⟨→sprw. 152⟩
I ⟨bn.⟩ **0.1** [oprecht] *honest* ⇒*fair, straight(forward), square, sincere, true* **0.2** [betrouwbaar] *honest* ⇒*true, genuine, fair, straight, clean* **0.3** [gepast, fatsoenlijk] *fair* ⇒*square, honest, honourable, straight(forward)* ◆ **1.1** ~e handel *fair trade/trading, straight/h. business;* een ~ karakter *an h. /a sincere nature;* een ~e kerel/vent *an h. guy/* ⟨BE ook⟩ *chap/* ⟨BE ook⟩ *fellow;* ~e motieven *honourable motives;* een ~e strijd *a fair/clean fight;* een ~e tegenstander *a fair/worthy opponent;* de ~e vinder krijgt een beloning *a reward will be given to the finder* **1.2** ⟨fig.⟩ ~ bier *real ale/beer;* een ~e zaak ⟨handel⟩ *a square deal;* ⟨sl.⟩ a fair ^Ashake/^Bdo **1.3** een ~e behandeling (a) f. treatment; iem. een ~e kans geven *give s.o. a f. chance/* ⟨BE; inf.⟩ *a f. crack of the whip;* ~ spel spelen *play a square game/a straight bat/square/f.;* ~ spel *f. play, sportsmanship;* een ~e vrede *an honourable peace* **3.1** ~ is

~fair's fair; wees nou ~! *please/do be fair!;* laten we ~ zijn *let's be (quite) h. (about this/it), let's face it;* ~ zijn tegenover zichzelf *be h. with o.s.* **3.3** ~ blijven *go straight, keep one's hands clear* **5.3** het is niet ~ *it's not f. /not playing the game/playing f.* **6.1** ~ zijn *tegen(over)* iem. *be fair to/h. with/square with s.o., treat s.o. square(ly)* **8.2** zo ~ als goud *(as) h. as the day (is long), (as) straight as a die, (as) true as steel;*
II ⟨bw.⟩ **0.1** [naar waarheid] *sincerely,* ⟨openhartig⟩ *honestly* ⇒ *frankly, candidly* **0.2** [werkelijk] *honestly* ⇒*really and truly* **0.3** [op gepaste/eervolle wijze] *fairly, squarely* ⇒*justly* ◆ **2.2** het is ~ waar *it is the honest/plain truth* **3.1** ~ gezegd *to be honest, (quite) h., to tell the truth;* ik moet ~ bekennen dat ik het niet weet *I (must) h. /frankly admit that I don't know;* ~ uitkomen voor iets *admit sth. openly, level (with s.o.) about sth.;* ~ zeggen hoe men over iem. denkt *say frankly/ candidly what one thinks of s.o.* **3.3** ~ behandelen/behandeld worden *give/get a fair/square deal;* ~ delen! *fair shares!;* alles gaat er ~ toe *it is all fair and square, everything is above board;* het ~ menen *met iem. mean well by s.o.;* ~ spelen *play fair/square, play a square game;* iets ~ verdelen *divide sth. f. /fair and square;* ~ verdiend geld *hard-earned money;* ~ zijn brood verdienen *earn/make an honest living* **¶.2** ik heb het niet gedaan, ~ (waar)! *h. /cross my heart I didn't do it!.*

eerlijkheid ⟨de (v.)⟩ **0.1** [oprechtheid] *honesty* ⇒*fairness, sincerity,* ⟨rechtschapenheid⟩ *probity,* ⟨oprechtheid⟩ *candour* **0.2** [fatsoen] *honesty* ⇒*fairness, decency* ◆ **2.1** in alle ~ *in all fairness/h.* **3.2** de ~ gebiedt me te erkennen dat *in all fairness I have to/h. compels me to admit that.*

eerlijkheidshalve ⟨bw.⟩ **0.1** *in fairness* ◆ **3.1** ~ voeg ik eraan toe dat ... *in (all) fairness I have to add.*

eerloos ⟨bn., bw.;-ly⟩ **0.1** [zonder eer] *dishonourable* ⇒*inglorious* **0.2** [onterend] *dishonourable* ⇒*ignoble, disgraceful* **0.3** [gewetenloos] *dishonourable* ⇒*disgraceful, infamous, unscrupulous* ◆ **2.1** een eerloze daad *a d. action* **3.1** ~ sterven *die without glory* **3.2** iem. ~ (uit het leger) ontslaan *dismiss s.o. in disgrace, drum s.o. out of the army.*

eerloosheid ⟨de (v.)⟩ **0.1** [het eerloos-zijn] *dishonourableness* ⇒*lacking in honour* **0.2** [laagheid] *ignobility* ⇒*infamy, baseness.*

eerroof ⟨de (m.)⟩ **0.1** *defamation (of character)* ⇒*slander, libel, calumny.*

eerst ⟨bw.⟩ ⟨→sprw. 79,223,420⟩ **0.1** [voor alle anderen] *first* **0.2** [voorafgaand aan iets anders] *first* **0.3** [in het begin] *first(ly)* **0.4** [pas] *only, not until, not till* ◆ **2.3** ~ was hij verlegen, later niet meer *at first he was shy, but not so later* **3.2** je moet dat morgen het ~ doen *you must/ should do that first thing tomorrow;* ~ werken, dan spelen *f. work, then play, business before pleasure* **5.2** als ik maar ~ thuis ben *once I am/get home* **5.4** hij kan ~ morgen hier zijn *he can o. be here tomorrow, he cannot be here untill tomorrow;* ~ toen hij sprak herkende ik hem *not until/o. when he spoke did I recognize him* **6.1** voor het ~ voor the first time, f. ; ik hoor dat **voor** het ~ *that is news to me, this is the first I've heard of it* **7.1** hij zag de brand het ~ *he was the first to see the fire, he saw the fire f.* **8.3** het ziet er beter uit dan ~ *it looks better than (it did) before/at first* **¶.1** (het) ~ aan de beurt zijn *be f. /next;* hij was er het ~ bij om dat produkt te verkopen *he was the first (in the field) to sell/market that product.*

eerstaanwezend ⟨bn.⟩ **0.1** *senior* ◆ **1.1** ~e ambtenaar *s. official,* s. *civil servant;* ~e officier *commanding officier.*

eerstdaags →eerdaags.

eerste ⟨rangtelw.⟩ ⟨→sprw. 378⟩ **0.1** *first* ⇒⟨voornaamste ook⟩ *chief, prime,* ⟨in hiërarchie⟩ *senior,* ⟨vroegste⟩ *earliest* ◆ **1.1** ~ artiest ⟨in variété⟩ *curtain raiser;* het ~ begin ⟨v.d. misdaad e.d.⟩ *the thin end of the wedge, the f. step;* de ~ beginselen (van lezen en schrijven) *the rudiments of reading and writing, the ABC;* ~ bod *opening bid;* de ~ christenen *the early Christians;* de ~ vier dagen (for) the next four days; de ~ dagen ging het wel *the f. few days things were fine;* de ~ dagen v.d. maand *the opening days of the month;* bij de ~ de beste gelegenheid *at the earliest possible/the f. opportunity, at s.o.'s earliest convenience;* informatie uit de ~ hand *firsthand information, information straight from the horse's mouth;* bewijs uit de ~ hand *direct evidence;* ~ hulp (bij ongelukken) (verlenen) *give/* ⟨schr.⟩ *render f. aid;* de Eerste Kamer *the Upper Chamber/House, the Senate;* de ~ klas *the f. class of the* ^Bjunior school/^Afirst grade; ~ klas reizen *travel (in) first-class/first;* de ~ van de klas *(the) top (student)/the head of the class;* de vier ~ leerlingen uit de klas *the four students sitting in front (of the class);* de ~ levensbehoeften *the (basic) necessaries/necessities/needs of life;* ~ luitenant (f.) *lieutenant;* ik zeg het voor de ~ en de laatste maal *I am saying this once and for all;* de ~ minister *the Prime Minister, the Premier;* de ~ officier *the chief/senior officer;* op de ~ pagina ⟨boek⟩ *on the f. /opening page;* ⟨krant⟩ *on the front (page);* in/op de ~ plaats *at first, in the f. place/instance, first(ly), primarily, initially;* ⟨met nadruk⟩ *f. and foremost, f. of all;* de ~ prijs *(the) f. prize;* zijn ~ rede(voering) *his maiden speech;* de ~ reis (v.e. schip) *the maiden voyage (of a ship);* de ~ straat aan uw linkerhand *the first street on your left;* de ~ tijd kan ik je niet komen bezoeken *I cannot visit you for some time to come/for a while;* de ~ uitgave *the f. edition/*

publication, the editio princeps, the original text ⟨van boek⟩; ~ uitgaven initial expenses/outlay; ~ verdieping [B]f. floor, [A]second floor; een ~ vereiste a precondition, a prerequisite, a requirement; ~ violist ⟨speler van sopraanpartij⟩ f. violin, f. desk violinist; de ~ viool spelen be/ play ⟨lett.⟩ f. violin/⟨fig.⟩ f. fiddle 3.1 de ~ die aankomt, krijgt de prijs the f. (one) in/home to arrive/get there gets the prize; één keer moet de ~ zijn there's a f. time for everything/always a f. time 6.1 in de ~ (versnelling) in f./bottom gear; ⟨sport⟩ hij speelt in het ~ he plays in the first team/[B]the first eleven/[A]the A team; ten ~ first(ly), in the f. place; ⟨immers ook⟩ for one thing; ⟨inf.⟩ for a start; op de ~ van de maand on the f. (day) of the month; van de ~ tot de laatste from the f. (man) to the last (man) 7.1 je zou de ~ niet zijn you wouldn't be the f. (to whom this had happened); hij is niet de ~ de beste he is not just anybody, he's not just any old ...; de ~ de beste zal het je zeggen any one/the f. person that comes along will/can tell you that; jij zou de ~ zijn om dat te zeggen you would be the f. to say that; de ~ de beste dokter the nearest/any doctor; ze nam de ~ de beste trein she took the f. train that passed/happened to pass; het ~ wat we zagen was ... the f. thing we saw; dat is het ~ wat ik daarvan hoor that's the f. I have heard of it; het ~ het beste excuus the f. excuse to come/that comes to mind, any (old) excuse ¶.1 J. en P. zijn mijn vrienden. De ~ is schrijver, de tweede dichter J. and P. are friends of mine. The former/f. (one) is a writer, the latter/second a poet.

eerstegraads ⟨bn., bw.⟩ **0.1** ⟨mbt. school⟩ *fully qualified;* ⟨mbt. verbranding⟩ *first-degree* ◆ **1.1** ~ (les)bevoegdheid *comprehensive teaching certificate/qualification,* [B]*PGCE* ⟨*Post-Graduate Certificate in Education*⟩; ~ verbranding *first-degree burns.*

eerstegrader ⟨de (m.)⟩ ⟨inf.; school.⟩ **0.1** *fully-qualified teacher.*

eerstehands ⟨bn.⟩ **0.1** *firsthand* ⇒ *direct.*

eerstehulppost ⟨de (m.)⟩ **0.1** *(first-)aid post/station.*

eerstehulpverlening ⟨de (v.)⟩ **0.1** *first aid.*

eerstejaars[1] ⟨de (m.)⟩ **0.1** *first-year (student)* ⇒ *freshman* ⟨BE: uitsluitend aan universiteit; AE: ook aan middelbare school⟩, ⟨BE; inf.⟩ *fresher* ⟨AE; inf.⟩ *freshie, frosh.*

eerstejaars[2] ⟨bn.⟩ **0.1** *first-year* ◆ **1.1** een ~ student ⟨→eerstejaars[1]⟩.

Eerste-Kamerfractie ⟨de (v.)⟩ **0.1** *the liberal/socialist* ⟨enz.⟩ *party in the Upper Chamber/House (of Dutch Parliament).*

Eerste-Kamerlid ⟨het⟩ **0.1** *Member of the Upper Chamber/House (of Dutch Parliament).*

eersteklas ⟨bn., bw.⟩ **0.1** ⟨gebruikmakend v.d. duurste afdeling⟩ *first-class* **0.2** ⟨uitmuntend, voortreffelijk⟩ *first-rate* ⇒ *first-class, top-class/-rank,* [A]*A-1,* ⟨mbt. personen⟩ *crack, classy* ◆ **1.1** een ~ passagier a f.-c. passenger; een ~ patiënt [B]a private patient; een ~ ticket/ f.-c. ticket **1.2** een ~ bediening/behandeling first-class/f.-r. service/ treatment; ⟨iron.⟩ een ~ bedrieger/leugenaar a first-rate cheat/liar; een ~ grap a great joke; een ~ kok a f.-r./first-class cook **3.1** ~ reizen travel first class.

eersteklasser ⟨de (m.)⟩ **0.1** ⟨⟨school.⟩⟩ *first-former,* [A]*first-grader* **0.2** [⟨sport⟩/voetbal] *first-division club;* ⟨cricket⟩ *first-class club;* ⟨AE: alle sporten⟩ *major-league club.*

eerstelijns ⟨bn.⟩ **0.1** ⟨zie 1.1⟩ ◆ **1.1** ~ gezondheidszorg *primary health care.*

eersteling ⟨de (m.)⟩ **0.1** [eerstgeborene] *first-born* ⇒ ⟨mbt. dier⟩ *firstling* **0.2** [⟨fig.⟩ eerste voortbrengsel] *first-fruit(s)* ⇒ *firstling* **0.3** [⟨mv.⟩ aardappelen] *'Eerstelingen' ⟨kind of potato⟩* **0.4** [eerste vrucht] *first-fruits.*

eersterangs ⟨bn.⟩ ⟨meestal in samenst.⟩ **0.1** *first-rate* ⇒ *top-class/-rank,* [A]*A-1,* ⟨mbt. dier, crack,⟩ [B]*major-league* ◆ **1.1** een ~ hotel a f.-r./top-class hotel; een ~ rol spelen play a prominent/major rôle/part.

eerstesteenlegging ⟨de (v.)⟩ **0.1** *laying of the foundation stone.*

eerstgeboorterecht ⟨het⟩ **0.1** *(right of) primogeniture* ⇒ *birthright.*

eerstgeboren ⟨bn.⟩ **0.1** *first-born.*

eerstgeborene ⟨de (m.)⟩ **0.1** *first-born.*

eerstgenoemd ⟨bn.⟩ **0.1** ⟨uit meer dan twee⟩ *named/mentioned first;* ⟨mbt. twee⟩ *former.*

eerstkomend ⟨bn.⟩ **0.1** *next* ⇒ *coming* ◆ **1.1** ~e zaterdag, zaterdag ~ n. Saturday, Saturday n., this coming Saturday.

eerstvolgend ⟨bn.⟩ **0.1** *next* ⇒ *first,* ⟨schr.⟩ *proximate* ◆ **1.1** de ~e trein the first/n. train due; de ~e uren waren nu beslissend the n. few hours were crucial; in de ~e uren in the n. few hours **7.1** de ~e vijf jaar the n. five years.

eertijds ⟨bw.⟩ **0.1** *formerly* ⇒ *once (upon a time), in former times/ bygone days,* ⟨vero.⟩ *erewhile, aforetime.*

eerverleden ⟨bn.⟩ **0.1** *before last* ◆ **1.1** ~ week/maand/jaar the week/ month/year b.l..

eervol
I ⟨bn.⟩ **0.1** [eer brengend] *honourable* ⇒ *glorious, creditable, commendable* **0.2** [de eer niet te kort doend] *with honour* ⇒ *without loss of face* ◆ **1.1** een ~le betrekking a position of great honour/distinction; de ~e verliezers the worthy losers; een ~le vermelding an h. mention, a citation **1.2** ~ ontslag verlenen aan iem. accept s.o.'s resignation, release s.o.; ⟨mil.⟩ grant s.o. an honourable discharge; een ~le vrede sluiten conclude a peace w. h. **5.1** weinig ~ ⟨gedrag⟩ dishonourable; ⟨feiten⟩ discreditable;

II ⟨bw.⟩ **0.1** [zo dat men er eer mee inlegt] *honourably* ⇒ *worthily, gloriously, creditably* ◆ **3.1** zich ~ gedragen/onderscheiden *conduct o.s. h., distinguish o.s.;* ⟨mil.⟩ ~ vermeld worden *receive an honourable mention;* ⟨mil.⟩ *be mentioned/cited in dispatches* ¶.1 ~ uit de strijd komen *come through the battle with honour/distinction.*

eervorig ⟨bn.⟩ **0.1** *one before last* ⟨pred.⟩ ◆ **7.1** hij was de ~e *he was the one before last, he was the one before the previous one.*

eerw. ⟨afk.⟩ **0.1** [eerwaarde] *Rev., Revd.* ⇒ ⟨aartsdeken⟩ *Ven..*

eerwaard ⟨bn.⟩ **0.1** *reverend* ⇒ ⟨voor naam⟩ *Reverend,* ⟨aartsdeken⟩ *Venerable* ◆ **1.1** de zeer ~e heer ⟨bisschop⟩ *the Right Reverend/* ⟨deken, Anglicaans⟩ *very Reverend Mr.;* de ~e Heer Brown ⟨r.k.⟩ *the Reverend Father Brown;* ⟨Anglicaans⟩ *the Reverend Mr. Brown;* ~e moeder *Reverend Mother, Mother Superior;* ~e vader *r. father;* ⟨als titel⟩ *Reverend Father.*

eerwaarde ⟨de (m.)⟩ **0.1** *Reverend* ⇒ ⟨vero., beh. IE, scherts.⟩ *your Reverence.*

eerzaam ⟨bn., bw.; -ly⟩ **0.1** *respectable* ⇒ *virtuous, decent, honest, worthy* ◆ **1.1** een ~ leven leiden *lead a r./virtuous/decent life.*

eerzucht ⟨de⟩ **0.1** *ambition* ⇒ *aspirations* ◆ **7.¶** hij heeft totaal geen ~ *he has absolutely no ambition/not a scrap of ambition.*

eerzuchtig ⟨bn., bw.; -ly⟩ **0.1** *ambitious* ⇒ *aspiring, high-flying,* ⟨schr.⟩ *emulative* ◆ **1.1** een ~ mens/karakter *an a. person/nature.*

eest ⟨de (m.)⟩ **0.1** *(drying-)kiln* ⇒ ⟨voor mout en hop⟩ *oast(-house).*

eetbaar ⟨bn.⟩ **0.1** *edible* ⇒ *fit for (human) consumption, fit to eat,* ⟨smakelijk⟩ *eatable, palatable* ◆ **1.1** eetbare paddestoelen *(edible) mushrooms* **5.1** niet ~ zijn *be inedible/unfit for consumption.*

eetbaarheid ⟨de (v.)⟩ **0.1** *edibility* ⇒ *palatability.*

eetcafé ⟨het⟩ **0.1** *pub/*[A]*bar serving food/meals* ⇒ ⟨inf.⟩ *beanery.*

eetcultuur ⟨de⟩ **0.1** *gastronomic culture.*

eetgelegenheid ⟨de (v.)⟩ **0.1** *place to eat* ⇒ *eating-house,* [A]*diner.*

eetgerei ⟨het⟩ **0.1** *cutlery* ⇒ *tableware,* ⟨mil.⟩ *mess-kit, canteen.*

eetgewoonte ⟨de (v.)⟩ **0.1** *eating habit* ⇒ *mbt. soort voedsel) diet.*

eethoek ⟨de (m.)⟩ **0.1** [deel v.e. vertrek] *dinette* ⇒ *dining recess/area* **0.2** [ameublement] *dinette* ⇒ *dining-table and chairs.*

eethuis ⟨het⟩ **0.1** *eating-house* ⇒ *(small) restaurant, eating-place,* ⟨inf.⟩ *beanery.*

eetkamer ⟨de⟩ **0.1** [kamer] *dining-room* ⇒ ⟨klein⟩ *dinette* **0.2** [ameublement] *dining-room furniture* ⇒ *dining-table and chairs* ◆ **3.1** de ~ inrichten *furnish the d.-r..*

eetketel ⟨de⟩ ⟨mil.⟩ **0.1** *messtin.*

eetkeuken ⟨de⟩ **0.1** *kitchen-diner.*

eetlepel ⟨de (m.)⟩ **0.1** *soupspoon* ⇒ ⟨voor dessert⟩ *dessertspoon,* ⟨als maat⟩ *tablespoon(ful)* ◆ **1.1** een ~ bloem *one tablespoon of flour* **6.1** iedere avond een grote ~ van het medicijn *one large spoonful of the medicine every evening.*

eetlust ⟨de (m.)⟩ **0.1** *appetite* ⇒ *hunger* ◆ **1.1** gebrek aan ~ *lack of a.* **2.1** hij heeft een buitensporige ~ *he has a ravenous a., he eats like a horse;* goede/weinig ~ hebben *have a good/poor a.* **3.1** iem. de ~ benemen *put s.o. off his food, spoil s.o.'s a.;* de ~ opwekken *whet/stimulate the a.;* de ~ verliezen *lose one's a., go off one's food* **7.1** geen ~ hebben *have no a., be off one's food.*

eetlustopwekkend ⟨bn.⟩ **0.1** *appetizing.*

eetmaal ⟨het⟩ ⟨AZN⟩ **0.1** *meal* ⇒ *dinner, supper.*

eetpartij ⟨de (v.)⟩ **0.1** *feed.*

eetservies ⟨het⟩ **0.1** *dinner service* ⇒ *dinner set, tableware.*

eetstokje ⟨het⟩ ⟨meestal mv.⟩ **0.1** *chopstick.*

eettafel ⟨de⟩ **0.1** *dining-(room) table* ⇒ *dinner table,* ⟨inf.⟩ *mahogany.*

eettent ⟨de⟩ ⟨inf.⟩ **0.1** *snack bar* ⇒ *café, caff* ◆ **2.1** een goedkoop ~je a cheap s. b./café;* ⟨pej.⟩ *a greasy spoon.*

eetwaar ⟨de⟩ **0.1** *foodstuff(s)* ⇒ *eatables, food,* ⟨schr.; ihb. klaar voor gebruik⟩ *victuals,* ⟨schr. of scherts.⟩ *comestibles* ◆ **2.1** fijne eetwaren *delicatessen.*

eetzaal ⟨de⟩ **0.1** *dining-room/-hall* ⇒ ⟨voor personeel⟩ *canteen,* ⟨mil.⟩ *mess(room),* ⟨groepsgewijze scholen⟩ *refectory.*

eeuw ⟨de⟩ **0.1** [tijdvak van honderd jaar] *century* **0.2** [lange tijd] *ages* ⇒ ⟨donkey's⟩ *years, aeons* **0.3** [tijdperk] *age* ⇒ *era, epoch* ◆ **1.1** in de loop der ~en *through the centuries/ages* **1.3** de ~ van Augustus/de Verlichting *the age of Augustus, the age of Enlightenment/Reason* **2.2** het is ~en geleden dat ik van haar iets gehoord heb *I haven't heard from her for ages/donkey's years* **2.3** de gouden ~ *the golden age;* de papieren ~ ⟨the Age of Literature⟩ **3.2** dat heeft een ~ geduurd *that took ages/forever* **6.1** Vlaanderen door de ~en heen *Flanders through the ages;* tot in de ~ der ~en *from everlasting to everlasting, world without end* **7.1** in het Londen v.d. 18e ~ *in eighteenth-c. London* **7.2** we hebben je al in geen ~ gezien *we haven't seen you in/ for ages.*

eeuwenlang ⟨bn., bw.⟩ **0.1** ⟨bn.⟩ *age-long* ⇒ *secular,* ⟨bw.⟩ *for centuries/ ages* ◆ **1.1** een ~e strijd *an a.-l. struggle* **5.1** al ~ for ages/centuries (on end).*

eeuwenoud ⟨bn.⟩ **0.1** *age-old* ⇒ *centuries-old, immemorial, dateless* ◆ **1.1** ~e gebruiken *a.-o./time-honoured customs.*

eeuwfeest ⟨het⟩ **0.1** *centenary (celebration)* ⇒ ⟨vnl. AE⟩ *centennial (anniversary)* ◆ **7.1** het tweede ~ the bi-centenary (celebrations),* [A]the bi-centennial.*

eeuwig
I ⟨bn.⟩ **0.1** [altijddurend] *eternal* ⇒*everlasting, perennial, perpetual, never-ending* **0.2** [levenslang] *lifelong* ⇒*undying, abiding, everlasting, eternal* **0.3** [telkens weer] *endless* ⇒*eternal, incessant, interminable, never-ending* ◆ **1.1** ten ~en dage *to all eternity;* een ~ graf *a plot held in perpetuity;* het ~e leven *eternal life, (the) life everlasting;* ~e rente *interest in perpetuity;* de ~e rust genieten *be at peace / at rest;* de ~e slaap *the last / long sleep;* ~e sneeuw / ~ groen *perpetual snow; perennial(ly) green, evergreen;* de ~e stad *the Eternal City;* het ~ vrouwelijke *the eternal feminine;* het ~e vuur *the Eternal Fire* **1.2** iem. tot ~e ballingschap veroordelen *send s.o. into permanent exile;* ~e vriendschap *undying / l. friendship* **1.3** dat ~e gezeur *this endless nagging;* haar ~e glimlach *her eternal smile;* een ~e optimist *an incorrigible optimist;* met zijn ~e sigaret in zijn mond *with the inevitable cigarette in his mouth* **7.¶** ⟨zelfst.⟩ het tijdelijke met het ~e verwisselen *go to one's last journey;* ⟨inf.⟩ *hand / cash in one's chips;*
II ⟨bw.⟩ **0.1** [voor altijd] *forever* ⇒*eternally, perpetually,* ⟨schr.⟩ hand.⟩ *in perpetuity* **0.2** [steeds] *forever* ⇒*incessantly, endlessly, interminably, eternally* **0.3** [buitengewoon] ⟨zie 2.3⟩ ◆ **2.2** ~ jong *f. young* **2.3** het is ~ zonde *it's a thousand pities* **3.1** dat blijft ~ bestaan *it will last f.* **3.2** zij zit ~ te breien *she's f. / always knitting* **5.3** het duurde ~ lang *it took ages (and ages) /* ⟨vero., scherts.⟩ *an unconscionable time* **6.1** voor ~ / *f. (more);* voor ~ verdoemd zijn *be damned to all eternity.*

eeuwigdurend ⟨bn.⟩ **0.1** *perpetual* ⇒*everlasting,* ⟨pej.⟩ *interminable, endless* ◆ **1.1** een ~e lening afsluiten *contract a loan in perpetuity.*

eeuwigheid ⟨de (v.)⟩ **0.1** [tijdruimte zonder einde] *eternity* ⇒⟨hand.⟩ *perpetuity* **0.2** [zeer lange tijd] *ages* ⇒*eternity,* ⟨inf.⟩ *donkey's years, a month of Sundays* **0.3** [het hiernamaals] *eternity* ⇒*the hereafter, the world to come* ◆ **2.2** dat is een ~ geleden *it's a. ago* **3.2** het leek wel een ~ te duren *it seemed to go on / last / take forever* **3.3** zo ging hij de ~ in *thus he made his end, thus he went to his Maker / account* **6.1** in der ~ niet *not in a month of Sundays;* hij trekt wissels op de ~ ⟨betaalt niet⟩ *you'll never see the colour of his money, it'll be a frosty Friday before he pays up;* ⟨bouwt luchtkastelen⟩ *he builds castles in the air;* tot in ~ *for (all) e.* **6.2** ik heb je in geen ~ gezien *I haven't seen you for a..*

eeuwjaar ⟨het⟩ **0.1** *last year of the century.*

eeuwwisseling ⟨de (v.)⟩ **0.1** *turn of the century* ◆ **6.1** rond de~ *around the turn of the century.*

efedrine ⟨de⟩ **0.1** *ephedrine.*

efemeer ⟨bn.⟩ **0.1** [kortstondig] *ephemeral* ⇒*short-lived* **0.2** [⟨plantk.⟩] *ephemeral.*

efemeriden ⟨zn.mv.⟩ **0.1** [⟨biol.⟩ eendagsvliegen] *Ephemerae* **0.2** [geschrift met gegevens] *ephemerides.*

efemerisch →efemeer.

effe →effen II.

effect ⟨het⟩ **0.1** [uitwerking] *effect* ⇒*result, outcome, consequence* **0.2** [indruk op het gemoed] *effect* **0.3** [⟨sport⟩] *spin* ⇒⟨AE ook⟩ *stuff,* ⟨honkbal ook⟩ *curve, slice,* ⟨tennis / biljarten ook⟩ *twist* **0.4** [hoeveelheid arbeid per seconde verricht] *power* **0.5** [⟨hand.⟩] *stock* ⇒*share, security* ◆ **2.1** averechts / nadelig ~ hebben *have the wrong / a harmful / an ill e., be counterproductive;* een goedkoop ~ *a cheap e.,* ⟨sl.⟩ *hokum* **2.4** elektrisch ~ *electric p.;* nuttig ~ *effective p.* **3.1** ~ hebben, sorteren *have / produce an e., be effective;* weinig ~ hebben *have a little e.;* niet het minste ~ hebben *have absolutely no e., be like water off a duck's back;* geen ~ hebben / sorteren *have / produce no e., be ineffective;* ~ najagen, op ~ uit zijn *strain for e., play to the gallery* **3.2** zoiets heeft ~ sth. *like that works / is effective* **3.3** een bal ~ geven *give a ball spin, put spin on a ball;* ⟨biljarten⟩ *put side / top / back (spin) on a ball; slice a ball* **3.5** zijn ~en zijn danig aan het dalen ⟨ook fig.⟩ *his stock is falling fast* **5.1** op ~ berekend zijn *be calculated for e.;* van ~ zijn *be effective;* zonder enig ~ *without any e.* **6.3** een bal met ~ spelen *play a ball with spin* **6.5** een makelaar in ~en a *stock-broker* **¶.5** ~en op naam *registered securities.*

effectbal ⟨de (m.)⟩ ⟨sport⟩ **0.1** *spinner* ⟨(tafel)tennis, cricket, bowls, biljarten, honkbal⟩ ⇒⟨AE ook⟩ *stuff,* ⟨golf⟩ *pitch,* ⟨voetbal⟩ *banana shot, swerving kick, swerver.*

effectbejag ⟨het⟩ **0.1** *aiming at / straining after effect* ⇒⟨theatraal gedoe⟩ *theatrics,* ⟨sensatiezucht⟩ *sensationalism* ◆ **6.1** op ~ uit zijn *play to the gallery;* uit ~ *for (the sake of) effect;* zonder ~ *without straining after / hunting / striving for effect.*

effectenbeurs ⟨de⟩ **0.1** *exchange* ⇒⟨buitenland ook⟩ *bourse,* ⟨ihb. Parijs⟩ *Bourse,* ⟨New York ook⟩ *Wall Street,* ⟨GB⟩ *The Street.*

effectenbezit ⟨het⟩ **0.1** *stock-holding, security-holding, holding of securities / stocks.*

effectenhandel ⟨de (m.)⟩ **0.1** [het handelen] *stockbroking, stockjobbing;* ⟨de handel⟩ *stock market, trade in (stocks and) shares, business of dealing in (stocks and) shares.*

effectenhandelaar ⟨de⟩ **0.1** →**effectenmakelaar.**

effectenkoers ⟨de (m.)⟩ **0.1** *price of stocks* ⇒*Stock Market / Exchange quotation,* ⟨mv. ook⟩ *stock prices.*

effectenmakelaar ⟨de (m.)⟩ **0.1** *stockbroker.*

effectenmarkt ⟨de⟩ **0.1** *stock market.*

effectennotering ⟨de (v.)⟩ **0.1** *quotation of securities / stocks (and shares), Stock Market / Exchange quotation.*

effectenrekening ⟨de (v.)⟩ **0.1** *stock / securities account.*

effectief[1] ⟨het⟩ ⟨AZN⟩ **0.1** *actual / effective strength / quantity /* ⟨enz.⟩.

effectief[2] ⟨bn., bw.; -ly⟩ **0.1** [werkelijk] *real* ⇒*actual, effective, active* **0.2** [doeltreffend] *effective* ⇒*efficacious, potent,* ⟨handelingen, beleid⟩ *effectual,* ⟨stijl, taalgebruik⟩ *trenchant* ◆ **1.1** in effectieve dienst ⟨mil.⟩ *on active service;* effectieve handel *effective trade;* effectieve vraag ⟨ec. ook⟩ *effective demand, market demand* **1.2** effectieve maatregelen treffen *take effective measures / steps;* ~ vermogen *actual (horse)power, brake horsepower, efficiency* **3.2** dat is niet ~ *that is not effective, that is ineffective.*

effectueren ⟨ov.ww.⟩ **0.1** *implement* ⇒*effectuate, execute, effect.*

effectuering ⟨de (v.)⟩ **0.1** *implementation* ⇒*effectuation, execution.*

effen ⟨→sprw. 154⟩
I ⟨bn., bw.; -ly⟩ **0.1** [vlak, glad] *even* ⇒*level, smooth, flat, flush* **0.2** [koel] *cool* ⇒*icy, chilly, unresponsive* **0.3** [van één kleur] *plain* ⇒*uniform, solid, unpatterned, self-coloured* **0.4** [mbt. het gelaat] *impassive* ⇒*expressionless,* ⟨niet lachend⟩ *straight* **0.5** [mbt. de stem] *flat* ⇒*monotonous, level, even* ⟨toon⟩ **0.6** [vereffend] *settled* ⇒*square, clear, quits* ◆ **1.3** een ~ stof / kleed *a p. / unpatterned fabric / carpet* **1.4** een ~ gezicht zetten / trekken *adopt a stony / an icy expression;* met een ~ gezicht *with an expressionless / impassive look / face* **2.3** ~ rood *solid / uniformly red* **3.6** onze rekening is / staat helemaal ~ *our account is settled / all square, we are quits;* iets ~ maken *settle sth.* **6.3** ~ in het wit / in het zwart *in plain white / black;*
II ⟨bw.⟩ ⟨inf.⟩ **0.1** [eventjes] *(for) a minute* ⇒*(for) a moment, just a minute, (for) half a minute* **0.2** [net] *just* ⇒*slightly* ◆ **2.1** wees nou ~ stil *do be quiet for a minute / moment* **3.1** als het ~ kan *if I / we / you* ⟨enz.⟩ *have half a chance, if given half a chance;* laat eens ~ kijken *let me see / think, let's see, just a minute, hold on a minute* **6.1** het is ~ over vieren *it's just past / gone four (o'clock), it is a little / bit after four (o'clock).*

effenen ⟨ov.ww.⟩ **0.1** [vlak / glad maken] *level* ⇒*smooth, even out, flatten, plane* ⟨met schaaf⟩ **0.2** [vereffenen] *settle* ⇒*square,* ⟨nalatenschap, boedel⟩ ◆ **1.1** ⟨fig.⟩ het pad / de weg ~ voor iem. *smooth / pave the way for s.o.* **1.2** een schuld ~ *settle a debt.*

effenheid ⟨de (v.)⟩ **0.1** [vlakheid, gladheid] *evenness* ⇒*levelness, smoothness* **0.2** [koelheid] *coolness* **0.3** [mbt. stof] *plainness* **0.4** [mbt. het gelaat] *impassiveness* **0.5** [mbt. de stem] *flatness* ⇒*monotony, levelness,* ⟨mbt. toon⟩ *evenness* ◆ **6.¶** de boedel tot ~ brengen *wind up / liquidate the estate.*

effentjes →effen II.

efficiencybeurs ⟨de⟩ **0.1** *office / business efficiency fair.*

efficiënt ⟨bn., bw.; -ly⟩ **0.1** *efficient* ⇒*businesslike,* ≠*practical,* ≠*rational.*

efficiëntie ⟨de (v.)⟩ **0.1** *efficiency* ⇒≠*economy.*

efflorescentie ⟨de (v.)⟩ **0.1** [bloei(tijd)] *efflorescence* ⇒*flowering, blossoming* **0.2** [huiduitslag] *efflorescence* **0.3** [⟨schei.⟩ zoutkristallenvorming] *efflorescence.*

effluent ⟨het⟩ **0.1** *effluent* ⇒*liquid waste.*

eg ⟨de⟩ **0.1** *harrow* ⇒⟨zwaar model⟩ *drag / brake(-harrow).*

e.g. ⟨afk.⟩ **0.1** [exempli gratia] *e.g.* ⇒*b.v..*

E.G. ⟨de (v.)⟩ ⟨afk.⟩ **0.1** [Europese Gemeenschap] *E.E.C.* ⇒⟨zeldz.⟩ *E.C..*

egaal ⟨bn., bw.; -ly⟩ **0.1** [effen] *even* ⇒*level, smooth,* ⟨kleur e.d.⟩ *uniform, solid* **0.2** [onverschillig] *all the same* ⇒*immaterial, indifferent* ◆ **1.1** ~ grijs *solid / uniformly grey;* een egale lucht *a uniform sky* **3.2** het is mij ~ *I don't mind (one way or the other), it's all the same to me.*

egalisatie ⟨de (v.)⟩ **0.1** ⟨hand.⟩ *equalization;* ⟨lonen, weg⟩ *levelling.*

egalisatiefonds ⟨het⟩ **0.1** *(exchange) equalization fund.*

egaliseren ⟨ov.ww.⟩ **0.1** [gelijk / glad maken] *level* ⇒*equalize, smooth, surface, even out* **0.2** [vereffenen] *settle* ⇒*square* ◆ **1.1** een terrein ~ *l. a site.*

egalist ⟨de (m.)⟩ **0.1** *egalitarian.*

egalitair ⟨bn., bw.⟩ **0.1** ⟨bn.⟩ *egalitarian;* ⟨bw.⟩ *in an e. way* ◆ **1.1** iem. met ~e instelling *s.o. with e. instincts, a leveller.*

egalitarisme ⟨het⟩ **0.1** *egalitarianism.*

egard ⟨het, de (m.)⟩ **0.1** *respect* ⇒*consideration, regard, attention, ceremony* ◆ **2.1** zonder enig(e) ~ *voor leeftijd of geslacht without any regard / respect / consideration for age or sex* **6.1** iem. met ~s behandelen *treat s.o. with respect / respectfully / with consideration.*

Egeïsch ⟨bn.⟩ **0.1** *Aegean* ◆ **1.1** ~e Zee *A. Sea.*

egel ⟨de (m.)⟩ **0.1** *hedgehog.*

eglantier ⟨de (m.)⟩ ⟨plantk.⟩ **0.1** *sweet-brier* ⇒*eglantine.*

egelskop ⟨de (m.)⟩ **0.1** [kop v.e. egel] *head of a hedgehog* **0.2** [waterplant] *bur-reed.*

egelstelling ⟨de (v.)⟩ **0.1** *hedgehog (position).*

egelvis ⟨de (m.)⟩ ⟨dierk.⟩ **0.1** *swell-fish* ⇒*globe / porcupine-fish, puffer.*

egge →eg.

eggen ⟨onov., ov.ww.⟩ **0.1** *harrow* ⇒*brake* ◆ **3.1** ⟨fig.⟩ er is met hem te ~ noch te ploegen *there is no pleasing him.*

E.G.K.S. ⟨de (v.)⟩ ⟨afk.⟩ **0.1** [Europese Gemeenschap voor Kolen en Staal] *E.C.S.C. (European Coal and Steel Community).*

ego ⟨het⟩ ⟨psych.⟩ **0.1** *ego* ◆ **3.1** zijn~ kreeg een flinke deuk *he suffered a serious blow to his e.;* dat streelde haar ~ *it gave her an e. -boost* **¶.1** alter ~ *alter e. other self.*

egocentrisch ⟨bn., bw.⟩ **0.1** ⟨bn.⟩ *egocentric* ⇒*self-centred,* ⟨bw.⟩ *in an e. / self-centred way.*

egocentrisme ⟨het⟩ **0.1** *egocentricity* ⇒*self-centredness.*

egoïsme ⟨het⟩ **0.1** *egoism* ⇒*selfishness.*

egoïst ⟨bn.⟩ **0.1** *egoistic(al)* ⇒*self-seeking, selfish.*

egoïst ⟨de (m.)⟩ **0.1** *egoist* ⇒*self-seeker.*

egoïstisch ⟨bn., bw.; -ally⟩ **0.1** *egoistic(al)* ⇒*selfish, self-seeking, self-interested.*

egotisme ⟨het⟩ **0.1** *egotism.*

egotist ⟨de (m.)⟩ **0.1** *egotist.*

egotrip ⟨de (m.)⟩ **0.1** *ego-trip.*

egotrippen ⟨ww.⟩ **0.1** *go on an ego trip, ego trip* ◆ **1.1** een~de bandleider *a bandleader on an ego trip.*

Egypte ⟨het⟩ **0.1** *Egypt* ◆ **1.1** de uittocht uit~ *the exodus from E.;* ⟨fig.⟩ de vleespotten van~ *the fleshpots of E..*

Egyptenaar ⟨de (m.)⟩, **Egyptische** ⟨de (v.)⟩ **0.1** *Egyptian.*

Egyptisch[1] ⟨het⟩ **0.1** *Egyptian.*

Egyptisch[2] ⟨bn.⟩ **0.1** [mbt. Egypte] *Egyptian* **0.2** [ondoorgrondelijk] *Egyptian* ⇒*sphinx-like* ◆ **1.2** ~e duisternis *E. / intense / Cimmerian / Memphian darkness.*

egyptologie ⟨de (v.)⟩ **0.1** *Egyptology.*

egyptoloog ⟨de (m.)⟩, **-loge** ⟨de (v.)⟩ **0.1** *Egyptologist.*

E.H.B.O. ⟨de⟩ ⟨afk.⟩ **0.1** [Eerste Hulp Bij Ongelukken] ⟨*first aid;* ⟨plek waar EHBO wordt gegeven⟩ *first aid post / station;* ⟨in fabriek e.d.⟩ *sick bay / room;* ⟨in ziekenhuis⟩ *casualty (department / ward)*⟩.

EHBO-diploma ⟨het⟩ **0.1** *first-aid certificate.*

EHBO-er ⟨de (m.)⟩, **-ster** ⟨de (v.)⟩ **0.1** *first-aider* ⇒⟨in GB lid van 'St. John's Ambulance Brigade', bij voetbalwedstrijden enz.⟩ *St. John's Ambulance man.*

E.H.B.O.-kist ⟨de⟩ **0.1** *first-aid box.*

ei[1] ⟨het⟩ ⟨→sprw. 155-158,321,344⟩ **0.1** [⟨biol.⟩ eicel] *ovum, egg* **0.2** [mbt. vogels] *egg* **0.3** [iets met een eivorm] *egg* **0.4** [doetje] *softy* ⇒ *soft touch, wet,* ⟨onnozel meisje⟩ *ingénue, little innocent,* ⟨onnozele vrouw⟩ *innocent* ◆ **1.2** ⟨fig.⟩ voor een appel en een~ *for a song / peanuts;* ⟨fig.⟩ dat is het~ van Columbus *that's just the thing / just what we want* **1.3** het~ van een spier *the bulge of a muscle;* een~ van suiker / van chocolade *a sugar / chocolate e.* **2.2** gebakken~eren *fried eggs;* gepocheerde ~eren *poached eggs;* ⟨fig.⟩ de kip die gouden~eren legt, slachten *kill the goose that lays the golden eggs;* een hard~ *a hard-boiled e.;* een rauw~ *a raw e.;* met rotte ~eren gooien (naar iem.) *pelt (s.o.) with rotten / bad eggs, throw rotten / bad eggs (at s.o.);* ⟨fig.⟩ *throw / sling mud (at s.o.);* verse ~eren *new-laid / fresh eggs;* een vuil / bebroed~ *an e. with a blood speck;* een zacht~ *a soft-boiled e.;* ⟨fig.⟩ *a softy;* dat is voor haar een zacht~tje *it's a piece of cake for her* **3.2** ⟨fig.⟩ dat is het hele~ eten *eten that's all there is to it, it's as simple as that;* ⟨fig.⟩ ~eren kiezen voor zijn geld *make the best of a bad job / bargain;* ~eren klutsen *beat / whisk eggs;* ⟨fig.⟩ als een kip die haar~ niet kwijt kan *like a proper fidget;* ~eren leggen ⟨insecten⟩ *deposit ova, lay eggs;* een~ leggen / uitbroeden *lay / hatch an e.* **4.4** wat een~! *what a softy! / wet!* **6.2** ~eren met spek *ham and eggs;* ⟨AZN; fig.⟩ hij zit met een~ *he wants to get sth. off his chest;* ⟨fig.⟩ op ~eren lopen *tread on eggs / lightly;* een hen op ~eren zetten *set a hen* **6.4** een ~ van een vent *a real softy / soft touch / wet* **6.¶** op de ~eren zitten *sit on one's money / hoard;* ik zit niet op ~eren *I'm not in a (desperate) hurry, I can wait, I've got time* **8.2** zo vol als een~ *brimful(l), full to the brim, chockfull, full to overflowing, chock-o-block, crammed, packed* **¶.2** ⟨fig.⟩ zijn~ niet kwijt kunnen *not be able to say one's piece, not get one's chance* **¶.¶** ⟨AZN⟩ ~ zo na *very nearly, all but.*

ei[2] ⟨tw.⟩ ⟨schr.; arch.⟩ **0.1** *O(h)!.*

e.i. ⟨de (m.)⟩ ⟨afk.⟩ **0.1** [elektrotechnisch ingenieur] ⟨*electrical engineer*⟩.

eicel ⟨de⟩ **0.1** *egg-cell* ⇒*ovum, female germ cell, female gamete.*

eideling ⟨de (v.)⟩ **0.1** *segmentation* ⇒*cell-division.*

eiderdons ⟨het⟩ **0.1** *eider(down).*

eidereend ⟨de⟩ **0.1** *eider (duck).*

eidetiek ⟨de (v.)⟩ **0.1** *eidetics.*

eidetisch ⟨bn.⟩ **0.1** *eidetic* ◆ **1.1** ~e beelden *e. images.*

eidooier, eierdooier ⟨de (m.)⟩ **0.1** *egg yolk.*

eierboer ⟨de (m.)⟩ **0.1** *poulterer* ⇒*poultry / chicken farmer,* ⟨op kleine schaal⟩ *eggman.*

eierdop ⟨de (m.)⟩ **0.1** [schaal rond het ei] *eggshell* **0.2** [eetgerei] *egg-cup.*

eiereneten ⟨ww.⟩ ◆ **2.¶** dat is nu het hele~ *that's all there is to it, there's nothing more (than that) to it.*

eierklopper, -klutser ⟨de (m.)⟩ **0.1** ⟨garde⟩ *(egg) whisk;* ⟨roterende⟩ *eggbeater, rotary beater.*

eierkoek ⟨de (m.)⟩ **0.1** [zachte koek] *sponge (cake)* **0.2** [omelet] *omelet(te).*

eierkoker ⟨de (m.)⟩ **0.1** ⟨elektrisch⟩ *egg cooker / poacher / coddler* ⇒ ⟨rekje⟩ *egg-boiler.*

eierkolen ⟨zn. mv.⟩ **0.1** *ovoids.*

eierleggend ⟨bn.⟩ **0.1** *oviparous* ⇒*egg-laying.*

eierlepeltje ⟨het⟩ **0.1** *egg-spoon.*

eierlijst ⟨de⟩ ⟨bouwk.⟩ **0.1** *egg-and-tongue / -anchor / -dart (moulding)* ⇒ *echinus.*

eiermijn ⟨de⟩ **0.1** *egg auction / mart / market.*

eiernetje ⟨het⟩ **0.1** *egg-net.*

eierrek ⟨het⟩ **0.1** *egg rack / stand.*

eierschaal ⟨de⟩ **0.1** *eggshell.*

eiersnijder ⟨de (m.)⟩ **0.1** *egg slicer / cutter.*

eierstok ⟨de (m.)⟩ ⟨med.⟩ **0.1** *ovary* ◆ **3.1** de ~ken wegnemen *remove the ovaries, perform ovariectomy.*

eierstokontsteking ⟨de (v.)⟩ **0.1** *ovaritis* ⇒*oophoritis.*

eierstruif ⟨de⟩ **0.1** [geklutste eieren] *beaten eggs* **0.2** [omelet] *omelet(te).*

eierveiling ⟨de (v.)⟩ **0.1** *egg market / mart / auction.*

eierwarmer ⟨de (m.)⟩ **0.1** *egg-cosy.*

eierwekker ⟨de (m.)⟩ **0.1** *egg-timer.*

Eiffeltoren ⟨de (m.)⟩ **0.1** *Eiffel Tower.*

eig. ⟨afk.⟩ **0.1** [eigenlijk] ⟨*literally*⟩.

eigeel[1] ⟨het⟩ **0.1** *egg yolk* ◆ **6.1** met ~ bestrijken *brush with e. y..*

eigeel[2] ⟨bn.⟩ **0.1** *buttercup yellow.*

eigen[1] ⟨het⟩ ⟨fig.⟩ **0.1** [⟨inf.; + bez. vnw.⟩] *-self* ⟨enk.⟩ / *-selves* ⟨mv.⟩ ⇒ *myself, yourself, himself, herself, itself, ourselves, yourselves, themselves* **0.2** [eigendom, bezit] *one's own (property)* ◆ **2.2** ons geestelijk ~ is onvervreemdbaar ≠*our minds / thoughts are our own* **6.1** ik dacht bij mijn~ dat ... *I was thinking to myself ...;* **op** zijn~ gaan wonen *start living on one's own / by o.s.;* dat spreekt **van** ~(s) *that speaks for itself, that's obvious* **6.2** wij boeren **op** ons~ *we farm (on) our own (land).*

eigen[2] ⟨bn.⟩ ⟨→sprw. 91,246,247,410⟩ **0.1** [aan de betrokkene(n) toebehorend] *own* ⇒ ⟨privé⟩ *private,* ⟨persoonlijk⟩ *personal* **0.2** [uitgaand van iem. zelf] *own* **0.3** [kenmerkend] *typical, characteristic, individual* ⇒*peculiar* **0.4** [vertrouwd] *familiar* **0.5** [mbt. de streek, het land van herkomst] *own* ⇒*native, domestic* ◆ **1.1** ~baas zijn *be one's o. boss / master, be a free agent;* een ~ bedrijf beginnen *start one's o. company, start a company of one's o.;* op ~ benen staan *stand on one's o. (two) feet;* ~er beweging of one's o. accord; ⟨inf.⟩ *off one's o. bat;* voor ~ gebruik *for one's (o.) private use / consumption;* ~ geld *one's o. money;* ⟨sport⟩ op de ~ helft *in one's o. half;* hij heeft een~ huis *he has a house of his o.;* mensen met een ~ huis *people who own their o. house, houseowners, owner-occupiers;* de ~ kinderen *one's o. children;* iets in ~ kring vieren *celebrate sth. privately;* ik wil mijn ~ naam houden ⟨meisjesnaam⟩ *I want to keep my maiden name;* iets met ~ ogen zien *see sth. with one's (very) o. eyes;* ⟨sport⟩ voor ~ publiek spelen *play at home, play in front of a one's home crowd;* betreden op ~ risico *entry at one's o. risk;* wij hebben ieder een ~ (slaap)kamer *we have separate (bed)rooms;* ⟨sport⟩ op ~ terrein *at home;* ~ weg *private road;* ⟨fig.⟩ zijn ~ weg gaan *go one's o. way;* op een geheel ~ wijze *in a way of one's (very) o., in my / your* ⟨etc.⟩ *very o. way;* het waren haar ~ woorden *those were her very words;* iets uit ~ zak betalen *pay for sth. out of one's o. pocket;* bemoei je met je ~ zaken *mind your o. business* **1.2** in ~ beheer een boek uitgeven *publish a book privately / oneself;* zijn ~ gang gaan *go one's o. way;* op ~ gezag *on one's o. authority;* naar ~ goeddunken *at one's (o.) discretion, as one sees fit;* op ~ kracht *under one's o. power /* ⟨inf.⟩ *steam;* naar ~ zeggen *by one's o. account* **1.3** bier met een geheel ~ smaak *beer with its own special taste, beer with a taste all (of) its own* **1.5** van ~ bodem ⟨ook⟩ *homegrown, homemade;* de situatie in ~ land *the domestic situation, the situation at home;* onze ~ literatuur *our o. / native / national literature;* ~ produkten *domestic products / produce* **3.3** dat is hem ~ *that is typical of him;* ⟨inf.⟩ *that's him all over* **3.4** hij is hier ~ *he is / feels at home here;* zich iets ~ maken *make o.s. f. with sth.* ⟨ook mbt. taal⟩; ⟨mbt. taal ook⟩ *master, pick up;* ⟨mbt. gewoonte⟩ *pick up, fall into, acquire* **4.3** met de hem ~ bescheidenheid *with his characteristic modesty, with the modesty (so) characteristic of him* **5.1** een geheel ~ stijl ontwikkelen *develop a style of one's o.* **6.3** dat is ~ aan deze landstreek *that is typical of this part of the country.*

eigenaar ⟨de (m.)⟩, **eigenares** ⟨de (v.)⟩ **0.1** *owner* ⇒ ⟨onroerend goed / huurhuis ook⟩ *proprietor* ⟨m.⟩, *proprietress* ⟨v.⟩, ⟨bezitter ook⟩ *possessor,* ⟨van waardepapieren e.d.⟩ *holder* ◆ **1.1** verandering van ~ *change of owner(ship)* **2.1** ⟨jur.⟩ blote ~ *bare / legal o.;* de rechtmatige ~ *the rightful o.* **4.1** van ~ verwisselen *change hands / ownership;* deze auto is drie keer **van** ~ veranderd *this car changed hands three times.*

eigenaar-bewoner ⟨de (m.)⟩ **0.1** *owner-occupier.*

eigenaardig

I ⟨bn.⟩ **0.1** [eigen karakter hebbend] *singular* ⇒*peculiar, personal, idiosyncratic, individual, special* **0.2** [⟨euf.⟩ vreemd] *peculiar* ⇒ *strange, odd, curious, queer* ◆ **1.1** een ~e gewoonte *an odd habit, a personal trait / characteristic, an idiosyncracy, a quirk;* een ~ gezegde / gebruik / geval *a peculiar saying / curious custom / singular case;* ze heeft iets ~s - ik mag dat wel *there is sth. quite special about her - I like that;* een ~e stijl *an individual style, a style of one's own* **1.2** hij

was een ~e jongen *he was a strange/funny/odd/queer/singular/p. boy;* hij heeft een ~e opvatting van zijn taak *he takes a p./strange/ odd view of his duties;* een ~ soort beleefdheid *a p./singular/odd/ queer kind of politeness, a funny/odd/queer way of being polite* **3.2** het is wel ~ *it is p./strange/odd/weird, isn't it;*
II ⟨bw.⟩ **0.1** [op bijzondere wijze] *peculiarly* ⇒*oddly* ◆ **3.1** hij kan zo ~ handelen *he can behave so strangely/oddly/p.;* zich ~ uitdrukken *express o.s. oddly/p..*

eigenaardigheid ⟨de (v.)⟩ **0.1** [het eigenaardig zijn] *oddity* ⇒*singularity,* ⟨vnl. van personen⟩ *individuality* **0.2** [bijzondere eigenschap] *peculiarity* ⇒*idiosyncrasy, oddity, characteristic* ◆ **3.2** hij heeft zulke eigenaardigheden *he has such funny ways/queer habits.*

eigenbaat ⟨de⟩ **0.1** *selfseeking* ⇒*selfishness* ◆ **6.1** uit ~ handelen *act for gain, be moved by selfish interests/considerations.*

eigenbelang ⟨het⟩ **0.1** *self-interest* ⇒⟨opportunistisch⟩ *expediency* ◆ **3.1** alleen op ~ uit zijn *be driven purely/solely by s.-i./by pure s.-i./ by s.-i. alone, have an eye to the main chance only* **6.1** uit ~ handelen *act out of s.-i./for selfish reasons.*

eigendom
I ⟨de (m.)⟩ ⟨jur.⟩ **0.1** [eigendomsrecht] *ownership* ⇒*title,* ⟨onroerend goed, onbeperkte duur⟩ *freehold,* ⟨onroerend goed; beperkte duur⟩ *leasehold* ◆ **2.1** intellectuele/letterkundige ~ *intellectual/literary property;* in volle/vrije ~ bezitten *possess the freehold of, own (sth.) freehold* **3.1** de (volle) ~ overdragen aan ... *transfer/convey the (full) o./title to sth.,* ↓*lose possession of sth.;* (het) ~ zijn/blijven/worden van ... *be owned by, be/remain the property/in the o. of, become the property of* **6.1** in ~ hebben/verkrijgen *own (sth.), acquire the o. of/title to;*
II ⟨het⟩ **0.1** [bezit] *property* ⇒*possession,* ⟨mv.⟩ *belongings* **0.2** [onroerend goed] *property* ⇒⟨jur.⟩ *freehold estate, leasehold* ◆ **2.1** algemeen/publiek ~ worden *become common/public property;* tot gemeenschappelijk ~ maken *make (sth.) common property, communize;* dat park is particulier ~ *that park is private property* **2.2** gebouwde en ongebouwde ~men *land and buildings* **4.1** dat boek is mijn ~ *that book belongs to me/is my property* **6.1** iets tot zijn ~ maken *appropriate sth., make sth. one's own.*

eigendomsbeperking ⟨de (v.)⟩ **0.1** *limitation/restriction of/on ownership.*

eigendomsbewijs ⟨het⟩ **0.1** *title deed* ⇒*proof of ownership (to/of),* *document/evidence of title (to/of),* ⟨BE; van auto⟩ *registration book,* ⟨effecten⟩ *security.*

eigendomsoverdracht ⟨de⟩ **0.1** *transfer/* ⟨van vastgoed ook⟩ *conveyance of property* ⇒⟨eigendomsrecht⟩ *transfer of ownership/title.*

eigendomsrecht ⟨het⟩ **0.1** *right(s) of ownership (in)* ⇒*title (to).*

eigendunk ⟨de (m.)⟩ **0.1** *self-conceit* ⇒*self-importance, arrogance.*

eigene ⟨het⟩ **0.1** *individuality* ⇒⟨zaken⟩ *characteristic feature/flavour,* ⟨landschap⟩ *genius* ◆ **1.1** het ~ v.e. volk/land *the typical quality of a nation/country, a nation's/country's characteristics.*

eigengebakken ⟨bn.⟩ ⟨inf.⟩ **0.1** *home-baked* ⇒*home-made* ◆ **1.1** ~ brood ⟨meestal⟩ *home-made bread.*

eigengeldje ⟨het⟩ **0.1** ⟨zie 3.1⟩ ◆ **3.1** een ~ hebben *break even, get one's stake/(ticket) money back.*

eigengemaakt ⟨bn.⟩ ⟨inf.⟩ **0.1** *home-made* ◆ **1.1** ~e kleding *h.-m. clothes;* ~e paté *h.-m. pâté.*

eigengerechtig ⟨bn., bw.⟩ **0.1** *self-willed* ⇒*self-opinionated* ◆ **3.1** ~ handelen *go about things in one's own way.*

eigengerechtigheid ⟨de (v.)⟩ **0.1** [het eigenmachtig handelen] *self-will* **0.2** [eigenmachtige daad] *wilfulness.*

eigengereid ⟨bn.⟩ **0.1** *headstrong* ⇒*high-handed,* ↓*self-willed* ◆ **1.1** een ~ jongetje *a headstrong/obstinate little boy.*

eigenhandig ⟨bn., bw.⟩ **0.1** *(made, done) with one's own hand(s)* ⇒⟨bijw. ook⟩ *(do sth.) oneself, personnaly,* ⟨~ geschreven stuk, ondertekening⟩ *holographic, autographic* ◆ **1.1** een ~ schrijven *an autograph, a personal letter* **3.1** ~ geschreven ⟨sollicitatiebrief⟩ *self-written, in one's own handwriting;* ⟨~manuscript⟩ *holograph;* een door de minister ~ geschreven brief *a personal letter from the Minister, a letter from the Minister personnally;* ⟨lett.⟩ *a letter in the Minister's own hand(writing).*

eigenheid ⟨de (v.)⟩ **0.1** [eigenaardigheid] *singularity* ⇒*characteristic property/trait* **0.2** [eigen karakter] *individuality* ⇒*individual character.*

eigenheimer ⟨de (m.)⟩ **0.1** *'eigenheimer'* ⟨kind of potato⟩.

eigenliefde ⟨de (v.)⟩ **0.1** *amour-propre* ⇒*self-love, egotism, egoism,* ⟨zelfvoldaanheid⟩ *(self-)complacency* ◆ **3.1** zo iets streelt zijn ~ *a thing/something like that tickles his vanity;* haar ~ was gekrenkt *her pride had been hurt.*

eigenlijk
I ⟨bn.⟩ **0.1** [echt] *real* ⇒*actual, true, proper* ◆ **1.1** zijn ~ beroep is timmerman *his r./proper trade is carpentry;* de ~e betekenis van een woord *the true/proper sense/meaning of a word, the literal meaning of a word;* een ~e breuk *a proper fraction;* het ~e Londen *London proper;* de ~e reden *the r./true reason;* dit zijn afschriften, de ~e

stukken liggen in het archief *these are copies, the originals/the documents themselves are in the archives;* in ~e zin *in the true/literal/proper sense (of the word);*
II ⟨bw.⟩ **0.1** [in werkelijkheid] *really* ⇒*in fact, exactly, actually* ◆ **3.1** wat bezielt je ~? *what on earth has got ᴬten into you?, just what has got ᴬten into you?;* ~ gezegd *to tell the truth;* u heeft ~ gelijk *you are right, r., fundamentally, you are right;* ~ is de zaak deze *in fact this is the situation/point/issue, this is the situation/point/issue, r.;* het is ~ een leugen *it's not true r./r. true, actually/as a matter of fact, it's a lie;* wat is dat een pacemaker ~? *what exactly is a pacemaker?;* ~ is het schandalig *it's disgraceful/a disgrace, r., it's little short of a scandal;* wat is er ~ aan de hand? *what is the matter then?, what is going on exactly?;* daar kom ik ~ voor *that's what I've come for, r./I've r. come for;* ~ mag ik je dat niet vertellen *I shouldn't tell you, r., actually, I'm not supposed to tell you;* wat moet hij hier ~ *what's he doing here?;* wat wil je nu ~? *just what are you aiming/driving at?;* ik wist ~ niet wat ik moest zeggen *I didn't quite know what to say* **5.1** ik kom daarom ~ niet *that's not r. why I've come/what I've come for;* ~ niet *nor r./ exactly, hardly;* waar moet je ~ heen? *where are you going, in fact?, where have you got to get to exactly?.*

eigenmachtig ⟨bn., bw.⟩ **0.1** *self-willed* ⇒*self-opinionated* ◆ **1.1** een ~ optreden *a high-handed action* **3.1** ~ handelen ⟨op eigen gezag⟩ *act on one's own authority/act with a high hand;* ⟨zonder machtiging⟩ *act without authorization.*

eigennaam ⟨de (m.)⟩ ⟨taal.⟩ **0.1** *proper name/noun.*

eigenrichting ⟨de (v.)⟩ **0.1** *taking justice/the law into one's own hands* ◆ **3.1** ~ plegen *take the law into one's own hands, take what is one's due, make one's own justice.*

eigenroem ⟨de (m.)⟩ ◆ **3.¶** ~ stinkt ⟨schr.⟩ *self-praise is no recommendation;* ⟨inf.⟩ *you shouldn't/don't blow your own trumpet.*

eigenschap ⟨de (v.)⟩ **0.1** [hoedanigheid] *quality* ⇒*property* ⟨van stoffen⟩ **0.2** [⟨wisk.⟩] *property* ◆ **1.1** kunt u enige ~pen van dit gas noemen? *can you name some/any of the properties of this gas?* **2.1** zij heeft veel goede ~pen *she has many/good points/good/fine qualities;* zij heeft goede en slechte ~pen *she has virtues and vices/ strengths and weaknesses/good and bad points;* de goede ~pen ⟨van boek, paard, man, ...⟩ *the qualities/strong points/strenghts;* kenmerkende ~ ⟨characteristic/distinguishing⟩ *feature/trait, characteristic;* de vereiste ~pen *the required qualities, the qualities required;* ⟨sollicitant⟩ *the skills required.*

eigensoortig ⟨bn.⟩ **0.1** *(it/she/he is)(in) a class of its/her/his own.*

eigenste ⟨bn.⟩ ⟨inf.⟩ **0.1** ⟨ongemarkeerd⟩ *selfsame* ⇒*the very same* ◆ **1.1** die ~ dag is hij vertrokken *that s. day he left, he left the very same day.*

eigentijds ⟨bn.⟩ **0.1** *contemporary* ⇒*modern* ◆ **1.1** ~ design *c. design.*

eigenwaan ⟨de (m.)⟩ **0.1** *self-satisfaction* ⇒*conceitedness, egotism* ◆ **5.1** vol ~ *self-satisfied, (self-)conceited.*

eigenwaarde ⟨de (v.)⟩ **0.1** *self-respect* ⇒*self-esteem* ◆ **1.1** gevoel van ~ *s.-r.;* een overdreven gevoel van ~ *an exaggerated sense of self-esteem, egotism;* ⟨sterker⟩ *egomania* **6.1** hij heeft me in mijn ~ geraakt *he has hurt/wounded my pride/touched my vanity.*

eigenwijs ⟨bn., bw.; -ly⟩ **0.1** [verwaand] *cocksure, cocky* ⇒*conceited,* ⟨betweterig⟩ *priggish, self-willed* **0.2** [grappig, afwijkend] *pert* ⇒ ⟨brutaal⟩ *saucy, cheeky* ◆ **1.1** ⟨inf.⟩ een eigenwijze drol *a smart alec(k)/alick, ᴬa smart-ass;* een ~ figuur *a know-(it-)all;* een ~ nest *a pert little girl* **1.2** een ~ hoedje heeft zij op *she is wearing a saucy/little hat* **3.1** doe niet zo ~ *come off your high horse/perch, dont' be so superior.*

eigenwijsheid ⟨de (v.)⟩ **0.1** [hoedanigheid] *pertness* ⇒*cocksureness* **0.2** [uitlating, handeling] *impertinence.*

eigenwillig ⟨bn., bw.⟩ **0.1** *self-willed, wilful* ⇒*headstrong, obstinate.*

eigenzinnig ⟨bn., bw.⟩ **0.1** *self-willed* ⇒⟨koppig⟩ *stubborn, obstinate,* ⟨onhandelbaar⟩ *unamenable, wayward.*

eigenzinnigheid ⟨de (v.)⟩ **0.1** *self-will* ⇒*wilfulness, obstinacy, intractability,* ⟨inf.⟩ *pigheadedness.*

eiglans ⟨de (m.)⟩ **0.1** *eggshell gloss* ⟨vnl. mbt. verf⟩ ⇒*satiny/silky gleam.*

eihoofd ⟨het⟩ **0.1** [eivormig hoofd] *egg-shaped head* **0.2** [⟨als scheldnaam⟩] *egghead.*

eik ⟨de (m.)⟩ **0.1** *oak (tree).*

eikeblad ⟨het⟩ **0.1** *oak leaf.*

eikeboom ⟨de (m.)⟩ **0.1** *oak (tree).*

eikehakhout ⟨het⟩ **0.1** *oak wood* ⇒*oak coppice.*

eikehout ⟨het⟩ **0.1** [hout] *oak(-wood)* **0.2** [groep bomen] *oak wood.*

eikel ⟨de (m.)⟩ **0.1** [vrucht van de eikeboom] *acorn* **0.2** [deel van de penis] *glans (penis)* **0.3** [versiersel] *acorn* **0.4** [kluns] *oaf.*

eikelvormig ⟨bn.⟩ **0.1** *acorn-shaped* ⇒*glandiform.*

eiken¹ ⟨het⟩ **0.1** *oak(-wood)* ◆ **2.1** blank ~ *natural oak.*

eiken² ⟨bn.⟩ **0.1** *oak-wood,* ⟨vero.⟩ *oaken* ◆ **1.1** ~ balken *oak beams;* een ~ wandmeubel *an oak cabinet* **1.¶** hij liegt door een ~ plank *he is a bar-faced liar.*

eikenbos ⟨het⟩ **0.1** *oak wood* ⇒⟨klein⟩ *oak-grove.*

eilaas ⟨tw.⟩ ⟨schr., iron.⟩ **0.1** *alas.*

eiland 〈het〉 **0.1** [door water omringd land] *island* ⇒〈dicht.; klein; met bep. eigennamen〉 *isle*, 〈~je〉 *islet* **0.2** [hoger/droog gedeelte] *island* ◆ **1.1** op het ~ Man/Wight *in/on the Isle of Man/Wight;* op het ~ Walcheren *in the island of Walcheren* **1.2** ~jes van gras *islands/islets of grass* **2.1** 〈meteo.〉 de Britse ~en *the British Isles* **2.2** een kunstmatig ~ *an artificial/a manmade island;* 〈boor~, werk~〉 *a platform (at sea)* **6.1** 〈fig.〉 we zitten hier niet op een ~ *we are not the only people in the world/alone in the world;* op een ~ wonen *live on* 〈klein〉/*in* 〈groot〉 *an island;* 〈fig.〉 hij vaart **tussen** de ~en door *he steers a fine line/course.*

eilandbewoner 〈de (m.)〉, **-bewoonster** 〈de (v.)〉 **0.1** *islander* ⇒*island dweller*, 〈zelden〉 *insular.*

eilandengroep 〈de〉 **0.1** *archipelago* ⇒*group of islands.*

eilandenrijk 〈het〉 **0.1** *island empire/kingdom* ⇒〈voormalig Nederlands-Indië〉 *archipelago.*

eilandgebied 〈het〉〈aardr.; jur.〉 **0.1** *island group* ⇒〈gebiedsdeel〉 *island territory.*

eileider 〈de (m.)〉〈biol.〉 **0.1** *Fallopian tube* ⇒〈vnl. van vogels〉 *oviduct.*

eileiderontsteking 〈de (v.)〉 **0.1** *inflammation of a/the Fallopian tube/the Fallopian tubes* ⇒〈med. ook〉 *salpingitis.*

eind 〈het〉 **0.1** [bepaalde afstand/lengte]〈afstand〉 *way, distance;* 〈stuk〉 *piece* **0.2** [het laatste gedeelte/stuk] *end* ⇒*extremity*, 〈van toneelstuk/boek/verhaal/film ook〉 *ending* ◆ **1.1** een ~ hout *a piece of wood;* een ~ touw *a length of rope;* 〈dun〉 *a piece of string;* een ~ worst *a piece of sausage* **1.2** ~ mei *at the end of May* **2.1** het is een heel ~ *it's (quite/rather) a long way, it's a good/fair way/distance;* hij lag een heel ~ achter/voor *he was quite a way behind/ahead;* ze zijn al een heel ~ op weg *they've already gone a long way;* het is nog een heel ~ *it's still a long way (to go), we've/they've* 〈enz.〉 *still got a long way to go;* 〈fig.〉 aan het kortste ~ trekken *get the worst of it, come off worst/second best, be left with/get the short end of the stick, be worsted;* wat een lang ~, die dochter van ons *she's a tall one, that daughter of ours;* 〈fig.〉 aan het langste ~ trekken *come off best, get the best of it;* op het (laatste) rechte ~ *on the (home) straight, on the home/finishing stretch, coming up to the finish* **2.2** het andere ~ van de stad *at the other/far end of the town;* hij woont aan het andere ~ van de wereld *he lives at the back of beyond;* aan beide ~en *at both ends* **2.¶** het bij het rechte ~ hebben *be right/correct;* het bij het verkeerde ~ hebben *have got hold of the wrong end of the stick, be mistaken/wrong, be labouring under a misapprehension* **3.1** daar kom ik een heel ~ mee *that will go a long way (towards paying/covering my costs* 〈enz.〉 *);* ga een ~ lopen 〈fig.〉 *go for (a bit of) a walk;* 〈fig.〉 *don't talk nonsense;* het is een heel ~ lopen/fietsen/rijden *it's a long/good/fair way/distance to walk/ride/drive, it's a long walk/ride/drive;* iem. een heel ~ tegemoetkomen 〈ook fig.〉 *go a long way to meet s.o.* **4.1** wat een ~ *what a way/distance* **5.1** dat is een heel ~ om *that's quite a bit out of the way,* 〈fig.〉 een ~ weg praten *go/rattle on* **6.1** een ~ in de 40 *well over/past 40,* well into your 40's; de kosten bleven een heel ~ **onder** de raming *the costs were considerably less than the estimate;* het is al een heel ~ **over** achten *it's well past eight (o'clock)* **6.2** op het ~ van de film kwam alles nog goed *everything came out right at the end of the film/in the last reel;* op het ~ van de achttiende eeuw/jaren zestig *towards the end of the eighteenth century/sixties, in the late eighteenth century/sixties;* hij liep helemaal op het ~ van de stoet *he was right at the tail-end of the procession* **7.2** ~ 1986 *towards/by the end of 1986.*

eindaccent 〈het〉 **0.1** *final accent/stress.*

eindbedrag 〈het〉 **0.1** *(sum) total* ⇒*total amount.*

eindbeslissing 〈de (v.)〉 **0.1** *final/definitive decision.*

eindbestemming 〈de (v.)〉 **0.1** *ultimate/final destination* ⇒〈fig.〉 *goal,* 〈halte〉 *terminal, terminus (ad quem).*

eindcijfer 〈het〉 **0.1** *total figure* ⇒*grand total,* 〈schoolrapport〉 *final mark.*

eindconclusie 〈de (v.)〉 **0.1** *final conclusion* ◆ **6.1** komen tot een ~ *come to a f. c..*

eindcontrole 〈de〉 **0.1** *final inspection.*

einddiploma 〈het〉 **0.1** *diploma* ⇒*certificate,* 〈beroepsopleiding〉 *certificate of qualification* ◆ **1.1** het ~ van de middelbare school (behalen) *(obtain/be awarded/get) one's* [B]*GCE's* 〈*General Certificate of Education*〉/[B]*O levels* 〈*ordinary level; ≠HAVO*〉/[B]*A levels* 〈*Advanced level; ≠VWO*〉/[A]*high school certificate.*

einddoel 〈het〉 **0.1** 〈doelstelling〉 *(ultimate) goal/object/end;* 〈eindbestemming〉 *final destination* ◆ **3.1** zijn ~ bereiken *attain one's end at last/one's (final) goal, achieve one's (ultimate) purpose/one's object;* 〈na reis/transport〉 *reach one's f. d..*

einde, eind 〈het〉 (→sprw. 11,159,160) **0.1** [plaats] *end* **0.2** [moment] *end* ⇒〈van toneelstuk/boek/verhaal/film ook〉 *ending, cessation* 〈van vijandigheden〉, *finish* 〈van wedren/loop〉 **0.3** [resultaat] *upshot, result, conclusion* ◆ **1.1** 〈fig.〉 aan het ~ v.d. rit *at the e. of the day;* het ~ van de weg/van de tafel *the e. of the road/table* **1.2** het ~ van de wereld *the end of the world, the Last Day/Judgement, the Apocalypse;* de beken tot het ~ v.d. zomer 〈ook〉 *she stayed through the summer* **1.3** het ~ van de bespreking was, dat *... the upshot/result of the discussions was that ...;* het ~ van het liedje was *the upshot*

(of the affair) was **2.2** tot het bittere ~ doorgaan *go through/fight on to the bitter end;* een verhaal met een open ~ *a story with an ambiguous ending, an open-ended story* **2.3** iets tot een goed ~ brengen *bring sth. to a favourable/happy conclusion* **3.1** het ~ halen/bereiken *reach the e., finish;* daar moet maar eens een ~ aan komen *something has to be done about it, there ought to be a stop put to it;* er komt geen ~ aan *there's no e. to it/in sight* **3.2** het was of er nooit een ~ aan zou komen *it seemed endless/interminable, it seemed (as if) it would never end;* het leek alsof er geen ~ aan het applaus zou komen *it seemed (as if) the applause would go on forever/never stop;* er kwam geen ~ aan *there was no end to them/it* 〈enz.〉; zijn inbreng maakte een ~ aan de discussie *his contribution concluded/wound up/* 〈negatief〉 *cut short the discussion;* er een ~ aan maken *bring to an end, finish, conclude;* 〈zelfmoord〉 *make an end of o.s./it all, do away with o.s.;* een ~ maken aan iets 〈doen ophouden〉 *put an end/stop to sth., stop sth.;* 〈regelen, bv. mbt. staking/argument/ruzie〉 *settle;* aan alle onzekerheid/twijfel een ~ maken *put paid/a stop/an end to all uncertainty/doubt;* laten we er nu maar een ~ aan maken *let's finish off now/call it a day;* om een ~ te maken aan alle geruchten *to put an end to all rumours;* het ~ nadert *the end is near/* 〈schr.〉 *nigh;* een ~ nemen *come to an end, finish, stop, cease, conclude;* zijn ~ vinden/aan zijn ~ komen *meet one's end* **6.1** een band **zonder** ~ *an endless belt/band* **6.2** 〈fig.〉 **aan** het eind van zijn Latijn zijn *be at the end of one's tether;* 〈uitgeput ook〉 *be shattered,* 〈sl.〉 *be shagged (out);* lelijk **aan** zijn ~ komen *come to meet a nasty/sticky end;* **aan** het ~ van at the end of; ik ben daarmee nog niet **aan** het ~ gekomen van mijn betoog/reeks bezwaren *I have not yet finished (with) my argument/complaints;* ik kom hiermee **aan** het ~ van mijn betoog *this brings me to the end of/this concludes my argument;* ze loopt **op** haar ~ *she's near her time/term;* de wereld loopt **op** haar ~ *the world is coming to an end, the end of the world is near/* 〈schr.〉 *nigh;* het loopt met hem **op** een ~ *he's nearing his end, his end is (drawing) near, he's at death's door;* 〈inf.〉 *he's on his last legs;* **op** het ~ v.d. middag *in the late afternoon;* **tegen** het ~ van de winter *towards the end of the winter;* **ten** einde lopen *come to an end, draw to an end/close, finish;* 〈contract〉 *expire;* mijn geduld loopt **ten** einde *my patience is coming to an end/wearing thin, there's a limit to my patience;* iets **ten** einde brengen *finish sth. off, conclude sth.;* **ten** einde raad besloot hij *... not knowing what else to do he ...;* het jaar/de week loopt langzaam **ten** einde *we are coming to the end of the year/week;* **tot** het ~ toe *to the very end, right to the end;* **tot** het ~ toe blijven *stay until/to the end;* van het begin **tot** het ~ *from beginning to end/start to finish;* **tot** het ~ der tijden *to the end of time;* wij moeten **tot** het ~ volhouden *we must see things through;* dat betekent het ~ **voor** je loopbaan *that means the end of/that's put paid to your career;* dat wordt een geleerd/lied **zonder** ~ *we'll/you'll* 〈enz.〉 *never hear the last of it* **6.¶** ten einde te *in order to, with the object/purpose of;* **tot** dat einde/**te** dien einde *to that end, with that end/purpose in view* **7.¶** dat is het einde! *that's fantastic/terrific/fabulous/marvellous!;* 〈vnl. AE ook〉 *that's the end;* voor hem is Picasso het einde *he thinks Picasso is everything/really it/the tops/the cat's whiskers/the bee's knees/the best thing since sliced bread, he thinks the world of Picasso* **¶.1** daar kunnen we niet aan beginnen, dan is het ~ zoek *we musn't start on that because there'd be no e. of/to it* **¶.2** ten einde raad zijn *be at one's wits'/wit's end;* ~ 〈aan eind van film/boek〉 *(the) end.*

eindelijk
I 〈bw.〉 **0.1** [na lange tijd] *finally* ⇒*at last, in the end* **0.2** [op het einde] *finally* ⇒*at last, in the end, eventually* ◆ **3.1** kom je ~ *are you coming at last* **¶.1** daar heb je ze ~, daar zijn ze ~ *there they are at last;* hè, hè, ~! *at (long) last!;*
II 〈bn.〉 **0.1** [het einde vormend] *final* ⇒*ultimate* **0.2** [definitief] *final* ⇒*ultimate* **0.3** [ten slotte verkregen] *long awaited* ◆ **1.1** dat was de ~e afloop/haar ~e ondergang *that was the f. outcome/her f. undoing* **1.2** de ~e regeling *the f. settlement/arrangement;* ~e toewijzing 〈bij verkoop〉 *the definitive assignment;* het ~e vonnis *the f. sentence/judgment;* 〈BE; jur.; mbt. echtscheiding〉 *decree absolute* **1.3** de ~e ontmoeting *the long awaited encounter.*

eindeloos
I 〈bn., bw.; -ly〉 **0.1** [oneindig] *endless* ⇒*infinite, interminable* **0.2** [nooit ophoudend] *endless* ⇒*perpetual, interminable, unending* **0.3** [prachtig] *superb* ⇒*wonderful, smashing,* [B]*wizard* ◆ **1.1** de eindeloze ruimte *infinite space, infinity* **1.2** ~ geklets *perpetual/unending chatter* **1.3** wat een ~ boek is dat *what a s.! wonderful book it is;* een eindeloze man *a wonderful man* **2.1** ~ ver *miles (and miles) away* **3.2** ~ zeuren *never stop moaning/whining* **5.2** ik moest ~ lang wachten *I had to wait for ages;*
II 〈bw.〉 **0.1** [in de hoogste mate] *infinitely* ◆ **2.1** zij zijn ~ gelukkig *they are i. happy.*

eindeloosheid 〈de (v.)〉 **0.1** [het eindeloos zijn] *endlessness* ⇒〈mbt. God〉 *infinity,* 〈tijd〉 *perpetuity* **0.2** [eindeloze ruimte] *infinity.*

einder 〈de (m.)〉 **0.1** *horizon.*

eindexamen 〈het〉 **0.1** *final exam(ination)* ⇒*finals, leaving exam(ination),* 〈BE; middelbare school〉 *O levels* 〈*Ordinary level, ≠HAVO*〉, *A levels* 〈*Advanced level, ≠VWO*〉 ◆ **3.1** ~ doen *take one's finals/O* *levels / A levels;* ze haalde haar ~ op haar sloffen *she sailed through her finals* **6.1 voor** zijn ~ slagen, zakken *pass / fail one's finals.*

eindexamenkandidaat ⟨de (m.)⟩ **0.1** [iem. die zich voorbereidt] ᴮ*sixth-former,* ᴮ*A-level candidate,* ᴬ*senior* **0.2** [iem. die eindexamen doet] *examinee* ⇒ᴮ*A-level candidate.*

eindexamenklas ⟨de⟩ **0.1** ᴮ*(upper) sixth form,* ᴬ*senior class* ⇒⟨BE; inf.; ook⟩ *(upper) sixth.*

eindexamenopgave ⟨de⟩ **0.1** *final examination paper / question* ⇒⟨inf.⟩ *final (exam).*

eindexamenvak ⟨het⟩ **0.1** *final examination subject* ⇒⟨BE⟩ *school certificate subject.*

eindfactuur ⟨de (v.)⟩ **0.1** *final invoice.*

eindfase ⟨de (v.)⟩ **0.1** *final stage* ⇒*ultimate / last phase.*

eindig ⟨bn.⟩ **0.1** [een einde hebbende] *finite* **0.2** [beperkt] *limited* ⇒*finite* ◆ **1.1** het aardse is ~ *all things on earth must come to an end;* ⟨wisk.⟩ ~e getallen / reeksen *f. numbers / progressions* **1.2** ons ~ verstand *our l. intellects;* de voorraad is ~ *there is a l. supply.*

eindigen
I ⟨onov.ww.⟩ **0.1** [ophouden] *end* ⇒*finish, come to an end, stop* **0.2** [als einde hebben] *end* ⇒*finish, come to an end, terminate,* ⟨tijd ook⟩ *run out, expire* **0.3** [danken na de maaltijd] *say grace* ◆ **1.1** het juist geëindigde jaar *the year just ended;* hier eindigt Leiden en begint Zoeterwoude *this is where Leiden ends and Zoeterwoude begins;* de zitting is geëindigd *the session has come to an end / is over / is at an end* **3.1** de onderhandelingen zijn geëindigd *(the) negotiations have come to an end* **5.1** ~ waar men begonnen is *e. (up) where one started (from), have come full circle* **6.1** de school eindigt **om** twaalf uur *school finishes at twelve o'clock* **6.2** de staaf eindigt **in** een punt *the bar ends in a point;* het verhaal eindigt **met** zijn dood *the story ends / comes to an end with his death;* de ruzie eindigde **met** ... *the outcome of the quarrel was ..., the quarrel resulted in ...;* dit woord eindigt **op** een klinker *this word ends in a vowel* **8.¶** zij eindigde als eerste / tweede *she finished / came first / second;*
II ⟨onov.ww.⟩ **0.1** [ten einde brengen] *finish (off)* ⇒*end, bring to a close, terminate* ◆ **1.1** hij eindigde zijn leven / zijn dagen in eenzaamheid *he ended his life / days in solitude;*
III ⟨onov., ov.ww.⟩ **0.1** [besluiten, afronden] *end* ⇒*close, wind up, finish (off)* ◆ **3.1** ik moet nu ~ *I must close / stop now* **6.1** de spreker eindigt **met** een woord van dank *the speaker ends / finishes / concludes his speech with a word of gratitude / thanks (to) / with a brief acknowledgement (of);* hij eindigde **met** te zeggen dat ... *he ended by saying that ...;* hij eindigde zijn brief **met** ... *he ended his letter by / with .....*

eindigheid ⟨de (v.)⟩ **0.1** *finiteness* ◆ **1.1** de ~ van onze natuurlijke rijkdommen *the exhaustibility of our natural resources.*

eindindruk ⟨de (m.)⟩ **0.1** *final impression.*

eindje ⟨het⟩ **0.1** [stukje, restantje] *piece* ⇒*bit, length* ⟨touw, hout⟩, *strip* ⟨plakband, metaal⟩ **0.2** [korte afstand] *little way* ⇒*some way* **0.3** [uiteinde] *(loose) end* **0.4** [dood] *end* ◆ **1.1** een ~ van een sigaar *a cigar butt / end / stub / stump;* een ~ touw *a length of rope;* ⟨dun⟩ *a p. of string* **2.2** dat is een aardig ~ *that's quite a way* **3.2** laten we een ~ gaan rijden *let's go for a ride* ⟨inf.⟩ *spin;* de deur een ~ openlaten *leave the door ajar* ⟨op een kier⟩; *leave the door open a little way;* een ~ oplopen met iem. *walk part of the way with s.o.* **3.3** ⟨fig.⟩ de ~s niet / met moeite aan elkaar kunnen knopen *be unable / hardly able to make (both) ends meet* **3.4** het zal mij een ~ helpen *it will last my time* **3.¶** zijn ~ vasthouden *stick to one's guns* **5.2** een ~ buitengaats *some way out (at sea);* ga eens een ~ opzij *move up a bit, will you?;* een ~ verder *a bit further, further on.*

eindklassement ⟨het⟩ **0.1** *overall standings / placings;* ⟨etappewedstrijd ook⟩ *General Classification (table).*

eindlijst ⟨de⟩ **0.1** [lijst] *final list* **0.2** [rapport] ⟨→**eindrapport 0.1**⟩.

eindnotering ⟨de (v.)⟩ **0.1** *closing / final rate / price / quotation.*

eindoordeel ⟨het⟩ **0.1** *final judgement / verdict* ⇒*final conclusion(s)* ⟨van commissie⟩.

eindoorzaak ⟨de⟩ **0.1** [laatste oorzaak] *ultimate cause* **0.2** [belangrijkste oorzaak] *primary / chief cause.*

eindoverwinning ⟨de (v.)⟩ **0.1** *final victory.*

eindpaal ⟨de (m.)⟩ **0.1** *winning post.*

eindprodukt ⟨het⟩ **0.1** *final / end product* ⇒⟨afgewerkt artikel⟩ *finished article,* ⟨resultaat ook⟩ *final / end result.*

eindpunt ⟨het⟩ **0.1** [punt dat het einde vormt] ⟨in het algemeen⟩ *end point* ⇒⟨doel, bestemming⟩ *(final) destination,* ⟨mbt. bus / trein / spoorweg⟩ *terminus* **0.2** [moment] *end, final point,* ⟨tijd ook⟩ *termination* **0.3** [punt waarop iets eindigt] *end, finishing point* ⇒⟨finish⟩ *finish,* ⟨van paarderennen ook⟩ *(finishing) post* ◆ **1.2** het ~ van zijn loopbaan bereiken *reach the end / termination of one's career* **1.3** het ~ van onze wandeling *the end / finishing point of our walk* **6.1** het ~ **van** lijn 8 *the terminus of (route / bus / tram) number 8.*

eindrapport ⟨het⟩ **0.1** [(school.)] ⟨overgangsrapport⟩ *end-of-year report / ᴬreport card;* [laatste schoolrapport] *(school) leaving report / ᴬreport card* **0.2** [mbt. een onderzoek] *final report.*

eindredacteur ⟨de (m.)⟩, **-trice** ⟨de (v.)⟩ **0.1** ≠*editor-in-chief* ⇒⟨van nieuwsuitzending⟩ *anchor man / woman.*

eindredactie ⟨de (v.)⟩ **0.1** [laatste redactie] *final editing* ⇒*final wording* ⟨van tekst⟩, *final form* **0.2** [afdeling] *editorial board.*

eindregel ⟨de (m.)⟩ **0.1** *final / last line.*

eindresultaat ⟨het⟩ **0.1** *final / end result* ⇒⟨uitkomst ook⟩ *upshot,* ⟨conclusie⟩ *conclusion,* ⟨eindbedrag, ook fig.⟩ *sum total* ◆ **2.1** met vier gouden medailles heeft onze ploeg een prachtig ~ behaald *in winning four gold medals our team achieved a splendid f. r., our team achieved a splendid f. r. / score of four gold medals;* het ~ van al zijn moeite / werk was teleurstellend *the upshot of all his trouble was a disappointment* **3.1** alleen het ~ telt *only the f. / e. r. counts.*

eindrijm ⟨het⟩ **0.1** [aan het eind van een regel] *end rhyme* **0.2** [door de eindklanken gevormd] *end rhyme.*

eindronde ⟨de⟩ ⟨sport⟩ **0.1** [laatste ronde] *last / final round* **0.2** [finale] *last / final round* ◆ **6.1** zich voor de ~ plaatsen *qualify for the l. / f. r..*

eindscore ⟨de (m.)⟩ ⟨sport⟩ **0.1** *final score.*

eindsignaal ⟨het⟩ **0.1** *final whistle* ⟨van wedstrijd⟩.

eindsnelheid ⟨de (v.)⟩ **0.1** *final velocity / speed* ⇒⟨bij vrije val⟩ *terminal velocity.*

eindspel ⟨het⟩ **0.1** *end-game.*

eindspurt, eindsprint ⟨de (m.)⟩ **0.1** *final sprint, (final) kick* ◆ **2.1** over een goede ~ beschikken *be a fast finisher / kicker* **3.1** een ~ inzetten *put on a final sprint.*

eindstadium ⟨het⟩ **0.1** *final stage* ⇒⟨ziekte⟩ *terminal stage.*

eindstand ⟨de (m.)⟩ **0.1** *final score.*

eindstation ⟨het⟩ **0.1** *terminal (station)* ⇒*terminus.*

eindstreep ⟨de⟩ **0.1** *finish(ing line)* ◆ **3.1** de ~ bereiken / halen *finish;* de ~ niet halen ⟨fig.⟩ *not make it* **6.1** iem. **op** de ~ verslaan *beat* ⟨inf.⟩ *pip s.o. at the post;* het eerst **over** de ~ gaan *finish first, breast the tape.*

eindstrijd ⟨de (m.)⟩ **0.1** ⟨sport⟩ *final(s)* ⇒*final contest* ◆ **2.1** de halve ~ *semifinal(s).*

eindtermijn ⟨de (m.)⟩ **0.1** *last / closing date* ◆ **2.1** dat is de absolute ~ voor levering *that is the latest possible date for delivery.*

eindtotaal ⟨het⟩ **0.1** *grand total* ⇒*final / gross / sum total.*

einduitslag ⟨de (m.)⟩ ⟨sport⟩ **0.1** *final result(s)* ⇒⟨stand, puntentotaal⟩ *final score,* ⟨lijst van uitslagen⟩ *(list of) results* ◆ **1.1** en dan nu de ~en van de vandaag gespeelde voetbalwedstrijden *(and now) here are the football results / the results of today's football matches* **3.1** de ~ luidt als volgt *the final result / results is / are as follows* **6.1** in de ~ werden we als tweede gerangschikt *in the final (list) results we were placed second.*

eindverslag ⟨het⟩ **0.1** [laatste verslag] *final report* **0.2** [mbt. een wetsontwerp] *final report.*

eindvonnis ⟨het⟩ **0.1** *final judgment / verdict* ⇒⟨BE; echtscheiding⟩ *decree absolute.*

eindwedstrijd ⟨de (m.)⟩ **0.1** *final (game / match)* ⇒⟨om beker⟩ *cup final.*

eipoeder ⟨het, de (m.)⟩ **0.1** *egg powder.*

eirond ⟨bn.⟩ **0.1** *oval* ⇒*ovoid.*

eis ⟨de (m.)⟩ **0.1** [wat men verlangt alvorens tevreden te zijn] *requirement* ⇒*demand* **0.2** [vordering krachtens recht of macht] *demand* ⇒*requirement* **0.3** [voorwaarde voor een tegenprestatie] *demand* ⇒*term* **0.4** [wat behoort krachtens normen / gedragsregels] *requirement* ⇒*need* **0.5** ⟨jur.⟩ *claim* ⇒*suit, petition,* ⟨strafrecht⟩ *sentence demanded* ◆ **1.4** volgens de ~en v.d. betamelijkheid ... *decency requires (that) ...;* aan de ~en des tijds voldoen *conform to modern standards, be up-to-date;* de ~en van het moderne verkeer *modern traffic requirements* **1.5** de ~ van het Openbaar Ministerie was vier jaar *the Prosecution demanded four years* **2.1** dit zijn de gestelde ~en *these are the requirements;* hoge ~en stellen aan iem. *demand a lot of s.o.;* zware / pittige ~en *stiff demands* **2.4** als algemene ~ geldt dat ... *it is a general r. that ...* **2.5** een incidentele ~ *an interlocutory application, an application for interlocutory relief;* haar ~en werden ontvankelijk verklaard *her action / c. was pronounced admissible / was allowed;* een principale ~ *an application for (final) judgement* **3.1** aan de ~en voldoen *meet the requirements;* zijn ~en minder hoog stellen *lower one's requirements;* de ~ stellen dat ... *press for ..., require that ..., call for ...;* hij stelt geen ~en ⟨lett.⟩ *he makes no demands; he is not exacting, his needs are small* **3.2** iemands ~en inwilligen *comply with s.o.'s demands;* zijn ~en matigen *moderate / relax / mitigate one's demands* **3.3** afdingen op iemands ~en *challenge s.o.'s demands / terms* **3.5** iem. zijn ~ ontzeggen *dismiss s.o.'s c., nonsuit s.o.;* iem. zijn ~ toewijzen *allow / sustain s.o.'s c.;* de ~ was / luidde levenslang *life imprisonment was demanded* **6.1** de remmen moeten **aan** de strengste ~en voldoen *the brakes have to comply with the strictest requirements* **6.2** de ~ **tot** overgave werd niet beantwoord *there was no answer / response to the d. to surrender, the d. to surrender was not met* **6.5** een ~ **tot** echtscheiding indienen *present a petition for divorce; sue for divorce;* tegen iem. een ~ **tot** schadevergoeding instellen *bring a c. for damages against s.o., sue for damages* **¶.1** zijn ~en naar voren brengen *assert one's claims* **¶.3** akkoord gaan met iemands ~en *agree to s.o.'s demands / terms.*

eis ⟨de⟩ **0.1** *E sharp.*

eisen ⟨ov.ww.⟩ **0.1** [verlangen] *demand* ⇒*require, claim, make demands* *on* **0.2** [⟨jur.⟩] *demand* ⇒*sue for* **0.3** [tot voorwaarde hebben] *require* ⇒*call for* ♦ **1.1** dringende de aandacht ~ *clamour for attention;* een goede behandeling ~ *d. proper treatment;* gehoorzaamheid ~ *d. obedience;* meer geld ~ *require more money;* genoegdoening ~ voor iets *d. that sth.* [B]*be/*[A]*is set right, d. satisfaction for sth.;* het ongeval eiste vier mensenlevens *the accident claimed four lives;* een zware tol ~, zijn tol ~ *take a heavy toll, take its toll* **1.2** het Openbaar Ministerie eiste drie jaren *the Prosecution demanded three years;* schadevergoeding ~ *claim damages, make a claim/put in a claim for damages* **1.3** een losgeld voor iem. ~ *hold s.o. to ransom;* dat eist overleg *consultation is called for* **5.1** iets krachtig/dringend ~ *press for sth., insist on sth.* **6.1** iets van iem. ~ *d. sth. from/of s.o.;* het eiste te veel **van** zijn krachten *it overtaxed his strength/powers;* je eist te veel **van** jezelf *you are overtasking yourself, you d. ask too much of yourself* ¶**.2** iets in rechte ~ *sue for sth..*

eisenpakket ⟨het⟩ **0.1** *list of demands* ♦ **3.1** iem. een ~ voorleggen *present s.o. with a list of demands.*

eiser ⟨de (m.)⟩, **eiseres** ⟨de (v.)⟩ **0.1** [iem. die iets eist] *requirer* ⇒*claimer* **0.2** [⟨jur.⟩] *plaintiff* ⇒ [mbt. echtscheiding] *petitioner,* ⟨in strafzaak⟩ *prosecutor* ⟨m.⟩,*prosecutrix* ⟨v.⟩,*prosecuting party,* ⟨mbt. schadevergoeding⟩ *claimant,* ⟨mbt. verkrachting⟩ *complainant.*

eisprong ⟨de (m.)⟩⟨biol.⟩ **0.1** *ovulation.*

eistadium ⟨het⟩ **0.1** *egg stage.*

eitand ⟨de (m.)⟩ **0.1** *egg tooth.*

eitje ⟨het⟩ **0.1** (*small*) *egg* ⟨kiemcel⟩ *ovum, ovule* ♦ **2.1** ⟨fig.⟩ dat is voor hem een zacht gekookt ~ *that's a piece of cake to him;* een zacht ~ ⟨lett.⟩ *a soft-boiled egg;* ⟨fig.⟩ *a wet* **3.1** ~s leggen *lay eggs;* [†]*oviposit* ⟨vnl. mbt. insekten⟩; ⟨fig.⟩ ~e met iem. te pellen (schillen) hebben *have a bone to pick with s.o.* **6.1** een ~ **zonder** zout ⟨fig.⟩ *milk and water.*

eivlies ⟨het⟩ **0.1** [mbt. dieren] *shell membrane* **0.2** [mbt. de mens] *egg membrane.*

eivol ⟨bn.⟩ **0.1** *packed* ⇒⟨alleen predicatief⟩ *brimfull, chockfull, chock-a-block* ♦ **1.1** een ~le zaal *a p. room.*

eivorm ⟨de (m.)⟩ **0.1** *oval* ⇒*ovoid.*

eivormig ⟨bn.⟩ **0.1** *egg-shaped, oval* ⇒*oviform, ovate, ovoid(al).*

eiwit ⟨het⟩ **0.1** [witte stof in een ei] *egg white* ~*white of an egg, albumen* **0.2** [proteïne] *protein* ♦ **2.1** geklopt ~ *whisked/beaten e. w.;* tot sneeuw geklopt ~ *stiffly beaten e. w.* **2.2** dierlijk/plantaardig ~ *animal/vegetable p..*

eiwitachtig ⟨bn.⟩ **0.1** *albuminous* ⇒*albuminoid, protein-like, proteinaceous, proteinic,* ⟨slijmerig⟩ *glairy* ♦ **1.1** een ~e stof *an albuminoid;* ⟨slijmerig⟩ *a glaire.*

eiwitarm ⟨bn.⟩ **0.1** *low-protein, poor/deficient in proteins.*

eiwithoudend ⟨bn.⟩ **0.1** *albuminous* ⇒*containing protein.*

eiwitrijk ⟨bn.⟩ **0.1** *high-protein, rich in proteins.*

eiwitstof ⟨de⟩ **0.1** *albumen, protein* ⇒*albuminous matter, albuminoid.*

ejaculaat ⟨het⟩ **0.1** *ejaculate.*

ejaculatie ⟨de (v.)⟩ **0.1** *ejaculation* ⇒*emission.*

ejaculeren ⟨onov.ww.⟩ **0.1** *ejaculate.*

ejector ⟨de (m.)⟩ **0.1** *ejector.*

e.k. ⟨afk.⟩ **0.1** [eerste kwartier] ⟨*first quarter*⟩ **0.2** [eerstkomende] ⟨⟨enk.⟩ *next;* ⟨mv.⟩ *next few*⟩.

EK ⟨zn.mv.⟩⟨sport⟩⟨afk.⟩ **0.1** [Europe(s)s(e) Kampioenschap(pen)] ⟨*European championship(s)*⟩.

ekster ⟨de⟩ **0.1** *magpie* ♦ **8.1** praten/klappen als een ~ *chatter like a m..*

eksteroog ⟨het⟩ **0.1** *corn* ♦ **6.1** iem. **op** zijn eksterogen trappen *tread on s.o.'s corns.*

eksteroogpleister ⟨de⟩ **0.1** *corn plaster.*

eku- →**oecu-**.

el ⟨de⟩ **0.1** [oude lengtemaat] *yard* ⟨Engelse el, 91 cm⟩ ⇒⟨vnl. bijb.⟩ ≠*cubit,* ⟨gesch.⟩ *ell* **0.2** [meetlat] *yardstick* ♦ **6.2** ⟨fig.⟩ iets met de ~ uitmeten *lay it on thick.*

elan ⟨het⟩ **0.1** *zest* ⇒*élan, zeal, fervour* ♦ **6.1** met groot ~ *with great élan/zest/fervour;* ⟨zwier⟩ *with panache.*

eland ⟨de (m.)⟩ **0.1** *elk* ⇒⟨Noordamerikaanse eland⟩ *moose.*

elasticiteit ⟨de (v.)⟩ **0.1** *elasticity.*

elasticiteitsgrens ⟨de⟩ **0.1** *elastic limit.*

elastiek[1] ⟨het⟩ **0.1** [gummi] *rubber* ⇒*elastic* **0.2** [geweven band] *elastic* **0.3** [elastiekje van gummi] *rubber band* ⇒ [B]*elastic band* ♦ **2.2** rond ~ *e. cord* **6.1** ⟨fig.⟩ zijn geweten is **van** ~ *he has an elastic conscience.*

elastiek[2] ⟨bn.⟩ **0.1** *elastic.*

elastieken[1] ⟨bn.⟩ **0.1** *elastic.*

elastieken[2] ⟨onov.ww.⟩ **0.1** ≠*jump-rope.*

elastiekje ⟨het⟩ **0.1** *rubber band* ⇒ [B]*elastic band.*

elastisch ⟨bn.⟩ **0.1** *elastic* ⇒⟨tred ook⟩ *springy,* ⟨metaal, hout⟩ *springy, flexible,* ⟨stof ook⟩ *stretchy,* ⟨spier, mens⟩ *supple* ♦ **1.1** ⟨fig.⟩ een ~ begrip *a fluid concept;* ⟨fig.⟩ ~e regels *e. rules* **3.1** ~ maken *elasticize* **5.1** ⟨fig.⟩ deze bepalingen zijn niet ~ genoeg *these provisions aren't flexible enough.*

elastomeer ⟨het⟩ **0.1** *elastomer.*

Elckerlyc ⟨de (m.)⟩ **0.1** *Everyman.*

elders ⟨bw.⟩ **0.1** *elsewhere* ♦ **1.1** met zijn gedachten ~ *woolgathering.*

absent-minded; ~ rechtvaardigheid preken *preach justice abroad* **3.1** goederen ~ betrekken *obtain/get goods e. / from another supplier/ source;* zijn vakantie ~ doorbrengen *spend one's holidays somewhere else;* (naar) ~ gaan *go e.;* zijn ouders wonen ~ *his parents live e.* **5.1** ergens ~ *somewhere else;* nergens ~ *nowhere else;* overal ~ *everywhere/ anywhere else* **6.1** ~ **in** de kost gaan/doen *board out;* hij komt **van** ~ *he is from e..*

eldorado ⟨het⟩ **0.1** [⟨fig.⟩ paradijs] *eldorado* ⇒⟨belastingparadijs⟩ *tax haven* **0.2** [fabelachtig land] *eldorado.*

electie ⟨de (v.)⟩ **0.1** *election.*

electoraal ⟨bn.⟩ **0.1** *electoral* ♦ **1.1** uit electorale overwegingen *for electioneering purposes;* uit iets electorale voordelen proberen te halen *try to turn sth. to e. advantage.*

electoraat ⟨het⟩ **0.1** [hoedanigheid van kiezer] *electoral status* **0.2** [kiezersvolk] *electorate* **0.3** [waardigheid van keurvorst] *electorate* **0.4** [keurvorstendom] *electorate.*

electoralisme ⟨het⟩ **0.1** *electioneering.*

elefantiasis ⟨de (v.)⟩ **0.1** [verdikking van de huid] *pachydermia* **0.2** [knobbelmelaatsheid] *elephantiasis.*

élégance ⟨de (v.)⟩ **0.1** *elegance.*

elegant ⟨bn., bw.; -ly⟩ **0.1** *elegant* ⟨beweging, stijl, schrijver, manieren⟩ ⇒*refined* ⟨mens, smaak⟩ ♦ **1.1** een ~e dame *a lady of refinement;* een uiterst ~e jongeman *a most polished young man;* een ~e oplossing van een vraagstuk *an e. solution to a problem;* een ~e verschijning *an e. figure/appearance* **3.1** hij drukte zich ~ uit *he used an e. turn of phrase* **8.1** zo ~ als een kamerolifant *as e. as a sack of potatoes.*

elegantie ⟨de (v.)⟩ **0.1** *elegance* ♦ **1.1** het toppunt van ~ *the height of e..*

elegie ⟨de (v.)⟩ **0.1** [klaagdicht] *elegy* **0.2** [⟨muz.⟩] *elegy* ⇒⟨bij rouwplechtigheid⟩ *dirge.*

elegisch ⟨bn., bw.⟩ **0.1** *elegiac.*

elektra ⟨het, de (v.)⟩ **0.1** [aansluiting op het elektrisch net] *electricity* **0.2** [verbruik] *electricity* **0.3** [artikelen] [B]*electrics* ⇒*electrical equipment/goods.*

elektreet ⟨het⟩⟨nat.⟩ **0.1** *electret.*

elektricien ⟨de (m.)⟩ **0.1** *electrician.*

elektriciteit ⟨de (v.)⟩ **0.1** [vorm van energie] *electricity* **0.2** [aansluiting op het elektrisch net] *electricity* **0.3** [verbruik] *electricity* ♦ **1.2** het dorp heeft gas en ~ *the village has gas and e.* **2.1** atmosferische ~ *atmospheric e.;* geïnduceerde ~ *induced e.;* negatieve/positieve ~ *negative/positive e.;* statische ~ *static e.* **3.2** ~ aanleggen *lay on e.;* de ~ is nog niet aangesloten *the e. isn't on yet, we aren't connected to the mains yet.*

elektriciteitsbedrijf ⟨het⟩ **0.1** *electricity company.*

elektriciteitsfabriek ⟨de (v.)⟩, **elektriciteitsbedrijf** ⟨het⟩ **0.1** *power station* ⇒*generating station.*

elektriciteitskabel ⟨de (m.)⟩ **0.1** *cable* ⇒ [B]*flex,* [A]*electric cord.*

elektriciteitsmeter ⟨de (m.)⟩ **0.1** *electricity meter.*

elektriciteitsnet ⟨het⟩ **0.1** *electricity grid* ♦ **2.1** het nationale ~ *the national grid.*

elektriciteitsrekening ⟨de (v.)⟩ **0.1** *electricity/* ⟨AE ook; inf.⟩ *electric bill.*

elektriciteitsstoring ⟨de (v.)⟩ **0.1** *electricity/current/power failure/ breakdown.*

elektriciteitsverbruik ⟨het⟩ **0.1** *consumption of electricity.*

elektriciteitsvoorziening ⟨de (v.)⟩ **0.1** *electricity supply, supply of electricity* ⇒*(electric) power supply.*

elektriciteitstarief ⟨het⟩ **0.1** *electricity rate/tariff* ♦ **3.1** de elektriciteitstarieven verhogen *raise the electricity charges/rates.*

elektrificatie ⟨de (v.)⟩ **0.1** *electrification.*

elektrificeren ⟨ov.ww.⟩ **0.1** *electrify* ♦ **1.1** een spoorweg ~ *e. a railway.*

elektrisch

I ⟨bn.⟩ **0.1** [met elektriciteit geladen] *electric* **0.2** [door elektriciteit bewogen, aangedreven] *electric* **0.3** [van de aard van elektriciteit] *electrical* **0.4** [elektriciteit voortbrengend] *electric* ♦ **1.1** de dampkring is ~ *the atmosphere is charged with electricity;* ~e installatie *electrical installation;* de ~e stoel *the e. chair;* ⟨inf.⟩ *the chair;* ⟨sl.⟩ *the hot seat;* op de ~e stoel zetten *put in the e. chair;* ⟨sl.⟩ *fry, burn (up);* ~ veld *e. field* **1.2** ~e apparaten *electrical appliances/equipment;* ~e cel *e. cell;* een ~e deken *an e. blanket;* ~e kachel *e. fire/heater/radiator;* een ~e schok *an e. shock* **1.3** ~e energie *power, e. energy;* ~e spanning *voltage, tension* **1.4** een ~e centrale *a power station;* een ~ element *an e. element* **3.1** ~ koken *cook with/on electricity;*

II ⟨bw.⟩ **0.1** [door/met elektriciteit] *electrically* ♦ **2.1** ~ negatief geladen *electronegative;* ~ positief geladen *electropositive* **3.1** ~ verlicht *lit by electricity/e.;* dat toestel werkt ~ *that appliance uses electricity/is worked/operated by electricity.*

elektriseermachine ⟨de (v.)⟩ **0.1** *electrostatic generator.*

elektriseren ⟨ov.ww.⟩ **0.1** [elektriciteit opwekken in] *electrify* **0.2** [elektrokuteren] *electrocute* **0.3** [⟨fig.⟩] *galvanize* **0.4** [⟨med.⟩] *treat with electricity.*

elektro-analyse ⟨de (v.)⟩ **0.1** *electroanalysis.*

elektrocardiografie ⟨de (v.)⟩ **0.1** *electrocardiography.*

elektrocardiogram ⟨het⟩ **0.1** *electrocardiogram.*

elektrochemie ⟨de (v.)⟩ **0.1** [mbt. chemische en elektrische verschijnselen] *electrochemistry* **0.2** [mbt. de omzetting van chemische in elektrische energie] *electrochemistry*.

elektrocoagulatie ⟨de (v.)⟩⟨med.⟩ **0.1** *electrocoagulation.*

elektrode ⟨de (v.)⟩ **0.1** *electrode* ♦ **2.1** negatieve ~ *negative e.*; positieve ~ *positive e..*

elektrodialyse ⟨de (v.)⟩ **0.1** *electrodialysis.*

elektrodynamica ⟨de (v.)⟩ **0.1** *electrodynamics.*

elektrodynamisch ⟨bn.⟩ **0.1** *electrodynamic* ♦ **1.1** ~e kracht *e. force.*

elektro-encefalograaf ⟨de (m.)⟩ **0.1** *electroencephalograph.*

elektro-encefalogram ⟨het⟩ **0.1** *electroencephalogram.*

elektrokinetisch ⟨bn., bw.; -ally⟩ **0.1** *electrocinetic.*

elektrokuteren ⟨ov.ww.⟩ **0.1** *electrocute.*

elektrokutie ⟨de (v.)⟩ **0.1** *electrocution.*

elektrolyse ⟨de (v.)⟩ **0.1** *electrolysis.*

elektrolyt ⟨de (m.)⟩ **0.1** *electrolyte.*

elektrolytisch
I ⟨bn.⟩ **0.1** [mbt. elektrolyse] *electrolytic;*
II ⟨bw.⟩ **0.1** [door/met elektrolyse] *electrolytically* ♦ **3.1** ~ verkregen koper *copper obtained by electrolysis, electrolytic copper.*

elektromagneet ⟨de (m.)⟩ **0.1** *electromagnet.*

elektromagnetisch ⟨bn.⟩ **0.1** *electromagnetic* ♦ **1.1** ~e schakelaar *solenoid switch.*

elektromagnetisme ⟨het⟩ **0.1** *electromagnetism.*

elektrometer ⟨de (m.)⟩ **0.1** *electrometer.*

elektromonteur ⟨de (m.)⟩ **0.1** *electrical fitter* ⇒*electrician.*

elektromotor ⟨de (m.)⟩ **0.1** *(electric) motor.*

elektromotorisch ⟨bn.⟩ ♦ **1.¶** ~e kracht (E.M.K.) *electromotive force (E.M.F.).*

elektromyograaf ⟨de (m.)⟩ **0.1** *electromyograph.*

elektromyografie ⟨de (v.)⟩ **0.1** *electromyography.*

elektron ⟨het⟩ **0.1** [⟨nat.⟩] *electron* **0.2** [magnesiumlegering] *Elektron* ⟨handelsmerk⟩.

elektronenbuis ⟨de⟩ **0.1** *electron tube* ⇒⟨met vacuüm⟩ *vacuum tube/* ⟨BE ook⟩ *valve,* ⟨met warmte⟩ *thermionic tube/valve.*

elektronenemissie ⟨de (v.)⟩ **0.1** *electron emission* ⇒⟨bij hoge temperatuur⟩ *thermionic emission.*

elektronenflitser ⟨de (m.)⟩ **0.1** *electronic flash.*

elektronenkanon ⟨het⟩ **0.1** *electron gun.*

elektronenlens ⟨de⟩ **0.1** *electron lens.*

elektronenmicroscoop ⟨de (m.)⟩ **0.1** *electron microscope.*

elektronentheorie ⟨de (v.)⟩ **0.1** *(theory of) electronics.*

elektronenversneller ⟨de (m.)⟩ **0.1** *betatron.*

elektronenwolk ⟨de⟩ **0.1** *electron cloud.*

elektronica ⟨de (v.)⟩ **0.1** *electronics.*

elektronicus ⟨de (m.)⟩ **0.1** *electronic engineer.*

elektronisch ⟨bn., bw.; -ally⟩ **0.1** *electronic* ♦ **1.1** ~ brein *e. brain;* ~e muziek *e. music;* ~ oog *electric eye;* ~ orgel *e. organ;* ~e rekenmachine *computer* **3.1** ~ betalen *make an e. payment;* ~ winkelen *e. shopping, shopping by computer.*

elektroscoop ⟨de (m.)⟩ **0.1** *electroscope.*

elektroshock ⟨de (m.)⟩ **0.1** *electroshock.*

elektrostatica ⟨de (v.)⟩ **0.1** *electrostatics.*

elektrostatisch ⟨bn.⟩ **0.1** *electrostatic.*

elektrotechnicus ⟨de (m.)⟩ **0.1** *electrical engineer* ⇒*electrotechnician.*

elektrotechniek ⟨de (v.)⟩ **0.1** *electrotechnology* ⇒*electrotechnics, electrical engineering.*

elektrotechnisch ⟨bn.⟩ **0.1** *electrical* ⇒*electrotechnic(al)* ♦ **1.1** ~ ingenieur *electrical engineer;* ~e woordenlijst *electrotechnical glossary.*

elektrotherapie ⟨de (v.)⟩ **0.1** *electrotherapy.*

element ⟨het⟩ **0.1** [⟨gesch.⟩] *element* **0.3** [vormend (hoofd)bestanddeel] *element* ⇒*component, factor, ingredient, aspect* **0.4** [persoon] *element* **0.5** [⟨bouwk.⟩] *component* ⇒*element, unit* **0.6** [plaats waar men zich thuis voelt] *element* **0.7** [⟨mv.⟩ weersomstandigheden] *elements* **0.8** [mbt. een pick-up] *cartridge* **0.9** [⟨nat.⟩ toestel] *cell* **0.10** [⟨wisk.⟩] *element* **0.11** [eenheid in een elektrisch verwarmingstoestel] *element* **0.12** [kies, tand] *element* ♦ **2.1** het natte ~ *the aqueous e., water* **2.2** kunstmatige ~en *synthetic elements* **2.3** een essentieel/onmisbaar ~ ontbrak *an essential e./ component/ingredient was missing;* water is het voornaamste ~ in veel natuurprodukten *water is the most important component in many natural products* **2.4** ongewenste ~en *undesirable elements, undesirables;* een storend ~ *a disturbing e.* **2.5** geprefabriceerde ~en *prefabricated components/units;* een bank bestaande uit drie losse ~en *a couch/sofa/settee consisting of three separate components/units* **2.8** een magneto-dynamisch ~ *a magnetic c.* **3.3** dat ~ miste ik in zijn betoog *that e./ aspect was missing in his argument* **3.7** de ~en trotseren *brave the e.* **6.6 in** zijn ~ zijn *be in one's e.;* zich **in** zijn ~ voelen *be in one's e., feel (completely) at home;* hij voelt zich helemaal **in** zijn ~ *he feels like a fish in the water;* hij voelt zich niet **in** zijn ~ *he feels lost/out of it/like a fish out of water* **7.11** een elektrische radiator met twee ~en *a two-bar electric fire* **¶.7** de strijd tegen de ~en *the battle with the e..*

elementair ⟨bn.⟩ **0.1** [de basisbeginselen betreffend] *elementary* ⇒*fun-*

damental, basic **0.2** [de (hoofd)bestanddelen betreffend] *elementary* ⇒*elemental, fundamental, basic* **0.3** [noodzakelijk] *elementary* ⇒*elemental, fundamental, basic, essential, vital* **0.4** [⟨nat.⟩] *elementary* **0.5** [de chemische elementen betreffend] *elementary* ⇒*elemental* ♦ **1.1** een ~e fout *an e. mistake;* ~e kennis *e. / fundamental / basic / rudimentary knowledge;* ~e wiskunde *e. / basic mathematics* **1.2** een ~ onderdeel is zoek *a basic / essential part is missing* **1.3** ~e behoeften *elementary / fundamental / basic / vital / elemental needs* **1.4** ~e deeltjes *e. particles;* ~ quantum *unit quantity* **1.¶** met ~e kracht *with elemental power / force* **6.3** ~ voor een goed resultaat *elementary / fundamental / essential / vital for a good result.*

elevatie ⟨de (v.)⟩ **0.1** [verheffing] *elevation* **0.2** [⟨r.k.⟩] *elevation* **0.3** [⟨bouwk.⟩] *elevation* **0.4** [hoek van een lijn] *elevation.*

elevatiehoek ⟨de (m.)⟩⟨mil.⟩ **0.1** *elevation.*

elevator ⟨de (m.)⟩ **0.1** *elevator* ⇒⟨graanzuiger⟩ *grainelevator,* ⟨zandzuiger⟩ *suction dredger.*

elf[1]
I ⟨de; -en⟩ **0.1** [sprookjesfiguur] *elf* ⇒*pixie, sprite,* ⟨v. vnl.⟩ *fairy* **0.2** [ijle geestengestalte] *shade* ⇒*spirit;*
II ⟨de; elven⟩ **0.1** [cijferteken] *elf* ♦ **6.1** de wijzers staan al bijna **op** de ~ *the hands are nearly on e..*

elf[2]
I ⟨hoofdtelw.⟩ **0.1** *eleven* ♦ **4.1** ⟨zelfst.⟩ zij waren met hun elven *they were e., there were e. of them;* ⟨zelfst.⟩ deel dit onder u elven *divide this among the e. of you* **6.1** ⟨zelfst.⟩ het is **bij** elven/op slag van elven *it's close on e. / on the stroke of e.* **7.1** de ~ van Oranje *the Dutch e. / team;*
II ⟨rangtelw.⟩ **0.1** *eleventh* ♦ **1.1** ~ maart [B]*March the e.,* [A]*March e..*

elfde[1] ⟨het⟩ **0.1** *eleventh* ♦ **7.1** drie ~ *three elevenths.*

elfde[2] ⟨rangtelw.⟩ **0.1** *eleventh* ♦ **1.1** de ~ maart *the e. of March;* ⟨fig.⟩ ter ~r ure *at the e. hour;* ⟨fig.⟩ een ter ~r ure genomen beslissing *a last-minute decision* **7.1** daar komt de ~ *here comes the e. (man/woman).*

elfenbankje ⟨het⟩ **0.1** *bracket / shelf fungus.*

elfendertigst ⟨rangtelw.⟩⟨scherts.⟩ ♦ **1.¶** voor de ~e keer *for the umpteenth / thousandth / nth / hundredth time* **6.¶** op zijn ~ *at a snail's pace; in a roundabout way;* alles gaat hier **op** zijn ~ *everything here is done / happens at a snail's pace, they've only got one speed here.*

elfenkoning ⟨de (m.)⟩, **-in** ⟨de (v.)⟩ **0.1** *King / Queen of the Fairies, Fairy King / Queen.*

elfhoek ⟨de (m.)⟩ **0.1** *hendecagon, undecagon* ⇒*eleven-sided figure.*

elfmeter ⟨de (m.)⟩⟨sport⟩ **0.1** [strafschop] *penalty* **0.2** [penaltystip] *penalty spot* ♦ **3.1** een ~ benutten *score from a p..*

elfstedentocht ⟨de (m.)⟩ **0.1** *'elfstedentocht'* ⟨*long-distance skating race in Friesland*⟩.

elftal ⟨het⟩ **0.1** [⟨sport⟩] *eleven* ⇒*side, team* **0.2** [elf eenheden] *(set / group of) eleven* ♦ **2.1** het nationaal ~ *the national team* **7.1** het eerste ~ *the A-team;* het tweede ~ *the reserve team, the reserves.*

eliminatie ⟨de (v.)⟩ **0.1** [verwijdering] *elimination* ⇒*removal* **0.2** [het doden] *elimination, liquidation* **0.3** [⟨wisk.⟩] *elimination* **0.4** [⟨med.⟩] *elimination* ♦ **2.1** geleidelijke ~ *gradual e.,* ⟨inf.⟩ *phase-down, phase-out.*

elimineren ⟨ov.ww.⟩ **0.1** [wegwerken] *eliminate* ⇒*remove,* ⟨inf.⟩ *cut out* **0.2** [doden] *eliminate, liquidate* ⇒⟨inf.⟩ *rub out* ♦ **5.1** geleidelijk ~ *gradually e.,* ⟨inf.⟩ *phase down, phase out.*

elisie ⟨de (v.)⟩⟨taal.⟩ **0.1** *elision.*

elitair ⟨bn.⟩ **0.1** [eigen aan een elite] *elitist* **0.2** [voorbehouden aan een elite] *elite* ♦ **1.1** een ~e houding aannemen *be e. / superior / a snob, behave arrogantly / snobbishly.*

elitairisme ⟨het⟩ **0.1** *elitism.*

elite ⟨de⟩ **0.1** *elite* ⇒⟨puikje⟩ *pick (of the bunch), cream,* ⟨hogere kringen⟩ *top / best people, upper crust,* ⟨hig⟩ *society* ♦ **1.1** bijeenkomst van de ~ *society function / '↓ do;* ⟨AE; inf.⟩ *pink tea* **3.1** tot de ~ behoren *belong to the e.; belong to the upper crust / to (high) society* **6.1** onder de ~ *amongst the e., elite; in (high) society.*

elitegroep ⟨de⟩, **-korps** ⟨het⟩ **0.1** *elite (group)* ⇒⟨schr.⟩ *corps d'élite.*

elitetroepen ⟨zn. mv.⟩ **0.1** *elite troops* ⇒⟨inf.⟩ *crack troops.*

elixer ⟨het⟩ **0.1** [extract van kruiden, planten enz.] *elixir* **0.2** [oplossing met bittere smaak] *bitters* **0.3** [⟨alch.⟩ extract met bovennatuurlijke kracht] *elixir (of life)* ⇒*panacea.*

elk ⟨onb.vnw.⟩ ⟨→sprw. 182,307,335,659⟩ **0.1** [⟨zelfst.⟩ ieder uit een beperkt aantal] ⟨mbt. twee of meer⟩ *each (one);* ⟨mbt. meer dan twee; alle(n)⟩ *every one* **0.2** [⟨zelfst.⟩ ieder(een)] *everyone, everybody* ⇒⟨schr.⟩ *each* **0.3** [⟨bijv.⟩] ⟨mbt. twee of meer⟩ *each;* ⟨mbt. meer dan twee; alle⟩ *every;* ⟨welke dan ook⟩ *any* ♦ **1.2** ~ het zijne geven *to each his own* **1.3** ze kunnen ~e dag komen *they can come any day;* ze komen ~e dag *they come everyday;* in ~ geval *in any case, at any rate, anyhow, anyway;* aan ~e hand een tas *(with) a bag in either / each hand;* ~e keer dat hij komt *each / every time he comes;* ~ kind kan je dat vertellen *any child can tell you that;* in ~ opzicht *in every respect, in all respects, in every way* **6.1** ~ **van** hen/**van** die dingen *each (one) / every one of them / of those things;* **van** ~ vier (stuks) *four of each* **6.2** melk is goed **voor** ~ ⟨slagzin⟩ *drink a pinta milka day* **7.2** ~e tweede *every other/second one* ¶.2 er is daar voor ~ wat wils *there's something for everyone/everybody there;* ~ voor zich *everyone for himself.*

elkaar ⟨wk.vnw.⟩ ⟨→sprw. 291⟩ **0.1** [⟨zonder vz.⟩] ***each other, one another*** **0.2** [⟨met vz.⟩] ***each other, one another*** ◆ **1.2** in ~s gezelschap *in e.o.'s/o.a.'s company, together* **3.1** ~ groeten *greet/speak to e.o/o.a.;* ~ helpen *help e.o./o.a.* **3.2** zij lijken op ~ *they look like/resemble o.a.* **6.2** twee touwen **aan** ~ binden *tie two ropes together;* ze zijn **aan** ~ gewaagd *they are well matched/a good match;* de landerijen grenzen **aan** ~ *the estates border (on)/adjoin e.o./o.a.;* zij maakt het **achter** ~ af *she finishes it straight off/in one go;* hij heeft een uur **achter** ~ gepraat *he went on talking for a whole hour, he has been speaking/spoke for an hour (without a break/pause);* **achter** ~ staan *stand one behind the other, stand in line, queue (up);* zij liepen **achter** ~ de kamer in/uit *they filed into/out of the room;* weken/uren **achter** ~ *for weeks/hours on end/at a time/together;* vier keer **achter** ~ *four times in succession;* vlak/snel/onmiddellijk **achter** ~ *just/soon/immediately after o.a.;* tien minuten **achter** ~ *(for) ten minutes without a break;* niet te lang **achter** ~ *not too long at a time/whithout a break;* voor de vierde keer **achter** ~ *for the fourth time in succession;* drie boeken **achter** ~ uitlezen *read three books one after the other;* **bij** ~ ⟨optelsom⟩ *(all) together, in all, all told;* ⟨in elkaars gezelschap⟩ *together;* **bij** ~ komen *meet, assemble, get/come together;* de boel goed **bij** ~ houden *keep things together/going;* hij heeft ze niet allemaal **bij** ~ *he's got a screw loose, he's not all there;* **bij** ~ op bezoek komen *visit e.o./o.a.;* ~ **bij** de schouders/de handen pakken *take e.o./o.a. bij the shoulder/hand;* alles **bij** ~ (genomen) *on the whole, altogether, all in all;* alles **bij** ~ kost het 45 gulden *that makes/that's 45 guilders in all/all told;* allen **bij** ~ zijn er 22 personen *they are 22 persons all told;* hoe krijg ik zoveel geld **bij** ~? *how can I raise so much money/such a sum?;* hoe krijg ik al die mensen **bij** ~? *how will I get all those people together?;* geld **bij** ~ leggen *club together;* zij hebben 50 gulden **bij** ~ kunnen leggen *they were able to raise 50 guilders;* papieren **bij** ~ leggen *sort papers;* zoveel geld heb ik nooit **bij** ~ gezien *I've never seen so much money at once;* zij zitten de hele dag **bij** ~ *they are together all day;* wij zijn thans **bij** ~ om ... *we are gathered together in order to;* zodra we het geld **bij** ~ hebben *as soon as we have raised the money/got the money together;* meer dan alle anderen **bij** ~ *more than all the others put together;* wij blijven **bij** ~ *we stick/keep together;* hij heeft heel wat **bij** ~ gelezen ⟨belezen⟩ *he's very well read;* ⟨over bepaald onderwerp⟩ *he's read up a lot on/about it;* de kinderen lopen **door** ~ *the children are running all over the place/every which way;* feiten/gebeurtenissen **door** ~ halen *mix up/confuse/muddle facts/events;* de betekenissen van dat woord/die woorden lopen **door** ~ *the meanings of that word/those words are interchangeable/can be used interchangeably/indiscriminately;* alles ligt **door** ~ *everything is mixed up/jumbled up/confused/higgledy-piggledy;* **door** ~ genomen *on average/the whole, taking one with another;* iem. **door** ~ schudden *shake s.o. up, give s.o. a shaking;* **door** ~ spreken *speak at the same time;* **door** ~ raken *get mixed up/confused/muddled;* **door** ~ roeren *mix;* hij gooit alles **door** ~ ⟨lett.⟩ *he mixes/jumbles everything up;* ⟨fig.⟩ *he throws everything into confusion* ⟨voor anderen⟩; *he gets muddled/confused, he mixes everything up* ⟨voor zichzelf⟩; **door** ~ gerekend komen hier meer dan 1000 bezoekers per dag *on (an) average there are more than 1000 visitors here each day;* alles staat hier **door** ~ *everything here is mixed up;* hoe zit dat **in** ~ *how does it work?, tell me how it's put together;* ⟨fig.⟩ *tell me all about it;* ↓*fill me in,* ↓*give me the low-down;* hij stortte **in** ~ *he went/fell to pieces/broke down/collapsed;* de onderneming stortte **in** ~ *the business collapsed;* ⟨inf.⟩ *the business went bust/broke;* **in** ~ zakken *collapse;* iem. **in** ~ slaan *beat s.o. up;* een brief snel **in** ~ draaien *quickly put a letter together; knock up a letter;* hij heeft zijn motor **in** ~ gedraaid *he has wrecked his engine;* dicht **in** ~ schrijven ≠*have small/crabbed handwriting;* het verhaal zit goed/slecht **in** ~ *the story is well/badly planned/conceived/thougt out;* **in** ~ vouwen *fold together/up;* **in** ~ passen *fit (together);* dingen **in** ~ voegen/zetten/steken *put/fit things together, assemble things;* **in** ~ zetten ⟨machine⟩ *fit/put together, assemble;* ⟨fiets⟩ *put together, assemble;* ⟨jurk⟩ *run up;* ⟨borden⟩ *stack;* ⟨vlug of slordig⟩ *knock together, cobble together;* ⟨plannetje⟩ *contrive, think up;* ⟨feest⟩ *organize;* zij praten **langs** ~ heen *they are talking at cross purposes;* zij werden het **met** ~ eens *they came to/reached an agreement;* zij spreken niet meer **met** ~ *they are not speaking/on speaking terms;* landen in oorlog **met** ~ *countries at war (with e.o./o.a.);* ze hadden **met** ~ nog geen gulden *they didn't have a guilder between them;* twee keer **na** ~ *twice in succession/in a row;* ze kwamen enkele minuten **na** ~ binnen *they came in within a few minutes of e.o./o.a.;* **naar** ~ knipogen/lachen *wink/smile at o.a.;* broederlijk **naast** ~ *cheek by jowl;* **naast** ~ zitten/liggen/lopen *sit/lie/walk side by side/abreast;* ze zaten met zijn vieren **naast** ~ *they sat/were sitting four abreast, the four of them sat/were sitting side bij side;* getallen **onder** ~ zetten *write/place figures in columns/one below the other;* zij moeten dat **onder** ~ maar uitmaken *they must decide that/sort that out for/amongst themselves;* dat moeten jullie **onder** ~ uitvechten/bespreken *you must settle/discuss it amongst yourselves;* we zijn toch **onder** ~ *after all we are bij ourselves/on our own;* waar kunnen we hier ergens **onder** ~ zijn? *where can we get/have some privacy here?;* de cijfers netjes **onder** ~ schrijven *write the figures neatly one below the other;* het zijn vrienden **onder** ~ *they are all friends (together);* zij doen zaken **onder** ~ *they do business amongst themselves;* **op** ~ liggen *lie one on top of the other, lie on top of o.a.;* **op** ~ gepakt zijn als haringen in een ton *packed like sardines in a tin;* **op** ~ inrijden *crash into e.o./o.a.;* loodrecht **op** ~ staan ⟨lett.⟩ *be at right angles to each other;* ⟨fig.⟩ *be contradictory/incompatible;* de handen **op** ~ krijgen *earn/get applause;* dozen **op** ~ plaatsen *place/pile boxes on top of e.o./one on top of the other;* met de lippen **op** ~ ⟨lett.⟩ *with closed lips;* ⟨fig.⟩ *keeping one's mouth shut;* met de armen **over** ~ zitten ⟨lett.⟩ *sit with arms folded/folded arms;* ⟨fig.⟩ *take it easy;* met de benen **over** ~ (geslagen) *with legs crossed;* twee personen **tegen** ~ opzetten *cause/make trouble between two people;* dingen **tegen** ~ zetten/leggen/drukken *put/lay/press things together;* lijnrecht **tegenover** ~ staan *be (polar) opposites;* die groep is **uit** ~ gevallen *the group has split up/broken up;* die auto valt bijna (van ellende) **uit** ~ *that car is falling apart/to pieces/to bits;* ze zijn **uit** ~ gegroeid *they (have) drifted apart;* (personen of zaken)(niet)(goed) **uit** ~ kunnen houden *(not) be able to tell (people/things) apart, (not) be able to distinguish between (people/things);* ik ken ze niet **uit** ~ *I can't tell one from the other/tell them apart, I don't know which is which;* met de voeten ver **uit** ~ *with feet far apart;* **uit** ~ gaan ⟨gezelschap, commissie, jury⟩ *break up;* ⟨vrienden, echtgenoten⟩ *split up/break up;* ⟨menigte, betogers⟩ *disperse;* een machine **uit** ~ halen/nemen *strip down/dismantle/take apart/take to pieces a machine;* ik kan die twee nooit **uit** ~ houden *I'm always confusing/mixing up those two, I never know which of those two is which;* dit ding kan helemaal **uit** ~ *this thing comes apart/takes to pieces/comes to pieces/can be taken apart completely;* zij zijn familie **van** ~ *they are related;* met zijn benen ver **van** ~ *with his legs wide apart;* **van** ~ trekken/scheuren *pull/tear apart;* met de lippen **van** ~ *with lips parted/parted lips;* zij hebben veel **van** ~ *they are very much alike, they closely resemble one another, they have a lot in common;* mijn twee zussen hebben niets **van** ~ *my two sisters have nothing in common/are very different;* hij heeft zijn zaakjes goed **voor** ~ *he's fixed things (up)/got things fixed (up)/seen to things;* **voor** ~ lopen *walk in single/Indian file, walk in line;* iets niet **voor** ~ kunnen krijgen/brengen *not manage (to do) sth., not be able to do sth., not get something done/right;* **voor** ~ hebben/zijn *have/be seen to/fixed (up)/arranged/planned;* het is **voor** ~ *it is fixed (up), arranged, it has been seen to;* het komt **voor** ~ *it will be fixed (up)/arranged/seen to;* de zaak is **voor** ~ *the matter has been settled/arranged* ¶.1 ~ uit de weg gaan *avoid e.o./o.a..*

elkeen ⟨onb.vnw.⟩ ⟨schr.⟩ **0.1** ***each*** ⇒*everybody, everyone, all.*

elleboog ⟨de (m.)⟩ **0.1** [kromming van de arm] ***elbow*** **0.2** [benedenarm met de elleboog] ***forearm*** **0.3** [deel van een mouw] ***elbow*** **0.4** [rechthoekige ombuiging] ***elbow*** ⇒*knee, bend, crook* ◆ **2.3** je ellebogen zijn versleten *you've worn holes in your elbows, your elbows are (worn) through* **3.1** een jas waar de ellebogen doorsteken *an out-at-elbows coat;* zijn ~ stoten *bang one's e.* **3.2** zijn ellebogen gebruiken, met de ellebogen werken ⟨lett. en fig.⟩ *use one's elbows/* ⟨fig. ook⟩ *be pushy/ruthless, jockey for position;* zijn ellebogen steken door de mouwen *he is out at elbows, his elbows are (worn) through* **6.1** ⟨fig.⟩ hij heeft het **achter** zijn ellebogen *he's a sly one/dog/boots;* de mouw reikt **tot** de ~ *the sleeve is e.-length/reaches to the e.* **6.2** ze moesten zich **met** de ellebogen een weg uit de winkel banen *they had to elbow their way out of the shop;* het hoofd **op** de ellebogen laten rusten *rest one's head on one's hands* **6.3** mijn trui is door **aan** de ellebogen *my sweater is through at the elbows.*

elleboogjesmacaroni ⟨de (m.)⟩ **0.1** ***elbow macaroni.***

elleboogpijp ⟨de⟩ **0.1** ***ulna*** ⇒*elbow(-joint).*

ellemaat ⟨de⟩ **0.1** [lengtemaat] ***yard*** ⟨Engelse el⟩ ⇒⟨gesch.⟩ *ell* **0.2** [meetlat] ***yardstick.***

ellende ⟨de⟩ **0.1** [rampzalige toestand, omstandigheid] ***misery*** ⇒*distress, squalor,* ⟨armoede⟩ *(abject) poverty, destitution* **0.2** [rampzalige ervaring] ***misery*** ⇒*woe, suffering, misfortune* **0.3** [narigheid] ***trouble*** ⇒*bother, fuss, nuisance* ◆ **1.1** het einde v.d. ~ *the end of the tunnel;* poel van ~ *Slough of Despond;* ⟨AE;sl.⟩ *can of worms;* ⟨vulg.⟩ *shit creek* **1.3** hij is de bron van alle ~ *he's the source of all the t./problems, he's nothing but t.* **2.2** het was een doffe ~ *it was an awful business/affair;* ⟨AE;inf.⟩ *it was pitsville/the pits* **3.1** als dat gebeurt is de ~ niet te overzien *if that happens it will be a right/real mess/a disaster* **3.3** dat geeft alleen maar (een hoop) ~ *that will only/just cause (a lot of) t./bother/problems;* de ~ is, dat ... *the t./the rotten thing is that ...* **4.1** wat een ~ *how awful/dreadful; what an awful/rotten business/state of affairs* **6.1** **van** ~ wegkwijnen *waste away with m./distress/hardship/care;* ⟨inf.⟩ die auto valt **van** ~ uit elkaar *this car is falling apart/to pieces/to bits;* zwart zien **van** ~ *look awfully/terribly miserable/down.*

ellendeling ⟨de (m.)⟩ **0.1** ***wretch*** ⇒*scoundrel, villain,* ⟨inf.⟩ *nasty piece/bit of work, bad 'un/lot,* ⟨vulg.⟩ *bastard, shitbag,* ᴬ*son of a bitch.*

ellendig

I ⟨bn.⟩ **0.1** [rampzalig] ***awful*** ⇒*dreadful, miserable, dismal, wretched*

0.2 [beklagenswaardig, deerniswekkend] *wretched* ⇒*pitiful, miserable, distressing* **0.3** [erbarmelijk] *pitiful* ⇒*wretched, lamentable, pathetic* **0.4** [zeer onaangenaam, vervelend] *awful* ⇒*dreadful, horrible, nasty* **0.5** [onbetekenend] *measly, paltry* ⇒⟨inf.⟩ *lousy* **0.6** [verachtelijk] *despicable, contemptible* ⇒*abject* ◆ **1.1** ~e toestanden/ontwikkelingen *a. / disastrous/ dreadful conditions/ developments* **1.2** ~e mensen *unfortunate/w. / miserable/ pitiable people* **1.3** een ~ krot van een huis *a wretched/ miserable hovel* **1.4** ik kan die ~e sommen niet maken *I can't do those a. / rotten/ beastly sums* **1.5** een ~e honderd gulden *a hundred m. / ⟨inf.⟩ lousy guilders, a m. / paltry/ ⟨inf.⟩ lousy hundred guilders* **1.6** ~e verraders *c. / d. traitors* **3.1** ik voelde me ~ *I felt rotten/ a. / wretched/ lousy/ really down;*

II ⟨bw.⟩ **0.1** [op ellendige wijze] *awfully* ⇒*dreadfully, miserably* **0.2** [in onuitstaanbare mate] *awfully* ⇒*terribly, insufferably, dreadfully* ◆ **2.2** het is ~ heet *it is insufferabley/ dreadfully/ terribly/ a. hot* **3.1** wat gaat dat ~ *what a dismal affair, it's like a funeral.*

ellenlang ⟨bn., bw.;-ly⟩ **0.1** *lengthy* ⇒*long-winded, long drawn-out, interminable, endless* ◆ **1.1** iem. ~e brieven schrijven *write someone letters a mile long/ incredibly long letters.*

ellepijp ⟨de⟩ **0.1** *ulna.*

ellestok ⟨de (m.)⟩ **0.1** *yardstick.*

ellips ⟨de⟩ **0.1** [⟨wisk.⟩ ovaal] *ellipse* ⇒*oval* **0.2** [⟨wisk.⟩ vlakke kromme] *ellipse* **0.3** [plaatsing, opstelling] *ellipse* ⇒*oval* **0.4** [⟨taal.⟩ weglating van woorden] *ellipsis, ellipse* **0.5** [⟨taal.⟩ uitdrukking, zin] *ellipsis.*

elliptisch ⟨bn.⟩ **0.1** [ellipsvormig] *elliptic(al)* ⇒*oval* **0.2** [⟨taal.⟩ *elliptic(al)* **0.3** [⟨lit.⟩] *elliptic(al)* ◆ **1.¶** ~e functies *elliptic functions.*

elm(u)svuur ⟨het⟩ **0.1** *Saint Elmo's fire* ⇒*corposant, dead fire.*

elocutie ⟨de (v.)⟩ **0.1** *elocution.*

éloge ⟨de (m.)⟩ **0.1** *eulogy* ⇒*panegyric,* ⟨bij overlijden lid Franse Academie⟩ *éloge.*

eloquent ⟨bn.⟩ **0.1** *eloquent* ⇒*articulate, silver- / smooth-tongued, persuasive.*

eloquentie ⟨de (v.)⟩ **0.1** *eloquence* ⇒*articulacy,* ⟨inf.⟩ *way with words,* ⟨sl.⟩ *gift of the gab.*

elpee ⟨de (m.)⟩ **0.1** *L.P. (record), album* ⇒ ↑*long-playing record.*

elpenbeen ⟨het⟩ ⟨schr.⟩ **0.1** ⟨ongemarkeerd⟩ *ivory.*

els
I ⟨de (m.)⟩ **0.1** [boom] *alder;*
II ⟨de⟩ ⟨amb.⟩ **0.1** [gebogen priem] *(brad)awl* ⇒*bodkin, pricker* ◆ **8.1** zo scherp als een ~ *as sharp as a needle/ thorn/* ⟨schr.⟩ *serpent's tooth.*

eluvium ⟨het⟩ ⟨geol.⟩ **0.1** *eluvium.*

Elysisch ⟨bn.⟩ **0.1** *Elysian.*

Elysium ⟨het⟩ **0.1** [⟨myth.⟩] *Elysium, Elysian fields* **0.2** [⟨fig.⟩] *(seventh) heaven, Paradise* ⇒*cloud nine.*

Elzas ⟨de (m.)⟩ **0.1** *Alsace.*

Elzas-Lotharingen ⟨het⟩ **0.1** *Alsace-Lorraine.*

Elzasser ⟨de (m.)⟩ **0.1** *Alsatian.*

Elzassisch ⟨bn.⟩ **0.1** *Alsatian.*

elzehout ⟨het⟩ **0.1** [hout van de els] *alder-wood* **0.2** [gewas van elzebomen] *alder thicket/ coppice.*

elzekatje ⟨het⟩ **0.1** *alder catkin.*

elzeprop ⟨de⟩ **0.1** *alder-cone.*

elzevier
I ⟨de (m.)⟩ **0.1** [drukwerk] *Elzevir;*
II ⟨de⟩ **0.1** [lettertype] *elzevir.*

em. ⟨afk.⟩ **0.1** [emeritus] *em..*

Em. ⟨afk.⟩ **0.1** [Eminentie] *E..*

email ⟨het⟩ **0.1** [glazuur] *enamel* ⇒*glaze, stove-enamel* **0.2** [met glazuur bedekt materiaal] *enamel* **0.3** [voorwerp] *enamel* **0.4** [tandglazuur] *enamel.*

emaillak ⟨het, de (m.)⟩ **0.1** *enamel (paint).*

emailleeroven ⟨de (m.)⟩ **0.1** *enamelling* [A]*eling furnace/ oven/ stove.*

emailleren ⟨ov.ww.⟩ **0.1** [met email bekleden] *enamel* **0.2** [met emailwerk versieren] *enamel* ◆ **1.1** geëmailleerde pannen *enamel/ enamelled* [A]*eled pans, enamelware.*

emailleur ⟨de (m.)⟩ **0.1** [iem. die emailleert] *enameller* [A]*eler* **0.2** [kunstenaar] *enamellist* [A]*elist.*

emanatie ⟨de (v.)⟩ **0.1** [uitvloeiing van geuren/ dampen enz.] *emanation* ⇒*efflux(ion), effluence* **0.2** [uitvloeisel, manifestatie] *emanation* **0.3** [radioactieve gassen] *emanation* **0.4** [⟨jur.⟩ afkondiging van een wet] *promulgation* **0.5** [⟨theol., fil.⟩] *emanation* ⇒*procession* ⟨v.d. Heilige Geest⟩.

emanatietheorie ⟨de (v.)⟩ ⟨nat.⟩ **0.1** *corpuscular theory.*

emancipatie ⟨de (v.)⟩ **0.1** [streven naar gelijkgerechtigdheid] *emancipation* ⇒*liberation* **0.2** [gelijkstelling voor de wet] *emancipation* ⇒*equality of opportunity* ◆ **1.1** de ~ van de vrouw *the e. of women, women's liberation;* ⟨inf.⟩ *women's lib..*

emancipatiebeleid ⟨het⟩ ⟨pol.⟩ **0.1** *policy of emancipation, emancipation policy.*

emancipatiebeweging ⟨de (m.)⟩ **0.1** *emancipation movement* ⇒*liberation movement* ◆ **6.1** de ~ van homofielen *the Gay Liberation Movement.*

emancipatiecommissie ⟨de (v.)⟩ **0.1** *equal-rights commission* ⇒ ⟨van

overheid⟩ *Commission for Equal Rights and Opportunities for Women.*

emancipatiewet ⟨de⟩ **0.1** ⟨mbt. slaven/ lijfeigenen, enz.⟩ *emancipation law;* ⟨mbt. vrouwen⟩ *sex discrimination/* ⟨mbt. werk ook⟩ *equal opportunities law/* ⟨in GB/ USA ook⟩ *act.*

emancipatiewetgeving ⟨de (v.)⟩ **0.1** ⟨mbt. slaven/ lijfeigenen, enz.⟩ *emancipation legislation;* ⟨mbt. vrouwen⟩ *sex discrimination/* ⟨mbt. werk ook⟩ *equal opportunities legislation.*

emancipatiezaken ⟨zn.mv.⟩ **0.1** *matters concerning emancipation* ◆ **1.1** de staatssecretaris voor ~ ⟨Ned.⟩ *minister/* ⟨GB, USA⟩ *undersecretary for women's affairs.*

emancipatoir ⟨bn.⟩ **0.1** *emancipatory* ◆ **1.1** een ~ personeelsbeleid *an e. personnel policy.*

emanciperen
I ⟨ov.ww.⟩ **0.1** [vrij/ zelfstandig maken] *emancipate* ⇒*liberate, (set) free* **0.2** [gelijkstellen voor de wet] *emancipate;*
II ⟨wk.ww.; zich ~⟩ **0.1** [zich zelfstandig maken] *emancipate* ⇒*liberate, free.*

emaneren ⟨onov.ww.⟩ **0.1** *emanate (from)* ⇒*come/ derive/ issue/ originate (from).*

emballage ⟨de (v.)⟩ **0.1** [het inpakken] *packing, packaging* **0.2** [verpakking] *packing, packaging* ⇒*wrapping.*

emballeren ⟨ov.ww.⟩ **0.1** *pack, package* ⇒*wrap.*

emballeur ⟨de (m.)⟩ **0.1** *packer.*

embargo ⟨het⟩ **0.1** [beslaglegging op schepen] *embargo* **0.2** [⟨hand.⟩] *(trade) embargo* ⇒*ban, (trade) sanctions* **0.3** [verbod aan de media] *embargo* ⇒[B]*D-notice* ◆ **3.2** een ~ leggen op de wapenverkoop *lay/ place/ put an e. / a ban on the sale of armaments;* een ~ opheffen *lift/ raise/ end/ remove an e.* **3.3** op deze stukken rust een ~ tot 20 juni a.s. *these documents are embargoed/ under e. until 20th June* **6.2** onder ~ leggen *impose/ put an e. on, lay/ place under (an) e., embargo;* onder ~ liggen *be embargoed/ placed under (an) e..*

embarkeren
I ⟨ov.ww.⟩ **0.1** [aan boord brengen] *embark* ◆ **1.1** troepen ~ *e. troops;*
II ⟨onov.ww.⟩ **0.1** [aan boord gaan] *embark* ⇒*board, go/ come on board* ◆ **1.1** de passagiers zijn geëmbarkeerd *the passengers are/ have embarked/ are on board.*

embarras du choix ⟨de (m.)⟩ **0.1** *embarras de/ du choix* ◆ **3.1** ~ hebben *have a superfluity of (good) things from which to choose, have too great a choice.*

embleem ⟨het⟩ **0.1** [herkenningsteken] *emblem* ⇒*symbol, sign,* ⟨herkenningsteken⟩ *badge, logo* ⟨van firma⟩ **0.2** [zinnebeeld] *emblem.*

emblema ⟨het⟩ **0.1** *emblem.*

emblematabundel ⟨de (m.)⟩ **0.1** *emblem book.*

embolie ⟨de (v.)⟩ ⟨med.⟩ **0.1** *embolism.*

embonpoint ⟨het, de (m.)⟩ **0.1** *embonpoint, plumpness* ⇒*stoutness, tubbiness,* ⟨scherts.⟩ *middle-age spread.*

embouchure ⟨de (v.)⟩ ⟨muz.⟩ **0.1** [mondstuk] *mouthpiece* ⇒⟨ihb. van blaasinstrument⟩ *embouchure* **0.2** [vaardigheid] *embouchure* ◆ **2.2** een goede ~ hebben *have a good embouchure.*

embryo ⟨het⟩ **0.1** *embryo.*

embryologie ⟨de (v.)⟩ **0.1** *embryology.*

embryoloog ⟨de (m.)⟩ **0.1** *embryologist.*

embryonaal ⟨bn.⟩ **0.1** [van een, als embryo] *embryonic, embryonal* **0.2** [⟨fig.⟩ in de, als kiem aanwezig] *embryonic* ⇒*germinal, inchoate, rudimentary* ◆ **6.1** in embryonale toestand *in embryo/ germ, in the embryo stage.*

emelt ⟨de⟩ **0.1** [B]*leatherjacket,* [A]*crane fly grub.*

emendatie ⟨de (v.)⟩ **0.1** [het verbeteren] *emendation* ⇒*correction* **0.2** [aangebrachte verbetering] *emendation* ⇒*correction.*

emenderen ⟨ov.ww.⟩ **0.1** [mbt. geschriften] *emend* ⇒*correct* **0.2** [verbeteringen aanbrengen, voorstellen] *emend* ⇒*correct.*

emerald[1] ⟨het⟩ **0.1** *emerald.*

emerald[2] ⟨bn.⟩ **0.1** *emerald (green).*

emeritaat ⟨het⟩ **0.1** *superannuation* ⇒≠*retirement* ◆ **3.1** zijn ~ aanvragen *apply for/ seek s.* **6.1** met ~ gaan *be given/ accorded emeritus status;* ≠*retire.*

emeritus[1] ⟨de (m.)⟩ **0.1** *emeritus.*

emeritus[2] ⟨bn.⟩ **0.1** *emeritus* ⇒*retired* ◆ **1.1** een ~ hoogleraar *an e. professor, a professor e.;* een ~ predikant *a pastor e. / retired clergyman.*

emfatisch ⟨bn., bw.;-ally⟩ **0.1** *emphatic.*

emfaze ⟨de (v.)⟩ **0.1** [klemtoon] *emphasis* **0.2** [gezwollenheid] *emphasis* ◆ **6.2** met ~ spreken *speak emphatically/ with e..*

emfyseem ⟨het⟩ ⟨med.⟩ **0.1** *emphysema.*

emigrant ⟨de (m.)⟩ **0.1** *emigrant* ⇒*expatriate.*

emigratie ⟨de (v.)⟩ **0.1** [landverhuizing] *emigration* **0.2** [geëmigreerden] *emigration.*

emigratiegolf ⟨de⟩ **0.1** *wave of emigration.*

emigreren ⟨onov.ww.⟩ **0.1** *emigrate.*

éminence grise ⟨de (m.)⟩ **0.1** *éminence grise* ⇒*grey eminence.*

eminent ⟨bn., bw.;-ly⟩ **0.1** *eminent* ⇒*distinguished, prominent, notable, outstanding* ◆ **1.1** een ~ geleerde *an e. / distinguished scholar* **2.1** een ~ knap staatsman *an outstandingly adroit statesman.*

eminentie ⟨de (v.)⟩ **0.1** [voortreffelijkheid] *eminence* ⇒*distinction, prominence* **0.2** [titel] *eminence* ♦ **4.2** Zijne Eminentie *His Eminence.*

emir ⟨de (m.)⟩ **0.1** *emir, emeer.*

emiraat ⟨het⟩ **0.1** [waardigheid] *emirate* **0.2** [gebied] *emirate.*

emissie ⟨de (v.)⟩ **0.1** [uitzending] *emission* ⇒⟨geldw.; hand.⟩ *issue* **0.2** [⟨nat.⟩] *emission* ♦ **2.2** thermische ~ *thermionic e.* **3.1** een ~ waarborgen *underwrite an issue.*

emissiebank ⟨de⟩ **0.1** *issuing house.*

emissiekoers ⟨de (m.)⟩ **0.1** *price of issue, issue price.*

emissiespectrum ⟨het⟩ ⟨nat.⟩ **0.1** *emission spectrum.*

emissietheorie ⟨de (v.)⟩ **0.1** *corpuscular theory.*

emissievoorwaarden ⟨zn.mv.⟩ **0.1** *terms of issue* ⇒*terms and conditions of the issue.*

emittent ⟨de (m.)⟩ **0.1** *issuer* ⇒*issuing house.*

emitteren ⟨ov.ww.⟩ **0.1** *emit* ⇒⟨geldw.; hand.⟩ *issue.*

Emmaüsgangers ⟨zn.mv.⟩ **0.1** *men of Emmaus.*

emmentaler ⟨de⟩ **0.1** *Emment(h)al(er).*

emmer ⟨de (m.)⟩⟨→sprw. 136⟩ **0.1** [vat met hengsel] *bucket* ⇒*pail* **0.2** [mbt. de inhoud] *bucket(ful)* ⇒*pail(ful)* ♦ **1.2** ⟨fig.⟩ zijn bezwaar tegen onze plannen kwam als een ~ koud water *his reaction poured/ threw cold water on our plans;* een ~ water/ melk a *b.(ful)/ pail(ful) of water/milk* **2.2** met hele ~s tegelijk *by the b.ful/ pailful* **6.2** het regent of het met ~s uit de hemel gegoten wordt *it's pouring (down)/* ᴮ*bucketing down; it's pouring (with rain), it's raining cats and dogs;* het geld komt er met ~s (vol) binnen *money is pouring in there.*

emmerbaggermolen ⟨de (m.)⟩ **0.1** *bucket dredge(r).*

emmeren ⟨ww.⟩ ⟨inf.⟩ **0.1** *ya(c)k (on)* ⇒ ᴵ*harp on, whine (on), go on (and on)* ♦ **3.1** lig toch niet te ~ *stop whining on (about), don't go on (about);* wat staat/ zit/ ligt hij weer te ~ *he's yacking/ whining on again.*

emmerladder ⟨de⟩ **0.1** *bucket ladder/ elevator.*

emmetroop ⟨bn.⟩ ⟨biol.⟩ **0.1** *emmetropic.*

emmetropie ⟨de (v.)⟩ ⟨biol.⟩ **0.1** *emmetropia.*

emoe ⟨de (m.)⟩ **0.1** *emu.*

emolumenten ⟨zn.mv.⟩ **0.1** *emoluments* ⇒*perquisites, fringe benefits,* ⟨inf.⟩ *extras, perks.*

emotie ⟨de (v.)⟩ **0.1** *emotion* ⇒*feeling, passion,* ⟨opwinding⟩ *excitement* ♦ **3.1** hij werd door zijn ~s overmand *his emotions got the better of him;* de ~s liepen hoog op *emotions/ feelings ran/ were running high;* ~s losmaken *release/ unlock emotions* **5.1** een stem vol ~ *a voice full of e.* **6.1** hij liet zich meeslepen door zijn ~s *he let his emotions/ feelings run away with him;* dat is/ komt van ~ *that is the result of e.;* ze stond te trillen van ~ *she was shaking/ quivering with e.* ¶.1 zij liet haar ~s de vrije loop *she let herself go.*

emotieloos ⟨bn., bw.; -ly⟩ **0.1** *emotionless* ⇒*dispassionate, detached.*

emotionaliteit ⟨de (v.)⟩ **0.1** *sensitiveness* ⇒*sensitivity, emotionalism,* ⟨vero.⟩ *emotionality* ♦ **2.1** een verhoogde ~ *a heightened sensitiveness/ sensitivity/ emotionalism.*

emotioneel
I ⟨bn.⟩ **0.1** [vatbaar voor emoties] *emotional* ⇒*sensitive* **0.2** [mbt. emoties] *emotional* ⇒*affective* ♦ **1.1** een emotionele benadering vermijden *avoid an e. approach, intellectualize;* een ~ karakter geven aan iets *emotionalize sth.* **1.2** emotionele drang *e. drive/ urge/ impulse* **3.1** hij is nog altijd veel te ~ *he is still much too e.* **3.2** een ~ geladen reactie *an emotionally charged reaction, an e. response, a reaction full of/ charged with emotion* **5.2** zijn reactie was sterk ~ *his reaction was highly e.;*
II ⟨bw.⟩ **0.1** [vol emoties] *emotionally* ⇒*sensitively* ♦ **3.1** ~ reageren *react e..*

empathie ⟨de (v.)⟩ **0.1** *empathy.*

empire ⟨het⟩ **0.1** *Empire* ♦ **6.1** een kamer **in** ~ *a room in E. style.*

empirestijl ⟨de (m.)⟩ **0.1** *Empire style.*

empiricus ⟨de (m.)⟩ **0.1** *empiricist.*

empirie ⟨de (v.)⟩ **0.1** *empiricism.*

empirisch ⟨bn., bw.; -(al)ly⟩ **0.1** *empiric, empirical* ♦ **1.1** de ~e wetenschappen *the empirical sciences;* ~e wijsbegeerte/ methode *empirical philosophy/ method.*

empirisme ⟨het⟩ ⟨fil.⟩ **0.1** *empiricism* ⇒*experientialism, experiential philosophy.*

empirist ⟨de (m.)⟩ **0.1** *empiricist.*

emplacement ⟨het⟩ **0.1** *yard.*

emplooi ⟨het⟩ **0.1** [betrekking] *employment* ⇒*work, employ* **0.2** [gebruik] *employment* **0.3** [soort van rol] *role, part* ♦ **6.1** zonder (vast) ~ *unemployed, out of work;* ⟨inf.⟩ *jobless.*

employé ⟨de (m.)⟩ **0.1** *employee.*

EMS ⟨het⟩ ⟨afk.⟩ **0.1** [Europees Monetair Systeem] *EMS.*

emulgator ⟨de (m.)⟩ **0.1** *emulsifier* ⇒*emulsifying agent.*

emulgeren ⟨ov.ww.⟩ **0.1** *emulsify.*

emulsie ⟨de (v.)⟩ **0.1** [vloeistof] *emulsion* **0.2** [⟨foto.⟩] *emulsion* ♦ **2.1** melk is een natuurlijke ~ *milk is a natural e..*

emulsielaag ⟨de⟩ **0.1** *(layer of) emulsion.*

en ⟨vw.⟩ **0.1** [⟨toevoeging⟩] *and* ⇒⟨wisk.⟩ *plus* **0.2** [⟨aanduiding van

een nauwer verband⟩] *and* ⇒⟨én ...én⟩ *both (...and)* **0.3** [⟨geleidelijke versterking⟩] *and* **0.4** [⟨herhaling, voortzetting⟩] *and* **0.5** [⟨onderscheid⟩] *and* **0.6** [⟨inleiding op een tegenstellend zinsverband⟩] *but, and* **0.7** [⟨bij verrassing, teleurstelling⟩] *and, but* ⇒*so* **0.8** [⟨aanmoediging tot een antwoord⟩] *well* **0.9** [⟨sterke bevestiging⟩] *and* ♦ **1.1** Jan, Piet ~ Klaas ⟨fig.; iedereen⟩ *Tom, Dick and Harry, Old Uncle Tom Cobbley and all, everyone and his dog* **1.2** én boete én gevangenisstraf krijgen *get both fine and a prison sentence;* kop ~ schotel *cup and saucer* **1.5** er zijn deskundigen ~ deskundigen *there are experts and experts* **3.4** ~ maar kletsen/ zeuren *nothing but/ just chatter/ drivel, still chattering/ drivelling;* ik zocht ~ zocht *I searched and searched* **3.9** ~ boeten zal hij! *and pay/ suffer he shall!* **4.7** ~ waarom doe je het niet? *so why don't you do it?* **4.9** ~ wat zou dat? *so what?, what of it?* **5.1** ~ nu het verhaal *now for the story;* ~ nu erop los *now for it, let's go, let's do it;* ⟨inf.⟩ *up an' at 'em* **5.3** al verder ~ verder *further and further* **5.6** ~ toch *and/ but still, even so, nevertheless* **5.9** hij liep, ~ hoe! *he ran but ran!, he ran, and how!* **6.2** door ~ **door** *through and through* **7.1** twee ~ twee is vier *two and two is four;* ⟨wisk.⟩ *two plus two is four* **8.9** vind je het fijn? (nou) ~ of! *do you like it? I certainly do!/ not half!/ I'll say!* **9.8** nou ~, wat dan nog? *so what?, what of it?, what's that to you?;* nou ~? *so what?, and ...?* ¶.7 ~ ik heb het nog zo verboden *and I absolutely forbade it;* ~ ik heb het zelf gezien! *but I saw it myself!* ¶.8 ~, hoe gaat het ermee? *well, how's it going?;* ⟨elliptisch⟩ ~? *well?* ¶.9 hij wil niet gaan?, ~ of hij zal gaan! *he doesn't want to go? oh yes he will!/ he will so!.*

enakskind ⟨het⟩ **0.1** *giant.*

en bloc **0.1** *en bloc, in/ as a body* ⇒*all together* ♦ **3.1** de ministers namen ~ ontslag *the ministers resigned en bloc/ as a body;* een inboedel ~ overnemen *take over furniture wholesale/ en bloc.*

encadreerband ⟨het⟩ **0.1** *passe-partout.*

encadreren ⟨ov.ww.⟩ **0.1** [inlijsten] *frame* **0.2** [in-/ omsluiten] *frame* ⇒*surround, enclose.*

encanailleren ⟨wk.ww.; zich ~⟩ **0.1** *frequent/ keep low company* ⇒*cheapen o.s. (bij keeping low company),* ⟨inf.⟩ *slum it* ♦ **6.1** zich ~ **met** misdadigers *consort with criminals.*

encefalitis ⟨de (v.)⟩ ⟨med.⟩ **0.1** *encephalitis* ♦.1 ~ postvaccinalis *e. post vaccinalis, post-vaccinal e..*

encefalografie ⟨de (v.)⟩ **0.1** *encephalography.*

encefalogram ⟨het⟩ **0.1** *(electro)encephalogram* ⇒*EEG.*

enclave ⟨de (v.)⟩ **0.1** *enclave.*

enclise ⟨de (v.)⟩ ⟨taal.⟩ **0.1** *enclisis.*

enclitisch ⟨bn.⟩ **0.1** *enclitic* ♦ **1.1** een ~(e) woord/ vorm *an enclitic.*

encountergroep ⟨de⟩ **0.1** *encounter group.*

encycliek ⟨de (v.)⟩ **0.1** *encyclical* ⇒*encyclic, encyclical letter.*

encyclopedie ⟨de (v.)⟩ **0.1** [naslagwerk] *encyclop(a)edia* ⇒*cyclop(a)edia* **0.2** [algemene inleiding tot een wetenschap] *general introduction* ♦ **1.2** ~ v.d. klassieken ⟨AE ook; ong.⟩ *classics 101* **2.1** algemene ~ *general e.;* speciale/ bijzondere ~ *specialist/ specialized e.;* systematische ~ *systematic e.* **3.1** ⟨fig.⟩ die man is een wandelende ~ *that man is a walking e..*

encyclopedisch ⟨bn.⟩ **0.1** *encyclop(a)edic* ♦ **1.1** een ~e geest *an e. / a polymath mind, a polymath;* ~e kennis *e. knowledge;* een ~ woordenboek *an e. dictionary.*

encyclopedist ⟨de (m.)⟩ **0.1** *encyclop(a)edist.*

end →*einde.*

endeldarm ⟨de (m.)⟩ ⟨med.⟩ **0.1** *rectum.*

endemie ⟨de (v.)⟩ **0.1** [⟨biol.⟩] *endemism, endemicity* **0.2** [ziekte] *endemic (disease).*

endemisch ⟨bn.⟩ **0.1** *endemic* ♦ **1.1** ~e ziekten *e. diseases.*

endocardiaal ⟨bn.⟩ **0.1** *endocardial.*

endocarditis ⟨de (v.)⟩ ⟨med.⟩ **0.1** *endocarditis.*

endocardium ⟨het⟩ ⟨med.⟩ **0.1** *endocardium.*

endocrien ⟨bn.⟩ **0.1** *endocrine* ♦ **1.1** ~e klieren *e. / ductless glands, glands of internal secretion.*

endocrinologie ⟨de (v.)⟩ **0.1** *endocrinology.*

endogeen ⟨bn.⟩ **0.1** *endogenous* ♦ **1.1** ⟨geol.⟩ endogene krachten *endogen(et)ic forces;* ⟨taal.⟩ ~ systeem *e. system.*

endometrium ⟨het⟩ ⟨med.⟩ **0.1** *endometrium.*

endoparasiet ⟨de (m.)⟩ **0.1** *endo/ entoparasite.*

endorfine ⟨de (med.)⟩ **0.1** *endorphine.*

endoscoop ⟨de (m.)⟩ ⟨med.⟩ **0.1** *endoscope.*

endoscopie ⟨de (v.)⟩ ⟨med.⟩ **0.1** *endoscopy.*

endossant ⟨de (m.)⟩ **0.1** *endorser.*

endossement ⟨het⟩ ⟨hand.⟩ **0.1** *endorsement, indorsement* ♦ ¶.1 ~ aan order *special e..*

endosseren ⟨ov.ww.⟩ **0.1** [⟨hand.⟩] *endorse, indorse* **0.2** [⟨fig.⟩] *pass on (to)* ⇒*delegate (to),* ⟨inf.⟩ *shunt (onto).*

endotheel ⟨het⟩ **0.1** *endothelium.*

endotherm ⟨bn.⟩ ⟨schei.⟩ ♦ **1.¶** ~e reactie *endothermic reaction.*

endotoxine ⟨het, de⟩ ⟨med.⟩ **0.1** *endotoxin.*

ene ⟨onb.vnw.⟩ **0.1** *a, an* ⇒*one* ♦ **1.1** woont hier ~ Bertels? *does a (Mr/ Ms) Bertels live here?.*

enenmale ⟨bw.⟩ ♦ **6.¶** (dat is) ten ~ (onmogelijk) *(that is) absolutely/ entirely/ completely/ totally/ utterly (impossible).*

energetica ⟨de (v.)⟩ **0.1** [⟨nat.⟩] *energetics* **0.2** [⟨fil.⟩] *energetics*.
energeticus ⟨de (m.)⟩ **0.1** [⟨nat.⟩] *energeticist* **0.2** [⟨fil.⟩] *energeticist*.
energetisch ⟨bn.⟩ **0.1** *energetic*.
energie ⟨de (v.)⟩ **0.1** [geestkracht] *energy* ⇒*vigour, spirit, drive, go* **0.2** [⟨nat.⟩ arbeidsvermogen] *energy* ⇒*power* ♦ **1.2** de zon is een onuitputtelijke bron van ~ *the sun is an inexhaustible source of e.* **2.2** elektrische ~ *electrical e.* / *power* **3.1** overlopen van ~ *be bursting with e.*, *run over with e.* **3.2** opgestapelde ~ *pent-up e.* **5.1** hij zit boordevol ~ *he is bursting with / full of e.*, *he is full of get-up-and-go / zip* **6.1** zonder ~ *without e.*, *lethargic;* ⟨AE; inf.⟩ *pepless*.
energiearm ⟨bn., bw.⟩ **0.1** *energy-saving* ♦ **1.1** ~e woningen *e.-s. houses* **3.1** ~ bouwen *build e.-s. buildings, build in such a way as to save energy*.
energiebalans ⟨de⟩ ⟨schei.⟩ **0.1** *energy balance*.
energiebedrijf ⟨het⟩ **0.1** [elektrische centrale] *power station* **0.2** [elektriciteitsbedrijf] *electricity company, power company*.
energiebehoefte ⟨de (v.)⟩ **0.1** *energy requirement(s) / need(s)* ⟨meestal mv.⟩.
energiebeleid ⟨het⟩ ⟨pol.⟩ **0.1** *energy policy*.
energiebesparend ⟨bn., bw.⟩ **0.1** *energy-saving* ♦ **1.1** ~e maatregelen treffen *take e.-s. measures, take measures to save energy* **3.1** een verwarmingsketel die ~werkt *an e.-s. boiler, a boiler constructed (so as) to save energy*.
energiebesparing ⟨de (v.)⟩ **0.1** *energy saving* ♦ **6.1** deze nieuwe motor levert een ~ van 25% op *this new motor uses 25% less energy*.
energiebron ⟨de (v.)⟩ ⟨nat.⟩ **0.1** *energy / power source, source of energy / power* ♦ **3.1** nieuwe ~nen aanboren *tap new sources of energy / power*.
energiecentrale ⟨de⟩ **0.1** *power station / plant*.
energiecrisis ⟨de (v.)⟩ **0.1** *energy crisis*.
energiek ⟨bn., bw.; -(al)ly⟩ **0.1** *energetic* ⇒*dynamic, lively, vigorous, forceful* ♦ **1.1** een ~ jongmens *an e. / a dynamic young person* **3.1** ~ optreden *act vigorously, take vigorous / firm action* **5.1** hij is heel ~ *he is very e. / dynamic;* ⟨inf.⟩ *he is full of beans / go, he is a live wire / bundle of energy* ¶**1** ~ van start gaan *get off to a good start, go off at score*.
energiekeling ⟨de (m.)⟩ ⟨meestal iron.⟩ **0.1** *live wire* ⇒*bundle of energy, rip-snorter*.
energieloos ⟨bn., bw.; -(al)ly⟩ **0.1** *without energy* ⇒*feeble, weak, powerless, lethargic*.
energienota ⟨de⟩ **0.1** [rekening] ⟨mbt. elektriciteit⟩ *electricity bill;* ⟨mbt. gas⟩ *gas bill* **0.2** [discussiestuk] *paper on energy;* ⟨pol.⟩ *energy green paper*.
energiepakket ⟨het⟩ **0.1** *energy plan / policy*.
energiepolitiek ⟨de (v.)⟩ **0.1** *energy policy*.
energiesector ⟨de⟩ **0.1** *energy sector*.
energietekort ⟨het⟩ **0.1** *energy shortage / gap*.
energietoeslag ⟨de (m.)⟩ ⟨fiscus⟩ **0.1** *supplementary grant for energy-saving investment*.
energieverbruik ⟨het⟩ **0.1** *energy consumption / use* ⇒*consumption of energy, power consumption*.
energieverlies ⟨het⟩ **0.1** *loss of energy, energy loss* ⇒⟨in circuit⟩ *power loss*.
energieverslindend ⟨bn., bw.⟩ **0.1** *(very) wasteful of energy* ♦ **1.1** een ~e wasmachine *a washing-machine which wastes energy*.
energieverspilling ⟨de (v.)⟩ **0.1** *waste of energy* ⇒*dissipation of energy*.
energievoorziening ⟨de (v.)⟩ **0.1** *energy / power supply, supply of energy / power*.
energievretend ⟨bn., bw.; -ly⟩ **0.1** [veel menselijke energie vergend] *exhausting* **0.2** [veel energie verbruikend] *(very) wasteful of energy* ♦ **1.1** dit is een ~ apparaat *this machine is (very) wasteful of energy / wastes a lot of energy;* hardlopen is een ~e bezigheid *running is an e. activity* **1.2** een ~ apparaat *a machine which wastes energy*.
enerveren ⟨ov.ww.⟩ **0.1** [afmatten] *enervate, fatigue, tire (out);* ⟨opwinden⟩ *excite, agitate;* ⟨ook →geënerveerd⟩ ♦ **1.1** een ~de wedstrijd *a nerve-racking match*.
enerzijds ⟨bw.⟩ **0.1** *for one thing, on the one hand / side, in one respect* ♦ **5.1** ~ ..., anderzijds ... *on the one hand ..., on the other (hand) ..., for one thing ..., for another (thing) ...*.
en face **0.1** ⟨recht tegenover⟩ *directly / right / straight opposite;* ⟨van portret⟩ *full face*.
enfant terrible ⟨het⟩ **0.1** [dwarsligger] *enfant terrible* ⇒*(little / holy) terror* **0.2** [flapuit] *enfant terrible* ♦ **1.1** hij is het ~ van de nationale sportwereld *he is the e.t. / terror of the national sporting scene*.
enfin ⟨tw.⟩ **0.1** [kortom] *in short* **0.2** [afijn] *still, anyway / how* ♦ ¶**.2** ~, het is nu eenmaal gebeurd *a. / s. it's happened;* de zon schijnt niet, maar ~ *the sun isn't shining, but s. / a..*
eng ⟨bn., bw.; -ly⟩ **0.1** [gering van wijdte / ruimte] *narrow* ⇒*tight* **0.2** [met weinig tussenruimte] *narrow* ⇒*close, tight, cramped* **0.3** [griezelig] *scary, creepy* ⇒*eerie, sinister* **0.4** [beperkt] *narrow* ⇒*narrow-minded, restricted, limited, confined* **0.5** [de geest / het gemoed drukkend] *narrow(-minded)* ⇒*confined, restrictive, limited* ♦ **1.1** een ~e doorgang *a n. passage* **1.2** in de ~e familiekring *in the immediate*

---

close family (circle); binnen ~e grenzen *within n. bounds* **1.3** een ~ beest *a nasty / c. / scary animal;* a creepy-crawly ⟨vnl. (kruipend) insekt / ongedierte⟩; een ~ huis *a scary / c. / spooky / eerie / sinister house;* een ~e man *a scary / c. / nasty / sinister man, a creep* **1.4** een ~e blik *a narrow(-minded) / restricted outlook, narrow-mindedness;* in ~ere zin *in the narrow / restricted sense* **2.2** ~ behuisd *cramped for space;* ~ sluitend *close-fitting* **3.3** wat doe je ~ *you're frightening me / making me frightened;* ik word helemaal ~ van dat boek *that book gives me the creeps* **3.5** het werd hem thuis te ~ *things at home became too restrictive for him*.
Eng. ⟨afk.⟩ **0.1** [Engeland] *Eng.* **0.2** [Engels] *Eng..*
engagement ⟨het⟩ **0.1** [verbintenis] *engagement* ⇒*agreement, commitment, booking* ⟨van acteur⟩ **0.2** [maatschappelijke betrokkenheid] *commitment* ⇒*involvement, concern* **0.3** [verloving] *engagement* ♦ **2.2** politiek ~ *political commitment* **3.1** een ~ aangaan *enter into an agreement, agree / undertake to do sth.;* een ~ verbreken *break an agreement, go back on an agreement / commitment*.
engageren
I ⟨ov.ww.⟩ **0.1** [aan zijn dienst verbinden] *engage* ⇒*contract, take on* ♦ **6.1** een artiest voor een concert ~ *book an artist / a performer for a concert;*
II ⟨wk.ww.; zich ~⟩ **0.1** [zich (als artiest) verbinden aan] *join* ⟨ensemble enz.⟩; *accept a booking* ⟨voor één concert⟩ **0.2** [zich verloven (met)] *get engaged (to)* ♦ **6.1** zich ~ bij de opera *join the opera(-company)*.
engel ⟨de (m.)⟩ **0.1** [⟨rel.⟩] *angel* **0.2** [toonbeeld van liefde en toewijding] *angel* ⇒*treasure, dear* **0.3** [in de hemel opgenomen overledene] *saint* ♦ **1.1** de boodschap van de ~ *the angel's message, the Annunciation;* ⟨schr.⟩ *the angel's tidings, the angelic tidings;* de ~ der duisternis *the Prince of Darkness;* ⟨schr.⟩ een ~ Gods / des hemels *an angel of God / from heaven* **2.1** een gevallen ~ *a fallen angel;* zijn goede ~ *his good / guardian angel;* een reddende ~ *a ministering angel* **3.1** ⟨inf.⟩ het was of er een ~tje op mijn tong pieste *it was fit for the gods, it was nectar / delectable;* ⟨scherts.⟩ de ~ en schudden hun bedje uit *the old woman is plucking her geese* **3.2** als je dat doet, ben je een ~ *if you do that you're an angel* **6.2** hij is een ~ met een b ervoor! *he's sweet and cute allright - a sweet little devil!* ⟨iron.⟩ *he's a real little angel / darling;* ~en van kinderen *angelic children* **8.1** hij spreekt als een ~ en doet als een bengel ≠*he's a wolf in sheep's clothing;* ⟨fig.⟩ als een ~ uit de hemel komen *come just at the right moment,* ≠*come in the nick of time*.
engelachtig ⟨bn., bw.; -ally⟩ **0.1** *angelic(al)* ⇒*cherubic* ♦ **1.1** een ~ge duld *the patience of a saint;* een ~ lach / ~ uiterlijk *a seraphic smile / appearance;* een ~e schoonheid *a vision* **2.1** zij was ~ lief *she was an angel / a treasure*.
engelachtigheid ⟨de (v.)⟩ **0.1** *angelic nature*.
Engeland ⟨het⟩ **0.1** [aardrijkskundig] *England* ⇒⟨staatkundig⟩ *Britain*, ⟨dicht.⟩ *Albion* ♦ **6.1** in ~ gemaakt / vervaardigd *British made, made in E..*
engelbewaarder ⟨de (m.)⟩ ⟨r.k.⟩ **0.1** *guardian angel*.
engelenbak ⟨de (m.)⟩ **0.1** [rang in een schouwburg] *the gods, the gallery* ⟨alleen met bep. lidw.⟩ **0.2** [personen] *the gods, the gallery* ⟨alleen met bep. lidw.⟩.
engelengeduld ⟨het⟩ **0.1** *patience of a saint*.
engelenhaar ⟨het⟩ **0.1** *angel's hair*.
engelenkoor ⟨het⟩ **0.1** [koor van engelen] *angelic choir, choir of angels* **0.2** [⟨r.k.⟩ een v.d. negen klassen engelen rond Gods troon] *order* ⇒*grade*.
engelenkopje ⟨het⟩ ⟨ook fig.⟩ **0.1** *cherub's head, head of a cherub / angel* ⇒⟨bk.⟩ *cherub* ⟨met vleugels⟩.
engelenmis ⟨de⟩ ⟨r.k.⟩ **0.1** *Mass of the Angels*.
engelenschaar ⟨de⟩ **0.1** *host of angels* ⇒*angelic host*.
engelenstem ⟨de⟩ **0.1** *voice of an angel, angel's voice* ⇒⟨muz.⟩ *voix céleste, vox angelica*.
Engels[1] ⟨het⟩ **0.1** *English* ♦ **1.1** zij is lerares ~ *she is an E. teacher / a teacher of E.*, she teaches E. **3.1** spreekt hij ~? *does he speak E.?* **6.1** iets van het Nederlands in het ~ vertalen *translate sth. from Dutch into E..*
Engels[2] ⟨bn.⟩ **0.1** [v.d. Engelsen / Engeland] *English* ⇒≠*British* **0.2** [van / behorend tot de Engelse taal] *English* ♦ **1.1** hij is lid van de ~e / Anglicaanse Kerk *he is a member of the Church of England / the Anglican church;* ⟨inf.⟩ *he is Church of England / Anglican;* ⟨sl.⟩ *he is C. of E.;* de ~e Rivièra *the Cornish Riviera;* de ~e vlag *the Union Jack;* ⟨officieel⟩ *the Union Flag* **1.¶** ~ drop *liquorice all-sorts;* ~ gras *(sea) thrift, sea pink;* ~e hoorn *cor anglais, English horn;* ~ leer *moleskin;* ~e mijl *English mile;* ~ mos *(lesser) club moss;* ~e naad *felled seam, fell;* ~e pleister *court plaster;* ~ pluksel *lint;* ~ rood *angel / E. red, coromandel;* ~e sleutel *monkey wrench, screw wrench, adjustable spanner;* ~e tuin *English garden;* ~ zadel *English saddle;* ~e ziekte *rickets;* ⟨med.⟩ *rachitis;* ~zout *Epsom salts, magnesium sulphate*.
Engels-Amerikaans ⟨bn.⟩ **0.1** *Anglo-American, English-American*.
Engelse ⟨de (v.)⟩ **0.1** *Englishwoman* ⇒*Briton*, ⟨zeldz.⟩ *Englander, Englisher*, ⟨AE⟩ *Britisher* ♦ **3.1** zij is een ~ *she is an Englishwoman, she is English / British, she is an English lady*.

Engelsgezind ⟨bn.⟩ **0.1** *Anglophile* ⇒*English-oriented.*

Engelsman ⟨de (m.)⟩ **0.1** [persoon] *Englishman* ⇒*Briton,* ⟨zeldz.⟩ *Englander, Englisher,* ⟨AE⟩ *Britisher* **0.2** [Engels schip] *Englishman* **0.3** [⟨dieventaal⟩ Engelse sleutel] *monkey wrench, screw-wrench* \ *-spanner* **0.4** [knoop] *Englishman's Knot* ◆ **3.1** hij is een ~ *he is an Englishman, he is English / British;* ⟨sl.⟩ *he is a beefeater / limey / John Ball.*

Engelstalig ⟨bn.⟩ **0.1** [in het Engels gesteld] *English-language, English* **0.2** [Engels sprekend] *English-speaking.*

engeltjesmaakster ⟨de (v.)⟩ **0.1** [aborteuse] *back-street abortionist* **0.2** [vrouw die kinderen opzettelijk laat sterven] *infanticide.*

engelwortel ⟨de (m.)⟩⟨plantk.⟩ **0.1** *(garden) angelica, angelique* ◆ **2.1** grote/echte ~ *archangel;* wilde ~ *wild angelica.*

engerd ⟨de (m.)⟩ **0.1** *creep, ghoul.*

engerling ⟨de (m.)⟩ **0.1** *cockchafer grub, May-beetle / -bug grub.*

enggeestig ⟨bn., bw.; -ly⟩⟨AZN⟩ **0.1** *narrow-minded* ⇒*petty.*

enghartig ⟨bn., bw.; -ly⟩ **0.1** *narrow-minded* ⇒*petty.*

en gros 0.1 *wholesale* ◆ **3.1** ~ verkopen *sell (by /* ⟨AE⟩ *at) wholesale* ¶**.1** ~ en en detail *wholesale and retail.*

engte ⟨de (v.)⟩ **0.1** [nauwe doorgang] *narrow(s)* ⇒*strait(s) /* ⟨zee⟩ *, defile* ⟨ihb. bergpas⟩*, isthmus* ⟨land⟩ **0.2** [omstandigheid, eigenschap] *narrowness.*

engtevrees ⟨de⟩ **0.1** *claustrophobia.*

enig¹

  I ⟨bn.⟩ **0.1** [waarvan geen tweede is] *only* ⇒*sole, single, unique,* ⟨sterker⟩ *one and only* ◆ **1.1** ~ erfgenaam *sole heir;* een ~e kans *the chance of a lifetime, a unique chance;* dit was de ~e keer dat ... *this was the o. time /* ⟨sterker⟩ *one and only time that;* zijn ~ kind *his o. child;* dit is het ~e middel *this is the o. /* sole *means* **6.1** dat geval is ~ **in** onze geschiedenis *that case is unique in our history;* ~ **in** zijn soort *unique (of its kind), the o. one of its kind* **7.1** ⟨zelfst.⟩ hij is de ~e die het kan *he is the o. one who can do it;* ik ben niet de ~e die zo denkt *I am not the o. person / one who thinks so;* het ~e dat helpt is ... *the o. thing that helps is;* het ~e wat ik kon zien was *all I could see was;*

  II ⟨bn., bw.; -ly⟩ **0.1** [leuk] *wonderful, marvellous, splendid, lovely* ◆ **1.1** een ~e vent *a great / marvellous / terrific guy /* ⟨BE⟩ *chap / bloke / yellow* **3.1** je woont hier ~ *you've got a lovely / marvellous / splendid place here.*

enig² ⟨onb.vnw.⟩ **0.1** [een of ander(e)] *some, any* **0.2** [welk(e) dan ook] *some, any* ◆ **1.1** ~e tegenslag *a slight set-back;* te ~er tijd *sometime* **1.2** zich ~e moeite getroosten *go to some trouble;* op ~e plaats gedeponeerd *placed anywhere;* zonder ~e twijfel *without any doubt, beyond all doubt.*

enig³ ⟨hoofdtelw.⟩ **0.1** [een zekere mate] *some* ⇒*a bit of, a measure of* **0.2** [ook maar één] *any* ⇒*a single* **0.3** [een klein aantal] *some* ⇒*a few, a number of* **0.4** [ook maar de geringste] *any* ◆ **1.1** hij heeft ~ geld *he has some money;* wij koesteren ~e hoop *we cherish s. hope / a spark of hope;* met ~e scherpte *not without a certain sharpness* **1.2** zonder ~ incident *without a single incident* **1.3** er kwamen ~e bezoekers *a number of / a few visitors came* **1.4** zonder ~e moeite *without a. trouble* **3.3** ⟨zelfst.⟩ ~en hielden vol *s. / a few persevered.*

enigerlei ⟨bn.⟩ **0.1** *any* ◆ **1.1** in ~ mate *to any extent;* in ~ vorm *in any form, in some form or other;* op ~ wijze *in any way.*

enigermate ⟨bw.⟩ **0.1** *somewhat* ⇒*a bit / little, to some extent, in some degree.*

enigerwijs ⟨bw.⟩ **0.1** *in some way (or other)* ⇒*in any way.*

eniggeboren ⟨bn.⟩ **0.1** *only-begotten* ◆ **1.1** Jezus, Gods ~ zoon *Jesus, the o.-b. son of God.*

enigma ⟨het⟩ **0.1** *enigma* ⇒*puzzle, riddle, mystery.*

enigmatisch ⟨bn., bw.; -ally⟩ **0.1** *enigmatic.*

enigst ⟨bn.⟩⟨inf.⟩ **0.1** *(one and) only* ◆ **1.1** zij was zijn ~ kind *she was his (one and) only child;* hij is ~ kind *he is an only child;* dat is de ~e mogelijkheid *that is the (one and) only way.*

enigszins ⟨bw.⟩ **0.1** [enigermate] *somewhat, a little* ⇒*rather, slightly* **0.2** [op welke wijze dan ook] *at all, in any way, ever* ◆ **2.1** hij was ~ koel *he was rather / somewhat / a little cool;* ~ warm / vreemd / donker / ⟨enz.⟩ *warmish / oddish / darkish /* ⟨enz.⟩*, a bit warm / odd / dark /* ⟨enz.⟩ **2.2** indien ~ mogelijk *if at all / in any way possible* **3.1** de prijzen zijn ~ gestegen / gedaald *the prices have risen / fallen slightly / somewhat* **3.2** zodra ik maar ~ kan *as soon as ever I can, as soon as I possibly can;* als je haar ~ kent, dan ... *if you know her at all, then ...* **5.1** ⟨iron.⟩ wel ~ *(just) a little, just a tiny wee bit* **5.2** zo vlug als maar ~ mogelijk *as soon as ever possible* ¶**.1** je hebt ~ gelijk *to some / to a certain extent you are right;* om daarvan ~ een idee te krijgen ... *to get some idea of it.*

enjambement ⟨het⟩⟨let.⟩ **0.1** *enjamb(e)ment.*

enk. ⟨afk.⟩ **0.1** [enkelvoud] *s..*

enkel¹ ⟨de (m.)⟩ **0.1** [gewricht] *ankle* **0.2** [deel van een kous] *ankle* **0.3** [enkele reis] ᴮ*single (ticket),* ᴬ*one-way ticket* ◆ **2.1** een verstuikte ~ *a sprained a.* **6.1** tot de ~s in de modder *a. -deep in mud;* ze dragen nog rokken die **tot** de ~s vallen *they still wear a. -length skirts / skirts down to the(ir) ankles.*

enkel²

  I ⟨bn.⟩ **0.1** [niet dubbel / samengesteld] *single* ◆ **1.1** een ~ blad *a simple leaf;* ⟨hand.⟩ ~ boekhouden *single entry bookkeeping;* een stof van ~e breedte *a single-width material / cloth;* een ~e handschoen / kous / schoen *an odd glove / stocking / shoe;* een kaartje ~e reis ᴮ*single (ticket),* ᴬ*one-way ticket;* ~e rozen *s. roses;* een ~ slot *a s. lock;* ⟨sp.⟩ ~ spel *singles;* een ~ spoor *a s. track;* ⟨geldw.⟩ de ~e standaard *s. standard* **1.**¶ een boek in ~e vellen *a loose-leaf book;*

  II ⟨bw.⟩ **0.1** [niet dubbel] *singly* **0.2** [alleen] *only, just, solely, merely* ◆ **1.2** een bos van ~ beuken *a wood with o. beechtrees / (consisting only) of beeches;* zij was ~ gevoel en zachtmoedigheid *she was all feeling and gentleness;* ik kon ~ medelijden hebben met haar *I could only / but feel sorry for her* **3.1** je moet de dekens ~ leggen *you shouldn't double the blankets over* **3.2** hij doet het ~ voor zijn plezier *he only does it for fun* **5.2** ik doe het ~ en alleen om jou *I do it / I'm doing it simply and solely for you;* ~ maar de gedachte daaraan *the very thought of it.*

enkel³ ⟨hoofdtelw.⟩ **0.1** [niet meer dan één] *sole, solitary* ⇒*single* **0.2** [een klein aantal] *a few* ⇒*one or two* **0.3** ⟨mv.⟩ enige] *a few* ⇒*some few* ◆ **1.1** ik heb maar één ~ gesprek met hem gehad *I have had only one single conversation with him;* in één ~ klap *at one blow, at one fell swoop;* een ~e eenzame toeschouwer *a single solitary spectator;* één ~ woordje / ogenblikje *just one word / moment, just a word / moment (or two)* **1.2** in slechts ~e gevallen *in only isolated / only a few cases;* een ~e keer zie ik hem wel eens *I do see him occasionally / once in a while; * once in a blue moon;* met een ~ woord van iets gewagen *say a few words / a word or two about sth.* **1.3** in ~ dagen / uren *in a few days / hours, in a day / hour or two; in a matter of days / hours* ⟨bij het beklemtonen van snelheid⟩; ~e huizen staan nog leeg *a few / some houses are still empty;* ~e opmerkingen maken *make a few remarks; the odd remark* **7.1** er is geen ~ gevaar *there is not the slightest danger;* geen ~e kans hebben *not have an earthly chance, have no chance at all / what(so)ever;* op geen ~e manier *(in) no way;* in geen ~ opzicht *in no respect;* van geen ~ belang *of no importance at all, wholly (de)void of interest;* onder geen ~e voorwaarde *on no account, not on any account, on no condition.*

enkelband ⟨de (m.)⟩ **0.1** [⟨biol.⟩] *ankle ligament* **0.2** [sierbandje] *anklet* ◆ **3.1** zijn ~en scheuren *tear one's ankle ligaments.*

enkeldakstent ⟨de⟩ **0.1** *single tent.*

enkelgewricht ⟨het⟩ **0.1** *ankle-joint.*

enkeling ⟨de (m.)⟩ **0.1** *individual* ◆ **3.1** slechts een ~ weet hiervan *only one or two people know about this.*

enkelkous ⟨de⟩⟨sp.⟩ **0.1** *elastic(ated) ankle support (bandage), elasticated stockinette,* ᴬ*elasticated anklet.*

enkelspel ⟨het⟩ **0.1** *singles.*

enkelspoor ⟨het⟩ **0.1** *single track.*

enkelsporig ⟨bn.⟩ **0.1** *single-track.*

enkelvoud ⟨het⟩⟨taal.⟩ **0.1** *singular* ◆ **6.1** dit werkwoord staat in het ~ *this verb(-form) is s..*

enkelvoudig ⟨bn.⟩ **0.1** [slechts uit één deel bestaand] *simple* **0.2** [⟨taal.⟩ in het enkelvoud staand] *singular* **0.3** [⟨taal.⟩ niet samengesteld] *simple* ◆ **1.1** ⟨biol.⟩ ~ blad *simple leaf;* ⟨jur.⟩ ~e kamer *single chamber / judge, judge (sitting) alone / singly;* ⟨nat.⟩ ~e lichamen / elementen *simple solids / elements;* een ~e oorzaak *a simple reason / cause;* een ~e trilling *a simple vibration* **1.2** een ~ onderwerp *a singular subject* **1.3** ⟨taal.⟩ een ~e zin *a simple sentence* **1.**¶ ~ stemrecht *single vote system;* ⟨inf.⟩ *one man, one vote.*

enkelzijdig ⟨bn., bw.; -ly⟩ **0.1** *one-sided, unilateral* ◆ **1.1** een ~e verlamming *a one-sided / unilateral paralysis* **2.1** een ~ beschreven blad *a page with writing on one side only;* een ~ beschrijfbare diskette *a single-sided diskette.*

enne ⟨vw.⟩⟨spreektaal⟩ **0.1** *and* ⇒*well.*

enorm

  I ⟨bn.⟩ **0.1** [bijzonder groot] *enormous* ⇒*huge, gigantic, immense,* ⟨uitgestrekt⟩ *vast* ◆ **1.1** ~e kennis *vast knowledge;* ~e winsten *vast / huge profits* **2.1** een ~ succes *an e. / a tremendous success;*

  II ⟨bn., bw.; -(al)ly⟩ **0.1** [geweldig, ontzettend] *tremendous, fantastic, fabulous, terrific* ◆ **1.1** ~e pijn *tremendous pain* **2.1** ~ belangrijk *terribly / extremely important;* ~ groot *vast, gigantic, immense, massive* **3.1** 't is ~ *it's fantastic / terrific;* ze is ~ gegroeid *she has grown an enormous / tremendous amount* **7.1** ~ veel geld *a tremendous / vast amount of money.*

enormiteit ⟨de (v.)⟩ **0.1** [grote stommiteit] *enormity* ⇒*(gross) blunder* **0.2** [overmatige grootte] *enormity, enormousness* ◆ **3.1** ~en debiteren *put one's foot in one's mouth / in it, drop a clanger;* ⟨altijd⟩ *suffer from foot-in-mouth disease.*

en plein public 0.1 *in public, publicly.*

enquête ⟨de⟩ **0.1** [⟨pol.⟩ door overheidsinstantie] *inquiry* ⇒*investigation* **0.2** [onderzoek door ondervraging] *poll* ⇒*survey* **0.3** [⟨jur.⟩] *hearing* ◆ **2.1** parlementaire ~ *parliamentary i.* **2.2** dialectologische ~ *dialect survey;* een schriftelijke ~ *≠ a postal survey;* ⟨in dialectonderzoek⟩ *postal questionnaire* **3.2** een ~ houden naar *hold / conduct an inquiry into;* een ~ instellen naar *institute / set up an inquiry into* **6.2** een ~ **naar** de leesgewoonten in Nederland *a survey of reading habits in the Netherlands;* een ~ **onder** Amsterdammers *a poll / survey of inhabitants of Amsterdam.*

enquêtecommissie ⟨de (v.)⟩ **0.1** *committee/board of inquiry*/⟨BE ook⟩ *enquiry* ⇒⟨van Kamer⟩ *investigative/fact-finding committee.*

enquêteformulier ⟨het⟩ **0.1** *questionnaire* ◆ **3.1** een ~ invullen *fill in a q..*

enquêterecht ⟨het⟩ **0.1** ⟨van Kamer⟩ *right to instigate/institute an in-quiry*/⟨BE ook⟩ *enquiry/investigation* ⇒⟨van aandeelhouders⟩ *right to petition the court for the appointment of a committee of inquiry,* ⟨jur.⟩ *right to call/institute an inquest.*

enquêteren ⟨onov., ov.ww.⟩ **0.1** [enquête instellen] *inquire* **0.2** [enquête-tevragen stellen] *poll* ⇒*survey.*

enquêteur ⟨de (m.)⟩, **-trice** ⟨de (v.)⟩ **0.1** *pollster, poll-taker.*

ensceneren ⟨ov.ww.⟩ **0.1** [in scène zetten] *stage, put on* ⇒*produce, di-rect, stage-manage* **0.2** [op touw zetten] *stage(-manage).*

ensemble ⟨het⟩ **0.1** [toneel-, muziekgezelschap] *ensemble* ⇒*company, troupe* **0.2** [het geheel, allen bijeen] *ensemble* ⇒*whole* **0.3** [⟨bk.⟩] *en-semble* **0.4** [⟨muz.⟩] *ensemble* **0.5** [dameskostuum] *ensemble.*

ent ⟨de⟩ **0.1** *graft.*

entameren ⟨ov.ww.⟩ **0.1** [aanvangen] *start (on), begin, address o.s. to* ⟨een taak⟩; *broach* ⟨onderwerp⟩; ⟨open onderhandelingen⟩; *take up, raise* ⟨een zaak/kwestie⟩ **0.2** [mbt. een gesprek] *begin, start* ⇒*strike up.*

enten ⟨ov.ww.⟩ **0.1** [een ent op een boom bevestigen] *graft* ⇒*engraft, bud* **0.2** [⟨fig.⟩] *graft* ⇒*engraft, imbue (with), implant* **0.3** [entstof brengen in] *vaccinate, inoculate* **0.4** [bacteriën in een voedingsbodem brengen] *inoculate* ◆ **1.1** bomen, vruchten ~ *graft trees/fruit* **6.1** op een wilde stam ~ *graft onto a wild stock/rootstock* **6.2** en beschaving die geënt is op een oudere *a civilization which is (en)grafted onto an older one.*

entente ⟨de (v.)⟩ **0.1** [eensgezindheid] *entente* **0.2** [⟨gesch.⟩] *Entente.*

enter ⟨de (m.)⟩ **0.1** *yearling.*

enterbijl ⟨de⟩ **0.1** *poleax(e).*

enteren
I ⟨onov., ov.ww.⟩ **0.1** [een schip beklimmen om het te veroveren] *board;*
II ⟨ov.ww.⟩ **0.1** [zich vastmaken aan] *grapple (with)* **0.2** [⟨fig.⟩ aan-klampen] *buttonhole* ⇒↑*accost.*

enterhaak ⟨de (m.)⟩ **0.1** *grappling-iron/-hook, grapnel.*

entertainen ⟨ww.⟩ **0.1** *entertain.*

enthousiasme ⟨het⟩ **0.1** [geestdrift] *enthusiasm* ⇒*keenness* **0.2** [het be-zield zijn door een god] *enthusiasm* ◆ **2.1** een jeugdig ~ *youthful e.* **3.1** branden/overlopen van ~ *be burning with e., be wildly enthusias-tic;* hij kon geen ~ meer opbrengen voor tennis *he could no longer get e./* ⟨inf.⟩ *worked up about tennis* **5.1** hij is nog vol ~ *he is still full of e. / highly enthusiastic* **6.1** zich met ~ op een taak werpen *fall to a task with e./ enthusiastically.*

enthousiasmeren ⟨ov.ww.⟩ **0.1** *enthuse* ⇒*make enthusiastic, excite, stir, kindle enthusiasm in.*

enthousiast¹ ⟨de (m.)⟩ **0.1** *enthusiast* ⇒*devotee,* ⟨inf.⟩ *fan.*

enthousiast²
I ⟨bn.⟩ **0.1** [geestdriftig] *enthusiastic* **0.2** [hartstochtelijk] *enthusiastic* ◆ **1.1** een ~ publiek *an e. public/audience* **1.2** een ~ voetballiefheb-ber *an e. football fan* **3.1** snel ~ over iets raken *quickly/soon get/be-come e. about sth.;* ⟨sl.⟩ *be turned on quickly;* hij toonde zich erg/niet erg ~ *he was highly e./not very e.;* ⟨inf.⟩ *he enthused/didn't enthuse (about)* **5.1** laaiend/wild ~ zijn over iets *be wildly e. about sth.; be/go wild/crazy about sth.;*
II ⟨bw.⟩ **0.1** [op geestdriftige wijze] *enthusiastically* ◆ **3.1** ~ op iets ingaan *take to sth. with enthusiasm/e..*

enthousiasteling ⟨de (m.)⟩ ⟨pej.; scherts.⟩ **0.1** ≠*fanatic, addict, buff;* ↓*nut, freak, maniac.*

enthymema ⟨het⟩ **0.1** *enthymeme.*

enting ⟨de (v.)⟩ **0.1** ⟨met entloot⟩ *graft(ing), engrafting* ⇒⟨inenting⟩ *engrafting, inoculation.*

entiteit ⟨de (v.)⟩ **0.1** [wezenlijkheid] *entity* **0.2** [eenheid] *entity.*

entoderm ⟨het⟩ ⟨biol.⟩ **0.1** *endoderm, entoderm* ⇒*hypoblast.*

entomografie ⟨de (v.)⟩ **0.1** ≠*insect taxonomy, entomology.*

entomologie ⟨de (v.)⟩ **0.1** *entomology* ⇒*insectology.*

entomologisch ⟨bn.⟩ **0.1** *entomological.*

entomoloog ⟨de (m.)⟩ **0.1** *entomologist.*

entourage ⟨de (v.)⟩ **0.1** *entourage* ⇒*surroundings, environment.*

entozoön ⟨het⟩ **0.1** *entozoon, entozoan.*

entracte ⟨de⟩ **0.1** [pauze] *entr'acte, interact, interlude;* ⟨vnl. AE⟩ *inter-mission* **0.2** [tussenstukje] *entr'acte, interlude, intermezzo.*

entrecôte ⟨de⟩ **0.1** *entrecôte,* ^*prime rib* ⇒*prime (fore)rib* ◆ **6.1** ~ in wijnsaus *prime rib in/with wine sauce;* ⟨cul.⟩ *e. au vin.*

entre-deux ⟨het, de (m.)⟩ **0.1** *insertion* ⟨bij gordijnen/japonnen e.d.⟩.

entree ⟨het, de (v.)⟩ **0.1** [ingang, toegang] *entrance* ⇒⟨vestibule⟩ ⟨en-trance-⟩hall **0.2** [recht om binnen te treden] *entry, entrance, admission* ⇒⟨vero.⟩ *entrée* **0.3** [intrede] *entry, entrance* **0.4** [⟨muz.⟩] *entrée* **0.5** [eerste dans] *entrée* **0.6** [gerecht] *entrée* ⟨alleen BE⟩ **0.7** [toegangs-prijs] *admission (charge/fee)* ◆ *admission free, free en-trance; free inspection invited, no obligation to buy* ⟨in winkels⟩ **3.3** zijn ~ maken *enter, make one's entry into* ⟨zaal enz.⟩; *make one's en-*

trance into ⟨politiek enz.⟩ **3.7** ~ betalen *pay for a.;* ~ heffen *charge for a., charge an entrance fee;* ze vragen geen ~ *there is no a. c., they do not charge for a..*

entreebiljet ⟨het⟩ **0.1** *(admission) ticket.*

entreegeld ⟨het⟩ **0.1** [te betalen geld] *admission/entrance charge, charge for admission/entrance* ⇒*admission/entrance fee* ⟨ook van vereni-ging⟩, ⟨mbt. kabeltelevisie⟩ *initial fee* **0.2** [⟨ook in mv.⟩ ontvangen geld, recette] ⟨van stadion⟩ *gate (money/receipts);* ⟨van theater⟩ *(box-office) takings, door money/receipts.*

entreeprijs ⟨de (m.)⟩ **0.1** *price/cost of admission/entrance, admission price, admission/entrance charge.*

entrefilet ⟨het, de (m.)⟩ **0.1** *(newspaper) paragraph/item* ⇒⟨inf.⟩ *par.*

entrefilettist ⟨de (m.)⟩ **0.1** *paragrapher, paragraphist* ⇒≠*columnist.*

entremets ⟨het, de⟩ ⟨cul.⟩ **0.1** *entremets* ⇒*dessert, sweet.*

entre-nous **0.1** *between you and me* ◆ **3.1** dat blijft ~ *that's between you and me;* ⟨scherts.⟩ *that's between you, me and the doorpost.*

entrepot ⟨het⟩ **0.1** *entrepôt, bonded warehouse/store* ◆ **2.1** fictief ~ *un-bonded warehouse;* particulier ~ *private bonded warehouse;* publiek ~ *government-bonded/customs warehouse* **6.1** goederen in ~ plaat-sen/opslaan *place goods in bond, put goods into bond;* in ~ verkopen *sell in bond/on bonded terms;* goederen in ~ *bonded goods, B/G;* de wijn bleef in ~ *the wine is bonded/is in bond;* in ~ liggen *be in/under bond, be bonded;* levering in/uit ~ *delivery on bonded terms/duty paid;* goederen uit ~ halen *take goods out of bond, release goods from bond.*

entrepothouder ⟨de (m.)⟩ **0.1** *(bonded) warehouse keeper* ⇒*bonder.*

entresol ⟨de (m.)⟩ **0.1** *entresol, mezzanine (floor).*

entropie ⟨de (v.)⟩ ⟨nat.⟩ **0.1** *entropy.*

entspleet ⟨de⟩ **0.1** *graft.*

entstof ⟨de⟩ **0.1** *inoculum* ⇒*inoculant, vaccine.*

enucleatie ⟨de (v.)⟩ ⟨med.⟩ **0.1** *enucleation.*

enumeratie ⟨de (v.)⟩ **0.1** *enumeration.*

enumeratief ⟨bn., bw.; -ly⟩ **0.1** *enumerative.*

enuntiatief ⟨bn.⟩ **0.1** *enunciative.*

enveloppe ⟨de⟩ **0.1** *envelope* ⇒⟨filatelie⟩ *cover* ◆ **2.1** een gefrankeerde ~ *a stamped e.;* gegomde ~n *gummed envelopes;* in een open/geslo-ten ~ *in an unsealed/sealed e.;* iets verzenden in een verzegelde ~ *send sth. in a sealed e.* **6.1** in een ~ in an e., under cover.

enveloptas ⟨de⟩ **0.1** ≠*pocketbook* ⇒⟨zeldz.⟩ *envelope.*

enz. ⟨afk.⟩ **0.1** [enzovoort] *etc.* ⇒&c..

enzovoorts **0.1** *et cetera* ⇒*and so on* ◆ **¶.1** ~ ~ *et cetera, etcetera; and so on and so forth.*

enzym ⟨het⟩ **0.1** *enzyme.*

enzymologie ⟨de (v.)⟩ **0.1** *enzymology.*

enzymoloog ⟨de (m.)⟩, **-loge** ⟨de (v.)⟩ **0.1** *enzymologist.*

e.o. ⟨afk.⟩ **0.1** [ex officio] *e.o.* **0.2** [en omstreken] ⟨and environs⟩.

Eoceen ⟨het⟩ ⟨geol.⟩ **0.1** *Eocene.*

eoliet ⟨de (m.)⟩ **0.1** *eolith.*

eolisch ⟨bn.⟩ **0.1** *aeolian* ◆ **1.1** duinen zijn ~e vormingen *dunes are a. formations.*

eolusharp ⟨de⟩ **0.1** *aeolian harp* ⇒*wind harp.*

Eos ⟨de (v.)⟩ ⟨myth.⟩ **0.1** *Eos.*

eosine ⟨het, de⟩ **0.1** *eosin* ⇒*bromeosin.*

e.p. ⟨afk.⟩ **0.1** [ex professo] *e.o.* **0.2** [en personne] ⟨in person⟩ **0.3** [ex-tended play] *E.P..*

epanalepsis ⟨de (v.)⟩ ⟨lit.⟩ **0.1** *epanalepsis.*

epanodos ⟨de (m.)⟩ ⟨lit.⟩ **0.1** *epanados.*

epateren ⟨ov.ww.⟩ **0.1** *astound* ⇒*flabbergast, startle, amaze.*

epaulet ⟨de⟩ ⟨mil.⟩ **0.1** *epaulet(te).*

epenthesis ⟨de (v.)⟩ ⟨taal.⟩ **0.1** *epenthesis.*

epenthetisch ⟨bn.⟩ ⟨taal.⟩ **0.1** *epenthetic.*

epi ⟨de (v.)⟩ ⟨med.; inf.⟩ **0.1** ⟨ongemarkeerd⟩ *episiotomy* ◆ **3.1** een ~ zetten *perform an e..*

epicentrum ⟨het⟩ **0.1** *epicentre.*

epicondylitis ⟨de⟩ ⟨med.⟩ **0.1** *epicondylitis* ⇒⟨tennisarm⟩ *tennis elbow.*

epicondylus ⟨de (m.)⟩ ⟨biol.⟩ **0.1** *epicondyle.*

epicurisch ⟨bn., bw.⟩ **0.1** [de leer van Epicurus betreffend/aanhangend] *Epicurean* **0.2** [genotzuchtig] *epicurean* ⇒*hedonistic, sensual.*

epicurisme ⟨het⟩ **0.1** [leer van Epicurus] *Epicureanism* **0.2** [genotzucht] *epicur(ean)ism* ⇒*hedonism, sensualism.*

epicurist ⟨de (m.)⟩ **0.1** [volgeling van Epicurus] *Epicurean* **0.2** [genot-zuchtig persoon] *epicure* ⇒*hedonist, sensualist* **0.3** [iem. die verfijnde genoegens bemint] *epicure* ⇒*gourmet, gastronome.*

epidemie ⟨de (v.)⟩ **0.1** [besmettelijke ziekte] *epidemic* **0.2** [⟨fig.⟩] *epi-demic* ⇒*craze, rage.*

epidemiologie ⟨de (v.)⟩ **0.1** *epidemiology.*

epidemiologisch ⟨bn.⟩ **0.1** *epidemiological* ◆ **1.1** een ~ onderzoek *an e. investigation.*

epidemisch ⟨bn., bw.; -(al)ly⟩ **0.1** [als (van) een epidemie] *epidemic(al)* ⇒⟨dierk.⟩ *epizootic* **0.2** [⟨fig.⟩] *epidemic* ◆ **1.1** een ~e ziekte *an epi-demic (disease)* **3.1** die ziekte heerst hier ~ *there is an epidemic here, the disease is epidemic here.*

epidermis ⟨de (v.)⟩ **0.1** *epidermis* ⇒*cuticle.*

epidiascoop ⟨de (m.)⟩ **0.1** *epidiascope*.
epiek ⟨de (v.)⟩ ⟨lit.⟩ **0.1** [leer v.h. heldendicht] *epic* **0.2** [epische poëzie] *epic (poetry)* ⇒*epos, epopee*.
Epifanie ⟨de (v.)⟩ **0.1** *Epiphany* ⇒*Twelfth-day*.
epifenomenalisme ⟨het⟩ **0.1** *epiphenomenalism*.
epifiet ⟨de⟩ **0.1** *epiphyte*.
epifoor ⟨de⟩ ⟨lit.⟩ **0.1** *epistrophe*.
epifyse ⟨de (v.)⟩ ⟨med.⟩ **0.1** *epiphysis*.
epifysiolyse ⟨de (v.)⟩ ⟨med.⟩ **0.1** *epiphysiolysis* ⇒*slipped epiphysis, epiphyseal separation*.
epigoon ⟨de (m.)⟩ **0.1** *epigone*.
epigraaf ⟨de (m.)⟩ **0.1** *epigraph*.
epigrafie ⟨de (v.)⟩ **0.1** *epigraphy*.
epigrafisch ⟨bn.⟩ **0.1** *epigraphic(al)* ◆ **1.1** de ~e zijde *the obverse/ head*.
epigram ⟨het⟩ **0.1** *epigram*.
epigrammatisch ⟨bn.⟩ **0.1** *epigrammatic(al)*.
epilatie ⟨de (v.)⟩ **0.1** *depilation*.
epilepsie ⟨de (v.)⟩ **0.1** *epilepsy*.
epilepticus ⟨de (m.)⟩, **-ca** ⟨de (v.)⟩ **0.1** *epileptic*.
epileptisch ⟨bn.⟩ **0.1** [lijdend aan vallende ziekte] *epileptic* **0.2** [mbt. vallende ziekte] *epileptic* ◆ **1.2** een ~e aanval *an e. fit/attack;* ⟨inf.⟩ *a fit*.
epileren ⟨ov.ww.⟩ **0.1** *depilate*.
epiloog ⟨de (m.)⟩ **0.1** [slotrede] *epilogue* **0.2** [naspel] *epilogue* **0.3** [toevoegsel na het verhaal] *epilogue* ⇒*afterword* **0.4** [naspel v.e. reeks gebeurtenissen] *epilogue* ⇒*aftermath, sequel*.
episch ⟨bn., bw.; -ally⟩ **0.1** [mbt. het heldendicht] *epic* ⇒*epical, heroic* **0.2** [de heldenpoëzie beoefenend] *epic* **0.3** [waarin het epos op de voorgrond treedt] *epic* ⇒*heroic* ◆ **1.1** een ~ gedicht *an epic (poem), a heroic poem* **1.2** een ~ dichter *an e. poet* **1.3** een ~ tijdvak *an e./a heroic period*.
episcoop ⟨de (m.)⟩ **0.1** *episcope*.
episcopaal ⟨bn.⟩ **0.1** *episcopal* ◆ **1.1** de Episcopale Kerk *the Anglican Church, the Church of England;* ⟨Schotland en USA⟩ *the Episcopal Church*.
episcopaat ⟨het⟩ **0.1** [bisschoppelijke waardigheid] *episcopate* ⇒*episcopacy* **0.2** [bisschoppen] *episcopate* ⇒*episcopacy* **0.3** [bisdom] *bishopric, diocese, see*.
episcopie ⟨de (v.)⟩ **0.1** *episcopic projection* ⇒*projection of opaque objects*.
episiotomie ⟨de (v.)⟩ ⟨med.⟩ **0.1** *episiotomy*.
episode ⟨de (v.)⟩ **0.1** [deel v.e. verhaal] *episode* ⇒*scene* **0.2** [deel v.e. reeks gebeurtenissen] *episode* ⇒*incident, chapter* **0.3** [aflevering] *episode* ◆ **2.2** een donkere ~ uit zijn leven *a dark chapter/period in his life*.
episodisch ⟨bn., bw.; -ally⟩ **0.1** *episodic*.
epistel ⟨het, de (m.)⟩ **0.1** [brief v.d. apostelen] *Epistle* **0.2** [deel v.d. mis] *Epistle* **0.3** [brief] *epistle* ⇒*missive, screed* ◆ **2.3** iem. hele ~s schrijven *write s.o. long epistles*.
epistemologie ⟨de (v.)⟩ **0.1** *epistemology*.
epitaaf ⟨het, de (m.)⟩ **0.1** [grafschrift] *epitaph* **0.2** [grafsteen] *gravestone, tombstone*.
epitheel ⟨het⟩ ⟨med.⟩ **0.1** *epithelium*.
epitheton ⟨het⟩ **0.1** ⟨lit.⟩ *epithet* ⟨ook pej.⟩ ⇒⟨vaak pej.⟩ *label* **0.2** [⟨biol.⟩] *epithet* ⇒*trivial name* ◆ **¶.1** ~ ornans *(Homeric) e., epitheton (ornans)*.
epitome ⟨het⟩ **0.1** *epitome* ⇒*summary, précis*.
epizoën ⟨het⟩ **0.1** *epizoa*.
epode ⟨de (v.)⟩ **0.1** [slotstrofe] *epode* **0.2** [korte versregel] *epode* **0.3** [gedicht] *epode*.
epoque ⟨de⟩ **0.1** *epoch* ⇒*age, period, era* ◆ **3.¶** ~ maken *make history, make (an) epoch* **¶.1** la belle ~ *la belle époque*.
epos ⟨het⟩ **0.1** [heldendicht] *epic (poem)* ⇒*epos, epopee* **0.2** [⟨fig.⟩] *epic* ◆ **1.2** het ~ v.d. drooglegging v.d. Zuiderzee *the epic reclamation of/the epic task of reclaiming the Zuider Zee*.
epoxy ⟨het⟩ **0.1** *epoxy (resin)*.
epoxyhars ⟨het, de (m.)⟩ **0.1** *epoxy resin* ⇒*epoxy*.
epsilon ⟨de (m.)⟩ **0.1** *epsilon*.
epsomzout ⟨het⟩ **0.1** *Epsom salt(s)*.
equatie ⟨de (v.)⟩ **0.1** [algebraïsche vergelijking] *equation* **0.2** [het verrekenen/op gelijke basis brengen] *equation* ◆ **1.2** de ~ van waarnemingen *the e. of observations*.
equatieuurwerk ⟨het⟩ **0.1** *equation clock*.
equator ⟨de (m.)⟩ **0.1** *equator*.
equatoriaal¹ ⟨het, de (m.)⟩ **0.1** *equatorial telescope*.
equatoriaal² ⟨bn.⟩ **0.1** *equatorial* ◆ **1.1** Equatoriaal Guinée *Equatorial Guinea;* equatoriale stroom *e. current;* equatoriale winden *trade winds, trades*.
equilibrist ⟨de (m.)⟩, **-e** ⟨de (v.)⟩ **0.1** *equilibrist* ⇒*tight-rope walker, balancer*.
equinoctiaal ⟨bn.⟩ **0.1** *equinoctial*.
equinox ⟨de (m.)⟩ **0.1** *equinox*.
equipage ⟨de (v.)⟩ **0.1** [⟨scheep.⟩] *crew* **0.2** [reistoerusting] *equipage* ⇒

outfit, ⟨inf.⟩ *kit, gear* **0.3** [paard met rijtuig] *equipage* ⇒*(horse and) carriage* ◆ **1.1** chef der ~ *boatswain, bosum* **2.2** hij kwam met een hele ~ *he came with a load of stuff;* ⟨scherts.⟩ *he arrived with everything but the kitchen sink* **3.1** ~ houden *keep a carriage*.
equipe ⟨de⟩ **0.1** *team*.
equipement ⟨het⟩ **0.1** *equipment* ⇒*outfit,* ⟨inf.⟩ *kit, gear*.
equiperen ⟨ov.ww.⟩ **0.1** [uitrusten] *equip* ⇒*fit out* **0.2** [bemannen] *man*.
equipier ⟨de (m.)⟩ **0.1** *team-member*.
equivalent¹ ⟨het⟩ **0.1** *equivalent* ⇒*counterpart* ◆ **3.1** een ~ vinden voor *find an e. for;* een ~ voor iets zoeken *search/look for an e. for sth.*.
equivalent² ⟨bn.⟩ **0.1** *equivalent (to)*.
equivocatie ⟨de (v.)⟩ ⟨taal.⟩ **0.1** *equivoque*.
er¹, d'r ⟨pers.vnw.⟩ ⟨inf.⟩ **0.1** *her* ◆ **3.1** ik heb ~ vaak gezien *I have often seen h.* **6.1** ik ga met ~ mee *I am going with h.*.
er² ⟨pers.vnw.⟩ **0.1** *of them* ◆ **3.1** ik heb ~ nog/nóg twee *I have two left/more;* ik heb ~ geen (meer) *I haven't any (left);* hij kocht ~ acht *he bought eight (of them);* daar komen ~ nog drie *there are three more (of them) coming;* geef mij een paar sigaren, zijn ~ nog veel? *give me a few cigars, are there many (of them) left?;* er zijn ~ die ...*there are some/those who/which ...;* er zijn ~ genoeg *there are enough (of them)*.
er³ ⟨bw.⟩ **0.1** [daar] *there* **0.2** [⟨zonder aan een plaats te denken⟩] *there* **0.3** [⟨+bijw.⟩]⟨zie 3.3 en 5.3⟩ ◆ **3.1** ik zal ~ even aangaan/aanlopen *I'll just call in/look in/drop in/stop off/ pop in (t.);* dat boek is ~ niet *that book isn't t.;* wie waren ~? *who was/were t.?;* ~ zijn *have made/done it* **3.2** nu ben ik ~ *(now) I've got it;* ~ gebeuren rare dingen *strange things (can) happen;* heeft ~ iem. gebeld? *did anybody call/phone?;* dat is ~ niet ⟨bestaat niet⟩ *that doesn't exist; we/they don't have it* ⟨bv. in winkel⟩; wat is ~? *what is it?, what's the matter/trouble?, what's up?;* is ~ iets? *is anything wrong/the matter?, is anything up?;* ~ is besloten, dat ...*it has been decided that ...;* ~ is geen ontsnappen aan *t.'s no way of escaping;* ~ is/zijn *t. is/are ...;* ~ kwam een kerel aangefietst *this/a fellow came cycling along/by;* zo iem. leeft ~ niet *t.'s no such person;* ~ was niemand te vinden die het doen wilde *nobody could be found who would do it;* ~ werd hard gewerkt *they* ⟨enz.⟩ *worked hard;* ~ wordt hier een museum gebouwd *a museum is being built here;* ~ wordt gepraat/gedanst *t.'s conversation/dancing; they are talking/dancing;* ~ wordt gezegd/verondersteld dat ...*it is said/supposed that ...;* ze zijn ~ nog niet ⟨uit de problemen⟩ *they are not yet out of the wood;* zo, we zijn ~ *well, here we are, we're arrived* **3.3** het ~ goed/slecht afbrengen *make a good/bad job of it;* ~ slecht/goed afkomen *get off badly/well;* de verf is ~ afgegaan *the paint has come off* **5.3** ik zit ~ niet mee *it doesn't worry/bother me, I don't mind (it);* ~ niets van gehoord hebben *have heard nothing about it* **¶.2** ~ was eens een koning *once upon a time t. was a king*.
'er, der ⟨bez.vnw.⟩ ⟨inf.⟩ **0.1** *their* ◆ **1.1** ze kregen op ~ gezicht *they got a licking/pasting;* zij pasten op ~ tijd *they watched/were watching the time*.
era ⟨de⟩ **0.1** [tijdperk] *era* ⇒*epoch, age, period* **0.2** [tijdrekening] *era*.
eraan ⟨bw.⟩ **0.1** [vastzittend aan het genoemde/bedoelde] *on (it), attached (to it)* **0.2** [aan het genoemde/bedoelde] ⟨zie 3.2 en 5.2⟩ ◆ **3.1** kijk eens naar het kaartje dat ~ zit *have a look at the card that's on it/attached to it* **3.2** wat heeft hij ~? *what use is it to him?, what does he get out of it?;* wat kan ik ~ doen? *what can I do about it?* **3.¶** hij gaat ~ *his number is up, he is for it, he is a deadman!* a goner; de hele boel ging ~ *the whole lot went up/was destroyed;* ik kom ~ (I'm) coming, *I'm on my way;* ⟨inf.⟩ *just a jiff/sec/tick;* toen de politie ~ kwam ... *when the police arrived/came/turned up;* hij moet ~ *he's got it coming to him, he's for it* ⟨straf⟩; *he's got to get down to it/to work* ⟨werk, taak⟩.
erachter ⟨bw.⟩ **0.1** *behind (it* ⟨enk.⟩ */them* ⟨mv.⟩) ◆ **1.1** het hek en de tuin ~ *the hedge and the garden behind (it)* **3.¶** ben je ~? *(have you) got it?, (do you) get it?;* iem. ~ draaien *put s.o. inside/behind bars;* ~ komen *find out, hit upon* ⟨plotseling⟩; *happen/stumble on* ⟨toevallig⟩; ⟨begrijpen⟩ *realize,* ⟨inf.⟩ *cotton on (to);* ~ zijn *get/have got sth.;* hij zit ~ ⟨gevangen⟩ *he's inside/behind bars*.
eradiatie ⟨de (v.)⟩ **0.1** *eradiation*.
eraf ⟨bw.⟩ **0.1** [verwijderd] *off (it* ⟨enk.⟩ */them* ⟨mv.⟩) **0.2** [bevrijd] *finished;* ⟨AE ook⟩ *done, through* ◆ **1.1** mijn kop ~, als het niet waar is *strike me dead if it is not true* **3.1** het knopje is ~ *the button has come o., a button is missing;* ⟨fig.⟩ de aardigheid is ~ *the fun has gone out of it, it's no longer fun (any more), the gilt has worn off* **3.2** zodra het gebouw is goedgekeurd, is de aannemer ~ *as soon as the building has been approved, the contractor's job will be finished/* ⟨AE ook⟩ *the contractor will be through;* ~ zijn *be finished/done/through with, be rid of, have seen/heard the last of*.
erbarmelijk ⟨bn., bw.; -(al)ly⟩ **0.1** [zeer gebrekkig] *pathetic* ⇒*wretched, abominable, miserable* **0.2** [medelijden opwekkend] *pathetic, pitiable, pitiful* **0.3** [zeer hinderlijk] *awful, dreadful, terrible, atrocious* ◆ **1.1** een ~ opleiding *a pathetic/pitiful/wretched education* **1.2** het gebouw was in een ~e toestand *the building was in a sorry state* **1.3** een ~ lawaai *an awful/dreadful/terrible noise* **2.1** ~ (slecht) voorbereid *abominably prepared, dreadfully ill-prepared* **3.1** ~ (slecht) Duits

spreken *speak German abominably, speak wretched/abominable/* ↓*rotten German.*

erbarmen[1] ⟨het⟩ **0.1** *compassion, pity* ⇒*mercy* ◆ **3.1** met iem. ~ hebben *feel pity for s.o., commiserate with s.o., have mercy (up)on s.o.* **5.1** vol ~*full of compassion/pity* **6.1** zonder ~ *without compassion/pity, pitiless, merciless.*

erbarmen[2] ⟨wk.ww.; zich~⟩ **0.1** *take/(have) pity (on), have mercy (up)on* ◆ **6.1** ⟨iron.⟩ hij erbarmde zich **over** het laatste restje wijn *he took pity on the last (bit of wine),* ⟨ongemarkeerd⟩ *he finished/polished off the last bit of wine.*

erbij ⟨bw.⟩ **0.1** [aanwezig] *there, included at/with* ⟨enz.⟩ *it* ⟨enk.⟩/*them* ⟨mv.⟩ **0.2** [tot het genoemde/bedoelde] *at/to/* ⟨enz.⟩ *it* ⟨enk.⟩/*them* ⟨mv.⟩ ◆ **3.1** is het supplement ~? *is the supplement with it/included?* **3.2** ik blijf~ dat ... *I still insist/believe/maintain that ...; zout~* doen *add salt;* ⟨fig.⟩ hoe kom je~*what an idea!, the very idea!, what can you be thinking of!;* hoe kom je~ om zoiets raars te doen? *what made you/prompted you to do such an extraordinary thing?;* kun je~? *(do you) get it?;* het~ laten *leave it (at that/there), forget (about) it, leave well alone, call it a day* **3.¶** je bent~ *your game/number is up, the game is up,* ↓*gotcha!;* het kan hem niet schelen hoe hij~ loopt *he doesn't care about clothes/what he looks like.*

erboven ⟨bw.⟩ **0.1** *above, over (it* ⟨enk.⟩/*them* ⟨mv.⟩) ◆ **3.1** de titel staat ~ *the title is at the top* ⟨van een pagina⟩/*at the beginning* ⟨van een artikel enz.⟩; hij staat~ *he's too good for that, he's above that, that's beneath him.*

erbovenop ⟨bw.⟩ **0.1** [bovenop het genoemde] *on (the) top* ⇒*on top of it /them/* ⟨enz.⟩ **0.2** [⟨fig.⟩] ⟨zie 3.2⟩ ◆ **3.2** nu is hij ~ *he has got over it now, he is all right again;* ⟨van patiënt⟩ *he has pulled through, he has recovered;* ⟨financieel, enz.⟩ *he is on his feet again, he has got his head above water, he has pulled through.*

erdoor ⟨bw.⟩ **0.1** [mbt. een plaats] *through it* ⟨enk.⟩/*them* ⟨mv.⟩ **0.2** [mbt. tijd] *through it* ⟨enk.⟩/*them* ⟨mv.⟩ **0.3** [mbt. oorzaak] *by/because of it* ⟨enk.⟩/*them* ⟨mv.⟩ ◆ **3.1** al regent het nog zo hard, ik moet~ *no matter how hard it's raining, I have to go out in it* **3.2** die saaie zondagen, hoe zijn we~ gekomen *those boring Sundays, how(ever) did we get through them?* **3.3** hij raakte zijn baan~ kwijt *it cost him his job, he lost his job because of it;* zij werden~ verrast *they were surprised by it* **3.¶** ik ben~ ⟨geslaagd⟩ *I've got through, I've passed;* ⟨heb niets meer in voorraad⟩ *I've finished it/them* ⟨enz.⟩, *I've got no more of it/them* ⟨enz.⟩ *left;* het is~ *it's settled/agreed;* een motie~ krijgen *get a motion through/passed/accepted/carried, carry a motion;* de dokter sleepte de patient~ *the doctor pulled the patient through/round;* ik wil~ *I'd like to get past/through.*

erdoorheen ⟨bw.⟩ **0.1** *through* ⇒*through it* ⟨enk.⟩/*them* ⟨mv.⟩/⟨enz.⟩ ◆ **3.1** het roet/vocht komt~ *the soot/damp is coming through;* ik heb zoveel werk, ik weet niet hoe ik~ moet komen *I have (got) so much work I don't know how I'll get through (it)* **3.¶** ~ zijn *be through (with).*

ere →eer.

ereambt ⟨het⟩ **0.1** *honorary post/office/position.*

erebaantje ⟨het⟩ **0.1** *honorary post/office/job.*

ereblijk ⟨het⟩ **0.1** *mark of honour/respect* ⇒*tribute.*

ereboog ⟨de (m.)⟩ **0.1** *triumphal arch.*

ereburger ⟨de (m.)⟩ **0.1** ⟨in Eng.⟩ *freeman* ⟨meestal gevolgd door 'of the city'⟩; ⟨buiten Eng.⟩ *honorary citizen* ◆ **3.1** iem. tot ~ maken *confer/bestow the freedom of the city on s.o..*

ereburgerschap ⟨het⟩ **0.1** *honorary citizenship, (honorary) freedom* ⇒*freemanship* ◆ **1.1** hem werd het ~ aangeboden *he was presented with/admitted to/offered h. c./the freedom of the city, he was made free of the city/honorary citizen* **3.1** het ~ verlenen aan bestow/confer h. c./the freedom of the city on, give/grant h. c./the freedom of the city to.*

erecode ⟨de (m.)⟩ **0.1** *code/law of honour.*

erectie ⟨de (v.)⟩ **0.1** *erection* ◆ **3.1** een ~ hebben/krijgen *have/get an e..*

eredienst ⟨de (m.)⟩ **0.1** [kerkdienst] *worship* ⇒*service* **0.2** [⟨fig.⟩] *cult, religion* ◆ **3.1** de ~ bijwonen *attend worship/a service.*

eredivisie ⟨de (v.)⟩ ⟨sport⟩ **0.1** ⟨BE⟩ *first division, division one;* ⟨Sch.E⟩ *premier division;* ⟨AE⟩ *major/big league.*

eredoctor ⟨de (m.)⟩ **0.1** *honorary doctor, doctor honoris causa.*

eredoctoraat ⟨het⟩ **0.1** *honorary doctorate/degree.*

eregast ⟨de (m.)⟩ **0.1** *guest of honour.*

erehaag ⟨de⟩ **0.1** *lane, double row* ◆ **6.1** het bruidspaar liep **door** de ~ *the bridal couple walked between the rows of guests.*

erekrans ⟨de (m.)⟩ **0.1** *wreath of honour* ⇒*garland, laurel (wreath).*

erekruis ⟨het⟩ **0.1** *cross of honour/merit.*

erelid ⟨het⟩ **0.1** *honorary member.*

erelidmaatschap ⟨het⟩ **0.1** *honorary membership/freedom* ◆ **1.1** hij kreeg het ~ v.d. vereniging *he was made honorary member/free of the society.*

erelijst ⟨de⟩ **0.1** *roll of honour.*

eremetaal ⟨het⟩ **0.1** *medal of honour.*

eren ⟨ov.ww.⟩ ⟨→sprw. 24, 350, 508⟩ **0.1** [eer(bied) bewijzen] *honour* ⇒

⟨sterker⟩ *revere* **0.2** [een onderscheiding toekennen] *honour* **0.3** [hoger aanzien verlenen] *do credit* ◆ **1.1** de doden~ *h./revere the dead; commemorate the dead* ⟨vieren⟩; God~ *give praise to God* **1.3** een bescheidenheid die hem eert *a modesty which does him (great) credit* **6.2** iem. **met** het ereburgerschap van de stad ~*h. s.o. with the freedom of the city.*

erepalm ⟨de (m.)⟩ **0.1** *palm (of honour)* ⇒*laurels, laurel (crown)* ◆ **3.1** iem. de ~ toekennen *award the palm (of honour) to s.o..*

ereplaats ⟨de⟩ **0.1** *place of honour, honoured place* ◆ **3.1** iem./iets een ~(je) geven/toekennen *give s.o./sth. pride of place/an honoured place;* een ~ innemen *have an honoured place, have/take pride of place.*

erepodium ⟨het⟩ **0.1** *rostrum.*

erepoort ⟨de⟩ **0.1** *triumphal arch.*

ereprijs ⟨de (m.)⟩ **0.1** [hoogste onderscheiding] *(first) prize* **0.2** [⟨plantk.⟩] *veronica.*

ereronde ⟨de⟩ **0.1** *lap of honour.*

eresaluut ⟨het⟩ **0.1** *salute* ◆ **3.1** iem. een ~ brengen *s.s.o..*

ereschuld ⟨de⟩ **0.1** *debt of honour.*

ereteken ⟨het⟩ **0.1** *decoration* ⇒*medal, (badge/mark of) honour, distinction* ◆ **6.1** ~ **voor** belangrijke krijgsverrichtingen *decoration for important war service.*

eretitel ⟨de⟩ **0.1** *honorary title, title of honour* ⇒[B]*courtesy title.*

eretribune ⟨de⟩ **0.1** ≠*grandstand; seats of honour.*

ereveld ⟨het⟩ **0.1** *military cemetery.*

erevoorzitter ⟨de (m.)⟩ **0.1** *honorary president/chairman* ⇒*honorary chairwoman/chairperson.*

erevoorzitterschap ⟨het⟩ **0.1** *honorary presidency/chairmanship* ◆ **3.1** het ~ bekleden *occupy the post of honorary chairman/chairwoman/ chairperson.*

erewacht ⟨de⟩ **0.1** *guard of honour.*

erewoord ⟨het⟩ **0.1** *word of honour* ⇒*parole (of honour)* ⟨vnl. mbt. gevangenen⟩ ◆ **3.1** zijn ~ geven, zich op ~ verbinden *give one's honour, pledge o.s.; iemands~ vragen, op iemands ~ vertrouwen put s.o. on his honour* **6.1** op mijn~! *on my (word of) honour!, word of honour!;* ⟨inf.⟩ *honour bright, cross my heart (and hope to die)!;* iem. **op** (zijn)~ vrijlaten *release s.o./set s.o. free on parole.*

erezaak ⟨de⟩ **0.1** *matter/affair/point of honour* ◆ **8.1** het als een ~ beschouwen ... ⟨ook⟩ *feel in honour bound to ....*

erf ⟨het⟩ **0.1** [huis met de erbij behorende grond] *property, premises,* ⟨AE⟩ *lot* ⇒*estate, grounds* ⟨vnl. landgoed⟩ **0.2** [grond(bezit)] *(farm) yard* ⇒*estate, grounds* ⟨vnl. landgoed⟩ **0.3** [erfdeel] *inheritance* ⇒*heritage* ◆ **1.2** huis en ~ *premises, property* **1.3** ⟨schr.⟩ het ~ der vaderen *the national heritage* **2.1** dienstbaar/lijdend ~ *servient tenement/property/estate; heersend ~ dominant tenement/property/estate* **3.1** ⟨fig.⟩ het ~ voor de pacht laten liggen [B]*do a (moonlight) flit* **6.1** ieder is baas **op** eigen ~ *a man's home is his castle;* ⟨in Engeland⟩ *an Englishman's home is his castle.*

erfbeplanting ⟨de (v.)⟩ **0.1** *planting in the yard* ⇒⟨de planten zelf, voor bescherming⟩ *windbreak.*

erfdeel ⟨het⟩ **0.1** [wat iem. uit een nalatenschap toekomt] *inheritance* ⇒*portion,* ⟨meestal fig.⟩ *heritage* **0.2** [door God toegezegd bezit/recht] *inheritance* ◆ **2.1** ⟨fig.⟩ het cultureel ~ *the cultural heritage;* het moederlijk ~ *maternal i./portion; vaderlijk ~ patrimony, paternal i.;* zijn wettelijk ~ *his legitimate i./portion* **3.1** zijn ~ krijgen *come into one's i.* **4.2** de zaligheid is ons ~ *salvation is our i..*

erfdienstbaarheid ⟨de (v.)⟩ **0.1** *(praedial) servitude, incorporeal hereditament, easement* ◆ **6.1** ~ van overpad *right of way;* ~ **van** licht *right to light, easement of light,* ⟨Eng. recht⟩ *ancient lights;* ~ **van** bouwhoogte *jus non altius tollendi, right to prevent another from building higher.*

erfdochter ⟨de (v.)⟩ **0.1** *heiress.*

erfelijk ⟨bn., bw.; -ly⟩ **0.1** [mbt. erfelijkheid] *hereditary* ⇒*congenital, inborn, innate* **0.2** [mbt. erfenis] *hereditary* ⇒*heritable, hereditable* ◆ **1.1** ~e eigenschappen *hereditary qualities/properties/characteristics;* deze ziekte is ~ *this illness is hereditary* **1.2** ~e gebruikers *hereditary users;* ~e graad *hereditary degree;* ~ recht, bezit *hereditary right/property* **2.1** hij is ~ belast *it runs in the family, he was born like it/that, he is a victim of heredity;* ⟨bel.⟩ *he comes of tainted stock;* ~ bepaald zijn *be determined by heredity, be genotypic(al).*

erfelijkheid ⟨de (v.)⟩ **0.1** [⟨biol.⟩] *heredity* **0.2** [het erfelijk zijn, worden] *hereditariness* ◆ **1.2** de ~ van de kroon *the hereditariness of the crown.*

erfelijkheidsdrager ⟨de (m.)⟩ **0.1** *unit of heredity.*

erfelijkheidsleer ⟨de⟩ **0.1** *genetics.*

erfelijkheidsmateriaal ⟨het⟩ **0.1** *genetic material.*

erfelijkheidstheorie ⟨de (v.)⟩ **0.1** *theory of heredity, hereditary theory.*

erfenis ⟨de (v.)⟩ **0.1** [wat iem. erft] *inheritance* ⇒*portion,* ⟨meestal fig.⟩ *heritage* **0.2** [wat iem. nalaat] *legacy, bequest* ⇒*inheritance, estate* ⟨boedel⟩ **0.3** [vererving] *inheritance* **0.4** [wat men heeft overgemen] *heritage* ⇒*inheritance* ◆ **1.4** ⟨schr.⟩ ~ der vaderen *national patrimony/h.* **3.1** een ~ erdoor jagen *run through/squander/dissipate an i.;* een ~ krijgen *be left an i./legacy/bequest;* ↓*inherit;* ⟨inf.⟩ *come into (some) money;* een ~ verwerpen/weigeren *renounce an i.* **6.3** bij/

door ~ verkregen *acquired by i.;* **tot** de ~ geroepen worden *be called to the i., inherit, succeed (to the i.).*

erfenisjager ⟨de (m.)⟩ **0.1** *legacy hunter.*

erffactor ⟨de (m.)⟩ **0.1** *(hereditary/genetic) factor.*

erfgenaam ⟨de (m.)⟩, **-name** ⟨de (v.)⟩ **0.1** [mbt. een nalatenschap] *heir* ⟨m., v.⟩, *heiress* ⟨v.⟩ ⟨ihb. van een fortuin⟩ ⇒ *(in)heritor, successor, beneficiary, legatee* **0.2** [mbt. rechten/ verplichtingen] *heir, successor* ◆ **1.2** ~ van Lord B./ van het landgoed *Lord B.'s h., h. to/of Lord B., h. to the estate* **2.1** natuurlijke erfgenamen *h. of the body;* een universeel ~ *universal/sole h.;* vermoedelijk ~ *h. presumptive;* een wettelijke/ wettige ~ *an h., a lawful/legal h., an h. by (operation of) law* **3.1** iem. tot ~ benoemen/ als ~ aanwijzen *appoint/make/institute s.o. (one's) h.* **6.1** ~ **bij** versterf *h.-at-law* ¶.1 ~ over de hand *fideicommissary (h.).*

erfgerechtigd ⟨bn.⟩ **0.1** *heritable, able to inherit* ⇒*inheritable.*

erfgoed ⟨het⟩ **0.1** [nalatenschap] *inheritance* ⇒*legacy, bequest, estate* ⟨boedel⟩, ⟨jur.⟩ *inheritance* ◆ **2.1** onvervreemdbaar ~ *entail;* het vaderlijk ~ ⟨lett.⟩ *patrimony, patrimonial estate;* ⟨van natie⟩ *national heritage* **4.2** de hemel is ons ~ *heaven is our i.* **6.1** in het ~ vervallen *become entitled to the succession.*

erfgrond ⟨de (m.)⟩ **0.1** *hereditary land.*

erfland ⟨het⟩ **0.1** [⟨bijb.⟩] ≠*Promised Land* **0.2** [waarover een vorst erfelijk regeert] *hereditary land/domain/state* ◆ **2.2** de Oostenrijkse ~en *the Austrian Succession States.*

erflater ⟨de (m.)⟩, **-laatster** ⟨de (v.)⟩ **0.1** *testator* ⟨m.⟩, *testatrix* ⟨v.⟩ ⇒ *legator, divisor, testate.*

erflating ⟨de (v.)⟩ **0.1** [het nalaten van bezit] *bequest* ⇒*testation* **0.2** [nagelaten bezit] *bequest, legacy, inheritance.*

erfoom ⟨de (m.)⟩ **0.1** *uncle from whom one expects a legacy* ⇒ ⟨inf.⟩ *rich uncle.*

erfopvolger ⟨de (m.)⟩, **-volgster** ⟨de (v.)⟩ **0.1** *successor* ⟨m., v.⟩, *heir* ⟨m., v.⟩, *inheritor* ⟨m.⟩, *inheritress* ⟨v.⟩, *inheritrix* ⟨v.⟩.

erfopvolging ⟨de (v.)⟩ **0.1** [opvolging van een overledene] *(hereditary) succession* **0.2** [opvolging in de regering] *succession* ◆ **6.1** ~ **bij** wettelijk erfrecht *succession by operation of law;* ~ **bij** versterf *succession on intestacy/ab intestato, intestate succession.*

erfpacht ⟨de⟩ **0.1** [gebruik van grond] ≠*long lease* ⇒*ground lease* **0.2** [bij overlijden voortdurende pacht] *hereditary tenure* ⇒*hereditary lease* ◆ **6.1** grond in ~ uitgeven ≠*lease (out)/let (out) land on (a) long lease;* (grond) in ~ hebben/ nemen/ afstaan ≠*hold/take/let (out) land on (a) long lease.*

erfpachtcanon ⟨de (m.)⟩ **0.1** *ground rent* ⇒*rent charge.*

erfpachter ⟨de (m.)⟩ **0.1** *long leaseholder, long-lease tenant* ⇒*leaseholder, leasehold tenant.*

erfprins ⟨de (m.)⟩, **-prinses** ⟨de (v.)⟩ **0.1** *hereditary prince/princess* ⇒ ⟨troonopvolger⟩ *heir to the throne, heir apparent, crown prince/princess.*

erfrecht ⟨het⟩ **0.1** [samenstel van rechtsregels] *law of inheritance/succession* **0.2** [het recht om te erven] *right of inheritance/succession* ◆ **3.2** zijn ~ laten gelden *assert one's right of inheritance/succession* **6.1** volgens ~ *by the law of succession.*

erfrechtelijk ⟨bn.⟩ **0.1** *according to the law of inheritance/succession.*

erfrente ⟨de⟩ **0.1** *(hereditary) rent-charge.*

erfschuld ⟨de⟩ **0.1** *hereditary debt.*

erfstelling ⟨de (v.)⟩ **0.1** *appointment/institution of an heir;* ⟨jur.⟩ *testamentary disposition* ◆ **6.1** ⟨jur.⟩ ~ **over** de hand *fideicommissary substitution;* ⟨jur.⟩ ~ **uit** de hand *institution of an heir.*

erfstuk ⟨het⟩ **0.1** *(family) heirloom.*

erftante ⟨de (v.)⟩ **0.1** *aunt from whom one expects a legacy* ⇒ ⟨inf.⟩ *rich aunt.*

erfvijand ⟨de (m.)⟩ **0.1** *hereditary enemy* ⇒*traditional enemy.*

erfvredebreuk ⟨de (m.)⟩ **0.1** *trespass, trespassing.*

erfwet ⟨de⟩ **0.1** *law of inheritance/succession.*

erfzonde ⟨de⟩ **0.1** [⟨rel.⟩] *original sin* **0.2** [⟨fig.⟩ ondeugd] *family failing /trait* ⇒ ↑*inborn tendency.*

erg¹
I ⟨de (m.)⟩ **0.1** [eenheid van arbeid] *erg;*
II ⟨het⟩ **0.1** [argwaan] *misgiving(s)* ⇒*notion, inkling, suspicion* **0.2** [opzet] *(evil) intention(s)* ◆ **1.1** hij werd voortdurend bedrogen **zonder** er ~ in te hebben *he was constantly cheated without (his) noticing (it)/realizing it* **6.2** ik deed/ zei het **zonder** ~/ **zonder** er ~ in te hebben *I did/said it unintentionally/meaning no harm* **7.1** in verzwakte opvatting) geen ~ in iets hebben *not be aware/be unaware of sth., not know where one is/what is happening* ¶.1 voor ik er ~ in had/ kreeg, was het gebeurd *before I knew what was happening/where I was, it had happened.*

erg² ⟨→sprw. 126,433⟩
I ⟨bn.⟩ **0.1** [onaangenaam] *awful* ⇒*terrible, dreadful,* ⟨vaak zwakker⟩ *bad* **0.2** [te betreuren] *awful* ⇒*dreadful,* ↑*regrettable, lamentable, deplorable,* ⟨vaak zwakker⟩ *bad* **0.3** [slecht, schandelijk] *awful* ⇒ *terrible, dreadful,* ⟨vaak zwakker⟩ *bad* **0.4** [hevig] *awful* ⇒*terrible, dreadful,* ⟨vaak zwakker⟩ *bad* **0.5** [zorgelijk] *awful* ⇒*terrible, dread-*

ful, ⟨vaak zwakker⟩ *bad,* ⟨mbt. ziekte ook⟩ *serious, critical* ◆ **1.1** in het ~ste geval *if the worst/it comes/came to the worst* **1.3** van de ~ste soort *of the (very) worst kind/type/sort* **1.4** ~e honger/dorst hebben *be awfully/dreadfully hungry/thirsty;* zijn ~ste vijand *his (very) worst enemy* **3.1** ik heb mijn jas vergeten en wat ~er is, mijn portefeuille zat erin *I've forgotten my jacket and the a. thing is that my wallet is in it;* zo ~ is het niet *it's not as a. / bad as (all) that;* het middel is ~er dan de kwaal *the remedy/cure is worse than the disease;* dat is niet ~, hoor *it doesn't (really) matter, it's not serious, (it's) no great matter;* dat is toch niet ~? *it's not (really) so (very) bad, is it?, that doesn't really matter, does it?;* is het ~/ vind je het ~ als ik er niet ben? *do you mind if I'm not there?;* het ~er maken dan het is *make it seem worse than it (really/actually) is, exaggerate;* de zaak nog ~er maken *make matters (even) worse, add insult to injury;* als wat het heel ~ dat is ...*I think it's absolutely a./ dreadful that you always ..., I think it's absolutely a./ dreadful of you to be always ...;* het wordt hoe langer hoe ~er *it gets worse the longer it goes on;* het had ~er kunnen zijn *it could have been (even) worse* **3.2** iets ~ vinden *think sth. is a./ dreadful/terrible, find sth. regrettable/lamentable/deplorable* **3.3** dit is ~, maar wat zij heeft gedaan is nog ~er *this is bad enough, but what she did is even worse* **3.5** de toestand van de patiënt is weer ~er geworden *the condition of the patient has become (even) more serious/worsened;* het wordt steeds ~er met hem *he's getting (even) worse* **4.2** wat ~ voor je!/wat vind ik dat ~ voor je! *I'm/I feel so sorry (for you)!;* wat ~! *how a./ dreadful!* **4.3** zoiets ~s heb ik nog nooit meegemaakt *I've never known anything so a./ bad* **5.1** dit maakt het des te ~er *this makes it all the worse;* het is (zo) al ~ genoeg *it's bad enough as it is;* des te ~er *so much the worse* **5.2** zo ~ is het nu ook weer niet *it's not (really) so (very) bad as all that, it's not really that bad* **5.3** hij maakt het te ~ *he's going too far* **6.3** van kwaad **tot** ~er vervallen *go from bad to worse* **6.4** de regen is nu **op** zijn ~st *the rain is now at its worst/heaviest* **7.1** ⟨zelfst.⟩ op het ~ste voorbereid zijn *be prepared for the worst;* ⟨zelfst.⟩ het ~ste hebben we gehad *have had the worst (of them/it* ⟨enz.⟩ *);* ⟨zelfst.⟩ het ~ste is *the worst (of it) is* ¶.¶ het is meer dan ~ *it's absolutely awful/dreadful/terrible;*
II ⟨bw.⟩ **0.1** [zeer] *awfully* ⇒*dreadfully, terribly, very,* ⟨zwakker⟩ *badly* ◆ **2.1** ~ bang/arm/goed *a./ terribly/very frightened/poor/good;* een ~(e) grote/mooie *an a./ very big/beautiful one;* het staat u ~ lelijk *you look awful/dreadful/terrible in it;* hij was niet ~ mededeelzaam/vriendelijk *he wasn't very/was none too communicative/friendly;* zijn toestand was ~ slecht *his condition was serious/critical* **3.1** heel ~ bedankt ⟨ook iron.⟩ *thanks a./ a lot, thank you/thanks very much (indeed);* ze bibbert heel ~ *she's shivering dreadfully;* we hebben ~ gelachen *we laughed a lot;* hij moest zich ~ haasten *he was in an awful hurry, he really had to hurry;* hij miste haar ~ *he missed her a./ dreadfully/terribly, he really missed her;* het spijt me ~ *I'm a. sorry* **5.1** niet ~ waarschijnlijk *not (really) (so) very likely, not at all likely, not very/really likely;* heb je lekker gegeten? Niet ~ *Was the food good? Not very, Did you enjoy your meal? Not really/much;* hij ziet er ~ slecht uit *he looks awful/dreadful/terrible* ¶.1 hij heeft zich ~ pijn gedaan *he hurt himself badly, he really hurt himself;* hij is er heel ~ aan toe *he's in a (very) bad way.*

ergens ⟨bw.⟩ **0.1** [waar dan ook] *somewhere, anywhere* ⇒ ⟨AE ook⟩ *some place, any place* **0.2** [op zekere plaats] *somewhere* **0.3** [in enig opzicht] *somehow* ⇒*somehow or other* **0.4** [iets] *something* ⇒*something or other* ◆ **3.1** heb je dat ooit ~ gehoord? *have you ever heard that anywhere?* **3.2** ik heb dat ~ gelezen *I've read that somewhere* **3.3** ik kan hem ~ toch wel waarderen *he has his good points* **5.1** ~ anders *somewhere else;* ↑*elsewhere* **5.2** kunnen we vanavond niet ~ heen/ naar toe? *can't we go (out) somewhere this evening?;* hier ~ moet het zijn *it must be somewhere here;* ~ omstreeks de zesde juni *(sometime) round about the sixth of June;* waar ~? *whereabouts?* **5.4** ~ mee pronken *show off/* ↑*flaunt sth.;* hij zocht ~ naar *he was looking for sth. (or other)* **6.2** hij woont ~ **in** de buurt *he lives somewhere in this area.*

ergeren
I ⟨ov.ww.⟩ **0.1** [aanstoot geven] *annoy* ⇒*irritate, vex, anger,* ⟨inf.⟩ *get s.o.'s back up,* ⟨ernstiger⟩ *scandalize, shock, give offence/* ↑ *umbrage* ◆ **1.1** die zaak ergert mijn tante reeds lang *this matter has been annoying my aunt for a long time* **4.1** het ergerde mij zeer dat ... *I was very annoyed that ...;*
II ⟨wk.ww.; zich ~⟩ **0.1** [aanstoot nemen] *be/feel/get annoyed (at)* ⇒ *be indignant,* ⟨inf.⟩ *get one's back up,* ⟨ernstiger⟩ *be shocked/scandalized, take offence/ umbrage* ◆ **2.1** zich dood/ wel ~ *fume (with annoyance), be in a rage/a boiling temper;* ⟨inf.⟩ *be hopping mad* **5.1** mens, erger je niet *keep your hair on;* ⟨spel⟩ *ludo* **6.1** hij ergert zich **aan** wat ik doe *he gets annoyed at/about what I do, what I do annoys him;* hij ergert zich er**aan** dat ik zo weinig doe *it annoys him/he gets annoyed that I do so little;* zich **aan/over** misstanden ~ *get annoyed about/worked up about abuses.*

ergerlijk ⟨bn., bw.; -ly⟩ **0.1** *annoying* ⇒*aggravating, exasperating, tiresome* ⟨vnl. mbt. kinderen⟩, ⟨sterker⟩ *maddening.*

ergernis ⟨de (v.)⟩ **0.1** [toestand] *annoyance* ⇒*irritation, exasperation, vexation, indignation* **0.2** [aanleiding] *annoyance* ⇒*nuisance,* ⟨inf.⟩

pest, drag ◆ **1.1** een bron van ~ *an a., a nuisance;* ⟨sterker⟩ *a thorn in s.o.'s flesh, a pest, a torment,* ⟨inf.⟩ *a pain in the neck* **2.2** dat zijn gewoon kleine ~sen *those are just minor annoyances/nuisances* **3.1** ~ verwekken *cause a./a nuisance, be a nuisance;* ⟨ernstiger⟩ *cause scandal, give offence/* †*umbrage* **3.2** je bent me een ~ *you are a nuisance* **6.1 tot** (grote) ~ **van** de aanwezigen *to the (great) a. of those present.*

ergo ⟨bw.⟩ **0.1** *ergo* ⟹*therefore, consequently.*

ergonomie ⟨de (v.)⟩ **0.1** *ergonomics,* ^Λ*biotechnology* ⟹*human engineering.*

ergonomisch ⟨bn., bw.⟩ **0.1** *ergonomic,* ^Λ*biotechnological.*

ergotherapeut ⟨de (m.)⟩,-e ⟨de (v.)⟩ **0.1** *ergotherapist.*

ergotherapie ⟨de (v.)⟩ **0.1** *ergotherapy.*

erheen ⟨bw.⟩ **0.1** *there* (richting) ⟹*to it* ⟨enk.⟩/*them* ⟨mv.⟩ ◆ **1.1** op de weg ~ *on the way (there)* **3.1** ga je ~? *are you going there?*

erica ⟨de⟩ ⟨plantk.⟩ **0.1** *erica* ⟹*heath.*

Eriemeer ⟨het⟩ **0.1** *Lake Erie.*

erin ⟨bw.⟩ **0.1** [in het genoemde/bedoelde] *in(to) it* ⟨enk.⟩/*them* ⟨mv.⟩ ⟹*(in) there* **0.2** [in bed] *in(to)(bed)* **0.3** [in huis] *inside* ⟹*in(doors)* ◆ **3.1** ~ lopen ⟨fig.⟩ *walk right into it, fall for it;* ⟨inf.⟩ iem. ~ luizen *take s.o. for a ride;* ik zal ~ slagen *I shall succeed (in it), I shall manage (it/ that);* staat het ~? *is it in there/it* ⟨bv. in boek⟩; ~ zijn ⟨op dreef⟩ *be into it;* ⟨erin opgaan⟩ *be wrapped up in it;* ⟨sport⟩ *be in/on form* **3.2** ~ blijven *stay in bed;* ~ kruipen *crawl/creep in(to bed)* **3.3** kom ~! *come inside!* ¶.2 hups ~, en gauw wat! *jump/hop into bed, quick!.*

erkenbaar ⟨bn.⟩ **0.1** *recognizable* ⟹*acknowledgeable.*

erkend ⟨bn.⟩ **0.1** [algemeen als zodanig ervaren] *recognized* ⟹*acknowledged* **0.2** [officieel toegelaten] *recognized* ⟹*acknowledged, authorized, certified* ⟨kantoor, beroep⟩ ◆ **1.1** een ~ meester in zijn vak *an acknowledged master in his trade/field* **1.2** (algemeen) ~e feestdag ^B*official/public holiday,* ^Λ*(legal) holiday;* ~ hofleverancier *purveyor to the court* ⟨BE: op voorwerp⟩ *by appointment to (Her/His Majesty) the Queen/King;* ~ loodgieter *qualified plumber;* een ~e methode *an approved method;* een ~e verhuizer *a registered removals service* **2.2** een internationaal ~ diploma *an internationally r. certificate* **5.1** algemeen ~ *undisputed, generally approved/ r.* **5.2** officieel/algemeen ~ *accredited, officially r., generally approved.*

erkennen ⟨ov.ww.⟩ **0.1** [inzien] *recognize* ⟹*acknowledge, realize,* ⟨toegeven⟩ *admit, confess* **0.2** [als wettig/echt beschouwen/behandelen] *recognize* ⟹*acknowledge* **0.3** [zich dankbaar tonen voor] *acknowledge* ⟹*appreciate, recognize* ◆ **1.1** de ware God ~ *acknowledge/profess the one true God;* zijn ongelijk ~ *admit to being (in the) wrong;* iemands onschuld ~ *admit s.o.'s innocence, exculpate s.o.* **1.2** een handtekening niet als echt ~ *not recognize/accept a signature as genuine;* iets niet ~ *disown/disclaim/disavow sth.* **1.3** (verantwoordelijkheid, natuurlijk kind) ~ ⟨jur.⟩ *reject/disallow sth.* ⟨vordering⟩; *repudiate sth.* ⟨schuld, verplichting⟩; een natuurlijk kind ~ *own/acknowledge a natural child;* het nieuwe record werd later wel officieel erkend *the new record was officially recognized later;* de grote mogendheden erkenden de revolutionaire regering *the Great Powers recognized the revolutionary government;* het vaderschap niet ~ *deny paternity;* een vordering ~ *admit/recognize/allow a claim* ⟨bij faillissement⟩ **1.3** genoten weldaden ~ *acknowledge/recognize benefits enjoyed* **3.1** hij erkende een aanhanger te zijn van Solidariteit *he owned/admitted to being a supporter of Solidarity* **4.1** ik heb me vergist, ik erken het *I recognize that I was mistaken, I admit I made a mistake* **8.2** iem. als koning ~ *r. s.o. as king;* een ~ *r. a document as genuine;* ik erken hem als mijn meester *I acknowledge him as my master;* iem. als zijn meerdere ~ *acknowledge s.o. as one's superior/s.o.'s superiority* ¶.1 naar hij zelf erkent *by his own admission, on his own confession, avowedly.*

erkenning ⟨de (v.)⟩ **0.1** [inzicht] *recognition* ⟹*admission, acknowledgement, realization* **0.2** [waardering] *recognition* ⟹*acknowledgement, appreciation* **0.3** ⟨jur.⟩ aanvaarding als rechtens bestaande] *recognition* ⟹*legitimization, ratification homologation* ◆ **1.3** de ~ v.e. record *the recognition/ratification of a record;* de ~ v.e. regering *the recognition of a government* **2.2** zij kregen de verdiende ~ *they received/ gained the r. they deserve(d)* **3.2** weinig ~ vinden *(meet with) gain/receive little r.* **6.1** tot de ~ komen dat ...*come to recognize that ...* **6.2** als /ter ~ **van** in *r. of.*

erkentelijk ⟨bn.⟩ **0.1** *appreciative (of)* ⟹*grateful, thankful,* ⟨vero.⟩ *recognizant (of)* ◆ **3.1** zich ~ tonen jegens iem. *show one's appreciation/ gratitude to s.o.;* iem. ~ zijn voor iets *be grateful/obliged to s.o. for sth..*

erkentelijkheid ⟨de (v.)⟩ **0.1** *appreciation* ⟹*recognition, gratitude* ◆ **1.1** een blijk van ~ *a token of a.* **3.1** iem. zijn ~ voor iets betuigen *show one's a. of sth. to s.o.;* iem. ~ verschuldigd zijn *owe s.o. a debt of gratitude, owe s.o. thanks* **6.1 uit** ~ voor zijn hulp *in recognition of his help, in gratitude for his help.*

erkentenis ⟨de (v.)⟩ **0.1** *recognition* ⟹*realization* ◆ **2.1** ⟨jur.⟩ de eigen ~ v.e. beklaagde *the confession of a defendant* **6.1 tot** ~ van zijn/haar schuld/ongelijk komen *recognize/realize one's guilt/that one is (in*

the) wrong; iem. **tot** ~ van zijn/haar schuld/ongelijk brengen *convince s.o. of/make s.o. recognize his/her guilt/mistake.*

erker ⟨de (m.)⟩ **0.1** *bay* ⟹*oriel.*

erlangs ⟨bw.⟩ **0.1** *past (it* ⟨enk.⟩/*them* ⟨mv.⟩) ⟹*alongside (it* ⟨enk.⟩/ *them* ⟨mv.⟩) ◆ **1.1** een weg met bomen ~ *a road lined with trees* **3.1** wil je deze brief even op de bus doen als je ~ komt? *could you pop this letter in the (post-)box while/when you're passing?;* hij wil ~ he *wants to get past/by.*

erlenmeyer ⟨de (m.)⟩ **0.1** *Erlenmeyer flask.*

ermee ⟨bw.⟩ **0.1** *with it* ⟨enk.⟩/*them* ⟨mv.⟩ ◆ **3.1** hij bemoeide zich ~ *he concerned himself with it;* ⟨ongunstig⟩ *he interfered (with it)/meddled (in it);* wat doen we ~? *what shall we do about/with it?;* je hebt jezelf ~ *you're the one who'll suffer/who suffers (by it/this);* hij pakte zijn hoed en liep ~ weg *he picked up his hat and left;* zo staat het ~ *that's how/the way it is;* wat wilt u ~? *what do you want it for/want (to do) with it?;* je zit ~ *you're stuck/saddled with it* **4.1** veel geluk ~! *good luck;* ⟨vaak iron.⟩ *much good may it do you!* **5.**¶ het kan ~ door *it will do.*

ermitage, hermitage ⟨de (v.)⟩ ⟨schr.⟩ **0.1** ⟨ongemarkeerd⟩ *hermitage.*

erna ⟨bw.⟩ **0.1** *afterwards* ⟹*after (it* ⟨enk.⟩/*them* ⟨mv.⟩), *later* ◆ **1.1** de morgen ~ *the following morning, the morning after* **3.1** dat komt ~ *that comes a./after/later/next* **5.1** dat was lang ~ *that was long after (it)/much later.*

ernaar ⟨bw.⟩ **0.1** [naar iets] *to/towards/at/after it* ⟨enk.⟩/*them* ⟨mv.⟩ **0.2** [volgens/overeenkomstig iets] ⟨zie **3.2**⟩ ◆ **3.1** ~ kijken/luisteren *look at/listen to it;* hij smacht ~ *he longs for it* **3.2** dat is ~ *that is just/about what one would expect* **3.**¶ hij maakt het ~ *he is asking for it.*

ernaast ⟨bw.⟩ **0.1** [naast het genoemde] *beside/next to/adjoining/adjacent to it* ⟨enk.⟩/*them* ⟨mv.⟩ **0.2** [mis] *off the mark* ◆ **1.1** de fabriek en de directeurswoning ~ *the factory and the manager's house next- (door) to/adjacent to/adjoining it* **3.1** ik woon ~ *I live beside/next pit* **3.2** dat is ~ *that is off/wide of the mark;* ~ zitten ⟨fig.⟩ *be wide of the mark, be off (the mark)* **5.2** volkomen/compleet ~ *totally/completely wide of the mark, totally/completely off beam.*

ernst ⟨de (m.)⟩ **0.1** [(uiting van) stemming] *seriousness* ⟹*earnest(ness), gravity, sobriety* **0.2** [vastheid, gemeendheid] *seriousness* ⟹*earnest- (ness)* **0.3** [⟨fig.⟩ wat ernst teweegbrengt] *seriousness* ⟹*gravity* ◆ **1.1** een boek vol ~ en luim *a serio-comic(al) book* **1.3** de ~ v.h. leven inzien *take a serious view of life, take life seriously;* de ~ v.d. toestand/ een geval inzien *recognize the seriousness/serious nature/gravity of the situation/a case;* de ~ v.e. ziekte *the s./gravity of an illness* **2.2** het is bittere ~ *it is bitter earnest;* het is mij bittere ~ *I am not joking, I mean (every word of) it* **3.1** zijn ~ (niet kunnen) bewaren *(not be able to) keep a straight face, (not be able to) maintain a serious expression;* er klonk ~ in zijn stem *he/his voice sounded serious/* ⟨zeer ernstig⟩ *grave* **3.2** zal het hun toch ~ worden? *will they get serious?, will it get serious between them?, will they mean business this time?;* het leven/ werk wordt nu ~ voor hem *he will have to take life/work seriously from now on* **3.3** het wordt ~ met de bezuiniging/schaarste *the cuts/ cut-backs are/the shortage is becoming/getting serious* **6.1** genoeg gelachen, nu even in volle ~ *enough joking apart, let's be serious for a minute;* in volle ~ *in all s., in real/deadly earnest, joking apart;* dat meen je toch niet **in** ~ *you surely don't mean that seriously, you can't be serious, you must be joking;* iets **met** ~ onder ogen brengen *point out sth. seriously to s.o.;* ⟨verwijten⟩ *remonstrate with s.o. on/about sth.;* **van** ~ vervuld zijn *be (very) serious/grave* **6.2** iets **in** alle ~ overwegen *give sth. serious consideration, consider sth. seriously;* het is mij volkomen ~ **met** dat plan *I am completely serious about this plan.*

ernstig

I ⟨bn.⟩ **0.1** [van ernst vervuld] *serious* ⟹*grave* **0.2** [werkelijk gemeend] *serious* ⟹*earnest, sincere* **0.3** [ernst opwekkend, niet licht op te vatten] *serious* ⟹*grave* **0.4** [van ingrijpende aard] *serious* ⟹*severe, grave* ◆ **1.1** dat is een al te ~ heerschap/heertje *he takes things far too seriously;* een ~ woord met iem. spreken *have a s. talk with/* ⟨inf.⟩ *to s.o., talk seriously to s.o.* **1.2** dat is mijn ~e overtuiging *that is my sincere conviction* **1.3** een ~ fout *a s. mistake;* een ~ geval *a s. case;* een ~e mededinger *a s. rival/competitor;* een ~ verwijt *a s. accusation* **1.4** een ~ beschadiging *serious/severe damage;* een ~ gestoorde *a badly/ seriously disturbed person;* ~e gevolgen hebben *have serious/grave consequences;* in ~e moeilijkheden verkeren *be in serious difficulties/ trouble;* ~e verwondingen *serious injuries;* een ~e ziekte *a serious/severe illness* **3.1** ~ blijven *remain s., keep a straight face* **3.3** de situatie wordt ~ *the situation is becoming/getting s.* **3.4** dat is niet ~ *that's not serious, it's nothing to get upset about;*

II ⟨bw.⟩ **0.1** [in/met/vol ernst] *seriously* ⟹*gravely* **0.2** [serieus/werkelijk gemeend] *seriously* ⟹*earnestly, sincerely* **0.3** [zwaar, danig] *seriously* ⟹*gravely* ◆ **2.3** ~ gestoord *s. disturbed* **3.1** ~ kijken *look serious/grave;* ⟨iem.⟩ ~ stemmen *put s. in a serious mood;* iem. ~ toespreken *talk s. to s.o., have a serious talk with/* ⟨inf.⟩ *to s.o.* **3.2** het ~ inzien *take a gloomy/dark/grave view of things;* het ~ menen *be in earnest (about sth.), be serious,* ↓*mean business;* iets/iem. ~ nemen *take sth./s.o. seriously;* ⟨niet met iets/iem. spotten⟩ *not trifle with* *sth. / s.o.* **3.3** iem. iets ~ aanrekenen *hold sth. very much against s.o.* **¶.2** zich ~ zorgen maken *be seriously / really / very worried (about sth.).*

eroderen ⟨ov.ww.⟩ **0.1** *erode.*

erogeen ⟨bn.⟩ **0.1** *erogenous* ◆ **1.1** erogene zones *e. zones.*

erom ⟨bw.⟩ **0.1** [eromheen] *around it* ⟨enk.⟩ / *them* ⟨mv.⟩ ⇒*round (about) it* ⟨enk.⟩ / *them* ⟨mv.⟩ **0.2** [mbt. verwisseling / ruil] *for it* ⟨enk.⟩ / *them* ⟨mv.⟩ **0.3** [mbt. een object van denken / voelen] ⟨zie 3.3 en 3.5⟩ **0.4** [mbt. een beweegreden] *for it* ⇒*on account of / because of it* ⟨enk.⟩ / *them* ⟨mv.⟩ **0.5** [mbt. een doel] *for it* ⟨enk.⟩ / *them* ⟨mv.⟩ ◆ **1.1** een tuin met een schutting ~ *a garden enclosed by a fence* **3.2** wat geef je ~? *what will / would you give for it?;* ⟨fig.⟩ *what's it to you?, what does it matter to you?* **3.3** denk je ~? *you won't forget (will you)?;* denk ~! *remember!, don't forget!;* ~ huilen / treuren *cry about it, grieve (over it);* ik lach ~ *I couldn't care less,* ᴧ*I couldn't give a damn (about it)* **3.4** ⟨pregn.⟩ hij doet het ~ *he does / is doing it on purpose* **3.5** als hij ~ komt *if he comes for it / to get it;* als hij ~ vraagt / schrijft *if he asks / writes for it.* **¶** het gaat ~ dat … *the thing / point is that* ….

eromheen ⟨bw.⟩ **0.1** *around it* ⟨enk.⟩ / *them* ⟨mv.⟩ ⇒*round (about) it* ⟨enk.⟩ / *them* ⟨mv.⟩ ◆ **3.1** ⟨fig.⟩ zonder ~ te draaien *without beating about the bush, coming straight to the point;* ~ praten *evade the issue, be evasive, beat about the bush;* het touw dat ~ zit *the rope / string (a)round it.*

eronder ⟨bw.⟩ **0.1** [onder het genoemde] *under it* ⟨enk.⟩ / *them* ⟨mv.⟩ ⇒ *underneath (it* ⟨enk.⟩ / *them* ⟨mv.⟩*), below it* ⟨enk.⟩ / *them* ⟨mv.⟩, ⟨schr.⟩ *beneath it* ⟨enk.⟩ / *them* ⟨mv.⟩ **0.2** [mbt. ondergeschiktheid / onderworpenheid] ⟨zie 3.2⟩ **0.3** [ingedeeld bij het bedoelde] *there* **0.4** [mbt. een zich bevinden] *there, among them* **0.5** [mbt. een oorzakelijke betrekking] *from / as a result of / because of it* ⇒*under it* ◆ **3.1** hij zat op een bank en zijn hond lag ~ *he sat / was sitting on a bench / settee and his dog lay underneath (it) / under it;* iem. ~ stoppen *tuck s.o. in(to bed);* ⟨begraven⟩ *bury s.o.* **3.2** hij heeft ze ~ *he has them under his thumb / control;* ⟨iem.⟩ ~ houden *hold (s.o.) down, supress (s.o.), keep (s.o.) under one's thumb;* ⟨iem.⟩ ~ krijgen *beat / defeat (s.o.);* ~ zitten *be under s.o.'s thumb / control* **3.3** hoort dat ~? *does that belong t. / in that category?* **3.4** zulke lopen ~ *you find / meet people like that* **3.5** hij lijdt ~ *he suffers from it.*

eronderdoor ⟨bw.⟩ **0.1** *underneath it* ⟨enk.⟩ / *them* ⟨mv.⟩ ◆ **3.1** ⟨fig.⟩ ~ gaan [het aflegen] *go to pieces;* [failliet gaan] *go bust, go to the wall;* het hek was dicht maar de kat kroop ~ *the gate was closed but the cat crept underneath it.*

eronderop ⟨bw.⟩ **0.1** *underneath (it* ⟨enk.⟩ / *them* ⟨mv.⟩*)* ⇒*at / on the bottom* ◆ **3.1** de gebruiksaanwijzing staat ~ *the instructions for use are at the bottom (of the box)* ⟨enz.⟩.

eronderuit ⟨bw.⟩ **0.1** [aan de onderkant eruit] *out (from) under it* ⟨enk.⟩ / *them* ⟨mv.⟩ **0.2** [weg van onder het genoemde] *out (from) under it* ⟨enk.⟩ / *them* ⟨mv.⟩ ◆ **3.1** je onderjurk komt ~ *your slip is showing* **3.2** hij kroop ~ *he crept out from under it;* ⟨fig.⟩ ~ kunnen *get out of sth..*

erop ⟨bw.⟩ **0.1** [op het genoemde] *on it* ⟨enk.⟩ / *them* ⟨mv.⟩ ⇒⟨schr.⟩ *thereon* **0.2** [mbt. een richting / beweging] *on(to) it* ⟨enk.⟩ / *them* ⟨mv.⟩ **0.3** [mbt. een beweging naar boven] *up it* ⟨enk.⟩ / *them* ⟨mv.⟩ **0.4** [mbt. een toevoeging] *to it* ⟨enk.⟩ / *them* ⟨mv.⟩ ◆ **1.1** ijs met aardbeien / chocola ~ *ice-cream with strawberries / chocolate on top / topped with strawberries / coated with chocolate;* hand ~! *(let's) shake on it!, here's my / give me your hand on it!* **1.4** het vervolg ~ *the sequel to it* **1.¶** de dag ~ *the following day* **3.1** het ijs is nog te dun om ~ te kunnen lopen *the ice is still too thin to walk on (it);* de naam staat ~ *it has the name on it* **3.2** ~ slaan *hit it, bang on it;* ⟨vechten⟩ *hit out* **3.3** ~ klimmen *climb up it;* mount it ⟨paard⟩; ~ komen ⟨zich herinneren⟩ *think of / remember sth.;* ⟨idee krijgen⟩ *hit on it / an idea, occur to / strike (s.o.)* **3.¶** ~ staan *insist on it;* het zit ~ *that's it (then), it's / that's finished!* ᴧ*done* **5.1** met alles ~ en eraan *full dress, in full feather, with all the frills, with everything that goes with it;* ⟨fig.⟩ ~ of eronder *make or break, sink or swim, kill or cure* **5.¶** ~ los leven *live it up.*

eropaan ⟨bw.⟩ **0.1** [op het genoemde toe] *to / towards it* ⟨enk.⟩ / *them* ⟨mv.⟩ **0.2** [mbt. een vaste betrekking / noodzakelijkheid] ⟨zie 3.2⟩ ◆ **3.2** als het ~ komt *when it comes to the crunch, when the chips are down;* u kunt ~ / u kunt ervan opaan *you can depend / count / rely on it;* ik moet ~ kunnen *I must be able to depend / rely / count on it / be sure of it* **5.1** wij vlogen recht ~ *we flew directly towards it.*

eropaf ⟨bw.⟩ **0.1** *to (it* ⟨enk.⟩ / *them* ⟨mv.⟩*)* ◆ **3.1** ~ gaan *make for / go towards it;* ⟨fig.⟩ *rely / depend / bank on it.*

eropin ⟨bw.⟩ **0.1** *in(to)* ◆ **3.1** ~ slaan *hit out (at sth.)* **3.¶** ~ gaan *take / follow (it) up, consider (it).*

eropna ⟨bw.⟩ ◆ **3.¶** ~ houden *keep* ⟨personeel, dieren, gezelschap⟩; ⟨personeel ook⟩ *employ;* ⟨fig.⟩ *hold, have, entertain* ⟨ideeën, vnl. merkwaardige⟩; rare gewoonten ~ houden *have strange / odd habits;* een woordenboek ~ slaan *consult a dictionary.*

eropuit ⟨bw.⟩ ◆ **3.¶** hij is ~ mij dwars te zitten *he is bent on thwarting / crossing me, he is out to frustrate me.*

Eros ⟨de (m.)⟩ ⟨myth.⟩ **0.1** *Eros* ⇒*Cupid.*

eroscentrum ⟨het⟩ **0.1** ≠*sex-club.*

erosie ⟨de (v.)⟩ ⟨geol.⟩ **0.1** *erosion.*

erotiek ⟨de (v.)⟩ **0.1** [seks] *eroticism* **0.2** [⟨psych.⟩] *the erotic.*

erotisch ⟨bn., bw.; -ally⟩ **0.1** *erotic* ◆ **1.1** ~e literatuur / kunst *e. literature / art;* ⟨vnl. pej.⟩ *erotica;* ~e verlangens *e. desires.*

erotogeen ⟨bn.⟩ **0.1** *erotogenic* ⇒*erotogenous, erogenous.*

erotomaan[1] ⟨de (m.)⟩ **0.1** *erotomaniac.*

erotomaan[2] ⟨bn.⟩ **0.1** *erotomaniac(al).*

erotomanie ⟨de (v.)⟩ **0.1** [geestelijke afwijking] *erotomania* **0.2** [hyperseksualiteit] *erotomania.*

erover ⟨bw.⟩ **0.1** [over het genoemde heen] *over / across it* ⟨enk.⟩ / *them* ⟨mv.⟩ **0.2** [mbt. een betrokken zijn bij] *over it* **0.3** [mbt. een onderwerp / mening] *about / of it* **0.4** [aan de andere zijde v.h. genoemde] *across (it* ⟨enk.⟩ / *them* ⟨mv.⟩*)* **0.5** [zo dat het over de rand gaat] ⟨zie 3.5⟩ ◆ **3.1** het kleed dat ~ ligt *the cloth which covers / is covering it;* wat betekent die rode lijn die ~ loopt? *what is the meaning of the red line which runs across it?;* de trein die ~ reed *the train which went over it* **3.2** wie beschikt ~? *who has charge / use of it?;* hij gaat ~ *he is in charge of it, he has authority over it* **3.3** hoe denk je ~? *what do you think about / of it?, what is your thinking / opinion on it?* **3.4** eindelijk waren we ~ *at long last we were on the other side / across* **3.5** pas op, de melk gaat ~ *be careful, the milk is boiling over.*

eroverheen ⟨bw.⟩ **0.1** [erover] *over / across it* ⟨enk.⟩ / *them* ⟨mv.⟩ **0.2** [⟨fig.⟩ het genoemde te boven gekomen] *over it* ◆ **3.1** ⟨vulg.⟩ ~ gaan *lay, screw, fuck;* dat gaat ~ ⟨fig.⟩ *that goes / is going too far, that's too much* **3.2** ~ komen / zijn *get / be over it;* het heeft lang geduurd eer ze ~ waren *it took them a long time to get over it.*

erratisch ⟨bn.⟩ ⟨geol.⟩ **0.1** *erratic* ◆ **1.1** ~e blokken *e. blocks, boulders, erratics.*

erratum ⟨het⟩ **0.1** [(druk)fout] *erratum* ⇒*misprint, (printer's) error, corrigendum* **0.2** [⟨mv.⟩ lijst van drukfouten] *errata, erratum* ⇒*corrigenda, corrigenda.*

errond ⟨bw.⟩ ⟨AZN⟩ →*erom* **0.1**, *eromheen.*

error ⟨de (m.)⟩ **0.1** *error* ⇒*mistake.*

ersatz ⟨het, de (m.)⟩ **0.1** *substitute* ⇒*imitation, ersatz.*

ertegen ⟨bw.⟩ **0.1** [tegen het genoemde] *against / at it* ⟨enk.⟩ / *them* ⟨mv.⟩ **0.2** [contra] *against (it* ⟨enk.⟩ / *them* ⟨mv.⟩*)* **0.3** [mbt. een bestand zijn] ⟨zie 3.3⟩ ◆ **1.2** ondanks zijn strijd ~ *despite his struggle / fight against it* **3.1** hij gooide de bal ~ *he threw the ball at it;* iets ~ spijkeren *nail sth. (on)to / (up) against it* **3.2** ik ben ~ *I am against it;* ~ tekeergaan *rage against / at it;* ~ vechten *fight (against) / oppose / combat it* **3.3** ~ kunnen *feel up to it;* ⟨kunnen verdragen ook⟩ *be able to cope with / stand / bear it.*

ertegenaan ⟨bw.⟩ **0.1** *onto / against it* ⟨enk.⟩ / *them* ⟨mv.⟩ ◆ **3.1** de vleugel die ~ gebouwd is *the wing which is built on to it;* ~ lopen *run into it;* ⟨fig. ook⟩ *get caught* **3.¶** ~ gaan *get down to it* ⟨werk⟩; *tackle it, come to grips with it* ⟨onderwerp, probleem⟩; *get going* ⟨ook sport⟩.

ertegenin ⟨bw.⟩ **0.1** *against it* ⟨enk.⟩ / *them* ⟨mv.⟩ ◆ **3.1** ⟨fig.⟩ ~ gaan ⟨zich verzetten⟩ *go against / object to it;* ⟨proberen tegen te gaan⟩ *refuse to put up with it;* de wind is koud, als je ~ loopt *the wind is cold if you have it against you / if you're walking into it.*

ertegenop ⟨bw.⟩ **0.1** [omhoog tegen het genoemde] *up it* ⟨enk.⟩ / *them* ⟨mv.⟩ **0.2** [in tegengestelde richting] *against it* ⟨enk.⟩ / *them* ⟨mv.⟩ ◆ **3.1** hij klom ~ *he climbed up (it);* ~ zien ⟨fig.⟩ *dread sth., not look forward to sth.* **3.2** ~ kunnen ⟨fig.⟩ *be able to cope with / manage it;* de stroom was sterk, zodat zij moeite hadden ~ te roeien *the current was so strong they had difficulty in rowing against it* **3.¶** ~ rijden *bump into / collide with / hit / drive into / against it.*

ertegenover ⟨bw.⟩ **0.1** [aan de overkant v.h. genoemde] *opposite (to) it* ⟨enk.⟩ / *them* ⟨mv.⟩ ⇒*facing it* ⟨enk.⟩ / *them* ⟨mv.⟩ **0.2** [mbt. een tegenstelling] *against it* ⟨argument⟩; *towards it* ⟨gevoelens⟩; *up against it* ⟨moeilijkheid⟩ ◆ **1.1** het huis ~ *the house opposite (it) / facing it / across (the road) from it* **3.1** het postkantoor ligt ~ *the post office is opposite (it)* **3.2** ~ staat dat … *on the other hand …* **3.¶** hoe sta je ~? *where do you stand on that / this?, what is your position on it?*

ertoe ⟨bw.⟩ **0.1** [mbt. een bestemming / besluit] *to* **0.2** [mbt. een behoren bij] *to (it* ⟨enk.⟩ / *them* ⟨mv.⟩*)* ◆ **1.1** de moed ~ hebben *have the nerve / will for it / to do it, be up to it* **3.1** iem. ~ brengen / bewegen / krijgen om (iets te doen) *bring s.o. round to (doing sth.), persuade / get s.o. to (do sth.);* het zwijgen ~ doen *remain silent, give no answer;* ~ geroepen zijn *be called to it;* ~ komen *get (a)round to it;* hoe kwam je ~? *what made you do it?;* ~ meewerken *contribute to it* **3.2** de vogels die ~ behoren *the birds which belong to it* **3.¶** ⟨inf.⟩ wat doet dat ~? *what has that got to do with it?, what difference does that make?*

erts ⟨het⟩ **0.1** *ore* ◆ **3.1** ~ wassen *wash,* ᴧ*sluice o.;* ~ winnen *mine o.;* metaal uit ~ winnen *extract metal from o..*

ertsader ⟨de⟩ **0.1** *vein (of ore)* ⇒*lode.*

ertsgebergte ⟨het⟩ **0.1** *mineral rock.*

ertshoudend ⟨bn.⟩ **0.1** *ore-bearing.*

ertslaag ⟨de⟩ **0.1** *ore deposit, deposit of ore.*

ertsrijk ⟨bn.⟩ **0.1** *rich in ore / ores.*

ertstanker ⟨de (m.)⟩ **0.1** *ore carrier.*

ertswinning ⟨de (v.)⟩ **0.1** *ore-mining, mining for ore.*

ertszeef ⟨de⟩ **0.1** *jig(ger)*.

ertussen ⟨bw.⟩ **0.1** [tussen twee zaken/tijdstippen enz.] *(in) between (it* ⟨enk.⟩ / *them* ⟨mv.⟩) **0.2** [te midden van/bij/onder meer zaken] *in the middle* ⇒*among(st)(other) things, along with other things,* ⟨schr.⟩ *in the midst of/amid(st) things* ♦ **1.1** sneetjes brood met vlees ~ *slices of bread with meat in b.* **3.1** dat stuk is ~ gezet *that piece has been inserted;* het lukte me niet ~ te komen ⟨fig.⟩ *I couldn't get a word in (edgewise);* ⟨fig.⟩ iem. ~ nemen *make a fool of s.o., pull s.o.'s leg, con s.o., take s.o. in, have s.o. on;* het zit ~ *it is stuck/lodged in b.* **3.2** kijk maar of het ~ ligt *see if it's (in) among those things;* er zitten ~ die rot zijn *there are a few rotten ones among them.*

ertussendoor ⟨bw.⟩ **0.1** [mbt. een doorgang] *through (it* ⟨enk.⟩ / *them* ⟨mv.⟩)*, between (it* ⟨enk.⟩ / *them* ⟨mv.⟩) **0.2** [mbt. een vermenging] *mixed in* **0.3** [mbt. een tussenvoeging in de tijd] *(in) between* ⇒*meanwhile, in the meantime* ♦ **3.1** de spijlen stonden zo ver van elkaar, dat hij ~ kon kruipen *the bars were so far apart that he could crawl through/between* **3.2** een grapje ~ gooien *throw in a joke here and there/the occasional joke* **3.3** dat kunnen wij wel even ~ doen *we can do that in the meantime* ⟨tussen twee andere dingen⟩; *we can do that as we go along* ⟨tijdens andere bezigheid⟩.

ertussenin ⟨bw.⟩ **0.1** [tussen twee zaken/tijdstippen enz.] *(in) between (it* ⟨enk.⟩ / *them* ⟨mv.⟩) **0.2** [te midden van/bij/onder meer zaken] *in the middle* ⇒*among(st)(other) things, along with other things,* ⟨schr.⟩ *in the midst of/amid(st) things* ♦ **3.1** hij is de oudste, zij is de jongste en ik zit ~ *he is the eldest, she is the youngest, and I am/come in b..*

ertussenuit ⟨bw.⟩ **0.1** [naar buiten] *out (of it* ⟨enk.⟩ / *them* ⟨mv.⟩) **0.2** [vrij, los] *out* ⇒*loose, free* ♦ **3.1** het papier dat ~ steekt *the piece of paper that is sticking o.* **3.2** een dagje ~ gaan/knijpen *slip off/away for the day;* ~ knijpen *sneak/slip off/away;* ⟨inf.⟩ *do a bunk;* met moeite kwam ik ~ *I could barely get o. / loose/free.*

erudiet[1] ⟨de (m.)⟩ **0.1** *erudite* ⇒*scholar, learned person, man/woman of learning.*

erudiet[2] ⟨bn.⟩ **0.1** [met een uitgebreide kennis] *erudite* ⇒*scholarly, learned* **0.2** [van eruditie getuigend] *erudite* ⇒*scholarly, learned.*

eruditie ⟨de (v.)⟩ **0.1** *erudition* ⇒*scholarship, learning.*

eruit ⟨bw.⟩ **0.1** [naar buiten] *out* **0.2** [niet (meer) erin/erbij] *out* ⇒*gone* **0.3** [ter aanduiding van oorsprong] *from/out of it* ♦ **3.1** nog één zo'n blunder en hij gaat/vliegt ~ *one more mistake/gaff like that and he's o. (on his ear);* iem. ~ gooien *throw s.o.o.,* ⌐*chuck s.o.o.;* hij heeft 's morgens moeite om ~ te komen *he has trouble getting out of bed/up in the morning;* hij moet eens een poosje ~ *he should/ought to get away (from it all) for a while, he needs a rest;* zijn tenen steken ~ *his toes are sticking o.* **3.2** ik ben ~ ⟨niet meer vertrouwd met⟩ *I have lost my touch, I am out of practice, I am rusty,* ⟨de draad kwijt⟩ *I have lost the thread/drift;* ⟨heb het opgelost⟩ *I have got/found it;* ~ liggen *be out of favour/in the doghouse;* ⟨sport⟩ *be eliminated;* de beste stukken zijn ~ *the best pieces are/have gone* **3.3** de kosten ~ halen *recover the expenses;* dat kun je ~ opmaken *you can gather/conclude/deduce from that* **4.1** hij ~ of ik ~ *it's either him or me, either he goes or I go* ¶**.1** eruit! *(get) o.!, clear off!, be off!.*

eruitzien ⟨onov.ww.⟩ **0.1** [voorkomen hebbend] *look* **0.2** [de indruk wekken te] *look like/as if/as though* **0.3** [vuil/onverzorgd zijn] *look a mess/fright* **0.4** [zich laten aanzien] *look like/as if* ⇒*seem, appear* ♦ **1.3** wat ziet de boel eruit! *what a mess this place looks!* **5.1** er goed/slecht/jong/oud uitzien *l. well,* ^*good/bad/young/old* **5.3** kijk nou eens hoe je eruitziet! *just look at the mess you're in!, what do you think you look like!* **5.4** het ziet er slecht uit voor jullie *it looks/things are looking bad for you* **8.2** ~ als de onschuld zelf *l. the picture of innocence, l. as if butter wouldn't melt in one's mouth;* hij is niet zo dom als hij eruitziet *he's not as dumb/stupid/thick as he looks;* plastic dat eruitziet als marmer *plastic that looks like marble;* hij ziet eruit alsof hij een kater heeft/alsof hij verzopen is *he looks as if/though he has (got) a hangover/as if he's sozzled* **8.4** het ziet eruit of wij sneeuw krijgen *it looks like snow/as if we are going to have/get snow/as if it is going to snow.*

eruptie ⟨de (v.)⟩ **0.1** *eruption.*

eruptief ⟨bn.⟩ **0.1** [door eruptie gevormd] *eruptive* **0.2** [⟨fig.⟩] *explosive* ♦ **1.1** eruptieve gesteenten *e. / volcanic rocks* **1.2** een ~ karakter *an e. character.*

ervan ⟨bw.⟩ **0.1** [mbt. een verwijdering] *from it* ⟨enk.⟩ / *them* ⟨mv.⟩ **0.2** [mbt. een los/vrij raken] *from it* ⟨enk.⟩ / *them* ⟨mv.⟩ **0.3** [mbt. een afstamming/oorsprong] *from it* ⟨enk.⟩ / *them* ⟨mv.⟩ ⇒ ⟨fig.⟩ *of it* ⟨enk.⟩ / *them* ⟨mv.⟩ **0.4** [mbt. een oorzaak] ⟨zie 3.4⟩ **0.5** [mbt. object van handeling] *of it* ⟨enk.⟩ / *them* ⟨mv.⟩ ⇒ ⟨schr.⟩ *thereof* **0.6** [mbt. materiaal] *of it* ⇒ ⟨schr.⟩ *thereof* **0.7** [mbt. hetgeen aanwezig is] *from it* ⟨enk.⟩ / *them* ⟨mv.⟩ ⇒ *(out) of it* ⟨enk.⟩ / *them* ⟨mv.⟩ **0.8** [mbt. een betrokken zijn] *of it* **0.9** [mbt. een mening/oordeel/gevoelens] *of it* ⇒ *about it* ♦ **1.5** dat is het aantrekkelijke ~ *that's what is (so) attractive about it* **1.6** het dubbele ~ *twice/double that;* de helft ~ *half of it/ them / that* **3.1** ~ weggaan/scheiden/verwijderd zijn *depart/divorce/be removed from it* **3.2** het stukje dat ~ afgebroken is *the piece that has been/is broken off from it;* hij kan zich moeilijk ~ losmaken *he has trouble getting away/breaking free from it* **3.3** de verbindingen die ~

afgeleid zijn *the combinations that have been/are derived from it;* ⟨AZN⟩ ik kom ~ *that's where I've just come from, I have just come from there;* dat komt ~ ⟨fig.⟩ *that's what comes of it* **3.4** zij moest ~ huilen *it made her cry;* ik schrok ~ *it frightened me/gave me a turn/ gave me a scare* **3.5** zich ~ bedienen *employ it, make use of it;* ⟨aan tafel⟩ *help o.s. to it;* hij houdt ~ tegen te spreken *he likes to contradict;* de mensen spraken ~ *people talked about/of it* **3.6** alles wat men ~ maken kan *all one can make of it* **3.7** hoeveel hij ook ~ nam, …*no matter how much he used/took of it,* … **3.8** de hele stad weet ~ *it's all over town/it's the talk of the town;* ~ weten *know of it* **3.9** ik ben ~ overtuigd *I am convinced of it;* ik ben ~ overtuigd dat … *I am convinced that …;* wat vind je ~?, wat zeg jij ~? *what do you think of it?, what do you say/have to say to that?* ¶**.8** ~ op de hoogte zijn *know of/ about it, be informed of it, have knowledge of it* ¶**.¶** het ~ nemen *live it up;* iem. ~ langs geven *give s.o. what for/a good dressing down, come down on s.o. (like a ton of bricks);* we kregen ~ langs *we caught it/ were given what for/got it hot.*

ervandaan ⟨bw.⟩ **0.1** [weg van het genoemde] *away (from there)* **0.2** [verwijderd van het genoemde] *from there* **0.3** [herkomstig uit de genoemde plaats] *from there* ♦ **3.1** ga ~, het is gevaarlijk *get a. from there, it's dangerous* **3.2** hij woont dertig kilometer ~ *he lives twenty miles from there* **3.3** ik kom ~ *that's where I have just come from, I have just come from there.*

ervandoor ⟨bw.⟩ **0.1** *away* ⇒*off* ♦ **3.1** hij wou ~ gaan, maar ik kon hem nog net grijpen *he wanted to run a. / off, but I just managed to get hold of him;* met het geld ~ gaan *make off with the cash;* zij ging ~ met een zeeman *she ran off/a. with a sailor,* [1]*she eloped with a sailor;* nou, het is tijd, we moeten ~ *it is time for us to be off.*

ervaren[1] ⟨bn.⟩ **0.1** *experienced (in)* ⇒*expert (at/in),* ⟨handwerklieden ook⟩ *skilled (in), practised,* ^*-ticed (in)* ⟨ook pej.⟩ ♦ **1.1** ~ iemand gevraagd *experienced person wanted, wanted, experienced person;* een ~ piloot *an experienced pilot* **6.1** hij is helemaal niet ~ *in* dit soort klusjes *he has got no idea about these things/that sort of thing;* op dat gebied ~ zijn *be experienced in that field.*

ervaren[2] ⟨ov.ww.⟩ **0.1** [ondervinden] *experience* ⇒*(gewaarworden) discover* **0.2** [vernemen] *learn* ♦ **4.1** ik heb dat zelf ~ *I have experienced it personally/myself* **8.1** hij heeft tot zijn schande/verdriet moeten ~ dat …*he has discovered to his shame/sorrow that …*.

ervarenheid ⟨de (v.)⟩ **0.1** *skill* ⇒*experience, practice, routine.*

ervaring ⟨de (v.)⟩ **0.1** [het ondervinden] *experience* ⇒*discovery* **0.2** [ondervinding] *experience* **0.3** [verkregen kennis, routine] *experience* ⇒*skill, practice, routine* ♦ **2.1** iets door bittere ~ leren *learn sth. from / by bitter e. / the hard way;* uit eigen ~ *from personal/one's own e.* **2.2** dat is weer een ~ rijker *you can put that (one) down to e.* **3.1** de ~ leert dat …, uit ~ is gebleken dat …*e. shows/teaches one that …* **3.2** ~ en uitwisselen *compare notes, exchange experiences* **3.3** veel ~ hebben *be very experienced;* ⌐*an old hand/* ⌐*an old stager;* weinig/geen ~ hebben in zijn vak/op bepaald gebied *be inexperienced in/new to one's trade/subject/profession, have little/no e. in a certain field/area;* mijn ~ is dat …*it is my e. that …, I have found that …, in my e. …;* ⟨de nodige⟩ ~ opdoen/missen *acquire/get/gain (the necessary) e., lack (the necessary) e.;* ~ vereist *e. required/essential* **6.1** bij ~ *through e.;* uit ~ weten *know from/by e.* **6.2** slechte/goede ~ en met iem. hebben *have bad/good experiences with sth. / s.o..*

ervaringsfeit ⟨het⟩ **0.1** *empirical fact.*

ervaringsleer ⟨de⟩ ⟨fil.⟩ **0.1** *experientialism, experiential philosophy* ⇒ *empiricism.*

ervaringswereld ⟨de⟩ **0.1** *world of (one's) experience.*

erven[1] ⟨zn.mv.⟩ **0.1** *heir(s)* ♦ **1.1** de ~ Janssens *Janssens heirs.*

erven[2]

I ⟨onov.ww.⟩ **0.1** [door erfenis krijgen] *inherit* ⇒*come into, succeed to* ⟨troon⟩ ♦ **1.1** een fortuin/geld ~ *come into a fortune/money;* iets (van iem.) ~ *i. sth. (from s.o.);*

II ⟨ov.ww.⟩ **0.1** [mbt. eigenschappen] *inherit* **0.2** [van een ander overnemen] *adopt* ⇒*acquire, inherit, take on, catch* **0.3** [deelachtig worden] *inherit* ♦ **1.1** zij heeft haar vaders uiterlijk geërfd *she has inherited her father's looks, she takes after her father in looks* **1.2** zij heeft haar vaders maniertjes geërfd *she has adopted her father's mannerisms* **1.3** het koninkrijk der hemelen ~ *i. the Kingdom of Heaven.*

ervoor ⟨bw.⟩ **0.1** [voor het genoemde/bedoelde] *in front of it* ⟨enk.⟩ / *them* ⟨mv.⟩) **0.2** [mbt. een reactie] ⟨zie 3.2⟩ **0.3** [voor het genoemde in volg-/rangorde] *before (it)* **0.4** [mbt. een bestemming/oorzaak] *for it* **0.5** [ten voordele/behoeve van] *for it* **0.6** [pro] *for it* ⇒*in favour (of it)* **0.7** [in de plaats van] *for it* ⟨enk.⟩ / *them* ⟨mv.⟩ ⇒*instead of it* **0.8** [mbt. een gelijkstelling] *for it* ♦ **1.4** hij heeft geen gevoel ~ ⟨geen gevoelsvermogen bezittend⟩ *he has no feeling for it;* ⟨niet ontvankelijk⟩ *he is not sensitive to it* **1.7** ik blijf ~ borg *I will answer/go bail for it* **3.2** hij liep ~ weg *he ran away from it;* er alleen voor staan *be (out) on one's own;* zoals de zaken … *as things stand/are* **3.3** de lijst van deelnemers komt ~ *the list of participants comes before it;* dat was ~, niet erna *that was before, not afterwards* **3.4** dat dient ~ om …*that is for …, that serves to …;* hij moet ~ boeten *he will pay for it;* ik zal je ~ betalen *I'll pay you for it;* ~ zorgen dat ...*see/look to it that* ..., *take care that* ..., *make sure that* ... **3.5** hij streed ~ om hun lot te verbeteren *he strove/fought to improve their lot/conditions/situation, he fought for an improvement of their situation* **3.6** ik ben ~ *I am in favour of it, I am (all) for it;* hij heeft ~ gestemd *he voted for it/in favour (of it)/pro* **3.7** wat krijg ik ~? *what will I get for it?;* u kunt het ~ ruilen *you can exchange/switch it for this /trade it (in) for this* **3.8** ~ doorgaan *pass for (sth. else);* het ~ houden *take it for (sth. else).*

erwt ⟨de⟩ **0.1** [zaad] *pea* **0.2** [plant] *pea* **0.3** [⟨mv.⟩ voedsel] *peas* ◆ **2.3** groene ~en *green/garden peas* **7.1** ⟨inf.; fig.⟩ ze heeft twee ~en op een plankje *she is as flat as a pancake/flat-chested.*

erwtbeentje ⟨het⟩ ⟨anat.⟩ **0.1** *pisiform (bone).*

erwtensoep ⟨de⟩ **0.1** *pea soup.*

erytrocyt ⟨de (m.)⟩ ⟨med.⟩ **0.1** *erythrocyte* ⇒*red blood cell/corpuscle.*

es

  I ⟨de (m.)⟩ **0.1** [boom] *ash;*

  II ⟨de⟩ **0.1** [⟨muz.⟩] *e-flat.*

escadrille ⟨het, de⟩ **0.1** *flight.*

escalatie ⟨de (v.)⟩ **0.1** *escalation.*

escaleren

  I ⟨onov.ww.⟩ **0.1** [het voorwerp worden van escalatie] *escalate* ⇒ *snowball,* ⟨prijzen ook⟩ *rocket, shoot up;*

  II ⟨ov.ww.⟩ **0.1** [het voorwerp doen worden van escalatie] *(cause to) escalate* ⇒*snowball,* ⟨prijzen ook⟩ *force up.*

escapade ⟨de (v.)⟩ **0.1** *escapade* ⇒ ↓*fling,* ↓*spree.*

escapisme ⟨het⟩ **0.1** *escapism.*

escargots ⟨zn.mv.⟩ ⟨cul.⟩ **0.1** *escargots, (edible) snails.*

eschatologie ⟨de (v.)⟩ ⟨theol.⟩ **0.1** *eschatology.*

escorte ⟨het⟩ **0.1** *escort.*

escorteren ⟨ov.ww.⟩ **0.1** *escort.*

escudo ⟨de (m.)⟩ **0.1** *escudo.*

esculaap ⟨de (m.)⟩ **0.1** [embleem] *staff of Aesculapius, Aesculapius' staff* **0.2** [⟨scherts.⟩ arts] *medic(o)* **0.3** [⟨myth.⟩ god] *Aesculapius.*

esdoorn ⟨de (m.)⟩ **0.1** *maple(-tree).*

esdoornachtigen ⟨zn.mv.⟩ **0.1** *maples.*

eskader ⟨het⟩ **0.1** [mbt. een vlootafdeling] *squadron* **0.2** [mbt. oorlogsvliegtuigen] *squadron.*

eskadercommandant ⟨de (m.)⟩ **0.1** *squadron commander/leader.*

eskadron ⟨het⟩ **0.1** *squadron.*

Eskimo ⟨de (m.)⟩ **0.1** *Eskimo.*

eskimohond ⟨de (m.)⟩ **0.1** *Eskimo dog* ⇒*husky, malamute.*

esmerald ⟨het, de (m.)⟩ ⟨arch.⟩ **0.1** *emerald.*

esoterisch ⟨bn.⟩ **0.1** *esoteric.*

esoterisme ⟨het⟩ **0.1** *esoteri(ci)sm.*

esp ⟨de (m.)⟩ **0.1** *aspen.*

esparcette ⟨de⟩ ⟨plantk.⟩ **0.1** *sainfoin.*

espartogras ⟨het⟩ **0.1** *esparto (grass)* ⇒*Spanish grass, alfa (grass).*

espeblad ⟨het⟩ **0.1** *aspen leaf* ◆ **8.1** hij trilt als een ~ *he's shaking/trembling like a leaf, he's quivering like an aspen.*

esperantist ⟨de (m.)⟩ **0.1** *Esperantist.*

Esperanto ⟨het⟩ **0.1** *Esperanto.*

esplanade ⟨de (v.)⟩ **0.1** [voorplein] *esplanade* **0.2** [exercitie-/wandelplein] *esplanade* ⇒ ⟨exercitieplaats ook⟩ *parade ground.*

espressivo ⟨bw.⟩ ⟨muz.⟩ **0.1** *espressivo* ⇒*espressione.*

espressoapparaat ⟨het⟩, **-machine** ⟨de (v.)⟩ **0.1** *espresso (machine).*

espressobar ⟨de⟩ **0.1** *café,* [B]*coffee bar,* [A]*coffeehouse, espresso(bar).*

espresso(-koffie) ⟨de (m.)⟩ **0.1** *espresso.*

espressokopje ⟨het⟩ **0.1** *demitasse* ⇒*after-dinner cup, espresso cup.*

esprit ⟨het⟩ **0.1** [geest] *esprit* ⇒*spirit, mentality* **0.2** [geestigheid] *esprit* ⇒*sprightliness, wit* ◆ **¶.1** ~ de corps *e. de corps;* ~ de clocher *parochialism* **¶.2** ~ de l'escalier *e. de l'escalier.*

essaai ⟨het⟩ **0.1** *assay.*

essaaieren ⟨ov.ww.⟩ **0.1** *assay* ⇒*test (the purity of).*

essaaikantoor ⟨het⟩ **0.1** *assay office.*

essayeur ⟨de (m.)⟩ **0.1** *assayer* ⇒*tester.*

Essef→*science fiction.*

essehout ⟨het⟩ **0.1** *ash (wood).*

essekruid ⟨het⟩ **0.1** *dittany* ⇒*fraxinella.*

essen ⟨bn.⟩ **0.1** *ash(en).*

essence ⟨de⟩ **0.1** [aftreksel] *essence* ⇒*extract, concentrate* **0.2** [smaak-/geurstof] *essence* ⇒*perfume, scent.*

essentialia ⟨zn.mv.⟩ **0.1** *essentials.*

essentie ⟨de (v.)⟩ **0.1** *essence.*

essentieel ⟨bn., bw.; -ly⟩ **0.1** *essential* ⇒*fundamental, material, elemental, vital, central* ◆ **1.1** van ~ belang *of vital importance;* een ~ deel van *an essential part/aspect of, part and parcel of;* het essentiële punt aanroeren *touch (up)on/come to the central issue/main point;* een ~ verschil *a fundamental difference* **7.1** het essentiële van de zaak *the heart/essence/crux of the matter.*

estafette ⟨de⟩ **0.1** *relay (race).*

estafetteloop ⟨de (m.)⟩ **0.1** *relay (race).*

estafetteloper ⟨de (m.)⟩ **0.1** *(relay) runner.*

estafetteploeg ⟨de⟩ **0.1** *relay team.*

estafettestokje ⟨het⟩ **0.1** *baton.*

ester ⟨de (m.)⟩ ⟨schei.⟩ **0.1** *ester.*

estheet ⟨de (m.)⟩ **0.1** *aesthete* ⇒ ↓*art lover,* ⟨pej.⟩ *arty person.*

esthetica ⟨de (v.)⟩ **0.1** *aesthetics.*

esthéticienne ⟨de (v.)⟩ **0.1** *beautician.*

estheticisme ⟨het⟩ **0.1** *aestheticism.*

estheticus ⟨de (m.)⟩ **0.1** *aesthetician.*

esthetisch ⟨bn., bw.; -(al)ly⟩ **0.1** [mbt. de waarneming/beoordeling van het schone] *aesthetic* ⇒ ⟨mbt. wetenschap der esthetica⟩ *aesthetical* **0.2** [kunstzinnig, smaakvol] *aesthetic* **0.3** [gevoelig voor het schone] *aesthetic* ◆ **1.1** ~ gevoel *aesthetic sense* **1.¶** ~e chirurgie *cosmetic/ corrective/plastic surgery* **2.3** een ~e natuur *an a. nature.*

Estland ⟨het⟩ **0.1** *Estonia.*

Est(lander) ⟨de (m.)⟩ **0.1** *Estonian.*

Estlands ⟨bn.⟩ **0.1** *Estonian.*

estouffade ⟨de⟩ ⟨cul.⟩ **0.1** *braised dish* ⇒*stew, casserole.*

estuarium ⟨het⟩ **0.1** *estuary.*

ETA ⟨de (v.)⟩ **0.1** *ETA.*

etablissement ⟨het⟩ **0.1** [onderneming: hotel, café e.d.] *establishment* **0.2** [geheel van gebouwen] *institution* ⇒*complex.*

etage ⟨de (v.)⟩ **0.1** [verdieping] *floor* ⇒*storey* [A]*ry* **0.2** [laag] *layer* ⇒*level* ◆ **2.1** hij woont op een kleine ~ *he lives in a small flat/* [A]*apartment* **6.1** dit gebouw wordt per ~ verhuurd *this building is let out in floors* **7.1** op de eerste/dezelfde ~ *on the first/same f.;* een huis met twee ~s *a two-storeyed/* [A]*three-storied house, a house with two/* [A]*three floors.*

etagebed ⟨het⟩ **0.1** *bunk bed.*

etagère ⟨de⟩ **0.1** *whatnot* ⇒*étagère, shelves.*

etagewoning ⟨de (v.)⟩ **0.1** *flat,* [A]*apartment.*

etalage ⟨de (v.)⟩ **0.1** *shop-window* ⇒*display window* ◆ **1.1** het inrichten v.e. ~ *window dressing* **3.1** ~s (gaan) kijken *(go) window-shopping;* een ~ inrichten/opmaken *dress a s.-w.* **6.1** in de ~ liggen *be on display in the window;* iets uit de ~ halen *take sth. out of the window.*

etalagepop ⟨de⟩ **0.1** *(shop-window) dummy, mannequin.*

etalagewedstrijd ⟨de (m.)⟩ **0.1** *window-dressing/display competition.*

etaleren ⟨ov.ww.⟩ **0.1** [uitstallen] *display* ⇒*exhibit, place on show* **0.2** [verkondigen] *display* ⇒*show off, exhibit* ◆ **1.2** zijn kennis/standpunten ~ *show off/d./exhibit one's knowledge/opinions.*

etaleur ⟨de (m.)⟩ **0.1** *window-dresser* ⇒*window-trimmer.*

etaleur-decorateur ⟨de (m.)⟩ **0.1** *window-dresser.*

etalon ⟨de (m.)⟩ **0.1** *standard (measure).*

etappe ⟨de⟩ **0.1** [afstand tussen twee rustpunten] *stage* ⇒ ⟨laatste ook⟩ *lap,* ⟨vliegreis ook⟩ *hop, leg* **0.2** [⟨sport⟩] *stage* ⇒*leg* **0.3** [rustpunt na een dagmars] *halting place* ⇒*stage* **0.4** [⟨mil.⟩] *lines of communication /area* ◆ **2.1** ⟨fig.⟩ in korte ~s *by easy stages* **6.1** ⟨fig.⟩ in ~s plaatsvinden *take place in/by stages.*

etappeoverwinning ⟨de (v.)⟩ ⟨sport⟩ **0.1** *stage win/victory.*

etappeplaats ⟨de⟩ **0.1** [⟨mil.⟩] *halting place* **0.2** [⟨sport⟩] *halting place* ⇒*stage.*

etappewedstrijd ⟨de (m.)⟩ ⟨sport⟩ **0.1** *stage race.*

etappewinnaar ⟨de (m.)⟩ ⟨sport⟩ **0.1** *stage winner/victor.*

etatisme ⟨het⟩ **0.1** *etatism* ⇒*stat(e)ism, state socialism.*

etc. ⟨afk.⟩ **0.1** [etcetera] *etc.* ⇒*& c..*

etcetera **0.1** *et cetera etcetera* ⇒*and so on, and so forth.*

eten¹ ⟨het⟩ **0.1** [voedsel] *food* ⇒*fare,* ⟨inf.⟩ *meal, dinner* **0.2** [maaltijd] *meal* ⇒*dinner* ⟨middag of avond⟩, *lunch* ⟨middag⟩, *supper* ⟨avond⟩ ◆ **1.1** hij laat ~ en drinken ervoor staan *(fig.) it's his be-all and end-call;* ⟨vero.⟩ *it's meat and drink to him* **2.1** hij houdt van lekker ~ *he is fond of good food;* warm/koud ~ *hot m./dinner, cold m./lunch/ tea* **3.1** ~ geven aan ⟨dieren/de armen⟩ ⟨enz.⟩ *feed (animals/the poor)* ⟨enz.⟩; geen ~ hebben *have nothing to eat;* ~ en drinken meenemen *bring along sth. to eat and drink* **3.2** het ~ is opgediend; het ~ staat op tafel, het ~ is klaar *dinner is served; dinner is waiting/on the table, dinner's ready;* het ~ klaarmaken/bereiden/koken *prepare/ cook dinner, the m.;* het ~ laten staan *go/be off one's food* **6.1** weer trek in ~ krijgen *get one's appetite back;* een pan met ~ *a pan of food* **6.2** wijn bij het ~ drinken *drink wine with a m.;* we waren net klaar met het ~ *we had just finished our dinner;* ik ben niet thuis met het ~ *I won't be home for dinner;* poets altijd je tanden na het ~ *always brush your teeth after meals;* een dutje na het ~ *an after-dinner/* ↑*postprandial nap;* onder het ~ *at table, during meals/the m., at dinner(-time);* nog een kik en je gaat zonder ~ *naar bed one more word out of you and you'll be packed off to bed without your dinner* **7.1** dat is geen ~ *that isn't fit to eat.*

eten² ⟨→sprw. 94,145,153,277,384,416,542,593,606,650⟩

  I ⟨onov.ww., ov.ww.⟩ **0.1** [nuttigen] *eat* ⇒*have sth. to eat* **0.2** [⟨sport⟩] *pick up* ◆ **1.1** iemands brood ~ ⟨fig.⟩ *work for s.o.;* ⟨fig.⟩ hij kan meer dan brood ~ *he's not as dumb as he looks, there's more to him than meets the eye;* ⟨fig.⟩ profeten die brood ~ *false prophets;* we hebben brood en soep te ~ gekregen *we had bread and soup, we were given bread and soup to e.;* een hapje ~ *have a bite to e.* **3.1** de patiënt begint weer iets te ~ *the patient is starting to e. again/is getting back his appetite;* hij begon er direct van te ~ *he dug/pitched into it, he fell to;* al gegeten en gedronken hebben ⟨fig.⟩ *have had more than one's* *fill;* te ~ geven *feed;* te veel/te weinig te ~ geven *overfeed, underfeed;* het is te ~/ niet te ~ *it's edible/inedible, it tastes OK/awful;* ⟨fig.⟩ daar kan men niet van ~ *fair words butter no parsnips;* ⟨fig.⟩ zich de kaas niet v.h. brood laten ~ *stand/stick up for o.s, keep one's end up* **3.2** als er een joker valt, moet je (vijf kaarten) ~ *if a joker falls you must p. u. (five cards)* **4.1** zij eet nog steeds niet(s) ⟨v.e. ziekte⟩ *she's still off her food;* ~ wat de pot schaft *take potluck;* wat ~ we vandaag? *what's for dinner/what are we having for dinner today?;* kan het kind al zelf ~! en van een bord! *the child can already feed itself! and off a plate, too!* **5.1** flink/stevig/goed ~ *e. heartily;* goed kunnen ~ *have a good/healty/hearty appetite, be a hearty eater;* je kunt hier lekker ~ *they serve good food here;* lekker gegeten? *enjoyed your meal?;* hij kan lekker ~ *he likes his food;* eet smakelijk *enjoy your meal;* te veel ~ *overeat (o.s.)* **6.1** met smaak ~ *e. with a relish/with gusto;* ⟨fig.⟩ **met** lange tanden ~ *peck at/pick at/play with/toy with one's food;* **uit** iemands hand ~ *e. out of s.o.'s hand;* **uit** het vuistje ~ *e. with one's fingers;* ⟨fig.⟩ **uit** zijn neus ~ *twiddle one's thumbs, kick one's heels;* ⟨fig.⟩ je kunt er van de vloer ~ *you can e. your dinner off the floor there;* **van** twee walletjes ~ *butter both sides of one's bread, play a double game* **7.1** hij eet weinig *he's a poor/small eater;* ze at heel weinig aan het ontbijt/met het middageten *she ate hardly any breakfast/dinner, she hardly touched her breakfast/dinner* **8.1** ~ als een wolf/ paard/dijker *e. like a wolf/horse/navvy* **¶.1** om op te ~ zijn *be/look good enough to e.;* heb je al gegeten? *have you had your dinner?;* **II** ⟨onov.ww.⟩ **0.1** [een maaltijd gebruiken] *eat* ⇒*dine, have a meal, have dinner* ◆ **3.1** blijf je (te) ~? *will you stay to/for dinner?;* te ~ en te slapen blijven *stay to/for dinner and (for) the night/overnight;* iem. mee laten ~ *have s.o. stay to/for/stop to dinner, have s.o. over for a meal/for dinner;* wij zitten nog te ~ *we're still having dinner, still eating;* wij zitten net te ~ *we've just sat down to dinner* **5.1** buitenshuis/ buiten de deur ~ *e. / dine out/away from home;* thuis ~ *e. in* **6.1** wij komen (zondag) **bij** jullie ~ *we're coming round/over for dinner (Sunday);* iem's **at** dinner's at six; iem. **te** ~ vragen/hebben *invite/ask s.o. to dinner, invite/ask s.o. round/over for dinner;* **uit** ~ gaan *go out for dinner;* iem. **uit** ~ nemen *take s.o. out to dinner, treat s.o. to a meal;* **III** ⟨ov.ww.⟩ **0.1** [door eten verkrijgen] *eat* **0.2** [nodig hebben] *consume* ◆ **1.1** zich een ongeluk/beroerte ~ *overeat, e. o.s. sick* **1.2** die machine eet veel kolen *that machine consumes a lot of coal;* dat eet tijd *that is time-consuming* **2.1** iem. arm ~ *e.s.o. out of house and home;* zijn bord leeg ~ *e. everything up;* zijn buikje rond ~ *e. one's fill;* zich vol ~ *stuff o.s.;* zich ziek ~ *e. o.s. sick* **¶.1** zich te barsten ~ *e. o.s fit to bu(r)st.*

etensbak ⟨de (m.)⟩ **0.1** *(feeding/eating/food) through* ⇒*feeder, feed box,* ⟨voor huisdieren⟩ *food bowl,* ⟨scheep.⟩ *(mess-)kid.*

etenskast ⟨de⟩ **0.1** *provision/food cupboard* ⇒*larder, pantry* ⟨ook kamer⟩.

etenslift ⟨de (m.)⟩ **0.1** *dumbwaiter.*

etenslucht ⟨de⟩ **0.1** *smell/odour of food* ⇒*smell/odour of cooking, cooking smell(s).*

etensresten ⟨zn.mv.⟩ **0.1** *leftovers, leavings.*

etensschuiver ⟨de (m.)⟩ **0.1** *pusher.*

etenstijd ⟨de (m.)⟩ **0.1** [tijd om te gaan eten] *dinner time* ⇒*time for dinner* **0.2** [tijd waarop men pleegt te eten] *dinner time* ⇒*mealtime* ◆ **6.2** onder ~ *during meals/the meal, at table, at dinner (time).*

etenswaar ⟨de⟩ **0.1** *food* ⇒*eatables, comestibles,* †*victuals.*

etentje ⟨het⟩ **0.1** *dinner* ⇒*meal, (small) dinner party* **3.1** iem. op een ~ trakteren *treat s.o. to d. / a meal;* iem. voor een ~ uitnodigen *ask/invite s.o. round/over for d., ask/invite s.o. to d..*

eter ⟨de (m.)⟩ **0.1** [iem. die (van) iets eet] *eater* ⇒ †*partaker* **0.2** [persoon die gevoed moet worden] *eater* **0.3** [tafelgast] *dinner guest* ◆ **2.1** een flinke ~ zijn *be a large/great/hearty e., have a large appetite;* die jongen is een kleine ~ *that boy is a small e. / has a small appetite;* een slechte ~ zijn *be a poor e.* **3.3** zij hebben ~s vandaag *they have dinner guests/people to dinner today* **4.2** zo'n ~ ~ merkt men in de pot *s.o. who eats like that makes a difference to the pot* **5.2** een ~ erbij hebben *have another mouth to feed.*

eterniet ⟨het⟩ **0.1** *asbestos cement* ⇒*eternite.*

eternieten ⟨bn.⟩ **0.1** *eternite.*

etgras ⟨het⟩ **0.1** *aftermath, aftergrass* ⇒^*rowen.*

ethaan ⟨het⟩ ⟨schei.⟩ **0.1** *ethane.*

ethanol ⟨het⟩ ⟨schei.⟩ **0.1** *ethanol* ⇒*ethyl alcohol.*

etheen ⟨de (m.)⟩ **0.1** *ethene* ⇒*ethylene.*

ether ⟨de (m.)⟩ **0.1** ⟨schei.⟩ *ether* **0.2** [mbt. radiogolven] *air* ⇒*the ether* **0.3** [lucht] *ether* ◆ **6.2** in de ~ zijn *be on the a.;* **uit** de ~ verdwijnen *go off the a.;* piratenzenders **uit** de ~ halen *black out a pirate station, take a pirate station off the a..*

etherisch ⟨bn.⟩ **0.1** [ijl en ongrijpbaar] *ethereal* ⇒*delicate, spiritual* **0.2** [snel verdampend] *ethereal* ⇒*vaporous, volatile* **0.3** [hemels] *ethereal* ⇒*supernal* ◆ **1.1** ~ lichaam *astral/e. body;* een ~e verschijning *an e. presence* **1.2** ~e olie *e. / essential/volatile oil.*

etherkapje ⟨het⟩ **0.1** *ether mask/cone.*

etherpiraat ⟨de (m.)⟩ **0.1** *pirate* ⇒ ⟨station⟩ *pirate station,* ⟨zender⟩ *pirate radio/transmitter.*

etherreclame ⟨de⟩ **0.1** *(radio/television) commercials.*

ethervervuiling ⟨de (v.)⟩ **0.1** *pollution/abuse of the airwaves.*

ethervorming ⟨de (v.)⟩ **0.1** *etherization.*

ethica ⟨de (v.)⟩ **0.1** *ethics* ⇒⟨systeem van normen⟩ *ethic.*

ethicus ⟨de (m.)⟩ **0.1** *ethicist.*

ethiek ⟨de (v.)⟩ ⟨fil., theol.⟩ **0.1** *ethics* ◆ **2.1** medische ~ *medical e..*

Ethiopië ⟨het⟩ **0.1** *Ethiopia* ⇒⟨gesch.⟩ *Abyssinia.*

Ethiopiër ⟨de (m.)⟩, **-ische** ⟨de (v.)⟩ **0.1** *Ethiopian* ⇒⟨gesch.⟩ *Abyssinian.*

Ethiopisch ⟨bn.⟩ **0.1** *Ethiopian* ⇒⟨gesch.⟩ *Abyssinian,* ⟨mbt. taal⟩ *Ethiopic.*

ethisch ⟨bn., bw.;-ly⟩ **0.1** *ethical* ⇒*moral* ◆ **1.1** het ~ reveil ≠*moral revival.*

ethologie ⟨de (v.)⟩ **0.1** *ethology.*

ethos ⟨het⟩ **0.1** *ethos.*

ethyl ⟨het⟩ ⟨schei.⟩ **0.1** [koolwaterstofgroep] *ethyl* **0.2** [⟨verk.⟩ tetra-ethyl-lood] *(tetra)ethyl (lead).*

etiket ⟨het⟩ **0.1** *label* ⇒⟨prijs⟩ *ticket,* ⟨kaartje⟩ *tag,* ⟨zelfklevend⟩ *sticker* ◆ **3.1** ⟨fig.⟩ iem. een ~ opplakken *label/pigeonhole s.o.;* van ~ten voorzien *label/tag* **6.1** blikken zonder ~ *unlabelled tins.*

etiketteermachine ⟨de (v.)⟩ **0.1** *labelling/^labeling machine.*

etiketteren ⟨ov.ww.⟩ **0.1** *label* ⇒*tag.*

etiquette ⟨de⟩ **0.1** *etiquette* ⇒*good manners/form, decorum* ◆ **6.1** tegen de ~ zondigen *commit a breach of e.;* het is niet volgens de/ geen ~ om …*it is not e. / against e. / bad form to …* **¶.1** de ~ in acht nemen *observe the proper forms, take note of e..*

etmaal ⟨het⟩ **0.1** *twenty-four hours(' period)* ⇒*natural day, space of twenty-four hours* ◆ **6.1** binnen een ~ *within t.-f. h.;* per ~ *per (period of) t.-f. h., in a day.*

etnisch ⟨bn.⟩ **0.1** *ethnic* ◆ **1.1** ~e minderheden *e. minorities;* ~e verschillen *e. differences.*

etnocentrisch ⟨bn., bw.;-ally⟩ **0.1** *ethnocentric* ⇒*ethnically conscious.*

etnograaf ⟨de (m.)⟩, **-grafe** ⟨de (v.)⟩ **0.1** *ethnographer.*

etnografie ⟨de (v.)⟩ **0.1** *ethnography.*

etnografisch ⟨bn., bw.;-(al)ly⟩ **0.1** *ethnographic(al).*

etnolinguïstiek ⟨de (v.)⟩ **0.1** *ethnolinguistics.*

etnologie ⟨de (v.)⟩ **0.1** *ethnology* ⇒*ethnics.*

etnologisch ⟨bn., bw.;-ly⟩ **0.1** *ethnological.*

etnoloog ⟨de (m.)⟩, **-loge** ⟨de (v.)⟩ **0.1** *ethnologist.*

être ⟨het⟩ **0.1** *being* ⇒*creature,* ⟨pej.⟩ *nuisance* ◆ **2.1** een vervelend ~ *a bore* **4.1** wat een ~! *what a bastard* ⟨m.⟩*/bitch* ⟨v.⟩ *!.*

ets ⟨de (v.)⟩ **0.1** [geëtste plaat] *etching* ⇒*copperplate* **0.2** [afdruk] *etching* **0.3** [werkwijze] *etching.*

etsdruk ⟨de (m.)⟩ ⟨ind.⟩ **0.1** *mordanting.*

etsen
I ⟨onov., ov.ww.⟩ **0.1** [graveren] *etch* ◆ **6.1** ~ met de droge naald *e. with a dry point;* ~ op zink *zincograph;*
II ⟨ov.ww.⟩ **0.1** [aantasten] *etch* ⇒*corrode* ⟨van zuur⟩, ⟨med. ook⟩ *cauterize* ⟨met apparaat⟩ ◆ **1.1** salicylzuur etst de maagwand *salicylate causes gastric irritation.*

etser ⟨de (m.)⟩ **0.1** *etcher.*

etsgrond ⟨de (m.)⟩ **0.1** *etching ground* ⇒*etching varnish.*

etsnaald ⟨de⟩ **0.1** *etching needle.*

etsplaat ⟨de⟩ **0.1** *plate* ⇒⟨uit koper ook⟩ *copper plate.*

et-teken ⟨het⟩ **0.1** *ampersand.*

ettelijke ⟨hoofdtelw.⟩ **0.1** [vele] *innumerable* ⇒*dozens of* **0.2** [enige] *a number of* ⇒*some, several* ◆ **1.1** ik heb het al ~ malen gezegd *if I've told you once, I've told you a hundred/thousand times.*

etter ⟨de (m.)⟩ **0.1** [⟨med.⟩] *pus* ⇒*matter* **0.2** [rotzak] *pain in the neck/* ↓*arse/*^A↓ *ass* ⇒*nasty piece of work, creep* ◆ **1.1** ⟨fig.⟩ ~ en bloed zweten *sweat blood* **3.2** hij is toch zo'n ~ *he's such a pain in the neck/ arse, he's a real bastard/a bloody nuisance* **6.2** een ~ **van** een vent *a son of a bitch.*

etterachtig ⟨bn.⟩ **0.1** *purulent.*

etterbak ~**etter 0.2.**

etterbuil ⟨de⟩ **0.1** [zwelling] *abscess* **0.2** [rotzak] ⟨→**etter 0.2**⟩.

etteren ⟨onov.ww.⟩ **0.1** [etter afscheiden] *fester* ⇒*suppurate, run, discharge pus, matter* **0.2** [klieren] *be a pain in the neck/arse* ⇒*bellyache,* ⟨zeuren⟩ *nag, keep on* **0.3** [zwoegen] *fag, slave* ◆ **1.1** een ~d gezwel *a gathering abscess;* een ~de wond *a festering wound* **3.1** gaan ~ *discharge pus, begin to matter* **3.2** lig niet zo te ~ *don't be such a pain in the neck/arse* **6.3** ik heb wel een halve dag **met** die rotklok zitten ~ *I've been slaving over this clock for about half a day.*

ettergezwel ⟨het⟩ **0.1** *abscess.*

ettering ⟨de (v.)⟩ **0.1** *suppuration* ⇒⟨med.⟩ *pyorrhoea, discharge of pus.*

etterwond ⟨de⟩ **0.1** *suppurating/festering wound* ⇒*ulcer.*

etude ⟨de (v.)⟩ **0.1** *étude* ⇒*study.*

etui ⟨het⟩ **0.1** [doosje met (schrijf)gereedschap] *case* ⇒*holder* **0.2** [(sier)verpakking] *étui* ⇒*case, container* ◆ **6.1** een vulpen en een vulpotlood in een ~ *a fountain pen and a propelling pencil in a c.;* een ~ **met** scharen *a scissor c.* **6.2** een couvert **in** ~ *a cover/a fork, spoon and knife in a case.*

etymologie ⟨de (v.)⟩ ⟨taal.⟩ **0.1** [wetenschap] *etymology* **0.2** [afleiding v.e. woord] *etymology* ◆ **3.2** de ~ geven/vaststellen van *etymologize*.
etymologisch ⟨bn.,bw.;-ly⟩ **0.1** *etymologic(al)* ◆ **1.1** een ~ woordenboek *an etymological dictionary*.
etymologiseren ⟨ov.ww.⟩ **0.1** *etymologize*.
etymoloog ⟨de (m.)⟩, **-loge** ⟨de (v.)⟩ **0.1** *etymologist*.
etymon ⟨het⟩ **0.1** *etymon*.
eubiotiek ⟨de (v.)⟩ **0.1** *eubiotics*.
eucalyptus ⟨de (m.)⟩ **0.1** *eucalyptus (tree)* ⇒*eucaplypt, gum tree*.
eucalyptusolie ⟨de⟩ **0.1** *eucalyptus (oil)*.
eucharistie ⟨de (v.)⟩ ⟨r.k.⟩ **0.1** [sacrament v.h. altaar] *Eucharist* **0.2** [eucharistieviering] *Eucharist* ⇒*celebration of the Eucharist*, ⟨r.k.vnl.⟩ *(the) Mass*, ⟨Angl.⟩ *(Holy) Communion* ◆ **3.2** de ~ vieren *celebrate the E. / Mass / (Holy) Communion* (laatste twee zonder lidw.).
eucharistieviering ⟨de (v.)⟩ →**eucharistie 0.2**.
eucharistisch ⟨bn.⟩ **0.1** *Eucharistic(al)* ⇒*Communion* ◆ **1.1** het ~ gebed *grace*.
euclidisch ⟨bn.⟩ **0.1** *Euclidean* ⟨ook meetk.⟩.
eudiometer ⟨de (m.)⟩ **0.1** *eudiometer*.
eufemisme ⟨het⟩ ⟨lit.⟩ **0.1** *euphemism* ◆ **3.1** ~n gebruiken (voor) *speak in euphemisms / euphemistically*, ⟨met negatie⟩ *mince one's words*.
eufemistisch ⟨bn.,bw.;-ally⟩ **0.1** *euphemistic* ◆ **3.1** dat is ~ uitgedrukt *that's putting it mildly*.
eufonie ⟨de (v.)⟩ **0.1** *euphony*.
eufonisch ⟨bn.,bw.;-ly⟩ **0.1** *euphonic* ⟨ook fonetiek⟩ ⇒*euphonious*.
euforie ⟨de (v.)⟩ **0.1** *euphoria* ⇒*well-being* ◆ **1.1** iem. in een toestand van ~ brengen *induce e. in s.o..*
euforisch ⟨bn.⟩ **0.1** *euphoric*.
Eufraat ⟨de (m.)⟩ **0.1** *Euphrates*.
eugenese ⟨de (v.)⟩ **0.1** *eugenics*.
eugeneticus ⟨de (m.)⟩ **0.1** *eugen(ic)ist*.
eunuch ⟨de (m.)⟩ **0.1** *eunuch*.
Euratom ⟨het⟩ **0.1** *Euratom*.
Eurazië ⟨het⟩ **0.1** *Eurasia*.
euraziër ⟨de (m.)⟩ **0.1** *Eurasian*.
eureka ⟨tw.⟩ **0.1** *eureka*.
eurocentrisch ⟨bn.⟩ **0.1** *Eurocentric*.
eurocheque ⟨de (m.)⟩ **0.1** *Eurocheque*.
eurocommissie ⟨de (v.)⟩ **0.1** *European Commission*.
eurocommunisme ⟨het⟩ **0.1** *Eurocommunism*.
eurocraat ⟨de (m.)⟩ **0.1** *Eurocrat*.
eurofles ⟨de⟩ **0.1** *European standard half-litre bottle*.
Euromarkt ⟨de⟩ **0.1** [landenorganisatie] *(European) Common Market* **0.2** [markt voor tegoed in Amerikaanse dollars] *Euromarket*.
Europa ⟨het⟩ **0.1** *Europe* ◆ **1.1** de Raad van ~ *the Council of E.* **2.1** het oude ~ *the E. of old*.
Europacup ⟨de⟩ ⟨sport⟩ **0.1** *European Cup*.
europacupvoetbal ⟨het⟩ **0.1** *European Cup football / soccer*.
europarlement ⟨het⟩ **0.1** *European Parliament*.
europarlementariër ⟨de (m.)⟩, **europarlementslid** ⟨het⟩ **0.1** *member of the European Parliament* ⇒⟨BE ook⟩ *Euro-MP*.
Europeaan ⟨de (m.)⟩, **Europese** ⟨de (v.)⟩ **0.1** *European*.
europeanisatie ⟨de (v.)⟩ **0.1** *Europeanization*.
europeaniseren ⟨ov.ww.⟩ **0.1** *Europeanize*.
Europees ⟨bn.,bw.⟩ **0.1** *European* ◆ **1.1** Europese (Economische) Gemeenschap *E. (Economic) Community*, ⟨inf.⟩ *Common Market*; Europese Gemeenschap voor Atoomenergie *E. Atomic Energy Community, Euratom*; Europese Gemeenschap voor Kolen en Staal *E. Coal and Steel Community*; de Europese landbouwgemeenschap *the E. Agricultural Community*; aanpassing aan de Europese normen *adaptation to E. standards*; ~ Rusland *E. Russia*; het Europese vasteland *the E. mainland*, ⟨BE; inf.⟩ *the Continent*; Boerhaave genoot een Europese vermaardheid *Boerhaave was famous throughout / all over Europe* **3.1** ~ genormaliseerd *to E. standards*.
Europoort ⟨de⟩ **0.1** *Europoort*.
Eurotransplant ⟨de (m.)⟩ **0.1** *Eurotransplant*.
euroverpakking ⟨de (v.)⟩ **0.1** *Eurocontainer*.
eurovisie ⟨de⟩ **0.1** *Eurovision*.
eurovisiesongfestival ⟨het⟩ **0.1** *Eurovision Song Contest*.
eustachiusbuis ⟨de⟩ ⟨med.⟩ **0.1** *Eustachian tube*.
euthanasie ⟨de (v.)⟩ **0.1** [toediening van middelen om de doodsstrijd te verlichten] *euthanasia* **0.2** [het beëindigen van het leven] *euthanasia* ◆ **2.1** actieve/directe ~ *active e.*, ↓*mercy killing*; passieve ~ *passive e.* **3.1** ~ plegen *carry out e.*.
eutrofie ⟨de (v.)⟩ **0.1** *eutrophy*.
eutrofiëring ⟨de (v.)⟩ **0.1** *eutrophication*.
eutroof ⟨bn.⟩ **0.1** *eutrophic*.
euvel¹ ⟨het⟩ **0.1** [kwaal, gebrek] *ill* ⇒*fault, defect, shortcoming*, ⟨ziekte⟩ *ailment* **0.2** [kwaad] *evil* ◆ **3.1** een ~ verhelpen *remedy an i. / a fault / defect / shortcoming*, ⟨onrecht⟩ *redress a wrong* **6.1** mank gaan **aan** een ~ *be faulty / deficient*; hij is nog niet van dat ~ genezen *he is not yet cured of that i. / ailment*.
euvel²

I ⟨bn.⟩ **0.1** [kwaad, slecht] *evil* ⇒*bad* ◆ **1.1** de ~e moed hebben om *…have the nerve / cheek / ↑effrontery / ↓gall to*;
II ⟨bw.⟩ ◆ **3.¶** iem. iets ~ duiden *hold sth. against s.o., resent s.o. for sth.*; iets ~ duiden *take sth. amiss / ill, resent sth..*
euveldaad ⟨de⟩ ⟨schr.⟩ **0.1** *evil deed* ⇒*misdeed, wrongdoing*.
euvelmoed ⟨de (m.)⟩ **0.1** [kwaadwilligheid] *malevolence* ⇒*malice* **0.2** [vermetelheid] *audacity* ⇒*temerity*.
ev. ⟨afk.⟩ **0.1** [eventueel] ⟨*possibly, if necessary / desired*⟩.
e.v. ⟨afk.⟩ **0.1** [eerstvolgend(e)] ⟨*next*⟩ **0.2** [en volgende] *et seq.* ⇒⟨pagina's⟩ *ff.* **0.3** [ex voto] ⟨*ex voto*⟩ **0.4** [en ville] ⟨*in this town*⟩.
e.v.a. ⟨afk.⟩ **0.1** [en vele andere(n)] ⟨*and many others*⟩ **0.2** [en volgens afspraak] ⟨*and by appointment*⟩.
Eva ⟨de (v.)⟩ **0.1** [⟨bijb.⟩] *Eve* **0.2** [vrouw] ⟨*daughter of*⟩ *Eve*.
EVA ⟨de (v.)⟩ ⟨afk.⟩ **0.1** [Europese Vrijhandelsassociatie] *EFTA*.
evaatje ⟨het⟩ **0.1** *apron, pinafore*.
evacuatie ⟨de (v.)⟩ **0.1** *evacuation*.
evacuatiebevel ⟨het⟩ **0.1** *evacuation order*.
evacué ⟨de (m.)⟩ **0.1** *evacuee*.
evacueren
I ⟨onov.ww.⟩ **0.1** [weggaan uit zijn woonplaats] *be evacuated*;
II ⟨ov.ww.⟩ **0.1** [ontruimen] *evacuate* **0.2** [elders onderbrengen] *evacuate* **0.3** [⟨mil.⟩] *evacuate* ◆ **6.2** de burgers **uit** de gevarenzone ~ *e. civilians from the danger zone*.
evakostuum ⟨het⟩ ⟨scherts.⟩ **0.1** *her birthday suit* ⇒*her skin, the clothes God gave her* ◆ **6.1** twee meisjes **in** ~ *two girls in / wearing their birthday suits / (only) their skin / (only) the clothes God gave them*.
evaluatie ⟨de (v.)⟩ **0.1** [nabespreking] *evaluation* ⇒*assessment* **0.2** [waardeschatting/-bepaling] *evaluation* ⇒*valuation* **0.3** [⟨geldw.⟩] *setting of the rate of exchange / exchange rate* ◆ **1.1** de ~ van de cursus / het groepsproces *the e. of the course / the group process* **1.2** de ~ van nieuwe produkten *the e. of new products*.
evalueren ⟨ov.ww.⟩ **0.1** [nabespreken] *evaluate* ⇒*assess* **0.2** [schatten (op)] *value* ◆ **1.1** een cursus / programma ~ *e. / assess a course / syllabus*.
evangelie ⟨het⟩ **0.1** [leer van Jezus Christus] *gospel* **0.2** [bijbelboek] *Gospel* **0.3** [⟨r.k.⟩ deel van de mis] *Gospel (for the Day)* **0.4** [vaststaande waarheid] *gospel(-truth)* **0.5** [leer die men aanhangt] *gospel* ◆ **1.2** het ~ van / naar Marcus *the Gospel according to St. Mark* **3.1** iets als ~ aannemen *take sth. as gospel(-truth)*; tot het ~ bekeren *evangelize*; het ~ verkondigen *preach / spread the gospel* **3.4** omdat zij het zegt, is het nog geen ~ *it's not (the) gospel(-truth) just because she says so* **6.2** uit het ~ voorlezen *read from the gospel*.
evangeliebediening ⟨de (v.)⟩ **0.1** *ministry* ⇒*priesthood*.
evangelieboek ⟨het⟩ ⟨r.k.⟩ **0.1** [boek waaruit gelezen wordt] *evangelistary* ⇒*evangelary* **0.2** [onderdeel van het evangelie] *Gospel*.
evangeliedienaar ⟨de (m.)⟩ **0.1** *minister, preacher*.
evangeliënharmonie ⟨de (v.)⟩ **0.1** *harmony (of the gospels)*.
evangelieprediker ⟨de (m.)⟩ **0.1** *preacher of the gospel* ⇒⟨rondtrekkend⟩ *evangelist*.
evangeliewoord ⟨het⟩ **0.1** *gospel*.
evangelisatie ⟨de (v.)⟩ **0.1** [verbreiding van het evangelie] *evangelization* **0.2** [bekering tot het evangelie] *evangelization*.
evangelisch ⟨bn.,bw.;-ly⟩ **0.1** [overeenkomstig het evangelie] *evangelical* **0.2** [⟨prot.⟩] *Evangelical*.
evangeliseren
I ⟨onov.ww.⟩ **0.1** [het evangelie verkondigen] *evangelize*;
II ⟨ov.ww.⟩ **0.1** [tot het evangelie bekeren] *evangelize*.
evangelist ⟨de (m.)⟩ **0.1** [schrijver van een evangelie] *evangelist* **0.2** [voorganger] *evangelist*.
evaporatie ⟨de (v.)⟩ **0.1** *evaporation*.
evaporeren ⟨onov.ww.⟩ **0.1** [uitdampen] *evaporate* **0.2** [vervliegen] *volatilize*.
evasie ⟨de (v.)⟩ **0.1** [ontsnapping] *evasion* **0.2** [uitvlucht] *evasion*.
evasief ⟨bn.,bw.;-ly⟩ **0.1** *evasive* ◆ **1.1** een ~ antwoord *an e. answer*.
even
I ⟨bn.⟩ **0.1** [door twee deelbaar] *even* ⇒⟨wedden ook⟩ *evens* ◆ **1.1** ⟨wisk.⟩ een ~ functie *an even function* **6.1** op ~ zetten *bet on evens* **6.¶** het is mij om het ~ *it's all the same / all one to me, it makes no odds to me*; **om** het ~ wat je doet *regardless of / no matter what you do, whatever you do*; **om** het ~ wie / wat / waar / welke / wanneer / hoe *whoever / whatever / wherever / whichever / whenever / however, no matter who / what / where / which / when / how*;
II ⟨bw.⟩ **0.1** [in dezelfde / gelijke mate] ⟨*just*⟩ *as* **0.2** [⟨als versterkende bevestiging⟩] *just* **0.3** [een korte tijd] *just* ⇒⟨*just*⟩ *(for) a moment / while / bit* **0.4** [in korte tijd, met weinig moeite] *just* **0.5** [nauwelijks] *(only) just* ⇒*barely* **0.6** [een weinig] *just (a bit)* ◆ **2.1** ~ goede vrienden *just as good friends, no hard feelings, nothing personal*; in ~ grote aantallen / hoeveelheden / stapels *in equal numbers / quantities / piles*; ~ lang / dik / groot zijn *be equally long / fat / big, be as long / fat / big as each other, be the same length / weight / size*; hij is ~ oud als ik *he is (just) the same age as me / as old as me*; het is er nog altijd ~ rommelig *it's as untidy as ever* **2.2** alles moet er altijd ~ duur *they always have to have the most expensive things*; dat is ~ mooi! *isn't that sth.!*; zij is al-

tijd~ opgewekt *she's always pretty cheerful;* is me dat ~ slim *that's pretty smart (of him/you/* ⟨enz.⟩ *)* **2.6** dat is wel ~ vreemd *that's just a bit odd* **3.2** was (me) dat ~ lachen *what a laugh that was!* **3.3** het duurt nog wel ~ *it'll take (just) a bit/while longer;* ik ga ~ naar buiten *I'm just going outside (for a moment/while/bit);* hoor eens ~ *(just) listen, look (here), I say;* mag ik u ~ storen? *may I disturb you (just) for a moment?;* wacht eens ~ *just wait a minute/a moment;* eens ~ zien *let me see,* ⟨inf.⟩ *let's see* **3.4** gooi hem ~ de deur uit *just throw him out;* ~ mijn hoed opzetten, dan kunnen we gaan *I'll just put on my hat, then we can go;* hij zou dat wel ~ doen *he'd take care of it* **3.5** iets~ aanraken *(only) just touch sth., barely/only touch sth.;* ~ geeuwen/la-chen/gillen *give a little yawn/laugh/shriek* **3.6** nog ~ doorzetten *go on for/continue just a bit longer* **3.¶** als het maar éven kan *if it is at all possible, if it can be done at all* **5.2** zo maar ~ *just like that;* een salaris van maar ~ drie ton *a salary of no less than DF 300,000* **5.3** zij moet er ~ uit *she just has to go out for a bit/while/moment;* heel ~ *just for a second;* ~ later/daarna *shortly afterwards, presently* **5.5** maar ~ bewe-gen *(only) just move, barely move* **5.6** in ~ meer dan een uur *in just over an hour;* je was net ~ te laat/te vroeg *you were just too late/too early;* dit moet toch ~ worden gezegd *this (just) needs to be said* **5.¶** als ze het maar ~ niet hoeven te doen, dan ... *if they can possibly get by/manage without doing it, ...* **6.6** ~ **buiten** de stad gelegen *(just) a bit/a little way out of town;* zij is ~ **in/over** de twintig *she is just in her twenties/over twenty, she is in her early twenties* **8.1** hij is ~ slim als sterk *he is as clever as he is strong;* ze is ~ lief als ze mooi is *she is as sweet as she is beautiful* **¶.¶** ho eens ~! *whoa!.*

evenaar ⟨de (m.)⟩ **0.1** ⟨aardr.⟩ *equator* **0.2** [mbt. een weegschaal] **pointer** ⇒*tongue* ◆ **2.1** de magnetische ~ *the magnetic e.* **3.1** de ~ pas-seren *cross the e.* ⟨inf.⟩ *the line* **3.2** ⟨fig.⟩ de ~ slaat door ten gunste van *the scales tip in favour of.*

evenals ⟨vw.⟩ **0.1** *(just) like* ⇒*(just) as (vóór ww.)* ◆ **1.1** ~ andere lan-den *in common with/(just) like other countries, as do/did/are/were/* ⟨enz.⟩ *other countries;* die man is ~ zijn vader een bekend acteur *that man is a famous actor (just) like his father* **4.1** hun zaak ging failliet, ~ die van kleine ondernemers *his business went bankrupt, in common with/(just) like/as did many other small businesses.*

evenaren ⟨ov.ww.⟩ **0.1** *equal* ⇒*(be a) match for, rival,* ⟨inf.⟩ *touch, come up to (s.o.'s level)* ◆ **3.1** niemand heeft hem ooit kunnen ~ *no-one has ever been able to match/touch him/come up to him/come up to his level* **5.1** niet te ~ *unequalled, unparallelled, matchless, unri-valled, second to none* **6.1** iets/iem. in schoonheid ~ *e./rival sth./s.o. in beauty/speed.*

evenbeeld ⟨het⟩ **0.1** *image* ⇒*likeness* ◆ **6.1** zij is het ~ **van** haar moeder *she is the spitting image/spit and image/* ⟨BE;inf.⟩ *dead spit of her mother, she is a carbon copy of her mother;* zij is het ~ **van** jou ⟨ook⟩ *she is another you.*

eveneens ⟨bw.⟩ **0.1** [ook] *also* ⇒*too, as well, likewise* **0.2** [op dezelfde wijze] *likewise* ◆ **1.1** mijn vrouw heeft me verlaten, en mijn geluk ~ *my wife has deserted me, and so has my happiness* **3.2** doe ~ *do l..*

evenement ⟨het⟩ **0.1** [publieke gebeurtenis] *event* **0.2** [gewichtig, merk-waardig voorval] *event* ⇒*occurrence* **0.3** ⟨hand.;jur.⟩ *event.*

evenementenhal ⟨de⟩ **0.1** ≠*multi-purpose hall/building.*

evengoed ⟨bw.⟩ **0.1** [evenzeer] *just as* ⇒*no less (than),* ⟨inf.⟩ *every bit as* **0.2** [met hetzelfde resultaat] *just as well* ⇒*equally well* **0.3** [deson-danks] *all the same* ⇒*just the same, anyhow, nevertheless, nonetheless* ◆ **2.1** jij bent ~ schuldig als je broer *you are just/quite/every bit as guilty as your brother/no less guilty than your brother* **3.2** je kunt dat ~ zo doen *you can just as/equally well do that, you can do that just as/equally well* **1.3** ik weet van niets, maar word er ~ wel op aangekeken *I know nothing about it, but I am suspected all the same/just the same/anyhow/nevertheless/nonetheless.*

evenhoevigen ⟨zn.mv.⟩ **0.1** *Artiodactyla.*

evenknie ⟨de⟩ **0.1** *equal* ⇒*peer, rival, match* ◆ **3.1** hij heeft zijn ~ ge-vonden *he has met his match;* iemands ~ zijn *be s.o.'s e./peer/rival.*

evenmatig ⟨bn., bw.;-ly⟩ **0.1** *proportional* ⇒*corresponding.*

evenmens ⟨de (m.)⟩ **0.1** *fellow-man* ⇒*fellow human (being),* ⟨bijb.⟩ *neighbour.*

evenmin ⟨bw.⟩ **0.1** *(just) as little as* ⇒*no(t any) more than,* ⟨voor ww. ook⟩ *neither, nor* ◆ **1.1** ik kom niet en mijn vrouw ~ *I am not coming nor is my wife/(and) neither is my wife/and my wife is not either* **2.1** hij is ~ geleerd als verstandig *he has as little education as (he has) in-telligence/no more education than (he has) intelligence* **3.1** en ~ kon hij er wat aan doen *nor/(and) neither could he do anything about it, and he could not do anything about it either* **4.1** ik kan het me niet permitteren en jij ~ *I can't afford it nor can you/(and) neither can you/and you can't either* **8.1** hij is ~ afgestudeerd als ik *we've neither of us graduated.*

evennaaste ⟨de (m.)⟩ **0.1** *fellow-man* ⇒*fellow human (being),* ⟨bijb.⟩ *neighbour.*

evennachtslijn ⟨de⟩ ⟨aardr.⟩ **0.1** *(celestial) equator* ⇒*equinoctial (line).*

evenredig

I ⟨bn.⟩ **0.1** [in verhouding gelijk] *proportional (to)* ⇒⟨beantwoor-dend⟩ *proportionate (to), commensurate (with)* **0.2** ⟨wisk.⟩ *propor-*

tional (to) ◆ **1.1** ~e belasting *proportional taxation;* een ~ deel *a pro-portion;* ~e vertegenwoordiging *proportional representation* **5.2** om-gekeerd ~e grootheden *inversely p. quantities* **6.1** het loon is ~ **aan** de inspanning *the pay is proportionate to/in proportion to/commensu-rate with the effort;* niet ~ **met** *disproportionate to* **6.2** omgekeerd ~ **met** *inversely p. to, varying inversely as;* recht ~ **met** *(directly) p., va-rying (directly) as;*

II ⟨bw.⟩ **0.1** [in overeenstemming met de verhoudingen] *in propor-tion* ⇒*proportionally* ◆ **3.1** ~ verdelen *divided up proportionally.*

evenredige ⟨de⟩ **0.1** *proportional quantity/line.*

evenredigheid ⟨de (v.)⟩ **0.1** [gelijke verhouding] *proportion* **0.2** [⟨wisk.⟩] *proportion* ◆ **1.2** ⟨wisk.⟩ voorgaande term van ~ *first term of a p.* **6.1** in ~ **met** *in p. to;* **naar** ~ **van** *in the p. of.*

eventjes ⟨bw.⟩ **0.1** [amper] *(only) just* ⇒*barely* **0.2** [een korte tijd] *(for) (just) a little while* ⇒*(for) (just) a moment, (for) a bit* **0.3** [met weinig tijd, moeite] *just* **0.4** [liefst] *only* ⇒*merely* **0.5** [een klein beetje] *just* ◆ **3.1** ~ aanraken *(only) just/barely/only touch* **3.2** hij is ~ hier ge-weest *he was here for (just) a little while/for (just) a moment/for a bit;* wacht ~ *wait just a moment/just a bit* **3.3** laat mij dat nu ~ doen *j. let me do that* **3.5** als je nu nog ~ doorredeneert, dan ...*if you j. follow that line of reasoning through, ...* **5.4** het kostte maar ~ f1200 *it o. cost 1200 guilders, it cost a mere 1200 guilders.*

eventualiteit ⟨de (v.)⟩ **0.1** [mogelijkheid dat iets gebeurt] *possibility* **0.2** [iets dat mogelijk gebeuren kan] *contingency* ⇒*eventuality* **6.2** **tegen** ~en gewaarborgd zijn *be guaranteed against any c./eventuality /against contingencies/eventualities.*

eventueel

I ⟨bw.⟩ **0.1** [mogelijkerwijs] *possibly* ⇒*if necessary, if (so) desired,* ⟨alternatieve mogelijkheden⟩ *alternatively* ◆ **1.1** alles of ~ de helft *all of it, or alternatively half;* de chef of ~ de sous-chef *the chief or if necessary the deputy chief* **3.1** men kan ~ ook met een cheque betalen *payment by cheque is also possible if so desired;* als hij ~ niet komt *if he doesn't come, in the event (that) he doesn't come;* ik zou ~ nog een maandje kunnen wachten *I could if necessary wait another month or so;* indien de dokter ~ mocht weigeren ... *in the event that the doctor refuses/of the doctor('s) refusing, should the doctor for any reason re-fuse* **¶.1** wij zouden ~ bereid zijn om ... *we might be prepared to ...;* het ~ te veel betaalde krijgt u natuurlijk terug *you will of course be refunded such money as has been overpaid/any money paid in excess;* gevraagd eerste graads docent, ~ nog studerende *vacancy for junior lecturer, possibly postgraduate student;* mocht dat ~ het geval zijn *should that (prove to) be the case, in that event, if such should be the case;*

II ⟨bn.⟩ **0.1** [mogelijk] *any (possible)* ⇒*such ... as, potential* ⟨vaak ook onvertaald in het Engels⟩ ◆ **1.1** hij zal een ~ benoeming aannemen *he will accept an appointment (in the event of one being of-fered/in the event that one is offered/should one be offered/if one is offered);* voor ~ verdere informatie *for (any) further infor-mation;* ~ klachten indienen bij ... *(any) complaints should be lodged with ...;* ~ klanten *prospective/potential customers;* bij ~ moeilijkheden *if problems arise, should problems arise, in the event that problems arise/of problems (arising);* ~ on-kosten kunt u declareren *you may declare (any) expenses, you may declare such expenses as (may) arise;* verzekering tegen ~ verliezen *insurance against contingent/accidental loss(es).*

evenveel ⟨hoofdtelw.⟩ **0.1** *(just) as much* ⇒⟨vóór zn.⟩ *just as, equally* ◆ **1.1** iedereen heeft er ~ recht op *everyone is equally entitled to it* **3.1** ~ houden van A als van B *love A (just) as much as B;* ieder krijgt ~ *eve-ryone gets just as much/the same amount.*

evenvingerig ⟨bn.⟩ **0.1** *cloven-hoofed/footed.*

evenwel ⟨bw.⟩ **0.1** *however* ⇒*nevertheless, nonetheless, yet, still.*

evenwicht ⟨het⟩ **0.1** [gelijk gewicht] *balance;* ⟨schr.⟩ *equilibrium* **0.2** [stabiele toestand van een lichaam] *balance;* ⟨schr.⟩ *equilibrium* **0.3** [toestand van rust] *balance;* ⟨schr.⟩ *equilibrium* **0.4** [⟨schei.⟩] *equili-brium* ◆ **1.3** het ~ der machten, staatkundig ~ *the b. of power* **2.2** ⟨nat.⟩ labiel/stabiel/onverschillig ~ *unstable/stable/neutral e.;* wan-kel ~ *unsteady b.* **2.3** geestelijk ~ *mental b./e., b. of (the) mind* **2.4** chemisch ~ *chemical e.* **3.2** zijn ~ bewaren *keep one's b.;* het ~ her-krijgen *regain/recover one's b.;* het ~ verliezen *lose (one's) b.;* het juiste ~ vinden *achieve the right b.* **3.3** het ~ (enigszins) herstellen *re-store/redress the b.;* het ~ verstoren/verbreken *disturb/destroy the b./e.;* zijn ~ zoeken *seek one's b.* **6.1** ⟨fig.⟩ de twee par-tijen houden elkaar **in** ~ *the two parties balance each other/one an-other out;* met elkaar **in** ~ brengen *balance;* ⟨fig.⟩ *equate* **6.2** gebrek **aan** ~ *imbalance, disequilibrium, unsteadiness;* iets **in** ~ houden *keep sth. balanced;* **in** ~ staan/blijven *be/remain balanced, keep one's b.;* **in** ~ brengen *balance, make ... balance;* **in** ~ zijn *be (well-)balanced/in e.;* niet **in** ~ zijn *be unbalanced/out of b./off b./in disequilibrium;* **uit** het ~ brengen *unbalance, throw off/out of b.* **6.3** iem. **uit** zijn ~ bren-gen *throw s.o. off b.;* **uit** zijn ~ zijn, zijn ~ kwijt zijn *be (thrown) off b.* **¶.2** zijn ~ kwijt zijn/raken *have lost/lose one's b., be off b., be/be-come unbalanced.*

evenwichtig

I ⟨bn.⟩ **0.1** [stabiel] *(well-)balanced* ⇒*steady, stable* ◆ **1.1** een ~e gemoedstoestand *a (well-)balanced state of mind;* een ~e kerel *a level-headed fellow;* een ~e opbouw *a stable construction;* ~e verhoudingen *stable relationships;*
II ⟨bw.⟩ **0.1** [harmonieus, regelmatig] *evenly* ⇒*equally, uniformly* **0.2** [zo dat het gewicht gelijkelijk verdeeld is] *evenly* ⇒*equally, uniformly* ◆ **3.2** een vracht ~ verdelen *distribute a load evenly / equally / uniformly.*

evenwichtigheid ⟨de (v.)⟩ **0.1** *balance* ⇒*equilibrium, stability,* ⟨ook fig.⟩ *poise, composure.*

evenwichtsbalk ⟨de (m.)⟩ ⟨sport⟩ **0.1** *(balance) beam.*

evenwichtsgevoel ⟨het⟩ **0.1** *sense of balance / equilibrium.*

evenwichtskunstenaar ⟨de (m.)⟩ **0.1** *equilibrist* ⇒*balancer, tight-rope walker.*

evenwichtsleer ⟨de⟩ **0.1** *statics.*

evenwichtsorgaan ⟨het⟩ **0.1** *organ of balance.*

evenwichtsstoornis ⟨de (v.)⟩ **0.1** *disturbance of equilibrium.*

evenwichtstoestand ⟨de (m.)⟩ **0.1** *(state of) equilibrium* ⇒*balanced / equilibrium condition* ◆ **2.1** de huidige ~ *the present equilibrium position / situation / condition* **3.1** een ~ bereiken *attain a balance / an e.;* een ~ scheppen *establish a balanced condition / a state of balance* **6.1** in de ~ terugkeren *return to the position / state of e..*

evenwijdig
I ⟨bn.⟩ **0.1** [⟨wisk.⟩] *parallel (to / with)* **0.2** [in geheel gelijke richting lopend] *parallel (to / with);*
II ⟨bw.⟩ **0.1** [⟨wisk.⟩] *parallel (to / with)* **0.2** [in geheel gelijke richting] *parallel (to / with)* ◆ **6.1** een lijn trekken ~ **aan** *draw a line p. to* **6.2** de weg loopt ~ **met** de spoorbaan *the road is / runs p. to / with the railway line.*

evenwijdigheid ⟨de (v.)⟩ **0.1** *parallelism.*

evenzeer ⟨bw.⟩ **0.1** [in even hoge mate] *(just) as much / as greatly (as), no less than* **0.2** [eveneens] *likewise* ⇒*also* ◆ **8.1** zij wordt ~ bewonderd als gehaat *she is just as much admired as (she is) hated.*

evenzo ⟨bw.⟩ **0.1** [op dezelfde wijze] *likewise* **0.2** [in even hoge mate] *(just) as* ◆ **3.1** ~ doen *do likewise, follow suit* **8.2** ~ groot / rijk als *(just) as big / rich as.*

evenzogoed ⟨bw.⟩ **0.1** [net zo goed] *just as well* ⇒*equally well* **0.2** [desondanks] *just / all the same* ⇒*nevertheless, nonetheless* ◆ **3.2** hij had er totaal geen zin in, ~ ging hij *he didn't feel at all like it, but he went all / just the same* **5.1** het had ~ mis kunnen gaan *it could just as / equally well have gone wrong.*

ever ⟨de (m.)⟩ **0.1** *wild boar.*

everzwijn ⟨het⟩ **0.1** *wild boar.*

evident
I ⟨bn.⟩ **0.1** [zeer duidelijk] *obvious* ⇒*(self-)evident* ◆ **1.1** een ~e verschrijving *an o. slip of the pen* **3.1** het is ~ dat … *it is o. / it goes without saying that …;*
II ⟨bw.⟩ **0.1** [zoals duidelijk blijkt] *obviously* ⇒*evidently, manifestly.*

evidentie ⟨de (v.)⟩ **0.1** *obviousness.*

evocatie ⟨de (v.)⟩ **0.1** *evocation.*

evocatief
I ⟨bn.⟩ **0.1** [gevoelens oproepend] *evocative;*
II ⟨bw.⟩ **0.1** [gevoelens oproepend] *evocatively.*

evoceren →**evoqueren.**

evolueren ⟨onov.ww.⟩ **0.1** [zich geleidelijk ontwikkelen] *evolve* **0.2** [wendingen maken] *move (and turn)* ⇒⟨snel⟩ *whirl, spin,* ⟨mil.⟩ *wheel* **0.3** [wentelen] *revolve* ⇒*rotate, swirl* ⟨vloeistoffen⟩.

evolutie ⟨de (v.)⟩ **0.1** [geleidelijke ontwikkeling] *evolution* **0.2** [draaiende beweging] *rotation* **0.3** [bewegingsfiguur] *evolution* ⇒*figure* **0.4** [⟨mil.⟩] *wheel.*

evolutieleer ⟨de⟩ **0.1** *theory of evolution, evolutionary theory, evolutionism* ⇒⟨van Darwin ook⟩ *Darwinism.*

evolutietheorie ⟨de (v.)⟩ **0.1** *theory of evolution.*

evolutionist ⟨de (m.)⟩ **0.1** *evolutionist* ⇒⟨mbt. Darwin ook⟩ *Darwinist.*

evoqueren ⟨ov.ww.⟩ **0.1** *evoke.*

Evriet ⟨het⟩ **0.1** *(Modern) Hebrew.*

evt. ⟨afk.⟩ **0.1** [eventueel] *(possibly, if necessary / desired).*

E-weg ⟨de (m.)⟩ **0.1** *E road* ⇒*European motorway / ^Ahighway.*

ex¹ ⟨de⟩ **0.1** *ex* ⟨vroegere echtgeno(o)t(e) / verloofde / enz.⟩.

ex² ⟨vz.⟩ **0.1** [uit] *ex* **0.2** [⟨jur.⟩] *under* ⇒*by virtue of* ◆ **1.1** 100 ton mais ~ Triton *100 tonnes of maize ex Triton* **1.2** vordering ~ art. 3 *claim under Sec. 3* **1.¶** ⟨hand.⟩ ~ coupon *bond without block of coupons attached* **¶**.1 ~ jure *de jure;* ~ professo *professionally, by virtue of one's profession;* ~ usu *out of use.*

ex. ⟨afk.⟩ **0.1** [exemplaar] *(copy).*

exact
I ⟨bn.⟩ **0.1** [zonder afwijking uitgevoerd] *exact* ⇒*precise, accurate* **0.2** [op wiskundige grondslag gebouwd] *exact* ◆ **1.2** ~e wetenschappen *e. sciences;* een ~e wetenschapper *a scientist;*
II ⟨bw.⟩ **0.1** [zonder afwijking] *accurately* ⇒*precisely, exactly* **0.2** [op wiskundige grondslag] *≠scientifically.*

ex aequo 0.1 [gelijk geëindigd] *equal* ⇒*joint* **0.2** [gelijkelijk] *ex aequo* ⇒*equally* ◆ **1.1** op de eerste plaats ~ Nooren en Sloothaak *N. and S. e. / joint first.*

---

exagereren ⟨ov.ww.⟩ **0.1** *exaggerate.*

exaltatie ⟨de (v.)⟩ **0.1** [geestvervoering] *exaltation* **0.2** [overspanning, opgewondenheid] *over-excitement* ⇒*agitation.*

exalteren ⟨ov.ww.⟩ **0.1** *elate* ⇒*enchant, enrapture, delight.*

examen ⟨het⟩ **0.1** *exam(ination)* ◆ **2.1** een afsluitend ~ *a final e.;* mondeling ~ *oral e.;* schriftelijk ~ *written e.;* een vergelijkend ~ *a competitive e.* **3.1** een ~ afleggen *take / sit an e.;* ~ afnemen *examine;* ~ doen *do / take / sit an e.;* zijn ~ halen, voor zijn ~ slagen *pass one's e.;* het ~ zal worden afgenomen / gehouden op de 18e *the e. will be held on the 18th* **6.1** door een ~ komen *pass an e.;* ⟨inf.⟩ *get through an e.;* hij moest het ~ **in / voor** drie vakken overdoen *he had to retake / resit the e. in three subjects;* **op** het ~ zelf wist hij niets meer *when it came to the actual e. his mind was a blank;* zakken / niet slagen **voor** een ~ *fail an e.;* **voor** zijn ~ zitten *be reading for one's e.;* opgaan **voor** een ~ *go in for / present o.s. for an e.;* met gemak **voor** een ~ slagen *sail through an e..*

examencommissie ⟨de (v.)⟩ **0.1** *examining board, board / panel of examiners, examination board.*

exameneis ⟨de⟩ **0.1** *examination requirement, requirement for an examination.*

examengeld ⟨het⟩ **0.1** *examination fee.*

examenkandidaat ⟨de (m.)⟩ **0.1** *examinee, examination candidate, candidate (for an) examination* ⇒*testee,* ⟨aangemeld ook⟩ *applicant for examination.*

examenlokaal ⟨het⟩ **0.1** *examination room.*

examenopgave ⟨de⟩ **0.1** *examination paper* ⇒*(act of) examination questions* ◆ **3.1** een ~ maken *answer the e. p.;* een ~ opgeven ⟨bedenken⟩ *devise* / ⟨BE ook⟩ *set an e. p.;* ⟨uitdelen⟩ *pass / hand out an e. p..*

examenstof ⟨de⟩ **0.1** *subject matter* ⇒*required reading, set books,* ⟨inf.⟩ *syllabus, curriculum* ◆ **3.1** behoren deze boeken tot de ~? *are these books part of the exam / on the exam syllabus?;* de ~ bestaat uit …*the examination syllabus consists of ….*

examentijd ⟨de (m.)⟩ **0.1** *examination period / time* ⇒⟨AE;sl.⟩ *dead week.*

examenvak ⟨het⟩ **0.1** *examination subject* ⇒^B*A-level / O-subject* ◆ **7.1** hij heeft zeven ~ken *he's taking seven subjects in his examination.*

examenvrees ⟨de⟩ **0.1** *fear of exam(ination)s;* ⟨inf.⟩ *(pre-)exam nerves.*

examinandus ⟨de (m.)⟩ **0.1** *examinee* ⇒*candidate.*

examinator ⟨de (m.)⟩, **-trice** ⟨de (v.)⟩ **0.1** *examiner.*

examineren
I ⟨ov.ww.⟩ **0.1** [ondervragen] *examine* ◆ **3.1** ~d vragen *examine, test (s.o.'s / s.o. on his / her knowledge of …)* **5.1** mondeling ~ *e. orally* **6.1** iem. ~ **in** *e.s.o. on;*
II ⟨onov.ww.⟩ **0.1** [examen afnemen] *examine* ⇒*hold an / the exam(ination).*

exantheem ⟨het⟩ ⟨med.⟩ **0.1** *exanthem, exanthema.*

Exc. ⟨afk.⟩ **0.1** [Excellentie] *Exc..*

excellent ⟨bn., bw.; -ly⟩ **0.1** *excellent* ⇒*splendid.*

excellentie
I ⟨de (v.)⟩ **0.1** [titel] *Excellency* ◆ **4.1** Hare / Zijne Excellentie *Her / His E.;*
II ⟨de⟩ **0.1** [persoon] *excellency.*

excelleren ⟨onov.ww.⟩ **0.1** *excel.*

excentriciteit ⟨de (v.)⟩ **0.1** [zonderlingheid] *eccentricity* **0.2** [ligging buiten het middelpunt] *eccentricity.*

excentriek¹ ⟨het⟩ **0.1** *eccentric.*

excentriek² ⟨bn., bw.; -ally⟩ **0.1** [raar, zonderling] *eccentric* **0.2** [buiten het middelpunt] *eccentric* ◆ **1.1** een ~ karakter *an e. character* **3.1** hij kan zo ~ doen *he can be so e., he can be such an eccentric.*

excentriekeling ⟨de (m.)⟩ **0.1** *eccentric* ⇒*crank, crackpot,* ↓*weirdo,* ^A*oddball.*

excentrisch
I ⟨bn.⟩ **0.1** [buiten het middelpunt gelegen] *eccentric;*
II ⟨bw.⟩ **0.1** [buiten het middelpunt] *eccentrically* ◆ **3.1** een ~ gelegen wijk *a district located away from / out of the centre, a district (located) in the suburbs.*

exceptie ⟨de (v.)⟩ **0.1** [uitzondering] *exception* **0.2** [⟨jur.⟩] *plea, objection, exception* ◆ **1.2** ~ van nietigheid *e. / p. / o. of nullity;* ~ van onbevoegdheid *declinatory p., motion contesting jurisdiction* **2.2** declinatoire ~ *declinatory p., motion contesting jurisdiction* **3.1** een ~ met iem. maken *make an e. for s.o.* **3.2** een ~ opwerpen tegen *raise an o. to / against, set up a p. against* **6.1** bij ~ *exceptionally, by way of e., as an e.* **8.2** als ~ aanvoeren / opwerpen (dat) *raise the o. (that), set up a p. (of).*

exceptief ⟨bn.⟩ **0.1** ⟨zie 1.1⟩ ◆ **1.1** ⟨jur.⟩ ~ verweer *(defence by way of) objection.*

exceptioneel
I ⟨bn.⟩ **0.1** [uitzonderlijk] *exceptional;*
II ⟨bw.⟩ **0.1** [uitzonderlijk] *exceptionally.*

excerperen ⟨ov.ww.⟩ **0.1** *excerpt.*

excerpt ⟨het⟩ **0.1** *excerpt* ⇒*abstract, extract, précis.*

exces ⟨het⟩ **0.1** [buitensporigheid] *excess* ⇒⟨uitgaven⟩ *extravagance* **0.2** [overschrijding van de ambtsbevoegdheid] *excess* ◆ **6.1** zich **aan** ~sen te buiten gaan *commit excesses.*

excessief ⟨bn.⟩ **0.1** *excessive* ⇒⟨uitgaven⟩ *extravagant*, ⟨prijs⟩ *exorbitant.*

exchange ⟨de (v.)⟩ **0.1** [wissel, uitwisseling] *exchange* **0.2** [handelsbeurs] *trade fair.*

excitatie ⟨de (v.)⟩ **0.1** [opwekking] *excitation* ⇒*stimulation* **0.2** [staat van opgewondenheid] *(over-)excitement* ⇒*agitation*, ⟨ihb. seksueel⟩ *arousal.*

exciteren ⟨ov.ww.⟩ **0.1** *excite* ⇒*stimulate*, ⟨ihb. seksueel⟩ *arouse.*

excl. ⟨afk.⟩ **0.1** [exclusief] *excl..*

exclamatie ⟨de (v.)⟩ **0.1** *exclamation.*

exclameren ⟨ov.ww.⟩ **0.1** *exclaim* ⇒*cry (out).*

exclave ⟨de⟩ **0.1** *exclave.*

exclusie ⟨de (v.)⟩ **0.1** *exclusion.*

exclusief
I ⟨bn.⟩ **0.1** [iem./ iets anders uitsluitend] *exclusive* **0.2** [personen uitsluitend] *exclusive* ⇒*select* **0.3** [niet overal verkrijgbaar] *exclusive* ◆ **1.1** de exclusieve rechten van de verfilming *the e. / sole film rights* **1.2** een exclusieve club *an e. club, a select club* **1.3** een ~ bericht *an e. (report), a scoop;*
II ⟨bw.⟩ **0.1** [niet inbegrepen] *excluding* ⇒*exclusive of* **0.2** [met uitsluiting van andere personen/ zaken] *on an exclusive basis* ◆ **1.1** ~ B.T.W. *VAT extra, excluding VAT, plus VAT;* (de prijzen/ gelden zijn) ~ omzetbelasting *(the prices, the fees are quoted) exclusive of/ excluding purchase tax* **3.2** rechten ~ verkoop *sell rights on an exclusive basis, sell e. rights.*

exclusiviteit ⟨de (v.)⟩ **0.1** *exclusivity* ⇒*exclusiveness.*

excommunicatie ⟨de (v.)⟩ **0.1** *excommunication.*

excommuniceren ⟨ov.ww.⟩ **0.1** *excommunicate.*

excreet ⟨het⟩ **0.1** *excreta* (mv.) ◆ **2.1** menselijke excreten *human e..*

excrement ⟨het⟩ **0.1** *excrement.*

excretie ⟨de (v.)⟩ **0.1** *excretion.*

excursie ⟨de (v.)⟩ **0.1** [uitstapje] *excursion* **0.2** [leer-/ werkbezoek] *(study) visit;* ⟨buiten⟩ *field trip* **0.3** [uitweiding] *excursus* ⇒*digression* ◆ **3.1** ~s organiseren *run/organize/ arrange excursions* **6.2** op ~ gaan *go on/ make a field trip/ (study) visit.*

excusabel ⟨bn.⟩ **0.1** *excusable* ⇒*pardonable, forgivable.*

excuseren ⟨ov.ww.⟩ **0.1** *excuse* ⇒*pardon, forgive* ◆ **3.1** geëxcuseerd zijn *have an excuse/ a good excuse* **4.1** Jack vraagt of we hem willen ~, hij voelt zich niet lekker *Jack asks/ begs to be excused/ sends his apologies, he's not feeling well;* wilt u mij even ~ *please e. me for a moment;* hij excuseerde zich netjes *he politely excused himself/ made his excuses;* zich ~ voor *make one's excuses for* ¶.**1** ⟨inf.⟩ excuseer *sorry, beg your pardon.*

excuus ⟨het⟩ **0.1** [verontschuldiging] *apology* **0.2** [reden van verontschuldiging] *excuse* ◆ **2.2** een geldig/ goed ~ hebben *have a valid/ good e.;* een slap/ mager ~ *a poor/ lame/ paltry e.* **3.1** zijn ~/ excuses maken/ aanbieden *apologize, make an a./ (one's) apologies;* ~ vragen *apologize* **3.2** welk ~ gaf hij op? *what e. did he give?;* dat geeft hun een ~ om ...*that gives them an e. to ...* **7.2** dat is nog geen ~ om je huiswerk niet te maken *that's no e. for not doing your homework* **8.2** als ~ aanvoeren/ gebruiken *plead as an e..*

excuus-Truus ⟨de (v.)⟩ ⟨inf.⟩ **0.1** *token/ statutory woman.*

executant ⟨de (m.)⟩ **0.1** [zanger, speler] *performer* ⇒*executant* **0.2** [⟨jur.⟩]⟨van testament⟩ *executor.*

executeren
I ⟨ov.ww.⟩ **0.1** [een vonnis voltrekken] *execute* ⇒*carry out, enforce, put into effect* **0.2** [ter dood brengen] *execute* ◆ **1.1** een hypotheek ~ *foreclose a mortgage;*
II ⟨wk.ww.; zich ~⟩ **0.1** [⟨effectenhandel⟩] *declare o.s. insolvent.*

executeur ⟨de (m.)⟩ **0.1** *executor* ⟨m.⟩; *executrix* ⟨v.⟩.

executeur-testamentair ⟨de (m.)⟩ **0.1** *executor* ⟨m.⟩; *executrix* ⟨v.⟩.

executie ⟨de (v.)⟩ **0.1** [strafvoltrekking] *execution* ⇒*enforcement, putting into effect* **0.2** [inbeslagneming] *execution* ⇒*seizure, distress, distraint*, ⟨van hypotheek⟩ *foreclosure* ◆ **1.1** uitstel van ~ *stay of execution* **2.1** parate ~ *summary execution* **2.2** fiscale ~ *e. for arrears of taxes* **3.1** tot ~ overgaan *levy/ issue (a writ of) execution* **6.2** verkoop bij ~, bij ~ laten verkopen *sale/ sell under distress.*

executief ⟨bn.⟩ **0.1** *executive* ◆ **1.1** executieve bevoegdheid *e. powers;* een ~ orgaan *an e. body.*

executiepeloton ⟨het⟩ **0.1** *execution squad* ⇒*firing squad.*

executieve ⟨de⟩ ⟨AZN⟩ **0.1** *executive (body).*

executiewaarde ⟨de (v.)⟩ **0.1** *liquidation value.*

executoir ⟨bn.⟩ ⟨jur.⟩ **0.1** *enforceable* ◆ **3.1** een vonnis ~ verklaren *declare a sentence e.;* een belastingkohier ~ verklaren *declare a tax payable.*

executoriaal ⟨jur.⟩
I ⟨bn.⟩ **0.1** [ten gevolge van een vonnis] *enforceable* ◆ **1.1** ~ beslag *attachment, seizure under a writ of attachment;* ~ beslag (laten) leggen op *attach;* executoriale titel *writ of execution;* een executoriale titel bezitten/ verkrijgen *be/ become entitled to execution;* een executoriale verkoop *sale under distress;*
II ⟨bw.⟩ **0.1** [ten gevolge van een vonnis] *under the court's direction* ◆ **3.1** ~ verkopen *sell under distress.*

exegeet ⟨de (m.)⟩ **0.1** [bijbel-, schriftverklaarder] *exegete* ⇒*exegetist* **0.2** [uitlegger] *exegete* ⇒*exegetist.*

exegese ⟨de (v.)⟩ **0.1** *exegesis* ◆ **2.1** grammatische ~ *grammatical e.;* historische ~ *historical e..*

exempel ⟨het⟩ **0.1** [voorbeeld] *example* ⇒*exemplar* **0.2** [⟨let.⟩] *exemplum.*

exemplaar ⟨het⟩ **0.1** [afzonderlijke zaak] *specimen* ⇒*sample* **0.2** [afdruk] *copy* **0.3** [mbt. personen] *specimen* ◆ **2.1** een mooi ~ *a fine specimen;* een ongestempeld ~ van een oude postzegel *an uncancelled specimen of an old stamp* **2.3** hij is me een mooi ~ *he's a fine s.* **3.2** van dat boek is nog maar één ~ bewaard gebleven *only one c. of that book has survived/ is extant* **7.1** eerste ~ *original, prototype* ¶.**2** ~ ter inzage *inspection c..*

exemplarisch ⟨bn., bw.;-ly⟩ **0.1** [als voorbeeld dienend] *exemplary* ⇒*illustrative* **0.2** [tot voorbeeld strekkend] *exemplary* ⇒*commendable.*

exempt ⟨bn.⟩ ⟨schr.⟩ **0.1** *exempt (from).*

exequatur ⟨het⟩ ⟨pol.⟩ **0.1** *exequatur.*

exerceren
I ⟨onov.ww.⟩ **0.1** [⟨mil.⟩] *drill* ⇒*exercise* **0.2** [bewegingen maken] *fool/ fiddle about/ᴬaround* ◆ **3.1** laten ~ *drill* ⇒*exercise* **3.2** wat zit je toch raar met die vork te ~ *the way you're waving that fork about, anyone would think you were conducting an orchestra!;*
II ⟨ov.ww.⟩ **0.1** [uitoefenen] *exercise* ⇒ ⟨invloed ook⟩ *exert.*

exercitie ⟨de (v.)⟩ **0.1** *exercise* ⇒*drill.*

exercitieveld ⟨het⟩ **0.1** *parade-ground.*

exhalatie ⟨de (v.)⟩ **0.1** *exhalation* ⇒*emanation.*

exhauster ⟨de (m.)⟩ **0.1** *exhaust.*

exhaustief ⟨bn., bw.;-ly⟩ **0.1** *exhaustive* ⇒*thorough, comprehensive.*

exhiberen ⟨ov.ww.⟩ **0.1** [uitstallen] *exhibit* **0.2** [overleggen] *exhibit* ⇒*produce, display.*

exhibitie ⟨de (v.)⟩ **0.1** [uitstalling] *exhibition* **0.2** [overlegging] *exhibition* ⇒*production, display* **0.3** [het voorbrengen van bewijsmiddelen] *submission (of exhibits/ an exhibit).*

exhibitionisme ⟨het⟩ **0.1** *exhibitionism* ⇒ ⟨jur.⟩ *indecent exposure.*

exhibitionist ⟨de (m.)⟩ **0.1** *exhibitionist.*

exhibitionistisch
I ⟨bn.⟩ **0.1** [van het exhibitionisme] *exhibitionistic;*
II ⟨bw.⟩ **0.1** [als een exhibitionist] *exhibitionistically* ◆ **3.1** ⟨psych.⟩ zich ~ gedragen *expose o.s..*

exhibitum ⟨het⟩ **0.1** *exhibit.*

exhumatie ⟨de (v.)⟩ **0.1** *exhumation.*

exil ⟨het⟩, **exilium** ⟨het⟩ **0.1** [verbanning] *exile* **0.2** [ballingsoord] *place of exile.*

existent ⟨bn.⟩ **0.1** *existent* ⇒*existing*, ⟨documenten ook⟩ *extant.*

existentialisme ⟨het⟩ **0.1** *existentialism.*

existentialist ⟨de (m.)⟩, **-e** ⟨de (v.)⟩ **0.1** *existentialist.*

existentie ⟨de (v.)⟩ **0.1** [het bestaan] *existence* ⇒*being* **0.2** [levensbestaan] *existence* ⇒*life* **0.3** [⟨theol.⟩] *nature* **0.4** [alles wat bestaat] *existence* ⇒*creation.*

existentieel
I ⟨bn.⟩ **0.1** [mbt. existentie] *existential;*
II ⟨bw.⟩ **0.1** [uit een oogpunt van existentie] *existentially (speaking).*

existentiefilosofie ⟨de (v.)⟩ **0.1** *existential philosophy* ⇒*philosophy of existence*, ⟨ook; in fil. zelf niet gebruikt⟩ *existentialist philosophy, existentialism.*

existeren ⟨onov.ww.⟩ **0.1** *exist.*

exit 0.1 [⟨dram.⟩ af] *exit*, ⟨mv. ook⟩ *exeunt* **0.2** [uitgang] *exit* ◆ **1.1** ⟨fig.⟩ ~ John *exit John, farewell (to) John, that's the end of John;* ⟨inf.⟩ *that's curtains for John.*

exitus ⟨de (m.)⟩ **0.1** *outcome* ⇒*end(ing)* ◆ ¶.**1** ~ lethalis *fatal o.;* ~ infelix *unhappy ending.*

ex-libris ⟨het⟩ **0.1** *ex libris, bookplate.*

exminister ⟨de (m.)⟩ **0.1** *ex-/ former minister.*

exobiologie ⟨de (v.)⟩ **0.1** *exobiology, astrobiology.*

exobioloog ⟨de (m.)⟩ **0.1** *exobiologist, astrobiologist.*

exodus ⟨de (m.)⟩ **0.1** *exodus.*

ex officio 0.1 *ex officio* ⇒*by/ in virtue of one's office, in one's official capacity, by office.*

exogamie ⟨de (v.)⟩ **0.1** *exogamy.*

exogeen ⟨bn.⟩ **0.1** *exogenous.*

exorbitant ⟨bn., bw.;-ly⟩ **0.1** *exorbitant* ⇒*excessive, extravagant, unconscionable* ◆ **1.1** ~e prijzen *exorbitant/* ⟨onbetaalbaar⟩ *prohibitive prices.*

exorciseren ⟨onov., ov.ww.⟩ **0.1** *exorcize.*

exorcisme ⟨het⟩ **0.1** *exorcism.*

exorcist ⟨de (m.)⟩ **0.1** *exorcist.*

exordium ⟨het⟩ **0.1** *exordium.*

exosfeer ⟨de⟩ **0.1** *exosphere.*

exoterisch ⟨bn.⟩ **0.1** *exoteric.*

exotherm ⟨bn.⟩ ⟨schei.⟩ ◆ **1.**¶ ~e reactie *exothermic reaction.*

exotisch ⟨bn.⟩ **0.1** [door een ander klimaat voortgebracht] *exotic* **0.2** [zoals men vindt in verre landen] *exotic.*

exotisme ⟨het⟩ **0.1** *exoticism.*

exotoxine ⟨de⟩ ⟨med.⟩ **0.1** *exotoxin.*
expander ⟨de (m.)⟩ **0.1** *(chest-)expander.*
expanderen
  I ⟨onov.ww.⟩ **0.1** [zich uitbreiden] *expand;*
  II ⟨ov.ww.⟩ **0.1** [uitbreiden] *expand.*
expansie ⟨de (v.)⟩ **0.1** [uitzetting, uitbreiding] *expansion* **0.2** [vergroting van grondgebied] *expansion* **0.3** [⟨taal.⟩] *expansion* ◆ **2.1** industriële ~ *industrial e..*
expansiedrang ⟨de (m.)⟩ **0.1** *urge for expansion* ⇒*imperialism.*
expansief ⟨bn.⟩ **0.1** [mbt. expansie] *expansive* **0.2** [geneigd tot expansie] *expansive;* ⟨ec.⟩ *expansionary* **0.3** [mededeelzaam] *expansive* ◆ **1.1** expansieve kracht *e. force.*
expansiepolitiek ⟨de (v.)⟩ **0.1** *expansionist policy* ⇒*policy of expansion, expansionism.*
expansievat ⟨het⟩ **0.1** *expansion tank.*
expansionisme ⟨het⟩ **0.1** *expansionism.*
expansionistisch ⟨bn.⟩ **0.1** *expansionist(ic).*
expatriëren
  I ⟨ov.ww.⟩ **0.1** [uit het land verdrijven] *expatriate* ⇒*deport;*
  II ⟨onov.ww.⟩ **0.1** [het vaderland verlaten] *expatriate o.s.* ⇒*emigrate.*
expectatief ⟨bn.⟩ **0.1** [afwachtend] *expectant* **0.2** [⟨med.⟩] *expectative.*
expediënt
  I ⟨de (m.)⟩ **0.1** [assistent van een bevrachter] *dispatcher* ⇒*forwarding agent, dispatch clerk* **0.2** [autobevrachter] *car shipper,* ^*automobile shipper;*
  II ⟨het⟩ **0.1** [uitweg] *expedient.*
expediëren ⟨ov.ww.⟩ **0.1** [af-/verzenden] *dispatch* ⇒*ship, forward* **0.2** [⟨fig.⟩ wegsturen] *send (s.o.) packing* ⇒*send (s.o.) on his way* **0.3** [van kant maken] *dispose of* ⇒*liquidate,* ⟨inf.⟩ *do away with.*
expediteur ⟨de (m.)⟩ **0.1** [vervoerder] *shipping/forwarding/dispatching agent* ⇒*shipper* ⟨vnl. per schip⟩*, carrier* **0.2** [sorteerder bij de P.T.T.] *sorter.*
expeditie ⟨de (v.)⟩ **0.1** [verzending van goederen] *dispatch* ⇒*shipping, forwarding* **0.2** [afdeling] *dispatch/shipping/forwarding department/ section* **0.3** [ontdekkingstocht] *expedition* **0.4** [personen op ontdekkingstocht] *expedition* **0.5** [⟨inf.⟩ onderneming] *venture* ⇒*undertaking* **0.6** [militaire actie] *expedition* **0.7** [afschrift van een vonnis e.d.] *(authenticated) copy* ◆ **2.1** voor een snelle ~ van de goederen zorgen *ensure that the goods are forwarded rapidly* **2.5** dat is een hele ~ *that's quite a v./an undertaking* **3.1** de koper betaalt de ~ *delivery/transport costs will be paid by the purchaser* **6.2** hij zit/werkt **op** de ~ *he is in dispatch* **6.3** de ~ **naar** Spitsbergen *the e. to Spitzbergen, the Spitzbergen e.;* **op** ~ gaan *set off on/go on an e.* **6.6** de ~ **tegen** Atjeh *the Atjeh e..*
expeditiebedrijf ⟨het⟩ **0.1** *forwarding/shipping business/agency* ⇒*carrying business/trade,* ⟨transportzaak⟩ *delivery company/service.*
expeditiekantoor ⟨het⟩ **0.1** *forwarding/shipping-office.*
expeditieleger ⟨het⟩ **0.1** *expeditionary force/army.*
expeditielid ⟨het⟩ **0.1** *member of an/the expedition.*
expeditiestraat ⟨de⟩ **0.1** *delivery road/* ⟨steeg⟩ *lane.*
expensief ⟨bn.⟩ **0.1** *expensive* ⇒*dear, costly.*
experiëntie ⟨de (v.)⟩ **0.1** *experience.*
experiment ⟨het⟩ **0.1** *experiment* ◆ **3.1** een (wetenschappelijk) ~ doen/ uitvoeren (op) *do/carry out/perform a(n) (scientific) e. (on).*
experimenteel
  I ⟨bn., bw.; -ly⟩ **0.1** [proefondervindelijk] *experimental* ◆ **1.1** experimentele bewijzen *e. evidence;* experimentele fonetiek *e. phonetics;* een experimentele methode *an e. method;* experimentele natuurkunde *e. physics* **3.1** de theorie werd ~ bewezen *the theory was proved experimentally/by experiment;*
  II ⟨bn.⟩ **0.1** [gemaakt voor proefnemingen] *experimental* ◆ **1.1** in een ~ stadium verkeren *be in an e. stage;* ~ theater *e. theatre;* een ~ vliegtuig *an e. aircraft.*
experimentelen ⟨zn.mv.⟩ **0.1** *experimental/avant-garde artists.*
experimenteren ⟨onov.ww.⟩ **0.1** *experiment* ◆ **6.1** ~ **met** chemische stoffen *e. with chemicals;* **met** verschillende onderwijsvormen ~ *e. with various types of education;* ~ **op** mensen/dieren *e. on humans/animals.*
expert ⟨de (m.)⟩ **0.1** *expert* ⇒⟨schade-expert ook⟩ *assessor* ◆ **2.1** gerechtelijk ~ *e. appointed by court;* een medisch ~ *a medical e.* **3.1** hij probeert hier de ~ uit te hangen *he's trying to play the e., he's pontificating* **6.1** een ~ zijn in het vak *be an e. in the field/on the subject;* ⟨scherts.⟩ een ~ zijn in het verzinnen van smoezen *be an e./a past master/a genius in/at finding excuses;* ~ zijn **op** een bepaald gebied *be an e. in a given field/area;* een werkje/karwei **voor** een ~ *a job for an e., an expert's job.*
expertise ⟨de (v.)⟩ **0.1** [onderzoek] *(expert's) appraisal/assessment/examination* **0.2** [verslag] *(expert's) report/appraisal/assessment* ◆ **2.1** een gerechtelijk geneeskundige ~ *a forensic/medico-legal report;* een gerechtelijke ~ *an appraisal by a court-appointed expert* **3.1** een ~ houden *make/carry out an (expert's) assessment/appraisal;* aan een ~ onderwerpen *appraise, subject to (expert/an expert's) assessment/appraisal.*

expertiserapport ⟨het⟩ **0.1** *assessor's/valuer's/expert's report, expertise.*
expiratie ⟨de (v.)⟩ **0.1** [uitademing] *expiration* **0.2** [dood] *decease* **0.3** [afloop] *expiry* ⇒*expiration.*
expireren
  I ⟨ov.ww.⟩ **0.1** [uitademen] *expire;*
  II ⟨onov.ww.⟩ **0.1** [sterven] *expire* **0.2** [aflopen] *expire* ⟨mbt. datum⟩*, elapse* ⟨mbt. periode⟩ ◆ **1.1** de termijn expireert op ...*the term expires on ....*
expletie ⟨de (v.)⟩ **0.1** *expletive.*
expletief ⟨bn.⟩ ⟨taal.⟩ **0.1** *expletive.*
explicatie ⟨de (v.)⟩ **0.1** *explanation* ⇒*elucidation, clarification* ◆ **6.1** een ~ **bij** iets geven *give an explanation of sth..*
expliceren ⟨ov.ww.⟩ **0.1** *explain* ⇒*elucidate, clarify.*
expliciet ⟨bn., bw.; -ly⟩ **0.1** *explicit.*
explicitatie ⟨de (v.)⟩ **0.1** *explicit formulation/statement.*
expliciteren ⟨ov.ww.⟩ **0.1** *make (more) explicit.*
exploderen ⟨onov.ww.⟩ **0.1** *explode* ◆ **1.1** ~de stoffen *explosives* **3.1** iets laten ~ *e. sth.;* ⟨inf.⟩ *blow sth. up.*
exploitabel ⟨bn.⟩ **0.1** *exploitable.*
exploitant ⟨de (m.)⟩ **0.1** *operator, developer;* ⟨vergunningshouder⟩ *licensee;* ⟨eigenaar⟩ *proprietor, owner.*
exploitatie ⟨de (v.)⟩ **0.1** [het exploiteren] *exploitation* ⇒*utilization,* ⟨bouwterreinen enz.⟩ *development* **0.2** [uitbuiting] *exploitation* ◆ **1.1** de ~ van een mijn *the e./working of a mine* **1.2** de ~ van de arbeiders *the e. of the workers* **2.1** in eigen ~ hebben/nemen *run/operate ... o.s., take control of* **6.1** iets in ~ nemen/brengen *open/start sth. up;* iets **in** ~ geven *lease sth. (out);* **in** ~ zijn *be running/operating/working;* maatschappij **tot** ~ **van** ......*development company.*
exploitatiekosten ⟨zn.mv.⟩ **0.1** *running/operating costs.*
exploitatiemaatschappij ⟨de (v.)⟩ **0.1** *operating/working company;* ⟨van diensten⟩ *company for the operation of the service* ⇒⟨van spoorlijn ook⟩ *leasing company,* ⟨olievelden, bossen e.d.⟩ *development company,* ⟨vastgoed⟩ *land and property company.*
exploiteerbaar ⟨bn.⟩ **0.1** *exploitable* ⇒*workable, developable, usable, utilizable* ◆ **5.1** moeilijk ~ *hard to exploit;* niet ~ *unusable, unutilizable.*
exploiteren ⟨ov.ww.⟩ **0.1** [winstgevend maken] *exploit* ⇒*work, utilize,* ⟨bouwterreinen enz.⟩ *develop* **0.2** [uitbuiten] *exploit* ◆ **1.1** een stuk grond ~ *develop/utilize a plot of land;* zijn goede naam ~ *trade on one's reputation;* een schouwburg ~ *operate/run a theatre* **1.2** een cliënt ~ *e. a client/customer.*
exploot ⟨het⟩ **0.1** [aanzegging] *service (of a writ)* **0.2** [akte] *writ* ◆ **1.2** ~ van dagvaaring *summons, subpoena;* ~ van executie/gijzeling *w. of execution/attachment* **3.1** exploten doen *serve writs;* ~ doende en sprekende met *having duly served a writ (up)on ... by delivering it to him/her personally* **3.2** iem. een ~ betekenen *serve a w. (up)on s.o.* **6.1** beslag leggen **bij** ~ *serve a writ of attachment.*
exploratie ⟨de (v.)⟩ **0.1** [verkenning] *exploration* **0.2** [opsporing van delfstoffen] *prospecting* ⇒*exploration.*
exploreren ⟨ov.ww.⟩ **0.1** [verkennen] *explore* **0.2** [op bodemschatten onderzoeken] *prospect* ⇒*explore.*
explosie ⟨de (v.)⟩ **0.1** [ontploffing] *explosion* **0.2** [sterke uitbreiding] *explosion* ⇒*boom.*
explosief[1] ⟨het, de (m.)⟩ **0.1** [ontplofbare stof] *explosive* **0.2** [⟨taal.⟩] *plosive, stop.*
explosief[2]
  I ⟨bn.⟩ **0.1** [ontplofbaar] *explosive* **0.2** [⟨fig.⟩] *explosive* ◆ **1.1** explosieve stoffen *explosives* **1.2** een explosieve groei *an e. growth, an explosion;* een ~ karakter hebben *have an e. character;* ⟨inf.⟩ *have a short fuse;* een explosieve situatie *an e. situation;*
  II ⟨bw.⟩ **0.1** [⟨fig.⟩] *explosively.*
explosiegevaar ⟨het⟩ **0.1** *danger/risk of explosion* ⇒*explosion hazard.*
explosiemotor ⟨de (m.)⟩ **0.1** *internal-combustion engine.*
expo ⟨de⟩ **0.1** *exhibition* ⇒*exposition,* ⟨in titel⟩ *Expo.*
exponent ⟨de (m.)⟩ **0.1** [⟨wisk.⟩] *exponent* **0.2** [vertegenwoordigend persoon] *exponent.*
exponentieel ⟨bn., bw.; -ly⟩ **0.1** *exponential* ◆ **1.1** exponentiële vergelijking/functie *e. equation/function.*
exponeren ⟨ov.ww.⟩ **0.1** [blootstellen] *expose* **0.2** [zich in een kwetsbare positie bevinden] *be exposed/vulnerable* **0.3** [uiteenzetten] *expound* **0.4** [⟨foto.⟩] *expose* ◆ **1.2** politiek geëxponeerde figuren *politically exposed/vulnerable figures.*
export ⟨de (m.)⟩ **0.1** *export* ◆ **6.1** de ~ **van** melk ⟨enz.⟩ *milk exports, the e. of milk;* goederen **voor** de ~ *goods for e., e. commodities.*
exportartikel ⟨het⟩ **0.1** *export article, article for export* ⇒⟨mv. ook⟩ *goods/commodities/items for export, exports.*
exportbeperkingen ⟨zn.mv.⟩ **0.1** *export restrictions.*
exportcijfer ⟨het⟩ **0.1** *export figure(s)* ◆ **2.1** toenemend ~ *growing/increasing exports.*
exporteren ⟨onov., ov.ww.⟩ **0.1** *export.*
exporteur ⟨de (m.)⟩ **0.1** *exporter.*
exportfirma ⟨de⟩ **0.1** *export firm/business/company* ⇒*(firm of) exporters,* ⟨scheep.⟩ *shipping firm/merchants'.*

exporthandel ⟨de (m.)⟩ **0.1** *export trade*.

exportland ⟨het⟩ **0.1** *exporting country* ⇒*country of export*.

exportorder ⟨de (m.)⟩ **0.1** *export order, order for export* ⇒*indent*, ⟨scheep.⟩ *shipping order*.

exportoverschot ⟨het⟩ **0.1** *export surplus*.

exportprodukt ⟨het⟩ **0.1** *export product, product for export* ⇒⟨mv. ook⟩ *goods / commodities for export*.

exportvergunning ⟨de (v.)⟩ **0.1** *export permit* ◆ **3.1** een ~ verstrekken *grant an e.p.*.

exposant ⟨de (m.)⟩ **0.1** *exhibitor*.

exposé ⟨het⟩ **0.1** *account, statement,* ↑*exposé* ◆ **3.1** een ~ geven *give a talk*.

exposeren
I ⟨onov., ov.ww.⟩ **0.1** [tentoonstellen] *exhibit* ⇒*display, show;*
II ⟨ov.ww.⟩ **0.1** [blootstellen] *expose* ◆ **4.1** zich ~ aan *expose o.s. to*.

expositie ⟨de (v.)⟩ **0.1** [tentoonstelling] *exhibition* ⇒*exposition* **0.2** [uiteenzetting] *exposition* **0.3** ⟨let.⟩ *exposition* **0.4** ⟨muz.⟩ *exposition* **0.5** [blootstelling] *exposure*.

expositieruimte ⟨de (v.)⟩ **0.1** *exhibition space* ⇒*show floor* ◆ **3.1** ~ bespreken *reserve e.s. / space for a stand*.

expres¹ ⟨de (m.)⟩ **0.1** *express (train)*.

expres² ⟨bw.⟩ **0.1** [met opzet] *on purpose* ⇒*deliberately, purposely, intentionally* **0.2** [met de bepaalde bedoeling] *expressly* ⇒*for the very / express purpose (of), specially, specifically* ◆ **3.1** hij deed dat ~ *he did that on purpose / deliberately* **3.2** ik kom ~ om hem te spreken *I have come e. / specially / specifically (in order) to speak to him / for the express purpose of speaking to him* **5.1** iets niet ~ doen *not mean to do sth., not do sth. on purpose, do sth. by accident*.

expresbrief ⟨de (m.)⟩ **0.1** *express letter*.

expresse
I ⟨de (v.)⟩ **0.1** [poststuk] *express (delivery);*
II ⟨de (m.)⟩ **0.1** [bode] *special messenger, courier* ◆ **6.1** per ~ sturen *send sth. by express delivery / by courier / special messenger*.

expressebestelling ⟨de (v.)⟩ **0.1** ⟨brief⟩ *express / special delivery;* ⟨goederen ook⟩ *delivery by special messenger(s)*.

expressie ⟨de (v.)⟩ **0.1** [gelaatsuitdrukking] *expression* **0.2** [gezegde] *expression* **0.3** [gevoelsuitdrukking] *expression* ◆ **6.3** een stijl **zonder** veel ~ *a style lacking in e., an inexpressive style*.

expressief ⟨bn., bw.;-ly⟩ **0.1** [veelzeggend] *expressive* **0.2** [veel expressie hebbend] *expressive* ◆ **1.1** expressieve gebaren *e. gestures* **1.2** een ~ gezichtje *an e. face*.

expressievak ⟨het⟩ **0.1** *(one of the) creative arts* ⇒*art and music (subjects)*.

expressionisme ⟨het⟩ **0.1** *expressionism*.

expressionist ⟨de (m.)⟩ **0.1** *expressionist*.

expressionistisch ⟨bn., bw.;-(ic)ally⟩ **0.1** *expressionist(ic)* ◆ **1.1** een ~ schilderij *an expressionist painting*.

expressis verbis **0.1** *expressis verbis* ⇒*explicitly*.

expressiviteit ⟨de (v.)⟩ **0.1** *expressiveness* ⇒*expressivity*.

exprestrein ⟨de (m.)⟩ **0.1** *express (train)*.

expulsie ⟨de (v.)⟩ **0.1** [verjaging] *expulsion* **0.2** [med.] *induced abortion*.

expulsiegebied ⟨het⟩ **0.1** ≠*emigrant / emigration area*.

exquis ⟨bn., bw.;-ly⟩ **0.1** *exquisite*.

extase ⟨de (v.)⟩ **0.1** *ecstasy* ⇒*rapture* ◆ **6.1** in ~ raken *go into ecstasies / raptures;* **in** ~ brengen *send into ecstasies / raptures;* **in** ~ ⟨zijn⟩ **over** *(be) in ecstasies / raptures about, (be) ecstatic about*.

extatisch
I ⟨bn.⟩ **0.1** [v.d. aard v.e. extase] *ecstatic* ◆ **1.1** een ~e ervaring *an e. / ⟨inf.⟩ a mindblowing experience;* de ~e roes *ecstasy;*
II ⟨bw.⟩ **0.1** [(als) in extase] *ecstatically* ⇒*in ecstasy / raptures*.

ex tempore **0.1** *extempore* ⇒*impromptu,* ⟨inf.⟩ *off the cuff*.

ex-tempore ⟨het⟩ **0.1** *extempore / impromptu /* ⟨inf.⟩ *off-the-cuff speech*.

extensie ⟨de (v.)⟩ **0.1** [uitrekking] *extension* **0.2** [uitbreiding, omvang] *extent*.

extensief ⟨bn.⟩ **0.1** *extensive* ⟨ook landb.⟩ ◆ **1.1** extensieve uitlegging v.e. wetsartikel *e. interpretation of a section of a law*.

extensiveren ⟨ov.ww.⟩ **0.1** *expand, extend*.

extensivering ⟨de (v.)⟩ **0.1** *expansion*.

exterieur¹ ⟨het⟩ **0.1** *exterior*.

exterieur² ⟨bn.⟩ **0.1** *exterior* ⇒*external, outside*.

extern ⟨bn.⟩ **0.1** [uitwonend] *non-resident; living-out* ⟨personeel⟩ **0.2** [buiten iets liggend] *external* ⇒*outside, extraneous* **0.3** [het uitwendige / de vorm betreffend] *external* **0.4** [naar buiten voerend] *outward* ⇒*external* ◆ **1.1** ~e leerlingen *day-pupils, non-boarders, day-boys / -girls* **1.2** ~e oorzaken *outside / external causes* **1.3** ~e kritiek *formal criticism* **1.4** een gebied met ~e afwatering *an area with external drainage;* ~e secretie *excretion, external secretion* **3.1** ~ zijn *be non-resident, live out*.

externen ⟨zn.mv.⟩ **0.1** *non-residents;* ⟨scholieren⟩ *day-pupils, non-boarders, day-boys / -girls*.

externering ⟨de (v.)⟩ **0.1** *banishment* ⇒*exclusion*.

exteroceptief ⟨bn.⟩ ⟨biol.⟩ **0.1** *exteroceptive*.

exterritoriaal ⟨bn.⟩ **0.1** *ex(tra)territorial*.

exterritorialiteit ⟨de (v.)⟩ **0.1** *ex(tra)territoriality*.

extincteur ⟨de (m.)⟩ **0.1** *(fire) extinguisher*.

extinctie ⟨de (v.)⟩ **0.1** [uitblussing] *extinction* **0.2** [mbt. een lichtbundel] *extinction*.

extinctief ⟨bn.⟩ ◆ **1.¶** ⟨jur.⟩ extinctieve verjaring *negative prescription*.

extirpatie ⟨de (v.)⟩ **0.1** [het uitroeien met wortel en tak] *extirpation* ⇒*eradication, uprooting* **0.2** [⟨med.⟩] *extirpation*.

extirpator ⟨de (m.)⟩ **0.1** *cultivator* ⇒*extirpator, grubber*.

extra
I ⟨bw.⟩ **0.1** [boven het gewone / normale] *extra* **0.2** [bijzonder] *(e)specially* ◆ **1.1** hij kreeg 20 gulden ~ *he got 20 guilders e.;* iem. ~ nemen in het vakantieseizoen *take on s.o. e. in the holiday season* **2.2** ~ grote maat *outsize, oversize;* ~ lang / groot *e. long / big, kingsize(d);* ~ voordelig on special offer *¶.2* de leerlingen hadden ~ hun best gedaan *the pupils had made a special effort / had done their level best;*
II ⟨bn.⟩ **0.1** [nog een] *extra* ⇒*additional* ◆ **1.1** ~ belasting *surtax;* ~ dividend *bonus;* ~ editie / nummer *special edition / issue;* er zijn geen ~ kosten aan verbonden *there are no extras (involved);* een ~ moeilijkheid *an added / a further / an e. difficulty;* ~ moeite doen *make an e. / a special effort, take e. / special trouble;* een ~ nieuwsuitzending *an e. / a special news bulletin;* ~ telefoontoestel *extension telephone;* een ~ trein / bus ⟨enz.⟩ inzetten *put on an e. / a relief / a special train / bus* ⟨enz.⟩ **4.1** iets ~'s *sth. e., an extra*.

extraatje ⟨het⟩ **0.1** *bonus* ⇒*boon,* ⟨onverwacht⟩ *windfall* ◆ **2.1** een welkom ~ *a welcome bonus* **3.1** dat was een ~ *that was a bonus / boon* **8.1** als ~ *for good measure, on the side, into the bargain*.

extract ⟨het⟩ **0.1** [aftreksel] *extract* **0.2** [uittreksel] *extract* ⇒*excerpt,* ⟨samenvatting⟩ *abstract*.

extractie ⟨de (v.)⟩ **0.1** [⟨med.⟩] *extraction* **0.2** [het maken v.e. extract] *extraction* ⇒*excerption*.

extractief ⟨bn.⟩ **0.1** *extractive* ◆ **1.1** extractieve bedrijven *e. industries*.

extraheren ⟨ov.ww.⟩ **0.1** [⟨med.⟩] *extract* **0.2** [een uittreksel maken van] *extract* ⇒*excerpt,* ⟨samenvatten⟩ *abstract* **0.3** [⟨tech.⟩] *extract*.

extrajudicieel ⟨bn.⟩ **0.1** *extrajudicial*.

extramuraal ⟨bn., bw.;-ly⟩ **0.1** *extramural;* ⟨bw. ook⟩ *on an extramural basis* ◆ **1.1** extramurale gezondheidszorg *e. health care*.

extraneus ⟨de (m.)⟩ **0.1** *external candidate / student* ◆ **3.1** ~ zijn, als ~ studeren *be an external candidate / student*.

extraordinair ⟨bn., bw.;-ly⟩ **0.1** *extraordinary* ⇒*out of the ordinary*.

extraparlementair ⟨bn.⟩ **0.1** *without a parliamentary majority* ◆ **1.1** een ~ kabinet *a government without a parliamentary majority*.

extrapolatie ⟨de (v.)⟩ **0.1** *extrapolation* ⇒*projection* ◆ **1.1** ⟨ec.⟩ ~ van het overheidsbeleid *e. of government policy / policies*.

extrapoleren ⟨ov.ww.⟩ **0.1** [⟨wisk.⟩] *extrapolate* **0.2** [⟨fig.⟩] *extrapolate*.

extrapositie ⟨de (v.)⟩ ⟨taal.⟩ **0.1** *extraposition*.

extra's ⟨zn.mv.⟩ **0.1** [giften, inkomsten] *bonuses* ⇒*windfalls,* ⟨BE; verdiensten ook⟩ *perquisites,* ⟨inf.⟩ *perks* **0.2** [uitgaven] *extras* ◆ **2.1** we hebben enkele ~ dit jaar *we've had a few windfalls this year*.

extrasystole ⟨de⟩ ⟨med.⟩ **0.1** *extrasystole*.

extra-uterien ⟨bn.⟩ ⟨med.⟩ **0.1** *extrauterine* ◆ **1.1** ~e zwangerschap *e. pregnancy*.

extravagant ⟨bn., bw.;-ly⟩ **0.1** *extravagant* ⇒*outrageous, excessive,* ⟨prijzen ook⟩ *exorbitant* ◆ **1.1** een ~ feest *a wild party*.

extravagantie ⟨de (v.)⟩ **0.1** *extravagance* ⇒*outrageousness,* ⟨mbt. prijzen ook⟩ *exorbitance*.

extravasaat ⟨het⟩ ⟨med.⟩ **0.1** *extravasate*.

extravert¹ ⟨de (m.)⟩ **0.1** *extrovert*.

extravert² ⟨bn.⟩ **0.1** *extrovert(ed)* ⇒*outgoing*.

extreem
I ⟨bn.⟩ **0.1** [uiterst] *extreme* ◆ **1.1** een ~ geval *an e. case;* ~ nationalisme *e. / ultra-nationalism, chauvinism* **4.1** niets ~s *nothing out of the way* **6.1** hij is ~ **in** zijn opvattingen *he is e. in his views / has e. views;*
II ⟨bw.⟩ **0.1** [uiterst] *extremely* **0.2** [in de hoogste graad] *extremely* ⇒*ultra-, far* ◆ **1.2** ~ autoritair *an e. authoritarian* **2.2** ~ conservatief *e. conservative, ultra- /* ⟨pej.⟩ *arch-conservative;* ~ links *extreme(ly) left-wing, ultra-left(-wing), far-left;* een ~ rechtse regering *an extreme / ultra-right-wing government, a government of the far right*.

extremisme ⟨het⟩ **0.1** *extremism*.

extremist ⟨de (m.)⟩, **-e** ⟨de (v.)⟩ **0.1** *extremist*.

extremistisch ⟨bn.⟩ **0.1** [v.d. aard van extremisme] *extremist* **0.2** [van extremisten] *extremist* ⇒*fringe* ◆ **1.1** het ~e deel (v.e. groep) *the e. wing /* ⟨scherts.⟩ *lunatic fringe (of a group)* **1.2** ~e groepe(ringe)n *e. / fringe groups*.

extremiteit ⟨de (v.)⟩ **0.1** [verst afgelegen deel] *extremity* **0.2** [laatste toevlucht] *extremity* **0.3** [⟨mv.⟩ ledematen] *extremities*.

extrinsiek ⟨bn.⟩ **0.1** [uiterlijk] *extrinsic* **0.2** [⟨hand.⟩] *extrinsic* ◆ **1.1** ~e waarde *e. value*.

extrovert →**extravert**.

exuberant ⟨bn.⟩ **0.1** [overdadig] *exuberant* **0.2** [overvloeiend van gemoed] *exuberant* ⇒*effusive* ⟨ook pej.⟩ ◆ **1.1** een ~e bloei *an e. / a luxuriant growth*.

ex-voto ⟨het, de (m.)⟩ **0.1** *ex voto* ⇒*votive offering*.

ezel¹ ⟨de (m.)⟩, **ezelin** ⟨de (v.)⟩ ⟨→sprw. 162-165⟩ **0.1** [dier] *donkey;* ⟨wet.; bijb.⟩ *ass,* ⟨v. ook⟩ *she-ass* **0.2** [persoon] *ass* ⇒*dolt,* ↓*clot, numbskull, nitwit,* ⟨vnl. AE⟩ *jackass* ◆ **1.1** die jongen lijkt Bileams~ wel *that chap answers before he has even been asked* **2.1** Kaapse ~ *ze-bra* **6.1** ⟨fig.⟩ v.d. os **op** de ~ springen *jump / skip / flit from one subject to another* **8.1** zo koppig als een ~ *be (as) stubborn / obstinate as a mule;* zo dom als een ~ *be a perfect / an utter ass.*

ezel² ⟨de (m.)⟩ **0.1** *easel.*

ezelachtig ⟨bn., bw.⟩ **0.1** [als (van) een ezel] *asinine* ⇒*donkey-like* **0.2** [zeer dom] *asinine* ⇒*stupid* ◆ **3.1** zich ~ gedragen *behave in an a. manner / stupidly.*

ezelachtigheid ⟨de (v.)⟩ **0.1** *(piece of) asinine behaviour* ⇒*(piece of) stu-pidity.*

ezelinnemelk ⟨de⟩ **0.1** [melk v.e. ezelin] *asses' / ass's milk* **0.2** [slappe thee] *dishwater.*

ezelsbruggetje ⟨het⟩ **0.1** *study / memory aid, mnemonic (aid).*

ezelshoofd ⟨het⟩ ⟨scheep.⟩ **0.1** *cap (of mast).*

ezelskop ⟨de (m.)⟩ **0.1** [kop v.e. ezel] *donkey's / ass's head* **0.2** [domkop] ⟨→ezel¹ **0.2**⟩.

ezelsoor ⟨het⟩ **0.1** [oor (als) v.e. ezel] *donkey's / ass's ear* **0.2** [omgekruld blad in een boek] *dog-ear* ◆ **3.2** ezelsoren maken in *make dog-ears in, dog-ear* **5.2** het nieuwe boek zit nu al vol ezelsoren *the new book is already all dog-eared* **6.1** een muts **met** ezelsoren *a cap with earflaps.*

ezelsrug ⟨de (m.)⟩ **0.1** [rug v.e. ezel] *donkey's / ass's back* ⇒*back of a donkey / an ass* **0.2** [⟨bouwk.⟩ accoladeboog] *ogee (arch)* **0.3** [schuine vlechting bij metselwerken] *capping.*

ezelsveulen ⟨het⟩ **0.1** [jong v.e. ezel] *donkey('s) / ass's foal* **0.2** [domoor] ⟨→ezel¹ **0.2**⟩.

f ⟨de⟩ **0.1** [letter, klank] *f, F* **0.2** [namen / woorden beginnend met f] *f, F* **0.3** [toon] *f, F* **0.4** [⟨muz.⟩ toonsoort] *F* ◆ **¶.4** F-dur *F major;* F-mol *F minor.*

f. ⟨afk.⟩ **0.1** [gulden] *Dfl., Hfl., DFl., HFl.* **0.2** [folio] *f.* **0.3** [fecit] *f.* **0.4** [feminimum] *f., fem.* **0.5** [forte] *f..*

F ⟨afk.⟩ **0.1** [farad] *F* **0.2** [fluor] *F.*

F. ⟨afk.⟩ **0.1** [Fahrenheit] *F* **0.2** [frank] *F.*

fa ⟨de⟩ ⟨muz.⟩ **0.1** *fa(h).*

fa. ⟨afk.⟩ **0.1** [firma] *Messrs..*

faag ⟨de (m.)⟩ ⟨med.⟩ **0.1** *phage.*

faalangst ⟨de (m.)⟩ **0.1** *fear of failure.*

faam ⟨de⟩ **0.1** [reputatie] *reputation* ⇒*repute, name* **0.2** [roem] *fame* ⇒ *reputation, renown, glory* **0.3** [⟨myth.⟩] *Fame* ◆ **1.1** te goeder naam en ~ bekend staan *be of good report* **2.2** grote ~ genieten *have / enjoy great f. / renown* **3.2** de atleet kon zijn ~ niet waarmaken *the athlete could not live up to his reputation.*

fabel ⟨de⟩ **0.1** [moraliserende vertelling] *fable* **0.2** [verzinsel] *fable* ⇒ *fairytale, fabrication, old wives' tale, fiction* **0.3** [⟨let.⟩] *plot* ⇒ ⟨vero.⟩ *fable* ◆ **1.2** ⟨fig.⟩ iets naar het rijk der ~en verwijzen *relegate sth. to the world / realm of fantasy, dismiss sth. as a myth* **3.2** de jongen vertelt ~tjes *the boy is telling fairytales / fibs.*

fabelachtig
I ⟨bn.⟩ **0.1** [legendarisch, mythisch] *fabulous* ⇒*fabled, mythical, leg-endary;*
II ⟨bn., bw.; -(al)ly⟩ **0.1** [ongelofelijk] *fantastic* ⇒*incredible* **0.2** [ge-weldig] *fantastic, fabulous, marvellous, terrific* ◆ **1.1** een ~(e) geschie-denis / verhaal *a fabulous tale* **1.2** een ~ bedrag *a fantastic / fabulous amount;* ~e prijzen *fantastic / fabulous prizes / prices* **3.2** de violiste speelde ~ (goed) *the violinist played marvellously / fantastically.*

fabeldichter ⟨de (m.)⟩, **-es** ⟨de (v.)⟩ **0.1** *writer of fables* ⇒ ↑*fabulist.*

fabeldier ⟨het⟩ **0.1** *mythical creature / animal / beast* ⇒*fabulous / legen-dary creature / animal / beast.*

fabelleer ⟨de (v.)⟩ **0.1** *mythology.*

fabricage ⟨de (v.)⟩, **fabricatie** ⟨de (v.)⟩ **0.1** *manufacture* ⇒*production.*

fabricageafdeling ⟨de (v.)⟩ **0.1** *production / manufacturing department;* ⟨werkplaats⟩ *shop.*

fabricagekosten ⟨zn. mv.⟩ **0.1** ⟨alg.⟩ *cost(s), cost(s) of manufacture;* ⟨ma-teriaal- en arbeidskosten⟩ *prime cost;* ⟨materiaal-, arbeids-, en over-headkosten⟩ *production cost.*

fabriceren ⟨ov. ww.⟩ **0.1** [bewerken, vervaardigen] *manufacture* ⇒*pro-duce,* ⟨vero.⟩ *fabricate* **0.2** [in elkaar zetten] *make* ⇒*construct* **0.3** [verzinnen] *fabricate* ⇒*invent, concoct, make / cook up* ◆ **1.3** dat hele verhaal is gefabriceerd *that story is a fabrication/a tissue of lies from beginning to end.*

fabriek ⟨de (v.)⟩ **0.1** [industrieel bedrijf] *factory* ⟹⟨vnl. AE⟩ *plant,* ⟨complex⟩ *works,* ⟨ihb. voor papier/textiel⟩ *mill* **0.2** [gebouw] *factory* ⟹⟨vnl. AE⟩ *plant,* ⟨complex⟩ *works,* ⟨ihb. voor papier/textiel⟩ *mill* ◆ **2.1** een chemische ~ *a chemical plant* **3.1** een ~ sluiten *close/shut down a f.* **5.1** af ~ *ex-works* **6.1** op/in de ~ werken *work in/at a f.* ¶**2.2** er is nog maar één ~ in bedrijf *there is only one plant in operation.*

fabrieken ⟨ov.ww.⟩⟨inf.; scherts.⟩ **0.1** *knock together/up, run up* ◆ **1.1** van een laken een jurk ~ *fashion a sheet into a dress, fashion a dress from/out of a sheet.*

fabrieksaardappel ⟨de (m.)⟩ **0.1** *industrial potato.*

fabrieksarbeider ⟨de (m.)⟩, **-beidster** ⟨de (v.)⟩ **0.1** *factory worker* ⟨m., v.⟩ ⟹ *woman factory worker* ⟨v.⟩, *female factory worker,* ⟨ook pej.⟩ *factory girl.*

fabrieksartikel ⟨het⟩ **0.1** *factory product/article* ⟹ *manufactured/factory(-made) product,* ⟨mv.⟩ *manufactured goods/products/articles* ⟨i.t.t. handwerk⟩.

fabrieksbaas ⟨de (m.)⟩ **0.1** [directeur, eigenaar] *factory manager/owner* **0.2** [ploegbaas] *foreman.*

fabrieksboter ⟨de⟩ **0.1** *creamery/factory butter.*

fabrieksdirecteur ⟨de (m.)⟩ **0.1** *factory/works/mill manager.*

fabriekseigenaar ⟨de (m.)⟩ **0.1** *factory/mill owner.*

fabrieksfluit ⟨de⟩ **0.1** *factory hooter/whistle/horn.*

fabrieksfout ⟨de⟩ **0.1** *manufacturing fault.*

fabrieksgebouw ⟨het⟩ **0.1** *factory building.*

fabrieksgeheim ⟨het⟩ **0.1** *trade secret* ⟹ *manufacturing secret.*

fabrieksgoederen ⟨zn.mv.⟩ **0.1** *manufactured goods* ⟹ *factory(-made) goods/articles/products* ⟨i.t.t. handwerk⟩.

fabriekshal ⟨de⟩ **0.1** [gebouw] *factory (building)* **0.2** [ruimte] *workshop, shop floor.*

fabrieksmerk ⟨het⟩ **0.1** *manufacturer's (registered) trade mark.*

fabrieksnijverheid ⟨de (v.)⟩ **0.1** *manufacturing industry.*

fabrieksnummer ⟨het⟩ **0.1** *(manufacturer's) serial number.*

fabriekspoort ⟨de⟩ **0.1** *factory gate(s).*

fabrieksprijs ⟨de (m.)⟩ **0.1** *factory price* ⟹ *cost price, maker's (list)/manufacturer's price* ◆ **6.1** tegen fabrieksprijzen uitverkopen *sell off at cost (price).*

fabrieksrijder ⟨de (m.)⟩⟨sport⟩ **0.1** *racing driver (sponsored by a firm).*

fabrieksschip ⟨het⟩ **0.1** *factory ship.*

fabrieksschoorsteen ⟨de (m.)⟩ **0.1** *factory chimney/stack.*

fabriekssluiting ⟨de (v.)⟩ **0.1** *shut-down.*

fabrieksstad ⟨de⟩ **0.1** *manufacturing/industrial town.*

fabrieksstreek ⟨de⟩ **0.1** *industrial region/area.*

fabrieksterrein ⟨het⟩ **0.1** *factory site.*

fabrieksvoorlichter ⟨de (m.)⟩, **-lichtster** ⟨de (v.)⟩ **0.1** *factory spokesman* ⟨m.⟩/*spokeswoman* ⟨v.⟩.

fabrikaat ⟨het⟩ **0.1** [produkt] *product* ⟹ *article,* ⟨mv.⟩ *(manufactured) goods* **0.2** [voortbrenging, maaksel] *manufacture* ⟹ *make* ◆ **2.1** een nieuw ~ in de handel brengen *launch a new p.* **2.2** goederen van binnenlands/buitenlands ~ *home-made/foreign-made goods;* worst van eigen ~ *our own make of sausage;* ⟨van particulier⟩ *home-made sausage;* Nederlands ~ *Dutch make, made in Holland;* schoenen van slecht ~ *badly made shoes.*

fabrikant ⟨de (m.)⟩, **-kante** ⟨de (v.)⟩ **0.1** *manufacturer* ⟹ *producer, maker,* ⟨eigenaar van fabriek⟩ *mill/factory owner, industrialist* ◆ **1.1** ~ van landbouwwerktuigen *agricultural engineer, manufacturer of agricultural machinery/equipment;* ~ van vliegtuigen/oorlogstuig *aircraft/armaments manufacturer.*

fabuleus ⟨bn., bw.; -(al)ly⟩ **0.1** [fabelachtig] *fabulous* ⟹ *fabled, legendary, mythical* **0.2** [buitengewoon] *fantastic, fabulous, marvellous, terrific.*

façade ⟨de (v.)⟩ **0.1** [voorgevel] *façade* ⟹ *front(age)* **0.2** [schijn] *façade* ⟹ *front, pretence, sham* ◆ **3.2** dat is alleen maar ~ *that is merely a front;* een ~ optrekken *throw/put up a façade* **8.2** als ~ dienen (voor) *serve as a façade/front (for).*

face-à-main ⟨de (m.)⟩ **0.1** *lorgnette, lorgnon.*

face-lift ⟨de (m.)⟩ **0.1** [chirurgische ingreep] *face-lift* **0.2** [verfraaiing] *face-lift* ◆ **3.2** het bedrijf heeft een ~ ondergaan *the industry has had a f.-l..*

facet ⟨het⟩ **0.1** [aspect] *facet* ⟹ *aspect* **0.2** [geslepen vlak] *facet* **0.3** [⟨biol.⟩] *facet* ⟹ *ocellus, stemma* ◆ **2.1** een ander ~ van de zaak belichten *throw/shed light upon another aspect of the matter* **6.2** in/met ~ten slijpen *facet, cut facets (on)* **7.1** alle ~ten van een probleem bekijken *look at a problem from all angles/sides.*

facetoog ⟨het⟩⟨biol.⟩ **0.1** *compound eye.*

faciaal ⟨bn.⟩ **0.1** *facial.*

facie ⟨het, de (v.)⟩⟨inf.⟩ **0.1** ⟨ongemarkeerd⟩ *face* ⟹ ↓*phiz(og),* ⟨sl.⟩ *mug, puss,* ⟨BE; sl.⟩ *mush* ◆ **6.1** iem. op zijn ~ geven *smash s.o.'s f./mug in.*

faciliteit ⟨de (v.)⟩ **0.1** [gemak, comfort] *facility* ⟹ *convenience, amenity* **0.2** [⟨mv.⟩ voorzieningen voor taalminderheden] *facilities* **0.3** [tegemoetkoming] *allowance* ◆ **2.1** van alle moderne ~en voorzien *be*

equipped with all modern conveniences/ ↓*mod cons* **3.3** iem. een ~ toestaan *facilitate things for s.o., make allowances for s.o..*

facsimile ⟨het⟩ **0.1** *facsimile.*

factie ⟨de (v.)⟩ **0.1** *faction.*

factitief ⟨het⟩ **0.1** *factitive.*

factoor ⟨de (m.)⟩ **0.1** *factor* ⟹ *agent.*

factor ⟨de (m.)⟩ **0.1** [⟨wisk.⟩] *factor* **0.2** [medebepalend deel, omstandigheid] *factor* ⟹ *circumstance, influence* **0.3** [factoor] *factor* ⟹ *agent* ◆ **1.2** een ~ van betekenis, een belangrijke ~ *an important f.* **2.2** alle ~en in rekening brengen *take all factors into account;* de beslissende/doorslaggevende ~ *the determining/determinant f.;* er zijn nog wat onzekere ~en *there are still some unknowns/imponderables* **6.1** een getal in ~en ontbinden *resolve a number into factors, factorize a number* **6.2** een ~ zijn in, play a part in, contribute to* **7.1** een ~ drie groter zijn *exceed by a f. of three.*

factoranalyse ⟨de (m.)⟩⟨statistiek⟩ **0.1** *factor analysis.*

factorij ⟨de (v.)⟩ **0.1** *factory* ⟹ *trading post/station.*

factorkrediet ⟨het⟩⟨geldw.⟩ **0.1** *factor('s) credit.*

factotum ⟨het, de (m.)⟩ **0.1** *factotum* ⟹ *odd-job man, handyman, jack-of-all-trades,* ⟨inf.⟩ *head cook and bottle-washer.*

factum illicitum ⟨het⟩⟨jur.⟩ **0.1** *unlawful act.*

factureermachine ⟨de (v.)⟩ **0.1** *invoicing machine* ⟹ *billing machine.*

factureren ⟨ov.ww.⟩ **0.1** *invoice* ⟹ *bill, charge (to s.o.'s account).*

facturist ⟨de (m.)⟩ **0.1** *invoice/invoicing clerk,* ᴬ*billing clerk.*

factuur ⟨de (v.)⟩ **0.1** *invoice* ⟹ *bill* ◆ **1.1** vijftien dagen na dato ~ *fifteen days from date of i.;* betaling na ontvangst ~ *payment upon receipt of i.* **3.1** een ~ sturen naar *invoice, bill* **6.1** ~ over *i. of.*

factuurboek ⟨het⟩ **0.1** *invoice book.*

factuurnummer ⟨het⟩ **0.1** *invoice number.*

factuurprijs ⟨de (m.)⟩ **0.1** *invoice price.*

facultatief ⟨bn.⟩ **0.1** *optional* ⟹ *elective,* ⟨parasiet⟩ *facultative* ◆ **1.1** een ~ leervak *an o. subject, an elective course of study* **3.1** iets ~ stellen *make/render sth. o..*

faculteit ⟨de (v.)⟩ **0.1** [hoofdafdeling aan een universiteit/hogeschool] *faculty* **0.2** [college van hoogleraren/personeel/studenten] *faculty* **0.3** [vermogen] *faculty* ⟹ *power* **0.4** [⟨r.k.⟩ instelling] *faculty* **0.5** [⟨wisk.⟩] *factorial* ◆ **1.1** de ~ der geneeskunde *the Medical School, the Faculty of Medicine;* de ~ der rechtsgeleerdheid *the Faculty of Law, the Law Faculty* **2.4** kerkelijke ~en *(church) faculties* **6.2** een proefschrift voor de ~ verdedigen *defend a thesis (before members of the Faculty)* **7.5** drie ~f. *three.*

faculteitsraad ⟨de (m.)⟩ **0.1** *Faculty Board/Council.*

faden ⟨ww.⟩⟨film, video⟩ **0.1** *fade.*

faecaal ⟨bn.⟩ **0.1** *faecal.*

faecaliën ⟨zn.mv.⟩⟨med.⟩ **0.1** *faeces.*

fagen ⟨zn.mv.⟩⟨med.⟩ **0.1** *phages.*

fagocyt ⟨de (m.)⟩⟨med.⟩ **0.1** *phagocyte.*

fagocytose ⟨de (v.)⟩⟨med.⟩ **0.1** *phagocytosis.*

fagot ⟨de (m.)⟩ **0.1** [blaasinstrument] *bassoon* **0.2** [persoon] *bassoon(-ist).*

fagottist ⟨de (m.)⟩ **0.1** *bassoonist.*

Fahrenheit 0.1 *Fahrenheit* ◆ **1.1** 63 graden ~ *63 degrees F..*

faïence ⟨de⟩ **0.1** *faience.*

failleren ⟨onov.ww.⟩ **0.1** *go bankrupt* ⟹⟨ihb. van bedrijf⟩ *fail, go into (compulsory) liquidation.*

failliet¹

I ⟨de (m.)⟩ **0.1** [persoon] *bankrupt;*

II ⟨de (v.)⟩⟨AZN⟩ **0.1** [faillissement] *bankruptcy* ⟹⟨ihb. van bedrijf⟩ *failure, (compulsory) liquidation/winding up;*

III ⟨het⟩ **0.1** [volslagen mislukking] *failure* ⟹ *collapse* ◆ **1.1** de devaluatie betekende het ~ van zijn politiek *the devaluation signified the collapse of his policy.*

failliet² ⟨bn., bw.⟩ **0.1** *bankrupt* ◆ **1.1** een ~e boedel *a bankrupt('s) estate, bankrupt's assets;* een ~e winkelier *a b. shopkeeper/*ᴬ*storekeeper* **3.1** ~ doen gaan *bankrupt, make b.;* ⟨bedrijf⟩ *put into liquidation;* ~ gaan *go/become b.;* ⟨ihb. van bedrijf⟩ *fail, go into (compulsory) liquidation;* de zaak is ~ *the business is b./has gone into liquidation/has been wound up;* ~ verklaard worden *be declared/adjudged b.;* iem. ~ verklaren *declare/adjudicate s.o. b..*

faillietverklaring ⟨de (v.)⟩ **0.1** *declaration of bankruptcy* ◆ **1.1** vonnis van ~ *adjudication order;* ⟨bedrijf⟩ *winding up order, receiving order* **3.1** ~ aanvragen *file a petition in bankruptcy/a bankruptcy petition/* ⟨bedrijf⟩ *a petition for winding up.*

faillissement ⟨het⟩ **0.1** [toestand] *bankruptcy* **0.2** [het failliet gaan] *bankruptcy* ⟹⟨ihb. van bedrijf⟩ *failure, (compulsory) liquidation/winding up* ◆ **1.1** in staat van ~ verkeren *be in a state of b./be bankrupt* **3.1** zijn ~ aanvragen *file one's petition (in b.);* ~ aanvragende crediteur/schuldeiser *petitioning creditor;* een ~ beëindigen *terminate b. proceedings;* iemands ~ bewerken/uitlokken *file a petition against s.o., institute b. proceedings against s.o.;* het ~ opheffen *stay b. proceedings;* het ~ uitspreken *issue an adjudication order.*

faillissementsaanvraag ⟨de⟩ **0.1** *bankruptcy petition, petition in bankruptcy.*

faillissementswet ⟨de⟩ **0.1** *bankruptcy law* ⇒*law relating to bankruptcy.*

fair ⟨bn., bw.⟩ **0.1** *fair* ⇒*sporting* ◆ **3.1** iem. ~ behandelen *treat s.o. with too much familiarity, take liberties with s.o..*

fait accompli ⟨het⟩ **0.1** *fait accompli* ⇒*accomplished fact* ◆ **6.1** iem. **voor** een ~ stellen/plaatsen *present s.o. with a f. a..*

faken ⟨ov.ww.⟩ **0.1** *fake.*

fakir ⟨de (m.)⟩ **0.1** [derwisj] *fakir* **0.2** [brahmaanse yogi] *fakir.*

fakkel ⟨de⟩ **0.1** [toorts] *torch* ⇒(lichtbron bij nachtwerk) *flare,* ⟨bij optochten ook⟩ *flambeau,* ⟨ster.⟩ *facula* **0.2** [⟨als symbool⟩] *torch* ⇒*flame* ◆ **1.2** de ~ der kennis/wetenschap overdragen *hand on the t. of knowledge/science;* de ~ van de wetenschap hoog houden *hold high the t. of science* **8.1** branden als een ~ *burn like a t..*

fakkeldans ⟨de⟩ **0.1** *torch dance.*

fakkeldrager ⟨de (m.)⟩ **0.1** [iem. die een fakkel draagt] *torchbearer* **0.2** [voorvechter] *torchbearer* ⇒*champion* ◆ **1.2** hij is de ~ van de onafhankelijkheid van zijn land *he is the champion of independence for his country.*

fakkellicht ⟨het⟩ **0.1** *torch-light.*

fakkelloop ⟨de (m.)⟩ **0.1** *torch race.*

fakkeloptocht ⟨de (m.)⟩ **0.1** *torchlight procession.*

falangist ⟨de (m.)⟩ **0.1** *Falangist* ⇒*phalangist.*

falanx ⟨de⟩ **0.1** [slagorde] *phalanx* **0.2** [⟨gesch.⟩] *phalanx* **0.3** [kootje] *phalanx* ⇒*phalange* **0.4** [pol. partij in Spanje] *Falange* ◆ **2.1** een aaneengesloten ~ vertonen *show a united front, close one's ranks.*

falderalderiere ⟨tw.⟩ **0.1** *folderol, falderal.*

falderappes ⟨het⟩ ⟨inf.⟩ **0.1** *rabble* ⇒*riffraff, scum.*

falen

I ⟨onov.ww.⟩ **0.1** [te kort schieten] *fail* ⇒*fall short, be found wanting, default (in one's payments),* ⟨zich vergissen⟩ *make an error (of judgment),* err *(in one's judgment)* **0.2** [mislukken] *fail* ⇒*be unsuccessful, come to nothing, result in failure, miss* ⟨schot⟩, *miscarry* ⟨plan⟩ ◆ **1.1** zijn krachten ~ *his strength is failing him, he lacks the strength* **1.2** al mijn pogingen faalden *all my attempts failed/came to nothing, I failed in my attempts;* zijn schot faalde nooit *he was a dead/unerring shot* **5.2** niet/nooit/nimmer ~d *unswerving/unfailing* **6.2 zonder** ~ *without fail, unfailingly, unerringly;*

II ⟨onp.ww.⟩ ⟨schr.⟩ **0.1** [ontbreken] *lack* ◆ **6.1** het faalt hem **aan** moed *he lacks courage.*

falie ⟨de (v.)⟩ ⟨inf.⟩ **0.1.¶ op** zijn ~ krijgen/geven *be given/give (s.o.) a (good) beating/thrashing.*

faliekant ⟨bw.⟩ **0.1** *utterly* ⇒*absolutely, completely,* ⁺*dead* ◆ **2.1** dat is ~ verkeerd *that is u. (and completely) wrong;* ~ verkeerd uitkomen *go completely wrong, grave a failure* **5.1** ergens ~ tegen zijn *be u./ totally opposed to sth.,* ⁺*be dead against sth.* **6.1** er ~ **naast** zitten *get hold of the wrong end of the stick, be miles wide of the mark.*

faling ⟨de (v.)⟩ ⟨AZN⟩ **0.1** *bankruptcy* ⇒⟨van persoon ook⟩ *insolvency.*

Falkland-eilanden ⟨zn.mv.⟩ **0.1** *Falkland Islands, Falklands* ⇒*Malvinas Islands.*

fallisch ⟨bn.⟩ **0.1** *phallic* ◆ **1.1** ~e symbolen *p. symbols.*

fallisme ⟨het⟩ ⟨antr.⟩ **0.1** *phalli(ci)sm.*

fallocratie ⟨de (v.)⟩ **0.1** *phallocracy* ⇒*male chauvinism* ⟨houding⟩/ *domination* ⟨situatie⟩.

fallus ⟨de (m.)⟩ **0.1** *phallus.*

fallussymbool ⟨het⟩ **0.1** *phallic symbol.*

falsaris ⟨de (m.)⟩ **0.1** *forger, falsifier.*

falset¹ ⟨muz.⟩

I ⟨het, de (m.)⟩ **0.1** [stemregister] *falsetto* ⇒*head voice;*

II ⟨de (m.)⟩ **0.1** [zanger] *falsetto* ⇒*(male) alto, counter tenor.*

falset² ⟨bw.⟩ ⟨muz.⟩ **0.1** *falsetto* ⇒*head voice* ◆ **3.1** ~ zingen *sing (in) f..*

falsetstem ⟨de⟩ **0.1** *falsetto* ⇒*head voice.*

falsificatie ⟨de (v.)⟩ **0.1** [vervalsing] *forgery, fake* ⇒*falsification* **0.2** [falsifiëring] *falsification, refutation.*

falsificeren ⟨ov.ww.⟩ **0.1** [vervalsen] *forge, fake* ⇒⟨geld ook⟩ *counterfeit,* ⟨boekhouding, feiten⟩ *falsify* **0.2** [de onjuistheid aantonen van] *falsify, refute.*

falsifieerbaarheid ⟨de (v.)⟩ **0.1** [mbt. theorie] *falsifiability;* ⟨mbt. cheque/postzegel⟩ *forgeability;* ⟨mbt. antiek⟩ *fakability.*

falsifiëring ⟨de (v.)⟩ **0.1** *falsification, refutation.*

fameus

I ⟨bn., bw.;(-ly)⟩ **0.1** [vermaard] *famous, celebrated* **0.2** [zeer groot] *enormous, huge, fabulous* ◆ **1.1** een ~ restaurant *a famous restaurant* **1.2** een ~ fortuin *a huge/fabulous fortune;*

II ⟨bn.⟩ **0.1** [⟨iron.⟩ veel besproken] *famous* ⇒*much talked of, much vaunted.*

familiaal ⟨bn.⟩ **0.1** *familial* ⟨ook med.⟩ ⇒*family.*

familiaar, familiair ⟨bn., bw.; -ly⟩ **0.1** [informeel] *familiar* ⇒⟨intiem⟩ *close,* ⟨ongedwongen⟩ *informal, casual* **0.2** [vrijpostig] *(over-)familiar* ⇒*hail-fellow-well-met,* ⁺*too chummy, presumptuous* ◆ **1.1** een familiare kerel *a friendly chap* **5.2** wees niet zo ~ *don't be so free/presumptuous, don't take liberties* **6.1** ~ **met** iem. zijn/met iem. omgaan *be (on) intimate (terms) to s.o., hobnob with s.o., be*

close to s.o. **6.2** al te ~ **met** iem. omgaan *behave towards/treat s.o. with too much familiarity, take liberties with s.o..*

familiale ⟨de⟩ **0.1** ᴮ*estate car,* ᴬ*station wagon.*

familiariteit ⟨de (v.)⟩ **0.1** [ongedwongen omgang] *familiarity* ⇒*closeness, intimacy, informality* **0.2** [vrijpostigheid] *(over-)familiarity* ⇒*presumptuousness, forwardness* ◆ **3.2** zich ~en veroorloven *take liberties.*

familie ⟨de (v.)⟩ **0.1** [(huis)gezin] *family* **0.2** [geheel van bloedverwanten] *family* ⇒*(blood)relations, relatives,* ⟨inf.⟩ *people, folks,* ⟨schr.; nabestaanden⟩ *next of kin* **0.3** [een of meer verwanten] *relation, relative* **0.4** [⟨biol.⟩] *family* ◆ **2.1** ⟨bijb.⟩ het is één grote ~ *they are one great big happy f.;* de heilige ~ *the Holy Family* **2.2** dat komt in de beste ~s voor *accidents (can) happen in the best regulated families/ households;* hij is van goede ~ *he comes from a good f./ background, he is well-connected* **2.3** aangetrouwde ~ *in-laws;* naaste ~ *next of kin;* wij zijn verre ~ (van elkaar) *we are distant relatives (of each other)/ distantly related (to each other)* **4.3** mijn ~ komt op bezoek *my family/people are coming to visit* **6.1** bij de ~ Jansen *at/with the Jansens, at the Jansens' house/home, with the Jansen f.* **6.2** bij ~ onderbrengen/ achterlaten *put up/leave with relatives* **6.3** het zit in de ~ *it runs in the family;* van je ~ moet je 't maar hebben *more kin than kind;* zij was nog ~ van hem *she was family/his flesh and blood, after all;* zeggen dat je ~ van iem. bent *claim kindred with s.o.;* bent u toevallig ~ van ... *are you by any chance connected with .../related to ...;* nee, die is geen ~ van mij *no, he/she is no kin of mine;* wat voor ~ is zij van jou? *what relation is she to you?* **7.2** geen ~ hebben, zonder ~ zijn *have no next of kin.*

familieaangelegenheid ⟨de (v.)⟩ **0.1** *family affair, domestic matter.*

familieband ⟨de (m.)⟩ **0.1** *family ties* ⇒*sense of family.*

familiebedrijf ⟨het⟩ **0.1** *family business/concern/firm.*

familiebericht ⟨het⟩ **0.1** *personal announcement* ◆ **3.1** ik lees ~en in de krant altijd het eerst *I always read the (notices of) births, deaths and marriages first, I always turn first to the hatched, matched and dispatched (section).*

familiebetrekking ⟨de (v.)⟩ **0.1** *family connection/relation* ⟨persoon⟩; *relationship* ⟨abstract⟩.

familiebezit ⟨het⟩ **0.1** *family property/estate* ⟨onroerend goed⟩; *family possessions* ⟨roerende goederen⟩.

familiebezoek ⟨het⟩ **0.1** [bezoek aan familie] *visit to relatives* **0.2** [bezoek van familie] *visit from relatives.*

familiebijeenkomst ⟨de (v.)⟩ **0.1** *family reunion/meeting* ⇒⟨inf.⟩ *family get-together.*

familiefeest ⟨het⟩ **0.1** *family party/celebration.*

familiefilm ⟨de (m.)⟩ **0.1** *family-film.*

familiegoed ⟨het⟩ **0.1** *family estate/property* ⇒⟨landgoed⟩ *family seat* ◆ **2.1** onvervreemdbaar ~ *inalienable f. p..*

familiegraf ⟨het⟩ **0.1** *family grave/tomb;* ⟨grafkelder⟩ *family vault.*

familiehotel ⟨het⟩ **0.1** *family hotel.*

familiekring ⟨de (m.)⟩ **0.1** *family/domestic circle* ◆ **6.1** in de ~ *in the f. c.;* in ~ *with/in the f.,* ⁺*in familie.*

familiekwaal ⟨de⟩ **0.1** *hereditary disease/illness* ⇒⟨ook fig.⟩ *(a disease) that runs in the family* ◆ **3.1** sorry dat ik zo nieuwsgierig ben, het is een ~ *I'm sorry for being so nosy, I was born with it.*

familieleven ⟨het⟩ **0.1** *domestic/family life.*

familielid ⟨het⟩ **0.1** *member of the family* ⇒⟨bloedverwant⟩ *relative, relation,* ⟨bij begrafenis⟩ *family mourner* ◆ **2.1** zijn naaste familieleden *his next of kin/kindred/kin(s) folk;* een ver ~ *a distant relative/ relation.*

familienaam ⟨de (m.)⟩ **0.1** [achternaam] *family name, surname;* ⟨vnl. AE⟩ *last name* **0.2** [⟨biol.⟩] *family name.*

familieomstandigheden ⟨zn.mv.⟩ **0.1** *family circumstances/affairs* ◆ **6.1** wegens ~ niet aanwezig kunnen zijn *not be able to be present owing to f. c./ for family reasons;* verlof wegens ~ *compassionate leave.*

familieportret ⟨het⟩ **0.1** [van enige familieleden] *family portrait* **0.2** [van een familielid] *family portrait.*

familieraad ⟨de (m.)⟩ **0.1** *family council/conference.*

familiereünie ⟨de (v.)⟩ **0.1** *family reunion/meeting* ⇒⟨inf.⟩ *family get-together.*

familieroman ⟨de (m.)⟩ **0.1** *family saga* ⇒⟨lit.⟩ *roman-fleuve.*

familiestuk ⟨het⟩ **0.1** [schilderij] *family portrait* **0.2** [erfstuk] *family heirloom.*

familieteelt ⟨de⟩ **0.1** *inbreeding.*

familietrek ⟨de (m.)⟩ **0.1** [mbt. gedrag] *family trait* **0.2** [mbt. uiterlijk] *family likeness.*

familievete ⟨de⟩ **0.1** *family feud.*

familiewapen ⟨het⟩ **0.1** *family (coat of) arms* ◆ **3.1** een ~ hebben/bezitten *bear arms, have a coat of arms.*

familiezaak ⟨de⟩ **0.1** [zaak die de familie aangaat] *family affair/matter* **0.2** [handelszaak] *family business/concern/firm.*

familieziek ⟨bn.⟩ **0.1** *over-/excessively fond of one's relations.*

fanaat¹ ⟨de (m.); vaak in samenstellingen⟩ **0.1** *fanatic* ⇒⟨ibb. mbt. religie, politiek⟩ *zealot,* ⟨inf.⟩ *freak, maniac* ◆ **1.1** jazzfanaat *jazz freak/ fiend;* voetbalfanaat *soccer/football fanatic/maniac/fiend.*

fanaat² ⟨bn.,bw.;-ly⟩ **0.1** *fanatical* ⇒*crazy*, ⟨ihb. mbt. religie, politiek⟩ *zealous*, ⟨agressief⟩ *rabid*.

fanaticus ⟨de (m.)⟩ →**fanaat**¹.

fanatiek ⟨bn.,bw.;-ly⟩ **0.1** [bezeten] *fanatical* **0.2** [dweepziek] *fanatical* ◆ **1.1** een ~ schaker *a chess fanatic* **1.2** een ~ geschreeuw *f. / wildly enthusiastic cries* **3.1** zeer ~ werken *work (away) like blazes / like nobody's business*.

fanatiekeling ⟨de (m.)⟩ ⟨iron.⟩ **0.1** *fanatic*.

fanatisme ⟨het⟩ **0.1** *fanaticism* ⇒⟨ihb. mbt. religie, politiek⟩ *zealotry* ◆ **2.1** een blind ~ *(a) blind f..*

fancy-artikel ⟨het⟩ **0.1** *fancy / novelty article* ⇒*knick-knack*, ⟨mv.⟩ *fancy / novelty goods*.

fancy-fair ⟨de (m.)⟩ **0.1** *bazaar* ⇒*sale of work*, ᴮ*jumble sale*, ᴬ*rummage sale*.

fandango ⟨de (m.)⟩ **0.1** *fandango*.

fanerogaam ⟨de⟩ **0.1** *phanerogam*.

fanfare ⟨de⟩ **0.1** [muziekkorps] *brass band* **0.2** [muziekstuk] *flourish* **0.3** [⟨mv.⟩ trompetgeschal] *fanfare, flourish* **0.4** [drukte] *fuss* ⇒*commotion*, ⁺*kerfuffle* ◆ ¶.¶ boekband à la ~ *fanfare binding*.

fantaseren
I ⟨onov.ww.⟩ **0.1** [dromen, kletsen, onzin vertellen] *fantasize (about)* ⇒*dream (about), indulge in / have fantasies (about), have visions (of)*, ⟨ijlen⟩ *be delirious, ramble* **0.2** [⟨muz.⟩ improviseren] *improvise (on)* ⇒*extemporize (on)* ◆ ¶.1 je fantaseert, man *you're talking nonsense, you're letting your imagination run away with you;*
II ⟨ov.ww.⟩ **0.1** [verzinnen, verbeelden] *dream up* ⇒*imagine, invent* ◆ **5.1** de verdachte fantaseerde van alles erbij *the suspect indulged in all kinds of fancies / fantasies, there wasn't a word of truth in what the suspect said*.

fantasie ⟨de (v.)⟩ **0.1** [verbeeldingskracht] *imagination* ⇒*imaginative powers*, ⟨speels, grillig⟩ *fancy* **0.2** [verbeelding] *imagination* ⇒⟨speels, grillig⟩ *fancy*, ⟨onwerkelijk⟩ *fantasy* **0.3** [produkt van de verbeelding] *fantasy* ⇒*(fanciful) idea, flight of fancy, figment of the imagination*, ⟨waandenkbeeld⟩ *illusion, hallucination*, ⟨verhaal⟩ *fabrication* **0.4** [iets dat niet echt is] ⟨in samenstellingen⟩ *fancy* ⇒⟨niet echt⟩ *artificial, imitation, synthetic*, ⟨verzonnen⟩ *make-believe* **0.5** [⟨muz.⟩] *fantasia* ⇒⟨ook lit.⟩ *fantasy* ◆ **2.1** ongebreidelde / tomeloze ~ *a flight of i., unbridled i.* **3.1** het kan niet waar zijn, hoeveel ~ men ook moge hebben *it cannot be true, by any stretch of the i.* **3.4** dat is ~ *that is a mere fabrication, you're making it up* **6.2** dat bestaat alleen in je ~ *that's a figment of your i., that's pure fantasy, it's all in your i.* **7.1** weinig ~ hebben *have little i., be unimaginative*.

fantasieartikelen ⟨zn.mv.⟩ **0.1** *fancy / novelty goods / articles*.

fantasiekostuum ⟨het⟩ **0.1** *informal / casual dress*.

fantasieloos ⟨bn.⟩ **0.1** *unimaginative* ⇒*uninventive, lacking in imagination*.

fantasienaam ⟨de (m.)⟩ **0.1** [verzonnen benaming] ⟨pej.⟩ *fancy name* ⇒*fantasy name* **0.2** [mbt. groepen van planten] *fantasy name*.

fantasiepapier ⟨het⟩ **0.1** *fancy / coloured paper*.

fantasierijk ⟨bn.⟩ **0.1** *(highly) imaginative* ⇒*(highly) inventive, teeming with ideas, creative*.

fantasiestof ⟨de⟩ **0.1** *fancy cloth / suiting / fabric*.

fantasievest ⟨het⟩ **0.1** *fancy waistcoat*.

fantasmagorie ⟨de (v.)⟩ **0.1** [het te voorschijn brengen van figuren] *phantasmagoria, phantasmagory* **0.2** [geheel van voorstellingen] *phantasmagoria, phantasmagory*.

fantast ⟨de (m.)⟩ **0.1** *dreamer, visionary* ⇒*fantast*.

fantastisch¹
I ⟨bn.⟩ **0.1** [niet werkelijk] *fantastic* ⇒*fanciful, unreal(istic), incredible, weird* **0.2** [onwerkelijk mooi / goed enz.] *fantastic* ⇒*great, marvellous, terrific* **0.3** [met een te veel aan fantasie] *fanciful* ⇒*visionary* **0.4** [grillig] *fantastic* ⇒*bizarre, whimsical* ◆ **1.1** ~e beweringen / verhalen *fanciful / wild claims / stories* **1.4** het ~e licht van de fakkels *the f. light of the torches* **3.2** zij is ~ (als actrice) *she is terrific (as an actress)* **4.2** het is iets ~ *it's the greatest thing since sliced bread;*
II ⟨bw.⟩ **0.1** [in de hoogste mate] *fantastically* ⇒*terrifically, tremendously, incredibly, terribly* ◆ **2.1** ~ lelijk / goedkoop *terribly ugly; incredibly cheap* **3.1** dat heb je werkelijk ~ gedaan *you did a really fantastic job, you were tremendous;* de nieuwe zaak loopt ~ *the new shop is doing f. (well) / is going great shakes.*

fantastisch² ⟨tw.⟩ **0.1** *fantastic* ⇒*marvellous, great, terrific* ◆ ¶.1 we zijn naar Kreta geweest, ~! *we have been to Crete, marvellous!.*

fantoom ⟨het⟩ **0.1** [schrikwekkend droombeeld] *phantom* **0.2** [⟨med.⟩] *mannikin* ⇒*phantom*.

fantoompijn ⟨de⟩ **0.1** *phantom limb pain*.

farad ⟨de (m.)⟩ **0.1** *farad*.

farao ⟨de (m.)⟩ **0.1** [Egyptisch koning] *pharaoh* **0.2** [kaartspel] *faro*.

faraomier ⟨de⟩ ⟨dierk.⟩ **0.1** *pharao ant*.

faraorat ⟨de (m.)⟩ ⟨dierk.⟩ **0.1** *ichneumon*.

farce ⟨de⟩ **0.1** [grap] *farce* **0.2** [vulsel] *stuffing, forcemeat*.

farceren ⟨ov.ww.⟩ **0.1** *stuff*.

Farizeeën ⟨zn.mv.⟩ **0.1** *Pharisees*.

farizeeër ⟨de (m.)⟩ **0.1** *pharisee* ⇒⟨fig. ook⟩ *hypocrite*.

farizees ⟨bn.,bw.;-(al)ly⟩ **0.1** *pharisaic(al), hypocritical* ⇒*holier-than-thou, self-righteous*.

farizeïsch ⟨bn.⟩ **0.1** *Pharisaic(al)*.

farmaceut ⟨de (m.)⟩, **-ceute** ⟨de (v.)⟩ **0.1** [apotheker(es)] *pharmacist* ⇒ ᴮ*(dispensing) chemist*, ᴬ*druggist* **0.2** [student(e)] *pharmaceutical student*.

farmaceutica
I ⟨de (v.)⟩ **0.1** [kunst van de geneesmiddelenbereiding] *pharmacy* ⇒*pharmaceutics;*
II ⟨het⟩ **0.1** [produkten] *pharmaceutics* ⇒*pharmaceutic(al) remedies*.

farmaceutisch ⟨bn.⟩ **0.1** *pharmaceutic(al)*.

farmacie ⟨de (v.)⟩ **0.1** [kennis van de geneesmiddelen] *pharmacy* ⇒*pharmaceutics* **0.2** [apotheek] *pharmacy* ⇒ᴮ*chemist's (shop)*, ᴬ*drugstore*, ⟨in ziekenhuis⟩ *dispensary*.

farmacochemie ⟨de (v.)⟩ **0.1** *pharmacochemistry*.

farmacodynamisch ⟨bn.⟩ **0.1** *pharmacodynamic*.

farmacognosie ⟨de (v.)⟩ **0.1** *pharmacognosy*.

farmacologie ⟨de (v.)⟩ **0.1** *pharmacology*.

farmacologisch ⟨bn.⟩ **0.1** *pharmacological*.

farmacoloog ⟨de (m.)⟩, **-loge** ⟨de (v.)⟩ **0.1** *pharmacologist*.

farmacon ⟨het⟩ **0.1** *pharmacon*.

farmacopee ⟨de (v.)⟩ **0.1** *pharmacopoeia*.

farmacopsychologie ⟨de (v.)⟩ **0.1** *psychopharmacology*.

farmacotherapie ⟨de (v.)⟩ **0.1** *pharmacotherapy*.

farus ⟨de (m.)⟩ **0.1** *pharos* ⇒*lighthouse, beacon*.

faryngaal¹ ⟨de (m.)⟩ **0.1** *guttural*.

faryngaal² ⟨bn.,bw.;-ly⟩ **0.1** *guttural*.

farynx ⟨de (m.)⟩ **0.1** *pharynx*.

fascinatie ⟨de (v.)⟩ **0.1** *fascination*.

fascineren ⟨ov.ww.⟩ **0.1** *fascinate* ⇒*captivate, enthral(l), bewitch, enchant* ◆ **1.1** met ~de blik *with a bewitching / captivating look / gaze;* een ~d schouwspel / boek / onderwerp *a fascinating / captivating / gripping spectacle / book / subject* **3.1** ~d vertellen *tell a story in a fascinating / gripping way, hold one's readers / listeners spellbound* **8.1** als gefascineerd *as if fascinated / captivated / spellbound*.

fascisme ⟨het⟩ **0.1** [politiek systeem] *Fascism* **0.2** [heerschappij] *fascism*.

fascist ⟨de (m.)⟩, **-e** ⟨de (v.)⟩ **0.1** [lid van de fascistische partij] *Fascist* ⇒*Blackshirt* **0.2** [aanhanger van het fascisme] *fascist*.

fascistengroet ⟨de (m.)⟩ **0.1** *Fascist salute*.

fascistisch ⟨bn.,bw.⟩ **0.1** *fascist*.

fascistoïde ⟨bn.⟩ **0.1** *fascistic*.

fase ⟨de (v.)⟩ **0.1** [stadium] *phase* ⇒*period*, ⟨van ziekte ook⟩ *stadium, stage* **0.2** [⟨ster.⟩] *phase* **0.3** [⟨nat.⟩] *phase* **0.4** [⟨schei.⟩] *phase* ◆ **2.1** de onderhandelingen komen in een beslissende ~ *the negotiations are entering upon / reaching a critical p. / stage* **6.1** in ~n *in phases / stages, phased* **6.3** in ~ in *in p., out of p..*

faseren ⟨ov.ww.⟩ **0.1** *phase*.

fasering ⟨de (v.)⟩ **0.1** *phasing* ⇒*planning / organising in phases / stages*.

faseverschil ⟨het⟩ **0.1** *phase difference*.

faseverschuiving ⟨de (v.)⟩ **0.1** *phase shift*.

fat ⟨de (m.)⟩ **0.1** *dandy* ⇒*fop*, ⟨inf.⟩ *fashion plate, clotheshorse*, ⟨AE; inf.⟩ *dude*, ⟨inf.;vnl. van homofiel⟩ *sissy*.

fataal ⟨bn.,bw.;-ly⟩ **0.1** *fatal* ⇒⟨ziekte ook⟩ *terminal, deadly*, ⟨dosis⟩ *lethal*, ⟨wond⟩ *mortal, vital* ◆ **1.1** een fatale afloop krijgen *end in disaster;* een ongeluk met fatale gevolgen *a fatal accident, a fatality;* een fatale termijn *a deadline / expiration date / statutory limit;* een fatale vrouw *a femme fatale;* ⟨inf.⟩ a vamp **3.1** die opmerking werd hem ~ *that remark was to prove / proved fatal (to him)* **6.1** dat zou ~ zijn **voor** mijn reputatie *that would ruin / be ruinous for my reputation.*

fatalisme ⟨het⟩ **0.1** *fatalism*.

fatalist ⟨de (m.)⟩ **0.1** *fatalist*.

fatalistisch ⟨bn.,bw.;-ally⟩ **0.1** *fatalistic* ⇒*fatalist* ◆ **1.1** een ~e levensbeschouwing *a fatalistic outlook / philosophy*.

fataliteit ⟨de (v.)⟩ **0.1** *fatality* ⇒*calamity, disaster*.

fata morgana ⟨de⟩ **0.1** [luchtspiegeling] *fata morgana* ⇒*mirage* **0.2** [illusie] *fata morgana* ⇒*mirage*.

fatisch ⟨bn.⟩ ⟨taal.⟩ **0.1** *phatic*.

fatsoen ⟨het⟩ **0.1** [goede manieren] *decorum, decency, propriety* ⇒*civility, respectability* **0.2** [model] *shape* ⇒*form*, ⟨kleren, haar⟩ *fashion, style, cut* ◆ **1.1** de regels van het ~ *the proprieties, the precepts of decorum* **2.1** het burgerlijk ~ *common decency;* mijn buurman kan met goed ~ nog geen zaag vasthouden *my neighbour cannot even hold a saw properly* **3.1** hou je ~! *shape up!, none of your cheek!, (mind your) manners!;* geen enkel ~ hebben *lack all (basic) sense of propriety / decency*, ⟨inf.⟩ *have absolutely no idea (how to behave);* zijn ~ houden / bewaren *behave (o.s.), observe the decencies / proprieties, preserve decorum;* u zou het ~ moeten hebben te zwijgen *you ought to / might have the decency to keep quiet;* zijn ~ ophouden *keep up / preserve appearances* **6.1** voor je ~ kun je niet weggaan *in all decency / conscience you cannot leave, you can't very well leave* **6.2** een hoed weer in zijn ~ brengen ⟨professioneel⟩ *(re-)block a hat;* ⟨alg.⟩ *put a hat back into (good) s.;* uit zijn ~ ⟨liggen / zijn / gaan⟩ *be / have got out* *of s., lose s.;* ⟨AE;inf.⟩ *be/get out of whack* **¶.1** zijn~ te grabbel gooien *throw decorum to the winds.*

fatsoeneren ⟨ov.ww.⟩ **0.1** [in model brengen] *(re-)model, shape* ⇒*fashion, put/lick into shape, style* **0.2** [beschaven] *lick into shape* ⇒*civilize* ◆ **1.1** een kapsel~ *tidy/fix* ⟨AE⟩ *(s.o.'s) hair.*

fatsoenlijk ⟨bn.,bw.;-ly⟩ **0.1** [net(jes)] *decent* ⟨kerel, taal, gedrag⟩, *good/nice* ⟨meisje⟩ ⇒*respectable* ⟨persoon⟩,*reputable* ⟨met een goede naam⟩, *clean* ⟨taal⟩ **0.2** [behoorlijk] *decent* ⟨maaltijd, inkomen, huis, buurt⟩ ⇒*fair* ⟨kennis van iets⟩ ◆ **1.1** ~e armen *the deserving/honest poor;* ~e armoede *genteel/gilded poverty, shabby gentility;* op een~e manier aan de kost komen *earn/make an honest/a respectable living;* ~ mens/man/vrouw *an honest man/woman, a Christian;* (m.) *a gentleman* **1.2** ⟨iron.⟩ je kunt hier geen~e krant kopen *you can't even buy a d. paper in this place;* een~stukje muziek *a d.piece of music* **3.1** je had zo~ moeten zijn om niet te kijken *you might/ought to have had the decency/grace not to look;* iets~ vragen *ask sth. nicely/civilly;* zich~ gedragen *behave* **3.2** ~ kunnen leven van een pensioen *be able to live decently/respectably on a pension.*

fatsoenlijkheid ⟨de (v.)⟩ **0.1** *decency* ⇒*respectability, gentility.*

fatsoenshalve ⟨bw.⟩ **0.1** *for decency's sake, for the sake of/in all decency.*

fatsoensregels ⟨zn.mv.⟩ **0.1** *(rules of) etiquette* ⇒*decorum, social convention.*

fatterig, fattig ⟨bn.,bw.;-ly⟩ **0.1** *dandyish, dandified* ⇒*foppish;* ⟨inf.; vnl. van homofiel⟩ *sissy, sissified.*

fatterigheid ⟨de (v.)⟩ **0.1** *dandyism* ⇒*foppishness, foppery.*

fatum ⟨het⟩ **0.1** *fate.*

faun ⟨de (m.)⟩ **0.1** *faun.*

fauna ⟨de⟩ **0.1** [diersoorten] *fauna* ⇒*animal life, zoology* **0.2** [opsomming, beschrijving] *fauna* ⇒*zoology* ◆ **1.1** de flora en ~ van Nederland *the flora and f./the plant and animal life of the Netherlands.*

fauteuil ⟨de (m.)⟩ **0.1** [armstoel] *armchair, easy/lounge chair* **0.2** [rang in theater] ⟨beneden⟩ *(seat in the) stalls,* ᴬ*orchestra seat* ◆ **¶.2** ~s de balcon *dress circle,* ᴬ*mezzanine.*

fauteuilstel ⟨het⟩ **0.1** *lounge suite* ⇒*(three-piece) suite.*

fauvisme ⟨het⟩ **0.1** *fauvism.*

faux pas ⟨de (m.)⟩ **0.1** *faux pas* ⇒*indiscretion.*

faveur ⟨de⟩ **0.1** *favour* ⇒*(faveurtje) windfall* ◆ **1.1** een~tje van ƒ50,- van mijn oom *a windfall of ƒ50,- from my uncle* **6.¶** ten ~ van in favour of.

favorabel ⟨bn.⟩ **0.1** *favourable.*

favoriet[1] ⟨de (m.)⟩ **0.1** [gunsteling] *favourite* ⇒⟨leerling⟩ *(teacher's) pet, blue-eyed boy, darling, idol* **0.2** [als winnaar getipt mens, dier] *favourite* **0.3** [mbt. zaken] *favourite* ◆ **2.2** de grote/uitgesproken~ *the hot/odds-on/number one f..*

favoriet[2] ⟨bn.⟩ **0.1** [meest geliefd] *favourite* ⇒⟨persoon⟩ *favoured* **0.2** [als winnaar getipt] *favourite* ⇒*fancied* ◆ **1.1** stofzuigen is niet bepaald mijn meest ~e bezigheid *vacuum-cleaning is not exactly my f. dish/pastime.*

favoriete ⟨de (v.)⟩ **0.1** [vrouwelijke favoriet] *favourite* ⇒*darling, pet* **0.2** [meest bevoorrechte concubine] *favourite.*

favoriseren ⟨ov.ww.⟩ **0.1** *favour.*

favus ⟨de (m.)⟩ **0.1** *favus.*

favusschimmel ⟨de (m.)⟩ **0.1** *favus (causing) fungus.*

faxen ⟨ov.ww.⟩ **0.1** *fax.*

faxpost ⟨de⟩ **0.1** *faxpost/mail.*

fazant ⟨de (m.)⟩ **0.1** [vogel] *pheasant* **0.2** [vlees] *pheasant.*

fazantenhaan ⟨de (m.)⟩ **0.1** *cock-pheasant.*

fazantenhen ⟨de (v.)⟩ **0.1** *hen-pheasant.*

fazantenjacht ⟨de⟩ **0.1** *pheasant-shooting, pheasant shoot.*

fazantenpark ⟨het⟩ **0.1** *pheasantry.*

FBI ⟨de⟩ **0.1** *FBI;* ⟨inf.⟩ *Feds.*

FBI-agent ⟨de (m.)⟩ **0.1** *F.B.I. agent, G-man.*

fdc ⟨het⟩ ⟨afk.⟩ **0.1** [fleur de coin] *FDC* **0.2** [first day cover] *FDC.*

feature ⟨de (m.)⟩ **0.1** [iets dat belangstelling trekt] *feature* **0.2** [speciaal artikel] *feature* **0.3** [⟨taal.⟩] *feature* ◆ **1.1** deze film is de~ v.h. festival *this film is the festival's main attraction/the focal point of the festival.*

feb(r). ⟨afk.⟩ **0.1** [februari] *Feb..*

februari ⟨de (m.)⟩ **0.1** *February.*

fec. ⟨afk.⟩ **0.1** [fecit] *fec.*

feces ⟨zn.mv.⟩ **0.1** *faeces* ⇒*excrement.*

fecundatie ⟨de (v.)⟩ **0.1** *fecundation* ⇒*fertilization.*

federaal ⟨bn.⟩ **0.1** *federal* ⟨staat, regering⟩ ⇒*federated,* ⟨systeem⟩ *federative.*

federaliseren ⟨ov.ww.⟩ **0.1** *federalize* ⇒*(con)federate.*

federalisme ⟨het⟩ **0.1** *federalism.*

federalist ⟨de (m.)⟩ **0.1** *federalist* ⇒*federal.*

federalistisch ⟨bn.⟩ **0.1** *federalist(ic).*

federatie ⟨de (v.)⟩ **0.1** *federation* ⇒*confederation.*

federatief ⟨bn.⟩ **0.1** *federative.*

federeren ⟨onov.ww.⟩ **0.1** *federate.*

fee ⟨de (v.)⟩ **0.1** *fairy* ⇒⟨lit.⟩ *fay* ◆ **2.1** de boze ~ *the bad/wicked fairy;* de goede~ *the good fairy, the fairy godmother;* ⟨huishoudfee⟩ *brownie.*

---

feeërie ⟨de (v.)⟩ **0.1** [voorstelling] *enchanting/magical/fairy-tale spectacle/performance* **0.2** [sprookjesachtige aanblik] *enchanting/fairylike/magical spectacle/sight.*

feeëriek ⟨bn.⟩ **0.1** *enchanting, magic(al), fairylike, fairy-tale, entrancing.*

feeks ⟨de (v.)⟩ **0.1** [helleveeg] *shrew* ⇒*vixen, (hell-)cat, she-devil,* ⟨groot en sterk⟩ *virago,* ⟨vnl. lit.⟩ *termagant* **0.2** [bijdehandje] *a shrewd/smart/sharp one* ◆ **2.1** oude ~ *harridan, (old) hag, harpy* **2.2** een kleine ~ *a shrewd/smart little girl/kid, a little miss/madam.*

feeksig ⟨bn.,bw.;-ly⟩ **0.1** *shrewish* ⇒*vixenish.*

feeling ⟨de (v.)⟩ **0.1** *feel* ⇒*knack, feeling* ◆ **6.1** (geen) ~ hebben voor iets *have no/a feel for sth..*

feest ⟨het⟩ **0.1** [fuif, partij] *party* ⇒*celebration, feast* ⟨banket⟩, ⟨inf.⟩ *do* **0.2** [festijn] *feast* ⇒*treat* **0.3** [viering] *celebration* ⇒⟨vnl. rel.⟩ *festival, feast,* ⟨officieel⟩ *festivity* **1.1** ⟨vnl. mv.⟩ *festivity* **0.4** [menstruatie] ⟨inf.⟩ *(the) curse* ◆ **1.3** het ~ van Driekoningen *(the feast of) Epiphany* **2.2** het ritje werd een waar ~ *the ride was a real treat* **3.1** een~je geven/bouwen *give/have/throw a p.* **3.2** dat ~ gaat niet door *that's definitely off, you can put that (idea) right out of your head, you've got another think coming on that one* **3.4** ~ hebben *have the rag on, fall off the roof* **6.1** naar een ~ gaan *go to a p., step out.*

feestartikelen ⟨zn.mv.⟩ **0.1** *party goods/toys.*

feestavond ⟨de (m.)⟩ **0.1** ⟨formeel⟩ *gala night;* ⟨informeel⟩ *social evening,* ⟨AE ook⟩ *sociable* ◆ **3.1** een~ geven/houden *give/hold a social (evening)/an evening do.*

feestboek ⟨het⟩ **0.1** [boek met feestliederen] *party song-book* ⇒*book of festive songs* **0.2** [herinneringsboek] *anniversary/memorial/commemorative volume/book.*

feestbundel ⟨de (m.)⟩ **0.1** *festschrift* ⇒*liber amicorum, anniversary/memorial volume.*

feestcommissie ⟨de (v.)⟩ **0.1** *organizing/social committee.*

feestdag ⟨de (m.)⟩ **0.1** [dag waarop feest gevierd wordt] *holiday* ⇒⟨vnl. rel.⟩ *festival, feast-day, feast, red letter day* **0.2** [gedenkdag] ⟨mbt. naam⟩ *name day;* ⟨mbt. heilige⟩ *saint's day, fête(-day);* ⟨mbt. gebeurtenis⟩ *anniversary, celebration;* ⟨mbt. rel. gebeurtenis⟩ *feast, festival* ◆ **1.2** op zon- en feestdagen *on Sundays and public holidays* **2.2** christelijke~en *Christian holy days/holidays/festivals;* ⟨vero.⟩ *Holy Days of Observation;* erkende~ *legal holiday;* kerkelijke~ *feast/festival of the Church, feast-day, holy/high day;* nationale~ *national holiday;* officiële~ *public holiday; bank holiday* ⟨in G.B., op werkdag⟩ *prettige* ~en *the compliments of the season, seasonal greetings;* vaste en veranderlijke~en *immovable and movable feasts;* verplichte~ *day of obligation;* wettelijke~ *statutory holiday* **6.2** inkopen doen voor de (komende)~ *make (one's) purchases for the (coming) festive season.*

feestdiner ⟨het⟩ **0.1** *(festive) dinner* ⇒*feast, banquet,* ⟨ter herdenking⟩ *celebration dinner.*

feestdronk ⟨de (m.)⟩ **0.1** *(a) toast, (a) health* ◆ **3.1** een~ uitbrengen op iem./ iets *drink to s.o./ sth., toast s.o., propose a t. to s.o./ sth..*

feestdrukte ⟨de (v.)⟩ **0.1** *festivities, (festive) celebrations, revelry.*

feesteigen ⟨het⟩ ⟨r.k.⟩ **1.¶** het ~ der heiligen *the proper of the saints.*

feestelijk ⟨bn.,bw.;-ly⟩ **0.1** *festive* ⇒⟨schr.⟩ *festal, celebratory,* ⟨adnominaal; mbt. feestje⟩ *party* ◆ **1.1** bij~e gelegenheden *on festive occasions;* een~e jurk *a festive dress;* ~e opening *festive/gala/official inauguration/opening* **3.1** ~ voor de eer bedanken *decline with thanks;* de zaal is~ versierd *the room is festively decorated;* iem. ~ onthalen *entertain s.o. lavishly, fête/fete/regale s.o.;* je ziet er~uit *you look festive/gorgeous* **3.¶** ⟨iron.⟩ dank je~ *thanks a bundle!, no, thank you!, not on your life!.*

feestelijkheid ⟨de (v.)⟩ **0.1** [feeststemming] *festivity* ⇒*festive spirit, gaiety, merrymaking* **0.2** [festiviteit] ⟨vnl. mv.⟩ *festivity, celebration* ⇒*festive affair/occasion,* ⟨plechtig, formeel⟩ *(social) function* ◆ **1.2** aan het slot van de feestelijkheden *at the end/close of the festivities/celebrations* **6.2** de feestelijkheden rond/ter gelegenheid van/in verband met haar jubileum *the celebrations/festivities connected with/in honour of/on the occasion of/attendant on her jubilee/anniversary.*

feesteling ⟨de (m.)⟩ **0.1** *reveller* ⇒*partygoer, merrymaker, guest.*

feesten ⟨onov.ww.⟩ **0.1** *celebrate* ⇒*make merry,* ⟨eten⟩ *feast* ◆ **5.1** uitbundig/flink~ *revel,* ⟨inf.⟩ *whoop/hoop it up;* ⟨AE; sl.⟩ *make whoopee; have a ball/a whale of a time.*

feestfiguur ⟨het, de (m.)⟩ **0.1** *partygoer* ⇒*man about town, reveller, convivialist.*

feestganger ⟨de (m.)⟩ **0.1** *partygoer* ⇒*merrymaker, reveller, guest.*

feestgedruis ⟨het⟩ **0.1** *(sound(s) of) revelry/festivities* ⇒*party hubbub.*

feestgewaad ⟨het⟩ **0.1** *festive dress/attire/garb.*

feestgewoel ⟨het⟩ **0.1** *party bustle.*

feestgezang ⟨het⟩ **0.1** [lied] *festive song* **0.2** [het zingen] *festive singing.*

feestmaal ⟨het⟩ **0.1** [feestelijke maaltijd] *feast* ⇒*festive meal/dinner,* ⟨groots⟩ *banquet* **0.2** [heerlijk maal, festijn] *feast* ⇒⟨inf.⟩ *spread, slap-up meal* ◆ **3.1** een~ aanrichten *serve/prepare/lay/put on a feast.*

feestneus ⟨de (m.)⟩ **0.1** [kunstneus] *false nose* **0.2** [persoon] *reveller* ⇒⟨grapjas⟩ *buffoon.*

feestnummer ⟨het⟩ **0.1** [iem. die graag feestviert] *merrymaker* ⇒*(keen) partygoer, reveller,* ⟨grapjas⟩ *buffoon* **0.2** [nummer van een blad/*

tijdschrift] *anniversary issue / number* ⇒*Christmas / holiday /* ⟨enz.⟩ *issue* **0.3** [hoofdpersoon van een feest] *hero of the feast,* ⟨*guest of honour,* ⟨*(the) toast*.

feestprogramma ⟨het⟩ **0.1** *festival programme* ⇒*programme of events.*

feestroes ⟨de (m.)⟩ **0.1** *frenzy / flush of excitement* ⇒*high spirits, ecstasy* ◆ **6.1** na de overwinning verkeerde het hele land in een ~*following the victory the whole country was in ecstasies / a state of wild excitement / a holiday / party mood.*

feeststemming ⟨de (v.)⟩ **0.1** [van een mens] *festive mood / spirit* **0.2** [sfeer] *festive atmosphere / festivity.*

feestvarken ⟨het⟩ ⟨scherts.⟩ **0.1** ≠*hero of the feast, (the) toast (of the party)* ⇒⟨van kinderen, of scherts.⟩ *birthday boy / girl.*

feestverlichting ⟨de (v.)⟩ **0.1** *festive lighting* ⇒*illumination(s), fairy- / party lights,* ⟨van stad ook⟩ *(the) lights* ◆ **6.1** de stad in ~ *the city (brightly) illuminated.*

feestvierder ⟨de (m.)⟩, **-vierster** ⟨de (v.)⟩ **0.1** [deelnemer aan een feest] *partygoer* ⇒⟨gebeurtenis⟩ *merrymaker* **0.2** [fuifnummer] *partygoer.*

feestvieren ⟨onov.ww.⟩ **0.1** [feesten] *celebrate* ⇒*make merry* **0.2** [gedenkdag vieren] *celebrate* ⇒*commemorate* ⟨gebeurtenis⟩, ⟨rel.⟩ *observe.*

feestviering ⟨de (v.)⟩ **0.1** *celebration* ⇒*feasting, merry-making.*

feestvreugd(e) ⟨de (v.)⟩ **0.1** *festivity* ⇒*jollity, rejoicing, gaiety, fun (and games)* ◆ **1.1** ter verhoging v.d. ~ *to add to the festivity / gaiety / fun* **3.1** de ~ verstoren *disturb / spoil the festivity / gaiety / fun, dampen the party spirit.*

feestweek ⟨de⟩ **0.1** *festive / festival week.*

feestzaal ⟨de⟩ **0.1** *party / reception room / ⟨groter⟩ hall; ⟨voor maaltijden⟩ banqueting room / hall.*

feil ⟨de⟩ ⟨schr.⟩ **0.1** [tekortkoming] *failing, flaw* ⇒⟨vnl. mv.⟩ *shortcoming, flaw defect* **0.2** [vergissing] *error* ⇒*mistake, fault* ◆ **3.2** hier is een ~ ingeslopen *a mistake has crept in here.*

feilbaar ⟨bn.⟩ **0.1** *fallible* ⇒*liable to error* ◆ **1.1** ons ~ verstand *our f. mind, our imperfect / limited understanding.*

feilbaarheid ⟨de (v.)⟩ **0.1** *fallibility.*

feilen ⟨onov.ww.⟩ ⟨schr.⟩ **0.1** [zich vergissen] *err* ⇒ ⁺*make a mistake* **0.2** [te kort schieten] *err* ⇒ ⁺*fail.*

feilloos ⟨bn., bw.; -ly⟩ **0.1** [geheugen, remedie] *infallible; ⟨oordeel⟩ unerring; ⟨regelmaat⟩ unfailing; ⟨zonder fouten⟩ faultless, flawless* ◆ **1.1** met ~ instinct *with unerring instinct* **3.1** ~ de weg terug vinden *find the way back with unerring exactness.*

feit ⟨het⟩ **0.1** *fact* ⇒⟨gebeurtenis⟩ *circumstance,* ⟨nieuwsfeit⟩ *feature, event* ◆ **1.1** ~en en cijfers *facts and figures* **2.1** een nieuw ~ *a new f., a fresh development;* ⟨jur.; aanvoeren van⟩ *a special plea;* een strafbaar ~ *a legal / penal / criminal offence;* vaststaand / bewezen ~ *established f., matter of record;* ⟨inf.⟩ *sure thing;* een voldongen ~ *an accomplished f., a fait accompli, a foregone conclusion* **3.1** het ~ herdenken *commemorate the event;* het is / blijft een ~ dat ... *it is a f. that, the f. is / remains that, there is no denying that;* de ~en noemen *give (the) facts, speak / talk straight;* op ~en gebaseerd *based on fact;* de ~en voor zichzelf *the facts speak for themselves / are self-evident* **6.1** ⟨fig.⟩ achter de ~en aanlopen *have been overtaken by events / developments;* in ~e *in f., in effect, in point of f., as a matter of f., actually;* zij stond **voor** het ~ dat ze moest verhuizen *she had no alternative but to move* **7.1** alle ~en op een rijtje zetten *get / keep / put / set the facts / record straight, gather the facts* **8.1** het ~ dat we dat niet deden *the f. that we did not do that, our not having done that;* gezien het ~ dat ... *considering ...;* ondanks het ~ dat ... *in spite of the f. that, albeit that, although* ¶**.1** ten laste gelegd ~ *charge.*

feitelijk
I ⟨bn.⟩ **0.1** [werkelijk] *actual* ⇒⟨de feiten betreffende⟩ *of fact,* ⟨macht, regering⟩ *de facto, virtual,* ⟨basis, gegevens, bewijsmateriaal⟩ *factual, documentary* **0.2** [daadwerkelijk]⟨zie **I.2**⟩ ◆ **1.1** de ~e leider van Suriname *the virtual leader of Surinam;* de ~e macht / regering *the de facto / real / actual power / government;* de ~e toestand *the a. / true situation* **1.2** ~ geweld *physical coercion;*
II ⟨bw.⟩ **0.1** [in werkelijkheid] *actually* ⇒*practically, in (point of) fact, as a matter of fact, in effect / reality* ◆ **3.1** ~ heeft hij ongelijk *in fact / in point of fact / as a matter of fact he is wrong, he is a. wrong;* ~ is hij de schuldige *he is the actual culprit, in fact he is the guilty party;* ~ is hij hier de baas *for all practical purposes / to all intents and purposes he is in charge / the boss here;* dat is ~ hetzelfde als ... *that is practically / virtually the same as.*

feitelijkheid ⟨de (v.)⟩ **0.1** [daad van geweld] *act of violence* **0.2** [feit] *(matter of) fact* **0.3** [het feitelijk zijn] *factuality, factualness* ◆ **1.3** de ~ v.e. gebeurtenis *the fact that an event actually did take place.*

feitenkennis ⟨de (v.)⟩ **0.1** *knowledge of (the) facts, factual knowledge.*

feitenmateriaal ⟨het⟩ **0.1** *factual material* ⇒*facts.*

fel
I ⟨bn., bw.; -ly⟩ **0.1** [de zintuigen sterk treffend] *fierce* ⟨hitte, wind, stralen⟩ ⇒*bitter* ⟨koude⟩, *raging* ⟨koorts⟩, *sharp* ⟨pijn, vorst⟩, *keen* ⟨wind⟩, *bright, vivid, loud, garish* ⟨kleuren⟩, *blazing, glaring* ⟨licht⟩ **0.2** [hevig] *fierce* ⇒*sharp, keen* ⟨gevecht, competitie⟩, *violent* ⟨emotie⟩, *bitter* ⟨strijd⟩ **0.3** [vurig] *fierce* ⇒*fiery* ⟨temperament⟩, *vehe-*

ment ⟨protest⟩, *spirited* ⟨persoon⟩, *scathing, biting* ⟨woorden, aanval⟩ ◆ **1.2** een ~le brand *a blazing / raging fire* **2.1** een ~ rose jurk *a bright / brilliant / lurid pink dress, a dress in vivid pink* **2.2** ~ verontwaardigd zijn *be outraged / scandalized* **3.1** de zon schijnt ~ *the sun is blazing / beating down* **3.2** ~ uithalen *lash / strike out (at)* **3.3** een voorstel ~ bestrijden *oppose a proposal vehemently / passionately, fight a proposal tooth and nail* **6.3** ~ **tegen** iets zijn *be dead / set against;* **II** ⟨bn.⟩ ◆ **6.¶** dat kind is ~ **op** auto's *that child is (dead) keen / mad on cars / car mad.*

felgekleurd ⟨bn.⟩ **0.1** ⟨levendig⟩ *brightly-coloured;* ⟨opvallend⟩ *vividly-coloured;* ⟨opzichtig, ordinair⟩ *garish, gaudy, loud.*

felheid ⟨de (v.)⟩ **0.1** [hevigheid] *fierceness* ⇒*intensity, violence* **0.2** [vurigheid] *fierceness* ⇒*fieriness, fervency, fervour* ◆ **1.1** de ~ v.d. ziekte *the virulence of the disease* **3.2** haar ~ verraste mij *her fervour surprised me.*

felicitatie ⟨de (v.)⟩ **0.1** *congratulation(s)* ⇒*felicitation* ◆ **1.1** brieven met ~s *letters of c., congratulatory letters* **5.1** zoiets is wel een ~ waard *that is a matter for c., that deserves congratulations.*

felicitatiebrief ⟨de (m.)⟩ **0.1** *congratulation.*

feliciteren ⟨ov.ww.⟩ **0.1** *congratulate ((up)on)* ⇒⟨inf.⟩ *slap / pat s.o. on the back,* ⟨schr.⟩ *felicitate (on / upon)* ◆ **2.1** hartelijk gefeliciteerd met *hearty congratulations on, sincere good / best wishes on / for* **4.1** zich- (zelf) ~ *congratulate o.s. (for / on / with), pat o.s. / give o.s. a pat on the back* **6.1** iem. ~ **met** zijn succes *congratulate s.o. on his success* ¶**.1** gefeliciteerd en nog vele jaren *happy birthday and many happy returns of the day).*

felien ⟨bn.⟩ **0.1** *feline* ⇒*felid.*

fellatie ⟨de (v.)⟩ **0.1** *fellatio.*

felonie ⟨de (v.)⟩ ⟨gesch.⟩ **0.1** *felony.*

fels ⟨de (m.)⟩ **0.1** *fold, folded joint hem, folded seam.*

felsen ⟨onov., ov.ww.⟩ **0.1** *fold.*

felser ⟨de (m.)⟩ **0.1** [persoon] *folder* ⇒*sheet metal worker, seamer (operator)* **0.2** [machine] *folder, folding / seaming machine.*

felsijzer ⟨het⟩ **0.1** *stake.*

felsmachine ⟨de (v.)⟩ **0.1** *folder, folding / seaming machine.*

femel
I ⟨de⟩ **0.1** [hennep] *fimble (hemp);*
II ⟨de (m.)⟩ **0.1** [femelaar(ster)] *(canting) hypocrite* ⇒*sanctimonious person.*

femelaar ⟨de (m.)⟩, **-ster** ⟨de (v.)⟩ **0.1** *(canting) hypocrite* ⇒*sanctimonious person.*

femelachtig ⟨bn., bw.; -ly⟩ **0.1** *canting* ⇒*sanctimonious, pharisaical, hypocritical.*

femelarij ⟨de (v.)⟩ **0.1** *cant(ing)* ⇒*sanctimoniousness, sanctimony, pharisaism.*

femelen ⟨onov.ww.⟩ **0.1** *cant* ⇒*talk cant.*

feminien ⟨bn.⟩ **0.1** *feminine.*

feminisatie ⟨de (v.), g.mv.⟩ **0.1** *feminization.*

femininum ⟨het⟩ ⟨taal.⟩ **0.1** [geslacht] *feminine* **0.2** [vorm] *feminine* **0.3** [zelfst. nw.] *feminine.*

feminisatie →**femininisatie.**

feminisering ⟨de (v.)⟩ **0.1** *feminization.*

feminisme ⟨het⟩ **0.1** *feminism* ⇒*Women's Liberation,* ⟨inf.⟩ *Women's Lib.*

feminist ⟨de (m.)⟩, **-e** ⟨de (v.)⟩ **0.1** *feminist* ⇒⟨inf.⟩ *Women's Libber.*

feministisch ⟨bn., bw.⟩ **0.1** *feminist(ic)* ◆ **1.1** de ~e beweging *the feminist movement, (the) Women's Liberation Movement, Women's Liberation;* ⟨inf.⟩ *Women's Lib.*

femisch ⟨bn.⟩ ⟨geol.⟩ **0.1** *femic* ⇒*ferromagnesian.*

femme fatale ⟨de (v.)⟩ **0.1** *femme fatale* ⇒*vamp.*

femur ⟨het⟩ ⟨biol.⟩ **0.1** *femur.*

fenegriek ⟨het, de (m.)⟩ ⟨plantk.⟩ **0.1** *fenugreek.*

Fenicië ⟨het⟩ **0.1** *Phoenicia.*

feniks ⟨de (m.)⟩ **0.1** [~myth.] *ph(o)enix* **0.2** [iem. die enig is in zijn vak] *ph(o)enix* ◆ **6.2** een ~ in de kunst *an outstanding artist, an artistic p.* **8.1** als een ~ uit zijn as herrijzen *rise like a p. from the ashes.*

fenogenese ⟨de (v.)⟩ **0.1** *phenogenesis* ⇒*developmental genetics.*

fenogenetisch ⟨bn., bw.; -ally⟩ **0.1** *phenogenetic.*

fenol ⟨het⟩ ⟨schei.⟩ **0.1** [carbolzuur] *phenol (acid)* ⇒*carbolic acid* **0.2** [aromatische verbinding] *phenol.*

fenologie ⟨de (v.)⟩ **0.1** *phenology.*

fenoloplossing ⟨de (v.)⟩ ⟨schei.; med.⟩ **0.1** *phenol / carbolic solution.*

fenolverfstof ⟨de⟩ **0.1** *phenol dye.*

fenolvergiftiging ⟨de (v.)⟩ **0.1** *phenol / carbolic poisoning.*

fenomeen ⟨het⟩ **0.1** [waarneembaar verschijnsel] *phenomenon* **0.2** [uniek verschijnsel] *phenomenon* **0.3** [uniek persoon] *phenomenon.*

fenomenaal ⟨bn., bw.; -ly⟩ **0.1** [⟨fil.⟩] *phenomenal* **0.2** [verbazingwekkend] *phenomenal* ⇒*extraordinary, prodigious* ◆ **1.2** een ~ geheugen *a p. / prodigious memory;* fenomenale winsten *p. profits.*

fenomenalisme ⟨het⟩ ⟨fil.⟩ **0.1** *phenomenalism.*

fenomenologie ⟨de (v.)⟩ **0.1** *phenomenology.*

fenomenologisch ⟨bn., bw.; -ly⟩ **0.1** [mbt. de verschijnselen als zodanig] *phenomenological* **0.2** [⟨nat.⟩] *phenomenological.*

fenotype ⟨het⟩ ⟨erfelijkheid⟩ **0.1** *phenotype.*
fenyl ⟨het⟩ **0.1** *phenyl.*
fenylalcohol ⟨de (m.)⟩ **0.1** *phenyl (alcohol).*
feodaal ⟨bn.,bw.;-(al)ly⟩ **0.1** [tot het leenstelsel behorend] *feudal* ⇒ *feudalistic* **0.2** [herinnerend aan het oude leenstelsel] *feudal* ⇒ *feudalistic* ◆ **1.1** een feodale bezitting a *fief/feoff/fee/feud;* het feodale stelsel the *f. system, feudalism* **1.2** in dat land heersen nog feodale toestanden *f. conditions still prevail in that country.*
feodalisering ⟨de (v.)⟩ **0.1** *feudalization.*
feodalisme ⟨het⟩ **0.1** *feudalism, feudal system.*
feodaliteit ⟨de (v.)⟩ **0.1** [leenstelsel] *feudalism, feudal system* **0.2** [leenroerigheid] *feudality.*
feppen ⟨onov.ww.⟩ ⟨inf.⟩ **0.1** *booze.*
ferm ⟨bn.,bw.;-ly⟩ **0.1** *firm* ⇒ *resolute, vigorous* ⟨houding⟩, ⟨persoon⟩ *stout, robust,* ⟨portie⟩ *generous* ◆ **1.1** een ~e houding a *resolute/f. attitude;* een ~e kerel/knaap a *smart/strapping fellow;* een ~ pak slaag a *sound beating;* ~ta taal spreken *speak boldly/roundly, speak without equivocation* **3.1** iem. ~ de waarheid zeggen *give s.o. a piece of one's mind.*
fermate ⟨de (v.)⟩ ⟨muz.⟩ **0.1** *fermata.*
ferment ⟨het⟩ **0.1** *ferment* ⇒ *yeast, leaven* ⟨brood⟩, ⟨yoghurt⟩ *starter, culture.*
fermentatie ⟨de (v.)⟩ **0.1** [gisting] *fermentation* ⇒ *fermenting* **0.2** [opschudding] *ferment* ⇒ *agitation, tumult.*
fermentatieproces ⟨het⟩ **0.1** *fermentative process* ⇒ *(process of) fermentation, ferment.*
fermenteren ⟨onov.ww.⟩ **0.1** *ferment* ⇒ *leaven* ⟨cul.⟩, ⟨fig.⟩ *be in (a state of) ferment.*
fermeteit ⟨de (v.)⟩ **0.1** *firmness* ⇒ *boldness, resoluteness, resolution.*
fermoor ⟨het⟩ **0.1** *ripping chisel.*
ferriet ⟨het⟩ **0.1** *ferrite.*
ferrietantenne ⟨de⟩ **0.1** *ferrite-rod antenna/[B]aerial.*
ferrochroomband ⟨de (m.)⟩ ⟨audio⟩ **0.1** *ferrochromium tape.*
ferromagnetisch ⟨bn.⟩ **0.1** *ferromagnetic.*
ferromagnetisme ⟨het⟩ **0.1** *ferromagnetism.*
ferryboot ⟨de⟩ **0.1** *ferry (boat)* ⇒ ⟨voor auto's ook⟩ *car ferry.*
fertiel ⟨bn.⟩ **0.1** *fertile* ⇒ ⟨in hoge mate⟩ *fecund.*
fertilisatie ⟨de (v.)⟩ **0.1** [bevruchting] *fertilization* **0.2** [⟨landb.⟩] *fertilization* ◆ **¶.1** in vitro ~ *in vitro f..*
fertiliteit ⟨de (v.)⟩ **0.1** *fertility* ⇒ ⟨in hoge mate⟩ *fecundity.*
fervent ⟨bn.,bw.;-ly⟩ **0.1** *ardent, fervid, passionate,* ⟨schr.⟩ *perfervid* ◆ **1.1** een ~ aanhanger van het katholicisme a *f. adherent of catholicism;* een ~ beoefenaar van tennis an *ardent/keen tennis-player;* een ~ bewonderaar a *f./an ardent admirer.*
ferventie ⟨de (v.)⟩ **0.1** *fervour* ⇒ *fervency, ardour, passion, zeal.*
fes ⟨de⟩ ⟨muz.⟩ **0.1** *F flat.*
festijn ⟨het⟩ **0.1** [feestmaal] *feast* ⇒ *banquet,* ⟨inf.⟩ *junket(ing)* **0.2** [feest] *feast* ⇒ *fete, fête* **0.3** [iets plezierigs] *feast* ◆ **6.3** die tentoonstelling is een waar ~ voor **de kunstliefhebber** this *exhibition is a real feast/treat for art lovers/the art lover.*
festival ⟨het⟩ **0.1** [groot (muziek)feest] *festival* **0.2** [reeks uitvoeringen] *festival.*
festiviteit ⟨de (v.)⟩ **0.1** [feestelijke gebeurtenis] *festivity* ⇒ *celebration* **0.2** [onderdeel van een feestviering] *festivity* ◆ **3.2** ~en organiseren *organise festivities/festive activities.*
festoen ⟨het,de (m.)⟩ **0.1** [bloemenkrans] *festoon* ⇒ *garland* **0.2** [ornament] ⟨→**feston**⟩.
feston ⟨het,de (m.)⟩ **0.1** [ornament] *festoon* ⇒ *swag* **0.2** [gefestonneerde rand] ⟨vnl.mv.⟩ *scallop.*
festonneersteek ⟨de (m.)⟩ **0.1** *buttonhole stitch* ⇒ *blanket stitch.*
festonneren ⟨onov.,ov.ww.⟩ **0.1** *scallop.*
fêteren ⟨onov.ww.⟩ **0.1** *fête* ⇒ *lionize.*
fetisj ⟨de (m.)⟩ **0.1** [voorwerp van afgodische verering] *fetish* ⇒ *fetich* **0.2** [voorwerp van ziekelijke verering] *fetish* ⇒ *fetich.*
fetisjisme ⟨het⟩ **0.1** [verering van fetisjen] *fetishism* ⇒ *fetichism* **0.2** [seksuele afwijking] *fetishism* ⇒ *fetichism.*
fetisjist ⟨de (m.)⟩ **0.1** [vereerder van fetisjen] *fetishist* ⇒ *fetichist* **0.2** [lijder aan fetisjisme] *fetishist* ⇒ *fetichist.*
fetisjistisch ⟨bn.⟩ **0.1** *fetishistic* ⇒ *fetichistic.*
feuille morte ⟨de (v.)⟩ ⟨sport⟩ **0.1** *dead leaf dive.*
feuilletée ⟨de (v.)⟩ **0.1** *puff/flaky pastry.*
feuilleteren ⟨ov.ww.⟩ **0.1** [doorbladeren] *leaf through* ⇒ *thumb through* **0.2** [bladerig maken] *turn and roll* ⇒ *make flaky.*
feuilleton ⟨het,de (m.)⟩ **0.1** *serial* ◆ **1.1** de derde aflevering van deze ~ *the third instalment of this s.* **3.1** tot ~ bewerken *serialize* **8.1** als ~ verschijnen *appear serially/in serial form, be serialized;* als ~ uitgeven *publish in serial form.*
feuilletonschrijver ⟨de (m.)⟩ **0.1** *writer of serials, serial writer.*
feut ⟨de⟩ ⟨stud.⟩ **0.1** ≠*freshman;* ⟨inf.⟩ *fresher.*
fez ⟨de (m.)⟩ **0.1** *fez.*
fezelen ⟨onov.,ov.ww.⟩ **0.1** *whisper* ⇒ *murmur, mutter.*
ff ⟨muz.⟩ ⟨afk.⟩ **0.1** [fortissimo] *ff.*
f-gat ⟨het⟩ **0.1** *f-hole.*

fiasco ⟨het⟩ **0.1** *fiasco* ⇒ *disaster, failure,* ⟨inf.⟩ *flop, wash-out, frost* ◆ **3.1** ~ maken/lijden *be a disaster/f.;* op een compleet/groot ~ uitlopen *turn out to be/result in/prove a total/great f./disaster;* ⟨inf.⟩ *fall flat (on its face), misfire (completely);* het toneelstuk/de fuif was een ~ *the play/party was a flop/dud/[A]bomb/[A]turkey;* die student was een echt ~ *that student was a real wash-out;* de hele onderneming werd een ~ *the whole business was/turned out to be one/a great disaster/fiasco/wash-out.*
fiat[1] ⟨het⟩ **0.1** *fiat* ⇒ *authorization, sanction, approval* ◆ **3.1** ~ geven/verlenen *authorize, sanction; give/grant one's permission;* ⁱ*give the go-ahead/green light;* ~ krijgen *be given authorization, go through, get clearance,* ⁱ*get the go-ahead/green light.*
fiat[2] ⟨bn.⟩ ⟨inf.⟩ **0.1** *OK, on the level.*
fiat[3] ⟨tw.⟩ **0.1** *very well* ◆ **1.1** ⟨jur.⟩ ~ executie ≠*writ of execution* **5.1** nu ~, ~ ermee *done!, that's a bargain/deal!.*
fiatteren ⟨ov.ww.⟩ **0.1** *authorize* ⇒ *attach/give one's fiat to,* ⟨druk.⟩ *mark/pass/sign for press.*
fiatteur ⟨de (m.)⟩ **0.1** ≠*chief/head cashier.*
fiber ⟨het,de (m.)⟩ **0.1** *fibre.*
fiberglas ⟨het⟩ **0.1** *fibreglass.*
fiberscoop ⟨de (m.)⟩ **0.1** *fibrescope.*
fibreus ⟨bn.⟩ **0.1** [vezelachtig] *fibrous* **0.2** [bindweefselachtig] *fibrous.*
fibril ⟨de⟩ ⟨med.⟩ **0.1** *fibril.*
fibrillatie ⟨de (v.)⟩ ⟨med.⟩ **0.1** *fibrillation.*
fibrilleren
I ⟨onov.ww.⟩ **0.1** [trillen] *fibrillate* **0.2** [mbt. spieren] *fibrillate;*
II ⟨ov.ww.⟩ **0.1** [vezelstructuur geven] *fibrillate.*
fibrine ⟨de⟩ **0.1** *fibrin.*
fibrinogeen ⟨het⟩ ⟨biol.⟩ **0.1** *fibrinogen.*
fibroom ⟨het⟩ ⟨med.⟩ **0.1** *fibroma* ⇒ ⟨ihb. in baarmoederwand⟩ *fibroid.*
fibula ⟨de⟩ ⟨gesch.⟩ **0.1** *fibula.*
fiche ⟨de (m.)⟩ **0.1** [speelmerkje] *counter* ⇒ *token, chip, fish,* ⟨AE⟩ *check* **0.2** [systeemkaart] *index/filing card* ⇒ ⟨bij het lesgeven⟩ *flash card,* ⟨velletje⟩ *slip* **0.3** [van vlooienspel] *tiddl(e)ywink.*
ficheren ⟨ov.ww.⟩ **0.1** *file* ⇒ *card-index, put on file.*
fichu ⟨de (m.)⟩ **0.1** *fichu.*
fictie ⟨de (v.)⟩ **0.1** [niet op werkelijkheid berustende voorstelling] *fiction* **0.2** [⟨let.⟩] *fiction* ◆ **2.¶** rechtspersonen bestaan alleen naar wettelijke ~ *corporate bodies exist only as legal fictions* **3.1** die planning berust op ~s *these plans are based on (pure) f./fantasy.*
fictief ⟨bn.,bw.;-ly⟩ **0.1** [denkbeeldig] *fictitious* ⇒ *imaginary, fictive, notional* **0.2** [⟨jur.⟩] *fictitious* ◆ **1.1** een ~ bedrag a *notional sum;* een fictieve naam an *assumed name,* a *fictitious name;* een fictieve partner a *nominal partner;* een fictieve winst an *expected profit* **1.2** ⟨jur.⟩ een fictieve persoon an *artificial person,* a *legal/juridical/juristic person.*
fictionaliteit ⟨de (v.)⟩ **0.1** *fictional nature/character.*
fictioneel ⟨bn.⟩ **0.1** *fictional.*
ficus ⟨de (m.)⟩ **0.1** [plantengeslacht] *Ficus, ficus* **0.2** [plant] *rubber plant.*
fideel ⟨bn.,bw.;-ly⟩ **0.1** [trouw en hartelijk] *decent* ⇒ *reliable, dependable, good-natured* **0.2** [van een vrolijke gezelligheid] *jovial* ⇒ *jolly, genial, merry* ◆ **1.1** een fidele kerel a *d./reliable/dependable fellow;* a *good sort* **1.2** het was een fidele boel a *jolly/merry gathering* **3.1** hij heeft zich ~ tegenover mij gedragen *he has been very d./good to me.*
fidei-commis ⟨het⟩ **0.1** [erfstelling] *fideicommissum* **0.2** [stam-/familie-erfgoed] *fideicommissum.*
fideï-commissair ⟨bn.⟩ **0.1** *fideicommissary* ◆ **1.1** ~ erfgenaam *f. heir;* ~e substitutie *f. substitution.*
fideï-commissaris ⟨de (m.)⟩ **0.1** *fideicommissary (heir).*
fideïsme ⟨het⟩ **0.1** [opvatting dat religieuze waarheden geloofd moeten worden] *fideism* **0.2** [opvatting dat een geloofsleer het subjectieve gevoel intellectueel uitdrukt] *fideism.*
fideliteit ⟨de (v.)⟩ **0.1** *joviality* ⇒ *conviviality.*
Fidji-eilanden ⟨zn.mv.⟩ **0.1** *Fiji Islands.*
fiduciair ⟨bn.⟩ **0.1** *fiduciary* ⇒ *fiducial* ◆ **1.1** ~ geld *fiduciary money, fiat money;* ⟨jur.⟩ ~e handeling *fiduciary act.*
fiducie ⟨de (v.)⟩ ⟨inf.⟩ **0.1** ⟨ongemarkeerd⟩ *faith* ⇒ *confidence* ◆ **3.1** ik heb er geen ~ in *I've no f. in it;* ik heb er weinig ~ in *I haven't got/don't put much f. in it, I've little f. in it.*
fiedel ⟨de (m.)⟩ **0.1** *fiddle.*
fiedelen ⟨onov.,ov.ww.⟩ ⟨inf.⟩ **0.1** *fiddle* ⇒ ⟨pej.⟩ *tweedle, scrape.*
fielden ⟨onov.ww.⟩ ⟨sport⟩ **0.1** *field.*
fielt ⟨de (m.)⟩ ⟨inf.⟩ **0.1** *blackguard* ⇒ *cad, scoundrel, villain.*
fieltachtig ⟨bn.,bw.⟩ **0.1** *blackguardly* ⇒ *despicable, caddish, villainous.*
fieltenstreek ⟨het⟩ **0.1** *nasty/underhand trick* ⇒ *despicable/low-down trick, bit/piece of villainy.*
fielt(er)ig ⟨bn.,bw.⟩ **0.1** *blackguardly* ⇒ *despicable, caddish, villainous.*
fier ⟨bn.,bw.;-ly⟩ **0.1** *proud* ⇒ *(high-)spirited* ◆ **1.1** een ~e houding ⟨voorkomen⟩ a *lofty/haughty bearing;* ⟨gedrag⟩ *superior/p. attitude;* een ~ karakter a *spirit,* a *p. character* **3.1** de vlag wappert ~ van de toren *the flag flies proudly from the tower* **6.1** ⟨AZN⟩ ~ zijn **op** zijn afkomst *be p. of/pride o.s. on one's origins/ancestry.*

fierheid ⟨de (v.)⟩ **0.1** *pride* ⇒*spirit, high spirits*.

fieselemie ⟨de (v.)⟩ ⟨inf.⟩ **0.1** *mug, map, kisser*.

fiets ⟨de⟩ **0.1** ⟨inf.⟩ *bike* ⇒*bicycle,* †*cycle,* ⟨scherts⟩ *push-bike* ◆ **3.1** pas op, daar komt een ~ *look out, there's a bike coming;* we laten de auto staan, we pakken de ~ *let's leave the car behind and take our bikes / go by bike / on our bikes* **6.1** ⟨fig.⟩ wat heb ik nou **aan** m'n ~ (hangen)? *hey, what's all this?;* ik ga altijd **op** de ~ *I always go on my / by bike / bicycle, I always cycle;* **op** de ~ stappen *get on one's bike / bicycle;* ⟨schr.⟩ *mount one's bicycle;* **op** een ~ rijden *ride a bike / bicycle;* **op** de ~ springen *jump on one's bike / bicycle;* **op** een ~ zitten *be on a bike / bicycle;* **van** zijn ~ afstappen *get off one's bike / bicycle;* ⟨schr.⟩ *dismount from one's bicycle* **7.1** geen ~en tegen het raam (plaatsen), a.u.b. *no / do not lean (bi)cycles against the window, please*.

fietsagent ⟨de (m.)⟩ **0.1** *policeman on a bicycle* ◆ **3.1** je ziet haast geen ~en meer tegenwoordig *you hardly ever see policemen on bicycles these days*.

fietsband ⟨de (m.)⟩ **0.1** *bike / bicycle / cycle tyre /* ^*tire*.

fietsbel ⟨de⟩ **0.1** *bike / bicycle / cycle bell*.

fietsblok ⟨het⟩ **0.1** *bike / bicycle / cycle stand*.

fietsbroek ⟨de⟩ **0.1** *cycling shorts*.

fietsen ⟨onov.ww.⟩ **0.1** [op de fiets rijden] *ride (a bike / bicycle), cycle* **0.2** [zich per fiets begeven] *cycle* ⇒⟨inf.⟩ *bike* **0.3** [een hoedanigheid hebben mbt. fietsen] ⟨zie 5.3⟩ **0.4** [snel doorlopen] *run* ⇒*whip (through)* **0.5** [voor elkaar brengen / krijgen] ⟨zie ¶.5⟩ ◆ **1.1** het is een uur ~ *it takes an hour (to get there) by bike, an hour's (bike-)ride / ride by bike* **3.1** ik ga nog wat ~ *I'll go (out) for a ride on my bike* **3.¶** ga toch ~ *push off, go and jump in the lake, take a running jump at yourself, run along / away and play;* dat oude album / die snuiter is ~ *that old album / that guy has gone / has vanished / disappeared (into thin air / from the face of the earth)* **5.1** veel ~ *cycle a lot, do a lot of cycling* **5.3** deze weg fietst lekker *this is a good / nice road to cycle / bike on / for cycling / biking;* deze fiets fietst licht *this bike rides easily, this bike is light to ride* **6.1** vroeger fietste ik **op** een driewieler *I used to ride a tricycle;* hij fietst **voor** een onbekend merk *he rides for an unknown make* **6.2** wij zijn **naar** Den Haag gefietst *we cycled / biked to The Hague* **6.4** fiets eens **door** de Gouden Gids *flip / whip through the Yellow Pages;* in de supermarkt **langs** de rekken ~ *whip / whizz along the shelves in the supermarket* **¶.5** hoe heb je dat voor elkaar gefietst? *how (on earth) did you manage / wangle that?;* geld bij elkaar ~ *scrape together / rustle up (the some) money (from somewhere or other)*.

fietsendief ⟨de (m.)⟩ **0.1** *bicycle thief*.

fiets(en)handelaar ⟨de (m.)⟩ **0.1** *bike / bicycle / cycle dealer*.

fiets(en)hok ⟨het⟩ **0.1** *bike / bicycle / cycle shed*.

fietsenmaker ⟨de (m.)⟩, **-maakster** ⟨de (v.)⟩ **0.1** [fietsenreparateur] *(bi)cycle repairer / mender /* ⟨m. ook⟩ *repair man /* ⟨v. ook⟩ *repair woman* **0.2** [prutser] *tinkerer* ⇒*amateur* ◆ **1.2** het zijn maar een stelletje ~ *they're just a bunch of amateurs*.

fiets(en)rek ⟨het⟩ **0.1** [fietsrek] *bike / bicycle / cycle stand / rack* **0.2** [⟨scherts.⟩ ruimte tussen tanden] ≠*gappy teeth* ◆ **2.1** tweezijdig ~ *double-sided cycle stand / rack*.

fietsenstalling ⟨de (v.)⟩ **0.1** *bike / bicycle / cycle shed*.

fietser ⟨de (m.)⟩, **fietsster** ⟨de (v.)⟩ **0.1** *cyclist* ⇒⟨vnl. AE;inf.⟩ *biker* ◆ **2.1** hij is een hartstochtelijk ~ *he's mad / very keen on cycling;* ⟨vaak mbt. sportbeoefening⟩ *he's a keen c.* **3.1** ~s oversteken! ≠*cyclists cross here!* **7.1** je ziet hier veel ~s *you see a lot of cyclists / people on bikes here*.

fietsergometer ⟨de (m.)⟩ **0.1** *bicycle ergometer*.

fietskar ⟨de⟩ **0.1** *bicycle / cycle / bike trailer*.

fietsketting ⟨de (v.)⟩ **0.1** *bike / bicycle / cycle chain*.

fietsklem ⟨de⟩ **0.1** ≠*bicycle / cycle rack*.

fietspad ⟨het⟩ **0.1** *(bi)cycle track / path* ⇒⟨AE ook⟩ *bike-way*.

fietspomp ⟨de⟩ **0.1** *bicycle pump*.

fietsrally ⟨de (m.)⟩ **0.1** *bike / bicycle / cycle rally*.

fietsroute ⟨de⟩ **0.1** *(bi)cycle route*.

fietssleutel ⟨de (m.)⟩ **0.1** [sleuteltje van een fietsslot] *bike / bicycle / cycle key* **0.2** [⟨tech.⟩] *spanner*.

fietsslot ⟨het⟩ **0.1** [gemonteerd slot] *bicycle / cycle lock* **0.2** [kabelslot] *(bicycle) padlock*.

fietsslotpaal ⟨de⟩ **0.1** ≠*post to which to chain one's bike*.

fietsstrook ⟨de⟩ **0.1** *bike / bicycle / cycle lane* ◆ **2.1** opgeblazen ~ *full-width (bi)cycle lane*.

fietstas ⟨de⟩ **0.1** *saddle bag, tool bag;* ⟨dubbel⟩ *pannier*.

fietstaxi ⟨de (m.)⟩ **0.1** *trishaw* ⇒*pedicab, rickshaw*.

fietstocht ⟨de (m.)⟩ **0.1** *bicycle / cycle / bike ride /* ⟨langer⟩ *trip / tour* ⇒*cycling trip / tour* ◆ **3.1** een ~(je) gaan maken *go for a (bi)cycle-ride, go for a ride /* ⟨inf.⟩ *spin on one's bicycle*.

fietstunnel ⟨de (m.)⟩ **0.1** *(bi)cycle underpass*.

fietsvakantie ⟨de (v.)⟩ **0.1** *cycling / biking holiday /* ^*vacation*.

fietsvriendelijk ⟨bn.⟩ **0.1** *pro-cycling / -bicycle* ◆ **1.1** een ~ beleid *a p.-c. / -b. policy;* een ~ land *a p.-c. / -b. country, a country with (good / plenty of) facilities for cyclists / bicycles*.

fietswiel ⟨het⟩ **0.1** *bicycle / cycle wheel*.

fifty-fifty ⟨bw.⟩ **0.1** *fifty-fifty* ◆ **1.1** de kansen zijn ~ dat hij niet komt *it's*

---

a fifty-fifty / an even chance that he won't come / isn't coming **3.1** ~ doen *split (sth.) / share fifty-fifty (with s.o.), go halves (with s.o.)*.

fig. ⟨afk.⟩ **0.1** [figuur] *fig.* **0.2** [figuurlijk] *fig.*.

figaro ⟨de (m.)⟩ **0.1** [barbier] *barber* **0.2** [(tussen)persoon] ≠*artful dodger* ⇒*go-between* **0.3** [kledingstuk] ≠*bolero*.

figuraal ⟨bn., bw.⟩ **0.1** *figural, figured* ◆ **1.1** figurale muziek *figural / figured music*.

figurant ⟨de (m.)⟩, **figurante** ⟨de (v.)⟩ **0.1** [acteur] *extra* ⇒*supernumerary, walk-on, walker-on,* ⟨inf.⟩ *super,* ⟨ballet⟩ *figurant(e)* **0.2** [nietszeggend persoon] *nonentity* ⇒*(mere) cipher, puppet* **0.3** [niet aan de handeling deelnemend persoon] *nominal participant* ⇒*nominal figure* **0.4** [orgelpijp] *dummy, mute pipe*.

figurantenrol ⟨de⟩ **0.1** [⟨dram.⟩] *walk-on / non-speaking part, walk-on;* ⟨film⟩ *part as an extra* **0.2** [onbelangrijke functie] *subordinate part* ◆ **3.1** een ~ toebedeeld krijgen ⟨lett.⟩ *have a walk-on part;* ⟨fig.⟩ *be a mere onlooker*.

figuratie ⟨de (v.)⟩ **0.1** [⟨muz.⟩] *figuration* **0.2** [aangebrachte figuren] *figuration* **0.3** [⟨dram.⟩] *extras* ⇒*walk-ons, walk-on parts / roles*.

figuratief ⟨bn., bw.;-ly⟩ **0.1** [met beelden werkend, daaruit bestaand] *figurative* **0.2** [versierend] *decorative* ⇒*ornamental* ◆ **1.1** de figuratieve schilderkunst *f. painting;* ~ schrift *picture-writing, hieroglyphics, pictography*.

figureren
I ⟨onov.ww.⟩ **0.1** [rol vervullen] *act* ⇒*perform, figure* **0.2** [optreden als figurant] *be an extra* ⇒*be a supernumerary / walk-on / walker-on, walk on, have a walk-on part* ◆ **6.1** dit woord figureert niet **op** de lijst *this word does not figure / appear on the list* **8.1** hij figureert als ordebewaarder *he acts as attendant;*
II ⟨ov.ww.⟩ ⟨muz.;taal.⟩ **0.1** [versieren] *figure*.

figuur ⟨het, de (m.)⟩ **0.1** [lichaamsvorm] *figure* **0.2** [⟨bk.⟩] *figure* **0.3** [illustratie] *figure* **0.4** [patroon, model] *figure* **0.5** [positie, indruk] *figure* **0.6** [persoonlijkheid] *character* ⇒*individual, figure* **0.7** [⟨let.⟩] *character* **0.8** [⟨dansk.⟩] *figure* **0.9** [⟨muz.⟩] *figure* ◆ **1.2** een ~tje van was *a little wax f., a wax figurine* **2.1** een goed / mooi ~ *a good / lovely f.* **2.4** een meetkundige ~ *a geometric f.;* ⟨patroon ook⟩ *a geometric pattern / design* **2.5** een goed / slecht / behoorlijk / gek ~ slaan, maken *cut a good / poor / reasonable foolish f.* **2.6** een belangrijk ~ *an important figure / person;* de centrale ~ *the central / key figure, the main person, the king-pin;* het is een saai ~ *he's / she's very dreary / dull / a real drag;* een zielig ~ *a pathetic c. / figure* **2.8** verplichte figuren bij het kunstschaatsen *compulsory figures in figure skating;* vrije figuren bij het kunstschaatsen *freestyle (skating)* **2.9** melodische figuren *melodic figures* **3.1** geen ~ meer hebben *have lost one's f.;* wat een ~tje heeft ze *what a f.;* ⟨inf.⟩ *what a chassis* **3.2** ~tjes tekenen *doodle* **3.4** figuren borduren / knippen *embroider / cut (out) figures / designs* **3.5** iem. een mal / belachelijk ~ laten slaan *make s.o. look a fool / look silly / foolish / ridiculous;* zijn ~ redden *save one's face, preserve appearances;* geen gek ~ slaan / maken naast / in vergelijking met *not come off badly compared with, compare quite well with* **5.4** behang met figuren erop *patterned wallpaper* **6.5** met zijn ~ geen raad weten *not know what to do with / where to put o.s.* **¶.6** wat is dat voor een ~? *what sort of person is that?*.

figuurdans ⟨de (m.)⟩ **0.1** *figure dance* ⇒*set dance*.

figuurlijk ⟨bn., bw.;-ly⟩ **0.1** *figurative* ⇒⟨taal. ook⟩ *metaphorical* ◆ **1.1** ~e taal *f. / metaphorical language;* een ~e uitdrukking / betekenis / zin *a f. / metaphorical expression / meaning / sentence;* in ~e zin *figuratively, in a f. sense* **1.¶** ⟨wisk.⟩ ~e getallen *figurate numbers* **3.1** ~ gebruiken *use figuratively / metaphorically;* ~ gesproken *figuratively / metaphorically speaking;* je moet dat ~ opvatten *you mustn't take that literally;* zich ~ uitdrukken *express o.s. in metaphors / in a metaphor*.

figuurnaad ⟨de (m.)⟩ **0.1** *dart* ⇒*tuck*.

figuuroefening ⟨de (v.)⟩ ⟨sport⟩ **0.1** *compulsories*.

figuurraadsel ⟨het⟩ **0.1** *rebus*.

figuurrijden ⟨ww.⟩ **0.1** *figure skating*.

figuurstudie ⟨de (v.)⟩ **0.1** *figure study* ⇒*life drawing / study*.

figuurtje ⟨het⟩ **0.1** *figurine* ⇒*statuette*.

figuurzaag ⟨de⟩ **0.1** *fretsaw* ⇒⟨machinaal⟩ *jigsaw*.

figuurzagen ⟨onov.ww.⟩ **0.1** *do fretwork*.

figuurzwemmen ⟨ww.⟩ **0.1** *synchronized swimming* ⇒*water ballet*.

Fiji **0.1** *Fiji*.

fijn¹ ⟨→sprw. 166⟩
I ⟨bn.⟩ **0.1** [uit kleine deeltjes bestaand] *fine* **0.2** [mbt. spijzen / dranken] *fine* **0.3** [mbt. kledingstukken / stoffen] *delicate* ⇒*fine, thin* **0.4** [(van) eerste kwaliteit] *fine* **0.5** [zuiver, onvermengd] *fine* **0.6** [dun] *fine* **0.7** [beschaafd] *fine* ⇒*smart,* ⟨pej.⟩ *fancy* **0.8** [mbt. lichaamsdelen] *delicate* ⇒*fine, slim* ◆ **1.1** ~e instrumenten *precision / delicate instruments;* een ~e kam *a fine-tooth comb;* ~e sneeuw *f. snow* **1.2** de ~e keuken *f. cooking, haute cuisine;* ~e vleeswaren *meat delicatessen* (ook voor winkel); *cold meats /* ⟨AE ook⟩ *cuts* ⟨bij koud buffet e.d.⟩ **1.3** een ~ bloesje *a thin / d. blouse;* de ~e was *the d. wash;* ⟨inf.⟩ *delicates* **1.5** ~ goud / zilver *f. gold / silver* **1.6** ⟨fig.⟩ dit is met een ~e pen beschreven *this has been written with a f. pen / touch;* ~ schrift *f. / delicate handwriting* **1.7** ⟨iron.⟩ ~e manieren zijn dat *a fine way to be-*

have!; ⟨iron.⟩ een~e meneer *a fine/fancy gent(leman)* **1.8** een~figuurtje *a d./slim figure;* een~gezicht(je) *fine/d. features;* ~e polsen *fine/d./slim wrists* **1.¶** de~e kneepjes van het vak *the tricks of the trade* **3.4** ~ afgewerkt *well-finished;* laten we het ~ houden *let's keep things friendly* **7.¶** het~e van de zaak weten *know (all) the ins and outs of the matter;*

II ⟨bn., bw.;-ly⟩ **0.1** [aangenaam] *nice* ⇒*lovely, fine, great, grand* **0.2** [subtiel] *subtle* ⇒*fine* **0.3** [orthodox] *strict* ⇒⟨iron.⟩ *holy* ◆ **1.1** een ~e meid *a great/fine/good girl;* een~e tijd *a good/great time;* een ~e vent *a great/fine/grand fellow/guy* **1.2** (van zintuigen) een~gehoor, een~e smaak/neus *a fine/s. sense of hearing/of taste, a fine/s. nose;* met een~gevoel voor *with a fine/s. feeling for;* een~lachje *a s. laugh;* met een~e neus *with flair/a good nose (for sth.);* een~onderscheid/verschil *a s. distinction/difference;* ~e scherts/spot *a s. joke, s. mockery* **2.1** ons huis is~groot *our house is n. l lovely and big* **2.3** ze is~gereformeerd *she's a s. Protestant* **3.1** we gaan~samen uit *we're going out for a n. day/evening/*⟨enz.⟩ *together;* jullie hebben~gezongen *you sang really well/nicely;* dat is~! *that's great!;* er~uitzien *look smart;* ik vind het heel~ *I'm delighted;* iets~vinden ⟨ook⟩ *appreciate sth.;* ⟨inf.⟩ laat-ie~zijn *I like it!, great!* **7.3** de~en *the godly (people)* **8.3** ⟨iron.⟩ zo~als (gemalen) poppestront *holier-than-thou, (be) a proper little angel/saint, (be) a holy Moses* **¶.1** nou,~is anders *well, that's just great!, that's just made my day!.*

fijn² ⟨tw.⟩ **0.1** *that's nice* ⇒*lovely,* ⟨inf.⟩ *(that's) great, super, jolly good* ◆ **¶.1** we gaan op vakantie,~! *we're going on holiday, great/that's nice.*

fijnbankwerker ⟨de⟩, **-werkster** ⟨de (v.)⟩ **0.1** †*precision engineer.*

fijnbesnaard ⟨bn.⟩ **0.1** *highly-strung* ⇒*delicate(ly balanced), sensitive refined, subtle.*

fijndradig ⟨bn.⟩ **0.1** *fine(-spun/-threaded)* ⇒*filamented, filamentous.*

fijngebouwd ⟨bn.⟩ **0.1** *(of) slender (build), small-boned* ⇒*delicate,* ⟨van vrouwen ook⟩ *petite.*

fijngevoelig ⟨bn., bw.;-ly⟩ **0.1** [met fijn gevoel] *sensitive* ⇒*perceptive* **0.2** [tactvol] *tactful* ⇒*delicate.*

fijngevoeligheid ⟨de (v.)⟩ **0.1** [fijnbesnaardheid] *sensitiveness* ⇒*sensibility* **0.2** [tact] *tact(fulness)* ⇒*delicacy.*

fijngoed ⟨het⟩ **0.1** *delicates* ⇒*delicate items/garments, fine materials.*

fijnhakken ⟨ov.ww.⟩ **0.1** *chop/cut (up) fine(ly)* (groenten enz.); *mince, grind, hash* (vlees).

fijnheid ⟨de (v.)⟩ **0.1** *fineness* ⇒*thinness, slimness, delicacy.*

fijnhoutfineer ⟨het⟩ **0.1** *decorative/facing veneer.*

fijnkauwen ⟨ov.ww.⟩ **0.1** *chew up (small/fine/well)* ⇒⟨schr.⟩ *masticate.*

fijnknijpen ⟨ov.ww.⟩ **0.1** *crush* ⇒*squeeze/press (fine)* ◆ **5.1** bijna fijngeknepen worden ⟨scherts.⟩ *almost get beaten to a pulp/chewed up.*

fijnkorrelig ⟨bn.⟩ **0.1** *fine-grain(ed)* ◆ **1.1** ~e film *fine-grained film;* ~ijzer *fine-grained iron.*

fijnmaken ⟨ov.ww.⟩ **0.1** *crush (fine)* ⇒*pound (fine), pulverize, purée* (groenten, fruit), *break up.*

fijnmalen ⟨ov.ww.⟩ **0.1** *grind (up/down)* ⇒*crush,* ⟨vijzel⟩ *bray, reduce (to a powder).*

fijnmazig ⟨bn.⟩ **0.1** *fine(-mesh(ed))* ⇒*micromesh* ⟨kousen⟩, *close-knit, finely knitted* ⟨breiwerk⟩ ◆ **1.1** een~e structuur *a finely-woven/an intricate structure.*

fijnmechanicus ⟨de (m.)⟩ **0.1** †*precision engineer.*

fijnproever ⟨de (m.)⟩ **0.1** *connoisseur* ⇒⟨lett. ook⟩ *gourmet, gastronome, epicure* ◆ **3.1** een~zijn *be a c., have a delicate/fine palate.*

fijnregelkraan ⟨de⟩ **0.1** *precision control/regulating cock.*

fijnschrijver ⟨de (m.)⟩ **0.1** *fineliner.*

fijnslaan ⟨ov.ww.⟩ **0.1** [door slaan fijnmaken] *crush* ⇒*pound* **0.2** [kort en klein slaan] *smash (up)* ⇒*beat up, bash to pieces, shatter.*

fijnsnijden ⟨ov.ww.⟩ **0.1** *cut finely* ⇒*cut (up) small/into pieces, slice thinly.*

fijnspar ⟨de (m.)⟩ **0.1** *Norway spruce.*

fijnspinmachine ⟨de (v.)⟩⟨ind.⟩ **0.1** *(spinning) mule.*

fijnstampen ⟨ov.ww.⟩ **0.1** *crush* ⇒*pound, pulverize, stamp fine,* ⟨aardappels⟩ *mash.*

fijnstraal ⟨de⟩⟨plantk.⟩ **0.1** *flea-bane.*

fijnte ⟨de (v.)⟩ **0.1** *fineness* ◆ **1.1** de~van de draad *the gauge/* ⟨AE ook⟩ *gage/ply of the thread.*

fijntjes
I ⟨bn.⟩ **0.1** [tenger, teer] *delicate* ⇒*slight,* ⟨mbt. vrouwen ook⟩ *petite, dainty;*
II ⟨bw.⟩ **0.1** [op een fijne wijze] *nicely* ⇒*delicately, daintily, neatly* **0.2** [op slimme wijze] *cleverly* ⇒*subtly, smartly, acutely* ◆ **3.1** dat is~geregeld *that's nicely/neatly/satisfactorily arranged/settled;* ~lachen *smile coyly/knowingly;* ~opmerken *make a subtle/perceptive/knowing remark, remark c.* **3.2** ze hebben hem~beetgenomen *they played a neat trick on him, they fooled him most cleverly.*

fijntrappen ⟨ov.ww.⟩ **0.1** *tread fine.*

fijnvoelend ⟨bn.⟩ **0.1** *sensitive* ⇒*feeling.*

fijnwasmiddel ⟨het⟩ **0.1** *mild(-action) detergent.*

fijnwrijven ⟨ov.ww.⟩ **0.1** *crush* ⇒*pulverize, rub fine.*

fijnzinnig ⟨bn., bw.;-ly⟩ **0.1** *discerning* ⇒*discriminating, sensitive, subtle.*

fijt ⟨het, de⟩ **0.1** *felon.*

fik ⟨de (m.)⟩⟨inf.⟩ **0.1** [brand, vuur]⟨ongemarkeerd⟩ *fire* **0.2** [hond] (→**fikhond**) **0.3** [⟨mv.⟩ handen] *paws* ⇒*mitts,* ⟨ongemarkeerd⟩ *hands* ◆ **3.1** een~stoken *make/have a f./ bonfire* **6.1** in de~steken *set light/f. to, set (sth.) on f./ alight, send (sth.) up in flames;* in de~staan *go up in/be in flames/alight/on f.* **6.3** blijf er **met** je~ken van af *(keep your) paws/mitts/hands off.*

fikfakken ⟨onov.ww.⟩⟨AZN;inf.⟩ **0.1** *lark around/about* ⇒*fool/play/mess about/around.*

fikhond ⟨de (m.)⟩ **0.1** *keeshond.*

fikken¹ ⟨zn.mv.⟩⟨inf.⟩ **0.1** *paws* ⇒*mitts* ◆ **6.1** blijf af **met** je~ *keep your paws/mitts off.*

fikken² ⟨onov.ww.⟩⟨inf.⟩ **0.1** ⟨ongemarkeerd⟩ *burn.*

fikkie ⟨het⟩⟨→sprw. 293⟩ **0.1** [hond]⟨kind.⟩ *pooch* ⇒*doggy,* ^*mutt,* ⟨als naam⟩ *Fido, Spot* **0.2** [vuurtje]⟨ongemarkeerd⟩ *fire* ⇒*bonfire* ◆ **6.¶** geef mijn portie maar **aan** Fikkie *count me out!, I don't want any (part) of it.*

fiks
I ⟨bn.⟩ **0.1** [flink van gestalte] *sturdy* ⇒*strong, vigorous, robust,* ⟨ook meisje pej.⟩ *strapping,* ⟨enigszins pej.⟩ *hefty* **0.2** [krachtig, stevig] *firm* ⇒*hearty, vigorous, hefty* **0.3** [gezond] *healthy* ⇒*strong, robust* ◆ **1.2** een~e bui *a heavy/sharp shower, a downpour;* een~e klap *smart/firm/hefty blow;* een~e rekening *a hefty/steep bill;* ~e stappen *f. steps,* ⟨ook⟩ *a f. tread;* een~e verkoudheid *a heavy/severe cold* **1.3** een~e wandeling *a brisk/sharp/long walk;*
II ⟨bw.⟩ **0.1** [op fikse/flinke wijze] *vigorously* ⇒*soundly, thoroughly* ◆ **3.1** hij kan~eten *he is a hearty eater.*

fiksen ⟨ov.ww.⟩⟨inf.⟩ **0.1** *fix (up)* ⇒*manage, organise, get together.*

fiksheid ⟨de (v.)⟩ **0.1** [mbt. gestalte] *sturdiness* ⇒*vigour, robustness, strength* **0.2** [mbt. handelingen] *vigour* ⇒*spirit, drive, push.*

filagram →**filigram.**

filament ⟨het⟩ **0.1** [vezel] *filament* ⇒*fibre* **0.2** [helmdraad] *filament.*

filantroop ⟨de (m.)⟩ **0.1** *philanthropist* ⇒*humanitarian,* ⟨inf.;iron.⟩ *do-gooder.*

filantropie ⟨de (v.)⟩ **0.1** *philanthropy* ⇒*humanitarianism.*

filantropisch ⟨bn., bw.;-ally⟩ **0.1** *philanthropical* ⇒*humanitarian.*

filatelie ⟨de (v.)⟩ **0.1** *stamp collecting* ⇒ †*philately.*

filatelist ⟨de (m.)⟩, **-e** ⟨de (v.)⟩ **0.1** *stamp collector* ⇒ †*philatelist.*

filatelistisch ⟨bn.⟩ **0.1** *philatelic(al).*

fil d'écosse ⟨het⟩ **0.1** *lisle (thread).*

file ⟨de (v.)⟩ **0.1** *queue* ⇒⟨mensen ook⟩ *line, row,* ⟨auto's ook⟩ *traffic-jam, tailback* ◆ **1.1** een~auto's *a line/q. of cars* **3.1** er heeft zich een~gevormd ⟨mensen⟩ *a q. has formed;* ⟨auto's⟩ *a traffic-jam/tailback has developed* **6.1** in een~staan/raken *be in/get in(to) a traffic-jam;* een~van vier kilometer *a four-mile traffic-jam/tailback.*

fileerder ⟨de (m.)⟩, **-ster** ⟨de (v.)⟩⟨amb.⟩ **0.1** *tracer.*

fileren ⟨onov., ov.ww.⟩ **0.1** [van bot/graat ontdoen] *fillet* (vis, vlees) ⇒*debone* (gevogelte, vlees) **0.2** [⟨muz.⟩] *hold* **0.3** [⟨kaartspel⟩ wegmoffelen] *palm (off)* **0.4** [⟨kaartspel⟩ openleggen] *discard a sequence* **0.5** [⟨amb.⟩ lijnornamenten schilderen ⟨op⟩] *trace.*

filet ⟨het, de (m.)⟩ **0.1** [stuk vlees/vis] *fillet,* ^*filet, undercut, tenderloin* **0.2** [scheidings-/sierlijn, rand] *edging* ⇒⟨voor boek⟩ *fillet* **0.3** [boekbindersstempel] *fillet* **0.4** [netwerk, kant] *filet* ◆ **¶.1** ~américain *steak tartare, tartar steak.*

filevorming ⟨de (v.)⟩ **0.1** *buildup (of traffic)* ◆ **1.1** ~en vertraging *slow-moving/heavy traffic and delays, traffic jam(s) with delays* **6.1** er is~**over** 3 km *traffic is backed up for 3 km.*

filharmonisch ⟨bn.⟩ **0.1** *philharmonic* ◆ **1.1** het Koninklijk Filharmonisch Genootschap *the Royal Philharmonic Society;* een~orkest *a p. orchestra.*

filiaal¹ ⟨het⟩ **0.1** *branch (-store/-establishment)* ⇒⟨van grootwinkelbedrijf⟩ *chain store,* ^*multiple store/shop* ◆ **1.1** een~v.d. bibliotheek *a branch library.*

filiaal² ⟨bn.⟩ **0.1** *filial* ◆ **1.1** filiale band *f. ties.*

filiaalbank ⟨de⟩ **0.1** *branch bank* ⇒*branch-office of a bank.*

filiaalbedrijf ⟨het⟩ **0.1** *chain,* ^*chain stores* ⇒*one of a chain, branch,* ⟨oneig.⟩ *chain store.*

filiaalchef ⟨de (m.)⟩, **-fin** ⟨de (v.)⟩ **0.1** *branch manager/* ⟨v. ook⟩ *manageress.*

filiaalhouder ⟨de (m.)⟩, **-ster** ⟨de (v.)⟩ **0.1** *branch manager* ⇒⟨v. ook⟩ *branch manageress.*

filiatie ⟨de (v.)⟩ **0.1** *filiation* ⇒*descent, ancestry, lineage* ◆ **1.1** de~van handschriften *the f. of manuscripts* **3.1** zijn~bewijzen *prove one's f./ descent/parentage.*

filibuster ⟨de (v.)⟩ **0.1** ⟨vnl. AE⟩ *filibuster* ⇒*talkathon.*

filigraan, filigrain, filigrein ⟨het⟩ **0.1** *filigree* ⇒*filagree, filigrane.*

filigram ⟨het⟩ **0.1** *water(-)mark* ⇒*wire-mark.*

Filippenzen ⟨zn.mv.⟩ ◆ **6.¶** brief **aan** de~*Philippians* ⟨mv. met enk. ww.⟩.

filippica ⟨de (v.)⟩ **0.1** *Philippic.*

Filippijn ⟨de (m.)⟩, **-se** ⟨de (v.)⟩ **0.1** *Filipino* ⟨m., v.⟩; *Philippine woman /girl* ⟨v.⟩.

Filippijnen ⟨zn.mv.⟩ **0.1** *(the) Philippines* ⇒*(the) Philippine Islands.*

Filippijns[1] ⟨het⟩ **0.1** *Tagalog, Filipino.*
Filippijns[2] ⟨bn.⟩ **0.1** *Philippine* ⇒*Filipino.*
filippine ⟨de (v.)⟩ **0.1** *philippina,* [A]*philopena.*
Filippino ⟨de (m.)⟩ **0.1** *Filipino.*
Filips 0.1 *Philip* ◆ **¶.1** ~ de Schone *P. the Fair.*
filister ⟨de (m.)⟩ **0.1** *philistine* ⇒ ↓*square, bourgeois, old fog(e)y, (Mrs)
Grundy.*
filisterdom ⟨het⟩ **0.1** [filisterij]⟨→**filisterij**⟩ **0.2** [filisters] *(the) philistin-
es* ⇒*(the) Grundy's, (the) bourgeoisie.*
filisterij ⟨de (v.)⟩ **0.1** *philistinism* ⇒*Grundyism, conventionality, stuffiness.*
filistijnen ⟨zn.mv.⟩ ◆ **6.¶ naar** de ~ [B]*bust,* [A]*done for;* **naar** de ~ helpen
[B]*bust,* [A]*do in.*
film ⟨de (m.)⟩ **0.1** [dun vliesje/laagje] *film* **0.2** [filmrolletje] *film* **0.3**
[rolprent] *film,* ⟨AE vnl.⟩ *movie* ⇒*picture,* ⟨AE ook⟩ *motion/mov-
ing picture* **0.4** [filmvoorstelling] *film,* ⟨AE vnl.⟩ *movie* ⇒*picture,*
⟨AE;inf.⟩ *flick* **0.5** [filmkunst/-wereld] *film* ⇒*(the) cinema, (the)
screen* **0.6** [⟨fig.⟩ reeks dwaze gebeurtenissen] ≠*madhouse, farce* ◆
1.1 een ~ siliconen op de bougiekabels spuiten *spray a silicone f. on
the leads* **2.2** een snelle/langzame ~ *a fast/slow f.* **2.3** een stomme ~ *a
silent f. / picture* **3.2** een ~(pje) ontwikkelen *develop a f.* **3.3** welke ~
draait er in die bioscoop *what's on at the cinema/pictures/*[A]*movies?;*
een ~ opnemen/draaien/vertonen *shoot a f. / m., roll/run a f., show a
f. / m.* **3.6** het was compleet een ~ bij ons thuis *our place was a complete m.* **6.3** een ~ **voor** 16 jaar en ouder [B]≠*a Category '15' f.,* [A]*an
R-rated f.* ⟨òf boven de 16, òf boven de 18⟩ **6.4** wij gaan **naar** de ~
we're going to the cinema/ the pictures/[A]*the movie(s)/*[A]*to catch a
movie* **6.5** hij zit **bij** de ~ *he works in the f. business;* **voor** de ~ bewerken *adapt for the cinema/screen* **¶.2** een ~(pje) in de camera doen/
uit de camera halen *load/unload a camera.*
filmacademie ⟨de (v.)⟩ **0.1** *film academy/school.*
filmachtig ⟨bn.⟩ **0.1** *cinematographic.*
filmacteur ⟨de (m.)⟩, **-actrice** ⟨de (v.)⟩ **0.1** *film actor* ⟨m.⟩*/actress* ⟨v.⟩
⇒*screen/*⟨AE;inf.⟩ *movie actor/actress.*
filmapparatuur ⟨de (v.)⟩ **0.1** *film-equipment.*
filmarchief ⟨het⟩ **0.1** *film archives.*
filmbeeld ⟨het⟩ **0.1** *(film) picture* ⇒*film image* ◆ **2.1** stilstaand ~ *still.*
filmbewerking ⟨de (v.)⟩ **0.1** *film/screen/*⟨AE;inf.⟩ *movie version* ⇒
screen adaptation.
filmbreedte ⟨de (v.)⟩ **0.1** *film gauge.*
filmcamera ⟨de⟩ **0.1** ⟨smalfilm⟩ [B]*(cine)camera;* ⟨professioneel⟩
(film)camera, motion-picture/[A]*movie camera.*
filmcensuur →filmkeuring.
filmclub ⟨de⟩ **0.1** *film club* ⇒*cineclub.*
filmcriticus ⟨de (m.)⟩ **0.1** *film critic.*
filmdiva ⟨de (v.)⟩ **0.1** *screen goddess.*
filmdoek ⟨het⟩ **0.1** *(film) screen.*
filmdroger ⟨de (m.)⟩ ⟨foto.⟩ **0.1** *blower.*
filmdruk ⟨de (m.)⟩ ⟨ind.⟩ **0.1** *silk-screen process* ⇒*silk-screen printing.*
filmeditie ⟨de (v.)⟩ **0.1** *film edition.*
filmen ⟨onov., ov.ww.⟩ **0.1** *film* ⇒*make/* ↓ *shoot (a film)* ◆ **6.1** niet te
~! ⟨fig.⟩ *indescribable, beyond description/expression.*
filmer ⟨de (m.)⟩, **filmster** ⟨de (v.)⟩ **0.1** *filmmaker.*
filmfanaat ⟨de (m.)⟩ **0.1** *film fan/enthusiast;* ⟨vnl. AE⟩ *movie freak.*
filmfestival ⟨het⟩ **0.1** *film festival.*
filmformaat →filmbreedte.
filmhuis ⟨het⟩ **0.1** *art cinema* ⇒*cinema club,* [A]*film club.*
filmindustrie ⟨de (v.)⟩ **0.1** *film/*[A]*motion-picture industry.*
filmisch ⟨bn., bw.;-ally⟩ **0.1** *cinematic.*
filmjournaal ⟨het⟩ **0.1** *news reel.*
filmjournalist ⟨de (m.)⟩ **0.1** *film/cinema/*[A]*movie reporter/correspondent
/critic.*
filmkeuring ⟨de (v.)⟩ **0.1** *film censorship* ⇒⟨commissie⟩ *film censorship board, board of film censors.*
filmkritiek ⟨de (v.)⟩ **0.1** [kritiek op of mbt. een film] *film criticism* ⇒
criticism of a/ the film/[A]*movie* **0.2** [filmrecensie] *film/*[A]*movie review.*
filmkunst ⟨de (v.)⟩ **0.1** [kunstonderdeel] *cinema(tography)* **0.2**
[vaardigheid v.h. filmen] *(film) technique* ◆ **3.2** hij beheerst de ~ al
aardig *his f. t. has improved considerably.*
filmlas ⟨de⟩ **0.1** *splice.*
filmliga ⟨de⟩ **0.1** *film society.*
filmmaker ⟨de (m.)⟩, **-maakster** ⟨de (v.)⟩ **0.1** *film/*[A]*moviemaker.*
filmmuziek ⟨de (v.)⟩ **0.1** *soundtrack* ⇒*score, incidental music.*
filmologie ⟨de (v.)⟩ **0.1** *cinematography, film studies.*
filmoperateur ⟨de (m.)⟩, **-trice** ⟨de (v.)⟩ **0.1** *film operator* ⇒⟨opnemer
ook⟩ *camera-man* ⟨m.⟩*/-woman* ⟨v.⟩*, (afdraaier ook) projectionist.*
filmopname ⟨de⟩ **0.1** *shot* ⇒*sequence, take, scene* ◆ **3.1** een ~ maken
van *make/* ↓ *shoot a film of.*
filmotheek ⟨de (v.)⟩ **0.1** [verzameling films] *film library* **0.2** [verhuur-
kantoor] *film library* ⇒*film hire firm.*
filmpers ⟨de⟩ **0.1** *film press.*
filmploeg ⟨de⟩ **0.1** *film crew.*
filmproducent ⟨de (m.)⟩ **0.1** *film/*[A]*motion-picture/*[A]*movie producer.*

filmprojector ⟨de (m.)⟩ **0.1** ⟨smalfilm⟩ *(cine)projector;* ⟨professioneel⟩
(film) projector.
filmquiz ⟨de (m.)⟩ **0.1** *film quiz.*
filmrechten ⟨zn.mv.⟩ **0.1** [rechten om iets te mogen verfilmen] *film/*
⟨AE;inf.⟩ *movie rights* **0.2** [vergoeding v.d. genoemde rechten] *film/*
⟨AE;inf.⟩ *movie rights.*
filmregisseur ⟨de (m.)⟩, **-regisseuse** ⟨de (v.)⟩ **0.1** *film/*⟨AE;inf.⟩ *movie
director.*
filmrol ⟨de⟩ **0.1** [rol als filmacteur/-actrice] *rôle/part in a film/picture*
⇒*film rôle/part* **0.2** [filmband] *reel of film.*
filmrolletje ⟨het⟩ **0.1** *(roll of) film.*
filmscenario ⟨het⟩ **0.1** *film scenario* ⇒*film/*⟨AE;inf.⟩ *movie script,
screenplay.*
filmscript ⟨het⟩ **0.1** *film/*[A]*movie-script.*
filmspotter ⟨de (m.)⟩ **0.1** *caption(s) editor.*
filmster ⟨de⟩ **0.1** *(film)star* ⇒*movie star* ◆ **8.1** eruitzien als een ~ *look
like a movie star.*
filmstrook ⟨de⟩ **0.1** *film strip.*
filmstrookprojector ⟨de (m.)⟩ **0.1** *film strip projector.*
filmstudio ⟨de (m.)⟩ **0.1** *(film) studio.*
filmtheater ⟨het⟩ **0.1** [B]*cinema,* [A]*movie theatre.*
filmtijdschrift ⟨het⟩ **0.1** *film/cinema/*[A]*movie magazine.*
filmtoestel ⟨het⟩ **0.1** ⟨smalfilm⟩ *cinécamera,* ⟨professioneel⟩ *film camera,* [A]*movie camera.*
filmtrommel ⟨de⟩ **0.1** *can.*
filmverhuur ⟨de (m.)⟩ **0.1** *film distribution, film distributors.*
filmversie ⟨de (v.)⟩ **0.1** *film/screen/cinema/*[A]*movie version.*
filmvoorstelling ⟨de (v.)⟩ **0.1** *film/*[A]*movie showing/performance.*
filmwereld ⟨de⟩ **0.1** *film/*[A]*movie world.*
filmzaal ⟨de⟩ **0.1** *cinema, (film) theatre, auditorium.*
filmzon ⟨de⟩ **0.1** *camera floodlight.*
filologie ⟨de (v.)⟩ **0.1** *philology.*
filologisch ⟨bn., bw.;-ly⟩ **0.1** *philological.*
filoloog ⟨de (m.)⟩, **-loge** ⟨de (v.)⟩ **0.1** *philologist.*
filopedisch ⟨bn.⟩ **0.1** *p(a)edophile.*
filosoferen ⟨onov.ww.⟩ **0.1** [wijsgerig beschouwen] *philosophize* **0.2**
[(diep) nadenken] *philosophize* ⇒*muse, ponder, ruminate.*
filosofie ⟨de (v.)⟩ **0.1** [wijsbegeerte] *philosophy* ⇒*metaphysics* **0.2** [wijs-
gerig stelsel] *philosophy* **0.3** [levensbeschouwing, opvatting] *philosophy* ⇒*thinking* ◆ **1.1** ~ v.d. wetenschap *the p. of science* **1.2** de ~ van
Kant *the p. of Kant, Kant's p.* **6.3** de ~ **achter** het nieuwe regeringsprogramma *the p. / thinking behind the new government programme.*
filosofisch ⟨bn., bw.;-(al)ly⟩ **0.1** [wijsgerig] *philosophic(al)* ⇒*metaphysical* **0.2** [stoïcijns] *philosophic(al)* ⇒*stoical* ◆ **3.2** hij neemt alles nogal
~ op *he takes things rather philosophically/stoically.*
filosoof ⟨de (m.)⟩ **0.1** [wijsgeer] *philosopher* **0.2** [iem. die de alledaagse
dingen wijsgerig beschouwt] *philosopher* **0.3** [vleesgerecht] ≠*shepherd's pie* ◆ **3.2** ⟨iron.⟩ wat ben jij een ~, zeg! *you are a deep thinker,
aren't you?, aren't we being profound today!*
filter ⟨het, de (m.)⟩ **0.1** [zuiveringstoestel] *filter* **0.2** [bakje dat alleen
vloeistoffen doorlaat] *filter* ⇒*colander* **0.3** ⟨foto.⟩ *filter* **0.4** [stelsel
van condensatoren/spoelen] *filter* **0.5** [(mondstuk v.e.) sigaret] *filter
(tip)* ◆ **6.5** sigaretten **zonder** ~ *plain cigarettes, non-filters.*
filteren
I ⟨ov.ww.⟩ **0.1** [doen doorsijpelen] *filter* ⇒*filtrate, strain, sieve, percolate,* ⟨inf.⟩ *perk* ⟨koffie⟩;
II ⟨onov.ww.⟩ **0.1** [doorsijpelen] *filter through/into* ⇒*strain, come
through,* ⟨koffie⟩ *percolate (through),* ⟨inf.⟩ *perk* ◆ **6.1** een flauw
licht filterde **door** de gesloten gordijnen *a faint light filtered through
the drawn curtains.*
filterkaars ⟨de⟩ **0.1** *top-filter,* [A]*faucet filter.*
filterkoffie ⟨de (m.)⟩ **0.1** *percolated coffee* ⇒*filter coffee,* ⟨in restau-
rant⟩ *café filtre.*
filterpot ⟨de (m.)⟩ **0.1** *percolator.*
filtersigaret ⟨de⟩ **0.1** *filter (tip)* ⇒*filter-tipped cigarette.*
filtertank ⟨de (m.)⟩ **0.1** *filter(ing) basin* ⇒*filter(ing tank).*
filterzakje ⟨het⟩ **0.1** *filter(ing)(bag).*
filtraat ⟨het⟩ **0.1** *filtrate* ◆ **2.1** een kiemvrij ~ *a germ-free f..*
filtratie ⟨de (v.)⟩ **0.1** *filtration* ⇒*filtering.*
filtreerbaar ⟨bn.⟩ **0.1** *filt(e)rable.*
filtreerbeker ⟨de (m.)⟩ **0.1** *filter(ing) beaker* ⇒*filtrate receiver.*
filtreerdoek ⟨het, de (m.)⟩ **0.1** *filtering cloth* ⇒*straining cloth.*
filtreerkan ⟨de⟩ **0.1** ≠*percolator.*
filtreerkolf ⟨de (m.)⟩ **0.1** *filter(ing) flask* ⇒*filtrate receiver.*
filtreerpapier ⟨het⟩ **0.1** *filter paper.*
filtreersteen ⟨het, de (m.)⟩ **0.1** *porous/permeable rock.*
filtreren →filteren.
filtrum ⟨het⟩ **0.1** *philtre* ⇒*love potion.*
fimosis ⟨de (v.)⟩ **0.1** *phimosis.*
Fin ⟨de (m.)⟩, **-se** ⟨de (v.)⟩ **0.1** *Finn* ⟨m.⟩*, Finnish woman/girl* ⟨v.⟩*.*
finaal
I ⟨bn.⟩ **0.1** [uiteindelijk] *final* **0.2** [algeheel] *complete* ⇒*full, total, absolute* **0.3** [⟨taal.⟩] *final* ◆ **1.1** de finale toewijzing *the f. allocation* **1.2**

finale kwijting *f. receipt*, ⟨ook⟩ *quietus;* finale opruiming *clearance sale, clearance;* ⟨bij sluiting v. zaak⟩ *closing-down sale* **1.3** finale bijzinnen *f. clauses, clauses of purpose;*
II ⟨bw.⟩ **0.1** [volkomen] *completely* ⇒*totally, absolutely, utterly, quite* ◆ **3.1** ik ben het ~ vergeten *I clean/*^A*plumb forgot (it);* het is mij ~ onmogelijk dit te doen *it's absolutely/utterly/c. impossible for me to do this.*
finale ⟨de⟩ **0.1** [⟨muz.⟩] *finale* **0.2** [⟨sport⟩] *final(s)* ◆ **3.2** de achtste/kwart-/halve~ bereiken *reach the round of the last sixteen/quarter finals/semifinal(s)* **6.2 in** de ~ komen *get to the finals;* **in** de ~ zitten *be/appear in the finals.*
finalist ⟨de (m.)⟩, **-e** ⟨de (v.)⟩ **0.1** *finalist.*
finaliteit ⟨de (v.)⟩ **0.1** *finality.*
financieel ⟨bn., bw.;-ly⟩ **0.1** *financial* ⇒*pecuniary, monetary* ◆ **1.1** ~ artikel/pagina *city column/page;* het financiële beheer voeren over *run/manage the finances of;* financiële commissie *finance committee,* ^B*Treasury Committee,* ^A*Committee of Ways and Means;* iets v.d. financiële kant bekijken ⟨ook⟩ *look at the money side of sth.;* in financiële moeilijkheden verkeren *be in f. trouble,* ⟨inf.⟩ *be down on one's uppers;* in financiële moeilijkheden komen *get into f. difficulties/trouble;* een ~ overzicht *a f. review;* de financiële positie van dit land is gezond *this country's f. position is good/sound;* een financiële transactie *a f. transaction/a deal;* zijn financiële verplichtingen nakomen *meet/fulfil(l) one's f. responsibilities;* de financiële wereld ⟨ook⟩ *the world of finance* **3.1** iem. ~ steunen *aid/support s.o. financially/with money, give f.* ↑*aid to s.o.;* ⟨op lange termijn, ook⟩ *pecuniary underwrite s.o.;* ⟨AE; op baatzuchtige wijze⟩ *stake s.o.* **5.1** er ~ goed voorstaan ⟨v.e. bedrijf⟩ *be financially sound.*
financiën ⟨zn.mv.⟩ **0.1** [het openbare geldwezen] *finance* **0.2** [geldmiddelen] *finances* ⇒*funds* ◆ **1.1** het departement van ~ *the Treasury, the Finance Department;* de minister van ~ *the Minister of Finance/Finance Minister;* ⟨GB⟩ *the Chancellor of the Exchequer;* ⟨USA⟩ *the Secretary of the Treasury/Treasury Secretary* ¶**.2** mijn ~ staan er slecht bij *my f. are in a bad state/condition/way.*
financier ⟨de (m.)⟩ **0.1** [mbt. het beheer van geld] *financier* ⇒*manager* **0.2** [mbt. het verschaffen van geld] *financier* ⇒*moneylender* ⟨leningen⟩, *promoter, sponsor* ⟨evenementen, media⟩ ◆ **2.1** hij is een goed ~ *he knows how to manage his money, he is good with money* **2.2** grote~s *big bankers.*
financieren ⟨ov.ww.⟩ **0.1** *finance* ⇒*fund, defray the costs of, back* ⟨onderneming⟩, ⟨vnl. AE; pej.⟩ *financier.*
financiering ⟨de (v.)⟩ **0.1** *financing* ⇒*funding* ◆ **2.1** actieve ~ *investment financing;* monetaire ~ *(financing by) printing new money.*
financieringsbank ⟨de⟩ **0.1** *finance company/*^B*house* ⇒*merchant bank.*
financieringsmaatschappij ⟨de (v.)⟩ **0.1** *finance company/corporation* ⇒ ^B*finance house.*
financieringsplan ⟨het⟩ **0.1** *financing schedule/scheme* ⇒*finance plan.*
financieringssaldo ⟨het⟩ ⟨ec.⟩ **0.1** *balance of payments.*
financieringstekort ⟨het⟩ **0.1** *financing deficit.*
financies →financiën.
financiewezen ⟨het⟩ **0.1** *finance, financing* ⇒*financial world.*
fin de siècle **0.1** *fin de siècle* ⇒⟨attr.⟩ *decadent.*
fineer ⟨het⟩ **0.1** *veneer* ⇒*finish, veneering.*
fineerplaat ⟨de⟩ **0.1** *sheet of veneer* ⇒*veneering.*
fineerzaag ⟨de⟩ **0.1** *coping saw* ⇒*panel saw, fret saw.*
fineren ⟨onov., ov.ww.⟩ **0.1** [met fineer beleggen] *veneer* ⇒*finish, overlay, face* **0.2** [in dunne laagjes op elkaar lijmen] *laminate* **0.3** [⟨van goud/zilver⟩ zuiveren] *refine* ◆ **1.1** gefineerd triplex *veneered/faced threeply.*
finesse ⟨de (v.)⟩ **0.1** *nicety* ⇒*subtlety* ◆ **1.1** de ~s van het bridgen *the finer points of bridge* **6.1** iets **in** (de) ~s kennen *know the ins and outs of sth., know sth. inside out;* **in** ~s treden *go into details;* hij heeft het tot **in** de ~s uitgelegd *he explained it down to the minutest detail.*
fingeren ⟨ov.ww.⟩ **0.1** [doen alsof] *feign* ⇒*sham, simulate, put on,* ↓*fake, stage* ⟨ensceneren⟩ **0.2** [verzinnen] *invent* ⇒*make/dream up* ◆ **1.1** een gefingeerde overval *a staged robbery, a set-up;* gefingeerde winst *fictitious profit* **1.2** een gefingeerde naam *a fictitious/invented/assumed/feigned name.*
finish ⟨de (m.)⟩ ⟨sport⟩ **0.1** [eindstreep] *finish* ⇒*finishing line/point,* ⟨ook⟩ *home* **0.2** [laatste deel v.e. wedstrijd(baan)] *finish* **0.3** [afwerking, laklaag] *finish* ⇒*polish* ◆ **6.1** door de ~ gaan *cross the line;* ⟨vero.⟩ *break/breast the tape.*
finishdraad ⟨de (m.)⟩ ⟨sport⟩ **0.1** *tape* ⇒*finishing line,* ^A*wire.*
finishen ⟨onov.ww.⟩ ⟨sport⟩ **0.1** [over de eindstreep gaan] *finish* ⇒*cross the line,* ⟨vero.⟩ *breast the tape* **0.2** [het laatste deel voor de finish afleggen] *finish* ◆ **8.1** als tweede ~ *finish second, come (in) second.*
finishfoto ⟨de⟩ ⟨sport⟩ **0.1** *photo-finish (picture).*
finishing touch ⟨de (m.)⟩ **0.1** *finishing touch(es)* ⇒*finishing stroke(s), final touch* ◆ **3.1** hij gaf de ~ aan zijn schilderij *he put the finishing touches to his painting;* de sjaal gaf de ~ aan haar pakje *that scarf lent the finishing touch to her suit.*
Finland ⟨het⟩ **0.1** *Finland.*
finlandisering ⟨de (v.)⟩ ⟨pol.⟩ **0.1** *Finlandization.*

finoegristiek ⟨de (v.)⟩ **0.1** *Finno-Ugrian/Finno-Ugric studies.*
Fins ⟨bn.⟩ **0.1** *Finnish.*
fint ⟨de (m.)⟩ ⟨dierk.⟩ **0.1** *t(h)waite (shad).*
FIOD ⟨de (m.)⟩ ⟨afk.⟩ **0.1** [Fiscale Inlichtingen- en Opsporingsdienst] ⟨*tax inspectors of the* ^B*Inland Revenue/*^A*Internal Revenue Service*⟩.
Fiom ⟨de (v.)⟩ **0.1** ⟨*bureau for assistance to pregnant women and single parents*⟩.
fiool ⟨de⟩ **0.1** *phial* ◆ **1.1** ⟨fig.⟩ de fiolen van zijn toorn over iem. uitgieten *pour out the vials of (one's) wrath/pour out vials of wrath over/upon s.o.* **3.**¶ fiolen laten zorgen *let things drift, let things take their (own) course.*
fiorituren ⟨zn.mv.⟩ ⟨muz.⟩ **0.1** *graces* ⇒*grace-notes.*
firma ⟨de⟩ **0.1** [handelsnaam] *trading name* ⇒*firm (name), style* **0.2** [vennootschap met hoofdelijke aansprakelijkheid] *firm* ⇒*partnership* **0.3** [bedrijf, zaak] *firm* ⇒*company, concern, house, enterprise* ◆ **3.3** hij werd in de ~ opgenomen *he was taken/admitted into partnership* **6.1 onder** de ~ *van under the firm/style/firm and style/style and title/firm name of* **6.2** iets **bij** een ~ bestellen *place an order for sth. with a f., order sth. from a firm* ¶**.1** de ~ Smith & Jones *the firm of Smith and Jones,* ⟨briefaanhef⟩ *Messrs Smith and Jones.*
firmament ⟨het⟩ ⟨schr.⟩ **0.1** *firmament* ⇒*heaven(s), sky, skies.*
firmanaam ⟨de (m.)⟩ **0.1** *company name, name of a business/firm.*
firmant ⟨de (m.)⟩ **0.1** *(business) partner* ⇒*member of the firm* ◆ **2.1** enig~ *(sole) proprietor;* oudste/jongste ~ *senior/junior partner.*
firmastempel ⟨het⟩ **0.1** *firm/company/business stamp.*
firn ⟨de (m.)⟩ **0.1** *firn* ⇒*névé.*
firnveld ⟨het⟩ **0.1** *névé.*
fis ⟨de⟩ ⟨muz.⟩ **0.1** *F sharp.*
fiscaal[1] ⟨de (m.)⟩ **0.1** ≠^B*prosecuting counsel,* ^A*public prosecutor* ⇒⟨buiten Engeland⟩ *fiscal,* ⟨Sch.E⟩ *procurator-fiscal.*
fiscaal[2] ⟨bn., bw.;-ly⟩ **0.1** *fiscal* ⇒*tax(-)* ◆ **1.1** fiscale balans *f. balance sheet;* een fiscale executie *distraint for arrears of taxes/tax arrears;* fiscale kinderen *(fiscally) dependant children;* ~ loon *salary for tax purposes;* ~ recht *tax law;* fiscale rechten *revenue duties/tax/tariff(s)* **2.1** ~ aftrekbaar *tax-deductible.*
fiscalisering ⟨de (v.)⟩ **0.1** *public funding.*
fiscaliteit ⟨de (v.)⟩ **0.1** [wetten en reglementen] *tax law* ⇒*tax system* **0.2** [het onderworpen zijn aan belastingheffing] *taxability* ⇒ ⟨onroerend goed⟩ *rat(e)ability,* ⟨douane⟩ *dutiability.*
fiscus ⟨de (m.)⟩ **0.1** [staat als belastingheffer] *Treasury* ⇒^B*Exchequer* **0.2** [belastingdienst] *treasury* ⇒^B*(H.M.) Inland Revenue,* ^A*Internal Revenue Service,* ⟨inf.⟩ *taxman* ◆ **6.1** het merendeel van onze winst gaat **naar** de ~ *most of our profit goes in taxes/to the taxman/is mopped up by taxation/is taken up in taxes.*
fissuur ⟨de (v.)⟩ **0.1** *fissure* ⇒*rift, crack, crevice, chink, cleft.*
fistel ⟨de⟩ ⟨med.⟩ **0.1** *fistula* ⇒*sinus.*
fistuleus ⟨bn.⟩ **0.1** *fistular* ⇒*fistulous.*
fit[1] ⟨de (m.)⟩ **0.1** [pasvorm] *fit* **0.2** [fithaak] *calliper/*^A*caliper rule* **0.3** [⟨scheep.⟩] *fid.*
fit[2] ⟨bn.⟩ **0.1** *fit* ⇒*well, healthy,* ⟨persoon op leeftijd⟩ *hale and hearty,* ⟨uitgerust⟩ *fresh* ◆ **3.1** ~ blijven *keep/stay fit;* ik voel me nog niet helemaal ~ *I'm still not (feeling) quite up to scratch/par/the mark* **5.1** niet ~ zijn *be unfit/out of condition;* ⟨niet lekker⟩ *be off colour/under the weather.*
fithaak ⟨de (m.)⟩ **0.1** *calliper/*^A*caliper rule.*
fitnesscentrum ⟨het⟩ **0.1** *fitness/health club* ⇒*fitness centre.*
fitnessruimte ⟨de (v.)⟩ **0.1** *gym(nasium)* ⇒*health club.*
fitnesstraining ⟨de (v.)⟩ **0.1** *fitness training* ⇒*keep-fit exercises* ⟨mv.⟩.
fits ⟨de⟩ **0.1** [scharnier] *hook-and-eye hinge* **0.2** [scharnierpen] *hinge pin.*
fitten ⟨ov.ww.⟩ **0.1** [in elkaar passen] *(make) fit* **0.2** [meten] *gauge (with a calliper rule)* **0.3** [diepte van boorgaten meten] *sound.*
fitter ⟨de (m.)⟩, **-ster** ⟨de (v.)⟩ **0.1** *fitter* ⇒⟨gasleiding⟩ *gas fitter,* ⟨waterleiding⟩ *plumber.*
fitterij ⟨de (v.)⟩ **0.1** *fitting shop.*
fitting ⟨de (m.)⟩ **0.1** [mbt. gloeilampen] ⟨waar men lamp indraait⟩ *socket* ⇒*lamp-holder,* ⟨van lamp zelf⟩ *screw(cap), fitting* **0.2** [mbt. buisleidingen] *fitting* **0.3** [⟨mv.⟩ onderdelen voor machines] *parts* ⇒*fittings,* ⟨permanent⟩ *fixtures.*
fitting station ⟨de⟩ **0.1** *(car) assembly plant.*
fixatie ⟨de (v.)⟩ **0.1** [het fixeren, vastlegging] *fixing* ⇒*determining* **0.2** [het gefixeerd zijn] *fixation* ⇒*obsession.*
fixatief ⟨het⟩ **0.1** *fixative* ⇒*fixer.*
fixeer ⟨het⟩ ⟨foto.⟩ **0.1** *fixer* ⇒*hypo.*
fixeerbad ⟨het⟩ **0.1** *fixing-bath.*
fixeerspuitje ⟨het⟩ **0.1** *fixative spray.*
fixeerstang ⟨de⟩ **0.1** *fastener (fastening) rod.*
fixeerzout ⟨het⟩ ⟨foto.⟩ **0.1** *fixing-salt* ⇒*hyposulphite.*
fixeren ⟨ov.ww.⟩ **0.1** [onbeweeglijk bevestigen] *fix* ⇒*fasten, secure, make fast, fixate,* ⟨met riemen⟩ *strap down* **0.2** [vastleggen] *fix* ⇒*determine, appoint, establish, settle* **0.3** [onuitwisbaar maken] *fix* **0.4** [⟨foto.⟩] *fix* **0.5** [voortdurend brutaalweg aankijken] *fix with one's eyes* ⇒*fix one's eyes/gaze on, rivet one's eyes upon, stare at* **0.6**

[⟨biol.⟩] *fix* ◆ **1.1** een gebroken been ~ *set a broken leg* **1.5** een meis-je ~ *fix a girl with one's eyes* **1.6** aangetaste weefsels ~ *f. damaged tis-sue(s)* **6.1 op** iem. gefixeerd zijn *be stuck on s.o..*

fixum ⟨het⟩ **0.1** *fixed sum/amount.*

fjord ⟨de (m.)⟩ **0.1** *fjord ⇒fiord.*

fl. ⟨afk.⟩ **0.1** [florijn(en)] *fl. ⇒Fl.* **0.2** [fles] *bot..*

flacon ⟨de (m.)⟩ **0.1** [sierlijke fles] *bottle ⇒flask, flagon* ⟨wijn⟩ **0.2** [klein flesje] *bottle ⇒scent-bottle* ⟨reukwater⟩, *phial* ⟨medicijnen⟩, ⟨heup-⟩ *canteen, flask* ◆ **6.¶** ⟨iron.⟩ op de ~ gaan *go to the wall, go broke/bust.*

fladderak ⟨de (m.)⟩ **0.1** *brandy punch/cup.*

fladderen ⟨onov.ww.⟩ **0.1** [onregelmatig vliegen] *flap about ⇒*⟨vogel-tje, vlinder⟩ *flutter,* ⟨vleermuis⟩ *flit(ter)* **0.2** [heen en weer bewegen] *flutter ⇒*⟨vlag, zeil⟩ *flap,* ⟨baard, haar⟩ *stream, flow* **0.3** [flaneren] *saunter ⇒stroll* **0.4** [onbekommerd leven] *gallivant ⇒gad about* **0.5** [⟨med.⟩] *flutter ⇒murmur* ◆ **1.1** het eendje fladdert in de lucht *the duckling is flapping about in the air* **5.4** hij fladdert maar wat (rond/aan) *he leads a free and easy/happy-go-lucky sort of life.*

flagellant ⟨de (m.)⟩ ⟨gesch.⟩ **0.1** *flagellant ⇒flagellator,* ⟨ihb. in Spanje ook⟩ *disciplinant.*

flagellantisch ⟨bn.⟩ **0.1** *flagellant.*

flagellantisme ⟨het⟩ **0.1** *flagellantism.*

flagellatie ⟨de (v.)⟩ **0.1** *flagellation ⇒scourging, whipping, discipline, mortification (of the flesh).*

flagelleren ⟨ov.ww.⟩ **0.1** *flagellate ⇒scourge, whip, discipline.*

flageolet ⟨de (m.)⟩ **0.1** [fluit] *flageolet* **0.2** [orgelregister] *flageolet* **0.3** [flageolettoon] *flageolet tone ⇒harmonic tone* **0.4** [peulvrucht] *fla-geolet.*

flageolettoon ⟨de (m.)⟩ **0.1** *flageolet tone ⇒harmonic tone.*

flagrant ⟨bn.⟩ **0.1** *flagrant ⇒blatant, glaring, gross, shameless* ◆ **1.1** dat is een ~e leugen *that is a blatant/bald/barefaced lie;* in ~e tegen-spraak met *in flat contradiction to/with.*

flagstone ⟨de (m.)⟩ **0.1** *flag(stone).*

flair ⟨het, de (m.)⟩ **0.1** *flair ⇒feel(ing) (for), head (for)* ◆ **3.1** voor zo iets heeft men ~ nodig *that takes flair, you have to have a feel for it* **6.1** hij heeft ~ **voor** zaken *he has got business acumen/a head for busi-ness.*

flakkeren ⟨onov.ww.⟩ **0.1** *flicker ⇒flutter, waver,* ⟨groot vuur⟩ *flare.*

flambard ⟨de (m.)⟩ **0.1** *slouch (hat) ⇒wide-awake (hat), wide-brimmed hat.*

flambé ⟨bn.⟩ **0.1** ⟨hout⟩ *veined ⇒grained,* ⟨stof⟩ *noiré.*

flamberen ⟨onov., ov.ww.⟩ **0.1** [zengen, roosten] *singe ⇒*⟨cul.⟩ *flambé* **0.2** [opdienen met brandende alcohol] *flambé ⇒serve flambé* **0.3** [⟨med.⟩] *flame.*

flambouw ⟨de⟩ **0.1** *torch ⇒flambeau, flare.*

flamboyant ⟨bn.⟩ ⟨fig.⟩ **0.1** *flamboyant* ◆ **1.1** ~e gotiek *f. gothic.*

flamelamp ⟨de⟩ **0.1** *flame bulb.*

flamenco ⟨de (m.)⟩ **0.1** [stijl] *flamenco* **0.2** [dans] *flamenco.*

flamingant ⟨de (m.)⟩ **0.1** *supporter of the Flemish Movement ⇒Flemish radical/militant.*

flamingantisme ⟨het⟩ **0.1** *(sympathy for) the Flemish Movement.*

flamingo ⟨de (m.)⟩ **0.1** [vogelfamilie] *flamingo* **0.2** [waadvogel] *flamin-go.*

flamingoplant ⟨de⟩ **0.1** *flamingo flower/plant.*

flammé ⟨het⟩ **0.1** *watered silk ⇒moiré.*

flamoes ⟨de⟩ ⟨vulg.⟩ **0.1** *cunt ⇒pussy,* ^Acrack, ^Aslit.

flan ⟨de (m.)⟩ **0.1** [(papieren) matrijs] *flong ⇒mould* **0.2** [eiertaart] *egg-custard (tart).*

flanel ⟨het⟩ **0.1** [stof] *flannel ⇒*⟨katoen⟩ *flannelette* **0.2** [⟨meestal ver-kleinwoord⟩ kledingstuk] *flannel shirt/singlet/*^Bvest/^Aundershirt ⇒ ^Aflannels ⟨ondergoed⟩.

flanelbord ⟨het⟩ **0.1** *flannelboard ⇒flannelgraph.*

flanellen ⟨bn.⟩ **0.1** *flannel* ◆ **1.1** een ~ pantalon *a pair of f. trousers/of flannels.*

flanelsteek ⟨de (m.)⟩ ⟨amb.⟩ **0.1** *herring-bone stitch.*

flaneren ⟨onov.ww.⟩ **0.1** *saunter ⇒stroll, lounge,* ⟨inf.⟩ *mooch (about).*

flaneur ⟨de (m.)⟩ **0.1** *saunterer ⇒lounger,* ⟨playboy⟩ *gadabout.*

flank ⟨de (m.)⟩ **0.1** [zijde] *flank ⇒side,* ⟨gebouw ook⟩ *wing* **0.2** [⟨mil.⟩] *flank* **0.3** [⟨herald.⟩] *flank* ◆ **6.1 vanuit/in** de ~ *broadways, broad-wise;* ⟨scheep.⟩ *broadside* **6.2** de vijand in de ~ aanvallen *attack the enemy in/on the f., take the enemy in f.;* rechts/links **uit** de ~ *to the right/left and, by the right/left;* met tweeën **uit** de ~ *in file;* met vie-ren **uit** de ~ *in columns of four.*

flankaanval ⟨de (m.)⟩ **0.1** *flank attack.*

flankdekking ⟨de (v.)⟩ **0.1** *flank guard/defence(s).*

flankeren

I ⟨onov.ww.⟩ **0.1** [⟨jacht⟩] *quarter;*

II ⟨ov.ww.⟩ **0.1** [aanvullen met/laten vergezeld door] *flank* ◆ **6.1** links en rechts **door** een agent geflankeerd *flanked by two policemen;*

III ⟨onov., ov.ww.⟩ **0.1** [⟨mil.⟩] *flank ⇒cover* ◆ **1.1** onze artillerie flankeerde ons bij de aanval *our artillery flanked/covered us during the attack;* ~d vuur *flanking fire.*

flankering ⟨de (v.)⟩ **0.1** *flanking ⇒cover.*

flankeur ⟨de (m.)⟩ ⟨mil.⟩ **0.1** *flanker ⇒guide.*

flansen

I ⟨ov.ww.⟩ **0.1** [haastig in elkaar zetten/aanbrengen] *knock together ⇒throw together,* ^Bknock up, concoct ⟨verhaal⟩, *bang out* ⟨type-werk⟩, *rush/tear off* ⟨brief⟩, *whip/rustle/scramble up* ⟨maaltijd⟩ ◆ **6.1** hij heeft dat boek haastig **in** elkaar geflanst *he knocked that book together in a hurry;* een opmerking **tussen** de regels ~ *jot down a re-mark/comment between the lines;*

II ⟨onov.ww.⟩ **0.1** [de school verzuimen] *play truant ⇒* ⟨inf.⟩ *bunk off,* ^Aplay hook(e)y, ^Askip school.

flap ⟨de (m.)⟩ **0.1** [deel v.e. boekomslag] *flap* **0.2** [gebakje] *turnover* **0.3** [geluid v.e. klap] *thud ⇒flap, clap* **0.4** [bankbiljet] *(bank) note,* ^Abill **0.5** [stuk v.e. doek] *flap* **0.6** [aan een bord bevestigd vel papier] *fly-sheet* **0.7** [⟨sold.⟩ veldfles] *canteen* ◆ **1.5** de ~ v.h. grondzeil vasthou-den *hold the f. of the groundsheet* **6.3** hij sloeg het boek **met** een ~ dicht *he closed the book with a clap, he slammed/banged the book shut* **6.6** de lerares had de uitkomsten **op** een ~ genoteerd *the teacher had written the answers on a f./covering sheet.*

flapdrol ⟨de (m.)⟩⟨inf.⟩ **0.1** *drip ⇒*(AE ook) *jerk, wet, dud,* ↓*lemon,* ↓*crumb,* ⟨lafaard ook⟩ *hamby-pamby,* ⟨AE ook⟩ *idiot, lamebrain.*

flaphoed ⟨de (m.)⟩ **0.1** *slouch (hat) ⇒wide-awake (hat), wide-brimmed hat.*

flapje ⟨het⟩ **0.1** [klein lapje] *tab ⇒lappet* **0.2** [bankbiljet] *(bank) note/* ^Abill.

flapkan ⟨de⟩ **0.1** *lidded tankard/jug.*

flapoor

I ⟨het⟩ **0.1** [grote oorschelp] *protruding ear ⇒ear that sticks out, flap-ear,* ⟨BE; inf.⟩ *sticky-out ear* ◆ **3.1** die jongen heeft flaporen *that boy's ears stick out;*

II ⟨de (m.)⟩ **0.1** [persoon] ⟨bel.⟩ *flap-eared moron.*

flapoperatie ⟨de (v.)⟩ **0.1** *flap operation.*

flappen ⟨ov.ww.⟩ **0.1** [neersmijten] *fling down ⇒bang/plump down* **0.2** [onbezonnen praten] *blab(ber) ⇒blurt out, blunder* ◆ **5.2** hij flapt er maar alles uit *he blurts out anything that comes into his head/to mind* **6.1** iets **op** de grond ~ *fling/bang/plump down sth. down on the floor.*

flapperen ⟨onov.ww.⟩ **0.1** *flap.*

flaptekst ⟨de (m.)⟩ **0.1** *blurb.*

flapuit ⟨de (m.)⟩ **0.1** *blab ⇒blabber(mouth).*

flard ⟨de⟩ **0.1** [afgescheurde lap] *shred ⇒tatter, rag, ribbon* **0.2** [los ge-deelte] *fragment ⇒snatch,* ⟨klein deeltje⟩ *scrap, snippet* ◆ **6.1 aan** ~en scheuren *shred, tear to shreds/rags/tatters/ribbons; maul* ⟨prooi⟩; het zeil werd **aan** ~en geschoten *the sail was shot to rags/ribbons/tatters/pieces;* een **aan** ~en gescheurde doek *a tattered (piece of) cloth;* **aan** ~en in *tatters/rags/* ⟨ook fig.⟩ *shreds* **6.2** ik heb slechts enkele ~en **van** hun gesprek kunnen opvangen *I managed to catch only a few fragments/snatches/snippets of their conversation.*

flash ⟨de (m.)⟩ **0.1** *flashlight ⇒flash.*

flat ⟨de (m.)⟩ **0.1** [flatgebouw] *block of flats,* ^Aapartment (building/house) ⇒⟨v. geringe kwaliteit⟩ *tenement (building),* ⟨koopflats⟩ ⟨AE⟩ *condominium,* ⟨inf.⟩ *condo,* ⟨groter⟩ *block of apartments* **0.2** [appartement] *flat,* ^Aapartment ⇒⟨v. geringe kwaliteit⟩ *tenement* **0.3** [damesschoen] *flattie* ◆ **6.2 op** een ~ *in a flat.*

flatbewoner ⟨de (m.)⟩, **-woonster** ⟨de (v.)⟩ **0.1** *flat/*^Aapartment-dweller ⇒tenant of a flat.

flater ⟨de (m.)⟩ **0.1** *blunder ⇒howler, gaffe,* ⟨inf.⟩ *bloomer, boob,* ^Ablooper ◆ **2.1** een geweldige ~ *a prize b.* **3.1** een lelijke ~ begaan *drop a brick/clanger, put one's foot in it/one's mouth,* ^Adrop one's cookies; een ~ slaan *blunder, make a b.;* ⟨inf.⟩ *boob, make a bloomer,* ^Agoof.

flatgebouw →flat 0.1.

flatje ⟨het⟩ **0.1** [kleine flat] *flatlet ⇒small flat* **0.2** [schoen] *flattie.*

flatneurose ⟨de (v.)⟩ **0.1** *flat neurosis/*^Aapartment neurosis.

flatteren

I ⟨ov.ww.⟩ **0.1** [fraaier voorstellen dan de werkelijkheid is] *flatter* **0.2** [⟨volt. deelw.⟩ vleien] *flatter* ◆ **1.1** de balans ~ *cook/doctor the bal-ance-sheet/the books;* een geflatteerd portret *a flattering portrait;* een geflatteerde voorstelling van iets geven *paint/present a rosy picture of sth.* **3.2** zich geflatteerd voelen *feel flattered;*

II ⟨onov., ov.ww.⟩ **0.1** [iemands uiterlijk gunstig doen uitkomen] *flatter ⇒suit, become* ◆ **1.1** die muts flatteert (je) *that bonnet suits/becomes you, that bonnet does sth. for you.*

flatteus ⟨bn.⟩ **0.1** [flatterend] *becoming ⇒flattering* **0.2** [vleiend] *flatter-ing.*

flatulentie ⟨de (v.)⟩ **0.1** *flatulence ⇒flatulency.*

flatus ⟨de (m.)⟩ **0.1** *flatus.*

flatwoning →flat 0.2.

flauw ⟨bn., bw.⟩ **0.1** [niet hartig] *bland ⇒insipid, flavourless, tasteless, mild, washy, watery* ⟨drank⟩ **0.2** [niet krachtig/sterk] *faint ⇒feeble, weak,* ⟨herinnering/licht ook⟩ *dim,* ⟨glimlach ook⟩ *wan* **0.3** [niet geestig] *silly ⇒corny, feeble, wet, poor* **0.4** [nietszeggend] *vapid ⇒ dull, insipid, pointless* **0.5** [kinderachtig] *silly ⇒*⟨bang⟩ *chicken-/lily-livered,* ⟨onsportief⟩ *mean, unsporting, faint-hearted, weak-kneed* **0.6** [niet sterk gebogen] *gentle ⇒slight* **0.7** [⟨hand.⟩] *dull ⇒flat, weak,* *inactive* ◆ **1.1** ~e aardappels *tasteless potatoes;* een ~ drankje *a taste-less/insipid drink;* ~e soep *tasteless/washy soup* **1.2** geen ~ benul van iets hebben *have not a glimmer of understanding of sth., not know the first thing about sth., not have a clue/the faintest notion of sth.;* een ~e gelijkenis vertonen met *show/display a remote/vague resemblance to;* ik heb geen ~ idee *I haven't the least/slightest/foggiest/faintest/ vaguest idea;* ⟨inf.⟩ *I haven't the foggiest;* ~e vermoeden van iets hebben *have an/some inkling of sth.;* geen ~ vermoeden ergens van hebben *have not the slightest/no idea/inkling of sth.* **1.3** een ~e grap *a s./corny/feeble/poor/thin joke* **1.4** ~e praatjes *meaningless/point-less talk, tittle-tattle* **1.5** een ~e vent *a s. fellow;* ⟨bang⟩ *a milksop/ chicken;* ⟨onsportief⟩ *a spoilsport, a wet blanket* **1.6** een ~e glooiing *a g. slope* **3.5** doe niet zo ~ *don't be (so) silly/wet!;* ⟨inf.⟩ *don't be such a sissy!,* [A]*don't be so chicken;* ⟨onsportief⟩ *don't be such a spoilsport/ wet blanket!, be a sport!* **6.2** ik ben ~ van de honger *I'm faint with hunger.*

flauwekul ⟨de (m.)⟩ ⟨inf.⟩ **0.1** *rubbish* ⇒*nonsense, humbug, eyewash, horseshit,* ⟨AE⟩ *bull(shit), baloney* ◆ **3.1** dat is ~ *that's r.! nonsense/ bull(shit)/a lot of baloney/fiddle-faddle;* ~ verkopen *talk r./non-sense.*

flauwerd ⟨de (m.)⟩ **0.1** *silly/wet person* ⇒⟨bangerd⟩ *milksop, chicken,* ⟨onsportief⟩ *spoilsport, wet blanket.*

flauwerik →**flauwerd.**

flauwhartig ⟨bn.⟩ **0.1** *faint-hearted* ⇒*timid, weak-kneed,* ↓*chicken.*

flauwheid ⟨de (v.)⟩ **0.1** [hoedanigheid]⟨meligheid⟩ *silliness;* ⟨zwakte⟩ *weakness, faintness;* ⟨onsportiviteit⟩ *meanness;* ⟨smakeloosheid⟩ *blandness, insipidity, tastelessness* **0.2** [iets dat flauw is] *silly talk* ⇒ *nonsense, inanity* ◆ **3.2** zijn flauwheden irriteren mij mateloos *his inanities annoy me terribly/no end.*

flauwigheid ⟨de (v.)⟩ **0.1** [flauwe smaak] *blandness* ⇒*insipidity, taste-lessness* **0.2** [flauwe opmerking]⟨→**flauwiteit**⟩.

flauwiteit ⟨de (v.)⟩ **0.1** *silly/wet remark/comment* ⇒*corny/feeble/poor joke, inanity.*

flauwsjes →**flous.**

flauwte ⟨de (v.)⟩ **0.1** [katzwijm] *faint* ⇒*fainting fit,* ⟨schr.⟩ *swoon* **0.2** [windstilte] *calm* ◆ **3.1** van een ~ bijkomen *come round/to, recover/ regain consciousness.*

flauwtjes ⟨bn., bw.;-ly⟩ **0.1** *faint* ⇒⟨licht⟩ *dim,* ⟨smakeloos⟩ *bland, in-sipid, tasteless,* ⟨zaken⟩ *dull,* ⟨melig⟩ *silly* ◆ **1.1** de soep is ~ *the soup is somewhat tasteless/washy/watery* **3.1** ~ glimlachen *smile faintly/ wanly/weakly.*

flauwvallen ⟨onov.ww.⟩ **0.1** [bezwijmen] *faint* ⇒*pass out, have a faint-ing fit, fall in a faint,* ⟨schr.⟩ *swoon,* ⟨inf.⟩ *conk (out)* **0.2** [⟨fig.⟩ in(een)zakken] *wilt* ◆ **6.1** ~ van de pijn *faint with/from pain.*

flebile ⟨bw.⟩ ⟨muz.⟩ **0.1** *flebile.*

flebografie ⟨de (v.)⟩ **0.1** *phlebography.*

flebogram ⟨het⟩ ⟨med.⟩ **0.1** *phlebogram.*

flebologie ⟨de (v.)⟩ ⟨med.⟩ **0.1** *phlebology.*

flebotomie ⟨de (v.)⟩ ⟨med.⟩ **0.1** *phlebotomy.*

flecteren ⟨taal.⟩
   I ⟨ov.ww.⟩ **0.1** [verbuigen] *inflect* ⇒*decline;*
   II ⟨onov.ww.⟩ **0.1** [flexie bezitten] *be inflectional/inflecting, have in-flections* ◆ **1.1** ~de talen *inflectional/inflecting/inflected languages.*

fleemkous, fleemtong ⟨de (m.)⟩ →**flemer.**

fleer ⟨de (m.)⟩ **0.1** *box* ⇒*slap, smack, cuff, clout* ◆ **6.1** een ~ om de oren *a b./cuff on the ear, a clout around the ears.*

fleetowner ⟨de (m.)⟩ ⟨ec.⟩ **0.1** *bulk store owner, bulk trader.*

fleetsales ⟨zn.mv.⟩ ⟨ec.⟩ **0.1** *bulk sales/trade.*

flegma ⟨het⟩ **0.1** *phlegm* ⇒⟨ongevoeligheid⟩ *stolidity,* ⟨onverstoor-baarheid⟩ *equanimity,* ⟨kalmte⟩ *composure, sang-froid,* ⟨inf.⟩ *cool* ◆ **3.1** in het grootste gevaar verliet zijn ~ hem niet *in the greatest danger his composure/sang-froid never left him/he never lost his composure/ sang-froid.*

flegmasie ⟨de (v.)⟩ ⟨med.⟩ **0.1** *phlegmasia alba dolens* ⇒⟨ongemar-keerd⟩ *milk-leg, white-leg.*

flegmaticus ⟨de (m.)⟩ **0.1** *stoic* ⇒⟨inf.⟩ *cool customer.*

flegmatiek →**flegmatisch.**

flegmatisch ⟨bn., bw.;-ally⟩ **0.1** [onverstoorbaar kalm] *phlegmatic* ⇒ *composed, cool, collected, self-possessed* **0.2** [⟨pej.⟩ ongevoelig] *phlegmatic* ⇒*stolid, cold, apathetic* ◆ **1.1** ⟨astrol.⟩ ~e tekens *the p. signs;* het ~ temperament *the p. temperament.*

flegmone ⟨de⟩ ⟨med.⟩ **0.1** *phlegmon.*

flemen ⟨onov.ww.⟩ **0.1** [vleitaal spreken] *coax* ⇒*cajole, wheedle, fawn (on), blarney* **0.2** [⟨pej.⟩] *flatter* ⇒*blarney, oil one's tongue.*

flemer ⟨de (m.)⟩, **fleemster** ⟨de (v.)⟩ **0.1** *coaxer* ⇒*cajoler, wheedler, toady, time-server.*

flemerig ⟨bn.⟩ **0.1** *coaxing* ⇒*cajoling,* ⟨pej.⟩ *oily.*

flemerij ⟨de (v.)⟩ **0.1** [vleierij] *coaxing* ⇒*cajoling, wheedling, blarney* **0.2** [geflikflooi] *flattery* ⇒*blarney, time-serving.*

flens[1] ⟨de (m.)⟩ ⟨tech.⟩ **0.1** [opstaande rand/kraag] *flange* **0.2** [rand v.e. metalen profiel] *flange.*

flens[2] ⟨tw.⟩ **0.1** *wham* ⇒*bam, slam, whack, whop.*

flensen

I ⟨onov., ov.ww.⟩ **0.1** [mbt. de walvisvangst] *flense, flench;*
II ⟨onov.ww.⟩ **0.1** [neuken] *screw* ⇒*fuck.*

flensje ⟨het⟩ **0.1** *crêpe* ⇒*flapjack, (small) pancake.*

fleppen ⟨onov.ww.⟩ **0.1** [neuken] *screw* ⇒*fuck* **0.2** [drinken] *nip* ⇒*sip.*

fles ⟨de⟩ **0.1** [langwerpig vat] *bottle* ⇒⟨medicijnen⟩ *phial,* ⟨met brede hals⟩ *jar,* ⟨aardewerk, drank⟩ *crock* **0.2** [fles voor een speciaal doel] *bottle* **0.3** [inhoud] *bottle* ⇒*bottleful, jar(ful), crock(ful), phial* **0.4** [vat bij proeven] *bottle* ⇒*flask, receiver* ◆ **1.1** een ~ melk *a b. of milk;* een melkfles *a milk-b.* **2.4** Florentijnse ~ *Florence flask;* Leidse ~ *Leyden jar* **2.¶** magnetische ~ *magnetic bottle* **3.1** een ~ opentrekken *open/ uncork/unstop a b.* **3.2** de verpleegster brengt de zieke de ~ *the nurse brings the patient the b.! urinal;* de baby krijgt de ~ *the baby is having his/her b.; the baby is b.-fed* **3.3** een ~ drinken *drink a bottle(ful)* **6.1** een ~ met zuurstof *a cylinder of oxygen;* wijn op ~sen *bottled wine;* op ~sen doen/trekken *bottle;* uit de ~ drinken *drink out of/from the b.* **6.2** met de ~ grootgebracht *reared on the b., bottle-fed/-reared* **6.3** zij is behoorlijk aan de ~ *she's on the bottle/(really) hitting the bottle* **6.¶** op de ~ zijn/gaan *be ruined/broke/wrecked, crash, go to pot/to the dogs/to the wall, go broke/bust;* op de ~ helpen *send to the wall, wreck, ruin, bust* **¶.4** ~ van Klein *Klein b..*

flesje ⟨het⟩ **0.1** [glazen buisje met vloeistof] *tube* **0.2** [(inhoud van) een flesje] *bottle* ⇒⟨medicijnen⟩ *phial* ◆ **1.1** een ~ aspirinetabletten *a b. of aspirins* **1.2** ik heb zojuist drie ~s cola (leeg)gedronken *I have just drunk three bottles of coke.*

flesjeswaterpas ⟨het⟩ **0.1** *spirit-level,* [A]*level.*

fleskind(je), flessekind(je) ⟨het⟩ **0.1** *bottle-fed baby* ⇒*bottle baby.*

flesopener ⟨de (m.)⟩ **0.1** *bottle-opener.*

flessebier ⟨het⟩ **0.1** *bottled beer.*

flesseborstel ⟨de (m.)⟩ **0.1** *bottle-brush.*

flessegas ⟨het⟩ **0.1** *bottled gas* ⇒*bottle-gas.*

flessehals ⟨de (m.)⟩ **0.1** [hals v.e. fles] *neck of a bottle* **0.2** [nauwe ope-ning] *bottleneck.*

flessekind ⟨het⟩ ⟨inf.⟩ **0.1** *bottle-fed baby.*

flessemelk ⟨de⟩ **0.1** [in flessen verkochte melk] *bottled milk* **0.2** [melk in een zuigfles] *formula.*

flessen ⟨ov.ww.⟩ **0.1** [afzetten] *swindle* ⇒*con, cheat, rip off, take in, diddle* **0.2** [bedotten] *fool* ⇒*have (s.o.) on, pull s.o.'s leg, take (s.o.) for a ride* ◆ **1.2** volgens mij zit jij de zaak te ~ *I think you're having us on/pulling our leg* **3.2** je bent geflest! *you've been had, you've been taken for a ride.*

flessendrager ⟨de (m.)⟩ **0.1** *crate.*

flesseneiland ⟨het⟩ **0.1** *jack-up rig.*

flessenpost ⟨de⟩ ⟨scheep.⟩ **0.1** *message/letter in a bottle.*

flessenrek ⟨het⟩ **0.1** *bottle-rack.*

flessentrekker ⟨de (m.)⟩ **0.1** *swindler* ⇒*cheat, crook, con(fidence) man.*

flessentrekkerij ⟨de (v.)⟩ **0.1** *swindle* ⇒*con(fidence trick), con(fidence) game, fraud, ramp, swindling.*

flessewarmer ⟨de (m.)⟩ **0.1** *bottle-warmer.*

flesvoeding ⟨de (v.)⟩ **0.1** [voeding van baby's met een zuigfles] *bot-tle-feeding* **0.2** [babyvoeding] *formula.*

flets ⟨bn., bw.⟩ **0.1** [niet gezond] *pale* ⇒*wan, pallid, pasty(-faced), washed-out* **0.2** [niet helder] *pale* ⇒*dull, dim, pallid, faded* **0.3** [slap, verlept] *wilted* ⇒*faded, drooping, limp* ◆ **1.2** een ~ zonnetje *a watery/ pale sun* **2.2** ~e kleuren *pale/pallid/faded/dull colours* **3.1** er ~ uit-zien *look pale/off-colour/washed-out* **3.2** ~ uit zijn ogen kijken *have dull/lack-lustre eyes;* ~ worden *fade* **3.3** de bloemen hangen er ~ bij *the flowers are drooping/have wilted;* ~ worden *wilt.*

fletsheid ⟨de (v.)⟩ **0.1** [bleekheid] *pallor* ⇒*wanness, pastiness* **0.2** [vaal-heid] *paleness* ⇒*dullness, dimness, washiness* **0.3** [verleptheid] *wilt* ⇒ *limpness.*

fleur
   I ⟨de⟩ **0.1** [frisse glans] *bloom* ⇒*flower, blossom* **0.2** [kleurigheid] *colour* ⇒*gayness, brightness, cheerfulness* **0.3** [bloei(tijd)] *bloom* ⇒ *flower, prime, heyday* ◆ **2.3** de bloemen zijn nog in volle ~ *the flowers are still in full bloom* **3.2** bloemen geven een kamer ~ *flowers cheer a room up/lend colour to a room* **6.3** in de ~ van zijn jeugd *in the bloom/flower of (one's) youth, in one's prime/heyday* **¶.1** de ~ is eraf *the bloom is off/gone, it has lost its bloom/colour/freshness* **¶.¶** de fine ~ *the flower/cream/pick/prime, the pick of the bunch/basket;*
   II ⟨de⟩ **0.1** [⟨hengelsport⟩] *(fishing-)rod, reel and line.*

fleuren
   I ⟨onov.ww.⟩ **0.1** [⟨hengelsport⟩] *fish with rod, reel and line;*
   II ⟨ov.ww.⟩ **0.1** [⟨fig.⟩ overhalen tot iets] *rope (s.o.) in.*

fleuret ⟨het, de⟩ **0.1** [schermdegen] *foil* ⇒*fleuret(te)* **0.2** [floretzijde] *floss(-silk)* ⇒*flosh-silk, filoselle, spun silk, (embroidery) silk.*

fleurig ⟨bn., bw.⟩ **0.1** [bloeiend] *blooming* ⇒*fresh, strapping* ⟨meisje⟩ **0.2** [vrolijk] *colourful* ⇒*cheerful, bright, gay* ◆ **1.2** een ~e kamer *a cheerful room.*

fleurigheid ⟨de (v.)⟩ **0.1** [bloei] *bloom* ⇒*freshness* **0.2** [vrolijkheid]⟨ook fig.⟩ *liveliness* ⇒*cheerfulness, brightness, gaiety.*

fleuron ⟨het, de (m.)⟩ **0.1** [bloemvormig ornament] *fleuron* **0.2** [⟨boekw.⟩ versiering] *fleuron* **0.3** [gebakje] *fleuron.*

flexibel ⟨bn.⟩ **0.1** [buigzaam] *flexible* ⇒*pliable, bendable, elastic* **0.2** [ge-

dwee] *flexible* ⇒*pliable, tractable, (com)pliant, complaisant* **0.3** [⟨fig.⟩
zich gemakkelijk aanpassend] *flexible* ⇒*pliable, (com)pliant, supple,
elastic* ♦ **1.1** een~e band *an elastic band;* ⟨tech.⟩ een~e koppeling *a
f. coupling* **1.2** een~persoon *a f. person* **1.3** een woning met~e indeling *a house with movable partitions;* ~e werktijden *f. hours,*
^B*flex(i)time,* ^A*flextime;* ~e wisselkoersen *f. / floating exchange rates.*

flexibiliteit ⟨de (v.)⟩ **0.1** [buigzaamheid] *flexibility* ⇒*pliability, pliancy,
elasticity* **0.2** [⟨fig.⟩ mogelijkheid tot aanpassing] *flexibility* ⇒
(com)pliability, (com)pliancy, elasticity.

flexie ⟨de (v.)⟩⟨taal.⟩ **0.1** *(in)flexion* ⇒*declension, accidence.*

flexiecirkel ⟨de (m.)⟩⟨wisk.⟩ **0.1** *centre of curvature.*

flexiemorfeem ⟨het⟩⟨taal.⟩ **0.1** *inflectional morpheme.*

flexiestraal ⟨de⟩⟨wisk.⟩ **0.1** *radius of curvature.*

flexuur ⟨de (v.)⟩ **0.1** [buiging] *flexure* **0.2** [⟨geol.⟩] *flexure.*

flic ⟨de (m.)⟩⟨AZN⟩ **0.1** *cop* ⇒⟨BE;sl.⟩ *min.*

flierefluiter ⟨de (m.)⟩ **0.1** *layabout* ⇒*idler, loafer,* ⟨nietsnut⟩
good-for-nothing, wastrel.

flik ⟨het⟩ **0.1** [chocolaatje] *chocolate drop* **0.2** [agent] *cop* ⇒*copper,*
fuzz, ^L*pig.*

flik-flak ⟨de (m.)⟩⟨sport⟩ **0.1** *backflip.*

flikflooien
I ⟨onov.,ov.ww.⟩ **0.1** [vleien] *coax* ⇒*wheedle, cajole, fawn (on s.o.),*
suck up to, ^A*apple-polish* ♦ **5.1** zij flikflooide net zo lang tot ik erin
toestemde *she wheedled/ cajoled me into agreeing to it;*
II ⟨ov.ww.⟩ **0.1** [aanhalerig liefkozen] *pet* ⇒*cuddle, fondle, pamper.*

flikflooier ⟨de (m.)⟩,-**ster** ⟨de (v.)⟩ **0.1** *coaxer* ⇒*wheedler, cajoler,*
toady, ^A*apple-polisher.*

flikflooierij ⟨de (v.)⟩ **0.1** *coaxing* ⇒*wheedling, cajoling, fawning, toady-*
ing.

flikken ⟨ov.ww.⟩ **0.1** [handig doen, leveren] *manage* ⇒*bring/ pull off,*
get away with ⟨iets ontoelaatbaars⟩ **0.2** [verstellen] *patch (up)* ⇒
mend ♦ **1.1** iem. een kunstje~ *play a trick on s.o., take s.o. for a ride,*
put it over on s.o., ^A*hype s.o.* **1.2** schoenen~ *cobble shoes* **4.1** dat
moet je me niet meer~ *don't you dare try that one on me again;* wie
heeft me dat geflikt? *who let me in for this?;* dat zullen ze mij niet
meer~ *they won't pull that one on me again* **5.1** dat heeft hij netjes
geflikt *he pulled/ brought that off all right, he managed that all right.*

flikker ⟨de (m.)⟩ **0.1** [homosexuele man] *queer* ⇒*pansy, fairy, fag(got),*
^B*poof(ter)* **0.2** [gemeen persoon] *bastard* ⇒*son of a bitch,* ^B*bum* **0.3**
[lijf] *hide* ⇒^A*ass* **0.4** [⟨dansk.⟩] *entrechat* ♦ **3.4** een~ slaan/ maken
cut a caper **6.3** iem. op zijn~ geven *give s.o. a good hiding; give s.o. a*
proper dressing-down ⟨ook mondeling⟩ **7.¶** hij heeft geen~uitge-
voerd *he hasn't done a bloody thing/* ↑*a stitch/* ↑*a stroke (of work);* hij
weet/ kan er geen~ van *he doesn't know a damned thing/* ↑*the first*
thing about it; he's hopeless/ no good at it; het kan hem geen~schelen
he doesn't give a damn, ↑*he doesn't care/ give a hoot/ two hoots/ a*
toss.

flikkerbuis ⟨de⟩⟨nat.⟩ **0.1** ≠*scintillator.*

flikkercultuur ⟨de⟩ **0.1** *gay culture/* ⟨inf.⟩ *scene.*

flikkeren
I ⟨onov.ww.⟩ **0.1** [flakkeren] *flicker* ⇒*twinkle, waver,* ⟨electrisch
licht ook⟩ *blink, flash* ⟨bliksem, lamp⟩ **0.2** [met onderbreking teruggekaatst worden] *glitter* ⇒*sparkle, shimmer* **0.3** ⟨smalend⟩ [geslachts-
verkeer hebben] ↑*practice sodomy* ♦ **1.1**
⟨fig.⟩ ~de hoop *flickering hope;* het~de licht van een kaars *the flick-*
ering/ wavering light of a candle, the flicker/ glimmer of candlelight;
⟨fig.⟩ zijn ogen~ *his eyes glitter;* de sterren~ *the stars twinkle* **6.3** de
flessen zijn uit mijn poten geflikkerd *the bottles slipped/ fell out of my*
hands; iem. van de trap~ *f. tumble down the stairs;*
II ⟨ov.ww.⟩⟨inf.⟩ **0.1** [laten vallen] *chuck* ⇒*hurl, fling* ♦ **6.1** de
buren hebben hun afval in de gracht geflikkerd *the neighbours have*
dumped their rubbish/ ^A*garbage in the ditch.*

flikkering ⟨de (v.)⟩ **0.1** [onrustig, kortstondig gevlam, gestraal] *flicker*
⇒*twinkle, shimmer, flare, flash* ⟨lamp, bliksem⟩ **0.2** [⟨fig.⟩ glimp]
flicker ⇒*glimmer* ♦ **1.2** een~ van hoop *a glimmer/ f. of hope.*

flikkerlicht ⟨het⟩ **0.1** [flikkerend licht] *unsteady/ flickering light* ⇒*flick-*
er, twinkle, ⟨zwakjes⟩ *glimmer* **0.2** [met tussenpozen stralend licht]
flash-light ⇒*flashing/ blinking light, intermittent light,* ⟨v. vuurtoren⟩
occulting light.

flikkertent ⟨de⟩⟨pej.⟩ **0.1** *fag joint.*

flink
I ⟨bn.⟩ **0.1** [fors] *robust* ⇒*stout, sturdy, stalwart, comely* ⟨vrouw⟩,
strapping ⟨meisje⟩ **0.2** [groot van afmeting, hoeveelheid] *consider-*
able ⇒*substantial, goodly, siz(e)able, generous* **0.3** [sterk van karak-
ter] *firm* ⇒*energetic, stalwart, vigorous,* ⟨dapper⟩ *plucky,* ⟨energiek
ook⟩ *spirited,* ⟨inf.⟩ *with (lots of) gumption, with get-up-and-go* ♦ **1.1**
~e benen hebben *have stout/ sturdy legs* **1.2** een~ aantal *a siz(e)able/*
substantial/ fair number, a good few/ many, quite a few, a considerable
amount; een~e bijdrage *a handsome/ substantial/ liberal/ generous*
contribution; een~e bries *a stiff/ spanking breeze;* een~e dosis *a stiff/*
generous dose; een~ inkomen *a siz(e)able/ substantial income;* een
~e klap *a firm/ solid blow;* een~ pak slaag *a sound thrashing, a good*
hiding/ drubbing; een~e portie *a generous portion/ helping;* een~e

slok *a good mouthful/ swallow;* een~e smak maken *come a cropper,*
come/ take a purler; een~e som *a siz(e)able/ fair/ tidy sum;* een~stuk
grond *a good-sized/ siz(e)able piece/ plot of land;* een~e wandeling *a*
good walk **1.3** een~e huisvrouw *a capable housewife;* een~e meid *a*
spanking girl; een~e vent *a fine fellow, a man's man;* ⟨BE;inf.⟩ *a*
likely lad; een~e werker *an able worker* **3.3** zich~ houden *keep a stiff*
upper lip, put on a brave/ bold front/ face, put a brave face on it, bear it
well; wees toch wat~er! *pull yourself together!;* (van oude mensen)
nog~zijn *be still hale and hearty/ going strong* **6.1** het meisje is~
voor haar leeftijd *the girl is big for her age;*
II ⟨bw.⟩ **0.1** [in sterke mate] *considerably* ⇒*thoroughly, soundly,*
well, generously, ⟨krachtig⟩ *vigorously* ♦ **3.1** ~aanpakken *do one's*
share, go (at) it; iets~bestrooien met *sprinkle sth. liberally with;* ~
doorstappen *walk along briskly, walk at a brisk pace, step on it;* ~
doorwerken *push on (vigorously);* hij kan~eten *he is a hearty eater,*
he can eat heartily/ well, he can put it away; ~groeien/ schuren *grow*
well/ considerably, scrub vigorously/ energetically; zich~laten betalen *get paid handsomely;* ~optreden *act firmly, take a strong/ firm*
line, deal firmly (with); ~spoelen *rinse thoroughly;* ~vooruitgaan
make good progress/ great strides **4.1** ~wat mensen *quite a number of*
/ quite a few people **5.1** iem. er~van langs geven *give s.o. what for/ a*
hot time of it, give it s.o. hot (and strong); er~tegenaan gaan *go (at)*
it; er~op los slaan *give s.o. a good hiding/ drubbing, let fly at s.o.;* ~
zo! *that's the way!, well done!* **7.1** ~veel water *plenty of water;* ~wat
verdienen *make/ earn good money;* ~wat meer *considerably/ sub-*
stantially/ appreciably more, ⟨inf.⟩ *a good deal more.*

flinkerd ⟨de (m.)⟩ **0.1** [flink persoon] *fine fellow* ⇒⟨fors⟩ *stocky fellow*
0.2 [iets dat flink/ groot is in zijn soort] *big one* ⇒*sturdy/ fine one,*
⟨inf.⟩ *whopper.*

flinkgebouwd ⟨bn.⟩ **0.1** *strongly built* ⇒*strapping* ⟨jonge mensen⟩, *stalwart, robust, sturdy.*

flinkheid ⟨de (v.)⟩ **0.1** [stevigheid] *sturdiness* ⇒*robustness, strength,*
heartiness **0.2** [moed] *courage* ⇒*pluck(iness), vigour, mettle,* ⟨inf.⟩
spunk ♦ **3.2** de~ hebben om nee te zeggen *have the c./ nerve/* ⟨inf.⟩
guts to say no **¶.¶** zijn~bij tegenslag *his c./ fortitude in adversity.*

flinkigheid ⟨de (v.)⟩ **0.1** *boldness* ⇒*bluff.*

flinkweg ⟨bw.⟩ **0.1** *resolutely* ⇒*roundly, without mincing matters/ one's
words* ♦ **3.1** iem. ~de waarheid zeggen *give it to s.o. straight, tell s.o.
straight (out), tell s.o. the plain/ unvarnished truth.*

flinter ⟨de (m.)⟩ **0.1** [dun schijfje] *wafer* ⇒*thin slice, shaving, paring* **0.2**
[lap, reepje] *rag* ⇒*tatter,* ⟨zeer klein⟩ *shred.*

flinterdun ⟨bn.⟩ **0.1** *wafer-/ paper-thin* ⇒*flimsy, filmy* ⟨stof⟩ ♦ **1.1** ~ne
flensjes *w.-t. pancakes.*

flinterig ⟨bn.⟩ **0.1** *wafer-/ paper-thin* ⇒*flimsy* ♦ **1.1** een~stukje vlees *a
sliver of meat.*

flinterrevolutie ⟨de (v.)⟩ **0.1** *microchip revolution.*

flintglas ⟨het⟩⟨nat.⟩ **0.1** *flint (glass).*

flip-over ⟨de⟩ **0.1** *flip-chart.*

flippen ⟨onov.ww.⟩ **0.1** [ongunstig reageren op drugs] *have a bad trip* ⇒
freak out, have a bummer **0.2** [afknappen, teleurgesteld zijn] *feel let
down* ⇒*be disappointed* **0.3** [mislukken] *fail* ⇒*break down* **1.3** een
geflipte onderwijzer *a failed teacher* **6.2** zij is op hem geflipt *she's fed
up with him;* ik ben op die zaak geflipt *the whole thing was a real
let-down* **¶.1** de kans op~ vergroten *increase the risk of a bad trip.*

flipper ⟨de (m.)⟩ **0.1** [flipperkast] *pinball machine* ⇒^B*pintable* **0.2** [be-
dieningsknop van o.1] *button* **0.3** [mbt. druggebruiker] *tripper.*

flipperautomaat ⟨de (m.)⟩, **flipperkast** ⟨de⟩ **0.1** *pinball machine* ⇒^B*pintable.*

flipperen ⟨onov.ww.⟩ **0.1** *play pinball.*

fliptelefoon ⟨de (m.)⟩⟨inf.⟩ **0.1** *telephone help for trippers.*

flirt ⟨de (m.)⟩ **0.1** [vrijblijvende hofmakerij] *flirtation* ⇒*dallying, dalliance* **0.2** [persoon] *flirt* ⇒⟨vrouw ook⟩ *coquette,* ⟨man ook⟩ *philanderer, gallant* ♦ **2.1** een onschuldige~ *an innocent f..*

flirten ⟨onov.ww.⟩ **0.1** *flirt* ⇒*philander, dally, gallivant, toy.*

flits ⟨de (m.)⟩ **0.1** [⟨foto.⟩] *flash* ⇒*flash bulb,* ^B*flashlight, flashcube*
⟨blokje⟩ **0.2** [bliksemschicht] *flash* ⇒*streak, bolt (of lightning)* **0.3**
[glimp] *flash* ⇒*split second* ⟨korte tijd⟩ **0.4** [fragment van een opna-
me] *clip* ⇒*flash* ♦ **1.4** een~van een voetbalwedstrijd *highlights of a
football match* **6.3** in een~ ging die gedachte door hem heen *that
thought crossed his mind in a f., that thought flashed into/ across/
through his mind.*

flitsaccumulator ⟨de (m.)⟩ **0.1** *flash-light battery.*

flitsblokje ⟨het⟩ **0.1** *flashcube.*

flitsen
I ⟨onov.ww.⟩ **0.1** [zich snel voortbewegen] *flash* ⇒*streak, zip, zap,
zing, rocket* **0.2** [kort, fel licht geven] *flash* **0.3** [streaken] *streak* ♦ **1.2**
er flitste een bliksemstraal in de lucht *(a bolt of) lightning flashed
through the sky* **1.¶** een~d nieuw pak *a flash/ snazzy new suit* **5.1** zij
flitste voorbij *she flashed by;*
II ⟨onov.,ov.ww.⟩ **0.1** [⟨foto.⟩] *flash.*

flitser ⟨de (m.)⟩ **0.1** [flitslamp] *flash* ⇒*flash bulb, flashgun* ⟨toestel⟩,
flashcube ⟨blokje⟩ **0.2** [streaker] *streaker.*

flitsfotografie ⟨de (v.)⟩ **0.1** *flash photography* ⇒⟨inf.⟩ *flash.*

flitslamp ⟨de⟩ **0.1** *flash* ⇒*flash bulb.*
flitslicht ⟨het⟩ ⟨foto.⟩ **0.1** *flash(light)* ◆ **2.1** elektronisch ~ *electronic f..*
flitsrichtgetal ⟨het⟩ **0.1** *guide number.*
flitstijd ⟨de (m.)⟩ **0.1** *flash (time).*
flitstoestel ⟨het⟩ **0.1** *flash* ⇒*flash-gun.*
flitswerk ⟨het⟩ ⟨amb.⟩ **0.1** *basket-work* ⇒*wicker-/ wattle-work.*
flobert ⟨de (m.)⟩ **0.1** ⟨geweer⟩ *saloon-rifle* ⇒⟨pistool⟩ *saloon-pistol.*
flocculator ⟨de (m.)⟩ **0.1** *flocculator.*
flocculeren
   I ⟨onov.ww.⟩ **0.1** [zich afscheiden] *flocculate;*
   II ⟨ov.ww.⟩ **0.1** [reinigen] *purify.*
flodder
   I ⟨de (m.)⟩ ◆ **2.¶** losse ~s *dummy / blank cartridges, dummmies, blanks;* ⟨fig.⟩ *empty talk;*
   II ⟨de⟩ **0.1** [kledingstuk] *rag* ⇒⟨mv.⟩ *tatters,* ⟨loszittend, mv.⟩ *baggy / floppy clothes.*
flodderaar ⟨de (m.)⟩ **0.1** [iem. die slordig gekleed is] *slob* ⇒*mess, frump* ⟨vrouw⟩ **0.2** [sloddervos] *slob* ⇒*sloven, slattern* ⟨vrouw⟩.
flodderbroek ⟨de⟩ **0.1** [broek] *baggy / floppy trousers* ⇒^*baggy pants* **0.2** [flodderaar] *slob* ⇒*mess, frump* ⟨vrouw⟩.
flodderen ⟨onov.ww.⟩ **0.1** [mbt. kleren] *flap* ⇒*sag, bag, flop* **0.2** [knoeien] *mess (about)* ⇒*flounder* **0.3** [vleien] *coax* ⇒*wheedle, cajole.*
floddergoed ⟨het⟩ **0.1** *baggy / floppy clothes.*
flodderig ⟨bn., bw.; -ly⟩ **0.1** [mbt. kleren] *baggy* ⇒*floppy* **0.2** [slonzig] *shabby* ⇒*slovenly, frumpy, dowdy, slatternly* ⟨vrouw⟩ **0.3** [knoeierig, slordig] *messy* ⇒*sloppy, shoddy, untidy* ◆ **1.2** een ~ kind *a slovenly child* **3.3** wat zit die broek ~ *how b. those trousers are* **3.3** ~ werken *mess about, work carelessly / sloppily / shoddily.*
flodderjurk ⟨de⟩ **0.1** *sloppy dress.*
floddermadam ⟨de (v.)⟩ **0.1** *gaudily-dressed woman* ⇒*tarted- / dolled-up woman.*
floddermijn ⟨de⟩ **0.1** *fougasse.*
flodderwerk ⟨het⟩ **0.1** *bungling* ⇒*bungle, botch, messy / sloppy / shoddy (piece of) work.*
floëem ⟨het⟩ ⟨biol.⟩ **0.1** *phloem* ⇒*bast.*
floep¹ ⟨de (m.)⟩ **0.1** *pop* ⟨fles⟩ ⇒*flop, plop* ⟨plons⟩.
floep² ⟨tw.⟩ **0.1** *pop* ⟨fles⟩ ⇒*flop, plop* ⟨plons⟩.
floepen ⟨onov.ww.⟩ **0.1** *slip* ⟨glijden⟩ ⇒*whip, lash* ◆ **6.1** de tak floepte **in** zijn gezicht *the branch lashed / whipped into his face;* elk ogenblik floepte zij de deur **uit** *she was always / forever in and out / coming and going;* het touw floepte **uit** haar handen *the rope slipped out of her hands.*
floer ⟨het⟩ ⟨AZN⟩ **0.1** *velvet.*
floers ⟨het⟩ **0.1** [⟨fig.⟩ waas] *veil* ⇒*shroud,* ⟨vóór ogen⟩ *mist* **0.2** [mbt. fluweel] *pile* **0.3** [stof] *crepe* ⇒*crêpe,* ⟨zwart⟩ *(black) crape* ◆ **1.** een ~ van tranen *a mist of tears* **3.1** over zijn verdere leven hing een ~ *the rest of his life was shrouded in mystery.*
flonkeren ⟨onov.ww.⟩ **0.1** *twinkle* ⟨vnl. van ster⟩ ⇒*sparkle* ⟨vnl. van edelsteen⟩, *glitter* ⟨ook pej.⟩ ◆ **1.1** ~de edelstenen *sparkling / glittering gems;* ~de ogen *sparkling /* ⟨pej.⟩ *glittering eyes;* ~de sterren *twinkling stars;* ⟨fig.⟩ een ~de stijl *a sparkling / scintillating style.*
flonkering ⟨de (v.)⟩ **0.1** *sparkle* ⇒*sparkling* ⟨vnl. van edelsteen⟩, *twinkling* ⟨vnl. van ster⟩.
flonkerster ⟨de⟩ **0.1** [schitterende ster] *twinkling star* **0.2** [⟨fig.⟩ iem. van schitterende hoedanigheden] *luminary.*
floppen ⟨onov.ww.⟩ **0.1** *flop* ⇒*misfire,* ⟨speech ook⟩ *fall flat,* ^*lay an egg / a bomb* ◆ **1.1** onze tournee is geflopt *our tour was a flop / fiasco.*
floppydrive ⟨de⟩ ⟨comp.⟩ **0.1** *(floppy) disc drive.*
flora ⟨de⟩ **0.1** [vegetatie] *flora* **0.2** [beschrijving, boek] *flora* **0.3** [⟨myth.⟩] *flora* ◆ **2.1** de rijke ~ van dat eiland *the rich f. of that island* **3.1** de ~ van Ecuador bestuderen *study the f. of Ecuador, botanize Ecuador.*
floraal ⟨bn.⟩ **0.1** *floral* ◆ **1.1** florale motieven in de versiering *f. patterns in the decoration.*
floralia ⟨zn.mv.⟩ **0.1** *flower show.*
Florentijns ⟨bn.⟩ **0.1** *Florentine* ◆ **1.1** ~e fles *Florence flask.*
florentine ⟨de⟩ **0.1** ≠*taffeta,* ≠*sarsenet.*
floreren ⟨onov.ww.⟩ ⟨fig.⟩ **0.1** *flourish* ⇒*prosper, bloom, thrive,* ⟨persoon ook⟩ *do well for o.s.* ◆ **1.1** de vereniging floreert niet meer *the association / society is no longer flourishing.*
floret
   I ⟨het⟩ **0.1** [afvalzijde] *floss silk* ⇒*flox-silk, filoselle, spun silk;*
   II ⟨het, de⟩ **0.1** [schermdegens] *foil* ⇒*fleuret(te), sabre, épée.*
floretband ⟨de (m.)⟩ **0.1** *ferret(ing)* ⇒*silk tape / ribbon.*
floretschermen ⟨het⟩ **0.1** *fencing (with foils)* ⇒*foil-fencing.*
florettist ⟨de (m.)⟩ **0.1** *foilsman* ⇒*épéeist.*
Florida ⟨het⟩ **0.1** *Florida* ◆ **1.1** Straat van ~ *Straits of F..*
florijn ⟨de (m.)⟩ **0.1** *florin* ⇒*guilder.*
florissant ⟨bn.⟩ **0.1** *flourishing* ⇒*prosperous, blooming, thriving, well, healthy* ⟨gezond⟩ ◆ **3.1** dat ziet er niet zo ~ uit *that doesn't look very good / bright.*
florist ⟨de (m.)⟩ **0.1** *florist.*
floristiek ⟨de (v.)⟩ **0.1** *floristics.*

flossen ⟨onov.ww.⟩ **0.1** *floss one's teeth.*
floszijde ⟨de⟩ **0.1** *floss silk, filoselle.*
flotatie ⟨de (v.)⟩ ⟨schei.⟩ **0.1** *flo(a)tation.*
floteren ⟨ww.⟩ ⟨schei.⟩ **0.1** *flotation.*
flotteerdraden ⟨zn.mv.⟩ **0.1** *loose threads.*
flotteren ⟨onov.ww.⟩ **0.1** [mbt. draden] *float* **0.2** [vlotten] *float* ⇒*rock,* ⟨fig. ook⟩ *drift.*
flottielje ⟨de⟩ ⟨mil.; scheep.⟩ **0.1** *flotilla.*
flou ⟨bn.⟩ **0.1** *hazy* ⇒*soft* ⟨kleur⟩, *blurred* ⟨contouren⟩.
flous ⟨de (v.)⟩ **0.1** [smoes] *pretext* ⇒*dodge, blind, (poor) excuse,* ⟨mv.⟩ *eyewash* **0.2** [flauwiteit] *idle talk* ⇒*silly / pointless remark* **0.3** [wind] *wind* ⇒ ⁱ*fart* ◆ **3.1** je moet geen ~jes verkopen *don't make excuses* **3.3** een ~je laten *break w., (let out a) fart.*
flox ⟨de (m.)⟩ **0.1** *phlox.*
fluctuatie ⟨de (v.)⟩ **0.1** *fluctuation* ⇒*drift, change, instability,* ⟨sterk⟩ *swing* ◆ **6.1 na** enige ~s bleef de koers zoals hij gisteren was *after some f. the rate remained as it was yesterday.*
fluctueren ⟨onov.ww.⟩ **0.1** *fluctuate* ⇒*drift, change,* ⟨sterk⟩ *swing* ◆ **5.1** de beurs heeft sterk gefluctueerd *the Stock Exchange has fluctuated wildly, there has been strong fluctuation on the Stock Exchange.*
fluïde ⟨het⟩ **0.1** *fluid.*
fluïdiseren
   I ⟨ov.ww.⟩ **0.1** [het karakter van een vloeistof geven] *liquefy* ⇒*fluidize, fluidify, melt* ⟨vaste stof⟩, *condense* ⟨gas⟩.
   II ⟨onov.ww.⟩ **0.1** [het karakter van een vloeistof krijgen] *liquefy* ⇒ *melt* ⟨vaste stof⟩, *condense* ⟨gas⟩.
fluïditeit ⟨de (v.)⟩ **0.1** [(mate van) vloeibaarheid] *fluidity* ⇒*liquidity, liquidness* **0.2** [vloeiendheid] *fluency.*
fluïdum ⟨het⟩ **0.1** [uitvloeiende stof] *fluid* ⇒⟨spiritisme⟩ *aura* **0.2** [⟨nat.⟩] *fluid* **0.3** [vloeibare make-up] *foundation (cream)* ⇒*cream* ◆ **2.1** magnetisch ~ *magnetic f..*
fluim ⟨de⟩ **0.1** [slijmachtige stof] *phlegm* ⇒*mucus, sputum,* ⟨inf.⟩ *gob* **0.2** [mispunt] *drip* ⇒*wet, squirt* ◆ **3.1** ~en opgeven *throw up p., expectorate.*
fluimen ⟨onov.ww.⟩ **0.1** *expectorate* ⇒*throw up phlegm.*
fluisteraar ⟨de (m.)⟩, **-ster** ⟨de (v.)⟩ **0.1** *whisperer.*
fluistercampagne ⟨de⟩ **0.1** [ondergrondse propaganda-actie] *grapevine* **0.2** [heimelijke kwaadsprekerij] *whispering campaign* ◆ **3.2** een ~ voeren *conduct a w. c..*
fluisteren ⟨onov., ov.ww.⟩ **0.1** [zacht zeggen] *whisper* ⇒*breathe* **0.2** [op bedekte wijze zeggen] *whisper* ⇒*breathe,* ⁱ*buzz* ◆ **1.1** zoete woordjes ~ *w. sweet nothings* **1.2** boze tongen ~ dat zij gaan scheiden *rumour has it that / it is rumoured / whispered that they are getting divorced* **3.1** beginnen te ~ *drop one's voice to a whisper;* iets ~d zeggen / uitspreken *say sth. in a undertone / in an undertone / in whispers / under one's breath* **6.1** iem. iets **in** het oor ~ *w. sth. in s.o.'s ear.*
fluistergewelf ⟨het⟩ **0.1** *whispering gallery / dome.*
fluistering ⟨de (v.)⟩ **0.1** *whisper(ing).*
fluisterstem ⟨de⟩ **0.1** *whisper(ing voice)* ◆ **6.1** met een ~ iets zeggen *say sth. in a whisper.*
fluistertoon ⟨de (m.)⟩ **0.1** *undertone* ⇒*whisper* ◆ **6.1** spreek slechts **op** een ~ *do not speak above a whisper;* **op** een ~ spreken *speak in a whisper / in whispers.*
fluisterwal ⟨de (m.)⟩ **0.1** *noise barrier.*
fluit ⟨de⟩ **0.1** [blaasinstrument] *flute* ⇒⟨in drumkorps⟩ *fife, pipe* **0.2** [geluid] *whistle* **0.3** [⟨vulg.⟩ pik] *prick* ⇒*dick, willy,* ^*peter* **0.4** [drinkglas] ⟨→flûte⟩ **0.5** [brood] *long French loaf* ◆ **1.2** de ~ v.d. merel / een locomotief *the song of a blackbird, the w. of a railway engine* **6.1** **op** een ~ spelen *play a flute* **7.¶** ⟨inf.⟩ het kan me geen ~ schelen *I don't care / give a hoot / two hoots,* ⁱ*I don't give a damn;* hij heeft geen ~ uitgevoerd *he hasn't done a stitch / a stroke / a stroke of work;* hij weet er geen ~ van *he doesn't know the first thing about it.*
fluitaria ⟨de⟩ ⟨muz.⟩ **0.1** *air / solo for (the) flute.*
fluitboei ⟨de⟩ **0.1** *whistling buoy.*
fluitconcert ⟨het⟩ **0.1** [concertstuk] *flute concerto* ⇒*concerto for flute,* ⟨uitvoering⟩ *flute recital / concert* **0.2** [(afkeurend) gefluit] *catcalls* ⇒*hissing* ◆ **3.2** op een ~ onthaald worden *be catcalled / hissed (off).*
fluiteend ⟨de⟩ **0.1** *widgeon.*
fluitekruid ⟨het⟩ **0.1** *cow parsley.*
fluiten
   I ⟨onov.ww.⟩ **0.1** [op een fluitje blazen] *whistle* ⇒*blow a whistle* **0.2** [fluitinstrument bespelen] *play the flute* **0.3** [fluitend geluid voortbrengen] *whistle* ⇒⟨vogel⟩ *sing, warble,* ⟨vogel, schip⟩ *pipe,* ⟨sirene⟩ *blow,* ⟨ter afkeuring⟩ *hiss,* ⟨fluitketel ook⟩ *sing,* ⟨kogel ook⟩ *whizz, zip* **0.4** [met een fluit een signaal geven] *whistle* ◆ **1.3** de merels *the blackbirds are singing* **3.3** ~d ademhalen *wheeze* **6.3** de kogels floten **om** mijn oren *bullets whistled / whizzed / zipped past / around my ears;* **op** zijn vingers ~ *w. through one's fingers;* ⟨fig.⟩ **op** zijn duim ~ *labour in vain* **6.4** de scheidsrechter floot **voor** buitenspel *the referee blew / whistled for off-side* **¶.3** ⟨fig.⟩ daar kun je naar ~ ⟨krijg je nooit⟩ *you can sing for it;* ⟨zie je niet weer⟩ *you can say / kiss goodbye to that* **¶.¶** dat is ~ *that's gone (down the drain).*
   II ⟨ov.ww.⟩ **0.1** [ten gehore brengen] *whistle* ⇒⟨op fluit⟩ *play,* ⟨vo-

gel⟩ *sing, warble* **0.2** [door fluiten tot zich roepen] *whistle* ◆ **1.1** een deuntje~*w. a tune* **1.2** zijn hondje~*w. one's dog;*
III ⟨onov.,ov.ww.⟩ ⟨sport⟩ **0.1** [als scheidsrechter leiden] *referee* ⇒ *act as referee (in),* ⟨inf.⟩ *ref* ◆ **1.1** Jan floot negen internationale wed-strijden *John refereed nine international matches/games* **5.1** hij floot erg zwak *his refereeing was very weak.*

fluiter ⟨de (m.)⟩ **0.1** [persoon] *whistler* **0.2** [vogel] *wood-warbler* ⇒ *wood-wren* **0.3** [witte kaas] *curds.*

fluitglas ⟨het⟩ →*flûte.*

fluitist ⟨de (m.)⟩, -e ⟨de (v.)⟩ **0.1** [fluitspeler] *flautist* ⇒*flute(-player),* [A]*flutist* **0.2** [scheidsrechter] *ref*⇒*referee.*

fluitje ⟨het⟩ **0.1** [kleine fluit] *whistle* ⇒*penny/tin whistle,* ⟨van vogel-vanger⟩ *bird-call* **0.2** [fluitsignaal] *whistle* ⇒*blow of a/the whistle,* ⟨op schip⟩ *pipe* ◆ **3.2** ik hoorde zijn~*I heard his w.* **6.1 op** een~bla-zen *blow a w.* ¶.¶ een~v.e. cent *a piece of cake, a push-over, a picnic;* ⟨BE;sl.⟩ *a doddle.*

fluitketel ⟨de (m.)⟩ **0.1** *whistling kettle.*

fluitmuziek ⟨de (v.)⟩ **0.1** *flute music.*

fluitpartij ⟨de (v.)⟩ ⟨muz.⟩ **0.1** *flute part.*

fluitregister ⟨het⟩ ⟨muz.⟩ **0.1** *flute(-stop).*

fluitsignaal ⟨het⟩ **0.1** *whistle(-signal).*

fluitspel ⟨het⟩ **0.1** *flute-playing.*

fluitspeler ⟨de (m.)⟩, -speelster ⟨de (v.)⟩ **0.1** *flute-player* ⇒ [↑B]*flautist,* [A]*flutist.*

fluittoon ⟨de (m.)⟩ **0.1** *whistle* ⇒*whistling,* ⟨radio⟩ *whine, interference,* ⟨kort⟩ *b(l)eep.*

fluitwerk ⟨het⟩ ⟨muz.⟩ **0.1** *flutes.*

fluks ⟨bw.⟩ ⟨schr.⟩ **0.1** *swiftly* ⇒ [↓]*quickly,* ⟨terstond⟩ *forthwith,* ↓ *im-mediately.*

fluor ⟨het⟩ ⟨schei.⟩ **0.1** *fluorine.*

fluorbehandeling ⟨de (v.)⟩ **0.1** *fluoride treatment.*

fluoreren →*fluorideren.*

fluoresceïne ⟨de⟩ **0.1** *fluorescein.*

fluorescent ⟨bn.⟩ **0.1** *fluorescent.*

fluorescentie ⟨de (v.)⟩ ⟨nat.⟩ **0.1** *fluorescence.*

fluorescentiebuis ⟨de⟩ **0.1** *fluorescent tube* ⇒*discharge tube.*

fluorescentielamp ⟨de⟩ **0.1** *fluorescent lamp* ⇒*discharge lamp.*

fluoresceren ⟨onov.ww.⟩ **0.1** *fluoresce.*

fluorescoop ⟨de (m.)⟩ **0.1** [mbt. ultraviolette bestraling] *fluorometer* **0.2** [mbt. röntgendoorlichting] *fluoroscope.*

fluorhoudend ⟨bn.⟩ **0.1** *containing fluorine.*

fluoride ⟨het⟩ **0.1** *fluoride.*

fluorideren ⟨ov.ww.⟩ **0.1** *fluoridate.*

fluoridering ⟨de (v.)⟩ **0.1** *fluoridation.*

fluoriet ⟨het⟩ **0.1** *fluorspar* ⇒*fluor,* [A]*fluorite.*

fluortablet ⟨het⟩ **0.1** *fluoride tablet.*

fluorvergiftiging ⟨de (v.)⟩ **0.1** *fluorosis* ⇒*fluoride poisoning.*

fluorwaterstof ⟨de⟩ **0.1** *hydrogen fluoride.*

flut[1] ⟨de⟩ ⟨vero.;inf.⟩ **0.1** *rubbish* ⇒*(piece of) trash, dishwater.*

flut[2] ⟨bn.⟩ ⟨inf.⟩ **0.1** *rubbishy* ⇒*trashy* ◆ **3.1** ik vind het maar~*I think it's rubbish/(a piece of) trash/a dud.*

flut- ⟨inf.⟩ **0.1** *crummy* ◆ **1.1** een flutbedrag *measly sum;* een flutblaadje *a rag.*

flûte ⟨de⟩ **0.1** *flute* ⇒ ⟨vero.⟩ *flute-glass.*

fluviatiel ⟨bn.⟩ **0.1** [door stromend water gevormd] *fluvial* **0.2** [mbt. ri-vieren] *fluvial* ⇒ ⟨biol. vnl.⟩ *fluviatile* ◆ **1.1** ~e gesteenten *f. rock for-mations* **1.2** men vindt deze planten in het gehele~e district *these plants are to be found in the entire fluvial region;* ~e planten *fluviatile plants.*

fluviometer ⟨de (m.)⟩ **0.1** *fluviometer.*

fluweel ⟨het⟩ **0.1** [stof] *velvet* ⇒*velveteen* ⟨goedkope⟩, *velour(s)* **0.2** [⟨fig.⟩] *velvet* ◆ **1.2** het~van haar wangen *her soft/downy/velvety cheeks* **2.1** effen/geschoren~*plain/shorn velvet;* geplet~*panne (vel-vet);* geribd~*corduroy, ribbed velvet;* een broek van paars~*a pair of purple velvet trousers/*[A]*pants* **6.1** ⟨fig.⟩ **op**~zitten *be in clover/on velvet.*

fluweelachtig ⟨bn.⟩ **0.1** *velvety* ⇒*velveted, velvet-like,* ⟨biol.⟩ *velutinous.*

fluweelpapier ⟨het⟩ **0.1** *flock(ed) paper* ⇒*velvet paper.*

fluweelzacht ⟨bn.⟩ **0.1** *soft as velvet* ⇒*velvet soft* ◆ **1.1** de~e smaak van jenever *the velvety/mellow taste of Dutch gin;* haar~e wangen *her soft/downy/velvety cheeks.*

fluwelen ⟨bn.⟩ **0.1** *velvet* ⇒*velvety* ◆ **1.1** ⟨fig.⟩ ~baantje *cushy job;* iem. met~handschoenen aanpakken *handle s.o. with kid gloves;* een~jasje *a velvet jacket;* ~smaak *velvety/mellow taste;* een~stem *a vel-vety/mellow/soft/gentle voice;* ⟨fig.⟩ hij heeft een~tong *he has a smooth/silver/honeyed/silken tongue;* ⟨fig.⟩ iem. met~woorden paaien *soothe s.o. with honeyed words.*

fluwelig ⟨bn.⟩ **0.1** *velvety* ⇒ ⟨mbt. stem/smaak ook⟩ *mellow.*

fluwijn ⟨het⟩ **0.1** *beech-marten* ⇒*stone-marten.*

flux[1] ⟨de (v.)⟩ ⟨nat.⟩ **0.1** [dichtheid van stroom] *flux* **0.2** [aantal veldlij-nen door een oppervlak] *flux.*

flux de bouche ⟨het⟩ **0.1** *flow of words* ⇒*glibness of tongue,* ⟨inf.⟩ *gift of the gab/* ⟨sl.⟩ *of the blarney.*

fluxie ⟨de (v.)⟩ ⟨wisk.⟩ **0.1** *fluxion.*

fluxmeter ⟨de (m.)⟩ ⟨nat.⟩ **0.1** *fluxmeter.*

fly-over ⟨de (m.)⟩ **0.1** *overpass* ⇒ ⟨BE vnl.⟩ *flyover.*

FM ⟨de⟩ ⟨afk.⟩ ⟨radio⟩ **0.1** [frequentiemodulatie] *FM* ⇒*VHF* **0.2** [fre-quentieband] *FM* ⇒*VHF* ◆ **6.2 op** de~uitzenden *broadcast on FM/VHF.*

FM-ontvanger ⟨de (m.)⟩ **0.1** *FM receiver.*

fnazel ⟨de (m.)⟩ **0.1** *fray(ed thread).*

fnuiken ⟨ov.ww.⟩ **0.1** *cripple* ⇒*put down, destroy, break* ◆ **1.1** iemands trots/macht~*break s.o.'s pride/power.*

fnuikend ⟨bn.⟩ **0.1** *fatal* ⇒*destructive, pernicious, crippling* ◆ **6.1** ~*voor f. to.*

f ⟨afk.⟩ **0.1** [folio] *fo.* ⇒*fol..*

fobie ⟨de (v.)⟩ ⟨med.⟩ **0.1** [⟨vaak in samenst.⟩] *phobia* ◆ **6.1** ze heeft een~voor katten *she has a p. about cats* ¶.1 claustrofobie *claustro-phobia.*

fobisch ⟨bn.⟩ **0.1** *phobic.*

focus ⟨het, de (v.)⟩ **0.1** *focal point* ⇒*focus.*

focussen
I ⟨ov.ww.⟩ **0.1** [in het middelpunt/brandpunt plaatsen] *focus* ⇒*fo-calize, bring into focus;*
II ⟨onov.ww.⟩ **0.1** [scherpstellen] *focus* ⇒*focalize, bring into focus* ◆ **6.1 op** het gezicht~*focus on the face.*

focusseren ⟨ov.ww.⟩ ⟨nat.⟩ **0.1** *focus* ⇒*concentrate, make converge* ◆ **1.1** zonnestralen~*f. rays of sunlight.*

foedraal ⟨het⟩ **0.1** [etui] *case* ⇒*casing,* ⟨revolver⟩ *holster,* ⟨zwaard⟩ *sheath* **0.2** [overtrek, bekleedsel] *cover* ⇒ ⟨vaandel⟩ *sheath,* ⟨vislijn⟩ *holder.*

foef ⟨de⟩ **0.1** *trick* ⇒ ⟨inf.⟩ *dodge,* ⟨uitvlucht⟩ *excuse, pretext,* ⟨reclame⟩ *gimmick* ◆ **3.1** er is een~je uitgehaald met de kassa *there's been some monkey business/there have been some shenanigans with the cash register;* de~jes kennen *know the tricks of the trade, know all the wrinkles* **6.1** hij weet wel een~je *he'll have a way of getting that, he'll know how to go about getting that;* een~je **om** ergens achter te komen/tijd te winnen *a t. to find sth. out/to win time.*

foefelen ⟨onov.ww.⟩ ⟨AZN⟩ **0.1** *cheat* ⇒ ⟨handel⟩ *deal secretly, make underhand deals.*

foei ⟨tw.⟩ **0.1** *ugh!* ⇒*pooh!, for shame!, shame on you!, phooey!,* ⟨tegen kind ook⟩ *naughty!* ◆ **3.1** ~roepen *cry shame (at).*

foeilelijk ⟨bn.⟩ **0.1** *hideous* ⇒*ugly as sin/hell, ghastly, awful.*

foelie ⟨de⟩ **0.1** [vlies v.d. muskaatnoot] *mace* **0.2** [bladmetaal/kunststof] *(tin-)foil.*

foerage ⟨de (v.)⟩ **0.1** [veevoer] *forage* ⇒*fodder* **0.2** [levensmiddelen] *fodder* ⇒ ⟨sl.⟩ *grub.*

foerageren ⟨onov.ww.⟩ **0.1** *forage.*

foerageur ⟨de (m.)⟩ **0.1** *forager.*

foerier ⟨de (m.)⟩ **0.1** *quartermaster(-sergeant).*

foet →*feut.*

foetaal ⟨bn.⟩ **0.1** *f(o)etal.*

foetatie ⟨de (v.)⟩ **0.1** *conception.*

foeteren ⟨onov.ww.⟩ ⟨inf.⟩ **0.1** *grumble* ⇒ ⟨razen⟩ *rage, bluster, storm, let fly* ◆ **6.1** ~**over** iets *g./mutter at sth.;* **tegen** iem. ~*g. at s.o., let fly at s.o., throw the book at s.o., give s.o. what for.*

foetsie[1] ⟨de (m.)⟩ ⟨inf.⟩ **0.1** *bin(nette).*

foetsie[2] ⟨bn.⟩ ⟨inf.⟩ **0.1** *gone* ⇒*vanished (into thin air)* ◆ **3.1** ineens was mijn portemonnaie~*suddenly my purse was g./had vanished.*

foetus ⟨het, de (m.)⟩ **0.1** *fetus* ◆ **2.1** een onvoldragen~*an immature f.;* ⟨niet levensvatbaar⟩ *a non-viable f.;* ⟨geaborteerd⟩ *an aborted f..*

foe yong hai ⟨de⟩ ⟨cul.⟩ **0.1** *shrimp foo yung omelet(te).*

foezel ⟨de⟩ **0.1** *fusel oil* ⇒ ⟨jenever⟩ *bad gin.*

foezelen ⟨onov.ww.⟩ **0.1** *fiddle (with)* ⇒*tamper (with),* ⟨verkiezing, markt⟩ *rig,* ⟨boekhouding⟩ *cook* ◆ **6.1** met de prijzen~*rig/fiddle the prices.*

foezelig ⟨bn., bw.⟩ **0.1** ⟨mbt. persoon⟩ *crooked* ⇒*dishonest,* ⟨mbt. voor-werp⟩ *rigged, set up.*

foezelolie ⟨de⟩ **0.1** *fusel (oil).*

föhn ⟨de (m.)⟩ **0.1** [valwind] *föhn* **0.2** [haardroger] *(electric) hair-drier.*

föhnen ⟨onov., ov.ww.⟩ **0.1** *blow-dry.*

fok
I ⟨de⟩ **0.1** [⟨scheep.⟩] *jib* ⇒*foresail* **0.2** [bril] *specs* ⇒*goggles,* ⟨BE ook⟩ *bins* ◆ **3.1** de~laten vallen/bijzetten *lower/raise the j./foresail* **3.2** de~erbij opzetten *put on one's s./goggles/bins for sth.* **3.¶** iem. de~opzetten *take s.o. for a ride;*
II ⟨de (v.)⟩ **0.1** [teelt] *breeding* ⇒ ⟨grootbrengen⟩ *raising, rearing,* ⟨AE;mbt. vee⟩ *ranching.*

fokdier ⟨het⟩ **0.1** *breeder* ⇒*stud.*

fokhengst ⟨de (m.)⟩ **0.1** *(breeding) stallion* ⇒*stud(-horse)* ◆ **8.1** als~beschikbaar *at stud.*

fokkemaat ⟨de (m.)⟩ **0.1** *foremastman.*

fokkemast ⟨de (m.)⟩ **0.1** *foremast.*

fokken
I ⟨ov.ww.⟩ **0.1** [aankweken, doen voorttelen] *breed* ⇒ ⟨grootbren-

gen） *rear, raise*, 〈AE;mbt. vee〉 *ranch* ◆ **1.1** 〈scherts.〉 een baardje ~ *cultivate a beard;* honden~ *b. / fancy dogs;*
II 〈onov., ov.ww.〉〈inf.〉 **0.1** [kinderen voortbrengen] *breed* ◆ **4.1** dat fokt maar raak *they breed like rabbits;*
III 〈onov.ww.〉〈inf.〉 **0.1** [brillen] *wear specs* ⇒*wear goggles* /[B]*bins*.
fokkenist 〈de (m.)〉 →**fokkemaat**.
fokker 〈de (m.)〉, **-ster** 〈de (v.)〉 **0.1** *breeder* ⇒〈veefokker〉 *stock-breeder, cattle-raiser*, [A]*rancher*, 〈mbt. huisdieren〉 *fancier*.
fokkera 〈de〉 **0.1** *foreyard*.
fokkerij 〈de (v.)〉 **0.1** [het fokken] *(cattle-)breeding / raising / rearing* ⇒ 〈mbt. vee ook〉 *(live)stock farming* **0.2** [bedrijf] *breeding farm / establishment* ⇒*stock-farm, pig farm, piggery* 〈varkens〉, *breeding kennel(s)* 〈honden〉, *stud (-farm)* 〈paarden〉.
fokkeschoot 〈de (m.)〉 **0.1** *foresheet*.
fokkewant 〈het〉 **0.1** *fore-rigging*.
fokpaard 〈het〉 **0.1** *breeding-horse* ⇒*stud (-horse), stallion* 〈m.〉, *brood- / breeding-mare* 〈v.〉.
fokpremie 〈de (v.)〉 **0.1** [premie op het fokken] *breeding bonus* **0.2** [kinderbijslag] *child benefit*.
fokschaap 〈het〉 **0.1** *breeding sheep* ⇒*pedigree sheep*.
foksia →**fuchsia**.
fokstag 〈het〉 **0.1** *forestay*.
fokstation 〈het〉 **0.1** *breeding station* 〈verder →fokkerij 0.2〉.
fokstier 〈de (m.)〉 **0.1** *bull*.
fokvee 〈het〉 **0.1** *breeding / brood cattle / stock* ⇒*stud cattle, breeders*.
fokzeil 〈het〉 **0.1** *foresail*.
fol. 〈afk.〉 **0.1** [folio] *fol.* ⇒*fo..*
folder 〈de (m.)〉 **0.1** *leaflet* ⇒*flyer, flysheet, brochure, handout, folder*.
foliant 〈de (m.)〉 **0.1** [boek in folioformaat] *folio (volume)* **0.2** [groot boek] *folio (volume)* ⇒*outsize volume*.
folie 〈de〉 →**foelie 0.2**.
foliëren 〈ov.ww.〉 **0.1** *foliate*.
folio 〈het〉 **0.1** [blad papier] *folio* **0.2** [boekformaat] *folio* **0.3** [bladzijde] *folio* ◆ **6.2** een boek in ~ *a f. (edition)* **6.¶** een gek in ~ *a prize / complete fool / idiot, an utter fool / idiot, a consummate fool* **7.3** ~ 5 recto *f. 5 recto;* ~ 5 verso *f. 5 verso*.
folioformaat 〈het〉 **0.1** *folio size* ◆ **6.1** in / op ~ *in folio*.
foliopapier 〈het〉 **0.1** 〈vnl. BE〉 *foolscap*.
foliouitgave 〈de〉 **0.1** *folio edition*.
foliovel 〈het〉 **0.1** *sheet of folio, folio sheet* ⇒*foolscap sheet*.
folklore 〈de〉 **0.1** [volkscultuurverschijnselen] *folklore* **0.2** [volkskunde] *folklore*.
folklorist 〈de (m.)〉 **0.1** *folklorist*.
folkloristisch 〈bn.〉 **0.1** *folklor(ist)ic*.
folliculair 〈bn.〉〈med.〉 **0.1** *follicular*.
follikel 〈de (m.)〉〈med.〉 **0.1** *follicle*.
follow-up 〈de (m.)〉 **0.1** [vervolg] *follow-up* ⇒*sequel* **0.2** [opvolger] *follow-up* ⇒*sequel, successor* ◆ **1.1** de ~ v.e. medische behandeling *the f.-u. to medical treatment;* de ~ v.e. gesprek *the sequel to a conversation;* een gewijzigde verkooptechniek als ~ van verricht marktonderzoek *a different sales technique as a / the f.-u. to / result of market research* **1.2** de ~ v.e. LP / roman *the f.-u. of an LP / the sequel to a novel.*
folteraar 〈de (m.)〉, **-ster** 〈de (v.)〉 **0.1** *torturer* ⇒*tormentor*.
folterbank 〈de〉 **0.1** *rack* ◆ **6.1** op de ~ brengen *put on / to the r.,* put to *torture, torture;* 〈fig. ook〉 *torment.*
folteren 〈onov., ov.ww.〉 **0.1** *torture* ⇒*put to torture,* 〈fig. ook〉 *rack, torment* ◆ **1.1** gefolterd door angst *tortured / wrung with anguish / distress;* ~de hoofdpijn *a splitting / racking headache;* 〈fig.〉 een~de onzekerheid *racking / agonizing doubt / uncertainty;* 〈fig.〉 ~de pijnen *excruciating / agonizing pains.*
foltering 〈de (v.)〉 **0.1** *torture, torment* ⇒*excruciation* 〈enkel mentaal〉, 〈fig. ook〉 *agony.*
folterkamer 〈de〉 **0.1** *torture chamber.*
folter(werk)tuig 〈het〉 **0.1** *instrument of torture.*
FOM 〈afk.〉 **0.1** [stichting voor Fundamenteel Onderzoek der Materie] 〈*Institute for Fundamental Research of Matter*〉.
fomenteren 〈ov.ww.〉 **0.1** [stoven] *foment* ⇒*apply a poultice to* **0.2** [〈fig.〉 aanstoken] *foment* ⇒*instigate.*
foncé 〈bn.〉 **0.1** *dark* ⇒*dusky.*
fond 〈het, de (m.)〉 **0.1** [grond] *bottom* **0.2** [achtergrond] *(back)ground; groundwork, fond* 〈kantwerk〉 **0.3** [make-up] *foundation (cream)* ◆ **2.1** in die man zit een goed ~ *that man is good at heart* **2.2** het patroon van dat behang komt prachtig uit tegen het lichte ~ *the pattern of that wallpaper comes out splendidly against the light background* **¶.1** iets à ~ onderzoeken *go / get to the b. of sth., study sth. thoroughly / in depth;* au ~ heeft hij gelijk *at b. / basically / fundamentally he's right;* 〈jur.〉 een beslissing au ~ *a decision on the merits.*
fondant 〈de (m.)〉 **0.1** [suikergoed] *fondant* **0.2** [borstplaatje] *fondant* **0.3** [emailsoort] *flux.*
fondering 〈de (v.)〉 **0.1** *foundation.*
fonds 〈het〉 **0.1** [kapitaal] *fund* 〈geld voor bepaald doel〉 ⇒*capital, resources, funds* 〈mv., besteedbaar kapitaal〉 **0.2** [vereniging] *fund* ⇒

---

pool, trust **0.3** [〈boek.〉] *(publisher's) list* **0.4** [effect, staatspapier] *stock* ⇒*security, share, holding* 〈effectenbezit〉 **0.5** [〈hand.〉] *funds* ⇒ *cover, provision, security* ◆ **2.1** geheime ~ en *secret funds;* liefdadig ~ *charitable funds* **2.2** het Internationaal Monetair Fonds *the International Monetary Fund* **2.3** vast ~ *backlist* **2.4** incourante ~ en *unlisted securities, non-quoted stocks;* verhandelbaar ~ *negotiable stock* **3.1** een ~ stichten *set up / create / establish / institute a fund;* van ~ en voorzien *provide with funds, fund* **3.3** een ~ opbouwen / veilen *build up / sell a (publisher's) list* **3.4** zijn ~ en rijzen / dalen *the stocks are rising / falling;* 〈fig.〉 his stock is rising / falling* **3.5** ~ bezorgen *provide / send cover, provide funds, provide (s.o.) with security, make provision* **6.3** opnemen in het ~ *incorporate into / add to the list* **7.5** geen ~ aanwezig *out of funds.*
fondsartikel 〈het〉〈boek.〉 **0.1** *title / item on a (publisher's) list.*
fondsbril 〈de (m.)〉 **0.1** [door een ziekenfonds verstrekte bril] ≠[B]*NHS glasses* **0.2** [eenvoudige bril] ≠*granny glasses,* ≠*wire-rimmed glasses / specs.*
fondscatalogus 〈de (m.)〉〈boek.〉 **0.1** *(publisher's) catalogue list.*
fondsdokter 〈de (m.)〉 **0.1** ≠[B]*NHS doctor.*
fondsenbeurs 〈de〉 **0.1** *stock exchange* ⇒*bourse* 〈buitenlands〉.
fondsenemissie 〈de (v.)〉 **0.1** *security issue, issue of securities.*
fondsenmarkt 〈de〉 **0.1** *stock market* ⇒*stock and share market* ◆ **2.1** buitenlandse ~ *market in foreign securities.*
fondsgelden 〈zn.mv.〉 **0.1** *funds* ⇒*capital, resources, means.*
fondslid 〈het〉 **0.1** [B] ≠*NHS patient,* [A] ≠*Medicare patient.*
fondslijst 〈de〉〈boek.〉 **0.1** *(publisher's) list / catalogue.*
fondspatiënt 〈de (m.)〉 **0.1** [B] ≠*NHS patient,* [A] ≠*Medicare patient,* ≠*National Health patient.*
fondspraktijk 〈de (v.)〉 **0.1** ≠[B]*NHS practice.*
fondsspreekuur 〈het〉 **0.1** ≠[B]*surgery for NHS / National Health patients.*
fondstitel 〈de (m.)〉〈boek.〉 **0.1** *title on a (publisher's) list.*
fondsvorming 〈de (v.)〉 **0.1** *formation of a fund.*
fondue 〈de〉 **0.1** *fondue.*
fonduen 〈onov.ww.〉 **0.1** *eat / have fondue.*
fondue-pan 〈de〉 **0.1** *fondue pan.*
fondue-set 〈de (m.)〉 **0.1** *fondue set.*
fondue-stel 〈het〉 **0.1** *fondue set.*
fonduevork 〈de〉 **0.1** *fondue fork.*
foneem 〈het〉〈taal.〉 **0.1** *phoneme.*
fonematisch 〈bn.〉 **0.1** *phonemic* ⇒*phonematic.*
fonetica 〈de (v.)〉 **0.1** *phonetics.*
foneticus 〈de (m.)〉 **0.1** *phonetician* ⇒*phoneticist.*
fonetiek 〈de (v.)〉 **0.1** [〈taal.〉] *phonetics* **0.2** [〈muz.〉] *phonetics.*
fonetisch 〈bn., bw.; -ally〉 **0.1** [mbt. de spraakklanken] *phonetic* **0.2** [volgens de spraakklanken] *phonetic* ◆ **1.2** ~ e leesmethode *phonics;* ~ letterteken *phonotype;* ~ lettertype *phonotype;* ~ schrift *p. script / alphabet;* in ~ schrift omzetten *transcribe in p. script;* ~ teken *p. symbol, phonogram* **3.2** ~ gedrukte tekst *text printed in phonotype;* ~ opschrijven *write / take down in phonotype;* ~ spellen / maken *phoneticize.*
foniatrie 〈de (v.)〉 **0.1** *phoniatrics* ⇒*speech therapy* 〈verbetering van spraak〉.
foniek 〈de (v.)〉 **0.1** *phonics.*
fonkelen 〈onov.ww.〉 **0.1** [flonkeren, schitteren] *sparkle* ⇒*glitter, twinkle, scintillate,* 〈schr.〉 *coruscate* **0.2** [mbt. dranken] *sparkle* ⇒*effervesce* ◆ **6.1** het juweel fonkelde in het licht van de kaars *the jewel sparkled / glittered /* 〈schr.〉 *coruscated in the light of the candle;* de sterren ~ *the stars are twinkling* **6.1** zijn ogen fonkelden van vreugde / pret / weedheid / gretigheid / woede / begeerte *his eyes sparkled with joy / gleamed / twinkled with amusement / glittered with cruelty / glinted with eagerness / flashed with anger / kindled with desire.*
fonkeling 〈de (v.)〉 **0.1** *sparkle* ⇒*glitter, gleam, glint, sparkling* ◆ **1.1** een ~ van vreugde / pret / weedheid / gretigheid / woede in de ogen *a sparkle of joy / gleam / twinkle of amusement / glitter of cruelty / glint of eagerness / flash of anger in s.o.'s eyes.*
fonkelnieuw 〈bn.〉 **0.1** *brand-new.*
fonofoor 〈de (m.)〉 **0.1** *phonop(h)ore.*
fonofotografie 〈de (v.)〉 **0.1** *phonophotography.*
fonograaf 〈de (m.)〉 **0.1** *phonograph.*
fonografie 〈de (v.)〉 **0.1** *phonography.*
fonografisch 〈bn.〉 **0.1** *phonographic.*
fonogram 〈het〉 **0.1** *phonogram.*
fonoliet 〈de (m.)〉〈geol.〉 **0.1** *phonolite* ⇒*clinkstone.*
fonologie 〈de (v.)〉〈taal.〉 **0.1** *phonology* ⇒〈structureel / taxonomisch〉 AE〉 *phonemics.*
fonologisch 〈bn., bw.; -(al)ly〉〈taal.〉 **0.1** *phonological* ⇒〈structureel / taxonomisch; AE〉 *phonemic.*
fonoloog 〈de (m.)〉, **-loge** 〈de (v.)〉 **0.1** *phonologist.*
fonometer 〈de (m.)〉 **0.1** *phonometer.*
fonometrie 〈de (v.)〉 **0.1** *phonometry.*
fonoscoop 〈de (m.)〉 **0.1** *phonoscope.*
fonotypist 〈de (m.)〉, **-e** 〈de (v.)〉 **0.1** *audiotypist* ⇒*dictaphone typist.*
fontanel 〈de〉 **0.1** *fontanel(le)* ◆ **2.1** grote ~ *anterior fontanelle;* 〈med.〉 *bregma;* kleine ~ *posterior fontanelle;* 〈med.〉 *lambda.*

fontein ⟨de⟩ **0.1** [kunstmatige springbron] *fountain* **0.2** [het opspuitende water] *fountain* **0.3** [zaken die opspatten] *fountain* ⇒*jet, gush, spout* ◆ **1.3** een ~ van vuur *a jet/spurt of flame* **3.1** de ~ werkt *the f. is working/on/is playing.*

fonteinkruid ⟨het⟩ ⟨plantk.⟩ **0.1** [gewas] *pondweed* ⟨Potamogeton⟩ **0.2** [salomonszegel] *Solomon's seal* ⟨Polygonatum⟩ **0.3** [veenwortel] *knot-grass* ⟨Polygonum amphibium⟩.

fonteintje ⟨het⟩ **0.1** [kleine fontein] *small fountain* **0.2** [wasbakje] *wash-basin* ⇒*wash-hand basin, hand-basin* **0.3** [drinkflesje aan vogelkooien] *fountain.*

fontenel →*fontanel.*

fooi ⟨de⟩ **0.1** [drinkgeld] *tip* ⇒*gratuity* **0.2** [⟨fig.⟩ gering bedrag] *pittance* ⇒*peanuts,* (mbt. salaris/loon) *starvation wages/salary* ◆ **1.1** een gulden ~ *a guilder t.* **3.1** ons personeel mag geen ~en aannemen *our staff are/is not allowed to accept gratuities;* iem. een ~ geven *tip s.o.* **3.2** die mensen verdienden maar een ~ *those people earn a mere pittance/* ⟨inf.⟩ *work for peanuts;* de oorlogsslachtoffers werden met een ~ afgescheept *the war victims were fobbed off with a mere pittance* **7.1** geen ~en *no tips/gratuities, please* ¶ **.1** tuk zijn op ~en *be keen on earning tips.*

fooienpot ⟨de (m.)⟩ **0.1** *box/bowl for tips.*

foor ⟨de⟩⟨AZN⟩ **0.1** *fair* ⇒[B]*fun-fair,* [A]*carnival.*

fop ⟨de (m.)⟩ **0.1** *hoax* ⇒*cheat, trick.*

fopbeen, fopbot ⟨het⟩ **0.1** *dummy(-bone)* ⇒*rubber bone.*

fopmiddel ⟨het⟩ **0.1** *placebo* ⇒*dummy pill.*

foppen ⟨ov.ww.⟩ **0.1** *fool* ⇒*hoax, trick, hoodwink,* ⟨inf.⟩ *pull the wood over s.o.'s eyes,* ⟨bedriegen⟩ *cheat* ◆ **3.1** wij zijn gefopt *we've been had/sold* **5.1** je hebt me lelijk gefopt *you've really taken me in;* weer gefopt! *had again!.*

fopper ⟨de (m.)⟩, **-ster** ⟨de (v.)⟩ **0.1** *hoaxer.*

fopperij ⟨de (v.)⟩ **0.1** *trickery* ⇒⟨bedriegen⟩ *cheating,* ⟨geval van bedrog⟩ *hoax.*

fopsigaar ⟨de⟩ **0.1** *trick cigar.*

fopspeen ⟨de⟩ **0.1** *dummy (teat)* ⇒*comforter,* [A]*pacifier.*

fopspin ⟨de⟩ **0.1** *trick/joke spider.*

fopzwam ⟨de⟩ **0.1** *Laccaria laccata/amethystina.*

forain ⟨bn.⟩⟨jur.⟩ **0.1** *foreign* ◆ **1.1** ~ beslag *attachment of f. property.*

force ⟨de⟩ ◆ ¶.¶ ~ majeure *force majeure;* ⟨connossement⟩ *Act of God;* par ~ *by force.*

forceps ⟨de⟩⟨med.⟩ **0.1** [(verlos)tang] *(pair of) forceps* **0.2** [vezelbundel in de hersenen] *forceps.*

forceren
I ⟨ov.ww.⟩ **0.1** [doordrijven] *force* ⇒*enforce, carry through* ⟨maatregelen⟩ **0.2** [beschadigen] *force* ⇒*(over)strain, overtax, overwork* **0.3** [door geweld openen] *force (open)* ⇒*burst (open), break down, prize/ prise (open/out/up),* ⟨bij inbraak, met breekijzer⟩ [B]*jemmy/jimmy* **0.4** [⟨landb.⟩] *force* **0.5** [⟨tech.⟩ door druk vormen] *spin* ◆ **1.1** een huwelijk ~ *force through a marriage;* een lachje/doelpunt/doorbraak ~ *f. a smile/goal/breakthrough;* ik hoef de zaak niet te ~ *there's no need to f. the matter/issue/to f./rush things* **1.2** een motor ~ *strain/ overtax/overwork an engine;* zijn stem ~ *(over)strain one's voice* **1.3** een deur ~ *f. a door (open), burst a door (open), break down a door,* ⟨bij inbraak, met breekijzer⟩ *jemmy (open) a door;* ⟨mil.⟩ een pas/ zeestraat ~ *take a pass/strait;* een slot ~ *f. a lock, prize/prise a lock open;* ⟨bij inbraak, met breekijzer⟩ [B]*jemmy a lock* **1.4** deze bloemen zijn geforceerd *these flowers have been forced;*
II ⟨wk.ww.; zich ~⟩ **0.1** [zich dwingen] *force o.s.* **0.2** [zich te veel inspannen] *force o.s.* ⇒*strain/overtax/overwork o.s.* ◆ **6.1** zij forceerde zich tot een vriendelijk antwoord *she forced herself to answer pleasantly.*

foreest ⟨het⟩⟨schr.⟩ **0.1** *forest* ⇒*wood.*

forel ⟨de⟩ **0.1** *trout.*

forellenkwekerij ⟨de (v.)⟩ **0.1** *trout farm* ⇒*trout hatchery.*

forelle(n)vangst ⟨de (v.)⟩ **0.1** *trout fishing.*

forelschimmel ⟨de (m.)⟩ **0.1** *dapple grey* ⇒⟨AE sp. ook⟩ *dapple-gray.*

forens ⟨de (m.)⟩ **0.1** *commuter* ⇒*non-resident.*

forensenbelasting ⟨de (v.)⟩ **0.1** *commuter tax* ⇒≠[B]*non-resident(s) rates,* [B]≠*non-residence rates.*

forensentrein ⟨de (m.)⟩ **0.1** *commuter train* ⇒*suburban train.*

forensisch ⟨bn.⟩⟨jur.⟩ **0.1** *forensic* ◆ **1.1** ~e geneeskunde/psychiatrie *f. medicine/medical jurisprudence, f. psychiatry.*

forensisme ⟨het⟩ **0.1** *commuting* ⇒*non-residence/-residency.*

forenzen ⟨onov.ww.⟩ **0.1** *commute.*

forfaitair ⟨bn., bw.⟩ **0.1** *agreed* ⇒*fixed, contract* ◆ **1.1** een ~ bedrag vaststellen *fix a lump sum;* een ~e inhouding/aftrek *a fixed deduction.*

forint ⟨de (m.)⟩ **0.1** *forint.*

forma ⟨de (v.)⟩ ◆ ¶.¶ pro ~ *for form's sake, for appearance's sake;* pro forma ⟨rekening⟩; in optima ~ *in due form;* ⟨inf.⟩ in apple-pie order; in ~ *in form.*

formaat ⟨het⟩ **0.1** *size* ⇒⟨boek/papier ook⟩ *format,* ⟨fig.⟩ *stature, class* ◆ **2.1** een gangbaar ~ *a standard/regular size/format;* een handzaam ~ *a handy size/format;* kleine/grote formaten *small and large sizes/*

formats; note and commercial sizes ⟨papier⟩ **6.1** ⟨fig.⟩ een staatsman van uitzonderlijk ~ *a statesman of exceptional stature;* ⟨pregnant, fig.⟩ een politicus **van** ~ *a great politician, a man of stature in politics, a politician of (some) stature;* ⟨pregnant, fig.⟩ een wedstrijd **van** ~ *a great/quite a match.*

formaatwit ⟨het⟩⟨druk.⟩ **0.1** *furniture.*

formaldehyde ⟨het⟩ **0.1** *formaldehyde.*

formaline ⟨de⟩ **0.1** *formalin.*

formaliseren
I ⟨ov.ww.⟩ **0.1** [regelen, standaardiseren] *formalize* ⇒*standardize* ◆ **1.1** handelsbetrekkingen ~ *f. commercial relations;* volgens een geformaliseerde methode te werk gaan *work/operate according to a formalized/standardized method;*
II ⟨wk.ww.; zich ~⟩ **0.1** [zich gekrenkt tonen] ↓*go/get into a huff* ⇒ ⟨inf.⟩ *get huffy.*

formalisering ⟨de (v.)⟩ **0.1** *formalization* ⇒*standardization.*

formalisme ⟨het⟩ **0.1** *formalism* ⇒⟨schoolsheid⟩ *academism,* ⟨regelgebondenheid⟩ *bureaucratism, legalism.*

formalist ⟨de (m.)⟩ **0.1** *formalist* ⇒⟨pej.⟩ *legalist, bureaucrat, mandarin, stickler for form(ality).*

formalistisch ⟨bn., bw.; -ly⟩ **0.1** *formalist(ic)* ⇒*legalistic, bureaucratic, pedantic.*

formaliteit ⟨de⟩ **0.1** [uiterlijke vorm] *formality* ⇒*form,* ⟨mv.⟩ *procedure* **0.2** [plichtpleging] *formality* ⇒*matter of form/routine,* ⟨mv.; inf.⟩ *red tape* ◆ **3.1** de nodige ~en vervullen *go through/attend to/ perform/accomplish the necessary formalities;* hieraan zijn allerlei ~en verbonden *there are various formalities attached to this* **3.2** dit is zuiver een ~ *this is a pure formality, this is entirely a matter of form* ¶**.2** de ~en achterwege laten *do away with/cut out/leave out the formalities/red tape.*

formaliter ⟨bw.⟩ **0.1** *formally* ⇒*for form's sake, formaliter.*

formans ⟨het⟩⟨taal.⟩ **0.1** *formative affix.*

formant ⟨de (m.)⟩⟨taal.⟩ **0.1** [geluidsfrequentie] *formant* **0.2** [constituent] *constituent.*

formateur ⟨de (m.)⟩, **-trice** ⟨de (v.)⟩ **0.1** ⟨*person charged with forming a new government*⟩.

formatie ⟨de (v.)⟩ **0.1** [vorming, samenstelling] *formation* ⇒*configuration, composition* **0.2** [wijze van opstelling] *formation* ⇒*configuration, line, order* **0.3** [legerafdeling] *unit* **0.4** [⟨geol.⟩] *formation* **0.5** [popgroep] *band* ⇒*group* ◆ **1.1** de ~ van het nieuwe kabinet *the f. of the new cabinet* **1.2** een ~ van 18 straaljagers *a formation of 18 jet fighters* **2.1** dit woord heeft een afwijkende ~ *this word is formed irregularly;* boven de gewone ~ *off the strength, supernumary* **2.4** sedimentaire en eruptieve ~s *sedimentary and eruptive/volcanic formations* **6.2** buiten de ~ *off the strength;* **in** ~ vliegen *fly in formation* **7.3** alle ~s deden een aanval op de dam *all units launched an attack on the dam.*

formatieplaats ⟨de⟩ **0.1** *permanent function* ⇒*job on the strength* ◆ **6.1** op acht ~en werken hier dertien, meest part-time medewerkers *we have thirteen people/employees, mostly part-timers, here filling/for eight (full-time) jobs/posts.*

formatiepoging ⟨de (v.)⟩ **0.1** *attempt at formation of a government.*

formatievliegen ⟨ww.⟩ **0.1** *fly in formation.*

formatievlucht ⟨de⟩⟨luchtv.⟩ **0.1** *formation flight.*

formatteren ⟨onov.ww.⟩ **0.1** *format.*

formeel[1] ⟨het⟩⟨bouwk.⟩ **0.1** *centring, centre.*

formeel[2]
I ⟨bn.⟩ **0.1** [de vorm betreffend] *formal* **0.2** [vormelijk, conventioneel] *formal* ⇒*ceremonious,* ⟨inf.⟩ *stiff* **0.3** [plechtig, officieel] *formal* ⇒*official, ceremonial* ◆ **1.1** een ~ bezwaar *an objection as to the form /on grounds of form* **1.2** ~ gedrag *f. behaviour* **1.3** een ~ aanzoek/ bevel *a f. official proposal/order;* ⟨jur.⟩ de formele afsluiting van het vooronderzoek *the f. closure of the preliminary investigation;* formele herroeping *f. retraction/recantation;* ⟨schr.⟩ *palinode;* formele nietigverklaring *f. annulment/nullification* **1.¶** formele logica *formal logic;* ⟨jur.⟩ het formele recht *procedural/adjective law;*
II ⟨bw.⟩ **0.1** [naar de vorm] *formally* ⇒*officially, technically, according to the letter of the law* **0.2** [plechtig, officieel] *formally* ⇒*officially* **0.3** [duidelijk] *flatly* ⇒*regularly, decisively* ◆ **3.1** ~ heeft u gelijk *technically you are right, strictly speaking you are right* **3.2** ~ protest aantekenen *enter/register/make a formal/official protest, protest f./ officially* **3.3** hij heeft het hem ~ geweigerd *he gave him a flat refusal;* iets ~ ontkennen *deny sth. f./definitely/formally.*

formeerder ⟨de (m.)⟩ **0.1** [vormer, schepper] *creator* ⇒*maker* **0.2** [⟨bijb.⟩ God] *Creator.*

formeren ⟨ov.ww.⟩ **0.1** [vormen, samenstellen] *form* ⇒*create, put together, make (up)* **0.2** [scheppen] *form* ⇒*create, make* **0.3** [geestelijk vormen] *form* ⇒*shape, mould, train, educate* **0.4** [⟨mil.⟩] *form* ⇒*draw up* ◆ **1.1** een drietal ~ *f. a threesome;* een kabinet ~ *f. a government;* een trein ~ *put together/assemble/f. a train* **1.4** carré ~ ⟨onov. ww.⟩ *f. a square;* ⟨ov. ww.⟩ *f. into a square.*

formering ⟨de (v.)⟩ **0.1** *formation* ⇒*creation.*

formica[1] ⟨het⟩ **0.1** *formica.*

formica² ⟨bn.⟩ **0.1** *formica* ◆ **1.1** een ~ tafelblad *a f. tabletop*.

formidabel ⟨bn., bw.;-ly⟩ **0.1** *formidable* ⇒*powerful, mighty, tremen-dous* ◆ **1.1** een ~e krijgsmacht/vesting *a f. army/fortress* **3.1** hij kan ~ redeneren *he is tremendously good at reasoning (things out).*

formol ⟨het, de (m.)⟩ **0.1** *formalin* ⇒*formol* ⟨handelsmerk⟩.

formulair ⟨bn.⟩ **0.1** *formulaic* ⇒*formulary* ◆ **1.1** ~e uitdrukkingen ⟨ook⟩ *set phrases*.

formule ⟨de⟩ **0.1** [geheel van woorden/zinnen] *formula* ⇒*(set) form of words*, ⟨pej.⟩ *cliché* **0.2** [vorm van een compromis] *formula* **0.3** [grondslag, opzet] *formula* ⇒*pattern, format, idea, line* **0.4** [⟨schei.⟩] *formula* **0.5** [⟨wisk.⟩] *formula* **0.6** [⟨sport⟩] *Formula* ◆ **1.4** de ~ van water is H₂O *the f. for water is H₂O* **2.1** empirische ~ *empirical f.*; de geijkte ~s *the set/accepted/standard formulas*; een magische ~ *a magic f. / incantation/spell, magic words* **2.2** een voor beide partijen aanvaardbare ~ *a f. agreeable to both parties/sides* **2.3** een veel be-proefde ~ *a (tried and) tested f.*; de gehanteerde redactionele ~ *the editorial f. applied* **2.5** algebraïsche ~s *algebraic formulae* **6.5** in een ~ uitdrukken *state/express in a f.*, *formularize* **7.6** ⟨pregn.⟩ rijden in een ~ *I take part in a F. One race*.

formuleren
I ⟨onov., ov.ww.⟩ **0.1** [onder woorden brengen] *formulate* ⇒*phrase, word, put (into words)* ◆ **1.1** zijn gedachten ~ *f. one's thoughts, put one's thoughts into words*; een vraag/een probleem ~ *f. a question/a problem* **5.1** iets anders ~ *rephrase/reword/reformulate sth.*; iets ex-pliciet ~ *f. sth. explicitly*; zoals hij het zo juist formuleerde *as he so aptly put it*; iets scherp ~ *word sth. sharply/strongly*; hij formuleert slecht *he expresses himself badly*;
II ⟨ov.ww.⟩ ⟨tech.⟩ **0.1** [in een verwerkbare vorm brengen] *formu-late*.

formulering ⟨de (v.)⟩ **0.1** [bewoordingen] *formulation* ⇒*phrasing, word-ding, expression* **0.2** [het onder woorden brengen] *formulation* ⇒ *phrasing, wording*, ⟨van geschreven tekst ook⟩ *drafting* ◆ **2.1** ver-huld in beleefde ~en *shrouded in polite phrases*; dezelfde ~ *the same wording/phrasing*; de juiste ~ is als volgt *the correct wording is as fol-lows*; een ongelukkige ~ *an unfortunate expression, an unfortunate way of putting it*; een ruime ~ *broad terms* **3.1** om een ~ te vinden *to find a way of putting it* **6.2** de ~ van een stelling *the f. of a proposition/thesis/theorem*.

formulewagen ⟨de (m.)⟩ **0.1** *racing car, formula (racing) car*.

formulier ⟨het⟩ **0.1** [stuk papier] *form* **0.2** [⟨theol.⟩] *service* ⇒⟨vero.⟩ *formulary, order* ◆ **1.2** het ~ van het Avondmaal *the s. of (Holy) Communion, the Communion s.* **2.1** een blanco ~ *a blank f.*; het voor-geschreven ~ *the appropriate f.* **3.1** een ~ invullen *fill in/out/up a f.* **6.1** de met ~en geplaagde zakenman *the form-ridden businessman*.

formuliergebed ⟨het⟩ **0.1** *formulaic prayer*.

fornuis ⟨het⟩ **0.1** [kooktoestel] ᴮ*cooker* ⇒*stove, (cooking-/kitch-en-)range* **0.2** [stookinrichting] *furnace* **0.3** [verbrandingsruimte in een raffinaderij] *furnace* ◆ **2.1** een elektrisch ~ *an electric c. / ᴬrange/ ᴬstove*.

fors
I ⟨bn.⟩ **0.1** [stevig, zwaar] *sturdy* ⇒⟨mens ook⟩ *robust, burly, hefty*, ⟨inf.⟩ *husky, loud, powerful, strong* ⟨stem⟩, *bold* ⟨letters, schrift⟩, *vigorous, forceful* ⟨taalgebruik, stijl⟩, *massive* ⟨gebouw, muren⟩, *heavy* ⟨nederlaag⟩ **0.2** [groot, niet te verwaarlozen] *substantial* ⇒ *considerable, sizeable* ◆ **1.1** een ~e kerel *a s. / robust/hefty/big/burly / ⟨inf.⟩ husky fellow*; een ~e lichaamsbouw *a s. / robust/hefty build / †physique*; een ~e maatregel *a strong/stern measure*; ⟨sterker⟩ *a drastic/sweeping measure* **1.2** een ~ bedrag *a s. / considerable/sizea-ble sum*;
II ⟨bw.⟩ **0.1** [op krachtige wijze] *strongly* ⇒*sturdily, robustly, firmly* ◆ **2.¶** ~ geschapen ⟨mbt. lichaamsbouw⟩ *strongly/solidly/heavily/ sturdily built*; ⟨inf., mbt. geslachtsdelen/borsten⟩ *well-endowed, well-hung* ⟨man of vrouw⟩, *well-stacked* ⟨vrouw⟩ **3.1** ~ ingrijpen *take firm/decisive action/measures*; de prijs van koffie is ~ gestegen *the price of coffee has risen sharply/considerably*.

forsgebouwd ⟨bn.⟩ **0.1** *sturdily-/strongly-/solidly-built* ⇒*hefty, burly*.

forsheid ⟨de (v.)⟩ **0.1** *robustness* ⇒*sturdiness, strength, vigour*.

forsythia ⟨de (v.)⟩ **0.1** *forsythia*.

fort
I ⟨het⟩ **0.1** [vestingwerk] *fort(ress)* ⇒*castle, strongpoint* **0.2** [heuvel van zand] *sandcastle*;
II ⟨het⟩ ⟨Fr.⟩ **0.1** *strong point/suit* ⇒*forte* ◆ **3.1** dat is zijn ~ niet *that's not his s. p. / his s. s. / his long suit/his forte*.

forte ⟨bw.⟩ ⟨muz.⟩ **0.1** *forte* ⇒*with force*.

forte-piano ⟨de⟩ **0.1** *forte-piano, fortepiano*.

FORT-groep ⟨de (v.)⟩ **0.1** *(feminist radical therapy group)*.

fortificatie ⟨de (v.)⟩ **0.1** [het fortificeren] *fortification* **0.2** [versterking, vestingwerk] *fortification* ⇒⟨alleen mv.⟩ *defences*.

fortificeren ⟨ov.ww.⟩ **0.1** *fortify*.

fortis ⟨de (m.)⟩ ⟨taal.⟩ **0.1** *fortis*.

fortissimo¹ ⟨het⟩ ⟨muz.⟩ **0.1** *fortissimo*.

fortissimo² ⟨bw.⟩ ⟨muz.⟩ **0.1** *fortissimo*.

forto¹ ⟨het⟩ ⟨muz.⟩ **0.1** [wijze van forto spelen] *forte* **0.2** [stuk] *forte*.

forto² ⟨bw.⟩ ⟨muz.⟩ **0.1** *forte* ⇒*with force*.

fortuin
I ⟨het⟩ **0.1** [geluk, voorspoed] *(good) fortune* ⇒*(good) luck* **0.2** [kapi-taal] *fortune* ⇒*riches*, ⟨inf.⟩ *pile, mint, packet* **0.3** [wisselvalligheid] *fortune* ⟨vnl. mv.⟩ ◆ **1.2** iem. van ~ *a wealthy/rich person*; ⟨inf.⟩ *a moneybags* **1.3** ⟨verz.⟩ de ~en der zee *the fortunes/perils of the sea* **3.1** zijn ~ beproeven *try one's f. / luck/chance*; je ~ is gemaakt *your f. is made, you are a made man*; ⟨inf.⟩ *you've got it made*; ~ maken *be fortunate/in luck, strike (it) lucky*; zijn ~ zoeken *seek one's f.* **3.2** het heeft me een ~ gekost *it cost me a (small) f.*; ~ maken *make one's/a f.*; ⟨inf.⟩ *make a pile/mint/packet, strike it rich*; ⟨sl.⟩ *strike oil, hit the jackpot*; een ~ trouwen *marry a f. / an heiress*; er is een ~ mee te ver-dienen *there is a f. to be made out of that/in that*;
II ⟨de⟩ **0.1** [⟨fig.⟩ het lot] *fortune* ⇒*chance, destiny, fate* **0.2** [Fortuna de geluksgodin] *(Dame) Fortune* ◆ **1.1** het rad der ~ *Fortune's wheel, the wheel of f.* **3.1** zijn ~ keerde *his luck turned/changed*; de ~ lacht hem toe *f. smiles (up)on him/is on his side* ¶**.1** de ~ heeft hem de rug toegedraaid *misfortune/ill fortune overtook/came upon him, his for-tunes began to decline*.

fortuinlijk ⟨bn., bw.;-ly⟩ **0.1** *fortunate* ⇒*lucky* ◆ **3.1** hij heeft ~ ge-boerd *he has got on well/done well (for himself)/managed his affairs well*; hij is niet ~ geweest *he has had bad luck, he has not been in luck*; ~ zijn *be lucky/in luck, have good luck* **5.1** erg ~ zijn *be very lucky, have very good luck, have a great stroke of luck, have luck on one's side*.

fortuinzoeker ⟨de (m.)⟩, **-zoekster** ⟨de (v.)⟩ **0.1** *fortune hunter* ⟨m., v.⟩ ⇒*adventurer* ⟨m.⟩, *adventuress* ⟨v.⟩.

Fortuna ⟨de (v.)⟩ ⟨myth.⟩ **0.1** *Fortuna* ◆ **1.1** vrouwe ~ *Dame Fortune, lady Luck*.

forum ⟨het⟩ **0.1** [paneldiscussie] *forum* ⇒*panel discussion, ≠teach-in* **0.2** [gezamenlijke geraadpleegde personen] *panel* ⇒*≠brains trust* **0.3** [gerechtsplaats] *forum* ⇒*court, bar* **0.4** [⟨gesch.⟩ plein in Rome] *Forum* ◆ **1.2** iets aan een ~ van deskundigen voorleggen *submit sth. to a p. of experts* **1.3** ⟨fig.⟩ iets voor het ~ van de publieke opinie brengen *bring something before the f. / bar/court of public opinion* **1.¶** ⟨jur.⟩ het ~ van de eiser *the forum of the plaintiff* **6.1** in het ~ za-ten voor- en tegenstanders van kernenergie *at the f. there were sup-porters and opponents of nuclear energy*.

forumdiscussie ⟨de (v.)⟩ **0.1** *forum* ⇒*panel discussion, ≠teach-in*.

fosfaat ⟨het⟩ **0.1** *phosphate*.

fosfaatreiniging ⟨de (v.)⟩ ⟨schei.⟩ **0.1** *elimination of phosphates*.

fosfaatvrij ⟨bn.⟩ **0.1** *phosphate-free*; ⟨reclametaal ook⟩ *no-phosphate*.

fosfaturie ⟨de (v.)⟩ ⟨med.⟩ **0.1** *phosphaturia*.

fosfiet ⟨het⟩ ⟨schei.⟩ **0.1** *phosphite*.

fosfine ⟨de (v.)⟩ ⟨schei.⟩ **0.1** *phosphine* ⇒*phosphin*.

fosfolipiden ⟨zn.mv.⟩ ⟨schei.⟩ **0.1** *phospholipids*.

fosfor ⟨het, de (m.)⟩ **0.1** *phosphorus*.

fosforbom ⟨de⟩ **0.1** *phosphorus bomb* ⇒*incendiary (bomb), firebomb*.

fosforbrons ⟨het⟩ **0.1** *phosphor bronze*.

fosforescentie ⟨de (v.)⟩ **0.1** *phosphorescence*.

fosforesceren ⟨onov.ww.⟩ **0.1** *phosphoresce*.

fosforhoudend ⟨bn.⟩ **0.1** *phosphoric* ⇒*phosphorous*.

fosforiet ⟨het⟩ **0.1** *phosphorite* ⇒*rock phosphate*.

fosforisch ⟨bn.⟩ **0.1** *phosphorescent* ⇒*luminescent, luminous*.

fosforvergiftiging ⟨de (v.)⟩ **0.1** *phosphoric poisoning* ⇒*phosphorism*, ⟨kaakgangreen⟩ *phossy jaw*.

fosforwaterstof ⟨de⟩ ⟨schei.⟩ **0.1** *phosphine*.

fosforzout ⟨het⟩ ⟨med.⟩ **0.1** *microcosmic/phosphorus salt*.

fosforzuur ⟨het⟩ ⟨schei.⟩ **0.1** *phosphoric acid*.

fosgeen ⟨het⟩ ⟨schei.⟩ **0.1** *phosgene*.

fossiel¹ ⟨het⟩ **0.1** [overblijfsel in versteende vorm] *fossil* **0.2** [⟨fig.⟩ per-soon] *(old) fossil* ⇒*old fog(e)y/fogie, (old) fuddy-duddy* ◆ **2.2** een le-vend ~ *a living fossil*.

fossiel² ⟨bn.⟩ **0.1** *fossil* ⇒*fossilized* ◆ **1.1** ~e brandstoffen *fossil fuels*; ~e planten *fossilized plants*; ~e verblijfselen *fossil(ized) remains*; ~e woorden *fossilized words/expressions*, ⟨taal.⟩ *lexical fossils*.

fossilisatie ⟨de (v.)⟩ **0.1** [het overgaan in fossiele toestand] *fossilization* ⇒*petrifaction, petrification, lapidification* **0.2** [⟨fig.⟩ verstarring] *fos-silization* ◆ **1.2** ~ van denkbeelden *f. of ideas*.

fossiliseren ⟨onov.ww.⟩ **0.1** [tot fossiel worden] *fossilize* ⇒*be fossilized, petrify* **0.2** [⟨fig.⟩ verstarren] *fossilize* ⇒*become fossilized*.

fot ⟨de (m.)⟩ **0.1** *phot*.

fotismen ⟨zn.mv.⟩ **0.1** *photisms*.

foto ⟨de⟩ **0.1** *photograph* ⇒*picture*, ⟨inf.⟩ *photo, snap(shot), shot* ◆ **3.1** een ~ laten inlijsten *have a photograph framed*; ~'s nemen *take pho-tographs/pictures/photos/snap(shots)/snaps/shots* **6.1** wil je niet op de ~? *don't you want to be on the photo/in the picture?*; een ~ van iem. / iets nemen, iem./iets op de ~ zetten *take a picture of s.o./sth.*.

fotoalbum ⟨het⟩ ⟨inf.⟩ **0.1** *photo album* ⇒ †*photograph album*.

fotoarchief ⟨het⟩ **0.1** *picture library* ⇒*photographic/ ↓ photo archive*.

fotoartikel ⟨het⟩ **0.1** *photographic attachment/accessory/* ⟨mv. ook⟩ *ma-terials/goods/requisites*.

fotoautomaat ⟨de (m.)⟩ **0.1** *(passport-)photo booth*.

fotobacterie ⟨de (v.)⟩ **0.1** *photobacterium*.
fotobiografie ⟨de (v.)⟩ **0.1** *pictorial biography* ⇒*photobiography*.
fotobiologie ⟨de (v.)⟩ **0.1** *photobiology*.
fotoboek ⟨het⟩ **0.1** *book of photographs/ ↓photos* ◆ **1.1** een~ van misdadigers *photographic records;* ⟨inf.⟩ *rogues' gallery*.
fotobureau ⟨het⟩ **0.1** *photograph/ ↓photo agency*.
fotocel ⟨de⟩ **0.1** *photocell* ⇒*photoelectric cell,* ⟨inf.⟩ *magic eye*.
fotoceramiek ⟨de (v.)⟩ **0.1** *photoceramics*.
fotochemie ⟨de (v.)⟩ **0.1** *photochemistry*.
fotochemisch ⟨bn.⟩ **0.1** *photochemical* ⇒*actinic* ◆ **1.1** ~e lichtstralen *actinic rays*.
fotochromatisch ⟨bn.⟩ **0.1** *photochromatic* ◆ **1.1** ~e beelden *p. images*.
fotochromisch ⟨bn.⟩ **0.1** *photochromic*.
fotoclub ⟨de⟩ **0.1** *photographic club* ⇒*camera club, photography club*.
fotocollage ⟨de (v.)⟩ **0.1** *photomontage*.
fotodienst ⟨de (m.)⟩ **0.1** *photographic service*.
fotodiode ⟨de (v.)⟩ **0.1** *photodiode*.
foto-elektrisch ⟨bn.⟩ **0.1** *photoelectric(al)* ◆ **1.1** ~e cel *photoelectric cell, photocell;* ⟨inf.⟩ *magic eye*.
foto-elektron ⟨het⟩ **0.1** *photo-electron*.
foto-element ⟨het⟩ **0.1** *photoelement* ⇒*photovoltaic element*.
fotofinish ⟨de (m.)⟩ **0.1** *photo finish*.
fotofobie ⟨de (v.)⟩ **0.1** *photophobia*.
fotofoon ⟨de (m.)⟩ **0.1** *photophone*.
fotogalvanografie ⟨de (v.)⟩ **0.1** *photo-galvanography*.
fotogeen[1] ⟨het⟩ **0.1** *photogene*.
fotogeen[2] ⟨bn.⟩ **0.1** *photogenic* ⇒*luminescent, phosphorescent, luminous* ◆ **1.1** fotogene bacteriën *photogenic bacteria*.
fotogeniek ⟨bn.⟩ **0.1** *photogenic*.
fotogeologie ⟨de (v.)⟩ **0.1** *photogeology*.
fotogeoloog ⟨de (m.)⟩ **0.1** *photogeologist*.
fotogoniometer ⟨de (m.)⟩ **0.1** *photogoniometer*.
fotograaf ⟨de (m.)⟩ **0.1** *photographer*.
fotograferen
I ⟨onov., ov.ww.⟩ **0.1** [foto maken (van)] *photograph* ⇒*take a photograph (of),* ⟨inf.⟩ *take a photo/picture/ ↓ snap(shot) (of)* ◆ **1.1** een landschap~*p. / take a photograph of a landscape* **3.1** zich laten~ *have one's photograph/ ↓photo/ ↓picture taken;*
II ⟨onov.ww.⟩ **0.1** [als hobby de fotografie beoefenen] *take photographs* ⇒⟨inf.⟩ *take photos/pictures/ ↓ snaps* ◆ **5.1** zij fotografeert goed ⟨maakt goede foto's⟩ *she is a good photographer;* ⟨fotogeniek⟩ *she photographs well, she comes out well in photographs/* ⟨inf.⟩ *photos* ¶**.1** fotografeer je? *do you take photos?; ≠do you like photography?;* ⟨vnl. AE; inf.⟩ *are you into photography?*.
fotografie ⟨de (v.)⟩ **0.1** [de kunst om afbeeldingen te maken] *photography* **0.2** [afdruk] *photograph* ⇒⟨inf.⟩ *photo, picture, ↓shot/snap(shot)*.
fotografiek ⟨de (v.)⟩ **0.1** *photo-graphics*.
fotografisch
I ⟨bn.⟩ **0.1** [mbt. de fotografie] *photographic* ⇒*photographical* **0.2** [dmv. fotografie vervaardigd, gebeurend] *photographic* **0.3** [voor de fotografie nodig, geschikt] *photographic* ◆ **1.1** een~ atelier *a photographic/ photographer's studio;* ~e technieken *photographic techniques* **1.2** ⟨fig.⟩ een~geheugen *a p. memory;* een ~e reproduktie *a p. reproduction* **1.3** ~ papier *p. (printing) paper;* ~zetsel *film-setting, photosetting;* ⟨AE⟩ *photocomposition, phototypesetting;*
II ⟨bw.⟩ **0.1** [dmv. fotografie] *photographically* ◆ **3.1** iets~vastleggen *record/document sth. p.*.
fotogram ⟨het⟩ **0.1** *photogram*.
fotogrammetrie ⟨de (v.)⟩ **0.1** *photogrammetry* ⇒*aerial surveying, phototopography*.
fotogrammetrisch ⟨bn., bw.; -ly⟩ **0.1** *photogrammetric(al)*.
fotogravure ⟨de⟩ **0.1** [reproduktiemethode] *photogravure* **0.2** [gravure] *photogravure*.
fotohandel ⟨de (m.)⟩ **0.1** *photographic/photography/camera shop* ⇒*photographic dealer's/supplier's*.
fotohandelaar ⟨de (m.)⟩ **0.1** *photographic dealer/supplier*.
fotoheliograaf ⟨de (m.)⟩ **0.1** *photoheliograph*.
fotohoekje ⟨het⟩ **0.1** *mount* ⇒*(phot-)corner*.
fotojournalist ⟨de (m.)⟩ **0.1** *photojournalist* ⇒*press photographer*.
fotokaart ⟨de⟩ **0.1** *photomap*.
fotokathode ⟨de (v.)⟩ **0.1** *photocathode*.
fotokopie ⟨de (v.)⟩ **0.1** *photocopy* ⇒*xerox, photostat(ic) copy, photostat* ◆ **3.1** een~ maken van iets *photocopy/xerox sth., make a photocopy/xerox of sth.*.
fotokopieertoestel ⟨het⟩ **0.1** *photocopier* ⇒*Xerox(-machine), photostat*.
fotokopiëren ⟨onov., ov.ww.⟩ **0.1** *photocopy* ⇒*xerox, photostat*.
fotolamp ⟨de⟩ **0.1** *photographic lamp* ⇒*flood lamp, floodlight*.
fotolithografie ⟨de (v.)⟩ **0.1** [lichtsteendruk] *photolithography* **0.2** [afbeelding] *photolithograph* ⇒*photolithoprint,* ⟨verk.⟩ *photolitho*.
fotoluminescentie ⟨de (v.)⟩ **0.1** *photoluminescence*.
fotomechanisch ⟨bn.⟩ **0.1** *photomechanical*.
fotometeoren ⟨zn.mv.⟩ **0.1** *photometeors*.

fotometer ⟨de (m.)⟩ **0.1** *photometer*.
fotometrie ⟨de (v.)⟩ **0.1** *photometry*.
fotomodel ⟨het⟩ **0.1** *(photographic/ photographer's) model* ⇒*covergirl*.
fotomontage ⟨de (v.)⟩ **0.1** [resultaat] *photomontage* ⇒*composite photograph/picture* **0.2** [handeling] *photomontage*.
fotomorfose ⟨de (v.)⟩ **0.1** *photomorphosis*.
foton ⟨het⟩ ⟨nat.⟩ **0.1** *photon*.
fotonastie ⟨de (v.)⟩ ⟨biol.⟩ **0.1** *photonasty*.
fotonegatief ⟨bn.⟩ ⟨biol.⟩ **0.1** *photonegative*.
fotonica ⟨de (v.)⟩ **0.1** *photonics*.
fotopaal ⟨de (m.)⟩ ⟨verkeer⟩ **0.1** *roadside (mounted) camera*.
fotopapier ⟨het⟩ **0.1** *photographic paper*.
fotoperiodiciteit ⟨de (v.)⟩ **0.1** *photoperiodism* ⇒*photoperiodicity*.
fotopersbureau ⟨het⟩ **0.1** *photo press agency*.
fotoreceptor ⟨de (m.)⟩ **0.1** *photoreceptor*.
fotoreportage ⟨de (v.)⟩ **0.1** *photo-reportage* ⇒*photoreport*.
fotosafari ⟨de (v.)⟩ **0.1** *photo safari*.
fotoscoop ⟨de (m.)⟩ **0.1** *photoscope*.
fotoserie ⟨de (v.)⟩ **0.1** *series of photographs*.
fotosfeer ⟨de⟩ **0.1** *photosphere*.
fotostatisch ⟨bn.⟩ **0.1** *photostatic* ◆ **1.1** een~e herdruk *a p. / photographic reprint*.
fotostencil ⟨het⟩ **0.1** *photo-stencil*.
fotosynthese ⟨de (v.)⟩ ⟨biol.⟩ **0.1** *photosynthesis*.
fototaxis ⟨de (v.)⟩ **0.1** *phototaxis* ⇒*phototaxy*.
fototechnisch ⟨bn.⟩ **0.1** *phototechnical* ◆ **1.1** ~e dienst *aerial photography/survey service*.
fototelegrafie ⟨de (v.)⟩ **0.1** *phototelegraphy* ⇒*picture telegraphy, telephotography*.
fototheodoliet ⟨de (m.)⟩ **0.1** *phototheodolite*.
fototherapie ⟨de (v.)⟩ **0.1** *phototherapy* ⇒*phototherapeutics*.
fototoestel ⟨het⟩ **0.1** *camera*.
fototransistor ⟨de (m.)⟩ **0.1** *phototransistor*.
fototrofie →fototropie.
fototroop ⟨bn.⟩ **0.1** *phototropic* ⇒⟨bij planten ook⟩ *heliotropic* ◆ **1.1** een fototrope vloeistof *a p. fluid*.
fototropie ⟨de (v.)⟩ **0.1** [het veranderen onder invloed v.h. licht] *phototropism* ⇒*phototropy* **0.2** [⟨biol.⟩] *phototropism* ⇒*phototropy, heliotropism*.
fototypie ⟨de (v.)⟩ **0.1** [reproduktiemethode] *phototype* ⇒*collotype* **0.2** [afbeelding] *phototype* ⇒*collotype*.
fototypografie ⟨de (v.)⟩ **0.1** ⟨BE⟩ *filmsetting, photosetting;* ⟨AE⟩ *photocomposition, phototypesetting*.
fotoverkenning ⟨de (v.)⟩ **0.1** *photoreconnaissance* ⇒*≠aerial reconnaissance*.
fotowedstrijd ⟨de (m.)⟩ **0.1** *photo(graphic) competition*.
fotozaak ⟨de⟩ →fotohandel.
fotozetmachine ⟨de (v.)⟩ **0.1** ⟨BE⟩ *filmsetter, photosetter;* ⟨AE⟩ *photocomposer, phototypesetter*.
fotozetsel ⟨het⟩ **0.1** ⟨BE⟩ *filmsetting, photosetting;* ⟨AE⟩ *photocomposition, phototypesetting*.
fotozetten ⟨het⟩ **0.1** ⟨BE⟩ *filmsetting, photosetting;* ⟨AE⟩ *photocomposition, phototypesetting*.
fotozetter ⟨de (m.)⟩ →fotozetmachine.
foudroyant ⟨bn.⟩ **0.1** *fulminating, fulminant* ⇒*lightning* ◆ **1.1** ⟨med.⟩ ~ gangreen *fulminant/ fulminating gangrene*.
fouilleren ⟨ov.ww.⟩ **0.1** *(body-)search* ⇒⟨inf.⟩ *frisk,* ⟨AE inf. ook⟩ *shake down, fan* ◆ **3.1** gefouilleerd worden *be (body-)searched/ frisked*.
fouillering ⟨de (v.)⟩ **0.1** *(body) search* ⇒⟨inf.⟩ *frisk,* ⟨AE inf. ook⟩ *shake down*.
foulard
I ⟨de (m.)⟩ **0.1** [halsdoek van foulard] *foulard* ⇒*silk scarf* **0.2** [wollen halsdoek] *scarf* ⇒*muffler;*
II ⟨het⟩ **0.1** [stof] *foulard (silk)*.
foundation ⟨de (v.)⟩ **0.1** [lingerie] *foundation (garment)* **0.2** [crème] *foundation (cream)*.
fourneren ⟨ov.ww.⟩ **0.1** [⟨geldw.⟩] *furnish* ⇒*provide, ↓put up* **0.2** [verschaffen, voorzien] *furnish* ⇒*supply, provide* ◆ **1.1** fonds ~ voor wissels *send cover/ provide funds for bills of exchange;* de trekker fonds ~*put the drawer in funds* **1.2** ⟨jur.⟩ stukken~*submit documents* **7.1** het te laat~ van gekochte effecten *the late delivery of stocks purchased*.
fournissement ⟨het⟩ **0.1** [storting, inleg] *call* **0.2** [bijbetaling] *≠supplementary payment* ◆ **3.1** ~en worden opgevraagd van en gestort door aandeelhouders *calls are made on and paid by shareholders* **6.1** bij ~ uit de winst *when calls are paid out of profits*.
fournisseur ⟨de (m.)⟩ **0.1** *supplier, purveyor*.
fournituren ⟨zn.mv.⟩ **0.1** ⟨garen, band, knopen enz.⟩ [B]*haberdashery; smallwares;* [A]*notions* ⇒⟨alg.⟩ *supplies, articles, requisites,* ⟨inf.⟩ *bits and pieces*.
fourniturenzaak ⟨de⟩ **0.1** [B]*haberdasher('s),* [A]*notions*.
fournituur ⟨het⟩ →fournituren.

fourragères ⟨zn.mv.⟩ **0.1** *fourragères* ⇒*aiguillettes*.

fout[1] ⟨de⟩ **0.1** [gebrek, slechte eigenschap] *fault* ⇒*weakness, failing, flaw, defect* **0.2** [verkeerde handeling] *mistake* ⇒*error*, ⟨grove fout⟩ *blunder*, ⟨overtreding bij sport⟩ *foul, fault* ⟨ihb. bij tennis, paardesport enz.⟩ **0.3** [onjuistheden in een werk] *mistake* ⇒*error, fault, defect, flaw* **0.4** [⟨wisk.⟩] *error* ◆ **1.4** een ~ van tien procent *an e. of ten per cent* **2.2** een ernstige ~ begaan *make a serious / grave m., make / commit a serious / grave error / blunder*; een medische ~ *malpractice*; menselijke ~ *human error*; de oude ~ maken *fall / lapse into the (same) old mistakes / errors*; persoonlijke ~ *personal equation* **3.1** zijn ~ is dat ... *his weakness / failing / trouble is that ...*, *the trouble / problem with him is that ...*; iem. op zijn ~en wijzen *point out s.o.'s faults / weaknesses, correct s.o.*; ⟨op een beledigende manier; inf.⟩ *rub s.o.'s nose in it* **3.2** zijn ~ goedmaken *make good!* [1] *redeem one's m.* **3.3** er is geen systeem waarmee geen ~ en gemaakt kunnen worden *no system is foolproof*; ~en maken *make mistakes*; ⟨inf.⟩ *go wrong, slip up* **6.1** een weefsel met ~ *a flawed fabric*; niemand is zonder ~ *no one / nobody is perfect* **6.2** in de ~ gaan *make a mistake*, ⟨inf.⟩ *slip up*; ⟨drafsport⟩ *foul* **6.3** een ~ in de constructie *a fault in the construction*; een ~ in de berekening *a miscalculation*; een ~ in de redenering *a flaw in the argument*; een proefwerk met tien ~en *an exam(ina-tion)-paper with ten mistakes / errors in it*; zonder ~en schrijven *spell correctly* ¶**.3** een ~je *an error*, [1] *a slip-up*.

fout[2]
I ⟨bn., bw., -ly⟩ **0.1** [mis(lukt)] *wrong* **0.2** [niet juist] *wrong* ⇒*incorrect, erroneous, mistaken, inaccurate, faulty* ◆ **1.2** een ~ antwoord *a w. / incorrect answer* **3.1** je bent ~ geweest *you were w. / at fault*; de boel ging ~ *everything / the whole lot went w.*; hun bedrijf ging ~ *their firm went bankrupt* **3.2** je hebt drie sommen ~ *you have got three sums w.*; wat is er ~ aan ...? *what's w. with ...?*; iets ~ rekenen *fault sth., count wrong / consider sth. wrong*, [1] *go wrong*, [1] *slip up*; iets ~ schatten *miscalculate sth.*; iets ~ spellen *misspell sth., spell sth. wrong(ly) / incorrectly*.
II ⟨bn.⟩ **0.1** [heulend met de vijand] [1] *collaborationist* ⇒⟨euf.⟩ *on the wrong side* ◆ **3.1** zij waren ~ in de oorlog *they collaborated (with the Nazis) / they were collaborators / Nazi sympathizers / they sided with / collaborated with / helped the Nazis during the war*.

foutenanalyse ⟨de (v.)⟩ **0.1** *error analysis*.

foutenmarge ⟨de⟩ **0.1** *margin of error* ⇒*error rate* ⟨na berekening⟩.

foutief ⟨bn., bw., -ly⟩ **0.1** *wrong* ⇒*incorrect, erroneous, inaccurate, faulty* ◆ **1.1** een ~ antwoord *a w. / incorrect answer*; een foutieve mening *a misapprehension* **3.1** ~ denken *think wrongly / erroneously / incorrectly*; ⟨inf.⟩ *get (sth.) w.*.

foutlijn ⟨de⟩ ⟨sport⟩ **0.1** ⟨honkbal⟩ *foul / base line*; ⟨squash⟩ *out-of-court line*.

foutloos ⟨bn., bw.; -ly⟩ **0.1** *faultless* ⇒*perfect, impeccable*, ⟨AE ook⟩ *letter-perfect* ◆ **1.1** ⟨paardensport⟩ een ~ parcours *a clear round*.

foutparkeren ⟨ww.⟩ **0.1** *park illegally*.

foutslag ⟨de (m.)⟩ ⟨sport⟩ **0.1** *fault*.

fox(-terriër) ⟨de (m.)⟩ **0.1** *fox terrier*.

foxtrotten ⟨onov.ww.⟩ **0.1** *foxtrot*.

foyer ⟨de (m.)⟩ **0.1** *foyer* ⇒*refreshment room*, ⟨vnl. BE⟩ *crush-room / -bar*, ⟨voor artiesten⟩ *greenroom*.

fr. ⟨afk.⟩ **0.1** [franco] *franco* **0.2** [frank] *fr.* **0.3** [frater] *Br., Fr..*

fraai ⟨bn., bw.; -ly⟩ **0.1** [mooi, schoon] *pretty* ⇒*fine, beautiful, handsome, lovely, charming* **0.2** [tot eer, lof strekkend] *fine* ⇒*splendid, distinguished* ◆ **1.1** een ~ exemplaar *a fine / splendid specimen / ⟨boek⟩ copy*; een ~e gestalte *a fine figure*; ⟨van man ook⟩ *a handsome figure*; een ~e tuin *a p. / fine / charming / lovely garden*, ⟨iron.⟩ een ~e vertoning *a fine sight* **1.2** een ~e carrière *a distinguished / successful career*; een ~e prestatie *a f. performance / archievement* **3.2** ⟨iron.⟩ dat staat je ~ *you can / should be proud of that, I must say that becomes you* **4.1** ⟨iron.⟩ dat is me ook wat ~s *(that's) a nice business / a p. kettle of fish* **5.1** een weinig ~ behandeling ondergaan *be less than handsomely treated*.

fraaiheid ⟨de (v.)⟩ **0.1** [schoonheid] *prettiness* ⇒*fineness, beauty, loveliness, charm* **0.2** [fraai ding] *beauty* ⇒*work of art, picture, jewel*.

fractie ⟨de (v.)⟩ **0.1** [onderdeel, deeltje] *fraction* **0.2** [⟨pol.⟩] vertegenwoordigers v.e. partij] ≠*party, group* ⇒[B]*parliamentary party*, [A]*congressional party*, ⟨Austr.E⟩ *caucus*, ⟨groepering binnen partij⟩ *faction, section* ◆ **2.2** de liberale ~ in de gemeenteraad ≠*the liberal g. on the council, the liberal councillors*; de liberale ~ in de Tweede Kamer ≠*the parliamentary liberal p., the liberal g. in parliament* **3.1** de koersen brokkelden een ~ af *the rates dropped a f. / little* **6.1** in een ~ v.e. seconde *in a f. of a second, in a split second*.

fractieberaad ⟨het⟩ ⟨pol.⟩ **0.1** ≠[B]*discussion* / [1] *deliberation within the / a parliamentary party*, ≠ [A]*caucus*.

fractiegenoot ⟨de (m.)⟩, **-note** ⟨de (v.)⟩ ⟨pol.⟩ **0.1** ≠*fellow (parliamentary) party-member* ⇒[B]*fellow Conservative / Labour* ⟨enz.⟩ *MP*, [A]*fellow Republican / Democratic* ⟨enz.⟩ *representative*.

fractieleider ⟨de (m.)⟩ ⟨pol.⟩ **0.1** ≠[B]*leader of the / a parliamentary party*, ≠ [A]*floor-leader*.

fractielid ⟨het⟩ ⟨pol.⟩ **0.1** ≠*party member*, ≠*member of a (political) party*.

fractieloze ⟨de (m.)⟩ ⟨pol.⟩ **0.1** *independent*.

fractievergadering ⟨de (v.)⟩ ⟨pol.⟩ **0.1** ≠[B]*meeting of a / the parliamentary party*, ≠ [A]*committee meeting*.

fractievoorzitter ⟨de (m.)⟩, **-ster** ⟨de (v.)⟩ ⟨pol.⟩ **0.1** ≠[B]*chairman* ⟨m.⟩ / *chairwoman* ⟨v.⟩ *of a / the parliamentary party*, ≠ [A]*floor leader* ⇒ ⟨BE⟩ *Whip*, ⟨⟨mbt. oppositie⟩ *Shadow*) *Leader of the House*, ⟨AE⟩ *Senate / House Minority / Majority Leader*.

fractioneel ⟨bn.⟩ **0.1** *fractional* ◆ **2.1** fractionele verschillen *f. differences*.

fractioneren ⟨ov.ww.⟩ **0.1** [in fracties verdelen] *fraction(al)ize* ⇒*fractionate* **0.2** [trapsgewijze destilleren] *fractionate, fractionalize* ◆ **1.¶** gefractioneerd maagonderzoek *fractional gastric juice collection*.

fractuur ⟨de (v.)⟩ **0.1** [breuk] *fracture* ⇒⟨inf.⟩ *break* **0.2** [drukletter] *Fraktur, Gothic, (German) black-letter* ◆ **2.1** een enkelvoudige ~ *a simple f.*; een gecompliceerde ~ *a compound / open f.*; een gesloten ~ *a closed f.*.

fragiel ⟨bn.⟩ **0.1** *fragile* ⇒⟨mens ook⟩ *feeble, frail*, ⟨broos⟩ *brittle*, ⟨gammel⟩ *rickety*.

fragiliteit ⟨de (v.)⟩ **0.1** [breekbaarheid] *fragility* **0.2** [⟨fig.⟩ vergankelijkheid] *fragility* ⇒*transience*.

fragment ⟨het⟩ **0.1** [gedeelte] *fragment* ⇒*section, part*, ⟨van lied⟩ *scrap, snatch* **0.2** [brokstuk, overgebleven stuk] *fragment* ⇒*scrap, bit, morsel*, ⟨knipsel⟩ *snippet* ◆ **3.1** hij droeg ~en voor uit Gorters Mei *he recited passages / excerpts / extracts from Gorter's 'Mei'*; wij laten u enkele ~en zien uit de hoofdfilm van vanavond *we are going to show you excerpts / extracts from this evening's big film*.

fragmentarisch
I ⟨bn.⟩ **0.1** [niet samenhangend] *fragmentary* ⇒*fragmented*, ⟨inf.⟩ *patchy, sketchy* ◆ **1.1** een ~ boek *a fragmented book*; ~ e kennis *patchy knowledge*; een ~ verslag *a fragmented / scrappy account / report* **2.1** ~ e overblijfselen *fragmentary remains*;
II ⟨bw.⟩ **0.1** [gedeeltelijk] *fragmentarily* ⇒*fragmentedly*, ⟨inf.⟩ *sketchily, patchily* ◆ **3.1** iets ~ behandelen *deal with / treat sth. sketchily*.

fragmentatie ⟨de (v.)⟩ **0.1** *fragmentation* ⇒*disintegration*, [1] *splintering*, [1] *shattering*.

fragmentatiebom ⟨de⟩ **0.1** *fragmentation bomb* ⇒*cluster bomb*, ⟨mil.; sl.⟩ *daisy-cutter*.

fragmentatiegranaat ⟨de⟩ **0.1** *fragmentation grenade*.

fraicheur ⟨de (v.)⟩ **0.1** *freshness* ⇒*bloom*.

fraise ⟨bn.⟩ **0.1** *strawberry*.

frak ⟨de (m.)⟩ **0.1** *dress coat, tailcoat* ⇒⟨inf.⟩ *tails, swallowtail*.

framboos
I ⟨de (m.)⟩ **0.1** [struik] *raspberry* ⇒*raspberry cane / bush*;
II ⟨de⟩ **0.1** [vrucht] *raspberry* **0.2** [⟨mv.⟩ likeur] *raspberry brandy*.

frambozengelei ⟨de⟩ **0.1** *raspberry jelly* ⇒*raspberry jam*.

frambozenjam ⟨de⟩ **0.1** *raspberry jam*.

frambozenlimonade ⟨de⟩ **0.1** *raspberry drink* ⇒*raspberry pop* ⟨met prik⟩, ⟨AE ook⟩ *raspberry soda*.

frambozensiroop ⟨de⟩ **0.1** *raspberry syrup*.

frambozesap ⟨het⟩ **0.1** *raspberry juice*.

Française ⟨de (v.)⟩ **0.1** *Frenchwoman*.

franchement ⟨bw.⟩ **0.1** *frankly* ⇒*candidly, readily, plainly*.

franchise ⟨de (v.)⟩ **0.1** [vrijdom van vracht] *exemption* **0.2** [vrijdom van rechten bij invoer van goederen] *freedom / exemption from (customs) duties* **0.3** [⟨verz.⟩] *franchise* **0.4** [prijsaftrek voor geleverde waren] *deductible franchise* **0.5** [deel v.h. inkomen] *tax-free allowance* **0.6** [franchising] *franchise* **0.7** [openhartigheid] *frankness* ⇒*candour, plainness*.

franchising ⟨de⟩ **0.1** *franchise*.

franciscaan ⟨de (m.)⟩ **0.1** *Franciscan* ⇒*Grey Friar*, ⟨ihb.⟩ *Minoriti* ◆ **¶.1** de ~en *the Franciscans, the Grey Friars, the Minorites, the (Order of the) Friars Minor*.

franciscanes ⟨zn.mv.⟩ **0.1** *Franciscan*.

franciscaner ⟨bn.⟩ **0.1** *Franciscan* ◆ **1.1** een ~ monnik *a F. friar, a Grey Friar*; een ~ non *a F. nun*.

franciscanessen ⟨zn.mv.⟩ **0.1** *Franciscan nuns* ⇒*Poor Clares*.

francium ⟨het⟩ ⟨schei.⟩ **0.1** *francium*.

franco ⟨bw.⟩ **0.1** [poststukken] *post-paid / -free, prepaid, postage paid*; ⟨goederen⟩ *carriage paid* ⟨niet nader bepaald⟩; ⟨goederen⟩ *free ...* ⟨nader bepaald⟩ ◆ **1.1** ~ boord *f. on board, f.o. b.*; ~ emballage *packing f., f. of packing*; ~ (aan) huis / ~ thuis *f. domicile / destination*; ~ kosten *f. of charge*; ~ lichter *f. overside, f. o. s.*; ~ ship, ~ pakhuis *f. (at) warehouse*; ~ rechten *duty f.* ⟨uit entrepôt⟩ *delivered ex bond*; ~ spoor *f. (on) rail, f.o. r.*; ~ station *f. (at) station, delivered to station*; ~ station / fabriek *f. (at) station / works, delivered to station / buyer's works*; ~ vracht *carriage paid / f., f. freight, freight paid*; ~ wagon *f. on truck, f.o. t., f. on rail, maker's works*; ~ (op de) wal *f. (on) quay, ex quay, landed terms* **3.1** de zending is ~ *the shipment is f. of charge / gratis*; iets ~ thuisbezorgen *deliver sth. domicile / domicilium* **5.1** ~ hier *delivered here*; niet ~ *carriage forward* ⟨vracht⟩; *postage extra* ⟨poststukken⟩ **¶.1** ~ voor de wal *ex ship / steamer, f. overside*.

francofiel[1] ⟨de (m.)⟩ **0.1** *Francophil(e)* ⇒*Gallophile*.

francofiel² ⟨bn.⟩ **0.1** *Francophil(e)* ⇒*Gallophile.*

francofonie ⟨de (v.)⟩ **0.1** *Francophones* ⇒*French-speakers.*

francofoon ⟨bn.⟩ **0.1** *Francophone* ⇒*French-speaking.*

francoprijs ⟨de (m.)⟩ **0.1** *franco price.*

franc-tireur ⟨de (m.)⟩ **0.1** *franc tireur* ⇒*sniper.*

franje ⟨de⟩ **0.1** [boord met draden(bundels)] *fringe* ⇒*fringing, edging, trimming, thrum* **0.2** [⟨fig.⟩ overbodige opsiering] *frill* ⇒*frippery, furbelow, trimmings* ◆ **3.1** de ~s hangen eraan *it is frayed;* met ~(s) versieren *fringe, thrum* **3.2** iets van alle ~ ontdoen *strip sth. of all its frills, cut out the frills* **6.1** een gordijn met ~ *a fringed curtain* **6.2 zonder** ⟨overbodige⟩ ~ *stripped/shorn of all its frills/trimmings, straight(forward).*

franjeachtig ⟨bn.⟩ **0.1** [op franje lijkend] *fringy* **0.2** [⟨biol.⟩] *laciniate(d).*

franjerif ⟨het⟩ **0.1** *fringing reef.*

franjevleugeligen ⟨zn.mv.⟩ **0.1** *thysanoptera.*

frank¹ ⟨de (m.)⟩ **0.1** *franc.*

frank² ⟨bn.,bw.;-ly⟩ **0.1** [openhartig, vrij] *frank* ⇒*candid, outspoken, open(-hearted), honest* **0.2** [vrijpostig] *blunt* ⇒*forward,* ⟨brutaal⟩ *impudent, brash, cheeky* ◆ **2.1** ~en vrij *free as air/a bird/the wind* **3.2** iem. ~ de waarheid zeggen *be brutally frank/honest with s.o..*

frankeerkosten ⟨zn.mv.⟩ **0.1** *postage* ⟨van brief enz.⟩; *carriage* ⟨van goederen⟩.

frankeermachine ⟨de (v.)⟩ **0.1** [B]*franking machine,* [A]*postage meter.*

frankeerstempel ⟨het⟩ **0.1** [stempelafdruk] *frank, charge postmark,* [A]*indicia* ⇒≠*postmark* **0.2** [gereedschap] *stamp.*

frankeerzegel ⟨het⟩ **0.1** *postage stamp.*

frankeren ⟨ov.ww.⟩ **0.1** ⟨concreet, met machine⟩ [B]*frank,* [A]*meter;* ⟨concreet, met postzegel⟩ *stamp* ⇒⟨betalen⟩ *prepay* ◆ **1.1** gefrankeerde brieven *prepaid letters;* een gefrankeerde enveloppe *a stamped envelope* **5.1** machinaal ~ [B]*machine-frank,* [A]*meter;* onvoldoende gefrankeerd *underpaid, underfranked, understamped, insufficiently (pre)paid/stamped;* ⟨op envelop⟩ *postage due;* volledig ~ *fully prepaid* **6.1** met een handtekening ~ *frank* **8.1** ~ als brief/drukwerk *pre-pay/stamp at the letter post rate/at the printed paper rate.*

frankering ⟨de (v.)⟩ **0.1** ⟨concreet, met machine⟩ [B]*franking,* [A]*metering;* ⟨concreet, met postzegel⟩ *stamping;* ⟨het betalen⟩ *prepayment* ◆ **2.1** onvoldoende ~ *underpayment, understamping* **3.1** de ~ is verhoogd *the postage has been increased* **6.1** ~ bij abonnement *(postage) paid* **8.1** handtekening die geldt als ~*frank.*

Frankfort ⟨het⟩ **0.1** *Frankfurt* ⇒*Frankfort.*

frankforter ⟨de (m.)⟩ **0.1** *frankfurter, hot dog;* ⟨inf.⟩ *frank.*

Frankisch¹ ⟨het⟩ **0.1** *Frankish* ⇒⟨taal.ook⟩ *Franconian.*

Frankisch² ⟨bn.⟩ **0.1** *Frankish* ⇒⟨taal.ook⟩ *Franconian* ◆ **1.1** de ~e koningen *the Frankish kings;* ⟨lit.⟩ ~e romans *Frankish romances.*

Frankrijk ⟨het⟩ **0.1** *France* ◆ **6.1** ⟨fig.⟩ leven/een leven hebben als God in ~ *live the life of Riley/Reilley, be/live in clover, have a place in the sun.*

Frans¹

I ⟨het⟩ **0.1** [taal] *French* ⇒⟨scherts.⟩ *Frog, parley-voo* ◆ **1.1** ⟨fig.⟩ daar is geen woord ~ bij *that is plain English/speaking* **3.1** ~ kennen als een koe Spaans *not know a (single) word of French* **6.1** in het ~ *in French;* ⟨schr.⟩ *gallice;*

II ⟨de (m.)⟩ ◆ **2.¶** leven als vrolijk ~je *lead a* [B]*gay/*[A]*high life;* een vrolijke ~ *a gay spark/blade,* [B]*a bit of a lad.*

Frans² ⟨bn.⟩ **0.1** *French* ⇒⟨vaak scherts.⟩ *Gallic,* ⟨scherts., pej.⟩ *Frog, froggy* ◆ **1.1** ⟨herald.⟩ de ~e lelie *fleur-de-lis/-lys;* een ~ schip *a French ship, a Frenchman* **1.¶** ~e complimenten *sweet nothings, idle talk, blamey;* iets met de ~e slag doen, zich met de ~e slag van iets afmaken *scamp sth., make a slapdash/* [†]*perfunctory job of sth., give sth. a lick and a promise;* een ~ slot *a double-sided lock;* ⟨boek.⟩ een ~e titel *a half/bastard title;* ~e toer/nummertje *a bit of French;* ⟨fellatio⟩ *a blow-job* **3.1** manie voor (alles) wat ~ is *Gallomania, Francomania, passion for everything/all things French;* voorliefde voor (alles) wat ~ is *predilection for/partiality to everything/all things French, Francophilia* **7.1** de ~en *the French;* twee ~en *two French people; two Frenchmen* ⟨m.⟩.

Frans-Duits ⟨bn.⟩ **0.1** *Franco-German.*

fransen ⟨onov.ww.⟩ **0.1** *walk like a duck.*

Fransgezind ⟨bn.⟩ **0.1** *pro-French* ⇒*Francophile.*

fransje ⟨het⟩ **0.1** [Frans broodje] *French roll* **0.2** [Goudse kaas] *'fransje'* ⟨*Gouda cheese of between 9 and 10 pounds*⟩.

franskiljon ⟨de (m.)⟩ **0.1** *pro-French Fleming* ⇒*Gallicized Fleming.*

Fransman ⟨de (m.)⟩ **0.1** *Frenchman.*

Fransoos ⟨de (m.)⟩ ⟨pej.⟩ **0.1** *Frenchy* ⇒*Frog(gy), frogeater, Gaul.*

Franssprekend ⟨bn.⟩ **0.1** *French-speaking* ⇒*Francophone* ◆ **1.1** het ~ deel van België *the French-speaking part of Belgium.*

Franstalig ⟨bn.⟩ **0.1** [met het Frans als moedertaal] *French-speaking* ⇒*Francophone* **0.2** [het Frans als hoofdtaal gebruikend] *French-speaking* ⇒*Francophone* **0.3** [in het Frans gesteld] *French* ⇒*French-language* ◆ **1.2** een ~e Canadees *a French-speaking Canadian, a French-Canadian;* ⟨Can.E;bel.⟩ *a pea-souper* **1.3** het ~e exemplaar v.h. verdrag *the French text of the treaty.*

frappant ⟨bn.,bw.;-ly⟩ **0.1** *striking* ⇒*remarkable, conspicuous* ◆ **1.1**

---

een ~ detail *a conspicuous/s. detail;* een ~e gelijkenis *a s. resemblance* **3.1** hij lijkt ~ op zijn moeder *he looks just like/* [†]*remarkably like his mother.*

frapperen ⟨ov.ww.⟩ **0.1** [treffen, opvallen] *strike* **0.2** [in/met ijs afkoelen] *ice* ⇒*chill, cool* ◆ **4.1** wat mij altijd frappeert bij hem *what always strikes me about him, what I always find striking/remarkable about him.*

frase ⟨de v.)⟩ **0.1** [spreekwijze, volzin] *phrase* **0.2** [⟨pej.⟩] *hollow phrase* **0.3** [⟨muz.⟩] *phrase* ◆ **2.1** de geijkte ~ *the set p. / expression* **2.2** het zijn holle ~n *they're just hollow phrases, that's just (idle/ empty) talk/just rhetoric/nothing but hot air* **6.1 in** ~n verdelen *phrase.*

fraseologie ⟨de (v.)⟩ **0.1** [woordkeus, zinsbouw] *phraseology* **0.2** [⟨pej.⟩] *rhetoric* ⇒*verbiage,* [↓]*(idle) talk, hot air* ◆ **1.2** wat hij zegt, is niets dan ~ *what he says is pure verbiage/is just/mere r. / is just/all hot air/idle talk.*

fraseren ⟨ov.ww.⟩ **0.1** *phrase.*

frasering ⟨de (v.)⟩ **0.1** [het waarneembaar maken v.d. opbouw v.d. zin] *phrasing* **0.2** [⟨muz.⟩] *phrasing.*

frater ⟨de (m.)⟩ **0.1** [kloosterling] *friar, brother* ⇒⟨Italië⟩ *Fra, frate,* ⟨vero.⟩ *frater* **0.2** [in het onderwijs werkzame kloosterling] *(lay) brother.*

fraterniseren ⟨onov.ww.⟩ **0.1** *fraternize.*

fraterniteit ⟨de (v.)⟩ **0.1** *fraternity* ⇒⟨vnl. rel./ caritatief⟩ *confraternity,* ⟨kloostergemeenschap⟩ *friary.*

fraterschool ⟨de⟩ **0.1** ≠*(Christian) Brother's school.*

fratertje ⟨het⟩ **0.1** *twite (finch).*

frats ⟨de⟩ **0.1** [grimas, koddig gebaar] *(funny) face* ⇒ [†]*grimace* **0.2** [⟨mv.⟩ grillen] *whims* ⇒*fads, caprices* **0.3** [⟨mv.⟩ streken] *antics* ⇒*pranks* ◆ **2.2** nieuwe ~en ≠*newfangled ideas, fads;* rare ~en *strange quirks/w.* **3.1** ~en maken *pull (funny) faces,* [†]*grimace* **3.3** ~en maken *play pranks/tricks.*

fratsel ⟨de (m.)⟩ **0.1** *frill* ◆ **1.1** frutsels en ~s *frills, bibs ans bobs, (k)nick(k)nacks.*

fratsenmaker ⟨de (m.)⟩, **-maakster** ⟨de (v.)⟩ **0.1** *buffoon, clown.*

fraude ⟨de⟩ **0.1** *fraud* ⇒⟨malversatie⟩ *malversation,* ⟨verduistering⟩ *embezzlement, misappropriation (of funds),* ⟨inf.⟩ *fiddle* ◆ **3.1** ~ plegen *commit/practise/perpetrate fraud;* ⟨mbt. een bep. geval⟩ *commit/ perpetrate a fraud* **6.1** wegens ~ veroordeeld worden *be convicted of fraud.*

frauderen ⟨onov.ww.⟩ **0.1** *commit/practise/perpetrate fraud* ◆ **1.1** ~de employés *fraudulent/dishonest employees.*

fraudeur ⟨de (m.)⟩ **0.1** *fraud* ⇒*cheat,* [↓]*swindler,* ⟨inf.⟩ *fiddler.*

frauduleus ⟨bn., bw.;-ly⟩ **0.1** *fraudulent* ⇒⟨inf.⟩ *crooked* ◆ **1.1** ~ bankroet *f. bankruptcy;* bij frauduleuze invoer *in case of smuggling.*

frazelen ⟨onov.ww.⟩ ⟨AZN⟩ **0.1** *prattle* ⇒*chatter.*

freak ⟨de⟩ **0.1** [⟨ook in samenst.⟩ fanaat] *freak* ⇒*nut,* [†]*fanatic,* [†]*fan,* [†]*buff* **0.2** [gebruiker van hard drugs] *freak* ⇒*junkie, head* **0.3** [iem. die moeilijkheden heeft met zijn omgeving] *freak* ⇒*weirdo, nut, oddball, crackpot* **0.4** [tot de underground behorend persoon] *freak* ⇒*dropout, hippie* ◆ **1.1** een filmfreak *a film freak/nut/fan/buff.*

freatisch ⟨bn.⟩ **1.¶** ~ vlak *water table.*

free-lance ⟨bn., bw.⟩ **0.1** *free-lance* ◆ **1.1** ~ medewerker *free-lance(r);* ~ ontwerper *f.-l. designer* **3.1** hij werkt ~ *he works f.-l..*

free-lancer ⟨de (m.)⟩ **0.1** *free-lance(r)* ◆ **8.1** als ~ werken *free-lance, work free-lance.*

frees ⟨de⟩ **0.1** [⟨ind.⟩] *fraise* ⇒⟨milling⟩ *cutter* **0.2** [⟨landb.⟩] *rotary cultivator/tiller.*

freesbank ⟨de⟩ **0.1** *milling machine, miller.*

freesmachine ⟨de (v.)⟩ **0.1** *milling machine* ⇒*milling cutter, miller.*

freewheelen ⟨onov.ww.⟩ **0.1** [mbt. een fiets] *freewheel* ⇒*coast* **0.2** [(laten) doorlopen] *let roll* ⇒*let go* **0.3** [⟨fig.⟩ zijn gemak ervan nemen] *freewheel, coast (along)* ⇒*take it/ things easy.*

fregat ⟨het⟩ **0.1** *frigate.*

fregatvogel ⟨de (m.)⟩ **0.1** *frigate bird* ⇒*man-of-war bird.*

Freinetonderwijs ⟨het⟩ **0.1** *Freinet education.*

frêle ⟨bn., bw.⟩ **0.1** *frail* ⇒*delicate, brittle.*

frenesie ⟨de (v.)⟩ **0.1** *frenzy.*

frenetiek ⟨bn., bw.;-ally⟩ **0.1** *frenetic* ⇒*frenzied, frantic.*

frenologie ⟨de (v.)⟩ **0.1** *phrenology.*

frenologisch ⟨bn., bw.;-ally⟩ **0.1** *phrenologic(al)* ◆ **1.1** ~e onderzoekingen *phrenological investigations.*

freon ⟨de (m.)⟩ **0.1** *Freon.*

frequent ⟨bn., bw.;-ly⟩ **0.1** *frequent.*

frequentatief¹ ⟨het⟩ ⟨taal.⟩ **0.1** *frequentative.*

frequentatief² ⟨bn.⟩ **0.1** *frequentative* ⇒*iterative* ◆ **1.1** frequentatieve betekenis *f. meaning.*

frequenteren ⟨ov.ww.⟩ **0.1** *frequent, visit frequently, patronize* ⟨zaak, café enz.⟩, *associate with* ⟨iem.⟩.

frequentie ⟨de (v.)⟩ **0.1** [het veelvuldig voorkomen] *frequency* **0.2** [aantal malen dat een verschijnsel zich voordoet] *frequency* ⇒*incidence* **0.3** [aantal malen dat een beweging plaatsheeft] *frequency* ⇒*rate* **0.4** [aantal perioden per seconde v.e. wisselstroom] *frequency* ◆ **1.1** uit de frequentie van zijn bezoeken kun je afleiden dat ...*from the f. of his visits you can infer/deduce that* ... **1.3** de~ van zijn ademhalingsbewegingen *his breath rate, the f. of his breathing;* de~ van zijn hartslag *his pulse (rate), the f. / rate of his pulse* **2.1** een opvallende~*a remarkable f.* **2.2** relatieve~ *relative f..*

frequentieband ⟨de (m.)⟩ **0.1** *frequency band* ⇒↓*band.*
frequentiebereik ⟨het⟩ **0.1** *frequency range.*
frequentiecijfer ⟨het⟩ **0.1** *frequency number.*
frequentielijst ⟨de⟩ **0.1** *frequency list.*
frequentiemeter ⟨de (m.)⟩ **0.1** *frequency meter.*
frequentiemodulatie ⟨de (v.)⟩ **0.1** *frequency modulation* ⇒*FM.*
fresco ⟨het⟩ **0.1** *fresco* ⇒≠*mural,* ≠*wall-painting* ◆ **¶**.1 al~, in~ *in f..*
fresia ⟨de⟩ **0.1** [plant] *freesia* **0.2** [stengel met bloemen] *freesia.*
fret
  I ⟨het⟩ **0.1** [dier] *ferret* ⇒⟨mannetje⟩ *hob;*
  II ⟨de (m.)⟩ ⟨amb.⟩ **0.1** [schroefboor] *gimlet;*
  III ⟨de (m.)⟩ **0.1** [mbt. snaarinstrumenten] *fret.*
fretloos ⟨bn.⟩ **0.1** *unfretted* ⇒*fretless.*
frettejacht ⟨de⟩ **0.1** *ferreting.*
fretten ⟨onov.ww.⟩ **0.1** *ferret* ⇒*go ferreting.*
fretzaag ⟨de⟩ **0.1** *fretsaw.*
freudiaans ⟨bn.⟩ **0.1** *Freudian* ◆ **1.1** een~e vergissing/verspreking *a F. slip.*
freule ⟨de (v.)⟩ **0.1** ≠*gentlewoman, lady* ◆ **¶**.1 ~ A. ≠*the Lady A., the Honourable Miss A..*
frezen ⟨ov.ww.⟩ **0.1** [met de frees bewerken] *mill* **0.2** [⟨landb.⟩] *work with a/the rotary cultivator.*
fricandeau ⟨de (m.)⟩ **0.1** *fricandeau.*
fricassee ⟨de (v.)⟩ **0.1** *fricassee.*
fricatief ⟨de (m.)⟩ ⟨taal.⟩ **0.1** *fricative.*
frictie ⟨de (v.)⟩ **0.1** [wrijving] *friction* **0.2** [onenigheid] *friction.*
frictiekoppeling ⟨de (v.)⟩ **0.1** *friction clutch.*
frictieplaat ⟨de⟩ **0.1** *friction disc.*
frictiewerk(e)loosheid ⟨de (v.)⟩ **0.1** *frictional unemployment.*
friction ⟨de (v.)⟩ **0.1** [hoofdwassing] *friction* ⇒*scalp massage* **0.2** [haarwater] *friction* ⇒*hair lotion.*
frictioneren ⟨ov.ww.⟩ **0.1** [met een friction behandelen] *give s.o. a scalp massage, massage s.o.'s scalp* **0.2** [een weke stof persen]⟨zie 7.2⟩ ◆ **7.2** het~ *friction glazing.*
friemelen ⟨onov.ww.⟩ **0.1** *fiddle* ⇒*twiddle, fidget* ◆ **3.1** ergens in zitten te~ *fiddle about in sth.* **6.1** ~ **aan/met** *fiddle/fidget with.*
fries
  I ⟨het⟩ **0.1** [wollen stof] *frieze;*
  II ⟨het, de⟩ ⟨bouwk.⟩ **0.1** [gestel] *frieze* **0.2** [versierde strook] *frieze.*
Fries[1]
  I ⟨de (m.)⟩ **0.1** [persoon] *Fri(e)sian;*
  II ⟨het⟩ **0.1** [taal] *Fri(e)sian.*
Fries[2] ⟨bn.⟩ **0.1** *Fri(e)sian* ◆ **1.1** ~ bont *Frisian (cotton) prints;* een~e klok *a Frisian clock;* ~ rund *Friesian,* [A]*Holstein(-Friesian);* ~ steen *'Friese steen'* ⟨*kind of yellow brick*⟩; ~ vee *Friesians,* [A]*Holsteins* **1.¶** er zit een~e kop op ≠*he/she is as stubborn as a mule;* ⟨mil.⟩ ~e ruiters *chevaux de frise.*
Friese ⟨de (v.)⟩ **0.1** *Frisian (woman).*
Friesland ⟨het⟩ **0.1** *Friesland.*
friet ⟨de⟩, **frieten** ⟨zn.mv.⟩ ⟨AZN⟩ **0.1** [B]*chips,* [A]*French fries* ⇒⟨AE⟩ [↑]*French fried potatoes* ◆ **1.1** een zakje/portie ~ *a bag/portion of c. / F.f.* **2.1** ~ speciaal *c. with mayonnaise, tomato sauce and chopped onions* **6.1** ~ **mét/met** mayonaise *c. / F.f. with/and mayonnaise,* [B]≠*chips with sauce;* ~ **zonder** *c. with salt only;* [↓]*c. with just salt* **¶**.1 voor drie gulden~ *three guildersworth of chips.*
frietje ⟨het⟩ **0.1** [patatje] *chip* **0.2** [zakje friet] [B]*bag of chips,* [A]*bag of French fries* ⇒ [↑]*portion of chips/French fries* ◆ **2.1** dunne~s *match-stick potatoes,* [B]*thin chips,* [A]*shoe-string potatoes.*
frietkraam ⟨het, de⟩ **0.1** ≠[B]*fish and chips stand;* ≠[A]*hot dog stand.*
friettent ⟨de⟩ **0.1** [B]*fish and chips stand;* ≠[B]*chippy;* ≠[A]*hamburger joint.*
frigidaire ⟨de⟩ **0.1** *Frigidaire* ⇒*fridge,* [↑]*refrigerator,* [A]*icebox.*
frigide ⟨bn.⟩ **0.1** *frigid* ⇒*undersexed.*
frigiditeit ⟨de (v.)⟩ **0.1** *frigidity* ⇒⟨med.⟩ *anaphrodisia.*
frigorie ⟨de (v.)⟩ **0.1** *frigory.*
frijnen ⟨ov.ww.⟩ **0.1** *drove, stripe.*
frik ⟨de (m.)⟩ **0.1** ⟨AE⟩ *school-ma'm/-ma'am/-marm* ⟨v.⟩; ⟨BE, AE;⟩ [↑]⟩ *schoolmaster* ⟨m.⟩, *schoolmistress* ⟨v.⟩, *schoolteacher* ⟨m., v.⟩; ⟨BE; vero.⟩ *beak* ⇒ [↑]*pedant.*
frikadel ⟨de⟩ **0.1** *minced-meat ball.*
frikkerig ⟨bn.⟩ **0.1** *schoolmasterish* ⟨van man⟩; *schoolmistressy,* ⟨AE ook⟩ *schoolmarmish* ⟨van vrouw⟩ ⇒ [↑]*pedantic.*
fris[1] ⟨het, de (m.)⟩ **0.1** *soft drink* ⇒⟨BE; vnl. mv.⟩ *mineral,* ⟨inf.⟩ *pop* ◆ **1.1** een glaasje~ *a soft drink.*
fris[2] ⟨bn.⟩ ⟨→sprw. 170⟩ **0.1** [fit, gezond, vers] *fresh* ⇒⟨mbt. lichamelijke toestand ook⟩ *fit, lively, brisk, sprightly* **0.2** [onbevangen] *fresh* **0.3** [niet benauw(en)d] *fresh* ⇒*airy, breezy* **0.4** [schoon, hygiënisch] *fresh* ⇒*clean, bright* **0.5** [verfrissend] *refreshing* **0.6** [tamelijk koel] *fresh* ⇒*cool(ish), chilly, nippy,* ⟨BE; inf.⟩ *parky* ◆ **1.1** ~se kleuren *f. colours;*

met~se moed *with f. courage/heart;* ⟨scherts.⟩ met~se tegenzin ≠*not exactly bursting with enthusiasm* **1.2** een~se kijk op de zaak hebben *have a f. view of the matter* **1.3** een~se adem *f. breath;* een ~se kamer *an airy room;* ~se lucht *f. air;* een~se neus halen *get some f. air, get a breath of f. air;* ⟨fig.⟩ dat is geen~zaakje *that's a bit fishy, there's sth. fishy about that (business); it's a shady business* **1.5** een~ drankje *a r. drink* **1.6** een~se bries/wind *a fresh breeze/wind* **1.¶** er waait een~se wind door Europa *there is a wind of change blowing through Europe* **2.1** ~ en gezond *fit and well, hale and hearty* **3.1** zich ~ voelen *feel fresh/fit/* ⟨inf.⟩ *full of beans* **3.3** het ruikt hier niet~ *it's stuffy (in) here* **3.4** de keuken ziet er niet~ uit *the kitchen doesn't look very clean* **5.4** dat is weer lekker~ *now it's clean and bright again* **6.¶** ~ **van** de lever *straight from the shoulder;* **van** de~se! *cheers!, down the hatch!* dat is niet **van** de~se *that's pretty nasty/revolting* **8.1** zo~ als een hoentje *as fit as a fiddle, as f. as a daisy/as paint, as chirpy /lively as a cricket.*
frisdrank ⟨de (m.)⟩ **0.1** *soft drink* ⇒⟨BE; vnl. mv.⟩ *mineral,* ⟨inf.⟩ *pop,* ⟨AE; frisdrank om andere dranken mee aan te lengen⟩ *mixer.*
friseereijzer ⟨het⟩ **0.1** *curling/crimping iron.*
friseren ⟨ov.ww.⟩ **0.1** [doen krullen] *curl, crimp, crisp, frizz, frizzle* **0.2** [⟨ind.⟩ mbt. stoffen] *frizz.*
frisheid ⟨de (v.)⟩ **0.1** *freshness* ⇒⟨mbt. temperatuur ook⟩ *coolness, chilliness.*
frisicus ⟨de (m.)⟩ →*frisist.*
frisisme ⟨het⟩ **0.1** [taaleigenaardigheid] *Frisian term/expression/construction* ⇒*Frisianism* **0.2** [Fries woord in het Nederlands] *Frisian word* ⇒*Frisianism.*
frisist ⟨de (m.)⟩ **0.1** *linguist/philologist of Frisian.*
frisjes ⟨bn.⟩ **0.1** *chilly, nippy* ⇒ [↑]*cool, fresh,* ⟨BE; inf.⟩ *parky* ◆ **3.1** het is ~ vandaag *it's chilly today, there is a nip in the air today;* ⟨BE; inf.⟩ *it's (a mite) parky today.*
frisket ⟨het⟩ ⟨druk.⟩ **0.1** *frisket.*
frisling ⟨de (m.)⟩ **0.1** *youg wild boar.*
frisuur ⟨de (v.)⟩ **0.1** ⟨van een vrouw⟩ *hair-style, coiffure* ⇒⟨inf.⟩ *hair-do,* ⟨van een man⟩ *hair-cut.*
frites →*friet.*
friteuse ⟨de (v.)⟩ **0.1** *deep-frying pan, deep fryer* ⇒⟨BE ook⟩ *chip pan.*
frituren ⟨ov.ww.⟩ **0.1** *deep-fry.*
frituur ⟨de (v.)⟩ **0.1** [spijs] *fry* **0.2** [kraam] [B]*chip stall/stand,* [A]*French fries stand* ⇒⟨BE; ≠⟩ *(fish and) chip shop,* ⟨BE; gew.⟩ *chippy.*
frituurmand ⟨de⟩ **0.1** [B]*chip basket,* [A]*basket (for the deep (fat) fryer).*
frituurpan ⟨de⟩ **0.1** *deep frying pan* ⇒⟨elektrisch⟩ *deep fryer/frier,* [B]*chip pan.*
frituurvet ⟨het⟩ **0.1** *frying fat* ⇒*fat for deep-frying.*
fritvlieg ⟨de⟩ **0.1** *frit fly.*
frivolité ⟨het⟩ **0.1** [knoopwerk] *tatting* **0.2** [hapje bij de borrel] *canapé* ⇒*cocktail snack.*
frivoliteit ⟨de (v.)⟩ **0.1** *frivolity* ⇒*levity.*
frivool ⟨bn., bw.; -ly⟩ **0.1** *frivolous* ◆ **1.1** ~ vermaak *dissipation.*
fröbelen ⟨onov.ww.⟩ **0.1** ≠*play/mess around/about.*
fröbelschool ⟨de⟩ **0.1** *kindergarten* ⇒*playschool.*
froisseren ⟨ov.ww.⟩ ⟨schr.⟩ **0.1** *hurt (s.o.'s) feelings, offend (s.o.).*
frommel ⟨de (m.)⟩ **0.1** *wrinkle* ⇒*crease, pucker.*
frommelen
  I ⟨onov.ww.⟩ **0.1** [friemelen] *fidget* ⇒*fiddle, fumble* ◆ **6.1 aan** het tafelkleed~ *fiddle/fumble with the tablecloth;*
  II ⟨ov.ww.⟩ **0.1** [verkreukelen] *crumple (up)* ⇒*screw up,* ⟨ineendrukken⟩ *rumple,* ⟨kreukels maken in⟩ *crease* **0.2** [(weg)stoppen] *stuff away* ◆ **6.1** iets in elkaar~ *crumple/screw sth. up;* papier **tot** een prop ~ *screw paper (up) into a wad/ball* **6.2** iets **onder** zijn kleren~ *stuff sth. away under one's clothing.*
frommelig ⟨bn., bw.⟩ **0.1** *(c)rumpled.*
fronde ⟨de (v.)⟩ **0.1** *opposition party/faction.*
frondel ⟨het⟩ **0.1** *browband* ⇒*front band.*
fronderen ⟨onov.ww.⟩ **0.1** *oppose, revolt.*
frondeur ⟨de (m.)⟩ **0.1** *frondeur.*
frons ⟨de⟩ **0.1** [rimpel] *wrinkle* ⇒*furrow* **0.2** [gelaatsuitdrukking] *frown* ⇒⟨boos, dreigend⟩ *scowl* **0.3** [in stof] *wrinkle, crease.*
fronsel ⟨de⟩ **0.1** *flounce.*
fronselen ⟨ov.ww.⟩ **0.1** *flounce.*
fronsen
  I ⟨ov.ww.⟩ **0.1** [tot rimpels samentrekken] *frown* ⇒⟨boos, dreigend⟩ *scowl* **0.2** [fronsels maken aan een kledingstuk] *flounce, gather* ◆ **1.1** het voorhoofd/de wenkbrauwen~ *frown, pucker (up) one's brow(s);* [↑]*knit/knot one's brow(s);* met gefronste wenkbrauwen *with a frown;*
  II ⟨wk.ww.; zich~⟩ ◆ **1.¶** zijn voorhoofd fronste zich *he knotted his brow, he frowned.*
front ⟨het⟩ **0.1** [voorzijde, voorkant] *front* ⇒⟨van gebouw ook⟩ *façade, frontage* **0.2** [⟨mil.⟩ voorste gevechtslinie, gebied waar gevochten wordt] *front* ⇒⟨vnl. fig.⟩ *forefront* **0.3** [⟨mil.⟩ eerste gelid van een troepenopstelling] *front* **0.4** [gesteven kledingstuk] *front* ⇒⟨halfhemdje ook⟩ *dick(e)y, dickie* **0.5** [⟨meteo.⟩] *front* ◆ **1.1** het~ van de auto was beschadigd *the front of the car was damaged* **2.2** het vijande-

lijke/oostelijke ~ *the enemy/eastern front* **2.3** over een breed ~ optrekken *advance on a broad f.* **3.3** ~ maken ⟨mil.⟩ *take up battle positions, form a f..;* ⟨fig.⟩ *form a (united) f. (against), make a stand (against);* eensgezind ~ maken tegen *present/show a common/united f. to* **6.1 met** het ~ naar de straat *fronting the street* **6.2 aan** het ~ sneuvelen *fall/die/be killed at the front;* **naar** het ~ gaan *go to the front;* winnen **op** alle ~en *win/be victorious on all fronts* ⟨ook fig.⟩; **op** twee ~en actief zijn *active on two fronts* **6.3 voor** het ~ komen ⟨fig.⟩ *come out (into the open)(with sth.);* **voor** het ~ van de troepen *in f. of the troops.*

frontaal[1] ⟨het⟩ **0.1** *frontal* ⇒*tabula.*

frontaal[2]
I ⟨bn.⟩ **0.1** [naar/tegen het front gericht] *frontal* ⇒⟨mbt. botsingen, confrontaties ook⟩ *head-on, front, main* (ingang) **0.2** [zich in het front bevindend] *frontal* ◆ **1.1** een frontale aanval *a f. attack;* een frontale botsing *a f. / head-on collision/crash* **1.2** ⟨school.⟩ ~ onderwijs ≠*(formal) lecturing;* ⟨inf.⟩ *chalk 'n talk;* de frontale zone *the f. zone;* ⟨bij veldslag⟩ *the front;*
II ⟨bw.⟩ **0.1** [van voren] *frontally* ⇒⟨mbt. botsingen, confrontaties ook⟩ *head-on* ◆ **3.1** ~ botsen *collide head-on, have a frontal/head-on collision/crash;* ⟨school.⟩ ~ lesgeven ≠*lecture (at).*

frontaanval ⟨de (m.)⟩ **0.1** *frontal attack.*
frontbalkon ⟨het⟩ **0.1** *dress circle.*
frontbui ⟨de⟩ ⟨meteo.⟩ **0.1** ≠*shower associated with a front.*
frontcorrectie ⟨de (v.)⟩ ⟨mil.⟩ **0.1** *narrowing of the front line* ⇒⟨euf.⟩ *strategic withdrawal.*
frontispice ⟨het⟩ **0.1** [titelblad van een boek] *decorated title-page* **0.2** [illustratie] *frontispiece* **0.3** [deel van een gevel] *frontispiece* ⇒*fronton.*
frontlijn ⟨de⟩, **frontlinie** ⟨de (v.)⟩ **0.1** *front line.*
frontlijnstaat ⟨de (m.)⟩ ⟨pol.⟩ **0.1** *front-line state.*
frontloge ⟨de⟩ **0.1** *front box.*
frontmuur ⟨de (m.)⟩ **0.1** [voormuur] *facing/face wall* **0.2** [dwarsmuur] *frontwall.*
frontogenese ⟨de (v.)⟩ ⟨meteo.⟩ **0.1** *frontogenesis.*
fronton ⟨het⟩ **0.1** *fronton* ⇒*pediment, tympan(um).*
frontpagina ⟨de⟩ **0.1** *front page* ◆ **6.1 op** de ~ *on the f. p..*
frontpassage ⟨de (v.)⟩ ⟨meteo.⟩ **0.1** *passage of a front.*
frontpijp ⟨de⟩ ⟨muz.⟩ **0.1** *case pipe* ⇒⟨figurant, stomme pijp⟩ *dummy (case) pipe,* ⟨inf.⟩ *dummy.*
frontplaat ⟨de⟩ **0.1** *front panel.*
frontstuk ⟨het⟩ **0.1** *browband* ⇒*front band.*
frontstuurcabine ⟨de (v.)⟩ **0.1** *cab-over(-engine).*
frontvorming ⟨de (v.)⟩ **0.1** [⟨meteo.⟩] *frontogenesis* **0.2** [⟨pol.⟩] *formation of a front.*
frotté ⟨het⟩ →*frottéweefsel.*
frotteren ⟨ov.ww.⟩ **0.1** *rub (in)* ⇒⟨bk.⟩ *make a rubbing of.*
frottéweefsel ⟨het⟩ **0.1** *terry (cloth)* ⇒≠*towelling.*
frou-frou
I ⟨de (m.)⟩ **0.1** [koekje] ≠*Viennese shortbread,* ≠*wafer;*
II ⟨het⟩ **0.1** [vertoon van ritselende onderkleren] *frou-frou* **0.2** [ponyhaar] *fringe* ⇒*bang.*
fructifiëren ⟨onov.ww.⟩ **0.1** *fructify.*
fructivoor ⟨de (m.)⟩ **0.1** *herbivore* ⇒⟨alleen vruchten⟩ *frugivore.*
fructose ⟨de⟩ ⟨schei.⟩ **0.1** *fructose* ⇒*l(a)evulose.*
fructuarius ⟨de (m.)⟩ ⟨jur.⟩ **0.1** *usufructuary.*
frugaliteit ⟨de (v.)⟩ **0.1** *frugality.*
fruit ⟨het⟩ **0.1** *fruit* ◆ **2.1** hard ~ *firm f.;* klein ~ *small f.;* zacht ~ *soft f.* **2.¶** Turks ~ *Turkish delight* **8.1** ~ als dessert *f. as dessert.*
fruitareaal ⟨het⟩ **0.1** *acreage under fruit-cultivation* ⇒*fruit-growing acreage.*
fruitautomaat ⟨de (m.)⟩ **0.1** *fruit/*[A]*slot machine* ⇒⟨inf.⟩ *one-armed bandit.*
fruitboom ⟨de (m.)⟩ **0.1** *fruit-tree* ⇒*fruiter.*
fruitcorso ⟨het⟩ **0.1** *fruit parade.*
fruiten ⟨ov.ww.⟩ **0.1** *fry* ⇒*sauté* ◆ **1.1** vlees, uien ~ *f. meat/onions.*
fruithandel ⟨de (m.)⟩ **0.1** [⟨alg.⟩] *fruit trade* **0.2** [zaak, winkel] *fruiter-er's.*
fruithandelaar ⟨de (m.)⟩ **0.1** *fruiterer* ⟨winkelier⟩ ⇒*fruit merchant/trader/dealer* ⟨groothandelaar⟩.
fruitig ⟨bn.⟩ **0.1** *fruity.*
fruitjaar ⟨het⟩ ◆ **2.¶** het is een goed/slecht ~ *it is a good/bad year for fruit.*
fruitkoopman ⟨de (m.)⟩ **0.1** *fruit merchant* ⇒*fruiterer.*
fruitkweker, -teler ⟨de (m.)⟩ **0.1** *fruit grower* ⇒*fruit farmer, orchardman,* ⟨AE ook⟩ *orchardist.*
fruitkwekerij ⟨de (v.)⟩ **0.1** [bedrijf] *fruit farm* ⇒*fruit garden/plantation, orchard* **0.2** [⟨alg.⟩] *fruit farming* ⇒*orcharding.*
fruitmand ⟨de⟩ **0.1** *fruit basket.*
fruitmes ⟨het⟩ **0.1** *fruit knife.*
fruitsalade ⟨de⟩ **0.1** *fruit salad.*
fruitschaal ⟨de⟩ **0.1** *fruit-bowl/* ⟨vlak⟩ *-dish.*
fruitstalletje ⟨het⟩ **0.1** *fruit stall* ⇒*fruit stand, applecart,* ⟨BE ook⟩ *(fruit) barrow.*

fruitteelt ⟨de⟩ **0.1** *fruit growing/farming/culture* ⇒⟨wet.⟩ *pomology.*
fruitveiling ⟨de (v.)⟩ **0.1** *fruit auction.*
fruitventer ⟨de (m.)⟩ **0.1** *fruit seller* ⇒⟨BE ook⟩ *barrow boy,* ⟨zeldz.⟩ *coster(monger).*
fruitverkoper ⟨de (m.)⟩ **0.1** *fruit seller, fruiterer.*
fruitwinkel ⟨de (m.)⟩ **0.1** *fruit shop, fruiterer's shop.*
frul ⟨AZN⟩
I ⟨de⟩ **0.1** [prul, nietigheid] *bauble, trinket* ⇒*frill, knick-knack;*
II ⟨de (m.)⟩ **0.1** [waardeloos iem.] *(a) nobody* ⇒ [↑]*non-entity.*
frullen ⟨onov.ww.⟩⟨AZN⟩ **0.1** *fiddle* ⇒*tinker (with).*
frunniken
I ⟨onov.ww.⟩ **0.1** [peuterachtig werk doen] *fiddle, tinker, potter (about)* **0.2** [friemelen] *fiddle, fidget* ◆ **6.2 aan** iem. ~ *fumble at/with s.o.;*
II ⟨ov.ww.⟩ **0.1** [(weg)stoppen] *stuff (away, in)* ◆ **6.1** iets in een la ~ *stuff sth. in a drawer.*
frustratie ⟨de (v.)⟩ **0.1** [teleurstelling] *frustration* **0.2** [het frustreren] *frustration.*
frustratoir ⟨bn.⟩ ⟨jur.⟩ **0.1** *frustratory.*
frustreren ⟨ov.ww.⟩ **0.1** [teleurstellen, ontzeggen] *frustrate* **0.2** [dwarsbomen, verijdelen] *frustrate* ⇒*thwart, foil* ◆ **3.1** dat werkt ~d *that is frustrating.*
frutsel ⟨het⟩ **0.1** *knick-knack, trinket* ◆ **6.1** een kamer met veel ~tjes *a room full of bric-à-brac/knick-knacks.*
frutselaar ⟨de (m.)⟩ **0.1** *fiddler, tinkerer.*
frutselen ⟨onov.ww.⟩ **0.1** *fiddle, tinker.*
frutselwerk ⟨het⟩ **0.1** *fiddling, tinkering, pottering (about).*
f-sleutel ⟨de (m.)⟩⟨muz.⟩ **0.1** *bass clef* ⇒*F clef.*
ftaalzuur ⟨het⟩ **0.1** *phthalic acid.*
F.T.C.-norm ⟨de⟩ ⟨audio⟩ **0.1** *FTC standard.*
ftisis ⟨de (v.)⟩ **0.1** *phthisis* ⇒*tuberculosis.*
fuchsia ⟨de⟩ **0.1** [plant] *fuchsia* **0.2** [kleurstof] *fuchsin(e)* ⇒*magenta.*
fuchsine ⟨de⟩ **0.1** *fuchsin(e)* ⇒*magenta.*
fuga ⟨de⟩ ⟨muz.⟩ **0.1** *fugue.*
fugatisch ⟨bn., bw.; -ly⟩ ⟨muz.⟩ **0.1** *fugal* ⇒*fuguing, fugued.*
fugato ⟨het⟩ ⟨muz.⟩ **0.1** *fugato.*
fuif ⟨de⟩ **0.1** *party* ⇒⟨BE ook⟩ *do,* ⟨inf.⟩ *bash,* ⟨eet-/drinkpartij⟩ *binge* ◆ **2.1** Amerikaanse ~ *bottle p.* **3.1** een ~ geven/houden *have/throw/give a p..*
fuifnummer ⟨het⟩ **0.1** *partygoer, merrymaker* ⇒*reveller, man about town* ◆ **3.1** het is een echt ~ *(s)he's a great/real one for parties, (s)he's a/the party-going type, (s)he's quite a/a real/a regular partygoer.*
fuifroeien ⟨ww.⟩ **0.1** *row for pleasure/fun.*
fuik ⟨de⟩ **0.1** *fyke (net)* ⇒*hoop-net,* ⟨fig.⟩ *snare, trap* ◆ **2.1** een dubbele ~ *double trap* **3.1** een ~ lichten *empty a net;* een ~ uitzetten ⟨fig.⟩ *set/lay a trap;* ⟨lett.⟩ *put out a fyke net* **6.1** ⟨fig.⟩ in de ~ lopen *walk/fall into a/the trap;* ⟨ihb. in discussie⟩ *rise to the bait;* ⟨fig.; scherts.⟩ hij zit **in/is in** de ~ (gelopen) *he is/has been/got hooked/caught/spliced.*
fuiknet ⟨het⟩ **0.1** *fyke net.*
fuiven
I ⟨onov.ww.⟩ **0.1** [feestvieren] *have a binge/spree* ⇒*go on the binge, make merry,* [↑]*celebrate* ◆ **6.1** we hebben **tot** diep in de nacht (door) gefuifd *the party went on into the small hours, we were merrymaking till the small hours;*
II ⟨onov., ov.ww.⟩ **0.1** [trakteren] *treat* ◆ **6.1** iem. **op** gebak ~ *treat s.o. to cakes/a cake* **¶.1** ik fuif *it's my treat.*
full-time ⟨bn., bw.⟩ **0.1** *full-time* ◆ **1.1** ~ prof *f.-t. professional/* ⟨inf.⟩ *pro.*
fulminant ⟨bn.⟩ **0.1** *fulminant* ⇒*fulminating, fulminatory.*
fulmineren ⟨onov.ww.⟩ **0.1** *fulminate* ⇒*thunder, inveigh (against)* ◆ **6.1** zij fulmineerde **tegen** de pers *she fulminated against/* ⟨inf.⟩ *lashed out at/against the press.*
fumarole ⟨de⟩ ⟨geol.⟩ **0.1** *fumarole.*
fumigatie ⟨de (v.)⟩ **0.1** *fumigation.*
fumigeren ⟨ov.ww.⟩ **0.1** *fumigate.*
functie ⟨de (v.)⟩ **0.1** [taak] *position* ⇒*post, duties, job* **0.2** [werking, activiteit] *function* **0.3** [⟨taal.⟩] *function* **0.4** [⟨wisk.⟩] *function* ◆ **2.2** ⟨psych.⟩ secundaire ~ *secondary f.* **2.4** afgeleide ~ *differential coefficient, derivative* **3.1** zijn ~ aanvaarden *take up one's duties;* een hoge ~ bekleden *hold an important position/post;* zolang hij zijn ~ bekleedt/in ~ is *during his term of office/duty, while he is in office;* zijn ~ (als penningmeester) neerleggen *resign one's position/post/job (as treasurer);* iem. van zijn ~ ontheffen *relieve s.o. of his/her duties, depose s.o.;* de ~ vervullen van boekhouder *hold the position/office of bookkeeper;* de ~ vervullen van voorzitter *act as chairman;* zijn ~ tot ieders tevredenheid vervullen/uitoefenen *perform/discharge one's duties to the satisfaction of all concerned;* dit apparaatje vervult/heeft zeer zeker een ~ *this gadget definitely has a useful f./serves a useful purpose* **6.1** in zijn ~ van *in his capacity/function as;* in ~ treden/blijven/zijn *take up/remain in/be in office;* iem. **in** zijn ~ herstellen *reinstate s.o., restore s.o. to his/her former position;* iem. **in** een ~ benoemen *appoint s.o. to a position/post;* de ~ **van** secretaris *the position/post/job/duties of secretary* **6.2** belediging v.e. ambtenaar **in** ~ *disre-*

spect to a public servant in the execution of his duties **6.4** x is een ~ **van**
y x is a f. of y.
functieanalyse ⟨de (v.)⟩ **0.1** job analysis.
functiebeoordeling ⟨de (v.)⟩ **0.1** job evaluation/rating.
functiebeschrijving ⟨de (v.)⟩ **0.1** job description ⇒job specification.
functieleer ⟨de⟩ **0.1** theory of functions ◆ **2.1** psychologische ~ ≠experimental psychology.
functieloon ⟨het⟩ **0.1** rate for the job.
functiepsychologie ⟨de (v.)⟩ **0.1** ≠experimental psychology.
functietheorie ⟨de (v.)⟩ **0.1** theory of functions.
functietoets ⟨de⟩ **0.1** function key.
functiewaardering ⟨de (v.)⟩ **0.1** job evaluation/rating.
functiewisseling ⟨de (v.)⟩ **0.1** job rotation.
functionalisme ⟨het⟩ **0.1** [⟨bouwk.⟩] functionalism **0.2** [⟨antr.⟩] functionalism **0.3** [⟨pol.⟩] functionalism **0.4** [⟨psych.⟩] functionalism ⇒ functional psychology.
functionaliteit ⟨de (v.)⟩ **0.1** [het functioneel zijn] functionality **0.2** [⟨psych.⟩] function ◆ **2.2** primaire ~ primary f..
functionaris ⟨de (m.)⟩ **0.1** official ⇒functionary ◆ **2.1** de tegenwoordige/nieuwe ~ the present incumbent, the new holder of the office/occupant of the position.
functioneel ⟨bn.⟩ **0.1** [een functie/taak hebbend] functional **0.2** [⟨wisk., psych., taal.⟩] functional ◆ **1.1** die balken zijn niet ~ those beams are not f./ non-f.; functionele vormgeving f.'design **1.2** functionele grammatica f. grammar; functionele stoornissen f. disorders; er bestaat een ~ verband tussen ... there is/exists a functional relation/connection between ....
functioneren ⟨onov.ww.⟩ **0.1** [in functie zijn] act ⇒function, operate, serve **0.2** [werken] work ⇒function, perform ◆ **5.2** niet/goed~d ⟨machine⟩ out of order, (in) working (order); de nieren ~ normaal the kidneys are functioning/working normally; de ontsteking functioneert slecht the ignition is not working/operating/functioning properly **6.2** zij functioneert het best **onder** grote druk she operates/functions/performs best under great pressure **8.1** ~ als secretaris act as secretary; ~ als zitkamer function/do duty/serve as (a) sitting-room.
fundament ⟨het⟩ **0.1** [⟨bouwk.⟩ fundering] foundation ⇒base(ment) **0.2** [⟨fig.⟩ grondslag] foundation ⇒base, basis, fundamental(s) **0.3** [zitvlak] bottom ⇒ ⟨scherts.⟩ fundament ◆ **1.2** de ~en van de welvaartstaat the foundations of the welfare state **3.1** die ~en leggen (voor) lay the foundations (for/of) **3.2** het heeft geen ~ it has no f., it is groundless/baseless/unfounded.
fundamentalisme ⟨het⟩ **0.1** fundamentalism.
fundamentalist ⟨de (m.)⟩ **0.1** fundamentalist.
fundamentalistisch ⟨bn., bw.; -ally⟩ **0.1** fundamentalist(ic).
fundamenteel
I ⟨bn.⟩ **0.1** [wezenlijk, diepgaand] fundamental ⇒basic **0.2** [tot grondslag dienend] fundamental ⇒basic, basal ◆ **1.1** fundamentele begrippen f. / basic concepts, fundamentals, essentials; van ~ belang zijn voor be of vital/f. / profound importance for/to; ~ onderzoek basic/f. research; fundamentele zwakte f. / basic weakness;
II ⟨bw.⟩ **0.1** [wezenlijk, diepgaand] fundamentally ⇒basically ◆ **3.1** wij verschillen ~ van mening we hold f. / radically/profoundly different views; our views are radically opposed.
fundatie ⟨de (v.)⟩ **0.1** [stichting] foundation **0.2** [voetstuk v.e. machine] bedplate ⇒foundation, seat.
funderen ⟨ov.ww.⟩ **0.1** [(van) grondvesten (voorzien)] found ⇒build, underpin **0.2** [⟨fig.⟩] found ⇒base, ground, establish ◆ **1.¶** een gefundeerde schuld a funded/permanent debt/liability; een ongefundeerde schuld an unfunded/a floating debt/liability **5.2** een goed gefundeerd artikel a well-founded/sound article; een standpunt theoretisch ~ back up one's views by theory, have a sound/solid theoretical basis/ground for one's opinions ... **6.1** huizen worden vaak **op** palen gefundeerd houses are often built on piles **6.2** die voorstelling is nergens **op** gefundeerd that notion is completely without foundation/has no basis in reality/is completely groundless/unfounded.
funderingsput ⟨de (m.)⟩ **0.1** foundation pit/trench ⇒building excavation.
funderingswerker ⟨de (m.)⟩ **0.1** foundation(s) worker.
fundus ⟨de (m.)⟩⟨med.⟩ **0.1** fundus.
funest ⟨bn.⟩ **0.1** fatal ⇒disastrous, pernicious, dire, calamitous, ⟨schr.⟩ baneful ◆ **1.1** ~e gevolgen dire/f. / disastrous consequences; een ~e invloed hebben have a f. / disastrous effect/influence **3.1** dat is ~ that's f. / disastrous **6.1** de droogte is ~ **voor** de tuin the drought is f. / disastrous for the garden; deze schoenen zijn ~ **voor** mijn voeten these shoes are ruining/killing my feet/murder for my feet.
fungeren ⟨onov.ww.⟩ **0.1** [de dienst verrichten van] act as ⇒function as **0.2** [in functie zijn] be the present .../ acting .../ officiating ... ◆ **1.2** de ~de president the (present) incumbent **8.1** zij fungeert voorlopig als

voorzitster she is (provisionally) acting (as) chairwoman; deze woordgroep fungeert als onderwerp this word group functions as subject.
fungibel ⟨bn.⟩⟨ec.⟩ **0.1** fungible ◆ **1.1** ~e zaken fungibles, f. goods.
fungibiliteit ⟨de (v.)⟩ **0.1** fungibility.
fungicide ⟨het⟩⟨med.⟩ **0.1** fungicide.
fungus ⟨de (m.)⟩ **0.1** fungus.
funiculaire ⟨de⟩⟨spoorw.⟩ **0.1** funicular (railway), funiculaire ⇒cable railway, ⟨inf.⟩ cable-car.
funkritme ⟨het⟩ **0.1** funk(y rhythm).
furie ⟨de⟩ **0.1** [razernij] (a) fury ⇒(a) passion, (fit of) rage, raging **0.2** [⟨myth.⟩] Fury ⇒Erinys, ⟨mv.⟩ Eumenides **0.3** [feeks, helleveeg] fury ⇒shrew, bitch, vixen, virago, hell-/wild-cat ◆ **2.1** de Franse ~ f. of the French (delivery) **8.3** tekeergaan als een ~ rave like a f., go raving mad, be in a vicious/towering/furious rage/temper, behave like a mad-man.
furieus ⟨bn., bw.; -ly⟩ **0.1** furious ⇒livid, raving, infuriated, enraged, in a rage/fury, ⟨sterk⟩ rabid.
furiositeit ⟨de (v.)⟩ **0.1** furiousness, furiosity ⇒raging, raving.
furioso ⟨bw.⟩⟨muz.⟩ **0.1** furioso.
furore ⟨de⟩ **0.1** furore ^or ⇒ **3.1** ~ maken cause/create a f.; ⟨rage⟩ become a craze; ⟨mode⟩ be all the rage, be the thing; ⟨dram.⟩ bring the house down, be a (smash) hit/the talk of the town.
furunkel ⟨de (m.)⟩⟨med.⟩ **0.1** furuncle ⇒⟨ongemarkeerd⟩ boil.
fusain ⟨de (m.)⟩⟨bk.⟩ **0.1** fusain.
fusee ⟨de (v.)⟩ **0.1** stub axle.
fuselage ⟨de (v.)⟩ **0.1** fuselage.
fuselier ⟨de (m.)⟩ **0.1** fusilier ◆ **¶.¶** Jan Fuselier ⟨BE⟩ (a) Tommy, Thomas Atkins; ⟨AE⟩ GI Joe.
fuseren ⟨onov.ww.⟩ **0.1** [samengaan (van bedrijven)] merge (with) ⇒ amalgamate (with), incorporate **0.2** [⟨nat.⟩] fuse (together) ◆ **1.1** de twee scheepvaartmaatschappijen zijn gefuseerd the two shipping companies have (been) merged **6.2** waterstofkernen ~ **bij** zeer hoge temperatuur hydrogen nuclei f. at (a) very high temperature(s).
fusie ⟨de (v.)⟩ **0.1** [het samengaan van bedrijven] merger ⇒amalgamation, combine **0.2** [smelting, gieting] fusion ⇒melting, fusing **0.3** [⟨nat.⟩ versmelting] fusion ⇒blending, fusing, amalgamating ◆ **3.1** een ~ aangaan (met) merge/amalgamate (with) **6.1** bij de ~ v.d. twee banken zullen geen gedwongen ontslagen plaatsvinden no jobs will be lost when the two banks merge/amalgamate; de ~ v.d. progressieve liberalen **met** de radicalen the alliance/coalition of the progressive liberals and the radicals.
fusillade ⟨de (v.)⟩ **0.1** fusillade ⇒(a) shooting, (an outbreak/a volley of) gunfire, ⟨mil.⟩ execution by shooting/firing squad.
fusilleren ⟨ov.ww.⟩ **0.1** shoot (dead) ⇒fusillade, bring before a/execute by firing-squad.
fusioneren
I ⟨onov.ww.⟩ **0.1** [een fusie aangaan]⟨→fuseren 0.1⟩;
II ⟨ov.ww.⟩ **0.1** [een fusie doen aangaan] merge ⇒amalgamate, effect a merger (between)/the amalgamation (of), cause to merge/amalgate.
fust ⟨het⟩ **0.1** [houten vat] cask ⇒barrel, butt **0.2** [⟨coll.⟩ vaten als verpakking/berging] wood, cask **0.3** [verpakking] pack(ag)ing ⇒containers ◆ **1.1** een ~ wijn a c. / barrel of wine **2.3** leeg ~ empty packaging; ⟨inf.⟩ empties; ⟨in etalage⟩ display dummies; slecht ~ poor/inadequate/frail pack(ag)ing **3.1** een ~ aanslaan broach a c. **6.1** **uit** het ~ tappen draw from the wood **6.2** wijn **op** ~ wine in the wood/in casks; **op** ~ doen cask, barrel.
fustage ⟨de (v.)⟩ **0.1** [emballage] pack(ag)ing **0.2** [emballageprijs] pack(ag)ing/container charge(s).
fustein ⟨het⟩ **0.1** fustian.
fut ⟨de⟩ **0.1** [energie, kracht] energy ⇒strength/go/zip/kick/drive/life **0.2** [pittigheid] strength, spunk, guts ◆ **3.1** geen ~ hebben om iets te doen not have the e. / strength to do sth., be unable to get up the enthusiasm to do sth. **5.1** er zit nog genoeg ~ in haar, de ~ is er nog lang niet uit bij haar there's still plenty of kick (left) in her, there's life in the old dog yet, she's still got plenty of spirit/go; er zit geen ~ in hem there's no go/drive/zip in him, he's run out of steam, all the stuffing/fight has gone out of him **7.2** een beetje meer ~! put some snap into it!/a bit of life into it!, give it a bit more guts/look sharp about it.
futiel ⟨bn.⟩ **0.1** futile ⇒trifling, insignificant.
futiliteit ⟨de (v.)⟩ **0.1** [nietigheid] futility **0.2** [onbeduidende zaak] trifle ⇒trifling affair/point/matter, futility.
futloos ⟨bn., bw.⟩ **0.1** [toestand] washed-out; ⟨karakter⟩ spineless, lifeless ◆ **1.1** het is een ~ figuur he hasn't got much go/drive/zip in him, he's got no guts, he's a (pretty) feeble/spineless/wet individual/type **3.1** zich ~ voelen feel washed-out/drained/low, not feel up to much/very energetic.
futloosheid ⟨de (v.)⟩ **0.1** lack of energy ⇒languor, lethargy, apathy ◆ **1.1** gevoel van ~ ⟨inf.⟩ (the) blue devils.
futselaar ⟨de (m.)⟩, **-ster** ⟨de (v.)⟩ **0.1** [prutser] bungler ⇒botcher **0.2** [beuzelaar] trifler.
futselarij ⟨de (v.)⟩ **0.1** [beuzelarij] frittering away ⟨tijd, geld, energie⟩; trifling **0.2** [gepruts] playing/messing/fiddling (about), tinkering (with).

futselen
I ⟨onov.ww.⟩ **0.1** [friemelen] *fiddle (with)* ⇒*play/trifle (with)*, tinker *(with)* ⟨motoren e.d.⟩, *toy/fiddle-faddle (with)* ◆ **6.1** ze zat de hele tijd **aan/met** het draadje te ~ *she sat fiddling with the thread the whole time;*
II ⟨ov.ww.⟩ **0.1** [ontfutselen] *take* ◆ **6.1** iemands portemonnee **uit** zijn zak ~ *t. / get/filch the purse out of s.o.'s pocket* ¶.¶ iets in elkaar ~ *roughly put sth. together;* ⟨inf.⟩ *cobble sth..*
futselwerk ⟨het⟩ **0.1** *shoddy work.*
futurisme ⟨het⟩ **0.1** *futurism.*
futurist ⟨de (m.)⟩ **0.1** [iem. die bespiegelingen houdt over het toekomstige] *futurist* **0.2** [aanhanger v.h. futurisme] *futurist.*
futuristisch ⟨bn., bw.;-ally⟩ **0.1** [op de toekomst gericht] *futurist(ic)* **0.2** [v.d. futuristen] *futurist(ic).*
futurologie ⟨de (v.)⟩ **0.1** *futurology.*
futurologisch ⟨bn.⟩ **0.1** *futurological.*
futuroloog ⟨de (m.)⟩, **-loge** ⟨de (v.)⟩ **0.1** *futurologist.*
futurum ⟨het⟩ ⟨taal.⟩ **0.1** *future (tense).*
fuut¹ ⟨de (m.)⟩ **0.1** *(great crested) grebe* ◆ **2.1** geoorde ~ *black-necked grebe.*
fuut² ⟨tw.⟩ **0.1** *toot* ⇒*beep, whew.*
fylacterion ⟨het⟩ **0.1** *phylactery* ⇒*frontlet.*
fyle ⟨de⟩ ⟨gesch.⟩ **0.1** *phylum.*
fylliet ⟨de (m.)⟩ **0.1** *phyllite.*
fylogenese ⟨de (v.)⟩ **0.1** *phylogeny* ⇒*phylogenesis.*
fysiater ⟨de (m.)⟩ **0.1** *naturopath* ⇒*natural therapist.*
fysiatrie ⟨de (v.)⟩ **0.1** *physiatry* ⇒*naturopathy, nature cure, natural therapy.*
fysiatrisch ⟨bn.⟩ **0.1** *naturopathic* ◆ **1.1** ~e geneeswijze *naturopathy, nature cure.*
fysica ⟨de (v.)⟩ **0.1** [natuurwetenschap] *physics* **0.2** [les in natuurkunde] *physics* ◆ **3.2** wij hebben vanmiddag ~ *we've got p. today.*
fysicalisme ⟨het⟩ **0.1** *physicalism.*
fysico-chemicus ⟨de (m.)⟩ **0.1** *physical chemist.*
fysico-chemie ⟨de (v.)⟩ **0.1** *physical chemistry.*
fysico-mathematisch ⟨bn.⟩ **0.1** *physicomathematical.*
fysicus ⟨de (m.)⟩ **0.1** *physicist.*
fysiek¹ ⟨het⟩ **0.1** ⟨alg.⟩ *constitution;* ⟨uiterlijk⟩ *physique* ◆ **2.1** hij heeft een ijzersterk ~ *he has an iron c..*
fysiek² ⟨bn., bw.;-ly⟩ **0.1** [van/volgens de natuur] *physical* **0.2** [lichamelijk] *physical* ◆ **1.1** ~e oorzaken *p. causes;* ~e symptomen *p. symptoms/* ⟨zichtbaar⟩ *signs* **1.2** zijn ~e kracht(en) *one's p. strength;* ⟨jur.⟩ een ~ persoon *a natural person, a private individual;* ⟨iem.⟩ ~e schade berokkenen *cause p. damage (to s.o.)* **2.1** dat is ~ onmogelijk/niet op te brengen *that is a p. impossibility/physically impossible.*
fysiocraat ⟨de (m.)⟩ **0.1** [aanhanger v.d. leer v.d. natuurkracht] *vitalist* **0.2** [aanhanger v.d. fysiocratisme] *physiocrat.*
fysiocratie ⟨de (v.)⟩ **0.1** *physiocracy.*
fysiocratisch ⟨bn.⟩ **0.1** *physiocratic* ◆ **1.1** de ~e school *the p. school.*
fysiocratisme ⟨het⟩ **0.1** *physiocracy* ⇒*physiocratism.*
fysiogenie ⟨de (v.)⟩ **0.1** *physiogeny* ⇒*physiogenesis.*
fysiognomie →**fysionomie.**
fysiognomiek ⟨de (v.)⟩ **0.1** *physiognomy.*
fysiografie ⟨de (v.)⟩ **0.1** *physiography.*
fysiologie ⟨de (v.)⟩ **0.1** *physiology* ◆ **1.1** de ~ v.d. mens *human p..*
fysiologisch ⟨bn., bw.;-ly⟩ **0.1** *physiological* ◆ **1.1** ~e dood *p. death;* ~e verschijnselen/wetten *p. phenomena/laws;* ~e zoutoplossing *p. saline/salt solution, p. saline, isotonic saline.*
fysioloog ⟨de (m.)⟩, **-loge** ⟨de (v.)⟩ **0.1** *physiologist.*
fysionomie ⟨de (v.)⟩ **0.1** *physiognomy.*
fysionomist ⟨de (m.)⟩, **-e** ⟨de (v.)⟩ **0.1** *physiognomist.*
fysioplastisch ⟨bn.⟩ **0.1** *physioplastic.*
fysiotherapeut ⟨de (m.)⟩ **0.1** *physiotherapist* ⇒^*physical therapist,* ⟨BE; inf.⟩ *physio.*
fysiotherapie ⟨de (v.)⟩ **0.1** *physiotherapy* ⇒⟨AE ook⟩ *physical therapy, physiatrics.*
fysisch ⟨bn., bw.;-ly⟩ **0.1** *physical* ◆ **1.1** ~e geografie *p. geography, physiography;* ~ laboratorium *physics lab(oratory);* ~e scheikunde *p. chemistry;* ~e technologie *p. technology;* ~e therapie *physiotherapy,* ^*p. therapy* **2.1** ~-chemisch *physicochemical.*
fytine ⟨het⟩ **0.1** *Phytin.*
fytochemie ⟨de (v.)⟩ **0.1** *phytochemistry.*
fytocide ⟨het⟩ **0.1** *phytocide.*
fytofaag ⟨de (m.)⟩ **0.1** *phytophagous animal/insect* ⇒*phytophagan.*
fytoftora ⟨de (v.)⟩ **0.1** *late blight.*
fytogeografie ⟨de (v.)⟩ **0.1** *phytogeography.*
fytografie ⟨de (v.)⟩ **0.1** [leer] *phytography* **0.2** [boek] *phytographic study.*
fytologie ⟨de (v.)⟩ **0.1** *phytology* ⇒*botany.*
fytopathologie ⟨de (v.)⟩ **0.1** *phytopathology* ⇒*plant pathology.*
fytopathologisch ⟨bn.⟩ **0.1** *phytopathologic(al).*
fytopatholoog ⟨de (m.)⟩, **-loge** ⟨de (v.)⟩ **0.1** *phytopathologist.*
fytoplankton ⟨het⟩ **0.1** *phytoplankton.*

fytotomie ⟨de (v.)⟩ **0.1** *phytotomy.*
f.z. ⟨afk.⟩ **0.1** [fijn zilver] ⟨*fine silver*⟩.

g ⟨de⟩ **0.1** [letter, klank] *g, G* **0.2** [namen/woorden beginnend met g] *g* **0.3** [toon] *g, G* **0.4** [snaar] *G* **0.5** [400] *G*.

gaaf¹ ⟨de⟩ **0.1** *gift* ⇒*donation, contribution*.

gaaf² ⟨→sprw. 17⟩

I ⟨bn.⟩ **0.1** [onbeschadigd] *whole, intact* ⇒*sound* ⟨hout, fruit, tanden enz.⟩, *perfect, flawless* ⟨techniek, kunstwerk enz.⟩, *undamaged* ⟨glas, postzegel enz.⟩ **0.2** [volledig] *complete* ⇒*full, entire, whole* **0.3** [ontzettend goed] *great, super* ⇒*fantastic, fab(ulous), terrific* **0.4** [zuiver] *pure* ⇒*sound, flawless, unblemished, untainted* **0.5** [⟨biol.⟩ zonder insnijdingen] *entire* **0.6** [zonder voorbehoud] *full* ⇒*unconditional, unreserved* ◆ **1.1** een gave appel *a sound/unblemished apple;* ~ porselein *intact/undamaged porcelain* **1.2** een ~ gebit *a perfect set of teeth;* een ~ servies *a complete service* **1.3** gave muziek *fabulous/fantastic music;* Connors speelde een gave partij *Connors played a perfect game;* wat een ~ wijf! *what a fantastic dish!* **1.4** een ~ karakter *an unblemished character* **5.3** ik vind het hartstikke ~ *I think it's absolutely fantastic/terrific/great;*

II ⟨bw.⟩ **0.1** [geheel en al] *completely, entirely*.

gaafheid ⟨de (v.)⟩ **0.1** *soundness* ⇒*integrity* ⟨van karakter⟩, ⟨fig.⟩ *flawlessness*.

gaafrandig ⟨bn.⟩ ⟨biol.⟩ **0.1** *entire*.

gaai ⟨de (m.)⟩ **0.1** [vogel] *jay* **0.2** [⟨sport⟩] *popinjay* ◆ **6.2 naar de** ~ schieten *popinjay shooting*.

gaan ⟨→sprw. 66,222,355,368⟩

I ⟨onov.ww.⟩ **0.1** [zich verplaatsen] *go* ⇒*move,* ↑*travel* **0.2** [vertrekken, weggaan] *go* ⇒*leave,* ↑*depart,* ⟨inf.⟩ *be off* **0.3** [zich begeven] *go* **0.4** [(+onbep. wijs) beginnen te] *go, be going to* **0.5** [in beweging zijn, functioneren] *go* ⇒*run* **0.6** [losraken] *come* **0.7** [plaatshebben] *go* ⇒*be, run* **0.8** [in een bep. toestand raken] *go* ⇒*get* **0.9** [lopen] *walk* **0.10** [verdwijnen] *go* **0.11** [mbt. kleding] *be* ⇒*go around/* ⟨BE ook⟩ *about* **0.12** [haalbaar/redelijk zijn] *be all right;* [lukken] *work* **0.13** [begrepen zijn in] *go* ⇒*fit* **0.14** [(+over) beheren] *run* ⇒*be in charge (of)* **0.15** [(+over) tot onderwerp hebben] *be (about)* ◆ **1.1** ⟨fig.⟩ er ~ hier allerlei geruchten *there are all kinds of rumours going around/* ⟨BE ook⟩ *round here* **1.2** hoe laat gaat de trein? *what time does the train g./leave?;* mijn trein gaat om 2 uur *my train goes/leaves/is due to g. at 2 o'clock* **1.5** de bel/telefoon gaat *the bell/telephone rings/goes/is ringing;* de trein gaat al *the train's (already) going/moving* **1.9** een uur ~s *an hour's walk* **1.10** daar gaat je goede naam *there goes your reputation, that's your reputation gone* **1.13** er ~ 24 flesjes in een kratje *a crate holds 24 bottles* **1.¶** zijn gang ~ [plan uitvoeren] *go ahead;* ⟨doorgaan⟩ *carry on* **3.1** waar ik ook ga of sta *wherever I g.*

3.2 ik geloof dat ik wel kan ~ *I think it's time I went/was going;* ze zien hem liever ~ dan komen *they're glad to see the back of him;* ik moet (nu) ~ *I must g./I be going/off (now), I've got to g./to be going/off (now);* hij kan ~ en staan waar hij wil *he can do as he pleases* **3.4** een boodschap ~ doen *g. on a errand;* hij wil medicijnen/Nederlands ~ doen *he wants to do/study/* ⟨BE ook⟩ *read medicine/Dutch;* ~ fietsen *g. for a ride on one's bicycle;* ⟨ipv. bv. auto⟩ *take the bicycle/* ⟨inf.⟩ *bike;* ~ kijken *g. and (have a) look;* dat gaat u een hoop geld kosten *it's going to cost you (a lot of money);* ~ liggen/staan/zitten *lie down, stand up, sit down;* als je erover gaat nadenken *if you (start to/stop and) think about it;* het gaat regenen *it's going to rain;* ~ rentenieren *retire;* een brief ~ schrijven *g. and write a letter;* ~ slapen *g. (off) to bed;* ga daar maar eens aan staan *(you) just give that a try/just have a go (at that);* ~ stappen *g. out (for the evening), have an evening out;* ze ~ trouwen *they're getting/going to get married;* ze ~ verhuizen *they're going to move (house), they're moving (house);* iets ~ waarderen *come to appreciate sth.;* ~ wandelen/zwemmen *go for a walk/swim, go walking/swimming;* ⟨fig.⟩ iets anders ~ zien *take a different view, see sth. in a different light;* ik wou net in de zon ~ zitten *I was just going to sit in the sun* **3.8** zich laten ~ *let o.s. g.* **3.12** of dat zal ~ weet ik niet *I don't know if it'll be all right/work;* dat zal niet ~ *it won't work;* ⟨kan niet⟩ *I'm afraid that's not on* **4.12** lijdt hij veel pijn? dat gaat *is he in much pain? it's not so bad* **5.1** ⟨sport⟩ diep ~ *g. deep;* pas op, alles gaat er overheen! *look out, it's all going/spilling over!;* een kopie gaat hierbij *a copy is attached/* ⟨bijgesloten⟩ *enclosed;* hoe ga je? ⟨met welk vervoermiddel⟩ *how/* ⟨langs welke weg⟩ *which way are you going?;* ⟨fig.⟩ hoe gaat dat liedje ook weer? *how does that song g. (again)?;* hoe gaat het met de zaken? *how's business (doing/going)?;* hé, waar ga jij naar toe? *where are you going/are you off to?;* ⟨achterdochtig⟩ *where do you think you're going/you're off to?;* het gaat niet zo best/slecht met de patiënt *the patient isn't doing so well/so badly; the patient is unstable/stable;* ⟨fig.⟩ recht door zee ~ *steer a straight course (for/towards);* we ~ scheef *we're going crooked;* de tijd gaat snel *time goes fast;* het licht gaat sneller dan het geluid *light travels faster than sound* **5.2** er vandoor ~ *go (off);* ik ga er vandoor *I'm going/off* **5.3** ⟨fig.⟩ dat schip gaat diep *that ship has a heavy* ᴮ*draught/*ᴬ*draft;* ⟨fig.⟩ dat gaat (veel) te ver *that's going (much/far) too far;* ⟨fig.⟩ dat gaat mij (veel) te ver *I think that's going (much/far) too far;* verder dan honderd gulden ga ik niet *I won't g. over/above/beyond 100 guilders, 100 guilders is my limit* **5.7** de zaken ~ goed *business is going/doing well;* als alles goed gaat *if all goes well;* dat kon toch nooit goed ~ *that was bound to g. wrong/to fail;* zolang alles goed gaat *as long as everything is going fine;* tot zover ging alles goed *things were (going) all right so far, so far so good;* hoe is het gegaan? *how did it/things g.?;* het gaat lekker zo hè *it's nice like this, isn't it?;* dat gaat vanzelf *that's no trouble at all;* het ging niet erg vlot *it/things didn't g. very smoothly;* nou, dat ging zo well, it was like this; zo gaat het wel *that'll do* **5.8** verloren ~ *get lost, g. astray/missing* **5.12** daar gaat het niet mee *you can't do it with that;* als het even gaat *if at all possible;* het ging nog net *it was only just all right;* ⟨mbt. tijd⟩ it was only just in time; dat gaat zomaar niet *you can't just do that;* ik heb het al zo vaak geprobeerd, maar het gaat niet *I've tried it so often, but it won't work;* eerst ons nieuwsgierig maken en dan niets vertellen, dat gaat toch niet *you can't make us all curious and then not tell us anything;* zo gaat het niet langer *things/it can't go on this way/like this* **5.13** er gingen precies 3 koffers in *it took just 3 cases, just 3 cases would fit;* er ~ met gemak 5 volwassenen in *it'll seat/take 5 adults, 5 adults will fit/g. (in) easily* **5.14** daar ga ik niet over *I'm not in charge of that, that's not my responsibility/* ⟨inf.⟩ *pigeon* **5.15** waar gaat die film over? *what's that film about?* **5.¶** er aan ~ *have had it;* ⟨persoon ook⟩ *be (in) for it, have got it coming;* zo gaat de lol (voor mij) er wel af *that takes (all) the fun out of it (as far as I'm concerned);* zijn verhaal gaat er wel in *he g. de stakers his speech went down (well) with the strikers;* jij gaat er als eerste uit *you'll be the first to go;* het gaat er niet uit *it won't come out;* de verf ging eraf *the paint came off/* ⟨langzaam⟩ *wore off;* het ging erin als koek *they lapped it up;* ⟨BE ook; inf.⟩ *it went down a treat;* dit type gaat eruit *this model's on the way out;* ⟨sport.⟩ voluit ~ *g. flat out, give (of) one's best, put one's back into it;* vreemd ~ *be unfaithful;* ⟨met versch. partners⟩ *sleep around;* have a bit on the side; vrijuit ~ *get off, go scot-free;* daar ~ we weer *(t)here we go again* **6.1** ⟨fig.⟩ een huivering ging **door** zijn leden *a shiver ran/went through his limbs;* ⟨fig.⟩ het is mij **door** het hoofd gegaan *it slipped my mind;* **door** de wind ~ ⟨scheep.⟩ *go about, change tack;* ⟨fig., aan de zwier⟩ *have a fling/spree/binge;* ⟨BE ook⟩ *go on the razzle;* ⟨AE ook⟩ *have a bust;* **in** de rondte ~ *g. round/* ᴬ*around;* **over** straat ~ *g. out;* ⟨fig.⟩ zijn gedachten **over** iets laten ~ *give a matter some thought, think sth. over;* ⟨fig.⟩ zijn oog/blik **over** iets laten ~ *run one's eye over sth.* **6.2** dat boek ging voor ƒ20,- *that book went for 20 guilders;* die twee ~ **uit** elkaar *those two are splitting up/breaking up;* **van** tafel ~ *leave the/get up from the table* **6.3** we ~ **aan** tafel! *lunch* ⟨enz.⟩ *food's ready!;* ⟨inf.⟩ *come and get it!;* ⟨BE ook⟩ *grub's up!;* **aan** de kant ~ *step/move aside/to one side/out of the way;* dat gaat me **boven** mijn pet ⟨fig.⟩ *that goes over my head, that's* beyond me; dat gaat **boven** mijn vermogen *that's too much for me, I can't manage that;* ⟨fig.⟩ er gaat niets **boven** … *there's nothing to beat …;* ⟨fig.⟩ dat gaat **boven** mijn begroting ⟨ook⟩ *that's more than I budgeted for;* zijn gezin gaat bij hem **boven** alles *his family comes first (with him), he puts his family first;* **in** de oppositie ~ g. *into opposition,* **in** de handel/muziek ~ g. *into trade/music;* iem. **te** lijf ~ *set about s.o., pitch into s.o.;* ⟨inf.⟩ hoe gaat er aan s.o.;* **uit** de/zijn bol ~ *be nuts/crackers/potty/wild (about sth.);* **van** hand **tot** hand ~ *be passed/handed round/*^A*around, g. from hand to hand;* dat praatje ging **van** mond **tot** mond *that tale was passed on/that tale spread from mouth to mouth;* zaken ~ **voor** het meisje *business before pleasure* **6.4 aan** het werk ~ *set to work;* **uit** eten ~ *eat out, g. (out) for a meal* **6.6** die stop gaat niet **van** de fles *the stopper won't c. out of the bottle* **6.7** alles gaat **naar** wens *everything's as it should be/going according to plan* **6.8 aan** flarden ~ *be left in/be reduced to shreds/tatters;* **in** de fout ~ *slip up/make a slip;* **uit** de kleren ~ *strip off* **6.9 in de** pas ~ *march in step;* **langs** de straat ~ *go along/up/down the street* **6.11 in** het zwart gekleed ~ *b. dressed in black;* **in** uniform ~ *b. in uniform* **6.13** er gaat een liter **in** die fles *that bottle will take a litre;* er ~ zestien lettertekens **op** het beeldscherm *sixteen characters will g. / fit on(to) the screen;* er ~ zes glazen **uit** een fles *you can get six glasses out of a bottle;* er gaat best een jurk **uit** die lap *you can easily make a dress out of that piece* **6.14** zij gaat **over** de typekamer *she's in charge of/she runs the typing-pool* **6.¶** dat gaat hem **aan** het hart *it (really) hurts/grieves/pains him;* **door** zijn rug ~ *strain/twist/* ⟨BE ook⟩ *rick one's back;* het gaat allemaal **langs** haar heen *it all goes (right) over her head;* **met** iem. ~ *go out with s.o.;* daar ga je dan **met** je goeie gedrag *so much for your principles/good behaviour;* **naar** de haaien/maan/bliksem/knoppen ~ *go west/down the drain/up the spout* ⟨AE ook⟩ *down the tubes;* we hebben nog een kleine twee uur **te** ~ *we've got just under two hours to go* **¶.2** ik ga! *I'm going!;* ⟨inf.⟩ *I'm off!;* daar ~ we dan *(t)here we go then;* en daar ging ze *and off she went;* ga nu maar *off you go, now* **¶.4** ⟨iron.⟩ ik ga (me) daar een beetje in mijn blootje lopen/in de rij staan *I am (definitely) not going to strip off/join that queue/*^A*stand in line* **¶.5** hé, we ~ *hello, we're moving* **¶.7** hand in hand ~ ⟨fig.⟩ *g. hand in hand* **¶.¶** zich te buiten ~ aan *overindulge in;* om kort te ~ *to cut a long story short, (to put it) in a nutshell;* daar ga je! *cheers!, your health!, here's to you!;*

II ⟨onp.ww.⟩ **0.1** [gesteld zijn] *be* ⇒*go* **0.2** [geschieden] *be* ⇒*go, happen* **0.3** [mbt. beweging] *go* **0.4** [(+om) te doen zijn] *be (about)* ♦ **5.1** het ga je goed *all the best;* hoe gaat het (met u)? *how are you?, how are things with you?;* hoe gaat het op het werk? *how's (your) work (going)?, how are things (going) at work?;* hoe gaat het met de baby? *how's the baby (doing)?;* hoe gaat het nu thuis? *how are things at home these days?;* het gaat hem niet slecht *he's not doing badly* **5.2** het is toch nog gauw gegaan *things went pretty fast (after all);* je weet hoe dat gaat *you know how/the way it is/things are/it goes;* hoe gaat dat eigenlijk, zo'n sollicitatiegesprek/rijexamen? *what's a job interview/driving test actually like?;* zo gaat het nu altijd *it's always like that/the same;* het is mij net zo ge~ *the same thing happened to me, it was just the same with me;* zo gaat dat *that's the way/that's how it is/things are, that's the way the cookie crumbles;* zo gaat dat in het leven *that's life;* gaat dat zo? *is that how/the way you do it?* **5.3** stroomafwaarts ging het *it went downstream* **5.4** daar gaat het nou niet om *that's not the point, it's (got) nothing to do with that;* daar gaat het juist om *that's the whole point;* het gaat hem er alleen om dat …*all (that) he's concerned*/⟨inf.⟩ *bothered about is that …;* het gaat hem naar den vleze *he's prospering;* het gaat hem voor de wind *he's doing very well* **6.4** het ging om het volgende *it was like this, the point was this;* het gaat **om** het principe *it's a matter of principle, it's the principle that matters;* het gaat **om** je baan/toekomst *your job/future is at stake/is involved;* als het **om** kwaliteit gaat …*if it's quality you want/you're looking for quality …;* het gaat maar **om** 10 mensen *it only involves 10 people, we're only talking about 10 people;* het gaat hier **om** een nieuw type *we're talking about a new type/model, it involves a new type/model;* het gaat hem **om** het geld *he's in for the money* **6.¶** het gaat **tussen** jullie tweeën *the choice is between you two, it's one of you two* **¶.1** het gaat in't altijd *that's all right;* ⟨inf.⟩ *it's OK.*

gaande ⟨bn.⟩ **0.1** [in beweging] *going* ⇒*running* **0.2** [aan de hand] *going on* ⇒*up, afoot,* ↑*in progress* **0.3** [zich te voet bewegend] *afoot* ⇒*ambulatory,* ⟨herald.⟩ *passant* **0.4** [mbt. emoties] *aroused, roused, excited, moved* ♦ **2.3** de ~ en komende man *all comers;* ~ en staande zijn *be up and about* **3.1** ~ houden *keep g.,* ↑*sustain; hold, keep (alive)* ⟨aandacht⟩ *keep alive* ⟨agitatie, beweging enz.⟩ *keep alive/up/from flagging,* ↑*maintain* ⟨belangstelling⟩ ⟨scheep.⟩ het lood ~ houden *keep taking soundings;* de pompen ~ houden *keep the pumps g./running;* een gesprek ~ houden *keep a conversation g./alive/from flagging, keep up a conversation,* ↑*sustain a conversation;* een bedrijf ~ houden *keep a business g.;* ⟨met moeite⟩ *prop up a business;* de zaken ~ houden *keep things g.;* ⟨inf.⟩ keep the ball rolling **3.2** er is iets ~ *there's sth. g.o., there's sth. up/the matter/afoot;* ~ zijn *be g.o. / in progress;* ⟨onderzoek, onderhandelingen ook⟩ *be being held;* ⟨oorlog, staking, uitverkoop ook⟩ *be on.*

gaanderij ⟨de (v.)⟩ **0.1** *gallery.*
gaandeweg ⟨bw.⟩ **0.1** *gradually* ⇒*by degrees,* ⟨inf.⟩ *bit by bit, little by little* ♦ **3.1** ~ vonden zijn opvattingen ingang *his ideas g. came to be accepted/found acceptance;* haar stijl werd ~ beter ⟨langzamerhand⟩ *her style g. improved;* ⟨afdoende⟩ *her style improved as she went along.*
gaans 0.1 *walk* ♦ **1.1** nog geen tien minuten ~ van *within ten minutes w. from/of;* een uur ~ *an hour's w..*
gaap ⟨de (m.)⟩ **0.1** *yawn.*
gaapziekte ⟨de (v.)⟩ **0.1** *(the) gapes.*
gaar ⟨bn.⟩ **0.1** [mbt. spijzen] ⟨vnl. mbt. vlees, gebak, ovengerechten⟩ *done;* ⟨vnl. gekookt⟩ *cooked* **0.2** [geestelijk gezond] *all there* **0.3** [moe] *done* ⇒*tired (out)* **0.4** [voldoende toebereid] *done* ⇒*ready, finished* **0.5** [gevat] *quick, sharp* ♦ **1.1** de aardappels zijn ~ *the potatoes are cooked/ready/done;* de aardappels/groente zijn/is ~/ niet (helemaal) ~/half ~/ goed ~/precies ~/ (een beetje) te ~ *the potatoes/vegetables are cooked/not (quite) cooked/half cooked/well cooked/just right/ (a bit) overcooked;* het vlees is ~/ niet (helemaal) ~/ half ~/ goed ~/ precies ~/ (een beetje) te ~ *the meat is done/not (quite) done/ (only) half done/well done/done to a turn/ (slightly) overdone* **1.4** koper dat nog niet voldoende ~ is *insufficiently alloyed brass* **1.5** een gare snuit ~ *a sharp(-witted) chap* **2.2** een halve gare *a halfwit/dope*/^B*twit/nut/zany* **3.1** iets zachtjes ~ koken ⟨in oven⟩ *cook sth. slowly;* ⟨op fornuis⟩ *simmer sth. gently;* iets ~ niet ~/ goed ~/ te ~ koken *cook sth./ not cook sth. enough/cook sth. well/overcook sth.;* ⟨fig.⟩ iem. in zijn eigen vet sop ~ laten koken *let s.o. stew in his own juice;* iets ~ stomen/stoven *steam/braise sth.* **3.4** het porselein is ~ gebakken *the porcelain is ready/has finished being fired;* leer ~ maken *treat/prepare leather* **6.1** deze rijst is ~ in acht minuten *this rice takes eight minutes/cooks in eight minutes* **6.3** ik ben/werd helemaal ~ van die reis *that journey really did for me/did me in/tired me out.*
gaard ⟨de (m.)⟩ ⟨schr.⟩ **0.1** ⟨ongemarkeerd⟩ *garden.*
gaarheid ⟨de (v.)⟩ **0.1** *readiness (to eat/serve)* ⟨enz.⟩.
gaarkeuken ⟨de⟩ **0.1** ≠*soup kitchen.*
gaarne ⟨bw.⟩ ⟨schr.⟩ ⟨→sprw. 270⟩ **0.1** [graag] *gladly, with pleasure* **0.2** [bereidwillig] *willingly* ⇒*readily* ♦ **2.1** een ~ geziene gast *a welcome guest* **3.1** Clarissa zou ~ de kamer verlaten *Clarissa would like to*/ ⟨vero.; lit.⟩ *would fain leave the room;* wij zullen ~ vernemen *we should be glad to hear, we would be grateful if you would inform us;* ~ zagen wij je som nu spoedig overgemaakt *we should be grateful if you would transfer the sum at your earliest convenience;* iets ~ zien *like to see sth., be glad/pleased to see sth.* **3.2** ik beken het ~ *I w./ readily admit, I am quite ready to admit it* **5.1** zeer ~ *with the greatest (of) pleasure.*
gaarton ⟨de⟩, **gaarvat** ⟨het⟩ **0.1** [vat voor vloeistoffen] *vat* ⇒*barrel* **0.2** [mbt. de kaasbereiding] *cheese-vat.*
gaas ⟨het⟩ **0.1** [weefsel] *gauze* ⇒⟨vitrage enz.⟩ *net(ting),* ⟨erg fijn en licht⟩ *gossamer* **0.2** [vlechtwerk van metaaldraad] ⟨grof⟩ *(wire-)netting,* ⟨fijn⟩ *(wire) gauze* ♦ **1.2** het ~ van het raam *the wire gauze of an insect screen* **2.1** fijn/grof ~ *fine-meshed/large-meshed gauze/netting* **6.1** gordijnen van ~ *net curtains.*
gaasachtig ⟨bn.⟩ **0.1** *gauzy* ♦ **1.1** ~e stoffen *g. materials.*
gaashor ⟨de⟩ **0.1** *wire/gauze screen, insect screen.*
gaasje ⟨het⟩ **0.1** [stukje gaasverband] *piece of gauze* **0.2** [gaasvlieg] *lacewing* ♦ **3.1** leg een ~ op de wond *put a gauze dressing on the wound.*
gaaslinnen ⟨het⟩ **0.1** ≠*sacking.*
gaasvleugeligen ⟨zn.mv.⟩ **0.1** *neuroptera, neuropteroidea.*
gaasvlieg ⟨de⟩ **0.1** *lacewing* ⇒⟨zeldz.⟩ *lacewing(ed) fly.*
gaasweefsel ⟨het⟩ **0.1** *gauze* ⇒⟨vitrage enz.⟩ *net(ting).*
gaatje ⟨het⟩ ⟨→sprw. 506⟩ **0.1** [klein gat] *(little/small) hole* ⇒⟨in luchtband⟩ *puncture,* ⟨blaasinstrument⟩ *(finger-)hole,* ⟨in spoorwegkaartje, oor van koe enz.⟩ *punch-mark* **0.2** [mogelijkheid] ⟨zie 3.2⟩ ♦ **2.1** zijn riem/ceintuur een ~ losser doen *loosen one's belt a h.* **3.2** ik zal eens kijken of ik voor u nog een ~ kan vinden *I'll see if I can fit you in;* als ik een ~ zie, kom ik *if I have the chance/half a chance I'll come* **5.1** vol ~ *full of holes;* ⟨geperforeerd⟩ *perforated* **6.1** ~s in iets maken *make holes in/perforate sth.;* ~s in de oren laten prikken *have/get one's ears pierced* **6.¶** die man heeft een ~ in zijn hoofd *that man is a bit cracked* **7.1** ik had gelukkig geen ~s ⟨bij tandarts⟩ *fortunately I had no cavities.*
gaatjeszwam ⟨de⟩ **0.1** *pore fungus/mushroom* ⇒*polypore.*
GAB ⟨het⟩ ⟨afk.⟩ **0.1** [Gewestelijk Arbeidsbureau] ⟨*Regional Labour Exchange*⟩.
gabardine[1]
  I ⟨de⟩ **0.1** [stof] *gabardine;*
  II ⟨de (v.)⟩ **0.1** [regenjas] *gabardine.*
gabardine[2] ⟨bn.⟩ **0.1** *gabardine* ♦ **1.1** een ~ jas *a g. coat.*
gabber ⟨de (m.)⟩ ⟨inf.⟩ **0.1** [persoon] ≠*geezer* ⇒⟨vnl. BE⟩ *bloke,* ⟨vnl. AE⟩ *guy* **0.2** [kameraad] *mate, pal, chum, buddy* ♦ **2.1** de ouwe ~ *the old bloke/geezer;* een rare ~ ^B*a funny bloke,* ^A*a rare bird.*
Gabon ⟨het⟩ **0.1** *Gabon.*
Gabonees ⟨bn.⟩ **0.1** *Gabonese.*
gade ⟨de (m.)⟩ ⟨schr.⟩ **0.1** [echtgeno(o)t(e)] *spouse, consort* **0.2** [gelijke] *peer* ♦ **1.1** ~ en kroost ↓*wife and children* **6.2 zonder** ~ *without p..*

gadeslaan ⟨ov.ww.⟩ **0.1** [observeren] *observe, watch* **0.2** [aandachtig de ontwikkeling volgen van] *follow* ⇒*watch (closely)* **0.3** [in het oog houden] *watch* ⇒⟨inf.⟩ *keep an eye on* ◆ **4.2** ik heb hem van kind af gadegeslagen *I have followed his development since he was a child* **6.2** iets **met** zorg ~ *f. sth. with concern*.

gading ⟨de (v.)⟩ **0.1** [zin] *taste* **0.2** [wat iem. bevalt/gelegen komt] *liking, line* ◆ **6.1** was er iets **van** je ~ bij? *was there anything you fancied there?*; iedereen vindt hier wel iets **van** zijn ~ *everyone can find sth. here to suit him/his taste* **6.2** hij kon niets **van** zijn ~ vinden *he couldn't find anything to suit him/to his liking/he wanted/in his line*.

gaffel ⟨de⟩ **0.1** [riek] *(two-pronged) fork* ⇒⟨voor het opsteken⟩ *pitchfork*, ⟨hooivork⟩ *hay-fork*, ⟨drietand van Neptunus⟩ *trident* **0.2** [rondhout] *gaff* **0.3** [mond] *gob, trap*.

gaffeldissel ⟨de (m.)⟩ **0.1** *(pair of) shafts/shaves*.

gaffelen
I ⟨onov.ww.⟩ **0.1** [met de gaffel werken] *fork* **0.2** [snel eten] *gobble*;
II ⟨ov.ww.⟩ **0.1** [met de gaffel opsteken] *pitchfork* ⇒*pitch*.

gaffelkruis ⟨het⟩ **0.1** *Y-cross*.

gaffelschoener ⟨de (m.)⟩ **0.1** *fore-and-aft schooner*.

gaffelsleutel ⟨de (m.)⟩ **0.1** *open-end(ed) spanner*.

gaffeltopzeil ⟨het⟩ ⟨scheep.⟩ **0.1** *gaff-topsail*.

gaffeltuig ⟨het⟩ **0.1** *gaff-rig* ◆ **6.1** een schip **met** ~ *a gaff-rigged ship*.

gaffelverbinding ⟨de (v.)⟩ **0.1** *forked joint/connection*.

gaffelvormig
I ⟨bn.⟩ **0.1** [met de vorm van een gaffel] *forked* ⇒ ↑*bifurcated, bifurcate* ◆ **1.1** een ~e vertakking van een twijg *a fork, a* ↑*bifurcation of a twig*; een ~ werktuig *a f. tool*;
II ⟨bw.⟩ **0.1** [in de vorm van een gaffel] *bifurcately* ◆ **3.1** ⟨biol.⟩ ~ gedeeld *bifurcate(d), dichotomous*; een ~ uitgesneden stok *a forked stick*.

gaffelzeil ⟨het⟩ **0.1** *gaffsail* ⇒*fore-and-aft sail*, ⟨kleiner⟩ *trysail, spencer*.

gaga ⟨bn.⟩ **0.1** *gaga* ⇒*dotty*, ⟨enkel pred.⟩ ↑*in one's dotage*.

gagaat ⟨het⟩ **0.1** *jet*.

gage ⟨de⟩ **0.1** [mbt. scheepsvolk/artiesten/sportlieden] *pay* ⇒⟨artiesten ook⟩ *fee* **0.2** [maandloon] *pay* ⇒*salary* ◆ **6.1** matroos **onder** de ~ *ship's boy*.

gagel ⟨de (m.)⟩ **0.1** *bog myrtle*, *(sweet) gale*.

gaggelen →**gakken**.

gagman ⟨de (m.)⟩ **0.1** *gagman, gagster*.

gajes ⟨het⟩ **0.1** *rabble, riffraff*.

gak ⟨tw.⟩ **0.1** *honk*.

GAK ⟨het⟩ ⟨afk.⟩ **0.1** [Gemeenschappelijk Administratiekantoor] ⟨*Industrial Insurance Administration Office*⟩.

gakken ⟨onov.ww.⟩ **0.1** *cackle* ⇒*gaggle*.

gal
I ⟨de⟩ **0.1** [door de lever afgescheiden vloeistof] ⟨bij mensen⟩ *bile*; ⟨bij dieren, en ook gesch.⟩ *gall* ⇒⟨gesch. ook⟩ *choler, spleen* **0.2** [uitwas aan bomen/planten] *gall* ⇒*gall-nut, oak-gall, oak apple* **0.3** [blaasachtig gezwel] *(wind-)gall* **0.4** [gif] *venom* ⇒⟨vero.⟩ *gall* **0.5** [holte in voorwerpen] ⟨in metaal⟩ *flaw*; ⟨in glas⟩ *blister, bubble* ◆ **2.**¶ zwarte ~ ⟨gesch., elem. v.d. vier levensstoffen⟩ *melancholy, black bile* **3.1** zijn ~ spuwen *vent one's g./spleen (on)* **6.1** het **aan** de ~ hebben *be bilious*; ⟨fig.⟩ zijn pen/zijn woorden **in** ~ dopen *dip one's pen in g., write in g.* **8.1** zo bitter als ~ *as bitter as g.*;
II ⟨de (m.)⟩ **0.1** [eenheid van versnelling] *gal*.

gala ⟨het⟩ **0.1** [partij] *gala* **0.2** [hoffeest] ≠*court function, court occasion* **0.3** [kleding] *full dress* ⇒*ceremonial dress*, ⟨hofkleding⟩ *court dress* ◆ **2.1** groot ~ ≠*splendid g. occasion* **6.3** in ~ zijn *be in f.d.*.

gala-avond ⟨de (m.)⟩ **0.1** *gala-night*.

galabal ⟨het⟩ **0.1** *grand ball* ⇒⟨hofbal⟩ *state ball*.

galabanket ⟨het⟩ **0.1** *gala dinner*; ⟨hoffeest⟩ *state banquet*.

galachtig ⟨bn.⟩ **0.1** [op gal lijkend] *bilious* **0.2** [te veel gal hebbend] *bilious* ⇒*liverish* **0.3** [knorrig] *choleric, splenetic* ⇒*cantankerous, irritable*.

galactiet
I ⟨de (m.)⟩ **0.1** [als voorwerpsnaam] *galactite* ⇒*milkstone*;
II ⟨het⟩ **0.1** [als stofnaam] *galactite* ⇒*milkstone*.

galactisch ⟨bn.⟩ **0.1** *galactic*.

galactometer ⟨de (m.)⟩ **0.1** *galactometer*.

galactorroe ⟨de (v.)⟩ ⟨med.⟩ **0.1** *galactorrhoea* ^*rhea*.

galactose ⟨de⟩ **0.1** *galactose* ⇒*milk sugar*.

galadiner ⟨het⟩ **0.1** *state banquet/dinner* ⇒*gala dinner, formal diner*.

galakleding ⟨de (v.)⟩ **0.1** *full dress, state/ceremonial dress* ⇒*robes of state, formal dress*, ⟨hofkleding⟩ *court dress* ◆ **3.1** in ~ dineren *dine in full dress/state, sit down to a (formal) banquet*.

galakostuum ⟨het⟩ →**galakleding**.

galant
I ⟨bn.⟩ **0.1** [hoffelijk] *chivalrous* ⇒*courteous, courtly, gallant* **0.2** [mbt. vrijerij] ⟨zie I.2⟩ ◆ **1.1** een ~ complimentje *a chivalrous compliment*; ~e manieren *chivalrous manners, elegant manners*; de ~e man/ridder uithangen *play the cavalier*; een ~e ridder *a cavalier, a ladies' man*; ⟨vero.⟩ *a gallant*; ~e woorden spreken *speak courteously* **1.2** een ~ avontuurtje *casual affair*; de ~e wereld *the demi-monde*;

II ⟨bw.⟩ **0.1** [op hoffelijke wijze] *chivalrously* ⇒*courteously* ◆ **3.1** hij weet zich altijd ~ te gedragen *he always knows how to behave chivalrously/courteously*.

galanterie ⟨de (v.)⟩ **0.1** [⟨mv.⟩ artikelen] *fancy goods* ⇒*fancy articles* **0.2** [hoffelijkheid] *gallantry* ⇒*courtliness, courtesy* **0.3** [uitdrukking] *gallantry* **0.4** [liefdesavontuurtje] *gallantry* ⇒*intrigue*.

galappel ⟨de (m.)⟩ **0.1** *oak-apple* ⇒*oak-gall, gall-nut, nut-gall*.

galapremière ⟨de⟩ **0.1** *gala première*.

Galaten ⟨zn.mv.⟩ **0.1** *Galatians*.

galauniform ⟨het, de⟩ **0.1** *full dress (uniform), dress uniform* ⇒*ceremonial uniform*.

galavoorstelling ⟨de (v.)⟩ **0.1** *gala performance*.

galblaas ⟨de⟩ **0.1** *gall-bladder* ◆ **6.1** een operatie **aan** de ~ *a g.-b. operation, an operation on one's g.-b.*; röntgenonderzoek **van** de ~ *cholecystography*.

galbult ⟨de (m.)⟩ **0.1** *hives* ◆ **6.1** onder de ~ en zitten *have h.*.

galei ⟨de⟩ **0.1** [vaartuig] *galley* **0.2** [⟨druk.⟩] *galley* ◆ **3.1** iem. tot de ~ en veroordelen *condemn/send/sentence s.o. to the galleys*.

galeiboef ⟨de (m.)⟩ **0.1** *galley slave*.

galeislaaf ⟨de (m.)⟩ **0.1** *galley slave* ◆ **8.1** werken als een ~ *work like a g.s., be chained to the oar*.

galerie ⟨de (v.)⟩ **0.1** *gallery*.

galeriehouder ⟨de (m.)⟩, **-ster** ⟨de (v.)⟩ **0.1** ⟨eigenaar⟩ *gallery-owner*; ⟨exploitant⟩ *manager of a/the gallery*.

galerij ⟨de (v.)⟩ **0.1** [gang buiten langs/door een gebouw] *gallery* ⇒ ⟨van flat⟩ *walkway*, ⟨winkelgalerij⟩ ⟨*shopping-)arcade*, ⟨kloostergang, galerij om abside van kerk⟩ *ambulatory* **0.2** [museum/tentoonstellingszaal] *gallery* ⇒⟨voor schilderijen ook⟩ *picture gallery* **0.3** [tribune, plaatsen] *gallery* ⇒⟨in kerk ook⟩ *loft*, ⟨engelenbak ook⟩ *gods* **0.4** [publiek] *gallery, gods* **0.5** [⟨mijnw.⟩] *gallery* ⇒*heading, level* ◆ **1.2** de ~ en van het Louvre *the galleries/rooms of the Louvre* **6.1** ze woont bij mij **op** de ~ ≠*she lives on my level/on the same level as me* **6.4** acteren/spelen **voor** de ~ ⟨fig.⟩ *play to the gallery*.

galerijflat ⟨de (m.)⟩ **0.1** *gallery/galleried* ^B*flats/* ^A*apartments*.

galerijwoning ⟨de (v.)⟩ **0.1** *gallery* ^B*flat/* ^A*appartment*.

galg ⟨de⟩ ⟨→sprw. 171⟩ **0.1** [strafwerktuig] *gallows* ⇒*gibbet, gallows-tree*, ≠*scaffold* **0.2** [doodstraf] *gallows* ⇒*rope, noose, hanging* **0.3** [toestel waaraan iets kan worden opgehangen] ⟨bij sommige ambachten⟩ *gallows* ⇒⟨voor microfoon⟩ *stand, boom*, ⟨scheep.⟩ *gallowsbitt, gallows frame* **0.4** [staak boven een put] *hoist* **0.5** [bretel] ⟨alleen mv.⟩ ^B*braces*, ^A*suspenders* **0.6** [stellage] *gallows* ◆ **2.1** een halve ~ *a gibbet* **3.1** aan de ~ ophangen *hang on the gallows*; ⟨inf.⟩ *string up*; ~ je spelen *play hangman* **3.2** daar staat de ~ **op** *it's a hanging of-fence*; ⟨inf.⟩ *you can swing for it* **6.1** hij groeit **voor** de ~ / **voor** ~ en rad op *he'll come to no good* **6.**¶ het/dat is boter **aan** de ~ (gesmeerd) *it/that is wasted effort/a waste of time/to no purpose*.

galgeaas →**galgenaas**.

galgebrok ⟨de (m.)⟩ **0.1** *gallows-bird*.

galgehumor ⟨de (m.)⟩ **0.1** [bittere scherts van een ter dood veroordeelde] *gallows humour* **0.2** [scherts] *gallows humour*.

galgemaal ⟨het⟩ **0.1** [afscheidsmaal van een veroordeelde] *last meal* **0.2** [het laatste maal] ≠*farewell meal/dinner* ◆ **3.1** het ~ nuttigen *eat one's l. m.*.

galgenaas ⟨het⟩ **0.1** [schurk] *gallows-bird, rogue* **0.2** [lijk van een gehangene] *(body of a) hanged person*.

galgetronie ⟨de (v.)⟩ **0.1** *gallows/hangdog face*.

galgeveld ⟨het⟩ **0.1** *gallows-lee* ⇒*gallows-field*.

Galicië ⟨het⟩ **0.1** *Galicia*.

Galiciër ⟨de (m.)⟩ **0.1** *Galician*.

galigaan ⟨de⟩ ⟨plantk.⟩ **0.1** [⟨Cladium mariscus⟩] *saw sedge* ⇒*(fen) sedge* **0.2** [⟨Arex acuta⟩] *tufted sedge* **0.3** [⟨Aegopodium podagraria⟩] *goutweed, bishop's weed* **0.4** [⟨Galega officinalis⟩] *goat's rue, French lilac*.

galigaangras ⟨het⟩ →**galigaan 0.1**.

Galilea ⟨het⟩ **0.1** *Galilee* ◆ **1.1** het meer van ~ *Sea of G., Lake Tiberias*.

Galileeër ⟨de (m.)⟩ **0.1** *Galilean*.

galjoen ⟨het⟩ **0.1** [zeilschip] *galleon* **0.2** [uitbouwing aan de boeg] *head-knee*.

galkanaal ⟨het⟩ **0.1** *bile-duct* ⇒*gall-duct, biliary duct*.

galkoliek ⟨het, de (v.)⟩ **0.1** *biliary colic*.

gallen
I ⟨ov.ww.⟩ **0.1** [mbt. vis] *remove the gall-bladder* **0.2** [mbt. leer] *gall*;
II ⟨onov.ww.⟩ **0.1** [vervelend doen] *be galling/vexing/irritating* **0.2** [zwaarmoedig zijn] *be melancholic*.

gallicaans ⟨bn.⟩ ◆ **1.**¶ de ~ Kerk *the Gallican church*.

gallicisme ⟨het⟩ **0.1** *gallicism*.

Gallië ⟨het⟩ **0.1** *Gaul*.

Galliër ⟨de (m.)⟩ **0.1** *Gaul*.

gallig ⟨bn.⟩ **0.1** [vitterig] *choleric, splenetic* ⇒*irascible, cantankerous, irritable* **0.2** [te veel gal hebbend] *bilious, liverish*.

galligheid ⟨de (v.)⟩ **0.1** [galachtigheid] *biliousness* **0.2** [leverbotziekte] *liver rot*.

gallisch ⟨bn.⟩ ◆ **3.**¶ ik word er helemaal ~ van ⟨BE ook⟩ *it gives me the hump*; ⟨inf.⟩ helemaal ~ van iets worden *get right fed up with sth.*.

Gallisch ⟨bn.⟩ **0.1** *Gaulish; Gallic* ⟨mbt. Frankrijk vaak scherts.⟩ ⇒*Gallican* ⟨vnl. mbt. kerk⟩ ◆ **1.1** de ~e haan *the Gallic cock;* de ~e oorlog *the Gallic war;* de ~e taal *Gaulish, the Gaulish language.*

gallofiel ⟨de (m.)⟩ **0.1** *Gallophil(e)* ⇒*Francophil(e).*

gallofobie ⟨de (v.)⟩ **0.1** *Gallophobia* ⇒*Francophobia.*

gallomaan ⟨de (m.)⟩ **0.1** *Gallomaniac.*

gallomanie ⟨de (v.)⟩ **0.1** *Gallomania* ⇒*Francomania.*

Gallo-Romaans ⟨het⟩ **0.1** *Gallo-Roman / Romance.*

galm ⟨de (m.)⟩ **0.1** [weerklinkende toon] *sound* ⇒⟨van klokken⟩ *peal(ing)* **0.2** [volle klank] *booming / resonant voice / sound* **0.3** [klankweerkaatsing] *resonance* ⇒*reverberation,* ⟨van slechte akoestiek⟩ *echo* ◆ **1.1** de ~ van een hoorn schalde in de verte *the s. of a horn rang out in the distance* **2.2** de luide ~ van zijn stem vulde het hele huis *his booming voice reverberated throughout the house* **4.3** wat een ~ heeft dit vertrek *this room has bad acoustics.*

galmbord ⟨het⟩ **0.1** [klankbord] *soundboard, sounding board* **0.2** [bord in de galmgaten van een toren] *louver(-board), louvre.*

galmei ⟨het⟩ **0.1** *calamine.*

galmen
I ⟨onov.ww.⟩ **0.1** [luid klinken] *resound* ⇒*boom, clang, ring, peal* ⟨orgel, klok⟩ **0.2** [klankweerkaatsing voortbrengen] *resound* ⇒*echo, reverberate* **0.3** [als een galm voortgebracht worden] *(re-)echo* ⇒*re-sound* **0.4** [luid schreeuwen] *boom* ⇒*bawl (out), bellow* ◆ **1.1** de klokken ~ *the bells peal / chime / ring* **1.3** een ~d lied *a resounding song;* ⟨fig.⟩ zijn naam galmde nog lang door Europa *his name echoed / resounded throughout Europe for a long time* **1.4** op ~de toon *booming, in a booming / ringing voice* **5.2** deze zaal galmt sterk *this hall resounds / echoes loudly / has a lot of echo* **6.2** de gangen galmden van het geroep van de kinderen *the corridors resounded with the cries of the children;*
II ⟨ov.ww.⟩ **0.1** [luidkeels uitroepen, zingen] *boom* ⇒*bellow* **0.2** [met een volle klank produceren] *resound* ⇒*ring.*

galmgat ⟨het⟩ **0.1** *belfry window.*

galmijt ⟨de⟩ **0.1** *gall mite.*

galmug ⟨de⟩ **0.1** *gallfly* ⇒*gall midge / gnat.*

galnoot ⟨de⟩ **0.1** *gallnut, gall apple* ⇒*gall, oak-apple.*

galnotezuur ⟨het⟩ **0.1** *gallic acid.*

galoche ⟨de⟩ **0.1** *galosh* ⟨meestal mv.⟩ ⇒*overshoe* ◆ **3.1** ik heb een ~ verloren *I've lost one of my galoshes.*

galon ⟨het, de (m.)⟩ **0.1** [lint-, koordvormig weefsel] *braid* ⇒*lace, facing, ribbon* **0.2** [stukje weefsel als boordsel] *braid* ⇒*lace, trimming,* ⟨uniform ook⟩ *facings* **0.3** [band als belegsel] *braid* ⇒*binding, facing, piping, stripe* ⟨op broek⟩ **0.4** [⟨bouwk.⟩ *(ornamental) ribbon* ◆ **2.1** gevlochten ~ *braid* **2.3** een lichtblauwe broek met een geel ~ *light blue trousers with yellow piping / a yellow stripe* **6.3** met ~ afzetten *lace.*

galonneren ⟨ov.ww.⟩ **0.1** *lace* ⇒*trim (with braid / piping / lace).*

galop ⟨de (m.)⟩ **0.1** [gang van het paard] *gallop* **0.2** [mbt. personen] *gallop* **0.3** [dans] *galop* ⇒*gal(l)opade* **0.4** [muziekstuk] *galop* ⇒*gal(l)opade* ◆ **2.1** gebroken ~ *broken g.;* een korte ~ *a canter;* in volle ~ *at a full g.* **6.1** in ~ *at a g.;* in ~ overgaan *break into a g.;* een paard **in** ~ brengen *gallop a horse, put / set a horse galloping / at a g.* **6.2** hij liep **in** ~ om vlug terug te zijn *he ran at a g. (in order) to be back quickly;* het **op** een ~ zetten *set off at a g..*

galoppade ⟨de (v.)⟩ **0.1** [het galopperen] *gallop* ⇒*galloping* **0.2** [dans] *galop* ⇒*gal(l)opade.*

galoppas ⟨de (m.)⟩ **0.1** [pas in galop] *gallop / galloping step* **0.2** [danspas] *galop step* ◆ **3.1** een ~ maken *take a galloping step.*

galopperen ⟨onov.ww.⟩ **0.1** [in galop gaan] *gallop* **0.2** [zeer snel lopen] *gallop* ⇒*race, run, rush* **0.3** [de galop dansen] *galop* ⇒*gal(l)opade* **0.4** [mbt. mechanische voertuigen] *hiccup* ⇒*stamp, pound* ◆ **3.1** gaan ~ *break into a gallop;* een paard laten ~ *g. / race a horse.*

galspat ⟨de⟩ **0.1** *bog spavin.*

galsteen ⟨de (m.)⟩ **0.1** *gallstone* ⇒*bilestone.*

galsteenkoliek ⟨het, de (v.)⟩ **0.1** *gallstone / biliary colic* ⇒*gallstone attack.*

galstoornis ⟨de (v.)⟩ **0.1** *bilious attack / disorder* ⇒*trouble with one's gall-bladder.*

galvanisatie ⟨de (v.)⟩ **0.1** *galvanization.*

galvanisch
I ⟨bn.⟩ **0.1** [v.d. aard van galvanisme] *galvanic* ⇒*voltaic* ◆ **1.1** ~e elektriciteit *g. electricity, galvanism;* ~e stroom / batterij *g. current, voltaic / g. battery;*
II ⟨bw.⟩ **0.1** [met behulp van galvanische stroom] *galvanically* ◆ **3.1** metalen ~ overtrekken *coat metals g. / by galvanization, galvanize / electroplate metals;* ijzer ~ verzinken *galvanize / zincify iron.*

galvaniseren ⟨ov.ww.⟩ **0.1** [aan galvanische stroom onderwerpen] *galvanize* **0.2** [met een laag metaal bedekken] *electroplate* **0.3** [verzinken] *galvanize* ⇒⟨elektrolutisch ook⟩ *electrogalvanize,* ⟨zeldz.⟩ *zincify* ◆ **1.2** gegalvaniseerd ijzerdraad / plaatijzer *galvanized wire / sheet-iron.*

galvanisme ⟨het⟩ **0.1** *galvanism.*

galvano ⟨de (m.)⟩ ⟨druk.⟩ **0.1** *electrotype.*

galvanometer ⟨de (m.)⟩ **0.1** *galvanometer.*

galvanoplastiek ⟨de (v.)⟩ ⟨tech.⟩ **0.1** *galvanoplastics, galvanoplasty* ⇒ *electroforming,* ⟨druk.⟩ *electrotyping, electrotype.*

galvanoscoop ⟨de (v.)⟩ **0.1** *galvanoscope.*

galvanotechniek ⟨de (v.)⟩ **0.1** *electroplating.*

galvanotropisme ⟨het⟩ ⟨nat.⟩ **0.1** *galvanotropism.*

galvanotypie ⟨de (v.)⟩ **0.1** *electrotype, electrotyping.*

galvet ⟨het⟩ **0.1** *cholesterol.*

galvocht ⟨het⟩ **0.1** *bile* ⇒*gall.*

galweg ⟨de (m.)⟩ **0.1** *bile duct, biliary duct / canal, tract* ⇒*gall duct.*

galwesp ⟨de⟩ **0.1** *gall wasp.*

galziekte ⟨de (v.)⟩ **0.1** [bij de mens] *bilious complaint* **0.2** [runderziekte] *anaplasmosis.*

galzucht →**geelzucht.**

gamander ⟨de⟩ **0.1** [lipbloemige plant] *germander* **0.2** [ereprijs] *germander speedwell* ⇒ ⟨AE vnl.⟩ *bird's eye speedwell.*

gamba →**gambe.**

gambe ⟨de⟩ **0.1** [muziekinstrument] *viola da gamba* ⇒*gamba* **0.2** [orgelregister] *gamba bass.*

Gambia ⟨het⟩ **0.1** *(The) Gambia.*

Gambiaan ⟨de (m.)⟩ **0.1** *Gambian.*

Gambiaans ⟨bn.⟩ **0.1** *Gambian.*

gambiet ⟨het⟩ **0.1** *gambit.*

gameet ⟨de⟩ **0.1** *gamete.*

gamel ⟨de⟩ **0.1** *mess tin.*

gamelan ⟨de (m.)⟩ **0.1** *gamelan.*

gamma ⟨het, de⟩ **0.1** [Griekse letter] *gamma* **0.2** [0,001 mg] *gamma* ⇒ *microgram* **0.3** [toonladder] *gamut* ⇒*scale* **0.4** [geordende reeks] *gamut* ⇒*spectrum* ◆ **2.4** een breed ~ van onderzoek *a wide / broad spectrum of research;* het hele ~ van menselijke ervaringen *the entire g. of human experience* **3.3** ⟨ook fig.⟩ het hele ~ doorlopen *run through / cover the entire g.* ⟨ook fig.⟩.

gammadeeltje ⟨het⟩ **0.1** *gamma particle.*

gammaglobuline ⟨het⟩ **0.1** *gamma globulin.*

gammastralen ⟨zn.mv.⟩ **0.1** *gamma rays* ⇒*gamma radiation* ◆ **6.1** een onderzoek **met** ~ *examination / research using gamma rays / radiation; gamma ray research / examination.*

gammastraling ⟨de (v.)⟩ **0.1** *gamma radiation.*

gammawetenschappen ⟨zn.mv.⟩ **0.1** *social sciences* ⇒*social studies.*

gammel ⟨bn.⟩ ⟨inf.⟩ **0.1** [oud en vervallen] *rickety* ⇒*wobbly, ramshackle, tumbledown* ⟨gebouw⟩, *cranky, game,* [B]*gammy,* [A]*gimpy, tottery* ⟨oude mensen⟩ **0.2** [lusteloos] *rickety* ⇒ [†]*shaky,* [†]*languid,* [†]*faint, wonky* ◆ **1.1** een ~e auto *a crock,* [B]*a clapped-out car; a bomb;* een ~e brug *a rickety bridge;* een ~e constructie *a ramshackle / shaky / teetering / tumbledown construction;* een ~e knie *a game / gammy knee, a trick knee;* een ~e stoel *a rickety / wobbly chair* **3.2** ik ben een beetje ~ *I don't feel / am not up to much; I feel a bit the worse for wear.*

gander ⟨de (m.)⟩ **0.1** *gander.*

gang
I ⟨de (m.)⟩ **0.1** [doorloop binnen een gebouw] *passage(way)* ⇒*corridor, hall(way)* **0.2** [pad] *passage(way);* ⟨tunnel⟩ *tunnel* **0.3** [manier van lopen] *walk* ⇒*gait* **0.4** [gedraging, handeling] *movement* ⟨altijd mv.⟩ ⇒*doing* ⟨altijd mv.⟩ **0.5** [beweging, werking] *movement* ⇒ ⟨snelheid⟩ *speed* **0.6** [geleidelijke voortgang / ontwikkeling] *course* ⇒ *run* **0.7** [mbt. spijzen] *course* **0.8** [loop / tocht ergens heen] *trip, journey* **0.9** [⟨in samenst.⟩ ⟨zie 1.9⟩ **0.10** [draad / groef v.e. schroef / bout] *thread* **0.11** [plank] *strake* ◆ **1.3** de ~en v.h. paard *the horse's gaits* **1.6** de ~ van zaken is als volgt *the procedure is as follows;* wij betreuren deze ~ van zaken *we regret this state of affairs;* de dagelijkse ~ van zaken *the daily routine;* verantwoordelijk zijn voor de goede ~ van zaken *be responsible for the smooth running of things;* de normale ~ van zaken is dat ieder voorstel wordt rondgestuurd *the normal procedure is for every proposal to be circulated;* de nieuwe ~ van zaken afwachten *await further developments* **1.9** gehoorgang *auditory duct / channel / passage / canal* ⟨med. ook⟩ *meatus* **2.2** een ondergrondse ~ *an underground passage(way)* **2.3** herkenbaar aan zijn trage ~ *recognizable by his slow gait* **2.6** het feest is in volle ~ *the party is in full swing;* de voorbereidingen zijn in volle ~ *the preparations are in full swing / well under way* **2.8** iem. op zijn laatste ~ begeleiden *accompany s.o. on his last j.* **3.1** de ~ dweilen *mop the floor in the passage / hall(way)* **3.2** een ~ graven *dig a passage / tunnel* **3.4** ga je ~ maar ⟨begin maar⟩ *(just / do) go ahead;* ⟨ga maar verder⟩ *(just / do) carry on;* ⟨na jou⟩ *after you;* zijn eigen ~ gaan *go one's own way;* ⟨inf.⟩ *do one's own thing, suit o.s.;* iem. zijn ~ laten gaan ⟨ook⟩ *leave s.o. to his own devices;* stilletjes zijn ~ gaan *go one's own sweet way;* iemands ~ en nagaan *watch s.o.'s movements;* ⟨inf.⟩ *tail s.o.* **3.5** ~ maken *put a spurt on, speed up;* er ~ achter zetten *put a spurt on it, speed it up* **3.6** alles gaat zijn gewone ~ *everything's running / going normally / (just) as usual;* alles gaat weer zijn gewone ~ *everything's back to normal;* het leven hernam zijn gewone ~ *life resumed its normal c.* **6.1** voor straf **op** ~ moeten staan *be sent out into the corridor* **6.5** kunnen we **aan** de ~ gaan? *can we get going / get to work / get started?;* ben je weer **aan** de ~? *at it again, are you?;* de les was al **aan** de ~ *the lesson had*

already got going / (got) started; een motor **aan** de ~ krijgen *get an engine started / going;* hé, blijf jij **aan** de ~! *hallo, haven't you finished yet?;* hij bleef maar **aan** de ~ *he kept on going / kept on at it;* je moet er niet over **aan** de ~ blijven *don't carry / keep on about it;* zo kan ik wel **aan** de ~ blijven! *at this rate I'm never going to get finished!;* de zaak **aan** de ~ houden *keep the business running / going;* zijn jullie al lang **aan** de ~? *have you been at it long?;* een proces **in** ~ zetten *start a process / get a process going;* (jur.) *start proceedings;* goed **op** ~ komen (ook fig.) *get into one's stride;* een gesprek weer **op** ~ brengen *get a conversation going again;* iem. **op** ~ helpen *help s.o. to get going, give s.o. a start;* hij komt altijd wat moeilijk **op** ~ *he's a (bit of a) slow starter, he always takes a while / some time to get going* **6.8** de (dagelijkse) ~ **naar** het werk / **naar** school *the (daily) t. / j. to work / school;* u kunt zich de ~ **naar** het loket besparen door ... *you can save yourself a t. to the ticket-office by ...* **7.7** het diner bestond uit vijf ~en (ook) *it was a five-course dinner;*
II 〈de (m.)〉〈Eng.〉 **0.1** [groep] *gang.*

gangbaar 〈bn.〉 **0.1** [mbt. geld] *accepted, valid* ⇒*passable, negotiable* 〈wissel〉 **0.2** [mbt. woorden, taal] *current, contemporary* ⇒*common* 〈frequent gebruikt〉, *usual* **0.3** [mbt. koop-, handelswaren] *popular* ⇒ *in demand, saleable* **0.4** [mbt. gevoelens, denkbeelden] *prevailing* ⇒ *current, prevalent, common, fashionable* **0.5** [mbt. werkwijzen] *accepted* ⇒*usual, common, widespread* **0.6** [mbt. schroeven, instrumenten] 〈zie 3.6〉 ◆ **1.1** gangbare munt *passable / a. currency* **1.2** is dat nu ~ Nederlands? *is that widely used in Dutch?, is that current / contemporary Dutch?;* een gangbare uitdrukking *a current / standard expression* **1.3** weinig gangbare artikelen *articles which are not much in demand / not very saleable / p.;* een gangbare maat *a common size* **1.4** de gangbare mening over deze kwestie *the current / prevailing opinion; present-day thinking on this question;* een gangbare overtuiging / opvatting *a current / prevailing / common conviction / view* **1.5** een gangbare methode *an a. method* **3.6** vastgeroeste bouten met kruipolie ~ maken *loosen rusted bolts with oil* **5.2** deze uitdrukking is algemeen ~ *this expression has general currency;* een minder gangbare uitdrukking *an uncommon / a less than common / a rarely used expression.*

gangbaarheid 〈de (v.)〉 **0.1** [geldigheid] *(general) acceptance* ⇒*validity* **0.2** [het in gebruik zijn] *currency* ⇒*usualness, popularity* **0.3** [het algemeen aanvaard zijn] *commonness* ⇒*acceptance, prevalence* **0.4** [het algemeen toegepast worden] *commonness* ⇒*usualness, acceptance* ◆ **1.1** de ~ van bankpapier *the a. of banknotes* **1.2** de ~ van een uitdrukking *the c. / common usage of an expression* **1.3** de ~ van een opvatting *the prevalence of a view* **1.4** de ~ van deze methode *the c. / acceptance of this method.*

gangboord 〈het, de (m.)〉 **0.1** *gangway.*

gangdeur 〈de〉 **0.1** *door to hall(way) / corridor* ⇒*passage door.*

gangenstelsel 〈het〉 **0.1** *complex / network / system of corridors* ⇒*maze* ◆ **2.1** een onderaards ~ *underground network; catacomb.*

Ganges 〈de (m.)〉 **0.1** *the (River) Ganges.*

gangetje 〈het〉 **0.1** [snelheid] *pace* ⇒*speed, rate* **0.2** [voortgang] 〈zie 3.2〉 **0.3** [nauwe doorgang] *(steeg) alley(way)* ⇒*lane(way), passage(way),* 〈gang〉 *(narrow) corridor / passage* ◆ **2.1** er een aardig ~ inzetten *get moving, get going;* een flink ~ hebben *go at a brisk / rapid clip;* een kalm ~ *an easy / a calm unhurried p.* **3.2** alles gaat z'n ~ *things are going well enough / o.k. / all right* **6.1** met een ~ van 150 de bocht door round the bend / curve at (a speed of) 150.

ganggesteente 〈het〉 **0.1** *gang(ue).*

gangkast 〈de〉 **0.1** *hall-cupboard* ⇒*hall-closet.*

ganglion 〈het, de (m.)〉 **0.1** [peesknoop] *ganglion* **0.2** [zenuwknoop] *ganglion.*

gangloper 〈de (m.)〉 **0.1** *hall runner* ⇒*hall carpet.*

gangmaken 〈onov., ov.ww.〉 **0.1** *set the pace* ◆ **3.1** zich laten ~ *let the pace be set (for one)* **6.1** gegangmaakt **door** *paced by, the pace set by;* 〈achter motor〉 *motor-paced by.*

gangmaker 〈de (m.)〉, **-maakster** 〈de (v.)〉 **0.1** [iem. die de aanzet geeft tot feestvreugde] *(the) life and soul (of a party)* **0.2** 〈wielersport〉 *pace-setter, pace-maker* ⇒*pacer* **0.3** [propagandist] *activist* ◆ **2.1** Jan is een echte ~ *Jan is always the life and soul of the party* **6.2** rijden **met** / **zonder** ~ *ride with / without a p.-s..*

gangmat 〈de〉 **0.1** *hall- / door-mat.*

gangpad 〈het〉 **0.1** *aisle* ⇒〈BE ook〉 *gangway.*

gangreen 〈het〉〈med.〉 **0.1** *gangrene* ⇒*canker, mortification* ◆ **2.1** droog ~ *dry g.;* vochtig ~ *moist g.* **3.1** ~ krijgen *get g.;* 〈lichaamsdeel〉 *become gangrenous.*

gangreneus 〈bn.〉 **0.1** [van de aard van gangreen] *gangrenous* **0.2** [door gangreen aangetast] *gangrenous* ◆ **1.1** gangreneuze ontbinding *decay / decomposition, gangrene.*

gangspil 〈het〉 **0.1** *capstan.*

gangster 〈de (m.)〉 **0.1** *gangster* ⇒*racketeer.*

gangsterbende 〈de〉 **0.1** *gang (of criminals)* ⇒〈sl.〉 *mob.*

gangsterfilm 〈de (m.)〉 **0.1** *gangster film.*

gangsterliefje 〈het〉〈AE; sl.〉 **0.1** *gangster's / gun moll.*

gangstermethoden, gangsterpraktijken 〈zn.mv.〉 **0.1** [van georganiseerde bende] *gangster / mob / underworld methods* ⇒*racketeering, the*

---

rackets **0.2** [〈alg.〉] *shady* / ↑ *unscrupulous practices* ⇒〈mbt. woekerprijzen〉 *daylight robbery* ◆ **2.1** dat zijn je reinste ~ *that is pure gangsterism, that's the real Chicago touch.*

gangwissel 〈de (m.)〉 **0.1** *gear-box* ⇒*transmission.*

gannef 〈de (m.)〉 **0.1** [dief] *crook* ⇒*thief* **0.2** [〈scherts.〉 boef] *rascal, rogue* 〈vnl. mbt. kind〉.

gans[1] 〈de〉〈→sprw. 168,169〉 **0.1** [zwemvogel] *goose* **0.2** [onnozel persoon] *goose* ⇒*twit, ninny* ◆ **1.1** de sprookjes van Moeder de Gans *the (fairy) tales of Mother Goose* **2.1** Canadese ~ *Canada g., wild g.;* een jonge ~ *a gosling;* Russische ~ *red-breasted g.;* wilde / grauwe ~ *wild g., grey* [A]*gray g., greylag* [A]*graylag (g.), stubble g.* **2.2** een domme ~ *a silly g.* **6.1** 〈ganzenborden〉 **op** een ~ je komen *land on a goose* **8.1** lopen als een (vette) ~ *waddle / walk like a duck;* zij lopen als ganzen achter elkaar *they walk / march in single / Indian file;* zo dom als een ~ *dumb as an ox / thick as a brick.*

gans[2] 〈schr.〉 〈→sprw. 280〉
I 〈bn.〉 **0.1** [geheel] 〈ongemarkeerd〉 *entire* ⇒*all, whole* ◆ **1.1** ~e dagen *whole days;* met ~ uw hart *with all your heart;* van ~er harte *with all (of) one's heart* 〈dank, medelijden〉, *wholehearted* 〈enthousiasme〉; *heartfelt* 〈medelijden〉; iets van ~er harte doen *do sth. wholeheartedly / with one's whole heart, put one's heart and soul into sth.;* het ging niet van ~er harte *it was only halfhearted;* het ~e land *the whole country;* een ~e week *a full / whole week;* de ~e wereld *the e. / whole world;*
II 〈bw.〉 **0.1** [volstrekt] *wholly* ⇒*entirely,* ↓*all, fully, completely* **0.2** [geheel en al] *wholly* ⇒*entirely,* ↓*quite, completely* ◆ **1.1** hij was ~ dichter / schilder *he was completely given over to / wrapped up in his poetry / art.*

gansje 〈het〉 **0.1** [〈lett.〉] *gosling* ⇒*little* / 〈vnl. cul.〉 *green goose* **0.2** [〈fig.〉] *goose* ⇒*twit, ninny* ◆ **2.2** een dom ~ *a silly goose;* ≠*a dumb blonde;* ik ben niet zo maar een dom ~ *I'm not just a pretty face, you know.*

gansvogel 〈de (m.)〉 **0.1** [vogel] *goose* **0.2** [vogelfamilie] *goose.*

ganzebek 〈de (m.)〉 **0.1** *goose bill.*

ganzebloem 〈de〉 **0.1** *chrysanthemum* ◆ **2.1** gele ~ *corn marigold;* witte ~ *moon-daisy, ox-eye / white daisy, marguerite.*

ganzebout 〈de (m.)〉 **0.1** *goose-leg.*

ganzedistel 〈de〉〈plantk.〉 **0.1** [meldistel (Sonchus oleraceus)] *milk / sow thistle* **0.2** [akkermeldistel (Sonchus arvensis)] *milk thistle.*

ganzedons 〈het〉 **0.1** *goose down.*

ganzeëi 〈het〉 **0.1** *goose egg.*

ganzejacht 〈de〉 **0.1** 〈handeling〉 *goose-shooting;* 〈jachtpartij〉 *goose shoot* ◆ **6.1** hij is **op** ~ *he's out goose-shooting / on a goose shoot.*

ganzelever 〈de〉 **0.1** *goose liver* ⇒〈cul.〉 *foie gras.*

ganzenbord 〈het〉 **0.1** [spel] *(game of) goose* **0.2** [speelbord] *goose board.*

ganzenborden 〈onov.ww.〉 **0.1** *play (the game of) goose.*

ganzenhoeder 〈de (m.)〉, **-hoedster** 〈de (v.)〉 **0.1** *gooseherd* 〈m., v.〉 ⇒ *goosegirl* 〈v.〉.

ganzenmars 〈de〉〈scherts.〉 **0.1** 〈ongemarkeerd〉 *single / Indian file* ◆ **6.1** **in** ~ *in single / Indian file.*

ganzenspel 〈het〉 **0.1** [spel] *(game of) goose* **0.2** [speelbord met toebehoren] *(game-of-)goose set.*

ganzenoog 〈het〉 **0.1** [oog van een gans] *goose eye* **0.2** [tafellinnen] ≠*broderie anglaise* ⇒*eyelet embroidery.*

ganzeoogjes 〈zn.mv.〉 **0.1** ≠*eyelets.*

ganzepastei 〈de〉 **0.1** *pâté de foie gras* ⇒*goose liver pâté.*

ganzepen 〈de〉 **0.1** *(goose) quill (pen).*

ganzepeper 〈de (m.)〉 **0.1** *jugged goose.*

ganzerik
I 〈de (m.)〉 **0.1** [mannetjesgans] *gander;*
II 〈de〉 **0.1** [plantengeslacht] *cinquefoil, tormentil* ◆ **2.1** kruipende ~ *trailing t..*

ganzeveer 〈de〉 **0.1** *(goose) quill (pen).*

ganzevoet 〈de (m.)〉〈plantk.〉 **0.1** *goosefoot* ◆ **2.1** algoede ~ *Good (King) Henry.*

gapen 〈onov.ww.〉〈→sprw. 167〉 **0.1** [geeuwen] *yawn* **0.2** [met open mond staan staren] *gape* ⇒*gawk (at), gawp (at)* **0.3** [wijde opening hebben] *yawn* ⇒*gape* **0.4** [de mond wijd openen om eten en drank tot zich te nemen] *gape* **0.5** [de mond wijd openen] *gape* ◆ **1.2** de ~de menigte *the gaping crowd* **1.3** een ~de afgrond (ook fig.) *a yawning abyss;* een ~de bres *a gaping breach;* een ~d gat *a gaping hole;* het ~d graf 〈lett.〉 *the yawning / open grave;* 〈fig.〉 ≠*the jaws of death;* een ~d hol *the open mouth of a cave;* een ~de kloof *a gaping cleft / rift;* er gaapt een diepe kloof tussen de twee partijen *there is a wide gap / a yawning gulf between the two parties / sides;* een ~de wond *a gaping wound, a gash* **3.1** ik zat voortdurend te ~ onder die film *I yawned my way through that film* **3.2** hé, joh, sta niet zo te ~ *don't (just) stand there gawping;* zij bleven maar staan ~ *they stood agape;* naar iets staan ~ *stand agape at sth., stand agape* **5.5** gaap eens ~ open up / wide* **6.1** ~ **van** verveling *y. with boredom;* 〈inf. ook〉 *catch flies.*

gaper[1] 〈de (m.)〉, **gaapster** 〈de (v.)〉 **0.1** [iem. die gaapt] *yawner* **0.2** [iem. die met open mond staat te kijken] *gaper.*

gaper[2] 〈de (m.)〉 **0.1** [houten beeld] *(sign outside) chemist's shop* **0.2**

[schelpdieren] *gaper* ⇒*(gaping) clam, mollusk* ◆ **6.1 bij** de ~ *at the chemist's.*

gaperig 〈bn.〉 **0.1** *yawny.*

gaping 〈de (v.)〉 **0.1** [wijde opening] *gap* ⇒*chasm,* 〈het wijd open staan〉 *yawning* **0.2** [hiaat] *gap* ⇒*space, hiatus, lacuna* **0.3** [gat, scheur] *gap* ⇒*slit,* 〈scheur〉 *rent,* 〈gat〉 *hole* ◆ **2.3** een wijde ~ was in de slagorde gemaakt *a wide breach had been made in the ranks* **3.2** een ~ aanvullen *fill in a g. / blank.*

gapkoers 〈de (m.)〉 〈hand.〉 **0.1** *nominal rate, made-up price.*

gappen 〈ov.ww.〉 〈inf.〉 **0.1** *pinch* ⇒*swipe, filch, pilfer, collar, lift, make off with* ◆ **1.1** ze hebben/iemand heeft mijn fiets gegapt *they've/ somebody's (gone and) pinched/lifted my bike.*

gapper 〈de (m.)〉 **0.1** *pilferer* ⇒*lifter, filcher, snatcher.*

garage 〈de (v.)〉 **0.1** [autostalling] *garage* **0.2** [bedrijf] *garage* ⇒*service station* ◆ **6.2** de auto moet **naar** de ~ *the car has to go to the g. / be serviced.*

garagedeur 〈de〉 **0.1** *garage door.*

garagehouder 〈de (m.)〉 **0.1** 〈eigenaar〉 *garage-owner;* 〈exploitant〉 *garage manager;* 〈inf.〉 *garageman.*

garanderen 〈ov.ww.〉 **0.1** *guarantee* ⇒*warrant, vouch for, underwrite* ◆ **1.1** gegarandeerd echt goud *hallmarked gold;* een gegarandeerde lening *a guaranteed loan;* alle onderdelen worden één jaar gegarandeerd *all parts are guaranteed/under guarantee for one year/have one year's guarantee* **2.1** gegarandeerd krimpvrij *guaranteed non-shrinkable/shrink resistant* **3.1** ik kan niet ~ dat je slaagt *I cannot g. that you will succeed* **4.1** dat garandeer ik je *I guarantee you that* ¶**.1** gegarandeerd! *yes sir/madam!;* gegarandeerd de beste/de laagste prijzen *rock bottom prices, you can't beat our prices, lowest prices anywhere;* 〈BE ook〉 *never knowingly undersold.*

garant 〈de (m.)〉 **0.1** *guarantor* ⇒*guarantee underwriter* 〈bv. van emissie〉, 〈jur.〉 *surety* ◆ **3.1** ~ staan voor de schulden van zijn vrouw *stand surety for one's wifes debts;* zijn aanwezigheid staat ~ voor een gezellige avond *his presence ensures/guarantees a pleasant/enjoyable evening;* zich ~ stellen voor *act as guarantor/stand surety for, underwrite, vouch for.*

garantie 〈de (v.)〉 **0.1** *guarantee* ⇒*warranty, surety, underwriting* 〈mbt. emissies〉 ◆ **2.1** levenslange ~ *lifetime g.;* een schriftelijke ~ geven *give a written g. / a warranty* **3.1** iem. ~s geven *guarantee s.o. (sth.)* **6.1** met volledige ~ *fully guaranteed;* een lening **onder** ~ van de gemeente ≠*a (local) government backed loan;* dat valt niet **onder** de ~ *that is not covered by the g.;* drie jaar garantie **op** iets krijgen *get/obtain a three year g. on/for sth.;* er zit een vol jaar ~ **op** dit apparaat *this appliance carries/comes with a full year's g.* **7.1** ik heb geen ~ meer *I no longer have any/a g..*

garantieaandeel 〈het〉 **0.1** *qualification share.*

garantiebewijs 〈het〉, -**kaart** 〈de〉 **0.1** *guarantee (card)* ⇒*warranty, certificate of guarantee,* 〈aan artikel gehecht, ook〉 *guarantee label/tag.*

garantiecertificaat 〈het〉 **0.1** *certificate of guarantee.*

garantiefonds 〈het〉 **0.1** *guarantee fund* ⇒*contingency fund.*

garantiekrediet 〈het〉 **0.1** *credit guarantee.*

garantieprijs 〈de (m.)〉 **0.1** *guaranteed price* ⇒*support price.*

garantiesom 〈de〉 **0.1** *deposit* 〈bv. bij huurauto〉.

garantietermijn 〈de (m.)〉 **0.1** *period/term of guarantee, warranty period* ◆ **3.1** de ~ is verlopen *the period/term of guarantee has expired/is up.*

garantieverdrag 〈het〉 **0.1** *treaty of guarantee.*

garantieverlener 〈de (m.)〉 **0.1** *guarantor* ⇒〈bij obligaties e.d.〉 *bond(sman), surety, obligator.*

garantievoorwaarden 〈de (v.)〉 **0.1** *guarantee conditions, terms of guarantee.*

garçon 〈de (m.)〉〈AZN〉 **0.1** *waiter.*

gard 〈de〉 **0.1** [keukengereedschap] *whisk* ⇒*beater* **0.2** [roede] *rod* ⇒ *birch* ◆ **3.2** de ~ krijgen/verdienen *get/deserve the r..*

garde
I 〈de〉 **0.1** [lijfwacht] *guard(s)* **0.2** [keurbende] *guard* ◆ **2.1** de pauselijke ~ *the papal/Swiss guard* **2.2** de nationale ~ *the national g.* **2.**¶ 〈iemand van de oude ~ *(one/a member of) the Old Guard.*
II 〈de (m.)〉 **0.1** [gardist] *guard* ◆ **2.1** revolutionaire ~n *revolutionary guards.*

garde d'honneur 〈de〉 **0.1** *guard of honour.*

gardenia 〈de〉 **0.1** [plantengeslacht] *Gardenia* **0.2** [bloem] *gardenia.*

garderegiment 〈het〉 **0.1** *Guards regiment, regiment of Guards* ◆ **1.1** ~ van infanteristen *Foot Guards.*

garderobe 〈de〉 **0.1** [kledingstukken] *wardrobe* **0.2** [vestiaire] *cloakroom* **0.3** [kleerkast] *wardrobe,* 〈AE alleen〉 *closet* ◆ **2.1** een uitgebreide ~ bezitten *own/possess an extensive w..*

garderobejuffrouw 〈de (v.)〉 **0.1** *cloakroom/*^A*checkroom attendant, hatcheck girl.*

gardiaan 〈de (m.)〉 **0.1** *guardian* ⇒*superior.*

gardist 〈de (m.)〉 **0.1** *guard.*

gareel 〈het〉 **0.1** *(horse)collar* ⇒*harness, gear, tackling* ◆ **6.1** een paard **in** het ~ slaan/spannen *put a horse in harness, harness a horse;* 〈fig.〉 iem. (weer) **in** het ~ brengen *bring s.o. to heel, make s.o. toe the line, subdue s.o.;* 〈fig.〉 de boel **in** het ~ houden *keep the place under con-*

trol/in order; 〈fig.〉 iem. **in** het ~ spannen *put/set s.o. to work;* **in** het ~ lopen/blijven *toe the line;* kinderen stevig **in** het ~ houden *keep children (firmly) in line;* 〈fig.〉 de hele tijd **in** 't ~ zijn *keep/have one's nose to the grindstone all the time.*

garen[1] 〈het〉 **0.1** [draad] *thread, yarn* ⇒〈naaigaren〉 *cotton,* 〈van wol〉 *wool(len yarn)* **0.2** [touw voor netten, strikken] *string* ⇒*twine* ◆ **1.1** in ~ en band doen *sell* ^B*haberdashery/*^*notions;* een klosje ~ *a reel/ spool of t., a reel of yarn;* een kluwen ~ *a ball of yarn, a cop* **2.1** enkel ~ *single-ply y.;* getwijnd ~ *twine, twist;* 〈fig.〉 geen goed ~ van iets kunnen spinnen *not be able to make anything of sth.;* tweedraads/ driedraads ~ *two-/three-ply yarn;* 〈fig.〉 zuiver ~ spinnen *be on the level* **3.1** ~ afwinden *wind/reel (off) yarn/wool;* 〈fig.〉 met hem is het moeilijk ~ te spinnen *he is difficult/hard to deal with, you don't get very far with him;* 〈fig.〉 ~ spinnen bij *reap profit from;* ~ tweernen/ twijnen *twine/twist thread(s)/yarn* ¶**.1** het is goed spinnen van andermans ~ *it's easy to be generous when you're not paying for it.*

garen[2] 〈bn.〉 **0.1** *thread* ◆ **1.1** ~ handschoenen *lace/lisbe gloves.*

garen-en-bandwinkel 〈de (m.)〉 **0.1** ^B*haberdashery* ⇒^B*haberdasher's (shop).*

garenhaspel 〈de (m.)〉 **0.1** *(yarn-)reel* ⇒*cop.*

garenklos 〈de (m.)〉 **0.1** *spod* ⇒*reel, cop.*

garennummer 〈het〉 **0.1** *count.*

garenspinnerij 〈de (v.)〉 **0.1** [het spinnen] *(yarn-)spinning* **0.2** [werkplaats] *(yarn-)spinning mill, mill.*

garentwijnder 〈de (m.)〉, **-twijnster** 〈de (v.)〉 **0.1** *thread-twister.*

garf 〈de〉 **0.1** *sheaf.*

gargouille 〈de〉 **0.1** *gargoyle* ⇒*waterspout.*

garibaldi 〈de (m.)〉 **0.1** ^B*bowler (hat),* ^A*derby.*

garnaal 〈de (m.)〉 **0.1** [schaaldier] *shrimp* ⇒〈steur〉 *prawn* **0.2** [〈mv.〉 onderorde van de tienpotigen] *prawn,* 〈AE vnl.〉 *shrimp* **0.3** [persoon] *shrimp* ⇒*runt,* 〈AE ook〉 *peewee,* 〈meisje ook〉 *slip* ◆ **1.1** een broodje ~ *a s. / prawn roll/sandwich;* 〈BE;inf. ook〉 *s. butty* **2.1** de gewone ~ wordt in Nederland veel gegeten *the common s. is eaten a lot in the Netherlands;* Hollandse garnalen *Dutch shrimps;* Noorse garnalen 〈als gerecht〉 *scampi* **3.1** garnalen pellen *peel/shell shrimps* **6.1 op** garnalen vissen *shrimp, prawn, fish for s. / prawn.*

garnalegehuegen 〈het〉 **0.1** ≠*a memory/* 〈inf. ook〉 *head like a sieve.*

garnalencocktail 〈de (m.)〉 **0.1** *shrimp/prawn cocktail.*

garnalencroquet 〈de〉 **0.1** *shrimp/prawn croquette/fritter/rissole.*

garnalenpeller 〈de (m.)〉, **-pelster** 〈de (v.)〉 **0.1** *shrimp-peeler.*

garnalenpellerij 〈de (v.)〉 **0.1** *shrimp/prawn peeling/shelling.*

garnalenplant 〈de〉 **0.1** *shrimp plant.*

garnalensalade 〈de〉 **0.1** *shrimp/prawn salad.*

garnalenvangst 〈de〉 **0.1** *shrimping* ⇒*shrimp fishing, prawning* ◆ **3.1 op** ~ gaan *go shrimping, fish for shrimp.*

garnalenvisser 〈de (m.)〉 **0.1** *shrimper* ⇒〈boot ook〉 *prawner.*

garnalenvisserij 〈de (v.)〉 **0.1** *shrimping, prawning* ⇒*shrimp/prawn fishing.*

garnalenvloot 〈de〉 **0.1** [visserscheepjes] *shrimp fleet* ⇒*shrimp boats* 〈mv.〉, *shrimpers* 〈mv.〉 **0.2** [kleine vaartuigen] *(bunch of) toy boats.*

garnaleverstand 〈het〉 **0.1** [zeer klein verstand] *bird-brain* ⇒*pea-brain, pin-head, feather-brain* **0.2** [bekrompen persoon] ≠*small-/narrow-minded person* ⇒*pig-headed person.*

garnalevingertje 〈het〉 **0.1** ≠*baby's finger* ⇒≠*tiny finger (of baby).*

garneerband 〈het〉 **0.1** *(band of) trim* ◆ **6.1** afzetten met ~ *embellish/ finish with t., trim.*

garneersel →**garnituur 0.1.**

garneerspuit 〈de〉 **0.1** *piping nozzle.*

garneren 〈ov.ww.〉 **0.1** [versieren] *garnish* 〈vnl. gerechten〉; *trim, decorate* 〈kleding〉; 〈afwerken〉 *finish* **0.2** [mbt. scheepslading] *dunnage* **0.3** [mbt. aardewerk] *finish* ◆ **1.1** een salade ~ met een schijfje tomaat *garnish as salad with a slice of tomate;* een taart ~ *decorate a cake* **6.1** een kleedje met franje gegarneerd *a rug trimmed with a fringe;* een met kant gegarneerde jurk *a dress trimmed/finished with lace.*

garnering 〈de (v.)〉 **0.1** [het garneren, beleggen]〈mbt. gerechten〉 *garnishing,* 〈AE;inf.〉 *fixings,* 〈kleding〉 *trimming, decorating, decoration, embellishment* **0.2** [garneersel] 〈→**garnituur 0.1**〉 **0.3** [〈scheep.〉 losse beplanking] *dunnage.*

garnituur 〈het〉 **0.1** [garneersel] *garnish(ing)* ⇒*trim(ming(s)), decoration(s), garniture, ornament, detail* **0.2** [stel voorwerpen ter versiering] *accessories* 〈mv.〉 ⇒*accoutrements* 〈mv.〉, 〈inf.〉 *gear,* 〈stel〉 *set, ensemble* **0.3** [keuze] *rate* ⇒*class, choice* ◆ **2.1** een ~ van een silk trim* **2.2** de vorstin droeg een prachtig diamanten ~ *the princess wore a magnificent s. of diamonds* **2.3** een speler van het tweede ~ *a second-string player* 〈bv. voetbal〉, *second-rate player* 〈bv. instrument〉 **7.3** van het tweede ~ *second r. / class.*

garnizoen 〈het〉 **0.1** *garrison* ◆ **1.1** het ~ van Den Bosch *the g. at/in Den Bosch, the Den Bosch g.* **2.1** 〈fig.〉 grote parade en klein ~ *much ado about nothing, big song and dance about nothing* **3.1** ~ houden *be in g. / be garrisoned (at/in), be stationed (at/in);* een ~ leggen in *garrison (at/in);* zich naar zijn ~ begeven *report/withdraw/retire/return to (one's) g. / quarters.*

garnizoenscommandant ⟨de (m.)⟩ **0.1** *garrison commander* ⇒⟨gesch.⟩ *town major.*
garnizoensplaats ⟨de⟩ **0.1** *garrison (town).*
garnizoensstad ⟨de⟩ **0.1** *garrison town.*
garoeda ⟨de (m.)⟩ **0.1** *garuda.*
garstig ⟨bn., bw.⟩ **0.1** [ranzig] *rancid* ⇒*rotten, bad, measty* ⟨vlees⟩ **0.2** [walgelijk] *rotten* ⇒*mouldy, measly, nasty* ♦ **3.1** ~ smaken/ruiken *taste/smell rancid/bad/off/sour.*
garstigheid ⟨de (v.)⟩ **0.1** [garstige smaak] *rancidity, rancidness* **0.2** [gortigheid] *rancidity, rancidness* ⇒*rottenness.*
garve →**garf.**
garven
  I ⟨ov.ww.⟩ **0.1** [in garven binden] *sheaf* ⇒*gather/bind into sheaves;* **II** ⟨onov.ww.⟩ **0.1** [garven van het land voeren] *gather sheaves.*
gas ⟨het⟩ **0.1** [stof in luchtvormige toestand] *gas* **0.2** [motorgas] *mixture* ⇒⟨inf.⟩ *gas* **0.3** [gifgas] *(poison) gas* **0.4** [brandbaar mengsel] *gas* ⇒⟨voor auto's ihb.⟩ *LPG* **0.5** [gasfornuis] *gas (cooker/stove/oven)* ♦ **1.2** een dot ~ geven *give the gun* **1.4** ~, water en elektra *g., water and electricity* **2.1** chloor is bij gewone temperatuur en druk een groengeel ~ *at normal temperatures and (under normal) pressure, chlorine is a greenish-yellow g.;* ⟨nat.⟩ een ideaal ~ *a perfect ideal gas;* een inert/edel ~ *a(n) inert/noble/rare/indifferent g.;* vloeibaar ~ *liquid g.* **3.1** in de dikke darm kan zich veel ~ ophopen *a lot of g./wind can build up in the large intestine* **3.2** ~ geven *accelerate/step on the g./step on it, put one's foot down;* ~ terugnemen ⟨lett.⟩ *throttle back/down;* ⟨fig.⟩ *cool it/off, let up;* ⟨beide⟩ *ease up, slow down* **3.4** het ~ opnemen *read the g. meter;* ik ruik ~, staat er een kraantje open? *(can) smell g., is there a tap on?;* wij stoken ~ *our central heating is g.-fired, our heating system runs on g., we have g. (-fired) (central) heating;* voorzien van ~ en waterleiding *connect/link to the g. and water supply/main* **3.5** het ~ aansteken/uitdraaien *light/turn off the g.* **5.2** vol ~ geven *give full throttle, put (one's) foot right down, go flat out;* vol ~ de bocht door *(round the bend) at full speed* **5.5** het ~ hoger/lager draaien *turn up/down the g., turn the g. up/down* **6.2** de auto rijdt **op** ~ *the car runs on L.P.G./gas* **6.4** op ~ koken *cook with/by g.;* niet op het ~ aangesloten zijn *not piped for g., not have gas (laid on)* **6.5** iets **op** het ~ zetten *put sth. on (the g.).*
gasaanleg ⟨de (m.)⟩ **0.1** *gas fitting/installation.*
gasaansteker ⟨de (m.)⟩ **0.1** [apparaatje om het gas aan te steken] *gas lighter* **0.2** [aansteker] *gas lighter.*
gasaanval ⟨de (m.)⟩ **0.1** *gas attack.*
gasachtig ⟨bn.⟩ **0.1** *gaseous* ⇒*gassy, gasiform.*
gasafsluiting ⟨de (v.)⟩ **0.1** *turning off/disconnecting the gas* ⇒⟨als strafmaatregel⟩ *cutting off the gas.*
gasanalyse ⟨de (v.)⟩ **0.1** *gas analysis.*
gasapparaat ⟨het⟩ **0.1** *gas apparatus* ⇒⟨toestel⟩ *appliance.*
gasarm ⟨bn.⟩ **0.1** *lean* ⟨kolen⟩ ⇒⟨alg.⟩ *poor in gas, with a low gas content.*
gasautomaat ⟨de (m.)⟩ **0.1** *(coin-operated/pre-payment) gas meter.*
gasbalans ⟨de⟩ **0.1** *gasbalance.*
gasbedrijf ⟨het⟩ **0.1** ⟨produktie⟩ *gasworks;* ⟨levering⟩ *gas company,* [B]*gasboard.*
gasbek ⟨de (m.)⟩ **0.1** *gas jet/burner.*
gasbel ⟨de⟩ **0.1** [in een vloeistof] *gas bubble/pocket* **0.2** [in de aardschors] *gas field/pocket* ♦ **1.2** de ~ van Slochteren *the natural gas deposit(s) of Slochteren.*
gasbenzine ⟨de⟩ **0.1** *gasoline.*
gasbeton ⟨het⟩ **0.1** *aerated/cellular concrete.*
gasboei ⟨de⟩ **0.1** *gas buoy.*
gasboiler ⟨de (m.)⟩ **0.1** *gas boiler* ⇒*hot-water heater.*
gasbrander ⟨de (m.)⟩ **0.1** [gaspit] *gas jet/burner* **0.2** [toestel] *gas burner* ⇒*gas ring.*
gasbron ⟨de⟩ **0.1** *gas well, gasser.*
gasbuis ⟨de⟩ **0.1** [waardoor (aard)gas geleid wordt] *gas pipe(line)* ⇒⟨huisaansluiting⟩ *service pipe,* ⟨hoofdleiding⟩ *gas main(s)* **0.2** [op een geweer] *gascheck.*
Gascogne ⟨het⟩ **0.1** *Gascony.*
Gascogner ⟨de (m.)⟩ **0.1** *Gascon.*
gascokes ⟨de⟩ **0.1** *gas coke.*
gasconjer ⟨de (m.)⟩ **0.1** *gascon* ⇒*braggart, show-off.*
gasconnade ⟨de (v.)⟩ **0.1** *bravado* ⇒*boasting, gasconnade, bragging, braggadocio.*
gasconstante ⟨de⟩ ⟨nat.⟩ **0.1** *gas constant.*
gasconvector ⟨de (m.)⟩ **0.1** *gas convector (heater).*
gasdampen ⟨zn.mv.⟩ **0.1** *gas fumes/vapours.*
gasdetector ⟨de (m.)⟩ **0.1** *gas detector.*
gasdicht ⟨bn., bw.⟩ **0.1** *gasproof, gastight* ♦ **1.1** een ~e verbinding *a gastight connection* **3.1** iets ~ afsluiten *make sth. gasproof.*
gasdiffusie ⟨de (v.)⟩ **0.1** *gas diffusion* ⇒*diffusion of gases.*
gasdistributie ⟨de (v.)⟩ **0.1** *gas distribution.*
gasdruk ⟨de (m.)⟩ **0.1** *gas pressure.*
gaseruptie ⟨de (v.)⟩ **0.1** *gas blow-out.*
gasexplosie ⟨de⟩ **0.1** *gas explosion.*

gasfabriek ⟨de (v.)⟩ **0.1** *gasworks* ⇒*gas plant.*
gasfitter ⟨de (m.)⟩ **0.1** *gas fitter* ⇒*gasman,* ⟨tevens loodgieter⟩ *plumber.*
gasfles ⟨de⟩ **0.1** *gas cylinder/cannister.*
gasfornuis ⟨het⟩ →*gaskomfoor.*
gasgeiser ⟨de (m.)⟩ **0.1** *gas water-heater/boiler* ⇒⟨BE ook⟩ *geyser.*
gasgenerator ⟨de (m.)⟩ **0.1** *(gas) generator* ⇒*(gas) producer.*
gasgloeilamp ⟨de⟩ **0.1** *(incandescent) gas-lamp/-light.*
gashaard →*gaskachel.*
gashandel, gashendel ⟨het, de (m.)⟩ **0.1** *throttle (lever).*
gashond ⟨de (m.)⟩ **0.1** *sniffer dog.*
gashouder ⟨de (m.)⟩ **0.1** *gasholder* ⇒*gastank, gasometer.*
gasinstallatie ⟨de (v.)⟩ **0.1** *gas piping/pipework.*
gasje ⟨het⟩ **0.1** gas ring ⇒*gas burner.*
gaskachel ⟨de⟩ **0.1** *gas heater/fire.*
gaskamer ⟨de⟩ **0.1** [kamer waarin levende wezens vergast worden] *gas chamber* ⇒*gas oven, lethal chamber,* ⟨voor ongedierte⟩ *fumatorium, fumigation chambre* **0.2** [gasdichte kamer] *air/gastight chamber/room* **0.3** [ruimte waarin fruit lang bewaard kan worden] *gas storage room.*
gasketel ⟨de (m.)⟩ **0.1** *gasholder* ⇒*gasometer.*
gaskoeling ⟨de (v.)⟩ ♦ **6.¶** met ~ *gas-cooled.*
gaskolen →*gaskool.*
gaskomfoor ⟨het⟩ **0.1** ⟨fornuis⟩ *gas stove* ⇒⟨BE ook⟩ *gas cooker,* ⟨AE ook⟩ *gasrange,* ⟨pit⟩ *gas ring, gas burner.*
gaskool ⟨de⟩ **0.1** [retortekool] *gas coal* **0.2** [steenkolen die zeer lichtgevend gas leveren] *gas coal* ⇒*cannel (coal).*
gaskraan ⟨de⟩ **0.1** *gas tap* ♦ **3.1** de ~ open/dichtdraaien *turn on/off the gas (tap).*
gaslamp, -lantaarn ⟨de⟩ **0.1** *gas lamp* ⇒*gaslight.*
gasleiding ⟨de (v.)⟩ **0.1** *gas pipe(s)* ⇒⟨huisaansluiting⟩ *service pipe,* ⟨hoofdleiding⟩ *gas main(s)* ♦ **3.1** een ~ aanleggen *instal/lay on gas, connect to the gas supply, lay/put down gaspipes.*
gaslek ⟨het⟩ **0.1** *gas leak(age)/escape* ♦ **3.1** naar een ~ zoeken *look for/investigate the source of a gas leak/escape.*
gaslevering ⟨de (v.)⟩ **0.1** *supply of gas, gas supply* ♦ **3.1** de ~ staken *cut-off the g. s..*
gaslicht ⟨het⟩ **0.1** *gaslight.*
gaslucht ⟨de⟩ **0.1** *gas smell, smell of gas.*
gasman ⟨de (m.)⟩ **0.1** *gasman.*
gasmasker ⟨het⟩ **0.1** *gas mask* ⇒*gas helmet.*
gasmengsel ⟨het⟩ **0.1** *gas mixture* ⇒*gas compound.*
gasmeter ⟨de (m.)⟩ **0.1** *gasmeter.*
gasmotor ⟨de (m.)⟩ **0.1** *gas engine/motor* ⇒*vapour engine.*
gasmunt ⟨de⟩ **0.1** *coin (for the gas meter), (gas) token.*
gasnet ⟨het⟩ **0.1** *(gas) main(s)* ⇒*(gas) grid* ♦ **6.1** iem. op het ~ aansluiten *connect s.o. to the m..*
gasolie ⟨de⟩ **0.1** *gas oil.*
gasoline ⟨de⟩ **0.1** [vluchtige benzine] *benzin(e)* **0.2** [petroleumether] *petroleum ether* **0.3** [mengsel] *ligroin.*
gasontlading ⟨de (v.)⟩ **0.1** *corona discharge.*
gasontwikkeling ⟨de (v.)⟩ **0.1** *generation of gas* ♦ **3.1** als er ~ optreedt *if gas is generated.*
gasoorlog ⟨de (m.)⟩ **0.1** *gas warfare.*
gasopnemer ⟨de (m.)⟩ **0.1** *gasmeter reader* ⇒⟨inf.⟩ *gasman.*
gasoven ⟨de (m.)⟩ **0.1** [in keuken] *gas oven;* ⟨ind.⟩ *gas furnace;* ⟨in dierenasiel⟩ *gas/lethal chamber.*
gaspatroon ⟨de⟩ **0.1** *gas cartridge.*
gaspedaal ⟨het, de (m.)⟩ **0.1** *accelerator (pedal),* [A]*gas pedal* ⇒*throttle (lever)* ♦ **3.1** het ~ indrukken *step on the a./g.p..*
gaspeldoorn ⟨de (m.)⟩ **0.1** *furze* ⇒*gorse, whin.*
gaspenning ⟨de (m.)⟩ **0.1** *gasmeter coin/token.*
gaspijp ⟨de⟩ **0.1** *gaspipe(-line)* ⇒*gas fitting.*
gaspit ⟨de⟩ **0.1** [brander] *gas ring/burner* **0.2** [spits buisje] *gas burner/nozzle* **0.3** [gasvlam] *gas jet, gaslight.*
gasprijs ⟨de⟩ **0.1** *gas price/tariff.*
gasradiator ⟨de (m.)⟩ **0.1** *gas radiator.*
gasregulateur ⟨de (m.)⟩ **0.1** *gas (pressure) regulator/control.*
gasrekening ⟨de (v.)⟩ **0.1** *gas bill.*
gasreserve ⟨de⟩ **0.1** *gas reserves* ⇒*gas deposit(s).*
gasretort ⟨de⟩ **0.1** *gas retort.*
gasreuk →*gaslucht.*
gassen ⟨ov.ww.⟩ **0.1** *fumigate* ⇒*gas.*
gasslang ⟨de⟩ **0.1** *gas hose/tube.*
gasstel ⟨het⟩ **0.1** *gas ring/burner/range.*
gast ⟨de (m.)⟩ ⟨→sprw. 170,630⟩ **0.1** [logé, eter] *guest* ⇒*visitor,* ⟨blijft slapen⟩ *lodger* **0.2** [persoon mbt. degene die hem vrijhoudt] *guest* **0.3** [mbt. de horeca] *guest* ⇒*visitor, customer* **0.4** [(toneel)speler] *guest* ⇒*guest artist/actor/actress/* ⟨enz.⟩ **0.5** ⟨sport; mv.⟩ *guests* ⇒*visiting/guest team/players, visitors* **0.6** ⟨inf.⟩ persoon] *customer* ⇒*chap,* [B]*bloke* [A]*guy, fellow* ♦ **2.1** een hoge ~ *an important g./visitor;* ongenode ~en *uninvited/unwelcome guests;* ⟨inf.⟩ *gatecrashers;* een welkome ~ *a welcome g.* **2.3** vaste ~en ⟨hotel⟩ *regular guests;* ⟨restaurant, café⟩ *regular customers/clients,* ⟨inf.⟩ *regulars* **2.6** wat een rare

~ ben je toch! *you're/you certainly are a strange/an odd customer/a very odd customer indeed* **3.1** zij hebben vaak ~en *they entertain a lot /often;* ~en ontvangen/hebben *entertain (guests);* ~en uitnodigen/ontvangen/hebben *invite/receive/have guests* **3.2** je bent vanavond mijn ~ *you're my g. this evening, the/this evening is on me* **3.3** er zijn dit jaar veel ~en in de badplaatsen *there are a lot of visitors to the seaside resorts this year/bathing guests this year* **3.6** die ~en zijn altijd te laat *that bunch/crowd are always late* **6.1** bij iem. te ~ zijn *be s.o.'s g., be put up/entertained by/stay with s.o.* **8.4** met N. als ~ *with N. as g. (artist/performer/star).*

gastank ⟨de (m.)⟩ **0.1** *gas tank.*

gastanker ⟨de (m.)⟩ **0.1** *gas tanker.*

gastarbeid ⟨de (m.)⟩ **0.1** *foreign labour* ⇒*guest workers.*

gastarbeider ⟨de (m.)⟩ **0.1** *immigrant/migrant/foreign worker* ◆ **1.1** de bijdrage van ~s aan de nationale economie *the contribution of foreign labour to the national economy.*

gastarief ⟨het⟩ **0.1** *gas rate/tariff.*

gastcollege ⟨het⟩ **0.1** *guest lecture* ◆ **3.1** een serie ~s geven *deliver/give/hold a series/course of guest lectures.*

gastdirigent ⟨de (m.)⟩ **0.1** *guest conductor* ◆ **8.1** met als ~ K.B. *with K.B. as g.c.;* als ~ optreden *appear as g.c..*

gastdocent ⟨de (m.)⟩ **0.1** *visiting lecturer.*

gastdocentschap ⟨het⟩ **0.1** *visiting lectureship* ◆ **3.1** een ~ vervullen *hold a v.l., be (a) visiting lecturer.*

gasteler ⟨de (m.)⟩ **0.1** *market-gardener/^truck farmer using gas to heat his hothouse(s).*

gastenboek ⟨het⟩ **0.1** [in een hotel] *hotel register* ⇒*visitors'/guest book* **0.2** [mbt. een instelling/receptie] ⟨begrafenis⟩ *(mourners'/attendants') register;* ⟨pensioen⟩ *register of guests, guest book;* ⟨receptie, kerk enz.⟩ *visitors' book.*

gastendoekje ⟨het⟩ **0.1** *guest towel.*

gastenkamer ⟨de⟩ **0.1** [logeerkamer] *spare room* ⇒*guest room* **0.2** [ontvangstkamer] *parlour.*

gastenkwartier ⟨het⟩ **0.1** *guest/visitors' rooms/wing.*

gastenverblijf ⟨het⟩ **0.1** *guest/visitors' rooms/wing* ◆ **6.1** in het ~ onderbrengen *put (s.o.) up in the g.r..*

gasteren ⟨onov.ww.⟩ **0.1** *appear/perform as guest artist* ⇒*star.*

gastgezin ⟨het⟩ **0.1** [gezin dat tijdelijk gastvrijheid biedt] *host family* **0.2** [pleeggezin] *foster family* ◆ **6.1** buitenlandse bezoekers **bij** ~en onderbrengen *arrange accommodation of foreign visitors with host families.*

gastheer ⟨de (m.)⟩ **0.1** [heer des huizes] *host* **0.2** [⟨sport⟩] *host* ⇒*home team/players/club* **0.3** [⟨biol.⟩] *host* ◆ **8.1** als ~ optreden *(act as) host.*

gastheorie ⟨de (v.)⟩ **0.1** *theory of gases* ◆ **2.1** kinetische ~ *kinetic theory of gases.*

gast(h)ermometer ⟨de (m.)⟩ **0.1** *gas thermometer.*

gasthoogleraar ⟨de (m.)⟩ **0.1** *visiting professor.*

gasthoogleraarschap ⟨het⟩ **0.1** *visiting professorship.*

gasthuis ⟨het⟩ **0.1** *hospital* ⇒⟨AE, voor arme/terminale patiënten ook⟩ *hospice* ◆ **1.1** in het ~ liggen *be in hospital/*⟨AE⟩ *the hospital.*

gastland ⟨het⟩ **0.1** [mbt. wedstrijden/festivals] *host country* **0.2** [mbt. vluchtelingen] *host country* ◆ **8.1** als ~ optreden voor het Eurovisie songfestival *host the Eurovision song contest.*

gastmaal ⟨het⟩ **0.1** *banquet* ⇒*feast.*

gastoestel ⟨het⟩ **0.1** *gas appliance.*

gastoevoer ⟨de (m.)⟩ **0.1** *gas supply* ◆ **3.1** de ~ afsluiten *cut/shut off the gas supply.*

gastoptreden ⟨het⟩ **0.1** *guest appearance/performance.*

gastplant ⟨de⟩ **0.1** *epiphyte.*

gastrilogie ⟨de (v.)⟩ **0.1** *ventriloquism.*

gastriloog ⟨de (m.)⟩ **0.1** *ventriloquist* ⇒*gastriloquist.*

gastrisch ⟨bn.⟩ **0.1** *gastric* ◆ **1.1** ~e koortsen *g. fever/flu.*

gastritis ⟨de (v.)⟩ ⟨med.⟩ **0.1** *gastritis.*

gastro-enteritis ⟨de (v.)⟩ ⟨med.⟩ **0.1** *gastroenteritis.*

gastro-enterologie ⟨de (v.)⟩ ⟨med.⟩ **0.1** *gastroenterology.*

gastrol ⟨de⟩ **0.1** *guest appearance* ⇒⟨belangrijke gastrol⟩ *star role/part, (co-)star* ◆ **3.1** een ~ spelen/vervullen *appear as guest artist, (co-)star* **6.1** met B.B. in ~ ~ *with B.B. as a special guest.*

gastrologie ⟨de (v.)⟩ ⟨med.⟩ **0.1** *astrology.*

gastroloog ⟨de (m.)⟩ ⟨med.⟩ **0.1** *astrologist.*

gastromanie ⟨de (v.)⟩ **0.1** *(epicurian) gluttony/gulosity.*

gastronomie ⟨de (v.)⟩ **0.1** *gastronomy.*

gastronomisch ⟨bn., bw.; -ally⟩ **0.1** *gastronomic* ⇒*gastronomical, convivial* ◆ **1.1** ~e bijeenkomsten *convivial gatherings;* een ~ festijn *a g. feast.*

gastronoom ⟨de (m.)⟩ **0.1** *gastronome* ⇒*gourmet, epicure.*

gastroscoop ⟨de (m.)⟩ ⟨med.⟩ **0.1** *gastroscope.*

gastroscopie ⟨de (v.)⟩ **0.1** *gastroscopy.*

gastspreker ⟨de (m.)⟩, **-spreekster** ⟨de (v.)⟩ **0.1** *guest speaker.*

gasturbine ⟨de⟩ **0.1** *gas turbine.*

gastvoorstelling ⟨de (v.)⟩ **0.1** *guest performance* ⇒*guest production* ◆ **3.1** een ~ geven *star, appear as a guest star.*

---

gastvrij ⟨bn., bw.⟩ **0.1** *hospitable* ⇒*welcoming* ◆ **1.1** ⟨fig.⟩ een ~ huis *an open house;* iem. een ~ onthaal bereiden *give s.o. a warm welcome;* een ~ onthaal vinden *meet with a warm welcome;* onze studenten vinden er altijd een ~ onthaal *our students are always welcomed there* **3.1** hij is voor vreemden en bekenden steeds even ~ *he welcomes/opens his doors to strangers and acquaintances alike;* iem. ~ onthalen *entertain/treat/*⟨inf.⟩ *do s.o. well;* ⟨inf.⟩ *give s.o. a good time;* iem. ~ ontvangen/opnemen *welcome s.o. (warmly), extend a warm welcome to s.o.*

gastvrijheid ⟨de (v.)⟩ **0.1** [gulheid in het onthalen] *hospitality* **0.2** [het opnemen, opgenomen worden als gast] *hospitality* ◆ **3.2** ~ aanbieden /verlenen *offer/extend h.;* bij iem. ~ genieten *enjoy/be given s.o.'s h.* **6.1** bedankt voor de ~ *thank you for having me/for your h.* ¶**.1** misbruik maken van iemands ~ *impose upon s.o.'s h..*

gastvrouw ⟨de (v.)⟩ **0.1** [vrouw des huizes] *hostess* **0.2** [hostess] *hostess.*

gasuitlaat ⟨de (m.)⟩ **0.1** *fume extractor.*

gasveer ⟨de⟩ **0.1** *damper* ⇒*gas spring.*

gasveld ⟨het⟩ **0.1** *gas field.*

gasverbruik ⟨het⟩ **0.1** *gas consumption.*

gasverbruiker ⟨de (m.)⟩ **0.1** *gas consumer/user* ⇒*consumer of gas.*

gasverdichter ⟨de (m.)⟩ **0.1** *gascondenser.*

gasvergiftiging ⟨de (v.)⟩ **0.1** *gas poisoning.*

gasverlichting ⟨de (v.)⟩ **0.1** *gas light(ing).*

gasverwarming ⟨de (v.)⟩ **0.1** *gas heating* ⇒*gas-fired central heating* ◆ **6.1** met ~ *gas-heated.*

gasvlam ⟨de⟩ **0.1** *gas flame* ⇒*gas jet.*

gasvondst ⟨de (v.)⟩ **0.1** *discovery of gas* ⇒*gas discovery.*

gasvormig ⟨bn.⟩ **0.1** *gaseous* ⇒*gassy, gasiform, aeriform.*

gasvorming ⟨de (v.)⟩ **0.1** *gasification* ⇒*formation/generation of gas,* ⟨in buik⟩ *tympanites, tympany* ◆ **3.1** indien ~ optreedt *in the event of gasification.*

gasvrij ⟨bn.⟩ **0.1** *gas free* ⇒*free of gas.*

gasvulling ⟨de (v.)⟩ **0.1** *gas-filled cartridge.*

gaswolk ⟨de⟩ **0.1** [openhoping van gas] *gas cloud* ⇒*concentration of gas* **0.2** [openhoping van deeltjes] *cloud of gas/dust* ⇒*nebula* ◆ **2.1** een verstikkende ~ *an asphyxiating gas cloud* **2.2** interstellaire ~en *interstellar clouds of gas/dust* **3.1** raketten die ~en uitstoten *rockets/missiles emitting gas trails/clouds.*

gat ⟨het⟩ ⟨→sprw. 366⟩ **0.1** [door geweld/slijtage/bederf ontstane opening] *hole* ⇒*gap,* ⟨dijk, muur ook⟩ *breach* **0.2** [met opzet gemaakte opening] *hole* ⇒*gap, aperture, opening* **0.3** [uitholling] *hole* ⇒*cavity* **0.4** [verborgen plaats] *hole* **0.5** [afgelegen stadje/dorp] *hole* ⇒*dive, dump* **0.6** [kont] *bottom* ⇒*butt,* ⟨BE⟩ *arse,* ⟨AE⟩ *ass, rear (end), fanny* **0.7** [opening in het lichaam] *hole* ⇒⟨schr.⟩ *orifice* **0.8** [⟨mv.⟩ ogen] ⟨zie 6.8⟩ **0.9** [verwonding] *cut* ⇒*gash* **0.10** [⟨geldw.⟩] *deficit* ⇒*dustfall* **0.11** [opening van een konijne-/dassegang] *hole* ◆ **1.2** daar is het ~ van de deur *there's the door, the door is that way;* iem. het ~ van de deur wijzen *show s.o. the door* **1.3** een weg vol kuilen en ~en *a road full of pot-holes* **1.4** alle hoeken en ~en doorzoeken *search (in) every nook and cranny* **2.1** ⟨ster.⟩ zwart ~ *black h.* **2.2** een zeef met fijne gaatjes *a fine(-mesh) sieve* **2.6** hij liep in z'n blote ~ *he walked around naked/(in the) nude/in his birthday suit;* hij wil alleen maar in haar blote ~ je lopen *she just wants to run around with her bare bottom/fanny hanging out* **3.1** een ~ dichten *fill/stop a h./gap;* een ~ maken in *make a h. in (sth.);* zo'n oud jasje, der ~ vallen erin *this coat's so old, it's nothing but holes/one big h.* **3.3** een ~ slaan in het budget/de voorraden/het inkomen *make inroads upon/a h. in the budget/the supplies/one's income;* de golven sloegen een ~ in de dijk *the waves made a breach in the dike* **3.6** ⟨vulg.⟩ zijn ~ aan iem. (iets) afvegen *treat someone like shit/*↑*dirt;* ⟨vulg.⟩ ze kunnen m'n ~ kussen *they can go to hell/to the blazes;* ⟨vulg.⟩ iem. z'n ~ likken *lick s.o.'s arse ^ass,* ↑*suck up to s.o.* **3.9** iem. een ~ in het hoofd slaan *cut s.o. in the head, break s.o.'s head;* zij viel en ~ in haar hoofd *she fell and cut her head* **3.10** het ene ~ met het andere stoppen *rob Peter to pay Paul, throw good money after bad* **3.¶** ⟨sport⟩ een ~ dichtrijden *close a gap, close in on (s.o.);* ⟨sport⟩ een ~ laten vallen *fall back;* ⟨sport⟩ er vielen steeds meer ~en in de verdediging *there were more and more gaps in the defence* **6.1** ⟨fig.⟩ een ~ in de lucht springen *jump for joy;* ⟨fig.⟩ een ~ in de dag slapen *sleep far into the day/oversleep for hours;* hij heeft een ~ in z'n hand ⟨lett.⟩ *he has a cut on his hand;* ⟨fig.⟩ *he has a hole in his pocket;* een kous met een ~ *a sock with a h. (in(it));* a holey sock* **6.2** ⟨fig.⟩ een ~ in de markt ontdekken *discover a gap/h. in the market* **6.3** een ~ in je kies *a h./cavity in your tooth* **6.6** geen hemd/broek **aan** zijn ~ hebben *not have a shirt on one's back, not have a shirt to one's name;* **met** zijn ~ in de boter vallen *be in luck, strike lucky;* **op** z'n ~ vallen *fall on one's butt;* **op** z'n (luie) ~ zitten *sit (back) on one's butt ^ass;* ⟨fig.⟩ dat ligt **op** zijn ~ *that's on it's last legs, that's had it; that's the end of that;* iem. een schop **voor** zijn ~ geven *kick s.o. in the backside ^ass* **6.8** dat loopt in de ~en *it's too obvious, it's attracting attention;* iets **in** de ~en hebben/houden *realize/cop/cotton on to sth./keep an eye on/watch sth.;* niets **in** de ~en hebben *be quite unaware of sth./anything;* iets **in** de ~en krijgen *realize/become aware of sth;* ⟨inf.⟩

cop/cotton on to sth. ^A*wise up (to);* hij kreeg in de ~en dat ...*it dawned on him/he realised that ...;* iem. in de ~en hebben *see through s.o.;* iem. in de ~en houden *keep an eye on s.o.;* mark/key *s.o.* ⟨tegenstander bij voetbal enz.⟩; de tijd/je gewicht in de ~en houden *watch the clock/time/one's weight;* iem. scherp/nauwlettend in de ~en houden *watch s.o. closely/narrowly,* ↓*keep tabs on s.o.;* je moet hem dag en nacht in de ~en houden *you have to keep him under watch and ward;* ik heb je wel in de ~en, Jansen *I've got your number /I'm watching you, Jansen;* in de ~en lopen *become conspicuous/noticeable;* het begon behoorlijk/lelijk in de ~en te lopen *it became (bloody) obvious* ^A⟨*damned) obvious;* hou hem in de ~en *keep an eye on/watch him* **6.10** er is een ~ **van** enige tonnen *there is a d./shortfall of several hundred thousand* ^A*several hundred grand* **6.11** ⟨fig.⟩ hij is niet **voor** één ~ te vangen *there are no flies on him, you can't catch him out* **7.2** ergens geen ~ meer in zien *not see any way ahead/out, be up against a brick wall* ¶**.6** geen rust in zijn ~ hebben *be very restless;* ⟨AE; inf.⟩ *have ants in one's pants.*

gaten ⟨ov.ww.⟩ **0.1** *punch (a hole/holes in)* ⇒⟨veelvuldige (kleine) gaten⟩ *perforate,* ⟨bv. met kogels⟩ *riddle.*

gatenkaas ⟨de (m.)⟩ **0.1** *cheese with holes;* ⟨inf.⟩ *holey cheese.*

gatenplant ⟨de⟩ **0.1** *Swiss cheese plant, monstera.*

gatenzaag ⟨de⟩ **0.1** *hole saw* ⇒*cylinder saw, crown saw.*

gaterig ⟨bn.⟩ **0.1** *riddled (with holes)* ⇒*full of holes, in holes/tatters.*

gatlikken ⟨onov.ww.⟩ **0.1** *arse-* ^A*ass-lick* ⇒*brownnose,* ↑*suck up to* ♦ **6.1** ~ **bij** iem. *suck up to s.o.; lick s.o.'s arse* ^A*ass.*

gatlikker ⟨de (m.)⟩ **0.1** *arse* ^A*asslicker* ⇒⟨BE⟩ *bumsucker,* ⟨inf.⟩ *creep, toad.*

gatlikkerij ⟨de (v.)⟩ **0.1** *arse-* ^A*ass-licking* ⇒⟨inf.⟩ *oil, toadying.*

gatsie ⟨tw.⟩ **0.1** *yeuch,* ^A*ech.*

gatsometer ⟨de (m.)⟩ **0.1** *speedometer.*

gatverdamme ⟨tw.⟩ **0.1** *darn* ⇒*blast, drat,* ⟨sterker⟩ *damn.*

gatverderrie ⟨tw.⟩ ⇒*gatverdamme.*

gaucherie ⟨de (v.)⟩ **0.1** *gaucherie* ⇒*clumsiness, awkwardness, tactlessness.*

gauchisme ⟨het⟩ ⟨pej.⟩ **0.1** *leftism.*

gauchist ⟨de (m.)⟩ **0.1** *leftie.*

gaucho ⟨de (m.)⟩ **0.1** *gaucho.*

gaufreertang ⟨de⟩ **0.1** *goffering tongs.*

gaufreren ⟨ov.ww.⟩ **0.1** *goffer* ⇒*crimp* ♦ **1.1** gegaufreerd papier *embossed paper.*

gaullisme ⟨het⟩ **0.1** *Gaullism.*

gaullist ⟨de (m.)⟩ **0.1** *Gaullist.*

gauw
I ⟨bn., bw.; -ly⟩ **0.1** ⟨snel⟩ *quick* ⇒*fast, rapid,* ⟨te snel⟩ *hasty* ♦ **1.1** ga zitten en ~ een beetje *sit down and hurry up about it!/and make it snappy!* **3.1** ga nu maar ~ *off you go now!;* dat heb je ~ gedaan, dat is ~ *that was q. (work);* ze hebben dat even ~ gedaan *they've rushed (over) it, they've been a bit hasty (over it);* te ~ oordelen *be (too) hasty (in one's judgement);* ik zal maar ~ even gaan *I'll just/'d better go quickly;* als je nog wilt bellen, mag je wel/moet je wel ~ zijn *if you want to ring, you'd better be q. about it;* ik zou maar ~ een jurk aantrekken *(if I were you) I'd just slip into a dress* **5.1** als ze er ~ genoeg bij zijn *if they spot it/get to it in time, if it's diagnosed early enough;* hij wist niet hoe ~ hij er vandoor moest gaan *he couldn't get away q. enough;* ik zei maar ~ dat ik het niet wist *I just said that I didn't know* **6.1** iem. **te** ~ af zijn *be too q./be one too many for s.o.* **8.1** ⟨zo⟩ ~ als water *(as) q. as a shot/a flash* ¶**.1** iets ~ in orde maken *tidy sth. up quickly/fast;*
II ⟨bw.⟩ **0.1** ⟨over niet al te lange tijd⟩ *soon* ⇒*before long* **0.2** ⟨binnen kort tijdbestek⟩ *soon* **0.3** ⟨gemakkelijk⟩ *easily* ♦ **1.1** het is weer ~ Kerstmis *Christmas will be here s.* **2.3** ik ben niet ~ bang, maar ...*I'm not e. scared, but ...;* ~ dik worden *put on weight e.;* hij is niet ~ tevreden *he's not e. satisfied;* ~ vuil worden *get dirty e./quickly* **3.2** dat zie ik niet ~ gebeuren *I can't/don't see that happening s./* ⟨inf.⟩ *in a hurry;* ik merkte al ~ dat ...*I s. noticed that ...;* we zullen dat ~ even regelen *we'll fix that up s.* **3.3** dat duurt al ~ een week *that can e. take a week;* hij kost ~ fl.100 *that can e. cost 100 guilders* **3.**¶ ⟨fig.⟩ kom/ga nou ~ *get away!* **5.2** hij had er al ~ genoeg van *he had s. had enough (of it);* dat kun je ~ genoeg zien *you can tell s. enough;* hij zal nu wel ~ hier zijn *he'll be here before long, he won't be long now;* dat zou ik zo ~ niet weten *I couldn't say offhand/just like that;* ik wist zo ~ niet wat ik zeggen moest *I didn't know what to say offhand, I was lost for words/sth. to say;* ik kan zo ~ geen/sui-ker vinden *I can't find a pen/any sugar right now* **5.3** een betere zal je niet ~ vinden *you won't e. find a better one;* die zal ik ook zo ~ niet meer uitnodigen *I won't invite him/her again (in a hurry)* **8.**¶ zo ~ ik iets weet, zal ik je bellen *as soon as I hear anything I'll ring you* ¶**.3** daar gaat ~ een hoop tijd/geld in zitten *that can e. involve a lot of time/money.*

gauwdief ⟨de (m.)⟩ **0.1** *cunning/sly thief* ⇒⟨tasjesdief⟩ *snatcher,* ⟨zakkenroller⟩ *pickpocket,* ⟨bij uitbr.⟩ *swindler, crook, rogue.*

gauwigheid ⟨de (v.)⟩ **0.1** *hurriedness* ⇒*hurry, rush, haste* ♦ **6.1** in de ~ vergat hij haar te feliciteren *in his haste he forgot to congratulate her.*

gave ⟨de⟩ **0.1** ⟨geschenk⟩ *gift* ⇒⟨gift⟩ *donation, endowment* **0.2** ⟨talent⟩ *gift* ⇒*talent, faculty, endowment* ♦ **1.1** Bacchus' ~ *(the g. of) Bacchus;* een ~ Gods *a g. of God* **2.1** hartelijk dank voor uw gulle ~ *many thanks for your generous gifts/donations;* milde ~n offeren *offer generous gifts/donations* **2.2** een man van grote ~n *a man of great gifts/talents,* a highly gifted man **3.2** hij bezat de ~ der welsprekendheid *he had the g. of eloquence/oratory,* zij heeft de ~ goed te kunnen improviseren *she has the art/*↓*knack of improvisation.*

gaviaal ⟨de (m.)⟩ **0.1** *gavial, gharial.*

gavotte ⟨de⟩ **0.1** *gavotte.*

Gazastrook **0.1** *Gaza strip.*

gazelle ⟨de⟩ **0.1** *gazelle.*

gazelle-oog ⟨het⟩ **0.1** ⟨oog van een gazelle⟩ *gazelle's eye* **0.2** ⟨donker (vrouwen)oog⟩ ≠*doe-eye* ♦ **6.2** met gazelle-ogen *doe-eyed.*

gazen ⟨bn.⟩ **0.1** *gauze* ⇒*net* ♦ **1.1** een ~ sluier/zeef *net veil/g. sieve.*

gazet ⟨de⟩ ⟨AZN⟩ **0.1** *(news)paper.*

gazeus ⟨bn.⟩ **0.1** *abrated* ⇒⟨inf.⟩ *fizzy* ⟨frisdrank⟩, *sparkling.*

gazeuse ⟨de⟩ **0.1** *(fizzy) lemonade.*

gazon ⟨het⟩ **0.1** *lawn* ♦ **2.1** een mooi ~netje *a beautiful l..*

gazonsproeier ⟨de (m.)⟩ **0.1** *lawn sprinkler.*

ge ⟨pers.vnw.⟩ **0.1** ⟨dial.⟩ *you;* ⟨bijb.⟩ *thou.*

geaard ⟨bn.⟩ **0.1** ⟨met de aarde verbonden⟩ ^B*earthed,* ^A*grounded* **0.2** ⟨met een bepaalde aard⟩ *natured* ⇒*disposed, tempered* ♦ **3.1** een ~ stopcontact *an e./g. socket/power-point* **5.2** anders ~ *otherwise inclined/disposed;* hij is zó ~ dat *his nature/disposition is such that ....*

geaardheid ⟨de (v.)⟩ **0.1** *disposition* ⇒*nature, makeup, inclination, proclivity* ♦ **2.1** een beminnelijke ~ *an amiable d.;* openlijk uitkomen voor zijn homosexuele ~ *openly admit one's homosexuel nature/proclivity;* innerlijke ~ *inner nature;* sexuele ~ *sexual inclination.*

geaarzel ⟨het⟩ **0.1** *dithering* ⇒⟨inf.⟩ *hums and haws/humming and hawing* ♦ **3.1** hou op met dat ~ *stop dithering!.*

geabonneerd ⟨bn.⟩ **3.**¶ zij die niet ~ zijn *those who are not (regular) subscribers;* ~ zijn *have a subscription, be a subscriber* **6.**¶ wij zijn ~ op de Times *we take the Times.*

geabonneerde ⟨de (m.)⟩ **0.1** *subscriber.*

geabsorbeerd ⟨bn.⟩ **0.1** *absorbed (in/by).*

geaccepteerd ⟨bn.⟩ **0.1** ⟨aangenomen⟩ *accepted* ⇒*recognized* **0.2** ⟨algemeen aanvaard⟩ *accepted* ⇒⟨inf.⟩ *U* ♦ **1.1** een ~e cheque *an a. cheque* **1.2** een ~ gebruik *an a. custom.*

geaccidenteerd ⟨bn.⟩ **0.1** *hilly* ⇒*broken, uneven* ♦ **1.1** een rit over ~ terrein *a ride over h. terrain/broken ground.*

geaccrediteerd ⟨bn.⟩ **0.1** *credit-worthy* ⇒*reliable, solvent, accredited* ⟨diplomaat, waarnemer⟩ ♦ **1.1** een ~ huis *a c.-w. /reliable house/firm.*

geacheveerd ⟨bn.⟩ **0.1** *finished* ⇒*accomplished, sophisticated, perfected* ♦ **1.1** een ~e opvoeding *an all-round education/upbringing;* ~ spel *sophisticated technique* **7.1** ⟨zelfst.⟩ gevoel voor het ~e *a feeling for perfection.*

geacht ⟨bn.⟩ **0.1** *respected* ⇒*esteemed, well thougth of* ♦ **1.1** de ~e afgevaardigde de heer/mevrouw *the honourable member of ...,* ^A*Congressman/woman;* een ~ burger *a (well-)r. citizen;* ⟨jur.⟩⟨mijn⟩ ~e collega *mij learned friend;* ~ forum *dear panel;* Geachte Heer/Mevrouw *Dear Sir/Madam;* ~e toehoorders/luisteraars *Ladies and Gentlemen;* onze ~e vriend en collega *our esteemed friend and colleague* **3.1** algemeen ~ zijn *be held in general esteem.*

geaderd ⟨bn.⟩ **0.1** ⟨bepaalde aderen hebbend⟩ *veined* ⇒*venose, venous, veiny* **0.2** ⟨voorzien van bochtige strepen⟩ *grainy* ⇒*veined* ♦ **5.1** blauw ~ *blue-veined.*

geadopteerd ⟨bn.⟩ **0.1** *adopted* ⇒*adoptive* ♦ **1.1** een ~ kind *an adopted child/* ^A*adoptee* **3.1** de twee jongsten zijn ~ *the youngest two were a./are adoptees.*

geadresseerde ⟨de (m.)⟩ **0.1** *addressee* ⇒⟨mbt. goederen⟩ *consignee.*

geaffecteerd ⟨bn., bw.; -ly⟩ **0.1** *affected* ⇒*mannered, precious,* ⟨ihb. spraak⟩ *mincing, la(h)-di-da(h)* ♦ **1.1** haar uitspraak is een beetje ~ *her speech is a bit la-di-da;* ~ Engels spreken *mince one's English;* een ~ persoon *a mincer/mannered person;* een ~e uitspraak *a mincing pronunciation* **3.1** ~ spreken *talk posh.*

geaffecteerdheid ⟨de (v.)⟩ **0.1** *affectation, affectedness* ⇒*preciosity.*

geaggregeerd ⟨bn.⟩ **0.1** *authorized* ♦ **1.1** ~ ambtenaar *(official) deputy.*

geaggregeerde ⟨de (m.)⟩ ⟨AZN⟩ **0.1** ≠*qualified (secondary school/high-school)teacher.*

geagiteerd ⟨bn., bw.; -ly⟩ **0.1** *excited* ⇒*agitated, flushed, (all) in a flutter, overwrought* ♦ **1.1** ⟨hand.⟩ de markt was ~ *trade was nervous* **3.1** kom nou toch! riep hij ~ *Oh, come on! he shouted irritably;* ~ zijn/raken *be in/go into a flutter* **5.1** zij leek zeer ~ *she seemed very jittery/e./all in a flutter.*

geallieerden ⟨zn.mv.⟩ **0.1** *allied persons/institutions* ♦ **7.1** de Geallieerden *the Allied Powers, the Allies.*

gealtereerd ⟨bn.⟩ **0.1** ⟨(muz.)⟩ *altered* **0.2** ⟨mbt. gevoelens⟩ *confused* ⇒*upset, put out.*

geamendeerd ⟨bn.⟩ **0.1** *amended.*

geamuseerd ⟨bn., bw.⟩ **0.1** *amused* ♦ **3.1** ~ naar iets kijken *watch sth. in amusement/smiling(ly);* ~ knipogen *give an a. wink.*

geanimeerd ⟨bn.⟩ **0.1** *animated* ⇒*lively, spirited, warm, heated* ⟨debat⟩

◆ **1.1** een ~ gesprek *an a. / lively conversation;* een ~e wedstrijd *a lively match.*

geankerd
I ⟨bn.⟩ **0.1** [van ankers voorzien] *(equipped) with anchors* **0.2** [⟨herald.⟩] *anchored;*
II ⟨bw.⟩ **0.1** [voor anker] *at anchor* ⇒*moored* ◆ **3.1** ~ liggen *lie / ride / be at anchor.*

gearing ⟨de (m.)⟩ **0.1** [versnelling] *gearing* **0.2** [tandwiel] *sprocket-wheel* ⇒*chain gear(ing).*

gearmd ⟨bn., bw.⟩ **0.1** [arm in arm] *arm in arm* ⇒*with arms linked / locked* **0.2** [⟨in samenst.⟩] *-armed* ◆ **3.1** ~ gaan / lopen / wandelen *walk a.i.a.* **5.1** stijf ~ *with arms linked / locked tightly* **5.2** langgearmd *long-a.* **6.1** ⟨scherts.⟩ ~ naar de brand *hoofing it together.*

gearresteerde ⟨de⟩ **0.1** [iem. die gearresteerd is] *prisoner* ⇒*detainee, arrested person,* ⟨jur.⟩ *defendant in attachment* **0.2** [gestrafte militair] ⟨*soldier placed under arrest*⟩.

gearriveerd ⟨bn.⟩ ⟨vaak pej.⟩ **0.1** *settled* ⇒*well-to-do, bourgeois, arrived* ◆ **1.1** ~ gedrag *nouveau-riche behaviour* **3.1** er ~ uitzien *look well-to-do.*

gearticuleerd ⟨bn., bw.; -ly⟩ **0.1** [geleed] *articulate(d)* ⇒*jointed* **0.2** [mbt. spraak] *articulate* **0.3** [⟨jur.⟩] *enumerated, set out* ◆ **1.1** ~e woorden *articulated words* **1.2** een duidelijk ~e wens *a clearly-expressed wish* **1.3** ~e handelingen *acts enumerated / set out (one by one).*

geaspireerd ⟨bn.⟩ ⟨taal.⟩ **0.1** *aspirated* ◆ **1.1** een ~e medeklinker ⟨ook⟩ *an aspirate.*

geassocieerde ⟨de⟩ **0.1** *partner* ⇒*(business) associate.*

geassorteerd ⟨bn.⟩ ⟨schr.⟩ **0.1** [voorzien van allerlei soorten] *(well) stocked* **0.2** [in soorten bij elkaar gevoegd] *assorted* ⇒*mixed.*

geautomatiseerd ⟨bn.⟩ **0.1** *automated, automatized* ⇒*computerized* ◆ **1.1** ~e boekhouding *computer-based accountancy.*

geautoriseerd ⟨bn.⟩ **0.1** *authorized* ◆ **1.1** een (niet) ~e vertaling *an (un)a. translation* **3.1** hij is daartoe niet ~ *he is not a. / does not have the authority to do that.*

geavanceerd ⟨bn.⟩ **0.1** [vooruitstrevend] *progressive* ⇒*forward, advanced* **0.2** [het meest gevorderd] *advanced* ⇒*latest, sophisticated, modern, hi-tech* **0.3** [⟨mil.⟩ vooruitgeschoven] *advanced* ⇒*forward* ◆ **1.2** een uiterst ~ indruk maken *look / sound ultra modern;* ~e technieken *a. / sophisticated techniques* **6.1** ~ in zijn denkbeelden *with p. ideas.*

geb. ⟨afk.⟩ **0.1** [geboren] *b.* **0.2** [gebonden] *hardb.* ⇒*hard-cover.*

GEB ⟨het⟩ **0.1** [Gemeentelijk energiebedrijf] ⟨*local / ⟨in stad ook⟩ municipal power board / authority*⟩.

gebaand ⟨bn.⟩ **0.1** *beaten* ⇒*smoothed, levelled* ◆ **1.1** de ~e weg *the (well-)b. road / track;* een ~e weg *a made(-up) road, a tradeway;* ⟨fig.⟩ ~e wegen gaan / bewandelen *keep to / walk the b. track.*

gebaar ⟨het⟩ **0.1** [beweging van lichaamsdelen] *gesture* ⇒*sign(al)* **0.2** [handeling] *gesture* ⇒*move* **0.3** [uitdrukkingsbewegingen] *gesture(s)* ⇒*bearing* ◆ **1.1** expressie in woord en ~ *expression in word and g.* **1.3** houding en ~ *bearing, mien and gestures* **2.1** levendige / driftige gebaren *animated / abrupt gestures;* een protesterend ~ maken *gesture in protest;* sprekende gebaren *expressive gestures;* een vaag ~ maken *gesture vaguely;* met een zwierig ~ *with a flourish* **2.2** een breed / mooi ~ *a large / gracious g., a beau geste;* met een royaal ~ verdubbelde hij het prijzengeld *he generously doubled the prize money;* dat is alleen maar een symbolisch ~ *it's only a symbolic / token g.;* een vriendelijk ~ aan zijn adres *a g. of friendliness towards him* **3.1** allerlei gebaren maken *gesticulate* **3.2** een ~ maken *make a g.;* de betogers wilden een ~ maken *the protestors wanted to make a g.* **6.1** door een ~ beduidde zij hem bij haar te komen *she motioned / beckoned him to come over;* met gebaren iets duidelijk maken *signal, gesture sth.;* iets met / door gebaren uitdrukken *express sth. by signs, mime sth..*

gebaard ⟨bn.⟩ **0.1** [een baard hebbend] *bearded* **0.2** [⟨biol.⟩] *fimbriate.*

gebabbel ⟨het⟩ **0.1** *chat(ter)* ⇒*chit-chat, babble,* ⟨van kind⟩ *prattle* ◆ **2.1** onder genoeglijk ~ vervloog de avond *the evening was passed in pleasant chat.*

gebak ⟨het⟩ **0.1** [uit deeg bereide lekkernijen] *pastry* ⇒*confectionery, patisserie, cakes, gateaus* **0.2** [het bakken] ⟨in oven⟩ *baking;* ⟨op fornuis⟩ *frying* **0.3** [zoveel als tegelijk gebakken wordt] *batch* ◆ **1.1** ~ van bladerdeeg *puff (pastry)* **2.1** Moskovisch ~ *sponge cake;* vers / overheerlijk ~ *fresh / delicious pastry / confectionery* **6.1** koffie met ~ *coffee and cakes* **6.2** van al dat ~ heb ik het warm gekregen *all this b. / f. has made me hot.*

gebakbodem ⟨de (m.)⟩ **0.1** *flan case, pastry base.*

gebakje ⟨het⟩ **0.1** *(fancy) cake* ⇒*pastry, tart(let)* ◆ **3.1** op ~s tracteren *treat (s.o.) to cakes.*

gebakken ⟨bn.⟩ **0.1** ⟨in oven⟩ *baked;* ⟨in pan⟩ *fried;* ⟨aardewerk⟩ *fired;* ⟨licht⟩ *sauté(d)* ◆ **1.1** ~ aardappelen / vis *fried potatoes / fish;* ⟨fig.⟩ iem. met de ~ peren laten zitten *leave s.o. holding the baby;* ⟨fig.⟩ ik zit met de ~ peren *I am left holding the baby;* ~ steen *(baked / fired) brick* **3.**¶ het is / zit ~ *it's in the bag / it's all (been) arranged,* [A]*everything's hunky-dory;* je zit (daar) ~ *you're sitting pretty / you're on to a good thing (there) / in clover, you've got it made (there);* aan iets ~ zitten *be married to sth..*

gebakschoteltje ⟨het⟩ **0.1** *tea / side plate.*

gebakstel ⟨het⟩ **0.1** *cake / tea plates.*

gebaren ⟨onov.ww.⟩ **0.1** [gebaren maken] *gesture* ⇒*gesticulate,* ⟨wenken⟩ *beckon,* ⟨om iets duidelijk te maken⟩ *signal, motion* **0.2** [veinzen] *pretend* ⇒*simulate, go through the motions (of)* ◆ **6.1** met armen en benen ~ *gesticulate wildly* ¶**.1** hij gebaarde me te gaan zitten / door te lopen *he motioned me to sit down / waved me on.*

gebarenkunst ⟨de (v.)⟩ **0.1** *mimic art* ⇒*mime.*

gebarenspel ⟨het⟩ **0.1** [mimiek van een toneelspeler] *mime* ⇒*miming, gesture(s)* **0.2** [gebaren] *gesture(s), gesticulation* ◆ **2.1** stom ~ *dumb show, pantomime* **2.2** veelbetekenend ~ *significant gestures* **6.2** iets weergeven door ~ *signal sth. (by means of gestures).*

gebarentaal ⟨de⟩ **0.1** *sign language* ◆ **1.1** de ~ van de doofstommen *the sign language of deaf and dumb people, the deaf-and-dumb language* **6.1** zich in ~ uitdrukken *express o.s. through sign language, mime.*

gebarsten ⟨bn.⟩ **0.1** *cracked* ⇒⟨in stukken⟩ *broken, burst* ◆ **1.1** ~ lippen *chapped / chappy lips;* een ~ schaal *a c. dish;* ⟨fig.⟩ een ~ stem *a creaky voice.*

gebastaardeerd ⟨bn.⟩ **0.1** *hybrid(ized).*

gebazel ⟨het⟩ **0.1** *drivel,* [B]*ling* / [A]*ing* ⇒*twaddle, balderdash, gibberish,* [A]*hogwash,* [A]*bullshit,* [A]*crap.*

gebbetje ⟨het⟩ ⟨inf.⟩ **0.1** *(little) joke* ⇒*bit of fun* ◆ **3.1** ~s maken *joke.*

gebed ⟨het⟩ **0.1** [het bidden] *prayer* ⇒*devotions,* ⟨aan tafel⟩ *grace* **0.2** [vastgestelde vorm van een gebed] *prayer* ◆ **1.1** het ~ des Heren *The Lord's Prayer;* de ure des ~s *time for prayers* **2.1** een ootmoedig / vurig / warm ~ *a humble / passionate / ardent p.;* stil ~ *silent p.* **2.2** een gemeenschappelijk ~ *a communal p.;* gezongen ~ *chanted prayers;* de liturgische ~en *the liturgy / liturgical prayers* **3.1** een ~ bidden *say a p.;* hardop een ~ doen *pray out loud;* mijn ~en werden verhoord *my prayers were answered* **6.1** in ~ neerknielen *kneel down in p.;* in ~ voorgaan *lead in p.;* iem. in zijn ~en gedenken *remember s.o. in one's prayers, pray for s.o.;* in ~ zijn *be at one's prayers / devotions* **6.2** een boek met ~en *a p. book;* het ~ vóór de maaltijd *(saying) grace* ¶**.1** ⟨fig.⟩ dat is een ~ zonder einde *it's a never-ending story.*

gebedel ⟨het⟩ **0.1** *begging.*

gebedenboek ⟨het⟩ **0.1** *prayer book* ⇒⟨Angl.⟩ *Book of Common Prayer.*

gebedsdienst ⟨de (m.)⟩ **0.1** *prayer service / meeting* ⇒*service of prayer (and worship).*

gebedsgenezer ⟨de (m.)⟩ **0.1** *faith healer.*

gebedsgenezing ⟨de (v.)⟩ **0.1** *faith healing* ⇒*faith cure.*

gebedshouding ⟨de (v.)⟩ **0.1** *attitude / posture of prayer* ◆ **3.1** de ~ aannemen *assume an attitude / posture of prayer* **6.1** in de ~ *in an attitude / posture of prayer.*

gebedsmolen ⟨de (m.)⟩ ⟨rel.⟩ **0.1** *prayer wheel.*

gebedsriem ⟨de (m.)⟩ **0.1** ⟨jud.⟩ *phylactery, tefillin.*

gebedsrol ⟨de⟩ →**gebedsmolen.**

gebeeldhouwd ⟨bn.⟩ **0.1** [met beeldhouwwerk versierd] *sculptured* ⇒⟨in hout⟩ *carved,* [B]*chiselled* / [A]*chiseled, sculpted* **0.2** [⟨fig.⟩] *carved,* [B]*chiselled* / [A]*chiseled* ◆ **1.1** een ~e stoel *a carved chair* **1.2** ~e gelaatstrekken *(finely) carved / chisel(l)ed / sculpt(ur)ed features;* ~ proza *chisel(l)ed prose.*

gebeend ⟨bn.⟩ **0.1** *-legged* ◆ **5.1** kortgebeend ~ *short-l..*

gebeente ⟨het⟩ **0.1** [beendergestel] *bones* **0.2** [skelet] *skeleton* **0.3** [binnenste van het lichaam] *bones* **0.4** [⟨bijb.⟩ nauwe verwant] ⟨zie **1.4**⟩ ◆ **1.4** gij mijn ~en mijn vlees ⟨Gen. 29: 14⟩ *you are my bone and my flesh* **6.1** fijn / grof / zwaar van ~ *with delicate / big / heavy b.* **6.3** de ondeugd zit hem in (tot) in het ~ *he's a rogue through and through, he is an out and out rogue* ¶**.1** wee je ~! *woe betide you!, don't you dare!.*

gebeft ⟨bn.⟩ **0.1** *banded* ⇒*wearing bands* ◆ **2.1** de dominee was gemanteld en ~ *the vicar was in his bands and gown.*

gebeiteld ⟨bn.⟩ ⟨inf.⟩ ◆ **3.**¶ hij zit ~ *he's sitting pretty, he's got it made, he's on to a good thing / in clover;* dat zit ~ *that's in the bag / all been arranged,* [A]*everything's hunky-dory.*

gebekt ⟨bn.⟩ ⟨→sprw. 614⟩ **0.1** *-billed, -beaked* ◆ **3.**¶ ⟨goed⟩ ~ zijn *have the gift of the gab.*

gebelgd ⟨bn.⟩ →**verbolgen.**

gebenedijd ⟨bn.⟩ **0.1** *blessed* ⇒*heavenly, divine, hallowed* ◆ **1.1** een ~ oord *a heavenly place.*

gebeneficieerde ⟨de⟩ **0.1** [begunstigde] *beneficiary* ⇒*payee* **0.2** [erfgenaam] *(in)heritor / tress* ⇒*heir(ess), beneficiary, devisee.*

gebergte ⟨het⟩ **0.1** [groep van bergen] *mountains* ⇒*hills,* ⟨streek⟩ *uplands, highlands* **0.2** [bergketen] *mountain range* ⇒*chain of mountains* ◆ **1.1** de ~n van Azië *the m. / uplands of Asia* **2.1** ⟨geol.⟩ oud / jong ~ *old / young m.* **2.2** het Karpathische ~ *the Carpathians / Carpathian Mountains* **6.1** in het ~ *in the m. / highlands.*

gebergtevorming ⟨de (v.)⟩ **0.1** *formation of mountains / mountain ranges* ⇒ [↑]*orogenesis, orogeny.*

gebeten ⟨bn.⟩ **0.1** *bearing a grudge* ⇒*embittered* ◆ **1.**¶ hij is (altijd) de ~ hond *he always cops it,* [↑]*he cannot do anything right* **6.1** ~ zijn op iem. *bear a grudge against s.o.;* fel op iem. ~ zijn *be forever / always picking on s.o..*

gebeuk ⟨het⟩ **0.1** *battering* ⇒*beating, hammering,* ⟨ihb. golven⟩ *pound-*

ing, buffeting ◆ **1.1** het ~ van de golven op de kust *the pounding of the waves on the shore* **6.1** de deur bezweek onder het ~ *the door gave way under the battering / was battered down.*

gebeurde ⟨het⟩ **0.1** *occurrence* ⇒*incident, event* ◆ **6.1** hij wist zich niets **van** het ~ te herinneren *he couldn't remember anything of what had happened* **7.1** het ~ ⟨ook⟩ *what (has) happened.*

gebeuren¹ ⟨het⟩ **0.1** *event* ⇒*occurrence, incident, happening* ◆ **2.1** een eenmalig ~ *a one-off / unique e.* ; het hele ~ *the whole business;* een historisch ~ *a historic e.* ; een opmerkelijk ~ *a remarkable e.* **¶.1** het ~ heeft hem in het gelijk gesteld *he was justified in the e..*

gebeuren² ⟨onov.ww.⟩ **0.1** [plaatsvinden] *happen* ⇒*occur, take place, go on, come about* **0.2** [gedaan worden] *be done* ⇒*happen, be effected* **0.3** [overkomen] *happen* ⇒*occur,* ⟨schr.⟩ *befall* **0.4** [ten deel vallen] *befall* ⇒*fall to one('s share)* ◆ **1.1** er ~ daar rare dingen *funny things go on there;* er is een ongeluk gebeurd *there's been an accident* **1.3** dat kan de beste ~ *it could h. to anyone, these things happen, it's just one of those things* **3.1** en zo kon het ~ *and so it came to pass;* laat dit niet meer ~ *no more of this;* dat moest wel ~ *it was bound to h., it had to be;* er moet heel wat ~, wil A. geen kampioen worden *it would be a miracle if A. didn't win the title;* wat (er) ook gebeuren moge *come what may;* zij voelden dat er iets stond te ~ *there was a feeling of things about to h.* **3.2** wat gaat er met mij ~? *what's to become of me?;* dat kan ~ *I'll see it's done, certainly;* ⟨inf.⟩ *no problem;* er moet nog heel wat ~, voor het zo ver is *we have a long way to go yet;* wat moet er met die boeken/ meubels ~ *what's to be done with these books/ this furniture* **3.3** daar kan niets mee ~ *it's safe (as a house);* het zou u ook kunnen ~ *it could h. to you (too);* dat zal me niet meer ~ *I'm not going to let that h. again, I'll see to it / I'll make (darned) sure that doens't h. again* **3.4** wat gebeuk mij mij ~! *what happiness has befallen me!* **4.1** dat gebeurt elke dag *it happens every day/ all the time;* voor ze (goed) wist wat er gebeurde *(the) next thing she knew;* hoe is het (ongeluk) gebeurd? *how did it/ the accident come about?;* ⟨pregnant⟩ is er iets gebeurd? *are you all right?, what(ever/ on earth)'s happened?;* er gebeurt hier nooit iets *nothing ever happens here;* ⟨pregnant⟩ alsof er niets gebeurd was *as if nothing had happened, cool as a cucumber;* wat gebeurd is, is gebeurd *what's done is done, it's no use crying over spilt milk;* hij kwam kijken wat er gebeurde *he came to see what was going on;* gebrek aan belangstelling voor wat er gebeurt *lack of interest in what is going on;* het drong niet tot me door wat er gebeurde *I just couldn't take it in/ make out what was happening/ going on, I never knew what hit me* **4.2** het is gebeurd *it's finished/ done;* er moet iets ~, zo kan het niet blijven *sth. will have to be done about it* **4.3** het zal je ~! *imagine (sth. like that happening to you)!;* er kan niets (mee) ~ *don't worry, no harm can come to it/ nothing's going to happen to it* **4.¶** in A., dáár gebeurt het *in A., that's where it's at/ all happening* **5.1** dat gebeurt niet meer, begrepen? *I won't have anymore of that, understand?;* dat zal nooit ~ *we won't allow that (to h.);* ⟨inf.⟩ *over my dead body;* een waar gebeurd feit *a historical fact;* het is waar gebeurd *it really happened* **5.2** maar het moet wel goed/ voorzichtig ~ *but it must be done properly/ with care;* (het/ dat) gebeurt niet! *I won't have it, you'll do nothing of the kind;* het is zó gebeurd *it'll only take a second/ minute;* ⟨inf.⟩ *it'll be done in a jiffy* **6.1** wat is er **met** jou gebeurd? *what's happened to you?* **6.2** er moet nog het een an ander **aan** ~ *it needs a bit more work/ a few finishing touches/ one or two things done/ doing to it;* het was **in** een paar minuten gebeurd *it took only/ it was over in (just) a few minutes* **6.3** zorg dat er niets **met** haar gebeurt *keep her out of harm's way, see that no harm comes to her/ that she comes to no harm, make sure nothing happens to her* **6.¶** het is **met** hem gebeurd *he's had it, he's done for;* ⟨fig.⟩ het is **met** de koopman *we've had it* **8.1** het gebeurt wel eens dat *...it sometimes happens that;* het gebeurt tegenwoordig vaak dat mensen ontslagen worden *people are always sacked/ dismissed/ getting the sack these days* **¶.1** ⟨schr.⟩ er gebeure wat wil *what must be, must be;* voor als er iets gebeurt *just in case;* het is net of het gisteren gebeurd is *it seems like yesterday* **¶.2** wat zij zegt, gebeurt ook *what she says, goes;* als het maar gebeurt *as long as it's done;* dat gebeurt wel meer *these/ such things do/ can happen, it does happen.*

gebeurlijk ⟨AZN⟩
  I ⟨bn., bw.; -ly⟩ **0.1** [mogelijk] *possible* ⇒*contingent* ◆ **1.1** er wordt rekening gehouden met ~e klachten *complaints, if any, will be taken into consideration* **3.1** een ramp die zich ~ in deze stad voor zou doen *a disaster which could possibly happen in this town;*
  II ⟨bw.⟩ **0.1** [in voorkomend geval] *as the case may be* ◆ **3.1** u kunt ~ met guldens betalen *you may, if necessary, pay in guilders.*

gebeurlijkheid ⟨de (v.)⟩ **0.1** *eventuality* ⇒*contingency* ◆ **6.1** men moet **op** iedere ~ bedacht zijn *one has to be prepared for all eventualities.*

gebeurtenis ⟨de (v.)⟩ **0.1** [voorval] *event* ⇒*occurrence, incident, occasion,* ⟨schr.⟩ *contingency* **0.2** [evenement] *event* ⇒ ⟨vnl. AE; inf.⟩ *happening* ◆ **1.1** de loop der ~sen afwachten *await the course of events* **2.1** dat is een belangrijke ~ *that's a major e.* ; de belangrijkste ~ van het jaar/ de week *the event of the year/ week;* bijzondere ~sen *big / important events/ occasions;* de grote/ blijde ~ *the happy e.* ; de jongste ~sen *the latest developments/ happenings in A.* ; komende

~sen werpen hun schaduw vooruit *coming events cast their shadow before;* latere ~sen *later/ subsequent events/ developments;* een nationale ~ *an e. of national importance;* een onvoorziene ~ *an unforeseen occurrence;* een plan voor onvoorziene ~sen *a contingency plan;* een toevallige ~ *a chance occurrence;* een verrassende/ belangrijke/ droevige/ onbeduidende ~ *a surprise/ important/ sad/ insignificant e.* **2.2** een artistieke ~ *an artistic e.* ; een eenmalige ~ *a one-off/ unique occasion* **3.2** het openluchtconcert was een (hele) ~ *the open-air concert was quite an e.*

gebeuzel ⟨het⟩ **0.1** *trifling* ⇒*fiddle-faddle, dawdling,* ⟨prietpraat⟩ *twaddle, piffle, rubbish,* ↑*perfect nonsense* ◆ **2.1** intellectueel ~ *intellectual pap.*

gebied ⟨het⟩ **0.1** [streek/ land waarover men heerst] *territory* ⇒*domain, dominion, (home) ground* **0.2** [terrein] *area* ⇒*district, region, zone, ground* **0.3** [afdeling] *field* ⇒*sphere, department, domain, province* **0.4** [grondgebied] *territory* ⇒*soil, land* **0.5** ⟨wisk.⟩ *domain* **0.6** [heerschappij] *command* ⇒*sway, authority, rule* ◆ **1.1** het ~ der Romeinen *the Roman t.* ; het ~ van een stad *the t. of a city;* het ~ van een vorst *the domain/ t. of a sovereign* **1.2** het ~ van een rivier *the catchment a. of a river* **1.3** een autoriteit/ deskundige/ specialist op dat ~ *an authority/ expert/ specialist in this f.* **1.4** het ~ der Nederlanden *Dutch t. / soil* **2.2** beschermd ~ *protected a., (nature) reserve;* op bezet/ vijandelijk ~ *on occupied/ enemy t.;* een groot ~ bestrijken *cover a lot of ground;* ingesloten ~ *enclosed a., pocket;* onontgonnen/ onderontwikkelde/ achtergebleven ~en *unreclaimed/ underdeveloped/ depressed areas/ regions;* onveilig ~ *unsafe ground/ territory;* het uiterste ~ van China *in the remotest areas of China;* tot verboden ~ verklaren *declare (to be) a no-go a. / zone, seal off* **2.3** op ecologisch ~ *ecological, in the f. / sphere of ecology;* vragen op financieel/ fiscaal/ juridisch/ medisch ~ *financial/ tax/ legal/ medical problems;* mensen die actief zijn op velerlei ~ *people active in many fields/ areas* **2.4** het Franse ~ *French t.* **2.6** vorstelijk ~ *royal c. / rule* **3.6** (het) ~ voeren (over/ in/ op) *rule (over), hold sway (over/ in)* **6.2** een ~ **van** lage luchtdruk *a trough, a low* **6.3** wij verkopen alles **op** het ~ van ... *we sell everything (which has) to do with ...;* er is hier niet veel **op** het ~ van amusement *there's little in the way of entertainment here;* **op** het ~ van ... *in the f. / sphere of;* **op** het ~ van de geschiedenis/ letteren *in the f. of history/ literature;* het laatste snufje **op** het ~ van computers *the latest (thing) in computers;* zijn verrichtingen **op** dat ~ *his achievements in this f.;* dat ligt niet **op** mijn ~ *that's not my department/ province* **6.6** onder iemands ~ komen/ staan/ stellen/ brengen *come/ be/ place/ put under s.o.'s c. / rule* **¶.2** ~ waar niet gejaagd/ gevist mag worden *reserved shooting/ fishing a..*

gebieden
  I ⟨ov.ww.⟩ **0.1** [gelasten] *order* ⇒*make, command, dictate, prescribe* **0.2** [mbt. onstoffelijke zaken] *compel* ⇒*force, dictate, necessitate* **0.3** [⟨bijb.⟩ heersen over] *rule* ⇒*sway, command* ◆ **1.1** stilte ~ *demand silence* **1.2** het fatsoen gebiedt mij te zwijgen *decency compels/ forces me to remain silent;* doen wat je geweten/ plicht gebiedt *follow one's conscience, do one's duty;* als de omstandigheden zulks ~ *if circumstances necessitate this;* de grootste voorzichtigheid is geboden *the situation calls for the utmost caution, great caution is required;* de zorgvuldigheid die in zulke gevallen geboden is *the care required in these cases* **1.3** Hij die het al gebiedt *He who rules all* **3.1** iem. ~ door te lopen *move s.o. on;* iem. ~ te zwijgen *bind s.o. to secrecy;* zij deed wat haar geboden was *she did what/ as she was told;*
  II ⟨onov.ww.⟩ **0.1** [heersen] *rule (over)* ⇒*command, control* **0.2** [beheersen] *control* ⇒*check* **0.3** [het bevel voeren] *be in command* ⇒*lead* ◆ **8.1** als meester ~ *r. as master.*

gebiedend
  I ⟨bn., bw.; -ly⟩ **0.1** [mbt. woorden/ gebaren] *authoritative* ⇒*commanding,* ⟨geen tegenspraak duldend⟩ *peremptory,* ⟨aanmatigend⟩ *imperious* **0.2** [dwingend] *imperative* ⇒*compelling, necessary, vital, compulsive* **0.3** [⟨taal.⟩] *imperative* ⇒*jussive* ◆ **1.1** een ~ teken *a peremptory gesture;* ten toon spreken *speak with a voice of command/ in a peremptory tone* **1.2** een ~e eis *an i. demand;* een ~ voorschrift *a binding instruction* **1.3** ~e wijs *i. mood, imperative* **4.1** hij heeft in houding en manieren iets ~s *he has a commanding air/ a certain air of authority;*
  II ⟨bw.⟩ **0.1** [op de wijze van iem. die gebiedt] *authoritatively* ⇒*commandingly,* ⟨geen tegenspraak duldend⟩ *peremptorily,* ⟨aanmatigend⟩ *imperiously* ◆ **3.1** ~ naar iets wijzen *gesture peremptorily in the direction of/ at sth.;* iets ~ zeggen/ toeroepen *say/ call out sth. in a commanding tone.*

gebieder ⟨de (m.)⟩, **-ster** ⟨de (v.)⟩ **0.1** *ruler* ⟨m., v.⟩ ⇒*lord* ⟨m.⟩, *lady* ⟨v.⟩, ⟨schr.⟩ *commander* ⟨m., v.⟩.

gebiedsaanduiding ⟨de (v.)⟩ **0.1** *demarcation line, line of demarcation.*

gebiedsdeel ⟨het⟩ **0.1** *territory* ⇒*dependency, sector* ◆ **2.1** de overzeese gebiedsdelen *the overseas territories/ dependencies.*

gebiedsuitbreiding ⟨de (v.)⟩ **0.1** *territorial expansion/ extension* ⇒*enlargement/ aggrandizement/ increase of territory.*

gebiesd ⟨bn.⟩ **0.1** *piped* ⇒*trimmed, faced* ◆ **1.1** een met goud ~e kraag *a collar p. / trimmed with gold* **2.1** een rood ~e auto *a car with red trim;* wit ~ *with white piping, p. with white.*

gebintbalk ⟨de (m.)⟩ **0.1** *purlin, collar beam*.

gebint(e)⟨het⟩ **0.1** *truss* ♦ **6.1** het gebouw is stevig **in** zijn ~ *the roof is structurally sound, the main roof-supports are in good condition*.

gebit ⟨het⟩ **0.1** [tanden en kiezen] *(set of) teeth* ⇒⟨scherts.⟩ *ivories, pearly whites* **0.2** [bit] *bit* **0.3** [kunstgebit] *(set of) dentures* ⇒*(set of) false teeth* ♦ **2.1** blijvend ~ *second t.*; een goed ~ hebben *have a good set of t.*; een regelmatig/onregelmatig ~ *regular/irregular t.*; een sterk /zwak/fraai ~ *strong/bad/fine t.* **3.2** een paard aan het ~ wennen/het ~ aandoen *bit a horse* **3.3** zij kreeg op haar twintigste een ~ *she had d. at twenty*.

gebitplaat ⟨de⟩ **0.1** *(dental) plate* ⇒*denture, false teeth*.

gebitsbeschermer ⟨de (m.)⟩ **0.1** *gum-shield* ⇒*mouthpiece*.

gebitsprothese ⟨de (v.)⟩ →*gebit* **0.3**.

gebitsregulatie ⟨de (v.)⟩ **0.1** *straigthening of the teeth* ⇒*orthodontics*.

gebitsverzorging ⟨de (v.)⟩ **0.1** *dental care*.

gebitumineerd ⟨bn.⟩ **0.1** *bituminized* ♦ **1.1** ~zand *b. sand*.

geblaard ⟨bn.⟩ **0.1** [vol blaren] *blistered* ⇒*covered in blisters*, ⟨biol.⟩ *bullate* **0.2** [mbt. paarden/koeien] *black-and-white-faced*.

geblaas ⟨het⟩ **0.1** [het spelen op een blaasinstrument] *blaring* ⇒⟨op hoorn⟩ *blowing, sounding, winding*, ⟨op houten instrumenten⟩ *piping* **0.2** [het blazen] *blowing* ⇒⟨hijgend⟩ *puffing*, ⟨kat⟩ *spitting, hissing, swearing*, ⟨slang⟩ *hissing* ♦ **1.1** dat getoeter en ~ van de straatmuzikanten maakt me dol *the blaring of that street band is driving me mad* **1.2** het ~ van de noordenwind *the b. / whistling of the north wind* **6.2** onder ~ en gesteun sleepte hij zijn last voort *puffing and panting/ huffing and puffing he dragged on his load*.

gebladerte ⟨het⟩ **0.1** [loof] *leaves* ⇒*foliage, leafage*, ⟨plantk.⟩ *frondage* **0.2** [bladvormige versierselen] *foliage* ⇒*ornamental leaves* ♦ **1.1** met dicht ~ *thick-leaved* **2.2** kapitelen, met luchtig ~ bekroond *capitals garlanded/decorated with delicate f.*.

geblaf ⟨het⟩ **0.1** [handeling] *barking* ⇒⟨diep, vnl. kind.⟩ *woofing*, ⟨diep, vnl. jachthond⟩ *baying*, ⟨schril⟩ *yapping* **0.2** [keer] *bark* ⇒ *woof, bay, yap*.

geblameerd ⟨bn.⟩ **0.1** *defamed*.

geblaseerd ⟨bn.⟩ **0.1** *blasé* ⇒*sated/satiated/surfeited/cloyed with pleasures, jaded*.

geblesseerd ⟨bn.⟩ **0.1** [gewond] *wounded* ⇒*hurt, injured* **0.2** [⟨sport⟩] *injured* **0.3** [beledigd] *hurt* ⇒*injured, wounded*.

geblesseerde ⟨de (m.)⟩ **0.1** [gewonde] *wounded/injured person* **0.2** [⟨sport⟩] *injured player* ♦ **7.1** de ~n *the wounded/injured*.

gebliksem ⟨het⟩ **0.1** [gezanik] *fuss* ⇒*bother(ation), racket, squabbling* **0.2** [het bliksemen/flikkeren] *lightning* ⇒*flashing* ♦ **4.1** is dat ~ nu uit *have you (quite) finished fussing*.

geblindeerd ⟨bn.⟩ **0.1** *shuttered, blacked out* ⟨raam⟩; *armoured, camouflaged* ⟨voertuig⟩.

gebloemd ⟨bn.⟩ **0.1** [met bloemmotief] *floral (patterned)* ⇒*flowered* **0.2** [met bloemen] *bearing flowers* ⇒*flowered, flowering* ♦ **1.1** ~ behang *f. (p.) wallpaper*; een ~e stof *a f. (p.) fabric* **1.2** een ~e tak *a flowering branch*.

geblokkeerd ⟨bn.⟩ **0.1** [mbt. havens] *blockaded* ⇒⟨door ijs⟩ *ice-bound* **0.2** [mbt. wegen] *blocked* **0.3** [mbt. gelden] *blocked* ⇒*frozen* **0.4** [⟨psych.⟩] *blocked* ⇒*inhibited* ♦ **1.3** een ~ rekening *a frozen account* **1.4** ~e emoties *b. / pent-up emotions* **3.¶** de wielen raakten~ *the wheels locked*.

geblokt ⟨bn.⟩ **0.1** [met blokjes] *chequered* ⇒*check(ed)* **0.2** [stevig] *square(-shouldered)* ⇒*sturdy, burly, compactly built* ♦ **1.1** ~e servetten *chequered serviettes*; ~e verkeersstrepen *broken white/yellow lines (on road)* **1.2** een ~e vent/kerel *a hulk of a fellow, a hulking fellow*.

gebluf ⟨het⟩ **0.1** *bragging* ⇒*boasting*, [B]*bluffing*.

geblust ⟨bn.⟩ ♦ **1.¶** ~e kalk *slack/slaked lime*.

gebocheld ⟨bn.⟩ **0.1** *hunchbacked* ⇒*humpbacked*, ⟨schr.⟩ *gibbous*, ⟨med.⟩ *kyphotic* ♦ **3.1** van voren en van achteren ~ zijn *be hunchbacked and pigeon-breasted*.

gebochelde ⟨de⟩ **0.1** *hunchback* ⇒*humpback* ♦ **1.1** de ~ v.d. Notre-Dame *the hunchback of the Notre-Dame*.

gebod ⟨het⟩ **0.1** [bevel] *order* ⇒*command, precept*, ⟨jur.⟩ *injunction* **0.2** [⟨mv.⟩ huwelijksafkondiging] *banns* ♦ **1.1** een ~ van Christus *one of Christ's commandments*; Gods~en, de ~en Gods *God's commandments*; ~en en verboden ⟨inf.⟩ *do's and don'ts* **2.1** een heilig ~ *a holy commandment*; op hoog ~ *by (the highest) command*; een koninklijk ~ *a royal command*; een onvoorwaardelijk ~ *a categorical imperative* **3.1** iemands ~ naleven/overtreden *obey/disobey s.o.'s command/o.*; een ~ uitvaardigen *issue an o.* **3.2** de ~en aflezen *call/read/publish the b.* **6.1** op iemands ~ *on orders from s.o.*; tegen iemands ~ *against s.o.'s orders/bidding*; van God noch ~ weten *be godless*; ⟨ook⟩ *be a law unto o.s.* **7.1** de tien ~en *the Ten Commandments, the Decalogue* **7.¶** ⟨scherts.⟩ met zijn tien~en eten *eat with one's fingers*.

gebodsbepaling ⟨de⟩ **0.1** *order* ⇒*injunction* (*as opposed to prohibition*).

gebodsbord ⟨het⟩ **0.1** ≠*road/traffic sign* ⟨*giving an order, as opposed to a prohibition*⟩.

geboefte ⟨het⟩ **0.1** *rabble* ⇒*riff-raff, scum (of the earth)* ♦ **1.1** stuk ~ *rascal*; ⟨BE ook⟩ *blighter, bleeder*.

gebogen ⟨bn.⟩ **0.1** [krom] *bent* ⇒*curved, bowed, arched*, ⟨schr., biol.⟩ *arcuate* **0.2** [⟨wisk.⟩] *curved* ⇒⟨bol⟩ *convex*, ⟨hol⟩ *concave* ♦ **1.1** een kast met ~ deuren *a cupboard with bowed doors*; met ~ hoofd *with bowed head/head bowed*; een ~ neus *an aquiline/arched/a Roman nose*; een ~ rug *a crooked/bent back* **3.1** ~ lopen *walk with a stoop*.

gebonden ⟨bn.⟩ **0.1** [niet vrij] *bound* ⇒*tied (up), attached (to), committed, restrained* **0.2** [⟨boek.⟩] *bound* **0.3** [niet dun vloeibaar] *thick* ⇒ *creamy* **0.4** [aan voorschriften onderhevig] *regulated* ⇒⟨stijl⟩ *poetic, metrical* **0.5** [⟨muz.⟩] *legato* ♦ **1.1** een ~ leven *a busy life* **1.2** een ~ boek *a hardback/hardcover; a b. book* **1.3** ~ aspergesoep *cream of asparagus (soup)* **1.4** ~ verzen *metrical verse/lines* **1.5** ~ spel *legato* **1.¶** ⟨nat.⟩ ~ elektriciteit *bound electricity*; ⟨nat.⟩ ~ warmte *latent heat* **2.1** niet contractueel ~ *not b. by contract; uncovenanted* **3.1** je bent in dat baantje altijd ~ *in that job your hands are always tied/restricted/ you never have a free moment* **6.1** aan handen en voeten ~ zijn *be tied /b. hand and foot*; niet aan een kerk ~ *non-denominational;* aan huis ~ *housebound;* een één plaats ~ *tied to one place; local;* niet aan regels ~ *not b. by rules;* niet aan een partij ~ *non-party, neutral;* het project is niet aan tijd ~ *there is no time-limit on the project;* ik ben niet aan tijd ~ *my time is my own, I have no fixed engagements;* dit begrip is niet aan bepaalde tijd ~ *this concept is not tied to a particular period* **6.4** aan strenge regels ~ zijn *be bound by strict rules*.

gebondenheid ⟨de (v.)⟩ **0.1** [het onvrij-zijn] *lack of freedom/spare time* ⇒*restraint, bondage, restriction* **0.2** [verbondenheid] *consistency* ⇒ *alignment* **0.3** [mbt. soepen, sauzen] *thickness* ♦ **1.1** vrijheid in ~*freedom in restraint*.

geboomte ⟨het⟩ **0.1** [een aantal bomen] *trees* **0.2** [bomen van een veld/bos] *trees* ⇒⟨voor hout⟩ *timber* ♦ **2.2** dicht/fris/hoog/laag/zwaar ~ *dense/green/tall/low/heavy trees*.

geboorte ⟨de (v.)⟩ **0.1** [het geboren worden] *birth* ⇒⟨med.⟩ *delivery, parturition*, ⟨bijb.⟩ *nativity* **0.2** [afkomst] *birth* ⇒*descent, ancestry, parentage* **0.3** [begin] *origin* ⇒*genesis, infancy* **0.4** [⟨bijb.⟩ nakomelingen] *generation* ⟨meestal mv.⟩ **0.5** [mbt. gewelf] *skewback* ♦ **1.1** vóór/na Christus' ~ *before/after (the b. of) Christ; B.C., A.D.;* de ~ v.e. kind/Christus *the b. of a child; the b. of Christ, Christ's Nativity* **1.4** dit zijn de ~n van Noach/Sem *these are the generations of Noah/Shem* **2.2** iem. van aanzienlijke/van lage ~ *a high-born/low-born person;* van twijfelachtige ~ *of doubtful descent/ancestry/origin* **6.1** bij de ~ woog het kind ...*the child weighed ... at b.;* de moeder stierf bij de ~ v.h. kind *the mother died in childbirth/giving b. to the child;* (van) na de ~ *(post)natal;* van zijn ~ af *from b.;* ik ken ze al van de ~ *I've known them since (the day) they were born;* een Limburger van ~ *a Limburger by b.;* vóór de ~ *antenatal, prenatal* **6.2** iem. van ~ *s.o. of high/noble b.*.

geboorteaangifte ⟨de (v.)⟩ **0.1** *registration of birth*.

geboorteakte ⟨de⟩ **0.1** *birth-certificate, certificate of birth*.

geboortebewijs ⟨het⟩ **0.1** *(copy of) birth-certificate*.

geboortedag ⟨de (m.)⟩ **0.1** [verjaardag] *birthday* ⇒*anniversary (of the birth)* **0.2** [de dag van iemands geboorte] *birthday* ⇒*day of birth* ♦ **3.1** iemands ~ vieren *celebrate s.o.'s birth* **7.1** de honderdste/tweehonderdste/driehonderdste ~ *the centenary/bicentenary/tercentenary of s.o.'s birth*.

geboortedatum ⟨de (m.)⟩ **0.1** *date of birth* ⇒*birth date*.

geboortedorp ⟨het⟩ **0.1** *native village* ⇒*village of one's birth*.

geboortegewicht ⟨het⟩ **0.1** *weight at birth*.

geboortegrond ⟨de (m.)⟩ **0.1** [geboortestreek] *native soil/ground/region /heath* ⇒*home (ground)* **0.2** [vaderland] *native soil/country*.

geboorteheilige ⟨de⟩ ⟨r.k.⟩ **0.1** *patron saint*.

geboortehuis ⟨het⟩ **0.1** *birthplace* ⇒*house of one's birth*.

geboortejaar ⟨het⟩ **0.1** *year of birth*.

geboortekaartje ⟨het⟩ **0.1** *birth announcement card*.

geboorteland ⟨het⟩ **0.1** *native country* ⇒*homeland, country of origin* ♦ **1.1** zijn ~ België *his native Belgium*.

geboortenbeperking ⟨de (v.)⟩ **0.1** [streven] *birth control* ⇒*family planning* **0.2** [middelen, methoden] *contraception* ⇒*family planning methods*.

geboortencijfer ⟨het⟩ **0.1** *birth rate* ⇒*natality* ♦ **1.1** een daling v.h. ~ *a decline in the b. r.* **6.1** de ~s van de afgelopen tien jaar *the birth figures over the past ten years*.

geboortendaling ⟨de (v.)⟩ **0.1** *drop/fall/decline in the birth rate*.

geboortengolf ⟨de⟩ **0.1** *baby boom*.

geboortenoverschot ⟨het⟩ **0.1** *excess (of) births (over deaths)* ⇒*(natural) increase in population*.

geboortenregeling ⟨de (v.)⟩ **0.1** *birth control* ⇒*family planning*.

geboortenregister ⟨het⟩ **0.1** *birth register* ⇒*register of births*.

geboorteplaats ⟨de⟩ **0.1** *place of birth* ⇒*birthplace*.

geboorterecht ⟨het⟩ **0.1** *birthright* ⇒*right of birth* ♦ **6.1** krachtens ~ by *(right of) birth*.

geboortestad ⟨de⟩ **0.1** *native city/town* ⇒*home town, town/city of one's birth*.

geboortestreek ⟨de⟩ **0.1** *native region/area/district*.

geboortetegel ⟨de (m.)⟩ **0.1** *commemorative tile, tile commemorating a/ s.o.'s birth*.

geboortig ⟨bn.⟩ **0.1** *native, born, natural-born* ◆ **6.1** ~ van/uit Rotterdam *a native of Rotterdam.*

geboren ⟨bn.⟩ ⟨→sprw. 137,163, 171,248⟩ **0.1** [gebaard] *born* **0.2** [al bij/door geboorte zijnde] *born* ⇒*native, original, natural(-born)* **0.3** [ontstaan] *born* ⇒*originated, arisen, arrived* ◆ **1.1** een dichter wordt niet gemaakt, maar ~ *poets are b., not made;* mij is een zoon ~ *a son has been b. (un)to me* **1.2** een ~ dichter *a b. / natural poet;* een ~ Nederlander *a native Dutchman;* mevrouw Jansen, geboren Smit *Mrs. Jansen née Smit* ⟨schr.⟩ formerly *Miss Smit* ⟨vero.; inf.⟩ *Miss Smit as was* **2.1** dood ~ *still-b.;* ergens ~ en getogen zijn *be b. and bred somewhere* **2.2** blind/doofstom ~ zijn *be b. blind/deaf and dumb* **3.1** waar/wanneer bent u ~? *where/when were you b.?;* zo iem. moet nog ~ worden *such a person has yet to be b.;* ⟨fig.; rel.⟩ wederom ~ worden *be b. again/reborn* **3.2** ~ zijn voor iets/om te *be destined/b. to* **5.1** een te vroeg ~ kind *a premature baby* **6.1** hij is in/te Almelo ~ *he was b. in Almelo;* ⟨bijb.⟩ uit God ~ zijn *be b. of God;* uit een Engelse moeder ~ zijn *be b. of/have an English mother;* uit dit huwelijk werd ~ ...*from this marriage was b. ...* **6.3** de scheikunde is uit de alchimie ~ *chemistry had its origins in alchemy.*

geborgen ⟨bn.⟩ **0.1** *save* ⇒*secure* ◆ **3.1** zich ~ voelen *feel safe/secure;* zich ~ weten *know o.s. (to be)/that one is safe.*

geborgenheid ⟨de (v.)⟩ **0.1** *security* ⇒*safety* ◆ **1.1** iem. een gevoel van ~ geven *give s.o. a sense of security.*

geborneerd ⟨bn.⟩ **0.1** *narrow-minded, bigoted* ⟨karakter⟩; *limited* ⟨verstand⟩; *narrow, insular, borné* ⟨ideeën⟩ ◆ **3.1** ~ zijn *be n.-m..*

geborrel ⟨het⟩ **0.1** [het borrelen/opbruisen] *bubbling* ⇒*effervescing, fizzing* **0.2** [het borrels drinken] *tippling* ⇒*have a drink/dram/drop,* ↓*boozing* ◆ **3.2** om 3 uur begint het ~ al [(the) drinks will be served from three o'clock,* ↓*the booze-up starts at 3 o'clock* **4.2** dat ~ is zijn ongeluk *his drinking/*↓*boozing will be the ruin of him* **6.1** het ~ in mijn buik *the rumbling/gurgling in my stomach/*↓*tummy.*

geborsteld ⟨bn.⟩ **0.1** [van borstels voorzien] *bristly* ⇒*bristled, bushy, hairy,* ⟨biol.⟩ *hispid* **0.2** [met een borstel bewerkt] *brushed* ◆ **1.1** de ~e huid van het wilde zwijn *the bristly hide of the wild boar* **6.2** naar achteren ~ *swept/b. back.*

gebouw ⟨het⟩ **0.1** [bouwwerk] *building* ⇒*structure, construction,* ⟨pand⟩ *premises,* ⟨in namen⟩ *hall/house* **0.2** [het bouwen] *building* ⇒*construction (works)* ◆ **3** [⟨fig.⟩] *fabric* ⇒*structure,* ⟨schr.⟩ *edifice* ◆ **1.1** de ~en van een stad *the buildings of a city* **1.3** het ~ van de godsdienst *the edifice of religion;* het ~ van zijn verwachtingen stortte ineen *all his hopes collapsed* **2.1** een deftig/vrolijk/somber ~ *a stately/pretty/gloomy b.;* een groot/ruim ~ *a large/roomy b.;* een houten ~(tje) *a wooden structure* **4.2** het is hier een hele drukte met al dat ~ *there's a lot of coming and going here with all this b. going on* **6.1** in het ~ aanwezig *on the premises.*

gebouwd ⟨bn.⟩ **0.1** [met een bepaalde bouw] *built* ⇒*constructed, structured, framed* **0.2** [onderscheiding onroerend goed-belasting] *developed* ◆ **1.2** ~e eigendommen *d. land/estates* **5.1** forsgebouwd *solidly b.;* hij is fors/stevig ~ *he is of solid/sturdy build, he is well-b.;* goedgebouwd *well-b.;* lichtgebouwd, rankgebouwd *well-built.* schip] *lightly b., with sleek/slender lines;* mooi ~ zijn *have a fine figure, be well-proportioned.*

gebouwencomplex ⟨het⟩ **0.1** *block/group/complex of buildings.*

gebr. ⟨afk.⟩ **0.1** [gebroeders] *bros.* ◆ **1.1** Gebr. X *X Bros..*

gebraad ⟨het⟩ **0.1** [(stuk) gebraden vlees] *roast (meat)* ⇒*joint* **0.2** [het braden] ⟨in oven⟩ *roasting;* ⟨in pan⟩ *broiling, frying;* ⟨schr.⟩ *grilling* ◆ **1.1** de geur van ~ *the smell of the roast* **2.1** overheerlijk ~ *delicious roast.*

gebrabbel ⟨het⟩ **0.1** *jabber* ⇒*drivel, gibberish,* ⟨van kind⟩ *prattle,* ⟨sl.⟩ *bull(shit)* ◆ **2.1** een armzalig ~ *pathetic gibberish* **3.1** wat een ~ slaat hij uit *what a load of drivel/bull he's talking.*

gebral ⟨het⟩ **0.1** *bragging* ⇒*bluster, loudthumping, ranting.*

gebrand ⟨bn.⟩ **0.1** *roasted* ⇒*burnt* ◆ **1.1** ~e amandelen *burnt/r. almonds;* ~ glas *stained glass;* ~ paarlemoer *smoked pearl;* ~e stroop *caramel(ized)/burnt sugar syrup;* ⟨koffiestroop⟩ *(black) treacle/* ᴬ*molasses* **3.** ¶ erop ~ zijn te ... ⟨gesteld op⟩ *be keen/hot on/be crazy about;* ⟨verlangend naar⟩ *be burning/dying to.*

gebreid ⟨bn.⟩ **0.1** *knitted* ⇒ *k.* goederen/kleding *k. goods, knitwear;* ~e handschoenen *k. / woollen gloves;* ⟨zeldz.⟩ *Berlin gloves, berlins;* ~ kledingstuk *knit* **6.1** met de hand ~ *hand-k.,* ᴬ*handknit.*

gebrek ⟨het⟩ ⟨→sprw. 94,182,485⟩ **0.1** [het niet genoeg aanwezig zijn] *lack* ⇒*want, shortage, deficiency* **0.2** [armoede, gemis] *want* ⇒*need, hardship, (de)privation* **0.3** [kwaal] *ailment* ⇒*infirmity* **0.4** [geestelijke onvolkomenheid] *failing* ⇒*shortcoming, weakness* **0.5** [mbt. zaken] *flaw* ⇒*fault, defect, shortcoming, failing* ◆ **1.3** de ~en van de ouderdom *the ailments of old age* **1.5** de ~en van een gedicht/van een schilderij opmerken *notic the flaws/faults/defects in a poem/a painting* **2.2** het nijpendste ~ *the most acute hardship* **2.3** een uitwendig/inwendig/heimelijk ~ *an external/internal/insidious a.* **2.4** grove ~en *serious failings;* een menselijk ~ *a human f. / weakness;* een natuurlijk ~ ⟨ook fig.⟩ *an inherent weakness, an innate/inborn f.* **2.5** een verborgen ~ *a hidden flaw/fault/defect* **3.1** groot ~ hebben aan *be greatly lacking in, be greatly in want of, be/go short of,* ⟨sterker⟩ *be in des-*

perate need of; de bodem heeft ~ aan kalk *the soil is deficient in lime;* ~ krijgen aan iets *run short of sth.* **3.2** ~ hebben/lijden *be in w. / need,* go short; daar heerst ~ *there is great hardship/w. / need there* **3.4** alle mensen hebben hun ~en *everyone has his/we all have our failings, no one's perfect;* maar één ~ hebben *have only one f. / weakness* **3.5** een ~ verhelpen *correct/remedy a flaw/fault/failing/defect/shortcoming* **6.1** ~ aan water/geld/verstand/ondervinding hebben *be lacking in/lack (for) water/money/intelligence/experience;* ~ aan stof hebben *be short of material;* ~ aan arbeidskrachten/personeel hebben *be short-handed;* ~ aan eetlust *l. / loss of appetite;* bij ~ aan *for want/l. of, in the absence of;* bij ~ aan tijd *for want/l. of time;* bij ~ aan beter *for want of anything/sth. better,* † *faute de mieux;* bij ~ van *failing, in the absence of,* ⟨schr.⟩ *in default of;* bij ~ aan bewijs *for l. of evidence, in the absence of proof;* ~ aan ruimte hebben *lack room, be cramped for room* **6.2** van ~ omkomen *die from deprivation/hardship* **6.** ¶ in ~e blijven *fail (to do sth.),* ⟨schulden te betalen⟩ *(be in) default;* in ~e stellen/zijn *declare/be in default, hold/declare/be liable;* zonder ~en *flawless, faultless, perfect* **7.1** aan ~ lijden *suffer from no l. / shortage of money/worries/woes/friends* **¶.4** iem. zijn ~en onder ogen brengen *point s.o.'s failings out to him.*

gebrekig ⟨bn.⟩ **0.1** *defaulting* ◆ **1.1** ⟨jur.⟩ ~e getuige *d. witness;* ~e koper *d. purchaser.*

gebrekkig
I ⟨bn., bw.; -ly⟩ **0.1** [met lichamelijke gebreken] *infirm* ⇒*ailing,* ⟨dier ook⟩ *lame* **0.2** [mbt. zaken] *faulty* ⇒*defective,* ⟨ontoereikend⟩ *inadequate, poor, imperfect, deficient* ◆ **1.1** een ~ mens/paard *an i. / ailing person,* ⟨inf.⟩ *a lame duck; a lame horse* **1.2** een ~ beeld *a f. / an inadequate picture;* een ~ betoog/plan *an inadequate/a poor/f. / deficient argument/plan;* een ~ excuus *a poor/lame/paltry excuse;* een ~e gang *lameness, a limp, an imperfect gait;* ~ gereedschap *f. / defective equipment;* ~e huisvesting *poor/primitive housing;* een ~e kennis van het Engels *poor/imperfect/inadequate (knowledge of) English;* een ~e organisatie *poor/imperfect/inadequate organization;* taal en stijl waren zeer ~ *language and style were very poor;* een ~e voordracht, uitspraak *poor/ʰ(haperend) halting delivery/pronunciation;*
II ⟨bw.⟩ **0.1** [op een gebrekkige wijze] *poorly* ⇒*imperfectly, inadequately,* ⟨haperend⟩ *haltingly, brokenly* ◆ **3.1** hij spreekt ~ Frans *he speaks poor/broken French, his French is poor;* een taal ~ spreken *speak a language p.;* zich ~ uitdrukken *express o.s. imperfectly/haltingly.*

gebrekkigheid ⟨de (v.)⟩ **0.1** [mbt. personen] *infirmity* **0.2** [mbt. zaken] *defectiveness* ⇒*faultiness,* ⟨ontoereikendheid⟩ *inadequacy, poorness, imperfection, deficiency.*

gebrild ⟨bn.⟩ **0.1** *(be)spectacled* ◆ **1.** ¶ ~e zeekoet *bridled guillemot.*

gebroddel ⟨het⟩ **0.1** *bungling, botch.*

gebroed ⟨het⟩ **0.1** [schadelijke dieren] *vermin* **0.2** [gespuis] *rabble* ⇒*scum* **0.3** [mbt. vogels] *brood.*

gebroeders ⟨zn.mv.⟩ **0.1** *brothers* ◆ **1.1** de ~ De Witt *the De Witt b.;* ⟨schr.⟩ *the b. De Witt;* de ~ X, handelaren in wijnen *X Brothers/Bros., wine merchants.*

gebroken ⟨bn.⟩ **0.1** [stuk] *broken;* ⟨med., wet. ook⟩ *fractured* **0.2** [lichamelijk of geestelijk uitgeput] *broken* **0.3** [stamelend, gebrekkig] *broken* **0.4** [mbt. kleuren] *broken* **0.5** [onderbroken] *interrupted* ⇒*broken* **0.6** [een breuk hebbend] *ruptured* ◆ **1.1** een ~ bordje *a b. plate;* het ~ geweertje *the broken gun* ⟨(symbol of) pacifist movement in the 1930s⟩; ⟨druk.⟩ een ~ letter *a damaged/battered letter;* ~ b. line; een ~ rib *a b. / f. rib* **1.2** een ~ man *a b. man* **1.3** hij sprak haar in ~ Frans aan *he addressed her in b. French;* een ~ stem *a b. voice* **1.5** ⟨muz.⟩ ~ akkoorden *broken chords;* een ~ dak *a mansard/curb roof;* ~ vers ≠*verse with a heavy caesura;* een ~ week/maand *an incomplete week/month* **1.** ¶ ⟨wisk.⟩ een ~ getal *a fraction(al number)* **2.4** ~ wit *off-white, b. white* **3.2** zich ~ voelen *feel b., be a b. (wo)man* **5.2** hij is innerlijk ~ *he is b.-hearted, his spirit is b.* **6.2** ~ van smart *prostrate with grief, grief-stricken.*

gebrom ⟨het⟩ **0.1** [het brommen] *hum(ming)* ⇒ ⟨van insekten enz.⟩ *buzz(ing),* ⟨van dieren⟩ *growl(ing),* ⟨van mensen, dieren ook⟩ *grunt(ing),* ⟨van vliegtuig enz.⟩ *drone, droning* **0.2** [gemopper] *grumbling* ◆ **2.1** een goedkeurend/tevreden ~ *a grunt of approval/satisfaction.*

gebronsd ⟨bn.⟩ **0.1** *bronzed, (sun-)tanned.*

gebrouilleerd ⟨bn.⟩ **0.1** *on bad terms* ◆ **3.1** zij zijn (met elkaar) ~ *they're on bad terms/they've fallen out (with each other)* **6.1** met iem. ~ zijn *be on bad terms/have fallen out with s.o..*

gebruik ⟨het⟩ **0.1** [het zich bedienen van iets] *use* ⇒ † *application,* ⟨eten, drank⟩ *consumption,* ⟨pillen enz.⟩ *taking* **0.2** [gewoonte] *custom* ⇒*habit, practice, usage* ◆ **1.1** het ~ van aspirine *(the) taking of aspirin;* het ~ van sterke drank *(the) consumption of spirits/*ᴬ*liquor;* het ~ van lompen om papier te vervaardigen *the u. of rags to make paper;* het ~ van olie in de sla *the u. of oil in salad;* het ~ van de tuin was hem toegestaan *he was allowed the u. of/allowed to use the garden* **1.2** de ~en van een land *the customs of a country* **2.1** voor algemeen ~ *for general u.;* servies voor dagelijks ~ *crockery for everyday/daily u.;* voor eigen ~ *for personal u.;* een goed/verkeerd/gepast ~ *a good/wrong/appropriate u. / application;* het ijdel ~ van Gods naam

is ongepast *it is wrong to take God's name in vain;* alleen voor uitwendig ~ *for external u. / application only, to be used externally* **2.2** een door de wet erkend ~ *a legally recognised c. / practice;* het is een goed ~ dat ...... *is a good c.;* een oud/een eerbiedwaardig ~ *an ancient / honourable / laudable c.* **3.1** (geen) ~ van iets maken *(not) make u. of sth., (not) avail o.s. of sth., (not) take advantage of sth.;* van de gelegenheid ~ maken *take the opportunity / seize / avail o.s. of;* van iemands aanbod/ uitnodiging/ gastvrijheid ~ maken *take advantage of / avail o.s. of s.o.'s offer / invitation / hospitality;* het ~ maken van een tolk/ gids *the u. of an interpreter / guide;* druk ~ maken van iets *use sth. a lot, make frequent u. of sth.;* het juiste ~ maken van iets *put sth. to the right / to its proper u.* **3.2** een ~ afschaffen/ wijzigen *abolish / modify / alter a c.* **6.1** door het ~ afslijten *wear away / down with / through / from u.;* in ~ hebben/ nemen *have in u., put / bring into u.;* meevallen **in** het ~ *be not so bad once you get used to him / her* (enz.), *get better with u., be better than one expects;* iets **in** ~ stellen *put / bring sth. into u.;* **na** ~ *after u., when it has / they have served their purpose;* **tot / voor** iemands ~ *for s.o.'s u., for u. by / for the u. of s.o.;* **volgens** plaatselijk ~ *in accordance with local c.;* deze kast hou ik **voor** mijn ~ *I'm keeping this cupboard for my own u.;* schudden **voor** het ~ *shake before u.* **6.2 buiten** ~ zijn/ komen/ raken *be / fall / go out of use, be in / fall into disuse, be / become disused;* **in** ~ zijn/ komen/ raken *be in / come into use* ¶.2 zo is het ~ *such is the c..*
gebruikelijk ⟨bn.⟩ **0.1** *usual* ⇒*customary, habitual,* ⟨algemeen gebruikt⟩ *common* ◆ **1.1** hij legde de ~e eed af *he took the customary oath;* de ~e naam van een plant *the common name of a plant;* de ~e plichtplegingen *the u. / customary ceremonies;* op het ~e uur *at the u. time;* op de ~e wijze *in the u. way* **1.¶** (wisk.) een ~e breuk *a proper fraction* **3.1** zoals (te doen) ~ is *as is u. / customary* **6.1** het is ~ **om** ...*it is u. / customary / common practice to ....*
gebruiken
I ⟨ov.ww.⟩ **0.1** [gebruik maken van] *use* ⇒⟨schr.⟩ *employ, apply, utilize, take* ⟨pillen enz.⟩ **0.2** [nuttigen] *have* ⇒*take, eat, drink,* ↑*consume* ◆ **1.1** een argument ~ *use an argument;* de auto gebruikt veel benzine *the car uses (up) / consumes a lot of petrol /* ᴬ*gas;* iemands diensten/ hulp ~ *make use of / avail o.s. of / take advantage of s.o.'s services / help;* een geneesmiddel inwendig/ uitwendig ~ *take / use a medicine internally; use / apply a medicament / medication externally;* geweld/ list ~ *use violence / cunning;* kinine/ slaapmiddelen ~ *take quinine / sleeping pills / tablets;* een paraplu/een mantel ~ voor de regen *use an umbrella / a coat to keep off the rain;* zijn verstand ~ *use one's common sense / intelligence;* vork en mes ~ *use a knife and fork;* iemands woorden ~ *use s.o.'s words* **1.2** een maaltijd ~ *take / eat a meal;* gebruikt u suiker in de thee? *do you take / h. sugar in your tea?* **3.1** dat kan ik net goed ~ *I can / could just use / make good use of /* ⟨inf.⟩ *do with that;* ik kan dat later misschien wel ~ *I may find a use for it later on;* zij kan van alles ~ *it's all grist to her mill, nothing's wasted with / on her;* hij vroeg ons of we niets konden ~ *he asked us whether we needed anything;* iets/ iem. niet kunnen ~ *have no use for / dislike s.o.* ⟨ook fig.⟩; ik zou best wat extra geld kunnen ~ *I could do with some extra money;* ⟨fig.⟩ slecht weer kunnen we niet ~ *we can do without bad weather;* zich voor alles laten ~ *be a dogsbody / willing horse, be at everyone's beck and call;* zich gebruikt voelen *feel used;* hij weet zijn handen te ~ *he's good with his hands, he knows how to use his hands, he uses his hands well, he is handy;* iets weten te ~ *know how to use sth.;* zijn pen weten te ~ *have a way with words, be handy with a pen, use a pen well, know how to use / handle a pen;* zijn tong weten te ~ *have a way with words, be capable of using one's tongue;* iem. weten te ~ *know how to use s.o., (be able to) put s.o. to good use* **4.2** wilt u ook iets ~? *can I get you anything?, would you like sth. (to eat / drink)?;* wat ~ eat / drink / have sth., have sth. to eat / drink **5.1** hij heeft zijn vakantie goed gebruikt *he made good use of his holiday /* ᴬ*vacation;* zijn tijd goed/ slecht ~ *make good / bad use of one's time, put one's time to good / bad use, use one's time well / badly;* Gods naam ijdel ~ *take God's name in vain* **5.2** een beetje te veel ~ *regularly have a bit / drop too much (to drink), over-indulge.*
II ⟨onov., ov.ww.⟩ **0.1** [harddrugs innemen] ⟨onov. ww.⟩ *be on / take drugs;* ⟨ov. ww.⟩ *be on, take.*
gebruiker ⟨de (m.)⟩ **0.1** [iem. die iets gebruikt] *user;* ⟨verbruiker⟩ *consumer* **0.2** [⟨jur.⟩] *usufructuary* ⇒*occupier, occupant* **0.3** [druggebruiker] *drug taker, drugs user* ⇒⟨verslaafde⟩ *drug addict,* ⟨sl.⟩ *junkie,* ᴬ*hophead* ◆ **1.1** de ~s van een computer *computer users.*
gebruikersvriendelijk ⟨bn., bw.; -ly⟩ **0.1** *user-friendly,* ⇒*easy to use / get on with,* ⟨handig⟩ *practical, convenient.*
gebruikmaking ⟨de (v.)⟩ **0.1** *use;* ⟨schr.⟩ *utilization* ◆ **6.1** met ~ **van** *(by) using, with the benefit of.*
gebruiksaanwijzing ⟨de (v.)⟩ **0.1** *directions /* ⟨mbt. toestel enz.⟩ *instructions (for use)* ⇒*operation instructions* ◆ **6.1** met ~ d. / i. *enclosed / attached;* ⟨iron.⟩ dat is er een **met** een ~ ⟨ding, alg.⟩ *how (the hell) do you get this thing to work?;* ⟨gevaarlijk ding⟩ *that (one) carries a government health warning* ⟨persoon⟩ *you have to tread carefully / mind your p's and g's / watch your step with him / her, you need to treat him / her with kid gloves.*

gebruiksgoederen ⟨zn.mv.⟩ **0.1** *consumer goods / durables / commodities.*
gebruiksklaar ⟨bn.⟩ **0.1** *ready for use* ⟨attr.: ready-for-use⟩ ◆ **1.1** ~ voedsel *ready-to-eat / convenienc / take-away food(s)* **3.1** het weer ~ maken van oud papier *recycling of waste paper.*
gebruiksmogelijkheid ⟨de (v.)⟩ **0.1** *application (possibility)* ◆ **3.1** P.V.C. heeft enorm veel gebruiksmogelijkheden *PVC has a thousand uses.*
gebruikssfeer ⟨de⟩ **0.1** *register* ⇒*area / sphere of use.*
gebruiksvoorwerp ⟨het⟩ **0.1** ⟨gereedschap⟩ *implement;* ⟨toestel⟩ *appliance;* ⟨keukengerei enz.⟩ *utensil.*
gebruikswaarde ⟨de (v.)⟩ **0.1** *practical value.*
gebruind ⟨bn.⟩ **0.1** *tanned* ⇒*sunburnt* ᴬ*-ned.*
gebruis ⟨het⟩ **0.1** *roar(ing), seething* ⟨van waterval, bergstroom enz.⟩ ⇒⟨schr.⟩ *gurgitation,* ⟨zacht⟩ *fizz,* ⟨van koolzuurhoudende dranken⟩ *effervescence, fizzing.*
gebrul ⟨het⟩ **0.1** *roar(ing), howling* ⇒*howls, bellowing,* ⟨van mens ook⟩ *yelling* ◆ **2.1** het deed een luidruchtig ~ opgaan onder het publiek ⟨van het lachen ook⟩ *it drew boisterous guffaws / loud roars of laughter from the audience.*
gebuild ⟨bn.⟩ ◆ **1.¶** ~ meel *bo(u)lted flour.*
gebukt ⟨bn.⟩ ◆ **3.¶** ~ gaan onder zorgen *be weighed down / burdened / laden / bowed down with worries.*
gebulder ⟨het⟩ **0.1** *boom(ing)* ⇒*roar(ing).*
gebulk ⟨het⟩ **0.1** *low(ing), bellow(ing)* ⇒*mooing.*
gebuur ⟨de⟩ ⟨AZN⟩ **0.1** *neighbour.*
gebuurte ⟨de (v.)⟩ ⟨AZN⟩ **0.1** *neighbourhood* ⇒*district.*
gecanneleerd ⟨bn.⟩ **0.1** *grooved* ⇒⟨kolommen enz. ook⟩ *fluted* ◆ **1.1** ~e kolommen *fluted colums.*
gecentraliseerd ⟨bn.⟩ **0.1** *centralized* ⇒⟨van overheid ook⟩ *unitary.*
gecentreerd ⟨bn.⟩ **0.1** ⟨mbt. één lens en lenshouder⟩ *centred;* ⟨mbt. lenzen onderling⟩ *aligned.*
gecharmeerd ⟨bn.⟩ ◆ **3.¶** op/ van iem./ iets ~ zijn *be taken with / captivated / charmed by s.o. / sth..*
gechloreerd ⟨bn.⟩ **0.1** *chlorinated.*
geciviliseerd ⟨bn.⟩ **0.1** *civilized.*
geclausuleerd ⟨bn.⟩ **0.1** *with an added clause / proviso* ◆ **1.1** ⟨jur.⟩ ~e bekentenis *confession hedged with (an) added proviso(s).*
gecombineerd ⟨bn.⟩ **0.1** *combined* ⇒⟨inf.⟩ *all-in-one* ◆ **1.1** een ~e meter *multi-meter;* een ~ toegangsbewijs *a c. / an all-in-one ticket.*
gecommitteerde ⟨de (m.)⟩ **0.1** [gemachtigd toeziener] *examiner* **0.2** [gevolmachtigde] *delegate* ⇒*representative, deputy.*
gecompliceerd ⟨bn.⟩ **0.1** *complicated* ⇒*involved, complex, intricate* ◆ **1.1** een ~e aanrijding *a multiple collision;* een ~e breuk *a compound fracture;* een ~ geval *a complicated case;* een ~ karakter *a complex character* **3.1** ~ maken *complicate.*
gecompliceerdheid ⟨de (v.)⟩ **0.1** *complexity* ⇒*intricacy, involution, complicatedness.*
gecompromitteerd ⟨bn.⟩ **0.1** *compromised.*
geconcentreerd ⟨bn., bw.; -ly⟩ **0.1** [van sterk gehalte] *concentrated* **0.2** [ingespannen] *concentrated* ⇒*intent,* ⟨bw. ook⟩ *with concentration* ◆ **1.1** ~ zwavelzuur *c. sulphuric* ᴬ*-furic acid* **3.2** ~ werken *work with (great) concentration / concentratedly / intently* **5.2** erg ~ zijn *be concentrating hard / very concentrated.*
gecondenseerd ⟨bn.⟩ **0.1** *condensed* ◆ **1.1** ~e melk *c. / evaporated milk.*
geconditioneerd ⟨bn.⟩ **0.1** [afhankelijk van voorwaarde(n)] *conditioned* **0.2** [zich bevindend in een toestand] *in ... condition* ◆ **1.1** een ~e reflex *a c. reflex* **5.2** goed ~ *in good condition,* ⟨personen ook⟩ *fit.*
geconfedereerden ⟨zn.mv.⟩ **0.1** *confederates* ⇒⟨USA, gesch.⟩ *the Confederacy, the Confederate States of America.*
geconfirmeerd ⟨bn.⟩ **0.1** *confirmed* ◆ **1.1** ~e kredietbrief *c. letter of credit.*
geconjugeerd ⟨bn.⟩ **0.1** [⟨wisk.⟩] *conjugate* **0.2** [⟨taal.⟩] *conjugated* ◆ **1.¶** ⟨schei.⟩ ~ systeem *conjugate(d) system.*
geconserveerd ⟨bn.⟩ **0.1** *preserved,* ⟨in blik ook⟩ *canned,* ⟨BE ook⟩ *tinned* ◆ **1.1** ~e sardientjes *c. / t. sardines* **5.1** goed ~ zijn *be well-p..*
geconsigneerde ⟨de (m.)⟩ **0.1** *consignee* ⇒⟨ruimer ook⟩ *addressee.*
geconsolideerd ⟨bn.⟩ **0.1** *consolidated* ◆ **1.¶** ~e balans *consolidated balance;* ~e schuld *consolidated debt.*
geconstipeerd ⟨bn.⟩ **0.1** *constipated.*
gecontinueerd ⟨bn.⟩ **0.1** *continued.*
gecorseerd ⟨bn.⟩ **0.1** *full-bodied* ⇒*strong-bodied, robust.*
gecultiveerd ⟨bn.⟩ **0.1** [ontgonnen] *cultivated* **0.2** [verfijnd] *cultivated* ⇒*cultured* ◆ **1.2** een ~e smaak *cultivated / cultured taste.*
gedaagde ⟨de (m.)⟩ **0.1** *defendant* ⇒⟨bij echtscheidingsproces⟩ *respondent.*
gedaan ⟨bn.⟩ ⟨→sprw. 21,173⟩ **0.1** [geëindigd] *done* ⇒*finished, over* **0.2** [klaar] *done* ⇒*finished, over (with)* **0.3** [ontslag] *fired;* ⟨BE ook⟩ *sacked* **0.4** [⟨geldw.⟩] *done* ◆ **3.1** het is met hem ~ *he's finished,* ⟨inf.⟩ *he's had it, he's done for, that's the end of him, it's all over as far as he's concerned;* dan is het met je/ de rust ~ *then you won't get / there won't be any peace and quiet, then it's goodbye to peace and quiet;* van iem. niets ~ kunnen krijgen *not (be able to) get anything out s.o., not (be able to) get anywhere with s.o.;* ik kan alles van hem ~ krijgen ⟨ook⟩ *he'll do anything for me;* ⟨AZN⟩ ~ maken *have d. with, put an*

end to **3.2** ik kan het niet ~ krijgen *I can't get it d. / finished / get it over with;* iets ~ krijgen *get sth. d. ;* van iem. iets ~ krijgen *get sth. out of s.o., get somewhere with s.o.* **4.¶** het is niks ~ met hem *he's a dead loss / useless / a wet week no good* **5.¶** dat is niks ~ *it's a dead loss / a wash-out / no go.*

gedaante ⟨de (v.)⟩ **0.1** [uiterlijk] *form* ⇒*figure, shape, appearance* **0.2** [verschijning, beeld] *shape* ⇒*figure* ◆ **1.2** zij onderscheidden flauw de ~ n van schepen en masten *they could vaguely make out the shapes of ships and masts* **2.1** een andere ~ aannemen *take on another form / change (its) shape;* ⟨rel.⟩ onder beide ~ n communiceren *communicate / receive in both kinds;* in zijn eigen ~ *as one's true self / in one's own form;* in menselijke ~ *in human form / shape;* in zijn natuurlijke ~ *in one's natural form;* hij had een reusachtige ~ *he was an enormous / a giant (figure);* zijn ware ~ tonen *show (o.s. in) one's true colours, show one's true self / face / appearance* **2.2** een spookachtige ~ *a ghostly s. / figure* **3.1** van ~ (doen) veranderen *change (one's / in) shape / form, change the shape / form of;* ⟨schr.⟩ *metamorphose* **6.1** in / onder de ~ van *in the shape / form of* **7.1** de eerste ~ van de insekten is de larve *the first form that insects take is the larva.*

gedaanteverandering →**gedaanteverwisseling**.

gedaanteverwisseling ⟨de (v.)⟩ **0.1** [metamorfose] *transformation* ⇒ *metamorphosis, change of form* **0.2** [⟨biol.⟩] *metamorphosis* ◆ **2.2** volkomen ~ *complete m.* **3.1** een ~ ondergaan *be(come) transformed, undergo (a) t. / metamorphosis, change (one's) form.*

gedaas ⟨het⟩ ⟨inf.⟩ **0.1** *twaddle* ⇒*hot air,* ⟨BE ook⟩ *blather(ing).*

gedachte ⟨de (v.)⟩ ⟨→sprw. 172,646⟩ **0.1** [het denken aan iets] *thought* **0.2** [denkbeeld] *thought* ⇒*idea,* ⟨schr.⟩ *notion* **0.3** [beraad] *consideration* ⇒*thought, reflection, contemplation* **0.4** [mening] *opinion* ⇒*view* **0.5** [voornemen, plan] *idea* ◆ **1.2** dit lied geeft de ~ n van de dichter goed weer *this song reflects the poet's thoughts / ideas well;* een ~ van hoop / liefde / troost *a hopeful / loving / consoling t.;* de rijkdom van zijn ~ n *the wealth / breadth of his ideas / thoughts* **2.2** een aangename / sombere / goede ~ *a pleasant / gloomy / good idea / t. ;* de achterliggende ~ is dat *...the underlying idea t. is that / the idea t. behind it is that ...;* iemands innigste ~ n *s.o.'s deepest / innermost thoughts;* de leidende ~ *the main idea, the chief consideration, the guiding t. ;* een snelle / vluchtige ~ *a rapid / fleeting t.;* een treffende / juiste / goede / rijke ~ *a striking / right / an important idea* **2.4** tot andere ~ n komen *change one's mind, think again;* iem. tot andere / betere ~ n brengen *change s.o.'s mind, make s.o. change his mind again, bring s.o. round;* goede / slechte / ongunstige ~ n over iets / iem. hebben *have a good / poor / an adverse o. of sth. / s.o., take a good / poor / an adverse view of sth. / s.o.* **3.1** iemands ~ n ergens van afleiden *take s.o.'s mind off sth.;* de ~ koesteren *entertain /* ⟨vero.⟩ *cherish the t.;* zijn ~ n de vrij loop laten *give one's thoughts free rein* **3.2** hij kan de ~ eraan niet van zich afzetten *he can't help thinking about it, he can't get rid of the idea, he can't get / put the t. / idea out of his head;* een ~ onder woorden brengen *voice / express a t. / an idea;* zijn ~ n bij elkaar houden *keep concentrating, keep one's thoughts together / on the job;* zijn ~ n bij iets houden *keep one's thoughts / mind on sth.;* hoe kan zo'n ~ bij u opkomen? *whatever gave / gives you that idea?, how can you think such a thing?;* de ~ niet kunnen verdragen dat *...not be able to bear the t. / bear the idea / bear to think that ...;* zijn ~ n over iets laten gaan *give / turn one's thoughts / mind to sth., give t. to sth. ;* een ~ uiten *express a t.;* een ~ vormen / opwekken *form / raise / rouse / put an idea* **5.2** de ~ alleen al *...the very t. / idea ...* **6.1** de ~ aan vrouw en kind sterkte hem *the t. of his wife and child gave him strength;* (diep) in ~ n zijn *be lost / deep in t.;* zich in zijn ~ n verliezen *lose o.s. / become lost in t.;* verzonken in ~ n *deep in t.;* iets in ~ n doen *do sth. absent-mindedly / with one's mind on sth. else / thoughts on sth. else / with one's mind elsewhere / with one's thoughts elsewhere;* iets in ~ n houden *keep one's thoughts / mind on sth.;* ⟨rekening houden met⟩ *bear / keep sth. in mind* **6.2** zich verheugen bij de ~ aan iets *be delighted at the idea / t. of sth.;* ⟨zich verheugen op⟩ *look forward to sth.;* in ~ (n) zijn *be absent-minded;* op de ~ brengen give *(s.o.) the idea, suggest the idea to (s.o.), put the idea into (s.o.'s) head;* nooit uit iemands ~ n zijn *never be far from s.o.'s thoughts, never be out of / be off s.o.'s mind;* van ~ n wisselen *exchange ideas* **6.3** iets in zijn ~ n nemen *give thought / consideration to sth.* **6.4** bij zijn ~ n blijven *stick to one's opinion(s) / views;* ik was in de ~ dat *I held / took the / was of the o. / that ...;* naar alle ~ n *in all likelihood / probability, most likely;* op twee ~ n hinken *be in two minds, be torn between two ideas / alternatives;* van ~ zijn *be of / hold the o., take the view* **6.5** wij kwamen op de ~ om *...it occurred to us to ...;* we hit on the idea of ...(-ing);* van ~ zijn *plan (to), intend (to), think (of);* van ~ n veranderen *change one's mind / plans, think again* **7.2** zijn eerste ~ was *his first t. was* **¶.2** dat gaat mijn ~ n te boven *that's beyond me / beyond my powers of comprehension;* zet die ~ uit je hoofd *put that idea out of your head / mind.*

gedachteflits ⟨de (m.)⟩ **0.1** *sudden thought / idea,* ⟨slimme inval⟩ *brainwave,* ^A*brainstorm.*

---

gedachteloos ⟨bn., bw.; -ly⟩ **0.1** [onnadenkend] *unthinking* ⇒*thoughtless* **0.2** [werktuiglijk] *absent(-minded)* ⇒*idle* **0.3** [lichtvaardig] *thoughtless* **0.4** [zonder heldere gedachten] *absent(-minded)* ◆ **1.3** een ~ meisje *a t. girl* **3.1** iem. ~ napraten *repeat s.o.'s words unthinkingly, repeat s.o.'s words parrot-fashion* **3.2** ~ in een boek bladeren *leaf idly / absent(-minded)ly through a book* **3.4** zij staarde ~ voor zich uit *she stared absent(-minded)ly into the distance.*

gedachteloosheid ⟨de (v.)⟩ **0.1** [lichtvaardigheid, onnadenkendheid] *thoughtlessness* ⇒*lack of thought,* ⟨werktuiglijkheid, gebrek aan heldere gedachten⟩ *absent-mindedness.*

gedachtenassociatie ⟨de (v.)⟩ **0.1** *association of ideas.*

gedachtengang ⟨de (m.)⟩ **0.1** *train / line of thought;* ⟨redenering⟩ *(line of) reasoning* ◆ **2.1** de logische orde van de geregelde ~ *the logical order of a settled train of thought;* zijn ~ was onjuist *his reasoning was faulty* **3.1** iemands ~ onderbreken *interrupt s.o.'s train of thought* **6.1** volgens deze ~, deze ~ volgende, in deze ~ (doorgaand) *according to this line of thought / of reasoning / of argument* **¶.1** deze ~ ligt aan zijn betoog ten grondslag *this line of thought is the basis of his argument.*

gedachtengoed ⟨het⟩ **0.1** *body / range of thought / ideas.*

gedachtenis ⟨de (v.)⟩ **0.1** [herinnering] *memory* ⇒⟨schr.⟩ *remembrance* **0.2** [voorwerp als aandenken] *keepsake* ⇒*memento, souvenir* ◆ **2.1** ⟨bijb.⟩ in eeuwige ~ zijn *be held / kept in everlasting / perpetual remembrance;* de kolenkachels onzaliger ~ *those unlamented coal stoves;* mijn vader / moeder zaliger ~ *my (late) father / mother, bless his / her soul; my father / mother of blessed m.* **6.1** in iemands ~ leven *live on in s.o.'s m.;* ter ~ van iem. / iets in m. / remembrance of s.o. / sth.* **6.2** een ~ aan iets / iem. *a memento of sth. / s.o.;* ik geef u dit tot een ~ *I am giving you this as a k. / memento.*

gedachtenkring ⟨de (m.)⟩ **0.1** [opvolging van gedachten] *circular thought / thinking* **0.2** [gedachtensfeer] *range of thought.*

gedachtenleven ⟨het⟩ **0.1** *(one's) thoughts* ⇒*realm of thought / ideas.*

gedachtenlezen ⟨ww.⟩ **0.1** *mind-reading* ⇒*thought-reading, telepathy.*

gedachtenlezer ⟨de (m.)⟩ **0.1** *mind-reader, thought-reader* ⇒*telepath(ist).*

gedachtenloop ⟨de (m.)⟩ **0.1** *train / current of thought* ◆ **¶.1** een andere richting geven aan zijn ~ *send / turn one's thoughts / mind in a different direction / elsewhere.*

gedachtenovergang ⟨de (v.)⟩ **0.1** *link / transition (between one idea and the next).*

gedachtensprong ⟨de (m.)⟩ **0.1** *mental leap / jump* ◆ **3.1** een ~ maken *make a m. l. / j., jump from one idea to another;* ⟨naar een heel ander onderwerp⟩ *fly off at / go off at a tangent.*

gedachtenstreep ⟨de⟩ **0.1** *dash.*

gedachtenstroom ⟨de (m.)⟩ **0.1** *stream / flow of ideas / thought(s).*

gedachtenvlucht ⟨de⟩ **0.1** [het afdwalen van de gedachten] *wool-gathering, day-dream(ing)* **0.2** [⟨psych.⟩] *flight of ideas.*

gedachtenwending ⟨de (v.)⟩ **0.1** *turn of thought.*

gedachtenwereld ⟨de⟩ **0.1** *way of thinking* ⇒*realm of thought / ideas.*

gedachtenwisseling ⟨de (v.)⟩ **0.1** *exchange of ideas / thoughts* ⟨meningen⟩ *views / opinions* ◆ **2.1** een vruchtbare ~ over *a fruitful exchange of ideas / views on* **3.1** een ~ houden over *exchange ideas / views on.*

gedachtig ⟨bn.⟩ ⟨schr.⟩ **0.1** *mindful* ◆ **6.1** iem. / iets ~ worden *be m. of sth. / s.o.;* ~ aan zijn goede gedrag *in view of his good behaviour;* (aan) iem. in zijn gebeden ~ zijn *remember s.o. in one's prayers.*

gedag ⟨inf.⟩ **0.1** ⟨hallo⟩ *hello;* ⟨tot ziens⟩ *bye(-bye)* ⇒⟨vnl. AE⟩ ↓*hi,* ⟨BE ook⟩ *cheerio,* ↓*ta-ta* ◆ **3.1** ~ zeggen *say hello / goodbye.*

gedateerd ⟨bn.⟩ **0.1** *(out)dated* ⇒*archaic, vintage.*

gedaver ⟨het⟩ **0.1** [het daveren] *boom(ing)* ⇒*thunder(ing)* **0.2** [het rillen] *shuddering.*

gedebaucheerd ⟨bn.⟩ **0.1** *debauched* ⇒*depraved.*

gedecideerd ⟨bn., bw.; -ly⟩ **0.1** *decisive* ⇒*resolute, decided* ◆ **1.1** een ~ optreden *a resolute attitude / action* **3.1** iets ~ ontkennen / weigeren *deny / refuse sth. categorically / firmly / utterly.*

gedecideerdheid ⟨de (v.)⟩ **0.1** *resolution* ⇒*resoluteness, decisiveness, decision.*

gedecolleteerd ⟨bn.⟩ **0.1** [een laag uitgesneden japon dragend] *wearing a low-necked / low-cut /* [↑]*décolleté dress* ⇒⟨inf.⟩ *exposed,* [↑]*décolletée* **0.2** [met laag uitgesneden hals] *low-necked* ⇒*low-cut,* [↑]*décolleté* ◆ **1.2** een ~ e jurk *a l.-n. dress.*

gedecoreerd ⟨bn.⟩ **0.1** *decorated* ⇒*wearing / with decorations.*

gedeeld ⟨bn.⟩ ⟨→sprw. 174⟩ **0.1** [waarin een ander deelt] *shared* **0.2** [in delen gescheiden] *divided* ⇒*split* **0.3** [⟨herald.⟩] *party (per pale)* ⇒*per pale* ◆ **1.2** ⟨biol.⟩ ~ e bladeren *parted leaves.*

gedeelte ⟨het⟩ **0.1** *part* ⇒*section, portion, segment,* ⟨afbetaling enz.⟩ *instalment* ◆ **1.1** bepaalde ~ n van een rivier *certain reaches / stretches of a river* **2.1** het beste / slechtste ~ van iets *the best / worst part of sth.;* het bovenste / middelste / onderste / voorste / achterste ~ *the top / middle / bottom / front / back (part);* het grootste ~ van het jaar *most of / the greater / better part of the year;* voor het grootste ~ *for the most part;* het grootste ~ van zijn tijd doorbrengen met *...spend most of / the greater / better part of one's time ...(-ing)* **6.1** bij ~ n / in ~ s afbetalen *pay in / by instalments /* ⟨inf.⟩ *on the never-never;* **bij / in** ~ n *in stages / segments / sections;* **voor** een ~ *partly, in part* **7.1** hij weet niet het honderdste ~ van wat jij weet *he doesn't know one-hundredth of what you know* ¶.1 per uur of ~ daarvan *per hour or fraction/part thereof.*

gedeeltelijk
I ⟨bn.⟩ 0.1 [niet geheel] *partial* ♦ 1.1 een ~e aflossing *(a) p. repayment;* een ~e vergoeding voor geleden schade *p. compensation for damage sustained;* een ~e vrijspraak van schuld *p. acquittal;* een ~e zonsverduistering *a p. eclipse of the sun;*
II ⟨bw.⟩ 0.1 [deels] *partly* ⇒ *in part, partially* ♦ 2.1 dat is slechts ~ waar *that is only partly/partially true* 3.1 zijn voorbeeld vond slechts ~ navolging *his example was only partially followed* 8.1 geheel of ~ *wholly or partly/partially, in whole or in part.*

gedegen ⟨bn.⟩ 0.1 [grondig] *thorough* 0.2 [mbt. metalen] *native* ⇒ *pure, unadulterated* ♦ 1.1 een ~ studie *a t. study* 1.2 ~ goud/zilver/kwik *n./pure gold/silver/mercury;* metalen in ~ toestand *n./unadulterated metals.*

gedegenereerde ⟨de (m.)⟩ 0.1 *degenerate.*

gedegradeerd ⟨bn.⟩ 0.1 [uit een ambt/waardigheid ontzet] *demoted;* ⟨mil. ook⟩ *reduced in rank* 0.2 [in aanzien verminderd] *down-graded* ⇒ *reduced in standing, degraded.*

gedeisd ⟨bn., bw.; -ly⟩ ⟨inf.⟩ 0.1 *quiet* ⇒ *calm* ♦ 3.1 wil je je ~ houden! *will you shut up/keep q.!;* zich ~ houden *lie doggo,* [1] *lie low.*

gedekt ⟨bn.⟩ 0.1 [met een bedekking] *covered* 0.2 [⟨muz.⟩] *stopped* 0.3 [beschut] *covered* 0.4 [niet fel] *subdued* ⇒ *sedate, sober* 0.5 [gevrijwaard tegen risico] *covered* 0.6 [kaartspel] *covered* ♦ 1.1 met ~ hoofd *with one's head c.* 1.4 een ~e kleur/tint *a subdued/sedate/sober colour/shade* 1.5 een ~e cheque *a c. cheque/* [A] *check* 1.¶ een ~ kapsel ≠ *short back and sides;* ⟨taal.⟩ ~e klinker *checked vowel;* een ~e tafel *a laid/set table* 3.3 als je zo doet ben je altijd ~ *if you do that, (then) you'll always be c.;* zich ~ houden *lie low, keep a low profile, keep one's head down.*

gedelegeerde ⟨de (m.)⟩ 0.1 [afgevaardigde] *delegate* ⇒ *representative,* [1] *appointee* 0.2 [persoon aan wie taken worden gedelegeerd] *delegated person* ⇒ *agent* 0.3 [aangewezen schuldenaar] *(declared) debtor* ♦ 6.1 een ~ bij de V.N. *a d. to the UN.*

gedemilitariseerd ⟨bn.⟩ 0.1 *demilitarized* ♦ 1.1 de ~e zone *the d. zone.*

gedemotiveerd ⟨bn.⟩ 0.1 *demoralized* ⇒ *dispirited* ♦ 3.1 ~ raken *lose one's motivation* 5.1 ze zijn volkomen ~ *they have lost all motivation, they have become completely unmotivated.*

gedempt ⟨bn.⟩ 0.1 [niet fel/luid] *subdued* ⇒ *faint,* ⟨stem ook, omfloerst⟩ *muffled* 0.2 [dichtgegooid] *filled-in* ♦ 1.1 ~ licht *s./faint light;* op ~ toon *in a s./faint/muffled voice* 1.2 een ~e gracht *a f.-i. canal.*

gedender ⟨het⟩ 0.1 *rattling* ⇒ *clanking,* ⟨van verkeer⟩ *roar(ing).*

gedenkblad ⟨het⟩ 0.1 *memorial sheet;* ⟨mv.⟩ *annals, chronicle(s), record(s)* ♦ 6.1 in de ~en van de geschiedenis *in the annals/chronicle(s)/record(s) of history, in the historical record.*

gedenkboek ⟨het⟩ 0.1 [jubileumboek] *memorial/commemorative volume /book* 0.2 [boek waarin gebeurtenissen opgetekend zijn, ⟨meestal fig.⟩] *memorial book* ⇒ ⟨fig.⟩ *annals* ⟨mv.⟩, *chronicle(s), record(s)* ♦ 1.2 het ~/de ~en der geschiedenis *the annals/chronicle(s)/record(s) of history, the historical record.*

gedenkdag ⟨de (m.)⟩ 0.1 *anniversary* ♦ 1.1 de ~ van de wapenstilstand *Armistice Day* 7.1 de driehonderdjarige ~ *the three-hundredth a.,* [1] *the tricentenary/* ⟨vnl. AE⟩ *tricentennial.*

gedenken ⟨ov.ww.⟩ 0.1 [eraan terugdenken] *remember* ⇒ *recall* 0.2 [in gedachtenis houden] *commemorate;* ⟨testament⟩ *remember* 0.3 [nooit vergeten] *remember* ⇒ *think* ♦ 1.2 op de 3de oktober gedenkt men Leidens ontzet *the relief of Leiden is commemorated on the 3rd of October* 1.3 ⟨bijb.⟩ gedenk de Sabbat *r. that thou keep holy the Sabbath day, r. the Sabbath day, to keep it holy* 3.3 gedenk te sterven *r. you must die, be prepared for death, memento mori* 5.2 liefdevol ~/in liefde ~ *keep s.o.'s memory alive, hold in loving memory* 6.2 iem. in zijn testament ~ *r. s.o. in one's will;* iem. in zijn gebeden ~ *r. s.o. in one's prayers.*

gedenkjaar ⟨het⟩ 0.1 *memorial year;* ⟨ihb. na 25,50,60 of 75 jaar⟩ *jubilee (year).*

gedenknaald ⟨de⟩ 0.1 *obelisk* ⇒ *memorial/commemorative column/pillar, needle.*

gedenkkoffer ⟨het⟩ ⟨bijb.⟩ 0.1 *peace/burnt offering.*

gedenkpenning ⟨de (m.)⟩ 0.1 *commemorative medal.*

gedenkplaat ⟨de⟩ 0.1 *commemorative plaque/plate/* ⟨steen ook⟩ *tablet.*

gedenkkraam ⟨het⟩ 0.1 *memorial window.*

gedenkrede ⟨de⟩ 0.1 *memorial speech.*

gedenkrol ⟨de⟩ 0.1 *commemorative roll/scroll.*

gedenkschrift ⟨het⟩ 0.1 [memoires mbt. een belangrijke gebeurtenis] *memoir(s)* 0.2 [geschrift] *commemorative text.*

gedenkspreuk ⟨de⟩ 0.1 *motto* ⇒ *maxim,* ⟨schr.⟩ *aphorism, apophthegm.*

gedenksteen ⟨de (m.)⟩ 0.1 *memorial/commemorative stone/* ⟨plaat⟩ *tablet.*

gedenkteken ⟨het⟩ 0.1 *memorial* ⇒ *monument* ♦ 6.1 een ~ voor *a memorial/monument to.*

gedenkwaardig ⟨bn.⟩ 0.1 *memorable* ⇒ *momentous* ♦ 1.1 een ~e gebeurtenis/dag *a memorable/momentous event/day, a(n) event/day to remember.*

gedenkwaardigheid ⟨de (v.)⟩ 0.1 *memorableness, memorability* ⇒ ⟨in mv.⟩ *memorabilia.*

gedenkzuil ⟨de⟩ 0.1 [erezuil] *memorial/commemorative column/pillar* 0.2 [mbt. geschriften] *commemoration* ⇒ *memorial.*

gedeporteerde ⟨de (m.)⟩ 0.1 *deportee;* ⟨gesch.; mbt. misdadigers⟩ *transport.*

gedeprimeerd ⟨bn.⟩ 0.1 *depressed.*

gedeputeerd ⟨bn.⟩ 0.1 *representative* ⇒ *deputed* ♦ 1.1 Gedeputeerde Staten ≠ *Provincial Executive.*

gedeputeerde ⟨de (m.)⟩ 0.1 [afgevaardigde] *delegate* ⇒ *representative, deputy* 0.2 [volksafgevaardigde] *member of parliament/the legislature* ⟨enz.⟩, [A] *representative* ⇒ ⟨Zuideuropese landen ook⟩ *deputy* 0.3 [lid van Gedeputeerde Staten] ≠ *member of a/the Provincial Executive.*

gederangeerd ⟨bn.⟩ 0.1 [in de war] *confused* 0.2 [gestoord] *deranged* ⇒ *(mentally) disturbed, not in one's right mind* 0.3 [financiële moeilijkheden hebbend] *(financially) unsound* ⇒ *in financial difficulties/trouble.*

gedesillusioneerd ⟨bn.⟩ 0.1 *disillusioned.*

gedesinteresseerd ⟨bn.⟩ 0.1 ⟨zonder belangstelling voor iets⟩ *uninterested;* ⟨zonder belang bij iets⟩ *disinterested, unaffected, neutral* ♦ 3.1 ~ raken *lose interest.*

gedesoriënteerd ⟨bn.⟩ 0.1 [het spoor bijster] *disorient(at)ed* 0.2 [in de war] *disorient(at)ed.*

gedetacheerd ⟨bn.⟩ 0.1 [uit zijn verband losgemaakt] *detached* 0.2 [afgezonderd] *detached.*

gedetailleerd ⟨bn., bw.⟩ 0.1 ⟨bn.⟩ *detailed;* ⟨bw.⟩ *in detail* ♦ 1.1 een ~e kaart *a d. map;* een ~ verslag *a d. report* 3.1 ~ vertellen *tell in detail* 5.1 zeer ~ *very/highly d., in great/much detail.*

gedetermineerd ⟨bn.⟩ 0.1 *prescribed* ⇒ *laid-down.*

gedetineerd ⟨bn.⟩ 0.1 *detained* ⇒ *arrested.*

gedetineerde ⟨de (m.)⟩ 0.1 *detainee* ⇒ ⟨in gevangenis ook⟩ *prisoner.*

gedicht ⟨het⟩ 0.1 [vers] *poem* ⇒ ⟨mv. ook⟩ *poetry, verse(s)* 0.2 [⟨fig.⟩] *poem* 0.3 [het dichten] *versifying* ♦ 1.3 gerijmel en ~ *versifying* 2.1 berijmd ~ *rhyming verse/poetry, rhyme;* elegisch ~ *elegiac p./verses, elegiacs;* episch ~ *epic p.,* ⟨Oudgrieks ook⟩ *rhapsody;* macaronische ~en *macaronics* 3.1 een ~ maken/voordragen/aan iem. opdragen *write/recite a p., dedicate a p. to s.o.* 3.2 dat park in de lente is een ~ *in spring that park is a p./sheer poetry.*

gedichtenbundel ⟨de (m.)⟩ 0.1 *volume of poetry/verse* ⇒ *collection of poems,* ⟨van verschillende dichters⟩ *anthology of poetry/verse.*

gediende ⟨de (m.)⟩ 0.1 *veteran* ♦ 2.1 een oude ~ *a v. (soldier).*

gedienstig ⟨bn., bw.; -ly⟩ ⟨→sprw. 660⟩ 0.1 [dienstwillig] *obliging* ⇒ *helpful, attentive* 0.2 [getuigend van dienstvaardigheid] *obliging* ⇒ *accommodating* ♦ 1.1 ~e ⟨geest⟩ *servant, maid, abigail* 1.2 mijn vraag werd met een ~ ja beantwoord *my question was answered with an o./accommodating affirmative* 3.1 ~ hielp hij een handje *he obligingly gave/lent a hand* 5.1 al te ~ *officious;* ⟨slaafs⟩ *obsequious, servile, fawning.*

gedienstigheid ⟨de (v.)⟩ 0.1 [dienstvaardigheid] *attentiveness* ⇒ *helpfulness, obligingness* 0.2 [dienstvaardige handeling] *(piece of) obliging/helpful behaviour* ⇒ *attention* ♦ 4.1 de ~ zelf zijn *be a./helpfulness itself.*

gedierte ⟨het⟩ 0.1 [de dieren] *animals* ⇒ ⟨ook bijb.⟩ *beasts/creatures* 0.2 [één dier] *beast* ⇒ *creature, animal* ♦ 1.1 het ~ des velds *the beasts of the field* 2.1 schadelijk ~ *vermin, pests;* wild/tam ~ *wild/tame a.* 2.2 wat een raar ~ *what a strange creature/b..*

gedifferentieerd ⟨bn., bw.; -ly⟩ 0.1 *differentiated* ♦ 1.1 ~ onderwijs *individual tuition, one to one teaching.*

gediftongeerd ⟨bn.⟩ 0.1 *diphthongized.*

gedijen ⟨onov.ww.⟩ ⟨→sprw. 239,472,626⟩ 0.1 [voorspoedig groeien] *thrive* ⇒ *flourish,* ⟨inf.⟩ *do well* 0.2 [voorspoed hebben] *prosper* ⇒ *thrive,* ⟨inf.⟩ *do well* 0.3 [in omvang/waarde toenemen] *prosper* ⇒ *flourish, thrive* 0.4 [als gevolg hebben] *tend* ♦ 3.1 doen ~ *make prosper/flourish/t.;* ⟨plant ook⟩ *bring along/on* 5.1 het graan gedijt hier goed *corn thrives/flourishes/does well here;* goed ~d *prosperous, flourishing, thriving, doing well;* niet ~d *unprosperous, unhealthy; sickly* ⟨de varkens ~ slecht op dat voer *the pigs don't t./flourish/do well on that kind of feed.*

geding ⟨het⟩ 0.1 [⟨jur.⟩] *(law-)suit* ⇒ *(legal) action, case, (legal) proceedings* 0.2 [voorwerp van bespreking] *issue* ♦ 2.1 kort ~ *summary proceedings, application for a temporary injunction;* in kort ~ behandelen *settle/discuss in summary proceedings* 3.1 een ~ aanspannen/beginnen tegen *bring a case/an action against, start/institute proceedings against;* een ~ voeren *carry on/* ⟨advocaat⟩ *conduct a suit* 6.2 dit punt blijft buiten het ~ *this point may be left aside/put on one side/disregarded;* in het ~ zijn/komen *be q., come into play;* in het ~ brengen *bring into (the) discussion;* ⟨inf.⟩ *bring up/in.*

gediplomeerd ⟨bn.⟩ 0.1 *qualified* ⇒ *certified,* ⟨verple(e)g(st)er ook⟩ *registered* ♦ 3.1 ~ zijn *be q., hold a certificate/certificates.*

gedisciplineerd ⟨bn.⟩ 0.1 *disciplined.*

gedisponeerd ⟨bn.⟩ 0.1 [in een bepaalde stemming] *in ...form.;* ⟨humeur⟩ *in a ...mood* 0.2 [aanleg hebbend voor] *predisposed (towards)* ♦ 3.1 ik ben er vandaag niet toe ~ *I'm not in the mood for it today;* de solist scheen die avond niet ~ te zijn *that evening the soloist did not appear to be in good form* **5.1** goed/slecht ~ *in good/bad form, in a good/bad mood.*

gedistilleerd¹ ⟨het⟩ **0.1** *spirits;* ⟨vnl. AE⟩ *liquor* ◆ **6.1** handel **in** ~ en wijnen *trade in wines and s.;* belasting **op** het ~ *duty on s..*

gedistilleerd² ⟨bn.⟩ **0.1** *distilled* ◆ **1.1** ~e dranken *spirits;* ⟨vnl. AE⟩ *liquors.*

gedistingeerd ⟨bn., bw.⟩ **0.1** *distinguished* ◆ **1.1** een ~e smaak *a refined/ sophisticated taste;* een ~ voorkomen *a d. appearance* **3.1** hij is niet ~ *he lacks distinction, he has no style;* dat staat heel ~ *it looks most d..*

gedistingeerdheid ⟨de (v.)⟩ **0.1** *distinction (of manner).*

gedobbel ⟨het⟩ **0.1** *dicing* ⇒ ⟨speculaties⟩ *gambling.*

gedocumenteerd ⟨bn.⟩ **0.1** *documented* ◆ **1.1** een goed ~ rapport *a well-d. report.*

gedoe ⟨het⟩ **0.1** [gehannes] *business* ⇒*stuff, thing, show,* ⟨pej.⟩ *carry-on, performance, fiddling about/^around* **0.2** [drukte] *goings-on* ⇒*fuss, bustle* ◆ **2.1** dwaas/mal ~ *tomfoolery, (a) carry-on, goings-on;* het hele ~ *the whole b. / thing/ (bang)show/* ⟨pej.⟩ *lot/ shooting match/ carry-on/ performance;* wat een kinderachtig ~ *what a childish carry-on/ performance;* opgewonden ~ *(a) carry-on, (a) performance;* sentimenteel ~ ⟨ook⟩ *corn;* theatraal ~ *theatricals, histrionics, play-acting, (a) performance;* zenuwachtig ~ *fussing (about/ ^around);* zinloos ~ *(a) farce, (a) circus* **3.2** het was me daar een ~ van jewelste! *you should have seen the g.-o.!;* ⟨pej. ook⟩ *what a lot of fuss (and bother)!.*

gedogen ⟨ov.ww.⟩ **0.1** [dulden] *tolerate* ⇒*put up with, stand,* ⟨schr.⟩ *brook* **0.2** [aanwezigheid dulden] *tolerate* ⇒*stand* **0.3** [toelaten] *permit* ⇒*stand,* ⟨schr.⟩ *admit* **0.4** [met lijdzaamheid verdragen] *tolerate* ⇒*put up with, stand,* ⟨schr.⟩ *brook* ◆ **1.1** een aantal kamerleden gedoogt deze regering *a number of members of the house are tolerating this government* **1.3** het gedoogt geen uitstel *it will admit of/* ⟨schr.⟩ *brooks no delay* **6.2** hij gedoogt niemand **bij/aan** zijn ziekbed *he will not t. / cannot stand anyone by his sickbed.*

gedomicilieerd ⟨bn.⟩ **0.1** *resident;* ⟨jur.⟩ *domiciled.*

gedonder ⟨het⟩ **0.1** [geluid van de donder] *thunder(ing)* ⇒⟨fig. ook⟩ *rumble, rumbling, boom(ing)* **0.2** [narigheid] *trouble* ⇒*hassle,* ⟨BE ook⟩ *aggro* **0.3** [gezanik, geduvel] *messing about/^around* ⇒*hassle,* ⟨BE ook⟩ *aggro,* ⟨vulg.⟩ *crap,* ^Bbuggering about, ^Ascrewing around **0.4** [het vloeken] *cursing* ⇒*swearing* ◆ **3.1** het ~ van het zware geschut *the thunder(ing)/ rumble/ rumbling/ boom(ing) of heavy artillery;* het ~ weerklonk door het gebergte *the thunder rolled through the mountains* **3.2** daar kun je groot/een hoop ~ mee krijgen *that can land you in a lot/ a good deal of t., that can give you a lot of hassle/ aggro* **6.2** daar heb je het ~ **in** de glazen *that's put the cat among the pigeons, now we're (in) for it!* **7.3** denk erom, geen ~! *remember, no messing about* ¶**.3** is het ~ nu nog niet uit/ afgelopen! *that's enough messing about, that's enough of (that) crap/ buggering about/ screwing around.*

gedonderjaag ⟨het⟩ **0.1** ⟨→gedonder **0.3**⟩.

gedraaf ⟨het⟩ **0.1** *trotting (about)* ⇒*running, hurrying.*

gedraai ⟨het⟩ **0.1** [het draaien] *turning* ⇒*twisting, spinning* **0.2** [het veranderen van mening/partij] *twisting* ⇒*swinging back and forth* **0.3** [het om de waarheid heendraaien] *beating about/^around the bush* ⇒*hedging* ◆ **1.1** het ~ van een wiel *the turning/ spinning of a wheel* **1.2** het ~ en gekonkel in de politiek *political weaving and dealing, political twisting and turning* **3.1** laat dat ~ *stop that twisting and turning/ that fidgeting* **6.1** ik word duizelig **van** dat ~ *I get dizzy from spinning (around)* **6.3** met ~ *kom je er niet you won't get anywhere (with/ by) beating about the bush/ hedging the issue.*

gedraaid ⟨bn.⟩ **0.1** *turned* ◆ **1.1** een stoel met ~e poten *a chair with t. legs.*

gedraal ⟨het⟩ **0.1** *lingering* ⇒*delay, tarrying, loitering.*

gedrag ⟨het⟩ **0.1** [handelwijze] *behaviour* ⇒*conduct* **0.2** [wijze van reageren op de omgeving] *behaviour* ◆ **1.2** het ~ van een auto op een nat wegdek *the b. of a car on a wet road surface* **2.1** afwijkend ~ vertonen *display abnormal b.;* afwijkend/abnormaal ~ *abnormal/ ↑aberrant/* ⟨psych.⟩ *deviant b.;* een bewijs van goed ~ *evidence of good b.;* ⟨getuigschrift⟩ *certificate of good character;* een goed/ slecht/ wonderlijk ~ *good/ bad/ odd b.;* wegens slecht ~ *for bad b. / misconduct* **3.1** iemands ~ billijken/ prijzen/ afkeuren *approve of/ praise/ disapprove of s.o.'s behaviour* **6.1** hij is onbesproken **van** ~ *his b. is blameless/ cannot be faulted;* een voldoende **voor** ~ en vlijt *satisfactory for b. and effort* **7.1** dat is toch geen ~! *that's no way to behave!* ¶**.1** daar sta je dan met je goeie ~ *so much for trying to help!, look what I/ you get for all my/ your efforts!, that's all the thanks you get!, I could have saved myself the effort!/ trouble!/ saved my breath!;* zijn ~ ten opzichte van haar *his b. towards her.*

gedragen¹
I ⟨bn., bw.;-ly⟩ **0.1** [plechtstatig] *lofty* ⇒*stately, solemn* ◆ **1.1** op ~ toon *in a l. / solemn voice;*
II ⟨bn.⟩ **0.1** [tweedehands] *worn* **0.2** [ongewassen] *worn.*

gedragen² ⟨wk.ww.; zich ~⟩ **0.1** [handelen] *behave;* ⟨netjes ook⟩ *behave o.s.* ⇒ ↑*conduct o.s.* **0.2** [op de omgeving reageren] *behave* ◆ **3.1** die jongen weet zich te ~ *that lad knows how to behave* **5.1** hij beloofde zich voortaan beter te zullen ~ *he promised to behave better in future;* zich goed/ slecht/ netjes ~ *behave well/ badly/ nicely;* zich merkwaardig/ vreemd ~ *behave curiously/ strangely;* zich niet/ slecht ~ *misbehave (o.s.);* zich voorbeeldig ~ *behave in an exemplary manner, show exemplary behaviour, be a model of good behaviour* **5.2** kwik gedraagt zich vreemd in de buitenlucht *mercury behaves strangely in the open air* **8.1** zich ~ als een heer *behave like a gentleman* ¶**.1** ⟨pregn.⟩ gedraag je! *behave (yourself)!.*

gedraging ⟨de (v.)⟩ **0.1** *behaviour* ⇒*conduct.*

gedragscode ⟨de (m.)⟩ **0.1** *code of behaviour/ conduct.*

gedragsleer ⟨de⟩ ⟨psych.⟩ **0.1** *behavioural studies.*

gedragslijn ⟨de⟩ **0.1** *course (of action / behaviour)* ⇒*line of conduct/ action* ◆ **3.1** van een ~ afwijken *deviate from a course (of action);* een ~ volgen/ kiezen/ bepalen *follow/ choose/ decide on a course of action.*

gedragspatroon ⟨het⟩ **0.1** *pattern of behaviour* ⇒*behaviour(al) pattern.*

gedragspsychologie ⟨de (v.)⟩ **0.1** *behaviourism* ⇒*behavioural psychology.*

gedragsregel ⟨de (m.)⟩ **0.1** *rule of conduct/ behaviour* ◆ ¶**.1** ~s in acht nemen *abide by/ observe rules of conduct.*

gedragsstoornis ⟨de (v.)⟩ **0.1** *behavioural disturbance.*

gedragstherapie ⟨de (v.)⟩ ⟨psych.⟩ **0.1** *behaviour therapy.*

gedragswetenschappen ⟨zn.mv.⟩ **0.1** *behavioural sciences.*

gedrang ⟨het⟩ **0.1** [het opeen/ samendringen] *jostling* ⇒*pushing* **0.2** [menigte] *crowd* ⇒*crush, squash, throng* ◆ **2.1** er ontstond een geweldig/ een wild ~ *people began j. / pushing violently* **6.1** in het ~ komen ⟨alg.⟩ *get into difficulties;* ⟨persoon ook⟩ *get into a (tight) corner;* ⟨zaak ook⟩ *suffer, come off badly.*

gedresseerd ⟨bn.⟩ **0.1** [van dieren] *trained* ⇒⟨kunstjes ook⟩ *performing* **0.2** [van soldaten] *trained* ⇒*drilled* ◆ **1.1** een ~e hond *a performing dog, a dog that can do tricks;* ⟨AE ook⟩ *a trick dog.*

gedreun ⟨het⟩ **0.1** ⟨van stemmen enz.⟩ *drone;* ⟨van kanonnen, golven enz.⟩ *roar, boom(ing);* ⟨van grond⟩ *shaking;* ⟨van machine⟩ *thud, din.*

gedreven ⟨bn.⟩ **0.1** [mbt. personen] *passionate* ⇒*enthusiastic,* ⟨ook pej.⟩ *fanatic(al), possessed, single-minded* **0.2** [mbt. metaalwerk] *raised, embossed* ⇒*chased* ◆ **1.1** een ~ kunstenaar *he/ she lives/ lived for his/ her art* **7.1** een ~ e an enthusiast;* ⟨ook pej.⟩ *a fanatic.*

gedrevenheid ⟨de (v.)⟩ **0.1** [het door een macht gedreven worden] *passion* ⇒*enthusiasm,* ⟨ook pej.⟩ *fanaticism, single-mindedness* **0.2** [het gevoel daarvan] *passion* ⇒*enthusiasm,* ⟨ook pej.⟩ *fanaticism, single-mindedness.*

gedribbel ⟨het⟩ **0.1** ⟨in voetbal⟩ *dribble, dribbling;* ⟨van kind⟩ *toddling.*

gedrieën ⟨telw.⟩ **0.1** *(the) three (of)* ◆ **3.1** zij zaten ~ op de bank *the three of them sat on the bench* **4.1** ⟨AZN⟩ ons ~ *the three of us, we three.*

gedrocht ⟨het⟩ **0.1** [monster] *monster* **0.2** [misvormd dier] *monster* ⇒*freak, misshapen animal* **0.3** [mismaakt mens] *monster* ⇒*freak, misshapen/ deformed person.*

gedrochtelijk ⟨bn.⟩ **0.1** [misvormd] *monstrous* ⇒*misshapen, deformed* **0.2** [⟨fig.⟩] *distorted* ⇒*twisted, monstrous.*

gedrochtelijkheid ⟨de (v.)⟩ **0.1** *monstrousness* ⇒*monstrosity, misshapenness, deformity.*

gedrongen ⟨bn.⟩ **0.1** [kort en breed gebouwd] *stocky* ⇒*thickset,* ⟨pej.⟩ *squat* **0.2** [te beknopt] *terse* **0.3** [dicht opeen] *crammed/ squeezed (up)/ squashed/ packed together* ◆ **1.1** een ~ gestalte *a stocky/ thickset/ squat figure* **1.2** een ~ stijl *a t. style* **3.3** ~ zitten/ staan/ liggen *sit/ stand/ lie crammed together/ like sardines.*

gedrongenheid ⟨de (v.)⟩ **0.1** ⟨van lichaamsbouw⟩ *compact build, stockiness;* ⟨van stijl⟩ *terseness, conciseness.*

gedruis ⟨het⟩ **0.1** *noise* ⇒⟨van machine ook⟩ *buzz(ing), hum(ming),* ⟨van stemmen ook⟩ *hubbub,* ⟨van water enz. ook⟩ *murmur(ing), rushing.*

gedrukt ⟨bn.⟩ **0.1** [mbt. boek enz.] *printed* **0.2** [zwaarmoedig] *dejected* ⇒*depressed* **0.3** [⟨hand.)] *depressed* ⇒*dull* **0.4** [gedrongen] ⟨niet ruim⟩ *small;* ⟨niet hoog⟩ *low;* ⟨niet breed⟩ *narrow* ◆ **1.2** een ~e stemming *a dejected mood* **1.3** de markt was ~ *the market was depressed* **1.4** een ~ gewelf *a flat/ low vault.*

geducht ⟨bn., bw.;-ly⟩ **0.1** [vreeswekkend] *formidable* ⇒*fearsome,* ⟨soms⟩ *terrible, awful* **0.2** [hevig] *tremendous* ⇒*huge, terrible, awful* ◆ **1.1** haar naam was ~ *her name was feared;* een ~e tegenstander *a formidable/ fearsome opponent;* ~e wapenen *formidable/ fearsome weapons* **1.2** een ~e afstand *a huge/ tremendous distance;* een ~ pak slaag krijgen *take/ get a terrible/ tremendous/ an awful beating* **3.2** iem. ~ slaan *give s.o. a terrible/ tremendous/ an awful beating/ thrashing.*

geduld ⟨het⟩ ⟨→sprw. 175,176⟩ **0.1** [berusting] *patience* **0.2** [kalme volharding] *patience* ◆ **2.2** een onuitputtelijk ~ *inexhaustible (reserves of) p.* **3.2** zijn ~ bewaren *keep one's p., keep patient;* ⟨inf.⟩ *keep one's cool;* ~ hebben met iem. *be patient with s.o., have patience with s.o., show p. towards/ with s.o.;* ~ hebben/ oefenen/ betrachten *have/ exercise/ show p.;* zijn ~ kwijtraken/ verliezen *lose (one's) p.;* ⟨inf.⟩ *lose one's cool;* het ~ nemen om iets te doen *have the p. to do sth.;* mijn ~ raakt op *my p. is wearing thin, I'm losing my p.* **5.2** even ~ a.u.b. *one moment, please* **6.1** met ~ kwellingen dragen *patiently put up with tor-*

ment(s) **6.2** veel van iemands ~ vergen *try s.o.'s p., put a strain on s.o.'s p.* **7.2** veel/weinig ~ *great/little p.* **¶.2** iemands ~ op de proef stellen *try s.o.'s p., put s.o.'s p. to the test;* mijn ~ is op *my p. is exhausted, I'm at the end of my p..*

geduldig ⟨bn.,bw.;-ly⟩ **0.1** [kalm berustend] *patient* **0.2** [kalm volhardend] *patient* ◆ **1.2** ~e arbeid *p. work* **1.¶** het papier is ~ *you can put anything on paper, paper won't blush* **3.1** een ~ gedragen lijden *patiently borne suffering* **3.2** ~ afwachten *wait patiently.*

geduldoefening ⟨de (v.)⟩ **0.1** [het oefenen van geduld] *exercising/practising patience* **0.2** [handeling, werk] *exercise in patience.*

geduldwerkje ⟨het⟩ **0.1** *close work.*

gedupeerd ⟨bn.⟩ **0.1** *duped.*

gedupeerde ⟨de (m.)⟩ **0.1** *dupe ⇒victim.*

gedurende ⟨vz.⟩ **0.1** *during* ⇒⟨een bep. tijd lang⟩ *for, over,* ⟨in de loop van⟩ *in the course of* ◆ **1.1** hij heeft er ~ twee jaar gewoond *he lived there for two years;* ~ de hele dag *all through the day;* ~ het hele jaar *throughout the year;* ~ het onderzoek *d. the enquiry;* ~ de reis en the course of/d. the voyage; ~ het transport *d./in transit;* ~ de wandeling keek hij meer dan eens om *d. the walk he looked back more than once;* ~ de laatste drie weken/het weekeinde *over the past three weeks/the weekend.*

gedurfd ⟨bn.⟩ **0.1** *daring* ⇒⟨uitdagend⟩ *provocative,* ⟨avontuurlijk⟩ *adventurous,* ⟨grap⟩ *risqué* ◆ **1.1** die brug is v.e. zeer ~e constructie *that bridge has a very bold design/construction;* ~e kleding *d. attire;* een zeer ~ optreden *a highly provocative performance.*

gedurig ⟨bn.,bw.;-ly⟩ **0.1** [telkens herhaald] *continual* ⇒*repeated, recurrent, perpetual* **0.2** [aanhoudend] *continuous* ⇒*incessant, ceaseless* ◆ **1.1** zijn ~e bezoeken vervelen mij *I'm getting fed up with his visiting me all the time;* een ~e bron van onenigheid *a perpetual source of discord;* een ~e pijn *a recurrent pain* **1.¶** ⟨wisk.⟩ een ~e evenredigheid *a continued proportion;* ⟨wisk.⟩ een ~ produkt *an infinite/a continued product* **3.2** er kwamen er ~ meer *more of them kept coming in /on.*

geduvel →*gedonder* **0.2,0.3.**

geduw ⟨het⟩ **0.1** *push(ing)* ⇒*jostling, elbowing, jostle.*

gedwarrel ⟨het⟩ **0.1** *whirl(ing).*

gedwee ⟨bn.,bw.;-ly⟩ **0.1** *meek* ⇒*docile, submissive, humble,* ⟨meegaand⟩ *pliable* ◆ **1.1** een ~ kind *a docile child* **3.1** zich ~ onderwerpen aan het noodlot *submit (o.s.) (meekly) to one's fate* **8.1** zo ~ als een lam *as m. as a lamb.*

gedweep ⟨het⟩ **0.1** *fanaticism* ⟨ook godsdienstig⟩ ⇒*exaggerated enthusiasm* ◆ **6.1** zijn ~ met sport/de gedichten van Robert Blake *his excessive enthusiasm for sports/Robert Blake's poems;* het ~ met Jimi Hendrix *the Jimi Hendrix cult.*

gedwongen ⟨bn.,bw.⟩ **0.1** [onvermijdelijk] *(en)forced* ⇒*forcible, compulsory, involuntary* **0.2** [gekunsteld] *forced* ⇒*strained, affected, artificial, unnatural* ◆ **1.1** een ~ huwelijk *an enforced marriage;* ⟨inf.⟩ *a shotgun wedding;* een ~ lening *a forced loan* **1.2** de figuren op dat schilderij zijn wat ~ *the figures in that painting are slightly unnatural/ artificial/stiff/posed;* een ~ glimlach *a f./affected/unnatural smile;* ~ kalmte *f. calm;* een redevoering in ~ stijl *a speech in a f./affected/unnatural style* **2.2** hij sprak op een ~ vriendelijke toon *he spoke with affected friendliness* **3.2** ~ lachen *laugh in a(n) f./affected/unnatural way* **¶.1** ~ ontslag nemen *be forced to resign.*

geëchauffeerd ⟨bn.⟩ **0.1** [verhit] *hot* ⇒*flushed (with the heat), (over)heated* **0.2** [⟨fig.⟩] *heated* ⇒*angry, flushed (with anger), hot.*

geëerd ⟨bn.⟩ **0.1** *honoured* ⇒*esteemed, respected,* ⟨eerbiedwaardig⟩ *venerable* ◆ **1.1** een algemeen ~ man *a man held in general esteem/ respected by everyone;* uw ~ schrijven van 10 mei jl. ⟨vero.⟩ *your favour of May 10th last.*

geef ⟨de (m.)⟩ ◆ **6.¶** deze artikelen zijn praktisch te ~ *we're/they're practically giving them/these things away;* dat is te ~! *it's a gift/a give-away, it's dirt-cheap!;* dat is ook niet te ~! *that's not exactly giving it away!.*

geefachtig ⟨bn.⟩ **0.1** *generous* ⇒*liberal, open-handed.*

geëigend ⟨bn.⟩ **0.1** *appropriate* ⇒*fit, right* ◆ **1.1** met de ⟨daartoe⟩ ~e middelen *using the a. means/channels;* zij is daarvoor niet de ~e persoon *she's not the (right) person for that* **3.1** die houtsoort is ertoe, ervoor ~ *that wood is right for the job.*

geel¹ ⟨het⟩ **0.1** [kleur] *yellow* **0.2** [kleur/verfstof] *yellow* **0.3** [dooier] *yellow* **0.4** [gele kaart] *yellow card* ◆ **1.3** het ~ v.e. ei *the y./yolk of an egg* **2.2** een pot met helder ~ *a tin/can of bright yellow paint;* Indisch ~ *Indian y.* **3.1** ~ kleedt haar bijzonder goed *y. suits her very well* **3.4** hij kreeg ~ *he was shown the y. c.;* de scheidsrechter toonde hem het ~ *the referee showed him the y. c.* **6.1** zich in het ~ kleden *dress in y.;* ⟨sport⟩ (in de Ronde van Frankrijk) in het ~ rijden *be wearing the yellow jersey (in the Tour de France).*

geel² ⟨bn.⟩ **0.1** *yellow* ⇒*golden* ◆ **1.1** de bladeren worden ~ *the leaves are turning brown;* het gele gevaar *the y. peril;* ⟨sport⟩ gele kaart *y. card;* de gele koorts *y. fever;* ⟨med.⟩ ~ lichaam *corpus luteum, y. body;* een ~ (verkeers)licht *an amber (traffic) light;* de gele pers *the y. press, the tabloids;* ⟨Barg.⟩ een gele prent *a 25-guilder note, ≠a fiver;* het gele ras *the y./mongoloid race;* de gele vlek in het oog *the macula*

lutea/y. spot of the eye **2.1** zich groen en ~ ergeren *be irritated/annoyed (by);* het/alles werd hem groen en ~ voor de ogen *everything swam before his eyes;* ik erger me groen en ~ aan dit programma *this programme gets my goat/makes my blood boil/makes me see red* **3.1** (groen en) ~ van nijd worden *turn green with envy.*

geelachtig ⟨bn.⟩ **0.1** *yellowish* ⇒*yellowy.*

geelbek ⟨de (m.)⟩ **0.1** [jonge vogel] *fledg(e)ling* **0.2** [persoon] ↑ *sallow-complexioned person.*

geelborstje ⟨het⟩ **0.1** *icterine warbler.*

geelbruin ⟨bn.⟩ **0.1** *yellowish brown* ⇒*tan, amber, tawny,* ⟨licht⟩ *fawn(-coloured),* ⟨donker⟩ *sepia.*

geëlektriseerd ⟨bn.⟩ ⟨fig.⟩ **0.1** *electrified* ⇒*galvanized, thrilled.*

geelfilter ⟨het⟩ ⟨foto.⟩ **0.1** *yellow filter/glass.*

geelgieterij ⟨de (v.)⟩ **0.1** [handeling] *brass founding/casting* **0.2** [bedrijf] *brass foundry.*

geelgors ⟨de⟩ **0.1** *yellowhammer* ⇒*yellow-bunting.*

geelhout ⟨het⟩ **0.1** *fustic, yellowwood,* ᴬ*gopherwood.*

geelijzersteen ⟨het, de (m.)⟩ **0.1** *yellow iron ore.*

geelkoper ⟨het⟩ **0.1** *brass.*

geelkoperen ⟨bn.⟩ **0.1** *brass.*

geelsel ⟨het⟩ **0.1** *yellow (dye).*

geeltje ⟨het⟩ ⟨Barg.⟩ **0.1** *25-guilder note, ≠fiver.*

geelvink ⟨de (m.)⟩ **0.1** *serin finch.*

geelwortel ⟨de (m.)⟩ **0.1** [wortelstok] *turmeric, curcuma* **0.2** [kleurstof] *curcumin, turmeric yellow.*

geelzucht ⟨de⟩ **0.1** *jaundice* ⇒⟨med.⟩ *icterus.*

geelzuchtig ⟨bn.⟩ **0.1** *jaundiced* ⇒⟨med.⟩ *icteric.*

geëmancipeerd ⟨bn.⟩ **0.1** [los van maatschappelijke belemmeringen] *liberated* ⇒*emancipated* **0.2** [mondig] *emancipated.*

geëmancipeerdheid ⟨de (v.)⟩ **0.1** [het los zijn van maatschappelijke belemmeringen] *emancipation* ⇒⟨ihb. van vrouwen⟩ *liberation* **0.2** [mondigheid] *emancipation.*

geëmmer ⟨het⟩ **0.1** *fuss* ⇒*bull(shit), bother(ation),* ⟨onzin⟩ *crap, yak, yammer.*

geëmotioneerd ⟨bn.,bw.;-ly⟩ **0.1** *emotional* ⇒⟨alleen pred.⟩ *touched, moved* ◆ **3.1** ~ spreken *speak with great emotion.*

geëmployeerde ⟨de (m.)⟩ **0.1** *employee.*

geen ⟨→sprw. 188,193,227,304,325,367,451,667⟩

I ⟨hoofdtelw.⟩ **0.1** [niet één enkele] *none;* ⟨+zn.⟩ *not a/any;* ⟨vnl. schr.⟩ *no* **0.2** [niet de geringste hoeveelheid] *none;* ⟨+zn.⟩ *not a/any;* ⟨vnl. schr.⟩ *no* **0.3** [niet het geringste aantal] *none;* ⟨+zn.⟩ *not a/any;* ⟨vnl. schr.⟩ *no* ◆ **1.1** hij heeft ~ auto *he doesn't have/* ⟨BE ook⟩ *hasn't got a car;* ~ cent waard zijn *not be worth a penny/*ᴬ*cent;* in genen dele *by no means, not in the least;* ⟨inf.⟩ dat gaat je ~ donder/lor/reet aan *that's none of your damn/bloody/fucking business;* er is ~ sterveling te zien *there isn't a soul (to be seen);* van nul en gener waarde *(utterly) worthless;* ~ woord of ...! *not a word, or else!;* daar heb ik ~ goed woord voor over *I haven't got a good word to say about that* **1.2** ~ geld meer hebben *have no money left;* hij heeft ~ geld *he doesn't have any/he has no/* ⟨BE ook⟩ *he hasn't got any money;* ~ gevaar zien *not see any danger, see no danger;* ~ moeite sparen *spare no effort;* ~ rust of duur hebben *be restless;* ~ wijn kunnen verdragen *not be able to take wine;* ~ zin in iets hebben *not feel like sth.* **1.3** er zijn bijna ~ sigaretten meer *we're nearly out of cigarettes;* je moet ~ smoesjes verkopen *don't make (any) excuses* **3.1** géén was aanwezig *there wasn't a soul around/* ⟨thuis⟩ *in* **4.1** hij zwemt als ~ ander *he's second to none at swimming;* ik wil ~ andere jas dan deze *I don't want any coat apart from this one, I want this coat and no other* **5.3** bijna ~ almost none, hardly any; ik maak me daar volstrekt ~ illusies over *I have no illusions whatsoever on that score/about that* **6.1** ~ van die jongens/van allen/beiden *none of those lads, none of them, neither (of them);* ~ van de boeken/van alle/beide *none of the books, none of them, neither of them* **8.3** zo goed als ~ *practically none, few if any;*

II ⟨lidw.⟩ **0.1** [niet 'n] *not a/* ⟨vnl. schr.⟩ *no* **0.2** [als ontkenning zonder meer] *not a(ny);* ⟨vnl. schr.⟩ *no* ◆ **1.1** ~ aanvang nemen *not get started;* ~ groot geheim maken van *make no secret of;* hij is ~ psycholoog/student *he isn't a/*⟨spottend⟩ *he's no psychologist/student;* dat is ~ echte Rembrandt *that isn't a genuine Rembrandt;* de walvis is ~ vis *the whale is not a fish* **1.2** hij kent/spreekt ~ Engels *he doesn't know/speak (any) English;* dat is ~ Engels *that isn't English, that's not English;* hoe lang ik ook wachtte, er kwam ~ Jan *I waited and waited, but there was no sign of Jan;* ze heet ~ Vanessa *her name isn't Vanessa* **3.2** dat is toch ~ boksen *that's not boxing any more;* daar is ~ praten tegen *there's no talking to him/her;* van ~ wijken weten *not budge (an inch), stick to one's guns, stand one's ground* **5.1** nog ~ tien minuten later *not ten minutes later;* een kind van nog ~ drie jaren *a child (of) no more than three years old/less than three years old;* nog ~ twee jaar geleden *not two years ago, less than two years ago* **7.1** hij is in ~ drie jaar met vakantie geweest *he hasn't been on/had a holiday/*ᴬ*vacation for three years;* ~ enkele reden hebben om te *have no reason whatsoever to* **7.2** ~ één *not (a single) one.*

geëndosseerde ⟨de (m.)⟩ **0.1** *endorsee.*

geeneens ⟨bw.⟩ ⟨inf.⟩ **0.1** *not even* ⇒*not so much as, never even.*

geënerveerd ⟨bn.⟩ **0.1** *nervous* ⇒*excited, agitated,* ⟨ongedurig⟩ *restless,* ⟨van slag⟩ *shaky.*

geëngageerd ⟨bn.⟩ **0.1** [bij de tijdsproblemen betrokken] *engagé* ⟨man⟩, *engagée* ⟨vrouw⟩ ⇒*committed* **0.2** [verloofd] *betrothed* ⇒*engaged (to be married).*

geënqueteerde ⟨de (m.)⟩ **0.1** *interviewee.*

geenszins ⟨bw.⟩ ⟨schr.⟩ **0.1** *by no means* ⇒*not at all, in no way,* ⟨sterker⟩ *not by any manner or means* ◆ **3.1** de waarheid ~ geweld aandoen *not deviate in any way from the truth, be entirely truthful;* ik wilde dit ~ ontkennen *I had no wish to deny this.*

geep ⟨de⟩ **0.1** *gar, garfish* ⇒*garpike, needlefish.*

geer ⟨de⟩ **0.1** *gusset* ⇒⟨in rok⟩ *gore, godet* ◆ **2.1** een rok met smalle, brede geren *a narrow-/wide-gored skirt, a skirt with narrow/wide gores* **3.1** een ~ zetten in een nauw armsgat *put a gusset in a narrow armhole.*

geervalk ⟨de⟩ **0.1** *gyrfalcon, gerfalcon.*

geest ⟨de (m.)⟩ ⟨~⇒sprw. 178,179⟩ **0.1** [datgene in de mens wat denkt, voelt en wil] *mind* ⇒*consciousness* **0.2** [ziel] *soul* **0.3** [verstand] *mind* ⇒*wit(s), genius* **0.4** [zetel v.d. gedachte] *mind* **0.5** [gedachten] *mind* ⇒*spirit* **0.6** [het voelende in de mens] *mind* ⇒*spirit, soul* **0.7** [aard, karakter] *mind* ⇒*soul, spirit, character* **0.8** [God] *ghost, spirit* **0.9** [bezielende kracht] *spirit* **0.10** [vaardigheid v.h. denkvermogen] *wit* ⇒*spirit, intelligence* **0.11** [bezieling] *spirit* ⇒*atmosphere* ⟨v.e. plaats⟩ **0.12** [meningen, denkwijzen] *spirit* ⇒*vein, line, intention* **0.13** [onstoffelijk persoonlijk wezen] *ghost, spirit* **0.14** [schim, verschijning] *ghost* ⇒*spirit, apparition, phantom, spectre* **0.15** [wezen van hogere orde] *spirit* ⇒*demon, genius* **0.16** [geleerde] *mind* ◆ **1.3** prikkeling v.d. ~ *stimulation of the m.;* de tegenwoordigheid van ~ hebben om *have the presence of m. to, be alert enough to* **1.7** zalig zijn de armen/nederigen van ~ *blessed are the poor in spirit;* frisheid van ~ *freshness of m.* **1.8** de Geest Gods *the Spirit of God* **1.11** een ~ van onverschilligheid *an atmosphere of indifference;* de ~ v.d. tijd *the s. of the age* **1.12** de ~ v.e. bevel/wet *the s. / intention of a(n) order/law;* naar letter en ~ *in letter and s.* **1.¶** ~ van zout *spirits of salt* **2.3** zijn ~ is helder/verward *his m. / head is clear / dim;* een scherpe ~ *a vigorous/sharp m.* **2.6** een blijde/kalme/kinderlijke ~ *a cheerful/calm/childish spirit/soul/m.* **2.7** een onafhankelijke/onbuigzame ~ *an independent/stubborn m., a quiet soul;* een simpele ~ ⟨persoon⟩ *a simple soul;* ⟨verstand⟩ *a simple m.* **2.8** de Heilige Geest *the Holy Ghost/Spirit* **2.11** er heerst een goede ~ in het team *there's a great s. in the team* **2.14** een boze/kwade ~ *an evil spirit, a demon, an elf, a bogey(man)* **2.15** een goede ~ *a friendly/benevolent s., a good genius* **2.16** een grote ~ *a great m.;* een onderzoekende/werkzame ~ *an inquisitive/active m.* **2.¶** vliegende ~ *ammonia* **3.2** ⟨scherts.⟩ zijn auto gaf de ~ *his car gave up the ghost* **3.3** de ~ inspannen/verstrooien/benevelen *exercise/relax/cloud the m.* **3.5** een gek, die zijn ~ uitlaat *it is a fool who always speaks his m.* **3.8** de ~ krijgen *be moved by the s.;* ⟨fig.⟩ *receive/get inspiration* **5.10** een boek vol ~ en oorspronkelijkheid *a witty and original book* **5.14** een ~ *in body and (in) m.;* voedsel voor, van de ~ *food for thought;* voor de ~ blijven/komen/staan *stay in one's m., come to m., be in one's m.;* iets voor de ~ brengen/halen/roepen *call sth. to m.;* iem. iets voor de ~ toveren *conjure sth. (up) before s.o.'s m. ('s eye)* **6.4** daar speelt mij iets door/voor de ~ *I have sth. in m.* **6.5 in** de ~ was hij bij zijn familie thuis *in spirit, he was at home with his family;* iem. **met** de ~ volgen *follow s.o. with one's m.'s eye* **6.7** jong **van** ~ zijn *be young in spirit/at heart* **6.12** in iemands ~ handelen *act in s.o.'s s. / along s.o.'s lines;* dit stuk is in de ~ van Vondel geschreven *this play is written in a Vondelian vein* **6.14 aan** ~ en geloven *believe in ghosts/spirits* **6.¶** zij zei iets **in** de ~ van: ...*she said sth., along the lines of / to the effect that ...* **8.14** eruitzien als een ~ *look like a g.* **¶.3** de ~ bezig houden *exercise the m..*

geestdodend ⟨bn.⟩ **0.1** *stultifying* ⇒⟨eentonig⟩ *monotonous,* ⟨saai⟩ *dull* ◆ **1.1** ~ werk *drudgery.*

geestdrift ⟨de⟩ **0.1** *enthusiasm* ⇒*passion, verve,* ⟨ijver⟩ *zeal* ◆ **2.1** een sterke/levendige ~ *a powerful/lively passion/e.* **3.1** de ~ bekoelen/uitdoven *dampen/kill e.;* de ~ opwekken/ten top voeren *arouse/stir up e., bring to ecstacy* **5.1** vol ~ *full of e., bubbling with e.* **6.1** iem. in ~ brengen/doen ontsteken *arouse s.o.'s enthusiasm, enrapture s.o.;* **in** ~ geraken/komen *become enthusiastic;* ⟨inf.⟩ *warm up (to);* **uit** ~ *on one's e.;* ~ **voor** de kunst/wetenschap *e. for art(s)/science.*

geestdriftig ⟨bn.,bw.;-(al)ly⟩ **0.1** *enthusiastic* ⇒*eager, glowing, passionate, zealous* ◆ **1.1** ~e toejuiching *enthusiastic/rousing cheers;* een ~e toespraak *a glowing speech* **3.1** iets ~ bewonderen *admire sth. passionately;* hij was niet erg ~ *he showed little enthusiasm.*

geestdrijver ⟨de (m.)⟩ **0.1** *fanatic* ⇒*zealot, sectarian.*

geestdrijverij ⟨de (v.)⟩ **0.1** *fanaticism* ⇒*zealotry, sectarianism.*

geestelijk ⟨bn.,bw.;-(al)ly⟩ **0.1** [mentaal] *mental* ⇒*intellectual,* ⟨psychisch⟩ *psychological,* ⟨tgo. stoffelijk⟩ *spiritual* **0.2** [godsdienstig] *spiritual* **0.3** [mbt. de geest van het Christendom] *spiritual* **0.4** [kerkelijk] *ecclesiastic(al)* ⇒*clerical* ◆ **1.1** ~e aandoeningen *m. illness;* ~e aftakeling *m. deterioration/decay;* ~e arbeid *m. / intellectual work;* ⟨inf.⟩ *brainwork;* ~e armoede *intellectual poverty;* ~e concentratie *m. concentration;* ~e erfgenaam *spiritual heir/inheritor;* ~ evenwicht

m. balance; een ~ gehandicapte *a mentally handicapped person, a m. patient;* ~e gezondheid *m. health;* ~e inspanning *m. / intellectual effort;* ~e kwellingen *m. cruelty/torture;* het ~ leven *intellectual life;* ⟨mbt. volk ook⟩ *cultural life;* ~e mishandeling *psychological abuse;* ~ onvolwaardig *mentally deficient;* ~ overwicht *intellectual superiority;* een ~ samenzijn *a spiritual union;* ~e schade *psychological damage;* de ~e vader v.h. moderne socialisme *the spiritual father of modern socialism;* de ~e vader van dit belastingsysteem *the author/originator of this tax system;* ~e vermogens *m. / intellectual ability/faculties;* ⟨fig.⟩ ~ voedsel *m. pabulum, nourishment for the mind;* ~e volwassenheid *intellectual maturity* **1.2** ~e bijstand verlenen aan iem. *give s. assistance to s.o.;* ⟨rel.⟩ *minister to s.o.;* ~e bijstand/hulp *s. assistance/help,* ↑*ministrations;* ~e lectuur *s. / devotional reading;* ~ leidsman *s. adviser/guide/director, mentor;* het ~ leven *s. / religious life;* ~e liederen/gezangen *hymns, sacred songs;* ⟨mil.⟩ ~ verzorger *chaplain, padre;* iemands ~ welzijn *s.o.'s s. well-being/welfare* **1.4** een ~ ambt *an ecclesiastical/a clerical office;* het ~ recht *canon/church/ecclesiastical law;* de ~e staat/stand *the clerical state/order* **2.1** ~ gestoord *mentally disturbed/deranged* **7.2** het ~e en het wereldlijke *the sacred and the profane.*

geestelijke ⟨de (m.)⟩ **0.1** *clergyman* ⇒⟨prot.⟩ *minister,* ⟨vnl.r.k.⟩ *priest* ◆ **1.1** wijding tot ~ *ordination (to the priesthood), priestly ordination* **2.1** de reguliere/seculiere ~n *the regular/secular clergy;* een wereldlijk ~ *a worldly priest* **3.1** ~ worden *become a c. / priest, go into/enter the church/*⟨r.k. ook⟩ *the priesthood /* ⟨prot.⟩ *the ministry;* ⟨r.k.⟩ *take holy orders.*

geestelijkheid ⟨de (v.)⟩ **0.1** [geestelijken] *clergy* ⇒⟨formeel⟩ *cloth* **0.2** [hoedanigheid] *spirituality* ◆ **2.1** de hogere/lagere ~ *the higher/lower clergy;* de protestantse ~ *the Protestant clergy;* de roomse ~ *the (Roman) Catholic clergy.*

geesteloos ⟨bn.,bw.;-ly⟩ **0.1** [saai] *insipid* ⇒*vapid, dull, spiritless* **0.2** [geen geestelijke inspanning vereisend] *mindless* ⇒*dull* ◆ **1.1** een ~ boek *a(n) i. / vapid/dull book;* geestloze lectuur *i. / vapid/dull reading;* een ~ schrijver *a mindless / vapid / empty-headed writer;* een geestloze sleur *a boring rut;* geestloze trekken *blank features* **1.2** geestloze arbeid *m. / dull work.*

geestloosheid ⟨de (v.)⟩ **0.1** [saaiheid] *insipidity* ⇒*vapidity, dullness* **0.2** [gebrek aan geestelijke inspanning] *mindlessness.*

geestenbanner ⟨de (m.)⟩ **0.1** *exorcist.*

geestenbannerij ⟨de (v.)⟩ **0.1** *exorcism.*

geestenbezweerder ⟨de (m.)⟩ **0.1** [uitdrijver] *exorcist* **0.2** [oproeper] *necromancer* ⇒*spirit(ual)ist, medium.*

geestenbezwering ⟨de (v.)⟩ **0.1** [uitdrijving] *exorcism* **0.2** [oproeping] *necromancy* ⇒*conjuring up of spirits.*

geestenleer ⟨de⟩ **0.1** *spirit(ual)ism.*

geestenrijk ⟨het⟩ →**geestenwereld.**

geestenuur ⟨het⟩ **0.1** *witching hour.*

geestenwereld ⟨de⟩ **0.1** *world/realm of spirits* ⇒*shadowland.*

geestenziener ⟨de (m.)⟩ **0.1** *medium.*

geestesarbeid ⟨de (m.)⟩ **0.1** *mental/intellectual work;* ⟨inf.⟩ *brainwork.*

geestesbeschaving ⟨de (v.)⟩ **0.1** *culture* ⇒*civilization.*

geestesgaven ⟨zn.mv.⟩ **0.1** *intellectual gifts/power(s)* ⇒*mental power(s), intellectual ability.*

geestesgesteldheid ⟨de (v.)⟩ **0.1** [mentaliteit] *mentality* ⇒*mental make-up,* ⟨psych.⟩ *mind-set* **0.2** [stemming] *state/frame of mind* ◆ **2.2** een sombere/vrolijke ~ *a gloomy/cheerful state/frame of mind.*

geesteshouding ⟨de (v.)⟩ **0.1** *attitude of mind* ⇒*mental attitude, mentality.*

geesteskind ⟨het⟩ **0.1** *brainchild.*

geestesleven ⟨het⟩ **0.1** *intellectual life;* ⟨mbt. volk ook⟩ *cultural life.*

geestesoog ⟨het⟩ **0.1** *mind's eye* **6.1** iets voor zijn ~ laten passeren *see sth. in one's mind's eye.*

geestesprodukt ⟨het⟩ **0.1** *brainchild* ⇒*product of one's mind/thinking.*

geestesrichting ⟨de (v.)⟩ **0.1** [denkwijze] *intellectual current/propensity/ trend* **0.2** [personen] *intellectual current.*

geestesstoornis ⟨de (v.)⟩ **0.1** *mental disturbance/derangement/disorder* ⇒*aberration, derangement of mind* ◆ **3.1** aan ~(sen) lijden *be mentally disturbed.*

geestestoestand ⟨de (m.)⟩ **0.1** *state of mind* ⇒*mental state/condition* ◆ **4.1** haar ~ *the state/condition of her mind.*

geesteswereld ⟨de⟩ **0.1** *world of the mind* ⇒⟨schr.⟩ *world of thought.*

geesteswetenschappen ⟨de (v.)⟩ **0.1** *humanities* ⇒*arts.*

geestesziek ⟨bn.⟩ **0.1** *mentally ill* ⇒*insane* ◆ **1.1** een inrichting voor ~ *a mental home/hospital* **7.1** een ~ *a mentally ill person, a mental patient.*

geestesziekte ⟨de (v.)⟩ **0.1** *mental illness* ⇒*insanity.*

geesteszwakte ⟨de (v.)⟩ **0.1** *mental deficiency.*

geestgrond ⟨de (m.)⟩ **0.1** *'geest'* ⟨*sandy soil between the dunes and the polder*⟩*.*

geestig ⟨bn.,bw.;-ly⟩ **0.1** [gevat] *witty* **0.2** [van het brein of geest getuigend] *bright* ⇒*lively, sparkling* **0.3** [vol humor, komisch] *witty* ⇒*humorous, funny* ◆ **1.1** een ~ man *a wit(ty) man;* een ~ schrijver *a w. writer* **1.2** om haar mond speelde een ~ lachje *a b. / lively smile played* *on her lips;* ~e *ogen sparkling eyes* **1.3** een ~e *inval a flash of wit, a w. / funny thought;* een ~e *mop a funny joke;* een ~e *opmerking a w. / funny / humorous remark, a witticism* **3.1** (iron.) *wat ben je weer* ~ *very funny (, I don't think), what a wit!;* het verhaal is ~ *bedacht the story is based on a w. idea;* iets ~ *vertellen tell sth. wittily / with great wit* **5.3** niet erg ~ zijn *not be particularly funny* **7.1** ik zie er het ~e niet van in *I fail to see what's so funny about it.*

geestigheid (de (v.)) **0.1** [grapje] *witticism* ⇒*quip,* (inf.) *wisecrack* **0.2** [esprit] *wit(tiness)* ⇒*humour(ousness)* ♦ **1.2** de ~ van een gezegde *the wittiness of a saying;* de ~ van Voltaire *Voltaire's wit* **2.1** gewaagde / ongepaste ~ *risqué / inappropriate jokes;* goedkope / flauwe geestigheden uitkramen / slijten / debiteren *tell / dish out / crack cheap / bad jokes* **3.1** om een ~ lachen *laugh at a witticism / quip.*

geestkracht (de) **0.1** *strength of mind* ⇒*fortitude* ♦ **3.1** ~ hebben *have (great) strength of mind* **6.1** van ~ getuigen *testify to (great) strength of mind* ¶.**1** ~ aan de dag leggen *display / demonstrate (great) strength of mind.*

geestkrachtig
I (bn.) **0.1** [geestkracht bezittend] *strong-minded* ⇒*energetic;*
II (bn.) **0.1** [met geestkracht] *with (great) strength of mind.*

geestland →**geestgrond.**

geestrijk (bn.) **0.1** [met veel alcohol] *strong* ⇒*ardent, hard,* (vero.) *spirituous* **0.2** [rijk aan geest] *spirited* ⇒*bright, quick-witted* **0.3** [zeer veel geest uitdrukkend] *bright* ⇒*alert, lively* **0.4** [vol oorspronkelijke gedachten] *ingenious* ⇒*original, imaginative* ♦ **1.1** ~ vocht *sth. that warms the cockles of one's / the heart* **1.2** een ~ man / auteur *an intelligent / imaginative man / author* **1.3** ~e gelaatstrekken *a b. / alert / lively face* **1.4** een ~ betoog *an original / ingenious argument;* een ~ boek / gedicht *an original / imaginative book / poem.*

geestverheffend (bn.) **0.1** *uplifting* ⇒*elevating* ♦ **1.1** een ~ schouwspel *an u. spectacle.*

geestvermogen (het) **0.1** *(mental) faculties* ⇒*mental capacity / capabilities* ♦ **2.1** iem. van beperkte / zwakke ~s *s.o. with / of limited / diminished (mental) faculties / mental capacity / capabilities* **3.1** de ~s ontwikkelen *develop one's mental faculties / capacity;* niet over al zijn ~s beschikken *not be in full possession of one's senses / (mental) faculties, not be in possession of all one's faculties.*

geestverruimend (bn.) **0.1** *mind-expanding* ⇒(mbt. drugs ook) *hallucinogenic, psychedelic* ♦ **1.1** ~e middelen *m. -e. / hallucinogenic / psychedelic drugs.*

geestverruimer (de (m.)) **0.1** *mind expander* ⇒*hallucinogen.*

geestverrukking (de (v.)) **0.1** *ecstasy* ⇒*exaltation, rapture.*

geestverschijning (de (v.)) **0.1** *apparition* ⇒*phantom, spectre, ghost,* (even voor of na de dood) *wraith* ♦ **3.1** een ~ hebben *see an a. / ghost, have a vision* **6.1** het geloof **aan** ~en *belief in apparitions / phantoms / ghosts.*

geestvervoerend (bn.) **0.1** *exalting.*

geestvervoering (de (v.)) **0.1** [extase] *ecstasy* ⇒*rapture, exaltation, trance* **0.2** [(rel.) geestverrukking] *ecstasy* ⇒*exaltation* ♦ **3.1** in ~ geraken (door) *be transported / entranced (with) / enraptured (at / by)* **6.1** iem. **in** ~ brengen *put s.o. into raptures / ecstasy, have s.o. in raptures.*

geestverwant (de (m.)) **0.1** *kindred spirit / soul* ⇒(pol.) *sympathizer,* (inf.) *soul mate* ♦ **2.1** zijn politieke ~en *his political friends / sympathizers.*

geestverwantschap (de (v.)) **0.1** *like-mindedness* ⇒*congeniality.*

geestverwarring (de (v.)) **0.1** [onduidelijkheid] *mental confusion* **0.2** [waanzin] *insanity* ⇒*lunacy, madness.*

geeuw (de (v.)) **0.1** *yawn* ♦ **3.1** een ~ onderdrukken / bedwingen *suppress / check a y..*

geeuwen (onov.ww.) **0.1** *yawn* ♦ **6.1** bij iets ~ *y. at sth.;* ~ **van** slaap / **van** vermoeidheid *y. from sleepiness / tiredness.*

geeuwerig (bn.) **0.1** [telkens geeuwend] *yawny* **0.2** [vervelend] *yawny* ♦ **1.1** in een ~e stemming zijn *be in a y. / yawning mood.*

geeuwhonger (de (m.)) **0.1** *ravenous hunger* ♦ **3.1** (scherts.) de ~ van iets krijgen *get a craving for sth., water at the mouth over sth.* **3.**¶ (scherts.) de ~ in de beurs hebben *have an empty pocket / a yawning purse.*

geëvacueerde (de (m.)) **0.1** *evacuee.*

geëxalteerd (bn.) **0.1** [overdreven] *exalted, overwrought* ⇒*exaggerated, overexcited* **0.2** [opgewonden] *exalted* ⇒*enraptured, in raptures, excited.*

geëxalteerdheid (de (v.)) **0.1** [overspannenheid] *overstrung / overwrought condition* ⇒*exaggeration, tenseness* **0.2** [vervoering] *exaltation* ⇒*elevation.*

geëxecuteerde (de (m.)) **0.1** *executed person* ⇒*person put to death* ♦ **7.1** de ~n *those / the executed.*

geëxpireerd (bn.) **0.1** *expired.*

geëxponeerd (bn.) **0.1** *exposed.*

gefailleerde (de (m.)) **0.1** *bankrupt.*

gefantaseer (het) **0.1** *fantasizing* ⇒*romancing, indulging in fancies.*

gefarceerd (bn.) **0.1** *stuffed* ♦ **1.1** ~e tomaten *s. tomatoes.*

gefemel (het) **0.1** *(sanctimonious) cant.*

gefigureerd (bn.) **0.1** *figured* ⇒*ornamental* ♦ **1.1** ~ glas *f. glass;* ~e letters *f. / ornamental letters.*

gefingeerd (bn.) **0.1** *fictitious* ⇒*fake(d), made-up,* (inf.) *bogus,* (geveinsd) *feigned* ♦ **1.1** een ~ adres *a fictitious / false / fake / bogus / made-up address;* een ~e declaratie *a fake / pro forma declaration;* een ~e factuur / rekening *a fake(d) / pro forma invoice / bill;* een ~e inbraak *a faked burglary;* een ~e naam *a fictitious name;* een ~ persona ge / verhaal *a fictitious character / story;* een ~e verkoop *a pro forma / washed sale;* een ~e ziekte *a feigned sickness.*

gefladder (het) **0.1** *flutter(ing)* ⇒*flitting.*

geflatteerd (bn.) **0.1** *flattering* ♦ **1.1** een ~e balans *a cooked / doctored balance sheet, doctored books;* een ~ beeld van de situatie *a f. picture of the situation;* een ~e voorstelling van zaken *a f. picture of the situation;* een ~e overwinning *a f. victory / win / result / score;* een ~ portret *a f. portrait;* de zaak ~ voorstellen *give a f. picture of the situation.*

gefleem (het) (pej.) **0.1** *wheedling* ⇒*sweet talk, unctuousness,* (vnl. BE) *smarminess.*

geflikflooi (het) **0.1** *fawning, coaxing* ⇒*wheedling,* (sexueel) *fondling, caressing,* (inf.) *groping.*

geflikker (het) **0.1** [het aanhoudend flikkeren; flikkerend schijnsel] (van sterren, lichtjes) *twinkling, twinkle, glittering* ⇒(van diamanten enz.) *sparkling, flash(ing), sparkle,* (van vlam, film) *flickering* **0.2** [(inf.) gedrein, getreiter, gezeur] *bother(ation),* † *disturbance, racket* ♦ **4.2** is dat ~ nou afgelopen! *will you stop messing / mucking / buggering about!.*

geflirt (het) **0.1** *flirtation(s), flirting* ⇒*coquetry, courtship,* (ook fig.) *dalliance, trifling* ♦ **3.1** het meisje stelde al dat ~ niet erg op prijs *the girl didn't like being made up to at all.*

gefluister (het) **0.1** *whisper(ing)(s)* ⇒*murmur,* (schr.) *susurration,* (van bladeren ook) *rustling.*

gefluit (het) **0.1** *whistling* (van personen, locomotieven enz.) ⇒(bij optredens, in theater) *catcalls, hissing,* (van vogels) *warbling, singing,* (van merel) *fluting* ♦ **2.1** een langgerekt ~ laten horen *give a long whistle.*

gefoeter (het) **0.1** (mopperend) *gumbling* ⇒(flink uitvarend) *rage.*

gefonkel (het) **0.1** *sparkle* ⇒*twinkling, glint(ing), glitter(ing), gleam-(ing).*

geforceerd (bn., bw.; -ly) **0.1** [gemaakt] *forced, contrived* ⇒*artificial* **0.2** [bovenmatige inspanning vereisend] *forced* ⇒*strained* ♦ **1.1** een ~e glimlach *a f. smile;* een ~e stemming *a strained atmosphere;* een ~e vergelijking *a f. / strained comparison;* ~e vriendelijkheid *artificial / studied / f. friendliness;* ~e vrolijkheid *c. gaiety* **1.2** ~e marsen *f. marches* **3.1** zijn gedrag deed nogal ~ aan *his behaviour was rather f.* **3.2** ~ studeren *cram, swot.*

gefortuneerd (bn.) **0.1** *moneyed, monied* ⇒*well-to-do, well-off, wealthy* ♦ **1.1** een ~ man *a man of means.*

gefrankeerd (bn.) **0.1** *stamped* ♦ **1.1** een ~e enveloppe *a s. envelope* **5.1** machinaal ~e post *franked /* ^*metered mail.*

gefriemel (het) **0.1** *fiddling* ⇒*fumbling* ♦ **6.1** hou op met dat ~ **aan** je haar *stop fiddling / messing about with your hair.*

gefrustreerd (bn.) **0.1** *frustrated* ⇒(sl.) *hung-up.*

gefundeerd (bn.) **0.1** *(well-)founded* ⇒*well-grounded* ♦ **1.1** die gevolgtrekking is niet ~ *that is an unfounded conclusion* **1.**¶ een ~e lening *a guaranteed loan* **5.1** een slecht ~e theorie *an ill-founded theory.*

gegadigde (de (m.)) **0.1** (mbt. vacature) *applicant,* **candidate,** (mbt. koop) *intending / would-be / prospective buyer;* (mbt. veiling ook) *bidder;* (belanghebbende) *interested party* ♦ **3.1** ~n oproepen (for vacature) *invite applications;* (voor gesprek) *call applicants up for an interview;* een ~ voor iets vinden *find a (potential) buyer for sth..*

gegaffeld (bn.) **0.1** [met de gaffelvorm] *forked* **0.2** [(biol.)] *forked.*

gegalm (het) **0.1** *sound(ing)* ⇒*resounding,* (van klokken) *pealing, bawling,* (monotoon) *chant.*

gegalonneerd (bn.) **0.1** [gekleed in een met galon versierd kostuum] *dressed in braided suits* **0.2** [met galon versierd] *braided* ♦ **1.1** een ~e portier ≠*a uniformed doorman.*

gegalvaniseerd (bn.) **0.1** *galvanized.*

gegarandeerd
I (bn., bw.) **0.1** [waarvoor garantie gegeven is] *guaranteed* ♦ **1.1** ~e kwaliteit *g. quality;* het ~ minimumloon *the g. minimum wage* **2.1** dat horloge is ~ echt zilver *that watch is g. pure silver* **5.1** niet ~ *not g., unvouched (for);* schriftelijk ~ *with a written guarantee;*
II (bw.) (fig.) **0.1** [stellig] *assuredly* ⇒*definitely, without a doubt, surely* ♦ **3.1** dat gaat ~ mis *that's bound to go wrong;* houd je vast, anders val je ~ van de trap *hold on, otherwise you're sure to fall down the stairs* ¶.**1** of ik je morgen opbel? ~! *will I call you tomorrow? you can count on it!.*

gegeerd (bn.) **0.1** ((AZN) begeerd, gewild) *in demand* ⇒*much sought after* **0.2** [(heraldiek)] *gyronny* ♦ **1.**¶ een ~ wapenschild *a coat of arms with a gyron.*

gegeeuw (het) **0.1** *yawning* ⇒(schr.) *oscitation.*

gegeneerd (bn.) **0.1** *embarrassed* ⇒*ill-at-ease, uncomfortable.*

gegeven¹ (het) **0.1** [geval, feit] *data* (enk. of mv.), **datum** ⇒*fact, information,* (mv. ook) *details, particulars,* (comp.) *data, entry, item* **0.2** [onderwerp] *theme* ⇒*subject, central idea* **0.3** [(wisk.)] *given* **0.4** [constructieve bijzonderheid] *specification* ⇒*detail* ♦ **1.1** de verwerking van de ~s *the processing of the data* **2.1** (gebrek aan) feitelijke ~s *(lack of) factual information/facts;* nadere ~s *further details/information/particulars;* het ontbrak ons aan de nodige ~s om dat te beslissen *we lacked the necessary data/information/facts to make a decision about that* **2.3** een vast ~ *an invariable, a constant;* 〈fig.〉 *a constant factor* **2.4** de technische ~s van een schip *the (technical) specifications of a ship* **3.1** 〈comp.〉 ~s opslaan/invoeren/opvragen *store/input/retrieve data* **3.2** het ~ was onvoldoende uitgewerkt *the t. wasn't worked out sufficiently/in sufficient detail* **6.3** een vraagstuk **met** drie ~s en een onbekende *a problem with three givens and an unknown factor.*

gegeven² 〈bn.〉 **0.1** [bepaald] *given* ⇒*certain* **0.2** [zich voordoend] *given* **0.3** [〈wisk.〉] *given* ◆ **1.1** op een ~ moment stonden ze allemaal in hun blootje *at one stage they were all in the buff;* hij is op een ~ moment naar huis gegaan *he left after a while;* op een ~ moment moet je toch kiezen *sooner or later/at some stage you'll have to choose anyway;* op een ~ moment komt er een kerel binnen *and then all of a sudden in comes this guy;* ... trekt-ie op een ~ moment aan de noodrem *and then he suddenly goes and pulls the communicationcord,* ᴬ*emergency brake;* op een ~ moment begin je je af te vragen ... *there comes a time when you begin to wonder ...;* 〈inf.〉 dat moet-ie op een ~ moment zelf weten *that's up to him/his look out, isn't it;* 〈inf.〉 daar kan ik hem op een ~ moment ook geen ongelijk in geven *I can't really blame him either;* op een ~ moment *at a certain point (in the proceedings);* op een ~ moment kan het je niets meer schelen *you reach a stage where you no longer care;* op een ~ ogenblik iets doen *do sth. at a certain moment* **1.2** in het ~ geval *in such a case, in this particular case;* in de ~ omstandigheden *in/under the circumstances* **1.3** een ~ getal in de tweede macht verheffen *raise a g. number to the second power* **1.¶** zich aan zijn ~ woord houden *keep/stick to one's word.*

gegevensbank 〈de〉 **0.1** *data bank.*

gegevensverwerkend 〈bn.〉 **0.1** *data processing.*

gegevensverwerking 〈de (v.)〉 **0.1** *data processing* ◆ **1.1** machine voor ~ *computer, data processor.*

gegiechel 〈het〉 **0.1** *giggle(s), giggling* ⇒〈onderdrukt〉 *titter(ing),* 〈spottend〉 *snigger(ing)* ◆ **2.1** onderdrukt ~ *subdued titters, stifled giggling;* een zwak ~ *a faint giggle.*

gegier 〈het〉 **0.1** *scream(ing)* ⇒〈gelach〉 *roar (of laughter),* 〈wind〉 *shrieking,* 〈motoren e.d.〉 *whining.*

gegijzelde 〈de (m.)〉 **0.1** *hostage.*

gegil 〈het〉 **0.1** *screaming, screams* ⇒*yelling, yells, shrieking, shriek(s),* 〈ook van uil〉 *screeching,* 〈varken ook〉 *squeal(ing)* ◆ **2.1** een doordringend ~ laten horen *let out a piercing shriek/yell/scream/screech.*

geglansd 〈bn.〉 **0.1** *glossy* ⇒*glazed* ◆ **1.1** een voering van ~ katoen *a lining of glazed cotton;* ~ papier *glossy/*〈AE ook〉 *slick paper.*

geglazuurd 〈bn.〉 **0.1** *glazed* ◆ **1.1** ~ aardewerk *g. pottery;* ~e baksteen *enamelled brick.*

gegleufd 〈bn.〉 **0.1** [gegroefd] *grooved* ⇒*fluted, furrowed* **0.2** [mbt. vuurwapens] *rifled.*

gegniffel 〈het〉 **0.1** *sniggering,* ᴬ*snickering.*

gegoed 〈bn.〉 **0.1** *well-to-do, well-off* ⇒*moneyed, monied, wealthy* ◆ **1.1** de ~e burgerij *the upper middle class, the well-to-do/moneyed class;* een ~ man *a man of means;* de ~e stand *the well-to-do/well-off* **5.1** de meer ~en *the better off;* haar minder ~e familieleden *her less well-off/well-to-do relatives.*

gegoedheid 〈de (v.)〉 **0.1** *affluence* ⇒*wealth* ◆ **2.1** 〈jur.〉 instaan voor de genoegzame ~ van de schuldenaar *guarantee the solvency of the lender;* mensen van voldoende ~ *people of sufficient means.*

gegolfd 〈bn.〉 **0.1** *wavy* ⇒〈haar, stof〉 *crimpy,* 〈grond〉 *undulating,* 〈plaatijzer〉 *corrugated,* 〈glas〉 *fluted,* 〈bladrand〉 *sinuate* ◆ **1.1** ~ haar/karton *w./ crimpy hair, corrugated cardboard.*

gegomd 〈bn.〉 **0.1** *adhesive* ⇒*gummed* ◆ **1.1** ~e enveloppen *a./ gummed envelopes;* ~ papier *a./ gummed paper;* 〈voor foto's〉 *passe-partout.*

gegons 〈het〉 **0.1** 〈insecten〉 *buzz(ing), hum(ming);* 〈machines〉 *hum(ming);* 〈wielen, vleugels〉 *whirr(ing);* 〈vliegtuig〉 *drone* ◆ **2.1** er was een druk ~ van stemmen in de zaal *the hall was filled with an animated hum/murmur of voices, the hall hummed with talk.*

gegoochel 〈het〉 **0.1** 〈ook fig.〉 *juggling* ⇒*hocus-pocus* ◆ **6.1** ~ met woorden *conjuring/juggling with words;* ~ **met** cijfers *juggling with figures.*

gegoten 〈bn.〉 **0.1** *cast* ⇒*founded* ◆ **1.1** een ~ beeld *a statue c. (in bronze);* ~ voorwerp/vorm *cast(ing)* **8.¶** die jurk zit als ~ *that dress fits you like a glove.*

gegrabbel 〈het〉 **0.1** *grabbling* ⇒*scramble, scrambling,* 〈naar geld enz.〉 *scrabble.*

gegradueerd 〈bn.〉 **0.1** [een graad bezittend] *graduated* **0.2** [graden vertonend] *graded* ⇒*gradated.*

gegradueerde 〈de (m.)〉 **0.1** 〈aan universiteit〉 *graduate* ⇒〈mil.; officier〉 *officer,* 〈mil.; onderofficier〉 *NCO, non-commissioned officer.*

gegriefd 〈bn.〉 **0.1** *hurt* ⇒*offended,* 〈schr.〉 *aggrieved* ◆ **3.1** zich ~ voelen *feel h./ offended/aggrieved.*

gegrinnik 〈het〉 **0.1** *chuckle(s), chuckling* ⇒*chortle(s), grinning, snigger.*

gegroefd 〈bn.〉 **0.1** *grooved* ⇒〈gelaat〉 *lined, furrowed,* 〈biol.〉 *striate(d),* *sulcate* ◆ **1.1** een ~ gezicht/voorhoofd *a furrowed face/forehead;* ~e planken *tongue-and-groove boards;* ~e ring 〈als vatting〉 *bezel;* een ~e zuil *a fluted/channelled column.*

gegrom 〈het〉 **0.1** *growl(s), growling* ⇒*snarl(ing), grumbling,* 〈afkeurend〉 *groan, grunt(ing)* ◆ **2.1** een dof ~ *low growls;* een woest ~ *a savage snarl.*

gegrond 〈bn.〉 **0.1** *(well-)founded* ⇒*valid, legitimate,* 〈redenen〉 *sound, solid* ◆ **1.1** om ~e redenen *for valid/sound reasons;* ~e vrees *reasonable fear.*

gegrondheid 〈de (v.)〉 **0.1** *soundness* ⇒*justness, justice, legitimacy* ◆ **3.1** de ~ van iets bewijzen *justify sth..*

geh. 〈afk.〉 **0.1** [gehuwd] *m.* **0.2** [gehoor] 〈*hearing*〉.

gehaaid 〈bn., bw.; -ly〉 〈inf.〉 **0.1** *smart* ⇒*sharp, crafty, cool, wily* ◆ **1.1** een ~e kerel *a cool customer.*

gehaakt 〈bn.〉 **0.1** *crochet(ed).*

gehaast¹ 〈het〉 **0.1** *hurry(ing)* ⇒*running, haste* ◆ **3.1** dat was me een ~ om bijtijds thuis te komen *did I have to hurry to be home in time!.*

gehaast² 〈bn., bw.; -ly〉 **0.1** *hurried* ⇒*hasty, in a hurry* ◆ **3.1** ~ werken/eten/vertrekken *work hurriedly, eat/leave in a hurry;* ~ zijn *be in a hurry.*

gehaat 〈bn.〉 **0.1** *hated* ⇒*hateful, detested, odious, obnoxious* ◆ **1.1** een ~iem./ iets *a pet hate, a bête noir* **3.1** zich (bij iem.) ~ maken *incur s.o.'s hatred, rub s.o. up the wrong way.*

gehakkel 〈het〉 **0.1** *stammering* ⇒*staccato, stuttering.*

gehakketak 〈het〉 **0.1** *squabbling* ⇒*bickering, argy-bargy* ◆ **2.1** dat eeuwige ~ *this eternal bickering.*

gehakt 〈het; g.mv.〉 **0.1** *minced meat* ⇒*mince* ◆ **1.1** een bal ~ 〈lett.〉 *meatball;* 〈fig.〉 *dumpling,* ᴮ*pillock,* ᴬ*meatball* **3.1** ~ van iem. maken *make mincemeat of s.o., have s.o. for breakfast.*

gehaktbal 〈de (m.)〉 **0.1** [bal gehakt] *meatball* **0.2** [mispunt, slapjanus] ᴮ*pillock,* ᴬ*meatball.*

gehaktmolen 〈de (m.)〉 **0.1** *(meat) mincer* ⇒*mincing machine.*

gehalte 〈het〉 **0.1** [innerlijke waarde] *calibre* ⇒*quality, standard, value* **0.2** [betrekkelijke hoeveelheid] *content* ⇒*percentage, proportion,* 〈erts, olie〉 *grade,* 〈alcohol〉 *proof* ◆ **1.2** het ~ van sterke drank *the proof/strength of spirits/*ᴬ*liquor* **2.1** een onderzoek van laag/hoog ~ *low/high-quality research;* een blad van twijfelachtig ~ *a magazine of dubious quality* **2.2** erts met hoog/laag ~ *high-/low-grade ore* **3.1** ~ aan iets geven *give value to/upgrade sth.* **3.2** het ~ bepalen (van) *assay, determine the percentage (of)* **6.1** iem. **van** ~ *s.o. of high c.* **6.2** het ~ **aan** zuurstof in de lucht bepalen *determine the oxygen c. of the air.*

gehamerd 〈bn.〉 **0.1** [door hameren bewerkt] *hammered* ⇒*beaten* **0.2** [als door een hamer ingedreven] *hammered (in)* ⇒*driven, rammed* ◆ **1.1** ~ glas *h. glass* **3.2** het zit erin — *it's been h. home* **6.2** het zit in zijn geheugen — *it is imprinted on his memory.*

gehandicapt 〈bn.〉 **0.1** [invalide] *handicapped* ⇒〈lichamelijk〉 *disabled, invalid* **0.2** [onthand] *handicapped* **0.3** [〈sport〉] *handicapped* ◆ **2.1** geestelijk ~ *mentally h.* **3.2** zonder auto voel ik me ~ *I feel lost without my car.*

gehandicapte 〈de (m.)〉 **0.1** *handicapped person* ⇒〈geestelijk〉 *mentally handicapped person* ◆ **¶.1** de 〈lichamelijk〉 ~n *the (physically) handicapped, the disabled.*

gehandschoend 〈bn.〉 **0.1** *gloved.*

gehangene 〈de (m.)〉 〈→sprw. 306〉 **0.1** *hanged person.*

gehannes 〈het〉 **0.1** *fumbling* ⇒*clumsiness.*

gehard 〈bn.〉 **0.1** [mbt. personen] *tough* ⇒*hardened, seasoned, hardy,* 〈ongevoelig〉 *steeled* **0.2** [mbt. staal] *tempered* ◆ **1.1** ~e soldaten *weathered soldiers/troops;* een ~ zeeman *a seasoned sailor* **6.1** ~ **tegen** de kou/vermoeienissen *hardened against cold/fatigue.*

gehardheid 〈de (v.)〉 **0.1** [mbt. staal] *temper* **0.2** [mbt. personen] *toughness* ⇒*hardiness, inurement, hardihood, induration.*

geharnast 〈bn.〉 **0.1** [een harnas dragend] *armoured* ⇒*in armour* **0.2** [strijdbaar] *militant* ⇒*strong* ◆ **1.2** een ~ betoog *a watertight argument.*

geharrewar 〈het〉 **0.1** *squabble(s), bickering(s), squabbling* ⇒*commotion, hubble-bubble.*

gehaspel 〈het〉 **0.1** [onhandig gesukkel, geknoei] *bungling* ⇒*botching* **0.2** [verward getwist, gekrakeel] *bickering(s)* ⇒*wrangling* **0.3** [moeite, last] *trouble.*

gehavend 〈bn.〉 **0.1** *battered* ⇒*tattered, damaged, dilapidated* ◆ **3.1** er ~ uitzien 〈ook als though/ᴬlike one has been in the wars, look a sorry sight **¶.1** ~ uit de strijd komen *come out the worse for wear/in shreds.*

gehecht 〈bn.〉 **0.1** *attached (to)* ⇒〈sterker〉 *devoted (to).*

gehechtheid 〈de (v.)〉 **0.1** *attachment* ⇒〈sterker〉 *devotion.*

geheel¹ 〈het〉 **0.1** [eenheid] *whole* ⇒*entity, unit(y)* **0.2** [som der delen] *whole* ⇒*entirety, aggregate* ◆ **2.1** 〈wisk.〉 het ~ is gelijk aan de som van zijn delen *the w. equals the sum of its parts;* een ondeelbaar ~ *an integer;* een samengesteld ~ *a complex* **3.1** een ~ splitsen in zijn delen *split up a w. into its constituent parts* **3.2** een ~ vormen *vormen constitute/form a w./ unit/ an entity* **6.1** de aardbeien **in** hun ~ laten koken *boil the strawberries w.;* een machine **in** haar ~ verplaatsen *move a machine bodily;* hij mag de lening **in** haar ~ terugbetalen *he can pay back the loan in a lump sum;* **tot** een ~ verbinden/versmelten *fuse (to a w.), integrate* **6.2** in het ~ heb ik honderd gulden schuld *all in all, my debts amount to a hundred guilders;* het gedicht in zijn ~ *the poem in its entirety;* een verklaring in haar ~ citeren *quote a statement in its entirety* **6.¶** hij zei in het ~ niets *he said nothing at all/whatsoever;* **in** het ~ niet bang *not in the least frightened;* **over** het ~ genomen *on the w.* **8.1** de arbeiders als ~ waren ertegen *the workers as a body were against it* **8.2** het publiek als ~ (beschouwd) *the public at large.*

geheel²

I ⟨bn.⟩ ⟨schr.⟩ **0.1** [waaraan niets ontbreekt] *entire, whole* ⇒*complete, full* **0.2** [werkelijk alles en iedereen] *entire, whole* **0.3** [niet stuk] *entire, whole* ◆ **1.1** ⟨rek.⟩ ~ getal *a whole number, an integer;* het gehele jaar door *all (the) year round;* ~ het land was in rep en roer *the entire/whole country was up in arms;* door/over het gehele land *throughout the land/country;* hij heeft de gehele Shakespeare vertaald *he has translated all/the whole of Shakespeare/the complete works of Shakespeare;* een gehele week *a full/whole week;* de gehele wereld weet dat *all the world knows this;*

II ⟨bw.⟩ **0.1** [in elk opzicht] *entirely* ⇒*fully, completely, totally* **0.2** [helemaal] *entirely* ⇒*fully, completely* ◆ **1.1** hij is ~ dichter/schilder *he is all poet/painter* **2.1** ik voel mij een ~ ander mens *I feel a different man/woman altogether;* ik ben ~ genezen *I have fully/completely recovered* **2.2** ~ gewijzigd *completely changed; revised* **4.1** ⟨schr.⟩ ~ de uwe *yours, as ever* **5.1** ~ anders *completely/totally different;* niet ~ niet *not quite/e./ fully;* ~ niet *not at all* **5.2** ~ en al *e./fully;* de lening mag ~ of gedeeltelijk afgelost worden *the loan can be paid back in one lump sum or in instalments* **6.2** hij was ~ **in** 't zwart *he was dressed all in black.*

geheelonthouder ⟨de (m.)⟩, **-houdster** ⟨de (v.)⟩ **0.1** *teetotaller ^-taler* ⇒ *total abstainer* ◆ **3.1** ~ worden *become a t., take the pledge,* ↓*go on the wagon;* ~ zijn *be a t., keep the pledge,* ↓*be on the wagon.*

geheelonthouding ⟨de (v.)⟩ **0.1** *total abstinence* ⇒*temperance.*

geheid ⟨bn., bw.; -ly⟩ **0.1** [zeker vast] *firm* ⇒*solid, tight, immovable* **0.2** [zeker] *certain* ⇒*sure* ◆ **1.2** een ~ geval van zelfmoord *an obvious case of suicide;* dat wordt ~ een succes *it's bound to be a success* **2.2** dat is ~ zeker *that's a (dead) cert* **3.1** het zit er ~ in ⟨van leerstof⟩ *it's all in there, he/she's got it firmly in his/her head* **3.2** die strafschop gaat er ~ in *he can't miss that penalty, that penalty's a (dead) cert;* dat paard wint ~ *that horse is a (dead) cert.*

geheiligd ⟨bn.⟩ **0.1** [gewijd] *sacred* ⇒*holy, consecrated* **0.2** [als heilig erkend, vereerd] *hallowed, sacred* ◆ **1.1** de ~ bomen/paarden van de Germanen *the s. trees/horses of the Germanic tribes* **1.2** ~e relikwieën/rechten *sacred relics/rights* **¶.2** uw naam worde ~ *hallowed be thy name.*

geheim¹ ⟨het⟩ **0.1** [het verborgen zijn] *secrecy* **0.2** [zaak die geheim is] *secret* **0.3** [aan zeer weinigen bekende kunst] *secret* ⇒*art* **0.4** [mysterie] *mystery* ◆ **1.2** ⟨fig.⟩ het ~ van een ~ *the tricks of the trade;* ⟨scherts.⟩ ja, dát is het ~ van de smid! *that would be telling!* **1.4** het ~ van het leven/de toekomst *the m. of life/the future;* de ~en van de natuur *the mysteries of nature* **2.1** het diepste ~ over iets bewaren *keep sth. under tight cover, maintain the greatest s. about sth.;* de operatie was in het diepste ~ voorbereid *the operation had been prepared in all s.* **2.2** een groot ~ a *big/closely guarded s.;* dat is een publiek ~ *it's an open s.* **3.2** een ~ afluisteren/toevertrouwen/bewaren *overhear/confide/keep a s.;* (geen) ~en hebben voor iem. *hold (no) secrets for s.o.;* ergens (g)een ~ van maken *make a/no s. of sth.;* hij nam het ~ mee in zijn graf *the mystery died with him;* een ~ verklappen/verraden *give away a s., let the cat out of the bag* **3.3** hij verstond het ~ om met dieren om te gaan *he had a way with animals* **6.1** in het ~ *secretly* **6.2** in het ~ ingewijd zijn/worden *be in (on) the s., be let into the s..*

geheim²

I ⟨bn.⟩ **0.1** [verborgen gehouden] *secret* ⇒*hidden, concealed, undisclosed, hush-hush* **0.2** [in het verborgene plaatshebbend] *secret* ⇒ *clandestine, illicit, covert* **0.3** [niet voor openbaring bestemd] *secret* ⇒ *classified, confidential, private, undisclosed* **0.4** [aan slechts weinigen bekend] *secret* **0.5** [in het verborgene werkzaam] *secret* ⇒*hidden, undercover, underground, covert* **0.6** [moeilijk te begrijpen] *secret* ⇒ *hidden, mysterious* ◆ **1.1** een ~ zaak *a s. business/matter, a matter of secrecy* **1.2** een ~ bijeenkomst *a s. meeting;* ~e handelingen *hole-and-corner proceedings;* een ~ huwelijk *a s. clandestine marriage;* een ~e speelbank/distilleerderij *a clandestine/illicit gambling house/still;* ~e stemming *s. vote, voting by s. ballot* **1.3** uiterst ~e documenten *top-s. documents;* een ~ plan/verdrag *a s./ undisclosed plan/treaty;* ⟨jur.⟩ een ~ testament *a s. will* **1.4** een ~e la in een secretaire *a s./hidden drawer in a desk;* een ~ telefoonnummer *an unlisted /ex-directory (telephone) number* **1.5** ~e invloed *hidden/backstairs influence;* de ~e politie/dienst *s. police/service, special branch* **1.6** ~e oorzaken/krachten *hidden causes/powers* **3.1** een ~ gehouden overeenkomst *an undisclosed treaty;* iets ~ houden *keep sth. (a) secret/ under cover;* dat moet ~ blijven *this must remain private/a secret;*

II ⟨bw.⟩ **0.1** [op geheime wijze] *secretly* ⇒*privately, mysteriously* ◆ **3.1** ⟨jur.⟩ een zaak ~ behandelen *try a case behind closed doors* **¶.1** alles ging ~ in zijn werk *everything was done in secret/ in private.*

geheimdoenerij ⟨de (v.)⟩ **0.1** *secretiveness* ⇒*secrecy, hugger-mugger, concealment.*

geheimenis ⟨de (v.)⟩ ⟨schr.⟩ **0.1** [verborgenheid] *mystery* **0.2** [geheime zaak] *mystery* ◆ **3.2** er schuilt een ~ in/onder/achter *there's a m. behind it.*

geheimhouden ⟨ov.ww.⟩ **0.1** *keep (a) secret/under cover/dark* ◆ **5.1** iets diep ~ *not breathe a word about sth..*

geheimhouding ⟨de (v.)⟩ **0.1** *secrecy* ⇒*confidentiality, privacy* ◆ **1.1** een eed/belofte van ~ *a vow of s.* **2.1** ⟨in advertenties⟩ strikte ~ verzekerd *strict privacy assured/guaranteed, in strictest confidence* **3.1** iem. ~ beloven/opleggen *promise s. to s.o., swear s.o. to s.;* de ~ opheffen van iets *declassify sth.;* ~ zweren *swear to keep sth. a secret* **6.1** onder (het zegel der) ~ *sworn to s.* **¶.1** ~ in acht nemen *observe s..*

geheimpje ⟨het⟩ **0.1** *little secret* ⇒*confidence.*

geheimschrift ⟨het⟩ **0.1** *(secret) code* ⇒*cipher* ◆ **6.1** een boodschap in ~ *a coded message, a message in secret code;* in ~ overzetten *cipher/ (en)code.*

geheimschrijver ⟨de (m.)⟩ ⟨gesch.⟩ **0.1** *(private) secretary.*

geheimtaal ⟨de⟩ **0.1** *secret/private language.*

geheimzinnig

I ⟨bn.⟩ **0.1** [met verborgen betekenis] *mysterious* ⇒*unexplained, cryptic, arcane, dark* **0.2** [de indruk makend iets verborgens te bevatten] *mysterious* ⇒*uncanny* **0.3** [op bedekte wijze geschiedend] *secret* ⇒*stealthy, undercover* **0.4** [zijn identiteit en bedoelingen geheimhoudend] *secretive* ⇒*mysterious, close, deep* ◆ **1.1** een ~e kwaal *a m. disease;* een ~e mededeling *a m./cryptic message;* ~e tekens *cryptic/ unexplained signs;* hij sprak op ~e toon *he spoke in a m./conspiratorial tone* **1.2** een ~e duisternis *an uncanny/m. darkness* **1.4** een ~e verschijning *a mysterious apparition* **6.4** ~ zijn **met/over** iets *be s. about sth., act mysteriously about sth.;*

II ⟨bw.⟩ **0.1** [op geheimzinnige wijze] *mysteriously* ⇒*darkly, uncannily, secretly* ◆ **3.1** erg ~ doen *be very secretive, act very m..*

geheimzinnigdoenerij ⟨de (v.)⟩ **0.1** *secretiveness.*

geheimzinnigheid ⟨de (v.)⟩ **0.1** [het heimelijk te werk gaan] *secrecy* ⇒ *stealth* **0.2** [raadselachtigheid] *mysteriousness* ⇒*mystery* ◆ **1.2** er hangt een waas van ~ rond die zaak *a shroud of mystery hangs over/ surrounds the case.*

gehelmd ⟨bn.⟩ **0.1** *helmeted* ⇒⟨biol.⟩ *galeate(d).*

gehemelte ⟨het⟩ ⟨med.⟩ **0.1** [bovenwand van de mondholte] *palate* ⇒ *roof of the mouth* **0.2** [smaakorgaan] *palate* ◆ **2.1** een gespleten ~ *a cleft p.;* het harde ~ *the hard p.;* een vals ~ *a plate;* het zachte ~ *the velum/soft p.* **2.2** een verwend ~ *a refined/sophisticated p.* **3.2** het ~ strelen *tickle the p..*

gehengel ⟨het⟩ **0.1** *rod-fishing* ⇒*angling,* ⟨fig.⟩ *captation.*

geheugen ⟨het⟩ ⟨→sprw. 393⟩ **0.1** [herinneringsvermogen] *memory* ⇒ *retention, recall* **0.2** [geest als bewaarplaats van herinneringen] *memory* ⇒*mind* **0.3** [⟨comp.⟩] *memory* ⇒*storage,* ⟨vnl. BE⟩ *store* **0.4** [⟨schr.⟩ herinnering] *remembrance* ⇒*recollection, memory* ◆ **2.1** een fotografisch ~ *a photographic m.;* een goed/sterk/zwak ~ *a good/ clear/weak m.;* een mechanisch ~ *a mechanical m.* **2.2** een rijk ~ *a rich memory, a great store of memories* **2.3** centraal/intern ~ *main m. / storage;* dood ~ *read-only m., ROM;* extern ~ *external m./storage;* sequentieel ~ *sequential m./access storage* **3.1** als mijn ~ mij niet bedriegt *if my m. serves me well, if I remember well;* zijn ~ begint te verzwakken *his m. is beginning to go/is going;* ⟨fig.⟩ zijn ~ pijnigen *rack one's brains* **3.2** iemands ~ opfrissen *refresh/jog s.o.'s memory;* verder dan mijn ~ reikt/strekt *beyond recall* **6.1** kort van ~ zijn *have a short m.* **6.2** in het ~ liggen/zweven *remember, have in one's mind;* dat ligt nog vers in mijn ~ *it's still fresh in my memory/mind;* iets **in** het ~ prenten/stampen *memorize sth., commit sth. to memory;* iets **in** het ~ bewaren *cherish the memory of sth.;* een gat/lacune in het ~ *a blank (in one's memory);* **uit** het ~ (verdwenen) zijn *have slipped one's mind;* iets/iem. **uit** zijn ~ bannen *banish sth./s.o. from one's mind;* iets **voor** het ~ brengen/roepen *call sth. to mind* **8.1** een ~ als een zeef/garnaal *a head/m. like a sieve;* een ~ als een olifant/een ijzeren pot *an m. like an elephant's* **¶.1** mijn ~ laat me (niet) in de steek *my m. is letting/doesn't let me down.*

geheugencapaciteit ⟨de (v.)⟩ ⟨comp.⟩ **0.1** *storage capacity, memory space.*

geheugeneenheid ⟨de (v.)⟩ ⟨comp.⟩ **0.1** *memory/storage unit.*

geheugenkunst ⟨de (v.)⟩ **0.1** *mnemonics* ⇒*mnemonic art, memory training.*

geheugenoefening ⟨de (v.)⟩ **0.1** *memory/mnemonic exercise.*

geheugenplaats ⟨de⟩ ⟨comp.⟩ **0.1** *storage location.*

geheugenspel ⟨het⟩ **0.1** *memory game.*

geheugensteuntje ⟨het⟩ **0.1** *mnemonic* ⇒*mnemonic device, reminder, prompt, memoria technica* ◆ **3.1** een ~ geven *prompt.*

geheugenstoornis ⟨de (v.)⟩ **0.1** *memory defect* ⇒*defective memory.*

geheugenverlies ⟨het⟩ **0.1** *amnesia* ⇒*loss of memory* ◆ **2.1** tijdelijk ~ *a black-out.*

geheugenwerk ⟨het⟩ **0.1** *memory work* ⇒*memorizing,* ⟨BE;inf.⟩ *swotting.*

gehijg ⟨het⟩ **0.1** *panting* ⇒⟨zwaar⟩ *gasping.*

gehinnik ⟨het⟩ **0.1** *neighing* ⇒*whinny(ing)* ◆ **2.1** luid~ *loud neighs;* een zacht~ *a low whinny.*

gehoekt ⟨bn.⟩ **0.1** *angular* ◆ **1.1** dat magere~e gezicht *that lean, a. face;* een ~e salto *a jackknife;* ~e steen *jagged stone.*

gehoest ⟨het⟩ **0.1** *coughing, coughs* ◆ **6.1** een spreker met~ overstemmen *drown out a speaker by coughing.*

gehoor ⟨het⟩ **0.1** [het horen] *(sense of) hearing* ⇒*audition* **0.2** [het vermogen om te horen] *(sense/power of) hearing* ⇒*ear* **0.3** [gewaarwording, geluid] *sound* ⇒⟨onaangenaam⟩ *noise* **0.4** [zintuig] *ear(s)* **0.5** [publiek] *audience* ⇒*hearers,* ⟨in kerk⟩ *congregation* **0.6** [aandacht] *ear* **0.7** [onderhoud] *audience* ⇒*interview* ◆ **2.2** absoluut~ *absolute/ perfect pitch;* een goed/scherp/fijn~ *a good/sharp sense of h.;* muzikaal~ *an ear for music;* geen muzikaal~ hebben *have no ear for music, be tone-deaf;* een zwak/slecht~ *a poor/bad sense of h.* **2.3** een akelig/vreselijk~ *a horrible/dreadful s./ noise* **2.5** een talrijk~ *a large a.* **3.1** ~ krijgen *be heard, get a hearing,* find an audience **3.4** het ~ treffen/strelen/kwetsen *strike/be easy on/grate on the e.* **3.6** ~ geven aan iem./ iets *answer s.o.'s call; comply with sth.* ⟨verzoek, wensen⟩; iem. ~ geven/verlenen/weigeren *lend an e./ give audience/ refuse to listen to s.o.;* ~ hebben voor iem./ iets *listen to s.o./ sth.;* ~ krijgen *find a response, be well received (and acted on);* bij iem. ~ vinden voor zijn klachten *find s.o. a willing e. for one's complaints;* geen ~ vinden *fall on deaf ears* **3.7** (om) ~vragen (bij iem.) *request an interview (with s.o.)* **6.1** op het ~ spelen *play sth. by ear;* een melodie op het ~ noteren *write down a melody from h.;* iets ten gehore brengen *play/render/perform sth.;* ten gehore van *before* **6.2** goed/ lekker in het ~ liggen *be easy on the ear, be catchy;* scherp van~ zijn *have a quick/sharp ear, have keen/good h.* **6.4** in het ~ klinken *sound in one's ear* **6.5** onder iemands~ zijn/zitten *be among/in s.o.'s a.;* ⟨in kerk⟩ *be in s.o.'s congregation* **7.1** ik krijg geen~ *there's no reply/answer;* ⟨bij technisch probleem⟩ *I can't get through;* bij geen~ *if there's no reply/answer* **7.3** dat is geen~! *that sounds terrible!.*

gehoorapparaat ⟨het⟩ **0.1** *hearing aid* ⇒⟨BE; inf. ook⟩ *deaf-aid.*

gehoorbeen ⟨het⟩ ⟨med.⟩ **0.1** *ossicle.*

gehoorbuis ⟨de⟩ →**gehoorgang.**

gehoordrempel ⟨de⟩ **0.1** *threshold of audibility.*

gehoorgang ⟨de (m.)⟩ **0.1** *auditory duct/channel/passage/canal* ⇒⟨med.⟩ *auditory meatus.*

gehoorgestoord ⟨bn.⟩ **0.1** *hearing impaired* ⇒*hard of hearing, deaf.*

gehoorgrens ⟨de⟩ **0.1** *limit of hearing/audibility.*

gehoormeting ⟨de (v.)⟩ **0.1** *hearing test* ⇒*ear test.*

gehoornd ⟨bn.⟩ **0.1** [horens dragend] *horned* ⇒⟨plantk.⟩ *corniculate,* ⟨schr.⟩ *cornute(d)* **0.2** [⟨fig., scherts.⟩ bedrogen] *cuckolded* ◆ **1.1** ⟨dierk.⟩ ~e adder *h. viper;* ⟨fig.⟩ de~e maan *the h. moon;* het~e vee *the h. cattle* **1.2** een~e echtgenoot *a c. husband, a cuckold.*

gehooropening ⟨de (v.)⟩ **0.1** *ear(hole).*

gehoororgaan ⟨het⟩ **0.1** *ear* ⇒*auditory organ, organ of hearing.*

gehoorsafstand ⟨de (m.)⟩ **0.1** *earshot* ⇒*hearing* ◆ **6.1** binnen/op~ *within e.;* buiten~ *out of e.;* buiten~ van *out of hearing of.*

gehoorscherpte ⟨de (v.)⟩ **0.1** *keenness/acuteness of hearing* ⇒*auditory acuity/acuteness.*

gehoorsteentje ⟨het⟩ **0.1** *otolith* ⇒*ear stone.*

gehoorvlies ⟨het⟩ **0.1** *eardrum* ⇒⟨med.⟩ *tympanum, tympanic membrane.*

gehoorweg ⟨de (m.)⟩ →**gehoorgang.**

gehoorzaal ⟨de⟩ **0.1** [openbare zaal] *auditorium* ⇒⟨concert⟩hall **0.2** [auditorium] *auditorium* ⇒*lecture-theatre/hall,* ^Alyceum **0.3** [audiëntiezaal] *audience-room/-chamber* ⇒⟨rechtbank⟩ *court-room.*

gehoorzaam ⟨bn., bw.; -ly⟩ **0.1** *obedient* ⇒⟨aan vorst e.d.⟩ *subservient* ◆ **1.1** een~ kind *an obedient child* **3.1** aan iem. ~ zijn *be subservient to s.o.,* obey s.o. **6.1** ~ aan de wet *law-abiding.*

gehoorzaamheid ⟨de (v.)⟩ **0.1** *obedience* ⇒*compliance, dutifulness,* ⟨aan vorst⟩ *subservience,* ⟨allegiance⟩ ◆ **1.1** ⟨fig.⟩ het klokje van~ *bedtime;* ⟨kind.⟩ *beddy-byes* **2.1** kinderlijke~ *filial o./ dutifulness* **3.1** ~ betonen *obey, show o.;* iem. tot~ dwingen *force/reduce s.o. to o./ submission* **6.1** ~ aan God/de wet *o. to God, compliance with the law.*

gehoorzamen ⟨onov.ww.⟩ **0.1** *obey* ⇒⟨wens, bevel ook⟩ *comply (with), serve, heed, follow* ◆ **1.1** zijn meerderen/ ouders~ *o. one's superiors/ parents* **5.1** iem. blind~ *o. s.o. unquestioningly;* niet~ *disobey;* het niet~ aan de wet *(wilful) disobedience to the law* **6.1** aan hartstochten /driften~ *follow/give in to one's passions/lusts;* ⟨fig.⟩ het schip gehoorzaamde aan het roer *the ship answered to the rudder;* iem. in iets ~ *o. s.o. in sth..*

gehoorzenuw ⟨de⟩ **0.1** *auditory nerve.*

gehorend ⟨ongemarkeerd⟩ →**gehoornd.**

gehorig ⟨bn.⟩ **0.1** *noisy* ⇒*thin-walled* ◆ **1.1** deze huizen zijn erg~ *these houses are very n./ are anything but soundproof/have very thin walls.*

gehouden ⟨bn.⟩ **0.1** *obliged (to)* ⇒*liable (to), bound (to)* ◆ **3.1** zich~ achten *feel o./ bound to;* ~ zijn tot be o./ liable to.*

gehoudenheid ⟨de (v.)⟩ ◆ **6.¶** onder~ (van) iets te doen *under obligation to do sth..*

gehucht ⟨het⟩ **0.1** *hamlet* ⇒*settlement.*

gehuichel ⟨het⟩ **0.1** *hypocrisy* ⇒*dissembling.*

gehuicheld ⟨bn.⟩ **0.1** *feigned* ⇒*sham, make-believe, simulated* ◆ **1.1** ~ medelijden *f. compassion, crocodile tears.*

gehuifd ⟨bn.⟩ **0.1** *hooded* ⇒⟨gesch.⟩ *coifed,* ⟨wagen⟩ *tilted, covered* ◆ **1.1** een~e boerenwagen *a coifed/ tilted cart/wagon.*

gehuil ⟨het⟩ **0.1** [het huilen] *crying* ⇒*wailing* **0.2** [⟨fig.⟩] *moaning* ⇒*howling, wailing, yowling* ◆ **1.2** het~ van de granaten *the howling/ whistling of the grenades;* het~ van de wind door de takken *the m. of the wind through the branches* **2.1** een verdrietig~ *a pitiful c..*

gehuisvest ⟨bn.⟩ **0.1** *housed* ⇒*lodged,* ↓*put up* ◆ **5.1** goed/slecht~ zijn *have good housing, be badly/poorly h..*

gehumeurd ⟨bn.⟩ **0.1** *tempered* ⇒*humoured* ◆ **3.1** hoe is hij ~ vandaag? *what sort of humour/temper is he in today?* **5.1** slecht/vrolijk/goed~ zijn *be bad-/ill-t., be in a cheerful mood, be good-humoured.*

gehuppel ⟨het⟩ **0.1** *hopping, skipping* ⇒*frisking, tittup.*

gehuwd ⟨bn.⟩ ⟨schr.⟩ **0.1** ⟨ongemarkeerd⟩ *married* ⇒*wed(ded)* ◆ **1.1** de~e staat *the m./ wedded state, wedlock* **5.1** gelukkig~ zijn *be happily m..*

gehuwde ⟨de⟩ **0.1** *married person.*

gei ⟨de⟩ ⟨scheep.⟩ **0.1** *clew line* ⇒*clew garnet.*

geiblok ⟨het⟩ ⟨scheep.⟩ **0.1** *clew jigger* ⇒*clew block.*

geien ⟨ov.ww.⟩ ⟨scheep.⟩ **0.1** *clew (up)* ⇒*brail.*

geigerteller ⟨de (m.)⟩ **0.1** *Geiger(-Müller) counter* ⇒*GM counter, Geiger.*

geijkt ⟨bn.⟩ **0.1** [v.d. ijk voorzien] ≠*(officially) stamped* **0.2** [algemeen gangbaar] *standard* ⇒*customary, traditional, accepted, common, stock* ◆ **1.2** hij komt altijd met het~e antwoord *he always comes up with the standard reply;* met Kerstmis aan er die~e kalkoen *at Christmas there was (always) the traditional/standard turkey;* de~e opmerking/ reactie *the stock remark/response;* het~e publiek *the customary crowd;* dat is de~e term/uitdrukking daarvoor *that's the standard term/expression for it.*

geil¹ ⟨het⟩ ⟨inf.⟩ **0.1** [sperma] *spunk* ⇒*come, cream,* ⟨zwart AE⟩ *love juice, scum* **0.2** [vrouwelijk afscheidingsvocht] † *lubrication, mucus.*

geil²

I ⟨bn., bw.; -ly⟩ **0.1** [⟨inf.⟩ wellustig] *randy,* ^Ahorny ⇒*sexy, hot to trot, lecherous* **0.2** [⟨plantk.⟩] *rank* ⇒*rich, luxuriant* ◆ **1.1** ~e beer/ bok *lecher,* ^Ahorny bastard;* een~e blik *a leer(ing look);* ~e gedachte /daad *lustful thought, deed;* een ~ lichaam *a sexy body;* ~e liedjes *bawdy songs;* ~e meid/trut *sexy piece,* ^Br. girl;* ⟨AE⟩ *hot number, fox(y chick), nice piece of ass* **3.1** ~ dansen/heupwiegen *dance/wiggle one's hips sexily;* ~ maken *turn/switch on;* ~ worden *become/get h./ r., get turned on, have the hots;* ~ zijn *lust, be lustful/r./ h.* **5.1** daar ben ik~ op *I lust after/for that* **6.1** ⟨vulg.⟩ hij is~ op die meid *he fancies that bird, he has hot pants for that bird;* ⟨AE⟩ *he's got the hots/ he's hot for that chick* **8.1** zo~ als boter *as r. as an old goat;* **II** ⟨bn.⟩ **0.1** [vruchtbaar] *very rich* ⇒*over-fertile, rank.*

geilaard ⟨de (m.)⟩ **0.1** *lecher* ⇒*randy one,* ⟨ouder persoon⟩ *dirty old man.*

geilen ⟨onov.ww.⟩ ⟨vulg.⟩ **0.1** *lust after,* ^Ahave the hots (for), lech* ◆ **6.1** ~ op iets/iem. *lust after sth./ s.o., have (got) the hots for sth./s.o..*

geilheid ⟨de (v.)⟩ **0.1** [in zijn geheel] *lewdness* ⇒*horniness, randiness, lecherousness,* ^A(the) hots **0.2** [mbt. de grond] *richness* ⇒*fertility, rankness* **0.3** [te weelderige groei] *rankness* ⇒*luxuriance, richness* ◆ **1.3** de~ van graan *the rank growth of the corn.*

geillustreerd ⟨bn.⟩ **0.1** *illustrated* ⇒*pictorial* ◆ **1.1** een ~ tijdschrift *an i. magazine, a picture paper.*

geïmpliceerd ⟨bn.⟩ **0.1** *implied* ⇒*implicit, tacit,* ⟨betrokken⟩ *implicated.*

geïmponeerd ⟨bn.⟩ **0.1** *impressed* ⇒*overawed.*

geïmponeerdheid ⟨de (v.)⟩ **0.1** *awe.*

geïmproviseerd ⟨bn.⟩ **0.1** *improvised* ⇒*ad lib, inpromptu, extempore, offhand* ◆ **1.1** ⟨muz.⟩ ~ accompagnement *improvised accompaniment;* ⟨eenvoudig⟩ *vamp;* een ~ maal *an improvised/ a makeshift meal.*

gein ⟨de (m.)⟩ ⟨inf.⟩ **0.1** [lol, plezier] *fun* ⇒*merriment, glee, high jinks* **0.2** [grap(je)] *joke* ◆ **3.1** ~ hebben/maken/trappen *have f., make merry/f.* **6.1** voor de~ (just) for f./ for the hell of it/ for a lark/ giggle; zonder~ *seriously (now)* **7.2** geen~tjes, jongens *no joking around now, folks* **¶**.2 wat een~! *big j.!, ha ha!, what a larf.*

geinig ⟨bn., bw.; -ly⟩ **0.1** *funny* ⇒*cute, neat* ◆ **1.1** een~e vent *a fun guy* **3.1** dat vind ik wel~ *I like that, that's pretty neat.*

geinlijn ⟨de⟩ **0.1** *jokeline.*

geinponem ⟨de (m.)⟩ ⟨inf.⟩ **0.1** *fun guy.*

geïnsinueerde ⟨de⟩ ⟨jur.⟩ **0.1** ⟨person on whom a writ is served⟩.

geïnspireerd ⟨bn., bw.⟩ **0.1** ⟨bn.⟩ *inspired* ⇒*animated,* ⟨bw.⟩ *with (great) inspiration/feeling/gusto* ◆ **1.1** ~e verzen *i. verses/poetry* **3.1** ~ raken door iem./ iets *be inspired bij s.o./ sth.;* hij speelt/vertolkt die rol/sonate~ *he plays the part/sonata with great feeling.*

geïntegreerd ⟨bn.⟩ **0.1** *integrated* ◆ **1.1** ⟨nat.⟩ ~e schakeling *i. circuit, IC.*

geïnteresseerd ⟨bn., bw.; -ly⟩ **0.1** [belanghebbend] *interested* **0.2** [belangstellend] *interested* ◆ **3.2** ~ toekijken *watch with interest* **6.1** ergens bij~ zijn *have an interest in sth.* **6.2** overal in~ zijn *be i. in a great many things/subjects.*

geïnterneerde ⟨de⟩ **0.1** *detainee* ⇒⟨ihb. mil.⟩ *internee.*

geïnterviewde ⟨de (m.)⟩ **0.1** *interviewee.*

geïntimeerde ⟨de⟩ ⟨jur.⟩ **0.1** *respondent* ⇒*defendant.*

geintje ⟨het⟩ ⟨inf.⟩ **0.1** *joke* ⇒⟨onschuldig⟩ *lark, prank, (wise)crack, game* ◆ **2.1** een rot~ *a dirty trick* **3.1** hij houdt wel van een ~ *he's (always) in for a lark, he's a real joker;* hij maakt geen ~s *he means business;* ~s uithalen *play jokes, lark;* het was maar een ~ *we were just kidding, it wasn't serious;* het was maar een ~ *it was only (meant as) a j.* **6.1** hij kon niet tegen een ~ *he couldn't take a j.* **7.1** geen ~s! *no tricks!, no joking around!.*

geïnvolveerdheid ⟨de (v.)⟩ **0.1** *involvement* ⇒⟨deelname⟩ *participation* ◆ **2.1** ideologische ~ *ideological i..*

geïrriteerd ⟨bn., bw.⟩ **0.1** ⟨bn.⟩ *irritated* ⇒*edgy, vexed, fretful, ruffled,* ⟨bw.⟩ *in an irritated way, in irritation, fretfully* ◆ **3.1** ~ raken door iem./ iets *be i./ exasperated bij s.o./ sth.;* ~ worden *be vexed;* ~ zijn *be on edge, be i.* **5.1** snel ~ *irritable.*

geiser ⟨de (m.)⟩ **0.1** [waterverwarmingstoestel] [B]*geyser,* [A]*(gas) water heater* **0.2** [warme springbron] *geyser* ⇒*hot spring.*

geisha ⟨de (v.)⟩ **0.1** *geisha.*

geit
 I ⟨de⟩ **0.1** [dier] *goat* ◆ **2.1** jong ~je *kid;*
 II ⟨de (v.)⟩ **0.1** [vrouwelijk dier] *she-goat* ⇒*nanny-goat* ◆ ¶.¶ vooruit met de ~! *let's get (going)!, on with it!.*

geitebaard ⟨de (m.)⟩ **0.1** [baard van een geit] *goat's beard* ⇒*(goat's chin) tuft* **0.2** [baard als die van een geit] *goatee* **0.3** [⟨plantk.⟩]⟨moerasspirea⟩ *meadowsweet;* ⟨Arunculus Sylvester⟩ *goatsbeard.*

geiteblad ⟨het⟩ **0.1** *honeysuckle* ⇒*woodbine.*

geitebok ⟨de (m.)⟩ **0.1** *billygoat* ⇒*he-goat.*

geitebreier ⟨de (m.)⟩ **0.1** *(old) duffer* ⇒*bore, fusspot.*

geitehaar ⟨het⟩ **0.1** [haar van geiten] *goat's hair* **0.2** [stof] *goat's wool.*

geiteharen ⟨bn.⟩ **0.1** *goat's wool.*

geitekaas ⟨de (m.)⟩ **0.1** *goat's cheese.*

geiteleer ⟨het⟩ **0.1** *goatskin* ⇒*cabretta, kid* ◆ **1.1** handschoenen in ~ *kid / doeskin gloves.*

geitemelk ⟨de⟩ **0.1** *goat's milk.*

geitemelker ⟨de (m.)⟩ **0.1** *goat-sucker* ⇒*night-jar, fern-owl.*

geiteoog ⟨de (m.)⟩ **0.1** [ring] *tickler* **0.2** [⟨plantk.⟩] *Aegilops.*

geitevel ⟨het⟩ **0.1** *goatskin.*

geitewol ⟨de⟩ **0.1** *goat's wool.*

gejaagd ⟨bn., bw.;-ly⟩ **0.1** *hurried* ⇒*agitated, hectic, nervous, flustered* ◆ **1.1** een ~e ademhaling *panting;* een ~e blik in de ogen *a nervous look in one's eyes;* een ~e polsslag *a racing pulse* **3.1** ~ spreken *talk hurriedly / in a rush/ agitatedly;* ~ in de weer zijn *bustle (about)* **4.1** hij heeft iets ~s *he seems a little nervous/ agitated/ flustered.*

gejaagdheid ⟨de (v.)⟩ **0.1** *agitation* ⇒*hurry, nervousness, rush, flurry.*

gejacht ⟨het⟩ **0.1** *hustle, hustling* ⇒*hurrying, hurry-scurry* ◆ **1.1** het ~ v.d. moderne tijd *the hustle and bustle/ rush and speed of modern times.*

gejakker ⟨het⟩ **0.1** *hustling, hustle (and bustle)* ⇒⟨in auto⟩ *tearing along, road-hogging, rushing along, speeding, scramble.*

gejammer ⟨het⟩ **0.1** *moaning* ⇒*lamentation(s), wailing.*

gejank ⟨het⟩ **0.1** *whining, whine* ⇒*yelp(ing),* ⟨zacht⟩ *whimper,* ⟨geween⟩ *blubber, sob.*

gejoel ⟨het⟩ **0.1** *shouting* ⇒*cheering, cheers, mirth,* ⟨afkeurend⟩ *catcall.*

gejouw ⟨het⟩ **0.1** *hooting, booing* ⇒*boos, jeering* ◆ **2.1** er ging een luid ~ op *there were loud boos.*

gejubel ⟨het⟩ **0.1** *cheers, cheering* ⇒*jubilation, shouting, exultation, rejoicing.*

gejuich ⟨het⟩ **0.1** *cheer(ing)* ⇒*acclaim, jubilation,* ⟨schr.⟩ *exultation* ◆ **3.1** een ~ aanheffen *raise a cheer;* er ging een ~ op *there was a cheer* **6.1** in ~ uitbarsten *break / burst into shouts;* iem. **met** ~ ontvangen *receive s.o. with great acclaim;* **onder** ~ betrad hij de zaal *he entered the hall amid cheers / cheering.*

gek¹ ⟨de (m.)⟩ ⟨→sprw. 19,45, 182-186,240, 278,339,623⟩ **0.1** [krankzinnige] *lunatic* ⇒*madman* ⟨m.⟩/ *madwoman* ⟨v.⟩, ⟨inf.⟩ *loon(y), nut(case)* **0.2** [dwaas/ onnozel persoon] *fool* ⇒*ass, idiot, dope* **0.3** [belachelijk persoon] *idiot* ⇒*fool, clown* **0.4** [komisch persoon] *buffoon* ⇒*clown, fool, idiot* **0.5** [⟨vaak in samenst.⟩ iem. met een bijzondere voorkeur]⟨zie 1.5,3.5⟩ **0.6** [narrenstaf] *(fool's) bauble* **0.7** [draaiende schoorsteenkap] *cowl, turn-cap* **0.8** [sluiting aan een klink] *latch* ◆ **1.5** hij is een boekengek *he's book-mad/ a book nut;* een modegek zijn *be fashion-mad/ a clothes horse* **2.1** een geniale ~ *an eccentric genius* **2.2** een oude ~ ⟨ook fig.⟩ *an old f., a silly old man* **2.3** een grote/ verwaande/ volslagen ~ *a great/ arrogant/ perfect fool* **3.3** ik, zei de ~ *yours truly* **3.4** de ~ uithangen *play the b., act the fool* **3.5** het is zoveel waard als een ~ *err voor wil geven it's worth whatever you can get for it* **6.2** iem. **voor** de ~ houden *pull s.o.'s leg;* iem. **voor** ~ laten lopen *send s.o. on a f.'s errand, send s.o. on a wild goose chase, make s.o. look ridiculous/ a fool/ foolish;* iem. **voor** ~ laten staan *make s.o. look a f.;* iem. **voor** ~ zetten *make a f. of s.o.* **6.4 voor** ~ lopen *look ridiculous/ a fool/ an idiot, have egg on one's face* **8.1** dat is too crazy for words, [A]*that's real weird* **8.1** ⟨fig.⟩ rijden als een ~ *ride/* ⟨in auto⟩ *drive like a maniac/ madman/ madwoman/ like the devil* **8.2** handelen/ zich gedragen als een ~ *act like a f..*

gek² ⟨→sprw. 484⟩
 I ⟨bn.⟩ **0.1** [krankzinnig] *mad* ⇒*crazy (with), insane* **0.2** [onverstandig, dwaas] *mad* ⇒*idiotic,* ↓*loony,* ⟨milder⟩ *silly, stupid, foolish,* ⟨BE ook⟩ *daft* **0.3** [vreemd, belachelijk] *crazy* ⇒*ridiculous, odd,* ⟨met ontkenning ook⟩ *bad* **0.4** [zeer gesteld (op)] *fond (of)* ⇒*keen (on), mad (about), crazy (about)* ◆ **1.2** dat is geen ~ idee *that's not a bad idea;* wat een ~ke vent *what an idiot/ weirdo* **1.3** een ~ figuur slaan *look ridiculous, make a bad impression;* geen ~ figuur slaan *not look bad, make a good impression;* een ~ke inval/ gedachte *a c. idea;* wat een ~ke kleren draagt-ie toch! *look at the c. clothes he's got on!;* op de ~ste plaatsen/ tijden *in the oddest/ most unlikely places, at the oddest times/ moments;* ~ke streken uithalen *play c. tricks, do c. things* **3.1** ik ben me daar ~ *catch me doing that!,* I wouldn't be seen dead doing that!; ben je nu helemaal ~ geworden! *have you gone out of your mind/* ⟨inf.⟩ *your tiny mind?, have you taken leave of your senses?;* je lijkt wel ~ *you must be m.* / *crazy;* het is om ~ van te worden *it is enough to drive you m.* / *crazy/* ⟨inf.⟩ *up the wall/ round the bend;* ~ zijn/ worden *be/ go m.* / *crazy;* ⟨fig.⟩ zich ~ zoeken naar iets *look high and low for sth., run round in circles looking for sth.* **3.2** ben je ~! *you're/ you must be kidding/ joking;* ik ben wel goed maar niet ~ *pull the other one (it's got bells on!), I'm not that stupid!;* hij is er ~ genoeg voor *he's mad enough to (do it), I wouldn't put it past him;* hij is zo ~ nog niet als hij er (wel) uitziet *he's not as stupid as he looks;* hij deed of hij ~ was *he pretended not to notice, he played ignorant;* je zou wel ~ zijn als je het niet deed *you'd be silly/* ⟨sterker⟩ *crazy/ m. not to (do it)* **3.3** het is ~, maar *it's odd, but ...;* er ~ uitzien *look ridiculous;* ik vind het maar ~ *I think it's ridiculous;* is ze kwaad? ja, vind je het ~ ? *is she angry? yes why, are you surprised?* **4.2** ⟨inf.⟩ die is ~! *you must be kidding!* **4.3** zoiets ~s heb ik nog nooit gezien *I've never seen anything so ridiculous in my life* **5.1** hij is hartstikke ~ *he's (stark) raving m., he's round the bend, he wants locking up, he's (completely) nuts/ crackers* **5.2** dat lijkt me niet ~ *that doesn't sound at all bad/ bad at all;* nou nog ~ker! *it's getting worse and worse; curiouser and curiouser!;* hij was nog zo ~ om het te doen ook *he was crazy enough/ was enough of a fool/ of an idiot to do it* **5.3** ~ genoeg *oddly/ strangely enough;* dat is lang niet ~ *that's not bad at all;* niet ~, hè? *not bad, eh?;* dat wordt te ~ *that's really taking it too far;* dat is nog niet zo ~ *that's not so bad* **5.¶** een te ~ke vogel *a fantastic* [B]*bloke/ guy* **6.1** ~ van angst/ de jeuk *crazy with fear/ the itching* **6.3** dat is te ~ om los te lopen *that's too ridiculous for words/ so ridiculous it isn't true;* ⟨inf.⟩ dat is van de ~ke *that's completely loony* **6.4** zij is ~ met die vent *van haar she's crazy about that guy of hers;* zij is ~ **op** haar vader *she thinks no end of her father;* hij is ~**op** die meid *he's crazy about that girl* **6.¶** ⟨inf.⟩ te ~, zeg! *wow, fantastic!;* een te ~ke meid *a fantastic girl* **7.3** het ~ke van de zaak/ kwestie is *the funny thing is* **¶.2** het wordt hoe langer hoe ~ker *it's going from bad to worse, this is just getting worse (and worse);*
 II ⟨bw.⟩ **0.1** [op bespottelijke wijze] *silly* ⇒*oddly,* ⟨met ontkenning ook⟩ *badly* **0.2** [⟨+niet⟩] *(not) all that* ◆ **3.1** je kunt het zo ~ niet bedenken of hij heeft het wel *you name it, he's got it;* doe maar gewoon, dan doe je (al) ~ genoeg *just be your normal idiotic self;* doe zo ~ *don't act/ be so s.;* ~ doen *act/ be s.;* het moet al ~ gaan als hij nu nog buiten de prijzen valt *I'd be surprised if he failed to get among the prizes now;* dat heb je niet ~ gedaan *you haven't done that (at all) badly;* dan zit/ sta je wel even ~ te kijken *it makes you sit up a bit;* ergens ~ van opkijken *really be surprised by/ really sit up at sth.* **5.2** hij werkt er nog niet zo ~ lang *he hasn't been working there all that long* **7.2** dat maakt niet zo ~ veel uit *that doesn't make all that much difference.*

gekabbel ⟨het⟩ **0.1** *babbling, babble* ⇒⟨beekje⟩ *lap(ping)* ⟨golven⟩; ⟨stroom⟩ *murmur, purl(ing).*

gekakel ⟨het⟩ **0.1** [het kakelen] *cackle* ⇒*cackling* **0.2** [gebabbel] *cackle* ⇒*chatter, prattle,* [A]⟨kalkoen⟩ *(yackety-)yack* ◆ ¶.1 wel ~, maar geen eieren *much ado/ a lot of fuss about nothing, a storm in a teacup.*

gekamd ⟨bn.⟩ **0.1** [een kam hebbend] *crested* ⇒⟨biol.⟩ *cristate* **0.2** [van een kammering uitsteeksel voorzien] *crested* **0.3** [⟨amb.⟩] *combed* ◆ **1.1** een ~e haan *a crested cock/* [A]*rooster.*

gekanker ⟨het⟩ **0.1** *grousing* ⇒*grouching, grouses, grumbling, grievance-mongering* ⟨onder personeel⟩.

gekant ⟨bn.⟩ ◆ **6.¶** tegen iets ~ zijn *be set against/ opposed to/ down on/ ill-disposed toward sth..*

gekanteeld ⟨bn.⟩ **0.1** *crenel(l)ated* ⇒*battlemented, castellated,* ⟨herald.⟩ *embattled.*

gekantrecht ⟨bn.⟩ ⟨amb.⟩ ◆ **1.¶** ~e delen *planed timber*

gekapt¹ ⟨het⟩ ⟨AZN⟩ **0.1** *mince(d meat)* ⇒⟨AE ook⟩ *hamburger.*

gekapt² ⟨bn.⟩ **0.1** [waarvan het haar opgemaakt is] *coiffured* **0.2** [een kap dragend] *hooded* **0.3** [⟨herald.⟩] *crested.*

gekarteld ⟨bn.⟩ **0.1** *serrated* ⇒⟨blad ook⟩ *crenated, milled* ⟨munt⟩, *knurled/ ridged* ⟨handvat⟩ ◆ **1.1** ~e bladeren *s. / crenated leaves;* een ~e dop *a knurled/ ridged cap/ top;* geldstukken met ~e randen *coins with milled rims/ edges.*

gekartonneerd ⟨bn.⟩ ⟨amb.⟩ **0.1** [in kartonnen band gebonden] *with cardboard covers* **0.2** [ingenaaid met kartonnen platten] *with cardboard covers.*

gekast 〈bn.〉 **0.1** *set.*
gekeperd 〈bn.〉 **0.1** *twilled* ◆ **1.1** ~ katoen *cotton twill.*
gekerm 〈het〉 **0.1** *moans, moaning* ⇒*lamentation(s), groans.*
gekeutel 〈het〉 **0.1** *quibbling* ⇒*nit-picking,* 〈geklets〉 *idle chat.*
gekeuvel 〈het〉 **0.1** *(chit-)chat, chatting* ⇒*tattle, chatter, gabble.*
gekheid 〈de (v.)〉 **0.1** [onverstand] *madness* ⇒*idiocy, lunacy,* 〈milder〉 *silliness, stupidity,* 〈BE ook〉 *daftness* **0.2** [iets grappigs] *pleasantry* ⇒ *raillery, joking, banter* **0.3** [dwaasheid] *foolishness* ⇒*madness, folly, idiocy* **0.4** [bespottelijk iets] *nonsense* ⇒*rubbish, rot* ◆ **3.2** ~ maken met iem. *joke with s.o., kid s.o., have s.o. on* **3.3** hij kan geen ~ verdragen *he won't stand any nonsense, he can't stand / take a joke* **6.1** **van** ~ niet weten wat men doen zal *do the silliest things* **6.2 uit** ~ *for the fun of it, for a lark / joke;* 〈opmerking〉 *in jest;* **zonder** ~ *seriously, no kidding* **6.3** schei toch uit **met** die ~ *stop that nonsense, cut the funny business, stop fooling around* **6.4** wat is dat **voor** ~ *what kind of n. / rubbish is that?* ¶**.2** alle ~ op een stokje / ter zijde / apart *(all) joking apart / aside, to be serious.*
gekibbel 〈het〉 **0.1** *squabbling* ⇒*bickering(s), squabble(s), argy-bargy, quarrelling* ◆ **2.1** hun kleingeestig ~ *over their petty squabblings / wrangling over.*
gekietel 〈het〉 **0.1** *tickling, tickle* ⇒*titillation.*
gekir 〈het〉 **0.1** *cooing* ⇒*gurgle* 〈baby〉.
gekkemanswerk 〈het〉 **0.1** *folly* ⇒*foolishness, madness, lunacy.*
gekken 〈onov.ww.〉 (→sprw. 187) **0.1** [bespotten] *make fun of* ⇒*poke fun at* **0.2** [gekheid maken] *joke* ⇒*jest, banter,* ↓*josh,* 〈schr.〉 *jape* ◆ **5.2** hij gekt maar wat *he's only joking* **6.1 met** iem. ~*fool / gull / trick s.o., pull s.o.'s leg;* **met** iets ~*make fun of / poke fun at sth.* **6.2 met** iem. ~ *j. / banter with s.o.;* **zonder** ~*! (all) joking apart / aside, seriously, no joking / kidding.*
gekkendag 〈de (m.)〉 **0.1** *April Fool's Day* ⇒*All Fools' Day.*
gekkengetal 〈het〉 **0.1** ≠*(number) eleven.*
gekkenhuis 〈het〉 **0.1** [inrichting] *madhouse* ⇒*nut-house,* ↓*loony bin,* ↓*funny farm,* ^*booby hatch,* ^*loony bin,* 〈fig.〉] *madhouse* ⇒ *nut-house, bedlam* ◆ **6.2** wat is dat hier **voor** een ~ *what kind of a m. / nut-house is this.*
gekkennummer →**gekkengetal.**
gekkenpraat 〈de (m.)〉 **0.1** *raving(s)* ⇒*gibberish, nonsense.*
gekkenwerk 〈het〉 **0.1** *a mug's game* ⇒*drudgery* ◆ **3.1** dat is ~! *that's a mug's game / madness.*
gekkerd 〈de (m.)〉 **0.1** *silly (thing / billy).*
gekkigheid 〈de (v.)〉 **0.1** *folly* ⇒*foolishness, madness, silliness, lunacy* ◆ **6.1** ze weten **van** ~ niet wat ze moeten doen *they're (completely) at a loose end.*
gekko 〈de (m.)〉 **0.1** *gecko.*
geklaag 〈het〉 **0.1** [gejammer] *lamentation* ⇒*moaning, wailing* **0.2** [het klachten uiten] *complaining* ⇒*moaning, grumbling* ◆ **6.2** ~ **over** slecht bestuur *c. / grumbling about bad government.*
geklater 〈het〉 **0.1** *splash(ing), splatter(ing)* ⇒*rattle* 〈applaus〉, 〈fontein ook〉 *plash, dash.*
geklauwd 〈bn.〉 **0.1** [met klauwen] *clawed* ⇒〈schr.〉 *unguiculate* **0.2** [〈herald.〉] *taloned.*
gekleed 〈bn.〉 **0.1** [zijn kleren aan hebbend] *dressed* **0.2** [mbt. kleding] *formal* ⇒*smart, dressy* **0.3** [de voorgeschreven kleding dragend] *dressed for the occasion* ◆ **1.1** een ~ kostuum *formal dress* **1.2** een geklede japon *a smart dress;* een geklede jas *a frock-coat / sur tout* **3.2** dit kostuum staat ~ *this suit looks smart / dressy* **3.3** iedereen komt vanavond ~ *everyone is coming in evening dress tonight* **5.1** hij is keurig / netjes ~ *he is well-dressed;* hij is piekfijn / chic ~ *he is nattily dressed / well turned out;* hij is slecht / slordig ~ *he is badly dressed / a ragbag* **6.1** in het zwart ~ *dressed in black.*
geklep 〈het〉 **0.1** *tolling, clanging* 〈klok〉 ⇒*clack, clapping* 〈ooievaar〉, *endless chatter* 〈van persoon〉 ◆ **4.1** hou eens op met dat ~! *could you stop talking for a minute!.*
geklepper 〈het〉 **0.1** *clatter(ing), clip-clop* 〈hoeven〉; *clatter, clapping, flapping* 〈vleugels〉; *rattling* 〈molenwiel〉.
geklets 〈het〉 **0.1** [geleuter] *chatter* ⇒*babble, jaw, claptrap* **0.2** [kletsend geluid maken] *smack(ing)* ⇒*whacking, thwack(ing)* ◆ **1.2** het ~ van de zweep *the crack of the whip* **2.1** slap / zinloos ~ *twaddle, slipslop, wishwash, blah(-blah)* **6.1** ~ in de ruimte *hot air;* ~ **over** de buren *scandalmongering / gossip about the neighbours* **6.2** ~ **met** water *sound of splashing water.*
gekletter 〈het〉 **0.1** *clatter(ing)* ⇒(pitter-)patter, pelt 〈regen〉, rattle 〈hagel〉, *clanging, rattle, clang(our)* 〈wapens〉, *clank(ing), clash(ing), rattling* 〈sabels, sporen enz.〉.
gekleurd 〈bn.〉 **0.1** [een bepaalde kleur hebbend] *coloured* **0.2** [geverfd] *coloured* **0.3** [〈fig.〉] *coloured* ⇒*colourful* ◆ **1.1** een ~e bril *tinted glasses / spectacles;* iets door een ~e bril zien *have a coloured view of sth.;* 〈licht〉 ~ papier *toned paper;* de ~e rassen *the c. races;* ~e wangen *rosy / ruddy cheeks* **1.2** ~ glas *stained / c. glass;* ~e prenten / stoffen *c. prints / dyed fabrics* **1.3** een ~ verhaal *a biased story;* een ~e voorstelling van zaken *a biased / one-sided version of the facts* **3.**¶ er ~ op staan *look (pretty) silly / a fool, have egg on one's face.*
geklingel 〈het〉 **0.1** *jingle, jingling* ⇒*tinkle, tinkling, chime, ring(ing), tintinnabulation.*

gekloft 〈bn.〉 〈inf.〉 **0.1** [mooi] *pretty* ⇒*nice, cute* **0.2** [fijn gekleed] *smart* ⇒*snazzy, natty* ◆ **7.2** 〈zelfst.〉 het ~e *a s. get-up.*
geklok 〈het〉 **0.1** [hol keelgeluid] *gurgle / ling, guggle* **0.2** [klank van uitgeschonken vocht] *glug-glug, guggle* **0.3** [geluid van kip] *clucking.*
geklonken 〈bn.〉 **0.1** *riveted* ⇒*clinched* ◆ **1.1** ~ platen *r. plates.*
gekloofd 〈bn.〉 **0.1** [door kloven gescheiden] *split* ⇒*cleft* **0.2** [met kloven] *chapped* ◆ **1.1** ~ hout *chopped wood* **1.2** ~e vingers *c. fingers.*
geklooi 〈het〉 **0.1** *fooling around* ⇒*messing about.*
gekloot 〈het〉 〈inf.〉 **0.1** [geklungel] *messing / farting around /* 〈BE ook〉 *about* ⇒〈AE ook〉 *goofing / screwing around* **0.2** [vervelend gedoe] *messing / pissing around /* 〈BE ook〉 *about* ⇒ 〈BE ook〉 *arsing about / around,* 〈AE ook〉 *screwing around.*
geklungel 〈het〉 **0.1** *fiddling (about), tinkering* ⇒*bungling,* 〈slordig (naai)werk〉 *botch(ing), cobbling, botched job.*
gekluns 〈het〉 **0.1** 〈sl.〉 *bungling, botching* ⇒*clumsiness.*
geknars 〈het〉 **0.1** *gnashing* 〈ihb. tanden〉 ⇒*grating, creak(ing)* 〈scharnier, verroest ijzer〉, *grind(ing)* 〈wiel, remmen〉, *crunch(ing), jar* 〈stappen in grind〉.
geknecht 〈bn.〉 **0.1** *oppressed* ⇒*enslaved* ◆ **1.1** een ~ volk *an o. people.*
geknetter 〈het〉 **0.1** *crackle, crackling* ⇒*crepitation* 〈elektrisch apparaat〉, *rattle* 〈(machine)geweer〉, *crash, boom(ing)* 〈donder〉, *sputtering, spatter, sizzle* 〈gesmolten boter〉.
gekneveld 〈bn.〉 **0.1** [gebonden] *pinioned* ⇒*trussed up, tied up* **0.2** [onderdrukt] *oppressed* ⇒*enslaved* **0.3** [een knevel hebbend] *moustached.*
geknikt 〈bn.〉 **0.1** [〈plantk.〉] *geniculate* **0.2** [geknakt] *snapped* ⇒*broken, bruised* 〈riet〉.
geknipt 〈bn.〉 ◆ **1.**¶ hij is er de ~e man voor *he is just the man / the very man, he's a natural* **6.**¶ ergens **voor** ~ zijn *be cut out for sth. / to be sth.;* die baan is als ~ **voor** mij *that job is just the thing for me / would suit me down to the ground;* hij is **voor** haar ~ *he was made / meant for her.*
geknoei 〈het〉 **0.1** [slordig werk] *mess(-up)* ⇒*botch(-up), bungling* **0.2** [gemors] *messing* ⇒*splashing about* **0.3** [het oneerlijk te werk gaan] *tampering / fiddling (with)* ⇒*funny business, fraud* ◆ **1.1** ~ van beunhazen *a bungled / botched mess / job* **2.1** ondeskundig ~*inexpert bungling* **2.3** politiek ~ *graft, political intrigue* **3.1** dat ~ kun je op school niet inleveren *you can't hand that mess in at school* **6.1** ~ **aan** een motor *tinkering with / fiddling about with an engine* **6.2** ~ **met** water *messing / splashing about with water* **6.3** ~ **bij** de verkiezingen *rigging in the elections, fraudulent practices / funny business in the elections;* ~ **in / met** de boekhouding *cooked accounts, funny business / juggling with the accounts;* ~ **met** melk / wijnen *adulteration of milk / wine;* ~ **met** prijzen *manipulation of prices.*
geknor 〈het〉 **0.1** *grunt(ing)* ⇒*grumbling.*
geknutsel 〈het〉 **0.1** 〈prutswerk〉 *pottering, niggling (work);* 〈lapwerk〉 *patchwork;* 〈timmerwerk uit liefhebberij〉 *carpentering;* 〈andere liefhebberijen〉 *hobby work.*
gekoeld 〈bn.〉 **0.1** *cooled* ⇒〈onder het vriespunt〉 *frozen* ◆ **1.1** ~ bier *refrigerated beer;* met lucht ~ *air-c.;* ~ vlees *chilled meat.*
gekonkel 〈het〉 **0.1** *intrigue* ⇒*scheming, plotting, underhand doings.*
gekoppeld 〈bn.〉 **0.1** *joined* ⇒*linked, connected, coupled* 〈honden, wagons〉 ◆ **1.1** 〈muz.〉 de ~e klavieren van een orgel *the coupled manuals of an organ;* 〈tech.〉 ~e stroom / spanning *coupling* **5.1** paarsgewijs ~ *conjugate, paired.*
gekorreld 〈bn.〉 **0.1** *granular.*
gekostumeerd 〈bn.〉 **0.1** *costume* ⇒*fancy dress* ◆ **1.1** een ~ bal *a fancy dress / c. ball;* een ~e optocht *a fancy dress parade.*
gekraagd 〈bn.〉 **0.1** [met een kraag] *collared* **0.2** [mbt. vogels] *ring-necked* ⇒*collared, torquate* ◆ **1.2** ~e eend *r. -n. duck;* ~ roodstaartje *redstart, redtail(ed hawk), starfinch;* ~e tortelduif *ruff.*
gekrabbel 〈het〉 **0.1** [gekrab] *scratching* **0.2** [geschrijf, schrift] *scribble, scribbling* ⇒*scrawl,* 〈willekeurig〉 *doodle, doodling* **0.3** [mbt. schaatsenrijden] *scrabbling (along).*
gekrakeel 〈het〉 **0.1** *squabbling(s), wrangling* ⇒*bickering(s), squabble(s), haggle, fray, quarreling.*
gekras 〈het〉 **0.1** [mbt. een scherp voorwerp] *scratch(ing)* ⇒*scrape, scraping* **0.2** [mbt. een viool] *scraping* **0.3** [mbt. vogels] *screech(ing)* ⇒*caw(ing)* 〈kraai, roek〉 **0.4** [slordige afbeelding] *scribble* ◆ **1.1** het ~ van een pen op het papier *the scratching of a pen on paper* **1.3** het ~ van een raaf / uil *the croaking of a raven, the screech(ing) / hoot(ing) of an owl* **6.4** ~ **met** krijt op de muren *chalking on walls.*
gekrenkt 〈bn.〉 **0.1** [gekwetst] *hurt* ⇒*offended, aggrieved* **0.2** [〈schr.〉 mbt. de geest] *unbalanced* ⇒*deranged, unhinged* ◆ **3.1** zich ~ voelen *take offence.*
gekreukeld 〈bn.〉 **0.1** *wrinkled* ⇒*wrinkly, (c)rumpled, creased, crinkled, crinkly* ◆ **1.1** een ~ overhemd *a creased / (c)rumpled shirt;* een ~ papier *a crumpled / creased piece of paper.*
gekreun 〈het〉 **0.1** *groan(s), moan(s)* ⇒*groaning, moaning.*
gekriebel 〈het〉 **0.1** [gekietel] *tickle, tickling* ⇒*itch(ing)* **0.2** [onduidelijk schrift] *scribble, scribbling* ⇒*scrawl.*
gekrijs 〈het〉 **0.1** *scream(ing)* ⇒*screech(ing)* 〈van vogel〉 ◆ **1.1** het ~ van de zeemeeuwen *the crying of the seagulls* **2.1** een hartverscheurend ~ *a blood-curdling scream.*

gekrioel ⟨het⟩ **0.1** *swarming*.

gekroesd ⟨bn.⟩ **0.1** [mbt. haar/wol] *frizzy, fuzzy* ⇒*Afro* ⟨kapsel⟩ **0.2** [mbt. bladeren] *scalloped* ⇒*crenated* ♦ **1.2** ⟨plantk.⟩ ~e rolvaren *parsley fern*.

gekromd ⟨bn.⟩ **0.1** *bent* ⇒*curved* ⟨lijn⟩, *hooked, aquiline* ⟨neus⟩ ♦ **1.1** met ~e rug *bent, with a b. back* **3.1** ~ gaan/lopen *stoop*.

gekroond ⟨bn.⟩ **0.1** [een kroon dragend] *crowned* **0.2** [met een kroon afgebeeld] *crowned* ♦ **1.1** ⟨fig.⟩ een ~ hoofd *a c. head* **1.2** ⟨herald.⟩ een ~e leeuw *a c. lion* **6.1** met lauweren ~*laureate*.

gekruid ⟨bn.⟩ **0.1** [pikant] *spiced* ⇒*spicy, seasoned, hot* **0.2** [⟨fig.⟩] *spicy* ⇒*juicy, hot, racy* ♦ **1.2** een ~e stijl *a racy style* **5.1** scherp ~ *highly seasoned*.

gekruisigd ⟨bn.⟩ **0.1** *crucified* ♦ **7.1** de Gekruisigde *the Crucified*.

gekruist ⟨bn.⟩ **0.1** [kruiselings over elkaar geplaatst] *crossed* **0.2** [ontstaan door kruising] *crossed* ⇒*cross-bred* ⟨dieren⟩, *cross-fertilized, cross-pollinated* ⟨planten⟩ **0.3** [van een kruis voorzien] *crossed* ⇒*cross-marked* ♦ **1.1** met ~e armen *with arms c.;* met ~e benen *with legs c., cross-legged;* ~e knekels/beenderen *crossbones;* ~ rijm *alternating rhyme;* ⟨herald.⟩ ~e sleutels *crosskeys* **1.2** ⟨biol.⟩ ~e bloemen *hybrid flowers;* een ~ras *cross-breed* **1.¶** ⟨geldw.⟩ ~e cheque *a c. cheque*.

gekruld ⟨bn.⟩ **0.1** [krullend] *curly* ⇒*crinkly,* ⟨met krultang⟩ *curled, crimped* **0.2** [krulsgewijze gebogen] *curled* ⇒*furled* ♦ **1.1** ~ haar *curly hair* **1.2** een ~ blad *a curled/crisped/furled leaf;* ~e zuring *curled dock* **5.1** sterk ~ *tightly curled, frizzy*.

gekscheren ⟨onov.ww.⟩ **0.1** [spotten] *poke fun (at)* ⇒*make fun of,* ↓*cod,* [A]*josh* **0.2** [schertsen] *joke* ⇒*banter,* [A]*josh,* ⟨schr.⟩ *jest, jape* ♦ **3.2** ~d iets zeggen *say sth. jokingly/in joke/in jest/in fun* **6.1** ~ met iem. / iets *poke fun at s.o. / sth., make fun of s.o. / sth.;* niet met iets ~ *find sth. no joke / laughing matter, take sth. seriously;* hij laat niet met zich ~ *he will stand no nonsense, you can't pull the wool over his eyes* **6.2** zonder ~ *(all) joking apart/aside, in earnest.*

gekskap ⟨de⟩ **0.1** [narrenkap] *fool's cap* **0.2** [nar] *fool* ⇒*joker, clown.*

gekte ⟨de (v.)⟩ ⟨inf.⟩ **0.1** *lunacy* ⇒*insanity* ♦ **6.1** een aan ~ grenzende neiging om namen te onthouden *an almost insane ability to remember names*.

gekuch ⟨het⟩ **0.1** *coughing* ⇒*hem(ming).*

gekuifd ⟨bn.⟩ **0.1** [van een kuif voorzien] *crested* ⇒*cristate,* ⟨vogel ook⟩ *tufted* **0.2** [⟨plantk.⟩] *tufted* ♦ **1.1** een fraai ~ hoofd *a beautiful head of hair.*

gekuip ⟨het⟩ **0.1** *intrigue* ⇒*scheming, plotting, machinations* ⟨mv.⟩.

gekuist ⟨bn.⟩ **0.1** [mbt. taal, stijl, smaak] *sober* ⇒*pure, cultured* **0.2** [mbt. geschriften, films] *expurgated* ⇒*edited, cut,* ⟨pej.⟩ *bowdlerized* ♦ **1.2** een ~e versie *an expurgated/edited/a cut version.*

gekunsteld ⟨bn., bw.;-ly⟩ **0.1** *artificial* ⇒*affected, laboured, elaborate, mannered* ♦ **1.1** ~e eenvoud *affected simplicity;* een ~e glimlach *a forced/an affected smile;* een ~ personage *a cardboard character;* een ~e stijl *an artificial/affected/elaborate/a laboured/stilted/precious style* **3.1** ~ doen/spreken/schrijven *attitudinize.*

gekunsteldheid ⟨de (v.)⟩ **0.1** *artificiality* ⇒*affectation,* ⟨ook concr.⟩ *mannerism, preciosity.*

gekwalificeerd ⟨bn.⟩ **0.1** [gerechtigd] *qualified* ⇒*authorized, regular* **0.2** [bekwaam] *qualified* ⇒*skilled, capable, competent, expert* **0.3** [van betekenis] *qualified* ⇒*skilled, expert* ♦ **1.1** een ~ arts *a q. doctor;* ~e personen *q. persons* **1.2** een ~onderzoeker *a q. / competent/ capable researcher* **1.3** ~e arbeid *skilled labour* **1.¶** ⟨jur.⟩ ~e bekentenis *a q. confession;* ⟨jur.⟩ ~e diefstal *aggravated larceny/theft;* ~e meerderheid *a q. majority;* ⟨jur.⟩ ~e straf *a q. sentence* **6.1** ~ tot/voor *q. for sth.* **6.2** ~ om ... *q. to ....*

gekwebbel ⟨het⟩ **0.1** *chatter* ⇒*cackling, jabber, gabble,* ↓*(yackety-)yack.*

gekweel ⟨het⟩ ⟨iron.⟩ **0.1** *warbling* ⇒⟨weemoedig gezang⟩ *crooning.*

gekweld ⟨bn.⟩ **0.1** *tormented* ⇒*tortured, anguished, harassed* ♦ **1.1** een ~e gelaatsuitdrukking *a pained expression* **6.1** door gewetensnood/ zijn geweten ~ *conscience-stricken/-smitten, haunted by one's conscience;* door wroeging ~ *contrite, martyred by remorse.*

gekwetst ⟨bn.⟩ **0.1** [gewond] *hurt* ⇒*wounded, injured* **0.2** [beledigd] *hurt* ⇒*offended, aggrieved* ♦ **3.2** zich ~ voelen *take offence.*

gekwetste ⟨de (m.)⟩ ⟨AZN⟩ **0.1** *injured (person)* ⇒*wounded (person), casualty* ♦ **7.1** zes ~en *six injured/wounded/casualties.*

gekwetstheid ⟨de (v.)⟩ **0.1** *indignation* ⇒*annoyance.*

gekwetter ⟨het⟩ **0.1** ⟨van mussen bv.⟩ *twitter(ing)* ⇒*chatter, chirping.*

gekwijl ⟨het⟩ **0.1** *drivelling* ⇒*slobber.*

gel ⟨het, de (m.)⟩ **0.1** *gel* ⇒*jelly,* ⟨scheik. ook⟩ *coacervate.*

gelaagd ⟨bn.⟩ **0.1** [uit lagen bestaand] *layered* ⇒*laminate(d), stratified,* ⟨geol.⟩ *straticulate,* ⟨geol., biol.⟩ *stratal* **0.2** [hiërarchisch] *stratified* ⇒*stratal* ♦ **1.1** ~ gebak *layer cake;* ~ glas *safety/laminated glass;* ~ hout *bonded/laminated wood, plywood;* een ~e maatschappij *a stratal/ stratified society* **1.2** ~e vertegenwoordiging *stratified representation.*

gelaagdheid ⟨de (v.)⟩ **0.1** *stratification* ⇒⟨metaal bv.⟩ *lamination* ♦ **2.1** maatschappelijke ~ *social s..*

gelaarsd ⟨bn.⟩ **0.1** *booted* ⇒*in boots, with boots on* ♦ **1.1** de ~e Kat *Puss in Boots* **2.1** ~ en gespoord *booted and spurred, all set, ready to go.*

gelaat ⟨het⟩ ⟨schr.⟩ **0.1** *countenance* ⇒*visage,* ⟨ongemarkeerd⟩ *face* ♦

2.1 een bleek ~ *a pale/pallid c. / visage/face;* een blij/ bedroefd ~ *a bright/joyful/sad c. / visage/face;* zijn ware ~ tonen/verbergen *reveal / mask one's true c., show/hide one's true colours* **3.1** het ~ fronsen *frown, knit one's brows* **6.1** met een open/bleek ~ *open-/pale-faced, open-/pale-visaged, open-/pale-countenanced.*

gelaatkunde ⟨de (v.)⟩ **0.1** *physiognomy.*

gelaatshoek ⟨de (m.)⟩ **0.1** *facial angle.*

gelaatsindex ⟨de (m.)⟩ **0.1** *facial index.*

gelaatskleur ⟨de⟩ **0.1** *complexion* ♦ **2.1** iem. met een lichte/donkere ~ *s.o. of fair/dark c.;* een ongezonde ~ *an unhealthy/pasty/sallow c..*

gelaatsnet ⟨het⟩ **0.1** *camouflage net.*

gelaatstrekken ⟨zn.mv.⟩ **0.1** *features* ⇒*lineaments* ♦ **2.1** scherpe ~ *sharp/chiselled f.;* met zachte/delicate ~ *with soft/delicate f.* **6.1** zonder ~*featureless.*

gelaatsuitdrukking ⟨de (v.)⟩ **0.1** *expression* ⇒*look, mien.*

gelaatszenuw ⟨de⟩ **0.1** *facial nerve.*

gelach ⟨het⟩ **0.1** *laughter* ⇒⟨in zichzelf⟩ *chuckling,* ⟨in vuistje⟩ *sniggering, snickering* ♦ **2.1** een balkend ~ *a horse-laugh, a hee-haw;* een bulderend ~ *uproarious l.;* er klonk gesmoord ~ *the sound of subdued/ suppressed/stifled l. could be heard;* in luid ~ uitbarsten *break/burst into a loud laugh, burst out laughing;* een luid/uitbundig/schaterend ~ *loud/boisterous/roaring l., bursts/peals of l.;* een onbedaarlijk ~ *irrepressible/uncontrollable/Homeric l..*

geladen ⟨bn.⟩ **0.1** [van lading voorzien] *loaded* ⇒*charged* **0.2** [elektrische spanning dragend] *charged* **0.3** [op het punt van uitbarsten] *charged* ⇒*strained, pregnant, tense, explosive* ♦ **1.1** een ~ geweer *a l. rifle;* ⟨fig.⟩ een ~ verhaal *a story charged/packed with suspense* **1.2** een positief/negatief ~ lichaam *a positively/negatively c. body* **1.3** een ~ atmosfeer/stemming *a c. / strained/tense/an explosive atmosphere;* een ~ stilte *a pregnant pause;* ~ woorden *words pregnant/c. with meaning* **3.3** ⟨van personen⟩ hij kwam ~ aan de start *he was raring to go* **5.3** een emotioneel ~ toespraak *an emotionally c. / a loaded speech.*

geladenheid ⟨de (v.)⟩ **0.1** [innerlijke spanning] *tension* ⇒*explosiveness* **0.2** [rijkdom aan inhoud] *pregnancy* ⇒*import.*

gelaedeerde ⟨de (m.)⟩ ⟨jur.⟩ **0.1** *injured/aggrieved party.*

gelag ⟨het⟩ **0.1** [vertering] *food and drink* **0.2** [eet- en drinkpartij] *meal out* ♦ **2.1** vrij ~ *drinks on the house* **2.¶** een hard gelag *hard lines, a bad break* **3.1** het ~ betalen ⟨ook fig.⟩ *foot the bill;* ⟨fig. ook⟩ *pay the Piper, carry the can* **3.2** aan het ~ deelnemen *join (s.o.) at table.*

gelagerd ⟨bn.⟩ **0.1** *running in bearings* ⇒*carried/supported on bearings* ♦ **1.1** de krukassen *crankshafts carried/supported on bearings, crankshafts running in bearings.*

gelagkamer ⟨de⟩ **0.1** *bar,* [A]*barroom.*

gelakt ⟨bn.⟩ **0.1** *varnished* ⇒*laquered, shellacked* ♦ **1.1** ~e nagels *v. / polished nails;* ~ papier *laquered paper.*

gelambrizeerd ⟨bn.⟩ ⟨amb.⟩ **0.1** *wainscoted* ⇒*panelled.*

gelamelleerd ⟨bn.⟩ **0.1** *laminate(d)* ⇒*bonded* ♦ **1.1** ~ hout *l. / bonded wood, plywood.*

gelamenteer ⟨het⟩ **0.1** *wailing* ⇒*moaning, lamenting, lamentation,* ⟨klagen ook⟩ *complaining.*

gelang ⟨het⟩ ♦ **6.¶** (al) naar ~ *as, according to, in accordance with, in proportion to;* ieder betaalt naar ~ (van) zijn vermogen *everyone pays according to his income;* men wordt betaald naar ~ (van) zijn arbeid *each is paid according to the work done;* de waren worden duurder naar ~ (dat) de prijs van de grondstoffen stijgt *the products become more expensive as the price of raw materials rises;* naar ~ van zaken/omstandigheden *as circumstances require.*

gelardeerd ⟨bn.⟩ **0.1** [met spek doorschoten] *larded* **0.2** [vol van] *larded* ⇒*garnished* ♦ **1.1** ~e lever *liver and bacon* **6.2** een met grappen ~e toespraak *a speech l. / garnished with jokes.*

gelasten ⟨ov.ww.⟩ **0.1** *order* ⇒*direct, instruct, charge,* ⟨schr.⟩ *bid* ♦ **1.1** de rechter van instructie gelastte een onderzoek *the examining magistrate directed an inquiry to be held* **3.1** iem. ~ het pand te ontruimen *o. / direct/instruct s.o. to vacate the premises.*

gelastigde ⟨de (m.)⟩ **0.1** *delegate* ⇒*deputy, proxy.*

gelaten ⟨bn., bw.;-ly⟩ **0.1** *resigned* ⇒*uncomplaining, stoical* ♦ **1.1** een ~ houding/stemming *a r. attitude/mood* **3.1** iets ~ afwachten *be r. to the outcome of sth..*

gelatenheid ⟨de (v.)⟩ **0.1** *resignation* ⇒*equanimity, stoicism.*

gelatine ⟨de⟩ **0.1** *gelatine* ⇒⟨opgelost⟩ *gel, jelly* ♦ **2.1** plantaardige ~ *agar(-agar).*

gelatineachtig ⟨bn.⟩ **0.1** *gelatinous* ⇒*gelatinoid* ♦ **3.1** ~ worden *gelatinize.*

gelatinepudding ⟨de (m.)⟩ **0.1** *jelly* ⇒*gelatin(e),* [A]*jello.*

gelauwerd ⟨bn.⟩ **0.1** [met lauweren versierd] *laurelled* ⇒*laureate, crowned with laurel* **0.2** [geroemd] *laureate* ♦ **1.1** zijn ~ hoofd *his laurelled/laureate head* **1.2** een ~ dichter *a poet l..*

gelazer ⟨het⟩ ⟨inf.⟩ **0.1** [moeilijkheden] *load of trouble* **0.2** [gezanik, gedoe] *fuss* ♦ **3.1** daar heb je 't ~ *that means trouble, here/there we go;* daar krijg je ~ mee *that is going to get you into trouble/hot water, that is going to make trouble for you,* [A]*you'll get a lot of nonsense/ trouble/crap/hassle from that.*

geld ⟨het⟩ ⟨→sprw. 41,122, 185,188-205,381, 564,629⟩ **0.1** [betaalmiddel] *money* ⇒*currency, cash* **0.2** [(geld)middelen] *money* ⇒*cash, funds, resources* **0.3** [bedrag] *money* ⇒*amount, sum, price, rate* ◆ **1.1** je ~ of je leven *your m. or your life!;* ⟨gesch.⟩ *stand and deliver* **1.2** ~ en goed *property;* het is een kwestie van ~ *it is a question / matter of m.;* de macht van het ~ *the power of m.* / *big business;* een smak / hoop / berg ~ *oceans / bags / barrels / heaps / oodles / pots / stacks of m., a pot of m.* **2.1** baar / contant / gereed ~ *cash, ready m.;* grof ~ verdienen *mint / coin m., coin the m.* / *it in, make big m.* / *a packet / a pile / a mint;* groot ~ *notes,* ^Abills; klein ~ *(small) change;* papieren / gemunt ~ *paper m., notes,* ^Abills; ⟨gemunt⟩ *coin(s), specie;* vals ~ *bad m., base coin, counterfeit (m.), flash m.;* in / met vreemd ~ betalen *pay in foreign currency;* vuil ~ *dirty m., ill-gotten gains;* dat is ~ waard *that is worth a lot of m., is valuable;* ⟨fig.⟩ *that is priceless / beyond price / worth its weight in gold;* zwart ~ ^↑*undisclosed income, m. received under the counter* **2.2** beschikbare ~ en *available monies;* goed ~ verdienen *make good m.;* goed ~ naar kwaad ~ gooien *throw good m. after bad, throw the helve after the hatchet;* voor hetzelfde ~ krijg je daar meer *you get more there for the same m.;* ~ ! *that's your m.;* het is weggegooid ~! *that's a (sheer) waste of m.;* met erg weinig ~ beginnen *start on a shoestring* **2.3** grof ~ betalen voor iets *pay through the nose for sth.;* kinderen betalen half ~ *children (at) half-price, half-rates for children;* het nodige ~ verzamelen *raise the necessary funds / m.;* toevertrouwde ~ en *trust fund / m.* **3.1** bulken van / zwemmen in het ~ *be loaded (with dough), be rolling in m.* / *it, stink of / with m., have m. on tap, have oodles / oceans / pots of money;* ~ drukken *print m.;* ⟨fig.⟩ ~ in het water gooien *waste / squander m., throw m. away;* ⟨fig.⟩ het ~ groeit mij niet op de rug *I'm not made of m.;* het ~ voor het grijpen hebben *have m. for the asking;* ⟨fig.⟩ niet op ~ kijken *not turn over every penny, not watch the pennies;* je hoeft niet op ~ te kijken *m. is no object;* ⟨fig.⟩ iem. ~ uit de zak kloppen *bilk / con / wheedle m. out of s.o., extort m. from s.o., bamboozle s.o. out of his m.;* ~ laten rollen *make the m. fly;* ~ slaan / (aan)munten *mint / coin m.;* ⟨fig.⟩ hij slaat overal ~ uit *he turns everything to good account, all is grist that comes to his mill;* smijten met ~ ⟨fig.⟩ *make the m. fly, splash m. about, squander m., throw one's m. about;* ~ in iets steken *invest (m.) in sth., sink / pump / pour / put / plough m. into sth.;* ~ wisselen *change m.* **3.2** iem. ~ afpersen *exact / extort m. from s.o.,* waar blijft al dat ~? *where does all that m. go (to)?;* ~ dokken / ophikken / neertellen *fork out m., dip into one's pocket;* ~ hebben *be in the money, be well-off;* geen ~ hebben *be broke, be down on one's uppers, be out of m.* / *cash / pocket;* dat experiment heeft mij (veel) ~ gekost *that experiment cost me a pretty penny, I lost over that experiment;* zij heeft ~ van zichzelf *she has private means / m. of her own;* ~ inzetten op een paard *stake / bet m. on a horse;* het ~ erdoor jagen *splash out, squander the m.;* ~ en misbruiken *misappropriate / misapply funds;* ⟨jur.⟩ *defalcate;* dat huis moet (heel wat) ~ gekost hebben *that house must have cost a pretty penny / a fortune / a king's ransom;* dat zal zijn ~ wel opbrengen *that will pay (for itself);* iem. die veel ~ uitgeeft *a big spender;* ~ uitgeven als water *spend money like water;* ~ uittrekken voor een project *allocate m. for a project;* daar is een bom ~ mee te verdienen *there's big m. in that;* zijn ~ erbij verliezen / inschieten *lose (one's m.) on sth.;* het project verslindt ~ *the project eats m.;* ik zou nu wel eens ~ willen zien! *I should like to see the colour of your m.!* **3.3** ik zal het ~ er gauw weer uit hebben *it will soon pay for itself;* het ~ voor een treinkaartje uitsparen *save the cost / price of a train ticket;* zijn die ~ en al verrekend? *have these amounts been paid?* **5.3** niet goed? ~ terug *m. refunded / back if not satisfactory, m.-back guarantee* **6.1** honderd gulden aan ~ *a hundred guilders in cash;* die waarde is niet in ~ uit te drukken *you can't put a price on it;* het is met geen ~ te betalen *it is priceless, it can't be had for love or m.;* om ~ verlegen zitten / zijn *be hard up / pressed / pushed for m.;* iem. om ~ vragen *touch / ask s.o. for m., tap s.o. for m.;* iets te ~ e maken *turn / convert sth. into m., realize / capitalize on sth.;* waar voor zijn ~ krijgen *have a run for one's m., get value for m., get one's money's worth* **6.2** goed in zijn ~ zitten *be well off / in the m.;* met zijn ~ geen raad weten *have m. to burn;* het zijn mensen met ~ *they are moneyed people;* van zijn ~ leven *live on / off one's m.* / *capital;* dat is voor geen ~ te koop *m. will not buy it;* hij is iem. zonder ~ *he is penniless / a pauper;* zonder ~ zitten *be out of pocket, be broke, be down on one's uppers, be penniless* **6.3** ik heb (niet) veel ~ in mijn portemonnaie *I haven't much m.* / *cash in my purse;* het is echt niet duur voor dat ~ *its a good buy;* voor / om geen ~ ter wereld *not for love or m., not for (all) the world, not for worlds, not for a million dollars* **6.**¶ voor hetzelfde ~ was het goed afgelopen *it could just as well / easily have turned out all right* **7.2** ik had geen ~ voor een telefoontje *I didn't have the price of a phone-call* **7.3** (dat is) geen ~! *that's a bargain!* **8.1** ~ als water verdienen *earn / make big m.* / *a packet / a pile, coin / mint m., coin / rake it in earn / make m. hand over fist* ¶**.1** al zijn ~ op één kaart zetten ⟨fig.⟩ *stake everything on one throw, put all one's eggs in one basket;* dat brengt ~ in het laatje *that brings m. in.*
geldadel ⟨de (m.)⟩ **0.1** ≠*the rich / wealthy.*
geldafpersing ⟨de (v.)⟩ **0.1** *extortion (of money)* ⇒*blackmail(ing).*

geldaristocratie ⟨de (v.)⟩ **0.1** *plutocracy.*
geldautomaat ⟨de (m.)⟩ **0.1** *cash dispenser* ⇒*cashomat.*
geldbelegging ⟨de (v.)⟩ **0.1** *investment.*
geldbeugel ⟨de (v.)⟩ ⟨AZN⟩ **0.1** *purse.*
geldboete ⟨de (v.)⟩ **0.1** *fine* ◆ **3.1** ⟨jur.⟩ overtreding waarop een ~ staat *pecuniary offence* **6.1** strafbaar met (een) ~ *finable.*
geldbuidel ⟨de (m.)⟩ **0.1** [geldbeurs] *money-bag* ⇒*purse, pouch* **0.2** [rijkaard] *money-bags* ⇒*Croesus,* ^Afat cat.
geldcirculatie ⟨de (v.)⟩ **0.1** *circulation of money / currency.*
geldcrisis ⟨de (v.)⟩ **0.1** *mone(tar)y crisis.*
gelddorst ⟨de (m.)⟩ **0.1** *avarice* ⇒*thirst / lust / hunger for money.*
gelddrager ⟨de (m.)⟩ **0.1** *money runner.*
geldduivel ⟨de (m.)⟩ **0.1** [vrek] *scrooge* ⇒*screw, moneygrubber, miser, skinflint* **0.2** [boze geest] *Mammon* ◆ **3.2** van de ~ bezeten zijn *be a slave to M..*
geldeenheid ⟨de (v.)⟩ **0.1** *unit of currency* ⇒*currency unit.*
geldelijk
I ⟨bn., bw.; -ly⟩ **0.1** [financieel] *financial* ⇒*pecuniary, monetary* ◆ **1.1** ~e schade / opofferingen *f. damage / sacrifices;* ~e steun *f. support;* ~ vermogen *capital;* ~e verplichtingen *f. obligations;* ~e zorgen *f. worries, money troubles* **3.1** iem. / iets ~ steunen *support s.o.* / *sth. financially;*
II ⟨bn.⟩ **0.1** [in geld bestaand] *financial* ⇒*pecuniary, monetary* ◆ **1.1** ~e giften *donations of money;* een ~e schadeloosstelling *a compensation / an indemnification / a restitution in money;* ~e uitkeringen *cash benefits;* ~ voordeel uit iets behalen / genieten *gain pecuniary advantage from sth..*
gelden
I ⟨onov.ww.⟩ **0.1** [meetellen] *count* **0.2** [gewaardeerd worden] *count* ⇒*weigh* **0.3** [van kracht zijn] *apply* ⇒*hold (good), obtain, prevail, go for* **0.4** [betreffen] *concern* ◆ **1.1** die worp met de bal geldt niet *that throw / ^Apitch doesn't c.* **1.3** het ~ de gebruik *the (generally) received custom;* de meeste stemmen ~ *the ayes have it;* deze wet geldt hier niet *that law doesn't c. here* **1.4** mijn opmerking geldt jouw vriend ⟨bestemd voor⟩ *my remark is directed toward / meant for your friend;* ⟨heeft betrekking op⟩ *my remark concerns / refers to your friend* **3.2** hij deed zich graag ~ *he liked to throw his weight about / to make himself felt;* de boycott deed zich ~ *the boycott took / started to take effect;* zijn rechten doen ~ *assert one's rights;* recht kunnen doen ~ op *be able to claim, be entitled to* **3.3** die wet blijft voorlopig ~ *that law will remain good / in force for the time being;* zijn macht / gezag doen ~ *assert / exert one's powers / influence, make one's powers / influence felt;* zich doen ~ *assert o.s., make o.s. felt;* ⟨pej.⟩ *throw one's weight about* **6.2** een vijf geldt voor onvoldoende *a five counts / ranks as a fail-mark;* die speler geldt voor twee *that player is worth twice as much as the others* **6.3** dit voorschrift zal ~ vanaf 1 januari *this rule will come into force / take effect from January 1st;* deze regeling geldt voor iedereen *this arrangement applies to / holds for / goes for everyone;* hetzelfde geldt voor hem *that goes for him too, the same goes for him / is true of him;* die bepaling geldt niet voor landen buiten de EG *that regulation does not apply for countries outside the Common Market* **8.2** ~ als onvoldoende *rank as a failure, fall short of the mark;* ~ als norm *be the standard;* dit document geldt niet als betaling *this document is not accepted as payment;* 15 augustus geldt hier als feestdag *August 15th is observed as a holiday here;*
II ⟨ov.ww.⟩ **0.1** [betreffen] *concern* ◆ **1.1** het gold een zaak van gewicht *it was a matter of importance* **4.1** het geldt hier ons aller belang *the common good is at stake, it's in all our interests.*
geldend ⟨bn.⟩ **0.1** *valid* ⇒*applicable, in force, good, current* ◆ **1.1** de thans ~ e prijzen *current prices, the going rates;* een algemeen ~ verbod *a general prohibition;* die hiervoor ~ e vergoeding / termijn *the appropriate compensation, the period fixed for this purpose;* de ~e voorschriften / wetten *the statutory regulations / laws, the regulations / laws in force* **2.1** de algemeen ~ e opinie *the current / (generally) received opinion;* een algemeen ~ e regel *a universal (rule)* **3.1** zijn rechten ~ maken *exercise one's rights.*
Gelderland ⟨het⟩ **0.1** *Guelders, G(u)elderland.*
geldgebrek ⟨het⟩ **0.1** *lack of money* ⇒*shortage / want of money / cash / funds,* ⟨op kapitaalmarkt⟩ *scarcity / paucity / stringency of money, pecuniary distress, financial difficulties,* ⟨schr.⟩ *impecuniousness* ◆ **2.1** in tijden van algemeen ~ *at times of general financial stringency / shortness of money;* zijn constante ~ *his chronic pennilessness / state of financial penury;* met een groot ~ te kampen hebben *be hard-pressed / straitened / in sore straits for money* **3.1** ~ hebben *be short of money, be in want / need of money, lack money, be hard up / pressed for money;* er is / heerst ~ *money is lacking / short / tight;* ~ krijgen *become pressed for money.*
geldgever ⟨de (m.)⟩, **-geefster** ⟨de (v.)⟩ **0.1** *lender* ⇒*sponsor, financier.*
geldgod ⟨de (m.)⟩ **0.1** *Mammon* ⇒*golden calf.*
geldhandel ⟨de (m.)⟩ **0.1** *banking (business);* ⟨vreemd geld ook⟩ *money / currency dealing.*
geldhandelaar ⟨de (m.)⟩ **0.1** *banker* ⇒*financier,* ⟨mbt. vreemd geld⟩ *dealer, money changer.*

geldhark ⟨de⟩ **0.1** *rake.*
geldheffing ⟨de (v.)⟩ **0.1** *levy.*
geldhervorming ⟨de (v.)⟩ **0.1** *currency reform.*
geldig ⟨bn.⟩ **0.1** *valid* ⇒*good, legitimate,* ⟨niet verlopen⟩ *current* ◆ **1.1** dat bewijs is niet ~ *that proof is not v. / won't stand / won't hold (good / water);* ~ bewijsmateriaal *admissible evidence;* dat biljet is nog ~ *that ticket is still v.;* je hebt geen ~ excuus *you have no excuse;* die vergunning is twee jaar ~ *that licence / permit is v. for two years;* een ~e reden / ~ excuus *a v. / good / legitimate reason / excuse;* in het bezit zijn van een ~ rijbewijs *hold a c. driving licence;* die wet is niet meer ~ *that law is no longer in force* **2.1** algemeen ~ *universal* **3.1** onze offerte blijft een week ~ *our offer stands / holds (good) / is open for one week, our offer is open for acceptance within one week;* de verkiezingen werden ~ verklaard *the elections were declared / pronounced v.;* dit wordt pas ~ vanaf 1 januari *this won't take effect / come into force until January 1st* **5.1** na 15 augustus is het kaartje niet meer ~ *the ticket expires after August 15th;* zijn paspoort is niet meer ~ *his passport has expired / is out of date.*
geldigheid ⟨de (v.)⟩ **0.1** *validity* ⇒*legitimacy, currency* ◆ **2.1** algemene ~ *catholicity, universality;* onderlinge ~ van kaartjes *interavailability of tickets* **3.1** op ~ controleren *verify,* ^canvass, *test the v. of; examine, inspect* ⟨kaartjes⟩; deze clausule tast de ~ van mijn rechten niet aan *this clause does not invalidate / vitiate my rights;* de ~ van de verkiezingen wordt betwist *the v. of the elections has been challenged / contested.*
geldigheidsduur ⟨de (m.)⟩ **0.1** *(period of) validity* ⇒*life, currency* ⟨polis, contract⟩, *duration* ⟨vergunning⟩ ◆ **1.1** de ~ v.e. wet verlengen *renew the term of operation of an act.*
geldigverklaring ⟨de (v.)⟩ **0.1** *validation* ⇒*declaration of validity.*
gelding ⟨de (v.)⟩ **0.1** *validity* ⇒*legitimacy, currency, force* ◆ **1.1** de ~ van een rechtsregel is beperkt *the force of a rule of law is limited* **3.1** die wet heeft zijn ~ verloren *that law has become inoperative / ineffectual.*
geldingsdrang ⟨de (m.)⟩ ⟨psych.⟩ **0.1** *assertiveness* ⇒*push, drive, ambition, aggression.*
geldjager ⟨de (m.)⟩, **-jaagster** ⟨de (v.)⟩ **0.1** *moneygrubber.*
geldkas ⟨de⟩ **0.1** [kas waarin men geld bewaart] *cashbox* ⇒*strong-box, coffer,* ⟨kasla⟩ *cash register, till* **0.2** [geld(middel)en] *cash in hand* ⇒ *cash holdings / resources, till money.*
geldkist ⟨de⟩ **0.1** *strongbox* ⇒*coffer, money-chest, money-box* ◆ **2.1** een lege ~ *an empty box, empty coffers.*
geldkistje ⟨het⟩ **0.1** *cash box.*
geldklopperij ⟨de (v.)⟩ **0.1** *racket* ⇒*swindle,* ↓*rip-off,* ↓*con,* ⟨BE;sl.⟩ *ramp.*
geldkoers ⟨de (m.)⟩ **0.1** [rentestand] *money rate* **0.2** [koers] *rate of exchange.*
geldkraan ⟨de⟩ ◆ **3.¶** de ~ dichtdraaien *cut off / stop the flow of money, tighten / draw the purse-strings, cut off funds;* ⟨mbt. subsidies⟩ *cut down / tighten up on grants / funding.*
geldkwestie ⟨de (v.)⟩ **0.1** *question of money / finance* ⇒*money / financial matter* ◆ **3.1** het is een ~ *it's a question of money, it's all a matter of money / cash / pounds, shillings and pence.*
geldla(de) ⟨de⟩ **0.1** *(cash) till* ⇒*cashdrawer,* ⟨kasregister⟩ *cash register.*
geldlening ⟨de (v.)⟩ **0.1** *(money) loan.*
geldloper ⟨de (m.)⟩ **0.1** *collecting clerk.*
geldmagnaat ⟨de (m.)⟩ **0.1** *(financial / money) tycoon* ⇒*magnate* ◆ **2.1** de Zwitserse geldmagnaten *the gnomes of Zurich.*
geldmakerij ⟨de (v.)⟩ **0.1** *money-making* ⇒ ⟨pej.⟩ *money-grubbing,* ⟨middel⟩ *money-spinner / -maker,* ↓*racket,* ⟨bedrijf⟩ *money-making concern / business* ◆ **3.1** het is louter ~ van hem *he's only in it for the money, he's a money-grubber.*
geldmarkt ⟨de⟩ **0.1** [handel] *money-market* **0.2** [(effecten)beurs] *stock exchange* **0.3** [geldkoers] *money rate.*
geldmiddelen ⟨zn.mv.⟩ **0.1** [inkomsten] *funds* ⇒*(financial) resources, (financial) means, income* **0.2** [toestand van de geldzaken] *finances* ⇒ *financial situation* ◆ **1.2** een overzicht van de ~ geven *give a statement of ways and means* **3.1** de benodigde ~ ontbraken *the necessary funds were lacking* **6.1** het beheer over de ~ *the control of the finances;* hij was zonder ~ *he was out of funds.*
geldmunt ⟨de⟩ **0.1** [geldsoort] *coin(age)* **0.2** [geldstuk] *coin.*
geldnemer ⟨de (m.)⟩ **0.1** *borrower* ⇒*borrowing party.*
geldnood ⟨de (v.)⟩ **0.1** *financial / pecuniary trouble / problems / straits / embarrassment* ◆ **6.1** in ~ zitten / verkeren *be hard up, be pressed for money, suffer from a lack of funds.*
geldomloop ⟨de (m.)⟩ **0.1** *circulation of money / currency.*
geldontwaarding ⟨de (v.)⟩ **0.1** *currency / monetary depreciation* ⇒*currency erosion, inflation.*
geldpolitiek ⟨de (v.)⟩ **0.1** [beleid van een bank] *loan policy* **0.2** [regeringsbeleid] *monetary / currency policy.*
geldprijs ⟨de (m.)⟩ **0.1** [prijs uitgedrukt in geld] *mone(tar)y price* **0.2** [prijs die uit geld bestaat] *cash prize.*
geldruimte ⟨de (v.)⟩ **0.1** *easiness of money* ⇒*ease in money (supply), situation of easy money.*

geldsanering ⟨de (v.)⟩ **0.1** *currency / monetary reform.*
geldschaarste ⟨de (v.)⟩ **0.1** *scarcity of money* ⇒*dearth / paucity / stringency / tightness of money.*
geldschepping ⟨de (v.)⟩ ⟨ec.⟩ **0.1** *creation of money.*
geldschieter ⟨de (m.)⟩ **0.1** *financier, (financial) backer* ⇒ ⟨ihb. sport⟩ *sponsor.*
geldsom ⟨de⟩ **0.1** *sum of money.*
geldsomloop →**geldomloop.**
geldsoort ⟨de⟩ **0.1** *kind of money* ⇒*coin, (type of) currency* ◆ **2.1** vreemde ~ en *foreign currencies / coinages / moneys.*
geldspecie ⟨de (v.)⟩ **0.1** *specie* ⇒*coin(age), metal.*
geldstandaard ⟨de (m.)⟩ **0.1** *monetary standard* ◆ **2.1** de zilveren ~ *the silver standard.*
geldstraf ⟨de⟩ **0.1** *fine* ⇒*monetary / pecuniary penalty.*
geldstroom ⟨de (m.)⟩ **0.1** *flow of money* ◆ **3.1** de ~ afsnijden *stop the flow of money, draw / tighten the purse-strings* **7.1** ⟨universiteit⟩ de eerste / tweede ~ *direct / indirect funding, the first / second flow of funds.*
geldstuk ⟨het⟩ **0.1** *coin.*
geldswaarde ⟨de (v.)⟩ **0.1** *mone(tar)y value* ⇒*cash / real / market / pecuniary value* ◆ **1.1** de ~ van aandelen *the real / market value of stocks;* een brief met ~ *money letter, letter containing money of any kind;* geld en ~ n *money and valuables.*
geldswaardig ⟨bn.⟩ **0.1** *marketable* ⇒*negotiable, transferable* ◆ **1.1** ~ e papieren *marketable / negotiable / transferable securities.*
geldtas ⟨de⟩ **0.1** *money-bag.*
geldtrommel ⟨de⟩ **0.1** *cash-box.*
gelduitgifteautomaat →**geldautomaat.**
gelduitvoer ⟨de (m.)⟩ **0.1** *export of money.*
geldverkeer ⟨het⟩ **0.1** *finance* ⇒*monetary transactions / dealings / exchange* ◆ **2.1** internationaal ~ *international transfer of funds / transport of capital / monetary exchange.*
geldverlies ⟨het⟩ **0.1** *loss of money* ⇒*pecuniary / financial loss.*
geldvernietiging ⟨de (v.)⟩ **0.1** *destruction of money.*
geldverspilling ⟨de (v.)⟩ **0.1** *waste of money* ⇒*extravagance,* ↑*dissipation of funds.*
geldvoorraad ⟨de (m.)⟩ **0.1** *money supply, supply of money* ⇒ ⟨inf.⟩ *wad,* ⟨in zaak⟩ *cash in / on hand,* ⟨bij de banken⟩ *holding of cash* ◆ **2.1** de beschikbare ~ *the available amount of money;* te grote ~ *glut of money* **4.1** mijn ~ *my stock / store of money.*
geldvraag ⟨de⟩ **0.1** [vraag naar geld] *demand for money* ⇒*money demand* **0.2** [geldkwestie] *question of money / finance* ⇒*matter of money, financial / money matter / affair.*
geldwereld ⟨de (v.)⟩ **0.1** *world of finance* ⇒*financial world circles / community.*
geldwezen ⟨het⟩ **0.1** *finance* ⇒*monetary / financial system / matters, financial economy.*
geldwinning ⟨de (v.)⟩ **0.1** *money-maker;* ⟨vnl. BE; inf.⟩ *money-spinner* ⇒*money-making venture / business.*
geldwisselaar ⟨de (m.)⟩ **0.1** *money-changer / dealer* ⇒*currency / (foreign) exchange dealer / broker, cambist.*
geldwolf ⟨de (m.)⟩ **0.1** *money-grubber.*
geldzaak ⟨de⟩ **0.1** *matter of money* ⇒*financial / pecuniary / mone(tar)y matter / affair / concern* ◆ **3.1** zijn geldzaken goed beheren *manage one's finances / money / financial matters / affairs well;* zij gaat over de geldzaken *she is in charge of finances / money matters / in charge of / holds the purse-strings* **6.1** in geldzaken is hij knap *he is good with money, he is clever where money is concerned / when it comes to money* **¶.1** dat is meer dan een ~ *that is more than just a matter of m..*
geldzak ⟨de (m.)⟩ **0.1** [beurs] *money-bag* ⇒*purse, pouch* **0.2** [rijkaard] *money-bags* ⇒ ⟨inf.⟩ *bloated plutocrat, rich stinker.*
geldzending ⟨de (v.)⟩ **0.1** *(cash) remittance* ⇒*funds / money transfer,* ⟨mbt. specie⟩ *consignment / shipment of money.*
geldzorgen ⟨zn.mv.⟩ **0.1** *financial worries / problems / difficulties* ⇒*money troubles, anxieties about money, financial embarrassment / trouble* ◆ **6.1** in ~ zitten *be in financial straits, have f. w. / p..*
geldzucht ⟨de⟩ **0.1** *avarice* ⇒*cupidity, greed for m. / gain, love of money, mercenariness.*
geldzuchtig ⟨bn., bw.; -ly⟩ **0.1** *avaricious* ⇒*money-hungry / -mad / -grubbing, greedy for money / gain, mercenary.*
geldzuivering ⟨de (v.)⟩ **0.1** *currency / monetary reform.*
gelebber ⟨het⟩ **0.1** *lapping* ⇒*slurping, licking.*
geleden 0.1 [op / vóór een tijdstip plaatsgevonden hebbend] *ago* ⇒*back, since,* ⟨van een punt in het verleden gerekend⟩ *before, previously, earlier* **0.2** [voorbij] *over* ⇒*past, gone (by)* ◆ **1.1** het is eeuwen ~ dat ik hem gezien heb *I haven't seen him for ages / donkey's years, it has been ages / (donkey's) years since I last saw him;* het is een hele tijd ~, dat ...*it has been a long time since ..., it's a long time a., since ...;* ik had het een week ~ nog gezegd *I had said so a week before;* het is donderdag drie weken ~ gebeurd *it happened three weeks a. this / last Thursday / Thursday three weeks a.* **3.2** het leed is ~ *the suffering is o., what's done is done* **5.1** tot kort ~ wist niemand dat ...*until recently no-one knew (that);* niet lang ~, kort / pas ~ *not long a., the other day, only recently;* lang, heel lang ~ *long, long a., ages a., way back.*

gelederen →**gelid.**

geleding ⟨de (v.)⟩ **0.1** [het beweegbaar onderling verbonden zijn] *articulation* ⇒*jointing* **0.2** [plaats van beweegbare verbinding] *joint* ⇒*articulation* **0.3** [elk deel van een geheel] *section* ⇒*part* **0.4** [groep personeelsleden] *section* ⇒*department, branch, rank, echelon* ⟨in een hiërarchie⟩ **0.5** [⟨biol.⟩ segment, lid] *segment* ⇒*ring* **0.6** [⟨plantk.⟩ knoop] *articulation* **0.7** [⟨aardr.⟩ kustontwikkeling] *indentation* ◆ **1.2** de ~en van een helm/harnas *the joints of a helmet/a suit of armour* **1.5** ⟨biol.⟩ de ~en van een slang/regenworm *the segments of a snake/an earthworm* **3.4** dit voorstel was door alle ~en aanvaard *this proposal had been accepted by all parties/all areas of the work force/at all levels* **6.4** de maatschappij is ziek in al haar ~en *society is diseased in all its branches.*

gelee ⟨de (v.)⟩ **0.1** *jelly* ⇒*gel.*

geleed ⟨bn.⟩ **0.1** *jointed* ⇒*articulate(d)*, ⟨biol.⟩ *segmental, segmentary, ringed, sectional, indented* ⟨kust⟩ ◆ **1.1** een gelede bus *an articulated bus;* ⟨dierk.⟩ een ~dier *an articulate animal;* de kust is sterk ~ *the coastline is deeply indented;* een gelede pijp *a j. pipe/conduit;* een gelede radiator *a sectional radiator;* ⟨biol.⟩ een gelede stengel *a j. / articulate stalk;* ⟨taal.⟩ een ~woord *a (morphologically) complex word.*

geleedpotig ⟨bn.⟩ **0.1** *arthropodal, arthropodous* ◆ **1.1** ~e dieren *arthropods, arthropoda* **7.1** de ~en *the Arthropoda.*

geleend ⟨bn.⟩ **0.1** *borrowed* ⇒*reflected* ◆ **1.1** ~e moed/glans *b. courage/reflected glory;* de ~e som *the principal* **7.1** het ~e terugbetalen *repay the loan.*

geleerd ⟨bn.⟩ **0.1** [onderlegd] *learned* ⇒⟨ihb. mbt. de alfawetenschappen⟩ *scholarly,* ⟨zeer geleerd⟩ *erudite* **0.2** [blijk gevend van kennis] *learned* ⇒⟨ihb. mbt. de alfawetenschap⟩ *scholarly,* ⟨zeer geleerd⟩ *erudite,* ⟨wetenschappelijk⟩ *academic* **0.3** [ingewikkeld] *learned* ⇒*scholarly, highbrow, bookish, donnish* ◆ **1.1** een ~ schrijver *a man of letters;* de ~e wereld ⟨ihb. mbt. de alfawetenschappen⟩ *the world of learning;* ⟨mbt. de betawetenschappen⟩ *the world of science* **1.2** een ~ betoog/verhandeling/gesprek *a l. argument/treatise/conversation;* ~e boeken *l. / scholarly books;* een ~ academic subject **1.3** van zulke ~e dingen begrijp ik niets *I'm (way) out of my depth when it comes to this l. stuff, all this l. stuff is beyond me/my ken* **3.1** hij ziet er ~ uit *he looks l. / wise* **3.2** hij deed/sprak zeer ~ *he was very donnish/spoke very learnedly* **3.3** dat is mij te ~ *that's beyond me/a bit above my head;* dat ziet er ~ uit *that looks difficult/complicated.*

geleerddoenerij ⟨de (v.)⟩ **0.1** *pedantry* ⇒*intellectualism, donnishness.*

geleerde ⟨de (m.)⟩ **0.1** *scholar* ⇒*man of learning,* ⟨betawetenschapper⟩ *scientist,* ⟨alg. ook⟩ *savant,* ⟨vaak scherts.⟩ *pundit* ◆ **2.1** een groot/beroemd ~ *a great/famous scholar/scientist/brain/mind, a savant* **3.1** dat mogen de ~n beslissen *that is for scholars to decide* ¶.1 daarover zijn de ~n het nog niet eens *authorities do not yet agree on that point;* van zo'n ~ moet ik niets hebben *I want nothing to do with an egghead/highbrow/* ⟨vrouw ook⟩ *bluestocking like that!*

geleerdheid ⟨de (v.)⟩ **0.1** [wijsheid] *learning* ⇒*scholarship, erudition* **0.2** [geleerde zaken] *(book-)learning* ⇒⟨pej.⟩ *pedantry, donnishness, bookishness* ◆ **1.1** een man van ~ *a man of l., a scholar* **3.1** de ~ waait iem. maar zo niet aan *there is no royal/short road to l.* **3.1** ~ knowledge **3.2** je hoeft er niet zoveel ~ bij te halen *there's no need to bring in all this l. / to be so pedantic* ¶.2 doe die ~ nu maar eens van tafel *put those learned books down for once;* zijn ~ ten toon spreiden *show off/air one's knowledge.*

gelegen ⟨bn.⟩ ⟨→sprw. 237⟩ **0.1** [liggend, gesitueerd] *situated* ⇒*lying,* ⟨jur. ook⟩ *situate* **0.2** [geschikt] *convenient* ⇒*opportune* ◆ **1.2** te ~er ure/tijd *at a c. moment/time, at the proper time* **3.2** kom ik ~? *are you busy?, am I disturbing you?;* ~ komen (voor) *suit, be convenient (to);* dat voordeeltje kwam mij zeer ~ *that windfall came in very handy/came just at the right moment;* zijn bezoek kwam me niet erg ~ *his visit was not very c., he came at a rather inconvenient/inopportune moment* **5.1** centraal ~ *central, centrally situated, in a central position;* ⟨fig.⟩ het probleem is daarin ~ dat ...*the problem is that ...;* ⟨on⟩gunstig ~ *(in)convenient, (in)conveniently situated/sited* **5.1** Rotterdam is ~ aan de Maas *Rotterdam is situated/lies on the Maas;* op het zuiden ~ facing south;* het huis was op/tegenover een heuvel ~ *the house was situated/stood on/looking on a hill* **6.** ¶ er is (voor) mij veel aan ~ *it matters very much to me, it's of great importance to me;* zich aan iem. / iets niets/geen steek ~ laten liggen *not care a straw for s.o. / sth., show no interest in s.o. / sth., take no notice of s.o. / sth..*

gelegenheid ⟨de (v.)⟩ ⟨→sprw. 207⟩ **0.1** [plaats mbt. haar geschiktheid] *place* ⇒*site,* ⟨ruimte⟩ *room* **0.2** [mogelijkheid, omstandigheid] *opportunity* ⇒*chance, facilities, provision* ⟨voor bepaalde handeling or doel⟩ **0.3** [reisgelegenheid] *means of conveyance/transport* ⇒*travelling facility* **0.4** [zaak waar men iets kan gebruiken] *place* ⇒≠*restaurant, eating house/place* **0.5** [voorkomend geval] *occasion* ◆ **2.2** dat deed hij zomaar op eigen ~ *he did it off his own bat/unaided;* een gunstige ~ afwachten *wait/watch for an o. / opening, wait for the right moment;* een mooie/gunstige ~ *a good/fine o., a favourable/the right moment;* je krijgt ruim ~ om je talent te demonstreren *you will be given ample scope to demonstrate your talent;* een slechte ~ *a/the*

wrong moment/time and place **2.4** een obscure ~ *a dive;* openbare gelegenheden, zoals uitspanningen *public places like pubs;* een sjieke ~ *a posh p. / restaurant/establishment* **2.5** een feestelijke ~ *a festive o.;* bij voorkomende ~ wil ik graag voor je inspringen *I'd love to fill in for you if/when the o. arises* **2.** ¶ hij/zij is even naar een zekere ~ *he's just gone to inspect the plumbing/wash his hands, she's just gone to powder her nose* **3.2** de ~ met beide handen aangrijpen *take time by the forelock, seize the chance/o. with both hands;* de ~ aangrijpen/waarnemen om ...*take advantage of/seize the o.;* die streek biedt volop ~ voor fietstochten *that area offers ample o. / facilities for cycling;* ⟨pregn.⟩ ~ geven *solicit;* ⟨zelfst.⟩ *soliciting;* de ~ krijgen/vinden om iets te zeggen *get/be given the o. to say sth. / of saying sth.;* de ~ voorbij laten gaan *miss the chance/o., let the o. slip (by);* de ~ niet voorbij laten gaan *not miss the chance/o.;* wachten tot er zich een ~ voordoet *wait for an o. / opening/for one's chance;* als de ~ zich voordoet/aanbiedt *when the o. presents itself/when the occasion arises* **6.1** bij de eerste de beste ~ *any old place, anywhere you like* **6.2** bij ~ zal ik je erover spreken *I will speak to you about this later/when I get the opportunity/when it suits me/you;* bij de eerste ~ de beste/de eerste de beste ~ *at the first possible/available o.;* iem. in de ~ stellen om ... *give s.o. an opportunity to, enable s.o. to;* in de ~ zijn om ...*be able to, have the opportunity to, be in a position to;* er is ~ om te dansen/te slapen *there are dancing facilities/there is sleeping accommodation;* ik maak van de ~ gebruik om ...*I take this o. to ...* **6.3** met de eerste ~ reisde hij terug *he travelled back by the first train/boat, he took the first opportunity to travel back;* op eigen ~ keerden de feestvierenden naar huis *the party guests travelled home separately/under their own steam* **6.4** laten we in die ~ iets drinken *let's have a drink in that o. / pub/bar* **6.5** bij zulke/bepaalde/enkele gelegenheden *on such/certain/some occasions;* ⟨pregn.⟩ dit draag ik alleen bij gelegenheden *I only wear this to/for special occasions;* op elke ~ voorbereid zijn *be prepared for any eventuality/for whatever comes along;* ter ~ van de o. of;* voor de ~ droeg zij een feestjapon *she wore a gown for the o.* ¶.2 de ~ te baat nemen *grasp/seize/use the o..*

gelegenheidsaanbieding ⟨de (v.)⟩ **0.1** *special offer.*

gelegenheidsbezoek ⟨het⟩ **0.1** *occasional/* ⟨nog zeldzamer⟩ *rare visit* ◆ **3.1** de koningin bracht een ~ aan het ziekenhuis *the queen paid an informal visit to the hospital.*

gelegenheidsdichter ⟨de (m.)⟩ **0.1** *writer of occasional poetry/verse, occasional poet.*

gelegenheidsdief ⟨de (m.)⟩ **0.1** *occasional thief* ⇒*impulse thief.*

gelegenheidsdrinker ⟨de (m.)⟩, -**drinkster** ⟨de (v.)⟩ **0.1** *occasional drinker.*

gelegenheidsgedicht ⟨het⟩ **0.1** *occasional poem.*

gelegenheidsgezicht ⟨het⟩ **0.1** *countenance fitting/to suit/well suited to the occasion* ⇒*face suited to the occasion* ◆ **3.1** een ~ zetten *put on a face suited/fitting to the occasion, compose one's face into the appropriate expression.*

gelegenheidskleding ⟨de (v.)⟩ **0.1** *formal/special/full dress.*

gelegenheidsrede ⟨de⟩ **0.1** *occasional speech.*

gelegenheidswoord ⟨het⟩ **0.1** [toespraak] *occasional speech* **0.2** [nieuw woord] *nonce word* ⇒*nonce formation.*

gelegenheidszegel ⟨het⟩ **0.1** *special stamp/issue* ⇒⟨ter herdenking⟩ *commemorative stamp/issue.*

gelei ⟨de⟩ **0.1** [gekookt sap van dierlijke stoffen] *jelly* ⇒*gelatine,* ⟨gekruid⟩ *aspic* **0.2** [⟨vnl. in samenst.⟩ ingedikt sap van vruchten] *jelly* ⇒*preserve* **0.3** [dikke substantie] *jelly* ◆ **1.2** appelgelei *apple j.* **6.1** paling in ~ *jellied eels;* ei in ~ *eggs in aspic;* op ~ zetten *jelly.*

geleiachtig ⟨bn.⟩ **0.1** *jelly-like* ⇒*gelatinous* ◆ **3.1** ~ (doen) worden *gel, jell, jellify.*

geleibrief ⟨de (m.)⟩ **0.1** ⟨vrachtbrief⟩ *supply/consignment note, way bill, transit bill;* ⟨douanepapier⟩ *permit;* ⟨vrijgeleide⟩ *safe-conduct.*

geleid ⟨bn.⟩ **0.1** *guided* ⇒*planned, controlled, conducted* ◆ **1.1** een ~e bergwandeling *a g. / conducted mountain walk/walk over the hills;* ~e economie *planned/controlled/command economy, statism;* ~e projectielen *g. missiles, robot bombs;* ⟨door straal geleid⟩ *beam-riders;* ~e straal *beam* **6.1** met de computer ~ *computer-aided.*

geleide ⟨het⟩ **0.1** [het vergezellen] *escort* ⇒⟨begeleiding ook⟩ *guidance,* ⟨gevolg ook⟩ *attendance,* ⟨bescherming ook⟩ *protection,* ⟨bewaking ook⟩ *guard* **0.2** [wie/wat begeleidt] *escort* ⇒⟨mbt. koopvaardijschepen in oorlogstijd⟩ *convoy,* ⟨gids⟩ *guide* ◆ **2.2** onder gewapend ~ *under armed e.* **3.1** zijn ~ vrijwaarde ons voor aanhouding *his presence prevented us from being stopped* **3.2** ~ verlenen *escort; convoy* ⟨koopvaardijschepen⟩ **6.1** onder iemands ~ *under s.o.'s protection, accompanied by s.o., under the guidance of s.o.;* onder militair ~ *under military e.;* de schepen voeren onder (sterk) ~ *the ships sailed in convoy/under a strong e.;* ⟨fig.⟩ ten ~ *introduction, preface, foreword;* toegang voor kinderen zonder ~ *unaccompanied children/children not accompanied by an adult will not be admitted* **6.2** het gezelschap reisde met ~ *the party made a guided/conducted tour.*

geleidebiljet ⟨het⟩ **0.1** *transire* ⟨mbt. lucht-, trein-, wegvervoer⟩ *waybill, consignment note;* ⟨scheep.;BE⟩ *transire.*

geleidebrief →**geleibrief.**

geleidehond ⟨de (m.)⟩ **0.1** *guide-dog* ⇒⟨AE ook⟩ *seeing-eye dog*.

geleidelijk ⟨bn., bw.; -ly⟩ **0.1** *gradual* ⇒⟨bw. ook⟩ *by degrees, by/in (gradual) stages, along gradual lines, little by little* ◆ **1.1** een ~ e hervorming *a g. reform, a reform in gradual stages/along gradual lines*; de ~e invoering van een 36-urige werkweek *the phased introduction of a 36-hour week*; een ~e overgang *a g. transition* **3.1** ~ afnemen/ verminderen *decrease, drop off, tail off/away*; het rood gaat ~ in oranje over *the red (gradually) shades off into orange*; ~ invoeren ⟨ook⟩ *phase in*; ~ opheffen/stopzetten *phase down/out*; ~ verwijderen/vervangen *fade out/away*; de kernwapens worden ~ teruggetrokken *the nuclear weapons are being withdrawn in stages*; het weer wordt ~ beter *the weather is gradually improving* **5.1** ~ aan *little by little, by degrees, gradually, as one goes along, slowly but surely*.

geleidelijkheid ⟨de (v.)⟩ **0.1** *gradualness, graduality* ◆ **1.1** langs lijnen van ~ *gradually, step by step, little by little, by degrees, progressively*.

geleiden ⟨ov.ww.⟩ **0.1** [leiden] *guide* ⇒*conduct, accompany, lead,* ⟨mil.; vrouw⟩ *escort,* ⟨scheep.⟩ *convoy* **0.2** [⟨nat.⟩] *conduct* ⇒*transmit* ◆ **1.1** een blinde ~ *g. a blind person*; een onwillig paard ~ *lead a stubborn horse* **1.2** geluid ~ *transmit/carry/convey sound*; koper geleidt goed *copper is a good conductor*; warmte/elektriciteit ~ c. /*transmit electricity/heat* **6.1** iem. aan de hand ~ *lead s.o. by the hand*; iem. naar huis ~ *lead/accompany/see* ⟨vrouw ook⟩ *escort s.o. home*; **naar** buiten/binnen ~ *usher out/in;* ⟨bijb.⟩ geleid mij op de weg *lead me on the way/path*.

geleidend ⟨bn.⟩ ⟨nat.⟩ **0.1** *conductive* ◆ **1.1** glas is niet ~ *glass is not c. / non-conductive/a non-conductor*; koper is een goed ~ metaal *copper is a good conductor;* ~ vermogen *conductivity*.

geleider ⟨de (m.)⟩ **0.1** [gids] *guide* ⇒*leader, conductor, chaperon(e)* ⟨meisje⟩, *escort* ⟨vrouw; gevangenen⟩ **0.2** [⟨nat.⟩] *conductor* **0.3** [deel van een machine] *fence* ⇒*pilot, guide,* ⟨mv.⟩ *ways* ◆ **1.2** men verdeelt de elementen in ~s en niet-~s *the elements are divided into conductors and non-conductors* **2.2** koper is een goede ~ *copper is a good c.;* een slechte ~ *a poor/bad c.*.

geleiding ⟨de (v.)⟩ **0.1** [⟨nat.⟩ het geleiden] *conduction* ⇒*conductivity* **0.2** [dat wat geleidt] *wire* ⇒*wiring, line, conductor, cable* **0.3** [toestel] *fence* ⇒*pilot, guide, conduit,* ⟨mv.⟩ *ways* ◆ **2.1** thermische ~ *thermal conductivity* **2.2** elektrische ~ *en electric wires/wiring/lines/conductors/cables* **2.3** rechte ~ *straight(-line) guide(way)*.

geleidingscoëfficiënt ⟨de (m.)⟩ ⟨nat.⟩ **0.1** *coefficient of conductivity*.

geleidingshek ⟨het⟩ **0.1** *crash-barrier* ⇒*guard-rail*.

geleidingsvermogen ⟨het⟩ ⟨nat.⟩ **0.1** ⟨alg.⟩ *conductance* ⇒⟨specifiek⟩ *conductivity* ◆ **2.1** magnetisch ~ *permeance*; soortelijk/specifiek ~ *conductivity,* ⟨vero.⟩ *specific conductance*.

geleidraad ⟨de (m.)⟩ ⟨elek.⟩ **0.1** *conducting wire*.

geleidster ⟨de (v.)⟩ **0.1** *guide* ⇒*attendant, conductress, chaperon(e)* ⟨meisje⟩.

geleischoen ⟨de (m.)⟩ ⟨tech.⟩ **0.1** *guide box*.

gelen ⟨onov., ov.ww.⟩ **0.1** *yellow* ⇒*make yellow* ⟨ov.⟩, *turn/become/grow/get yellow* ⟨onov.⟩ ◆ **1.1** het ~de lover *the yellowing foliage*.

geleng ⟨het⟩ **0.1** *shank*.

geleren ⟨onov.ww.⟩ **0.1** *gel* ⇒*gelatinize, jel(lify)*.

gelering ⟨de (v.)⟩ ⟨schei.⟩ **0.1** *gelling*.

geletterd ⟨bn.⟩ **0.1** *lettered* ⇒*learned, scholarly, erudite, literary* ◆ **1.1** een ~ man *a man of letters/learning, a lettered/learned/scholarly/erudite/literary man*.

geletterde ⟨de (m.)⟩ **0.1** *man of letters* ⇒*man of learning, scholar, lettered/literary/learned/scholarly/erudite person* ◆ **7.1** de ~n ⟨ook⟩ *the literati*.

geleur ⟨het⟩ **0.1** *hawking (about)*.

geleuter ⟨het⟩ **0.1** [het aanhoudend leuteren] *waffle, waffling* ⇒*drivel-(ling), burble, burbling* **0.2** [onzinnig geschrijf of gepraat] *twaddle* ⇒ *piffle, rot, bull(shit), baloney, drivel,* ⟨BE ook⟩ *waffle*.

gelezen ⟨bn.⟩ **0.1** [door velen gelezen] *widely read* ⇒*much read* **0.2** [veelvuldig gelezen] *thumbed* ⇒*thumbmarked* **0.3** [niet gezongen] *low* ◆ **1.1** een ~ auteur *a w. r. author* **1.2** ~ tijdschriften *thumbed/thumb-marked magazines* **1.3** een ~ mis *a l. mass*.

gelid ⟨het⟩ **0.1** [⟨mil.⟩] *rank* ⇒*file, line, array, order* **0.2** [⟨mv., groep⟩] *rank* **0.3** [gewricht] ⟨→lid **0.5**⟩ ◆ **1.2** de gelederen van de liberalen *the ranks of the Liberals, the Liberal ranks* **2.1** in gesloten gelederen ⟨mil.⟩ *in close order, in serried ranks*; in het voorste ~ lopen ⟨ook fig.⟩ *be in the front r. / the forefront*; in de voorste gelederen *in the front ranks/the forefront, in the rear ranks* **3.1** de gelederen openen/sluiten *open the ranks, open out/close the ranks*; de gelederen verbreken *break r. / ranks*; de gelederen versterken ⟨ook fig.⟩ *swell the ranks;* ⟨fig.⟩ in maart kwam Jan onze gelederen versterken *in March John joined us/our ranks* **6.1** in het ~ staan *stand in line;* zich in het ~ scharen/stellen *rank;* in het ~ gaan staan *draw/form/line up, fall in;* in het ~ marcheren/plaatsen *march/place in order/column/line;* in het ~ blijven *keep r. / ranks;* uit het ~ lopen *break r. / ranks,* leave the ranks, *fall out* ⟨of line⟩; ⟨fig. ook⟩ *step out of line;* **uit** het ~ treden *break r. / ranks, fall out* ⟨of line⟩, *leave the ranks* **6.2** in het tweede ~ komen *rank second, close the ranks*.

gelidbeentje ⟨het⟩ **0.1** *phalanx* ⇒*metatarsal* ⟨teen⟩.

gelidknoop ⟨de (m.)⟩ ⟨plantk.⟩ **0.1** *node*.

gelieerd ⟨bn.⟩ **0.1** *allied (to)* ⇒⟨instituut, bedrijf ook⟩ *affiliated (with/to), connected (with), related (to)* ⟨van familie⟩ ◆ **3.1** nauw ~ zijn met *be closely allied/related to* **5.1** goed ~ *well-connected* **6.1** ~ zijn **aan** een familie *be related to a family*.

geliefd ⟨bn.⟩ **0.1** [dierbaar] *beloved* ⇒*dear, loved, well-liked* ⟨vriend⟩ **0.2** [favoriet] *favourite* ⇒*cherished, pet* **0.3** [gewild] *favourite* ⇒*popular* ◆ **1.1** mijn ~ e echtgenote *my b. wife;* ons innig ~ kind *our dearly loved/b. child;* het ~ vaderland *our b. country* **1.2** zijn ~ onderwerp *his conversation piece, his f. / pet subject, his hobby-horse;* mijn meest ~ e schrijvers *my f. authors* **1.3** een ~ artikel *a popular article* **3.2** dat maakte hem erg ~ bij hen *that endeared him to them* **5.3** niet ~ *unpopular* **6.1** hij was erg ~ **bij** het volk *he was much-b. / well-b. / much in favour among the public/people* **6.3** hij is niet erg ~ **bij** de leerlingen *he is not very popular with/much liked by the pupils*.

geliefde ⟨de (m.)⟩ **0.1** [beminde] *beloved* ⇒*dear, darling* **0.2** [minnaar, minnares] *sweetheart* ⇒⟨vrouw ook⟩ *ladylove, mistress,* ⟨man ook⟩ *lover* **0.3** [⟨mv.⟩ beminde bloedverwanten] *loved ones* ◆ **3.2** zij waren ~n *they were lovers*.

geliefdheid ⟨de (v.)⟩ **0.1** *popularity* ⇒*vogue*.

geliefkoosd ⟨bn.⟩ **0.1** *favourite* ⇒*pet, cherished* ◆ **1.1** haar ~ e dichter *her f. poet;* zijn ~ e idee *his fad, his pet/cherished notion/idea, his hobby-horse;* zijn ~ plekje *his f. / cherished spot/haunt*.

gelieven¹ ⟨zn.mv.⟩ **0.1** *lovers*.

gelieven² ⟨ov.ww.⟩ ⟨vaak schr.⟩ **0.1** *please* ◆ **3.1** hierbij gelieve u aan te treffen ... *enclosed please find ...;* kandidaten ~ hun naam op te geven *candidates are requested/invited to state their names;* gelieve mij te volgen *please (to)/kindly* ⟨vero.⟩ *pray follow me;* gelieve geen fietsen te plaatsen *please do not park bicycles here;* gelieve zo spoedig mogelijk te betalen *please/kindly pay as soon as possible;* ⟨iron.⟩ zij die zich goede vaderlanders ~ te noemen *those who are pleased to/like to/choose to call themselves patriots;* ik ga me daar een beetje zitten wachten tot het meneer gelieft te komen *I'm not going to await his lordship's pleasure/wait till his lordship deigns to come*.

gelig ⟨bn.⟩ **0.1** *yellowish* ⇒*yellowy, flavescent,* ⟨schei.⟩ *xanthic,* ⟨haarkleur, etnologie⟩ *xanthous*.

geligniet ⟨het⟩ **0.1** *gelignite* ⇒⟨inf.⟩ *gelly*.

gelijk¹ ⟨het⟩ ⟨→sprw. 208⟩ **0.1** *right* ◆ **2.1** zeker zijn van zijn eigen ~ *be convinced of being (in the) r.;* hij is altijd zo zeker van zijn eigen ~ *he's always so bloody/^damn sure of himself;* ik geef je groot ~ *you're absolutely right, I entirely agree with you, I don't blame you* ⟨voor omstreden gedrag⟩; ⟨fig.⟩ het grootste ~ van de wereld hebben *be absolutely right* **3.1** iem. ~ geven *agree with s.o., bear s.o. out, back s.o. up, admit/think s.o. is right;* daar heb je ~ aan/in *you are right there, you are right about that;* ~ hebben *be right;* ⟨vnl. Austr. E.⟩ *(you're) too right!;* ⟨groot/volkomen/schoon⟩ ~ hebben *be quite/perfectly right;* het ~ aan zijn kant hebben *be (in the) r.;* ~ krijgen *be proved right;* ⟨jur.⟩ *be put in the r.;* hij krijgt altijd ~ van zijn moeder *his mother always comes down on his side;* altijd ~ willen hebben *always want to be right/carry one's point/have the last word;* je moet niet altijd je ~ willen halen *you must learn to take no for an answer/* ⟨inf.⟩ *to know when you're licked* **4.1** zijn ~ willen halen *want to justify o.s. / be justified/put in the r.* ; *borne out;* in zijn ~ staan *be (in the) r.* **6.1** iem. in het ~ stellen *put s.o. in the r., decide in s.o.'s favour, declare that s.o. is right;* in het ~ gesteld worden *be put in the r., win one's case* **8.1** je hebt groot ~ dat je het niet doet *you are quite right not to do it*.

gelijk² ⟨→sprw. 434,532⟩

I ⟨bn.⟩ **0.1** [met elkaar overeenstemmend] *equal* ⇒*like, alike, similar, the same* **0.2** [overeenkomend in rang/macht] *equal* ⇒*equivalent* **0.3** [de juiste tijd aanwijzend] *right* **0.4** [vrij van oneffenheden] *even* ⇒*smooth, level* ◆ **1.1** vrouwen zijn allemaal ~ *women are all alike/the same;* twee mensen een ~e behandeling geven *treat two people equally/(in) the same (way);* van ~e datum *of same date, of even date;* van ~ gewicht *of e. / the same weight;* ze zijn van ~e grootte *they are the same size/of a size;* het water staat op ~e hoogte met de kade *the water is flush/level with the quay/is up to quay level;* ⟨fig.⟩ op ~e hoogte staan met *be on par with/on a level with/square with;* ~e kansen *e. / even odds, even chances; e. opportunities* ⟨mogelijkheden⟩; ⟨gymnastiek⟩ ~e leggers *parallel bars;* in ~e mate *to the same extent/degree, in e. measure, equally;* iem. met ~e munt betalen *give s.o. tit for tat/a taste of his own medicine/as good as one gets, pay s.o. back in his own/the same coin, repay s.o. in kind, serve s.o. with the same sauce;* onder overigens ~e omstandigheden *all other things being e.;* bij ~e prijzen is produkt A beter *price for price, product A is superior;* ⟨sport⟩ ~ spel *a draw, a tie, a drawn game;* ⟨sport⟩ ~ spel spelen *draw;* ~e tred met iem. / iets houden *keep abreast of s.o. / sth., keep in step with s.o. / sth., keep pace/up with s.o. / sth.;* in ~e tred *in step;* op ~e voet staan met *be on an e. footing/on a par with;* met ~e wapenen strijden *fight on e. terms;* op ~e wijze *in the same way, similarly, likewise* **1.2** een ~e draad *an even/smooth thread/strand;* een ~ terrein *a level site;* op ~e toon *in a monotone, monotonously* **3.1** dat blijft ~

that doesn't make any difference; ~ blijven *remain unchanged, stay the same, remain stationary;* het is mij ~ *it's all the same to me, I don't mind/care, I'm not bothered/fussed/fussy;* ⟨wisk.⟩ twee maal twee is ~ vier *twice two is/equals four* **3.3** mijn horloge loopt ~ *my watch is r., keeps good time* **3.4** met de grond ~ maken *level, raze, level with/ raze to the ground* **5.1** precies ~ *exactly the same, identical* **6.1** ~ **aan** *e. to;* ~ **in** leeftijd *of an age* **6.2** alle burgers zijn **voor** de wet ~ *all citizens are equal before the law* **6.4** ~ **van** humeur *even-tempered,* ↑*equanimous* **7.1** ⟨tennis⟩ dertig ~ *thirty all* **7.2** ⟨tennis⟩ 40 ~ *deuce, forty all;*
II ⟨bw.⟩ **0.1** [op dezelfde manier] *likewise* ⇒*alike, in the same way/ manner, similarly* **0.2** [gelijkelijk] *equally* **0.3** [op hetzelfde punt, even ver] *level* **0.4** [tegelijk] *simultaneously* ⇒*at the same time, at once* **0.5** [meteen] *at once* ⇒*straightaway, immediately,* ⟨zo meteen⟩ *in a minute* ◆ **3.1** ~ denken met iem. *be of the same way of thinking as s.o., be of the same/one mind with s.o., think alike, take the same view as s.o., share s.o.'s opinion;* zij zijn ~ gekleed *they are dressed alike/the same* **3.2** ~ (op)delen *share and share alike, share e./ alike/in equal portions;* ⟨ov.⟩ *divide e./ on a fifty-fifty basis;* ~ spelen *draw* **3.4** je moet niet ~ eten en praten *you shouldn't eat and talk at the same time;* wilt u ~ even naar de olie kijken? *would you mind checking the oil while you're about it?;* de twee treinen kwamen ~ aan *the two trains came in s./ at the same time* **3.5** ik doe het morgen ~ *I'll do it first thing in the morning;* je kunt het net zo goed ~ doen *you might as well do it now/ straightaway;* ik kom ~ bij u *I'll be with you in a sec;* hij zag ~ dat ze gehuild had *he saw at a glance/at once that she'd been crying* **5.3** ~ op rijden/studeren/werken *keep up with each other's driving/studying/ working;* ⟨studeren/werken ook⟩ *study/work at the same pace.*

gelijk³ ⟨vw.⟩ ⟨schr.⟩ **0.1** [ongemarkeerd] *as* ⇒⟨ongemarkeerd⟩ *like* ◆ **1.1** bleek ~ de dood *pale as death, deathly pale;* leven ~ de goden *live like the gods* **6.1** ⟨bijb.⟩ ~ **in** de hemel, alzo ook op de aarde *on earth as it is in heaven.*

gelijkbenig ⟨bn.⟩ ⟨wisk.⟩ **0.1** *isosceles* ◆ **1.1** ~ trapezium i. ᴮ*trapezium/* ᴬ*trapezoid.*

gelijkberechtiging ⟨de (v.)⟩ **0.1** *(granting) equal rights* ⇒*emancipation* ◆ **1.1** de ~ van de vrouw *the granting of equal rights to/the emancipation of/equal rights for women.*

gelijkblijvend ⟨bn.⟩ **0.1** *constant* ⇒*steady* ◆ **1.1** ~e druk *c. pressure.*

gelijkdradig, gelijkdraads ⟨bn.⟩ **0.1** *with an equal number of strands.*

gelijke ⟨de (m.)⟩ **0.1** *equal, peer, fellow* ◆ **3.1** zijns ~ niet hebben/vinden *not find one's like/peer, be peerless, be unequalled/not to be equalled;* zijn ~ vinden in *find/meet one's match in* **4.1** die lui en huns ~n *those folks and the likes of them, them and their likes;* iem. als zijn ~ behandelen *treat s.o. as an e./ on a footing of equality* **6.1 met** zijn ~n omgaan *associate with one's equals/peers/fellows;* **zonder** ~ *peerless* **7.1** drie ~n *three of a kind.*

gelijkelijk ⟨bw.⟩ **0.1** [in gelijke mate] *equally* ⇒*evenly* **0.2** [tegelijk] *simultaneously* ⇒*at once, at the same time* ◆ **3.1** ~ delen/verdelen ⟨ov.⟩ *divide equally/evenly/on a fifty-fifty basis;* ⟨onov.⟩ *share and share alike;* ⟨2 personen ook⟩ *go fifty-fifty, go halves;* ⟨inf.⟩ *go Dutch* **3.2** allen stoven ~ op *everyone flared up at once.*

gelijken ⟨onov.ww.⟩ ⟨schr.⟩ **0.1** [lijken] *resemble* ⇒*be/look like* **0.2** [in aard/hoedanigheid overeenkomen] *resemble* ⇒*be like* **0.3** [de schijn hebben van] *resemble* ⇒*be like, appear, seem* ◆ **4.3** (heel) wat ~ *look like really sth.* **5.1** dat portret gelijkt goed *that portrait is a good likeness/is very like;* dat portret gelijkt sprekend op haar *that portrait is a speaking/excellent/exact likeness of her, that portrait resembles her to the life/has her to a tee* **6.1** ~ **op** r., *look like, bear a resemblance/likeness to.*

gelijkend ⟨bn.⟩ **0.1** *like* ⇒*similar, alike, resemblant, resembling* ◆ **1.1** een ~e tekening *a true-to-life drawing* **5.1** een goed ~ portret *a good likeness.*

gelijkenis ⟨de (v.)⟩ **0.1** [overeenkomst] *resemblance, similarity* ⇒*likeness* **0.2** ⟨bijb.⟩ parabel *parable* ◆ **1.1** de ~ van dat portret is voortreffelijk *the r./ likeness in that portrait is excellent* **1.2** de ~ van de Verloren Zoon *the p. of the Prodigal Son* ◆ **3** met dat van zijn vader *his handwriting bears a strong/close r./ s./ likeness to that of his father;* een sprekende/sterke ~ tussen moeder en dochter *a close/strong/speaking/near r./ likeness between mother and daughter;* volmaakte ~ *identity* **3.1** ~ vertonen met *bear (a) r., likeness to, look/be like, resemble* **6.1** ~ **met** de werkelijkheid *verisimilitude, resemblance to reality;* de mens is **naar** Gods beeld en ~ geschapen *man was created in God's image.*

gelijkgaan ⟨onov.ww.⟩ **0.1** *be right* ⇒*keep (good) time, be correct with/ by* ⟨met andere klok⟩ ◆ **1.1** mijn horloge gaat gelijk *my watch is right/keeps good time;* die twee klokken gaan altijd gelijk *those two clocks are always right.*

gelijkgerechtigd ⟨bn.⟩ **0.1** *equal* ⇒*having equal rights, coequal* ⟨zakenpartners⟩ ◆ **1.1** ~e aandelen *shares ranking pari-passu/ equally;* alle burgers zijn ~ *all citizens are e./ have e. rights;* ~e schuldeisers *ordinary creditors.*

gelijkgerechtigdheid ⟨de (v.)⟩ **0.1** *equality of rights* ⇒*equal rights/status, equality before the law.*

gelijkgericht ⟨bn.⟩ **0.1** *common* ⇒*the same, like, similar* ◆ **1.1** ~e belangen/belangstelling *c. interests.*

gelijkgesteld ⟨bn.⟩ **0.1** *(made) equal (to)* ⇒*(put) on a par (with)* ◆ **5.1** daarmee ~ en *those placed on the same footing* **6.1** ~ **aan** een staatsinstelling *parastatal;* vrouwen worden ~ **aan** mannen *women are given equal status with men.*

gelijkgestemd ⟨bn.⟩ **0.1** *like-minded* ⇒*of one/the same mind, congenial, compatible* ◆ **1.1** ~e geesten *kindred spirits;* een ~e groep *a congenial group* **3.1** ~ zijn *agree, be of one/the same mind.*

gelijkgezind ⟨bn.⟩ **0.1** *like-minded* ⇒*of the same/one mind, of the same religion/faith* ⟨van hetzelfde geloof⟩ ◆ **7.1** een ~e ⟨pol.⟩ *a sympathizer;* ⟨rel.⟩ *a co-religionist, an adherent of the same faith, a fellow Catholic/Protestant* ⟨enz.⟩.

gelijkhebberig ⟨bn.⟩ **0.1** *insistent on being/determined to be right (all the time)* ⇒⟨redenerend⟩ *argumentative,* ⟨dogmatisch⟩ *dogmatic.*

gelijkheid ⟨de (v.)⟩ **0.1** [volkomen overeenkomst] *equality* ⇒*identity, uniformity, equalness* **0.2** [⟨wisk.⟩] *equality* ⇒*equivalence* **0.3** [gelijkmatigheid] *evenness* **0.4** [effenheid] *evenness* ⇒*smoothness, levelness* ◆ **1.1** ~ van rang en stand *equality of classes;* op voet van ~ met iem. omgaan *treat/deal with s.o. on equal terms/on terms of/a footing of equality/on an equal footing;* vrijheid, ~ en broederschap *freedom, equality and brotherhood* **6.1 naar** (sociale en politieke) ~ streven *strive/aim for (social and political) equality* **6.3** ~ **van** humeur *e. of temper, equableness, imperturbability, equanimity.*

gelijkhoekig ⟨wisk.⟩ **0.1** [gelijke hoeken hebbend] *equiangular* **0.2** [de overeenkomstige hoeken gelijk hebbend] *similar* ◆ **1.2** ~e driehoeken *s. triangles;* ~e vierhoeken *equiangular quadrangles.*

gelijkklinkend ⟨bn.⟩ **0.1** *homophonous* ⇒*homophonic, sounding alike/ the same* ◆ **1.1** ~e letters/woorden *homophones.*

gelijkkloppen ⟨ov.ww.⟩ **0.1** *flatten/straighten/level (out)* ⇒⟨zachtjes⟩ *pat down* ⟨een oppervlakte⟩ *smooth out* ⟨kleed⟩.

gelijkknippen ⟨ov.ww.⟩ **0.1** [oneffenheden wegnemen] *trim* ⇒*pare* **0.2** [dezelfde vorm geven] *trim* ◆ **1.1** de heg ~ *t. the hedge;* zijn nagels ~ *t./ pare one's nails.*

gelijkkomen ⟨onov.ww.⟩ **0.1** [op hetzelfde punt komen] *come up (with)* ⇒*catch up (with), get abreast (of), draw level (with)* **0.2** [⟨sport⟩] *equalize* ⇒*level the scores, draw level (with)* ◆ **6.1** in twee maanden was ik met hem gelijkgekomen *in two months I had come/caught up with him;* het water kwam gelijk met de dijk *the water rose level with/ to the level of/to the top of the dike* **6.2** Ajax kwam gelijk **met** Feyenoord *Ajax drew level with Feyenoord.*

gelijkliggen ⟨onov.ww.⟩ **0.1** *lie level* ⇒*lie flush/on a level/even* ◆ **1.1** de roeiers lagen na 100 meter gelijk *after 100 meters the rowers had drawn level;* die stenen/die straten liggen niet gelijk *those stones/ streets aren't level.*

gelijklopen
I ⟨onov.ww.⟩ **0.1** [mbt. uurwerken] *be right* ⇒*keep (good) time, be correct with/by* ⟨met ander uurwerk⟩ **0.2** [dezelfde richting volgen] *run parallel (to)* **0.3** [dezelfde hoogte hebben] *be level* ⇒*be horizontal* ◆ **1.1** mijn horloge loopt gelijk *my watch is right/keeps good time;* die twee klokken lopen gelijk *those two clocks are right* **1.2** een ~d horloge *a reliable watch;* ~de lijnen *parallel lines* **6.2** de weg loopt gelijk **met** de rivier *the road runs parallel to the river;*
II ⟨ov.ww.⟩ **0.1** [mbt. schoeisel] *wear evenly.*

gelijkluidend ⟨bn., bw.; -ly⟩ **0.1** [gelijk van klank] ⟨taal.⟩ *homophonous* ⇒*homophonic,* ⟨muz.⟩ *unisonous, unisonal, unisonant* **0.2** [van gelijke strekking] *identical* ⇒*similar, concurrent* **0.3** [conform het origineel] *identical* ⇒⟨mbt. afschriften, kopieën⟩ *true, verbatim, duplicate* ◆ **1.2** een ~(e) antwoord/verklaring *an i. answer/declaration;* ⟨documenten⟩ in ~e bewoordingen *identically worded (documents),* ⟨documents⟩ with i. wording; een ~e brief *an i./ similar letter, a letter in the same terms* **1.3** voor ~ afschrift *true copy;* ~e plaatsen *identical sections/identically worded sections (of text).*

gelijkluidendheid ⟨de (v.)⟩ **0.1** [mbt. klank] ⟨taal.⟩ *homophony;* ⟨muz.⟩ *unison* **0.2** [mbt. strekking] *identity* ⇒*similarity* **0.3** [mbt. afschriften] *identity (in terms/text)* ⇒*conformity.*

gelijkmaken
I ⟨onov.ww.⟩ **0.1** [⟨sport⟩] *equalize* ⇒*draw level, level the score;*
II ⟨ov.ww.⟩ **0.1** [effenen] *level* ⇒*make even, smooth, even (out)* **0.2** [verschillen wegwerken] *equate, make even/equal* ⇒*even/level up, bring into line (with)* ◆ **1.1** een pad ~ *l. a path, make a path level* **1.2** de belastingen/tarieven ~ (met) *even up taxes/tariffs (with);* hoeveelheden ~ ↓*level up/even up quantities;* alle standen ~ *make all classes equal* **6.1** een huis **met** de grond ~ *raze a house to the ground* **6.2** Britse regelingen ~ **aan** die van de EEG *bring British regulations into line with those of the E.E.C..*

gelijkmaker ⟨de (m.)⟩ ⟨sport⟩ **0.1** *equalizer* ◆ **1.1** de ~ scoren *equalize, score the e., level the score.*

gelijkmaking ⟨de (v.)⟩ **0.1** [het effenen] *levelling* **0.2** [afkanting] *levelling* ᴬ*leveling* ⇒*making flush* ◆ **1.1** ⟨wisk.⟩ de methode van de ~ *(the method of) equation.*

gelijkmatig ⟨bn., bw.; -ly⟩ **0.1** [voortdurend, overal gelijk] *even* ⇒*equal, constant,* ⟨acceleratie, grootte, beweging ook⟩ *uniform,* ⟨klimaat⟩ *equable*, ⟨aanvoer, druk⟩ *steady*, ⟨loop van machine, auto enz.⟩ *smooth, regular* **0.2** [evenwichtig] *even-tempered* ⇒*equable, steady, level-headed, composed* ◆ **1.1** een ~e aanvoer/toevoer *a steady supply;* een ~e draf *a steady trot;* een ~e druk *(a) steady pressure;* een ~e snelheid *a constant speed;* een ~e stijl *a consistent style;* een ~(e) temperatuur/klimaat *an equable temperature/climate* **1.2** een ~ karakter *a steady character* **3.1** ~ verdelen *distribute evenly* **6.1** (niet) ~ **van** kwaliteit *(not) of uniform quality* **6.2** hij is ~ **van** humeur *he is e.-t..*

gelijkmatigheid ⟨de (v.)⟩ **0.1** [constantheid] *evenness* ⇒*constancy, uniformity, equableness, equability, steadiness, smoothness, regularity* **0.2** [evenwichtigheid] *even(-tempered)ness* ⇒*steadiness, composure.*

gelijkmoedig ⟨bn., bw.⟩ **0.1** *even-tempered* ⇒*placid,* [1 of equable temperament,] [1 *equanimous*,] (bw.) *with equanimity, placidly* ◆ **3.1** iets ~ verdragen *bear sth. with equanimity, take sth. philosophically* **5.1** ze bleef er heel ~ onder *she took it with great equanimity.*

gelijkmoedigheid ⟨de (v.)⟩ **0.1** *equanimity* ⇒*evenness of temper, equability, composure.*

gelijknamig ⟨bn.⟩ **0.1** [dezelfde naam dragend] *of the same name* ⇒ [1 *homonymic, homonymous*] **0.2** [⟨wisk.; nat.⟩]⟨wisk.⟩ *with/having the same/a common denominator; like, similar* ⟨polen⟩ ◆ **1.1** deze film is gemaakt naar de ~e roman *this film has been made from/after the novel of the same name* **1.2** ~e breuken *fractions with a common denominator/divisor* **3.2** breuken ~ maken *reduce fractions to the same denominator.*

gelijkrichten ⟨ov.ww.⟩ **0.1** [dezelfde richting laten krijgen] *align* ⇒ ↓*line up* **0.2** [in gelijkstroom veranderen] *rectify* ◆ **1.1** gelijkgerichte krachten *aligned forces.*

gelijkrichter ⟨de (m.)⟩ ⟨tech.⟩ **0.1** [om een wisselstroom te veranderen] *rectifier* **0.2** [om accu's op te laden] *battery-charger.*

gelijkschakelen ⟨ov.ww.⟩ **0.1** [⟨elek.⟩] *include in/connect to the same circuit* **0.2** [⟨pol.⟩] *bring/force into line, make (s.o.) toe the (party) line* **0.3** [als gelijken beschouwen (van groepen)] *regard/treat as equal(s)/ equalty* ◆ **1.2** de gelijkgeschakelde pers *the press, which has been brought into line with/made to toe the party line* **1.3** mannen en vrouwen ~ *give equal/the same treatment to/opportunities for men and women, treat men and women equally/the same* **1.**¶ ⟨taal.⟩ ~d verband *asyndetic co-ordination.*

gelijkschakeling ⟨de (v.)⟩ **0.1** [⟨pol.⟩] *bringing/forcing into line* ⇒ *Gleichschaltung* **0.2** [gelijke behandeling] *equal treatment.*

gelijkslachtig ⟨bn.⟩ **0.1** [gelijksoortig] *homogeneous* **0.2** [van hetzelfde geslacht] *of the same gender* ◆ **1.1** ⟨wisk.⟩ een ~e veelterm *h. polynomial.*

gelijksoortig ⟨bn.⟩ **0.1** *similar, alike* ⇒*analogous,* ⟨wisk.⟩ *homogeneous, like,* (nat.) *conspecific, congeneric* ◆ **1.1** ~e grootheden *like quantities;* ⟨wisk.⟩ ~e machten *homogeneous/like powers;* op ~e wijze *in a s. way, similarly;* dat zijn geen ~e zaken *they are not the same thing* **4.1** iets ~s zoeken *look for sth. s./a parallel/a counterpart.*

gelijksoortigheid ⟨de (v.)⟩ **0.1** *similarity, likeness* ⇒*analogy, homogeneity, homogeneousness, propinquity.*

gelijkspel ⟨het⟩ ⟨sport⟩ **0.1** [gelijke eindstand] *draw* ⇒*tie* **0.2** [wedstrijd met gelijke eindstand] *draw* ⇒*tie(d game)* ◆ **¶.1** de wedstrijd eindigde in een 2-2 ~ *the match ended in a two-all d..*

gelijkspelen ⟨onov.ww.⟩ ⟨sport⟩ **0.1** *draw* ⇒*tie,* ⟨golf⟩ *halve* ◆ **6.1** met 0-0 ~ *draw* [B]*nil nil/*[A]*nothing nothing;* met 2-2 ~ *draw two all;* A. speelde ~ **tegen** F., A. en F. speelden gelijk *A. drew with F., A. and F. drew (their match/game).*

gelijkstaan ⟨onov.ww.⟩ **0.1** [overeenkomen] *be equal (to);* ⟨op hetzelfde neerkomen⟩ *be tantamount (to)* **0.2** [eenzelfde aantal punten hebben] *be level (with)* ⇒⟨inf.⟩ *be all-square/quits/level pegging (with)* ◆ **1.1** hun kansen staan gelijk *their chances are equal* **6.1** dat staat voor mij vrijwel gelijk **aan** bedrog/chantage *as far as I'm concerned that's the next thing to/that's next to fraud/blackmail;* in rang ~ **met** hem *be equal to him in rank;* in aanzien ~ **met** een notaris *be equal to a lawyer in standing, of the same standing as a lawyer;* dat kennis ~ **met** iem. *be equal to s.o. in knowledge;* dat staat gelijk **met** een weigering *that is tantamount to a refusal* **6.2** ⟨sport⟩ **bij** rust nog ~ *still be level/ all-square at half time/*[A]*at the half;* ⟨sport⟩ **op** de ranglijst ~ *be level with;* ⟨sport⟩ **op** punten ~ *be level (pegging).*

gelijkstandig ⟨bn.⟩ ⟨wisk., bouwk.⟩ **0.1** *homologous.*

gelijkstellen ⟨ov.ww.⟩ **0.1** *equate (with)* ⇒⟨van gelijke kwaliteit achten⟩ *compare (with),* ↓*put on a par/level (with),* ⟨gelijke rechten geven⟩ *emancipate, give equal rights (to),* ↓*put on the same footing (as)* ◆ **6.1** iem. met een ander ~ ⟨van gelijke kwaliteit achten⟩ *compare s.o. with/* ↓*put s.o. on a par with s.o. else;* ⟨gelijke rechten geven⟩ *give s.o. equal rights to/the same rights as s.o. else;* zich **met** iem. ~ *compare o.s. with/put o.s. on a par with s.o. else;* de bijzondere scholen zijn gelijkgesteld **met** de openbare *private schools have been given the same rights as/made subject to the same conditions as/have been put on a par with/* ↓*have been put on the same footing as state schools;* buitenlanders worden op dit punt gelijkgesteld **met** Nederlanders *in this (respect) foreigners and Dutchmen have equal rights/are on the same footing;* kun je de koopkracht van een dollar ~ **met** die van een

gulden? *can you equate/compare the buying power of a dollar with that of a guilder?;* **voor** de wet ~ *emancipate, make equal before the law, give equal rights to.*

gelijkstelling ⟨de (v.)⟩ **0.1** *equalization* ⇒⟨voor de wet⟩ *emancipation* ◆ **1.1** de ~ van man en vrouw *the granting/giving of equal rights to men and women;* ≠*the emancipation of women;* de ~ van het bijzonder met het openbaar onderwijs *(the) equal treatment of private and state schools.*

gelijkstemmen ⟨ov.ww.⟩ **0.1** *tune (up)* ◆ **3.1** gelijkgestemd zijn *be similarly disposed, be in agreement* **6.1** de viool ~ **met** de piano *t. the violin to the piano.*

gelijkstroom ⟨de (m.)⟩ **0.1** *direct current* ⇒*continuous current* ◆ **6.1 op** ~ werken *work off d. c..*

gelijkstroommotor ⟨de (m.)⟩ **0.1** *direct-current/DC motor.*

gelijkteken ⟨het⟩ **0.1** *equal(s) sign* ⇒*sign of equality.*

gelijktijdig ⟨bn., bw.; -ly⟩ **0.1** [mbt. een tijdstip] *simultaneous* ⇒⟨bw. ook⟩ *at the same time* **0.2** [mbt. een tijdvak] *simultaneous* ⇒⟨bw. ook⟩ *at the same time* ◆ **1.1** ~e gebeurtenissen *simultaneous events* **1.2** ~e processen, ontwikkelingen *simultaneous processes/developments* **3.1** ~ plaatshebben *coincide;* ~ vertrekken *leave at the same time/* [1 *simultaneously*] **3.2** ~ (naast elkaar) bestaan *coexist;* ~ op vakantie zijn *be on holiday/*[A]*vacation at the same time.*

gelijktijdigheid ⟨de (v.)⟩ **0.1** *simultaneity, simultaneousness* ⇒*synchronism, concurrence, coincidence, contemporaneity.*

gelijktrekken ⟨ov.ww.⟩ **0.1** [rechttrekken] *straighten* **0.2** [de laagste gelijk maken aan de hoogste] *level (up)* ⇒ [1 *equalize*] ◆ **1.1** een tafelkleed/een rok ~ *s. a tablecloth/a skirt* **1.2** de lonen ~ *even up/level up wages;* ⟨sport⟩ de stand ~ *draw level, level the score, equalize.*

gelijkvloers[1] ⟨het⟩⟨AZN⟩ **0.1** *ground floor,* ⟨AE ook⟩ *first floor.*

gelijkvloers[2] ⟨bn., bw.⟩ **0.1** *on the ground/*⟨AE ook⟩ *first floor, at street level* ⟨predikatief gebruikt⟩*;ground-/*⟨AE ook⟩ *first-floor* ⟨bijvoeglijk gebruikt⟩ ◆ **1.1** alle kamers zijn ~ *all the rooms are on the ground floor;* ~e kruising ⟨BE⟩ *level road-junction;* ⟨AE⟩ *grade crossing;* ~e vertrekken *ground-floor rooms; rooms on the ground floor* **3.1** ~ liggen *be on the ground floor.*

gelijkvormig ⟨bn.⟩ **0.1** [gelijk van vorm/gedaante] *identical (in shape/ form (to/with))* ⇒⟨ook wisk.⟩ *similar (in shape/form),* ⟨schei., biol., enz.⟩ *equiform, uniform* **0.2** [⟨nat.⟩] *uniform* ◆ **1.1** ⟨meetkunde⟩ ~e driehoeken *similar triangles* **2.1** gelijk en ~ *congruent* **6.1** ~ zijn **aan** *be identical in shape to/with.*

gelijkvormigheid ⟨de (v.)⟩ **0.1** *identity (of shape), uniformity* ⇒⟨ook wisk.⟩ *similarity,* ⟨schei., biol. enz.⟩ *isomorphism,* ⟨gelijkheid en gelijkvormigheid, wisk.⟩ *congruence.*

gelijkwaardig ⟨bn.⟩ **0.1** [gelijk in waarde, kracht enz.] *equal (to/in), equivalent (to)* ⇒*of the same value/quality (as), of equal value/quality (to), of equal standing, equipollent (to)* **0.2** [⟨nat.⟩] *equivalent* ◆ **1.1** een ~e behandeling eisen *demand equal treatment;* of een ~ diploma *or similar qualifications;* in iem. een ~ gesprekspartner vinden *find a worthy interlocutor in s.o.;* twee ~e kandidaten *two candidates of the same quality/of equal merit;* een ~e tegenstander *a well-matched opponent;* ~e uitdrukkingen *equivalent expressions.*

gelijkwaardigheid ⟨de (v.)⟩ **0.1** *equivalence* ⇒*equality, par(ity)* ◆ **1.1** negers zullen op basis van ~ worden toegelaten ⟨ook⟩ *negroes will be admitted on an unsegregated basis.*

gelijkwerken
I ⟨onov.ww.⟩ **0.1** [zo verbonden zijn dat ze vlak aansluiten] *be/fit together flush, be in the same plane, form a smooth surface;*
II ⟨ov.ww.⟩ **0.1** [zo (be)werken dat ze gelijk komen te liggen] *smooth /plane down (flat/flush).*

gelijkzetten ⟨ov.ww.⟩ **0.1** [mbt. uurwerken] *set (by)* **0.2** [op de juiste tijd zetten] *put right, set* ⇒⟨vnl. mil.⟩ *synchronize* **0.3** [mbt. wijzerbarometers] *set* ◆ **1.1** laten we eerst onze horloges (met elkaar) ~ *let's first synchronize (our) watches;* ⟨fig.; scherts.⟩ daar kun je de klok op ~ *you can set the clock by it* **6.1** ik heb mijn horloge **met** de torenklok gelijkgezet *I have set my watch by the tower clock.*

gelijkzijdig ⟨bn.⟩ ⟨wisk.⟩ **0.1** *equilateral* ◆ **1.1** een ~e driehoek/veelhoek *an e. triangle/polygon.*

gelijkzwevend ⟨bn.⟩ ⟨muz.⟩ ◆ **1.**¶ ~e temperatuur/stemming *equal/ even temperature/temperament.*

gelijnd ⟨bn.⟩ **0.1** *lined* ⇒⟨mbt. papier ook⟩ *ruled,* [1 *lineate(d)*] ◆ **1.1** ~ schrijfpapier *lined/ruled writing paper* **5.1** strak ~ *firm-lined, clean-lined.*

gelijst ⟨bn.⟩ **0.1** [in een lijst gevat] *framed* **0.2** [met lijsten versierd] *framed* ⇒*edged, bordered (with/by).*

gelik ⟨het⟩ **0.1** [het likken] *licking* ⇒ ⟨leppen, oplikken⟩ *lapping* **0.2** [het vleien] *toadyism* ⇒*bootlicking, crawling.*

gelikt ⟨bn.⟩ **0.1** *licked* ⇒*highly finished, polished,* ⟨gladjanusachtig⟩ *slick.*

gelinieerd ⟨bn.⟩ **0.1** *lined* ⇒⟨mbt. papier ook⟩ *ruled,* [1 *lineated*] ◆ **1.1** ~ postpapier *ruled note-paper/stationery/writing-paper.*

gelispel ⟨het⟩ **0.1** *lisp(ing).*

gelobby ⟨het⟩ **0.1** *lobbying.*

gelobd ⟨bn.⟩ ⟨plantk.⟩ **0.1** *lobed, lobate* ⇒*palmate.*

geloei ⟨het⟩ **0.1** [geluid van runderen]⟨koe⟩ *lowing, mooing,* ⟨stier⟩ *bellowing* **0.2** [⟨fig.⟩ gejoel, geschreeuw] *howling, shrieking, wailing* **0.3** [mbt. storm, wind, vuur] *roaring* ⇒⟨storm, wind ook⟩ *howling* **0.4** [misthoorn] *booming* **0.5** [sirene] *wailing.*

gelofte ⟨de (v.)⟩ **0.1** [plechtige belofte] *vow* ⇒*oath, pledge, (solemn) promise* **0.2** [⟨rel.⟩] *vow* **0.3** [mbt. de priesterwijding] *vow* ◆ **1.3** de ~ van armoede, gehoorzaamheid en kuisheid afleggen *take the vows of poverty, obedience and chastity, take monastic vows;* ⟨inf.⟩ *take (one's) vows/the v.* **2.3** de eeuwige ~ doen *take solemn vows;* de drie plechtige ~n *the three solemn vows, (the) monastic vows, holy vows* **3.1** een ~ doen (om) *vow (to), take/make a v./ an oath (to), pledge (to);* zijn ~ houden/gestand doen *keep/perform one's v.* **3.2** zijn ~ houden/breken *keep/break one's v..*

geloken ⟨bn.⟩⟨schr.⟩ **0.1** ⟨ongemarkeerd⟩ *closed, shut* ◆ **1.1** met ~ ogen *with eyes closed.*

gelokt ⟨bn.⟩ **0.1** *with locks/tresses (of hair),* ⟨in samenstellingen⟩ *-haired* ⇒⟨mbt. mens⟩ *≠curly-headed,* ⟨mbt. haar⟩ *≠curly, curled,* ⟨dicht., vero.⟩ *tressy* ◆ **2.1** een blondgelokt kind *a child with golden locks/ blond curls;* zwartgelokte schonen *raven-haired beauties.*

gelonk ⟨het⟩ **0.1** *ogling.*

geloof ⟨het⟩ ⟨→sprw. 209⟩ **0.1** [vertrouwen in de waarheid van iets] *faith, belief* ⇒*trust, credence, credit* **0.2** [vertrouwen op God(s woord)] *faith* **0.3** [overtuiging] *belief* ⇒*trust, conviction,* ⟨mbt. waarde of goedheid ook⟩ *faith* **0.4** [religie] *faith, religion* ⇒*creed, (religious) belief, (religious) persuasion* **0.5** [vertrouwen van anderen, krediet] *trust* ⇒*credit* ◆ **1.2** ~, hoop en liefde *f., hope and charity/love* **1.4** het ~ van onze vaderen *the f. of our fathers;* verdediger des ~s *defender of the f.;* ⟨als titel van Brits vorst, bv. op munten⟩ *Fidei Defensor* **2.1** een onvoorwaardelijk ~ in mensen hebben *have implicit f. / trust in s.o.'s words;* een rotsvast/blind ~ *a rocklike/blind f. / belief* **2.2** een vurig ~ *ardent f.* **2.3** alle ~ in de mensen verliezen *lose all faith in people/humanity;* een onwankelbaar/heilig ~ in de rede hebben *have an unshakeable/firm b. in reason* **2.4** het alleenzaligmakende ~ *the one/only true f.;* het roomse/gereformeerde ~ *the Roman Catholic f. / religion, the Protestant religion;* het ware ~ *the true f., the Faith* **2.5** op goed ~ aannemen *accept/take on t. / in good faith* **3.1** ergens ~ aan hechten *give/attach credence/credit to sth., credit sth., believe sth.;* geen (enkel) ~ hechten aan iets *attach no credence/credit (what(so)ever) to sth.;* ⟨ook⟩ *discredit sth.;* (geen) ~ vinden (bij) *find (no) credence with* **3.2** het ~ verkondigen/verbreiden *proclaim/spread the f.* **3.4** van zijn ~ afvallen *lose one's f.;* zijn ~ belijden/verzaken/afzweren *profess/renounce/forswear one's f. / religion;* het ~ hervinden *return to the f.;* iemands ~ schokken/doen wankelen *shake s.o.'s faith;* voor zijn ~ uitkomen *stand up for one's f. / religion* **6.2** het ~ in God *f. in God* **6.3** iem. in zijn ~ laten *not want to disillusion s.o.;* het geloof in reïncarnatie *b. in reincarnation;* het ~ in de vooruitgang *b. in progress;* ~ in de wetenschap/in de mensheid hebben *believe in/have f. in science/in humanity;* het ~ in zijn krachten hervinden *regain faith in o.s. / one's powers* **6.4** iem. tot het ~ bekeren *convert s.o. to the f.;* zonder ~ zijn *have no religious belief, have no religion, not be religious* ¶**.2** een ~ dat bergen kan verzetten *a f. that can move mountains.*

geloofsartikel ⟨het⟩ **0.1** [⟨rel.⟩] *article of faith* **0.2** [stelling] *article of faith* ⇒*dogma, tenet.*

geloofsbelijdenis ⟨de (v.)⟩ **0.1** [verklaring omtrent de godsdienstige overtuiging] *profession/confession of faith* **0.2** [artikelen] *credo, creed* **0.3** [mbt. een staatkundige overtuiging] *creed, (political) testament/ credo* ◆ **1.2** de ~ der apostelen *the Apostles' Creed;* ⟨r.k.;inf.⟩ *the 'I believe';* ~ van Nicaea *Nicene Creed* **2.2** de anglicaanse ~ *the Thirty-nine Articles* **2.3** een politieke ~ *a political t. / credo* **3.1** zijn ~ afleggen (solemnly) *profess one's faith.*

geloofsbeproeving ⟨de (v.)⟩ **0.1** *test of (one's) faith.*

geloofsbrief ⟨de (m.)⟩ **0.1** *credentials* ⇒⟨van gezant ook⟩ *Letters of Credence* ◆ **1.1** ⟨pol.⟩ de commissie voor de geloofsbrieven *the credentials committee* **3.1** het nieuwe kamerlid bood zijn geloofsbrieven aan *the new Member of Parliament presented his credentials;* ⟨fig.⟩ naar iemands geloofsbrieven vragen *ask for/demand s.o.'s credentials;* geloofsbrieven verstrekken aan *accredit s.o., accord credentials to s.o..*

geloofscrisis ⟨de (v.)⟩ **0.1** *crisis of faith, religious crisis* ◆ **3.1** een ernstige ~ doormaken *go through a serious crisis of faith/religious crisis.*

geloofsdaad ⟨de⟩ **0.1** *act of faith.*

geloofsdwang ⟨de (m.)⟩ **0.1** *religious coercion, religious constraint.*

geloofsformulier ⟨het⟩ **0.1** *confession* ⇒*creed.*

geloofsgeheim ⟨het⟩ **0.1** *mystery of faith.*

geloofsgemeenschap ⟨de (v.)⟩ **0.1** *community of faith, religious community.*

geloofsgenoot ⟨de (m.)⟩ **0.1** *co-religionist* ⇒*s.o. of the same religious persuasion, fellow believer* ◆ **2.1** politiek ~ *holder of the same political beliefs,* ↓*political friend.*

geloofsgeschil ⟨het⟩ **0.1** *religious controversy.*

geloofsgetuige ⟨de (m.)⟩ **0.1** *martyr (for the faith).*

geloofsgrond ⟨de (m.)⟩ **0.1** *basis of (one's) belief.*

geloofsijver ⟨de (m.)⟩ **0.1** *religious zeal/fervour* ◆ **6.1** uit ~ *from/because of r. z..*

geloofskracht ⟨de⟩ **0.1** *power of faith.*

geloofskwestie ⟨de (v.)⟩ **0.1** *religious matter/question.*

geloofsleer ⟨de⟩ **0.1** *religious doctrine, dogma* ⇒⟨r.k. ook⟩ *doctrine of the faith,* ⟨wetenschap⟩ *dogmatics* ◆ **1.1** Heilige Congregatie voor de ~ *Sacred Congregation for the Doctrine of the Faith.*

geloofsleven ⟨het⟩ **0.1** *religious life.*

geloofsonderzoek ⟨het⟩ **0.1** *examination/investigation of orthodoxy* ⇒ ⟨gesch.⟩ *inquisition.*

geloofsovertuiging ⟨de (v.)⟩ **0.1** [overtuiging] *religious conviction* **0.2** [leerstellingen] *(religious) persuasion, creed, belief, faith* ◆ **2.2** mensen met verschillende ~ *people of different persuasions/beliefs/faiths/ creeds* **5.2** ongeacht ~ *regardless of creed/persuasion* **6.1** handelen uit ~ *act from religious conviction.*

geloofspunt ⟨het⟩ **0.1** *point of doctrine, doctrinal point* ⇒*tenet, dogma.*

geloofsregel ⟨de (m.)⟩ **0.1** *rule of faith.*

geloofsstuk ⟨het⟩ **0.1** *article of faith, dogma, tenet.*

geloofsverdediging ⟨de (v.)⟩ **0.1** *apologetics.*

geloofsverdeeldheid ⟨de (v.)⟩ **0.1** *religious differences/division(s), differences in religion* ◆ **6.1** een christendom boven ~ *a christianity above religious differences.*

geloofsverkondiger ⟨de (m.)⟩ **0.1** *preacher/proclaimer of the faith* ⇒ *≠apostle, missionary.*

geloofsverkondiging ⟨de (v.)⟩ **0.1** *preaching (of)/proclamation of the faith.*

geloofsvervolging ⟨de (v.)⟩ **0.1** *religious persecution.*

geloofsvraag ⟨de⟩ **0.1** *religious question.*

geloofsvrijheid ⟨de (v.)⟩ **0.1** *religious freedom/* ⟨soms⟩ *liberty, freedom of religion/religious belief/practice.*

geloofwaardig ⟨bn., bw.;-ly⟩ **0.1** *credible* ⟨verhaal, verslag⟩; *reliable, trustworthy* ⟨verslag, getuige, verslaggever⟩; *plausible* ⇒*believable* ◆ **1.1** een ~ getuige *a reliable witness;* ~e schrijvers *trustworthy/reliable writers;* dat verhaal is zeer ~ *that story is very plausible/convincing* **3.1** dat klinkt (niet) erg ~ *that sounds/doesn't sound very credible/convincing, that rings/doesn't ring true;* haar verwondingen maakten haar verhaal ~er *her wounds lent credibility to her story;* ~er worden *gain credit.*

geloofwaardigheid ⟨de (v.)⟩ **0.1** *credibility* ⇒*trustworthiness, reliability, authority* ◆ **3.1** aan ~ inboeten *lose c., become less credible;* de ~ van iem./iets schaden *damage s.o.'s c. / the c. of sth., discredit/throw discredit on s.o./sth.;* een stelling (enige) ~ verlenen *lend (some) c. to a thesis;* zijn ~ verliezen *lose one's c..*

geloop ⟨het⟩ **0.1** *coming and going* ⇒*walking/* ⟨hard⟩ *running (to and fro)* ◆ **5.1** heen en weer ~ *running about/to and fro.*

geloven ⟨→sprw. 394,680⟩
I ⟨onov.ww.⟩ **0.1** [⟨+in⟩] *believe (in)* ⇒*have faith (in)* **0.2** [⟨+aan⟩] *believe (in)* ◆ **5.2** je zult eraan moeten ~ ⟨het toch moeten doen⟩ *you'll (just) have to/you're (just) going to have to/you'd better face (up to) it;* ⟨moeten sterven⟩ *you've had it, your chips are/your number is up* **6.1** ~ in God *b. in God;* ik geloof er niet in *I have no faith in it;* in zichzelf ~ *have faith in o.s., b. in o.s.;* ergens vast/heilig in ~ *b. firmly in sth.* **6.2** aan ~ spiritisme ~ *b. in spiritualism* **6.¶** ik geloof van wel *I think/* ↑*believe so;* ik geloof van niet *I don't think so, I think not;*
II ⟨ov.ww.⟩ **0.1** [vertrouwen stellen in] *believe* ⇒↑*credit* **0.2** [voor waar houden] *believe* ⇒↑*credit* **0.3** [menen] *think* ⇒↑*believe* ◆ **1.1** zijn ogen/oren niet kunnen/durven ~ *not be able to/not dare b. one's eyes/ears* **1.2** ik geloof die bewering graag *I can well b. such a statement* **3.1** je kunt me ~ of niet *b. it or not;* als men hem moet ~ *if he is to be believed/credited* **3.2** hij wilde me doen ~ dat *he tried to make/ have me b. that …;* niet zo gevaarlijk/slecht als men ons wil doen ~ *not as dangerous/bad as they/people would have you b.;* op den duur ga je alles ~ *you'll end up (by) believing anything;* als je het maar vaak genoeg zegt, gaat hij het nog ~ ook *if you say it often enough he'll end up (by) believing it;* hij kon maar niet ~ dat …*he just couldn't b. that …;* ⟨iron.⟩ dat moet, kun je ~! *don't you b. it!* **4.2** geloof dat maar b. *you me!, you can take my word for it;* geloof je dat zelf? *come off it!, a likely story!, (surely) you don't b. that yourself(, do you)?;* hij geloofde niets van haar verhaal *he didn't b. a word of her story* **4.¶** hij gelooft het wel *he just lets things slide;* ik geloof het verder wel *I think I'll pack it in* **5.1** ik geloof je wel *I (do) b. you, I'll take your word for it* **5.2** geloof maar gerust dat ze er spijt van heeft *you can take it from me that she regrets it/is sorry;* ⟨iron.⟩ ik wil dat graag ~ (, maar) *I'd like to b. that (, but);* geloof dat maar niet *don't you b. it!;* geloof maar niet dat hij het doet *you can be sure/you can bet (your money/bottom dollar)(that) he won't do it* **6.2** niet te ~! *unbelievable!, incredible!, would you b. it?, it isn't true!* **8.3** ik voor mij geloof dat …*personally I t. that …* ¶**.1** iem. op zijn woord ~ *take s.o. at his word, take/accept s.o.'s word for it* ¶**.2** ik geloof er geen snars/sikkepit van *I don't b. a (single) word of it;* ik geloof er geen barst van *I don't b. a bloody word of it;* je moet het zien om het te ~ *it has to be seen to be believed* ¶**.3** hij is het er, geloof ik, niet mee eens *I don't t. he agrees/he doesn't seem to agree with it.*

gelovig ⟨bn.,bw.;-ly⟩ **0.1** ⟨kerks,religieus⟩ *religious;* ⟨vroom⟩ *pious;* ⟨vast op God vertrouwend⟩ *faithful* ⇒*believing* ♦ **1.1** een ~ christen *a faithful Christian;* met een ~ hart *with (a) pious heart* **3.1** ~ zijn *be religious, believe in God;* niet ~ zijn *not be religious, be unbelieving.*

gelovige ⟨de (m.)⟩ **0.1** *believer* ⇒⟨aanwezige bij godsdienst⟩ *worshipper* ^shiper, ⟨Puritein,Mormoon⟩ *saint* ♦ **2.1** beminde ~ n! *(dearly) beloved;* de overleden ~ n ⟨r.k.⟩ *the faithful departed* **3.1** de ~ n verlieten de kerk *the congregation left the church* **7.1** de ~ n *the faithful;* een ~ *a b./worshipper.*

gelubd ⟨bn.⟩ **0.1** [gecastreerd] *castrated* ⇒⟨van dieren⟩ *gelded, neutered* **0.2** [met lubben versierd] *ruffled,frilled* ♦ **1.2** een ~ e halskraag *a ruff.*

gelui ⟨het⟩ **0.1** [handeling] *ringing* ⇒⟨gebeier⟩ *pealing,* ⟨langzaam en regelmatig, vooral van doodsklok⟩ *tolling* **0.2** [keer] *ring* ⇒*peal, toll.*

geluid ⟨het⟩ **0.1** [⟨nat.⟩ trillende beweging] *sound* **0.2** [gelijktijdig klinkende tonen, klank] *sound* ⇒⟨vaak met negatieve bet.⟩ *noise* **0.3** [toonkleur, timbre] *tone* ⇒*timbre, sound* **0.4** [klankregistratie] *sound* **0.5** [⟨fig.⟩ mening, oordeel] *note, voice* ♦ **1.1** (met) de snelheid van het ~ *(at) the speed of s.* **1.2** het ~ van krekels *the s. of crickets* **1.4** beeld en ~ synchroon laten lopen *synchronize vision and s.;* licht en ~ bedienen *operate light and s.* **2.2** een afschuwelijk ~ voortbrengen *make an awful noise;* wat een gekke ~ en! *what a funny/strange noise!;* verdachte ~ en *suspicious noises;* een zacht/doordringend ~ *a soft/penetrating s.;* het ~ zachter zetten *turn down/lower the volume* **2.5** dat is een (heel) ander ~ *that is a (completely) different story;* een heel ander ~ laten horen *strike a completely different n., tell a different tale;* een ander/optimistisch/waarschuwend ~ laten horen *strike a different note/a note of optimism/warning, strike a different note/a warning note/an optimistic note;* dat is een heel eigen ~ *that is a very individual voice;* het eigen ~ van de democraten *the characteristic v. of the democrats;* een eigentijds ~ *a contemporary note;* ⟨fig.⟩ een nieuw ~ laten horen *strike a different n.;* een positief/optimistisch ~ laten horen ⟨ook⟩ *sound a positive n./a n. of optimism;* een waarschuwend ~ tegen iets laten horen *sound/strike a n. of warning against sth.* **3.2** ~ geven/voortbrengen *make/emit (a) s.;* de kleine maakt allerlei ~ jes *the little one is making all sorts of noises;* ze kon geen ~ uitbrengen van emotie *she was speechless with emotion* **3.3** uit de radio komt een mooi/fraai ~ *the radio has beautiful/fine reproduction;* er zit in die viool een mooi ~ *that violin has a beautiful t.* **3.5** ik heb zijn ~ nog niet gehoord *I've not yet heard/I've yet to hear what he thinks* **7.1** ⟨nat.⟩ tweede ~ *second s.* **¶.1** sneller dan het ~ *faster than s.;* ⟨wet.⟩ *supersonic.*

geluiddempend ⟨bn.⟩ **0.1** *sound insulating* ⇒*sound-deadening, sound-damping, sound-suppressing, sound-proof(ing), noise-deadening, muffling* ♦ **1.1** ~ materiaal *sound-proofing/plugging material;* ~ plafond *acoustic ceiling.*

geluiddemper ⟨de (m.)⟩ **0.1** [mbt. wapens] *silencer* **0.2** [mbt. muziekinstrumenten] *mute* ⇒⟨in partituur ook⟩ *sordino, sourdine* **0.3** [mbt. motor] ^B*silencer,* ^A*muffler* ♦ **6.2** met ~ *con sordino.*

geluiddemping ⟨de (v.)⟩ **0.1** *soundproofing* ⇒*deadening of sound/noise(s), sound boarding.*

geluiddicht ⟨bn.⟩ **0.1** *sound-proof* ♦ **3.1** ~ maken *sound-proof.*

geluidgevend ⟨bn.⟩ **0.1** *sound-producing.*

geluidloos ⟨bn.,bw.;-ly⟩ **0.1** [zonder geluid voort te brengen] *silent* ⇒*soundless, noiseless* **0.2** [zonder opzien te baren] *silent* ⇒*quiet* ♦ **1.1** een ~ klokje *a silent clock* **3.1** ~ dook hij weg *he slipped away silently* **3.2** iem. ~ laten verdwijnen *have s.o. quietly disappear.*

geluidmeting ⟨de (v.)⟩ ⟨mil.⟩ **0.1** *sound-ranging.*

geluidmixer ⟨de (m.)⟩ **0.1** [persoon] *sound mixer* **0.2** [toestel] *sound mixer.*

geluidnabootser ⟨de (m.)⟩ **0.1** *sound effects box.*

geluidsarchief ⟨het⟩ **0.1** *sound archives* ⟨mv.⟩.

geluidsarm ⟨bn.⟩ **0.1** ⟨bv. motor⟩ *noiseless.*

geluidsband ⟨de (m.)⟩ **0.1** *(sound) recording tape, magnetic (recording) tape, audiotape* ♦ **3.1** iets op ~ opnemen/registreren *make a tape(-recording) of sth., record sth. on tape.*

geluidsbarrière ⟨de⟩ **0.1** *sound barrier* ⇒*sonic barrier* ♦ **3.1** de ~ doorbreken *break the sound barrier.*

geluidsbron ⟨de⟩ **0.1** *sound source.*

geluidscamera ⟨de⟩ **0.1** *sound camera.*

geluidscapaciteit ⟨de (v.)⟩ **0.1** *(acoustic) capacity* ⇒*volume.*

geluidscassette ⟨de⟩ **0.1** *audio-cassette.*

geluidsdecor ⟨het⟩ **0.1** *sound mix.*

geluidsdemper →*geluiddemper.*

geluidsdiagram ⟨het⟩ **0.1** *sound spectrogram, acoustic diagram.*

geluidsdrager ⟨de (m.)⟩ ⟨audio⟩ **0.1** *sound recording medium.*

geluidseffect ⟨het⟩ **0.1** *sound effect* ♦ **3.1** de ~ en verzorgen *provide the sound effects.*

geluidsfilm ⟨de (m.)⟩ **0.1** *sound-film* ⇒⟨vero.;inf.⟩ *talkie, talking picture.*

geluidsfrequentie ⟨de (v.)⟩ **0.1** *audio frequency.*

geluidsgolf ⟨de⟩ **0.1** *sound wave* ⇒*sonic wave.*

geluidshinder ⟨de (m.)⟩ **0.1** *noise pollution* ⇒*sound pollution* ♦ **1.1** de

bestrijding van ~ *noise abatement/control* **¶.1** veel last hebben van ~ *have a lot of trouble with noise.*

geluidsindruk ⟨de (m.)⟩ **0.1** *acoustic impression.*

geluidsinstallatie ⟨de (v.)⟩ **0.1** *sound (reproducing) equipment* ⇒*recording and playback equipment,* ⟨stereo-, hi-fi installatie thuis⟩ *stereo(-set), hi-fi (set),* ⟨intercom⟩ *public address system.*

geluidsisolatie ⟨de (v.)⟩ **0.1** *sound insulation* ⇒*sound proofing.*

geluidskop ⟨de (m.)⟩ **0.1** *recording head* ⇒⟨film⟩ *sound head,* ⟨mbt. platenspeler⟩ *cartridge, pick-up.*

geluidskwaliteit ⟨de (v.)⟩ **0.1** *sound-quality* ♦ **2.1** een uitstekende ~ *excellent s.-q./reproduction.*

geluidsleer ⟨de⟩ **0.1** *acoustics* ⇒*phonics.*

geluid(s)montage ⟨de (v.)⟩ **0.1** *sound-editing.*

geluidsmuur ⟨de (m.)⟩ **0.1** *sound barrier* ⇒*sonic barrier.*

geluidsniveau ⟨het⟩ **0.1** *sound-level/-volume.*

geluidsopname ⟨de⟩ **0.1** [het vastleggen van geluid] *sound-recording* **0.2** [grammofoonplaat of band] *(sound-)recording* ⇒⟨band ook⟩ *audiotape.*

geluidsoverlast ⟨de (m.)⟩ **0.1** *noise pollution/nuisance* ♦ **1.1** een klacht wegens ~ *a complaint about the noise.*

geluidsprikkel ⟨de (m.)⟩ **0.1** *acoustic stimulus* ♦ **3.1** (niet) reageren op ~ s *(fail to) respond to acoustic stimuli.*

geluidsreclame ⟨de⟩ **0.1** *recorded advertisements* ⟨mv.⟩.

geluidsscherm ⟨het⟩ **0.1** *baffle board/plate.*

geluidssignaal ⟨het⟩ **0.1** *sound signal* ⇒*audio-signal, audible signal.*

geluidssnelheid ⟨de (v.)⟩ **0.1** *speed of sound* ⇒*sonic speed* ♦ **3.1** de ~ evenaren/overschrijden *reach/exceed the speed of sound.*

geluidsspectrum ⟨het⟩ **0.1** *sound spectrum.*

geluidsspoor ⟨het⟩ **0.1** *soundtrack* ♦ **2.1** magnetisch ~ *magnetic s.* **3.1** het ~ wissen *wipe the s..*

geluidssterkte ⟨de (v.)⟩ **0.1** *sound intensity* ⇒⟨radio/TV;muziekinstrument⟩ *volume* ♦ **3.1** de ~ verminderen/opvoeren *lower/raise the volume.*

geluidstechnicus ⟨de (m.)⟩ **0.1** *sound engineer* ⇒*audio engineer, sound mixer, sound technician, sound man.*

geluidstechniek ⟨de (v.)⟩ ⟨film;t.v.;audio⟩ **0.1** *sound (engineering)* ⇒ ↑*acoustics.*

geluidstoren ⟨de (m.)⟩ **0.1** *stereo/hi-fi stacking system* ⇒*music centre.*

geluidstrechter ⟨de (m.)⟩ **0.1** *megaphone* ⇒⟨van ouderwetse grammofoon⟩ *horn.*

geluidstrilling ⟨de (v.)⟩ **0.1** *sound vibration* ⇒ ↑*acoustic vibration.*

geluidsvermogen ⟨het⟩ **0.1** *(acoustic) capacity* ⇒*volume.*

geluid(s)versterker ⟨de (m.)⟩ **0.1** *(sound) amplifier.*

geluidsvolume ⟨het⟩ **0.1** *volume* ♦ **3.1** het ~ bijstellen/regelen *adjust the v..*

geluidswagen ⟨de (m.)⟩ **0.1** *sound truck.*

geluidswal ⟨de (m.)⟩ **0.1** *noise barrier.*

geluidsweergave ⟨de (v.)⟩ **0.1** *sound reproduction* ♦ **2.1** een volkomen natuurgetrouwe ~ *perfect reproduction.*

geluidwerend ⟨bn.⟩ **0.1** *sound-proofing* ⇒*sound-deadening/-damping.*

geluidwering ⟨de (v.)⟩ **0.1** *noise/sound-proof barrier.*

geluidweringscampagne ⟨de⟩ **0.1** *anti-noise campaign.*

geluier ⟨het⟩ **0.1** *idling* ⇒*lazing about/around.*

geluimd ⟨bn.⟩ **0.1** *in a ... mood;* ⟨in samenstellingen⟩ *-tempered* ⇒ ⟨vero.⟩ *in a ... humour, -humoured* ♦ **3.1** hoe is hij vandaag ~? *what sort of (a) mood is he in today?* **5.1** hij is weer niet zo best ~ *he is in one of his moods/one of those moods of his again;* hoe kom je toch zo goed/slecht ~? *why are you in such a good/bad mood/temper?, why are you so good/bad-tempered?.*

geluister ⟨het⟩ **0.1** *listening* ⇒*eaves dropping.*

geluk ⟨het⟩ (→sprw. 188,210-212,470,473) **0.1** [gunstige loop van omstandigheden] *(good) luck* ⇒*(good) fortune, chance* **0.2** [aangename toestand, welzijn] *happiness* ⇒*good fortune, well-being,* ⟨sterker⟩ *bliss, joy* **0.3** [prettige toevalligheid, gebeurtenis] *lucky thing* ⇒*piece/slice/bit of luck,* ⟨meevaller, mazzel⟩ *lucky break* **0.4** [behaaglijk gevoel] *happiness* ⇒*pleasure,* ⟨sterker⟩ *bliss, joy* ♦ **1.1** een kwestie van ~ *a matter of l.* **1.4** dat waren dagen van ~ *those were the days* **2.1** op goed ~ (af) *on the off-chance, hoping for the best, at random, at a venture, haphazardly,* ↓*on spec;* ik zal het op goed ~ proberen te raden *I'll hazard a guess (at it);* hij schoot er op goed ~ *he took a pot shot at it;* een poging wagen op goed ~ *make a hit-or-miss/a haphazard attempt;* stom ~ hebben *have a stroke of pure/sheer l.;* met wisselend ~ *with fluctuating fortunes* **2.2** aards/huiselijk ~ *worldly/domestic bliss* **2.3** met een beetje ~ *with a bit of luck* **3.1** zijn ~ beproeven *try one's l.;* zijn ~ nog eens beproeven *have another go/shot;* dat brengt ~ *that brings (good) l.;* hij had (geen) ~ *he was lucky/unlucky, his l. was in/out;* ik heb ~ gehad *I was lucky/in l.;* probeer het, misschien heb je ~ *try it, you never know your l.;* ik heb nooit het ~ gehad er een te ontmoeten *I've never been fortunate/lucky enough/had the good fortune to meet one;* ze hebben ook niet veel ~ *they are out of l. too;* ~ hebben ⟨altijd⟩ *be lucky/fortunate;* ⟨in een bepaald geval⟩ *be in l.;* als ze ~ heeft, haalt ze 't misschien *with (a bit of) l./if she's lucky she might make it;* het ~ is met hem *l. is on his side, he's always in l.;* iem. ~ toewensen *wish s.o. l.; wish s.o. happiness/joy/well* **3.2** ⟨iron.⟩ ik wens je er veel ~ mee *much good may it do you, good luck to you;* hun ~ werd wreed verstoord *their h. was cruelly marred/disturbed* **3.3** het ~ hebben *have the good fortune (to), be fortunate enough (to), be lucky enough (to);* dat is een ~ bij een ongeluk *it could have been a great deal worse;* er komt een beetje ~ bij *one needs a bit of luck too;* het was zijn ~ dat hij zwemmen kon *it was lucky/fortunate/a good thing/ ↓a good job for him that he could swim;* ik zou ook wel eens zo'n ~ je willen hebben *I wish I had your/his* ⟨enz.⟩ *luck;* ⟨vnl. AE ook⟩ *I should be so lucky* **4.3** dat was je ~ *that saved you* **6.1** door stom ~ *by pure chance/sheer l., by a (mere) fluke;* **door** stom ~ iets vinden/tegenkomen *blunder on sth.; ~* hebben **in** het spel/de liefde *be lucky at cards/in love;* **tot** hun ~ had iem. het gevaar gemerkt *fortunately for them s.o. had noticed the danger;* hij mag **van** ~ spreken *he can count himself lucky, he can/may thank his (lucky) stars;* je mag **van** ~ spreken dat je van deze zaak af bent *you are well out of this affair;* **zonder** ~ vaart niemand wel *no matter how industrious you are, you will achieve nothing without luck* **6.2 in** iemands ~ delen *share (in) s.o.'s good fortune/h.* **6.4** stralen **van** ~ *glow with/exude l.* **7.1** veel ~! *good l.!* **8.1** wat een ~ dat je thuis was *what a piece of l. / a lucky thing you were (at) home;* wat een ~ dat er een dokter in de buurt was! *what a blessing/mercy that a docter was nearby!* **¶.1** dat is meer ~ dan wijsheid *that is more by good l. than good management/judgement/skill, that is more through l. than anything else, it's more by hit than by wit (that);* ⟨gezegd⟩ ⟨wanneer een beginner of onkundige slaagt of wint⟩ *(that's just) beginner's l.;* nog een ~ dat ... *a good thing that ...;* het ~ liet hem in de steek *his l. gave out* **¶.3** een ~ je *a stroke/piece of (good) l., a windfall, a godsend* **¶.4** hij kon zijn ~ niet op *he couldn't get over it/was beside himself with joy.*

gelukaanbrenger ⟨de (m.)⟩ **0.1** *bringer of (good) luck* ⟹ ⟨mascotte, gelukspoppetje⟩ *mascot,* ⟨amulet, talisman⟩ *talisman, lucky charm, goodluck charm.*

gelukbrengend ⟨bn.⟩ **0.1** *luck-bringing* ⟹*bringing luck, lucky,* ↑*talismanic(al)* ◆ **1.1** ~e munt *luck(y) penny.*

gelukken ⟨onov.ww.⟩ →**lukken.**

gelukkig ⟨→sprw. 188,544,602⟩
I ⟨bn.⟩ **0.1** [fortuinlijk] *lucky* ⟹ ↑*fortunate,* ⟨schr.⟩ *happy* **0.2** [gunstig, goed gekozen] *happy* ⟹*lucky,* ⟨schr.⟩ *felicitous* **0.3** [voorspoedig] *fortunate* ⟹ ⟨in gelukswens vaak⟩ *happy,* ⟨geslaagd⟩ *successful, prosperous* **0.4** [geluk genietend] *happy* ⟹ ↑*fortunate* ◆ **1.1** de ~e bezitter/winnaar *the l. owner/winner;* een ~ einde *a happy ending* **1.2** in niet erg ~e bewoordingen *in rather unfortunate terms;* onder een ~ gesternte geboren zijn *have been born under a lucky star;* dat was een ~e greep *that was a lucky shot;* een ~e keuze/gedachte *a h. / lucky/ felicitous choice/thought;* geen erg ~e keuze/opmerking *not a very fortunate/felicitous/a rather unfortunate choice/comment;* door een ~ toeval *by a lucky/fortunate coincidence/a stroke of luck;* een ~ voorteken *a lucky sign* **1.3** een ~ kerstfeest/nieuwjaar *a happy/merry Christmas, a happy New Year;* wij verkeren in de ~e omstandigheid dat ... *we're/we find ourselves in the f. / lucky position/circumstance that ...* **1.4** een ~ paar/leven *a h. couple/life* **3.4** als je dat doet, ben je nog niet ~ *if you do that you'll be sorry;* zich/iem. ~ prijzen *consider o.s. / s.o. fortunate* **5.4** volmaakt ~ zijn *be perfectly h.* **6.3** hij was niet erg ~ **in** het kiezen van zijn voorbeelden *he wasn't very f. in his choice of examples* **6.4** ~ zijn met een voorstel *be h. with a proposal* **8.4** zo ~ als een kind *(as) h. as a child/sandboy/as a lark/as Larry;*
II ⟨bw.⟩ **0.1** [goed] *well* ⟹ ↑ *happily* **0.2** [tot grote opluchting] *luckily* ⟹*fortunately,* ↑*happily* **0.3** [blijk gevend dat men zijn geluk niet] *happily* ◆ **3.1** zijn woorden ~ kiezen *choose one's words w. / happily* **3.3** ze is ~ getrouwd *she's h. married* **5.3** en ze leefden nog lang en ~ *and they lived h. ever after* **¶.2** ~ was het nog niet te laat *l. / fortunately it wasn't too late;* daar zijn we ~ van af *we're well rid of that* ⟨zaak⟩ / *well out of it* ⟨situatie⟩; ~! *thank goodness!.*

gelukkige ⟨de (v.)⟩ **0.1** ⟨iem. in staat van geluk⟩ *happy one;* ⟨prijswinnaar⟩ *lucky one, winner;* ⟨bruid(egom)⟩ *lucky man/girl* ◆ **2.1** één van de weinige ~n *one of the few lucky ones* **3.1** tot de ~n behoren *be one of the lucky ones.*

gelukkigerwijs ⟨bw.⟩ **0.1** *fortunately, happily, luckily.*

geluksbode ⟨de (m.)⟩ **0.1** *bringer/bearer of good news/good tidings.*

geluksdag ⟨de (m.)⟩ **0.1** [dag die naar men meent geluk brengt] *lucky day* **0.2** [dag waarop iem. geluk ten deel valt] *happy day* ⟹*red-letter day* ◆ **4.2** het is vandaag (niet) mijn ~ *it's (not) my (lucky) day today.*

geluksgodin ⟨de (v.)⟩ **0.1** *goddess of fortune, Fortune, Fortuna* ⟹ ⟨ihb. mbt. kansspelen; inf.⟩ *Lady Luck.*

geluk skind ⟨het⟩ **0.1** *(spoilt) child of fortune, fortune's favourite* ⟹*Sunday's child,* ⟨inf.⟩ *lucky dog* ◆ **2.1** zij is een echt ~ *she has all the luck; ≠she was born with a silver spoon in her mouth.*

geluksmoraal ⟨de⟩ **0.1** *eudaemonism.*

geluksnummer ⟨het⟩ **0.1** *lucky number.*

gelukspop ⟨de⟩ **0.1** *mascot.*

geluksroes ⟨de (m.)⟩ **0.1** *euphoria.*

geluksspel ⟨het⟩ **0.1** *game of chance.*

geluksstaat ⟨de⟩ **0.1** *state of happiness/bliss* ⟹*blissful/happy state.*

geluksster ⟨de⟩ **0.1** *lucky star* ◆ **3.1** haar ~ rees/ging tanen *her star was in the ascendant/on the wane.*

geluksteken ⟨het⟩ **0.1** [gelukkig voorteken] *good omen* **0.2** [geluk brengend teken] *lucky sign.*

geluks telegram ⟨het⟩ **0.1** ⟨bij feestelijke gelegenheid⟩ *greetings telegram* ⟹ ⟨alg.⟩ *telegram of congratulation, congratulatory telegram* ◆ **3.1** een ~ sturen/ontvangen *send/receive a greetings telegram.*

geluk streffer ⟨de (m.)⟩ **0.1** *lucky shot, chance hit* ⟹ ⟨geheel onverwachte treffer⟩ *fluke,* ⟨fig.⟩ *stroke of luck, lucky strike.*

geluksverlangen ⟨het⟩ **0.1** *desire/* ⟨sterker⟩ *longing for happiness* ◆ **2.1** een hevig ~ hebben *have a longing for happiness, long for happiness.*

geluksvogel ⟨de (m.)⟩ **0.1** *lucky devil, lucky dog* ◆ **¶.1** ~ die je bent! *(you) lucky bastard/*[B]*sod!.*

gelukwens ⟨de (m.)⟩ **0.1** [felicitatie] *congratulation* ⟹*felicitation,* ⟨verjaardag⟩ *birthday wish* **0.2** [papier] *congratulatory message* ⟹*congratulations* ◆ **2.1** vele mondelinge en schriftelijke ~en *(many) congratulations of all kinds* **3.1** een ~ zijn ~en aanbieden met *congratulate s.o. on, offer s.o. one's congratulations on;* een ~ tot iem. richten *congratulate s.o.;* ⟨schriftelijk ook⟩ *send one's congratulations to s.o.;* een welgemeende ~ uitspreken *congratulate heartily* **4.1** mijn ~en *(you have) (my) congratulations (on)* **¶.1** een ~ is wel op zijn plaats *it's a matter for c., one ought to congratulate him/her/you* ⟨enz.⟩, *congratulations are in order.*

gelukwensen ⟨ov.ww.⟩ **0.1** *congratulate (on)* ⟹*offer one's congratulations (on),* ⟨na een succes, na het slagen, ook⟩ *compliment (on)* ◆ **1.1** het bruidspaar ~ *wish the newly-married couple joy/happiness* **4.1** dat is nog geen reden om jezelf geluk te wensen *that is no reason for self-congratulation/to c. yourself/nothing to c. yourself on;* zich(zelf) ~ met *c. oneself on;* ze hadden alle reden zichzelf geluk te wensen *they had every reason to c. themselves/for self-congratulation* **6.1** iem. **met** zijn verjaardag ~ *wish someone many happy returns (of the day), wish s.o. (a) happy birthday.*

gelukzak ⟨de (m.)⟩ ⟨inf.⟩ **0.1** *lucky devil, lucky dog* ⟹ ↓*lucky bastard,* [B]*lucky sod.*

gelukzalig ⟨bn.⟩ **0.1** *blissful, blessed, beatific* ◆ **1.1** ~e geesten *blessed spirits;* een ~e glimlach *a beatific smile.*

gelukzalige ⟨de (m.)⟩ **0.1** [zalige geest] *soul in bliss, one of the blessed* ⟹*saint, glorified soul* **0.2** [zalig verklaarde] *beatified saint* **0.3** [persoon] *a blessed one* ◆ **1.1** het verblijf der ~n *the abode of the blessed* **7.1** de ~n *the blessed, the Church triumphant.*

gelukzaligheid ⟨de (v.)⟩ **0.1** [de hoogste trap van geluk] *bliss* ⟹*beatitude, felicity, blessedness* **0.2** [iets dat gelukzalig maakt] *bliss* ◆ **2.1** de aardse ~ *worldly/earthly b.;* de eeuwige ~ *deelachtig worden obtain everlasting b. / glory;* ⟨inf.⟩ *go to heaven;* de hemelse ~ *heavenly b.;* in een toestand van uiterste ~ *in a state of euphoria* **2.2** een bron van eindeloze gelukzaligheden *an endless source of bliss, a source of endless/innumerable blessings* **5.1** haar hart was vol ~ *her heart was full of b..*

gelukzoeker ⟨de (m.)⟩, **-zoekster** ⟨de (v.)⟩ **0.1** *fortune-hunter* ⟨m.,v.⟩ ⟹*adventurer* ⟨m.⟩, *adventuress* ⟨v.⟩, ⟨vero.⟩ *gentleman/soldier of fortune* ⟨m.⟩.

gelul ⟨het⟩ ⟨vulg.⟩ **0.1** *(bull)shit, balls, crap(po)* ⟹ ↑*garbage,* ↑*rubbish* ◆ **1.1** een hoop ~ *a load of (bull)shit/balls/crap/old cock, a bunch of shit/crap/* ↑*garbage, a piece/pile of shit* **2.1** dat is je reinste ~ *that's pure (bull)shit/crap;* slap ~ *twaddle, piffle,* ↑*drivel* **¶.1** wat een ~ *what a lot/load/bunch of (bull)shit/crap/* ↑*garbage/* ↑*rubbish.*

gem ⟨de⟩ **0.1** *cameo.*

gem. ⟨afk.⟩ **0.1** [gemiddeld] ⟨*average, mean*⟩ **0.2** [gemeubileerd] ⟨*furnished*⟩.

gemaakt ⟨bn., bw.;-ly⟩ **0.1** [voorgewend] *pretended* ⟹*sham, put-on, forced, fake, artificial* **0.2** [onnatuurlijk] *affected* ⟹*pretentious, mannered, mincing* ⟨stem, gang⟩ ◆ **1.1** ~e angst/verwondering *sham/pretended fear/admiration;* een ~e glimlach *an artificial/forced smile;* ~e vrolijkheid *sham/forced gaiety* **1.2** een ~e stem *an a. / a mincing voice* **2.1** ~ ernstig *artificially/mock serious;* ~ grappig *artificially funny* **3.2** ~ lachen *laugh affectedly;* ~ spreken *speak affectedly/mincingly; ≠speak with a plum in one's mouth.*

gemaaktheid ⟨de (v.)⟩ **0.1** [onnatuurlijkheid] *affectation* ⟹*pretence, preciosity, artificiality* **0.2** [onoprechtheid] *sham.*

gemaal
I ⟨de (m.)⟩ **0.1** [echtgenoot] *consort* ⟹ ↓*spouse* ◆ **1.1** de Prins Gemaal *the (Prince) Consort;*
II ⟨het⟩ **0.1** [het malen] *grinding* ⟹*milling* **0.2** [inrichting tot bemalen] ⟨machine⟩ *pumping-engine;* ⟨gebouw⟩ *pumping-station* **0.3** [vervelend gezeur] ⟨herrie, overlast⟩ *bother, trouble, fuss;* ⟨gezanik⟩ *whingeing, whining, badgering.*

gemaar ⟨het⟩ **0.1** *(ifs and) buts* ◆ **7.1** geen ~ *but me no buts.*

gemachtigde ⟨de (m.)⟩ **0.1** *deputy* ⟹*authorized representative,* ⟨postwissel enz.⟩ *endorsee,* ⟨jur.⟩ *proxy,* ⟨jur. ook⟩ *attorney* ⟨vooral in rechtszaak⟩ ◆ **6.1** ⟨jur.⟩ **bij** ~(n) *by proxy/attorney;* een vergadering in persoon of **bij** ~ bijwonen *attend a meeting in person or by proxy* **8.1** als iemands ~ optreden *appear as s.o.'s proxy/attorney.*

gemak ⟨het⟩ ⟨→sprw. 214⟩ **0.1** [aangename rust] *ease* ⟹*leisure* **0.2** [bedaardheid] *ease* ⇒*quiet, calm* **0.3** [vermogen om iets zonder inspanning te verrichten] *ease* ⇒*facility* **0.4** [iets dat gerief geeft] *comfort* ⇒ *convenience, amenity* **0.5** [toilet] *convenience* ⇒*lavatory*, ⟨vero.⟩ *privy* ◆ **2.4** een c.v. is een heel~ *central heating is a great convenience* **3.1** hou je~ ⟨word niet driftig⟩ *take it easy, control yourself*, ⟨inf.⟩ *keep your hair/shirt on;* ⟨doe geen moeite⟩ *don't bother, don't get up;* zijn~ (ervan) nemen *take things easy/easily, take one's e.* **3.4** zo'n apparaat geeft veel~ *that sort of gadget is very convenient/very handy/a boon/a blessing;* van alle (moderne)~ken voorzien *fitted (out) with all modern conveniences/appliances;* ⟨verk., in advertenties⟩ *with all mod cons* **5.3** het~ waarmee hij het doet *the e. with which he does it* **6.1** op zijn~ gesteld zijn *be fond of/like taking things easy, be fond of /like one's comforts* **6.2** op zijn~ zijn *be at (one's) e., feel at e., be relaxed;* iem. op zijn~ stellen *put/set s.o. at e., make s.o. feel at home;* op zijn (dooie)~ *at (one's) leisure;* doe het maar op je~ *take your time with/over it;* iets op zijn~ doorlezen/bestuderen *read through/study sth. at one's leisure;* hij doet alles op zijn dooie~ *he takes his time with everything;* mijn zoon is niet op zijn~ met meisjes *my son is awkward/ill at e./selfconscious with/in the presence of girls;* zich op zijn~ voelen *feel at e.;* zich niet op zijn~ voelen *feel ill at e./awkward* **6.3** met (het grootste)~ *with (the greatest of) e.;* ⟨inf.⟩ *with one's eyes shut, standing on one's head;* met~ winnen *win easily/comfortably/ with e., be an easy winner;* ⟨inf.⟩ *win hands down, have a walk-over;* ⟨vnl. mbt. paardenrennen⟩ *romp in/home, win at a canter;* iem. **met**~ verslaan *beat s.o. easily/comfortably/with e.;* **met** evenveel/hetzelfde~ *with equal/the same e.;* dat gaat **met** een~ *it's done with such e.;* **met** (een) onvoorstelbaar~ *with incredible/the greatest of e.;* ⟨inf.⟩ *like a dream;* **voor** het~ *for convenience's sake, for the sake of convenience, to make matters/things easy/easier.*

gemakkelijk
I ⟨bn., bw.;-ly⟩ **0.1** [zonder moeite, niet moeilijk] *easy* **0.2** [gerieflijk] *comfortable* ⇒⟨inf.⟩ *comfy, convenient* ⟨regeling, enz.⟩ ◆ **1.1** een~ baantje ⟨inf. ook⟩ *a cushy job;* een~e overwinning ⟨inf. ook⟩ *a walkover;* de~ste weg kiezen *choose the easiest way* **1.2** een~e houding *a comfortable posture/position;*~e schoenen *comfortable shoes;* een~e stoel ⟨soort stoel⟩ *an easy chair;* ⟨een die gemakkelijk zit⟩ *a comfortable chair* **2.1**~ herkenbaar/verkrijgbaar *e. to recognize/obtain, easily recognizable/obtainable* **3.1** ergens~ (van)af komen *get out of sth. easily;* dat gaat niet zo~ *it's not so e./as e. as that;* talen leren gaat haar~ *af she learns languages easily/finds languages e. (to learn);* zij hebben het niet~ *they don't have an e. time of it, things aren't easy for them;* de schrijver heeft het zich niet~ gemaakt *the writer didn't make/hasn't made things e. for himself;* dat is~er gezegd dan gedaan *that's easier said than done;* dat is~ te leren *it's e. to learn, it's easily learned;*~ leren/winnen *learn/win easily;* dat maakt het er niet~er op *that doesn't make things/it (any) easier;* het zich zelf~ maken *make things e. for o.s., take things e. casually;* het zich te~ maken *make things too e. for o.s., take things too e.;* de dingen~ opnemen *take things e., be easy-going;* iets te~ opnemen *not take sth. seriously enough;* zij was~ over te halen *she was e. to convince/easily convinced;* jij hebt~ praten! *it's e. / all right/all very well for you to talk!;*~ spreken *speak easily;*~ te bereiken vanaf *easily accessible from;* dat is~ te doen *that's easily done;* het werk valt hem~ *he finds the work e., the work comes e. to him* **3.2**~ liggen *lie comfortably;* het zich~ maken *make o.s. comfortable;*~ zitten *be comfortable;* ⟨kleren ook⟩ *be an easy fit* **4.2** iets~s aantrekken *put on/slip into sth. comfortable/more casual* **5.1** een al te~ antwoord *too e. an answer;* dat is al wel heel erg~ *that's very e.* **8.1** zo~ als wat *(as) e. as pie/as falling off a log;* ⟨inf.⟩ *a cinch, a piece of cake* ¶ **.1**~ contact maken *make e. contact, make contact easily;* dit detail ziet men~ over het hoofd *that detail can easily be missed;*
II ⟨bn.⟩ **0.1** [mbt. personen] *easy* ◆ **1.1**~e kinderen *children that/ who are no trouble;* hij is geen~ mens *he's not an e. man/person/e. to get on with, he's (a) difficult (person)* **5.1** hij is wat~ *he's rather easy-going, he takes things e. / takes things as they come* **6.1**~ in de omgang *e. to get on with;* hij is erg~ in die dingen *he's very easy-going about such things;*
III ⟨bw.⟩ **0.1** [zeer wel mogelijk] *well* ⇒*easily* ◆ **3.1** dat had toch~ gekund *that would have been easy;* ⟨kunnen gebeuren⟩ *that could easily have happened;* er kunnen~ nog mensen onder het puin liggen *there may w. / easily be people left under the rubble.*
gemakkelijkheid ⟨de (v.)⟩ **0.1** *ease, comfortableness* ⇒*comfort, comodiousness, facility, easiness,* ⟨qua bediening⟩ *convenience.*
gemakshalve ⟨bw.⟩ **0.1** *for convenience('s sake), for the sake of convenience* ◆ **3.1** dat doen we~ *we do that for convenience's sake/as a matter of convenience;* laten we hem~ Piet noemen *let's call him Piet for the sake of convenience;*~ sluiten wij een plattegrond in *for your convenience we enclose a* ⟨van stad⟩ *street-map/* ⟨van gebouw⟩ *ground plan;* iem. / iets~ vergeten *conveniently forget s.o. / sth..*
gemakzucht ⟨de⟩ **0.1** *indolence* ⇒*love of ease* ◆ **2.1** dat is louter~ *that is sheer i.* **6.1** uit~ (pure)~ *from/out of (pure) i..*
gemakzuchtig ⟨bn.⟩ **0.1** *indolent* ⇒*ease-loving, ≠idle* ◆ **3.1** dat vind ik nogal~ van hem *≠that shows he takes things too easily.*

gemalied ⟨bn.⟩ **0.1** *mailed.*
gemalin ⟨de (v.)⟩ **0.1** *consort* ⇒ ↓*spouse.*
gemanierd ⟨bn.⟩ **0.1** [(goede) manieren hebbend] *well-mannered* ⇒*polite, well-behaved* **0.2** [gekunsteld] *mannered* ⇒*affected* ◆ **4.2** hij heeft iets~s *there's something m. / affected about him* **5.1** welgemanierd, ongemanierd *well-mannered, ill-mannered.*
gemanierdheid ⟨de (v.)⟩ **0.1** [manieren] *mannerliness* **0.2** [gekunsteldheid] *mannerism* ⇒*affection* ◆ **4.1** haar~ *her good manners.*
gemaniëreerd ⟨bn., bw.;-ly⟩ **0.1** *mannered* ⇒*affected, precious,* ⟨inf.⟩ *la(h)-di-da(h),* ⟨mbt. stem, gang⟩ *mincing* ◆ **3.1**~ spreken *mince, speak affectedly; ≠speak with a plum/with marbles in one's mouth.*
gemaniëreerdheid ⟨de (v.)⟩ **0.1** *mannerism.*
gemanoeuvreer ⟨het⟩ **0.1** [B]*manoeuvrings,* [A]*maneuvrings* ⇒⟨tov. waarheid⟩ *prevarication.*
gemarchandeer ⟨het⟩ **0.1** *haggle, haggling* ⇒*bargaining, chaffering.*
gemarineerd ⟨bn.⟩ **0.1** *marinaded* ⇒*pickled, soused* ◆ **1.1**~e haring *pickled/soused herring.*
gemarmerd ⟨bn.⟩ **0.1** *marbled* ⇒*marbly.*
gemartel ⟨het⟩ **0.1** [het martelen] *torturing* **0.2** [wrede behandeling] *tormenting* **0.3** [getob] ⟨zie 4.3⟩ ◆ **4.3** wat een~! *it's sheer agony!.*
gemaskeerd ⟨bn.⟩ **0.1** *masked* ⇒*camouflaged, hidden.*
gemaskerd ⟨bn.⟩ **0.1** [een masker voorhebbend] *masked* **0.2** [vermomd] *masked* ⇒*in disguise* **0.3** ⟨⟨plantk.⟩⟩ *masked* ◆ **1.1** een~e overvaller *a m. robber/gunman* **1.2** een~bal *a m. / fancy-dress ball, a masquerade.*
gematigd ⟨bn., bw.;-ly⟩ **0.1** [niet overdreven] *moderate* ⇒*average* **0.2** [niet tot uitersten vervallend] *moderate* ⇒⟨mbt. woorden, termen ook⟩ *measured,* ⟨mbt. mensen ook⟩ *moderate-minded,* ⟨inf.⟩ *middle-of-the-road* ◆ **1.1**~ optimisme *qualified optimism* **1.2** een~e houding *a moderate attitude;* een~e koers volgen *follow a moderate course;* ⟨inf.⟩ *keep to the middle (of the road), keep to the middle-ground;*~ leven *lead a moderate life, live moderately;*~e politici *(political) moderates, moderate-minded politicians;* ⟨inf.⟩ *middle-of-the-road politicians, men of the middle* **1.¶** de~e luchtstreken *temperate zones/latitudes* **2.1** zich~ optimistisch tonen *show o.s. moderately optimistic* **3.2** zich~ uitdrukken *express o.s. in moderate terms.*
gematigdheid ⟨de (v.)⟩ **0.1** *moderation* ⇒⟨mbt. eisen⟩ *moderateness,* ⟨mbt. luchtstreek⟩ *temperateness,* ⟨mbt. gedrag, leefstijl⟩ *measure, sobriety, temperance* ◆ **6.1** zich **met**~ over iets uitlaten *speak about sth. in moderate/measured terms.*
gematteerd ⟨bn.⟩ **0.1** [dof] *matt* ⇒⟨mbt. glas ook⟩ *frosted* **0.2** [mbt. sigaren] *powdered* ◆ **1.1**~ goud *m. gold.*
gember ⟨de (m.)⟩ **0.1** [eetbare wortelstok] *ginger* **0.2** [plantengeslacht] *ginger.*
gemberbier ⟨het⟩ **0.1** *ginger beer, ginger ale* ⇒⟨inf.⟩ *ginger pop.*
gemberkoek ⟨de (m.)⟩ **0.1** *gingerbread.*
gemberkoekje ⟨het⟩ **0.1** *gingersnap* ⇒*ginger nut, gingerbiscuit.*
gemberwortel ⟨de (m.)⟩ **0.1** [B]*ginger-race,* [A]*gingerroot.*
gemeen[1] ⟨het⟩ **0.1** *rabble, mob* ⇒[1]*lower orders, common sort, hoi polloi,* ⟨scherts.⟩ *great unwashed.*
gemeen[2]
I ⟨bn.⟩ **0.1** [slecht, vals] *nasty, mean* ⇒⟨boosaardig⟩ *vicious, malicious,* ⟨laag, verachtelijk⟩ *low, vile* **0.2** [gemeenschappelijk] *common* ⇒*joint, collective, corporate* **0.3** [openbaar] *public* ⇒*common, general* **0.4** [alledaags] *common, ordinary* ⇒*usual, everyday* **0.5** [ordinair] *common* ⇒*vulgar, low,* ⟨mbt. taal⟩ *offensive, indecent, foul* ◆ **1.1** een gemene afzetter *a rotten/* ⟨vnl. AE; inf.⟩ *low-down swindler;* een gemene hoest *a nasty cough;* ⟨scherts.⟩ *a churchyard cough;* een gemene hond *a vicious dog;* een gemene hoofdpijn *a nasty/rotten headache;* wat ben jij een gemene kerel *aren't you a mean/nasty;* ⟨vulg.⟩ *aren't you a (nasty) bastard/sod;* ⟨sport⟩ een gemene overtreding *a nasty foul;* ⟨sport⟩~ spel *foul/dirty play;* wat een~ spul *what vile/ foul stuff;* een gemene streek *a mean/dirty trick;* iem. een gemene streek leveren *do the dirty on s.o., give s.o. a raw deal;* een gemene trap/klap *a vicious kick/blow;*~ weer *vile/rotten weather;* ⟨sterker⟩ *abominable/atrocious/diabolical weather* **1.2** ⟨wisk.⟩ de (grootste) gemene deler *the highest common factor, the greatest common divisor;* ⟨wisk.⟩ het (kleinste) gemene veelvoud *the lowest/least common multiple;* gemene zaak met iem. maken *make common cause with/ throw in one's lot with s.o.* **1.3** gemene lasten *p. costs;* de gemene zaak *p. / common interest* **1.4** het gemene volk *ordinary people, people at large, the general public, the mass of society* **1.5** gemene taal uitslaan ⟨vloeken, vieze woorden gebruiken⟩ *use foul/filthy/offensive/indecent language;* ⟨schelden⟩ ⟨BE; inf.⟩ *talk billingsgate/like a fishwife* **3.1** dat is~ van je *that's nasty/mean of you, that's a mean/rotten thing (for you) to do* **3.2** niets/veel met iem.~ hebben *have nothing/a lot in common with s.o.* **8.1** zo~ als de pest *terribly nasty;*
II ⟨bw.⟩ **0.1** [op valse/verachtelijke wijze] *nastily, meanly* ⇒⟨boosaardig⟩ *viciously, maliciously,* ⟨mbt. behandeling⟩ *shabbily* **0.2** [heel erg] *awfully* ⇒*terribly, dreadfully, horribly* ◆ **2.2** het is~ koud *it's a. / beastly cold;* ⟨sterker⟩ *it's persisting(ly)/diabolically cold;* ⟨sl.⟩ *it's brass monkey weather* **3.1** iem.~ aankijken *scowl at s.o.;* ⟨inf.⟩ *give*

s.o. a dirty look; iem. ~ behandelen *treat s.o. badly / shabbily;* ⟨inf.⟩ give *s.o. a raw deal;* ⟨sl.⟩ *do the dirty on s.o.;* doe niet zo ~ tegen haar *don't be so nasty / mean to her;* ⟨sport⟩ ~ spelen *play dirty* **3.2** dat doet ~ pijn *that's a. / terribly painful.*

gemeend ⟨bn.⟩ **0.1** *sincere* ◆ **1.1** ~e belangstelling *s. interest.*

gemeengoed ⟨het⟩ **0.1** *common / public property* ◆ **3.1** die denkbeelden zijn ~ geworden *those ideas have become / are now widely / generally accepted* **6.1** iets tot ~ maken *make sth. common property.*

gemeenheid ⟨de (v.)⟩ **0.1** [hoedanigheid] *nastiness, meanness* ⇒ ⟨boosaardigheid⟩ *viciousness, maliciousness,* ⟨kwaadaardigheid⟩ *wickedness* **0.2** [gemene streek / taal] ⟨streek⟩ *mean / dirty / shabby trick;* ⟨obscene taal⟩ *foul / filthy / offensive / obscene language;* ⟨scheldwoorden⟩ *abuse,* ⟨BE; inf.⟩ *billingsgate.*

gemeenkunnig ⟨bn.⟩ ⟨taal.⟩ **0.1** *epicene, of common gender.*

gemeenlijk ⟨bw.⟩ **0.1** *habitually* ⇒ *usually, normally, as a rule, generally.*

gemeenplaats ⟨de⟩ **0.1** *commonplace, cliché* ⇒ *platitude, truism, bromide* ◆ **3.1** ~en debiteren ⟨inf.⟩ *trot out / come out with clichés* **8.1** als een ~ klinken *sound like a cliché.*

gemeenschap ⟨de (v.)⟩ **0.1** [het gemeenschappelijk hebben] *community* **0.2** [geslachtsgemeenschap] *intercourse* **0.3** [mbt. personen, instellingen] *community* **0.4** [samenleving] *community* **0.5** ⟨rel.⟩ *fellowship* ◆ **1.1** ⟨jur.⟩ ~ van goederen trouwen *have c. of property* **1.3** ⟨rel.⟩ de ~ der gelovigen *(the c. of) the faithful;* de ~ der heiligen *the communion of saints* **1.4** op kosten v.d. ~ studeren *study at public expense;* ten laste v.d. ~ *at public expense, chargeable to the c.* **1.5** de ~ v.d. Heilige Geest is met u allen *the f. of the Holy Spirit is with you all* **2.2** ⟨schr.⟩ geslachtelijke / vleselijke ~ (hebben met) *(have) carnal knowledge (of)* **2.3** de Europese Economische Gemeenschap *the European Economic Community;* zij vormen een kleine / afzonderlijke ~ *they form a small / separate c.* **3.2** ~ met iem. hebben *have i. / relations with s.o.* **3.3** een ⟨hechte⟩ ~ vormen *form a (closely-knit) c.* **6.1** in ~ *jointly, communally.*

gemeenschappelijk
I ⟨bn.⟩ **0.1** [aan meer dan één toebehorend] *common* ⇒ *communal* **0.2** [gezamenlijk] *joint, common* ⇒ *communal, shared,* ⟨optreden⟩ *concerted, united* **0.3** [tot meer dan één persoon in dezelfde betrekking staand] *mutual* ⇒ *common* ◆ **1.1** ~ eigendom *common / joint property;* een ~e kamer *a common room;* een ~ kenmerk *a common characteristic / feature;* een ~e muur *a party-wall / common wall;* een ~e rekening *a joint account;* ~e voorzieningen *communal facilities* **1.2** een ~ doel nastreven *work towards a common goal;* voorgaan in ~ gebed *lead corporate / community prayer;* een ~e keuken *a communal kitchen;* in ~ overleg *by mutual agreement;* ~e pogingen / actie *joint / concerted attempts / action* **1.3** onze ~e kennissen *our m. acquaintances;*
II ⟨bw.⟩ **0.1** [met elkaar, samen] *jointly* ⇒ *together, conjointly,* ⟨samen bezitten / actie nemen ook⟩ *in common,* ⟨samen actie nemen ook⟩ *in concert* ◆ **3.1** iets ~ bezitten *hold / own sth. j. / in common;* iets ~ gebruiken *share sth..*

gemeenschappelijkheid ⟨de (v.)⟩ **0.1** ⟨overeenkomstigheid⟩ *community, communality;* ⟨deelneming⟩ *mutuality, communion;* ⟨collectiviteit⟩ *collectivity.*

gemeenschapsgeest → gemeenschapszin.

gemeenschapsgeld ⟨het⟩ **0.1** *public funds / money.*

gemeenschapsgevoel → gemeenschapszin.

gemeenschapshuis ⟨het⟩ **0.1** *community centre.*

gemeenschapsleven ⟨het⟩ **0.1** *community life.*

gemeenschapsmens ⟨de (m.)⟩ **0.1** *public spirited person.*

gemeenschapszin ⟨de (m.)⟩ **0.1** *community / public spirit* ◆ **3.1** veel ~ hebben *have a lot of public / community spirit.*

gemeenslachtig ⟨bn.⟩ ⟨taal.⟩ **0.1** *epicene, of common gender.*

gemeente ⟨de (v.)⟩ **0.1** [bestuurlijke eenheid] *municipality* ⇒ *city, town, borough,* ⟨BE; mbt. onderwijs e.d. ook⟩ *local authority, council, corporation* **0.2** [grondgebied] *municipality* ⇒ *city, town, borough* **0.3** [volk] *community* ⇒ *people, population* **0.4** [de gelovigen v.e. kerkgenootschap] *congregation* ⇒ *parish, parishioners,* ⟨kudde⟩ *flock* **0.5** [de gelovigen op één plaats verenigd] *congregation* ⇒ **1.2** de ~ Nijmegen *the city of Nijmegen* **2.1** stedelijke en plattelandsgemeenten ⟨BE⟩ ≠ *urban and rural municipalities / boroughs;* ⟨Austr.E⟩ ≠ *municipalities and shires* **2.3** de spraakmakende ~ *the speech community* **2.4** de hervormde / lutherse ~ *the Reformed / Lutheran c.* **6.1** bij de ~ werken *work for / be employed by the m. / council / corporation.*

gemeenteadministratie ⟨de (v.)⟩ **0.1** *municipal / civil / local administration, local government.*

gemeenteambtenaar ⟨de (m.)⟩ **0.1** *municipal / local government / council / corporation official.*

gemeentearbeider ⟨de (m.)⟩ **0.1** *council / municipal worker.*

gemeentearchief ⟨het⟩ **0.1** *municipal archives* ⇒ *local records,* ⟨gebouw⟩ *municipal record(s) office.*

gemeentearchitect ⟨de (m.)⟩ **0.1** *municipal / town / city architect.*

gemeentebedrijf ⟨het⟩ **0.1** *municipal / public undertaking* ◆ ¶.1 de gemeentebedrijven *municipal / public works.*

gemeentebeheer ⟨het⟩ **0.1** [beheer door de gemeente] *municipal / public*

---

management / control **0.2** [beheer over de gemeente] *management / conduct of municipal / civic affairs* ◆ **6.1** in ~ nemen *put / bring under municipal control;* in ~ overgaan *pass into municipal control;* een gasfabriek onder ~ brengen *put / bring a gasworks under municipal control.*

gemeentebelasting ⟨de (v.)⟩ **0.1** B(local) *rates,* A*local / municipal tax.*

gemeentebeleid ⟨het⟩ **0.1** ⟨vnl. BE⟩ *council /* ⟨vnl. AE⟩ *municipal policy.*

gemeentebestuur ⟨het⟩ **0.1** *municipality, (municipal) corporation, council;* ⟨BE ook⟩ *local authority / authorities* ⇒ ⟨BE, gew.; inf.⟩ *corpy, corpie.*

gemeentebibliotheek ⟨de (v.)⟩ **0.1** *municipal library* ⇒ *public library.*

gemeentebudget ⟨het⟩ **0.1** ⟨vnl. BE⟩ *council /* ⟨vnl. AE⟩ *municipal budget.*

gemeentedienst ⟨de (m.)⟩ **0.1** [door de gemeente verzorgde dienst] *municipal / public service* **0.2** [dienstbetrekking bij de gemeente] *municipal / local government* ◆ **6.2** in ~ zijn *work for the municipality /* ⟨BE ook⟩ *local authority, have a local government job.*

gemeentegarantie ⟨de (v.)⟩ **0.1** *municipal (mortgage) guarantee* ◆ **3.1** een ~ aanvragen *request a municipal guarantee;* bij verkoop vervalt de ~ *upon sale the municipal guarantee ceases* **6.1** een hypotheek met ~ *a mortgage with a municipal guarantee.*

gemeentegrens ⟨de⟩ **0.1** *city limits* ⇒ *municipal boundary.*

gemeentegrond ⟨de⟩ **0.1** *municipal land* ⇒ *corporate land, the town's estate,* ⟨weiden⟩ *common(age), common land.*

gemeentehuis ⟨het⟩ **0.1** *town hall* ⇒ ⟨in grote steden ook⟩ *city hall,* ⟨BE ook⟩ *local government offices.*

gemeentekas ⟨de⟩ **0.1** *municipal treasury* ⇒ *civic chest* ◆ **1.1** de bodem van de ~ is in zicht *the municipality / town / city* ⟨enz.⟩ *is running out of funds* **2.1** de ~ is leeg *the civic chest is empty, the municipality is out of / has run out of funds.*

gemeenteleven ⟨het⟩ **0.1** *parish life, life of a / the parish.*

gemeentelid ⟨het⟩ **0.1** *parishioner.*

gemeentelijk ⟨bn.⟩ **0.1** [een gemeente betreffend] *municipal* ⇒ *community* **0.2** [beheerd door / uitgaande van een gemeente] *municipal* ⇒ *corporation, council* ◆ **1.1** een ~e herindeling *a m. reorganization* **1.2** ~e instellingen *m. institutions;* de ~e onroerend-goedbelasting *m.* ⟨BE⟩ *rates /* ⟨AE⟩ *real estate tax;* een ~ schrijven *a m. letter;* de ~e sociale dienst *the m. / community* ⟨BE⟩ *social services /* ⟨AE⟩ *welfare services;* het ~ vervoerbedrijf *the m. / corporation / city transport company.*

gemeenteontvanger ⟨de (m.)⟩ **0.1** *municipal / town / city treasurer.*

gemeenteopzichter ⟨de (m.)⟩ **0.1** B*borough /* A*county surveyor.*

gemeentepersoneel ⟨het⟩ **0.1** *municipal employees, employees of the municipality.*

gemeentepils ⟨het, de (m.)⟩ ⟨scherts.⟩ **0.1** *Adam's ale.*

gemeentepolitie ⟨de (v.)⟩ **0.1** *municipal / city / metropolitan police* (in Ned.).

gemeenteraad ⟨de (m.)⟩ **0.1** [college] *(local / town / city / parish* ⟨enz.⟩) *council* **0.2** [vergadering] *council meeting, meeting of the council* ◆ **6.1** in de ~ zitten *be on the council;* zich kandidaat stellen voor de ~ *stand for the council* **6.2** het is in de ~ geweest *it was dealt with / discussed at a council meeting.*

gemeenteraadslid ⟨het⟩ **0.1** (⟨vnl. BE⟩ *local /* ⟨vnl. AE⟩ *municipal) councillor, member of the (local) council* ⇒ *(common) councilman,* ⟨van stad⟩ *town / local councillor.*

gemeenteraadsverkiezing ⟨de (v.)⟩ **0.1** *municipal election(s)* ⇒ *local election(s).*

gemeenteraadszitting ⟨de (v.)⟩ **0.1** *council meeting.*

gemeenterecht ⟨het⟩ **0.1** *local government law.*

gemeentereiniging ⟨de (v.)⟩ **0.1** *(municipal) cleansing department* ◆ **6.1** werken bij de ~ *work for the cleansing department;* ⟨BE; inf.⟩ *work / be on the bins.*

gemeenteschool ⟨de⟩ **0.1** *municipal school, council school.*

gemeentesecretarie ⟨de (v.)⟩ **0.1** *office of the town clerk;* ⟨AE⟩ *city manager's office* ⇒ *council offices.*

gemeentesecretaris ⟨de (m.)⟩ **0.1** *town clerk, city manager, clerk of / to the corporation / council.*

gemeenteterrein ⟨het⟩ **0.1** *municipal site* ⇒ *municipal land,* ⟨weide⟩ *common* ◆ **3.1** zich op ~ begeven ⟨fig.⟩ *enter the field / domain of the municipality.*

gemeenteverordening ⟨de (v.)⟩ **0.1** ⟨vnl. BE⟩ *by(e)law;* ⟨AE⟩ *city / town ordinance.*

gemeentewapen ⟨het⟩ **0.1** *municipal (coat of) arms* ⇒ *town / city coat of arms.*

gemeentewege ⟨zn.mv.⟩ ◆ **6.**¶ van ~ *by the municipality / corporation / (local) council.*

gemeentewerken ⟨zn.mv.⟩ **0.1** [publieke werken] *municipal / public works* **0.2** [dienst, kantoor] *municipal / public works department.*

gemeentewerkman ⟨de (m.)⟩ **0.1** *municipal workman* ⇒ *corporation / council worker.*

gemeentewet ⟨de⟩ **0.1** *local government act(s) / legislation* ⇒ *municipal corporations act,* A≠ *city and county legislation.*

gemeentewoning ⟨de (v.)⟩ **0.1** B*council house / flat* A*public housing unit /*

dwelling ⇒⟨BE ook⟩ *municipal/corporation house, council dwelling* ◆ **1.1** een wijk~en ᴮ*council estate,* ᴬ*public housing area* **3.1** een~ toegewezen krijgen *be allotted a council house/a public housing unit.*

gemeentezaak ⟨de⟩ **0.1** [zaak die een gemeente raakt] *matter concerning the municipality* ⇒*matter for/involving the (local) council* **0.2** [aangelegenheid van plaatselijk belang] *local issue/matter.*

gemeentezegel ⟨het⟩ **0.1** *municipal/*⟨BE ook⟩ *corporation seal.*

gemeentjes ⟨bw.⟩ **0.1** *slyly* ⇒⟨op gemene wijze⟩ *spitefully, nastily* ◆ **3.1** ~ lachen *laugh slyly, snigger.*

gemeenzaam ⟨bn., bw.; -ly⟩⟨schr.⟩ **0.1** [vertrouwelijk] *familiar, intimate* **0.2** [alledaags] *familiar, ordinary, common* **0.3** [⟨taal.⟩] *colloquial, informal* ◆ **1.3** ~ taalgebruik *colloquial/conversational/informal usage, the vernacular;* een gemeenzame uitdrukking *a colloquial expression, a colloquialism* **3.3** ~ klinken *sound familiar.*

gemeenzaamheid ⟨de (v.)⟩ **0.1** [vertrouwelijkheid] *familiarity* ⇒*intimacy* **0.2** [gemeenzame handeling]⟨vnl. mv.⟩ *familiarity;* ⟨sexueel ook⟩ *intimacy.*

gemeier ⟨het⟩ **0.1** *bother, fuss, going* /ᴮ*rabbiting on.*

gemekker ⟨het⟩ **0.1** [het mekkeren] *bleating* **0.2** [gezeur] *grumbling, beefing* ⇒⟨AE ook⟩ *yammering* ◆ **3.2** hou op met je ~ *stop yammering, stop going on (about it), stop beefing (about it).*

gemeld ⟨bn.⟩ **0.1** *above(-mentioned)* ⇒⟨schr., vnl. jur.⟩ *said, afore-mentioned* ◆ **1.1** ~e persoon *the a.-m. person, the person previously mentioned, said person.*

gemêleerd ⟨bn.⟩ **0.1** *mixed* ⇒*blended* ◆ **1.1** een ~ gezelschap *a m. bunch/motley crowd of people, a raggle-taggle group,* ↑ *a miscellaneous group of people;* ~e wol *mixture, blend;* heidekleurig ~e wol *a heather mixture.*

gemelijk ⟨bn., bw.; -ly⟩ **0.1** *peevish, bad-tempered* ⇒*sullen, surly,* ⟨vnl. mbt. oude mensen⟩ *crotchety, grumpy* ◆ **1.1** een ~e bui hebben *be in a bad/fractious mood.*

gemelijkheid ⟨de (v.)⟩ **0.1** *peevishness* ⇒*sullenness, surliness, grumpiness.*

gemelk ⟨het⟩ **0.1** [het melken] *milking* **0.2** [het vervelend praten] *harping on (about), going on and on (about).*

gemenebest ⟨het⟩⟨gesch.⟩ **0.1** *commonwealth* ⇒*republic* ◆ **2.1** het Britse Gemenebest *the (British) Commonwealth (of Nations).*

gemenebestland ⟨het⟩ **0.1** *Commonwealth country.*

gemenerik ⟨de (m.)⟩ **0.1** *snide* ⇒*nasty character/piece of work.*

gemengd ⟨bn., bw.⟩ **0.1** *mixed* ⇒⟨thee, whisky enz.⟩ *blended,* ⟨verscheiden, gevarieerd ook⟩ *miscellaneous,* ⟨mbt. koekjes, bonbons enz., ook⟩ *assorted* ◆ **1.1** ~e bebouwing *mixed high- and low-rise development;* een ~ bedrijf *a mixed farm;* van ~ bloed *of mixed blood/descent;* ⟨inf., bel.⟩ *half-breed, half-caste, mongrel;* ⟨sport⟩ het ~ dubbel *the mixed doubles;* een ~e economie *a mixed economy;* een ~ getal *a mixed number;* ~e gevoelens hebben (omtrent iets, iem.) *have mixed feelings (about sth., s.o.);* een ~ gezelschap/publiek *a mixed group/audience;* een ~ huwelijk *a mixed marriage;* een ~ huwelijk aangaan ⟨mbt. geloof⟩ *marry out of one's faith;* ⟨mbt. ras⟩ *intermarry;* ~e huwelijken zijn in Zuid-Afrika verboden *intermarriage is/(racially) mixed marriages are forbidden in South Africa;* een boek met ~e inhoud *a miscellany;* ~e koekjes *mixed/assorted biscuits;* een ~ koor *a mixed choir;* voor ~ koor *for mixed voices;* ~ nieuws *miscellaneous news;* ⟨als titel ook⟩ *miscellanea;* ~e salade *met gebruik van sla) mixed salad;* (in dobbelsteentjes gesneden groente met mayonaise⟩ *Russian salad;* een ~e sauna *a mixed sauna;* een ~e school ⟨voor jongens en meisjes⟩ *a mixed/co-educational school;* ⟨zonder rassenscheiding⟩ *a desegregated school;* een ~e verzekering *an endowment (insurance) policy.*

gemenigheid ⟨de (v.)⟩ **0.1** ⟨eigenschap⟩ *meanness, nastiness;* ⟨handeling⟩ *dirty/shabby trick* ⇒⟨taalgebruik⟩ *scurrility, bad language* ◆ **3.1** gemenigheden uitslaan *use bad language.*

gemerkt ⟨bn.⟩ **0.1** *marked* ⇒⟨zakdoeken, briefpapier enz.⟩ *personalized, monogrammed* ◆ **1.1** ~e kaarten *m. cards;* ⟨sl.⟩ *readers;* ⟨AE, sl. ook⟩ *cheaters;* spel ~e kaarten *pack/*ᴬ*deck of marked cards;* ⟨AE, sl.⟩ *cold deck;* ⟨schei.⟩ ~e verbindingen *labelled/*ᴬ*tagged compounds.*

gemeubileerd ⟨bn.⟩ **0.1** *furnished* ◆ **1.1** ⟨scherts.⟩ een ~e boterham ⟨heel dik belegd⟩ *a doorstep;* ⟨ongemarkeerd⟩ *a sandwich;* ~e kamers te huur *f. rooms to let.*

gemiauw ⟨het⟩ **0.1** *me(o)wing, mews, miaowing.*

gemiddeld

I ⟨bn.⟩ **0.1** [het midden houdend] *average* **0.2** [doorsnee-] *average* ⇒*mean, medium* ◆ **1.1** iem. van ~e grootte *s.o. of a./medium height* **1.2** de ~e hoeveelheid regen per jaar *the a./mean annual rainfall, the a. amount of rain per year;* de ~e levensduur *the a./mean life;* de ~e lezer *the a./general reader;* de ~e Nederlander *the a. Dutchman;* de ~e temperatuur in die streek bedraagt 30° ⟨ook⟩ *the temperature in that area averages 30°;* de ~e waarde van getallen *the a. (value) of numbers;* ~ zeeniveau *mean sea level;*

II ⟨bw.⟩ **0.1** [dooreengenomen] *on average, an average (of)* ◆ **3.1** hij drinkt ~ acht glazen per avond *he drinks an average of eight glasses a night;* het komt ~ neer op *it averages (out at);* het land stond ~ een

halve meter onder water *the land was under an average of half a metre of water;* zij werkt ~ 4 dagen per week *she works on average/an average of four days a week, she averages four days' work a week.*

gemiddelde ⟨het⟩ **0.1** *average* ⇒*mean,* ⟨norm, standaard, regel⟩ *norm, standard* ◆ **1.1** de som van de gekwadrateerde afwijkingen van het ~ *the sum of the squared deviations from the mean* **2.1** het gewogen ~ *weighted a.;* rekenkundig/harmonisch/meetkundig ~ *arithmetic/harmonic/geometric mean* **3.1** afwijken van het ~ *deviate/vary from the norm/mean;* een ~ bepalen van deze bedragen *average (out)/strike the a. of these amounts;* van een aantal bedragen het ~ nemen *take the a. of a number of amounts;* het ~ opvijzelen/drukken *bump up/lower the a.* **6.1** boven/onder het ~ *above/below (the) a./the mean.*

gemier ⟨het⟩ **0.1** [geleuter] *bother, fuss(ing)* ⇒*niggling* **0.2** [geknoei] *muddling, messing* ⇒*fiddling (about/*ᴬ*around).*

gemieter ⟨het⟩ →**gemier 0.1.**

gemijmer ⟨het⟩ **0.1** *reverie, musing* ⇒*meditation, daydreaming* ◆ **2.1** in ~ verzonken *lost/sunk in (a) r..*

gemijterd ⟨bn.⟩ **0.1** *mitred.*

gemillimeterd ⟨bn.⟩ **1.¶** ~ gras ≠*an impeccable lawn;* ~ haar *(close-)cropped/close-cut/crew-cut hair, a butch haircut.*

geminatie ⟨de (v.)⟩ **0.1** [verdubbeling] *gemination* ⇒*doubling* **0.2** [⟨taal.⟩] *gemination* ⇒*doubling* **0.3** [⟨let.⟩] *gemination* ⇒*repetition.*

gemis ⟨het⟩ **0.1** [het niet bezitten van iets] *lack* ⇒*want,* ⟨mbt. het ontbreken van iets⟩ *absence, deficiency* **0.2** [verlies] *loss* ⇒↑ *(de)privation* ◆ **1.1** het ~ van een goede opleiding *the l./want of a good education* **3.1** een ~ vergoeden *make up for a l./deficiency* **6.1** bij ~ van *in the absence of, in default of, for want of;* in een ~ voorzien *fill/supply a want/need/deficiency* **8.2** zijn dood wordt als een groot ~ gevoeld *his death is felt as a great l..*

gemodder ⟨het⟩ **0.1** [het modderen] *dredging* **0.2** [geknoei] *muddling, bungling, messing* ◆ **4.2** hou nu eens op met dat ~ *just stop that messing (about/*ᴬ*around).*

gemodereerd ⟨bn.⟩ **0.1** *moderate* ⇒⟨mbt. personen⟩ *moderate-minded* ◆ **1.1** een ~ man *a moderate(-minded) man;* ⟨pol.⟩ *a moderate, a man of the middle, a centrist.*

gemoed[1] ⟨het⟩ **0.1** [het binnenste van de mens] *mind* ⇒*heart,* ⟨vero.⟩ *breast* **0.2** [⟨meestal scherts.⟩ boezem] *bosom, bust* ◆ **2.1** met een opgelucht/bezwaard ~ *with an easy mind/heavy heart;* de ~eren raakten/waren verhit *feelings became heated/were running high* **2.2** een vrouw met een flink ~ *a bosomy/*⟨vulg.⟩ *well-stacked woman* **3.1** een zaak die vele ~eren bezighoudt *a matter/problem that exercises many minds;* de ~eren in beroering brengen *stir up feeling(s), rouse the emotions;* zijn ~ luchten *give vent to/vent one's feelings;* ⟨inf.⟩ *get it off one's chest;* zijn ~ schoot vol *he was deeply/greatly moved;* ≠*he was filled/overcome with emotion/moved to tears;* de ~eren sussen *calm people's feelings, pour oil on troubled waters, smooth (people's) ruffled feathers* **6.1** ik vraag me in ~e af *I ask myself/wonder in all conscience/honesty/seriousness;* iets op het ~ hebben *have sth. on one's m.;* op iemands ~ werken *pluck (at) s.o.'s heart strings;* tot het ~ spreken *appeal to the feelings (of).*

gemoed[2] ⟨bn.⟩⟨in samenst.⟩ **0.1** *in ... spirits, ...-disposed, ... at heart, ...-humoured* ◆ **5.1** welgemoed *cheerful, in good spirits.*

gemoedelijk ⟨bn., bw.; -ly⟩ **0.1** *agreeable, pleasant* ⇒⟨mbt. mensen ook⟩ *genial, jovial, amiable, kind(ly/-hearted), good-matured, easy-going* ◆ **1.1** een ~ gesprek *a pleasant/friendly/cosy chat;* een ~e sfeer *a pleasant/*↓*cosy/*↓*homey atmosphere* **3.1** het gaat daar ~ toe *it's nice and cosy there;* iets ~ opnemen *take sth. good-humouredly.*

gemoedelijkheid ⟨de (v.)⟩ **0.1** *geniality* ⇒*joviality, good-naturedness, kind-heartedness, amiability, good-natured/easy-going disposition* ◆ **6.1** iem. met een zekere ~ toespreken *address s.o. in a genial manner.*

gemoedereerd ⟨bw.⟩ **0.1** *calmly, coolly, blandly* ◆ **3.1** in plaats van te werken zaten ze ~ te kaarten ⟨ook⟩ *instead of working they were playing cards as cool as you like.*

gemoedsaandoening ⟨de (v.)⟩ **0.1** *emotion* ⇒*feeling.*

gemoedsbezwaar ⟨het⟩ **0.1** *scruple* ◆ **6.1** zonder enig ~ *without any scruples, unscrupulously.*

gemoedsdrift ⟨de⟩ **0.1** *urge, impulse.*

gemoedsgesteldheid ⟨de (v.)⟩ **0.1** *frame/state of mind* ⇒*temper, disposition, humour.*

gemoedsleven ⟨het⟩ **0.1** *life of the mind* ⇒*inner life.*

gemoedsrust ⟨de⟩ **0.1** *peace/tranquillity of mind* ⇒*inner peace/calm,* ↑*equanimity, serenity, composure* ◆ **3.1** iemands ~ bedreigen/verstoren *threaten/disturb s.o.'s peace of mind;* iem. van zijn ~ beroven *destroy s.o.'s peace of mind.*

gemoedsstemming ⟨de (v.)⟩ **0.1** *mood* ⇒*frame/state of mind.*

gemoedstoestand ⟨de (m.)⟩ **0.1** *state/frame of mind* ⇒*mood, temper, humour* ◆ **3.1** ik kan me haar ~ voorstellen *I can imagine the state/frame of mind she's in/her feelings/how she feels.*

gemoedsuitstorting ⟨de (v.)⟩ **0.1** *effusion (of feeling(s))* ⇒*outpouring,* ↓*outburst (of emotion).*

gemoeid ⟨bn.⟩ ◆ **5.¶** alsof haar leven er mee ~ was *as if her life depended on it/was at stake;* daar is veel geld mee ~ *a lot of money is involved, it will take a lot of money* **6.¶** met de bouw van de brug waren drie jaren ~ *the bridge took three years to complete.*

gemok ⟨het⟩ **0.1** *sulking* ⇒*nursing a grievance*, ≠*pouting*.

gemoltonneerd ⟨bn.⟩ **0.1** *flannel(l)ed* ◆ **1.1** ~e onderkleding *flannel underwear;* ⟨inf.⟩ *long johns.*

gemompel ⟨het⟩ **0.1** *murmur* ⇒*murmuring, muttering* ◆ **1.1** een ~ van teleurstelling, van afkeuring *a murmur of disappointment / disapproval* **2.1** een dof / onderdrukt / goedkeurend / afkeurend ~ *a dull / subdued / approving / disapproving murmur / murmuring;* dat eeuwige ~ van hem *his eternal muttering* **3.1** er ging een verontwaardigd ~ op onder het publiek *an indignant murmur / a murmur of indignation rose from the audience;* er ging / steeg een zacht ~ op bij zijn binnenkomst *his entrance was greeted by a low murmur.*

gemopper ⟨het⟩ **0.1** *grumbling* ⇒*grousing.*

gemors ⟨het⟩ **0.1** [het morsen] *messing (about / up)* ⇒⟨het knoeien met eten⟩ *sloppiness, slovenliness* **0.2** [gerommel] *bungling, botching* ⇒⟨oneerlijke handeling⟩ *scheming, intriguing, plotting* ◆ **1.2** het geknoei en ~ in de politiek *the bungling and scheming in politics / political life.*

gemotiveerd ⟨bn.⟩ **0.1** [beargumenteerd] *reasoned* ⇒*well-founded, justifiable, justified* **0.2** [motivatie bezittend] *motivated* ◆ **1.1** ~e aanmerkingen r. / *well-founded observations / remarks / criticism(s);* een uitvoerig ~ oordeel *a well-founded / well-argued judgement;* die verandering in de tekst is niet ~ *that alteration in the text is unjustifiable / unwarranted;* een verder niet ~e verdenking / vrees *a groundless / unwarranted / baseless suspicion / fear;* een goed ~ verzoek *a well-reasoned petition / request* **1.2** een zeer ~e vrijwilliger *a highly m. volunteer.*

gemotoriseerd ⟨bn.⟩ **0.1** *motorized* ⇒*self-driven,* ⟨mbt. kannonen enz., ook⟩ *self-propelled* ◆ **1.1** een ~ vaartuig *a m. vessel;* ~ verkeer *m. traffic;* een ~ voertuig *a m. vehicle, an automobile.*

gems ⟨de⟩ **0.1** *chamois* ⇒*izard.*

gemsbok ⟨de (m.)⟩ ⟨dierk.⟩ **0.1** [mannetjesgems] *chamois buck* **0.2** [Oryx gazelle] *gemsbok, gemsbuck.*

gemsleer, -leder ⟨het⟩ **0.1** *chamois (leather)* ⇒⟨inf.⟩ *shammy (leather).*

gemuilband ⟨bn.⟩ **0.1** [van een muilband voorzien] *muzzled* **0.2** [⟨fig.⟩] *muzzled* ⇒*gagged.*

gemunt¹ ◆ **6.¶** het **op** iem. gemunt hebben *have it in for / have one's knife into / have a down on / be gunning for s.o.;* hij heeft het **op** mijn leven ~ *he's out to kill me;* zij heeft het **op** zijn geld ~ *she has designs on / she's after his money;* waarom heb je 't altijd **op** mij ~? *why do you always pick on me?, why have you got it in for me?;* die opmerking was **op** ons ~ *that remark was meant for / intended for / aimed at us;* **op** wie heb je het eigenlijk ~? *(just) who are you getting at?.*

gemunt² ⟨bn.⟩ **0.1** *coined* ◆ **1.1** ~ geld *coin;* ⟨schr.⟩ *specie.*

gemurmel ⟨het⟩ **0.1** [het murmelen] *babbling, murmuring, gurgling, purling* **0.2** [gemompel] *murmur(ing), muttering* ⇒*buzz / hum of voices.*

gemutst ⟨bn.⟩ ⟨fig.⟩ ◆ **5.¶** goed / slecht ~ zijn *be in a good / bad mood / temper / humour.*

gen ⟨het⟩ ⟨biol.⟩ **0.1** *gene* ⇒*factor.*

gen. 0.1 [⟨afk.⟩ genitief] *gen., g., G..*

genå →*genade.*

genaai ⟨het⟩ **0.1** [het naaien] *sewing* ⇒⟨van wonden⟩ *stitching, suturing* **0.2** [⟨vulg.⟩] *screwing, balling, fucking.*

genaakbaar ⟨bn.⟩ **0.1** [mbt. plaats] *(easily) accessible* ⇒*of easy access* **0.2** [mbt. persoon] *approachable.*

genaamd ⟨bn.⟩ **0.1** [de naam dragend van] *named, called* **0.2** [bijgenaamd] *(also) known as, alias* ⇒*going by the name of* ◆ **1.1** Jan ~ *Jan by name / called Jan.*

genade ⟨de⟩ **0.1** [gratie] *mercy* ⇒*clemency, grace,* ⟨kwartier⟩ *quarter* **0.2** [⟨rel.⟩] *grace* **0.3** [vergiffenis] *mercy, pardon, forgiveness* **0.4** [gunst(bewijs)] *favour* ◆ **1.1** in de ~ van Christus staan *be in the grace of Christ* **2.1** Gods oneindige ~ *God's infinite m.* **2.2** ⟨prot.⟩ algemene / bijzondere ~ *habitual / special grace;* die werkende ~ *efficacious / sufficient grace* **2.¶** goeie / grote ~! *good(ness) gracious (me)!, bless my (heart) and soul!, my goodness!, good grief!* **3.1** geen ~ hebben met / kennen voor *have no m. on / show no m. (to);* ~ voor recht laten gelden *temper justice with m.* **3.2** de ~ deelachtig zijn *partake of / receive grace* **3.3** ~ schenken / tonen / vragen *extend / show / ask mercy / forgiveness* **3.4** (geen) ~ vinden bij / in de ogen van iem. *find (no) favour in the eyes / sight of s.o., be viewed unfavourably by s.o.* **4.¶** Uwe Genade *Your Grace* **6.1** hij is **zonder** ~ *he is merciless / ruthless, he knows no m.* **6.3** aan iemands ~ overgeleverd zijn *be left / abandoned to the tender mercies of s.o., beat the mercy of s.o.;* **om** ~ smeken *beg for mercy;* ⟨schr.⟩ *cry forgiveness;* **zonder** ~ *without mercy, merciless, ruthless* **6.4** iem. (weer) in ~ aannemen *restore s.o. to favour;* **van** iemands ~ moeten leven / afhangen *be dependent (up)on s.o.'s good graces / charity / bounty.*

genadebrood ⟨het⟩ ◆ **3.¶** ⟨fig.⟩ ~ eten *eat the bread of charity.*

genadekruid ⟨het⟩ **0.1** *hedge hyssop.*

genadeleer ⟨de⟩ **0.1** *doctrine of (divine) grace.*

genadeloos ⟨bn., bw.; -ly⟩ **0.1** *merciless* ⇒*pitiless, ruthless,* ↑*implacable* ◆ **1.1** genadeloze concurrentie *cutthroat competition, rat race* **3.1** iem. ~ afstraffen *punish s.o. mercilessly / without mercy.*

genademiddel ⟨het⟩ **0.1** [middel om Gods genade te verwerven] *means*

---

of grace **0.2** [⟨rel.⟩ prediking en sakramenten] *sacraments* ◆ **1.2** ⟨r.k.⟩ de ~en van de Kerk *the sacraments;* ⟨van de stervenden⟩ *the last sacraments.*

genadeoord ⟨het⟩ **0.1** *place of pilgrimage.*

genadeschot ⟨het⟩ →**genadeslag 0.1.**

genadeslag ⟨de (m.)⟩ **0.1** [dodelijke slag] *coup de grâce* ⇒*finishing stroke, death blow, quietus* **0.2** [laatste slag] *final blow, death blow, last stroke* ◆ **3.2** iem. de ~ geven *give s.o. the coup de grâce, finish off s.o.;* ⟨inf.⟩ *settle s.o.'s hash; dispatch / despatch s.o.* **6.2** dat was de ~ **voor** zijn bedrijf *that was the final blow / death blow / death warrant for his firm, that finished off his firm.*

genadestoot ⟨de (m.)⟩ **0.1** *coup de grâce* ⇒*finishing thrust, death-blow, final / fatal blow, quietus* ◆ **3.1** dat gaf hem de ~ *that finished him off;* ⟨sl.⟩ *that settled his hash;* ⟨vero.⟩ *that dispatched / despatched him.*

genadeverbond ⟨het⟩ ⟨theol.⟩ **0.1** *Covenant (of grace)* ⇒*New Testament.*

genadig
I ⟨bn.⟩ **0.1** [vol genade] *merciful* ⇒*gracious* **0.2** [vergevingsgezind] *merciful* ⇒*gracious, lenient, clement* **0.3** [neerbuigend vriendelijk] *gracious, condescending* ◆ **1.2** die examinator is ~ geweest *that examiner was lenient;* een ~e straf *a light punishment;* een ~ vorst *a m. / gracious ruler* **1.3** een ~ knikje *a g. / c. nod* **3.2** iem. ~ zijn *have mercy on / be merciful to s.o.* **¶.2** God zij ons ~! *God / Lord have mercy (up)on us!;*
II ⟨bw.⟩ **0.1** [op vergevingsgezinde wijze] *mercifully* ⇒*leniently* **0.2** [uit de hoogte] *graciously, condescendingly* ⇒*patronizingly* ◆ **3.1** er ~ (van) afkomen *get off / be let off lightly;* iem. ~ behandelen *treat s.o. m. / show mercy to s.o.;* ⟨inf.⟩ *let s.o. off lightly.*

genadigheid ⟨de (v.)⟩ **0.1** [vergevingsgezindheid] *mercifulness, lenience, leniency* **0.2** [neerbuigendheid] *condescension.*

genageld ⟨bn.⟩ **0.1** [met nagels] *nailed* **0.2** [⟨herald.⟩] *ungled, unguled, armed* ◆ **1.¶** ⟨plantk.⟩ een ~ bloemblad *a clawed petal.*

genaken ⟨onov.ww.⟩ ⟨schr.⟩ **0.1** [naderbij komen] *approach, draw near (to)* **0.2** [benaderen] *approach, draw near* ◆ **¶.2** ⟨ongemarkeerd⟩ zij is weer niet te ~ *she is being distant / unapproachable / stand offish again;* ⟨inf.⟩ *she's playing Greta Garbo again.*

gênant ⟨bn.⟩ **0.1** *embarrassing* ⇒*awkward* ◆ **1.1** ⟨fig.⟩ een ~e vertoning *an e. business* **3.1** haar gedrag was bepaald ~ *her behaviour was positively e..*

gendarme ⟨de (m.)⟩ **0.1** *gendarme.*

gendarmerie ⟨de (v.)⟩ **0.1** [korps] *gendarmerie* ⇒*police force / corps* **0.2** [politiepost] *gendarmerie* ⇒*police station / headquarters.*

gene¹ ⟨aanw.vnw.⟩ **0.1** *that* ⇒*the other,* ⟨van twee⟩ *the former,* ⟨vero.⟩ *yon* ◆ **1.1** aan ~ zijde in *the beyond / hereafter;* aan ~ zijde van *beyond* **4.1** deze man is dom, ~ intelligent *this man is stupid, t. man is intelligent;* deze of ~ somebody (or other), anybody; deze(n) en ~ (n) *some (people), various people.*

gêne ⟨de⟩ **0.1** *embarrassment* ⇒*discomfiture, awkwardness* ◆ **3.1** zij moest wel enige ~ overwinnen ⟨ook⟩ *she had to put her pride in her pocket* **¶.1** sans ~ *without e., unashamedly, without (any) inhibition, sans gêne.*

genealogie ⟨de (v.)⟩ **0.1** [leer] *genealogy* **0.2** [stamboom] *genealogy.*

genealogisch ⟨bn., bw.; -ly⟩ **0.1** *genealogical.*

genealoog ⟨de (m.)⟩ **0.1** *genealogist.*

Geneefs ⟨bn.⟩ **0.1** *Geneva(n), Genevese* ◆ **1.1** de ~e Conventie *the Geneva Convention.*

geneesbaar ⟨bn.⟩ **0.1** *curable* ⇒*remediable, healable.*

geneesheer ⟨de (m.)⟩ ⟨→sprw. 213⟩ **0.1** *physician* ⇒*doctor, medical man / practitioner* ◆ **1.1** het beroep van ~ uitoefenen *practise* ^*ice medicine / as a physician / doctor* **2.1** een controlerend ~ *medical officer* **3.1** de behandelende ~ *the medical attendant, the doctor treating the case / in charge.*

geneesheer-directeur ⟨de (m.)⟩ **0.1** *medical superintendent* ⇒*senior medical officer.*

geneeskracht ⟨de⟩ **0.1** *healing / curative power* ⇒*medicinal / therapeutic property.*

geneeskrachtig ⟨bn.⟩ **0.1** *therapeutic* ⇒*healing, curative, medicinal* ◆ **1.1** ~e eigenschappen hebben *have medicinal / healing properties / qualities;* ~e planten / kruiden *medicinal / vulnerary plants / herbs;* ~e wateren / bronnen *medicinal / t. waters / springs;* de ~e werking *the t. effect.*

geneeskruiden ⟨het⟩ **0.1** *medicinal / vulnerary herbs.*

geneeskunde ⟨de (v.)⟩ **0.1** *medicine* ⇒*medical science* ◆ **1.1** een beoefenaar van de ~ *a medical practitioner* **2.1** interne / nucleaire / tropische ~ *internal / nuclear / tropical medicine;* preventieve / sociale ~ *preventive / social medicine* **3.1** ~ studeren *study medicine;* de ~ uitoefenen *practise* ^*ice medicine* **6.1** een doctor **in** de ~ *a doctor of medicine, an M.D.;* een student **in** de ~ *a medical student, a student of medicine.*

geneeskundig ⟨bn., bw.; -(al)ly⟩ **0.1** *medical* ⇒*medicinal, therapeutic* ◆ **1.1** een arts van de (gemeentelijke) ~e dienst *a medical officer (of the local health authority);* de Gemeentelijke Geneeskundige Dienst (GGD) *Local / Public Health* ⟨BE⟩ *Authority /* ⟨AE⟩ *Board;* ⟨mil.⟩ de Geneeskundige Dienst / troepen *the (* ^B*Royal Army) Medical Corps;* alleen voor ~e doeleinden *for medical use only, for medicinal* *purposes only;* ~e hulp/bijstand/behandeling *medical aid/treatment;* zich aan een (uitgebreid) ~ onderzoek (moeten) onderwerpen *(be required to) undergo a(n)(extensive) medical examination;* een ~ e verklaring overleggen *hand/put in a medical certificate.*

geneeskundige ⟨de (m.)⟩ **0.1** *doctor* ⇒*physician, medical practitioner.*

geneeskunst ⟨de (v.)⟩ **0.1** *medicine* ◆ **1.1** de Koninklijke Nederlandse Maatschappij tot bevordering van de ~ *the Royal Netherlands Medical Association* **3.1** de ~ uitoefenen *practise ^Aice m..*

geneeslijk ⟨bn.⟩ **0.1** *curable* ⇒*remediable, healable, medicable.*

geneesmet(h)ode ⟨de (v.)⟩ **0.1** *therapy* ⇒*(method of) treatment, remedy.*

geneesmiddel ⟨het⟩ **0.1** *medicine* ⇒*drug, remedy* ◆ **1.1** de werking van een ~ onderzoeken *investigate the effect(s)/action of a drug* **2.1** geregistreerde ~len *registered medicines;* een plantaardig ~ *a botanical/galenical (drug);* ⟨homeopathie⟩ *a herbal remedy;* rust is een uitstekend ~ *rest is an excellent cure* **3.1** een ~ innemen *take (a) m.;* een ~ voorschrijven/toedienen/bereiden *prescribe/administer/dispense a m./drug* **6.1** een ~ tegen alle kwalen *a cure-all, panacea,* ⟨ook fig.⟩ *catholicon;* een ~ tegen hoofdpijn *a remedy for a headache;* een ~ voor uitwendig gebruik *(a) m./medication for external use* ¶**.1** een vrij/algemeen verkrijgbaar ~ *an over-the-counter drug;* een uitsluitend op recept verkrijgbaar ~ *a prescription drug;* een ~ dat de rijvaardigheid kan beïnvloeden *a drug which can affect driving ability.*

geneesmiddelenleer ⟨de⟩ **0.1** *pharmacology.*

geneesvlees ⟨het⟩ ◆ **2.¶** hij heeft goed ~ *he has good healing flesh.*

geneeswijze ⟨de⟩ **0.1** *(method/mode of) treatment* ⇒*cure, therapy, remedy* ◆ **2.1** alternatieve ~n *alternative medicine.*

genegen ⟨bn.⟩ **0.1** [bereid] *willing* ⇒*prepared* **0.2** [welwillend] *well-/favourably-disposed* ⇒*sympathetic* ◆ **1.2** een ~ oor vinden *find a sympathetic/ready ear* **3.1** hij is niet ~ toestemming te geven *he is not prepared to give permission;* allesbehalve ~ zijn om ... *be loath to ...* **3.2** iem.(niet) ~ zijn *(not) be favourably disposed towards s.o.* **6.1** hij is ~ tot medewerking ~ *he is w./prepared to cooperate.*

genegenheid ⟨de (v.)⟩ **0.1** [gezindheid] *affection* ⇒*fondness, attachment, affinity, inclination* **0.2** [vorm, uiting] *affection* ⇒*attachment* ◆ **1.1** een blijk van ~ *a token of affection* **2.1** wederkerige ~ *mutual/reciprocal affection* **3.1** voor iem. ~ opvatten *take a liking to s.o.;* iemands ~ verliezen *lose/fall out of s.o.'s favour, fall out of favour with s.o.;* ⟨inf.⟩ *get into s.o.'s bad books, get on s.o.'s wrong side;* iemands ~ verwerven *win s.o.'s favour/regard/affection(s);* voor iem. ~ voelen, iem. ~ toedragen *feel affection for s.o..*

geneigd ⟨bn.⟩ **0.1** [neiging hebbend] *inclined* ⟨vaak gevolgd met 'to'⟩ ⇒*apt, prone* ⟨vnl. tot iets verkeerds⟩, *given (to)* **0.2** [neiging voelend] *inclined* ⇒*disposed, apt, -minded* ◆ **3.1** ~ zijn om fouten te maken *be prone to error* **3.2** ik ben ~ je te geloven *I am i. to believe you;* weinig ~ zijn *be little disposed/i.;* min of meer ~ zijn *have half a mind to;* maar al te ~ zijn *be only too ready/willing to;* ik zou bijna ~ zijn dit te aanvaarden *I am almost tempted to accept this* **5.1** mocht iem. daartoe ~ zijn *if anybody should be so i.;* men is zo licht ~ te denken *one is (so) easily inclined/apt to think.*

geneigdheid ⟨de (v.)⟩ **0.1** *inclination* ⇒*tendency, propensity* ◆ ¶**.1** een ~ ten kwade *a tendency towards evil.*

genenbank ⟨de⟩ **0.1** *gene bank.*

generaal¹ ⟨de (m.)⟩ **0.1** [opperofficier] *general* **0.2** [veldheer] *general* **0.3** [⟨r.k.⟩] *general* ◆ **1.1** de rang van ~ bekleden *hold the rank of g.* **1.3** de ~ van de jezuïeten *the General of the Jesuits.*

generaal² ⟨bn.⟩ **0.1** *general* ◆ **1.1** ⟨muz.⟩ een generale bas *(basso) continuo, figured/thorough/g. bass;* het ~ kapittel *the General Chapter;* de generale repetitie *(the)(full) dress-rehearsal;* de generale staf *the g. staff;* de Generale Synode *the General Synod;* ⟨angl.⟩ *the Church Assembly.*

generaalagentuur ⟨de (v.)⟩ **0.1** *sole agency* ◆ **3.1** de ~ hebben voor *hold s.a./be sole agent for.*

generaal-majoor ⟨de (m.)⟩ **0.1** *Major General.*

generaalsbewind ⟨het⟩ ⟨pol.⟩ **0.1** *generals'/military regime* ⇒*junta.*

generaalschap ⟨het⟩ **0.1** *generalship.*

generaalsrang ⟨de (m.)⟩ **0.1** [rang van generaal] *generalship* ⇒*rank of general* **0.2** [⟨mv.⟩ opperofficiersrangen] *highest ranking officers.*

generalaat ⟨het⟩ ⟨r.k.⟩ **0.1** [ambt] *generalship* **0.2** [bestuurszetel] *generalate.*

generalisatie ⟨de (v.)⟩ **0.1** *generalization* ⇒*sweeping statement* ◆ **2.1** een bekende/overhaaste ~ *a known/hasty g.* **3.1** in ~s vervallen *lapse into/make generalizations, generalize.*

generaliseren ⟨onov., ov.ww.⟩ **0.1** *generalize* ◆ **5.1** je moet niet ~ *you shouldn't g./make generalizations.*

generalissimus ⟨de (m.)⟩ **0.1** *generalissimo.*

generaliteit ⟨de (v.)⟩ **0.1** *generality.*

generaliter ⟨bw.⟩ **0.1** *in general* ⇒*generally (speaking).*

generatie ⟨de (v.)⟩ **0.1** [geslacht] *generation* **0.2** [teling] *generation* ◆ **2.1** een Amerikaan van de eerste/tweede ~ *a first-/second-g. American;* de jonge ~ *the younger g.;* ⟨fig.⟩ een jongere ~ academici *a younger g. of academics;* ⟨fig.⟩ de nieuwe ~ computers *the new g./breed of computers;* ⟨fig.⟩ een nieuwe ~ videobanden *a new g. of videotapes* **2.2** ⟨biol.⟩ spontane ~ *abiogenesis, spontaneous g., heterogenesis* **3.1**

een ~ overslaan *skip/jump a g.* **4.1** zij behoren tot dezelfde ~ *they belong to/are of the same g.* **6.1** van de ene ~ op de andere *from g. to g..*

generatieconflict ⟨het⟩ **0.1** *battle/conflict of the generations* ⇒*generation gap.*

generatief ⟨bn.⟩ **0.1** [geslachtelijk] *generative* **0.2** [voortbrengend] *generative* ◆ **1.1** ⟨biol.⟩ generatieve kern *g. nucleus;* generatieve voortplanting *g. reproduction* **1.2** ⟨taal.⟩ generatieve grammatica *g. grammar;* generatieve kracht *g. power.*

generatiegenoot ⟨de (m.)⟩ **0.1** *contemporary.*

generatiekloof ⟨de⟩ **0.1** *generation gap* ◆ **3.1** de ~ overbruggen *bridge the g.g..*

generatiewisseling ⟨de (v.)⟩ **0.1** *alternation of generations* ⇒*metagenesis, heterogenesis.*

generator ⟨de (m.)⟩ **0.1** [toestel tot het verkrijgen van gas] *generator* **0.2** [werktuig dat stroom opwekt] *generator* ⇒*dynamo* **0.3** [deel van een ijsmachine] *evaporator* **0.4** [⟨telepathie⟩] *transmitting agent.*

generatrice ⟨de (v.)⟩ ⟨wisk.⟩ **0.1** *generatrix.*

generen

I ⟨wk.ww.; zich ~⟩ **0.1** [zich schamen] *be/feel embarrassed* ⇒*be/feel shy/awkward/ill at ease* ◆ **4.1** geneer je maar niet voor mij *don't mind me;* ik zou me dood ~ *I'd be mortified, I'd die (of shame);* hij geneert zich niet geld aan te nemen *it doesn't embarrass him to accept money* **5.1** geneer je niet *don't be shy, make yourself at home;*
II ⟨ov.ww.⟩ **0.1** [in verlegenheid brengen] *embarrass* ◆ **1.1** zijn gezelschap geneert me *his company embarrasses me, I feel embarrassed in his company* **3.1** zich gegeneerd voelen *feel embarrassed/ill at ease/uncomfortable.*

genereren

I ⟨onov.ww.⟩ ⟨com.⟩ **0.1** [hoogfrequente trillingen voortbrengen] *generate;*
II ⟨ov.ww.⟩ ⟨wisk., taal.⟩ **0.1** [met behulp van een algoritme voortbrengen] *generate.*

genereus ⟨bn., bw.⟩ **0.1** *generous* ⇒*magnanimous* ◆ **1.1** een ~ gebaar *a g. gesture.*

generfd ⟨bn.⟩ ⟨biol.⟩ **0.1** *nerved* ⇒*nervate(d), venous* ◆ **1.1** ~e bladeren *venous leaves.*

generisch ⟨bn.⟩ **0.1** *generic* ◆ **1.¶** ⟨jur.⟩ ~e verbintenis *g. obligation.*

generlei ⟨bn.⟩ **0.1** *no (... whatever/at all/* ⟨AE of vero. BE⟩ *whatsoever)* ◆ **1.1** in ~ opzicht *in no sense/respect/way (at all);* daartegen baat ~ tegenspraak *there is no opposition whatever to it, that is beyond any opposition;* van ~ waarde *of no value whatever, worthless;* op ~ wijze *in no way.*

generositeit ⟨de (v.)⟩ **0.1** *generosity* ⇒*magnanimity.*

genese ⟨de (v.)⟩ **0.1** *genesis.*

geneselijk →**geneeslijk.**

genesis ⟨de (v.)⟩ **0.1** *genesis.*

genetica ⟨de (v.)⟩ **0.1** *genetics* ◆ **2.1** moleculaire ~ *molecular g..*

geneticus ⟨de (m.)⟩ **0.1** *geneticist.*

genetisch ⟨bn., bw.; -ally⟩ **0.1** [mbt. het onstaan en ontwikkeling van een zaak] *genetic* **0.2** [mbt. de erfelijkheid] *genetic* ◆ **1.1** ~e manipulatie *g. engineering, gene splicing;* de ~e methode *the g. method;* ~e psychologie *g. psychology;* ~e waarde *g. value* **1.2** ~ materiaal *g. material* **3.1** ~ bepaalde kenmerken *g. markers/features.*

genetkat ⟨de⟩ **0.1** *genet.*

geneugte ⟨de (v.)⟩ ⟨vaak iron., scherts.⟩ **0.1** *pleasure* ⇒*delight(s), joy* ◆ **1.1** de ~n des levens *the joys of life;* de ~n van deze wereld *the pleasures/joys of this world;* ⟨inf.⟩ *creature comforts* **2.1** vleselijke ~n *animal/fleshly/carnal pleasures.*

geneuk ⟨het⟩ **0.1** [⟨vulg.⟩] *screwing* ⇒*fucking* **0.2** [gezeur] *(bull)shit.*

geneurie ⟨het⟩ **0.1** *humming* ⇒*crooning* ⟨bv. tegen kind⟩.

geneuzel ⟨het⟩ **0.1** ⟨gesnuffel⟩ *nosing (into sth.)* ⇒ ⟨zoekend⟩ *rooting, rummaging,* ⟨pej.⟩ *ferreting, prying.*

Genève 0.1 *Geneva* ◆ **1.1** het meer van ~ *Lake G..*

genever →**jenever.**

genezen ⇒sprw. 213,621⟩

I ⟨ov.ww.⟩ **0.1** [beter doen worden] *cure* ⟨patiënt⟩ ⇒ ↑*restore (s.o.) to health, heal* ⟨wond⟩ ◆ **6.1** iem. van zijn onhebbelijkheden ~ *cure s.o. of his bad/objectionable habits;* ⟨fig.⟩ daar ben ik helemaal van ~ *I am fully cured of that;*
II ⟨onov.ww.⟩ **0.1** [beter worden] *recover* ⇒*get well again, mend* ⟨bv. bot⟩, *heal* ⟨wond⟩ ◆ **6.1** van een ziekte ~ *recover from/be cured of an illness, be on the mend* ¶**.1** hij is weer zo goed als ~ *he has almost completely recovered.*

genezer ⟨de (m.)⟩, **-es** ⟨de (v.)⟩ **0.1** *healer* ⇒*curer,* ⟨pej.⟩ *quack.*

genezing ⟨de (v.)⟩ **0.1** *cure* ⇒*recovery* ⟨patiënt⟩, *healing* ⟨wond⟩.

genezingsproces ⟨het⟩ **0.1** *recovery process* ⇒*healing (process)* ◆ **3.1** het ~ bevorderen/bespoedigen *aid/speed up/precipitate the r.p.;* het ~ vertragen *delay the r.p..*

geniaal ⟨bn., bw.; -ly⟩ **0.1** [buitengewoon begaafd] *brilliant* ⇒*highly-gifted, of genius* **0.2** [blijk gevend van genie] *brilliant* ⇒*ingenious* ◆ **1.1** met geniale blik *with the look of a genious (about him);* een geniale gek *a mad genius;* ⟨zeldz.⟩ *a mattoid;* een ~ kunstenaar *a highly-gifted artist* **1.2** een ~ denkbeeld *a b. idea;* ⟨iron.⟩ hij heeft van die geniale invallen *he gets (those) brainwaves from time to time, that's one of his brainwaves / b. ideas;* een geniale oplossing *an ingenious solution;* een geniale vondst / zet *a stroke of genius* 3.1 ~ zijn in iets *be b. / highly gifted at sth., have a genius for sth.* 4.1 iets ~ s hebben *have a touch of genius.*

genialiteit ⟨de (v.)⟩ **0.1** [begaafdheid met genie] *genius* ⇒*brilliance, brilliancy* **0.2** [het blijk geven van genie] *ingenuity* ⇒*brilliance, brilliancy,* ⟨inf.⟩ *wizardry.*

genie
I ⟨de (v.)⟩ **0.1** [⟨mil.⟩] *military engineering* ◆ **1.1** het korps van de ~ *the Engineering Corps;* het wapen / de dienst van de ~ *the* (ᴮ*Royal*) *Engineers* **6.1** hij is **bij** de ~ *he serves in the Engineering Corps, he is with the Engineers, he is a military engineer;*
II ⟨het⟩ **0.1** [buitengewone begaafdheid] *genius* ⇒*brilliance, brilliancy* **0.2** [begaafd persoon] *genius* ⇒⟨inf.⟩ *wizard* ◆ **1.1** het ~ van Rembrandt *the g. of Rembrandt* **2.2** een groot ~ *an absolute / real / true g.;* een miskend ~ *a misunderstood / unappreciated g..*

genieofficier ⟨de (m.)⟩ **0.1** *military engineer.*
geniep ⟨het⟩ ◆ **6.¶ in** 't ~ *on the sly / quiet;* ⟨pej.⟩ *sneakily;* ⟨sl.⟩ *on the q.t..*

geniepig
I ⟨bn.⟩ **0.1** [stiekem] *sly, secretive* **0.2** [gemeen] *sneaky* ⇒*underhand(ed), sly, dastardly* ◆ **1.1** op een ~ e manier *on the sly* **1.2** een ~ e streek *a sneaky / dirty trick;* een ~ ventje *a slyboots, a sneaky character;*
II ⟨bw.⟩ **0.1** [stiekem] *on the sly / quiet* ⇒*secretly, stealthily* **0.2** [gemeen] *sneakily* ⇒*underhandedly, slyly* ◆ **3.1** doe niet zo ~ *don't be so secretive.*

geniepigerd ⟨de (m.)⟩ **0.1** *sneak* ⇒*sly dog.*
genies ⟨het⟩ **0.1** *sneezing.*
geniesoldaat ⟨de (m.)⟩ **0.1** *engineer* ⇒*sapper.*
genietbaar ⟨bn.⟩ **0.1** *enjoyable.*

genieten
I ⟨onov.ww.⟩ **0.1** [plezier beleven] *enjoy o.s.* ⇒⟨inf.⟩ *have fun / a good time, get a lot / great deal of pleasure (out of / from)* ◆ **5.1** erg ~ *really / thoroughly enjoy o.s., have great fun / a great time;* intens van iets ~ *enjoy sth. immensely;* ⟨inf.⟩ *get a (real) kick out of sth.;* ze hadden zelden zo genoten ⟨ook⟩ *they had the time of their lives* **6.1** in stilte ~ *stand / sit in silent enjoyment;* zij genoten **van** hun kind *they got a lot of pleasure out of their child;* ⟨inf.⟩ *they enjoyed their child;* ~ **van** muziek / het uitzicht *enjoy the music / the view;* probeer er zo veel mogelijk **van** te ~ *try to enjoy it as much as you can;* **van** het leven ~ *enjoy life* **¶.1** ik heb genoten! *I really enjoyed myself!, I had great fun / a wonderful time!;* wat heb ik genoten! *I really enjoyed myself! / had fun / had a good time!;*
II ⟨ov.ww.⟩ **0.1** [tot gebruik / voordeel ontvangen] *enjoy* ⇒*have the advantage of* ◆ **1.1** hij genoot grote faam als acteur *he enjoyed great fame as an actor;* een goede gezondheid ~ *be in / e. good health;* een hoog inkomen ~ *e. a high income;* de maaltijd ~ *have dinner / supper* ⟨enz.⟩; een goede opleiding genoten hebben *have received / had the advantage of a good training / education;* rust / vrede ~ *e. one's rest, live in peace;* iemands vertrouwen ~ *have s.o.'s confidence;* dat geniet zijn voorkeur *he prefers that* **3.¶** hij is vandaag niet te ~ *he's in a bad mood today;* die vent is niet te ~ *that guy is unbearable;* die film is niet te ~ *that film / ᴬmovie is absolutely atrocious.*

genieter ⟨de (m.)⟩, **-ster** ⟨de (v.)⟩ **0.1** [genotzuchtige] *sensualist* ⇒*epicure(an), hedonist* **0.2** [mbt. pensioen / inkomen] *recipient, beneficiary.*
genieting ⟨de (v.)⟩ ⟨schr.⟩ **0.1** [het smaken van genot] ⟨ongemarkeerd⟩ *enjoyment* **0.2** [vorm van genot] ⟨ongemarkeerd⟩ *pleasure* ⇒*enjoyment* ◆ **1.2** de ~ en des levens *the pleasures / joys of life;* ⟨inf.⟩ *creature comforts* **2.2** hij is niet vatbaar voor hogere ~ en *he is not capable of appreciating the higher pleasures;* materiële ~ en *material pleasures.*
genietroepen ⟨zn.mv.⟩ **0.1** (*Military*) *Engineers.*
genist ⟨de (m.)⟩ **0.1** (*military / army*) *engineer* ⇒⟨vnl.⟩ *enigineer officer.*
genitaal ⟨bn.⟩ **0.1** *genital.*
genitaliën ⟨zn.mv.⟩ **0.1** *genitals.*
genitief ⟨de (m.)⟩ ⟨taal.⟩ **0.1** *genitive.*
genius ⟨de (m.)⟩ **0.1** [beschermgeest] *genius* ⇒*genie* **0.2** [⟨bk.⟩] *genius* ⇒*genie* ◆ **1.1** de ~ van de mensheid *the genius of mankind / humanity* **2.1** hij is mijn goede ~ *he is my good genius;* de kwade ~ *the evil genius / demon.*
genocide ⟨de (v.)⟩ **0.1** *genocide* ◆ **3.1** ~ plegen *commit g..*
genodigde ⟨de (m.)⟩ **0.1** (*invited*) *guest* ⇒*invitee* ◆ **6.1** alleen **voor** ~ n *only for those invited* **¶.1** alleen ~ n hebben toegang *admission (is) by invitation only.*
genoeg¹ ⟨bw.⟩ **0.1** [in voldoende mate] *enough* ⇒*sufficiently, plenty* **0.2** [meer dan wenselijk / prettig] *enough* ◆ **1.1** hij is realist ~ *he is realistic e.;* tijd ~ hebben *have plenty of time;* morgen is tijd ~ *tomorrow will do, it will do / can wait until tomorrow* **2.1** ben ik duidelijk ~ geweest *have I made myself clear;* handig ~ zijn om *be handy / smart e. to;* jammer ~ *regrettably, unfortunately; more's the pity;* mans ~ zijn om iets te doen *be man / game e. for doing sth. / to do sth.;* oud en wijs ~ zijn *old and wise e.;* hij is niet precies ~ *he is not exact / precise e., he*

---

is (too) easygoing; hij is professioneel ~ *he is e. of a professional;* men kan niet voorzichtig ~ zijn *one can't be too careful* **2.2** erg ~ *bad(ly) e.;* het is zo al erg ~ *it's bad e. as it is;* vreemd / gek ~ *strangely / curiously e., strange to say* **3.1** dat kon niet ~ gezegd / benadrukt worden *that could not be stressed / emphasized (often) e.* **3.2** er wordt al ~ gekletst *there's e. gossip / chatter!* ↓ *cackle as it is.*
genoeg² ⟨telw.⟩ ⟨→sprw. 215,216⟩ **0.1** [voldoende] *enough* ⇒*plenty, sufficient,* ⟨net genoeg⟩ *adequate* **0.2** [meer dan wenselijk, prettig] *enough* ◆ **1.1** heb je ~ bier / kleren? *how are you (off / fixed) for beer / clothes?;* er is eten ~ *there is plenty of food;* ~ geld hebben voor de hele maand *have e. money to see one through the month;* plaats ~ *plenty of room;* ⟨inf.⟩ *bags of room* **1.2** hij had al last ~ van ons *he had e. to put up with from us (as it was);* er zijn al slachtoffers ~ *there are too many victims (as it is)* **3.1** ~ gepraat! *e. said!;* ↓ *cut the cackle!;* heb je ~ gegeten? *have you had e. (to eat)?;* ik heb ~ aan een gekookt ei *a boiled egg will do for me;* daar hebben we voorlopig ruim ~ aan *that will keep us going for some time;* hij heeft ~ om van te leven *he has e. to live on / get by;* talent heeft hij ~ *he is not lacking in talent, he has no shortage of talent;* ⟨bij het inschenken⟩ zeg maar als het ~ is *say when;* hij kan er niet ~ van krijgen *he cannot get e. of it;* ik weet ~ *I've heard e.;* dat zegt ~ *that says e.;* laat het ~ zijn te zeggen *suffice it to say* **3.2** ik heb aan één vrouw ~ *one wife is e. for me;* er / ergens ~ van hebben / krijgen *have / get e. of it / sth., be / get sick of / fed up with it / sth.;* ~ te doen hebben *have one's work cut out for one* **4.1** aan zichzelf ~ hebben *be self-sufficient / independent;* ⟨mbt. problemen⟩ *have e. problems of one's own* **5.1** ~ hierover! *e. said (about this / on this subject)!* **6.1** ⟨recept, menu⟩ ~ **voor** vier personen *will serve four (people);* er is ~ **voor** allemaal *there is e. to go round* **¶.1** (het is) ~! *(that's) e.!, that will do!;* dat is meer dan ~ *that is more than e.;* er is meer dan ~ *there's e. and to spare* **¶.2** er schoon ~ van hebben / krijgen *be fed up to the back teeth (with it), have had it up to here;* zo is het wel ~ *that's e., that will do.*
genoegdoening ⟨de (v.)⟩ **0.1** [eerherstel] *satisfaction* ⇒*atonement* **0.2** [schadeloosstelling] *redress* ⇒*restitution, satisfaction, compensation* ◆ **1.1** ⟨theol.⟩ de ~ van Jezus Christus *the s. / atonement of Jesus Christ* **3.1** ~ van iem. eisen / krijgen *demand s. of / obtain s. from s.o.;* zich ~ verschaffen *obtain s.* **3.2** ~ van iem. eisen voor iets *claim redress from s.o. for sth..*
genoegen¹ ⟨het⟩ **0.1** [voldoening] *satisfaction* ⇒*gratification, approval* **0.2** [plezier] *pleasure* ⇒*delight, satisfaction* ◆ **1.2** de ~ s van het leven *the pleasures of life;* met alle soorten van ~ with p., gladly, *I'd be delighted (to);* de ~ s van een grote stad *the pleasures / delights of the city* **2.2** het was geen onverdeeld ~ *it was a mixed blessing;* het was mij een waar ~ *I was delighted, it was a real p.* **3.1** veel ~ doen / geven *give great / much s., be very satisfactory;* daar neem ik geen ~ mee *that doesn't / won't do, I won't put up with that / stand for that / settle for that;* ~ nemen met iets *content o.s. / be satisfied with sth., settle for sth.* ⟨tweede keus⟩; *agree / consent to sth., accept sth., put up with sth.* ⟨minder kwaliteit, slechte omstandigheden⟩; weigeren ~ te nemen met *refuse to accept / content to / agree to* **3.2** ergens ~ aan beleven *derive p. from sth.;* doe me een ~ en houd je mond *do me a favour and shut up, I'll thank you to keep quiet;* iem. een ~ doen *do s.o. a favour, oblige s.o.;* dat doet mij (veel) ~ *I'm very pleased (about that);* met wie heb ik het ~? *with whom do I have the p. (of speaking)?;* wij hebben het ~ u kennis te geven van … *we have p. in announcing / informing you of …;* ergens ~ in scheppen *take p. / delight in sth.;* ⟨pej.⟩ *gloat over sth.* **6.1** iets **met** ~ constateren *note with s.;* en, was het **naar** ~? *well, was it to your liking?;* als het niet **naar** ~ is *if it is not satisfactory;* het werk is **naar** ~ uitgevoerd *the work has been carried out / completed to s.* **6.2** ik zeg het **met** ~ *I'm pleased to say;* **met** ~ ⟨beleefdheidsformule⟩ *with pleasure;* ⟨examen⟩ *clear pass;* **ten** ~ **van** *to the satisfaction of;* **tot** ~ *au revoir, I hope we meet again;* **tot** ons ~ constateren wij *we note with p.;* **tot** haar groot ~ *much to her p..*
genoegen² ⟨onov.ww.⟩ ⟨schr.⟩ **0.1** ⟨ongemarkeerd⟩ *suffice* ⇒*be sufficient* ◆ **4.1** hij heeft wat hem genoegt *his wishes / requirements have been fulfilled / met.*
genoeglijk ⟨bn., bw.⟩-ly⟩ **0.1** *enjoyable* ⇒*pleasant, agreeable,* ᴬ*fun* ◆ **1.1** een ~ avondje *an e. evening;* een ~ leven / boekje *a pleasant life, an e. book;* een ~ e stemming *a pleasant / fun atmosphere* **3.1** zij zaten ~ bij elkaar *they were sitting happily together.*
genoegzaam
I ⟨bn.⟩ **0.1** [voldoende] *sufficient* ⇒*satisfactory enough,* ⟨net voldoende⟩ *adequate* ◆ **1.1** een ~ bewijs *sufficient proof;*
II ⟨bw.⟩ **0.1** [in voldoende mate] *sufficiently* ⇒*satisfactorily, enough, adequately* ◆ **2.1** dat is toch ~ bekend *that is (surely) sufficiently well known* **3.1** de zaak is hiermee ~ toegelicht *the matter has thus been sufficiently / adequately clarified.*
genoegzaamheid ⟨de (v.)⟩ **0.1** *sufficiency* ⇒*satisfaction.*
genoemd ⟨bn.⟩ **0.1** (*above-*)*mentioned* ⇒*said, named* ◆ **1.1** (de) ~ e heren *the gentlemen mentioned, (the) said gentlemen;* ~ e verdachte *the named suspect;* ⟨jur.⟩ *the accused.*
genologie ⟨de (v.)⟩ **0.1** *study of (artistic) genres.*
genomen ⟨bn.⟩ **0.1** *taken in* ⇒*fooled, had, taken, done* ◆ **3.1** ik voel me behoorlijk ~ *I feel I've been had.*

genoniem ⟨het⟩ ⟨taal.⟩ **0.1** *generic/cover term.*
genoom ⟨het⟩ **0.1** *genome.*
genoot ⟨de (m.)⟩ **0.1** [⟨in samenst.⟩] *companion* ⇒-*mate, fellow-* **0.2** [makker, gezel, gelijke] *partner* ⇒*companion* ◆ **1.1** huisgenoot *house-mate;* tafelgenoot *table c..*
genootschap ⟨het⟩ **0.1** *society* ⇒*association, fellowship* ◆ **1.1** het Genootschap der Vrienden *the Society of Friends* **2.1** lid v.h. Historisch Genootschap *member of the Historical Society.*
genopt ⟨bn.⟩ **0.1** *napped* ⇒⟨voetbalschoen⟩ *studded.*
genot ⟨het⟩ **0.1** [het genieten] *enjoyment* ⇒*benefit, advantage* **0.2** [genoegen] *enjoyment* ⇒*pleasure, delight, zest* **0.3** [⟨jur.⟩ gebruik] *use* ⇒⟨vruchtgebruik⟩ *usufruct* ◆ **1.1** in het volle ~ van zijn vermogens zijn *be in full possession of one's faculties;* (in) het ~ van zijn vrijheid *in possession of/enjoying one's freedom* **1.3** het ~ van zijn bezittingen hebben *have the use of one's possessions* **2.1** het rustig ~ *(the) quiet e.* **2.2** zinnelijk ~ *sensual pleasure(s)* **3.2** het is een (waar) ~ om haar te horen *it's a (real) treat/a joy to hear her;* het is een ~ voor het oog *a feast for the eyes, a sight for sore eyes/for the gods;* dat maakt het leven tot een ~ *it makes life a real pleasure;* ~ schenken *give pleasure;* ~ scheppen in *take pleasure, delight in, relish/revel in;* ⟨pej.⟩ *gloat over;* het ~ van iets verhogen *increase the e. of sth., give added zest to sth., add to the e./zest of sth.;* het was een ~ om te zien *it was a joy to see* **6.2 onder** het ~ van een glas wijn *over a glas of wine* **7.2** veel ~ van iets hebben *derive satisfaction from sth..*
genotmiddel ⟨het⟩ **0.1** *stimulant;* ⟨inf.⟩ *goody.*
genotteren ⟨ww.⟩ ⟨scherts.⟩ **0.1** ⟨ongemarkeerd⟩ *enjoy/indulge o.s.;* ⟨inf.⟩ *have a real(ly) good time* ◆ **3.1** echt/stilletjes zitten ~ *really/quietly indulge o.s.;* zitten ~ in de zon *be basking in the sunshine.*
genotvol ⟨bn., bw.; -ly⟩ **0.1** *delightful* ⇒*enjoyable, glorious, delicious* ◆ **1.1** ~le ogenblikken *d. moments.*
genotype ⟨het⟩ **0.1** [⟨biol.⟩] *genotype* **0.2** [⟨psych.⟩] *genotype.*
genotypisch ⟨bn., bw.; -ly⟩ **0.1** *genotypical.*
genotziek ⟨bn.⟩ **0.1** *pleasure-loving* ⇒*hedonistic, apolaustic, epicurean, sensual.*
genotzoeker ⟨de (m.)⟩, **-zoekster** ⟨de (v.)⟩ **0.1** *pleasure-seeker* ⇒*hedonist, epicure.*
genotzucht ⟨de⟩ **0.1** *pleasure-seeking* ⇒*self-indulgence, hedonism, sensualism.*
genotzuchtig ⟨bn., bw.⟩ **0.1** *pleasure-seeking* ⇒*self-indulgent, hedonistic, epicurean.*
genre ⟨het⟩ **0.1** [soort] *genre* ⇒*style, type, class, category* **0.2** [⟨bk.⟩] *genre (painting)* ◆ **2.1** het komische ~ *comedy* **4.1** dat is zijn ~ niet *that's not his style.*
genreschilder ⟨de (m.)⟩, **-es** ⟨de (v.)⟩ **0.1** *genre painter.*
genreschilderij ⟨de (v.)⟩ **0.1** *genre painting.*
genrestuk ⟨het⟩ **0.1** *genre painting* ⇒*subject picture, conversation piece* ◆ **2.1** dat verhaal is een echt ~ *that story is taken from real life;* zijn schilderijen zijn echte ~jes *his paintings are pure genre.*
gent ⟨de (m.)⟩ **0.1** *gander.*
Gent ⟨de⟩ **0.1** *Ghent.*
gentiaan ⟨de⟩ **0.1** [plant] *gentian* **0.2** [wortel] *gentian (root).*
gentiaanachtigen ⟨zn.mv.⟩ **0.1** *gentianaceae* ⇒*gentiana.*
gentianine ⟨de⟩ **0.1** *gentian bitter.*
Genua 0.1 *Genoa.*
genuanceerd ⟨bn., bw.⟩ **0.1** ≠*subtle, shaded* ⇒⟨afgewogen⟩ *balanced,* ⟨met verschillen⟩ *variegated, differentiating,* ⟨gelijk⟩ *nuanced* ◆ **1.1** een ~e benadering van een probleem *a subtle/thoughtful approach to a problem;* een ~ oordeel *a balanced/finely tuned judgement* **3.1** een voorbeeld van ~ denken *an example of balanced thinking/judgement;* ~ denken *keep an open mind (about), see the pros and cons (of), look (at sth./the matter) from both/all sides, not take an extreme position.*
Genuees ⟨de (m.)⟩, **-ese** ⟨de (v.)⟩ **0.1** *Genoese.*
genus ⟨het⟩ **0.1** [⟨biol.⟩] *genus* **0.2** [taal.] *gender* ◆ **1.1** een plant van het ~ X *a plant of the g. X/X g..*
genuskoop ⟨de⟩ **0.1** *purchase of fungibles/generic goods.*
geobotanie ⟨de (v.)⟩ **0.1** *geobotany* ⇒*phytogeography.*
geoccupeerd ⟨bn.⟩ ⟨schr.⟩ **0.1** [bezig] ⟨ongemarkeerd⟩ *occupied* **0.2** [in gedachten bezig] ⟨ongemarkeerd⟩ *preoccupied* ◆ **3.1** ik ben zeer ~ *I am very busy.*
geocentrisch ⟨bn.⟩ **0.1** *geocentric* ◆ **1.1** ~e breedte *g. latitude;* het ~ wereldbeeld *the g. philosophy, geocentricism.*
geochemie ⟨de (v.)⟩ **0.1** *geochemistry.*
geocyclisch ⟨bn.⟩ **0.1** *geocyclic* ◆ **1.1** ~e machine *g. machine.*
geode ⟨de (v.)⟩ **0.1** *geode.*
geodeet ⟨de (m.)⟩ **0.1** [persoon] *geodesist* **0.2** [⟨wisk.⟩] *geodesic (line).*
geodesie ⟨de (v.)⟩ **0.1** *geodesy.*
geodetisch ⟨bn.⟩ **0.1** *geodetic* ⇒*geodesic* ◆ **1.1** ~e lijn *geodesic (line);* ~e opmetingen *geodetic surveying;* ⟨lucht.⟩ ~e romp *geodesic structure.*
geoefend ⟨bn.⟩ **0.1** [ervaren] *experienced* ⇒*trained, drilled, versed* **0.2** [zeer gevoelig] *refined* ◆ **1.1** een ~ soldaat *a trained soldier;* een ~ zwemmer/pianist *an e./expert swimmer, an accomplished pianist* **1.2** een ~ gehoor *a trained ear.*

geoefendheid ⟨de (v.)⟩ **0.1** *experience* ⇒*proficiency, skill, accomplishment.*
geofysica ⟨de (v.)⟩ **0.1** *geophysics.*
geofysicus ⟨de (m.)⟩ **0.1** *geophysicist.*
geofysisch ⟨bn.⟩ **0.1** *geophysical* ◆ **1.1** een ~ instituut *a geophysics/g. institute, an institute for g. studies.*
geofyten ⟨zn.mv.⟩ **0.1** *geophytes.*
geogenie ⟨de (v.)⟩ **0.1** *geogony.*
geograaf ⟨de (m.)⟩ **0.1** *geographer.*
geografie ⟨de (v.)⟩ **0.1** *geography* ◆ **2.1** fysische ~ *physical g.;* sociale ~ *human/social g..*
geografisch ⟨bn.⟩ **0.1** *geographic(al)* ◆ **1.1** de ~e breedte/lengte van een plaats *the geographical latitude/longitude of a place;* ~e namen *geographical names;* een ~ woordenboek *a gazetteer.*
ge-o-ha ⟨het⟩ ⟨inf.⟩ **0.1** *crap* ⇒*bull(shit), rubbish,* ⟨zelden⟩ *B.S..*
geohydrologisch ⟨bn.⟩ **0.1** *geohydrologic.*
geolied ⟨bn.⟩ **0.1** *oiled* ⇒⟨machinerie ook⟩ *lubricated* ◆ **1.1** ⟨fig.⟩ een goed ~ bedrijf *a well o. concern;* ~ linnen *o. linen;* een goed ~e machine *a well o./lubricated machine;* ~ papier *o. paper.*
geologie ⟨de (v.)⟩ **0.1** *geology.*
geologisch ⟨bn.⟩ **0.1** *geological* ⇒⟨soms⟩ *geologic* ◆ **1.1** ~e kaarten *geological maps;* de ~e scheikunde *geochemistry;* een ~ tijdperk *a geological age.*
geoloog ⟨de (m.)⟩ **0.1** *geologist.*
geomagnetisch ⟨bn.⟩ **0.1** *geomagnetic.*
geomagnetisme ⟨het⟩ **0.1** *geomagnetism* ⇒*terrestrial magnetism.*
geomantiek ⟨de (v.)⟩ **0.1** *geomancy.*
geometrie ⟨de (v.)⟩ **0.1** *geometry.*
geometrisch ⟨bn.⟩ **0.1** *geometric(al).*
geomorf ⟨bn.⟩ **0.1** *geomorphic.*
geomorfologie ⟨de (v.)⟩ **0.1** *geomorphology.*
geomorfologisch ⟨bn.⟩ **0.1** *geomorphologic(al).*
geonomie ⟨de (v.)⟩ **0.1** [wiskundige aardrijkskunde] *mathematical geography* **0.2** [kennis van de groeikracht van de aardsoorten] *geonomy.*
geoogd ⟨bn.⟩ **0.1** [met ogen] *eyed* **0.2** [⟨in samenst.⟩] *-eyed* **0.3** [⟨herald.⟩] *eyed, with eyes* ⟨gevolgd door bn.⟩ ◆ **2.2** zwartgeoogd *black-eyed.*
geoord ⟨bn.⟩ **0.1** [met oren] *eared* **0.2** [⟨herald.⟩] *eared, with ears* ⟨gevolgd door bn.⟩ ◆ **1.1** de ~e duiker/fuut *black-necked grebe;* ~e kopjes *cups with handles/grips.*
geoorloofd ⟨bn.⟩ ⇒sprw. 480⟩ **0.1** *permitted, permissible* ⇒*allowed, admissible* ◆ **1.1** een ~ middel *(a) lawful means/method;* met alle ~e en ongeoorloofde middelen *by fair means or foul* **3.1** is het ~ hier te roken? *is smoking permitted here?*
geopend ⟨bn.⟩ **0.1** *open(ed)* ◆ **1.1** een ~ venster *an open window* **3.1** een vergadering (voor) ~ verklaren *call a meeting to order, open a meeting;* een tentoonstelling (voor) ~ verklaren *declare an exhibition open, open an exhibition* **6.1** ~ **van** 9 **tot** 5 *open from 9 to 5;* ~ **voor** het publiek *open to the public.*
geoplastiek ⟨de (v.)⟩ **0.1** *geotectonics* ⇒*global tectonics.*
geopolitiek[1] ⟨de (v.)⟩ **0.1** *geopolitics.*
geopolitiek[2] ⟨bn.⟩ **0.1** *geopolitical.*
geordend
I ⟨bn., bw.⟩ **0.1** [waarin orde is] *(well-)ordered* ⇒*regulated, orderly,* ⟨bw.⟩ *in an orderly manner* ◆ **1.1** een goed ~ bedrijf *a well-regulated business;* een ~e economie *a planned economy;* de ~e samenleving *a (well-)ordered/orderly society* **3.1** zich ~ bewegen *move/walk in an orderly manner/fashion;*
II ⟨bn.⟩ [in een orde opgenomen] *classified* ⇒*filed, seriate(d).*
georeer ⟨het⟩ **0.1** [het voortdurend oreren] *orating* ⇒*haranguing, declamation, holding forth* **0.2** [hoogdravend gepraat] *harangue* ⇒*oration,* ⟨inf.⟩ *spouting.*
georganiseerd ⟨bn.⟩ **0.1** [tot één lichaam verenigd] *organized* ⇒*integrated* **0.2** [bij een (vak)organisatie aangesloten] *organized* ⇒*unionized* **0.3** [van organen voorzien] *organized* **0.4** [mbt. reizen] *package* ⇒*organized* ◆ **1.1** de ~e misdaad *o. crime;* het ~ verzet *organized resistance* **1.2** ~e werknemers *organized/unionized labour* **1.3** de ~e natuur *organized nature* **1.4** een ~e reis *a package tour/holiday* **1.¶** het Georganiseerd Overleg ≠*civil service pay review body* **3.2** ~ zijn *be unionized* ⟨bedrijf⟩, *be a union member* ⟨mens⟩; niet ~ zijn *not be unionized, be non-union/outside the union.*
georganiseerdheid ⟨de (v.)⟩ **0.1** *organization.*
Georgië ⟨het⟩ **0.1** *Georgia.*
Georgiër ⟨de (m.)⟩, **-sche** ⟨de (v.)⟩ **0.1** *Georgian.*
georiënteerd ⟨bn.⟩ **0.1** [gericht op, naar] *oriented* ⇒*orientated* **0.2** [geïnformeerd] *oriented* ◆ **2.1** hij is socialistisch ~ *he has socialist leanings* **5.1** een internationaal ~e krant *a newspaper with an international outlook;* links ~ zijn *have leftist tendencies, be leftist;* theoretisch ~ onderwijs *theoretically oriented/biased education* **5.2** hij bleek goed/slecht ~ *he appeared to be well/badly o.* **6.1** de export was ~ **op** Europa *the export was oriented/directed towards Europe.*
geostatica ⟨de (v.)⟩ **0.1** *geostatics.*
geostationair ⟨bn.⟩ ⟨ruim.⟩ **0.1** *geostationary* ⇒*synchronous.*

geosynclinaal ⟨de (m.)⟩ **0.1** *geosyncline.*
geosynclinale ⟨de⟩ **0.1** *geosynclinal* ⇒*geosyncline.*
geotechniek ⟨de (v.)⟩ **0.1** *geotechnics.*
geotektoniek ⟨de (v.)⟩ **0.1** *geotectonics* ⇒*tectonic/structural geology.*
geothermie ⟨de (v.)⟩ **0.1** *geothermal/geothermic study* ⇒*study of geo-thermal/geothermic conditions.*
geot(h)ermisch ⟨bn.⟩ **0.1** *geothermal, geothermic* ♦ **1.1** ~e afstand *geo-thermal distance/gradient;* ~e gradiënt *geothermal gradient.*
geot(h)ermometer ⟨de (m.)⟩ **0.1** *geothermometer.*
geotropie ⟨de (v.)⟩ **0.1** *geotropism.*
geotropisch ⟨bn.⟩ **0.1** *geotropic* ♦ **1.1** ~e krommingen *g. curvature;* ~e plantedelen *parts of the plant responding to (geo)tropic stimuli.*
geotropisme ⟨het⟩ **0.1** *geotropism.*
geoutilleerd ⟨bn.⟩ **0.1** *equipped* ⇒*furnished, fitted (out)* ♦ **2.1** een goed ~e keuken *a well e./fully fitted kitchen;* een volledig ~e werkplaats *a fully e. work-shop/-room.*
geouwehoer ⟨het⟩ ⟨inf.⟩ **0.1** ⟨vrijblijvend gepraat⟩ *mush, crap, bull* ⇒ ⟨idle⟩ *chat(ter)/gossip, natter(ing)* **0.2** ⟨gezeur⟩ *harping/carrying on* ⇒ ⟨klagerig⟩ *moaning* ♦ **2.1** slap ~ *mush, crap, bull.*
geowetenschappen ⟨zn.mv.⟩ **0.1** *earth science(s)* ⇒*geoscience(s).*
gep. ⟨afk.⟩ **0.1** ⟨gepensioneerd⟩ *ret(d)..*
gepaard ⟨bn.⟩ **0.1** ⟨in paren verdeeld⟩ *paired* ⇒*in pairs/twos* **0.2** ⟨verge-zeld⟩ *coupled (with)* ⇒*accompanied (by), attendant (on), attached (to)* ♦ **1.1** ⟨plantk.⟩ ~e bladeren *leaves in opposite pairs;* ⟨taal.⟩ ~ rijm ≠*rhyming couplet* **3.2** de risico's die daarmee ~ gaan *the risks in-volved;* macht en corruptie gaan vaak (met elkaar) ~ *power and cor-ruption often go hand in hand;* de daarmee noodzakelijk ~ gaande ta-riefverhoging *the consequent(ial) rate increase, the rate increase neces-sitated by this;* de ouderdom en de daarmee ~ gaande gebreken *old age and its attendant/concomitant infirmities;* de liefde voor de natuur die daarmee ~ gaat *the love of nature that goes with it* **6.2** dat gaat **met** grote kosten ~ *that involves/incurs considerable expense;* het ging **met** veel lawaai ~ *it was accompanied by a lot of noise;* werkeloosheid ~ gaande **met** hoge inflatie *unemployment coupled with high inflation;* de overlast die ~ gaat **met** een verbouwing *the nuisance associated with/connected with/caused by alterations;* hij liet zijn woorden ~ gaan **met** heftige gebaren *he accompanied his words with wild gest-ures;* dat gaat ~ met allerlei ongewenste effecten *it has all sorts of un-desirable effects/consequences.*
gepakt ⟨bn.⟩ ♦ **2.¶** gepakt en gezakt *ready for off, all ready to go.*
gepantserd ⟨bn.⟩ **0.1** ⟨geharnast⟩ *armoured* ⇒*in armour* **0.2** [met een stevige bedekking] *armoured* ⇒*armour-plated/-clad* ♦ **1.1** ~e ruite-rij *a. cavalry;* ~e vuist *mailed fist* **1.2** ~ dier *loricate (animal);* ⟨fig.⟩ een ~ innerlijk hebben *be well-defended;* een ~ schip *an armour-plat-ed/-clad vessel/ship* **6.2** ⟨fig.⟩ ~ **tegen** *steeled against.*
geparafeerd ⟨bn.⟩ **0.1** *initialled* ^*ialed.*
geparaffineerd ⟨bn.⟩ **0.1** *paraffined* ⇒*paraffin-treated.*
gepareld ⟨bn.⟩ **0.1** ⟨parelvormig⟩ *pearled* ⇒*beaded* **0.2** [⟨muz.⟩] *clear* ♦ **1.1** ~e gerst *pearl barley* **1.2** ~e tonen *c. notes, notes as c. as a bell.*
geparenteerd ⟨bn.⟩ **0.1** *related* ⇒*connected* ♦ **6.1** ~ zijn **aan** *be related to, be a relation of.*
geparfumeerd ⟨bn.⟩ **0.1** [waaraan parfum is toegevoegd] *perfumed* ⇒ *scented, fragrant* **0.2** [parfum gebruikt hebbend] *perfumed* ⇒*scented* ♦ **1.1** ~e zeep *scented/fragrant soap* **1.2** ~e dames *p./scented ladies.*
gepassioneerd ⟨bn.⟩ **0.1** *passionate* ⇒*impassioned* ♦ **1.1** hij is een ~ schaakspeler *he is a keen chess-player* **6.1** ~ **voor** iets zijn *be passion-ately fond of sth., have a passion for sth., be keen on sth..*
gepassioneerde ⟨de (m.)⟩ **0.1** *passionate type.*
gepassioneerdheid ⟨de (v.)⟩ **0.1** *passionateness.*
gepast ⟨bn., bw.; -ly⟩ **0.1** [fatsoenlijk, geschikt] *fit* ⇒*(be)fitting, becom-ing, suitable, proper, appropriate* **0.2** [in de verlangde hoeveelheid] *exact* ⇒*apportioned* ♦ **1.1** hij gaf een ~ antwoord *he gave an apposite answer/a Roland for an Oliver;* met ~e bescheidenheid antwoorden *answer with becoming/due modesty;* de ~e maatregelen nemen *take the appropriate measures;* (niet) op het ~e moment *(not) at the right moment, in/out of season;* met ~e woorden vertelde hij het verhaal *he found the right words for his story* **1.2** met ~e eerbied *with due res-pect;* met ~ geld betalen *pay the e. money, have the e. money ready; pay the right change* **3.1** ik vond het ~ dat te doen *I saw/thought fit to do that, it seemed only right to do that* **5.1** dat is niet ~/ niet ~ voor een dame *that is not done/is unladylike.*
gepatenteerd ⟨bn.⟩ **0.1** [met een patent] *patent* **0.2** [geoctrooieerd] *pa-tent(ed)* ⇒*proprietary* ♦ **1.1** ⟨fig.⟩ een ~ leugenaar *a p./an arrant liar* **1.2** een ~(e) artikel/uitvinding *a patent item/invention.*
gepavoiseerd ⟨bn.⟩ **0.1** *hung with flags* ⇒*decked out with flags* ♦ **1.1** ~e schepen/molens *ships/windmills hung with/decked out with flags.*
gepeesd ⟨bn.⟩ **0.1** [met (krachtige) pezen] *sinewy* ⇒*tendinous, wiry* **0.2** [met een pees gespannen] *stringed.*
gepeins ⟨het⟩ **0.1** *musing(s)* ⇒*meditation(s), pondering* ♦ **3.1** iem. uit zijn ~ opschrikken/wekken *(a)rouse s.o. from his reverie* **6.1** in ~ ~ verzonken (zijn) *(be) lost in thought.*
gepekeld ⟨bn.⟩ **0.1** *salt* ⇒*corned.*
gepeld ⟨bn.⟩ **0.1** *peeled* ⇒*hulled, husked* ⟨graan, rijst⟩, *stelled* ⟨eieren, noten, garnalen⟩.

gepelsd ⟨bn.⟩ **0.1** *furred.*
gepen ⟨het⟩ **0.1** *writing* ⇒*penning* ♦ **6.1** mijn hand is lam **van** al dat ~ *my hand is numb from all that w..*
gepend ⟨bn.⟩ **0.1** [met puntige spitsen] *spiky* ⇒*spiked* **0.2** [met pennen bevestigd] *pinned, rivetted.*
gepensioneerd ⟨bn.⟩ **0.1** *retired* ⇒*superannuated* ⟨ook fig.⟩ ♦ **1.1** ~e leerkrachten *r./pensioned-off teachers.*
gepensioneerde ⟨de (m.)⟩ **0.1** *(old age) pensioner* ⇒⟨AE; euf.⟩ *gold-en-ager.*
gepeperd ⟨bn.⟩ **0.1** [met (veel) peper bereid] *peppery* ⇒*peppered* **0.2** [⟨fig.⟩] *peppery* ⇒*salted, highly seasoned, spicy* **0.3** [gespikkeld] *grey-* ^*gray-speckled* ♦ **1.1** een ~ sausje *a peppery/highly seasoned sauce* **1.2** een ~e rekening *a steep bill;* ~e taal uitslaan *use strong language;* ~e verhalen/anekdotes *spicy stories/anecdotes* **5.1** flink ~ *quite pep-pery, highly seasoned.*
geperforeerd ⟨bn.⟩ **0.1** [doorboord] *perforated* ⇒⟨biol. ook⟩ *perforate* **0.2** [mbt. papier] *perforated* ♦ **1.1** een ~e schelp *a perforate shell* **1.2** ~e bladen papier *sheets of perforated paper.*
gepermitteerd ⟨bn.⟩ **0.1** *permitted* ♦ **5.1** ⟨euf.⟩ ⟨AZN⟩ niet ~ ⟨onge-markeerd⟩ *highly improper/indecent;* het is niet ~ *it's not on.*
gepersonifieerd ⟨bn.⟩ **0.1** *personified* ⇒*incarnate* ♦ **1.1** hij is de ~e haat *he is hatred p./incarnate;* de ~e Zomer *Summer p..*
gepeupel ⟨het⟩ **0.1** *mob* ⇒*rabble,* ⟨minder pej.⟩ *riff-raff, populace* ♦ **1.1** er was een oploop van het ~ *a m. had gathered* ¶**.1** toen nam het ~ het recht in eigen handen *then m. justice/law reigned, there was m. rule then.*
gepeuter ⟨het⟩ **0.1** [het peuteren] *fiddling* ⇒*picking* ⟨neus, tanden⟩ **0.2** [gepriegel] *tinkering (at/with)* ⇒*fiddling (with)* **0.3** [zeer klein schrift] *tiny writing* ♦ **6.1** schei uit met dat ~ **in** je neus *stop picking your nose.*
gepieker ⟨het⟩ **0.1** [getob] *brooding* ⇒*worrying* **0.2** [ingespannen den-ken] *puzzling* ⇒*cudgelling (of) one's brains.*
gepiep ⟨het⟩ **0.1** [geknars] *squeak(ing)* **0.2** [dierengeluid]⟨v.e. jonge vogel⟩ *peep* ⇒*chirp, chirrup, cheep,* ⟨v.e. muis⟩ *squeak,* ⟨schril⟩ *squeal,* ⟨van angst/pijn ook⟩ *screech* **0.3** [ademhaling] *wheeze.*
gepikeerd ⟨bn.⟩ **0.1** *piqued* ⇒*nettled, sore, resentful* ♦ **3.1** ~ antwoorden *answer resentfully;* zich ~ voelen *go into a huff;* gauw ~ zijn *be touchy/ te(t)chy.*
gepikeerdheid ⟨de (v.)⟩ **0.1** *pique* ♦ **6.1** uit ~ *in a fit of p..*
gepikt ⟨bn., bw.⟩ ⟨inf.⟩ **0.1** *sore* ⇒*piqued, resentful* ♦ **3.1** hij reageerde ~ *he was sore (over);* in zijn kuif ~ zijn *be in a huff, have gone into a huff.*
gepingel ⟨het⟩ **0.1** [het afdingen] *haggling* ⇒*bargaining, chaffering, hig-gling* **0.2** [geluid] ⟨tokkelinstrument⟩ *thrum(ming), twang(ing),* ⟨mo-tor⟩ *pinking, knocking.*
geplaatst ⟨bn.⟩ **0.1** [waarvoor een plaats gevonden is] ⟨geldw.⟩ *sub-scribed* ⇒ ⟨alg.⟩ *placed* **0.2** [op zijn plaats] *appropriate* ⇒*apposite* **0.3** [⟨sport⟩ naar de volgende ronde] *qualified* ⇒*qualifying* **0.4** [⟨sport⟩ rangorde bij tennis] *seeded* **0.5** [⟨sport⟩ een prijs behaald hebbend] *placed* ♦ **1.1** ~ kapitaal *s. capital;* ⟨jur.⟩ niet ~e schuldbrieven *non-s. debenture bonds* **1.2** die opmerking was niet erg ~ *your remark was rather out of place* **1.3** de ~e clubs *the qualifying clubs* **1.4** een ~e spe-ler ⟨ook⟩ *a seed* **5.3** laagst/lager/hoger ~ *junior, senior* **5.4** niet ~ *un-seeded* **5.5** niet ~ *unplaced.*
geplak ⟨het⟩ **0.1** [het plakken] *sticking* **0.2** [het blijven zitten] *lingering* ⇒*staying on.*
geplas ⟨het⟩ **0.1** *splash(ing).*
geplaveid ⟨bn.⟩ ⟨→sprw. 644⟩ **0.1** *paved.*
geplekt ⟨bn.⟩ **0.1** *spotted* ⇒*flecked,* ⟨met kleine vlekken⟩ *dappled, specked* ⟨fruit⟩.
geplisseerd ⟨bn.⟩ **0.1** *(accordion-)pleated* ⇒⟨met platte plooien⟩ *knife-pleated.*
geploeter ⟨het⟩ **0.1** [het geplas in water/modder] *splashing* **0.2** [ge-zwoeg] *drudgery* ⇒*toil(ing), slaving,* ⟨zonder veel resultaat⟩ *plod-ding.*
geplogenheid ⟨de (v.)⟩ ⟨AZN⟩ **0.1** *habit* ⇒*custom.*
gepluimd ⟨bn.⟩ **0.1** [gevederd] *feathered* ⇒*plumed* **0.2** [met pluimen] *feathered* ⇒*feathery, plumed, plumy* ♦ **1.2** een ~e muts *a feathered cap.*
gepneumatiseerd ⟨bn.⟩ ⟨med.⟩ **0.1** *pneumatized.*
gepoch ⟨het⟩ **0.1** *boast(ing(s))* ⇒*bragging.*
gepocheerd ⟨bn.⟩ **0.1** [mbt. eieren] *poached* **0.2** [mbt. vis, vlees] *poached.*
gepoft ⟨bn.⟩ **0.1** [eetwaren] *roast* ⟨aardappelen, kastanjes⟩; *puffed* ⟨rijst, tarwe⟩ **0.2** [kleding] ⟨kledingstuk⟩ *full* ⇒⟨mouw ook⟩ *puffed* ♦ **1.1** ~e mais *popcorn.*
gepolariseerd ⟨bn.⟩ ⟨nat.⟩ ♦ **1.¶** ~e atomen *polarized atoms;* ~ licht *po-larized light.*
gepolitoerd ⟨bn.⟩ **0.1** *(French-)polished.*
geporteerd ⟨bn.⟩ ♦ **3.¶** ~ zijn voor iem./iets *be (very much) taken with s.o./sth., be prejudiced/biased in favour of s.o./sth.;* sterk/weinig ~ zijn voor iem./iets *take a strong/not much interest in s.o./sth..*
geportretteerde ⟨de (m.)⟩ **0.1** *subject of a/the portrait* ⇒*(the) person portrayed.*

geposeerd ⟨bn.,bw.;-ly⟩⟨schr.⟩ **0.1** *sedate* ⇒*steady, staid, composed* ◆ **1.1** een ~ man *a sedate man* **3.1** ~ spreken *speak composedly/with composure.*

gepraal ⟨het⟩ **0.1** *showing off* ⇒*flaunt(ing).*

gepraat ⟨het⟩ **0.1** [het praten] *talking* **0.2** [praatjes] *talk* ⇒*gossip, chat, (tittle-)tattle* ◆ **6.1** ~ over het werk *shoptalk;* stof tot ~ *sth. to talk about* **7.2** hun huwelijk leidde tot veel ~ in de buurt *their marriage caused a lot of talk in the neighbourhood* ¶ **.1** over en weer ~ *toing and froing.*

gepredisponeerd ⟨bn.⟩ **0.1** *predisposed (to).*

geprefabriceerd ⟨bn.⟩ **0.1** *prefabricated* ⇒⟨inf.⟩ *prefab* ◆ **1.1** ~e woningen *prefabs, prefab houses.*

gepreoccupeerd ⟨bn.⟩ **0.1** [vooringenomen] *biased/prepossessed in favour of* **0.2** [door gedachten in beslag genomen] *preoccupied with/by.*

gepresseerd ⟨bn.⟩ **0.1** *pressed (for time)* ⇒*in a hurry* ◆ **3.1** ik ben niet ~ *I am not in a hurry.*

geprevel ⟨het⟩ **0.1** *mumbling* ⇒*muttering, murmuring, (a) mumble, (a) mutter.*

gepriegel ⟨het⟩ **0.1** *finicking* ⇒*finicky work,* ⟨schrift⟩ *scrawling, scribbling.*

geprikkeld ⟨bn.⟩ **0.1** *irritated* ⇒*irritable, huffish, huffy* ◆ **1.1** een ~e sfeer *a tense atmosphere;* in een ~e stemming *in an irritable mood* **3.1** hij reageerde nogal ~ op ons voorstel *he reacted rather irritably to our proposal;* gauw ~ zijn *be huffish/huffy.*

geprikkeldheid ⟨de (v.)⟩ **0.1** *irritation* ⇒*irritability.*

geprivilegieerd ⟨bn.⟩ **0.1** *privileged* ◆ **1.1** ~e schuld *preferential/preferred debt.*

geprofest ⟨bn.⟩⟨r.k.⟩ **0.1** *professed.*

geprogrammeerd ⟨bn.⟩ **0.1** *programmed* ^*amed* ◆ **1.1** ~e instructie *p. instruction.*

gepromoveerd ⟨bn.⟩ **0.1** [bevorderd] *promoted;* (tot de doctorsgraad) *admitted to the degree of doctor* **0.2** [de doctorsgraad bezittend] *holding a doctor's degree, having one's doctorate.*

gepromoveerde ⟨de (m.)⟩ **0.1** *doctor.*

gepronk ⟨het⟩ **0.1** *ostentation, showing off.*

geprononceerd

I ⟨bn., bw.;-ly⟩ **0.1** [duidelijk uitkomend/sprekend] *pronounced* ⇒*marked, unmistakable* ◆ **1.1** een ~ karakter *a p. character;* een ~e meerderheid *a strong majority;* een ~ mening hebben (over) *hold strong views on/about, feel strongly about;* ~e trekken *p. features;* een ~ verschil *a marked difference;*
II ⟨bw.⟩ **0.1** [uitgesproken] *positively* ⇒*decidedly* ◆ **2.1** zij is ~ lelijk *she is positively/downright ugly.*

geprononceerdheid ⟨de (v.)⟩ **0.1** *markedness.*

geproportioneerd ⟨bn.⟩ **0.1** *proportioned* ◆ **5.1** goed ~ *well-proportioned;* slecht ~ *badly p., out of proportion.*

geprotesteerd ⟨bn.⟩ ◆ **1.¶** ⟨hand.⟩ een ~e wissel *a protested bill (of exchange)/draft.*

gepruikt ⟨bn.⟩ **0.1** *(be)wigged.*

gepruil ⟨het⟩ **0.1** *pouting, sulkiness* ⇒*sulking, (a) sulk.*

gepruts ⟨het⟩ **0.1** *tinkering* ⇒*pottering, fiddling.*

gepruttel ⟨het⟩ **0.1** [het pruttelend koken] *simmer(ing)* **0.2** [gemor, ge-mopper] *grumbling* ⇒*mutter(ing)* **0.3** [mbt. motor] ⟨onregelmatig⟩ *sputter(ing);* ⟨regelmatig⟩ *(soft) purr(ing).*

gepuf ⟨het⟩ **0.1** *puffing* ⇒*blowing.*

gepulveriseerd ⟨bn.⟩ **0.1** *pulverized.*

gepunt ⟨bn.⟩ **0.1** [in een punt eindigend] *pointed* **0.2** [scherp, spits] *pointed* ◆ **1.1** ~e bladeren *lanceolate/attenuate leaves;* een ~e lans *a tapered lance* **5.2** fijn ~ *sharply p.,*

gepunteerd ⟨bn.⟩⟨muz.⟩ **1.¶** ~e noten *dotted notes.*

gepurperd ⟨bn.⟩ **0.1** *purpled.*

geraakt ⟨bn.⟩ **0.1** [beledigd] *offended* ⇒*hurt, nettled* **0.2** [ontroerd] *moved* ⇒*touched* ◆ **1.1** hij antwoordde op ~e toon *he sounded o./hurt when he answered* **5.2** snel ~ *touchy* **6.1** ~ zijn *over be o./hurt by.*

geraaktheid ⟨de (v.)⟩ **0.1** [verstoordheid] *irritation* ⇒*pique* **0.2** [ontroering] *emotion.*

geraamte ⟨het⟩ **0.1** [skelet] *skeleton* **0.2** ⟨fig.⟩⟨alg.⟩ *frame(-work)* ⇒ ⟨v.e. schip ook⟩ *carcass, shell,* ⟨v.e. vliegtuig ook⟩ *body (frame),* ⟨v.e. gebouw ook⟩ *shell,* (na catastrofe) *skeleton* ◆ **1.1** de structuur v.h. ~ ⟨ook⟩ *the skeletal structure* **1.2** het ~ van een roman *the plot of a novel* **2.1** ⟨fig.⟩ een wandelend/levend ~ *a walking/living skeleton* **6.2** zonder ~ *frameless.*

geraas ⟨het⟩⟨→sprw. 511⟩ **0.1** [het telkens razen] *raging* **0.2** [kabaal, rumoer] *din, roar(ing)* ⇒*noise* ◆ **1.2** het ~ van machines/van de storm *the r. of machines/of the storm* **7.2** met veel ~ de trap afstormen/in elkaar storten *come crashing/thundering down the stairs, come crashing down.*

geraaskal ⟨het⟩ **0.1** *raving(s).*

gerace ⟨het⟩ **0.1** *racing* ⇒*speeding* ◆ **6.1** het ~ op die weg/in mijn auto *the speeding on that road/in my car.*

geradbraakt ⟨bn.⟩ **0.1** [(zich) gebroken (voelend)] *shaken up* ⇒*exhausted,* ↓*dead-beat,* ↓*bushed* **0.2** [verknoeid] *broken* ◆ **1.2** ~ Frans broken French **3.1** ik kwam daar ~ aan *I arrived there dead-beat.*

geraden ⟨bn., bw.;-ly⟩ **0.1** *advisable* ⇒*expedient* ◆ **3.1** dat is je ~ *you'd better ...;* het is niet ~ om ... *it is inadvisable/inexpedient to ...;* het is je ~ dat te doen *you'd be well advised to do that;* het ~ vinden/achten om ... *think/deem it a./expedient to.*

geraffel ⟨het⟩ **0.1** ⟨spreken⟩ *gabbling;* ⟨schrijven⟩ *scrawl.*

geraffineerd ⟨bn., bw.;-ly⟩ **0.1** [gezuiverd] *refined* **0.2** [verfijnd] *refined* ⇒*subtle, sophisticated* **0.3** [doortrapt] *crafty* ⇒*cunning, clever, wily* ◆ **1.1** ~e suiker *r. sugar* **1.2** ~e martelingen *refined/exquisite tortures;* een ~ plan *a subtle/ingenious plan;* ~e smaak *r./sophisticated taste;* een ~ spelletje *a subtle game* **1.3** hij is een ~e bedrieger *he is a clever cheat* **2.3** ~ gemeen *utterly base/vile.*

geraffineerdheid ⟨de (v.)⟩ **0.1** [verfijning] *refinement* ⇒*subtlety, sophistication,* (mbt. vakmanschap) *workmanship, craftsmanship* **0.2** [doortraptheid] *craftiness* ⇒*cunning, cleverness, wiliness.*

geraken ⟨onov.ww.⟩⟨schr.⟩ **0.1** *attain* ◆ **6.1** tot eer en aanzien/tot zijn doel/fortuin ~ *a. honour and esteem/one's end/fortune.*

gerammel ⟨het⟩ **0.1** *rattle, rattling* ⇒*clank(ing) jingling, clatter(ing).*

gerand ⟨bn.⟩ **0.1** *bordered* ⟨kleed, borden⟩ *edged* ⟨kant, kraag⟩.

geranium ⟨de⟩⟨plantk.⟩ **0.1** [ooievaarsbek] *geranium* **0.2** [pelargonium] *geranium* ⇒*pelargonium.*

geraniumachtigen ⟨zn.mv.⟩ **0.1** *geraniaceae.*

gerant ⟨de (m.)⟩ **0.1** *manager.*

gerasp ⟨het⟩ **0.1** [het telkens raspen] *grating* ⇒*rasping* **0.2** [het schrapen van de keel] *clearing* ⇒*hawking.*

geraspt ⟨bn.⟩ **0.1** *grated* ◆ **1.1** ~e kaas *g. cheese.*

geratel ⟨het⟩ **0.1** [het ratelen] *rattle, rattling* ⇒*clatter, rumble, rumbling* **0.2** [het snel spreken] *rattle, rattling* ⇒*chatter(ing).*

gerbera ⟨de⟩ **0.1** *gerbera* ⇒*Transvaal/Barberton daisy.*

gerecht ⟨het⟩ **0.1** [eten] ⟨schotel⟩ *dish;* ⟨deel v.e. maaltijd⟩ *course* **0.2** [rechtbank] *court (of justice)* ⇒*court of law, law court, tribunal* **0.3** [personen die de justitie vertegenwoordigen] *judicial authorities* ⇒*(the) judiciary* ◆ **1.1** er was een keur van ~en *there was a choice of dishes* **2.1** als volgende ~ hebben we ... *the next c. is ..., as a c. to follow we have ...* **3.1** men krijgt slechts één ~ *only one c. is offered/given* **3.3** het ~ komt om de goederen te verzegelen *the bailiffs are coming to put the goods under seal* **6.2** voor het ~ gedaagd worden *be summoned (to appear in court);* voor het ~ verschijnen *appear in court;* een zaak voor het ~ brengen *take a matter into court, submit a case to court;* iem. voor het ~ brengen *bring s.o. to court/to trial;* ⟨inf.⟩ *have s.o. up;* voor het ~ *on trial* **6.3** iem. aan het ~ overleveren *hand s.o. over/give s.o. up to justice/the law.*

gerechtelijk

I ⟨bn.⟩ **0.1** [van het gerecht uitgaand] *judicial* ⇒*legal, court* **0.2** [mbt. het gerecht] *forensic* ⇒*legal* **0.3** [voor het gerecht geschiedend] *judicial* ⇒*legal, court* ◆ **1.1** het ~ apparaat *the j. system;* een ~e dwaling *a miscarriage of justice;* een ~ onderzoek instellen tegen iem. *set up a j. inquiry into/investigation* **1.2** ~e geneeskunde *f. medicine* **1.3** ~ bevel/verbod/schrijven *injunction, interdiction, writ;* ~e dagvaarding *summons,* ⟨vnl. AE⟩ *subpoena;* ~e inbeslagneming *seizure/confiscation/impounding (by the court);* ~e procedure *j./legal procedure;* ~e stappen ondernemen *take legal action/proceedings;* een ~ verhoor *a j./court hearing;* ~e verkoop *compulsory sale, sale under execution;* ~e vervolging *prosecution, (legal) proceedings, legal action;* een ~ vonnis *a judgment, a (j.) sentence, findings of a/the court;*
II ⟨bw.⟩ **0.1** [in recht] *legally* ⇒*judicially, by legal process* ◆ **3.1** iemands bezittingen/boedel ~ (laten) verkopen *sell s.o.'s goods under execution, sell s.o. up;* iem. ~ vervolgen *take/institute (legal) proceedings/take legal action against s.o., bring an action against s.o.;* (vanwege staat) *prosecute s.o..*

gerechtigd ⟨bn.⟩ **0.1** [het recht hebbend, bevoegd] *authorized* ⇒⟨bevoegd⟩ *qualified, entitled,* ⟨jur.⟩ *empowered* **0.2** [een recht hebbend in/op iets] *entitled (to)* ⇒*empowered (to), competent (to)* ◆ **3.1** hij is ~ dat te doen *he is a./entitled/empowered to do that* **5.1** ik reken mij daartoe ~ *I consider myself entitled to (do) that* **6.1** hij is ~ om onderwijs te geven *he is a./qualified/entitled to teach;* hij is (niet) ~ om te spelen/voor PSV uit te komen *he is not yet eligible/entitled to play for PSV;* ~ zijn tot het innen van een cheque *be a./entitled/empowered to cash a cheque.*

gerechtigde ⟨de (m.)⟩ **0.1** *(duly) authorized/* ⟨bevoegde⟩ *qualified person.*

gerechtigheid ⟨de (v.)⟩ **0.1** *justice* ◆ **1.1** de ~ Gods *divine j.;* het zwaard van de ~ *the sword of j.* **2.1** de wrekende ~ *nemesis* **3.1** iem. ~ laten wedervaren *do (full) j. to s.o., give s.o. his due* **5.1** eindelijk ~ *j. at last!, God's in his heaven* **6.1** naar recht en ~ *rightfully, in j..*

gerechtsauditeur ⟨de (m.)⟩ **0.1** ≠*judge's assistant, assistant to the bench.*

gerechtsbode ⟨de (m.)⟩ **0.1** *usher.*

gerechtsdag ⟨de (m.)⟩ **0.1** *day on which a/the court is in session;* ⟨mbt. bepaalde zaak⟩ *day/date of a/the trial.*

gerechtsdeurwaarder ⟨de (m.)⟩ →**deurwaarder.**

gerechtsdienaar ⟨de (m.)⟩⟨vero.⟩ **0.1** *police officer.*

gerechtsgebouw ⟨het⟩ **0.1** *court(-house).*

gerechtshof ⟨het⟩ **0.1** [rechterlijk college] *court (of justice)* **0.2** [gebouw] *court(-house)* **0.3** [⟨AZN⟩ rechtbank] *court (of law)* ◆ **2.1** Europees

Gerechtshof *European Court of Justice;* Internationaal Gerechtshof *International Court of Justice;* Hoog Militair Gerechtshof ≠*court-martial.*

gerechtskosten ⟨de (m.)⟩ **0.1** [proceskosten] *(legal) costs* **0.2** [vacatiegelden] *(legal) fee(s).*

gerechtsoefening ⟨de (v.)⟩ **0.1** *administration of justice.*

gerechtssecretaris ⟨de (m.)⟩ **0.1** ≠*clerk of the court* ⇒*(court) registrar.*

gerechtvaardigd ⟨bn., bw.⟩ **0.1** *justified* ⇒*warranted, legitimate* ◆ **1.1** dat vind ik een ~e afwijzing *I think the refusal was j.;* ~e eisen *just/legitimate claims;* ~ optimisme *justifiable optimism;* ~e trots/twijfel *justifiable pride/doubt;* ~ verlangens *legitimate demands/aspirations;* ~e verwachtingen *reasonable expectations.*

gerechtvaardigdheid ⟨de (v.)⟩ **0.1** *justness* ⇒*justice, legitimacy.*

geredeneer ⟨het⟩ **0.1** *arguing* ⇒*quibbling,* ⟨inf.⟩ *toing-and-froing,* [B]*argy-bargy.*

gereed ⟨bn.⟩ **0.1** [klaar voor een handeling] *(all) ready* ⇒ [↑]*prepared* **0.2** [klaar, af] *(all) ready* ⇒*finished,* ⟨inf.⟩ *done* ⟨mbt. werk⟩ **0.3** [contant] *ready* ⇒*cash* ◆ **1.3** gerede betaling *cash payment;* ~ geld *r. cash* **1.¶** een gerede aanleiding om ... *a convenient opportunity to ...;* gerede aftrek vinden *find a r. sale, sell well, find a good market;* ⟨jur.⟩ de meest gerede partij *plaintiff, complainant.*

gereedheid ⟨de (v.)⟩ **0.1** *readiness* ◆ **6.1** alles is **in** ~ *all is in readiness;* alles **in** ~ brengen/maken *get everything ready/in readiness;* ⟨fig. ook⟩ *clear the decks for action.*

gereedhouden ⟨ov.ww.⟩ **0.1** *hold/keep/have ready/in readiness/prepared (for)* ◆ **1.1** gepast geld ~, s.v.p. *have the exact fare ready, please;* plaatsbewijzen ~, s.v.p. *(have your) tickets (ready,) please!* **4.1** zich ~ (voor) ⟨ook⟩ *stand by (for).*

gereedkomen ⟨onov.ww.⟩ **0.1** *be ready/finished* ◆ **1.1** het werk komt van de zomer gereed *the work will be ready/finished in the summer* **¶.1** op tijd ~ *be ready/finished on time.*

gereedleggen ⟨ov.ww.⟩ **0.1** *put ready* ⇒*lay out, put by (for s.o.)* ◆ **1.1** ik zal de boeken/kleren ~ *I'll put the books/clothes ready (for you), I'll lay the books/clothes out (for you).*

gereedliggen ⟨onov.ww.⟩ **0.1** *be/lie ready* ⇒*be waiting* ◆ **1.1** de biljetten liggen voor u gereed *the tickets are ready/waiting for you.*

gereedmaken ⟨ov.ww.⟩ **0.1** *make/get ready* ⇒ [↑]*prepare* ◆ **4.1** zich ~ tot/voor iets *get ready/make/get o.s. ready/prepare o.s. for sth.* **6.1** zich ~ **om** er op uit te gaan *get ready to go;* **voor** gebruik ~ *make/get ready/prepare for use.*

gereedschap ⟨het⟩ ⟨→sprw. 217,649⟩ **0.1** [uitrusting ⟨vaak in samenstellingen⟩] *tools* ⇒*implements, equipment, apparatus,* ⟨keuken⟩ *utensils* **0.2** [bepaald werktuig] ⟨zie 1.2,6.2⟩ ◆ **1.1** keukengereedschap *kitchen utensils* **1.2** een stuk ~ *a tool/implement, a piece of equipment/apparatus* **2.1** goed ~ is het halve werk *(you need) the right tools for the right job* **3.1** schrijfgereedschap *writing implements/materials* **6.2** zonder ~ kreeg hij het toch voor elkaar *he managed to get it done bare-handed.*

gereedschapmolen ⟨de (m.)⟩ **0.1** *revolving tool-rack.*

gereedschapskist ⟨de⟩ **0.1** *tool box/case/chest.*

gereedschapsstaal ⟨het⟩ **0.1** *tool steel* ⇒*high-carbon steel.*

gereedstaan ⟨onov.ww.⟩ **0.1** *be/stand ready/prepared/in readiness* ⇒*be waiting,* ⟨persoon ook⟩ *stand by* ◆ **1.1** de auto staat gereed *the car is ready/waiting/ready and waiting* **6.1** ~ **om** iets te gaan ondernemen *stand by/be ready to do sth.;* ~ **voor** iem. *be ready/waiting for s.o./at s.o.'s disposal.*

gereedzetten ⟨ov.ww.⟩ **0.1** *put ready* ⇒*lay/put out, put by.*

gereformeerd ⟨bn.⟩ ⟨rel.⟩ **0.1** [⟨kerk.⟩] *(Dutch) Reformed,* ≠*Presbyterian* **0.2** [volgens de calvinistische leer] *Calvinist(ic)* ◆ **1.1** van ~en huize of (strict) *R. upbringing/background;* een ~ predikant *a R. / Calvinist minister* **1.2** een ~e opvoeding *a C. upbringing;* het ~ protestantisme *Calvinism.*

gereformeerde ⟨de (m.)⟩ **0.1** *Reformed/extreme protestant.*

geregeld
I ⟨bn., bw.;-ly⟩ **0.1** [regelmatig] *regular* ⇒*constant, steady* ◆ **1.1** een ~e aanvoer *a constant/steady flow/supply;* een ~ bezoeker *a r. visitor* **3.1** hij komt ~ te laat *he is often/constantly late;* hij voorzag zich ~ van nieuwe drank *he regularly stocked up on drink;*
II ⟨bn.⟩ **0.1** [geordend] *regular;* ⟨slag⟩ *pitched* **0.2** [ordelijk] *orderly* ⇒*well-ordered,* ⟨leven ook⟩ *well-regulated* ◆ **1.1** ~e troepen *r. troops* **1.2** een ~ huishouden *an o. / a w.-o. household;* een ~ leven gaan leiden *start leading an o. / a well-regulated life, start keeping regular hours, settle down.*

geregeldheid ⟨de (v.)⟩ **0.1** *regularity* ⇒*orderliness.*

gereglementeer ⟨het⟩ **0.1** *(over-)regimentation.*

gereglementeerd ⟨bn.⟩ **0.1** *regulated* ⇒*legalized,* ⟨pej. ook⟩ *regimented* ◆ **1.1** ~e prostitutie *legalized prostitution.*

gerei ⟨het⟩ ⟨vaak als 2e lid in samenst.⟩ **0.1** *gear* ⇒*things,* ⟨vissen⟩ *tackle,* ⟨keuken⟩ *utensils, kit* ◆ **1.1** keukengerei *kitchen utensils;* scheergerei *shaving things/kit;* schrijfgerei *writing materials;* visgerei *fishing-tackle* **3.1** naaigerei *sewing kit;* pak al dat ~ maar bij elkaar *just put all those things/that gear together.*

gerekt ⟨bn., bw.⟩ **0.1** [lang aangehouden] *lengthy* ⇒*long-drawn-out,*

[↑]*protracted* **0.2** [langdradig] *lengthy;* ⟨pej. ook⟩ [↑]*prolix, long-winded* ◆ **1.1** een ~ akkoord *a long-drawn-out/protracted chord;* ⟨taal.⟩ een ~e klinker *a lengthened vowel* **3.2** ~ spreken *speak at (great) length, make a lengthy/long-winded speech.*

gerek(w)estreerde ⟨de (m.)⟩ ⟨jur.⟩ **0.1** *respondent* ⇒*opponent.*

gerekwireerde ⟨de (m.)⟩ ⟨jur.⟩ **0.1** *defendant.*

geremd ⟨bn., bw.;-ly⟩ ⟨psych.⟩ **0.1** *inhibited* ◆ **3.1** zich ~ voelen *feel i..*

ge'ren ⟨het⟩ **0.1** *running/rushing (around/about)* ◆ **1.1** het was er een ~en gedraaf *there was a lot of rushing and running around.*

'geren
I ⟨onov.ww.⟩ **0.1** [schuin lopen] *slant;*
II ⟨ov.ww.⟩ **0.1** [schuin uitlopend afknippen] *gore* ⇒*insert a gore/gores* ◆ **1.1** een ~de rok *a gored/flared skirt.*

gerenommeerd ⟨bn.⟩ **0.1** *renowned* ⇒*illustrious,* ⟨bedrijf⟩ *reputable, noted, well-established* ◆ **1.1** een ~ hotel/adres *a reputable hotel/address.*

gerepatrieerde ⟨de (m.)⟩ **0.1** *repatriate.*

gereputeerd ⟨bn.⟩ **0.1** *renowned* ⇒*illustrious,* ⟨bedrijf enz.⟩ *reputable, noted, well-established.*

gereserveerd ⟨bn., bw.;-ly⟩ **0.1** [terughoudend] *reserved* ⇒*reticent, distant, aloof* **0.2** [besproken] *reserved, booked* ◆ **1.1** een ~e houding aannemen *keep one's distance, stand aloof;* ⟨(nog) niet meedoen⟩ ⟨inf.⟩ *hold back, refuse to commit o.s.* **1.2** ~e plaatsen *reserved seats.*

gereserveerdheid ⟨de (v.)⟩ **0.1** *reserve(dness)* ⇒*aloofness* ◆ **3.1** zijn ~ laten varen/overwinnen *abandon/overcome one's reserve.*

geresigneerd ⟨bn., bw.;-ly⟩ **0.1** *resigned.*

gereutel ⟨het⟩ **0.1** *(death-)rattle.*

geriater ⟨de (m.)⟩ **0.1** *geriatrician* ⇒*geriatrist.*

geriatrie ⟨de (v.)⟩ **0.1** *geriatrics.*

geriatrisch ⟨bn.⟩ **0.1** *geriatric* ◆ **1.1** patient op de ~e afdeling *g. (patient).*

geribbeld ⟨bn.⟩ →geribd.

geribd ⟨bn.⟩ **0.1** *ribbed;* ⟨stof ook⟩ *corded;* ⟨karton, plaatijzer enz.⟩ *corrugated* ◆ **1.1** ⟨plantk.⟩ ~e bladen/stengels/vruchten *r. leaves/stalks/fruits;* ⟨amb.⟩ een ~e boekband *a scored binding;* ~ katoen *corduroy;* ~e moer *a knurled nut;* ~ papier *corrugated paper.*

gericht[1] ⟨het⟩ ⟨schr.⟩ **0.1** *judgment* ◆ **2.1** het jongste ~ *the Last Judgment, Judgment Day, Doomsday* **3.1** met iem. in het ~ treden/komen/gaan *enter into j. with s.o..*

gericht[2] ⟨bn., bw.⟩ **0.1** [richting gegeven door te mikken] *directed (at/towards)* ⇒*aimed (at/towards), pointed (at/towards), oriented (towards),* ⟨microfoon enz.⟩ *directional* **0.2** [⟨fig.⟩ met een bepaalde intentie/opzet] *directed (at/towards)* ⇒*addressed (to), aimed (at/towards), specific, (goal-)oriented* ⟨vaak ook onvertaald in het Engels⟩ ◆ **1.1** ~e antenne *directional antenna;* (niet) ~ schot *(un)aimed shot* **1.2** op de verkoop/toekomst ~e activiteiten *commercial/forward-looking activities;* ~e maatregelen *specific measures;* ~ onderzoek *goal-oriented/targeted research;* ~e vragen *specific(ally chosen/selected) questions;* ⟨die het antwoord suggereren⟩ *leading questions* **2.1** een sociaal~e instelling *a social welfare institution* **3.1** ~ schieten naar *fire at (s.o. / into a crowd)* **3.2** ~ zijn op *be directed/aimed at/towards, be oriented towards, be -oriented* **3.¶** ⟨in het onderwijs⟩ ~ schrijven *writing on set topics, (guided) compositions* **6.1** de raketten staan ~ **op** het oosten *the missiles point east;* **ten** hemel/**tot** God ~ *heavenward;* ⟨bw.⟩ heavenwards **6.2 op** het grote publiek ~ *aimed at/geared to/tailored to the general public.*

gerichtheid ⟨de (v.)⟩ **0.1** [oogmerk, intentie] *orientation* ⇒*bias* **0.2** [geaardheid, neiging] *tendencies* ⇒*leanings* ◆ **2.2** bisexuele ~ *bisexual t. / leanings.*

geridderd ⟨bn.⟩ **0.1** *knighted.*

gerief ⟨het⟩ **0.1** [gemak, genot] *convenience(s)* ⇒*comfort(s),* ⟨schr.; ihb. mbt. een woonbuurt⟩ *amenity (value), amenities* **0.2** [wat iem. prettig vindt] *pleasure* ⇒*comfort, enjoyment* **0.3** [gerei] ⟨→gerei⟩ ◆ **2.1** een groot ~ *great convenience;* weinig ~ hebben *offer few conveniences/amenities/comforts* **3.1** ~ hebben van *avail o.s. of, enjoy the convenience of, have the benefit of, derive benefit from* **6.1 ten** gerieve **van** *for the convenience/use/benefit of* **6.2 aan** zijn ~ komen *be sexually satisfied, find/seek genital relief.*

gerief(e)lijk ⟨bn., bw.;-ly⟩ **0.1** *convenient* ⇒*practical* ◆ **1.1** een ~e woning *a c. house* **3.1** ~ ingericht *conveniently/practically equipped/designed.*

gerief(e)lijkheid ⟨de (v.)⟩ **0.1** [het gemakkelijk zijn] *convenience* ⇒*practicality, comfort* **0.2** [dat wat gemak oplevert] *convenience.*

gerieven ⟨ov.ww.⟩ ⟨schr.⟩ **0.1** *assist* ⇒*be of help/assistance (to), suit/meet the convenience of* ◆ **3.1** hij zal u gaarne ~, als u zijn hulp nodig hebt *he will be (only too) pleased to a. you should you require his help* **6.1** kan ik u soms ~ **met** iets? *may I be of assistance?;* **om** de klanten te ~ *to suit/meet the convenience of the customers.*

gerijm ⟨het⟩ **0.1** [het voortdurend rijmen] *rhyming* **0.2** [rijmelarij] *doggerel* ⇒*versifying.*

gerijpt ⟨bn.⟩ **0.1** [mbt. gewassen, granen enz.] *ripe(ned)* **0.2** [⟨fig.⟩] *mature(d)* ◆ **1.1** ⟨zon⟩gerijpte tomaten *(sun-)ripe(ned) tomatoes.*

gerikketik ⟨het⟩ **0.1** ⟨van horloge⟩ *ticking, tick-tick;* ⟨van hart⟩ *pitapat, pitpat, pattering.*

gerild ⟨bn.⟩ **0.1** *grooved.*

gerimpeld ⟨bn.⟩ **0.1** *wrinkled* ⇒*wrinkly,* ⟨verschrompeld⟩ *shrivelled,* *wizened, furrowed* ⟨voorhoofd⟩ ◆ **1.1** een ~ voorhoofd *a furrowed brow.*

gering ⟨bn.⟩ **0.1** [klein] *small* ⇒*little* **0.2** [onbeduidend] *petty* ⇒*slight, minor,* ⟨schr.⟩ *scant* ◆ **1.1** een ~ aantal *a small number;* van ~e afmetingen *of small dimensions, small (in size);* (zeer) ~e kans *a (very) slim/slender/remote chance,* ⟨inf.⟩ *a cat/snowball in hell's chance;* in ~e mate *to a limited/small extent;* zonder ook maar de ~ste twijfel *beyond/without the shadow of a doubt, without a shadow of doubt* **1.2** van ~e afkomst/kwaliteit/waarde *of low descent/poor quality/little value;* een ~(e) bedrag/hoeveelheid *a petty/trifling/meagre/ quantity;* dat is van ~e betekenis *that is of little importance, that matters little, that's a minor matter;* een ~e dunk van iets/iem. hebben *think little/ have a low opinion/take a dim view of sth./ s.o.* **3.1** de schade was / de kosten waren ~ *damage was slight/ minor, the cost was slight* **3.2** daar zou ik niet al te ~ over denken *I shouldn't make light of that, that's no small/laughing matter* **5.1** niet het ~ste bewijs *not a scrap of evidence;* niet het ~ste idee/effect hebben *not have the slightest/* ⟨inf.⟩ *foggiest idea/the slightest effect* **5.2** da's niet ~/ dat is geen ~e prestatie *that's quite something/that's no mean achievement/feat* **6.1** niet **in** het geringste *not (in) the least/slightest* **6.2 bij/om** het minste of ~ste *at/on the least/slightest provocation, at the slightest excuse* **7.2** het (minste of) ~ste bracht haar al van haar stuk *the slightest thing upset her.*

geringachten →**geringschatten.**

geringd ⟨bn.⟩ **0.1** *ringed.*

geringheid ⟨de (v.)⟩ **0.1** *smallness* ⇒*slightness, scantiness.*

geringschatten ⟨ov.ww.⟩ **0.1** *disparage* ⇒*have a low/poor opinion of.*

geringschattend ⟨bn.; m.;-ly⟩ **0.1** *disparaging* ⇒*derogatory,* ⟨mbt. personen ook⟩ *slighting* ◆ **1.1** een ~ oordeel over *a disparaging opinion of* **3.1** iem. ~ aanzien *take a disparaging view of s.o.,* iem. ~ bejegenen/behandelen *slight s.o., be disparaging towards s.o., treat s.o. disparagingly;* niet zo ~ doen *not be so disparaging;* zich ~ uitlaten over iets/iem. *be disparaging/derogatory about sth./ s.o., slight s.o..*

geringschatting ⟨de (v.)⟩ **0.1** *disdain* ⇒*contempt, disparagement* ◆ **1.1** blijk van ~ *slight;* iem. een blijk van ~ geven *slight s.o.* **6.1 met** ~ spreken over *speak slightingly/disparagingly of.*

gerinkel ⟨het⟩ **0.1** ⟨bel, telefoon⟩ *ring(ing);* ⟨belletjes⟩ *tinkle, tinkling, jingle, jingling;* ⟨sporen, bestek, kopjes, geld enz.⟩ *jingle, jingling, clink(ing), chink(ing), clatter(ing);* ⟨cymbalen⟩ *clash(ing);* ⟨kettingen⟩ *rattle, clank(ing);* ⟨sabel⟩ *rattle, rattling;* ⟨bij het breken van glas/ porselein⟩ *crash.*

gerist ⟨bn.⟩ **0.1** [aan risten gebonden] *in a string* **0.2** [afgerist] *stripped* ◆ **1.1** ~e uien *a string/strings of onions, onions in a string/in strings* **1.2** ~e bessen *stripped (black/red) currants.*

geritsel ⟨het⟩ **0.1** [zacht geluid] *rustling* ⇒*rustle,* ⟨dieren ook⟩ *scuffling,* ⟨bladeren ook⟩ *stirring* **0.2** [⟨fig.⟩ het handig/slim te werk gaan] *fixing (-up);* ⟨inf.⟩ *wangling* ◆ **1.1** het ~ v.e. muisje *the rustling/scuffling of a mouse;* het ~ van haar rokken *the rustling/rustle of her skirts.*

Germaan ⟨de (m.)⟩ **0.1** [⟨mv.; gesch.⟩] *Germans* ⇒*Teutons* **0.2** [⟨mv.⟩ huidige volkeren] *Germanic/Teutonic peoples* **0.3** [Duitser] *German.*

Germaans¹ ⟨het⟩ **0.1** *Germanic* ⇒*Teutonic.*

Germaans² ⟨bn.⟩ **0.1** [mbt. de Germanen] *Germanic* ⇒*Teutonic* **0.2** [Duits] *German* ⇒*Teutonic* **0.3** [mbt. de Germaanse taal] *(Proto-)Germanic* ⇒⟨vero.⟩ *Primitive Germanic* ◆ **1.3** de ~e klankverschuiving *the Germanic sound shift.*

germaniseren ⟨ov.ww.⟩ **0.1** *Germanize* ⇒*Teutonize.*

germanisme ⟨het⟩ **0.1** *Germanism.*

germanist ⟨de (m.)⟩ **0.1** *German(ic) scholar* ⇒*Germanist.*

germanistiek ⟨de (v.)⟩ **0.1** *Germanic studies* ⇒*Germanic philology,* ⟨zeldz.⟩ *Germanics, Germanistics.*

germanistisch ⟨bn.⟩ **0.1** *of/relating to Germanic studies* ⇒⟨zeldz.⟩ *Germanistic.*

germanium ⟨het⟩ **0.1** *germanium* ◆ **3.1** ~ bevattend ⟨ook⟩ *germanic.*

germanomanie ⟨de⟩ **0.1** *Germanomania.*

gerochel ⟨het⟩ **0.1** *hawk(ing)* ⇒⟨van stervende⟩ *(death-)rattle.*

geroddel ⟨het⟩ **0.1** *gossip(ing)* ⇒*scandalmongering, backbiting, tittle-tattle, talk.*

geroep ⟨het⟩ **0.1** [het telkens roepen] *calling* ⇒*shouting, crying, calls, shouts, cries* **0.2** [het verheffen van de stem, keer dat iem. roept] *call* ⇒*shout, cry* ◆ **3.2** hij hoorde hun ~ niet *he did not hear their call/ cry/ cries/ them calling* **6.1** het ~ **om** een sterke man *the call for a strong man* **6.2 op** het ~ kwam iem. aanlopen *s.o. came running in response to/ on hearing the cry.*

geroepen ⟨bn.⟩ ⟨→sprw. 218⟩ **0.1** *called* ◆ **3.1** je komt als ~ *you're just the person we need;* ⟨inf.⟩ *you're just what the doctor ordered;* zich niet ~ voelen tot/ om ... *not feel called (upon) to, feel it incumbent (up)on one to;* ⟨mbt. geestelijk ambt⟩ *not have a calling to;* ~ zijn *have a calling;* ⟨bijb.⟩ velen zijn ~ en weinigen zijn uitverkoren *many are called but few are chosen.*

geroepene ⟨de (m.)⟩ **0.1** *one with a calling.*

geroer ⟨het⟩ **0.1** [het telkens roeren] *stirring* **0.2** [moeite] *(strenuous) effort.*

geroerd ⟨bn.⟩ **0.1** *touched* ⇒*affected, moved.*

geroezemoes ⟨het⟩ **0.1** *buzz(ing)* ⇒*hum, bustle, din* ◆ **2.1** een opgewonden ~ klonk op uit de menigte *the crowd buzzed with excitement* **6.1** ~ **in** de klas *the buzz(ing)/ hum of voices in the classroom, bustle in the classroom, the classroom din;* met al dat ~ kan ik jullie niet verstaan *I can't make out what you're saying over all the din.*

gerokt ⟨bn., bw.⟩ **0.1** [rokkostuum dragend] *in (white tie and) tails, in/ wearing evening dress* ⇒*in a tailcoat, tailcoated* **0.2** [een bepaalde rok dragend ⟨vaak 2e lid in samenstellingen⟩] *skirted* **0.3** ⟨plantk.⟩ *tunicate(d)* ⇒*coated* ⟨bol⟩ ◆ **2.2** kortgerokt *short-skirted.*

gerommel ⟨het⟩ **0.1** [het rommelen, dof geluid] *rumbling* ⇒*rumble* **0.2** [het overhoophalen] *rummaging (about/ around)* ⇒*rooting about/ around* **0.3** [geknoei, geritsel] *messing about* ⇒*fiddle, fiddling about,* ⟨inf.⟩ *hanky-panky* ◆ **1.1** ⟨toneelaanwijzing⟩ ~ en gestommel ⟨ook scherts.⟩ *alarms and excursions* **6.1** ~ **in** de buik *rumbling in one's stomach/* ⟨inf.⟩ *belly/* ⟨kind.⟩ *tummy* **6.2** schei uit met dat ~ **in** de kast *stop rummaging around in that cupboard* **6.3** ⟨fig.⟩ ~ **in** de marge *nibbling at the edge, tinkering;* ⟨fig.⟩ dat is toch maar ~ **in** de marge ⟨ook⟩ *it doesn't get to the heart of the matter/strike at the root of the problem, it's only going to have a marginal effect.*

gerond
I ⟨bn.⟩ **0.1** [⟨alg.⟩] *rounded* **0.2** [fonetiek] *rounded* ⇒*labialized* ◆ **1.1** fraaie ~e vormen *pretty r. shapes;*
II ⟨bw.⟩ **0.1** [fonetiek] *with lip-rounding.*

geronk ⟨het⟩ **0.1** [zwaar rollend geluid] *droning* ⇒*drone,* ⟨luider⟩ *roar(ing)* **0.2** [zwaar gesnurk] *snoring.*

geronnen ⟨bn.⟩ ⟨→sprw. 224⟩ **0.1** *clotted* ⟨bloed⟩, *curdled* ⟨melk⟩ ◆ **1.1** ~ bloed *clotted blood;* ⟨schr.⟩ *gore.*

gerontofiel¹ ⟨de (m.)⟩ **0.1** *gerontophile.*

gerontofiel² ⟨bn.⟩ **0.1** *gerontophilic* ⇒*gerontophile.*

gerontologie ⟨de (v.)⟩ **0.1** *gerontology.*

gerontologisch ⟨bn., bw.;-ly⟩ **0.1** *gerontological.*

gerontoloog ⟨de (m.)⟩ **0.1** *gerontologist.*

gerookt ⟨bn.⟩ **0.1** [door roken geconserveerd] *smoked* ⇒⟨haring ook⟩ *kippered* **0.2** [vaag doorzichtig] *tinted* ◆ **1.1** een ~e haring *a s. herring;* ⟨gezouten⟩ *a kipper;* ~(e) spek/vlees/worst/vis/paling/zalm/ham *s. bacon/meat/sausage/fish/eel/salmon/ham* **1.2** ~ glas *t. glass.*

geroutineerd ⟨bn., bw.⟩ **0.1** *experienced* ⇒*practised/ᴬticed, seasoned* ◆ **1.1** met een ~ gebaar *with a practised movement;* een ~e kracht *an e. worker/employee* **3.1** zij sprak ~ *she spoke in a practised/ an e. manner* **5.1** hij is er heel ~ in *he's a past master/ an old hand at it.*

gerst ⟨de⟩ **0.1** [graangewas] *barley* **0.2** [zaad] *barley* ◆ **2.2** gepardelde ~ *pearl b.;* gepelde ~/gedolde/peeled b., b. groats.*

gerstebier ⟨het⟩ **0.1** *barley beer.*

gerstebrood ⟨het⟩ **0.1** *barley bread.*

gerst(e)korrel ⟨de (m.)⟩ **0.1** [korrel van gerst] *grain of barley* ⇒*barleycorn* **0.2** [patroon in breisteek] *moss stitch* **0.3** [witte stof] *huckaback* **0.4** [klein gezwel] *sty(e).*

gerstenat ⟨het⟩ ⟨scherts.⟩ **0.1** ⟨ongemarkeerd⟩ *beer.*

gerstepap ⟨de⟩ **0.1** *barley porridge* ⇒*barley gruel.*

gerstewijn ⟨de (m.)⟩ **0.1** *barley wine.*

gerstpellerij ⟨de (v.)⟩ **0.1** *pearling/ hulling mill.*

gerubberd ⟨bn.⟩ **0.1** *rubberized* ◆ **1.1** ~ katoenweefsel/nylonweefsel *r. cotton/nylon fabric.*

gerucht ⟨het⟩ ⟨→sprw. 663⟩ **0.1** [praatje in omloop] *rumour* **0.2** [voortgebracht geluid] *noise* ⇒*sound* ◆ **2.1** hardnekkige ~en *persistent rumours;* losse ~en *floating/idle rumours, hearsay;* er doen tegenstrijdige ~en de ronde *conflicting rumours are going (a)round/ circulating;* een vals ~ *a false r.* **2.2** bij het minste ~ *at the slightest n. / sound* **3.1** er bereiken ons ~en dat ... *(unsubstantiated) reports are coming in that ...;* het ~ kwam van haar/ bij haar vandaan *the r. was spread/started by her;* ~en ontzenuwen/uit de wereld helpen *squash/scotch/spike rumours;* toen verspreidde zich het ~/ ging het ~ rond dat ... *then the r. / it went round/ it got about that ...;* ~en verspreiden/ rondstrooien *spread rumours (about);* het ~ wil/gaat/loopt dat ... *there is a r. / it is rumoured/r. / word has it that ...;* dat zijn maar ~en *this is only hearsay, they are just rumours;* als de ~en waar zijn dan ... *if what you hear is true, ...* **6.1** je hoort de wildste ~en **over** zijn dood *you hear the wildest rumours about his death;* volgens ⟨de⟩ ~en *according to (un)substantiated) reports, r. / word has it that ....*

geruchtmakend ⟨bn.⟩ **0.1** *controversial* ⇒*sensational, notorious* ◆ **1.1** een ~ interview *a c. / notorious interview, an interview that caused quite a stir;* een ~e zaak ⟨ook⟩ *a cause célèbre.*

gerugd ⟨bn.⟩ ⟨vaak als 2e lid in samenstellingen⟩ **0.1** *-backed* ◆ **2.1** breedgerugd *broad-backed.*

gerug(ge)steund ⟨bn.⟩ **0.1** [van achteren gestut] *supported* **0.2** [bijgestaan] *supported (by)* ⇒*backed (up) (by).*

geruim ⟨bn.⟩ **0.1** *considerable* ◆ **1.1** ~e tijd *(some) c. time, a (good) length of time;* je wist het al ~e tijd van te voren *you knew well in advance.*

geruis ⟨het⟩ **0.1** [het telkens ruisen] *rustling, rustle* ⇒⟨water, hart⟩ *murmur*, ⟨wind⟩ *whispering, soughing* **0.2** [(onduidelijk) geluid] *noise* **0.3** [ongewenst (bij)geluid] *noise.*

geruisarm ⟨bn.⟩ **0.1** *low-noise.*

geruisloos ⟨bn., bw.; -ly⟩ **0.1** *noiseless* ⇒*silent, soundless*, ⟨fig.; bw.⟩ *quietly* ♦ **3.1** ⟨fig.⟩ het plan verdween ~ onder tafel *the plan was quietly dropped;* ⟨fig.⟩ ~ van het toneel verdwijnen *slip out of the picture;* ~ weggaan *leave silently, without a sound, noiselessly* ¶.1 ⟨fig.⟩ iem. ~ uit de weg ruimen *quietly dispose of s.o..*

geruit ⟨bn.⟩ **0.1** [mbt. stoffen] *check(ed)* ⇒⟨schr.⟩ *chequered* ^*checkered* **0.2** [⟨herald.⟩] *lozengy* ♦ **1.1** een ~ rok *a check(ed) skirt;* ~e stof *check(ed material);* ~e Schotse (wollen) stof *tartan (material)* **5.1** zwart-wit ~e stof *black-and-white check material* **6.2** ~ van zilver en rood *l. argent and gules.*

gerundium ⟨het⟩ **0.1** (*Latin*) *gerund.*

gerundivum ⟨het⟩ **0.1** *gerundive.*

gerust
I ⟨bn.⟩ **0.1** [kalm omdat men niet hoeft te vrezen] *easy* ⇒*at ease, unperturbed* **0.2** [rustig] *quiet* ⇒*calm, peaceful, tranquil* **0.3** [door niets verontrust] *safe* ♦ **1.1** een ~ geweten/ gemoed *an easy/ clear conscience/ mind;* met een ~ hart de toekomst tegemoet zien *face the future calmly/ with confidence, feel secure about one's future* **3.1** ik ben niet ~ zolang zij niet thuis is *I can't feel/ rest easy/ my mind won't be at rest until she's home;* ⟨inf.⟩ *don't worry, she'll come, she'll come all right;* wees daar maar ~ op *(you can) set your mind at rest about that;* je kunt (er) ~ (op) zijn *you can rest assured ...; ~* zijn op iets *rest easy/ feel confident about sth.;* niet ~ zijn op iets ⟨ook⟩ *feel anxious/ uneasy about/ apprehensive of sth.;* U kunt ~ zijn *you can set your mind at rest/ ease* **3.2** ⟨AZN⟩ iem. ~ laten *leave s.o. in peace/ alone, let s.o. alone* **5.1** ik ben er (helemaal) niet ~ op *I am not (at all) happy/ easy about it.*
II ⟨bw.⟩ **0.1** [zonder bezwaar] *safely* ⇒*with confidence, confidently, without any fear/ problem* **0.2** [niet gejaagd] *calmly* ⇒*peacefully, easily* ♦ **3.1** je kunt het ~ aan haar overlaten *you can safely leave that to her;* je kunt het ~ aannemen als hij het zegt *you can rest assured (of it) if he says so, you can rely on what he says;* ik durf ~ te zeggen dat .../ die hond aan te raken *I don't hesitate to say that ..., I'm not afraid to touch that dog;* ga ~ je gang (do) *go ahead!, feel free to ..., you're welcome!;* kom ~ eens langs *feel free to drop in/ by;* dat had je ~ kunnen zeggen/ doen *it would have been perfectly all right for you to have said/ done that;* je had ~ met ons mee kunnen gaan *you could certainly have come with us without any problem;* u kunt hem ~ geloven *rest assured/ don't worry, you can believe him;* je kunt ~ zeggen dat ... *you can safely say/ it is safe to say/ it may safely be said that ...;* je mag ~ bij mij komen wonen *you're welcome to come and live at my place;* vraag ~ om hulp *don't hesitate/ don't be afraid to ask for help;* je mag ~ weten ... *I don't mind telling you ....*

gerustheid ⟨de ⟨v.⟩⟩ **0.1** *peace (of mind)* ⇒*calm(ness)* ♦ **6.1** iets met ~ tegemoet zien *face sth. calmly/ confidently/ with confidence.*

geruststellen ⟨ov.ww.⟩ **0.1** *reassure* ⇒*put/ set (s.o.'s) mind/ heart at rest, soothe, ease (s.o.'s) mind* ♦ **1.1** ⟨fig.⟩ zijn geweten ~ *ease/ (fig.) salve one's conscience;* ⟨fig.⟩ iemands geweten ~ *soothe s.o.'s conscience* **4.1** stel u gerust *set your mind at rest.*

geruststellend ⟨bn.⟩ **0.1** *reassuring* ⇒*soothing* ♦ **1.1** ~e berichten *r. reports;* een ~e gedachte *a comforting/ r. thought;* het is een ~ idee dat ... *it's reassuring to know that ...;* op ~e toon *in a r./ soothing voice, soothingly.*

geruststelling ⟨de ⟨v.⟩⟩ **0.1** *reassurance* ⇒*comfort*, ⟨opluchting⟩ *relief* ♦ **2.1** tot zijn grote ~ *to his great relief* **6.1** het was een hele ~ **voor** hun dat ... *it was a great comfort/ relief to them that ....*

geruzie ⟨het⟩ **0.1** *arguing* ⇒*quarrelling*, ^*reling, bickering* ♦ **2.1** waar was dat eeuwige ~ goed voor? *what was the good/ use of that incessant a./ quarrel(l)ing/ bickering?.*

ges ⟨de⟩ ⟨muz.⟩ **0.1** *G flat.*

gesabbel ⟨het⟩ **0.1** *sucking (at)* ⇒⟨mbt. vis⟩ *nibling (at).*

gesabber ⟨het⟩ **0.1** [gesabbel] *sucking (at)* **0.2** [gezoen] *slobbering (over).*

gesalarieerd ⟨bn.⟩ **0.1** *paid* ⇒*salaried* ♦ **5.1** te laag ~ zijn *be paid too little, be underpaid* **7.1** de hoogst ~en *the best-paid.*

gesar ⟨het⟩ **0.1** *taunting* ⇒*baiting, harassing.*

gesatineerd ⟨bn.⟩ **0.1** *glossy* ⇒⟨papier ook⟩ *satin*, ⟨druk.⟩ *supercalendered.*

gesausd ⟨bn.⟩ **0.1** *sauced* ⇒*flavoured* ⟨tabak⟩, *distempered* ⟨muur⟩ ♦ **1.1** een crème ~e muur *a cream-distempered wall.*

gesch. ⟨afk.⟩ **0.1** [gescheiden] *div.* **0.2** [geschiedenis] *hist..*

geschaard ⟨bn.⟩ **0.1** [bijeen] *gathered (together)* ⇒*grouped (together)* **0.2** [met inkepingen] *chipped* ⇒*jagged, notched*, ⟨regelmatig⟩ *serrated* ♦ **3.1** de kinderen zaten rond de onderwijzeres ~ *the children where gathered round/ sat in a group round the teacher.*

geschakeerd ⟨bn.⟩ **0.1** [bont] *many-/ multi-coloured/ -hued* ⇒*parti-/ party-coloured*, ⟨kakelbont⟩ *variegated*, ⟨fig.⟩ *motley* **0.2** [mbt. kleur, in vele nuances] *gradated* **0.3** [met vlekkenpatroon] *mottle.*

geschal ⟨het⟩ **0.1** *ringing sound* ⇒⟨van koperinstrument ook⟩ *flourish*, ⟨plots en fel⟩ *blast* ♦ **1.1** het ~ van trompetten en bazuinen *the blast/* ⟨ter verwelkoming ook⟩ *flourish of trumpets;* ~ van vreugdekreten *ringing cries of joy.*

geschapen ⟨bn.⟩ **0.1** [zeer voor iets geschikt] *born* ⇒*created, made* **0.2** [in zekere gesteldheid verkerend] *in a ... way/ state* **0.3** [gemaakt] *endowed* ⇒*made* ♦ **3.2** de zaak staat zo ~, zo staat het met de zaak ~ *that's the way it is/ things are, that's the state of things/ affairs* **5.3** ⟨inf.; mbt. man⟩ fors ~ *well-endowed;* ⟨vulg.⟩ *well-hung;* ⟨inf.⟩ klein ~ zijn *be poorly endowed;* ⟨inf.; mbt. vrouw⟩ weelderig ~ *well-endowed*, ⟨vulg.⟩ *well-hung;* ⟨sl.⟩ *well-stacked* **6.1** voor iets ~ zijn *be made/ born/ created for sth..*

geschapene ⟨het⟩ **0.1** *creation.*

gescharrel ⟨het⟩ **0.1** [in grond] ⟨kippen enz.⟩ *scratching;* ⟨grotere dieren⟩ *grubbing* **0.2** [zoeken en snuffelen] *poking about* ⇒⟨in kast, lade vnl.⟩ *rummaging*, ⟨in tuin⟩ *pottering* **0.3** [om rond te komen] *scraping/ scratching along* **0.4** [gej* achter] *hustling* ⇒*bartering* **0.5** [met meisjes] *playing/ messing about/ around (with)* ⇒ ↓*hanky-panky.*

geschater ⟨het⟩ **0.1** *peals/ roars of laughter;* ⟨bulderend⟩ *belly laugh(s), guffaws.*

gescheept ⟨bn.⟩ **0.1** *shipped, loaded (on board).*

gescheiden ⟨bn.⟩ **0.1** [verwijderd van elkaar] *separated* ⇒*apart* **0.2** [niet meer gehuwd] *divorced* ♦ **1.2** ~ familie/ gezin/ paar *split-up family, broken home, d. couple;* een ~ man *a d. man/ divorcé;* ~ ouders *child of d. parents;* een ~ vrouw *a divorcée/ d. woman* **3.1** twee zaken strikt ~ houden *keep two things strictly separate;* ~ leven (van) *live apart/ be separated (from)* ¶.¶ ~ van tafel en bed *(legally) separated*, ^*divorced from bed and board.*

gescheidenheid ⟨de ⟨v.⟩⟩ **0.1** *dividedness.*

geschelp ⟨bn.⟩ **0.1** [met schelpen bestrooid] *shell* **0.2** [met schelpvormige vlekjes] *scalloped* ♦ **1.1** ~e paden, wegen *s. paths/ roads.*

geschenk ⟨het⟩ ⟨→sprw. 245⟩ **0.1** *present* ⇒ ↑*gift* ♦ **1.1** ⟨fig.⟩ kinderen zijn een ~ van de hemel *children are heaven-sent/ a gift of God* **2.1** een gratis ~ *a free gift* **3.1** een ~ aanvaarden *accept a p./ gift* **6.1** een tafel vol met ~en ⟨schr.⟩ *a gift-laden table;* iets ten ~e krijgen *receive sth. as a p./ gift;* iem. iets ten ~e geven *make s.o. a p./ gift of sth., give s.o. sth. as a p., present s.o. with sth.;* iem. iets ten ~e zenden *send s.o. sth. as a p./ gift;* ⟨fig.⟩ een ~ uit de hemel *a gift from the gods;* ⟨onverwacht ook⟩ *a godsend* **8.1** als ~ verpakken *gift-wrap.*

geschenkabonnement ⟨het⟩ **0.1** *gift subscription.*

geschenkbon ⟨de ⟨m.⟩⟩ **0.1** *gift voucher/ token/* ⟨AE⟩ *certificate.*

geschenkverpakking ⟨de ⟨v.⟩⟩ **0.1** *gift-wrapping* ♦ **6.1** in ~ *gift-wrapped.*

geschept ⟨bn.⟩ **0.1** *hand-made;* ⟨met scheprand⟩ *deckle-edged* ♦ **1.1** ~ papier *h.-m./ vat paper.*

gescherm ⟨het⟩ **0.1** *fencing* ♦ **6.1** ~ met woorden *f. with words, bandying words;* ~met dure woorden/ met zijn naam *bandying big words/ one's name about;* ~ met namen ⟨ook⟩ *name-dropping.*

geschetter ⟨het⟩ **0.1** [schetterend geluid] ⟨koperinstrumenten⟩ *blare, flourish;* ⟨kinderstemmen⟩ *high chatter, babble* **0.2** [gesnoef, gezwets] ⟨gesnoef⟩ *bragging, boasting, blowing one's own trumpet;* ⟨gezwets⟩ *hot air, bunkum.*

geschiedbron ⟨de⟩ **0.1** *historical source.*

geschieden ⟨onov.ww.⟩ ⟨schr.⟩ ⟨→sprw. 220⟩ **0.1** [gebeuren] *occur* ⇒*take place, come about,* ↓*happen*, ⟨bijb.⟩ *come to pass* **0.2** [overkomen] *befall* ⇒ ↓*happen* **0.3** [gedaan, verricht worden] *be done* ⇒ ⟨werk ook⟩ *be carried out,* ⟨transacties ook⟩ *be effected* ♦ **1.1** het kwaad was al geschied *the damage had already been done, the mischief had been done* **1.2** u zal geen leed ~ *no evil will come to you, no harm will come to you* **1.3** betaling zal ~ in 3 termijnen *payment will be made in three instalments/* ^*installments;* Uw wil geschiede *Thy will be done* **3.3** aldus geschiedde *this was done (accordingly).*

geschiedenis ⟨de ⟨v.⟩⟩ ⟨→sprw. 219⟩ **0.1** [gebeurtenis] *happening* ⇒*incident, event, occurrence* **0.2** [verhaal] *tale* ⇒*story* **0.3** [historie] *history* **0.4** [vak van wetenschap] *history* **0.5** [les] *history* **0.6** [boek] *history* **0.7** [toestand, zaak, affaire] *business* ⇒*matter, affair* ♦ **1.2** de ~ van Klein Duimpje *the tale of Tom Thumb* **1.3** de ~ van de mensheid/ de letterkunde *the h. of the human race/ literature* **2.1** dat is een andere ~ *that's another story/ matter;* het is een hele ~ *it's quite a t./ story* **2.3** de algemene/ sociale/ vaderlandse/ oude/ nieuwe ~ *general/ social/ national/ ancient/ modern h.* **2.7** een gekke/ mooie/ oude/ beroerde ⟨enz.⟩ ~ *a silly/ a fine/ an old/ a nasty* ⟨enz.⟩ *b./ matter/ affair;* dat wordt een kostbare ~ *that's going to be a costly/ an expensive b.;* een langdurige ~ *a protracted affair* **3.1** ik zal je de hele ~ vertellen *I'll tell you the whole story* **3.2** dat vermeldt de ~ niet *the story doesn't say* **3.3** de ~ herhaalt zich *h. repeats itself;* de ~ ingaan als ... *go down in h. as ...;* ~ maken/ schrijven *make/ write h.* **3.5** wanneer hebben we ~? *when have we got?* ^*do we have h.?* **4.2** het is altijd dezelfde ~ *it's always the same (old) story* **6.2, 6.3** in de ~ vermeld worden *be on record, be recorded* **6.3** dat behoort tot de ~ *that is h.* **6.4** een hoogleraar in de ~ *a professor of h., a h. professor.*

geschiedenisboek ⟨het⟩ **0.1** *history book.*

geschiedenisfilosofie ⟨de ⟨v.⟩⟩ **0.1** [wijsgerige beschouwingen] *philosophy of history* **0.2** [kennistheorie] *historical methodology/ hermeneutics.*

geschiedenisleraar ⟨de (m.)⟩, **-rares** ⟨de (v.)⟩ **0.1** *history teacher* ⇒⟨BE ook⟩ *history master* ⟨m.⟩, *history mistress* ⟨v.⟩.

geschiedenisles ⟨de⟩ **0.1** *history lesson / class.*

geschiedkunde ⟨de (v.)⟩ **0.1** *history.*

geschiedkundig ⟨bn., bw.;-ly⟩ **0.1** *historical* ♦ **1.1** de ~e waarde van dit boek is niet groot *this book is of / has little h. value.*

geschiedkundige ⟨de (m.)⟩ **0.1** *historian.*

geschiedschrijver ⟨de (m.)⟩ **0.1** *historian* ⇒*historiographer.*

geschiedschrijving ⟨de (v.)⟩ **0.1** *historiography.*

geschiedverhaal ⟨het⟩ **0.1** *history.*

geschiedvervalsing ⟨de (v.)⟩ **0.1** *falsification / rewriting of history.*

geschiedvorser ⟨de (m.)⟩ **0.1** *historian* ⇒*historical researcher.*

geschiedvorsing ⟨de (v.)⟩ **0.1** *historical investigation / study.*

geschiedwerk ⟨het⟩ **0.1** *historical work.*

geschift ⟨bn.⟩ **0.1** [getikt] *cracked* ⇒*nuts, loon(e)y, round the bend, barmy* ^Abalmy, ⟨vnl. BE⟩ *crackers, bonkers, daft, crazy* ⟨toestanden⟩ **0.2** [uiteengevallen] *curdled* ♦ **1.1** een beetje ~ *not all there, rather odd;* ⟨vnl. Austr. E⟩ *not the full quid;* ~e zaken en toestanden *a crazy state of affairs* **1.2** ~e melk *c. milk* **5.1** volkomen / goed ~ *completely round the bend, stark raving mad, crackers, completely off one's rocker / nut / head.*

geschikt ⟨bn., bw.;-ly⟩ **0.1** [aangenaam in de omgang] *pleasant* ⇒*decent* **0.2** [met de juiste eigenschappen] *suitable* ⇒*fit, appropriate, right, proper* ♦ **1.1** een ~e kerel / meid *a good sort, a decent* ⟨vnl. BE⟩ *chap / guy* ⟨m.⟩; tegen een ~e prijs *for / at a reasonable price* **1.2** ~e huisvesting proberen te vinden *try to find s. housing / accommodation;* een ~e kandidaat ⟨ook⟩ *an eligible candidate;* een ~ ogenblik *a convenient / s. / opportune moment;* een ~e school voor zijn kinderen *a s. school for his children;* is twee uur een ~e tijd? *will two o'clock be convenient?* **2.1** hij is heel ~ *he's quite a decent* ⟨vnl. BE⟩ *chap / guy, he's quite all right;* ⟨AE; inf.⟩ *he's an allright guy* **2.2** uiterst ~ gelegen *most conveniently situated* **3.2** ~ bevonden worden *be found s.;* dit karweitje is precies voor hem ~ *this job is just right / just the thing for him /* ⟨inf.⟩ *is right up his street;* iets ~ maken voor *make sth. fit / s. for, fit sth. for, adapt sth. to suit / for;* ~ zijn voor het doel *serve the purpose;* ⟨inf.⟩ *fill / fit the bill;* niet ~ zijn om soldaat ⟨enz.⟩ te worden / zijn *not be fit / meant / cut out to be a soldier* ⟨enz.⟩ **4.2** probeer er iets ~s bij te vinden, liefst iets dat ook ~ is voor feestelijke gelegenheden *try to find sth. to match, preferably sth. that will also do for festive occasions;* ik kon niets ~s vinden *I couldn't find anything s. / to suit me* ⟨inf.⟩ *that would do* **5.2** zeer / uitstekend ~ voor een verpleegster / als studeerkamer ⟨enz.⟩ *ideal for a nurse / as a study* ⟨enz.⟩; ze is zeer / uitstekend ~ voor verpleegster ⟨enz.⟩ *she will make an excellent nurse* ⟨enz.⟩ **6.1** dat is heel ~ **van** je *that's very decent of you* **6.2** dat huis is ~ **om** bewoond te worden *that house is fit for habitation / is habitable;* dat boek is niet ~ **voor** kinderen *that book is not fit / unfit / not s. / unsuitable for children;* niet ~ **voor** de HAVO / **voor** jeugdige kijkers / **voor** leraar *not fit for higher secondary education / for young viewers / to be a teacher;* niet ~ **voor** dit werk *unsuitable for this work;* (niet) ~ **voor** comsumptie *(un)fit for human consumption;* jij bent helemaal niet ~ **voor** zoiets *you're no good at that sort of thing;* het stuk is niet ~ **voor** opvoering op een groot toneel *the play is not s. for / does not lend itself to presentation on a large stage;* hij is ~ **voor** dit karwei *he's the right man for this job, this job is right for him;* ⟨mbt. kleding⟩ zeer ~ **voor** officiële gelegenheden *very appropriate / s. for formal occasions.*

geschiktheid ⟨de (v.)⟩ **0.1** [neiging, aanleg voor iets] *aptitude (for)* ⇒ *(cap)ability (at / in), disposition (towards)* **0.2** [hoedanigheid van de juiste eigenschappen te bezitten] *suitability* ⇒*fitness, appropriateness* **0.3** [het aangenaam in de omgang zijn] *obliging / pleasant nature* ⇒*decency* ♦ **6.2 na / bij** gebleken ~ *if found suitable, subject to satisfactory performance.*

geschil ⟨het⟩ **0.1** *dispute* ⇒*disagreement, quarrel* ♦ **3.1** er kan geen ~ bestaan over ... *there can be no dispute about ...;* een ~ bijleggen, beslechten *settle disputes;* een ~ hebben (met iem.) *be in dispute /* ⟨inf.⟩ *at odds /* ⟨inf.⟩ *at loggerheads with s.o.* **6.1 in** (een) ~ met iem. over iets *in dispute with s.o. about sth.;* het punt / de zaak **in** ~ *the point at issue, the matter in dispute.*

geschillencommissie ⟨de (v.)⟩ **0.1** *conciliation / arbitration board / service.*

geschilpunt ⟨het⟩ **0.1** *matter in dispute* ⇒*point at issue, moot point, point of difference,* ⟨mv. ook⟩ *differences.*

geschimmeld ⟨bn.⟩ **0.1** *grey* ^Agray.

geschitter ⟨het⟩ **0.1** *glitter* ⇒*brilliance, sparkle.*

geschoeid ⟨bn.⟩ **0.1** *shod* ♦ **1.1** ~e karmelieten *calced Carmelites;* fijn ~e voetjes *finely- / well-shod feet.*

geschoft ⟨het, in samenstellingen⟩ **0.1** *-shouldered* ⇒*-withered* ⟨paard⟩ ♦ **2.1** een breedgeschofte stier *a broad-shouldered bull.*

geschonden ⟨bn.⟩ **0.1** *damaged* ⇒*disfigured, marked* ⟨gezicht⟩ ♦ **1.1** een ~ exemplaar van een boek *a damaged copy of a book;* een ~ gezicht *a disfigured face.*

geschoold ⟨bn.⟩ **0.1** *trained* ⇒*skilled* ⟨ihb. arbeiders⟩, *schooled / qualified (in)* ♦ **1.1** ~e arbeid *skilled work;* ~e arbeiders *skilled workers;* ~ personeel *t. / skilled staff;* een ~e zangeres *a t. singer* **6.1** goed ~ **in** well *t. / schooled in.*

geschouderd ⟨bn.⟩ **0.1** [⟨in samenst.⟩] *-shouldered* **0.2** [mbt. contouren] *lageniform* ♦ **1.2** ~e vazen / bloemen *l. vases / flowers* **2.1** breedgeschouderd *broad-shouldered.*

geschrans ⟨het⟩ **0.1** *wolfing, gorging* ⇒⟨inf.⟩ *gobbling and guzzling.*

geschreeuw ⟨het⟩ ⟨→sprw. 221⟩ **0.1** *shouting* ⇒*yelling, shouts, cries, yells / screams,* ⟨fig.⟩ *clamour(ing), cries, outcry, uproar* ♦ **2.1** hou op met dat vervelende ~ *stop that dreadful yelling* **3.1** ⟨fig.⟩ veel ~ over iets maken *make much ado /* ⟨inf.⟩ *a great to-do about sth.* **6.1** iem. **met** ~ overstemmen *shout s.o. down;* het / hun ~ **om** ... *the cry / their cries / clamour(ing) for ....*

geschrei ⟨het⟩⟨schr.⟩ **0.1** *weeping* ⇒*wailing,* ⟨baby⟩ *crying.*

geschrift ⟨het⟩ **0.1** [geschreven werk] (⟨enk.⟩ *piece of*) *writing* ⇒*text, document* **0.2** [wat geschreven is] *writing* **0.3** [schrift] *(hand)writing* ⇒*script* ♦ **2.1** de heilige ~en *the Scriptures, Holy Scripture / Writ;* de verzamelde ~en *the collected writings / works* **6.1 in** ~e brengen / stellen *commit to paper, put in w.;* **in** woord en ~ *orally and in w., through the spoken and the written word;* een ~ over bouwkunst *a text on architecture* **6.2 bij** ~e, **in** ~(e) *in w., written;* valsheid **in** ~(e) plegen *commit forgery.*

geschrijf ⟨het⟩ **0.1** *writing* ⇒ ⟨briefwisseling⟩ *correspondence,* ⟨pej.⟩ *scribbling,* ⟨met grote hanepoten⟩ *scrawling* ♦ **1.1** ~ en gewrijf *a lively exchange (of letters / correspondence), letters back and forth.*

geschrok ⟨het⟩ **0.1** *gobbling* ⇒ ⟨zeldz.⟩ *guzzle.*

geschubd ⟨bn.⟩ **0.1** *scaly* ⇒*scaled,* ⟨wet⟩ *squamous, squamose, squamate* ♦ **1.1** ~e hagedissen *scaly lizards;* een ~ pantser *a scale armour.*

geschuifel ⟨het⟩ **0.1** [het telkens schuifelen] *shuffling* ⇒*shuffle,* ⟨sukkelend gaan⟩ *shambling* **0.2** [gesis van slangen] *hissing.*

geschuind ⟨bn.⟩ ⟨herald.⟩ **0.1** *parted per bend sinister.*

geschulpt →**geschelpt.**

geschut ⟨het⟩ **0.1** *artillery* ♦ **1.1** een stuk ~ *a gun / cannon, a piece of ordnance* **2.1** ⟨fig.⟩ zich van grof / zwaar ~ bedienen *bring up the heavy a. /* ⟨inf.⟩ *big guns;* licht / grof / zwaar ~ *light / heavy a. / guns* **3.1** het ~ afleggen / opleggen *unlimber a gun, limber up a gun;* het ~ bulderde *the a. / guns boomed out / thundered* **6.1 met** (zwaar) ~ *(heavily) gunned.*

geschutkoepel ⟨de (m.)⟩ **0.1** *(gun-)turret.*

geschutpark ⟨het⟩ **0.1** *artillery park.*

geschutpoort ⟨de⟩ **0.1** *gunport* ⇒*porthole.*

geschutstelling ⟨de (v.)⟩ **0.1** [waar het geschut staat] *gun position / emplacement / site;* ⟨uitgegraven⟩ *gunpit;* ⟨scheep.⟩ *casemate, gunhouse* **0.2** [waar het geschut op rust, geschutbedding] *gunmount.*

geschuttoren ⟨de (m.)⟩ **0.1** *turret.*

geschutvuur ⟨het⟩ **0.1** *fire* ⇒*gunfire.*

gesel ⟨de (m.)⟩ **0.1** [strafwerktuig] *whip* ⇒⟨gesch.⟩ *scourge* **0.2** [⟨fig.⟩] *scourge* ⇒*lash* **0.3** [⟨biol.⟩] *flagellum* ♦ **1.2** de ~ v.h. geweten *the s. of conscience;* Attila, de ~ Gods *Attila, the s. of God;* de ~ der satire zwaaien *expose (sth.) to the lash of satire.*

geselaar ⟨de (m.)⟩ **0.1** [iem. die zichzelf geselt] *flagellant* ⇒*flagellator* **0.2** [iem. die andermans gebreken hekelt] *scourge.*

geselbroeder ⟨de (m.)⟩ **0.1** *flagellant.*

geseldiertje ⟨het⟩ **0.1** *flagellate.*

geselen ⟨ov.ww.⟩ **0.1** [kastijden] *whip* ⇒*flog, lash,* ⟨psych.⟩ *flagellate* **0.2** [slaan op, beuken] *lash* ⇒*pound (at), thrash, hammer* **0.3** [vinnig hekelen] *lash* ⇒*castigate* **0.4** [hevig kwellen] *rack* ♦ **1.2** storm en regen geselden de strandtenten *the beach-tents were lashed by the wind and the rain* **1.4** een door angst gegeseld gemoed *a mind racked by fear* **3.1** het scheelt zoveel als kussen en ~ *it's as different as chalk from / and cheese / night and day* **5.3** de kritiek geselde hem onbarmhartig *the critics lashed him mercilessly / slated him / hammered him.*

geseling ⟨de (v.)⟩ **0.1** [tuchtiging] *whipping* ⇒*flogging,* ⟨psych.⟩ *flagellation* **0.2** [⟨fig.⟩] *lashing* ⇒*chastisement, castigation.*

geselpaal ⟨de (m.)⟩ **0.1** *whipping post.*

geselroede ⟨de⟩ **0.1** [tuchtroede] *scourge* ⇒*rod* **0.2** [⟨fig.⟩] *lash(ings)* ⇒*scourge* ♦ **1.2** de ~ v.d. kritiek *the lashings of / the slating from the critics.*

geselslag ⟨de (m.)⟩ **0.1** [slag v.d. geselroede] *lash* **0.2** [scherp woord / gezegde] *lashing* ♦ **3.2** ~en uitdelen *give (s.o.) a (tongue-)l., lash (s.o.) with one's tongue;* ⟨inf.⟩ *give (s.o.) / let (s.o.) feel the rough side of one's tongue.*

geselstraf ⟨de⟩ **0.1** *flogging, whipping* ⇒*(the) lash, lashing.*

gesepareerd ⟨bn., bw.;-ly⟩ **0.1** *separate* ⇒⟨bw. ook⟩ *apart* ♦ **3.1** zij slapen ~ *they sleep separately / apart.*

geserreerd ⟨bn., bw.;-ly⟩ **0.1** *terse* ⇒*succinct, concise* ♦ **3.1** ~ schrijven *write tersely / succinctly / concisely.*

gesetteld ⟨bn.⟩ **0.1** *settled* ♦ **1.1** een ~e vijftiger *a s. fifty-year-old* **3.1** ~ zijn *be s..*

gesignaleerd ⟨bn.⟩ **0.1** [waarschuwend kenbaar gemaakt] *described* **0.2** [opgemerkt] *observed* ⇒*noticed, seen,* ⟨aangegeven⟩ *mentioned, indicated, pointed out* ♦ **1.1** een in het politieblad ~e misdadiger *a criminal d. / whose description was given in the police gazette* **1.2** de al eerder door ons ~e fouten *the errors previously indicated / pointed out by us.*

gesis ⟨het⟩ **0.1** *hiss(ing)* ⇒*sibilation,* ⟨gebruis⟩ *fizz(le),* ⟨geknetter⟩ *sizzle.*

gesitueerd ⟨bn.⟩ 0.1 [mbt. de maatschappelijke positie] *situated* ⇒⟨in samenst.⟩ *-off* 0.2 [met een gevestigde maatschappelijke positie] *(well-)established* ♦ 5.1 de beter~e klassen *the better-off / more affluent / well-to-do classes;* goed~zijn *be well s. / well-off; affluent, have a good position* 7.1 de minder goed~en *the less / not so well-off / affluent.*

gesjacher ⟨het⟩ 0.1 *bartering / haggling (over)* ⇒⟨knoeierige transacties⟩ *shady dealings.*

gesjochten ⟨bn.⟩⟨inf.⟩ 0.1 [er slecht aan toe] *down-and-out* ⇒*on one's uppers,* ⟨inf.⟩ *(all) washed up,* ⟨AE ook⟩ *on skid row, run-down* ⟨zaak enz.⟩ 0.2 [de sigaar] *in a cleft stick* ⇒*(in) for it* ♦ 1.1 een~jongen *a down-and-out;* een~zaakje *a run-down business* 3.1 hij is totaal~ *he's really d.-a.-o. / on his uppers, he's all washed up* 3.2 dan ben je~⟨ook⟩ *then you've had it, you won't know what's hit you.*

gesjoemel ⟨het⟩ 0.1 *dirty tricks, trickery* ⇒⟨inf.⟩ *hanky-panky.*

geslaagd ⟨bn.⟩ 0.1 [mbt. personen] *successful* 0.2 [mbt. zaken] *successful* ♦ 1.1 ⟨fig.⟩ een~man *a success, a man who has made it* 1.2 een ~e actie *a s. operation;* een~feest / boek *a s. party / book, a success;* een~e poging *a s. attempt;* niet erg~e vermomming *a thin disguise* 5.2 hij vindt de grap niet zo~ *he finds the joke rather weak.*

geslaagde ⟨de (m.)⟩ 0.1 *pass* ⇒*successful candidate* ♦ 2.1 erg weinig~n dit jaar *very few passes this year.*

geslacht¹ ⟨het⟩ 0.1 [stamhuis, familie] *family* ⇒*line, house,* ⟨afkomst⟩ *descent, stock,* ⟨adellijk / vorstelijk ook⟩ *lineage* 0.2 [sekse] *sex* 0.3 [ras] *race* 0.4 [generatie] *generation* 0.5 [⟨biol.⟩] *genus* 0.6 [geslachtsorgaan] *genitals* ⟨mv.⟩ ⇒⟨van man⟩ *member,* ⟨van vrouw⟩ *pudendum* 0.7 [⟨taal.⟩] *gender* ♦ 1.1 het~der Oranjes, het~Oranje *the house of Orange* 1.5 het~van de muizen *the genus Mus* 2.1 een adellijk / oud~*a noble / ancient f. / line;* van een voornaam~zijn *be highborn / of distinguished descent* 2.2 het andere / vrouwelijke~ *the opposite s.; the female sex, woman(kind / hood);* een kind van het mannelijk~*a male child, a child of the male s.;* het sterke~*the sterner s.;* het zwakke / schone~*the weaker / fair s.* 2.3 het menselijk~*the human r., mankind* 2.7 het mannelijk / vrouwelijk / onzijdig~*the masculine / feminine / neuter g.* 6.1 uit een nobel / vorstelijk~stammen *be of noble / royal descent / lineage* 6.4 van~op~*from g. to g..*

geslacht² ⟨bn.⟩ 0.1 *slaughtered* ♦ 1.1 de prijs per kg~gewicht *the price per kilo of s. meat.*

geslachtelijk ⟨bn.⟩ 0.1 [seksueel] *sexual* 0.2 [onderscheiden naar kunne] *sexual* 0.3 [het geslacht betreffend] ⟨con⟩ *generic* ♦ 1.1 ~e gemeenschap *s. intercourse / relations, sex;* ~e omgang (hebben met iem.) *(have) sex / (have) s. intercourse / relations (with s.o.)* 1.2 ~e voortplanting *s. reproduction* 1.3 ~e verwantschap tussen planten *congeneric relationship between plants.*

geslachtkunde ⟨de (v.)⟩ 0.1 *genealogy.*

geslachtkundige ⟨de (m.)⟩ 0.1 *genealogist.*

geslachtloos ⟨bn.⟩ 0.1 [niet in geslachten onderscheiden] *asexual* ⇒*neuter* 0.2 [aseksueel] *sexless* ⇒⟨schr.⟩ *epicene* ♦ 1.1 ~dier *neuter (animal);* geslachtloze plant *neuter (plant);* geslachtloze voortplanting *a. reproduction* 1.2 ~wezen *s. creature, epicene (creature).*

geslachtsapparaat ⟨het⟩ 0.1 *sex(ual) organs* ⇒*sexual apparatus.*

geslachtsbepaling ⟨de (v.)⟩ 0.1 [constateren] *sexing* 0.2 [kiezen] *sex determination.*

geslachtsboom ⟨de (m.)⟩ 0.1 [stamboom] *genealogical tree* ⇒⟨inf.⟩ *family tree,* ⟨adellijk⟩ *pedigree* 0.2 [geslachtsregister] *genealogical register.*

geslachtscel ⟨de⟩ 0.1 *sex cell* ⇒*reproductive / germ cell,* ⟨wet.⟩ *gamete.*

geslachtschromosoom ⟨het⟩ 0.1 *sex chromosome.*

geslachtsdaad ⟨de⟩ 0.1 *sex(ual) act* ⇒⟨med.⟩ *coitus.*

geslachtsdelen ⟨zn.mv.⟩ 0.1 *genitals* ⇒*sex(ual) / genital organs,* ⟨med.⟩ *genitalia,* ⟨mens, ihb. v., ook⟩ *pudenda,* ⟨euf.⟩ *private / privy parts, privates.*

geslachtsdimorfisme ⟨het⟩ 0.1 *sexual dimorphism.*

geslachtsdrift ⟨de⟩ 0.1 *sex(ual) urge / drive /* ⟨wet.⟩ *instinct* ⇒*libido* ♦ 3.1 een middel dat de~prikkelt / vermindert *aphrodisiac, anaphrodisiac.*

geslachtsgemeenschap ⟨de (v.)⟩ 0.1 *sexual intercourse / relations* ⇒*sex* ♦ 3.1 ~hebben (met) *have sex(ual intercourse / relations) (with).*

geslachtshaat ⟨de (m.)⟩ 0.1 *sexual hatred.*

geslachtshormo(o)n ⟨het⟩ 0.1 *sex hormone.*

geslachtskenmerk ⟨het⟩ 0.1 *sexual characteristic* ♦ 2.1 secundaire~en *secondary sexual characteristics.*

geslachtsklier ⟨de⟩ 0.1 *sex(ual) gland* ⇒*gonad.*

geslachtskunde ⟨de (v.)⟩ 0.1 *sexology.*

geslachtsleven ⟨het⟩ 0.1 *sex life.*

geslachtsliefde ⟨de (v.)⟩ 0.1 *sexual love.*

geslachtslijst ⟨de⟩ 0.1 [genealogie] *genealogical table* ⇒*genealogy,* ⟨adellijk⟩ *pedigree* 0.2 [⟨taal.⟩] *gender list.*

geslachtsnaam ⟨de (m.)⟩ 0.1 [familie- / achternaam] *surname* ⇒*family name* 0.2 [⟨biol.⟩] *generic name.*

geslachtsneiging ⟨de (v.)⟩ 0.1 *sexual inclination / orientation / propensity.*

geslachtsomgang ⟨de (m.)⟩ →*geslachtsgemeenschap.*

geslachtsonderscheid ⟨het⟩ 0.1 [verschil in sekse] *sexual difference* 0.2 [⟨taal.⟩] *difference in gender.*

geslachtsorgaan ⟨het⟩ 0.1 *sex(ual) / genital organ* ⇒⟨mv. ook⟩ *genitals,* ⟨wet.⟩ *genitalia,* ⟨vrouw ook⟩ *pudenda,* ⟨man ook⟩ *member* ♦ 2.1 de uitwendige en inwendige geslachtsorganen *the external and internal genitals.*

geslachtsprodukt ⟨het⟩ 0.1 *gonadal secretion.*

geslachtsregel ⟨de (m.)⟩⟨taal.⟩ 0.1 *gender rule.*

geslachtsregister ⟨het⟩ 0.1 *genealogical register* ⇒*genealogy.*

geslachtsrijp ⟨bn.⟩ 0.1 *sexually mature.*

geslachtstest ⟨de (m.)⟩⟨sport⟩ 0.1 *sex test.*

geslachtsverandering ⟨de (v.)⟩ 0.1 *sex change* ⇒*change of sex.*

geslachtsverhouding ⟨de (v.)⟩ 0.1 *sex ratio* ♦ 2.1 negatieve~*negative s. r..*

geslachtsverkeer ⟨het⟩ 0.1 *sexual intercourse / relations* ⇒*sex,* ⟨jur., euf.⟩ *intimacy.*

geslachtswapen ⟨het⟩⟨geneal.⟩ 0.1 *family (coat-of-)arms.*

geslachtsziekte ⟨de⟩ 0.1 *venereal disease* ⇒*sexually transmitted disease,* ⟨inf.⟩ *V.D.* ♦ 1.1 kliniek voor~n *venereal disease / V.D. clinic;* specialist voor~n *venereal disease specialist, venereologist.*

geslagen ⟨bn.⟩ 0.1 [slaag gehad hebbend] *beaten* 0.2 [geplet] *wrought* ⟨ijzer⟩; *beaten* ⟨goud, zilver⟩ ♦ 1.1 als een~hond kwam hij terug *he came back with his tail between his legs* 1.¶ een~vijand van iets zijn *be a sworn / an avowed enemy of sth.;* ~vijanden zijn *be sworn enemies, be at daggers drawn.*

geslenter ⟨het⟩ 0.1 *sauntering* ⇒*lounging.*

geslepen ⟨bn., bw.; -ly⟩ 0.1 *sly* ⇒*cunning, sharp, crafty, wily, astute* ♦ 1.1 een~kerel *a sly old fox* 3.1 hij is zeer~ *he is very sly / cunning / sharp / crafty / wily, he's a sly / cunning / sharp / crafty / wily one, he's as sly / cunning / wily as a fox.*

geslepenheid ⟨de (v.)⟩ 0.1 *slyness* ⇒*craftiness, wiliness, cunning, astuteness, guile.*

geslof ⟨het⟩ 0.1 *shuffle* ⇒*scuffle, shuffling, scuffling.*

gesloof ⟨het⟩ 0.1 *drudgery* ⇒*drudging, toil(ing).*

gesloten ⟨bn.⟩ 0.1 [niet geopend] *closed* ⇒*shut, drawn* ⟨gordijnen⟩ 0.2 [niet openhartig] *close(-mouthed)* ⇒*close- / tight-lipped* 0.3 [niet expressief] *closed* 0.4 [zonder tussenruimte] *closed(-up)* ⇒*tight* 0.5 [⟨tech.⟩ onononderbroken] *closed* ♦ 1.1 een~beroep / bedrijf *a c. profession / shop;* ⟨geldw.⟩ ~bewaargeving / -neming *sealed deposit;* ⟨fig.⟩ het is een~boek voor mij *it is a c. book to me;* met / achter~deuren *behind c. doors;* ⟨jur.⟩ *in camera;* een~geldkist / enveloppe / goederenwagon *a sealed chest / envelope / goods wagon / ^freight car;* ⟨taal.⟩ een~klinker *a close(d) vowel;* ⟨jacht⟩ ~tijd / seizoen / jachttijd *close(d) season;* ~vragen ≠*yes-or-no questions* 1.2 dat kind is nogal~*that child is rather c.-m. / doesn't say much (for him- / herself)* 1.3 een~gezicht *a blank / expressionless face* 1.4 in~gelederen / formatie *in close formation;* in een~peloton finishen *finish in a (c.-u. / tight) pack;* springen met~voeten *jump with one's feet together / with closed feet* 1.5 een~circuit *a c. circuit* 3.1 de vergadering voor~verklaren *declare the meeting c.;* de winkels zijn één dag in de week~*the shops close / are c. one day a week* 5.1 een hoog~blouse *a high-necked blouse* 6.2 ~zijn over *be c.-m. / be close- / tight-lipped* / ⤵*keep mum* / ⤴*be secretive about.*

geslotenheid ⟨de (v.)⟩ 0.1 *closeness* ⇒*reticence.*

gesluierd ⟨bn.⟩ 0.1 [met een sluier] *veiled* ⇒⟨fig. ook⟩ *hazy* 0.2 [nevelig, heiig] *foggy* ⇒*hazy, misty* 0.3 [⟨foto.⟩] *fogged* ⇒*foggy* ♦ 1.1 ⟨fig.⟩ de~toekomst *the hazy future* 1.2 een~landschap *a f. / misty / hazy landscape* 1.3 een~e plaat *a fogged plate* 1.¶ met~e stem *in a veiled tone (of voice).*

geslurp ⟨het⟩ 0.1 *slurp.*

gesmak ⟨het⟩ 0.1 *smack(ing)* ⇒*smatch.*

gesmeed ⟨bn.⟩ 0.1 *wrought* ⟨ijzer⟩; *beaten, hammered* ⟨edel metaal⟩.

gesmeerd
I ⟨bn.⟩ 0.1 [bedekt / ingewreven met vet / boter] *greased* ⇒⟨schr.⟩ *lubricated* ♦ 1.¶ ⟨inf.⟩ als de~e bliksem *like g. lightning;* ⟨inf.⟩ er als de~e bliksem vandoor gaan *take off like g. lightning / like a bat out of hell / at the speed of light, show a clean pair of heels;*
II ⟨bw.⟩ 0.1 [zonder moeilijkheid] *smoothly* ⇒*without a hitch* ♦ 3.1 ervoor zorgen dat het~gaat *make sure everything goes s. / without a hitch;* het ging (als)~, het liep~*it (all) went (off) s. / without a hitch /* ⟨inf.⟩ *swimmingly;* een~lopende organisatie *a s. running organization.*

gesmokt ⟨bn.⟩ 0.1 *smocked.*

gesmoord ⟨bn.⟩ 0.1 [onderdrukt] *stifled* ⇒*smothered* 0.2 [door smoren bereid] *braised* ⇒*stewed* ♦ 1.1 een~gelach *stifled / smothered laughter* 6.2 in wijn~*b. in wine,* ⟨vlees ook⟩ *à la mode.*

gesmul ⟨het⟩ 0.1 *feasting* ⇒*banqueting,* ⟨inf.⟩ *blow-out.*

gesnaard ⟨bn.⟩ 0.1 *stringed* ♦ 1.1 een~instrument *a s. instrument, a chordophone.*

gesnap ⟨het⟩ 0.1 [gebabbel] *chit-chat* ⇒*prattling* 0.2 [lasterpraat] *tittle-tattle.*

gesnater ⟨het⟩ 0.1 [het snateren (van ganzen)] *gaggling* ⇒*gaggle, gabbling, gabble* 0.2 [gebabbel, geschetter] *cackle* ⇒*cackling, prattle.*

gesnauw ⟨het⟩ 0.1 [het telkens snauwen] *snarling* ⇒*snapping* 0.2 [bitse / norse bejegening] *snarl.*

gesnedene ⟨de (m.)⟩ **0.1** *eunuch*.

gesnik ⟨het⟩ **0.1** *sobbing* ⇒*sobs*.

gesnopen ⟨bn.⟩ ⟨scherts.⟩ **0.1** *got it* ⇒⟨als vraag ook⟩ *get it?, see?,* ⟨BE; inf. ook⟩ *penny dropped (yet)?*.

gesnor ⟨het⟩ **0.1** *whir(r)(ing)* ⇒*hum, drone,* ⟨zachtjes⟩ *purr*.

gesnotter ⟨het⟩ ⟨inf.⟩ **0.1** [het snotteren] *snivelling* ⇒*snuffling* **0.2** [gegrien] *snivelling* ⇒*blubbering, whimpering,* ⟨zanikend⟩ *whining*.

gesnurk ⟨het⟩ **0.1** *snore* ⇒*snoring*.

gesodemieter ⟨het⟩ ⟨inf.⟩ **0.1** *pissing around*/ ⟨BE ook⟩ *about* ⇒⟨BE ook⟩ *buggering about* ♦ **3.1** begint dat ~ nou weer? *are you/they/* ⟨enz.⟩ *going to start pissing around again?;* daar heb je het ~ weer *the same old pissing around again!*.

gesoebat ⟨het⟩ **0.1** *imploring (for)* ⇒ ↑*beseeching (for)*.

gesoes ⟨het⟩ **0.1** *dozing* ⇒*drowsing*.

gesoigneerd ⟨bn.⟩ **0.1** [persoon] *well groomed* ⇒*well turned out, (very) presentable, soigné,* ↓*smart* **0.2** [maaltijd] *well-/carefully prepared* ⇒ *elegant*.

gesorteerd ⟨bn.⟩ **0.1** [in soorten bijeengevoegd] *sorted* **0.2** [keuze hebbend] *stocked* **0.3** [van diverse soorten] *assorted* ⇒*mixed* ♦ **1.3** een pond~e koekjes *a pound of a. biscuits* **6.1** op maat/kleur~e artikelen *articles s. according to size/colour* **6.2** hij is goed ~ in lederwaren *he has a good assortment/range of leather goods*.

gesp ⟨de⟩ **0.1** [beugeltje] *buckle* ⇒*clasp* **0.2** [⟨biol.⟩] *clamp connection* ⇒*clamp (cell), buckle(-joint)* ♦ **1.1** de ~ van deze riem wil niet dicht *this belt won't buckle/clasp* **6.1** met een ~ sluiten/vastzitten *buckle;* schoenen met ~en *buckled shoes*.

gespan ⟨het⟩ **0.1** [mbt. dieren] *team* **0.2** [mbt. personen] *team*.

gespannen

I ⟨bn.⟩ **0.1** [strak getrokken] *tense(d)* ⇒*taut, stretched, tight, bent* ⟨boog⟩ **0.2** [waarin een uitbarsting dreigt] *tense* ⇒*strained,* ⟨persoon ook⟩ *nervous,* ⟨inf.⟩ *edgy* ♦ **1.1** een ~ gevoel in de buik *tension/a tense/tight feeling in one's abdomen;* ~ spieren *tensed muscles* **1.2** een ~ situatie *a t. situation, (a state of) tension;* een ~ verhouding *strained relations, tensions;* te hoog ~ verwachtingen *exaggerated expectations;* op ~ voet staan met iem. *be on bad terms/at odds/at loggerheads with s.o., not see eye to eye with s.o.;* ~ zenuwen *nerves on edge* **3.1** ~ houden *keep under tension, keep tight/taut* **3.2** ~ luisteren *listen intently;* ~ maken *tighten, tense;* ⟨touw enz. ook⟩ ↓*tauten;* ~ worden *tense up* ⟨personen⟩; *tighten* ⟨touw enz.⟩; ~ zijn *be tense/(all) keyed up/on edge/nervous* **6.2** tot het uiterste ~ *at full strain,* ⟨inf.; mbt. persoon⟩ *at the end of one's tether;*

II ⟨bn..bw.; -ly⟩ **0.1** [(geestelijk) in beslag genomen] *intent* ⇒*rapt* ♦ **1.1** (met) ~ aandacht *(with) rapt/avid attention;* in ~ verwachting *with bated breath, in keen expectation*.

gespartel ⟨het⟩ **0.1** *sprawling* ⇒*floundering, thrashing (about),* ⟨om los te komen⟩ *struggling, squirming*.

gespecialiseerd ⟨bn.⟩ **0.1** *specialized;* ⟨+in⟩ *specializing* ♦ **6.1** een in oncologie ~e chirurg *a surgeon specializing in oncology;* een winkel ~ in thee *a shop specializing in tea*.

gespeend ⟨bn.⟩ ♦ **6.¶** ~ van *devoid of, utterly lacking (in)*.

gespekt ⟨bn.⟩ **0.1** *well-filled/-lined* ♦ **1.1** een ~e beurs *a well-lined purse*.

gespen ⟨ov.ww.⟩ **0.1** *buckle* ⇒⟨met riem⟩ *strap* ♦ **1.1** een rugzak op zijn rug ~ *strap a rucksack on one's back*.

gespierd ⟨bn.⟩ **0.1** [krachtig, sterk] *muscular* ⇒*(well-)muscled, brawny, beefy* ⟨ook pej.⟩ **0.2** [mbt. de stijl] *vigorous* ⇒*forceful, sinewy, robust* ♦ **1.1** (overdreven) ~e mannen/vrouwen *(over-)muscular/muscled men/women;* ⟨overdreven ook⟩ *muscle-bound men/women* **1.2** een ~e stijl *a forceful/v./virile style;* ~e taal *forceful/v./* ⟨inf.⟩ *tough language;* ~e verzen *v. lines* **3.1** ~ zijn *be muscular/well-muscled*.

gespierdheid ⟨de (v.)⟩ **0.1** [krachtigheid] *muscularity* ⇒*brawn(iness), thew* **0.2** [mbt. stijl] *vigour*.

gespikkeld ⟨bn.⟩ **0.1** *spotted* ⇒*speckled,* ⟨stof ook⟩ *dotted* ♦ **1.1** een ~e hond *a spotted dog;* ~e stof *spotted/dotted/polkadot material* **5.1** een geel ~e das *a yellow-spotted/dotted tie*.

gespin ⟨het⟩ **0.1** [gesnor van een kat] *purr(ing)* **0.2** [het telkens spinnen] *spinning*.

gespitst ⟨bn.⟩ **0.1** [zich gespannen toeleggend] *keen* **0.2** [⟨biol.⟩] *pointed* ⇒⟨blad ook⟩ *awl-like/-shaped* ♦ **1.1** met ~e oren *with one's ears pricked up, all ears* **6.1** ~ zijn op *be k. on sth./ to do sth.*.

gespleten ⟨bn.⟩ **0.1** [een spleet hebbend] *split* ⇒*cleft, cloven* ⟨hoef⟩, ⟨ook plantk.⟩ *fissured* **0.2** [⟨psych.⟩] *split* ⇒ ↑*dissociated* **0.3** [mbt. bladeren] *cleft* ♦ **1.1** dieren met ~ hoeven *cloven-hoofed animals;* een ~ tong ⟨van slang⟩ *a forked tongue;* met ~ tong ⟨lett.⟩ *fork-tongued,* ⟨fig.⟩ *with a double tongue, double-tongued;* een ~ verhemelte *a cleft palate* **1.2** een ~ persoonlijkheid *a s./dissociated personality*.

gespletenheid ⟨de (v.)⟩ **0.1** [⟨psych.⟩] [persoonlijkheid] *split personality, schizophrenia;* ⟨van gemoed⟩ *schizothymia* **0.2** [verdeeldheid] *division* ⇒*disunity, dissension*.

gespook ⟨het⟩ **0.1** [geraas] *roar(ing)* ⇒*rush(ing),* ⟨storm⟩ *raging* **0.2** [het rondwaren] *prowling (about)* ♦ **¶.2** dat ~ tot laat in de nacht *all that prowling about in the middle of the night*.

gespoord ⟨bn.⟩ **0.1** [van sporen voorzien] *spurred* **0.2** [⟨biol.⟩] *spurred* ♦ **2.1** gelaarsd en ~ ⟨fig.⟩ *ready and waiting*.

gesprek ⟨het⟩ **0.1** [mondeling onderhoud] *talk* ⇒⟨ook telefoon⟩ *conversation,* ⟨telefoon⟩ *call* **0.2** [overleg, bespreking] *discussion* ⇒*consultation* ♦ **1.1** het ~ van de dag zijn *be the t. of the town, be on everyone's lips;* ⟨inf.⟩ *be page-one news;* een onderwerp van ~ *a topic of conversation* **2.1** een goed ~ *a good t./discussion;* hele ~ken hebben met iem. over *have whole discussions with s.o. about;* een levendig ~ *a lively t./conversation;* een persoonlijk ~ *a personal t./* ⟨telefoon⟩ *call* **2.2** inleidende ~ken *introductory/exploratory talks* **3.1** met iem. een ~ aanknopen *strike up a conversation with s.o.;* ↑*engage s.o. in conversation, enter into conversation with s.o.;* een ~ aanvragen ⟨telefoon⟩ *place/* ⟨voor later⟩ *book a call;* het ~ plotseling afbreken *suddenly break off the conversation;* een ~ beëindigen ⟨ook telefoon⟩ *wind up a conversation;* in het ~ betrekken *bring/draw into the conversation;* het ~ op iem. brengen *bring the conversation round to;* het ~ op iets anders brengen *change the subject;* het ~ ging over/kwam op *the conversation was about/turned to;* een ~ ruw onderbreken *push/barge into (a conversation);* het ~ overheersen *dominate the conversation;* het ~ stokte *there was a silence, they/we (both) fell silent;* het ~ terugbrengen op *bring the conversation back to;* een ~ voeren *have a t./conversation, carry on/hold a conversation;* het ~ voortzetten/weer opvatten *continue/resume the conversation* **3.2** het ~ leiden *lead the conversation/d.* **6.1** zich in een ~ mengen *join in a conversation;* ⟨pej.⟩ *butt in on a conversation;* (het nummer is) in ~ ⟨the line's/number's⟩ ⟨vnl. BE⟩ *engaged/* ⟨vnl. AE⟩ *busy;* in ~ raken (met/over) *get talking (to/about), get into conversation (with/about);* druk in ~ zijn (met) *be busy talking (to), be deep in conversation (with);* de ~ toon the ⟨vnl. BE⟩ *engaged/* ⟨vnl. AE⟩ *busy signal;* 25 cent per ~ ⟨telefoon⟩ *25 cents per call* **6.2** tot een ~ trachten te komen *try to get a d. going* **¶.1** het ~ gaande houden *keep the conversation going/alive;* ~ onder vier ogen *a private t.;* ⟨vnl. romantisch⟩ *a tête-à-tête*.

gespreksaanvraag ⟨de⟩ **0.1** *placing/* ⟨voor later⟩ *booking of a call* ♦ **3.1** we moeten dagelijks ruim 1000 gespreksaanvragen behandelen *we have to handle at least 1000 calls a day*.

gesprekskosten ⟨zn.mv.⟩ **0.1** *call charge*.

gespreksavond ⟨de (m.)⟩ **0.1** *discussion evening*.

gespreksbehandeling ⟨de (v.)⟩ **0.1** ≠*psychotherapy* ⇒*counselling/* ^*eling*.

gespreksgenoot ⟨de (m.)⟩, **-note** ⟨de (v.)⟩, **gesprekspartner** ⟨de (m.)⟩ **0.1** *person one is/was/* ⟨enz.⟩ *speaking to* ⇒ ↑*discussion/conversation partner,* ⟨schr.⟩ *interlocutor*.

gespreksgroep ⟨de⟩ **0.1** *discussion group* ⇒⟨inf.⟩ *chat/* ⟨vnl. AE⟩ *rap group*.

gespreksleider ⟨de (m.)⟩ **0.1** *panel chairman*.

gesprekspunt ⟨het⟩ **0.1** *talking point* ⇒⟨vergadering⟩ *item to be discussed, topic*.

gespreksstof ⟨de⟩ **0.1** *topic(s) of conversation* ⇒*subject(s) for discussion* ♦ **3.1** ~ leveren *provide a topic of conversation, give (people) sth. to talk about*.

gesprekstarief ⟨het⟩ **0.1** *charge rate*.

gesprekstechniek ⟨de (v.)⟩ **0.1** *conversation/discussion technique*.

gespreksthema ⟨het⟩ **0.1** *topic of conversation* ⇒*subject for discussion*.

gespreksvorm ⟨de (m.)⟩ ♦ **¶** in ~ *verbal, vocal,* ⟨conversational/dialogue form;* een verhaal in ~ *a story in dialogue form*.

gespriem ⟨de (m.)⟩ **0.1** *buckled belt*.

gesproken ⟨bn.⟩ **0.1** *oral* ⇒*verbal, vocal, spoken* ⟨taal⟩, *talking* ⟨boek⟩.

gespuis ⟨het⟩ **0.1** *rabble* ⇒*riffraff, scum*.

gesputter ⟨het⟩ **0.1** [het voortdurend sputteren] *sp(l)utter(ing)* **0.2** [het tegenstribbelen] *fuming*.

gestadig, gestaag ⟨→sprw. 135⟩

I ⟨bn.⟩ **0.1** [zonder ophouden, voortdurend] *steady* **0.2** [bestendig] *steady* **0.3** [telkens herhaald] *continual* ⇒*constant, incessant* ♦ **1.1** gestage arbeid *s. work* **1.2** de markt was ~ *the market was s.* **1.3** ~e koortsen *continual/constant/incessant fevers;*

II ⟨bw.⟩ **0.1** [voortdurend] *steadily* **0.2** [telkens] *constantly* ⇒*continually* ♦ **3.1** het aantal nam ~ toe *the number rose s.;* ~ vooruitgaand/stijgend ⟨ook, inf.⟩ *on the up-and-up;* het werk vordert ~ *the work is progressing s.*.

gestalte ⟨de (v.)⟩ **0.1** [figuur] *figure* ⇒⟨lichaamsbouw⟩ *build* **0.2** [gedaante] *shape* ⇒*form* ♦ **2.1** fors van ~ *heavily-built;* klein van ~ *small in stature;* een rijzige/slanke ~ *a tall/slim f.* **3.¶** ~ geven (aan) *give s. (to);* ~ krijgen *take shape*.

gestaltpsychologie ⟨de (v.)⟩ **0.1** *gestalt psychology*.

gestamel ⟨het⟩ **0.1** [het stamelen] *stammer(ing)* **0.2** [het gestamelde] *stammering(s)*.

gestamp ⟨het⟩ **0.1** ⟨van voeten⟩ *stamp(ing)/stump(ing)/tramp(ing)(of feet);* ⟨fijnmaken⟩ *pound(ing), mash(ing);* ⟨van schip⟩ *pitch(ing)*.

gestampt ⟨bn.⟩ **0.1** *crushed* ⇒*pounded, mashed* ⟨aardappelen⟩ ♦ **1.1** ~e muisjes ⟨pink, blue sprinkles eaten on bread⟩; ~e pot ≠*hotchpotch;* ⟨fig.⟩ jongens van de ~e pot *lads/* ^*guys made of the right stuff*.

gestampvoet ⟨het⟩ **0.1** *stamping (of feet)*.

gestand ⟨het, de (m.)⟩ ♦ **3.¶** zijn woord/belofte ~ doen *be as good as one's word, keep one's/live up to one's/* ⟨inf.⟩ *stick to one's word/promise*.

gestationeerd ⟨bn.⟩ **0.1** *stationed* ⇒*based* ♦ **3.1** hij is daar sinds vorig jaar~ *he has been s. there since last year* **6.1** op het/**aan** land~ *land-based.*

geste ⟨de⟩ **0.1** ⟨ook fig.⟩ *gesture* ♦ **2.1** ⟨fig.⟩ een vriendelijke ~*a friendly g.* **3.1** ⟨fig.⟩ een ~ doen *make a g.;* ~s maken *gesture, gesticulate.*

gesteente ⟨het⟩ **0.1** [steen(achtige delfstof)] *rock* ⇒*stone* **0.2** [edele stenen] *stone* ♦ **2.1** een zeer hard~ *(a) very hard r.;* natuurlijk/vast~ *live r.;* Pas op! Neerstortend ~ *Danger! Falling rocks!;* oliehoudend~ *oil-bearing r.* **2.2** flonkerende ~n *glittering stones.*

gestel ⟨het⟩ **0.1** [lichamelijke constitutie van de mens] *constitution* **0.2** [gemoedsaard] *temperament* ⇒*disposition* **0.3** [mbt. een werktuig] *frame* ⇒⟨onderstel⟩ *chassis* **0.4** [samenstel van het menselijk lichaam, organen ⟨vaak in samenstellingen⟩] *system* ♦ **1.4** het zenuwgestel *the nervous s.* **2.1** een ijzeren/taai~ hebben *have an iron/a tough c.;* een zwak~ *a weak c.* **2.2** een hartstochtelijk/prikkelbaar~ *a passionate/irritable t. / disposition* **3.1** zijn~ ondermijnen *undermine one's c.* **6.1** gezond van ~ zijn *have a good/sound c..*

gesteld
I ⟨bn.⟩ **0.1** [in een bepaalde gesteldheid] ⟨zie 2.1,5.1,6.1⟩ **0.2** [dol op] *keen (on)* ⇒*fond* **0.3** [aangewezen] *appointed* ♦ **1.3** de ~e machten *the powers that be;* ⟨jur.⟩ *the constituted authorities;* de boven ons~e machten *the authorities set over us;* binnen de ~e tijd *within the time specified/set/* ⟨jur.⟩ *a.;* beantwoorden aan de ~e verwachtingen *come up to expectations* **2.1** met haar is het anders~ *she's in a different position, she's differently placed* **5.1** het is er droevig mee~ *it's a sorry state of affairs, things are none too bright* **5.2** zij zijn erop~ (dat) *they would like it (if), they are set on (...-ing)* **6.1** het is slecht met hem/dat bedrijf~ *he/that company is in a bad way/doing badly;* hoe is het~ **met** ...? *how ...? what's the news of ...?* **6.2** ~ zijn **op** iets *be k. on/fond of sth.;* ~ zijn **op** iem. *be fond of/* ⟨vnl. romantisch⟩ *k. on s.o.;* erg **op** comfort ~ zijn *like one's comfort/home comforts/creature comforts;* erg **op** etiquette ~ zijn *be a stickler for etiquette;* overdreven ~ zijn **op** ⟨ook⟩ *drool over;*
II ⟨bw.⟩ **0.1** [aangenomen] *suppose* ⇒⟨inf.⟩ *say, supposing, what if.*

gestelde ⟨het⟩ **0.1** [dat wat beweerd is] *statement(s)* **0.2** [dat wat bewezen moet worden] *postulate* ♦ **5.1** het hiervoor ~ *the above/foregoing (statement(s)).*

gesteldheid ⟨de (v.)⟩ **0.1** *state* ⇒*condition,* ⟨lichaam⟩ *constitution* ♦ **1.1** ⟨taal.⟩ bepaling van~ (*object/subject*) *complement, predicative adjunct;* de~ van het lichaam *physical condition/constitution;* de~ van het weer *the state of the weather* **2.1** lichamelijke/geestelijke ~ (*physical/mental*) *constitution.*

gestemd ⟨bn.⟩ **0.1** *disposed* ⇒*in a/the mood* ♦ **2.1** hij is goed/gemelijk ~ *he's in a good/peevish mood;* gunstig ~ *favourably d. (towards);* weemoedig ~ zijn *be in a melancholy mood* **6.1** ik ben nu niet ~ **tot** praten *I'm not in the mood to talk now, I don't feel like talking/ †feel d. to talk now.*

gestemdheid ⟨de (v.)⟩ **0.1** *mood* ⇒*temper.*

gestencild ⟨bn.⟩ **0.1** *stencilled/^iled.*

gesteriliseerd ⟨bn.⟩ **0.1** [steriel gemaakt] *sterilized* **0.2** [onvruchtbaar gemaakt] *sterilized* ♦ **1.1** ~e melk *s. milk;* ~ verband *s. dressings.*

gesternte ⟨het⟩ **0.1** [al de sterren] *stars* **0.2** [sterrenbeeld] *constellation* **0.3** [constellatie] *star(s)* ♦ **1.2** het ~ van de Grote Beer *the c. of the Great Bear* **2.3** onder een gelukkig ~ geboren *born under a lucky star;* dat heeft hij aan zijn goed ~ te danken *he can thank his lucky stars (for that);* onder een ongunstig ~ geboren *born under an unlucky star;* ⟨van onderneming⟩ *ill-starred.*

gesteun ⟨het⟩ **0.1** *groaning* ⇒*moaning, groans, moans* ♦ **1.1** het ~ van de zieke *the sick man/woman's groans/groaning.*

gesticht¹ ⟨het⟩ **0.1** [inrichting voor krankzinnigen] *mental home/institution* **0.2** [gebouw met een bestemming, stichting] *institution* ♦ **6.1** hij zit in een ~ *he's in a mental home/institution;* opsluiten/opbergen in een ~ *put (away) in a mental home/institution;* ⟨jur.⟩ *institutionalize;* hij is rijp voor het ~ *he should be certified, he's certifiable.*

gesticht² ⟨bn.⟩ ♦ **6.¶** niet ~ zijn **over** *be none too happy about, be put out by.*

gesticulatie ⟨de (v.)⟩ **0.1** *gesticulation.*

gesticuleren ⟨onov.ww.⟩ **0.1** *gesticulate.*

gestikt ⟨bn.⟩ **0.1** *stitched* ♦ **1.1** een ~e deken *a quilt.*

gestileerd ⟨bn.⟩ **0.1** [afgebeeld in hoofdtrekken] *stylized* **0.2** [in een stijl vervat] *composed* ⇒*written* ♦ **2.2** overdreven ~ ⟨lit.⟩ *euphuistic* **5.2** het stuk is goed ~ *the piece is well-written, the style of the piece is good.*

gestippeld ⟨bn.⟩ **0.1** [uit stippen bestaand] *dotted* **0.2** [met stippen bedekt] *spotted* ⇒*speckled,* ⟨stof ook⟩ *dotted* ♦ **1.1** een ~e lijn *a d. line* **1.2** ~e stof *spotted/dotted/polkadot material.*

gestoef ⟨het⟩ ⟨AZN⟩ **0.1** *boasting* ⇒*bragging,* ⟨inf.⟩ *showing-off.*

gestoei ⟨het⟩ **0.1** *romp(ing).*

gestoelte ⟨het⟩ ⟨schr.⟩ **0.1** [openbare zitplaats] ⟨ongemarkeerd⟩ *bench* ⇒⟨kerk⟩ *pew* **0.2** [zetel als ereplaats] ⟨ongemarkeerd⟩ *seat (of honour)* ♦ **2.2** het pauselijk ~ *the papal throne.*

gestoffeerd ⟨bn.⟩ **0.1** [mbt. meubels] *upholstered* **0.2** [mbt. vertrekken] *(fitted) with curtains and carpets* ♦ **1.1** een stoel met ~e rug *a chair with an u. back* **1.2** ~e kamers te huur *semi-furnished rooms to let.*

gestommel ⟨het⟩ **0.1** *thumping* ⇒*bumping.*

gestoomd ⟨bn.⟩ **0.1** *steamed.*

gestoord ⟨bn.⟩ **0.1** [waarin storing is] *faulty* ⇒*defective,* ⟨inf.⟩ *broken(-down)* **0.2** [psychotisch] *disturbed* **0.3** [⟨geol.⟩] *disturbed* ♦ **1.1** de radio is ~ *there is interference on the radio;* ⟨met opzet⟩ *the radio is being jammed* **5.2** geestelijk ~ zijn *be mentally d.;* ⟨zelfst.⟩ geestelijk ~en *mentally d. persons, the mentally d.* **5.3** sterk ~e lagen *highly d. strata.*

gestopt ⟨bn.⟩ **0.1** *darned* ♦ **1.1** ~ gat *darn;* ~e sokken *d. socks.*

gestort ⟨bn.⟩ **0.1** *in bulk* ⟨lading⟩;*paid-up* ⟨kapitaal⟩ ♦ **1.1** ~ erts *bulk ore, ore in bulk.*

gestotter ⟨het⟩ **0.1** *stammer(ing)* ⇒*stutter(ing).*

gestraald ⟨bn.⟩ ⟨plantk.⟩ **0.1** *stellate(d).*

gestrafte ⟨de (m.)⟩ **0.1** *punished person;* ⟨mil.⟩ *defaulter;* ⟨levenslang; inf.⟩ *lifer.*

gestreept ⟨bn.⟩ **0.1** [met strepen] *striped* ⇒⟨inf.⟩ *strip(e)y,* ⟨dier ook⟩ *banded,* †*striated* **0.2** [⟨muz.;voornamelijk in samenstellingen⟩] *marked,* ^*line(d)* ♦ **1.1** ~e stoffen *striped/strip(e)y fabrics;* de ~e zebra *the striped zebra* **7.2** een/twee/drie gestreept octaaf *once/twice /thrice-marked octave, one/two/three-line octave.*

gestrekt ⟨bn.⟩ **0.1** *(out)stretched* ♦ **1.1** met ~e armen *with outstretched arms, with arms outstretched;* in ~e draf/galop *at full trot/gallop;* ⟨wisk.⟩ een ~e hoek *a straight angle.*

gestreng ⟨schr.⟩
I ⟨bn.⟩ **0.1** [streng] *strict* ⇒*severe, harsh, stern, austere* **0.2** [blijk gevend van strengheid] *severe* ⇒*stern* **0.3** [door regels bepaald, beheerst] *rigorous* **0.4** [volstrekt] *strict* ♦ **1.4** in ~e afzondering *in s. seclusion;*
II ⟨bw.⟩ **0.1** [onverbiddelijk] *severely* ♦ **3.1** ~ oordelen *make/pass (a) severe judgment (on);* ~ optreden *be severe, act severely;* ~ vonnissen *hand down a severe/harsh sentence.*

gestrengheid ⟨de (v.)⟩ ⟨schr.⟩ **0.1** [strengheid, onverbiddelijkheid] *strictness* ⇒*severity, harshness, sternness, austerity* **0.2** [uiting van strengheid] *rigour.*

gestroomlijnd ⟨bn.⟩ **0.1** [met vloeiende lijnen, omtrekken] *streamlined* ⇒*aerodynamic* **0.2** [⟨fig.⟩] *streamlined* ♦ **1.1** ~e auto's *s. cars;* een ~e carrosserie *a s. / an aerodynamic body* **1.2** een ~e organisatie *a s. organization.*

gestructureerd ⟨bn.⟩ **0.1** *structured.*

gestudeerd ⟨bn.⟩ **0.1** *university-educated* ♦ **1.1** ~e personen *graduates, university-trained/^college people.*

gestuikt ⟨bn.⟩ ⟨AZN⟩ **0.1** *squat.*

gestumper ⟨het⟩ **0.1** [het stumperig te werk gaan] *bungling* **0.2** [onbeholpen werk] *piece of bungling* ⇒*botched(-up)/bungled job.*

gesubordineerd ⟨bn.⟩ **0.1** *subordinate(d).*

gesuf ⟨het⟩ **0.1** *absent-mindedness, inattentiveness* ⇒*day-dreaming,* ⟨slapen⟩ *dozing.*

gesuikerd ⟨bn.⟩ **0.1** *sugared* ⇒*sweetened,* ⟨fig.⟩ *sugary, sugar-sweet, sugar/honey-coated* ♦ **1.1** ~e amandelen *sugared/burnt almonds, dragées;* ⟨fig.⟩ een ~e glimlach *a sugary smile;* ⟨fig.⟩ een ~ verwijt *a sugared reproach;* ~e wijn *sugared wine.*

gesuis ⟨het⟩ **0.1** ⟨van wind⟩ *sough(ing), murmur(ing);* ⟨van bladeren⟩ *rustling;* ⟨in oren⟩ *ringing, singing;* ⟨med.⟩ *tinnitus;* ⟨van bijna kokend water⟩ *singing;* ⟨van uitstromend gas⟩ *whoosh.*

gesukkel ⟨het⟩ **0.1** [ziekte] *ailing* ⇒*indifferent health* **0.2** [met taak] *difficulties* ⇒*trouble.*

gesyndikeerde ⟨de (m.)⟩ ⟨AZN⟩ **0.1** *unionist.*

get. ⟨afk.⟩ **0.1** [getekend] ⟨signed⟩ **0.2** [getuige] ⟨witness⟩.

getaand ⟨bn.⟩ **0.1** [taankleurig] *tan* ⇒*tawny,* ⟨door de zon⟩ *tanned* **0.2** [in taan gekookt] *tanned* ♦ **1.1** een ~ gezicht *a tanned/tawny face.*

getailleerd ⟨bn.⟩ **0.1** *waisted* ⇒*cut in at the waist* ♦ **1.1** een ~e jas *a w. jacket* **5.1** die mantel is te sterk ~ *that coat is cut in too much at the waist.*

getakt ⟨bn.⟩ **0.1** *branched* ⇒*branching* ♦ **1.1** een ~ gewei *branched antlers.*

getal ⟨het⟩ **0.1** [uitdrukking van een veelheid] *number* **0.2** [voorstelling van een hoeveelheid] *number* ⇒*figure* **0.3** [veelheid, aantal] *number* ♦ **2.1** een benoemd/concreet ~ *a concrete n.;* een complex ~ *a complex n.;* deelbaar/ondeelbaar/oneindig/onmeetbaar ~ *divisible/ prime/transfinite/irrational n.;* een gebroken ~ *a fraction;* een heel ~ *a whole n., an integer;* een imaginair ~ *an imaginary n.;* een onbenoemd, abstract ~ *an abstract n.;* een ondeelbaar ~ *prime n.;* reciproque ~ *reciprocal n.;* reële ~len *real numbers;* een rekenkundig/algebraïsch ~ *an arithmetic/algebraic n.* **2.2** een rond ~ *a round n. / figure* **2.3** zij kwamen in (bij) groten ~e *they came in large numbers/in force;* om het ~ vol te maken *to make up (the) numbers* **3.1** in ~len uitdrukken *quantify* **6.2** de ~len **van** 1 tot 10 *the numbers 1 to 10;* een ~ **van** drie cijfers *a three-figure n.* **6.3 aan** zijn ~ komen *make up one's numbers;* **bij** het ~ verkopen *sell by n.;* drie **in** ~ *three in n.;* **ten** getale **van** drie *three in n..*

getalenteerd ⟨bn.⟩ **0.1** *talented.*

getalgeheugen ⟨het⟩ **0.1** *memory for figures.*

getallenleer ⟨de⟩ **0.1** *theory of numbers, number theory.*

getallenreeks ⟨de⟩ 0.1 *series of numbers.*
getallensymboliek ⟨de (v.)⟩ 0.1 *numerology.*
getallenwaarde ⟨de (v.)⟩ 0.1 *numerical value.*
getalm ⟨het⟩ 0.1 *lingering* ⇒*dawdling.*
getalmerk ⟨het⟩ 0.1 *figure.*
getalsterkte ⟨de (v.)⟩ 0.1 *numerical strenght* ◆ 2.1 onze geringere ~ *our numerical inferiority, our inferior numbers/ strength;* grotere ~ *numerical superiority, superior numbers/ strength;* vereiste/ volledige ~ *full complement/ strength* 6.1 door grotere ~ winnen *win by sheer weight of numbers;* iem. overtreffen in ~ *outnumber s.o.;* minder zijn in ~ *be inferior in numbers.*
getalswaarde ⟨de (v.)⟩ 0.1 *numerical value.*
getalvers ⟨het⟩ 0.1 *chronogram.*
getand ⟨bn.⟩ 0.1 [mbt. zaken] *toothed* ⇒⟨schr.⟩ *serrated* 0.2 [mbt. mensen, dieren] *toothed* ◆ 1.1 een ~e bergkam *a jagged ridge;* ⟨biol.⟩ ~e bladeren *dentate/* ⟨fijn⟩ *denticulate leaves;* ~e postzegels *perforated stamps;* een ~ rad *a r. / cogged wheel, a cogwheel;* met ~e rand *with a serrated/ indented edge, saw-edged* 5.1 dubbel ~ ⟨plantk.⟩ *doubly dentate;* sterk/ fijn ~ *with large/ fine indentations.*
getapt ⟨bn.⟩ 0.1 *popular (with)* ⇒*a favourite (with)* ◆ 3.1 hij is erg ~ bij de dames *he's very p. / a great favourite with the ladies.*
geteem ⟨het⟩ 0.1 *whining.*
geteerd ⟨bn.⟩ 0.1 *tarred* ◆ 1.1 ~ papier *tar-paper;* ~ touwwerk *t. rope;* ~ zeildoek *tarpaulin.*
geteisem ⟨het⟩ 0.1 *riff-raff* ⇒*scum, vermin.*
getekend ⟨bn.⟩ 0.1 [mbt. mensen] *marked* ⇒*branded* 0.2 [mbt. dieren] *marked* ⇒*with ... markings* 0.3 [met lijnen/ groeven] *lined* ◆ 1.2 een fraai ~e kat *a cat with beautiful markings* 1.3 een door vermoeidheid/ zorgen ~ gezicht *a fatigued/ careworn face;* met sterk ~e trekken *sharp-featured, chisel-faced, rugged-featured* 3.1 John was ~ door de spanning *the strain told upon John/ left its mark upon John;* voor het leven ~ zijn *be m. for life* 7.1 ⟨zelfst.⟩ een ~e ⟨mismaakt⟩ *a disfigured person/ man* ⟨m.⟩ */ woman* ⟨v.⟩; ⟨gemerkt⟩ *a m. / branded person/ man* ⟨m.⟩ */ woman* ⟨v.⟩.
getemperd ⟨bn.⟩ 0.1 *moderate* ⇒*subdued* ⟨licht⟩ ◆ 1.1 een ~e warmte *m. heat.*
geteut ⟨het⟩ 0.1 [getreuzel] *lingering* ⇒*dawdling* 0.2 [geklets, geouwehoer] *chatter* ⇒*babble.*
getheoretiseer ⟨het⟩ 0.1 *theorizing.*
getier ⟨het⟩ 0.1 *howl(ing)* ⇒*roar(ing)* ◆ 1.1 gevloek en ~ *cursing and swearing, foul oaths.*
getierelier ⟨het⟩ 0.1 *warbling* ⇒*twittering.*
getij →getijde.
getijbal ⟨de (m.)⟩ 0.1 *tide ball.*
getijcentrale ⟨de⟩ 0.1 *tidal power-station/ -plant.*
getijde, getij ⟨het⟩ (→sprw. 32) 0.1 [tij] *tide* ⟨voor voorbeelden in deze bet.→tij⟩ 0.2 [⟨mv.;r.k.⟩] *hours* ◆ 3.2 de getijden bidden *say divine office.*
getijdenbeweging ⟨de (v.)⟩ 0.1 *tidal movement* ⇒*movement of the tides.*
getijdenboek ⟨het⟩ ⟨r.k.⟩ 0.1 *book of hours* ⇒*breviary.*
getijdenenergie ⟨de (v.)⟩ 0.1 *tidal energy/ power.*
getijdengebied ⟨het⟩ 0.1 *tidal waters* ⇒*tidal area/ region,* ⟨AE ook⟩ *tidewater.*
getijdenkracht ⟨de⟩ 0.1 *gravitational pull.*
getijgerd ⟨bn.⟩ 0.1 *tiger-striped* ⇒*brindled* ⟨hond⟩, *tabby* ⟨kat⟩.
getijhaven ⟨de⟩ 0.1 *tidal harbour/ port/ dock.*
getijlicht ⟨het⟩ 0.1 *tidal light.*
getijmeter ⟨de (m.)⟩ 0.1 [mbt. het aflezen v.d. hoogte v.d. waterspiegel] *tide-gauge/* ⟨AE ook⟩ *-gage* 0.2 [mbt. het meten van getijbewegingen] *tide-gauge/* ⟨AE ook⟩ *-gage.*
getijrivier ⟨de⟩ 0.1 *tidal river.*
getijsluis ⟨de⟩ 0.1 *tidal/ tide lock/ gate/ sluice.*
getijstroom ⟨de (m.)⟩ 0.1 *tidal current/ stream.*
getijtafel ⟨de⟩ 0.1 *tide-table.*
getik ⟨het⟩ 0.1 ⟨klok⟩ *tick(ing);* ⟨met vinger enz.⟩ *tapping, rapping;* ⟨van breinaalden⟩ *click(ing).*
getikt ⟨bn.⟩ 0.1 [idioot] *crazy* ⇒*cracked, crackers, nuts, loon(e)y, round the bend* 0.2 [getypt] *typed* ◆ 1.1 zij is een beetje ~ *she's a bit crazy* 2.1 hij is compleet ~ *he's completely round the bend/ completely off his rocker, he's stark/ raving bonkers* ¶.1 van lotje ~ ⟨zijn⟩ *(be) crazy/ cracked/* ⟨enz.⟩.
getiktak ⟨het⟩ 0.1 *tick(ing)* ⇒*tick-tock, pitapat, pitpat.*
getimmerte ⟨het⟩ 0.1 [timmerwerk] *(piece of) carpentry* 0.2 [stellage] *stage* ⇒*structure.*
getingel ⟨het⟩ 0.1 ⟨op harp, banjo enz.⟩ *plunk, plank;* ⟨op piano⟩ *tinkling.*
getinkel ⟨het⟩ 0.1 *tinkling* ⇒*tinkle.*
getinneerd ⟨bn.⟩ 0.1 *crenellated* ^*elated* ⇒*embattled, battlemented* ◆ 1.1 een ~e poort *a c. / embattled/ battlemented gateway.*
getint ⟨bn.⟩ 0.1 *tinted* ⇒*dark* ◆ 1.1 een bril met ~e glazen *dark/ t. glasses.*
getintel ⟨het⟩ 0.1 [het tintelen van koude] *tingling* 0.2 [geflonker] *twinkle* ⇒*twinkling, sparkle, sparkling.*

getiteld ⟨bn.⟩ 0.1 [boek, film enz.] *entitled* 0.2 [van personen, een titel voerend] *titled.*
getjilp ⟨het⟩ 0.1 *chirping* ⇒*chirrupping.*
getob ⟨het⟩ 0.1 [gepieker] *worry(ing)* ⇒*brooding* 0.2 [gezwoeg] *drudgery* ⇒*toil(ing)* 0.3 [moeite (met)] *trouble/ bother (with).*
getoeter ⟨het⟩ 0.1 *hoot(ing), honk(ing), beep(ing)* ⟨van claxon⟩ ⇒*toot(le)* ⟨van toeter⟩.
getogen ⟨bn.⟩ ◆ 2.¶ op het (platte)land geboren en ~ *born and bred in the country;* ⟨ook scherts.; m.⟩ *a son of the soil;* ik ben in Londen geboren en ~ *I'm a Londoner, born and bred.*
getokkel ⟨het⟩ 0.1 [het tokkelen op snaarinstrumenten] *plucking of (the) strings;* ⟨zonder bep. melodie⟩ *strumming, thrumming; pizzicato* ⟨viool⟩ 0.2 [muziek daarvan] *the sound of plucked strings* ⇒*guitar/ harp/* ⟨enz.⟩ *music,* ⟨zonder bep. melodie⟩ *strumming, thrumming, pizzicato* ⟨viool⟩.
getortel ⟨het⟩ 0.1 *murmuring sweet nothings* ⇒*billing and cooing.*
getourmenteerd ⟨bn.⟩ 0.1 *tormented* ⇒*agonized* ◆ 1.1 een ~e gezichtsuitdrukking *a t. expression.*
getouw ⟨het⟩ 0.1 *loom* ◆ 6.1 iets op ⟨fig.⟩ zetten ⟨fig.⟩ *start/ launch sth., set sth. up, get sth. going/ off the ground;* op het ~ ⟨fig.⟩ *on the drawing-board, on the stocks, at the blueprint/ draft stage.*
getover ⟨het⟩ 0.1 [het (telkens) toveren] *magic (tricks)* ⇒⟨goochelen⟩ *conjuring (tricks)* 0.2 [iets toverachtigs] *(piece of) magic* ◆ 2.1 ⟨fig.⟩ het is een heel ~ *it's quite a conjuring trick, there's quite a knack to it.*
getraind ⟨bn.⟩ 0.1 *trained* ◆ 1.1 ~e skilopers 3.1 ~ zijn goed ~ lichaam hebben *have a well-t. body, be very fit* 6.1 in iets ~ zijn *be t. in sth..*
getralied ⟨bn.⟩ 0.1 *latticed* ⇒*grated,* ⟨om ontsnapping te voorkomen⟩ *barred,* ⟨mbt. planten⟩ *trellised* ◆ 1.1 een ~ hek *a railing/ a grating, railings, /* ⟨vóór toegang⟩ *a grated door/ gate;* ⟨van lift⟩ *a grille;* een ~ venster *a l. / grated window;* *a barred window.*
getrappel ⟨het⟩ 0.1 *tramp* ⇒*trample* ⟨van voeten⟩, *patter, clatter* ⟨van hoeven⟩.
getrapt ⟨bn.⟩ 0.1 *multi-stage* ⟨raketten enz.⟩ ⇒*indirect* ⟨verkiezingen⟩ ◆ 1.1 ~e steekproeftrekking *m. -s. sampling.*
getreiter ⟨het⟩ 0.1 *vexation* ⇒*nagging, teasing, badgering, baiting.*
getreuzel ⟨het⟩ 0.1 *dawdling* ⇒*loitering, dilly-dally(ing), foot-dragging,* ⟨BE; sl.⟩ *miking.*
getrippel ⟨het⟩ 0.1 *tripping* ⇒*tittup(ping)* ⟨van hoge hakjes⟩, *patter, pit(a)pat* ⟨van voetjes⟩.
getroebleerd ⟨bn.⟩ ⟨schr.⟩ 0.1 *disturbed* ⇒*deranged.*
getroffen ⟨bn.⟩ 0.1 [door een schot geraakt] *hit* ⇒*struck* 0.2 [ontroerd] *moved (by)* ⇒*touched (by),* ⟨aangt.⟩ *touched by* 0.3 [door een onheil aangetast] *stricken* ⇒*afflicted* ◆ 1.3 de door bombardementen ~ dorpen *the bombed/ blitzed villages;* het ~ gebied *the s. area;* de ~ ouders *the s. / afflicted/* ⟨mbt. dood ook⟩ *bereaved parents* 3.1 ~ viel hij neer *he fell to the ground, h. by a bullet; a bullet brought him down* 5.1 dodelijk ~ zijn *be fatally h. / wounded* 5.3 zwaar ~ zijn *be deeply afflicted/ grieved* 6.2 ik ben ~ door die reactie *I am m. / touched/ upset by that response;* tot in de ziel ~ *touched to the depths of one's soul* 6.3 door een zonnesteek/ ⟨als⟩ door de bliksem ~ *laid low by sunstroke, thunderstruck.*
getroffene ⟨de (m.)⟩ 0.1 [door een onheil getroffen iem.] *victim* 0.2 [door een schot geraakt iem.] *victim* ⇒*person hit/ shot* ◆ 1.1 de ~n van de watersnoodramp *the flood victims.*
getrokken ⟨bn.⟩ 0.1 [door trekken gevormd] *drawn* 0.2 [mbt. vuurwapens/ kanonnen] *rifled* 0.3 [van vorm veranderd] *warped* 0.4 [mbt. het gelaat] *drawn* ◆ 1.1 ~ ijzerdraad *d. wire* 1.2 met ~ loop *with a r. barrel, rifle-barrelled* 1.3 dat hout is ~ *that wood is/ has w.* 1.¶ met ~ messen *with daggers in their hand, with their daggers drawn.*
getroost ⟨bn., bw.; -ly⟩ 0.1 *calm* ⇒*resigned* ◆ 3.1 hij wachtte ~ zijn lot af *he resigned himself to his fate, he calmly awaited his fate/ lot.*
getroosten ⟨wk.ww.; zich ~⟩ 0.1 [gewillig doorstaan, geven] *undergo* ⇒*suffer,* ⟨inf.⟩ *put up with* 2.1 [zich schikken in] *resign o.s. to, submit to* ⇒*suffer* ◆ 1.1 zich veel moeite ~ *take great pains, go to great lengths;* zich de grootst(e) (mogelijke) moeite ~ *go to great lengths/ any lengths;* zich (de) moeite ~ (om iets te doen) *take (the) trouble/ put o.s. out (to do sth.);* zich ontberingen ~ *u. / suffer/ put up with deprivation;* zich opofferingen ~ *u. sacrifices* 6.2 zich in zijn/ haar lot ~ *resign o.s. to one's fate.*
getrouw
I ⟨bn.⟩ 0.1 [nauwkeurig, betrouwbaar] *faithful* ⇒*true* 0.2 [trouw] *faithful* ⇒*loyal, true, constant, steadfast* 0.3 [zich nauwgezet houdend aan] *faithful* ⇒*true* ◆ 1.1 een ~ kopie (zijn van) *(be) a f. / true copy (of);* een ~ relaas *a f. / true account;* een ~e vertaling *a f. translation;* ~e weergave/ beschrijving *f. representation/ description,* ⟨ook⟩ *mirror image* 3.3 zijn afspraak ~ blijven *be f. / true to one's word;*
II ⟨bw.⟩ 0.1 [met trouw/ ijver] *faithfully* ⇒*loyally,* ⟨betalingen enz.⟩ *reliably* ◆ 3.1 iem. ~ dienen *serve s.o. f. / loyally.*
getrouwd ⟨bn.⟩ 0.1 *married* ⇒⟨schr. of in samenst.⟩ *wed(ded)* ◆ 1.1 het ~e leven *m. life;* er met een ~ man/ vrouw vandoor gaan *run off with a m. man/ woman* 3.1 ⟨fig.⟩ zo zijn we niet ~ *that wasn't what we said/ what we agreed on (at all);* ⟨fig.⟩ aan/ met iets/ iem. niet ~ zijn

not be tied to sth. / s.o. **5.1** hij is gelukkig ~ *he is happily m.;* het pas ~e stel *the newly-wed(ded) couple, the newly-weds* **6.1** ⟨fig.⟩ hij is~ **met** zijn werk *he's m. to his work.*

getrouwde ⟨de (m.)⟩ **0.1** *married man* ⟨m.⟩ / *woman* ⟨v.⟩ ◆ **1.1** ~n en ongetrouwden *the married and the single* **5.1** de pas~n *the newly-weds.*

getrouwe ⟨de (m.)⟩ **0.1** *faithful follower / supporter / servant /* ⟨enz.⟩ ◆ **2.1** een oude ~ *an old retainer.*

getrouwelijk ⟨bw.⟩ **0.1** *faithfully* ⇒*to the letter, strictly* ◆ **3.1** hij volgde ~ de bevelen op *he followed the orders f. / to the letter/strictly.*

getrouwheid ⟨de (v.)⟩ **0.1** [betrouwbaarheid, nauwkeurigheid] *faithfulness* ⇒*fidelity* **0.2** [loyaliteit] *loyalty* ⇒*allegiance* ◆ **1.2** de eed van ~ afleggen *take the oath of l. / allegiance* **6.1** de vertaling laat **aan** ~ veel te wensen over *the faithfulness of the translation leaves much to be desired.*

getrouwheidspremie ⟨de (v.)⟩ ⟨AZN⟩ **0.1** *conversion premium.*

getto ⟨het⟩ **0.1** [woonkwartier] *ghetto* **0.2** [⟨gesch.⟩ jodenkwartier] *ghetto.*

gettopositie ⟨de (v.)⟩ **0.1** *ghetto situation.*

getuf ⟨het⟩ **0.1** *chugging* ⇒⟨inf.⟩ *chug-chug.*

getuigd ⟨bn.⟩ **0.1** [met een tuig/ toom] *harnessed* ⇒*in harness* **0.2** [van een tuigage voorzien] *rigged* ◆ **2.2** langsscheeps ~ *fore and aft rigged;* provisorisch ~ *jury-rigged;* vierkant ~ *square-rigged* **8.2** ⟨fig.⟩ hij is ~ als een Portugees schip *he looks like a scarecrow;* ⟨inf.⟩ *he looks as though he's been pulled through a hedge backwards.*

getuige[1]
I ⟨de (m.)⟩ **0.1** [iem. die tegenwoordig is bij een handeling/gebeurtenis] *(eye)-witness* ⇒*bystander* **0.2** [⟨jur.⟩] *witness* **0.3** [iem. die tegenwoordig is zonder erin betrokken te zijn] *witness* **0.4** [iem. waarop men zich beroept] *witness* **0.5** [⟨bijb.⟩ aanklager] *witness* **0.6** [⟨bijb.⟩ martelaar] *witness* ◆ **1.¶** Getuige van Jehova *Jehovah's Witness* **2.1** ⟨fig.⟩ een stille ~ (v.e. misdaad) *silent evidence (of a crime)* **3.2** een ~ oproepen *call a w.;* een ~ uithoren/ verhoren *hear/ examine a w.* **4.4** God is mijn ~ dat ik de waarheid spreek *as God is my w., I am speaking the truth; so help me God, I am speaking the truth* **6.1** ~n **bij** een huwelijk *witnesses at a wedding;* **ten** ~ (waar)**van** in *w. (where)of;* ~ zijn **van** iemands geluk *be w. to/ she witnessed their happiness;* ~n **van** het ongeluk worden verzocht zich te melden *witnesses of the accident are requested / anyone who saw the accident is requested to get in touch with the police* **6.4 tot** ~ roepen/ nemen *call as a w. / to witness* **8.2** als ~ opgeroepen worden *be called as a w. / to witness;* als ~ verklaren/ bevestigen/ ondertekenen *witness;* als ~ toelaten *admit to give evidence* **¶.2** ~ à charge/à décharge *w. for the prosecution/ defence* [A]*se;*

II ⟨het⟩ **0.1** [getuigenis] *(character) reference* ⇒*testimonial* **0.2** [zaak/ omstandigheid die tot bewijs strekt] *evidence* ◆ **2.1** iem. van goede ~n voorzien *give s.o. good references* **6.2** ~n zijn **van** ... *bear witness to, be evidence of, attest to.*

getuige[2] ⟨vz.⟩ **0.1** *witness* ◆ **1.1** ~ de grote belangstelling is dat televisiestuk zeer populair *judging by the considerable amount of interest, that television play is very popular;* ~ het feit dat *w. the fact that.*

getuigen
I ⟨onov.ww.⟩ **0.1** [verklaring afleggen] *give evidence / testimony* ⇒*testify (to), bear witness (to), attest (to)* **0.2** [spreken in het nadeel/ voordeel van] *speak* **0.3** [tonen, blijk geven] *be evidence/a sign (of)* ⇒*show / indicate, testify / attest (to)* ◆ **2.1** vals ~ *give false evidence, bear false witness* **3.1** weigeren te ~ *refuse to give evidence, refuse to* [B]*go into the witness-box /* [A]*take the stand /* [A]*go into the stand;* ⟨mbt. zichzelf⟩ [A]*refuse to take the Fifth Amendment* **6.1 naar** waarheid ~ *truthfully say;* ~ **tegen/ voor** iem. *give evidence for/ against s.o.;* iem kunnen ~ *be able to testify/ bear witness/ attest to sth.;* **voor** de rechtbank ~ *give evidence in court* **6.2** alles getuigt **voor/ tegen** haar *everything speaks in her favour/ against her* **6.3** die daad getuigt **van** moed *that act shows courage;* dat zou **van** slechte smaak/ weinig kennis ⟨enz.⟩ ~ als ... *it would be bad taste/ it would be evidence/a sign of ignorance if ...;* dat getuigt **van** gezond verstand *that's / that shows common sense;*
II ⟨ov.ww.⟩ **0.1** [als getuige verklaren/ bevestigen] *testify (to)* ⇒*bear witness (to)* ◆ **4.1** iedereen kan dat ~ *everyone can t. / bear witness to this* **8.1** ~ dat men iets gezien heeft *t. / bear witness to having seen sth..*

getuigenbank ⟨de⟩ **0.1** *witness box / stand* ⇒⟨AE⟩ *stand,* ⟨sl.⟩ *peter.*

getuigenbewijs ⟨het⟩ **0.1** *oral testimony* ⇒*evidence of witnesses / of a witness, parol / oral evidence* ◆ **1.1** aanbod v.h. ~ *tender evidence* **2.1** mondeling/ schriftelijk ~ ⟨mondeling⟩ *parol evidence;* ⟨schriftelijk⟩ *affidavit* **3.1** door ~ aantonen/ bewijzen *prove by witnesses.*

getuigengeld ⟨het⟩ **0.1** *witness expenses* ⇒⟨voor reiskosten e.d.⟩ *conduct/subpoena money.*

getuigenis ⟨het, de (v.)⟩ **0.1** [kenteken, bewijs] *evidence* **0.2** [verklaring] *testimony* ⇒*evidence, statement* **0.3** [⟨bijb.⟩] *testimony* ◆ **3.2** ~ afleggen van *give t. / evidence of, attest / bear witness / testify to;* schriftelijk/ een valse ~ afleggen *testify in writing / by deposition, give false evidence;* iemands ~ afnemen *take s.o.'s evidence* **6.1 tot** ~ strekken van

---

be e. of, testify / bear witness / attest to **6.2 naar/ volgens/ op** ~ van *on the t. of;* ~ **van** iem. geven *give t. / evidence / make a statement concerning s.o..*

getuigenverhoor ⟨het⟩ **0.1** *hearing / examination of witnesses* ◆ **3.1** een ~ afnemen *hear/ examine (the) witnesses* **6.1 uit** de getuigenverhoren blijkt *... after hearing all the evidence it appears that ..., it appears from the evidence that ....*

getuigschrift ⟨het⟩ **0.1** *certificate* ⇒*attestation, testimonial,* ⟨rapport⟩ *report,* ⟨personeel⟩ *reference* ◆ **1.1** ~ van bekwaamheid *c. of competence;* ~ van goed gedrag *c. of good behaviour / conduct* **2.1** iem. met uitstekende ~en *s.o. with excellent qualifications /* ⟨dienstbode enz.⟩ *references / credentials* **3.1** de leerlingen krijgen iedere maand een ~ van hun vorderingen *the pupils are given a monthly progress report;* een ~ uitreiken *present a c., graduate.*

getuit[1] ⟨het⟩ **0.1** *singing(, as in one's ears).*

getuit[2] ⟨bn.⟩ **0.1** *spouted.*

getureluur ⟨het⟩ **0.1** *warbling* ⇒*twittering.*

getut ⟨het⟩ ⟨inf.⟩ **0.1** *fuss(ing)* ⇒⟨BE ook⟩ *worriting.*

getverderrie ⟨tw.⟩ **0.1** *ugh!.*

getweeën ⟨hoofdtelw.⟩ ⟨schr. of AZN⟩ **0.1** *(the) two (of ...)* ◆ **4.1** wij ~ *the two of us, we two.*

getypt ⟨bn.⟩ **0.1** *typed* ◆ **1.1** ~e kopij *typescript.*

geul ⟨de (m.)⟩ **0.1** [smal water, kanaal] *channel* **0.2** [diep gedeelte v.e. vaarwater, doorvaart] *channel* **0.3** [greppel, goot] *trench* ⇒*ditch, gully* **0.4** [gleuf in vaste lichamen] *groove* ◆ **3.3** ~en maken in *channel, trench, groove.*

geünieerd ⟨bn.⟩ **0.1** *united* ◆ **1.1** ~e Grieken *Uniat Greeks;* lid v.e. ~e kerk *Uniat, member of a Uniat Church.*

geüniformeerd ⟨bn.⟩ **0.1** *uniformed.*

geur ⟨de (m.)⟩ **0.1** *smell* ⇒⟨schr.⟩ *odour,* ⟨aangenaam⟩ *perfume, scent, aroma* ◆ **1.1** een ~ van heiligheid *odour of sanctity;* ⟨fig.⟩ iets in ~en en kleuren vertellen *tell/ give all the (gory) details of sth.* **2.1** een aangename ~ *a pleasant smell, a perfume / scent / aroma;* heerlijke/ bedwelmende ~en *delicious / intoxicating smells* **3.1** de ~ opsnuiven van ... *sniff, scent;* een kwalijke ~ verspreiden / afgeven *send forth/ give off / release an unpleasant smell.*

geürbaniseerd ⟨bn.⟩ **0.1** *urbanized* ⇒⟨scherts.⟩ *citified, townified.*

geuren ⟨onov.ww.⟩ ⟨schr.⟩ **0.1** [geur verspreiden] *smell* **0.2** [pronken] *flaunt* ⇒ ↓*show off,* ↓*flash about/ around* ◆ **1.1** wat ~ die bloemen heerlijk *how lovely those flowers s.;* het ~ de hooi *the fragrant hay* **6.1 naar** koffie/ tijm ~ *s. of coffee, s. thymy/ of thyme* **6.2** wat geurt zij **met** haar nieuwe mantel *just look at her showing off her new coat;* **met** zijn kennis ~ *flaunt/ show off one's knowledge.*

geurig ⟨bn.⟩ **0.1** *fragrant* ⇒*sweet-smelling, aromatic,* ⟨schr.⟩ *odorous* ◆ **1.1** ~e bloemen *f. flowers;* ~e frambozen *sweet-smelling raspberries;* een ~e sigaar *an aromatic cigar.*

geurigheid ⟨de (v.)⟩ **0.1** *fragrance* ⇒*fragrancy, perfume, sweet smell.*

geurloos ⟨bn.⟩ **0.1** *odourless* ⇒⟨opzettelijk ook⟩ *odour-free.*

geürm ⟨het⟩ **0.1** *whining* ⇒*whimpering, wailing.*

geurmaker ⟨de (m.)⟩ **0.1** *swaggerer* ⇒*braggart, boaster, bouncer, swank(er).*

geurstof ⟨de⟩ **0.1** *aromatic substance* ⇒*artificial odour.*

geurtje ⟨het⟩ **0.1** [luchtje] *smell* **0.2** [parfum] *scent* ◆ **2.1** ... verdrijft alle kwalijke/ vieze ~s ... *removes all unpleasant / nasty smells* **3.1** hij heeft altijd zo'n ~ bij zich *he always smells* **3.2** iem. een ~ cadeau geven *give s.o. some s.* **¶.1** er is een ~ aan ⟨fig.⟩ *there's something fishy about it.*

geurvreter ⟨de (m.)⟩ **0.1** ⟨in schoen⟩ *odour-eater.*

geus[1] ⟨→sprw. 332⟩
I ⟨de (m.)⟩ **0.1** [⟨gesch.⟩] *Beggar* **0.2** [iem. die zich tegen het gevestigde gezag keert] *young turk* **0.3** [aanhanger van het protestantisme] *Protestant* **0.4** [⟨tech.⟩ gieteling] *pig;*
II ⟨de⟩ **0.1** [kleine vlag op de voorplecht] *jack.*

geus[2] ⟨bn.⟩ ⟨gesch.⟩ **0.1** *Protestant* ◆ **2.1** paaps of ~ *Papist or P..*

geut(e) ⟨de⟩ **0.1** [goot] *gutter* ⇒*drain* **0.2** [scheut/ je)] *shot* ⇒*dash.*

geuzelambiek ⟨de (m.)⟩ **0.1** *'geuzelambiek'* ⟨a kind of strong Brussels beer⟩.

geuzenlied ⟨het⟩ **0.1** *Beggars' song.*

geuzennaam ⟨de (m.)⟩ **0.1** ≠*(proud/ honorary) nickname* ⇒⟨erenaam⟩ *title,* ⟨bijnaam; schr.⟩ *sobriquet.*

geuzenpenning ⟨de (m.)⟩ ⟨gesch.⟩ **0.1** *Beggars' medal.*

geuzenvlag ⟨de⟩ **0.1** *Beggars' flag.*

gevaar ⟨het⟩ **0.1** [kans op onheil/ nadeel] *danger* ⇒*risk, hazard,* ↑*peril* **0.2** [hachelijke toestand] *danger* ⇒ ↑*peril* **0.3** [risico] *risk* ◆ **2.1** het gele/ rode ~ *the yellow/ red peril;* verborgen geva(a)r(en) *hidden danger(s)* **3.1** zich aan gevaren bloot stellen *expose o.s. to dangers / hazards / risks;* er dreigt ~ *d. threatens, there is d.;* hij is een ~ op de weg *he's a menace on the roads;* ~ lopen *be in d., run a risk / risks;* zorg ervoor dat ze geen ~ lopen *keep them out of harm's way;* geen ~ lopen *run no risk(s);* groot ~ lopen *run great risks / a great risk;* het ~ trotseren *defy d.;* ~ vermoeden/ ruiken/ bespeuren *scent d., see the red light;* ~ vormen/ opleveren (voor) *be/ constitute a d. / hazard (to);* (geen) ~ zien *see (no) d.* **3.2** het ~ is geweken *all clear* **3.3** het ~ lopen te, het ~ lopen dat *run the r. of, run the r. that* **6.1** in ~ komen *be threatened/jeopardized/in jeopardy/at risk/in d.*; **met** ~ **voor** eigen leven *at (the) risk of one's life*; **met** groot ~ **voor** *at great risk to*; opmerkzaam maken op het ~ **van** 〈ook〉 *caution/warn about, alert s.o. to the d. of*; hij is een ~ **voor** de maatschappij *he is a public d./hazard /threat/menace*; ~ **voor** brand/infectie *fire hazard; risk of infection*; het is niet **zonder** ~ *it is not without its dangers/risks* **6.2** de zieke is **buiten** ~ *the patient is out of d.*; **in** ~ verkeren *be in d./at risk*; iem./ iets **in** ~ brengen *endanger/jeopardize s.o./sth.*; de vrede is **in** ~ *peace is threatened, there is a threat to peace* **6.3 op** (het) ~ af *at (the) r. of* **7.1** er is geen ~ **bij** *there is no d./risk*; daar is geen enkel ~ **voor** *there's no d./risk/fear of that* **8.1** er bestaat (het) ~ dat *there is a risk that* **¶.1** pas op, ~! *beware, d.!*.

gevaarlijk
I 〈bn.〉 **0.1** [mbt. zaken] *dangerous* ⇒*hazardous, risky,* [↑]*perilous* **0.2** [mbt. personen] *dangerous* ♦ **1.1** ~(e) gebied/plek *danger area/spot*; een ~e kruising *d./hazardous crossroads*; de ~e leeftijd *the d. age*; een ~e reis *a d./hazardous/risky journey*; 〈sport〉 ~ spel *d. play*; een ~spelletje spelen *play a d. game, play with fire*; een ~e straat (om over te steken) *a d. street (to cross)*; zich op ~ terrein begeven *tread on thin ice*; ~e woorden *d./risky words* **1.2** een ~ sujet *a d. character* **2.1** een ~ uitziend mes *a d./vicious-looking knife* **3.1** weg wezen, het wordt ~! *get out of here, it's getting d.!* **6.1** ~ zijn **voor** *be d./a danger/a hazard/a threat to* **7.1** het ~e *the danger/risk, the d. thing*;
II 〈bw.〉 **0.1** [zó dat er gevaar bij is/ontstaat] *dangerously* ♦ **2.1** ~ ziek zijn *be d. ill* **3.1** ~ invoegen 〈ook〉 *cut in*; wat staat die vaas daar ~ *that vase is d. placed*.

gevaarsbord 〈het〉 **0.1** *danger/warning sign*.
gevaarsignaal 〈het〉 **0.1** *danger signal*.
gevaarte 〈het〉 **0.1** *monster* ⇒*colossus, hulk*, 〈inf.〉 *whopper* ♦ **4.1** wat een ~! *what a whopper!, what a whacking great thing!, isn't it huge!*.
gevaarvol 〈bn., bw.: -ly〉 〈schr.〉 **0.1** *perilous* ♦ **1.1** een ~e onderneming *a p. undertaking/venture*.
gevaccineerd 〈bn.〉 **0.1** *vaccinated* ⇒*inoculated*.
geval 〈het〉 **0.1** [vooral] *case* ⇒*affair* **0.2** [omstandigheden waarin iem. verkeert] *circumstances* ⇒*position, situation* **0.3** [omstandigheid] *case* ⇒*circumstances* **0.4** [vreemd voorwerp] *affair* ⇒*thing*, 〈tech. ook〉 *contraption, device, contrivance* **0.5** [toeval] *chance* ⇒*luck* ♦ **1.3** een ~ van cholera *a case of cholera* **2.1** een lastig ~ *an awkward c., a tough proposition*; een treurig/vreemd ~ *a sad/strange c./affair* **2.3** ernstige/lichte ~len (zieken, misdadigers) *serious/minor cases*; in het gunstigste ~ *at best, under the most favourable circumstances*; 〈med.〉 een hopeloos ~ *a hopeless case*; 〈scherts.〉 hij is een hopeloos ~ *he's a hopeless case, he's beyond saving*; het is een moeilijk ~ *it's a hard/tough case*; typisch ~ *typical instance*; in het uiterste ~ *at worst, if it comes to the worst, if the worst comes to the worst* **2.4** het hele ~ lag uit elkaar *the whole a./contraption was in pieces*; een ouderwets ~ 〈ook〉 *a period piece, sth. out of the ark* **3.1** neem het ~ Jansen *take the Jansen affair/business* **3.2** dat is met hem ook het ~, hij zit met hetzelfde ~ *he's in the same position, it's the same with him* **3.3** dat is meestal niet het ~ *that is not usually the case*; als dit het ~ is *if such is the case* **3.5** het ~ wilde *luck would have it (that), as luck would have it* **4.2** in uw ~ zou ik het nooit doen *in your position/if I were you I'd never do that* **6.1 van** ~ **tot** ~ (iets regelen/bekijken/de bijdrage vaststellen) *(arrange/ examine sth./ determine the contribution) c. by c.* **6.3** ik doe het **in** geen ~ *I won't do it on any account/under any circumstances*; **in** allen ~le *in any event, in any case*; **in** ~ van nood *in (the event of) an emergency, in case of emergency*; **in** dit ~ *in this case/instance*; **in** dat ~ *in that case, if it comes to that*; **in** geen ~ *under no circumstances, on no account*; zelfs **in** dat ~ *even then, even so*; **in** geen ~ zal ik toegeven *nothing will induce me to give in*; daar kun je **in** geen ~ onderuit *there's no way round it, you can't get out of it*; je kunt **in** ieder ~ zeggen *it's safe to say*; **in** beide/de meeste ~len *in either case, either way*; **in** most cases, mostly; **in** elk/ieder ~ *anyway, anyhow*; **in** ~ van oorlog/brand/ziekte *in the event of war/fire/illness*; **in** elk ~ bedankt voor de moeite *thanks all the same, in any case, thanks for the trouble*; **in** negen van de tien ~len *nine times out of ten*; **in** voorkomende ~len *as/when the occasion arises*; **in** het eerste/andere ~ *in the former case; otherwise; wij op jou wachten?, dat in geen ~! us wait for you?, not on your life!*; 〈inf.〉 *catch us waiting for you!*; **in** welk ~ *in which case, when, whereupon*; **in** enkele ~len *in some cases, occasionally*; een ~ **met** gelijke afloop *a fatal case*; **voor** het ~ dat *(just) in case* **6.4** wat heeft zij **voor** ~ op haar hoofd? *what sort of thing on her head is that?* **8.3** in het wel erg onwaarschijnlijke ~ dat *in the extremely unlikely event that*.
gevallen[1] 〈bn.〉 **0.1** *fallen* ♦ **1.1** een ~ vrouw *a f. woman* **7.1** de ~en (soldaten) *the soldiers killed in action*; 〈burgers〉 *the dead*; een monument voor de ~en van twee wereldoorlogen *a memorial to the f. of two world wars*.
gevallen[2] 〈onp.ww.〉 〈schr.〉 **0.1** *come about* ⇒ 〈bijb.〉 *come to pass, happen* ♦ **8.1** het geviel, dat ... *it so happened/ it came about that ...*.
gevalletje 〈het〉 **0.1** [vaag omschreven voorwerp] *affair* ⇒*thing(amajig)*, 〈tech. ook〉 *contraption, device, contrivance* **0.2** [penis] *willy* ~

〈kind〉 *pee pee* ♦ **2.1** wat een raar ~ *what a strange-looking a./ contraption* **5.1** wilt u ook zo'n ~? *would you like one of these thing(amajigs) too?*.
gevang 〈het〉〈AZN〉 **0.1** [gevangenis] *prison* ⇒*jail*, 〈BE sp.ook〉 *gaol*, 〈AE ook〉 *penitentiary* **0.2** [gevangenisstraf] *(im)prison(ment)* ⇒*prison/jail (sentence)*.
gevangen 〈bn.〉 **0.1** *caught* ⇒*captive*, 〈in gevangenis〉 *imprisoned* ♦ **1.1** nu is hij (een) ~ man 〈fig.〉 *now I've/we've got him where I/we want him*; 〈vulg.〉 *now I've/we've got him by the short and curlies* **3.1** zich ~ geven *give o.s. up, turn o.s. in*; ~ zitten/ 〈enz.〉 〈→gevangenzitten/ enz.〉.
gevangenbewaarder 〈de (m.)〉, **-ster** 〈de (v.)〉 **0.1** *(prison) warder* 〈m.〉; *(prison) wardress* 〈v.〉;[^]*prison guard* 〈m., v.〉 ⇒〈sl.〉 *screw* 〈m., v.〉.
gevangene 〈de (m.)〉 **0.1** [gevangen genomen persoon] *detainee* ⇒*arrested person/man/woman*, 〈niet door politie〉 *captive* **0.2** [gedetineerde] *prisoner* ⇒*convict* ♦ **2.2** een ontsnapte/ontslagen ~ *an escaped/released p./convict*; politieke ~n *political prisoners, prisoners of conscience* **3.1** u bent mijn ~ *you are under arrest*; de ~n uitleveren *turn over the detainees*.
gevangen(en)kamp 〈het〉 **0.1** *prison camp.*
gevangenhouden 〈ov.ww.〉 **0.1** *detain* ⇒*keep in confinement/prison/custody.*
gevangenhouding 〈de (v.)〉 **0.1** *imprisonment* ⇒*detention.*
gevangenis 〈de (v.)〉 **0.1** [gebouw] *prison* ⇒*jail*, 〈BE sp.ook〉 *gaol*, 〈AE ook〉 *penitentiary* **0.2** [gevangenisstraf] *(im)prison(ment)* ⇒*prison/jail (sentence)* **0.3** [bijb.] *ballingschap] *captivity* ♦ **1.2** er met twee maanden ~ van afkomen *get off with a two-month prison/jail sentence* **3.1** de ~ ingaan *go to prison/jail*; iem. uit de ~ ontslaan *release s.o. from prison/jail*; uit de ~ ontsnappen *escape from prison/jail, break out of prison/jail* **6.1** in de ~ zitten *be in prison/jail*; 〈inf.〉 *do time*; daarvoor kan je in de ~ komen *you can go to prison/jail for that, they can send you to prison/jail/they can jail you for that*; iem. **in** de ~ gooien *throw*/ 〈schr.〉 *cast s.o. into prison/jail*; hij belandt nog eens in de ~ *he'll finish up/end up/land up/wind up in prison/jail*; hij heeft tien jaar **in** de ~ gezeten *he's served ten years in prison/jail*, 〈inf.〉 *he's done ten years(' time), he's been inside for ten years.*
gevangenisboef 〈de (m.)〉 **0.1** *jailbird.*
gevangeniscomplex 〈het〉 **0.1** *prison complex.*
gevangeniskleren 〈zn.mv.〉 **0.1** *prison clothes/garments.*
gevangenisstraf 〈de (v.)〉 **0.1** *imprisonment* ⇒*prison/jail sentence, prison term* ♦ **1.1** tot één jaar ~ veroordeeld worden *be sentenced to one year's i.*; hij heeft twee jaar ~/ een fikse ~ gekregen *he got two years/a two-year sentence*; he got sentenced to a stiff term of i.; twee maanden ~ *ten months' i., a ten-month (prison) sentence* **2.1** levenslange ~ *life i.*; 〈inf.〉 *life* **3.1** ~ opgelegd krijgen *receive a prison sentence/term*; een ~ stellen op *make punishable by i.*; een ~ uitzitten *serve a prison sentence/term.*
gevangeniswezen 〈het〉 **0.1** *prison system* ⇒*prisons.*
gevangenmaken 〈ov.ww.〉 **0.1** *capture* ⇒*take prisoner/captive.*
gevangennemen 〈ov.ww.〉 **0.1** *arrest* ⇒〈ook mil.〉 *capture*, 〈schr.〉 *apprehend*, 〈mil.〉 *take prisoner/captive* ♦ **2.1** opnieuw ~ *recapture.*
gevangenneming 〈de (v.)〉 **0.1** *arrest* ⇒〈ook mil.〉 *capture*, 〈schr.〉 *apprehension.*
gevangenpoort 〈de〉 **0.1** *gatehouse.*
gevangenrol 〈de〉 **0.1** ≠*charge sheet* ⇒*prisoner's record.*
gevangenschap 〈de (v.)〉 **0.1** [het gevangenzitten] *imprisonment* ⇒*captivity* **0.2** [toestand waarin een gevangene verkeert] *captivity* ⇒ 〈bijb. ook〉 *bondage* ♦ **6.1 in** ~ *in prison, imprisoned, captive* **6.2** dieren in ~ *animals in c..*
gevangenwagen 〈de (m.)〉 **0.1** *prison(ers') van* ⇒[^B]*police van*, [^A]*patrol wagon*, 〈inf.〉 *Black Maria, paddy wagon.*
gevangenzetten 〈ov.ww.〉 **0.1** *imprison* ⇒*jail, incarcerate.*
gevangenzetting 〈de (v.)〉 **0.1** *imprisonment* ⇒*incarceration.*
gevangenzitten 〈onov.ww.〉 **0.1** *be in prison/jail.*
gevankelijk 〈bw.〉 **0.1** *as a prisoner, in(to) captivity* ♦ **3.1** hij werd ~ weggevoerd *he was led off into captivity.*
gevarendriehoek 〈de (m.)〉 **0.1** *warning/emergency triangle.*
gevarengeld 〈het〉, **gevarentoeslag** 〈de (m.)〉 **0.1** *danger money.*
gevarenklasse 〈de (v.)〉〈verz.〉 **0.1** *class of risk.*
gevarenzone 〈de〉 **0.1** *danger zone/area* ♦ **6.1** uit de ~ *out of the d. a./ fig. ook〉 *the fire line/ the wood(s).*
gevarieerd 〈bn.〉 **0.1** *varied* ♦ **1.1** de inzendingen zijn zeer ~ *the entries are extremely v.*; een ~ programma *a v. programme.*
gevat
I 〈bn.〉 **0.1** [ad rem, geestig] *quick(-witted)* ⇒*sharp, nimble-minded, nimble(-witted)* **0.2** [blijk gevend van gevatheid] *quick* ⇒*ready, sharp, smart, apt* ♦ **1.2** een ~ antwoord *a ready/quick/sharp/smart answer/retort*; een ~te opmerking *an apt comment*, 〈AE; inf.〉 *a zinger*;
II 〈bw.〉 **0.1** [op snedige wijze] *sharply* ⇒*smartly, readily, quickly, nimbly* ♦ **3.1** ~ antwoorden 〈ook〉 *give a sharp/* 〈enz.〉 *answer, come back (smartly).*
gevatheid 〈de (v.)〉 **0.1** *quick-/ sharp-wittedness* ⇒*nimble-mindedness, sharpness, ready wit.*

gevecht 〈het〉 **0.1** [〈mil.〉] *fight(ing)* ⇒*combat, action, engagement, encounter* **0.2** [tussen personen/dieren] *fight(ing)* ⇒*struggle* ◆ **2.1** een bloedig ~ *a bloody fight, bloody fighting/combat;* een hevig ~ *heavy/ fierce fighting, violent combat* **3.1** het ~ staken/beginnen *cease/open combat* **3.2** een eerlijk ~ leveren *make a clean fight of it, fight on equal terms;* het ~ winnen 〈ook〉 *have/get the best of a/the fight/ struggle* **6.1** iem. **buiten** ~ stellen *put/knock s.o. out of action;* **in** ~ met de vijand zijn *be in action/combat;* in het ~ brengen *engage* 〈troepen〉; een ~ **van** man **tegen** man *a man-to-man combat* **6.2 in** hevig ~ gewikkeld (met) *in close combat (with);* een ~ **op** leven en dood *a fight to the death, a life-or-death struggle.*

gevechtsactie →gevechtshandeling.

gevechtsafstand 〈de (m.)〉 **0.1** *distance between fighters/* 〈mil.〉 *combatants.*

gevechtsbommenwerper 〈de (m.)〉 **0.1** *fighter bomber.*

gevechtseenheid 〈de (v.)〉 **0.1** *fighting unit.*

gevechtservaring 〈de (v.)〉 **0.1** *fighting/combat experience* ⇒*action* ◆ **3.1** heb je ~? *have you seen action/been in action?.*

gevechtsformatie 〈de (v.)〉 **0.1** *order of battle* ⇒*battle-array.*

gevechtsgroep 〈de〉 **0.1** *task force/group.*

gevechtshandeling 〈de (v.)〉 **0.1** *action;* 〈mv.〉 *hostilities.*

gevechtshouding 〈de (v.)〉 **0.1** *fighting attitude.*

gevechtsklaar 〈bn.〉 **0.1** *ready for battle/action* ⇒〈inzetbaar〉 *operational* ◆ **3.1** een schip ~ maken *clear a ship for action;* het materieel werd ~ gehouden *the equipment was kept in combat readiness;* ~ zijn *be at action stations/in combat readiness.*

gevechtspak 〈het〉 〈mil.〉 **0.1** *battledress.*

gevechtssterkte 〈de (v.)〉 **0.1** *fighting strength.*

gevechtstas 〈de〉 **0.1** *haversack, knapsack.*

gevechtsterrein 〈het〉 **0.1** *combat/fighting zone/area* ⇒*battleground.*

gevechtstoren 〈de (m.)〉 **0.1** *turret.*

gevechtstroepen 〈zn.mv.〉 **0.1** *combat troops.*

gevechtsuitrusting 〈de (v.)〉 **0.1** *combat equipment* ⇒〈van soldaat〉 *battle-gear/kit.*

gevechtsvliegtuig 〈het〉 **0.1** *fighter (plane/aircraft)* ◆ **1.1** piloot v.e. ~ *fighter pilot.*

gevechtswaarde 〈de (v.)〉 **0.1** *fighting-power* ⇒〈van troepen〉 *effectiveness.*

gevechtswagen 〈de (m.)〉 **0.1** [tank] *tank* **0.2** [wagen van gemotoriseerde troepen] *armoured car.*

gevechtszone 〈de〉 **0.1** *battle/fighting zone/area.*

gevederd 〈bn.〉 〈schr.〉 **0.1** [met veren] *feathered* **0.2** [lijkend op een veer] *feathery* ◆ **1.1** onze ~e vrienden *our f. friends* **1.**¶ een ~e pen *a quill pen.*

gevederte 〈het〉 〈schr.〉 **0.1** *plumage* ⇒*feathers.*

geveerd 〈bn.〉 〈biol.〉 **0.1** *pinnate* ◆ **5.1** dubbel ~, drievoudig ~ *bipinnate, tripinnate;* even/oneven ~ *abruptly p., odd-pinnate.*

geveins 〈het〉 **0.1** *pretence* ^A*se* ⇒*feigning, dissimulation,* 〈huichelarij〉 *hypocrisy.*

geveinsd 〈bn.〉 **0.1** [voorgewend, gehuicheld] *pretended* ⇒*feigned, assumed, affected,* 〈inf.〉 *put-on* **0.2** [huichelachtig] *hypocritical* ⇒*false* ◆ **1.1** zijn excuus klinkt ~/ was maar ~ *his excuse sounds/rings hollow;* met ~e nederigheid *with false modesty* **1.2** ~e vrienden *false friends* **3.1** het was maar ~ *it turned out to be fake.*

geveinsdheid 〈de (v.)〉 **0.1** *hypocrisy* ⇒*dissimulation.*

gevel 〈de (m.)〉 **0.1** [voormuur] *(house)front* ⇒*façade* **0.2** [buitenmuur] *outside/outer wall* ◆ **2.1** terugspringende ~ *setback.*

gevelbelichting 〈de (v.)〉 **0.1** *illumination of a/the façade.*

geveldriehoek 〈de (m.)〉 **0.1** *gable;* 〈romeins enz.〉 *pediment, fronton.*

gevelgrauw 〈het〉 **0.1** *smooth brick.*

gevelhaak 〈de (m.)〉 **0.1** *s-(shaped) anchor.*

geveling 〈de (v.)〉 **0.1** *shifting board.*

gevelkachel 〈de〉 **0.1** *gas heater/stove (mounted against the outside wall).*

gevellijst 〈de〉 **0.1** *cornice.*

gevelspits 〈de〉 **0.1** *gable.*

gevelsteen 〈de (m.)〉 **0.1** [gedenksteen] *(memorial/stone) tablet* **0.2** [mooie baksteen] *facing brick.*

geveltoerist 〈de (m.)〉 **0.1** *cat burglar.*

geveltop 〈de (m.)〉 **0.1** *gable.*

gevelveld 〈het〉 **0.1** *tympanum.*

geven 〈→sprw. 45,177, 180,233, 491,586,675〉
I 〈onov., ov.ww.〉 **0.1** [schenken] *give* ⇒〈geld ook〉 *donate* **0.2** [aanreiken] *give* **0.3** [ter beschikking stellen] *give* **0.4** [toebrengen] *give* **0.5** [toekennen] *give* ⇒ †*grant* **0.6** [veroorzaken] *give* **0.7** [opleveren] *give* ⇒*bring* ◆ **1.1** een cadeau ~ *g. a present;* iets cadeau ~ *make a present of sth., g. sth. as a present; g. sth. away;* 〈fig.〉 zij gaf hem haar hand *she gave him her hand;* 〈fig.〉 zijn hart aan iets ~ 〈ook〉 *put one's heart into sth.;* 〈fig.〉 iem. zijn zin ~ *let s.o. have his way* **1.2** geef mij maar een glaasje wijn *let me have/I'll think I'll have a glass of wine;* geef mij nog een glas bier *let me have another beer;* geef mij maar Parijs *g. me/I'll take Paris (any day);* geef dat potlood hier! *g. / hand me that pencil!;* kunt u me de secretaresse even ~? *could you please let me have/talk to the secretary?;* 〈scherts.〉 geef die

boer een stoel *did you speak/say sth.?, I beg your pardon!;* kun je me het zout ~? *can/could you g. me/let me have/pass me the salt?* **1.3** geef acht! *attention!;* zich een air ~ *g. o.s. airs, swank;* iem. een arm ~ *g. s.o. one's arm;* iem. bericht ~ *notify/inform s.o., send s.o. word;* een kind de borst ~ *nurse/suckle/breast-feed a baby;* 〈fig.〉 ik geef geen cent meer voor zijn leven *I wouldn't g. a penny/^Acent for his life;* ik geef er een gulden voor *I'll g. a guilder for it;* iem. een hand ~ *shake hands with s.o.;* kennis ~ van *announce sth.;* 〈jur.〉 g. *notice of;* zijn leven ~ *g. one's life;* zich moeite ~ om *take the trouble over/to;* zijn stem ~ aan *g. one's vote to, vote for;* hij gaf zich de tijd niet om te eten *he didn't take time to eat;* het goede voorbeeld ~ *set a good example;* iem. vuur ~ *g. s.o. a light* **1.4** iem. complimentjes ~ *pay s.o. compliments, compliment s.o.;* iem. last ~ *instruct s.o., g. s.o. instructions;* les ~ *teach;* iem. een lesje ~ *teach s.o. a lesson;* de rechter gaf hem vijf maanden *the judge gave him five months;* iem. een pak slaag ~ *g. s.o. a beating;* 〈in elkaar slaan ook〉 *beat s.o. up;* een paard de sporen ~ *spur on a horse;* het huis een verfje ~ *g. the house a coat/lick of paint;* iem. de verzekering ~ dat ... *assure s.o. / g. s.o. an assurance that ...;* vorm aan iets ~ *g. sth. form* **1.5** iem. de eer ~ die hem toekomt *give s.o. his due;* aan de oproep gehoor ~ *respond to the appeal;* iem. gelijk ~ *think (that) s.o. is right, agree with s.o.;* 〈inf.〉 *back s.o. up,* 〈jur. e.d.〉 *decide in s.o.'s favour;* iem. de schuld ~ *blame s.o., put the blame on s.o.;* 〈sport〉 een vrije trap ~ *give a free kick;* je zou hem geen vijftig ~ *you'd never think he was fifty* **1.6** aanstoot ~ *g. offence* ^A*se;* de doorslag ~ *tip the scales, clinch/settle it/the matter;* een feest ~ 〈ook〉 *have/throw a party;* hoop ~ *hold out hope, raise hopes;* de kou gaf haar een kleur *the cold brought colour to her cheeks/face;* dat geeft maar praatjes *that will only start tongues wagging;* een schreeuw ~ (*g. a) scream;* de laatste snik ~ *g. one's last gasp;* de deur gaf toegang tot de tuin *the door gave access to/opened onto the garden;* vuur ~ *fire* **1.7** dat geeft een gemiddelde van 20 *that gives/you get an average of 20;* de koe geeft geen melk meer *the cow doesn't g. milk any more/any more milk* **1.**¶ dat geeft geen pas *that is not proper/becoming, not done* **2.3** het spel gewonnen ~ *concede the game* **3.1** 〈kaartspel〉 wie moet er ~? *who's deal is it?;* weten te ~ en te nemen *know how to g. and take* **3.2** iem. te drinken ~ *g. s.o. a drink/sth. to drink* **3.6** dat verhaal geeft te denken *that story makes you think/gives you food for thought* **3.**¶ ik geef het je te doen *you wouldn't cope with it either* **4.1** zich helemaal aan iets ~ *g. s.o. entirely (over) to sth.; throw o.s. right into sth.* 〈werk, enz.〉 **4.2** hij gaf het aan haar 〈BE ook〉 *he gave it her /gave her it;* hij wilde het me niet ~ 〈ook〉 *he wouldn't let me have it* **4.3** ik zou heel wat willen ~ om te weten ... *I'd g. a lot to know ...;* zich volledig/met tegenzin aan iem. ~ *g. o.s. to s.o. completely/reluctantly* **4.**¶ zich helemaal ~/ alles ~ *give it everything one's got, go all out* **5.1** dan geef ik er nog een autoradio bij *I'll throw in a car radio too;* 〈kaartspel〉 er is verkeerd gegeven *there's been a misdeal* **5.2** geef hier dat geld *g. me that money* **5.3** iets er aan ~ *g. sth. up;* 〈mbt. activiteit, belang; inf.〉 *chuck sth. (in), pack sth. in;* 〈mbt. activiteit ook〉 *jack sth. in;* 〈mbt. een positie〉 *throw sth. in;* 〈mbt. activiteit〉 *throw sth. up;* 〈ophouden met〉 *pack sth. up* **6.1** daar geef ik geen cent/geen barst om *I couldn't care less/couldn't care/give a* 〈BE ook〉 *tuppenny) damn about that* **6.3** woorden **bij** een vertaling ~ *g. words in a translation* **6.4** 〈inf.〉 iem. **op** zijn donder/duvel/lazerij ~ *g. s.o. a thumping/walloping,* 〈fig.〉 *give s.o. what for, give s.o. sth. to remember* **6.**¶ iem. iets **op** zijn brood ~ *give s.o. sth. to remember, show s.o. a thing or two;* iets **ten** beste ~ *give/offer sth.;* 〈sport〉 de bal werd **uit** ge~ *the ball was given out* **¶.1** het is zaliger te ~ dan te ontvangen *it is better to g. than to receive;* geef ons heden ons dagelijks brood *g. us this day our daily bread;* het was hem niet gegeven, zijn vader nog levend te zien *it was not (to be) given/granted to him to see his father alive again* **¶.2** geef op! *(come on,) hand it over!;* 〈inf.〉 *g. it here!* **¶.3** de dokter geeft er wel wat voor *the doctor will have sth. for it* **¶.4** iem. ervan langs ~ *let s.o. have it* **¶.**¶ niet thuis ~ 〈niemand wensen te ontvangen〉 *not be in (to callers), say one is out;* 〈niet reageren〉 *take no notice, not respond;* 〈niet mee willen doen〉 *show no interest;* 'm van Jetje/katoen ~ *give s.o. what for, let s.o. have it;*

II 〈onov.ww.〉 **0.1** [gesteld zijn op] *be fond of* ⇒*be keen on* **0.2** [erg/hinderlijk zijn] *matter* ◆ **4.2** wat geeft het? *what does it m.?, who cares?;* dat geeft niks *it doesn't m. a bit/at all* **5.2** dat geeft niet, hoor *it doesn't m., it's all right, I/we don't mind* **5.**¶ het geeft niet welke *it doesn't matter which, any (one) will do* **6.1** hij gaf veel **om** zijn dochter *he was very fond of his daughter;* niets/geen cent **om** iem./ iets ~ *not care a thing about s.o. / sth.*

gever 〈de (m.)〉 **0.1** *giver* ⇒*donor,* 〈kaartspel〉 *dealer* ◆ **1.1** de Gever van alle goeds *the Giver of all good things* **2.1** een gulle ~ *a liberal/ generous g.* **¶.1** 〈kaartspel〉 wie is de ~? *who is dealing?.*

gevergeerd 〈bn.〉 **0.1** *laid* ◆ **1.1** ~ papier *l. paper.*

geverseerd 〈bn.〉 **0.1** *versed (in)* ⇒*conversant (with), proficient (in/at).*

geverseerdheid 〈de (v.)〉 **0.1** *proficiency (at/in)* ⇒*skill (in).*

gevest 〈het〉 **0.1** *(sword) hilt.*

gevestigd 〈bn.〉 **0.1** [vaststaand] *established* ⇒*settled, fixed* **0.2** [sinds lange tijd bestaand] *(long-/old-)established* ⇒*long-standing, of long standing* ◆ **1.1** een ~e mening *a fixed firm opinion;* een ~e reputatie *a (well-)established reputation;* ⟨geldw.⟩ een ~e schuld *a funded debt/ liability* **1.2** ~e belangen *vested interests;* de ~e macht the *Establishment;* een ~e naam *an old name;* de ~e orde *the e. order;* een ~e zaak *a (well-)established business;* ⟨fig.⟩ *a going concern.*

gevierd ⟨bn.⟩ **0.1** *celebrated* ◆ **1.1** een ~ dichter *an eminent/a c. poet;* een ~e schoonheid *a famous/c. beauty;* een ~e ster *a great/c. star.*

gevierendeeld ⟨bn.⟩ **0.1** [in vier stukken gehouwen/ getrokken] *quartered* **0.2** [⟨herald.⟩] *quartered* ⇒⟨bw.⟩ *quarterly, per cross* ◆ **6.2** ~ van zilver en zwart *q. of argent and sable.*

gevind ⟨bn.⟩ **0.1** [met vinnen] *finned* ⇒*finny* **0.2** [⟨plantk.⟩ mbt. blad] *pinnate(d)* ◆ **5.2** dubbel ~ *bipinnate;* even ~ *equally pinnate.*

gevingerd ⟨bn.⟩ **0.1** [met vingers] *fingered* ⇒*digitate(d)* **0.2** [⟨plantk.⟩ mbt. blad] *digitate(d)* ⇒*palmate(d).*

gevit ⟨het⟩ **0.1** *fault-finding* ⇒*cavilling, carping.*

gevitaminiseerd ⟨bn.⟩ **0.1** *vitaminized.*

gevlag ⟨het⟩ **0.1** *putting the flags out.*

gevlamd ⟨bn.⟩ **0.1** *flamed* ◆ **1.1** fraai ~ hout *beautifully grained/f. wood;* ~ satijn *moiré;* ~e zijde *watered silk.*

gevleesd ⟨bn.⟩ **0.1** *fleshy* ⇒*plump, stout, chubby* ◆ **1.1** zijn gelaat was niet zeer ~ *his face was rather bony.*

gevleid ⟨bn.⟩ **0.1** *flattered* ◆ **3.1** hij betoonde zich zeer ~ *he was clearly very f., he appeared very gratified;* zich ~ voelen *feel f..*

gevlekt ⟨bn.⟩ **0.1** *spotted* ⇒*specked, speckled,* ⟨vuil⟩ *stained,* ⟨bont gevlekt⟩ *mottled* ◆ **1.1** ~ fruit *speck(s), specked fruit;* de ~e hyena *the laughing/spotted hyena;* de ~e tijger *the spotted tiger, the leopard.*

gevleugeld ⟨bn.⟩ **0.1** *winged* ◆ **1.1** ~e insekten *w. insects;* ~e mier *ant-fly;* het ~e paard *the w. horse;* ⟨plantk.⟩ ~e stengel *w. / alate stem;* ~ wild *game fowl* **1.¶** ~e woorden *famous/w. words.*

gevlieg ⟨het⟩ **0.1** [het telkens vliegen] *flying* **0.2** [⟨fig.⟩] *rush(ing about).*

gevlij ⟨het⟩ ◆ **6.¶** (bij) iem. **in** het ~ komen *humour s.o., butter s.o. up, play/make/^shine up to s.o., toady to s.o.;* erin slagen (bij) iem. **in** het ~ te komen *manage to get into s.o.'s good books/graces, wind one's way into s.o.'s friendship/affections.*

gevloek ⟨het⟩ **0.1** *swearing* ⇒*cursing, bad/profane/strong language.*

gevlogen ⟨bn.⟩ **0.1** *flown* ⇒*gone* ◆ **1.1** de vogel is ~ *the bird is/has f..*

gevlokt ⟨bn.⟩ **0.1** *flaky.*

gevoeg ⟨het⟩ ⟨schr.⟩ ◆ **3.¶** zijn ~ doen *relieve o.s..*

gevoegd ⟨bn.⟩ ⟨jur.⟩ ◆ **1.¶** ~e partij *party joining/joined as co-plaintiff, party joined as co-defendant;* als ~e partij optreden *join/be joined as party to an action.*

gevoeglijk ⟨bw.⟩ **0.1** *properly* ⇒*suitably, decently* ◆ **3.1** hiermee zouden wij ~ kunnen eindigen *this might be a fitting way to end proceedings.*

gevoeglijkheid ⟨de (v.)⟩ **0.1** *propriety* ⇒*decency.*

gevoel ⟨het⟩ **0.1** [als zintuig] *touch* ⇒*feel(ing)* **0.2** [lichamelijke gewaarwording] *feeling* ⇒*sensation* **0.3** [innerlijke gewaarwording] *feeling* ⇒*sense* **0.4** [vatbaarheid voor emoties] *feeling(s)* ⇒*emotion(s)* **0.5** [besef] *sense* ⇒*feeling (for)* **0.6** [gevoeligheid, sentiment] *feeling* ◆ **1.6** geen greintje ~ hebben *not have a spark of f./ emotion* **2.2** een brandend ~ in de maag *a burning f./ sensation in one's stomach, heartburn;* ik vind het wel een lekker ~ *I like the f.;* een pijnlijk ~ *a painful f./ sensation* **2.3** een goed/rot ~ over iets hebben *feel good/ bad about sth.;* ik heb zo'n raar ~ van binnen *I feel so odd/I've got such an odd f. inside* **2.5** muzikaal ~ hebben *have a feeling for music;* ⟨inf.⟩ **be** musical **3.2** ik heb geen ~ meer in mijn vinger *my finger's gone numb, I can't feel my finger any more, I've got no f. left in my finger;* dieren hebben ook ~ *animals can also feel* **3.3** hij kon zich niet aan het ~ onttrekken dat ... *he couldn't help feeling that ...;* dat geeft zo'n lekker ~ *it's such a nice f.;* iem. het ~ geven dat ... *give s.o. the f./ make s.o. feel that ...;* ik heb zo het ~ dat ... *I've got a/the f. that ...;* dat ~ heb ik ook vaak *I often feel the same way myself;* het ~ hebben dat ... *have a/the f. that ...;* het ~ hebben erbij te horen *have a sense of belonging, feel one belongs;* ik ken dat ~ *I know the f.;* ken jij het ~ door iedereen uitgelachen te worden? *do you know what it's like/it feels like to be a laughing-stock?;* het onbehaaglijke ~ krijgen dat er iets niet klopt *get the unpleasant f. that sth.'s not right;* plotseling/ steeds vaker het ~ krijgen dat ... *suddenly feel/get the f./ feel more and more/get more and more of a f. that ...* **3.4** het ~ spreekt bij haar sterker dan het verstand *she lets her heart rule her head* **6.1 op** het ~ af *by feel/touch* **6.3 naar** mijn ~ *to my mind, to my way of thinking, I think (that);* wat voor ~ is het om 80 te zijn? *how does it feel/what is it like/ what does it feel like to be 80?;* een ~ van spijt *a f./ sense of regret* **6.4** zich door zijn ~ laten leiden *let o.s. be guided by one's feelings;* **op** zijn ~ afgaan *play it by ear;* **op** iemands ~ werken *work on s.o.'s feelings* **6.5** iemands ~ **van** eigenwaarde *s.o.'s s. of dignity, s.o.'s self-respect;* ~ **voor** schoonheid hebben *have a feeling for/a s. of beauty;* ~/ geen ~ **voor** verhoudingen/ humor hebben *have a/ no s. of proportion / humour* **6.6** hij las de verzen met ~ voor *he read the verses with f.* **8.2** een ~ hebben alsof je valt/moet overgeven *feel as if/ as though/* ⟨inf.⟩ *like you're falling/ you're going to be sick.*

gevoelen¹ ⟨het⟩ ⟨vnl. schr.⟩ **0.1** [emotie] *feeling* ⇒*emotion* **0.2** [gezindheid] *feeling* ⇒*sentiment* **0.3** [oordeel, mening] *feeling* ⇒*opinion, sense, sentiment* ◆ **1.2** met ~s van hoogachting *respectfully yours;* ~s

van spijt/trouw *feelings of regret/loyalty* **2.1** tegengestelde ~s *ambivalent/contradictory feelings;* vriendelijke ~s voor/jegens iem. koesteren *entertain friendly feelings towards s.o.* **2.3** gemengde ~s *mixed feelings;* zijn boek werd met gemengde ~s ontvangen *his book met with a mixed reception/was received with mixed feelings* **3.1** ~s onderdrukken *suppress feelings;* op iemands ~s werken *play upon s.o.'s feelings;* zijn ~s opkroppen *bottle/cork up one's feelings;* zijn ~s tonen *show one's feelings, act (out) one's emotions;* zijn diepste ~s uiten *lay bare one's heart/soul* **3.3** iemands ~s delen mbt./ omtrent *share s.o.'s sentiments on.*

gevoelen² ⟨schr.⟩

I ⟨ov.ww.⟩ **0.1** [voelen] ⟨ongemarkeerd⟩ *feel* **0.2** [ervaren] ⟨ongemarkeerd⟩ *feel* ⇒*sense, be sensible/alive to* ◆ **1.2** berouw ~ *repent;* deernis ~ met *f. compassion for/ on;* genegenheid ~ voor iem. *f. affection for s.o.;* lust ~ tot iets *f. like (doing) sth., have a mind to do sth.* **3.3** zijn aanwezigheid doen ~ *make one's presence felt* **8.3** hij gevoelde dat ... *he sensed that/was alive to the fact that ...;*

II ⟨wk.ww.;zich ~⟩ **0.1** [een gevoel hebben] *feel* ◆ **2.1** zich onwel ~ *not f. well.*

gevoelig

I ⟨bn.⟩ **0.1** [reagerend op indrukken/ gewaarwordingen] *feeling* ⇒*sensitive* **0.2** [ontvankelijk] *sensitive* ⇒*susceptible, impressionable,* ⟨lichtgeraakt⟩ *touchy* **0.3** [duidelijk voelbaar] *tender* ⇒*sore* **0.4** [lichtgevoelig] *(light-)sensitive* ⇒*sensitized* **0.5** [mbt. instrumenten] *delicate* ⇒*sensitive* ◆ **1.1** een ~ onderwerp omzeilen *avoid a touchy/ sore/emotive subject;* ⟨fig.⟩ iem. op zijn ~e plek raken *touch s.o. in/ on a tender place/spot, get s.o. where it hurts;* die plek/wond is (nog) ~ *that spot/wound is (still) t./ sore;* een ~ zenuwgestel *weak nerves* **1.2** een ~ hart *a susceptible heart;* een ~ mens *a sensitive person* **1.3** een ~e klap *a sore/ shrewd blow;* haar ego kreeg een ~e knauw *her ego got badly bruised;* een ~e koude *a bitter/severe cold;* een ~e nederlaag lijden *be heavily/sorely defeated, be crushed;* een ~e nederlaag *a heavy defeat* **1.4** iets op de ~e plaat vastleggen *photograph sth. / get sth. on film* **1.5** een ~e balans *sensitive scales;* ⟨fig.⟩ een ~e snaar bij iem. aanroeren *touch a string with s.o., pluck s.o.'s heart strings, hit/touch a nerve;* ⟨fig.⟩ een ~e snaar rakend *close to/ near home* **3.1** erg ~ zijn *have a thin skin* **3.2** hij is erg ~ op dat punt *he is very sensitive/ touchy/feels very strongly about that* **5.1** overdreven ~ zijn *be over-sensitive* **6.2** ~ **van** aard zijn *have a sensitive nature;* ik ben zeer ~ **voor** uw bereidwilligheid *I much appreciate your willingness;* ~ **voor** poëzie/vrouwelijk schoon *be susceptible/ alive to poetry/ beauty;*

II ⟨bw.⟩ **0.1** [op heftige wijze] *smartly* ⇒*sorely, sharply* **0.2** [met veel gevoel] *sensitively* ⇒*with (great) feeling* ◆ **3.1** dat doet ~ pijn *that really hurts* **3.2** dat is heel ~ gezegd *that was put very delicately.*

gevoeligheid ⟨de (v.)⟩ **0.1** [vatbaarheid voor indrukken, aandoenlijkheid] *sensitivity (to)* ⇒*susceptibility (to)* **0.2** [mbt. instrumenten] *sensitivity* ⇒*delicacy* **0.3** [prikkelbaarheid] *susceptibility (to)* ⇒*touchiness, soreness* **0.4** [mbt. film] *sensitivity* ◆ **1.2** de ~ van het gehoor *the s. of the ear* **2.1** een ziekelijke ~ voor kou *a pathological sensitivity to cold* **3.3** iemands ~ ontzien *consider s.o.'s feelings/susceptibilities.*

gevoeligheidscoëfficiënt ⟨de (m.)⟩ **0.1** *coefficient of sensitivity.*

gevoelloos

I ⟨bn.⟩ **0.1** [levenloos] *numb* ⇒*dead, benumbed* **0.2** [hardvochtig] *insensitive (to)* ⇒*unfeeling, callous, insensible (to)* ◆ **1.1** het been was/ raakte ~ *the leg was/became n.* **1.2** een ~ mens *an unfeeling/a heartless person;* gevoelloze naturen *heartless characters* **3.1** ~ maken ⟨voor pijn⟩ *ana(e)sthetize* **6.1** ~ **door** de kou *n./ benumbed with cold;*

II ⟨bw.⟩ **0.1** [hardvochtig] *unfeelingly* ⇒*heartlessly, callously* ◆ **3.1** hij spotte ~ met ons leed *he callously mocked our sorrow/ suffering.*

gevoelloosheid ⟨de (v.)⟩ **0.1** [levenloosheid] *numbness* ⇒*deadness* **0.2** [hardvochtigheid] *insensitivity* ⇒*callousness, heartlessness.*

gevoelsarm ⟨bn.⟩ **0.1** *insensitive.*

gevoelscontact ⟨het⟩ **0.1** *touch* ⇒*contact.*

gevoelsleven ⟨het⟩ **0.1** *emotional/ inner life.*

gevoelsmatig ⟨bn., bw.;-ly⟩ **0.1** *instinctive* ◆ **1.1** een ~e afkeer *an i. dislike* **3.1** iem. ~ afwijzen *reject s.o. by instinct/ instinctively.*

gevoelsmens ⟨de (m.)⟩ **0.1** *man/woman of feeling* ⇒*feeling/ emotional person,* ⟨sterk⟩ *sentimentalist.*

gevoelsmotief ⟨het⟩ **0.1** *emotional reason/ motive.*

gevoelsoverweging ⟨de (v.)⟩ **0.1** *sentiment(al reason/ consideration)* ◆ **6.1** uit ~ *on f. sentiment(al reasons).*

gevoelsreactie ⟨de (v.)⟩ **0.1** *emotional reaction.*

gevoelstoestand ⟨de (m.)⟩ **0.1** *state of mind* ⇒*emotional state.*

gevoelswaarde ⟨de (v.)⟩ **0.1** [affectiewaarde] *sentimental/ emotional value* **0.2** [⟨taal.⟩] *connotation* ◆ **3.1** deze dingen hebben alleen voor mij een zekere ~ *these things are of some sentimental value to me only.*

gevoelswereld ⟨de (v.)⟩ **0.1** *(the) emotions.*

gevoelszaak ⟨de⟩ **0.1** *emotional matter* ⇒*matter of sentiment,* ⟨kwestie van aanvoelen⟩ *matter of feeling* ◆ **3.1** (iets) tot een ~ maken *emotionalize (sth.).*

gevoelszenuw ⟨de⟩ **0.1** *sensory nerve.*

gevoelszin ⟨de (m.)⟩ **0.1** *feeling*.

gevoelvol ⟨bn.,bw.;-ly⟩ **0.1** *feeling* ⇒*intense, sensitive* ♦ **1.1** een ~ dichter *a sensitive poet;* op ~le toon *feelingly, with much/great f..*

gevoerd ⟨bn.⟩ **0.1** *lined* ♦ **1.1** ~e enveloppen *l. envelopes* **6.1** met bont ~ *fur-lined.*

gevogelte ⟨het⟩ **0.1** [vogels voor consumptie] *fowl* ⇒*poultry* **0.2** [⟨coll.⟩] *poultry* ⇒*birds, fowl* ♦ **1.1** wild en ~ *game and f.* **1.2** ⟨bijb.⟩ het ~des hemels *the fowl of the air, the birds of the air* **3.1** ~ schoonmaken *draw/dress f..*

gevoileerd ⟨bn.⟩ **0.1** *veiled* ⟨ook stem⟩; *dim, hazy* ⟨beeld⟩; ⟨foto.⟩ *fogged.*

gevolg ⟨het⟩ ⟨→sprw.481⟩ **0.1** [wat uit iets volgt]⟨vaak ongunstig⟩ *consequence* ⇒⟨vaak gunstig⟩ *result,* ⟨uitwerking⟩ *effect, outcome,* ⟨goed⟩ *success* **0.2** [personen die iem. begeleiden] *retinue* ⇒*train,* ⟨vero.⟩ *suite* **0.3** [⟨wisk.⟩] *corollary* ♦ **1.1** oorzaak en ~ *cause and effect* **1.2** de koningin en haar ~ *the queen and her suite* **2.1** heeft het ook financiële ~en? *will it have financial implications?;* met goed ~ examen doen *pass an exam;* iets doen met goed ~ *do sth. successfully/effectively/with good results;* met verstrekkende/onaangename ~en *with far-reaching/unpleasant consequences* **3.1** de ~en aanvaarden *take the consequences;* de ~en dragen (van), voor de ~en opdraaien *pay the penalty (of), stand the rocket;* ~ geven aan een uitnodiging *accept an invitation;* ~ geven aan een bevel *obey an order;* ~ geven aan een opdracht/plan *carry out instructions/a plan;* ⟨jur.⟩ geen ~ geven aan een zaak *not bring a matter before/take a matter (in)to court;* aan een besluit ~ geven *act upon/carry out a decision, put a decision into effect;* ~ geven aan een verzoek *comply with/grant a request;* ~ geven aan een advies *act upon an advice;* ~ gevend aan bepaalde wensen *in compliance with certain wishes;* ~ gevend aan een opdracht *in pursuance of/according to an instruction;* ~ gevend aan de oproep *in response to the appeal;* ~ gevend aan een bevel *in obedience to an order;* die zaak zal nog ~en hebben *we haven't heard the last of this, that is not the end of it;* geen ~en hebben *have no effect/result, be ineffective/unsuccessful;* (geen) nadelige ~en hebben voor iem.'s carrière/gezondheid *have (no) ill/adverse effects on s.o.'s career/health;* ik kan niet instaan voor de ~en *I cannot answer for the consequences;* geen nadelige ~en van iets ondervinden *be/feel none the worse (for sth.), suffer no ill effects from sth.;* de ~en zijn niet te overzien *the consequences cannot be estimated/are incalculable* **6.1 aan** de ~en van iets overlijden *die from/owing to the effects of sth.;* **met** alle ~en vandien *with all its consequences;* **ten** ~e als a result of, in c. of, owing/due to; **ten** ~e/**tot** ~ hebben *result in;* **ten** ~e daarvan *as a c./result;* de dood **ten** ~e hebben *result in death;* de ~en ondervinden **van** *suffer the consequences of;* het ~ zijn **van** *arise/result from, be the result of;* de ~en zijn **voor** jou(w rekening) *you must take/face the consequences;* **zonder** verdere ~en *without practical effect* **6.2 zonder** ~ *unattended* **8.1** met het als ~, met het ~ dat *resulting in, with the result that, the result being that.*

gevolgaanduidend ⟨bn.⟩ **0.1** *conclusive* ⇒*illative* ⟨ook taal.⟩, ⟨taal.⟩ *consecutive.*

gevolglijk ⟨bw.⟩⟨schr.⟩ **0.1** ⟨ongemarkeerd⟩ *hence* ⇒*consequently* ♦ **¶.1** de termijn is verstreken, ~ is hij verplicht te betalen *the term has expired, consequently he is bound to pay.*

gevolgtrekking ⟨de (v.)⟩ **0.1** *conclusion* ⇒*deduction, inference* ♦ **2.1** een gewaagde ~ *a dangerous c.;* een logische ~ is dan om …*a logical c. would be to …;* een onjuiste ~ *the wrong c./a paralogism;* overhaaste ~en maken *jump to conclusions/a c.* **3.1** zijn ~en maken *draw one's own conclusions;* een ~ maken uit *conclude/draw a c./an inference from;* tot een ~ komen (dat) *arrive at/reach the c. that.*

gevolmachtigd ⟨bn.⟩ **0.1** *authorized, having (full) power of attorney* ⇒ ⟨vnl. pol.⟩ *plenipotentiary* ♦ **1.1** een ~ minister *a minister plenipotentiary, an envoi;* een ~ persoon *an authorized person/agent/representative.*

gevolmachtigde ⟨de (m.)⟩⟨jur.⟩ **0.1** *authorized agent.*

gevorderd ⟨bn.⟩ **0.1** *advanced* ♦ **1.1** iem. van ~e leeftijd *a person of an a. age;* op ~e leeftijd *at an a. age, late in one's life;* in ~e staat van ontbinding verkeren *be in an a. state of decomposition;* wegens het ~e uur *because of the late hour* **6.1** ⟨zelfst.⟩ alleen voor ~en *for a. students only;* ⟨zelfst.⟩ een cursus voor ~en *an a. course.*

gevorkt ⟨bn.⟩ **0.1** [met de vorm van een vork/gaffel] *forked* ⇒⟨bi⟩furcate(d) **0.2** [⟨plantk.⟩] *forking* ⇒⟨bi⟩furcate(d) ♦ **1.1** ~e bliksemstralen *chain lightning;* een ~e drijfstang/krukas *a forked connecting rod/crankshaft.*

gevormd ⟨bn.⟩ **0.1** [met een bepaalde vorm] *-formed* ⇒(-)*shaped, -built, -made* **0.2** [volledig ontwikkeld] *fully formed* **0.3** [⟨r.k.⟩] *confirmed* ♦ **1.2** een ~ karakter *a fully developed character* **5.1** een stel fraai ~e benen *a pair of/some finely shaped/shapely legs;* een goed ~e neus *a regular nose* **5.3** niet ~ *unconfirmed.*

gevraagd ⟨bn.⟩ **0.1** *in demand* ♦ **1.1** een ~ artikel *an article that is much in demand/for which there is a great demand* **5.1** een veel ~ presentator *a (very) popular presenter;* een weinig ~ artikel ⟨AE inf. ook⟩ *a sleeper;* niet zeer ~ *not much sought-after.*

gevreesd ⟨bn.⟩ **0.1** *dreaded* ♦ **1.1** een ~ criticus *a feared critic;* het ~e ogenblik nadert *the d. moment is coming.*

gevrij ⟨het⟩ **0.1** *love-making* ⇒*billing and cooing,* ⟨inf.⟩ *cuddling, petting, necking.*

gevuld ⟨bn.⟩ **0.1** [mollig, dik] *full* ⇒*plump, filled out* **0.2** [van binnen volgemaakt] *stuffed* ⇒*filled* ♦ **1.1** een ~e boezem *a full bosom;* een ~ gelaat *a full/plump face* **1.2** ~e bonbons *chocolate creams;* ~e chocolade *soft-centred chocolate;* een ~e kies *a filled tooth;* ~e koek ≠*almond paste cake;* een ~e roomsoes *a s. cream puff;* ~e tomaten *s. tomatoes* **5.2** een goed ~e beurs *a heavy/well-lined purse.*

gewaad ⟨het⟩ **0.1** [(opper)kleed] *garment* ⇒*robe, gown, apparel* **0.2** [kledij] *dress* ⇒*garb, garment,* ⟨kerk.⟩ *vestment* ♦ **2.1** ⟨fig.⟩ het boek is in een keurig ~ gestoken *the book is produced in a fine style/handsomely;* een lang ~ *a (long) gown, a long robe;* een plechtig ~ *a stately robe/gown.*

gewaagd ⟨bn.⟩ **0.1** [gevaarlijk] *hazardous* ⇒*risky, chancy* **0.2** [gedurfd, pikant] *daring* ⇒*suggestive, fruity, risqué, outré* ♦ **1.1** een ~e onderneming *a h./risky/venturesome undertaking;* ~ spel spelen *play a bold/risky game;* een ~e sprong *a daring leap* **1.2** een ~e bak *a blue/an off-colour/a suggestive joke;* een zeer ~e film *a very d./risqué film;* een ~ japon *a d. dress;* een ~e stelling *a d./bold/* ⟨inf.⟩ *dodgy proposition;* een ~e toespeling *a suggestive remark* **¶.¶** aan elkaar ~ zijn *be well matched.*

gewaagdheid ⟨de (v.)⟩ **0.1** [gewaagd iets, dubbelzinnige uiting] *ambiguity* ⇒*equivocation* **0.2** [hoedanigheid] *daring* ⇒*riskiness, hazardousness.*

gewaand ⟨bn.⟩ **0.1** ⟨vermeend⟩ *supposed;* ⟨voorgewend⟩ *pretended, ostensible;* ⟨denkbeeldig⟩ *imagined* ♦ **1.1** een ~e vriend *a pretended/would-be friend.*

gewaarworden ⟨ov.ww.⟩ **0.1** [zien] *perceive* ⇒*observe, notice* **0.2** [merken, beseffen] *sense* ⇒*realize, find out, be aware of* **0.3** [ervaren] *sense* ⇒*sense, experience* ♦ **1.3** hij zal mijn wraak ~ *he shall f. my vengeance* **4.3** dat zal je ~! ⟨vnl. als AZN gebruikelijk⟩ *you'll soon find out, you'll cop it* **5.2** hij werd hun gespot met hem niet gewaar *he remained oblivious of/to their mockery* **¶.1** wij werden haar van verre gewaar *we noticed her from afar.*

gewaarwording ⟨de (v.)⟩ **0.1** [het gewaarworden van indrukken] *perception* **0.2** [indruk] *perception* ⟨ogen, oren⟩; *sensation, feeling, experience* ⟨anderszins⟩ ♦ **1.1** de ~ v.e. lichtschijnsel *the p. of light* **1.2** een ~ van weerzin en spijt *a feeling of repulsion and remorse* **2.2** een onaangename ~ *an unpleasant sensation/experience;* zinnelijke ~en *sensual perceptions/experiences.*

gewafeld ⟨bn.⟩ **0.1** *honeycomb(ed).*

gewag ⟨het⟩ **0.1** *mention (of)* ⇒*reference (to)* ♦ **3.1** hij maakte er geen ~ van *he didn't mention it/kept it quiet/kept quiet/silent about it;* ~ maken van *mention, report, make m. of, speak of;* er wordt één keer ~ van gemaakt *there is one reference to it, it is reported/mentioned once* **3.¶** de honden maakten ~ *the dogs gave tongue.*

gewagen ⟨onov.ww.⟩ **0.1** *mention* ⇒*speak (of), refer (to), report, make mention (of)/reference (to)* ♦ **6.1** de geschiedenis gewaagt **van** zijn heldendaden *history reports/makes mention of his bravery.*

gewapend ⟨bn.⟩ **0.1** [met wapens] *armed* ⇒*in arms* **0.2** [met bijzondere versterking] *armoured* ⇒*reinforced, assisted* **0.3** [⟨fig.⟩ versterkt, voorbereid] *armed* ⇒*protected, prepared* ♦ **1.1** ~ conflict *a. conflict;* ~ glas *armoured/wire glass;* de ~e macht *the a. forces, the military;* ~e neutraliteit *a. neutrality;* een ~e overval *an a. raid/hold-up, a robbery under arms;* ~ verzet *a. resistance, rebel forces;* ~e vrede *a. peace* **1.2** een ~e balk *a reinforced beam;* ~ beton *ferroconcrete, reinforced/armoured, concrete;* ~e kunststof *reinforced plastic* **1.3** met het ~ oog *with the assisted/aided eye* **3.1** hij was van top tot teen/tot de tanden ~ *he was a. to the teeth/cap-a-pie* **6.1** ⟨fig., scherts.⟩ met een fototoestel ~ *a. with a camera* **6.3** ~ zijn **tegen** de kou *be protected against the cold.*

gewapenderhand ⟨bw.⟩ **0.1** *by force of arms* ⇒*militarily* ♦ **3.1** de stad werd ~ ingenomen *the town was taken by force of arms* **¶.1** ~ tussenbeide komen *intervene militarily.*

gewas ⟨het⟩ **0.1** [bepaalde plant] *plant* **0.2** [gekweekte planten, vruchten] *crop(s)* ⇒*harvest, vintage* ⟨wijn⟩ **0.3** [al wat er groeit aan planten] *growth* ⇒*vegetation* **0.4** [⟨jacht⟩] *burr (rose)* **0.5** [uitwas] *excrescence* ♦ **2.1** kruipend ~ *creeper;* uitheemse ~sen *exotic plants* **2.2** vruchten van eigen ~ *home-grown fruit;* groenten van eigen ~ *home produce, home-grown vegetables* **3.2** het ~ staat goed *the crops are looking well* **6.¶** klein van ~ *small in size* **7.2** ~ 1971 *vintage 1971.*

gewassen ⟨bn.⟩ **0.1** *washed* ♦ **1.1** een ~ tekening *a wash drawing.*

gewast ⟨bn.⟩ **0.1** *waxed* ♦ **1.1** ~ linnen *waxcloth, oilcloth.*

gewaterd ⟨bn.⟩ **0.1** [mbt. stoffen] *watered* ⇒*moiré* **0.2** [mbt. diamanten] ⟨zie 5.2⟩ **0.3** [doortrokken met water] *waterlogged* ♦ **1.1** ~ satijn *moiré satin* **1.3** ~ hout *w. wood* **1.¶** dat spiegelglas is ~ *that mirror distorts* **5.2** een schoon ~e diamant *a diamond of a magnificent water.*

gewatteerd ⟨bn.⟩ **0.1** *quilted* ♦ **1.1** een ~e deken *a quilt, a comfort(able/or),* ⟨AZN⟩ een ~e omslag *a jiffy bag, a padded envelope;* ~e stof *a quilt(ed fabric).*

gewauwel ⟨het⟩ **0.1** *claptrap* ⇒*drivel, twaddle* ♦ **2.1** sentimenteel ~ *sentimental drivel.*

geweeklaag ⟨het⟩ **0.1** *wail(ing)* ⇒*lamentation(s), lament(ing)s, complaint(s), jeremiad(s).*

geween ⟨het⟩ **0.1** *weeping* ⇒*crying*.

geweer ⟨het⟩ **0.1** [vuurwapen] *rifle* ⇒*gun*, ↓*piece* **0.2** [⟨jacht⟩ schutter] *gun* ⇒[A]*gunman* ◆ **2.1** een enkelloops/ dubbel ~ *a single/ double-barrelled r.* **3.1** een ~ aanleggen *aim a r. / gun;* ⟨fig.⟩ naar het ~ grijpen *take up arms;* presenteer ~! *present arms!, at the present!;* het ~ presenteren *present arms;* schouder ~! *shoulder arms!;* het ~ weigert *the r. / gun misfires;* ⟨mil.⟩ zet af ~! *order arms!* **6.1** ⟨mil.⟩ **in** 't ~! *stand to!;* met een ~ in de nek *at gunpoint;* over 't ~! *slope arms!* **6.¶** **in** het ~ zijn/komen ⟨fig.⟩ *be up in/ take up arms;* de wacht **in** het ~ doen/ komen *turn out the guard*.

geweerhaakt ⟨bn.⟩ **0.1** *barbed*.

geweerhagel ⟨de (m.)⟩ **0.1** *shot*.

geweerkogel ⟨de (m.)⟩ **0.1** *(rifle-)bullet*.

geweerkolf ⟨de⟩ **0.1** *butt(-end)* ⇒(*gun-)stock, rifle-butt*.

geweerlade ⟨de⟩ **0.1** *(gun-)stock*.

geweerloop ⟨de (m.)⟩ **0.1** *barrel*.

geweerpatroon ⟨de⟩ **0.1** *cartridge*.

geweerrek ⟨het⟩ **0.1** *rifle-/ gun-rack*.

geweerriem ⟨de (m.)⟩ **0.1** *rifle/ gun sling*.

geweerschot ⟨het⟩ **0.1** [het losbranden van de lading, knal] *rifle-shot* ⇒ *(gun)shot* **0.2** [afgeschoten lading] *rifle-shot* ⇒(*gun)shot, bullet* **0.3** [afstand die een geweerkogel aflegt] *rifle-shot* ⇒(*gun)shot, (rifle-)range* ◆ **3.2** hij kreeg een ~ in de arm *he was shot in the arm, he got a bullet in his arm*.

geweerslot ⟨het⟩ **0.1** *bolt*.

geweervet ⟨het⟩ ⟨mil.⟩ **0.1** *rifle-grease*.

geweervuur ⟨het⟩ **0.1** *gunfire* ◆ **6.1** de politie werd met ~ ontvangen *the police was met with g.*.

gewei ⟨het⟩ **0.1** [horens] *antlers* ⇒*attire, horns* **0.2** [ingewand] *gut* ⇒*entrails, intestines* **0.3** [uitwerpselen] *droppings* ◆ **3.1** het hert schuurt zijn ~ *the deer is fraying its antlers/ horns;* het hert werpt zijn ~ af *the deer sheds/ casts its antlers/ attire/ horns* **5.1** een hert met een vol ~ *a beamed/ beamy stag* **6.1** met een ~ *antlered, beamed;* een ~ **met** drie takken *three-tined antlers/ horns*.

geweidragend ⟨bn.⟩ **0.1** *antlered* ⇒*beamed*.

geweifel ⟨het⟩ **0.1** [aarzeling] *hesitation, wavering;* [besluiteloosheid] *indecision, irresoluteness*.

geweld ⟨het⟩ ⟨→sprw. 80⟩ **0.1** [dwang, gewelddadigheid] *violence* ⇒ *force* **0.2** [grote kracht] *violence* ⇒*force, strength* ◆ **1.1** sporen van ~ dragen *show/ bear traces of v.* **1.2** het ~ v.d. storm *the v. of the storm* **2.1** grof ~ *brute force/ strength;* dreigen met militair ~ *threaten military force;* psychisch ~ *mental v.* **2.2** fysiek ~ gebruiken *use physical v.;* met groot ~ *with great v. / force* **3.1** zichzelf ~ aandoen ⟨zich beheersen⟩ *restrain o.s.;* ⟨zich inspannen⟩ *force o.s.;* zijn principes verloochenen *act contrary to one's principles;* zijn geweten ~ aandoen *violate one's conscience;* de waarheid ~ aandoen *bend/ stretch the truth;* ~ met ~ beantwoorden *answer/ meet force with force, retaliate;* ~ gebruiken (tegen) *use force v. (against);* ~ plegen *use v.;* tot ~ overgaan *use v., resort to v.* **6.1** ⟨jur.⟩ bedreiging **met** ~ (tegen personen) *threats with v., violent threats;* zich **met** ~ toegang verschaffen *force one's way in;* ⟨inbreker ook⟩ *force an entry;* iem. **met** ~ verwijderen *remove s.o. by force;* zijn toevlucht nemen **tot** ~ *resort to/ have recourse to v.* **6.2** hij rukte de deur **met** ~ open *he wrenched the door open* **6.¶** hij wilde **met** alle ~ naar huis *he wanted to go home at all costs;* als ze/ je dat nou **met** alle ~ wil *if she insists/ you insist, if she/ you must*.

gewelddaad ⟨de⟩ **0.1** *(act of) violence* ⇒*outrage, ferocity* ◆ **2.1** openlijke gewelddaden *outright/ open v..*

gewelddadig
I ⟨bn.⟩ **0.1** [geweld plegend] *violent* **0.2** [met geweld gebeurend] *violent* ⇒*forcible* ◆ **1.1** een ~e groepering *a v. organization, a band of roughnecks* **1.2** een ~e aanslag *an attack with violence;* een ~e dood sterven *die a violent/ an unnatural death/ by violent means, come to a violent end;* op ~e wijze *violently, by violence, by force;*
II ⟨bw.⟩ **0.1** [met geweld] *violently* ⇒*forcibly* [breken, openen] ◆ **3.1** ~ openbreken *open by force/ forcibly, force open;* ~ optreden *take violent/ forceful action;* ⟨bijv. tegen krakers⟩ *put down.*

gewelddadigheid ⟨de (v.)⟩ ⟨→**gewelddaad**⟩.

gewelddelict ⟨het⟩ **0.1** *violent offence*.

geweldenaar ⟨de (m.)⟩ **0.1** [⟨inf.⟩ sterk of zeer bekwaam persoon] *superman* ⇒[bekwaam ook] *crack, whiz (kid), whizard* **0.2** [dwingeland, tiran] *tyrant* ⇒*bully*.

geweldenarij ⟨de (v.)⟩ **0.1** [dwingelandij] *tyrany* ⇒*bullying* **0.2** [daad van geweld] ⟨→**gewelddaad**⟩.

geweldig
I ⟨bn.⟩ **0.1** [enorm, reusachtig] *tremendous* ⇒*enormous, immense, colossal, vast* **0.2** [bijzonder goed/ fijn] *terrific* ⇒*fantastic, wonderful,* ⟨inf.⟩ *great, swell* **0.3** [heftig, onstuimig] *tremendous* ⇒*terrible, vehement, formidable, mighty* ◆ **1.1** een ~ applaus *a thunderous/ furious applause,* ↓*a big hand;* een ~ bedrag *a huge sum/ amount;* een ~e eetlust *a t. / enormous/ huge appetite;* een ~ gebouw *a t. / enormous/ immense/ colossal building;* tegen een ~e overmacht ⟨ook⟩ *against fearful odds;* een ~e persoonlijkheid *a strong personality;* ~e

stommiteiten uithalen *commit t. / enormous/ immense stupidities/ blunders, make stupendous mistakes;* een ~ succes *a t. / great/ howling success, a smash-hit* **1.2** je feestje was ~ *your party was really sth.* [A]*a humdinger/ a knock-out;* een ~e meid ⟨ook⟩ *a first-rate/ smashing girl;* een ~ verhaal *a riveting story* **1.3** een ~ getier *terrible/ hideous ranting/ bawling, a tremendous/ terrible/ raging brawl/ uproar;* een ~e schok *a tremendous/ terrible/ mighty shock;* een ~e vete *a tremendous/ terrible/ violent feud* **3.2** hij is ~ ⟨ook⟩ *he's really sth., he's some/ a swell/ great guy;* ik vind het ~ *I think it's t. / great/ fantastic/ wonderful/ fabulous* **4.2** iets ~s ⟨inf.⟩ *a smasher/ honey/ knockout/* [B]*scorcher/* [A]*(bull)dozer* **5.2** niet zo ~ *no great shakes, not so hot, nothing/ to brag about/ to write home about;*
II ⟨bw.⟩ **0.1** [in hoge mate] *tremendously* ⇒*enormously, terribly, fearfully, immensely* **0.2** [bijzonder goed/ fijn] *wonderfully* ⇒*fantastically, beautifully,* ⟨inf.⟩ *swell, great* **0.3** [hevig] *tremendously* ⇒*vehemently, violently, terribly, formidably* ◆ **2.1** zij is ~ slordig *she is terribly/ fearfully/ awfully sloppy* **3.1** zich ~ inspannen *take great/ infinite pains, go to great lengths/ trouble;* hij verveelt mij ~ *he bores me stiff/ to death/ to tears* **3.2** je hebt me ~ geholpen *you've been a great/ enormous/ immense help;* die jurk staat haar ~ *that dress looks fantastic/ smashing on her, that dress suits her no end;* hij zingt ~ *he sings w. / fantastically/ beautifully* **5.1** ~ goed *terribly/ fearfully/ awfully good* **¶.2** ~! *great!, fantastic!, terrific!.*

geweldige ⟨de (m.)⟩ **0.1** [iem. die machtig/ sterk is] *personage* ⇒*person of distinction/ mark/ rank, great person, big-wig/ -shot,* ⟨mv.⟩ *the great* **0.2** [⟨bijb.⟩ rijksgrote] *satrap* ⇒*viceroy*.

geweldinstructie ⟨de (v.)⟩ **0.1** ⟨theorie⟩ *instructions on/ instruction in the use of force.*

geweldloos ⟨bn., bw.; -ly⟩ **0.1** *nonviolent* ⇒*without violence, peaceable, peaceful* ◆ **1.1** ~ verzet *n. / peaceful resistance;* geweldloze weerbaarheid *n. / peaceful resistance*.

geweldloosheid ⟨de (v.)⟩ **0.1** *nonviolence* ⇒*nonresistance, peacefulness, peaceability*.

geweldpleging ⟨de (v.)⟩ **0.1** *(act of) violence* ⇒*outrage,* ⟨jur. ook⟩ *assault and battery* ◆ **2.1** openbare ~ *≠(street) vandalism and violence* **6.1** diefstal **met** ~ *robbery with v..*

gewelf ⟨het⟩ **0.1** [holgebogen zoldering] *vault(ing)* ⇒*arch, dome, arched roof* **0.2** [ruimte, vertrek] *vault* ◆ **2.1** ⟨fig.; schr.⟩ het blauwe/ azuren ~ *the v. / dome/ canopy of heaven, the firmament* **2.2** een onderaards ~ *a subterranean/ underground v., a cellar*.

gewelfboog ⟨de (m.)⟩ **0.1** *rib, vaulted arch*.

gewelfd ⟨bn.⟩ **0.1** [booggewijze geconstrueerd] *vaulted* ⇒*arched,* domed **0.2** [met een gewelf] *vaulted* ⇒*arched, domed* **0.3** [gebogen van lijn/ vlak] *curved* ⇒*domed, curvaceous* ◆ **1.1** een ~e zoldering *a v. / arched roof/ ceiling* **1.2** een ~e gang *a v. / arched corridor* **3.3** een ~ voorhoofd *a curved/ domed forehead*.

gewelfsel ⟨schr.⟩ **0.1** [gewelfde zoldering] *vaulting* **0.2** [ruimte met gewelfde zoldering] *vault*.

gewemel ⟨het⟩ **0.1** *swarming* ⇒*confusion* ◆ **2.1** een bont ~ van kleuren *a bright/ motley confusion of colours*.

gewend ⟨bn.⟩ **0.1** *used (to)* ⇒*accustomed (to),* ⟨gewoon⟩ *in the habit (of), wont, inured (to)* [iets onaangenaams] ◆ **1.1** ben dat rumoer wel ~ *I'm u. / accustomed to that racket;* ~ raken aan zijn nieuwe woonplaats *settle down in one's new residence;* wat was hij vriendelijk, dat zijn we niet van hem ~ *how friendly he was, that's not like him at all/ quite unlike him!* **5.1** ik ben het beter ~ geweest *I have been accustomed to/ have seen better days;* niet ~ (aan) *unused/ unaccustomed (to);* zij is het hier nog niet ~ *she hasn't settled down here yet.*

gewennen ⟨schr.⟩
I ⟨onov.ww.⟩ **0.1** [gewoon worden/ raken] *get used to* ⇒*grow accustomed to, become inured to* [iets onaangenaams] **0.2** [zich thuis gaan voelen] *settle down* ◆ **5.2** ik ben er nog niet gewend *I haven't settled down yet;*
II ⟨ov.ww.⟩ **0.1** [gewoon maken] *get/ make used (to)* ⇒*accustom (to), inure (to)* [iets onaangenaams] ◆ **6.1** gewen uw kind aan strikte gehoorzaamheid *train your child to strict obedience;* hij wil zich ~ **om** vroeg op te staan *he wants to accustom/ habituate himself/ get used to getting up early.*

gewenning ⟨de (v.)⟩ **0.1** [het wennen aan iets] *habituation* ⇒*inurement* ⟨aan iets onaangenaams⟩ **0.2** [⟨med.⟩] *habituation*.

gewenst ⟨bn.⟩ **0.1** [door een wens bepaald] *desired* ⇒*chosen* **0.2** [waarnaar verlangd wordt/ is] *desired* ⇒*wished for, welcome* **0.3** [wenselijk] *desirable* ⇒*advisable* ◆ **1.1** de operatie had (niet) het ~e gevolg *the operation had the d. effect/* ⟨inf.⟩ *did the trick, the operation did not have the d. effect/ failed in its purpose;* op ieder ~ ogenblik *at any d. moment* **1.2** het ~e gevolg *the d. effect* **3.3** hij achtte het niet ~ het gesprek langer voort te zetten *he deemed it not d. / undesirable/ not advisable/ inadvisable to continue the conversation.*

gewerveld ⟨bn.⟩ ⟨biol.⟩ **0.1** *vertebrate* ◆ **1.1** de ~e dieren *the vertebrates/ Vertebrata*.

gewest ⟨het⟩ **0.1** [landstreek, oord] *district, region* **0.2** [bestuurseenheid] *district* ⇒ ⟨AE vnl.⟩ *county, region* **0.3** [gedeelte v.e. land/ provincie] *province* ⇒*county, department* ⟨Frankrijk⟩*, dependency* ⟨onder ander beheer⟩ **0.4** [afdeling v.e. vereniging/departement] *district* ◆ **2.1** ⟨fig.⟩ betere/zalige/andere ~en *the abode of the blessed, the hereafter;* ⟨fig.⟩ hij verkeert in hogere ~en *he's in the clouds/wool-gathering/daydreaming;* een naburig ~ *a nearby/neighbouring d.* **2.3** overzeese ~en *overseas territories/possessions* **3.2** in ~en indelen *divide into districts, regionalize.*

gewestelijk ⟨bn., bw.;-ly⟩ **0.1** [regionaal] *regional* ⇒*provincial* **0.2** [dialectisch] *local* ⇒*dialectal* ◆ **1.1** ~arbeidsbureau *district employment/labour exchange;* ~plan *r. plan;* de Gewestelijke Staten ≠*the County Council* **1.2** een ~e uitdrukking *a l. / dialectal/regional expression* **3.2** ~gezegd/gebruikt worden *be in dialectal/local/regional use, be used locally/dialectically/regionally.*

gewesttaal ⟨de⟩ **0.1** ⟨*local*⟩ *dialect.*

gewestvorming ⟨de (v.)⟩ **0.1** *formation of/division into districts* ⇒*regionalization.*

geweten ⟨het⟩ **0.1** *conscience* ◆ **1.1** tussen beurs en ~ geplaatst zijn *be caught between the money and the moral side of a question;* de stem/inspraak van het ~ *the voice/dictates of c., the still small voice;* vrijheid van ~ *freedom/liberty of c.* **2.1** met een gerust ~ *with a good/clear c., in all c.;* een goed/rustig/zuiver ~ hebben *have a good/easy/clear/clean/unspotted c.;* een kwaad/slecht/verhard/bezwaard ~ hebben *have a bad/guilty/uneasy c.;* een ruim/rekbaar ~ hebben *have an elastic c.* **3.1** mijn ~ knaagde/stak/kwelde me *my c. pricked/troubled me* **6.1** gekweld door zijn ~ *c.-stricken;* iets niet met zijn ~ in overeenstemming kunnen brengen *be unable to reconcile sth. to/square with. with one's c.;* **naar** eer/plicht en ~ *do as one's c.;* veel **op** zijn ~ hebben *have a lot to answer for;* er ligt/drukt iets (zwaar) **op** mijn ~ *sth. lies heavy on me/my c.;* ⟨scherts.⟩ wie heeft dat lied **op** zijn ~? *who is the perpetrator of that song?;* iem. **zonder** ~ *an unscrupulous person, a person without a c.;* ⟨pej.⟩ *a moral bankrupt* ¶**.1** zijn ~ in slaap wiegen/sussen *salve one's c.;* mijn ~ werd wakker/begon te spreken *my c. was roused/woke up.*

gewetenloos ⟨bn., bw.⟩ **0.1** *unscrupulous* ⇒*immoral, reprobate, unprincipled* ◆ **1.1** een ~ mens *a reprobate;* ⟨pej.⟩ *a moral bankrupt;* gewetenloze plichtsverzaking *unscrupulous shirking/duty, dodging;* een gewetenloze schurk *a heartless villain/scoundrel/blackguard.*

gewetenloosheid ⟨de (v.)⟩ **0.1** *unscrupulousness* ⇒*unprincipledness, lack of principle/scruples.*

gewetensangst ⟨de (m.)⟩ **0.1** *agony/anguish of conscience* ⇒*pangs/prick of conscience, (pangs of) remorse.*

gewetensbezwaar ⟨het⟩ **0.1** *scruple* ⇒*conscientious objection, qualm, compunction* ◆ **3.1** ~hebben om te doden/tegen het doden *have conscientious objections to/be conscientiously opposed to killing;* daarover hoef je geen ~ te hebben *you need have no qualms about it* **6.1** zonder ~ *without s./a qualm* ¶**.1** vrijstelling van dienstplicht op grond van gewetensbezwaren *exemption from military service on grounds of conscience/on conscientious grounds.*

gewetensbezwaarde ⟨de (m.)⟩ **0.1** *conscientious objector* ⇒ ⟨inf.⟩ *conchie.*

gewetensconflict ⟨het⟩ **0.1** *moral conflict.*

gewetensdwang ⟨de (m.)⟩ **0.1** *restraint of conscience* ⇒*moral restraint.*

gewetensgeld ⟨het⟩ **0.1** *conscience money.*

gewetenskwestie ⟨de⟩ →**gewetenszaak.**

gewetensnood ⟨de (m.)⟩ **0.1** *moral dilemma.*

gewetensonderzoek ⟨het⟩ ⟨r.k.⟩ **0.1** *examination of conscience* ⇒ ⟨alg.⟩ *searching of hearts, soul-searching.*

gewetensrust ⟨de⟩ **0.1** *peace of mind.*

gewetensvol ⟨bn., bw.;-ly⟩ **0.1** *conscientious* ⇒*scrupulous,* ⟨werken ook⟩ *painstaking.*

gewetensvraag ⟨de⟩ **0.1** ⟨zie 3.1⟩ ◆ **3.1** waar was je gisteravond - of is dat een ~? *where were you last night - or would you rather not say? / -or is that a tricky/an indelicate/a rude question;* dat is een ~ *now you're asking me one, that's a deep/quite a question, that's a real poser.*

gewetensvrijheid ⟨de (v.)⟩ **0.1** *freedom of conscience* ⇒*liberty of conscience.*

gewetenswroeging ⟨de (v.)⟩ **0.1** *pangs/qualms/prickings/twitches/twinges of conscience* ⇒(pangs/qualms/twinges of) *remorse* ◆ compunction ◆ **6.1** gekweld door ~ *conscience-stricken/-smitten.*

gewetenszaak ⟨de⟩ **0.1** *matter of conscience* ⇒*moral question* ◆ **3.1** van iets een ~ maken *make sth., a matter of conscience;* van iets geen ~ maken *have no qualms/scruples/compunction about sth., make no bones about it..*

gewettigd ⟨bn.⟩ **0.1** [legitiem, gerechtvaardigd] *legitimate* ⇒*justified,* ⟨bewering⟩ *well-founded* **0.2** [geëcht] *legitimated* ◆ **1.1** het vermoeden is ~, dat ... *there are good reasons to suspect that ...* **1.2** een ~ kind *a l. child.*

gewezen ⟨bn.⟩ **0.1** *former* ⇒*past, late, ex-,* ⟨gepensioneerd⟩ *retired* ◆ **1.1** een ~ minister ⟨ook⟩ *a one-time minister.*

gewicht ⟨het⟩ **0.1** [zwaarte] *weight* ⇒*gravity* **0.2** [massa, last] *weight* ⇒*burden* **0.3** [voorwerp om de zwaarte te bepalen] *weight* **0.4** [voorwerp dat andere lichamen in beweging brengt] *weight* **0.5** [belang] *weight* ⇒*importance, consequence, moment* ◆ **1.1** in alle maten en

~en *in all shapes and sizes* **1.2** het ~ der jaren *the w. / burden of the years* **1.3** maten en ~en *weights and measures* **2.1** dood ~ *deadweight;* leeg ~ *kerb w., tare;* levend ~ *live w.;* schoon ~ *dressed w.;* ⟨nat.⟩ soortelijk/specifiek ~ *specific gravity* **2.2** met zijn hele ~ hangen aan *hang with one's entire w. on* **2.5** zaken v.h. grootste ~ *matters of great/the utmost/vast importance/interest/consequence;* van groter ~ zijn dan *outweigh;* zijn volle ~ in de weegschaal werpen *throw in one's w., throw/cast one's w. / the w. of one's influence in the scales/balance* **3.1** ⟨hand.⟩ goed ~ geven *give a generous amount/full/good w.;* ⟨hand.⟩ slecht ~ geven *give short w.;* het heeft een ~ van 2 kg *it weights/has a w. of two kilograms, it is two kilograms in w.;* op zijn ~ letten *watch one's w.* **3.4** de ~en optrekken *pull up the weights* **3.5** ten volle het ~ beseffen van iets *realize the full import of sth.;* ~ geven/bijzetten aan iets *give/lend w. to;* te veel ~ hechten aan iets *attach/allow/give undue/overvalue/too great w. / importance to, set too much store by;* weinig ~ aan iets hechten *attach little importance to, make little/light of, set little store by;* veel ~ aan iets hechten *attach much importance to, make much/a great deal of, set much store by* **5.1** beneden/boven het ~ *under/below w., over/above w.* **6.1** bij het ~ verkopen *sell by w.;* **in** ~ toenemen *gain/put on w.;* weer op ~ komen *regain lost w.* **6.2** **met** ~en verzwaren *attach weights to, weight* **6.3** een ~ van 5 kilo *a five kilogram w.* **6.5** een persoon **van** ~ *a person of consequence/importance* ⟨inf.⟩ *a bigwig,* ↓*a big shot/noise* **7.3** ⟨fig.⟩ veel/weinig ~ in de schaal leggen *carry much/little w., be of great/small w. / consequence/importance* ¶**.1** ⟨fig.⟩ zijn ~ in goud waard zijn *be worth one's w. in gold.*

gewichtheffen ⟨ww.⟩ **0.1** *weightlifting* ⇒⟨inf.⟩ *pumping iron.*

gewichtheffer ⟨de (m.)⟩, -ster ⟨de (v.)⟩ **0.1** *weight lifter.*

gewichtig

I ⟨bn.⟩ **0.1** [belangrijk] *weighty* ⇒*important, momentous, significant, grave* ◆ **1.1** een ~ ambt *an important function/office;* een ~e dag *an eventful/* ⟨pej.⟩ *fateful day;* ~e gebeurtenissen *important/significant/grave events;* hij zette een ~ gezicht *he put on a grave/important face;* een ~ personage *a person of weight/importance/consequence, a notable, a notability;* a personage ⟨ook scherts.⟩; een ~ vraagstuk *a w. / momentous/important question, a question of great consequence/importance/weight* **3.1** zich erg ~ voelen *feel important/one's own importance;*

II ⟨bw.⟩ **0.1** [met een sterk besef van eigen belangrijkheid] *self importantly* ⇒*pompously, consequentially, pretentiously* ◆ **3.1** ~doen *act important, put on an air of consequence;* ⟨inf.⟩ *put on dog, throw one's weight about, put it on;* ~kijken *look important/impressive.*

gewichtigdoenerig ⟨bn.⟩ **0.1** *self-important* ⇒*pompous, consequential, pretentious, flatulent.*

gewichtigdoenerij ⟨de (v.)⟩ **0.1** *self-importance* ⇒*pomposity, consequentiality, flatulence.*

gewichtigheid ⟨de (v.)⟩ **0.1** [belangrijkheid, gewicht] *weight* ⇒*importance, consequence,* ⟨ernst⟩ *gravity, seriousness* **0.2** [air van gewichtig te zijn] *(self-)importance* ⇒*pomposity, consequentiality, flatulence, pretentiousness* **1.1** ⟨scherts.⟩ gewichtig persoon] *milord* ⇒*pompous ass* ◆ **2.2** hij antwoordde met grote ~ *he answered with great pomposity/consequence/pretentiousness* **4.3** zijne ~ keek zelfvoldaan de kring rond *his highness looked around the circle with satisfaction.*

gewichtloosheid ⟨de (v.)⟩ **0.1** *weightlessness* ⇒*zero-g(ravity)* ◆ **1.1** in een toestand van ~ verkeren *be in a condition of w. / at zero-gravity.*

gewichtscoëfficiënt ⟨de (m.)⟩ **0.1** *coefficient of weight.*

gewichtscontrole ⟨de⟩ **0.1** *weight check* ⇒⟨sport: bokser voor wedstrijd, jockey na race⟩ *weigh-in,* ⟨jockey voor race⟩ *weigh-out.*

gewichtsdeel ⟨het⟩ **0.1** part ◆ **7.1** neem een ~ boter op twee gewichtsdelen suiker *take one p. butter and two parts sugar.*

gewichtseenheid ⟨de (v.)⟩ **0.1** *unit of weight.*

gewichtsklasse ⟨de (v.)⟩ ⟨sport⟩ **0.1** *weight* ⇒*denomination* ◆ **2.1** ingedeeld bij de zwaarste ~ *classified as a heavyweight.*

gewichtstelsel ⟨het⟩ **0.1** *weight system* ⇒⟨GB⟩ *avoirdupois.*

gewichtstoename ⟨de⟩ **0.1** *increase in weight.*

gewichtstuk ⟨het⟩ **0.1** *weight.*

gewichtsverlies ⟨het⟩ **0.1** *loss of weight.*

gewiebel ⟨het⟩ **0.1** *wobbling* ⇒*wiggling,* ⟨rusteloos bewegen⟩ *wriggling, fidgeting.*

gewiekst ⟨bn.⟩ **0.1** *shrewd* ⇒*smart, artful, sharp, dodgy* ◆ **1.1** een ~e vent *a dodger, a sharp hand;* ⟨AE;sl.⟩ *an article.*

gewiekstheid ⟨de (v.)⟩ **0.1** *shrewdness* ⇒*smartness, gumption, gamesmanship, sharpness,* ⟨sl.⟩ *savvy, sabe.*

gewiekt ⟨bn.⟩ ⟨schr.⟩ **0.1** *winged* ◆ **1.1** de ~ zangers van het woud *the w. warblers of the wood(s).*

gewijd ⟨bn.⟩ **0.1** [geheiligd] *sacred* ⇒*holy, hallowed* **0.2** [wat gezegend is] *consecrated* ⇒*holy* **0.3** [met de liturgie in verband staand] *sacred* ⇒*devotional* **0.4** [een wijding ontvangen hebbend] *ordained* ◆ **1.1** de ~e band van het huwelijk *the s. / holy bond(s) of matrimony;* een ~e plek *a hallowed/s. / holy place;* de ~e Schrift/bladen *Holy Scripture, Holy/Sacred Writ; the Holy Scriptures* **1.2** ~e aarde/grond *c. earth;* ~ water *holy water* **1.3** een ~e handeling *(a) s. / holy rite(s);* ⟨Angl.⟩ *Holy Service;* ⟨r.k.⟩ *Holy Mass;* ~e muziek *s. music* **1.4** een ~ priester *an ordained priest.*

gewijsde ⟨het⟩ ⟨jur.⟩ **0.1** *final/absolute/definitive judgment, res judicata* ◆ **1.1** het vonnis is in kracht van ~ *the judgement is final/absolute/definitive/not open to challenge or appeal, the case is res judicata;* kracht van ~ hebben *be final (and conclusive)/final and not open to appeal/have the effect of a final judgment/have the force/authority of res judicata.*

gewijzigd ⟨bn.⟩ **0.1** *altered* ⇒*changed, modified, amended.*

gewild
I ⟨bn.⟩ **0.1** [in trek] *sought-after* ⇒*popular, favoured, in demand* ◆ **1.1** dat artikel is ~ *that article is sought after/in demand/in favour/in request, that article sells like hot cakes;* dat artikel is niet ~ *that article is unpopular/not taken/not liked, that article has no sale/finds no buyers* **3.1** in gezelschap is hij zeer ~ *his company is much sought after;* ⟨hand.⟩ koffie was erg ~ *coffee was in great demand;*
II ⟨bn., bw.⟩ **0.1** [geforceerd] *studied* ⇒*affected, laboured, forced, contrived* ◆ **2.1** iem. ~ vriendelijk begroeten *greet s.o. with s./affected/forced/contrived friendliness.*

gewildheid ⟨de (v.)⟩ **0.1** [het in trek zijn] *popularity* **0.2** [het geforceerd zijn] *studiedness* ⇒*constraint, artificiality, affectedness.*

gewillig ⟨→sprw. 179,494⟩
I ⟨bn.⟩ **0.1** [bereidwillig] *willing* ⇒*cooperative,* ⟨volgzaam⟩ *tractable, docile,* ⟨gehoorzaam⟩ *obedient* **0.2** [niet afgedwongen] *willing* ⇒ *ready, free* ◆ **1.1** ~ haar *manag(e)able hair;* een ~ kind *a tractable/docile child* **1.2** een ~ oor lenen aan iem. *lend a ready ear to s.o.;* een ~e toestemming *w./ready consent* **3.1** zich ~ tonen *show (one's) willingness/enthusiasm;*
II ⟨bw.⟩ **0.1** [zonder verzet] *willingly* ⇒*readily, freely, voluntarily, of one's own accord/(free) will* ◆ **3.1** hij ging ~ mee *he came along w./voluntarily/of his own accord/free will.*

gewilligheid ⟨de (v.)⟩ **0.1** *willingness, readiness* ⇒*tractability, obedience.*

gewimpeld ⟨bn.⟩ **0.1** *pennon(e)d.*

gewimperd ⟨bn.⟩ **0.1** [met wimpers] *having eyelashes* **0.2** [⟨plantk.⟩] *fimbriate(d).*

gewin ⟨het⟩ ⟨→sprw. 223⟩ **0.1** *gain* ⇒*profit,* ⟨pej.⟩ *lucre* ◆ **1.1** het ~ v.d. bijen *the take of the bees* **2.1** vuil/vuig ~ *filthy lucre, ill-gotten gains* **6.1** om het ~ *for profit* ¶**.1** op hoop van ~ *in the hope of a profit.*

gewinnen ⟨ov.ww.⟩ ⟨schr.⟩ **0.1** [verwerven] *win* ⇒*gain* **0.2** [verwekken, telen] *beget* **0.3** [winnen, vooruitgaan] *gain/grow in, increase in* ◆ **1.1** iemands gunst ~ *w./gain s.o.'s favour* **1.2** Abraham gewon Isaäc en Isaäc gewon Jacob *Abraham begot Isaac and Isaac begot Jacob* **6.3** ~ in schoonheid *gain/increase in beauty.*

gewinziek ⟨bn.⟩ **0.1** *greedy, covetous* ⇒*self-seeking.*

gewinzucht ⟨de⟩ **0.1** *covetousness* ⇒*cupidity, greed, love of money/gain.*

gewip ⟨het⟩ **0.1** ⟨niet stil zitten⟩ *fidgeting;* ⟨op stoel⟩ *rocking.*

gewirwar ⟨het⟩ **0.1** *tangle* ⇒⟨fig. ook⟩ *muddle, maze* ◆ **1.1** een ~ van draden *a t. of wires.*

gewis
I ⟨bn.⟩ **0.1** [onontkoombaar] *certain* ⇒*sure* **0.2** [vaststaand] *certain* ⇒*sure, definite* ◆ **1.1** een ~se dood/ondergang *c. death, c./sure destruction* **2.2** zeker en ~ *positive, positively/dead c./sure, no mistake/as sure as eggs is eggs;*
II ⟨bw.⟩ ⟨schr.⟩ **0.1** [stellig] *for sure* ⇒*indeed,* ⟨vero.⟩ *for sooth.*

gewissel ⟨het⟩ **0.1** *alternation* ⇒*fluctuation, variation.*

gewit ⟨bn.⟩ **0.1** *whitewashed.*

gewoeker ⟨het⟩ **0.1** *festering* ⇒⟨financieel⟩ *usur.*

gewoel ⟨het⟩ **0.1** [het voortdurend woelen] *tossing (and turning)* ⇒⟨gespartel⟩ *struggling* **0.2** [het dooreenwoelen (van een menigte)] *bustling* ⇒*swarming, jostling, hustling* **0.3** [menigte] *bustle* **0.4** [onrustige beweging] *bustle* ⇒*hustle, jostle, stir, commotion.*

gewogen ⟨bn.⟩ **0.1** *weighted* ◆ **1.1** ~ gemiddelde *w. average.*

gewolkt ⟨bn.⟩ **0.1** *cloudy* ⇒*clouded* ◆ **1.1** ~ glas *clouded/cloudy glass, translucent glass;* ~e zijde *moire silk.*

gewond ⟨bn.⟩ **0.1** *injured* ⇒*wounded* ⟨ihb. door wapen⟩, ⟨inf.⟩ *hurt* ◆ **3.1** ~ raken *be/get i./wounded/hurt* **5.1** dodelijk ~ *fatally i./wounded;* licht/zwaar ~ *slightly/seriously i./wounded/hurt* **6.1** ~ aan het hoofd/been *i./wounded in the head/leg.*

gewonde ⟨de⟩ **0.1** *injured/wounded person* ⇒*casualty* ◆ **1.1** de doden en ~n *the casualties* ¶**.1** de ~n *the wounded/injured.*

gewondentransport ⟨het⟩ **0.1** *transport(ation) of wounded/casualties.*

gewonnen ⟨bn.⟩ ◆ **3.**¶ zich ~ geven *give in, admit/acknowledge defeat/one's error, throw in the towel.*

gewoon
I ⟨bn.⟩ **0.1** [waaraan men gewend is] *usual* ⇒*regular, accustomed, customary, habitual* **0.2** [gebruikelijk] *usual* ⇒*regular, ordinary, normal, everyday* **0.3** [van de meest bekende soort] *common* ⟨biol. vaak onvertaald⟩ **0.4** [in overeenstemming met de regelmatige orde] *regular* ⇒*ordinary* **0.5** [niet opvallend, alledaags] *ordinary* ⇒*common-(place), plain, humdrum, everyday* **0.6** [gewend aan, vertrouwd met] *used to* ⇒*accustomed to, in the habit of* ◆ **1.1** iem. uit zijn gewone doen brengen *put s.o. off his stride/stroke;* in zijn gewone doen zijn *be o.s.;* zijn gewone gang gaan *so about one's business* **1.2** de gewone betekenis v.e. woord *the ordinary/u./common meaning of a word;* in ~ Engels wil dat zeggen ... *in plain English it means ...;* de gewone

gang van zaken *the u./run-of-the-mill/customary course (of events) procedure;* de gewone manier van doen *the u./ordinary/routine manner/way;* op het gewone tijdstip *at the u. time;* het gewone woord *the u. word* **1.3** gewone aandelen *ordinary/equity shares, equities,* ^*common shares;* gewone breuk *vulgar/c. fraction;* ~ brood *household bread;* gewone pas *quick march/step/time;* in de gewone pas marcheren *march at the quick;* gewone verkoudheid *the c. cold* **1.4** ~ hoogleraar *(full) professor, ordinary professor;* een gewone vergadering *an ordinary meeting* **1.5** het gewone leven *everyday life;* de gewone lezer *the general reader;* de gewone man/burger *the o./common man, the average citizen, the man in the street;* ~ matroos *o. seaman;* een ~ mens *an o./everyday/average/unexceptional person;* ⟨op paspoort⟩ neus ~ *o. nose;* het gewone publiek *the general public;* ~ schrift en stenografie *longhand and shorthand;* een ~ soldaat *private (soldier), common soldier, trooper, recruit;* ⟨BE; inf.⟩ *tommy;* ⟨AE; inf.⟩ *GI-joe;* gewone stoelen *o./plain chairs;* in gewone taal en in code *in clear and in ciphers, in plain and in code language;* het gewone volk *the common people, the many/masses, the rank and file;* ⟨pej.⟩ *the common/vulgar herd, hoi polloi;* de gewoonste zaak ter wereld *a very usual thing/occurence* **3.1** eindelijk ben ik weer ~ *I'm my old self/my u. self/back to normal at last* **3.4** dat is ~ *that's natural/to be expected* **3.6** ik ben het zo ~ *that's what I'm u./accustomed to;* hij was ~ na het eten een dutje te doen *he u. to/was in the habit of/would take an after-dinner/postprandial nap;* dat was men van hem niet ~ *that was unlike/not like him, that was not usual with him* **4.5** hij is verschrikkelijk ~ *he's nothing out of the o./very o.;* radio is nu iets heel ~*s radio is sth. very o./nothing out of the o./nothing special these days* **8.5** meer dan ~ *uncommon, extraordinary, outstanding;*
II ⟨bw.⟩ **0.1** [op de gebruikelijke wijze] *normally* **0.2** [in de gebruikelijke mate] *normally* ⇒*ordinarily, usually* **0.3** [ronduit gezegd] *simply* ⇒*just, fairly* **0.4** [zonder meer] *just* ⇒*simply* ◆ **2.2** zij is meer dan ~ begaafd *she is extraordinarily talented* **2.3** ~ heerlijk *s. delightful* **3.1** doe maar ~ *do act normal/behave yourself, do try and behave like a normal human being;* ga alsjeblieft ~ zitten *just sit down n., will you?* **3.4** als er zo iets gebeurt kun je toch niet ~ doorlopen *if sth. like that happens, you can't j./simply walk past, can you?;* hij heet ~ Smith *he's plain Smith;* zij praatte er heel ~ over *she was very casual about it* **5.3** dat vlees is ~ niet te eten *that meat is s./just inedible.*

gewoonheid ⟨de (v.)⟩ **0.1** *commonness* ⇒*ordinariness, plainness.*

gewoonlijk ⟨bw.⟩ **0.1** *usually* ⇒*normally, generally, mostly, as a rule* ◆ **3.1** wij eten ~ om vijf uur *we u./generally/mostly/normally have dinner at five, as a rule we have dinner at five;* hij gaat ~ wandelen na de lunch *he takes a walk after lunch;* hij ging ~ wandelen na de lunch *he would go for a walk after lunch;* Mary was niet zoals ze ~ is *Mary was not her usual self;* dat boek wordt ~ verkeerd gelezen *that book is commonly misread* **8.1** als ~ kwam ze te laat *as usual, she was late.*

gewoonte ⟨de (v.)⟩ ⟨→sprw. 225⟩ **0.1** [gebruik] *custom* ⇒*usage, practice, tradition, institution* **0.2** [wat men gewoon is te doen] *habit* ⇒*custom, way, use, practice* **0.3** [aanwendsel] *habit* ⇒*practice,* ⟨pej.⟩ *trick, way* ◆ **1.1** zeden en ~s, *customs* **1.2** de macht der ~ *the force of h.* **2.1** een oude vaderlandse ~ *an old national c.* **2.2** in oude ~n terugvallen *revert to/relapse into old habits, revert to type* **2.3** een eigenaardige ~ *an odd/peculiar h., a trick/mannerism;* een goede/lastige ~ *a good h.; a bad h., trick;* een ingewortelde ~ *an entrenched/engrained h., a fixture* **3.1** het is niet de ~ te ... *it is not customary/* ⟨inf.⟩ *not the thing to ...;* de ~ wil dat een maagd geofferd wordt *by custom(s) a virgin must be sacrificed* **3.2** dat is anders mijn ~ niet *I don't usually do/don't make a h. of that;* het is een ~ van haar *that is a h. of hers/a way she has;* een ~ maken van *make/form a h./practice of, make it a h./practice/rule to;* zoals zijn ~ was *as was his way/* ⟨schr.⟩ *wont* **3.3** de ~ aannemen iedereen Sir te noemen ⟨bewust⟩ *get into/take to/form the h. of calling everyone Sir;* ⟨onbewust⟩ *fall into/drop into/slip into the h. of calling everyone Sir;* een ~ afleren/afleggen *break (o.s. of)/get out of/grow out of a h., kick/overcome a h.;* in ~s vastgeroest *set in one's ways, in a rut* **6.1** het is de ~ ... *it is customary/the practice/the c. to ...* **6.2** naar/volgens ~ *as usual;* tegen zijn ~ *contrary to his h.* ⟨enz.⟩ */usual practice;* hij doet ~s uit (louter) ~ *he does it from/out of/by (sheer) h.* **6.3** hij heeft de ~ om op alles aanmerkingen te maken *he has a h./way of criticizing everything.*

gewoontedier ⟨het⟩ **0.1** *creature of habit* ◆ **3.1** de mens is een ~ *man is a creature of habit.*

gewoontedrinker ⟨de (m.)⟩, -ster ⟨de (v.)⟩ **0.1** *habitual drinker* ⇒*tippler.*

gewoontegetrouw ⟨bn., bw.⟩ **0.1** ⟨bn.⟩ *faithful to custom;* ⟨bw.⟩ *as usual, according to/in accordance with custom/previous practice.*

gewoontemisdadiger ⟨de (m.)⟩, -ster ⟨de (v.)⟩ **0.1** *habitual criminal* ⇒ *recidivist.*

gewoonterecht ⟨het⟩ **0.1** *customary law* ⇒*unwritten law,* ⟨BE ook⟩ *common law.*

gewoontevorming ⟨de (v.)⟩ **0.1** *habit formation.*

gewoontjes ⟨bn.⟩ **0.1** *ordinary* ⇒*common, plain, simple, homely* ◆ **5.1** het is er allemaal maar heel ~ *it's all very plain and simple there.*

gewoonweg ⟨bw.⟩ **0.1** [als iets gewoons] *just like that* **0.2** [ronduit, bepaald] *simply* ⇒*just*, ^*plain, outright, downright* ◆ **2.2** uw handschrift is ~ onleesbaar *your handwriting is s. / downright illegible* **3.1** hij deed het zo maar ~ ⟨zonder nadenken⟩ *he just did it;* ⟨zonder inspanning⟩ *he did it just like that;* hij zat ~ te liegen *he was telling downright / outright lies;* ⟨inf.⟩ *he was lying in his teeth.*

geworden ⟨onov.ww.⟩ ⟨schr.⟩ **0.1** *come to hand* ⇒ ↓*reach* ◆ **3.1** ik zal u het boek doen ~ *I will send you / let you have the book* **3.**¶ laat hem ~ *leave him be / alone, let him have his way* **4.**¶ ⟨AZN⟩ wat zal van hem ~? *what will become of him?.*

gewormte ⟨het⟩ **0.1** *worms, maggots* ⇒⟨inf.⟩ *creepy-crawlies,* ⟨AE ook⟩ *bugs.*

geworteld ⟨bn.⟩ **0.1** [mbt. bomen, planten] *rooted* **0.2** [⟨fig.⟩] *rooted* ⇒ *ingrained, entrenched* ◆ **5.2** een vast ~ vooroordeel *a firmly r. / ingrained / entrenched prejudice.*

gewraakt ⟨bn.⟩ ⟨jur.⟩ **0.1** *challenged, out of court* ◆ **1.1** de ~e passage *the c. passage, the passage declared out of court.*

gewricht ⟨het⟩ **0.1** [⟨med.⟩] *joint* **0.2** [verbinding tussen din van een werktuig] *joint* ⇒*articulation,* ⟨scharnier⟩ *hinge* **0.3** [⟨plantk.⟩] *joint* ⇒*articulation* ◆ **1.1** het ~ v.d. schouder *the shoulder j.* **6.1** hij heeft pijn in zijn ~en *his joints ache;* met ~ *articulate(d), jointed;* **zonder** ~ *unjointed;* ⟨med.⟩ *anarthrous* ¶.**1** door ~ verbonden zijn met *be jointed / articulate with.*

gewrichtsband ⟨de (m.)⟩ **0.1** *ligament.*

gewrichtsbreuk ⟨de⟩ **0.1** *joint fracture.*

gewrichtsholte ⟨de (v.)⟩ **0.1** *socket* ⇒*joint cavity.*

gewrichtsknobbel ⟨de (m.)⟩ **0.1** *joint* ⇒*knuckle* ⟨vingers⟩.

gewrichtsmuis ⟨de⟩ **0.1** *loose / free body.*

gewrichtsneurose ⟨de (v.)⟩ **0.1** ≠*neuropathic arthritis.*

gewrichtsontsteking ⟨de (v.)⟩ **0.1** *arthritis* ⇒*inflammation of the joints.*

gewrichtsreuma(tiek) ⟨de (v.)⟩ **0.1** ⟨acuut⟩ *rheumatic fever;* ⟨chronisch⟩ *rheumatoid arthritis.*

gewrichtsstijfheid, -verstijving ⟨de (v.)⟩ **0.1** *ankylosis* ⇒*anc(h)ylosis.*

gewrichtsvlies ⟨het⟩ **0.1** *synovial membrane.*

gewrichtsziekte ⟨de (v.)⟩ **0.1** *joint-disease* ⇒⟨ihb.⟩ *arthritis.*

gewriemel ⟨het⟩ **0.1** [het telkens door elkaar kroelen] *swarming* ⇒ *wriggling* **0.2** [onrustige bedrijvigheid van mensen] *jostle* ⇒*confusion, hustle, bustle* **0.3** [gepeuter aan iets] *fiddling* **(with)** ⇒*twisting.*

gewrocht ⟨het⟩ **0.1** [voortbrengsel van scheppende arbeid] *product* ⇒ *creation, work* **0.2** [onstoffelijk voortbrengsel] *work* ⇒*creation, opus* **0.3** [vreemdsoortig werkstuk] *monstrosity* ⇒*monster, abortion, contraption* ◆ **2.1** een kunstig / voortreffelijk ~ *an ingenious / excellent (piece of) work* **2.2** de grootste ~en van dicht- en toonkunst *the greatest works of poetry and music.*

gewrongen ⟨bn.⟩ **0.1** [(opzettelijk) verdraaid] *distorted* ⇒*crabbed, cramped,* (opzettelijk) *disguised* **0.2** [niet ongedwongen] *forced* ⇒ *constrained* **0.3** [gezocht, onnatuurlijk] *strained* ⇒*laboured, tortuous, contrived* ◆ **1.1** dat is met een ~ hand geschreven *that is written in a crabbed / cramped / disguised hand* **1.2** een ~ antwoord *a f. / contrived answer* **1.3** een ~ redenering *a laboured / tortuous / twisted / contrived reasoning;* een ~ stijl *a laboured / tortuous / contrived style;* een ~ uitleg *a s. / forced / contrived explanation.*

gewrongenheid ⟨de (v.)⟩ **0.1** [(opzettelijke) verdraaidheid] *distortion* **0.2** [gedwongenheid] *forcedness* ⇒*strainedness* **0.3** [gezochtheid] *laboriousness* ⇒*elaborateness, wryness, byzantinism.*

gez. ⟨afk.⟩ **0.1** [gezusters] ⟨*sisters*⟩ **0.2** [gezang] ⟨*hymn*⟩.

gezaag ⟨het⟩ **0.1** [het telkens / aanhoudend zagen] *sawing (away)* **0.2** [gezeur] *harping on* ⇒*nagging, keeping / going on, moaning* **0.3** [het krassen op een strijkinstrument] *scraping.*

gezaagd ⟨bn.⟩ ⟨plantk.⟩ **0.1** *serrate(d)* ⇒*incised* ◆ **5.1** dubbel ~ *biserrate, doubly serrate.*

gezaaide ⟨het⟩ **0.1** [wat gezaaid is] *seed* **0.2** [het te veld staande gewas] *crop(s).*

gezabbel →**gesabbel.**

gezag ⟨het⟩ **0.1** [machtsbevoegdheid] *authority* ⇒*power,* ⟨mil.⟩ *command, rule, dominion* ⟨over land⟩ **0.2** [overheid] *authorities, power, establishment* **0.3** [geestelijk overwicht] *authority* ⇒ *weight* **0.4** [van besluit / wet] *force* ⇒*effect* ◆ **1.3** op een toon van ~ *in a tone of a., in an authoritative tone;* het ~ v.e. uitgave *the reliability of an edition* **2.1** op eigen ~ *on / by one's own a.;* het hoogste ~ *over iets hebben be in supreme command of sth.;* kerkelijk en wereldlijk ~ *religious and secular a.;* vaderlijk / ouderlijk ~ *paternal / parental a.;* het wettig ~ *over een kind the legal custody / guardianship of a child* **2.2** het bevoegd ~ *the competent / proper authorities;* het centraal ~ *the central government;* het hoogste ~ *the highest authorities;* het openbaar ~ *the (public) authorities* **3.1** het ~ handhaven *maintain a. / (law and) order;* ~ uitoefenen *exercise / exert a.* ⟨over⟩; ~ voeren *over command, be in command of* **3.3** (veel / weinig) ~ hebben *have (great / not a shred of) a.;* have (great / no) influence ⟨onder collega's⟩; *count (for much / little), carry (much / little) weight* ⟨woord⟩; men hecht veel ~ aan zijn uitspraken *his pronouncements carry a good / great deal of weight* **6.3** met ~ optreden *act firmly, take authoritative action;* ⟨inf.⟩ *put one's foot down;* met ~ spreken *speak with a. / authoritatively;* iets **op** iemands (goed) ~ aannemen *take s.o.'s word for sth., take what*

s.o. says on trust / faith; **op** ~ **van** *on the a. of;* een man **van** ~ *op dit gebied an a. in this field* ¶.**1** een volk aan zijn ~ onderwerpen *subject a people to one's rule.*

gezagdrager ⟨de (m.)⟩, **-draagster** ⟨de (v.)⟩ **0.1** *person in charge / authority* ⇒⟨mv.⟩ *authorities.*

gezaghebbend ⟨bn., bw.;-ly⟩ **0.1** [met gezag bekleed] *authoritative* ⇒*in authority, authorized* **0.2** [overwicht / gewicht hebbend] *authoritative* ⇒*influential, magisterial* ◆ **1.1** een ~ persoon *an authoritative / authorized person, a person in authority* **1.2** iets vernemen uit ~e bron *have sth. on good authority, learn / have sth. from a reliable source;* in ~e kringen *in influential / leading circles;* een ~ persoon *an authority;* een ~ schrijver *a(n) a. / influential leading writer, a(n) (leading) authority;* het meest ~e werk over dit onderwerp *the definitive / most a. book on this subject.*

gezaghebber ⟨de (m.)⟩ **0.1** *person in charge / authority* ⇒⟨mv.⟩ *authorities.*

gezagsapparaat ⟨het⟩ **0.1** *(the) authorities* ⇒*(the) establishment.*

gezagscrisis ⟨de (v.)⟩ **0.1** *breakdown of authority* ⇒*political crisis* ⟨mbt. regering⟩.

gezagsgetrouw ⟨bn.⟩ **0.1** *law-abiding.*

gezagsorgaan ⟨het⟩ **0.1** *instrument of state* ⇒*authority* ◆ **2.1** het hoogste ~ *the Supreme / High Authority.*

gezagspatroon ⟨het⟩ **0.1** *power structure.*

gezagsvacuüm ⟨het⟩ **0.1** *power vacuum* ⇒*absence / lack of authority.*

gezagvoerder ⟨de (m.)⟩, **-ster** ⟨de (v.)⟩ **0.1** [door een regering met gezag bekleed persoon] *person in charge / authority* **0.2** [bevelhebber op een schip] *commander* ⇒*captain, (ship)master, master mariner,* ⟨kleinere boot⟩ *skipper* **0.3** [bevelhebber van vliegtuig] *captain.*

gezagvol ⟨bn.⟩ **0.1** *authoritative.*

gezakt ⟨bn.⟩ **0.1** *bagged* ◆ **2.1** de aflevering geschiedt los of ~ *delivery is made loose or in bags / sacks* **2.**¶ gepakt en ~ *ready for off, all ready to go.*

gezalfde ⟨de (m.)⟩ **0.1** [hogepriester, koning der Israëlieten, de Messias] *anointed* **0.2** [tot een ambt gewijd iem.] *anointed* ◆ **1.1** de ~ des Heren *the Lord's Anointed.*

gezamenlijk

I ⟨bw.⟩ **0.1** [samen, met elkaar] *together* ⇒*collectively, jointly, en bloc, in a body* ◆ **2.1** hoofdelijk en ~ aansprakelijk / verantwoordelijk *jointly and severally / collectively and individually liable / responsible* **3.1** ze gingen ~ op weg *they set out t.;* ~ reizen *travel t.;*
II ⟨bn.⟩ **0.1** [alle] *complete* ⇒*whole, total* **0.2** [gezamenschappelijk] *collective* ⇒*combined, united, concerted, joint* ◆ **1.1** de ~e kiezers *the (whole) electorate;* de ~e werken v.e. schrijver *the c. / collected works of an author* **1.2** de ~e eigenaars *the joint owners;* met ~e krachten *with joint / united / combined forces, in concert;* een ~ optreden *a concerted / joint / united action;* voor ~e rekening *for / on joint account.*

gezang ⟨het⟩ **0.1** [het (geluid van) zingen] *song* ⇒*singing* **0.2** [zangstuk, lied] *song* ⇒*hym* ⟨kerk.⟩ ◆ **1.1** het ~ v.d. vogels *the song / singing / warbling of the birds* **1.2** psalmen en ~en *psalms and hymns.*

gezangboek ⟨het⟩ **0.1** *hymn-book* ⇒*hymnal.*

gezangbord ⟨het⟩ **0.1** *hymn board.*

gezangenbundel ⟨de (m.)⟩ **0.1** *hymn-book* ⇒*hymnal.*

gezanik ⟨het⟩ **0.1** [gezeur] *nagging* ⇒*moaning, harping / keeping / going on* **0.2** [hinderlijk gedoe] *trouble* ⇒*bother* ◆ **1.2** dat geeft een hoop ~ *that causes / creates a lot of t. / bother* **3.1** van dat / zijn ~ ben je nou niet af *you haven't heard / seen the last of it / him yet* **3.2** ik wil geen ~ hebben met al die paperassen *I don't want to be bothered by / with all that red tape.*

gezant ⟨de (m.)⟩ **0.1** [afgevaardigde van vorst / staat] *envoy* ⇒*ambassador,* ⟨alg.⟩ *representative, delegate, emissary* **0.2** [diplomatiek ambtenaar] *envoy* **0.3** [⟨bijb.⟩ boodschapper] *messenger* ⇒*herald* ◆ **2.1** buitengewoon ~ *envoy extraordinary;* de Franse ~ in Engeland / aan het Engelse hof *the French ambassador to the court of St. James's;* geheim ~ *secret emissary;* pauselijk ~ *papal / apostolic nuncio, legate* **3.1** ~en afvaardigen *send / delegate envoys.*

gezantschap ⟨het⟩ **0.1** [staatkundige zending] *mission* ⇒⟨alg.⟩ *delegation, deputation* **0.2** [gezant(en) met toegevoegde personen] *mission* ⇒⟨alg.⟩ *delegation, deputation* **0.3** [ambassade (personen)] *embassy* ⇒*legation* (als hoofd geen ambassadeur is), *high commission* ⟨Gemenebestlanden⟩ **0.4** [ambassade (gebouw)] *embassy* ⇒*legation* (als hoofd geen ambassadeur is), *high commission* ⟨Gemenebestlanden⟩ **0.5** [ambt van gezant] *envoyship* ◆ **4.3** ons ~ te Parijs *our e. in Paris.*

gezantschapsraad ⟨de (m.)⟩ **0.1** *embassy counsellor.*

gezantschapssecretaris ⟨de (m.)⟩ **0.1** *secretary of an embassy* ⇒*secretary of a legation* (als hoofd geen ambassadeur is).

gezapig ⟨bn., bw.;-ly⟩ **0.1** [sloom] *sluggish* ⇒*languid, indolent, lethargic* **0.2** [zacht, gemoedelijk] *soft* ⇒*gentle, mild,* ⟨van mensen⟩ *easygoing* ◆ **1.1** een ~ mens *a s. / lethargic / languid / indolent person* **1.2** een ~e regen *a s. / gentle / mild rain, a gentle shower* **3.1** ~ rondhangen *just hang laze / lounge around.*

gezegde ⟨het⟩ **0.1** [uitdrukking] *saying* ⇒*proverb, maxim, adage,* ⟨afgezaagd⟩ *saw* **0.2** [wat iem. zegt] *saying* ⇒*utterance, statement, word,* ⟨mv. ook⟩ *talk* **0.3** [⟨taal.⟩] *predicate* ◆ **2.1** een bekend ~ *a* *well-known saying/proverb/adage;* ⟨pej.⟩ het oude ~ *the old saw* **2.2** losse ~ *chance words;* wat zijn dat voor malle ~ *what kind of silly talk is that?* **2.3** naamwoordelijk ~ *nominal p.;* werkwoordelijk ~ *verb phrase.*

gezegdezin ⟨de (m.)⟩ ⟨taal.⟩ **0.1** *subject complement clause.*

gezegeld ⟨bn.⟩ **0.1** *sealed* ◆ **1.1** een ~e oorkonde *a s. charter;* ~ papier *stamped paper* **1.**¶ ~e aarde *sigillated/lemnian earth, sphragide.*

gezegend
I ⟨bn.⟩ **0.1** [begenadigd, gelukkig] *blessed* ⇒*fortunate* **0.2** [zegenrijk] *beneficial* ⇒*salutary* **0.3** [groot, flink] *blessed* **0.4** [geloofd, geprezen] *blessed* ◆ **1.1** in ~e omstandigheden verkeren ≠*be in an interesting condition;* hij overleed in de ~e ouderdom van tachtig jaren *he died at the ripe old age of eighty;* een ~e streek *a prosperous/fortunate region* **1.3** een ~e eetlust *a roaring appetite;* het is een ~ eind *it's a blooming long way* **1.**¶ ~e distel *blessed thistle;* ~ kruid *wood avens, Herb Bennett* **3.1** ⟨iron.⟩ daar ben je (mooi) mee ~ *I wish you joy (of it);*
II ⟨bw.⟩ **0.1** [gelukkig, voorspoedig] *fortunately* ⇒*luckily* ◆ **3.1** daar ben je ~ van afgekomen *you got off lightly/cheaply/easily.*

gezeggen ⟨ww.⟩ ◆ **3.**¶ hij laat zich niets ~ *he won't obey/take orders, he won't be adviced.*

gezeglijk ⟨bn.⟩ **0.1** *reasonable* ⇒*amenable (to reason/discipline), tractable, obedient, docile* ◆ **1.1** het kind is heel ~ *the child is very obedient/amenable/tractable.*

gezeik ⟨het⟩ ⟨vulg.⟩ **0.1** *load of crap/(bull)shit* ⇒*bull(shit), crap,* ^*horseshit,* (geklets) *yackety-yack* ◆ **¶.1** ik moet dat ~ niet *don't give me that crap/bullshit.*

gezel ⟨de (m.)⟩ **0.1** [makker, reisgenoot] *companion* ⇒*mate, comrade* **0.2** [⟨gesch.; amb.⟩] *mate* **0.3** [handwerksman] *journeyman* ⇒*workman,* ⟨assistent⟩ *mate* **0.4** [⟨amb.⟩ titel] *craftsman* ⇒*tradesman.*

gezellig ⟨bn., bw.; -ly⟩ **0.1** [omgang aangenaam makend] *enjoyable* ⇒*pleasant, entertaining, sociable, companionable* ⟨van persoon⟩, (feestelijk) *convivial* **0.2** [aangenaam voor het verblijf] *pleasant* ⇒*enjoyable, comfortable, cheerful,* ⟨knus⟩ *cosy, snug* **0.3** [aardig, vlot] *companionable* ⇒*nice* **0.4** [neiging hebbend om met anderen te verkeren] *social* ⇒*gregarious,* ⟨mens ook⟩ *sociable* ◆ **1.1** een ~e avond *a(n) entertaining/pleasant/delightful/enjoyable evening;* een ~e babbel *a(n) enjoyable/entertaining/pleasant chat, a good chin-wag;* een ~ feest *a good/enjoyable party;* een ~ glaasje drinken *have a pleasant drink (with s.o./together);* een ~e huismoeder *a homemaker;* een ~ mens *good company, a companionable/sociable/↓chummy/↓matey person, a good mixer;* een ~e prater *an entertaining talker, a chatty person;* een ~ uurtje *a pleasant/enjoyable time* **1.2** een ~ hoekje/ plekje *a snug/cosy/comfy corner/nook, a cubby(-hole);* een ~ kamertje/huisje *a cubby(-hole), a snuggery;* een ~ vuur *a pleasant/welcoming fire* **1.3** een ~ boek *a(n) c./enjoyable book;* een ~ chatty/nice letter* **1.4** ~e dieren *pets* ⟨huisdieren⟩*;social/gregarious animals* ⟨in groepen levend⟩ **1.**¶ een ~ dikkerdje *a round and cuddly person* **2.**¶ ~ dik *chubby* **3.1** het samen erg ~ hebben *lead a cosy life together;* het is ~ eens samen thuis te blijven *it's nice and cosy to stay home together once in a while* **3.2** een kamer ~ maken *make a room cosy/snug* ⟨knus⟩*; cheer/brighten a room up* ⟨met bloemen/sprekende kleuren⟩; de kachel snorde ~ *the stove roared cheerfully* **3.3** ~ kletsen *chat away cosily/merrily/pleasantly* **5.1** zij zijn helemaal niet ~ *they're precious poor company.*

gezelligheid ⟨de (v.)⟩ ⟨→sprw. 227⟩ **0.1** [genoeglijk samenzijn] *sociability* ⇒*companionableness,* ⟨feeststemming⟩ *conviviality* **0.2** [prettige atmosfeer] *cosiness* ⇒*snugness, cheerfulness* ◆ **3.1** hij houdt van ~ *he is fond of company, he is a sociable/gregarious person;* zijn komst verhoogde de ~ *his arrival heightened the conviviality* **3.2** hun huis biedt totaal geen ~ *their house isn't a real home/a bit homey;* ik houd veel van ~ *in een kamer I like a room to be cheerful/cosy/snug* **6.1** voor de ~ meedoen *join in for (the sake of) company.*

gezelligheidsdier ⟨het⟩ ⟨inf.⟩ **0.1** *companionable/chummy sort/type.*

gezelligheidsmens ⟨de (m.)⟩ **0.1** *convivialist* ⇒*sociable/companionable/gregarious person,* ⟨iem. die zich bij allerlei verenigingen aansluit⟩ *joiner* ◆ **3.1** hij is een ~ *he's good company, he's very sociable/companionable/gregarious.*

gezelligheidsvereniging ⟨de (v.)⟩ **0.1** *social club.*

gezellin ⟨de (v.)⟩ **0.1** [zij die een ander vergezelt; ⟨ook fig.⟩] *companion* ⇒*partner, mate* **0.2** [echtgenote] *companion* ⇒*partner, mate* ◆ **2.2** hij zocht een lieve ~ *he was looking for s.o. to love.*

gezelschap ⟨het⟩ ⟨→sprw. 228⟩ **0.1** [het samenzijn met anderen] *company* ⇒*companionship* **0.2** [personen waarmee men samen is] *company* ⇒*society* **0.3** [aantal personen die bijeen zijn] *company* ⇒*party, gathering, assembly* **0.4** [⟨in samenst.⟩ vereniging] *company* ⇒*troupe* ⟨toneel⟩ ◆ **1.1** dame gezocht voor huishoudelijk werk en ~ *wanted, lady for household duties and companionship* **1.3** de clown van het ~ *the clown of the c.;* het middelpunt v.h. ~ *the life and soul of the party, the centre of attraction* **2.1** aan hem heb je weinig ~ *he's poor company/ not much of a companion* **2.2** in goed ~ zijn ⟨ook fig.⟩ *be in good c.;* in slecht ~ geraken *fall into bad c., get into a bad set* **2.3** een gemengd ~ *a mixed c., a motley gathering;* een klein/besloten/groot ~ *a small/*

private/large party; een uitgelezen ~ *a select/well-chosen c.;* een vrolijk ~ *a merry party/c.* **3.1** iem. ~ houden *keep/bear s.o. company;* ~ zoeken *seek companionship/company* **3.2** dat is geen ~ voor u *this is no c. for you* **3.3** hij heeft ~ aan zijn hond *his dog is a companion to him/keeps him c.;* iem. ~ introduceren *introduce s.o. to a c.* **6.1** in ~ van *in the company of;* in ~ *in company, when company is present* **6.2** in beschaafd ~ *in polite society* **6.3** zich bij het ~ voegen *join the party* **8.1** met alleen haar dochter als ~ *with only her daughter to keep her company, with her daughter as her sole companion* **¶.1** (iemands) ~ op prijs stellen *enjoy/value (s.o.'s) company/companionship* **¶.3** deel uitmaken van het ~ *make one of the c., be of the party.*

gezelschapsdame ⟨de (v.)⟩ **0.1** *(lady-)companion* ⇒*lady-help* ◆ **6.1** ~ bij *(l.-)c. to.*

gezelschapsspel ⟨het⟩ **0.1** *party game* ⇒*round game.*

gezemel ⟨het⟩ **0.1** *nagging* ⇒*moaning, harping/keeping/going on.*

gezet
I ⟨bn.⟩ **0.1** [bepaald] *set* ⇒*definite, fixed, regular* **0.2** [dik] *stout* ⇒*corpulent, portly, rotund, plump,* ⟨fors⟩ *thickset* ◆ **1.1** een ~te termijn/ dag *a fixed term/day;* op ~te tijden *at s./regular times/intervals;*
II ⟨bn., bw.⟩ **0.1** [regelmatig, geregeld] *regular* ◆ **1.1** een ~te lezing van de bijbel *a r. reading of the Bible.*

gezeten ⟨bn.⟩ **0.1** [met een vaste woonplaats] *settled* ⇒*resident* **0.2** [welgesteld] *substantial* ⇒*established* ◆ **1.1** een ~ bevolking *a s. population* **1.2** een ~ burger, de ~ burgerij *a s./solid citizen; the prosperous/ well-to-do middle class.*

gezetheid ⟨de (v.)⟩ **0.1** [zwaarlijvigheid] *stoutness* ⇒*corpulence, portliness, potundity, plumpness* **0.2** [regelmaat, ernst] *application* ⇒*assiduity, diligence.*

gezeur ⟨het⟩ **0.1** [gezanik] *moaning* ⇒*harping on, nagging,* ⟨gedoe⟩ *fussing, bother* **0.2** [bedrog in het spel] *cheating* ◆ **2.1** hou nu eens op met dat eeuwige ~! *do for goodness' sake stop m. all the time!;* sentimenteel ~ *mush, slush.*

gezever ⟨het⟩ **0.1** [gezeur] *drivel* ⇒*twaddle* **0.2** [gekwijl] *slaver* ⇒*slobber, drool, drivel.*

gezicht ⟨het⟩ **0.1** [het zien] *sight* **0.2** [(object van) gewaarwording] *sight* ⇒*spectacle* **0.3** [gelaat] *face* **0.4** [gelaatsuitdrukking] *face* ⇒*expression, look(s),* ⟨schr.⟩ *countenance* **0.5** [uiterlijk] *face* **0.6** [gezichtsvermogen] *(eye)sight* ⇒*vision* **0.7** [uitzicht] *view* ⇒*sight,* ⟨panorama⟩ *prospect, outlook* **0.8** [visioen] *vision* ◆ **2.2** 't was een aardig/prachtig ~ *it was a lovely/pretty sight, it was a magnificent/splendid sight;* een vreselijk ~ *a ghastly/gruesome sight* **2.3** een lief ~ *a sweet f.;* een vermoeid ~ *a haggard f., a tired expression;* vreemde ~en *strange faces, strangers;* met een zwart/rood/wit ~ *black-/red-/white-faced* **2.4** hij zette een lang/zuur ~ *he pulled a long f., his f. fell, he grimaced/made a grimace;* met een onschuldig ~ *with an air of innocence, with an expression as if butter would't melt in one's mouth;* een stalen ~ *a stony f., a f. like a flint;* met een verwaand ~ *with a conceited air;* ⟨fig.⟩ zijn ware ~ tonen *show o.s. (in one's true colours)* **2.5** een organisatie een ander ~ geven *give an organisation a new look* **3.3** ergens zijn ~ laten zien *show one's f./o.s., put in an appearance* **3.4** zijn ~ betrok *his f. clouded over, his f./countenance fell;* je had zijn ~ moeten zien *you should have seen (the look on) his f.;* zijn ~ staat me niet aan *I don't like the looks of him;* ~en trekken *make/pull faces, grimace;* een ~ zetten alsof look as if;* een vrolijk/ernstig/gek ~ zetten *put on a cheerful/grave/funny f./ look cheerful/grave/funny* **3.**¶ hou je ~! *shut up!, shut your mouth/f.!;* zijn ~ redden *save one's face;* zijn ~ verliezen *lose face* **6.1** liefde op het eerste ~ *love at first s.;* op het eerste ~ *at first s., at (the) first glance/blush, on the face/surface of it;* op het eerste ~ lijkt dat ondoenlijk *on the face of it/on first thoughts it seems impracticable;* op het (eerste) ~ iets spelen/zingen *play/sing sth. at s., sight-read sth.* **6.2** voor het ~ een kleedje over iets leggen *put a cloth over sth. for appearance's sake* **6.3** een klap in 't ~ krijgen ⟨ook fig.⟩ *get a slap/smack in the f./teeth, get a kick in the pants/ teeth;* iem. strak in het ~ kijken *look a person straight/full in the f.;* de zon schijnt mij in het ~ *the sun is shining in my f./eyes;* iets in iemands ~ zeggen *say sth. (straight) to s.o.'s f., say sth. straightout to s.o.;* iem. in zijn ~ uitlachen *laugh in s.o.'s f.;* 't was alsof ik een klap in 't ~ kreeg *it was like being hit in the f.;* iem. op zijn ~ geven/slaan *punch s.o.'s f., tan s.o.'s hide, give s.o. a thrashing;* op zijn ~ krijgen *get a licking;* iem. van ~ kennen *know s.o. by sight, know s.o.'s f.* **6.4** ik zag aan zijn ~ dat *I could tell by his expression/(the look on) his f. that;* iem. met twee ~en *a two-faced/Janus-faced person;* op zijn eerlijk ~ krediet krijgen *be given credit on the strength of one's honest appearance;* de sluwheid staat op/is van zijn ~ te lezen *he has cunning written all over his f.;* een goed geheugen voor ~en hebben *have a good memory for faces, be good at faces* **6.6** hij is goed van ~ *he has keen/sharp eyesight/eyes* **6.7** aan het ~ onttrekken *remove from sight, conceal;* ~ op Londen *a v. of London;* uit het ~ verloren *lost to sight/v./uit het ~ verdwijnen *disappear/vanish from sight;* uit mijn ~! *out of my sight!* **6.**¶ ⟨inf.⟩ op je ~! *not on your life!, like hell!;* voor 't ~ v.d. mensen *for appearance's sake, for the look of the thing* **7.2** dat is geen ~! *that is a perfect sight/a fright/hideous* **7.3** ⟨fig.⟩ het tweede

~ *the backside, rear-end* **7.6** het tweede ~ *second sight, clairvoyance* **8.4** een ~ als een oorworm *a f. as long as a fiddle* **¶.1** het ~ in de plooi houden *keep a straight f., compose one's features, set one's f.*.
gezichteinder →**gezichtseinder**.
gezichtsafstand ⟨de (m.)⟩ **0.1** [ideale oogafstand] *focusing distance* **0.2** [afstand waarop iets waarneembaar is] *view* ⇒*sight, eyeshot, seeing distance* **0.3** [afstand waarop men waarneemt] *seeing distance* ⇒ *(range of) sight, range of vision* ◆ **6.1** iets op ~ houden *hold sth. at focusing distance* **6.2** zich op ~ bevinden *be within v. / sight / eyeshot / seeing distance*.
gezichtsas ⟨de⟩ **0.1** *optic axis* ⇒*visual axis*.
gezichtsbedrog ⟨het⟩ **0.1** *optical illusion* ⇒*trick of vision / the eye*, ⟨natuurverschijnsel⟩ *mirage, fata morgana*, ⟨schilderkunst⟩ *trompe l'oeil*.
gezichtsbepalend ⟨bn.⟩ **0.1** *important / vital to the image (of)* ◆ **3.1** de fractievoorzitter is voor een partij vaak ~ *the leader of the parliamentary party is often vital to the party's image*.
gezichtscel ⟨de⟩ **0.1** *retinal cell*.
gezichtscentrum ⟨het⟩ **0.1** *visual cortex / centre*.
gezichtseinder ⟨de (m.)⟩ **0.1** [horizon] *horizon* ⇒*skyline* **0.2** [⟨fig.⟩] *horizon* ⇒*range, scope* ◆ **2.2** de politieke ~ *the political outlook* **6.1** aan de ~ zag hij het weerlichten *he saw lightning on the h.* **6.2** dat ligt **buiten** onze ~ *that is beyond our range / scope*.
gezichtshaar ⟨het⟩ **0.1** *facial hair*.
gezichtshoek ⟨de (m.)⟩ **0.1** [door stralen gevormde hoek] *optic(al) angle* ⇒*visual angle* **0.2** [oogpunt] *angle* ⇒*point of view, aspect* ◆ **6.2** als je het **vanuit** deze ~ bekijkt *if you look at / consider it from this angle / point of view*.
gezichtsindruk ⟨de (m.)⟩ **0.1** *visual perception*.
gezichtskring ⟨de (m.)⟩ **0.1** *horizon* ⇒*range, field of vision, scope* ◆ **3.1** zijn al te beperkte ~ uitbreiden *broaden one's mind / outlook* **6.1** ⟨fig.⟩ dat ligt **buiten** zijn ~ *that is beyond his range / scope*.
gezichtslijn ⟨de⟩ **0.1** [mbt. de ogen] *line of sight* ⇒*line of vision, visual line / beam / ray* **0.2** [⟨ster.⟩] *line of sight* ⇒*line of collimation*.
gezichtsmasker ⟨het⟩ **0.1** [masker voor het gezicht] *mask* **0.2** [afbeelding als masker] *mask* **0.3** [kosmetisch preparaat] *face pack*.
gezichtsmassage ⟨de (v.)⟩ **0.1** *facial massage*.
gezichtsmeter ⟨de (m.)⟩ **0.1** *optometer*.
gezichtspunt ⟨het⟩ **0.1** *point of view* ⇒*angle, aspect, perspective, viewpoint* ◆ **2.1** nieuwe ~en openen *open up new vistas / prospects / a new perspective* **2.¶** dat is een heel nieuw ~ *that is an entirely fresh / new perspective / viewpoint / angle* **6.1** uit dit ~ had ik de zaak nog niet beschouwd *I had not considered the matter from this point of view / angle / perspective / viewpoint up to now / before*.
gezichtsscherpte ⟨de (v.)⟩ **0.1** *sharpness of sight* ⇒*keenness of sight, acuity of vision, visual acuteness*.
gezichtsstoornis ⟨de (v.)⟩ **0.1** *visual disturbance* ⟨meestal mv.⟩ ⇒*disorder of sight*.
gezichtsveld ⟨het⟩ **0.1** [mbt. de ogen] *field / range of vision* ⇒*sight, field of view, visual field / range* **0.2** [mbt. optische instrumenten] *range* ⇒*field* ◆ **2.2** een kijker met een groot ~ *wide-angle binoculars* **6.1** **binnen** zijn ~ komen *come into sight / view, enter one's field of vision;* **buiten** iemands ~ liggen / vallen ⟨fig.⟩ *be beyond s.o.'s range / scope*.
gezichtsverlies ⟨het⟩ **0.1** [verlies v.h. gezichtsvermogen] *loss of (eye)sight* **0.2** [verlies v.h. prestige] *loss of face* **0.3** [verlies v.h. kenmerkende / esthetische] *loss of character* ⇒*loss of distinction* ◆ **3.2** ~ lijden *lose face, suffer a loss of face*.
gezichtsvermogen ⟨het⟩ **0.1** *(eye)sight* ⇒*power of vision / seeing, visual faculty / power* ◆ **2.1** scherp ~ *keen (e.)s., acute powers of vision* **3.1** het ~ verloren hebben *have lost one's (e.)s., have gone blind*.
gezichtszenuw ⟨de⟩ **0.1** *optic nerve* ⇒*visual nerve*.
gezichtszintuig ⟨het⟩ **0.1** *visual organ* ⇒*organ of sight / vision*.
gezichtszwakte ⟨de (v.)⟩ **0.1** *weakness of eyesight / the eyes, weak sight* ⇒*weakness of vision / sight*.
gezien¹ ⟨bn.⟩ **0.1** [geacht] *esteemed* ⇒*respected*, ⟨populair⟩ *popular* **0.2** [na kennisneming bekrachtigd] *seen (by me)* ⇒*endorsed, visaed,* [A]*viséed* ⟨vooral paspoort⟩ ◆ **1.1** een ~ man *an e. / respected / popular man* **2.2** ~ en goedgekeurd *seen and approved* **6.1** hij is niet ~ **bij** zijn ondergeschikten *he is not e. / respected / highly thought of / held in high esteem by / not popular with his subordinates / those who work for him* **6.2** een stuk **voor** ~ tekenen *endorse / visa /* [A]*visé a document* **6.¶** iets / het **voor** ~ houden *take sth. as read*.
gezien² ⟨vz.⟩ **0.1** *in view of* ⇒*given, considering* ◆ **1.1** ~ de sterke concurrentie *given / in view of the strong competition;* ~ zijn slechte gezondheid / hun ervaring *considering / in view of his poor health / their experience, given their experience;* ~ zijn jeugdige leeftijd *given his youth*.
gezin ⟨het⟩ **0.1** [ouders en kinderen] *family* **0.2** [partner en kinderen] *family* ◆ **1.1** het hoofd v.h. ~ *the head of the f.* **2.1** een vakantie voor het hele ~ ⟨ook⟩ *a f. holiday /* [A]*vacation;* een onvolledig ~ *a single- / one-parent f.* **3.1** het ~ bestaat uit vier personen *it's a f. of four;* een ~ stichten *start a f.* **3.2** een ~ te onderhouden hebben *have a f. to support* **6.1** helemaal in het ~ opgenomen worden *be (treated as) one of*

---

the f.; een ~ **met** kleine kinderen *a young f.* **6.2** zij gaat **met** haar ~ op reis *she's going away with her /* ⟨inf.⟩ *the f.* **¶.1** het ~ is de hoeksteen v.d. samenleving *the f. is the cornerstone of society*.
gezind ⟨bn.⟩ **0.1** *(pre)disposed (to(wards))* ⇒*inclined (to)* ◆ **5.1** hij is anders ~ dan zij *his disposition is different from hers;* ⟨mbt. probleem⟩ *his view differs from hers;* ⟨mbt. geloof⟩ *he and she are of different denominations / faiths;* hij is democratisch / christelijk ~ *he believes in democracy / christianity;* iem. goed / gunstig ~ zijn *be well / favourably / kindly disposed to(wards) s.o., regard s.o. with favour, look favourably / with favour on s.o.;* iem. slecht ~ zijn *be ill-disposed towards s.o., bear s.o. ill-feeling / -will;* iem. vijandig ~ zijn *be hostile toward s.o.*.
gezindheid ⟨de (v.)⟩ **0.1** [innerlijke houding] *inclination* ⇒*disposition, outlook* **0.2** [politieke partij] *political persuasion* ⇒*political creed / colour* **0.3** [geloofsovertuiging] *conviction* ⇒*persuasion, faith, creed* ◆ **2.1** hun vijandige ~ jegens *their hostility / hostile disposition towards*.
gezindte ⟨de (v.)⟩ **0.1** *denomination* ⇒*sect*.
gezinsauto ⟨de (m.)⟩ **0.1** *family car*.
gezinsbedrijf ⟨het⟩ **0.1** *family business*.
gezinsbeperking →**gezinsplanning**.
gezinsbijstand ⟨de (m.)⟩ **0.1** ⟨alg.⟩ *social security* [A]*welfare;* ⟨aanvullend⟩ *≠family income supplement*.
gezinsbudget ⟨het⟩ **0.1** *family budget* ⇒*housekeeping (money / allowance)*.
gezinsfles ⟨de⟩ **0.1** *jumbo / giant bottle* ⇒*king-size(d) bottle*.
gezinshelper ⟨de (m.)⟩, **-helpster** ⟨de (v.)⟩ **0.1** *home help* ⇒[A]*homemaker*.
gezinshoofd ⟨het⟩ **0.1** [hoofd v.h. gezin] *head of the family* ⇒*head of the household, householder,* ⟨scherts.⟩ *paterfamilias* **0.2** [⟨jur.⟩] *family guardian, ≠foster parent*.
gezinshulp ⟨de (m.)⟩ **0.1** [hulpverlening] *home help* **0.2** [persoon] *home help* ⇒[A]*homemaker*.
gezinsinkomen ⟨het⟩ **0.1** *family income*.
gezinskaart ⟨de⟩ **0.1** *family ticket*.
gezinskrediet ⟨het⟩ ⟨euf.⟩ **0.1** *easy credit* ⇒⟨ongemarkeerd⟩ *credit terms, instalment* [A]*llment plan*.
gezinsleven ⟨het⟩ **0.1** *family life* ⇒*home / domestic life, domesticity*.
gezinslid ⟨het⟩ **0.1** *member of the family* ⇒*family member*.
gezinsmoeilijkheden ⟨zn.mv.⟩ **0.1** *domestic problems* ⇒*domestic troubles / difficulties*.
gezinspak →**gezinsverpakking**.
gezinsplanning ⟨de⟩ **0.1** *family planning* ⇒*birth control*.
gezinssociologie ⟨de (v.)⟩ **0.1** *sociology of the family*.
gezinstherapie ⟨de (v.)⟩ **0.1** *family therapy*.
gezinstoelage ⟨de⟩ **0.1** *dependants* [A]*ents allowance for diplomats stationed abroad*.
gezinsuitbreiding ⟨de (v.)⟩ **0.1** *addition to the family*.
gezinsverband ⟨het⟩ **0.1** [relatie tussen de leden v.e. gezin] *family relation(s)* **0.2** [het gezin als verband] *family* ◆ **6.2** in ~ op vakantie gaan *go on holiday with the whole / entire family*.
gezinsverpakking ⟨de⟩ **0.1** *family(-size(d)) pack(age)* ⇒*king-size(d) / jumbo pack(age)* ◆ **6.1** biscuits in ~ *family-packaged biscuits, biscuits in a family(-size(d)) package*.
gezinsverpleging ⟨de (v.)⟩ **0.1** *home nursing* ⇒*nursing at home*.
gezinsvervangend ⟨bn.⟩ ◆ **1.¶** een ~ tehuis *≠a surrogate family unit / home*.
gezinsverzorger ⟨de (m.)⟩, **-zorgster** ⟨de (v.)⟩ **0.1** *home help* ⇒[A]*homemaker*.
gezinsverzorging ⟨de (v.)⟩ **0.1** *home help*.
gezinsvoogd ⟨de (m.)⟩, **-es** ⟨de (v.)⟩ **0.1** *family guardian*.
gezinsvoogdij ⟨de (v.)⟩ **0.1** *family guardianship*.
gezinswagen ⟨de (m.)⟩ **0.1** *family car*.
gezinswoning ⟨de (v.)⟩ **0.1** *family dwelling*.
gezinszorg ⟨de⟩ **0.1** [zorg die het gezin meebrengt] *domestic care / worries* ⇒*care of the family* **0.2** [gereglementeerde zorg] *home help*.
gezocht ⟨bn.⟩ **0.1** [gemaakt] *strained, contrived* ⇒*forced, recherché, laboured,* ⟨vergezocht⟩ *far-fetched* **0.2** [opzettelijk bedacht] *fabricated* **0.3** [in trek] *sought-after* ⇒*in demand / request / vogue, popular, prized* ◆ **1.1** een ~ vergelijking *a far-fetched / s. / tortuous / c. argument;* ~e beeldspraak *s. / laboured / far-fetched imagery;* ~e complimentjes *forced compliments;* ~e geestigheden *s. / forced / affected wit* **1.2** een ~ excuus *a f. excuse* **1.3** een ~ artikel *an article in demand;* een ~ boek *a s.-a. / popular book* **6.3** ~ om z'n eigenschappen *highly prized for its qualities*.
gezochtheid ⟨de (v.)⟩ **0.1** *far-fetched nature*.
gezoem ⟨het⟩ **0.1** *buzz(ing)* ⇒⟨bijen ook⟩ *hum(ming), drone / ing, zoom(ing),* ⟨door snelle beweging veroorzaakt⟩ *whirr(ing)* ◆ **1.1** het ~ van muggen *the b. of gnats / mosquitoes*.
gezond
I ⟨bn., bw.; -ly⟩ ⟨→sprw. 60,379,637⟩ **0.1** [niet ziek] *healthy* ⇒*fit, sound,* [B]*well* ⟨alleen pred.⟩ **0.2** [heilzaam] *healthy* ⇒*wholesome, salutary* **0.3** [onbedorven, helder] *sound* ⇒*good* ◆ **1.1** ⟨fig.⟩ een ~ be-

drijf *a h. / sound business;* een ~e geest in een ~ lichaam *a sound mind in a sound body;* een ~e kleur hebben *have a h. / rosy / ruddy / sanguine complexion, have a complexion of milk and roses, be rosy about the gills;* een ~e maag hebben *have a sound stomach* 1.2 de ~e berglucht *the salubrious / h. mountain air;* een ~ klimaat *a h. / salubrious / climate;* een ~e slaap *a good / refreshing / sound sleep;* ~ voedsel *wholesome / h. food;* ⟨macrobiotisch⟩ *health food* 1.3 ~e humor *good clean / healthy fun;* een ~e kijk hebben op *have s. ideas about;* een ~ oordeel *a s. / good / healthy judgement;* een ~e slaap *a s. sleep;* dat is geen ~e toestand *that is an unhealthy situation;* ~ verstand *common / good / s. /* ^A*horse sense, native / mother wit* 2.1 geestelijk ~ *mentally sound / well;* lichamelijk ~ *in good bodily health, physically fit* 3.1 ~ blijven *keep fit, preserve / conserve one's health;* hij is niet ~ *he is out of health, he is not well;* hij kan ~ eten *he has a h. / hearty / good appetite;* weer ~ maken *bring back to / restore to health, make well;* ⟨bedrijf⟩ *restore to a h. state, reconstruct;* weer ~ worden *recover / regain one's health, get well (again)* 3.2 ~ wonen *live in a h. environment* 3.3 ~ oordelen *judge soundly* 6.1 ~ **van** hoofd en hart *sound / able in mind and body* 6.2 die straf is ~ **voor** hem *the punishment will do him good* 8.1 zo ~ als een vis *as sound as a roach / bell, as fit as a fiddle* ¶.1 zij is door en door ~ *she is in the pink of / the best of / perfect health;* **II** ⟨bn.⟩ 0.1 [valide] *able-bodied* ⇒*fit* 0.2 [kloek, stevig] *robust* ⇒ *buxom* ⟨vrouw⟩*, strapping* ⟨meisje⟩ 0.3 [mbt. zaken] *sound* ⇒*good* ◆ 1.1 op zijn ~e been strompelde hij voort *he limped along on his one good leg* 1.2 een ~e baby *a bonny / bouncing baby;* een paar ~e wangen *a pair of ruddly / rosy cheeks* 1.3 een ~e vrucht *a s. fruit* 2.1 ~ en wel *safe and sound* 6.2 ~ **van** lijf en leden *able-bodied, sound in wind and limb / life and limb.*

gezondene ⟨de⟩ 0.1 *messenger* ⇒*courier, envoy.*

gezondheid[1] ⟨de (v.)⟩ (→sprw. 229) 0.1 [toestand van optimaal welzijn] *health* ⇒*fitness, well-being* 0.2 [lichaamsgesteldheid] *health* 0.3 [heilzaamheid] *healthiness* ⇒*wholesomeness, salubrity* ◆ 1.1 verlof van drie maanden tot herstel van ~ *three month's leave for rest and recuperation / for convalescence;* ~ van inzicht *soundness of judgement / opinion;* officier van ~ *medical officer;* een toonbeeld van ~ *the (very) picture of h.* 1.3 de ~ van het klimaat daar *the h. / salubrity of the climate there* 2.1 geestelijke ~ *mental h.;* de openbare ~ *public h.* 2.2 een goede ~ genieten *have / be in / enjoy good h.;* een slechte ~ genieten *be in bad / poor / ill / failing h., be poorly, suffer from poor h.* 3.1 blaken van ~ *bloom / burst with h., be in roaring / the pink of h.;* je moet nooit spotten met je ~ *you mustn't gamble with / risk your h.;* ⟨scherts.⟩ *you're asking for trouble;* iem. zijn ~ teruggeven *bring s.o. back to h.,* restore *s.o. to h.;* hij heeft zijn ~ verwoest *he has ruined his h.* 3.2 naar iemands ~ vragen *inquire after s.o. ('s h.);* zijn ~ verliezen *lose one's (good) h.* 6.1 op uw ~! *your h.!, here's to you / your h.!, cheers!, here's how!;* (een glas wijn) **op** iemands ~ drinken *drink (to) s.o.'s health,* propose *s.o.'s health, pledge s.o.'s health (in a glass of wine);* dat is bevorderlijk / schadelijk **voor** de ~ *that is good / bad for one's h.* ¶.1 ~ is de grootste schat *h. is better than wealth* ¶.2 zijn ~ laat te wensen over *his h. is delicate / indifferent / poor, he is in poor / low h.;* zijn ~ gaat achteruit *his h. is failing, he is in failing h..*

gezondheid[2] ⟨tw.⟩ 0.1 *(God) bless you!.*

gezondheidsattest ⟨het⟩ 0.1 *certificate of good health* ⇒⟨inf.⟩ *doctor's certificate / note of good health.*

gezondheidscentrum ⟨het⟩ 0.1 *health centre.*

gezondheidsclaim ⟨de (m.)⟩ 0.1 *health-cure claim* ◆ 3.1 ~s op etiketten verbieden *prohibit health-cure claims on labels.*

gezondheidscommissie ⟨de (v.)⟩ 0.1 *board of health* ⇒⟨keuringscommissie⟩ *medical board.*

gezondheidsdienst ⟨de (m.)⟩ 0.1 *health service.*

gezondheidskunde ⟨de (v.)⟩ 0.1 *(health and) hygiene.*

gezondheidsleer ⟨de⟩ 0.1 *hygiene* ⇒*hygienics.*

gezondheidsmaatregel ⟨de (m.)⟩ 0.1 *sanitary measure.*

gezondheidsorganisatie ⟨de (v.)⟩ 0.1 *health organization.*

gezondheidsredenen ⟨zn.mv.⟩ 0.1 *health reasons, reasons / considerations of health* ◆ 6.1 om ~ aftreden *resign because of / for h. r., resign for reasons / considerations of health, resign on health grounds / on the grounds of ill-health;* om ~ naar het platteland verhuizen *move to the country for h. r. / for reasons / considerations of health.*

gezondheidsregel ⟨de (m.)⟩ 0.1 *regime(n).*

gezondheidstoestand ⟨de (m.)⟩ 0.1 *state of health* ⇒⟨algemene toestand⟩ *health,* ⟨van een bevolking ook⟩ *state of public health* ◆ 1.1 de ~ van de patiënt is uitstekend / zorgwekkend *the patient's health is excellent / gives cause for concern / anxiety, the patient is in excellent health / in a worrying state of health* 2.1 de algemene ~ van de bevolking *the general health / state of health of the population;* de openbare ~ *the state of public health;* gezien zijn zwakke ~ *considering the weak state of his health / the weakness of his health / his poor health.*

gezondheidsverklaring ⟨de (v.)⟩ 0.1 *health certificate* ⇒⟨inf.⟩ *doctor's certificate / note,* ⟨inf., specifiek van goede gezondheid⟩ *clean bill of health.*

Gezondheidswet ⟨de⟩ 0.1 *Public Health Act.*

gezondheidswetgeving ⟨de (v.)⟩ 0.1 *public health legislation.*

gezondheidszorg ⟨de⟩ 0.1 [zorg voor de gezondheid] *health care, medical care* 0.2 [instanties, maatregelen] *health service(s)* ⇒⟨in GB⟩ *National Health Service,* ⟨voor bejaarden, in USA⟩ *Medicare* ◆ 2.1 geestelijke ~ ⟨alg.⟩ ≠*mental welfare;* ⟨rel.⟩ *pastoral care* 2.2 openbare ~ *public health services,* ⟨ AE ook⟩ *state / socialized medicine* 6.2 **in** de ~ werken *work in the public health sector;* ⟨in GB ook⟩ *work for the National Health Service.*

gezondmakertje ⟨het⟩ ⟨scherts.⟩ 0.1 *(early-morning) pick-me-up / bracer* ⇒*early-morning libation.*

gezondmaking ⟨de (v.)⟩ 0.1 *healing, curing* ⇒⟨mbt. bedrijf, financiën⟩ *reorganization, reconstruction* ◆ 1.1 de ~ van de financiën *financial reconstruction / reorganization;* ↓*putting (the) finances on a healthy basis.*

gezonken ⟨bn.⟩ ⟨scheep.⟩ 0.1 *sunken, sunk* ◆ 1.1 een ~ dek *a sunken deck;* een ~ luik *a flush cover / cap.*

gezouten ⟨bn.⟩ 0.1 [gepekeld] *salt(ed), salty* ⇒⟨mbt. corned beef⟩ *corned* 0.2 [⟨fig.⟩] *salty* ⇒*saucy,* ⟨attr. ook⟩ *choice* ◆ 1.1 ~ rundvlees *salt beef;* ⟨corned beef⟩ *corned beef;* ⟨inf.; scheep.⟩ *salt horse;* ~ spek *salted / salty bacon;* ~ vis / kabeljauw *salt fish / cod* 1.2 ~ taal *saucy language* 5.1 licht ~ boter *lightly salted butter.*

gezucht ⟨het⟩ 0.1 [het telkens zuchten] *sighing* ⇒*moaning* 0.2 [mbt. de wind] *sighing, moaning* ⇒⟨dicht.⟩ *songhing.*

gezusters ⟨zn.mv.⟩ 0.1 [zusters] *sisters* 0.2 [⟨hand.⟩] *sisters* ◆ 1.1 de ~ A *the A sisters* 1.2 de ~ A *the A sisters.*

gezwam ⟨het⟩ ⟨inf.⟩ 0.1 *drivel, hot air, rot, bunk(um)* ⇒⟨BE ook⟩ *waffle* ◆ ¶.1 ~ in de ruimte *loose talk.*

gezwel ⟨het⟩ 0.1 [plaatselijke ziekelijke opzetting] *swelling* ⇒ ↓*lump,* ⟨med.⟩ *intumescence* 0.2 [woekering van een weefsel] *growth* ⇒*tumour* ◆ 2.2 een goedaardig ~ *a benign tumour;* ⟨med.⟩ *a teratoma;* ⟨fig.⟩ de werkeloosheid is een groeiend ~ *unemployment is a growing scourge / bane / curse / malady / evil;* een kwaadaardig ~ *a (malignant) tumour, a cancer;* ⟨med.⟩ *a carcinoma, a sarcoma;* ⟨med., euf.⟩ *a neoplasm* 6.2 een ~ **in** de borst *a lump in the breast.*

gezwelvorm ⟨de (m.)⟩ 0.1 *type of tumour* ⇒*type of cancer.*

gezwendel ⟨het⟩ 0.1 *swindling, fraud.*

gezwenkt ⟨bn.⟩ ⟨bouwk.⟩ 0.1 *contorted.*

gezwets ⟨het⟩ 0.1 [geklets] *drivel, twaddle, rot, bunk(um), rubbish* ⇒ ⟨BE⟩ *waffle,* ⟨AE⟩ *baloney* 0.2 [grootspraak] *bragging, boasting (talk)* ◆ ¶.1 ~ in de ruimte *hot air, loose talk.*

gezwijmel ⟨het⟩ 0.1 *slush* ⇒*slobber, slop.*

gezwind ⟨schr.⟩
I ⟨bn., bw.; -ly⟩ 0.1 [vlug, snel] *swift* ⇒*rapid,* ↓*quick, fast* ◆ 1.1 het ~e hert *the fleet-footed / wing-footed / nimble hart;* met ~e pas *at a brisk / smart pace;* iets met ~e spoed regelen *arrange sth. with the utmost dispatch / haste / with all possible expedition* 3.1 hij liep er ~ heen *he walked swiftly towards it;*
II ⟨bw.⟩ 0.1 [spoedig] *soon, speedily, before long.*

gezwindheid ⟨de (v.)⟩ 0.1 *rapidity, swiftness, haste* ⇒*celerity,* ↓*quickness, speed.*

gezwoeg ⟨het⟩ ⟨hard⟩ *toil(ing);* ⟨eentonig⟩ *drudgery* ⇒*drudging, plodding.*

gezwollen ⟨bn.⟩ 0.1 [mbt. lichaamsdelen] *swollen* ⇒*distended,* ⟨vnl. med.⟩ *turgescent, turgid, tumid* 0.2 [mbt. muzikale tonen] *sonorous* 0.3 [mbt. stijl] *inflated, bombastic, high-flown, turgid* ⇒⟨inf.⟩ *highfalutin* ◆ 1.1 ~ voeten *s. feet* 1.3 ~ taalgebruik *inflated / high-flown / highfalutin language, bombast* 6.1 ⟨fig.⟩ ~ van trots *inflated with pride.*

gezwollenheid ⟨de (v.)⟩ 0.1 [het dik / opgezet zijn] *swollenness* ⇒*distension,* ⟨vnl. med.⟩ *turgescence, turgidity, tumidity* 0.2 [hoogdravendheid] *bombast, inflation, turgidity* ⇒*pomposity.*

gezworen ⟨bn.⟩ 0.1 [met een eed bekrachtigd] *sworn* ⇒⟨jur.⟩ *juratory* 0.2 [⟨fig.⟩] *sworn* ⇒*confirmed* ◆ 1.1 ~ trouw *s. allegiance* 1.2 ~ broeders / kameraden *s. brothers / friends;* ~ kameraden zijn *be s. friends,* ⟨inf.⟩ *be as thick as thieves;* ~ vijanden *s. / avowed enemies.*

gezworene ⟨de (m.)⟩ 0.1 [⟨jur.⟩ jurylid] *juror* ⇒*juryman* ⟨m.⟩*, jurywoman* ⟨v.⟩ 0.2 [mbt. polderbesturen] *member of / the polder authority / board* ◆ 1.1 rechtbank van ~n *jury* 1.2 dijkgraaf en ~n *polder authority / board* 3.1 de ~n spraken het schuldig uit *the jury brought in a verdict of guilty.*

g.g.d. ⟨afk.⟩ 0.1 [grootste gemene deler] *h.c.f..*

GG en GD ⟨de (m.)⟩ ⟨afk.⟩ 0.1 [Gemeentelijke Geneeskundige en Gezondheidsdienst] ≠*Area Health Authority.*

gibbon ⟨de (m.)⟩ 0.1 *gibbon.*

giberne ⟨de⟩ 0.1 *ornamental pouch / purse.*

gibus ⟨de⟩ 0.1 *gibus (hat), crush hat, opera hat.*

gids ⟨de⟩ 0.1 [persoon] *guide* ⇒⟨fig. ook⟩ *pilot,* ⟨Sch.E.; bij het jagen of vissen⟩ *gillie,* ⟨raadsman ook⟩ *mentor, guru* 0.2 [boek, leidraad] *guide(book)* ⇒⟨handleiding, handboek⟩ *handbook, manual,* ⟨adresboek⟩ *directory* 0.3 [vrouwelijke padvinder] ⟨vnl. BE⟩⟨*Girl*⟩ *Guide;* ⟨AE⟩ *Girl Scout* ⇒⟨BE ook⟩ *Ranger* ⟨14-17 jaar⟩ 0.4 [telefoongids] *(telephone) directory, telephone book* ◆ 1.1 ⟨fig.⟩ hij was de ~ en raadsman van zijn zoon *he was his son's guide and advisor / his son's mentor* 2.2 alfabetische ~ *alphabetical directory;* ⟨BE; inf.; i.h.b. stadsplattegrond in boekvorm⟩ *ABC, A to Z* 2.4 de gouden / gele ~

the yellow pages 2.¶ onfeilbare ~ *infallible, unerring guide, oracle* 3.1 iemands ~ zijn *be s.o.'s guide/mentor/guru/counsellor* 6.2 ~ **voor** Arnhem en omstreken *guide(book) to Arnhem and environs;* een ~ **voor** radio- en televisieprogramma's *a radio and television g..*

gidsen ⟨onov., ov.ww.⟩ **0.1** *guide* ⇒ *direct, lead, conduct, act as guide.*

gidsfossiel ⟨het⟩ ⟨geol.⟩ **0.1** *guide/index fossil.*

gidsland ⟨het⟩ **0.1** *model (country).*

giebel ⟨de (m.)⟩ **0.1** [giechel] *giggles* **0.2** [vis] *crucian (carp).*

giebelen ⟨onov.ww.⟩ →**giechelen.**

giechel ⟨de (m.)⟩ **0.1** [giebel] *giggler* **0.2** [grote neus] *conk, schnozzle.*

giechelen ⟨onov.ww.⟩ **0.1** *giggle, titter* ⇒ ⟨grinniken⟩ *snigger* [A]*snicker* ◆ **6.1** ~ **om** iets *g. at sth.;* zij giechelde **van** plezier *she giggled with joy* **7.1** de hele klas was aan het ~ ⟨ook⟩ *the whole class was in titters/a titter/had a fit of the giggles.*

giegagen ⟨onov.ww.⟩ **0.1** *bray, heehan.*

giek ⟨de (m.)⟩ **0.1** [⟨scheep.⟩] *boom* **0.2** [boom van een kraan/graafmachine] ⟨van kraan⟩ *jib, boom;* ⟨van graafmachine⟩ *digging bucket arm, dipper stick* **0.3** [dwarshout aan een wegwijzer] *arm* **0.4** [roeiboot] *gig.*

gier
   I ⟨de (m.)⟩ **0.1** [roofvogel] *vulture* **0.2** [roofzuchtig mens] *vulture* ⇒ *wolf, shark, hy(a)ena* **0.3** [zwenking] *swerve* ◆ **2.1** grauwe ~ *black vulture;* vale ~ *griffon vulture, griffon* **3.3** een ~ doen *make a s.;*
   II ⟨de⟩ **0.1** [mest(vocht)] *liquid manure.*

gieraal ⟨de (m.)⟩ **0.1** *loach.*

gierbak ⟨de (m.)⟩ **0.1** *slurry pit* ⇒*liquid manure pit/silo.*

gierbrug ⟨de⟩ **0.1** *cable ferry, chain ferry, floating bridge* ⇒≠*flying bridge.*

gieren ⟨onov.ww.⟩ **0.1** [brullen, loeien] *shriek* ⇒*scream, screech* **0.2** [razend voortgaan] *scream* ⇒*screech* **0.3** [⟨scheep.⟩] *yaw* ⇒*lurch* **0.4** [⟨landb.⟩] *(spread (liquid)) manure* ◆ **1.1** met ~de banden/remmen *with screeching tyres* [A]*tires/brakes* **3.1** ~d ademhalen *breathe in gasps;* het was weer lachen, ~, brullen *we really had a good laugh again, it was a real scream again* **6.1** de wind giert **om** het huis *the wind whistles/howls around the house;* ~ **van** het lachen *shriek/ scream with laughter* **6.2** ⟨fig.⟩ de zenuwen ~ **door** mijn keel *I feel like a cat on hot bricks/* [A]*on a hot tin roof;* hij reed ~d **door** de bocht *he went screaming/screeching round/* [A]*around the bend;* ⟨fig.⟩ het liep ~d/het gierde **uit** de klauw(en) *it went badly out of control* **6.3** het schip giert **op** het anker *the ship yawed/lurched at anchor* ¶.1 dat is om te ~! *it's a scream!.*

gierig ⟨bn.⟩ **0.1** [inhalig, vrekkig] *miserly, stingy, niggardly, mean* ⇒ [↑]*parsimonious* **0.2** [begerig] *desirous, eager, longing, avid* ⇒*hungry (for)* ◆ **1.1** met ~e ogen *with eager/longing eyes* **8.1** hij is zo ~ als het graf/als de duivel/als de pest *he is a real Scrooge/skinflint, he grudges every farthing/cent.*

gierigaard ⟨de (m.)⟩ **0.1** *miser, niggard, skinflint* ⇒ ⟨inf.⟩ *penny pincher,* ⟨vnl. AE;sl.⟩ *cheapskate.*

gierigheid ⟨de (v.)⟩ ⟨→sprw. 230⟩ **0.1** *miserliness, stinginess, meanness, niggardliness* ⇒ [↑]*avarice* ◆ **3.1** de ~ bedriegt de wijsheid *it is penny-wise and pound-foolish.*

giering ⟨de (v.)⟩ **0.1** *sheer* ⇒*yaw.*

gierkabel ⟨de (m.)⟩ **0.1** *ferry cable.*

gierkar ⟨de⟩ **0.1** *muckspreader.*

gierkuil ⟨de (m.)⟩ **0.1** *slurry pit* ⇒*liquid manure pit.*

gierpont ⟨de⟩ **0.1** *cable/chain ferry* ⇒ ⟨met één ketting in rivier verankerd⟩ *flying ferry/bridge.*

gierput ⟨de (m.)⟩ **0.1** *slurry pit* ⇒*liquid manure pit.*

gierst ⟨de⟩ **0.1** [Panicum miliaceum] *(broom corn/hog) millet* **0.2** [Sorghum vulgare] *(grain) sorghum* ⇒*Indian/pearl millet, guinea corn.*

gierstgras ⟨het⟩ **0.1** *milium, millet grass* ◆ **2.1** ruw ~ *Millium Scabrum;* wijdpluimig ~ *millet grass.*

gierstkoorts ⟨de⟩ **0.1** *miliary fever* ⇒*sweating sickness.*

gierstkorrel ⟨de (m.)⟩ **0.1** [korrel van gierst] *grain of millet* **0.2** [⟨med.⟩] *sty* ⇒*hordeolum.*

gierstroom ⟨de (m.)⟩ **0.1** [versterkte getijstroom] *neap(-tide), spring tide* **0.2** [sterke stroom] *rip current.*

gierstuitslag ⟨de (m.)⟩ **0.1** *miliaria* ⇒*heat rash, prickly heat.*

giertank ⟨de (m.)⟩ **0.1** *slurry tank* ⇒*liquid manure tank.*

giervalk ⟨de⟩ **0.1** [roofvogel] *gyrfalcon, gerfalcon* **0.2** [geervalk] *gyrfalcon, gerfalcon.*

gierwagen ⟨de (m.)⟩ **0.1** *muck cart* ⇒*liquid manure tanker.*

gierzwaluw ⟨de⟩ **0.1** *swift* ⇒*swallow,* ⟨vero.⟩ *martlet.*

gietbeton ⟨het⟩ **0.1** *pouring concrete.*

gietbui ⟨de⟩ **0.1** *downpour, heavy shower.*

gietcokes ⟨de⟩ **0.1** *foundry coke.*

gieteling ⟨de (m.)⟩ **0.1** [stuk gegoten ruw ijzer] *pig* ⇒*ingot* **0.2** [merel] *blackbird.*

gieten
   I ⟨ov.ww.⟩ **0.1** [vocht laten stromen, schenken] *pour* **0.2** [in een vorm laten stromen] *cast* ⟨vnl. metalen⟩; *found* ⟨kanonnen, klokken, glas⟩; *mould* ⟨vnl. rubber, plastic, kaarsen enz.⟩ ⇒ ⟨in metalen gietvorm⟩ *die-cast* **0.3** [besproeien] *water* ◆ **1.1** saus over een gerecht ~ *p. sauce*

over a dish; ⟨overvloedig⟩ *douse/souse a dish in sauce* **1.2** ⟨fig.⟩ zijn gedachten in een bep. vorm ~ *couch one's thoughts in a particular form/way;* een gegoten kachel *a cast-iron stove* **5.1** een emmer leeg ~ *empty a bucket* **6.1** ⟨fig.⟩ ik weet niet hoe ik dat **in** het vat zal ~ *I don't know what to do about it/how to go about it/how to tackle it;* **naar** binnen ~ *toss off/down; p. down one's throat, swig, knock back;* water **uit** een emmer ~ *p. water out of a bucket* **6.2** ⟨fig.⟩ hij weet zijn gedachten **in** een goede vorm te ~ *he is good at putting his thoughts into words/expressing himself;* ⟨fig.⟩ het is een man **uit** één stuk gegoten *he is a sound character/a man of character/a stalwart;* ↓*he is a* ⟨veritable⟩ *brick* **8.2** die kleren zitten als gegoten *his clothes fit (him) like a glove/to a T;*
   II ⟨onp.ww.⟩ **0.1** [stortregenen] *pour (down/with rain)* ⇒*teem/pelt (with rain), rain cats and dogs* ◆ **3.1** het begon te ~ *it started to pour/ teem/pelt with rain;* [↑]*a downpour set in* **4.1** het giet/het regent dat het giet *it's pouring (down/with rain), it's teeming/pelting (with rain).*

gieter ⟨de (m.)⟩ **0.1** [gietemmer] *watering can* ⇒*watering pot, waterer,* ⟨AE ook⟩ *sprinkling can* **0.2** [persoon] *founder, caster, teemer* **0.3** [werktuig om water te scheppen] *bailer* ◆ **1.1** een ~ water *a (watering-) canful of water* **6.1** hij ziet eruit alsof hij **uit** een ~ gedronken heeft *he looks like death warmed up, he looks green about the gills* **8.1** afgaan als een ~ *look a proper Charlie.*

gieterij ⟨de (v.)⟩ **0.1** [handeling] *founding, casting* **0.2** [bedrijf, werkplaats] *foundry* ⇒ ⟨voor plastic⟩ [B]*moulding/* [A]*molding shop.*

gietgat ⟨het⟩ **0.1** [opening aan een smeltoven] *taphole, tapping spout* **0.2** [gat aan een gietraam/-vorm] *runner (gate/funnel), down-gate, ingate* ⇒*tedge, sprue.*

gietgleuf ⟨de⟩ **0.1** *runner.*

gietijzer ⟨het⟩ **0.1** ⟨onbewerkt⟩ *pig/crude/foundry iron* ⇒ ⟨bewerkt⟩ *cast iron.*

gietijzeren ⟨bn.⟩ **0.1** *cast-iron.*

gietkanaal ⟨het⟩ **0.1** *runner, gate.*

gietkroes ⟨de (m.)⟩ **0.1** *crucible.*

gietlegering ⟨de (v.)⟩ **0.1** *casting alley.*

gietlepel ⟨de (m.)⟩ **0.1** [lepel om gesmolten lood in de vorm te gieten] *ladle* **0.2** [bak om gesmolten metaal op te vangen] *ladle.*

gietloop ⟨de (m.)⟩ **0.1** *runner.*

gietmal ⟨de (m.)⟩ **0.1** *casting mould/* [A]*mold.*

gietmodel ⟨het⟩ **0.1** *casting pattern.*

gietnaad ⟨de (m.)⟩ **0.1** *fin, burr.*

gietsel ⟨het⟩ **0.1** [gegoten voorwerp] *casting* ⇒ ⟨met gebruik van metalen mal⟩ *die-casting* **0.2** [vloeibaar gemaakte stof] *pour.*

gietstaal ⟨het⟩ **0.1** *cast steel, crucible steel.*

gietstuk ⟨het⟩ **0.1** *casting.*

giettrechter ⟨de (m.)⟩ **0.1** *rose.*

gietvorm ⟨de (m.)⟩ **0.1** *mould* ⇒ ⟨matrijs⟩ *matrix,* ⟨uit metaal⟩ *die.*

gietwerk ⟨het⟩ **0.1** [het gieten] *casting, moulding* **0.2** [gegoten voorwerpen] *cast work, moulded work.*

gif ⟨het⟩ **0.1** *poison* ⇒ ⟨van dieren en fig.⟩ *venom,* ⟨vero. of fig.⟩ *bane,* ⟨van slangen ook⟩ *milk,* ⟨virus⟩ *virus,* ⟨plantaardige/dierlijke gifstof⟩ *toxin* ◆ **1.1** ⟨fig.⟩ het ~ van de tweedracht *the curse of discord* **2.1** een snel/een langzaam werkend ~ *a quick-acting/slow p.* ⟨fig.⟩ daar kun je ~ op (in)nemen *you can bet your life/(old boots) on it!; you bet!;* ⟨fig.⟩ ~ spuwen *spit out one's venom/gall, vent one's spleen.*

gifangel ⟨de (m.)⟩ **0.1** *(venomous) sting.*

gifatlas ⟨de (m.)⟩ **0.1** *pollution map.*

gifbeker ⟨de (m.)⟩ **0.1** *poisoned cup* ◆ **3.1** de ~ drinken/legen *drain the p.c..*

gifbelt ⟨de (m.)⟩ **0.1** *(illegal) dump for p. wastes.*

gifblaas ⟨de (m.)⟩ **0.1** *venom bag, venom sac.*

gifdrank ⟨de (m.)⟩ **0.1** *poisonous draught.*

gifgas ⟨het⟩ **0.1** *poison(ous) gas.*

gifgroen ⟨bn.⟩ **0.1** *bilious/fluorescent green.*

gifgrond ⟨de (m.)⟩ **0.1** *polluted land* ◆ **3.1** ~ afgraven *dig up p.l..*

gifkalender ⟨de (m.)⟩ **0.1** *listed poisons, poison chart/manual.*

gifkikker ⟨de (m.)⟩ **0.1** *bad-/mean-tempered bastard* ⟨m.⟩ */bitch* ⟨v.⟩.

gifklier ⟨de⟩ **0.1** *poison gland, venom gland.*

giflozing ⟨de (v.)⟩ **0.1** *dumping of poison(s).*

gifmenger ⟨de (m.)⟩, *-ster* ⟨de (v.)⟩ **0.1** *poisoner* ⟨m., v.⟩.

giframp ⟨de (m.)⟩ **0.1** *chemical-leak disaster.*

gifschandaal ⟨het⟩ **0.1** *pollution scandal.*

gifslang ⟨de⟩ **0.1** *poisonous/venomous snake.*

gifstorting ⟨de (v.)⟩ **0.1** *dumping of toxic waste.*

gift[1] → **gif.**

gift[2] ⟨de⟩ **0.1** [geschenk] *gift, present* ⇒ ⟨van donateur⟩ *donation, contribution,* ⟨in kerk⟩ *offering,* ⟨fooi, Nieuwjaarsfooi⟩ *gratuity* **0.2** [dosis] *dose* ◆ **2.1** milde/gulle ~en *generous donations/contributions* **3.1** ~en worden ingewacht bij de penningmeester *donations/contributions will be gratefully received by the treasurer* **5.1** een ~ ineens of een jaarlijkse bijdrage *a donation in the form of a lump sum or an annual contribution* ¶.1 ⟨jur.⟩ ~en van hand tot hand *gifts by manual delivery, informal gifts (i.e. not made by deed);* ~en in geld of in natura *donations in cash or in kind.*

giftand ⟨de (m.)⟩ **0.1** *poison-fang, venom-tooth, (poisonous/venomous) fang*.

giftandigen ⟨zn.mv.⟩ **0.1** *poisonous snakes*.

giftig ⟨bn.⟩ **0.1** [met vergiftigde bestanddelen] *poisonous* ⇒⟨van dieren ook⟩ *venomous*, ⟨in toxicologie⟩ *toxic* **0.2** [mbt. mensen] *venomous* ⇒*vicious*, ⟨opmerking ook⟩ *virulent*, ⟨aanval, satire⟩ *vitriolic* ♦ **1.1** ~e pijlen *poisoned arrows;* ⟨schr.⟩ *envenomed arrows;* ~e planten/ dampen/gassen *p. plants/fumes/gasses;* ~e slangen/spinnen *p./ venomous snakes/spiders;* een ~e tong *a venomous/vicious tongue* **1.2** een ~e blik *a vicious/venomous look;* ~e woorden *(en)venomed/vitriolic words* **3.2** toen hij dat hoorde, werd hij ~ *when he heard that he turned nasty/vicious* **6.1** ~ voor insecten *insecticidal*.

giftigheid ⟨de (v.)⟩ **0.1** *poisonousness* ⇒⟨mbt. dieren ook⟩ *venomousness*, ⟨toxicologie⟩ *toxicity*, ⟨fig.⟩ *virulence*.

gifvrij ⟨bn.⟩ **0.1** *non-toxic, non-poisonous* ♦ **1.1** ~e geëmailleerde pannen/kleurpotloden/viltstiften *non-toxic enamelware/coloured pencils/felt pens*.

gifwerend ⟨bn.⟩ **0.1** *antidotal, antitoxic*.

gifwijk ⟨de⟩ **0.1** ⟨*residential area where illegally dumped toxic waste is found*⟩.

gifwolk ⟨de (v.)⟩ **0.1** *toxic cloud*.

gifzuiger ⟨de (m.)⟩ **0.1** *dissatisfied creep* ⇒*grouch, grouser, belly-acher*.

giga- **0.1** *giga-* ♦ **1.1** gigameter *gigametre* ¶.1 gigawatt *gigawatt*.

gigant ⟨de (m.)⟩ **0.1** [reusachtige persoon/zaak ⟨ook in samenst.⟩] *giant* **0.2** [⟨myth.⟩] *Titan* ⇒*giant* ♦ **1.1** een autogigant *a car g.;* een oliegigant *an oil g.* **6.1** een ~ van een bedrijf *a gigantic company*.

gigantesk ⟨bn., bw.;-ally⟩ **0.1** *gigantic* ⇒*gigantesque*.

gigantisch ⟨bn., bw.;-ally⟩ **0.1** *gigantic* ⇒*huge, immense, enormous, mountainous* ♦ **1.1** ~e hoeveelheden *g./ immense/enormous quantities;* ~e kranen *g. cranes;* een ~e strijd *a titanic struggle*.

gigantisme ⟨het⟩ **0.1** *giantism, gigantism*.

gigolo ⟨de (m.)⟩ **0.1** [beroepsdanser] *gigolo* **0.2** [minnaar] *gigolo*.

gigue ⟨de⟩ **0.1** [dans] ⟨volksdans⟩ *jig;* ⟨hoofse dans⟩ *gigue* **0.2** [muziek] ⟨mbt. volksmuziek⟩ *jig;* ⟨mbt. klassieke muziek⟩ *gigue*.

gij ⟨pers.vnw.⟩⟨→sprw. 220,265⟩ **0.1** [⟨schr.⟩] *thou* **0.2** [⟨AZN⟩]⟨→jij, jullie⟩ ♦ **3.1** ⟨bijb.⟩ ~ zult niet doden *thou shalt not kill*.

gijlieden ⟨pers.vnw.⟩ ⟨schr., bijb.⟩ **0.1** *ye*.

gijn ⟨het⟩ **0.1** [scheepstakel] *tackle* **0.2** [gein]⟨→gein⟩.

gijpen
  I ⟨ww.⟩ **0.1** [naar adem snakken] *gasp for air* ♦ **3.1** liggen ~ *lie gasping for air* **6.1** op het ~ liggen *be at one's last gasp;*
  II ⟨onov.ww.⟩ **0.1** [⟨scheep.⟩] *gybe* ^jibe, jib.

gijzelaar ⟨de (m.)⟩, -ster ⟨de (v.)⟩ **0.1** [gegijzelde] *hostage;* ⟨jur.⟩ *prisoner for debt* **0.2** [gijzelhouder] ⟨→gijzelhouder⟩.

gijzelen ⟨ov.ww.⟩ **0.1** [iem. als onderpand nemen/vastzetten] *take hostage* ⇒⟨voor losgeld⟩ *kidnap*, ⟨mbt. vliegtuigen, treinen enz.⟩ *hijack* **0.2** [⟨jur.⟩] *imprison/commit to prison* (⟨wegens schuld⟩ *for debt/* ⟨wegens weerspannigheid⟩ *for contempt*) **0.3** [binden] *fetter, put in chains* **0.4** [iem. als gijzelaar vasthouden] *hold hostage*.

gijzelhouder ⟨de (m.)⟩ **0.1** *kidnapper* ⇒⟨kaper⟩ *hijacker*.

gijzeling ⟨de (v.)⟩ **0.1** [het gijzelen, keer] *taking of hostages* ⇒⟨voor losgeld⟩ *kidnapping*, ⟨mbt. vliegtuigen, treinen enz.⟩ *hijacking*, ⟨mbt. vliegtuigen, treinen enz.; kaper, inf.⟩ *hijack* **0.2** [⟨jur.⟩] *imprisonment/ committal to prison (for debt/contempt)* **0.3** [gevangenis] *debtors' prison* **0.4** [het gegijzeld zijn] *hostageship* ♦ **6.1** iem. in ~ houden *hold s.o. hostage* **6.2** ⟨jur.⟩ iem. in ~ nemen *imprison s.o. for debt/contempt (of court)* **6.3** in de ~ zitten *be imprisoned/in prison for debt/contempt* **6.4** tijdens zijn ~ leerde Charles d'Orleans Engels *while he was a hostage Charles of Orleans learned English*.

gijzelrecht ⟨het⟩⟨jur.⟩ **0.1** *right of execution against the person*.

gil ⟨de (m.)⟩ **0.1** [schreeuw]⟨vnl. mbt. pijn of angst; ook mbt. vreugde, lachen, trein, sirene⟩ *scream* ⇒⟨vnl. mbt. krijsen, gieren; ook mbt. remmen⟩ *screech* ⟨vnl. mbt. varkens, kinderen; ook mbt. vreugde, opgewondenheid⟩ *squeal*, ⟨vnl. mbt. geschopte hond⟩ *yelp*, ⟨vnl. mbt. schril gekrijs; ook mbt. trein en lachen⟩ *shriek* **0.2** [geluid (als) van een stoomfluit] *shriek* ⇒*screech, scream* ♦ **1.1** zij gaf een ~ van blijdschap *she squealed with joy/glee/delight* **2.1** een luide/rauwe ~ *a loud scream, raucous shout;* opgewonden ~letjes *(little) squeals of excitement* **3.1** als je me nodig hebt, geef dan even een ~ *if you need me just call out/give (me) a shout/yell;* een ~letje slaken *let out/utter/ give a squeal/yelp;* ↓yelp.

gilde ⟨het, de⟩ **0.1** [⟨gesch.⟩] *guild* ⇒*craft* **0.2** [vakgenootschap] *guild* ⇒*corporation*, ⟨Londen⟩ *City company* ♦ **1.2** het ~ der advocaten *the legal fraternity;* het ~ der inbrekers/dieven *the light-fingered fraternity/brigade;* het slagersgilde *the g. of butchers, the butchers' g.*.

gildeboek ⟨het⟩ **0.1** *guild's register*.

gildebroeder ⟨de (m.)⟩ **0.1** [⟨gesch.⟩] *guildsman* **0.2** [vakgenoot] *colleague, confrère*.

gildebroederschap ⟨gesch.⟩
  I ⟨de (v.)⟩ **0.1** [gildebroeders] *guild* ⇒*guildsmen;*
  II ⟨het, de (v.)⟩ **0.1** [het gildebroeder zijn] *guildship*.

gildehuis ⟨het⟩ **0.1** *guildhall*.

gildekamer ⟨de⟩ **0.1** *guild-hall*.

gildekeur ⟨de⟩⟨gesch.⟩ **0.1** *privilege of a guild* ⇒*guild's privilege*.

gildemeester ⟨de (m.)⟩⟨gesch.⟩ **0.1** *guild master*.

gildeproef ⟨de⟩⟨gesch.⟩ **0.1** [het vervaardigen van een meesterstuk] *(preparation of a/one's) masterpiece* **0.2** [meesterstuk] *masterpiece*.

gildewezen ⟨het⟩ **0.1** *guild system* ⇒*system of guilds*.

gillen
  I ⟨onov.ww.⟩ **0.1** [mbt. personen/dieren]⟨vnl. pijn of angst; ook vreugde, lachen⟩ *scream* ⇒⟨ihb. krijsen, gieren⟩ *screech*, ⟨vnl. varkens, kinderen; ook vreugde, opgewondenheid⟩ *squeal*, ⟨vnl.⟩ ⟨geschopte hond⟩ *yelp*, ⟨vnl. schril krijsen; lachen⟩ *shriek* **0.2** [mbt. zaken]⟨trein, sirene, machine⟩ *scream;* ⟨remmen⟩ *screech;* ⟨radio ook⟩ *squeal, produce (acoustic) feedback* ⇒⟨trein ook⟩ *shriek* ♦ **1.2** het ~ van de locomotief *the shriek/screech/scream of the locomotive* **3.2** de ambulance stoof ~d voorbij *the ambulance raced past with its siren screaming* **6.1** het is om te ~ *it's a (perfect) scream, it's screamingly funny, it's enough to make a cat laugh;* ⟨AE ook⟩ *(it's) for crying out loud;* zitten te ~ om iets *be crying out for sth.* **8.1** ~ als een mager varken *squeal like a (stuck) pig;*
  II ⟨ov.ww.⟩ **0.1** [schreeuwen] *scream* ⇒*yell, bawl*.

giller ⟨de (m.)⟩⟨inf.⟩ **0.1** *scream* ⇒⟨AE ook⟩ *howl, gas*, ⟨ihb. domme blunder in taalgebruik⟩ *howler* ♦ **3.1** het is een ~ *what a s./ howl/ gas!*.

gillerig ⟨bn.⟩ **0.1** [geneigd tot gillen] *screamy, screechy* ⇒⟨attr. ook⟩ *screech-* **0.2** [als gillen] *scream-like*.

gilletje ⟨het⟩ **0.1** [gil] *squawk* ⇒*squeak, titter* **0.2** [⟨dieventaal⟩ inbraak, diefstal] ᴮ*blag*, ᴬ*job*.

gilling ⟨de (v.)⟩ **0.1** [mbt. een zeil] *roach* **0.2** [mbt. een balk/plank] *cant, chamfer* **0.3** [balk] *cant beam*.

gin ⟨de (m.)⟩ **0.1** *gin* ⇒⟨jenever⟩ *Dutch gin, geneva*, ⟨inf.⟩ *Gordonwater*, ⟨AE inf.⟩ *juniper juice*.

ginder ⟨bw.⟩ **0.1** *over there* ⇒⟨mbt. hoger/lager gelegen plaats⟩ *up/ down there*, ⟨schr. of gew.⟩ *yonder* ♦ **3.1** hij woont ~ *he lives o. t.;* hij woont ~ in het dal/op de berg *he lives down there in the valley/up there on the hill* **5.1** hier en ~ *here and there;* ⟨vooral als uitroep, ter vermijding van vloeken⟩ wel hier en ~ *well I'll be, well I'll be darned* ¶.1 uw broer is in Australië; hoe bevalt het hem ~? *your brother is in Australia, how does he like it out there?*.

ginds
  I ⟨bw.⟩ **0.1** [ginder] *over there* ⇒⟨mbt. hoger/lager gelegen plaats⟩ *up/down there*, ⟨schr. of gew.⟩ *yonder* ♦ **3.1** wie loopt daar ~? *who's that o. t.?;* ~ staat een huis *there's a house o. t.* **6.1** ~ in het dal/op de berg *down there in the valley/up there on the hill;*
  II ⟨bn.⟩ **0.1** [(aan) die (kant), dat] *the/that ... over there* ⇒⟨mbt. hoger/lager gelegen plaats⟩ *the/that ... up/down there*, ⟨schr. of gew.⟩ *yonder*, yon ♦ **1.1** aan ~e kant *on the other side, over there*.

ginkgo ⟨de (m.)⟩ **0.1** *ginkgo* ⇒*maidenhair tree*.

ginnegappen ⟨onov.ww.⟩ **0.1** *giggle* ⇒*snigger, titter* ♦ **3.1** wat zitten jullie weer te ~ *(just) what are you sniggering about/at?, what's so funny?*.

ginseng ⟨de⟩ **0.1** [wortel] *ginseng* **0.2** [drank] *ginseng*.

ginst ⟨de (v.)⟩⟨plantk.⟩ **0.1** *broom* ⟨brem⟩ ⇒⟨heidebrem⟩ *genista*, ⟨gaspeldoorn⟩ *furze/gorse/whin*.

ginter →**ginder**.

gin-tonic ⟨de⟩ **0.1** *gin and tonic*.

gips ⟨het⟩ **0.1** [pleister] *plaster (of Paris)* ⇒*Paris white* **0.2** [afgietsel] *plaster cast* **0.3** [mineraal] *gypsum* ⇒*plaster of Paris* **0.4** [gipsverband] *plaster cast, plaster, cast* ♦ **2.3** gebrand ~ *plaster of Paris* **3.1** ~ aanmaken *mix plaster (of Paris)* **3.2** er zijn ~en van die beelden gemaakt *plaster casts have been made of those sculptures* **3.3** ~ branden *burn/ calcinate g.* **6.1** de beeldhouwer vervaardigt eerst een model uit ~ *the sculptor first makes a plaster (of Paris) model* **6.4** zijn been zit in het ~ *his leg is in plaster/in a cast*.

gipsaarde ⟨de⟩ **0.1** *selenite*.

gipsafdruk ⟨de (m.)⟩ **0.1** *plaster cast*.

gipsafgietsel ⟨het⟩ **0.1** *plaster cast* ⇒⟨van dode⟩ *death-mask*.

gipsbed ⟨het⟩ **0.1** *plaster bed*.

gipsbeeld ⟨het⟩ **0.1** *plaster figure/figurine* ⇒*plaster statue(tte)*.

gipsbeen ⟨het⟩ **0.1** *leg in plaster* ♦ **3.1** hij heeft een ~ *his leg's in p., he has a leg in p*.

gipsen¹ ⟨bn.⟩ **0.1** *plaster* ♦ **1.1** hij kwam terug van zijn wintersportvakantie met een ~ poot *he came back from his skiing holiday with his leg in a cast/in plaster;* een ~ beeldje *a p. figure/piece;* een ~ masker *a p. mask;* ⟨van dode⟩ *a death-mask*.

gipsen² ⟨ov.ww.⟩ **0.1** [met gips bestrijken] *plaster* **0.2** [⟨landb.⟩] *gypsum* **0.3** [mbt. wijn] *plaster* **0.4** [⟨med.⟩] *put in plaster, put in a cast* ♦ **1.2** de grond ~ *g. the soil* **3.1** het plafond laten ~ *have the ceiling plastered*.

gipskalk ⟨de (m.)⟩ **0.1** *anhydrous gypsum plaster*.

gipskruid ⟨het⟩ **0.1** *gypsophila, soap root*.

gipsmasker ⟨het⟩ **0.1** *plaster mask* ⇒⟨van dode⟩ *death-mask*.

gipsmeel ⟨het⟩ **0.1** *powdered gypsum*.

gipsmodel ⟨het⟩ 0.1 *plaster model* ⇒⟨afgietsel⟩ *plaster cast* ◆ 6.1 naar ~len tekenen *draw from casts*.

gipsplaat ⟨de⟩ 0.1 *plasterboard, gypsum board*.

gipsverband ⟨het⟩ ⟨med.⟩ 0.1 *(plaster) cast* ◆ 6.1 zijn been zit in een~ *his leg is in plaster/in a c..*

gipsvorm ⟨de m.⟩ 0.1 *plaster mould/^mold*.

gipsy ⟨de m.)⟩ 0.1 [zigeuner] *gipsy*, ⟨AE sp. ook⟩ *gypsy* ⇒*Romany*, ⟨IE, Sch. E⟩ *tinker*, ⟨sl.⟩ *gippo, gippy* 0.2 [zigeunerachtig type] *gipsy*, ⟨AE sp. ook⟩ *gypsy*.

giraal ⟨bn.⟩ 0.1 [mbt. de giro] *giro* 0.2 [geschiedend door giro-overschrijving] *by giro* ◆ 1.1 ~ geld *money of account, transferable money* 1.2 girale betaling *payment by giro*.

giraf(fe) ⟨de⟩ 0.1 [dier] *giraffe* 0.2 [⟨mv.⟩ familie van dieren] *giraffidae, giraffa*.

giraffehals ⟨de m.⟩⟩ 0.1 [nek van de giraffe] *giraffe's neck* 0.2 [lange hals] *long neck*.

giraffenek ⟨de m.⟩⟩ →giraffehals.

girande ⟨de⟩ 0.1 [springfontein] *girandole* 0.2 [bundel vuurpijlen] *girandole*.

girandole ⟨de⟩ 0.1 [kandelaar] *girandole* 0.2 [kaars] *girandole candle* 0.3 [oorsieraad] *girandole* 0.4 [vuurwerk] *girandole*.

girant ⟨de m.⟩⟩ 0.1 [iem. die gireert] *transferrer* 0.2 [endossant van een gegireerde wissel] *endorser*.

gireren ⟨ov.ww.⟩ 0.1 *pay by giro* ⇒*transfer by giro* ◆ 3.1 mag ik het (op uw rekening) ~? *may I transfer it (to your account) by giro?, may I pay by giro?.*

giro ⟨de m.⟩⟩ 0.1 [giro-dienst] *giro* ⇒ ↑*Post Office Giro*, ⟨GB⟩ *National Girobank* 0.2 [giro-rekening] *(postal) giro account* 0.3 [giro-afrekening] *giro statement* 0.4 [overschrijving] *transfer by bank/ giro* ⇒*bank/giro transfer* 0.5 [endossementen van een wissel] *endorsement* ◆ 3.3 ik heb deze week drie~'s ontvangen *I have had three giro statements this week* 6.2 storten op de ~ *pay into a/one's g. a..*

giro-afrekening ⟨de v.⟩⟩ 0.1 *giro statement*.

girobank ⟨de⟩ 0.1 *transfer bank* ⇒*clearing bank, Giro bank*.

girobetaalkaart ⟨de⟩ 0.1 *Giro cheque/^check*.

girobiljet ⟨het⟩ 0.1 *Giro (transfer) slip*.

giroboekje ⟨het⟩ 0.1 *Giro book*.

girocheque ⟨de m.⟩⟩ 0.1 *Giro cheque/^check*.

girodienst ⟨de m.⟩⟩ 0.1 ⟨GB⟩ *National Giro, Post Office Giro, Girobank Transcash service*; ⟨USA⟩ ≠*Check Office.*

giro-envelop(pe) ⟨de⟩ 0.1 *Giro envelope*.

girokaart ⟨de⟩ 0.1 *Giro* ⟨betaling⟩ *transfer/* ⟨storting⟩ *deposit slip*.

girokantoor ⟨het⟩ 0.1 ⟨GB⟩ *National Girobank*.

gironummer ⟨het⟩ 0.1 *Giro(bank)(account) number* ◆ 6.1 storten op ~ ooo *deposit into/transfer to G. n. ooo.*

girootje ⟨het⟩⟨geldw.⟩ 0.1 *Giro (transfer slip)* ◆ 3.1 even een~ uitschrijven *just write out a G. (transfer slip)*.

giro-overschrijving ⟨de v.⟩⟩ 0.1 [het overboeken] *Giro transfer, payment by Giro;* ⟨via bank⟩ *bank transfer* 0.2 [bedrag] *sum paid by Giro*.

giropas ⟨de m.⟩⟩ 0.1 *(giro cheque) guarantee card*.

girorekening ⟨de v.⟩⟩ 0.1 ⟨GB⟩ *giro/Girobank account;* ⟨USA⟩ *Check account* ◆ 6.1 geld overmaken op een ~ *transfer money to/pay money into a G.a..*

giro(rekening)houder ⟨de m.⟩⟩ 0.1 *giro account holder*.

giroverkeer ⟨het⟩ 0.1 *Giro transfer/transactions* ⇒⟨alg.⟩ *clearing transactions.*

gis¹
I ⟨de⟩ 0.1 [gissing] *guess* ◆ 6.1 op de ~ (af) *by g., at a g.;* ⟨inf.; vnl. BE⟩ *by g. and by God(frey)/Gosh/Golly;* hij doet het allemaal op de ~ *it's all guesswork with him, he leaves it all to guesswork;*
II ⟨de⟩⟨muz.⟩ 0.1 [⟨muz.⟩] *G sharp.*

gis² ⟨bn.⟩ 0.1 [slim] *smart, bright, canny, sharp* ⇒⟨vnl. BE; sl.⟩ *fly* 0.2 [gevaarlijk] *chancy* ⇒ ↑*hazardous, dangerous* ◆ 1.1 een~se jongen *a fly customer;* dat is een heel~ventje *he's a smart cookie/a fly boy.*

gispen ⟨ov.ww.⟩⟨schr.⟩ 0.1 *censure* ⇒*denounce, decry, scarify, castigate* ◆ 6.1 de spreker gispte ons wegens onze onverschilligheid *the speaker chided us with/for our indifference.*

gisping ⟨de v.⟩⟩⟨schr.⟩ 0.1 *censure* ⇒*denunciation, decrial, scarification, castigation.*

gissen ⟨onov.; ov.ww.⟩ 0.1 [(in het wilde) raden] *guess (at)* ⇒ ↑*conjecture,* ↑*surmise,* ⟨intuïtief voelen⟩ *divine* 0.2 [ramen, schatten] *estimate* ◆ 1.2 ⟨scheep.⟩ gegiste lengte/breedte *estimated longitude/latitude (by dead reckoning)* 3.2 haar reactie laat zich slechts ~ *her reaction can/may only be guessed at/can only be surmised* 5.2 daar valt zelfs niet naar te ~ *that is beyond all conjecture; that's impossible to g. at;* ⟨inf.⟩ God knows 6.1 wij kunnen slechts ~ naar de oorzaak *we can only g. at the cause, the cause is anybody's guess;* ↑*the cause remains/ is a matter for conjecture.*

gissenderwijze ⟨bw.⟩ 0.1 *by guess(work)* ⇒⟨vnl. BE; inf.⟩ *by guess and by God(frey)/gosh/Golly.*

gissing ⟨de v.⟩⟩ 0.1 [schatting, vermoeden] *guess* ⇒ ↑*conjecture,* ↑*surmise,* ⟨mv. ook⟩ *guesswork, speculation,* ⟨schatting⟩ *estimate* 0.2 [hy-

pothese] *hypothesis, conjecture* ◆ 2.1 zijn ~ bleek juist/verkeerd *his guess proved to be right/wrong;* dit zal tot veel ~en aanleiding geven *this will give rise to a great deal of conjecture* 3.1 een ~ wagen *hazard a guess;* er worden daaromtrent allerlei ~en gemaakt *conjecture is rife about that matter;* dit zijn allemaal (maar) ~en *this is all/just/ mere/pure/sheer guesswork* 6.1 naar ~ *at a guess, at a rough estimate;* dat cijfer berust slechts op ~(en) *that figure is purely speculative/ mere guesswork.*

gist ⟨de m.⟩⟩ 0.1 [stof] *yeast* ⟨voor bier ook⟩ *barm;* ⟨voor brood ook⟩ *leaven* 0.2 [micro-organisme] *yeast* ◆ 2.1 droge ~ *dried y..*

gisten ⟨onov.ww.⟩ 0.1 [schuimen, opbruisen] *ferment* ⇒*work* 0.2 [fermenteren] *ferment* ⇒*undergo fermentation* 0.3 [⟨biol.⟩] *ferment* 0.4 [⟨fig.⟩ bruisen] *ferment, be in a state of ferment, seethe (with)* ◆ 1.4 haar bloed gistte *her blood was up/started to boil;* de gemoederen waren aan het ~ *feelings were in a state of ferment/were seething* 3.1 vruchtensap beletten te ~ *stum fruit juice;* laten/doen ~ *f., leaven,* turn 4.4 het gistte in de stad *the city was in/of ferment/in a state of ferment/was seething* 5.1 wijn beletten verder te ~ *stum wine.*

gister →gisteren.

gisteren ⟨bw.⟩ 0.1 *yesterday* ◆ 1.1 ⟨fig.⟩ ~ een geëerd burger, thans een verschoppeling ≠*how are the mighty fallen!* 5.1 niet van vandaag of ~ zijn ≠*be quite old/not new/firmly established;* dat plan is niet van vandaag of ~ *it's not (as if it's) a new plan* 6.1 de dag van ~ y.; ik herinner het me nog als de dag van ~ *I remember it as if it was/happened y.;* ⟨fig., scherts.⟩ hij is niet van ~ *he wasn't born y., he's not soft, he's a cute one, he knows a thing/trick or two;* ⟨sl.⟩ *there are no flies on him; he's got his head screwed on the right way;* de resultaten/krant van ~ y.'s *results/paper;* ~ vóór/over een week/een week geleden *y. week.*

gister(en)avond ⟨bw.⟩ 0.1 *yesterday evening, last night.*

gister(en)middag ⟨bw.⟩ 0.1 *yesterday afternoon.*

gister(en)morgen, -ochtend ⟨bw.⟩ 0.1 *yesterday morning.*

gister(en)nacht ⟨bw.⟩ 0.1 *yesterday/last night.*

gisting ⟨de v.⟩⟩ 0.1 [fermentatie] *fermentation* ⇒*ferment,* ⟨het bruisen⟩ *effervescence,* ⟨wet.⟩ *zymosis, zymolysis* 0.2 [⟨fig.⟩] *(state of) ferment* ⇒*agitation, stir, excitement* ◆ 1.1 de ~ van wijn doen ophouden *stum wine* 2.1 alcoholische/melkzure/boterzure/rottende ~ *alcoholic/lactic acid/butyric acid/putrefactive fermentation.*

gistingsbacteriën ⟨zn.mv.⟩ 0.1 *fermenting bacteria.*

gistingsproces ⟨het⟩ 0.1 *(process of) fermentation.*

gistmeter ⟨de m.⟩⟨schei.⟩ 0.1 ^Bzymometer, ^Azymosismeter.

gistmiddel ⟨het⟩ 0.1 *fermenting agent* ⇒*ferment.*

gistpoeder ⟨het, de⟩⟨m.⟩⟩ 0.1 *baking powder.*

gistvlokken ⟨zn.mv.⟩ 0.1 *yeast flakes.*

giswerk ⟨het⟩ 0.1 *guesswork* ⇒*speculation,* ↑*conjecture* ◆ 5.1 dat is puur ~ *that is pure/just g..*

git
I ⟨het⟩ 0.1 [delfstof] *jet* ◆ 8.1 zo zwart als ~ *as black as j./ pitch/my hat/the ace of spades.*
II ⟨de⟩ 0.1 [⟨ook ~je⟩ sieraad] *jet* ⇒*bugle bead* ◆ 6.1 een mantel, bezet met ~ten *an overcoat trimmed with j. (ornaments).*

gitaar ⟨de⟩ 0.1 *guitar* ◆ 2.1 elektrische/akoestische ~ *electric/acoustic g.* 6.1 op de ~ tokkelen *strum the g..*

gitaarspel ⟨het⟩ 0.1 [(vaardigheid van) spelen] *guitar-playing* 0.2 [klanken] *guitar-playing.*

gitarist ⟨de m.⟩⟩ 0.1 *guitarist* ⇒ ↓*guitar-player* ⟨niet mbt. klassieke muziek⟩.

gitten ⟨bn.⟩ 0.1 [van git] *jet* 0.2 [met gitten gegarneerd] *jet* 0.3 [als git zo zwart] ⟨→gitzwart⟩.

gitzwart ⟨bn.⟩ 0.1 *jet-black* ⇒*pitch-black, coal-black, jetty,* ⟨mbt. haar ook⟩ *raven.*

glaasje ⟨het⟩ 0.1 [stukje glas] *(small) glass* ⇒⟨van microscoop⟩ *slide* 0.2 [glas drank] *drop, drink* ⇒*nip,* ⟨vnl. BE; inf.⟩ *wet,* ⟨AE; inf.⟩ *slug, belt* ◆ 3.2 (wat) te diep in het ~ gekeken hebben *have had one too many/ one over the eight/a drop too much;* een ~ op hebben *have had a few;* van een ~ houden, wel een ~ lusten *like a drop, be partial to a drop* ¶.2 ~ op, laat je rijden *don't drink and drive.*

glacé
I ⟨het⟩ 0.1 [geglansd leer] *glazed leather* ⇒*glacé-kid/-buckskin;*
II ⟨de m.⟩⟩ 0.1 [handschoen] ⟨→glacéhandschoen⟩.

glacéhandschoen ⟨de⟩ 0.1 *kid glove* ⇒⟨inf.⟩ *kid.*

glacéleer ⟨het⟩ →glacé I.

glacépapier ⟨het⟩ 0.1 *glazed paper.*

glaceren ⟨ov.ww.⟩ 0.1 [glanzend maken] *glaze* 0.2 [⟨bk.⟩] *glaze* ⇒ ⟨schilderij ook⟩ *varnish* 0.3 [mbt. gebak] *glacé, glaze* ⇒⟨niet doorzichtig⟩ *ice, frost, candy* 0.4 [mbt. vruchten] *candy* ⇒*crystallize, glace'* ◆ 1.1 geglaceerd papier *glazed paper* 1.3 amandelen ~ *sugar/glaze almonds* 1.4 geglaceerde kersen *glace' cherries.*

glaciaal ⟨bn.⟩ 0.1 [ijzig] *glacial* 0.2 [mbt. poolstreken/ijstijd/gletsjers] *glacial* ⇒⟨met ijs bedekt⟩ *glaciated* ◆ 1.2 een ~ dal *a glacial valley.*

glaciologie ⟨de v.⟩⟩ 0.1 *glaciology.*

glacioloog ⟨de m.⟩⟩, -loge ⟨de v.⟩⟩ 0.1 *glaciologist.*

glacis ⟨het⟩ 0.1 [doorschijnende laag/kleur] *glaze* 0.2 [aardglooiing voor een fort] *glacis.*

glad
I ⟨bn.⟩ **0.1** [glibberig] *slippery* ⇒⟨inf.⟩ *slippy*, ⟨door ijs/ijzel ook⟩ *icy*, ⟨door olie/vet/modder⟩ *greasy* **0.2** [⟨fig.⟩ gewiekst] *slippery*, *slick, wily* ⇒⟨BE; inf.⟩ *fly*, †*lubricious, lubricous* **0.3** [met een zeer effen/glanzig oppervlak] *shiny* ⇒⟨gepolijst⟩ *polished*, ⟨zacht en glanzend⟩ *sleek* ⟨vnl. haar/vacht⟩, ⟨glanzend⟩ *glossy* ⟨vnl. stof/verf/papier/foto⟩ **0.4** [egaal, effen] *smooth* ⇒*even, calm* ⟨water⟩, ⟨zonder uitsteeksels⟩ *flush* ◆ **1.1** een~de aal/vogel *a slippery eel/wily customer, a sharp one;* ⟨BE ook⟩ *a fly boy;* ⟨fig.⟩ zich op~ijs bevinden *skate/walk on thin ice;* zich op~ijs begeven/wagen ⟨ook fig.⟩ *get/venture onto thin ice;* ⟨fig.⟩ *skate/walk on thin ice;* het voetbalveld was~na de regen *the pitch was greasy after the rain* **1.2** een~de jongen *a smooth operator;* ⟨BE ook⟩ *a wide/fly boy;* ⟨AE ook⟩ *a wheeler-dealer* **1.3**~goud *lustrous gold;* ~de koeien *sleek cows;* ~de meubels *polished furniture* **1.4**~de banden *bald tyres;* een~beslag *a s. mixture;* een schip met een~dek *a ship with a flush deck, a flush decker;* een~egg/~de deur ⟨tgov. paneeldeur⟩ *a flush door;* de~de draad ⟨tgov. prikkeldraad⟩ *plain wire;* een~de geweerloop *an unrifled/a s.-bored barrel;* zijn hoofd is zo~als een biljartbal *he is as bald as a coot/an egg/a billiard ball/* ⟨Austr.E⟩ *a badger;* een~de kin *a clean-shaven chin/face;* een geweer met~de loop *a s.-bore(d) gun, a s.-bore, an unrifled shotgun;* een~oppervlak *a s./square surface;* een ~de (gouden) ring *a plain (gold) ring;* een~de schedel *a bald head;* ⟨inf.⟩ *a nude nut, a chrome dome;* een~de snede *a clean cut;* een~de spier *a s./unstriated muscle;* een~de steen/rots *a s. stone/rock;* een ~voorhoofd *a s./unwrinkled/unfurrowed/furrowless brow;* de zee was zo~als een spiegel *the sea was as a. as a mill-pond/as glass* **3.1** 't is~op de wegen *the roads are slippery/icy, it's slippery/icy out(side), there is black ice/are icy patches on the roads* **3.3** die jas wordt~aan de ellebogen *this jacket is getting shiny at the elbows* **3.4** zijn haar was ~gekamd *his hair was smoothly combed;* ⟨met water/olie⟩ *his hair was sleeked/slicked down (flat);*~worden *become s.* ¶ dat is nogal ~! *that goes without saying, that is (pretty) obvious;* †*self-evident;*
II ⟨bn., bw.⟩ **0.1** [vlug] *smooth* ◆ **1.1** een~de pols *a regular pulse;* hij heeft een~de tong ⟨meestal pej.⟩ *he has a glib/ready tongue;* ⟨inf.⟩ *he has/must have kissed the Blarney Stone* ⟨ihb. mbt. iem. die goed kan liegen/vleien⟩ **3.1** dat gaat hem~af *he's got the knack/the hang of it, he does it as to the manner born;* ⟨als aangeboren⟩ *it comes easy to him;* het mes ging er~door *the knife went straight through (as if it was butter);* ~stellen *balance/even up (accounts), even up (a balance);* ~terugnemen *take back (shares) without deducting tax and the stockbroker's commission* **3.**¶ dat zal hem niet~zitten *he'll have a (hard) job (doing it), he is not going to/won't get away with that one/it, it won't work/wash;*
III ⟨bw.⟩ **0.1** [geheel] †*quite* =↑*altogether,* ⟨sterker⟩ †*totally/utterly* ◆ **2.1** je hebt het~mis *you are* †*quite wrong/mistaken, you are* †*absolutely/* †*totally/* †*completely wrong* **3.1** ik ben het~vergeten *I clean forgot it.*

gladachtig ⟨bn.⟩ **0.1** [enigszins glibberig] *(a bit/rather/quite) slippery* ⇒ ⟨inf.⟩ *(a bit/rather/quite) slippy, (a bit/rather/quite) icy, (a bit/rather quite) greasy* ⟨vgl. glad I 0.1⟩ **0.2** [enigszins gewiekst] *(a bit/rather/quite) slippery/slick/wily* ⇒⟨BE, inf.⟩ *(a bit/rather) fly* **0.3** [enigszins glanzig] *(a bit/rather/quite) shiny* ⇒*quite highly polished, (rather/quite) glossy* ⟨vgl. glad I 0.3⟩ **0.4** [enigszins egaal] *(a bit/rather/quite) smooth, smoothish* ⇒*(rather/quite) even, quite/fairly calm* ⟨vgl. glad I 0.4⟩.
gladaf ⟨bw.⟩ **0.1** *flatly* ◆ **3.1** hij weigerde het~*he f. refused.*
gladakker ⟨de (m.)⟩ **0.1** [persoon, niet kieskeurig in de middelen om aan de kost te komen, smeerlap] *crook* ⇒*scoundrel, rogue,* ⟨smeerlap⟩ *bastard,* ⟨vnl. BE; sl.⟩ *spiv* **0.2** [uitgeslapen vent] ⟨→**gladjanus**⟩ **0.3** [paard] *nag* ⇒*jade.*
gladboenen ⟨ov.ww.⟩ **0.1** *polish* ⇒*shine.*
gladden ⟨ov.ww.⟩ **0.1** [gladmaken] *smooth* ⇒*smoothen* **0.2** [glazig/glimmend maken] *polish, shine* ⇒*glaze* ⟨papier⟩.
gladdig ⟨bn.⟩ **0.1** *(a bit) slippery* ⇒⟨inf.⟩ *(a bit) slippy* ◆ **3.1** 't is~op straat *it's slippery/slippy out(side);* ⟨door ijs/ijzel ook⟩ *it's icy out(side).*
gladdigheid ⟨de (v.)⟩ **0.1** [gladheid] *slipperiness* ⇒⟨inf.⟩ *slippiness,* ⟨door ijs/ijzel⟩ *iciness* **0.2** [gladde plaats] *slippery/slippy patch* ⇒ ⟨door ijs/ijzel⟩ *icy patch* ⟨i.h.b. op wegen⟩.
gladgeschoren ⟨bn.⟩ **0.1** *clean-shaven* ◆ **1.1** een~gezicht *a c.-s. face;* ⟨scherts.⟩ *a face as smooth as a baby's bottom/botty.*
gladharig ⟨bn.⟩ **0.1** *smooth-haired* ⇒ ⟨glanzend⟩ *sleek-haired,* ⟨mbt. hond ook⟩ *smooth-coated.*
gladharigen ⟨zn.mv.⟩ ⟨antr.⟩ **0.1** *straight-haired people/races.*
gladheid ⟨de (v.)⟩ **0.1** [glibberigheid] *slipperiness* ⇒⟨inf.⟩ *slippiness,* ⟨door ijs/ijzel⟩ *iciness* **0.2** [gewiekstheid] *slickness, wiliness* ⇒ †*lubricity* **0.3** [glanzigheid] *shine* ⇒⟨door polijsten⟩ *polish,* ⟨zachte glans⟩ *sleekness* ⟨ihb. van haar/vacht⟩, ⟨glans vnl. mbt. stof/verf/papier⟩ *gloss, glossiness* **0.4** [vlakheid] *smoothness* ⇒*evenness,* ⟨mbt. water⟩ *calmness,* ⟨kaalheid⟩ *baldness* ◆ **1.4** de~van ivoor *the smooth texture of ivory* **3.1** de politie waarschuwt voor~op de wegen *there is a police warning about/there is a possibility of black ice/icy patches on the roads.*

gladhout ⟨het⟩ **0.1** *(French-)polished wood.*
gladhouten ⟨bn.⟩ **0.1** *(French-)polished-wood* ◆ **1.1** ~meubelen *(F.-)p.-w. furniture.*
gladiator ⟨de (m.)⟩ ⟨gesch.⟩ **0.1** *gladiator.*
gladiool ⟨de⟩ **0.1** *gladiolus* ⇒*sword lily,* ⟨inf.⟩ *glad(dy).*
gladjakker →**gladjanus.**
gladjanus ⟨de (m.)⟩ **0.1** *smooth operator/customer* ⇒⟨BE ook⟩ *fly boy,* ⟨AE ook⟩ *slicker.*
gladjes ⟨bn., bw.⟩ **0.1** [nogal glibberig] *(a bit/rather) slippery* ⇒⟨inf.⟩ *(a bit/rather) slippy,* ⟨door ijs, ijzel ook⟩ *(a bit/rather) icy,* ⟨door olie/vet⟩ *(a bit/rather) greasy* **0.2** [gewiekst] *(a bit/rather) slippery/slick/wily* ⇒⟨BE inf.⟩ *(a bit/rather) fly* **0.3** [gemakkelijk] *quite smoothly* ◆ **3.1** 't is~op straat *it's (a bit/rather) slippery/slippy out* **3.2** die vent vind ik~*I find that fellow rather/a bit slippery/fly, I think he's a bit of a slippery/wily customer/a bit of a fly boy.*
gladkammen ⟨ov.ww.⟩ **0.1** *comb smooth.*
gladmachine ⟨de (v.)⟩ **0.1** *glazing machine* ⇒*sizing machine.*
gladmaken ⟨ov.ww.⟩ **0.1** [gelijk/effen maken] *smooth(en)* ⇒*even,* ⟨polijsten⟩ *polish* **0.2** [glanzig/glimmend maken] *glaze* **0.3** [vereffenen, aanzuiveren] *balance* ⇒*even up, square (up)* ◆ **1.3** een rekening~*b. an account.*
gladschaaf ⟨de⟩ **0.1** *smoothing-plane* ⇒*smooth-plane, coffin plane.*
gladschaven ⟨ov.ww.⟩ **0.1** *plane (smooth).*
gladscheren ⟨ov.ww.⟩ **0.1** *shave (clean).*
gladschuren ⟨ov.ww.⟩ **0.1** *sand (down)* ⇒⟨met schuurpapier ook⟩ *sandpaper,* ⟨met schuursteen⟩ *stone* ◆ **1.1** een plank~*sand (down)/sandpaper a plank.*
gladslaan ⟨ov.ww.⟩ **0.1** *flatten out, hammer flat.*
gladslijpen ⟨ov.ww.⟩ **0.1** *polish* ⇒⟨met slijp-/polijstschijf⟩ *lap* ◆ **1.1** gladgeslepen staal *polished steel.*
gladstrijken ⟨ov.ww.⟩ **0.1** *smooth (out/down)* ⇒⟨met strijkijzer, ook fig.⟩ *iron (out),* ⟨foto.⟩ *squeegee* ⟨afdruk⟩ ◆ **1.1** zijn haren~*smooth/sleek down one's hair* ⟨vnl. met crème/water⟩; zijn kleren/een laken ~*smooth down one's clothes/out a sheet;* ⟨fig.⟩ moeilijkheden~*iron (out) difficulties;* plooien~⟨lett.⟩ *smooth* ⟨met strijkijzer⟩ *iron folds out;* ⟨fig.⟩ *iron/smooth things out;* een vogel zat zijn veren glad te strijken *a bird sat preening its feathers.*
gladvijl ⟨de⟩ **0.1** *smooth-file.*
gladvijlen ⟨ov.ww.⟩ **0.1** *file smooth* ⇒*file flush* ⟨uitstekend onderdeel⟩.
gladweg ⟨bw.⟩ ◆ **3.**¶ ~vergeten *clean/* †*completely forget.*
gladwrijven ⟨ov.ww.⟩ **0.1** *polish* ⇒*buff, burnish,* ⟨vnl. mbt. appels/cricketbal⟩ *shine.*
glanduleus ⟨bn.⟩ **0.1** *glandular, glandulous.*
glans ⟨de (m.)⟩ **0.1** [uitstraling, schijnsel] *glow* ⇒⟨vnl. mbt. maan⟩ *radiance,* ⟨mbt. sterren⟩ *glimmer, glittering* **0.2** [spiegelende reflectie] *gleam* ⇒*lustre, gloss* ⟨van foto, verf⟩, ⟨mbt. zijde, haren enz.⟩ *sheen* **0.3** [praal, wereldse eer] *splendour, brilliance* ⇒*radiance, lustre* **0.4** [eikel (van penis/clitoris)] *glans* ⇒⟨inf.⟩ *head* **0.5** [poetsmiddel] *polish* ◆ **1.2** een felle/scherle/verblindende~*a glare, a strong/glaring/blinding light;* de~van gepolijste metalen *the gleam of polished metals;* de~van satijn/zijde *the sheen/lustre of satin/silk;* de~van gepoetste schoenen *the shine of polished shoes* **1.3** de~van het hof/een geslacht/een naam *the s./b. of the court/a family/a name;* de~van schoonheid/gezondheid *the glow of beauty/health* **2.2** P. geeft/verleent uw meubelen een fraaie~*P. gives your furniture a beautiful shine/polish;* er kwam een zachte~op haar gelaat *a soft/gentle radiance came over her face* **3.1** het lampje verspreidde een flauwe~*the lamp gave a faint glow/a weak light* **3.2** zijn~behouden/verliezen *retain/lose its lustre;* koper zijn~teruggeven *take the tarnish off brass, rub up/polish brass;* iets van zijn~beroven *take the shine off/out of sth.;* zijn~verliezen *become dull,* ⟨metalen, ook inf.⟩ *tarnish, become tarnished;* ⟨inf.⟩ *lose one's/its lustre;* er zit geen~je op *it has no shine* **3.3** ~geven/verlenen/bijzetten aan *add/lend lustre to* **6.2** ogen zonder~*lacklustre/lustreless/dull eyes;* **zonder** ⟨enige⟩ ~*lacklustre, dull, drab* **6.3** met~*with flying colours, with distinction, brilliantly;* ⟨iron.⟩ met~zakken *fail brilliantly;* ⟨BE ook⟩ *plough;* ⟨AE; inf.⟩ *flunk;* een overwinning **zonder**~*an inglorious/lacklustre victory* **¶.3** ⟨fig.⟩ de~is eraf *the shine has gone off it, the gilt is off (the gingerbread), the s. has gone out of it.*
glansapparaat ⟨het⟩ **0.1** *(print) glazer.*
glansborstel ⟨de (m.)⟩ **0.1** *polishing brush.*
glanshout ⟨het⟩ **0.1** *sleeking stick, polisher.*
glanskarton ⟨het⟩ **0.1** *glazed cardboard.*
glansloos ⟨bn.⟩ **0.1** [dof, mat] *dull* ⇒*lacklustre, lustreless* ⟨ihb. van ogen⟩, ⟨kleur ook⟩ *dead,* ⟨mat⟩ *matt* **0.2** [saai, eentonig] *lacklustre, dull, drab* ⇒*humdrum, tedious* ◆ **1.1** zijn ogen waren dof en~*his eyes were dull and lacklustre* **3.2** langzamerhand begon zij het leven~te vinden *she gradually began to find life dull.*
glansmachine ⟨de (v.)⟩ **0.1** *calender(ing machine)* ⇒*glazing-machine.*
glansmiddel ⟨het⟩ **0.1** *polish* ⇒*brightener.*
glanspapier ⟨het⟩ **0.1** *glazed paper.*
glansperiode ⟨de (v.)⟩ **0.1** *heyday* ⇒*golden age.*
glansrijk

I ⟨bn.⟩ **0.1** [roemrijk] *glorious* ⇒*splendid, magnificent* **0.2** [luister-rijk] *splendid* ⇒*brilliant, magnificent, resplendent* ◆ **1.1** ~e daden *g. deeds;* een ~e overwinning *a g. victory* ⟨ihb. mbt. veldslag of sportwedstrijd⟩; *a brilliant/magnificent/signal success* **3.1** de vergelijking ~ doorstaan *compare very favourably with, bear very favourable comparison with;*
II ⟨bw.⟩ **0.1** [op voortreffelijke wijze] *magnificently* ⇒*gloriously, splendidly, brilliantly* ◆ **3.1** een proef ~ doorstaan *pass a test with flying colours;* ⟨iron.⟩ het ~ verliezen/afleggen *lose/fail m.* / *gloriously* ¶**.1** hij is de moeilijkheden ~ te boven gekomen *he overcame/surmounted his difficulties m.* / *brilliantly/splendidly.*

glansrol ⟨de⟩ **0.1** *star part/role.*
glansverf ⟨de⟩ **0.1** *gloss (paint).*
glansvernis ⟨het, de (m.)⟩ **0.1** *(high) gloss varnish.*

glanzen
I ⟨onov.ww.⟩ **0.1** [glimmen, blinken] *gleam* ⇒*shine,* ⟨vnl. mbt. juwelen⟩ *glitter, sparkle,* ⟨alsof vochtig, ook mbt. goud⟩ *glisten* **0.2** [stralen] *shine* ⇒*glow,* ⟨mbt. sterren ook⟩ *twinkle* ◆ **1.1** de daken glansden in het zonlicht *the roofs gleamed/glowed/shone in the sun(light);* ⟨foto.⟩ ~d papier *glossy/high-gloss paper;* op~d papier gedrukt (tijdschrift) *glossy (magazine)* **1.2** ~d haar *glossy/lustrous hair; sleek hair* ⟨vnl. door gebruik van water/haarcrème⟩; ~de ogen *sparkling eyes* **6.1** ⟨fig.⟩ zijn gezicht glansde van blijdschap *his face shone/glowed with joy/lit up with joy* **6.2** miljoenen sterren glansden **boven** de stad *millions of stars twinkled above the town;* de mahonie tafel/haar huid glansde in de vuurgloed *the mahogany table/her skin gleamed in the firelight;*
II ⟨ov.ww.⟩ **0.1** [doen glimmen] *polish* ⟨vnl. mbt. metalen, stenen, hout, ook rijst⟩ ⇒⟨met kalander⟩ *calender,* ⟨mbt. stof, leer, papier⟩ *glaze,* ⟨mbt. foto, kraag⟩ *gloss,* ⟨merceriseren⟩ *mercerize* ◆ **1.1** papier/metaal/katoen ~ *glaze paper/burnish metal/glaze cotton.*
glanzig ⟨bn.⟩ **0.1** *shiny, shining* ⇒*glossy* ◆ **1.1** ~ haar *glossy/lustrous hair; sleek hair* ⟨vnl. door gebruik van water/haarcrème⟩; een ~e stof *shiny cloth.*
glas ⟨het⟩ ⟨→sprw. 184,596,685⟩ **0.1** [stof] *glass* **0.2** [drinkglas] *glass* ⟨→ook glaasje⟩ **0.3** [inhoud] *glass (of)* ⇒*drink* ⟨→ook glaasje⟩ **0.4** [glasplaat] *glass* ⟨ruit⟩ *(window-)pane, pane of glass* **0.5** [voorwerp van glas] *glass* **0.6** [barometer] *glass* ⇒↑*barometer* **0.7** ⟨scheep.⟩ tijdsruimte⟩ *bell* ◆ **1.3** een ~ bier/sherry/whisky/cola ⟨enz.⟩ *a (glass of) beer/sherry/whisky/cola* ⟨enz.⟩; laten we het bij een ~ wijn bespreken *let's discuss it over a g. of wine* **2.1** gekleurd ~ *coloured g.;* mat ~ *frosted g.* **2.3** een lekker/goed ~ wijn *a lovely/good g. of wine;* een stevig ~ *a stiff drink* **2.4** dubbel ~ *double glazing;* geslepen ~ *cut g.;* gewapend ~ *armoured g.,* ⟨draadglas⟩ *wired g.;* kogelvrij ~ *bulletproof g.* **3.1** ~ blazen/gieten *blow/cast g.* **3.2** een ~ bijvullen *top up a g./drink;* het ~ heffen *raise one's g.;* laten we het ~ heffen op ...*let's drink to ...;* zijn ~ leegdrinken *drink up, drain one's g.;* zijn ~ achterover slaan *knock one's drink back;* de glazen vullen/volschenken *fill the glasses* **3.5** ⟨fig.⟩ daar gooi je je eigen glazen mee in *that's cutting your own throat;* zijn eigen glazen ingooien/inslaan ⟨fig.⟩ *cut one's own throat, cook one's own goose, stand in one's own light, act against one's own (best) interests;* door eigen toedoen brodeloos worden/ *quarrel with one's bread and butter,* ⟨in een woedebui⟩ *cut off one's nose to spite one's face;* de glazen wassen *clean the windows* **3.6** het ~ zakt *the g. is falling* **6.1** een asbak van ~ *a g. ashtray* **6.3** wijn per ~ *wine by the g.* **6.4** een ets **achter** ~ *a glazed etching;* groente kweken **onder/achter** ~ *grow vegetables under g.;* **op** ~ schilderen ⟨met verf⟩ *paint on g.,* ⟨kleuren inbranden⟩ *stain g., work in stained g.* **7.7** vier glazen *four bells* **8.1** de zaak is zo helder/klaar als ~ *the matter is as clear as crystal/day(light)* ¶**.4** ~ in lood *leaded g.,* ⟨gekleurd⟩ *stained glass.*
glasaaltje ⟨het⟩ **0.1** *elver* ⇒*glass eel.*
glasachtig ⟨bn.⟩ **0.1** *glassy, glasslike* ⇒↑*vitreous* ◆ **1.1** ⟨med.⟩ het ~ lichaam *vitreous humour/body,* ⟨fig.⟩ ~e ogen *glassy/glazed eyes,* ⟨med.⟩ het ~ vlies *hyaloid membrane.*
glasareaal ⟨het⟩ ⟨landb.⟩ **0.1** *area/acreage under glass.*
glasbak ⟨de (m.)⟩ **0.1** *bottle bank.*
glasblazen ⟨ww.⟩ **0.1** *glassblowing.*
glasblazer ⟨de (m.)⟩ **0.1** *glassblower.*
glasblazerij ⟨de (v.)⟩ **0.1** [bedrijf, werkplaats] *glassworks* **0.2** [het glasblazen] *glass blowing.*
glasceramiek ⟨de (v.)⟩ **0.1** [voorwerp] *item/article of glass (ware)* **0.2** [tak van kunstnijverheid] *glass-ceramics.*
glascontainer ⟨de (m.)⟩ **0.1** *bottle bank.*
glascultuur ⟨de (v.)⟩ **0.1** *cultivation under glass* ⇒⟨zeldz.⟩ *glasshouse horticulture.*
glasdiamant
I ⟨het⟩ **0.1** [(stofnaam)] *paste;*
II ⟨de (m.)⟩ **0.1** [valse diamant] *paste (diamond)* ⇒*artificial/imitation/glass diamond.*
glasdicht ⟨bn.⟩ **0.1** *(fully) glazed* ◆ **1.1** het huis is ~ *the house is fully glazed.*
glasdraad

I ⟨het, de (m.)⟩ **0.1** [dun uitgetrokken glas] *glass fibre; spun glass, fibreglass;*
II ⟨de (m.)⟩ **0.1** [voorwerp, draad] *glass filament* ⇒*glass fibre, glass thread.*
glaselektrode ⟨de (v.)⟩ **0.1** *vitreous electrode.*
glaserts ⟨het⟩ **0.1** *argentite* ⇒*silver glance.*
glasfabricage ⟨de (v.)⟩ **0.1** *glass manufacture/making* ⇒*glass working.*
glasfabriek ⟨de (v.)⟩ **0.1** *glassworks.*
glasfiber ⇒*glasvezel.*
glasgordijn ⟨het, de⟩ **0.1** *net curtain* ⇒*lace curtain.*
glasgroen ⟨bn.⟩ **0.1** *bottle green* ⇒*glass green.*
glashandel ⟨de (m.)⟩ **0.1** [handel in glas] *glass-trade* **0.2** [winkel] *glazier's (shop).*
glashard
I ⟨bn.⟩ **0.1** [zeer hard] *adamantine* ⇒*as hard as nails/iron, rock-hard;*
II ⟨bn., bw.; -ly⟩ **0.1** [onbewogen] *obdurate* ⇒*unfeeling* ◆ **3.1** hij ontkende ~ *he flatly denied.*
glasharmonika ⟨de⟩ **0.1** *glass harmonica* ⇒*(h)armonica,* ⟨bestaande uit een aantal drinkglazen⟩ *musical glasses.*
glashelder
I ⟨bn.⟩ **0.1** [helder, doorzichtig] *crystal-clear, clear as crystal* ◆ **1.1** ~ water *crystal-clear water;*
II ⟨bn., bw.⟩ **0.1** [zeer duidelijk] *crystal-clear* ⇒*lucid, clear as crystal/day, clear(-cut)* **0.2** [helderklinkend] *crystal-clear* ⇒⟨mbt. stem⟩ *as clear as a bell* ◆ **1.2** met een ~e stem *in a crystal-clear voice* **3.1** dat is ~ *that is as clear as daylight/abundantly clear/as plain as a pikestaff/* ¶*as plain as the nose on your face;* hij zette de zaak ~ uiteen *he gave a crystal-clear/lucid explanation of the matter* **3.2** ~ zingen *sing like a bird/with great purity.*
glas-in-loodraam ⟨het⟩ **0.1** [raam met in lood gevatte ruiten] *leaded window/light* ⇒*lattice window* **0.2** [gebrandschilderd raam] *stained-glass window.*
glasjaloezie ⟨de (v.)⟩ **0.1** *louvred* ^*vered window.*
glaskruid ⟨het⟩ **0.1** ⟨groot⟩ *wallwort;* ⟨klein⟩ *wall pellitory, pellitory of the wall.*
glaslichaam ⟨het⟩ ⟨med.⟩ **0.1** *vitreous humour/body.*
glasmassa ⟨de (v.)⟩ **0.1** ⟨tech.⟩ *glass metal;* ⟨voor glazuur⟩ *frit;* ⟨halfproduct⟩ *par(a)ison.*
glasmozaïek ⟨het⟩ **0.1** *glass mosaic.*
glasoog ⟨het⟩ **0.1** [kunstoog] *glass eye* **0.2** [mbt. een paard] *walleye* ◆ **6.2** met een ~/ *glasogen wall-eyed.*
glasopstand ⟨de (m.)⟩ **0.1** *glass coverings.*
glasoven ⟨de (m.)⟩ **0.1** *glass furnace.*
glaspapier ⟨het⟩ **0.1** [schuurpapier] *glass paper* ⇒*sandpaper* **0.2** [doorzichtige, papierachtige stof] *glassine,* ⟨cellofaan⟩ *cellophane* **0.3** [doorschijnend, gekleurd papier] *coloured glassine.*
glasparel ⟨de⟩ **0.1** [valse parel] *Venetian pearl* ⇒*artificial pearl* **0.2** [glazen bolletje] *glass pearl/bead.*
glasplaat ⟨de (v.)⟩ **0.1** *sheet of glass* ⇒⟨bewerkt⟩ *glass plate,* ⟨als tafelblad⟩ *glass top.*
glasraam ⟨het⟩ **0.1** [raamwerk van een ruit] *window frame* ⇒⟨schuifraam⟩ *sash (window),* ⟨openslaand⟩ *casement* **0.2** [gebrandschilderd raam] *stained-glass window.*
glasroede ⟨de⟩ **0.1** *glazing/sash bar* ⇒⟨AE vnl.⟩ *muntin.*
glasschade ⟨de⟩ **0.1** *broken windows/glass* ◆ **1.1** verzekering tegen ~ *glass insurance* **3.1** de ontploffing veroorzaakte veel ~ *the explosion broke/smashed a lot of windows.*
glasscherf ⟨de⟩ **0.1** [stuk glas] *fragment of glass, piece of broken glass* **0.2** [⟨mv.⟩ ihb. als afval voor hergebruik] *cullet.*
glasschilder ⟨de⟩ **0.1** *stained-glass artist.*
glasschilderij ⟨het⟩ **0.1** *stained-glass window/picture.*
glasservies ⟨het⟩ **0.1** *set of glasses.*
glaslijper ⟨de (m.)⟩ **0.1** *glass grinder, glass cutter.*
glassnijder ⟨de (m.)⟩ **0.1** *glass cutter.*
glasteelt ⟨de⟩ **0.1** ⟨→glascultuur⟩.
glastoestand ⟨de (m.)⟩ **0.1** *vitreous state.*
glastuinbouw ⟨de (m.)⟩ **0.1** →glascultuur.
glastuinder ⟨de (m.)⟩ **0.1** *glasshouse/greenhouse grower* ⇒⟨in tuin⟩ *greenhouse gardener,* ⟨bedrijf⟩ *glasshouse/greenhouse marker gardener.*
glasverf ⟨de (v.)⟩ **0.1** *transparent enamel.*
glasverzekering ⟨de (v.)⟩ **0.1** *glass insurance.*
glasvezel ⟨de⟩ **0.1** [stofnaam] *glass fibre, spun glass, fibreglass* **0.2** [één filament] *glass fibre, glass thread, glass filament* ⇒⟨heel dun⟩ *attenuated glass thread.*
glasvlinder ⟨de (m.)⟩ ⟨dierk.⟩ **0.1** *clearwing (moth).*
glaswaren ⟨zn.mv.⟩ **0.1** *glassware.*
glaswerk ⟨het⟩ **0.1** [voorwerpen] *glass(ware)* ⇒⟨op voet; AE⟩ *stemware* **0.2** [ruiten] *glazing* ◆ **1.1** glas- en aardewerk *glass- and earthenware, glassware and crockery.*
glaswol ⟨de⟩ **0.1** *glass wool* ⇒*glass fibre, spun glass.*
glaszuiver ⟨bn., bw.; perfectly in tune⟩ **0.1** *perfectly in tune* ⇒↓*dead in tune.*

glauberzout ⟨het⟩ **0.1** *Glauber('s) salt(s)*.

glaucoom ⟨het⟩ ⟨med.⟩ **0.1** *glaucoma* ♦ **3.1** door ~ aangetast *glaucomatous*.

glazen ⟨bn.⟩ ⟨→sprw. 231⟩ **0.1** [van glas] *glass* ⇒ ⟨van ruiten voorzien⟩ *glazed* **0.2** [glazig] *glossy* ⇒ ⟨anatomie, aardewerk⟩ *vitreous* **0.3** [mbt. aardappelen] *waxy, soapy* ♦ **1.1** een ~ deur *a glass / glazed door;* ⟨fig.⟩ in een ~ huisje wonen *live in a glass house;* ~ kast *glass case, display cabinet, showcase;* een ~ oog *a glass eye;* de ~ stad ≠*Greenhouse / 'Glasshouse City';* ~ stolp / klok *bell jar, glass bell, bell-glass;* ⟨mbt. tuinbouw⟩ *glass cloche* **1.2** ~ ogen *g. / glazed eyes*.

glazendoek ⟨de (m.)⟩ **0.1** *glasscloth* ⇒ ≠*tea-cloth, tea-towel*.

glazenier ⟨de (m.)⟩, **-ster** ⟨de (v.)⟩ **0.1** *stained-glass artist*.

glazenkast ⟨de⟩ **0.1** [kast om huishoudelijke zaken in op te bergen] *china cupboard / cabinet* ⇒ ≠*dresser, sideboard* **0.2** [huis met (te) veel vensters] *goldfish bowl*.

glazenmaken ⟨ww.⟩ **0.1** *glaze* ⇒ *put in windows*.

glazenmaker ⟨de (m.)⟩ **0.1** [persoon] *glazier* **0.2** [grote libel] *dragon-fly*.

glazenspoeler ⟨de (m.)⟩ **0.1** *dishwasher, washer-up*.

glazenwasser ⟨de (m.)⟩ **0.1** [persoon] *window-cleaner* **0.2** [bezem, boender] *brush and pole* **0.3** [grote libel] *dragon-fly*.

glazig ⟨bn.⟩ **0.1** [glasachtig] *glassy* ⇒ ⟨anatomie, aardewerk⟩ *vitreous* **0.2** [mbt. ogen] *glassy, glazed* **0.3** [mbt. aardappelen] *waxy, soapy* ♦ **3.1** de uien ~ laten worden *sauté the onions*.

glazuren ⟨ov.ww.⟩ **0.1** *glaze* ⇒ ⟨mbt. gebak ook, dik⟩ *ice,* ⟨dun⟩ *frost,* ⟨met email(lak)⟩ *enamel* ♦ **1.1** geglazuurd aardewerk *vitreous china;* geglazuurd papier *glazed / coated paper*.

glazuur ⟨het⟩ **0.1** [glasachtige, glinsterende laag] *glaze, glazing* ⇒ ⟨tech., halfgesmolten glasmassa⟩ *frit,* ⟨email(lak)⟩ *enamel,* ⟨vernis⟩ *varnish* **0.2** [mbt. de tanden] *enamel* **0.3** [mengsel van poedersuiker en water] *(sugar)icing* ⟨dikke laag⟩ ⇒*frosting* ⟨dunne laag⟩ ♦ **2.1** transparante / dekkende glazuren *transparent / opaque glazes*.

glazuurlaag ⟨de⟩ **0.1** *glaze, glazing* ⇒ ⟨suikerglazuur⟩ *icing, frosting* ♦ **2.1** bovenste ~ ⟨op aardewerk⟩ *overglaze* **3.1** een ~ vormen *form a glaze*.

glazuursel →*glazuur*.

gld. ⟨afk.⟩ **0.1** [gulden] *Gld., gld.* ⇒*g., G., DGld., (D)fl., f..*

glee ⟨de⟩ **0.1** *thin / worn / threadbare patch*.

glei →*glui*.

gletsjer ⟨de (m.)⟩ **0.1** *glacier* ♦ **3.1** met ~s bedekt *glaciated;* door ~s uitgeschuurd *glaciated*.

gletsjerbaan ⟨de⟩ **0.1** *course of a glacier*.

gletsjerbeek ⟨de⟩ **0.1** *melt-water stream, subglacial stream*.

gletsjerdal ⟨het⟩ **0.1** *glaciated valley* ⇒*U-shaped valley*.

gletsjerpoort ⟨de⟩ **0.1** *glacier snout*.

gletsjerpuin ⟨het⟩ **0.1** *glacial detritus* ⇒*morainic debris, moraine*.

gletsjerrivier ⟨de⟩ **0.1** *glacier river*.

gletsjerspleet ⟨de (v.)⟩ **0.1** *crevasse*.

gletsjertafel ⟨de⟩ **0.1** *glacier table*.

gletsjertong ⟨de⟩ **0.1** *glacier tongue*.

gleuf ⟨de⟩ **0.1** [sleuf, groef] *groove* ⇒ ⟨van automaat, schroefkop⟩ *slot,* ⟨brievenbus⟩ *slit,* ⟨in zuilen⟩ *flute,* ⟨voor horlogeglas⟩ *bezel* **0.2** [greppel, spleet] *trench, ditch* ⇒ ⟨in rotsen; als gevolg van aardbeving⟩ *fissure* **0.3** [⟨vulg.⟩ vagina] *slit* ⇒*cunt* ♦ **3.1** een ~ maken in *slot, groove* **6.1** in een ~ plaatsen / passen ⟨mbt. onderdelen⟩ *slot into / in*.

glibber ⟨de (m.)⟩ **0.1** *slick customer*.

glibberen ⟨onov.ww.⟩ **0.1** [herhaaldelijk uitglijden] *slither* ⇒*slip, slide* **0.2** [glijdend voortschuiven] *slither* ♦ **6.1** hij glibberde over het modderige pad *he slithered along the muddy path* **6.2** de slang glibberde door het gras *the snake slithered / slid through the grass*.

glibberig ⟨bn.⟩ **0.1** [glad en week] *slippery* ⇒*slithery,* ⟨slijmerig⟩ *slimy,* ⟨door vet⟩ *greasy,* ⟨mbt. wegen ook⟩ *slippy* **0.2** [louche] *shady, unsavoury* ⇒*slimy* ♦ **1.1** een ~e aal *a slippery eel;* ⟨fig.⟩ zich op een ~ pad wagen *head / be headed for trouble;* ⟨BE⟩ ~e straten *slippery / slippy roads;* ⟨fig.⟩ zich op ~ terrein bevinden *have got onto a tricky subject*.

glijbaan ⟨de⟩ **0.1** [baan op ijs / sneeuw] *slide* ⇒ ⟨AE ook⟩ *coast* **0.2** [baan waarlangs men naar beneden kan glijden] *slide* ⇒*chute,* ⟨AE ook⟩ *shoot,* ⟨in zwembad ook⟩ *chute-the-chute* **0.3** [gladde baan / gleuf voor transport] *slide* ⇒ ⟨voor hout⟩ *log shoot*.

glijbank ⟨de⟩ **0.1** *sliding seat*.

glijboot ⟨de⟩ **0.1** [motorvaartuig voor snelheidswedstrijden] *glider* ⇒ *speedboat* **0.2** [door luchtschroeven voortbewogen vaartuig] *hydroplane*.

glijbouw ⟨de (m.)⟩ **0.1** ⟨*building / construction with sliding forms / shuttering*⟩.

glijcontact ⟨het⟩ ⟨tech.⟩ **0.1** *sliding contact*.

glijcrème ⟨de⟩ **0.1** *lubricant (cream)*.

glijden ⟨onov.ww.⟩ **0.1** [zich langs een oppervlak voortbewegen] *slide* ⇒*glide, skim* **0.2** [slippen, glippen] *slip* ⇒*slide, slither, skid, skate* **0.3** [naar beneden schuiven, afzakken] *slide* ⇒*slip* **0.4** [ontsnappen] *slip* ♦ **1.1** baantje ~ *slide (on a track)* **1.2** de ladder glijdt weg *the ladder is slipping (away)* **3.1** doen / laten ~ *pass, slide* **3.3** zich van zijn paard

laten ~ *slide down from one's horse* **6.1** ⟨fig.⟩ door het leven ~ *go lightly through life;* ⟨fig.⟩ een schaduw gleed **langs** de muur *a shadow passed over the wall;* de slee gleed **over** het ijs *the sleigh was gliding over the ice;* zijn hand gleed **over** de balustrade *he passed his hand over the banisters;* handen die **over** de toetsen ~ *hands gliding across the keys;* ⟨fig.⟩ een glimlach / schaduw gleed **over** haar gezicht *a smile / shadow passed / stole over her face;* ⟨fig.⟩ zijn blik gleed **van** het een naar het ander *his eyes travelled from one (thing) to the other* **6.3** hij liet het geld **in** zijn zak ~ *he slipped the money into his pocket;* laat u maar **langs** het touw naar beneden ~ *(just) slide down the rope;* die spijzen / dranken ~ **naar** binnen *this food / drink goes down a treat;* de mantel gleed **van** haar schouders *the cloak slipped off her shoulders;* zich **van** de trap laten ~ *slide downstairs* **6.4** het geld glijdt mij **door** de vingers *money just slips through my fingers;* het boek was **uit** haar handen gegleden *the book had slipped from her hands*.

glijdend ⟨bn.⟩ **0.1** *sliding* ⇒*flexible, gliding* ♦ **1.1** een ~e belastingschaal *a.s. tax scale;* ~e werktijden ᴮ*flexitime,* ᴬ*flextime, flexible / staggered working hours* **1.¶** ⟨lit.⟩ ~ rijm ≠*rime riche, rich rhyme*.

glijder ⟨de (m.)⟩ **0.1** [hij die glijdt] *slider* **0.2** [⟨taal.⟩] *fricative;* ⟨oneigenlijk⟩ *continuant*.

glijgoot ⟨de⟩ **0.1** [transportgoot] *chute* ⇒*shoot, runner, slide(way), spout* **0.2** [⟨scheep.⟩] *slipway*.

glijkoker ⟨de (m.)⟩ →*glijgoot* **0.1**.

glijladder ⟨de⟩ **0.1** *chute*.

glijmiddel ⟨het⟩ **0.1** *lubricant, lubricating jelly*.

glijpasta ⟨het, de (m.)⟩ **0.1** *lubricant*.

glijvlak ⟨het⟩ **0.1** [vlak waarover / waarlangs iets glijdt] *sliding surface* **0.2** [⟨geol.⟩] *slickenside*.

glijvliegtuig ⟨het⟩ **0.1** *glider*.

glijvlucht ⟨de⟩ **0.1** [mbt. vogels] *gliding flight* **0.2** [mbt. vliegtuigen] *glide(-down)* ⇒*volplane*.

glimkever ⟨de (m.)⟩ **0.1** *glowworm* ⇒*firefly, firebug*.

glimlach ⟨de (m.)⟩ **0.1** *smile* ⇒ ⟨breed⟩ *grin* ♦ **2.1** een brede / stralende / innemende ~ *a broad / radiant / engaging s.;* een flauwe / vage / zure ~ *a faint / half- / wry s.;* een zelfgenoegzame ~ *a complacent s., a smirk* **3.1** iem. een ~ ontlokken *make s.o. smile;* er verscheen een ~ op zijn gelaat *he began to smile* **6.1** met / zonder ~ *with / without a s.; smilingly, unsmiling;* een ~ van voldoening *a satisfied s..* ♦ **v.1** een voldoening *a satisfied s..*

glimlachen ⟨onov.ww.⟩ **0.1** *smile* ⇒ ⟨breed⟩ *grin* ♦ **3.1** blijven ~ *keep on smiling* **5.1** flauwtjes ~ *show a faint smile, s. faintly;* goedkeurend / dankend / ⟨enz.⟩ ~ *s. one's approval / thanks /* ⟨enz.⟩*; nadrukkelijk ~ *show a broad smile, grin;* zelfgenoegzaam ~ *smirk* **6.1** ik glimlachte **bij** de gedachte dat ... *the thought that ... made me s.;* **naar / tegen** iem. ~ *s. at s.o.;* ik moest **om** zijn naïveteit ~ *his naiveté made me s..*

glimmen ⟨onov.ww.⟩ **0.1** [gloeien] *glow* ⇒*shine* **0.2** [blinken] *shine* ⇒ *gleam,* ⟨zwak⟩ *glimmer* **0.3** [schitteren] *shine* ⇒*glitter, glisten,* ⟨zwak⟩ *glimmer* **0.4** [zichtbaar genieten] *glow* ⇒*shine, sparkle* ⟨ogen⟩ ♦ **1.2** een ~de jas *a shiny coat;* de ~de knopen / laarzen *shiny buttons / boots;* een ~d oppervlak *a high polish* **3.2** boen ~ *shine, polish* **6.1** de sterren glommen **aan** de hemel *the stars were shining in the sky* **6.2** die koeien ~ **van** het vet *those cows look as healthy as can be* **6.3** zijn oogjes glommen **van** blijdschap *his eyes shone with pleasure* **6.4** hij glimt **van** trots / plezier *he is glowing with pride / joy* **8.2** de tafel glimt als een spiegel *the table shines like a mirror*.

glimmer

I ⟨het⟩ **0.1** [groep delfstoffen] *mica* ⇒*glimmer;*

II ⟨de (m.)⟩ **0.1** [delfstof] *mica* ⇒ ⟨ruitjes⟩ *isinglass*.

glimmeraarde ⟨de⟩ **0.1** *micaceous sand*.

glimmerlei ⟨het⟩ **0.1** *mica schist / slate*.

glimp ⟨de (m.)⟩ **0.1** [meestal fig.] flauw schijnsel] *glimpse* ⇒*glimmer, ray, gleam, shimmer* **0.2** [schijn, voorwendsel] *semblance, pretext* ♦ **1.1** er lag een ~ van tevredenheid op haar gezicht *she looked mildly content* **1.2** een ~ van waarschijnlijkheid *a semblance of truth* **2.2** een valse ~ geven aan *put false colours on* **3.1** ~ van iem. opvangen / zien *catch a glimpse of s.o.* **3.2** een ~ aan iets geven *whitewash sth.;* dit was slechts een ~, om mij alleen te kunnen spreken *this was only a pretext to talk to me privately* **6.2** onder een ~ van vriendschap *under guise of friendship*.

glimpieper ⟨de (m.)⟩ ⟨inf.⟩ **0.1** *sharp guy* ⇒*slippery character,* ᴮ*wide boy,* ᴬ*sharpie*.

glimworm ⟨de (m.)⟩ **0.1** *glowworm* ⇒*firefly, lightning bug*.

glinsteren ⟨onov.ww.⟩ **0.1** [schitteren, blinken] *glitter* ⇒*glint, sparkle, glisten* ⟨vocht⟩ **0.2** [mbt. de ogen] *shine* ⇒*gleam, glisten, sparkle* ♦ **1.2** met ~de ogen luisteren *listen with glistening eyes* **6.1** talloze sterren ~ **aan** de hemel *countless stars sparkle in the sky*.

glinsterend ⟨bn.⟩ **0.1** [schitterend, blinkend] *glittering* ⇒*sparkling, glistening* ⟨vocht⟩ **0.2** [glinstering veroorzakend] *sparkling* ⇒*gleaming* ♦ **1.1** ~e daken *glistening roofs;* ~e sieraden / accessoires *glittering jewellery;* ~ zand *glittering sand* **1.2** ~e zonnestralen *s. rays of the sun*.

glinstering ⟨de (v.)⟩ **0.1** [het glinsteren, glans] *shine* ⇒*sparkle, gleam(ing), glint* **0.2** [iets dat glinstert] *sparkle* ♦ **1.1** de ~ van goud / de ogen *the gleam of gold, the sparkle in the eyes* **2.1** de onheilspellende ~ van zijn ogen *the ominous gleam / glint in his eyes*.

glioom ⟨het⟩ ⟨med.⟩ **0.1** *glioma*.

glippen ⟨onov.ww.⟩ **0.1** [slippen, wegglijden] *slip* ⇒*slide* **0.2** [voortglijden, voortschieten] *slide* ⇒*run*, ⟨stiekem⟩ *slip, steal, sneak* **0.3** [ontglijden, ontschieten] *slip* ⇒*drop* ◆ **3.3** de teugel laten~ ⟨ook fig.⟩ *drop the reins;* de gelegenheid laten~ *let an opportunity s. (by);* iem. laten~ *let s.o. get away;* iets laten~ *drop sth.* **6.2** langs iem./ een obstakel heen~ *slip/sneak/steal past s.o./ an obstacle;* **naar** buiten/binnen~ door de achterdeur *sneak/steal in/out by the backdoor* **6.3** het geld glipt hem **door** de vingers *money slips/runs through his fingers;* hij liet het glas **uit** de handen~ *he let the glass s. from his hands, he dropped the glass.*

glissade ⟨de (v.)⟩ **0.1** [het uitglijden v.d. voet] *glide* ⇒*slip, slide* **0.2** [danspas] *glissade* ⇒*(pas) glissé* ◆ **3.2** een~ maken *glissade, perform a glissade.*

glissando[1] ⟨het⟩ ⟨muz.⟩ **0.1** *glissando*.

glissando[2] ⟨bw.⟩ ⟨muz.⟩ **0.1** [mbt. strijkinstrumenten] *glissando* ⇒*glissade, glide, portamento* **0.2** [mbt. een piano] *glissando* **0.3** [mbt. blaasinstrumenten] *glissando* ⇒*glissade, glide, portamento.*

glit ⟨het⟩ **0.1** *litharge* ⇒*lead monoxyde.*

glitter ⟨de (m.)⟩ **0.1** [iets dat glittert] *glitter* **0.2** [schittering, fonkeling] *glitter* ⇒*sparkle* ◆ **1.2** ~ en glamour *g. and glamour, tinsel* **6.1** een blouse **met** ~ *a glitterblouse, a sequined blouse.*

globaal ⟨bn., bw.;-ly⟩ **0.1** *rough* ⇒*broad, overall, global, outlined* ◆ **1.1** globale cijfers *r. figures;* ~ 3000 gulden *about/ roughly 3000 guilders;* ⟨fig.⟩ globale leesmethode *global method of reading;* een~ onderscheid *a broad distinction;* een~ overzicht geven van iets *outline sth., give a r. survey of sth.;* de globale prijs *the r. price;* een globale som *an overall amount* **3.1** ~ genomen/ gesproken moet je rekenen op 25 gulden *all in all, it'll be about 25 guilders;* ~ kan ik zeggen dat ...*I can roughly say that ...;* iets/iem. ~ opnemen *glance over sth., give s.o. the once-over.*

globe ⟨de⟩ **0.1** *globe.*

globine ⟨de⟩ ⟨bioch.⟩ **0.1** *globin.*

globuleus ⟨bn.⟩ **0.1** *globular* ⇒*globulous.*

globuline ⟨de⟩ ⟨schei.⟩ **0.1** *globulin.*

gloed ⟨de (m.)⟩ **0.1** [hitte, warmte] *glow* ⇒⟨fel⟩ *blaze, heat* **0.2** [⟨fig.⟩] *ardour* ⇒*fervour, warmth, verve, fire* **0.3** [schijnsel] *glow* ⇒*glare, gloss, blush* ⟨wangen⟩ ◆ **1.2** de~ van de hartstocht *the fire of passion* **1.3** we zagen de~ van de brand *we saw the glare of the fire;* een~ van kleuren *a blaze of colours;* de~ van nieuwigheid is van dat fluweel verdwenen *this velvet has lost its gloss (of newness);* de vuurrode~ v.e. robijn *the fiery glow of a ruby* **2.1** de felle~ van het brandende huis *the fierce heat of the burning house* **5.2** vol~ zijn *be full of fire/a.* **6.1** in ~ zetten/staan *set/be aglow* **6.2** in ~ geraken over een onderwerp *warm to/wax enthusiastic about a subject;* **met** ~ spreken *speak with fervour.*

gloednieuw ⟨bn.⟩ **0.1** *brand new* ◆ **1.1** ⟨fig.⟩ dat denkbeeld is~ *that's a b.n.idea.*

gloedvol ⟨bn., bw.;-ly⟩ **0.1** *glowing* ⇒*fervent, impassioned, warm, enthusiastic* ◆ **1.1** hij hield een~ betoog *he gave a g./ impassioned speech;* in ~le bewoordingen *in glowing terms* **3.1** ~ spreken *speak glowingly/with warmth/fervently.*

gloedwolk ⟨de⟩ **0.1** *glowing cloud.*

gloeibuisje ⟨het⟩ **0.1** *hot tube.*

gloeidraad ⟨de (m.)⟩ **0.1** ⟨in lamp⟩*(incandescent) filament;* ⟨in kacheltje⟩ *resistance wire.*

gloeien ⟨onov.ww.⟩ **0.1** [door verhitting stralen] *glow* ⇒*shine, burn,* ⟨fel⟩ *blaze* **0.2** [zonder vlam branden] *smoulder* ⇒*glow* **0.3** [zeer warm zijn] *be red-/white-hot* ⇒*glow, burn* **0.4** [schitteren, fonkelen] *gleam* ⇒*glint, glow, blaze* ◆ **1.3** mijn hele vinger gloeit en klopt *my whole finger is burning and throbbing* **6.1** ⟨fig.⟩ een koortsig vuur gloeit **door** zijn aderen *a feverish fire is burning through his veins;* ⟨fig.⟩ ~ **van** toorn/liefde voor zijn vaderland *blaze/be aglow with anger/love for one's country* **6.3** het zand gloeit **onder** onze voeten *the sand burns beneath our feet* **6.4** zijn ogen~ **in** de holle kassen *his eyes blazed/burned in their sockets;* de wijn gloeide **in** het glas *the wine sparkled in the glass.*

gloeiend

I ⟨bn.⟩ **0.1** [tot gloeiens toe verhit] *glowing* ⇒*red-/white-hot, blazing, incandescent* **0.2** [brandend heet] *red-/white-hot* ⇒*scalding/boiling/ piping hot* ⟨vloeistof⟩*, scorching* ⟨weer⟩ **0.3** [mbt. kleuren] *glowing* ⇒*radiant, incandescent* **0.4** [hartstochtelijk] *glowing* ⇒*ardent, fiery, fervent* ◆ **1.1** ~ ijzer *red-hot iron;* ⟨AZN⟩ op ~e kolen staan/lopen *be on tenterhooks;* ~e kolen/ als *live coal/embers;* een ~de spijker *a mere pinpoint of light* **1.2** een ~e soep/hitte *boiling/piping hot soup, scorching heat;* ~e wangen *g. cheeks* **1.3** een ~de blos *a feverish blush* **1.4** ~e blikken/bewoordingen *fiery glances, passionate words/terms;* ~e geestdrift *fiery passion;* een ~e hekel aan iem. hebben *hate s.o.'s guts;* een ~e kus *a burning kiss;* met ~e verontwaardiging *blazing with anger* **5.1** de kool/soep/steak was~ *heet the cabbage/soup/ steak was boiling hot* **6.2** ~ **van** koorts *burning with fever;*

II ⟨bw.⟩ **0.1** [zo dat het gloeit] *aglow* ⇒*radiantly, ablaze, ardently, burning* **0.2** [in hoge mate] ⟨zie voorbeelden⟩ ◆ **2.2** hij was er~ boos

over *he was hopping mad about it;* het er ~ mee eens zijn *agree from the bottom of one's heart/wholeheartedly* **3.2** zich~ vervelen *be bored to tears/to death/stiff* **5.1** het was~ heet vandaag *today was a scorcher* **5.2** er~ bij zijn *be in for it, be caught red-handed;* je bent er~ bij ⟨ook⟩ *gotcha* ¶**.2** ergens~ de pest over in hebben *be fed up with sth.;* ⟨kwaad ook⟩ *be mad as hell about sth..*

gloeierig ⟨bn.⟩ **0.1** *burning* ⇒*glowing (hot), tingling* ◆ **3.1** ik ben zo~, ik heb zeker koorts *I'm so hot, I must be running a temperature.*

gloeihitte ⟨de (v.)⟩ **0.1** [⟨tech.⟩ warmtegraad] *red/white heat* **0.2** [zeer sterke hitte] *burning/scorching/stifling heat* ⇒*intense heat* ◆ **1.2** de~ v.e. julidag in New York *the scorching/stifling heat of a July day in New York* **2.1** rode/witte~ *r./ w. h.* **6.1** een metaaldraad **tot** ~ verwarmen *make a wire red-hot.*

gloeiing ⟨de (v.)⟩ **0.1** [het gloeien] *incandescence* ⇒*glowing, blazing* **0.2** [gloeiende hitte] *burning/scorching (heat)* ⇒*fire, smouldering* **0.3** [gloed] *glow* ⇒*blaze, glare, radiance.*

gloeikathode ⟨de (m.)⟩ **0.1** *hot cathode.*

gloeikous(je) ⟨de⟩ **0.1** *gas mantle* ⇒*(incandescent) mantle.*

gloeilamp ⟨de⟩ **0.1** *(light) bulb* ⇒*incandescent lamp.*

gloeilichaam ⟨het⟩ **0.1** *incandescent body* ⇒*incandescent mantle, glow plug.*

gloeilicht ⟨het⟩ **0.1** *incandescent light.*

gloeioven ⟨de (m.)⟩ ⟨tech.⟩ **0.1** *calcining furnace.*

glooien ⟨onov.ww.⟩ **0.1** *slope* ⇒*slant, shelve, incline* ◆ **1.1** het ~ van de heuvels *the rolling of the hills;* de weg glooide een beetje *the road sloped gently.*

glooiend ⟨bn., bw.⟩ **0.1** ⟨bn.⟩ *sloping* ⇒*slanted, inclining, hilly, rolling* ⟨landschap⟩, ⟨bw.⟩ *in a slope, slantwise, slantways* ◆ **1.1** een zacht ~ pad *a gently sloping path* **3.1** de zitplaatsen liepen ~ op *the seats were arranged in tiers.*

glooiing ⟨de (v.)⟩ **0.1** [helling] *slope* ⇒*slant, declivity, inclination* **0.2** [talud] *bank(ing)* ⇒*ramp,* ⟨mil.⟩ *glacis, scarp* ◆ **2.2** ⟨wwb.⟩ stenen ~en aan de zeedijken *pitchings on the sea walls.*

glooiingshoek ⟨de (m.)⟩ **0.1** *gradient.*

gloor ⟨de (m.)⟩ **0.1** [schijn(sel)] *glow* ⇒*gleam, light* **0.2** [⟨fig.⟩] *glory* ⇒*lustre, splendour* ◆ **1.1** de~ v.e. smeulend vuur *the glow of embers/a smouldering fire* **2.2** in volle~ *in full g./ splendour.*

gloren ⟨onov.ww.⟩ **0.1** [glimmen] *shine* ⇒*glow* **0.2** [zacht schijnsel geven] *gleam* ⇒*glimmer, glow* ◆ **1.1** er gloorde geen sprankje vuur in de haard *there was not one spark of fire in the hearth* **3.2** de ochtend begon te~ *day was breaking/dawning* **4.2** ⟨fig.⟩ er gloorde iets van hoop *there was a glimmer of hope.*

gloria ⟨de (v.)⟩ **0.1** [⟨r.k.⟩ lofzang in de mis] *gloria* **0.2** [⟨r.k.⟩ muziek] *gloria* **0.3** [glorie] *glory* ⇒*lustre, splendour* **0.4** [aureool] *gloria* ⇒*glory* ◆ **6.3** lang zullen ze leven in de~! *hip, hip, hooray!,* [B]*for they are jolly good fellows;* ⟨op verjaardag⟩ *Happy Birthday to you, Dear ....*

glorie ⟨de (v.)⟩ **0.1** [eer, iets om zich te beroemen] *glory* ⇒*honour, pride* **0.2** [pracht, hemelse heerlijkheid] *glory* ⇒*lustre, splendour* **0.3** [⟨r.k.⟩ aureool] *gloria* ⇒*nimbus, aureole, halo* **0.4** [⟨meteo.⟩] *Brocken spectre* ⇒*Brocken bow, spectre of the Brocken, glory* ◆ **1.3** een~ van gouden sterren *a g./ nimbus of golden stars* **2.1** Hollands~ *the pride of Holland* **2.2** de resten van vergane~ *the remnants of past g.* **3.2** ~ zij de Vader *g. be to the Father* **6.2** in volle/al al zijn~ *in all its g./ splendour.*

gloriëren ⟨onov.ww.⟩ **0.1** *glory (in)* ⇒*pride (o.s.) (on).*

glorierijk ⟨bn., bw.;-ly⟩ **0.1** [roemrijk] *glorious* ⇒*splendid, prestigious, honoured* **0.2** [heerlijk, zalig] *glorious* ⇒*heavenly, holy.*

glorietijd ⟨de (m.)⟩ **0.1** *heyday* ⇒*golden age* ◆ **6.1** in zijn/haar ~ *in his/ her h..*

glorieus ⟨bn., bw.;-ly⟩ **0.1** [roemrijk] *glorious* ⇒*honourable* **0.2** [vol pracht] *splendid* ⇒*glorious, illustrious* ◆ **1.1** een van haar meest glorieuze momenten *one of her greatest/finest/most g. moments;* ≠*her finest hour.*

glorificatie ⟨de (v.)⟩ **0.1** *glorification.*

glos ⟨de (v.)⟩ **0.1** [verklarende aantekening/vertaling] *gloss* ⇒*annotation* **0.2** [commentaar, aanmerking] *comment* ⇒*annotation, gloss* ◆ **3.2** ~ sen op iets maken ⟨fig.⟩ *comment (unfavourably) upon sth.,* ⟨vero.⟩ *gloss upon sth..*

glossarium ⟨het⟩ **0.1** [lijst van glossen] *glossary* ⇒*gloss* **0.2** [verklarende woordenlijst] *glossary.*

glosse →**glos.**

glosseem ⟨het⟩ ⟨taal.⟩ **0.1** *glosseme.*

glosseren ⟨ov.ww.⟩ **0.1** *gloss* ⇒*annotate.*

glossolalie ⟨de (v.)⟩ ⟨rel.⟩ **0.1** *glossolalia* ⇒*gift of tongues.*

glottis ⟨de (v.)⟩ **0.1** *glottis.*

glottisslag ⟨de (m.)⟩ ⟨taal.⟩ **0.1** *glottal stop/catch.*

gloxinia ⟨de⟩ **0.1** *gloxinia.*

gluconzuur ⟨het⟩ ⟨schei.⟩ **0.1** *gluconic acid.*

glucose ⟨de⟩ **0.1** *dextrose* ⇒*corn/grape sugar.*

glui ⟨het⟩ **0.1** *thatch.*

gluipen ⟨onov.ww.⟩ **0.1** *leer* ⇒*peer/peek (furtively), steal a glance, spy on* ◆ **1.1** een ~de blik *a furtive/sneaky/sideways glance, a leer.*

gluiper(d) ⟨de (m.)⟩ **0.1** *shifty-eyed person.*

gluiperig ⟨bn., bw.;-ly⟩ **0.1** *shifty* ⇒*sneaky, underhand* ◆ **1.1** valse ~e ogen *nasty, shifty eyes;* een ~e streek *a dirty trick* **3.1** hij kijkt ~ uit zijn ogen *he has a shifty look in his eyes*.

glunder ⟨bn., bw.⟩ **0.1** [blakend van gezondheid, stralend] *beaming* ⇒ *glowing, radiant* **0.2** [voldaan] *contented* ⇒*pleased, cheerful, blithe* ◆ **1.1** een ~e boerendeern *a radiant/glowing country wench* **1.2** een ~e trek om de mond *a contented smile on his/her face* **3.1** wat ziet hij er ~ uit *how well he looks*.

glunderen ⟨onov.ww.⟩ **0.1** *beam* ⇒*radiate, shine* ◆ **3.1** ~d kijken naar iem./iets *b. at s.o./sth.* **6.1** ~ van blijdschap *radiate joy;* ~ van trots *b. with pride*.

gluren ⟨onov.ww.⟩ **0.1** [stiekem kijken] *peep* ⇒*peek, pry, spy* **0.2** [te voorschijn komen] *peep* ⇒*peek* ◆ **6.1** door het raam naar binnen ~ *peep/peek in through the window;* **naar** de meisjes ~ *leer/peep at the girls;* **om** een hoekje ~ *peep/peek round a corner* **6.2** de rode daken gluurden **uit** het groen *the red roofs peeped out from among the green*.

gluten ⟨het⟩ **0.1** *gluten*.

glutenbrood ⟨het⟩ **0.1** *gluten bread*.

glutine ⟨de⟩⟨schei.⟩ **0.1** *gelatin(e)*.

glutineus ⟨bn.⟩ **0.1** *glutinous* ⇒*viscid,* ↓*sticky*.

gluton ⟨het⟩ **0.1** *gelatin* ⇒*gluten*.

gluurder ⟨de (m.)⟩ **0.1** *peeping Tom* ⇒*voyeur, peeper*.

gluurogen ⟨onov.ww.⟩ **0.1** *peek* ⇒*peep, spy, pry*.

glycerine ⟨de⟩ **0.1** *glycerin(e)*.

glycerol ⟨de⟩ **0.1** *glycerol*.

glycogeen ⟨het⟩ **0.1** *glycogen*.

glycol ⟨de (m.)⟩ **0.1** [tweewaardige alcohol] *glycol* **0.2** [anti-vries/desinfectiemiddel] *glycol, ethylene glycol*.

glycoproteïne ⟨de⟩⟨schei.⟩ **0.1** *glycoprotein*.

glycose →*glucose*.

glyfiek →*glyptiek*.

glyfografie ⟨de (v.)⟩ **0.1** *glyphography*.

glypten ⟨zn.mv.⟩ **0.1** *carved gems* ⇒*glyptic stones*.

glyptiek ⟨de⟩ **0.1** *glyptic art, glyptics* ⇒*glyptography*.

gnathologie ⟨de (v.)⟩ **0.1** *gnathology*.

gneis ⟨het⟩⟨geol.⟩ **0.1** *gneiss*.

gniffelen ⟨onov.ww.⟩ **0.1** *snigger* ⇒⟨AE ook⟩ *snicker, chuckle, titter* ◆ **6.1** ~ **om** je eigen gedachten *chuckle to o.s.*.

gnoe ⟨de (m.)⟩⟨dierk.⟩ **0.1** *gnu* ⇒*wildebeest*.

gnome ⟨de⟩ **0.1** *gnome* ⇒*aphorism, apophthegm*.

gnomisch ⟨bn.⟩ **0.1** *gnomic*.

gnomon ⟨de (m.)⟩ **0.1** [zonnewijzer] *gnomon* **0.2** [⟨fig.⟩ richtsnoer] *canon, tenet* ⟨vero.⟩ *gnomon* **0.3** [⟨wisk.⟩ getal] ⟨vero.⟩ *gnomon* **0.4** [⟨wisk.⟩ figuur] *gnomon*.

gnoom ⟨de (m.)⟩ **0.1** *gnome* ⇒*hobgoblin, leprechaun*.

gnosis ⟨de (v.)⟩ **0.1** *gnosis*.

gnosticisme ⟨het⟩ **0.1** *gnosticism*.

gnostieken ⟨zn.mv.⟩⟨theol.⟩ **0.1** *gnostics*.

gnostisch ⟨bn.⟩ **0.1** [van het gnosticisme] *gnostic* **0.2** [als/van de gnostici] *gnostic*.

gnuiven ⟨onov.ww.⟩ **0.1** *gloat (over)* ⇒*chuckle, rub one's hands (with glee),* ⟨luidruchtig⟩ *chortle*.

goal ⟨de (m.)⟩⟨sport⟩ **0.1** [doel] *goal* **0.2** [doelpunt] *goal* ◆ **3.2** een ~ maken *score a g.* **6.1** in de ~ staan *be/stand in g., be goalkeeper/* ⟨inf.⟩ *goalie*.

goalbal ⟨het⟩⟨sport⟩ **0.1** ⟨*ball game for the visually handicapped*⟩.

goalgetter ⟨de (m.)⟩⟨sport⟩ **0.1** ⟨inf.⟩ *(top) scorer*.

goaltjesdief ⟨de (m.)⟩⟨sport⟩ ◆ **2.¶** het is een echte ~ ≠*he's great at getting snap-goals*.

gobelin ⟨de (m.)⟩ **0.1** [wandtapijt] *Gobelin (tapestry)* **0.2** [bekledingsstof] ⟨*type of flowery upholstery fabric*⟩.

god ⟨de (m.)⟩, **godin** ⟨de (v.)⟩ ⟨→sprw. 232-237,273,309,428⟩ **0.1** [(bij polytheïstische volkeren) godheid] *god* **0.2** ⟨v.⟩ ~*goddess* ⟨v.⟩ ⇒*deity, godhead, divinity* **0.2** [de Schepper] *God* **0.3** [⟨fil.⟩] *god, divinity* **0.4** [godenbeeld] *god* ⇒*idol* **0.5** [mens, zaak] *god* ◆ **1.1** ~en en godinnen *gods and goddesses* **1.2** bij de gratie Gods *by the grace of G.*; God de Heer *the Lord G.*; God onze Heer *our Lord (G.)*; met Gods hulp kunnen wij het volbrengen *with the help of G. / God's help we can do it*; het lam Gods *the Lamb (of God)*; in Gods naam! *for God's/goodness' sake!*; Gods uitverkorenen *G.'s chosen people*; God de Vader *G. the Father*; voor God en Vaderland *≠for King and Country*; ⟨fig.⟩ Gods water over Gods akker laten lopen *let things take/run their (natural) course*; om Gods wil, doe het niet *for the love of G., don't do it*; het woord Gods *the Word of God/the Lord*; de Zoon van God *the Son of G.* **2.1** grote ~en! ⟨scherts.⟩ *ye gods (and little fishes)!* **2.2** een naijverig/jaloers God *a jealous G.* **2.4** een houten ~ *a wooden idol/g.* **2.5** een jonge ~ *a Greek/young g.*; hij verbeeldt zich dat hij een klein ~je is *he thinks himself a little g.*; de mindere ~en *the small fry, the lesser gods* **3.1** de ~en aanroepen *invoke the gods* **3.2** zijn ziel aan God toevertrouwen *commend one's soul to G.*; zich aan God wijden *vow/devote o.s. to G.*; God beware me voor mijn vrienden! *G. save me from my friends*; hij mag God wel (op zijn blote knieën) danken

he can thank his lucky stars; God danken *thank God, give thanks to the Lord*; zo (waarlijk) helpe mij God (almachtig) *so help me G.*; help uzelf, zo helpt u God *G. helps those who help themselves*; in God geloven *believe (in G.)*, be religious; God loven/eren *give praise to G. / the Lord*; God mag weten waar hij is *G. (alone)/goodness knows where he is*; zijn hoop op God vestigen *place one's hope in G. / the Lord*; God sta me bij *G. help me*; God verhoede! *G. / Heaven forbid!*; God weet dat … *≠as G. is my witness, …*; God weet hoe ze daar terecht zijn gekomen! *G. / the Lord knows how they got there!*; als God het wil, als het Gode behaagt/belieft *please G., G. willing, D.V.*; God zal me liefhebben! *good G.!, G. / the L. save us!*; God zegene u! ⟨fig.⟩ *bless you!*; men ziet er God noch goed mens *there's not a (living) soul to be found there* **4.2** mijn God *my G.!* **6.1** zich **aan** ~ noch gebod storen *go one's own way*; bij de ~en zweren *swear by the gods* **6.2** ik zou het **bij** God niet weten *honest to G. / for the life of me, I don't know*; zweren **bij** God dat …*swear by G. that/to*; **door** God gegeven/gezonden *God-given/-sent*; **van** God en iedereen verlaten *godforsaken, (absolutely) desolate*; ieder voor zich en God **voor** ons allen *every man for himself and the devil take the hindmost* **7.2** er is één (enige) God *there is (only) one G.* **8.2** leven als God in Frankrijk *live in (the) clover, live the/a life of Riley* **¶.1** de ~den zijn ons gunstig gezind *the gods are with us, the stars are in our favour* **¶.2** God hebbe zijn ziel *(may) the Lord have mercy on his soul*; God betere het! *G. save the mark!*; God beware me!, God vergeve me! *G. help me!, G. forgive me!*; o God!, och God! *oh, G.! / Lord*; God zij met ons *G. be with us*; God geve dat *G. grant that*; schipper naast God *master/captain under G.*; moge God verhoeden dat … *G. forbid, heaven forfend/forbid that …*; Gode zij dank *thank G. / heavens/goodness*; God allemachtig!, God nog an toe!, goeie God! *good G. / Lord!, my goodness!*.

Godallemachtig ⟨tw.⟩ **0.1** *(good) God Almighty* ⇒*by God, the devil, the deuce,* ⟨IE⟩ *bejabers/bejabbers*.

Godbeware ⟨tw.⟩ **0.1** *(Lord) save us* ⇒*God forgive me, good gracious*.

goddank ⟨tw.⟩ **0.1** *thank God/goodness/heaven(s)* ◆ **¶.1** ~ dat die tijden voorbij zijn *thank God those days are over*; het werk is ~ kort *thank goodness the work is not too long*.

goddelijk

I ⟨bn., bw.;-ly⟩ **0.1** [van God of een godheid uitgaand] *divine* ⇒ *heavenly,* ⟨Grieks⟩ *Olympian* **0.2** [aan God of een godheid eigen] *divine* **0.3** [ongelooflijk mooi/lekker] *divine* ⇒*heavenly, glorious* ◆ **1.1** de ~e deugden *the theological virtues;* ~e inspiratie/ingeving *d. inspiration*; door ~e openbaring *by d. revelation*; het ~ Woord *the Word of God/the Lord* **1.2** het ~ recht van de koning *the d. right of kings*; de ~e voorzienigheid *(d.) providence* **1.3** ~e muziek *heavenly music*; wat een ~ weer *such glorious/heavenly/d. weather!* **2.3** een ~ mooie avond *a glorious/heavenly evening* **3.3** zij zingt/kookt ~ *she sings/cooks divinely, her singing/cooking is d.*;

II ⟨bn.⟩ **0.1** [de natuur van God of een godheid hebbend] *divine* ⇒ *godlike* ◆ **1.1** ~e natuur *godhead, godhood, godship, d. nature*; de drie ~e personen *the Three Persons*; ~e wezens *deities, godlike beings*.

goddelijkheid ⟨de (v.)⟩ **0.1** [goddelijke natuur] *godhead* ⇒*godhood, divineness, divinity* **0.2** [goddelijke oorsprong] *divinity* ⇒*divine nature/origin* **0.3** [goddelijke schoonheid/heerlijkheid] *heavenliness* ⇒*glory, divineness* ◆ **1.2** de ~ van de H. Schrift *the divine nature/origin of (Holy) Scripture*.

goddeloos

I ⟨bn.⟩ **0.1** [aan geen god(en) gelovend] *irreligious* ⇒*godless, heathenish, impious, ungodly* **0.2** [diep verdorven] *wicked* ⇒*unholy, nefarious, reprobate* ◆ **1.1** een ~ mens *an irreligious person* **1.2** een ~ mens *a w. person*; een goddeloze stad *a w. town, a city of vice* **7.1** ⟨zelfst.⟩ de goddelozen *the ungodly*;

II ⟨bn., bw.;-ly⟩ **0.1** [zondig] *wicked* ⇒*godless, sinful* **0.2** [enorm, ontzettend] *unholy* ⇒*ungodly, God-awful* ◆ **1.1** een ~ leven leiden *lead a life of vice*; goddeloze woorden *w. / godless words* **1.2** wat een ~ lawaai! *what an unholy/ungodly racket!* **3.1** ~ handelen *act wickedly*.

goddeloosheid ⟨de (v.)⟩ **0.1** [ongodsdienstigheid, verdorvenheid] *godlessness* ⇒*irreligion,* ⟨verdorvenheid⟩ *wickedness, sin(fulness)* **0.2** [zondige daad] *wickedness* ⇒*sin, profanity*.

goddomme ⟨tw.⟩ ⟨vulg.⟩ **0.1** *(god)damn it, goddammit*.

god(e)gelijk ⟨bn.⟩ **0.1** *godlike* ⇒⟨schr.⟩ *deiform*.

godenbeeld ⟨het⟩ **0.1** *icon* ⇒*image of a god*.

godendienst ⟨de (m.)⟩ **0.1** *idolatry*.

godendom ⟨het⟩ **0.1** *pantheon* ⇒*thearchy* ◆ **2.1** heel het ~ *the entire p.*.

godendrank ⟨de (m.)⟩ **0.1** [drank van de Olympische Goden] *nectar* **0.2** [heerlijke drank] *nectar*.

godenleer ⟨de⟩ **0.1** *mythology*.

godenschemering ⟨de (v.)⟩ **0.1** *twilight of the gods* ⇒*Götterdämmerung*.

godenspijs ⟨de (m.)⟩ **0.1** [spijs van de goden] *ambrosia* **0.2** [overheerlijk eten] *food for the gods*.

godenzoon ⟨de (m.)⟩ **0.1** [afstammeling van een god] *son of a/the gods* ⇒*demi-god* **0.2** [vorst, held, dichter] *son of the gods*.

godgans ⟨bn.⟩ ⟨inf.⟩ **0.1** *whole blessed/mortal* ⇒*entire* ◆ **1.1** hij voert de

~e dag niets uit *he does nothing the livelong day;* ik heb er de ~e morgen naar gezocht *I looked for it the w. b. morning.*

godgeklaagd ⟨bn.⟩ ⟨inf.⟩ **0.1** *disgraceful* ⇒*crying to (high) heaven* ◆ **3.1** 't is ~, zo snel als de prijzen stijgen *it's an outrage/a scandal the way prices are going up/rising.*

godgeleerd ⟨bn.⟩ **0.1** *theological.*

godgeleerde ⟨de (m.)⟩ **0.1** *theologian* ⇒*divine.*

godgeleerdheid ⟨de (v.)⟩ **0.1** *theology* ⇒*divinity* ◆ **1.1** de faculteit van de ~ *the faculty/department of t./divinity.*

godgelijk →**godegelijk.**

godgevloekt ⟨bn.⟩ **0.1** *goddamned* ⇒*blasted, cursed* ◆ **1.1** ~ gespuis *blasted scum.*

godheid ⟨de (v.)⟩ **0.1** [goddelijk wezen] *deity* ⇒*god(head)* **0.2** [goddelijkheid] *godhead* ⇒*godhood, divinity* ◆ **1.2** de ~ van Jezus loochenen *deny the divinity of Jesus* **2.1** heidense godheden *pagan deities* **7.1** de ~ *the Godhead.*

godlasterend ⟨bn.⟩ **0.1** *blasphemous* ⇒*profane* ◆ **1.1** ~e aanroepingen *b. invocations.*

godlievend ⟨bn.⟩ **0.1** *devout* ⇒*pious, godly* ◆ **1.1** een ~ gezin *a d./religious family.*

godlof ⟨tw.⟩ **0.1** *praise (be to) God* ⇒*God/Heaven be praised* ◆ ¶ .1 ~! hij is gered *he's safe, thank God!*

godloochenaar ⟨de (m.)⟩, **-nares** ⟨de (v.)⟩ **0.1** *atheist* ⟨m., v.⟩.

godloochening ⟨de (v.)⟩ **0.1** *atheism.*

Godmens ⟨de (m.)⟩ **0.1** *Godman.*

godonterend ⟨bn.⟩ **0.1** *blasphemous* ⇒*sacrilegious* ◆ **1.1** een ~e voorstelling *a b. performance.*

godsaanschouwing ⟨de (v.)⟩ **0.1** *mystic/beatific vision.*

godsadvocaat ⟨de (m.)⟩ **0.1** [pleiter vóór de canonisatie] *postulator* ⇒ *God's advocate* **0.2** [iem. die het goede van een zaak bepleit] *advocate* ⇒*pleader.*

godsamme ⟨tw.⟩ **0.1** *dammit* ⇒*(cor) blimey, blast, Jesus, damn* ◆ ¶ .1 ~, wat is het hier een klerezooi *Jesus, what a bloody/God-awful mess!.*

godsbeeld ⟨het⟩ **0.1** *image of God.*

godsbegrip ⟨het⟩ **0.1** *concept(ion)/notion of God.*

godsbelofte ⟨de (v.)⟩ **0.1** *divine pledge/promise.*

godsbesef ⟨het⟩ **0.1** *notion of God.*

godsbestel ⟨het⟩ **0.1** *God's/divine disposition/dispensation.*

godsbetrouwen ⟨het⟩ **0.1** *trust/faith in God.*

godsbewijs ⟨het⟩ **0.1** *argument/proof for the existence of God.*

godsbewustzijn ⟨het⟩ **0.1** *awareness/consciousness of God.*

godsbode ⟨de (m.)⟩ →**godsgezant.**

godsdienst ⟨de (m.)⟩ **0.1** [leerstellingen, plechtigheden] *religion* ⇒*faith, persuasion* **0.2** [het dienen v.e. god] *(divine) worship* ◆ **1.2** vrijheid van ~ *freedom of religion, religious freedom* **2.1** de christelijke ~ *the Christian r., Christianity;* de heersende ~ *the prevailing r.;* ⟨staatsgodsdienst⟩ *the official/national r.* **3.1** een andere ~ aannemen *change one's r./faith, convert/be converted to another r./faith;* ⟨inf.⟩ *turn* ⟨vnl. GB onder katholieken⟩; hij behoort tot geen ~ *he does not belong to any r./church;* ~ geven *teach religion/* ⟨GB ook⟩ *religious education;* wat is uw ~? *what is your r./church, what r. are you?* **3.2** de zondag is gewijd aan de ~ *Sunday is devoted to worship.*

godsdienstfanaat ⟨de (m.)⟩ **0.1** *religious fanatic* ⇒⟨Austr.E;sl.⟩ *wowser.*

godsdiensthaat ⟨de (m.)⟩ **0.1** *hatred/intolerance/enmity.*

godsdienstig ⟨bn., bw.;-ly⟩ **0.1** [god dienend] *religious* ⇒*devout* **0.2** [mbt. de godsdienst] *religious* ◆ **1.1** ~e lectuur *devotional literature;* hij heeft een ~e moeder *he has a r. mother;* ~e overdenkingen *spiritual reflection/meditation* **1.2** dat mag niet volgens hun ~e overtuiging *their r. convictions/persuasions don't allow it;* ~e plechtigheden *rites/ceremonies;* ~e plichten/handelingen *r. obligations/acts;* een ~e samenkomst *r. service/assembly, worship;* een ~e tegenstander *a r. adversary/opponent* **3.1** deugdzaam en ~ leven *live virtuously and devoutly.*

godsdienstigheid ⟨de (v.)⟩ **0.1** *religiousness, devoutness* ⇒*piety,* ⟨dweperig of voorgewend⟩ *religiosity.*

godsdienstijver ⟨de (m.)⟩ **0.1** *religious zeal/fervour* ⇒*fanaticism, religionism, phylactery.*

godsdienstleer ⟨de (v.)⟩ **0.1** [geloofsleer] *religious doctrine/teaching* **0.2** [⟨AZN⟩ onderricht] *religious education.*

godsdienstleraar ⟨de (m.)⟩, **-lerares** ⟨de (v.)⟩ **0.1** (geestelijke) *minister of religion, cleric;* (op school) *teacher of religion.*

godsdienstles ⟨de⟩ **0.1** *religious instruction* ⇒*catechism.*

godsdienstloos ⟨bn., bw.;-ly⟩ **0.1** *irreligious* ⇒*religionless.*

godsdienstoefening ⟨de (v.)⟩ **0.1** [het verrichten van/deelnemen aan plechtigheden] *religious practice* ⇒*practice of religion, worship* **0.2** [kerkdienst] *(religious/devine) service* ⇒*worship* ◆ **1.1** vrijheid van ~ *freedom of worship/religion* **3.2** de ~ leiden *take the service.*

godsdienstonderwijs ⟨het⟩ **0.1** *religious education/teaching* ⇒*religious instruction, catechism.*

godsdienstoorlog ⟨de (m.)⟩ **0.1** *religious war* ⇒*war of religion, sectarian war.*

godsdienstplechtigheid ⟨de (v.)⟩ **0.1** *religious ceremony/rite.*

godsdienstplicht ⟨de⟩ **0.1** [plicht door het geloof voorgeschreven] *religious/church obligation/duty* **0.2** [verplichte godsdienstige verrichting] *religious observance* ◆ **3.2** zijn ~en waarnemen *observe/do ones religious duties.*

godsdienstvrijheid ⟨de (v.)⟩ **0.1** *freedom of religion* ⇒*religious freedom, freedom of worship.*

godsdienstwaanzin ⟨de (m.)⟩ **0.1** *religious mania* ⇒*theomania* ◆ **1.1** lijder aan ~ *religious maniac* **3.1** lijden aan ~ *suffer from r. m., be a religious maniac.*

godsdienstwetenschap ⟨de (v.)⟩ **0.1** *religious studies.*

godsdienstzin ⟨de (m.)⟩ **0.1** *piety, religiousness, devoutness.*

godsgebouw ⟨het⟩ **0.1** [tempel, kerk] *place of worship* ⇒*house of God* **0.2** [⟨fig.⟩ de kerk van Christus] *(the) Church* ⇒*(the) body of Christ.*

godsgemeenschap ⟨de (v.)⟩ **0.1** *fellowship with God.*

godsgemeente ⟨de (v.)⟩ **0.1** *God's church/people* ⇒*the Church.*

godsgenadig

I ⟨bn.⟩ **0.1** [heel] *whole blessed* ⇒*whole* ⟨vnl. BE⟩ *goddammed/* ⟨vnl. AE⟩ *goddam(n)* **0.2** [geducht, flink] *merciless* ◆ **1.1** hij heeft de ~e dag gelanterfant *he has idled away the hole damed day* **1.2** een ~ pak slaag *an m. thrashing/beating;*

II ⟨bw.⟩ **0.1** [zeer] [B]*bloody* [A]*goddam* ◆ **2.1** hij was ~ dronken *he was roaring drunk.*

godsgericht ⟨het⟩ **0.1** [oordeel van God] *(devine) judgement* **0.2** [plaag/bezoeking van Godswege] *(God's) judgement* **0.3** [⟨gesch.⟩ godsoordeel] *trial by ordeal* ⇒*judicial combat.*

godsgeschenk ⟨het⟩ **0.1** [geschenk van de goden/God] *gift of/from God/the gods* ⇒*God's gift, blessing* **0.2** [⟨fig.⟩ groot geluk, dankbaar bezit] *godsend* ⇒*blessing.*

godsgetuige ⟨de (m.)⟩ **0.1** *witness to God.*

godsgezant ⟨de (m.)⟩ **0.1** *divine messenger* ⇒*prophet, apostle.*

godsgruwelijk ⟨bn., bw.⟩ **0.1** *God-awful* ⇒⟨BE⟩ *damned,* ⟨vnl. AE⟩ *goddam(n)* ◆ **1.1** ik heb er een ~e hekel aan *it really gets my goat;* ik heb een ~e hekel aan hem *he really gets my goat, I can't stand his guts* **2.1** het is ~ vervelend *it's a* [B]*bloody* [A]*goddam nuisance, it's bloody/ruddy annoying.*

godshuis ⟨het⟩ **0.1** [kerk, tempel] *house of God* ⇒*place of worship* **0.2** [liefdadigheidsinstelling] *hospice* ⇒*home,* ⟨armenhuis⟩ *almshouse.*

godsjammerlijk

I ⟨bn.⟩ **0.1** [zeer droevig, ellendig] *wretched miserable, dreadful, atrocious* ◆ **1.1** een ~e vent *a miserable wretch;* ~e wreedheden *ghastly/dreadful savagenes, atrocities;*

II ⟨bw.⟩ **0.1** [allerverschrikkelijkst] *appallingly* ⇒*atrociously, direly* ◆ **5.1** wij hebben ~ hard gelopen *we killed ourselves running.*

godslam ⟨het⟩ **0.1** *Lamb of God.*

godslamp ⟨de⟩ ⟨r.k.⟩ **0.1** *sanctuary lamp.*

godslasteraar ⟨de (m.)⟩, **-lasteraarster** ⟨de (v.)⟩ **0.1** *blasphemer.*

godslastering ⟨de (v.)⟩ **0.1** [blasfemie] *blasphemy* ⇒*profanity* **0.2** [vloekwoord] *curse* ⇒*profanity.*

godslasterlijk ⟨bn., bw.;-ly⟩ **0.1** *blasphemous* ⇒*profane* ◆ **1.1** er ~e taal uitslaan (over) *blaspheme (about).*

godsliederlijk

I ⟨bn.⟩ **0.1** [in hoge mate liederlijk] *debauched* ⇒*obscene* ◆ **1.1** ~e taal *obscene foul/language;*

II ⟨bw.⟩ **0.1** [allerverschrikkelijkst] *excruciatingly* ⇒*appallingly, horrifically* ◆ **2.1** ~ gemeen *utterly revolting* **3.1** zich ~ vervelen *be bored to death.*

godsmogelijk ⟨bn., bw.⟩ **0.1** ⟨zie ¶.1⟩ ◆ ¶.1 hoe is het nu toch ~ *how in God's name/in the name of God/the hell is it possible.*

godsnaam ⟨zn.mv.⟩ ◆ **6.¶** in ~ *in the name of God* ⟨onderaanroeping van God's hulp⟩; *in God's name!, for God's/heaven's/Pete's/pity's sake;* word toch in ~ wakker *wake up for God's/Christ's sake;* hoe is het in ~ mogelijk *how on earth/in God's name is it possible;* in ~, ik zal het dan maar doen *I'll do it then for God's/Christ's sake;* ik hoop in ~ dat ... *I hope to God that ...;* wat heb je in ~ gedaan *what the hell/in the name of God have you done/been doing.*

godsonmogelijk ⟨bn., bw.⟩ **0.1** ⟨bn.⟩ *ruddy impossible, out of the question;* ⟨bw.⟩ *no way, out of the question* ◆ **3.1** 't is ~, dat jij dat krijgt *there's no way/it's out of the question (that) you'll get that;* ik kan ~ zo vroeg klaar zijn *there's no way I'll be ready so early.*

godsoordeel ⟨het⟩ **0.1** [ceremonie waarbij de godheid de schuldige aanwijst] *trial by ordeal* **0.2** [⟨gesch.⟩ godsgericht] *ordeal.*

godsopenbaring ⟨de (v.)⟩ **0.1** *divine Revelation.*

godsrijk ⟨het⟩ **0.1** *the kingdom of God* ◆ **2.1** het duizendjarig ~ *the Millenium, the thousand-year reign.*

godsspraak ⟨de (v.)⟩ **0.1** [orakelspreuk] *oracle* **0.2** [orakel] *oracle* **0.3** [profetie, openbaring] *oracle* ⇒*divine prophecy/revelation* ◆ **1.3** de godsspraken van de profeten *the prophecies/revelation/oracles of the prophets.*

godsstad ⟨de⟩ **0.1** [Jeruzalem] *city of God* ⇒*Zion* **0.2** [de hemel] *city of God* ⇒*heaven, Zion.*

godsterwereld ⟨de⟩ **0.1** ⟨zie ¶.1⟩ ◆ ¶.1 hoe is het ~ mogelijk *how in heaven's name/on earth is it possible.*

godsverering ⟨de (v.)⟩ **0.1** *worship of God/a god* ⇒*cult, theolatry.*

godsvertrouwen ⟨het⟩ **0.1** *trust/faith in God* ⇒*faith.*

godsvolk ⟨het⟩ **0.1** [gelovigen] *the people of God* **0.2** [Jodendom] *the chosen race/people.*

godsvoorstelling ⟨de (v.)⟩ **0.1** *conception of God.*

godsrede ⟨de⟩ **0.1** ⟨gesch.⟩ *truce of God;* ⟨pol.⟩ *political truce.*

godsvrucht ⟨de⟩ **0.1** *godliness* ⇒*devoutness, religiosity, piety.*

Godswege ◆ **6.¶ van** – *(by) divine (providence), in the name of God.*

godswil ◆ **6.¶ om** – *for (the love of) God; for God's/Christ's/heaven's sake!;* het is wel besteed, wat men **om** – geeft ≠*God loveth a cheerful giver;* ga er toch **om** – niet heen! *don't go there for God's sake!;* hoe is het **om** – mogelijk *how on earth is it possible?*

godswonder ⟨het⟩ **0.1** *(divine) miracle* ◆ **3.1** het is een – dat hij nog leeft *it's a miracle that he's still alive.*

godswoord ⟨het⟩ **0.1** [woord van God, goddelijke uitspraak] *word of God* ⇒*God's word* **0.2** [bijbeltekst] *word of God* ⇒*God's word.*

godtergend ⟨bn.⟩ **0.1** ≠*unholy* ◆ **1.1** 't is – ongeloof *it's utter/unholy lack of faith.*

godver ⟨tw.⟩ **0.1** *damn/dang it.*

godverdomme ⟨tw.⟩ **0.1** *(God) damn (it)* ⇒*goddamn(ed)* [A]*goddam(n),* [B]*bloody hell.*

godvergeten

I ⟨bn.⟩ **0.1** [goddeloos, snood] *wicked* ⇒*damned, vile, godless* **0.2** [zeer eenzaam] *godforsaken* ⇒*godforgotten* ◆ **1.1** ∼onrecht *crying;* een – schooier *a miserable wretch* **1.2** in een of ander – gat *in some godforsaken hole/backwater, in the middle of nowhere;*
II ⟨bw.⟩ ⟨inf.⟩ **0.1** [in zeer hoge mate, gruwelijk] *damned* ⇒[B]*bloody* [A]*goddam(n)* ◆ **2.1** die jongen is zo – stom *that boy is so* [B]*bloody,* [A]*goddam stupid* **5.1** hij heeft mij – slecht behandeld *he treated me dam(med) badly.*

godverheerlijkend ⟨bn.⟩ **0.1** *gloryfying (God).*

godverlaten ⟨bn.⟩ **0.1** *godforsaken* ⟨vnl. mbt. plaats⟩ ⇒*wretched* ⟨mens⟩ ◆ **1.1** een – oord *a g. place, a hole;* een – schoft *a miserable wretch.*

godvrezend ⟨bn.⟩ **0.1** *God-fearing* ⇒*godly* ◆ **1.1** een – gedrag *God-fearing/Godly behaviour/conduct.*

godvruchtig →*godzalig.*

godzalig

I ⟨bn.⟩ **0.1** [godvruchtig, vroom] *godly* ⇒*God-fearing, devout, pious* ◆ **1.1** een –e blik in de ogen *a look of bliss in one's eyes;* een –e broeder *a holy Joe* ⟨ook iron.⟩; een –e levenswandel *a God-fearing/pious life(-style)/way of life;*
II ⟨bw.⟩ **0.1** [op vrome wijze] *devoutly* ⇒*piously.*

goed[1] ⟨het; g.mv.⟩ (→sprw. 122,239,472) **0.1** [wat goed is] *good* **0.2** [gezamenlijke goederen/artikelen] *goods* ⇒*ware(s),* ⟨inf.⟩ *stuff, things* **0.3** [bezit] *goods* ⇒*property, effects,* ⟨rijkdom⟩ *wealth,* ⟨boedel, nalatenschap, landbezit, landgoed⟩ *estate* **0.4** [één of meer voorwerpen, materiaal] *stuff* ⇒*things* **0.5** [kleding] *clothes* ⇒↓*things* **0.6** [textiel] *material, fabric* ⇒*cloth* **0.7** [⟨AZN⟩ stuk land] *estate* ◆ **1.1** de boom der kennis van – en kwaad *the tree of the knowledge of g. and evil;* – en kwaad *g. and evil, right and wrong* **1.3** hij heeft veel geld en – *he has a lot of money and property;* have en – *g. and chattels* **2.1** het hoogste – *the highest/supreme g.;* ⟨schr.⟩ *the summum bonum* **2.2** onverkoopbaar – *unsaleable g.* **2.3** het aardse – *worldly g.;* gestolen – *stolen g./property;* onroerend – *immovable property, immovables, real estate/* ⟨jur.⟩ *property;* roerend – *moveable/personal property; personal estate/effects, moveables;* vast – *real property/estate;* ⟨jur. ook⟩ *realty* **2.4** ⟨fig.⟩ het jonge – *the youngsters;* er zat heel wat klein – bij de aardappels *the potatoes included a lot of small ones;* ⟨fig.⟩ is het kleine – al naar bed? *have the kids/kiddies/little ones gone to bed yet?* **2.5** zij heeft haar goeie – aan *she's got her Sunday best on;* schoon – aantrekken *change one's c., put on clean c./things;* het vuile – in de was doen *put the dirty c. in the wash* **2.6** wit/bont – *white/coloured wash;* whites, coloureds **3.1** dat zal hem – doen *that'll do him g., it'll be g. for him;* ⟨sterker⟩ *that'll do him the world/a power of g.;* een beetje frisse lucht zal je – doen *a bit/breath of fresh air will do you g., you'll feel much better for a bit/breath of fresh air;* ⟨sterker⟩ *a bit/breath of fresh air will do you the world/no end of g.;* hij meende er – aan te doen *he meant well by it, he did it for the best;* zulke taal doet meer kwaad dan – *that sort of language does more harm than g.;* ik denk dat je daar – aan gedaan hebt *I think you were right to do so, I think you did the right thing* **3.3** hij gaf al zijn – aan de armen *he gave all his property/wealth to the poor* **3.6** het – hangt op de vliering te drogen *the washing is hanging up to dry in the loft* **6.1** men moet kwaad met – vergelden *one should requite/* ↓*meet evil with g.* **7.1** dat heeft me geen – gedaan *it didn't do me any g.;* arme kerel! hij kan geen – meer doen *poor chap! he can't do a thing right;* daar zul je de zaak geen – mee doen *you won't do things any g./ you'll do things no g. if you do that;* er is bij hem geen – te doen *there's no pleasing him;* ze kan bij hem geen – meer doen *she can do no g. in his eyes/he hasn't got a good word to say for her any more, she can do nothing/can't do anything right any more as far as he's concerned, she can't do anything to please/suit him any more.*

goed[2] (→sprw. 21,38,52,114,130,159,191,197,217,228,238,240, 250,272,281,451,509,510,515,601,644,654,657,666)

I ⟨bn., bw.⟩ **0.1** [juist] ⟨bn.⟩ *good;* ⟨bw.⟩ *well* ⇒*right, correct* **0.2** [voortreffelijk] ⟨bn.⟩ *good;* ⟨bw.⟩ *well* **0.3** [geschikt] *good* **0.4** [gunstig] *good* ⇒*fine* **0.5** [deugdzaam] *good* **0.6** [behoorlijk] *good* ◆ **1.1** ⟨fig.⟩ in –e aarde vallen *go down well;* alle berekeningen zijn – *all the calculations are correct;* een – gebruik van iets maken *make g. use of sth.;* iem. van – gedrag *s.o. without a (criminal) record/with a clean record;* met de –e kant naar boven *the right way up;* op het –e moment *at the right moment;* dat is zijn – recht *he has a perfect right to it/to do so* ⟨enz.⟩; de –e toon te pakken hebben ⟨fig.⟩ *have struck/hit the right note;* op de –e weg zijn ⟨fig.⟩ *be on the right lines/track* **1.2** hij is in –en doen *he's well off;* in zijn –e dagen *in his better days;* hij is van –e familie *he comes from a g. family;* een goeie mop *a g. joke;* ⟨inf.⟩ *a g. one;* is dat je goeie pak? *is that your best suit?;* de goeie, ouwe tijd *the g. old days;* ⟨sport⟩ een –e tweede *a g. second;* een – verliezer *a g. loser* **1.3** dat kun je met – fatsoen niet doen *it's not g. manners/it's bad manners to do that;* een – huisvader *a g. father;* in – overleg *in concert;* –e raad was duur *I/he* ⟨enz.⟩ *was at a loss;* daar heeft hij –e redenen voor *he's got g. reason(s) for it;* weer –e vrienden worden *kiss and make up;* hij kon geen –e vrouw vinden *he couldn't find a (suitable) wife* **1.4** bij iem. in een – blaadje staan *be in s.o.'s g. books, be well in with s.o.;* op een –e dag ... *one fine day ...;* als hij een –e dag heeft *when he's having one of his better days;* op – geluk *on the off-chance;* met – gevolg examen doen *pass an examination;* ⟨fig.⟩ iem. een – hart toedragen *be well disposed towards s.o.;* het huwelijk heeft ook zijn –e kanten *marriage has also got its g. points/compensations;* goeie morgen! ⟨groet⟩ *g. morning!;* ⟨als het kwartje eindelijk is gevallen⟩ *bingo!;* ⟨bij verbazing⟩ *my goodness!, goodness (me/gracious)!;* iemands –e naam *s.o.'s g. name;* de zieke heeft een –e nacht gehad *the patient had a g. night;* dat is – nieuws *that's g. news;* zij is een –e partij *she is a g. match;* het is weer een – perenjaar *it's g. year for pears again;* –e reis! *have a g. journey!* ↓*trip* ⟨enz.⟩; een – woordje voor iem. doen *put in a g. word for s.o.;* hij doet –e zaken *he's doing g. business* **1.5** het is voor een – doel *it's for a g. cause;* een – mens *a g. (sort of) person;* ⟨inf.⟩ *a g. sort;* te –er trouw handelen *act in g. faith;* – volk *g. people;* ⟨tegen hond⟩ – boy!, *they're friends;* ⟨r.k.⟩ –e werken *g. works* **1.6** een – e f 1000,- *a g. thousand guilders;* een – jaar geleden *a g. year ago, well over a year ago;* dat zal een goeie klap geven *that'll make quite a noise;* ik heb er een –e stuiver mee verdiend *I've made a pretty penny/done well out of it;* hij is een –e veertiger *he has turned forty, he is in his forties, he is upwards of forty;* ⟨scherts⟩ *he is the wrong side of forty;* doe maar – wat zout in de soep *salt the soup well* **1.¶** goeie hemel/genade *good heavens/gracious;* op een – ogenblik merk je dat ... *there comes a time when you notice that ...;* Goede Vrijdag *Good Friday;* de Goede Week *Holy Week* **2.2** ∼ katholiek zijn *be a g. Catholic* **2.6** hij was – nijdig *he was really annoyed;* toen ik – en wel in bed lag liep *when I'd only just got into bed;* ik ben het – zat *I'm (absolutely) fed up with it* **3.1** hij bedoelt/meent het – *he means well;* ik begrijp niet – ... *I don't quite/ really understand ...;* begrijp me – *don't get me wrong, make no mistake (about it);* als hij iets doet, doet hij het – *everything he does he does well;* in – gekozen bewoordingen *in well-chosen words;* dat heb je – onthouden *you've got a g. memory (to remember that);* als ik 't – heb *if I'm not mistaken;* je hebt die som – opgelost *you've got the sum right/correct;* ⟨iron.⟩ is het nou –? *satisfied?;* ⟨mbt. fooi⟩ zo is 't – *(you can) keep the change;* dat kan niet – zijn *that is obviously wrong;* als je – kijkt *if you look closely;* dat komt wel weer – *it'll turn out all right;* ik kan het vandaag niet – bij u maken *I can't seem to do anything to please you/anything right for you today;* neem 't – op *take it well;* ik vind dat niet – ⟨keur het niet goed⟩ *I don't approve of that, I don't think that's a g. idea;* ⟨ben het er niet mee eens⟩ *I don't agree;* ⟨inf.⟩ dat zit wel – *that's all right, don't worry about it* **3.2** ⟨iron.⟩ nee, nou wordt ie –! *that's rich!;* hij bridget/schaakt – *he's a good bridge-/chess-player, he's good at bridge/chess;* dat doet het altijd – *that always works (well);* hier kun je – eten *you can eat well here, the food's g. here;* – gedaan, jochie! *well done, lad!* [A]*pal!;* ik heb mij – vermaakt *I('ve) had a g. time;* wij hebben het – *we're well off/ all right;* we hebben het nog nooit zo – gehad *we've never had it so g.;* hou je –! *look after yourself!;* dat kan ze erg – *she is very g. at it;* je kon – merken dat hij nerveus was *you could easily tell that he was nervous;* – kunnen leren *be a g. learner;* je kunt – zien dat ... *it is obvious that ...;* – in de markt liggen ⟨ook fig.⟩ *be on demand;* – op de weg liggen ⟨auto⟩ *hold the road well;* ⟨sport⟩ – spelen *play well, have a g. game;* ⟨sport⟩ minder – spelen *play rather/quite badly, not have much of a game;* ⟨heel⟩ – Engels spreken *speak English (very) well, speak (very) g. English;* die jas staat je – *that coat suits you/looks g. on you;* er – uitzien ⟨aantrekkelijk⟩ *look g.;* ⟨gezond⟩ *look well;* ⟨iron.⟩ hij vindt het allang – *zo he's quite happy with things as they are, he couldn't care less;* hij vindt alles – *he's very easy-going;* en God zag dat het – was *and God saw that it was g.;* ik doe alles zo – als ik kan *I do my very best;* de banden zijn niet zo – meer *the tyres are rather worn* **3.3** het is mij – *I don't mind, it's all right/all very well by me;* die peren blijven lang – *those pears keep for a long time;* ik weet het – gemaakt *... I know, this is what we'll do;* zich – houden *control o.s.;* ⟨niet la-

chen ook⟩ *keep a straight face;* die soep is niet ~ meer *this soup has gone off/is off;* dan is het toch nog ergens ~ voor geweest *then it was of some use after all;* het zal wel ergens ~ voor zijn *it must be of some use, there must be some reason for it;* ik zal het ~ met je maken *we can make a deal* 3.4 als/zolang het weer ~ blijft *if the weather stays g./holds;* zich te ~ doen aan *feast on, tuck into;* ⟨sl.⟩ *get stuck into;* als het ~ gaat *if everything works out all right;* hij heeft het er ~ afgebracht *he has come out of it well/ ⟨inf.⟩ on top;* dat komt ~ uit *that's (very) convenient;* hij maakt het ~ *he's doing well/all right;* het ~ met iem. menen *mean well with s.o., have s.o.'s best interests at heart;* ⟨fig.⟩ hij staat er ~ voor *his prospects are g.;* het zou ~ zijn, als je … *it would be a g. thing if you …* 3.5 ~ leven *live a g. life* 3.6 ~ balen *be heartily fed up;* het betaalt ~ *it pays well;* hij kan het er ~ van doen *he is well off;* hij kan nog niet eens ~ schrijven *he can't even write properly;* het er ~ van nemen *lead the g. life;* pas ~ op je tellen *watch it/out;* hij verdient ~ *he's earning a g. wage/salary* ⟨enz.⟩; ⟨inf.⟩ *he's making g. money;* ~ op de hoogte zijn *be well-informed* 3.¶ dat was maar ~ ook *it was just as well* 4.2 iets ~s *sth. good* 5.1 maak de deur ~ dicht *close the door properly;* net ~! *serve(s) you right/him/them* ⟨enz.⟩; *right!,* and a g. thing/job too!; dat zou niet ~ zijn *that would be a bad thing;* het ~ geld terug *(your) money back if (you're) not satisfied;* het is ook nooit/niet gauw ~ bij hem *nothing's ever g. enough for him;* ook ~ all right, see if I care; precies ~ *just/exactly right;* ⟨inf.⟩ *spot/dead on;* alles ~ en wel maar … *all well and g. but …, that's all very well but …* 5.2 dit is niet ~ genoeg *this isn't g. enough, this will never do,* ↓*this is not on;* ~ zo! *good!, that's right!;* ⟨als compliment⟩ *well done!, that's the way!,* ⟨vnl. AE⟩ *alright!* 5.3 daar is de verzekering ~ voor *the insurance will cover it;* kort en ~ ⟨direct⟩ *not to mince matters;* ⟨kortom⟩ *to cut a long story short, in a nutshell;* ook ~ *very well, all right;* dat touw is precies ~ *that string is just right (for the job);* wie weet waar het ~ voor is *you never know what will come out of it* 5.4 iets te ~ hebben *have sth. owing to one;* dat geld heb ik nog van hem te ~ *he still owes me that money;* de rest hou je nog te ~ *I'll owe you the rest;* zo ~ en zo kwaad als het gaat *as well as possible* 5.6 hij zat ~ fout *he was totally wrong;* ik was nog maar ~ en wel thuis of … *I'd only just come in/got home when …* 5.¶ zij is er ~ mee *g. (luck) for her;* maar ~ *(well) anyway;* we hadden het net zo ~ niet kunnen doen *we might/could just as well not have done it;* hij kon niet ~ weigeren *he could hardly refuse* 6.1 nu ben ik weer ~ op je *I'm not angry with you any longer* 6.2 zij is ~ in wiskunde *she is g. at mathematics;* ⟨iron.⟩ het is wel ~ met jou *you can go to hell,* ↓*go fuck/screw yourself;* daar voelt ze zich te ~ voor *she thinks she's too g. for that* 6.3 katten zijn ~ tegen muizen *cats are g. for getting rid of mice;* whisky is ~ tegen verkoudheid *whisky is g. for a cold;* waar is dat ~ voor? *what g. is that?, what g. will that do?;* hij is nergens ~ voor *he is g. for nothing, he is a good-for-nothing;* ~ voor ƒ1000,- *worth ƒ1,000 guilders;* ~ voor één consumptie *valid for one drink/meal/snack* ⟨enz.⟩; hij is ~ voor zijn werk *he does his work well;* hij is ~ voor een paar ton *he is worth a few hundred thousand;* de motor is ~ voor 180 km/u *the motor-bike can get up to/do 180 kph* 6.4 dat is ~ om te weten *that's a g. thing to know;* ik heb nog twee maanden salaris ~ *I'm owed two months' salary, I've got two months' salary owing/outstanding;* een verandering ten ~e *a change for the better;* de opbrengst komt geheel ten ~e v.h. Rode Kruis *all the proceeds go to the Red Cross;* het komt zijn prestaties niet ten ~e *it doesn't help his performance;* hou me dat ten ~e *don't hold it against me;* hij weet/weet niet wat ~ voor hem is *he knows/doesn't know what's g. for him* 6.5 hij is er niet te ~ voor *I wouldn't put it past him, he's not above doing it/that* ⟨enz.⟩ 6.6 hij is ~ bij kas *he is (very) well off;* ~ bij zijn *be a clever one* 6.¶ zij zijn weer ~ met elkaar *they've made it up, they're on good terms again* 7.2 alles ~ thuis? *(is) everything all right at home?;* dat is een goeie! *that's a g. one;* ⟨zelfst.⟩ het is van het ~e *that is too much of a g. thing;* van het ~e der aarde genieten *live off the fat of the land* 7.3 hij heeft er niet veel ~s geleerd *it hasn't done him much g.* 7.5 de ~en moeten onder de kwaden lijden *the innocent will suffer/will have to take the consequences;* het ~e doen *do the g. thing* 8.4 het is maar ~ dat … *it's a g. thing that …;* ~ dat er politie is *where would we be without the police?;* ~ dat je 't zegt *that reminds me;* ~ dat ik 't weet *thanks for telling me;* het is weleens ~ dat dat gezegd wordt *that bears saying, that needs to be said* 8.¶ zo ~ als niets *next to nothing, hardly anything;* zo ~ als nieuw *as good as new;* ⟨in advertentie ook⟩ *as new;* dat is zo ~ als zeker *that is virtually/almost certain;* zo ~ als onmogelijk *virtually/well-nigh impossible;* zo ~ als niemand *hardly anybody* ¶.2 er ~ bij kunnen *be able to get at/reach sth. (easily)* ¶.4 dat is maar ~ ook! *and a g. thing too;*
II ⟨bn.⟩ 0.1 [vriendelijk] *good* ⇒⟨aardig⟩ *kind(ly), kind-hearted, good-natured, nice* 0.2 [gezond] *well* ⇒*fine* ◆ 1.1 het is niet veel, maar het komt uit een ~ hart *it's not much but it's well-meant;* de Goede Herder *the Good Shepherd;* hij is een goeie sul *he wouldn't say boo to a goose* 1.¶ de ~e man wist niet waar hij het had *the poor fellow didn't know what was going on* 3.1 ik ben wel ~ maar niet gek *I'm not as soft/stupid/daft as you think;* ik voel me heel ~ *I feel fine/great;* zou u zo ~ willen zijn … *would/could you please …, would you be so kind as to …, do/would you mind …* 3.2 ⟨fig.⟩ ik jou beetne-

men? je bent niet ~! *me put one over on you? you must be crazy/kidding/joking!;* zich niet ~ voelen *not feel well, feel ill;* daar word ik niet ~ van ⟨ook fig.⟩ *that makes me (feel) sick* 4.2 ze is onderweg niet ~ geworden *on the way she started to feel ill/* ⟨misselijk⟩ *sick* 5.1 hij was te ~ voor deze wereld *he was too g. for this world;* u bent al te ~ *you're too kind* 6.1 hij is te ~ van vertrouwen *he is too naive/gullible;* ze is ~ voor haar personeel *she is good/nice to her employees* 6.2 ben je wel ~ bij je hoofd? *are you mad/crazy?.*

goedaardig
I ⟨bn., bw.⟩ 0.1 [goedig, vriendelijk] *good-natured/-tempered* ⇒*kind(ly), kind-hearted, benevolent, gentle, mild* ◆ 1.1 een ~ hond *a g.-n./-t. dog;* ~e ogen *kind/gentle eyes* 3.1 ~ spottend *gently mocking;*
II ⟨bn.⟩ 0.1 [⟨med.⟩] *mild* ⇒*benign(ant)* ⟨tumor⟩ ◆ 1.1 ~e droes *strangles.*

goedaardigheid ⟨de (v.)⟩ 0.1 [vriendelijkheid] *good nature* ⇒ *kind-heartedness* 0.2 [⟨med.⟩] *mildness* ⇒*benignity.*

goedachten ⟨ov.ww.⟩ 0.1 *think/see fit/proper* ⇒*regard as useful.*

goedbloed ⟨de (m.)⟩ 0.1 *softy* ◆ 1.1 een Joris ~ *a soft touch.*

goeddeels ⟨bw.⟩ 0.1 *largely* ⇒*for the greater/most part, in large part.*

goeddoen ⟨onov.ww.⟩ 0.1 [weldoen] *do good* 0.2 [aangenaam aandoen] *do good* ⇒*help* ◆ 1.2 zo'n glas water doet goed ≠*I needed that!,* ≠*that's better!;* het zal je hart ~ *it will do your heart (some/a lot of) good, it's good for your heart;* dat woord van bemoediging heeft haar goed gedaan *that word of encouragement has cheered her up* 5.2 de berglucht zal hem enorm veel ~ *the mountain air will do him a world of good* 6.2 ⟨fig.⟩ het doet me goed aan 't hart *it warms (the cockles of) my heart.*

goeddunken¹ ⟨het⟩ 0.1 [welbehagen, believen] *pleasure* ⇒*discretion, will* 0.2 [toestemming] *discretion* ⇒*consent* ◆ 3.2 dat hangt af van haar ~ *that is at her d.* 6.1 naar/volgens (eigen) ~ handelen *act on one's own discretion/as one sees fit.*

goeddunken² ⟨onov.ww.⟩ 0.1 [nodig/nuttig voorkomen] *see/think fit/proper* 0.2 [behagen, aanstaan] *like, please* ◆ 4.1 het docht hem goed daar te blijven *he thought fit/it best to stay there;* zij kunnen doen wat hun goeddunkt *they can do as they think fit* 4.2 doe wat je goeddunkt *do as you p., suit yourself.*

goedemiddag 0.1 *good afternoon* ◆ 3.1 iem. ~ wensen/zeggen *wish s.o. g. a..*

goedemorgen 0.1 *good morning.*

goedemorgenzeggen ⟨onov.ww.⟩ 0.1 *say good morning* ⇒*give (s.o.) good morning.*

goedenacht 0.1 *good night* ◆ 3.1 ⟨fig.⟩ niemand ~ wensen *slip/steal out/away.*

goedenachtkussen ⟨onov.ww.⟩ 0.1 *kiss good night.*

goedenachtzeggen ⟨onov.ww.⟩ 0.1 *say/wish good night.*

goedenavond 0.1 [begroetingsformule] *good evening* 0.2 [afscheidsgroet] *good night.*

goedendag¹ 0.1 [begroetingsformule] *good day* ⇒*hello* 0.2 [uitroep van verbazing] *hello!* ⇒*well now!, goodness (gracious)!, good Lord!* 0.3 [afscheidsgroet] *goodbye* ⇒*good day.*

goedendag² ⟨de (m.)⟩ ⟨gesch.⟩ 0.1 *mace.*

goedendagzeggen ⟨onov.ww.⟩ 0.1 [iem. een goede dag toewensen] *wish/give (s.o.) good day, say hello* ⇒*pass the time of day (with),* ⟨ten afscheid⟩ *say goodbye* 0.2 [afscheid van iets nemen, er de brui aan geven] *say goodbye (to).*

goederen ⟨zn.mv.⟩ 0.1 [artikelen, waren] *goods* ⇒⟨ec.⟩ *commodities,* ⟨koopwaar ook⟩ *merchandise,* ⟨produkten⟩ *produce* 0.2 [bezittingen] *goods* ⇒*property, effects, things,* ⟨inf.⟩ *stuff* ◆ 1.1 een partij ~ *a consignment of g./merchandise* 2.2 aardse ~ *worldly g.;* onroerende ~ *real estate, immovable property, immovables;* roerende ~ *moveable/personal property, personal estate/effects, moveables* 3.1 ~ laden/lossen *load/unload g./merchandise;* verbeurd verklaarde ~ *confiscated g.* 6.2 gemeenschap van ~ *community of property.*

goederenafgifte ⟨de (v.)⟩ 0.1 [het overhandigen van goederen] *delivering/handing in of parcels/goods* 0.2 [loket] *(goods) delivery, parcels office* ⇒⟨bagage⟩ [B]*left luggage.*

goederenbeurs ⟨de (v.)⟩ 0.1 *goods/commodity/produce exchange.*

goederendepot ⟨het⟩ 0.1 *goods depot/storage;* ⟨voor bagage⟩ [B]*left luggage (office),* [A]*checkroom.*

goederenemplacement ⟨het⟩ 0.1 [B]*goods/* [A]*freight yard.*

goederenhandel ⟨de (m.)⟩ 0.1 *goods/commodity/produce trade.*

goederenkantoor ⟨het⟩ 0.1 *goods/parcels/* [A]*freight office* ⇒⟨BE ook⟩ *goods department, forwarding office.*

goederenkrediet ⟨het⟩ 0.1 *consumer credit.*

goederenlift ⟨de (m.)⟩ 0.1 *goods lift/* [A]*elevator* ⇒⟨vnl. BE⟩ *hoist.*

goederenloods ⟨de⟩ 0.1 *goods shed,* [A]*freight depot* ⇒*warehouse.*

goederenstation ⟨het⟩ 0.1 *goods/* [A]*freight station.*

goederentrein ⟨de (m.)⟩ 0.1 *goods/* [A]*freight train* ⇒⟨ihb. voor containers⟩ *liner train.*

goederenverkeer ⟨het⟩ 0.1 *exchange/movement of goods/* [A]*freight* ⇒⟨vervoer⟩ *goods/* [A]*freight transport/conveyance/traffic,* ⟨mbt. wegverkeer⟩ *long/short distance/road haulage.*

goederenvervoer ⟨het⟩ 0.1 [transport] *transport(ation)/conveyance/car-*

riage of goods ⇒⟨wegvervoer⟩ *road haulage,* ⟨zeevervoer⟩ *shipment of goods* 0.2 [bedrijfstak] *freight transport/trade,goods traffic.*

goederenvoorraad ⟨de (m.)⟩ **0.1** *stock* ⇒*goods in stock, stock in hand.*

goederenwagen ⟨de (m.)⟩ **0.1** [vrachtauto] *lorry,* ᴬ*truck* **0.2** [trein(wagon)] *goods carriage/van/waggon* ⇒ᴬ*freight car, freighter* ◆ **2.2** een platte/lage ~ *a railway truck/* ᴬ*flatcar.*

goedertieren ⟨bn.,bw.;-ly⟩⟨schr.⟩ **0.1** *merciful* ⇒*benevolent, clement* ◆ **1.1** ~ Vader m. *Father;* een rechtvaardig en ~ vorst *a just and clement ruler/monarch* **3.1** toon u ~ *show your mercy, show yourself (to be) clement.*

goedertierenheid ⟨de (v.)⟩ **0.1** *mercy* ⇒*benevolence, clemency, loving kindness, grace* ⟨vnl. mbt. God⟩.

goedgebouwd ⟨bn.⟩ **0.1** *well-built.*

goedgeefs ⟨bn.⟩ **0.1** *generous* ⇒*liberal, open-handed, munificent.*

goedgeefsheid ⟨de (v.)⟩ **0.1** *generosity, liberality, openhandedness, munificence, largess(e).*

goedgehumeurd ⟨bn.⟩ **0.1** *good-humoured/-natured* ⇒⟨alleen pred.⟩ *in high spirits, in a good humour/temper/mood.*

goedgelovig ⟨bn.⟩ **0.1** *credulous* ⇒*gullible,* ⟨onnozel⟩ *green, naïve,* ⟨vertrouwend⟩ *trusting* ◆ **1.1** een ~ sukkel *a dupe, a simple Simon;* ⟨sl.⟩ *a (real) sucker* **7.1** alleen de ~en tuinden erin *only the c. ones fell for it.*

goedgelovigheid ⟨de (v.)⟩ **0.1** *credulity* ⇒*naïvety.*

goedgemutst ⟨bn.⟩ **0.1** *good-humoured/-tempered* ⇒⟨alleen pred.⟩ *in high spirits, in a good temper/humour/mood, in great form.*

goedgeschreven ⟨bn.⟩ **0.1** *well-written* ⇒*well-composed.*

goedgevormd ⟨bn.⟩ **0.1** *shapely* ⇒*well-made/-built* ◆ **1.1** ~e benen *s. legs;* een ~e schaal *a well-potted bowl.*

goedgevuld ⟨bn.⟩ **0.1** [goedgevormd] *well-developed* **0.2** [⟨vaak euf.⟩ stevig] *plump* ◆ **1.¶** een ~e beurs *a well-lined/heavy purse.*

goedgewicht ⟨het⟩ **0.1** *draft.*

goedgezind ⟨bn.⟩ **0.1** [het wel menen] *well-meaning* ⇒*benevolent* **0.2** [in een goede stemming] *good-humoured/-tempered* ⇒⟨alleen pred.⟩ *in high spirits, in great form* ◆ **3.1** iem. ~ zijn *be well-disposed towards s.o..*

goedgunstig ⟨bn.,bw.;-ly⟩ **0.1** *well-disposed* ⇒*favourable, sympathetic, gracious, kind, benevolent* ◆ **1.1** ~e lezer *gentle reader;* Hare ~e Majesteit *Her Gracious Majesty* **3.1** hij hoorde haar verzoek ~ aan *he lent a favourable/sympathetic ear to her request.*

goedgunstigheid ⟨de (v.)⟩ **0.1** *grace* ⇒*sympathy, benevolence, kindness, graciousness* ◆ **1.1** Gods ~ *God's grace.*

goedhartig ⟨bn.,bw.;-ly⟩ **0.1** [een goed hart hebbend] *kind-hearted* ⇒*good-natured, kind(ly), benevolent, mild* **0.2** [vriendelijk, goedig] *kind(ly)* ⇒*friendly, genial, gentle, amiable* ◆ **1.1** een ~e jongen *a good-natured boy* **1.2** een ~ gezicht *a friendly/kind face;* ~e scherts *friendly/good-natured joking;* op ~e toon spreken *speak in a friendly /amiable tone (of voice).*

goedhartigheid ⟨de (v.)⟩ **0.1** [goed hart] *kind-heartedness* ⇒*good nature, good-naturedness* **0.2** [vriendelijkheid] *kindness* ⇒*friendliness, amiability.*

goedheid ⟨de (v.)⟩ **0.1** [braafheid, rechtschapenheid] *goodness* **0.2** [zachtheid] *gentleness* ⇒*amiability, kindness* **0.3** [⟨mv.⟩ blijk van welwillendheid/vriendelijkheid] *kindness* ⇒*good turn* **0.4** [toegeeflijkheid] *benevolence* ⇒*indulgence, goodwill, kindness* **0.5** [genade (van God)] *grace* ⇒*mercy* **0.6** [welwillendheid, vriendelijke voorkomendheid] *kindness* ⇒*benevolence* ◆ **1.1** ~ van hart *goodheartedness* **1.5** door Gods ~ zijn wij allen gezond *thanks be to God/by the g. of God we are all in good health* **2.5** (als uitroep) grote/hemelse ~! *goodness gracious!* **3.6** heb de ~ *be so good/kind (as to)* **4.1** hij is de ~ zelve *he g. personified.*

goedheilig ⟨bn.⟩ **0.1** *saintly.*

goedhouden ⟨ov.ww.⟩ **0.1** *keep* ◆ **5.1** pompoenen kun je maandenlang ~ *pumpkins will k./can be kept for months.*

goedig ⟨bn.,bw.;-ly⟩ **0.1** ⟨zachtaardig⟩ *gentle* ⇒*amiable, mild, good-natured,* ⟨bn.ook⟩ *kindly,* ⟨inschikkelijk⟩ *meek, indulgent* ◆ **3.1** ~ kijken *have a meek/amiable look/air.*

goedigheid ⟨de (v.)⟩ **0.1** *gentleness* ⇒*amiability, mildness, meekness, indulgence* ◆ **6.1** iets uit ~ doen *do sth. out of (sheer) benevolence.*

goedje ⟨het⟩ **0.1** [stof] *stuff* **0.2** [levende wezens]⟨zie 2.2⟩ **0.3** [spullen] *stuff* ⇒*things* ◆ **2.1** het is (een) gevaarlijk ~ *it's dangerous s.* **2.2** het jonge ~ *the small fry, the young ones* **4.1** hoe heet dat ~? *what's the name of that s.?;* dat ~ lust ik niet! *I can't eat that s.!* **6.3** zij is zuinig op haar ~ *she takes care of her things.*

goedkeuren ⟨ov.ww.⟩ **0.1** [verklaren dat iem./iets goed is] *approve of* ⇒ *pass* ⟨als geschikt⟩, *endorse* ⟨handelingen⟩, ⟨bevestigen⟩ *confirm* **0.2** [ermee instemmen] *approve, adopt* ⟨plan⟩; *ratify, sanction* ⟨verdrag, besluit⟩; *accept* ⟨voorstel⟩ ◆ **1.1** een patiënt medisch ~ *declare a patient fit;* het opgeleverde werk is door de rijksopzichter goedgekeurd *the work (as) delivered was approved by the government surveyor;* een wetsvoorstel ~ *pass a bill* **1.2** uw gedrag is niet goed te keuren *your conduct is unacceptable;* het handelsverdrag met Frankrijk is door de Staten-Generaal goedgekeurd *the States-General have/the Dutch Parliament has ratified the commercial treaty with France;* een regeringsplan ~ *agree (to) a government plan* **3.1** gezien en goedge-

keurd *seen and approved;* een rapport door de autoriteiten laten ~ *clear a report with the authorities;* ⟨med.⟩ goedgekeurd worden ⟨inf.⟩ *pass one's medical* **4.1** iets ~ *look with favour on sth., take a favourable view of sth.* **5.1** iets unaniem ~ *approve sth. by general consent* **6.1** hij is goedgekeurd voor de dienst *he's been passed for military service.*

goedkeurend ⟨bn.,bw.;-ly⟩ **0.1** *approving* ⇒*favourable, approbatory* ◆ **1.1** een ~ knikje/gemompel *a nod/murmur of approval/assent/approbation;* een ~ oordeel over iets uitspreken *pass a favourable judgement on sth., view sth. with favour* **3.1** ze glimlachte ~ *she smiled her approval;* ~ knikken *nod (one's) approval.*

goedkeuring ⟨de (v.)⟩ **0.1** [het goedkeuren/goedgekeurd worden] *approval* ⇒*consent, sanctioning,* ⟨officieel⟩ *approbation,* ⟨goedgekeurd worden ook⟩ *endorsement* **0.2** [betuiging van tevredenheid] *approval* ⇒⟨officieel⟩ *approbation, satisfaction* ◆ **1.1** de vergadering gaf tekenen van ~ *the meeting signalled/gave signs of approval;* ~ v.e. testament verlenen *grant probate of a will* **1.2** een woord/teken van ~ *a word/sign of approval* **2.1** Koninklijke ~ *royal assent;* behoudens nadere ~ *pending further endorsement/approval;* ~ *tacit agreement/consent, acquiescence* **3.1** dit voorstel droeg aller ~ weg *this proposition met with general approval;* zijn ~ geven *give one's consent/approval;* iemands ~ krijgen *find favour in s.o.'s eyes;* zijn ~ onthouden (aan) *withhold/refuse one's consent (to);* ~ wegdragen *meet with approval* **6.1** een plan onderwerpen aan de ~ van *submit a plan to ... for approval;* met ~ v.d. Synode gedrukt *printing approved by the Synod;* ter ~ voorleggen *submit for approval.*

goedkeuringstermijn ⟨de (m.)⟩ **0.1** [waarbinnen een goedkeuring moet plaatshebben] *term for approval/endorsement* ⇒*deadline* **0.2** [waarin de goedkeuring geldig is] *duration/term of approval/approbation.*

goedkoop ⟨→sprw. 241⟩
I ⟨bn.,bw.;-ly⟩ **0.1** [voordelig] *cheap* ⇒*inexpensive, low-priced,* ⟨beneden de vaste prijs⟩ *cut-price/-rate, economy* ◆ **1.1** goedkope benzine *cut-price/economy petrol;* ~ tarief *c. rate;* ⟨vanwege seizoen/tijd v.d. dag⟩ *off-peak tariff;* die winkel is ~ *that shop charges reasonable prices;* goedkope zondagen (in de dierentuin) *reduced Sunday rates (at the zoo)* **3.1** er ~ afkomen *get off cheap(ly);* het leven op een dorp is goedkoper dan in de stad *it is cheaper to live in the country than in the town;* ~ kopen en verkopen *buy and sell cheap(ly);* ~ maken *cheapen;* ~ verkocht worden/de deur uitgaan *go/sell c.;* ~ werken *work c./at low wages* **6.1** ~ voor een auto *c. as cars go;*
II ⟨bn.⟩ **0.1** [⟨fig.⟩ van weinig waarde] *cheap* ⇒*shoddy, twopenny-halfpenny* ◆ **1.1** een ~ argument *a c. argument;* goedkope eettent *c. café;* ⟨sl.⟩ *greasy spoon;* ⟨inf.⟩ *beanery;* een ~ effect *a c. effect;* een goedkope grap *a c. joke;* ~ truckje *a paltry/c. trick;* goedkope wijn *c. wine;* ⟨BE ook⟩ *plonk.*

goedkoopte ⟨de (v.)⟩ **0.1** [het goedkoop zijn] *cheapness* ⇒*inexpensiveness, low price(s)* **0.2** [besparing van kosten, zuinigheid] *economy* ◆ **1.1** de ~v.d. appels dit jaar verbaast menigeen *many people are surprised how cheap apples are this year* **6.2** voor de ~ zet ik de thermostaat laag *I keep the thermostat low to save money/for the sake of e..*

goedlachs ⟨bn.⟩ **0.1** *ready to laugh* ⇒*fond of laughing* ◆ **5.1** zij is erg ~ *it doesn't take much to make her laugh, she's quick to laugh.*

goedleers ⟨bn.⟩ **0.1** *teachable, quick-witted* ⇒*easy to teach, eager to learn.*

goedleggen ⟨ov.ww.⟩ **0.1** *put right* ⇒*straighten (out), put in a comfortable position* ⟨patiënt⟩.

goedmaken ⟨ov.ww.⟩ **0.1** [mbt. bedreven kwaad] *make up/amends for* ⇒*redeem, redress* **0.2** [mbt. een gebrek/tekortkoming] *make up for* ⇒*compensate (for), redeem,* ⟨neutraliseren⟩ *cancel out* **0.3** [mbt. verkeerde handelingen] *atone for* ⇒*make amends for, redeem* **0.4** [mbt. onkosten/uitgaven] *cover* ⇒*make good, meet* ◆ **1.1** hij probeerde zijn onbeleefdheid weer goed te maken *he tried to make amends for his rudeness* **1.2** dat maakt mijn dag goed *that saves my day;* zijn fouten ~ *redeem one's mistakes;* hoe kan ik mijn vergeetachtigheid ~? *how can I make up for/atone for my forgetfulness?* **1.3** hij kan zijn gedrag niet ~ *he cannot amend for his behaviour* **1.4** de ontvangsten kunnen de kosten niet ~ *the receipts do not c. the expenses;* een verlies ~ *compensate/supply/make good a loss* **3.2** de warme soep kon veel v.d. geleden ontberingen ~ *the hot soup made up for a lot of the hardships* **6.1** iets weer ~ bij iem. *make up/amends to s.o. for sth..*

goedmaking ⟨de (v.)⟩ **0.1** *coverage* ⇒*compensation, payment.*

goedmoedig ⟨bn.,bw.;-ly⟩ **0.1** *good-natured/-humoured/-hearted* ⇒ ⟨onschuldig⟩ *innocent, unsuspecting, kindhearted* ◆ **1.1** ~e scherts *g.-n. fun/raillery* **3.1** hij liep ~ zijn ondergang tegemoet *unsuspectingly he walked towards his doom.*

goedpraten ⟨ov.ww.⟩ **0.1** *explain away* ⇒*justify, defend,* ⟨vergoelijken⟩ *gloss over* ◆ **1.1** die handelwijze is (valt) nooit goed te praten *those actions can never be justified;* zijn wangedrag ~ *extenuate one's misbehaviour.*

goedschiks ⟨bw.⟩ **0.1** [gewillig] *willingly* ⇒*readily, of one's own free will, with a good grace* **0.2** [behoorlijk, betamelijk] *in decency* ◆ **3.1** ~ accepteren *take in good part;* hij ging ~ mee *he went along of his own free will* **3.2** dat kun je niet ~ doen *you cannot in decency do that* **5.1** ~ of kwaadschiks *willing or unwilling, willy-nilly* **5.2** zo ~ mogelijk *as best I/you/we* ⟨enz.⟩ *can.*

goedsmoeds ⟨bn., bw.⟩ **0.1** [opgeruimd]⟨bn.⟩ *cheery, cheerful, spirited;* ⟨bw.⟩ *cheerily, in high spirits* **0.2** [onbevreesd]⟨bn.⟩ *undismayed* ⇒ *unalarmed, of good cheer,* ⟨bw.⟩ *without dismay / fear / alarm, with good cheer, nothing daunted* ◆ **3.2** wees ~, u zal geen leed geschieden *take heart, you will not be harmed.*

goedspreken ⟨onov.ww.⟩ **0.1** *answer / vouch (for)* ⇒ *speak up (for),* ⟨financieel⟩ *stand security (for)* ◆ **6.1** niemand wilde **voor** hem ~ *nobody would vouch / speak up / stand security for him.*

goedvinden[1] ⟨het⟩ **0.1** [toestemming] *permission* ⇒ *consent, approval,* ⟨instemming⟩ *agreement,* ⟨verlof⟩ *leave* **0.2** [goeddunken] *discretion* ⇒ *pleasure, will* ◆ **2.1** met rechterlijk ~ *with the consent of (the) court;* met wederzijds / onderling ~ *by mutual consent* **2.2** naar ~ handelen *act at one's own (pleasure and) d.* **6.1** met / zonder uw ~ *with / without your p. / leave;* ik heb het **zonder** uw ~ niet willen doen *I didn't want to do it without your consent* **6.2** doe **naar** ~ *act as you see fit / at your own d..*

goedvinden[2] ⟨ov.ww.⟩ **0.1** [goedkeuren] *approve (of)* ⇒ *consent (to), endorse, sanction, adopt* ⟨plan⟩ **0.2** [dienstig / nuttig achten] *see / think fit / proper* **0.3** [willen] *like, please* ◆ **1.2** de gemeenteraad heeft goedgevonden de kermis af te schaffen *the municipal council has seen fit to abolish the fair* **4.1** zeg maar, hoe je het hebben wilt, ik vind alles goed *just say what you want: I don't care one way or the other / everything's all right with me* ¶**.1** als jij het goedvindt *if you agree / are agreeable, with your permission, if you don't mind;* vindt je vader dat goed? *does your father a. of this? / know you're doing this?.*

goedwillend ⟨bn., bw.⟩ **0.1** ⟨bn.⟩ *well-meaning / -intentioned* ⇒ *benevolent, benign, amiable,* ⟨bw.⟩ *with good intention(s), with a good will.*

goedzak ⟨de (m.)⟩ **0.1** *softy* ⇒ *soft touch* ◆ **2.1** 't is een echte ~ *he's soft as butter.*

goegemeente ⟨de (v.)⟩ **0.1** *the ordinary man in the street* ⇒ *the public at large.*

goeie[1] ⟨inf.⟩ **0.1** ⟨begroeting⟩ *morning!, afternoon!, evening!;* ⟨afscheid⟩ *'bye!.*

goeie[2] ⟨bn.⟩ ⟨inf.⟩ **0.1** *good* ◆ **1.1** ~ genade *(goodness) gracious (me)!, g. God!;* ~ grutten *g. grief!, man alive!;* ~ help *dear me!, oh, dear!;* ~ hemel *g. heavens!;* ⟨AE⟩ *holy cow / smoke / mackerel / Moses!.*

goeierd ⟨de (m.)⟩ **0.1** *kind soul* ⇒ *lamb* ◆ **5.1** het is toch zo'n ~ *he's as meek as a lamb, he's mee and mild, it's such a sweet man.*

goeiig → *goedig.*

goelasj ⟨de (m.)⟩ **0.1** *goulash.*

goelijk ⟨bn., bw.; -ly⟩ **0.1** *good-natured* ⇒ *kindly, benevolent, amiable* ◆ **1.1** een ~ e aard *a kindly nature;* de ~ e oude man *the amiable old (gentle)man* **3.1** zij lachte ~ *she laughed good-naturedly.*

goeroe ⟨de (m.)⟩ **0.1** [leermeester] *guru* **0.2** [inlands godsdienstonderwijzer] *guru* ⇒ *maharishi.*

goesting ⟨de (v.)⟩ ⟨AZN⟩ **0.1** *liking* ⇒ *mind, fancy, desire, appetite* ◆ **3.1** zijn ~ doen *do as one pleases,* ↓*do one's own thing;* als ik mijn ~ kon doen *if I could have it my way;* ik heb ~ om …*I have a mind to …;* ~ krijgen voor iets *take a fancy to sth.* **6.1** is alles **naar** uw ~? *is everything to your l.?;* hij deed het **tegen** zijn ~ *he did it* ↑*reluctantly / with a bad grace;* ik heb geen ~ **voor** zulke zware kost *I have no stomach for such heavy food.*

goh ⟨tw.⟩ **0.1** ⟨BE; sl.⟩ *cor;* ⟨vnl. AE; inf.⟩ *gee (whiz)* ⇒ *golly.*

goj ⟨de (m.)⟩ **0.1** *goy.*

gojs ⟨bn.⟩ **0.1** *goyish.*

gok ⟨de (m.)⟩ **0.1** [het gokken] *gamble* ⇒ *lottery, wager* **0.2** [waagstuk] *gamble* ⇒ *venture, (long) shot* **0.3** [grote neus] *conk* ⇒ *beezer* ◆ **2.1** een slechte / goede ~ *a bad shot, a lucky venture* **3.1** een ~ doen *(make a) guess at;* zullen we een ~ je doen / wagen? *shall we make a bet / have a go / shot at it?* **3.2** het is een ~ *it's a g.* **6.1** op de ~ *on the off-chance, at a g..*

gokautomaat ⟨de (m.)⟩ **0.1** *gambling / gaming / slot machine* ⇒ ⟨fruitautomaat⟩ *fruitmachine, one-armed bandit.*

gokkast ⟨de⟩ → *gokautomaat.*

gokken ⟨onov.ww.⟩ **0.1** [spelen om geld] *gamble* ⇒ *(place a) bet (on), game* **0.2** [speculeren] *guess* ⇒ *gamble, speculate, take a chance (on)* **0.3** [zijn geluk beproeven] *gamble* ⇒ *take a risk, venture* ◆ **2.2** verkeerd ~ *back the wrong horse* **3.3** je moet durven ~ *you must be able to take a risk, nothing venture, nothing gain* **5.2** ik gok erop dat we om zes uur thuis zijn *my guess is we'll be home by six* **6.1** ~ **op** een paard *(place a) bet on a horse* **6.2** daar gokt hij **op** *that's what he is taking a chance on.*

gokker ⟨de (m.)⟩, **-ster** ⟨de (v.)⟩ **0.1** *gamber* ⇒ *punter.*

goklust ⟨de (m.)⟩ **0.1** *compulsion to gamble* ⇒ *compulsive gambling, gambling fever.*

goklustig ⟨bn.⟩ **0.1** *(fond of) gambling* ◆ **7.1** ⟨zelfst.⟩ de ~ en verdrongen zich voor de speeltafels *the gamblers crowded around the (card- / gaming-)tables.*

gokspel ⟨het⟩ **0.1** *game of chance* ⇒ *gambling (game).*

goktent ⟨de⟩ **0.1** *gambling den / hell / house.*

golem ⟨de (m.)⟩ **0.1** *golem.*

golf

I ⟨de⟩ **0.1** [verheffing v.d. waterspiegel] *wave* ⇒ ⟨groot⟩ *breaker,* ⟨schr.⟩ *billow,* ⟨klein⟩ *ripple* **0.2** [wat zich als golven voordoet] *wave* ⇒ *corrugation* ⟨in plaatijzer⟩, ⟨klein⟩ *crimp, wrinkle* **0.3** [baai] *gulf, bay* **0.4** [⟨nat.⟩] *wave* ⇒ *undulation* **0.5** [elektomagnetische trilling] *wave* **0.6** [straal v.e. vloeistof] *stream* ⇒ *flood* **0.7** [toeneming in het voorkomen] *wave* ⇒ *surge, boom, avalanche, peak* **0.8** [⟨mv.⟩ zee] *waves* ⇒ *sea,* ⟨schr.⟩ *(watery) deep, brine* ◆ **1.3** de ~ van Napels *the Bay of Naples* **1.4** de golven v.h. licht *light waves, the waves of the light* **1.6** een ~ van bloed *a s. of blood;* ⟨fig.⟩ een ~ van kritiek / verontwaardiging *an avalanche of criticism, a wave / upsurge of indignation, a general outcry* **1.7** een ~ van terrorisme / geweld / misdadigheid *a w. of terrorism / violence, a crime w.* **2.1** er waren hoge golven *the waves were high, it was a high / rough sea;* ⟨fig.⟩ de politieke golven gaan hoog *political feeling is running high;* rollende golven *rolling / surging waves* **2.6** ⟨fig.⟩ een plotselinge ~ van kritiek *a flood of criticism* **3.1** een ~ binnenkrijgen *ship water* **3.2** golven in het haar maken *undulate the hair* **6.1** met de golven meedeinen *ride on the waves* **6.8** het schip verdween in de golven *the ship went down / disappeared in the w.;*

II ⟨het⟩ ⟨Eng.⟩ **0.1** [balspel] *golf.*

golfachtig ⟨bn.⟩ **0.1** [op golven lijkend] *wavelike* ⇒ *wavy, undulating, curving, rolling* **0.2** [mbt. weefsels] *wavy.*

golfagaat ⟨het, de (m.)⟩ **0.1** *veined agate.*

golfbaan ⟨de⟩ **0.1** *golf course / links.*

golfbad ⟨het⟩ **0.1** *wave-pool.*

golfbal ⟨de (m.)⟩ **0.1** *golf ball.*

golfband ⟨de (m.)⟩ **0.1** *waveband.*

golfbereik ⟨het⟩ **0.1** *wave range* ◆ **6.1** een tuner-versterker **met** een groot ~ *a tuner-amplifier with an extensive w. r..*

golfberg ⟨de (m.)⟩ ⟨nat.⟩ **0.1** *crest* ⇒ *peak (of a wave),* ⟨geol.⟩ *anticline.*

golfbeweging ⟨de (v.)⟩ **0.1** [mbt. zee] *wave motion* ⇒ *undulation, waves* **0.2** [⟨nat.⟩] *wave motion* **0.3** [⟨fig.⟩] *wave-like motion / movement* ⇒ *fluctuation* ◆ **2.2** peristaltische ~ *peristaltic wave / movement, peristalsis* **3.3** de koffieprijzen geven de laatste jaren een ~ te zien *coffee prices have shown fluctuations / have fluctuated in recent years.*

golfbreker ⟨de (m.)⟩ **0.1** *breakwater* ⇒ *mole, groyne* ^*groin* ◆ **3.1** van ~ s voorzien *groyne* ^*groin.*

golfcentrum ⟨het⟩ ⟨nat.⟩ **0.1** *wave centre.*

golfdal ⟨het⟩ ⟨nat.⟩ **0.1** *trough.*

golfen ⟨onov.ww.⟩ **0.1** *play golf* ⇒ *golf.*

golfijzer ⟨het⟩ **0.1** *corrugated iron.*

golfkarton ⟨het⟩ **0.1** *corrugated (card)board / paper.*

golflengte ⟨de (v.)⟩ **0.1** [⟨nat.⟩] *wavelength* **0.2** [⟨com.⟩] *wavelength* ⇒ *frequency* ◆ **6.2** (niet) **op** dezelfde ~ zitten ⟨ook fig.⟩ *(not) be on the same w..*

golflijn ⟨de⟩ **0.1** [golvende lijn] *wave* ⇒ *curve, wavy line* **0.2** [⟨nat.⟩] *waveform.*

golfplaat ⟨de⟩ **0.1** *(sheet of) corrugated iron /* ⟨bv. karton⟩ *board.*

golfsgewijs ⟨bw.⟩ **0.1** *in waves* ⇒ *by an undulatory movement* ◆ **3.1** zich ~ voortplanten ⟨nat.⟩ *be transmitted / propagated as / by / in waves, travel in waves.*

golfslag ⟨de (m.)⟩ **0.1** [het slaan v.d. golven] *beating of the waves* ⇒ *wash, alluvion* **0.2** [deining] *surge* ⇒ *swell, sea undulation, wash,* ⟨scheep.⟩ *s(c)end* ◆ **2.2** korte ~ *short / choppy sea;* matige ~ *moderate sea;* sterke ~ *heavy sea, rough / swell sea / water.*

golfslagbad ⟨het⟩ → *golfbad.*

golfspel ⟨het⟩ **0.1** *(game of) golf.*

golfspeler ⟨de (m.)⟩ **0.1** *golfer* ⇒ *golf player.*

golfstaat ⟨de (m.)⟩ **0.1** *Gulf state.*

golfstok ⟨de (m.)⟩ **0.1** *golf club.*

golfstoring ⟨de (v.)⟩ ⟨meteo.⟩ **0.1** *frontal depression.*

Golfstroom ⟨de (m.)⟩ **0.1** *Gulf Stream* ⇒ *North Atlantic Drift / Current.*

golfswijs ⟨bw.⟩ ◆ **2.**¶ ⟨plantk.⟩ ~ ingesneden bladeren *sinuate leaves.*

golfterrein ⟨het⟩ **0.1** *golf course / links.*

golftheorie ⟨de (v.)⟩ **0.1** *wave theory* ⇒ *undulatory theory.*

golftop ⟨de (m.)⟩ **0.1** *crest* ⇒ *top / ridge / peak (of a wave).*

golfveld ⟨het⟩ **0.1** *golf course / links.*

goliath ⟨de (m.)⟩ **0.1** *Goliath* ⇒ *giant* ◆ **2.1** het is een echte ~ *he's a real brute.*

golven ⟨onov.ww.⟩ **0.1** [rijzend en dalend oppervlak vertonen] *undulate* ⇒ *wave, billow* ⟨ook wolken⟩*, heave, surge* ⟨water, menigte⟩ **0.2** [in een golflijn voortlopen] *wave* ⇒ *undulate, fluctuate* **0.3** [met / (als) in golven stromen] *gush* ⇒ *flow* ◆ **1.1** de wind deed het water ~ *the wind made the water ripple, the wind ruffled / rippled the surface of the water* **6.3** het bloed golfde **uit** haar mond *(the) blood gushed from her mouth.*

golvend ⟨bn.⟩ **0.1** [rijzend en dalend] *undulating* ⇒ *wavy, waving* **0.2** [in een golflijn] *wavy* ◆ **1.1** een ~ e beweging *a wavy / u. motion / movement, a fluctuating movement;* ⟨plantk.⟩ een ~ blad *a sinuate leaf;* ⟨oneig.⟩ het ~ graan *the wavy / waving / u. wheat /* ⟨BE ook⟩ *corn;* ⟨med.⟩ ~ e koorts *undulant fever;* de ~ e zee *the billowing / u. / heaving sea* **1.2** ⟨herald.⟩ een ~ e faas *chevron;* ~ haar *w. hair;* een ~ terrein *(an) undulating / rolling terrain.*

golving ⟨de (v.)⟩ **0.1** [het golven] *undulation* ⇒ *wave, surge,* ⟨deining⟩

heave **0.2** [plaats] *curve* ⇒⟨in haar⟩ *wave* ◆ **2.1** lichte ~ *ripple, dimple* ⟨van watervlak⟩; ⟨meteo.⟩ staande ~ *seiche*; zware ~ *ground swell.*

gom
I ⟨het⟩ **0.1** [vlakgom] *rubber*; ⟨vnl. AE⟩ *eraser*;
II ⟨het, de (m.)⟩ **0.1** [boomhars] *gum (resin)* **0.2** [kleefstof] *gum* ⇒ *glue, adhesive (paste/glue)*, ⟨vnl. AE⟩ *mucilage* **0.3** [gomlaag] *gum* ◆ **2.1** Arabische ~ *gum arabic, (gum) acacia, acacia gum;* plantaardige ~ *mucilage* **3.1** ~ afscheiden *gum.*
gomachtig ⟨bn.⟩ **0.1** *gum-like* ⇒*gummy, mucilaginous.*
gombal ⟨de (m.)⟩ **0.1** *gumdrop* ⇒*pastille, lozenge,* ⟨vnl. BE⟩ *gum.*
gombo ⟨de (m.)⟩ **0.1** *okra* ⇒⟨AE ook⟩ *gumbo,* ⟨in Indiase gerechten⟩ *lady's fingers.*
gomboom ⟨de (m.)⟩ **0.1** *gum(-tree)* ⇒*eucalyptus (tree),* ⟨Austr. eucalyptus⟩ *mountain ash.*
gomelastiek ⟨het⟩ **0.1** [gummi] *(India) rubber* **0.2** [vlakgom]⟨→gom I **0.1**⟩ ◆ **6.1** een pop van ~ *a rubber doll.*
gomhars ⟨het, de (m.)⟩ **0.1** *gum resin.*
gomhoudend ⟨bn.⟩ **0.1** *gummy.*
gommen
I ⟨ov.ww.⟩ **0.1** [met gom bestrijken] *gum;*
II ⟨onov.ww.⟩ **0.1** [gom laten uitvloeien] *gum* **0.2** [gummen] *rub out* ⇒*erase* ◆ **1.1** het ~ v.d. kersebomen *the gumming of the cherry trees.*
gommetje ⟨het⟩ **0.1** ⟨→gom I **0.1**⟩.
gompapier ⟨het⟩ **0.1** *gummed paper.*
gompie ⟨tw.⟩ **0.1** *golly!, gosh!.*
gonade ⟨de (v.)⟩ ⟨biol.⟩ **0.1** *gonad.*
gondel ⟨de⟩ **0.1** [Venetiaans vaartuig] *gondola* **0.2** [licht vaartuig dat geroeid wordt] *small boat* ⇒*gondola* **0.3** [cabine v.e. kabelbaan] *(cable) car* ⇒*gondola* **0.4** [aan een dakrand hangende werkbak] *cradle* **0.5** [schuitje onder een luchtschip/ballon] *gondola* ⇒⟨mbt. luchtschip ook⟩ *nacelle,* ⟨mbt. ballon ook⟩ *basket.*
gondelen ⟨onov.ww.⟩ **0.1** *go/travel by gondola.*
gondelier ⟨de (m.)⟩ **0.1** *gondolier.*
gondellied ⟨het⟩ **0.1** *barcarole.*
gondellift ⟨de (m.)⟩ **0.1** *cable-car railway.*
gondelstad ⟨de⟩ **0.1** *gondola city.*
gondola ⟨de⟩ **0.1** *gondola.*
gong ⟨de (m.)⟩ **0.1** *gong* ⇒*tam-tam,* ⟨huisbel⟩ *chime* ◆ **3.1** de ~ gaat *there's the g.;* op de ~ slaan *gong, beat/sound the g..*
gongorisme ⟨het⟩ ⟨lit.⟩ **0.1** *Gongorism.*
gongslag ⟨de (m.)⟩ **0.1** *gong-stroke/-beat.*
goniometer ⟨de (m.)⟩ **0.1** *goniometer.*
goniometrie ⟨de (v.)⟩ ⟨wisk.⟩ **0.1** *goniometry.*
goniometrisch ⟨bn.⟩ **0.1** *goniometric(al).*
gonje ⟨de⟩ ⟨vnl. AE⟩ **0.1** *gunny* ⇒*burlap, sacking.*
gonorroea ⟨de (v.)⟩ **0.1** *gonorrhoea.*
gons ⟨de (m.)⟩ **0.1** *swipe* ⇒*whack, cuff, clout* ◆ **3.1** hij kreeg een ~ om zijn oren *he got a box on/about the ears.*
gonzen ⟨onov.ww.⟩ **0.1** [snorren, zoemen] *buzz* ⇒*hum, drone, ring, whir(r), purr* ⟨machine⟩ **0.2** [snorrend geluid maken] *buzz* ⇒*hum, ring* ◆ **1.1** zijn oren gonsden *his ears were ringing/singing/buzzing* **1.2** een ~de menigte *a buzzing crowd* **4.2** het gonst v.d. geruchten *there are rumours buzzing about* **6.2** ~ van de bedrijvigheid *hum/b. with activity, be a hive of activity/industry.*
goochelaar ⟨de (m.)⟩ **0.1** *conjurer* ⇒*magician.*
goochelarij ⟨de (v.)⟩ **0.1** [het goochelen, ⟨ook fig.⟩] *magic* ⇒*conjuring, jugglery, hocus-pocus* **0.2** [goocheltoer] *conjuring/conjurer's/magic trick* ⇒*piece of jugglery.*
goocheldoos ⟨de⟩ **0.1** *cunjurer's box* ⇒*box of tricks.*
goochelen
I ⟨onov.ww.⟩ **0.1** [toveren] *conjure* ⇒*do/perform (conjuring/magic) tricks, use magic* **0.2** [handig/bedrieglijk met iets omspringen] *juggle (with)* ◆ **6.1** ~ met kaarten *c. with cards, do/perform tricks with cards* **6.2** ~ met cijfers/woorden *j. with figures/words;*
II ⟨ov.ww.⟩ **0.1** [door goochelen op een plaats/in een toestand brengen] *conjure* ⇒*magic (away), spirit (away)* ◆ **6.1** iemands portefeuille uit z'n zak ~ *magic/spirit s.o.'s wallet from his pocket.*
goochelkunst ⟨de (v.)⟩ **0.1** [bedrevenheid] *art of conjuring* **0.2** [goocheltoer] *conjuring/conjurer's/magic trick* ⇒*piece of jugglery* ◆ **3.2** ~jes doen *do/perform (conjuring/magic) tricks.*
goocheltas ⟨de⟩ **0.1** *conjurer's bag* ⇒*conjuror's bag, bag of tricks.*
goocheltoer ⟨de (m.)⟩ **0.1** *conjuring/conjurer's/magic trick* ⇒*piece of jugglery* ◆ **3.1** ~en uithalen met cijfers/definities *juggle with figures/definitions.*
goochem ⟨bn.⟩ ⟨inf.⟩ **0.1** *smart* ⇒*crafty, shrewd, canny, wily,* ⟨geslepen⟩ *sly, cunning* ◆ **1.1** een ~e kerel *a smart fellow;* ⟨verder →goochemerd **0.1**⟩.
goochemerd ⟨de (m.)⟩ **0.1** [slimmerik] *smart customer* ⇒*sly fox,* ⟨Austr.E⟩ *smartie,* ⟨pej.⟩ *slyboots* **0.2** [stommerd] *smart alec(k)* ⇒*clever Dick, clever-sticks/-clogs,* ⟨AE⟩ *wise guy,* ⟨AE;inf.⟩ *smart-ass.*
goodwillreis ⟨de⟩ **0.1** *goodwill tour/trip/journey* ⇒*public relations/P.R. tour/trip/journey.*

goog ⟨de (m.)⟩ ⟨iron.⟩ **0.1** *ologist.*
gooi ⟨de (m.)⟩ **0.1** [worp] *throw* ⇒*fling, toss, cast* ⟨net, dobbelstenen⟩, ⟨inf.⟩ *shy* ⟨steen enz.⟩ **0.2** [afstand] *throw* ⇒*shot, cast* **0.3** [⟨scheep.⟩] *kedge (anchor)* ⇒*kedger* ◆ **2.1** hij heeft een gelukkige ~ gedaan *he had a lucky throw;* ⟨ook fig.⟩ *he struck lucky* **2.2** het was een hele ~ *it was quite a t.* **6.1** ⟨fig.⟩ een ~ naar iets doen *have a shot/crack/stab// try/go/bash at sth.;* ⟨raden⟩ *have/make a guess at sth.;* ⟨fig.⟩ een ~ doen naar het presidentschap *make a bid for the Presidency* **6.2** ⟨fig.⟩ uit de ~ liggen *be out of reach.*
gooien ⟨ov.ww.⟩⟨→sprw. 231,463⟩ **0.1** *throw* ⇒*cast, toss,* ⟨inf.⟩ *chuck,* ⟨met geweld⟩ *fling/hurl/fire (at)* ◆ **1.1** het lood ~ *cast/heave the lead, take soundings;* sneeuwballen ~ *throw snowballs;* hij heeft twee zessen gegooid *he threw two sixes* **3.1** ⟨spel⟩ jij moet ~ *it's your throw/turn* **5.1** er alles uit ~ *spill/blurt/blat everything out;* er een grapje tussendoor ~ *throw in the odd joke/a few jokes/a joke/a wisecrack;* geld ertegenaan ~ *splash out on (sth.), spend a lot of money on (sth.),* †go to considerable expense; iem. eruit ~ *throw/kick/pitch/turf/ chuck s.o. out;* ⟨ontslaan⟩ *give s.o. the push/boot;* alles overboord ~ ⟨ook fig.⟩ *throw/pitch/cast everything overboard* **6.1** door elkaar ~ ⟨ook fig.⟩ *mix/muddle/↓muck up/jumble up/together;* ⟨fig. ook⟩ *confuse;* iets in de prullenmand ~ *throw/↓chuck sth. into the* B*waste-paper basket/*A*waste basket/bin;* het hoofd in de nek ~ ⟨lett.⟩ *fling/throw/toss back one's head;* ⟨fig.⟩ *bristle/bridle up (with anger/rage);* een steen in de vijver ~ ⟨fig.⟩ *drop a brick/clanger;* met de deur ~ *slam/bang the door;* met rotte eieren ~ naar iem. *pelt s.o. with rotten eggs, pelt rotten eggs at s.o.;* met dingen ~ *throw things (about);* met modder ~ ⟨naar iem.⟩⟨ook fig.⟩ *throw/sling mud (at s.o.);* om iets ~ *flip/toss a coin, toss (s.o.) for sth., toss up for sth.;* op de grond ~ *knock/push s.o. down/over, send s.o. sprawling;* iets op het papier ~ *dash sth. off, scribble sth. down, throw a few words together;* alles op één hoop ~ ⟨ook fig.⟩ *lump/throw everything together;* ⟨lett.⟩ *heap together;* het op een akkoordje ~ ⟨met iem.⟩ *strike a bargain (with s.o.);* iets op de markt ~ *flood the market with sth., throw sth. on the market;* ⟨fig.⟩ het over een andere boeg ~ *change one's tactics, change course, go off on a fresh tack, try a different approach/policy;* ⟨iets nieuws⟩ *make a fresh start;* iets van zich af ~ *cast sth. off, discard sth.;* iem. iets voor de voeten ~ ⟨fig.⟩ *throw/fling/cast sth. in s.o.'s face/teeth;* ⟨lett.⟩ *throw sth. at s.o.'s feet.*
gooi-en-smijt-film ⟨de (m.)⟩ **0.1** *slapstick film/*A*movie* ⇒*knockabout/ custard-pie film/*A*movie.*
gooi-en-smijt-werk ⟨het⟩ **0.1** *knocking about* ⇒*slapstick, pie-throwing, arm-waving.*
goor ⟨bn., bw.⟩ **0.1** [groezelig] *grimmy* ⇒*grubby, dingy,* ⟨inf.⟩ *grotty, filthy,* ⟨sl.⟩ *cruddy* **0.2** [mbt. eten/drinken] *rank* ⇒*rancid, bad, off,* ⟨onsmakelijk⟩ *unsavoury, loathsome, nasty,* ⟨inf.⟩ *beastly* ◆ **1.1** ⟨fig.⟩ gore taal uitslaan *use rank/obscene/foul/filthy language;* ⟨fig.⟩ een gore tint hebben *be off-colour, look sallow;* ⟨fig.⟩ een gore vent *a* ⟨vnl. BE⟩ *rotter/* ⟨vnl. AE⟩ *crud; a nasty piece of work;* ⟨vulg.⟩ *a dirty bastard* **1.2** gore melk *bad/sour milk* **1.¶** ⟨vulg.⟩ heb het gore lef eens! *just you sodding!/fucking well try!* **3.2** ~ smaken/ruiken *taste/smell bad/off/unpleasant/rank.*
goorachtig ⟨bn.⟩ **0.1** [groezelig] *(a bit) grimy/grubby* **0.2** [met eten/drinken] *bad* ⇒*sourish, off.*
goorheid ⟨de (v.)⟩ **0.1** [groezeligheid] *grubbiness* ⇒*grime, dinginess,* ⟨inf.⟩ *grottiness* **0.2** [zuur/ranzigheid] *rankness* ⇒*rancidity, rancidness.*
goot ⟨de⟩ **0.1** [afvoerbuis] *waste-pipe* ⇒*drain(-pipe),* ⟨dakgoot⟩ *gutter,* ⟨fabriek⟩ *chute* **0.2** [afvoerkanaal] *gutter* ⇒*drain, gully, sewer* **0.3** [het gieten] ⟨zie 2.3⟩ **0.4** [uitholling, gleuf] *groove* ⇒*funnel, channel, gully* ◆ **2.3** ⟨boek.⟩ besloten/dichte ~ *closed groove;* ⟨boek.⟩ holle ~ *hollow groove;* ⟨boek.⟩ open ~ *open groove* **6.2** ⟨fig.⟩ in de ~ terechtkomen *end up in the gutter;* honden graag in de ~ *dogs must not foul the pavement;* hij is uit de ~ opgeraapt *he has been picked up out of/ he's from/he was raised in the gutter;* ⟨fig.⟩ iem. uit de ~ halen *pull/ drag s.o. (up) out of the gutter.*
gootgat ⟨het⟩ **0.1** *sink-hole* ⇒*drain* ◆ **6.1** ⟨fig.⟩ door het ~ binnenkomen ≠*slip/come in by the backdoor.*
gootje ⟨het⟩ **0.1** *groove* ⇒*runnel, duct* ◆ **7.1** ⟨boek.⟩ het ~ *the groove.*
gootpijp ⟨de⟩ **0.1** *drain-/waterpipe* ⇒*gutter.*
gootsteen ⟨de (m.)⟩ **0.1** *(kitchen) sink* ◆ **6.1** iets in/door de ~ gooien/ spoelen *throw/pour sth. down the sink.*
gootsteenbakje ⟨het⟩ **0.1** *sink tidy.*
gootsteenvergiet ⟨het, de⟩ **0.1** *sink strainer.*
gootvormig ⟨bn.⟩ **0.1** *gutter-shaped* ⇒*grooved* ◆ **1.1** ⟨biol.⟩ ~e bladsteel *canaliculate(d)/channelled stem.*
gootwater ⟨het⟩ **0.1** [water uit de goot(steen)] *gutter water* **0.2** [slappe thee/koffie] *slops.*
gordel ⟨de (m.)⟩ **0.1** [riem, ceintuur] *belt* **0.2** [middel] *belt* **0.3** [kring van voorwerpen] *belt* ⇒*ring, circle* **0.4** [⟨aardr.⟩] *belt* ⇒*zone* **0.5** [⟨ster.⟩] *(Orion's) belt* ◆ **1.3** de ~ van smaragd ⟨*the Indonesian archipelago*⟩ **2.1** een ~ *a leather b.* **6.2** een stoot onder de ~ ⟨ook fig.⟩ *a blow below/beneath the b., a foul blow;* een stoot onder de ~ geven ⟨ook fig.⟩ *hit/strike below the b.;* tot aan de ~ *(up/down) to the waist.*

gordeldier ⟨het⟩ **0.1** *armadillo.*
gordelpantser ⟨het⟩⟨scheep.⟩ **0.1** *armour-belt.*
gordelriem ⟨de (m.)⟩ **0.1** *belt* ⇒*girdle.*
gordelrif ⟨het⟩ **0.1** *fringing reef.*
gordelroos ⟨de⟩⟨med.⟩ **0.1** *shingles* ⇒ ↑ (*herpes*) *zoster.*
gordelwervel ⟨de (m.)⟩⟨med.⟩ **0.1** *≠twelfth vertebra.*
gorden ⟨ov.ww.⟩ **0.1** [met een gordel vastmaken] *belt (on)* **0.2** [een gordel doen om] *gird* ⇒*girdle* **0.3** [⟨scheep.⟩] *spill* ♦ **1.2** (bijb.) zijn lendenen ~ *gird one's loins* **1.3** een zeil ~ *s. a sail* **4.2** (fig.) zich ten strijde ~ *gird o.s. for battle.*
gordiaans ⟨bn.⟩ ♦ **1.¶** een ~e knoop *a Gordian knot;* de ~e knoop doorhakken *cut the Gordian knot.*
gordijn ⟨het, de⟩ **0.1** [voorhangsel] *curtain* ⇒⟨AE⟩ *drape, blind,* [A]*window shade* (op rollen), ⟨bed ook⟩ *hangings* (mv.) **0.2** [⟨toneel⟩ doek] *curtain* **0.3** [⟨biol.⟩] *veil;* ⟨wet.⟩ *velum* ♦ **1.1** een ~ van rook *a smoke-screen* **2.1** (fig.) het bamboe ~ *the Bamboo Curtain;* ⟨fig.⟩ achter het ijzeren ~ *behind the Iron Curtain* **3.1** de ~ en open/dichttrekken *draw the curtains;* een ~ ophalen/laten zakken *pull up a blind, let down/lower a blind* **3.2** het ~ gaat op (voor de derde akte/en toont een woonkamer) *the curtain rises (on the third act/on a living room);* het ~ valt (ook fig.) *the curtain falls* **6.1** een raam **zonder** ~en *an uncurtained window.*
gordijnkoord ⟨het⟩ **0.1** *curtain/blind cord.*
gordijnlat ⟨de⟩ **0.1** *curtain rod/pole.*
gordijnrail ⟨de (m.)⟩ **0.1** *curtain rail/track.*
gordijnring ⟨de (m.)⟩ **0.1** *curtain ring.*
gordijnroe ⟨de⟩ **0.1** *curtain rod/pole.*
gordijnstof ⟨de⟩ **0.1** *curtain material* ⇒*curtaining.*
gordijnvuur ⟨het⟩⟨mil.⟩ **0.1** *curtain fire.*
gording ⟨de (v.)⟩ **0.1** [⟨bouwk.⟩ dwarshout] *purlin(e)* **0.2** [gebogen stuk hout, ijzeren ring] *clamp* ⇒*ring* **0.3** [⟨scheep.⟩ lopend touw] *bunt line.*
gorgel ⟨de (m.)⟩⟨lit.⟩ **0.1** *throttle* ⇒*throat* ♦ **3.1** hij kneep hem de ~ dicht *he throttled him.*
gorgeldrank ⟨de (m.)⟩ **0.1** *gargle.*
gorgelen ⟨onov.ww.⟩ **0.1** *gargle.*
gorgonisch ⟨bn.⟩ **0.1** *gorgonian.*
gorgonzola ⟨de (m.)⟩ **0.1** *Gorgonzola (cheese).*
gorig ⟨bn.⟩ **0.1** *dirty* ⇒*grimy.*
gorilla ⟨de (m.)⟩ **0.1** [mensaap] *gorilla* **0.2** [lelijk persoon] *gorilla* **0.3** [lijfwacht] *gorilla.*
gors
I ⟨de⟩ **0.1** [vogel] *bunting* ♦ **2.1** grauwe ~ *corn bunting;* grijze ~ *rock bunting;*
II ⟨het, de⟩ **0.1** [aangeslibd land] *salting(s)* ⇒*salt marsh, mud flat* ♦ **2.1** rijpe ~ *salt marsh ready for reclamation/poldering.*
gorsland ⟨het⟩ **0.1** *mud flats.*
gort ⟨de (m.)⟩ **0.1** [gepelde gerst] *pearl barley* **0.2** [gebroken gerst] *groats* **0.3** [gerecht] *barley porridge* ⇒⟨AE;gew.⟩ *grits* **0.4** [varkensziekte] *measles* ♦ **2.2** fijne ~ *grits* **2.3** de ~ is gaar *the fat is in the fire* **6.¶** het in de ~ jagen/**door** de ~ roeren *make a mess of the whole affair;* ik ken hem van haver **tot** ~ *I know him inside out;* iets van haver **tot** ~ vertellen *tell sth. in great detail* **8.1** zo droog als ~ *as dry as dust.*
gortdroog ⟨bn.⟩⟨fig.⟩ **0.1** *dry as dust.*
gort(e)pap ⟨de⟩ **0.1** *barley gruel.*
gortig ⟨bn.⟩ **0.1** [vuil, grof] *dirty* ⇒*filthy, sordid* **0.2** [met lintwormlarven] *measly* ♦ **3.1** hij maakt het al te ~ *he's going too far* **5.1** dat is (me) te ~ *it's too much (for me).*
gortigheid ⟨de (v.)⟩ **0.1** *measliness.*
gortwater ⟨het⟩ **0.1** *barley water.*
gos ⟨tw.⟩ **0.1** *gosh!* ⇒*golly!,* ⟨vnl. AE⟩ *gee (whiz), by gum!.*
gospel ⟨het⟩ **0.1** *gospel(song).*
gospelsong ⟨de (m.)⟩ **0.1** *gospel song* ⇒⟨inf.⟩ *gospel, spiritual.*
goteling ⟨de (m.)⟩ **0.1** [gietijzer] *cast iron* **0.2** [voorwerp van gegoten ijzer] *casting* **0.3** [gieteling] *pig (of iron).*
Goten ⟨zn.mv.⟩ **0.1** *Goths.*
gotiek [1] ⟨de (v.)⟩ **0.1** [de bouwstijl] *Gothic* **0.2** [stijl, cultuur] *(the) Gothic age* ♦ **1.2** de geest van de ~ *the spirit of the G. a.* **2.1** de vroege/late/hoge ~ *Early/Late/High G..*
gotiek [2] ⟨bn.⟩ **0.1** een ~e kerk *a G. church.*
gotisch [1] ⟨het⟩ **0.1** *Gothic* ♦ **1.1** de klankleer van het ~ *the phonology of G..*
gotisch [2] ⟨bn.⟩ **0.1** [mbt. de stijl] *Gothic* **0.2** [mbt. letters] *Gothic* **0.3** [van de Goten] *Gothic* ♦ **1.1** een kerk in ~e stijl *a G. church* **1.2** een bijbel met ~e letters *a bible in G. type;* ~ schrift *G. script.*
gotspe ⟨de⟩ **0.1** *chutzpah* ⇒*gall, cheek, effrontery.*
gottegot ⟨tw.⟩ **0.1** *oh dear!, dear me!.*
gouache ⟨de⟩ **0.1** [waterverf] *gouache* **0.2** [schilderij] *gouache.*
gouachetechniek ⟨de (v.)⟩⟨bk.⟩ **0.1** *gouache.*
goud [1] ⟨het⟩⟨→sprw. 242, 247, 436, 546⟩ **0.1** [edelmetaal] *gold* **0.2** [geld] *gold* ♦ **1.1** (fig.) een hart van ~ hebben *have a heart of g.;* een klomp/baar/staaf ~ *a nugget/bar/ingot of g.* **2.1** 14 karaats ~ *14-carat g.;* fijn/goed/louter ~ *fine/pure g.;* gedegen ~ *solid gold;* ⟨onvermengd na-

tuurlijk voorkomend⟩ *native g.;* geel ~ *yellow g.;* gemaakt/ongemaakt ~ *wrought/unwrought g.;* gemunt ~ *gold coin;* geslagen ~ *beaten g.;* het golvende ~ *≠the golden grain;* rood ~ *red g.;* wit ~ *white g.;* het zwarte ~ *black g.* **3.1** ~ graven *dig g.;* ~ wassen *wash g.* **5.1** zulke kennis is ~ waard *such knowledge is invaluable* **6.1** in ~ werken *work in g.;* (iets) **in** ~ vatten/zetten *set/mount (sth.) in g.;* (iets) **in** ~ beslaan *mount sth. in/with g.;* ⟨fig.⟩ men zou hem **in** ~ beslaan *he is worth his weight in g.;* een kies **met** ~ vullen *fill a molar with g.;* ~ **op** snee *gilt-edged* **6.2** met geen ~ te betalen *priceless;* **voor** geen ~ *not for all the world, not for love or money;* ik zou me daar **voor** geen ~ vertonen *I wouldn't be seen dead (in) there* **8.¶** zo eerlijk als ~ *(as) honest as the day is long.*
goud [2] ⟨bn.⟩ **0.1** [van goud] *gold* **0.2** [welvarend, fijn] *golden* ♦ **1.1** een ~randje *a gold rim/border/edge* **1.2** onze vakantie was ~! *our holiday was magic/ace, we had a dream holiday* **1.¶** gouwe ouwe *golden oldie.*
goudachtig ⟨bn.⟩ **0.1** *golden* ♦ **1.1** een ~e glans *a golden lustre/sheen.*
goudader ⟨de⟩ **0.1** *gold vein* ⇒*gold-lode,* ⟨dun⟩ *thread,* ⟨in oude rivierbedding⟩ *lead.*
goudagio ⟨het⟩⟨geldw.⟩ **0.1** *gold premium.*
goudbaar ⟨de⟩ **0.1** *bar/ingot of gold.*
goudbad ⟨het⟩⟨foto.⟩ **0.1** *gold (toning) bath.*
goudblad ⟨het⟩ **0.1** *gold leaf* ⇒*gold foil.*
goudblok ⟨het⟩⟨geldw.⟩ **0.1** *gold bloc.*
goudblond ⟨bn.⟩ **0.1** *golden* ♦ **1.1** ~ haar *golden hair.*
goudbrasem ⟨de (m.)⟩ **0.1** *gilthead.*
goudbrokaat ⟨het⟩ **0.1** *gold brocade* ⇒*gold cloth, cloth of gold.*
goudbrons ⟨het⟩ **0.1** *ormolu.*
goudbruin [1] ⟨het⟩ **0.1** *golden brown* ⇒*auburn.*
goudbruin [2] ⟨bn.⟩ **0.1** *golden brown* ⇒*auburn* ♦ **1.1** een ~ paard *a chestnut horse.*
gouddekking ⟨de (v.)⟩ **0.1** [goudvoorraad] *gold reserve* **0.2** [het feit] *gold backing* ⇒*gold cover(age/ing).*
gouddelver ⟨de (m.)⟩ **0.1** *gold-digger.*
gouddraad
I ⟨het, de (m.)⟩ **0.1** [tot draad getrokken goud] *gold wire* ♦ **3.1** ~ trekken *draw g. w.;*
II ⟨de (m.)⟩ **0.1** [een draad van goud] *gold thread* ♦ **6.1** met ~ doorweven/geborduurd *interwoven/embroidered with g. t..*
goudeerlijk ⟨bn.⟩ **0.1** *honest through and through* ⟨alleen pred.⟩ ⇒⟨inf.⟩ *on the level, straight as a die* ⟨alleen pred.⟩.
gouden ⟨bn.⟩⟨→sprw. 4, 344⟩ **0.1** [van goud] *gold* ⇒⟨vnl. fig.⟩ *golden* **0.2** [met goud doorweven] *gold* **0.3** [⟨herald.⟩] *gold* **0.4** [goudkleurig] *golden* ⇒*aureate* **0.5** [mbt. een tijdperk] *golden* **0.6** [mbt. een jubileum] *golden* **0.7** [verguld] *gilt* ⇒*gilded, aureate* ♦ **1.1** (fig.) iem. ~ bergen/koeien met ~ horens beloven *promise s.o. the earth/the moon;* een ~ bril *gold-rimmed spectacles;* ⟨fig.⟩ ~ handen hebben *be good with one's hands;* ⟨fig.⟩ het ~ kalf aanbidden *worship the golden calf;* de ~ koets *the gilded coach;* een ~ plaat *a gold(en) disc;* ⟨AE ook⟩ *goldie;* een ~ ring *a gold ring;* ⟨sport⟩ ~ schoen *golden shoe;* een ~ tientje *a gold ten-guilder piece* **1.2** ~ tressen *gold braids* **1.3** een zwarte leeuw in een ~ veld voeren *have a black lion in/on a gold field* **1.4** de ~ gids *the yellow pages;* een ~ weerschijn *a golden lustre* **1.5** de Gouden Eeuw *the Golden Age;* een ~ tijd *a golden era, golden years, palmy years* **1.6** zij vieren hun ~ bruiloft *they are celebrating their golden wedding* **1.7** een ~ schilderij in ~ lijst *a gilt-/gold-framed picture* **1.¶** ⟨gesch.⟩ de ~ bul *the Golden Bull;* een ~ handdruk ⟨BE⟩ *a golden handshake;* ⟨r.k.⟩ de ~ roos *the golden rose;* de ~ standaard *the gold standard;* een ~ stem *a golden voice.*
goudenregen ⟨de (m.)⟩ **0.1** *laburnum* ⇒*golden chain/rain.*
gouderts ⟨het⟩ **0.1** *gold ore.*
goudfazant ⟨de (m.)⟩ **0.1** *golden pheasant.*
goudgalon ⟨het, de (m.)⟩ **0.1** *gold braid.*
goudgeel [1] ⟨het⟩ **0.1** *golden yellow.*
goudgeel [2] ⟨bn.⟩ **0.1** *golden* ♦ **1.1** het goudgele graan *the golden corn.*
goudgehalte ⟨het⟩ **0.1** *gold content* ⇒⟨munten ook⟩ *fineness.*
goudgeld ⟨het⟩ **0.1** *gold coin* ⇒*gold specie.*
goudgerand ⟨bn.⟩ **0.1** *gilt-edged.*
goudglans ⟨de (m.)⟩ **0.1** *golden lustre/sheen.*
goudgroeve ⟨de⟩ **0.1** *goldmine.*
goudhaantje ⟨het⟩⟨dierk.⟩ **0.1** [zangvogeltje] *gold crest* ⇒*golden-crested kinglet/wren* **0.2** [bladkever] ⟨Cetonia⟩ *rose-chafer/-beetle;* ⟨Chrysomelida⟩ *leaf beetle.*
goudhamster ⟨de (m.)⟩ **0.1** *golden hamster.*
goudhoudend ⟨bn.⟩ **0.1** *auriferous, aurous* ⇒*gold-bearing.*
goudkever ⟨de (m.)⟩ **0.1** *rose chafer/beetle/bug.*
goudkleur ⟨de⟩ **0.1** *gold colour.*
goudklomp ⟨de (m.)⟩ **0.1** *nugget (of gold)* ⇒*gold nugget.*
goudkoorts ⟨de⟩ **0.1** [opgewondenheid bij goudzoekers, beursspeculanten] *gold fever* **0.2** [zucht om snel rijk te worden] *gold rush* ⇒*gold fever.*
goudkust ⟨de⟩ **0.1** [kuststreek, met name de westkust van Afrika] *Gold Coast* **0.2** [straat, woonwijk] [A]*gold coast,* [B]*millionaires' row.*

goudlaag ⟨de⟩ **0.1** [laag van goud waarmee iets wordt of is bedekt] *gold plate* ⇒*layer of gold* **0.2** [⟨geol.⟩] *auriferous formation / deposit.*

goudleer, -leder ⟨het⟩ **0.1** *gold leather.*

goudlegering ⟨de (v.)⟩ **0.1** *gold alloy.*

goudmarkt ⟨de⟩ **0.1** [handel in goud] *gold trade* **0.2** [prijsbeweging van het goud] *gold market.*

goudmerel ⟨de⟩ **0.1** *(golden) oriole.*

goudmijn ⟨de⟩ **0.1** [goudertsmijn] *gold mine* **0.2** [iets dat voordeel, winst oplevert] *gold mine* **0.3** [⟨fig.⟩ schatkamer] *gold mine, mine of information* ◆ **3.1** een ~ ontdekken ⟨ook fig.⟩ *strike oil, strike lucky* **3.3** dat boek is een ~ voor wie citaten zoekt *that book is a g.m. for anyone who is looking for quotations.*

goudmijntje ⟨het⟩ ⟨fig.⟩ **0.1** *gold-mine* ⇒*money-maker, money spinner.*

goudpapier ⟨het⟩ **0.1** *gold paper* ◆ **1.1** lovertjes van ~ *(gold paper) spangles.*

goudpoeder ⟨het, de (m.)⟩ **0.1** *gold dust.*

goudrenet ⟨de⟩ **0.1** *golden rennet.*

goudreserve ⟨de⟩ **0.1** [⟨ec.⟩] *gold reserve* **0.2** [van een land] *gold reserve.*

Gouds ⟨bn.⟩ **0.1** *(from) Gouda* **1.1** ~e kaas *Gouda (cheese);* ~e pijp *(long) clay (pipe), churchwarden.*

goudsbloem ⟨de⟩ **0.1** *marigold* ⇒*calendula* ◆ **2.1** wilde ~ *corn m..*

goudschaal ⟨de⟩ **0.1** *gold balance* ⇒*gold scales* ◆ **6.1** zijn woorden op een ~tje wegen *weigh (one's) every word, choose one's words carefully.*

goudschuim ⟨het⟩ **0.1** *Dutch gold, gold crust.*

goudslager ⟨de (m.)⟩ ⟨amb.⟩ **0.1** *goldbeater.*

goudsmederij ⟨de (v.)⟩ **0.1** [werkplaats] *goldsmithery* ⇒*goldsmith's shop* **0.2** [vak] *goldsmith's art / craft.*

goudsmid ⟨de (m.)⟩ **0.1** *goldsmith.*

goudstaaf ⟨de (m.)⟩ **0.1** *gold ingot / bar.*

goudsteen ⟨het, de (m.)⟩ **0.1** *chrysolite* ⇒*peridot.*

goudstuk ⟨het⟩ **0.1** *gold coin / piece* ⇒⟨BE; sl.⟩ *yellowboy.*

goudveld ⟨het⟩ **0.1** *goldfield.*

goudverf ⟨de⟩ **0.1** [tot poeder gewreven tombak] *groundtombac, tambac* **0.2** [grond om het bladgoud te doen hechten] *gold-leaf undercoat* **0.3** [goudkleurige verf] *gold paint / varnish.*

goudvink ⟨de⟩ **0.1** [vink] *bullfinch* **0.2** [goudstuk] ⟨BE; sl.⟩ *yellowboy* **0.3** [iem. die veel geluk heeft] *lucky devil / dog* **0.4** [rijke vrijer, -ster] *sugar daddy, sweet papa* ⟨m.⟩, *rich girl, good catch* ⟨v.⟩.

goudvis ⟨de (m.)⟩ **0.1** *goldfish.*

goudviskom ⟨de⟩ **0.1** [glas] *goldfish bowl / globe* ⇒*fishbowl* **0.2** [goudvisvijver] ⟨→goudvisvijver⟩.

goudvisvijver ⟨de (m.)⟩ **0.1** *goldfish pond.*

goudvlies ⟨het⟩ **0.1** *goldbeater's skin.*

goudvoorraad ⟨de (m.)⟩ **0.1** [⟨geldw.⟩] *gold stock(s)* ⇒*gold holding(s)* **0.2** [van een land] *gold stock / supply.*

goudwaarde ⟨de (v.)⟩ **0.1** *gold value.*

goudwesp ⟨de⟩ **0.1** *ruby-tail / wasp* ⇒*cuckoo wasp.*

goudwinning ⟨de (v.)⟩ **0.1** *gold mining* ⇒*gold extraction / recovery.*

goudzoeker ⟨de (m.)⟩, **-zoekster** ⟨de (v.)⟩ **0.1** [goudgraver] *gold digger* ⇒*gold seeker* **0.2** [fortuinzoeker] *fortune hunter* ⟨m., v.⟩ ⇒*gold digger, adventurer* ⟨m.⟩, *adventuress* ⟨v.⟩.

gourmand ⟨de (m.)⟩ **0.1** *go(u)rmand* ⇒⟨pej. ook⟩ *glutton.*

gourmet ⟨de (m.)⟩ **0.1** *gourmet* ⇒*epicure, gastronome(r), gastronomist.*

gourmetstel ⟨het⟩ **0.1** *gourmet set.*

goût ⟨de (m.)⟩ **0.1** *taste.*

gouvernante ⟨de (v.)⟩ **0.1** [particuliere onderwijzeres] *(nursery) governess* ⇒⟨inf. ook⟩ *nanny* **0.2** [landvoogdes] *governess.*

gouvernement ⟨het⟩ **0.1** [regering over de gebiedsdelen overzee] *colonial administration / government* **0.2** [⟨gesch.⟩ bestuur] *government* **0.3** [⟨gesch.⟩ provinciaal bestuur] *local / provincial government* ⟨Ned. en/ of Belg.⟩ **0.4** [door een gouverneur bestuurd gebied] *government.*

gouvernementeel ⟨bn.⟩ **0.1** [uitgaand van het gouvernement] *governmental* **0.2** [loyaal aan de regering] *pro-government* ⇒*loyal to the government* ◆ **1.1** gouvernementele besluiten *government(al) decrees / orders* **1.2** een gouvernementele partij *a p.-g. party.*

gouvernementsapparaat ⟨het⟩ **0.1** *government(al) machine(ry).*

gouvernementsgebouw ⟨het⟩ **0.1** *government building.*

gouverneur ⟨de (m.)⟩ **0.1** [⟨gesch.⟩ titel in Oost-Indië, op Curaçao] *governor* **0.2** [⟨verk.⟩ Gouverneur-Generaal] *Governor* **0.3** [⟨gesch.⟩ landvoogd] *governor* **0.4** [in de USA] *governor* **0.5** [⟨in Limburg⟩, Commissaris v.d. Koningin; ⟨AZN⟩ provinciegouverneur] *provincial governor* ⇒⟨GB⟩ *Lord Lieutenant* **0.6** [particulier onderwijzer, opvoeder] *tutor* **0.7** [⟨AZN⟩ v.e. bank] *governor* ⇒*managing director.*

gouverneur-generaal ⟨de (m.)⟩ ⟨gesch.⟩ **0.1** *governor-general.*

gouverneurschap ⟨het⟩ **0.1** [mbt. bestuur] *governorship* ⇒*office of governor* **0.2** [mbt. opvoeding] *tutorship.*

gouw ⟨de⟩ **0.1** [⟨gesch.⟩] *'gau'* (*administrative unit in the Frankish empire*) ⇒⟨Lat.⟩ *pagus, ≠county* **0.2** [landstreek] *district* ⇒*region* ◆ **2.2** in de Dietse ~en *in the Low Countries.*

gouwe ⟨de⟩⟨plantk.; volkstaal⟩ ◆ **2.¶** (kleine) ~ ⟨speenkruid⟩ *lesser celandine;* stinkende/grote ~ *greater celandine.*

gouwenaar ⟨de (m.)⟩ **0.1** *(long) clay (pipe)* ⇒*churchwarden.*

gozer ⟨de (m.)⟩⟨inf.⟩ **0.1** *guy* ⇒⟨vnl. BE⟩ *bloke, chap, fellow* ◆ **2.1** een leuke ~ *a nice g. / fellow;* een rare ~ *a strange chap;* ⟨BE ook⟩ *an odd fish;* ⟨AE ook⟩ *an odd ball;* een toffe ~ *a great g..*

gr ⟨afk.⟩ **0.1** [gram] *gr..*

gr. ⟨afk.⟩ **0.1** [graad] ⟨*degree*⟩.

graad ⟨de (m.)⟩ **0.1** [deel van een schaalverdeling] *degree* **0.2** [⟨wisk.⟩ deel van een cirkelomtrek / rechte hoek] *degree* **0.3** [⟨aardr.⟩] *degree* **0.4** [stadium, trap] *stage* **0.5** [trap van bloedverwantschap / zwagerschap] *degree* ⇒*remove* **0.6** [rang die aan een studerende wordt toegekend] *degree* **0.7** [hoogte, mate] *degree* ⇒*state, level* **0.8** [⟨taal.⟩] *degree* **0.9** [⟨wisk.⟩ macht] *power* **0.10** [rang, trap] *degree* ⇒*rank,* ⟨ook mil.⟩ *grade* ◆ **1.6** de ~ van doctor *the / a doctor's d.* **1.7** ~ van ontwikkeling *d. / state of development* **1.8** een bijwoord van ~ *an adverb of d.* **2.6** een academische ~ *a university / an academic d.* **2.7** de vader is pedant, maar de zoon is het nog een ~ je erger *the father is conceited, but the son is even worse;* hij heeft tyfus in een hevige / lichte ~ *he has typhoid / (fever) badly / lightly;* de hoogste ~ van roem *the highest d. / level of fame;* in de hoogste ~ *to the last d.* **3.6** een ~ halen *graduate, get / take one's d.* **6.7** zuinigheid en gierigheid verschillen slechts in ~, niet in wezen *economy and avarice differ only in d., not in essence, there is a fine line between economy and avarice* **7.1** 18° Celsius *18 degrees centigrade;* temperaturen boven de dertig graden *temperatures in the thirties;* bij nul graden *at zero;* nul graden Kelvin *absolute zero;* tien graden onder nul *ten degrees below zero, minus ten degrees (centigrade)* **7.2** een hoek van 45 graden *an angle of 45 degrees;* een draai van 180 graden maken *make a turn of 180 degrees, make a U-turn* **7.3** Amsterdam ligt op 52° noorderbreedte en 4° oosterlengte van Greenwich *the latitude of Amsterdam is 53 N and the longitude is 4 E from Greenwich* **7.5** verwanten in de eerste / tweede / derde ~ *relatives / relations in the first / second / third remove, relatives once / twice / three times removed* **7.10** de vrijmetselaars onderscheiden drie graden, die van leerling, gezel en meester *freemasonry distinguishes three ranks, apprentice, mate and master* **7.¶** een vergelijking van de eerste / tweede / derde ~ *a linear / quadratic / cubic equation.*

graadboog ⟨de (m.)⟩ **0.1** *protractor* ⇒*graduated arc, quadrant.*

graadmeter ⟨de (m.)⟩ **0.1** [⟨ook fig.⟩ *graduator* ⇒⟨fig.⟩ *gauge, criterion* ◆ **6.1** het aantal gasten op haar verjaardag is nog geen ~ voor haar populariteit *the number of guests at her birthday party is no measure of her popularity.*

graadverdeling ⟨de (v.)⟩ **0.1** *graduation.*

graaf ⟨de (m.)⟩ **0.1** [⟨gesch.⟩] *count* **0.2** [adellijke titel] *count* ⇒⟨GB⟩ *earl.*

graafarm ⟨de (m.)⟩ **0.1** *digging bucket arm* ⇒*dipper stick.*

graaflijk →**grafelijk.**

graafmachine ⟨de (v.)⟩ **0.1** *excavator* ⇒*(trench) digger, mechanical / power shovel, trencher* ⟨voor geulen⟩, *dragline (excavator / crane).*

graafschap ⟨het⟩ **0.1** [gebied dat onder een graaf staat] *county* **0.2** [bestuursgewest in GB] *county* ⇒*shire* ◆ **6.2** de ~en om Londen *the Home Counties.*

graafwerk ⟨het⟩ **0.1** *digging* ⇒*excavation(s), excavation work* ◆ **3.1** er is voor de aanleg v.d. metro veel ~ verricht *a great deal of excavation has been done for the construction of the underground (railway).*

graafwerktuig ⟨het⟩ **0.1** *digging / excavating machine.*

graafwesp ⟨de⟩ ⟨dierk.⟩ **0.1** *digger wasp* ⇒*mud dauber.*

graag
I ⟨bn., bw.; -ly⟩ **0.1** [hongerig, gretig] *hungry* ⇒⟨ook fig.⟩ *eager* ◆ **1.1** grage blikken *eager / h. looks;*
II ⟨bw.⟩ **0.1** [gaarne] *gladly, with pleasure* **0.2** [zonder tegenstreven] *willingly* ⇒*readily* ◆ **1.1** twee pils, ~! *two lagers, please!* **3.1** ober, afrekenen ~! *waiter! bill please!;* ik zou zoiets niet ~ doen *I wouldn't like to do such a thing, I wouldn't do that gladly;* hij doet ~ een ander plezier *he likes doing s.o. else a favour;* ~ gedaan *don't mention it, you're welcome;* ik heb (niet) ~ dat je ... *I would / don't like you to ...;* ik wil je ~ helpen *I'll be glad to help (you);* iets ~ lusten *be fond of sth., love sth.;* ik mag hem ~ (lijden) *I like him, I am very fond of him;* hij overdrijft ~ *he likes to lay it on a bit;* hij wil ~ weten waar hij aan toe is *he would like to know where he stands;* de organisatoren zien zulke deelnemers niet ~ *the organizers are not anxious to see such participants;* die opmerking zou ik niet ~ voor mijn rekening willen nemen *I don't subscribe to that at all* **3.2** ik erken ~ dat ik me heb vergist *I readily / w. admit (that) I was mistaken, I don't mind saying (that) I was wrong;* zij praat niet ~ over die tijd *she dislikes talking about that time;* dat wil ik ~ geloven *I am willing to believe that, I can quite believe that, I'm no surprised* **4.1** hoe ~ ik het ook zou doen *however much I'd like to do it, much as I would like to do it;* zij ging er (maar) wat ~ heen *she was only too glad / too anxious to go there* **5.1** ~ of niet *(you may) take it or leave it;* ik ga ontzettend ~ naar de film *I love going to the cinema / pictures;* zij doet het (maar) al te ~ *she'd be / is only too happy to do it, she is / would be delighted to do it;* zij zou zo ~ ...*she would so love to ...* **¶.1** (heel) ~! *(okay) thank you very much!, thanks!, please!.*

graagheid ⟨de (v.)⟩ **0.1** *appetite.*

graagte ⟨de (v.)⟩ **0.1** [graagheid] *appetite* **0.2** [gretig genoegen, ijver] *eagerness* ⇒*zeal* ◆ **6.1** eten met ~ *eat with (great) a.* **6.2** zijn romans werden met ~ gelezen *his novels were eagerly read/read with e..*

graai ⟨de (m.)⟩ **0.1** *grab* ◆ **3.1** een ~ in de kassa doen *put one's hand in the till.*

graaien
I ⟨onov.ww.⟩ **0.1** [grabbelen] *grabble* ⇒*grub, rummage, scrabble* ◆ **6.1** wat zit je in die kist te ~? *why are you grubbing/grabbling about in that case/box?; ~* **naar** iets *scrabble about for sth.* ¶**.1** hij graaide wat spullen bij elkaar en vertrok *he grabbed a few things and left;*
II ⟨ov.ww.⟩ **0.1** [wegkapen] *grab* ◆ **4.1** hij zoekt altijd iets te ~ *he always tries/is always trying to get his hands on sth..*

graal ⟨de (m.)⟩ **0.1** *the (Holy) Grail* ◆ **2.1** het zoeken naar de heilige ~ *the quest for the H. G..*

graalridder ⟨de (m.)⟩ **0.1** *Knight of the Holy Grail.*

graalroman ⟨de (m.)⟩⟨lit.⟩ **0.1** *romance of the Holy Grail* ⇒*Grail romance.*

graan ⟨het⟩⟨→sprw. 243⟩ **0.1** [koren] *grain;* ⟨BE vnl.⟩ *corn* **0.2** [gewas, gemaaid koren] *grain;* ⟨BE vnl.⟩ *corn* **0.3** [graansoort] *grain* ⇒*cereal* ◆ **2.1** marktschoon ~ *a. / c. ready for the market* ¶**.1** alle ~ heeft zijn zemelen *there are drawbacks to everything, nothing's perfect.*

graanbeurs ⟨de⟩ **0.1** *grain/* ⟨BE vnl.⟩ *corn exchange.*

graanboer ⟨de (m.)⟩ **0.1** *grain/* ⟨BE ook⟩ *corn farmer/grower.*

graanbouw ⟨de (m.)⟩ **0.1** *grain/* ⟨BE vnl.⟩ *corn growing* ⇒*grain/* ⟨BE vnl.⟩ *corn cultivation, cultivation of grain/* ⟨BE vnl.⟩ *corn.*

graanembargo ⟨het⟩ **0.1** *grain/* ⟨BE vnl.⟩ *corn embargo.*

graangewas ⟨het⟩ **0.1** *grain/cereal/* ⟨BE vnl.⟩ *corn crop.*

graanhandel ⟨de (m.)⟩ **0.1** *grain/* ⟨BE vnl.⟩ *corn trade.*

graanhandelaar ⟨de (m.)⟩,-ster ⟨de (v.)⟩ **0.1** *grain/* ⟨BE vnl.⟩ *corn dealer/merchant.*

graanjenever ⟨de (m.)⟩ **0.1** *Dutch gin* ⇒*Geneva* ◆ **2.1** dubbelgestookte ~ *double-distilled Dutch gin.*

graankever ⟨de (m.)⟩ **0.1** *grain/corn/granary weevil* ⇒*grain beetle.*

graankorrel ⟨de⟩ **0.1** *grain of corn* ⇒*corn grain.*

graanmarkt ⟨de⟩ **0.1** *grain/cereal/* ⟨BE vnl.⟩ *corn market.*

graanoogst ⟨de (m.)⟩ **0.1** [het geoogste graan] *grain/cereal/* ⟨BE vnl.⟩ *corn crop/harvest* **0.2** [het oogsten van graan] *grain/cereal/* ⟨BE vnl.⟩ *corn harvest.*

graanoverschot ⟨het⟩ **0.1** *grain surplus;* ⟨concr.⟩ *surplus grain.*

graanpakhuis ⟨het⟩ **0.1** *granary* ⇒*(grain)silo/* ᴬ*elevator.*

graanprijs ⟨de (m.)⟩ **0.1** *grain/* ⟨BE vnl.⟩ *corn price.*

graanprodukt ⟨het⟩ **0.1** *grain/cereal product* ⇒*(vnl. bij het ontbijt) cereal.*

graanproduktie ⟨de (v.)⟩ **0.1** *grain/cereal/* ⟨BE vnl.⟩ *corn production.*

graanschuur ⟨de⟩ **0.1** [schuur] *granary* **0.2** [gewest] *granary* ◆ **1.2** de Oekraïne was de ~ van Rusland *the Ukraine was the g. of Russia.*

graansilo ⟨de (m.)⟩ **0.1** *(grain)silo/* ᴬ*elevator* ⇒*grain warehouse.*

graansoort ⟨de⟩ **0.1** *grain* ⇒*cereal.*

graantje ⟨het⟩ **0.1** [zaadkorrel] *grain* ⇒*corn* **0.2** [borreltje] *drop* ◆ **3.1** ⟨fig.⟩ een ~ meepikken *get one's share* **3.2** een ~ pikken *have a quick one.*

graanvrucht ⟨de⟩⟨plantk.⟩ **0.1** *caryopsis.*

graanvruchten ⟨zn.mv.⟩⟨plantk.⟩ **0.1** *cereals.*

graanzolder ⟨de (m.)⟩ **0.1** *cornloft* ⇒*granary.*

graanzuiger ⟨de (m.)⟩ **0.1** *(grain) elevator.*

graanzuiveringsmachine ⟨de (v.)⟩ **0.1** *corn-sifting machine.*

graat ⟨de⟩ **0.1** [been(tje) van een vis] *(fish) bone* **0.2** [geraamte van een vis] *bones* ⟨mv.⟩ **0.3** [kant van bekapt hout/behouwen steen] *arris* **0.4** [bovenkant van een bergrug] *crest* **0.5** [braam/draad op een beitel/mes] *burr, wire-edge* **0.6** ⟨⟨bouwk.⟩⟩ *herringbone work* ◆ **3.1** de graten eruit halen *bone;* een ~ in de keel hebben ⟨fig.⟩ *have a frog in one's throat* **6.2** rood/niet zuiver op de ~ *not quite fresh;* ⟨fig.⟩ *unreliable, not altogether reliable;* **van** de ~ vallen *faint from hunger, be faint with hunger.*

graatachtig ⟨bn.⟩ **0.1** [op een graat lijkend] *bony* **0.2** [zeer mager] *bony* ⇒*skinny, emaciated* **0.3** [met veel graten] *bony* **0.4** [mbt. het beendergestel] *cartilaginous.*

graatvormig ⟨bn.⟩ **0.1** *herringbone* ◆ **1.1** ~ verband *h. bond/pattern.*

grabbel ◆ **6.**¶ zijn goede naam te ~ gooien *throw away one's reputation;* iets te ~ gooien *throw sth. to be scrambled for/for a scramble;* zijn geld te ~ gooien *make ducks and drakes of one's money, squander one's money.*

grabbelaar ⟨de (m.)⟩,-ster ⟨de (v.)⟩ **0.1** *grabbler.*

grabbelen
I ⟨onov.ww.⟩ **0.1** [grijpen] *scramble* **0.2** [rondtasten, in iets woelen] *grabble* ⇒*grope* ◆ **6.1** de kinderen ~ **naar** de pepernoten *the children s./are scrambling for the ginger nuts;*
II ⟨onov., ov.ww.⟩ **0.1** [uit een grabbelton halen] ⟨ov.ww.⟩ *win (in the* ᴮ*lucky dip/* ᴬ*grab bag);* ⟨onov.ww.⟩ *grabble/grope/dip (in the* ᴮ*lucky dip/* ᴬ*grab bag).*

grabbelton ⟨de⟩ **0.1** ᴮ*lucky bag* ⇒ᴮ*lucky dip/tub,* ᴮ*bran tub,* ᴬ*grab bag.*

gracht ⟨de⟩⟨→sprw. 63⟩ **0.1** [(ring)kanaal] ⟨in stad⟩ *canal;* ⟨rondom vesting⟩ *moat* ⇒*ditch* **0.2** [de straat erlangs] *canal(side) street, street* along a canal **0.3** [bewoners] *people living by a canal* **0.4** [⟨AZN⟩ sloot in het land] *dike* ⇒*ditch, trench* ◆ **2.1** gedempte ~ en *filled-in canals* **2.3** de hele ~ liep uit *everybody living on/by the canal came outside* **3.2** een ~ je omgaan *go for a canalside stroll, go for a stroll along a/the canal* **6.1** aan de Amsterdamse ~ en *by the Amsterdam canals* **6.2** op een ~ wonen *live by a canal.*

grachtengordel ⟨de (m.)⟩ **0.1** *ring of canals* ⟨in Amsterdam⟩ ◆ **2.1** binnen de Amsterdamse ~ wonen *live in the old centre of Amsterdam.*

grachtenhuis ⟨het⟩ **0.1** *canalside house, house by a canal.*

grachtenpand ⟨het⟩ →**grachtenhuis.**

grachtgezicht ⟨het⟩ **0.1** *canal view.*

grachtwater ⟨het⟩ **0.1** *canal water.*

gracieus ⟨bn., bw.; -ly⟩ **0.1** *graceful, elegant* ⇒*comely, dainty* ◆ **1.1** gracieuze bewegingen *g. movements;* een gracieuze dans *a g. / an e. dance;* een ~ meisje *a g. / an e. girl* **1.**¶ ⟨jur.⟩ gracieuze procedure *voluntary/non-contentious procedure* **3.1** ~ buigen *bow gracefully.*

gracieuslijk ⟨bw.⟩⟨schr.⟩ **0.1** ⟨ongemarkeerd⟩ *gracefully* ◆ ¶**.1** iets ~ van de hand wijzen *g. decline sth..*

gradatie ⟨de (v.)⟩ **0.1** [trapsgewijs verloop] *gradation* **0.2** [graad] *degree* ⇒*level* ◆ **1.1** ⟨foto.⟩ ~ van toonwaarden bij fotografische negatieven *g. of tone in photographic negatives* **2.2** cursussen in verschillende ~ s van moeilijkheid *courses with different steps/stages/levels of difficulty.*

gradatim ⟨bw.⟩ **0.1** *by degrees* ⇒*gradatim.*

gradeerwerk ⟨het⟩ **0.1** [gebouwen, pompwerktuigen] *refining works* **0.2** [werk] *refining, refinement* ⇒⟨bk.⟩ *fluting.*

gradenboog →**graadboog.**

gradennet ⟨het⟩ **0.1** *grid.*

graderen ⟨ov.ww.⟩ **0.1** [het gehalte verhogen] *refine* ⇒*upgrade* **0.2** [mbt. zeewater] *refine* ⇒*graduate* **0.3** [⟨bk.⟩] *flute* ◆ **1.1** goud ~ *r. gold.*

gradering ⟨de (v.)⟩ **0.1** [het graderen] *refining, refinement* ⇒*upgrading,* ⟨bk.⟩ *fluting* **0.2** [⟨ec.⟩] *grading* ◆ **1.1** een nieuwe ~ van het zegelrecht *a revaluation of stamp duty.*

gradiënt ⟨de (m.)⟩ **0.1** *gradient* ◆ **2.1** de barometrische ~ *the barometric g..*

graduale ⟨het⟩⟨r.k.⟩ **0.1** [tussenzang] *gradual(e)* ⇒⟨vero.⟩ *grail* **0.2** [boek] *gradual(e)* ⇒⟨vero.⟩ *grail.*

graduatie ⟨de (v.)⟩ **0.1** [verdeling in graden] *graduation, grading* ⇒*calibration* **0.2** [⟨taal.⟩] *comparison* **0.3** [verlening van een graad] ≠*graduation.*

gradueel ⟨bn., bw.; -ly⟩ **0.1** [bij opklimming/daling] *gradual* ⇒*progressive,* ⟨na zn.⟩ *by degrees* **0.2** [mbt. de graad/mate] *of/in degree* ⇒*gradual* ◆ **1.1** een graduele overgang *a g. transition, an intergradation* **1.2** er is slechts een ~ verschil *there is only a difference of/in degree.*

gradueren ⟨ov.ww.⟩ **0.1** [in graden verdelen] *graduate, grade* ⇒*calibrate* **0.2** [een graad verlenen] *award a degree (to)* ⇒⟨AE⟩ *graduate.*

graeciseren ⟨onov., ov.ww.⟩ **0.1** [onder de invloed brengen/komen van de Griekse beschaving/taal] *Hellenize* ⇒*Gr(a)ecize* **0.2** [Grieks maken/worden] *Hellenize* ⇒*Gr(a)ecize.*

graecisme ⟨het⟩ **0.1** [Griekse uitdrukking/zinswending] *Hellenism* ⇒*Gr(a)ecism* **0.2** [in een andere taal overgenomen Grieks woord] *Hellenism* ⇒*Gr(a)ecism.*

graecist ⟨de (m.)⟩ **0.1** *Hellenist* ⇒*Greek scholar.*

graecomaan ⟨de (m.)⟩ **0.1** *Gr(a)ecomaniac.*

graecomanie ⟨de (v.)⟩ **0.1** *Gr(a)ecomania.*

graecus ⟨de (m.)⟩ **0.1** *Grecian, Greek scholar.*

graf ⟨het⟩⟨→sprw. 244,300,589⟩ **0.1** [ruimte waarin iem. begraven wordt] *grave* ⇒*tomb,* ⟨bijb.⟩ *sepulchre* **0.2** [plaats waar iem. begraven ligt] *grave* ⇒*burial place, tomb,* ⟨bijb.⟩ *sepulchre* **0.3** [zichtbaar deel van een graf] *grave, tomb* ⇒⟨bijb.⟩ *sepulchre* **0.4** [laatste rustplaats] *grave* ⇒*resting-place* **0.5** [⟨fig.⟩ het einde] *grave* ⇒*tomb, end* ◆ **1.1** ⟨fig.⟩ aan gene zijde van het ~ *beyond the g.* **1.4** aan de rand van het ~ *halfway to the/one's g., hovering over the/one's g.;* ⟨inf.⟩ *just hanging on* **2.1** zijn eigen ~ graven ⟨ook fig.⟩ *dig one's own g.* **2.2** het Heilige Graf *the Holy Sepulchre* **2.5** het ~ alleen kan ons scheiden *only the g. can seperate/part us;* een vroegtijdig ~ vinden *go to an early g., come to an early end* **3.1** een ~ delven *dig a g.;* een enkel/dubbel ~ *a single/joint g.;* uit het ~ opstaan *arise from the g., awake from the dead* **3.4** een ~ in de golven vinden *go to a watery g. / ↓Davy Jones's locker* **6.1** aan het ~ ⟨ook⟩ *at the graveside;* hij ligt in het ~ *he is (lying) in his g.;* ⟨inf.⟩ *he's six foot under;* iem. het ~ in prijzen *overpraise s.o.;* zij zou zich in haar ~ omkeren *she would turn in her g.* **6.2** ⟨fig.⟩ er loopt iem. / een hond over mijn ~ *an angel just passed over my g., s.o. is walking on my g.* **6.4** iem. in het ~ voorgaan *be the first to go, go to one's g. before s.o.;* iem. in het ~ volgen *follow s.o. to the g.;* een geheim in het ~ meenemen *take a secret (with one) to the g.;* iem. **ten** grave/naar het ~ dragen *carry s.o. to his g.* **8.**¶ ⟨fig.⟩ zwijgen als het ~ *keep deathly silent, never open one's mouth;* ⟨fig.⟩ stil als het ~ *as quiet/silent as the g. / a tomb.*

grafbeeldje ⟨het⟩ **0.1** [beeld op een grafmonument] *memorial statue/statuette* **0.2** [in een graf meegegeven beeld] *memorial.*

grafbloem ⟨de⟩ **0.1** [bloem op/bij een graf] *flower on a grave* **0.2** [grijze haar] *grey hair.*

grafdelver ⟨de (m.)⟩ **0.1** *gravedigger.*

grafdicht ⟨het⟩ **0.1** *elegy.*

grafeem ⟨het⟩ ⟨taal.⟩ **0.1** [de letters die één foneem aanduiden] *grapheme* **0.2** [schriftteken, letter] *grapheme.*

grafelijk ⟨bn.⟩ ⟨gesch.⟩ **0.1** [van een graaf/graven] *count's* ⇒⟨bij Engelse adel⟩ *earl's* **0.2** [door een graaf uitgevaardigd] *of/from a count* ⇒⟨bij Engelse adel⟩ *of/from an earl* ◆ **1.1** het ~ bewind *the counts's/earl's rule* **1.2** een ~e vrijbrief *a letter of authority from a count/an earl, a count's/an earl's warrant.*

grafelijkheid ⟨de (v.)⟩ **0.1** [grafelijke macht] *authority of a count* ⇒⟨bij Engelse adel⟩ *authority of an earl* **0.2** [grafelijk bewind] *rule of a count* ⇒⟨bij Engelse adel⟩ *rule of an earl.*

graffito ⟨het⟩ **0.1** [versieringstechniek] *graffito, scratchwork* **0.2** [⟨mv.⟩ muuropschriften/schilderingen] *graffiti.*

grafgewelf ⟨het⟩ **0.1** *funeral/sepulchral/burial vault* ⇒*sepulchre, tomb, repository,* ⟨onder kerk⟩ *crypt.*

grafheuvel ⟨de (m.)⟩ **0.1** *(grave/burial/sepulchral) mound* ⇒⟨archeologie ook⟩ *barrow, tumulus.*

graficus ⟨de (m.)⟩ **0.1** [grafisch kunstenaar] *graphic artist* **0.2** [grafisch ontwerper] *graphic designer.*

grafiek ⟨de (v.)⟩ **0.1** [schrijf/tekenkunst] *graphic art, graphics* ⇒*design* **0.2** [prentkunst] *graphics* **0.3** [prenten] *prints* **0.4** [⟨statistiek⟩ grafische voorstelling] *diagram* ⇒*chart, graph, curve* ◆ **1.3** een veiling van boeken en ~ *an auction of books and p.* **6.4** iets in ~ brengen *plot sth., diagrammatize sth., make a graph of sth..*

grafiet ⟨het⟩ **0.1** *graphite* ⇒*plumbago, black lead.*

grafisch ⟨bn., bw.; -(al)ly⟩ **0.1** [mbt. de grafiek] *graphic* **0.2** [⟨statistiek⟩ in tekening] *graphic(al)* ⇒*diagrammatic* ◆ **1.1** de ~e industrie *the printing/graphic(s) industry/trade, the printing and allied trades;* de ~e kunsten *the g. arts;* ~ kunstenaar *g. artist;* een ~ ontwerper *a g. designer;* ~e vormgeving *graphics, graphic design* **1.2** ~e berekening *graphics;* ~e curve *graph, (diagrammatic) curve;* een ~e voorstelling *a diagram/chart/graph.*

grafkamer ⟨de⟩ **0.1** *burial chamber.*

grafkanker ⟨de (m.)⟩ ⟨inf.⟩ ◆ **3.¶** krijg de ~ *drop dead, go to hell/blazes.*

grafkapel ⟨de⟩ **0.1** *burial chapel.*

grafkelder ⟨de (m.)⟩ **0.1** ⟨voor één dode⟩ *tomb;* ⟨voor meerdere doden⟩ *vault, crypt.*

grafkrans ⟨de (m.)⟩ **0.1** ⟨bij begrafenis⟩ *(funeral)wreath;* ⟨bij herdenking⟩ *memorial wreath.*

grafkuil ⟨de (m.)⟩ **0.1** *burial pit.*

graflegging ⟨de (v.)⟩ **0.1** [teraardebestelling] *interment* ⇒*entombment, sepulture* **0.2** [schilderstuk] *entombment (scene)* **0.3** [⟨r.k.⟩] *entombment.*

graflucht ⟨de⟩ **0.1** *smell of the grave, funeral/sepulchral smell* ⇒*graveyard smell/must.*

grafmonument ⟨het⟩ **0.1** *monument* ⇒⟨steen, zerk⟩ *memorial stone, gravestone.*

grafnis ⟨de⟩ **0.1** *burial niche.*

grafologie ⟨de (v.)⟩ **0.1** *graphology.*

grafologisch ⟨bn., bw.⟩ **0.1** *graphologic(al).*

grafoloog ⟨de (m.)⟩, **-loge** ⟨de (v.)⟩ **0.1** *graphologist.*

grafostatica ⟨de (v.)⟩ ⟨nat.⟩ **0.1** *graphostatics.*

grafplaat ⟨de⟩ **0.1** ⟨klein⟩ *memorial plaque/tablet;* ⟨groot⟩ *memorial slab.*

grafrede ⟨de⟩ **0.1** *funeral oration* ◆ **3.1** een ~ houden *make/deliver a f.o..*

grafschender ⟨de (m.)⟩ **0.1** *desecrator/defiler/violator of a grave/tomb/of graves/tombs.*

grafschennis ⟨de⟩ **0.1** *desecration/defilement/violation of a grave/tomb/of graves/tombs.*

grafschrift ⟨het⟩ **0.1** *epitaph.*

grafsteen ⟨de (m.)⟩ **0.1** ⟨liggend⟩ *gravestone, tombstone;* ⟨staand⟩ *headstone.*

grafstem ⟨de⟩ **0.1** *sepulchral voice* ◆ **2.1** hij sprak met een akelige ~ ⟨ook⟩ *he spoke in ghostly/sepulchral tones.*

grafteken ⟨het⟩ **0.1** *memorial, monument.*

graftenerp ⟨de⟩ **0.1** *grave-mound* ⇒⟨archeologie⟩ *tumulus, barrow.*

graftombe ⟨de⟩ **0.1** *tomb, sepulchre* ⇒*monumental/memorial grave/tomb.*

grafurn(e) ⟨de⟩ **0.1** *funeral urn.*

grafvaas →*grafurn(e).*

grafwerk ⟨het⟩ **0.1** [het maken van zerken op graven] *monumental masonry* **0.2** [grafzerk enz.] *monumental masonry.*

grafzerk ⟨de⟩ **0.1** *gravestone* ⇒*tombstone,* ⟨grave/tomb⟩ *slab, ledger.*

grafzuil ⟨de⟩ **0.1** *grave/tomb-pillar* ⇒⟨archeologie⟩ *stela, stele.*

gram¹
I ⟨de (m.)⟩ **0.1** [gewichtseenheid] *gram(me)* ◆ **7.1** vijf ~ kinine *five gram(me)s of quinine;*
II ⟨de (v.)⟩ ◆ **3.¶** zijn ~ halen *get one's own back, get square/even (with);* zijn ~ niet halen *lose out, not get square/even (with).*

gram² ⟨bn., bw.; -ly⟩ ⟨schr.⟩ **0.1** *wroth, wrathful.*

gramatoom ⟨het⟩ ⟨schei.⟩ **0.1** *gram atom.*

gramcalorie ⟨de (v.)⟩ ⟨nat.⟩ **0.1** *gram calorie, small calorie.*

gramequivalent ⟨het⟩ ⟨schei.⟩ **0.1** *gram equivalent.*

graminologie ⟨de (v.)⟩ **0.1** *graminology.*

grammaire ⟨de (v.)⟩ →*grammatica 0.1.*

grammatica ⟨de (v.)⟩ **0.1** [spraakkunst] *grammar* **0.2** [boek] *grammar(book)* ◆ **1.1** de regels van de ~ *the rules of g.* **2.1** transformationeel generatieve ~ *transformational generative g.;* ⟨inf.⟩ *TGG;* vergelijkende ~ *comparative g..*

grammaticaal ⟨bn., bw.; -ly⟩ **0.1** *grammatical* ◆ **1.1** grammaticale fout *g. error/mistake;* ~ onderwerp *g. subject* **2.1** die zin is ~ juist *that sentence is grammatically correct.*

grammaticaliteit ⟨de (v.)⟩ ⟨taal.⟩ **0.1** *grammaticality.*

grammaticus ⟨de (m.)⟩ **0.1** *grammarian.*

grammatisch ⟨bn., bw.⟩ →*grammaticaal.*

grammofoon ⟨de (m.)⟩ **0.1** *gramophone* ⇒⟨AE meestal⟩ *phonograph,* ↓*record-player.*

grammofoonnaald ⟨de⟩ **0.1** ⟨moderne⟩ *stylus* ⇒*diamond,* ⟨ouderwetse⟩ *gramophone needle.*

grammofoonplaat ⟨de⟩ **0.1** *(gramophone)record* ⇒*disc* ◆ **3.1** een ~ maken *make a record, record/cut a disc;* een pas uitgekomen ~ *a new release.*

grammolecule ⟨het, de⟩ **0.1** *grammolecule.*

gramschap ⟨de (v.)⟩ ⟨schr.⟩ **0.1** *wrath, ire* ◆ **2.1** edele ~ *rightful/due w.* **3.1** zijn ~ was geweken *his w. had abated.*

gramstorig ⟨bn.; bw.; -ly⟩ ⟨schr.⟩ **0.1** [korzelig] *irascible* ⇒*ireful,* ^A*wrathy* **0.2** [grimmig] *wrathful, wroth* ⇒*irate* ◆ **1.2** een ~e blik *an irate look* **3.1** iem. ~ maken *move s.o. to wrath.*

granaat
I ⟨de⟩ **0.1** [⟨mil.⟩] *grenade* ⇒*shell* ⟨artillerie⟩, *mortar-shell* ⟨mortier⟩ **0.2** [granaatappel] *pomegranate* ◆ **1.1** ⟨fig.⟩(duizend) bommen en granaten! *hell's bell's!, bloody wars!* **3.1** de stelling werd bestookt met granaten *the position was shelled;*
II ⟨de (m.)⟩ **0.1** [plant] *pomegranate* **0.2** [mineraal] *garnet* ◆ **2.2** boheemse ~ *pyrope;* edele ~ *almandine.*

granaatappel ⟨de (m.)⟩ **0.1** [vrucht] *pomegranate* **0.2** [boom] *pomegranate.*

granaat(appel)boom ⟨de (m.)⟩ **0.1** *pomegranate tree.*

granaatinslag ⟨de (m.)⟩ **0.1** *shell burst.*

granaatscherf ⟨de⟩ **0.1** *piece of shrapnel* ⇒*shell fragment/splinter,* ⟨mv.⟩ *shrapnel.*

granaatsteen ⟨de (m.)⟩ **0.1** *garnet.*

granaattrechter ⟨de (m.)⟩ **0.1** *shellhole, (shell)crater.*

granaatvuur ⟨het⟩ **0.1** *shellfire* ◆ **2.1** onder zwaar ~ liggen *be under heavy s./shelling* **6.1** onder ~ leggen *subject/submit to s., bombard, shell.*

granaatwerper ⟨de (m.)⟩ **0.1** *grenade launcher.*

granaten ⟨bn.⟩ **0.1** *garnet* ◆ **1.1** een ~ halsketting *a g. necklace.*

grande ⟨de (m.)⟩ **0.1** *grandee* ⇒*magnifico* ◆ **2.1** de zwier/pracht v.e. Spaanse ~ *the dash/pomp of a Spanish g..*

grandeur ⟨de (m.)⟩ **0.1** *grandeur* ⇒*magnificence,* ⟨praal⟩ *pomp.*

grandezza ⟨de (v.)⟩ **0.1** *grandness* ⇒*grandeur, grand air,* ⟨vero.⟩ *grandezza.*

grandioos ⟨bn., bw.; -ly⟩ **0.1** [prachtig] *grandiose* ⇒*grand, magnificent, superb,* ⟨inf.⟩ *swell* **0.2** [enorm] *monumental* ⇒*mighty, first-rate,* ⟨inf.⟩ *terrific* ◆ **1.2** een grandioze daad *a mighty deed/act;* een grandioze flater *a monumental blunder/gaffe;* een grandioze prestatie *a monumental/first-rate achievement* **3.1** zijn huis is ~ ingericht *his house is furnished in style* **3.2** het is ~ mislukt *it was a monumental failure;* het ~ voor iem. verpesten *louse things up for s.o. in a big way.*

grand-seigneur ⟨de (m.)⟩ **0.1** *grand seigneur.*

graniet ⟨het⟩ **0.1** [gesteente] *granite* **0.2** [⟨fig.⟩] *granite* ◆ **1.1** een blok ~ *a block/lump of g.;* een zuil van ~ *a g. column* **1.2** ⟨fig.⟩ een hart van ~ *a heart of flint.*

granietachtig ⟨bn.⟩ **0.1** *granite-like, granitoid.*

granietblok ⟨het⟩ **0.1** *granite block.*

granieten ⟨bn.⟩ **0.1** *granite* ⇒*granitic* ◆ **1.1** een ~ aanrecht *a granite (work-)top/draining-board/sink;* een standbeeld op ~ voetstuk *a statue on a granite pedestal.*

granietmarmer ⟨het⟩ **0.1** *granito.*

granietrots ⟨de⟩ **0.1** *granittic rock.*

granietsteen
I ⟨het⟩ **0.1** [gesteente] *granite;*
II ⟨de (m.)⟩ **0.1** [stuk/brok graniet] *piece/lump of granite* ⇒⟨groot⟩ *hunk of granite.*

granito¹ ⟨het⟩ **0.1** *granito.*

granito² ⟨het⟩ **0.1** *granito.*

granulaat ⟨het⟩ **0.1** *granules* ⇒*granulated material, granulation.*

granulatie ⟨de (v.)⟩ **0.1** [korrelige structuur] *granulation* ⇒*granular surface,* ⟨op zonne-oppervlak⟩ *granulation* **0.2** [het granuleren] *granulation.*

granuleren
I ⟨ov.ww.⟩ **0.1** [korrelen] *granulate* ⇒*corn* **0.2** [oppervlakte ruw maken] *granulate* **0.3** [⟨far.⟩] *granulate* ⇒*mill;*

II ⟨onov.ww.⟩ **0.1** [⟨med.⟩] *granulate*.
granuleus ⟨bn.⟩ **0.1** *granular* ⇒*granulous, granulose, granulate* ◆ **1.1** granuleuze ontsteking van de ogen *granular conjunctivitis*.
granuliet ⟨het⟩ **0.1** *granulite*.
grap ⟨de⟩ **0.1** [mop] *joke* ⇒*gag, jest, quip, crack* **0.2** [iets vermakelijks] *joke* ⇒*laugh,* ↓*caper,* ↓*lark, prank* **0.3** [uiting van vrolijkheid] *fun* ⇒ *drollery* ◆ **1.2** de ~ v.d. zaak is *the great thing about it is* **2.1** een oude ~ *a corny joke* **2.2** ⟨iron.⟩ dat wordt een dure ~ *that will be an expensive business;* een flauwe ~ *a feeble/poor j.;* dat is een mooie ~ ⟨iron.⟩ *a fine how d'you do that is, a right to do! business, that is* **2.¶** ⟨inf.⟩ dat is de hele ~ *that's all there's to it* **3.1** ~pen maken *joke, jest, make jokes;* ergens een ~ van maken *make a mockery of sth.;* ~pen vertellen *tell/ crack jokes, tell gags/ funny stories* **3.2** dat is lang geen ~ *that is no laughing matter, that is not a j./ far from being a j.;* ⟨iron.⟩ die ~ kost al gauw f 200,- *that little matter/affair will make short work of Dfl. 200;* ~pen uithalen *play jokes/pranks;* een ~ met iem. uithalen *play a j./ prank on s.o.;* ik zie daar de ~ niet van in *I don't get it/ the j., I can't see the j.* **3.3** ⟨pej.⟩ schei nu uit met die ~pen *cut that silly nonsense (out);* ⟨pej.⟩ we zullen je die ~pen wel afleren *we'll put an end to your sort of nonsense* **5.2** de ~ is eraf *the j. is over/ has worn off, it has got/ gone beyond a j.* **5.3** hij zit vol ~pen *he's a laugh (a minute), he's lots of f.* **6.1** hij probeerde zich er **met** een ~ van af te maken *he tried to laugh it off* **6.2** ~ **met** een nare bijsmaak *sick j.;* ze kan wel **tegen** een ~ *she can take a j.;* hij is altijd te vinden **voor** een ~ *he is always game for a laugh;* ze zei het maar **voor** de ~ *she only said it in jest, she was only joking;* **voor** de ~ *for fun/ a laugh/ a giggle* **7.3** geen ~ pen! *no nonsense/ funny stuff, cut the nonsense/ funny stuff.*
grapefruit ⟨de (m.)⟩ **0.1** *grapefruit* ⇒⟨AE ook⟩ *pomelo.*
grapjas →**grappenmaker.**
grapjassen ⟨ww.⟩ **0.1** *joke* ⇒*crack jokes.*
grapjasserij ⟨de (v.)⟩ →**grappenmakerij.**
grapje ⟨het⟩ **0.1** *(little) joke* ⇒*pleasantry* ◆ **3.1** 't is maar een ~! *it's just a (little) j.;* het leven is geen ~ *life is no j.;* maak er maar een ~ van ⟨lett.⟩ *just treat it as a j.;* ⟨terechtwijzing⟩ *this is no laughing matter;* ik maak geen ~ *I'm not being funny;* ze maakte maar een ~ *she was only joking/ kidding;* ~s maken *joke, make (little) jokes/ pleasantries;* wel van een ~ houden *be fond of/ like a j.;* dat was geen ~ *that was no j.* **6.1** iets **met** een ~ afdoen *shrug sth. off with a j., laugh sth. off;* ~s **over** iem./ iets *jokes about s.o./ sth.;* kun je niet **tegen** een ~? *can't you take a j.?* **7.1** dat is geen ~ meer *that is beyond/ past a j.* **¶.1** ~! *you're/ you must be joking!.*
grappen ⟨onov., ov.ww.⟩ **0.1** *joke* ⇒*jest* ◆ **¶.1** 'je neus krult', grapte zij *'your nose is curling up', she joked.*
grappenmaker ⟨de (m.)⟩, **-maakster** ⟨de (v.)⟩ **0.1** *joker, comedian* ⇒ *comic, funnyman, wag* ◆ **2.1** hij is een echte ~ *he's full of fun.*
grappenmakerij ⟨de (v.)⟩ **0.1** [het maken van grappen] *joking* ⇒*banter, drollery, waggery* **0.2** [iets hinderlijks/ ergerlijks] *mischief* ⇒*ragging, playing the fool* ◆ **3.2** schei nu maar uit met die ~ *now just stop playing the fool/ fooling.*
grappig ⟨bn., bw.; -ly⟩ **0.1** [mbt. personen] *funny* ⇒*amusing, droll,* ⟨snaaks⟩ *facetious* **0.2** [mbt. zaken] *funny* ⇒*comic(al), amusing,* ⟨opzettelijk⟩ *humorous, jocular,* ⟨zeer⟩ *hilarious* **0.3** [aardig om te zien] *cute* ⇒*amusing, sweet* ◆ **1.2** 't was een ~ gezicht *it was a f./ comical sight;* een ~e opmerking *a humorous/jocular remark;* een ~ voorval *an amusing incident/occurrence* **1.3** wat een ~e diertjes *what cuties/ sweeties* **3.1** hij is altijd zo ~ *he is always so funny/amusing;* ⟨iron.⟩ *he's (so) very droll;* zij probeerden ~ te zijn ⟨ook iron.⟩ *they were trying to be funny* **3.2** dat is niet ~ meer *that is beyond/ past a joke;* ik kan dat niet ~ vinden *I don't think that's f., I am not amused;* hij vindt het niet ~ *I suppose you think that's f.;* hij vindt het niet ~ ⟨ook⟩ *he doesn't/cannot see the joke* **4.2** wat ~! *what a laugh!, how amusing!,* ⟨iron.⟩ *very droll!!* **5.2** wat is daar nou zo ~ *what's so f. about that?* **7.2** het ~e is *... the f. thing is, what's so f. is;* ik zie het ~e er niet van in *I don't see where the joke comes in.*
grappigheid ⟨de (v.)⟩ **0.1** *drollery* ⇒*amusingness, comedy, jocularity* ⟨van personen⟩, ⟨snaaksheid⟩ *facetiousness.*
gras ⟨het⟩ **0.1** [gewas] *grass* **0.2** [plantengeslacht] *grass* ◆ **2.2** Engels ~ *thrift, sea pink;* ⟨de weg⟩ *sea-grass/ gillyflower, ladies' cushion* **3.1** verboden het ~ te betreden *keep off the g.;* ⟨scherts., fig.⟩ hij luistert of het ~ groeit ≠*he is lounging/ lazing around;* het ~ groeit er in de straten ⟨fig.⟩ *it is a sleepy place;* ⟨iron.⟩ hij kan het ~ horen groeien *(he thinks) he can walk on water,* ≠*he think's he's magic/ wonderful;* ⟨fig.⟩ nu kan men het ~ horen groeien ≠*that will nourish the plants, that will perk the plants up;* het ~ maaien *cut the lawn, mow the lawn* ⟨grasperk⟩; ⟨fig.⟩ iem. het ~ voor de voeten wegmaaien *take the ground from under s.o.'s feet, steal s.o.'s thunder* **6.1** met ~ begroeid *grassy, g.-covered;* **met** ~ overdekte parkeergarage *grassed over car park;* **naar** ~ smaken ≠*taste insipid, be tasteless* **7.1** ⟨fig.⟩ er geen ~ over laten groeien *lose no time (over it/ in doing it);* ⟨fig.⟩ ze hebben er geen ~ over laten groeien *they did not let the g. grow under their feet* **8.1** zo groen als ~ ⟨fig.⟩ *as green as g.;* ⟨fig.⟩ ≠*very green/ raw.*
grasachtig ⟨bn.⟩ **0.1** [op gras lijkend] *grassy* **0.2** [tot de grassen behorend] *graminaceous, gramineous.*

grasbaan ⟨de⟩ **0.1** ⟨renbaan⟩ *grass track;* ⟨tennisbaan⟩ *grass court;* ⟨rolbaan⟩ *green;* ⟨cricketbaan⟩ *wicket.*
grasband ⟨de (m.)⟩ **0.1** *grass edge/ edging.*
grasbloem ⟨de⟩ **0.1** [veldbloem] *daisy* **0.2** [bloem van grassen] *grass flower.*
grasboter ⟨de⟩ **0.1** *grass-butter.*
grasbouw ⟨de (m.)⟩ **0.1** *grass cultivation/ growing.*
grasbuik ⟨de (m.)⟩ **0.1** ≠*grain sickness,* ≠*pendulous belly.*
grasdroger ⟨de (m.)⟩ **0.1** *grass-drier.*
grasduiker ⟨de (m.)⟩ ⟨dierk.⟩ **0.1** *greenfinch* ⇒*green linnet.*
grasduinen[1] ⟨zn.mv.⟩ **0.1** *grassy dunes* ◆ **6.1** in ~ gaan *go to pasture/ green pastures;* ⟨fig.⟩ *enjoy o.s. to one's heart's content, have a great time.*
grasduinen[2] ⟨onov.ww.⟩ **0.1** *browse (through* ⟨boek⟩ /*among* ⟨boeken in uitverkoop enz.⟩*);* ⟨zich bezig houden⟩ *polter about/ around, dabble (in)* ◆ **3.1** hij zit weer in die kist met boeken te ~ *he is browsing through that chest of books again* **6.1** in geschiedenis ~ *dabble in history.*
grasetend ⟨bn.⟩ **0.1** *herbivorous* ⇒*graminivorous.*
grasgewas ⟨het⟩ **0.1** [het te velde staand gras] *grass (crop)* **0.2** [tot de grassen behorende plant] *gramineous plant* ⇒*grass* ◆ **1.1** verpachting van ~ *grazing lease.*
grasgroen ⟨bn.⟩ **0.1** [zo groen als gras] *grass-green* ⇒*verdant* **0.2** [⟨fig.⟩ nieuwbakken] *very green/ raw* ◆ **1.2** een ~ luitenantje *a very green/ raw (young) lieutenant.*
grasgrond ⟨de (m.)⟩ **0.1** [voor grasteelt geschikte grond] *land for grass* ⇒ ⟨om op te grazen⟩ *pasture-land* **0.2** [met gras begroeide grond] *grassland, meadow* ⇒⟨om op te grazen⟩ *pasture* ◆ **2.1** goede ~en *good land for grass.*
grashalm ⟨de (m.)⟩ **0.1** *grass-stalk/ -stem* ⇒*culm,* ⟨vnl. BE⟩ *grass-haulm,* ⟨lange⟩ *grass-spire.*
grashooi ⟨het⟩ **0.1** *grass-hay.*
grasjaar ⟨het⟩ **0.1** *year for grass* ◆ **2.1** een goed/ schraal ~ *a good/ lean year for grass.*
grasje ⟨het⟩ **0.1** *blade of grass.*
graskaas ⟨de (m.)⟩ **0.1** *spring cheese.*
graskalf ⟨het⟩ **0.1** *grass-fed calf.*
graskamp ⟨de (m.)⟩ **0.1** *enclosed meadow* ⇒*field of grass.*
graskant ⟨de (m.)⟩ **0.1** [walkant] *grassy bank* **0.2** [kant v.e. gazon] *lawn-edge.*
grasklokje ⟨het⟩ **0.1** *harebell* ⇒⟨vnl. Schotland/ Noord-Engeland ook⟩ *bluebell.*
grasland ⟨het⟩ **0.1** [voor grasteelt geschikte grond] *land for grass* ⇒ ⟨om op te grazen⟩ *pasture-land* **0.2** [weiland] *grassland, meadow* ⇒ ⟨om op te grazen⟩ *pasture* ◆ **3.2** land tot ~ maken *lay down land to grass.*
graslinnen[1] ⟨het⟩ **0.1** [weefsel v.d. vezels van Chinees gras] *grass-linen* ⇒*grass-cloth* **0.2** [weefsel van gebeukt katoen] *(cotton) grass-cloth.*
graslinnen[2] ⟨bn.⟩ **0.1** *grass-linen* ⇒*grass-cloth.*
graslook ⟨het⟩ ⟨plantk.⟩ **0.1** *chives* ⟨mv.⟩ *(Allium schoenoprasum).*
grasmaaien ⟨ww.⟩ **0.1** *mowing* ⇒*mowing the lawn, lawnmowing* ⟨v.e. grasperk⟩.
grasmaaier ⟨de (m.)⟩ **0.1** [maaimachine] ⟨voor hoog gras⟩ *mowing-machine, grass-cutter;* ⟨voor grasperk⟩ *(lawn-)mower* **0.2** [persoon] *mower of grass, grass-mower.*
grasmaand ⟨de⟩ **0.1** *April* ⇒ ⟨lett.⟩ *grass-month.*
grasmat ⟨de⟩ **0.1** [begroeiing met gras] *grass cover* **0.2** [met gras begroeid stuk grond] *grass, turf* ⇒ ⟨schr./scherts.⟩ *(green)sward,* ⟨gazon⟩ *lawn(s),* ⟨vliegveld⟩ *grass strip,* ⟨sportveld⟩ *field, pitch* ◆ **2.2** de ~ lag er prachtig bij *the grass looked fantastic.*
grasmus ⟨de⟩ ⟨dierk.⟩ **0.1** *whitethroat.*
grasoogst ⟨de (m.)⟩ **0.1** *grass crop.*
grasparkiet ⟨de (m.)⟩ ⟨dierk.⟩ **0.1** *budgerigar* ⇒*grass-parakeet.*
grasperk ⟨het⟩ **0.1** *lawn* ⇒ ⟨klein⟩ *grass-patch/ -plot.*
graspieper ⟨de (m.)⟩ ⟨dierk.⟩ **0.1** *meadow pipit* ⇒[B] *titlark.*
grasplant ⟨de⟩ **0.1** [plantje v.e. grassoort] *grass* **0.2** [⟨mv.⟩ de Gramineeën] *gramineous plants* ⇒*gramineae.*
grasrand ⟨de (m.)⟩ **0.1** *grass border/ edging* ⇒ ⟨langs weg⟩ *grass verge.*
grasrijk ⟨bn.⟩ **0.1** *lush* ⇒*grassy, verdant.*
grasroller ⟨de (m.)⟩ **0.1** *roller.*
grassavanne ⟨de⟩ **0.1** ⟨lett.⟩ *grass savannah* ⇒ ⟨alg.⟩ *(grass-)prairie.*
grasschaar ⟨de⟩ **0.1** *(pair of)(garden-)shears* ⇒ ⟨met lange stelen⟩ *long-handle shears,* ⟨kromme voor grasranden⟩ *edging-shears* ◆ **7.1** twee grasscharen *two pairs of (g.-)s..*
grasseren ⟨onov.ww.⟩ **0.1** *rage, be rampant.*
grassoort ⟨de⟩ **0.1** *(type of) grass.*
graspriet ⟨de⟩ **0.1** *blade of grass* ⇒*grass-stalk* ◆ **3.1** kauwend op een ~ lag hij in het weiland *he lay in a meadow chewing (on) a stalk/ piece of grass.*
grassproeier ⟨de (m.)⟩ **0.1** *lawn sprinkler* ⇒*garden spinkler.*
grassteppe ⟨de⟩ **0.1** *(grassy/ grass-covered) steppe* ⇒*grass(y) plain.*
grastapijt ⟨het⟩ **0.1** *turf* ⇒ ⟨schr.⟩ *(green) sward, swarth.*
grastetanie ⟨de (v.)⟩ **0.1** *grass tetany/ staggers* ⇒*lactation tetany, Hertfordshire disease.*

grasveld ⟨het⟩ **0.1** *field* ⇒*field/stretch of grass, lawn* ◆ **¶.1** ~je *patch of grass, grass-plot, lawn.*

grasvink ⟨de (m.)⟩ **0.1** *greenfinch* ⇒*green linnet.*

graslakte ⟨de (v.)⟩ **0.1** *grassy plain* ⇒*stretch/expanse of grass,* ⟨USA⟩ *prairie(s).*

grasweer ⟨het⟩ **0.1** ≠*good weather for grass.*

graswortel ⟨de (m.)⟩ **0.1** [wortel van een grasplant] *grass-root* **0.2** [wortelstuk van het tarwegras/kweekgras] *couch/quitch/scutch/twitch rootstock/rhizome.*

graszaad ⟨het⟩ **0.1** *grass seed.*

graszode ⟨de⟩ **0.1** *turf* ⇒*sod.*

graterig ⟨bn.⟩ **0.1** *bony.*

gratie ⟨de (v.)⟩ **0.1** [bevalligheid] *grace* ⇒*charm* **0.2** [gunst] *favour* ⇒ *good grace, benevolence* **0.3** [genade] *mercy* ⇒*grace, clemency* **0.4** [⟨myth.⟩] *Grace* **0.5** [kwijtschelding] *pardon* ⇒*reprieve* ◆ **1.3** koning bij de ~ Gods *King by the grace of God;* een kunstenaar bij de ~ Gods *a heaven-sent artist* **1.5** de koning heeft het recht van ~ *the king has the prerogative of mercy;* een verzoek om ~ indienen *sue/ enter a petition for mercy, request a p.* **3.1** zij mist alle ~ *she lacks the graces, she is quite lacking in charm* **3.5** ~ krijgen *be pardoned;* (totale kwijtschelding) *receive/obtain a free p.;* (voor doodstraf) *be reprieved;* ~ verlenen *show/grant mercy, show clemency;* ⟨jur.⟩ *give a p.;* (aan ter dood veroordeelde) *grant/give/award a reprieve;* ~ verlenen aan iem. *show s.o. mercy;* (ook jur.) *pardon s.o.;* (voor doodstraf) *reprieve s.o.;* ~ vragen *ask for mercy, ask/request p.* **6.2** bij iem. in de ~ zijn/komen *be in/come into f. with s.o.;* uit de ~ raken *go out of f., lose f.;* uit de ~ zijn *be out of f./in disfavour/in bad grace;* bij iem. uit de ~ raken *fall out of f./into disfavour with s.o.* **7.4** de drie Gratiën *the three Graces.*

gratiëren ⟨ov.ww.⟩ **0.1** *show (s.o.) mercy, pardon (s.o.)* ⇒ (voor doodstraf) *reprieve (s.o.).*

gratieverlening ⟨de (v.)⟩ ⟨jur.⟩ **0.1** *(free) pardon.*

gratieverzoek ⟨het⟩ **0.1** *petition for clemency/(a) pardon/(an) amnesty/ (a) reprieve* ◆ **3.1** een ~ indienen *put in a petition for clemency/(a) pardon/(a) reprieve, sue for clemency/(a) pardon.*

gratificatie ⟨de (v.)⟩ **0.1** *gratuity* ⇒*bonus, emolument, donation, ex gratia payment.*

gratifi(c)eren ⟨ov.ww.⟩ **0.1** [genade schenken] *show/grant (s.o.) mercy* **0.2** [schenken] ⟨zie 1.2,6.2⟩ ◆ **1.2** iem. ~ *give s.o. a gratuity/bonus* **6.2** iem. ~ met iets *grant s.o. sth., donate sth. to s.o., bestow sth. on s.o..*

gratig ⟨bn.⟩ **0.1** *bony.*

gratineren ⟨ov.ww.⟩ **0.1** *cover with breadcrumbs/cheese* ◆ **1.1** gegratineerde schotel *dish au gratin.*

gratis ⟨bn.,bw.⟩ **0.1** *free* ⟨bn.,bw.⟩ ⇒*for nothing, complimentary,* ⟨inf.⟩ *buckshee* ⟨bn.⟩, *gratis* ⟨bn.⟩ ◆ **1.1** ⟨jur.⟩ ~ admissie verlenen/ verkrijgen *grant/receive legal aid;* ~ consumptie *f. consumption;* ~ entree *f. admission/entry;* ~ monster *f. sample;* inclusief ~ vervoer naar het vliegveld *f. transport to the airport included;* ~ voorstelling *f. show/performance/display;* ⟨scherts.⟩ *f. display/entertainment; f. act* **2.1** het boek is ~ verkrijgbaar *the book is available f. (of charge)* **3.1** iets er ~ bij krijgen *get something thrown in* **¶.1** ~ en voor niks *f. and for nothing;* ~ met de bus mee mogen *be allowed to travel f. on the buses.*

gratuit ⟨bn.⟩ **0.1** [onverplicht] *gratuitous* ⇒*voluntary* **0.2** [ongegrond, los] *gratuitous* ◆ **1.2** een ~e bewering *a g. remark* **¶.1** don ~ *free gift.*

grauw¹
I ⟨het⟩ **0.1** [grauwe kleur] *greyness* ^*grayness* ⇒*dul(l)ness, drabness* **0.2** [gepeupel] *mob, rabble* ⇒⟨mv.⟩ *masses;*
II ⟨de (m.)⟩ **0.1** [snauw] *snarl* ⇒*growl,* ⟨kort⟩ *snap* **0.2** [paard, ezel] ⟨paard⟩ *dun;* ⟨ezel⟩ *donkey* ◆ **1.1** een ~ en een snauw *a snap and a snarl.*

grauw² ⟨bn.⟩ ⟨→sprw. 439⟩ **0.1** [vaal van tint] *(ash-)grey* ^*gray, ashen* ⇒ *drab, dull* **0.2** [groezelig] *grubby* ⇒*grimy, soiled,* ⟨met stof⟩ *dusty,* ⟨net niet wit⟩ *off-white* ◆ **1.1** ⟨fig.⟩ het ~e bestaan *the drab existence;* ~e erwten *yellow peas;* ⟨dierk.⟩ de ~e hagedis *the wall lizard;* ⟨dierk.⟩ ~e lijster *songthrush, throstle;* een ~e lucht *a grey/leaden sky;* de ~e massa *the faceless masses;* ~e monniken *greyfriars;* ~ papier *(dark) wrapping paper;* ⟨med.⟩ de ~e staar *cataract;* ⟨fig.⟩ de ~e werkelijkheid *the cold light of reality;* ~e zusters *Poor Clares* **3.1** ~ zien *look a.* **3.2** dat wasgoed ziet ~ *that washing looks grubby* **6.1** het is/ ziet er ~ van de mensen *there is a sea/welter of people.*

grauwachtig ⟨bn.⟩ **0.1** *greyish* ^*grayish, dullish.*

grauwbruin ⟨bn.⟩ **0.1** *dun* ⇒*greyish* ^*grayish brown, dull brown.*

grauwen ⟨onov.ww.⟩ **0.1** [grijs/grauw worden] *grow dull, grey* ^*gray* **0.2** [op snauwende toon spreken] *snarl* ⇒*growl,* ⟨kortaf⟩ *snap* ◆ **3.1** de avond begint te ~ *the grey of evening is beginning to descend/close in* **6.2** grauw niet zo tegen me *don't snarl/growl/snap at me like that.*

grauwerig ⟨bn.⟩ **0.1** *grumpy, crabby* ⇒*snappish.*

grauwgeel ⟨bn.⟩ **0.1** *sallow.*

grauwgors ⟨de⟩ ⟨dierk.⟩ **0.1** *corn bunting.*

grauwheid ⟨de (v.)⟩ **0.1** *greyness* ^*grayness* ⇒*dul(l)ness, drabness.*

grauwig →grauwachtig.

---

grauwschildering ⟨de (v.)⟩ **0.1** [wijze van schilderen] *monochrome, monochromy* ⇒*grisaille* **0.2** [schilderstuk] *monochrome* ⇒*grisaille.*

grauwschimmel ⟨de (m.)⟩ **0.1** *grey* ^*gray (horse).*

grauwsluier ⟨de (m.)⟩ **0.1** [grijswaas] *haze* **0.2** [nevel, ⟨ook fig.⟩] *mist, fog.*

grauwspecht ⟨de (m.)⟩ **0.1** *grey-headed woodpecker.*

grauwtje ⟨het⟩ **0.1** [ezel, grijs paardje]⟨ezel⟩ *neddy; donkey, ass,* ^*burro;* ⟨paard⟩ *dun* **0.2** [grauwe lijster] *songthrush* ⇒*throstle* **0.3** [schilderij] *(small) monochrome/grisaille.*

grauwvuur ⟨het⟩ **0.1** *(five-)damp explosion/-blast.*

grauwwit ⟨bn.⟩ **0.1** *dull(ish) white* ⇒*off-white.*

grauwzwart ⟨bn.⟩ **0.1** *deep grey* ^*gray.*

gravamen ⟨het⟩ ⟨jur.⟩ **0.1** *gravamen* ⇒*grievance.*

grave¹ ⟨het⟩ ⟨muz.⟩ **0.1** *grave movement.*

grave² ⟨bw.⟩ ⟨muz.⟩ **0.1** *grave.*

graveel ⟨het⟩ ⟨med.⟩ **0.1** *gravel* ⇒*stones, calculi.*

graveelzand ⟨het⟩ ⟨med.⟩ **0.1** *gravel.*

graveerder ⟨de (m.).⟩, **-ster** ⟨de (v.)⟩ **0.1** *engraver* ⇒*chaser.*

graveerijzer ⟨het⟩ **0.1** [gereedschap van stempel/plaatsnijder] *(engraving) style* ⇒*burin, graver* **0.2** [werktuig van smeden] *diamond cold chisel.*

graveerkunst ⟨de (v.)⟩ **0.1** *(art of) engraving.*

graveernaald ⟨de⟩ **0.1** *(engraving) style* ⇒*burin, graver.*

graveersel ⟨het⟩ **0.1** *engraving.*

graveerstaal ⟨het⟩ **0.1** *(engraving) style* ⇒*burin, graver, scooper.*

graveerstift →graveernaald.

gravel ⟨het⟩ **0.1** *gravel* ◆ **6.1** hij speelt liever op ~ dan op gras *he prefers (playing on) clay court to (playing on) grass.*

gravelbaan ⟨de⟩ ⟨sport⟩ **0.1** *clay court.*

graven ⟨onov.,ov.ww.⟩ ⟨→sprw. 373⟩ **0.1** [met graafwerktuig (een opening) delven] *dig* ⇒⟨op grote schaal⟩ *excavate,* ⟨fig., om iets te zoeken⟩ *delve,* ⟨sloot, turf ook⟩ *cut,* ⟨naar delfstoffen onder de grond⟩ *mine,* ⟨uit steengroeve⟩ *quarry, trench* ⟨geul, loopgraaf⟩ **0.2** [met handen/snuit enz. (de grond) loswroeten] *dig* ⇒⟨van dieren, insecten ook⟩ *burrow, scoop/hollow/claw out* ⟨ov.⟩*, tunnel* ⟨mol⟩ ◆ **1.1** goud ~ *mine gold; dig up gold;* een kuil ~ *dig a hole;* ⟨diep, ook⟩ *sink a pit;* een put/schacht ~ *sink a well/shaft;* een tunnel ~ *dig a tunnel, tunnel* **1.2** gangen ~ ⟨mollen⟩ *tunnel passages;* ⟨konijnen⟩ *burrow holes, dig burrows* **5.1** niet diep ~ ⟨ook fig.⟩ *not dig too deep;* ⟨fig. ook⟩ *not delve too deep* **6.1** een tunnel ~ door een berg ⟨ook⟩ *tunnel through a mountain;* ⟨fig.⟩ in iemands verleden ~ *dig/delve/probe/ burrow into s.o.'s past/history;* naar iets ~ *dig/burrow for sth..*

gravenhuis ⟨het⟩ **0.1** *house/line of counts* ⟨in Europa⟩*/earls* ⟨in GB⟩.

graver ⟨de (m.)⟩ **0.1** [grondwerker] *digger* ⇒*excavator,* ⟨inf.⟩ *navvy* **0.2** [⟨dierk.⟩] *burrower.*

graveren ⟨ov.ww.⟩ **0.1** [figuren griffen] *engrave* ⇒*incise, inscribe* ⟨woorden⟩ *(on)* **0.2** [⟨bk.⟩] *engrave* ⇒*incise, inscribe* ⟨woorden⟩ *(on), chase* ⟨metaal⟩ ◆ **1.1** een munt/stempel ~ *sink a die;* een wapen ~ *e. a coat of arms* **1.2** het boek is versierd met fraai gegraveerde prenten *the book is illustrated with beautifully engraved prints /pictures/beautiful engravings* **3.1** een naam in glas laten ~ *have a name engraved/inscribed on glass.*

graverij ⟨de (v.)⟩ **0.1** [het (ver)graven] *digging* ⇒⟨mbt. veen ook⟩ *cutting* **0.2** [plaats waar vergraven wordt] ⟨mbt. zand, mergel e.d.⟩ *quarry.*

gravering ⟨de (v.)⟩ **0.1** *engraving* ⇒*incising, inscription* ⟨van woorden⟩*, chasing* ⟨van metaal⟩.

graveur ⟨de (m.)⟩ **0.1** [plaat/zegel/stempelsnijder] *engraver* ⇒*chaser,* ⟨stempelsnijder ook⟩ *die-sinker* **0.2** [etser] *engraver* ⇒*chaser.*

graviditeit ⟨de (v.)⟩ **0.1** *gravidity* ⇒*pregnancy.*

gravimeter ⟨de (m.)⟩ **0.1** *gravimeter.*

gravimetrie ⟨de (v.)⟩ **0.1** [zwaartekrachtmeting] *gravimetry* **0.2** [⟨schei.⟩ analysemethode] *gravimetry.*

gravin ⟨de (v.)⟩ **0.1** [⟨gesch.⟩ grafelijke landsvrouw] *countess* **0.2** [echtgenote/weduwe van een graaf] *countess* **0.3** [nakomelinge van een graaf] *countess.*

gravitatie ⟨de (v.)⟩ ⟨nat.⟩ **0.1** *gravity* ⇒*gravitation(al pull).*

gravitatieveld ⟨het⟩ ⟨nat.⟩ **0.1** *field of gravity, gravitational field.*

gravitatiewet ⟨de⟩ ⟨nat.⟩ **0.1** *law of gravitation.*

graviteit ⟨de (v.)⟩ **0.1** *solemnity* ⇒*gravity.*

graviteren ⟨onov.ww.⟩ **0.1** *gravitate (to/towards)* ⟨ook fig.⟩.

gravure ⟨de⟩ **0.1** [gegraveerd werk] *engraving* ⇒*print* **0.2** [het graveren] *engraving* ⇒*incising, inscription* ⟨van woorden⟩.

grazen
I ⟨onov.ww.⟩ **0.1** [gras eten] *graze* ⇒*(be at) pasture* **0.2** [zijn hart ophalen]⟨inf.⟩ *be on cloud seven/nine* ◆ **1.1** ~de schapen *grazing sheep, sheep at pasture* **3.1** het vee laten ~ *put/lead the cattle to pasture, pasture the cattle* **6.1** in een anders land ~ *g. on s.o. else's land;* ⟨fig.⟩ *scrounge from s.o. else/other people* **6.¶** te ~ genomen worden *be had on/taken in;* iem. te ~ nemen ⟨bedotten⟩ *have s.o. on, take s.o. in;* ⟨pak slaag geven⟩ *give s.o. a dressing down, give s.o. hell;*
II ⟨ov.ww.⟩ **0.1** [met gras voeden] *graze, pasture* ⇒*put to grass/pasture.*

grazig ⟨bn.⟩ **0.1** [grasrijk] *lush* ⇒*grassy* **0.2** [mbt. zuivel] *grassy* ◆ **1.1** ~e weiden *l. pastures, grassy meadows*.
grazioso ⟨bw.⟩ ⟨muz.⟩ **0.1** *grazioso*.
greb ⟨de⟩ **0.1** *ditch* ⇒*french*, ⟨greppel⟩ *channel*, *gull(e)y*.
green ⟨de (m.)⟩ **0.1** *pine* ⇒⟨BE ook⟩ *Scots pine*.
greenhouten ⟨bn.⟩ **0.1** *pine* ⇒*pinewood, deal*, ⟨BE ook⟩ *Scots pine*.
Greenwich-tijd ⟨de (m.)⟩ **0.1** *Greenwich mean time, G.M.T.*.
greep
   I ⟨de (m.)⟩ **0.1** [het grijpen, grijpende beweging] *grasp, grip* ⇒*grab, clutch,* ⟨met een ruk⟩ *snatch* **0.2** [⟨muz.⟩]⟨mbt. snaarinstrumenten⟩ *finger arrangement;* ⟨mbt. gitaar, piano⟩ *chord* **0.3** [onopzettelijke keuze] *random selection/pick/choice* ⇒*snatch(es)* **0.4** [manier van pakken] *grip* ⇒*hold* **0.5** [vaardigheid, handigheid] *knock* ⇒*hang* ◆ **1.1** in de ~ van de angst ⟨ook⟩ *in the embrace of terror* **2.1** een blinde ~, een ~ in het wilde weg *a shot in the dark, a wild stab;* een ijzeren ~ *an iron grip* **2.2** een makkelijke/moeilijke ~ *easy/difficult fingering, an easy/difficult finger arrangement* **2.3** dat was een gelukkige ~ *that was a happy choice* **3.1** een ~ doen naar ⟨reiken⟩ *reach for;* ⟨proberen⟩ *make a dash for;* ⟨vastgrijpen⟩ *clutch at;* een ~ doen in zijn zak/de winkella/het vat *dip into one's pocket/the till/the barrel;* zij hadden geen ~ meer op de situatie *they had lost their grip of the situation;* ~ krijgen op iets *get a grip on sth.*; hij begon de ~ op zijn volgelingen te verliezen *he began to lose his hold on his followers;* God zegene de ~ ≠*here's hoping, here goes!* **3.3** de redenaar deed slechts hier en daar een ~ in/uit de rijke stof *the speaker only dipped at random into the wealth of material;* doe maar een ~ ⟨ook⟩ *take your pick;* een ~ doen uit de mogelijkheden *pick at random from the various possibilities* **3.4** een ~ leren *learn the g./how to grip* **3.5** de ~ van iets weten/weg hebben *have got the k./hang of sth.* **6.1** in de ~ van de vijand *in the grasp of the enemy, in the enemy's clutches;* ⟨fig.⟩ Europa in de ~ van de winter *Europe in winter's grip;* vast **in** zijn ~ hebben *have firmly in one's grasp;* **met** één/geen enkele ~ *in one go/fell swoop;* ⟨fig.⟩ een ~ **naar** de macht *a grab/dash for power* **6.2** in de ~ liggen *be easily playable* **6.3** een ~ **uit** het leven *snatches from (the) life (of);*
   II ⟨de⟩ **0.1** [hoeveelheid] *handful* **0.2** [handvat, heft] *handle* ⇒*haft* ⟨van gereedschap⟩, *butt* ⟨van geweer⟩, *hilt* ⟨van zwaard/dolk⟩ **0.3** [gereedschap] *fork*.
greepplank ⟨de⟩ **0.1** *fingerboard*.
gregoriaans ⟨bn.⟩ **0.1** *Gregorian* ◆ **1.1** ~e kalender *G. calendar;* ~e kerkgezangen *(G.) plainsong, G. chant;* ~e stijl *G./new style*.
grein ⟨het⟩ **0.1** [gewichtseenheid] *grain* **0.2** [weefsel] *camlet* **0.3** [korrel] *grain* ◆ **6.3** het marmer was grof **van** ~ *the marble was coarse-grained*.
greinen[1] ⟨bn.⟩ **0.1** *camlet*.
greinen[2]
   I ⟨ov.ww.⟩ **0.1** [greineren]⟨→**greineren**⟩;
   II ⟨onov.ww.⟩ **0.1** [oneffen worden] *roughen (up)* ⇒*become/get grained*.
greineren ⟨ov.ww.⟩ **0.1** *granulate* ⇒*roughen, grain,* ⟨leer⟩ *pebble* ◆ **1.1** een lithografische steen ~ *grain a lithographic stone*.
greinig ⟨bn.⟩ **0.1** *grained* ⇒*granulated,* ⟨ruw⟩ *rough* ◆ **1.1** ~ tekenpapier *grained drawing paper*.
greintje ⟨het⟩ ⟨vaak voorafgegaan door 'geen'⟩ **0.1** *(not) a bit (of)* ⇒ *(not) the least bit (of), (not) a spark/grain/scrap (of)* ◆ **1.1** geen ~ hoop *not a spark/ray of hope;* dat maakt geen ~ verschil *that doesn't make a bit/scrap of difference;* hij heeft er geen ~ verstand van *he hasn't got the tiniest understanding of it;* geen ~ gezond verstand *not a grain/an ounce of common sense;* met een ~ verstand *als hij nog een ~ verstand bezat *with a modicum of intelligence/if he had a modicum of sense*.
grenadier ⟨de (m.)⟩ **0.1** *grenadier*.
grenadine
   I ⟨de⟩ **0.1** [limonade] *grenadine;*
   II ⟨het⟩ **0.1** [weefsel] *grenadine*.
grendel ⟨de (m.)⟩ **0.1** *bar* ◆ **1.1** achter slot en ~ zitten *be under lock and key;* achter slot en ~ zetten ⟨veilig opbergen, ook in gevangenis⟩ *put under lock and key;* ⟨in gevangenis⟩ *put behind bars* **1.¶** de ~ van een geweer *the gunlock* **3.1** de ~ op de deur schuiven *draw/shoot the bolt on the door*.
grendelen ⟨ov.ww.⟩ **0.1** *bolt* ⇒*bar*.
grenehout ⟨het⟩ **0.1** *pine(wood)* ⇒*deal,* ⟨BE ook⟩ *Scots pine/fir*.
grenen ⟨bn.⟩ **0.1** *pine(wood)* ⇒*deal,* ⟨BE ook⟩ *Scots pine/fir*.
grens ⟨de⟩ **0.1** ⟨rand;staatsgrens⟩ *border;* ⟨rand;scheidingslijn⟩ *boundary;* ⟨limiet⟩ *limit* ⇒⟨rand van gebied ook⟩ *frontier,* ⟨perken ook⟩ *bounds* ⟨mv.⟩, ⟨rand, limiet ook⟩ *verge,* ⟨marge⟩ *margin* ◆ **1.1** de ~ van het bos *the border/edge of the wood;* op de ~ van leven en dood *on the verge of life and death* **2.1** de Duitse ~ *the border with Germany, the German border;* een natuurlijke ~ *a natural boundary;* een politieke ~ *a political boundary* **3.1** ⟨fig.⟩ alles heeft zijn grenzen *there is a limit to everything;* ⟨fig.⟩ grenzen kennen *know no bounds;* ⟨fig.⟩ haar hulpvaardigheid kent geen grenzen *her helpfulness knows no bounds, there's no end to her helpfulness;* ⟨fig.⟩ een ~ overschrijden *pass/overstep a limit/mark;* een ~ trekken tussen twee begrippen

draw a line/boundary between two notions; ⟨fig.⟩ we moeten ergens een ~ trekken *we have to draw the line somewhere;* ⟨fig.⟩ grenzen verleggen *push out/back frontiers;* ⟨fig.⟩ er zijn grenzen! *there is a limit!* **6.1 aan** de ~ *at the border;* ⟨fig.⟩ **binnen** de grenzen van het mogelijke *within the bounds of possibility;* ⟨fig.⟩ **binnen** de grenzen van zijn mogelijkheden blijven *keep within the limits of his/its/one's capabilities;* ⟨fig.⟩ **binnen** redelijke grenzen *within reason;* hij is beroemd tot ver **buiten** de grenzen *his fame stretches far abroad;* ⟨fig.⟩ **op** de ~ ⟨tussen een of andere toestand⟩ *on the borderline;* **over** de ~ gaan *cross the border/frontier;* iem. **over** de grenzen/de ~ zetten *deport s.o.;* de ~ **tussen** Nederland en Duitsland *The Dutch-German border/frontier* **¶.1** ⟨fig.⟩ alle grenzen te buiten gaan *exceed all limits, go beyond all bounds*.
grensarbeider ⟨de (m.)⟩ **0.1** *cross-border worker*.
grensbedrijf ⟨het⟩ ⟨ec.⟩ **0.1** *marginal/borderline firm/business*.
grensbewaker ⟨de (m.)⟩ →**grenswachter**.
grensbewaking ⟨de (v.)⟩ **0.1** *guarding of the frontier* ⇒*border patrol*.
grensbewoner ⟨de (m.)⟩, **-bewoonster** ⟨de (v.)⟩ **0.1** *inhabitant of the border/frontier zone* ⇒⟨BE;ihb. bij de grens tussen Engeland en Schotland⟩ *borderer*.
grensconflict ⟨het⟩ **0.1** *border conflict* ⇒⟨afzonderlijk incident⟩ *border incident/clash*.
grenscorrectie ⟨de (v.)⟩ **0.1** *border adjustment/realignment*.
grensgebied ⟨het⟩ **0.1** [landstreek] *border region* ⇒*borderland* **0.2** [⟨fig.⟩] *grey* [A]*gray/marginal area* ⇒*borderland,* ⟨randgebied⟩ *fringe (area)* ◆ **1.1** ~ en van de literatuur *literary fringes* **6.2** het ~ **tussen** spreektaal en bargoens *somewhere on the borderline between colloquial speech and slang* **¶.1** een ~/~en ⟨ook⟩ *border territory*.
grensgemeente ⟨de (v.)⟩ **0.1** *border community*.
grensgeval ⟨het⟩ **0.1** *borderline/marginal case*.
grensincident ⟨het⟩ **0.1** *border incident/clash*.
grenskantoor ⟨het⟩ **0.1** *(border) customs post/office*.
grenslijn ⟨de⟩ **0.1** [grens] *boundary line/mark* ⇒*demarcation/dividing line,* ⟨langs rand⟩ *perimeter,* ⟨van sportveld⟩ *by-line* **0.2** [⟨fig.⟩] *dividing line*.
grenslinie ⟨de (v.)⟩ **0.1** *boundary line/mark* ⇒*demarcation/dividing line*.
grensovergang ⟨de (m.)⟩ **0.1** [het overschrijden v.e. grens] *crossing of a/the border, border-crossing* **0.2** [grenspost]⟨→**grenspost**⟩.
grenspaal ⟨de (m.)⟩ **0.1** *boundary/border post* ⇒*boundary marker*.
grensplat ⟨het⟩ ⟨taal.⟩ **0.1** *'grensplat'* ⟨dialect of Dutch/German spoken along the border between the Netherlands and West-Germany⟩.
grenspost ⟨de (m.)⟩ **0.1** *border crossing(-point)*.
grensrechter ⟨de (m.)⟩ ⟨sport⟩ **0.1** *linesman* ⟨voetbal⟩;*touch-judge* ⟨rugby⟩;*line judge* ⟨tennis⟩.
grensrivier ⟨de⟩ **0.1** *boundary/border river*.
grensstation ⟨het⟩ **0.1** *border/frontier station*.
grenssteen ⟨de (m.)⟩ **0.1** *boundary stone/marker* ⇒*terminus*.
grensstreek ⟨de⟩ **0.1** *border* ⇒*borderland, border region*.
grensverkeer ⟨het⟩ **0.1** *(regular) border traffic*.
grensverleggend ⟨bn.⟩ **0.1** *breaking fresh/new ground, opening up new horizons* ⟨na zn.⟩ ⇒*revealing, mind-broadening, revelatory* ◆ **1.1** een ~ onderzoek *an investigation breaking/which is breaking fresh/new ground;* een ~e ontdekking *a discovery breaking up fresh/new ground/which opens up new horizons, a revealing discovery*.
grensvlak ⟨het⟩ ⟨nat.⟩ **0.1** *interface*.
grenswaarde ⟨de (v.)⟩ **0.1** ⟨ec.⟩ *marginal value;* ⟨tech.⟩ *limiting value*.
grenswacht ⟨de⟩ **0.1** [personen die de landgrens bewaken] *border guards* ⟨mv.⟩ **0.2** [grenswachter]⟨→**grenswachter**⟩.
grenswachter ⟨de (m.)⟩ **0.1** [bewaker van de landgrens] *border guard* **0.2** [douaneambtenaar] *(border) customs officer*.
grenszuil ⟨de (v.)⟩ **0.1** *term* ⇒*terminal (figure), terminus*.
grenzeloos ⟨bn., bw.;-ly⟩ **0.1** *infinite* ⇒*vast, boundless, limitless, unbounded, unlimited* ◆ **1.1** een grenzeloze ambitie bezitten *be filled with boundless ambition;* grenzeloze ellende *unbounded misery;* in iem. een ~vertrouwen stellen *place i. trust in s.o.* **2.1** ik vond het ~ vervelend *I was bored stiff/to tears/out of my mind* **3.1** zich ~ ergeren *be infinitely/extremely/no end annoyed*.
grenzen ⟨onov.ww.⟩ **0.1** [tegenaan gelegen zijn] *border (on)* ⇒ ⟨grenzen aan⟩ *adjoin, be adjacent to, abut* **0.2** [⟨fig.⟩] *border/verge (on)* ⇒ ⟨grenzen aan⟩ *approach* ◆ **6.1** hun tuinen ~ **aan** elkaar *their gardens border one another/are adjacent to one another;* Nederland grenst in het zuiden **aan** België *Holland borders on/is bounded by Belgium to the south;* aan de achterkant grenst het huis **aan** een sportveld *the house backs on to a playing field* **6.2** dat grenst **aan** het ongelooflijke *that is practically/virtually unbelievable;* dat grenst **aan** het belachelijke *that is verging on the ridiculous;* met **aan** zekerheid grenzende waarschijnlijkheid *all but certain*.
greppel ⟨de⟩ **0.1** *channel* ⇒*gull(e)y, drain,* ⟨meestal diep⟩ *trench, ditch* ◆ **3.1** ~s graven *dig out channels*.
greppelen ⟨onov.,ov.ww.⟩ **0.1** ⟨onov.⟩*(cut) channel(s)* ⇒*(cut) trench(es)/ditch(es),* ⟨ov.⟩ *cut channels in, (cut) trench(es)/ditch(es) (in)* ◆ **1.1** polderland ~ *trench/ditch a polder/polders;* ≠*trench/ditch fenland*.

greppelploeg ⟨de⟩ **0.1** *trench-plough, ditcher.*

gres ⟨het⟩ **0.1** *glazed stoneware.*

grès ⟨het⟩ **0.1** *sandstone.*

gresbuis ⟨de⟩ **0.1** *glazed stoneware pipe.*

gretig ⟨bn., bw.;-ly⟩ **0.1** *eager* ⇒*keen, avid,* ⟨begerig⟩ *greedy, rapacious* ◆ **1.1** een ~e blik *an e. look / glance;* met ~ oor toeluisteren *listen with rapt attention;* ~e toehoorders *e. listeners, a keen audience* **3.1** hij greep de hem aangeboden gelegenheid ~ aan *he seized the opportunity presented to him eagerly / with both hands;* ergens ~ op ingaan *take up / react to sth. eagerly, jump at sth.;* hij tastte ~ toe *he tucked in greedily / ravenously;* het boek werd ~ gekocht en gelezen *the book was avidly bought and read* ¶**.1** ~ gebruik maken van *make full use of, take full advantage of;* ~ aftrek vinden *sell like wildfire / hot cakes, be snapped up.*

gretigheid ⟨de (v.)⟩ **0.1** *eagerness* ⇒*keenness, alacrity, avidity, gusto* ◆ **6.1** met ~ op het eten aanvallen *get stuck into the meal with alacrity, dig in;* een voorstel met ~ aannemen *accept a proposal eagerly.*

gribus ⟨de (m.)⟩ **0.1** [krot] *slum* ⇒⟨inf.⟩ *dump* **0.2** [sloppenwijk] *slum area, slums.*

grief ⟨de⟩ **0.1** [bezwaar] *objection (to)* ⇒*complaint (about)* **0.2** [krenking] *hurt* ⇒*offence, blow* **0.3** [reden tot ontevredenheid] *grievance* ⇒*grudge,* ⟨inf.⟩ *gripe* **0.4** [verdriet] *grief* ⇒*anguish, distress, misery* ◆ **1.1** ⟨jur.⟩ memorie van grieven *statement of grounds of appeal* **2.3** een persoonlijke ~ *a personal grievance / grudge;* wezenlijke en vermeende grieven *grievances real and imagined* **3.1** grieven uiten *raise objections, issue complaints.*

Griek ⟨de (m.)⟩, **-se** ⟨de (v.)⟩ ⟨→sprw. 245⟩ **0.1** *Greek.*

Griekenland ⟨het⟩ **0.1** *Greece.*

Grieks[1] ⟨het⟩ **0.1** *Greek* ◆ **3.1** ⟨fig.⟩ dat was ~ voor hem *it was all G. / double Dutch to him.*

Grieks[2] ⟨bn.⟩ **0.1** [van de (oude) Grieken] *Greek* ⇒⟨bk. ook⟩ *Grecian, Hellenic* **0.2** [uit Griekenland afkomstig] *Greek* **0.3** [Byzantijns] *(Byzantine) Greek* ⇒*Byzantine,* ⟨rel.⟩ *Greek Orthodox* ◆ **1.1** de ~e beschaving *Greek / Hellenic civilisation;* een ~e bijbel *a Greek bible;* de ~e bouwkunst *Greek architecture;* ~ e ij *wye, Y;* een ~e neus *a Grecian nose* **1.3** de ~e kalender *the Julian calendar;* de ~e kerk *the Greek Orthodox Church;* ~ kruis *Greek cross;* ~e rand *Greek braid / fret.*

Grieks-Orthodox ⟨bn., bw.⟩ **0.1** *Greek (Orthodox)* ⇒*Eastern Orthodox.*

griel ⟨de⟩ ⟨dierk.⟩ **0.1** *stone curlew* ⇒*(common) thick-knee, stone plover,* ⟨Zuidafrikaans-Engels⟩ *dikkop.*

griend ⟨de⟩ **0.1** [waard] *osier- / withy-bed* ⟨van rijs⟩ ⇒*(mud- / sand- / shingle-)bank, holm(e),* ⟨bedding⟩ *bed* **0.2** [bos van rijshout] *osier- / withy-thicket* **0.3** [rijshout] *wicker* ⇒⟨wilgetenen⟩ *osier(s), withies* ⟨mv.⟩.

griendhout ⟨het⟩ **0.1** *wicker* ⇒⟨wilgetenen⟩ *osier(s), withies.*

griendland ⟨het⟩ **0.1** *osier- / withy-ground / land.*

griendwaard ⟨de⟩ **0.1** *osier- / withy-bank.*

grienebalk ⇒*griener.*

grienen ⟨onov.ww.⟩ ⟨inf.⟩ **0.1** *grizzle, snivel* ⇒*wail, whine, blub(ber), boohoo.*

griener ⟨de (m.)⟩ ⟨inf.⟩ **0.1** *cry-baby* ⇒*grizzler, wailer, whiner.*

grienerig ⟨bn.⟩ ⟨inf.⟩ **0.1** *weepy, whining* ⇒⟨ongemarkeerd⟩ *tearful, quick to tears.*

griep ⟨de⟩ **0.1** *(the) flu* ⇒⟨schr.⟩ *influenza* ◆ **3.1** ~ hebben / krijgen *have got / get (the) f.;* ~ oplopen *go down with f.* ¶**.1** ⟨inf.⟩ een ~je *a touch of (the) f..*

griepepidemie ⟨de (v.)⟩ **0.1** *influenza epidemic, epidemic of influenza* ⇒⟨inf.⟩ *flu epidemic.*

grieperig ⟨bn.⟩ **0.1** *ill with flu* ⟨na zn. of predikatief⟩ ◆ **3.1** ik ben wat ~ *I've got a touch of flu.*

grieppatiënt ⟨de (m.)⟩, **-patiënte** ⟨de (v.)⟩ **0.1** *a sufferer from flu, flu-patient.*

griepprik ⟨de (m.)⟩ ⟨med.⟩ **0.1** *influenza vaccination* ⇒⟨inf.⟩ *flu jab.*

griepvaccin ⟨het⟩ ⟨med.⟩ **0.1** *influenza vaccine* ⇒⟨inf.⟩ *flu vaccine.*

gries ⟨het⟩ **0.1** [gebroken graan] *grits* ⟨mv.⟩ ⇒*sharps* ⟨mv.⟩ **0.2** [kiezelzand] *gravel* ⇒*grit* ◆ **1.1** een paar balen ~ *a few sacks of g..*

griesmeel ⟨het⟩ **0.1** [gepelde tarwe / spelt] *semolina* **0.2** [gerecht] *semolina.*

griesmeelpudding ⟨de (m.)⟩ **0.1** *semolina pudding.*

griet[1]

I ⟨de (v.)⟩ **0.1** [⟨inf.⟩ meid] *bird, chick* ⇒*doll,* ⟨dikwijls pej.⟩ *tart* ◆ **2.1** een boze ~ *a bitch, a bitchy tart;* een leuk ~je *a tasty bit of stuff, a dishy number;* een rare ~ *a rum b.;*

II ⟨de (m.)⟩ **0.1** [vogel] *godwit;*

III ⟨de⟩ **0.1** [platvis] *brill.*

griet[2] ⟨tw.⟩ ◆ **2.**¶ wel grote ~ *good Gawd! cor blimey! / gorblimey!.*

grieve ⇒*grief.*

grieven ⟨ov.ww.⟩ **0.1** [beledigen, kwetsen] *hurt* ⇒*offend,* ⟨alleen in lijdende vorm⟩ *aggrieve* **0.2** [kwellen] *vex* ⇒*plague, trouble, torment* ◆ **1.2** de wanhoop die mij griefde *the despair which was tormenting me* **3.1** zich gegriefd voelen *feel aggrieved* **5.1** hij heeft mij diep gegriefd *he has hurt me deeply.*

grievend ⟨bn., bw.;-ly⟩ **0.1** [krenkend, beledigend] *hurtful* ⇒*offensive, cutting, grievous* **0.2** [smartelijk, pijnlijk] *hurtful* ⇒*bitter, grievous, painful* ◆ **1.1** een ~e opmerking *a cutting remark;* een ~e verdenking *a h. suspicion;* ~e woorden *h. words* **1.2** ~e gebeurtenissen *painful / grievous occurrences / events;* ~d zelfverwijt *bitter self-reproach.*

griezel ⟨de (m.)⟩ **0.1** [engerd] *horror* ⇒*terror, ogre,* ⟨persoon⟩ *creep, ugly customer, weirdo* **0.2** [rilling] *shudder, shiver* ⇒⟨inf.⟩ *the creeps* ⟨mv.⟩ ◆ **2.**¶ grote ~s *blow me down! / darned;* ⟨vero.⟩ *shiver me timbers* **3.2** de ~s lopen mij over de rug *it sends shivers down my spine, it gives me the creeps* **4.1** wat een ~! *what an ogre!;* ⟨persoon⟩ *what a weirdo!.*

griezelen ⟨onov.ww.⟩ **0.1** *shudder, shiver* ⇒*get the creeps* ◆ **5.1** ik griezel ervan *it gives me the shivers / shudders / creeps, it makes my flesh creep;* ⟨bv. bij het geluid van tandartsboor⟩ *it sets my teeth on edge* **6.1** het is om van te ~ *it is enough to make you shiver / give you the creeps.*

griezelfilm ⟨de (m.)⟩ **0.1** *horror film* ⇒⟨op video⟩ *video nasty.*

griezelig ⟨bn., bw.;-ly⟩ **0.1** [huiveringwekkend] *gruesome* ⇒*grisly, ghastly, creepy, spine-chilling* **0.2** [huiverig] *all of a shivers* ⟨predikatief⟩ ⇒↓*windy, funky* ◆ **1.1** een ~ gezicht *a gruesome sight;* een ~e kreet *a blood-curdling cry;* een ~e wond *a ghastly wound* **2.2** 't is ~ koud *it is shiveringly cold* **3.2** 't is om er ~ van te worden *it is enough to send shivers down your spine / give you the creeps.*

griezelverhaal ⟨het⟩ **0.1** *horror story, spine-chiller.*

grif ⟨bn., bw.;-ly⟩ **0.1** *ready* ⇒⟨vaardig⟩ *adept,* ⟨vlug⟩ *rapid, prompt, instant* ◆ **3.1** ik geef ~ toe dat ... *I readily admit to ... (-ing);* ~ op een aanbod ingaan *jump at an offer;* zij stemde ~ toe *she readily agreed;* zijn vraag werd ~ beantwoord *his question was answered instantly;* de gehele partij werd ~ verkocht *the whole lot sold out fast!* ⟨inf.⟩ *like hot cakes, the whole lot were snapped up* **6.1** zij is heel ~ met haar tranen *she is very quick to tears* ¶**.1** ~ van de hand gaan ⟨verkocht worden⟩ *sell fast / like hot cakes, be fast-selling.*

griffe ⟨de (v.)⟩ **0.1** *(name-)tab* ⇒*label, signature, stamp* ◆ **1.1** de jas / de aansteker droeg de ~ van een groot mode-ontwerper *the coat bore the name-tab / the lighter bore the signature of a great fashion designer.*

griffel ⟨de⟩ **0.1** [schrijfstift] *slate-pencil* **0.2** [⟨landb.⟩] *graft* ⇒*scion* ◆ **2.1** de Gouden Griffel *'de Gouden Griffel';* ⟨annual prize for author of best children's book⟩ **6.1** een tien met ~ krijgen ⟨ook fig.⟩ *get ten out of ten (and a bonus mark).*

griffelen ⟨ov.ww.⟩ **0.1** [griffen] *engrave* ⇒*inscribe (on),* ⟨inkrassen⟩ *incise / score (in)* **0.2** [enten] *(en / in)graft* ◆ **1.2** appelbomen ~ *(en / in)graft apple-trees* **6.1** ⟨fig.⟩ zijn beeltenis was in haar hart gegriffeld *his image was engraved in her heart* **6.2** peren op appelen ~ *graft pears onto apples, engraft apples with pears.*

griffeling ⟨de (v.)⟩ ⟨landb.⟩ **0.1** *grafting.*

griffelmes ⟨het⟩ ⟨landb.⟩ **0.1** *grafting knife.*

griffen ⟨ov.ww.⟩ **0.1** [griffelen] *engrave* ⇒*incise / score (in), inscribe (on)* ⟨woorden⟩ **0.2** [schrijven] *(in)scribe (on)* **0.3** [⟨fig.⟩] *engrave* ⇒*stamp,* ⟨inf.⟩*print, impress* **0.4** [enten (op)] *graft (on(to))* ⇒*engraft / ingraft (sth. with sth.)* ◆ **1.1** er waren letters in gegrift *there were letters inscribed on it* **6.3** die gebeurtenis is onuitwisbaar in zijn geheugen gegrift *that event is indelibly printed in / stamped on his memory.*

griffie ⟨de (v.)⟩ **0.1** ≠*registry* ⇒⟨government⟩ *secretariat, registry, clerk of the court's office* ⟨rechtbank⟩, *Clerk's Department* ⟨Engels Lagerhuis⟩ ◆ **2.1** de Provinciale ~ in Utrecht *the provincial registry / council offices in Utrecht* **6.1** klerk / commies ter ~ ≠*registry clerk;* een verzoekschrift ter ~ neerleggen / deponeren, ter inzage v.d. leden ≠*petition parliament;* ⟨fig.⟩ *file a petition away somewhere, pigeon-hole a petition.*

griffier ⟨de (m.)⟩ **0.1** [secretaris] ≠*registrar* ⇒*clerk* **0.2** [chef van de griffie] ≠*registrar* ⟨Int. Hof van Justitie, Europees Hof van Justitie⟩; *clerk of the court* ⟨rechtbank⟩; *clerk of the House* ⟨Engels Lagerhuis⟩; *clerk of the Parliaments* ⟨Engels⟩ ⟨Hogerhuis⟩.

griffierecht ⟨het⟩ **0.1** *court fee / levy* ⇒*legal charges / dues* ⟨mv.⟩.

griffierschap ⟨het⟩ **0.1** ≠*registrarship, clerkship.*

griffioen ⟨de (m.)⟩ **0.1** *griffin* ⇒*griffon, gryphon.*

griffon ⟨de (m.)⟩ **0.1** *griffon.*

grifheid ⟨de (v.)⟩ **0.1** *readiness* ⇒*promptness, alacrity,* ⟨vaardigheid⟩ *skill, adeptness.*

grifweg ⟨bw.⟩ **0.1** *readily* ⇒*promptly, straightforwardly* ◆ **3.1** ik kreeg het ~ van hem gedaan *I got it done promptly by him.*

grijns ⟨de⟩ **0.1** *grin* ⇒*smirk, grimace,* ⟨boosaardig⟩ *sneer* ◆ **2.1** een brede ~ *a broad grin;* een jongensachtige ~ *a boyish grin;* een onnozele ~ *a silly grin / smirk* **3.1** er kwam een akelige ~ op zijn gezicht *a wicked sneer / odious grin appeared on / came over his face* **6.1** hij keek ernaar met een ~ *he looked at it with a grin / grinned at it.*

grijnslach ⟨de (m.)⟩ **0.1** *sneer* ⇒*smirk* ◆ **2.1** een akelige ~ *a wicked / dastardly sneer.*

grijnslachen ⟨onov.ww.⟩ **0.1** *sneer* ⇒*smirk.*

grijnzaard ⟨de (m.)⟩ **0.1** *grumbler, grouser* ⇒*moaner, groaner.*

grijnzen ⟨onov.ww.⟩ **0.1** [vals lachen] *smirk, sneer* **0.2** [⟨fig.⟩] ⟨zie 1.2⟩ **0.3** [breed lachen] *grin* ◆ **1.2** van alle kanten grijnst het gevaar *danger is lurking on all sides* **3.1** hij begon te ~ *he started to s., a smirk ap-*

peared on his face **3.3** sta niet zo dom te ∼! *wipe that silly grin off your face!* **5.3** breed ∼ *g. from ear to ear* **6.3** ∼ **naar** *g. at.*

grijnzend 〈bn., bw.; -ly〉 **0.1** *smirking* ⇒*grinning* ◆ **3.1** ∼ lachen *smirk, sneer, laugh sardonically.*

grijp 〈de (m.)〉 **0.1** [het grijpen] *grab* **0.2** [vogel] *griffin* **0.3** [vrek] *tightwad* ⇒*grasping person, grabber* ◆ **6.1** de voorbeelden liggen **voor** de ∼ *examples are there for the asking / taking;* het huisraad ligt **voor** de ∼ *the contents of the house are up for grabs.*

grijparm 〈de (m.)〉 **0.1** *grab.*

grijpbaar 〈bn.〉 **0.1** [te pakken] *tangible* **0.2** [te begrijpen] *comprehensible* ◆ **5.2** het verhaal was voor mij moeilijk ∼ *the story was hard for me to understand / follow.*

grijpemmer 〈de (m.)〉 **0.1** *grab bucket* ⇒*clamshell, grab.*

grijpen
I 〈ov.ww.〉 **0.1** [beetpakken] *grab (hold of)* ⇒*seize, grasp, grip, clasp,* 〈met een ruk〉 *snatch* **0.2** [meesleuren] *drag (along)* ◆ **1.1** de drenkeling greep de balk om zich drijvend te houden *the drowning man grabbed hold of the log to keep himself afloat;* de dief werd gegrepen *the thief was nabbed / grabbed / seized;* iemands hand ∼ *clasp s.o.'s hand;* hij greep zijn kans *he grabbed / seized his chance;* hij greep het paard bij de teugel *he grabbed the horse by the rein* **1.2** de auto werd door de trein gegrepen *the car was dragged along by the train* **6.1** iem. **bij** de strot ∼ *grab s.o. by the throat;* plotseling werd ik **bij** de arm gegrepen *I was suddenly gripped by the arm;* 〈fig.〉 iem. **bij** de kladden / **in** de kraag ∼ *grab s.o. by the scruff of the neck;* 〈fig.〉 **door** iets gegrepen zijn *be (deeply) affected / moved by sth.;* 〈fig.〉 iets **uit** de lucht ∼ *invent sth., make sth. up, pluck sth. out of the air;* 〈fig.〉 **uit** het leven gegrepen *true to life, taken / drawn from real life;* 〈fig.〉 dat tafereeltje is **uit** het leven gegrepen *that is a true to life scene, that scene is drawn straight from real life;* **voor** het ∼ liggen *be there for the asking / taking;* iets **voor** het ∼ hebben *have sth. for the asking;*
II 〈onov.ww.〉 **0.1** [een grijpende beweging maken] *grab* ⇒〈hand uitstrekken〉 *reach (for)* ◆ **1.1** het anker grijpt *the anchor bites;* 〈fig.〉 de brand grijpt om zich heen *the fire is spreading;* de tanden van de raderen van een machine ∼ in elkaar *the teeth of the cogs of a machine engage one another / interlock;* 〈fig.〉 de ziekte grijpt steeds verder om zich heen *the disease is spreading like wildfire* **5.1** ernaast ∼ 〈lett.〉 *miss (it);* 〈fig.〉 *miss out (on it);* 〈fig.〉 dat is te hoog gegrepen *that is aiming too high* **6.1** hij greep **in** de modder *he groped (around) in the mud;* **naar** iets ∼ *reach / make a grab for sth., grasp / clutch at sth.;* **naar** de pen ∼ 〈ook fig.〉 *reach for one's pen;* 〈fig.〉 **naar** de macht ∼ *try to seize power, make a grab for power;* **naar** de wapens ∼ *reach for one's weapons / arms, take up arms;* **naar** de fles ∼ *reach for / turn to the bottle* ¶.**1** hij greep om zich heen *he groped (a)round.*

grijper 〈de (m.)〉 **0.1** [deel van een werktuig] *bucket* ⇒*claw, grab,* 〈van robot〉 *gripper* **0.2** [iem. die grijpt, hebzuchtig mens]〈→**grijp** 0.3〉 **0.3** [〈mv.〉 vingers] *paws, mitts* ◆ **2.3** hij zit met zijn kleine ∼s overal aan *he gets his little paws / mitts into everything.*

grijperkraan 〈de〉 〈wwb.〉 **0.1** *grab-crane.*

grijpgraag 〈bn.〉 **0.1** *itchy* ◆ **1.1** grijpgrage kinderhandjes *i. little fingers of children.*

grijpstaart 〈de (m.)〉 **0.1** *prehensile tail.*

grijpstuiver 〈de (m.)〉 **0.1** [klein bedrag] *paws, mitts* ◆ **3.1** er is wel een ∼ aan te verdienen 〈inf.〉 *you can earn a bob / ∧buck or two at / from it* **6.1** ik heb het **voor** een ∼ gekocht *I bought it for a song.*

grijptengel 〈het〉 〈inf.〉 **0.1** *paw, mitt.*

grijpvinger 〈de (m.)〉 **0.1** *paw, mitt.*

grijpvogel 〈de (m.)〉 **0.1** [griffioen] *griffin* **0.2** [hebzuchtig persoon] 〈→**grijp** 0.3〉.

grijs¹ 〈het〉 **0.1** *grey,* ∧*gray* ◆ **6.1** zij was **in** 't ∼ *she was in g..*

grijs² 〈bn.〉 **0.1** [kleur, tint] *grey /* ∧*gray* ⇒*grizzled, grizzly* **0.2** [met grijs haar] *grey /* ∧*gray(-haired)* ⇒*white(-haired)* **0.3** [zeer oud] *ancient* ⇒*hoary* **0.4** [beroerd] *miserable* ⇒*grim, dismal, wretched* ◆ **1.1** een grijze dag [betrokken] *an overcast day;* 〈mistig〉 *a misty day;* 〈fig.〉 grijze haren van iets krijgen *get grey hairs from sth.* **1.2** een ∼ hoofd *a grey head* **1.3** het grijze Keulen *a. Cologne;* de grijze oudheid *the mists of time, hoary antiquity, the dim distant past;* in een ∼ verleden *in the dim and distant past* **1.¶** de grijze cellen *grey matter;* 〈mil.〉 de grijze zone *the grey area* **3.1** hij wordt al aardig ∼ *he is turning / going a nice grey* **3.2** hij is in de dienst ∼ geworden *he grew g. in the job* **3.4** het is ∼ 〈fig.〉 *it is grim / dismal;* maak het nou niet te ∼ *now don't make it too m., don't paint too bleak a picture* **3.¶** een plaat ∼ draaien *wear a record grey;* 〈bij pluggen〉 *play a record ad nauseam;* ∼ rijden *evade / not pay full fare* **6.1** ∼ **van** het stof *white / grey with dust.*

grijsaard 〈de (m.)〉 **0.1** *(grey /* ∧*gray-haired) old man* ⇒*greybeard,* ∧*graybeard* ◆ **2.1** een afgeleefde ∼ *a worn / washed /* 〈inf.〉 *clapped out old man;* een jeugdige ∼ 〈grijs voor zijn tijd〉 *a man grey /* ∧*gray before his time;* 〈jong van hart〉 *an old man young at heart, a spry / sprightly old man;* een tachtigjarige ∼ *an old man of eighty, an eighty-year-old man.*

grijsachtig 〈bn.〉 **0.1** *greyish /* ∧*grayish.*

grijsblauw 〈bn.〉 **0.1** *grey(ish) /* ∧*gray(ish) blue* ⇒*glaucous.*

grijsbont 〈bn.〉 **0.1** *dapple- / dappled grey /* ∧*gray.*

grijsbruin 〈bn.〉 **0.1** *dun* ⇒*grey(ish) /* ∧*gray(ish) brown, drab* ◆ **1.1** een ∼ paard *a dun horse.*

grijsgeel 〈bn.〉 **0.1** *flax* ⇒〈vaak attr.〉 *bisque.*

grijsgroen 〈bn.〉 **0.1** *grey(ish) /* ∧*gray(ish) green* ⇒*celadon, sage green, sea-green.*

grijsharig 〈bn.〉 **0.1** *grey- /* ∧*gray-haired* ⇒*white-haired.*

grijsheid 〈de (v.)〉 **0.1** [het grijs zijn] *greyness /* ∧*grayness* **0.2** [hoge ouderdom] *old age.*

grijskop 〈de (m.)〉 **0.1** ≠*grey- /* ∧*gray-haired man.*

grijsrijden 〈ww.〉 **0.1** 〈avoid paying the full bus / tram fare〉.

grijsrijder 〈de (m.)〉, **-ster** 〈de (v.)〉 **0.1** ≠*fare dodger* 〈s.o. who avoids paying the full fare〉.

grijswit 〈bn.〉 **0.1** *greyish /* ∧*grayish white* ⇒*dull / dirty white.*

grijzen 〈onov.ww.〉 **0.1** (go / turn) grey / ∧gray ◆ **1.1** ∼d haar *greying hair, hair flecked with / streaked with grey* **3.1** zijn haar begint al aardig te ∼ *his hair is already starting to go / turn grey nicely;* zij begon al te ∼ *she was already beginning to go / turn grey.*

grijzig 〈bn.〉 **0.1** *greyish /* ∧*grayish.*

gril
I 〈de〉 **0.1** [bevlieging, kuur] *whim, fancy* ⇒*caprice, vagary* ◆ **1.1** een ∼ v.h. noodlot *a quirk of fate;* nukken en ∼len *whims / fads and fancies* **2.1** 〈AZN〉 aprilse ∼len *April showers;* 't is maar een voorbijgaande ∼ *it is just a passing fancy* **3.1** aan al iemands ∼len toegeven *pander to all s.o.'s whims;* ik ben niet van plan me naar zijn ∼len te schikken *I don't intend to fit in with / cater to his whims;*
II 〈de (m.)〉 **0.1** [huivering, rilling] *shudder, shiver* ◆ **3.1** bij de gedachte gaat mij een ∼ over het lijf *the thought of that sends a shiver down my spine.*

grill 〈de (m.)〉 **0.1** *grill* ⇒*gridiron* ◆ **6.1** kip van de ∼ *grilled / barbecue(d) chicken.*

grille 〈de〉 **0.1** *grill(e).*

grillen
I 〈ov.ww.〉 **0.1** [braden] *grill* ⇒〈AE vnl.〉 *broil* ◆ **1.1** gegrild vlees *grilled / broiled meat;*
II 〈onov.ww.〉 **0.1** [huiveren] *shudder, shiver* ◆ **6.1** van iets ∼ *shudder at sth..*

grilleren 〈ov.ww.〉 **0.1** *grill* ⇒〈AE vnl.〉 *broil.*

grillerig 〈bn., bw.; -ly〉 **0.1** [grillig] *whimsical* ⇒*capricious* **0.2** [rillerig, huiverig] *shivery* ◆ **3.2** ik ben zo ∼, ik heb zeker koorts *I am so s., I must have a fever.*

grillig 〈bn., bw.; -ly〉 **0.1** [onvoorzien, wispelturig] *whimsical, fanciful* ⇒*capricious, fitful, flighty* **0.2** [onregelmatig van vorm] ≠*freakish, outlandish, fantastic* ◆ **1.1** de ∼e fortuin *fickle fortune;* een ∼ humeur hebben *be moody;* een ∼e speling van de natuur *a freak of nature* **1.2** ∼e lijnen / figuren *fanciful lines / figures* **2.1** een ∼ gevormde kustlijn *a craggy / jagged / rugged coastline;* ∼ weer *fickle / changeable weather.*

grilligheid 〈de (v.)〉 **0.1** [veranderlijkheid van zin] *capriciousness, whimsicality* ⇒*fickleness, fancy* **0.2** [nuk, kuur] *whim* ⇒*caprice, fancy* **0.3** [onregelmatigheid] *fancifulness* ⇒*grotesqueness, freakishness* 〈natuur〉 ◆ **1.3** de ∼ van een gebouw *the irregular shape of a building* **6.2** ∼ **aan** iemands grilligheden toegeven *pander to s.o.'s whims / fancies.*

grill-room 〈de〉 **0.1** *grill(-room).*

grimas 〈de〉 **0.1** *grimace* ◆ **3.1** ∼sen maken (tegen) *make / pull faces (at).*

grime 〈de〉 〈dram.〉 **0.1** *make-up, greasepaint* ◆ **2.1** witte ∼ *white greasepaint;* zwarte ∼ *blacking.*

grimeren 〈ov.ww.〉 **0.1** *make up* ◆ **4.1** zich ∼ *make o.s. up.*

grimeur 〈de (m.)〉 **0.1** *make-up artist.*

grimlach 〈de (m.)〉 **0.1** *snigger, snicker, sneer* ◆ ¶.**1** ∼je *snigger.*

grimlachen 〈onov.ww.〉 **0.1** *snigger, snicker / sneer.*

grimmig
I 〈bn., bw.; -ly〉 **0.1** [vreselijk om aan te zien] *hideous* ⇒*gruesome, ghastly, grisly* **0.2** [toornig, woedend] *furious, livid* ⇒*enraged* **0.3** [fel, boosaardig] *fierce, vicious* ⇒*forbidding* ◆ **1.1** een ∼ monster *a h. monster* **1.2** een ∼e beer *an enraged bear;* een ∼e blik *a furious look / glance* **1.3** ∼e acties *vicious actions;* een ∼e koude *a severe cold;* het ∼e Noorden *the forbidding north* **3.2** ∼ kijken *look angrily / thunderously;* ∼ lachen *laugh grimly;* hij zag mij ∼ aan *he looked at me angrily;*
II 〈bw.〉 **0.1** [fel, hevig] *fiercely, intensely* ◆ **2.1** 't is ∼ koud *it is intensely / fiercely cold.*

grimmigheid 〈de (v.)〉 **0.1** *fury, rage, wrath.*

grind 〈het〉 〈coll.〉 **0.1** *gravel* ⇒〈grover〉 *shingle,* 〈zeldz.〉 *chesil,* 〈voor wegenbouw〉 *(road-)metal,* 〈voor menging ook〉 *aggregate* ◆ **2.1** fijn en grof ∼ *sharp sand and shingle* **3.1** ∼ in de tuin laten brengen *have g. put down in the garden* **6.1** een weg **met** ∼ bedekken *surface a road with g..*

grindbaan 〈de〉 **0.1** *gravel road* ⇒*metalled /* ∧*metaled road / track.*

grindbank 〈de〉 **0.1** *gravel bank.*

grindbed 〈het〉 **0.1** *(bed of) ballast.*

grinden
I 〈ov.ww.〉 **0.1** [met grind bestrooien] *lay / put down gravel* ⇒*gravel,*

⟨als oppervlakte⟩ *surface with gravel,* ⟨mbt. wegenbouw⟩ *metal* ◆
1.1 een weg ~ *metal a road;*
II ⟨onov.ww.⟩ **0.1** [grind delven] *excavate / quarry gravel / shingle.*
grinderij ⟨de (v.)⟩ **0.1** *gravel pit.*
grindfilter ⟨het, de (m.)⟩ **0.1** *gravel filter(-bed).*
grindgroeve ⟨de⟩, **-kuil** ⟨de (m.)⟩ **0.1** *gravel pit.*
grindgrond ⟨de (m.)⟩ **0.1** *gravel bank(s)* ⇒ *stretch of gravel.*
grindhor ⟨de⟩ **0.1** *riddle.*
grindhoudend ⟨bn.⟩ **0.1** *gravelly,* ᴬ*gravely* ⇒ *shingly.*
grindlaag ⟨de⟩ **0.1** *layer of gravel* ⇒ ⟨geol.⟩ *stratum of gravel.*
grindpad ⟨het⟩ **0.1** *gravel / gravelled path.*
grindweg ⟨de⟩ **0.1** *gravel / gravelled road.*
grindzand ⟨het⟩ **0.1** *sharp sand.*
grinniken ⟨onov.ww.⟩ **0.1** *chuckle* ⇒ *chortle,* ⟨sluw of pej.⟩ *snigger, snicker* ◆ **3.1** zit niet zo dom te ~! *stop that silly sniggering!* **6.1** hij grinnikte **over** zijn eigen grap *he chuckled at his own joke;* ~ **tegen** *chuckle at;* ~ **van** plezier *chuckle / chortle with glee.*
grint → **grind.**
grinten → **grinden.**
griotje ⟨het⟩ **0.1** ≠ *lozenge, drop.*
griotte
I ⟨de⟩ **0.1** [zure kers] *sour cherry* ⇒ *morello,* ᴬ*amarelle* **0.2** [snoeperij] ≠ *lozenge, drop;*
II ⟨het⟩ **0.1** [roodachtig marmer] ⟨*reddish striated / spotted marble*⟩.
grip ⟨de (m.)⟩ **0.1** [houvast, greep] *grip* ⇒ *bite, hold,* ⟨van wielen ook⟩ *traction* **0.2** [handvat] *grip* ⇒ *handle* ◆ **3.1** ~ hebben op ⟨ook fig.⟩ *have a g. on;* met gladde banden heeft een auto minder ~ op de weg *with bald tyres/* ᴬ*tires a car has less g. on the road;* geen ~ op iets kunnen krijgen ⟨fig.⟩ *not be able to get to grips with sth.,* ⟨AE⟩ *not be able to get a handle on sth..*
grisaille ⟨het, de⟩ **0.1** [schilderwerk] *grisaille* **0.2** [zijden stof] *grisaille* ◆ **3.1** ~ schilderen *do g. painting.*
grissen ⟨ov.ww.⟩ **0.1** *snatch* ⇒ *grab, swipe* ◆ **6.1** hij griste mij het potlood **uit** handen *he snatched the pencil from my hands.*
grit ⟨het⟩ **0.1** *grit.*
grizzlybeer ⟨de (m.)⟩ **0.1** *grizzly (bear).*
groef ⟨de⟩ **0.1** [uitholling, inkerving] *groove* ⇒ *furrow,* ⟨gleuf⟩ *slot, flute* ⟨in een zuil⟩ **0.2** [mbt. planken] *groove* **0.3** [greppel, sloot] *channel* ⇒ *ditch, gull(e)y* ◆ **1.1** de groeven van een grammofoonplaat *the grooves in a gramophone record* **1.2** met messing en ~ *tongued and grooved* **2.1** ⟨fig.⟩ de zorg had diepe groeven in haar voorhoofd getekend *worry had deeply furrowed / lined her brow* **3.1** een ~ in iets maken *make / cut a g. in sth.* **6.1** een pilaar **met** groeven *a fluted pillar;* de groeven **op** een vijl *the grooves / cuts in a file.*
groefrail ⟨de (m.)⟩ **0.1** *sunk(en) rail.*
groefschaaf ⟨de⟩ **0.1** *router.*
groefzaag ⟨de⟩ **0.1** *grooving saw.*
groei ⟨de (m.)⟩ **0.1** [het groeien] *growth* ⇒ *development* **0.2** [toename] *growth* ⇒ *increase, rise,* ⟨uitbreiding⟩ *expansion* **0.3** [groeikracht] *growth* **0.4** [uitspruitsel, aanwas] *growth* ⇒ *accretion* ◆ **2.1** die boom komt niet tot zijn volle ~ *that tree will not reach its full g.* **2.2** de snelle ~ van de VPRO *the rapid g. / expansion of the VPRO* **2.4** wilde ~ *wild g.* **3.1** hij heeft de ~ in de benen *he has got growing pains in his legs* **6.1** die jongen is in de ~ *he is a growing lad / boy;* een broek die **op** de ~ gemaakt is *trousers wich allow for g.* **6.3** er zit geen ~ **in** dat kind *that child's g. is stunted.*
groeiaandeel ⟨het⟩ ⟨ec.⟩ **0.1** *growth share.*
groeiboek ⟨het⟩ **0.1** *baby's book.*
groeicapaciteit ⟨de (v.)⟩ **0.1** *potentiality* ⇒ *growth potential.*
groeicurve ⟨de⟩ **0.1** *growth / development curve.*
groeien ⟨onov.ww.⟩ **0.1** [mbt. levende wezens / organen] *grow* ⇒ *develop* **0.2** [mbt. gewassen] *grow* **0.3** [toenemen] *grow* ⇒ *increase, rise* ◆ **1.3** mijn achting voor u groeit met iedere nieuwe brief *my esteem for you rises with each new letter;* met ~ de belangstelling *with increasing / growing interest;* ~ d ongeduld *increasing impatience* **1.1** zijn baard / haar laten ~ *g. a beard / one's hair;* het kind moet er nog van ~ *the child has got to g.;* ⟨fig.⟩ zij voelde zich ~ *she felt herself growing in stature* **3.2** ~ en bloeien *(blossom and) flourish* **4.1** wat ben je gegroeid *how you've grown!* **5.1** scheef ~ *g. awry / on the slant / crooked;* hij groeit tegen de verdrukking in *he blossoms in adversity* **6.1** ⟨scherts.⟩ **door** zijn haar ~ *be thinning / growing thin on top;* ⟨fig.⟩ ergens in ~ *gloat over sth.;* ⟨fig.⟩ **naar** elkaar toe ~ *g. towards one another;* die jongen is **uit** zijn kracht gegroeid *that boy has outgrown / overgrown himself;* **uit** zijn kleren ~ *outgrow / g. out of one's clothes* **6.2** bramen ~ **in** het wild *brambles g. in the wild;* het geld groeit mij niet **op** de rug *I am not made of money;* ⟨fig.⟩ er zal een goede lerares **uit** haar ~ *she will develop into / turn into / make a good teacher* **6.**¶ de acteur groeide **in** zijn rol *the actor grew into his part / warmed to his role* **8.1** hij groeit als kool *he is shooting up* ⟨kind⟩; *he's coming on well* ⟨baby⟩.
groeifactor ⟨de (m.)⟩ **0.1** *growth factor.*
groeifonds ⟨het⟩ ⟨hand.⟩ **0.1** *stock* ⇒ *growth share* ⟨meestal mv.⟩.
groeigroep ⟨de⟩ **0.1** *growth group.*

groeihormoon ⟨het⟩ **0.1** *growth hormone.*
groeihypotheek ⟨de (v.)⟩ ⟨geldw.⟩ **0.1** *graduated payment mortgage.*
groeikern ⟨de⟩ **0.1** [centraal punt van waaruit iets groeit] *centre of growth* **0.2** [⟨planologie⟩] *centre of urban growth / development* ⇒ ≠ *overspill town.*
groeikoorts ⟨de⟩ **0.1** *growing-pains.*
groeikracht ⟨de⟩ **0.1** [kracht v.e. levend organisme] *vitality, viability* ⇒ *vigour,* ↑ *vegetal / vegetative / vegetive force,* ⟨van zaad⟩ *seedling vigour, sprouting power* **0.2** [vermogen v.d. natuur] *vital force.*
groeilaag ⟨de⟩ **0.1** *annual / growth ring.*
groeimarkt ⟨de⟩ ⟨hand.⟩ **0.1** *growth market.*
groeimiddel ⟨het⟩ **0.1** *growth substance / regulator* ⇒ *growth factor,* ⟨voor planten⟩ *auxin.*
groeipercentage ⟨het⟩ **0.1** *growth / increase percentage.*
groeiproces ⟨het⟩ **0.1** *growth (process).*
groeipunt ⟨het⟩ **0.1** *growing point.*
groeischijf ⟨de⟩ **0.1** *epiphysis.*
groeisector ⟨de (m.)⟩ ⟨hand.⟩ **0.1** *growth sector.*
groeistad ⟨de⟩ **0.1** *overspill town.*
groeistof ⟨de⟩ **0.1** *growth regulator / substance* ⇒ *auxin.*
groeistuip ⟨de⟩ **0.1** [stuip ten gevolge v.d. groei] *growing pain* ⟨meestal mv.⟩ **0.2** [moeilijkheden door (te) snelle ontwikkeling] *growing pains* ⇒ *teething troubles, initial problems.*
groeitaak ⟨de⟩ ⟨planologie⟩ **0.1** *designation as a centre of urban growth / development.*
groeitijd ⟨de (m.)⟩ **0.1** *growing season* ◆ **6.1** een jongen **in** de ~ *a growing boy.*
groeitop ⟨de (m.)⟩ **0.1** *apical meristem.*
groeizaam ⟨bn., bw.⟩ **0.1** [de groei bevorderend] *favourable (to growth)* ⇒ *genial* ⟨weer / klimaat / lucht enz.⟩, ⟨ook weer⟩ *growing* **0.2** [vruchtbaar] *fertile* **0.3** [groeikracht hebbend] *vigorous* ⇒ *viable* ⟨zaad⟩ ◆ **1.1** een ~ regentje *a genial shower;* ~ weer *growing weather* **1.2** groeizame akkers *f. fields.*
groen¹ ⟨het⟩ **0.1** [kleur] *green* **0.2** [verf] *green* **0.3** [loof] *green* ⇒ *greenery,* ⟨bladeren ook⟩ *foliage,* ⟨schr.⟩ *verdure* ◆ **1.3** het ~ van wortelen *the tops of carrots* **2.3** openbaar ~ *public parks and gardens* **3.3** wilt U er ook wat ~ bij? ⟨mbt. bloemen⟩ *would you like some greenery?* **6.1** ze was in het ~ (gekleed) *she was (dressed) in g..*
groen² ⟨bn.⟩ (→sprw. 73) **0.1** [mbt. de kleur] *green* **0.2** [onrijp] ⟨ook fig.⟩ *green* ⇒ *unripe* **0.3** [met begroeiing] *green* ⇒ ↑ *verdant* **0.4** [milieuvriendelijk] *green* ◆ **1.1** ~ e erwten *blue peas;* ⟨verkeer⟩ een ~ e golf *phased traffic lights /* ᴬ*signals;* er is een ~ e golf bij 60 km/u. *the lights are phased for 60 kph;* een ~ e kaart *a g. card,* ↑ *an International Motor Insurance Card;* ~ e kaas *g. cheese;* het ~ e laken *the g. cloth;* (iem.) het ~ e licht geven (om ...) *give (s.o.) the g. light / the go-ahead (to ...);* ~ e ogen *g. eyes;* de ~ e tafel ⟨bestuurstafel⟩ *the board;* ⟨speeltafel⟩ *gaming table;* ~ e thee *g. tea;* ⟨sport, wielrennen⟩ de ~ e trui *the g. jersey* **1.2** dat was in haar ~ e jaren *that was in her salad days;* die peren zijn nog ~ *the pears are still g. / not yet ripe* **1.3** de bomen worden ~ *the trees are turning g. / coming into leaf;* ⟨wwb.⟩ ~ e duin *covered with dune grass;* het ~ e eiland *the Emerald Isle;* het ~ e hart (van Holland) *the g. heart (of Holland);* ~ land ≠ *grassland;* een ~ e Pasen *a late Easter;* ~ e sloot *a ditch covered in duckweed;* het ~ e veld *the g. field /* ↑ *sward* **1.4** de ~ e partij *the Green Party, the Greens* **1.**¶ ~ e haring ≠ *fresh herring;* ⟨fig.⟩ ~ e vingers hebben *have green fingers / a green thumb;* een ~ e weduwe *a grass widow;* ~ e zeep *soft soap* **2.1** ~ en geel worden van nijd *g. with envy;* het werd hem ~ en geel voor de ogen *his head began to swim, everything began to swim before his eyes* **2.2** nijpen van de bad **6.1** hij is nog ~ **in** het vak *he's new to / at the job;* het signaal sprong **op** ~ *the signal turned g. / changed to g.* **7.4** de ~ en *the Greens* **8.2** ⟨fig.⟩ zo ~ als gras *as g. as grass.*
groenachtig ⟨bn.⟩ → **groenig.**
groenbedrijf ⟨het⟩ **0.1** ᴮ*market garden,* ᴬ*truck farm / garden.*
groenbemesting ⟨de (v.)⟩ **0.1** *green manuring.*
groenblauw ⟨bn.⟩ **0.1** *greenish blue, peacock blue.*
groenblijvend ⟨bn.⟩ **0.1** *evergreen.*
groenbruin ⟨bn.⟩ **0.1** *greenish brown* ⇒ ⟨ook van ogen⟩ *hazel,* ⟨geelachtig⟩ *olive.*
groene ⟨de (m.)⟩ **0.1** [nieuweling] ⟨→ **groentje**⟩ **0.2** [⟨pol.⟩] *Green.*
groenen
I ⟨onov.ww.⟩ **0.1** [groen zijn / worden] *be / grow / get green* ⇒ *show its greenery,* ↑ *be verdant,* ↑ *be decked in green* **0.2** [krachtig / fleurig zijn] *thrive, flourish* ◆ **1.1** het bos groent al *the woods are already getting green;* het ~ d grastapijt *the flourishing / verdant turf;*
II ⟨ov.ww.⟩ **0.1** [groen maken] *(make) green* **0.2** [plagen (als) bij ontgroening] *rag* ⇒ ⟨AE ook⟩ *haze,* ⟨donderen⟩ *bully.*
groengebied ⟨het⟩ **0.1** *green belt.*
groengeel ⟨bn.⟩ **0.1** *greenish yellow* ⇒ *chartreuse.*
groengordel ⟨de (m.)⟩ **0.1** *green belt.*
groenharing ⟨de (m.)⟩ **0.1** *fresh / white herring.*
groenheid ⟨de (v.)⟩ **0.1** [groenigheid] *greenness* ⇒ ⟨schr.⟩ *verdancy, viridity, viridescence, virescence* **0.2** [frisheid] *greenness, freshness* **0.3**

[onervarenheid] *greenness* ⇒ ↑*viridity* **0.4** [mbt. fruit] *sourness, tartness* ⇒ *acidity,* ↑*astringency.*

groenhout ⟨het⟩ **0.1** *green wood.*

groenig ⟨bn.⟩ **0.1** *greenish* ⇒*greeny,* ⟨schr.⟩ *virescent, viridescent.*

Groenland ⟨het⟩ **0.1** *Greenland.*

Groenlander ⟨de (m.)⟩, **-landse** ⟨de (v.)⟩ **0.1** *Greenlander.*

Groenlands ⟨bn.⟩ **0.1** *Greenland(ic)* ◆ **1.1** ~e duif *black guillemot;* de ~e taal *Greenlandic;* ~e walvis *bowhead, Greenland whale.*

groenling ⟨de (m.)⟩ ⟨dierk.⟩ **0.1** *greenfinch, green linnet.*

groenmarkt ⟨de (m.)⟩ **0.1** *vegetable market.*

groenpootruiter ⟨de (m.)⟩ **0.1** *greenshank.*

groensel ⟨de⟩ **0.1** [groene plantedelen] *green (part), foliage* **0.2** [verfstof] *green* ⇒ ⟨groenaarde⟩ *terre-verte.*

groensteen ⟨het, de (m.)⟩⟨geol.⟩ **0.1** *greenstone.*

groenstrook ⟨de⟩ **0.1** [groengordel] *green belt* ⇒*green space/area* **0.2** [middenberm] *grass/centre strip,(central) reservation* ⇒ᴬ*median (strip).*

groente ⟨de (v.)⟩ **0.1** *vegetable* ⇒*greenstuff,* ⟨inf.⟩ *veg, greens* ◆ **1.1** vlees en twee verschillende soorten ~ *meat and two vegetables/veg* **2.1** gesneden ~ *sliced vegetables;* ingemaakte/gedroogde ~ ᴮ*inned/* ᴬ*canned vegetables, dehydrated vegetables;* jonge ~ *n young vegetables;* verse/voorgesneden ~ *fresh/pre-sliced vegetables;* zelfgekweekte ~ *home-grown vegetables* **3.1** geef me de ~ eens aan *please pass (me) the vegetables;* zijn eigen ~ verbouwen *grow one's own vegetables,* ≠*live off the land.*

groentebed ⟨het⟩ **0.1** *vegetable bed/plot/patch.*

groenteboer ⟨de (m.)⟩ **0.1** [verkoper] *greengrocer* ⇒⟨BE; straatventer⟩ *costermonger, coster* **0.2** [winkel] *greengrocer's (shop)* ⇒*greengrocery.*

groentedrogerij ⟨de (v.)⟩ **0.1** *vegetable drying-plant.*

groentehal ⟨de⟩ **0.1** [hal als groentemarkt] *vegetable market hall, vegetable mart* **0.2** [goedkope groentewinkel] *vegetable mart, cut-price greengrocer's.*

groentekar ⟨de⟩ **0.1** *greengrocer's barrow/cart* ⇒ ⟨BE ook⟩ *costermonger's barrow/cart.*

groentekweker ⟨de (m.)⟩ **0.1** *(vegetable) grower* ⇒ᴮ*market gardener,* ᴬ*truck farmer/gardener,* ᴬ*trucker.*

groentelade ⟨de⟩ **0.1** ⟨in koelkast⟩ *crisper (compartment).*

groenteman ⟨de (m.)⟩ →*groenteboer.*

groentemarkt ⟨de⟩ **0.1** *vegetable market.*

groentesnijder ⟨de (m.)⟩ **0.1** *vegetable grater/shredder.*

groentesoep ⟨de⟩ **0.1** *vegetable soup* ⇒ ⟨helder⟩ *julienne.*

groentetuin ⟨de (m.)⟩ **0.1** *vegetable/kitchen garden.*

groenteveiling ⟨de (v.)⟩ **0.1** [veiling van groenten] *vegetable auction* ⇒ *vegetable market/mart* **0.2** [veilinggebouw] *vegetable auction-hall* ⇒ *vegetable market/mart.*

groentevrouw ⟨de (v.)⟩ **0.1** *greengrocer* ⇒⟨straatventer⟩ *vegetable-woman/-seller.*

groentewinkel ⟨de (m.)⟩ **0.1** *greengrocer's (shop)* ⇒*greengrocery.*

groentijd ⟨de⟩ **0.1** [stud.] ontgroeningstijd] *freshmanship* ⟨mbt. student⟩ ⇒ ↑*noviciate* **0.2** [tijd dat een signaal op groen staat] *green phase.*

groentje ⟨het⟩ **0.1** [nieuweling, onervaren persoon] *greenhorn* ⇒*novice,* ⟨op school ook⟩ *new boy/girl,* ↑*tiro/tyro,* ⟨student⟩ *freshman,* ᴮ*fresher,* ᴬ*freshie,* ⟨mil.⟩ *new/row recruit,* ⟨AE; mil.; baseball⟩ *rookie* **0.2** [groen snoepje] ⟨popular green, menthol-flavoured sweet⟩.

groenvink ⟨de (m.)⟩ **0.1** *greenfinch, green linnet.*

groenvoe(de)r ⟨het⟩ **0.1** [voor vee] *soilage, green crop/fodder* **0.2** [⟨scherts.⟩ groente] *green meat* ⇒*rabbit food* ◆ **3.1** ~ geven *soil;* ~ inkuilen *ensile.*

groenvoorziening ⟨de (v.)⟩ **0.1** *open space planning* ⇒*green space/area.*

groenwerker ⟨de (m.)⟩ **0.1** *basketmaker.*

groenzand ⟨het⟩ ⟨geol.⟩ **0.1** *greensand.*

groep ⟨de⟩ **0.1** [verzameling] *group* ⇒⟨van mensen ook⟩ *knot,* ⟨van toeristen/reizigers⟩ *party,* ⟨van bomen/huizen/sterren/eilanden ook⟩ *cluster,* ⟨van nieuwe leerlingen/brieven/rekruten⟩ *batch,* ⟨van bomen/⟩ ⟨heesters/planten ook⟩ *clump,* ⟨van rovers/hervormers/ vluchtenden ook⟩ *band* **0.2** [onderverdeling ⟨vaak in samenst.⟩] *group* ⇒*section, class* **0.3** [mbt. personen ⟨vaak in samenst.⟩] *group* **0.4** [⟨bk.⟩] *group* **0.5** [goot in koestal] *manure gutter* ◆ **1.1** een grote ~ agenten *a large body of policemen;* een grote ~ v.d. bevolking *a large section of the population;* we kwamen nog andere ~jes feestgangers tegen *we met other groups/parties of party-goers;* een ~je pratende heren a g.*I knot of gentlemen talking;* een grote ~ kiezers *a large body of voters;* een uitgelezen ~ mensen *a picked g. of people;* de ~ der Molukken *the Moluccas, the Moluccan Islands;* een ~ potvissen *a school of sperm whales;* een ~ wolven *a pack of wolves* **1.2** leeftijdsgroep *age g./ bracket;* de ~ der Indogermaanse talen *the Indo-Germanic family (of languages)* **1.3** studiegroep *study g.* **3.1** v.d. ~ afraken *get parted from the g.* **3.3** ervaring in het omgaan met ~en *experience in dealing with groups* **6.1** in ~en leven *herd;* in ~jes van vijf of zes *in groups of five or six;* we gingen in een ~ rond de gids staan *we formed a g. round/we grouped ourselves round the guide;*

---

laten we bij elkaar blijven, **in** een ~ is het veiliger *let's stay together, there's safety in numbers;* **in** ~jes van twee/**in** kleine ~jes kwamen ze naar buiten *they came out in twos/in small groups;* ze trokken **in** grote ~en naar het stadion *they flocked to the stadium* **6.3** ⟨zachte sector⟩ iets **in** de ~ gooien *put sth./throw sth. out to the g., start a g. discussion on sth.* **8.1** we gaan als ~, of we gaan niet *we'll go in a g. or not at all.*

groepage ⟨de (v.)⟩ **0.1** *groupage* ⇒*grouping, bulking, joint cargo.*

groepen ⟨ov.ww.⟩ **0.1** *group.*

groeperen

I ⟨ov.ww.⟩ **0.1** [rangschikken] *group* ⇒*classify, divide* ◆ **1.1** de cijfers ~ *present figures in the best possible light* **5.1** anders/opnieuw ~ *realign, regroup;*

II ⟨wk.ww.; zich~⟩ **0.1** [zich om iem./iets heenplaatsen] *cluster (round)* ⇒*gather (round),* ⟨dicht bij elkaar⟩ *huddle (round)* **0.2** [zich tot een groep aaneensluiten] *group (together)* ⇒*form a group, mass, gather (together)* ◆ **1.2** de verontruste CPN-ers groepeerden zich *the alarmed CPN members formed a group/began to close (their) ranks;*

III ⟨onov., ov.ww.⟩ **0.1** [⟨bk.⟩] *group* ⇒*arrange.*

groepering ⟨de (v.)⟩ **0.1** [het groeperen] *grouping* ⇒*classification, division* **0.2** [groep] *grouping* ⇒⟨pol. ook⟩ *faction,* ⟨lossen⟩ *alignment* ◆ **2.2** politieke ~en *political groupings, (political) factions.*

groepsbelang ⟨het⟩ **0.1** *sectional interest* ⟨meestal mv.⟩ ◆ **2.1** allerlei ~en speelden een rol *all sorts of sectional interests were involved.*

groepscode ⟨de (m.)⟩ **0.1** *code of a group, group code/ethic.*

groepscommandant ⟨de (m.)⟩ ⟨mil.⟩ **0.1** [bevelhebber over een groep forten] ≠*area commander* **0.2** [commandant v.e. groep soldaten] ᴮ*section/*ᴬ*squad leader.*

groepsfoto ⟨de⟩ **0.1** *group photo(graph).*

groepsgeest ⟨de (m.)⟩ **0.1** *team spirit* ⇒*esprit de corps.*

groepsgesprek ⟨het⟩ **0.1** [in een groep gevoerd gesprek] *group conversation* **0.2** [telefoongesprek v.e. groep] *conference call.*

groepsgevoel ⟨het⟩ **0.1** *sense of belonging (to the/a group).*

groepsgewijze ⟨bw.⟩ **0.1** *in groups* ⇒*in batches,* ⟨in kleine getallen⟩ ⟨inf.⟩ *in dribs and drabs* ◆ **3.1** de gasten kwamen ~ binnen *the guests came in in groups/in dribs and drabs.*

groepshuwelijk ⟨het⟩ ⟨antr.⟩ **0.1** *group/communal marriage.*

groepskarakter ⟨het⟩ **0.1** *social character.*

groepsleider ⟨de (m.)⟩ **0.1** *group leader.*

groepsnorm ⟨de⟩ **0.1** *norm of a group* ⇒*group norm/ethic.*

groepsnummer ⟨het⟩ **0.1** *group number* ◆ **3.1** ons bedrijf heeft een ~ *our firm's number has several lines.*

groepsportret ⟨het⟩ **0.1** *group portrait* ⇒⟨foto ook⟩ *group photo(graph).*

groepspraktijk ⟨de (v.)⟩ **0.1** *group practice.*

groepsproces ⟨het⟩ **0.1** *group process.*

groepsreis ⟨de⟩ **0.1** *group travel.*

groepsruimte ⟨de (v.)⟩ **0.1** *common room.*

groepsseks ⟨de (m.)⟩ **0.1** *group sex* ⇒⟨partnerruil⟩ *wife-swapping.*

groepstaal ⟨de (v.)⟩ **0.1** *jargon* ⇒⟨inf.⟩ *lingo,* ⟨taalk.⟩ *sociolect* ⟨mbt. maatschappelijke groep⟩.

groepstarief ⟨het⟩ **0.1** *group rate* ⇒*rate for groups/parties.*

groepstherapie ⟨de (v.)⟩ **0.1** *group therapy.*

groepsverband ⟨het⟩ **0.1** ⟨zie 6.1⟩ ◆ **6.1 in** ~ ⟨mbt. één groep⟩ *in a group/team;* ⟨mbt. meerdere groepen⟩ *in groups/teams;* werken **in** ~ *work as a team, do teamwork.*

groepswerk ⟨het⟩ **0.1** [teamwork] *groupwork, teamwork* **0.2** [sociale/sociaal-culturele beïnvloeding] *groupwork.*

groet ⟨de (m.)⟩ **0.1** *greeting* ⇒ ↑*salutation,* ⟨vnl. mil.⟩ *salute* ◆ **2.1** ⟨schr.⟩ na beleefde ~en verblijf ik *I remain yours faithfully/sincerely;* een beleefde/een vriendelijke/een koele ~ *a polite/cordial/cool g.;* de hartelijke ~en *kind/best regards, warm(est) greetings;* een korte ~ tot afscheid *a parting word;* een laatste ~ brengen *pay one's last respects (to);* de militaire ~ *(military) salute;* met vriendelijke ~en *with kind(est) regards,* ↑*yours sincerely* **3.1** iemands ~en aan iem. overbrengen *give s.o.'s regards to s.o., remember s.o. to s.o.;* hij beantwoordde mijn ~ met 'ook hallo' *he returned/answered/replied to/acknowledged my greetings with 'hello to you (too)';* de militaire ~ brengen *salute, stand at the salute;* doe hem de ~en van mij *give him my best wishes/my (kind) regards, remember me to him, say hello to him for me;* de ~en doen *remember s.o. to s.o., give s.o.'s regards/ love/best to s.o.;* je moet de ~en van haar hebben. O, doe haar de ~en terug *she sends (you) her regards/love. Oh, the same to her;* iemands ~en overbrengen *pass on/convey s.o.'s greetings/regards;* een ~ wisselen met *exchange greetings/a word of g. with* **5.1** de ~en thuis *say hello to/give my love to everyone at home* **6.1** de ~en **aan** je vrouw! *remember me to your wife, give my (kind) regards to your wife;* ~en **uit** Amsterdam *greetings/all the best/best wishes from Amsterdam;* de ~en, ook **van** mijn man *my husband joins me in wishing you all the best* ¶ **.1** de ~en! ⟨afscheidsgroet⟩ *cheers, see you;* ⟨vergeet het maar⟩ *not on your life!, forget it!, no way!.*

groeten ⟨onov., ov.ww.⟩ **0.1** [gedagzeggen] *greet* ⇒*say hello, pass the time of day* ⟨met woorden⟩, ⟨met hoed⟩ *take off/raise one's hat (to)*

0.2 [⟨mil.⟩] *salute* ◆ **1.2** het vaandel/de vlag~*s. the colours/flag* **3.1** vader laat u~*father sends (you) his regards/love/best;* iem. laten~ *ask to be remembered to s.o.;* wees gegroet *Hail Mary;* ⟨vnl. mbt. muziek⟩ *Ave Maria* **4.1** elkaar~op straat *greet/acknowledge one another in the street;* ik groette haar, toen moest ze mij wel~*I greeted her/I said hello, so she had to/was forced to acknowledge me/to repay the compliment;* ik groet je!, ik wil je~! *(a very) good day to you* **5.1** iem. eerbiedig~*greet s.o. respectfully;* ⟨onderdanig⟩ *touch one's forelock to s.o.;* hij groette mij vriendelijk *he greeted me/said hello in a friendly way/manner* **6.1** met een buiging~*bow to;* wij kennen de buren net goed genoeg **om te** ~ *we only know the neighbours to nod to, we are only on nodding terms with the neighbours* ¶**.1** in het voorbijgaan ~*g. in passing;* ik heb de eer u te groeten *I wish you good-day;* ⟨iron.⟩ ik heb de eer u te~ *(a very) good day to you!.*

groetplicht ⟨de⟩ ⟨mil.⟩ **0.1** *duty/obligation/requirement to salute.*

groeve ⟨de⟩ **0.1** [ruimte waaruit een delfstof gewonnen wordt] *quarry* ⟨lei⟩ ⇒*pit* ⟨kalk, zand, klei, leem, gips, grind, bruinkool⟩, *working* ⟨ihb. deel van groeve⟩ **0.2** [grafkuil] *grave* ◆ **2.1** een open~*an open-pit,* ⟨vnl. BE⟩ *an open-cast,* ⟨vnl. AE⟩ *an open-cut (mine)* **2.2** een geopende~*an open g..*

groeven ⟨ov.ww.⟩ **0.1** [graveren] *groove* ⇒⟨krassen, kerven⟩ *score, flute* ⟨zuilen⟩, ⟨met guts⟩ *gouge,* ⟨insnijden⟩ *incise* **0.2** [mbt. planken] *groove* ◆ **6.1** de zorg had diepe rimpels in zijn voorhoofd gegroefd *worry had made deep furrows in his brow/had given him a furrowed brow.*

groezelig ⟨bn.⟩ **0.1** [niet schoon] *grubby, grimy* ⇒⟨stof, kleren ook⟩ *dingy,* ⟨ondergoed, hemden ook⟩ *soiled, dirty* **0.2** [vaal van kleur] *dingy* ⇒*sallow* ⟨huid⟩ ◆ **1.2** wat heeft hij een~e kleur *hasn't he got a sallow complexion.*

grof ⟨bn., bw.; -ly⟩ **0.1** [groot van stuk] *coarse* ⇒⟨fors⟩ *hefty, robust* **0.2** [ruw bewerkt] *coarse, rough* ⇒*crude* **0.3** [bijzonder erg] *gross* ⇒*flagrant,* ⟨bel.⟩ *rude,* ⟨sterker⟩ *crass* **0.4** [in 't groot] ⟨zie 1.4,3.4⟩ ◆ **1.1** ⟨fig.⟩ er met de grove bijl er inhakken *lay into sth. / s.o.;* hij heeft grove botten *he's got big bones, he's big-boned/heavily built;* een grove kam *a coarse-toothed comb;* een zaag met grove tanden *a c.(-toothed) saw;* het ~vuil *the (collection of) bulky/oversized (household) refuse;* ⟨BE; vero.⟩ *the salvage;* ~wild *big game;* ~zand *coarse sand* **1.2** ~aardewerk *coarse earthenware;* ~brood *coarse/rough bread;* ⟨volkoren⟩ *wholemeal bread;* ~garen *coarse yarn/thread;* grove gelaatstrekken *coarse features;* een grove houtsnede *a crude woodcut;* ⟨fig.⟩ een eerste, grove indeling *a first, r. division;* ~ papier *coarse paper;* ⟨fig.⟩ een grove smaak *vulgar taste;* ⟨fig.⟩ een grove stem *a harsh/r. voice;* ⟨niet pej.⟩ *a deep voice* ⟨laag⟩; grove suiker ⟨ongeraffineerd⟩ *unrefined sugar;* ⟨kristalsuiker⟩ *granulated sugar;* een ~weefsel ⟨manier van weven⟩ *a coarse weave;* ⟨stuk stof⟩ *a (piece of) coarsely-woven fabric;* ~zout *coarse salt* **1.3** grove beledigingen *coarse insults;* een grove fout *a g. / bad/gross mistake;* ~geweld *brute force;* een grove leugen *a g. / big lie;* grove manieren *bad manners;* grove mop *broad/dirty/ribald joke;* ⟨sterk pej.⟩ *crass/filthy joke;* (een) grove nalatigheid *g. negligence;* iem. ~onrecht aandoen *be grossly/flagrantly unjust to s.o.;* het is een~schandaal *it's a crying / ↓bloody shame;* ⟨euf.⟩ *it's a bit thick/much;* ~spel ⟨ook fig.⟩ *rough/unfair play;* ⟨geval⟩ *foul;* grove taal *coarse/bad language;* een grove tegenstelling *a glaring contrast;* een ~woord *a swear word, a curse* **1.4** om~geld spelen *play for high stakes/big money;* ~geld verdienen *earn big money;* er wordt~geld aan verdiend *big money's being made out of it;* ⟨inf.⟩ *it's a licence ^Ase to coin/make money;* s.o.'s *making a pile out of it;* ergens~geld voor betalen *pay a lot of money/* ⟨inf.⟩ *a packet for sth.;* ⟨inf.⟩ *pay through the nose for sth.;* ~geld uitgeven *spend money like water;* ~spel spelen *play high, play for high stakes;* een werkster voor het grove werk *a cleaner for the heavy work;* ⟨BE ook⟩ *a charlady/charwoman/* ⟨inf.⟩ *char;* grove winst maken *make a packet* **1.**¶ grove den *Scots pine, Scotch fir* **3.1** ~schrijven *write heavily* **3.2** iets~schetsen ⟨lett.⟩ *make/* ⟨fig.⟩ *give a sketch of sth.;* ⟨fig. ook⟩ *sketch sth. in broad outlines* **3.3** dat is al te~*that's going too far;* ⟨euf.⟩ *that's a bit thick/much;* hij is ⟨erg⟩~*he is (abominably) rude;* ~liegen *lie barefacedly/shamefacedly/* ⟨sterker⟩ *through one's teeth;* nu maakt hij het te~*now he's going too far;* ⟨sterk⟩ *how dare he (do/say* ⟨enz.⟩ *that);* ~spelen ⟨ook fig.⟩ *foul, play roughly/unfairly;* zich~vergissen *make a g. / bad/glaring mistake;* hij werd~*he became abusive;* ⟨inf.⟩ *he cut up rough;* je hoeft niet meteen~te worden *you don't need to/there's no need to be rude/abusive* **3.4** ~spelen *play high, play for high stakes* **6.1** hij is~**van** bouw *he is big-boned/heavily built.*

grofdradig ⟨bn.⟩ **0.1** *coarse-textured* ⟨hout⟩; *coarse-threaded* ⟨weefsel⟩.

grofgebouwd ⟨bn.⟩ **0.1** *heavily-built* ⇒*stocky, hefty, large-limbed, big-boned.*

grofheid ⟨de (v.)⟩ **0.1** [het grof-zijn] ⟨alg.⟩ *coarseness* ⇒⟨onbeleefdheid, vulgariteit⟩ *rudeness,* ⟨ruwheid, eenvoud⟩ *roughness,* ⟨krasheid⟩ *grossness, crassness,* ⟨mbt. garens⟩ →*grofte⟩* **0.2** [iets grofs, onbeschofte uitlating] *rude remark* ⇒ ↑*vulgarity, scurrility, abuse* ◆ **2.1** zo'n~kan niet door de beugel *such coarseness (just) will not do* **3.2** zij zeiden elkaar allerlei grofheden *they made all sorts of rude remarks/said all sorts of rude things to one another.*

grofkorrelig ⟨bn.⟩ **0.1** *coarse-grain* ⟨materiaal, poeder, slijpsteen, structuur⟩; *coarse-grained* ⟨film, breukvlak⟩.

grofmeel ⟨het⟩ **0.1** *wholemeal,* ^*wholewheat flour* ⇒*granary flour* ⟨met tarwekorrels⟩.

grofsmederij ⟨de (v.)⟩ **0.1** *blacksmith's (shop)* ⇒⟨fabriek⟩ *ironworks.*

grofte ⟨de (v.)⟩ **0.1** *gauge* ⇒⟨dikte⟩ *thickness,* ⟨gewicht⟩ *weight,* ⟨mbt. zijden/kunststof garen⟩ *denier* ◆ **2.1** linnen garens van verschillende ~(s) *linen threads/cottons of various gauges/thicknesses/numbers.*

grofweg ⟨bw.⟩ **0.1** *roughly* ⇒*about, around,* ⟨inf.⟩ *give or take a few* ◆ **3.1** dat kost je~drieduizend gulden *that will cost you about/in the region of three thousand guilders* **3.**¶ dat is~een leugen *that is a downright lie.*

grog ⟨de (m.)⟩ **0.1** *grog, (hot) toddy* ⇒⟨IE ook⟩ *hot whiskey* ◆ **1.1** ~ van/met cognac *cognac g., hot toddy with cognac* **3.1** neem/drink een ~en duik dan je bed in *drink a hot toddy and then take to your bed.*

groggy ⟨bn.⟩ **0.1** *groggy* ⇒*dazed,* ⟨vnl. bij boksers ook⟩ *punch-drunk* ◆ **3.1** de bokser viel~achterover *the boxer fell down punch-drunk.*

grogstem ⟨de (v.)⟩ **0.1** *husky voice.*

grol ⟨de (m.)⟩ **0.1** [grap] *(broad) joke* ⇒⟨inf.⟩ *gag, crack* **0.2** [frats] *trick* ⇒*antic* ⟨vnl. mv.⟩, *prank* ◆ **1.2** hij zit vol grappen en~len *he's full of jokes and nonsense/buffoonery/antics/pranks.*

grollen ⟨onov.ww.⟩ **0.1** [brommend geluid maken] *grunt* ⇒*rumble* ⟨maag, donder⟩, *growl* ⟨hond⟩ **0.2** [grappen verkopen] *make/crack jokes* ◆ **1.1** een~d zwijn *a grunting pig.*

grom

I ⟨de (m.)⟩ **0.1** [grommend geluid] *growl* ⇒*snarl* ◆ **3.1** een~als/tot antwoord krijgen *be answered with a snarl;*
II ⟨het⟩ **0.1** [ingewand van vis] *(fish)guts.*

grommen

I ⟨onov.ww.⟩ **0.1** [dof, brommend geluid maken] *growl* ⇒*rumble* ⟨maag, donder⟩ **0.2** [mbt. dieren] *growl* ⇒⟨met ontblote tanden⟩ *snarl* ◆ **1.2** een grommende beer *a growling bear* **6.2** de hond begon **tegen** mij te~*the dog began to g. at me;*
II ⟨ov.ww.⟩ **0.1** [(vis) van ingewanden ontdoen] *gut* ⇒ ↓*clean;*
III ⟨onov., ov.ww.⟩ **0.1** [(iets) morrend zeggen, brommen] *grumble* ⇒*mutter, groan, growl, grouse* ◆ **3.1** hij liep~d weg *he walked away grumbling to himself* **4.1** hij gromde wat tussen de tanden *he muttered sth. under his breath* **6** op iem. ~*grumble/grouse at s.o.* **¶.1** hij gromde iets onduidelijks *he muttered something indistinct/inaudibly.*

grompot ⟨de (m.)⟩ **0.1** *grumbler* ⇒*grouser,* ⟨inf.⟩ *groaner, moaner,* ⟨vnl. AE ook⟩ *grouch.*

grond ⟨de (m.)⟩ ⟨→sprw. 134,641⟩ **0.1** [aardoppervlak] *ground* ⇒⟨land⟩ *land,* ⟨grondgebied⟩ *territory,* ⟨terrein⟩ *terrain* **0.2** [stof waaruit het aardoppervlak bestaat] *ground* ⇒⟨aarde⟩ *earth, soil,* ⟨AE ook⟩ *dirt* **0.3** [vlak waarop men gaat] *ground* ⇒⟨binnen⟩ *floor* **0.4** [bodem onder water] *bottom* ⇒⟨van zee ook⟩ *sea bed,* ⟨van rivier ook⟩ *river bed* **0.5** [basis] *ground* ⇒*foundation, base, basis,* ⟨reden ook⟩ *reason,* ⟨oorzaak ook⟩ *cause* **0.6** [diepste, onderste deel] *bottom* ⇒⟨wezen, kern⟩ *essence, substance* ◆ **1.1** een flinke lap~*a substantial piece of land;* er zit een flink stuk~bij het huis *this house is situated in sizeable grounds, the grounds around the house are quite large;* een stuk~*a piece/plot of land;* ⟨vnl. AE⟩ *a lot* **1.5** er zit een~van waarheid in *there's an element of truth in it* **1.6** de~v.d. dingen begrijpen *understand the essence of things* **2.1** braakliggende ~*waste land;* een huis op eigen~*a freehold house* **2.2** groente v.d. koude~ *vegetables grown in the open/outdoors;* ⟨scherts.⟩ een artiest v.d. koude~*a third-rate/^Btwopenny-halfpenny performer;* ⟨scherts.⟩ een filosoof v.d. koude~*a homespun/* ⟨AE ook⟩ *cracker-barrel philosopher;* schrale/onvruchtbare~*barren/poor soil;* vaste~onder de voeten hebben ⟨lett.⟩ *be on dry land/terra firma,* ⟨ook fig.⟩ *be on firm/solid g.;* ik was blij om weer op de vaste~te staan *I was glad to be back on terra firma;* vaste/vruchtbare~*rich/fertile soil* **2.3** de begane ~ *the g. floor;* ⟨AE ook⟩ *the first floor;* toen de~hem te heet onder de voeten werd *when things got too hot for him* **2.5** iets op goede~en verwerpen *reject sth. on good grounds/for good reason/with justification;* goede~hebben iets aan te nemen *have good grounds/cause/reason for sth., have every reason to assume sth.;* op medische~en *for medical/health reasons, on medical/health grounds;* dit is niet voldoende~om te ...*this isn't sufficient (reason) to warrant ..., this doesn't warrant/justify ...* **3.1** [stukken] ~kopen en verkopen *buy and sell land;* de~raken ⟨vliegtuig⟩ *touch down, land* **3.2** gewijde~ *consecrated g.* **3.4** ⟨scheep.⟩ ~peilen *take soundings;* ~voelen ⟨verzadigd zijn⟩ *be full (up);* ⟨bespeuren dat men niet verder moet wagen⟩ *know when to stop;* geen~voelen *not be able to touch the bottom;* ⟨ook fig.⟩ *be out of one's depth* **3.5** ~en aanvoeren voor *adduce arguments for;* er bestaat~om te veronderstellen dat ...*there is reason to suppose that ...;* die bewering mist alle~*that assertion is without (any) foundation/is groundless/baseless/unfounded/unwarranted, that is a groundless/unfounded/baseless assertion* **5.2** ⟨fig.⟩ een stuk de~in schrijven *slate/smash heavily;* iem. nog verder de~in trappen *kick s.o. when/while he's down* **5.3** ⟨fig.⟩ iem. / iets de~in prijzen *overpraise s.o. / sth.* **5.4** een schip de~in boren *sink a ship, send a ship to the b.; scuttle a ship* ⟨door gaten te maken⟩; ⟨BE ook⟩ *scupper a ship;* ⟨fig.⟩ iemands plannen de grond in boren *put paid to/scuttle/wreck s.o.'s plans, shoot s.o.'s plans to pieces, squelch s.o.'s plans, spike s.o.'s guns;* ⟨BE ook⟩ *scupper s.o.'s plans;* ⟨fig.⟩ iem. de ~ in boren *slate/slaughter/crucify s.o.* **6.1** ⟨luchtv.⟩ **aan** de ~ blijven *stay on the g.;* een vliegtuig veilig **aan** de ~ zetten *land an aeroplane safely;* laag **bij** de ~ ⟨fig.⟩ *low, mean;* de mijnwerkers kwamen weer **boven** de ~ *the miners came to the surface again;* iets **met** de ~ gelijk maken ⟨lett.⟩ *raze/level sth. to the g.;* ⟨gebouw ook⟩ *pull/knock sth. down;* ⟨ook fig.⟩ *demolish sth., wipe sth. off the map;* ⟨inf.⟩ iem. **onder** de ~ stoppen *put s.o. under;* ⟨inf.⟩ hij ligt al tien jaar **onder** de ~ *he's been dead and buried the last ten years;* ⟨scherts.⟩ *he's been pushing up daisies these last ten years;* mollen leven **onder** de ~ maar 's avonds komen ze soms **boven** de ~ *moles live underground but sometimes they come above (the) g. in the evening;* een gebouw **tegen** de ~ gooien *knock/pull down/demolish/flatten a building; level/raze a building to the g.;* iem. **tegen** de ~ slaan *knock s.o. down/flat, floor s.o.,* lay s.o. out; **tegen** de ~ gaan *fall over/down;* iem. **iets tegen** de ~ gooien *throw/↑dash/↑hurl s.o./sth. to the g./floor;* zich plat **tegen** de ~ drukken *throw o.s. flat on the g.;* **tot** de ~ toe afbranden *be burnt to the g.;* ⟨scherts.⟩ een rij huizen **uit** de ~ stampen *throw up a row of houses;* niet **van** de ~ komen ⟨luchtv., ook fig.⟩ *not get off the g., not get airborne;* ⟨fig.⟩ hij heeft zijn bedrijf **van** de ~ af opgebouwd *he built up his firm from scratch/nothing* **6.2** ⟨sport⟩ **in** de ~ trappen *kick the turf;* de aardappels zijn al **uit** de ~ *the potatoes have already been dug;* bloembollen **uit** de ~ halen *lift bulbs;* planten **uit** de ~ trekken *pull up plants* **6.3** als **aan** de ~ genageld staan *be rooted/riveted to the spot, be transfixed;* ⟨fig.⟩ hij kreeg bij haar geen poot **aan** de ~ *he didn't get anywhere with her, he made no headway with her;* ⟨AE ook⟩ *he didn't even get to/reach first base with her;* ⟨fig.⟩ ik had wel **door** de ~ kunnen gaan *I wanted the g. to open up and swallow me;* **door** de ~ (kunnen) gaan/zinken van schaamte *not know where to put o.s. for/squirm with/be dying of embarrassment;* **door** de ~ (kunnen) gaan/zinken van pijn *be dying of pain, be in agony;* ⟨boksen⟩ **naar** de ~ gaan *be put down, be put on/hit the canvas, be floored;* ⟨fig.⟩ hij voelde de ~ **onder** zich wegzinken *he had a sinking feeling (in the pit of his stomach);* **op** de ~ gaan zitten *sit on the g./floor;* iets **op** de ~ gooien *throw sth. on the g./floor;* **op** de ~ vallen *fall to the g./floor;* iem. **tegen** de ~ werken *wrestle s.o. to the g.;* hij ligt **tegen** de ~ *he is down* **6.4** ⟨fig.⟩ **aan** de ~ zitten ⟨er (financieel) beroerd voor staan⟩ *be down and out, be on the rocks, be up against it;* ⟨scherts.;vulg.⟩ *be up shit creek (without a paddle);* ⟨terneergeslagen zijn⟩ *be down, be feeling (really) sorry for o.s.;* ⟨fig.⟩ finaal **aan** de ~ zitten ⟨ihb. financieel⟩ *be flat/stonybroke, be down and out/on one's uppers/at rock-bottom;* ⟨scheep.⟩ **aan** de ~ lopen/raken *run aground, be stranded;* ⟨scheep.⟩ **aan** de ~ zitten *be aground/stranded;* ⟨scheep.⟩ **aan** de ~ zetten *beach, run aground;* **te** ~ e gaan ⟨fig.⟩ *be ruined, perish, come to nothing/nought, go to/rack and ruin, go to pieces, ↓go to the dogs;* ⟨fig.⟩ iem./iets **te** ~ e richten *ruin s.o./sth., put paid to s.o./sth., wreck sth.;* zichzelf **te** ~ e richten *dig one's own grave, cut one's own throat* **6.5 op** ~ van zijn huidskleur *because of/on account of his colour;* **op** ~ van artikel 26 *on the basis of/by virtue of/on the strength of/under article 26;* ⟨jur.⟩ *pursuant to article 26;* **op** ~ waarvan *on the basis of which;* **op** ~ v.d. feit dat ... *on the basis of/by reason of/because of the fact that ...;* **op** ~ van aanwijzingen uit het publiek, ging de politie ... *acting on information received from the public, the police went ...;* ~ en **voor** een beslissing *grounds/reasons/justification for a decision* **6.6 in** de ~ is hij een goeie jongen *he's a good boy at heart;* **in** de ~ heeft hij gelijk *basically/fundamentally/essentially he's right;* **in** de ~ v.d. zaak *at bottom, basically, in essence, essentially, fundamentally;* dat komt **uit** de ~ van zijn hart *that comes from the b. of his heart* **7.5** daar zijn geen ~en voor aanwezig *there are no grounds for it* **¶.1** ⟨fig.⟩ iets v.d. ~ krijgen *get sth. off the g./going.*

grondaanwinning ⟨de (v.)⟩ **0.1** [het verkrijgen van nieuwe (bouw)grond] *land reclamation* **0.2** [verkregen stuk grond] *(piece/area of) reclaimed land* ⇒⟨mbt. Nederland ook⟩ *polder.*
grondaas ⟨het⟩ **0.1** *ground/ledger bait.*
grondachtig ⟨bn.⟩ **0.1** *earthy* ⟨ook smaak⟩.
grondakkoord ⟨het⟩ ⟨muz.⟩ **0.1** *fundamental.*
grondbedrijf ⟨het⟩ **0.1** *development corporation.*
grondbeeld ⟨het⟩ **0.1** *model* ⇒*prototype, pattern.*
grondbegin ⟨het⟩ **0.1** *very beginning* ⇒*rudiment, germ.*
grondbeginsel ⟨het⟩ **0.1** [principe, uitgangspunt] *(basic/fundamental) principle* ⇒⟨dogma⟩ *tenet, dogma* **0.2** [⟨mv.⟩ eerste regels, hoofdpunten] *(basic/fundamental) principles/elements* ⇒*rudiments, fundamentals, ground rules,* ⟨inf.⟩ *basics, nuts and bolts* ◆ **1.1** de ~en van het protestantisme *the (basic) tenets/(fundamental) principles of Protestantism* **1.2** hij kent niet eens de (eerste) ~en van de muziek *he doesn't even know the rudiments of music;* ⟨inf.⟩ *he doesn't know the first thing about music* **3.2** iem. de ~en van een wetenschap bijbrengen *introduce s.o. to/teach s.o. the (basic) principles/basics of a science.*
grondbegrip ⟨het⟩ **0.1** [eerste, oudste begrip] *initial concept* ⇒*earliest view* **0.2** [begrip dat aan andere ten grondslag ligt] *basic/fundamental idea.*

grondbelasting ⟨de (v.)⟩ **0.1** *land-tax* ⇒[B]*rates* ⟨mv.⟩.
grondbestanddeel ⟨het⟩ **0.1** *basic/fundamental ingredient/component/constituent.*
grondbetekenis ⟨de (v.)⟩ **0.1** [oorspronkelijke betekenis] *original meaning* ⇒⟨taalk.⟩ *etymon* **0.2** [hoofdbetekenis] *primary meaning* ⇒*main meaning.*
grondbewerking ⟨de (v.)⟩ **0.1** *tillage* ⇒*cultivation.*
grondbezit ⟨het⟩ **0.1** [grondeigendom] *landownership, ownership of land* ⇒⟨Sch.E; bezit v.e. landjonker ook⟩ *lairdship* **0.2** [erf] *landed property* ⇒*(landed/real) estate* **0.3** [de grondbezitters] *landed interests, propertied classes, landowning class* ⇒*landed gentry* ◆ **2.1** gemeenschappelijk ~ *common ownership of land* **2.2** gemeentelijk ~ *municipal land,* [B]*local council/authority land* **3.2** zijn ~ was met hypotheek bezwaard *his property/land was mortgaged.*
grondbezitter ⟨de (m.)⟩, **-ster** ⟨de (v.)⟩ **0.1** *landowner, (landed) proprietor,* [A]*landholder* ⟨m., v.⟩ ⇒⟨landjonker⟩ ⟨BE⟩ *squire/*⟨Sch.E.⟩ *laird* ⟨m.⟩ ◆ **2.1** kleine ~ *small l.;* ⟨landjonker⟩ *petty squire* **¶.1** de ~s ⟨→grondbezit 0.3⟩.
grondbezitting ⟨de (v.)⟩ **0.1** *(landed) property,* [A]*landholding* ⇒*(landed/real) estate* ⟨ihb. landgoed⟩.
grondboor ⟨de⟩ **0.1** *earth/soil/drill, (ground/soil) auger* ⇒⟨voor grondmonsters⟩ *soil core sampler,* ⟨voor palen⟩ *post hole digger.*
grondboring ⟨de (v.)⟩ **0.1** [onderzoek van de bodem] *soil drilling* ⇒⟨proefboring⟩ *trial boring* **0.2** [het maken van putten] *drilling* ⇒⟨mbt. wellen ook⟩ *sinking* ◆ **3.1** ~en verrichten/doen *carry out s.d., take sample borings.*
gronddenkbeeld ⟨het⟩ **0.1** *basic/fundamental idea.*
gronddienst ⟨de (m.)⟩ **0.1** [werkzaamheden] *ground facilities/organization* **0.2** [personeel] *ground crew/staff.*
grondduiker ⟨de (m.)⟩ ⟨wwb.⟩ **0.1** *culvert.*
grondeigenaar ⟨de (m.)⟩, **-nares** ⟨de (v.)⟩ **0.1** [eigenaar van een stuk grond] *(ground) landlord* **0.2** [grondbezitter] ⟨→**grondbezitter**⟩.
grondeigendom ⇒**grondbezit 0.1, 0.2.**
grondeigenschap ⟨de (v.)⟩ **0.1** [axioma] *axiom* **0.2** [mbt. stoffen] *fundamental property.*
grondel ⟨de (m.)⟩ ⟨dierk.⟩ **0.1** *goby* ⇒⟨ihb.⟩ *gudgeon.*
grondeloos ⟨bn.⟩ **0.1** [bodemloos] *bottomless* ⟨put⟩ ⇒⟨onpeilbaar⟩ *unfathomable* ⟨diepte, zee⟩ **0.2** ⟨fig.⟩ oneindig groot] *unfathomable* ⇒*abysmal* ⟨negatieve eigenschappen⟩, *endless* ⟨verderf, zorgen⟩ **0.3** [ongegrond] *baseless, groundless, unfounded, without foundation* ⇒⟨mbt. gerucht, speculatie ook⟩ *idle.*
grondeloosheid ⟨de (v.)⟩ **0.1** [barmhartigheid Gods] *boundlessness* **0.2** [oneindige diepte] *unfathomable depth.*
gronden ⟨ov.ww.⟩ **0.1** [vestigen, baseren] *found* ⇒⟨baseren ook⟩ *base (on),* ⟨mbt. opinie, hoop ook⟩ *ground (on),* ⟨een firma vestigen ook⟩ *establish, lay the foundations of* **0.2** [grondverven] *prime* ⇒*undercoat* **0.3** [⟨bk.⟩ eerste verflaag aanbrengen] *prime* ⇒*dead-colour* **0.4** [de bodem (van water) peilen] *take soundings of, sound* ⇒*fathom, plumb* **0.5** [doorgronden] *fathom* ⇒*get to the bottom of* ◆ **1.1** een rijk/een troon ~ *establish an empire/a throne* **1.4** diepten die niet te ~ zijn *unfathomable depths* **6.1** mijn eis is gegrond **op** vroeger door u gedane beloften *my claim is based on promises previously made by you;* een eis/bewering ~ **op** *base a claim/assertion on.*
gronderig ⟨bn.⟩ **0.1** [troebel] *muddy* **0.2** [naar grond smakend] *earthy* ◆ **3.2** ~ smaken *taste e., taste of earth.*
gronderigheid ⟨de (v.)⟩ **0.1** *earthiness.*
grondexploitatie ⟨de (v.)⟩ **0.1** *estate/land development.*
grondgebied ⟨het⟩ **0.1** [territorium] *territory* ⇒*terrain, soil* ⟨vnl. v.e. staat⟩, *dominion, domain* ⟨vnl. v.e. land: vnl. mv.⟩, *precinct* ⟨ihb. omsloten ruimte om kerk, universiteit; vnl. mv.⟩ **0.2** [⟨fig.⟩] *territory* ⇒*terrain, domain* ◆ **1.1** afstand/ruiling van ~ *cession/exchange of territory* **2.1** wij bevonden ons op Belgisch ~ *we found ourselves on Belgian territory/soil;* neutraal ~ *neutral territory;* vreemd ~ *foreign territory* **6.1** hij werd **buiten** het ~ van de stad gebracht *he was taken outside the city limits.*
grondgebruik ⟨het⟩ **0.1** *land use* ⇒*land utilization, use of the land,* ⟨door huurder⟩ *occupancy of land* ◆ **1.1** hervorming v.h. ~ *land reform.*
grondgedachte ⟨de (v.)⟩ **0.1** *basic/underlying/fundamental idea/principle* ⇒*rationale, keynote* ◆ **3.1** de ~ uiteenzetten van iets *explain the basic principles of sth..*
grondgymnastiek ⟨de (v.)⟩ **0.1** *cal(l)isthenics.*
grondhouding ⟨de (v.)⟩ ⟨pol.⟩ **0.1** *fundamental attitude* ◆ **2.1** uit een positieve ~ *based on a fundamentally positive attitude.*
grondhout ⟨het⟩ **0.1** *(veneer) grounds* ◆ **6.¶ aan** het ~ zitten *be on one's uppers/beam-ends, be at rock bottom, be down and out.*
grondig ⟨bn., bw.; -ly⟩ **0.1** [niet oppervlakkig] *thorough* ⇒⟨mbt. onderzoek, studie ook⟩ *profound,* ⟨mbt. kuur, verandering ook⟩ *radical,* ⟨mbt. onderzoek, vragen ook⟩ *searching,* ⟨mbt. kennis ook⟩ *intimate, sound, valid, solid, substantial* **0.2** [deugdelijk] *sound* ⇒*valid, solid, substantial* **0.3** [troebel] *muddy* ◆ **1.1** een ~e hekel aan iem./iets *loathe s.o./sth., hate s.o.* (↓*'s guts*)/*sth. like poison, not be able to*

stand s.o. / sth.; hij heeft een ~e kennis van de letterkunde *he has a t. / an intimate knowledge of literature;* ⟨inf.⟩ *he is well up in literature;* een ~ onderzoek verrichten *make a t. / searching examination;* ⟨inf.⟩ *go over (sth.) with a fine-tooth comb;* een ~e verbetering was daarvan het gevolg *a thoroughgoing / considerable improvement was the result;* een ~e wasbeurt *a good wash(ing)* **3.1** iets ~ bespreken *talk sth. out / through;* ⟨inf.⟩ *thrash a matter out;* iets ~ doen *make a good / clean job of sth.;* ⟨inf.⟩ *go the whole hog;* een huis ~ doorzoeken *search a house thoroughly / from end to end / from top to bottom;* ⟨inf.⟩ *turn a house upside-down;* de wiskunde ~ leren *get a t. grounding in math(ematic)s;* iets ~ onderzoeken *examine sth. thoroughly, get to the (very) bottom of sth.;* zich ~ voorbereiden *prepare o.s. thoroughly;* ⟨inf.⟩ *do one's homework,* [B]gen up (on) **3.3** de vis is wat ~ *the fish tastes a bit earthy* **5.1** zeer ~ *thoroughgoing.*

grondigheid ⟨de (v.)⟩ **0.1** *thoroughness* ⇒⟨deugdelijkheid⟩ *soundness, validity* ◆ **1.1** de ~ van het onderzoek is onomstreden *the t. of the investigation is beyond dispute.*

grondijs ⟨het⟩ **0.1** *ground-ice* ⇒*anchor ice.*

gronding ⟨de (v.)⟩ **0.1** *foundation, establishment.*

grondkamer ⟨de⟩ **0.1** *Land Tenure / Control Board.*

grondkapitaal ⟨het⟩ **0.1** [oorspronkelijk, beginkapitaal] *initial capital* **0.2** [kapitaal dat in grond bestaat] *real estate, landed property* **0.3** [bezitters van dit kapitaal] *(the) landed interests.*

grondkleur ⟨de⟩ **0.1** [kleur van de achtergrond] *ground* ⇒*basic / principal colour* **0.2** [primaire kleur] *primary colour* **0.3** [eerste kleurlaag] *undercoat* ⇒*primer, base, ground colour.*

grondlaag ⟨de⟩ **0.1** [onderste laag] *bottom / first layer* ⇒*footing* ⟨van muur⟩ **0.2** [grondverf] *priming coat, undercoat* ⇒*first coat (of paint)* **0.3** [laag van de aardkorst] *layer (of soil)* ⇒*(sub)stratum* ◆ **2.3** waterhoudende ~ *aquifer, aquafer* **3.2** een ~ aanbrengen op *prime, undercoat.*

grondlak ⟨het, de (m.)⟩ **0.1** *primer* ⇒*priming.*

grondlasten ⟨zn.mv.⟩ **0.1** *land-tax* ⇒[B]*rates* ⟨mv.⟩.

grondlegger ⟨de (m.)⟩, **-ster** ⟨de (v.)⟩ **0.1** *founder* ⟨m., v.⟩ ⇒*(founding) father* ⟨m.⟩, *originator* ⟨m., v.⟩, *foundress* ⟨v.⟩ ◆ **1.1** de ~ van de golfmechanica *the father of wave mechanics.*

grondlegging ⟨de (v.)⟩ **0.1** *foundation, establishment, founding.*

grondlijn ⟨de⟩ **0.1** [⟨wisk.⟩] *base* ⇒*base line* **0.2** [hoofdlijn van een bouwkundig ornament] *outline, basic shape / pattern.*

grondmarkt ⟨de⟩ **0.1** *real estate market.*

grondmonster ⟨het⟩ **0.1** *soil sample.*

grondnoot ⟨de⟩ **0.1** *peanut* ⇒⟨BE ook⟩ *groundnut, monkey nut.*

grondoefening ⟨de (v.)⟩ **0.1** *floor / free exercise* ◆ **3.1** ~en doen *do floor / free exercises.*

grondonderzoek ⟨het⟩ **0.1** *soil testing / analysis* ⇒*test / trial boring.*

grondonteigening ⟨de (v.)⟩ **0.1** *expropriation of land.*

grondoorzaak ⟨de⟩ **0.1** *root / basic / underlying / fundamental / primary cause.*

grondorganisatie ⟨de (v.)⟩ **0.1** [voorzieningen op een vliegveld] *ground facilities / organization* **0.2** [infrastructuur] *infrastructure.*

grondpacht ⟨de⟩ **0.1** *ground rent.*

grondpass ⟨de (m.)⟩ ⟨sport⟩ **0.1** *low pass.*

grondpersoneel ⟨het⟩ **0.1** *ground crew / staff.*

grondplaat ⟨de⟩ **0.1** [fundatieplaat] *bedplate* ⇒*base / sole / ground plate* **0.2** [⟨elek.⟩ metalen aardingsplaat] *earth / ground plate.*

grondpolitiek ⟨de (v.)⟩ **0.1** *land(-use) policy.*

grondprijs ⟨de (m.)⟩ **0.1** [prijs van grond] *land price, price of land* ⇒*value of land* **0.2** [ten grondslag gelegd bedrag] *basic price* ◆ **3.1** de grondprijzen stijgen *the price / value of land is / land prices are rising.*

grondprincipe ⟨het⟩ **0.1** *basic / fundamental / underlying principle.*

grondprobleem ⟨het⟩ **0.1** *basic / fundamental problem / difficulty.*

grondrecht ⟨het⟩ **0.1** [recht(sinstellingen) waarop het overige recht steunt] *basic law* **0.2** [mensenrechten] *basic right* ⇒⟨burgerrechten⟩ *civil rights* ⟨mv.⟩.

grondregel ⟨de (m.)⟩ **0.1** [hoofdregel] *basic / fundamental / cardinal rule* ⇒*maxim, precept* **0.2** [principe] *(basic / fundamental) principle* ⇒⟨dogma⟩ *tenet, dogma* **0.3** [axioma] *axiom* ◆ **2.1** als belangrijkste ~ op reis geldt, dat men ... *the golden / basic / most important rule when travelling* [A]*eling is to ...* **6.2** hij is gewoon **naar** ~s te handelen *he acts according to (his) principles, he sticks to the book.*

grondrente ⟨de (v.)⟩ **0.1** *ground rent.*

grondslag ⟨de (m.)⟩ **0.1** [fundament] *foundation* ⟨vnl. mv.⟩ **0.2** [⟨fig.⟩] *basis* ⇒*foundation(s), fundamentals* ⟨mv.⟩, *groundwork, footing* ◆ **1.2** dit legde de ~ van / voor / tot zijn succes *this was the foundation / cornerstone of his success* **2.1** op een stevige ~ rusten *be soundly based, be on a firm f.* **2.2** de algemene ~en van een vereniging *the statutes of an association;* op coöperatieve / niet commerciële ~ *on a cooperative / non-commercial b.;* een vereniging op gereformeerde ~ *an association based on Calvinist principles* **3.1** het leggen van de ~en *the laying of the foundations* **2.1** een feitelijke / solide ~ hebben *have a sound b. in / of fact, be founded (up)on fact;* de ~ / ~en leggen tot / van / voor iets *lay the foundation(s) / do the groundwork for sth.;* een stevige ~ leggen / vormen voor iets *lay solid foundations for / be the b. of*

sth.; elke (feitelijke) ~ missen *have no b. (in fact), have no factual b., not be based on (actual) facts* **6.2** op ~ **van** *on the b. of;* aan het verhaal ligt een ware gebeurtenis **ten** ~ *the story is based on a true event;* **ten** ~ liggen aan *lie / be at the root of / at the bottom of, underlie.*

grondsoort ⟨de⟩ **0.1** *(type / kind of) soil.*

grondsop ⟨het⟩ **0.1** [vocht op de bodem] *dregs* ⇒⟨vnl. mbt. koffie⟩ *grounds, lees* **0.2** [iets bitters, onaangenaams] *dregs.*

grondspeculant ⟨de (m.)⟩ **0.1** *land speculator* ⇒*speculator in land, land-jobber.*

grondspeculatie ⟨de (v.)⟩ **0.1** *land speculation.*

grondstation ⟨het⟩ ⟨verk.⟩ **0.1** *ground station* ⇒⟨mbt. satelliet⟩ *earth station.*

grondstelling ⟨de (v.)⟩ **0.1** [fundamentele stelling van een leer] *(fundamental) principle* ⇒*tenet, dogma* **0.2** [stel-, grondregel] *(basic) rule / principle* ⇒*maxim, precept* **0.3** [⟨wisk.⟩ axioma] *axiom* ⇒*fundamental, theorem.*

grondstem ⟨de⟩ **0.1** [geluid van orgelpijpen] *foundation-tone* **0.2** [orgelpijpen] *foundation stop* ⇒*diapason* **0.3** [baspartij] *bass(-line)* ⇒*ground (bass).*

grondstewardess ⟨de (v.)⟩ **0.1** *ground hostess.*

grondstof ⟨de⟩ **0.1** [onbewerkt, ruw materiaal] *(raw / base) material* ⇒⟨landb. ook⟩ *raw produce,* ⟨voor machine, fabriek⟩ *feedstock, stuff* **0.2** [hoofdbestanddeel] *(starting) material* ⇒*ingredient, component* **0.3** [⟨schei.⟩] *element* ◆ **1.1** vlas is de ~ van linnen *flax is the raw material for (making) linen* **1.2** meel, boter en eieren zijn de ~fen van het meeste gebak *flower, butter and eggs are the ingredients of most pastry* **2.1** ruwe ~fen *raw materials / produce.*

grondstoffenprijzen ⟨zn.mv.⟩ **0.1** *prices of raw materials.*

grondstofwisseling ⟨de (v.)⟩ **0.1** [mbt. lichaam] *(basal) metabolism* **0.2** [mbt. teelaarde] *soil metabolism.*

grondstrijdkrachten ⟨zn.mv.⟩ **0.1** *ground(-combat) forces.*

grondstroom ⟨de (m.)⟩ ⟨elek.⟩ **0.1** *earth current.*

grondtaal ⟨de⟩ **0.1** [oorspronkelijke taal] *original language* **0.2** [oertaal] *parent language* ⇒*substratum.*

grondtal ⟨het⟩ ⟨wisk.⟩ **0.1** [getal als grondslag van een talstelsel] *base* ⇒*radix* **0.2** [getal dat in een macht wordt verheven] *base* ⇒*radix* ◆ **1.2** ⟨comp.⟩ ~ v.d. drijvende komma-voorstelling *floating point radix* **8.1** het tientallig stelsel werkt met het getal tien als ~ *the decimal system uses b. ten.*

grondtekening ⟨de (v.)⟩ **0.1** *ground / floor plan.*

grondtekst ⟨de (m.)⟩ **0.1** *original text.*

grondtoon ⟨de (m.)⟩ **0.1** [⟨nat.⟩] *fundamental* **0.2** [⟨muz.⟩ laagste toon van een akkoord] *fundamental, root* **0.3** [⟨muz.⟩ toon waarvan de schaal de grondslag vormt] *tonic, key-note* **0.4** [leidmotief] *main theme* ⇒*prevailing tone, key-note, tendency, leitmotif* **0.5** [hoofdkleur] *basic / main colour* ◆ **1.4** de ~ van onze eeuw *the (dominant) theme of our century;* de ~ van een gedicht *the main theme / idea of a poem* **2.2** uit een andere ~ spelen ⟨fig.⟩ *strike a different note.*

grondtrek ⟨de (m.)⟩ **0.1** *main / chief / characteristic feature* ⇒⟨van karakter⟩ *characteristic / chief trait, outlines* ⟨mv.⟩ ◆ **3.1** de ~ken van iets aangeven *outline sth..*

grondtroepen → **grondstrijdkrachten.**

grondverbetering ⟨de (v.)⟩ **0.1** [versteviging van een bodem] *ground / soil consolidation* **0.2** [verbetering van teelgrond] *soil / land improvement / enrichment* ⇒*melioration.*

grondverf ⟨de⟩ **0.1** [⟨bk.⟩] *primer* ⇒*priming* **0.2** [eerste verf] *primer, undercoat* ⇒*priming paint, ground* ◆ **6.2** in de ~ staan *be primed / undercoated;* iets in de ~ zetten *prime / undercoat sth., apply a(n) / the priming coat / undercoat to sth..*

grondvergadering ⟨de (v.)⟩ ⟨gesch.⟩ **0.1** *primary assembly.*

grondvlakker ⟨de (m.)⟩ ⟨scheep.⟩ **0.1** *echosounder, sonic depth finder* ⇒*fathometer.*

grondverschuiving ⟨de (v.)⟩ **0.1** *landslide* ⇒⟨BE ook⟩ *landslip.*

grondverven ⟨ov.ww.⟩ **0.1** *prime / undercoat* ⇒*apply a(n) / the priming coat / undercoat to,* ⟨schilderij ook⟩ *dead-colour.*

grondverzakking ⟨de (v.)⟩ **0.1** *subsidence.*

grondverzetmachine ⟨de (v.)⟩ **0.1** *earthmover, earthmoving machine* ⇒*(mechanical) excavator / digger / shovel, bulldozer.*

grondvest ⟨de⟩ **0.1** *foundation* ◆ **6.1** ⟨fig.⟩ een rijk op zijn ~en doen schudden *shake / rock the foundations of an empire;* op zijn ~en wankelen / schudden *shake to its foundations.*

grondvesten ⟨ov.ww.⟩ **0.1** [funderen] *lay the foundations of* **0.2** [⟨fig.⟩] *found* ⇒⟨baseren ook⟩ *base (on),* ⟨mbt. opinie, hoop ook⟩ *ground (on),* ⟨mbt. rijk, firma ook⟩ *establish, lay the foundations of* ◆ **1.2** een onafhankelijke staat ~ / f. / *establish an independent state* **6.2** op / in iets gegrondvest zijn *be based on sth..*

grondvester ⟨de (m.)⟩ **0.1** *founder* ⇒*(founding) father, originator.*

grondvesting ⟨de (v.)⟩ **0.1** [het grondvesten] *foundation* ⇒*establishment, founding* **0.2** [grondslag] *foundation* ⇒*base, basis.*

grondvlak ⟨het⟩ **0.1** [onder / bodemvlak] *base, basal area* **0.2** [⟨wisk.⟩] *base.*

grondvoorwaarde ⟨de (v.)⟩ **0.1** *basic / fundamental condition* ⇒⟨mv. ook⟩ *basic / fundamental terms.*

grondvorm ⟨de (m.)⟩ **0.1** [oudste vorm] *primitive / original form* **0.2** [type] *basic form / shape* ⇒*type*, ⟨model⟩ *pattern, model, exemplar.*

grondwaarheid ⟨de (v.)⟩ **0.1** *fundamental / basic truth.*

grondwater ⟨het⟩ **0.1** *groundwater* ⇒⟨diep⟩ *(sub)soil water, underground water* ◆ **2.1** opstijgend ~ *rising damp* ⟨in kelder enz.⟩.

grondwaterspiegel ⟨de (m.)⟩ **0.1** *water table* ⇒*groundwater level.*

grondwaterstand ⟨de (m.)⟩ **0.1** *groundwater level* ⇒*level of underground water.*

grondwerk ⟨het⟩ **0.1** *groundwork* ⟨ook sport; ook fig.⟩ ⇒*spadework* ⟨ook fig.⟩, *earthwork(s)*, ⟨BE ook⟩ *navvy work* ◆ **3.1** ~ doen / verrichten *do / carry out g. / spadework*, ⟨BE ook⟩ *navvy* ⟨met de hand⟩.

grondwerker ⟨de (m.)⟩ **0.1** *excavation worker* ⇒*digger*, ⟨BE ook⟩ *navvy.*

grondwerktuigkundige ⟨de (m.)⟩ **0.1** *ground(staff) engineer.*

grondwet ⟨de (v.)⟩ **0.1** [constitutie] *(written) constitution* ⇒*constitutional law* **0.2** [grondregel] *fundamental / basic law / rule* ◆ **1.2** de ~ van het klooster *the monastic rule, rule of the monastery* **6.1** in strijd met de ~ *unconstitutional;* ~ **voor** het Koninkrijk der Nederlanden *the Constitution of the Kingdom of the Netherlands.*

grondwetgever ⟨de (m.)⟩ **0.1** *constitutioner.*

grondwetsartikel ⟨het⟩ **0.1** *article / section of the constitution.*

grondwetsherziening ⟨de (v.)⟩ **0.1** *constitutional revision* ⇒*revision of the constitution.*

grondwetsschennis ⟨de (v.)⟩ **0.1** *violation of the constitution.*

grondwetswijziging ⟨de (v.)⟩ **0.1** *amendment to the constitution* ⇒*constitutional amendment.*

grondwettelijk ⟨bn.⟩ **0.1** [van een grondwet] *constitutional* ⇒*organic* **0.2** [op een grondwet gevestigd] *constitutional* ◆ **1.1** de uitvoering van ~e voorschriften *the implementation of c. provisions* **1.2** een ~e monarchie *a.c. monarchy.*

grondwettig ⟨bn.⟩ **0.1** *constitutional* ◆ **1.1** ~ koningschap *c. kingship.*

grondwettigheid ⟨de (v.)⟩ **0.1** *constitutionality.*

grondwoord ⟨het⟩ **0.1** [⟨taal.⟩] *root (word)* ⇒*radical, etymon* **0.2** [woord in de grondtekst] *word in the original (text).*

grondzaak ⟨de⟩ **0.1** *matter of / concerning landownership.*

grondzee ⟨de⟩ **0.1** *ground sea* ⇒*breaker.*

grondzeil ⟨het⟩ **0.1** *ground sheet* ⇒⟨AE ook⟩ *ground cloth.*

Groninger[1] ⟨de (m.)⟩ **0.1** *inhabitant / native of Groningen* ◆ **3.1** hij is een ~ *he is from Groningen.*

Groninger[2] ⟨bn.⟩ **0.1** *from Groningen* ◆ **1.1** ~ koek ≠*Groningen spiced cake.*

groot ⟨→sprw. 81,88,123,143,178,229,277,332,347,348,350,351, 357,470,481,504,606,607⟩

I ⟨bn.⟩ **0.1** [van meer dan gemiddelde afmeting] *big* ⇒*large*, ⟨muz.⟩ *major* **0.2** [lang] *big* ⟨vaak kind⟩ ⇒*tall* **0.3** [ouder] *big* ⇒⟨volwassen⟩ *grown-up*, ⟨volwassen⟩ *full(y)-grown* ⟨niet mbt. mensen⟩ **0.4** [de genoemde afmeting hebbend] *in size* **0.5** [uitgebreid] *great* ⇒ ↓*big* **0.6** [belangrijk] *great* **0.7** [intens] *great* **0.8** [uitmuntend] *great* **0.9** [voornaam] *great* ◆ **1.1** wat is dat bos ~! *what a b. / large wood!;* in D ~ *in (the key of) D major;* een ~ huis *a b. / large house;* een veel te grote jas *a jacket which is / was much too b. / large;* de kunst met een grote K *art with a capital K;* een grote K *art with a capital A;* ~ kaliber *large calibre;* een tamelijk grote kamer *quite a b. / large room;* de kans is ~ dat …*there's a good chance that …;* de kans is niet ~ dat … *there's not much of a chance that …;* een grote kerel *a b. / hefty fellow;* ⟨kind ook⟩ *a b. boy;* een ~ landgoed *a large (country) estate;* met grote letters *in b. letters;* ⟨hoofdletters⟩ *in capitals;* de grotere maten *bigger / larger sizes;* de Grote Oceaan *the Pacific (Ocean);* grote ogen opzetten *look amazed / astonished;* de Grote Plas *the water;* de grote stad *the (b.) city;* grote stappen nemen *take b. steps;* een zo ~ mogelijk stuk *a piece as b. / large as possible, as b. / large a piece as possible;* zijn grote teen *his b. toe;* grote terts *major third;* ~ vee *cattle;* op te grote voet leven *live beyond one's means;* met die grote voeten van hem *with those great b. feet of his;* grote / kleine wijzer *minor / hour hand;* ~ wild *b. game* **1.2** grote boom *a b. / tall tree;* een kop groter dan John *taller than John by a head* **1.3** zijn grote broer *his b. brother;* zij heeft al grote kinderen *she's (already) got grown-up children;* nu ben je een grote meid *you're a b. girl now;* de grote mensen *the grown-ups* **1.4** het stuk land is twee hectare ~ *that piece of land is two hectares in size;* het tekort is tien miljoen ~ *the size of the deficit is ten million(s)* **1.5** een ~ aantal toeschouwers *a g. / large number of spectators;* ~ alarm *red alert;* Groot Brussel / Londen *Greater Brussels / London;* voor een ~ deel *to a g. / large extent;* een ~ fortuin *a g. / large fortune;* de voetballer had het grote geld geroken *the footballer was attracted by the money;* een ~ gezelschap *a large group of people;* een ~ gezin *a large family;* een grote hoeveelheid geld *a large amount of money;* de grote hoop *the (g.) majority (of people), the masses* ⟨fig.⟩ alles op een / de grote hoop gooien *lump everything together;* een grote kennissenkring hebben *have a wide circle of acquaintances;* bij mist ~ licht *use your headlights in fog;* de grote massa *the masses;* het grote publiek *the general public, the public at large;* de grote schoonmaak *spring-cleaning;* grote snelheid *high speed* **1.6** de grote dag *the g. / ↓big day;* morgen is het ~ feest *tomorrow is the g. / big day;* de grote

kerk *the main church;* de grote knal *the Big Bang;* de grote lui / heren *grand folk;* hij is een ~ man geworden *he has become a g. man;* de grote mast *the mainmast;* de grote mogendheden *the g. powers;* de grote politiek ⟨inf.⟩ *big-time politics;* ⟨AE ook⟩ *big-league politics;* de grote profeten *the g. prophets;* een grote weg *a major / main road, a highway* **1.7** met grote moeite *with g. difficulty;* er heerste grote stilte in de zaal *there was a g. / deep silence in the hall;* iem. ~ verdriet doen *hurt s.o. deeply;* tot mijn grote verrassing / spijt ⟨ook⟩ *much to my surprise / regret;* daar ben ik een ~ voorstander van *I'm all for it / all in favour of it;* de vreugde was ~ *everyone was very happy* **1.8** een ~ denker *a g. thinker / mind;* hij is geen ~ denker *he's not much of a thinker;* een ~ eter *a big eater;* een ~ kenner v.h. Arabisch *a g. Arabic scholar / Arabist;* een ~ koning *a g. king;* een grote schelm *a g. rogue;* een ~ talent *a g. talent* **1.9** grote goden! *Ye Gods!, Good God / Lord!;* met ~ verlof gaan *go on long leave;* de grote visserij *herring fishing* **2.1** dat is de grootst mogelijke onzin *that is utter / absolute nonsense* **2.3** voor ~ en klein *for young and old* **2.8** dat wordt een hele grote *that's going to be a big one, he / she is destined for g. things* **3.1** groter gaan wonen *move (in)to a bigger house* **3.2** wat ben jij ~ geworden! *how you've / haven't you grown!;* hij is ~ voor zijn leeftijd *he is b. / tall for his age;* hij wordt groter dan zijn vader *he's going to be taller than his father* **3.3** als ik ~ ben, word ik popzanger *I'll be going to be a pop singer when I grow up;* die jongen is zo lui als hij ~ is *that boy is as lazy as they come / as they make them;* kleine kinderen worden ~ *little children grow up* **3.5** die moet je nog b. / large take a broad view of that **3.¶** zich ~ houden *keep a stiff upper lip* **4.9** iets ~s willen verrichten *want to achieve g. things* **5.1** enorm ~ *enormous, huge;* ⟨BE; scherts.⟩ *gynormous;* een enorm grote neus *a great b. nose, a huge / enormous nose;* reusachtig ~ *gigantic, enormous, huge;* vrij ~ *quite b., quite a size, a good(ish) size, sizeable* **5.2** zij is even ~ als haar buurvrouw *she is the same height as her neighbour;* hoe ~ wordt zo'n hond? *what size are those dogs when they're fully grown?;* ik ken hem sinds hij zó ~ was *I've known him since he was so high* **5.3** hij is ~ genoeg om laat thuis te komen *he is b. / old enough to stay out late;* daar ben je te ~ voor *you're too b. for that (sort of thing)* **5.4** ⟨inf.⟩ hoe ~ is de schade? *what is the extent of the damage?;* ⟨inf.⟩ *what's the damage?* **5.5** een steeds groter aantal *an increasing / a growing number* **5.9** zich te ~ voor iets achten *consider o.s. too important for sth.* **6.¶** ~ **met** iem. zijn *be great friends with s.o.*, ↓*be well in with s.o.* **7.1** op één na de grootste *the biggest but one* **7.2** de ~sten moesten achteraan lopen *the biggest / tallest had to walk at the back;* de grootste v.d. twee *the bigger of the two;* de grootste v.d. drie *the biggest v.d. drie the biggest of the three* **7.3** de groten mogen langer opblijven *the older ones can stay up later* **7.5** in het ~ handel drijven *be involved in big business,* ↓*be a big businessman / -woman;* hij doet alles in het ~ *he does everything on a big / large scale;* in het ~ inkopen / verkopen *buy / sell in bulk* **7.6** de groten der aarde *the rulers of the world* **7.8** Karel de Grote *Charlemagne* **8.2** hij is 5 cm groter dan zij *he is 5 cm / inches taller than she is* **8.4** twee keer zo ~ als deze kamer *twice as big as / twice the size of this room;*

II ⟨bw.⟩ **0.1** [op grote wijze] ⟨zie 1.1,3.1⟩ ◆ **1.1** je hebt ~ gelijk! *you are quite / perfectly / ⟨inf.⟩ dead right!;* ⟨sl.⟩ *right on!* **3.1** ~ schrijven *write in big handwriting.*

grootaalmoezenier ⟨de (m.)⟩ **0.1** *lord almoner* ⇒⟨GB⟩ *Grand / Lord High Almoner.*

grootbedrijf ⟨het⟩ **0.1** *large-scale / big enterprise / industry.*

grootbeeld ⟨het⟩ **0.1** *large screen (television).*

grootbladig ⟨bn.⟩ **0.1** *large-leaved.*

grootboek ⟨het⟩ **0.1** [⟨adm.⟩] *ledger* ⇒⟨van aandeelhouders ook⟩ *register* **0.2** [register met de schulden van de staat] *register(s)* ⇒⟨GB⟩ *National Debt Office* ◆ **1.2** het Grootboek van de nationale schuld *the register of (inscribed) Government stocks / of national debt / of public funds* **6.2** kapitaal **op** het Grootboek zetten *put money in public funds, buy inscribed Government stocks.*

grootbrengen ⟨ov.ww.⟩ **0.1** *bring up* ⇒*raise,* ⟨lichamelijk⟩ *nurse, rear,* ⟨opvoeden⟩ *educate* ◆ **1.1** een kind ~ *bring up / raise a child;* kinderen ~ *raise a family* **6.1** aan de borst grootgebracht *breast-fed;* hij was grootgebracht **in** het katholiek geloof *he had been brought up a Catholic;* hij was als het ware **in** het vak / **in** de winkel grootgebracht *he was, as it were, born and bred in the trade / shop;* jonge katjes **met** de fles ~ *bring up / raise kittens by hand;* een kind **met** de fles ~ *bottle-feed a child.*

Groot-Brittannië ⟨het⟩ **0.1** *Great Britain.*

grootdoen ⟨onov.ww.⟩ **0.1** *swagger* ⇒*boast, put on airs, brag,* ⟨inf.⟩ *swank.*

grootdoener ⟨de (m.)⟩ **0.1** *swaggerer* ⇒*boaster, braggart,* ⟨vnl. BE; inf.⟩ *swanker, swankpot.*

grootdoenerij ⟨de (v.)⟩ **0.1** *swagger(ing)* ⇒*boasting, bragging, putting on airs,* ⟨inf.⟩ *swank.*

grootfamilie ⟨de (v.)⟩ ⟨antr.⟩ **0.1** *extended family.*

groot-formaatverpakking ⟨de (v.)⟩ **0.1** *economy-size* ⇒*family / jumbo / giant size.*

grootgrondbezit ⟨het⟩ **0.1** [omstandigheid] *large(-scale) landownership* ⇒⟨pej.⟩ *landlordism* **0.2** [personen] *landed gentry, large landowners.*

grootgrondbezitter 〈de (m.)〉 **0.1** *large landowner*.

groothandel 〈de (m.)〉 **0.1** [onderneming] *wholesaler's* ⇒*wholesale business* **0.2** [handelsvorm] *wholesale trade* ◆ **3.2** hij drijft~in suiker *he sells sugar wholesale* **6.1** een~**in** zeevis *a wholesale business in sea-fish* **6.2** (iets) **bij** de~ kopen *buy (sth.) wholesale*; deze prijzen gelden alleen **voor** de~ *these are wholesale prices, these prices are for wholesale only*.

groothandelaar 〈de (m.)〉 **0.1** *wholesaler* ⇒〈AE ook〉 *jobber, merchant* ◆ **6.1** ~**in** textiel *w. in textiles*; ~**in** wijnen/kruidenierswaren *wholesale wine merchant/grocer*.

groothandelsfirma 〈de〉 **0.1** *wholesale company*.

groothandelsprijs 〈de (m.)〉 **0.1** *wholesale price* ◆ **6.1** **voor** groothandelsprijzen *at wholesale (prices)*.

groothartig 〈bn.〉 **0.1** *magnanimous* ⇒*generous, big-hearted, noble(-minded)* ◆ **1.1** ~e zelfverloochening *noble self-denial*.

grootheid 〈de (v.)〉 **0.1** [〈nat.,wisk.)] *quantity* ⇒〈veranderlijke〉 *variable* **0.2** [belangrijk personage] *celebrity* ⇒*man/woman of consequence*, 〈inf.〉 *big shot*, 〈BE inf.〉 *bigwig, VIP* **0.3** [het omvangrijk zijn] *largeness, greatness, magnitude* **0.4** [verhevenheid van geest, gemoed] *magnanimity* ⇒*nobility, greatness* **0.5** [voortreffelijkheid, superioriteit] *eminence* ⇒*excellence* ◆ **1.5** de~Gods *God's greatness* **2.1** afhankelijke~ *dependent variable*; een bekende~ *a known q.*; gelijk- en ongelijksoortige grootheden *equal and unequal quantities*; een onbekende~ *an unknown q.*; veranderlijke en onveranderlijke grootheden *variables and constants* **2.2** 〈iron.〉 een onbekende~ *an unknown quantity* **2.4** ware~ bezitten *be truly magnanimous*; zedelijke~ *moral greatness* **7.2** alle grootheden uit de filmwereld waren aanwezig *all the* ᴮ*film* ᴬ*movie celebrities were there*.

grootheidswaan 〈de (m.)〉 **0.1** *megalomania* ⇒*delusions of grandeur, folie de grandeur* ◆ **1.1** lijder aan~ *megalomaniac* **3.1** lijdend aan~ *megalomaniac*.

grootheidswaanzin 〈de (m.)〉 **0.1** *megalomania*.

groothertog 〈de (m.)〉 **0.1** *grand duke*.

groothertogdom 〈het〉 **0.1** *grand duchy*.

groothertogelijk 〈bn.〉 **0.1** *grand-ducal*.

groothertogin 〈de (v.)〉 **0.1** [gemalin, weduwe van een groothertog] 〈gemalin〉 *grand duchess*; 〈weduwe〉 *dowager (grand duchess)* **0.2** [vrouw die over een groothertogdom regeert] *grand duchess*.

groothoeklens 〈de〉〈foto.; film.〉 **0.1** *wide-angle lens* ⇒〈visooglens〉 *fish-eye lens*.

groothouden 〈wk.ww.; zich~〉 **0.1** [zich flink gedragen] *bear up (well/bravely)* **0.2** [doen alsof men zich iets niet aantrekt] *keep up appearances* ⇒*keep a stiff upper lip, put a good/brave face on it*.

grootindustrie 〈de (v.)〉 **0.1** *large(-scale) industry/enterprise* ⇒〈als geheel ook〉 *large(-scale) industries*.

grootindustrieel 〈de (m.)〉 **0.1** *captain of industry* ⇒*industrial magnate, major industrialist*.

grootje 〈het〉 **0.1** [grootmoeder] *granny* ⇒*grandma(ma)* **0.2** [oude vrouw] *granny* ◆ **4.¶** (vertel dat maar aan) je~!, maak dat je~wijs! *pull the other one, go tell that to the marines!*; (loop naar) je~! *forget it!* **6.¶** dat is **naar** zijn~ *you can say goodbye to that*; iets **naar** zijn~ helpen *wreck sth.*.

grootkanselier 〈de (m.)〉 **0.1** *Lord High Chancellor*.

grootkapitaal¹ 〈het〉 **0.1** *big business* ⇒*(the world of) high finance, (the) moneyed interests*, 〈mbt. personen〉 *the big capitalists*.

grootkapitaal² 〈bn.〉〈druk.〉 ◆ **3.¶** ~ gezet *set in large capitals*/〈inf.〉 *in large caps*.

grootkruis 〈het〉 **0.1** [versiersel] *grand cross* **0.2** [persoon] *grand cross*.

grootmacht 〈de〉 **0.1** *superpower*.

grootmaken 〈ov.ww.〉 **0.1** *make great/mighty* ⇒*be the making of, give power to* ◆ **1.1** de handel heeft Nederland grootgemaakt *trade made Holland great*.

grootmama 〈de (v.)〉 **0.1** *grandmam(m)a* ⇒*grandmother*.

grootmeester 〈de (m.)〉 **0.1** [mbt. schaken/dammen] *Grandmaster* **0.2** [toonaangevend persoon op bep. gebied] *(great/past) master* **0.3** [titel van opperbestuurder] *Grand Master* **0.4** [mbt. hofhouding] *Officer of the Royal Household* ◆ **1.2** Vondel, de~v.d. Nederlandse taal *Vondel, the great master of the Dutch language* **2.3** 〈Vrijmetselarij〉 Grootmeester-Nationaal *Grand Master National (of the Grand Lodge of a country)* **6.2** 〈fig.〉 een waar~in iets zijn *be a great/past master at sth.*; 〈inf.〉 *have sth. down/off to a fine art*; zij is een~**op** de viool *she is a great master of the violin*.

grootmeesteres 〈de (v.)〉 **0.1** [vrouwelijke opperbestuurder] *grand master* **0.2** [mbt. hofhouding] *Officer of the Royal Household* ⇒〈GB〉 *Mistress of the Robes*.

grootmeesterresultaat 〈het〉〈schaken〉 **0.1** *grandmaster norm/result* ◆ **3.1** een~behalen *score/gain/obtain a grandmaster norm*.

grootmeesterschap 〈het〉 **0.1** *grandmastership*.

grootmetaal 〈het〉 **0.1** *steel industry* ⇒*heavy industry*.

grootmoeder 〈de (v.)〉 **0.1** *grandmother* ⇒*grandmam(m)a, grand(d)am* 〈van dier〉 ◆ **1.1** uit ~s tijd *from the old days, from granny's/grandfather's days* **3.1** maak dat je~wijs! *pull the other one, go tell that to the marines!* **6.1** mijn~**van** vaderszijde/**van** moederszijde *my paternel/maternal grandmother*.

grootmoedig 〈bn., bw.; -ly〉 **0.1** *magnanimous* ⇒*generous, big-hearted, noble(-minded)*, 〈v. gebaar/daad〉 *handsome, grand* ◆ **3.1** hij schonk haar~vergiffenis *he magnanimously pardoned her*; dat was erg~van hem *that was very noble of* 〈inf.〉 *big of him*.

grootmoedigheid 〈de (v.)〉 **0.1** *magnanimity* ⇒*generosity, big-heartedness, noble-mindedness*.

grootofficier 〈de (m.)〉 **0.1** [iem., begiftigd met een ereteken] *Grand Officer* **0.2** [grootwaardigheidsbekleder bij een vorstelijk persoon] *Officer of the Royal Household*.

grootouderlijk 〈bn.〉 **0.1** *grandparental*.

grootouders 〈zn.mv.〉 **0.1** *grandparents* ◆ **6.1** zijn~**van** vaders-/moederszijde *his paternal/maternal g.*.

grootpapa 〈de (m.)〉 **0.1** *grandpa(pa), granddad(dy)*.

groots
I 〈bn., bw.; -ly〉 **0.1** [heerlijk, prachtig] *grand* ⇒*magnificent, splendid, grandiose, majestic* **0.2** [indrukwekkend] *spectacular* ⇒*big, large-scale, massive, ambitious* ◆ **1.1** een~e staat voeren *live in the grand manner/in (grand/great) style* **1.2** een~e gedachte *an ambitious thought/idea*; een~e onderneming *a massive/an ambitious undertaking*; ~e plannen hebben *have ambitious designs/plans*; een ~e plechtigheid *a grand ceremony* **3.1** ~leven *live gloriously* **3.2** het ~aanpakken 〈inf. ook〉 *think big*; ~opgezette produktie *a large-scale production*; een campagne~opzetten *mount a campaign on a large scale*; zij werden~onthaald *they were entertained/regaled in a grand way*;
II 〈bn.〉 **0.1** [trots] *proud (of)* ⇒〈pej.〉 *haughty, lofty* ◆ **1.1** 't is~volk *they are a p./haughty people*.

grootschalig 〈bn., bw.〉 **0.1** *large-scale* ⇒〈ambitieus〉 *ambitious* ◆ **1.1** ~onderzoek *l.-s. investigation*; ~e plannen maken *make l.-s. plans, make plans on a big scale* **2.1** ~e bedrijven *l.-s. business/firms* **3.1** iets ~aanpakken *approach sth./deal with sth. on a large scale/ambitiously*.

grootscheeps 〈bn., bw.〉 **0.1** *large-scale, great* ⇒*massive*, 〈met inzet van alle krachten〉 *full-scale, all-out* ◆ **1.1** een~e aanval *a massive attack*; een~e huishouding *a g. state* **3.1** bij hem gaat alles~ *he does everything in grand style*; een actie~opzetten *mount a full-scale/an all-out operation/campaign*.

grootsheid 〈de (v.)〉 **0.1** [het groots zijn, hoge staat] *grandeur* ⇒*magnificence, splendour, glory, grandiosity, majesty* **0.2** [verhevenheid, indrukwekkendheid] *grandeur* ⇒*magnificence, splendour* **0.3** [trots] *pride* ⇒〈pej.〉 *haughtiness* ◆ **6.3** zij doet het **uit**~ *she does it out of p.*.

grootspraak 〈de (v.)〉 **0.1** [opschepperij] *boast(ing)* ⇒*tall/big talk, grandiloquence, bragging* **0.2** [overdrijving] *hyperbole* ⇒*overstatement, bombast* ◆ **3.2** de schrijver vervalt dikwijls tot~ *the author frequently resorts to h.* **6.1** waar blijf je nu **met** al je~! *where's all your boasting now?, what's become of all your boasting?*; **zonder**~ mocht hij zeggen dat *...in all modesty/without boasting he could say that ....*

grootsprakerig 〈bn.〉 **0.1** *boastful* ⇒*grandiloquent*, 〈inf.〉 *high-falutin(g)*.

grootspreken 〈het〉 **0.1** [overdrijven] *hyperbolize* ⇒*overstate* **0.2** [opscheppen] *boast* ⇒*talk big, brag, vaunt* ◆ **3.1** hij kan het~niet laten *he is an incorrigible boaster/braggart*.

grootspreker 〈de (m.)〉 **0.1** *boaster* ⇒*braggart*, ᴬ*tinhorn*.

grootstedelijk 〈bn.〉 **0.1** *metropolitan* ⇒*of a big/large city* ◆ **1.1** op~niveau *at m. level*.

grootsteeds 〈bn., bw.〉 **0.1** 〈bn.〉 *metropolitan* ⇒*big-city*, 〈bw.〉 *in a big-city way* ◆ **1.1** het~e leven *city life*.

grootte 〈de (v.)〉 **0.1** [hoedanigheid] *bigness* ⇒*bulk, magnitude, greatness* **0.2** [omvang] *size* ⇒*magnitude* 〈ook van sterren〉, 〈hoogte; lengte (van personen)〉 *height*, 〈oppervlakte〉 *area*, 〈dimensies〉 *dimensions* ◆ **1.2** de kamer/het landgoed heeft een~van *...the room measures/the estate covers an area of ...*; de~v.e. hoek *the angle*; de ~v.e. uitkering/v.h. verlies *the amount of a payment/the extent of the loss(es)* **2.2** van behoorlijke/gelijke/middelmatige 〈enz.〉~ 〈ook〉 *fair-/equal-/medium-sized* 〈enz.〉; die twee zijn van ongeveer dezelfde~ *these two are just about the same s./of a s.*; de normale~ *undersize(d)*; van verschillende~ *differing in s.*; een model op ware~ *a life-size/full-size/-scale model*; op de helft/een kwart v.d. ware~ *half-size(d), at one quarter (of) the full s.* **6.1** in de orde van~of/in/on the order of; 〈inf.; mbt. geld〉 *to the tune of*; **naar**~in order of/according to size, in order of magnitude **6.2** **ter**~**van** the *s. of*; gelijk **van** ~of equal *s./ magnitude/dimensions*; iem. **van** mijn~*s.o. my (own) s.*.

grootvader 〈de (m.)〉 **0.1** *grandfather* ⇒*granddad, grandpa(pa)*, 〈van dier〉 *grandsire* ◆ **1.1** in ~s tijden *in grandfather's days, in the old days* **6.1** ~**van** moeders-/vaderszijde *maternal/paternal grandfather*.

grootvaderlijk 〈bn., bw.〉 **0.1** [v.e. grootvader] *grandfather's* ⇒*grandfatherly* **0.2** [zoals een grootvader eigen is] *grandfatherly* ⇒*patriarchal*.

grootvee 〈het〉 **0.1** *cattle*.

grootverbruik 〈het〉 **0.1** *large-scale/bulk consumption* ◆ **6.1** **voor**~ *bulk, for l.-s. c.*.

grootvizier 〈de (m.)〉〈hist.〉 **0.1** *grand vizier*.

grootvorst ⟨de (m.)⟩ **0.1** [titel v.d. tsaar] *grand duke* **0.2** [titel van prinsen] *grand duke*.
grootvorstendom ⟨het⟩ **0.1** *grand duchy*.
grootvorstin ⟨de (v.)⟩ **0.1** [gemalin v.e. grootvorst] *grand duchess* **0.2** [vrouwelijke grootvorst] *grand duchess*.
grootwinkelbedrijf ⟨het⟩ **0.1** *chain (store (business))* ⇒*multiple store/shop business*.
grootzegel ⟨het⟩ **0.1** *Great Seal*.
grootzegelbewaarder ⟨de (m.)⟩ **0.1** *Keeper of the Great Seal*.
grootzeil ⟨het⟩ ⟨scheep.⟩ **0.1** [razeil] *mainsail* ⇒*main course* **0.2** [toren-/gaffelzeil] *mainsail* ⇒*gaff sail*.
gros ⟨het⟩ **0.1** [merendeel] *majority, larger part* ⇒*bulk*, ⟨de gewone mensen⟩ *rank and file* **0.2** [twaalf dozijn] *gross* ◆ **1.1** het ~ v.h. publiek/v.d. mensen *the rn. / bulk of the audience/people, the people at large* **1.2** een ~ pennen *one g. of pens* **6.1** zich **boven** het ~ verheffen *rise above the rank and file* **6.2 per** ~ *by the g.* **7.2** twaalf ~ *great g.*.
groslijst ⟨de⟩ **0.1** *list of candidates/nominees* ◆ **6.1** op de ~ voorkomen *be nominated/be a candidate for the appointment*.
grosprijs ⟨de (m.)⟩ **0.1** *price per gross*.
grosse ⟨de (v.)⟩ **0.1** [afschrift v.e. officieel stuk] *counterpart original, executory copy, first authenticated copy* **0.2** [afschrift v.e. vonnis/authentieke akte] *counterpart original, executory, first authenticated copy* ◆ **7.1** tweede ~ *second executory/authenticated copy, second counterpart original*.
grosseren ⟨ov.ww.⟩ **0.1** *engross*.
grossier ⟨de⟩ **0.1** *wholesaler* ⇒*wholesale dealer/trader*, ⟨AE;inf.⟩ *jobber* ◆ **6.1** ~ **in** tabaksartikelen/levensmiddelen *wholesale tobacconist /grocer*.
grossierderij ⟨de (v.)⟩ **0.1** *wholesale business/firm*.
grossieren ⟨onov.ww.⟩ **0.1** *(sell) wholesale* ⇒*distribute* ◆ **6.1** hij grossierde **in** titels *he collected titles by the dozen*.
grossiersprijs ⟨de (m.)⟩ **0.1** *trade/wholesale price* ◆ **6.1 tegen** ~ verkopen ⟨ook⟩ *sell wholesale*.
grosso modo ⟨bw.⟩ **0.1** *roughly (speaking)* ⇒*by and large, on the whole, grosso modo*.
grot ⟨de⟩ **0.1** *cave* ⇒⟨groot,diep⟩ *cavern*, ⟨vnl. kunstmatig⟩ *grotto* ◆ **3.1** ~ten exploreren/onderzoeken *explore caves, cave*; ⟨BE; ondergronds⟩ *go potholing* **5.1** vol/met ~ten *cavernous*.
grotbewoner ⟨de (m.)⟩, **-woonster** ⟨de (v.)⟩ **0.1** *cave-dweller* ⇒*caveman* ⟨m.⟩.
grote ⟨de⟩ **0.1** *number two, big job* ◆ **3.1** een ~doen *do n.t., do one's business*; hij heeft een ~ in zijn broek gedaan *he's done a b. j. in his pants*.
grotelijks ⟨bw.⟩ ⟨schr.⟩ **0.1** *greatly* ⇒*to a large extent, extremely* ◆ **3.1** het strekt u ~ tot eer *it is very much to your credit*.
grotemensachtig ⟨bn., bw.⟩ **0.1** *grown-up* ◆ **3.1** zij doet al zo ~ *she acts very g.-u. for her age*.
groten ⟨zn.mv.⟩ **0.1** [oudere kinderen] *(the) big ones, (the) older children* **0.2** [machthebbers] *upper ten* ⇒*VIPs, powers (that be)* ◆ **1.2** de ~ der aarde *the great of the earth, the upper ten (thousand)*.
grotendeels ⟨bw.⟩ **0.1** *largely* ⇒*to a large extent, for the greater/most part, in large measure* ◆ **3.1** het ongeluk is ~ zijn eigen schuld *the accident was l. his own fault*.
grotesk ⟨bn., bw.;-ly⟩ **0.1** [zonderling/grillig van vorm] *grotesque* **0.2** [lachwekkend] *grotesque* ⇒*absurd, burlesque* ◆ **1.1** een ~e versiering *a g. (decoration)* **1.2** een ~e figuur *a g. / burlesque figure*; ~e ideeën *absurd ideas*.
groteske ⟨de⟩ **0.1** [grillige/fantastische figuur, ⟨ook lit., muz.⟩] *grotesque* **0.2** [blokletter] *sans serif* ⇒*gothic, grotesque*.
grotetertstoonladder ⟨de⟩ **0.1** *major scale*.
grotonderzoek ⟨het⟩ **0.1** *spel(a)eology* ⇒*caving, spelunking*, ⟨BE, ondergrond⟩ *potholing*.
grotschildering ⟨de (v.)⟩ **0.1** *cave painting*.
grotwoning ⟨de (v.)⟩ **0.1** *cave dwelling*.
groupie ⟨de (v.)⟩ **0.1** *groupie* ⇒⟨AE;sl.⟩ *band-moll*.
grovelijk ⟨bw.⟩ **0.1** [grof] *rudely, coarsely* ⇒*roughly, vulgarly* **0.2** [schromelijk] *grossly* ⇒*glaringly, crassly*.
gruis ⟨het⟩ ⟨coll.⟩ **0.1** [zand, stenen] *grit*, ⟨afval⟩ *waste* ◆ **6.1 aan/in/tot** ~ vallen *fall to pieces*; **aan/in/tot** ~ slaan *break to pieces/into shivers, smash (in)to smithereens*; stukkolen **zonder** ~ *coal without dust/slack/smalls*.
gruiskolen ⟨zn.mv.⟩ **0.1** *slack* ⇒*coal dust, small coal, small(s)*.
gruisthee ⟨de (m.)⟩ **0.1** *fannings*.
gruizelementen → **gruzelementen**.
grut[1] ⟨het⟩ **0.1** [waardeloze kleinigheden] *trash* ⇒⟨splinters, spaanders⟩ *chips*, ⟨gruis⟩ *dust* **0.2** [kleine kinderen] *toddlers* ⇒*small/young fry* ◆ **2.1** klein ~ *small fry* **2.2** klein ~ *little t., small fry*.
grut[2] ⟨tw.⟩ **0.1** *gosh* ⇒*cor, crumbs* ◆ **2.1** grote/goeie ~ten *bless me!, man alive!, merciful heavens/powers!* ¶**.1** ~ nog toe! *good grief/heavens!, oh g.!, my goodness!*.
grutjes ⟨zn.mv.⟩ **0.1** *groats*, [A]*(barley) grits* ◆ **1.1** ~ met stroop *groats with syrup*.
grutmolen ⟨de (m.)⟩ **0.1** *hulling/pearling mill*.

grutten ⟨zn.mv.⟩ **0.1** [boekweitgort] *groats* ⇒*grits* **0.2** [gort] *pearl barley, barley groats*.
grutter ⟨de (m.)⟩ **0.1** [kleinzielig iem.] *bigot* **0.2** [kruidenier] *corn chandler* ⇒*grocer*.
grutterij ⟨de (v.)⟩ **0.1** [grutmolen] ⟨→**grutmolen**⟩ **0.2** [grutterswinkel] *corn chandlery* ⇒*corn chandler's shop*.
grutterswaren ⟨zn.mv.⟩ **0.1** *corn chandler's wares* ⇒*dry goods, groceries*.
grutto ⟨de (m.)⟩ ⟨biol.⟩ **0.1** *black-tailed godwit*.
gruwel ⟨de (m.)⟩ **0.1** [iets waarvan men gruwelt] *horror* ⇒*abhorrence, abomination, anathema* **0.2** [afschuw] *horror* ⇒*abhorrence, terror, shock* **0.3** [afgrijselijke daad] ⟨→**gruweldaad**⟩ **0.4** [watergruwel] *(water) gruel* ◆ **3.1** het is mij een ~ *it is abhorrent to me, it is an abomination (un)to me* **3.2** een ~ van iets hebben *abhor sth., have a h. of sth.*.
gruweldaad ⟨de⟩ **0.1** *atrocity* ⇒*gruesome deed, (act of) terror* ◆ **3.1** gruweldaden bedrijven *commit atrocities*.
gruwelen ⟨onov.ww.⟩ → **gruwen**.
gruwelijk ⟨bn., bw.;-ly⟩ **0.1** [afschuwwekkend] *horrible* ⇒*horrifying, atrocious, gruesome, ghastly, heinous, abominable* **0.2** [geweldig] *terrible* ⇒*enormous, blatant, unholy, shocking, abominable* ◆ **1.1** een ~e misdaad ⟨ook⟩ *an atrocity* **1.2** een ~e hekel aan iem. hebben *hate s.o.'s guts*; een ~ onrecht *a shocking/blatant injustice* **3.2** iem. ~ vervelen ⟨inf.⟩ *bore the pants off s.o.*; zich ~ vervelen *be bored stiff/to death/to tears*.
gruwelkamer ⟨de⟩ **0.1** *chamber of horrors*.
gruwelverhaal ⟨het⟩ **0.1** *horror story* ⇒*blood-and-thunder story, tale of terror*/[B]*blood*.
gruwen ⟨onov.ww.⟩ **0.1** *be horrified/shocked (by)* ⇒*abhor, have a horror* ⟨angst⟩/*terror of* ◆ **6.1** ik gruw **bij** de gedachte aan al die ellende *I'm horrified by the thought of all this misery*; ergens **van** ~ *abhor sth.*.
gruwzaam
  I ⟨bn., bw.-ly⟩ **0.1** [gruwelijk] *horrid* ⇒*gruesome, heinous, abominable* ◆ **3.1** iem. ~ pijnigen *torture s.o. gruesomely*;
  II ⟨bw.⟩ **0.1** [in zeer hoge mate] *dreadfully* ⇒*terribly, shockingly*.
gruyère(kaas) ⟨de (m.)⟩ **0.1** *gruyère (cheese)*.
gruzelementen ⟨zn.mv.⟩ **0.1** *smithereens* ⇒*bits (and pieces), fragments*, ⟨hout⟩ *matchwood* ◆ **6.1** iets **aan** ~ slaan *knock sth. to pieces/matchwood, shatter sth., smash sth. (in)to s.*; ⟨fig.⟩ hun plan is **aan** ~ *their plan has shattered/is a wreck*; **aan/in** ~ liggen/vallen/gaan *have fallen/fall to pieces/s.*.
gruzementen → **gruzelementen**.
GS ⟨de (m.)⟩ ⟨afk.⟩ **0.1** [Gedeputeerde Staten] ⟨*Provincial Executives*⟩.
g-sleutel ⟨de (m.)⟩ ⟨muz.⟩ **0.1** *G clef, Treble clef*.
g.st. ⟨afk.⟩ **0.1** [goede staat] ⟨*good condition*⟩.
G-strings ⟨zn.mv.⟩ ⟨dansk.⟩ **0.1** *G-string* ⟨enk.⟩.
G.T. ⟨afk.⟩ **0.1** [Greenwich-tijd] *G.M.T.*.
guanine ⟨de⟩ ⟨bioch.⟩ **0.1** *guanine*.
guano ⟨de (m.)⟩ **0.1** *guano* ◆ **3.1** met ~ bemesten *guano*.
Guatemala ⟨het⟩ **0.1** *Guatemala*.
guave ⟨de (m.)⟩ **0.1** ⟨vrucht en boom⟩ *guava*.
guero ⟨de⟩ ⟨muz.⟩ **0.1** *guiro* ⇒*scraper*.
guerrilla
  I ⟨de (m.)⟩ **0.1** [vorm van strijd] *guer(r)illa (warfare)* ⇒*bushfighting*;
  II ⟨de⟩ **0.1** [strijd(st)er] ⟨→**guer(r)illastrijder**⟩.
guerrillaoorlog ⟨de (m.)⟩ **0.1** *guer(r)illa war(fare)*.
guerrillastrijder ⟨de (m.)⟩, **-strijdster** ⟨de (v.)⟩ **0.1** *g. (fighter), guerrillero* ⇒*irregular, partisan*.
guerrillatroepen ⟨zn.mv.⟩ **0.1** *guer(r)illa troops* ⇒*guerillas*.
guerrillero ⟨de (m.)⟩ → **guerrillastrijder**.
guichelheil ⟨het⟩ **0.1** *pimpernel* ◆ **2.1** gewone ~ *scarlet p.*.
guillotine ⟨de (v.)⟩ **0.1** *guillotine*.
guillotineren ⟨ov.ww.⟩ **0.1** *guillotine*.
Guinee-Bissau ⟨het⟩ **0.1** *Guinea-Bissau*.
Guinees ⟨bn.⟩ **0.1** *Guinean* ◆ **1.¶** ~ biggetje *guinea pig, cavy, cavia*.
guirlande ⟨de⟩ **0.1** *festoon* ⇒*garland, swag*.
guit ⟨de (m.)⟩ **0.1** *rogue* ⇒*wag* ◆ **2.1** die kleine ~ *that little r. / rascal*.
guitenstreek ⟨de (m.)⟩ **0.1** *prank* ⇒*roguish trick, mischief* ◆ **3.1** die jongen haalt altijd guitenstreken uit *that boy is always up to mischief/pranks /no good/sth. / is always getting into mischief*.
guitig ⟨bn., bw.;-ly⟩ **0.1** *roguish* ⇒*arch, waggish, mischievous*, ⟨schr.⟩ *jocose* ◆ **1.1** hij heeft zo'n ~ gezicht *he has such a r. face*; een ~ kind *an arch child*; een ~e knaap *a prankster* **3.1** hij kijkt zo ~ *he has such a mischievous/r. look in his eyes*.
guitigheid ⟨de (v.)⟩ **0.1** *roguishness* ⇒*archness, waggishness*, ⟨schr.⟩ *jocosity*.
gul
  I ⟨bn., bw.;-ly⟩ **0.1** [hartelijk, ongedwongen] *cordial* ⇒*warm, genial, hearty, jovial* **0.2** [openhartig, ronduit] *frank* ⇒*open, sincere, candid* ◆ **1.1** een ~le lach *a hearty laugh*; ~le vriendschap *warm/c. friendship* **1.2** zijn ~le bekentenis deed mij goed *his f. confession did me*

good 3.1 ~ aangeboden, ~ aangenomen *I won't say no to that;* zij kan ~ lachen *she has a hearty/generous laugh;* **II** ⟨bn.⟩ 0.1 [vrijgevig] *generous ⇒liberal, bountiful,* ⟨gastvrij⟩ *hospitable,* ⟨met geld⟩ *munificent* ◆ **1.1** een ~le gastheer *a g. host;* ~le gave/gever *g. gifts/donor;* met~le hand (geven) (give) *generously/ liberally* **3.1** hij is ~ *he is a g. / hospitable man* **6.1** ~ zijn **met** iets *be liberal/free with sth..*

gulden¹ ⟨de (m.)⟩ 0.1 [munt] *(Dutch) guilder, florin ⇒gulden* 0.2 [bedrag] *guilders, florins ⇒gulden* 0.3 [⟨gesch.⟩ goudstuk] *gulden* ◆ **1.2** (voor) dertig ~ (aan) dubbeltjes hebben *have thirty guilders in 10-cent coins* **2.1** in harde ~s in (hard) *cash* **2.2** dat is 200 ~ waard *that's worth 200 guilders* **3.2** de ~ staat sterk *the guilder is strong* **7.2** dat kost drie ~ twintig *that's three guilders (and) twenty (cents);* één ~ tje maar *only one guilder.*

gulden² ⟨bn.⟩ 0.1 [gouden] *gold(en)* 0.2 [verguld] *gilt, gilded ⇒gold* 0.3 [⟨fig.⟩ als goud blinkend] *golden* 0.4 [⟨fig.⟩ heerlijk, voortreffelijk] *golden* ◆ **1.1** de slag der ~ sporen, Guldensporenslag *the Battle of the Spurs;* het Gulden Vlies *the Golden Fleece;* de orde v.h. Gulden Vlies *the order of the Golden Fleece* **1.2** met ~ letteren geschreven staan ⟨fig.⟩ *be writ(ten) in gold* **1.3** ~ aren *g. corn* **1.4** de ~ middenweg kiezen/nemen *strike the g. mean/happy medium;* de ~ regel ⟨wisk.⟩ *the rule of three;* ⟨fig.⟩ *the Golden Rule;* de ~ snede *the g. section* **1.¶** ~ boterbloem *goldilocks.*

guldenjaar ⟨het⟩ 0.1 *jubilee year ⇒(year of) jubilee* ⟨ook jud./r.k.⟩, ⟨eeuwjaar⟩ *secular year.*

Guldensporenslag ⟨de (m.)⟩ 0.1 *Battle of the Spurs.*

guldenteken ⟨het⟩ 0.1 *guilder symbol.*

gulhartig ⟨bn., bw.; -ly⟩ ⟨schr.⟩ 0.1 [cordiaal] *cordial ⇒open-hearted/handed, generous, genial,* ⟨welgemeend⟩ *sincere* ◆ **1.1** ~e vrolijkheid *openhanded joviality* **3.1** ~ zijn *have a generous heart.*

gulhartigheid ⟨de (v.)⟩ 0.1 [hartelijkheid] *cordiality ⇒open-heartedness, geniality, heartiness, joviality* 0.2 [vrijgevigheid] *open-handedness ⇒generosity, liberality, bounty.*

gulheid ⟨de (v.)⟩ 0.1 [hartelijkheid] *[→gulhartigheid 0.1]* 0.2 [openhartigheid] *frankness ⇒openness, sincerity, candour* 0.3 [bewijs van mildheid] *generosity.*

gulp ⟨de⟩ 0.1 [dikke straal] *gush ⇒spurt, issue* 0.2 [voorsluiting in een broek] *fly (front) ⇒* ⟨ritssluiting⟩ *zip* ◆ **1.1** een ~ water *a g. of water* **3.2** zijn ~ dichtdoen *do/button/zip up one's fly;* je ~ staat open *your fly is open/undone.*

gulpen ⟨onov.ww.⟩ 0.1 *gush ⇒spurt, spout, issue* ◆ **6.1** het bloed gulpte **uit** de wond *blood gushed from the wound.*

gulpsluiting ⟨de⟩ 0.1 *fly (front).*

gulzig ⟨bn., bw.; -ly⟩ 0.1 [vraatzuchtig] *greedy ⇒gluttonous,* ⟨inf.⟩ *gutsy, piggish* 0.2 [begerig] *greedy ⇒covetous, avid* ◆ **1.2** met ~e blikken *with g. eyes* **3.1** ~ eten *eat greedily, gobble;* ⟨sl.⟩ *gorp;* ~ naar binnen werken/opschrokken *wolf down, shovel in, glut o.s. (with);* ⟨inf.⟩ *scoff;* wees niet zo ~ *don't be so greedy;* ⟨fig.⟩ de regen werd door de droge aarde ~ opgeslorpt *the rain was hungrily swallowed up by the parched earth.*

gulzigaard ⟨de (m.)⟩ 0.1 *glutton ⇒* ⟨sl.⟩ *greedyguts, pig.*

gulzigheid ⟨de (v.)⟩ 0.1 *greed(iness) ⇒gluttony.*

gum ⟨het, de (m.)⟩ 0.1 *(india-)rubber,* ^eraser.

gummetje ⟨het⟩ 0.1 *rubber,* ^eraser.

gummi ⟨het, de (m.)⟩ 0.1 [rubber] *(india-)rubber* 0.2 [⟨in samenst.⟩] *rubber* ◆ **1.2** gummihandschoen *r. glove* **2.1** het ~ is bros geworden *the r. has perished.*

gummiband ⟨de (m.)⟩ 0.1 *rubber tyre/* ^tire.

gummiknuppel ⟨de (m.)⟩ 0.1 *baton ⇒bludgeon, truncheon.*

gummislang ⟨de⟩ 0.1 *rubber hose/tube ⇒(rubber) tubing.*

gummistok ⟨de (m.)⟩ 0.1 *baton ⇒truncheon.*

gunnen ⟨ov.ww.⟩ 0.1 [verlenen, toestaan] *grant ⇒concede, allow, permit, give* 0.2 [zonder nijd, spijt zien dat een ander iets heeft, ontvangt] *not begrudge* 0.3 [de uitvoering van het werk aan iem. toewijzen] *assign ⇒allot, allocate, give, award* ◆ **1.1** ho even, je moet de anderen ook wat ~ *hang on a minute, you must live and let live;* iem. een blik op iets ~ *let s.o. have a look at sth.;* iem. de eer ~ *give s.o. credit;* ik gun hem mijn ex-vriend/mijn oude baantje *he's welcome to/he can have/I don't envy him my ex-boyfriend/old job;* iem. genade ~ *grant s.o. pardon/mercy;* iem. het genoegen ~ van *grant s.o. the pleasure of;* iem. een paar minuten/woorden ~ *spare s.o. a few minutes/words;* zich geen rust ~ *give o.s. no rest/peace, not allow o.s. any/a moment's rest;* zijn benen wat rust ~ *take the weight off one's legs/feet;* hij gunde zich de tijd niet om te eten *he would/did not allow/give himself time to eat;* gun je nou eens de tijd om ... *take your/allow yourself time to ...;* zonder zich de tijd te ~ *not taking/sparing (the) time to, without allowing o.s. time/leisure to;* het woord ~ aan de volgende spreker *give the floor/platform to the following speaker* **1.2** iem. geen blik ~ *not deign to look at s.o., not accord s.o. a look;* iem. het brood in de mond niet ~ *begrudge s.o. the bread he eats;* iem. alle goeds ~ *wish s.o. well/all the best;* ⟨iron.⟩ ik gun je de pret! *I wish you joy of it!, good luck to you, rather/sooner you than me, you're welcome (to it)* **1.3** de levering is hem gegund *the supply contract has*

gone to/been placed with/been awarded to him; een order ~ aan *place an order with;* het werk ~ aan *give the job/work to* **4.2** dat is je gegund! *you're welcome to it!;* ⟨iron. ook⟩ *you got what you deserved, you asked for it;* hij gunt een ander niets *he begrudges everything, he is very grudging* **5.1** het was hem niet gegund haar nog te zien *he was not to see her again* **¶.2** het is u van harte gegund *you're quite/fully/ absolutely welcome to it.*

gunning ⟨de (v.)⟩ 0.1 *allotment ⇒adjudication order, supply contract* ◆ **3.1** de ~ heeft reeds plaatsgehad *the contract has already been awarded;* de ~ is aangehouden *the allotment/contract has been retained* **6.1** ~ **aan** de laagste inschrijver *allocation to the lowest tender.*

gunst¹ ⟨de (v.)⟩ 0.1 [onverplichte goedheid] *favour ⇒grace, goodwill* 0.2 [blijk van gunstige gezindheid] *favour ⇒boon* 0.3 [⟨mv.⟩ blijken van genegenheid] *favours* ◆ **3.1** naar de ~ v.h. publiek/de kiezers dingen *bid for/solicit/curry the public's/voters' f.;* de ~ v.h. publiek verwerven *gain/win/secure the public's f. / goodwill;* het moet geen ~ wezen, ik leen wel een andere fiets *don't make a special f. / a thing of it, I'll borrow another bike* **3.2** iem. een ~ bewijzen *do s.o. a f.;* [†] *confer a f. upon s.o., accord s.o. a f.;* hij doet net of het een hele ~ is *he makes a big compliment of it;* iem. (om) een ~ vragen *ask/beg a f. of s.o.* **3.3** dingen naar de ~ en van een vrouw *court the f. of a woman* **6.1** bij iem. **in** de ~ komen/raken/zijn/staan *find f. / be in f. with s.o.;* ⟨inf.⟩ *get into/be in s.o.'s good books/graces, get/be on the right side of s.o.;* bij iem. **in** de ~ proberen te komen, zich bij iem. **in** de ~ dringen *curry s.o.'s f., curry f. with s.o., ingratiate o.s. with s.o., make up to s.o.;* ⟨inf.⟩ *butter up to s.o.;* weer **in** de ~ komen *be restored to f. with s.o., regain s.o.'s f.;* zeer **in** de ~/ **in** hoge ~ staan bij iem. *be/stand high in s.o.'s f.;* **uit** de ~ raken/zijn *fall/be out of f. with s.o.;* ⟨inf.⟩ *get into/be in s.o.'s bad books* **6.¶** ten ~e **van** *in (the) f. of; to the credit of* ⟨ook bankoverschrijvingen⟩ *on behalf of;* hij deed afstand ten ~e **van** zijn zoon *he signed (the business) over/ stepped down/withdrew in f. of his son;* een cheque ten ~e **van** a cheque/^check in f. of, a cheque/^check to; getuigen ten ~e **van** (stand) witness in f. of/supporting; de gelden komen ten ~e **van** the money benefits/goes to the credit of; ten ~e **van** iem. spreken *speak (out)/come out in f. of s.o., speak up for s.o.* **8.2** bij wijze van ~/ als bijzondere ~ stond hij het toe *he permitted/allowed it as a (special) f.* **¶.2** het is meer ~ dan kunst ≠*it's not what you know, it's who you know.*

gunst² ⟨tw.⟩ 0.1 *(my) goodness ⇒(good) gracious, gosh, flip* ◆ **¶.1** ~, wat heb jij daar! *goodness (me), what have you got there!;* och ~! het arme kind *dear oh dear/dear me, the poor child!.*

gunstbetoon ⇒gunstbewijs.

gunstbewijs ⟨het⟩ 0.1 *mark of (one's) favour/goodwill ⇒sign/token of (one's) favour/goodwill.*

gunsteling ⟨de (m.)⟩ 0.1 *favourite ⇒* ⟨vaak pej. of scherts.⟩ *darling, pet, minion* ◆ **1.1** oma's ~etje *Granny's pet.*

gunstig ⟨bn., bw.; -ly⟩ 0.1 [welwillend] *favourable ⇒sympathetic, kind, agreeable* 0.2 [tot nut, baat] *favourable ⇒suitable, advantageous, opportune* 0.3 [aangenaam] *favourable ⇒agreeable* ◆ **1.1** een ~ antwoord *a positive answer;* het lot was mij ~ (gezind), het geluk was mij ~ *fate was kind to me/on my side, fortune smiled on me;* een ~ onthaal vinden *meet with a f. reception* **1.2** een ~e gelegenheid *a good/ suitable opportunity;* de gelegenheid was ~ *it was a good moment, the time was right;* het getij is ~ *the tide is right;* in het ~ste geval, onder de ~ste omstandigheden *at best, ideally, at the best of times;* een ~ jaar *a good/* ⟨financieel⟩ *profitable year;* een ~e kritiek/veel ~e publiciteit krijgen *receive f. / positive reviews/a lot of good publicity;* de ~e ligging van een wijngaard *the f. location/situation of a vineyard;* hat ogenblik was niet ~ *it was an inconvenient/inopportune moment;* in een ~e positie, op een ~e plek ⟨alg.⟩ *favourably situated/located;* [makkelijk te bereiken] *convenient(ly situated);* een ~e prijs *a good/reasonable price, a bargain (price);* met ~e uitslag *with a f. / satisfactory result, with the desired result, successful(ly);* ~e voortekenen f. / *hopeful signs/indications/omens;* nu de voorwaarden nog ~ zijn *now that (the) conditions are f., while the going is good;* bij ~ weer *in kind/good f. weather;* ⟨voorwaarde⟩ *weather permitting;* de wind was ~ *the wind was in my/our* ⟨enz.⟩ *favour, there was a f. / fair wind* **2.1** hij was ~ gestemd *he was agreeable/favourably disposed/conciliatory* **2.3** ~ bekend staan *have a good reputation* **3.1** ~ adviseren over *advise in favour of;* hij is mij ~ gezind *he is favourably/kindly disposed towards me;* ~ oordelen over *give a f. / positive judgement on;* ~ reageren *react favourably;* ⟨inf.⟩ *make sympathetic noises;* ~ staan tegenover *sympathize with;* iem. ~ stemmen *propitiate/placate/conciliate s.o., put s.o. in a good mood;* het boek werd ~ ontvangen *the book was well/favourably received/found a f. reception* **3.2** ~ denken over *think favourably about, have a good opinion of;* een ~ gekozen tijdstip *an opportune moment;* het laat zich ~ aanzien *it looks good, the situation looks f. / hopeful;* de stad ligt ~ (voor/t.o.v.) *the town is well situated (for);* ons huis ligt ~ t.o.v. de winkels *our house is convenient for the shops;* ~ uitpakken/uitvallen *work out well/favourably;* iets ~ er voorstellen dan het is *show sth. off to its advantage/to be better than it is, present sth. / make sth. appear in a good light, dress sth. up*

6.2 ~ **voor** ... *f.* / *good* / *suitable for* ..., ↑*conducive to* ...; het weer is ~ **voor** *it is good weather for.*

gup ⟨de (m.)⟩ **0.1** *guppy.*

gut ⟨tw.⟩ **0.1** *gosh, golly, goodness* ◆ **¶.1** ~, ik dacht dat hij al weg was *gosh, I thought he was gone;* och ~! dat arme kind *goodness, that poor child.*

guts ⟨de⟩ **0.1** [plens] *gush* ⇒*splash* **0.2** [beitel] *gouge* ⇒⟨van boorijzer⟩ *shell-bit.*

gutsen
I ⟨onov.ww.⟩ **0.1** [in stromen neervloeien, storten] *gush* ⇒*pour, stream, course* ◆ **1.1** ~de regen *pouring* / *pelting* / *streaming rain* **6.1** het zweet gutst **langs** zijn hoofd *the sweat poured* / *streamed down his face;* het bloed gutste **uit** zijn hoofd *blood poured from his head, his head was streaming with blood;*
II ⟨ov.ww.⟩ ⟨amb.⟩ **0.1** [met een guts uitsteken] *gouge (out);*
III ⟨onp.ww.⟩ **0.1** [hard regenen] *pour (down)* ⇒*pelt* / *stream (down)* ◆ **¶.1** het heeft hier gegutst van de regen *it has been pouring (with rain) here.*

gutturaal¹ ⟨de⟩ **0.1** *guttural.*

gutturaal² ⟨bn.⟩ **0.1** *guttural* ⟨ook taal.⟩ ⇒*throaty.*

guur ⟨bn., bw.; -ly⟩ **0.1** *bleak* ⟨wind, dag, avond, klimaat⟩ ⇒*raw* ⟨wind, dag, nacht, weer⟩, ⟨met storm⟩ *rough, wild* ⟨dag, nacht, weer⟩, ↑*inclement* ⟨weer, klimaat⟩, *cutting* ⟨wind⟩, *vicious, wintry* ◆ **3.1** het is ~ vandaag *it's a bleak* / *raw* / *rough day.*

g.v.d. ⟨afk.⟩ ⟨euf.⟩ **0.1** [godverdomme] *darn it* ⇒ᴮ*bloomin' eck,* ᴬ*shoot.*

GW ⟨het⟩ ⟨afk.⟩ **0.1** [gemeentewerken] *municipal* / *public works.*

gym
I ⟨de (v.)⟩ **0.1** [gymnastiek(les)] *gym* ⇒*P.E. (physical education), P.T. (physical training)* **0.2** [⟨in samenst.⟩] *gym;*
II ⟨het⟩ **0.1** [gymnasium] ≠ᴮ*grammar school,* ᴬ*high school* ⇒⟨in Ned., enz.⟩ *gymnasium* ◆ **6.1** Jan zit **op** het ~ *Jan is at (the) grammar school.*

gymmen ⟨onov.ww.⟩ **0.1** [gymnastiek beoefenen] *do gym(nastics)* **0.2** [gymnastiekles hebben] *have gym* / *P.E..*

gymn. ⟨afk.⟩ **0.1** [gymnasium, gymnasiaal] ⟨≠ ᴮ*grammar school,* ᴬ*high school* ⇒⟨in Ned., enz.⟩ *gymnasium*⟩ **0.2** [gymnastiek, gymnastisch] *gym.*

gymnasiaal ⟨bn.⟩ **0.1** ≠ᴮ*grammar school,* ᴬ*high school* ⇒⟨in Ned., enz.⟩ *gymnasium.*

gymnasiast ⟨de (m.)⟩ **0.1** ≠ᴮ*grammar-school pupil* / *student,* ᴬ*high-school pupil* / *student* ⇒⟨in Ned., enz.⟩ *gymnasium pupil* / *student.*

gymnasium ⟨het⟩ **0.1** [onderwijsinstelling] ⟨≠ᴮ*grammar school,* ᴬ*high school* ⇒⟨in Ned., enz.⟩ *gymnasium*⟩ **0.2** [⟨gesch.⟩ sportgebouw] *gymnasium.*

gymnast ⟨de (m.)⟩ **0.1** *gymnast.*

gymnastiek ⟨de (v.)⟩ **0.1** [lichaamsoefeningen] *gymnastics* ⇒⟨inf.; scherts.⟩ *physical jerks,* ⟨ochtendgymnastiek⟩ *keep-fit exercises* [les in gymnastiek] *gymnastics* ⇒*gym(class), P.E. (physical education)* / *P.T. (physical training) (class), keep-fit class, drill* ◆ **6.2** naar ~ gaan, **op** ~ zijn *go to* / *be at g., attend keep-fit classes.*

gymnastiekleraar ⟨de (m.)⟩, **-rares** ⟨de (v.)⟩ **0.1** *gym teacher* ⟨m., v.⟩ ⇒ *gym* / ⟨BE ook⟩ *games master* ⟨m.⟩, *gym* / ⟨BE ook⟩ *games mistress* ⟨v.⟩.

gymnastiekles ⟨de⟩ **0.1** *gym(nastics)* ⇒*gym class, P.E. (physical education)* / *P.T. (physical training) (class)* ◆ **3.1** ~ hebben *have gym* / *P.E..*

gymnastieklokaal ⟨het⟩ **0.1** *gym* ⇒*gymnasium.*

gymnastiekpakje ⟨het⟩ **0.1** *leotard* ⇒*tunic.*

gymnastiekschoen ⟨de (m.)⟩ **0.1** ᴮ*pump,* ᴬ*sneaker* ⇒⟨BE ook⟩ *gym shoe, plimsoll.*

gymnastiekvereniging ⟨de (v.)⟩ **0.1** *gymnastic club.*

gymnastisch ⟨bn.⟩ **0.1** *gymnastic* ◆ **1.1** ~e oefeningen *g. exercises;* ⟨inf.; scherts.⟩ *physical jerks;* ⟨ochtendgymnastiek⟩ *keep-fit exercises.*

gympie ⟨het⟩ ⟨inf.⟩ **0.1** ᴮ*pump,* ᴬ*sneaker* ⇒⟨ongemarkeerd⟩ *gym shoe,* ⟨ongemarkeerd; BE ook⟩ *plimsoll* ◆ **6.1** op ~s lopen *be wearing pumps* / *sneakers.*

gynaecologie ⟨de (v.)⟩ **0.1** [leer] *gynaecology* ᴬ*ecology* **0.2** [afdeling] *gynaecology* ᴬ*ecology* ◆ **6.2** zij ligt op ~ *she's in g..*

gynaecologisch ⟨bn.⟩ **0.1** *gynaecological* ᴬ*ecological.*

gynaecoloog ⟨de (m.)⟩ **0.1** *gynaecologist* ᴬ*ecologist.*

gyrokompas ⟨het⟩ **0.1** *gyrocompass* ⇒*gyro.*

gyroscoop ⟨de (m.)⟩ **0.1** *gyroscope* ⇒*gyro.*

gyroscopisch ⟨bn.⟩ **0.1** *gyroscopic.*

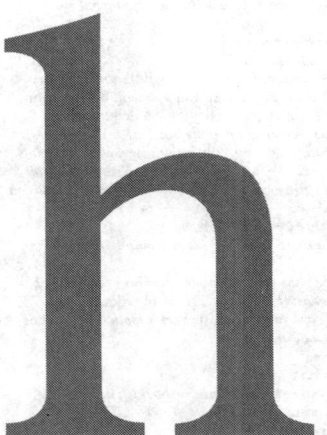

h ⟨de⟩ **0.1** [letter, klank] *h, H, aitch* **0.2** [namen, woorden beginnend met h] *h, H* ◆ **3.1** de ~ weglaten / inslikken / niet uitspreken *drop one's h's* / *aitches;* de ~ in 'honest' wordt niet uitgesproken *the 'h' in 'honest' is mute* / *not sounded.*

h. ⟨afk.⟩ **0.1** [hoogte] *ht., h., H.* **0.2** [hora] *hr.* **0.3** [herba] ⟨*herba, herb*⟩ **0.4** [heeft] ⟨*has*⟩.

H ⟨afk.⟩ **0.1** [⟨schei.⟩ hydrogenum] *H* **0.2** [⟨nat.⟩ henry] *H* **0.3** [Romeins cijfer] *H.*

H. ⟨afk.⟩ **0.1** [heilige] *H., St..*

ha¹ ⟨afk.⟩ **0.1** [hectare] *ha..*

ha² ⟨tw.⟩ **0.1** [⟨als uitroep⟩] *ah!* ⇒*ha!, aha!, oh!* **0.2** [manier om het lachen uit te drukken] *ha* ⇒*ha ha, he he, ho* ◆ **¶.1** ~! ben je daar? *ah!* / *oh! so there you are;* ~! kijk eens hoe mooi! *oh! just look, how* / *that's lovely* / *wonderful* / *nice!* ~! dat dacht je maar! *aha! that's what you thought* **¶.2** ~, ~, die is goed! *ha, ha that's (a) good (one)!, ha, ha, that's funny!.*

h.a ⟨afk.⟩ **0.1** [hoc anno] *h.a.* **0.2** [huius anni] *h.a..*

haag ⟨de⟩ **0.1** [heg] *hedge(row)* **0.2** [personen / zaken op een rij] *row* ◆ **2.1** een dichte ~ *a thick h.* **3.2** een ~ vormen *form a line* / *r.* **6.1 achter** hagen en kanten *on the quiet* / *sly* / *q.t.* **6.¶ achter** de ~ lopen *play truant;* ⟨BE; inf.⟩ *skive (off);* ⟨AE; inf.⟩ *play hooky;* **op** de ~ kloppen *sound s.o. out;* de kap **over** de ~ hangen / smijten *throw off the cowl* **¶.1** ⟨als plaatsnaam⟩ Den Haag *the Hague.*

haagbeuk ⟨de (m.)⟩ **0.1** *hornbeam.*

haagbeuken ⟨bn.⟩ **0.1** *hornbeam.*

haagbos ⟨het⟩ **0.1** *thicket* ⇒*dense undergrowth.*

haagboterbloem ⟨de⟩ **0.1** [speenkruid] *lesser celandine* ⇒*pilewort* **0.2** [klimop-waterranonkel] *ivy-leaved water-crowfoot.*

haagdoorn ⟨de (m.)⟩ **0.1** *hawthorn* ⇒*quickthorn,* ⟨witte ook⟩ *whitethorn.*

haagdoornvlinder ⟨de (m.)⟩ **0.1** *hawthorn butterfly.*

haageik ⟨de (m.)⟩ **0.1** *holm oak.*

haagje ⟨het⟩ **0.1** *small* / *little* / *dwarf hedge* ◆ **6.¶** in het Haagje wonen *live in the Hague.*

haagmus ⟨de⟩ **0.1** *hedge sparrow* ⇒*dunnock.*

haagroos →*hageroos.*

Haags¹ ⟨het⟩ **0.1** *Hague dialect* / *accent.*

Haags² ⟨bn.⟩ **0.1** [van / uit 's-Gravenhage] *Hague* **0.2** [de schijn ophoudend] *la-di-da* ⇒ᴮ*'county'* ◆ **1.1** het ~e bos *the H. wood;* ~e hopjes *'Haagse hopjes'* ⟨*caramel-flavoured boiled sweets*⟩; ~ ontbijt *continental breakfast;* de ~e school *the H. School* **1.2** ~e antenne *'Haagse antenne'* ⟨*car aerial used without a radio*⟩; ~e bluf *bluster;* ⟨nagerecht⟩ *dessert of whipped egg whites with blackcurrant;* een ~ kopje *a half cup;* ~e wind *bluff, spoof, bravado, big talk.*

haagschaar ⟨de⟩ **0.1** *(hedge) shears* / ⟨mechanisch⟩ *trimmer(s)* ⇒*hedge clippers.*

Haagse ⟨de (v.)⟩ **0.1** *Hague woman.*

haagvors ⟨de (m.)⟩ **0.1** *tree frog.*

haagwinde ⟨de⟩ **0.1** *hedge bindweed* ⇒*bellbind, (wild) morning glory.*

haai ⟨de (m.)⟩ **0.1** [vis] *shark* **0.2** [persoon] *shark* ⇒*wolf* **0.3** [persoon die niet op z'n mondje gevallen is] ⟨zie 6.3⟩ ◆ **2.1** de blauwe ~ *the blue s.* **6.1** ⟨fig.⟩ **naar** de ~en gaan *go to the bottom* / *to Davy Jones's locker;* ⟨BE; inf.⟩ *be scuppered;* ⟨fig.⟩ die is **naar** de ~en *he* / *that has had it* / *is finished* **6.3** zij is een ~ **van** een wijf *she can stand up* / *look after herself* ¶**.1** ⟨fig.⟩ er zijn ~en op de kust *there is danger ahead* / *on the horizon.*

haai(e)baai ⟨de (v.)⟩ **0.1** *shrew* ⇒*fishwife, termagant.*

haaiebek ⟨de (m.)⟩ **0.1** [bek van een haai] *shark's mouth* / *jaws* **0.2** [persoon] *chinless wonder.*

haaien ⟨onov.ww.⟩ **0.1** [de baas spelen] *domineer* ⇒*boss (about)* **0.2** [ruzie maken] *(pick a) quarrel* ⇒*bully* **0.3** [mbt. paarden] *paw.*

haaietand ⟨de (m.)⟩ **0.1** [tand van een haai] *shark's tooth* **0.2** [⟨verkeer⟩ ⟨alleen mv.⟩] *give-way road-marking.*

haaievin ⟨de⟩ **0.1** *shark-fin.*

haaievinnesoep ⟨de⟩ **0.1** *shark-fin soup.*

haaiig ⟨bn., bw.⟩ **0.1** [als van een haai] *shark* ⇒*sharkish* **0.2** [bazig] *domineering* ⇒*bossy,* ⟨pestend⟩ *bullying.*

haailuis ⟨de⟩ **0.1** *sharksucker* ⇒*remora.*

haairog ⟨de (m.)⟩ **0.1** *guitar fish.*

haaivissen ⟨zn.mv.⟩ **0.1** *sharks.*

haak ⟨de (m.)⟩ **0.1** [gebogen voorwerp] *hook* ⇒⟨vierkant⟩ *bracket* **0.2** [ijzer waar vlees aan hangt] *hook* **0.3** [gebogen voorwerp aan de wand om iets aan op te hangen] *hook* ⇒*hooknail,* ⟨voor kleren⟩ *peg* **0.4** [vishaak] *(fish-)hook* **0.5** [⟨plantk.⟩] *hook* **0.6** [haakje om kledingstuk(ken) te sluiten] *hook* **0.7** [voorwerp om een raam/deur vast te zetten] *crook, hasp, clasp* **0.8** [stok waaraan een ijzeren haak bevestigd is] *crook* ⇒*hook* **0.9** [werktuig in de vorm van een rechte hoek] *square* **0.10** [⟨wisk.⟩] *bracket* ⇒*parenthesis* **0.11** [zandplaat in zee] *sandbank* **0.12** [duim waarop iets draait] *pin* ◆ **1.6** die jurk sluit niet met knopen, maar met haken en ogen *that dress fastens with hooks and eyes, not with buttons;* ⟨fig.⟩ er zitten veel haken en ogen aan *there are a lot of snags* / *catches, it's a tricky business* **1.12** de haken en scharnieren *the pins of hinges* **3.10** de haken wegwerken *eliminate the brackets* **6.1** ⟨hand.⟩ vrij in de haken *free on board, f.o.b.;* een touw **met** een ~ *a rope with a h.;* ⟨vnl. scheep.⟩ a hook **6.2** het vlees kost mij schoon **aan** de ~ 30 gulden *the meat costs me 30 guilders dressed weight* / *net weight;* ⟨scherts.⟩ schoon **aan** de ~ *in the altogether* / *nude* **6.3** z'n jas maar **aan** de ~ hangen *just hang one's coat on the hook;* ⟨fig.⟩ het hangt nog **aan** de ~ *it's still pending;* ⟨fig.⟩ iets **aan** de ~ hangen *shelve sth.* **6.4** een worm **aan** de ~ slaan *bait the hook (with a worm);* ⟨fig.⟩ een vrijer/een rijke man **aan** de ~ slaan *hook (o.s.) a suitor* / *a rich man;* ⟨fig.⟩ ze liet zich gemakkelijk **aan** de ~ slaan *she let herself be hooked* / *caught easily;* **met** de ~ vissen *fish with a hook, hook fishing* / *angling* **6.7** zet de deur **op** de ~, anders valt hij dicht *fasten the door back, otherwise it will slam to* **6.9** het hout **in** de ~ schaven *square (up) the wood, plane the wood square;* **in** / **uit** de ~ *(on the) s., set true (at right angles)* / *out of s.* / *true* **6.¶** dat is niet **in** de ~ *that's not quite right* / *a bit suspicious* / ⟨inf.⟩ *off;* daar is iets niet **in** de ~ *there's sth. wrong there, there's sth. fishy about that;* en toen gooide ze de hoorn **op** de ~ *and then she slammed the phone down* / *hung up;* de hoorn **van** de ~ nemen / **op** de ~ leggen *take the phone* / *receiver off the hook* / *replace the receiver* / *phone.*

haakbeentje ⟨het⟩ ⟨med.⟩ **0.1** *hamate bone.*

haakbek ⟨de (m.)⟩ **0.1** *pine grosbeak* ⇒*pine bullfinch.*

haakbord ⟨het⟩ ⟨amb.⟩ **0.1** *spirit level.*

haakbout ⟨de (m.)⟩ **0.1** *hook bolt.*

haakbus ⟨de⟩ ⟨gesch.⟩ **0.1** *(h)arquebus* ⇒*hackbut, hagbut.*

haakgaren ⟨het⟩ **0.1** *crochet yarn* / *thread* / *cotton.*

haakhang ⟨de⟩ **0.1** *lift-off hinge* / *butt.*

haakje ⟨het⟩ **0.1** [teken] *bracket* ⇒*parenthesis* **0.2** [kleine haak] *hook* (ihb. voor kleding) ⇒*fastener, peg* ⟨bv. van kapstok⟩, *hooklet* **0.3** [gereedschap] *cranked lathe tool* ⇒*crank(ed) boring* / *turning* / *recessing tool* ◆ **2.1** ronde en vierkante ~s *round and square brackets* **3.1** ~ openen/sluiten *open* / *close (the) brackets* **6.1** tussen ~s plaatsen/zetten *bracket (sth.), put in brackets;* **tussen** ~s staan *be in brackets, be bracketed;* **tussen** (twee) ~s ⟨ook fig.⟩ ⟨lett.⟩ *in* / *between brackets* / *parentheses;* ⟨fig.⟩ *incidentally, by the way* **6.2** deze jurk gaat van achteren **met** ~s dicht *this dress hooks up at the back.*

haakkruis →**hakenkruis.**

haakladder ⟨de⟩ **0.1** *hook ladder* ⇒*pompier-ladder.*

haaklas ⟨de⟩ ⟨amb.⟩ **0.1** *hook-and-butt (joint).*

haaknaald ⟨de⟩ **0.1** *crochet hook* / *needle.*

haaknagel ⟨de (m.)⟩ **0.1** *hook bolt.*

haakneus ⟨de (m.)⟩ **0.1** [sterk gekromde neus] *hooknose* ⇒*hooked nose, beak* **0.2** [persoon] *hooknose.*

haakpatroon ⟨het⟩ ⟨amb.⟩ **0.1** *crochet pattern.*

haakpen ⟨de⟩ **0.1** *crochet hook* / *needle.*

haaks ⟨bn., bw.⟩ **0.1** [rechthoekig] *square(d)* ⇒*at right angles, hooked* **0.2** [in orde] *square(d) up* ⇒*all square* ◆ **3.1** een balk ~ afwerken *square a beam;* ~ ombuigen *bend at right angles* / *a right angle;* ~ staan op *be square to, be at right angles to* **3.2** hou je ~ *(keep your) chin up* **5.1** niet (helemaal) ~ *(slightly) out of square* **6.1** de ene plank staat ~ op de andere *the two planks are set square* / *at right angles, one plank is square with the other.*

haakschreef ⟨de⟩ ⟨amb.⟩ **0.1** *transverse (line)* ⇒*perpendicular to centre-line.*

haakschroef ⟨de⟩ **0.1** *screw hook.*

haaksleutel ⟨de (m.)⟩ **0.1** *pass-key, picklock.*

haaksluiting ⟨de (v.)⟩ **0.1** *hooks and eyes* ⟨kleding⟩; *hook (fastener).*

haakspijker ⟨de (m.)⟩ **0.1** *hook nail.*

haaksteek ⟨de (m.)⟩ ⟨amb.⟩ **0.1** *crochet stitch.*

haaksteker ⟨de (m.)⟩ ⟨sport⟩ **0.1** *disgorger.*

haakster ⟨de (v.)⟩ **0.1** *crocheter.*

haaktand ⟨de (m.)⟩ **0.1** *canine (tooth), corner tooth.*

haakvormig ⟨bn.⟩ **0.1** *hook-shaped* ⇒*hooked, hooky.*

haakwerk ⟨het⟩ **0.1** *crochet (work), crocheting.*

haakworm ⟨de (m.)⟩ **0.1** *hookworm.*

haakzij(de) ⟨de⟩ **0.1** *crochet silk.*

haal

I ⟨de (m.)⟩ **0.1** [ruk, teug] *tug* ⇒*pull, haul, heave,* ⟨teug⟩ *draught* **0.2** [slag] *wallop* ⇒*crack, clout* **0.3** [uithaal bij het spreken/zingen] ⟨bij spreken⟩ *drawl;* ⟨bij zingen⟩ *drawn-out note* **0.4** [trek met een schrijfpen] *stroke* ⇒⟨snel⟩ *dash* **0.5** [het halen] *pulling, tugging, hauling* ◆ **1.1** een sigaret in een paar halen oproken *finish a cigarette in a few pulls* / *drags* **2.1** met een flinke ~ trok hij het schip aan de wal *with a good t. he pulled the boat ashore;* hij deed een flinke ~ aan zijn pijp *he drew deeply on his pipe;* hij rookt met lange halen *he inhales deeply, he smokes with* / *in long puffs* **2.4** ze schrijft met mooie halen en krullen *she writes with fine strokes and flourishes* **3.2** hij gaf hem een ~ *he gave him a crack* / *clout* **5.1** hij dronk het glas in één ~ leeg *he emptied his glass at one draught* / *go;* ⟨inf.⟩ *he knocked back his drink (in one go);* een ~ **met** de zaag *a stroke of the saw* **6.2** de hond kreeg een ~ **over** zijn neus van de kat *the dog took a swipe across the nose from the cat* **6.4** met één ~ van de pen *with one s. of the pen* **6.¶** **aan** de ~ gaan *take to one's heels, bolt, abscond;* ⟨feestvieren⟩ ik heb geen haalbare slag in mijn *live it up, let one's hair down;* **aan** de ~ zijn *be on the run;* **aan** de ~ gaan met *bolt* / *run off with, make away* / *off with;*

II ⟨het, de⟩ **0.1** [⟨gesch.⟩ heugel] *chimney crook* ⇒*(pot)hanger.*

haalbaar ⟨bn.⟩ **0.1** *attainable* ⇒*achievable, feasible, practicable, practical* ◆ **1.1** ⟨fig.⟩ dat is geen haalbare kaart *it's not practicable, you're flogging a dead horse;* ⟨kaartspel⟩ ik heb geen haalbare slag in mijn hand *I haven't got the makings of a single trick in my hand;* dat is geen ~ voorstel *that's not a practicable* / *realistic proposition.*

haalbaarheid ⟨de (v.)⟩ **0.1** *feasibility.*

haalbaarheidsonderzoek ⟨het⟩ **0.1** *feasibility study.*

haalbij ⟨de⟩ **0.1** *worker bee.*

haalgolf ⟨de⟩ **0.1** [van het strand terugkerende golf] *receding wave* **0.2** [door een vaartuig ontstane golf] *wash.*

haalketting ⟨de⟩ **0.1** [haardketting] *(pot) hanger* **0.2** [ketting waarmee men een ophaalbrug ophaalt] *drawbridge chain.*

haalmes ⟨het⟩ **0.1** *drawknife* ⇒*drawshave,* ^*spokeshave.*

haam

I ⟨de (m.)⟩ **0.1** [net] *bow-net* ⇒*lobster-net;*

II ⟨de⟩ **0.1** [knieholte van een paard] *hock;*

III ⟨het⟩ **0.1** [juk, gareel] *harness* ⇒*(breast) collar* **0.2** [paardetuig] *hames* ⇒*horse-collar.*

haan ⟨de (m.)⟩ ⟨→sprw. 246⟩ **0.1** [dier] *cock* ⇒⟨AE⟩ *rooster* **0.2** [strijdbaar persoon] *leader* **0.3** [windwijzer] *(weather)cock* / *vane* **0.4** [mbt. vuurwapens] *cock* ◆ **1.1** vóór het kraaien van de ~ *before cock-crow* **1.2** de ~ van het kot *the ringleader* **1.3** de ~ van de toren *the weather-cock* 2 en Engels ~tje *a bantam c.* / ^*rooster;* de Gallische ~ *the Gallic c.* / *cockerel;* ⟨fig.⟩ de gebraden ~ uithangen *make a big splash, splash out* / *money, paint the town red;* een gesneden ~ *a capon;* een goede ~ wordt niet vet ≠*a rolling stone gathers no moss;* een kalkoense ~ *a turkey c.;* ⟨fig.⟩ de rode ~ laten kraaien/op het dak zetten *set a house* / *building on fire;* een vreemde ~ op het erf *an intruder* **2.4** met geheel/half overgehaalde/gespannen ~ *at full* / *half c.* **3.1** zijn ~ moet altijd koning kraaien *he always wants things his own way* **3.4** de ~ spannen/overhalen *cock the rifle* / *gun* **8.1** rood zien als een (kalkoense) ~ *go red as a beetroot* / *turkey c.* ¶**.1** daar kraait geen ~ naar *no questions are asked, no one will know a thing;* zonder dat er een ~ naar kraait *without anyone being (any) the wiser, no questions asked.*

haanpal ⟨de (m.)⟩ **0.1** *safety (catch)* ⇒*sear.*

haantje ⟨het⟩ **0.1** [kleine haan] *young cock* ⇒*cockerel,* ⟨AE vnl.⟩ *young rooster,* ⟨cul.⟩ *chicken* **0.2** [bijdehand persoon] *sharp one;* ⟨onstuimig⟩ *hothead* **0.3** [stoere man] *macho* ⇒*he-man* ◆ **2.1** een half ~ *half a chicken.*

haantje-de-voorste ⟨de (m.)⟩ **0.1** *bell-wether* ⇒*ringleader, cock of the walk* ◆ **3.1** ~ zijn *be (the) cock of the walk.*

haantjesgedrag ⟨het⟩ **0.1** *machismo* ⇒*macho behaviour.*
haar¹ ⟨→sprw. 618⟩
I ⟨het, de⟩ **0.1** [haarvezel] *hair* **0.2** [⟨mv.⟩ haardos] *hair* **0.3** [nagenoeg niets] *hair* ⇒*trifle, nicety* ◆ **1.1** de haren van een rups *the bristles/hairs of a caterpillar* **2.1** ⟨fig.⟩ zijn wilde haren kwijtraken, verliezen *sow one's wild oats, settle down* **2.2** ik heb er grijze haren van gekregen *it has turned my h. grey;* met loshangende haren lopen *have one's h. hanging down* **3.1** zich de haren uit het hoofd trekken *tear one's h.;* ⟨fig.⟩ hij vindt altijd een ~ in de boter *he always finds sth. to quibble about;* ⟨fig.⟩ een ~ in de boter zoeken/vinden *pick a fight/quarrel; be nit-picking* **3.3** het scheelde geen ~ *that was a near thing/a (pretty) close shave/touch and go;* het scheelde maar een ~ of ik was verdronken/dood/gevallen *I had a h. breadth escape from/I came near drowning/being killed/falling;* het scheelde maar een ~ of ik was met hem getrouwd *I have been within an ace of marrying him;* het scheelde maar een ~ of ik had haar geraakt *I just missed hitting her* **5.3** op een ~ na *very nearly, almost, all but* **6.1** iets met de haren erbij slepen/trekken *drag sth. in (by the head and shoulders)* **6.2** elkaar in de haren vliegen *fly at each other;* iem. **tegen** de haren instrijken *rub s.o. up the wrong way* **6.3** ⟨tot⟩ **op** een ~ *to a h./nicety* **6.¶** alles **op** haren en snaren zetten *move heaven and earth, leave no stone unturned* **7.1** geen ~ op m'n hoofd die eraan denkt *I would not dream of it, I wouldn't touch it with a ten-foot pole/bargepole;* iem. geen ~ krenken *not touch a h. of s.o.'s head* **7.3** geen ~ beter zijn *not be a whit/one jot better;* er geen ~ van geloven *not believe a bit/word of it;* ik word er geen ~ wijzer van *I am none the wiser for it* **8.1** zo fijn als een ~ *as fine as a h.;* berouw/spijt hebben als haren op z'n hoofd *be/feel as sorry as could be ¶.2* iem. de haren te berge doen rijzen *make s.o.'s h. stand on end;* m'n haren rezen te berge (van schrik) *my h. stood on end (with fear);* een verhaal/film waarvan je de haren te berge rijzen *a h.-raiser, a h.-raising/h.-curling story/film;*
II ⟨het⟩⟨coll.⟩ **0.1** [al de lichaamsharen] *hair* **0.2** [het hoofdhaar] *hair* **0.3** [hoeveelheid haar] *hair* **0.4** [⟨plantk.⟩] *hair* ◆ **1.1** met huid en ~ verslinden *swallow whole* **2.1** fijn/grof/slag/zacht ~ *fine/coarse/stiff/smooth h.* **2.2** blond/lang/kort opgestoken ~ *fair/long/short/put up h.;* met lang/kort/⟨enz.⟩ ~ *long-/short-/⟨enz.⟩ haired;* rood ~ *red/ginger h.;* vals ~ *false/artificial h.* **3.2** zijn ~ doen/opmaken *do one's h.;* z'n ~ kammen/borstelen *comb/brush one's h.;* z'n ~ laten knippen *have a haircut, have one's h. cut;* ⟨fig.;inf.⟩ iem. het ~ uit z'n kale kruin trekken *fleece s.o., make s.o. pay through the nose;* het ~ verven *dye the h.* **6.1** ⟨fig.⟩ ~ **op** de tanden hebben *have a sharp tongue, be a tough customer* **6.2** er moet eens een stevige kam **door** zijn ~ *his h. needs a good (comb-out);* hij groeit **door** zijn ~ *his h. is thinning;* goed in z'n ~ zitten *have a thick head of h.;* ⟨fig.⟩ met de handen in het ~ zitten *be at one's wit's/wits' end, be at a loss what to do;* ⟨fig.⟩ iem. in het ~ zitten *be at loggerheads with s.o., be in s.o.'s h.;* ⟨fig.⟩ pijn in het ~ hebben *have a head/hangover;* ⟨fig.⟩ het ~ **op** zolder *the h. put/gathered up, put/gathered up h.* **6.3** een zitting **met** ~ a seat stuffed with h., a h.-stuffed seat.
haar²
I ⟨pers.vnw.⟩ **0.1** *her;* ⟨van dier/ding vnl.⟩ *it* ◆ **1.1** dit boek is van ~ *this book is hers;* vrienden van ~ *friends of hers* **3.1** hij gaf het ~ *he gave it to h.* **6.1** die **van** ~ is wit *hers is white;*
II ⟨bez.vnw.;vr.enk.⟩ **0.1** *her;* ⟨van dieren/dingen vnl.⟩ *its* **0.2** [⟨vero.⟩ bezittelijk vnw. vr.mv.] *their* ◆ **1.1** Els ~ schoenen *Elsie's shoes* **7.1** de haren *hers;* de/het hare *hers;* zij doet het hare *she does all she can, she does her share.*
haarachtig ⟨bn.⟩ **0.1** *hair like* ⇒*hairy.*
haarbal ⟨de (m.)⟩ **0.1** *hair ball,* ⟨maagsteen ook⟩ *bezoar.*
haarband ⟨de (m.)⟩ **0.1** *hair-ribbon* ⇒*headband, fillet.*
haarbarstje →**haarscheurtje.**
haarborstel ⟨de (m.)⟩ **0.1** *hair brush.*
haarbos ⟨de (m.)⟩ **0.1** [handvol haren] *tuft of hair* **0.2** [dicht hoofdhaar] *mop/shock of hair* ◆ **2.2** een wilde/ruige/verwarde ~ *a tangle of hair, a shock head* **3.2** wat heeft hij een ~ *what a thick mop of hair he has.*
haarbreed ⟨het⟩ ◆ **7.¶** hij week geen ~ *he didn't budge (by) a hair('s) breadth, he did not give an inch;* het scheelde geen ~ *it was a hair-breadth escape/narrow escape/close shave.*
haarbuisje ⟨het⟩ **0.1** *capillary (vessel/tube).*
haarcilinder ⟨de (m.)⟩ **0.1** *hair shaft.*
haarcrème ⟨de⟩ **0.1** *hair cream* ⇒*pomade.*
haard ⟨de (m.)⟩⟨→sprw. 247⟩ **0.1** [kachel] *(solid fuel/slow-combustion) stove* **0.2** [open haard] *hearth* ⇒*fireplace, fireside* **0.3** [⟨amb.⟩] *furnace* **0.4** [⟨fig.⟩ middelpunt] *centre* ⇒*source, focus, nidus* ◆ **1.2** ⟨fig.⟩ zij keerden terug naar huis en ~ *they returned to their homes;* huis en ~ *h. and home* **1.4** een ~ van besmetting *a focus/nidus of infection;* de ~v.d. brand *the seat of the fire;* een ~ van opstand/onlust en verzet *a c./hotbed of revolt/riots and resistance;* de ~ van een vulkaan *magma chamber* **2.2** aan de huiselijke ~ *at home, by the fireside;* een koude ~ *a dead fireplace;* een open/Engelse ~ *an open fireplace* **3.2** de ~ aansteken *light the fire* **6.2** een praatje **bij** de ~ *a fireside chat;* **bij** de ~ *by/at the fireside;* gezellig **om** de ~ zitten *sit cosily ^zily by the fire(side)/h..*

haardijzer ⟨het⟩ **0.1** [pook] *poker* **0.2** [staanders waarop het vuur gebouwd wordt] *andiron* ⇒*firedog, fire-iron* **0.3** [haardscherm] *fender.*
haardinfectie ⟨de (v.)⟩ **0.1** *focal infection.*
haardkleedje ⟨het⟩ **0.1** *hearth rug.*
haardos ⟨de (m.)⟩ **0.1** *(head of) hair* ◆ **2.1** een dichte/volle/rijke ~ *a crop/thatch of hair, a thick head of hair, a wealth of hair;* een overvloedige ~ *abundant hair;* een verwarde ~ *tousled/bushy hair, a shock head.*
haardot ⟨de⟩ **0.1** *tuft/ball/knot of hair.*
haardplaat ⟨de⟩ **0.1** [schoorsteenplaat]⟨onder vuur⟩ *hearth-plate;* ⟨achter vuur⟩ *fireback* **0.2** [plaat voor een haard] *fireplace surround.*
haardracht ⟨de⟩ **0.1** *hair style* ⇒*hairdo, coiffure.*
haardroger ⟨de (m.)⟩ **0.1** *(hair) drier.*
haardroogkap ⟨de⟩ **0.1** ⟨apparaat⟩ *(hair) drier;* ⟨kap zelf⟩ *hood, helmet.*
haardscherm ⟨het⟩ **0.1** [om vonken tegen te houden] *fire-screen* ⇒*fireguard* **0.2** [om de gloed te keren] *fire-screen* ⇒*fireguard.*
haardstede ⟨de⟩⟨schr.⟩ **0.1** *fireplace* ⇒⟨fig.⟩ *fireside, hearth* ◆ **6.1** ⟨fig.⟩ **voor** ~n en altaren vechten *fight for hearth and home/for home and country.*
haardsteen ⟨de (m.)⟩ **0.1** *hearth stone.*
haardstel ⟨het⟩ **0.1** *fireset* ⇒*(set of) fire-irons.*
haardvuur ⟨het⟩ **0.1** *(hearth-)fire* ⇒*fire on the hearth/in the grate* ◆ **2.1** open ~ *open fire* **6.1** in het ~ staren *stare into the fire.*
haarfijn
I ⟨bn.⟩ **0.1** [zo fijn/dun als een haar] *as fine as a hair* ⇒⟨fig. ook⟩ *minute,* ⟨fig.⟩ *subtle, fine-spun* ◆ **1.1** ~e buisjes *fine/minute tubes;* een ~ onderscheid *a subtle/fine-spun distinction;*
II ⟨bw.⟩ **0.1** [minutieus] *minutely* ⇒*in great/exact detail, down to the minutest detail* ◆ **3.1** iets ~ onderzoeken/bestuderen *examine sth. m., study sth. in great detail;* iets ~ uitleggen *explain sth. in great detail/the ins and outs of sth.;* iets ~ weten *know sth. inside out.*
haarföhn ⟨de (m.)⟩ **0.1** *(hair) drier.*
haargolf ⟨de⟩ **0.1** *(hair) wave.*
haargolven ⟨ww.⟩ **0.1** *wave (hair)* ⇒*set (hair),* ⟨inf.⟩ *perm (hair)*⟨permanenten⟩.
haargrens ⟨de⟩ **0.1** *hair line.*
haargroei ⟨de (m.)⟩ **0.1** *hair growth* ⇒*growth of (the) hair, capillary growth* ◆ **2.1** de overtollige/ongewenste ~ *verwijderen remove excess/unwanted hair* **3.1** dit haarwater bevordert de ~ *this hair lotion stimulates h..*
haargroeimiddel ⟨het⟩ **0.1** *hair-restorer, hair tonic.*
haarhamer ⟨de (m.)⟩⟨landb.⟩ **0.1** *whetting hammer.*
haarhygrometer ⟨de (m.)⟩⟨nat.⟩ **0.1** *hair hygrometer.*
haarinplant ⟨de (m.)⟩ **0.1** *hair implantation* ◆ **2.1** een dikke ~ *thick-set hair, a dense/thick growth of hair.*
haarkam ⟨de (m.)⟩ **0.1** [om de haren in orde te brengen] *(hair-)comb* **0.2** [om in het haar te dragen] *(hair-)comb.*
haarkleurmiddel ⟨het⟩ **0.1** *hair-dye.*
haarkloven ⟨onov.ww.⟩ **0.1** [muggeziften] *split hairs* ⇒*pettifog, cavil* **0.2** [kibbelen] *quibble.*
haarklover ⟨de (m.)⟩ **0.1** *hairsplitter* ⇒*quibbler, pettifogger,* ↑ *casuist,* ⟨inf.⟩ *nitpicker.*
haarkloverij ⟨de (v.)⟩ **0.1** [muggezifterij] *hairsplitting* ⇒*pettifoggery, cavil,* ↑ *casuistry,* ⟨inf.⟩ *nitpicking* **0.2** [gekibbel] *quibbling* ⇒*quibble* ◆ **2.1** allerlei ~en *all kinds of hairsplitting subtleties/superfine distinctions.*
haarknippen ⟨ww.⟩ **0.1** *haircutting* ⇒*haircut* ◆ **¶.1** ~ *f 10,- haircut Dfl. 10.*
haarkroon ⟨de⟩ ⟨plantk.⟩ **0.1** *pappus.*
haarkrul ⟨de⟩ **0.1** *curl (of hair).*
haarkruller ⟨de (m.)⟩ **0.1** *(hair) curling iron(s)* ⇒*curling tongs, hot iron,* ⟨krulspeld⟩ *curlier, curling-pin.*
haarkrulset ⟨de (m.)⟩ **0.1** *(set of) heated rollers.*
haarkwal ⟨de⟩ **0.1** *cyaned* ⟨genus⟩ ◆ **2.1** de rosse/gewone ~ *the common red stinging jellyfish.*
haarlak ⟨het, de (m.)⟩ **0.1** *hair spray* ⇒*(hair) lacquer.*
haarlijn ⟨de⟩ **0.1** *hair line.*
haarlint ⟨het⟩ **0.1** *hair-ribbon.*
haarlok ⟨de⟩ **0.1** [bosje haar] *lock (of hair)* **0.2** [bosje afgeknipte hoofdharen] *(hair) clippings* ◆ **2.1** een onwillige ~ *an unruly/a rebellious lock of hair.*
haarloos ⟨bn.⟩ **0.1** *hairless* ⇒⟨kaal⟩ *bald.*
haarmiddel ⟨het⟩ **0.1** *hair tonic* ⇒*hair-restorer.*
haarmode ⟨de⟩ **0.1** *hair fashion* ⇒*fashion in hairdressing.*
haarnetje ⟨het⟩ **0.1** *hairnet.*
haarpapil ⟨de⟩⟨med.⟩ **0.1** *hair papilla.*
haarpijn ⟨de⟩ **0.1** *hangover* ⇒*head, '(that) morning-after feeling'* **3.1** ~ hebben *have a hangover/head.*
haarpluis ⟨het⟩⟨biol.⟩ **0.1** *pappus.*
haarroller ⟨de (m.)⟩ **0.1** *(hair) roller* ⇒*curling-pin, (hair) curler.*
haarscheiding ⟨de (v.)⟩ **0.1** *parting (of the hair).*
haarscherp ⟨bn.;bw.;-ly⟩ **0.1** *very sharp* ⇒*very clear, exact* ⟨beschrijving, weergave⟩, *very fine, superfine* ⟨onderscheid⟩, *clear-cut* ⟨argu-

ment⟩, *trenchant* ⟨opmerking⟩, *razor-sharp* ⟨verstand⟩ ◆ **1.1** een ~e definitie/ indeling *a crystal-clear definition/ clear-cut division;* ~e negatieven *pinpoint-sharp negatives.*

haarscheurtje ⟨het⟩ **0.1** *haircrack* ⇒*hairline (crack), craze,* ⟨in verf, beton ook⟩ *hair-check* ◆ **6.1** ~s **in** het glazuur van aardewerk *crazes in the glazing of pottery;* porselein **met** ~s *crackle china, crackleware.*

haarschimmel ⟨de (m.)⟩ **0.1** [plant] *blue mould* **0.2** [huidziekte] *favus.*

haarsnit ⟨de⟩ **0.1** *hair style* ⇒*hairdo, haircut.*

haarspeld ⟨de⟩ **0.1** [sierspeld] *hair-slide* ⇒*hair-clip* **0.2** [voorwerpje om opgestoken haar bijeen te houden] *hairpin* ⇒⟨vnl. BE⟩ *hairgrip,* ⟨vnl. AE⟩ *barrette, bobby pin.*

haarspeldbocht ⟨de⟩ **0.1** *hairpin (bend/ curve)* ◆ **2.1** een weg vol~en ⟨ook⟩ *a winding road.*

haarspijker →**haarspit.**

haarspit ⟨het⟩ ⟨landb.⟩ **0.1** *whetting anvil.*

haarspleet ⟨de⟩ **0.1** *(hair) crack.*

haarspoeling ⟨de (v.)⟩ **0.1** *hair colouring.*

haarspray ⟨de (m.)⟩ **0.1** [verstoven haarlak] *hair spray* **0.2** [spuitbus] *hair spray.*

haarsteng ⟨de⟩ ⟨plantk.⟩ **0.1** *water starwort.*

haarstijl ⟨de (m.)⟩ **0.1** *hair style* ⇒*hair cut,* ⟨vrouw⟩ *hair do.*

haarstilist ⟨de (m.)⟩ **0.1** *hair stylist.*

haarstreng ⟨de⟩ **0.1** *tress* ⇒*plait/ braid (of hair).*

haarstudio ⟨de (m.)⟩ **0.1** *hairstylist's (shop/ studio).*

haarstukje ⟨het⟩ **0.1** *hairpiece* ⇒*toupee.*

haartekening ⟨de (v.)⟩ **0.1** *markings* ⟨mv.⟩.

haartje ⟨het⟩ **0.1** [kleine haar] *hair* **0.2** [zeer kleine mate] *hair* ⇒ *hair('s) breadth* **0.3** [⟨mv.:druk.⟩] *hairlines* ◆ **2.2** ben je een ~ bedonderd/ betoeterd? *have you gone off your rocker?* **3.2** het scheelde maar een~ ⟨→haar⟩.

haartooi ⟨de (v.)⟩ **0.1** *headdress* ⇒*coiffure.*

haartransplantatie ⟨de (v.)⟩ **0.1** *hair transplant.*

haaruitval ⟨de (m.)⟩ **0.1** *hair loss* ⇒*loss of hair, falling hair,* ⟨med.⟩ *alopecia.*

haarvat ⟨het⟩ **0.1** *capillary.*

haarvatennet, -stelsel ⟨het⟩ **0.1** *capillary system* ⇒⟨haarvatenkluwen, vnl. in nier⟩ *glomerulus.*

haarverf ⟨de⟩ **0.1** *hair-dye.*

haarversteviger ⟨de (m.)⟩ **0.1** ⟨alg.⟩ *hair conditioner* ⇒⟨om haar in bep. model te houden⟩ *setting-lotion.*

haarverzorging ⟨de (v.)⟩ **0.1** *hair care* ⇒*care of the hair.*

haarvezel ⟨de⟩ **0.1** *hair (shaft).*

haarvilt ⟨het⟩ **0.1** *fur felt.*

haarvlecht ⟨de⟩ **0.1** *plait (of hair)* ⇒*braid (of hair), tress,* ⟨valse⟩ *switch* ◆ **2.¶** Poolse ~ *plica (polonica).*

haarvleugeligen ⟨zn.mv.⟩ ⟨dierk.⟩ **0.1** *caddis flies* ⇒*trichoptera.*

haarwasmiddel ⟨het⟩ **0.1** *shampoo.*

haarwater ⟨het⟩ **0.1** [lotion] *(hair) lotion* ⇒*hair wash* **0.2** [slechte jenever] *(wish-)wash.*

haarwerker ⟨de (m.)⟩, **-ster** ⟨de (v.)⟩ **0.1** *hair worker.*

haarworm ⟨de (m.)⟩ **0.1** *hair/ threadworm* ⇒⟨ihb.⟩ *thrichina.*

haarwortel ⟨de⟩ **0.1** [(med.)] *hair-root* ⇒*root of a/ the hair* **0.2** [⟨plantk.⟩] *root-hair* ◆ **3.1** de ~s masseren *massage the hair-roots* **6.1** ⟨fig.⟩ kleuren **tot in** de ~s *blush to the roots of one's hair.*

haarwrong ⟨de⟩ **0.1** *knot* ⇒*bun, chignon, coil.*

haarzakje ⟨het⟩ **0.1** [voor uitgekamd haar] *hair tidy* **0.2** [⟨anatomie⟩] *(hair) follicle.*

haarzeef ⟨de⟩ **0.1** *hair sieve* ⇒*fine sieve.*

haarzelf ⟨pers.vnw.⟩ **0.1** *herself.*

haarziekte ⟨de (v.)⟩ **0.1** *scalp disease.*

haarzwam ⟨de (m.)⟩ ⟨genus⟩ *marasmius.*

haas ⟨→sprw. 248,261, 286,361⟩
I ⟨de (m.)⟩ **0.1** [(als voedsel)] *fillet* **0.2** [⟨sport⟩] *pacemaker* ◆ **1.1** een biefstuk van de ~ *fillet steak;*
II ⟨het, de (m.)⟩ **0.1** [dier] *hare* ⇒⟨inf.; jacht.⟩ *puss* **0.2** [vlees van een haas] *hare* **0.3** [lafaard] *coward* **0.4** [plek waar het fineer zich niet heeft gehecht] *blister* ◆ **2.1** een jonge ~, een ~je *a leveret, a young h.* **3.1** ⟨jacht.⟩ een ~ uit zijn leger verjagen *flush a h. out of its form* **3.2** ~ vreten ⟨fig.⟩ *be as frightened as a rabbit;* ⟨inf.⟩ *get/ have the wind up* **3.3** wat ben jij een (bange) ~! *what a mouse you are!* **3.¶** het ~je zijn ⟨inf.⟩ *be for it, have had it* **8.1** er als een ~ vandoor gaan *take to one's heels, run off;* zo bang als een ~ *like a frightened rabbit* **¶.¶** mijn naam is ~ *search me, I don't know anything (about it), it's nothing to do with me.*

haasachtig ⟨bn.⟩ **0.1** *hare-like* ⇒*leporine.*

haasachtigen ⟨zn.mv.⟩ **0.1** *lagomorphs.*

haasje over ⟨het⟩ ◆ **3.¶** haasje-over springen *(play) leapfrog, play at leapfrog.*

haaskarbonade ⟨de (v.)⟩ **0.1** *loin chop.*

haast¹ ⟨de⟩ **0.1** [(te grote) snelheid] *haste* ⇒*hurry, rush* **0.2** [noodzaak/ drang om snel te werk te gaan] *hurry* ◆ **2.1** in grote/ vliegende ~ *in no end of a hurry, in a great/ tearing hurry;* ⟨inf.⟩ *lickety-split* **3.1** ~ maken *make haste, hurry up;* ⟨inf. ook⟩ *buck up;* geen ~ maken met be-

talen *be in no hurry to pay, take one's time in paying;* ~ maken met speed up ⟨produktief⟩; *hurry up* ⟨maaltijd⟩; *press on with* ⟨bestelling⟩; ~ zetten achter iets *hurry sth. up* **3.2** (van personen) ~ hebben *be in a h.;* die brief heeft ~ *that letter cannot wait/ is urgent;* dat heeft geen ~ *there is no h./ rush, it is not wanted in a h., the matter can wait;* zij heeft nooit ~ *she always takes her time* **5.1** hoe meer ~, hoe minder spoed *more haste, less speed* **5.2** er is ~ bij *the matter is urgent/ pressing/ cannot wait;* waarom zo'n ~? *what's the rush?* **6.1 in** de(r) ~ iets vergeten *forget sth. in the hurry/ rush;* **in** der ~ genomen beslissingen *rash/ hasty decisions;* kun je hem niet **tot** wat meer ~ aanzetten? *can't you hurry him up?* **6.2 in** ~, *in a h., in haste* **7.1** ⟨AZN⟩ in zeven ~en *in a tearing/ great hurry* **7.2** we hebben helemaal geen ~ *we are in no particular h., we can take our time over it.*

haast² ⟨bw.⟩ **0.1** [bijna] *almost, nearly* ⇒⟨in negatieve context⟩ *hardly, scarcely, barely* **0.2** [spoedig] *soon* ⇒*before long* ◆ **3.1** je zou er ~ wat van denken *you would almost suspect sth.;* men zou ~ denken dat ... *one would/ might almost think/ believe that ...;* hij durfde ~ niet te komen *he hardly dared (to) come;* haar handschrift is ~ nooit te lezen *her handwriting is n. always illegible, you can hardly ever read her handwriting;* een gulden kun je ~ niets meer doen tegenwoordig *a guilder doesn't go very far these days;* het regent ~ niet *it's hardly raining at all;* hij was ~ gevallen *he n. fell, he all but fell, he just missed falling;* ik zou ~ willen dat ... *I half wish that ...* **3.2** kom je ~? *are you never coming?;* komt er ~ wat? *are you nearly ready?, now then, are you ready?;* het wordt ~ weer lente *spring will be here soon, spring is not far off* **4.1** ~ niets *hardly anything, nothing to speak of* **5.1** ~ niet *hardly;* ~ nooit *hardly/ scarcely ever.*

haasten ⟨→sprw. 251⟩
I ⟨wk.ww.;zich~⟩ **0.1** [zich spoeden] *hurry* ⇒*hasten, make haste, rush,* ⟨inf.⟩ *hurry up/ along* ◆ **3.1** we hoeven ons niet te ~ *we needn't hurry, there's no need to hurry;* ik zal me vreselijk moeten ~ om ... *I'll have to work against time to ...;* als je die trein wil halen zul je je moeten ~ *if you want to catch that train you'll have to hurry up/ get a move on;* ik haast me te zeggen dat ... *I hasten to say that ...* **5.1** haast u langzaam! *hasten/ make haste slowly!;* haast je maar niet! *don't hurry!, don't be in a hurry!, take your time!* **6.1** zij haastte zich **met** haar werk *she hurried her work;* zich **naar** de deur ~ *hurry/ rush to the door;* **zonder** zich te ~ *unhurried(ly)* **¶.1** haastje-repje! *hurry up!;* haastje-repje oversteken/ iets doen *nip/ whip across, do sth. double quick;*
II ⟨onov., ov.ww.⟩ **0.1** [opzwepen] *hurry* ⇒*rush* ◆ **3.1** ik laat me niet ~ *I'm not going to be hurried;* je moet me niet zo ~, dan kan ik niet werken *don't rush me, or I won't be able to work;* je moet niet zo ~, we hebben nog tijd genoeg *don't be in such a hurry, we've time enough/ there's still plenty of time* **5.¶** dat haast niet *there is no hurry, it/ the matter can wait* **¶.1** gehaast zijn *be in a hurry, have no time.*

haastig ⟨bn., bw.;-ly⟩ ⟨→sprw. 249,250⟩ **0.1** [vol ongeduld] *hasty* ⇒*hurried, speedy, rash* **0.2** [opvliegend] *hasty* ◆ **1.1** een ~e handdruk/ groet *a hurried handshake/ greeting;* met ~e schreden *with hurried/ hurrying steps;* een ~ woord is gauw gezegd *think before you speak* **3.1** iets ~ afdoen *hurry through sth.;* je bent wat te ~ geweest *you've been a bit rash/ hasty;* hij liep ~ weg *he strode off/ away (hurriedly)* **5.1** niet zo ~! *steady (on)!, (go) easy!* **¶.1** ik heb nog ~ afscheid van hem genomen *I was able to say a hasty good-bye to him.*

haastigheid ⟨de (v.)⟩ **0.1** *hastiness.*

haastklus ⟨de⟩ **0.1** *rush job.*

haastwerk ⟨het⟩ **0.1** [in haast verricht werk] *hasty/ rushed work* ⇒ *rushed job* **0.2** [werk waar haast bij is] *urgent/ pressing work, rush job.*

haasvreter ⟨de (m.)⟩ **0.1** *coward* ⇒*poltroon.*

haat ⟨de (m.)⟩ **0.1** *hatred* ⇒*hate* ◆ **1.1** het is bij hen niets dan ~ en nijd *they are continually at each other's throats* **2.1** bittere/ dodelijke ~ *bitter/ mortal hatred/ hate;* blinde ~ *blind hate;* iem. een diepe ~ toedragen *hate s.o. deeply;* machteloze ~ *impotent hatred* **3.1** een enorme ~ koesteren/ voeden *entertain/ bear immense hatred;* ~ tegen iem. opvatten *conceive a hatred of s.o.;* ~ zaaien *stir up/ sow hatred* **6.1** uit ~ handelen *act out of hate/ rancour;* **uit** ~ jegens de regering *out of hatred of/ for the government.*

haatdragend ⟨bn.⟩ **0.1** *resentful* ⇒*rancorous, spiteful* ◆ **1.1** een ~ mens *a spiteful person* **3.1** niet ~ zijn *bear no malice.*

haatdragendheid ⟨de (v.)⟩ **0.1** *resentment* ⇒*rancour, spite.*

haatgevoel ⟨het⟩ **0.1** *(feeling of) hatred* ⇒*grudge, rancour, malice* ◆ **3.1** diepe ~ens koesteren *harbour/ nurse (feelings of) deep hatred;* iem. ~ens toedragen *have a grudge against s.o., bear s.o. a grudge.*

haat-liefdeverhouding ⟨de (v.)⟩ **0.1** *love-hate relationship.*

habbekra(t)s ⟨de⟩ **0.1** *(mere) trifle* ◆ **6.1** voor een ~ *for a song.*

haberdoedas ⟨de (m.)⟩ ⟨inf.⟩ **0.1** *smack* ⇒*sock* ◆ **3.1** iem. een ~ geven *give s.o. a smack in the face/ on the head.*

habiel ⟨bn., bw.;-ly⟩ **0.1** *able* ⇒*adroit, skilful,* ^A*skillful,* ⟨schr.⟩ *habile.*

habijt ⟨het⟩ **0.1** *habit* ◆ **3.1** het ~ aannemen *enter/ go into a monastery* **6.1 in** ~ *wearing a h..*

habilitatie ⟨de (v.)⟩ **0.1** *qualification.*

habiliteit ⟨de (v.)⟩ **0.1** [vaardigheid] *expertness* ⇒*proficiency, skill, skil/* ^A*skillfulness* **0.2** [handelingsbevoegdheid] *competence.*

habiliteren
I ⟨ov.ww.⟩ ⟨jur.⟩ **0.1** [handelingsbevoegdheid verlenen] *qualify;*
II ⟨wk.ww.;zich~⟩ **0.1** [zich als bevoegde vestigen] *habilitate* ⇒*capacitate.*

habitat ⟨de⟩ ⟨biol.⟩ **0.1** [woongebied van een organisme, levensgemeenschap] *habitat* **0.2** [complex van milieufactoren] *habitat.*

habitué ⟨de (m.)⟩ **0.1** *habitué* ⇒*regular visitor/customer, frequenter,* ⟨inf.⟩ *regular.*

habitueel ⟨bn., bw.;-ly⟩ **0.1** *habitual.*

habitus ⟨de (m.)⟩ **0.1** *habitus* ⇒*habit* ◆ **1.1** de~ van een patiënt *the habitus of a patient* **2.1** sociale~ *social habit.*

hachee ⟨het, de (m.)⟩ **0.1** *hash.*

hachelen ⟨ov.ww.⟩ ⟨inf.⟩ ◆ **1.¶** je kan me de bout~ *go to blazes.*

hachelijk ⟨bn.⟩ **0.1** *precarious* ⇒*perilous,* ⟨inf.⟩ *dicey* ◆ **1.1** een~e onderneming *a perilous undertaking;* zich in een~e positie bevinden *be in a serious predicament;* ⟨inf.⟩ *be in a fix;* een~e situatie *a tricky situation, a (serious) predicament;* ⟨inf. ook⟩ *a fix, a tight spot;* zich uit een~e situatie redden *get o.s. out of a tricky situation/tight spot;* de toestand is~ *the situation is precarious/dicey* **¶.1** hij is er~ aan toe *he is in deep water(s).*

hachje ⟨het⟩ **0.1** *skin* ⇒*hide, life* ◆ **2.1** alleen aan zijn eigen~ denken *only think of o.s.* **3.1** zijn~ wagen/redden *risk/save one's s./life/hide* **6.1** hij is bang **voor** zijn~ *he fears for his life* **¶.1** hij schoot er zijn~ bij in *it cost him his life.*

haciënda ⟨de⟩ **0.1** [alleenliggend landgoed] *hacienda* **0.2** [farm] *hacienda.*

hadie ⟨tw.⟩ **0.1** *bye-bye* ⇒⟨vnl. BE;inf.⟩ *ta-ta.*

had(z)j ⟨de (m.)⟩ **0.1** *hadj, haj(j).*

had(z)ji ⟨de (m.)⟩ **0.1** *hadji, haj(j)i.*

haf ⟨het⟩⟨aardr.⟩ **0.1** *lagoon.*

hafnium ⟨het⟩⟨schei.⟩ **0.1** *hafnium.*

haft
I ⟨het⟩ **0.1** [insekt] *mayfly* ⇒*ephemera;*
II ⟨de (m.)⟩ **0.1** [stukje staal aan een geweerloop] *bayonet sheath.*

hagebeuk →**haagbeuk.**

hagedis ⟨de⟩ **0.1** [dier] *lizard* **0.2** [⟨ster.⟩] *Lacerta.*

hagedoorn, hagedoren →**haagdoorn.**

hagel ⟨de (m.)⟩ **0.1** [vorm van neerslag] *hail* **0.2** [hagelbui] *hail(storm)* **0.3** [munitie] *(lead/ball) shot* **0.4** [⟨fig.⟩] *hail* ⇒*shower, volley* ◆ **1.1** er zit~ in de lucht *it looks like h.* **1.3** een schot~ *a shower of shot* **1.4** een~ van kogels *a h./shower/volley of bullets* **3.1** de~ kletterde op het dak *h. rattled on the roof* **6.1** een door~ geteisterd gebied *an area hit by (a) hail(storm)* **6.2** in de~ lopen *run in the hail* **8.1** zo dicht als~ *in swarms/droves* **9.¶** wat~! *what the deuce!.*

hagelblank ⟨bn.⟩ **0.1** *(as) white as snow* ⇒*snow-white, snowy/pearly white.*

hagelbui ⟨de⟩ **0.1** [regenbui met hagel] *hailstorm* ⇒*shower of hail* **0.2** [⟨fig.⟩] *shower* ⇒*volley* ◆ **1.2** een~ van pijlen/van stenen *a s. of arrows/stones.*

hagelen
I ⟨onp.ww.⟩ **0.1** [vallen (van hagel)] *hail* **0.2** [als hagel neervallen] *hail* ◆ **1.2** het hagelde kogels op de vijand *volleys of bullets/shot rained down on the enemy;* het hagelde slagen op zijn lijf *blows hailed down on his body* **5.1** het hagelt hard *it is hailing hard/heavily* **6.1** ik hoor het **op** de ruiten~ *I can hear the hail against the windowpanes;*
II ⟨onov.ww.⟩ **0.1** [in dichte massa neerkomen] *hail* ⇒*shower, rain down* ◆ **1.1** de stenen hagelden om ons heen *stones were raining down.*

hageljacht ⟨de⟩ **0.1** *hailstorm.*

hagelkorrel ⟨de (m.)⟩ **0.1** [klompje hagel] *hailstone* **0.2** [⟨med.⟩] *sty(e)* **0.3** [munitie] *pellet of shot.*

hagelnieuw ⟨bn.⟩ **0.1** *brand-new.*

hagelpatroon ⟨de⟩ **0.1** *cartridge.*

hagelschade ⟨de (v.)⟩ **0.1** *hail damage* ⇒*damage (caused/done) by hail* ◆ **3.1** er is~ toegebracht aan de oogst *the crops have been damaged by hail* **6.1** een verzekering tegen~ *hail(storm) insurance.*

hagelschot ⟨het⟩ **0.1** [schot met hagel] *shot* **0.2** [gaatjes als van hagelkorrels] *shot-hole disease.*

hagelslag ⟨de (m.)⟩ **0.1** [strooisel] ⟨chocolade⟩ *chocolate confetti/sprinkles* **0.2** [het met kracht neervallen van de hagel] *hailstorm* **0.3** [door hagel toegebrachte schade] *hail damage* ◆ **3.2** de~ heeft grote schade veroorzaakt *the h. has caused a lot of damage* **6.1** een boterham **met**~ *a slice of bread with chocolate confetti* **6.2** het land is **door** zware~ getroffen *the country has been swept by (a) heavy hail(storm)* **6.3** een verzekering tegen~ *hail(storm) insurance.*

hagelsnoer ⟨het⟩ **0.1** *chalaza.*

hagelsteen ⟨de (m.)⟩ **0.1** *hailstone* ◆ **1.1** de hagelstenen verbrijzelden de ramen *the hailstones shattered the windowpanes* **8.1** hagelstenen zo groot als duiveëieren *hailstones as big as golf balls.*

hagelstorm ⟨de (m.)⟩ **0.1** *hailstorm.*

hageltas ⟨de⟩⟨jacht⟩ **0.1** *shot bag.*

hageltje ⟨het⟩ **0.1** *hailstone.*

hageltoren ⟨de (m.)⟩⟨tech.⟩ **0.1** *shot tower.*

hagelverzekering ⟨de (v.)⟩ **0.1** *hail(storm) insurance.*

hagelvlaag ⟨de⟩ **0.1** *gust of hail.*

hagelwit ⟨bn.⟩ **0.1** *(as) white as snow* ⇒*snow-white, pearly/snowy white* ◆ **1.1** ~te tanden *pearly white teeth.*

Hagenees ⟨de (m.)⟩⟨scherts.⟩ **0.1** *'Hagenees'* ⟨*humorous term for an inhabitant of The Hague*⟩.

hageprediker ⟨de (m.)⟩⟨gesch.⟩ **0.1** *field preacher.*

hagepreek ⟨de⟩⟨gesch.⟩ **0.1** *field preaching;* ⟨bijeenkomst⟩ *conventicle, field meeting.*

hageroos ⟨de⟩ **0.1** *hedge rose* ⇒*dog rose.*

hagiograaf ⟨de (m.)⟩ **0.1** [schrijver] *hagiographer* **0.2** [⟨mv.⟩ bijbelboeken] *Hagiographa* ⇒*Writings.*

hagiografie ⟨de (v.)⟩ **0.1** *hagiography.*

haïk ⟨de (m.)⟩ **0.1** *hai(c)k.*

haiku ⟨de⟩ **0.1** *haiku.*

hak
I ⟨de⟩ **0.1** [hiel] *heel* **0.2** [verhoging onder schoeisel] *heel* **0.3** [hiel van een kous] *heel* **0.4** [landbouwwerktuig] *hoe* **0.5** [houweel] *pick (axe)* ⇒*hack* **0.6** [spronggewricht van een paard] *hock* ⇒⟨BE ook⟩ *hough* ◆ **2.1** dikke~ken *swollen heels* **2.2** een Franse~ *a French/Louis h.;* schoenen met hoge~ken *high heels, high-heeled shoes;* schoenen met lage~ken *flat-heeled shoes, flatties;* een platte~ *a flat h.;* met scheve/afgesleten~ken *down at heel,* [A]*down at the heel* **2.5** dubbele~*pick(axe)* **3.1** ⟨sport⟩ de bal een~je geven *heel the ball;* ⟨fig.⟩ de~ken laten zien *show a clean pair of heels* **3.2** ik moet (nieuwe)~ken onder mijn schoenen laten zetten *I must have my shoes heeled* **6.1** ⟨fig.⟩ met de~ken over de sloot *by the narrowest margin, by the skin of one's teeth;* ⟨sport⟩ de bal **met** de~ spelen *heel the ball;* ⟨fig.⟩ iem. **op** de~ken zitten *heel/tail s.o.* **6.¶** hij lapt alles **aan** zijn~ken *he could't care less;*
II ⟨de (m.)⟩ **0.1** [door hakken ontstane kerf] *cut* **0.2** [slag met een bijl] *cut* ⇒*chop* **0.3** [het hakken] *cutting (down), felling* ◆ **1.2** nog een paar~ken met de bijl en het is door *a few more blows and it'll be done* **3.1** er komen~ken in de tafel *the table is getting chipped* **3.¶** iem. een~ zetten *play s.o. a nasty trick, do s.o. a bad turn* **6.1** er is een hele~ **uit** de tafel *there is quite a chunk out the table* **6.¶** iem./iets **op** de~ nemen *ridicule s.o./sth.;* **van** de~ op de tak springen *skip, jump/ramble from one subject to another.*

hakbaar ⟨bn.⟩ **0.1** [gehakt kunnende worden] *which can be cut up* **0.2** [oogstbaar] *ready for harvesting/picking* ◆ **1.1** is dit hout~? *can this wood be chopped?.*

hakband ⟨de (m.)⟩ **0.1** *heel strap.*

hakbank ⟨de (m.)⟩ **0.1** *chopping-block* ⇒⟨slagers ook⟩ *butcher's block.*

hakbeitel ⟨de (m.)⟩⟨amb.⟩ **0.1** *mortise chisel.*

hakbeschermer ⟨de (m.)⟩ **0.1** *heel tip.*

hakbijl ⟨de⟩ **0.1** *hatchet* ⇒*chopper,* ⟨slagers⟩ *(butcher's) cleaver.*

hakblok ⟨het⟩ **0.1** *chopping-block* ⇒⟨slagers ook⟩ *butcher's block.*

hakbord ⟨het⟩ **0.1** *chopping-board.*

hakbos ⟨het⟩ **0.1** *coppice, copse.*

hakbouw ⟨de (m.)⟩ **0.1** *hoe farming/cultivation.*

haken
I ⟨onov.ww.⟩ **0.1** [met een haak grijpen/blijven vastzitten] *catch* **0.2** [aan een haak blijven hangen] *catch* **0.3** [⟨met 'naar'⟩ hevig verlangen] *crave* ⇒*yearn for, hanker after, long for* ◆ **3.1** ⟨fig.⟩ die woorden troffen me diep en zijn in me blijven~ *these words touched me deeply and made a lasting impression (on me)* **3.2** hij bleef met zijn jas aan een spijker~ *he caught his coat on a nail, his coat caught on a nail* **6.1** de dorens haakten **in** de vacht van de schapen *the thorns caught in the fleece of the sheep;* dat haakt niet goed **in** elkaar *it does not fit together very well;*
II ⟨onov., ov.ww.⟩ **0.1** [mbt. handwerken] *crochet;*
III ⟨ov.ww.⟩ **0.1** [aan een haak bevestigen] *hook (up)* ⇒*hitch (up)* ◆ **¶.¶** iem. (pootje)~ *trip s.o. (up).*

hakenkruis ⟨het⟩ **0.1** *swastika.*

hakerig ⟨bn.⟩ **0.1** [vol haken] *hooked* ⇒*full of hooks* **0.2** [vol moeite en bezwaren] *knotty* ⇒*difficult, awkward.*

hakfreesmachine ⟨de (v.)⟩⟨landb.⟩ **0.1** *rotary cultivator/hoe.*

hakguts ⟨de⟩⟨amb.⟩ **0.1** *mortise chisel.*

hakhout ⟨het⟩ **0.1** *coppice (wood), copse (wood).*

hakig ⟨bn.⟩⟨biol.⟩ **0.1** *hooked.*

hakje ⟨het⟩⟨sport⟩ **0.1** ⟨zie 3.1⟩ ◆ **3.1** een~geven *back-heel, heel.*

hakkebord ⟨het⟩ **0.1** [muziekinstrument] *dulcimer, cymbalo* **0.2** [slechte piano] *tinny piano* ⇒*honkey-tonk (piano)* **0.3** [⟨scheep.⟩] *taffrail.*

hakkelaar ⟨de (m.)⟩, **-ster** ⟨de (v.)⟩ **0.1** *stammerer* ⇒⟨stotteraar⟩ *stutterer.*

hakkelarij ⟨de (v.)⟩ **0.1** *stammering* ⇒⟨stotteren⟩ *stuttering.*

hakkelbout ⟨de (m.)⟩⟨amb.⟩ **0.1** *jag bolt* ⇒*rag bolt, hacked bolt.*

hakkelen
I ⟨onov., ov.ww.⟩ **0.1** [stotteren] *stammer (out)* ⇒⟨stotteren⟩ *stutter,* ⟨stuntelen⟩ *flounder, stumble (over one's words)* ◆ **1.1** de jongen hakkelde enkele woorden en zweeg vervolgens *the boy stammered (out) a few words and then kept silent* **3.1** hij begon te~ *he floundered, he started stumbling over his words, he faltered;* hij stond te~

he stumbled over his words/through his speech; zich ~d verontschuldigen *stammer an excuse, stumble through an apology;*
II ⟨ov.ww.⟩ **0.1** [insnijden] *jag, notch* ◆ **1.1** een lap stof met gehakkelde rand *a piece of cloth with a jagged/notched edge.*

hakkelig ⟨bn., bw.;-ly⟩ **0.1** *halting, jerky* ⇒*faltering,* ⟨muz.⟩ *staccato* ◆ **1.1** een ~ verhaal *a jerky/unconnected story* **3.1** ~ spreken *speak jerkily/haltingly/falteringly.*

hakken
I ⟨onov.ww.⟩ **0.1** [houwen] *hack (at)* ⇒*slash (at), hew (at)* **0.2** [onbesuisd inhakken] *hack/bash/slash away (at)* **0.3** [negatieve kritiek leveren] *pick holes (in)* ⇒*find fault (with), carp (at)* ◆ **5.1** ⟨fig.⟩ er met de botte bijl in ~ *go about sth. in a heavy-handed/hamfisted way;* ⟨ingrijpende maatregelen treffen⟩ *take draconian measures* **5.2** ⟨fig.⟩ dat hakt erin *that costs a packet, that's a costly business/a nasty blow to our budget, that eats into the money* **6.1** in een paal ~ *hack at a pole* **6.3** zij hakt altijd **op** me *she is always nagging/carping at me, she is always down on me, she is always getting her knife into me;*
II ⟨ov.ww.⟩ **0.1** [in kleine stukken verdelen] *chop (up)* ⇒*cut (up),* ⟨ruw⟩ *hack,* ⟨fijn⟩ *mince, hash, grind* **0.2** [afhakken] *cut (off/away)* ⇒*hew/hack/carve (out)* **0.3** [uithakken] *cut (out)* ⇒*hew/hack/carve (out)* **0.4** [met de hak bewerken] *hoe* **0.5** [sport] *back-heel, heel* ◆ **1.1** hout ~ *chop/cleave wood;* gehakte spinazie *chopped spinach;* vlees ~ *mince* [A]*grind meat* **1.2** een dode tak uit de boom ~ *cut off/away a dead branch from the tree* **1.3** een beeld uit de rots ~ *hew a statue out of the rock;* een beeld uit hout ~ *carve a statue out of wood;* een bijt in het ijs ~ *cut a hole in the ice* **2.1** uien fijn ~ *chop up onions* **6.1** ⟨fig.⟩ in mootjes ~ *cut to pieces/shreds/ribbons, make mincemeat of, wipe out;* in stukken/stukjes ~ *cut/chop (up);* ⟨in blokjes⟩ *dice* ¶**.1** ⟨fig.⟩ de vijand in de pan ~ *cut the enemy to pieces/shreds/ribbons, make mincemeat of/wipe out the enemy.*

hakkenbar ⟨de⟩ **0.1** *heel bar.*

hakkepoffer ⟨de (m.)⟩ ⟨iron.⟩ **0.1** ⟨boot⟩ *chug-chug, old chugger/tub;* ⟨motorfiets⟩ *pop-pop, ≠boneshaker.*

hakker ⟨de (m.)⟩ **0.1** [persoon] *hacker, cutter, hewer, glasher* ⇒ ⟨mijnw.⟩ *face worker,* ⟨bomen⟩ *feller, lumberjack* **0.2** [kam die het gekaarde katoen afslaat] *comb.*

hakketakken ⟨ww.⟩ **0.1** [vitten] *pick (on/at)* ⇒*carp/cavil (at), find fault (with),* ⟨voortdurend⟩ *nag* **0.2** [kibbelen] *bicker* ⇒*squabble, wrangle* ◆ **3.1** hij ligt altijd op mij te ~ *he is always picking/nagging at me.*

hakketakkerij ⟨de (v.)⟩ **0.1** [gevit] *fault-finding, cavilling, nit-picking* **0.2** [gekibbel] *bickering, squabble(s), squabbling;* ⟨BE; inf.⟩ *argy-bargy.*

hakketeren →**hakketakken.**

hakleer ⟨het⟩ ⟨amb.⟩ leer voor hakken] *heel-leather* **0.2** [leren hakband aan een schaats] *heel-strap.*

hakmachine ⟨de (v.)⟩ **0.1** [mbt. vlees] *mincer, mincing machine,* [A]*grinder, food chopper* **0.2** [mbt. ijzer/hout] *chopper, chopping machine, chipper* **0.3** [mbt. groenten] *(vegetable) chopper.*

hakmes ⟨het⟩ **0.1** [kapmes] *chopper* ⇒*machete* **0.2** [slagersmes] *(butcher's) cleaver, meat axe* **0.3** [keukengereedschap] *chopping knife.*

hakmoes ⟨het⟩ **0.1** [kleingehakte groente] *chopped vegetable(s) mix* **0.2** [allegaartje] *mishmash, hotchpotch, jumble.*

hakploeg ⟨de⟩ **0.1** *stubble clearing plough, skim coulter.*

haksel ⟨het⟩ **0.1** [fijngehakt iets] *chopped/minced food* ⇒⟨vnl. van vlees⟩ *mince,* ⟨opgewarmd vlees met groenten⟩ *hash,* ⟨op een gerecht⟩ *topping* **0.2** [veevoer] *chaff, chopped straw/hay.*

hakselaar ⟨de (m.)⟩, **hakselmachine** ⟨de (v.)⟩ **0.1** *chopper* ⇒*strow-/chaff-cutter,* ⟨voor wortels⟩ *root cutter,* ⟨voor voedergewas⟩ *forage cutter.*

hakselen ⟨onov., ov.ww.⟩ **0.1** *chop/cut (straw/hay).*

hakstro ⟨het⟩ **0.1** *chaff, chopped straw/hay.*

hakstuk ⟨het⟩ ⟨amb.⟩ **0.1** [hielstuk] *heel-tap/-lining* **0.2** [lapje achter de schoen] *heelpiece.*

haktakken →**hakketakken.**

haktijd ⟨de (m.)⟩ **0.1** *wood-chopping season.*

hakvlees ⟨het⟩ **0.1** [vlees voor gehakt] *mincing* [A]*grinding meat/cut* **0.2** [gehakt vlees] [B]*mince, minced meat;* ⟨AE⟩ *ground meat.*

hakvoet ⟨de (m.)⟩ **0.1** *club-foot.*

hakvrucht ⟨de⟩ **0.1** *root crop.*

hakzenuw ⟨de⟩ **0.1** *hamstring* ⇒*hock-tendon.*

hal
I ⟨de⟩ **0.1** [zeer hoge ingang] *(entrance) hall* ⇒ ⟨hotel⟩ *vestibule, (main) lobby,* ⟨hotel, theater⟩ *foyer,* ⟨station, vliegveld⟩ *concourse* **0.2** [⟨vaak in samenst.⟩ ruimte waar koopwaar wordt geveild/verkocht] *(covered) market, market hall* **0.3** [⟨in samenst.⟩ winkel] *market* **0.4** [⟨ook in samenst.⟩ hoge zaal] *hall(way)* **0.5** [klein vertrek achter de voordeur van een huis] *hall(way)* ◆ **1.2** veilinghal *auction room* **1.4** de montagehal (van een fabriek) *the assembling hall;* sporthal *sports hall, gym* **6.1** in de ~ van het hotel *in the hotel lobby/lounge/foyer* **6.4** de ~ in een burcht *the (great) h. of a castle;*
II ⟨het, de⟩ **0.1** [hardheid van de grond] *frost* **0.2** [hardbevroren grond] *frozen soil* ◆ **2.2** eeuwige ~ *permafrost* **3.2** het is moeilijk het/de ~ te bewerken *it is hard to work the f.s..*

halatie ⟨de (v.)⟩ ⟨foto.⟩ **0.1** [het optreden van halo's] *halation* **0.2** [vlek] *halation.*

halcyoon ⟨de (m.)⟩ **0.1** [ijsvogel] *halcyon* ⇒ ↓*kingfisher* **0.2** [zeezwaluw] *tern, sea-swallow.*

haldeur ⟨de⟩ **0.1** *hall door.*

halel →**hallel.**

halen ⟨→sprw. 362⟩
I ⟨ov.ww.⟩ **0.1** [naar zich toe/naar boven trekken] *pull* ⇒*draw, haul* ⟨iets zwaars⟩, *drag* ⟨over de grond⟩, *recover* ⟨uit het water⟩ **0.2** [ergens vandaan halen] *fetch* ⇒*get,* ⟨ophalen ook⟩ *call/come for, collect, pick up* **0.3** [ontbieden] *fetch* ⇒*go for, call (in),* ⟨laten halen⟩ *send for* **0.4** [bemachtigen] *get* ⇒*obtain,* ↑*secure, win, take* ⟨een graad⟩, *pass* ⟨een examen⟩, *score* ⟨punten⟩ **0.5** [erin slagen te bereiken] *reach* ⇒*catch* ⟨trein enz.⟩, *fetch* ⟨hoge noten, prijzen⟩, ⟨het halen⟩ *make, manage,* ⟨bij iets/iemand⟩ *compare, equal,* ⟨overleven⟩ *pull through* ◆ **1.1** de dekens over zich heen ~ *snuggle down (into the bedclothes);* hij weet nog een aardig geluid uit de piano te ~ *he manages to get a decent sound out of/from the piano;* ⟨fig.⟩ dat haalde een lelijke streep door de rekening *that put paid to/upset all our calculations/plans;* ⟨inf.⟩ *that upset the applecart;* de vlag in top ~ *hoist the flag* **1.2** de duivel hale hem *the devil take him, let him go to hell;* haal voor hem een glas bier! *get him a (glass of) beer!;* ⟨fig.⟩ welke dokter heeft het kind gehaald? *which doctor delivered the child?;* de post ~ f. / *collect the mail/post;* wordt je zuster gehaald? *is anybody coming for/meeting/collecting your sister?* **1.3** de dokter ~ *go for/call in the doctor;* hulp/ de politie ~ f. / *go for help/the police;* je moet de politie erbij ~ *you should call (in) the police;* een priester ~ f. a priest **1.4** hij heeft de akte wiskunde gehaald *he took his maths certificate/diploma;* buit ~ *find/secure booty;* goede/ slechte cijfers ~ g. *good/bad marks* [A]*grades;* een dam ~ *crown a man, go to king;* gelijk/geen gelijk ~ *win/lose the argument;* een graad ~ *take a degree;* een onvoldoende ~ *fail,* [B]*plough,* [A]*flunk* ⟨voor een examen⟩; ⟨fig.⟩ een nat pak ~ g. a *wetting;* de eerste prijs ~ *take/win first prize;* zeventig procent van de stemmen ~ *swing a seventy-percent vote;* maar net een voldoende ~ voor zijn opstellen *scrape through in essay writing* **1.5** de zieke zal de avond niet ~ *the sick man/woman will not last the day/live to see the morning;* dat haal ik niet *I won't/can't make it;* hij heeft de finish niet gehaald *he did not make it to the finish;* de helling ~ *take/manage the incline,* get up/make the hill; mijn auto haalt nog net 120 mijl *my car just touches/does 120 miles an hour;* de pers/ voorpagina's ~ *make the papers/front pages;* hij haalt de honderd pond niet *he's no hundred pounds, he doesn't weigh a hundred pounds;* de post ~ *be in time for/catch the post;* de tomaten hebben een goede prijs gehaald *the tomatoes fetched a good price;* ⟨sport⟩ een slag ~ *make a trick;* de trein/de boot ~ *catch the train/the boat;* zijn negentigste verjaardag ~ *live to be ninety* **1.¶** haal de kam eens door je haar! *draw/run a comb through your hair/give your hair a comb* **3.2** het is ~ en brengen ⟨fig.⟩ *the weather/one's health is going up and down;* ik zal het gaan ~ *I'll go for it/go and get it;* mijn kleine zus wordt elke dag gehaald en gebracht *my kid sister is fetched and delivered every day;* ik zal je morgen komen ~ *I'll call/come for you tomorrow* **3.3** ga je vader ~! *go and find/get your father!;* iem./ iets laten ~ *send for/summon s.o./sth.* **3.4** daar valt niets te ~ *there's nothing to be got there, no dice* **4.5** de nieuwe dokter haalt het niet bij de oude *the new doctor isn't a patch on the old one;* ik denk niet dat hij (zieke) het zal ~ *I don't think he will pull through* **5.1** ervan alles bij ~ *drag/lug in everything (but the kitchen sink);* ik kan er mijn kosten niet uit ~ *it doesn't cover my expenses;* iem. erin ~ *drag/bring s.o. in, involve s.o.;* eruit ~ wat erin zit *get the best/most out of sth.;* eruit ~ wat eruit te ~ is *take all one can get;* overhoop ~ *turn upside down, rummage/ root/forage (about);* waar haal ik het geld vandaan? *where shall I find the money?;* iem. onder de wrakstukken vandaan ~ *recover/pull s.o. from the wreckage* **5.2** ⟨fig.⟩ dat kind is zwaar gehaald *that took some doing, that was a difficult job* **5.4** waar haalt hij het vandaan *where does he g. it from;* ⟨iron.⟩ *where does he g. these ideas/this nonsense from, how did it g. into/enter his head, where did he pick that up* **5.5** dat haalt er niet bij *that cannot compare with/touch it, that is not a patch on it;* er is niemand die er bij haalt *nobody comes near/equals/ is the equal of her/him;* hun kandidaat heeft het nog net gehaald *their candidate scraped/squeezed through* **5.¶** het wetsvoorstel erdoor ~ *carry the bill* **6.1** netten aan boord ~ *haul nets on board;* ⟨fig.⟩ iem./ iets **door** de modder ~ *drag s.o. / sth. through the mire/mud, fling/ throw dirt at s.o.;* alles **naar** zich toe ~ ⟨ook fig.⟩ *grab everything, get one's hands on everything one can;* al het geld **naar** zich toe ~ *rake in all the money;* de vlag **naar** beneden ~ *lower the flag;* een vliegtuig **naar** beneden ~ *(bring) down an aeroplane;* onkruid **uit** de grond ~ *pull out the weeds;* de kabel er ~ **uit** een kabel ~ *straighten a cable;* ⟨fig.⟩ **uit** woorden/daden van anderen iets ~ *arrogate/attribute (evil) intentions to s.o.'s words/deeds;* vechters **uit** elkaar ~ *seperate the fighters;* zijn zakdoek **uit** zijn zak ~ *pull out one's handkerchief;* de waarheid **uit** iem. ~ *elicit/extract/wring the truth from s.o.;* er zo veel mogelijk **uit** ~ *make the most of;* een drenkeling **uit** het water ~ *recover a drowning person from the water;* ⟨sport⟩ iem. **uit** de wedstrijd/ **van** het veld ~ *take s.o. out of the game/off the field;* iem. **uit** zijn bed ~

drag / turn s.o. out of bed; suiker wordt **uit** bieten gehaald *sugar is extracted / obtained from beet;* iem. **uit** zijn concentratie ~ *break s.o.'s concentration;* geld **van** de bank ~ *(with)draw / collect money from the bank;* **voor** zich ~ ⟨fig.⟩ *visualize, imagine* **6.2** hij haalt zijn boodschappen **bij** de supermarkt *he does his shopping at the supermarket;* kaas haal je **bij** de kruidenier *you get cheese from the grocer;* wie heeft dat **in** huis gehaald? *who brought that here / home, what's that doing under my roof?;* de was **naar** binnen ~ *bring / get the washing in;* een muur **tegen** de grond ~ *pull down a wall;* iem. **van** de trein ~ *meet s.o. at the station, meet s.o.'s train / collect s.o. from the train* **6.4** iets **naar** zich toe ~ ⟨er zich meester van maken⟩ *get hold of sth., seize power;* ⟨schr.⟩ *arrogate sth. to o.s.;* ⟨er zijn stempel opdrukken⟩ *set one's mark on sth.* **6.5** bier haalt het niet **bij** wijn *beer cannot compare with wine, beer does not come anywhere near to wine;* daar haalt niets (het) **bij** *nothing can touch / beat / approach / equal / match it;* hij haalt (het) niet **bij** haar *he's nowhere near as good as her;* zij haalt (het) niet **bij** haar broer *wat werklust betreft she's nowhere near her brother in zest for work* **6.¶** je haalt twee zaken **door** elkaar *you are mixing up / confusing two things;* iets **door** de pan ~ *show sth. the fire, heat sth. highly;* iem. **naar beneden** ~ *belittle s.o., cry s.o. down;* vlekken ~ **uit** iets *remove stains from sth.;* **uit** elkaar ~ *unpick* **7.2** drie ~ twee betalen *two for the price of one* **¶.1** zich iets op de hals ~ *bring down sth. upon o.s. / one's head, let o.s. in for sth.; incur* ⟨schulden, toorn⟩ *earn o.s. sth., land o.s. in sth.;* zich iets in het hoofd halen *get / take sth. into one's head* **¶.2** iets te voorschijn / voor de dag ~ *produce sth.;*
II ⟨onov.ww.⟩ **0.1** [met moeite ademen] *wheeze* ⇒*pant, gasp* **3.1** wat ligt dat kind te ~ *how that child is wheezing* **3.¶** er moest voor haar vier maal gehaald worden *she got / took four curtain calls* **6.¶ aan** een touw ~ *pull a rope* **¶.¶** ~! ⟨roeien⟩ *pull!;* ⟨theater⟩ *curtain!.*

half¹ ⟨de (m.)⟩ ⟨→sprw. 252⟩ **0.1** *half* ◆ **3.¶** 't slaat ~ *it's / the clock's striking half past / the half hour;* deze klok slaat heel en ~ *this clock strikes the (full) hours and the half hours* **6.¶** een boek **in** ~ gebonden *half-bound book;* **ten** halve *half, halfway;* iets **ten** halve doen *do a thing by halves* **7.¶** twee halven maken een heel *two halves make a whole.*

half² ⟨→sprw. 38,97,155,174,217,534,601⟩
I ⟨bn.⟩ **0.1** [de helft zijnde] *half* ⇒*semi-, demi-* **0.2** [een groot deel uitmakend van] *half* **0.3** [niet geheel] *half* ⇒*semi-, demi-* **0.4** [mbt. het punt waar de andere helft begint] *halfway up / down / along / through* ◆ **1.1** een halve appel *h. an apple;* een halve bol *a hemisphere;* een halve cirkel *a semicircle;* halve dagen werken *work h. time, have a part-time job;* een ~ dozijn *h. a dozen,* een ~ dozijn; een halve fles *a bottle;* ⟨een kleine fles ook⟩ *a h. bottle;* een halve fout *h. a mark (off), a h. mark (off);* voor ~ geld / tegen de halve prijs *(for / at) h. price / rate;* vier een een halve mijl *four and a h. miles, four miles and a h.;* ⟨muz.⟩ een halve noot *a minim,* ^Ah. *note;* een ~ pond *h. a pound, a h. pound;* ⟨hand.⟩ voor halve rekening *on joint account;* een halve toon *a semitone,* ^Ah. *step;* de klok slaat hele en halve uren *the clock strikes the (full) hours and the h. hours* **1.2** hij zit halve nachten te blokken *he swots till far into the night;* de halve stad spreekt ervan *h. the town is talking about it, it is the talk of the town* **1.3** hij is zo'n halve geleerde *he is something / a bit of a scholar;* het meisje is een halve jongen *the girl is a regular tomboy;* halve kennis *h. / a little knowledge;* geen halve maatregelen *no h. / pretty drastic measures;* ik ben maar een ~ mens *I've just about had it, I'm whacked / dog-tired;* iets met een ~ oog zien *see sth. with h. an eye / at a glance;* ⟨fig.⟩ maar met een ~ oor luisteren *listen with h. an ear, scarcely listen;* ~ pension / halve kost *h. / partial board, bed and breakfast;* 't is zo'n halve timmerman *he's as near a real carpenter as dammit;* een halve wees *a h.-orphan;* zich met ~ werk tevreden stellen *be too easily satisfied;* ~ werk *poor work;* halve wind *wind on the beam;* iets met een ~ woord aanduiden *(barely) hint at sth.;* een goed verstaander heeft aan een ~ woord genoeg *a nod's as good as a wink (to a blind man);* hij hoeft maar een ~ woord te zeggen *h. a word is enough* **1.4** ~ april *mid-April, the middle of / halfway through April;* te halver hoogte *halfway up / down;* er is een bus telkens om 4 minuten vóór het halve uur / vóór ~ *there is a bus every four minutes to the half hour* **1.¶** een halve gare *a fool / nitwit / halfwit* **2.3** het werk is ~ af *the work is h. done* **3.4** het is al ~ *it is already half past the hour* **7.4** het is ~ elf *it is half (past) ten;* het is vijf voor ~ elf *it is twenty-five past ten;*
II ⟨bw.⟩ **0.1** [voor de helft] *half* ⇒*halfway* **0.2** [voor een deel] *half* ⇒*semi-, demi-* ◆ **2.1** een glas ~ vol schenken *pour half a glass;* het hek is ~ wit en ~ groen geverfd *the fence is painted half white, half green* **2.2** ~ afgewerkte produkten *semimanufactures, semimanufactured products / goods;* met het raam ~ dicht *with the window halfway down / open;* met overdrijving ik was ~ dood van de kou *I nearly died of the cold;* de deur stond ~ open *the door was ajar* **3.1** je weet niet ~ hoe erg het is *little do you know how serious it is* **3.2** ik kan het maar ~ geloven *I can hardly believe it;* ~ lachend, ~ huilend *torn between laughter / laughing and tears / crying;* het staat mij maar ~ aan *that is not altogether to my liking, I only h. like it;* iets maar ~ verstaan *understand only h. of it;* iets ~ weten *know sth. partially / by halves, h. know*

sth. **5.1** mijn werk is ~ *my work is half done, I've not nearly finished (my work);* dat middel helpt niet ~ zo goed *that remedy is not nearly so good;* ~ zo groot als ik *half as tall as me* **8.1** ~ en ~ tot iets besloten zijn *have more or less decided;* ik hoopte zo ~ en ~ … *I rather hoped / I had sort of hoped;* hij had ~ en ~ zin om te weigeren *he had half a mind to / was halfway inclined to refuse;* iem., iets ~ en ~ beloven *half promise / as good as promise s.o. sth.;* ik ben er ~ en ~ van op de hoogte *I have not yet been fully informed, I don't have all the facts;* ~ en ~ / ~ om ~ *half and half, half of each, fifty-fifty, halves* **8.¶** ⟨AZN⟩ het gaat met hem maar ~ en ~ *things don't look good for him* **¶.1** niet ~ zo veel *not half as much / many.*

halfaap →**halfapen.**
halfambtelijk ⟨bn.⟩ **0.1** *unofficial* ⇒*semi official.*
halfanalfabeet¹ ⟨de (m.)⟩ **0.1** *semiliterate.*
halfanalfabeet² ⟨bn.⟩ **0.1** *semiliterate.*
halfapen ⟨zn.mv.⟩ **0.1** *prosimians* ⇒*half-apes.*
halfautomaat ⟨de (m.)⟩ **0.1** *semi-automatic (machine).*
halfback ⟨de (m.)⟩ ⟨sport⟩ **0.1** *halfback* ⇒*half,* ⟨Amerikaans voetbal⟩ *flank back* ◆ **2.1** linker / rechter ~ *left / right half.*
halfbakken ⟨bn., bw.⟩ **0.1** *half-baked* ⇒⟨persoon⟩ *half-witted, crack-brained,* ⟨sl.⟩ *half-arsed* ◆ **1.1** een ~ geleerde *a h.-b. scholar, only half a scholar;* 't is zo'n ~ vent *he is such a crack-brain / halfwit* **3.1** hij deed alles maar ~ *he did everything in a h.-b. way / by halves.*
halfbal ⟨de (m.)⟩ ⟨sport⟩ **0.1** *half-ball (stroke).*
halfbegrepen ⟨bn.⟩ **0.1** *half-understood / -digested* ◆ **1.1** ~ wijsheid *h.-d. ideas, smattering of knowledge.*
halfblind ⟨bn.⟩ **0.1** *half-blind* ⇒↑*purblind.*
halfbloed¹ ⟨de (m.)⟩ **0.1** [persoon] *half-breed* ⇒*half-blood, half-caste* ⟨ihb. mbt. afstammeling van Europese en Indiase origine⟩ **0.2** [paard] *half-bred* ⇒*crossbreed, underbred horse.*
halfbloed² ⟨bn.⟩ **0.1** *half-bred / -breed* ⇒*half-blood(ed), underbred.*
halfbriljant ⟨de (m.)⟩ **0.1** *doublet brilliant.*
halfbroer ⟨de (m.)⟩ **0.1** *half-brother* ⟨met dezelfde moeder ook⟩ *uterine brother.*
halfcirkelvormig ⟨bn.⟩ **0.1** *semi circular.*
halfdek ⟨het⟩ ⟨scheep.⟩ **0.1** *quarterdeck.*
halfdonker¹ ⟨het⟩ **0.1** *semidarkness* ⇒*half-dark(ness),* ⟨schemering⟩ *dusk, twilight,* ⟨nat.⟩ *foenumbra.*
halfdonker² ⟨bn.⟩ **0.1** *dim* ⇒*dusky, gloomy,* ⟨half verduisterd⟩ *half- / semi-darkened,* ⟨schemerdonker⟩ *twilit,* ↑*crepuscular.*
halfdood ⟨bn.⟩ ⟨fig.⟩ **0.1** *half-dead* ◆ **3.1** ik heb me ~ gelopen *I nearly killed myself running, I ran my legs off;* zich ~ lachen *laugh o.s. silly, nearly die laughing, laugh one's head off;* ze sloegen hem ~ *they beat him within an inch of his life* **6.1** ~ van angst / vermoeidheid *h.-d. with fear / fatigue.*
halfdoor ⟨bw.⟩ **0.1** *in two / half* ⇒*down the middle* ◆ **3.1** een appel ~ snijden *cut an apple in two.*
halfdronken ⟨bn.⟩ **0.1** *half-drunk* ⇒*half-intoxicated,* ⟨vnl. BE⟩ *half-seas over, tipsy.*
halfduister¹ ⟨het⟩ **0.1** *semidarkness* ⇒*twilight, dusk,* ⟨schr.⟩ *gloaming* ◆ **6.1 in** het ~ *in the s. / twilight / dusk.*
halfduister² ⟨bn.⟩ **0.1** *half-dark* ⇒*twilit.*
halfedel ⟨bn.⟩ **0.1** ⟨van vaderskant⟩ *of noble descent (through father);* ⟨van moederskant⟩ *of noble descent (through mother).*
halfedelsteen ⟨de (m.)⟩ **0.1** *semiprecious stone.*
halfezel ⟨de (m.)⟩ **0.1** *wild ass* ⇒*onager.*
halffabrikaat ⟨het⟩ **0.1** *semimanufacture* ⇒*semimanufactured / semifinished product / article.*
halfgaar ⟨bn.⟩ **0.1** [niet helemaal gaar] *half-done* ⇒*half-baked, half-cooked, parboiled* **0.2** [getikt] ⟨→**halfgek**⟩ ◆ **1.1** die aardappels zijn ~ *the potatoes are h.-d. / half-cooked / parboiled.*
halfgek ⟨bn.⟩ **0.1** *half-witted* ⇒*half-crazy, half-baked, cracked.*
halfgeleider ⟨de (m.)⟩ ⟨tech.⟩ **0.1** *semiconductor* ⇒⟨in samenst., als adj. ook⟩ *solid-state* ◆ **2.1** elektronische *(n / p type) semiconductor.*
halfgeopend ⟨bn.⟩ **0.1** *half-open* ⇒*ajar* ⟨deur⟩ ◆ **1.1** hij zat voor het ~e venster *he was sitting in front of the h.-o. window.*
halfgeschoold ⟨bn.⟩ **0.1** *semiskilled.*
halfgesloten ⟨bn.⟩ **0.1** *half-closed* ◆ **1.1** met ~ ogen *with the eyes h.-c., with batted eyelids;* halfopen en ~ vocalen *half-open and half-close vowels, mid vowels.*
halfgod ⟨de (m.)⟩ **0.1** [⟨myth.⟩] *demigod* ⇒*hero* **0.2** [mens met buitengewone gaven] *demigod* ⇒⟨iron.⟩ *superman.*
halfgodin ⟨de (v.)⟩ **0.1** *demigoddess* ⇒*heroine.*
halfhartig ⟨bn., bw.; -ly⟩ **0.1** *half-hearted* ⇒*lukewarm, faint* ⟨lof⟩, *half-baked* ⟨plan⟩, *feeble* ⟨inspanning⟩.
halfheid →**halfslachtigheid.**
halfhoevigen ⟨zn.mv.⟩ **0.1** *cavies.*
halfhoog ⟨bn.⟩ **0.1** *half(-length)* ◆ **1.1** halfhoge laarzen *half boots;* ⟨rubber⟩ *half wellingtons.*
halfhout ⟨het⟩ **0.1** *half-timber* ⇒*halved log.*
halfhouts ⟨bn., bw.⟩ ⟨amb.⟩ **0.1** *halved* ⇒*half-lap* ◆ **1.1** een ~e verbinding *a halved / half-lap joint* **3.1** een paar balken ~ verkepen *halve a pair of beams / timbers.*

halfjaar ⟨het⟩ **0.1** *six months* ⇒*half a year*, [A]*a half year* ◆ **1.1** een~ huur *six months' rent* **4.1** elk~*every six months* **6.1 per** ~ betalen *pay twice annually/a year, pay biannically* **7.1** het tweede ~ *the second half of the year.*

halfjaarlijks ⟨bn.,bw.⟩ **0.1** *half-yearly* ⟨ook bw.⟩ ⇒*biannual, semiannual,* ⟨bw. ook⟩ *every six months, twice yearly/a year* ◆ **1.1** te betalen in~e termijnen *payable in biannual instalments/every six months.*

halfjarig ⟨bn.⟩ **0.1** [zes maanden oud] *six-month-old* ⇒*half-year old* **0.2** [zes maanden durend] *six months', six-month* ⇒*half-year* ◆ **1.2** een~ contract *a six-month/half-year contract;* een~ verblijf in 't buitenland *a six months' stay abroad.*

halfje ⟨het⟩ **0.1** *half a glass/pint* ⟨enz.⟩; ⟨vnl. AE⟩ *a half glass/pint* ⟨enz.⟩ ⇒⟨inf.; van fles⟩ *split* ◆ **1.1** een~cognac *half a brandy;* ⟨vnl. AE⟩ *a half brandy;* een~wit(tebrood) *a half loaf of white (bread).*

halfjes ⟨bw.⟩ **0.1** *faintly* ⇒⟨niet van harte⟩ *half-heartedly.*

halfklinker ⟨de (m.)⟩ ⟨taal.⟩ **0.1** *semivowel.*

halfkristal ⟨het⟩ **0.1** *semicrystal.*

halfkristallijn ⟨bn.⟩ **0.1** *semicrystalline.*

halflang ⟨bn.⟩ **0.1** *half-long* ◆ **1.1** ~e rokken *mid-length skirts, midis;* een~e vocaal *a h.-l. vowel.*

halfleeg ⟨bn.⟩ **0.1** *half-empty.*

halfleren ⟨bn.⟩ **0.1** *(in) half leather* ⇒*half-bound* ◆ **1.1** een boek, gebonden in~ band *a book bound in h.l., a half-bound book, a book in half binding;* ~band *half(-leather) binding.*

halflinie ⟨de (v.)⟩ ⟨sport⟩ **0.1** *halfback line* ⇒⟨teg.⟩ *midfield (players), midfielders.*

halflinnen[1] ⟨het⟩ **0.1** *half-linen, cotton-linen, mix(ture).*

halflinnen[2] ⟨bn.⟩ **0.1** *(in) half cloth* ◆ **1.1** een boek, gebonden in~ band *a book bound in h.c..*

halffluid ⟨bn.,bw.⟩ **0.1** ⟨bn.⟩ *muffled* ⟨geluid⟩; ⟨bn.⟩ *hushed, subdued* ⟨stem⟩; ⟨bw.⟩ *in a low voice/an undertone* ◆ **3.1** iets~zeggen ⟨onduidelijk⟩ *mumble/mutter sth.; say sth.* ⟨bescheiden, nederig⟩ *in a s. voice/* ⟨stiekem⟩ *in an undertone.*

halfmaandelijks ⟨bn.,bw.⟩ **0.1** ⟨bn.,bw.⟩ *bimonthly, half-monthly,* ⟨vnl. BE⟩ *fortnightly;* ⟨bw. ook⟩ *twice a month,* ⟨vnl. BE⟩ *every fortnight* ◆ **1.1** een~ tijdschrift ⟨vnl. BE⟩ *a fortnightly.*

halfnaakt ⟨bn.,bw.;-ly⟩ **0.1** *half-naked* ⇒ [1]*séminude.*

halfnomaden ⟨zn.mv.⟩ **0.1** *seminomads.*

halfom ⟨de (m.)⟩ ◆ **1.¶** een broodje~*a liver and salt beef sandwich/ roll.*

half-om-half ⟨het, de (m.)⟩ **0.1** [gemengde drank] *half and half* ⇒*mixed drink* **0.2** [gehakt] *(mixed) beef and pork mince.*

halfonderstandig ⟨bn.⟩ ⟨biol.⟩ ◆ **1.¶** een~ vruchtbeginsel *a half-inferior ovary.*

halfopen ⟨bn.⟩ **0.1** *half-open* ⇒*ajar* ⟨deur⟩ ◆ **1.1** met~mond bleef hij mij aanstaren *he stood gaping at me;* ~vocalen *h.-o. vowels.*

halfpijler ⟨de (m.)⟩ →*halfzuil.*

halfpond ⟨het⟩ **0.1** *half pound, half a pound.*

halfporselein ⟨het⟩ **0.1** *(glazed) earthenware.*

halfprodukt ⟨het⟩ **0.1** [industrieel produkt dat dient als materiaal voor een eindprodukt] *semimanufacture, semimanufactured/half-finished product* **0.2** [textielprodukt] *mixture* ⇒*blend.*

halfreliëf ⟨het⟩ **0.1** *half-relief* ⇒*mezzo-relievo.*

halfrijm ⟨het⟩ **0.1** *half-rhyme* ⇒*assonance.*

halfrijp ⟨bn.⟩ **0.1** [nog niet voldoende rijp] *half-ripe* **0.2** [⟨pej.⟩ nog niet helemaal volwassen] *green* ⇒*raw,* ⟨pred.⟩ *(still) wet behind the ears.*

halfrond[1] ⟨het⟩ ⟨aardr.⟩ **0.1** *hemisphere* ◆ **2.1** het noordelijk/zuidelijk ~ *the Northern/Southern Hemisphere.*

halfrond[2] ⟨bn.⟩ **0.1** *half-round* ⇒*semicircular* ⟨halve cirkel⟩, *hemispheric(al)* ⟨halve bol⟩ ◆ **1.1** ~e torens *semicircular towers;* een~e vijl *a h.-r. file.*

halfschaduw ⟨de⟩ **0.1** [⟨bk.⟩] *halftone* ⇒*halftint, demitint* **0.2** [⟨nat.⟩] *penumbra.*

halfschild ⟨het⟩ **0.1** *elytron.*

halfslachtig ⟨bn.,bw.;-ly⟩ **0.1** [zonder besliste mening] *half-hearted* ⇒*half, half-and-half* **0.2** [niet doelmatig] *half-hearted* ⇒*half, half-and-half* ◆ **1.1** een~ antwoord *a half answer, only half an/the answer;* een~e socialist *a drawing room socialist* **1.2** ~e maatregelen *half/halfway measures;* een~e poging *a half-hearted attempt.*

halfslachtigheid ⟨de (v.)⟩ **0.1** *half-heartedness* ⇒*dithering, wavering, indecision,* ⟨inf.⟩ *shilly-shallying.*

halfslag ⟨de (m.)⟩ **0.1** [wezen van gemengd ras] *half-breed, mongrel* ⇒⟨mens ook⟩ *half-caste* **0.2** [mbt. klok] *half hour chime.*

halfsluiten ⟨ww.⟩ ⟨com.⟩ **0.1** *cutting off (of) outgoing calls.*

halfsnik ⟨bn.⟩ →*halfgek.*

halfspeler ⟨de (m.)⟩, **-speelster** ⟨de (v.)⟩ **0.1** *half, halfback* ⇒⟨teg.⟩ *midfield player,* ⟨rugby en Am. voetbal ook⟩ *flanker.*

halfstam ⟨de (m.)⟩ **0.1** *half-standard* ◆ **1.1** ~ vruchtbomen *half-fruit trees.*

halfsteek ⟨de (m.)⟩ ⟨scheep.⟩ **0.1** *half-hitch.*

halfsteens ⟨bn.,bw.⟩ **0.1** ⟨bn.⟩ *half-brick;* ⟨bw.⟩ *in stretcher/stretching bond.*

halfsteensverband ⟨het⟩ **0.1** *stretcher/stretching bond.*

halfstijf ⟨bn.⟩ **0.1** *semirigid.*

halfstok ⟨bw.⟩ **0.1** *half-mast* ⇒⟨AE ook⟩ *half-staff* ◆ **3.1** vlaggen~ hangen *fly flags at h.-m./h.-m. flags;* de vlaggen hingen~*the flags were (flying/flown) at h.-m..*

halftij ⟨het⟩ **0.1** [tijdstip] *half-tide* **0.2** [gemiddelde hoogte] *mean tide* ⇒ *mean sea level.*

halftint ⟨de⟩ **0.1** *halftone* ⇒*halftint. demitint.*

halfuur ⟨het⟩ **0.1** *half (an) hour* ◆ **2.1** een groot~*a good h. h.* **6.1** op het ~slaat de klok maar één keer *the clock strikes only once at the half hours;* ik kom **over** een~tje bij je *I will be at your place in about half an hour('s time).*

halfuurdienst ⟨de (m.)⟩ ⟨verkeer⟩ **0.1** *half-hourly service.*

halfuursglas ⟨het⟩ ⟨scheep.⟩ **0.1** *half-hour glass.*

halfvergeten ⟨bn.⟩ **0.1** *half-forgotten* ◆ **1.¶** ~gebeurtenissen weer oprakelen *dredge/rake up h.-f. events/stories.*

halfverheven ⟨bn.⟩ ◆ **1.¶** ~beeldhouwwerk *bas-relief.*

halfvers ⟨het⟩ **0.1** *half line.*

halfvet ⟨bn.⟩ **0.1** [met weinig vet] *low-fat* ⇒⟨melk, kaas ook⟩ *semi-skimmed* **0.2** [⟨druk.⟩] *semibold* ◆ **1.1** ~vlees *l.-f. meat.*

halfvleugeligen ⟨zn.mv.⟩ ⟨biol.⟩ **0.1** *hemiptera.*

halfvloeibaar ⟨bn.⟩ **0.1** *semifluid, semiliquid* ⇒*soft* ⟨zeep⟩.

halfvocaal ⟨de⟩ ⟨taal.⟩ **0.1** *semivowel.*

halfvol ⟨bn.⟩ **0.1** [voor de helft gevuld] *half-full* **0.2** [met minder vet] *low-fat* ⇒*semi-skimmed* ◆ **3.1** een glas~ doen *fill a glass h.-f., half-fill a glass* **5.1** ⟨scherts.⟩ tweemaal~*full, mellow, ripe, half-seas over.*

halfvolwassen, halfwassen ⟨bn.⟩ **0.1** *half-grown* ⇒*juvenile, adolescent.*

halfwas[1] ⟨de (m.)⟩ **0.1** [⟨pej.⟩ puber] *juvenile* ⇒*adolescent* **0.2** [nog niet volleerd vakman] *apprentice* ⇒*trainee* **0.3** [halfvolwassen haas/konijn] *leveret, young rabbit.*

halfwas[2] ⟨bn.⟩ **0.1** [⟨pej.⟩ halfvolwassen] *green, fresh* ⇒⟨pred.⟩ *still wet behind the ears* **0.2** [nog niet volleerd] *apprentice, trainee.*

halfweg[1] ⟨bw.⟩ **0.1** [halverwege] *halfway* ⇒*midway* **0.2** [op de helft v.e. karwei] *halfway (through)* ◆ **3.1** ik kwam hem~tegen *I met him h.;* wij zijn nog niet~*we are not yet h.* **6.2** zij zijn nu~**met** het bouwen van dat huis *they are now h. through the building of that house.*

halfweg[2] ⟨vz.⟩ **0.1** *halfway* ⇒*midway* ◆ **1.1** ~Utrecht en Amersfoort heeft hij een huis gekocht *he has bought a house h./midway between Utrecht and Amersfoort.*

halfwijs ⟨bn.⟩ →*halfgek.*

halfwind ⟨bw.⟩ **0.1** *with the wind on the quarter, with cross-/beam-wind.*

halfwinder ⟨de (m.)⟩ ⟨scheep.⟩ **0.1** *balloon sail.*

halfwinds ⟨bn.,bw.⟩ ⟨scheep.⟩ **0.1** *with the wind on the quarter* ◆ **1.1** een ~rak *a stretch to be sailed with the wind on the quarter.*

halfwit ⟨bn.⟩ **0.1** *off-white* ◆ **1.1** ~brood *light-brown bread.*

halfwoekerplant ⟨de⟩ **0.1** *semiparasite, hemiparasite.*

halfwollen ⟨bn.⟩ **0.1** *half-woollen.*

halfzacht ⟨bn.⟩ **0.1** [zachtgekookt] *soft-boiled* **0.2** [dwaas] *soft-headed* ⇒*soft-/half-witted,* ⟨inf.⟩ *soft (in the head)* **0.3** [slap] *wishy-washy* ⇒*weak, weak-kneed.*

halfzeven ⟨bw.⟩ ◆ **6.¶** zijn hoed staat **op**~*his hat is all askew/at a rakish angle;* ⟨fig.⟩ *he is drunk/half-seas over.*

halfzij(de) ⟨de⟩ **0.1** *half silk.*

halfzijden ⟨bn.⟩ **0.1** *half-silk.*

halfzuil ⟨de (m.)⟩ **0.1** *half/embedded column* ⇒*pilaster, half pillar.*

halfzuster ⟨de (v.)⟩ **0.1** *half sister* ⇒⟨met dezelfde moeder ook⟩ *uterine sister.*

halfzwaargewicht ⟨sport⟩
I ⟨het⟩ **0.1** [gewichtsklasse] *light heavyweight* ⇒⟨BE ook⟩ *cruiserweight;*
II ⟨de (m.)⟩ **0.1** [persoon] *light heavyweight.*

halitose ⟨de (v.)⟩ ⟨med.⟩ **0.1** *halitosis.*

hall ⟨de⟩ **0.1** *hall* ⇒⟨vnl. AE⟩ *hallway.*

hallel ⟨het⟩ **0.1** *hallel.*

halleluja[1] ⟨het, de (m.)⟩ **0.1** *alleluia* ⇒*halleluja(h).*

halleluja[2] ⟨tw.⟩ **0.1** *alleluia* ⇒*halleluja(h).*

hallelujahoed ⟨de (m.)⟩ ⟨scherts.⟩ **0.1** *Sally Ally bonnet.*

hallelujatenen ⟨zn.mv.⟩ **0.1** *raised/curled toes.*

hallelujazus ⟨de (v.)⟩ ⟨pej.⟩ **0.1** *Sally Ally sister.*

hallenkerk ⟨de⟩ **0.1** *hall church.*

halletje ⟨het⟩ **0.1** [kleine hal] *(small) hall* ⇒⟨vnl. AE⟩ *hallway* **0.2** [koekje] *gingernut* ◆ **2.2** Haarlemmer~s *Haarlem g..*

hallo[1] ⟨tw.⟩ **0.1** *hello, hallo, hullo.*

hallo[2] ⟨tw.⟩ **0.1** [uitroep om te groeten] *hello, hallo, hullo; hoy,* [A]*howdy,* [A]*hi* **0.2** [oproep/antwoord bij het telefoneren] *hello, hallo, hullo* **0.3** [uitroep van verbazing] ⟨vnl. BE⟩ *hello* ⇒⟨inf.⟩ *wow* ◆ **¶.1** ⟨hé,⟩~ *hello there!;* ~, Londen, hoort u mij? *come in, London!* **¶.2** ~, met wie spreek ik? *hello, who is speaking, please?* **¶.3** ~, wat krijgen we nu? *hello, what's happening here/what's this then/what do you think you're doing?*

hallucinair ⟨bn.⟩ **0.1** *hallucinatory.*

hallucinant ⟨de (m.)⟩ **0.1** *victim of hallucinations.*

hallucinatie ⟨de (v.)⟩ **0.1** *hallucination* ◆ **3.1** hij heeft/krijgt~s *he is having hallucinations, he is hallucinating, he is hearing/seeing things.*

hallucinatorisch ⟨bn.⟩ **0.1** *hallucinatory* ♦ **1.1** ~e gewaarwordingen *h. sensations / perceptions.*

hallucineren
I ⟨onov.ww.⟩ **0.1** [hallucinaties hebben] *hallucinate* ⇒*hear / see things;*
II ⟨ov.ww.⟩ **0.1** [verbijsteren] *hallucinate* ⇒*delude.*

hallucinogeen[1] ⟨het⟩ **0.1** *hallucinogen* ⇒⟨sl.⟩ *mind-bender, mindblower.*

hallucinogeen[2] ⟨bn.⟩ **0.1** *hallucinogenic.*

halm ⟨de (m.)⟩ **0.1** *stalk* ⇒⟨BE ook⟩ *corn-stalk, culm, ha(u)lm,* ⟨van gras ook⟩ *blade* ♦ **3.1** de ~en tot schoven binden *sheave, bind / tie into sheaves* **6.1** het graan **op** (de) ~(en) verkopen *sell standing grain /* ⟨alleen BE⟩ *corn.*

halma ⟨het⟩ **0.1** *halma.*

halmeester ⟨de (m.)⟩ **0.1** *hall attendant.*

halmstengel ⟨de (m.)⟩ ⟨biol.⟩ **0.1** *culm* ⇒*ha(u)lm.*

halmstro ⟨het⟩ **0.1** *threshed stalks* ⇒*straw.*

halmvliegen ⟨zn.mv.⟩ ⟨biol.⟩ **0.1** *frit-flies, gout-flies* ⇒*chloropid flies.*

halo ⟨de (m.)⟩ **0.1** [stralenkrans] *halo* ⇒*aureole, aureola,* ⟨rond de maan bij een zonsverduistering⟩ *corona* **0.2** ⟨foto.⟩ *halo* ⇒*halation* **0.3** [kring rondom de tepel] *areola.*

halo-effect ⟨het⟩ **0.1** ⟨foto.⟩ *halation* **0.2** ⟨psych.⟩ *halo-effect.*

halofyt ⟨de (m.)⟩ **0.1** *halophyte.*

halogeen ⟨het⟩ ⟨schei.⟩ **0.1** [element dat zich direct met metalen tot een zout verbindt] *halogen* **0.2** [element van de 7de groep van het periodiek systeem] *halogen.*

halogeenlamp ⟨de⟩ **0.1** *halogen lamp.*

halogeneren ⟨ov.ww.⟩ **0.1** *halogenate* ♦ **1.1** een organische verbinding ~ *h. an organic compound.*

haloïde ⟨het⟩ **0.1** *halide.*

haloscoop ⟨de (m.)⟩ **0.1** *haloscope.*

hals ⟨de (m.)⟩ **0.1** [lichaamsdeel] *neck* ⇒⟨med.⟩ *cervix* **0.2** [keel] *throat* **0.3** [nek] *nape* **0.4** [sukkel] *simple soul* ⇒*innocent,* ⟨BE; inf.⟩ *mug* **0.5** [mbt. kledingstukken] *neck(line)* **0.6** [deel van een voorwerp] *neck* **0.7** [⟨scheep.⟩] *tack* ♦ **1.6** de ~ van een anker *the throat of an anchor;* de ~ van een fles *the n. of a bottle;* de ~ van een tand *the n. of a tooth;* de ~ van een viool / een gitaar *the n. of a violin / guitar;* de ~ van een zuil *the n. of a pillar* **2.4** 't is een onnozele ~ *he / she is a simple soul / an innocent /* ⟨BE; inf.⟩ *a mug / a Simple Simon* **2.5** een japon met laag uitgesneden ~ *a low-necked dress, a dress cut low in the neck, a décolleté(e) dress;* een laag uitgesneden / blote ~ *a plunging neckline;* een hemd met een wijde / lage ~ *a shirt with a wide / low neck* **3.1** iem. de ~ afsnijden *cut s.o.'s throat;* de ~ uitrekken *stretch / crane one's n.;* zijn ~ eraan wagen *risk one's n.* **3.3** ⟨fig.⟩ dat zal hem de ~ breken *that'll be his undoing / ruin* **3.¶** het tij breekt de ~ *the tide is going out / is on the ebb;* ⟨jacht⟩ ~ geven *give cry / tongue* **6.1** iem. **om** de ~ vallen / vliegen *fall upon s.o.'s n., throw one's arms round s.o.'s n.;* ⟨fig.⟩ iem. **om** ~ brengen *put to death;* **tot aan** de ~ up to the n.;* ⟨fig.⟩ zich de vijanden **van** de ~ houden *hold / keep enemies at bay, ward off enemies* **6.2 uit** zijn ~ praten *talk with a mouthful of plums / prunes* **6.3** ⟨fig.⟩ iem. iets **op** de ~ schuiven *saddle, shift sth. on to s.o. / lumber s.o. with sth.;* ⟨fig.⟩ zich moeilijkheden / problemen **op** de ~ halen *let o.s in for / saddle o.s. with troubles / problems, bring troubles / problems (up)on o.s., lay up troubles / problems for o.s.;* weet je wat hij zich nu **op** de ~ gehaald heeft? *do you know what he's let himself in for now?;* hij heeft het zichzelf **op** de ~ gehaald *he has brought it on himself, has only himself to blame* **6.5** een ~ **met** een boordje *a n. with a collar* **¶.¶** zich ~ over kop in iets storten *plunge / rush into sth.;* ~ over kop van de trap vallen / verliefd worden *fall head over heels down the stairs / in love;* ~ over kop vertrekken *rush / dash off;* ~ over kop de vlucht nemen *take one's heels, make a hasty escape;* ~ over kop trouwen *rush into marriage.*

halsader ⟨de⟩ ⟨med.⟩ **0.1** *jugular (vein).*

halsband ⟨de (m.)⟩ **0.1** [sieraad] *necklace* ⇒*collar,* ⟨bandje⟩ *necklet* **0.2** [mbt. dieren] *collar.*

halsbel ⟨de⟩ ⟨koe⟩ *cow-bell;* ⟨schaap⟩ *sheep-bell* ⟨enz.⟩.

halsblok ⟨het⟩ ⟨scheep.⟩ **0.1** *tack block.*

halsboei ⟨de⟩ **0.1** *(iron) collar.*

halsboord ⟨het, de (m.)⟩ **0.1** *collar.*

halsbrekend ⟨bn.⟩ **0.1** [gevaarlijk] *daredevil* **0.2** [zeer bezwaarlijk] *(extremely) hard / difficult* ♦ **1.1** in ~ tempo *at breakneck speed;* ~e toeren verrichten *carry out d. feats.*

halsbrekerij ⟨de (v.)⟩ **0.1** *daredevilry* ⇒*stunt* ⟨van stuntman enz.⟩.

halsdoek ⟨de (m.)⟩ **0.1** *scarf* ⇒⟨voor man ook⟩ *cravat.*

halsgat ⟨het⟩ **0.1** *neck.*

halsgerecht ⟨het⟩ ⟨gesch.⟩ **0.1** *court dealing with capital offences.*

halsgevel ⟨de (m.)⟩ **0.1** *neck-gable.*

halsgewricht ⟨het⟩ ⟨med.⟩ **0.1** *neck-joint.*

halsgezwel ⟨het⟩ **0.1** *tumour / swelling in the neck / throat* ⇒*struma* ⟨klier⟩.

halsjuk ⟨het⟩ **0.1** *collar, harness.*

halsketen ⟨de⟩ **0.1** *chain of office* ⇒*ribbon (of order).*

halsketting ⟨de⟩ **0.1** [sieraad] *necklace* ⇒*collar,* ⟨kettinkje⟩ *necklet* **0.2** [mbt. vee] *collar.*

halskraag ⟨de (m.)⟩ **0.1** *collar* ⇒⟨geplooid⟩ *frill,* ⟨gesch.⟩ *ruff,* ⟨harnas⟩ *gorget.*

halskruid ⟨het⟩ ⟨plantk.⟩ **0.1** ⟨Campanula glomerata⟩ *clustered bell-flower;* ⟨C. trachelium⟩ *bats-in-the-belfry.*

halskruis ⟨het⟩ **0.1** [kruisje als sieraad] *(necklet)-cross* **0.2** [versiersel van een ridderorde] *cross.*

halskwab(be) ⟨de⟩ **0.1** *dewlap* ⟨vee⟩; *wattle* ⟨varken⟩.

halslengte ⟨de (v.)⟩ ⟨sport⟩ **0.1** *neck* ♦ **6.1** het paard won **met** één ~ *the horse won by a n..*

halslijn ⟨de⟩ **0.1** *neckline.*

halsmisdaad ⟨de⟩ **0.1** [misdaad waarop de doodstraf staat] *capital crime / offence* **0.2** [zeer ernstig vergrijp] *capital error.*

halsopening ⟨de (v.)⟩ **0.1** *neck.*

halsoverkop ⟨bw.⟩ **0.1** *in a hurry / rush / panic* ⇒*precipitately, helter-skelter, headlong, head-over-heels* ⟨vallen⟩ ♦ **3.1** ~ naar het ziekenhuis gebracht worden *be rushed to hospital;* ~ de trap af komen *come tumbling downstairs;* zich ~ in een avontuur storten *rush headlong into an adventure;* ~ trouwen *get married in a hurry;* ~ in het water vallen *tumble headlong / head first into the water;* ~ vertrekken *leave in a hurry / precipitately.*

halsreikend ⟨bn., bw.⟩ **0.1** *(on) tiptoe* ⇒*eagerly, expectantly.*

halsriem ⟨de (m.)⟩ **0.1** *neck-strap.*

halssieraad ⟨het⟩ **0.1** *necklace.*

halsslagader ⟨de⟩ **0.1** *carotid (artery).*

halssnoer ⟨het⟩ **0.1** *necklace* ⇒⟨snoertje⟩ *necklet* ♦ **3.1** een ~ dragen *wear a necklace.*

halsstarrig ⟨bn., bw.; -ly⟩ **0.1** *obstinate* ⇒*stubborn, headstrong, wilful* ♦ **3.1** hij bleef ~ ontkennen *he kept on obstinately / stubbornly / wilfully denying.*

halsstarrigheid ⟨de (v.)⟩ **0.1** *obstinacy,* ⇒*stubbornness, wilfulness, headstrongness.*

halsstraf ⟨de (v.)⟩ ⟨vero.⟩ **0.1** *capital punishment.*

halsstuk ⟨het⟩ **0.1** [⟨amb.⟩ deel van een kledingstuk] *yoke* **0.2** [stuk vlees] *neck* ⇒⟨van schaap ook⟩ *scrag(-end).*

halstalie ⟨de (v.)⟩ ⟨scheep.⟩ **0.1** *tack.*

halster ⟨het, de (m.)⟩ ⟨→sprw. 488⟩ **0.1** *halter* ♦ **6.1** het paard **bij** de ~ leiden *lead / guide a horse by h..*

halsteren ⟨ov.ww.⟩ **0.1** *halter.*

halstouw ⟨het⟩ **0.1** *neck rope.*

halsuitsnijding ⟨de (v.)⟩ **0.1** *neckline* ⇒⟨diep⟩ *décolleté(e), low neck.*

halsvlecht ⟨de⟩ ⟨med.⟩ **0.1** *neck plexus.*

halswervel ⟨de (m.)⟩ ⟨med.⟩ **0.1** *cervical vertebra.*

halswijdte ⟨de (v.)⟩ **0.1** *collar-size* ♦ **3.1** de ~ meten *measure the c.-s..*

halszaak ⟨de⟩ **0.1** *capital crime / offence* ⇒*hanging-matter* ⟨ook fig.⟩ ♦ **3.1** ik maak er geen ~ van *I shan't treat it as a crime / take it too seriously.*

halszenuw ⟨de⟩ ⟨med.⟩ **0.1** *cervical nerve.*

halt[1]
I ⟨het⟩ **0.1** [kreet] *stop* ⇒*wait* ♦ **3.1** iem. / de inflatie een ~ toeroepen *stop s.o. / check inflation;* het terrorisme een ~ toeroepen *put a s. to terrorism;*
II ⟨de⟩ **0.1** [onderbreking in het voortgaan] *halt* ♦ **3.1** ~ doen houden *halt;* ~ gebieden *call / order a h.;* ~ houden, ~ maken *halt;* abrupt ~ houden *stop short.*

halt[2] ⟨tw.⟩ **0.1** *halt!, stop!, wait!* ♦ **¶.1** ~, of ik schiet! *stop or I'll fire / shoot!*

halte ⟨de⟩ **0.1** [plaats] *stop* ⇒⟨trein ook⟩ *station* **0.2** [afstand] *stop* ♦ **2.1** een vaste ~ instellen *make a compulsory (bus / tram) stop* **2.2** bij de volgende / laatste ~ uitstappen *get off at the next s. / the terminus* **6.1** ~ **op** verzoek *request stop* **7.2** twee ~s verder moet ik eruit *I have to get off in two stops.*

haltepaal ⟨de⟩ **0.1** *bus / tram stop.*

halter ⟨de (m.)⟩ **0.1** ⟨sport⟩⟨kort⟩ *dumb-bell;* ⟨lang⟩ *bar-bell* **0.2** [⟨biol.⟩] *halter(e), balancer.*

halterbeha ⟨de (m.)⟩ **0.1** *halter-neck bra.*

halterjurk ⟨de⟩ **0.1** *halter-neck / -top dress.*

haltertruitje ⟨het⟩ **0.1** *halter-neck sweater.*

halvanaise ⟨de⟩ **0.1** *low-fat mayonnaise.*

halvaprodukt ⟨het⟩ **0.1** *low-fat product.*

halvarine ⟨de⟩ **0.1** *low-fat margarine.*

halvefrank ⟨de (m.)⟩ ⟨AZN⟩ **0.1** *a half-franc (piece).*

halvemaan ⟨de⟩ **0.1** [schijngestalte van de maan] *half-moon* ⇒*crescent* **0.2** [sikkelvormig teken] *crescent* **0.3** [voorwerp] *crescent* **0.4** [muziekinstrument] *crescent* ♦ **3.3** ~tjes eten *eat croissants.*

halvemaanvormig ⟨bn.⟩ **0.1** *crescent-shaped.*

halveren ⟨ov.ww.⟩ **0.1** [in tweeën delen] *divide into halves* ⇒*cut in half,* ⟨wisk.⟩ *bisect* **0.2** [tot op de helft verminderen] *halve* ♦ **1.1** ik zal die appel maar ~ *I'll cut that apple in half;* ⟨wisk.⟩ een hoek / een lijn ~ *bisect an angle / a line* **1.2** zijn inkomen is gehalveerd *his income has been halved.*

halverhoogte ⟨bw.⟩ **0.1** *halfway up* ♦ **3.1** ~ reiken *reach halfway up* **6.1** ter ~ *halfway up.*

halvering ⟨de (v.)⟩ **0.1** *halving* ⇒⟨wisk.⟩ *bisection.*

halveringstijd ⟨de (m.)⟩ ⟨nat.⟩ **0.1** *half-life.*

halverwege¹ ⟨bw.⟩ **0.1** [halfweg] *halfway* ⇒*midway* **0.2** [midden in wat men bezig is te doen] *halfway (through)* ◆ **3.1** ~ terugkeren *go back when you've gone h.;* we zijn nu ~ *we are h. now* **3.2** ~ blijven steken in een boek/in zijn werk *get stuck in the middle of/halfway through a book/one's work;* zich ~ oprichten *draw/pull o.s. up* **6.1** ~ tussen Utrecht en Arnhem *midway/h. between Utrecht and Arnhem.*

halverwege² ⟨vz.⟩ **0.1** *halfway* ⇒*midway* ◆ **1.1** ~ de trap bleef hij steken *he got struck h. up/down the stairs;* ~ het trimester *h. through the term.*

halverwind ⟨bw.⟩ **0.1** *wind on the beam* ◆ **3.1** ~ zeilen ⟨fig.⟩ *approch sth. crabwise.*

halvezool
  I ⟨de⟩ **0.1** [nieuwe, extra zool] *half-sole;*
  II ⟨de (m.)⟩ **0.1** [persoon] *half-wit, cretin.*

halzen ⟨ov.ww.⟩ ⟨scheep.⟩ **0.1** *boxhaul* ⇒*veer, wear.*

ham ⟨de⟩ **0.1** [achterbout van een varken] *cushion, ham* **0.2** [vlees] *ham* ⇒*gammon* **0.3** [mbt. een mens] *ham* ◆ **1.2** een broodje ~ ⟨broodje⟩ *a ham-roll;* ⟨twee sneetjes brood⟩ *a ham sandwich;* een ons ~ *100 grams of h.;* een plakje ~ *a slice of h.* **2.1** ⟨fig.⟩ de houten ~ komt daar op tafel *they do their best to keep up appearances* **2.2** gekookte ~ *cooked/boiled h.;* gerookte ~ *gammon, smoked h.;* rauwe ~ *uncooked h..*

hamadryade ⟨de (v.)⟩ **0.1** *hamadryad.*

hamamelis ⟨de (m.)⟩ ⟨plantk.⟩ **0.1** *witch/wych hazel.*

hamburger ⟨de (m.)⟩ **0.1** [rond stuk gebraden gehakt] *hamburger, beefburger;* ⟨AE;inf.⟩ *burger* **0.2** [broodje hamburger] *hamburger, beefburger;* ⟨AE;inf.⟩ *burger* ◆ **6.2** ~ met kaas *cheeseburger.*

hameibalk ⟨de (m.)⟩ **0.1** *balance beam.*

hameibrug ⟨de⟩ **0.1** *bascule-bridge* ⇒*drawbridge.*

hameigebint ⟨het⟩ **0.1** *portal arch.*

hamel ⟨de (m.)⟩ **0.1** *wether* ◆ **1.1** ~ vlees *mutton.*

hamer ⟨de (m.)⟩ ⟨→sprw. 253⟩ **0.1** [werktuig] *hammer* ⇒⟨houten ook⟩ *mallet,* ⟨grote houten hamer⟩ *maul* **0.2** [voorwerp als teken en middel van gezag] *hammer* **0.3** [hamervormig werktuig] *hammer* **0.4** [gehoorbeentje] *hammer, malleus* **0.5** [mbt.een piano] *hammer* **0.6** [mbt. een uurwerk/klokkenspel] *hammer* ◆ **3.2** de ~ hanteren *gavel;* de ~ valt *the h. comes down* **6.1** ⟨fig.⟩ de man met de ~ tegen komen *hit the wall;* ⟨fig.⟩ tussen ~ en aambeeld zijn *be between the devil and the deep (blue) sea* **6.2** met de ~ de vergadering tot stilte manen *bring the meeting to order (with the h. / gavel);* ⟨fig.⟩ iets onder de ~ brengen *bring sth. under the h., put sth. up to auction/for auction/for sale;* onder de ~ komen *come/go under the h..*

hamerbaan ⟨de⟩ **0.1** *face of the hammer.*

hamerbaar ⟨bn.⟩ **0.1** *malleable* ⇒*ductile* ◆ **1.1** goud is ~ *gold is m..*

hamerbijl ⟨de⟩ **0.1** *hammer axe* ⇒*lath hammer, claw/shingling hatchet.*

hamerbol ⟨de⟩ **0.1** *ball-pein/-peen.*

hamerbout ⟨de (m.)⟩ **0.1** [soldeerbout] *hatchet bit/soldering iron* **0.2** [schroefbout] *coach screw/^lag bolt, screw pike.*

hameren
  I ⟨onov.ww.⟩ **0.1** [met een hamer slaan] *hammer* ⇒⟨met voorzitters/veilingshamer⟩ *rap, gavel, knock* **0.2** [krachtig kloppen] *hammer* ⇒*ground, bang, thump, drum* ◆ **1.1** de schoenmaker hamerde er lustig op los *the shoemaker hammered away with a will;* de voorzitter hamerde om de spreker tot de orde te roepen *the chairman called the speaker to order* **3.2** die hoofdpijn blijft maar ~ *I've still got that pounding/thumping/splitting headache* **6.1** ⟨fig.⟩ hij bleef er maar op ~ *he kept hammering (away) at it/he kept going on about it;* ⟨fig.⟩ altijd op iets/hetzelfde ~ *always keep harping on sth. / the same string;* op een argument ~ *h. away at an argument/point;* er bij iem. op blijven ~ *keep going on at s.o. about sth.* **6.2** dat bericht hamerde voortdurend door mijn hoofd *the message kept ringing in my ears;* de agent hamerde op de voordeur *the policeman hammered/pounded at the front door;* op de toetsen ~ *pound (away) at the keyboard;*
  II ⟨ov.ww.⟩ **0.1** [met een hamer slaan] *hammer* **0.2** [meermalen slaan] *hammer* ⇒*pound, beat* ◆ **1.1** ijzer ~ *beat/h. iron;* met één slag hamerde de timmerman de spijker in het hout *with one blow/stroke the carpenter drove/hammered the nail home* **1.2** de bokser hamerde zijn tegenstander op het hoofd *the boxer rained blows on his opponent's head* **5.1** iets bij iem. erin ~ *h. / drum/din sth. into s.o., h. / ram sth. home.*

hamerhaai ⟨de (m.)⟩ ⟨dierk.⟩ **0.1** *hammerhead (shark)* ⟨sphyrna zygaena⟩ ⇒*shovelhead* ⟨s. tiburo⟩.

hamering ⟨het⟩ **0.1** [het hameren] *hammering* **0.2** [bewerking met de hamer] *hammering* **0.3** [mbt. hoofdpijn] *pounding* ⇒*thumping.*

hamerkop ⟨de (m.)⟩ **0.1** [deel van een hamer] *hammer-head* **0.2** [vogel] *hammerkop* ⇒*hammerhead (stork), umbrette,* ^B*umber-bird,* ^A*shadow-bird.*

hamermossel ⟨de⟩ **0.1** *hammer-shell* ⇒*hammer-oyster.*

hamerplug ⟨de⟩ **0.1** *(masonry) plug.*

hamerslag
  I ⟨de (m.)⟩ **0.1** [het slaan] *hammering* **0.2** [slag] *hammer-blow* ⇒*hammer-stroke* ◆ **3.2** de ~en dreunden door de lucht *the air rang with*

---

hammer-blows **6.2** iets bij ~ verkopen *sell sth. by/at auction, auction sth.;*
  II ⟨het⟩ **0.1** [afspringende schilfers] *(hammer-)scale* ⇒*forge-scale, hammer-slag/-slough* **0.2** [verbrande korst] *(hammer-)scale* ⇒*forse-scale, hammer-slag/-slough.*

hamerslingeren ⟨ww.⟩ ⟨sport⟩ **0.1** *throwing the hammer, hammer-throwing.*

hamerspie ⟨de⟩ **0.1** ≠*cotter pin.*

hamersteel ⟨de (m.)⟩ **0.1** *handle of a hammer.*

hamerstuk ⟨het⟩ **0.1** [agendapunt] *formality* **0.2** [deel van een balk] *hammer-beam* ◆ **8.1** het voorstel werd als ~ afgedaan *the proposal was dealt with as a f. / (was) passed on the nod.*

hamerteen ⟨de (m.)⟩ **0.1** *hammer-toe.*

hamervormig ⟨bn.⟩ **0.1** *hammer-shaped.*

hamerwerpen ⟨ww.⟩ **0.1** *throwing the hammer, hammer-throwing.*

Hamitisch ⟨bn.⟩ **0.1** *Hamitic.*

hamlap ⟨de (m.)⟩ **0.1** *pork steak.*

hammebeen ⟨het⟩ **0.1** *ham bone.*

hammevet ⟨het⟩ **0.1** *bacon/gammon fat* ⇒*fat on bacon/gammon/ham.*

hammondorgel ⟨het⟩ **0.1** *Hammond organ.*

hampijp ⟨de⟩ **0.1** *ham-bone.*

hamschijf ⟨de⟩ **0.1** *gammon.*

hamspek ⟨het⟩ **0.1** *shoulder of pork,* ^A*picnic/shoulder ham.*

hamster ⟨de (v.)⟩ **0.1** *hamster.*

hamsteraar ⟨de (m.)⟩, **-ster** ⟨de (v.)⟩ **0.1** *hoarder* ⇒*squirrel.*

hamsteren ⟨onov., ov.ww.⟩ **0.1** *hoard (up)* ⇒*squirrel/stash away, hive/lay up* ◆ **1.1** gehamsterd goud *hoarded gold;* koffie ~ *stock up on/with coffee, hoard (up) coffee, hive/lay up coffee, squirrel/stash away coffee.*

hamstervoorraad ⟨de (m.)⟩ **0.1** *hoard* ⇒*stash, stock.*

hamvraag ⟨de⟩ **0.1** *key question* ⇒^A*sixty-four (thousand) dollar question.*

hamworst ⟨de⟩ **0.1** *pork and veal sausage.*

hand ⟨de⟩ ⟨→sprw. 254,255, 280,602, 604,612⟩ **0.1** [lichaamsdeel] *hand* **0.2** [maat] *handbreath* ⇒*palm,* ⟨om paarden te meten⟩ *hand* **0.3** [handschrift, stijl] *hand* ⇒*(hand)writing* **0.4** ⟨⟨fig.⟩ kant⟩ *hand* ⇒*side* **0.5** [mbt. dieren] *hand* **0.6** [afbeelding, nabootsing] *hand* **0.7** [onderdeel van een instrument] *hand* ◆ **1.1** de bal/de muis van de ~ *the ball of the h. thumb;* ⟨fig.⟩ Gods ~ *the h. of God;* de rug van de ~ *the back of the h.;* op ~en en voeten kruipen *go/crawl on all fours/on hands and feet;* zich met ~en en voeten verweren ⟨fig.⟩ *defend o.s. tooth and nail/with might and main;* ~en en voeten roeren ⟨fig.⟩ *do one's utmost/darnedest, give everything one's got;* aan ~en en voeten gebonden *bound/tied h. and foot* **1.7** de ~ van een anker *the fluke/palm of an anchor* **2.1** in andere ~en komen *change hands, pass into other hands;* ⟨fig.⟩ water in de ene en vuur in de andere ~ dragen *be two-faced/double-faced/a double-dealer/Janus-faced, run with the hare and hunt with the hounds;* blote ~en *bare hands;* ⟨fig.⟩ goederen in de dode ~ *property in mortmain;* op eigen ~ ⟨fig.⟩ *on one's own authority/responsibility/initiative/account/,off one's own bat;* ⟨fig.⟩ het recht in eigen ~ nemen *take the law into one's own hands;* ⟨fig.⟩ een gelukkige ~ van gooien hebben *be lucky, have luck on one's side;* een gemakkelijke ~ van uitgeven hebben *be a spendthrift, spend money like water, spend money h. over fist, let money through one's fingers like water;* in goede/slechte ~en vallen ⟨fig.⟩ *fall/get into the right/wrong hands;* deze zaak is in goede/slechte ~en *that matter is in good/bad hands;* een harde ~ (ruw) *a rough h.;* ⟨streng⟩ *an iron/stern h.;* ⟨fig.⟩ met harde ~ opvoeden *bring up/raise the hard way;* de helpende ~ bieden *give/lend a (helping) h.;* van hoger ~ *from above, from/on higher authority;* ⟨fig.⟩ van hoger~ is besloten dat... *it has been decided by the authorities;* ⟨fig.⟩ bevelen van hoger ~ *orders from above;* de holle ~ *the hollow/cupped h.;* ⟨fig.⟩ de laatste ~ aan iets leggen *put the finishing/final touches/strokes to sth.;* niet met lege ~en komen *not come empty-handed;* ⟨fig.⟩ een tekening uit de losse ~ *free composition;* ⟨fig.⟩ iets uit de losse ~ doen *do sth. impromptu/off the cuff;* ⟨kind.⟩ het mooie ~ je geven *shake hands nicely;* de sterke ~ *the (strong/long) arm (of the law);* iets met vaste ~ doen *do sth. with a steady/firm/sure h., do sth. with a sure touch;* ⟨fig.⟩ met vaste/krachtige ~ regeren *rule with a firm/heavy/strong/stern/iron h., rule with a rod of iron;* hij is in veilige ~en *he is in safe hands;* vereelte ~en *calloused/horny hands;* in verkeerde/andere ~en vallen *fall into the wrong/strange hands;* de vlakke/platte ~ *the flat of the h., the open h.;* iem. (de) ~en vol werk geven *cause/give s.o. no end of work/trouble;* iets aan vreemde ~en toevertrouwen *entrust sth. to strangers;* hij heeft de ~en niet vrij *he does not have a free h. / his hands free/a free h., he is not a free agent, he has his hands tied;* hij wenst de ~en vrij te houden *he wishes to keep his hands free/to keep a free h.;* hij heeft de ~en niet geheel vrij ⟨fig.⟩ *he has one h. tied behind his back;* ⟨fig.⟩ iem. de vrije ~ laten *give/leave/allow s.o. a free h. / (full) discretion/free scope/full scope;* ⟨fig.⟩ de vrije ~ hebben/krijgen *have/acquire a free h.;* ergens zijn ~en niet aan vuil willen maken *refuse to soil/dirty one's hands with sth., leave/let sth. severely alone;* ⟨fig.⟩ met de warme ~ schenken *give during* *life, make a donation inter vivos;* een zachte ~ *a gentle touch/h.*; 〈fig.〉 met zachte ~ *with a light touch/h.* **2.2** het is een ~ breed *it is a handbreadth;* de ~en vol hebben aan iem. / iets *have one's hands full with s.o. / sth.*, *have one's work cut out for one;* ik had er de ~en aan vol om ... *I had my work cut out to ...*, *I was hard put to it to ...;* hij heeft de ~en meer dan vol *he has enough/too much on his plate;* dat kost een ~ vol/ ~en vol geld *that costs lots/pots/piles of money* **2.3** een moeilijk leesbare ~ hebben *have barely legible (hand)writing / a barely legible hand;* hij schrijft met een mooie/ stijve ~ *he writes a fine/ firm hand, he has good/firm handwriting* **2.4** de zieke is aan de beterende ~ *the patient is on the mend/getting better/on the way to recovery;* aan mijn rechter/linker ~ *on my right/left (h. / side);* aan de winnende ~ zijn *be winning, be gaining ground* **3.1** de ~en van iem. aftrekken 〈fig.〉 *wash one's hands of s.o.;* iem. de ~en binden 〈fig.〉 *tie s.o. down, be a drag on s.o.;* zijn ~en branden (aan iets) 〈fig.〉 *burn one's fingers (on sth.), get one's fingers burnt (on sth.);* 〈fig.〉 bang zijn zijn ~en aan koud water te branden 〈bang〉 *be frightened of one's own shadow;* 〈voorzichtig〉 *always play safe, keep on the safe side;* ik draai er mijn ~ niet voor om 〈fig.〉 〈ik heb er geen moeite mee〉 *I think nothing of it;* 〈het kan me niet schelen〉 *I don't care a rap/hoot (for it);* iem. de ~ drukken/geven/schudden *shake s.o.'s h., give s.o. one's h., shake hands with s.o.;* geef mij de ~! *give me your h.;* 〈kring vormen〉 *join hands with me;* zij kunnen elkaar de ~ geven *they see eye to eye, they are of the same mind/opinion;* iem. de ~ op iets geven *give s.o. one's h. on sth., shake hands with s.o. on sth.;* elkaar de ~ geven 〈om kring te vormen〉 *link hands;* de ~ in eigen boezem steken *search one's own heart/conscience;* iem. de ~en stoppen/smeren/vullen 〈fig.〉 *oil/grease s.o.'s palm, oil s.o.'s h., bribe s.o., cross s.o.'s palm (with silver);* de ~ over het hart strijken 〈fig.〉 *be lenient/ soft-hearted;* hij kan zijn ~en niet thuishouden *he can't keep his hands to himself;* zijn ~ uitsteken 〈in het verkeer〉 *indicate;* de ~en vouwen 〈fig.〉 *clasp/fold one's hands;* de ~ van een meisje vragen 〈fig.〉 *ask for a girl's h. (in marriage), propose to a girl;* zijn ~en aan iets vuilmaken 〈fig.〉 *soil/dirty one's hands with sth.;* 〈fig.〉 zijn ~en in onschuld wassen *wash one's hands of sth.* **3.3** iemands ~ (her)kennen *recognize s.o.'s hand/(hand)writing;* zijn ~ veranderen/verdraaien *disguise one's hand/handwriting* **5.1** 〈mijn〉 ~ erop! *you have/here's my hand on it!;* ~en omhoog! 〈of ik schiet〉 *hands up!/* 〈inf.〉 *stick 'em up! (or I'll shoot),* ~en thuis! *hands off!, keep your hands to yourself!, lay off (me)!* **6.1** iem. **aan** de ~ hebben 〈fig.〉 *go/hang around with/associate with s.o.,* iets **aan** de ~ hebben 〈fig.〉 〈met iets bezig zijn〉 *have sth. doing/going/on;* 〈bij iets betrokken zijn〉 *be involved in sth., be in on sth.;* 〈hand.〉 goederen die **aan** de ~ blijven *goods that are left on one's hands;* 〈fig.〉 iem. iets **aan** de ~ doen *get s.o. sth., put s.o. in the way of sth., put s.o. on to sth., provide/supply/furnish s.o. with sth.;* **aan** de ~ lopen 〈fig.〉 *be led by the nose;* **aan** de ~en berekeningen, cijfers, feiten, gegevens *on the basis of these calculations, figures, facts, data;* hij had zijn fiets **aan** de ~ *he was wheeling his bicycle;* iem. een middel **aan** de ~ doen tegen huiduitslag *put s.o. on to a*

good remedy for a rash; niks **aan** de ~! *there's nothing the matter/ wrong;* **aan** de ~ van deze ervaringen concludeer ik ... *in view of/in the light of/on the basis of/given these experiences I conclude ...;* iets controleren **aan** de ~ van metingen *check sth. by taking measurements;* nagaan **aan** de ~ van steekproeven of ... *ascertain from/by means of random samples whether ...;* iets **achter** de ~ hebben 〈fig.〉 *have sth. in reserve/to fall back on, have a second string to one's bow;* 〈heimelijk〉 *have sth. up one's sleeve;* iets **achter** de ~ houden 〈fig.〉 *reserve sth., keep sth. in reserve;* wat geld **achter** de ~ hebben *keep some money in reserve/for a rainy day;* iem. **bij** de ~ leiden *lead s.o. by the h.;* 〈fig.〉 iets **bij** de ~ nemen *take sth. in h., undertake sth.;* 〈fig.〉 **bij** de ~ blijven *stay/be on h., remain close at h.;* ik heb dat altijd vlak **bij** de ~ *I always have that at my elbow/near at h. / within arm's reach/handy/straight to h.;* zo iets heb ik wel meer **bij** de ~ gehad 〈fig.〉 *I am an old h. at this, I have dealt with this sort of thing before;* heb je toevallig geen advocaat/rekenmachine **bij** de ~? *don't you have a lawyer at/on h.?/don't you have a calculator handy/ at hand/on you?;* iem. / iets **bij** de hand hebben *have s.o. / sth. handy/ at hand/on h. / ready to h.;* 〈sport〉 **boven** de ~ serveren *serve overarm/overhand;* alles gaat **door** zijn ~en *everything passes/goes through his hands;* 〈fig.〉 dat huis is al **door** vele ~en gegaan *that house has passed/gone through many hands, that house has seen many owners;* er gaat veel geld **door** zijn ~en *large sums pass through his hands, he handles large sums;* in de ~en klappen *clap one's hands;* met de wet **in** de ~ 〈fig.〉 *waving the rule-book;* goed/gemakkelijk **in** de ~ liggen *be handy, have a handy grip;* iem. **in** de ~en vallen 〈fig.〉 *get/ fall into the hands/clutches of s.o.;* iem. iets **in** de ~en duwen/stoppen *slip/thrust sth. into s.o.'s hands;* zich iets **in** de ~en laten stoppen 〈fig.〉 *be palmed/fobbed off with sth., have sth. palmed off/fobbed off/foisted (off) onto one;* 〈fig.〉 zijn leven stellen **in** Gods ~ *place one's life in God's hands;* een eed in iemands ~en afleggen *take/make an oath before s.o., swear an oath before s.o.;* de pen **in** de ~ nemen 〈fig.〉 *take up one's pen;* 〈fig.〉 een auto goed **in** de ~ hebben *have a good control of a car;* zijn geld **in** de ~en krijgen *get control of one's money;* 〈erfenis〉 *come into one's money;* iem. de ~ spuwen *roll up one's sleeves;* 〈fig.〉 iets **in** de ~ hebben *have sth. under control;* 〈fig.〉 iets zelf **in** de ~ hebben *have sth. in one's own hands/power;* een bewijs **in** ~en hebben *have/possess evidence;* het onderzoek is **in** ~en van N. *the investigation is being conducted by N.;* hij heeft nog nooit een goed boek **in** zijn ~en gehad *he has never read a good book;* in ~en 〈op brief〉 *by h.;* 〈fig.〉 zijn toekomst/leven is **in** mijn ~ *his future/life is in my hands;* hij heeft de zaak niet meer **in** de ~ *he no longer has the matter under control;* met de hoed **in** de ~ *hat in h.;* de markt in ~en hebben *control/have control of the market;* de politie heeft de zaak nu **in** ~en *the police have the case in h.;* iets **in** ~en krijgen *secure/get hold of/lay hands on sth., obtain sth.;* 〈toevallig〉 *chance/light on sth.;* iem. een brief/geld **in** ~en geven *place a letter/money in s.o.'s hands, hand a letter/money to s.o.;* hij heeft het geld **in** ~en *he possesses/is in possession of the money, he has the money in h.;* welke advocaat heeft de zaak **in** ~en? *which solicitor has the case in h.?;* de macht **in** ~en hebben *have/hold power, be in power;* de toestand **in** de ~ hebben *have the situation in h.;* elkaar **in** de ~ slaan 〈koper en verkoper〉 *shake hands;* **in** ~en vallen van de politie/de vijand *fall into the hands/clutches of the police/enemy;* het heft **in** ~en hebben/houden 〈fig.〉 *be/stay at the helm / in power/in control/in command;* het heft **in** ~en nemen 〈fig.〉 *take the helm/command;* het heft **in** ~en krijgen 〈fig.〉 *gain control/command;* hij mag zich **in** de ~en wrijven, hij mag zijn ~en dichtknijpen 〈fig.〉 *he may count/call himself lucky;* de touwtjes/teugels **in** ~en hebben *hold/take the reins;* **in** ~en stellen van *consign to;* 〈fig.〉 een gat **in** zijn/haar ~ hebben *spend money like water, throw/fling/ ⌊chuck one's money about;* ~ **in**/aan ~ gaan met 〈ook fig.〉 *go h. in h. with* 〈ook fig.〉 **;met** zijn ~en de kost verdienen *earn/make a living with one's hands;* **met** de ~en in de zakken staan/zitten/lopen 〈fig.〉 *lounge/loaf around (with one's hands in one's pockets);* 〈fig.〉 **met** de ~en in het haar zitten *be at one's wit's/wits' end, be at a (dead) loss;* **met** de ~en over elkaar in zijn schoot zitten 〈fig.〉 *sit by/look on with folded hands/doing nothing, not lift/raise a finger;* 〈fig.〉 iets **met** beide ~en aangrijpen *jump/leap at sth., grasp at/seize sth. with both hands;* 〈aanbod, gelegenheid ook〉 *seize upon/embrace sth.;* zich **met** ~ en tand verzetten 〈fig.〉 *resist/fight tooth and nail, struggle/resist with might and main;* **met** losse ~en/**zonder** ~en fietsen *ride a bike with no hands;* **met** de ~ wassen 〈tgov. in de machine〉 *wash by h.;* **met** de ~ gemaakt/geschreven *hand-made/handwritten;* **met** de ~en in de zij *with hands on hips;* **met** de ~ op het hart iets verklaren *swear to sth. faithfully;* 〈fig.〉 iem. **naar** zijn ~ zetten *force/mould/ bend s.o. to one's will, manage s.o., twist s.o. round one's (little) finger;* 〈fig.〉 dat is een kolfje **naar** zijn ~ *that is right up his street/alley;* 〈fig.〉 hij zet alles **naar** zijn ~ *he has it all his own way, he bends things to his will;* 〈fig.〉 zij zet haar man geheel **naar** haar ~ *she knows how to manage her husband, she bends her husband to her will, her husband is like putty in her hands;* 〈fig.〉 zij kunnen de prijzen geheel **naar** hun ~ zetten *they have complete control of/over the prices;* iets om ~en hebben *have sth. to do/to attend to;* ⟨fig.⟩ *iets onder* ~en hebben *have sth. in h., be at work/engaged on sth.;* ⟨fig.⟩ iem. **onder** ~en nemen *take s.o. in h. / to task, give s.o a good talking-to, haul s.o. over the coals, read s.o. the Riot Act;* ⟨fig.⟩ *iets* **onder** de~ *kopen buy sth. under the counter;* **onder** *dokters* ~en zijn *be in the doctor's hands / under medical treatment/* ⟨under the doctor; *ik zal je motor morgen* **onder** ~en nemen *I shall take your motor/engine in h. tomorrow;* iem. **op** de~en *kijken* ⟨fig.⟩ *watch s.o. closely, breathe down s.o.'s neck;* iem. **op** (de)~en *dragen* ⟨fig.⟩ *worship/be devoted to/adore/ think the world of/idolize s.o.; geld* **op** de~ *krijgen receive cash in h./ on the nail;* ~ **over** ~ *halen/hijsen haul in h. over h./fist;* ~ **over** ~ *toenemen increase/grow h. over h./h. over fist/rapidly, become more and more prevalent, become rampant, gain ground rapidly;* iem. *iets* **ter** ~stellen *hand sth. (over) to s.o.;* iets **ter** ~nemen *take sth. up, take sth. in h., undertake sth., embark/enter upon sth., engage in sth., set one's h. to sth., address o.s. to sth., attend to sth.;* alles was hem *uit* de ~(en) geslagen *he had lost everything;* ⟨fig.⟩ *het gezag* **uit** ~en *geven let one's authority slide/slip;* er komt niets **uit** zijn ~en *he doesn't get anything done;* **uit** de~ *eten eat/feed out of s.o.'s h./palm* (ook fig.); *een peer* **uit** de~ *eten eat an eating pear;* **uit** de~ *lopen get out of h.;* ⟨fig.⟩ *ik heb die informatie* **uit** de eerste ~ *I have this information at first h./straight from the horse's;* **uit** de~ *tekenen draw freehand;* ⟨fig.⟩ **uit** de~*zaaien sow/scatter seed by h.;* **uit** de~ en *van de politie blijven* ⟨braaf⟩ *keep on the right side of the law;* ⟨op de vlucht⟩ *keep a step ahead of the police;* iem. het werk **uit** (de)~en nemen *take work off s.o.'s hands/shoulders, relieve s.o. of work;* die koopwaren gaan vlug **van** de~ *these products sell readily/quickly/rapidly/like hotcakes, these products find ready buyers/a ready market, these products are readily disposed of/meet with a brisk sale;* iets **van** de~ doen, zetten *sell/part with/dispose of sth.;* **van**~ **tot** ~ gaan *be passed from h. to h.; gift* **van** ~ **tot** ~ ⟨jur.⟩ *gift by manual delivery, informal gift;* ⟨AZN⟩ als **van** de~ *Gods geslagen thunderstruck, dumbstruck; goed/duur* **van** de~ *gaan sell well/at high prices;* dat gaat haar flink **van** de~ *she is handy/quick/a dab h. at it;* ⟨fig.⟩ **voor** de~ *wegnemen take at random;* iets **voor** de~ *leggen place sth. within easy reach/ ready to h.;* dat ligt **voor** de~ ⟨fig.⟩ *that speaks for itself/goes without saying/is obvious;* hij koopt alles wat **voor** de~ *komt he buys everything that comes his way;* dat is de meest **voor** de~ *liggende conclusie that is the most obvious/natural conclusion* 6.3 *een brief* **van** dezelfde ~ *a letter from the same hand* 6.4 ⟨fig.⟩ iem. **op** zijn ~hebben/krijgen ⟨hebben⟩ *have s.o. on one's side, be supported/backed up by s.o.;* ⟨krijgen⟩ *get s.o. on one's side, win s.o. over/round;* ik heb haar/zij is **op** mijn ~ *I have her/she is on my side, she sides with me;* ik kreeg haar niet **op** mijn ~ *I couldn't win/bring her over/round to my side* **6.¶** wat is er daar **aan** de~? *what's up/going on there?;* ⟨fig.⟩ alsof er niets **aan** de~ was *as if nothing had happened/was wrong/was the matter;* er is iets **aan** de~ *there's sth./sth.'s the matter/up/doing/ going on/in the wind;* ⟨van personen⟩ nog niet **bij** de~ zijn *not be up /stirring yet;* iets/iem. **in** de~ werken *promote/encourage sth./s.o.;* ⟨iets ook⟩ *breed/make for/facilitate sth.;* iem. ⟨ook⟩ *play into s.o.'s hands;* elkaar **in** de~ werken ⟨van dingen/situaties⟩ *reinforce one another;* ⟨van personen⟩ zwaar **op** de~ zijn *be heavy/ponderous;* **op** ~en zijn *be (near) at h./setting near/approaching/(im)pending/imminent/forthcoming/in the offing/drawing near;* **van** de~ in de tand leven *live from h. to mouth, lead a hand-to-mouth existence;* een verzoek/voorstel **van** de~ *wijzen refuse/decline a request* ⟨verzoek⟩; *turn down/reject a proposal* ⟨voorstel⟩ **7.1** geen~ voor iem./iets uitsteken *not raise/lift/stir a finger for s.o./sth., not hold out/stretch/lift /raise a h. for s.o./sth.;* hij heeft er geen~ naar uitgestoken ⟨niets aan gedaan⟩ *he hasn't done a stroke of work/a hand's turn (of work) on it;* ⟨niets van gegeten⟩ *he hasn't touched it;* ⟨fig.⟩ geen~ in koud water te steken hebben *not have to lift/raise a finger, be waited on hand and foot;* geen~ voor ogen kunnen zien ⟨fig.⟩ *not be able to see one's h./a h. in front of/before one('s face);* ⟨inf.⟩ het zijn twee~en op één buik ⟨fig.⟩ *they are h. in/and glove, they are cheek by jowl;* ik heb maar twee~en! *I have only (got) one pair of hands!* **¶.1** ⟨fig.⟩ ~en te kort komen *not have enough hands.*

handaambeeld ⟨het⟩ **0.1** *hand-anvil.*
handappel ⟨de (m.)⟩ **0.1** *eating apple* ⇒*dessert apple,* ↓*eater.*
handarbeid →**handenarbeid.**
handarbeider ⟨de (m.)⟩ **0.1** *(manual) labourer* ⇒*(manual) worker, blue-collar worker.*
handbagage ⟨de (v.)⟩ **0.1** [B]*hand-luggage,* [A]*hand-baggage.*
handbal
  I ⟨de (m.)⟩ **0.1** [kleine bal] *handball* **0.2** [bal van de hand] *ball of the hand/thumb;*
  II ⟨het⟩ **0.1** [balsport] *handball.*
handballen ⟨ww.⟩ ⟨sport⟩ **0.1** *play handball* **♦ 1.1** een partijtje ~ *play a game of handball.*
handbediening ⟨de (v.)⟩ **0.1** *hand/manual operation* ⇒*manual/ control, hand-driven mechanism* **♦ 6.1** met ~ *operated manually/by hand, hand-operated, hand-.*
handbeen ⟨het⟩ **0.1** ⟨handwortelbeentje⟩ *carpal (bone);* ⟨middenhandsbeentje⟩ *metacarpal (bone);* ⟨vingerkootje⟩ *phalanx, phalange.*

handbeitel ⟨de (m.)⟩ **0.1** *hand-chisel.*
handbel ⟨de⟩ **0.1** *handbell.*
handbereik ⟨het⟩ **♦ 6.¶** buiten ~ *beyond one's/out of reach;* onder/in/ binnen ~ *within (one's/easy/arm's) reach, ready to/close at hand, at one's elbow.*
handbeschermer ⟨de (m.)⟩ **0.1** [handschoen(deel)] *(hand)guard* **0.2** [op (vuur)wapen/degen] *(hand)guard.*
handbeugel ⟨de (m.)⟩ **0.1** *handdredge(r).*
handbeweging ⟨de (v.)⟩ **0.1** *movement of the hand* ⇒⟨gebaar ook⟩ *gesture, wave/sweep of the hand,* ⟨van goochelaar⟩ *pass* **♦ 6.1** met een simpele/met één ~ kunt u dit apparaat in werking stellen *you turn this piece of equipment on in one single operation/with/by a simple/ single movement of the hand.*
handbibliotheek ⟨de (v.)⟩ **0.1** *reference library/books.*
handbijbel ⟨de (m.)⟩ **0.1** *pocket bible.*
handbijl ⟨de⟩ **0.1** *hatchet* ⇒*chopper,* ⟨slagersbijl⟩ *cleaver.*
handblusapparaat →**handblusser.**
handblusser ⟨de (m.)⟩ **0.1** *hand(fire) extinguisher.*
handboei ⟨de⟩ **0.1** *handcuffs* ⟨meestal mv.⟩ ⇒⟨kluister⟩ *manacle, fetter,* ⟨sl.⟩ *bracelets* ⟨mv.⟩, *darbies* ⟨mv.⟩ **♦ 3.1** iem. de ~en omdoen *handcuff/manacle s.o., put/slip the h./* ↓*cuffs/* ⟨AE;sl.⟩ *mitt(en)s on s.o..*
handboek ⟨het⟩ **0.1** [beknopte verhandeling] *handbook* ⇒*companion, guide(book),* ⟨handleiding⟩ *(instruction) manual* **0.2** [naslagwerk] *reference book* **♦ 6.1** ~ voor de amateurfotograaf *the amateur photographer's h./companion/manual/guide(book);* ~ voor de letterkunde *companion/guide to literature, literary companion/guide.*
handboog ⟨de (m.)⟩ **0.1** *(hand-)bow* ⇒*longbow.*
handboogschutter ⟨de (m.)⟩, -es ⟨de (v.)⟩ **0.1** *archer* ⇒⟨gesch.⟩ *bowman.*
handboom ⟨de (m.)⟩ **0.1** *barge-pole* ⇒*boat hook/staff.*
handboor ⟨de⟩ **0.1** [kleine boor] *hand drill* ⇒*gimlet, auger, wimble* **0.2** [grondboor] *auger* ⇒*wimble.*
handboord ⟨het⟩ **0.1** *cuff.*
handboormachine ⟨de (v.)⟩ **0.1** *handdrilling machine.*
handboring ⟨de (v.)⟩ **0.1** *hand drilling* ⇒*drilling/boring with a gimlet/ auger/wimble.*
handbreed ⟨het⟩ **0.1** *hand('s-)breath* **♦ 7.1** geen ~ wijken *not budge (an inch), not give an inch, not yield an inch of ground* ⟨ook fig.⟩.
handbreedte ⟨de (v.)⟩ **0.1** *hand('s-)breath.*
handbuiger ⟨de (m.)⟩ **0.1** *flexor muscle of the hand.*
handcamera ⟨de⟩ **0.1** *hand-held camera.*
handcrème ⟨de⟩ **0.1** *handcream.*
handdelig ⟨bn.⟩ ⟨plantk.⟩ **0.1** *palmate* ⇒*palmatifid.*
handdik ⟨het⟩ **0.1** *layer as thick as your hand* **♦ 5.1** het stof lag er een ~ bovenop *there was a thick layer of dust/a layer of dust as thick as your hand on it.*
handdoek ⟨de (m.)⟩ **0.1** *towel* **♦ 3.1** de ~ in de ring werpen ⟨ook fig.⟩ *throw in the t./sponge.*
handdoek(en)rekje ⟨het⟩ **0.1** *towel rack/rail/horse.*
handdoekenstof ⟨de⟩ **0.1** *towelling* ⇒*terry(cloth).*
handdoekrol ⟨de⟩ **0.1** *roller towel.*
handdouche ⟨de⟩ **0.1** *hand shower* ⇒*shower attachment.*
handdraaier ⟨de (m.)⟩ **0.1** *turner.*
handdroog ⟨bn.⟩ **0.1** *hand-dry.*
handdruk ⟨de (m.)⟩ **0.1** [het drukken/schudden van de hand] ⟨schudden⟩ *handshake* ⇒⟨als teken van genegenheid enz.⟩ *squeeze of the hand,* ⟨krachtig⟩ *hand-grasp/-clasp* **0.2** [afdruk] *blockprint* ⇒⟨procedé⟩ *block printing* **♦ 2.1** ⟨fig.⟩ een gouden ~ *a golden h.;* een hartelijke ~ *a cordial/warm h.* **3.1** iets met een ~ bezegelen *shake hands on sth..*
handdrukking →**handdruk 0.1.**
handdynamo ⟨de (m.)⟩ **0.1** [kleine dynamo] *hand-dynamo* **0.2** [knijpkat] *hand-dynamo torch* [A]*flashlight.*
handeg(ge) ⟨de⟩ **0.1** *hand-harrow.*
handel
  I ⟨de (m.)⟩ **0.1** [het kopen en verkopen] *trade* ⇒*trading, business,* ⟨ihb. mbt. internationale handel⟩ *commerce,* ⟨ihb. illegale waren⟩ *traffic(king)* **0.2** [handelszaak] *business* ⇒*trade,* ⟨transactie⟩ *transaction, deal* **0.3** [handelswaar] *merchandise* ⇒*goods* **0.4** [handelsverkeer] *trade* ⇒*business,* ⟨markt⟩ *market,* ⟨mbt. de beurs⟩ *trading, dealing* **0.5** [handelaars] *trade* ⇒*traders dealers,* [↑]*commercial/ business community* **0.6** [⟨vaak in samenst.⟩ onderneming die handel drijft] *business* ⇒⟨winkel⟩ *shop,* [A]*store* **♦ 1.6** boekhandel *bookshop,* [A]*bookstore;* ⟨het handelen in boeken⟩ *the book trade/business;* melkhandel *dairy* **1.¶** iemands ~ en wandel nagaan *investigate/look into/examine s.o.'s conduct/life/doings and dealings* **2.1** binnenlandse ~ *home/internal/domestic trade;* buitenlandse ~ *foreign/external commerce/trade;* distribuerende ~ *distributive trades;* eerlijke ~ *bona-fide trade;* effectieve ~ *effective trade;* overzeese ~ *oversea(s)/ ocean commerce/trade;* speculatieve ~ *speculative trade/dealings/ trading;* zwarte ~ *black market* **2.3** ⟨fig.⟩ hij bracht de hele ~ mee *he brought the whole shoot(ing match)/everything but the kitchensink/*

the whole caboodle **2.4** de ~ is flauw *business/the market is slow/quiet /slack/sheggish;* een levendige ~ *brisk/lively trade;* vrije ~ *free trade* **3.1** zijn eigen ~ bederven *spoil one's own nest;* de ~ bloeit/kwijnt *trade/business is flourishing/declining;* ~ drijven *trade (with), do/ transact business (with), carry on/conduct trade/business (with), have commercial dealings (with);* ~ gaan drijven *engage in trade;* de ~ vrijlaten/vrijgeven *decontrol trade* **3.2** je moet er geen ~ van maken *don't turn/reduce everything to a business transaction;* een uitvinding waar ~ in zit *an invention with commercial possibilities* **3.3** hij nam wat ~ mee *he took along some m.* **6.1** de ~ **in** graan *the corn-trade, corn-trading;* **in** de ~ gaan *go into/engage in/enter (in/upon) business, go into commerce, take up a commercial career;* de ~ **in** blanke slavinnen *the white slave trade, trafficking/trading in white slaves;* ~ **in** verdovende middelen *drug trafficking;* **in** de ~ komen *come on(to) the market;* **in** de ~ zijn/zitten *(personen) be in business* **6.4** iets in de ~ brengen *put/place/introduce/launch sth. on(to) the market;* een artikel dat niet meer in de ~ is *an article that is no longer on/has been taken off the market;* niet **in** de ~ *(titel) Not for Sale, for Private circulation;* de ~ **op** Rusland *the Russian trade, the trade to/with Russia;* een boek **uit** de ~ nemen *take a book off/withdraw a book from the market, remove/scrap a book from the publisher's list/catalogue;* dat is goed **voor** de ~ *that is good for trade/business* **6.6** een ~ **in** lompen en oude metalen *a rag and bone business, a scrap merchant's* **6.¶** ⟨jur.⟩ zaken **buiten** de ~ *things that cannot be objects of ownership/ subjects of commerce, things/res extra commercium;* ⟨jur.⟩ zaken **in** de ~ *ownable things, things/res in commercio* **¶.5** de ~ was tegen tariefsverhoging *business interests/the trade/the trading community opposed a rise in tariffs;*
II ⟨het, de (m.)⟩ **0.1** ⟨Eng.⟩] *handle, lever* ♦ **3.1** een ~ overhalen/ verzetten *pull/throw a h./l..*
handelaar ⟨de (m.)⟩ **0.1** *trader* ⇒ ⟨mbt. groothandel, handel op buitenland⟩ *merchant, dealer* ⟨in bepaald artikel⟩, ⟨pej.⟩ *trafficker* ♦ **6.1** een ~ **in** tweedehandsboeken *dealer in second-hand books, a second-hand bookseller.*
handelbaar ⟨bn.⟩ **0.1** [gemakkelijk te hanteren] *handy* ⇒ *easy to manage/handle* ⟨iets zwaars/groots⟩, *manoeuvrable* ⟨auto, schip⟩ **0.2** [mbt. stoffen] *workable* ⇒ ⟨buigzaam⟩ *pliant, flexible, ductile* ⟨zacht metaal, klei enz.⟩, *manageable* ⟨haar⟩ **0.3** [mbt. personen/dieren] *manageable* ⇒ *tractable, (com)pliant,* ⟨gedwee⟩ *docile,* ⟨beheersbaar⟩ *governable, controllable.*
handelbaarheid ⟨de (v.)⟩ **0.1** [gemakkelijke hanteerbaarheid] *handiness* ⇒ *manageability, ease of handling, manoeuvrability* **0.2** [mbt. stoffen] *workability* ⇒ ⟨buigzaam⟩ *flexibility, pliancy, pliability, tractability, malleability, ductility* ⟨zacht metaal, klei enz.⟩ **0.3** [mbt. personen/dieren] *manageability* ⇒ *tractability, (com)pliancy,* ⟨gedwee⟩ *docility, amenability,* ⟨beheersbaar⟩ *governability.*
handeldrijven ⟨ww.⟩ **0.1** *trading* ⇒ *dealing, conduction of trade,* ⟨pej.⟩ *trafficking.*
handelen ⟨onov.ww.⟩ **0.1** [handel drijven] *trade* ⇒ *do/transact business, carry on/conduct trade/business, deal,* ⟨pej.⟩ *traffic* **0.2** [daad verrichten] *act* ⇒ *take action, proceed* **0.3** [behandelen] *treat (of)* ⇒ *deal (with), be (on)* **0.4** ⟨dram.⟩] *act* ⇒ *perform* ♦ **1.2** vrijheid van ~ *freedom/liberty of action,* ↓*a free hand* **1.4** de ~de personen *the characters, the dramatis personae* **3.2** er moet gehandeld worden *action is called for, sth. must be done;* ~d optreden *take action* **5.2** consequent ~ *be consistent;* hij dacht juist/verstandig te ~ *he thought he was acting wisely, he thought he was doing the right thing;* overijld/zonder overleg ~ *a. hastily/without thought/on impulse, rush one's fences;* we moeten snel ~ *we must take prompt/immediate action* **6.1** hij handelt **in** drugs *he traffics in drugs;* ⟨sl.⟩ *he pushes drugs;* **in** een artikel ~ *t. in /deal in/sell an article;* ⟨pej.⟩ *traffic in an article;* onze firma handelt vooral **op** Engeland *our firm trades principally to/with England* **6.2** in drift/**uit** wraak ~ *a. out of/in passion/a. out of/in revenge;* **naar** eigen goeddunken ~ *a./do as one thinks fit, use one's discretion;* ⟨pej.⟩ be a *law unto s.o.;* ik zal **naar** eer en geweten ~ *I shall a. in all conscience;* ze handelde **naar** zijn advies *she acted on his advice;* ze handelden **volgens** zijn instructies *they acted/proceeded according to/as per his instructions* **6.3** de redevoering zal ~ **over** een onderwerp uit de sterrenkunde *the speech will deal with/treat (of)/be on a subject from the field of astronomy* **¶.2** ~ overeenkomstig/in overeenkomst met zijn principes *a./live up to one's principles;* zonder aanziens des persoons ~ *a. irrespective/without respect of persons, be no respecter of persons.*
handeling ⟨de (v.)⟩ **0.1** [daad] *act* ⇒ *deed,* ⟨mv. ook⟩ *dealings, doings, manoeuvre, operation* **0.2** [verslag van een vergadering] *proceedings* ⇒ *transactions, report,* ⟨notulen⟩ *minutes* **0.3** [beraadslaging] *discussion* ⇒ *deliberation, consultation* **0.4** ⟨lit.⟩ *action, plot* ♦ **1.2** ⟨bijb.⟩ de Handelingen der Apostelen *the Acts of the Apostles;* de Handelingen van het Congres *the Congressional Record;* de Handelingen van het Filologisch Genootschap *the Transactions of the Philological Society;* Handelingen van de Tweede Kamer der Staten-Generaal ≠*Hansard of the Dutch Lower House of the States-General* **1.4** eenheid van ~ *unity of a.;* de plaats van ~ *the scene (of the a.)* **2.1** met een

paar eenvoudige ~en is de fiets uit elkaar te halen *only a few simple operations are needed to take the bicycle apart;* een onrechtmatige ~ *an unlawful a.;* onzedelijke ~en plegen *commit immoral/indecent/ obscene acts;* de vaste ~en bij het naar bed gaan *bedtime routine* **2.2** parlementaire ~en *parliamentary proceedings/record* **3.1** ~en verrichten *perform actions/acts,* ↓*do things* **3.4** de ~ valt in de zomer *the a. takes place in the summer* **6.3** ~en **over** de herziening van de grondwet *debates/discussions/negotiations on the amendment of the constitution.*
handelingsbekwaam ⟨bn.⟩ ⟨jur.⟩ **0.1** *capable of acting* ⇒ *capable of contracting, of (full) legal capacity.*
handelingsbekwaamheid ⟨de (v.)⟩ ⟨jur.⟩ **0.1** *(full) legal capacity* ⇒ *contractual capacity, legal competence.*
handelingsimpuls ⟨de (m.)⟩ **0.1** *impulse to act.*
handelingsmotief ⟨het⟩ **0.1** *motive to act* ♦ **1.1** onderzoek naar gedrags- en handelingsmotieven *an investigation into motives of behaviour and action.*
handelmaatschappij ⟨de (v.)⟩ **0.1** *trading/commercial company.*
handelsaangelegenheid ⟨de (v.)⟩ **0.1** *business affair/matter.*
handelsadresboek ⟨het⟩ **0.1** *business/trade directory.*
handelsagent ⟨de (m.)⟩ **0.1** *commercial agent* ⇒ *business/mercantile agent, commission merchant.*
handelsakkoord ⟨het⟩ **0.1** *trade agreement* ⇒ *commercial treaty/accord.*
handelsartikel ⟨het⟩ **0.1** *commodity* ⇒ *article of commerce/trade/merchandise,* ⟨mv. ook⟩ *goods, merchandise.*
handelsattaché ⟨de⟩ **0.1** *commercial attaché* ⇒ *trade commissioner.*
handelsbalans ⟨de⟩ **0.1** ⟨ec.⟩] *balance of trade* ⇒ *trade balance* **0.2** [balans van een koopman] *balance sheet* ♦ **2.1** een actieve ~ *a favourable /an active balance of trade/trade balance, balance of trade surplus;* een passieve ~ *an unfavourable/adverse/a passive balance of trade/ trade balance, balance of trade deficit.*
handelsbank ⟨de⟩ **0.1** *commercial/trade bank* ⇒[B]*merchant bank,* ⟨voor buitenlandse handel⟩ *foreign trade bank.*
handelsbarrière ⟨de⟩ **0.1** *trade barrier.*
handelsbediende ⟨de⟩ **0.1** *mercantile/merchant's clerk* ⇒ *commercial employee.*
handelsbelang ⟨het⟩ **0.1** *business/trade/trading/commercial interest.*
handelsbelemmering →**handelsbarrière.**
handelsbericht ⟨het⟩ **0.1** *market/commercial/trade report* ⇒ ⟨in krant⟩ *commercial/business news, market/commercial intelligence.*
handelsbetrekkingen ⟨zn.mv.⟩ **0.1** *trade/commercial relations/ ties* ♦ **3.1** ~en onderhouden met iem. *maintain trade/c. relations with s.o.* **6.1** zij hebben veel ~ **met** Rusland *they have many c. ties with Russia.*
handelsbeurs ⟨de⟩ **0.1** *commodity/produce exchange.*
handelsblad ⟨het⟩ **0.1** *trade journal* ⇒ *trade/commercial (news)paper.*
handelsbrief ⟨de (m.)⟩ **0.1** *business/commercial letter.*
handelsbureau ⟨het⟩ **0.1** *trade information office;* ⟨mbt. kredietwaardigheid⟩ *status inquiry agency.*
handelscentrum ⟨het⟩ **0.1** *trade centre* ⇒ *trading/commercial centre, centre of trade/commerce.*
handelscompagnie ⟨de (v.)⟩ **0.1** *trading company* ⇒ *commercial company.*
handelscorrespondent ⟨de (m.)⟩ **0.1** *business/commercial correspondent* ⇒ *correspondence clerk.*
handelscorrespondentie ⟨de (v.)⟩ **0.1** *commercial/business/mercantile correspondence* ♦ **6.1** een cursus in ~ *a course in c./b./m.c..*
handelscrisis ⟨de (v.)⟩ **0.1** *commercial/economic/trade crisis.*
handelscursus ⟨de (m.)⟩ **0.1** *commercial/business course.*
handelsdelegatie ⟨de (v.)⟩ **0.1** *trade delegation/mission.*
handelseditie ⟨de (v.)⟩ **0.1** *commercial edition.*
handelseffect ⟨het⟩ **0.1** *commercial instrument* ⇒ *commercial paper.*
handelsembargo ⟨het⟩ **0.1** *trade embargo.*
handelsfirma ⟨de⟩ **0.1** *trading/business/commercial firm/house* ⇒ *firm of traders.*
handelsgebied ⟨het⟩ **0.1** *area/field/branch of commerce/business/trade* ♦ **6.1** op ~ *in business affairs/commercial matters.*
handelsgebruik ⟨het⟩ **0.1** *business/commercial/mercantile/trade custom /practice/usage.*
handelsgeest ⟨de (m.)⟩ **0.1** *spirit of commerce* ⇒ *mercantile spirit,* ⟨zakeninstinct⟩ *business instinct/acumen* ♦ **3.1** ~ bezitten ⟨zakeninstinct⟩ *have a good business instinct,* ↓*have a knack/nose/flair/good head for business.*
handelsgewas ⟨het⟩ **0.1** *commercial crop* ⟨vnl. AE; mv.⟩ *cash crops.*
handelshaven ⟨de⟩ **0.1** *trading/commercial/mercantile port.*
handelshuis ⟨het⟩ **0.1** *business/mercantile house* ⇒ *firm, commercial establishment.*
handelsjargon ⟨het⟩ **0.1** *commercial/business jargon* ⇒ *commercialese.*
handelskamer ⟨de⟩ **0.1** [coöperatieve vereniging] *producers' cooperative* **0.2** ⟨jur.⟩] *Commercial Court.*
handelskantoor ⟨het⟩ **0.1** *business/merchant's office.*
handelskapitaal ⟨het⟩ **0.1** *trading capital* ⇒ *business capital.*
handelskapitalisme ⟨het⟩ **0.1** *commercial capitalism.*

handelskennis ⟨de (v.)⟩ **0.1** *commercial/business knowledge, knowledge of commerce/business* ⇒*business methods/technique, theory/technique/machinery of business, commercial practice, practice of commerce.*

handelskrediet ⟨het⟩ **0.1** [krediet voor geld- en goederenverkeer] *commercial credit* ⇒*business/trade credit/loan* **0.2** [krediet geopend door een handelaar] *supplier's credit.*

handelskringen ⟨zn.mv.⟩ **0.1** *trade/business circles* ⇒*the commercial/business community* ◆ **6.1 in** ~ *in/among t. c..*

handelsluchtvaart ⟨de⟩ **0.1** *commercial aviation.*

handelsmaat ⟨de⟩ **0.1** *trade size.*

handelsmaatschappij →**handelmaatschappij.**

handelsmacht ⟨de⟩ **0.1** [macht mbt. de handel] *commercial power* **0.2** [staat] *trading nation/power.*

handelsmagnaat ⟨de (m.)⟩ **0.1** *business tycoon/magnate* ⇒*merchant prince.*

handelsman ⟨de (m.)⟩ **0.1** *businessman* ⇒*commercialist,* ⟨vnl. BE⟩ *City man.*

handelsmerk ⟨het⟩ **0.1** *trademark* ⇒⟨benaming⟩ *brand name, proprietary name/term* ◆ **2.1** gedeponeerd ~ *registered t..*

handelsmissie ⟨de (v.)⟩ **0.1** *trade mission/delegation.*

handelsmonopolie ⟨de (v.)⟩ **0.1** *trade monopoly.*

handelsnaam ⟨de (m.)⟩ **0.1** [mbt. handelaar] *(trading) name* ⇒*business name, style* **0.2** [mbt. een artikel] *trade name* = ⟨merk⟩ *brand name.*

handelsnatie →**handelsmacht 0.2.**

handelsnederzetting ⟨de (v.)⟩ **0.1** *trading post/station* ⇒*trade settlement.*

handelsonderneming ⟨de (v.)⟩ **0.1** *commercial/business enterprise.*

handelsonderwijs ⟨het⟩ **0.1** *commercial/business education/training.*

handelsoorlog ⟨de (m.)⟩ **0.1** *trade war.*

handelsovereenkomst ⟨de (v.)⟩ **0.1** *trade agreement/pact.*

handelspapier ⟨het⟩ **0.1** *commercial/mercantile paper* ⇒*commercial instruments/documents* ⟨mv.⟩, ⟨wissels ook⟩ *trade paper.*

handelspartner ⟨de (m.)⟩ **0.1** *business/trading partner.*

handelspolitiek¹ ⟨de (v.)⟩ **0.1** *commercial/trading/trade policy.*

handelspolitiek² ⟨bn.⟩ **0.1** *relating to trade/commercial policy* ◆ **1.1** een ~ *doel a commercial aim.*

handelsprijs ⟨de (v.)⟩ **0.1** *trade price.*

handelsprodukt ⟨het⟩ **0.1** *commercial/trading product/item.*

handelsrecht ⟨het⟩ **0.1** *commercial law* ⇒*mercantile law, law merchant.*

handelsregister ⟨het⟩ **0.1** *company/commercial/trade register* ⇒ᴬ*Registry of Companies,* ᴬ*Corporations.*

handelsreiziger ⟨de (m.)⟩ **0.1** *commercial traveller, sales representative* ᴬ*travelling salesman* ⇒⟨inf.⟩ *rep.,* ⟨vnl. AE;inf.⟩ *drummer.*

handelsrekenen ⟨ww.⟩ **0.1** *commercial arithmetic.*

handelsrelatie ⟨de (v.)⟩ **0.1** [persoon] *correspondent; business acquaintance* **0.2** [⟨vnl. mv.⟩ handelsbetrekkingen] (→**handelsbetrekkingen**).

handelsschool ⟨de⟩ **0.1** *commercial school/college,* ᴬ*trade school.*

handelsstad ⟨de⟩ **0.1** *commercial/mercantile/trading town/centre.*

handelsstelsel ⟨het⟩ **0.1** *trade system.*

handelstaal ⟨de⟩ **0.1** *business language* ⇒*language of commerce,* ⟨jargon⟩ *commercialese, business slang.*

handelstekort ⟨het⟩ **0.1** *trade deficit.*

handelsterm ⟨de (m.)⟩ **0.1** *business term* ⇒*trade/commercial/mercantile term.*

handelstransactie ⟨de (v.)⟩ **0.1** *business/commercial/trading/trade transaction* ⇒*business deal,* ⟨mv. ook⟩ *business/commercial dealings.*

handelsusance ⟨de (v.)⟩ **0.1** *commercial/trade practice/custom/code.*

handelsvennootschap ⟨de (v.)⟩ **0.1** *commercial/trading company* ᴬ*corporation.*

handelsverdrag ⟨het⟩ **0.1** *commercial treaty/contract* ⇒*trade treaty/agreement/alliance.*

handelsvereniging ⟨de (v.)⟩ **0.1** *trading association* ⇒*commercial/trading company* ᴬ*corporation.*

handelsverkeer ⟨het⟩ **0.1** *trade* ⇒*business, commercial/trade intercourse, business transactions/dealings/traffic.*

handelsvlag ⟨de⟩ **0.1** *merchant flag* ⇒ᴮ*Red ensign.*

handelsvloot ⟨de⟩ **0.1** *merchant/trading fleet* ⇒*merchant/mercantile marine, merchant navy.*

handelsvolk ⟨het⟩ **0.1** *mercantile/trading nation.*

handelsvrijheid ⟨de (v.)⟩ **0.1** *freedom of trade.*

handelswaar ⟨de⟩ **0.1** *commodity* ⇒*article,* ⟨niet-telbaar⟩ *merchandise,* ⟨enkel mv.⟩ *goods.*

handelswaarde ⟨de (v.)⟩ **0.1** *commercial/economic value* ⇒*market/salable/street value.*

handelsweg ⟨de (m.)⟩ **0.1** *trade route* ⇒ ⟨ihb. mbt. scheepvaart⟩ *shipping route.*

handelswereld ⟨de⟩ **0.1** *business/commercial world* ⇒*commercial/business mercantile/trading community.*

handelswetenschap ⟨de (v.)⟩ **0.1** *commercial science.*

handelswetgeving ⟨de (v.)⟩ **0.1** *commercial legislation.*

handelszaak ⟨de⟩ **0.1** [mbt. de handel] *business affair* ⇒*business matter, trade/commercial matter* **0.2** [firma] *business (concern)* ⇒*firm.*

handeltje ⟨het⟩ **0.1** [het verhandelen] *deal* ⇒*job* **0.2** [goederen] *lot.*

handelwijs ⟨de⟩ **0.1** [wijze van handelen] *procedure* ⇒*method, policy, course (of action)* **0.2** [gedrag] *conduct* ⇒*behaviour, way of behaving* ◆ **2.2** een slinkse ~ *underhand dealings, a deceitful way of going about things* **3.1** een ~ volgen *follow/adopt/pursue a procedure/course of action.*

handenarbeid ⟨de (m.)⟩ **0.1** [met de handen verricht werk] *manual labour/work* ⇒⟨handvaardig⟩ *handiwork, hand(i)craft* **0.2** [bezigheden mbt. de handvaardigheid] *hand(i)craft* ⇒*industrial art, manual training/instruction, sloyd/slojd/sloid* ⟨vnl. met hout⟩.

handenbinder ⟨de (m.)⟩ **0.1** *tie* ◆ **3.1** kleine kinderen zijn ~s *little children are a tie.*

hand- en spandiensten ⟨zn.mv.⟩ **0.1** *assistance, services* ⇒*odd jobs, errands* ⟨ook pej.⟩ ◆ **3.1** iem. ~ bewijzen *give/render s.o. every assistance;* ⟨scherts.⟩ *aid and abet s.o.;* ⟨pej.⟩ *fetch and carry for s.o., wait on/ ↓skivvy for s.o., be at s.o.'s beck and call, do s.o.'s dirty work, be s.o.'s errand-boy;* ⟨gesch.⟩ *perform arriage and carriage/suit and service for s.o..*

handenwringen ⟨ww.⟩ **0.1** *wringing of (the/one's) hands.*

handenwringend ⟨bn.⟩ **0.1** *wringing one's hands* ⇒⟨fig.⟩ *beside o.s. with sorrow/despair, imploring.*

handexemplaar ⟨het⟩ **0.1** *author's desk/copy.*

handgaren ⟨het⟩ **0.1** [naaigaren voor handgebruik] *sewing thread* ⇒*sewing cotton* **0.2** [uit de hand gesponnen garen] *handspun yarn.*

handgebaar ⟨het⟩ **0.1** [geste] *gesture* ⇒*motion/movement/wave/sweep of the hand,* ⟨ipv. spraak⟩ *gesticulation,* ⟨van goochelaar⟩ *pass* **0.2** [bewegingen met de handen] *gesticulation.*

handgeklap ⟨de (m.)⟩ **0.1** *clapping* ⇒*applause* ◆ **2.1** traag ~ naar aanleiding van een slecht toneelstuk *slow handclap in reaction to a bad play.*

handgeknoopt ⟨bn.⟩ **0.1** *hand-knotted.*

handgeld ⟨het⟩ **0.1** [geld als onderpand bij een overeenkomst] *earnest (money)* ⇒*han(d)sel,* ⟨premie betaald aan nieuwe rekruut⟩ *bounty, King's/Queen's shilling* **0.2** [eerste geld ontvangen door winkelier] *first money of the day, start* ◆ **3.2** iem. wat ~ geven *give s.o. a s..*

handgemeen¹ ⟨het⟩ **0.1** *(hand-to-hand) fight* ⇒*scuffle, scrap, set-to,* ⟨sl.⟩ *punch-up.*

handgemeen² ⟨bn.⟩ ◆ **3.¶** ~ raken *come to blows, fall/resort to fisticuffs, join (in) the fray, get involved in a scuffle/scrap;* ~ zijn *be at grips/at close quarters* ⟨met vijand⟩; *grapple, scuffle.*

handgereedschap ⟨het⟩ **0.1** *(trademan's) tools.*

handgeschakeld ⟨bn.⟩ **0.1** *hand-change.*

handgestopt ⟨bn.⟩ ⟨atletiek⟩ **0.1** *manually clocked, hand timed* ◆ **1.1** ~ e tijd *hand time.*

handgevormd ⟨bn.⟩ **0.1** *handmade* ⇒*hand-formed/-worked/-moulded.*

handgewricht ⟨het⟩ **0.1** [gewricht tussen onderarm en hand] *wrist(-joint)* **0.2** [gewricht in de hand] *hand joint.*

handgift ⟨de⟩ **0.1** [geschenk van hand tot hand] *earnest (money)* ⇒*hand(s)el* **0.2** [eerste geld door winkelier ontvangen] *first money of the day, start.*

handgranaat ⟨de⟩ **0.1** *(hand-)grenade* ⇒*Mills bomb,* ⟨sl.⟩ *(pine)apple.*

handgreep
   I ⟨de⟩ **0.1** [handvat] *handle* ⇒*haft* ⟨van gereedschap⟩, *hilt* ⟨van zwaard⟩, *grip* ⟨van stuur/camera⟩, *handrail, grabrail, banister* **0.2** [een handvol] *handful;*
   II ⟨de (m.)⟩ **0.1** [handigheid] *method of operation* ⇒*correct procedure* **0.2** [listige handeling] *trick* ⇒*dodge, manoeuvre, wrinkle* ◆ **1.1** de handgrepen van het geweer *manual (exercise), arms/rifle drill.*

handhaven
   I ⟨ov.ww.⟩ **0.1** [in stand houden] *maintain* ⇒⟨kwaliteit, peil ook⟩ *keep up,* ⟨orde ook⟩ *keep, preserve, uphold* ⟨een traditie, de wet, een besluit⟩, *live up to, make good* ⟨reputatie⟩, *assert* ⟨onafhankelijkheid⟩, *vindicate* ⟨rechten⟩, *enforce* ⟨een reglement, verbod⟩ **0.2** [niet terugnemen] *maintain* ⇒*stand by, continue, not retract, sustain, confirm* ⟨een beslissing⟩, ⟨niet ontslaan⟩ *retain/continue (in office), keep on* ⟨personeel⟩ ◆ **1.1** de orde/een beginsel/de Grondwet ~ *maintain order/live up to a principle/uphold the Constitution* **1.2** zijn bezwaren ~ *stand by one's objections* **3.2** het oorspronkelijke vonnis blijft gehandhaafd *the original verdict remains in force;* mijn bezwaren blijven gehandhaafd *my objections still stand;*
   II ⟨wk.ww.; zich ~⟩ **0.1** [zich staande houden] *hold one's own* ⇒*stand/hold one's around, maintain o.s./one's position, keep up one's end* ◆ **5.1** vele kleine ondernemers konden zich moeilijk ~ *many small businessmen found it hard to hold their own/keep their heads above water* **6.1** de gulden heeft zich niet kunnen ~ **tegen** de dollar *the guilder could not hold up against the dollar/lost ground against the dollar.*

handhaver ⟨de (m.)⟩, **-haafster** ⟨de (v.)⟩ **0.1** *maintainer* ⇒*upholder* ⟨van de wet/een besluit⟩, *vindicator* ⟨van rechten, claims⟩, *enforcer* ⟨van een verbod⟩ ◆ **1.1** ~ van het recht *upholder of justice.*

handhaving ⟨de (v.)⟩ **0.1** *maintenance* ⇒⟨in stand houden⟩ *upholding,* *preservation,* ⟨aanhouden⟩ *retention, continuance, assertion* ⟨van rechten, claims⟩, *enforcement* ⟨van een wet, verbod⟩, ⟨rechtvaardiging⟩ *vindication.*

handicap ⟨de (m.)⟩ **0.1** [gebrek] *handicap* ⇒*disability* **0.2** [belemmering, hindernis] *handicap* ⇒*impediment* **0.3** [⟨sport⟩] *handicap* ◆ **2.2** een ernstige ~ *a serious h. / impediment, a millstone round one's neck* **3.3** een paard een~ geven *handicap / penalize a horse* **6.1** speciale voorzieningen voor mensen **met** een~ *special facilities for the disabled / handicapped* **6.2** zijn vliegangst is een~ **in** zijn carrière *his fear of flying is a h. in his career.*

handicappen ⟨ov.ww.⟩ **0.1** *handicap* ⇒*penalize.*

handicaprace ⟨de (m.)⟩ **0.1** *handicap (race).*

handig ⟨bn., bw.; -ly⟩ **0.1** [behendig] *skilful* ⇒ ⟨vaardig met de handen⟩ *deft, dexterous, clever (with one's hands), handy* ⟨ihb. mbt. een manusje van alles⟩, ⟨sl.⟩ *nimble(-fingered/-footed)* **0.2** [gewiekst] *clever* ⇒*adroit,* ↓*slick, glib, smart* ⟨prater⟩, ⟨tactisch⟩ *tactful* **0.3** [gemakkelijk te hanteren] *handy* ⇒*convenient,* ⟨nuttig⟩ *practical, useful,* ↓*nifty* ◆ **1.1** een~ apparaatje *a handy doodad, a neat / nifty gadget;* ⟨sl.⟩ *a wheeze* **1.2** zo'n ding is heel~ in huis *a thing like that comes in very handy in the home;* een ~e jongen *a slick / smart / smooth customer / operator,* ^A*a clip* **1.3** een~ formaat *a h. size* **3.1** iets~ doen *do sth. dexterously / deftly / neatly;* ~ gedaan! *neatly done!, good / nice job!;* het ~ spelen / aanpakken *play it smart* **3.2** hij legde het~ aan *he set about it cleverly, he was very clever / smart about it;* toch was dit niet zo~ van haar *that was n't very c. / tactful of her, all the same* **3.3** dat gaat~ met zo'n machine *it's a cinch* ^A*breeze with a machine like that* **6.1** ~ **in / met** iets zijn *be good / handy at sth., be good / handy at sth., be no slouch at sth., be clever / adroit / s. at / in sth..*

handigheid ⟨de (v.)⟩ **0.1** [behendigheid] *skill* ⇒*dexterity, deftness* **0.2** [foefje] *knack* ⇒*trick, wrinkle, dodge* **0.3** [hanteerbaarheid] *handiness* ⇒*convenience* ◆ **1.1** het is allemaal een kwestie van~ *it's all a matter of s., you've got to have the knack (for it)* **6.2** zich **met** een ~ je weten te redden *manage to wriggle out of sth..*

handigjes ⟨bw.⟩ **0.1** *skilfully* ⇒*deftly, dexterously, adroitly,* ⟨gewiekst⟩ *cleverly, smartly..*

handje ⟨het⟩ **0.1** [kleine hand] *(little) hand* **0.2** [handdruk] *hand(shake)* ◆ **3.2** ~s geven *shake / pump hands* **3.¶** een~ van iets hebben *have a way / trick / knack of doing sth., be fond of doing sth., be apt to do sth.;* een~ helpen *give / lend / * ^↑*bear a (helping) hand; give s.o. a boost / bunk-up / leg-up* (om over iets heen te klimmen); de ~s laten wapperen *get busy / cracking, show a leg* **6.1 aan** het~ lopen van iem. ⟨fig.⟩ *be tied to s.o.'s apron-strings;* schoon **in** 't~ *net; after deductions* ⟨mbt. loon(zakje)⟩; zeg maar dag **met** je~ *you can say / kiss goodbye to it, you can kiss it goodbye, you can forget it* **6.¶** hij is **van** het~ ⟨homofiel⟩ *he is one of them / gay / queer / a fairy* **¶.¶** ⟨inf.⟩ ~ contantje betalen *pay cash on the nail / cash down.*

handjeklap ⟨het⟩ **0.1** [mbt. het loven en bieden] *clapping hands* ⇒*striking of a bargain* **0.2** [spelletje] *pat-a-cake* **0.3** [mbt. homosexualiteit] *gay, queer* ⇒*one of them* ◆ **3.1** ~ spelen *clap hands, dicker* **3.3** ~ spelen / zijn *be gay / a fairy / a faggot, be one of them* **3.¶** ~ spelen met *be hand in glove with, be in league with.*

handjevol ⟨het⟩ **0.1** *a (mere / only a) handful* ◆ **1.1** een~ mensen *a mere h. of people.*

handkar ⟨de⟩ **0.1** *handcart* ⇒ ⟨tweewielig⟩ *barrow.*

handklavier ⟨het⟩ **0.1** *manual.*

handkleppers ⟨zn.mv.⟩ **0.1** *castanets.*

handkoffer ⟨de (m.)⟩ **0.1** *(small) travelling case* ⇒ ⟨gemaakt vasn stof of zacht leer⟩ *hold-all.*

handkracht ⟨de⟩ **0.1** *manual / hand power* ◆ **3.1** ~ gebruiken voor de graafwerkzaamheden *use manpower for the excavation.*

handkus ⟨de (m.)⟩ **0.1** [kus op de hand] *kiss on the hand* **0.2** [kushand] *hand(-blown) kiss* ◆ **3.1** iem. een~ geven *kiss s.o.'s hand* **3.2** iem. ~ jes geven *blow / throw / send / waft kisses to s.o., kiss one's hand to s.o.* **6.1 tot** de ~ worden toegelaten ⟨bij vorst(in)⟩ *kiss hands, kiss the king's / queen's hand.*

handlanger ⟨de (m.)⟩, -**langster** ⟨de (v.)⟩ **0.1** [medeplichtige] *accomplice* ⇒*confederate,* ⟨persoon als werktuig⟩ *tool, creature,* ⟨trawant⟩ *henchman, stooge* **0.2** [helper] *assistant* ⇒*helper, mate* ⟨van een vakman⟩, ⟨opperman⟩ *bricklayer's / * ↓*brickie's labourer,* ⟨pej.⟩ *dogsbody, skivvy,* ⟨AE; ongeschoolde arbeider⟩ *roustabout* ◆ **1.2** de ~ van een straatmaker *the paviour's a., a journeyman paviour.*

handlangersdienst ⟨de (m.)⟩ **0.1** *aiding and abetting* ⇒ ⟨werk verricht voor een ander⟩ *fetching and carrying, donkey work,* ⟨pej.⟩ *dirty work.*

handleiding ⟨de (v.)⟩ **0.1** [hulp(middel)] *manual* ⇒*guide(book), handbook,* ⟨studieboek⟩ *textbook, primer* **0.2** [gebruiksaanwijzing] *manual* ⇒*directions / instructions (for use), instruction (operating) booklet / leaflet* ◆ **2.2** een volledige~ *full instructions.*

handlezen ⟨ww.⟩ **0.1** *palmistry* ⇒*palm-reading, chiromancy.*

handlezer ⟨de (m.)⟩ **0.1** *palm reader, chiromancer.*

handlichting ⟨de (v.)⟩ **0.1** [⟨jur.⟩] *emancipation* **0.2** [opheffing van beslag] *removal / lifting / raising of a distraint* ◆ **2.1** beperkte / algehele~ *restricted / total e.* **3.1** iem. ~ verlenen *declare / pronounce s.o. of age, declare a major, emancipate s.o..*

handlier ⟨de⟩ **0.1** *hand-winch.*

handlijn ⟨de⟩ **0.1** *line in the hand.*

handlijnkunde ⟨de (v.)⟩ **0.1** *palmistry* ⇒*chiromancy.*

handlijst ⟨de⟩ ⟨amb.⟩ **0.1** *hand-rail, banister(s).*

handlobbig ⟨bn.⟩ ⟨biol.⟩ **0.1** *palmately lobed.*

handloep ⟨de⟩ **0.1** *magnifying glass* ⇒*h. / pocket lens.*

handmixer ⟨de (m.)⟩ **0.1** *portable / hand mixer.*

handmof ⟨de⟩ **0.1** *muff.*

handmolen ⟨de (m.)⟩ **0.1** *hand-mill* ⇒ ⟨van steen voor graan⟩ *quern.*

handnervig ⟨bn.⟩ ⟨biol.⟩ **0.1** *palmate(ly)-veined, with palmate venation.*

handomdraai ⟨de (m.)⟩ ◆ **6.¶ in** een~ *in a trice / (less than) no time, in two shakes / (half) a shake, in the twinkling of an eye.*

handoplegger ⟨de (m.)⟩ **0.1** *layer on of hands* ⇒ ⟨genezer ook⟩ *faith healer.*

handoplegging ⟨de (v.)⟩ **0.1** *laying on / imposition of hands* ⇒ ⟨genezing ook⟩ *faith healing.*

handopsteken ⟨ww.⟩ **0.1** *show of hands* ◆ **6.1 met / bij** ~ stemmen *vote by show of hands.*

handpalm ⟨de (m.)⟩ **0.1** *palm (of the hand)* ⇒*flat of the hand.*

handpeer ⟨de⟩ **0.1** *eating pear* ⇒*dessert pear, eater.*

handpenning ⟨de (m.)⟩ **0.1** ⟨jur.⟩ *earnest money* ⇒ ⟨BE; vero. of gew.⟩ *han(d)sel.*

handpers ⟨de⟩ **0.1** [apparaat om iets uit te persen] *hand-press* ⇒ ⟨citruspers⟩ *hand-squeezer* **0.2** [⟨druk.⟩] *hand-press.*

handpomp ⟨de⟩ **0.1** [kleine pomp] *hand-pump* ⇒*hand force pump* **0.2** [luchtpomp] *bicyclepump.*

handrasp ⟨de⟩ **0.1** [keukenapparaat] *hand-grater;* ⟨hout / metaalrasp⟩ *hand-rasp.*

handreiking ⟨de (v.)⟩ **0.1** [hulp] *help(ing hand)* ⇒*assistance* **0.2** [het toereiken van de hand] *extension of the hand* ⇒*reaching / extending one's hand* ◆ **2.1** dit was al een hele~ voor haar *even this was a great help / of great assistance to her* **6.2** de drenkeling werd **door** ~ gered *the drowning man / woman / child was rescued by willing hands.*

handrem ⟨de⟩ **0.1** *handbrake* ◆ **3.1** de~ afzetten *release the h..*

handrug ⟨de (m.)⟩ **0.1** *back of the / one's hand.*

hands[1] ⟨het⟩ ⟨sport⟩ **0.1** *hands* ⇒*handling (the ball)* ◆ **2.1** aangeschoten~ *accidental hands* **3.1** ~ maken *handle the ball.*

hands[2] ⟨bn.⟩ ⟨sport⟩ **0.1** *hands.*

handschaaf ⟨de⟩ ⟨amb.⟩ **0.1** *(hand) plane.*

handschakelaar ⟨de (m.)⟩ **0.1** *hand / manuel switch* ⇒*lever switch.*

handscherm ⟨het⟩ **0.1** *h. fire screen.*

handschoen ⟨de⟩ **0.1** *glove* ⇒ ⟨pantserhandschoen, rij- / motor- / werkhandschoen⟩ *gauntlet* ◆ **1.1** een paar~ en *a pair of gloves* **2.1** iem. met zijden / fluwelen~ en aanpakken *handle s.o. with kid / velvet sloves* **3.1** ⟨fig.⟩ de~ voor iem. opnemen *take up the gauntlet / cudgels for s.o., fight s.o.'s battles for him;* ⟨fig.⟩ de~ opnemen *take up the gauntlet / the challenge, accept the challenge;* ⟨fig.⟩ iem. de~ toewerpen *throw / fling down the gauntlet* **6.1** ⟨fig.⟩ **met** de~ trouwen *marry by proxy;* iem. **zonder** ~ tjes aanpakken *handle s.o. without mittens.*

handschoen(en)kastje ⟨het⟩ **0.1** *glove compartment* ⇒*glove-locker, glove box.*

handschrift ⟨het⟩ **0.1** [eigenhandig schrift] *handwriting* ⇒ ^↑*hand, writing* **0.2** [manier van schrijven] *handwriting* ⇒ ^↑*hand, writing,* ⟨mooi⟩ *penmanship* **0.3** [geschreven tekst] *manuscript* ⇒ ⟨door auteur zelf geschreven⟩ *autograph, holograph* **0.4** [kopij] *manuscript* ◆ **2.2** een duidelijk / onleesbaar / verdraaid~ *a good / legible hand, an illegible hand, a disguised hand;* een leesbaar~ hebben *write legibly, have legible handwriting / * ^↑*a legible hand* **6.1** een sollicitatiebrief **in** ~ *a hand-written letter of application* **6.3** een bundel gedichten **in** ~ *a collection of poems in m..*

handschriftenafdeling ⟨de (v.)⟩ **0.1** *manuscript department / section.*

handschriftkunde ⟨de (v.)⟩ **0.1** [paleografie] *palaeography* ^A*paleography* **0.2** [codicologie] *codicology* **0.3** [grafologie] *graphology.*

handschroef ⟨de⟩ ⟨tech.⟩ **0.1** *hand vice / * ^A*vise* ⇒ ⟨van spanklem⟩ *hand screw.*

handslag ⟨de (m.)⟩ **0.1** *slapping of hands, hand-slapping* ⇒ ⟨fig.⟩ *handshake* ◆ **6.1** ⟨iem.⟩ iets **met / op** ~ beloven *give (s.o.) one's hand on sth., slap hands (with s.o.) on sth.;* ≠*shake hands (with s.o.) on sth., shake on it;* iets **op** ~ verkopen *sell sth. by slapping hands.*

handsmeden ⟨ww.⟩ **0.1** *hand-forging.*

handspaak ⟨de (m.)⟩ **0.1** *handspike* ⇒*crowbar.*

handspiegel ⟨de (m.)⟩ **0.1** *hand-mirror, hand glass.*

handspier ⟨de⟩ **0.1** *hand muscle.*

handspletig ⟨bn.⟩ ⟨biol.⟩ **0.1** *palmatifid.*

handspuit ⟨de⟩ **0.1** *manual / hand-operated pump.*

handstand ⟨de (m.)⟩ ⟨sport⟩ **0.1** *handstand* ◆ **3.1** een~ doen *do a h., stand on one's hands.*

handstoffer ⟨de (m.)⟩ **0.1** *(hand) brush.*

handstrekker ⟨de (m.)⟩ ⟨anatomie⟩ **0.1** *hand extensor, muscle of the hand.*

handtam ⟨bn.⟩ **0.1** *tame* ⇒*trained to the hand* ◆ **1.1** ~ me parkieten *tame parakeets.*

handtas ⟨de⟩ **0.1** *(hand)bag,* ^A*pocketbook,* ^A*purse.*

handtastelijk ⟨bn.⟩ **0.1** [handgemeen] *(physically) violent* **0.2** [vrijpostig aanrakend] *free* ⇒*(over-)familiar, intimate* **0.3** [⟨fig.⟩ tastbaar] *palpable* ⇒*manifest, tangible, visible* ◆ **1.3** een ~ bewijs *tangible evidence* **3.1** ~ worden *become / get v., start throwing punches* **3.2** ~ worden *get intimate, paw s.o.;* ⟨vulg.⟩ *feel s.o. up;* ~ zijn *be unable to keep one's hands to o.s..*

handtastelijkheid ⟨de (v.)⟩ **0.1** [handgemeen] *(physical) violence* ⇒*scuffle* **0.2** [vrijpostige aanraking] *pawing* ⇒ ↑*familiarity, intimacy* **0.3** [⟨fig.⟩ tastbaarheid] *palpability* ⇒*tangibility* ◆ **3.1** het kwam tot handtastelijkheden *a fight broke out, a scuffle started / ensued, they fell to blows.*

handtekenen ⟨ww.⟩ **0.1** *freehand drawing.*

handtekening ⟨de (v.)⟩ **0.1** [signatuur] *signature* ⇒*autograph* ⟨ihb. van beroemdheden⟩, ⟨AE; inf.⟩ *John Hancock, John Henry* **0.2** [tekening] *freehand drawing* ◆ **3.1** zijn ~ onder een stuk plaatsen *sign sth., put / subscribe / affix / append one's s. to sth., set / put up one's hand to sth., set one's name to sth.;* ~ en verzamelen *collect / gather signatures, organize a petition.*

handtekeningenactie ⟨de (v.)⟩ **0.1** *petition.*

handvaardig ⟨bn.⟩ **0.1** *dext(e)rous* ⇒*skilful, clever with one's hands.*

handvaardigheid ⟨de (v.)⟩ **0.1** [behendigheid] *manual skill* ⇒*dexterity, craftsmanship* **0.2** [schoolvak] *handicraft* ◆ **3.1** voor dat werk is ~ niet vereist *the work requires no manual skill.*

handvat ⟨het⟩ **0.1** → sprw. 112) **0.1** *handle* ⇒⟨van zaag⟩ *(hand)grip,* ⟨van zwaard, steekmes⟩ *hilt,* ⟨van bijl⟩ *haft,* ⟨van geweer⟩ *butt* ◆ **1.1** het ~ v.e. koffer *the handle of a suitcase;* het ~ v.e. lade *the handle /* ⟨rond⟩ *knob of a drawer* **2.1** met gouden ~ *gold-handled* **3.1** van een ~ voorzien *haft, hilt, helve* ⟨bijl, pikhouweel⟩ **8.1** ⟨fig.⟩ iets dat als ~ dient *sth. that serves as a handle.*

handveger ⟨de (m.)⟩ → **handstoffer.**

handvergroting ⟨de (v.)⟩ ⟨foto.⟩ **0.1** *hand enlargement.*

handvest ⟨het⟩ **0.1** *charter* ◆ **1.1** het ~ v.d. Verenigde Naties *the c. of the United Nations, the United Nations' c..*

handvleugeligen ⟨zn.mv.⟩ **0.1** *Chiroptera.*

handvol ⟨de⟩ **0.1** [greep] *handful* ⇒*fistful, palmful* **0.2** [geringe hoeveelheid] *handful* ◆ **1.1** een ~ noten / zout *a h. of nuts / salt* **1.2** ⟨pej.⟩ zijn eer verkopen voor een ~ geld *sell one's honour for a h. of money;* een ~ mensen *a (mere) h. of people* **1.¶** het heeft me een ~ geld gekost *it cost me pots / a handful (of money), it cost me an arm and a leg* **6.1** ⟨gew.⟩ met hele ~ len *in large quantities.*

handvormer ⟨de (m.)⟩ ⟨amb.⟩ **0.1** *hand-moulder.*

handvormig ⟨bn.⟩ ⟨biol.⟩ **0.1** *palmate(d)* ⇒*digitate(d),* ⟨ongemarkeerd⟩ *hand-shaped.*

handvuurwapen ⟨het⟩ **0.1** *hand-gun* ⇒⟨mv. meestal⟩ *small arms.*

handwapen ⟨het⟩ **0.1** [vrij mee te voeren wapen] *hand weapon* **0.2** [als wapen dienst doend voorwerp] *hand weapon.*

handwarm ⟨bn.⟩ **0.1** *hand-hot* ⇒*lukewarm.*

handwas ⟨de (m.)⟩ **0.1** *hand-wash(ing)* ⇒*washing by hand.*

handweefstof ⟨de⟩ **0.1** *hand-woven fabric.*

handwerk ⟨het⟩ **0.1** [wat met de hand gemaakt is] *handiwork* ⇒*work done / article made by hand, handmade article* **0.2** [borduur- / brei- / haakwerk] *(piece of) fancy-work* ⇒⟨naai / borduurwerk⟩ *needlework,* ⟨borduurwerk ook⟩ *embroidery,* ⟨breiwerk⟩ *knitting,* ⟨haakwerk⟩ *crochet(ing)* **0.3** [handarbeid] *manual work* ⇒⟨ihb. als beroep⟩ *trade, craft* **0.4** [⟨mv.⟩ naaldvakken] *handicrafts* ⇒⟨naaien, borduren⟩ *needlework* ◆ **2.4** fraaie ~ en *fancy-work, fancy / art needlework;* nuttige ~ en *plain (needle) work* **3.1** dit tapijt is ~ *this carpet is hand-made / was made by hand* **3.3** een ~ uitoefenen *practise a craft.*

handwerken ⟨onov.ww.⟩ **0.1** *do fancy-work* ⇒⟨naaien, borduren⟩ *do needlework,* ⟨borduren ook⟩ *embroider* ◆ **3.1** zij zat te ~ *she was doing some / her needlework / doing some / her embroidering.*

handwerker → **handwerksman.**

handwerkje ⟨het⟩ **0.1** *(piece of) fancy-work* ⇒⟨naaiwerk, borduurwerk⟩ *needlework,* ⟨borduurwerk ook⟩ *embroidery* ◆ **6.1** met een ~ bezig zijn *be engaged on a piece of f.-w., do some needlework / embroidery.*

handwerksgezel ⟨de (m.)⟩ **0.1** *journeyman* ⇒*workman, hand.*

handwerksman ⟨de (m.)⟩ **0.1** *(handi)craftsman* ⇒*artificer, artisan,* ⟨skilled⟩ *manual worker.*

handwerkster ⟨de (v.)⟩ **0.1** [mbt. naaldkunst] *needlewoman* ⇒*craftswoman* **0.2** [arbeidster] *(skilled) manual worker.*

handwerktuig ⟨het⟩ **0.1** *hand tool.*

handwijzer ⟨de (m.)⟩ **0.1** *finger post.*

handwissel ⟨de (m.)⟩ **0.1** ⟨spoorw.⟩ *manual points / ^switch* **0.2** [⟨jur.⟩ *change of hands* ⇒*change of ownership.*

handwoordenboek ⟨het⟩ **0.1** *desk dictionary* ⇒*concise dictionary.*

handwortel ⟨de (m.)⟩ **0.1** *wrist* ⇒⟨med.⟩ *carpus.*

handwortelbeentje ⟨het⟩ **0.1** *wrist-bone* ⇒⟨med.⟩ *carpal bone.*

handzaag ⟨de⟩ **0.1** *handsaw.*

handzaam ⟨bn.⟩ **0.1** [handelbaar] *manageable* ⇒*tractable,* ⟨voegzaam⟩ *(com)pliant,* ⟨gedwee⟩ *docile* **0.2** [praktisch] *handy* ⇒*practical, convenient, easy to use* ◆ **1.1** een ~ man *a m. man* **1.2** een handzame beitel *a h. chisel;* in ~ formaat *h.-size(d).*

handzetten ⟨ww.⟩ ⟨amb.⟩ **0.1** *setting / composing by hand, hand-setting / -composing.*

handzetter ⟨de (v.)⟩ ⟨amb.⟩ **0.1** *hand typesetter / compositor.*

handzij ⟨de⟩ **0.1** *sewing silk.*

hanebalk ⟨de (m.)⟩ ⟨amb.⟩ **0.1** *collar-beam* ◆ **6.1** hij woont onder de ~ en *he lives up in the garret / ^attic, he lives right under the slates.*

haneëi ⟨het⟩ **0.1** *yolkless egg.*

hanegekraai ⟨het⟩ **0.1** *crowing of a cock / ^rooster* ◆ **6.1** met het ~ *at cock-crow.*

hanegewicht ⟨het⟩ ⟨sport⟩ **0.1** *bantamweight.*

hanekam ⟨de (m.)⟩ **0.1** [kam v.e. haan] *cockscomb* ⇒*comb, crest* **0.2** [deel v.h. zeefbeen] ⟨med.⟩ *crista galli* **0.3** [eetbare zwam] *chanterelle* **0.4** [plant] *cockscomb* ⇒*celosia* **0.5** [kapsel] *Mohican haircut.*

hanekot ⟨het⟩ **0.1** *walk.*

hanengevecht ⟨het⟩ **0.1** *cock-fight* ⇒⟨sport⟩ *cockfighting, main.*

hanenmat ⟨de⟩ **0.1** *(cock)pit.*

hanepoot ⟨de (m.)⟩ **0.1** [poot v.e. haan] *cock's foot* ⇒*foot of a cock / ^rooster* **0.2** [gekrabbel] *scrawl* ⇒*scribble,* ⟨kinderlijk schrift⟩ *(pot)hook* ◆ **3.2** hanepoten schrijven *scrawl, scribble.*

hanespoor ⟨de⟩ **0.1** *cockspur.*

hanetred(e) ⟨de⟩ **0.1** [pas v.e. haan] *cock's stride* **0.2** [korte afstand] *stone's throw* **0.3** [gebrek aan het achterbeen v.e. paard] *springhalt* ⇒*stringhalt* **0.4** [mbt. eieren] *cicatricle.*

haneveer ⟨de⟩ **0.1** *cock's feather* ⇒⟨uit de staart⟩ *sickle feather.*

hanevoet ⟨de (m.)⟩ **0.1** [plantengeslacht] *crowfoot* ⟨regelm. mv.⟩ **0.2** [grassoort] *barnyard grass* **0.3** [weefsel] *hound's tooth* ⇒*dog's tooth, dogtooth.*

hang ⟨de (m.)⟩ **0.1** ⟨voorliefde⟩ *bent (for)* ⇒*leaning (toward), penchant (for), predilection (for),* ⟨mbt. ongunstige eigenschappen⟩ *proclivity (for)* ◆ **6.1** zij heeft een sterke ~ naar luxe *she has a strong craving for luxury;* de ~ naar vrijheid v.e. vrijgezel *a bachelor's itch for freedom;* een ~ naar het verleden *a predilection for the past;* ⟨ook⟩ *nostalgia;* de ~ tot redeneren is hem aangeboren *he was born with a passion for / fondness of argument.*

hangaar ⟨de (m.)⟩ **0.1** *hangar* ⇒⟨luchtv. ook⟩ *shed.*

hangboog ⟨de (m.)⟩ ⟨bouwk.⟩ **0.1** *pendentivae.*

hangborst ⟨de⟩ **0.1** *hanging / drooping / sagging breast* ⇒ ↑*pendulous breast,* ↓*dug.*

hangbrug ⟨de⟩ **0.1** [met aan kabels of stangen opgehangen dek] *suspension bridge* ⇒*wire bridge* **0.2** [voor werk aan gevels] *cradle* ⇒*suspended scaffold.*

hangbuik ⟨de (m.)⟩ **0.1** [neerhangende buik] *pot-belly* ⇒*sagging paunch,* ⟨vnl. BE; sl.⟩ *corporation sagging waist* ⟨van vrouwen na bevalling⟩ **0.2** [persoon, dier] *pot-belly* ⇒*swag belly,* ⟨van poes⟩ *flabby (belly).*

hangconstructie ⟨de (v.)⟩ **0.1** *suspended structure.*

hangen ⟨→ sprw. 89, 171⟩
I ⟨onov.ww.⟩ **0.1** [neerwaarts gestrekt gehouden worden] *hang* ⇒ ↑*be suspended,* ⟨bengelen⟩ *dangle* **0.2** [in neerwaartse richting afwijken] *hang* ⇒⟨slap hangen⟩ *sag, droop,* ⟨bloemen ook⟩ *wilt* **0.3** [met een bocht verlopen] *sag* **0.4** [boven de grond gehouden worden] *hang* ⇒ ↑*be suspended,* ⟨bengelen⟩ *dangle* **0.5** [overhellen] *lean (over)* ⇒*hang (over),* ⟨mbt. lusteloze persoon⟩ *loll, slouch,* ⟨niets doen⟩ *hang around* **0.6** [tot straf opgehangen zijn] *hang* ⇒*be hanged,* ⟨inf.⟩ *swing* **0.7** [vast (blijven) zitten] *stick / cling (to)* ⇒⟨met kleding⟩ *be / get stuck (in), be / get caught (by one's clothes* ⟨enz.⟩) **0.8** [bepaald worden door] *depend (on)* ⇒*be involved (in)* **0.9** [zweven] *hang* ⇒⟨drijven⟩ *float,* ⟨zweven⟩ *hover, be suspended* **0.10** [onbeslist zijn] *hang* ⇒*dangle, be in the air / undecided* **0.11** [verlangen] *crave (for)* ⇒*have a passion / craving (for), cling (to)* ⟨tradities⟩, *be (very) attached (to)* ⟨persoon, ding⟩, ⟨belangrijk achten⟩ *care (about), set great store (by)* **0.12** [⟨sport⟩ zitten] *be in the net* ⇒*be home / throw* **0.13** [⟨sport⟩ in teruggetrokken positie spelen] *hang back* ◆ **1.1** zijn haren hingen hem voor de ogen *his hair was hanging in his eyes* **1.2** ⟨fig.⟩ zijn oren naar iets / iem. laten ~ *incline one's ear to sth. / s.o., h. on s.o.'s lips / on s.o.'s every word;* de hond liet zijn staart ~ *the dog hung his tail;* de tulpen ~ *the tulips are drooping (their heads) / wilting / flagging* **1.10** de rechtbank voor welke de zaak hangt *the court before which the case is pending* **1.12** de bal hangt! *he's scored!, he's netted it!* **2.1** de zeilen ~ slap *the sails are slack / hanging (loose)* **2.3** het koord hangt slap *the rope is sagging / slack* **3.1** het breed laten ~ *be a big spender, throw / splash / flash one's money about* **3.2** het hoofd laten ~ *(fig.) be downcast / crestfallen, h. one's head;* de blaren / kopjes / vleugels laten ~ *droop its leaves / heads / wings;* zijn hoofd niet laten ~ *hold one's head high / up, buck / cheer up,* ↓*keep one's pecker up* **3.3** de teugels laten ~ *loosen / drop the reins* **3.5** het kind loopt te ~ *the child is moping about* **3.6** ⟨fig.⟩ ik mag ~ als het niet waar is *I'll be hanged / damned if it isn't true;* ⟨inf.⟩ *if it isn't true I'm a Dutchman / a monkey's uncle;* ⟨fig.⟩ tussen ~ en wurgen *between the devil and the deep blue see* **3.7** ⟨fig.⟩ blijven ~ *linger / stay / hang (on);* ⟨onvrijwillig⟩ *get hung up / stuck;* er is niet veel van mijn Latijn blijven ~ *very little of my Latin has stuck (to me), I remember little of my Latin* **3.9** de rook bleef ~ *the smoke lingered / clung;* het stof blijft ~ *the dust is still in the air / hasn't settled yet;* ik zie de bui al ~ *I can see the storm-clouds gathering, I smell trouble (coming)* **3.¶** hij zal moeten ~ *he's in the cart / for it / for the*

high jump/in (dead) trouble **4.7** de naald blijft ~ *the needle is stuck* **4.10** het hangt erom *it's in the air, it's a cliffhanger, it hangs in the balance* **5.1** het schilderij hangt scheef *the painting is (hanging) crook;* ⟨scherts.⟩ *the picture's got a list;* zijn kamer hangt vol posters *his room is hung with posters* **5.9** de wolken ~ laag *the clouds are (hanging) low* **6.1** ⟨fig.⟩ uren **aan** de telefoon ~ *be (stuck) on the telephone for hours, spend hours on the telephone;* de sleutel hangt **aan** de spijker *the key is (hanging) on the nail;* **aan** de bel ~ ⟨fig.⟩ *be forever on the doorstep, keep calling round;* **aan** de nagel blijven ~ ⟨fig.⟩ *remain undone, not get done;* **aan** het plafond ~ *h. / swing / be suspended from the ceiling;* ⟨fig.⟩ wat hangt ons nu weer **boven** het hoofd? *what's hanging over our heads/in store for us now?, what have we let ourselves in for now?* **6.4 aan** het spit ~ *be on the spit;* de bak v.d. wagen hangt **op** veren *the body of the car rests/is on springs* **6.5** hij hangt ieder weekend **aan/in** de bar *he hangs out* ᴮ*at the pub/in bars every weekend;* hij hing **op** zijn stoel *he lay/sat slouched/sprawled in a chair, he lolled in his chair;* ⟨van personen⟩ **over** iets/iem. ~ *lean over s.o./sth.;* hang niet zo **tegen** die kast *stop leaning against the cupboard* **6.6 met** ~ en wurgen *by the skin of one's teeth* **6.7 aan** iets blijven ~ ⟨fig.⟩ *get/be stuck/ ↓lumbered with sth., have sth. left on one's hands;* ⟨fig.⟩ **aan** iem. blijven ~ *set/be stuck/ ↓lumbered with s.o.;* ⟨fig.⟩ **aan** woorden moet men niet blijven ~ *one shouldn't stick to the letter/be too literal;* de melk hangt **aan** het glas *the milk clings/sticks to the glass;* ⟨scheep.⟩ **aan** de wind ~ *sail close to the wind;* iem. als een klit **aan** het lijf ~ *cling/hang on/stick to s.o. like a burr/leech/limpet;* ⟨sl.⟩ *freeze onto s.o.;* ⟨fig.⟩ hij hangt erg **aan** zijn oudste zoon *he's very fond/attached to his eldest son;* ⟨fig.⟩ hij hangt overal **aan** hem *he follows him around like a shadow/dog;* ⟨fig.⟩ **aan** iemands gat ~ *follow s.o. around/hover around s.o. the whole time;* dat hangt als droog/los zand **aan** elkaar *it's very unconnected/incoherent/disjointed/rambling;* ⟨fig.⟩ dat hangt van leugens **aan** elkaar *that is pure fabrication/a pack of lies, it's all lies;* ⟨fig.⟩ **aan** vrouw en kinderen ~ *be devoted to one's wife and children;* ⟨fig.⟩ **aan** iemands lippen ~ *h. on s.o.'s lips/words/every word, be all ears;* ⟨fig.⟩ ze ~ erg **aan** elkaar *they are devoted to/wrapped up in each other;* ze bleef met haar japon **aan** een spijker ~ *her dress caught/snagged on a nail;* zij hangt altijd **om** hem heen *she's always hanging/hovering about him;* hij bleef in de vierde klas ~ **op** zijn wiskunde *he was kept down in the fourth form because of his maths* ᴬ*math;* ⟨fig.⟩ zijn betoog hing **van** platheden aan elkaar *his argument was full of platitudes/was one platitude after another* **6.8** er hangt veel **aan** die zaak *it's a matter of great moment/of the utmost importance, much depends on that matter;* er hangt veel geld **aan** die onderneming *great sums have been invested in that business* **6.9 in** de lucht ~ ⟨zonder grond, steun⟩ *be built on sand, be a castle in the air/in Spain;* ⟨(nog) onzeker⟩ *be in the air* **6.11 naar** iets ~ (en verlangen) *crave (for) sth., have a passion/craving for sth.* **¶.1** dat huis hangt te koop *that house is (up) for sale;* ⟨fig.⟩ het hangt me de keel uit *I'm fed up (to the back teeth) with it, I'm sick (and tired) of it* **¶.6** ⟨fig.⟩ als hij niet meewerkt, hang je *if he doesn't cooperate, you've had it/you're for it/you'll be in (dead) trouble/you'll be for the high jump;* daarvoor zal hij ~! *he'll h. / swing for it!, we'll/they'll get him for it!* **¶.¶** hij hangt *he's lumbered/stuck (with it);*
II ⟨ov.ww.⟩ **0.1** [bevestigen] *hang (up)* ⇒ ↑*suspend* **0.2** [mbt. personen, ophangen] *hang* ◆ **5.1** de was buiten ~ *h. out the washing (to dry)* **6.1** zijn jas **aan** de kapstok ~ *h. one's coat on the peg;* ⟨pej.⟩ veel goud **aan** zich lijf ~ *bedeck o.s. with something/gold, walk around like a chandelier;* ⟨fig.⟩ zijn hart **aan** iets ~ *set one's heart on sth.;* ⟨fig.⟩ iets **aan** de grote klok ~ *broadcast sth., shout sth. from the rooftops, blaze/noise/spread sth. abroad;* ⟨vuile was⟩ *wash one's dirty linen in public, make a fuss about sth.;* ⟨pej.;fig.⟩ zij hangt alles **aan** haar gat *she spends every penny she has on clothes.*
hangend ⟨bn.⟩ **0.1** [niet staand] *hanging* ⇒*pendulous,* ⟨slap⟩ *drooping* **0.2** [onbeslist] *pending* ⇒⟨onopgelost⟩ *outstanding,* ⟨slepende⟩ *dragging on* **0.3** [⟨plantk.⟩] *pendulous* ◆ **1.1** hond met ~e oren *flap-/lop-eared dog;* ~e oren/borsten *h. / drooping/droopy/drop-/lop-ears; h. / drooping/sagging/* ↑*pendulous breasts;* met ~e pootjes bij iem. komen *come to s.o. with one's tail between one's legs;* ⟨gesch.⟩ de ~e tuinen van Babylon/Semiramis *the h. gardens of Babylon/Semiramis* **1.2** de onderhandelingen zijn nog ~ *the negotiations are still under way/going on;* het proces is ~ *the case is p. / sub judice;* het proces bleef maar ~ *the suit dragged on/hung fire.*
hangende ⟨vz.⟩ **0.1** *pending* ◆ **1.1** ~ het beraad/het proces/de onderhandelingen *p. consultation/proceedings/the negotiations.*
hang- en sluitwerk ⟨het⟩ **0.1** *fastenings* ⇒*hinges and locks.*
hanger ⟨de (m.)⟩ **0.1** [datgene waaraan/waarin iets hangt] *(clothes/coat) hanger* **0.2** [iets dat hangt]⟨aan halssnoer⟩ *pendant, pendent, bangle;* ⟨aan oren⟩ *ear-drop, pendant/drop earring* ◆ **1.2** ~'s v.e. kandelaar *the lustres/drops of a chandelier* **6.2** een ketting met een ~tje *a chain with a pendant.*
hangerig ⟨bn.⟩ **0.1** *listless, drooping, limp* ⇒ ↑*languid* ◆ **3.1** ~ worden/maken *become/make listless, wilt/(make) wilt.*
hanggeranium ⟨de⟩ **0.1** *ivy(-leaved) geranium.*
hangijzer ⟨het⟩ **0.1** *pot-hanger* ◆ **2.1** ⟨fig.⟩ een heet ~ *a hot potato, a ticklish/tricky matter/affair, a vexed question.*

hangkamer ⟨de⟩ **0.1** *mezzanine room.*
hangkast ⟨de⟩ **0.1** *(hanging) wardrobe.*
hangketting ⟨de⟩ **0.1** *suspension (bridge) cable.*
hangklok ⟨de⟩ **0.1** *hanging/wall clock.*
hangladder ⟨de⟩ **0.1** *hook ladder.*
hanglamp ⟨de⟩ **0.1** *hanging lamp.*
hang-legkast ⟨de⟩ **0.1** *(fitted) wardrobe.*
hanglip
I ⟨de⟩ **0.1** [neerhangende onderlip] *hanging lip* ⇒*flews* ⟨mv.⟩ ⟨van bloedhond⟩;
II ⟨de (m.)⟩ **0.1** [persoon met hanglip] *s.o. with protruding lower lip* **0.2** [iem. die pruilt] *sulky person, sulker, pouter.*
hangmap ⟨de⟩ **0.1** *suspension file.*
hangmat ⟨de⟩ **0.1** *hammock* ⇒ ⟨scheep. ook⟩ *cot* ◆ **3.1** een ~ ophangen *swing a h.* **6.1** in een ~ liggen lezen *lie in a h. reading.*
hangoor
I ⟨de (m.)⟩ **0.1** [dier] *lop ear* **0.2** [persoon] *mug, dummy, dope, twit, sucker;*
II ⟨het⟩ **0.1** [neerhangende oorschelp] *floppy/drooping ear* ⇒⟨alleen mv.⟩ *lop-ears.*
hangop ⟨de (m.)⟩ **0.1** ≠*curds.*
hangpartij ⟨de (v.)⟩ ⟨schaken⟩ **0.1** *adjourned game.*
hangplant ⟨de⟩ **0.1** *hanging plant.*
hangslot ⟨het⟩ **0.1** *padlock.*
hangsnor ⟨de⟩ **0.1** *drooping moustache* ⇒*walrus moustache,* ≠*zapata moustache.*
hangwang ⟨de⟩ **0.1** *baggy/pendulous cheek/jowl* ⟨meestal mv.⟩.
hangwerk ⟨het⟩ **0.1** [constructie, waarbij een balk aan hangstijlen wordt opgehangen] *suspended structure* **0.2** [samenstel om iets aan/in te hangen] *hanger* ◆ **8.2** hang-en sluitwerk *door/window furniture.*
hanig ⟨bn.⟩ **0.1** [wellustig] *macho* ⇒⟨sl.;geil⟩ *horny,* ≠*cocky* **0.2** [vinnig] ↑*quarrelsome* ⇒*bad-tempered, waspish,* ↓*stroppy.*
hannes ⟨de (m.)⟩ **0.1** *twit* ⇒*clot.*
hannesen ⟨onov.ww.⟩ ⟨inf.⟩ **0.1** [stuntelen] *mess/muck/fiddle/fool about /around* ⇒⟨knoeien⟩ *make a mess (of sth.),* ⟨vulg.⟩ *fart(-arse) about/around* **0.2** [lummelen] *hang/laze/lounge around/about* ◆ **3.1** wat zit je toch te ~ *you aren't half making a mess of it.*
Hans ⟨→sprw. 118⟩ **0.1** *Jack* ◆ **1.¶** ~ en Grietje *Hansel and Gretel* **2.¶** domme ~ *Simple Simon;* grote ~ *bigwig, big pot/noise, great swell.*
hansop ⟨de (m.)⟩ **0.1** *sleeping suit.*
hansworst ⟨de (m.)⟩ **0.1** [potsenmaker] *buffoon, clown* ⇒ ⟨harlekijn⟩ *harlequin* **0.2** [pop] *jumping-jack* **0.3** [aanstellerig persoon] *buffoon, clown, fool* ⇒*tomfool,* ↓*twit* ◆ **3.3** de ~ uithangen *clown/fool around /about.*
hansworsterij ⟨de (v.)⟩ **0.1** *buffoonery* ⇒*clownery, zanyism.*
hanteerbaar ⟨bn.⟩ **0.1** [omgaan met] *handle* ⇒⟨manoeuvreerbaar⟩ *manoeuvrable* ◆ **5.1** gemakkelijk ~ *easily manageable, easy to handle/manage;* moeilijk ~ *unwieldy, difficult/awkward to handle/manage, unmanageable.*
hanteren ⟨ov.ww.⟩ **0.1** [omgaan met] *handle* ⇒*work, operate, employ,* ⟨schr.⟩ *ply* ⟨bv. instrument, wapen⟩, *wield* ⟨bv. pen, wapen⟩ **0.2** [in de hand nemen] *manage* ⇒*manipulate,* ⟨manoeuvreren⟩ *manoeuvre,* ⟨AE sp.⟩ *maneuver* ◆ **1.1** de botte bijl ~ *take heavy-handed measures;* de naald ~ *ply the needle;* de pen goed ~ ⟨fig.⟩ *have a ready pen, write well;* het penseel ~ *wield the brush;* de wapens goed weten te ~ *be skilled at handling arms/weapons;* het zwaard ~ *wield/ply the sword* **3.1** een ... goed weten te ~ *be a dab hand with a ... * **5.1** gemakkelijk te ~ *easy to h., easily manageable;* moeilijk te ~ *unwieldy, difficult/awkward to h., unmanageable* **7.1** in het ~ van het Italiaans was hij een meester *he could h. Italian like a nature.*
Hanze ⟨de⟩ ⟨gesch.⟩ **0.1** *Hanse* ⇒⟨ihb.⟩ *Hanseatic League.*
Hanzeaat ⟨de (m.)⟩ **0.1** *Hanseatic (merchant).*
Hanzestad ⟨de⟩ **0.1** *Hansa/Hanse(atic) town.*
hap ⟨de (m.)⟩ **0.1** [beet] *bite* ⇒⟨vnl. mbt. honden, ook fig.⟩ *snap,* ⟨met snavel⟩ *peck* **0.2** [afgehapt stuk] *bite* ⇒*mouthful, morsel* **0.3** [stuk] *bit* ⇒*chunk* ◆ **1.2** een ~ frisse lucht halen *get a breath of fresh air* **1.3** een ~ en een snap *a smattering* **2.2** ik heb trek in een warme ~ *I feel like a bite of sth. warm (to eat)/a warm snack* **2.3** de hele ~ *gaat mee the whole lot is/are going too, the whole bang shoot/caboodle is going too;* de oude ~ *the old guard* ⟨ook mil.⟩; ⟨fig.⟩ wat een slappe ~ *what a pathetic lot* **3.2** een ~ nemen *take a b. / mouthful* **3.¶** ⟨inf.⟩ voor de haphap zorgen ↑ *be the breadwinner* **6.1 in** één ~ was het op *in one/in a single b. it was finished* **6.2** zij nam een ~ **uit** de appel *she took a b. out of the apple* **6.3** de ~ (in hele) ~ *uit mijn inkomen that's quite a slice (out) of my income* **6.¶** in een ~ en een snap *in a jiffy* **7.2** je hebt nog geen ~ gegeten *you haven't touched your plate/meal (yet).*
hapax ⟨de (m.)⟩ **0.1** *hapax legomonon* ⇒ ↓*nonce word.*
haperen ⟨onov.ww.⟩ **0.1** [blijven steken] *stick, get stuck* ⇒*falter, stammer, waver* ⟨van stem⟩ **0.2** [mankeren] *have sth. wrong/the matter with o.s.* ⇒*be out of order, not work properly,* ⟨inf.⟩ *have something up with o.s.,* ↑*not function properly* **0.3** [haken] *catch* ◆ **1.1** de conversatie haperde *conversation flagged;* de motor hapert *the engine is missing/misfiring, there's sth. wrong/up with the engine;* mijn pen ha-

pert *my pen's playing up;* zijn stem haperde *his voice faltered/wavered* 5.1 hij haperde even voor hij verder sprak *he hesitated before he went on* 5.2 dat hapert er nog maar aan *that's all I/we* ⟨enz.⟩ *needed;* wat hapert eraan? *what's the matter with it?, what's the trouble/hitch?* 6.1 hij zei dat vers zonder ~ op *he recited the poem without stumbling/faltering/without a stumble;* alles ging zonder ~ *everything went without a hitch* 6.2 er hapert iets **aan** de motor *there's sth. wrong /the matter/up with the motor, the motor's out of order/not working properly.*

hapering ⟨de (v.)⟩ **0.1** ⟨o.a. van stem/adem/machine⟩ *catch;* ⟨storing⟩ *hitch;* ⟨bij het spreken⟩ *hesitation;* ⟨stem/geluid⟩ *wobble/wabble.*

hapje ⟨het⟩ **0.1** [kleine hoeveelheid] *bite, mouthful, morsel, bit* **0.2** [bijgerecht] *snack, bite to eat* ⇒⟨hors d'oeuvre⟩ *hors d'oeuvre, appetizer* ♦ **2.2** een lekker/koud ~ *a (nice) titbit* ᴬ*tidbit/a cold snack* **3.1** ⟨kind.⟩ ~s doen *have/eat your din-din;* een ~ eten *have/get a bite/sth. to eat, have a snack;* ⟨mbt. lunch, inf.⟩ *have a spot of lunch;* wil je ook een ~ meeëten? *would you like to join us (for a bite/meal)?* **3.2** voor (lekkere) ~s zorgen op een kaartavondje *serve refreshments at a card party* **5.2** een ~ vooraf *an appetizer.*

hapklaar ⟨bn.⟩ **0.1** *ready-to-eat* ⇒*oven-ready* ♦ **1.1** hapklare brokken voor de hond *ready-to-eat chunks for the dog;* de stof in hapklare brokken aanbieden *present the subject matter in easily manageable/digestible chunks.*

haplografie ⟨de (v.)⟩ **0.1** *haplography.*

happen
I ⟨onov.ww.⟩ **0.1** [met de mond grijpen] *bite (at)* ⇒*snap (at),* ⟨niet doorbijten, speels happen⟩ *nip (at)* **0.2** [gretige beet doen] *bite (into), take a bite (out of)* **0.3** [ernstig reageren] *take ... seriously* ⇒⟨mbt. plagen/provoceren⟩ *rise to/take the bait* ♦ **5.3** hij hapt niet/hij wou niet ~ *he did/would not rise (to the bait)/take the bait;* hap toch niet zo! *don't take everything so seriously!, you always take things/everything so seriously!* **6.1** die hond hapt **naar** alles *that dog snaps at everyone;* **naar** lucht ~ *gasp for air* **6.2 in** een koek ~ *bite into a cake;* **II** ⟨onov., ov.ww.⟩ **0.1** [gretig eten] *take a bite* ♦ **1.1** ⟨fig.⟩ een luchtje ~ *get a breath/a bit of fresh air;* stof ~ *breathe in dust* **6.1** hij hapte een stuk **uit** de koek *he took a bite out of the cake.*

happig ⟨bn.⟩ **0.1** *keen (on), eager (for)* ♦ **5.1** ik ben er niet ~ op *I'm none too k. / not very k. on it;* erg ~ op iets zijn *be very/*⟨inf.⟩ *dead k. on sth.;* eerst was hij niet erg ~ *at first he was none too k., he hung/held back at first* **6.1** ~ **op** iets zijn *be k. on sth..*

happy ⟨bn.⟩ **0.1** *happy* ♦ **3.1** zich niet ~ voelen *not feel h., feel unhappy/uneasy;* ergens (niet) ~ mee zijn *(not) be h. with sth.* ¶**.1** ~ end *h. ending.*

haptonomie ⟨de (v.)⟩ **0.1** *haptonomy.*

haptonoom ⟨de (m.)⟩ **0.1** *haptonomist.*

har ⟨de⟩ **0.1** *pintle.*

harakiri ⟨het⟩ **0.1** *hara-kiri* ⇒*seppuku* ♦ **3.1** ~ plegen *commit h.-k..*

hard ⟨→sprw. 61,246,358,554,588⟩
I ⟨bn.⟩ **0.1** [niet zacht/week] *hard* ⇒⟨vast, stevig ook⟩ *firm,* ⟨vast, dicht, solide ook⟩ *solid,* ⟨mbt. vlees, baard⟩ *tough* **0.2** [niet meegevend] *stiff* ⇒*rigid* **0.3** [moeilijk te verduren] *hard* ⇒⟨mbt. woorden ook⟩ *harsh, severe,* ⟨mbt. feiten/gegevens ook⟩ *concrete* **0.4** [hevig, krachtig] *hard* **0.5** [luid] *hard* **0.6** [hardvochtig] *hard* ⇒⟨ruw, wrang, wreed ook⟩ *harsh* **0.7** [onaangenaam mbt. zintuiglijke waarneming] *harsh* ⇒⟨mbt. kleuren ook⟩ *garish, lurid* **0.8** [waardevast] *hard* **0.9** [kalkrijk] *hard* ⟨water⟩ ♦ **1.1** een ~ bank ⟨op school, in trein⟩ *a h. seat;* een ~e diamant *a h. diamond;* een ~ ei *a hard-boiled egg;* ~ fruit ≠*top fruit;* op de ~e grond slapen *sleep on the ground/*⟨in huis⟩ *floor;* met ~e hand opvoeden *bring up the h. way;* een ~e korst *a h. crust;* een ~ potlood *a h. pencil;* ⟨fig.⟩ een ~e vent/kerel, een ~e *tough (guy), a h. case;* ⟨AE ook⟩ *a tough cookie* **1.2** ⟨fig.⟩ de ~ kern *the hard core;* ⟨fig.⟩ ~e afspraken *firm agreements;* een ~e borstel *a s. brush;* ~ leer *s. leather* **1.3** een ~e lijn volgen *take a hard line;* ~e bewijzen *firm proof;* ~e cijfers *hard figures;* een ~e dood *a hard death;* ~e gegevens/feiten *hard data/facts;* een ~ gelag *hard lines (on s.o.), raw deal;* de ~e lijn *the hard line;* een ~e noodzaak *a sore/dire need;* een ~e politiek *a tough policy;* het was een ~e slag voor haar *it was a heavy/bitter blow for her;* 't zijn ~e tijden *these are hard/trying times;* een ~e waarheid *a harsh/stern truth;* een ~e winter/vorst *a hard winter/frost;* ⟨ook⟩ *a keen frost* **1.4** ⟨sport⟩ een ~e bal *a h. ball;* een ~e klap/stoot/trap *a h. blow/push/kick;* een ~e strijd *a h. tough fight;* ~e wind *strong/high/stiff wind* **1.5** met een ~e stem spreken *speak in a h. voice* **1.6** ~e acties *firm measures;* hij heeft een ~e kop *he is obstinate/stubborn/self-willed/*↓*pig-headed;* het was een ~e leerschool voor hem *he had a hard/tough time of it there, he had to learn the hard way;* een ~e les *a hard/tough lesson;* ~e maatregelen *harsh measures;* een ~ oordeel/vonnis *a harsh judgement/severe sentence;* iem. ~e woorden toevoegen *say harsh words to s.o.;* ⟨inf.⟩ *show s.o. the rough edge of one's tongue* **1.7** ~e klanken/lijnen *h. sounds/lines;* een ~ portret *a hard portrait;* ~e trekken *h. features* **1.8** ~e valuta *h. currency* **1.9¶** een ~e afdruk van een foto *a hard print;* ⟨muz.⟩ ~e drieklank *major third;* een ~ hoofd in iets hebben *have serious doubts about sth.;* ⟨muz.⟩ de ~e toonschaal *the major scale;* een ~e werker *a*

hard worker; ⟨inf.⟩ *a Trojan/workhorse* **3.1** ⟨fig.⟩ maak dat maar eens ~ of hou je mond! *put up or shut up!;* ⟨fig.⟩ een bewering ~ maken *substantiate an assertion;* ~er maken *make harder;* ⟨fig.⟩ *toughen (up);* ~ worden *harden, become h.;* ⟨mbt. cement, lijm, gelei enz.⟩ *set* **3.3** het ~ hebben *have a hard time of it;* ⟨tijdelijk ook⟩ *be in a tight corner/spot;* zo iets is wel ~/valt ~ *that sort of thing is certainly hard-(lines)/tough/rough (on s.o.);* 't zal me niet ~ vallen Maastricht te verlaten *I won't shed any tears about leaving Maastricht;* 't valt me ~ het oude huis te verlaten *it's hard for me/it's a great wrench to leave our old house* **3.6** ~ van aard zijn *be obdurate/hard-hearted* **6.1** het gaat er ~ **tegen** ~ *the gloves are off, it's a fight to the finish* **6.6** hij is ~ **voor** zijn vrouw *he is hard on his wife, he is nasty to his wife* **8.1** hij is zo ~ als een spijker ⟨onvermurwbaar⟩ *he is as h. as nails;* ⟨geeft niets⟩ *you won't get anything out of him;* zo ~ als steen/een kei *as h. as iron/stone/rock* ⟨ook fig.⟩; ⟨fig. ook⟩ *as h. as nails* ⟨van mensen⟩; **II** ⟨bw.⟩ **0.1** [op onzachte wijze] *hard* **0.2** [luid] *loudly* **0.3** [snel] *fast* ⇒*quickly, rapidly* **0.4** [met inspanning] *hard* **0.5** [meedogenloos] *hard, harshly* ⇒*severely* **0.6** [onaangenaam] *harshly* ⇒⟨mbt. kleuren ook⟩ *garishly, flashily, luridly* **0.7** [hevig] *hard* ♦ **2.6** een ~e groene deur *a garish/lurid green door* **2.7** ~ gekookte eieren *hard-boiled eggs* **3.1** ~ liggen/neerkomen *lie h., come down h.* **3.2** niet zo ~ praten! *keep your voice down!;* ~ roepen *shout l.;* ⟨inf.⟩ *shout at the top of one's voice, shout like anything/mad, shout one's head off;* ~er spreken! *speak up!;* zeg dat maar niet te ~ *don't speak too soon, don't jump to conclusions, you never know, I wouldn't be too/so sure;* de t.v./radio/muziek ~er zetten *turn up the T.V./radio/music* **3.3** de zieke gaat ~ achteruit *the patient is deteriorating rapidly/f.;* ~lopen/rijden *walk/drive f.;* te ~ rijden *drive/ride too f., speed* **3.4** ~ roeien *row h.;* ~ studeren *study h.;* ⟨inf.⟩ *bone up on sth., hit the books;* ⟨BE inf. ook⟩ *gen up on sth.;* te ~ werken *work too h.;* ⟨inf.⟩ *overdo it/things;* ~ werken *work h.;* ⟨inf.⟩ *have/keep one's nose to the grindstone, put one's back into it/one's shoulder to the wheel* **3.5** iem. ~ aanpakken *be hard on s.o., get tough with s.o.;* ⟨inf.⟩ *wade into/clobber s.o., come down on s.o. like a ton of bricks;* ~ toeslaan *strike hard* ⟨ook fig.⟩ **3.7** wat brandt de kachel ~ *isn't the stove burning fiercely;* ~ lachen *laugh heartily;* een band ~ oppompen *blow/pump a tire up h. / up to full pressure;* het regent/waait ~ *it's raining/blowing h.;* ⟨ook⟩ *it's raining heavily;* het ~ te verduren hebben *have a h. time of it;* ⟨tijdelijk⟩ *be in a tight corner/spot;* ik verlang ~ naar de vakantie *I'm longing/*↑*yearning for the holidays, I can't wait for the holidays;* ~vriezen *freeze h.* **5.3** hij reed zo ~ mogelijk *he drove/rode as hard as he could/at full/top speed/at full pelt/flat out;* loop zo ~ als je kan! *run for all you're worth/for your life* **5.7** hij ging er nogal ~ tegenaan *he went h. at it* **6.3 om** het ~ st rennen/fietsen/rijden *race one another* **6.7 om** het ~ st roepen *shout at the top of one's voice* ¶**.7** zijn rust ~ nodig hebben *sorely/badly need one's/a rest;* dit onderdeel is ~ aan vervanging toe *this part is in urgent need of replacement/badly needs to be replaced;* ik had mijn geld ~ nodig *I badly needed my money;* ↓*I needed every penny I had.*

hardachtig ⟨bn.⟩ **0.1** *quite hard, hardish.*

hardblauw ⟨bn.⟩ **0.1** ≠*bright blue.*

harddraven¹ ⟨het⟩ **0.1** *harness (horse) racing* ⇒⟨voor telgangers⟩ *paving,* ⟨voor dravers⟩ *trotting.*

harddraven² ⟨onov.ww.⟩ **0.1** ⟨in de telgang⟩ *pace;* ⟨draven⟩ *trot.*

harddraver ⟨de (m.)⟩ **0.1** [paard] *standardbred* ⇒⟨draver⟩ *trotter, trotting-horse,* ⟨telganger⟩ *pacer, pacing-horse* **0.2** [persoon] *high-flyer* ⇒⟨inf⟩ *whiz(-kid)* **0.3** [jockey] *driver.*

harddraverij ⟨de (v.)⟩ **0.1** [het harddraven] *harness (horse) racing* ⇒⟨voor telgangers⟩ *pacing,* ⟨voor dravers⟩ *trotting* **0.2** [een wedloop van harddravende paarden] *harness race* ⇒⟨voor telgangers⟩ *pacing-race,* ⟨voor dravers⟩ *trotting-race.*

harden
I ⟨onov.ww.⟩ **0.1** [drogen] *harden, become hard* ⇒⟨mbt. vloeistoffen⟩ *dry,* ⟨mbt. cement, gelatine enz.⟩ *set,* ⟨mbt. plastic/rubber⟩ *cure* ♦ **1.1** deze lak hardt in zes uur *this varnish dries in six hours;* **II** ⟨ov.ww.⟩ **0.1** [hard maken] *harden* ⇒⟨temperen⟩ *temper* **0.2** [mbt. het lichaam] *toughen (up), season* ⇒*steel* **0.3** [uithouden] *bear, stand* ⇒⟨inf.⟩ *take, stick* ♦ **1.1** staal ~ *h. / temper steel* **1.2** hij is gehard door weer en wind *he has been hardened/seasoned by wind and weather* **3.3** deze hitte is niet te ~ *this heat is unbearable/insupportable;* hij kan het niet meer ~ *he can't stand/b. / take it any more/longer* **4.2** zich ~ tegen iets *train o.s. / toughen o.s. up/harden o.s. to stand sth.;* ↑*inure o.s. to sth.* **4.3** ⟨scherts.⟩ hij kan het in die betrekking best ~ *he's not so badly off in that job.*

harder ⟨de (m.)⟩ **0.1** [metaalarbeider] *temperer* **0.2** [vis] ⟨familie der Mugilidae⟩ *grey/ᴬgray mullet* ⇒⟨Mugil ramada⟩ *(lesser) grey/ᴬgray mullet* **0.3** [stollingscomponent] *hardener* ⇒⟨droogmiddel⟩ *siccative.*

hardgebakken ⟨bn.⟩ **0.1** *crisp-fried* ⇒*crispy, crusty* ♦ **1.1** ~ aardappels *c.-f. potatoes.*

hardgeel ⟨bn.⟩ **0.1** *screaming yellow* ⇒≠*bright yellow.*

hardgekookt ⟨bn.⟩ **0.1** *hard-boiled.*

hardglas ⟨het⟩ **0.1** *safety glass* ⇒*shatter-proof/toughened glass.*

hardgroen ⟨bn.⟩ **0.1** ≠*bright green.*

hardhandig ⟨bn.,bw.;-ly⟩ **0.1** *hard-handed* ⇒*rough, harsh, violent,* ⟨drastisch ook⟩ *drastic,* ⟨onnodig hard/wreed⟩ *heavy-handed,* ⟨als bw. ook⟩ *in a heavy-handed way* ♦ **1.1** een ~e onderwijzer *a hard-handed/harsh/heavy-handed teacher;* ~ optreden *hard-handed/violent/harsh/drastic action, strong-arm tactics* **3.1** iem. ~ aanpakken *seize s.o. roughly;* ⟨inf.⟩ *strong-arm s.o..*

hardhandigheid ⟨de (v.)⟩ **0.1** *harshness* ⇒*rough handling, roughness, violence,* ⟨onnodig hard/wreed optreden⟩ *heavy-handedness.*

hardheid ⟨de (v.)⟩ **0.1** [hoedanigheid] *hardness* ⇒⟨taaiheid, ruwheid, ook⟩ *toughness* ⟨ook fig.⟩, ⟨wreedheid, hardvochtigheid, scherpheid⟩ *harshness, severity, sternness,* ⟨soliditeit, dichtheid⟩ *solidity* ⟨ook fig.⟩ **0.2** [hard woord] *hard/harsh word* ⟨meestal mv.⟩ ♦ **1.1** de ~ van metalen *the hardness of metals;* de ~ v.h. politieoptreden *the severity/brutality of the police actions;* de ~ v.h. spel *the roughness of the game;* de ~ v.h. veld *the hardness/firmness of the field/ground;* ~ van water *the (degree of) hardness of water* **3.2** iem. hardheden zeggen *say hard/harsh words to s.o..*

hardheidsgraad ⟨de (m.)⟩ **0.1** *(degree of) hardness, temper.*

hardhoofdig ⟨bn.⟩ **0.1** *obstinate, stubborn* ⇒*wilfull, headstrong, obdurate,* ⟨inf.⟩ *pig-headed.*

hardhorend ⟨bn.⟩ **0.1** *hard of hearing* ⇒*≠deaf* ♦ **3.1** ~ zijn *be hard of hearing.*

hardhout ⟨het⟩ **0.1** *hardwood.*

hardhouten ⟨bn.⟩ **0.1** *hardwood* ♦ **1.1** ~ meubelen *h. furniture.*

hardingsmiddel ⟨het⟩ **0.1** *hardener* ⇒*hardening agent.*

hardleers ⟨bn.⟩ **0.1** [moeilijk lerend] *dull, dense, slow* ⇒*unteachable,* ⟨inf.⟩ *thick(-skulled)* **0.2** [eigenwijs] *headstrong, obstinate, stubborn* ⇒⟨inf.⟩ *pig-headed.*

hardleersheid ⟨de (v.)⟩ **0.1** [domheid] *dullness* ⇒*denseness, slowness* **0.2** [eigenwijsheid] *obstinacy, stubbornness* ⇒⟨inf.⟩ *pig-headedness.*

hardlijvig ⟨bn.⟩ **0.1** *constipated* ⇒⟨vero.⟩ *costive.*

hardlijvigheid ⟨de (v.)⟩ **0.1** *constipation* ⇒⟨vero.⟩ *costiveness.*

hardlopen ⟨ww.⟩ **0.1** [om het hardst lopen] *race, run a race* **0.2** [snel en lang achtereen lopen] *run* ⇒⟨joggen, trimmen⟩ *jog,* ⟨draven⟩ *trot.*

hardloper ⟨de (m.)⟩, **-loopster** ⟨de (v.)⟩ ⟨→sprw. 256⟩ **0.1** [iem. die hard loopt] *runner* ⟨ook paard⟩ ⇒⟨korte-afstandsloper⟩ *sprinter,* ⟨wedstrijdloper⟩ *racer, jogger* **0.2** [goed verkopend artikel] *(good) runner* ⇒*goer,* ⟨inf.⟩ *soft-sell* **0.3** [⟨fig.⟩ vluggerd] *a fast one* **0.4** [⟨mv.⟩ schaatsen] *speed skates* ♦ **7.3** 't is geen ~ *he/she is a bit slow/is a slow one.*

hardloperij ⟨de (v.)⟩ **0.1** *running* ⇒*sprinting, racing, jogging.*

hardmaken ⟨ov.ww.⟩ **0.1** *prove* ⇒*substantiate* ⟨beschuldiging, aanklacht⟩, *confirm* ⟨opinie, bericht⟩, ⟨beschuldiging, eis, bewering, ook⟩ *make good,* ⟨door onderzoek de waarheid van iets bewijzen⟩ *verify.*

hardmetaal ⟨het⟩ **0.1** *tungsten carbide* ⇒*hardmetal.*

hardnekkig ⟨bn.,bw.;-ly⟩ **0.1** [koppig] *stubborn, obstinate* ⇒⟨inf.⟩ *pig-headed* **0.2** [onverzettelijk] *stubborn* ⇒*dogged, tenacious,* ⟨mbt. geruchten/regen/pijn/pogingen ook⟩ *persistent,* ⟨mbt. ziekte ook⟩ *obstinate* ♦ **1.1** een ~ stilzwijgen *a s. silence* **1.2** een ~ gerucht *a persistent/s. rumour;* een ~e hoest *a persistent cough;* een ~e koorts/verkoudheid *a(n) intractable/refractory fever, a cold;* ~e tegenstand *s./stiff resistance* **3.1** ~ doorzetten met iets *persist in (doing) sth.;* ~ ontkennen *persistently deny;* ~ volhouden *stubbornly insist, persist.*

hardnekkigheid ⟨de (v.)⟩ **0.1** *obstinacy* ⇒*stubbornness, persistency/-ce, doggedness, tenacity.*

hardop ⟨bw.⟩ **0.1** *aloud, out loud* ♦ **3.1** ~ denken *think a.,* ⟨dram.⟩ *soliloquize;* ~ dromen *dream a.;* ~ lachen *laugh a./out loud;* hij praat ~ in zijn slaap *he talks (a.) in his sleep;* iets ~ zeggen *say sth. out loud;* dat mag je niet ~ zeggen *you can't/shouldn't say that in public.*

hardporno ⟨de (m.)⟩ **0.1** *hard porn.*

hardrijden ⟨onov.ww.⟩ **0.1** *race* ⇒⟨schaatsen⟩ *speed-skate.*

hardrijder ⟨de (m.)⟩, **-rijdster** ⟨de (v.)⟩ **0.1** *racer* ⇒⟨schaatser⟩ *speed-skater,* ⟨wielrenner⟩ *racing cyclist.*

hardrijderij ⟨de (v.)⟩ **0.1** [de sport van het hardrijden] *racing* ⇒⟨schaatsen⟩ *speedskating,* ⟨wielrennen⟩ *(bi)cycle racing* **0.2** [een afzonderlijke wedstrijd] *race* ⇒⟨schaatsen⟩ *(speed)skating-race,* ⟨wielrennen⟩ *(bi)cycle race.*

hardrood ⟨bn.⟩ **0.1** *bright red.*

hardsteen ⟨het, de (m.)⟩ **0.1** *blue stone, freestone* ⇒⟨steenblok⟩ *ashlar, ashler.*

hardstenen ⟨bn.⟩ **0.1** *bluestone, freestone* ⇒*ashlar, ashler.*

hardstikke(n) →**hartstikke.**

hardvallen ⟨onov.ww.⟩ **0.1** *be hard on* ⇒⟨verwijten maken, ook⟩ *blame* ♦ **6.1** ik zal u ~ over het gebeurde maar niet ~ *I won't be too hard on you because of what's happened.*

hardvochtig ⟨bn.,bw.;-ly⟩ **0.1** *heartless, hard(-hearted)* ⇒⟨wreed, koudbloedig⟩ *cold-blooded,* ⟨ruw, gevoelloos⟩ *callous, unfeeling,* ⟨ruw, genadeloos⟩ *harsh* ♦ **3.1** ~ optreden *act harshly.*

hardvoer ⟨het⟩ **0.1** *solid feed/fodder, mixed grain feed.*

hardzeilerij ⟨de (v.)⟩ **0.1** *yacht-racing.*

harem ⟨de (m.)⟩ **0.1** [vrouwenverblijf] *harem, hareem* ⇒*seraglio, serail,* ⟨in India en Perzië⟩ *zenana,* ⟨in de klassieke oudheid⟩ *gynaeceum*

0.2 [vrouwen en bijzitten] *harem, hareem* ⇒*seraglio, serail* **0.3** [⟨scherts.⟩ vriendinnen] *harem.*

harembroek ⟨de (v.)⟩ **0.1** ⟨gesch.⟩ *chalwar;* ⟨modern⟩ *harem trousers.*

haremwachter ⟨de (m.)⟩ **0.1** *harem guard* ⇒*eunuch.*

haren¹ ⟨bn.⟩ **0.1** *hair* ♦ **1.1** een ~ boetekleed *a h. shirt.*

haren²

I ⟨onov.ww.⟩ **0.1** [haar verliezen] *lose (one's) hair* ⇒⟨mbt. dieren⟩ *shed (one's hair/coat), lose one's coat, moult,* ^*molt* ♦ **1.1** de borstel haart *the brush is losing hairs;* de kat haart *the cat is shedding (it's coat)/moulting, the cat is losing its coat;*
II ⟨ov.ww.⟩ ⟨landb.⟩ **0.1** [scherpen] *whet, sharpen* ⇒*feather.*

harent ⟨bw.⟩ ♦ **6.¶** te(n) ~ ⟨ongemarkeerd⟩ *at her home/house.*

harentwege ⟨bw.⟩ ⟨schr.⟩ **0.1** [namens haar] ⟨ongemarkeerd⟩ *on her behalf* ⇒*in her name* **0.2** [wat haar betreft] ⟨ongemarkeerd⟩ *as for her, as far as she/was* ⟨enz.⟩ *concerned* ♦ **3.1** ik heb u ~ een boodschap te doen *I have a message for you on her behalf* **3.2** ~ kon hij gaan *as far as she was concerned he could go.*

harentwil(le) ⟨schr.⟩ ♦ **6.¶** om ~ ⟨ongemarkeerd⟩ *for her sake.*

harerzijds ⟨bw.⟩ **0.1** ⟨ongemarkeerd⟩ *on her part.*

harig ⟨bn.⟩ **0.1** [met haren] *hairy* ⇒⟨bontachtig⟩ *furry,* ⟨behaard, langharig, met een woeste baard⟩ *hirsute,* ⟨ruigbehaard, ruwharig; ook verwaarlosd mbt. baard/haren⟩ *shaggy* **0.2** [draderig] *hairy* ♦ **1.1** een ~(e) bloem/blad *a h./pilose flower/leaf;* ~e handen *h. hands;* ~e zaden *comose seeds* **1.2** ~e peen *a h. carrot.*

haring ⟨de (m.)⟩ **0.1** [vis] *herring* ⇒*kipper* ⟨gedroogde/gerookte (zoute) haring⟩, *bloater* ⟨licht gerookte en gezoute haring⟩ **0.2** [mbt. tenten] *tent peg* ⇒*tent pin* ♦ **1.1** de ~ of kuit van hebben *I'll get to the bottom of it, I'll find out how matters stand/how the land lies/which way the wind blows;* een school ~ en *a school/shoal of h.* **2.1** een gedroogde/⟨AZN⟩ droge ~ *a bloater/kipper/kippered h./red h.;* groene ~ *green h.;* ijle/lege ~ *shotten/spent h.;* nieuwe ~ *new h.;* verse ~ *wet h.;* volle ~ *roed h.;* zure ~ *pickled h., rollmop(s)* **3.1** ~ drogen *bloat h., cure h.;* ~ kaken *gut herring(s);* naar ~ schieten *cast the herring-nets* **8.1** als ~(en) in een ton *(packed) like sardines (in a tin), cheek by jowl.*

haringachtigen ⟨zn.mv.⟩ ⟨dierk.⟩ **0.1** *clupeidae.*

haringbuis ⟨de⟩ ⟨scheep.⟩ **0.1** *buss.*

haringfilet ⟨het, de (m.)⟩ **0.1** *filleted herring(s).*

haringgrond ⟨de (m.)⟩ **0.1** *herring ground.*

haringhaai ⟨de (m.)⟩ **0.1** *porbeagle (shark).*

haringkaken ⟨het⟩ **0.1** *gutting of herring(s).*

haringkoning ⟨de⟩ ⟨dierk.⟩ **0.1** *herring king* ⇒*king of the herrings, oarfish.*

haringlogger ⟨de (v.)⟩ **0.1** *herring-drifter/lugger.*

haringnet ⟨het⟩ **0.1** *herring-net* ⇒⟨drijfnet⟩ *herring drift-net.*

haringoorlog ⟨de (v.)⟩ **0.1** *herring war.*

haringquote ⟨de⟩ **0.1** *herring quota.*

haringrace ⟨de (m.)⟩ **0.1** ⟨traditional herring-boat race in Holland for being the first herring-boat to return with new herring⟩.

haringschool ⟨de⟩ **0.1** *shoal/school of herring.*

haringsla ⟨de⟩ **0.1** *herring salad.*

haringteelt ⟨de⟩ **0.1** ⟨vangst⟩ *herring-fishing/fishery;* ⟨vangsttijd⟩ *herring-season.*

haringtijd ⟨de (m.)⟩ **0.1** [waarin haring gevangen wordt] *herring season* **0.2** [waarin er verse haring is] *herring season.*

harington ⟨de (m.)⟩ **0.1** *herring-barrel* ⇒⟨als maat; vnl. Sch.E⟩ *cran* ⟨ong. 170 liter⟩.

haringvaart ⟨de⟩ **0.1** *herring-fishing.*

haringvangst ⟨de (v.)⟩ **0.1** *herring-fishing/fishery* ⇒⟨vangst in een seizoen⟩ *herring-harvest/catch,* ⟨vangst van één keer⟩ *herring-catch, catch of herring(s).*

haringvijver ⟨de (m.)⟩ ⟨scherts.⟩ **0.1** *herring pond.*

haringvisserij ⟨de (v.)⟩ **0.1** *herring-fishing/fishery/fishing industry.*

haringvleet ⟨de⟩ **0.1** *herring nets.*

haringvloot ⟨de (v.)⟩ **0.1** *herring fleet.*

haringwormziekte ⟨de (v.)⟩ **0.1** *anisakiasis.*

hark ⟨de⟩ **0.1** [tuingereedschap] *rake* **0.2** [persoon] *stick* **0.3** [deel van een weefgetouw] *comb* **0.4** [⟨sport⟩] *rake* ⟨van croupier⟩ ♦ **6.2** een ~ van een vent *a s. of a fellow/chap;* een ~ van een meisje *a gawky girl* **8.1** zo stijf als een ~ *as stiff as a poker.*

harken

I ⟨onov.ww.⟩ **0.1** [met de hark werken] *rake* **0.2** [op grove/onbeholpen wijze iets doen] *get to/reach in a lumbering style* ♦ **6.2** de wielrenner harkte naar de finish *the rider reached the finish in a lumbering style;* op een gitaar ~ *strum (around) on a guitar;*
II ⟨ov.ww.⟩ **0.1** [met een hark bijeenbrengen] *rake (up/together)* ♦ **1.1** bladeren op een hoop ~ *r. leaves into a heap;* het grindpad ~ *r. the gravel (path).*

harkerig ⟨bn.,bw.;-ly⟩ **0.1** *stiff, wooden* ♦ **1.1** een ~ persoon *a s. person* **3.1** ~ lopen *walk stiffly.*

harkkeerder ⟨de (m.)⟩ **0.1** *(hay-)tedder* ⇒⟨mbt. zwaden⟩ *side-delivery rake.*

harksel ⟨het⟩ **0.1** *rakings.*

harlekijn ⟨de (m.)⟩ **0.1** [toneelfiguur] *harlequin* **0.2** [pop] *jumping-jack* **0.3** [grappenmaker] *buffoon, clown, merry-andrew, joker* **0.4** [bloem] *dead man's/men's fingers* **0.5** [vlinder] *magpie moth*.
harlekijneend ⟨de⟩ **0.1** *harlequin (duck)*.
harlekijn(s)pak ⟨het⟩ **0.1** *motley* ⇒*harlequin('s) costume*.
harlekijntje ⟨het⟩ **0.1** [kleine harlekijn] *little harlequin* ⟨enz.;→harlekijn⟩ **0.2** [spinnetje] *zebra spider*.
harlekinade ⟨de (v.)⟩ **0.1** [kluchtspel] *harlequinade* **0.2** [dwaze vertoning] *harlequinade* ⇒*buffoonery, tomfoolery, clowning*.
harmonie ⟨de (v.)⟩ **0.1** [overeenstemming] *harmony* ⇒*concord, agreement* **0.2** [⟨muz.⟩] *harmony* ⇒*concord* **0.3** [blaas- en slaginstrumenten, bespelers] *wind and percussion sections* **0.4** [muziekvereniging] *(brass) band* ◆ **1.1** de ~ van zijn leven was gebroken *his peace was shattered* **1.2** de ~ der sferen *the h./music of the spheres* **2.2** een meeslepende ~ *rousing/stirring/thrilling h.* **6.1** zij leven in volmaakte/de beste ~ *they live in complete/perfect h.*; **in/niet in** ~ zijn met *be in/out of h./keeping with*.
harmonieconcours ⟨de⟩ **0.1** *(brass) band competition*.
harmoniegezelschap ⟨het⟩ **0.1** *(brass) band*.
harmoniekapel →harmoniegezelschap.
harmonieleer ⟨de⟩ ⟨muz.⟩ **0.1** *(theory of) harmony*.
harmoniemodel ⟨het⟩ **0.1** *conflict avoidance strategy* ◆ **3.1** het ~ hanteren *adopt a strategy of conflict avoidance*.
harmoniemuziek ⟨de (v.)⟩ **0.1** [composite(s)] *music for wind and percussion instruments* **0.2** [uitvoering] *music for wind and percussion instruments*.
harmonieorkest ⟨het⟩ **0.1** *(brass) band*.
harmoniëren ⟨onov.ww.⟩ **0.1** *harmonize (with)* ⇒*accord (with)*, ⟨mbt. kleuren/kleren/meubels enz. ook⟩ *go (well) together*, ⟨mbt. kleuren/meubels ook⟩ *blend (in) well (together)*, ⟨mbt. kleuren ook⟩ *tone (in)(with)* ◆ **6.1** ze ~ niet met elkaar *they don't go (well) together*; goed met iem. ~ *go well with s.o..*
harmonieus ⟨bn., bw.;-ly⟩ **0.1** *harmonious* ⇒*melodious, sweet-sounding*, ⟨→harmonisch⟩ ◆ **1.1** een harmonieuze stem *a h./pleasant voice*.
harmonika ⟨de (v.)⟩ **0.1** [accordeon] *accordion* ⇒⟨diatonische knopaccordeon⟩ *melodeon, melodion*, ⟨zeshoekige knopaccordeon⟩ *concertina*, ⟨inf.⟩ *squeeze-box* **0.2** [mondharmonika] *harmonica, mouth organ* **0.3** [orgelregister] *harmonica* ⇒*harmonia* **0.4** [verbindingsstuk] *concertina vestibule/passage* ⟨van trein⟩.
harmonikabed ⟨het⟩ **0.1** *folding bed, fold-up bed*.
harmonikabus ⟨de (m.)⟩ **0.1** *articulated bus*.
harmonikadeur ⟨de⟩ **0.1** *accordion door* ⇒*folding door*.
harmonikagaas ⟨het⟩ **0.1** *diamond mesh wire netting, chain link mesh*.
harmonikaplooi ⟨de⟩ **0.1** *accordion pleat*.
harmonikaspel ⟨het⟩ **0.1** *harmonica playing* ⇒*accordion playing, mouth-organ playing* ⟨op mondharmonika⟩.
harmonikaspeler ⟨de (m.)⟩, **-speelster** ⟨de (v.)⟩ **0.1** *harmonica-player* ⇒*accordion-player, accordionist, mouth-organ player* ⟨op mondharmonika⟩.
harmonikatrein ⟨de (m.)⟩ **0.1** *corridor/vestibule train*.
harmonikawand ⟨de (m.)⟩ **0.1** *folding partition* ⇒*accordion wall*.
harmonisatie ⟨de (v.)⟩ **0.1** *harmonization* ⇒⟨ook⟩ *bringing into harmony/line* ◆ **1.1** de ~ van de belangen van beide partijen *the h. of both parties' interests*; ~ van de huurprijzen *rationalization/bringing into line of rents, rent h.*
harmonisch ⟨bn., bw.;-(al)ly⟩ **0.1** [blijk gevend van harmonie] *harmonic* **0.2** [kalm] *harmonious* **0.3** [welluidend] *harmonious* ⇒*melodious, sweet-sounding* ◆ **1.1** ⟨wisk., nat.⟩ ~e analysis *h. analysis*; ⟨wisk.⟩ ~e evenredigheid *h. proportion*; een ~ geheel vormen *blend (in) well (together), go well (together)*; dit gebouw vormt één ~ geheel met het landschap *this building blends into the landscape*; ~e reeks *h. progression*; ~e tonen *harmonics, h. tones, overtones, partials* **1.3** ~e drieklank *common chord* **1.¶** ~e vervorming *harmonic distortion* **3.1** ~ bij elkaar aansluiten *fit together harmoniously*; ~ met iem. samenwerken *work well (together) with s.o., work in harmony with s.o..*
harmoniseren
I ⟨onov.ww.⟩ **0.1** [harmoniëren] ⟨→**harmoniëren**⟩;
II ⟨ov.ww.⟩ **0.1** [harmonisch maken] *harmonize*.
harmonium ⟨het⟩ **0.1** *harmonium* ⇒*reed organ*.
harnas ⟨het⟩ ⟨gesch.⟩ **0.1** *(suit of) armour* ⇒⟨kuras⟩ *cuirass* ◆ **2.1** een stalen/zilveren ~ *a suit of steel/silvered armour* **3.1** het ~ aangespen ⟨ook fig.⟩ *gird oneself (for battle)* **6.1** in het ~ sterven *die in harness/in one's boots/with one's boots on*; in het ~ *(up) in arms*; iem. tegen zich in het ~ jagen *get/put s.o.'s back up, antagonize/exasperate s.o., incur s.o.'s wrath*; ⟨inf.⟩ *rile s.o.*; iem. tegen een ander in het ~ jagen *set s.o. against another person*; twee mensen tegen elkaar in 't ~ jagen *set two people against one another/at loggerheads/by the ears.*
harnassen ⟨wk.ww.;zich ~⟩ ⟨fig.⟩ **0.1** *gird oneself (for), arm oneself (against)*.
harp ⟨de⟩ **0.1** [muziekinstrument] *harp* **0.2** [symbool] *harp* ⇒⟨lier⟩ *lyre* **0.3** [⟨scheep.⟩] *shackle* ⇒⟨in ketting⟩ *coupling link* **0.4** [zeef] *riddle* ⇒*sieve* ◆ **2.1** de Ierse ~ *the Irish harp* **3.1** de ~ slaan *strike the harp/lyre.*

harpconcert ⟨het⟩ **0.1** *harp concerto, concerto for harp.*
harpenist ⟨de (m.)⟩ **0.1** *harpist* ⇒*harper, harp player.*
harpij ⟨de (v.)⟩ **0.1** [godin] *harpy* **0.2** [bloeddorstig monster] *harpy* ⇒*hag* **0.3** [⟨schr.⟩ feeks] *harpy* ⇒*virago, battleaxe, witch*, ⟨zeldz.⟩ *termagant* **0.4** [arend] *harpy (eagle).*
harpinstrument ⟨het⟩ **0.1** *harp, member of the harp family*; ⟨ruimer⟩ *plucked/stringed instrument.*
harpist ⟨de (m.)⟩, **-e** ⟨de (v.)⟩ **0.1** *harpist, harp-player* ⇒⟨vero.⟩ *harper.*
harpoen ⟨de (m.)⟩ **0.1** [mbt. de walvisvangst] *harpoon* **0.2** [mbt. de zoetwatervisserij] *harpoon, fish-spear* ⇒⟨aalschaar⟩ *gig* ◆ **3.1** de ~ schieten/werpen *shoot/cast the h..*
harpoenen →harpoeneren.
harpoeneren ⟨ov.ww.⟩ **0.1** *harpoon* ⇒⟨aalprikken⟩ *gig*, ⟨met visspeer⟩ *spear.*
harpoengeweer ⟨het⟩ **0.1** *harpoon gun.*
harpoenier ⟨de (m.)⟩ **0.1** *harpooner* ⇒*harpooneer, striker*, ⟨eerste harpoenier op walvisvaarder⟩ *specktioneer, specksioneer.*
harpoenkanon ⟨het⟩ **0.1** *harpoon gun* ⇒*whale/whaling gun.*
harpspel ⟨het⟩ **0.1** *harp-playing.*
harpspeler ⟨de (m.)⟩, **-speelster** ⟨de (v.)⟩ **0.1** *harpist, harp-player* ⇒⟨vero.⟩ *harper.*
harrewarren ⟨onov.ww.⟩ **0.1** *squabble, quarrel* ⇒*wrangle, bicker* ◆ **6.1** met iem. ~ *s./q. with s.o., have a tiff with s.o.*; ze liggen altijd met elkaar te ~ *they are always squabbling/quarreling/bickering, they are always at loggerheads*; we hoeven niet over de details v.h. schema te ~ *we don't have to quibble about the details of the scheme.*
hars ⟨het, de⟩ **0.1** *rosin* ⇒⟨colofonium⟩ *rosin, colophony, colophonium* ◆ **2.1** gewone/gele ~ *common/yellow rosin*; vloeibare ~en *liquid resins.*
harsachtig ⟨bn.⟩ **0.1** [op hars lijkend] *resinous* **0.2** [naar hars ruikend] *resinous* **0.3** [hars producerend] *resiniferous.*
harsbehandeling ⟨de (v.)⟩ **0.1** *treatment with prewaxed strips.*
harses ⟨zn.mv.⟩ ⟨inf.⟩ **0.1** *nut, conk, skull, block* ⇒⟨BE ook⟩ *bonce* ◆ **3.1** gebruik je ~! *use your loaf/noddle!*; hou je ~! *shut your cakehole!*; iem. de ~ inslaan *smash s.o.'s head in* **6.1** hoe haal je het in je ~ *how did you get that idea into your fat skul!?*; iem. een dreun voor z'n ~ geven *punch s.o. on the hooter*; ⟨AE;sl. ook⟩ *bean s.o..*
harsgom ⟨het, de (m.)⟩ **0.1** *gum resin.*
harshoudend ⟨bn.⟩ **0.1** *resinous* ⇒⟨hars voortbrengend⟩ *resiniferous.*
harslak ⟨het, de (m.)⟩ **0.1** *resin varnish.*
harsolie ⟨de⟩ **0.1** *resin/rosin oil.*
harspleister ⟨de⟩ **0.1** *prewaxed strip* ⇒≠*depilatory.*
harst ⟨de (m.)⟩ **0.1** *sirloin.*
harsvloed ⟨de (m.)⟩ **0.1** *resinosis* ⇒*resin flux.*
harszwam ⟨de⟩ ⟨plantk.⟩ **0.1** *corticium.*
hart ⟨het⟩ ⟨→sprw. 60,134,148,257,258,474,475⟩ **0.1** [spier] *heart* ⇒⟨inf.⟩ *ticker* **0.2** [hartstreek] *heart* ⇒*bosom, breast* **0.3** [innerlijk, gemoed] *heart* **0.4** [gezindheid, vriendschap] *heart* **0.5** [moed] *heart* ⇒*nerve, guts, pluck* **0.6** [als voedsel] *heart* **0.7** [iets met hartvorm] *heart* **0.8** [midden, kern] *heart* ⇒*core, centre* ◆ **1.1** ⟨fig.⟩ een ~ van goud hebben *have a h. of gold*; ⟨fig.⟩ een ~ van steen hebben *have a h. of stone/steel/flint* **1.3** in de grond van mijn ~ geef ik hem gelijk *in my h. of hearts I must admit he's right*; uit de grond van zijn ~ iets beamen *agree with sth. with all one's h./from the bottom of one's h.*; hij is een jager in ~ en nieren *he is a hunter in h. and soul, he is every inch a hunter*; de stem van zijn ~ volgen *follow the voice (of) one's h.*, *follow one's inclination*; met ~ en ziel *with all one's h., with h. and soul* **1.8** het ~ van een bloem *the h. of a flower* **2.1** het heilig ~ *the Sacred Heart*; een zwak ~ hebben *have a weak h./a h. condition* **2.3** aan een gebroken ~ lijden *suffer from a broken h.*; met een gerust ~ *with an easy mind/conscience*; hij heeft een goed ~ *he is good at h., there is much good in him*; het is niet veel, maar het komt uit een goed ~ *it's not much, but the intention is good/it's well-meant*; een groot ~ hebben *have a big h.* **2.4** iem. een goed ~ toedragen *be kindly disposed towards s.o.*; iem. een kwaad ~ toedragen *have a grudge against s.o.*; iem. geen kwaad ~ toedragen *bear s.o. no ill will, have no ill feelings for s.o.*; iets een warm ~ toedragen *be well disposed towards sth.*; slecht nieuws voor iedereen die het voetbal een warm ~ toedraagt *bad news for those who hold football dear* **2.7** een marsepeinen ~ *a marzipan h.* **2.8** het groene ~ van Holland *Holland's green centre/h.* **2.¶** van ganser ~e *with all my/his/⟨enz.⟩ h.* **3.1** ⟨fig.⟩ met bloedend ~ *with a bleeding h.*; ⟨fig.⟩ mijn ~ draaide om in mijn lijf *it turned my stomach, I was sick at h.*; ⟨fig.⟩ het ~ op de juiste plaats dragen/hebben *wear one's h. in the right place*; ⟨fig.⟩ ik hield mijn ~ vast *my h. missed a beat, I had my h. in my mouth/throat*; ⟨fig.⟩ je houdt je ~ vast bij de gedachte dat *it's just too awful to think what might happen if*; met kloppend ~ *with pounding h.*; ⟨fig.⟩ haar ~ klopte hem in de keel *his h. was (beating) in his throat/mouth*; ⟨fig.⟩ mijn ~ kromp ineen van medelijden *my h. shrank with pity*; ⟨fig.⟩ zijn ~ ligt hem op de tong *his h. is on his sleeve*; ⟨fig.⟩ zijn ~ uit zijn lichaam spuwen *heave one's h. up*; haar ~ stond even stil/sloeg over *her h. missed/skipped a beat* **3.3** iemands ~ breken *break s.o.'s h.*; je kunt je ~ ophalen *you can (enjoy it) to your h.'s content*; zijn ~ uitstorten/luchten

disburden/ open/ speak out one's h.; zijn ~ aan iets verloren hebben *have set one's h. / mind on sth., have fallen in love with sth.;* zijn ~ aan iem. verloren hebben *have lost one's h. to s.o., have fallen in love with s.o.;* zijn ~ aan iets verpanden *fall in love with sth.* **3.4** hij had geen ~ voor de zaak *his h. wasn't in the matter/ business;* ~ voor een zaak hebben *have one's h. in a matter;* iemands ~ stelen *steal s.o.'s h.;* de ~en van de mensen veroveren *capture/ conquer/ win one's way into people's hearts, endear o.s. to the public;* iemands ~ winnen *win/ conquer s.o.'s h.* **3.5** heb het ~ eens! *don't you dare!, you just try it!;* iem. een ~ onder de riem steken *give s.o. h.;* het ~ zonk hem in de schoenen *he lost h., his h. sank into his boots* **6.1** het **aan** het ~ hebben *have a h. condition;* (fig.) iem. **op** het ~ trappen *tear s.o.'s h. out, trample on s.o.'s feelings* **6.2** iem. **aan** het ~ drukken *embrace s.o., clasp/ press s.o. to one's h. / breast/ bosom;* iem. iets met de hand **op** het ~ verzekeren *declare sth. (with) hand on h.;* met de hand **over** het ~ strijken *have a h., show mercy* **6.3** iem. na **aan** het ~ liggen *be very dear to s.o., be near s.o.'s h.;* het gaat mij toch **aan** het ~ *it really touches/ affects me;* met de dood **in** het ~ *trembling with fear;* **in** zijn hart hield hij nog steeds van haar *deep down/ in his h. (of hearts) he still loved her;* dat is een man **naar** mijn ~ *he's a man after my h.;* iets **op** zijn ~ hebben *have sth. in mind/ on one's mind;* iem. iets **op** het ~ drukken *impress sth. on s.o.('s mind), urge s.o. to do sth.;* zeg maar wat je **op** het ~ hebt *get it off your chest;* **van** zijn ~ geen moordkuil maken *make no disguise of one's feelings, be frank, speak one's mind;* dat moet mij toch **van** het ~ *I can't help saying this, I just have to get this off my chest;* jong **van** ~ *young of h.* **6.5** de schrik sloeg hem **om** het ~ *his h. missed a beat/ was in his mouth* **6.8 in** het ~(je) van de stad wonen *live in the h. / centre of the city* **6.¶** iets niet **over** zijn ~ kunnen verkrijgen *not find it in one's h. to do sth., not be able to do sth.;* iets **ter** ~e nemen *take sth. to h.;* dat gaat mij zeer **ter** ~e *I am greatly concerned about that, I have that much at h.;* **van** ~e gefeliciteerd *my warmest congratulations;* hij deed het, maar het ging niet **van** ~e *he did it, but his h. wasn't in it* **7.1** (fig.) geen ~ hebben *have no h. / be heartless.*

hartaandoening ⟨de (v.)⟩ **0.1** *heart condition/ ailment/ problem/ disease/ complaint/ disorder/ dysfunction* ⇒⟨inf.⟩ *heart-trouble* ◆ **3.1** hij heeft een ~ *he has a heart condition;* ⟨inf.⟩ *he has heart-trouble.*

hartaanval ⟨de (m.)⟩ **0.1** *heart attack* ⇒⟨inf.⟩ *coronary* ◆ **3.1** hij heeft een ~ gehad/ gekregen *he has had a h.a..*

hartader ⟨de⟩ **0.1** [⟨med.⟩] *cardiac/ coronary artery/ vein* ⇒*aorta* **0.2** [⟨fig.⟩] *artery* ◆ **1.2** een ~ van het verkeer *a traffic a.* **3.2** (iets) de ~ afsnijden, (iets) in zijn ~ treffen *strike at the heart (of sth.), deal a mortal blow (to sth.).*

hartafwijking ⟨de (v.)⟩ **0.1** *heart condition* ⇒⟨schr.⟩ *cardiac abnormality.*

hartambulance ⟨de⟩⟨med.⟩ **0.1** *heart ambulance.*

hartaneurysma ⟨het⟩ **0.1** *ventricular aneurism.*

hartbeklemming ⟨de (v.)⟩ **0.1** [hartstoornis] *angina* ⇒⟨med.⟩ *angina pectoris* **0.2** [⟨fig.⟩] *agony (of mind).*

hartbewaking ⟨de (v.)⟩ **0.1** [controle van de hartwerking] *coronary care* ⇒≠*intensive care* **0.2** [afdeling in een ziekenhuis] *coronary care* ⇒≠*intensive care.*

hartblok ⟨het⟩⟨med.⟩ **0.1** *heart block* ⇒*Adams-Stokes syndrome, atrio-ventricular block.*

hartboezem ⟨de (m.)⟩⟨med.⟩ **0.1** ↑*atrium* ⇒*auricle (of the heart)* ◆ **2.1** de rechter/ linker ~ *the right/ left atrium.*

hartbrekend ⟨bn.⟩ **0.1** *heartbreaking* ⇒⟨sterker⟩ *heart-rending.*

hartcatheter ⟨de⟩ **0.1** *heart catheter.*

hartcentrum ⟨het⟩ **0.1** *heart centre/ clinic* ⇒ ↑*cardiac clinic.*

hartchirurg ⟨de (m.)⟩ **0.1** *heart surgeon.*

hartchirurgie ⟨de (v.)⟩ **0.1** *heart surgery* ◆ **2.1** open ~ *open-heart surgery.*

hartbloed ⟨het⟩ **0.1** *heart('s) blood, lifeblood* ◆ **3.1** zijn ~ geven ⟨zijn leven geven⟩ *lay down one's life;* (alles doen voor iem.) ⟨ongemarkeerd⟩ *give one's right arm (for sth.), go to the end of the world (for s.o.);* dat kost ~ ⟨ongemarkeerd⟩ *that will cause blood and tears.*

hartediefje ⟨het⟩ **0.1** *darling, treasure, sweetheart,* ^*honey(-bunch/ bun).*

harteklop ⟨de (m.)⟩ **0.1** *heartbeat, beat (of the heart)* ⇒⟨mv.; het bonzen⟩ *palpitations* ◆ **1.1** (fig.) de ~ van de natuur *the h. of nature* **3.1** de ~ krijgen *get palpitations.*

hartekreet ⟨de (m.)⟩ **0.1** *cry from the heart, heartfelt cry* ◆ **3.1** een ~ slaken *let out a h. c..*

harteleed ⟨het⟩ **0.1** *(heartfelt) grief* ⇒*(heartfelt) sorrow, heartbreak/ ache* ◆ **3.1** hij wordt verteerd door ~ *he is consumed with grief.*

harteliefje →**hartediefje.**

hartelijk
I ⟨bn.⟩ **0.1** [innig, welgemeend] *hearty, warm* ⇒*affectionate, cordial* **0.2** [mbt. personen] *warm-hearted, open-hearted, genial* ⇒*amicable, cordial* ◆ **1.1** een ~e brief *a friendly/ cordial letter;* ~ dank voor uw brief *many thanks for your letter;* met ~e groeten ⟨in toenemende maat of formaliteit⟩ *with kind regards, affectionately yours, yours (very) sincerely;* ~e groeten aan je vrouw *remember me/ kind(est) regards to your wife;* een ~e ontvangst *a w. / welcoming reception, a h. welcome* **3.2** ~ tegen iem. zijn *be friendly/ cordial towards s.o.;*

II ⟨bw.⟩ **0.1** [van harte] *heartily, warmly* ⇒*cordially* **0.2** [oprecht, gul] *heartily* ◆ **1.1** ik heet u allen ~ welkom *I (wish to) extend a warm/ hearty welcome to you all* **3.1** ~ bedankt voor ...*thank you very much for ..., thank you kindly for ...;* ⟨iron.⟩ daar dank ik ~ voor *thank you very much* ⟨nadruk op very⟩, *not for me, not on your nelly/ life;* ~ gecondoleerd *you have my deepest/ sincere sympathy;* ~ gefeliciteerd *(you have my) hearty/ warmest/ sincerest congratulations;* zij laat u ~ groeten *she sends her kindest/ best regards/ her love/ her warmest greetings;* iem. ~ de hand schudden *shake s.o. w. by the hand;* ik wens u ~ geluk *hearty congratulations, (I wish you) all the very best* **3.2** ~ lachen *laugh h..*

hartelijkheid ⟨de (v.)⟩ **0.1** [het hartelijk zijn] *cordiality, geniality, warm/ open-heartedness* **0.2** [bejegening] *cordiality, hospitality* ◆ **2.1** zijn overdreven ~ *his excessive friendliness/ amity.*

harteloos ⟨bn.⟩ **0.1** *heartless* ⇒*callous, cold-blooded,* ⟨wreed⟩ *cruel* ◆ **2.1** een harteloze daad *a cruel deed.*

hartelust ⟨de (m.)⟩ ◆ **6.¶** naar ~ *to one's heart's content;* de kinderen zongen **naar** ~ *the children sang their hearts out.*

harten ⟨de; ook in samenst.⟩ **0.1** *hearts* ◆ **1.1** hartenaas/ boer/ heer/ tien / vrouw *ace/ jack,* ⟨vero.⟩ *knave/ king/ ten/ queen of h.;* ~ troef maken *make h. trumps;* ~ is troef *h. are trumps* **7.1** één ~ *one heart.*

hartenbreker ⟨de (m.)⟩, **-ster** ⟨de (v.)⟩ **0.1** *heartbreaker* ⟨m., v.⟩ ⇒ *lady-killer, Lothario, Don Juan* ⟨m.⟩, *flirt, coquette* ⟨v.⟩.

hartenjagen ⟨ww.⟩ **0.1** *play hearts* ◆ **7.1** het ~ *hearts.*

hart-en-vaatziekten ⟨zn.mv.⟩ **0.1** *cardiovascular diseases.*

hartepijn ⟨de⟩ **0.1** *heartache* ⇒⟨hartzeer⟩ *heartbreak* ◆ **3.1** dat bezorgt me ~ *that causes me a lot of heartache.*

hartevreter ⟨de (m.)⟩ **0.1** *pest* ⇒⟨inf.⟩ *pain in the neck/ back(side).*

hartewens ⟨de (m.)⟩ **0.1** *heart's desire, fondest wish* ◆ **3.1** zijn ~ werd vervuld *his fondest wish was fulfilled* **6.1** het gaat **naar** ~ *it's going splendidly/ according to plan/ swimmingly/ like clockwork/ without a hitch.*

hartfilmpje ⟨het⟩⟨inf.⟩ **0.1** ↑*E.C.G.,* ⟨AE ook⟩ ↑*E.K.G..*

hartfrequentie ⟨de (v.)⟩ **0.1** *heart frequency, pulse (rate).*

hartgebrek ⟨het⟩ **0.1** ↑*cardiac defect/ dysfunction.*

hartgeruis ⟨het⟩⟨med.⟩ **0.1** *heart murmur* ⇒ ↑*cardiac murmur.*

hartgrondig ⟨bn., bw.; -ly⟩ **0.1** *whole-hearted, heartfelt* ⇒*hearty, sincere,* ⟨bw. ook⟩ *from the bottom of one's heart* ◆ **2.1** een ~e hekel aan iem. / iets hebben *whole-heartedly/ heartily dislike/ detest s.o. / sth.; dislike/ detest s.o. from the bottom of one's heart* **3.1** ze verveelden zich ~ *they were terribly/ dreadfully bored;* ⟨inf.⟩ *they were bored stiff / silly.*

harthout ⟨het⟩⟨amb.⟩ **0.1** *heartwood* ⇒⟨plantk.⟩ *duramen.*

hartig ⟨bn., bw.; -ly⟩ **0.1** [pittig] *tasty* ⇒⟨goed gekruid⟩ *well-seasoned,* ⟨pikant⟩ *piquant, highly-seasoned,* ⟨stevig⟩ *hearty* **0.2** [zout] *savoury, salt, salty* ◆ **1.1** (fig.) ik zal er eens een ~ woordje van zeggen *I shall have to do some plain speaking/ to speak my mind, I shall have to have a heart-to-heart talk;* (fig.) een ~ woordje met iem. spreken *give s.o. a (good) talking-to, give s.o. a piece of one's mind, tackle s.o. about sth., give s.o. a rap over the knuckles* **4.2** ik heb trek in iets ~s *I feel like/ fancy something savoury.*

hartigheid ⟨de (v.)⟩ **0.1** [het hartig zijn] *savouriness* ⇒*piquancy, pungency* **0.2** [dat wat hartig is] *savoury (dish)* ⇒⟨beleg⟩ *savoury topping / filling* ◆ **1.2** ~ op brood *open sandwich* **6.2** hartigheden **bij** de borrel *savouries/ snacks/* ⟨inf.⟩ *nibbles with the drinks.*

hartigheidje ⟨het⟩ **0.1** *tasty snack* ⇒⟨vnl. BE ook⟩ *savoury.*

hartinfarct ⟨het⟩ **0.1** ↑*myocardial infarction* ⇒*heart infarct,* ≠ ↓*heart attack,* ⟨inf.⟩ *coronary.*

hartje ⟨het⟩ **0.1** [klein hart] *(little) heart* **0.2** [hartvormig iets] *(little) heart* **0.3** [het binnenste] *heart* ⇒*centre* **0.4** [vleinaam] *sweetheart* ⇒*darling,* ^*honey(-bunch/ -bun), treasure, pet,* ⟨scherts.⟩ *sweetie-pie* ◆ **1.3** ~ winter *the dead of winter;* ~ zomer *the height of summer* **2.1** hij heeft een grote mond, maar een klein ~ ≠*his bark is worse than his bite;* met een klein ~ *soft-hearted/ scared* **2.2** ⟨plantk.⟩ gebroken/ druipende ~s *bleeding-heart, lyreflower* **6.2** een ~ van chocolade *a chocolate h.* **6.3** in het ~ van de winter *in the dead/ depth(s) of winter;* in het ~ van de stad *in the h. / centre of the city;* in het ~ v.d. zomer *in the height of summer, in midsummer* ¶**.1** hij heeft alles wat zijn ~ begeert *he has everything he could possibly wish for;* (mbt. luxe/ weelde ook) *he is living in the lap of luxury, he is (living) in clover.*

hartkamer ⟨de⟩ **0.1** *ventricle (of the heart)* ◆ **2.1** linker/ rechter ~ *left/ right v..*

hartklacht ⟨de⟩ **0.1** *heart complaint/ condition/ disorder* ◆ **3.1** ~en hebben *have a heart condition.*

hartklep ⟨de⟩⟨med.⟩ **0.1** *heart valve, valve (of the heart)* ⇒ ↑*cardiac valve.*

hartklop ⟨de (m.)⟩ **0.1** *heartbeat.*

hartklopping ⟨de (v.)⟩ **0.1** *palpitation (of the heart), heart palpitation* ⇒ ⟨mv.; med.⟩ *tachycardia* ◆ **3.1** aan ~en lijden *suffer from palpitations;* ~en hebben van angst *get palpitations of/ with fear;* ik kreeg er ~en van *it gave me palpitations.*

hartknaging ⟨de (v.)⟩ **0.1** *pangs of conscience* ⇒*remorse, compunction.*

hartkramp ⟨de⟩ **0.1** *spasm of the heart, angina* ⇒⟨med.⟩ *angina pectoris.*

hartkransslagader ⟨de⟩ **0.1** *coronary artery.*
hartkuiltje ⟨het⟩ **0.1** *pit of the stomach.*
hartkwaal ⟨de⟩ **0.1** *heart condition/ailment/problem/disease/complaint/ disorder* ⟹⟨inf.⟩ *heart/cardiac trouble.*
hartlijder ⟨de (m.)⟩ **0.1** *heart patient* ⟹ ↑*cardiac patient.*
hartlijn ⟨de⟩ **0.1** [lijn in de handpalm] *heart line* ⟹*line of heart, mensal line* **0.2** [⟨bouwk.⟩] *centre line, (central) axis.*
hart-longmachine ⟨de (v.)⟩ **0.1** *heart-lung machine.*
hartmassage ⟨de (v.)⟩ **0.1** *heart massage* ⟹ ↑*cardiac massage, heart resuscitation* ◆ **1.1** uitwendige/inwendige~ *external/internal h. m./* ⟨med.⟩ *cardiac compression.*
hartminuutvolume ⟨het⟩ **0.1** *cardiac output.*
hartneurose ⟨de (v.)⟩ **0.1** ↑*cardiac neurosis* ⟹⟨med. ook⟩ *effort syndrome, irritable heart, soldier's heart, neurocirculatory asthenia.*
hartoor ⟨het⟩ **0.1** *auricle (of the heart).*
hartoperatie ⟨de (v.)⟩ **0.1** *heartoperation.*
hartpaal ⟨de⟩ ⟨bouwk.⟩ **0.1** *core pile.*
hartpatiënt ⟨de (m.)⟩ **0.1** *heart patient* ⟹ ↑*cardiac (patient)* ◆ **3.1** ~zijn *have a heart condition;* ⟨inf.⟩ *have heart trouble.*
hartpunctie ⟨de (v.)⟩ **0.1** *heart puncture.*
hartpunt ⟨de⟩ **0.1** ↑*apex (of the heart).*
hartroerend ⟨bn.,bw.;-(al)ly⟩ **0.1** *moving, pathetic, touching, poignant* ⟹⟨sterker⟩ *heartbreaking/rending* ◆ **1.1** een~ afscheid/tafereel *a m./t./heartbreaking farewell/scene;* het is een~ *gezicht it is a pathetic sight* **3.1** ~smeken *beg pathetically.*
hartrot ⟨het⟩ **0.1** *heartrot.*
hartruis →**hartgeruis.**
hartscheur ⟨de⟩ **0.1** [⟨med.⟩] *rupture (of the heart)* **0.2** [in hout] *heartshake.*
hartsgeheim ⟨het⟩ **0.1** [diep geheim] *(most) intimate secret* ⟨vaak mv.⟩ **0.2** [liefdesgeheim] *secret of the heart* ◆ **3.1** iem. zijn~en toevertrouwen *confide one's most intimate secrets to s.o.* **4.2** dat is mijn~ *that's a secret of my heart.*
hartslag ⟨de (m.)⟩ **0.1** [klop van het hart] *heartbeat, beat (of the heart)* ⟹ ↑*pulsation of the heart* **0.2** [polsslag] *heartbeat, pulse* ⟹⟨med.⟩ *heart rate* ◆ **1.2** ⟨fig.⟩ de~v.d. stad *the h. of the city* **2.2** een langzame~ *a slow p. (rate)* **3.2** de~ opnemen van iem. *take s.o.'s p..*
hartspecialist ⟨de (m.)⟩ **0.1** *heart specialist* ⟹ ↑*cardiologist.*
hartspier ⟨de⟩ **0.1** *heart muscle* ⟹ ↑*cardiac muscle,* ⟨med.⟩ *myocardium.*
hartsterke(n) →**hartstikke.**
hartsterkend ⟨bn.,bw.;-ly⟩ **0.1** [opwekkend] *cordial, tonic, stimulant, invigorating* ⟹*fortifying* **0.2** [bemoedigend] *heartwarming, cheering, heartening, uplifting* ◆ **1.1** een~ glas wijn *an i. glass of wine.*
hartsterking ⟨de (v.)⟩ **0.1** [borrel] ↓*bracer, pick-me-up* ⟹ ↓*stiffener, tonic* ⟨ook medicijn⟩,*cordial* ⟨medicijn, voedsel, niet-alcoholische drank⟩ **0.2** [⟨fig.⟩ bemoediging] *tonic* ⟹*encouragement, comfort, relief, cheer* ◆ **3.1** ik zal nog maar een~ nemen *I'll just have another pick-me-up.*
hartstikke ⟨bw.⟩ ⟨inf.⟩ **0.1** *awfully, terribly, fanstastically, enormously* ⟹⟨helemaal⟩ ↑*completely, altogether, totally, utterly* ◆ **2.1** 't is~ donker /vol *it's awfully dark/full;* ~dood *stone-dead, as dead as a doornail/ dodo;* hij is~ doof *he is stone-deaf/as deaf as a post;* ~gek ⟨lett.⟩ *stark raving mad;* ⟨fig.⟩ *crazy;* ~goed *fantastic, terrific, smashing;* ⟨sl.⟩ *way out, too much;* ⟨vnl. BE⟩ *good;* hij kan~ goed zingen *he's a fantastic/terrific singer;* hoe gaat het? ~goed! *how are you? great!/fantastic!;* ~leuk *awfully/terribly nice* **3.1** ~bedankt! *thanks ever so much, thanks awfully/a million;* u wordt~bedankt *thank you ever so much, thank you very much indeed.*
hartstilstand ⟨de (m.)⟩ **0.1** *cardiac arrest* ⟹⟨med.⟩ *asystole* ◆ **3.1** ⟨overdr.⟩ ik kreeg bijna een~ *I nearly died, my heart nearly stopped/ gave out.*
hartstimulator ⟨de (m.)⟩ **0.1** *pacemaker.*
hartstocht ⟨de (m.)⟩ **0.1** [begeerte] *passion* ⟹*desire, lust* ⟨meestal mbt. seksuele of lagere gevoelens⟩,*emotion* ⟨vnl. mv.⟩,*ardour, fervour* **0.2** [heftige liefde] *passion* ⟹⟨tijdelijk⟩ *craze,* ⟨manie⟩ *mania* ◆ **3.1** zijn ~en bedwingen/beteugelen *subdue/bridle one's passions;* de~en laaiden hoog op *feeling/feelings was/were running high* **6.1** zich door zijn~en laten meeslepen *let oneself be swayed by emotion, give way/ rein to emotion/one's emotions;* met/zonder ~(iets doen) *(do something) passionately/dispassionately* **6.2** hij heeft een~voor de muziek *he has a p. for music.*
hartstochtelijk
I ⟨bn.⟩ **0.1** [onderhevig aan hartstochten] *passionate* ⟹*warm/ hot-blooded, emotional,* ⟨snel opgewonden⟩ *excitable* ◆ **1.1** een~ man *a p./excitable man;*
II ⟨bn.,bw.;-ly⟩ **0.1** [vurig, met hartstocht] *passionate* ⟹*spirited, ardent, fervent, impassioned* **0.2** [gedreven, fanatiek] *ardent, fervent, keen* ⟹*passionate, vehement* ⟨meestal mbt. negatieve gevoelens⟩ ◆ **1.1** een~e liefde *a passion, a fervent/an ardent love;* ~e woorden/gebaren *impassioned words/gestures* **1.2** een~ aanhanger/liefhebber zijn van...*be a fervent/an enthusiastic/ardent supporter/lover of;* hij is een~ jager/golfer/skiër *he is a k./an a. hunter/golfer/skier, he has*

(got) a passion for hunting/golf/skiing **2.1** ~verliefd *passionately in love* **3.2** iets~ bestrijden/aanhangen *oppose/support sth. fanatically;* ⟨ook⟩ *oppose sth. vehemently* **5.2** hij houdt~ veel van muziek *he has a passion for music, music is his (one great) passion/a great passion of his.*
hartstochtelijkheid ⟨de (v.)⟩ **0.1** *passion(ateness)* ⟹*ardency, burning enthusiasm.*
hartstoornis ⟨de (v.)⟩ **0.1** *heart disorder.*
hartstreek ⟨de⟩ **0.1** *heart region, region of the heart* ⟹ ↑*cardiac region.*
hartsvanger ⟨de (m.)⟩ **0.1** ≠*double-edged hunting knife.*
hartsverlangen ⟨het⟩ **0.1** *heart's desire, fondest wish.*
hartsvriend ⟨de (m.)⟩,**-in** ⟨de (v.)⟩ **0.1** *bosom friend* ⟨m.,v.⟩ ⟹*dear/ good/close friend* ⟨m.,v.⟩,*confidant* ⟨m.⟩,*confidante* ⟨v.⟩.
harttoon ⟨de (m.)⟩ **0.1** *heart sound* ⟹ ↑*cardiac sound.*
harttransplantatie ⟨de (v.)⟩ **0.1** *heart transplant (operation).*
hartvergroting ⟨de (v.)⟩ **0.1** *dilation of the heart, heart enlargement* ⟹ ↑*cardiac dilation,* ⟨med.⟩ *megalocardia, cardiomegaly,* ⟨door veel sport ook⟩ *athlete's heart.*
hartverheffend ⟨bn.⟩ **0.1** *uplifting, elevating* ⟹*ennobling, exalting,* ⟨subliem⟩ *sublime* ◆ **1.1** een~ gedicht *a sublime poem;* het was geen~ schouwspel *it was a disgraceful exhibition/not an u. scene/not an edifying spectacle.*
hartverlamming ⟨de (v.)⟩ **0.1** *heart failure* ⟹*heart seizure, paralysis of the heart (muscle)* ◆ **6.1** hij is **aan** een~ gestorven *he died of h. f..*
hartveroverend ⟨bn.⟩ **0.1** *enchanting, ravishing, entrancing* ◆ **1.1** een~ schouwspel *an entrancing play.*
hartverscheurend ⟨bn.,bw.;-ly⟩ **0.1** *heartbreaking/rending* ⟹*agonizing, distressing* ◆ **1.1** een~e aanblik *a heartbreaking/heartrending scene;* een~e kreet *a heartrending/agonizing cry* **3.1** ~schreien *weep distressingly, cry one's heart/eyes out;* ~snikken *sob one's heart out.*
hartversterkend ⟨bn.⟩ **0.1** ⟨opwekkend⟩ *cordial, tonic, stimulant, invigorating;* ⟨bemoedigend⟩ *heartwarming, cheering, heartening.*
hartversterking ⟨de (v.)⟩ **0.1** ⟨borrel⟩ ↓*bracer,* ↓*pick-me-up,* ↓*stiffener;* ⟨bemoediging⟩ *tonic, encouragement, comfort.*
hartvervetting ⟨de (v.)⟩ **0.1** *fatty degeneration/infiltration of the heart.*
hartverwarmend ⟨bn.,bw.;-ly⟩ **0.1** *heartwarming.*
hartverwijding →**hartvergroting.**
hartvlies ⟨het⟩ ⟨med.⟩ **0.1** *endocardium.*
hartvormig ⟨bn.⟩ **0.1** *heart-shaped* ⟹ ↑*cordiform, cordate* ◆ **1.1** ~e bladen *cordate leaves.*
hartwerking ⟨de (v.)⟩ **0.1** *heart function/action.*
hartzakje ⟨het⟩ **0.1** *pericardium.*
hartzeer ⟨het⟩ **0.1** *heartache, heartbreak, anguish* ⟹*(heartfelt) grief* ◆ **3.1** ik heb er geen~ van *I won't break my heart over/about it, it won't break my heart;* ~van iets hebben *be anguished about sth., break one's heart about/over sth., grieve over sth.* **6.1** **van** ~ sterven *die of a broken heart;* **van** ~vergaan *pine away (with grief), eat one's heart out, die of a broken heart;* **zonder** ~vertrekken *leave without a qualm.*
hartziekte ⟨de (v.)⟩ **0.1** *heart disease/condition/ailment/complaint/disorder* ⟹⟨inf.⟩ *heart trouble.*
hartzwakte ⟨de (v.)⟩ **0.1** *heart weakness* ⟹ ↑*cardiac weakness.*
hasj ⟨de (m.)⟩ **0.1** *hash* ⟹⟨sl.⟩ *shit, pot, dope.*
hasjhond ⟨de (m.)⟩ **0.1** *sniffer-dog.*
hasjiesj ⟨de (m.)⟩ **0.1** *hashish.*
hasjroker ⟨de (m.)⟩ **0.1** *hashish/pot smoker.*
haspel ⟨de (m.)⟩ **0.1** [mbt. garens] *reel* **0.2** [mbt. slangen/snoeren] *reel* ⟹⟨spoel⟩ *spool,* ⟨windas, ankerspil⟩ *windlass, winch,* ⟨kaapstaander⟩ *capstan* ◆ **6.¶** dat is een~**in** een fles *that's a mystery;* een~**van** een mens *a bungler/blunderer* **8.¶** dat sluit als een~ in een zak *that is neither here nor there.*
haspelaar ⟨de (m.)⟩ **0.1** [afwinder] *reeler, winder* **0.2** [knoeier] *bungler, blunderer.*
haspelen
I ⟨onov.ww.⟩ **0.1** [stuntelen] *bungle, blunder, flounder, make a mess* ⟹*be all at sea* **0.2** [kibbelen] *quarrel, wrangle, bicker* ◆ **3.1** wat zit je daar te~! *what a mess you're making!, you're all at sea!;*
II ⟨ov.ww.⟩ **0.1** [tot een warboel maken] *mix up, jumble (up), mess (up)* **0.2** [met de haspel opwinden] *reel (in), wind (up)* ◆ **¶**.1 alles door elkaar~ *mix/jumble everything up.*
haspelwerk ⟨het⟩ **0.1** [gangspil] *capstan* **0.2** [gewurm] *bungling, bungle, mess.*
hassebasje ⟨het⟩ ⟨inf.⟩ **0.1** ≠*brandy fix,* ≠*drink.*
HAT-eenheid ⟨de (v.)⟩ **0.1** *'HAT-eenheid'* ⟨apartment for single people or two-person households⟩.
hatelijk ⟨bn.,bw.;-ly⟩ **0.1** [haat opwekkend] *hateful* ⟹*nasty, odious, obnoxious, unspeakable* **0.2** [opzettelijk grievend] *nasty* ⟹*spiteful, malicious, vicious, snide* ⟨vnl. mbt. opmerkingen⟩,⟨inf.⟩ *bitchy, invidious* ◆ **1.1** een~e blik *a nasty/vicious look* **1.2** ~e opmerkingen maken *make n./spiteful/vicious/snide remarks, jeer (at s.o.);* ⟨inf.⟩ *bitch (about sth.);* een~e toespeling *a./spiteful quip, a (nasty) innuendo* **3.1** ~worden *turn/get nasty* **3.2** ~doen/zijn tegen iem. *be n. to s.o.;* ⟨inf.⟩ *bitch at s.o.;* ~lachen *laugh nastily/spitefully* **4.2** iem. iets~s zeggen *say something n. to s.o..*

hatelijkheid 〈de (v.)〉 **0.1** [opmerking] *nasty/spiteful/snide remark* ⇒ *gibe, (nasty) quip/crack* **0.2** [hoedanigheid] *nastiness* ⇒*spitefulness, maliciousness* ◆ **3.1** hatelijkheden debiteren/spuien *make/spit out nasty/spiteful/snide remarks* **8.1** het was niet als een ~ bedoeld *it wasn't meant to be nasty/in a nasty way, I/he/she* 〈enz.〉 *didn't mean to be nasty.*

haten 〈ov.ww.〉〈→sprw. 374〉 **0.1** [haat toedragen] *hate* ⇒*detest, despise,* †*execrate* **0.2** [verfoeien] *hate, loathe* ⇒*not be able to stand,* 〈verafschuwen〉 *detest, abhor* ◆ **1.2** sommige mensen ~ sigarerook *some people can't stand cigar smoke* **3.1** iem. gaan ~ *start to h.s.o., come to the point of hating s.o.* **4.1** elkaar/zichzelf ~ *h. each other/o.s.* **5.1** iem./iets dodelijk ~/~ als de pest *h.s.o./sth. like poison/like the plague.*

hater 〈de (m.)〉, **haatster** 〈de (v.)〉 **0.1** *hater.*

hatsiekadee 〈tw.〉 **0.1** *crash, smash* ⇒*bang* ◆ ¶.1 ~, daar ging de ruit *crash, that was the window.*

hatsjie 〈tw.〉 **0.1** *atishoo, atchoo, achoo.*

hattrick 〈de (m.)〉〈sport〉 **0.1** *hat trick* ◆ **2.1** een zuivere ~ (scoren) *(score/make) a clean h.t..*

hausse 〈de (v.)〉 [〈geldw., hand.〉] *boom* ⇒*rise, bull market/movement* **0.2** [opleving] *boom, boost* ◆ **2.1** een wilde ~ aan de beurs *a wild rise/sudden b. on the stock market* **6.2** een ~ **in** de scheepsbouw *a boom in shipbuilding* ¶.1 à la ~ speculeren *speculate for a rise, bull the market;* à la ~ speculeren in een fonds *bull a stock.*

haussemarkt 〈de〉 **0.1** *bull market.*

haussepositie 〈de (v.)〉 **0.1** *bull (position).*

haussier 〈de (m.)〉 **0.1** *bull* ⇒*long.*

hautain 〈bn., bw.; -ly〉 **0.1** *haughty* ⇒*lofty, lordly, arrogant, supercilious* ◆ **1.1** een ~ e houding *a h./arrogant/supercilious/lofty/lordly air* **3.1** het is belachelijk zo ~ als hij optreedt *his supercilious behaviour is ridiculous* **4.1** hij heeft iets ~s (over zich) *he has an air of arrogance (about him).*

hautbois 〈de〉 **0.1** *oboe* ⇒〈vero.〉 *hautboy.*

haute-couture 〈de (v.)〉 **0.1** *haute couture* ⇒*high fashion.*

haute cuisine 〈de〉〈cul.〉 **0.1** *haute cuisine.*

haute-finance 〈de (v.)〉 **0.1** *high finance.*

haute-nouveauté 〈de (v.)〉〈schr.〉 **0.1** 〈ongemarkeerd〉 *the (very) latest fashion.*

haut-relièf 〈het〉 **0.1** *high relief* ⇒*alto-relievo.*

hauw 〈de〉〈plantk.〉 **0.1** *siliqua, silique.*

havanna
I 〈de〉 **0.1** [tabak, sigaar] *Havana (cigar);*
II 〈het〉 **0.1** [konijn] *Havana.*

have 〈de〉〈→sprw. 259〉 **0.1** *property* ⇒*goods, belongings, possessions, (personal) effects* ◆ **1.1** ~ en goed verliezen *lose everything/all one's got;* ~ en goed *goods and chattels, possessions, worldly goods* **2.1** grote ~ *extensive property;* levende/dode ~ *live/deadstock;* liggende ~ *immovable property, immovables;* 〈jur.〉 *realty;* tilbare ~ *mov(e)able property, mov(e)ables;* 〈jur.〉 *personalty.*

haveloos 〈bn.〉 **0.1** [sjofel] *shabby, scruffy* ⇒〈mbt. huis, meubels, auto enz. ook〉 *delapidated,* 〈gescheurd, gerafeld〉 *ragged, tattered,* 〈versleten, vervallen〉 *decrepit,* ↓*tatty* **0.2** [berooid, arm] *shabby, beggarly* ⇒〈van mens〉 *down and out* ◆ **1.1** haveloze kledij *threadbare/ragged/tattered clothing* **3.1** wat ziet hij er ~ uit *how scruffy he looks, the look down at heel/out at elbow(s).*

haven 〈de〉 **0.1** [ligplaats voor schepen] *harbour* ⇒〈grote haven ook〉 *port,* 〈dokken〉 *docks,* 〈havengebied ook〉 *dockland* **0.2** [havenstad] *port* **0.3** [bebouwde strook grond langs een haven] *quayside, harbour front* ⇒*dock(side)* **0.4** [water van een haven] *harbour* **0.5** [scheepvaartverkeer] *harbour* ⇒〈in grote havensteden ook〉 *port* **0.6** [〈in samenst.〉] *port* **0.7** [〈fig.〉 toevluchtsoord] *(safe)haven, (place/haven of) safety/refuge* ⇒*sanctuary* ◆ **1.1** de ~ van Antwerpen *the port/h. of Antwerp;* ~ van bestemming *port of destination;* de ~ van Harlingen *Harlingen h.;* ~ van herkomst 〈van goederen〉 *port of origin;* 〈thuishaven van schip〉 *port of registry, home port* **1.7** de ~ van het huwelijk *the haven of marriage* **2.1** een open ~ *an open access h./port* **2.7** hij is in behouden ~ *he is safe and sound/home and dry;* een veilige ~ vinden *find a safe haven, find refuge* **3.1** de ~ veilig bereiken *make/reach port safely;* een ~ binnenvallen/binnenlopen/aandoen *put into/in at a port* **5.1** de ~ uit zeilen *sail out of h./port, clear the h.* **6.1** in (het zicht van) de ~ schipbreuk lijden/vergaan 〈fig.〉 *come to grief/fail at the last minute;* naar de ~ terugvaren *sail back to/return to port* **6.3** op /aan de ~ wonen *live on the quayside/by the harbour* **6.4** in de ~ vallen *fall into the h..*

havenaanleg 〈de (m.)〉 **0.1** *harbour construction.*

havenaccommodatie 〈de (v.)〉 **0.1** *harbourage, port accommodation.*

havenanker 〈het〉 **0.1** *mooring (anchor).*

havenarbeider 〈de (m.)〉 **0.1** *dockworker/labourer, docker* ⇒〈AE ook〉 *longshoreman.*

havenbeambte 〈de (m.)〉 **0.1** *port official* ⇒〈mbt. dok〉 *dock official.*

havenbedrijf 〈het〉 **0.1** 〈inrichting〉 *dock/harbour/port installations;* 〈bedrijfstak〉 *dock industry.*

havenbekken 〈het〉 **0.1** *harbour basin* ⇒〈van dok〉 *dock basin.*

havenbestuur 〈het〉 **0.1** [het besturen] *harbour management* **0.2** [personen] *harbour board* ⇒*harbour/port authority/authorities.*

havenbootje 〈het〉 **0.1** *harbour launch.*

havencommandant 〈de (m.)〉 **0.1** *port admiral.*

havencomplex 〈het〉 **0.1** *harbour/dock/port system/complex.*

havendam 〈de (m.)〉 **0.1** *mole, jetty, breakwater* ⇒〈vnl. waar schepen aanleggen〉 *pier.*

havendienst 〈de (m.)〉 **0.1** *harbour service.*

havenen 〈ov.ww.〉 **0.1** *batter, mangle* ⇒〈aan flarden scheuren〉 *tatter,* 〈verfomfaaien〉 *bedraggle* ◆ **1.1** wat is dat boek gehavend *isn't that book battered/tattered/the worse for wear/* 〈met ezelsoren〉 *dog-eared* **3.1** wat ziet hij er gehavend uit *doesn't he look bedraggled/a right/real mess;* 〈scherts.〉 *he looks like he's been dragged through a hedge backwards.*

havenfaciliteiten 〈zn.mv.〉 **0.1** *harbour facilities.*

havengebouw 〈het〉 **0.1** *harbour master's/port warden's office.*

havengeld 〈het〉 **0.1** *harbour/port dues* ⇒〈BE ook〉 *groundage,* 〈ankergeld〉 *anchorage,* 〈mbt. dokken〉 *dock dues, dockage.*

havenhoofd 〈het〉 **0.1** *mole, jetty, breakwater, pier.*

havenkant 〈de (m.)〉 **0.1** [rand van een havenbekken] *quayside* ⇒〈van dok〉 *dockside* **0.2** [stadsdeel] *harbour* ⇒〈BE mbt. dokken〉 *dockland* ◆ **6.2** aan de ~ wonen *live by the h./docks.*

havenkantoor 〈het〉 **0.1** *harbour/port office, harbour-master's office.*

havenkosten 〈zn.mv.〉 **0.1** *port dues/charges* ⇒*harbour/dock dues.*

havenkraan 〈de〉 **0.1** *wharf/dock(-side)/harbour crane.*

havenkwartier 〈het〉 **0.1** *harbour/dock area* ⇒[B]*dockland.*

havenloods
I 〈de (m.)〉 **0.1** [persoon] *harbour pilot;*
II 〈de〉 **0.1** [gebouw] *harbourshed.*

havenmeester 〈de (m.)〉 **0.1** *harbour master* [A]*port warden* ⇒*port master/director, airport manager* 〈van vliegveld〉.

havenmond 〈de (m.)〉 **0.1** *harbour/dock entrance.*

havennavigatie 〈de (v.)〉 **0.1** *navigation in port* ⇒*harbour navigation.*

havenpakhuis 〈het〉 **0.1** *dock warehouse.*

havenplaats 〈de〉 **0.1** *port* ⇒*seaport (town)* 〈aan zee〉.

havenpolitie 〈de (v.)〉 **0.1** *harbour police.*

havenradar 〈de (m.)〉 **0.1** *harbour radar.*

havenrecht 〈het〉 **0.1** *port/harbour dues/charges.*

havenreglement 〈het〉 **0.1** *harbour/port regulations.*

havenschap 〈het〉 **0.1** ≠*port authority, harbour commission.*

havenstad 〈de〉 **0.1** *port* ⇒*seaport (town)* 〈aan zee〉.

havenstaking 〈de (v.)〉 **0.1** *dock strike.*

havenwerken 〈zn.mv.〉 **0.1** *harbour works* ⇒〈havengebied〉 *docks.*

havenwerker 〈de (m.)〉 **0.1** *docker* [A]*longshoreman* ⇒*dock worker/labourer.*

havenwijk 〈de〉 **0.1** *harbour/dock area* ⇒[B]*dockland.*

haver 〈de〉〈→sprw. 260,493〉 **0.1** [plantengeslacht] *oat* **0.2** [voedsel] *oats* ◆ **1.2** een mud/zak ~ *a sack/bag of oats, a hectolitre of oats* **2.1** gewone ~ *common oat;* wilde ~ *wild oat, oat-grass,* [B]*haver* **3.1** ~ verbouwen *grow/cultivate oats* **6.1** een veld met ~ *an oat field* **6.2** de paarden **met** ~ voeren *feed the horses with oats, corn the horses* **6.¶** iem. **van** ~ **tot** got kennen *know s.o. inside out/like the back of one's hand* ¶.2 〈fig.〉 de ~ niet waard zijn *be played out,* †*have outlived one's usefulness.*

haveraaltje 〈het〉 **0.1** *oat nematode.*

haverbrood 〈het〉 **0.1** *oaten bread* ⇒〈in Schotland en N.Engeland〉 *cake.*

havergort 〈de (m.)〉 **0.1** *(oat) groats* ⇒*hulled oats* ◆ **2.1** dunne ~ *gruel.*

havergras 〈het〉 **0.1** *tall oat grass* ⇒[B]*haver.*

haverkist 〈de〉 **0.1** *oat bin* ◆ **6.1** erop zitten als de bok **op** de ~ *be as keen as mustard on doing/to do sth., jump at sth.;* 〈uitslover zijn〉 *be an eager beaver.*

haverklap 〈de (m.)〉 ◆ **6.¶ om** de ~ 〈ieder ogenblik〉 *every other minute/day, continually;* 〈bij de geringste aanleiding〉 *at the slightest provocation;* ze belde om de ~ om te weten of ... 〈ook〉 *she kept (on) ringing to ask whether ....*

haverkorrel 〈de (m.)〉 **0.1** *oat grain.*

haverland 〈het〉 →**haverveld.**

havermeel 〈het〉 **0.1** *oatmeal.*

havermout 〈de (m.)〉 **0.1** [gepelde haver] *rolled oats* ⇒*oatmeal* **0.2** [pap] *(oatmeal) porridge* ◆ **1.2** een bord ~ *a plate of p..*

haverstro 〈het〉 **0.1** *oat straw* ◆ **6.1** 〈fig.〉 twisten **om** een ~ *argue/fight at the drop of a hat/over nothing.*

haverveld 〈het〉 **0.1** *oat field* ⇒*field of oats.*

havervlokken 〈zn.mv.〉 **0.1** *oat flakes.*

haverzak 〈de (m.)〉 **0.1** *fodder bag* ⇒*feedbag, oatbag/sack,* 〈van paarden〉 *nosebag.*

havezaat 〈de〉 **0.1** [ridderlijk goed, kasteel] ≠*manorial farm* ⇒≠*manor (house)* **0.2** [grote hofstede] *homestead* ⇒*farmstead.*

havik 〈de (m.)〉 **0.1** [vogel] *hawk* ⇒〈ihb. Accipiter gentilis〉 *goshawk* **0.2** [begerig mens] *vulture* ⇒*vampire, harpy, leech, shylock* **0.3** [〈pol.〉 oorlogszuchtig mens] *hawk.*

havikachtigen 〈zn.mv.〉 **0.1** *Accipitridae.*

haviksbek ⟨de (m.)⟩ **0.1** *hawk's bill/beak* ♦ **6.1** met een ~ *hawk-billed*.
haviksborst ⟨de⟩ **0.1** *pigeon/chicken breast*.
haviksklauw ⟨de⟩ **0.1** *hawk's talon/claw*.
havikskruid ⟨het⟩ **0.1** *hawkweed* ♦ **2.1** langharig ~ *mouse-ear hawkweed*.
haviksneus ⟨de (m.)⟩ **0.1** *hooked nose* ⇒*hooknose, aquiline/hawk nose*.
haviksoog ⟨het⟩ **0.1** *hawkeye*.
havo ⟨de⟩ **0.1** *school of higher/senior general secondary education* ⇒ ≠[B]*secondary modern school*.
HAVO ⟨het⟩ ⟨afk.⟩ **0.1** [Hoger Algemeen Voortgezet Onderwijs] ⟨*Senior/Higher General Secondary Education*⟩.
hazard ⟨de (m.)⟩ **0.1** *(lucky) chance* ⇒*windfall*, ⟨koopje⟩ *bargain* ♦ **¶.1** par ~ *by chance/hazard*.
hazardspel ⟨het⟩ **0.1** *game of hazard/chance*.
hazebloed ⟨het⟩ **0.1** [bloed van een haas] *hare's blood* **0.2** [bangigheid] *chicken-heartedness* ⇒*timidity, timorousness*.
hazedistel ⟨de⟩ **0.1** *hare's lettuce* ⇒*sow/[B]milk thistle*.
hazehart ⟨het⟩ **0.1** [bange aard] ⟨zie 3.1⟩ **0.2** [persoon] *chicken* ⇒*coward, funk, milksop*, [A]*milquetoast* **0.3** [hart van een haas] *hare's heart* ♦ **3.1** een ~ hebben *be chicken-hearted*.
hazejacht ⟨de⟩ **0.1** *hare-shoot(ing)/-hunt(ing)* ⇒⟨met windhonden⟩ *(hare) coursing*, ⟨met brakken⟩ *beagling*.
hazelaar ⟨de (m.)⟩ **0.1** [hazelnotestruik] *hazel* **0.2** [twijg] *hazel (switch/rod)*.
hazelaarshout ⟨het⟩ **0.1** *hazel(wood)*.
hazelaren ⟨bn.⟩ **0.1** *hazel*.
hazeleger ⟨het⟩ **0.1** *form* ⇒*hare lair/cover*.
hazelhoen ⟨het⟩ **0.1** *hazel-/grouse-hen*.
hazelip ⟨de⟩ **0.1** *harelip*.
hazelnoot
I ⟨de (m.)⟩ **0.1** [struik] ⟨→**hazelaar**⟩;
II ⟨de⟩ **0.1** [noot] *hazelnut* ⇒⟨van variëteit Coryllus avellana grandis⟩ *cob(-nut)*.
hazelnootreep ⟨de (m.)⟩ **0.1** *bar of hazelnut (chocolate)* ⇒*bar of chocolate with hazelnuts*.
hazelnoteboom ⟨de (m.)⟩ **0.1** *hazel (bush)*.
hazelnotestruik ⟨de (m.)⟩ **0.1** *hazel (bush)*.
hazelworm ⟨de (m.)⟩ **0.1** *blindworm* ⇒*slowworm*.
hazeoor ⟨het⟩ **0.1** *hare's ear*.
hazepad ⟨het⟩ **0.1** ⟨zie 3.1⟩ ♦ **3.1** ⟨fig.⟩ het ~ kiezen *take to one's heels, show a clean pair of heels*, ↓*skedaddle, clear off*; ⟨AE;scherts.⟩ *absquatulate*.
hazepastei ⟨de⟩ **0.1** *hare pie*.
hazepeper ⟨de⟩ **0.1** ≠*jugged hare* ♦ **6.1** ⟨fig.⟩ dat plan is ~ **zonder** haas *that plan lacks bite/punch/body/substance*.
hazepoot ⟨de (m.)⟩ **0.1** *hare's foot*.
hazerug ⟨de (m.)⟩ **0.1** *saddle of hare*.
hazeslaap ⟨de (m.)⟩ ⟨fig.⟩ **0.1** *forty winks* ⇒*catnap, (bit of/some) shuteye* ♦ **3.1** een ~(je) doen *have/take f. w./a catnap/some shuteye*.
hazesprong ⟨de (m.)⟩ **0.1** *hare leap*.
hazevlees ⟨het⟩ **0.1** *hare* ⇒*hare('s) meat, hare's flesh* ♦ **3.1** ~ gegeten hebben *be chicken(-hearted)/* ↓*windy/* ↓*yellow, be a milksop/yellow belly/* [A]*milquetoast, have a yellow streak*.
hazewind ⟨de (m.)⟩ **0.1** *greyhound* ⇒⟨klein soort⟩ *whippet* ♦ **2.1** Afghaanse ~ *Afghan (hound)*; Russische ~ *borzoi, Russian wolfhound*.
H.B.O. ⟨het, de⟩ ⟨afk.⟩ **0.1** [Hoger Beroepsonderwijs] ⟨*(School of) Higher Vocational Education*⟩.
H-bom ⟨de⟩ **0.1** *H-bomb* ⇒*hydrogen bomb*.
HBS ⟨de⟩ ⟨afk.⟩ **0.1** [Hogere Burgerschool] ⟨*former Dutch High School for the 12-18 year age group*⟩.
h.c. ⟨afk.⟩ **0.1** [honoris causa] *h.c.*.
Hd. ⟨afk.⟩ **0.1** [Hoogduits] *H.G.*.
h.e. ⟨afk.⟩ **0.1** [hoc est] *i.e.*.
hé ⟨tw.⟩ **0.1** [⟨uitroep om de aandacht te trekken, of van verwondering⟩ ⟨aanroep⟩ *hey!, hello!, say!, hoy!, 'oy!;* ⟨verbazing⟩ *oh (really)?* **0.2** [⟨uitroep achter een ongeduldige of schampere vraag⟩] *eh?, what?* ♦ **¶.1** ~, kom eens hier *hey (you)!, come here!;* ~, is dat waar? *oh (really), is that true/so?* **¶.2** wat wil je nou eigenlijk, ~? *(so) what do you want, eh?, what is it that you want then?*.
hè ⟨tw.⟩ **0.1** [⟨uiting van pijn/bewondering enz.⟩] ⟨onprettig⟩ *oh (dear);* ⟨onprettig, sterker⟩ *bother, damn;* ⟨prettig⟩ *ah;* ⟨vermoeienis⟩ *huh-huh* **0.2** [⟨uitroep om te kennen te geven dat men een bevestigend oordeel verwacht⟩] *what?, right?, eh?, isn't it?;* ⟨zie ook ¶.2⟩ ♦ **¶.1** ~, dat doet zeer! *oh! ouch! damn, that hurts!;* ~, blij dat ik zit! *aha/huh-huh! ach, glad I can take the weight off my feet!;* ~, dat is pech *say! but that's rotten luck;* ~, ben je daar eindelijk? *well (now)/I say, are you there at last?;* ⟨schamper⟩ *look who's here!;* ~ ja! *ah yes!;* ~ nee! *oh no!* **¶.2** mooi, ~? *lovely, isn't it? / don't you think?;* je komt toch ook, ~? *you'll come (too), won't you?;* dat wist je niet, ~? *you didn't know that, did you/eh? right?;* lekker weertje, ~? *nice day, isn't it?*.
headbangen ⟨ww.⟩ **0.1** *headbanging*.
HEAO ⟨het, de⟩ ⟨afk.⟩ **0.1** [Hoger Economisch en Administratief On-

derwijs] ⟨*School/Institute for Business Administration and Economics*⟩.
heb ⟨de (m.)⟩ ⟨inf.⟩ **0.1** ⟨ongemarkeerd⟩ *greed* ♦ **6.1** het is allemaal **om** de ~ *it's pure g., it's just for the sake of raking it in;* hij is **voor** de ~ *he's only in it for what he can get out of it, he's one for stuffing his pockets*.
hebbeding ⟨het⟩ **0.1** *thingummy, thingy* ⇒*gadget*.
hebbelijk
I ⟨bn.⟩ **0.1** [door gewoonte of karakter eigen] *characteristic* ♦ **1.1** een ~e eigenschap *a characteristic, an idiosyncrasy;* een ~e gewoonte hebben om ... *have a way/* ↓*a trick of ...;*
II ⟨bn., bw.;-ly⟩ **0.1** [fatsoenlijk] *decent, proper* ⇒*seemly* ♦ **3.1** zich ~ gedragen *behave decently/properly/in a seemly fashion*.
hebbelijkheid ⟨de (v.)⟩ **0.1** *habit* ⇒*idiosyncrasy, peculiarity* ♦ **1.1** iemands hebbelijkheden *s.o.'s (funny/annoying) ways, s.o.'s idiosyncrasies* **3.1** de ~ hebben van/om *have a/the (nasty/annoying) habit of ..., have a way/* ↓*trick of ...;* hij heeft allerlei hebbelijkheden *he has all sorts of funny little ways;* kuchen is een ~ van hem *that cough is one of his (little) mannerisms*.
hebben ⟨→sprw. 177,262, 263,314⟩
I ⟨ov.ww.⟩ **0.1** [bezitten] *have (got)* ⇒*own, possess, keep* **0.2** [toegerust zijn met] *have (got)* **0.3** [mbt. een (verwantschaps)betrekking] *have* **0.4** [getroffen zijn door] *have* ⇒*suffer* **0.5** [in genoemde omstandigheden verkeren] *have, be* **0.6** [(gevoelens) koesteren] *have* ⇒*be* **0.7** [beschikken over] *have (got)* **0.8** [in het genot gesteld zijn van] *have* ⇒*enjoy* **0.9** [deelachtig worden] *have* ⇒*get* **0.10** [⟨mbt. iets dat gedaan kan/moet worden⟩] *have* **0.11** [aantreffen] *be, have* **0.12** [in genoemde toestand houden] *have* ⇒*hold* **0.13** [verdragen] *stand, take* **0.14** [⟨+aan⟩ nut ondervinden van] *be of use (to)* ♦ **1.1** heb jij een auto? *have you got a car,* [A]*do you have a car?;* hij heeft geen auto/geld *he hasn't got a car/any money,* [A]*he doesn't have a car/any money;* ze heeft een boetiekje/reclamebureau *she runs a boutique/an advertising agency;* gelijk/ongelijk ~ *be right/wrong;* ⟨zelfstandig⟩ iemands hele ~en houden *all s.o.'s belongings;* hij heeft een eigen huis *he owns a house/has a house of his own;* ik heb geen suiker meer *I'm right/clean out of sugar* **1.2** hij heeft veel haar *he has a lot of hair, he's very hairy;* dat mag geen naam ~ *it's not worth mentioning;* het heeft er de schijn van dat ... *it looks as if ...;* schoenen aan de voeten ~ *be wearing shoes, have shoes on one's feet* **1.4** ze heeft geen/veel pijn *she's not in pain/in a lot of pain;* ergens spijt van ~ *be sorry about sth.;* verdriet ~ *be sad* **1.5** ik hoop dat je mooi weer hebt *I hope you'll h. good weather/the weather will be fine (for you)* **1.6** geduld ~ *be patient;* een hekel ~ aan iets *have a dislike for sth., hate sth.* **1.7** ik heb nog altijd een boek van u *I still have one of your books;* ze ~ geen brood in huis *they are (right) out of bread;* ze ~ de dief *they've caught the thief;* de goedheid ~ *be good enough;* de tijd ~ *have (enough) time, not be in a hurry;* het woord ~ *have the floor;* God hebbe zijn ziel *God rest his soul* **1.8** mensen, bezoek ~ *h. company/visitors;* die pantoffels heb ik van mijn vrouw *my wife gave me those slippers;* ik heb veel plezier van dat ding *that thing comes in very handy;* mag ik dat potlood even van je ~? *can I borrow your pencil for a moment?* **1.9** die les ~ we al gehad *we've already done that lesson;* ik heb nooit Spaans gehad *I've never learned Spanish;* ik moet nog een tientje van hem ~ *he still owes me ten guilders;* hij heeft een trap van een paard gehad *he was kicked by a horse* **2.5** het koud/warm ~ *be cold/hot* **2.6** genoeg van iem./iets ~ *be fed up with/h. had enough of s.o./sth.* **3.1** mag ik dat ~? *may/can I have that?;* iets moeten ~ *need sth.;* iets willen ~ *want sth.* **3.4** ik wil het niet ~ ⟨verbieden⟩ *I won't have it* **3.9** ⟨bel.⟩ wat moet je (van me) ~? *what do you want (from me)?;* ik moet er niets van ~ *I want nothing to do with it;* ik wil (niet) ~ dat je het doet *I (don't) want you to do it;* wat had u gehad willen ~? ⟨in winkel⟩ *what can I do for you?, can I help you?, what would you like?* **3.10** ik heb geen klagen *I can't complain;* jij hebt goed praten *it's easy for you (to talk/say);* hij heeft duizend gulden te verteren *he has a thousand guilders to spend;* je hebt alleen maar te luisteren en te doen wat ik zeg *all you h. to do is to listen and do as I tell you, just listen and do as I tell you;* het heeft niets te betekenen *it's nothing, it doesn't matter;* (het) met iem. te doen ~ *be/feel sorry for s.o.;* dagelijks met iem. te doen ~ *see s.o. every day;* als je iets te zeggen hebt *if there's anything you want to say;* hij heeft niets te vertellen (gaat hem niet aan) *it's none of his business;* (geen macht) *he has no authority/say in this;* dat heeft er niets mee te maken *that's got nothing to do with it;* daar heb ik niets mee te maken *that's no concern of mine, don't look at me!;* daar wil ik niets mee te maken ~ *I('ll) keep well clear of that;* heb je wel eens met hem te maken gehad? *have you had any dealings with him before?;* wat heb je daarop te zeggen? *what's your answer to that?, what h. you to say to that?* **3.12** waar wil je me ~? *where do you want me (to stand)?;* nu kom je waar ik je wil *now you're coming to where I want you to be;* zo wil ik het ~ *that's how I want it;* iets zus of zo (gedaan) willen ~ *want (to see) sth. done in this or that way;* hoe had u het gehad willen ~? *how would you like it (done)?* **3.13** hij kan niet veel ~ *he cannot take much, he's easily shaken/beaten;* ik kan veel ~ maar ... *I can take a lot, but ...* **3.¶** ik moest je net ~ *you're just the man/woman I want;* moet je net Freek ~ *you can imagine Freek's*

reaction!; dan moet je Jan ~ *(then) John is the man for you;* we zullen hem ~ *we'll get him, let's get him* **4.1** je kunt niet alles ~ *you can't have everything / win them all* **4.2** hoe laat heb je het? *what time do you make it?* **4.3** ze ~ elkaar gelukkig nog *fortunately, they still h. each other* **4.4** wat heb je? *what's the matter / wrong with you?, what ails you?;* wat heb je toch? *what's come over you?* **4.5** hoe heb ik het nu? *what's this?, what's going on here?;* hoe heb ik het nu met je? *what's up with you?, what do you think you're doing?;* het druk ~ *be busy;* het er moeilijk mee ~ *h. problems with sth.;* het goed ~ *be well off;* ze ~ het goed voor elkaar *they've really got it made;* ⟨goed geregeld⟩ *they h. it all figured out;* ik wist niet hoe ik het had *I didn't know what to make of it, I was puzzled / ⟨sterker⟩ baffled;* hoe heb je het gehad? *did you h. a good time?, how did you get on?* **4.6** hij heeft iets, maar hij wil niet zeggen wat *there's sth. up with him / bothering him, but he won't say what it is;* ~ jullie wel eens wat met elkaar? *has there ever been / is there anything between you?* **4.7** ze heeft het helemaal *she's really got it, she's terrific / perfect* **4.8** ik heb het *I've got it* **4.11** dan heb je dat *that's what you get;* daar zullen we (zul je) het ~ *there we go;* daar ~ we het (het gedonder / het gegooi in de glazen) *this is it, now we're in for it;* daar heb je het al *I told you so / this would happen, just as I said;* je hebt ook groene druiven *there are / you get green grapes as well;* ⟨als inleiding tot een reeks van voorbeelden en in opsommingen⟩ daar heb je ... *there's, you have;* men heeft / je hebt *there are;* ⟨inf.⟩ *you get, they come in (green and red);* vlak bij Den Haag heeft men het zeebad Scheveningen *near The Hague you'll find the seaside resort of Scheveningen;* wat zullen we nu ~ *hello, what's this?* **4.¶** daar heb je hem weer! *oh no, not him again!* **5.1** ik heb er drie *I've got three* **5.2** het heeft er veel van dat ... *it looks very much as if* **5.9** dat heb je ervan *you've asked for it, that's what you get;* iets liever ~ *prefer sth.* **5.11** (kijk eens) wie we daar ~ *look who's here!;* daar heb je Jan *ah, there's John (now)* **5.12** daar heb je hem lelijk mee *that will hurt him badly;* daar heb ik je *I've got you there;* ik heb hem zover *I've managed to persuade him* **5.14** wat heb je eraan? *what's the use of it?, what good is it to you?* **5.¶** iedereen heeft het erover *everybody's talking about it;* hij had het niet meer *he was really in bad shape;* wel heb ik ooit *well, I'll be ...!;* heb je ooit van je leven! *would you believe this!, good Lord!;* ⟨well I never! **6.2** iets **bij** zich ~ *be carrying sth., have sth. with one;* iets vrolijks **over** zich ~ *make a cheerful impression, have a certain cheer;* **van** wie heeft hij dat? *who / where has he got that from?;* veel **van** iem. of iets ~ *he very much, look very much like s.o. / sth.;* zij heeft het niet **van** een vreemde *it's obvious who / where she got it from;* ik heb het niet **van** mezelf *I haven't thought / dreamt that up myself* **6.3** iem. tot *man / vrouw ~ h. s.o. for a husband / wife* **6.4** iets **aan** de voet ~ *h. sth. wrong with one's foot;* ik heb niets **aan** die troep *that stuff is useless to me;* het **in** zijn rug ~ *h. back-trouble* **6.6** zij ~ iets met elkaar *there's sth. (going on) between them;* hij heeft iets **tegen** mij *he has sth. / some grudge against me* **6.7** ik heb niks **in** huis *there's nothing in the house* **6.8** iem. **aan** de lijn ~ *h. s.o. on the phone / line;* van wie heb je dat? *who told / gave you that?* **6.9** dat heb ik **op** school gehad *I('ve) learned that in school, they('ve) told me that in school;* ik verdien er weinig mee, maar ik moet het er gelukkig niet **van** ~ *it doesn't pay very well, but fortunately I don't have to depend on it;* ⟨iron.⟩ **van** je familie / je vrienden moet je 't maar ~ *well, that's / there's relatives / friends for you* **6.14** je weet niet wat je **aan** hem hebt *you never know where you're at / you are with him;* ⟨iron.⟩ nou, daar heb ik veel **aan!** *oh, a lot of good that will do to me, a fat lot of use that is;* nu weten we tenminste wat we **aan** elkaar ~ *at least now we know where we stand;* een cadeau waar je jaren wat **aan** hebt *a gift which will give you years of service / pleasure for years;* wat heb je **aan** een mooie auto als je niet kunt rijden? *what's the use of a beautiful car if you can't drive?* **6.¶** ik heb het **op** hem *I don't like / trust him;* ik zal het er met hem **over** ~ *I'll talk to him about it;* ik weet niet waar je het **over** hebt *I don't know what you're talking about /* ⟨inf.⟩ *on;* ze hadden het **over** verhuizen *they were talking / thinking of moving;* daar hebben we het niet **over** gehad *we haven't discussed / talked about that;* daar heb ik het straks nog **over** *I'll come (back) to that later on / in a moment;* nu we het daar toch **over** ~ *since you raise the point / matter, now that you mention it, talking about ...;* daar wil ik het nu niet **over** ~ *I won't go into that now;* waar had ik het ook weer **over?** *what was I saying / talking about?, where was I?;* ik heb het **tegen** jou *I'm talking to you* **8.3** iem. als vriend ~ *be friends with s.o.* **¶.6** hij heeft er niets op tegen *he has no objections* **¶.9** zo, dat hebben we ook weer gehad *well, that's that / that's settled / so much for that* **¶.11** de hoeveelste ~ we, wanneer ~ we Pasen? *what day is it?, when is Easter?* **¶.12** een klap van heb ik jou daar *a stunning blow / mighty thump;*

II ⟨hww.⟩ **0.1** [ter aanduiding van de voltooide tijd bij ww.)] *have* ♦ **3.1** gelachen / gelopen dat we ~ *did we h. a laugh / walk!;* heb je vannacht goed geslapen? *did you sleep well last night?;* had ik dat maar geweten *if (only) I had known (that);* had dat maar gezegd *you should have told me so / that, if only you'd told me (that);* ik heb met hem op school gezeten *I went to school with him;* ik heb hem gisteren (nog) gezien *I saw him (only) yesterday;* hij had gezwommen *he had been swimming.*

hebber ⟨de (m.)⟩ **0.1** *vulture* ⇒ *harpy, vampire, money-grubber,* ⟨vrek⟩ *miser, skinflint.*

hebberig ⟨bn.⟩ **0.1** *greedy* ⇒ *grasping, money-grubbing,* ↓*grabby,* ↑*rapacious,* ↑*acquisitive,* ⟨vrekachtig⟩ *stingy, miserly* ♦ **3.1** hij is nogal ~ van aard *he's a bit of a vulture / money-grubber;* wees niet zo ~ *don't be so greedy.*

hebberigheid ⟨de (v.)⟩ **0.1** *greediness* ⇒ *avarice,* ⟨mbt. geld⟩ *money-grubbing.*

hebbes ⟨tw.⟩ ⟨inf.⟩ **0.1** *gotcha!.*

hebraïsme ⟨het⟩ **0.1** [godsdienst] *Hebraism* **0.2** [uitdrukking] *Hebraism.*

hebraïst ⟨de (m.)⟩ **0.1** *Hebraist.*

Hebreeër ⟨de (m.)⟩ **0.1** *Hebrew.*

Hebreeuws[1] ⟨het⟩ **0.1** *Hebrew* ♦ **3.1** ⟨fig.⟩ dat is ~ voor mij *it's (all) Greek to me.*

Hebreeuws[2] ⟨bn.⟩ **0.1** *Hebrew* ♦ **1.1** het ~e volk *the H. people,* the Hebrews.

Hebriden ⟨zn.mv.⟩ **0.1** *Hebrides.*

hebzucht ⟨de⟩ **0.1** *greed* ⇒ *avarice, acquisitiveness, cupidity, covetousness, rapacity* ♦ **4.1** de ~ zelf *the embodiment / personification of g.* **6.1** uit ~ *out of g..*

hebzuchtig ⟨bn.⟩ **0.1** *greedy* ⇒ *avaricious, acquisitive, rapacious, grasping* ♦ **1.1** een ~ mens *a greedy / avaricious / grasping person, a money-grubber, a vulture.*

hecatombe ⟨de⟩ **0.1** [offer] *hecatomb* **0.2** [slachting] *hecatomb.*

hecht[1] → **heft.**

hecht[2] ⟨bn., bw.; -ly⟩ **0.1** [solide, vast] *solid* ⇒ *strong, sound, firm, well-built* **0.2** [⟨fig.⟩] *strong* ⇒ *tight, firm,* ⟨saamhorig⟩ *tightly- / close-(ly)-knit* ♦ **1.1** het rust op ~e grondslagen *it is based / built on solid foundations* ⟨ook fig.⟩ **1.2** een ~e maatschappij / familieband *a close-knit society / family, strong social / family ties;* een ~e samenwerking *close cooperation;* een ~e vriendschap *a close / staunch friendship* **5.1** het is ~ en sterk gebouwd *it is soundly constructed / substantially built.*

hechtdraad ⟨de (m.), als stofnaam het⟩ **0.1** [⟨med.⟩] *suture* **0.2** [⟨plantk.⟩] *tendril* ⇒ *cirrus.*

hechten

I ⟨ov.ww.⟩ **0.1** [⟨med.⟩] *suture* ⇒ ⟨inf.⟩ *stitch up, sew up* **0.2** [vastmaken] *attach, fasten* ⇒ *(af)fix, stick, bind* **0.3** [toekennen] *attach* ♦ **1.1** een wond / een scheur ~ *suture / sew up a wound, stitch / sew up a tear* **1.2** een prijskaartje aan iets ~ *attach / fasten / fix a price tag to sth.* **1.3** een bepaalde betekenis aan iets ~ *a. / give a certain meaning to sth.;* geloof aan iets ~ *give credit / credence to sth., credit sth.;* waarde / belang / gewicht aan iets ~ *a. (a certain) value / importance / weight to sth.;* grote waarde / veel belang aan iets ~ *set great store by sth.* **6.2** het is met draden aan elkaar gehecht *it is held together by wire / thread / stitches;* niet je (aan elkaar) ~ *staple (together);*

II ⟨onov.ww.⟩ **0.1** [vast blijven zitten] *adhere* ⇒ *stick, hold,* ⟨van lijm ook⟩ *bond* **0.2** [waarde toekennen aan] *be attached / devoted (to)* ⇒ *value, hold dear, adhere (to), cling (to)* ♦ **1.1** die pleister hecht niet *this elastoplast* ᴬ*band-aid won't stick* **6.2** wij ~ niet **aan** plichtplegingen *we don't stand on formalities;* **aan** iets / iem. gehecht zijn *be attached / devoted to sth. / s.o.;* hij hecht zeer **aan** traditie / vormen *he's a stickler for / he's strong on tradition / the proprieties;*

III ⟨wk.ww.; zich ~⟩ **0.1** [zich vastzetten] *become attached* ⇒ *cling, stick, attach (itself)* **0.2** [gesteld raken op] *become attached* ⇒ *attach (o.s.)* ♦ **6.2** hij hecht zich gemakkelijk **aan** mensen *he easily becomes attached to people, he latches on to people easily.*

hechtenis ⟨de (v.)⟩ **0.1** [verzekerde bewaring als maatregel] *custody* ⇒ *detention* **0.2** [als straf] *imprisonment* ⇒ *detention, prison* ♦ **1.2** iem. tot twaalf dagen ~ veroordelen *sentence s.o. to twelve days i. / in prison* **2.1** preventieve / voorlopige ~ *preventive c., detention on remand;* de voorlopige ~ met 6 dagen verlengen *grant a six-day remand, order further detention by six days* **6.1** iem. **in** ~ nemen *apprehend / arrest s.o., take s.o. into c., put / place s.o. under arrest;* iem. **in** ~ houden *detain s.o. / keep s.o. in c.;* iem. **in** ~ laten nemen *have s.o. arrested, give s.o. into c.;* **in** ~ zijn / zich **in** ~ bevinden *be detained / in c. / under arrest;* **in** ~ blijven / zitten *remain / be in c.;* iem. **uit** de ~ ontslaan *release s.o. (from c.), discharge s.o. (from prison)* **6.2** met ~ **van** ten hoogste twaalf dagen wordt gestraft ... *punishment of up to twelve days i. is given.*

hechtheid ⟨de (v.)⟩ **0.1** [stevigheid] *solidity* ⇒ *strength, firmness, soundness, substantiality* **0.2** [⟨fig.⟩] *durability* ⇒ *strength, closeness* ♦ **1.1** de ~ van een constructie *the solidity of a construction.*

hechthout ⟨het⟩ **0.1** *plywood, laminated wood.*

hechting ⟨de (v.)⟩ ⟨med.⟩ **0.1** [handeling] *suture* ⇒ *suturing, sewing up, stitching up* **0.2** [materiaal] *suture(s)* ⇒ *stitches* ♦ **3.2** de ~en verwijderen *take out the stitches / sutures.*

hechtkram ⟨de⟩ **0.1** *meta clip* ⇒ *agrafe.*

hechtmiddel ⟨het⟩ **0.1** *adhesive* ⇒ *adhesive agent.*

hechtnaald ⟨de⟩ ⟨med.⟩ **0.1** *surgical needle* ⇒ *suture needle, stitching needle.*

hechtpleister ⟨de⟩ **0.1** *adhesive plaster* ⇒ *sticking-plaster,* ᴮ*elastoplast,* ᴬ*band-aid.*

hechtrankje ⟨het⟩ **0.1** *tendril* ⇒*cirrus*.
hechtsel ⟨het⟩⟨med.⟩ **0.1** *sutures* ⇒*stitches*.
hechtvezel ⟨de⟩⟨plantk.⟩ **0.1** *tendril* ⇒*cirrus*.
hechtwortel ⟨de (m.)⟩⟨plantk.⟩ **0.1** *adhesive root*.
hectare ⟨de⟩ **0.1** *hectare*.
hectisch ⟨bn., bw.;-ally⟩ **0.1** [druk] *hectic* ⇒*frantic, furious* **0.2** [hard-nekkig] *hectic* ◆ **1.1** een ~e periode *a h. period/time* **1.2** ~e koortsen *h. fevers*.
hectograaf ⟨de (m.)⟩⟨druk.⟩ **0.1** *hectograph* ⇒*copygraph*.
hectograferen ⟨ov.ww.⟩⟨druk.⟩ **0.1** *hectograph*.
hectogram ⟨het⟩ **0.1** *hectogram(me)*.
hectoliter ⟨de (m.)⟩ **0.1** *hectolitre*.
hectolitergewicht ⟨het⟩ **0.1** *weight per hectolitre*.
hectometer ⟨de (m.)⟩ **0.1** *hectometre*.
hectowatt ⟨de (m.)⟩⟨tech.⟩ **0.1** *hundred watt*.
heden[1] ⟨het⟩ **0.1** *present (day)*.
heden[2] ⟨bw.⟩⟨schr.⟩ ⟨→sprw. 264,265,407,550⟩ **0.1** ⟨ongemarkeerd⟩ *today* ⇒*now(adays), at present* ◆ **6.1** tot op ~ *up to/up till/until now, to date, as yet, to this day;* **vanaf/met** ingang van ~ *as of/from today/now* **¶.1** ~ ten dage, op ~ *nowadays, these days, today*.
hedenavond ⟨bw.⟩⟨schr.⟩ **0.1** ⟨ongemarkeerd⟩ *this evening* ⇒*tonight,* ⟨vero.⟩ *this night*.
hedendaags ⟨bn.⟩ **0.1** *contemporary* ⇒*present-day, modern, current, new* ◆ **1.1** woordenboeken voor ~ taalgebruik *dictionaries of current usage*.
hedenmiddag ⟨bw.⟩⟨schr.⟩ **0.1** ⟨ongemarkeerd⟩ *this afternoon*.
hedenmorgen ⟨bw.⟩⟨schr.⟩ **0.1** ⟨ongemarkeerd⟩ *this morning*.
hedennacht ⟨bw.⟩⟨schr.⟩ **0.1** ⟨ongemarkeerd⟩ *tonight*.
hedenochtend ⟨bw.⟩⟨schr.⟩ **0.1** ⟨ongemarkeerd⟩ *this morning*.
hedonisme ⟨het⟩ **0.1** *hedonism* ⇒*≠epicur(ean)ism*.
hedonist ⟨de (m.)⟩ **0.1** *hedonist* ⇒*sensualist, Cyrenaic*.
hedonistisch ⟨bn.⟩ **0.1** *hedonic* ⇒*hedonistic, Cyrenaic*.
Hedsjra ⟨de⟩ **0.1** *hegira, hejira* ⟨begin van Mohammedaanse tijdreke-ning⟩.
heel
I ⟨bn.⟩ **0.1** [gaaf] *intact* ⇒*whole, undamaged,* ⟨mbt. kledingstukken ook⟩ *decent, respectable* **0.2** [niet in stukken] *whole* ⇒*entire, unbro-ken* **0.3** [volledig] *whole* ⇒*entire, complete, full* **0.4** [groot] *quite a/some* ⇒*some,* ↓*a/one hell of a* **0.5** [mbt. een zaak in zijn geheel] *whole* ⇒*entire, all* ◆ **1.1** die ham is nog ~ *that ham is still i. /un-touched/in one piece;* een paar hele kousen *a decent/whole/i. pair of stockings* **1.2** hele peper *w. pepper(corn)* **1.3** zij werkt hele dagen *she works full time;* een ~ dozijn *a round dozen;* ~ Engeland *all England, the w. of England;* hele getallen *w. numbers, integers;* een ~ huis *a w. house;* een ~ jaar *a w. / an entire year;* een hele liter *a w. / full litre;* hele zinnen overslaan *skip w. / entire sentences* **1.4** een ~ besluit *a big decision;* ze is een hele dame geworden *she's become q. a (young) lady;* zo'n linnenkast is 'n ~ ding *that's some/quite a/* ↓*one hell of a linen cupboard;* hij is een ~ eind in de tachtig *he is well into his eight-ies;* het is een ~ eind (weg) *it's a good way/distance (off);* een hele som (*q.*) *a large sum of money, an awful lot of money;* een hele tijd *q. some time;* dat is een ~ verhaal *that's a long story* **1.5** langs de hele grens *all along the frontier;* ⟨geringschattend⟩ ik zou me met die hele jongen niet inlaten *I'd stay away from that chap, I wouldn't touch that fellow with a barge-pole;* over ~ het land *throughout the country/land;* ~ zijn leven *all/throughout his life, his w. life;* m'n hele lijf ziet bont en blauw *my w. body is black and blue, I'm bruised all over;* de hele stad/wereld *the w. town, the w. city, all the time, the w. time;* ik had haar een hele tijd niet meer gezien *I hadn't seen her for ages/in donkey's years/* ⟨BE;sl.⟩ *for yonks;* de hele zomer/winter lang *throughout the summer/winter* **3.1** niets ~ laten aan ⟨fig.⟩ *tear to shreds, pull to pieces* **3.2** iets weer ~ maken *fix sth., mend sth., repair sth.;* ⟨scherts.⟩ de stukken (scherven) zijn nog ~ *you can say goodbye to that (one)!;*
II ⟨bw.⟩ **0.1** [zeer] *very (much)* ⇒*really,* ↑*most* **0.2** [geheel en al] *com-pletely, entirely* ⇒*wholly, altogether, absolutely* **0.3** [volstrekt] *at all* ◆ **2.1** dat is ~ gewoon *that's common enough/not unusual/quite nor-mal;* een ~ grote neus *a huge/very large nose;* een ~ klein beetje/ aan-tal *a tiny bit/number;* dat is al ~ vreemd *that is most/quite extraordi-nary* **3.2** hij is ~ naar Groningen gelopen *he walked all the way to Groningen* **4.1** dat heeft ~ wat gekost *that cost a pretty penny;* ~ wat minder/meer *a good deal less/more, quite a lot less/more;* dat kostte ~ wat moeite/inspanning *that took a great deal of trouble/effort* **5.1** ~ erg moe *dead tired;* ~ erg sluw/moeilijk/koud *sly as a fox, extreme-ly difficult/cold;* je weet het ~ goed! *you know perfectly well!;* ~ lang geleden *ages/donkey's years ago;* ~ vaak *very often/frequently;* ~ vroeg opstaan *get up with the lark/really early;* ~ weinig betekenen/ waard zijn *be of/have very little importance/value;* ~ zeker *most cer-tainly* **5.2** dat is iets ~ anders/~wat anders *that's a different story alto-gether, that's a different kettle of fish;* ik weet het ~ zeker *I'm dead sure, I'm absolutely positive* **5.3** ~ niet *not at all* **7.1** ~ veel *a great deal of/a great many,* ↓*heaps/tons/hundreds of* **¶.1** ~ in de verte *way in the distance;* ~ af en toe *once in a blue moon*.

heelal ⟨het⟩ **0.1** *universe* ⇒*cosmos, (deep/outer) space*.
heelbaar ⟨bn.⟩ **0.1** *curable* ⇒*healable* ◆ **1.1** heelbare wonden *c. wounds*.
heelhuids ⟨bw.⟩ **0.1** *unharmed, unscathed* ⇒*uninjured, whole* ◆ **3.1** er ~ (van) afkomen *escape unharmed/with one's life/in one piece/without a scratch/with a whole skin;* wij komen niet ~ door de crisis *we won't get through the crisis unscathed;* er financieel ~ vanaf komen ⟨inf.⟩ *save one's economic bacon;* hij kwam er ~ doorheen *he got through unscathed/without breaking any bones, he managed to ride it out;* ~ terugkomen *return safe and sound*.
heelkruid ⟨het⟩ **0.1** [geneeskrachtige plant] *healing herb, medicinal herb* ⇒*selfheal, allheal, heal-all* **0.2** [⟨plantk.⟩ Sanicula europaea] *sanicle*.
heelkunde ⟨de (v.)⟩ **0.1** *surgery*.
heelkundig ⟨bn., bw.;-ly⟩ **0.1** *surgical* ⇒*operative, operating* ◆ **1.1** onder ~e behandeling zijn *undergo s. treatment;* ~e behandelingen *s. / operative treatment, surgery;* een ~ ingrijpen *an operative interven-tion, an operation*.
heelkundige ⟨de (m.)⟩ **0.1** *surgeon*.
heelmeester ⟨de (m.)⟩⟨gesch.⟩ ⟨→sprw. 266⟩ **0.1** *surgeon* ◆ **1.¶** de grote Heelmeester *the Great Healer*.
heelvlees ⟨het⟩ **0.1** ⟨zie 2.1⟩ ◆ **2.1** goed ~ hebben *heal easily*.
heem ⟨het⟩ **0.1** *(farm)yard* ◆ **1.1** huis en ~ *house and home, hearth and home*.
heemkunde ⟨de (v.)⟩ **0.1** *≠local history* ⇒*study of local customs and (folk)lore*.
heempark ⇒**heemtuin**.
heemraad ⟨de (m.)⟩ **0.1** *member of a polder/dike board; ≠dike reeve*.
heemraadschap ⟨het⟩ **0.1** [college] *polder/dike board* **0.2** [ambt] *mem-bership of a polder/dike board; ≠office of dike reeve* **0.3** [gebied] *polder (district)*.
heemst ⟨de⟩ **0.1** *mallow* ◆ **2.1** gewone ~ *marsh m.*.
heemtuin ⟨de (m.)⟩ **0.1** *botanical garden*.
heen ⟨bw.⟩ **0.1** [weg] *gone* ⇒*away* **0.2** [op de heenweg] *(on the way) going) out(ward), going* **0.3** [in een bep. richting] ⟨zie 5.3⟩ **0.4** [⟨ter versterking⟩]⟨zie 6.4⟩ ◆ **3.1** ⟨schr.⟩ ~ zijn ⟨fig.⟩ *be departed, have departed this life* **3.2** wie rijdt er ~? *who's going to drive (us) there?* **5.1** ⟨fig.⟩ ver ~ zijn *be far g.;* ⟨fig.⟩ je moet ver ~ zijn om zoiets te kunnen doen *you have to be pretty far g. to do sth. like that;* ~ en weer lopen *walk/pace up and down/back and forth/to and fro;* ⟨fig.⟩ ~ en weer praten *discuss, palaver;* ~ en weer reizen *travel/shunt/shuttle (back and forth);* ⟨fig.⟩ na lang ~ en weer praten *after considerable discussion;* ~ en weer geslingerd worden tussen hoop en vrees *be torn between hope and fear* **5.2** ~ en terug ⟨reizen⟩ *there and back* **5.3** je kunt daar niet ~ *you cannot go there;* ergens/nergens ~ gaan *be going somewhere/nowhere;* overal ~ gaan *go everywhere, travel in all direc-tions;* waar wil je ~? ⟨fig.⟩ *what are you driving at?;* waar moet dat ~? ⟨fig.⟩ *where will it (all) end?, what's to be the end of it?;* waar gaat dat ~? *where do you think you're going?* **6.4** dwars door alles ~ *straight through everything;* door elkaar ~ praten *all talk at the same time;* ik ben helemaal door mijn voorraad ~ *I've run right through my stock, I'm right/clean out of it;* door de jaren ~ *over/through the years, in the course of the years;* langs elkaar ~ praten *talk at cross-purposes;* je kunt niet om hem ~ *you can't ignore him/pass him by;* over de berg ~ *across the mountain;* over de teleurstelling ~ zijn *have got over one's disappointment* **¶.2** ~ neem ik de tram, terug loop ik *I'll take the tram going (out) and then walk back*.
heen- en- terugreis ⟨de⟩ **0.1** *round trip*.
heen-en-weer
I ⟨de (m.)⟩ **0.1** [boot] *ferry(-boat)* **0.2** [retourkaartje] *return ticket* **0.3** [naaisteek] *zig-zag stitch(ing)*;
II ⟨het⟩⟨inf.⟩ ◆ **3.¶** krijg (nou) het ~ ⟨verbazing⟩ *well, I'll be damned;* ⟨ergernis⟩ *get lost, up yours (and twist it);* ik krijg er het ~ van *it gets in my hair/on my nerves, it gives me the heebie-jeebies*.
heen-en-weerdienst ⟨de (m.)⟩ **0.1** *shuttle service;* [boot] *ferry service*.
heengaan[1] ⟨het⟩ **0.1** [dood] *passing away/on* ⇒*demise* **0.2** [vertrek] *de-parture* ⇒*going away, leaving* ◆ **4.2** haar ~ *her d.;* ⟨aftreden⟩ *her res-ignation* **6.1** bij zijn ~ *upon his demise*.
heengaan[2] ⟨onov.ww.⟩ **0.1** [vertrekken] *depart* ⇒*leave, go (off/on one's way),* ⟨ontslag nemen⟩ *resign, make one's exit* **0.2** [sterven] *pass away /on* ⇒*depart (this life), go, die* **0.3** [voorbijgaan] *be taken up (with)* ⇒ *be absorbed (by)* ◆ **5.2** vredig ~ *pass away peacefully* **5.3** de hele zomer gaat ermee heen *it will take all summer* **5.¶** ⟨fig.⟩ waar gaat dat heen? *where will it all end?, what's the world coming to?* **6.2** hij is van ons heengegaan *he has passed away* **¶.1** ga heen in vrede *d. in peace*.
heenkomen ⟨het⟩ ◆ **2.¶** een goed ~ zoeken *seek safety in flight, run to/ fly for safety, seek shelter/refuge*.
heenlopen ⟨onov.ww.⟩ **0.1** *walk away/off* ◆ **3.1** niet over zich heen laten lopen *not let o.s. get walked over* **6.1** dwars ~ door *cut across*.
heenreis ⟨de⟩ **0.1** *journey/way there, outward journey, journey out;* ⟨scheep.⟩ *passage/voyage out, outward passage/voyage* ◆ **6.1** het schip was op de ~ *the ship was outward bound/on the way out*.
heenrit ⟨de (m.)⟩ **0.1** *drive/ride/way there*.

heenvlucht ⟨de⟩ **0.1** *outward flight.*

heenweg ⟨de (m.)⟩ **0.1** *way there / out.*

heer ⟨→sprw. 267,268,277-279,447⟩
I ⟨de (m.)⟩ **0.1** ⟨ook in samenst.⟩ mannelijk persoon⟩ *man* ⇒*gentleman*, ⟨dansen⟩ *partner*, ⟨inf.⟩ *gent* **0.2** [als beleefdheidstitel] *Mr.* ⟨gevolgd door naam⟩ *Sir* ⟨zonder naam⟩; ⟨mv.⟩ *gentlemen;* ⟨hand.; mv.⟩ *Messrs.; Master* ⟨voor voornaam van jongen⟩; ⟨sl.⟩ *mister, squire* ⟨zonder naam⟩ [beschaafde man] *gentleman* ⇒⟨inf.⟩ *gent, cavalier, gallant* ⟨tegenover vrouwen⟩ **0.4** [God] *Lord* **0.5** [aanzienlijk man] *gentleman* ⇒*patrician*, ⟨vaak iron.⟩ *worthy*, ⟨inf.⟩ *bigwig, VIP, tin god, nob* **0.6** [meester, gebieder] *lord* ⇒*master* **0.7** [⟨kaartspel⟩] *king* **0.8** [⟨gesch.⟩ magistraat] *lord* ⇒*magistrate* **0.9** [⟨gesch.⟩ bezitter van een heerlijkheid] *lord* ⇒*squire, seigneur* **0.10** [⟨gesch.⟩ landsheer] *lord* ⇒*ruler* ◆ **1.1** het team v.d. heren the men's team; de zangpartij v.d. heren the male choir's part, the male voices **1.2** dames en heren! ladies and gentlemen!; heren professoren the professors, the professorial body; de heren Weston & Co Messrs. Weston & Co **1.4** de dag des Heren the L.'s Day; het gebed des Heren the / our L.'s prayer; God de ~ / de Here God the L. God; het huis des Heren the house of the L.; in het jaar onzes Heren 1672 in the year of our L. *1672* **1.5** ⟨iron.⟩ de heren dieven / oplichters / gangsters the light-fingered / swindling / gangster fraternity **1.6** de ~ des huizes the master of the house; ergens ~ en meester zijn hold absolute sway somewhere, lord it over sth. / s.o.; zijn eigen ~ en meester zijn be one's own master / boss; de heren der schepping the lords of creation **1.8** de heren v.d. stad the lords of the city **1.9** Huygens was Heer van Zuilichem Huygens was l. of Zuilichem **1.10** Heer der Nederlanden L. of the Netherlands **2.2** de jonge ~ Smith Master Smith; Weledele / Geachte Heer Dear Sir **2.3** een voornaam ~ a notable; ⟨inf.⟩ a great swell / nob **2.4** Onze Lieve ~ Our L.; bij Onze Lieve ~ zijn have gone to meet one's maker **2.5** ⟨fig.⟩ de grote ~ uithangen play the grand seigneur, play god almighty; de hoge heren the top brass, the bigwigs, our lords and masters **2.6** ⟨inf.⟩ de (mijn) oude ~ the governor, the / my old man, his nibs; ⟨van schooljongen; vero. of scherts.⟩ the pater **3.2** wat wensen de heren? what can I do for you gentlemen? **3.4** als de Heer het wil God / the L. willing, D.V. **4.2** mijne heren! Gentlemen! **4.5** ⟨iron.⟩ deze ~ / heren this worthy g. / these worthy gentlemen / gentry **6.2 aan** de ~ Van Dale to Mr. Van Dale **6.3** wees een~ **in** het verkeer don't be a road-hog, be civil to other road-users **7.1** ⟨inf.⟩ is dit de heren? is this the Gents?; ⟨r.k.⟩ een Heilige Mis met drie heren a solemn mass, a mass celebrated by three priests / with three priests officiating **9.4** wel Here! ach Here! Here jeetje! (good) L.!, (my) Goodness!;
II ⟨het⟩ **0.1** [⟨iron., pej.⟩ heerschap] *gent* ⇒*chap, fellow* **0.2** [leger] *host* **0.3** [menigte] *host* ◆ **1.3** het ~ der sterren the starry h. **2.1** een gevaarlijk / geen gemakkelijk / een raar ~ an ugly / no easy / a queer customer.

heerbaan ⟨de⟩ ⟨gesch.⟩ **0.1** *military / strategic highway* ⇒*main communication route, Roman road.*

heerban ⟨de (m.)⟩ ⟨gesch.⟩ **0.1** [oproeping tot de krijgsdienst] *arrière-ban* **0.2** [de dienstplichtigen] *arrière-ban* **0.3** [opkomstplicht] *arrière-ban* ⇒*conscription.*

heerlijk
I ⟨bn., bw.; -ly⟩ **0.1** [aangenaam] *delightful* ⇒*lovely, wonderful,* ⟨schitterend⟩ *splendid, glorious, magnificent, marvellous* **0.2** [lekker] *delicious* ⇒*delectable,* ⟨inf.⟩ *yummy, scrumptious, moreish* ◆ **1.1** het ~ avondje ≠Christmas Eve; het is een ~ gevoel it feels great; ~e muziek beautiful / heavenly music; het was een ~e tijd we had a gay old time / the time of our lives; het was een ~ weekend it was a peach of a / a great weekend; een ~e zomeravond a lovely / magnificent summer's evening **1.2** een ~ maal a delicious / delectable meal; een ~ toetje a bonne bouche **2.1** het vlees is ~ mals the meat is lovely and tender; een ~ malse biefstuk a succulent steak; het is ~ warm it's lovely and warm **3.1** dat vind ik ~! I love it!; dat zou ~ zijn! that would be wonderful! great **3.2** dat smaakt ~ that is delicious, it's very tasty, it tastes gorgeous / delicious;
II ⟨bn.⟩ **0.1** [verheven] *glorious* ⇒*majestic* **0.2** [⟨gesch.⟩ van de heer] *seigniorial, manorial* ⇒*lordly* ◆ **1.1** Gods ~e naam God's g. name **1.2** een ~ goed a manor, a seigniory; ~ jachtrecht m. hunting rights; ~e rechten s. / m. rights, seigniory, droits du seigneur.

heerlijkheid ⟨de (v.)⟩ **0.1** [⟨mv.⟩ lekkernij] *delicacies* ⇒*delicious things (to eat),* ⟨vaak scherts.⟩ *dainties / the choicest morsels* **0.2** [gelukzaligheid] *bliss* **0.3** [pracht, glans] *glory* ⇒*lustre,* ⟨verhevenheid⟩ *magnificence* ⇒*majesty, greatness, glory* **0.5** [gebied waaraan een titel en rechten verbonden zijn] *manor, domain* **0.6** [⟨gesch.⟩ gebied van een heer] *seigniory* ⇒*domain, dominion* **0.7** [⟨gesch.⟩ aan de heer toekomende rechten en bevoegdheden] *signiorial / manorial / lordly rights* ⇒*seigniory* ◆ **1.3** de ~ der sterren the splendour of the stars **1.5** de ~ van Kortenhoef the m. of Kortenhoef, Kortenhoef m. **2.2** de eeuwige / hemelse ~ eternal / heavenly glory / bliss.

heeroom ⟨de (m.)⟩ ⟨r.k.⟩ **0.1** *uncle in orders* ⇒*reverend uncle.*

heerschaar ⟨de⟩ ⟨schr.⟩ **0.1** *host* ⇒*legion, army* ◆ **1.1** Heer der heerscharen Lord (God) of Hosts.

heerschap ⟨het⟩ **0.1** [figuur] *gent* ⇒*chap, fellow,* ↓*bloke,* ↓*guy* **0.2** [⟨gesch.⟩ het heer zijn] *seigniory* ⇒*lordship* ◆ **2.1** een fraai / vreemd / verwaand / vervelend ~ a precious fellow / an oddball / a popinjay / an awkward customer **4.1** wat denkt zo'n ~ wel? who does that fellow / ↓guy think he is?.

heerschappij ⟨de (v.)⟩ **0.1** *dominion* ⇒*supremacy, rule, power, control, sway* ◆ **2.1** onder vreemde ~ subject to / under foreign rule **3.1** de ~ betwisten / bezitten / verkrijgen contest / have / gain d. / control; de ~ op zee voeren have command of / command the sea(s), rule the waves, have naval supremacy **6.1** onder ~ van iem. staan / komen be dominated by s.o. / pass under the domination of s.o.; hij voert ~ over vele volkeren he rules over many peoples / tribes **¶.1** zich van de ~ meester maken come to power, gain sway; ⟨wederrechtelijk⟩ usurp power.

heersen ⟨onov.ww.⟩ **0.1** [regeren] *rule* ⇒⟨mbt. vorst(in)⟩ *reign,* ⟨schr.⟩ *hold / bear sway / dominion* **0.2** [de overhand hebben] *dominate* ⇒*be prevalent* **0.3** [vóórkomen] *be* ⇒*be prevalent,* ⟨van ernstige ziekten ook⟩ *rage, be rampant / rife, prevail* ◆ **1.3** er heerst griep there's a lot of flu about; er heerste een grote hongersnood there was a great famine, a great famine afflicted the country; de mazelen ~ in het dorp there is an outbreak / epidemic of measles in the village, measles is rife in the village; er heerst een nieuwe rage there is a new craze / rage; er heerste rijkdom en voorspoed wealth and prosperity reigned; een dodelijke stilte heerste alom there was deadly silence all around, silence reigned **3.1** verdeel en heers divide and rule **6.1** God heerst over al het geschapene God rules over all creation.

heersend ⟨bn.⟩ **0.1** *ruling* ⇒*prevailing, dominant, current, existing* ◆ **1.1** de ~e godsdienst the prevailing religion; ⟨staatskerk⟩ the established Church; de ~e klassen the r. class(es); de ~e mode the current / prevailing fashion; de ~e opvatting the prevailing view, current ideas; de ~e partij the party (currently) in power; de ~e wind the prevailing wind.

heerser ⟨de (m.)⟩, **heerseres** ⟨de (v.)⟩ **0.1** *ruler* ⇒*lord, master, sovereign,* ⟨heerseres⟩ *mistress* ◆ **6.1** ~ over ... r. of ....

heersersblik ⟨de (m.)⟩ **0.1** *imperious / lordly look / glance.*

heerszucht ⟨de⟩ **0.1** *lust / thirst for power* ⇒*imperiousness, domineeringness* ◆ **¶.1** zijn ~ kent geen grenzen his lust for power is unlimited, he's (quite) the most ambitious person I know.

heerszuchtig ⟨bn.⟩ **0.1** *imperious* ⇒*domineering, (over-)ambitious* ◆ **3.1** hij is zeer ~ he's a very domineering / i. man, he's very dictatorial.

heertje ⟨het⟩ **0.1** [⟨iron.⟩ persoon] *customer* ⇒*fellow, type, johnny,* ^john **0.2** [fat(je)] *fop* ⇒*dandy, lounge lizard, swell,* ^dude ◆ **2.1** een driftig / ongemakkelijk ~ a nasty- / quick-tempered / troublesome c. / little man **2.2** galante ~s elegant fops **3.¶** het ~ zijn ⟨er netjes uitzien⟩ look tiptop, look like a real gentleman; ⟨van alle zorg bevrijd⟩ have it made; ⟨in zijn nopjes⟩ be in fine / full / high feather, be as pleased as Punch.

heerweg →**heerbaan.**

hees ⟨bn.⟩ **0.1** [mbt. personen] *hoarse* **0.2** [mbt. stem] *hoarse* ⇒*croaky, throaty,* ⟨minder sterk⟩ *husky* ◆ **1.1** een hese keel a sore throat **1.2** hese geluiden rasping / throaty sounds; met een hese stem spreken speak in a hoarse / husky / throaty voice **3.1** ik ben ~ my voice is gone, I'm h.; zich ~ schreeuwen shout o.s. h..

heesheid ⟨de (v.)⟩ **0.1** *hoarseness* ⇒*throatiness,* ⟨minder sterk⟩ *huskiness.*

heester ⟨de (m.)⟩ **0.1** *shrub.*

heesterachtig ⟨bn.⟩ **0.1** *shrubby* ⇒*shrub-like* ◆ **1.1** een ~ gewas a shrubby growth / plant.

heesterbosje ⟨het⟩ **0.1** *thicket* ⇒⟨zeldz.⟩ *thickset.*

heet ⟨→sprw. 311,542⟩
I ⟨bn., bw.; -ly⟩ **0.1** [zeer warm] *hot* ⇒*torrid* ⟨luchtstreek⟩ **0.2** [hevig] *hot* ⇒*fierce* ⟨strijd⟩, *heated* ⟨discussie⟩, *fiery* ⟨drift⟩ ◆ **1.1** een hete adem fiery breath ⟨ook fig.⟩; ⟨fig.⟩ ~ bloed hebben be hot-blooded, have h. blood; ⟨fig.⟩ op hete kolen zitten be (all) on tenterhooks, not be able to contain one's impatience / oneself; ⟨fig.⟩ hete tranen schreien / storten cry bitter tears; ~ water h. water **1.2** een hete drift / nijd fiery passion / anger **1.¶** ⟨tech.⟩ een ~ laboratorium a hot lab(oratory) **3.1** de zon brandde ~ the sun was beating down / burning h.; het ~ hebben be h.; ik kreeg het ~ I got h. **3.2** het ging er ~ toe it was a heated affair, things got pretty hot / heated **5.1** gloeiend ~ burning / red h.; sweltering, boiling h. ⟨weer⟩; het is altijd te ~ of te koud ⟨fig.⟩ things are never right, he / she is never satisfied **6.1** in het ~st van de strijd in the thick of the battle; ⟨fig.⟩ ~ van de naald h. / straight from the press, with the ink still wet; nieuws ~ van de naald h. / up-to-the-minute news;
II ⟨bn.⟩ **0.1** [brandend gevoel veroorzakend] *hot* ⇒⟨scherp ook⟩ *spicy, peppery* **0.2** [hitsig] *hot* ⇒*horny, randy, worked / sexed up* ◆ **1.1** hete kost spicy food; hete peper hot pepper **1.2** een hete meid a hot bird! / ^chick, a real goer, hot stuff.

heetbloedig ⟨bn.⟩ **0.1** [opvliegend] *quick- / hot-tempered* ⇒*peppery,* ↑*irascible* **0.2** [hitsig] *hot* ⇒*horny, randy, sexy, passionate.*

heetgebakerd ⟨bn.⟩ **0.1** *hot- / quick-tempered* ⇒*peppery,* ↑*irascible,* ⟨ongeduldig⟩ *hasty, impetuous.*

heethoofd ⟨de (m.)⟩ **0.1** *hot-head* ⇒*hot-heated person.*

heethoofdig ⟨bn.⟩ **0.1** *hot-headed* ⇒*impetuous, excitable, hasty.*

heethoofdigheid ⟨de (v.)⟩ **0.1** *hot-headedness* ⇒*impetuosity, excitability, hastiness.*

heetlopen ⟨onov.ww.⟩ **0.1** [warm worden] *run/get hot, get/become overheated* **0.2** [driftig worden] *get heated/angry* ⇒*lose one's temper/ cool, blow one's top* **0.3** [enthousiast worden] *get enthusiastic/passionate (about)* ◆ **1.1** de as loopt heet *the axle is getting o..*

heetwaterbron ⟨de⟩ **0.1** *hot/thermal spring.*

heetwaterketel ⟨de (m.)⟩ **0.1** *water heater* ⇒*(hot-water) boiler.*

heetwaterproef ⟨de⟩ ⟨gesch.⟩ **0.1** *trial by hot water* ⇒*ordeal by (hot) water.*

heetwaterverwarming ⟨de (v.)⟩ **0.1** *hot-water heating.*

hef ⟨de⟩ **0.1** [droesem] *dregs, lees* **0.2** [uitschot] *dregs, scum* ◆ **1.2** de heffe des volks *the s. of the earth, the d. of the nation, the riffraff.*

hefboom ⟨de (m.)⟩ **0.1** [staaf, stang] *lever* ⇒*crowbar* **0.2** [werktuig] *lever* **0.3** [⟨fig.⟩] *leverage* ⇒*driving force, power* ◆ **1.3** de hefbomen van de beschaving *the driving forces of civilization* **2.1** gebroken ~ *crowbar* ¶**.1** ~ van de eerste, tweede of derde soort *l. of the first, second or third order.*

hefboomsarm ⟨de (m.)⟩ **0.1** *(lever) arm.*

hefboomschakelaar ⟨de (m.)⟩ **0.1** *lever switch.*

hefbrug ⟨de⟩ **0.1** [brug over een scheepvaartweg] *(vertical) lift bridge, lifting bridge* **0.2** [laadbrug voor auto's] *tail lift* **0.3** [platform om auto's op te onderzoeken] *(hydraulic) ramp/lift* ⇒*inspection/lifting ramp.*

hefeiland ⟨het⟩ **0.1** *floating crane.*

heffe →**hef.**

heffen ⟨ov.ww.⟩ **0.1** [omhoog brengen] *lift* ⇒*raise, hoist* **0.2** [vorderen, opleggen] *levy* ⇒*impose, charge* **0.3** [innen] *levy* ⇒*raise, collect* ◆ **1.1** de armen/handen ten hemel ~ *throw up one's arms/hands;* ⟨sport⟩ het been ~ *l. one's leg (up);* het glas ~ *raise one's glass (to), drink (to);* de vuisten ~ *raise one's fists;* ⟨scheep.⟩ het want ~ *hoist sail, hoist the rigging* **1.2** belasting/schoolgeld/boete/rente ~ *l. taxes/charge school fees/impose a fine/charge interest.*

heffing ⟨de (v.)⟩ **0.1** [het heffen] *lifting* ⇒*raising, hoisting* **0.2** [het vorderen] *levy(ing)* ⇒*imposition, charge, raising* **0.3** [gevorderd bedrag] *levy* ⇒*charge, impost, duty, tax* **0.4** [⟨let.⟩] *ictus* ⇒*arsis, stressed/accented syllable* ◆ **3.2** afzien van ~ van belasting *exempt from taxes/ taxation* **3.3** met een ~ belasten *impose a l. on, levy tax on* **7.4** een versregel met vier ~en *a verse line with four stresses/beats.*

hefhoogte ⟨de (v.)⟩ **0.1** *(maximum) lift(ing height)* ⇒*height of lift.*

hefmagneet ⟨de (m.)⟩ **0.1** *lifting magnet.*

hefschroef ⟨de⟩ **0.1** *rotor* ⇒*helicopter screw.*

hefschroefvliegtuig ⟨het⟩ **0.1** *helicopter.*

hefspier ⟨de⟩ ⟨med.⟩ **0.1** *levator.*

heft ⟨het⟩ **0.1** *handle* ⇒*grip, haft* ⟨van gereedschap⟩, *hilt* ⟨van zwaard⟩ ◆ **2.1** een mes met een hoornen ~ *a bone-handled knife* **3.1** het ~ uit handen geven *abandon/relinquish control/power, hand over control/ the reins;* iem. het ~ uit handen nemen *seize power/control from s.o.;* het ~ in handen nemen/hebben/houden *take/be in/remain in control, take/be at/hold on to the helm.*

heftang ⟨de⟩ **0.1** *crampon* ⟨med.⟩ *elevator/levator* ⟨van chirurg⟩.

heftig ⟨bn., bw.; -ly⟩ **0.1** [onstuimig] *violent* ⇒*vehement,* ↑*intemperate* ⟨mbt. taal/protest/verlangen⟩, ⟨aanval ook⟩ *fierce,* ⟨driftig⟩ *furious, stormy* ⟨sfeer, bijeenkomst⟩ **0.2** [hevig] *fierce* ⇒*furious, violent, vehement, intense* ⟨gevoelens⟩, *severe* ⟨pijn, ziekte⟩, *heated, passionate* ⟨ruzie, debat⟩ ◆ **1.1** ~e gebaren *furious gestures;* een ~ karakter hebben *flare up easily, have a hot temper/* ↑*disposition;* in ~e toorn ontstoken *infuriated, incensed,* ↓*hopping mad* **1.2** een ~ onweer *a violent thunderstorm;* een ~e woordenwisseling/ruzie *a heated argument, a fierce altercation;* ⟨inf.⟩ *a ding-dong* **3.1** ~ spreken *speak hotly,* ↑*be intemperate with one's words;* hij voer ~ tegen mij uit ⟨plotseling⟩ *he lashed out against me; he gave me a broadside/* ↓*bent my ears* **3.2** iem. ~ bekritiseren *criticize s.o. fiercely;* ⟨inf.⟩ *tear s.o. to pieces;* ~ protesteren *protest violently/fiercely;* ~ reageren *react violently;* een ~e toespraak houden *deliver/make an impassioned speech;* het voorstel wordt ~ bestreden *it is a hotly debated proposal, the proposal is (coming) up against fierce opposition* ¶**.2** ~ te keer gaan tegen iets/iem. *carry/take on against s.o./sth., tear/lay into s.o., inveigh/rail against s.o./sth..*

heftigheid ⟨de (v.)⟩ **0.1** [onstuimigheid, hartstocht] *violence* ⇒⟨van karakter ook⟩ *vehemence, fierceness* ⟨van karakter/protest⟩, *fervour,* ↑*intemperance* ⟨mbt. taal/protest/verlangen⟩ **0.2** [hevigheid] *fierceness* ⇒*violence* ⟨van onweer/pijn⟩, *vehemence, severeness* ⟨van pijn/ziekte⟩, *heat* ⟨van ruzie/debat⟩.

heftoren ⟨de (m.)⟩ **0.1** *control portal.*

heftruck ⟨de (m.)⟩ **0.1** *fork-lift truck.*

hefvermogen ⟨het⟩ **0.1** *lift* ⇒*lifting power/capacity* ◆ **1.1** het ~ van die kraan is 75000 kg *that crane has a lift of/can lift 75,000 kg.*

hefvloer ⟨de (m.)⟩ ⟨amb.⟩ **0.1** *lift-slab.*

hefwagen ⟨de (m.)⟩ **0.1** *lift truck.*

hefwerktuig ⟨het⟩ **0.1** *lifting device* ⇒*hoisting engine/apparatus.*

heg ⟨de⟩ **0.1** [haag] *hedge* ⇒⟨als afscheiding ook⟩ *hedgerow* **0.2** [kreu-

pelhout] ⟨bosje⟩ *copse, coppice;* ⟨dicht, laaggroeiend kreupelhout⟩ *thicket, brushwood, undergrowth* ◆ **1.**¶ ergens ~ noch steg weten *be a complete stranger somewhere, be completely lost;* over ~ en steg *up hill and down dale, over rough and smooth/ditch and dyke/hedge and fence* **3.1** de ~ snoeien *trim/clip the h.* **6.2** ⟨fig.⟩ hij loopt door ~ gen en struiken *he will spare man nor beast, he is ruthless (in his methods).*

Hegeliaan ⟨de (m.)⟩ ⟨fil.⟩ **0.1** *Hegelian.*

hegemonie ⟨de (v.)⟩ **0.1** *hegemony* ⇒*supremacy.*

he-gezin ⟨het⟩ ⟨inf.⟩ **0.1** ⟨single-parent family with heterosexual mother⟩.

hegge →**heg.**

heggekruid ⟨het⟩ **0.1** *fine-leaved sandwort.*

heggemus ⟨de⟩ **0.1** *hedge sparrow* ⇒*accentor,* ⟨BE ook⟩ *dunnock,* ⟨AE ook⟩ *hedge warbler.*

heggerank ⟨de⟩ **0.1** *bryony* ⟨geslacht Bryonia⟩ ⇒⟨plant⟩ *white/red bryony (Bryonia dioica).*

heggeroos →**hageroos.**

heggeschaar ⟨de⟩ **0.1** *hedge-clippers* ⇒*hedge-shears/-trimmer.*

hei[1] →**heide.**

hei[2] ⟨de⟩ ⟨amb.⟩ **0.1** [heiblok] *(pile-driver) monkey* ⇒*ram(mer), pile/ drop hammer, tup* **0.2** [toestel om te heien] *pile-driver* ⇒*pile engine, pile frame* **0.3** [stamper van de straatmakers] *hand tamp/rammer* ⇒*paving beetle* ◆ **2.2** Hollandse ~ *manual pile-driver* **6.2** onder de ~ werken *be a pile-driver* **6.3** ⟨fig.⟩ aan de ~ werken *slave, do very heavy/back-breaking work.*

hei[3] ⟨tw.⟩ ⟨→sprw. 269⟩ **0.1** [om de aandacht te trekken] *hey!, hi!, hello!, hallo!, hullo!, cooee!* **0.2** [om te waarschuwen] *hey!, stop!, hoy!* **0.3** [van vreugde] *hey!, wow!* ◆ **5.1** ~ daar! *hey (you) there!;* ⟨vero.⟩ *what ho!.*

heibaas ⟨de (m.)⟩ **0.1** *foreman of a pile-driving gang.*

heibei →**haaibaai.**

heibel ⟨de (m.)⟩ ⟨inf.⟩ **0.1** [herrie] *row* ⇒*racket, din, hubbub, rumpus* **0.2** [onenigheid] *row* ⇒⟨sl.⟩ *shindig, shindy* ◆ **2.1** een enorme ~ *a dreadful row, a(n)(un)holy row,* ↓*one/a hell of a row* **3.1** ~ maken *kick up a row/fuss, make a fuss* **3.2** ~ hebben *have a r.;* ~ krijgen met iem. *have trouble/a r. with s.o., get into a wrangle with s.o.* **4.1** waarom al die ~! *what's all the fuss/rumpus about?, where's the fire?.*

heiblok ⟨het⟩ **0.1** [zwaar blok] *ram(mer)* ⇒*monkey, pile/drop hammer, tup* **0.2** [stamper van de straatmakers] *hand tamp/rammer* ⇒*paving beetle.*

heibrem ⟨de (m.)⟩ **0.1** ⟨genus Genista⟩ *genista* ⇒⟨G. anglica⟩ *needle furze, needle/petty whin.*

heide ⟨de⟩ **0.1** [met heidekruid begroeide zandgrond] *heath (land)* ⇒ ⟨vnl. BE⟩ *moor(land)* **0.2** [heidekruid] *heather* ⇒*heath* ◆ **2.1** de Luneburger ~ *the Luneburg Heath* **2.2** gewone ~ *heather, ling, Scotch heather* **3.2** als de ~ bloeit *when the heather blooms/flowers.*

heideachtig ⟨bn.⟩ **0.1** *heathy* ⇒*heathery,* ⟨plantk.⟩ *ericaceous* ◆ **7.1** ⟨zelfst.⟩ de ~n *Ericaceae.*

hei(de)bloem ⟨de⟩ **0.1** [bloem die op de heide groeit] *heath-flower* **0.2** [bloem van het heidekruid] *heath-bell.*

heidebrand ⟨de (m.)⟩ **0.1** *heath/heathland fire.*

heidegrond ⟨de (m.)⟩ **0.1** *heathland, moorland* ⇒*heather-moor.*

heidehoning ⟨de (v.)⟩ **0.1** *heather honey.*

heidemaatschappij ⟨de (v.)⟩ **0.1** *heathland/moorland reclamation society.*

heiden ⟨de (m.)⟩, **heidin** ⟨de (v.)⟩ **0.1** [ongelovige] *heathen* ⇒*pagan, infidel, unbeliever* **0.2** [⟨bijb.⟩ niet-jood] *gentile* ⇒*infidel* ◆ **1.**¶ men moet niet scheiden als ~en en Turken *would you like/shall we take one for the road?* **3.1** ⟨fig.⟩ aan de ~en overgeleverd zijn *be abandoned to the tender mercies of s.o.,* ↓*be in hot water/dead trouble* **6.1** zending onder de ~en *mission among the heathen;* voor de ~en preken *preach to the heathen;* ⟨fig.⟩ ↓*bang your head against a brick wall, talk to yourself.*

heidendom ⟨het⟩ **0.1** [(on)geloof] *heathenism* ⇒*heathendom, paganism, heathenry* **0.2** [volkeren] *heathendom* ⇒*heathen (mv.), heathenry.*

heidens ⟨bn., bw.; -ly⟩ **0.1** [als (van) de heidenen] *heathen* ⇒*pagan(ish),* ⟨bijb.⟩ *gentile* **0.2** [niet-christelijk] *pagen* ⇒*heathen, infidel* **0.3** [enorm] ⟨slecht⟩ *atrocious, abominable; unholy, infernal* ⟨lawaai⟩; *rotten* ⟨karwei⟩ ◆ **1.1** ~e gebruiken/voorstellingen *h./pagan customs/ ideas* **1.2** ~ gebied *p. territory;* de ~e volken *the pagans/unbelievers* **1.3** een ~ geweld/leven/lawaai maken *make an infernal noise/din;* een ~ karwei *a devil of a job, a real slog;* ⟨sl.⟩ *a (real) bugger (of a job);* 't is een ~ weer *the weather's atrocious, it's beastly/rotten weather.*

heideontginning ⟨de (v.)⟩ **0.1** *heathland/moorland reclamation.*

hei(de)reservaat ⟨het⟩ **0.1** *heath land reserve* ⇒*protected m.land.*

heideschaap ⟨het⟩ **0.1** *moorland sheep.*

hei(de)slak ⟨de⟩ **0.1** *sandhill snail.*

heideveld ⟨het⟩ **0.1** *heath* ⇒⟨vnl. BE⟩ *moor.*

hei(de)viooltje ⟨het⟩ **0.1** *dog violet* ⇒*heath violet.*

heien ⟨onov., ov.ww.⟩ **0.1** *drive/ram/sink (piles)* ⇒*pile* ◆ **1.1** palen in de grond ~ *drive/ram piles into the ground, pile the ground* 3.1 het staat (als) geheid *that is as solid/firm as a rock/as safe as houses* 5.1 ⟨fig.⟩ de leerstof erin ~ *drive/hammer the subject matter home* 6.1 op stuit ~ *drive (piles) home;* ~ **voor** een nieuw huis *sink piles for a new house/building.*

heier ⟨de (m.)⟩ **0.1** *pile driver.*

heihaantje ⟨het⟩ **0.1** *black grouse* ⇒*heath bird,* ⟨vero.⟩ *heathfowl.*

heiig ⟨bn.⟩ **0.1** *hazy.*

heikel ⟨bn.⟩ **0.1** *tricky* ⇒*thorny, ticklish, knotty* ⟨probleem⟩ ♦ **1.1** een ~e kwestie *a tricky business/problem.*

heik(n)euter ⟨de (m.)⟩ **0.1** [persoon] *heath-dweller/-farmer* ⇒⟨scherts.; pej. ook⟩ *yokel, (country) bumpkin, clod(hopper)* **0.2** [voeltje] *linnet.*

heikraan ⟨de⟩ **0.1** *pile-driver frame.*

heil ⟨het⟩ **0.1** [welzijn] *welfare* ⇒*well-being* **0.2** [voordeel] *good* ⇒*benefit, advantage* **0.3** [behoudenis] *safety* ⇒*salvation, refuge* **0.4** [⟨rel.⟩] *salvation* ⇒*(spiritual) welfare* ♦ **1.1** hij zorgt voor het ~ van de staat *he takes care of the welfare of the state;* iem. veel ~ en zegen wensen ⟨met nieuwjaar⟩ *wish s.o. a happy New Year* **1.4** het leger des Heils *the Salvation Army;* voor het ~ van zijn ziel zorgen *take care of the salvation/welfare of one's soul* **3.3** ⟨fig.⟩ de kinderen moeten zelf hun ~ maar zoeken *the children are left to their own devices/themselves;* zijn ~ in de vlucht zoeken *seek safety/refuge/one's salvation in flight, flee for one's life* **4.4** God is mijn ~ *God is my salvation* **7.2** daar is geen ~ bij te halen *there is no g./advantage in it, it'll do you no g./be of no benefit to you;* ik zie er geen ~ in *I see no g. in it, I do not see the g./point of it;* ik verwacht geen ~ van deze maatregelen *I don't expect any g. to come of these measures, I don't pin much faith on these measures.*

Heiland ⟨de (m.)⟩ **0.1** [Messias] *Saviour* ⇒*Messiah, Redeemer* **0.2** [redder] *saviour* ⇒*redeemer* ♦ **4.1** Jezus Christus, onze ~ *Jesus Christ, our S..*

heilbot ⟨de (m.)⟩ **0.1** *halibut.*

heilbrengend ⟨bn.⟩ **0.1** ⟨rel.⟩ *redeeming; beneficial* ⟨werking⟩.

heildronk ⟨de (m.)⟩ **0.1** *toast* ♦ **3.1** een ~ instellen/uitbrengen (op iem.) *drink a t. (to s.o.), drink (to) s.o.'s health.*

heilgymnastiek ⟨de (v.)⟩ **0.1** *remedial gymnastics* ⇒*physiotherapy.*

heilig

I ⟨bn.⟩ ⟨rel.⟩ **0.1** [mbt. God/Christus] *holy* **0.2** [mbt. de dienst/een plaats] *holy* ⇒*sacred,* ⟨onschendbaar, onaantastbaar⟩ *sacrosanct* **0.3** [mbt. personen] *holy* ♦ **1.1** de Heilige Familie *the Holy Family;* de Vader, de Zoon en de Heilige Geest *the Father, the Son and the Holy Ghost/Spirit;* de Heilige Heer *the Holy Lord* **1.2** het ~ ambt *h. office;* het ~ getal *the sacred number;* het Heilige Graf *the Holy Sepulchre;* het Heilig Hart (van Jezus) *the Sacred Heart (of Jesus);* een ~ huisje *a wayside shrine;* ⟨fig.⟩ hij doet alle ~e huisjes aan *he stops at every inn;* ⟨inf.⟩ *he's a (bit of a) boozer/^lush,* ⟨fig.⟩ ~e huisjes omvergooien *have no reverence/show no respect (for sacredly held ideas), break/be no respecter of taboos, be an iconoclast;* ~ jaar *h. year;* de Heilige Kerk *The Holy Church;* het Heilige Land *the Holy Land;* de ~e Mis *Holy Mass;* Gods ~e naam *God's h. name;* de ~e olie *chrism/h. oil;* het ~ oliesel *extreme/h. unction;* de ~e Oorlog *the Jihad/Jehad/Holy War;* de ~e sacramenten *the h. sacraments;* de Heilige Schrift *the Holy Bible, Holy Writ/Scripture;* de Heilige Stad *the Holy City;* de Heilige Stoel *the Holy See;* het ~ teken *the sign of the cross;* de Heilige Vader *the Holy Father;* ~e vaten *h./sacred vessels;* het ~ water *the h. water* **1.3** de ~e apostelen *the h. apostles;* de Heilige David *Saint David;* de Heilige Maagd *the Holy/Blessed Virgin* **3.2** de zondag ~ houden *observe the Lord's Day, keep Sundays holy, observe the Sabbath* **3.3** iem. ~ verklaren *canonize s.o.* **6.3** ⟨fig.⟩ hij is een boef, maar nog ~ **bij** zijn broer vergeleken *he is a villain, but he is a saint compared with his brother;* ⟨fig.⟩ het weer is slecht vandaag, maar het is nog ~ **bij** gisteren *the weather is bad today, but still a lot better compared with yesterday* **7.2** het ~e der ~en *the h. of holies/sanctuary;*

II ⟨bn., bw.; -ly⟩ **0.1** [vroom] *holy* ⇒*saintly, pious, devout* **0.2** [eerbiedwaardig] *sacred* ⇒*venerable, holy* (gewijd; onaantastbaar) *sacrosanct* **0.3** [oprecht, echt, zeker] *sacred* ⇒*solemn,* ⟨zeker⟩ *firm,* ⟨diep⟩ *profound, great* ♦ **1.1** een ~ leven leiden *lead a h./saintly/devout life, lead a life of devotion* **1.2** de ~ band van het huwelijk *the sacred bond of marriage;* een ~e koe *a sacred cow* ⟨ook fig.⟩; ⟨scherts.⟩ het ~e moeten *a case of must, the inevitable;* een ~ ontzag voor iem. hebben *stand in great awe of s.o.;* een ~e plaats *a sacred/holy place, a sanctuary;* een ~e stilte *an awed silence* **1.3** het is mij ~e ernst *I am dead(ly) serious;* ik was in de ~e overtuiging dat zij nog leefde *I was firmly convinced that she was still alive;* ~e schroom/eerbied *great/profound fear/respect;* ~e verontwaardiging *profound/great indignation;* ~e voornemens *solemn intentions;* het is de ~e waarheid *it is gospel truth;* ⟨inf.⟩ *straight up!* **3.1** het gaat in de disco's lang niet ~ toe *all sorts of weird things (can) happen at discos* **3.2** de nagedachtenis van haar moeder bewaarde zij ~ *she cherished the memory of her mother;* ⟨fig.⟩ ~ met iets doen *cherish sth., give sth. special treatment, treat sth. as sacred;* hem is niets ~ *nothing is sacred to him;* hij zwoer

bij alles wat hem ~ was *he swore by all that was sacred to him/that was holy* **3.3** iets ~ beloven *promise sth. solemnly;* hij zal het ~ doen *he is sure to do it, it is dead certain that he'll do it;* ik heb het me ~ voorgenomen (om …) *I am firmly determined (to …);* ik verzeker je ~ dat het waar is *I solemnly promise (you) that it is true, I solemnly declare that …* ¶.3 je kunt er ~ van op aan *you can be dead sure (of that), you can bank on it.*

heiligavond ⟨de (m.)⟩ **0.1** *eve.*

heiligbeen ⟨het⟩ ⟨med.⟩ **0.1** *sacrum* ⇒*sacred bone.*

heiligdom ⟨het⟩ **0.1** [plaats] *sanctuary* ⇒*shrine, sanctum* **0.2** [voorwerp] *relic* ♦ **3.1** ⟨fig.⟩ zijn bibliotheek is zijn ~ *his library is his sanctum/is sacrosanct to him* **8.2** hij bewaart het als een ~ *he keeps it as a r..*

heilige ⟨de (m.)⟩ ⟨→sprw. 270⟩ **0.1** [iem. die heilig verklaard is] *saint* **0.2** [iem. die een vroom leven leidt] *saint* **0.3** [iem. die Christus toebehoort] *saint* ♦ **1.3** de gemeenschap der ~n *the communion of saints* **3.2** hij zou een ~ in verzoeking brengen *he'd provoke a s./try the patience of a s.,* hij is ook geen ~ *he is no s.;* ⟨fig.⟩ de ~ uithangen *play the s.* **8.2** hij leeft als een ~ *he leads a saintly life;* met een gezicht als van een ~ *with a saintly face, (looking) as if butter wouldn't melt in his/her mouth* ¶.2 de ~n der laatste dagen *the Latter Day Saints/Mormons.*

heiligen ⟨ov.ww.⟩ ⟨→sprw. 116⟩ **0.1** [wijden] *consecrate* ⇒*bless, sanctify, hallow* **0.2** [van zonden reinigen, louteren] *sanctify* ⇒*purify* **0.3** [wijden aan] *dedicate (to)* **0.4** [eren] *hallow* ♦ **1.1** een kerk/een altaar ~ *c. a church/an altar;* een geheiligde plaats *a sanctuary;* geheiligde vaten *sacred vessels* **1.3** heilig mij alle eerstgeborenen *sanctify unto me all the firstborn* **1.4** Uw naam worde geheiligd *hallowed be thy name;* de sabbat ~ *observe the Sabbath, keep the Sabbath day holy* **4.1** zich ~ *sanctify o.s..*

heiligenbeeld ⟨het⟩ **0.1** *image of a saint* ⇒*holy/saint's figure/picture, icon/ikon* ⟨oosterse Kerk⟩.

heilig(en)dag ⟨de (m.)⟩ **0.1** [kerkelijke feestdag] *holy day* **0.2** [bij het verven overgeslagen plek] *unpainted spot,* ^*holiday* ♦ **2.1** een verplichte ~ *a holy day of obligation.*

heiligenleven ⟨het⟩ **0.1** *life/story of a saint* ⇒*saint's life,* †*hagiography,* †*hagiology.*

heiligennaam ⟨de (m.)⟩ **0.1** *saint's name* ⇒*name of a saint.*

heiligenverering ⟨de (v.)⟩ ⟨r.k.⟩ **0.1** *hagiolatry* ⇒*worship/veneration of saints.*

heiligheid ⟨de (v.)⟩ **0.1** *holiness* ⇒*sanctity, sacredness, saintliness, sainthood* ⟨mbt. een persoon⟩ ♦ **1.1** een aureool van ~ *an aura of sainthood;* de ~ Gods *the h. of God;* de ~ van het huwelijk *the sanctity of marriage;* ik was onder de indruk van de ~ van de plaats *I was impressed by the sacredness of the place;* ⟨fig.⟩ hij staat in een reuk van ~ *he has an odour of sanctity about him, he lives in the odour of sanctity* **4.1** Zijne Heiligheid *His Holiness/Sanctity* **6.1** de Heer dienen in ~ en gerechtigheid *serve the Lord in h. and righteousness/* ⟨vnl. r.k.⟩ *justice.*

heiliging ⟨de (v.)⟩ **0.1** [wijding] *consecration* ⇒*sanctification, hallowing* **0.2** [reiniging van zonden] *sanctification* ⇒*purification* **0.3** [viering] *observance* ♦ **1.3** de ~ van de zondag *the o. of the Sabbath, Sunday/Lord's day o..*

heiligmaker ⟨de (m.)⟩ **0.1** *sanctifier.*

heiligschennend ⟨bn.⟩ **0.1** *sacrilegious* ⇒*profane, impious, blasphemous.*

heiligschenner ⟨de (m.)⟩ **0.1** *profaner* ⇒*desecrator.*

heiligschennis ⟨de (v.)⟩ **0.1** *sacrilege* ⇒*desecration, profanation, blasphemy* ♦ **3.1** ~ plegen *commit s..*

heiligverklaring ⟨de (v.)⟩ **0.1** *canonization.*

heilloos ⟨bn., bw.⟩ **0.1** [goddeloos] *sinful* ⇒*wicked, evil, impious* **0.2** [geen geluk brengend] *fatal* ⇒*disastrous* ♦ **1.1** een heilloze daad *a wicked deed;* een ~ leven leiden *lead a s. life* **1.2** een heilloze onderneming *a disastrous undertaking;* een ~ plan *a disastrous plan.*

heilsgebeuren ⟨het⟩ ⟨rel.; schr.⟩ **0.1** *Birth of Christ.*

Heilsleger ⟨het⟩ **0.1** *Salvation Army.*

heilsofficier ⟨de (m.)⟩ **0.1** *officer in the Salvation Army* ⇒*salvationist.*

heil(s)soldaat ⟨de (m.)⟩ **0.1** *salvationist.*

heilstaat ⟨de (m.)⟩ **0.1** *ideal state* ⇒*utopia.*

heilsverwachting ⟨de (v.)⟩ **0.1** *messianism.*

heilwens ⟨de (m.)⟩ **0.1** *congratulation* ⇒*felicitation, benediction.*

heilzaam ⟨bn.⟩ **0.1** [geneeskrachtig, gezond(makend)] *curative* ⇒*healing,* ⟨gezond⟩ *wholesome, healthful,* ⟨mbt. klimaat/lucht ook⟩ *salubrious* **0.2** [tot heil/baat strekkende] *salutary* ⇒*beneficial, therapeutic, wholesome* ♦ **1.1** een heilzame drank *a medicinal draught/potion, a drink that's good for one;* een ~ middel *a remedy/cure/medicine* **1.2** dat is een heilzame les voor hem *that is a s. lesson for him;* een heilzame raad *beneficial/s. advice, a s. piece of advice;* een heilzame werking/invloed hebben *have a s./wholesome effect/influence.*

heilzaamheid ⟨de (v.)⟩ **0.1** [mbt. gezondheid] *wholesomeness* ⇒⟨mbt. lucht/klimaat ook⟩ *salubriousness, salubrity* **0.2** [mbt. heil/baat] *salutariness* ⇒*salutary/beneficial effect/influence.*

heim →*heem.*

heimachine ⟨de (v.)⟩ **0.1** *pile driver* ⇒*pile(-driving) engine.*

heimelijk
I ⟨bn.⟩ **0.1** [verborgen gehouden, niet geopenbaard] *secret* ⟹⟨van bijeenkomst, organisatie ook⟩ *clandestine,* ⟨van blik, beweging ook⟩ *surreptitious, stealthy, furtive, sneaking* ⟨vermoeden, verlangen⟩ ◆ **1.1** een∼ genoegen *a secret pleasure;* ∼e jaloezie *covert jealousy;* ik had een∼ verlangen weer thuis te zijn *I had a secret/sneaking desire to be back home;*
II ⟨bw.⟩ **0.1** [stiekem] *secretly* ⟹*in secret, on the sly/quiet, clandestinely, surreptitiously, furtively* ◆ **3.1** ergens∼ binnendringen *break into (a house) surreptitiously, slip/steal/sneak in(side) unnoticed;* doe niet zo∼ *don't behave so furtively, don't be so secretive/furtive;* hij is ∼ gevlucht *he fled in secret;* hij nam/deed∼ een trekje *he sneaked a smoke/took a sly drag.*
heimelijkheid ⟨de (v.)⟩ **0.1** *secrecy* ⟹*secretiveness, furtiveness* ◆ **6.1** een in alle∼ verrichte handeling *an action performed in complete secrecy.*
heimwee ⟨het⟩ **0.1** *homesickness* ⟹⟨naar verleden⟩ *nostalgy* ◆ **3.1** ik kreeg∼ *I got/became homesick* **6.1** hij had∼ naar zijn kinderen *he felt homesick for his children;* zij had∼ naar huis *she was homesick/sick for home;* hij had∼ naar de dagen van weleer *he was filled with nostalgia for the days of yore/times gone by.*
Hein 0.1 *Harry* ◆ **1.¶** Vriend∼ *Death* **2.¶** Magere∼ *Death* **¶.¶** ∼tje Pik *Old Nick.*
heinde ⟨bw.⟩ ◆ **5.¶** van∼ en verre *from far and near/wide.*
heining ⟨de (v.)⟩ **0.1** *fence* ⟹*enclosure,* ⟨tijdelijke schutting⟩ *hoarding.*
heiningdraad ⟨het⟩ **0.1** *fencing-wire.*
heipaal ⟨de (m.)⟩ **0.1** *pile.*
heiploeg ⟨de⟩ **0.1** *pile-driving team/gang* ⟹*team/gang of pile drivers.*
heir(-s) →**heer(-).**
heisa¹ ⟨de (m.)⟩ ⟨inf.⟩ **0.1** [drukte] *to-do* ⟹*fuss, carry-on* **0.2** [gedoe] *business* ◆ **2.2** verhuizen is een hele∼ *moving (house) is such a business/drag/rotten job* **3.1** ∼ geven *kick up/raise a dust;* maak toch niet zo'n∼ *don't make such a fuss.*
heisa² ⟨tw.⟩ **0.1** *whoop(ee), upadaisy* ◆ **9.1** hopsa∼ *(wh)oops-a-daisy, up(s)-a-daisy, upsy-daisy.*
heistelling ⟨de (v.)⟩ **0.1** *pile frame.*
heisteren ⟨onov.ww.⟩ **0.1** *make a to-do/fuss* ⟹*rush around.*
heitje ⟨het⟩ ⟨inf.⟩ **0.1** ⟨zie 6.1⟩ ◆ **6.1** een∼ voor een karweitje *a bob a job.*
heitoestel ⟨het⟩ **0.1** *pile-driver* ⟹*pile(-driving) engine.*
heiwerk ⟨het⟩ **0.1** [het heien] *piling* ⟹*pile-driving* **0.2** [ingeslagen palen] *piling* ⟹*pilework, piles.*
hek ⟨het⟩ ⟨→sprw. 271⟩ **0.1** [omheining, afscheiding] *fence* ⟹*barrier* ⟨versperring⟩, *paling* ⟨van houten palen⟩, *rail(s), railing(s)* ⟨van ijzer⟩, *(choir-)screen* ⟨in kerk⟩, *hurdle* ⟨bij wedrennen⟩ **0.2** [draaibare afsluiting] *gate* ⟹⟨klein hekje⟩ *wicket(-gate)* **0.3** [raamwerk aan een molenwiek] *frame* **0.4** [bovenachterzijde van een vaartuig] *stern* **0.5** [achterkant van een sloep] *stern* ◆ **3.1** een∼ plaatsen *put up a barrier/fence;* ⟨fig.⟩ de∼ ken zijn verhangen *the tables are turned, the position is reversed* **3.2** de hekken gaan om vijf uur dicht *the gates will be closed at five;* het∼ openmaken *open the g.;* het∼ sluiten *close the g.;* ⟨fig.⟩ *bring up the rear, turn out the light* **¶.¶** nu is het∼ van de dam *now it's every man for himself/it's Liberty Hall, there's no stopping him/them now, now things are getting out of hand.*
hekanker ⟨het⟩ ⟨scheep.⟩ **0.1** *stern anchor.*
hekel ⟨de (m.)⟩ **0.1** [vlaskam] *hackle* ⟹*heckle, hatchel* **0.2** [werktuig van borstelmakers] *hackle* ⟹*heckle, hatchel* ◆ **2.¶** ik heb een gruwelijke∼ aan koken *I detest/loathe cooking* **3.¶** een∼ aan iem./iets hebben *hate/dislike s.o./sth.;* een∼ krijgen aan *take a dislike to* **6.1** ⟨fig.⟩ iem./iets over de∼ halen *censure/criticize s.o./sth. severely;* ⟨in gedicht⟩ *satirize, lampoon;* vlas over de∼ halen *hackle/dress/comb flax.*
hekelaar ⟨de (m.)⟩, **-ster** ⟨de (v.)⟩ **0.1** [mbt. vlas/hennep] *heckler, hackler* **0.2** [⟨fig.⟩ gisper] *heckler, severe critic, vituperator, caviller.*
hekeldicht ⟨het⟩ **0.1** *satire* ⟹*epigram.*
hekeldichter ⟨de (m.)⟩, **-dichteres** ⟨de (v.)⟩ **0.1** *satirist* ⟹*epigrammatist.*
hekelen ⟨ov.ww.⟩ **0.1** [bekritiseren] *criticize* ⟹*censure, denounce, flay,* ⟨BE; inf.⟩ *slate* **0.2** [mbt. vlas] *hackle* ⟹*comb* ◆ **1.1** hij hekelde de gebreken van zijn tijd *he denounced the faults/shortcomings of his time/age.*
hekelrijm ⟨het⟩ **0.1** *epigram.*
hekelschrift ⟨het⟩ **0.1** *satire* ⟹*lampoon.*
hekgolf ⟨de⟩ ⟨scheep.⟩ **0.1** *sternwave.*
hekje ⟨het⟩ **0.1** [klein hek] *small gate/door* ⟹*wicket(-door/-gate)* **0.2** [in kerk] *(choir/rood) screen* ◆ **6.¶** voor het∼ (staan) *(be)* ᴮ*in the dock,* ᴬ*on the witness stand.*
hek(ke)sluiter ⟨de (m.)⟩ **0.1** *last comer* ⟹⟨vaak scherts.⟩ *tail-end Charlie* ◆ **3.1** hij is de∼ op de ranglijst *he is last on the list/at the bottom of the list;* ∼ zijn *be/come last, bring up the rear.*
heklicht ⟨het⟩ ⟨scheep.⟩ **0.1** *sternlight.*
hekpaal ⟨de (m.)⟩ **0.1** [stijl waar een hek om draait] *gatepost* **0.2** [paal van een hek] *fence post* ⟹*fencing stake.*
heks
I ⟨de (m.)⟩ **0.1** [iem. die met toverij omgaat] *witch* ⟹*sorceress* ◆ **¶.1** de∼ van Hans en Grietje *the w. in Hansel and Gretel;*

II ⟨de (v.)⟩ **0.1** [feeks] *shrew* ⟹*scold, termagant, vixen, harridan,* ↓*bitch* **0.2** [lelijke vrouw] *witch* ⟹*(old) hag, (old) crone* **0.3** [bijdehand meisje] *(little) minx/hussy/vixen* ◆ **2.2** zo'n oude∼ *silly old hag!* **2.3** die kleine∼ heeft dat handig gedaan *that little m. has made a good job of it.*
heksen ⟨onov.ww.⟩ **0.1** *practise witchcraft* ◆ **¶.1** ik kan niet∼ *I can't work miracles, I'm not a magician, I'm doing it/coming as fast as I can, I've only got two hands/legs.*
heksenbezem ⟨de (m.)⟩ **0.1** *witches'-broom/-besom* ⟹*witch broom.*
heksendans ⟨de (m.)⟩ **0.1** [dans van heksen] *witches' dance* **0.2** [plant] *club-moss* ⟹*ground pine/fir.*
heksengeloof ⟨het⟩ **0.1** *belief in witches.*
heksenjacht ⟨de⟩ **0.1** [heksenvervolging] *witch-hunt;* ⟨handeling⟩ *witch-hunting* **0.2** [⟨fig.⟩ hetze] *witch-hunt.*
heksenketel ⟨de (m.)⟩ **0.1** [ketel van een heks] *witches'-cauldron* **0.2** [warboel] *bedlam, pandemonium, chaos.*
heksenkrans ⟨de (m.)⟩ **0.1** *club-moss* ⟹*groundpine/fir.*
heksenkring ⟨de (m.)⟩ **0.1** *fairy ring.*
heksenkruid ⟨het⟩ **0.1** *enchanter's nightshade.*
heksenmeester ⟨de (m.)⟩ **0.1** *wizard* ⟹*sorcerer, magician, warlock* ◆ **5.1** ⟨fig.⟩ hij is daar geen∼ in *he's not much good at it.*
heksenmelk ⟨de⟩ **0.1** [plant] *wolf's-milk, leafy spurge* **0.2** [mbt. baby's] *witch's/witches' milk.*
heksenproces ⟨het⟩ ⟨gesch.⟩ **0.1** *witch-trial.*
heksenproef ⟨de⟩ ⟨gesch.⟩ **0.1** *ordeal by (cold) water* ⟹*cold-water test.*
heksensabbat ⟨de (m.)⟩ **0.1** [feest van heksen] *witches sabbath* **0.2** [heidens kabaal] *pandemonium, bedlam, chaos.*
heksensteek ⟨de (m.)⟩ **0.1** *herringbone stitch.*
heksentoer ⟨de (m.)⟩ **0.1** *tough/ticklish/complicated job* ◆ **3.1** het is een∼ hem te spreken te krijgen *it's a devil of a job to get hold of him* **7.1** dat is geen∼ *it's as easy as pie/as falling off a log, there's nothing to it.*
heksenwaag ⟨de⟩ **0.1** *witch's stool.*
heksenwerk →**heksentoer.**
hekserij ⟨de (v.)⟩ **0.1** *sorcery, witchcraft, witchery, magic* ◆ **¶.1** er is zeker∼ (bij) in het spel *there must be/there's a jinx on it.*
heksloep ⟨de⟩ **0.1** *stern boat.*
hektreiler ⟨de (m.)⟩ **0.1** *stern trawler.*
hekwerk ⟨het⟩ **0.1** [raster(ing)] *fencing* ⟹*railings,* ⟨ihb. voor klimplanten⟩ *trellis-work* **0.2** [⟨scheep.⟩] *stern.*
hel¹ ⟨de⟩ ⟨→sprw. 644⟩ **0.1** [⟨rel.⟩] *hell* **0.2** [dodenrijk] *hell* ⟹*inferno, Hades* **0.3** [zolder in molens] *mill loft* **0.4** [⟨druk.⟩] *hell(box)* ◆ **1.1** ⟨fig.⟩ de∼ van het concentratiekamp *the h. of the concentration camp;* ⟨fig.⟩ een kind van de∼ *a child of h./darkness;* ⟨fig.⟩ een∼ van vuur *an inferno* **1.2** ⟨fig.⟩ iets voor de poorten van de∼ weghalen/wegslepen *achieve sth. with great difficulty* **2.1** ⟨fig.⟩ de groene∼ *the jungle;* ⟨fig.⟩ de witte∼ *the white h.;* ≠*the Arctic* **3.1** een monster dat door de∼ is uitgebraakt *an infernal monster, a devil;* ⟨fig.⟩ de∼ is er losgebroken *all h. has broken loose/been let loose;* zijn leven was een∼ *op aarde his life was a h. (up)on earth* **6.1** zondaars komen in de∼ *sinners go to h.;* ⟨fig.⟩ dat is van het vagevuur in de∼ *that is out of the frying-pan into the fire;* loop naar de∼! *go to h. / blazes!;* al moest ik ervoor naar de∼ lopen *even if I had to go to h. for it;* iem. naar de∼ wensen *wish s.o. to h.;* ⟨fig.⟩ iem. het leven tot een∼ maken *make s.o.'s life (a) h.;* ⟨fig.⟩ uit de∼ in de hemel komen *be reborn, breathe again;* ⟨fig.⟩ alle duivels uit de∼ vloeken *swear like a bargee/trooper/like nobody's business* **8.1** het stinkt er als de∼ *it stinks to high heaven,* ↑*there is an abominable stench;* ⟨inf.⟩ *it doesn't half pong;* het is hier zo donker als de∼ *it's like the Black Hole of Calcutta here, it's as black as your hat here.*
hel² ⟨bn., bw.; -ly⟩ **0.1** [schel] *shrill* ⟹*piercing, strident* **0.2** [fel] *vivid* ⟹*bright, glaring, dazzling,* ⟨mbt. kleuren ook⟩ *violent* ◆ **1.1** een∼ geluid *a shrill sound/noise;* een∼le stem *a shrill/high-pitched voice* **1.2** een∼le gloed *a blaze;* in de∼le zonneschijn *in the glaring/dazzling sunlight, in the glare of the sun* **2.2** ∼ gekleurd *brightly/highly coloured;* ∼ rood *glaring/bright/violent red;* de kamer was∼ verlicht *the room was a blaze of/blazing/ablaze with light.*
hela ⟨tw.⟩ **0.1** *hey* ⟹*hallo(a).*
helaas¹ ⟨bw.⟩ **0.1** *unfortunately* ⟹*sadly,* ↑*regrettably,* ↑*alas* ◆ **3.1** ik kan dat∼ niet toestaan *I'm afraid I can't allow that;* nee,∼ kan ik niet blijven *no, I can't stay, more's the pity/worse luck,* ↑*I regret to say I can't stay;* ∼ kunnen wij u niet helpen *I'm afraid we can't help you* **5.1** ∼ wel *I'm afraid so.*
helaas² ⟨tw.⟩ **0.1** *alas* ◆ **¶.1** ∼, het is niet anders *a., that's the way it is.*
helblauw ⟨bn.⟩ **0.1** *bright blue.*
held ⟨de (m.)⟩ **0.1** [iem. die uitzonderlijk dapper is] *hero* **0.2** [dapper krijgsman] *hero* **0.3** [iem. die uitblinkt] ⟨zie 2.3,6.3,¶.3⟩ **0.4** [hoofdpersoon] *hero* ⟹*protagonist* ◆ **1.¶** hij is de∼ van de dag/van het feest *the hero of the hour/celebrations* **2.1** ⟨iron.⟩ hij is een hele∼, als het op lopen aankomt *he is quite a h. when it comes to running (away), he's a fine h.* **2.3** hij voelt zich weer een hele∼ *he's back on his feet and raring to go, he thinks he can take on all and sundry again* **6.3** hij is geen∼ in het rekenen *he is bad/no good/* ↓*lousy at figures* **7.1** hij is geen∼ *he is no h.* **¶.1** een∼ op sokken *a coward/funk/pol-*

troon; zij is geen ~ op het water *she is not at ease on the water, she is no water-dog* ¶.3 hij is een ~ aan tafel *he is a good trencherman.*

heldencultus ⟨de (m.)⟩ **0.1** *hero worship.*

heldendaad ⟨de⟩ **0.1** *heroic deed/feat* ⇒*act of heroism/valour,* ⟨vaak iron.⟩ *exploit* ◆ **3.1** zijn ~ werd met een onderscheiding beloond *his heroic deed/heroism/valour was rewarded with a decoration.*

heldendicht ⟨het⟩ **0.1** *heroic/epic poem* ⇒*epic, epopee.*

heldendichter ⟨de (m.)⟩ **0.1** *epic poet.*

heldendood ⟨de⟩ **0.1** *heroic death* ⇒*hero's death, death in battle* ◆ **3.1** de ~ sterven *die a hero, die a hero's death, die in battle/action.*

heldendrama ⟨het⟩ **0.1** *heroic drama.*

heldenepos ⟨het⟩ **0.1** *heroic epic.*

heldenfeit →**heldendaad.**

heldenmoed ⟨de⟩ **0.1** *heroism* ⇒*valour, heroic courage* ◆ **6.1** met ~ droeg hij zijn lot *he bore his fate heroically/with heroism.*

heldenrol ⟨de⟩ **0.1** *hero's part/rôle* ⇒*part/rôle of a/the hero, heroic part.*

heldensage ⟨de⟩ **0.1** *heroic legend/saga.*

heldenschaar ⟨de⟩ **0.1** *band of heroes.*

heldentenor ⟨de (m.)⟩ **0.1** *heroic tenor* ⇒*heldentenor.*

heldentijd ⟨de (m.)⟩ **0.1** *heroic age/time(s)/period.*

heldenverering ⟨de (v.)⟩ **0.1** *hero worship.*

helder ⟨bn., bw.; -ly⟩ **0.1** [mbt. geluid] *clear* ⇒*sonorous,* ⟨mbt. lach ook⟩ *ringing* **0.2** [mbt. licht/kleur] *bright* ⇒⟨mbt. licht ook⟩ *clear, vivid* **0.3** [onbewolkt] *clear* ⇒*bright* **0.4** [transparant] *clear* ⇒*transparent,* ⟨mbt. water ook⟩ *limpid* **0.5** [met goed verstand] *bright* ⇒*intelligent,* ⟨helder van geest⟩ *clear-headed, lucid, clear* **0.6** [duidelijk] *clear* ⇒*lucid* ⟨van betoog ook⟩ [perspicuous](https://) **0.7** [schoon] *clean* ⇒*bright* ◆ **1.1** zij heeft een ~ stem/lach *she has a c. voice/a ringing laugh* **1.2** een ~e afdruk van een foto *a clear print of a photograph,* ⟨fig.⟩ iets in een ~ licht plaatsen *put sth. in a clear light, highlight sth.;* ~e ogen *b. eyes;* een ~ vlam *a b. flame* **1.3** een ~e plek aan de hemel *a c.l bright spot in the sky;* bij ~ weer *in c. weather* **1.4** ~ glas *c. glass;* ~e soep *c. soup* **1.5** de krankzinnige heeft van tijd tot tijd ~e ogenblikken *the lunatic has the odd lucid moment* **1.6** een ~ betoog *a c.l perspicuous argument* **1.7** ~ linnengoed *c. linen* **2.2** ~wit/~groen ⟨ook aaneengeschreven⟩ *brilliant white/bright green* **3.1** ~ klinken *sound clearly as a bell* **3.2** de zon schijnt ~ *the sun shines brightly* **3.3** het wordt wat ~der *it/the sky is getting a little bit brighter/is brightening a bit* **3.4** iets ~ inzien *see sth. clearly* **8.4** dat water is zo ~ als kristal *that water is as c. as crystal/crystal-clear* **8.6** zo ~ als glas *crystal-clear;* ⟨iron.⟩ dat is zo ~ als modder/als koffiedik *it is as c. as mud.*

helderheid ⟨de (v.)⟩ **0.1** [mbt. geluid] *clearness, clarity* ⇒⟨van stem/klok ook⟩ *sonority* **0.2** [mbt. licht/kleur] *brightness* ⇒*brilliance,* ⟨mbt. licht ook⟩ *clearness, vividness, clarity,* ⟨mbt. kleur ook⟩ *lightness,* ⟨ster.⟩ *luminosity, magnitude* **0.3** [onbewolktheid] *clearness* ⇒*brightness* **0.4** [transparantheid] *clearness* ⇒*transparency,* ⟨mbt. water/vloeistof ook⟩ *limpidity* **0.5** [met verstand] *brightness* ⇒*clarity, clearness,* ⟨helderheid van geest⟩ *clear-headedness* **0.6** [duidelijkheid] *clarity* ⇒*lucidity,* ⟨van betoog ook⟩ [perspicuity](https://), [pellucidness](https://) **0.7** [zindelijk/properheid] *cleanness* ◆ **3.6** ~ brengen in iets *clarity sth., clear sth. up.*

helderziende ⟨de (m.)⟩ **0.1** *clairvoyant* ◆ **3.1** ik ben toch geen ~ *I can't see into the future, I'm not a mind-reader.*

helderziendheid ⟨de (v.)⟩ **0.1** *clairvoyance* ⇒*second sight.*

heldhaftig ⟨bn., bw.; -ally⟩ **0.1** *heroic* ⇒*valiant* ◆ **1.1** een ~ man *a heroic man.*

heldhaftigheid ⟨de (v.)⟩ **0.1** *heroism* ⇒*valour.*

heldin ⟨de (v.)⟩ **0.1** [uitzonderlijk dappere vrouw] *heroine* **0.2** [hoofdpersoon] *heroine* ◆ **1.2** zij was de ~ van de avond *she was the h. of the evening;* de ~ van het boek *the h. of the book.*

heleboel 0.1 *(quite) a lot* ⇒*a whole lot,* ⟨inf.⟩ *lots, tons, hundreds, piles* ◆ **7.1** dat gaat je een ~ kosten *that'll cost you piles (of money);* een ~ mensen zouden het niet met je eens zijn *an awful lot of/* ⟨inf.⟩ *a hell of a lot of people wouldn't agree with you;* een ~ kinderen *a lot/lots of children;* vind je dat weinig? ik vind het een ~ *don't you think it's sufficient? I think it's quite a lot;* ik heb er een ~ van *I've got quite a lot of them/hundreds of them.*

helemaal ⟨bw.⟩ **0.1** [geheel en al] *completely* ⇒*entirely, totally, absolutely, thoroughly, quite* **0.2** [mbt. een plaatsaanduiding] ⟨mbt. plaats⟩ *right;* ⟨mbt. afstand⟩ *all the way* ◆ **2.1** ik heb het ~ alleen gedaan *I did it all by myself;* ~ blauw *blue all over, entirely blue;* ~ fout *c.l absolutely/utterly wrong;* ~ kapot zijn *be (c.) ruined;* ~ nat zijn *be wet through/drenched/soaked to the skin/dripping wet;* ~ vol *full up* **3.1** ben je nu ~? *are you c. out of your mind?; are you c. nuts/nutty?, have you gone off your rocker?;* hij draaide zich ~ om *he turned right round;* die speler heeft het ~ *that player has really got it/got what it takes;* dat is het ~ *that's the top/the works;* een boek ~ lezen *read a book from cover to cover/right through/right to the end/from beginning to end;* iem. ~ onderzoeken *give s.o. a complete/thorough examination;* zij waren ~ weg van het concert *they were absolutely thrilled with the concert, they were wild/crazy/in a rave about the concert;* zij

---

waren ~ weg van het concert *they were absolutely thrilled with the concert, they were wild/crazy/in a rave about the concert;* dit huis was het ~ voor ons *this house was just what we wanted/just what we were looking for;* korte rokken zijn het ~ *short skirts are all the rage/the in thing* **4.1** ~ niets *nothing at all;* hij begrijpt ~ niets *he doesn't understand a/one single thing, he doesn't understand anything at all;* het kan mij ~ niets schelen *I couldn't care less, it's all the same to me* **5.1** ~ niet *absolutely not, not at all, not in the least;* ik ben ~ niet ziek *I'm not ill at all;* niet ~ juist *not quite right/correct;* ik ben nog niet ~ overtuigd *I'm not altogether/absolutely convinced yet;* ik voel me niet ~ fit *I don't feel a hundred percent/quite up to the mark;* ik heb het nog niet ~ gelezen *I haven't read it all yet, I haven't finished reading it yet;* nu zal ik ~ opnieuw moeten beginnen *now I shall have to start all over again* **5.2** ~ bovenaan *r. at the top* **6.1** ~ in het begin *at the beginning/(very) start;* de bruid was ~ in het wit *the bride was all in white;* armbanden ~ van goud *all-gold bracelets* **6.2** ~ aan het eind van de zaal *r. at the back of the hall/at the far end of the hall;* ~ in het verre noorden *r.l way up in the far North;* wij gaan ~ naar Spanje *we're going all the way to Spain;* u moet ~ tot het eind van deze weg rijden en dan rechtsaf *you must/have to go on r. to the (very) end of this road and then turn right;* dat pakje komt ~ uit Amerika *that parcel has come all the way from America* **7.1** ik heb ~ geen zin *I don't feel like it at all.*

helen ⟨→sprw. 563⟩

I ⟨onov.ww.⟩ **0.1** [genezen] *heal* ◆ **1.1** de wond heelt langzaam *the wound is healing slowly;*

II ⟨ov.ww.⟩ **0.1** ⟨jur.⟩ *receive* ⇒⟨sl.⟩ *fence* **0.2** [genezen] *heal* ⇒*cure* ◆ **1.2** helende eigenschappen *healing properties.*

heler ⟨de (m.)⟩ ⟨→sprw. 272⟩ **0.1** *receiver* ⇒⟨sl.⟩ *fence.*

helft ⟨de⟩ **0.1** [elk van beide gelijke delen] *half* **0.2** [een (groot) deel] *half* ⇒*part* ◆ **2.1** ⟨fig.⟩ mijn betere ~ *my better h.* **2.2** hij kiest altijd de grootste ~ *he always chooses the bigger h., he always takes the lion's share;* het boek is voor de grootste ~ klaar *the greater/best part of the book is finished* **3.1** ieder de ~ betalen *pay h. each, go halves/* ⟨inf.⟩ *fifty-fifty* **3.2** de ~ is gelogen *h. of it is lies* **5.1** bij mij krijgt u de ~ meer voor hetzelfde geld *I give h. as much/many again for the same price;* meer dan de ~ *more than h.;* de ~ minder *h. as much/many, fifty per cent less/fewer;* de ~ te veel *fifty per cent too much/many* **6.1** in ~en snijden *cut in h./into halves, halve;* we zijn nu op de ~ van de roman *we are now h.-way through the novel;* over de ~ zijn *be more than h.-way through, be past the h.-way mark;* tegen/voor de ~ v.d. prijs *at/for h. the price, at/for h.-price;* de ~ van tien *is vijf h. of ten is five;* geef mij de ~ van die appel *give me h. (of) that apple;* de fles is voor de ~ gevuld *the bottle is h. full* **6.2** de ~ van wat hij zegt is niet waar *h. (of) what he says isn't true* **7.1** de tweede ~ van een wedstrijd *the second h. of a match.*

helhond ⟨de (m.)⟩ **0.1** [⟨myth.⟩] *hell-hound* **0.2** [kwaadaardig persoon] *hell-hound.*

helihaven ⟨de⟩ **0.1** *heliport.*

helikopter ⟨de (m.)⟩ **0.1** *helicopter* ⇒⟨inf.⟩ *chopper, copter* ◆ **6.1** per ~ vervoerd *transported/carried/taken by h..*

helikopterdek ⟨het⟩ **0.1** *helicopter landing platform.*

helikopterdekschip ⟨het⟩ **0.1** *helicopter carrier.*

heling ⟨de (v.)⟩ **0.1** [het genezen] *healing* **0.2** [mbt. gestolen goed] *receiving* ⇒⟨sl.⟩ *fencing.*

heliocentrisch ⟨bn.⟩ **0.1** *heliocentric* ◆ **1.1** de ~e lengte/breedte *the h. longitude/latitude.*

heliochromie ⟨de (v.)⟩ ⟨foto.⟩ **0.1** *heliochromy.*

heliograaf ⟨de (m.)⟩ **0.1** [instrument voor fotografische opnamen] *heliograph* **0.2** [seintoestel] *heliograph.*

heliograferen ⟨ov.ww.⟩ **0.1** *heliograph.*

heliogram ⟨het⟩ **0.1** *heliogram.*

heliogravure ⟨de⟩ **0.1** *heliogravure* ⇒*photogravure.*

heliometer ⟨de (m.)⟩ **0.1** *heliometer.*

helioscoop ⟨de (m.)⟩ **0.1** [waarnemings-/projectie-instrument] *helioscope* **0.2** [voorziening om de ogen te beschermen] *helioscope.*

heliostaat ⟨de (m.)⟩ **0.1** *heliostat.*

heliotherapie ⟨de (v.)⟩ **0.1** *heliotherapy.*

heliotroop

I ⟨de (m.)⟩ **0.1** [toestel] *heliotrope* **0.2** [gesteente] *heliotrope* ⇒*bloodstone;*

II ⟨de⟩ **0.1** [plant] *heliotrope.*

heliotropisch ⟨bn.⟩ ⟨plantk.⟩ **0.1** *heliotropic* ◆ **1.1** ~e krommingen *h. curvature.*

heliotropisme ⟨het⟩ ⟨plantk.⟩ **0.1** *heliotropism.*

heliplat ⟨het⟩ **0.1** *helipad.*

heliport ⟨de (m.)⟩ **0.1** *heliport.*

helium ⟨het⟩ ⟨schei.⟩ **0.1** *helium.*

heliumkern ⟨de⟩ ⟨schei.⟩ **0.1** *helium nucleus* ⇒*alpha particle.*

helix ⟨de⟩ **0.1** [schroef, spiraal] *helix* ⇒*spiral* **0.2** [⟨med.⟩] *helix* ◆ **2.1** de dubbele ~ *the double h..*

hellebaard ⟨de⟩ ⟨gesch.⟩ **0.1** *halberd.*

hellebaardier ⟨de (m.)⟩ ⟨gesch.⟩ **0.1** *halberdier.*

Helleen ⟨de (m.)⟩ **0.1** *Hellene.*

Helleens ⟨bn.⟩ **0.1** *Hellenic.*

hellen ⟨onov.ww.⟩ **0.1** [afwijken van de loodlijn] *slope* ⇒*lean (over), slant* **0.2** [schuin aflopen] *slope* **0.3** [neigen] *tend* ⇒*incline* ◆ **1.1** de muur helt naar links *the wall slopes/leans/slants to the left* **1.2** ⟨nat.⟩ een hellend vlak *an inclined plane;* ⟨fig.⟩ zich op een hellend vlak bevinden *be on a slippery slope* **3.1** doen ~ *incline, slant, tilt; bank* ⟨vliegtuig, auto⟩ **5.1** achterover ~ *lean backward;* ⟨gebouw ook⟩ *tilt backward;* ⟨schip⟩ *tilt up;* voorover ~ *lean forward;* ⟨gebouw ook⟩ *tilt forward;* ⟨schip⟩ *dip up;* dat schip helt zwaar *that ship is heeling over badly* ⟨bij wind, ongelijke belasting⟩*; that ship is listing badly* ⟨bij lek, werkende lading⟩ **6.1** die paal helt **naar** links *that pole is tilted to the left* **6.3 naar** iemands zijde ~ *t. to s.o.'s side;* het helt **naar** het groene *it has a greenish hue, it tinges of green.*

helleniseren ⟨gesch.⟩
I ⟨onov.ww.⟩ **0.1** [Griekse beschaving volgen] *Hellenize;*
II ⟨ov.ww.⟩ **0.1** [Grieks maken] *Hellenize.*

hellenisme ⟨het⟩ ⟨gesch.⟩ **0.1** *Hellenism.*

hellenist ⟨de (m.)⟩ **0.1** *Hellenist.*

hellepijn ⟨de⟩ **0.1** *torments of hell* ⇒⟨fig.⟩ *agony.*

hellepoort ⟨de⟩ **0.1** *(the) gates of hell* ⇒*hell-gate.*

hellevaart ⟨de⟩ **0.1** [afdaling van Jezus] *descent into hell* **0.2** [het ter helle gaan] *going to hell.*

helleveeg ⟨de (v.)⟩ **0.1** *shrew* ⇒*hell-cat.*

hellevorst ⟨de (m.)⟩ **0.1** *prince of darkness.*

hellevuur ⟨het⟩ **0.1** *hell-fire* ⇒*fire(s) of hell, fire and brimstone* ◆ **6.1** in het ~ branden *sit in fire and brimstone.*

helling ⟨de (v.)⟩ **0.1** [talud] *slope* ⇒*incline, hill* **0.2** [glooiing] *slope* ⇒*incline* ⟨mbt. weg ook⟩ *ramp,* ⟨hellingsgraad van (spoor)weg⟩ *gradient,* ⟨AE vnl.⟩ *grade* **0.3** [het overhellen] *inclination* ⟨ook ster.⟩ ⇒ ⟨mbt. schip⟩ *list,* ⟨mbt. magneetnaald⟩ *dip* **0.4** [⟨scheep.⟩] *slip(s)* ⇒ *slipway* ◆ **1.2** de ~ van de weg is 1 op 100 *the road has a gradient of 1 in 100* **1.3** de ~ van de aardas *the i. of the earth's axis* **2.1** een steile ~ *a steep s. / incline / hill* **2.2** gevaarlijke ~ ⟨verkeersbord⟩ *ramp* **2.3** we moeten aan die plank een grotere ~ geven *we must tilt that plank more* **3.1** een aflopende/oplopende ~ *a(n) descending/ascending s., a(n) descent/ascent;* ⟨schr. of tech.⟩ *a(n) declivity/* ⟨zelden⟩ *acclivity;* de ~ afrennen *run down the hill* **6.1** op de ~ van de bergen groeide de wijnstok *vines grew on the slopes of the mountains* **6.2** een ~ **van** 30° *a gradient of 30 %* **6.4** ⟨fig.⟩ dat plan kwam **op** de ~ te staan *that plan was under review again;* ⟨fig.⟩ iets **op** de ~ zetten *put (the future of) sth. at risk;* **op** de ~ *on the slip(s);* het schip gaat **op** de ~ *the ship is going in for a refit/to be overhauled.*

hellingmeter ⟨de (m.)⟩ **0.1** [meettoestel] *(in)clinometer* **0.2** [⟨verk.⟩] *inclinometer.*

hellingproef ⟨de⟩ **0.1** *hill-start.*

hellingsgraad ⟨de (m.)⟩ **0.1** *gradient* ⇒⟨AE vnl.⟩ *grade, degree of inclination.*

hellingshoek ⟨de (m.)⟩ **0.1** *angle of inclination* ⇒*slope,* ⟨mbt. schip⟩ *angle of heel,* ⟨mbt. weg⟩ *gradient,* ⟨mbt. dak⟩ *pitch.*

helm
I ⟨de (m.)⟩ **0.1** [hoofddeksel] *helmet* ⇒*headpiece,* ⟨sport, werk ook⟩ *hard hat,* ⟨gesch. ook⟩ *casque,* ⟨sl.; mil.⟩ *tin hat* **0.2** [⟨herald.⟩] *helmet* ⇒*helm* **0.3** [vlies] *caul* ◆ **2.1** gesloten ~ *helmet with closed visor;* open ~ *open(-faced)/barred/guilled helmet* **6.3 met** de ~ geboren *born with a c.;*
II ⟨de⟩ **0.1** [duinplant] *marram (grass)* ⇒*beach grass, sand reed.*

helmbeplanting ⟨de (v.)⟩ **0.1** [het beplanten] *planting with marram (grass);* ⟨begroeiing⟩*(plantation/planting of) marram (grass).*

helmbindsel ⟨het⟩ ⟨plantk.⟩ **0.1** *connective.*

helmbloem ⟨de⟩ ⟨plantk.⟩ **0.1** [plantengeslacht] *fumitory* ⇒*corydalis* **0.2** [monnikskap] *monkshood.*

helmdak ⟨het⟩ ⟨bouwk.⟩ **0.1** *cupola roof, dome-shaped roof.*

helmdraad ⟨de (m.)⟩ **0.1** [steel van een meeldraad] *filament* **0.2** [zandzegge] *sand sedge* ⇒*sea bent.*

helmgras ⟨het⟩ **0.1** *marram (grass)* ⇒*beach grass, sand reed.*

helmknop ⟨de (m.)⟩ **0.1** [⟨plantk.⟩] *anther* **0.2** [knop op een helm] *(helmet) peak.*

helmkruid ⟨het⟩ **0.1** *figwort* ⇒*pilewort.*

helmplant, helmriet →**helmgras.**

helmstijligen ⟨zn.mv.⟩ ⟨plantk.⟩ **0.1** *gynandrous plants.*

helmstok ⟨de (m.)⟩ ⟨scheep.⟩ **0.1** *tiller* ⇒*helm.*

heloot ⟨de (m.)⟩ ⟨gesch.⟩ **0.1** [oorspronkelijke bewoner van Sparta] *helot* **0.2** [slaaf] *helot* ◆ **1.2** een volk van heloten *a nation of helots/serfs.*

help ⟨tw.⟩ ◆ **2.¶** lieve ~, goeie ~! *oh, Lord/dear!, heavens above!, good heavens!, dear me!.*

helpen ⟨onov., ov.ww.⟩ ⟨→sprw. 37,210,273,512⟩ **0.1** [bijstaan] *help* ⇒ ⟨↑⟩*aid* **0.2** [verzorgen] *attend to* ⟨zieke, gewonde⟩ **0.3** [assisteren] *help* ⇒⟨↑⟩*assist* **0.4** [in dienst verlenen] *help* ⇒*wait on* **0.5** [behulpzaam, werkzaam zijn tot verbetering] *help* **0.6** [baten] *help* **0.7** [bedienen] *help* ⇒*serve, attend to* **0.8** [castreren, steriliseren] *doctor* ⇒ ⟨vnl. BE ook⟩ *neuter,* ⟨vnl. AE ook⟩ *alter* ◆ **1.1** God zal me ~! *Heaven preserve us!;* zo waarlijk helpe mij God Almachtig *so h. me God* **1.2** een

kind ~ *attend to a baby/small child;* welke specialist heeft u geholpen? *which specialist did you see/have?* **1.3** een handje ~ *give/lend a hand* **1.6** het drankje heeft geholpen *the mixture has helped* **3.2** u wordt morgen geholpen ⟨in ziekenhuis⟩ *you are having your operation tomorrow* **3.3** wil je me ~ afdrogen? *will you h. me (to) wipe up/h. me with the wiping-up?;* iem. iets ~ dragen *help s.o. (to) carry sth.;* ik help het je hopen *I'll keep my fingers crossed for you;* als ik jullie kan ~ ... *if I can be of assistance to you,* ... **3.4** jammeren helpt niet *it's no use moaning* **3.5** hij is niet te ~ *he is past/beyond help;* ik kan het niet ~ *I can't h. it, it's not my fault;* ik kan het niet ~, maar ik vind het verkeerd *I can't help feeling it's wrong, I'm sorry, but I think it's wrong;* kan ik 't ~ dat hij zich zo gedraagt? *is it my fault if he behaves like that?* **3.7** kan ik u ~? *can I h. you?* **3.8** wij hebben onze kat laten ~ *we have had our cat doctored/neutered/altered* **4.1** zich(zelf) ~ *look after/fend for o.s.* **4.3** help me eraan denken, wil je? *remind me, will you?, will you remind me?* **4.6** het helpt niet, je moet mee *it's no use/there's nothing for it, you'll have to come too;* die vakantie heeft mij geholpen *that holiday did me good;* ik deed mijn best, maar het hielp niet(s) *I did my best, but it was (of) no use/* ↑*of no avail;* die vakantie heeft mij niets geholpen *I am none the better for that holiday, that holiday hasn't done me the least/slightest bit of good;* wat ik ook doe, het helpt allemaal niets *whatever I do, it is all to no purpose/avail;* wat helpt het? *what good would it do?, what's the use?, what's the point?* **5.3** ze helpt me uitstekend *she's a great help to me* **5.4** ik zal hem er wel door ~ *I'll see him through it;* hij helpt de mensen er vaak genoeg in, maar nooit eruit ⟨in nood⟩ *he is good at landing people in trouble but not at helping them out of it;* wacht eens, ik zal je even ~ ⟨iron.⟩ *just wait, I'll give it you/let you have it;* ⟨lett.⟩ *I'll give you a hand;* mijn vader heeft me financieel geholpen *my father has helped me financially/helped me out with money;* iem. ergens vanaf ~ *help s.o. get rid of sth.* **5.5** daar helpt geen lievemoeder aan, daar is geen ~ aan *there's (absolutely) nothing that can be done about it* **5.6** die vitaminen hielpen echt *those vitamins really worked wonders/did the trick;* protesteren zal heus niet ~ *protesting won't do any good;* huilen zal haar niet ~ *crying will not h. her;* deze tabletten ~ uitstekend *these tablets are extremely effective* **5.7** wordt u al geholpen? *are you being served/attended to?* **6.1** kun je mij **aan** honderd gulden ~? *can you let me have a hundred guilders?* **6.3** ~ **bij** een operatie *assist at an operation;* hij hielp mij **bij** deze moeilijke opgave *he helped/assisted me with this difficult task;* iem. **uit**/in zijn jas ~ *help s.o. off/on with his coat, help s.o. out of/into his coat* **6.4** iem. **aan** een baan ~ *get s.o. fixed up with a job;* iem. **aan** iets ~ *get sth. for s.o., help s.o. get sth.;* ik kan u niet **aan** kaarsen ~ *I can't oblige you with candles;* wie helpt mij **aan** een tweedehands fiets? *who can help me get hold of a second-hand bike?;* iem. **naar** de andere wereld ~ *send s.o. to kingdom come;* ⟨sl.⟩ *bump s.o. off;* iem. **op** weg/op dreef ~ *h. s.o. get going/started;* iem. weer **op** de been ~, iem. er weer bovenop ~ *put/set s.o. back on his feet again;* iem. **over** de grens ~ *help s.o. across the border;* iem. **uit** de brand/uit de nood ~ *help s.o. out;* iem. **uit** de droom ~ *open s.o.'s eyes for him, put s.o. wise;* iem. / een dier **uit** zijn lijden ~ *put s.o./an animal out of his/its misery* **6.6** dat helpt **tegen** hoofdpijn *that's good for a headache* **7.6** al kom je maar een uur, het zou van groot nut zijn *even if you only came for an hour, it would be of great help* **¶.1** help! help! help! help!.*

helper ⟨de (m.)⟩, **helpster** ⟨de (v.)⟩ **0.1** *helper* ⇒ ↑*assistant* ◆ **1.1** de timmerman kwam met een paar ~s *the carpenter came with a couple of assistants.*

hels ⟨bn., bw.; -ly⟩ **0.1** [zoals in de hel] *infernal* ⇒*hellish, devilish, diabolical* **0.2** [woedend] *furious* ⇒*livid* **0.3** [uit/van de hel] *infernal* ◆ **1.1** een ~ karwei *a/the devil of a job;* een ~ lawaai/kabaal *an i. din/noise;* ~e pijnen uitstaan *suffer hell/agony/excruciating pain/torment* **1.3** de ~e Breughel 'Hell' Brueghel; de ~e machten *the i. powers* **1.¶** een ~e machine *an infernal machine;* ⟨med.⟩ ~e steen *lunar caustic* **3.2** hij was er ~ over *he was f. / livid about it;* hij werd ~ *he became f., he went into a fury/rage;* het is om ~ van te worden *it's absolutely infuriating/maddening.*

hem ⟨pers.vnw.⟩ **0.1** *him;* ⟨van dier/ding vnl.⟩ *it* ◆ **3.1** zij opende de brief en las ~ *she opened the letter and read it* **3.¶** ~ gesmeerd zijn *have cleared off/hopped it/done a bunk/skedaddled;* zij was ~, nu ben zij ~ *she was it, now you're it* **6.1** dit boek is van ~ *this book is his;* vrienden **van** ~ *friends of his;* die **van** ~ is wit *his is white* **¶.¶** ~ om hebben *have had a few (too many)/a drop too much;* daar zit het ~ niet (in) *that's not the reason;* dat is het ~ nu juist, daar gaat het ~ om *that's just it/the point, that's (just) what it's all about.*

hemangioom ⟨het⟩ **0.1** *haemangioma.*

hemartrose ⟨de (v.)⟩ **0.1** *haemarthrosis.*

hematiet ⟨het⟩ **0.1** *haematite.*

hematogeen ⟨bn.⟩ **0.1** *haematogenic* ⇒*haematogenous.*

hematologie ⟨de (v.)⟩ **0.1** *haematology.*

hematologisch ⟨bn., bw.; -(al)ly⟩ **0.1** *haematologic(al).*

hematoma ⟨het⟩ **0.1** *haematoma.*

hematoom ⟨het⟩ **0.1** *haematoma.*

hematozoën ⟨zn.mv.⟩ **0.1** *haematozoa.*

hematurie ⟨de (v.)⟩ **0.1** *haematuria.*

hemd ⟨het⟩ ⟨→sprw. 274,674⟩ **0.1** [onderkledingstuk] ᴮ*vest*, ᴬ*(under)shirt* ⇒ [als bovenkleding] *T-shirt* **0.2** [overhemd] *shirt* ◆ **2.1** een flanellen ~ *a flanel v.* **2.2** een schoon ~ aantrekken *change one's s.* **3.1** ⟨fig.⟩ iem. het ~ van zijn lijf/gat vragen *want to know the ins and outs of sth.* / *everything (from s.o.)*; ⟨lastig⟩ *pester s.o. with questions;* hij zou het ~ van zijn gat weggeven *he'd give (you) the shirt off his back* **3.2** zijn ~ in zijn broek stoppen *tuck one's s. into one's trousers* **6.1** ⟨fig.⟩ hij heeft geen ~ aan het lijf *he hasn't got a shirt to his back;* in zijn ~ staan ⟨fig.;beroofd⟩ *be stripped of everything/cleaned out;* ⟨fig.;voor gek⟩ *look a fool/foolish;* ⟨lett.⟩ *be in one's v.;* ⟨fig.⟩ iem. in zijn ~ laten staan/zetten *make s.o. look a fool/foolish;* ⟨fig.⟩ iem. tot op het ~ uitschudden/uitkleden *strip/fleece s.o., have the shirt off s.o.'s back;* tot op het ~ nat zijn *be wet through/soaked to the skin/drenched/dripping wet.*

hemdenlinnen ⟨het⟩ **0.1** *shirting (linen).*

hemdje ⟨het⟩ **0.1** *vest.*

hemdjurk ⟨de⟩ **0.1** *chemise* ⇒*shift,* ⟨inf.⟩ *shimmy.*

hemdsboord ⟨het, de (m.)⟩ **0.1** *shirt-collar.*

hemdsknoop ⟨de (m.)⟩ **0.1** *shirt-button.*

hemdskraag ⟨de (m.)⟩ **0.1** *shirt-collar.*

hemdsmouw ⟨de⟩ ⟨→sprw. 127⟩ **0.1** *shirt-sleeve* ◆ **6.1** in ⟨zijn⟩ ~en *in one's shirt-sleeves.*

hemel ⟨de (m.)⟩ ⟨→sprw. 308,548⟩ **0.1** [uitspansel] *heaven(s)* ⇒*sky* **0.2** [zichtbaar deel van de hemel] *sky* **0.3** [verblijf van de goden/van God] *heaven* **0.4** [oord/toestand van gelukzaligheid] *heaven* **0.5** [God, goden] *Heaven* **0.6** [overkapping] *canopy* ⇒ ⟨van bed ook⟩ *tester,* ⟨van troon/altaar ook⟩ *baldachin* **0.7** [bk.] *sky* ◆ **1.1** zij zijn zo ver van elkaar als ~ en aarde *they are poles apart;* ⟨fig.⟩ hij heeft er ~ en aarde om bewogen/verroerd *he moved heaven and earth for it;* het scheen of ~ en aarde zouden vergaan *it was as if the end of the world had come/was at hand;* tussen ~ en aarde zweven *be (left) in suspense, be unsure/wavering;* tussen ~ en aarde *in mid-air;* ⟨bijb.⟩ de vogelen des ~s *the birds of the air* **1.5** in 's ~s naam, ⟨ook vaak aaneengeschreven⟩ in ('s) hemelsnaam, om 's wil *for H.'s/pity's sake, in the name of H.* / *goodness;* ⟨inf.⟩ *for Pete's sake;* wat heb je hem in 's ~s naam aangedaan? *whatever/what on earth did you do to him?;* waar in 's ~s naam mag hij wel wezen? *wherever/where on earth can he be?;* waarom heb je dat in 's ~s naam gedaan? *why in the world/on earth did you do that?;* wanneer in 's ~s naam? *whenever?;* hoe in 's ~s naam? *however?;* de wil/de wraak des ~s the will/vengeance of H. **2.1** onder de blote ~ slapen *sleep under the open sky/in the open (air);* de hoge ~ *the high heavens* **2.2** als een donderslag uit een/bij heldere ~ *like a bolt from the blue, out of the blue/the clear blue s.;* een heldere/bedekte/blauwe/grauwe/bewolkte ~ *a clear/overcast/blue/grey/cloudy s.;* ⟨fig.⟩ donkere wolken vertoonden zich aan de politieke ~ *dark clouds appeared on the political horizon/sky* **2.5** lieve/goeie/genadige ~, mijn ~ *Heavens above, my goodness, good gracious, goodness gracious;* de Olympische ~ *the Olympic gods* **3.4** een ieder wil zijn eigen ~ ~tje bouwen *everyone wants to make their own little h.;* hij heeft de ~ verdiend *he deserves a place in h.;* hij heeft de ~ aan mij verdiend *I am deeply indebted to him* **3.5** de ~ beware me *H. forbid,* may *H. preserve me;* je mag de ~ danken *you can thank your lucky stars;* de ~ sta je bij *H. help you;* de ~ weet waar hij is *H. (only) knows where he is;* de ~ zij dank, de ~ zij geprezen! *thank heaven(s), H. be praised* **5.1** ⟨fig.⟩ iem. / iets de ~ in prijzen *praise s.o. / sth. to the skies* **6.1** de sterren aan de ~ *the stars in the sky;* de zon staat al hoog aan de ~ *the sun is already high in the sky;* het oog ten ~ heffen, de ogen ten ~ slaan *raise one's eyes to heaven;* uit de ~ *from on high, out of the sky* **6.2** het water kwam met bakken uit de ~ *the heavens opened* **6.3** Onze Vader die in de ~ zijt *Our Father which art in h.;* ⟨grote⟩ God in de ~! *God in h., my God, good God, oh God* **6.4** in de ~ komen/zijn *go to/be in h.;* in de ~ / ten ~ opnemen *assume* ⟨heilige⟩; de heiligen in de ~ *the saints above;* ten ~ varen *ascend into h.* **6.5** je bent (als) door de ~ gezonden *you are a sight for sore eyes/for the gods, you are heaven-sent* **6.** dat is ten ~ schreiend *that is a crying shame, that is appalling/shocking* **7.3** ⟨fig.⟩ in de derde ~ zijn *be merry/light;* ⟨fig.⟩ hij was in de zevende ~ *he was on cloud nine, he was in the seventh h. (of delight), he was over the moon* **.4** hij heeft een ~ op aarde *he's got h. on earth* **.5** de ~ is mijn getuige (as) *H. is my witness.*

hemelas ⟨de⟩ **0.1** *celestial axis.*

hemelbed ⟨het⟩ **0.1** *four-poster (bed).*

hemelbestormer ⟨de (m.)⟩ **0.1** [⟨myth.⟩] *Titan* **0.2** [iem. met revolutionaire denkbeelden] *(romantic) idealist* ⇒*revolutionary.*

hemelbewoner ⟨de (m.)⟩, **-bewoonster** ⟨de (v.)⟩ **0.1** *celestial.*

hemelblauw ⟨bn.⟩⟨schr.⟩ **0.1** *azure.*

hemelbol ⟨de (m.)⟩ **0.1** [⟨dicht.⟩ hemellichaam] *orb* ⇒*celestial/heavenly body* **0.2** [hemelglobe] *celestial globe/sphere* ⇒ ⟨halve hemelbol⟩ *hemisphere.*

hemelboog ⟨de (m.)⟩ **0.1** *vault/canopy/arch of heaven, firmament.*

hemelboom ⟨de (m.)⟩ **0.1** [⟨plantk.⟩] *tree of heaven* ⇒*ailanthus* **0.2** [⟨bouwk.⟩ nokbalk] *ridge-beam/piece.*

hemelbruidje ⟨het⟩⟨r.k.⟩ **0.1** *girl on the day of her First Communion.*

hemeldak, hemelgewelf →**hemelboog.**

hemelfotografie ⟨de (v.)⟩ **0.1** *astrophotography.*

hemelglobe ⟨de⟩ **0.1** *celestial globe.*

hemelgod ⟨de (m.)⟩, **-godin** ⟨de (v.)⟩ **0.1** *god/goddess of the heavens.*

hemelhoog ⟨bn., bw.⟩ **0.1** *sky-high* ⇒*towering,* ⟨bw.⟩ *high into the sky* ◆ **1.1** hemelhoge bergen *lofty mountains;* hemelhoge huizen *towering/s.-h. houses* **3.1** iem. ~ prijzen *praise s.o. to the skies;* ~ uittorenen/uitsteken boven de anderen *stand head and shoulders above the rest;* de golven werden ~ *opgezweept the waves became mountainous.*

hemelkaart ⟨de⟩ **0.1** *celestial map* ⇒*star map.*

hemellichaam ⟨het⟩ **0.1** *heavenly/celestial body* ◆ **3.1** lichtgevend ~ *luminary.*

hemellicht ⟨het⟩ **0.1** [licht aan/van de hemel] *heavenly light* **0.2** [lichtend hemellichaam] *luminary.*

hemelpoort ⟨de⟩ **0.1** *gate of heaven.*

hemelrijk ⟨het⟩ **0.1** [rijk van God] *Kingdom of heaven* **0.2** [de zaligheid] *Kingdom of heaven.*

hemelruim ⟨het⟩ **0.1** *heaven(s)* ⇒*space, cosmos.*

hemels
I ⟨bn.⟩ **0.1** [te vinden in de hemel] *heavenly* ⇒*celestial* **0.2** [uit de hemel afkomstig] *heavenly* **0.3** [tot het luchtruim behorend] *heavenly* ⇒*celestial* ◆ **1.1** de ~e gelukzaligheid *h.* / *celestial bliss;* het ~e Jeruzalem *the new Jerusalem;* de ~e Vader *the h. Father* **1.2** een ~e gave *a gift of/from heaven;* ~e woorden *h. words* **1.¶** het Hemelse Rijk *the Celestial Empire;*
II ⟨bn., bw.;-ly⟩ **0.1** [goddelijk] *sublime* ⇒*divine, heavenly* ◆ **1.1** zij heeft een ~e stem *her voice is out of this world;* het is een ~e verschijning *she looks (absolutely) gorgeous* **2.1** het is ~ mooi *it is sublimely beautiful* **3.1** het smaakt ~ *it tastes divine, it's out of this world* **3.¶** ~ kijken *look sublimely/blissfully happy.*

hemelsblauw¹ ⟨het⟩ **0.1** *sky blue* ⇒*celestial/ethereal blue.*

hemelsblauw² ⟨bn.⟩ **0.1** *sky-blue* ⇒ ↑*azure* ⇒ ~e zijde *s.-b. silk.*

hemelsbreed ⟨bn., bw.⟩ **0.1** [zeer groot, wijd] *vast* ⇒*enormous,* ⟨inf.⟩ *tremendous* **0.2** [in rechte lijn gemeten] *as the crow flies* ⇒ in a *straight line* ◆ **1.1** dat is/maakt een ~ verschil *that makes all the difference/a world of difference;* (er is) een ~ verschil (tussen) *(there is) a world of difference (between)* **3.1** de meningen liepen ~ uiteen *the opinions were poles apart;* ~ verschillen ⟨mbt. karakter⟩ *be as different as chalk from cheese;* ⟨mbt. standpunt⟩ *be poles apart.*

hemelsbreedte ⟨de (v.)⟩ **0.1** *celestial latitude.*

hemelsluis ⟨de⟩ ◆ **3.¶** de ~ gingen open *the heavens opened.*

hemelstreek ⟨de⟩ **0.1** [windstreek] *point (of the compass)* **0.2** [luchtstreek mbt. klimaat] *area, region* ⇒*clime.*

hemelteken ⟨het⟩ **0.1** *sign of the zodiac.*

hemeltergend ⟨bn., bw.;-ly⟩ **0.1** *outrageous* ⇒*appalling, scandalous, shameful* ◆ **1.1** een ~ onrecht *an o.* / *appalling injustice* **3.1** het is ~ *it's a crying shame.*

hemeltje, hemeltjelief ⟨tw.⟩ **0.1** *gracious me, goodness gracious, oh dear, dearie me.*

hemelvaart ⟨de⟩ **0.1** [het ten hemel stijgen] *Ascension* **0.2** [feest] *Ascension.*

Hemelvaartsdag ⟨de (m.)⟩ **0.1** *Ascension Day.*

hemelvuur ⟨het⟩⟨schr.⟩ **0.1** [bliksem] ⟨ongemarkeerd⟩ *lightning* **0.2** [hemelse bezieling] *divine inspiration.*

hemelwaarts ⟨bw.⟩⟨schr.⟩ **0.1** *heavenward(s).*

hemelwagen ⟨de (m.)⟩ **0.1** *Big Dipper,* ᴬ*Great Bear.*

hemelwater ⟨het⟩⟨schr.⟩ **0.1** ⟨ongemarkeerd⟩ *rain(-water);* ⟨tech.⟩ *precipitation.*

hemeralopie ⟨de (v.)⟩⟨med.⟩ **0.1** *hemeralopia* ⇒*nyctalopia.*

hemerotheek ⟨de (v.)⟩ **0.1** *periodicals collection.*

hemianopsie ⟨de (v.)⟩ **0.1** *hemianopsia.*

hemicyclus ⟨de (m.)⟩ **0.1** *hemicycle.*

hemiplegie ⟨de (v.)⟩ **0.1** *hemiplegia.*

hemisfeer ⟨de⟩ **0.1** *hemisphere.*

hemisferisch ⟨bn.⟩ **0.1** *hemispheric(al).*

hemmen ⟨onov.ww.⟩ **0.1** *hem.*

hemodialyse ⟨de (v.)⟩ **0.1** *haemodialysis.*

hemofilie ⟨de (v.)⟩ **0.1** *haemophilia.*

hemofiliepatiënt ⟨de (m.)⟩, **-te** ⟨de (v.)⟩ **0.1** *haemophiliac.*

hemoglobine ⟨de (v.)⟩ **0.1** *haemoglobin.*

hemoglobinemeter ⟨de (m.)⟩ **0.1** *haemoglobinometer.*

hemolyse ⟨de (v.)⟩ **0.1** *haemolysis.*

hemorragie ⟨de (v.)⟩ **0.1** *haemorrhage.*

hemorroïdaal ⟨bn.⟩ **0.1** *haemorrhoidal.*

hemorroïden ⟨zn.mv.⟩ **0.1** *haemorrhoids.*

hemostase ⟨de (v.)⟩ **0.1** *haemostasis.*

hemostatica ⟨zn.mv.⟩ **0.1** *haemostatics* ⇒*styptics.*

hemzelf ⟨pers.vnw.⟩ **0.1** *himself.*

hen¹ ⟨de (v.)⟩ ⟨→sprw. 157⟩ **0.1** [wijfje van hoenderachtige vogels] *hen* ⇒ ⟨kip⟩ *hen* ⇒*chicken* ◆ **¶.1** ~netje *pullet.*

hen² ⟨pers.vnw.⟩ **0.1** *them* ◆ **3.1** hij gaf het ~ *he gave it to t.* **6.1** droevig was het lot van ~ die bleven *sad was their fate who stayed, sad was the* *fate of those who stayed;* dit boek is **van** ~ *this book is theirs;* vrienden **van** ~ *friends of theirs;* die **van** ~ is wit *theirs is white.*

hendel →**handel.**

hendiadys ⟨de⟩ **0.1** *hendiadys.*

Hendrik 0.1 *Henry* ◆ **2.¶** een brave ~ *a goody-goody, a paragon of virtue;* ⟨plantk.⟩ brave/ goede hendrik *fat hen, goosefoot.*

Henegouwen ⟨het⟩ **0.1** *Hainault.*

henen ⟨bw.⟩ ⟨schr.⟩ **0.1** *hence* ⇒ ⟨ongemarkeerd⟩ *away.*

hengel ⟨de (m.)⟩ **0.1** [vistuig] *fishing rod* **0.2** [microfoonhengel] *boom* ◆ **2.1** (fig.) met de gouden ~ vissen *bait with a silver hook* **3.1** zijn ~ uitwerpen *cast one's fishing-line* **6.1 met** de ~ vissen *fish with hook and line.*

hengelaar ⟨de (m.)⟩, **-ster** ⟨de (v.)⟩ **0.1** [visser] *angler* **0.2** [assistent-geluidstechnicus] *boom operator/ swinger.*

hengelen ⟨onov.ww.⟩ **0.1** [vissen] *angle* ⇒ *fish,* ⟨in tegenstelling tot vissen met net⟩ *fish with hook and line* **0.2** [proberen te krijgen of te vernemen] *fish* ⇒ *angle* **0.3** [rondhangen] *hang about/ around* ◆ **3.3** thuis blijven ~ *hang about at home* **5.2** hengel er niet zo naar, ik vertel het je toch niet *you needn't keep on fishing, I'm not going to tell you* **6.2 naar** een baantje ~ *f./ angle for a job;* ~ **naar** een man *set one's cap at a man* **7.1** het ~ heeft hij moeten opgeven *he has had to give up angling/* ⟨in tegenstelling tot vissen met net⟩ *line-fishing.*

hengelsnoer ⟨het⟩ **0.1** *fishing-line.*

hengelsport ⟨de⟩ **0.1** *angling.*

hengelwedstrijd ⟨de (m.)⟩ **0.1** *fishing match.*

hengsel ⟨het⟩ **0.1** [beugel] *handle* **0.2** [scharnier] *hinge* ◆ **6.2** een deur **uit** zijn ~s lichten *lift a door off its hinges, unhinge a door.*

hengselmand ⟨de⟩ **0.1** ⟨met één hengsel⟩ *one-handled basket;* ⟨met twee hengsels⟩ *two-handled basket.*

hengst ⟨de (m.)⟩ **0.1** [mannelijk paard] *stallion* ⇒*stud-horse* **0.2** [oplawaai] *thump* ⇒*biff* ◆ **2.1** een Arabische/ vurige~ *an Arabian/ a fiery stallion* **3.2** iem. een ~ verkopen *thump/ biff s.o..*

hengsten

I ⟨onov.ww.⟩ **0.1** [hard slaan] *thump* ⇒*bash* **0.2** [hard studeren] ᴮ*swot,* ᴬ*grind* **0.3** [hengstig zijn] *be on/ in heat* ◆ **3.2** hij zit te ~ voor zijn examen *he is swotting for/ grinding away for his exam* **6.1** sta niet zo **op** die deur te ~ *don't t./ bash on the door like that;*

II ⟨ov.ww.⟩ **0.1** [dekken] *cover* ◆ **3.1** een merrie laten ~*c. a mare.*

hengstenbal ⟨het⟩ ⟨inf.; scherts.⟩ **0.1** *stag party.*

hengstenkeuring ⟨de (v.)⟩ **0.1** *stud test/ inspection.*

hengstig ⟨bn.⟩ **0.1** [mbt. merries] *in/ on heat* **0.2** [mbt. mensen] *randy* ⇒ *sexy, hot, worked up.*

henna ⟨de⟩ **0.1** *henna.*

hennegat ⟨het⟩ **0.1** [ronde opening in de scheepshuid] *rudder hole* **0.2** [achterste gedeelte in een officierssloep] *helm-port* **0.3** [cockpit] *cockpit.*

hennegras ⟨het⟩ ⟨biol.⟩ **0.1** *purple smallreed.*

hennep ⟨de (m.)⟩ **0.1** [plant] *hemp* ⇒*cannabis* **0.2** [vezels] *hemp* ◆ **2.1** Indische/ Bengaalse/ Bombay ~ *Indian/ Madras/ Sunn h.* **2.2** schoongetrokken ~ *pure-drawn h..*

hennepen ⟨bn.⟩ **0.1** *hempen.*

hennepgaren ⟨het⟩ **0.1** *hemp yarn* ⇒*hempen thread, spun hemp.*

henneplinnen ⟨het⟩ **0.1** *hemp cloth* ⇒*hempen canvas.*

hennepnetel ⟨de⟩ **0.1** *hemp nettle.*

hennepolie ⟨de⟩ **0.1** *hempseed oil.*

hennepplant ⟨de⟩ **0.1** *hemp/ cannabis (plant).*

hennepprodukt ⟨het⟩ **0.1** *hemp product.*

hennepteelt ⟨de (v.)⟩ **0.1** *hemp growing/ cultivation/ culture.*

hennepvezel ⟨de⟩ **0.1** *hemp fibre.*

hennepzaad ⟨het⟩ **0.1** *hempseed.*

henotheïsme ⟨de (v.)⟩ **0.1** *henotheism.*

henry ⟨de (m.)⟩ ⟨tech.⟩ **0.1** *henry.*

hens ⟨zn.mv.⟩ ◆ **6.¶** in de ~ staan/ vliegen/ zetten ᶦ *be on/ catch/ set on fire* **7.¶** alle ~ aan dek! *all hands on deck, sound the alarm.*

henzelf ⟨pers.vnw.⟩ **0.1** *themselves.*

heparine ⟨de⟩ **0.1** *heparin.*

hepatitis ⟨de (v.)⟩ **0.1** *hepatitis.*

heptameter ⟨de (m.)⟩ ⟨let.⟩ **0.1** *heptameter.*

her¹ ⟨het⟩ ⟨inf.⟩ **0.1** *resit* ⇒ *re-examination* ⟨voor voorbeelden →herexamen⟩.

her² ⟨bw.⟩ **0.1** [hierheen] *hither* ⇒*here* **0.2** [sedert] *ago* ◆ **5.1** ~ en der ⟨overal⟩ *here and there;* ⟨naar alle kanten⟩ *hither and thither;* ~ en der verspreid liggen *lie scattered all over the place* **6.1** van hot **naar** ~ lopen/ reizen *walk/ travel here, there and everywhere/ all over the place, go from pillar to post* **¶.2** dit is al van jaren ~ *de gewoonte this is a long standing custom;* van ouds ~ *of old, traditionally, since time immemorial;* van jaren/ eeuwen ~ *dateren be of many years standing/ from time immemorial* **¶.¶** hot en ~ *door elkaar leggen lay out higgeldy-piggeldy.*

her- 0.1 *re-, again.*

herademen ⟨onov.ww.⟩ **0.1** *breathe again* ⇒*breathe (more) freely.*

herademing ⟨de (v.)⟩ ⟨fig.⟩ **0.1** *relief.*

heraldicus ⟨de (m.)⟩, **-ca** ⟨de (v.)⟩ **0.1** *heraldist* ⇒*armorist, blazoner.*

---

heraldiek¹ ⟨de (v.)⟩ **0.1** *heraldry* ⇒*blazonry.*

heraldiek² ⟨bn.⟩ **0.1** *heraldic* ⇒*armorial, (em)blazoned* ◆ **1.1** ~e figuren ⟨ook⟩ *emblazonments, emblazonry;* de ~e kleuren *the h. colours.*

heraldisch ⟨bn.⟩ →**heraldiek**².

herassurantie ⟨de (v.)⟩ **0.1** *re-insurance.*

heraut ⟨de (m.)⟩ **0.1** *herald* ◆ **1.1** ~ van wapenen *herald, herald/ king of/ at arms.*

herbarist ⟨de (m.)⟩ **0.1** *herbalist.*

herbarium ⟨het⟩ **0.1** [album] *herbarium* **0.2** [lokaliteit] *herbarium* ⇒ *hortus siccus.*

herbebossen ⟨ov.ww.⟩ **0.1** *reafforest;* ⟨vnl. AE⟩ *reforest.*

herbebossing ⟨de (v.)⟩ **0.1** *reafforestation;* ⟨vnl. AE⟩ *reforestation.*

herbeginnen ⟨onov., ov.ww.⟩ **0.1** *recommence.*

herbenoembaar ⟨bn.⟩ **0.1** *eligible for reappointment.*

herbenoemen ⟨ov.ww.⟩ **0.1** *reappoint.*

herbenoeming ⟨de (v.)⟩ **0.1** *reappointment.*

herberg ⟨de⟩ ⟨→sprw. 632⟩ **0.1** [logement] *inn* ⇒ ⟨vero.⟩ *hostelry* **0.2** [kroeg] *pub* ⇒*public house, inn, tavern* ◆ **1.1** de ~ 'de Woeste Hoogte' *the Wuthering Heights (Inn)* **6.1** er is voor mij geen plaats meer in de ~ ⟨fig.⟩ *standing room only;* in de ~ 'het Witte Paard' logeren/ verblijven *stay at (the sign of) the White Horse.*

herbergen ⟨ov.ww.⟩ **0.1** [huisvesten] *accommodate* ⇒*house, lodge,* ↓*put up, take, harbour* **0.2** [tot verblijf dienen] *house* ⇒*accommodate,* ↓*take seat* ⟨aantal mensen in een ruimte⟩ **0.3** [bevatten] *contain* ⇒*hold* ◆ **1.1** ik kan zoveel mensen niet ~ *I cannot a./ take so many people* **1.2** een hok dat twee konijnen herbergt *a hutch that houses two rabbits;* de zaal kan 2000 mensen ~ *the hall seats 2000 people* **1.3** dit boek herbergt een schat van informatie *there is a treasure of information hidden away in this book.*

herbergier ⟨de (m.)⟩, **-ster** ⟨de (v.)⟩ **0.1** *innkeeper* ⇒*publican, victualler* ⟨m., v.⟩, *landlord, host* ⟨m.⟩, *landlady, hostess* ⟨v.⟩ ◆ **6.1** ~ **met** vergunning *licensed victualler.*

herbergmoeder ⟨de (v.)⟩ **0.1** *warden.*

herbergvader ⟨de (m.)⟩ **0.1** *warden.*

herbergzaam ⟨bn.⟩ **0.1** [bewoonbaar] *(in)habitable* **0.2** [gastvrij] *hospitable* ◆ **5.1** niet erg/ bepaald niet ~ *quite desolate* ⟨gebied⟩.

herbesteding ⟨de (v.)⟩ **0.1** *new/ fresh call/ invitation for tenders.*

herbewapenen

I ⟨onov.ww.⟩ **0.1** [opnieuw wapens aanschaffen] *rearm* ⇒*remilitarize;*

II ⟨ov.ww.⟩ **0.1** [opnieuw wapens verschaffen aan] *rearm* ◆ **4.1** onder Hitler herbewapende Duitsland zich *under Hitler Germany rearmed.*

herbewapening ⟨de (v.)⟩ **0.1** *rearmament* ⇒*remilitarization, rearming* ◆ **2.1** geestelijke en morele ~ *spiritual and moral rearmament.*

herbezinnen ⟨wk.ww.; zich ~⟩ **0.1** *reconsider* ⇒*review* ◆ **6.1** het parlement herbezint zich **op/ over** de bezuinigingsvoorstellen *Parliament is reconsidering/ reviewing the proposed expenditure cuts.*

herbicide ⟨het⟩ **0.1** *herbicide.*

herbivoor ⟨de (m.)⟩ **0.1** *herbivore* ⇒*herbivorous animal* ◆ **¶.1** de herbivoren ⟨als groep⟩ *the herbivora.*

herboren ⟨bn.⟩ **0.1** *reborn* ⇒*born again,* ↑*regenerate* ◆ **3.1** ⟨fig.⟩ wij voelden ons ⟨als⟩ ~ *we felt reborn/ like new men* **6.1** ⟨fig.⟩ in Christus ~ worden *be reborn in Christ.*

herbouw ⟨de (m.)⟩ **0.1** *rebuilding, reconstruction* ◆ **1.1** ⟨jur.⟩ beding van ~ *rebuilding restrictions.*

herbouwen ⟨ov.ww.⟩ **0.1** *rebuild, reconstruct.*

hercirculatie ⟨de (v.)⟩ **0.1** *recycling.*

hercules ⟨de (m.)⟩ ⟨fig.⟩ **0.1** *Hercules* ◆ **1.¶** ⟨myth.⟩ de twaalf werken van Hercules *the Twelve Labours of H..*

herculesarbeid ⟨de (m.)⟩ →**herculeswerk.**

herculeswerk ⟨het⟩ **0.1** *Herculean task.*

herculisch ⟨bn.⟩ **0.1** *Herculean* ◆ **1.1** een ~e gestalte *a H. figure, a man of H. powers/ strength;* daar is ~e kracht voor nodig *you need the strength of Hercules to do that.*

herdenken

I ⟨ov.ww.⟩ **0.1** [de herinnering vieren] *commemorate* ⇒*celebrate/ mark (the occasion of)* **0.2** [in herinnering brengen] *recall* ⇒*bring to mind* **0.3** [zich weer in gedachten brengen] *recall (to mind)* ⇒*recollect, remember* ◆ **1.1** de wapenstilstand/ de gevallenen ~ *commemorate the armistice/ the fallen* **1.3** zij herdacht het gebeurde *she recalled the event;*

II ⟨onov., ov.ww.⟩ **0.1** [opnieuw denken over] *rethink* ⇒*review, reconsider.*

herdenking ⟨de (v.)⟩ **0.1** [viering] *commemoration* ⇒*celebration (of the occasion of), remembrance* **0.2** [het opnieuw overdenken] *rethinking* ⇒*review(ing), reconsideration* ◆ **2.1** feestelijke ~ van de stichting(sdag) *(festive) commemoration of Founder's Day* **6.1** ter ~ van *in commemoration of, to commemorate.*

herdenkingsdag ⟨de (m.)⟩ **0.1** *commemoration/ remembrance day* ◆ **2.1** nationale ~en *national days of commemoration.*

herdenkingsdienst ⟨de (m.)⟩ **0.1** *memorial service* ⇒*service of remem-*

brance / commemoration, ⟨gesch.⟩ *obit* ⟨zielemis voor dood van stichter of weldoener⟩.

herdenkingsplechtigheid ⟨de (v.)⟩ **0.1** *commemorative / memorial ceremony* ⇒*ceremony of commemoration.*

herdenkingszegel ⟨de (m.)⟩ **0.1** *commemorative (stamp).*

herder ⟨de (m.)⟩ (→sprw. 275) **0.1** [bewaker, hoeder] ᴮ*herdsman,* ᴬ*herder* ⇒*cowherd* ⟨koeien⟩, *shepherd* ⟨schapen⟩, *swineherd* ⟨varkens⟩ **0.2** [geestelijke leidsman] *shepherd, pastor* **0.3** [hond] ⟨Duitse herder⟩ ᴮ*Alsatian,* ᴬ*German shepherd;* ⟨zie ook →herdershond⟩ ◆ **2.2** de Goede Herder *the Good Shepherd* **6.2** ⟨fig.⟩ schapen *zonder ~ sheep without a s.* ¶.2 de Heer is mijn Herder *the Lord is my Shepherd.*

herderin ⟨de (v.)⟩ **0.1** *shepherdess.*

herderlijk
I ⟨bn.⟩ **0.1** [van een geestelijk leidsman] *pastoral* **0.2** [mbt. een herder] *pastoral* ⇒*bucolic, Arcadian* ◆ **1.1** een ~e brief, een ~ schrijven *a p. letter;* ⟨fig.⟩ een ~e raadgeving *p. advice;*
II ⟨bw.⟩ **0.1** [op vriendelijke wijze] *gently* ◆ **3.1** iem. ~ vermanen / toespreken *admonish / address s.o., like a kind / benign uncle.*

herdersambt ⟨het⟩ **0.1** *pastorate* ⇒*pastoral office, pastorship.*

herdersdicht ⟨het⟩ ⟨let.⟩ **0.1** *eclogue* ⇒*bucolic / pastoral poem.*

herdersfluit ⟨de⟩ **0.1** *shepherd's pipe / reed* ⇒*oaten pipe,* ⟨dichterlijk⟩ *oat.*

herdershond ⟨de (m.)⟩ **0.1** ⟨alg.⟩ *sheepdog;* ⟨Duitse~⟩ ᴮ*Alsatian,* ᴬ*German shepherd(dog);* ⟨Schotse~⟩ *Shetland sheepdog, sheltie.*

herdershut ⟨de (v.)⟩ **0.1** *shepherd's hut* ⇒⟨Sch.E⟩ *shieling, shealing.*

herdersjongen ⟨de (m.)⟩ **0.1** *shepherd('s) boy* ⇒⟨schr.⟩ *swain.*

herdersmast ⟨het⟩ ⟨sport⟩ **0.1** *scholar's mate.*

herderspoëzie ⟨de (v.)⟩ ⟨let.⟩ **0.1** *pastoral / bucolic / Arcadian poetry.*

herdersroman ⟨de (m.)⟩ **0.1** *pastoral / bucolic romance.*

herdersspel ⟨het⟩ ⟨let.⟩ **0.1** *pastoral play.*

herdersstaf ⟨de (m.)⟩ **0.1** [herdersstok] *shepherd's crook* ⇒*sheep-hook* **0.2** [bisschopsstaf] *crosier* ⇒*pastoral staff.*

herderstasje ⟨het⟩ ⟨plantk.⟩ **0.1** *shepherd's purse.*

herdersverhaal ⟨het⟩ **0.1** *pastoral.*

herdersvolk ⟨het⟩ **0.1** *pastoral people / race* ⇒*pastoralists, herdsmen.*

herdopen ⟨ov.ww.⟩ **0.1** [omdopen] *rechristen* ⇒*rename* **0.2** [wederdopen] *rebaptize.*

herdruk ⟨de (m.)⟩ **0.1** [nieuwe oplage] ⟨gewijzigd⟩ *(new) edition;* ⟨ongewijzigd⟩ *reprint, reissue* **0.2** [exemplaar] *(new) impression* **0.3** [het opnieuw uitgeven] *reprint(ing)* ◆ **3.1** zijn romans hebben verschillende ~ken beleefd *his novels have gone through / run into several editions* **6.3** het boek is in ~ *the book is being reprinted / is reprinting.*

herdrukken ⟨ov.ww.⟩ **0.1** *reprint* ⇒*reissue.*

hereboer ⟨de (m.)⟩ **0.1** [boer uit liefhebberij] *gentleman-farmer* **0.2** [rijke landbouwer] *gentleman-farmer.*

hereditair ⟨bn., bw.⟩ **0.1** *hereditary* ◆ **1.1** ~e kwalen *h. diseases, diseases that run in the family* **2.1** hij is ~ belast ⟨ook scherts.⟩ *it runs in his family;* ~ belast zijn *be a victim of heredity, come of tainted stock;* hij is ~ belast, ook zijn vader ... *it is inherited, his father too ....*

herediteit ⟨de (v.)⟩ **0.1** *heredity.*

hereditie ⟨de (v.)⟩ **0.1** [het opnieuw uitgeven] *republication* ⇒*reissue, reprint(ing)* **0.2** [nieuwe uitgave] *(new) edition.*

heremiet ⟨de (m.)⟩ **0.1** [kluizenaar] *hermit* ⇒*recluse, solitary, anchorite* **0.2** ⟨(fig.)⟩ *hermit* ⇒*recluse* **0.3** [kreeft] *hermit (crab).*

heremietkreeft ⟨de⟩ **0.1** *hermit crab.*

heremijntijd ⟨tw.⟩ **0.1** *Good grief, Heavens, Lord.*

herenafdeling ⟨de (v.)⟩ **0.1** *men's / menswear department.*

herenakkoord ⟨het⟩ **0.1** *gentlemen's agreement.*

herenconfectie ⟨de (v.)⟩ **0.1** *men's wear* ⇒*gentlemen's / men's ready-made clothing / clothes.*

herendienst ⟨de (m.)⟩ ⟨gesch.⟩ **0.1** *corvée* ⇒*forced / statute labour.*

herendubbel ⟨het⟩ ⟨sport⟩ **0.1** *men's double.*

herenenkelspel ⟨het⟩ **0.1** *men's singles.*

herenfiets ⟨de⟩ **0.1** *gentlemen's bicycle, gents' bike.*

herenhuis ⟨het⟩ **0.1** ⟨groot woonhuis in stad; ook scherts.⟩ *mansion;* ⟨groot woonhuis met landerijen⟩ *manor (house);* ⟨makelaarsjargon⟩ *residence, villa* ◆ **2.1** te koop aangeboden een kapitaal ~ *for sale - a splendid residence / villa.*

herenigen ⟨ov.ww.⟩ **0.1** [weer bijeenbrengen] *reunite* ⇒*reunify* ⟨kerk, land⟩ **0.2** [verzoenen] *reconcile* ⇒*bring together (again)* ◆ **1.1** de dood herenigde hen *death reunited them* **1.2** hij wil de tegenstanders ~ *he wants to r. the opponents* **4.1** zich ~ *reunite, come together again.*

hereniging ⟨de (v.)⟩ **0.1** [het opnieuw bijeenbrengen, -komen] *reunification* ⇒*reunion* **0.2** [verzoening] *reconciliation* ◆ **1.1** de ~ van Duitsland *the reunification of Germany.*

herenkapper ⟨de (m.)⟩ **0.1** *men's hairdresser's* ⇒*barber's.*

herenkleding ⟨de (v.)⟩ **0.1** *men's wear* ⇒*gentlemen's / men's clothes / clothing.*

herenleventje ⟨het⟩ **0.1** *life of a gentleman* ◆ **3.1** een ~ leiden *live like a prince.*

herenmode ⟨de⟩ **0.1** [mode van herenkleding] *men's fashion* **0.2** [artikelen] *men's wear* **0.3** [afdeling in een warenhuis] *men's wear* ◆ **6.3** zij

staat / is verkoopster **op** de ~ *she works in men's wear / the men's wear department.*

herenondergoed ⟨het⟩ **0.1** *men's underwear / underclothing,* ᴬ*B.V.D.'s,* ᴬ*skivvies.*

herenploeg ⟨de⟩ **0.1** *men's team.*

herensalon ⟨de (m.)⟩ **0.1** *men's hairdresser's* ⇒*barber's.*

herenstof ⟨de⟩ **0.1** *suiting.*

herentoilet ⟨het⟩ **0.1** *men's (public) lavatory* ⇒*Gentlemen's,* ᴬ*men's room,* ⟨BE; inf.⟩ *Gents,* ⟨AE; inf.⟩ *john.*

herenvlieger ⟨de (m.)⟩ ⟨verz.⟩ **0.1** *weekend pilot.*

herenzadel ⟨het⟩ **0.1** *cross-saddle* ⟨op paard⟩ ⇒*men's saddle* ⟨op fiets⟩.

heresie ⟨de (v.)⟩ ⟨schr.⟩ **0.1** *heresy.*

herexamen ⟨het⟩ **0.1** *resit* ⇒*re-examination* ◆ **3.1** ~s afnemen *take resits;* hij heeft drie ~s *he has three resits* **6.1** hij heeft een ~ **voor** wiskunde *he has to resit Maths / take a resit in Maths / do a Maths resit.*

herformuleren ⟨ov.ww.⟩ **0.1** *reformulate* ⇒*rephrase, restate.*

herfst ⟨de (m.)⟩ **0.1** *autumn,* ᴬ*fall* ◆ **1.1** ⟨fig.⟩ de ~ van het leven *the a. of (one's) life* **3.1** het wordt alweer ~ *a / f. is coming round again / is nearly upon us again* **6.1** in de ~ *in (the) a., in the f.;* in de ~ van '67 *in the a. / f. of '67.*

herfstachtig ⟨bn.⟩ **0.1** *autumnal* ⇒ᴬ*fall-like.*

herfstaster ⟨de⟩ **0.1** *Michaelmas daisy.*

herfstblad ⟨het⟩ **0.1** *autumn leaf.*

herfstbloei ⟨de⟩ **0.1** *autumn /* ᴬ*fall bloom / flower.*

herfstbloem ⟨de⟩ **0.1** *autumn /* ᴬ*fall / autumnal flower.*

herfstbos ⟨het⟩ **0.1** *autumnal wood,* ᴬ*fall woods.*

herfstdag ⟨de (m.)⟩ **0.1** [dag in de herfst] *autumn /* ᴬ*fall day* **0.2** [herfstige dag] *autumn /* ᴬ*fall / autumnal day.*

herfstdraad ⟨de (m.)⟩ **0.1** *(thread of) gossamer* ⇒*air thread.*

herfstig ⟨bn.⟩ **0.1** *autumnal* ◆ **3.1** het begint ~ te worden *autumn is starting to set in, autumn /* ᴬ*fall is in the air.*

herfstkampioen ⟨de (m.)⟩ ⟨sport⟩ **0.1** *(autumn)period champion* ⇒ *mid-season leader.*

herfstkleur ⟨de⟩ **0.1** ⟨vnl. mv.⟩ *autumn(al) /* ᴬ*fall colour* ⇒⟨vnl. mv.⟩ *autumn tint* ◆ **2.1** met vlammende ~en *aflame with autumn colours.*

herfstkleurig ⟨bn.⟩ **0.1** *autumn-coloured.*

herfstmaand ⟨de⟩ **0.1** [september] *September* **0.2** [maand(en) waarin het herfst is] *autumn month.*

herfstnachtevening ⟨de (v.)⟩ **0.1** *autumnal equinox.*

herfstpunt ⟨het⟩ ⟨aardr.⟩ **0.1** *autumnal equinoctial point / equinox.*

herfsttij ⟨het⟩ **0.1** [getijde van de herfst] *autumn* **0.2** [laatste (levens)fase] *autumn* ◆ **1.2** ~ der Middeleeuwen *(the) waning of the Middle Ages, (the) late Middle Ages.*

herfsttijloos ⟨de⟩ **0.1** *autumn crocus* ⇒*meadow saffron.*

herfsttint ⟨de⟩ **0.1** →**herfstkleur.**

herfsttitel ⟨de (m.)⟩ ⟨sport⟩ **0.1** *autumn-period (championship) title.*

herfsttrimester ⟨het⟩ **0.1** ᴮ*Michaelmas term,* ᴬ*fall semester* ⇒*autumn term.*

herfstvakantie ⟨de (v.)⟩ **0.1** *autumn half-term (holiday),* ᴬ*fall / mid-term break.*

herfstweer ⟨het⟩ **0.1** *autumn(al) /* ᴬ*fall weather.*

hergeboorte ⟨de (v.)⟩ **0.1** *rebirth* ⇒*regeneration, regenesis.*

hergebruik ⟨het⟩ **0.1** [het opnieuw gebruiken] *reuse* **0.2** [recycling] *recycling* ⇒*salvage* ◆ **6.2** (afval) voor ~ verzamelen *collect (waste) for r..*

hergebruiken ⟨ov.ww.⟩ **0.1** [opnieuw gebruiken] *reuse* ⇒*use again* **0.2** [recyclen] *recycle.*

hergroeperen ⟨ov.ww.⟩ **0.1** *regroup* ⇒*re-form, rally, rearrange* ⟨zaken⟩, *redeploy* ⟨troepen⟩, ⟨pol.⟩ *realign* ⟨partijen⟩, ⟨vnl. BE⟩ *reshuffle* ⟨regering⟩.

hergroepering ⟨de (v.)⟩ **0.1** *regrouping* ⇒*re-formation, rearrangement* ⟨zaken⟩, ⟨mil.⟩ *redeployment,* ⟨pol.⟩ *realignment, reshuffle* ◆ **2.1** ⟨wielersport⟩ na 100 kilometer vond er een algehele ~ plaats *after 60 miles there was a complete regrouping.*

herhaalbaar ⟨bn.⟩ **0.1** *repeatable* ⇒*reproducible* ◆ **1.1** een niet ~ experiment *a non-repeatable experiment.*

herhaald ⟨bn.⟩ **0.1** *repeated* ⇒*frequent, recurrent,* ⟨schr.⟩ *iterative* ◆ **1.1** een ~e aanmaning / aanzegging *a repeated demand / notice, a repeat announcement;* een ~ geklop op de deur *a repeated knocking on the door;* ~e malen *repeatedly, time / again and again, on repeated occasions;* door ~e oefening heeft hij het zo ver gebracht *he has got this far through frequent practice;* ~e pogingen doen *make repeated attempts;* op ~ verzoek *on repeated request.*

herhaaldelijk ⟨bw.⟩ **0.1** *repeatedly* ⇒*time / again and again, over and over again, on repeated occasions* ◆ **3.1** hij is ~ gewaarschuwd *he has been r. warned;* ik heb het ~ gezegd *I have said it time and again;* dat komt ~ voor *that happens time and again;* hij moet ~ schoolblijven *he is always having to stay in detention.*

herhalen (→sprw. 219)
I ⟨ov.ww.⟩ **0.1** [opnieuw doen] *repeat* ⇒*redo,* ⟨mbt. leerstof⟩ *revise,* ⟨BE; inf.⟩ *swot up* **0.2** [opnieuw zeggen] *repeat* ⇒*reiterate* **0.3** [nazeggen] *repeat* ⇒*echo* ◆ **1.1** een t.v.-programma ~ *repeat / rerun a television programme;* een recept ~ *repeat a prescription* **3.2** kun je dat nog een keer ~? *could you repeat that (just) once more?;* zo'n opmerking

laat zich niet ~/ is te erg om te ~ *such a remark is unrepeatable;* iets een paar keer laten ~ *have sth. repeated a few times* **4.3** wil je mij even ~? *would you repeat what I say?* **5.2** iets slaafs/als een papegaai ~ *regurgitate sth., parrot sth.* ¶.2 iets in het kort ~ *summarize/recapitulate sth.;* iets tot vervelens toe/iets uitentreuren ~ ⟨inf.⟩ *flog sth. to death, run sth. into the ground;*
II ⟨wk.ww.; zich ~⟩ **0.1** [terugkomen] *repeat o.s.* ⇒*recur* ⟨thema, gebeurtenis⟩ **0.2** [in herhaling vervallen] *repeat o.s.* ◆ **1.1** de geschiedenis herhaalt zich *history repeats itself* **1.2** deze dichter herhaalt zich steeds vaker *this poet is becoming increasingly repetitive* ¶.1 zich ~d *recurring, recurrent.*

herhaling ⟨de (v.)⟩ **0.1** [het nogmaals plaatsvinden] *recurrence* ⇒*repetition,* ⟨mbt. t.v.-beelden⟩ *(action) replay,* ⟨mbt. radio/t.v. programma⟩ *rerun, repeat,* ⟨in schouwburg⟩ *repeat (performance)* **0.2** [het nogmaals doen/zeggen] *repetition* ⇒*reiteration,* ⟨mbt. leerstof⟩ *revision,* ⟨samenvatting⟩ *recapitulation* **0.3** [oefening]⟨mbt. leerstof⟩ *revision (exercise);* ⟨mil.⟩ *retraining (exercise)* ◆ **1.1** ⟨jur.⟩ ~ van misdrijf *recidivism* **2.1** (niet) voor ~ vatbaar *(not) bear repetition/repeating* **3.2** in ~ en vervallen *repeat o.s.* **6.1** bij ~ *repeatedly, time/again and again;* de eerste keer is de boete 25 gulden, maar bij ~ 75 gulden *the fine is 25 guilders for the first offence, but 75 guilders for subsequent offences;* **bij** ~ volgt inbeslagname v.h. rijbewijs *repetition of this offence will lead to confiscation of the driving licence;* bekijkt u het nog eens **in** de ~ *look at it again in the (action) replay;* om niet in (nutteloze) ~ en te vallen ... *to avoid (unnecessary) repetition* **6.2** na ~ van zijn dreiging ging hij heen *after repeating his threat, he left* **6.3** ⟨mil.⟩ **op** ~ zijn *be on retraining exercises.*

herhalingscursus ⟨de (m.)⟩ **0.1** *refresher/revision course.*
herhalingsles ⟨de (v.)⟩ **0.1** *revision lesson.*
herhalingsoefening ⟨de (v.)⟩ **0.1** ⟨mbt. leerstof⟩ *revision exercise;* ⟨mil.⟩ *retraining exercise.*
herhalingsrecept ⟨het⟩ **0.1** *repeat prescription.*
herhalingsteken ⟨het⟩ ⟨muz.⟩ **0.1** *repeat (mark).*
herig ⟨bn., bw.⟩ **0.1** *gentlemanly* ⇒*genteel,* ⟨bw.⟩ *like a gentleman.*
herijken ⟨ov.ww.⟩ **0.1** [opnieuw ijken] *regauge* ⇒*reverify, recalibrate* **0.2** [herwaarderen] *re-evaluate* ⇒*reassess.*
herijking ⟨de (v.)⟩ **0.1** [het opnieuw ijken] *reverification* ⇒*recalibration* **0.2** [herwaardering] *re-evaluation* ⇒*reassessment.*
herindelen ⟨ov.ww.⟩ **0.1** *redivide* ⇒*regroup, rearrange, reclassify* ◆ **6.1** het land ~ in provincies *redraw the boundaries of the provinces/the provincial boundaries.*
herindeling ⟨de (v.)⟩ **0.1** *redivision* ⇒*regrouping, rearrangement, reclassification.*
herinneren
I ⟨ov.ww.⟩ **0.1** [doen terugdenken aan] *remind* ⇒*recall, put in mind, be reminiscent* **0.2** [attenderen op] *remind* ⇒*prompt,* ⟨tot betaling⟩ *jog, dun, put in mind* ◆ **5.2** herinner mij eraan dat ... *remind me to ...* **6.1** die geur herinnerde mij **aan** het huis van mijn grootvader *that smell reminded me of my grandfather's house* **6.2** wij ~ u nogmaals **aan** het feit dat ... *we would r. you once more of the fact that ...;*
II ⟨wk.ww.; zich ~⟩ **0.1** [nog weten] *remember* ⇒*recall, recollect* **0.2** [ingegeven krijgen] *remember* ⇒*come back to, come to mind, be reminded* ◆ **1.1** herinner je je plicht! *remember your duty!* **3.1** ik kan me er niets meer van ~ *I've forgotten all about it, I don't remember it any more;* ik kan me dat nog levendig ~ *I have a vivid recollection of that;* kun je je die hut nog ~? *do you remember this/that Irishman?;* ik meen me te ~ dat ... *I seem to recollect/remember that ...* **3.2** ze wist zich niets meer te ~ *her mind was a blank* **5.1** als ik (het) me goed herinner *if I remember right, if my memory serves me well/right;* ik herinner me nog goed dat je het niet leuk vond/wat je toen zei *I can well remember you didn't like it/still know/remember exactly what you said then;* ik herinner me hoe wij vroeger ... *I remember how we used to ...;* zich iets vaag ~ *have a vague recolllection of sth.* **5.2** nu herinner ik het me weer *it (all) comes back to me now* **8.2** ik herinner me opeens dat ... *I suddenly r. that ..., I am suddenly reminded that ...* ¶.1 voor zover ik mij herinner *as far as I can remember, to the best of my recollection/memory;* voor zover ik mij herinner, niet *not as far as I can remember.*
herinnering ⟨de (v.)⟩ **0.1** [het herinneren] *recollection* ⇒*remembrance, recall* **0.2** [vermogen tot herinneren] *memory* **0.3** [bijgebleven indruk, beeld] *memory* ⇒*reminiscence, recollection* **0.4** [geheugen] *memory* **0.5** [zaak, voorwerp] *souvenir* ⇒*keepsake, memorial, token, reminder* **0.6** [datgene waarmee iem. herinnerd wordt] *reminder* ◆ **2.3** droevige/dierbare/gelukkige ~ en hebben aan zijn jeugd/iem. *have sad/cherished/happy memories of one's youth/s.o.;* goede ~ en bewaren aan *retain good memories of;* een onuitwisbare ~ achterlaten *leave an indelible/ineffaceable m. (behind);* oude ~ en ophalen *reminisce;* persoonlijke ~ en *personal recollections/reminiscences* **3.2** zover mijn ~ reikt *as far as I can remember* **3.3** ik heb van/aan die gebeurtenis een vage/geen enkele ~ *I have a vague/not the slightest recollection of the event;* oude ~ en kwamen weer boven/weer bij hem op *old memories were stirred up/came back to him;* de ~ leeft voort *the m. lingers on;* ~ en opwekken/oproepen aan/van *bring back/arouse memories of,*

call to mind; voor zijn kinderen waren er aan die plek geen ~ en verbonden *this place held no memories/had no associations for his children* **6.1** iets in ~ brengen *recollect/recall sth., call sth. to mind* **6.3** de ~ **aan** iets levendig houden *keep the m. of sth. alive, cherish the m. of sth.;* **bij** de ~ aan die dagen, zat hij weer te lachen *at the thought of those days, he began to laugh again;* hij zal **in** de ~ blijven voortleven *he will live on in memory;* **ter** ~ aan *in m. of, in remembrance of* **6.4** iets **in** zijn ~ voor zich zien *see sth. in one's mind's eye;* **in** mijn ~ gebeurde het heel anders *as I remember it, it happened quite differently* **6.5** als een ~ **aan** ons/het verleden/(je verblijf in) Amsterdam *as a reminder of us/the past/a s. of (your stay) in Amsterdam;* ~ en **aan** betere tijden *reminders of better times* **7.6** een tweede ~ van de bibliotheek *a second r. from the library.*
herinneringsbeeld ⟨het⟩ **0.1** *mental picture.*
herinneringsvermogen ⟨het⟩ **0.1** *(faculty of) memory.*
herinterpretatie ⟨de (v.)⟩ **0.1** [het herinterpreteren] *reinterpretation* **0.2** [andere interpretatie] *reinterpretation.*
herinterpreteren ⟨ov.ww.⟩ **0.1** *reinterpret.*
herinventarisatie ⟨de (v.)⟩ **0.1** *reinventory* ⇒*repeat stock-taking.*
herinvestering ⟨de (v.)⟩ **0.1** *reinvestment.*
herinvoering ⟨de (v.)⟩ **0.1** *reintroduction.*
herkansen ⟨onov., ov.ww.⟩ **0.1** *repeat* ⇒*do over* ◆ **1.1** hij moet wiskunde ~ [B]he has to resit maths/take a resit in maths, [A]he has to repeat the math exam/do the math exam over (again).
herkansing ⟨de (v.)⟩ **0.1** [(sport)] *repêchage* ⇒*extra heat* **0.2** [herexamen] *resit* ⇒*re-examination* ◆ **6.1 in/via** de ~ plaatste zij zich alsnog in the r. *she qualified/placed herself.*
herkapitalisatie ⟨de (v.)⟩ **0.1** *capitalization of reserves.*
herkapitaliseren ⟨onov.ww.⟩ **0.1** *capitalize the reserves.*
herkauwen
I ⟨onov., ov.ww.⟩ **0.1** [nog eens kauwen] *ruminate* ⇒*chew the cud* ◆ **1.1** de ~ de dieren *ruminating animals, ruminants;* het gras ~ *chew the cud;*
II ⟨ov.ww.⟩ **0.1** [⟨fig.⟩] *go/keep on about* ⇒*work into the ground,* ⟨inf.⟩ *flog to death* ◆ **1.1** de zaak is nu wel genoeg herkauwd *the matter has really been worked into the ground.*
herkauwer ⟨de (m.)⟩ **0.1** *ruminant.*
herkenbaar ⟨bn.⟩ **0.1** [te herkennen] *recognizable* **0.2** [te onderscheiden] *recognizable* ⇒*identifiable, discernible, distinguishable* ◆ **1.1** een herkenbare situatie *a familiar situation* **5.1** je bent nauwelijks ~ met die baard *you're scarcely r. with that beard* **6.2** de mannetjes zijn ~ **aan** hun fellere kleuren *the males are r./identifiable by their vivid colours, the males can be recognized/identified by their vivid colours.*
herkennen ⟨ov.ww.⟩ **0.1** [weer (terug)kennen] *recognize* ⇒*know, acknowledge* **0.2** [onderscheiden] *recognize* ⇒*identify, make out, discern, spot, place* ◆ **1.1** een stem ~ r. *a voice* **1.2** om de kisten gemakkelijker te ~ *in order to identify the cases more readily;* ik zal hem dan die ik zoek ~ *I shall (be able to) r./spot the man I am looking for* **4.1** een held/film waarin iedereen zich kan ~ *a hero/film everyone can identify with* **5.1** ik zou hem niet meer ~ *I should no longer r. them, I would not know them again* **6.1** ik herkende hem **aan** zijn gang *I recognized/knew him by his walk;* (heel) gemakkelijk te ~ **aan** zijn rode pet *(very) easy to r. by his red cap* **6.2** men herkent deze vlinder **aan** zijn tekening *this butterfly can be recognized/identified by its markings* **8.2** iem. ~ als de dader *identify s.o. as the perpetrator.*
herkenning ⟨de (v.)⟩ **0.1** *recognition* ⇒*identification, acknowledgement* ◆ **1.1** tekens van ~ geven *show signs of r.* **2.1** u hoeft niet bang te zijn voor ~ *you need not be afraid of being recognized.*
herkenningsmelodie ⟨de (v.)⟩ **0.1** *(signature) tune* ⇒*theme tune/song.*
herkenningsplaatje ⟨het⟩ ⟨mil.⟩ **0.1** *identity disc* ⇒⟨AE inf. ook⟩ *dog tag.*
herkenningsteken ⟨het⟩ **0.1** *distinguishing/identifying mark* ⇒*identification,* ⟨luchtv.⟩ *markings,* ⟨insigne⟩ *badge* ◆ **3.1** dit is mijn ~ *this is what you'll recognize me by;* van ~ s voorzien *marked for identification* **8.1** als ~ droeg hij een anjer *he wore a carnation so that he would be recognized.*
herkeuren ⟨ov.ww.⟩ **0.1** *re-examine* ⇒*retest, reinspect.*
herkeuring ⟨de (v.)⟩ **0.1** *re-examination* ⇒*retest, reinspection* ◆ **3.1** ~ aanvragen *apply for re-examination.*
herkiesbaar ⟨bn.⟩ **0.1** *eligible for re-election* ◆ **3.1** zich niet ~ stellen *not stand for/put o.s. up for re-election;* de aftredenden zijn na twee jaar ~ *after a period of two years the outgoing officers are eligible for re-election.*
herkiesbaarheid ⟨de (v.)⟩ **0.1** *re-eligibility* ⇒*eligibility for re-election.*
herkiezen ⟨ov.ww.⟩ **0.1** *re-elect* ⇒*return to office* ◆ **5.1** niet herkozen worden (voor het parlement) *lose one's seat, be unseated.*
herkomst ⟨de (v.)⟩ **0.1** *origin* ⇒*source,* ⟨schr. of tech.⟩ *provenance* ◆ **1.1** bron van ~ *source of supply;* certificaat van ~ *certificate of o.;* haven van ~ ⟨thuishaven⟩ *home port, port of registry;* ⟨haven van vertrek⟩ *port of departure;* het land/de plaats van ~ *the country/place of o.* ⟨ook mbt. personen⟩; de ~ van dit verhaal *the source of this story;* de ~ van waren *the o. of goods* **2.1** van Britse ~ ⟨goederen⟩ *of British o., made in Britain;* ⟨persoon⟩ *of British extraction/descent;* van verschillende ~ *from various sources.*

herkrijgen ⟨ov.ww.⟩ **0.1** *regain* ⇒*recover, retrieve* ◆ **1.1** zijn gezichtsvermogen ~ *regain/recover one's eyesight;* zijn rechten ~ *regain one's rights;* zijn (oude) vorm ~ *regain its (original) shape;* hij heeft zijn vrijheid herkregen *he regained his freedom.*

herladen ⟨ov.ww.⟩ **0.1** *reload* ⟨schip, wapen⟩ ⇒⟨goederen ook⟩ *reship, recharge* ⟨accu⟩.

herleidbaar ⟨bn.⟩ **0.1** *reducible (to)* ⇒*convertible (into), resolvable/resoluble (into), transformable (into)* ◆ **1.1** ⟨wisk.⟩ die breuk is niet ~ *that fraction is irreducible.*

herleidbaarheid ⟨de (v.)⟩ **0.1** *reducibility* ⇒*convertibility.*

herleiden ⟨ov.ww.⟩ **0.1** *reduce (to)* ⇒*convert (into), transform (into), resolve (into)* ◆ **1.1** ⟨wisk.⟩ een breuk/een algebraïsche formule ~ *reduce a fraction, reduce/simplify an algebraic formula;* maten/gewichten/munten ~ *convert measures/weights/currencies* **6.1** kilo's **tot** ponden ~, guldens **tot** ponden ~ *convert kilos into pounds, convert guilders into pounds;* het hele probleem laat zich gemakkelijk ~ **tot** ... *the whole problem easily resolves itself into ....*

herleiding ⟨de (v.)⟩ **0.1** [het herleiden] *conversion* ⇒*reduction* ⟨ook ster.⟩, *transformation, resolution* **0.2** [vraagstuk] *conversion* ⇒*reduction* ◆ **6.1** de ~ van franken **tot** guldens *c. froms francs into guilders.*

herleidingstabel ⟨de⟩ **0.1** *conversion table.*

herleven ⟨onov.ww.⟩ **0.1** [opnieuw gaan leven] *revive* ⇒*regenerate* **0.2** [opnieuw belichaamd worden] *live again* ⇒*regenerate, resurrect* **0.3** [terugkeren] *revive* ⇒*resurge,* ↓*make a comeback* **0.4** [weer krachtig worden] *revive* ◆ **1.3** ~d fascisme *resurgent fascism* **1.4** een herleefde belangstelling voor *a revival of interest in;* de handel herleeft *trade has revived* **3.1** de lentezon deed de natuur ~ *the spring sunshine revived nature* **3.3** het verleden doen ~ *make the past live, bring the past to life* **3.4** doen ~ *revive, resuscitate; resurrect* ⟨het verleden⟩ **6.2** de ouders ~ in hun kinderen *the parents live again in their children.*

herleving ⟨de (v.)⟩ **0.1** *revival* ⇒*resurgence, regeneration, rebirth, renaiscence.*

herlezen ⟨ov.ww.⟩ **0.1** *reread* ◆ **6.1** bij het ~ van zijn opstel *on rereading his essay.*

hermafrodiet[1] ⟨de (m.)⟩ **0.1** *hermaphrodite* ⇒*androgyne.*

hermafrodiet[2] ⟨bn.⟩ **0.1** *hermaphrodite, hermaphroditic(al)* ⇒*androgynous.*

hermandad ⟨de (v.)⟩ ◆ **2.¶** ⟨scherts.⟩ de ⟨heilige⟩ ~ *the police/* ⟨inf.⟩ *law.*

hermelijn
  I ⟨de (m.)⟩ **0.1** [roofdier]⟨wit⟩ *ermine;* ⟨bruin⟩ *stoat;*
  II ⟨het⟩ **0.1** [bont] *ermine* ◆ **3.1** ~ dragen *wear e.;* in ~ gehuld *draped in e..*

hermelijnen ⟨bn.⟩ **0.1** *ermine.*

hermelijnvlinder ⟨de (m.)⟩ **0.1** *puss moth.*

hermeneutiek ⟨de (v.)⟩ **0.1** *hermeneutics.*

hermeneutisch ⟨bn.⟩ **0.1** *hermeneutic(al).*

hermesstaf ⟨de (m.)⟩ **0.1** *caduceus.*

hermitage ⟨de (v.)⟩ **0.1** *hermitage.*

hermunten ⟨ov.ww.⟩ **0.1** [opnieuw munten] *remint* ⇒*recoin* **0.2** [⟨fig.⟩] *revalue.*

hernemen
  I ⟨ov.ww.⟩ **0.1** [herwinnen] *recapture* ⇒*retake, regain,* ⟨hervatten⟩ *resume, regain* ◆ **1.1** het leven hernam zijn gewone gang *life resumed its normal course;* haar gezicht hernam zijn gewone uitdrukking *her face regained its normal expression;* de vesting werd hernomen *the fortress was recaptured/retaken;* de vrijheid ~ *regain freedom, burst one's bonds;*
  II ⟨onov.ww.⟩ **0.1** [het spreken voortzetten] *resume* ⇒*go on* ◆ **¶.1** 'waarom niet?' hernam ze na een pauze *'why not?' she went on after a pause.*

hernhutter[1] ⟨de⟩ **0.1** *Moravian (Brother).*

hernhutter[2] ⟨bn.⟩ **0.1** *Moravian.*

hernia ⟨de⟩ ⟨med.⟩ **0.1** [uitstulping van een tussenwervelschijf] *slipped disc* **0.2** [ingewandsbreuk] *hernia* ⇒*rupture.*

hernieuwen ⟨ov.ww.⟩ **0.1** [weer doen ontstaan] *renew* ⇒*revive, resume, regenerate* **0.2** [van nieuwe kracht voorzien] *renew* ⇒*revive, renovate, reinvigorate* **0.3** [opnieuw doen] *renew* ⇒*refresh* ◆ **1.1** een hernieuwde belangstelling voor rock 'n roll *a renewed interest in rock 'n' roll;* de kennismaking ~ *renew the acquaintance* **1.2** met hernieuwde kracht *with renewed strength* **1.3** hernieuwde doopbeloften *confirmation;* hernieuwde doopgeloften *renewal of baptismal vows;* een hernieuwde poging wagen/ondernemen *risk/make a renewed attempt* **4.1** zich ~ *regenerate o.s..*

heroïek[1] ⟨de (v.)⟩ **0.1** *heroism.*

heroïek[2] ⟨bn., bw.;-(al)ly⟩ **0.1** *heroic* ⇒*heroical.*

heroïne ⟨de⟩ **0.1** *heroin* ⇒⟨sl.⟩ *horse, junk, smack, shit.*

heroïnehandel ⟨de (m.)⟩ **0.1** *heroin trade.*

heroïnehoer ⟨de (v.)⟩ **0.1** *heroin/junkie prostitute.*

heroïnehond ⟨de (m.)⟩ **0.1** *sniffer dog.*

heroïnespuit ⟨de⟩ **0.1** ⟨inf.⟩ *fix/shot* ⇒⟨AE; sl.⟩ *jolt.*

heroïsch ⟨bn., bw.;-ally⟩ **0.1** *heroic* ◆ **1.¶** ~ vers *h. verse.*

heroïsme ⟨het⟩ **0.1** *heroism* ⇒*valiancy.*

herontdekken ⟨ov.ww.⟩ **0.1** *rediscover.*

herontginnen ⟨ov.ww.⟩ **0.1** *rework.*

heropenen ⟨ov.ww.⟩ **0.1** *reopen* ⟨winkel, discussie⟩.

heropening ⟨de (v.)⟩ **0.1** *reopening* ◆ **1.1** ⟨jur.⟩ ~ van het faillissement *r. of bankruptcy proceedings* **6.1** na ~ van de vergadering *after r. the meeting.*

heropleving ⟨de (v.)⟩ **0.1** *revival* ⇒*resurgence.*

heropvoeding ⟨de (v.)⟩ **0.1** *re-education.*

heroriënteren ⟨ov.ww.⟩ **0.1** *reorient(ate).*

heros ⟨de (m.)⟩ **0.1** *hero* ⇒*demigod.*

heroveren ⟨ov.ww.⟩ **0.1** *reconquer, recapture* ⟨gebied, stad, fort⟩ ⇒*retake* ⟨stad⟩, *regain, win back* ◆ **1.1** hij wilde zijn oude plaats ~ *he wanted to regain his old seat/place;* het verloren terrein op de vijand ~ *recover the lost ground/territory from the enemy.*

herovering ⟨de (v.)⟩ **0.1** *recapture* ⇒*reconquest, recovery.*

heroverwegen ⟨ov.ww.⟩ **0.1** *reconsider* ⇒*rethink,* ⟨herzien⟩ *revise* ◆ **1.1** zijn kandidatuur/standpunt ~ *reconsider one's nomination/point of view.*

heroverweging ⟨de (v.)⟩ **0.1** *reconsideration* ⇒*review* ◆ **6.1** iets in ~ nemen *reconsider sth..*

herpes ⟨de (m.)⟩ ⟨med.⟩ **0.1** *herpes* ◆ **¶.1** ~ simplex *h. simplex;* ~ zoster *h. zoster, shingles.*

herplaatsen ⟨ov.ww.⟩ **0.1** ⟨terugzetten⟩ *replace* ⇒⟨ambtenaar, in functie⟩ *reappoint, reinstate, reinsert* ⟨advertentie⟩.

herplaatsing ⟨de (v.)⟩ **0.1** *replacement* ⇒*reappointment, reinstatement, reinsertion.*

herrekening ⟨de (v.)⟩ ⟨jur.⟩ **0.1** ⟨zie 3.1⟩ ◆ **3.1** geen ~ vindt plaats *no new account is rendered.*

herrie ⟨de⟩ **0.1** [lawaai] *noise* ⇒*din, racket, row,* ⟨van door elkaar pratende mensen⟩ *hullabaloo* **0.2** [drukte] *bustle* ⟨in stad⟩ ⇒⟨wanorde⟩ *commotion, turmoil, tumult,* ⟨koude drukte⟩ *fuss, ado* **0.3** [ruzie] *row* ⇒⟨verbaal⟩ *shindy, squabble,* ⟨vechtpartij⟩ *brawl, fray,* ⟨problemen⟩ *bother, trouble* ◆ **2.1** een vreselijke ~ *an infernal din* **3.1** maak niet zo'n ~ *don't make such a racket/row* **3.2** wat is er een ~ op straat *what a commotion/row outside;* ~ schoppen *kick up a row* **3.3** stil, anders komt er ~/hebben we ~ *quiet, otherwise there will be a trouble;* ~ met iem. krijgen *quarrel/fall out with s.o.* **4.2** waarom al die ~? *what's all the fuss about?.*

herriemaker, -schopper ⟨de (m.)⟩ **0.1** [lawaaimaker] *noisemaker* ⟨voorwerp⟩ **0.2** [ruziezoeker] *troublemaker* ⇒*rowdy, fire-eater, hooligan,* ⟨BE; inf.⟩ *tearaway,* ⟨AE; inf.⟩ *hell raiser,* ⟨Austr.E.⟩ *larrikin,* ⟨inf.⟩ *terror* ⟨vnl. kind.⟩.

herrijzen ⟨onov.ww.⟩ **0.1** *rise again* ⇒*rise (from the dead)* ◆ **1.1** Vlaanderen herrijst *Flanders is rising from its ashes* **6.1** hij is als **uit** de dood herrezen *it is as if he has come back/risen from the dead;* **uit** zijn as ~ *rise again from the ashes;* de dagen van vroeger ~ **voor** mijn verbeelding *I relive the days of old in my imagination.*

herrijzenis ⟨de (v.)⟩ **0.1** ⟨rel.⟩ *ressurrection.*

herroepelijk ⟨bn.⟩ **0.1** *revocable* ⇒*repealable, rescindable* ◆ **1.1** ~ krediet *revocable (letter of) credit.*

herroepen ⟨ov.ww.⟩ **0.1** *revoke* ⟨besluit, order, wet, belofte⟩ ⇒*repeal* ⟨wet, maatregel⟩, *rescind* ⟨besluit, wet, contract⟩, *retract* ⟨verklaring, belofte⟩, *recall, reverse* ⟨order, besluit⟩, *recant* ⟨geloof, overtuiging⟩, *countermand* ⟨bevel⟩ ◆ **2.1** een eed ~ *unswear/retract/revoke an oath;* zij heeft haar woorden ~ *she retracted her words.*

herroeping ⟨de (v.)⟩ **0.1** *revocation* ⇒*repeal, rescission, retraction, recall(ing), recantation.*

herschatten ⟨ov.ww.⟩ **0.1** *reassess, re-estimate* ⟨schade, kosten⟩ ⇒*revalue* ⟨huis⟩.

herscheppen ⟨ov.ww.⟩ **0.1** [veranderen] *transform* ⇒*convert, transfigure* **0.2** [verjongen] *regenerate* ⇒*rejuvenate, refresh, re-create* ◆ **6.1** zij herschiep de zaal **in** een bloementuin *she transformed the room into a flower garden* **8.2** ze kwamen als herschapen **uit** de sauna *she came out of the sauna a new person/rejuvenated.*

herschepping ⟨de (v.)⟩ **0.1** [gedaanteverandering] *transformation* ⇒*transfiguration, conversion, metamorphosis* **0.2** [het opnieuw tot leven doen komen] *regeneration* ⇒*rejuvenation, re-creation.*

herschikken ⟨ov.ww.⟩ **0.1** *rearrange* ⇒*reorder, redeploy* ⟨troepen⟩, *reshuffle* ⟨regering⟩.

herschikking ⟨de (v.)⟩ **0.1** *rearrangement* ⇒*reordering, redeployment, reshuffle* ◆ **6.1** een ~ in het kabinet *a reshuffle of the Cabinet, a Cabinet reshuffle.*

herscholen ⟨ov.ww.⟩ **0.1** *retrain* ◆ **3.1** zich laten ~ *retrain.*

herscholing ⟨de (v.)⟩ **0.1** *(vocational) retraining.*

herschrijven ⟨ov.ww.⟩ **0.1** ⟨ook taalk.⟩ *rewrite* ◆ **1.1** een toneelstuk ~ *r. a play.*

hersenaanhangsel ⟨het⟩ **0.1** *pituitary (body/gland)* ⇒[1] *hypophysis.*

hersenarbeid ⟨de (m.)⟩ **0.1** *brainwork.*

hersenbloeding ⟨de (v.)⟩ **0.1** *cerebral/brain haemorrhage.*

hersenbreker ⟨de (m.)⟩ **0.1** *brainteaser/twister.*

hersendood ⟨de⟩ **0.1** *cerebral death.*

hersendruk ⟨de (m.)⟩ **0.1** *intracranial pressure.*

hersenembolie ⟨de (v.)⟩ **0.1** *cerebral embolism.*

hersenemigratie ⟨de (v.)⟩ **0.1** *brain drain.*

hersenen ⟨zn.mv.⟩ **0.1** [orgaan] *brain;* ⟨cul.⟩ *brains* **0.2** [schedel] *skull* ◆ **2.1** de grote en de kleine ~ *the great and the little brain;* ↑*the cerebrum and the cerebellum* **3.¶** de ~ zijn gesloten *the fontanels are closed.*

hersenfunctie ⟨de (v.)⟩ **0.1** *brain/cerebral function.*

hersengebied ⟨het⟩ **0.1** *brain area* ⇒*region of the brain.*

hersengroef ⟨de⟩ **0.1** *sulcus.*

hersengymnastiek ⟨de (v.)⟩ **0.1** ⟨puzzels e.d.⟩ *puzzle(s), brain-teaser(s), quiz;* ⟨training⟩ *mental/intellectual training/exercise.*

hersenhelft ⟨de (v.)⟩ **0.1** *(cerebral) hemisphere* ⇒*half of the brain.*

hersenholte ⟨de (v.)⟩ **0.1** [holte van de schedel] *cerebral/brain cavity* **0.2** [holte in de grote hersenen] *ventricle.*

hersenkamer ⟨de⟩ **0.1** *ventricle.*

hersenklier ⟨de⟩ **0.1** *pineal gland/body* ⇒ ↑*epiphysis.*

hersenkronkel ⟨de (m.)⟩ **0.1** [hersenwinding] *convolution of the brain* ⇒ ↑*gyrus* **0.2** [⟨fig.⟩] *strange idea, brainstorm.*

hersenkwab ⟨de⟩ **0.1** *lobe of the brain.*

hersenletsel ⟨het⟩ **0.1** *brain injury.*

hersenloos ⟨bn., bw.;-ly⟩ **0.1** *brainless* ⇒*dense, thick, witless, nonsensical* ◆ **1.1** hersenloze politici b. *politicians* **3.1** ~ redeneren *reason nonsensically.*

hersenmantel ⟨de (m.)⟩ **0.1** *pallium* ⇒*mantle.*

hersenmassa ⟨de⟩ **0.1** *brain matter.*

hersenoedeem ⟨het⟩ **0.1** *cerebral oedema.*

hersenontsteking ⟨de (v.)⟩ **0.1** ↑*encephalitis* ⇒*brain fever.*

hersenpan ⟨de⟩ **0.1** *brainpan/case* ⇒*skull,* ↑*cranium* ◆ **3.1** iemands ~ inslaan *beat/knock s.o.'s brains out, bash s.o.'s brains in, brain s.o..*

hersens ⟨zn.mv.⟩ **0.1** [verstand] *brain(s)* ⇒*mind, wits, head* **0.2** [schedel] *skull* ⇒*brains* ◆ **1.1** een goed stel ~/goede ~ hebben *have a good head on one's shoulders* **3.1** zijn ~ (af)pijnigen (over) *rack/cudgel/beat one's brains (about);* het drong niet tot zijn ~ door dat *it didn't occur to him that;* gebruik toch je ~! *use your brain!* ⟨inf.⟩ *loaf;* de ~ inspannen/laten werken *put one's mind to work* **3.2** iem. de ~ inslaan *beat/knock s.o.'s brains out, bash s.o.'s brains in, brain s.o.* **6.1** hoe haal je het in je ~! *have you gone off your rocker/taken leave of your senses?;* iem. *met/zonder* ~ *s.o. with (a lot of) brains/without brains;* dat zullen ze wel *uit* hun ~ laten *they won't be so silly (as) to do that* **8.1** ~ als een garnaal *pea brain.*

hersenschim ⟨de⟩ **0.1** *chim(a)era* ⇒*phantasm, fantasy, illusion, will o' the wisp* ◆ **3.1** het is een ~ *it's a fantasy;* ~ men najagen *catch at shadows, run after a shadow.*

hersenschimmig ⟨bn.⟩ **0.1** *chimerical* ⇒*fanciful, unreal.*

hersenschors ⟨de⟩ **0.1** *cerebral cortex.*

hersenschudding ⟨de (v.)⟩ **0.1** *concussion* ◆ **2.1** met een lichte/zware ~ *slightly/severely concussed* **3.1** een ~ hebben *suffer from c.;* een ~ oplopen *get c..*

hersensclerose ⟨de (v.)⟩ **0.1** *cerebral sclerosis.*

hersenspinsel ⟨het⟩ **0.1** [hersenschim] *chim(a)era* ⇒*phantasm, fantasy, illusion* **0.2** [verzinsel] *concoction* ⇒*fabrication.*

hersenspoelen ⟨ov.ww.⟩ **0.1** *brainwash.*

hersenspoeling ⟨de (v.)⟩ **0.1** *brainwashing.*

hersenstam ⟨de (m.)⟩ **0.1** *brainstem.*

hersentjes ⟨zn.mv.⟩ **0.1** *brains.*

hersentumor ⟨de (m.)⟩ **0.1** *brain tumour.*

hersenvat ⟨het⟩ **0.1** *cerebral blood vessel.*

hersenverweking ⟨de (v.)⟩ **0.1** *softening of the brain.*

hersenvlies ⟨het⟩ **0.1** *cerebral membrane* ⇒*meninx* ◆ **2.1** het harde ~ *dura mater;* het zachte ~ *pia mater.*

hersenvliesontsteking ⟨de (v.)⟩ **0.1** *meningitis.*

hersenwaterzucht ⟨de⟩ **0.1** *hydrocephalus* ⇒*water on the brain.*

hersenwerk ⟨het⟩ **0.1** *brain/headwork* ⇒ ⟨schr. of scherts.⟩ *cerebration.*

hersenwerking ⟨de (v.)⟩ **0.1** *cerebration.*

hersenwinding ⟨de (v.)⟩ **0.1** *convolution of the brain* ⇒ ↑*gyrus.*

hersenzenuw ⟨de⟩ **0.1** *cranial nerve.*

herspellen ⟨ov.ww.⟩ **0.1** [opnieuw spellen] *respell* **0.2** [in andere spelling weergeven] *respell* ⇒*transliterate.*

herstel ⟨het⟩ **0.1** [het weer gezond worden] *recovery* ⟨gezondheid, economie⟩ ⇒*recuperation, (return to health), convalescence* ⟨gezondheid⟩, ⟨hand.⟩ *rally* **0.2** [reparatie] *repair* ⇒*mending, rectification, correction* ⟨fout⟩, ⟨restauratie⟩ *restoration* **0.3** [het weer instellen] *restoration* ⟨monarchie, orde⟩ ⇒*restitution* **0.4** [vergoeding] *reparation* ⟨oorlogsschade⟩ ⇒*redress* ⟨grief⟩, *compensation* ⟨schade⟩, *restitution* **0.5** [het weer plaatsen] *reinstatement* ⇒*re-establishment, restoration* ◆ **1.1** ⟨hand.⟩ het ~ van de dollar *the rallying of the dollar;* het ~ van de economie *the recovery of the economy;* voor ~ van zijn gezondheid *to recuperate/convalesce;* hij is voor ~ van zijn gezondheid in Zwitserland *he is convalescing in Switzerland* **1.3** ~ van de onderlinge betrekkingen *restoration of mutual relations, rapprochement;* ~ van eer *rehabilitation;* ~ van de vrede *restoration of peace* **1.4** ~ van grieven *redress (of grievances);* zij vroegen om ~ v.d. schade *they asked for compensation for the damage, they asked for the* damage to be repaired **2.1** hopen op een spoedig ~ *hope for a speedy recovery* **6.1** ⟨hand.⟩ de beurs is *in* ~ *the Stock Exchange is rallying;* er is weinig hoop *op* ~ *there is little hope of recovery* **6.5** ~ in het ambt *reinstatement in office.*

herstelbaar ⟨bn.⟩ **0.1** *reparable* ⟨schade, verlies⟩ ⇒*repairable, restorable, retrievable.*

herstelbetaling ⟨de (v.)⟩ **0.1** *reparation* ⟨oorlogsschade⟩ ⇒*compensation, indemnity.*

herstelgarnituur ⟨het⟩ **0.1** *repair kit.*

herstellen

I ⟨ov.ww.⟩ **0.1** [repareren] *repair* ⇒*mend,* ⟨restaureren⟩ *restore* **0.2** [mbt. wat verstoord is] *restore* ⟨orde, monarchie⟩ ⇒*re-establish* ⟨orde⟩, *recover* ⟨evenwicht⟩, *reaffirm* ⟨geloof⟩ **0.3** [goedmaken] *right, repair, redress* ⟨onrecht, misstand⟩ ⇒*remedy* ⟨onrecht, fout⟩, *rectify, correct* ⟨fout⟩, *retrieve* ⟨fout, verlies⟩, *make good, repair* ⟨schade⟩ **0.4** [weer in de vorige toestand brengen] *reinstate* ⇒*re-establish, restore* ◆ **1.1** het dak ~ *mend the roof/a jacket;* men is hier bezig de weg te ~ *this road is under repair* **1.2** ⟨mil.⟩ de gelederen ~ *regroup in single file;* de vrede/de rust ~ *restore peace/quiet* **1.3** een fout/een onrecht ~ *correct a mistake, right a wrong;* de schade ~ *repair the damage* **3.1** dit hemd kan niet meer hersteld worden *this shirt is irreparable/won't repair;* dit moet nodig eens hersteld worden *this is in great need of repair* **6.4** iem. in zijn eer/zijn ambt ~ *rehabilitate s.o., reinstate s.o. in his office;* alles werd in de oude staat hersteld *everything was restored to its original state;* een gebruik in ere ~ *re-establish a custom;* in de ouderlijke macht ~ *restore to the parental power* **¶.2** ⟨mil.⟩ ~! *as you were!* **¶.3** de Heer Blaak, herstel: Braak *Mr. Blaak, correction: Braak;*

II ⟨onov.ww.⟩ **0.1** [weer gezond worden] *recover* ⇒*recuperate, get better, convalesce* ◆ **3.1** ~de zijn *be convalescent* **5.1** hij is nu al flink hersteld *he is much better now;* ze is weer geheel hersteld *she has made a complete recovery* **6.1** snel/goed ~ *van* een ziekte *recover quickly/well from an illness;*

III ⟨wk.ww.; zich ~⟩ **0.1** [mbt. zaken] *rally* ⇒*recover* **0.2** [mbt. personen] *recover* (o.s.) ⇒*recuperate, rally, pull (o.s.) together, get a hold of (o.s.)* ◆ **1.1** de dollar herstelde zich (snel/enigszins) *the dollar rallied (quickly/slightly);* het evenwicht herstelt zich *the balance is redressing itself;* de markt heeft zich hersteld *the market has picked up* **6.2** zich *van* een tegenslag ~ *bounce back after a setback.*

hersteller ⟨de (m.)⟩ **0.1** [mbt. een toestand] *restorer* **0.2** [reparateur ⟨vnl. in samenstellingen⟩] *repairer, repairman* ⇒*renovator* ◆ **1.1** ~ v.d. vrijheid *r. of liberty* **1.2** rijwielhersteller *(bi)cycle repairman/repairer.*

herstellingsoord ⟨het⟩ **0.1** *convalescent/nursing home* ⇒*after-care hospital, sanitorium.*

herstellingsteken ⟨het⟩ ⟨muz.⟩ **0.1** *natural (sign).*

herstellingsvermogen ⟨het⟩ **0.1** *recuperative power, power of recovery.*

herstellingswerk ⟨het⟩ **0.1** *repair/*⟨restauratie⟩ *restoration work* ⇒*repairs.*

herstelperiode ⟨de (v.)⟩ **0.1** [⟨med.⟩] *convalescence* ⇒*period of recovery, recovery period* **0.2** [⟨ec.⟩] *reconstruction period* ⇒*period of recovery.*

herstelplan ⟨het⟩ **0.1** *recovery plan* ◆ **2.1** het economisch ~ *the economic r. p., the plan to reflate the economy.*

herstelprogramma ⟨het⟩ **0.1** *recovery/reconstruction/rehabilitation programme* ^*gram.*

herstelwerkzaamheden ⟨zn.mv.⟩ **0.1** *repairs* ◆ **6.1** gesloten *wegens* ~ *closed for/due to r..*

herstemmen

I ⟨onov.ww.⟩ **0.1** [opnieuw zijn stem uitbrengen] *vote again* ⇒*have a second ballot;*

II ⟨ov.ww.⟩ **0.1** [⟨muz.⟩] *retune.*

herstemming ⟨de (v.)⟩ **0.1** *second ballot* ◆ **6.1** onze kandidaat komt *in* ~ *our candidate is through to the s. b..*

herstructureren ⟨ov.ww.⟩ **0.1** *restructure, remodel, reorganize* ◆ **1.1** een opstel ~ *restructure an essay.*

herstructurering ⟨de (v.)⟩ **0.1** *restructuring, reorganization* ◆ **1.1** de ~ van de economie/van het universitair onderwijs *the restructuring of the economy/of university education.*

hert ⟨het⟩ **0.1** [dier] *deer* **0.2** [edelhert] *red deer* ⇒*stag,* ⟨vnl. ouder dan 5 jaar⟩ *hart* ⟨m.⟩ ◆ **2.1** jong ~/je *spitter* **2.¶** vliegend ~ *stag beetle.*

hertaxatie ⟨de (v.)⟩ **0.1** *revaluation* ⟨huis⟩*; reassessment* ⟨schade, kosten⟩.

hertebeest ⟨het⟩ **0.1** *deer.*

hertebok ⟨de (m.)⟩ **0.1** *stag* ⟨ihb. edelhert⟩ ⇒*buck* ⟨damhert⟩*, brocket* ⟨eenjarig⟩, ⟨ouder dan 5 jaar⟩ *hart.*

hertebout ⟨de (m.)⟩ **0.1** *haunch of venison.*

hertejacht ⟨de⟩ **0.1** *stag hunting, deerstalking* ◆ **6.1** op de ~ gaan *go s. h./d s..*

hertele(d)er ⟨het⟩ **0.1** *deer/buckskin.*

hertellen ⟨ov.ww.⟩ **0.1** *recount.*

hertenkamp ⟨de (m.)⟩ **0.1** *deer park* ⇒*deer forest.*

hertepad ⟨het⟩ ⟨jacht⟩ **0.1** *slot.*

hertepastei ⟨de⟩ **0.1** *venison pie.*
hertetruffel ⟨de⟩ **0.1** *hart's truffle.*
hertevlees ⟨het⟩ **0.1** *venison.*
hert(e)zwijn ⟨het⟩ **0.1** *babiroussa.*
hertog ⟨de (m.)⟩ **0.1** [⟨gesch.⟩ bestuurder] *duke* **0.2** [(man met) adellijke titel] *duke.*
hertogdom ⟨het⟩ **0.1** *duchy* ⇒*dukedom.*
hertogelijk ⟨bn.⟩ **0.1** [van een hertog] *ducal* **0.2** [van een hertog afkomstig] *ducal* ◆ **1.1** het ~ slot *the d. residence/estate* **1.2** een ~ besluit *a d. decision.*
hertogin ⟨de (v.)⟩ **0.1** [gemalin/dochter van een hertog] *duchess* **0.2** [(vrouw met) adellijke titel] *duchess.*
hertrouw ⟨de (m.)⟩ **0.1** *remarriage.*
hertrouwen ⟨onov.ww.⟩ **0.1** *remarry* ⇒*marry again, contract a second marriage.*
hertshooi ⟨het⟩ **0.1** *St. John's wort* ⇒*Aaron's beard.*
hertshoorn
 I ⟨de (m.)⟩ **0.1** [hoorn van een hert] *deerhorn* ⇒*hartshorn, buckhorn, antler* **0.2** [⟨plantk.⟩ weegbree] *hartshorn/buckhorn (plantain)* **0.3** [⟨plantk.⟩ wolfsklauw] *club moss* ⟨genus Lycopodium⟩ ⇒*staghorn (moss)* ⟨clavatum⟩;
 II ⟨het, de (m.)⟩ **0.1** [stof] *staghorn* ⇒*deerhorn, hartshorn, buckhorn.*
hertshoornvaren ⟨de⟩ **0.1** *staghorn (fern).*
hertshoornweegbree ⟨de⟩ **0.1** *hartshorn/buckhorn (plantain).*
hertsle(d)er →**hertele(d)er.**
hertstong ⟨de⟩ **0.1** ⟨adderwortel⟩ *snake-root, easter-ledges, bistorf;* ⟨tongvaren⟩ *hart's-tongue fern.*
hertz ⟨de (m.)⟩ **0.1** *hertz* ⇒⟨vero.⟩ *cycles per second, cps.*
hertzgolf ⟨de⟩ **0.1** *Hertzian wave.*
heruitbrengen ⟨ov.ww.⟩ **0.1** *reissue* ⇒*republish.*
heruitgave ⟨de⟩ **0.1** *reissue* ⇒*republication.*
heruitrusting ⟨de (v.)⟩ **0.1** *re-equipment.*
heruitvoer ⟨de (m.)⟩ **0.1** *re-export.*
heruitvoering ⟨de (v.)⟩ **0.1** *renewed performance* ⇒⟨toneelstuk e.d.⟩ *repeat performance, rerun,* ⟨oud stuk⟩ *revival.*
heruitzenden ⟨ov.ww.⟩ **0.1** [verder zenden] *relay* **0.2** [opnieuw uitzenden] *rebroadcast* ⇒⟨t.v.-programma ook⟩ *rerun.*
heruitzending ⟨de (v.)⟩ **0.1** [het verder uitzenden] *relay* **0.2** [het opnieuw uitzenden] *rebroadcast* ⇒*rerun, repeat.*
Herv. ⟨afk.⟩ **0.1** [Hervormd] ⟨*Reformed*⟩.
hervaccinatie ⟨de (v.)⟩ **0.1** *revaccination.*
hervatten
 I ⟨ov.ww.⟩ **0.1** [weer opvatten] *resume* ⇒*continue, restart, renew,* ⟨schr.⟩ *recommence* **0.2** [herhalen] *repeat* ◆ **1.1** laten wij ons gesprek ~ *let us resume (our discussion), let us continue the discussion, let's pick up where we left off;* onderhandelingen ~ *resume/reopen negotiations;* het spel ~ *resume/continue the game;* de veerdiensten ~ *resume/restart the ferry service;* het werk ~ *return to/go back to work, resume/restart work;*
 II ⟨onov., ov.ww.⟩ **0.1** [het spreken voortzetten] *resume* ⇒*continue, go on.*
hervatting ⟨de (v.)⟩ **0.1** *resumption* ⇒*continuation,* ↑*recommencement,* ⟨herhaling⟩ *repetition, renewal* ◆ **1.1** (gedeeltelijke) ~ v.h. werk *(partial) return to/resumption of work.*
herverdelen ⟨ov.ww.⟩ **0.1** *redistribute* ⟨rijkdom, inkomen⟩ ⇒*rearrange, reorganize* ⟨werk, functies⟩, ⟨pol., kaartspel⟩ *reshuffle,* ⟨jur.⟩ *repartition* ⟨eigendom⟩ ◆ **1.1** de regeringsportefeuilles ~ *reshuffle the Cabinet;* de rollen ~ *shuffle the cards.*
herverdeling ⟨de (v.)⟩ **0.1** *redistribution* ⇒*rearrangement, reorganization, reshuffle, repartition.*
herverfransing ⟨de (v.)⟩ **0.1** *renewed/repeated gallicisation.*
herverkavelen ⟨onov., ov.ww.⟩ **0.1** *reallocate (land)* ⇒*reallot/redistribute (land).*
herverkaveling ⟨de (v.)⟩ **0.1** *reallocation (of land)* ⇒*reallotment/redistribution (of land).*
herverkiezing ⟨de (v.)⟩ **0.1** *re-election.*
herverzekeren ⟨ov.ww.⟩ **0.1** *reinsure* ⇒*reassure.*
herverzekering ⟨de (v.)⟩ **0.1** *reinsurance.*
hervinden ⟨ov.ww.⟩ **0.1** *recover* ⇒*regain, find again* ◆ **1.1** met een hervonden geloof *with newborn faith;* het geluk ~ *find happiness again.*
hervormd ⟨bn.⟩ **0.1** [van vorm vernieuwd] *reformed* ⇒*renewed, amended, remodelled, reshaped* **0.2** [⟨rel.⟩] *Reformed* ⟨tgov. andere protestantse kerken⟩; *Protestant* ⟨tgov. katholicisme⟩ ◆ **1.2** de Hervormde Kerk *the R. Church;* de ~e leer *P. doctrine;* een ~ predikant *a P. minister (of the church)* **3.2** hij is ~ *he is (a) Protestant* **5.2** Nederlands ~ *Dutch R..*
hervormde ⟨de (m.)⟩ **0.1** *Protestant* ⇒*member of the Reformed Church.*
hervormen ⟨ov.ww.⟩ **0.1** [reorganiseren] *reform* ⇒*remodel, reshape* **0.2** [tot een betere staat brengen] *reform* ⇒*amend, improve* ◆ **1.1** het onderwijs ~ *reform education* **1.2** de kerk ~ *r. the church;* ~ de maatregelen *reformative/reformatory measures;* de maatschappij willen ~ *wish to r. society.*

hervormer ⟨de (m.)⟩ **0.1** *reformer.*
hervorming ⟨de (v.)⟩ **0.1** [het hervormen] *reformation* **0.2** [reorganisatie] *reform* **0.3** [de reformatie] *Reformation* **0.4** [het protestantisme] *Protestantism* ◆ **1.2** ~ van het onderwijs *educational reform* **2.2** sociale ~en doorvoeren *carry through social reforms.*
hervormingsbeweging ⟨de (v.)⟩ **0.1** *reformism* ⇒*reform(atory) movement.*
Hervormingsdag ⟨de (m.)⟩ **0.1** *Reformation day.*
hervormingsgezind ⟨bn.⟩ **0.1** *reformist* ⇒*reform-minded, favouring/in favour of reform* ◆ **7.1** een ~e *a reformist.*
hervormingsmaatregel ⟨de (v.)⟩ **0.1** *reform(ative) measure.*
hervormingsplan ⟨het⟩ **0.1** [voornemen] *plan for reform* **0.2** [ontwerp] *plan for reform* ⇒*blueprint for reform, scheme/project for reform.*
hervormingszin ⟨de (m.)⟩ **0.1** *reformism.*
herwaarderen ⟨ov.ww.⟩ **0.1** *revalue* ⟨valuta⟩ ⇒⟨taxeren;fig.⟩ *reassess.*
herwaardering ⟨de (v.)⟩ **0.1** *revaluation* ⇒*reassessment.*
herwaarts ⟨bw.⟩ ⟨schr.⟩ **0.1** *hither* ◆ **5.1** zij liepen ~ en derwaarts *they walked h. and thither/to and fro/back and forth.*
herweging ⟨de (v.)⟩ **0.1** *reweighing* ⇒⟨fig.⟩ *reconsideration.*
herwinnen
 I ⟨ov.ww.⟩ **0.1** [heroveren] *recover* ⇒*regain, retrieve, redeem, win back* **0.2** [⟨tech.⟩] *recycle* ◆ **1.1** hij heeft mijn achting herwonnen *he has won back/recovered/regained my esteem;* de stad werd herwonnen *the town was recaptured/reconquered;* verloren terrein ~ *recover/regain/make up lost ground* **6.2** papier ~ **uit** oude kranten *r. old newspapers;*
 II ⟨wk.ww.;zich ~⟩ **0.1** [zijn kalmte herkrijgen] *recover (o.s.)* ⇒*regain one's self-control, get a hold of (o.s.), pull (o.s.) together.*
herzien ⟨ov.ww.⟩ **0.1** [nauwkeurig bekijken] *revise* **0.2** [na heroverweging wijzigen] *revise* ⇒*review, (re)adjust, amend, reconsider, alter* ◆ **1.1** dit boek is geheel ~ *this book has been completely revised;* een nieuwe, ~e uitgave *a new, revised edition* **1.2** een beslissing/standpunt ~ *reconsider a decision/point of view;* het contract wordt (elke tien jaar) ~ *the contract is subject to revision/review (every ten years/tenth year);* zijn ideeën ~ (over) *revise one's ideas (about);* de lonen ~ *(re)adjust salaries/wages;* een wet ~ *revise/review/amend a law* **5.2** een tekst grondig ~ *revise a text thoroughly, overhaul a text.*
herziening ⟨de (v.)⟩ **0.1** [het herzien] *revision* ⇒*review, reconsideration* **0.2** [wijziging] *revision* ⇒*review, (re)adjustment, amendment, reform* ◆ **1.2** de ~ van de grondwet *the amendment of the constitution;* ~ van de lonen *the (re)adjustment of salaries/wages;* ~ van het middelbaar onderwijs *reform of secondary education.*
hes ⟨de⟩ **0.1** *smock* ⇒*blouse.*
hesp ⟨de⟩ **0.1** [deel van een ham] *hock* **0.2** [⟨AZN⟩ ham] *ham* ⇒⟨gerookt, gezouten, rauw⟩ *gammon.*
Hessisch ⟨bn.⟩ **0.1** *Hessian* ◆ **1.1** ~e mug *H. fly.*
het¹
 I ⟨pers.vnw.⟩ **0.1** [⟨onzijdig naamwoord⟩] *it* ◆ **3.1** ik denk/hoop ~ *I think/hope so;* ik doe ~, als jij ~ wilt *I'll do it, if you want me to;* ~ ging allemaal goed *things went well;* wie is ~? *who is it? is that you? yes it's me;* ~ is Jan, ~ is een zoon van Jan *it's/he's John, it's/he's a son of John's;* klopt ~? *is it right?, does it add up?;* lukt/gaat ~? *(is it) going all right?;* zij was ~ die ...*it was she who ...;* ik weet ~ *I know;* als jij ~ zegt *if you say so;* ~ zijn Engelsen *they're English;* wij/zij zijn ~, hij is ~ *it's us/them/him* ◆ **1** ~ is nu eenmaal zo *that's just the way it is;* wat is ~ toch, dat geluid? *what can it be, that sound?;* het kind heeft honger, geef ~ een boterham *the child is hungry, give him/her a sandwich;* ~ is uit *it's over;* ~ waren moeilijke dagen *they were hard times/days;*
 II ⟨onb.vnw.⟩ **0.1** [⟨loos onderwerp⟩] *it* **0.2** [⟨loos lijdend voorwerp⟩] *it* **0.3** [geslachtsgemeenschap] *it* ◆ **3.1** hoe gaat ~? ~ gaat *how are you? I'm all right/O.K.;* wat geeft ~, wat zou ~ *what does it matter, who cares, what's the difference;* de hoeveelste is ~ *vandaag? what's the date today?;* morgen is ~ zaterdag *tomorrow is Saturday;* hoe laat is ~? *what time is it?, what's the time?;* ~ is over tweeën *it's after two (o'clock);* dat is ~ hem nu juist *that's just it;* ~ regent *it's raining* **3.2** hij zal ~ bezuren *he'll be sorry, he'll suffer/pay for it;* de machine doet ~ *the machine works* **3.3** ~ doen *do it, go all the way;* ~ met zichzelf doen *play with o.s.* **6.¶** ⟨met nadruk⟩ dat is je **van** ~! *it's the bees knees, it's the pick of the bunch* **¶.1** ~ zij zo *so be it;* ~ voorzichtig aandoen ⟨bij bepaalde handeling⟩ *do it/go about it carefully,* ⟨altijd⟩ *be careful* **¶.2** ~ erbij laten *leave it at that.*
het² ⟨lidw.⟩ **0.1** [⟨bepalend onzijdig lidwoord⟩] *the* **0.2** [het beste/belangrijkste] *the* ⟨met nadruk⟩ **0.3** [(in de overtreffende trap)] *the* ⟨vaak onvertaald⟩ ◆ **1.1** van ~ begin tot ~ eind *from beginning to end, from start to finish;* ~ huidige Engeland *present(-day)/modern England;* dat kost drie gulden ~ ons *that costs three guilders an/per ounce;* in ~ zwart gekleed *dressed in black* **1.2** Nederland is ~ land v.d. tulpen *the Netherlands is the country of tulips* **2.3** die vind ik ~ leukst *that's the one I like best* **3.1** ~ roken *smoking* **4.1** ~ hare/zijne/onze ⟨enz.⟩ *hers, his, ours* ⟨enz.⟩ **5.3** zij was er ~ eerst *she was there first, she was the first there;* wie van hen is ~ snelst? *which of them is the fastest?.*

heteluchtballon ⟨de (m.)⟩ **0.1** *hot-air balloon*.
heteluchtkachel ⟨de⟩ **0.1** *convector (heater)*.
heteluchtkanon ⟨het⟩ **0.1** *hot-air blower*.
heteluchtmotor ⟨de (m.)⟩ **0.1** *hot-air engine* ⇒*caloric engine, thermo-motor, heat engine.*
heteluchtoven ⟨de (m.)⟩ **0.1** *hot-air oven.*
heteluchtverwarming ⟨de (v.)⟩ **0.1** *hot-air heating (system).*
heten ⟨→sprw. 293⟩
  I ⟨onov.ww.⟩ **0.1** [de naam dragen] *be called* ⇒*be named, bear the name of* **0.2** [met een naam aangeduid worden] *be called* ⇒*be named* **0.3** [doorgaan voor] *be called* ⇒*be said/reported/reputed to be* ◆ **1.1** een jongen, David geheten *a boy, David by name/by the name of David/called David;* hij zei Dekker te ~ *he gave his name as Dekker;* hij heet Jan en hoe heet jij? *his name is John, and what's yours?* **1.2** weet je hoe die bloem heet? *do you know what that flower is called?;* het boek heet … *the book is entitled …;* het mag een wonder ~ *it may be called a miracle* **1.3** moet dat een hoed ~? *is that what you call a hat?* **2.3** ~ die aardappels gaar? *do you call those potatoes done?;* hij heet rijk (te zijn) *he is said/reported/reputed/rumoured to be rich* **4.3** naar het heette uit geloofsovertuiging *under pretence of religious conviction* **4.¶** wat heet rommelig! het is hier één grote puinhoop! *messy would be an understatement! this is chaos!* **5.1** hij heet anders *she has a different name;* eigenlijk heet die acteur Jansen *that actor's real name is Jansen;* hoe heet hij/zij/het ook al weer? *what's his/her/its name again?;* zij kwam met hoe heet hij ook weer *she came with what's-his-name* **5.2** hoe heet dat?/heet dat in het Zweeds? *what is that called?/that in Swedish?/the Swedish for that?;* zo iem. heet nu een …*he/she is what they call a …/what is known as a …* **6.1** hij heet **naar** zijn vader *he is called/named after his father* **8.3** het heet dat hij gezeten heeft *it is said/reported/rumoured that he has done time, rumour has it that he has done time* **¶.1** zo waar als ik … heet *as sure as my name is …, or my name isn't …;*
  II ⟨ov.ww.⟩ **0.1** [met nadruk zeggen] *bid* **0.2** [⟨schr.⟩ betitelen als] ⟨ongemarkeerd⟩ *call* **0.3** [met een bepaalde naam aanduiden] *call* ◆ **1.2** hij heette haar zijn vriendin *he called her his friend* **2.1** ik heet u welkom *I b. you welcome;* de gasten hartelijk welkom ~ *give a warm welcome to the guests* **2.2** dat heet ik knap *that's what I c. clever* **4.2** zich gelukkig ~ *c./ count o.s. lucky* **4.3** zoals het heet *as the phrase goes/the saying is.*
heterdaad ◆ **6.¶** iem. **op** ~ betrappen *catch/surprise s.o. in the act, catch s.o. red-handed;* ⟨AE; inf.⟩ *catch s.o. dead to rights;* ⟨jur.⟩ *catch s.o. flagrante delicto.*
hetero →heterofiel, heteroseksueel.
heterochtoon ⟨bn.⟩ **0.1** *heterochthonous* ⟨flora, gesteente⟩ ⇒⟨flora ook⟩ *foreign,* ⟨gesteente ook⟩ *transported, exotic.*
heterodox ⟨bn.⟩ **0.1** [⟨rel.⟩] *heterodox* **0.2** [afwijkend] *heterodox.*
heterofiel[1] ⟨de (m.)⟩ **0.1** *heterosexual* ⇒ ↓*hetero.*
heterofiel[2] ⟨bn.⟩ **0.1** *heterosexual.*
heterofiet ⟨de⟩ **0.1** *heterophyte* ⇒*parasite.*
heterofilie ⟨de (v.)⟩ **0.1** *heterosexuality.*
heterofyllie ⟨de (v.)⟩⟨biol.⟩ **0.1** *heterophylly.*
heterogeen ⟨bn.⟩ **0.1** *heterogeneous* ⇒*hybrid,* ⟨pej.⟩ *mongrel, motley, piebald* ◆ **1.1** ⟨schei., tech.⟩ heterogene katalyse *heterogeneous catalysis;* van heterogene oorsprong *hybrid, of heterogeneous origin.*
heterogenesis ⟨de (v.)⟩ **0.1** *heterogenesis.*
heterogeniteit ⟨de (v.)⟩ **0.1** *heterogeneity* ⇒*heterogeneousness.*
heteroloog ⟨bn.⟩ **0.1** *heterologous.*
heteromorf ⟨bn.⟩ **0.1** *heteromorphic/phous.*
heteroniem ⟨het⟩⟨taal.⟩ **0.1** *heteronym.*
heteronomie ⟨de (v.)⟩ **0.1** *heteronomy.*
heteronoom ⟨bn.⟩ **0.1** *heteronomous.*
heteroseksualiteit ⟨de (v.)⟩ **0.1** *heterosexuality.*
heteroseksueel ⟨bn.⟩ **0.1** *heterosexual* ⇒ ↓*hetero* ◆ **7.1** een ~ *a heterosexual/hetero.*
heterosyllabisch ⟨bn.⟩ **0.1** *heterosyllabic.*
heterotoop ⟨bn.⟩ **0.1** *heterotopic* ⇒*heterotopous.*
heterozygoot ⟨bn.⟩⟨biol.⟩ **0.1** *heterozygous* ◆ **7.1** een ~ *a heterozygote.*
hetgeen ⟨schr.⟩
  I ⟨aanw.vnw.⟩ **0.1** [datgene wat] *that which* ⇒*what* ◆ **¶.1** ik blijf bij ~ ik gezegd heb *I stand by what I said;*
  II ⟨betr.vnw.⟩ **0.1** [wat] ⟨ongemarkeerd⟩ *which* ◆ **¶.1** hij kon niet komen, ~ hij betreurde *he could not come, w. he regretted.*
het-woord ⟨het⟩ **0.1** *neuter.*
hetze ⟨de (v.)⟩ **0.1** *witch hunt* ⇒⟨pesterij⟩ *baiting,* ⟨laster⟩ *mud-slinging,* ⟨in krant⟩ *smear campaign* ◆ **3.1** een ~ voeren tegen *conduct a w. h./ smear campaign against, crucify.*
hetzelfde ⟨aanw.vnw.⟩ **0.1** *the same* ◆ **1.1** wij wonen in ~ huis *we live in the s. house* **3.1** wie zou niet ~ doen? *who wouldn't (do the s.)?;* haar toestand is nog steeds ~ *her condition is still the s./ unchanged;* het is/

---

blijft mij ~ *it's all/just the s. to me, it's all one to me, it doesn't matter to me;* het komt op ~ neer *it's/it boils down to the s. thing;* mannen zijn (ook) allemaal ~ *men are all the s./ of a kind* **5.1** precies ~ *the very s., exactly the s.* ⟨bn.⟩; *one and the s. thing* ⟨zn.⟩ **6.1 (van)** ~ *(the) s. to you* **8.1** dat is ~ als wat wij gisteren zagen *that is the s. (as) we saw yesterday* **¶.1** ober, ~ a.u.b. *barman, again please.*
hetzij ⟨vw.⟩ **0.1** ⟨nevenschikkend⟩ *either;* ⟨onderschikkend⟩ *whether* ⟨hoe dan ook⟩ ◆ **2.1** ~ warm of koud *e. hot or cold* **4.1** ~ dit, ~ dat *e. this or that* **¶.1** ~ hij wil of niet *whether he wants to or not;* ~ je het leuk vindt of niet *whether or no, like it or no, whether you like it or not;* ~ het goed of slecht is *be it good or bad.*
heug ⟨de (m.)⟩ ◆ **1.¶** tegen ~ en meug *reluctantly, against one's will.*
heugel ⟨de (m.)⟩ **0.1** *rack* ⇒⟨in schoorsteen⟩ *pot-hanger.*
heugelhaak ⟨de (m.)⟩ **0.1** *pothook* ⇒*chimney hook, hanger,* [A]*trammel.*
heug(e)lijk ⟨bn.⟩ **0.1** [verheugend] *happy* ⇒*glad, joyful, good, pleasant* **0.2** [gedenkwaardig] *memorable* ⇒*unforgettable* ◆ **1.1** een ~ gebeurtenis *a h./ joyful event;* het ~e nieuws *the good/h./ joyful/glad news/tidings* **1.2** op deze ~e avond *on this m. evening;* een ~e dag in de geschiedenis van de popmuziek *a red-letter day in the history of pop;* een ~ feit *a m. fact.*
heugen ⟨onov.ww.⟩ **0.1** *be remembered* ⇒*remain in one's memory* ◆ **4.1** ik zal hem iets geven dat hem zal ~ *I'll give him sth. to remember me by;* ik kan het me niet ~ *I can't remember;* het heugt mij nog als de dag van gisteren *I remember it as clearly as if it were yesterday;* de tijd heugt mij niet, dat … *I don't remember the time when …;* zolang mij heugt *as far as I can remember, as far as I recollect;* dat zal u ~ *you won't forget that in a hurry.*
heugenis ⟨de (v.)⟩ **0.1** *remembrance* ⇒*memory, recollection.*
heul
  I ⟨het⟩ **0.1** [heil] *refuge* ⇒⟨troost⟩ *comfort,* ⟨hulp⟩ *aid,* ⟨baat, oplossing⟩ *remedy* ◆ **3.1** ergens zijn ~ vinden *take r. in sth., take comfort in sth.;* zijn ~ zoeken bij iemand/in iets *seek r. with s.o., seek comfort in sth.;*
  II ⟨de⟩ **0.1** [waterafvoerbuis] *culvert.*
heulen ⟨onov.ww.⟩ **0.1** *collaborate* ⇒*be in league with* ◆ **6.1 met** de vijand ~ *c./ be in league with the enemy, make common cause with the enemy.*
heup ⟨de⟩ **0.1** [lichaamsdeel] *hip* **0.2** [⟨mv.⟩ het zichtbare gedeelte] *hips* ⇒*haunches* ⟨dier of pej.⟩ ◆ **2.1** een ontwrichte ~ *a dislocated h.* **2.2** zwaar van ~en zijn *be broad-hipped, be broad in the beam, be hippy* **6.¶** hij heeft het **op** zijn ~en *he is in a devil of a temper/in one of his moods; he's got the pip, he's having a tantrum/one of his tantrums.*
heupbeen ⟨het⟩⟨med.⟩ **0.1** *hipbone* ⇒*innominate bone,* ⟨dier⟩ *huckle-bone.*
heupbroek ⟨de⟩ **0.1** *hipster trousers* ⇒⟨strak⟩ *hip-huggers,* ⟨wijd⟩ *peg-top(ped) trousers.*
heupfles ⟨de⟩ **0.1** *hip-flask.*
heupgewricht ⟨het⟩⟨med.⟩ **0.1** *hip joint* ⇒*coxa.*
heupgordel ⟨de (m.)⟩ **0.1** [veiligheidsriem] *lap belt* **0.2** [gordel om de heup] *hip-belt.*
heupjicht ⟨de (v.)⟩ **0.1** *sciatica* ⇒*hipgout.*
heupwiegen ⟨ww.⟩ **0.1** *sway one's hips* ⇒*waggle,* ⟨sl.⟩ *grind, shake* ⟨dansen⟩ ◆ **3.1** ~d liep hij langs *he came swinging along/by/past.*
heupwijdte ⟨de (v.)⟩ **0.1** *hip measurement.*
heupworp ⟨de (m.)⟩⟨judo⟩ **0.1** *hip throw* ⇒*hiplock,* ⟨vrije stijl worstelen ook⟩ *(cross-)buttock.*
heupzenuw ⟨de⟩ **0.1** *sciatic nerve.*
heuristiek ⟨de (v.)⟩ **0.1** *heuristics.*
heuristisch ⟨bn.⟩ **0.1** *heuristic.*
heus ⟨bn., bw.;-ly⟩ **0.1** [echt] *real* ⇒*genuine, true, actual* **0.2** [beleefd] *courteous* ⇒*polite, obliging, kind* ◆ **1.1** hij kwam binnen op een ~ paard *he came in on a r. live horse* **2.1** het is ~ waar *it is really/honestly true, it is the honest(-to-goodness) truth* **3.2** iem. ~ behandelen *treat s.o. with the proper respect* **5.1** ~ niet! *not at all!, certainly not!;* ⟨scherts.⟩ maar niet ~! *but not really!;* hij doet het ~ niet/wel *he is sure (not) to do that, honestly, he will/won't do that* **¶.1** ~, ik moet gaan *really, I must go.*
heusheid ⟨de (v.)⟩ **0.1** *courtesy* ⇒*courteousness, kindness.*
heuvel ⟨de (m.)⟩ **0.1** *hill* ⇒*rise, swell,* ⟨klein⟩ *hillock,* ⟨opgeworpen ook⟩ *mound* ◆ **1.1** langs de hellingen van een ~ *along hillsides* **2.1** een lastig ~tje *a difficult/hard/steep climb;* de Palatijnse ~ *Palatine (Hill)* **3.1** in zijn tuin heeft hij ~tjes opgeworpen *he has made/built hillocks/mounds in his garden* **6.1** tegen een ~ **op** fietsen *cycle uphill;* ⟨sport⟩ aanwerpen **vanaf** de ~ *pitch from the mound* **7.1** de stad der zeven ~en *City of the Seven Hills.*
heuvelachtig ⟨bn.⟩ **0.1** *hilly.*
heuvelig ⟨bn.⟩ **0.1** *hilly* ◆ **1.1** een ~ landschap *a h. landscape;* een ~e weg *a h. road,* [B]*a rough road.*
heuvelland ⟨het⟩, **heuvellandschap** ⟨het⟩ **0.1** *hills* ⇒*hilly country* ◆ **2.1** het Limburgse ~ *the hills of Limburg.*
heuvelrand ⟨de (m.)⟩ ⇒*hillside.*
heuvelrug ⟨de (m.)⟩ **0.1** [bovenrand van een heuvel] *ridge* ⇒*(hill-)crest* **0.2** [reeks heuvels] *range (of hills)* ⇒*chain (of hills).*

heuveltje ⟨het⟩ **0.1** *hillock* ⇒*hummock, hump, knoll, mound*.
hevea ⟨de⟩ **0.1** *hevea* ⇒*seringa*.
hevel ⟨de (m.)⟩ **0.1** [omgebogen buis] *siphon* ⇒*syphon* **0.2** [toestel] *siphon* ⇒*syphon*.
hevelbarometer ⟨de (m.)⟩⟨meteo.⟩ **0.1** *siphon barometer*.
hevelen ⟨ov.ww.⟩ **0.1** *siphon* ⇒*syphon*.
hevig
I ⟨bn.⟩ **0.1** [mbt. de zintuigen] *violent* ⇒*intense, severe, fierce, strong* **0.2** [mbt. personen of uitingen] *violent* ⇒*vehement, fierce, sharp, strong* ◆ **1.1** ~e angst *acute/mortal terror;* een ~e brand *a fierce/raging fire;* een ~e discussie *a vehement discussion, a hot dispute;* ~e hitte *intense heat;* een ~e knal *a v. bang, a thunderous explosion;* een ~e koorts *a rasing/strong/intense fever;* een ~e kou *a severe/intense/ sharp cold;* ~e pijnen *v. / acute/severe pains;* een ~e wind *a v. / heavy/ strong wind, a gale* **1.2** in een ~ gevecht gewikkeld *engaged in close/ violent combat;* onder ~ protest *under strong/vehement protest;* ~e uitvallen *violent outbursts;* zijn ~ste vijanden *his worst/mortal enemies* **3.1** ~er maken *intensify;* ~er worden *intensify* **6.1** in het ~ste van het gevecht *in the thick of the fight;* **op** zijn ~st *at its height/worst;*
II ⟨bw.⟩ **0.1** [in hoge mate] *violently* ⇒*fiercely, intensely, acutely, keenly* ◆ **2.1** hij was ~ verontwaardigd *he was highly indignant* **3.1** ~ bekritiseren *criticize strongly/vehemently/fiercely, pan;* ~ bloeden *bleed profusely/abundantly;* ~ lijden *suffer acutely/keenly, be on the racks;* zij snikte ~ *she sobbed loudly, she cried her eyes out;* ~ verlangen naar *yearn/ache for, crave, hunger/thirst after/for* ¶.1 ~ tekeer gaan *rage fiercely.*
hevigheid ⟨de (v.)⟩ **0.1** *violence* ⇒*vehemence, intensity, fierceness, acuteness* ◆ **1.1** de ~ van de koorts *the strength/intensity of the fever* **2.1** in alle ~ *with great violence/vehemence/intensity/fierceness* **6.1** de storm nam nog in ~ toe *the storm became more violent/raged more fiercely;* **in** ~ afnemen *abate;* de wind nam **in** ~ toe/af *the wind rose, the wind fell/abated;* **met** ~ viel hij mij aan *he tore/laid/ ↓lammmed into me.*
hexadecimaal ⟨bn.⟩ **0.1** *hexadecimal.*
hexagonaal ⟨bn.⟩⟨wisk.⟩ **0.1** *hexagonal* ◆ **1.1** ~ stelsel *h. system.*
hexagoon ⟨de (m.)⟩⟨wisk.⟩ **0.1** *hexagon.*
hexameron ⟨het⟩ **0.1** *hexa(h)emeron.*
hexameter ⟨de (m.)⟩⟨lit.⟩ **0.1** *hexameter.*
HH. ⟨afk.⟩ **0.1** [Heren] *Messrs.* **0.2** [Heiligen] *SS..*
H.H. ⟨afk.⟩ **0.1** [Hare Hoogheid] *H.H..*
h.i. ⟨afk.⟩ **0.1** [haars/huns inziens] ⟨*in her/their opinion*⟩.
hiaat
I ⟨het, de (m.)⟩ **0.1** [lacune] *gap* ⇒*hiatus, lacuna* ◆ **3.1** een ~ vullen *bridge/fill/stop a g.* **5.1** vol hiaten *lacunal* **6.1** een ~ in zijn kennis *a g. in one's knowledge;* een ~ in het handschrift *a lacuna in the manuscript;*
II ⟨de (m.)⟩ **0.1** [⟨taal.⟩] *hiatus.*
hibiscus ⟨de (m.)⟩ **0.1** *hibiscus, rose mallow* ⇒⟨althea⟩ *rose of Sharon, althaea.*
hidrotica ⟨zn.mv.⟩ **0.1** *hidrotics.*
hiel ⟨de (m.)⟩ **0.1** [deel van de voet] *heel* **0.2** [deel van een kous/ schoen] *heel* ◆ **2.1** schoenen met een open ~ *sling-backs, open-heeled shoes* **2.2** kousen met dubbele ~ *stockings with reinforced heels* **3.1** ⟨fig.⟩ zij had haar ~en nog niet gelicht of *...she had hardly turned her back when ..., no sooner had she turned her back than ...;* ⟨fig.⟩ de ~en lichten *take to one's heels;* ⟨fig.⟩ iemands ~en likken *lick s.o.'s boots, crawl to s.o., bootlick s.o., bow and scrape* **6.1** iem. **op** de ~ zitten *be on s.o.'s heels, breathe down s.o.'s neck;* ⟨aanzetten tot werk⟩ *keep after s.o.;* iem. **op** de ~en lopen *tread on s.o.'s heels, tail s.o.;* **op** de ~en gezeten door de politie, met de politie **op** zijn ~en *with the police hard/hot on one's trail, with the police close/hot on one's heels, with the police in hot pursuit;* de winnaar dicht **op** de ~en zitten *run the winner a close/good second, follow hard after the winner;* hij volgt haar overal **op** de ~en *he pursues her wherever she goes, he dogs her steps;* hij, ge trapt constant **op** mijn ~en *goodness, you keep treading on my heels.*
hielband ⟨de (m.)⟩ **0.1** *heel-strap.*
hielbeen ⟨het⟩⟨med.⟩ **0.1** *heel-bone* ⇒*calcaneum.*
hielenlikker ⟨de (m.)⟩, **-ster** ⟨de (v.)⟩ **0.1** *bootlick(er)* ⇒*toady, spaniel, ↑sycophant.*
hielprik ⟨de (m.)⟩ **0.1** *heel prick* ⇒*PKU test.*
hielstuk ⟨het⟩ **0.1** *heelpiece* ⇒*stiffener, quarter.*
hiep ⟨tw.⟩ **0.1** *hip* ◆ **3.1** laten we even ~, ~, hoera roepen voor de jarige *let's have three cheers for/give three times three to the birthday boy/ girl* ¶.1 ~, ~, ~, hoera! *h., h., hurray!;* ~ hoi! *whoopee!.*
hier ⟨bw.⟩ **0.1** [op deze plaats] *here* **0.2** [op de plaats waar de spreker zich bevindt] *here* **0.3** [aanwijzend] *here* **0.4** [hierheen] *here* **0.5** ⟨als voornaamwoordelijk bijwoord⟩ *this* ◆ **1.2** dit meisje ~, de mensen ~, deze ~ *this (↓h.) girl, this girl h., these people h., this one* **1.3** ~ de VPRO *this is the V.P.R.O.* **3.1** ~ is het gebeurd *it happened h., this is where it happened, it's h. where it happened;* hij is ~ ⟨gek⟩ *he's not all there;* ⟨achterbaks⟩ *he's a sly dog;* ~ staat dat *...it says h. that ...;* wie woont ~? *who lives h.?* **3.2** ik ben ~

nieuw ⟨op kantoor, in het dorp⟩ *I'm new to the job/the place/h.;* ik blijf ~ *I'm staying h.;* wat/wie hebben we ~! *Hello, hello, hello!, what have we h., look who's h.;* je kunt ~/van ~ om twee uur vertrekken *you can leave h. at two o'clock;* dat ik je ~ tegen het lijf loop *that I should bump into you h. / in this place! imagine bumping into you h. / in this place;* ⟨fig.⟩ ~ zweeg de spreker stil *h. the speaker paused* **3.3** ik heb ~ iets speciaals *I have sth. special h.;* ~ is de krant *h.'s the newspaper;* ~ is je vader, ~ heb je vader ⟨aan de telefoon⟩ *h.'s Father;* ~, pak aan *h., take it* **3.4** breng dat boek even ~ *just bring that book over h.;* kom eens ~! *come h.!* **3.5** ~ zit kopij in *this will make good copy* **5.1** ~ achter langs *round the back h.;* ~ schuin tegenover *diagonally opposite to h.* **5.2** ~ beneden ⟨in this world⟩; ~ en daar *h. and there, in places/spots;* ~ of daar vinden wij wel wat *we'll find sth. somewhere or other;* met ~ en daar een bui *with showers in places, with scattered showers;* ⟨in een bastaardvloek⟩ wel ~ en ginder! *well I'll be hanged;* ~ en hiernamaals *now and in the hereafter, in this world and the next* **5.5** ~ moet je het mee doen *you'll have to make do with t.* **6.1** ~ toe ⟨en niet verder⟩ *up to h. (and no further);* het zit me **tot** ~ *I'm fed up with it* **6.2** hij is niet **van** ~ *he isn't from these parts, he's not a native/local;* **van** ~ **naar/tot** Londen, van Londen **naar** ~ *from h. to/from this h/ up to London, down from London* ¶.2 ⟨fig.⟩ dat doet ~ niets ter zake *that is neither h. nor there, that is beside the point;* ~ te lande *over h., (h.) in this country;* ~ in de buurt *round h., nearby, in the neighbourhood* ¶.3 ~! *h. (you are)!* ¶.4 ~! *come h..*
hieraan ⟨bw.⟩ **0.1** *to this* ⇒*at/on/by/from this* ◆ **3.1** ~ is niets gelegen *this is of no consequence;* ~ valt niet te twijfelen *there is no doubt about this.*
hierachter ⟨bw.⟩ **0.1** *behind this* ⇒⟨tijd⟩ *after this,* ⟨in boek;schr.⟩ *here(in)after* ◆ **3.1** ~ ligt een grote tuin *there is a large garden at the back/ out back/in back;* ⟨fig.⟩ wat steekt ~ *what is behind this?.*
hiërarch ⟨de (m.)⟩ **0.1** *hierarch.*
hiërarchie ⟨de (v.)⟩ **0.1** [van waardigheidsbekleders] *hierarchy* **0.2** [in volgorde van belangrijkheid] *hierarchy* ◆ **6.2** een ~ in de argumenten *a h. in the arguments.*
hiërarchisch ⟨bn., bw.;-ly⟩ **0.1** *hierarchic(al)* ◆ **1.1** een ~e structuur/ reeks *a h. structure/series;* langs ~e weg iets verzoeken *petition for sth. through h. channels.*
hierbeneden ⟨bw.⟩ **0.1** *down here* ⇒⟨op aarde⟩ *(here) below* ◆ **3.1** ~ is de kelder *down here is the cellar, the cellar is downstairs.*
hierbij ⟨bw.⟩ **0.1** *at this* ⇒*with this,* ⟨in brief⟩ *herewith, hereby* ⟨verklaren⟩ ◆ **3.1** ~ bericht ik u, dat *...I herewith inform you that ...;* ~ komt nog dat hij *...moreover, he ...; in addition (to this), he ...; besides, he ...;* ik zal het ~ laten *I will leave it at this;* ~ treft u aan *herewith/enclosed/attached you will find;* ~ verklaar ik de Spelen voor geopend *I hereby declare the Games opened;* ~ wilde ik u vragen of *...I am writing to ask you if ....*
hierbinnen ⟨bw.⟩ **0.1** *in here* ⇒*inside, within.*
hierboven ⟨bw.⟩ **0.1** [boven deze plaats] *up here* ⇒*overhead,* ⟨verwijzing in tekst⟩ *above, aforesaid* **0.2** [in de hemel] *on high* ◆ **1.1** de Heer ~ *the One above/on high* **1.3** zoals ~ vermeld *as mentioned above;* ~ woont een officier *an officer lives upstairs;* zie ~ *see above* **3.2** zij is nu bij de engelen ~ *she is with the angels on high now.*
hierbuiten ⟨bw.⟩ **0.1** *outside* ◆ **3.1** hou je ~ *keep out of this;* ~ kan hij niet *he can't do without this.*
hierdoor ⟨bw.⟩ **0.1** [door deze zaak] *through here* ⇒*through this* **0.2** [dientengevolge] *because of this* ⇒*owing to this, due to this* ◆ **3.1** ~ loopt een buisje *a tube goes/runs through this;* dat wil hij ~ bereiken *that is what he wants to achieve by this/doing so* **3.2** ~ werd ik opgehouden *I was being held up/owing/due to this.*
hierheen ⟨bw.⟩ **0.1** *(over) here* ⇒*this way,* ⟨schr.⟩ *hither* ◆ **1.1** op de weg ~ *on the way here* **3.1** ik ga ~ *I'm going here;* dan kom ik direkt weer ~ *then I'll come right back (here);* hij, kan je even ~ komen *hey, could you come over here (a minute)?;* hij kwam helemaal ~ om een radio te kopen *he came all this way to buy a radio* **5.1** ~, graag *(step) this way please* ¶.1 ~! *come here!.*
hierin ⟨bw.⟩ **0.1** *in here* ⇒*within,* ⟨niet plaatsbepaling⟩ *in this,* ⟨schr.⟩ *herein* ◆ **3.1** ⟨fig.⟩ ~ kan ik niet met u meegaan *I cannot go along with you in this;* ~ kun je alles vinden *you can find everything in here;* de namen ~ vermeld *the names stated within, the names mentioned herein* ¶.1 ⟨fig.⟩ ~ heeft zij gelijk *he is right about this.*
hierlangs ⟨bw.⟩ **0.1** *past here* ⇒*along/by here* ◆ **3.1** zij komt alle dagen ~ *she passes this way/along here every day.*
hiermee ⟨bw.⟩ **0.1** *with this* ⇒*by this,* ⟨in brief⟩ *herewith,* ⟨bijgesloten⟩ *enclosed* ◆ **1.1** in verband ~ *in this connection* **3.1** ~ delen wij u mee dat *...we herewith inform you that ...;* wat moet ik ~ doen? *what am I to do with this;* ~ is de zaak voldoende toegelicht *with this the matter has been sufficiently explained;* wat suggereert u ~? *what are you suggesting with this?.*
hierna ⟨bw.⟩ **0.1** [tijd] *after this* ⇒⟨schr.⟩ *hereafter* **0.2** [plaats] *below* ⇒ ⟨vnl. jur.⟩ *hereinafter* ◆ **1.1** de dag ~ *the day after (this)* **3.1** ~ werden wij thuisgebracht *after this we were taken home* **3.2** van Dale Lexicografie BV, ~ te noemen 'de uitgever' *Van Dale Lexicography B.V., hereinafter called 'the publisher';* in de ~ opgesomde gevallen *in the undermentioned cases.*

hiernaast ⟨bw.⟩ **0.1** ⟨mbt. woning⟩ *next door* ⇒⟨anders⟩ *alongside* ◆ **1.1** de illustratie op de bladzijde ~ *the illustration opposite / on the facing page;* de grafiek ~ *the diagram alongside* **3.1** ~ hebben ze ook kleurentelevisie *the next-door neighbours also have colour television;* hij woont ~ *he lives next door* **6.1** de buurman **van** ~ *the next-door neighbour, the man next door.*

hiernamaals ⟨het⟩ **0.1** *hereafter* ⇒*next world, life to come, (great) beyond, future life* ◆ **3.1** niet in het ~ geloven *not believe in the h. / next world.*

hiëroglief ⟨de⟩ **0.1** [⟨gesch.⟩] *hieroglyph* ⇒⟨mv. ook⟩ *hierglyphics* **0.2** [⟨mv.⟩ onleesbaar schrift] *hieroglyph* ⇒⟨mv. ook⟩ *hierglyphics.*

hiëroglifisch ⟨bn., bw.; -(al)ly⟩ **0.1** [in hiërogliefen] *hieroglyphic(al)* **0.2** [onleesbaar] *hieroglyphic(al)* ◆ **1.1** ~ schrift *hieroglyph(ic)s.*

hierom ⟨bw.⟩ **0.1** [om deze zaak] *(a)round this* **0.2** [om deze reden] *because of this* ⇒*for this reason* ◆ **3.1** dat ringetje moet ~ *that ring belongs around this* **3.2** ~ blijf ik thuis *for this reason I'm staying home, this is why I'm staying home* **5.2** ~ en daarom *for several reasons.*

hieromheen ⟨bw.⟩ **0.1** *(a)round this* ◆ **3.1** ~ loopt een gracht *a canal runs all around here.*

hieromtrent ⟨bw.⟩ **0.1** [hier in de buurt] *around here* ⇒*hereabouts* **0.2** [omtrent deze zaak] *about this* ⇒*with regard to / concerning this, on this subject* ◆ **3.1** hij moet ~ wonen *he must live somewhere hereabouts / around here* **3.2** kunt u mij ~ inlichten? *can you inform me about this matter?.*

hieronder ⟨bw.⟩ **0.1** [onder deze plaats] *under here* ⇒*underneath, below* **0.2** [verderop] *below* ⇒⟨onderaan bladzijde; vero.⟩ *at foot* **0.3** [onder het genoemde] *by this* **0.4** [zich erbij bevindend] *among these* ◆ **1.2** de ~ genoemde *the undermentioned / undernamed;* zie de toelichting ~ *see explanation below* **3.1** ~ zijn de kelders *under here / below / downstairs are the cellars* **3.2** zoals ~ aangegeven *as stated b.;* wij zullen ~ nog op deze kwestie ingaan *we will go into this matter later on* **3.3** ~ versta ik ... *by this I understand* **3.4** ~ zijn veel personen van naam *among these are many people of note.*

hierop ⟨bw.⟩ **0.1** [op de genoemde zaak] *(up)on this* **0.2** [op deze zaak] *(up)on this* **0.3** [hierna] *after this* ⇒*then,* ⟨schr.⟩ *hereupon* ◆ **1.2** met het oog ~ *with a view to this* **3.1** ~ stond een kruis *on this stood a cross* **3.2** het komt ~ neer *it comes / boils down to this;* ~ verlaat ik mij *in this I put my trust; I rely / depend on this* **3.3** ~ kwamen wij in een bos *after this we arrived in a forest.*

hierover ⟨bw.⟩ **0.1** [over het genoemde] *over this* **0.2** [aangaande het genoemde] *about this* ⇒*regarding this, on this* ◆ **3.2** ~ zullen wij u z.s.m. informeren *we shall inform you hereof at the earliest possible date;* ik zal ~ maar zwijgen *I will not speak of / about this* **7.2** genoeg ~ *enough about this / on this matter.*

hiertegen ⟨bw.⟩ **0.1** *against this* ◆ **3.1** ik wil mij ~ niet verzetten *I do not want to resist / oppose this, I do not want to offer resistance to this.*

hiertegenover ⟨bw.⟩ **0.1** [tegenover deze plaats] *opposite* ⇒⟨gebouw ook⟩ *across the street, over the way* **0.2** [tegenover deze zaak] *against this* ◆ **1.1** de huizen ~ *the houses o. / facing us / across the road* **3.1** ~ is de vismarkt *across the street / over the way is the fish-market;* hij woont ~ *he lives across the street / o. / over the way* **3.2** ~ staat, dat ... *on the other hand, ...*

hiertoe ⟨bw.⟩ **0.1** [tot deze plaats] *(up to) here* **0.2** [tot het genoemde] *to this* ⇒*for this* **0.3** [voor dit doel] *for this purpose* ⇒*to this end* ◆ **3.2** ~ had hij geen moed *he didn't have / lacked the courage for this / to do this;* wat heeft u ~ gebracht? *what made you do this?* **6.1** tot ~ en niet verder *this / thus far and no further, up to here and no further, this is where I / we draw the line;* **tot** ~ *so far, up to / till now, thus far.*

hiertussen ⟨bw.⟩ **0.1** *(in) between* ⇒*between these,* ⟨hieronder⟩ *among these* ◆ **2.1** ~ raakte hij bekneld *he got stuck in between* **3.1** ~ bevond zich ook zijn rijbewijs *his driving licence* ^*driver's license was also among these.*

hieruit ⟨bw.⟩ **0.1** [uit deze plaats] *out of here* **0.2** [uit het genoemde] *from this* ◆ **3.2** ~ volgt, dat ... *it follows (from this) that ..., from this we can deduce / conclude that ...* **6.1** van ~ vertrekken *depart from here* ¶.2 ik kan ~ niet wijs worden *I can't make head or tail / make sense of this.*

hiervan ⟨bw.⟩ **0.1** *of this* ◆ **3.1** ~ ben ik overspannen geraakt *this is what caused my breakdown;* ik weet niet wat ik ~ denken moet *I don't know what to think of this.*

hiervandaan ⟨bw.⟩ **0.1** *from here* ⇒*away* ◆ **1.1** het is tien minuten ~ *it's ten minutes from here* **3.1** ~ naar Arnhem is het vijftien kilometer *Arnhem is fifteen kilometres from here / away.*

hiervoor ⟨bw.⟩ **0.1** [vóór het genoemde] *in front (of this)* ⇒*before this* (tijd; fig.) **0.2** [voor / wat betreft het genoemde] *of this* **0.3** [tot dit doel] *for this purpose* ⇒*to this end* **0.4** [in ruil voor het genoemde] *(in exchange / return) for this* ◆ **1.1** het ~ gestelde *the above* **3.2** ~ is geen equivalent *there is no equivalent for this;* ~ behoeft u niet te vrezen *you needn't fear this / be afraid of this* **3.3** ~ is het noodzakelijk dat ... *for this purpose / for this to happen it is necessary that ...* **3.4** (in ruil) ~ krijg je heel wat *you get quite a bit in return for this.*

hierzo ⟨bw.⟩ ⟨inf.⟩ **0.1** *here.*

hierzonder ⟨bw.⟩ **0.1** *without this.*

hieuwen ⟨ov.ww.⟩ **0.1** *heave* ◆ **1.1** het anker ~ *h. the / weigh anchor.*

hi-fi ⟨bn.⟩ **0.1** *hi-fi* ⇒*high fidelity.*

hi-fi-installatie ⟨de (v.)⟩ **0.1** *hi-fi (set).*

high ⟨bn.⟩ **0.1** *high (on)* ⇒*stoned / hyped up / spaced out / goofed (on),* ⟨AE ook⟩ *potted (on)* ◆ **3.1** hier word je hartstikke ~ van *this really blows your mind.*

hij[1] ⟨de (m.)⟩ **0.1** *he* ◆ **3.1** het is een ~ *it's a h..*

hij[2] ⟨pers.vnw.⟩ **0.1** *he* ⇒⟨op voorwerp slaand⟩ *it* ◆ **3.1** iedereen is trots op het werk dat ~ zelf doet *everyone is proud of the work they do themselves;* ~ heeft het gedaan *he did it;* ~ is het *it's him;* ⟨schr.⟩ *it is he;* kijk, daar is ~ *look, there he is / it's him;* ~ staat scheef, die toren *it's leaning, that tower is* **4.1** ~ daar *him over there;* ~ die ... *he who ...* **8.1** net als ~ *just like him;* ik kan beter koken dan ~ *I can cook better than he can / it.* ⟨inf.⟩ *than him.*

hijgen ⟨onov.ww.⟩ **0.1** [hoorbaar ademhalen] *pant* ⇒*gasp, wheeze,* ⟨spottend⟩ *puff, blow* **0.2** [mbt. een machine] *pant* ⇒*puff, blow* **0.3** [⟨schr., met 'naar'⟩ sterk verlangen] *yearn (for)* ⇒*long / thirst (for)* ⟨inf.⟩ *pant / gasp (for)* ◆ **1.1** zijn borst hijgde *his chest heaved* **3.1** zij kwam ~ d aangelopen *she came panting / puffing along;* puffend en ~ d *puffing and blowing / panting, heaving and groaning;* ~ d een paar woorden uitbrengen *pant / gasp out a few words* **6.1** hij hijgde van vermoeidheid *he gasped / panted with exhaustion* **8.1** ~ als een (post)paard *wheeze like a grampus.*

hijger ⟨de (m.)⟩ **0.1** *heavy breather* ◆ **3.1** ik had weer een ~ vandaag *I had another obscene phone-call today.*

hijgerig
I ⟨bn.⟩ **0.1** [buiten adem] *panting* ⇒*puffing, wheezing, blowing, gasping* **0.2** [opgewonden] *breathless* **0.3** [kortademig] *wheezy* ◆ **1.2** een ~ stemgeluid *a panting / gasping voice;* een ~ e stijl *a staccato style;*
II ⟨bw.⟩ **0.1** [met onderbrekingen door hijgen] *in gasps* ◆ **3.1** ~ praten *speak in gasps.*

hijglijn ⟨de⟩ **0.1** *dial-a-heavy-breath.*

hijs ⟨de (m.)⟩ **0.1** [handeling] *hoist(ing)* ⇒*heave, haul* **0.2** [hoeveelheid] *hoist* ⇒*haul* **0.3** [werktuig] *hoist* ⇒*lift, lifting tackle* **0.4** [oplawaai] *whack* ◆ **2.1** (fig.) 't is een hele ~ *it's quite a haul, it's a tough job* **3.4** iem. een ~ geven ⟨sl.⟩ *conk s.o. one, whack s.o..*

hijsbalk ⟨de (m.)⟩ **0.1** ≠*hoisting hook.*

hijsblok ⟨het⟩ **0.1** *pulley block.*

hijsbok ⟨de (m.)⟩ **0.1** *gin* ⇒*lifting tackle, shears.*

hijscapaciteit →hijsvermogen.

hijsen
I ⟨ov.ww.⟩ **0.1** [naarboven trekken] *hoist* ⇒*lift, haul, heave* **0.2** [met moeite naar boven brengen] *haul* ⇒*heave* ◆ **1.1** het anker ~ *heave the / weigh anchor;* een kist naar boven ~ ⟨beneden staand⟩ *hoist up a crate; haul up a crate* ⟨boven staand⟩; de vlag (in top) ~ *hoist / run up / put up the flag (to the top);* de zeilen ~ *hoist the sails, set / hoist sail* **6.2** ⟨fig.⟩ iem. **in** een jas ~ *help s.o. into his coat;* zich **uit** een stoel ~ *heave / haul o.s. out of a chair;*
II ⟨onov., ov.ww.⟩ **0.1** [(veel) drinken] *booze* ⇒*soak, tank, crook one's little finger* ◆ **1.1** bier ~ *guzzle / swill beer, get tanked up on beer* **5.1** stevig ~ *have a booze-up.*

hijskraan ⟨de⟩ **0.1** *(hoisting-)crane* ⇒⟨gebruikt op / in schepen / dok / mijn⟩ *shears, shearlegs.*

hijslier ⟨de⟩ **0.1** *(hoisting-)winch.*

hijstalie ⟨de (v.)⟩ **0.1** *whip (hoist).*

hijstoestel ⟨het⟩ **0.1** *hoist* ⇒*lift, derrick, hoisting / lifting apparatus, shears.*

hijsvermogen ⟨het⟩ **0.1** *lifting capacity.*

hijsvloer ⟨de (m.)⟩ **0.1** *hoist platform.*

hijswerktuig ⟨het⟩ **0.1** *hoist* ⇒*hoisting apparatus, lift, lifting tackle.*

H-ijzer ⟨het⟩ **0.1** *H-iron, H-beam.*

hik ⟨de (m.)⟩ **0.1** [samentrekking v.h. middenrif] *hiccup* **0.2** [reeks daarvan] *hiccups* ◆ **3.2** ik heb de ~ *I've got the h.;* krijg de ~! *get lost!;* ⟨vnl. AE; sl.⟩ *nuts to you.*

hikken ⟨onov.ww.⟩ **0.1** [hikkend geluid maken] *hiccup* **0.2** [de hik hebben] *hiccup* ◆ **3.1** ik moet telkens ~ *I keep hiccupping* **6.¶** ⟨inf.⟩ **tegen** iets aan ~ *ba(u)lk / jib / boggle at sth..*

hikkerig ⟨bn.⟩ **0.1** *hiccuppy* ◆ **1.1** met ~ e stem *with a h. voice.*

hilariteit ⟨de (v.)⟩ **0.1** *hilarity* ⇒*amusement, mirth, merriment, laughter* ◆ **2.1** onder algemene ~ *amidst general h.;* tot grote ~ v.h. publiek *to the great amusement / much to the amusement of the audience* **3.1** ⟨grote⟩ ~ veroorzaken *create / cause (great) amusement, cause / provoke (great) h. / merriment / mirth.*

Himalaya ⟨de (v.)⟩ **0.1** *(the) Himalayas.*

hinde ⟨de (v.)⟩ **0.1** *hind* ⇒⟨damhert⟩ *doe.*

hindekalf ⟨het⟩ **0.1** *fawn.*

hinder ⟨de (m.)⟩ **0.1** *nuisance* ⇒*bother, trouble,* ⟨belemmering⟩ *hindrance, obstacle* ◆ **3.1** het verkeer ondervindt veel ~ van de sneeuw *traffic is severely disrupted by the snow;* zij ondervond ~ van haar voeten *she was troubled by her feet, her feet troubled her;* hij ondervond ~ van luidruchtige buren *he was bothered / annoyed by noisy neighbours.*

hinderen ⟨onov., ov.ww.⟩ **0.1** [belemmeren in de bewegingsvrijheid]

impede ⇒*hamper, hinder, obstruct* **0.2** [bezwaarlijk zijn] *matter* **0.3** [beperken] *impede* ⇒*hamper, hinder* **0.4** [storen] *bother* ⇒*interfere with, interrupt* **0.5** [dwarszitten, irriteren] *bother* ⇒*annoy*, ⟨bezorgd maken⟩ *trouble, worry, distress* ◆ **1.1** ⟨sport⟩ de tegenstander opzettelijk ~ *obstruct one's opponent;* dat obstakel hindert het verkeer *that obstacle impedes traffic/is an impediment to traffic* **1.4** het gepraat hindert de zieke *this talking is trying to/a strain on the patient* **1.5** de lage zon hindert de automobilisten *the low sun is a nuisance to motorists;* allerlei dingen ~ hem *there are all sorts of things bothering/worrying him, he's got all sorts of things on his mind* **3.2** dat mag niet ~ *no matter, never mind* **4.2** wat hindert dat nu? *what's the odds?, what does that m.?* **4.4** hindert het u als ik rook? *do you mind if I smoke?* **5.1** ik hinder jullie toch niet *I'm not in your way, am I?* **5.4** hij hindert me niet *I don't mind him* **6.1** zijn lange jas hinderde hem **bij** het lopen *his long coat hampered him as he walked* **6.4** iem. ~ **bij/in** zijn werk *hinder s.o. in one's work.*

hinderlaag ⟨de⟩ **0.1** *ambush* ⇒⟨fig. ook⟩ *trap, noose, snare* ◆ **3.1** (iem.) een ~ leggen *ambush s.o., lay snares/an a. for s.o.* **6.1** de vijand in een ~ lokken *ambush* ᴬ*bushwack the enemy; lure the enemy into an a.;* in een ~ vallen *fall into/walk into/enter an a., be caught in a., be ambushed;* **in** (een) ~ liggen, zich **in** ~ leggen *lie/wait in a., lie in wait, ambush, ambuscade;* **(van)uit** een ~ aanvallen *ambush, ambuscade, attack from (an)/by a.,* ᴬ*bushwack;* **vanuit** een ~ schieten (op) *snipe (at), fire from a. (at).*

hinderlijk
I ⟨bn.⟩ **0.1** [irritant] *annoying* ⇒*irritating, bothersome, irksome* **0.2** [storend] *objectionable* ⇒*disturbing* **0.3** [onbehaaglijk] *unpleasant* ⇒ *disagreeable* **0.4** [belemmerend] *inconvenient* ⇒*impeding, hampering* ◆ **1.1** zijn gedrag is ~ ⟨ook⟩ *he is a nuisance, he makes a nuisance of himself;* hij heeft de ~e gewoonte om ... *he has an a./a nasty trick of* ... **1.3** de warmte is niet ~ *the heat is not u./disagreeable* ⟨sterker⟩ *oppressive* **1.4** een ~ obstakel *an obstacle, an impediment, a hindrance* **5.2** het geluid is niet ~ (voor anderen) *the noise is not disturbing (to others)* **6.4** die bepaling is ~ **voor** de handel *that regulation is an impediment/an obstacle/a hindrance to trade;*
II ⟨bw.⟩ **0.1** [ergerlijk] *annoyingly* ⇒*blatantly* ◆ **3.1** ⟨fig.⟩ iem. ~ volgen *keep close tabs on s.o., watch s.o.'s every step, watchdog s.o..*

hindernis ⟨de (v.)⟩ **0.1** *obstacle* ⇒*barrier, bar,* ⟨fig. ook⟩ *hindrance, impediment* ◆ **2.1** de enige ~ die hen scheidt *the only barrier between them* **3.1** een ~ nemen *take/negotiate an o.* ⟨ook fig.⟩; *take/leap a fence/hurdle* **6.1** een wedren **met** ~sen *an o./a hurdle race, a steeplechase/hurdles* ⟨fig.⟩ een reis **met** ~sen *an eventful journey;* een wedren **zonder** ~sen *a flat race* ¶**.1** ⟨fig.⟩ ~sen uit de weg ruimen *clear away/remove obstacles.*

hindernisbaan ⟨de⟩ **0.1** [⟨sport⟩] *obstacle course, steeple chase course/track* **0.2** [⟨mil.⟩] *assault course.*

hindernisloop ⟨de (m.)⟩⟨sport⟩ **0.1** *steeplechase* ⇒⟨mbt. paarden ook⟩ *obstacle/hurdle race.*

hinderpaal ⟨de (m.)⟩ **0.1** *obstacle* ⇒*impediment, barrier, bar, obstruction* ◆ **3.1** een ~ vormen voor ...*be/form/constitute a stumbling block/an obstacle/a barrier/an impediment to* ... ¶**.1** iem. een ~ in de weg leggen *place/throw an obstacle/an obstruction in s.o.'s way.*

hinderwet ⟨de⟩ **0.1** *Nuisance Act.*
Hindi ⟨het⟩ **0.1** *Hindi.*
Hindoe ⟨de (m.)⟩ **0.1** *Hindu.*
hindoeïsme ⟨het⟩ **0.1** *Hinduism.*
Hindoestaan ⟨de (m.)⟩, **-staanse** ⟨de (v.)⟩ **0.1** *Hindu(stani).*
hinkelbaan, hink(e)baan ⟨de⟩ **0.1** *hopscotch diagram.*
hinkelblokje ⟨het⟩ **0.1** *hopscotch stone.*
hinkel(d)epink →**hinkepink.**
hinkelen ⟨onov.ww.⟩ **0.1** *hop* ⇒⟨op hinkelbaan⟩ *play hopscotch.*
hinkelspel ⟨het⟩ **0.1** *hopscotch.*
hinken ⟨onov.ww.⟩⟨→sprw. 69,448,487⟩ **0.1** [mank lopen] *limp* ⇒*have a limp, walk with a limp, hobble, be lame* **0.2** [hinkelen] *hop* ◆ **4.1** ⟨fig.⟩ dat hinkt *that's a lame story, there's a catch to it* **6.1** hij hinkt **aan** één kant *he has a limp, he has a game leg, he is lame;* ⟨fig.⟩ **op** twee gedachten ~ *be in two minds about sth..*
hinkepink ⟨de (m.)⟩ →**hinkepoot.**
hinkepinken ⟨onov.ww.⟩ **0.1** *dot and carry (one)* ⇒*walk cloppety-clop.*
hinkepoot ⟨de (m.)⟩⟨pej.⟩ **0.1** *hobbler* ⇒*dot and carry one,* ⟨AE; inf.⟩ *gimp.*
hinkperk ⟨het⟩ →**hinkelbaan.**
hinkspel ⟨het⟩ **0.1** *hopscotch.*
hinkstapspringer ⟨de (m.)⟩ **0.1** *triple jumper.*
hink-stap-sprong ⟨de (m.)⟩ **0.1** *triple jump* ⇒*hop, step and jump.*
hinkvers ⟨het⟩⟨lit.⟩ **0.1** *choliambus* ⇒*scazon.*
hinniken ⟨onov.ww.⟩ **0.1** [mbt. paarden] *neigh* ⇒*whinny,* ⟨zacht⟩ *snicker* **0.2** [lachen] *give a horse laugh.*
hint ⟨de (m.)⟩ **0.1** *hint* ⇒*clue, cue, tip(-off), pointer* ◆ **2.1** een goeie ~ *a good tip* **3.1** (iem.) een ~ geven *drop a h., clue (s.o.) in, tip (s.o.) off/ the wink;* een ~ krijgen *receive a h./clue/tip(-off)/pointer, be tipped (off), be clued in.*
hinten ⟨ov.ww.⟩ **0.1** *hint (at)* ⇒*drop a hint.*

hip ⟨bn., bw.⟩ **0.1** *hip* ⇒*trendy, nifty, snazzy* ◆ **1.1** ~pe kleren *trendy/ ultrofashionable clothes;* een ~pe vogel *a trendy/swinger;* het ~pe volkje *the in-crowd* **3.1** ~ zijn *be trendy.*
hippel ⟨de (m.)⟩ **0.1** *punch.*
hippelen ⟨onov.ww.⟩ **0.1** *hop.*
hippen ⟨onov.ww.⟩ **0.1** *hop.*
hippiatrie ⟨de (v.)⟩⟨med.⟩ **0.1** *hippiatrico.*
hippie ⟨de⟩ **0.1** *hippie* ⇒*flower child.*
hippisch ⟨bn.⟩ **0.1** *equestrian* ◆ **1.1** ~e sport *equitation.*
hippocratisch ⟨bn.⟩ **0.1** *Hippocratic* ◆ **1.1** de ~e eed *the H. oath* **1.¶** ~ gezicht *H. facies.*
hippodroom ⟨het, de⟩ **0.1** *hippodrome.*
hispanisme ⟨het⟩ **0.1** *hispanicism.*
hispanoloog ⟨de (m.)⟩, **-loge** ⟨de (v.)⟩ **0.1** *hispanicist* ⇒*Spanish scholar.*
histamine ⟨de (med.)⟩ **0.1** *histamine.*
histodiagnose ⟨de (v.)⟩ **0.1** *histological diagnosis.*
histogram ⟨het⟩ **0.1** *histogram.*
histoire bataille ⟨de (v.)⟩ **0.1** *war history.*
histologie ⟨de (v.)⟩ **0.1** *histology.*
histologisch ⟨bn.⟩ **0.1** *histological.*
histopathologie ⟨de (v.)⟩ **0.1** *histopathology.*
historiciteit ⟨de (v.)⟩ **0.1** *historicity.*
historicus ⟨de (m.)⟩, **-ca** ⟨de (v.)⟩ **0.1** [geschiedkundige] *historian* **0.2** [student] *historian* ⇒*student of history.*
historie ⟨de (v.)⟩ **0.1** [verleden] *history* **0.2** [geschiedverhaal] *history* **0.3** [verhaal] *story* ⇒*anecdote* **0.4** [affaire] *affair* ⇒*business* ◆ **1.3** de ~ van Reintje de Vos *the s./fable of Reynard the Fox* **2.1** de vaderlandse ~ *national h.* **2.3** een vermakelijke ~ *an amusing s./anecdote* **2.4** het is een rare ~ *it is a strange a./business* **2.¶** natuurlijke ~ *natural history* **3.1** die zaak behoort al lang tot de ~ *that matter is (past/ancient) h./dead and burried now* **3.2** de ~ gewaagt van h. *makes mention of* **3.3** dat vermeldt de ~ niet *(that) the s. does not tell.*
historiebeeld ⟨het⟩ **0.1** *historical view.*
historieprent ⟨de⟩ **0.1** *historical print.*
historieschilder ⟨de (m.)⟩ **0.1** *historical painter.*
historiestuk ⟨het⟩ **0.1** [schilderij] *historical painting* ⇒*historical piece/picture* **0.2** [toneelstuk] *historical play* ⇒*historical piece, history (play).*
historietje ⟨het⟩ **0.1** *story* ⇒*anecdote, tale* ◆ **2.1** een aardig ~ *a nice little s./anecdote/tale.*
historiograaf ⟨de (m.)⟩, **-grafe** ⟨de (v.)⟩ **0.1** *historiographer* ⇒*historian.*
historiografie ⟨de (v.)⟩ **0.1** *historiography.*
historiografisch ⟨bn.⟩ **0.1** *historiographic(al).*
historiologie ⟨de (v.)⟩ **0.1** *historiology.*
historisch
I ⟨bn.⟩ **0.1** [van ~e betekenis] *historic* **0.2** [met geschiedkundige achtergrond] *historical* ⇒*period* ⟨toneelstuk, kleding⟩ **0.3** [werkelijk gebeurd] *historical* ⇒*true* ◆ **1.1** wij beleven een ~ moment *we are witnessing a h. moment;* een ~e plaats *a h. place/spot* **1.2** een ~ monument *an ancient monument;* een ~e optocht *a (h.) pageant;* een ~e roman *a h. novel* **1.¶** ~e infinitief *historic infinitive;* ~e taalkunde *historical linguistics* **3.3** dat is ~ *that's a h. fact/a fact of history/a true story;*
II ⟨bn., bw.; -ly⟩ **0.1** [mbt. opeenvolging in de tijd] *historical* **0.2** [mbt. de bestudering van de geschiedenis] *historical* ◆ **1.1** de ~e methode *the h. method;* de ~e ontwikkeling *the h. development, the development in time;* de ~e school *the h. school* **1.2** het Historisch Genootschap *the Historical Society;* ~ onderzoek *h. investigation(s)/research/studies* **3.1** dit is ~ gegroeid *that is a result of h. factors* **3.2** iets ~ bewijzen *prove sth. by means of h. research.*
historiseren ⟨ov.ww.⟩ **0.1** *historicize.*
historisme ⟨het⟩ **0.1** [wereldbeschouwing] *historicism* ⇒*historism* **0.2** [geschiedbeschouwing] *historicism* ⇒*historism.*
historistisch ⟨bn., bw.; -ally⟩ **0.1** *historicistic.*
histrionisch ⟨bn.⟩ **0.1** *histrionic.*
hit
I ⟨de (m.)⟩ **0.1** [⟨muz.⟩ tophit] *hit (record)* **0.2** [paard] *cob* ⇒⟨i.h.b.⟩ *(Shetland) pony, Sheltie* ◆ **3.1** een ~ hebben (met het nummer 'Relax') *score/have a (big) h. (with the song 'Relax');*
II ⟨de (v.)⟩ **0.1** [dienstmeisje] *skivvy* ⇒*slavey.*
hitgevoelig ⟨bn.⟩ **0.1** *with hit potential* ◆ **1.1** een ~ nummer *a potential/potentially a hit (record).*
hitlergroet ⟨de (m.)⟩ **0.1** *Hitler/Nazi salute.*
hitleriaans ⟨bn.⟩ **0.1** *Hitlerite* ⇒*Hitlerist.*
hitlijst ⟨de⟩ **0.1** *chart(s), hit parade.*
hitparade ⟨de (v.)⟩ **0.1** *hit parade* ⇒*charts* ◆ **6.1** nummer één **op** de ~ *number one in the charts/the top 40/50 (enz.)/* ⟨USA ook⟩ *the (all American) hot one hundred/hot 100.*
hitsig ⟨bn., bw.⟩ **0.1** [vurig] *hot-blooded* **0.2** [geil] *hot* ⇒⟨mensen ook⟩ *randy,* ⟨vnl. AE; sl.⟩ *horny* ◆ **1.1** ~ bloed hebben *be h.-b.* **3.1** ~ van aard zijn *have a (quick) temper.*
hitte ⟨de (v.)⟩ **0.1** [sterke warmte] *heat* **0.2** [⟨fig.⟩] *heat* ◆ **2.1** door te grote ~ verschroeit het vlees *if the h. is too high, the meat will burn;*

een moordende/gloeiende/drukkende ~ *(a) murderous h., (a) burning/boiling h., (an) oppressive/(a) stifling h.;* een ondraaglijke ~ *(an) unbearable/intolerable h.* **6.1** door de ~ bevangen *overcome by the h.;* zweten/barsten van de ~ *be sweltering* **6.2** in de ~ van de strijd *in the h. of battle/*⟨fig. ook⟩ *of the moment.*

hittebarrière ⟨de⟩ **0.1** *heat barrier* ⇒*thermal barrier.*

hitteberoerte ⟨de (v.)⟩ **0.1** *heatstroke.*

hittebestendig ⟨bn.⟩ **0.1** *heatresistant* ⇒*heat-proof.*

hittebestendigheid ⟨de (v.)⟩ **0.1** *heat resistance.*

hitteblaar ⟨de⟩ **0.1** *heat rash/spot.*

hittedraadmeter ⟨de (m.)⟩ **0.1** *hot wire ammeter.*

hittegolf ⟨de⟩ **0.1** *heat wave* ◆ **6.1** tijdens de ~ van vorige zomer *during last summer's h. w./the h. w. of last summer.*

hittepuistjes ⟨zn.mv.⟩ **0.1** *heat spots/pimples.*

hitteschild ⟨het⟩ **0.1** *heat shield* ⇒*ablation shield.*

hittestraling ⟨de (v.)⟩ **0.1** *heat radiation.*

Hittiet ⟨de (m.)⟩ **0.1** *Hittite.*

Hittitisch ⟨bn.⟩ **0.1** *Hittite.*

H.K.H. ⟨afk.⟩ **0.1** [Hare Koninklijke Hoogheid] *H.R.H..*

hl ⟨afk.⟩ **0.1** [hectoliter] *hl.*

HLS ⟨de⟩ ⟨afk.⟩ **0.1** [Hogere Landbouwschool] ⟨≠*Higher Agricultural College*⟩.

hm¹ ⟨afk.⟩ **0.1** [hectometer] *hm.*

hm² ⟨tw.⟩ **0.1** *h'm* ⇒*hmm, huh, ahem.*

H.M. ⟨afk.⟩ **0.1** [Hare Majesteit] *H.M..*

HNO ⟨het⟩ ⟨afk.⟩ **0.1** [Huishoud- en Nijverheidsonderwijs] ⟨*domestic science education*⟩.

ho ⟨tw.⟩ **0.1** [om te laten ophouden] *stop* ⇒⟨bij inschenken⟩ *enough,* ⟨tegen paard⟩ *whoa* **0.2** [terechtwijzing] *tut* ⇒*now* ◆ **3.1** ⟨inf.⟩ zeg maar '~' say when **5.1** ~ maar! *forget it!, hold it, (now) just a minute;* het ene feestje/meisje na het andere, maar werken~ maar *one party/girl after another, but when it comes to doing some work, forget it!/nothing doing!* **9.1** ~ nou! *s.!, hold your horses!* ¶ **.2** ~, ~! nu overdrijf je *tut-tut! now you're overdoing it/exaggerating;* ~ een beetje *(go/take it) easy!.*

H.O. ⟨het⟩ **0.1** [Hoger Onderwijs] ⟨*Higher Education*⟩.

hobbel ⟨de (m.)⟩ **0.1** *bump* ◆ **3.1** ⟨inf.;fig.⟩ er moet nog één~ genomen worden *there's just one more hurdle ahead* **5.1** de weg is hier vol ~s *the road is full of bumps/is very bumpy here;* vol ~s en bobbels *all bumpy.*

hobbelachtig ⟨bn.⟩ **0.1** *bumpy* ⇒*uneven.*

hobbeldebobbel ⟨bw.⟩ ⟨inf.⟩ **0.1** *bumpety-bump* ◆ **3.1** de weg gaat daar van ~ *the road is all bumpy there.*

hobbelen ⟨onov.ww.⟩ **0.1** [schuddend voortgaan] *bump* ⇒*jolt, lurch* **0.2** [schommelend/schuddend op en neer gaan] ⟨schommelend⟩ *rock;* ⟨schuddend⟩ *bump/bounce up and down* **0.3** [hobbelig zijn] *be bumpy* ⇒*be rough/uneven* ◆ **1.3** de weg hobbelt hier nogal *the road is rather bumpy here* **6.1** het beestje hobbelde achter ons aan *the creature lurched along/came trailing (along) behind us;* over een weg/over de keien~ *b./jolt along the road/cobblestones* **6.2** ~ op een hobbelpaard *ride (on) a rocking horse.*

hobbelig ⟨bn.⟩ **0.1** *bumpy* ⇒*rough, uneven, irregular* ◆ **1.1** ~ijs *hummocky ice;* een ~e weg *a b. road.*

hobbelpaard ⟨het⟩ **0.1** *rocking horse* ◆ **6.1** mag ik op het ~? *can I ride (on) the r. h.?;* op een ~ zitten/rijden *ride (on) a r. h..*

hobbelweg ⟨de (m.)⟩ **0.1** *bumpy road.*

hobbezak ⟨de (m.)⟩ **0.1** [kledingstuk]⟨jurk, jas⟩ *sack;* ⟨broek⟩ *baggy pants* **0.2** [persoon]⟨een te ruime broek dragend⟩ *baggy pants* ⇒ ⟨mbt. vrouw⟩ *frump.*

hobbezakk(er)ig ⟨bn.⟩ **0.1** ⟨te wijd⟩ *baggy;* ⟨uit model⟩ *saggy* ⇒*shapeless.*

hobbyblad ⟨het⟩ **0.1** *hobby magazine.*

hobbyisme ⟨het⟩ **0.1** [het beoefenen van een hobby] *indulging in a hobby/leisure activities* **0.2** [amateurisme] *dilettantism, amateurism.*

hobbyist ⟨de (m.)⟩ **0.1** [knutselaar] *hobbyist* ⇒*amateur painter/carpenter* ⟨enz.⟩ **0.2** ⟨pej.⟩ *amateur* ⇒*dabbler.*

hobbyruimte ⟨de (v.)⟩ **0.1** *hobbyroom, workroom* ⇒*den,* ^*rumpus room.*

hobo ⟨de (m.)⟩ ⟨muz.⟩ **0.1** [blaasinstrument] *oboe* **0.2** [orgelregister] *oboe.*

hoboïst ⟨de (m.)⟩ **0.1** *oboist* ⇒ ⟨lid van orkest⟩ *oboe.*

hockey ⟨het⟩ **0.1** *hockey,* ^*field hockey.*

hockeybal ⟨de (m.)⟩ ⟨sport⟩ **0.1** *hockey ball.*

hockeyclub ⟨de⟩ ⟨sport⟩ **0.1** *hockey club* ⇒ ⟨AE vnl.⟩ *field hockey club.*

hockey-elftal ⟨het⟩ ⟨sport⟩ **0.1** *hockey team* ⇒ ⟨AE vnl.⟩ *field hockey club.*

hockeyen ⟨onov.ww.⟩ **0.1** *play hockey/*^*field hockey.*

hockeyer ⟨de (m.)⟩, -ster ⟨de (v.)⟩ **0.1** *hockey player.*

hocus-pocus ⟨het, de (m.)⟩ **0.1** [toverformule] *hocus-pocus* ⇒*abracadabra, hey presto* **0.2** [tovenarij] *hocus-pocus* ⇒*jiggery-pokery,* ⟨geheimzinnig gepraat⟩ *mumbo jumbo* ◆ **2.2** er komt allerlei ~ bij te pas *it involves a lot of h.-p./mumbo jumbo* ¶**.1** ~! en de zakdoek was weg *hey presto!/abracadabra! the handkerchief was gone!;* ~ (pilatus) pas *abracadabra-hey presto!.*

---

hodeldebodel →**hoteldebotel.**

hodometer ⟨de (m.)⟩ **0.1** *odometer.*

hoe ⟨bw.⟩ **0.1** [op welke wijze] *how* **0.2** [waarom] *how* **0.3** [hoedanig] *how* **0.4** [welk(e)] *what* **0.5** [met welke naam] *what* **0.6** [⟨als voegw. bw.⟩] *how* **0.7** [in welke graad/mate] *how* **0.8** [waardoor] *how* ◆ **2.7** je kunt wel nagaan ~ blij zij was *you can imagine h. happy she was;* ~ eerder ~ liever/beter *the sooner the better;* ze weet niet ~ gelukkig ze is *she doesn't know when she's well off/h. lucky she is;* ~ laat is het ? *what time is it?;* het gaat ~ langer ~ beter *it is getting better and better;* ~ oud ben jij? *h. old are you?;* ~ ouder ze wordt, des te minder ziet ze /~ minder ze ziet *the older she gets, the less she sees;* ~ ver bent u? *h. are you getting on?* **3.1** ~ fietst zij naar school? *what road does she take to school?;* ~ gaat het ermee? *h. are you?, h. are/'s things?, h. are things going?;* hij wist niet ~ hij het had *he didn't know what had come over him/what to think;* ik zal u zeggen ~ u handelen moet *I will tell you what to do;* ~ is het (toch/in hemelsnaam) mogelijk? *well I never!, strike me pink!, well I'll be blowed!, how on earth!;* ~ kan ik u genoeg danken? *h. can I thank you enough?;* ~ maakt u het? *how do you do?;* ~ moet dat nu verder? *where do we go from here?;* ~ dat met jou moet, als het echt gevaarlijk wordt ... *what is to become of you when things get really dangerous ...* **3.2** ~ kom je erbij? *h. can you think such a thing?, the idea!, what makes you think so/that?;* ~ kun je dat van mij denken? *h. can you think such a thing of me?* **3.3** ~ is het weer? *what is the weather like?;* ~ is de kamer? *h. do you like my room?;* ~ voelt het om 80 te worden? *what is it like/h. does it feel to be 80?* **3.4** ~ is uw naam? *w. is your name?;* ⟨telefonist⟩ *what name (shall I give)?* **3.5** ~ heet zij ook alweer? *w.'s her name?;* ~ noemen jullie de baby? *w. are you going to call the baby?* **3.6** hij vertelde, ~ zij één voor één te voorschijn kwamen *he related h. they came out one by one* **3.8** ik weet niet ~ komt *I don't know why (this is happening);* ~ komt het dat je zo laat bent? ⟨inf.⟩ *h. come you're so late?* **4.1** zij wil nu wel eens weten ~ of wat *she wants to know where she stands* **5.1** ~ dan ook *anyway, anyhow; no matter h.,* ⟨op welke wijze ook⟩ *by hook or by crook;* ⟨wat er ook gebeurt⟩ *no matter what;* ~ het ook zij *be that as it may, in any event/case;* ~ je het ook bekijkt *whichever way you look at it* **5.2** ~ zo?, ~ dat zo? *h./why so?, h./what do you mean?, why do you ask?* **5.5** kunst, kitsch of ~ je het ook maar noemen wilt *art, kitsch, or whatever you want to call it* **5.7** ~ dikwijls heb ik je dat nu al gezegd? *h. many times have I told you that?;* ~ jammer *what a shame/pity;* ~ lang is hij hier al? *h. long/since when has he been here?;* het wordt ~ langer ~ moeilijker *it's becoming/getting increasingly difficult;* ~ik ook probeer, het lukt niet *no matter h. I try, it won't work;* ~ vreemd het ook lijkt, ~ duur het ook is *strange as it may seem, expensive though it is;* ~ graag hij ook was gegaan *much as he would have liked to come* **7.1** het ~ en waarom de *the why and wherefore, the h. and why;* het ~ en het wat *what's what, the ins and the outs* **7.4** je weet niet ~ 'n pijn dat doet *you have no idea how that hurts/w. pain I suffer* **8.1** niet meer weten ~ of wat *not know which way to turn* **8.**¶ zij danste, en ~! *she danced, and how!, she danced all right* **9.4** ⟨schr.⟩ ~ nu? *how now?.*

hoed ⟨de (m.)⟩ ⟨→sprw. 280⟩ **0.1** [hoofddeksel] *hat* **0.2** [wat op een hoed lijkt] *cap* ⟨van paddestoel, orgelpijp⟩ ⇒*button* ⟨van champignon⟩ ◆ **1.1** ⟨fig.⟩ van de ~ en de rand weten *know what's what* **2.1** een breedgerande ~ *a broad-/wide-brimmed h.;* een hoge ~ *a top h.;* ⟨inf.⟩ *a topper;* een lichte/fluwelen ~ *a summer/velours h.;* een strooien/slappe ~ *a straw h./a slouch/squash h.* **3.1** de ~ afnemen *raise/lift/take off/doff one's h.;* zijn ~ afzetten *take one's h. off, remove one's h., bare one's head;* ze heeft een rare ~ op *she is wearing a funny h., she has a funny h. on;* zijn ~ opzetten/ophouden *put on/keep on one's h.;* zijn ~ staat op halfzeven *his h. is on crooked;* de ~ diep in de ogen zetten *pull one's h. down over one's eyes* **5.1** ⟨fig.⟩ ~ af voor dit besluit *hats off to this decision* **6.1** met de ~ in de hand *h./* ⟨fig.⟩ *cap in hand;* met een (hoge) ~ op *wearing a (top) h.;* ⟨fig.⟩ iets uit zijn ~ toveren *conjure sth. out of a h.;* je kwam hier zonder ~ *you came here without a h./hatless, you weren't wearing a h. when you came here.*

hoedanig ⟨vr.vnw.⟩ ⟨schr.⟩ **0.1** ⟨ongemarkeerd⟩ *how* ⇒ ⟨ongemarkeerd⟩ *what ... like* ◆ **3.1** ~ was zijn voorkomen? *h. was his appearance?, what was his appearance like?.*

hoedanigheid ⟨de (v.)⟩ **0.1** [aard] *quality* **0.2** [functie] *capacity* **0.3** [eigenschap] *quality* ⇒*trait* ◆ **2.3** hij heeft vele goede hoedanigheden *he has many good points/qualities* **4.1** deze stoffen zijn van dezelfde ~ *these materials are of the same q.* **6.2** in de ~ van getuige *in one's c. as/in the c. of witness.*

hoede ⟨de⟩ **0.1** [bescherming] *care* ⇒*protection,* ⟨voogdij⟩ *custody, charge,* ⟨mbt. zaak⟩ *(safe) keeping* **0.2** [behoedzaamheid] *guard* ◆ **3.1** aan iemands ~ toevertrouwd(e) persoon/zaak/vermogen ⟨persoon⟩ *charge;* ⟨zaak, vermogen⟩ *trust;* ik vertrouw haar aan jouw ~ toe *I place her in your care/charge/custody/under your protection/charge* **6.1** iem. onder zijn ~ nemen *take charge of s.o., take a person under one's care/protection/wing;* ik heb het kind onder mijn ~ *the child is in my care, I am in charge of the child, the child is in my charge/custody* **6.2** wees op uw ~ *beware, be careful, watch out, be on your g.;* op zijn ~ (voor), **op** zijn ~ zijn (voor) *be on the alert (for) / on one's g. (against) / wary (of) / watchful (against), keep a weather eye open (for), beware (of);* niet **op** zijn ~ (zijn) *(be) off one's g.;* **op** zijn ~ blijven *keep one's g. up, remain on one's g..*

hoededoos ⟨de⟩ **0.1** *hatbox* ⇒⟨dames ook⟩ *bandbox.*

hoedelint ⟨het⟩ **0.1** *hatband.*

hoeden
I ⟨ov.ww.⟩ **0.1** [(vee) bewaken] *tend* ⇒*keep watch over, look after* ◆ **1.1** een kudde ~ *t. a herd* ⟨vee⟩; *t. a flock* ⟨schapen, ganzen⟩; schapen / vee / ganzen ~ *t. / keep watch over / look after sheep / cattle / geese;* **II** ⟨wk.ww.; zich ~⟩ **0.1** [(met 'voor') zich in acht nemen] *guard (against)* ⇒*beware (of), be on one's guard (against)* ◆ **5.1** zich ervoor ~ te laat te beginnen *be careful not to begin late* **6.1** hoedt u **voor** te grote uitvoerigheid *beware of going into too much detail;* hoedt u **voor** de hond *beware of the dog.*

hoedenatelier ⟨het⟩ **0.1** *hatter's shop* ⇒⟨dameshoeden ook⟩ *milliner's shop.*

hoedenmaker ⟨de (m.)⟩, **-maakster** ⟨de (v.)⟩ **0.1** *hatter* ⇒⟨dameshoeden ook⟩ *milliner.*

hoedenplank ⟨de⟩ **0.1** *shelf* ⇒⟨auto⟩ *parcel / back shelf.*

hoedenvilt ⟨het⟩ **0.1** *hat felt.*

hoedenwinkel ⟨de (m.)⟩ **0.1** *hat / hatter's shop* ⇒⟨dameshoeden ook⟩ *milliner's (shop).*

hoedepen ⟨de⟩ →**hoedespeld.**

hoeder ⟨de (m.)⟩, **hoedster** ⟨de (v.)⟩ **0.1** [bewaker ⟨meestal in samenst.⟩] *herd* **0.2** [bescherm(st)er] *guardian* ⇒*keeper* ◆ **1.1** ganzenhoeder *gooseherd;* schapenhoeder *shepherd;* zwijnenhoeder *swineherd* **1.2** ben ik mijns broeders ~? *am I my brother's keeper?.*

hoedespeld ⟨de⟩ **0.1** *h.pin.*

hoedevorm ⟨de (m.)⟩ **0.1** *(hat) block.*

hoedje ⟨het⟩ **0.1** *(little) hat* ⇒*kiss-me-quick* ◆ **3.¶** zich een ~ lachen *die / split one's sides laughing, laugh one's head off;* zich een ~ schrikken *jump out of one's skin, be frightened to death / out of one's wits* **6.1** ⟨fig.⟩ **onder** één ~ spelen (met) *be in league! (vnl. AE) cahoots (with), be / work hand in glove (with);* ⟨fig.⟩ **onder** een ~ te vangen zijn *be subdued / like a lamb.*

hoedkwal ⟨de⟩ **0.1** *chrysaora.*

hoedslak ⟨de⟩ **0.1** *limpet.*

hoedslang ⟨de⟩ **0.1** *(hooded / spectacled / Indian) cobra.*

hoef ⟨de (m.)⟩ **0.1** [hoornschoen] *hoof* ⇒⟨dierk.⟩ *ungula* **0.2** [hoefijzer] *horseshoe* **0.3** [hoefmagneet] *horseshoe magnet* **0.4** [plant] ⟨→**hoefblad**⟩ ◆ **2.1** gespleten en ongespleten hoeven *cloven and solid hoofs;* met gespleten hoeven *cloven-hoofed / -footed;* een platte / een weke ~ *a flat / soft h..*

hoefachtig ⟨bn.⟩ **0.1** *hooflike* ◆ **1.1** ~e dieren *hoofed animals;* [†]*ungulates.*

hoefbeen ⟨het⟩ ⟨biol.⟩ **0.1** *coffin bone.*

hoefbeslag ⟨het⟩ **0.1** [het beslaan] *horse-shoeing, farriery* **0.2** [ijzeren beslag] *horseshoes.*

hoefblad ⟨het⟩ **0.1** ⟨groot⟩ *butterbur;* ⟨klein⟩ *coltsfoot.*

hoefdieren ⟨zn.mv.⟩ **0.1** *hoofed animals* ⇒ [†]*ungulates.*

hoefgangers ⟨de⟩ **0.1** [†]*unguligrades.*

hoefgetrappel ⟨het⟩ **0.1** *pounding* / ⟨op harde grond⟩ *clatter of hoofs, hoofbeat(s)* ◆ **3.1** in de verte hoorde men ~ *there was the distant sound of horses;* ik hoorde ~ *I heard the sound of hoofs.*

hoefhamer ⟨de (m.)⟩ **0.1** *shoeing hammer.*

hoefijzer ⟨het⟩ **0.1** [gebogen ijzeren reep] *(horse)shoe* ⇒⟨rondom gesloten⟩ *bar shoe,* ⟨open⟩ *plate* **0.2** [iets met de vorm van een hoefijzer] *horseshoe* ◆ **1.1** ⟨sport⟩ het werpen van ~s *throwing the h.* **3.1** van ~s ontdoen *unshoe,* een ~ verliezen *cast / throw / lose a shoe* **6.1** zonder ~s *unshod, barefoot(ed)* **¶.1** ~s brengen geluk *horseshoes bring (good) luck.*

hoefijzernier ⟨de⟩ ⟨med.⟩ **0.1** *horseshoe kidney.*

hoefijzervormig ⟨bn.⟩ **0.1** *horseshoe(-shaped).*

hoefkanker ⟨de (m.)⟩ ⟨med.⟩ **0.1** *(foot) canker.*

hoefkrabber ⟨de (m.)⟩ **0.1** *hoof-pick.*

hoefkruid →**hoefblad.**

hoefmagneet ⟨de (m.)⟩ **0.1** *horseshoe magnet.*

hoefmes ⟨het⟩ **0.1** *hoof-paring knife* ⇒*farrier's knife.*

hoefnagel ⟨de (m.)⟩ **0.1** *horseshoe nail* ⇒⟨ijsnagel⟩ *rough.*

hoefslag ⟨de (m.)⟩ **0.1** [slag(en) met de hoef] *hoofbeat* **0.2** [geluid] *hoofbeat* **0.3** [spoor] *(horse)track.*

hoefsmederij ⟨de (v.)⟩ **0.1** [bedrijf] *farriery, blacksmithing* **0.2** [werkplaats] *smithy, (shoeing-)forge.*

hoefsmid ⟨de (m.)⟩ **0.1** *farrier* ⇒*blacksmith, shoeing-smith, shoer,* ⟨mbt. renpaarden ook⟩ *plater.*

hoefspoor ⟨het⟩ **0.1** *hoofprint.*

hoefstal ⟨de (m.)⟩ **0.1** *stocks, trave.*

hoefstempel ⟨de (m.)⟩ **0.1** *farrier's punch.*

hoeftang ⟨de⟩ **0.1** *(farrier's) tongs* ⇒*pincers.*

hoefzool ⟨de⟩ **0.1** *hoof cushion.*

hoegenaamd ⟨bw.⟩ **0.1** [in welk opzicht ook, nagenoeg, vrijwel, helemaal volstrekt] *at all, absolutely, completely* **0.2** [⟨met 'niet' of 'geen'⟩

---

niet noemenswaardig, nauwelijks] *hardly, scarcely* ◆ **4.1** er is ~ niets van waar *it is absolutely / completely untrue, it is not true at all* **4.2** er was ~ niemand *there was h. anybody;* er is ~ niets van waar *there is h. a word of truth / any truth in it* **5.1** zij is ~ niet verlegen *she isn't at all shy / shy at all / in the least shy* **5.2** zij is ~ niet verlegen *she is h. shy at all* **7.1** hij heeft ~ alle boeken van Vestdijk gelezen *he has read every (single) one of Vestdijk's books;* er is ~ geen twijfel *there is no doubt whatsoever, there's no question of doubt, there's not the slightest (shadow of a) doubt* **7.2** er is ~ geen twijfel *there's h. any doubt.*

hoegrootheid ⟨de (v.)⟩ **0.1** *quantity, amount.*

hoek ⟨de (m.)⟩ ⟨→sprw. 281⟩ **0.1** [⟨wisk.⟩] *angle* **0.2** [deel v.e. ruimte / vertrek] *corner* **0.3** [⟨hand.⟩] *pit* **0.4** [verborgen plaats] *nook* ⟨→ook hoekje⟩ **0.5** [windstreek] *quarter* ⇒*point of the compass* **0.6** [uitstekende puntige zijde / kant] *corner* ⟨van tafel, oog, mond, straat, enz.⟩ **0.7** [landtong, kaap] *point, head* ⇒*cape* **0.8** [(afgescheiden) stuk (grond)] *corner* **0.9** [⟨bokssport⟩] *corner* **0.10** [⟨hengelsport⟩] *(fish-)hook* ◆ **1.1** ~ van inval / uitval *a. of incidence / reflection* **1.2** iem. alle ~en van de kamer laten zien ⟨fig.⟩ *beat s.o. up* **1.7** Hoek (van Holland) *the Hook (of Holland)* **2.1** ⟨fig.⟩ iets vanuit de juiste / verkeerde / een andere ~ bekijken *look at / view sth. in its / the right / in its / the wrong / from a different perspective;* in een rechte ~ *at a right a., at* 90°; een scherpe / een stompe ~ *an acute / obtuse a.;* een uitspringende / inspringende ~ *salient / re-entrant a.* **2.2** een verloren ~ *a useless bit of / wasted space* **2.4** een gunstige ~ *a vantage point;* de stille / de drukke ~ *the quiet / lively groups* **2.5** de wind zat in de goede / verkeerde ~ *the wind was in the right / wrong q.* **2.6** met afgeronde ~en *with rounded corners* **2.9** linkse / rechtse ~ *op de kaak left / right h. to the jaw* **2.¶** dode ~ *blind spot* **3.6** de ~ omslaan *turn the c.* **5.6** daar komt hij net de ~ (van de straat) om *he's just coming round the c.* **6.1** met een ~ ~ ...-*angled; die lijnen snijden elkaar* **onder** een ~ van 45° *those lines meet at an a. of 45°* **6.2** zich niet **in** een ~ laten drukken *not let o.s. be cornered / driven / forced into a c. / be put upon / pushed around;* iem. **in** een ~ duwen ⟨fig.⟩ *push s.o. aside, put s.o. in the shade, give s.o. the brush-off / a back seat;* **in** de ~ staan / zetten *stand / put in the c.* **6.3** de ~ **in** olievaarden verwerven *corner the oil market* **6.4** hij woont al tien jaar **in** die ~ *he has lived over there / over that way for ten years now;* zij zochten **in** alle ~en / **in** alle ~jes en gaatjes *they searched (in) every n. and cranny;* flink / aardig / raak uit de ~ komen *come up with a good / nice / telling remark, (can) be very witty* **6.5** hij zit **in** de ~ waar de slagen vallen ⟨fig.⟩ *he's having a hard time of it;* **uit** welke ~ van het land komt hij? *which part of the country / whereabouts does he come from?;* ⟨fig.⟩ nu weet je **uit** wat voor ~ de wind waait *now I know how / which way the wind's blowing / how things stand;* ⟨fig.⟩ kijken **uit** welke ~ de wind waait *see how the wind blows / lies;* ⟨fig.⟩ **uit** die ~ valt niets te verwachten *nothing can be expected from that q.;* **uit** / **naar** alle ~en van de aarde *from / to every corner / all the four corners of the world* **6.6** met ~en en kanten *rough and ready;* (vlak) **om** de ~ (van de straat) *(just) round / around the c.;* ⟨fig.⟩ daarbij komen allerlei problemen **om** de ~ kijken *all kinds of problems are involved with that;* het vijfde huis **om** de ~ *the fifth house from the c.;* dat kom je niet **op** elke ~ van een straat tegen *you don't see that every day (of the week);* **op** de ~ (van de straat) *at / on the c. of the street;* de bakker / winkel / het café **op** de ~ *the baker's / shop / pub on the c.* **6.7 om** de ~ zeilen *sail round the cape / head.*

hoekbal ⟨de (m.)⟩ ⟨sport⟩ **0.1** *corner.*

hoekbalk ⟨de (m.)⟩ **0.1** *corner post* ⇒*hip / angle rafter.*

hoekbank ⟨de⟩ **0.1** *corner seat.*

hoekbeschermer ⟨de (m.)⟩ **0.1** ⟨bij stukadoorswerk⟩ *angle staff / shaft, angle / corner bead* ⟨rond⟩; ⟨verpakking⟩ *corner (piece).*

hoekbeslag ⟨het⟩ **0.1** *corner(s), corner piece(s).*

hoekboor ⟨de⟩ **0.1** *corner brace, gear frame brace.*

hoekboot →**hoeker.**

hoekbuffet ⟨het⟩ **0.1** *corner sideboard.*

hoekdeel ⟨het⟩ ⟨muz.⟩ **0.1** *outer movement* ⟨meestal mv.⟩.

hoekdeellijn ⟨de⟩ ⟨wisk.⟩ **0.1** *bisector.*

hoekdek ⟨het⟩ **0.1** *angled flight deck.*

hoeker ⟨de (m.)⟩ ⟨scheep.⟩ **0.1** *hooker.*

hoekerker ⟨de (m.)⟩ **0.1** *corner bay window* ⇒*corner oriel (window).*

hoekfrequentie ⟨de (v.)⟩ ⟨nat.⟩ **0.1** *angular frequency.*

hoekgraad ⟨de (m.)⟩ ⟨wisk.⟩ **0.1** *degree (of angle).*

hoekhaard ⟨de (m.)⟩ **0.1** [haard in een hoek] *corner fireplace* **0.2** [aan een zijkant open haard] *corner fireplace.*

hoekhuis ⟨het⟩ **0.1** *c. house* ⟨op hoek van een straat⟩; *end house* ⟨van een huizenrij⟩.

hoekig ⟨bn., bw.; -ly⟩ **0.1** [met veel / scherpe hoeken] *angular* ⇒⟨mbt. gezicht⟩ *craggy, rugged,* ⟨mbt. rotsen enz.⟩ *jagged,* ⟨mbt. karakter / persoonlijkheid⟩ *difficult, awkward* ⇒ [stuntelig] *awkward* ◆ **1.1** een ~ gelaat *a sharp-featured / hatchet face* **3.1** ⟨fig.⟩ hij is nogal ~ *he is rather stiff / awkward, he's hard going;* ~ worden / maken *become / make jagged / rough* **3.2** zij schaatst ~ *she skates awkwardly, she's all arms and legs (on ice).*

hoekigheid ⟨de (v.)⟩ **0.1** *angularity.*

hoekijzer ⟨het⟩ **0.1** [gegoten ijzer] *angle iron* **0.2** [ter versterking van hoekverbindingen] *(right) angle bracket / plate.*

hoekje ⟨het⟩ ⟨→sprw. 469⟩ **0.1** [deel van ruimte/vertrek] *corner* **0.2** [plekje] *nook* **0.3** [van tafel/straat e.d.] *corner* **0.4** [afgebroken/afgescheurd stukje] *chip* ⟨uit bord/steen e.d.⟩; *scrap* ⟨papier⟩ ◆ **2.2** een rustig/gezellig ~ *a quiet/cosy n./corner* **3.3** ⟨fig.⟩ ik zou wel eens om het~ willen kijken *I'd like to have a peep/be a fly on the wall* **3.¶** het ~ omgaan *kick the bucket, peg/conk out, snuff it, pop off, be a goner;* we zijn het ~(te) boven *we have turned the corner, we are out of the wood, we've had the worst of it* **6.2** het ~ bij de haard *the chimney-corner/inglenook/fireside;* **in** een ~ met een boekje *snuggled up with a book* **¶.4** een bord waar een~uit is *a chipped plate.*

hoekkamer ⟨de⟩ **0.1** *corner room.*

hoekkast ⟨de⟩ **0.1** *corner cupboard* ⇒ ⟨kabinet⟩ *corner cabinet.*

hoekkeper ⟨de (m.)⟩ ⟨bouwk.⟩ **0.1** *hip/angle rafter, angle ridge.*

hoeklijn ⟨de⟩ ⟨wisk.⟩ **0.1** *diagonal.*

hoekman ⟨de (m.)⟩ ⟨geldw.⟩ **0.1** *(stock)jobber* ◆ **6.1** de ~ voor KLM-aandelen *the jobber for KLM shares.*

hoekmeetinstrument ⟨het⟩ **0.1** *angle measuring instrument* ⟨alg.; specifiek →hoekmeter 0.2⟩.

hoekmeter ⟨de (m.)⟩ **0.1** [gradenboog] *protractor* **0.2** [⟨landmeetk.⟩] ⟨astrolabium⟩ *astrolabe;* ⟨goniometer⟩ *goniometer;* ⟨sextant⟩ *sextant;* ⟨kwadrant⟩ *quadrant;* ⟨theodoliet⟩ *theodolite* **0.3** [⟨tech.⟩] *honing guide, sharpening jig* ◆ **2.2** tweebenige ~ *sector.*

hoekmeting ⟨de (v.)⟩ **0.1** [goniometrie] *goniometry* **0.2** [toepassing, handeling] *goniometry.*

hoekmuur ⟨de (m.)⟩ **0.1** [muur in/op een hoek] *corner wall, return wall* **0.2** [grote hoeksteen] *(bridgehead) fortification wall.*

hoeknaad ⟨de (m.)⟩ **0.1** *angle weld/fillet.*

hoekknippel ⟨de (m.)⟩ ⟨tech.⟩ **0.1** *swivel/elbow nipple.*

hoekpaal ⟨de (m.)⟩ **0.1** *cornerpost.*

hoekpand ⟨het⟩ **0.1** *corner premises/property/building.*

hoekpilaar ⟨de (m.)⟩ **0.1** *corner pillar/column* ⇒ ⟨fig.⟩ *cornerstone, linchpin, keystone.*

hoekplaat ⟨de⟩ **0.1** *angle plate/strap.*

hoekplaats ⟨de⟩ **0.1** *corner seat.*

hoekpost ⟨de (m.)⟩ **0.1** *corner post.*

hoekprisma ⟨het⟩ **0.1** *90° prism.*

hoekprofiel ⟨het⟩ **0.1** *angle (cross-)section.*

hoekpunt ⟨het⟩ ⟨wisk.⟩ **0.1** *vertex* ⇒*angular point.*

hoeks ⟨bn., bw.⟩ **0.1** *corner, housed* ◆ **1.1** een ~e verbinding *a c./h. point* **3.1** ~ op elkaar staan *be at right-angles* ⟨rechthoekig⟩ */splayed* ⟨niet rechthoekig⟩.

hoekschop ⟨de (m.)⟩ ⟨sport⟩ **0.1** *corner (kick).*

hoeksein ⟨het⟩ **0.1** *tail/rear light.*

hoeksgewijs ⟨bw.⟩ **0.1** *diagonally* ⇒*cornerwise, cornerways.*

hoekslag ⟨de (m.)⟩ ⟨sport⟩ **0.1** [mbt. boksen] *hook* **0.2** [mbt. hockey] *corner (hit)* ◆ **2.2** korte/lange ~ *short/long corner.*

hoeksnelheid ⟨de (v.)⟩ ⟨nat.⟩ **0.1** *angular velocity.*

hoeksofa ⟨de⟩ **0.1** *corner sofa/couch.*

hoekspar ⟨de⟩ ⟨bouwk.⟩ **0.1** *hip/angle rafter, angle ridge.*

hoekspiegel ⟨de (m.)⟩ **0.1** [spiegel in een hoek] *corner mirror* **0.2** [⟨mv.⟩ onder een hoek tegen elkaar sluitende spiegels] ≠*three-way mirror* **0.3** [⟨landmeetk.⟩] *surveyor's square.*

hoekstaal ⟨het⟩ **0.1** *angle steel.*

hoekstandig ⟨bn.⟩ ⟨plantk.⟩ **0.1** *axillary* ◆ **1.1** ~e bloemen *a. flowers.*

hoeksteek ⟨de (m.)⟩ ⟨textiel⟩ **0.1** *corner stitch.*

hoeksteen ⟨de (m.)⟩ **0.1** [steen op een hoek] *cornerstone* ⇒*headstone, keystone, quoin* **0.2** [⟨fig.⟩] *cornerstone* ⇒*keystone, mainstay, linchpin,* ⟨van persoon ook⟩ *pillar* ◆ **1.2** het gezin als de ~ van de maatschappij beschouwen *regard the family as the c.s./mainstay of society* **3.2** dat is een ~ om op te bouwen *that is a foundation on which to build.*

hoeksteun ⟨de (m.)⟩ **0.1** *angle/hanging bracket, corner bracket.*

hoekstijl ⟨de (m.)⟩ **0.1** *corner post.*

hoekstoot ⟨de (m.)⟩ ⟨sport⟩ **0.1** *hook* ◆ **3.1** een ~ geven *hook.*

hoektand ⟨de (m.)⟩ **0.1** *canine (tooth), eyetooth, dogtooth* ⇒ ⟨laniary, fang* ⟨van hond/wolf/slang⟩, *tusk* ⟨van paard⟩.

hoektoren ⟨de (m.)⟩ **0.1** *corner tower* ⇒*corner turret* ⟨klein⟩.

hoektransporteur ⟨de (m.)⟩ **0.1** *bevel.*

hoekverbinding ⟨de (v.)⟩ **0.1** *corner joint.*

hoekversnelling ⟨de (v.)⟩ ⟨nat.⟩ **0.1** *angular acceleration.*

hoekvisserij ⟨de (v.)⟩ **0.1** *long-line fishing, longlining.*

hoekvlag ⟨de⟩ ⟨sport⟩ **0.1** *corner flag.*

hoekvormig ⟨bn.⟩ **0.1** *angular.*

hoekwant ⟨het⟩ **0.1** *long line.*

hoekwinkel ⟨de (m.)⟩ **0.1** *corner shop.*

hoekwoning ⟨de (v.)⟩ **0.1** *corner house* ⇒*end house (of a terrace), end-of-terrace.*

hoekworp ⟨de (m.)⟩ ⟨handbal, waterpolo⟩ **0.1** *corner (throw).*

hoekzak ⟨de (m.)⟩ ⟨sport⟩ **0.1** *corner pocket.*

hoela ⟨de (m.)⟩ **0.1** *hula(-hula)* ◆ **6.¶** ⟨inf.⟩ **aan** m'n ~! *not likely/on your life!, forget it!*

hoelahoep ⟨de (m.)⟩ **0.1** *hula-hoop.*

hoelameisje ⟨het⟩ **0.1** *hula(-hula) girl.*

hoelang ⟨bw.⟩ **0.1** *how long* ◆ **6.1** tot ~ blijft hij weg? *how long will he be away?;* **voor** ~ is hij de stad uit? *how long will he be away from town (for).*

hoe-langer-hoe-liever ⟨het⟩ ⟨inf.⟩ **0.1** ⟨porseleinbloempje⟩ *London pride* ⟨Saxifraga umbrosa⟩; ⟨bitterzoet⟩ *bittersweet, woody nightshade* ⟨Solanum dulcamara⟩.

hoempa(pa)orkest ⟨het⟩ **0.1** *German band.*

hoen ⟨het⟩ **0.1** [kip] *hen,* ^*chicken* ⇒⟨mv. ook⟩ *poultry, (domestic) fowl* **0.2** [⟨mv.⟩ familie] *fowl;* ⟨dierk.⟩ *phasianids* **0.3** [patrijs] *pheasant* ⇒ *partridge, fowl, game bird* ◆ **2.1** een jong~ *a young hen, a chicken; a pullet* ⟨vnl. beginnende legkip⟩ **2.2** het Numidische~ *guinea fowl.*

hoenderachtigen ⟨de (m.)⟩ ⟨dierk.⟩ **0.1** [Galliformes, *gallinaceous birds.*

hoenderbeet ⟨de (m.)⟩ **0.1** *henbit.*

hoenderei ⟨het⟩ **0.1** *hen's egg,* ^*chicken's egg.*

hoenderfokkerij ⟨de (v.)⟩ **0.1** *poultry farm* ⇒*hennery.*

hoenderhof ⟨de (m.)⟩ **0.1** *poultry/fowl yard* ⇒*hennery.*

hoenderhok ⟨het⟩ **0.1** *hencoop, henhouse,* ^*chicken coop* ⇒*poultry-house, hennery* ◆ **6.1** ⟨fig.⟩ een knuppel in het ~ gooien *put the cat among the pigeons, flutter the dovecot(e)s.*

hoendermarkt ⟨de⟩ **0.1** *poultry market.*

hoendermelk ⟨de⟩ **0.1** *eggnog/flip.*

hoendermelker ⟨de (m.)⟩, -**melkster** ⟨de (v.)⟩ **0.1** *poultry farmer.*

hoendermest ⟨de (m.)⟩ **0.1** ⟨uitwerpselen⟩ *poultry droppings;* ⟨als mest⟩ *poultry manure.*

hoenderpark ⟨het⟩ **0.1** *poultry farm.*

hoenderpest ⟨de (m.)⟩ **0.1** *fowl pest* ⇒*fowl plague, roup.*

hoenderrek ⟨het⟩ **0.1** *hen-roost,* ^*chicken-roost.*

hoentje ⟨het⟩ **0.1** [kleine kip] *chicken* ⇒⟨kuikentje⟩ *chick,* ⟨beginnende legkip⟩ *pullet* **0.2** [kleine patrijs] *chick(en)* ◆ **8.1** zo fris als een ~ *as fresh as a rose/daisy; as chirpy/lively as a cricket.*

hoep ⟨de (m.)⟩ **0.1** *hoop* ⇒⟨van vat ook⟩ *band.*

hoepel ⟨de (m.)⟩ **0.1** *hoop* ⇒*ring, curb,* ⟨om wagenwiel⟩ *tire* ◆ **3.1** door een brandende ~ springen *jump through a ring of fire/burning h.* **6.1** de ~s **rond** een vat *the hoops round a barrel* **8.1** zo krom als een~ *as bent as a corkscrew.*

hoepelbenen ⟨zn.mv.⟩ ⟨scherts.⟩ **0.1** *bandy/bow legs* ◆ **6.1** met ~ *bandy-/bow-legged.*

hoepelen ⟨onov.ww.⟩ **0.1** *play with a hoop* ⇒*trundle/bowl a hoop,* ⟨mbt. hoelahoep⟩ *hulahoop.*

hoep(el)maker ⟨de (m.)⟩ **0.1** *hooper* ⇒*cooper.*

hoep(el)makerij ⟨de (v.)⟩ **0.1** *cooperage.*

hoepelrok ⟨de (m.)⟩ **0.1** *hoop skirt* ⇒⟨crinoline⟩ *crinoline,* ⟨panier⟩ *pannier(ed) skirt,* ⟨hoepelpettycoat⟩ *hoop petticoat, farthingale.*

hoepelstok ⟨de (m.)⟩ **0.1** *hoopstick.*

hoephout ⟨het⟩ **0.1** *hooping wood* ⇒*hoop-ash.*

hoepla ⟨tw.⟩ **0.1** ⟨bij ongecontroleerde beweging, bv. val⟩ *whoops, oops(-a-daisy);* ⟨bij gecontroleerde beweging, bv. sprong⟩ *ups-a-daisy.*

hoepnet ⟨het⟩ **0.1** [⟨vis.⟩] *hoop-net* **0.2** [⟨jacht⟩] *hoop-net.*

hoepring ⟨de (m.)⟩ **0.1** *plain ring/band.*

hoepsa(sa) ⟨tw.⟩ **0.1** *ups-a-daisy.*

hoer ⟨de (v.)⟩ ⟨→sprw. 282⟩ **0.1** [prostituée] *whore* ⇒ [prostitute,* ⟨AE; sl.⟩ *hooker, hustler, tart* **0.2** [verachtelijk persoon] *whore, bitch, slut* ◆ **2.1** een goedkoop~tje *a cheap w./hooker/tart/floozie* **2.2** vuile ~! *dirty/filthy b./s.* **2.¶** ⟨bijb.⟩ de grote ~, de Whore of Babylon *the Whore of Babylon, the Scarlet Woman* **3.1** een ~tje regelen voor iem. *fix s.o. up (with a girl/tart/prostitute);* de ~ spelen, zich als een~ gedragen *act like a w./prostitute* **6.1** naar de ~ en lopen/gaan *go to/visit prostitutes, whore;* **voor** ~ zitten *be on the game, whore.*

hoera[1] ⟨het⟩ **0.1** *hurray, hooray, hurrah* ⇒*yippee* ◆ **2.1** een donderend ~ *a rousing cheer;* een driewerf ~ *three cheers (for)* **3.1** ~ roepen (voor) *(shout) hurray for, cheer.*

hoera[2] ⟨tw.⟩ **0.1** *hurray, hooray, hurrah* ◆ **6.1** ~ voor de revolutie/de koningin! *three cheers for/long live the revolution/the Queen!;* ⟨ook⟩ *up the revolution!* **¶.1** hiep, hiep, hiep, ~! *hip, hip hurray/hooray/hurrah!.*

hoeraatje ⟨het⟩ **0.1** *hurray, hooray, hoorah* ◆ **3.1** er ging een~ op *a cheer went up* **6.1** drie ~s voor de koningin *three cheers for the Queen.*

hoerachtig ⟨bn., bw.; -ly⟩ **0.1** *whorish* ⇒*sluttish, slatternly, trollopish* ◆ **3.1** zich ~ kleden *dress like a whore/tart/trollop/* ⟨AE ook⟩ *hooker.*

hoerageroep ⟨het⟩ **0.1** *cheers, hurrays, hoorays, hoorahs.*

hoerastemming ⟨de (v.)⟩ **0.1** *state of rejoicing/jubilation* ◆ **6.1** in een ~ verkeren *be over the moon/on top of the world.*

hoeratenen ⟨zn.mv.⟩ ⟨scherts.⟩ **0.1** *turned-up toes.*

hoereerder ⟨de (m.)⟩ ⟨schr.; bijb.⟩ **0.1** *whoremonger, whoremaster, fornicator.*

hoeren ⟨onov.ww.⟩ **0.1** *whore* ⇒ [fornicate, visit/go to prostitutes* ◆ **3.1** ~en snoeren *screw around, go on the razzle.*

hoerenbaas ⟨de (m.)⟩ **0.1** *pimp* ⇒⟨BE ook⟩ *ponce,* ⟨AE; sl.⟩ *mack,* ⟨sl. ook⟩ *fancy-man,* ⟨hoerenwaard⟩ *brothel-keeper.*

hoerenboel ⟨de (m.)⟩ **0.1** *filthy/dirty/disgusting mess/business.*

hoerendochter ⟨de (v.)⟩ **0.1** *bastard(daughter)* ⇒ [natural daughter.*

537

hoerenhuis ⟨het⟩ **0.1** *whorehouse* ⇒⟨vnl. AE ook⟩ *cathouse*, ⟨BE;sl.⟩ *knocking-shop*, ⟨vero. of scherts.⟩ *bawdyhouse*, [↑]*brothel*.
hoerenjager ⟨de (m.)⟩ **0.1** *whore-hopper*.
hoerenjong ⟨het⟩ **0.1** [oneerlijk/listig persoon] *bastard, son of a bitch* **0.2** [onwettig kind] *bastard* ⇒ [↑]*natural child* **0.3** [⟨druk.⟩] *widow*.
hoerenkast ⟨de⟩ **0.1** *whorehouse* ⇒⟨vnl. AE ook⟩ *cathouse*, ⟨BE;sl.⟩ *knocking-shop*, ⟨vero. of scherts.⟩ *bawdyhouse*.
hoerenkind ⟨het⟩ **0.1** [gemeen persoon] *bastard, son of a bitch* **0.2** [onwettig kind] *bastard* ⇒ [↑]*natural child* **0.3** [⟨druk.⟩] *widow*.
hoerenloon ⟨het⟩ **0.1** *dirty/shady money*.
hoerenloper ⟨de (m.)⟩ **0.1** *whore-hopper*.
hoerenmadam ⟨de (v.)⟩ **0.1** *madam(e)* ⇒⟨vero.⟩ *bawd*, ⟨AE;sl.⟩ *aunt*.
hoerenwaard ⟨de (m.)⟩, **-in** ⟨de (v.)⟩ **0.1** *brothel-keeper* ⟨m.,v.⟩ ⇒ ⟨ook⟩ *madam(e)* ⟨v.⟩..
hoerenzoon ⟨de (m.)⟩ **0.1** *bastard(son)* ⇒⟨vero.⟩ *whoreson*, [↑]*natural son*.
hoereren ⟨onov.ww.⟩ **0.1** *whore* ⇒ [↑]*fornicate, go to/visit prostitutes*.
hoererij ⟨de (v.)⟩ **0.1** *whoring* ⇒ [↑]*fornication* ◆ **3.1** ~ plegen, zich aan ~ overgeven *whore;* [↑]*fornicate, go to/visit prostitutes;* ⟨bijb., scherts.⟩ *give o.s. over to prostitutes*.
hoerig ⟨bn., bw.:-ly⟩ **0.1** *whorish* ⇒*sluttish, slutty, slatternly, trollopish, trollopy* ◆ **3.1** ~ kijken *give a w. look;* die jurk/make-up staat/maakt je erg hoerig *that dress/make-up looks so w.* / [↑]*vulgar* / [↓]*makes you look like a (French) whore/tart*.
hoes ⟨de⟩ **0.1** *cover(ing)* ⇒⟨voor plaat⟩ *(record) sleeve,* ⟨stoflaken voor stoel ook⟩ *dust cover/sheet,* ⟨voor meubels ook⟩ [B]*loose cover,* [A]*slip-cover* ◆ **6.1** een plaat/viool/racket in een ~ stoppen *put a record in its sleeve/a violin in its case/racket in its c.*.
hoeslaken ⟨het⟩ **0.1** *fitted sheet*.
hoest ⟨de (m.)⟩ **0.1** *cough* ◆ **2.1** een droge/schorre ~ *a dry/hoarse c.;* een gemene ~ *a nasty c.;* een losse ~ *a free/loose c.* **3.1** ik heb de ~ *I've got a c.;* ⟨fig.⟩ ik heb er de ~ van ⟨ik ben het moe⟩ *I've had enough of it, I'm fed up with it;* ⟨ik geef er niet om⟩ *I couldn't care less, it leaves me (completely) cold*.
hoestballetje ⟨het⟩ **0.1** *cough drop/lozenge/sweet*.
hoestbonbon ⟨de (m.)⟩ **0.1** *cough drop/sweet*.
hoestbui ⟨de⟩ **0.1** *fit of coughing, coughing fit* ⇒*cough* ◆ **2.1** zij kreeg een hevige ~ *she had a bad fit of coughing*.
hoestdrank ⟨de (m.)⟩ **0.1** *cough mixture/medicine/syrup, (cough) linctus* ⇒⟨med.⟩ *antitussive, cough suppressant*.
hoestdruppels ⟨zn.mv.⟩ **0.1** *cough drops*.
hoestekst ⟨de⟩ **0.1** *sleeve note(s)*.
hoesten
I ⟨onov.ww.⟩ **0.1** [de hoest hebben] *cough* **0.2** [kuchen] *cough* ⇒ *clear one's throat* ⟨keel schrapen⟩ ◆ **3.1** zodra ik naar buiten ga, ga ik weer ~ *as soon as I go outside I'll get a cough/I'll start to c.;* it'll bring on a cough **5.1** lelijk ~ *have a bad/nasty cough* **6.2** ik moest ~ **van** al dat stof *all that dust gave me a cough/made me c.; got in my throat;*
II ⟨onov.ww.⟩ **0.1** [bij een hoestaanval opgeven] *cough (up/out)* **0.2** [door de hoest teweegbrengen] *cough* ◆ **1.1** bloed ~ *c.* ⟨*up*⟩ *blood* **2.2** zijn keel kapot ~ *cough o.s. hoarse* ¶.**1** zijn longen uit zijn lijf ~ *cough one's head off;*
III ⟨onov., ov.ww.⟩ **0.1** [een hoest uitstoten] *cough*.
hoestmiddel ⟨het⟩ **0.1** *cough medicine/remedy/syrup, (cough) linctus* ⇒ ⟨med.⟩ *antitussive, cough suppressant*.
hoestpastille ⟨de⟩ **0.1** *couhg drop/troche/pastille*.
hoestprikkel ⟨de (m.)⟩ **0.1** *a tickle in/irritation of the throat*.
hoestsiroop ⟨de⟩ **0.1** *cough syrup* ⇒*(cough) linctus*.
hoeststillend ⟨bn.⟩ **0.1** *cough-relieving, anti-tussive*.
hoesttablet ⟨het, de (m.)⟩ **0.1** *cough drop/lozenge/pastille*.
hoeve ⟨de⟩ **0.1** *farm(stead)* ⇒⟨alleen woning van hoeve⟩ *farmhouse, homestead,* ⟨in N.-Amerika⟩ *ranch,* ⟨haciënda⟩ *hacienda*.
hoeveel ⟨hoofdtelw.⟩ **0.1** *how much/many* ◆ **1.1** ~ appelen zijn er? *how many apples are there?;* ~ fantasie je ook hebt, dit is onmogelijk *this is impossible by any stretch of the imagination;* ~ geld heb je bij je? *how much money do you have on you?;* ~ kinderen zijn er niet die blij zouden zijn met ...*think of all the children that would be glad of ...;* ~ kolen heb je nog? ⟨ook⟩ *how are you off for coal?;* ik weet niet ~ paarden ze wel niet hebben *they've got any number of horses; God knows how many horses they have;* ~ tegenspoed hij ook heeft, hij blijft opgeruimd *however much bad luck/however many setbacks he has he stays cheerful* **3.1** ~ is het? *how much (is it)?;* ⟨scherts.⟩ *what's the damage?;* ⟨in bus/tram enz.⟩ *what's the fare?;* ~ is vier plus vier? *what do four plus/and four make?, how much is four plus four?;* ~ is achttien gedeeld door drie? *what's eighteen divided by three?;* ~ kost dat boek? *how much is that book?, how much/what does that book cost?;* ~ schelen zij? *how many years are there between them?, what's the difference in their ages?;* ~ staat het/er? ⟨bij wedstrijd⟩ *what's the score?;* zeg maar ~ ⟨melk in de koffie enz.⟩ *say when* **6.1** met hoevelen waren jullie? *how many of you were there?;* **om** ~ wedden we? *what do you want to/how much shall we bet?; how much are you prepared to bet (on it)?;* zeg maar **voor** ~ je het wilt verkopen *how much/what will you sell it for?,* ⟨inf.⟩ *(just) name your price?*.

hoeveelheid ⟨de (v.)⟩ **0.1** [aantal] *amount* ⇒*quantity,* ⟨volume⟩ *volume* **0.2** [portie, dosis] *quantity* ⇒*amount,* ⟨dosis⟩ *dose* **0.3** [⟨wisk.⟩] *amount, quantity* ◆ **2.1** een grote ~ *a large a.* / *quantity;* afnemers van grote hoeveelheden *quantity buyers, bulk buyers;* een kleine ~ *a small a.* / *quantity* **2.2** dit middel moet bij kleine hoeveelheden gebruikt worden *this medicine must be taken in small doses;* een zekere ~ water *a certain amount of water* **6.2** in even grote hoeveelheden *in even quantities/equal proportions*.
hoeveelste **0.1** [mbt. een rangorde]⟨zie 1.1,3.1⟩ **0.2** [mbt. een verhouding] *what part* ◆ **1.1** de ~ juli ben je jarig? *when/what date in July is your birthday?;* ⟨inf.⟩ *your birthday is July the what?;* de ~ keer is dit nu? *how many times is this/does this make?;* voor de ~ keer vraag ik het je nu? *how many times have I asked you?* **1.2** het ~ deel van een liter is 10 cm ³ ? *what part/fraction of a litre is 10cc?* **3.1** de ~ ben je? *what's your number?, where(abouts) are you?;* de ~ hebben we, is het vandaag? *what day of the month is it today?, what's the date today?.*
hoeven ⟨→sprw. 494⟩
I ⟨ov.ww.⟩ **0.1** [moeten] *need (to)* ⇒*have to* ◆ **1.¶** het hoeft geen betoog *it goes without saying* **3.1** dat had je niet ~ (te) doen *you didn't need/have to do that, there was no need for you to do that;* ⟨bij ontvangst van geschenk⟩ *you shouldn't have done that;* je hoeft niet zo'n keel op te zetten *you don't n. to/there's no need to yell;* dat hoef ik je niet te vertellen *I don't n. to/needn't tell you, there's no need for me to tell you, I don't have to tell you;* als je me weg wilt hebben, hoef je het alleen maar te zeggen *if you want me to go away just say so/the word;* daar hoef je niet bang voor te zijn *never fear, you don't n. to/needn't worry about that* **4.1** jij hoeft niets? ⟨drankje, gebakje⟩ *are you all right (for a drink/cake enz.)?, are you sure you wouldn't like another (drink/cake enz.)?* **5.1** nee dank je, ik hoef het niet *no thanks, I don't n. it/* ⟨sterker afwijzend⟩ *you can keep it;* daar hoef je niet op te rekenen *don't reckon/bet on it, I wouldn't reckon/bet on it, I wouldn't hold my breath, don't hold your breath;* je hoeft je niet om te kleden *don't bother changing, you n. not change, there is no need for you to change;* dat hoeft nog niet waar te zijn *that is not necessarily true;* ik hoef niet zo nodig *I'm not very interested/keen; I'm not dying (to ...);* ⟨mbt. w.c.⟩ *I don't need to go;*
II ⟨onov.ww.⟩ **0.1** [nodig zijn] *matter* ⇒*be necessary* ◆ **4.1** blijf maar, het hoeft niet meer *stay where you are, it doesn't matter;* het hoeft zo mooi niet, als het maar vastzit *it doesn't matter what it looks like so long as it's secure;* het had niet gehoeven *you didn't have to do that, you shouldn't have done that;* het mag wel, maar het hoeft niet all right, but it's really not necessary, you can but you don't have to* **6.1** ⟨inf.⟩ **van/voor** mij hoeft het niet *I'm not bothered/I don't care (about it),* ⟨I⟩ *couldn't care less;* ⟨sl.⟩ *I don't give a damn/toss about it*.
hoever(re) ⟨bw.⟩ **0.1** *how far;* ⟨tot op welke hoogte⟩ *to what extent* ◆ **3.1** vertel eens ~ je al bent (gevorderd) *tell me how far you are/how you're getting on* **6.1** in ~re hij gelijk heeft, weet ik niet *I don't know to what extent he's right*.
hoewel ⟨vw.⟩ **0.1** [ofschoon] *(al)though, even though* **0.2** [bij twijfel] *although* ⇒*however, yet* ◆ **3.1** ~ aarzelend, deed hij toch *(even) though he was hesitant he still did it,* ¶.**1** ~ het pas maart is, zijn de bomen al groen *even though/although it's only March the trees are already in leaf* ¶.**2** ze gelooft niet in spoken, ~ ...*she doesn't believe in ghosts, although ....*
hoezee ⟨tw.⟩ **0.1** *hurray, hooray, hurrah* ⇒*yippee*.
hoezeer[1] ⟨bw.⟩ **0.1** *how much* ◆ **3.1** ik kan je niet zeggen ~ het mij spijt *I can't tell you how much I regret it.*
hoezeer[2] ⟨8⟩ **0.1** [⟨meestal met 'ook')] *however much, much as/though* ◆ **5.1** ~ ik ook met haar te doen heb *however much/much though I feel sorry for her;* ~ ik het ook probeerde *try as I would/did, however much I tried;* ~ ik hem ook waardeer, dit kan ik niet goedkeuren *much as/however much I admire him I can't approve of this*.
hoezo ⟨tw.⟩ **0.1** *what do you mean?, in what way/respect?, how's that?* ◆ **1.1** ⟨scherts.⟩ ~ crisis? *crisis? what crisis?.*
hof
I ⟨het⟩ **0.1** [omgeving van een vorst] *court* **0.2** [eerbiedige opwachting] *court* **0.3** [hofhouding] *court* ⇒*royal household* **0.4** [gerechtshof] *court* ◆ **1.4** het ~ van appel/cassatie/arbitrage/justitie *the c. of appeal/cassation/arbitration/justice* **2.3** het Engelse ~ *the English c., the C. of St. James's* **2.4** het ~ is bijeen *the c. has assembled* **3.2** iem. het ~ maken *pay c.* / *one's addresses/one's attentions to s.o.; court* ⟨mbt. vrouw⟩; zij laat zich het ~ maken *she lets/allows herself to be courted* **3.3** ergens ~ houden *hold c. somewhere* **6.3** hij heeft vele relaties **aan** het ~ *he has numerous contacts at c.;* **aan** het ~ verbonden *connected with the c.* **6.4** tegen iets beroep **bij** het ~ instellen *challenge a measure in proceedings before the Court;*
II ⟨de (m.)⟩ **0.1** [tuin] *garden* ⇒⟨binnenhof⟩ *court(yard),* ⟨binnenhof/binnenplaats⟩ *quad(rangle)* ⟨bv. van universiteitsgebouwen in Oxford/Cambridge⟩ **0.2** [tepelhof] *areola* ◆ **1.1** ⟨bijb.⟩ de ~ van Eden *the Garden of Eden,* ⟨the, Earthly⟩ *Paradise;* ⟨fig.⟩ een ~ van Eden *a paradise, an eden* **2.1** ⟨fig.⟩ hij heeft in zijn eigen ~ genoeg te wieden *he's got enough fish of his own to fry.*
hofarts ⟨de (m.)⟩ **0.1** *royal doctor, court physician* ⇒ ⟨in GB ook⟩ *King's/Queen's Doctor.*

hofauto ⟨de (m.)⟩ **0.1** *court / royal limousine / car.*

hofbal ⟨het⟩ **0.1** *court / state ball.*

hofceremonieel ⟨het⟩ **0.1** *court ceremonial / protocol.*

hofdame ⟨de (v.)⟩ **0.1** ⟨BE⟩ *lady-in-waiting* ⇒⟨BE ook⟩ *lady-of-the-bedchamber,* ⟨ongehuwd⟩ *maid of honour.*

hofdichter ⟨de (m.)⟩ **0.1** *court poet* ⇒(*Poet) Laureate* ⟨in Engeland⟩.

hofdignitaris ⟨de (m.)⟩ **0.1** *court dignitary.*

hofetiquette ⟨de⟩ **0.1** *court etiquette* ⇒*etiquette at court.*

hoffelijk ⟨bn., bw.; -ly⟩ **0.1** *courteous* ⇒⟨beleefd⟩ *polite,* ⟨hoofs⟩ *courtly* ♦ **3.1** iem. ~ *bejegenen treat s.o. courteously.*

hoffelijkheid ⟨de (v.)⟩ **0.1** [het hoffelijk zijn] *courtesy* **0.2** [uiting, vorm] (*act of) courtesy* ⇒*courteous action)* ♦ **6.1** uit ~ *out of c. (to).*

hofgebruik ⟨het⟩ **0.1** *(the) custom at court* ⇒*court etiquette.*

hofhouding ⟨de (v.)⟩ **0.1** (*royal) household* ⇒*court.*

hofjachtmeester ⟨de (m.)⟩ **0.1** ⟨GB⟩ *Master of the Royal Hunt.*

hofje ⟨het⟩ **0.1** [om een binnenplein gelegen huisjes] ≠(*court of) almshouses* ⇒≠*retirement village* **0.2** [gemeenschappelijke binnenplaats / tuin] *courtyard* **0.3** [kleine tuin] *garden.*

hofkapel ⟨de⟩ **0.1** [kerkje] *court chapel* **0.2** [korps muzikanten] *court chapel* ⇒⟨van koning⟩ *royal chapel,* ⟨orkest⟩ *court orchestra,* ⟨GB⟩ *Chapel Royal.*

hofkapelaan ⟨de (m.)⟩ **0.1** *court chaplain* ⇒⟨van koning⟩ *chaplain to the King / Queen,* ⟨GB⟩ *Clerk of the Closet.*

hofkoets ⟨de⟩ **0.1** *royal coach / carriage.*

hofkomijn ⟨de⟩ **0.1** *caraway.*

hofkring ⟨de (m.)⟩ **0.1** *court(ly) circle* ♦ **6.1** in ~*en in c. (ly) circles.*

hofkroniek ⟨de (v.)⟩ **0.1** *court circular.*

hofleven ⟨het⟩ **0.1** *court(ly) life* ⇒*life at court.*

hofleverancier ⟨de (m.)⟩ **0.1** *purveyor to the Royal Household / to His / Her Majesty the King / Queen, Royal Warrant Holder* ♦ **3.1** tot ~ aanstellen *issue a Royal Warrant to s.o.;* Martin B.V. is ~ geworden *Martin and Co. have been granted a Royal Warrant* **6.1** Hyams en Zn., ~ van wijn / auto's ⟨enz.⟩ *Hyams and Son, (by Appointment) Purveyor of Wines / Motors* ⟨enz.⟩ *to H.M. the Queen.*

hofmaarschalk ⟨de (m.)⟩ **0.1** ⟨GB⟩ *Lord Chamberlain* ⇒⟨vero.⟩ *Knight Marshal.*

hofmeester ⟨de (m.)⟩, **-es** ⟨de (v.)⟩ **0.1** *steward* ⟨m.⟩, *stewardess* ⟨v.⟩.

hofmeier ⟨de (m.)⟩⟨gesch.⟩ **0.1** *mayor of the palace* ⇒⟨ongemarkeerd⟩ *major-domo.*

hofnar ⟨de (m.)⟩⟨gesch.⟩ **0.1** *court jester* ⇒*fool.*

hofpartij ⟨de (v.)⟩ **0.1** [feest aan het hof] *court party* ⇒*gala* **0.2** [staatspartij] *court party.*

hofstad ⟨de⟩ **0.1** *court-capital* ⇒*royal residence.*

hofste(d)e ⟨de⟩ **0.1** *homestead, farm(stead)* ⇒⟨groot⟩ *manor.*

hofstijl ⟨de (m.)⟩ **0.1** *court(ly) style.*

hofstippel ⟨de⟩ ⟨biol.⟩ **0.1** *bordered pit* ♦ **6.1** vezels met ~s *fibres with bordered pits, tracheids.*

hofstoet ⟨de (m.)⟩ **0.1** (*royal / imperial* ⟨enz.⟩) *retinue / entourage;* ⟨reizend⟩ *royal progress.*

hoftaal ⟨de⟩ **0.1** *court(ly) language.*

hofwereld ⟨de⟩ **0.1** *(the) court* ⇒⟨hofkringen⟩ *court(ly) circles,* ⟨inf.⟩ *court scene.*

hoge ⟨de (m.)⟩ **0.1** [duikplank] *high (diving) board* **0.2** [gewichtig persoon] *highly-placed person* ⇒⟨inf.⟩ *a big gum / noise / shot / wheel / cheese,* a high-up ♦ **6.1** van de ~ springen *jump from the h. (d.) b.. .*

hogedrukcilinder ⟨de (m.)⟩ **0.1** *high-pressure cylinder.*

hogedrukgebied ⟨het⟩ **0.1** *high-pressure area, area of high pressure, anti-cyclone* ⇒⟨inf.⟩ *high.*

hogedrukpan ⟨de⟩ **0.1** *pressure cooker.*

hogedrukspuit ⟨de⟩ **0.1** *high-pressure spraying pistol / paint spray.*

hogelijk →**hooglijk.**

hogen ⟨ov.ww.⟩ ⟨schr.⟩ **0.1** *raise, increase* ♦ **1.1** een bod ƒ50,- hogen *r. / i. a bid by 50 guilders.*

hogepriester ⟨de (m.)⟩ ⟨bijb.⟩ **0.1** *high priest.*

hogepriesterlijk ⟨bn.⟩ ⟨bijb.⟩ **0.1** *high-priestly* ♦ **1.1** het ~ gebed the *(h.-p.) prayer of Christ / Jesus.*

hogepriesterschap ⟨het⟩ **0.1** *high-priesthood.*

hoger ⟨bn.⟩ **0.1** *higher* ♦ **1.1** hij heeft geen belangstelling voor ~ e dingen *he is not interested in h. things;* in ~ sferen *deep / sunk in reverie, wrapt / sunk / lost in thought;* ⟨inf.⟩ *miles away* **7.1** ⟨zelfst.⟩ het ~e *h. things.*

hogere-machtsvergelijking ⟨de (v.)⟩ ⟨wisk.⟩ **0.1** *higher-degree equation.*

hogerhand ⟨de⟩ ♦ **1.**¶ op bevel van ~ *by superior order, by order of the powers that be / authorities* **6.**¶ van ~ ⟨ook iron.⟩ *from the powers that be; from the authorities / government / state* ⟨enz.⟩; ⟨mbt. God⟩ *from above / on high;* van ~ opgelegd *imposed by the authorities.*

Hogerhuis ⟨het⟩ **0.1** *House of Lords* ⇒*Upper House.*

Hogerhuislid ⟨het⟩ **0.1** *member of the House of Lords / Upper House.*

hogerop ⟨bw.⟩ **0.1** [naar een hogere stand] *higher up* **0.2** [in hoger beroep] *higher up* **0.3** [stroomopwaarts] *upstream* ♦ **3.1** hij wil ~ *he wants to get on / is ambitious / has (higher) aspirations; he is a social climber* **3.2** ~ gaan *take it further / higher up;* 't ~ zoeken *take it higher up,* ↑*take it to / appeal to a higher authority;* ⟨mbt. gerechtshof⟩ ↑*appeal to a higher court.*

hogerwal ⟨de (m.)⟩ **0.1** *windward, wind-side, weather-side* ♦ **6.1** het schip probeerde aan ~ te komen *the ship tried to get on the windward side.*

hogeschool ⟨de⟩ **0.1** [academie] *college (of advanced / higher education), polytechnic* ⇒*academy, school* **0.2** [dressuur van paarden] *high school (riding), dressage* ⇒↑*haute école* ♦ **1.1** ⟨fig.⟩ de ~ v.d. popmuziek *the higher echelons of pop music* **2.1** Economische ~ *School of Economics;* Technische ~ *College / Institute of Technology;* ⟨BE ook⟩ *Polytechnic (College);* Theologische ~ *Theological College,* ≠*Seminary.*

hogeschoolraad ⟨de (m.)⟩ **0.1** ≠*college / university council.*

hogeschoolrijden ⟨ww.⟩ **0.1** *high school (riding), dressage* ⇒↑*haute école.*

hogetonenluidspreker ⟨de (m.)⟩ **0.1** *tweeter.*

ho-gezin ⟨het⟩ ⟨inf.⟩ **0.1** ⟨*single-parent family with homosexual mother*⟩.

hoging ⟨de (v.)⟩ **0.1** *raise, increase* ⇒⟨hoger bod⟩ *increased / higher bid.*

hohouwer ⟨de (m.)⟩ ⟨scherts.⟩ **0.1** *brake pedal.*

hoi ⟨tw.⟩ **0.1** ⟨als begroeting⟩ *hi, hello;* ⟨om aandacht te trekken⟩ *hey* ⇒⟨begroeting ook; vnl. AE⟩ *howdy,* ⟨BE; sl.⟩ *wotcher* ⟨begroeting⟩, ⟨uiting van vreugde⟩ *hurray, whoopee.*

hok ⟨het⟩ **0.1** [ruimte voor opslag / berging] ⟨schuurtje⟩ *shed;* ⟨(berg)kast, bergruimte⟩ *closet, storeroom;* ⟨voor kolen⟩ *coal-hole / -shed;* ⟨keet⟩ *hut* **0.2** [verblijf voor dieren] *pen* ⇒(dog-)kennel ⟨hond⟩, (pig-)sty ⟨varken⟩, (rabbit-)hutch ⟨konijnen⟩, dovecot(e) ⟨duiven⟩, hen-house / -coop ⟨kippen⟩, cage ⟨wilde dieren⟩ **0.3** [krot] *dump* ⇒*hole, shanty, hovel,* ⟨studentenkamer⟩ *digs,* ⟨studeerkamer⟩ *den* **0.4** [⟨sport; inf.⟩ doel] ⟨ong.⟩ *goal* ⇒*net* **0.5** [schoven graan / vlas] *shock* ⇒*shook,* ⟨BE ook⟩ *stook* ♦ **2.2** uit een goed ~ zijn *come / be from a good (paarden) stable!* ⟨honden, katten, enz.⟩ *litter* **5.2** ⟨fig.⟩ een ~ vol kinderen *a brood / tribe of kids* **6.2** in een ~ stoppen *pen (up), kennel* **6.5** in ~ken zetten *shock, stook;* in ~ken staan *be stooked.*

hokduif ⟨de⟩ **0.1** *domestic pigeon.*

hokje ⟨het⟩ **0.1** [cabine] ⟨verkeer⟩ *cabin; (sentry-)box* ⟨schildwacht⟩; ⟨kleedhokje, slaapkamertje⟩ *cubicle;* ⟨kamertje⟩ *cubby-hole;* ⟨stemhokje, in platenwinkel enz.⟩ *booth* **0.2** [afdeling] *compartment* ⇒⟨in bureau, voor brieven⟩ *pigeon-hole* ⟨ook fig.⟩, ⟨op formulier / speelbord⟩ *square,* ⟨op formulier ook⟩ *space, box, space* ⟨puzzel⟩ **0.3** [⟨plantk.⟩] *ovarian cell* ⇒*loculus* ♦ **2.1** een knus / benauwd ~ ⟨van kamer⟩ *a cosy / poky little room* **3.2** het ~ aankruisen / invullen *put a tick against, tick off,* ^*check off* **6.2** iem. in een ~ zetten ⟨fig.⟩ *pigeon-hole / place s.o.;* in ~s verdelen *compartmentalize;* papier met ~s *squared paper.*

hokjesgeest ⟨de (m.)⟩, **hokjesmentaliteit** ⟨de (v.)⟩ **0.1** *parochialism* ⇒*prejudice, narrow / petty-mindedness.*

hokjespeul ⟨de⟩ **0.1** *milk vetch* ⇒*tragacanth.*

hokkeling ⟨de (m.)⟩ **0.1** *yearling (heifer / calf).*

hokken

I ⟨onov.ww.⟩ **0.1** [op één plek blijven] *stay (put)* **0.2** [samenwonen] *shack up (with);* ↑*live with (s.o.);* ⟨schr.⟩ *cohabit;* ⟨pej.⟩ *live in sin* **0.3** [stokken] *catch, stick* ⇒*come to a standstill* ♦ **1.3** het gesprek hokte *conversation came to a standstill / flagged / halted* **5.1** hij hokt altijd thuis *he sits / stays at home all day / all the time, he never stirs out (of doors)* **5.2** zij hokken samen *they are shacked / shacking up (together)* / ↑*living together* **7.2** het ~ *shacking up together;* ↑*living together;* ⟨schr.⟩ *cohabitation* ¶.1 bij elkaar ~ *huddle together.*

II ⟨ov.ww.⟩ **0.1** [in een hok sluiten] *pen (up)* ⇒*cage* **0.2** [aan hokken zetten] *stook* ⇒*shock, shook* ⟨schoven⟩.

hokkerig ⟨bn.⟩ **0.1** *poky* ♦ **1.1** een ~ huis *a poky little house.*

hokkig ⟨bn.⟩ **0.1** *poky.*

hokvast ⟨bn.⟩ **0.1** *home-loving* ⇒*stay-at-home,* ⟨vnl. mbt. duiven⟩ *homing* ♦ **1.1** de Hollander is nogal ~ *a / your Dutchman is a stay-at-home / is fond of his own fireside.*

hol¹

I ⟨het⟩ **0.1** [grot] *cave* ⇒*cavern, grotto* **0.2** [verblijf / schuilplaats v.e. dier] *hole* ⟨ook van vos⟩ ⇒*lair, den* ⟨vnl. van grote carnivoren⟩, *burrow* ⟨van konijn⟩, *lodge* ⟨van bever⟩, ⟨van vos, das ook⟩ *earth* **0.3** [bergplaats] *hole* ⇒⟨van dieren, rovers enz.⟩ *den, haunt, hangout* **0.4** [uitholling] *hollow* ⇒*arch* ⟨van voet⟩, *instep* ⟨van schoen⟩, *flute* ⟨van lijst⟩ **0.5** [scheepsruim] ⟨romp⟩ *hull;* ⟨ruim⟩ *hold* **0.6** [⟨vulg.⟩ achterste] *arse,* ^*ass* ⇒*bum* ♦ **1.1** ⟨fig.⟩ een ~ van vice / iniquity* **2.1** ⟨fig.⟩ een donker ~ ⟨kamer⟩ *a dark hole* **3.2** zijn ~ inkruipen / invluchten *run to / go to ground / earth* **6.1** deze volksstam woonde in ~en *this tribe lived in caves / were cave-dwellers / was cave-dwelling* **6.2** zich wagen in het ~ v.d. leeuw ⟨fig.⟩ *put one's head in(to) the lion's mouth, beard the lion in his den;* de vijand in zijn ~ opzoeken *beard the lion in his den, venture into the lion's den;* uit zijn ~ komen *break cover* ⟨vnl. van vos, ook fig.⟩; uit zijn ~ jagen *chase out, ferret out, draw (out), unearth* **6.6** ik heb jeuk aan m'n ~ / ⟨kind⟩ ~letje *I've got an itchy arse,* ^*ass / bum / ⟨kind⟩ botty* **7.**¶ ⟨vulg.⟩ het kan hem geen ~ schelen *he doesn't give / care a damn / fuck;*

II ⟨de (m.)⟩ **0.1** [het hollen] ⟨zie 6.1⟩ ♦ **6.1** op ~ slaan ⟨paard⟩ *bolt;* ⟨kudde; stampede; paard ook⟩ *take / have / get the bit between its /*

one's teeth ⟨ook fig.⟩; *run wild/amuck* ⟨ook fig.⟩; ⟨fig.⟩ *run riot;* ⟨fig.;sl.⟩ *flip one's lid, go overboard;* ⟨fig.⟩ iem. het hoofd **op** ~ brengen *turn s.o.'s head;* een **op** ~ geslagen paard *a runaway (horse);* hij liet zich het hoofd **op** ~ brengen door haar *he let her turn his head, he lost his head over her;* een **op** ~ geslagen kudde *a stampede;* ⟨Austr.E ook⟩ *a breakaway;* zijn verbeelding was **op** ~ geslagen *his imagination was running away with him.*

hol² ⟨bn.,bw.⟩ ⟨→sprw. 588⟩ **0.1** [niet massief] *hollow* **0.2** [niet bol] *hollow* ⇒⟨concaaf⟩ *concave,* ⟨tech. ook⟩ *female* ⟨ontvangend⟩, *inflated* ⟨bloembodem⟩, *sunken* ⟨weg, ogen, wangen⟩, ⟨blik⟩ *gaunt* **0.3** [waar niets inzit, ⟨ook fig.⟩] *hollow* ⇒*empty* ⟨ook belofte/woorden/frasen, maag⟩, *gaunt, cavernous* ⟨vertrek⟩, ⟨belofte ook⟩ *airy, idle* **0.4** [mbt. geluiden] *hollow* ⇒*cavernous* **0.5** [naargeestig] *cavernous* ⇒*dead/depth* ⟨van nacht⟩ **0.6** [mbt. de zee] *heavy, high, rough* ◆ **1.1** ⟨med.⟩ de ~le aders *venae cavae* **1.2** de ~le hand *the cupped hand;* uit de ~le hand drinken *drink from the h. of one's hand;* ~le knieën *calf knees/ legs, knock-knees;* een paard met een ~le rug *a swayback(ed horse);* ~le weg *sunken road, cutting* **1.3** ⟨fig.⟩ ~le woorden/frasen ⟨ook⟩ *idle/mere talk, (mere) wind/rhetoric, hot air,* ↓*claptrap* **1.¶** ~le stempel *female die* **3.2** een ~ geslepen brilleglas *a concave lens;* de schaatsen zijn ~ geslepen *the skates are h.-ground* **3.3** ~ klinkende woorden *hollow-/empty-sounding words* **3.4** ~ klinken *sound h. / empty* **3.6** de zee staat ~ *the sea is running (very) high/is (very) rough, there's a rough/heavy sea on/running* **7.2** het ~le van de hand/van de voet *the h. of the hand, the arch of the foot* **7.5** in het ~st van de nacht *in the/at dead of (the) night.*

hola ⟨tw.⟩ **0.1** ⟨om aandacht te trekken⟩ *hallo;* ⟨om tegen te houden/ tot matiging aan te sporen⟩ *hang/hold on (a minute), (just) wait a minute/moment;* ⟨inf.⟩ *just a mo, half a tick, wait a sec* ◆ **¶**.1 ~ vriend, dat gaat zo maar niet *hold/hang on mate, (just) wait a minute/moment mate, that's not on;* ~, niet te ver *hang/hold on, don't go too far.*

holarctis ⟨de ⟨v.⟩⟩ **0.1** *holarctic.*

holbeinwerk ⟨het⟩ **0.1** *Holbein embroidery.*

holbeitel ⟨de ⟨m.⟩⟩ ⟨amb.⟩ **0.1** *gonge* ⇒*hollow chisel.*

holbewoner ⟨de ⟨m.⟩⟩ **0.1** [persoon] *cave-dweller* ⇒*troglodyte, caveman* **0.2** [dier] *troglodyte, cave animal.*

holbol ⟨bn.⟩ **0.1** *convexo-concave, concavo-convex.*

holbroeder ⟨de ⟨m.⟩⟩ **0.1** *hole-nesting bird.*

holderdebolder ⟨bw.⟩ **0.1** ⟨val mbt. personen⟩ *head over heals;* ⟨val mbt. voorwerpen⟩ *higgledy-piggledy;* ⟨zeer snelle beweging⟩ *helter-skelter, hurry-scurry, pell-mell, harum-scarum;* ⟨statisch⟩ *upside down, topsy-turvy* ◆ **3.1** alles vloog ~ de trap af *everything fell higgledy-piggledy down the stairs* **¶.1** ~ door elkaar *topsy-turvy, all anyhow, upside down.*

hole ⟨de ⟨m.⟩⟩ ⟨sport⟩ **0.1** [kuiltje] *hole* ⇒*cup* **0.2** [punt] *hole* ◆ **6.2** een ~ in één slag (maken) *(score) a hole in one/an ace.*

holebeer ⟨de ⟨m.⟩⟩ **0.1** *cave-bear.*

hol(e)duif ⟨de⟩ **0.1** *stock dove.*

holenbroeder →**holbroeder.**

holenkunde ⟨de ⟨v.⟩⟩ **0.1** *speleology* ⇒⟨sport ook⟩ *potholing, caving,* ⟨AE ook⟩ *spelunking.*

holenkundig ⟨bn.⟩ **0.1** *speleological.*

holenkunst ⟨de ⟨v.⟩⟩ **0.1** *cave art.*

holheid ⟨de ⟨v.⟩⟩ **0.1** [het hol zijn] *hollowness* ⇒⟨concaafheid⟩ *concavity* **0.2** [onbeduidendheid] *emptiness.*

holhoornig ⟨bn.⟩ **0.1** *cavicorn* ⇒*tubicorn* ⟨fam. Bovidae⟩.

holijzer ⟨het⟩ ⟨amb.⟩ **0.1** *gouge* ⇒*hollow chisel.*

holisme ⟨het⟩ **0.1** *holism.*

holistisch ⟨bn., bw.;-ally⟩ **0.1** *holistic.*

Holland ⟨het⟩ **0.1** [Noord- en Zuid-Holland] *Holland* **0.2** [Nederland] *Holland* ⇒*the Netherlands* ◆ **¶.¶** dat is ~ op zijn smalst *that's a narrow/petty-minded attitude/view* ⟨enz.⟩.

Hollander ⟨de ⟨m.⟩⟩, **Hollandse** ⟨de ⟨v.⟩⟩ **0.1** [bewoner van Noord- of Zuid-Holland] *inhabitant of North/South Holland* **0.2** [bewoner van Nederland] *Dutchman, Dutchwoman* ⇒*Hollander* **0.3** [schip] *Dutchman* ⇒*Hollander* **0.4** [papierbereiding] *Hollander (beater)* ⇒*pulper* **0.5** [konijn] *Dutch* ◆ **2.¶** de vliegende ~ *the Flying Dutchman* **3.2** hij is een ~ *he is Dutch/a Dutchman/from Holland/the Netherlands* **¶.2** de ~s *the Dutch, the people of Holland.*

hollanditis ⟨de ⟨v.⟩⟩ **0.1** *Dutch disease.*

Hollands¹ ⟨het⟩ **0.1** *(High) Dutch* ◆ **2.1** ⟨inf.⟩ dat is goed ~ *that's plain speaking;* ⟨inf.⟩ iem. in goed ~ iets zeggen *tell s.o. straight, not mince one's words with s.o..*

Hollands² ⟨bn.⟩ **0.1** [v.h. gewest Holland] *from (the province of) North/ South Holland* **0.2** [(Noord-)Nederlands] *Dutch* ⇒*Netherlands* ◆ **1.1** de ~e steden *the towns of Holland* **1.2** ~e nieuwe *new Holland herring;* de ~e schildersschool *the D. School (of painting);* (er uitzien als) ~ welvaren *look like a million dollars* **1.¶** ~e biefstuk ⟨→kogelbiefstuk⟩; ~e kap *Dutch-gabled roof;* de ~e kijker *Galilean telescope;* ~e kropper *cropper;* ⟨ind.⟩ ~ papier *hand-/mould-made paper;* ~e saus *hollandaise (sauce);* ~e ziekte *Dutch disease* **6.2** iets op zijn ~ doen *do sth. D. style.*

hollen ⟨→sprw. 135⟩

I ⟨onov.ww.⟩ **0.1** [mbt. paarden] *bolt, run away* **0.2** [rennen] *run* ⇒ *race, pelt* ◆ **1.1** een ~d paard *a runaway horse* **3.2** ⟨fig.⟩ het is met hem ~ of stilstaan *he is always running to extremes, it's always all or nothing with him* **5.2** ⟨fig.⟩ de zieke/zaak holt achteruit *the patient/ business is deteriorating rapidly* **6.1 aan** het ~ gaan/slaan *b., runaway* **6.2 achter** iem. aan ~ *run after s.o.;* ik moet **van** het ene karwei **naar** het andere – *I have to run/dash from one chore to the next;* **II** ⟨ov.ww.⟩ **0.1** [uithollen] *hollow (out).*

hollend ⟨bn.,bw.⟩ **0.1** *racing, galloping* ◆ **1.1** ~e inflatie *g. inflation* **3.1** de zieke/de zaak gaat ~ achteruit *the patient/business is deteriorating rapidly.*

holletje ⟨het⟩ ◆ **6.¶** op een ~ *at a run/gallop;* hij liep **op** een ~ naar de bushalte *he dashed off to the bus stop.*

holligheid ⟨de ⟨v.⟩⟩ **0.1** *hollow.*

hollijst ⟨de⟩ ⟨bouwk.⟩ **0.1** *concave/hollow moulding.*

holmeslicht ⟨het⟩ **0.1** *holmes light/signal.*

holmium ⟨het⟩ ⟨schei.⟩ **0.1** *holmium.*

holmunt ⟨de⟩ **0.1** *bracteate.*

holocaust ⟨de ⟨m.⟩⟩ **0.1** *holocaust.*

holoceen¹ ⟨het⟩ ⟨geol.⟩ **0.1** *Holocene* ⇒*Recent.*

holoceen² ⟨bn.⟩ **0.1** *Holocene* ⇒*recent.*

hologig ⟨bn.⟩ **0.1** *hollow-eyed* ⇒⟨uitgemergeld, schraal⟩ *gaunt,* ⟨van zorg enz.⟩ *haggard.*

holografie ⟨de ⟨v.⟩⟩ ⟨foto.⟩ **0.1** *holography* ⇒*holographic recording.*

holografisch ⟨bn.,bw.;-(ic)ally⟩ **0.1** [eigenhandig uitgeschreven] *holograph(ic)* **0.2** [⟨foto.⟩] *holographic.*

hologram ⟨het⟩ **0.1** *hologram.*

holokristallijn ⟨bn.⟩ **0.1** *holocrystalline.*

holpasser ⟨de ⟨m.⟩⟩ **0.1** *(pair of) inside callipers/ᴬcalipers.*

holpenning ⟨de ⟨m.⟩⟩ **0.1** *bracteate.*

holpijp ⟨de⟩ **0.1** [stuk gereedschap om gaten te slaan] *hollow punch* ⇒ *dinking/wad/arch punch, washer cutter,* ⟨voor gleuf voor gesp⟩ *crew /oblong punch,* ⟨voor gaatjes in riem⟩ *belt punch* **0.2** [holle buis] *hollow tube, hollow pipe* **0.3** [orgelpijp] *stopped flute* ⇒*hohl-flute, gedact, gedeckt.*

holpijptang ⟨de⟩ **0.1** *revolving (head) punch, six* ⟨enz.⟩ *way punch pliers, rotary punch.*

holrond ⟨bn.⟩ **0.1** *concave.*

holrug ⟨de ⟨m.⟩⟩ **0.1** *swayback(ed horse).*

holsblok ⟨het⟩ **0.1** *clog, wooden shoe.*

holschaaf ⟨de⟩ **0.1** *rouding plane* ⇒*beading plane* ⟨voor kralen⟩.

holspaat ⟨het⟩ **0.1** *macle.*

holstaand ⟨bn.⟩ **0.1** *heavy, rough.*

holster ⟨de ⟨m.⟩⟩ **0.1** *holster.*

holte ⟨de ⟨v.⟩⟩ **0.1** [lege ruimte] *cavity* ⇒*hollow, hole,* ⟨nis⟩ *niche,* ⟨in gietwerk⟩ *blowhole* **0.2** [uitholling, kom] *hollow* ⇒⟨van oog/gewrichtsholte⟩ *socket,* ⟨kuil(tje)⟩ *pit* ⟨ook van maag⟩, ⟨van elleboog⟩ *crook* **0.3** [diepte] *draught* ᴬ*draft* ⇒*depth* ◆ **6.2** de ~ **onder** de arm *the armpit.*

holtedieren ⟨zn.mv.⟩ ⟨biol.⟩ **0.1** *coelenterates.*

holwangig ⟨bn.⟩ **0.1** *hollow-cheeked* ⇒*gaunt, haggard, emaciated.*

holwit ⟨het⟩ ⟨druk.⟩ **0.1** *quotation* ⇒*furniture.*

holwoning ⟨de ⟨v.⟩⟩ **0.1** *cave dwelling* ⇒⟨in kuil⟩ *pit dwelling/house.*

hom ⟨de⟩ **0.1** [klier, teelvocht] *milt* ⇒⟨klier ook⟩ *soft roe* **0.2** [mannetjesvis] *milter* **0.3** [strook aan een overhemd] *frill* ◆ **6.1** heb je baars met ~ of met kuit? *do you have perch with soft roe or hard roe?;* ⟨fig.⟩ met ~ en kuit *bones and all, whole.*

homarium ⟨het⟩ **0.1** *lobster tank.*

hombaars ⟨de ⟨m.⟩⟩ **0.1** *soft-roed perch* ⇒*male perch.*

homeopaat ⟨de ⟨m.⟩⟩ **0.1** *homoeopath(ist),* ᴬ*homeopath(ist).*

homeopathie ⟨de ⟨v.⟩⟩ **0.1** *homoeopathy,* ᴬ*homeopathy.*

homeopathisch ⟨bn.,bw.;-ally⟩ **0.1** *homoeopathic,* ᴬ*homeopathic* ◆ **1.1** de ~e geneeswijze *h. medicine;* ⟨behandeling⟩ *h. treatment.*

homeostase ⟨de ⟨v.⟩⟩ **0.1** *homoeostasis,* ᴬ*homeostasis.*

homeostatisch ⟨bn.⟩ **0.1** *homoeostatic,* ᴬ*homeostatic.*

homeot(h)erm ⟨bn.⟩ **0.1** *homoiothermic* ⇒ ↓*warm-blooded.*

homerisch ⟨bn.⟩ **0.1** *Homeric* ⇒*Homerian, Homerical* ◆ **1.1** een ~ gelach *Homeric laughter;* een ~e strijd *an Homeric/heroic struggle;* een ~e vergelijking *Homeric/epic simile.*

Homerus ⟨de ⟨m.⟩⟩ **0.1** *Homer.*

hometrainer ⟨de ⟨m.⟩⟩ **0.1** ⟨standaard voor normale fiets om binnen te trainen⟩ *home trainer;* ⟨trimmachine⟩ *exercise bicycle.*

homiletiek ⟨de ⟨v.⟩⟩ **0.1** *homiletics.*

homilie ⟨de ⟨v.⟩⟩ **0.1** *homily* ⇒⟨preek⟩ *sermon.*

hominidae ⟨zn.mv.⟩ **0.1** *Hominidae* ⇒ ↓*hominids.*

hommage ⟨de ⟨v.⟩⟩ **0.1** *homage* ◆ **3.1** een ~ brengen aan iem. *pay (a) tribute to s.o., do/pay h. to s.o..*

hommel ⟨de⟩ **0.1** [mannetjesbij] *drone* **0.2** [onderfamilie v.d. bijen] *bumblebee* ⇒*humblebee* ◆ **3.¶** hij heeft de ~ in het hoofd *he's (got) bats in the belfry.*

hommelbij ⟨de⟩ **0.1** *drone.*

hommeles ⟨zn.mv.⟩ ◆ **3.¶** ~ hebben (met) *have a row (with);* 't is weer ~ (tussen hen) *they are at each other's throats again;* daar komt ~ van *that'll cause ructions/a row/a bust-up/a (right) brouhaha.*

hommelkoningin ⟨de (v.)⟩ **0.1** *queen (bumble) bee*.

hommer ⟨de (m.)⟩ **0.1** [mannetjesvis] *milter* **0.2** [zeekreeft] *lobster*.

homo¹ ⟨de (m.)⟩ **0.1** [mens] *homo* **0.2** [homoseksueel] *homo* ⇒*gay*, ⟨sl.⟩ *queer*, ^Afag(got), fruit, ⟨BE;sl.;pej. ook⟩ *poof(ter)*, ⟨verwijfd⟩ *pansy, fairy* ♦ **1.2** een paar ~'s *a couple of gays* | ⟨sl.⟩ *queers/poofs* | ⟨vnl. AE;sl.⟩ *fags/fruits* **2.2** verwijfd(e) ~/~otje *queen, twink*; ⟨bel.⟩ *vuile ~! dirty queer/fag(got)/poof(ter)!* **3.2** hij is een ~ *he is gay* | ⟨sl.⟩ *(a) queer/a poof* | ⟨vnl. AE;sl.⟩ *a fag(got)/a fruit* **¶.1** ⟨biol.⟩ ~ sapiens *h. sapiens*.

homo² ⟨bn.⟩ **0.1** *homosexual* ⇒*gay*, ⟨sl.⟩ *queer, camp* ♦ **1.1** ~ gedrag *h. behaviour;* een ~ jongen *a gay (boy)*.

homobar ⟨de⟩ **0.1** *gay bar*.

homobeweging ⟨de (v.)⟩ **0.1** *gay (rights) movement;* ⟨militant⟩ *Gay Power*.

homoeopa-→**homeopa-**.

homo-erotiek ⟨de (v.)⟩ **0.1** *homoeroticism*.

homofiel¹ ⟨de (m.)⟩ **0.1** *homosexual* ⇒*gay*, ⟨zeldz.⟩ *homophile*.

homofiel² ⟨bn.⟩ **0.1** *homosexual* ⇒*gay*, ⟨zeldz.⟩ *homophile*.

homofilie ⟨de (v.)⟩ **0.1** *homosexuality*.

homofonie ⟨de (v.)⟩ **0.1** *homophony* ⇒⟨muz. ook⟩ *monophony*.

homofoon¹ ⟨de (m.)⟩⟨taal.⟩ **0.1** *homophone*.

homofoon² ⟨bn.⟩ **0.1** *homophonous, homophonic* ⇒⟨muz. ook⟩ *monophonic*.

homogaam ⟨bn.⟩ ⟨biol.⟩ **0.1** *homogamous*.

homogamie ⟨de (v.)⟩ **0.1** *homogamy*.

homogeen ⟨bn.⟩ **0.1** *homogeneous* ⇒*uniform* ♦ **1.1** ⟨wisk.⟩ homogene grootheden *h. quantities;* homogene katalyse *h. catalysis;* ⟨nat.⟩ ~ licht *h. light;* een homogene massa *a h. mass;* een homogene ploeg *a well-balanced team*.

homogenisator ⟨de (m.)⟩ **0.1** *homogenizer*.

homogeniseren ⟨ov.ww.⟩ **0.1** *homogenize*.

homogeniteit ⟨de (v.)⟩ **0.1** *homogeneity*.

homograaf¹ ⟨de (m.)⟩ **0.1** *homograph*.

homograaf² ⟨bn.⟩ **0.1** *homographic*.

homokinetisch ⟨bn.,bw.⟩ ⟨nat.⟩ **0.1** *homokinetic*.

homologatie ⟨de (v.)⟩ **0.1** *homologation* ⇒⟨mbt. sport, records ook⟩ *ratification*, ⟨rechtbank⟩ *approval, sanction*, ⟨testament⟩ *probate*.

homologeren ⟨ov.ww.⟩ **0.1** *homologate* ⇒⟨mbt. sport, records ook⟩ *ratify*, ⟨rechtbank⟩ *approve, sanction*, ⟨testament⟩ *give probate* ♦ **1.1** het akkoord is door de rechtbank gehomologeerd *the agreement has been ratified/approved/sanctioned by the court*.

homologie ⟨de (v.)⟩ **0.1** *homology*.

homoloog ⟨bn.⟩ **0.1** [overeenstemmend] *homologous* **0.2** [⟨wisk.⟩] *homologous* **0.3** [⟨biol.⟩] *homologous* **0.4** [⟨taal.⟩] *homologous* ♦ **1.1** ⟨schei.⟩ homologe reeks *h. series* **1.3** ~ chromosoom *homolog(ue), autosome*.

homoniem¹ ⟨het⟩ ⟨taal.⟩ **0.1** *homonym*.

homoniem² ⟨bn.⟩ ⟨taal.⟩ **0.1** *homonymous, homonymic*.

homonymie ⟨de (v.)⟩ ⟨taal.⟩ **0.1** *homonymy*.

homoscene ⟨de⟩ **0.1** *gay/homo(sexual) scene*.

homoseksualiteit ⟨de (v.)⟩ **0.1** *homosexuality* ⇒⟨mbt. vrouwen ook⟩ *lesbianism*.

homoseksueel¹ ⟨de⟩ **0.1** *homosexual* ⇒⟨inf.⟩ *gay* ♦ **¶.1** de homoseksuelen ⟨ook⟩ *the third sex*.

homoseksueel² ⟨bn.⟩ **0.1** *homosexual* ⇒⟨inf.⟩ *gay*.

homosfeer ⟨de⟩ **0.1** *gay/homo(sexual) atmosphere*.

homozygoot ⟨bn.⟩ ⟨biol.⟩ **0.1** *homozygous, homozygotic*.

homp ⟨de (m.)⟩ *chunk* ⇒⟨groot⟩ *hunk, huge lump* ♦ **1.1** een ~ brood/vlees/kaas *a c.* | *hunk of bread/meat/cheese*.

hompelen ⟨onov.ww.⟩ **0.1** *hobble* ⇒⟨trekkebenen ook⟩ *limp, walk with a limp* ♦ **3.1** ~ en strompelen *stumble, stagger, lurch*.

homunculus ⟨de (m.)⟩ **0.1** [kunstmens] *homuncule, homunculus* **0.2** [klein mens] *homunculus* ⇒*dwarf*.

homziek ⟨bn.⟩ **0.1** ≠*soft-roed*.

hond ⟨de (m.)⟩ ⟨→sprw. 119,283 - 292,384⟩ **0.1** [huisdier] *dog* ⇒⟨jachthond⟩ *hound*, ⟨pej.⟩ *cur*, ⟨AE;sl.⟩ *pooch(y)* **0.2** [scheldwoord] *dog* ⇒*cur* ♦ **1.1** zij leven als kat en ~ *they are/live like cat and d., they lead a cat-and-d. life* **2.1** ⟨fig.⟩ hij is daar (altijd) de gebeten ~ *he always gets the blame/is always blamed (for everything), he can never do anything right there;* er uitzien als een geslagen ~ *have one's tail between one's legs, look chastened;* zo speels als een jonge ~ *as playful as a pup(py);* een staande ~ *a pointer;* tamme ~ pet/domesticated d.; een trouwe ~ *a faithful d.;* ⟨fig.⟩ ~ *old miser/skinflint;* ondankbare ~! *ungrateful d.!;* stomme ~ *stupid fool/idiot* **2.¶** ⟨astr.⟩ de Grote en de Kleine Hond *Canis Major/Minor;* ⟨com.⟩ Mexicaanse ~ *homeboard=feedback, howling, yowling;* ⟨med.⟩ rode ~ *German measles;* †rubella; ⟨biol.⟩ vliegende ~ *flying fox, fruit/fox bat;* ⟨pteroptus vampyrus⟩ *kalong* **3.1** commandeer je ~ en blaf zelf *what did your last servant die of?;* zij hebben een ~ *they have (got)/keep a d.;* daar zouden de ~ en geen brood van lusten *even a dog would turn up its nose at that, it's disgusting/a disgrace;* pas op/wacht u voor de ~ *beware of the d.;* ~ en niet toegelaten *no dogs (allowed);* de ~ uitlaten *take the d. (out) for a walk/out;* ⟨zonder zelf mee te gaan⟩ *let the d. out;* ⟨fig.⟩ de ~ in de pot vinden *miss one's/come too late for/have to go without one's dinner* **6.1** ~ en aan de lijn! *dogs must be kept on the leash!* **6.2** een ~ van een kerel *a (nasty) bastard/son-of-a-bitch* **7.1** ⟨fig.⟩ geen ~ *not a soul/single person* **8.1** Jan loopt mij achterna als een ~ (je) *Jan follows at my heels like a d.*/ *dogs my footsteps;* zo moe zijn als een ~ *be d.-tired;* hij is zo ziek als een ~ *he is as sick as a d.* / *cat;* behandeld worden als een ~ *be treated like a d.;* creperen als een ~ *die like a d.* **¶.1** ~ in de goot! *kerb your d.!*.

hondachtigen ⟨zn.mv.⟩ **0.1** *canines*.

hondebaan ⟨de⟩ **0.1** *lousy/rotten/awful job*.

hondebezitter ⟨de (m.)⟩, -ster ⟨de (v.)⟩ **0.1** *dog owner*.

hondebrood ⟨het⟩ **0.1** *dog meal* ⇒≠*dog food*.

hondedrek ⟨de (m.)⟩ **0.1** *dog dirt* ⇒*dog droppings*, ⟨vulg.⟩ *dog shit*.

hondefluitje ⟨het⟩ **0.1** *dog whistle*.

hondehok ⟨het⟩ **0.1** [verblijf v.e. waakhond] *(dog) kennel* ⇒⟨AE ook⟩ *doghouse* **0.2** [slecht verblijf] *dump* ⇒*hole, hovel*, ⟨vulg.⟩ *shithole*.

hondejong ⟨het⟩ **0.1** *pup(py)*.

hondekar ⟨de⟩ **0.1** *dogcart* ⇒*trap*.

hondeleven ⟨het⟩ **0.1** *dog's life* ♦ **3.1** zij had een ~ bij hem *he led her a d.l., she had a d.l. with him;* hij heeft een ~ *he has a d.l. of it, he leads a d.l.*.

hondelijn ⟨de⟩ **0.1** *lead, leash*.

hondelul ⟨de (m.)⟩ ⟨vulg.⟩ **0.1** *prick* ♦ **¶.1** hi, ha, ~ ⟨op voetbaltribune⟩ ≠*where's your/buy a pair of/you need glasses, y' prick*.

hondemand ⟨de (v.)⟩ **0.1** *dog basket*.

hondenasiel ⟨het⟩ **0.1** *dog kennel* ⇒^Bdogs' home, RSPCA, ⟨AE ook⟩ *Humane Society, SPCA*.

hondenbeet ⟨de (m.)⟩ **0.1** *dogbite*.

hondenbelasting ⟨de (v.)⟩ **0.1** *dog-licence fee*, ^Adog tax.

hondeneus ⟨de (m.)⟩ **0.1** *dog's nose* ♦ **3.1** ⟨fig.⟩ hij heeft een ~ *he has a good/keen nose (for)*.

hondenfokkerij ⟨de (v.)⟩ **0.1** [het fokken] *dog breeding* **0.2** [fokbedrijf] *breeding kennels*, ^Akennels.

hondenkenner ⟨de (m.)⟩ **0.1** *dog expert* ⇒*connoisseur of dogs*.

hondenliefhebber ⟨de (m.)⟩ **0.1** *dog lover*.

hondenpension ⟨het⟩ **0.1** *(boarding) kennel(s)*.

hondenren ⟨de (m.)⟩ **0.1** *dog/greyhound race*.

hondenroep ⟨de (m.)⟩ ⟨jacht⟩ **0.1** *calling off of the hounds*.

hondensalon ⟨het, de (m.)⟩ **0.1** *dog/-gy trimming parlour*.

hondenscheerder ⟨de (m.)⟩ **0.1** *dog-trimmer*.

hondenstamboek ⟨het⟩ **0.1** *dog pedigree*.

hondententoonstelling ⟨de (v.)⟩ **0.1** *dog show*.

hondentrimmer ⟨de (m.)⟩, -ster ⟨de (v.)⟩ **0.1** *canine beautician*.

hondeoog ⟨het⟩ **0.1** *sad/drooping eye*.

hondepenning ⟨de (m.)⟩ **0.1** [belastingpenning] *dog license disc* **0.2** [⟨mil.⟩ herkenningsplaatje] *identification disc/badge* ⇒⟨vnl. AE⟩ *dog tag*.

hondepoep ⟨de (m.)⟩ **0.1** *dog dirt* ⇒⟨vulg.⟩ *dogshit*, ⟨inf.⟩ *dog's do* ♦ **3.1** in de ~ trappen *step in dog dirt/a dog's mess, step in dogshit*.

honderas ⟨het⟩ **0.1** *breed of dog*.

honderd¹ ⟨het⟩ **0.1** [honderd stuks] *hundred* **0.2** [⟨mv.⟩ honderdtal] *hundred(s)* ♦ **1.2** ~en jaren oud *centuries-old;* ~en jaren/keren *hundreds of years/times* **2.2** enige ~en (boeken) *a few hundred (books)* **6.2** zij sneuvelden bij ~en *they died by the hundreds/in their hundreds;* zijn verlies loopt in de ~en *his losses run into the hundreds* **6.¶** alles/de boel loopt in het ~ *everything is going haywire/going wrong/at sixes and sevens;* de boel in het ~ sturen *mess everything/things up, make a (complete) mess(-up) of things;* in het ~ laten lopen *upset* ⟨plan, vergadering⟩; ⟨sl.⟩ *cock/bitch up;* ⟨vulg.⟩ *ball(ock)s up*, ^Aball/bollix up **7.1** deze eieren kosten twintig gulden de ~ *these eggs are twenty guilders a h.* **8.2** ~en en ~en (boeken) *hundreds and hundreds (of books)*.

honderd² ⟨→sprw. 624⟩

I ⟨hoofdtelw.⟩ **0.1** *hundred* ♦ **1.1** een bankbiljet van ~ gulden *a h.-guilder* ^B(bank)note/^Abill; in geen ~ jaar! *not on your (sweet) life/in a million years!;* ⟨BE;sl.⟩ *not on your nelly!, never in a month of Sundays!;* ⟨bel.⟩ *not (bloody) likely!;* dat doet 'ie in geen ~ jaar *he'd sooner die (than do that), you'll never get him to do that, wild horses couldn't get him to do that;* dat heb ik nu al (minstens) ~ keer gezegd *(if I've said it once) I've said it a h. times;* ~ kilometer per uur rijden *do a h.* / *drive at a speed of a h. (kilometres an hour);* de ~ meter (sprint) *the h. metres (sprint/* ⟨AE ook⟩ *dash);* een paar ~ boeken *a few h.* / *some hundreds of/* ⟨inf.⟩ *a couple of h. books;* ik voel me niet helemaal ~ procent *I'm not feeling one h. per cent/up to the mark/* ⟨vnl. BE⟩ *too bright/under the weather;* ~ procent zeker zijn (van) *be absolutely positive (about/of)/certain (of), be dead certain/sure (of), be a h. per cent sure/certain (of)* **2.1** een grote/dikke ~ *a good h.;* ⟨inf. ook⟩ *a cool h.* ⟨geld, afstand⟩ **3.1** hij is gisteren ~ geworden *he turned/was a h. yesterday;* hij is ~ geworden ⟨voordat hij stierf⟩ *he lived to be a h.;* die wordt nog ~ *he'll live to be a h.* **4.1** zowat/zo'n ~ boeken *about a/some h. books* **5.¶** hij praat ~ uit *he talks nineteen to the dozen;* ~ uit vragen *never stop asking questions* **6.1** er zijn er over de ~ *there are over/more than a h.;* (het is) ~ **tegen** één *(it is) a h. to one;* hij loopt **tegen** de ~ (jaar) *he's getting on for a h.;* een dag **uit** ~ *a perfect day, a day in a million;* een meisje **uit** ~ *a girl in a million;* **II** ⟨rangtelw.⟩ **0.1** *one/a hundred, 100* ◆ **1.1** het jaar ~ *the year one h.;* psalm ~ *Psalm one h. / 100;* ⟨hymne⟩ *Old Hundredth;* Rapenburg ~ *number one h. / 100,* Rapenburg **1.¶** nummer / kamer ~ *the w.c., granny's greenhouse.*

honderddelig ⟨de (m.)⟩ **0.1** *centesimal* ⇒*hundredfold,* ⟨thermometerschaal⟩ *centigrade.*

honderdduizend ⟨hoofdtelw.⟩ **0.1** *a/one hundred thousand* ◆ **1.1** de schade loopt in de ~en guldens *the damage runs into six figures;* (enige) ~en (mensen) *(some) hundreds of thousands (of people);* een paar ~ *a few* / ⟨inf.⟩ *a couple of hundred thousand* **7.1** ⟨zelfst.⟩ de ~ trekken ≠*draw first prize (in the Dutch State Lottery); win the pools.*

honderdduizendste ⟨rangtelw.⟩ **0.1** *(one) hundred thousandth.*

honderdjarig ⟨bn.⟩ **0.1** [honderd jaar oud/durende] *centenarian* ⇒*a hundred years old* **0.2** [om de eeuw plaatsvindend] *centenary* ⇒⟨vnl. AE⟩ *centennial* ◆ **1.1** het ~ bestaan vieren *celebrate the hundredth anniversary / the centenary* / ⟨vnl. AE⟩ *the centennial;* een ~e boom *a hundred-year-old tree;* de Honderdjarige Oorlog *the Hundred Years' War* **1.2** een ~ feest *a centenary, a centennial anniversary;* ⟨vnl. AE⟩ *a centennial; centenary* / ^A*centennial celebrations.*

honderdjarige ⟨de (m.)⟩ **0.1** *centenarian.*

honderdje ⟨het⟩ **0.1** *hundred-guilder* ^B*note* / ^A*bill.*

honderdmaal ⟨bw.⟩ **0.1** *a hundred times* ◆ **2.1** dat is ~ beter *that's a hundred times / a lot better* **3.1** dat heb ik je nu al ~ gezegd *(if I've told you once,) I've told you a hundred times;* dat heb ik je nu al ~ verboden *I've told you a hundred times / how often have I told you not to …;* ~ op een dag vergist hij zich *he makes mistakes a hundred times a day.*

honderdman ⟨de (m.)⟩ ⟨gesch.⟩ **0.1** *centurion.*

honderdste¹ ⟨het⟩ **0.1** *hundredth.*

honderdste² ⟨rangtelw.⟩ **0.1** [verdelingsgetal] *hundredth* **0.2** [⟨als bepaling van grootte⟩] *(one) hundredth* ◆ **1.1** ik probeer het nu al voor de ~maal *I've tried it a hundred times;* de ~ psalm *Psalm 100, the h. psalm* **1.2** het ~ deel *the (one) h. part* **6.2** niet een ~ **van** wat hij zegt, is waar *not even the h. part of what he says is true.*

honderdtal ⟨het⟩ **0.1** [aantal van honderd] *(a/one) hundred* ⇒*century* **0.2** [⟨wisk.⟩] *hundred* ◆ **1.1** een ~ platen *about a/some h. records* **6.1** **bij** ~len *by the/in their hundreds.*

honderdtwintig ⟨hoofdtelw.⟩ **0.1** *a/one hundred and twenty* ⇒ ⟨AE ook⟩ *a/one hundred twenty, long hundred.*

honderdvoud¹ ⟨het⟩ **0.1** *multiple of one hundred* ⇒*centuple* ◆ **6.1** in ~ *in centuplicate/hundredfold.*

honderdvoud² ⟨bn., bw.⟩ **0.1** *hundredfold* ⇒*centuplicate.*

honderdvoudig ⟨bn., bw.⟩ **0.1** ⟨bn.⟩ *hundredfold* ⇒*centuplicate,* ⟨bw.⟩ *a hundredfold* ◆ **1.1** een ~e oogst *a h. harvest.*

hondeteek ⟨de⟩ **0.1** *dog tick.*

hondetrouw ⟨de⟩ **0.1** *doglike devotion.*

hondevlees ⟨het⟩ [v.e. hond] *dog meat* **0.2** [voor een hond] *dog meat* ⇒*dog's meat.*

hondevlo ⟨de⟩ **0.1** *dog flea.*

hondevoer ⟨het⟩ **0.1** *dog food.*

hondewacht ⟨de⟩ ⟨scheep.⟩ **0.1** *middle watch* ⇒*midwatch, mid-to-four watch, graveyard watch.*

hondeweer ⟨het⟩ **0.1** *beastly / vile / foul / filthy weather* ◆ **4.1** wat een ~ vanavond! *what a beastly / dirty night!.*

hondeziekte ⟨de (v.)⟩ **0.1** *(canine) distemper* ◆ **3.1** ⟨fig.⟩ hij heeft de ~ *he's had a drop too much.*

hondje ⟨het⟩ ⟨→sprw. 293⟩ **0.1** [kleine hond] *doggy* ⇒*little dog,* ⟨kind.⟩ *bowwow* **0.2** [schatje] *pet* ⇒*darling, sweetie,* ^B*duckie,* ^A*honey-pie,* ^A*chickadee* **4.2** een ~ a *pup / pup(py) dog* **4.3** mijn ~! *my (little) p. / darling!* **6.1** op zijn ~s *dog(gy) fashion;* **op** zijn ~s zwemmen *(swim) dog paddle, swim like a dog;* ⟨fig.⟩ **van** het ~ gebeten zijn *give o.s. airs* **6.2** een ~ **van** een kind *what a darling little child* **8.1** als een ~ iem. achterna lopen *run after s.o. like a dog.*

honds ⟨bn., bw.; -ly⟩ **0.1** *currish* ⇒*churlish, doggish, rude* ◆ **1.1** ~ gedrag *doggery* **3.1** iem. ~ behandelen *treat s.o. like a dog / like dirt.*

hondsaap ⟨de (m.)⟩ **0.1** *baboon* ⇒*cynocephalus.*

hondsbrutaal ⟨bn., bw.; -ly⟩ **0.1** *brazen* ⇒*(as) bold as brass, brash* ◆ **3.1** die kinderen zijn werkelijk ~ *those kids are really lost to shame / incredibly impudent* **¶.1** ~ te werk gaan *be overbold, be as bold as brass.*

hondsdagen ⟨zn.mv.⟩ **0.1** *dog days.*

hondsdol ⟨bn.⟩ **0.1** *rabid, mad* ⇒⟨med.⟩ *hydrophobic* ◆ **7.1** ⟨zelfst.⟩ hij gedroeg zich als een ~ *he behaved as if he was m. / crazy.*

hondsdolheid ⟨de (v.)⟩ **0.1** *rabies* ⇒*hydrophobia, canine madness* ◆ **6.1** inenting **tegen** ~ *r. shot.*

hondsdraf ⟨de⟩ **0.1** *ground ivy.*

hondshaai ⟨de (m.)⟩ **0.1** *dogfish* ⇒*huss, sea dog, rough-hound.*

hondskers ⟨de⟩ ⟨vogelkers⟩ *bird-cherry* **0.2** [bes v.h. bitterzoet] *bittersweet berry.*

hondskruid ⟨het⟩ ⟨plantk.⟩ **0.1** [hondstong] *hound's / dog's tongue* **0.2** [duinorchidee] *pyramidal orchid.*

hondsmoe ⟨bn.⟩ **0.1** *dog-tired* ⇒*tired to death.*

hondsmoeilijk ⟨bn., bw.⟩ **0.1** ^B*bloody* / ^A*(god)damned hard / difficult.*

hondsnetel ⟨de⟩ **0.1** *white nettle.*

hondspeterselie ⟨de⟩ **0.1** *fool's parsley.*

hondsroos ⟨de⟩ **0.1** *briar / brier (rose)* ⇒*dog / canker rose, hip tree.*

hondstong ⟨de⟩ **0.1** *hound's / dog's tongue.*

hondsviooltje ⟨het⟩ **0.1** *heath violet* ⇒*dog violet.*

hondsvlieg ⟨de⟩ **0.1** *gall wasp.*

hondsvot ⟨het, de⟩ **0.1** [⟨als scheldwoord⟩] *cur* ⇒*scoundrel, blackguard* **0.2** [schaamdeel v.e. teef] *bitch's genitals.*

Honduras ⟨het⟩ **0.1** *Honduras.*

Hondurees¹ ⟨de (m.)⟩ **0.1** *Honduran(ean).*

Hondurees² ⟨bn.⟩ **0.1** *Honduran(ean).*

honen
I ⟨ov.ww.⟩ **0.1** [smaden] *deride* ⇒*revile, sneer (at), jeer (at), scoff (at)* **0.2** [glad slijpen] *hone;*
II ⟨onov.ww.⟩ **0.1** [honend spreken] *jeer* ⇒*sneer, scoff.*

honend ⟨bn., bw.; -ly⟩ **0.1** *derisive* ⇒*sneering, jeering, taunting* ◆ **1.1** ~ gejoel *cries of derision, jeering* **3.1** hij lachte ~ *he laughed derisively;* …, zei hij ~ …, *he sneered.*

Hongaar ⟨de (m.)⟩, **-se** ⟨de (v.)⟩ **0.1** *Hungarian* ⇒*Magyar.*

Hongaars ⟨het⟩ **0.1** *Hungarian* ⇒*Magyar.*

Hongarije ⟨het⟩ **0.1** *Hungary.*

honger ⟨de (m.)⟩ ⟨→sprw. 294⟩ **0.1** [eetlust] *appetite* ⇒*hunger* **0.2** [begeerte] *lust* ⇒*appetite,* ⟨fig.⟩ *hunger* **0.3** [hongersnood] *famine* ⇒*hunger, starvation* ◆ **3.1** van die wandeling heb ik ~ gekregen *that walk has made me hungry / has given me an a.;* ~ hebben *be / feel hungry;* ⟨vnl. BE; inf.⟩ *feel peckish;* ik begin ~ te krijgen *I'm getting hungry;* werk waar je ~ van krijgt *hungry work;* ~ lijden *go hungry, starve;* deze baan betekent ~ lijden *this job means starvation;* zijn ~ stillen *satisfy / appease / check one's a.* **6.1** door ~ dwingen / brengen tot *starve into;* een **razende / nijpende / knagende** ~ *raging / ravenous / gnawing hunger, pangs of hunger;* ik rammel / verga **van** de ~ *I'm starving;* **van** ~ sterven ⟨fig.⟩ *be dying for sth. to eat;* *die of hunger; scheel / zwart / grauw zien* **van** de ~ *be perished with hunger, be starving / famished* **6.2** ~ **naar** geld en goed *l. for material things, greed* **8.1** ik heb een ~ als een paard *I'm starving, I'm so hungry I could eat a horse, I'm as hungry as a hunter.*

hongerbaantje ⟨het⟩ **0.1** *starvation job.*

hongerblokkade ⟨de (v.)⟩ **0.1** *starvation blockade.*

hongerdieet ⟨het⟩ **0.1** *starvation diet.*

hongerdood ⟨de (m.)⟩ **0.1** *death by / from starvation* ◆ **3.1** de ~ sterven *starve to death, die of starvation.*

hongeren ⟨onov.ww.⟩ **0.1** [honger lijden] *starve* ⇒*hunger* **0.2** [sterk verlangen] *hunger* ⇒*be hungry,* ⟨schr.⟩ *crave* ◆ **3.2** ~ en dorsten naar gerechtigheid *hunger and thirst after justice* **6.2** ~ **naar** *hanker after* ⟨vakantie, rijkdom⟩; *hunger / be hungry for* ⟨gesprek, gezelschap, kennis⟩.

hongerig ⟨bn., bw.; -ly⟩ ⟨→sprw. 415⟩ **0.1** [honger hebbend] *hungry* ⇒*starving, famished,* ⟨beetje⟩ *peckish, empty* ⟨maag⟩ **0.2** [verlangend] *hungry* ⇒*eager, keen(-set)* ◆ **1.1** zij vielen als ~e wolven aan *they fell upon their supper like h. wolves* **3.1** ~ worden *get h.* **7.1** ⟨zelfst.⟩ de ~en voeden *feed the hungry.*

hongerkuur ⟨de⟩ **0.1** *starvation / fasting cure / therapy* ⇒*hunger-cure / -therapy* ◆ **3.1** een ~ ondergaan *take a s. / f. c., starve o.s.* **6.1** een ziekte **door** een ~ genezen *starve an illness.*

hongerlap ⟨de (m.)⟩ **0.1** *glutton* ⇒*pig.*

hongerlijder ⟨de (m.)⟩, **-lijdster** ⟨de (v.)⟩ **0.1** [iem. die honger lijdt] *starveling* **0.2** [iem. die altijd honger heeft] *glutton,* **pig 0.3** [iem. met een zeer gering inkomen] *s.o. on the breadline* ◆ **8.1** hij ziet eruit als een ~ *he has a starved / famished look.*

hongerloon ⟨het⟩ **0.1** *starvation wages* ⇒*pittance, subsistence wages* ◆ **3.1** een ~tje hebben / verdienen *work for a pittance* **6.1** iem. **voor** een ~tje laten werken *exploit s.o..*

hongeroedeem ⟨het⟩ **0.1** *hunger oedema.*

hongeroproer ⟨het⟩ **0.1** *hunger / food riots.*

hongerpijn ⟨de⟩ **0.1** *hunger pain.*

hongersnood ⟨de⟩ **0.1** *famine* ⇒*hunger, starvation,* ⟨schaarste⟩ *dearth* ◆ **3.1** door ~ geteisterd (worden) *(be) f.-stricken;* in al die landen heerst ~ *there is a f. in all these countries.*

hongerstaker ⟨de (m.)⟩ **0.1** *hunger striker.*

hongerstaking ⟨de (v.)⟩ **0.1** *hunger strike* ◆ **6.1** **in** ~ (gaan / zijn) *(go / be) on (a) h.s..*

hongerstiller ⟨de (m.)⟩ **0.1** *appetite depressant* ⇒*anoretic,* ⟨tussendoortje⟩ *sth. between meals.*

hongerwinter ⟨de (m.)⟩ **0.1** *hunger winter.*

honing ⟨de (m.)⟩ ⟨→sprw. 608⟩ **0.1** [door bijen bereide stof] *honey* **0.2** [bloemvocht] *nectar* ◆ **2.1** gepijnde ~ *strained h.;* ongepijnde ~ *virgin h.;* wilde ~ *wild h.* **3.1** ~ maken *make h.;* ⟨fig.⟩ iem. ~ om de mond smeren *butter s.o. up, flatter s.o.;* ~ winnen *harvest / produce h.* **3.2** ~ uit iets zuigen ⟨fig.⟩ *profit by sth.* **6.1** een boterham **met** ~ *a h. sandwich;* **met** ~ gezoet *honeyed* **8.1** zo zoet als ~ *as sweet as h., h.-sweet;* het smaakt als ~ *it tastes like h..*

honingbeer ⟨de (m.)⟩ **0.1** *sun bear, malay(an) bear*.

honingbereiding ⟨de (v.)⟩ **0.1** *honey making* ⇒*production of honey*.

honingbij ⟨de⟩ **0.1** *honeybee*.

honingbloem ⟨de⟩ **0.1** *honeyflower*.

honingblond ⟨bn.⟩ **0.1** *honey blonde* ⇒*honey-coloured* ⟨haar⟩.

honingcel ⟨de⟩ **0.1** *honey(comb) cell* ⇒*alveolus*.

honingdas ⟨de (m.)⟩ **0.1** *honey badger*.

honingdauw ⟨de (m.)⟩ **0.1** *honeydew*.

honingdrank ⟨de (m.)⟩ **0.1** *mead* ⇒*metheglin*, ⟨ongefermenteerd⟩ *hydromel*.

honinggeel ⟨bn.⟩ **0.1** *honey (yellow)* ⇒*honey-coloured* ♦ **7.1** het~ *h.(y.)*.

honinggroefje ⟨het⟩ ⟨biol.⟩ **0.1** *nectary, honey gland*.

honingheide ⟨het, de (m.)⟩ **0.1** *cross-leaved heath*.

honingkelk ⟨de (m.)⟩ ⟨plantk.⟩ **0.1** *nectariferous calyx*.

honingklaver ⟨de⟩ **0.1** *melilot* ⇒*sweet clover* ♦ **2.1** de gele (gewone) ~ *the tall m.*.

honingkleur ⟨de⟩ **0.1** *honey(-colour)*.

honingkliertje ⟨het⟩ ⟨plantk.⟩ **0.1** *nectary* ⇒*honey gland*.

honingkoek ⟨de (m.)⟩ **0.1** ≠*honey cake*.

honingmerk ⟨het⟩ **0.1** *honey guide*.

honingpers ⟨de⟩ **0.1** *honey extractor*.

honingpot ⟨de⟩ **0.1** *honey pot/jar*.

honingraat ⟨de⟩ **0.1** *honeycomb*.

honingraatmotief ⟨het⟩ **0.1** *honeycomb (pattern)*.

honingschijf ⟨de⟩ **0.1** [klier] *nectary* ⇒*honey gland* **0.2** [raat] *honeycomb*.

honingschubje ⟨het⟩ →**honingschijf 0.1**.

honingslinger ⟨de⟩ **0.1** *honey extractor*.

honingsmaak ⟨de (m.)⟩ **0.1** *honey flavour* ⇒*taste of honey* ♦ **6.1** met ~ *honey-flavour(ed)*.

honingsuiker ⟨de (m.)⟩ **0.1** *invert sugar*.

honingzeem ⟨het, de (m.)⟩ **0.1** *virgin honey*.

honingzoet ⟨bn., bw.⟩ **0.1** *honey-sweet* ⇒*honeyed, sweet as honey*, ⟨vnl. fig.⟩ [mellifluous] ♦ **1.1** op ~e toon *with honeyed tongue*; ~e woorden *honeyed/mellifluous words* **3.1** zich ~ gedragen *fawn (on s.o.)*.

honk ⟨het⟩ **0.1** [kinderspel] *home* **0.2** [sport] *base* ⇒*cushion, pillow* **0.3** [thuis] *home* ♦ **2.2** een gestolen ~ *a stolen b.* **3.2** een ~ stelen *steal a b.* **6.3** bij ~ blijven *stay at h.*; van ~ zijn *be away from h.* **7.2** het eerste ~ bereiken, op het eerste ~ komen *get to/reach first b.*.

honkbal ⟨het⟩ ⟨sport⟩ **0.1** *baseball* ⇒B≠*rounders*, ⟨AE; inf.⟩ *ball*.

honkballen ⟨onov.ww.⟩ ⟨sport⟩ **0.1** *play baseball* ⇒ ⟨AE; inf.⟩ *play ball*.

honkballer ⟨de (m.)⟩ ⟨sport⟩ **0.1** *baseball player*.

honklopen ⟨ww.⟩ ⟨sport⟩ **0.1** *be baserunning/a baserunner*.

honkloper ⟨de (m.)⟩, **-loopster** ⟨de (v.)⟩ ⟨sport⟩ **0.1** *baserunner*.

honkman ⟨de (m.)⟩ ⟨sport⟩ **0.1** *baseman*.

honkslag ⟨de (m.)⟩ ⟨sport⟩ **0.1** *(one-)base hit* ⇒*single, one-bagger*.

honkvast ⟨bn.⟩ **0.1** *stay-at-home* ⇒*home-loving* ♦ **1.1** een ~e werknemer *a fixture* **3.1** ~ zijn *be a s.-a.-h., a home-lover*.

honneponnie ⟨de⟩ **0.1** *pet, sweetheart* ⇒ ⟨AE⟩ *little chickadee*.

honneponnig ⟨bn., bw.; -ly⟩ **0.1** *cute* ⇒*lovely, sweet* ♦ **3.1** ze ziet er altijd zo ~ uit *she always looks so c./sweet*.

honneurs ⟨zn. mv.⟩ **0.1** [eerbewijzen] *honours* **0.2** [⟨kaartspel⟩] *honour cards* ♦ **3.1** de ~ waarnemen *do the h.*.

honorabel ⟨bn.⟩ **0.1** *honourable* ⇒*admirable*.

honorair ⟨bn.⟩ ♦ **1.¶** een ~ ambt *an honorary post*; een ~ lid *an honarary member*.

honorarium ⟨het⟩ **0.1** ⟨dokter, advocaat⟩ *fee*; ⟨commissarissen, bijbaantjes⟩ *remuneration*; ⟨salaris⟩ *salary*; ⟨van boekverkoop⟩ *royalty* ⇒*honorarium*.

honoreren ⟨ov.ww.⟩ **0.1** [honorarium geven voor] *pay* ⇒*remunerate*, ⟨advocaat ook⟩ *fee* **0.2** [als geldig erkennen] *honour, meet* ⟨wissel, schuld⟩ ⇒ ⟨wissel ook⟩ *protect, give due protection/honour, recognize, accept* ⟨diploma⟩ **0.3** [opnemen] *accept* ⇒*include* ♦ **5.1** daarvoor wordt hij goed gehonoreerd *he is well paid/remunerated for it* **5.2** een wissel niet ~ *refuse to h./not h. a draft/cheque*.

honorering ⟨de (v.)⟩ **0.1** [betaling] *payment* ⇒*remuneration, fee* ⟨advocaat, dokter⟩ **0.2** [erkenning] *honouring, protecting* ⟨van wissel⟩; *recognition, acceptance* ⟨diploma⟩.

honoris causa 0.1 *honorary* ♦ **1.1** zij is doctor h.c. *she has an h. doctorate*; hij is tot doctor ~ bevorderd *he has been given an h. doctorate*.

hoofd ⟨het⟩ ⟨→sprw. 86, 295, 394, 548⟩ **0.1** [lichaamsdeel] *head* ⇒ ⟨sl.⟩ *egg*, ⟨AE; sl.⟩ *bean* **0.2** [als zetel van het verstand, de wil] *head* ⇒ *mind, brain(s)* **0.3** [persoon] *head* **0.4** [het bovenste, hoogste gedeelte] ⟨tafel⟩ *head, top*; ⟨brief e.d.⟩ *head(ing), caption* **0.5** [het voorste gedeelte] *head* ⇒*front, vanguard* **0.6** [(van personen) leider, meerdere] *head* ⇒*chief, leader*, ⟨school⟩ *principal (teacher), headmaster* ⟨m.⟩, *headmistress* ⟨v.⟩ **0.7** [⟨in samenst.⟩ (van zaken)(het) de voornaamste] *main* ⇒*head, chief, cardinal, major* ♦ **1.6** ~ van dienst *commissioner, person in charge*; het ~ v.d. school *the headmaster* ⟨m.⟩/ *headmistress* ⟨v.⟩, *the head* **1.7** hoofdbureau *head/m. office*; hoofdingang *m. entrance* **2.1** ⟨fig.⟩ hun daden zullen op hun eigen ~ neerkomen *their actions will recoil on them*; met gebogen ~ *with h. bowed*;

een ~ groter/kleiner zijn (dan) *be a h. taller/shorter (than)*; met een kaal/rood/rond ~ *bald-headed/red-faced/round-faced*; met opgeheven ~ ⟨fig.⟩ *with h. held high*; zijn ~ wordt rood van schaamte *his face goes/turns red with shame*; ⟨fig.⟩ een zwaar/een hard ~ in iets hebben *have grave doubts/misgivings about sth.* **2.2** uit het blote ~ spreken *speak ad lib/off the cuff* **2.4** ⟨boekhouden⟩ iets onder een apart ~ boeken *book sth. under a separate heading* **2.6** een gekroond ~ *a crowned head* **3.1** het ~ afwenden *turn (one's h.) away from*; ⟨fig.⟩ iets het ~ bieden *face/withstand/cope with/stand/face up to sth.* ⟨moeilijkheden, gevaren, tegenstand⟩; *meet, defy* ⟨concurrentie, aanvallen⟩; ⟨fig.⟩ krachtig het ~ bieden aan *oppose strongly, put up a stubborn defence against*; het ~ buigen ⟨fig.⟩ *bow one's h., bow down (to)*; ⟨fig.⟩ iemands ~ eisen ⟨aftreden/val⟩ *demand s.o. h./scalp*; ⟨fig.⟩ het ~ in de nek gooien *bridle up*; ⟨fig.⟩ het ~ laten hangen/niet laten hangen *hang one's h./hold one's h. high*; hij heeft zijn ~ gestoten ⟨fig.⟩ *he has had/met with a rebuff*; het ~ boven water houden ⟨fig.⟩ *keep one's h. above water, keep afloat*; ⟨fig.⟩ het ~ in de schoot leggen *give up the fight, surrender*; ⟨fig.⟩ het (moede) ~ neerleggen ⟨sterven⟩ *lay down one's (weary) h.*; het ~ ontbloten *bare/uncover one's h., doff one's hat*; het ~ schudden bij/over *shake one's h. at/over*; ⟨fig.⟩ de ~en bij elkaar steken *put heads together, powwow*; ⟨fig.⟩ overal het ~ stoten *be up against a brick/blank wall*; ⟨fig.⟩ zijn ~ eronder durven verwedden *bet/stake one's life (on)* ^*bet one's bottom dollar* **3.2** ⟨fig.⟩ zich het ~ (niet) over iets breken *(not) rack one's brains/puzzle one's h. over sth., (not) agonize over sth.*; zijn ~ gebruiken ⟨nadenken⟩ *use one's h.*; ⟨fig.⟩ *use one's loaf*; ⟨fig.⟩ het ~ er niet bij hebben *have one's mind on other things*; ⟨fig.⟩ het ~ loopt mij om *my h. is going round/is in a spin/whirl*; ⟨fig.⟩ mijn ~ staat er niet naar *I'm not in the mood for it*; ⟨fig.⟩ het ~ verliezen/niet verliezen *lose/keep one's h.* **3.3** we moeten de ~en tellen *we must count heads* **3.4** met gedrukt ~ ⟨van formulier⟩ *with printed heading* **5.1** ~ front/links/rechts! *eyes front/left/right!*; met het ~ voorover *headlong*; ⟨met⟩ het ~ vooruit *headfirst, head-on* **6.1** zonder ~ ⟨onthoofde⟩ *headless*; ⟨dierk.⟩ *acephalous*; dat hangt hem boven het ~ ⟨fig.⟩ *he has got that hanging over his h.*; iem. boven het ~ groeien *outgrow/outstrip s.o.*; ⟨fig.⟩ het werk is hem boven het ~ gegroeid *he can't cope with his work anymore*; ⟨fig.⟩ die onderneming is mij **boven(/over)** het ~ gegroeid *this task has become too much for me*; zich een kogel **door** het ~ jagen *put a bullet through one's h./brains*; zich een gat in het (z'n) ~ vallen *fall and cut one's h.*; heb je geen ogen in je ~! *use your eyes!/can't you look where you're going?*; licht/zwaar in het ~ zijn *be light-headed, have a heavy h.*; met twee ~en *bicephalic, bicephalous, two-headed*; met zijn ~ tegen de muur knallen/lopen *bang/knock one's h. against the wall*; ⟨fig.⟩ met zijn ~ in de wolken leven *live with one's h. in the clouds*; iem. een verwijt ⟨beschuldiging/belediging⟩ **naar** het ~ slingeren *hurl a reproach/an accusation/abuse at s.o. ('s h.)*; het succes is hem **naar** het ~ gestegen *the success has gone to his h.*; ⟨fig.⟩ hij kreeg van alles **naar** zijn ~ ⟨fig.⟩ *he had all kinds of abuse thrown/flung at him*; **naar** zijn ⟨voor⟩ ~ wijzen ⟨als teken dat iem. gek is⟩ *tap one's forehead*; spijt hebben als haren **op** zijn ~ *regret infinitely, be very sorry*; **op** zijn ~ staan *stand on one's h.*; al ga je **op** je ~ staan *whatever you may say or do*; een beloning **op** iemands ~ zetten *put a price on s.o.'s h.*; ze kreeg de lamp **op** haar ~ *the lamp fell on her h.*; men kon er wel **over** de ~en lopen *it was choc-a-bloc with people*; iets **over** het ~ zien ⟨fig.⟩ *overlook sth.*; ⟨fig.⟩ de lezing ging **over** hun ~en heen *the lecture went over their heads*; ⟨fig.⟩ dat moet je maar **over** het ~ zien *let that go by, take no notice of that*; iem. **van** het ~ tot de voeten opnemen/bekijken *look s.o. up and down*; iets **voor** het ~ stoten *offend/affront s.o.* **6.2** uit het ~ aanhalen/spelen/zingen *quote/play/sing from memory*; zeur me niet **aan** het ~ *stop nagging, don't bother me*; ik heb wel wat anders **aan** mijn ~ *I've got other/more important things on my mind/to think about, I've got other fish to fry*; hij heeft veel **aan** zijn ~ *he has a lot of things on his mind*; je bent niet goed **bij** je ~! *you're out of your (tiny) mind*; niet goed **bij/in** het/zijn ~ zijn *not be all there, a bit mental/soft in the h.*; die gedachte/melodie maalt/speelt mij **door** het ~ *that thougt/tune keeps running through my mind*; dat is mij **door** het ~ gegaan/geschoten *it slipped my mind*; hij heeft grote plannen **in** zijn ~ *he has great plans (in his h.)*; zich iets **in** het ~ zetten *get sth. in(to) one's h., have sth. in one's mind*; hoe krijgt/haalt hij het **in** zijn ~? *where does he get such an idea?, what's come over him?, what is he thinking of?*; dat heb ik niet allemaal zo **in** mijn ~ *I don't know it all off the top of my head, I haven't got it all at my fingertips*; precies wat ik **in** mijn ~ heb *exactly what I had in mind*; zij kreeg het **in** haar ~ om *she took/got it into her h. to*; zoiets komt niet **in** mijn ~ op *it would never enter my head/mind to do sth.*; like that; als zij zich eenmaal iets **in** het ~ heeft gezet *when she's got an idea into her h.*; feiten **in** zijn ~ stampen *crown*; de drank stijgt/vliegt hem **naar** het ~ *the drink is going to his h.*; iets **uit** het ~ leren/kennen *learn/know sth. by heart/rote*; iets **uit** het ~ rekenen *do sums in one's h., do mental arithmetic*; ik zal die gekheid wel **uit** mijn ~ laten *I know better than to do sth. crazy like that*; dat laat ik mij niet **uit** mijn ~ praten *I won't be talked out of this*; dat zou ik maar **uit** mijn ~ zetten *I'd forget it if I were you*; iemand iets **uit** zijn ~ praten *talk* *s.o. out of sth.* **6.3** per *~ per h. / capita, each;* wij betaalden *f*30 per ~ *we paid f30 each/per h.;* **per** *~ van de bevolking per h. of (the) population;* het verbruik **per** *~ the per capita consumption* **6.4 in** het *~* van deze brief *at the head of this letter* **6.5** hij ging **aan** het*~* van de troepen *he led/was at the h. of the troops;* ⟨fig.⟩ hij stelde zich **aan** het*~* van de beweging *he assumed the leadership of the movement;* **aan** het *~* staan van *be at the h. of;* ⟨leger⟩ *be in command of;* ⟨bedrijf, departement⟩ *be in charge of* **6.¶ uit** dien *~ for that reason, on that account;* **uit** *~*e van *on account of, by reason of, in consideration of* ⟨het weer, zijn leeftijd⟩; *by virtue of* ⟨zijn ambt⟩; **uit** *~*e van zijn functie/ beroep *van/als in his capacity as* **8.1** een *~* hebben als *en boei have a face as red as a beetroot* **8.2** een *~* als een ijzeren pot *the memory of an elephant* **¶.2** ⟨fig.⟩ iem. het *~* op hol brengen *turn s.o.'s h.;* het *~* koel houden *keep one's h., keep a cool h., keep one's cool.*

hoofdaccent ⟨het⟩ **0.1** *main/primary stress/accent.*

hoofdader ⟨de⟩ **0.1** *main artery* ◆ **1.1** een *~* van het verkeer *a main traffic artery, a trunk road.*

hoofdafdeling ⟨de (v.)⟩ **0.1** *(main/principal) department/section/division /office,* ⟨biol.⟩ *phylum, subkingdom* ◆ **1.1** de *~* studentenzaken van de universiteit *the university department of student affairs, the university's student affairs office.*

hoofdafmetingen ⟨zn.mv.⟩ **0.1** *(overall/main) dimensions.*

hoofdagent ⟨de (m.)⟩ **0.1** [politieagent] *senior police officer* **0.2** [vertegenwoordiger] *general/main/principal agent, distributor.*

hoofdagentschap ⟨het⟩ **0.1** [(politie)taak] *senior office* **0.2** [⟨hand.⟩ taak] *main agency, distributorship* **0.3** [kantoor] *main agency.*

hoofdakte ⟨de⟩ **0.1** *teaching certificate.*

hoofdaltaar ⟨het, de (m.)⟩ **0.1** *high altar* ⇒*m. altar.*

hoofdambtenaar ⟨de (m.)⟩ **0.1** *senior/chief/principal officer/official, commissioner* ⇒*executive (officer).*

hoofdarbeid ⟨de (m.)⟩ **0.1** *brainwork.*

hoofdarbeider ⟨de (m.)⟩, **-beidster** ⟨de (v.)⟩ **0.1** *white-collar worker* ⇒ *brain worker, intellectual.*

hoofdartikel ⟨het⟩ **0.1** [redactioneel stuk] *editorial* ⇒*leading article, leader* **0.2** [⟨hand.⟩] *main/chief/leading article/merchandise* **0.3** [bepaling in een verdrag/contract] *main provision/clause* ◆ **3.2** koffie is mijn*~ coffee is my (main) line/my speciality.*

hoofdas ⟨de⟩ **0.1** [voornaamste as] *main axle* ⇒*arbor* **0.2** [⟨wisk.⟩] *main axis* **0.3** [⟨plantk.⟩] *peduncle.*

hoofdassistent ⟨de (m.)⟩ **0.1** *senior assistent* ⇒*top aide.*

hoofdband ⟨de (m.)⟩ **0.1** *headband* ⇒*fillet, bandeau.*

hoofdbank ⟨de⟩ **0.1** *mainbranch/head office of a bank.*

hoofdbedrijf ⟨het⟩ **0.1** [⟨hand.⟩] *chief/main (line of) business, m. occupation* **0.2** [⟨dram.⟩] *main act* **0.3** [belangrijkste vestiging] *head office.*

hoofdbedrijfschap ⟨het⟩ **0.1** *Trades Council.*

hoofdbeginsel ⟨het⟩ **0.1** *chief/fundamental principle.*

hoofdberoep ⟨het⟩ **0.1** *main/chief occupation.*

hoofdbestanddeel ⟨het⟩ **0.1** *main/chief/principal ingredient/constituent* ⇒*basis.*

hoofdbestuur ⟨het⟩ **0.1** ⟨vereniging⟩ *general/executive/central board/committee, general council;* ⟨bedrijf⟩ *board (of directors).*

hoofdbestuurder ⟨de (m.)⟩ **0.1** ⟨bedrijf⟩ *general manager, director-in-chief, director-general;* ⟨vereniging⟩ *chief officer/commissioner.*

hoofdbewerking ⟨de (v.)⟩ **0.1** [⟨wisk.⟩] *basic/fundamental operation* **0.2** [⟨tech.⟩]⟨alg.⟩ *general/essential work,* ⟨inf.⟩ *basics;* ⟨pleisterwerk e.d.⟩ *roughing-in;* ⟨timmerwerk⟩ *roughing-out.*

hoofdbewoner ⟨de (m.)⟩, **-woonster** ⟨de (v.)⟩ **0.1** *principal occupier* ⇒ *main tenant.*

hoofdboekhouder ⟨de (m.)⟩ **0.1** *chief/head bookkeeper* ⇒*chief accountant.*

hoofdbreken ⟨het⟩ **0.1** *thinking* ⇒*thought, worry* ◆ **3.1** dat zal mij heel wat*~*(s) kosten *I shall have to rack my brains over that, that's going to take a lot of thought.*

hoofdbrekend ⟨bn.⟩ **0.1** *perplexing* ⇒*mind-bending.*

hoofdbuis ⟨de⟩ **0.1** *main* ⟨van gas/waterleiding⟩.

hoofdbureau ⟨het⟩ **0.1** *head/main office* ⟨ook van krant⟩; *headquarters* ◆ **1.1** *~* van politie *police headquarters, central police station.*

hoofdcijfer ⟨het⟩ **0.1** *main figure.*

hoofdcommies ⟨de (m.)⟩ **0.1** *principal clerk.*

hoofdcommissariaat ⟨het⟩ **0.1** *police headquarters.*

hoofdcommissaris ⟨de (m.)⟩ **0.1** *(chief) superintendent (of police); commissioner.*

hoofddader ⟨de (m.)⟩ **0.1** *chief offender/culprit* ⇒*chief instigator, principal wrong doer,* ⟨jur.⟩ *principal in the first degree.*

hoofddek ⟨het⟩ ⟨scheep.⟩ **0.1** *main deck.*

hoofddeksel ⟨het⟩ **0.1** *head gear* ⇒*head covering.*

hoofddeugd ⟨de⟩ **0.1** [voornaamste deugd] *principal virtue* **0.2** [⟨r.k.⟩] *natural virtue.*

hoofddirectie ⟨de (v.)⟩ **0.1** *general management.*

hoofddoek ⟨de (m.)⟩ **0.1** *shawl* ⇒*kerchief, headscarf, headcloth.*

hoofddoel ⟨het⟩ **0.1** *principal/main/chief purpose/aim.*

hoofdeigenschap ⟨de (v.)⟩ **0.1** *principal/main/chief characteristic* ⇒ *principal/main/chief quality,* ⟨wisk.⟩ *fundamental theorem.*

hoofdeind(e) ⟨het⟩ **0.1** *head;* ⟨tafel ook⟩ *top.*

hoofdelijk ⟨bn., bw.⟩ **0.1** [iedere persoon afzonderlijk betreffend]⟨belasting⟩ *poll;* ⟨stemmen⟩ *by call/division;* ⟨onderwijs⟩ *individual* **0.2** [⟨jur.⟩] *several* ◆ **1.1** *~*e omslag *capitation, head money/tax, poll-tax; ~* onderwijs *individual/personal tuition; ~*e stemming, omvraag *poll, voting by call;* zonder *~*e stemming aangenomen worden ⟨parlement⟩ *≠be carried without a division* **1.2** ⟨jur.⟩ een *~*e verbintenis *a s. obligation* **2.2** ⟨jur.⟩ *~* aansprakelijk zijn *be severally liable/responsible* **3.1** *~* laten stemmen *take the roll-call.*

hoofdfeit ⟨het⟩ **0.1** [voornaamste feit] *principal/main fact* **0.2** [⟨jur.⟩] *principal/main charge.*

hoofdfiguur ⟨de⟩ **0.1** *leading figure* ⟨van tijdperk⟩; *main/chief character, hero* ⟨m.⟩ */heroine* ⟨v.⟩, *protagonist* ⟨van roman, toneelstuk, film⟩; *central figure* ⟨van schilderat⟩.

hoofdfilm ⟨de (m.)⟩ **0.1** *feature (film)* ⇒*main film.*

hoofdgebouw ⟨het⟩ **0.1** *main/central building.*

hoofdgedachte ⟨de (v.)⟩ **0.1** *principal/leading idea* ⇒*essence, gist, keynote, main line of thought.*

hoofdgeld ⟨het⟩ ⟨gesch.⟩ **0.1** *capitation* ⇒*poll/head tax, headmoney.*

hoofdgerecht ⟨het⟩ **0.1** *main course/dish,* ᴬ*entrée.*

hoofdgetal ⟨het⟩ **0.1** *cardinal (number).*

hoofdgroep ⟨de⟩ **0.1** *division* ⇒*main group.*

hoofdhaar ⟨het, de (m.)⟩ **0.1** *hair (of the head)* ◆ **1.¶** *~* van Berenice *Berenice's Hair, Coma Berenices.*

hoofdhuid ⟨de⟩ **0.1** *scalp.*

hoofdig ⟨bn., -ly⟩ ⟨schr.⟩ **0.1** [koppig] *stubborn* ⇒*obstinate, headstrong* **0.2** [naar het hoofd stijgend (van drank)] *heady.*

hoofdijzer ⟨het⟩ **0.1** *(ornamental) headpiece.*

hoofdingang ⟨de (m.)⟩ **0.1** *main entrance.*

hoofdingeland ⟨de (m.)⟩ **0.1** *member of a polder board, chief landholder in a polder.*

hoofdinhoud ⟨de (m.)⟩ **0.1** [korte samenvatting] *summary* ⇒*abstract, argument* **0.2** [essentie] *gist* ⇒*purport, sum, substance.*

hoofdinspecteur ⟨de (m.)⟩, **-trice** ⟨de (v.)⟩ **0.1** *chief/senior/general inspector* ⇒⟨scheep.⟩ *principal ship surveyor,* ⟨van volksgezondheid⟩ *chief medical officer, inspector general* ◆ **1.1** *~* van politie *chief inspector.*

hoofdje ⟨het⟩ **0.1** [klein hoofd] *(little/small) head* **0.2** [opschrift] *heading* ⇒*caption* **0.3** [bloeiwijze] *(flowering) head* **0.4** [randje aan een gordijn] *flounce, gather.*

hoofdkaas ⟨de⟩ **0.1** *brawn,* ᴬ*headcheese.*

hoofdkabel ⟨de (m.)⟩ **0.1** *main (cable).*

hoofdkanaal ⟨het⟩ **0.1** *main canal.*

hoofdkantoor ⟨het⟩ **0.1** *head office* ⇒*headquarters.*

hoofdkenmerk ⟨het⟩ **0.1** *chief/main/principal characteristic.*

hoofdkerk ⟨de⟩ **0.1** [kerk] *cathedral* **0.2** [kerkgenootschap] *principal denomination.*

hoofdklasse ⟨de (v.)⟩ ⟨sport⟩ **0.1** *premier/first division.*

hoofdklemtoon ⟨de (m.)⟩ ⟨taal.⟩ **0.1** *primary stress/accent.*

hoofdkleur ⟨de⟩ **0.1** [regenboogkleur] *primary colour* **0.2** [de meest voorkomende kleur] *principal colour* ⇒*key colour* **0.3** [de meest in 't oog lopende kleur] *prominent/principal colour.*

hoofdknik ⟨de (m.)⟩ *nod* ◆ **2.1** iem. groeten met een vriendelijk*~*je *greet s.o. with a friendly n..*

hoofdkraan ⟨de⟩ **0.1** *mains(tap)* ⇒*mainscock* ⟨om af te sluiten⟩ ◆ **3.1** de *~* dichtdraaien *turn off (the gas, enz.) at the mains.*

hoofdkromming ⟨de (v.)⟩ ⟨wisk.⟩ **0.1** *principal curvature.*

hoofdkussen ⟨het⟩ **0.1** *pillow.*

hoofdkwaal ⟨de⟩ **0.1** [kwaal aan/in het hoofd] *ailment of the head* **0.2** [voornaamste kwaal, (ook fig.)] *main problem.*

hoofdkwartier ⟨het⟩ **0.1** [⟨mil.⟩] *headquarters* **0.2** [belangrijkste vestiging] *headquarters* ⇒*base* ◆ **2.1** het grote*~* is *… the general h. are/is … 6.1* in het*~ at h..*

hoofdlading ⟨de (v.)⟩ **0.1** *bursting charge.*

hoofdleider ⟨de (m.)⟩, **-leidster** ⟨de (v.)⟩ **0.1** [aanvoerder/ster van een beweging] *(ring) leader* **0.2** [leidinggevend persoon in een instelling] *(team)leader;* ⟨op kleuterschool⟩ *head.*

hoofdleiding ⟨de (v.)⟩ **0.1** [toevoerbuis] *mains* ⇒*mains supply* **0.2** [opperste leiding] *directorate* ⇒*management.*

hoofdletter ⟨de⟩ **0.1** *capital (letter)* ⇒⟨aan het begin ook⟩ *initial,* ⟨in oude handschriften ook⟩ *majuscule* ◆ **6.1** in *~*s in capitals; kunst met een *~* *art with a capital letter.*

hoofdligger ⟨de (m.)⟩ **0.1** *main girder.*

hoofdligging ⟨de (v.)⟩ **0.1** *head/cephalic presentation.*

hoofdlijn ⟨de⟩ **0.1** [⟨mv.⟩ trekken] *outline(s)* ⇒*main lines* **0.2** [lijn in de hand] *line of head* **0.3** [spoor/boot/luchtlijn] *trunk/mainline* ◆ **3.1** de *~*en aangeven *sketch the outlines;* de *~*en aangeven van iets *outline sth.* **6.1** iets in *~*en aangeven *outline sth.;* iets in *~*en kennen *know the basic idea of sth..*

hoofdluis ⟨de⟩ **0.1** *h. louse* ◆ **3.¶** er heerst op het ogenblik *~* op die school *at the moment there is a plague of head lice at that school.*

hoofdmaaltijd ⟨de (m.)⟩ **0.1** *main/principal meal* ◆ **3.1** de *~* gebruiken *have one's main meal.*

hoofdmacht ⟨de⟩ **0.1** [⟨mil.⟩] *main body/force* **0.2** [⟨sport⟩] *first team*.
hoofdman ⟨de (m.)⟩ **0.1** [⟨mil.⟩] *captain* ⇒*chief*, ⟨gesch.⟩ *centurion* **0.2** [deken van een gilde] *dean (of a guild)* **0.3** [van een partij/beweging] *leader*.
hoofdmast ⟨de (m.)⟩ **0.1** *mainmast, principal mast*.
hoofdmedewerker ⟨de (m.)⟩, **-werkster** ⟨de (v.)⟩ **0.1** *senior lecturer* ⟨universiteit⟩ ◆ **2.1** wetenschappelijk ~ *senior lecturer*.
hoofdmeting ⟨de (v.)⟩ **0.1** *measurement of the headad* ⇒*cephalometry* ⟨wetenschap van ~⟩.
hoofdmiddel ⟨het⟩ **0.1** *chief means* ◆ **1.1** ~ van bestaan *chief means of support/subsistence*.
hoofdmoot ⟨de⟩ ⟨fig.⟩ **0.1** *principal part*.
hoofdmotief ⟨het⟩ **0.1** [beweegreden] *principal/main primary motive* **0.2** [⟨muz., lit.⟩] *principal motif*.
hoofdnerf ⟨de⟩ **0.1** *midrib*.
hoofdofficier ⟨de (m.)⟩ **0.1** *field officer*.
hoofdonderwerp ⟨het⟩ **0.1** *main theme/topic* ⇒*central theme*.
hoofdonderwijzer ⟨de (m.)⟩, **-wijzeres** ⟨de (v.)⟩ **0.1** *headmaster* ⟨m.⟩; *headmistress* ⟨v.⟩ ⇒*head teacher* ⟨m., v.⟩.
hoofdoorzaak ⟨de⟩ **0.1** *primary principal/main/chief root cause*.
hoofdopzichter ⟨de (m.)⟩ **0.1** *chief inspector*.
hoofdorgaan ⟨het⟩ **0.1** ⟨ook fig.⟩ *main organ*.
hoofdpersoon ⟨de (m.)⟩ **0.1** *principal person* ⇒*central figure*, ⟨in boek enz. ook⟩ *principal/leading character*, ⟨in toneel ook⟩ *protagonist, hero*.
hoofdpijn ⟨de⟩ **0.1** *headache* ⇒⟨inf. verk.⟩ *head* ◆ **2.1** barstende ~ *raging/splitting headache;* schele ~ *migraine* **3.1** ze had ~ *she had a headache;* ik krijg er ~ van *it gives me a headache*.
hoofdpijnpoeder ⟨de⟩ **0.1** *powder for headaches* ⇒[B]*Beecham's powder* ⟨merknaam⟩, *painkiller*.
hoofdplaat ⟨de⟩ **0.1** ⟨gold/silver (head) ornaments worn with coif⟩.
hoofdplaats ⟨de⟩ **0.1** *chief/principal town/place* ⇒*capital* ⟨hoofdstad⟩.
hoofdplaneet ⟨de⟩ ⟨ster.⟩ **0.1** *primary planet*.
hoofdpostkantoor ⟨het⟩ **0.1** *head/main/central post office* ⇒[B]*General Post Office*, [B]*GPO*.
hoofdprijs ⟨de (m.)⟩ **0.1** *first prize*.
hoofdpunt ⟨het⟩ **0.1** *main/chief/most essential point* ◆ **1.1** de ~en van het nieuws *the (news) headlines* **3.1** de ~en aangeven van iets *list the main/essential points*.
hoofdraadsman ⟨de (m.)⟩ **0.1** *chief counsellor* [A]*elor*.
hoofdredacteur ⟨de (m.)⟩, **-trice** ⟨de (v.)⟩ **0.1** *editor (in chief)* ⇒*general editor*.
hoofdredactie ⟨de (v.)⟩ **0.1** [de hoofdredacteuren] *chief editors* ⇒*general editors* **0.2** [functie] *chief/general editorship*.
hoofdregel ⟨de (m.)⟩ **0.1** [grondregel] *general/basic/principal rule* **0.2** [⟨wisk.⟩] *basic/fundamental operation* **0.3** [⟨druk.⟩] *headline* ◆ **7.2** de vier ~s *the four basic/fundamental operations*.
hoofdregister ⟨het⟩ **0.1** *(principal) register*.
hoofdrekenen ⟨het⟩ **0.1** *mental arithmetic*.
hoofdrivier ⟨de⟩ **0.1** *principal river*.
hoofdrol ⟨de⟩ **0.1** [⟨dram.⟩] *principal/leading part/rôle/role* ⇒⟨als persoon⟩ *leading actor/man* ⟨m.⟩, *leading actress/lady* ⟨v.⟩, *lead* ⟨m., v.⟩ **0.2** [⟨fig.⟩] ⟨zie 3.2⟩ ◆ **3.1** een ~ hebben/spelen (in) *play a leading part (in), feature as a star (in);* de ~ spelen *play the leading part, be the leading man/lady* **3.2** de ~ spelen *play first fiddle, call the tune* **6.1** een film met X. in de ~ *a film starring/featuring X.*.
hoofdrolspeler ⟨de (m.)⟩, **-speelster** ⟨de (v.)⟩ **0.1** *leading man/actor, male lead* ⟨m.⟩; *leading lady/actress, female lead* ⟨v.⟩ ⇒⟨ster⟩ *star* ⟨m., v.⟩, ⟨fig.⟩ *leading/main figure* ◆ **6.1** de ~ in een politiek drama *the leading/main figure in a political drama/affair*.
hoofdroos ⟨de⟩ **0.1** *dandruff*.
hoofdschakelaar ⟨de (m.)⟩ **0.1** *main switch* ⇒*master switch*.
hoofdschotel ⟨de⟩ **0.1** [gerecht] *main/principal dish* ⇒*pièce de résistance* **0.2** [⟨fig.⟩] *main item* ⇒*pièce de résistance* **3.2** de ~ vormen van het programma *be the main item/the pièce de résistance of the programme*.
hoofdschudden ⟨het⟩ **0.1** *shake of the head*.
hoofdschuddend ⟨bw.⟩ **0.1** *with a shake of the head, shaking one's head*.
hoofdschuld ⟨de⟩ **0.1** *principal debt* ⇒ ⟨fig.⟩ *chief fault, main blame*.
hoofdschuldenaar ⟨de (m.)⟩, **-nares** ⟨de (v.)⟩ ⟨jur.⟩ **0.1** *principal debtor*.
hoofdschuldige ⟨de (m.)⟩ **0.1** *chief offender* ⇒*main culprit*, ⟨jur.⟩ *principal (in the first degree)*.
hoofdseinpaal ⟨de (m.)⟩ ⟨spoorw.⟩ **0.1** *main signal post*.
hoofdsieraad ⟨het⟩ **0.1** *head ornament*.
hoofdslagader ⟨de⟩ **0.1** *aorta*.
hoofdsom ⟨de⟩ **0.1** [te leen gegeven geldsom] *principal (money)* **0.2** [kapitaal] *capital* **0.3** [totaal] *sum total* **0.4** [belasting zonder opcenten] *principal amount of the tax*.
hoofdspil ⟨de⟩ **0.1** ⟨ook fig.⟩ *pivot*.
hoofdspoor ⟨het⟩ **0.1** *main track*.
hoofdstad ⟨de⟩ **0.1** [hoofdplaats] *capital (city)* ⇒*metropolis*, ⟨van provincie in Eng.⟩ *county town*, ⟨in USA⟩ *county seat/site* **0.2** [voornaam centrum] *capital* ⇒*metropolis* ◆ **1.2** de hoofdsteden van de beschaving *the capitals of civilization*.

hoofdstartbaan ⟨de⟩ **0.1** *m. runway*.
hoofdstation ⟨het⟩ **0.1** [centraal station] *central station* **0.2** [belangrijk(ste) station] *m./c. railway station*.
hoofdstedelijk ⟨bn.⟩ **0.1** *metropolitan*.
hoofdstel ⟨het⟩ **0.1** *bridle*.
hoofdstelling ⟨de (v.)⟩ **0.1** *c. principle* ⇒*tenet* ⟨van leer⟩, ⟨wisk.⟩ *axiom*.
hoofdstembureau ⟨het⟩ **0.1** *c. polling* ⟨vnl. BE⟩ *station* [A]*place*.
hoofdsteun ⟨de (m.)⟩ **0.1** *h. rest*.
hoofdstraat ⟨de⟩ **0.1** *high street* ⟨vaak als benaming van oude hoofdstraat in dorp/stadje⟩; *main street* ⟨tov. zijstraten⟩.
hoofdstraf ⟨de⟩ ⟨jur.⟩ **0.1** *main/major penalty/punishment*.
hoofdstreek ⟨de⟩ **0.1** *cardinal point*.
hoofdstudie ⟨de (v.)⟩ **0.1** *principal study* ⇒*main subject*, [A]*major*.
hoofdstuk ⟨het⟩ **0.1** *chapter* ◆ **2.1** ⟨fig.⟩ dat is een ~ apart *that is a matter to be discussed separately* **3.1** ⟨fig.⟩ een ~ afsluiten *close a c.;* ⟨fig.⟩ dat is een afgesloten ~ *that's all over* **6.1** een ~ uit dit boek *a c. from this book*.
hoofdtaak ⟨de⟩ **0.1** *main/chief task/duties*.
hoofdtak ⟨de (m.)⟩ **0.1** [⟨hand.⟩] *main branch* **0.2** [mbt. een boom/rivier] *main branch*.
hoofdtelefoon ⟨de (m.)⟩ **0.1** *headphone(s)* ⇒⟨bij radio ook⟩ *earphone(s)*.
hoofdtelwoord ⟨het⟩ **0.1** *cardinal (number)*.
hoofdt(h)ema ⟨het⟩ **0.1** *main/central theme/topic* ⇒*burden* ⟨van speech⟩, *key issue*, ⟨muz.⟩ *principal theme*.
hoofdtijdvak ⟨het⟩ ⟨geol.⟩ **0.1** *era*.
hoofdtitel ⟨de (m.)⟩ **0.1** *main title*.
hoofdtooi ⟨de (m.)⟩ **0.1** *headdress*.
hoofdtoon ⟨de (m.)⟩ **0.1** [⟨muz.⟩] ⟨ook fig.⟩ *keynote* **0.2** [kleur, schakering] *principal colour* **0.3** [klemtoon] *main/primary stress/accent*.
hoofdtoonsoort ⟨de⟩ ⟨muz.⟩ **0.1** *main key*.
hoofdtrap ⟨de (m.)⟩ **0.1** *main staircase/stairs*.
hoofdtrek ⟨de (m.)⟩ **0.1** *main/chief feature* ⇒*main/principal trait/characteristic* ⟨van persoon⟩ ◆ **3.1** de ~ken van iets aangeven *give an outline of sth., give sth. in outline* **6.1** iets in ~ken meedelen *state sth. in outline;* in ~ken komt het plan hierop neer *the outline of the plan is this*.
hoofdtribune ⟨de⟩ **0.1** *grandstand*.
hoofduitgang ⟨de (m.)⟩ **0.1** *main/principal exit*.
hoofdvak ⟨het⟩ **0.1** [belangrijk vak] *main subject*, [A]*major* **0.2** [hoofdberoep] *chief occupation* ◆ **8.1** zij heeft taalkunde als ~ *her main subject is linguistics*, [A]*she is majoring in linguistics*.
hoofdvakstudent ⟨de (m.)⟩ **0.1** [A]*major, student specializing in ....*
hoofdverdachte ⟨de (m.)⟩ **0.1** *main/chief suspect*.
hoofdverkeersader ⟨de⟩ **0.1** *main (traffic) artery*, [A]*highway*.
hoofdverkeersweg ⟨de (m.)⟩ **0.1** *(main) thoroughfare* ⟨stad⟩ ⇒*main/trunk road* ⟨buiten⟩, [A]*highway*.
hoofdverkoudheid ⟨de (v.)⟩ **0.1** *head cold* ⇒*cold in the head*.
hoofdverpleegkundige ⟨de (m.)⟩ ⇒**hoofdverpleger**.
hoofdverpleger ⟨de (m.)⟩, **-pleegster** ⟨de (v.)⟩ **0.1** *senior nursing officer (m./v.)* ⇒*senior nurse (m./v.), (ward-)matron (v.), wardmaster (m.)*.
hoofdvlies ⟨het⟩ ⟨med.⟩ **0.1** *caul*.
hoofdvoedsel ⟨het⟩ **0.1** *staple diet/food*.
hoofdvoorwaarde ⟨de (v.)⟩ **0.1** *main condition* ◆ **6.1** ~ voor *main condition of*.
hoofdwacht ⟨de⟩ ⟨mil.⟩ **0.1** [personen] *main guard* **0.2** [gebouw] *main guardhouse*.
hoofdwapen ⟨het⟩ **0.1** *main arm*.
hoofdwas ⟨de (m.)⟩ **0.1** *main wash*.
hoofdwater ⟨het⟩ **0.1** *hair lotion*.
hoofdweg ⟨de (m.)⟩ **0.1** *main/principal/trunk road*, [A]*highway*.
hoofdwerk ⟨het⟩ **0.1** [denkwerk] *headwork* ⇒*mental labour/work* **0.2** [voornaamste bezigheid] *chief/principal occupation* **0.3** [voornaamste voortbrengsel] *main/principal work*.
hoofdwond ⟨de⟩ **0.1** *head wound/injury*.
hoofdwoord ⟨het⟩ **0.1** [lemma] *headword* ⇒*entry, lemma* **0.2** [woord waarop een boek gecatalogiseerd wordt] *headword*.
hoofdwortel ⟨de (m.)⟩ **0.1** *main root/tap root* ⟨vertikaal groeiend⟩.
hoofdzaak ⟨de (m.)⟩ **0.1** *main point/thing* ⇒⟨mv.⟩ *essentials* ◆ **1.1** men moet hoofdzaken en bijzaken gescheiden houden *one must separate essentials/main issues from side-issues* **3.1** ~ is, dat we slagen *what matters is that we succeed;* dat is voor mij de ~ *that is the principal thing/main consideration as far as I am concerned;* zich tot de hoofdzaken beperken *confine o.s. to the main issues/facts* **6.1** in ~ ben ik het met u eens *I agree with you in the main/basically;* dat is ~ *just that is, in the main, correct;* tot de ~ komen *come to the main matter*.
hoofdzakelijk ⟨bw.⟩ **0.1** *mainly* ⇒*chiefly, principally, in essence*.
hoofdzeil ⟨het⟩ **0.1** *mainsail*.
hoofdzetel ⟨de (m.)⟩ **0.1** *principal seat* ⇒*headquarters, headoffice*.
hoofdzin ⟨de (m.)⟩ ⟨taal.⟩ **0.1** *main/principal sentence/clause*.
hoofdzonde ⟨de⟩ **0.1** [⟨r.k.⟩] *cardinal sin* **0.2** [gebrek, zwakte] *principal/chief fault* ◆ **7.1** de zeven ~n *the seven cardinal/deadly sins*.

hoofdzuster ⟨de (v.)⟩ **0.1** *senior nurse* ⇒*senior nursing officer, (ward-)matron.*

hoofs ⟨bn., bw.⟩ **0.1** [hoffelijk] *courtly* **0.2** [⟨lit.⟩] *courtly* ♦ **1.2** de ~e minne/liefde *c. love* **3.1** iem. ~ groeten *greet s.o. politely.*

hoofsheid ⟨de (v.)⟩ **0.1** *courtliness.*

hoog¹ ⟨het⟩ **0.1** *high* ⇒*heaven* ♦ **1.1** bij ~ en laag zweren *swear by all that is holy* **1.¶** bij ~ en laag volhouden/blijven beweren *stand firm, stick to one's guns* **6.1** ere zij God in den hoge(n) *glory to God in the highest/on high.*

hoog² ⟨bn., bw.; -ly⟩ ⟨→sprw. 76,148,457,609⟩ **0.1** [niet laag] *high* ⇒ *tall,* ↑*lofty* **0.2** [zover reikend als in de bepaling genoemd wordt] *high* **0.3** [vergevorderd in een rang-/volgorde] *high* **0.4** [boven een bepaalde norm/maat] *high* ⇒⟨mbt. prijs ook⟩ *stiff, steep,* ⟨muz., te hoog⟩ *sharp* **0.5** [niet tot het gewone beperkt] *high* ⇒⟨verheven⟩ *lofty, elevated, exalted* **0.6** [aanzienlijk] *high* **0.7** [noordelijk] *high* ⇒ *northerly* ♦ **1.1** een hoge bal *a h. ball;* ⟨golf⟩ *chip (shot)/*korte, hoge slag⟩; hoge bomen/glazen/schoorstenen *tall trees/glasses/chimneys;* een hoge C *a h./top C;* hoge gebouwen *h./tall buildings;* de hoge hemel *the heavens;* ⟨schr.⟩ *heaven on high;* een hoge hoed *a top hat;* ⟨inf.⟩ *a topper;* hoge jukbeenderen *h./prominent cheekbones;* een hoge rug ⟨van stoel enz.⟩ *h. back;* ⟨van poes⟩ *arched back;* ⟨van mens⟩ *a (slight) stoop;* de kat zette een hoge rug op *the cat arched his back;* hoge schoenen ⟨ankle⟩ *boots;* in hoger sferen zijn *have one's head in the clouds, be daydreaming;* ⟨iron.⟩ *be in cloud-cuckoo-land;* hoge sprongen ⟨fig.⟩ *h. jinks;* de ~ste verdieping *the top floor;* een ~ voorhoofd *a h. forehead;* een hoge zee *a heavy sea;* te staat een hoge zee *there's a heavy sea running, there's a heavy swell on* **1.2** de honderd meter hoge toren *the hundred metre h. tower, the tower of a hundred metres h.;* ⟨mbt. boom⟩ *word* 3 meter ~ *grows to (a height of) three metres;* een stapel van drie voet ~ *a pile three foot/feet h., a three-foot h. pile* **1.3** een hoge ambtenaar *a senior/*↓*top official;* ⟨BE ook⟩ *a higher-grade/senior civil servant;* het ~ste goed *the highest good;* hoge kaarten *h. cards;* naar een hogere klas overgaan *go up (to a higher class), move up/be moved up to a higher class/*^*grade;* een hogere macht *a higher power;* de Hoge Raad (der Nederlanden) *the Supreme Court of the Netherlands;* een hoge waarde hebben *have a h. value, be (very) valuable;* dat is hogere wiskunde voor mij ⟨iron.⟩ *that's Greek to me* **1.4** in hoge achting staan *be well thought of, have a good name, be held in h. esteem;* een hoge dunk van zichzelf hebben *have a h. opinion of o.s.;* ⟨inf.⟩ *think the sun is shining out of one's arse;* met hoge snelheid *at (a) h. speed;* zij had een hoge kleur *she had a h. colour, her face/she (looked) flushed;* hoge kleuren *deep colours;* hoge koorts hebben *have a h. fever/temperature;* ⟨med.⟩ *have hyperthermia/hyperpyrexia;* zelfs op hogere leeftijd kon hij nog ... *even in (his) old age he could still ...;* een hoge ouderdom bereiken *attain/reach a great/an advanced age;* Shell aandelen waren 10 punten hoger *Shell shares were 10 points higher/moved up/gained/put on 10 points;* een hoge rekening *a big/h. bill;* ⟨fig.⟩ ~ spel spelen *play for h. stakes;* een ~ stemmetje/geluid *a high-pitched voice/sound;* ze spelen in hoge stemming *they play at h. pitch;* de hoge toon *the h. notes;* op hoge toon iets eisen ⟨fig.⟩ *demand sth. loftily/arrogantly;* het ~ste woord voeren *lead/*⟨pej.⟩ *hog the conversation;* het hoge woord moest eruit *the (plain) thruth had to be told/had to come out;* hoge woorden met iem. hebben *have a row with s.o.;* ⟨iron.; euf.⟩ *have words with s.o.* **1.5** een ~ ideaal *a h./lofty ideal;* het hogere leven *higher things* **1.6** de hoge adel/geestelijkheid *the leading aristocracy/clergy; the h. nobility* ⟨graven en hertogen, maar niet baronnen⟩ hij heeft een hoge betrekking *he has a h. position/*↓*good job;* op ~ bevel /verzoek *by order of the authorities, by order;* hoge gasten *distinguished/illustrious guests;* hij is van hoge geboorte *he is of noble birth /origin, he comes from a noble/an aristocratic family;* ⟨inf.⟩ een hoge ome/Piet *a VIP/bigshot/bigwig/high-up, a big noise/wheel/gun;* ⟨mil.⟩ *a brass hat;* ⟨vnl. mil.⟩ *top brass* ⟨mv.⟩; een hoge waardigheid *great dignity* **1.7** de wind is aan de hoge kant *the wind is northerly;* in het hoge Noorden in de *h. North;* ⟨extreme North;* ⟨noordpoolgebied ook⟩ *in the Arctic* **1.¶** hij ging er op hoge poten heen *he went there in high dudgeon;* het is ~ tijd om te gaan *it's high time we went/were going* **2.1** een ~ gelegen huis *a house on a hill* **3.1** ⟨fig.⟩ het hart ~ dragen *hold one's head (up) h.;* dat land ligt ~ *that land is h. above sea-level;* dat paard staat ~ op de benen *that horse has (got) long legs/is tall;* het water staat ~ *the water is h./up;* ⟨het is vloed⟩ *it's h. tide;* de Maas staat ~ *the Maas is (running) h./is up/is in flood* **3.4** iem. ~ aanslaan *give s.o. a h. tax-assessment;* ⟨fig.⟩ *have a h. opinion of s.o., think highly of s.o.;* ⟨sterker⟩ *think the world of s.o.;* de prijzen bleven de hele zomer ~ *prices remained h. all summer;* hoger gaan dan 1000 gulden *go above/beyond a thousand guilders;* ⟨bieden ook⟩ *bid more than a thousand guilders;* ⟨fig.⟩ te ~ grijpen *aim too h., bite off more than one can chew;* iets ~ houden *honour sth.; keep up* ⟨vnl. traditie⟩; die viool is te ~ gestemd *the violin is (tuned (too)) sharp;* hoe ~ is dat huis getaxeerd? *what is the value/valuation of that house?;* de twist liep ~ op *the quarrel became heated/was hotting up;* ~ opgeven van iem. *praise s.o.;* niet ~ tegen iem. opkijken/iem. niet ~ hebben *not have a very h. opinion of s.o.;* iets ~ opnemen *take sth.*

seriously; de aandelen/fondsen staan ~ *share prices are h.;* de verwarming staat ~ *the heating is on h.;* de prijzen zijn hoger geworden *prices have gone up/risen/increased;* het zit hem ~ *it rankles with him, it sticks in his throat* **5.1** wij zitten hier ~ en droog ⟨fig.⟩ *we're h. and dry here, we're safe here, we're out of harm's way here* **5.2** ik kende hem toen hij nog maar tot zó ~ kwam *I knew him when he was only knee-high to a grasshopper* **5.4** je bloeddruk is een beetje te ~ *your blood-pressure is up a bit/is a bit on the h. side;* de prijs is een beetje te ~ *voor mij the price is a bit too h./too high;* de prijs is een beetje te ~ *the price a bit on the h. side* **5.5** hij was gezien bij ~ en laag *he was liked by everyone* **5.¶** bij ~ en laag zweren *swear by all that's holy;* bij ~ en laag volhouden *stoutly maintain/stick to one's opinion;* je kunt ~ of laag springen maar ik doe het toch niet *I'm not going to do it whether you like it or not/whatever you do* **6.1** de zon staat al ~ *aan* de hemel *the sun is h. (in the sky) already;* ~ in de bergen woonde hij *he lived h. up in the mountains;* ~ in de lucht *h. up in the air* **6.¶** ~ *aan* de wind zeilen *sail close to the wind* **7.1** ere zij God in den hoge *glory to God in the highest* **7.2** de kisten staan drie ~ *the boxes are piled (up) three on top of one another;* hij woont drie ~ *he lives on the third/*^*second floor* **7.5** het hogere *higher things* **8.4** 10% hoger dan vorig jaar *10% higher than/up on last year;* de temperatuur mag niet hoger zijn dan 60° *the temperature must not go above/exceed 60°;* de prijzen zijn 1000 gulden en hoger *prices start at 1000 guilders, the prices are a thousand guilders and above/more.*

hoogachten ⟨ov.ww.⟩ **0.1** *esteem highly* ⇒*hold in great esteem, respect/regard highly, have a high regard for* ♦ **.¶** ~d *yours faithfully/sincerely/truly.*

hoogachting ⟨de (v.)⟩ **0.1** *esteem* ⇒*respect, regard* ♦ **2.1** verblijven wij met de meeste ~ *we remain yours faithfully.*

hoogaltaar ⟨het, de (m.)⟩ **0.1** *high altar.*

hoogbegaafd ⟨bn.⟩ **0.1** *highly gifted/talented.*

hoogbejaard ⟨bn.⟩ **0.1** *very old* ⇒*aged, advanced in years.*

Hoog-België ⟨het⟩ **0.1** *(the) Ardennes.*

hoogblond ⟨bn.⟩ **0.1** *blond, fair* ⇒*golden* ⟨ook scherts. voor rood⟩ *reddish.*

hoogbouw ⟨de (m.)⟩ **0.1** *high-rise block(s)/building(s)/flats.*

hoogconjunctuur ⟨de (v.)⟩ **0.1** [⟨ec.⟩] *(period of) boom* **0.2** [periode waarin iets grote opgang maakt] *boom* ♦ **1.1** dat kan alleen in een tijd van ~ *this is only possible in times of b./when the economy is booming.*

hoogdag ⟨de (m.)⟩ ⟨AZN; r.k.⟩ **0.1** *high day.*

hoogdekker ⟨de (m.)⟩ ⟨luchtv.⟩ **0.1** *high-wing aeroplane.*

hoogdravend ⟨bn., bw.; -ly⟩ **0.1** *high-flown* ⇒*stilted, swollen, bombastic, pompous, grandiloquent, magniloquent* ♦ **1.1** een ~e rede *a grandiloquent speech;* een ~e stijl *a h.-f. style;* ⟨op⟩ een ~e toon *in a rhetorical manner.*

hoogdruk ⟨de (m.)⟩ ⟨druk.⟩ **0.1** [druktechniek] *relief printing* ⇒*letterpress (printing)* **0.2** [lithografie] *relief lithography.*

Hoogduits¹ ⟨het⟩ **0.1** *(standard) German* ⇒⟨taal.⟩ *High German.*

Hoogduits² ⟨bn.⟩ **0.1** *(standard) German* ⇒⟨taal.⟩ *High German.*

hoogeerwaarde ⟨de (m.)⟩ **0.1** ⟨in titel⟩ *the Very Rev(erend), the Rev..*

hoogfeest ⟨het⟩ **0.1** *high feast(day)* ⇒⟨vero.⟩ *high day* ♦ **1.1** het ~ van Pasen *the high feast of Easter.*

hoogfrequent ⟨bn.⟩ **0.1** *high-frequency* ♦ **1.1** ~e versterkers *h.-f. amplifiers.*

hooggaand ⟨bn.⟩ **0.1** [hoog golvend] *heavy* ⇒*(running) high* **0.2** [hooglopend] *violent* ⇒*flaming* ♦ **1.2** zij hebben (een) ~e ruzie *they are having a v. quarrel/flaming row.*

hooggeacht ⟨bn.⟩ **0.1** *highly/much esteemed* ♦ **1.1** ~e heer ⟨aanhef brief⟩ *Dear Sir.*

hooggebergte ⟨het⟩ ⟨aardr.⟩ **0.1** *high mountains.*

hooggeboren ⟨bn.⟩ **0.1** ⟨in titel⟩ *count(ess).*

hooggeëerd ⟨bn.⟩ **0.1** *highly honoured* ♦ **1.1** ~ publiek! *Ladies and Gentlemen!.*

hooggeleerd ⟨bn.⟩ **0.1** ⟨zie 1.1⟩ ♦ **1.1** de ~e heer/professor X. ⟨titel⟩ *Professor X..*

hooggelegen ⟨bn.⟩ **0.1** *high* ⇒*elevated* ♦ **1.1** een ~ oord in de Rocky Mountains *a place situated high up in the Rocky Mountains.*

hooggeplaatst ⟨bn.⟩ **0.1** *highplaced* ⇒*highly placed* ♦ **1.1** ~e ambtenaren *highly placed/senior officials;* ~e personen *highplaced/highly placed persons.*

hooggerechtshof ⟨het⟩ **0.1** *Supreme Court.*

hooggeschat ⟨bn.⟩ **0.1** *highly esteemed* ♦ **1.1** onze ~te vrijheid *our much-prized freedom/liberty.*

hooggesloten ⟨bn.⟩ **0.1** *high-necked.*

hooggespannen ⟨bn.⟩ ♦ **1.¶** ~ verwachtingen *high/*↑*sanguine hopes;* te ~ verwachtingen *too high hopes* **3.¶** de verwachtingen waren ~ *hopes were running high.*

hooggestemd ⟨bn.⟩ **0.1** *high* ♦ **1.1** ~e verwachtingen *h./great expectations, h. hopes* **3.1** ~ zijn *be on a high.*

hooggestreng ⟨bn.⟩ **0.1** ⟨mbt. hogere officieren⟩ *Colonel, Captain* ⟨enz.⟩; ⟨mbt. hogere ambtenaren⟩ *...Esq..*

hooggewaardeerd ⟨bn.⟩ **0.1** *highly valued/appreciated* ♦ **1.1** de ~e medewerking *the h. v. assistance.*

hoogglanslak ⟨de (m.)⟩ **0.1** *(high-)gloss paint*.

hooghartig ⟨bn.,bw.;-ly⟩ **0.1** *haughty* ⇒*proud, supercilious, arrogant,* ⟨inf.⟩ *hoity-toity* ♦ **1.1** een ~e blik *a supercilious look;* een ~e houding aannemen *assume a haughty/proud attitude* **3.1** ~ antwoorden *answer haughtily*.

hooghartigheid ⟨de (v.)⟩ **0.1** *haughtiness* ⇒*hauteur, condescension, arrogance,* ⟨inf.⟩ *hoity-toity*.

hoogheid ⟨de (v.)⟩ **0.1** [hoge staat, aanzien] *highness* ⇒*height* **0.2** [⟨aanspreektitel van vorsten en prinsen⟩] *highness* ♦ **2.2** Uwe Doorluchtige Hoogheid *Your Serene Highness* **4.2** Hare/Zijne (Koninklijke) Hoogheid *Her/His (Royal) HIghness*.

hoogkoor ⟨het⟩ **0.1** *presbytery* ⇒*sanctuary*.

Hoogl. ⟨afk.⟩ **0.1** [Hoogleraar] *Prof.*.

hoogland ⟨het⟩ **0.1** [hoog gelegen land] *highland* **0.2** [⟨aardr.⟩] *highland* ⇒*plateau* ♦ **2.2** de Schotse Hooglanden *the Scottish Highlands*.

hooglands ⟨bn.⟩ **0.1** *highland*.

hoogleraar ⟨de (m.)⟩ **0.1** *professor* ♦ **2.1** buitengewoon ~ *associate p.;* gewoon ~ *(full) p.;* kerkelijk ~ *denominational p.* **6.1** ~ **aan** de Universiteit van Amsterdam *p. in the University of Amsterdam;* hij is benoemd tot ~ **in** de informatica *he has been appointed p. of cybernetics*.

hoogleraarschap ⟨het⟩ **0.1** *professorship* ♦ **2.1** een bijzonder ~ *a named p. / chair* **3.1** het ~ bekleden *hold a p.*.

Hooglied ⟨het⟩ **0.1** *Song of Songs* ⇒*Canticles* ♦ **1.1** het ~ van Salomo *the Song of Solomon*.

hooglijk ⟨bw.⟩ **0.1** *highly* ⇒*greatly* ♦ **2.1** ~ verbaasd zijn *be h. suprised*.

hooglopend ⟨bn.⟩ **0.1** *high* ⇒*violent* ♦ **1.1** zij hebben ~e ruzie *they are having a violent quarrel/flaming row*.

hoogmis ⟨de⟩⟨r.k.⟩ **0.1** *high mass* ♦ **3.1** de ~ opdragen *celebrate high mass*.

hoogmoed ⟨de (m.)⟩⟨→sprw. 296⟩ **0.1** *pride* ⇒*haughtiness*.

hoogmoedig ⟨bn.,bw.;-ly⟩ **0.1** *proud* ⇒*haughty, arrogant* ♦ **1.1** ~ gedrag *arrogance*.

hoogmoedswaan(zin) ⟨de (m.)⟩ **0.1** *megalomania* ⇒*delusions of grandeur*.

hoogmogend ⟨bn.⟩ ⟨gesch.⟩ **0.1** *high and mighty* ♦ **1.1** ~e heren *lofty members of the States General*.

hoogmoleculair ⟨bn.⟩ **0.1** *(being) of high molecular weight/value*.

hoognodig ⟨bn.,bw.⟩ **0.1** *highly necessary* ⇒*much/urgently needed* ♦ **1.1** een ~e reparatie *an urgently needed repair* **3.1** het is ~ dat er een onderzoek ingesteld wordt *an investigation is urgently needed/highly necessary;* hij moest ~ *he was dying to go (to the lavatory);* er moet ~ iets gebeuren/gedaan worden *sth. needs to be done urgently* **7.1** ⟨zelfst.⟩ hij doet/koopt alleen het ~e/hoogstnodige *he only does/buys the bare necessities/what is strictly necessary*.

hoogoven ⟨de (m.)⟩ **0.1** *blast-furnace*.

hoogovenslakken ⟨zn.mv.⟩ **0.1** *furnace slag*.

hoogpolig ⟨bn.⟩ **0.1** *deep-pile*.

hoogrood ⟨bn.⟩ **0.1** *bright/deep red, scarlet* ♦ **1.1** een hoogrode kleur krijgen *turn s., go b.r.;* (van nature) een hoogrode kleur hebben *have a florid complexion/face*.

hoogschatten ⟨ov.ww.⟩ **0.1** *esteem/value highly*.

hoogseizoen ⟨het⟩ **0.1** *high season* ♦ **6.1** buiten ~ *out of season;* in/tijdens het ~ *in/during the high season*.

hoogslaper ⟨de (m.)⟩ **0.1** *high/raised bed*.

hoogspanning ⟨de (v.)⟩ **0.1** *high tension/voltage* ♦ **6.1** ⟨fig.⟩ op het ministerie werd **onder** ~ gewerkt *people worked under high pressure at the ministry;* ⟨fig.⟩ **onder** ~ staan *be under stress/subjected to great stress*.

hoogspanningskabel ⟨de (m.)⟩ **0.1** *high-voltage/-tension cable*.

hoogspanningsmast ⟨de (m.)⟩⟨elek.⟩ **0.1** *power pylon*.

hoogspanningsnet ⟨het⟩ **0.1** *high-tension network* ⇒*national grid* ⟨landelijk⟩.

hoogspringen ⟨ww.⟩ **0.1** *high jump(ing)*.

hoogspringer ⟨de (m.)⟩, **-ster** ⟨de (v.)⟩ **0.1** *high-jumper*.

hoogst[1] ⟨het⟩ **0.1** [bovenkant, top] *top* ⇒*highest* **0.2** [het meeste/uiterst mogelijk] *utmost* ♦ **6.1** ⟨AZN⟩ op het ~e *on the top floor* **6.2** op zijn ~ *at its height/highest* ⟨op het hoogste punt⟩; *at (the) most/the utmost* ⟨maximaal⟩; je krijgt op zijn ~ wat strafwerk *at the very worst you'll be given some detention work;* **ten** ~e *highly, greatly* ⟨ten zeerste⟩; *not exceeding, at (the) most* ⟨maximaal⟩; een boete van **ten** ~e dertig gulden *a fine of up to/not exceeding thirty guilders, a maximum fine of thirty guilders*.

hoogst[2] ⟨bw.⟩ **0.1** *highly* ⇒*extremely, most* ♦ **2.1** ~ onbeleefd *most/extremely rude;* ~ ongebruikelijk *h./most/extremely unusual;* ~ (on)waarschijnlijk *h. (un)likely;* hij was ~ verbaasd *he was most/extremely surprised* **5.1** ~ zelden *extremely rarely, very seldom/occasionally,* ⟨inf.⟩ *once in a blue moon*.

hoogstaand ⟨bn.⟩ **0.1** *high-minded* ⇒*(high-)principled, edifying* ⟨aangelegenheid⟩ ♦ **1.1** een ~ mens *a h.-m. person, a person of good character/of high moral standing;* een man met ~e principes *a (high-)principled man, a man of principle;* het was geen ~ schouwspel *it was a rather unedifying spectacle*.

hoogstam ⟨de (m.)⟩ **0.1** *standard (tree)*.

hoogstammig ⟨bn.⟩ **0.1** *tall* ⇒*standard* ⟨heester, vruchtboom⟩, ⟨bosb.⟩ *timber* ♦ **1.1** ~ hout *forest/straight timber;* een ~e roos *a standard/long-stemmed rose*.

hoogstandje ⟨het⟩ **0.1** *tour de force* ♦ **2.1** een intellectueel ~ *an intellectual tour de force, intellectual fireworks*.

hoogstbiedende ⟨de (m.)⟩ **0.1** *highest bidder*.

hoogsteigen ⟨bn.⟩ ♦ **1.¶** in ~ persoon *in person, no less;* ze kwam in ~ persoon *she came in person;* de Koningin in ~ persoon *the Queen, no less, no less a person than the Queen*.

hoogstens ⟨bw.⟩ **0.1** [ten hoogste] *at the/at (the very) most* ⇒*up to, no(t) more than, at the outside,* ⟨schr.⟩ *not exceeding* **0.2** [in het ergste geval] *at worst* ⇒*at the outside* **0.3** [in het gunstigste geval] *at best* ♦ **3.2** ~ kan hij u de door wijzen *the worst he can do is show you the door* **7.1** ~ twaalf *twelve at the (very) most, up to twelve, no(t) more than twelve;* in tien of ~ veertien dagen *in 10 days, two weeks at the outside;* bedragen van ~ zestig gulden *amounts not exceeding/(of) up to 60 guilders*.

hoogstnodig ⟨bn.⟩ **0.1** *absolutely/strictly necessary* ♦ **1.1** de ~e reparaties *the most urgent repairs* **7.1** alleen het ~e meebrengen/bezitten *only bring what is absolutely/strictly necessary/have the bare necessities*.

hoogstonschuldig ⟨bn.⟩ **0.1** *utterly/absolutely harmless*.

hoogstpersoonlijk ⟨bw.⟩ **0.1** *in person* ⇒*personally, my/hour/him* ⟨enz.⟩ *self*.

hoogstwaarschijnlijk ⟨bn.,bw.⟩ **0.1** *most likely/probable* ⇒⟨bw. ook⟩ *in all probability* ♦ **3.1** ~ komt hij niet *most likely/probably he won't come, (the) chances/the odds are he won't come, ten/hundred to one he won't come*.

hoogte ⟨de (v.)⟩ **0.1** [verticale afmeting] *height* **0.2** [afstand] *height* ⇒ ⟨peil, niveau⟩ *level, altitude* **0.3** [vrije ruimte boven iets anders] *height* **0.4** [verheffing van de bodem] *height* ⇒*rise,* ↑*elevation,* ↑*eminence* **0.5** [mbt. klanken] *pitch* **0.6** [⟨wisk.⟩] *height* **0.7** [⟨aardr.⟩] *level* ⇒ ⟨latitude⟩ *latitude,* ⟨mbt. hemellichaam⟩ *elevation, altitude* **0.8** [register van stem/instrument] *high register* ♦ **1.1** de ~ van die berg is 1500 m ⟨van voet tot top⟩ *the h. of that mountain is 1500 m., that mountain is 1500 m. high;* de ~ van de kamer *the h. of the room;* de ~ van de toren *the h. of the tower* **1.2** de ~ van die berg is 1500 m ⟨boven zeeniveau⟩ *the h. of that mountain is 1500 m., that mountain is 1500 m. high;* de ~ van de waterspiegel *the level of the water, the water-level* **1.6** lengte, breedte en ~ *length, breadth and h.* **2.2** op gelijke ~ met de vloer *level/flush with the floor, on a level with/on the same level as the floor;* op geringe/grote ~ *vliegen fly at (a) high/low altitude;* ⟨fig.⟩ tot op zekere ~ *hebt u gelijk you're right up to a point, to some/a certain extent you're right* **2.3** ⟨fig.⟩ zich op eenzame ~ bevinden *be unique, op gelijke ~ staan met be (on a) level with, be up to the level of;* ⟨fig. ook⟩ *be on a par with;* tot grote ~ stijgen ⟨ook fig.⟩ *rise to a great h.* **2.5** tonen van gelijke ~ *notes of the same p.* **3.1** een ~ bereiken *van reach/rise tot/* ↑ *attain a h./ level/altitude of;* ⟨boom, plant, dier ook⟩ *grow to a h.* **3.2** ⟨lucht.⟩ ~ krijgen/verliezen *gain/lose h.* **3.3** de ~ ingaan *go up, rise,* ⟨vliegtuig ook⟩ *ascend* **3.4** de vijand bezette de ~ *the enemy occupied the high ground* **3.7** ~ nemen *take/* ⟨sl.⟩ *shoot the sun, determine one's position/latitude;* ⟨fig.⟩ *take/have a look, see how the land lies* **4.2** ⟨fig.⟩ Nederland is leuk tot op zekere ~ *Holland is nice up to/as far as it goes* **6.2** op een ~ van 7000 m *at a h./ altitude of 7000 m.;* ⟨fig.⟩ tot op welke ~? *to what extent?, how high/far?;* **ter** ~ **van** zijn schouders *at shoulder h.* **6.3** ⟨fig.⟩ uit de ~ doen tegen iem. *treat s.o. high-handedly;* ⟨fig.⟩ de prijzen **gingen** de ~ **in** *prices went up/rose;* ⟨sterker⟩ *prices rocketed/went way up/went sky-high/soared;* **in** de ~/ de ~ **in** *up(wards);* ⟨fig.⟩ iem. in de ~ steken *sing s.o.'s praises;* ⟨sterker⟩ *praise s.o. to the skies;* ⟨fig.⟩ **uit** de ~ op iem. neerzien *look down (up)on s.o.;* ⟨fig.⟩ hij deed erg uit de ~ *he was very supercilious/superior/* ⟨inf.⟩ *snooty/uppish* **6.7** op de ~ van/op dezelfde ~ als *on the same level as, on/at the same latitude as;* ⟨fig.⟩ *on a level/par with;* de vloot kruiste **ter** ~ **van** Texel *the fleet was cruising off Texel;* er staat een file **ter** ~ **van** Woerden *there is a traffic jam/tailback near Woerden* **6.¶** zich van iets op de ~ stellen *acquaint o.s. with sth., make o.s. acquainted/au fait with sth., ascertain sth., inform o.s. about/of sth.;* iem. op de ~ brengen/stellen *acquaint s.o. with sth., make s.o. acquainted/au fait with sth., inform s.o. about /of sth.;* ⟨inf.⟩ *fill s.o. in on sth., put s.o. in the picture about sth.;* iem. **op** de ~ houden *keep s.o. informed (of things), keep s.o. abreast of things;* ⟨inf.⟩ *keep s.o. posted/up to date;* **op** de ~ blijven *keep o.s. informed, keep o.s. abreast of things;* ⟨inf.⟩ *keep in touch/up to date;* bent u al **op** de ~? *have you heard (about) what's going on?, are you in the know?;* volledig van iets **op** de ~ zijn *be well informed about/acquainted with sth.,* ⟨inf.⟩ *be well up on sth.;* slecht **op** de ~ zijn *be ill-informed/* ⟨inf.⟩ *out of touch;* indien u verhinderd bent wordt u verzocht ons hiervan **op** de ~ te stellen *please let us know if you are unable to come;* zover ik **op** de ~ ben *to the best of my knowledge* **7.¶** hij kan er geen ~ van krijgen *he can't make it out, he doesn't get it, it's beyond him;* ik kan geen ~ van hem krijgen *I don't understand him, I find him puzzling;* ⟨inf.⟩ *I can't make/figure him out* **¶.1** wat een ~! *what a h.!, isn't it high!*.

hoogtecirkel ⟨de (m.)⟩ **0.1** [verticaal-cirkel] *vertical circle* **0.2** [instrument] *almucantar, almacantar.*

hoogtefront ⟨het⟩⟨meteo.⟩ **0.1** *high front.*

hoogtefrontvlak ⟨het⟩⟨meteo.⟩ **0.1** *front.*

hoogtegraad ⟨de (m.)⟩⟨aardr.⟩ **0.1** *latitude.*

hoogtegrens ⟨de⟩⟨luchtv.⟩ **0.1** *ceiling.*

hoogtekaart ⟨de⟩ **0.1** *contour map* ⇒⟨met reliëf⟩ *relief map.*

hoogtelat ⟨de⟩⟨amb.⟩ **0.1** *gauge rod.*

hoogtelijn ⟨de⟩ **0.1** [⟨wisk.⟩] *altitude* **0.2** [niveaulijn] *contour (line).*

hoogtemerk ⟨het⟩ **0.1** *benchmark.*

hoogtemeter ⟨de (m.)⟩ **0.1** *altimeter* ⇒⟨dmv. bepaling van kookpunt van vloeistoffen⟩ *hypsometer.*

hoogtemeting ⟨de (v.)⟩ **0.1** *altimetry* ⇒*hypsometry.*

hoogteparallel ⟨de⟩⟨scheep.⟩ **0.1** *altitude parallel* ⇒*circle of altitude.*

hoogtepunt ⟨het⟩ **0.1** [⟨fig.⟩] *height* ⇒*peak, high(est) point, climax, apex, apogee* **0.2** [⟨wisk.⟩] *orthocentre* ♦ **2.1** de dollar steeg tot een nieuw~ *the dollar rose to a new high/reached a record level* **3.1** zijn/haar~ bereiken in *culminate in;* de crisis heeft haar~ bereikt *the crisis has come to a head;* naar een~ voeren, een~ doen bereiken *bring to a climax/peak* **6.1** een~ **in** de moderne schilderkunst *a high point/a milestone in modern painting;* **op** het (absolute)~ van zijn roem/carrière *at the (very) height/peak/pinnacle of his fame/glory; at the (very) height/peak/zenith/apex of his career;* toen de storm **op** het~ was *when the storm was at its height;* hij is **over** zijn~ **heen** *he is over the hill/spent, he has shot his bolt, he is past his peak;* dit is het~ **van/in** zijn carrière *this is the high point of/in/the peak/culmination/apex of his career.*

hoogterecord ⟨het⟩ **0.1** *record height* ⇒⟨inf.⟩ *all-time high,* ⟨luchtv.⟩ *altitude record.*

hoogteroer ⟨het⟩ **0.1** *elevator.*

hoogtestraling ⟨de (v.)⟩ **0.1** *cosmic radiation.*

hoogteverlies ⟨het⟩ **0.1** [⟨luchtv.⟩] *loss of altitude* **0.2** [⟨ruim.⟩] *decay.*

hoogteverschil ⟨het⟩ **0.1** *difference in height/level/altitude* ♦ **3.1** een~ van 300 meter overbruggen *bridge a 300 metre difference in height/altitude/a 300 metre gap.*

hoogtevlucht ⟨de (m.)⟩ **0.1** *high-altitude flight.*

hoogtevrees ⟨de⟩ **0.1** *fear of heights* ⇒*vertigo* ♦ **1.1** last/geen last van~ hebben *have no/a (good) head for heights.*

hoogteziekte ⟨de (v.)⟩ **0.1** *altitude sickness.*

hoogtezon ⟨de⟩ **0.1** [(kwarts)lamp] *sunlamp* ⇒*sunray lamp* **0.2** [licht] *ultraviolet (rays)* ♦ **6.1** onder de~ liggen *be under the sunlamp.*

hoogtij ⟨het⟩ **0.1** *heyday* ⇒*acme* ♦ **3.1** toen het fascisme~ vierde *when fascism was/ran rampant/reigned supreme;* ~ vieren *be/run rampant, be rife, reign supreme.*

hoogtijd ⟨de (m.)⟩⟨r.k.⟩ **0.1** *feast(day)* ♦ **1.1** de~ van Kerstmis *the feast of Christmas.*

hoogtijdag ⟨de (m.)⟩ **0.1** *feast(day)* ♦ **6.1** ⟨fig.⟩ het zijn~ en **voor** de sportliefhebbers *this week* ⟨enz.⟩ *is a feast/treat for sports fans.*

hooguit ⟨bw.⟩ **0.1** *at the/at (the very) most* ⇒*no(t) more than, at the outside* ♦ **7.1** ~ twintig boeken *at most/no(t) more than 20 books, 20 books at the (very) most/at the outside.*

hoogveen ⟨het⟩ **0.1** [boven de grondwaterspiegel gevormd veen] *(high) moorland* ⇒*peat moor,* ⟨grondsoort⟩ *high moor peat* **0.2** [streek] *moor(s).*

hoogverheven ⟨bn.⟩ **0.1** [zeer verheven] *lofty* ⇒*exalted, sublime* **0.2** [in hoog reliëf] *raised* ⇒*in (high) relief, embossed* ⟨letters⟩.

hoogverraad ⟨het⟩ **0.1** *high treason.*

hoogvlakte ⟨de (v.)⟩⟨aardr.⟩ **0.1** *plateau* ⇒*tableland, upland plain.*

hoogvlieger ⟨de (m.)⟩⟨fig.⟩ **0.1** *high-flier;* ⟨inf.⟩ *whizz kid* ♦ **7.1** 't is geen~ *he's no genius, he won't set the world/* ⟨BE ook⟩ *the Thames on fire, he's not what you'd call* ⟨vnl. BE⟩ *a bright spark/a whizz kid.*

hoogwaardig ⟨bn.⟩ **0.1** [van hoge waarde] *high-quality* ⇒⟨ind. ook⟩ *high-grade* **0.2** [⟨r.k.⟩] *eminent* ⇒*venerable* ♦ **1.1** ~ erts/staal *high-grade/h.-q. ore/steel* **1.2** (Zijne) Hoogwaardige Excellentie (*His) Excellency;* ⟨Angl.⟩ *the Right Reverend;* ⟨aartsbisschop⟩ (*His) Grace;* ⟨kardinaal⟩ (*His) Eminence;* het Hoogwaardige Sacrament *the host* **7.2** ⟨zelfst.⟩ het~(e) *the host.*

hoogwaardigheid ⟨de (v.)⟩ **0.1** [hoedanigheid] *eminence* ⇒*venerability,* ⟨ind.⟩ *high quality* **0.2** [hoog ambt] *high/eminent office/post/position* **0.3** [aanspreektitel] *Your Excellency* ⇒⟨Angl. bisschop⟩ *Right Reverend Sir,* ⟨Angl. aartsbisschop⟩ *Your Grace,* ⟨kardinaal⟩ *Your Eminence* **0.4** [titel] *the Most Reverend* ⇒⟨Angl. bisschop⟩ *the Right Reverend,* ⟨Angl. aartsbisschop⟩ *His Grace,* ⟨kardinaal⟩ *His Eminence* ♦ **4.3** Zijne Hoogwaardigheid de bisschop van Haarlem *The Most Reverend* ⟨naam⟩ *Bishop of Haarlem.*

hoogwaardigheidsbekleder ⟨de (m.)⟩ **0.1** *dignitary.*

hoogwater ⟨het⟩ **0.1** [ogenblik dat de vloed op zijn hoogst is] *high tide* **0.2** [hoge waterstand] *high water* **0.3** [hevige aandrang tot urineren] (a) *bursting bladder;* ⟨inf.⟩ (a) *desperate need to go* ♦ **3.1** het is/wordt ~ *the tide is in/is coming in* **6.1** bij/met~ *at high tide/water.*

hoogwaterlijn ⟨de (v.)⟩ **0.1** *high-water mark* ⇒*high-tide mark* ⟨zee⟩.

hoogwaterpeil ⟨het⟩ **0.1** *high-water level* ⇒*high-tide level* ⟨zee⟩.

hoogwelgeboren ⟨bn.⟩ **0.1** ≠*Right Honourable.*

hoogwerker ⟨de (m.)⟩ **0.1** *tower waggon* ^*wagon.*

hoogzwanger ⟨bn.⟩ **0.1** *heavily pregnant.*

hooi ⟨het⟩⟨→sprw. 297⟩ **0.1** *hay* ♦ **3.1** hooi winnen *make h.;* het~ binnenhalen/mennen *bring/fetch in the h.;* ⟨fig.⟩ het~ over de balk gooien *burn money, throw/splash/money about;* ~ keren/luchten *turn over/toss/ventilate h.;* ⟨fig.⟩ het~ sparen *count the pennies;* het ~ aan/in oppers zetten *cock the h.* **6.1** in het~ slapen *sleep in/on the h.* **6.¶ te**~ en te gras *haphazardly, in snatches, at odd moments* **7.1** te veel~ op zijn vork nemen ⟨fig.⟩ *bite off more than one can chew, have too much on one's plate.*

hooibeest(je)⟨het⟩ **0.1** [vlinder] *small heath (butterfly)* **0.2** [donderbeestje] *gnat* ⇒⟨vnl. BE⟩ *thrips.*

hooiberg ⟨de (m.)⟩ **0.1** [stapel hooi] *haystack* ⇒*hayrick* **0.2** [stellage] *rickstand* ⇒*stackstand* ♦ **6.1** ⟨fig.⟩⟨zoeken naar⟩ een speld/naald in een~ *(look/search for) a needle in a haystack.*

hooiblazer ⟨de (m.)⟩ **0.1** *pneumatic hay conveyor.*

hooiboer ⟨de (m.)⟩ **0.1** *hay-farmer.*

hooiboter ⟨de⟩ **0.1** *winter butter.*

hooibouw ⟨de (m.)⟩ **0.1** [het inzamelen] *haymaking* **0.2** [verkregen hooi] *hay crop/harvest.*

hooibroei ⟨de (m.)⟩ **0.1** *hay heating* ⇒*hay/mow burn, (over)heating of hay* ♦ **6.1** bedorven **door** ~ *mowburnt.*

hooien ⟨→sprw. 298⟩
I ⟨onov.ww.⟩ **0.1** [hooi winnen] *make hay* ⇒⟨AE ook⟩ *hay* ♦ **3.1** het is~ en weerom~ ⟨fig.⟩ *you scratch my back and I'll scratch yours, one good turn deserves another;* men moet~ als de zon schijnt ⟨fig.⟩ *make hay while the sun shines* **6.1** wij gaan niet **uit** ~ ⟨fig.⟩ *slow down, the place isn't on fire!* **7.1** aan het~ zijn *be haymaking;* het~ is weer begonnen *(the) haymaking has started again;*
II ⟨ov.ww.⟩ **0.1** [hooi winnen van] *put under hay* ⇒*hay* ♦ **1.1** een stuk land~ *put a piece of land under hay, hay a piece of land.*

hooier ⟨de (m.)⟩, **-ster** ⟨de (v.)⟩ **0.1** *haymaker.*

hooigaffel ⟨de (m.)⟩ →*hooivork.*

hooigraaf ⟨de⟩ **0.1** *hay knife.*

hooigras ⟨het⟩ **0.2** *mowing-grass.*

hooihaak ⟨de (m.)⟩ **0.1** *hay hook.*

hooihark ⟨de⟩ **0.1** *hay rake.*

hooikaas ⟨de (m.)⟩ **0.1** ≠*winter cheese.*

hooikanon ⟨de (m.)⟩ **0.1** *(pneumatic) hay conveyor (with suction hose).*

hooikist ⟨de⟩ **0.1** *haybox.*

hooiklamp ⟨de⟩ **0.1** *haystack* ⇒*hayrick.*

hooikoorts ⟨de⟩ **0.1** *hay fever* ⇒⟨med.⟩ *pollinosis* ♦ **3.1** (veel last van) ~ hebben *suffer (badly) from h.f., have/get h.f. (badly).*

hooiland ⟨het⟩ **0.1** *meadowland* ⇒*meadows,* ⟨met hooi erop⟩ *hayfields* ♦ **8.1** land als~ gebruiken *put land under hay, hay land.*

hooimaand ⟨de⟩ **0.1** *haymaking* ⇒^*haying month* ⟨juli⟩.

hooimachine ⟨de (v.)⟩ **0.1** *haymaking machine* ⇒*hay loader.*

hooimijt ⟨de⟩ **0.1** *haystack* ⇒*hayrick.*

hooioogst ⟨de (m.)⟩ **0.1** [het inzamelen] *haymaking* **0.2** [verkregen hooi] *hay crop/harvest* ♦ **3.1** de~ is begonnen *(the) haymaking has started.*

hooiopper ⟨de (m.)⟩ **0.1** *hay cock.*

hooipers ⟨de⟩ **0.1** *hay press* ⇒⟨rijdend⟩ *hay baler.*

hooirook ⟨de⟩ **0.1** *hay cock.*

hooiruiter ⟨de (m.)⟩ **0.1** *fence rack* ⇒*rickstand, drying rack for hay.*

hooischelf ⟨het⟩ **0.1** *haystack* ⇒*hayrick.*

hooischudder ⟨de (m.)⟩ **0.1** *hay tedder.*

hooischuur ⟨de⟩ **0.1** *(hay-)barn* ♦ **8.1** een mond als een~ hebben *have a large/big mouth;* ⟨fig.⟩ *have a big mouth, have plenty of cheek.*

hooitas ⟨de (m.)⟩ **0.1** [hooistapel] *haystack* ⇒*hayrick* **0.2** [hooischuur] *(hay-)barn.*

hooitijd ⟨de (m.)⟩ **0.1** *haymaking/season/time* ⇒*haying-time* ♦ **6.1** in de~ *during/in the haymaking season, at haymaking time, during/at haying-time.*

hooivlinder ⟨de (m.)⟩ **0.1** *yellow/sulphur (butterfly)* ♦ **2.1** gele~ *pale clouded yellow/sulphur (butterfly).*

hooivork ⟨de⟩ **0.1** *pitchfork* ⇒*hayfork.*

hooiwagen ⟨de (m.)⟩ **0.1** [wagen] *haycart* ⇒*hay-wagon* **0.2** [spinachtig dier] *harvestman, harvest; spider;* ⟨AE; inf.⟩ *daddy long-legs.*

hooiweer ⟨het⟩ **0.1** *haymaking weather* ♦ **2.1** het is goed~ *it's good/fine h. w..*

hooizolder ⟨de (m.)⟩ **0.1** *hayloft.*

hoon ⟨de (m.)⟩ **0.1** *scorn* ⇒*derision, taunts, jeers, sneers* ♦ **6.1** spot die **tot** ~ wordt *mockery that borders on derision.*

hoongelach ⟨het⟩, **hoonlach** ⟨de⟩ **0.1** *jeering* ⇒*jeers, howls of derision* ♦ **3.1** op~ onthalen *greet with jeers/with howls of derision.*

hoop ⟨→sprw. 143,299,300⟩
I ⟨de (m.)⟩ **0.1** [opeenhoping] *heap* ⇒*pile* **0.2** [(mbt. zaken) grote hoeveelheid] *great/good deal* ⇒*lot,* ⟨inf.⟩ *load, heaps* **0.3** [geordende stapel] *pile* ⇒*stack* **0.4** [uitwerpselen] *muck;* ⟨inf.⟩ *business, job, mess* **0.5** [(mbt. personen en dieren) menigte] *crowd* ⇒*mass,* ⟨schr.⟩ *throng,* ⟨inf.⟩ *bunch,* ⟨dieren⟩ *herd, flock* ♦ **1.1** een~ stenen/zand *a h./pile of stones/sand;* een~ stof *a heap/pile of dust* **1.2** een~/hopen brieven *a pile/piles/tons of letters;* een~ gelul *a load of bullshit*

/ *crap* / *old cock;* een ~ last / narigheid *a (whole) lot of trouble, a packet* / *load of trouble;* een ~ leugens *a pack of lies;* een ~ tegenslag(en) / tegenwerking *a great* / *good deal* / *a lot of set-backs* / *opposition;* er is van de week een ~ water gevallen *it has rained a lot this week* **1.5** een ~ kinderen / koeien *a c.* / *troop* / *herd of children, a herd* / ↓ *load of cows* **2.2** het gaat hier niet van de grote ~ *money doesn't grow on trees, you know!;* een hele ~ (boeken) *a good many (books);* ⟨boeken⟩ *a whole pile of books;* er ~ rijker / beter op worden *be a lot better off* **2.5** de grote ~ *the (broad) masses, the c., the common herd* **3.2** ik heb een ~ gegeten *I've eaten a lot* / *lots* / *heaps* / *a great deal* / *a good deal;* ik heb nog een ~ te doen *I've still got a lot* / *lots* / *plenty* / *tons* / *a great deal* / *a good deal to do;* ik heb er heaps / *lots* / *tons (of it* / *them);* dat kost een ~ (geld) *that'll cost a packet, that'll set you back (a fair bit)* **3.4** het kind heeft een ~ (je) gedaan *that child has done its b.* **6.1** gooi het hout maar **op** de ~ *just throw the wood on the pile;* **op** een ~ (je) vegen *sweep (together) into a heap* / *pile;* **op** een ~ leggen *pile* / *stack up;* je kunt niet alles / iedereen **op** één ~ gooien ⟨fig.⟩ *you can't tar everyone with the same brush* / *put everything* / *everyone in one, box* / *lump everything* / *everyone together* **6.2 bij** hopen *in dozens* / *scores* / ⟨mensen ook⟩ *droves* / ⟨zaken ook⟩ *heaps* / *piles* **6.3** munten **op** hopen / ~ jes zetten *pile* / *stack up coins;* turf **te** ~ zetten *pile up peat* **6.5 met** de ~ meelopen, **met** de grote ~ meedoen *follow the c.;* ⟨pej.⟩ *run with the pack, jump on the bandwagon, go with the herd* **6. ¶ op** een ~ staan *be in a huddle, be crowded* / *huddled together;* **te** ~ lopen *gather* / *crowd* / *flock* / *huddle together;*

II ⟨de⟩ **0.1** [verwachting] *hope* **0.2** [persoon] *hope* ◆ **1.1** geloof, ~ en liefde *faith, h. and charity;* een sprankje / vleugje ~ *a flicker* / *flash* / *gleam* / *glimmer of h.* **1.2** de ~ v.h. vaderland *the nation's h. (for the future)* **2.1** goede ~ hebben *have high hopes, be hopeful;* ijdele ~ *vain h.;* ⟨als uitroep⟩ *some hope!;* valse ~ wekken *arouse* / *awaken* / *raise false hopes;* vrome ~ *pious h.* **2.2** ze is mijn enige / laatste ~ *she's my only* / *last h.;* nog / geen / goede ~ hebben (op iets) *still have hopes* / *have no h.* / *have every h. (of sth.);* hij had niet de minste ~ *he hadn't the least* / *slightest h.;* ⟨AE; inf.⟩ *he hadn't a prayer (of);* hij had een / de stille ~ dat ... *he silently* / *secretly hoped that* **3.1** ~ geven *give* / *offer* / *hold out h.;* ik heb ~ dat het lukken zal *I have hopes* / *every hope that it will succeed;* zijn ~ is in rook vervlogen *his hopes have evaporated* / *gone up in smoke* / *faded to nothing;* zolang er leven is, is er ~ *while there's life there's h.;* al onze ~ is op u gevestigd *we place all our h. in you;* ~ koesteren *entertain* / *cherish a h.;* weer / nieuwe ~ krijgen *regain h., hope again;* de / alle ~ laten varen *abandon (all) h.;* de ~ opgeven / verliezen dat ... *give up* / *lose h. that ...;* niet opgeven / verliezen *not give up* / *lose h., keep (on) hoping;* ~ opvatten *take courage;* de ~ uitspreken, dat ... *express the h. that ...;* zijn ~ op iets vestigen *pin one's hopes on* / *place one's hope in s.o.* / *sth.* **3.2** weer ~ geven *rebuild* / *restore one's hopes;* de ~ opwekken *raise* / *arouse* / *awaken hopes;* iemands ~ teleurstellen / verijdelen *dash s.o.'s hopes* **6.1** in de ~ dat ... *in the h.* / *in hopes that ...;* **op** ~ van zegen *in (good) h., ... and h. for the best;* ⟨inf.⟩ *with one's fingers crossed;* ⟨vis.⟩ varen **op** ~ van zegen *be paid by the catch;* **tussen** ~ en vrees leven *be poised between h. and fear* **6.2 in** de ~ verkeren dat *live in hope(s) that;* **in** de ~ op ... *in hopes* / *the h. of;* **in** de ~ dat ik u spoedig weerzie *in the h. of seeing* / *hoping to see you soon;* niet veel ~ hebben **op** een geslaagde afloop *have little h.* / *not be very hopeful of success;* weinig ~ **op** verandering geven *bring little promise* / *hold out little h. of change;* zijn ~ **op** God vestigen *place one's h. in God;* met weinig ~ **op** succes *with little h. of success;* dat geeft (hem) ~ **op** / **dat** *that raises hopes* / *gives him the h. that* **7.1** er is geen ~ meer *there is no longer any h., it's hopeless, all h. is lost* **7.2** geen / weinig / alle ~ geven *dat hold out no* / *little* / *every h. that ¶* **.1** de ~ de bodem inslaan / in rook doen vervliegen *dash* / *be a blow to* / *shatter one's hopes.*

hoopgevend ⟨bn.⟩ **0.1** *hopeful* ⇒⟨veelbelovend ook⟩ *promising* ◆ **1.1** dat is een ~ teken *that is a h. sign;* ~e woorden *h. words, words of hope* **3.1** ~ klinken *sound h.* / *promising* **5.1** weinig ~ *discouraging, not very promising.*

hoopje ⟨het⟩ **0.1** [stapeltje] *(little) heap* / *pile* **0.2** [uitwerpselen] ⟨inf.⟩ *business* ◆ **1.1** een ~ as *a (little) h.* / *p. of ash;* ⟨fig.⟩ een (zielig / ellendig) ~ mens *a (pitiful* / *wretched) little creature* / *thing* **3.2** een doo do (one's) b., a job **6.1** zijn kleren lagen **in** een ~ op de grond *his clothes were (lying) in a h. on the ground;* **op** een ~ bij elkaar staan / zitten *be huddled together;* **op** een ~ vegen *sweep (together) into a h.* / *p..*

hoopvol ⟨bn.⟩ **0.1** [van hoop vervuld] *hopeful* ⇒*optimistic, sanguine* **0.2** [veelbelovend] *hopeful* ⇒*promising* ◆ **1.1** ~le blikken *h. looks* **1.2** een ~le opbloei / ontwikkeling *a h.* / *promising upturn* / *development* **3.1** iem. ~ stemmen *put s.o. in a h.* / *optimistic mood;* het stemt ~ *it's encouraging;* ze waren zeer ~ gestemd *(their) hopes were running high, they were in a very h.* / *optimistic* / *sanguine mood* **3.2** de toekomst zag er niet erg ~ uit *the future did not look very h.* / *promising* / *bright.*

hoor¹ ⟨de (m.)⟩ ◆ **1. ¶** het (recht van) ~ en wederhoor toepassen *hear* / *listen to both sides* / *the other side (of the argument).*

hoor² ⟨tw.⟩ **0.1** [meestal onvertaald; zie ¶.1] ◆ **¶.1** nou ~, ik vond het

maar een matige vertoning *well, (you know,) I must say I thought it was a rather mediocre performance;* 't was fijn ~! *it was really great;* ja, ~, ik kom! *oh yes,* ^A*sure I'm coming!;* goed, ~, doe dat maar! *fine, go ahead!;* niet vergeten, ~! *don't forget now!, mind you don't forget!;* hij is erg aardig, ~! *he's really nice!;* goed ~, mooi gedaan! *great, well done!;* ik dacht dat jij zou helpen, maar nee, ~ *I thought you'd help, but oh no* / *but no such luck* / *but not a bit of it!;* ik jou oplichten? nee ~ / ik niet ~ *me, swindle you? perish the thought* / *wouldn't dream of it!;* ik jou geld lenen? nee ~ *me, lend you money? no chance* / *no way* / *fat chance* / *some chance* / *catch me doing that!.*

hoorapparaat ⟨het⟩ **0.1** *hearing-aid* ⇒⟨inf.⟩ *deaf-aid.*

hoorbaar
I ⟨bn.⟩ **0.1** [te horen] *audible* ◆ **1.1** een hoorbare stilte *an a.* / ⟨scherts.⟩ *a deafenig silence* **3.1** zijn stem was tot achterin ~ *his voice carried (right* / *all the way) to the back;* zich ~ maken *make o.s. heard* **5.1** duidelijk ~ zijn *be clearly a.;* haar Engelse accent is nog goed ~ *you can still hear her English accent,* † *her English accent is still quite* / *clearly a.;* het geluid was nauwelijks ~ *the sound was barely a.;*
II ⟨bw.⟩ **0.1** [op waarneembare wijze] *audibly* ◆ **3.1** mijn hart klopte ~ *my heart was beating a., you could hear my heart beating.*

hoorbaarheid ⟨de (v.)⟩ **0.1** *audibility.*

hoorbril ⟨de (m.)⟩ **0.1** *hearing aid glasses, eyeglass hearing aid.*

hoorcollege ⟨het⟩ **0.1** *(formal) lecture.*

hoorcommissie ⟨de (v.)⟩ **0.1** *appeals commission* / *board.*

hoorder ⟨de (m.)⟩ ⟨schr.⟩ **0.1** *listener* ⇒*hearer,* ⟨mv. ook⟩ *audience* ◆ **2.1** geëerde / waarde ~s! *ladies and gentlemen!.*

hoorn¹, horen ⟨de (m.)⟩ **0.1** [uitsteeksel aan de kop] *horn* (ook mbt. slak, insect) **0.2** [uitwas] *horn* (ook mbt. maan, aambeeld, grammofoon) **0.3** [mbt. een telefoon] *receiver* ⇒*mouthpiece* **0.4** [blaasinstrument] *horn* ⇒ ⟨mil.; signaalhoorn⟩ *bugle* **0.5** [drinkgerei] *horn* **0.6** [slakhuis] *conch* ⇒*shell* **0.7** [zwam] *horn of plenty* **0.8** ⟨(Bijb.) zinnebeeld van kracht⟩ *horn* ◆ **1.4** de ~ v.e. auto *the h.* / *hooter of a car* **1.5** de ~ des overvloeds *the h. of plenty, the cornucopia* **2.1** iem. koeien met gouden horens beloven *promise s.o. the moon* / *the earth* **2.4** Engelse ~ *cor anglais;* kleine ~ *buglet* **3.1** ⟨fig.⟩ zij heeft haar man ~s opgezet *she's been unfaithful to (her husband);* ⟨vero.⟩ *she's cuckolded* / *made a cuckold of her husband;* ⟨fig.⟩ de ~s opsteken tegen iem. *show s.o. one's teeth* **3.3** de ~ erop gooien *slam the r.* / ⟨inf.⟩ *phone down;* de ~ neerleggen *put the r. down;* ⟨inf.⟩ *hang up;* de ~ van de haak nemen *pick up* / *lift the r.* **6.1** ⟨fig.⟩ de koe **bij** de ~s pakken *take the bull by the horns, grasp the nettle;* de stier nam hem **op** zijn ~s *the bull tossed him (on his horns);* ⟨fig.⟩ hij neemt te veel **op** zijn ~s *he bites off more than he can chew* / *takes too much on his plate* **6.4 op** de ~ blazen *blow the h..*

hoorn² ⟨het⟩ **0.1** *horn* ◆ **6.1** knopen worden uit ~ gedraaid *buttons are made out of* / *from h.;* een heft **van** ~ *a h. handle, a handle of h..*

hoornaar ⟨de (m.)⟩ **0.1** ⟨dierk.⟩ **0.1** *hornet.*

hoornachtig ⟨bn.⟩ **0.1** *horny* ⇒*hornlike.*

hoornblad ⟨het⟩ **0.1** [plaat van hoorn] *plate of horn* **0.2** [waterplant] *hornwort.*

hoornblazer ⟨de (m.)⟩ **0.1** [iem. die de hoorn bespeelt] *hornplayer* ⇒ ⟨mil.⟩ *bugler,* ⟨vero.⟩ *hornblower* **0.2** [koperblazer] *brass player* ⇒ ⟨mv.⟩ *brass.*

hoornblende ⟨de⟩ **0.1** *hornblende.*

hoornbloem ⟨de⟩ **0.1** *mouse-ear (chickweed)* ⇒*satinflower.*

hoorndol ⟨bn.⟩ →**horendol.**

hoorndrager ⟨de (m.)⟩ **0.1** [gehoornd dier / wezen] *horned creature* **0.2** [bedrogen echtgenoot] *deceived husband* ⇒ ⟨vero.⟩ *cuckold.*

hoornen ⟨bn.⟩ **0.1** *horn* ◆ **1.1** een ~ heft *a h. handle;* bril met een ~ montuur *h. rimmed glasses.*

hoorngeschal ⟨het⟩ **0.1** *sound* / *blowing of horns* / ⟨mil.⟩ *bugles* / *trumpets.*

hoornist ⟨de (m.)⟩ **0.1** *hornplayer* ⇒ ⟨vero.⟩ *hornblower,* ⟨mv., in orkest ook⟩ *horns, horn section.*

hoornklaver ⟨de⟩ **0.1** *bird('s)-foot.*

hoornlaag ⟨de⟩ **0.1** *epidermis* ⇒*cuticle.*

hoornloos ⟨bn.⟩ **0.1** *poll* ⇒*polled, hornless.*

hoornmuziek ⟨de (v.)⟩ **0.1** *music for horns, horn music.*

hoornschil ⟨de⟩ **0.1** *parchment* ⟨van koffieboon⟩.

hoornsignaal ⟨het⟩ **0.1** *hornblast* ⇒*blast on a horn,* ⟨mil.⟩ *bugle-call, trumpet-call.*

hoornsteen ⟨het⟩ **0.1** *whin, whinsill, whinstone* ⇒*hornstone.*

hoorntje ⟨het⟩ **0.1** [kleine hoorn] *buglet* **0.2** [gebak] *cream horn* **0.3** [halvemaanvormig broodje] *croissant* **0.4** [zwam] *Calocera* ⟨genus⟩ **0.5** [ijsje] *cone* ⇒ ⟨BE ook⟩ *cornet* **0.6** [wesp] *hornet.*

hoornuil ⟨de (m.)⟩ **0.1** *horned owl* ⇒ ⟨ihb. ransuil⟩ *long-eared owl.*

hoornvee ⟨het⟩ **0.1** *horned cattle.*

hoornvlies ⟨het⟩ **0.1** *corned.*

hoornvliescentrum ⟨het⟩ **0.1** *cornea bank.*

hoornvliesontsteking ⟨de (v.)⟩ **0.1** *keratitis* ⇒*inflammation of the cornea.*

hoornvliestransplantatie ⟨de (v.)⟩ **0.1** *corneal grafting* / *transplant.*

hoornweefsel ⟨het⟩ **0.1** *horny* / ⟨schr.⟩ *corneous tissue.*

hoorspel ⟨het⟩ **0.1** *radio play.*

hoortoestel →**hoorapparaat**.
hoorzitting ⟨de (v.)⟩ **0.1** *hearing* ◆ **2.1** een openbare ~ houden *hold a public h.*.
hoos ⟨de⟩ **0.1** [hevige wervelwind] *whirlwind* ⇒*tornado* **0.2** [(van zeevissers) laars] *wader* **0.3** [hoes] *cover*.
hoosbak ⟨de (m.)⟩ **0.1** *Dutch scoop*.
hoosbui ⟨de⟩ **0.1** *heavy shower, downpour*.
hoosgat ⟨het⟩ **0.1** *sink, well*.
hoosvat ⟨het⟩ **0.1** *ba(i)ler* ⇒*scoop*.
hop[1]
  I ⟨de (m.)⟩ **0.1** [trekvogel] *hoopoe* **0.2** [⟨mv.⟩ vogelfamilie] *Upupidae* ◆ **8.1** stinken als een ~ *stink like a polecat, stink to high heaven;*
  II ⟨de⟩ **0.1** [klimplant] *hop(plant)* **0.2** [vruchtkegels] *hops* ◆ **3.2** ~ plukken *pick h., go hop-picking* **8.2** zo licht als ~ *(as) light as a feather*.
hop[2] ⟨tw.⟩ **0.1** [om tot springen/dansen aan te zetten] *come on!;* ⟨dansen⟩ *on your feet!* **0.2** [jacht] *tally-ho* ◆ ¶**.1** ~, paardje, ~ *giddy-up*.
hopachtig ⟨bn.⟩ **0.1** *hoplike* ⇒ (smaak ook) *hoppy*.
hopakker ⟨de (m.)⟩ **0.1** *hop field/garden/yard*.
hopbel ⟨de⟩ **0.1** *hop*.
hopbitter ⟨het⟩ ⟨schei.⟩ **0.1** *lupulin*.
hopbouw ⟨de (m.)⟩ **0.1** *hop growing/* ↑*cultivation*.
hope ⟨de⟩ ⟨schr.⟩ **0.1** *hope(s)*.
hopelijk ⟨bw.⟩ **0.1** *I/let's hope* ⇒ ⟨inf.⟩ *hopefully* ◆ **3.1** ~ komt hij morgen *hopefully/I hope/let's hope he's coming tomorrow* **5.1** ~ niet/ wel! *I hope so/not!, let's hope so/not!*.
hopeloos
  I ⟨bn.⟩ **0.1** [wanhopig] *hopeless* ⇒*desperate, despairing* **0.2** [uitzichtloos] *hopeless* ⇒*desperate* ◆ **1.2** een ~ geval/hopeloze zaak *a h. case/ business;* hopeloze liefde *h. / desperate love;* een hopeloze onderneming *a h. venture/undertaking;* ⟨inf.⟩ *a dead loss;* een hopeloze poging *a h. / desperate attempt;* een hopeloze strijd voeren *fight a losing battle* **3.2** je bent ~ *you're h., I give up on you, I wash my hands of you;* het/de situatie is ~ *it/the situation is h. / desperate;*
  II ⟨bw.⟩ **0.1** [op wanhopig makende wijze] *hopelessly* ⇒*desperately* ◆ **2.1** het gaat ~ langzaam *it's going desperately/painfully slowly;* hij is ~ verliefd op *he's h. / desperately in love with, he's besotted with* ¶**.1** er ~ voor staan *be past praying for;* ⟨inf.⟩ *have had it, be a goner*.
hopen
  I ⟨ov.ww.⟩ **0.1** [wensen] *hope (for)* ⇒*trust* **0.2** [verwachten] *hope* **0.3** [opstapelen] *pile (up)* ⇒*heap (up)* ◆ **1.1** we zullen het beste er maar van ~ *all we can do is h. for the best/keep our fingers crossed, we'll (just) h. for the best/keep our fingers crossed* **3.1** dat is niet te ~ *let's h. not, I h. not;* het is te ~ *let's h. so, I h. so;* het is ~ dat hij komt *it is to be hoped that he comes;* ⟨inf.⟩ *hopefully he's coming;* wij ~ u spoedig te zien *we h. to see/look forward to seeing you soon* **3.2** blijven ~ *keep (on) hoping;* men kan niet ~ hem nog tijdig te bereiken *there is no hope of reaching him in time;* ik hoop je daar te zien *I h. / expect to see you there;* ↑*I trust I'll see you there;* dat zou ik ~ *I should h. so;* ⟨BE; inf.⟩ *I should jolly well h. so* **4.1** ik hoop het voor je *I h. so for your sake;* met ons gaat het goed en wij ~ van/met u hetzelfde *we are well and we hope/* ↑*trust you are too* **6.1** ik hoop van wel/van niet *I h. so/ not* **6.3** ⟨fig.⟩ steeds meer lasten werden op zijn schouders gehoopt *more and more burdens were piled/heaped (up)on his shoulders;* op elkaar gehoopt *heaped/* ⟨mensen⟩ *huddled together* **8.1** ik hoop dat het goed met u gaat *I h./* ↑*trust you are well;* ik hoop van ... *I do h. that ...;* men hoopt dat ... *it is hoped that ...* **8.1, 8.2** je kunt niet echt ~ dat het lukken zal *it's really too much h. / expect that it'll work* ¶**.1** tegen beter weten in (blijven) ~ *h. against hope;*
  II ⟨onov.ww.⟩ **0.1** [van hoop vervuld zijn] *hope (for)* **0.2** [zijn vertrouwen stellen op] *hope (in)* ◆ **1.1** de gehoopte erfenis kwam niet *the hoped-for inheritance failed to materialize* **6.1** ~ op een spoedig einde v.d. oorlog/op een rustige oude dag *h.f. a rapid end to the war/ a peaceful old age;* half ~d op ...*half hoping (for) ..., in the half-hope that ...* **6.2** ~ op God *h. God, trust in God*.
hopje ⟨het⟩ **0.1** *coffee caramel/toffee* ◆ **2.1** Haagse ~s *Hague toffees*.
hopklaver ⟨de⟩ **0.1** *black medic* ⇒*yellow trefoil, nonesuch (clover)*.
hopman ⟨de (m.)⟩ **0.1** [padvinderij] *scoutmaster* **0.2** [⟨gesch.⟩] *captain*.
hopoogst ⟨de (m.)⟩ **0.1** *hop harvest*.
hoppen ⟨ov.ww.⟩ **0.1** *hop*.
hopper ⟨de (m.)⟩ **0.1** [voorraadruimte] *hopper* **0.2** [vaartuig] *hopper*.
hopperzuiger ⟨de (m.)⟩ **0.1** *pump dredger*.
hopsa(sa) ⟨tw.⟩ **0.1** ⟨tegen kind⟩ *upsy-daisy, up you go*.
hopsen ⟨onov.ww.⟩ **0.1** *galumph*.
hopspruit ⟨de (m.)⟩ **0.1** *hop shoot*.
hopvrouw ⟨de (v.)⟩ **0.1** *Guider*.
hor ⟨de⟩ **0.1** [tegen insekten] *(insect) screen* **0.2** [tegen zonlicht, inkijk] *gauze blind* ◆ **6.1** ~ren voor/in ramen en deuren zetten *fit (insect) screens in windows and doorways*.
horde ⟨de⟩ **0.1** [troep] *horde* **0.2** [nomadentam] *horde* **0.3** [⟨sport⟩] ⟨ook fig.⟩ *hurdle* **0.4** [plat vlechtwerk] *hurdle* ⇒*wattle* **0.5** [⟨landb.⟩] *clod-crusher* **0.6** [⟨padvinderij⟩] *troop* ⇒*patrol* ◆ **1.1** ~n mensen *hordes of people* **1.3** de 400 meter ~n voor mannen *the men's*

400-metre hurdles **2.1** de hele ~ komt hierheen *the whole h. (of them) is coming here* **3.3** ⟨fig.⟩ de laatste ~ nemen *pass the final h.;* een ~ nemen *take/clear a h.* **6.1** ze kwamen met ~n tegelijk *they came in hordes* **6.2** in ~n rondtrekken *go around in hordes*.
hordenloop ⟨de (m.)⟩ ⟨sport⟩ **0.1** *hurdle-race*.
hordenlopen ⟨ww.⟩ ⟨sport⟩ **0.1** *hurdle*.
hordenloper ⟨de (m.)⟩, **-loopster** ⟨de (v.)⟩ ⟨sport⟩ **0.1** *hurdler*.
hordenwerk ⟨het⟩ **0.1** *wattle (work)*.
horeca ⟨de (m.)⟩ **0.1** *(hotel and) catering (industry)* ◆ **6.1** hij werkt in de ~ *he works in the catering industry*.
horecabedrijf ⟨het⟩ **0.1** [bedrijfstak] *(hotel and) catering (industry);* ⟨bedrijf⟩ *catering establishment, hotel, restaurant, café* ⟨enz.⟩.
horen[1] →**hoorn**.
horen[2] ⟨→sprw. 74, 126, 301-303, 359, 414, 591⟩
  I ⟨ov.ww.⟩ **0.1** [met het gehoor waarnemen] *hear* **0.2** [uit het gehoorde opmaken] *hear* ⇒*tell* **0.3** [luisteren naar] *listen to* ⇒ ⟨vnl. jur.⟩ *hear* ⟨ook mbt. biecht⟩ ◆ **1.1** je kunt de stilte ~ *you can h. the silence* **1.3** biecht ~ *take/hear confession(s);* iemands biecht/iem. de biecht ~ *take/hear s.o.'s confession, confess s.o.;* getuigen ~ *hear/examine/interrogate witnesses, take evidence;* een lezing ~ *listen to/attend a lecture;* beide partijen ~ *listen to/hear both sides;* de Raad van State ~ *consult the Council of State;* gehoord de Raad van State *on the advice of the Council of State* **3.1** we hoorden de baby huilen *we heard the baby crying, we could h. the baby crying;* nu kun je het me vertellen, hij kan ons niet meer ~ *you can tell me now, he is/we are out of earshot/no longer within hearing distance;* zo mag ik het ~ *that's what I like to h., now you're talking, that's the stuff;* zijn naam ~ noemen *h. one's name mentioned;* ik heb het alleen van ~ zeggen *I only have it on/from hearsay;* ik hoor het hem nog zeggen *I remember him saying it;* je hoorde opa vaak zeggen dat ... *grandpa was often heard to say that ...;* heb je haar wel eens ~ zingen? *have you ever heard her sing?;* wij hoorden zingen/schreeuwen ⟨enz.⟩ *we heard singing/shouting* ⟨enz.⟩ **3.2** het is wel te ~ dat je verkouden bent *one/you can h. that you've got a cold* **4.1** zichzelf graag ~ praten *like to hear o.s. talk, like (to h.) the sound of one's own voice* **5.1** hij deed alsof hij het niet hoorde *he pretended not to h. (it);* ↑*he turned a deaf ear to it;* hoor je wel! ⟨mbt. schreeuwen⟩ *you don't need to shout!;* ⟨mbt. herhaling⟩ *I heard you the first time* **6.1** ze kromp ineen bij het ~ van zijn stem *she winced at the sound of his voice* **6.2** zij kon aan zijn stem/accent ~ waar hij vandaan kwam *she could tell from his voice/accent where he came from;* ik kon aan zijn stem ~ dat hij zenuwachtig was *I could tell by his voice that he was nervous* **8.2** ik hoorde direct dat hij uit zijn humeur was *I could tell immediately that he was in a bad temper;*
  II ⟨onov.ww.⟩ **0.1** [geluiden kunnen waarnemen] *hear* **0.2** [zijn plaats hebben] *belong* **0.3** [gepast zijn] *be right/proper/fitting* **0.4** [toebehoren] *belong (to)* ◆ **2.1** ~d doof zijn *pretend not to h., sham deafness;* ↑*turn a deaf ear* **3.1** het was een leven dat ~ en zien je verging *the noise was fit to wake/raise the dead, the noise was deafening, the noise was enough to drive you barmy/crackers/round the bend* **3.3** dat hoor je te weten *you ought to/you should know that* **5.1** hij hoort scherp *his hearing is acute;* hij hoort slecht *he is hard of hearing* **5.2** iem. het gevoel geven dat hij erbij hoort *give s.o. a feeling/sense of belonging;* wij ~ hier niet *we don't b. here, we're out of place here;* de kopjes ~ hier *the cups go here;* die stoel hoort hier niet *that chair doesn't b. here;* leerlingen ~ niet in de docentenkamer *pupils have no business to be in the staffroom* **5.3** ze weet niet hoe het hoort *she doesn't know how to behave;* je hoort niet te fluisteren in gezelschap *you oughtn't to/shouldn't whisper in company;* dat hoort niet *it's not done/the done thing;* dat hoor zo *that's how it should be, that's how it's done;* en zo hoort het ook *and that's how it ought to/should be too;* ze weten niet beter of het hoort zo *they don't know any better* **6.2** dit deksel hoort bij die pot *this lid belongs to/goes with that pot;* hij hoort niet bij, tot de vlugsten *he's not one of the quickest;* bij elkaar ~ b. together;* ergens bij ~ ⟨pregn.⟩ *b.;* ⟨in winkel⟩ hoort u bij elkaar? *wij ~ bij elkaar are you together? we are together;* dat land hoort onder Delfgauw *that piece of land belongs to/is part of Delfgauw;* hij hoort tot de genodigden *he is one of the guests* **6.3** dat hoort er zo bij ⟨het is lastig maar niet te vermijden⟩ *it's all in the day's work, it's all part of the game;* ⟨mbt. baan ook⟩ *it goes with the job; that's the way the cookie crumbles* **6.4** dit huis hoort aan mijn vader *this house belongs to my father/is my father's (property)* **8.3** dat is niet zoals het hoort *that's not good manners;*
  III ⟨onov., ov.ww.⟩ **0.1** [vernemen] *hear* ⇒*learn, be told, get to know* **0.2** [in aanmerking nemen] *listen (to)* ⇒ ⟨schr.⟩ *harken (to)* ◆ **1.1** heb je het nieuwtje al gehoord? *have you heard the latest (news)?* **3.1** iets doen, laten ~ *make sth. heard;* ga maar eens ~ hoe het met haar is *go round and find out how she's doing;* ik kreeg te ~ dat het zo niet langer kon *I've been told/been given to understand that it can't go on like that;* wij kregen heel wat te ~ ⟨mbt. kritiek⟩ *we were given/had a rough/hard time of it;* we kregen er een goed deal of criticism*⟩ ⟨inf.⟩ flak;* laat (af en toe) eens iets van je ~ *keep in touch (with me/us* ⟨enz.⟩ *), write/phone* ⟨enz.⟩ *now and again/then;* laat maar eens (wat) ~ *let's h. (a bit);* laat eens ~! *let's h. what you have to say!, let's*

have it; laat zijn vrouw het maar niet ~ *don't let his wife (get to) know (about it);* hij heeft niets van zich laten ~ *he hasn't been in touch, I/we* ⟨enz.⟩ *haven't heard (anything) from him/had any news from him, I/we* ⟨enz.⟩ *have had no news/word from him, he hasn't written/phoned* ⟨enz.⟩; een heel ander geluid laten ~ *be completely original, do sth. completely new;* dat hoef je haar nu niet telkens te laten ~ *you don't need to go on about it;* ⟨vnl. mbt. verwijt⟩ *you don't need to rub it in;* hij was de enige bij de vergadering die een ander geluid liet ~ *he was the only one at the meeting who had anything new to say;* dat moet je dan nog jaren ~ *you'll never h. the last/end of it;* ik moet altijd ~ dat ik vergeetachtig ben *I'm constantly being told/reminded that I'm forgetful, he/she* ⟨enz.⟩ *is constantly telling me that I'm forgetful;* zij wil geen kwaad van hem ~ *she won't h. a word said against him;* zij wil geen nee ~ *she won't take no for an answer;* hij vertelde het aan iedereen die het maar ~ wilde *he told it to everyone who cared to/would listen* 3.2 moet je ~! *just (you) listen (here);* moet je ~ wie het zegt! ⟨iron.⟩ *listen to who's talking!, you/he* ⟨enz.⟩ *can('t) talk; you're/he is* ⟨enz.⟩ *hardly one to talk* 4.1 wat hoor ik? *what's (all) this I h.?, what's that?;* ik hoor nog wel eens wat *I h. of things now and again;* ik wist niet wat ik hoorde *I could hardly believe my ears* 4.2 moet je hem ~!, hoor hem! *(just) listen to him!;* ↓hark at him!; als je hem hoort zou je denken dat *if you listen(ed) to/believe(d) him you'd think, you'd think to hear him talk that, (from) the way he talks you'd think that* 5.1 ik hoor het al *I know what's coming;* heb je al iets gehoord (over je sollicitatie)? *have you heard anything (from them) yet (about your application)?;* dat verhaal heb ik al eens eerder gehoord *I've heard that one before;* toevallig ~ *overhear;* u hoort nog van ons ⟨neutraal⟩ *you'll be hearing from us;* ⟨als bedreiging⟩ *you've not heard the last of this, you'll hear more of/about this;* ⟨sarcastische reactie op muzikale/⟩ ⟨artistieke prestaties⟩ *don't call us, we'll call you* ⟨zgn. gebruikt als afwijzing bij audities⟩ 5.2 hoor eens *listen, (I) say;* ⟨protest⟩ *see/look here!, (just you)) listen here* 6.1 bij het ~ van het nieuws *on hearing the news;* hij wilde er niets meer over ~ *he didn't want to h. any more about it;* ik hoop dat wij er niet meer over (zullen) ~ *I hope we've (now) heard the last of it;* daar heb ik nooit van gehoord *I've never heard of it/that;* hij wil niets **van** ~ *he won't h. of it, he will have none of it;* ⟨inf.⟩ *he's not having any;* daarna hebben we niets meer **van** hem gehoord *since then we haven't heard (anything) from him/he hasn't been in touch;* daar hoor je niet meer **van** *you've not heard the last of this;* ik hoor niets dan goeds **van** hem *I've heard nothing but good of/about him;* nou hoor je het ook eens **van** een ander *so I'm not the only one who says so;* dat hoor ik **voor** het eerst *that's the first I've heard of it, that's news to me* ¶.1 zo te ~ gaat het goed met hem *it sounds like he's doing well;* naar alles wat men hoort is het heel leuk daar *it's very pleasant there, by all accounts;* ik hoor het nog wel *let me know (about it), we'll talk later.*

horendol ⟨bn.⟩ **0.1** [mbt. personen] *nuts, crazy* ⇒⟨BE ook⟩ *potty,* ⟨vnl. BE ook⟩ *crackers, barmy* **0.2** [mbt. hoornvee] *angry, mad* ◆ **3.1** hij werd ~ van het lawaai *the noise drove him n. / crazy/crackers/barmy/* to *distraction/round the bend.*

horig ⟨bn.⟩ **0.1** [⟨gesch.⟩] *predial* **0.2** [afhankelijk] *tied* ⇒*bound, in bondage/servitude.*

horige ⟨de⟩ ⟨gesch.⟩ **0.1** *(predial) serf.*

horigheid ⟨de (v.)⟩ **0.1** [⟨gesch.⟩] *serfdom* **0.2** [afhankelijkheid] *bondage* ⇒*servitude* **0.3** [⟨plantk.⟩] *fidelity.*

horizon ⟨de (m.)⟩ **0.1** [gezichtseinder] *horizon* **0.2** [⟨fig.⟩] *horizon* **0.3** [horizontale aardlaag] *horizon* ◆ **2.1** kunstmatige ~ *artificial/false h.;* schijnbare/zichtbare ~ *apparent/sensible/visible h.;* de ware/astronomische ~ *the true/rational/celestial h.* **2.2** de politieke ~ *the political h.* **3.2** zijn ~ verruimen/uitbreiden *broaden/extend one's horizon(s)* **6.1 aan** de ~ *on the h.;* de zon verdwijnt **achter** de ~ *the sun disappears below/beneath the h.;* **achter** de ~ ⟨mbt. schip⟩ *hull down* **6.2** dat gaat **boven** mijn ~ ⟨bevoegdheid⟩ *that's outside my province;* ⟨begrip⟩ *that's beyond me, that goes over my head.*

horizontaal ⟨bn.⟩ **0.1** [waterpas] *horizontal;* ⟨in kruiswoordraadsel⟩ *across* **0.2** [⟨fig.⟩] *horizontal* ◆ **1.1** horizontale doorsnede *h. (cross) section;* een horizontale lijn *a h. (line);* verticale en horizontale lijnen ⟨ook⟩ *lines down and across;* horizontale stand *horizontality;* een ~ vlak *a h. (plane)* **1.2** ⟨scherts.⟩ het horizontale beroep *the oldest profession;* flat in ~ eigendom *owner-occupied flat,* ^A*condominium;* horizontale organisatie/concentratie *h. organization/integration* **3.1** ⟨scherts.⟩ ~ blijven *spend the morning/day* ⟨enz.⟩ *in bed, stay h./flat out/flat on one's back;* ~ hangen/richten/plaatsen met *hang level/level/put level with, hang/put on a level with;* ⟨luchtv.⟩ ~ trekken/gaan liggen *flatten out.*

horizontalen ⟨zn.mv.⟩ **0.1** [⟨pol.⟩] ≠*orthodox Moscow-oriented communists* **0.2** [⟨rel.⟩] *horizontalists.*

horizontalisme ⟨het⟩ ⟨rel.⟩ **0.1** *horizontalism.*

horizontalistisch ⟨bn., bw.; -ally⟩ ⟨rel.⟩ **0.1** *horizontalistic.*

horizonvervuiling ⟨de (v.)⟩ **0.1** *destruction of the landscape/skyline.*

hork ⟨de (m.)⟩ **0.1** *boor* ⇒*lout, oaf.*

horlepijp ⟨de⟩ **0.1** [dans] *hornpipe* ⇒*jig* **0.2** [blaasinstrument] *hornpipe.*

horloge ⟨het⟩ **0.1** *watch;* ⟨staand⟩ *clock* ◆ **2.1** een digitaal ~ *a digital w.;*

een staand ~ *a grandfather c.* **3.1** zijn ~ gelijkzetten *put/set one's w. right;* je ~ loopt achter *your w. is slow/is losing time;* je ~ loopt voor *your w. is fast/is gaining time;* je ~ loopt vijf minuten voor/achter *your w. is five minutes fast/slow* **6.1 op** zijn ~ kijken *look at/* ↑*consult one's w.;* het is acht uur **op** mijn ~ *it's eight o'clock by my w., I make it eight o'clock;* hoe laat is het **op** jouw ~? *what time is it by your w.?, what time does your w./do you make it?;* ⟨sport⟩ een rit **tegen** het ~ *a race against the c..*

horlogearmband ⟨de (m.)⟩ **0.1** *watch-strap.*

horlogebandje ⟨het⟩ **0.1** *watchband/-strap.*

horlogeglas ⟨het⟩ **0.1** [dekplaat] *watch glass* **0.2** [in een laboratorium] *watch glass.*

horlogekast ⟨de⟩ **0.1** *watchcase.*

horlogeketting ⟨de⟩ **0.1** *watch chain.*

horlogemaker ⟨de (m.)⟩ **0.1** [iem. die horloges vervaardigt] *watchmaker* **0.2** [iem. die horloges herstelt] *watchmaker* ⇒*watch repairer/mender.*

horloger ⟨de (m.)⟩ **0.1** *watchmaker.*

horlogerie ⟨de (v.)⟩ **0.1** *watch(maker's) shop.*

horlogesleutel ⟨de (m.)⟩ **0.1** *watch key.*

horlogezakje ⟨het⟩ **0.1** *watch pocket* ⇒*fob (pocket).*

hormonaal ⟨bn.⟩ **0.1** *hormonal.*

hormo(o)n ⟨het⟩ **0.1** *hormone.*

hormoonbehandeling ⟨de (v.)⟩ **0.1** *hormone treatment.*

hormoonproduktie ⟨de (v.)⟩ **0.1** *hormone production, production of hormones.*

hormoonspiegel ⟨de (m.)⟩ ⟨med.⟩ **0.1** *hormone level.*

horoscoop ⟨de (m.)⟩ **0.1** *horoscope* ◆ **3.1** een ~ trekken/opmaken *make out/cast a h..*

horoscooptrekker ⟨de (m.)⟩ **0.1** *horoscoper.*

horrelvoet ⟨de (m.)⟩ **0.1** [misvormde voet] *clubfoot* ⇒⟨med.⟩ *talipes* **0.2** [persoon] *clubfooted person* ⇒*person with a clubfoot* ◆ **6.1** met een ~ *clubfooted.*

horreur ⟨de⟩ ⟨schr.⟩ **0.1** [gevoel van afschuw]⟨ongemarkeerd⟩ *horror* **0.2** [iets afschuwelijks]⟨ongemarkeerd⟩ *horror.*

horribel ⟨bn., bw.;-ly⟩ ⟨schr.⟩ **0.1** ⟨ongemarkeerd⟩ *horrible* ⇒*horrid, dreadful.*

horrorfilm ⟨de⟩ **0.1** *horror film* ⇒*(spine) chiller,* ⟨op video⟩ *(video) nasty.*

hors
 I ⟨de (m.)⟩ **0.1** [horsmakreel] *scad* ⇒*horse mackerel;*
 II ⟨het,de⟩ **0.1** [zandplaat in zee] *shoal* ⇒*mudflat.*

hors concours 0.1 *hors concours.*

hors d'oeuvre ⟨het, de (m.)⟩ **0.1** *hors d'oeuvre.*

horst ⟨de (m.)⟩ **0.1** [stuk grond] *hurst* **0.2** [⟨geol.⟩] *horst* **0.3** [nest van een roofvogel] *eyrie.*

hort¹ ⟨de (m.)⟩ **0.1** *jerk* ⇒*jolt* ◆ **3.1** iem. een ~ geven *give s.o. a jolt* **5.¶** de ~ op zijn/gaan *be/go on a spree, be on the loose* **6.1** het gaat met ~en en stoten *it goes by/in fits and starts/jerkily;* **met** ~en en stoten iets uitbrengen *stutter sth. out;* **met** ~en en stoten tot stilstand komen *jerk/judder to a halt;* **met** ~en en stoten spreken *speak haltingly/falteringly.*

hort², **hortsik** ⟨tw.⟩ **0.1** *giddy-up* ⇒*gee-up.*

horten ⟨onov.ww.⟩ **0.1** [schokken] *jerk* ⇒*jolt* **0.2** [haperend spreken] *falter* ⇒*stammer* ◆ **1.2** ~de stijl/zinnen *jerky/faltering style/sentences* **3.1** wij kwamen ~d en stotend vooruit/tot stilstand *we jerked along/to a halt, we juddered to a halt;* ~ en stotend wegrijden *drive off jerkily;* ⟨BE ook⟩ *do a kangaroo start* **3.2** ~d spreken *speak haltingly/falteringly* **6.2 in** het lezen ~ *read jerkily, stumble over one's words (while reading).*

hortensia ⟨de⟩ **0.1** *hydrangea.*

horticultuur ⟨de (v.)⟩ **0.1** *horticulture.*

hortologie ⟨de (v.)⟩ **0.1** *horticulture.*

hortoloog ⟨de (m.)⟩ **0.1** *horticulturist.*

hortus ⟨de (m.)⟩ **0.1** *botanical garden(s)* ◆ **¶.1** ~ botanicus *botanical garden(s).*

horzel ⟨de⟩ **0.1** [vlieg] *warble fly* ⟨fam. Oestridae⟩ ⇒⟨oneigenlijk voor steekvlieg: daas⟩ *horsefly, gadfly* ⟨fam. Tabanidae⟩, ⟨fig.⟩ *gadfly* **0.2** [soort wesp] *hornet* ◆ **3.1** ⟨fig.⟩ de ~ in de kop hebben *have bats in the belfry.*

horzelfunctie ⟨de (v.)⟩ ◆ **3.¶** een ~ hebben/vervullen *have a watchdog function, be/form a ginger group.*

hosanna¹ ⟨het⟩ **0.1** *hosanna.*

hosanna² ⟨tw.⟩ **0.1** *hosanna.*

hospes ⟨de (m.)⟩ **0.1** [kamerverhuurder] *landlord* **0.2** [gastheer] *host* **0.3** [dier waarop parasieten leven] *host.*

hospik ⟨de (m.)⟩ ⟨mil.⟩ **0.1** *medical orderly,* ^A*medic,* ^A*corpsman.*

hospita ⟨de (v.)⟩ **0.1** [kamerverhuurster] *landlady* **0.2** [gastvrouw] *hostess.*

hospitaal ⟨het⟩ **0.1** [ziekenhuis] *hospital* ⇒*infirmary* **0.2** [oesterkweekplaats] *oyster bed/farm* ◆ **3.1** het ~ ingaan ^B*go into h., be put in h.,* ^A*be put in the h., be hospitalized* **6.1 in** het ~ liggen ^B*be in h.,* ^A*be in the h., be hospitalized;* **naar** het ~ brengen ^B*take to h.,* ^A*take to the h., hospitalize.*

hospitaal(-kerk)schip ⟨het⟩ 0.1 *hospital ship / vessel.*
hospitaallinnen ⟨het⟩ 0.1 *rubber sheet.*
hospitaalridder ⟨de (m.)⟩ ⟨gesch.⟩ 0.1 *(Knight) Hospital(l)er.*
hospitaalsoldaat ⇒**hospik.**
hospitaaltrein ⟨de (m.)⟩ 0.1 *hospital / ambulance train.*
hospitalisatie ⟨de (v.)⟩ 0.1 [afhankelijkheid tgv. ziekenhuisverblijf] *institutionalization* 0.2 [⟨AZN⟩ verblijf / opname in ziekenhuis] *hospitalization.*
hospitaliseren
  I ⟨onov.ww.⟩ 0.1 [afhankelijk worden tgv. ziekenhuisverblijf] *get institutionalized;*
  II ⟨ov.ww.⟩ 0.1 [⟨AZN⟩ opnemen in ziekenhuis] *hospitalize.*
hospitaliteit ⟨de (v.)⟩ 0.1 *hospitality.*
hospitant ⟨de (m.)⟩ 0.1 *student teacher* ⇒*practice teacher.*
hospiteren ⟨onov.ww.⟩ 0.1 *practice-teach* ◆ 6.1 ~ **op** een school / **bij** een leraar *p.-t. at a school / under a teacher.*
hospitium ⟨het⟩ 0.1 [stage] *practice-teaching* 0.2 [klooster] *hospice* 0.3 [gastverblijf in klooster] *hospice* 0.4 [stichting die een tehuis biedt] *hostel* 0.5 [herstellingsoord] *convalescent home.*
hosselen ⟨onov.ww.⟩ ⟨inf.⟩ 0.1 [scharrelen om aan eten, geld te komen] *hustle* 0.2 [aan geld zien te komen voor harddrugs] *hustle.*
hossen ⟨onov.ww.⟩ 0.1 *jig / leap about (arm in arm).*
hostie ⟨de (v.)⟩ ⟨r.k.⟩ 0.1 *host* ⇒*Eucharist* ◆ 2.1 de heilige / gewijde ~ *the sacred / consecrated h., the consecrated wafer, the Eucharist.*
hostiekelk ⟨de (m.)⟩ 0.1 *ciborium.*
hostieschoteltje ⟨het⟩ 0.1 *paten.*
hostiliteit ⟨de (v.)⟩ 0.1 [vijandigheid] *hostility* ⇒*enmity, animosity* 0.2 [vijandelijkheid] *hostility.*
hot ⟨bw.⟩ ◆ 6.¶ (fig.) **van** ~ naar haar lopen / rennen *run from pillar to post / to and fro / back and forth / hither and thither.*
hotel ⟨het⟩ 0.1 *hotel* ◆ 3.1 een ~ hebben *run / keep a h.;* een ~letje voor de nacht vinden *find a place / somewhere to stay overnight / for the night* 6.1 **in** een ~ logeren *stay in / at a h.;* **in** ~ het Rooie Hert *at the Red Hart Hotel;* aankomen **in** een ~ *check / book in at a h.;* vertrekken **uit** een ~ *check / book out of a h.* ¶.1 ~ garni [B]≠*bed-and-breakfast /* ⟨inf.⟩ *B-and-B (hotel),* [A]≠*European plan hotel.*
hotelbedrijf ⟨het⟩ 0.1 ⟨bedrijfstak⟩ *hotel business* ⇒*hotel trade / industry.*
hoteldebotel ⟨bn.⟩ ⟨inf.⟩ 0.1 [stapelgek] *round the bend* ⇒*nuts, crackers, mad* 0.2 [verrukt van] *crazy* ⇒*nuts, mad* ◆ 6.1 ik word ~ **van** die vent *that guy's driving me round the bend / nuts / crackers / mad* 6.2 daar is ze ~ **van** *she's c. / nuts / mad about it;* ze is ~ **van** hem *she's c. / nuts / mad about him.*
hotelgroep ⟨de⟩ 0.1 *hotel group.*
hotelhouder ⟨de (m.)⟩, -**houdster** ⟨de (v.)⟩ 0.1 *hotelier* ⇒*hotel keeper, hotel-owner.*
hotelier ⟨de (m.)⟩ 0.1 *hotelier.*
hotelkamer ⟨de⟩ 0.1 *hotel room.*
hotelketen ⟨de⟩ 0.1 *hotel chain* ⇒*chain of hotels.*
hotellerie ⟨de (v.)⟩ 0.1 *hotel business* ⇒*hotels.*
hotellinnen ⟨het⟩ 0.1 *hotel linen.*
hotelprijs ⟨de (m.)⟩ 0.1 *hotel price.*
hotelrat ⟨de (m.)⟩ 0.1 *hotel thief.*
hotelregister ⟨het⟩ 0.1 *hotel register.*
hotel-restaurant ⟨het⟩ 0.1 *hotel (with public restaurant).*
hotelruimte ⟨de (v.)⟩ 0.1 *hotel room / beds / accommodation* ◆ 2.1 die stad heeft voldoende ~ *that town has enough h. r. / b. / a..*
hotelschakelaar ⟨de (m.)⟩ 0.1 *two-way switch.*
hotelschool ⟨de⟩ 0.1 *hotel and catering school* ◆ 2.1 hogere ~ *hotel management school / college.*
hotelsluiting ⟨de (v.)⟩ 0.1 *housewife closure.*
hotelwinkel ⟨de (m.)⟩ 0.1 *hotel shop /* [A]*store.*
hotelzilver ⟨het⟩ 0.1 *hotel cutlery.*
hotsen ⟨onov.ww.⟩ 0.1 *jolt* ⇒*jerk, bump, jog, joggle.*
hotten ⟨onov.ww.⟩ 0.1 *curdle.*
Hottentot ⟨de (m.)⟩ 0.1 [inboorling in Afrika] *Hottentot* 0.2 [onbeschaafd mens] *Hottentot.*
Hottentots[1] ⟨het⟩ 0.1 *Hottentot* ◆ 3.1 het lijkt wel ~ *it looks / sounds like double Dutch.*
Hottentots[2] ⟨bn.⟩ 0.1 *Hottentot.*
hou ⟨bn.⟩ ◆ 2.¶ ~ en (ge)trouw *loyal and true.*
houdbaar ⟨bn.⟩ 0.1 [bewaard kunnende worden] *not perishable* ⇒*which keep(s) well* 0.2 [verdedigbaar] *tenable* 0.3 [draaglijk] *bearable* ⇒*tolerable, endurable* ◆ 1.1 houdbare levensmiddelen *food which keeps (well), non-perishables* 1.2 die bewering is niet ~ *that assertion is not t.;* ⟨sport⟩ een ~ schot *a stoppable / savable shot* 5.1 beperkt houdbare levensmiddelen *perishable food, perishables;* deze melk is lang ~ *this is long-life milk, this milk will keep for a long time / is non-perishable* 5.3 de toestand thuis is niet langer ~ *the situation at home is not longer b.* 6.1 tenminste ~ **tot** *best before, use by.*
houdbaarheid ⟨de (v.)⟩ 0.1 *van bewering / vesting);* *shelf / storage life* ⟨van levensmiddelen / chemicaliën⟩ ◆ 2.1 een beperkte / lange ~ hebben *be perishable / not perishable.*

---

houden

  I ⟨ov.ww.⟩ 0.1 [behouden] *keep* ⇒[↑]*retain* 0.2 [niet loslaten] *keep* ⇒ [↑]*retain, preserve* 0.3 [vast-, tegenhouden] *hold* 0.4 [niet laten vallen] *hold* 0.5 [niet laten vertrekken] *keep* ⇒⟨in dienst houden ook⟩ *keep on,* ↑*retain* 0.6 [tot zijn gebruik, genoegen in huis hebben] *keep* 0.7 [niet opgeven, niet verlaten] *hold, keep* 0.8 [niet schenden, niet verbreken] *keep* 0.9 [in een stand laten blijven] *keep* 0.10 [in een toestand laten blijven] *keep* ⇒↑*maintain, preserve* 0.11 [onderhouden] *keep* ⇒↑*maintain,* ⟨feestdag naleven ook⟩ *celebrate, observe* 0.12 [geven] *hold* ⇒⟨organiseren⟩ *organize,* ⟨geven⟩ *give* 0.13 [tot stand brengen] *hold* 0.14 [beheren] *keep* 0.15 ⟨⟨+voor⟩ achten⟩ *hold / take to be* ⇒*regard as, consider to be / as* 0.16 [uithouden] *take* ⇒*stand,* ↑*endure* ◆ 1.1 die naam heeft ze sindsdien gehouden *the name has stuck (to her ever since)* 1.2 zijn geur / kleur / smaak ~ *k. one's aroma / colour / taste;* zijn kracht / waarde ~ *k. one's strength / dignity* 1.3 houd de dief! *stop thief!;* hou je kop / mond! *shut up / it! shut your mouth / gob / trap!, button it!;* zijn mond ~ *keep quiet, shut up;* ↑*h. one's tongue;* de teugel ~ *h. the reins* 1.4 hij kon zijn water niet meer ~ *he had become incontinent* 1.5 geen personeel kunnen ~ ⟨zich niet kunnen veroorloven⟩ *not be able to k. servants;* ⟨slechte werkgever zijn⟩ *not be able to k. servants on / retain servants* 1.6 kippen / duiven ~ *k. hens / pigeons* 1.7 (door griep) het bed moeten ~ *be confined to bed (with (the) flu);* een bruggehoofd ~ *h. a bridgehead;* ⟨scheep.⟩ de kust ~ *k. to / hug the coast;* het midden ~ tussen *k. to the middle between;* moed ~ *k. one's spirits /* ⟨BE; inf.⟩ *pecker up;* de overhand ~ *k. the upper hand;* hij kan geen wijs ~ *he can't h. a tune* 1.8 een belofte / zijn woord ~ *k. one's promise / word, be as good as one's word;* zijn fatsoen ~ *behave (o.s.);* hou je fatsoen! *behave yourself!;* zijn gemak ~ *take it easy;* maat ~ *k. (in) time;* zijn woord / een belofte niet ~ *not live up to one's word / promise, break one's word / promise, not k. (to) one's word / promise, go back on one's word / promise* 1.9 de armen langs het lichaam ~ *k. one's arms close to one's body;* de blik op iets gericht ~ *k. looking at sth.;* ↑*k. one's gaze / eyes fixed on sth.* 1.11 contact met iem. ~ *k. in contact / touch with s.o.;* notitie van iets ~ *k. note of sth.;* orde ~ *k. order;* hij kan geen orde ~ *he can't k. order, he's not a good / he's not much of a disciplinarian, he has a discipline problem;* de sabbat ~ *k. / observe / celebrate the Sabbath;* toezicht ~ *exercise control (of);* ⟨bij examen⟩ *invigilate* 1.12 bruiloft ~ *celebrate a wedding;* een kerkdienst ~ *h. a (church) service;* een lezing ~ *give / deliver a lecture;* spreekuur ~ *be available for consultation;* ⟨vnl. arts⟩ *h. a surgery* ⟨inf. ook parlementslid, advocaat⟩ een toespraak ~ *make / deliver a speech,* ↑*give an address* 1.13 halt ~ *come to a halt / stop;* schoonmaak ~ *clean up, have a clean-up;* uitverkoop ~ *h. / have a sale;* ergens verblijf ~ *reside somewhere* 1.14 café / winkel ~ *k. / run a pub / shop;* ergens kantoor ~ *have an / one's office somewhere, be established somewhere, have one's seat somewhere, operate from somewhere* 1.¶ dit houdt verband met het feit dat *this has to do with the fact that* 2.9 een kopje scheef ~ *hold a cup at a slant* 2.10 ik denk niet dat we het droog ~ *it looks like rain / like it's going to rain, I don't think we're going to k. it dry;* laten we het gezellig ~ *let's k. it / things nice / friendly / pleasant;* die melk kun je niet zo lang goed ~ *you can't k. that milk very long;* de eer hoog houden *k. one's honour;* ik zal het kort ~ *I'll k. it short;* de prijzen laag ~ *r. prices down / low;* laten we het netjes ~ *let's keep it clean* 3.1 je mag het ~ *you can k. / have it, it's yours, it's for you* 3.3 als ze eenmaal begint, dan is ze niet meer te ~ *once she starts, there's no holding / stopping her;* hij was niet te ~ *there was no holding / stopping him* 3.4 ik kon hem niet meer ~ *I could no longer h. him;* kun je mij wel ~? *can you h. me?;* ⟨sport⟩ die had hij gemakkelijk kunnen ~ *he should have been able to stop / save that one* 4.16 het was er niet om te houden van de hitte *the heat was unbearable* 5.4 de balk / plank hield het niet *the beam / plank couldn't take it / the weight / the strain* ⟨enz.⟩, *the beam / plank gave way* 5.5 een ziek kind thuis ~ *k. a sick child at home* 5.7 rechts ~ *k. (to the) right* 5.9 hij kan er niets in ~ *he can't keep anything down* 5.10 kan ik je daaraan ~? *can I take you up on / hold you to that?;* iem. eronder ~ *k. s.o. down;* ⟨sport⟩ de ballen eruit ~ *h. the balls out, make saves;* ~ zo! ⟨ophouden met halen / vieren⟩ *k. / hold it like that!, hold it!;* ⟨zo doorgaan⟩ *k. up / carry on the good work!, k. it up!* 5.16 ik hou het niet meer *I can't k. it / stand any more of it* 5.¶ laten we het daar maar op ~ *let's leave it at that;* ik hou(d) het erop dat hij onschuldig is *I take him to be innocent, I consider him (to be) innocent* 6.1 iets **voor** zichzelf ~ *k. sth. for o.s.* 6.3 iem. **bij** de hand ~ *h. s.o.'s hand;* ⟨vnl. mbt. kind⟩ *h. s.o. by the hand;* het heft stevig **in** handen ~ *keep a good / tight hold of the handle* 6.9 ergens een lucifer **bij** ~ *put a match to sth.;* hij kon er zijn gedachten niet **bij** ~ *he couldn't k. his mind on it;* er de moed in ~ *keep one's spirits /* [B]*pecker up;* iets **tegen** het licht ~ *hold sth. up to the light* 6.10 iem. **aan** zijn woord ~ *k. s.o. to his, her word;* iem. **aan** het werk ~ *k. s.o. talking;* ⟨mbt. werk⟩ *stopping him* 3.4 ik kon hem niet meer *de praat ~ k. s.o. talking;* hou je jas maar **bij** je ~ *hang on to your coat;* iets **in** stand ~ *k. sth. up, maintain / preserve sth.;* iem. **in** leven ~ *k. s.o. alive;* iem. **tegen** zich aan ~ *hug s.o., clasp s.o. to o.s.;* iem. **van** zijn werk ~ *k. s.o. from his / her work;* ⟨fig.⟩ iets **vóór** zich ~ *k. sth. to o.s., keep quiet about sth.;* hou je commentaar / grapjes maar **vóór** je *k. your remarks/funny remarks to yourself;* houd dat 'schatje' maar **voor** je! *don't (you) 'treasure' me!* **6.15** men houdt hem **voor** een expert *he's held/taken/(account)/supposed to be an expert, he's regarded as an expert;* ik houd het **voor** bewezen *I consider it (to have been) proved/proven;* iets **voor** gezien ~ *leave it at that, call it a day;* iem. **voor** zijn broer ~ *mistake s.o. for his brother;* waar hou je me **voor?** *what do you take me for?* **6.16** hij kan het **tegen** hem niet ~ *he is no match for him* **6.¶** het **bij** frisdrank ~ *stick to soft drinks;* het **met** iem. ~ 〈onder één hoedje spelen〉 *be in with s.o.;* 〈mbt. seksuele relatie〉 *be carrying on (an affair) with s.o.;* het **met** de vijand ~ *side with/be in with the enemy, be on the side of the enemy;* we ~ het **op** de 15e *we'll/let's make it the 15th, then;* waar gaan jullie met vakantie? wij ~ het (weer) **op** Malaga *where are you going for your holidays? we're sticking to Malaga (again (this year));* ik hou het **op** Ajax *it's Ajax for me, I'm betting on/backing Ajax* **7.3** er was geen ~ **meer** aan *it could no longer be prevented* **¶.6** vreemde ideeën/gewoonten erop na ~ *have funny ideas/habits* **¶.10** twee mensen/zaken niet uit elkaar kunnen ~ *not be able to tell two people/things apart, not be able to tell which of the two people/things is which;* ik kon hun namen niet uit elkaar ~ *I kept getting their names mixed up;* ik kan ze niet uit elkaar ~ *I can't tell them apart, I can't tell which is which* **¶.¶** iem. voor de gek ~ *make fun/a fool of s.o., pull s.o.'s leg, take the mickey* 〈vulg.〉 *piss out of s.o.;* wat voor politieke ideeën houdt hij erop na? *what are his political ideas?;*

II 〈onov.ww.〉 **0.1** [〈+van〉 liefhebben] *love* ⇒〈sterker〉 *adore, idolize* **0.2** [〈+van〉 geven om] *like* ⇒*be fond of/partial to, care for, have a liking for,* 〈sterker〉 *love* **0.3** [niet loslaten] *hold* ⇒〈mbt. lijm ook〉 *stick* **0.4** [het niet begeven] *hold* ♦ **1.3** het anker houdt *the anchor is holding (firm);* het anker houdt niet *the anchor is dragging/won't hold;* het anker houdt niet *the anchor is dragging/won't hold;* die knoop houdt niet *that knot won't h.;* de lijm houdt niet *the glue won't h./stick;* de verf houdt niet *the paint won't adhere/stick/is peeling;* de verf houdt niet *the paint won't adhere/stick/is peeling* **1.4** het ijs houdt nog niet *the ice isn't yet strong enough to h.!* *bear/take your/one's/his* 〈enz.〉 *weight* **6.1** wij ~ **van** elkaar *we l. each other, we are in love (with each other), we are lovers;* veel ~ **van** iem. *l.s.o. a lot/very much!* ↑*dearly, really l.s.o.;* **van** iem. gaan ~ *fall in love with s.o.* **6.2** niet **van** dansen/cognac ~ *not like dancing/cognac, not care for/be fond of dancing/cognac;* zij houdt niet **van** dat soort grapjes *she doesn't like those sorts of jokes;* ik hou(d) niet **van** al dat gezoen *I don't like/hold with all that kissing stuff;* hij houdt niet **van** uiterlijk vertoon *he's not one for show;* hij houdt niet zo **van** feestjes/toespraken *he's not (much of a) one for parties/speeches;* persoonlijk hou ik meer **van** wijn *personally, I prefer wine;* ik hou meer **van** bier dan **van** wijn *I prefer beer to wine, I like beer better than wine;*

III 〈wk.ww.;zich ~〉 **0.1** [〈+aan〉 niet afwijken van] *keep to* 〈regels, dieet, verdrag, termijn, programma, afspraak〉;*adhere to* 〈overeenkomst, instructies〉;*abide by* 〈beslissing, vonnis〉;*comply with, observe* 〈regels, voorwaarden, regel van de wet〉 ⇒↓*stick to* **0.2** [blijven] *keep* **0.3** [schijn aannemen] *pretend to be* 〈met bn.〉 ⇒*sham* 〈vnl. met zn.〉 ♦ **2.2** zich goed ~ 〈niet lachen〉 *k. a straight face, k. one's countenance;* 〈zich niet door emoties laten overmannen〉 *not break down, restrain o.s., bear up bravely;* hij kon zich niet goed ~ *he couldn't help/he couldn't stop himself laughing/crying* 〈enz.〉; houd je taai! *take care (of yourself),* B*keep your pecker up* **2.3** zich doof/dom, ziek ~ *pretend to be deaf/stupid/sick, sham deafness/stupidity/sickness;* zich groot ~ *keep control of o.s.* **3.¶** hij wist niet hoe hij zich moest ~ *he didn't know what to do/how to behave* **5.2** ik zou me er maar buiten ~ *I'd stay/k. out of it (if I were you);* hou je erbuiten! *(you) k. out of it!, mind your own business!, don't interfere!* **5.3** hij houdt zich maar zo *he's only/just pretending/shamming, he's just putting it on* **6.1** zich **aan** zijn woord ~ *keep to one's word/promise, be as good as one's word, live up to/keep one's promise/word* **6.3** zich **van** den domme ~ *pretend to be/play ignorant, sham ignorance* **¶.1** weten waaraan men zich te ~ heeft *know what one has to do/where one stands/is/what one's position is.*

houdend 〈bn.〉〈hand.〉 **0.1** *steady* ⇒*stable* ♦ **1.1** de markt is ~ *the market is steady.*

houder 〈de (m.)〉〈vaak in samenstellingen〉 **0.1** [bezitter] *holder* 〈van aandeel, wissel, rekening, vergunning, patent, paspoort, kaart, ambt, record, titel, beker〉 ⇒*bearer* 〈van paspoort, aandeel, brief〉, *payee* 〈van wissel: nemer〉 **0.2** [〈jur.〉] *keeper* ⇒*holder* 〈bv. huurder〉 **0.3** [beheerder] *manager* ⇒*manager,* 〈eigenaar〉 *proprietor* **0.4** [iem. die bijhoudt] *keeper* 〈van dagboek, kasboek〉 **0.5** [om iets in te bewaren] *holder* ⇒*container* **0.6** [om iets mee vast te klemmen] *holder* ♦ **1.1** een aandeel/recordhouder *a shareh./record-h.;* de ~ van het wereldrecord/van de wereldtitel *the h. of the world record/of the world title* **1.3** cafében_houder *proprietor/licensee of a café* **1.5** gashouder *gas-h.,* gasometer **1.6** penhouder *penh.* **6.5** een ~ voor patronen 〈in vuurwapen〉 *a cartridge clip;* 〈aan riem〉 *a cartridge box* **6.6** een ~ **voor** reageerbuisjes *a test-tube h..*

houdgreep 〈de (m.)〉 **0.1** *hold* ♦ **6.1** iem. in ~ hebben/houden 〈ook fig.〉 *have s.o. in a h.;* iem. in ~ nemen *put s.o. in a h..*

houding 〈de (v.)〉 **0.1** [stand] *position* ⇒*attitude, pose, bearing, posture, carriage* **0.2** [gespeeld gedrag] *pose* ⇒*attitude, air* **0.3** [gedrag(slijn)] *attitude* ⇒*manner,* ↑*demeanour* ♦ **1.1** de ~ van haar hoofd *the way she holds her head* **2.1** de natuurlijke ~ *the natural position;* een onbevallige ~ *an ungraceful pose;* in een ongemakkelijke ~ *in an uncomfortable position;* in zittende ~ *in a sitting position, seated* **2.2** zijn arrogante ~ *his overbearing manner* **2.3** een afwachtende ~ aannemen *wait and see, play a waiting game;* een dreigende/krachtige ~ aannemen *adopt a threatening/forceful a.* **3.2** zich een ~ aanmeten *give o.s. airs and graces;* de ~ aannemen van/alsof ...*adopt the air of ..., carry o.s. as though ...;* zich een ~ geven *save one's face, conceal one's embarrassment;* dat is maar een ~ *that is just a pose;* zich geen ~ weten te geven *not know how to react, be self-conscious* **3.3** 〈jur.〉 de in rechte aangenomen ~ *the position taken up in law;* zijn ~ bepalen tot *decide on one's a. to;* zijn ~ herzien *reconsider/revise one's a.* **3.¶** in de ~! *(stand to) attention!;* 〈mil.〉 in de ~ staan/laten staan/zetten/springen/gaan staan *stand to/leave standing at/bring to/jump/come to attention;* een uur in dezelfde ~ blijven staan *remain an hour in the same position;* in een andere ~ gaan liggen/zitten *assume a different position* **6.2** haar ~ **van** dat-kan-ik-ook *her attitude of not wanting to be overdone* **6.3** met zijn ~ verlegen zijn *feel awkward/embarrassed, not know what to do with o.s.;* met een ~ van het zal mijn tijd wel duren *like there's no tomorrow;* de ~ v.d. rijke landen **tegenover** de ontwikkelingslanden *the a. of the rich countries towards the developing countries;* **uit** zijn ~ *maak ik op dat ...from his manner I understand ...;* de ~ **van** een soldaat hebben *bear o.s. like a soldier* **¶.3** haar ~ ten opzichte van het probleem *her a. towards the problem.*

houdster 〈de (v.)〉 **0.1** [bezitster] *holder* ⇒*bearer* 〈→houder〉 **0.2** [beheerster] *keeper* ⇒*manageress,* 〈eigenares〉 *proprietress.*

houdstermaatschappij 〈de (v.)〉 **0.1** *holding company.*

houpost 〈de (m.)〉 **0.1** *loss.*

hout 〈→sprw. 304〉 **I** 〈het〉 **0.1** [stof waaruit bomen bestaan] *wood* ⇒〈vnl. BE〉 *timber,* 〈vnl. AE〉 *lumber* **0.2** [houtgewas, bos] *timber* ⇒*trees* **0.3** [stuk hout] *piece of wood* **0.4** [〈muz.〉] *woodwind* ⇒*woods* **0.5** [〈sport〉 omgeworpen kegel] *skittle* ♦ **1.1** een lading/stuk ~ *a load/piece of w. / timber* **1.¶** met een flinke bos ~ voor de deur *well-endowed/stacked* **2.1** 〈fig.〉 het ging van dik ~ zaagt men planken *he/she* 〈enz.〉 *got a sound thrashing;* gaaf ~ *sound timber;* 〈fig.〉 hij is uit het goede ~ gesneden *he is made of the right stuff;* groen/dor/dood/belegen/blank ~ *green/dry/dead/seasoned/plain w.* **2.2** opgaand ~ *timber;* met (veel) opgaand ~ begroeid *(well) timbered* **2.¶** vloeibaar ~ *plastic w.* **3.1** ~ hakken/zagen *chop/saw w.;* ~ sprokkelen *gather w.* **3.¶** die redenering snijdt geen ~ *that line of reasoning will not wash/cuts no ice* **6.1** in het ~ schieten *make new w. / growth;* in ~ graveren *engrave in w.;* met ~ beschieten *panel, wainscot;* 〈fig.〉 **uit** hetzelfde ~ gesneden zijn *be cast in the same mould;* 〈pej.〉 *be tarred with the same brush;* 〈fig.〉 hij is **van** het ~ waarvan men helden maakt *he is of the stuff of which heroes are made;* **van** ~ *made of w., wooden* **6.2** vruchten **op** het ~ *verkopen sell fruit on the tree* **¶.1** ~ **op** stam *timber on the tree;* **II** 〈de (m.)〉 **0.1** [bosje] *wood.*

houtachtig 〈bn.〉 **0.1** *woody* ⇒*lign(e)ous.*

houtakker 〈de (m.)〉 **0.1** [timber] *plantation.*

houtarm 〈bn.〉 **0.1** [zonder veel bos] *sparsely wooded* **0.2** [waarin weinig hout is gebruikt] *with (a) low wood content.*

houtazijn 〈de (m.)〉 **0.1** *wood vinegar* ⇒*pyroligneous acid.*

houtbeeldhouwer 〈de (m.)〉 **0.1** *sculptor in wood* ⇒*woodcarver.*

houtbestand →houtopstand.

houtbeurs 〈de (m.)〉 **0.1** [samenkomst] *conference of timber/lumber merchants,* A*lumber conference* **0.2** [gebouw] *timber/lumber merchants exchange.*

houtbewerker 〈de (m.)〉 **0.1** *woodworker* ⇒*carpenter, joiner.*

houtbewerking 〈de (v.)〉 **0.1** *woodworking* ⇒*woodwork/craft, carpentry.*

houtbij 〈de〉 **0.1** *carpenter bee.*

houtblazers 〈zn.mv.〉 **0.1** *woodwinds* ⇒*woods.*

houtblok 〈het〉 **0.1** *wood block, log* 〈ihb. als brandhout〉 ⇒*chump.*

houtboard 〈het〉 **0.1** *fibreboard.*

houtbok 〈de (m.)〉〈amb.〉 **0.1** *sawhorse,* A*sawbuck.*

houtboor 〈de〉 **0.1** 〈snel〉(*hand-/breast-)drill;* 〈langzaam〉(*brace and) bit;* [boorstuk] *(twist/auger/centre) bit.*

houtbouw 〈de (m.)〉 **0.1** [het bouwen met hout] *timber/wood/lumber construction* **0.2** [het aankweken van hout] *tree farming* **0.3** [van hout gebouwde ruimte] *wooden building/structure.*

houtbranden 〈ww.〉 **0.1** *poker work* ⇒*pyrography.*

houtcel 〈de〉〈biol.〉 **0.1** *wood/xylem/ligneous cell.*

houtcellulose 〈de〉 **0.1** *lignocellulose.*

houtconstructie 〈de (v.)〉 **0.1** *timber/wood/lumber construction.*

houtdraaier 〈de (m.)〉 **0.1** *wood turner.*

houtdruk 〈de〉 **0.1** *xylography.*

houtduif 〈de〉 **0.1** *wood pigeon* ⇒*ringdove* ♦ **2.1** kleine ~ *stockdove.*

houten 〈bn.〉 **0.1** [van hout gemaakt] *wooden* ⇒*timber(ed)* **0.2** [stijf] *wooden* ⇒*stiff* ♦ **1.1** (iem. met) een ~ been 〈inf.〉 *a peg leg;* een ~

been *a w. leg;* een ~ hamer *mallet;* een ~ huisje *a timber cottage;* ⟨fig.⟩ een ~ kop hebben *have a hangover / thick head;* ~ spullen / keukengerei *wood(en) ware;* een ~ vloer *a w. floor* **1.2** een ~ Klaas *a dry stick;* een ~ kont *a sore bum.*

houterig ⟨bn., bw.;-ly⟩ **0.1** *wooden* ⇒*stiff* ◆ **1.1** ~e bewegingen *w. movements;* een ~ mens *a stiff person;* een ~e stijl *a w. style* **3.1** zich ~ bewegen *move / walk woodenly.*

houtfretje ⟨de (m.)⟩ **0.1** *(small) lip-ring auger, gimlet.*

houtgas ⟨het⟩ **0.1** *woodgas.*

houtgeest ⟨de (m.)⟩ **0.1** *wood spirit* ⇒*wood alcohol.*

houtgewas ⟨het⟩ **0.1** *wood, timber.*

houtgraveerkunst ⟨de (v.)⟩ **0.1** *woodengraving* ⇒*woodcutting.*

houtgraveur ⟨de (m.)⟩ **0.1** *wood engraver* ⇒*wood cutter.*

houtgravure ⟨de (v.)⟩ **0.1** [het graveren in hout] *wood engraving* ⇒*woodcutting* **0.2** [gegraveerde houten plaat] *woodcut* ⇒*wood engraving* **0.3** [afdruk] *woodcut* ⇒*wood engraving.*

houthakken ⟨ww.⟩ **0.1** ⟨bomen omhakken⟩ *tree felling;* ⟨houtjes hakken⟩ *chopping wood.*

houthakker ⟨de (m.)⟩ **0.1** ⟨vnl. AE⟩ *lumberjack* ⇒*lumberman.*

houthakkersbijl ⟨de⟩ **0.1** *broadaxe* ⇒*woodman's / felling axe.*

houthandel ⟨de (m.)⟩ **0.1** [winkel] *timber / lumber yard* **0.2** [de handel in hout] *wood / timber / lumber trade, wood industry.*

houthandelaar ⟨de (m.)⟩ **0.1** *timber / lumber merchant.*

houthaven ⟨de⟩ **0.1** *timber / lumber port;* ⟨onderdeel van haven⟩ *timber dock.*

houthoudend ⟨bn.⟩ **0.1** *containing wood* ⇒*woody* ◆ **1.1** ~ papier *woody paper.*

houtig ⟨bn.⟩ **0.1** *woody* ⇒*lign(e)ous.*

houtindustrie ⟨de (v.)⟩ **0.1** *wood industry.*

houting ⟨de (v.)⟩ ⟨dierk.⟩ **0.1** *houting* ⇒*whitefish.*

houtje ⟨het⟩ **0.1** [stukje hout] *(small) piece of wood;* ⟨van houtje-touwtje-jas⟩ *toggle* **0.2** [klerenhanger] *coat-hanger* ◆ **2.1** ⟨fig.⟩ iets op eigen ~ doen *do sth. on one's own (initiative);* ⟨fig.⟩ op eigen ~ naar Engeland vertrekken *go off to England all by o.s.* **6.1** ⟨fig.⟩ op een ~ bijten *have difficulty keeping body and soul together* **6.¶** is hij van het ~? *is he a Papist?.*

houtje-touwtje ⟨het⟩ **0.1** *duffle coat.*

houtkachel ⟨de⟩ **0.1** *wood-burning stove.*

houtkever ⟨de (m.)⟩ **0.1** ⟨mbt. bewerkt hout⟩ *furniture / deathwatch beetle;* ⟨mbt. (dode) bomen⟩ *timber / ambrosia beetle.*

houtkit ⟨het⟩ **0.1** *wood filler.*

houtkoper →**houthandelaar.**

houtkrullen ⟨zn.mv.⟩ **0.1** *wood shavings.*

houtlijm ⟨de (m.)⟩ **0.1** *woodworker's / joiner's / wood glue.*

houtluis ⟨de⟩ **0.1** [insekt dat in hout leeft] *wood louse* ⇒*deathwatch* **0.2** [termiet] *wood louse* ⇒*termite, white ant.*

houtmaat ⟨de⟩ **0.1** [om hout te meten] *timber / lumber measure* **0.2** [handelsafmetingen van gezaagd hout] *timber / lumber size.*

houtmarkt ⟨de⟩ **0.1** *timber / lumber market.*

houtmeel ⟨het⟩ **0.1** [poeder dat door houtworm ontstaat] *wood dust* **0.2** [zeer fijn zaagsel] *wood flour.*

houtmijt ⟨de⟩ **0.1** [stapel hout] *wood pile* **0.2** [brandstapel] *(funeral) pile, pyre.*

houtmolm ⟨het, de (m.)⟩ **0.1** *mouldered wood;* ⟨droogrot⟩ *dry rot.*

houtnerf ⟨de⟩ **0.1** *wood grain.*

houtopstand ⟨de⟩ **0.1** *timber.*

houtpapier ⟨het⟩ **0.1** *wood paper.*

houtpulp ⟨de⟩ **0.1** *wood pulp.*

houtrasp ⟨de⟩ **0.1** *(wood) rasp.*

houtrijk ⟨bn.⟩ **0.1** [stuk land] *well-timbered;* ⟨bosrijk⟩ *wooded, woody, forested* ◆ **1.1** een ~ land *a country rich in timber.*

houtring ⟨de (m.)⟩ **0.1** *tree-ring.*

houtschroef ⟨de⟩ **0.1** *wood screw.*

houtsculptuur ⟨de (v.)⟩ **0.1** *wood sculpture* ⇒*wood carving.*

houtsingel ⟨de (m.)⟩ **0.1** *windbreak* ⇒*shelterbelt.*

houtskelet ⟨het⟩ **0.1** *timber frame.*

houtskool ⟨de⟩ **0.1** [verkoold hout] *charcoal* **0.2** [tekenmateriaal] *charcoal* ◆ **1.2** een staafje ~ *a stick of c.* **2.1** gemalen / gestampte ~ *ground / crushed c.* **6.1** op ~ roosteren *barbecue* **2.6** met ~ schetsen *sketch in c..*

houtskooltekening ⟨de (v.)⟩ **0.1** *charcoal (drawing / sketch).*

houtslijp ⟨het⟩ **0.1** *wood pulp.*

houtsnede ⟨de⟩ **0.1** [voorstelling in reliëf] *woodcut* **0.2** [afdruk] *woodcut.*

houtsneeprent ⟨de⟩ **0.1** *woodcut* ⇒*wood engraving.*

houtsnijder ⟨de (m.)⟩ **0.1** *woodcutter* ⇒*wood engraver.*

houtsnijkunst ⟨de (v.)⟩ **0.1** *woodcutting* ⇒*wood engraving.*

houtsnijwerk ⟨het⟩ **0.1** *wood carving.*

houtsnip ⟨de⟩ **0.1** [vogel] *woodcock* **0.2** [boterham met kaas en roggebrood] *rye bread and cheese sandwich.*

houtsoort ⟨de⟩ **0.1** *(kind / sort / type of) wood / timber* ◆ **2.1** tropische ~en *tropical woods* **4.1** welke ~ is dat? *what (kind / sort / type of) wood is that?.*

houtspaander ⟨de (m.)⟩, **houtspaan** ⟨de⟩ **0.1** *wood chip / shaving.*

---

houtsprokkelen ⟨ww.⟩ **0.1** *wood picking / gathering.*

houtstand ⟨de (m.)⟩ **0.1** *amount of timber.*

houtstapel ⟨de (m.)⟩ **0.1** [stapel hout] *woodpile, stack of wood* **0.2** [brandstapel] *(funeral) pile, pyre.*

houtsteen
  I ⟨het, de (m.)⟩ **0.1** [versteend hout] *woodstone* ⇒*silicified / petrified wood;*
  II ⟨de (m.)⟩ **0.1** [stuk versteend hout] *piece of woodstone.*

houtstof ⟨de⟩ **0.1** [fijngemaakt hout] *wood dust / pulp* **0.2** [bestanddeel van houtcellen] *lignose, lignin.*

houtteelt ⟨de⟩ **0.1** *silviculture.*

houtteer ⟨het, de (m.)⟩ **0.1** *wood tar.*

houttuin ⟨de (m.)⟩ **0.1** *wood yard* ⇒*timber / lumber yard.*

houtvat ⟨het⟩ ⟨plantk.⟩ **0.1** *trachea* ⇒*vessel.*

houtverband ⟨het⟩ **0.1** *timber framing / truss.*

houtveredeling ⟨de (v.)⟩ **0.1** *wood finishing.*

houtvester ⟨de (m.)⟩ **0.1** *forester* ⇒*(forest) ranger.*

houtvesterij ⟨de (v.)⟩ **0.1** [toezicht] *forestry* **0.2** [woning] *forester's residence / house.*

houtvezel ⟨de⟩ **0.1** *wood fibre.*

houtvezelplaat ⟨de⟩ **0.1** *fibreboard* ⇒*hardboard.*

houtvijl ⟨de⟩ **0.1** *(wood) file.*

houtvlot ⟨het⟩ **0.1** *(timber) raft.*

houtvlotter ⟨de (m.)⟩ **0.1** *raftsman, rafter.*

houtvrij ⟨bn.⟩ **0.1** *wood-free.*

houtvuur ⟨het⟩ **0.1** *wood / log fire.*

houtwal ⟨de (m.)⟩ **0.1** *wooded bank.*

houtwaren ⟨zn.mv.⟩ **0.1** [voorwerpen] *wooden articles* **0.2** [hout] *timber.*

houtweefsel ⟨het⟩ **0.1** *xylem* ⇒*woody tissue.*

houtwerf ⟨de⟩ **0.1** *timber / lumber yard.*

houtwerk ⟨het⟩ **0.1** [houten delen van een gebouw / voorwerp] *woodwork* ⇒*carpentry, joinery* **0.2** [constructie van hout] *timberwork* ⇒*timber / wood(en) / lumber construction* **0.3** [houtdelen] *timber* ◆ **2.1** ingelegd ~ *inlay, marquetry.*

houtwerker ⟨de (m.)⟩ **0.1** *woodworker* ⇒*carpenter, joiner.*

houtwesp ⟨de⟩ **0.1** *woodwasp* ⇒*horntail.*

houtwol ⟨de⟩ **0.1** *woodwool* ⇒*wood shavings, excelsior.*

houtworm ⟨de (m.)⟩ **0.1** ⟨larve van de houtkever⟩ *woodworm* **0.2** [paalworm] *shipworm* ⇒*pileworm* ◆ **3.1** daar zit ~ in *it's got / that has w..*

houtzaagmolen ⟨de (m.)⟩ **0.1** *sawmill* ⇒*lumbermill.*

houtzager ⟨de (m.)⟩ **0.1** *sawyer.*

houtzagerij ⟨de (v.)⟩ **0.1** [bedrijf] *sawmill* ⇒*lumbermill* **0.2** [werkplaats] *sawmill* ⇒*lumberyard.*

houvast ⟨het⟩ **0.1** *hold, grip* ⇒*footing* ◆ **3.1** iem. ~ bieden ⟨ook fig.⟩ *give s.o. sth. to hold on to;* niet veel / geen enkel ~ geven *give little / no h. / g.;* nergens ~ aan hebben ⟨fig.⟩ *have nothing to go by / on;* het is tenminste iemand waar je ~ aan hebt *with him / her there is at least sth. to grasp h. of;* zijn ~ verliezen *lose one's h. / footing;* ~ vinden aan een uitstekende tak *get a h. on a protruding branch;* ~ zoeken ⟨ook fig.⟩ *look for sth. to hold on to;* ~ voor de handen / voeten zoeken / vinden *feel for / find a hand-hold / a footing* **7.1** dit berichtje / dit artikel biedt ons enig / weinig ~ *this news item gives us little / nothing to go on.*

houw ⟨de (m.)⟩ **0.1** [slag met een scherp voorwerp] *gash* ⇒*slash* **0.2** [wond] *gash* ⇒*slash* ◆ **3.1** iemand een ~ geven *gash s.o.;* een ~ krijgen *be gashed* **6.2** hij had een ~ over zijn rechterwang *he had a g. on his right cheek.*

houwbijl ⟨de⟩ **0.1** *axe,* ^Δ^*ax.*

houwdegen ⟨de (m.)⟩ **0.1** [degen om mee te houwen] *backsword, broadsword* **0.2** [⟨fig.⟩ persoon] *old war-horse.*

houweel ⟨het⟩ **0.1** *pickaxe / ^Δ^ax, pick, mattock.*

houwen ⟨→sprw. 572⟩
  I ⟨ov.ww.⟩ **0.1** [delen] *chop* ⇒*hack* **0.2** [afhakken] *lop / chop off* **0.3** [omhakken] *chop down* ⇒*cut down,* ⟨bomen⟩ *fell* **0.4** [door hakken vormen] *hew* ⇒*carve* ◆ **1.3** bomen ~ *fell trees* **1.4** steen ~ *h. stone;* gehouwen steen *hewn stone* **6.1** iets in stukken ~ *c. / hack sth. to pieces* **6.2** takken van de bomen ~ *lop branches off the trees* **6.4** uit marmer gehouwen *carved from / out of marble* **6.¶** er op in ~ *lay about one;* op iets in ~ *hack at sth.;*
  II ⟨onov.ww.⟩ **0.1** [hakken] *chop* ⇒*hew, hack.*

houwer ⟨de (m.)⟩ **0.1** [steenhouwer] *hewer* ⇒*stonemason* **0.2** [werktuig] ⟨kapmes⟩ *chopper;* ⟨degen⟩ *backsword* **0.3** [⟨mijnw.⟩] *hewer* **0.4** [slagtand van een ever] *tusk.*

houwhamer ⟨de (m.)⟩ **0.1** ⟨voor loodgieters e.d.⟩ *geologist's hammer.*

houwitser ⟨de (m.)⟩ ⟨mil.⟩ **0.1** *howitzer.*

houwmes ⟨het⟩ **0.1** *chopping-knife.*

hovaardig ⟨bn., bw.;-ly⟩ **0.1** *proud, haughty.*

hovaardigheid ⟨de (v.)⟩ **0.1** *pride, haughtiness.*

hovaardij ⟨de (v.)⟩ **0.1** *pride, haughtiness.*

hoveling, hovelinge ⟨de (v.)⟩ **0.1** *courtier.*

hovenier ⟨de (m.)⟩ **0.1** *horticulturist* ⇒*gardener.*

hovenieren ⟨onov.ww.⟩ **0.1** *garden.*

hozen

I ⟨onov., ov.ww.⟩ **0.1** [(water) uit een vaartuig scheppen] *bail/bale (out);*
II ⟨onp.ww.⟩ **0.1** [stortregenen] *pour down ⇒pour with rain* ◆ **4.1** het hoost *it's pouring.*

H.P. ⟨afk.⟩ **0.1** [Horse Power] *h.p., H.P..*

Hr. ⟨afk.⟩ **0.1** [Heer] *Mr..*

H.R. ⟨de (m.)⟩ ⟨afk.⟩ **0.1** [Hoge Raad] ⟨*Supreme Court*⟩.

hs. ⟨afk.⟩ **0.1** [handschrift] *MS., ms..*

h.s. ⟨afk.⟩ **0.1** [hoc sensu] ⟨*in this sense*⟩ **0.2** [hoc situs] *H.S..*

h.t. ⟨afk.⟩ **0.1** [hoc tempore] ⟨*at this time*⟩.

h.t.l. ⟨afk.⟩ **0.1** [hier te lande] ⟨*in this country*⟩.

HTS ⟨de⟩ ⟨afk.⟩ **0.1** [hogere technische school] ⟨*Technical College*⟩.

hu ⟨tw.⟩ **0.1** [uitroep van afschuw] *ugh, yuk* **0.2** [uitroep om aan te sporen, te laten stoppen] ⟨vort⟩ *gee (up);* ⟨stoppen⟩ *whoa* ◆ **¶.1** ~! wat een lelijk schilderij *ugh! what a ugly painting;* ~ wat is het koud *ugh! it's cold.*

hufter ⟨de (m.)⟩ ⟨inf.⟩ **0.1** *lout ⇒clodhopper, boor.*

hugenoot ⟨de (m.)⟩ **0.1** *Huguenot.*

hui ⟨de⟩ **0.1** *whey.*

huichelaar ⟨de (m.)⟩, **-ster** ⟨de (v.)⟩ **0.1** *hypocrite ⇒dissembler.*

huichelachtig ⟨bn., bw.; -ly⟩ **0.1** *hypocritical ⇒insincere, twofaced,* ⟨schijnheilig⟩ *sanctimonious.*

huichelarij ⟨de (v.)⟩ **0.1** *hypocrisy ⇒insincerity,* ⟨schr.⟩ *dissimulation,* ⟨schijnheiligheid⟩ *sanctimoniousness.*

huichelen
I ⟨onov.ww.⟩ **0.1** [zich beter voordoen dan men is] *dissemble ⇒feign, sham, play the hypocrite,* ⟨schr.⟩ *dissimulate;*
II ⟨ov.ww.⟩ **0.1** [veinzen] *feign ⇒dissemble, simulate, affect, sham,* ⟨schr.⟩ *dissimulate* ◆ **1.1** vriendschap ~ *f. friendship;* gehuichelde woorden *hypocritical/insincere words.*

huid ⟨de⟩ ⟨→sprw. 36⟩ **0.1** [vel] *skin* **0.2** [afgestroopt vel] ⟨grote dieren⟩ *hide;* ⟨kleine dieren⟩ *skin* **0.3** [mbt. planten] *skin ⇒membrane* **0.4** [buitenbekleding van een schip] *skin ⇒shell* ◆ **1.1** iets met ~ en haar opeten *eat up every scrap of sth.* **2.1** met een donkere/lichte ~ *dark/fair-skinned;* droge/vette/gave ~ *dry/greasy/clear s.;* ⟨fig.⟩ hij heeft een harde/een dikke ~ *he is thick-skinned, he has a thick s.;* een zachte/donkere/naakte ~ *a soft/dark/bare s.* **2.2** gedroogde/gelooide ~ *dried/tanned h.* **3.1** de ~ afstropen *skin, flay;* ⟨fig.⟩ iem. de ~ over de oren halen *flay/skin s.o. alive;* een nieuwe ~ krijgen, zijn ~ afwerpen ⟨mbt. slang⟩ *grow a new s., cast/shed its s.;* om zijn ~ te redden *to save his s./hide;* ⟨fig.⟩ zijn duur verkopen *fight to the bitter end* **3.2** de ~ verkopen voor de beer geschoten is *count one's chickens before they're hatched* **5.1** ⟨fig.⟩ iem. de ~ vol schelden *call s.o. everything under the sun* **6.1** ⟨fig.⟩ iem. in ~ kruipen *put o.s. in s.o. else's position/shoes;* iem. **op** zijn ~ geven *tan s.o.'s hide;* ⟨fig.⟩ iem. **op** zijn ~ zitten *keep after s.o.;* **op** de (blote) ~ dragen *wear next to the s.;* **tot op** de ~ nat worden *become/get soaked to the s.* **¶.1** ⟨fig.⟩ bang zijn voor zijn ~ *be afraid for one's life.*

huidaandoening ⟨de (v.)⟩ **0.1** *skin disorder/disease.*

huidademhaling ⟨de (v.)⟩ **0.1** *skin/cutaneous respiration.*

huidarts ⟨de (m.)⟩ **0.1** *dermatologist ⇒skin specialist.*

huidcrème ⟨de⟩ **0.1** *skin cream.*

huidig ⟨bn.⟩ **0.1** *present ⇒current* ◆ **1.1** de ~ e dag *today, this very day;* tot de ~ e dag toe *to this very day;* ten ~ en dage *nowadays, at p.;* het ~ e geslacht *the p. generation;* de ~ e kampioen/huurder *the current/reigning champion, the p. tenant;* onder de ~ e omstandigheden, in de ~ e situatie *under the p. circumstances, with the situation as it stands;* de ~ economische toestand *the current economic situation.*

huidkanker ⟨de (m.)⟩ **0.1** *skin cancer.*

huidkleur ⟨de⟩ **0.1** [kleur van de huid] *skin colour* ◆ ⟨mbt. gezicht⟩ *complexion* **0.2** [mbt. verf] *natural.*

huidklier ⟨de⟩ **0.1** *cutaneous gland.*

huidmondje ⟨het⟩ ⟨biol.⟩ **0.1** *stoma* ◆ **6.1** zonder ~ *astomatous.*

huidontsteking ⟨de (v.)⟩ **0.1** *dermatitis ⇒inflammation of the skin.*

huidplaat ⟨de⟩ ⟨scheep.⟩ **0.1** *shell plating.*

huidplooi ⟨de⟩ **0.1** *skin crease ⇒fold of the skin, plica,* ⟨dikke plooi⟩ *collop.*

huidreactie ⟨de (v.)⟩ **0.1** *skin reaction.*

huidschilfer ⟨de (m.)⟩ **0.1** *scale, flake of skin.*

huidsmeer ⟨het, de (m.)⟩ **0.1** *sebum.*

huidspecialist ⟨de (m.)⟩ **0.1** *skin specialist ⇒dermatologist.*

huidtransplantatie ⟨de (v.)⟩ **0.1** *skin-grafting ⇒skin-transplantation.*

huiduitslag ⟨de (m.)⟩ **0.1** *rash* ◆ **3.1** ~ hebben/krijgen *have/develop a r..*

huidverzorging ⟨de (v.)⟩ **0.1** *skin care, care of the skin.*

huidvlek ⟨de⟩ **0.1** *macula, macule ⇒patch* ⟨van dier⟩, ⟨moedervlek⟩ *birthmark, mole.*

huidworm ⟨de⟩ **0.1** *Guinea worm.*

huidzenuw ⟨de⟩ **0.1** *cutaneous nerve.*

huidziekte ⟨de (v.)⟩ **0.1** *skin disease* ◆ **1.1** leer der ~ n *dermatology.*

huif ⟨de⟩ **0.1** [overdekking van een wagen] *hood ⇒tilt* **0.2** [netmaag] *reticulum.*

huifkar ⟨de⟩ **0.1** *covered wagon ⇒tilt-cart,* ^*prairie schooner.*

huifschip ⟨het⟩ **0.1** *covered ship/boat.*

huig ⟨de⟩ **0.1** *uvula.*

huig-r ⟨de⟩ **0.1** *ursular r ⇒guttural r.*

huik ⟨de⟩ **0.1** *hooded cloak* ◆ **3.¶** de ~ naar de wind hangen *set one's sail according to the wind, swing with the wind.*

huilbui ⟨de⟩ **0.1** *crying-fit, fit of weeping* ◆ **3.1** ~ en hebben *be weepy.*

huilebalk ⟨de (m.)⟩ **0.1** *cry baby ⇒blubberer, howler.*

huilebalken ⟨onov.ww.⟩ **0.1** *blubber ⇒howl.*

huilen ⟨onov.ww.⟩ ⟨→sprw. 305⟩ **0.1** [mbt. mensen] *cry* ⇒ ↑*weep,* ⟨snikken⟩ *sob,* ⟨pej.⟩ *blubber, howl, whine, snivel, whinge,* ⟨iron. of scherts.⟩ *turn on the waterworks* ⟨vnl. opzettelijk om sympathie te krijgen⟩ **0.2** [janken, loeien] *howl* ⟨ook wind⟩ ⇒ ⟨sirene ook⟩ *wail* ◆ **1.1** tranen met tuiten ~ *c./ weep bitterly, c. one's eyes/heart out* **1.2** de hond huilt *the dog is howling;* ~ de Indianen *(war-)whooping Indians* **3.1** gaan ~, in ~ uitbarsten *start to c./ weep, burst out crying/into tears, turn on the waterworks;* ze kon wel ~ *she could have cried, she felt like crying, she was on the verge of tears, she was near/close to tears;* ⟨fig.⟩ hij moest ~ van de uienlucht *the onions made him c.* **5.1** eens goed ~ zou je goed doen *((you) go ahead and) have a good cry, it'll do you good;* half lachend, half ~ d *between laughing and crying* **6.1** het is ~ **met** de pet op *it's (a/one hell of) a mess;* het is **om (van)** te ~ *it's enough to make you weep;* ⟨sterk⟩ *Jesus wept!;* ~ **om** iets *c. over/about sth.;* ~ **van** blijdschap/pijn *c./ weep with/for joy/pain* **6.2** ⟨fig.⟩ **met** de wolven (honden) in het bos mee ~ *run with the hare and hunt with the hounds* **8.1** de man huilde als een kind *the man broke down and cried;* ⟨pej.⟩ *the man cried like a woman/(little) baby* **¶.1** het ~ stond hem nader dan het lachen *he was on the verge of tears, he was near/close to tears.*

huiler ⟨de (m.)⟩ **0.1** *orphan seal-pup.*

huilerig
I ⟨bn.⟩ **0.1** [vaak huilend] *tearful* ⇒ ⟨inf.⟩ *weepy,* ⟨schr.⟩ *lachrymose,*
II ⟨bn., bw.; -ly⟩ **0.1** [(als) van iem. die huilt] *tearful* ⇒ ⟨inf.⟩ *weepy,* ⟨schr.⟩ *lachrymose* ◆ **1.1** met ~ e stem *with a t. voice;* op ~ e toon *in a whimpering tone of voice, tearfully.*

huilpartij ⟨de (v.)⟩ **0.1** *crying binge/jag* ◆ **3.1** op een ~ uitdraaien *end in tears.*

huiltoon ⟨de (m.)⟩ **0.1** [van iem. die huilt] *whimpering ⇒howling, wailing* **0.2** [van sirene/wind] *howling ⇒wailing, roaring.*

huis ⟨het⟩ ⟨→sprw. 231, 306, 327⟩ **0.1** [gebouw als woning] *house* **0.2** [iemands woning] *house ⇒residence, domicile* **0.3** [ander gebouw] *house ⇒building, premises, theatre* **0.4** [huisgezin] *home* **0.5** [firma] *establishment ⇒firm, concern, house* **0.6** [omhulsel] *case, casing ⇒shell, house* **0.7** [(vorstelijk) geslacht] *House ⇒Family, dynasty* **0.8** [leden v.e. hofhouding] *court ⇒household* ◆ **1.1** ~ en erf *premises;* ~ en haard *hearth and home;* de heer des huizes *the man/* ⟨schr.; scherts.⟩ *master of the h.;* de vrouw des huizes *the lady/* ⟨schr.; scherts.⟩ *mistress of the h.* **1.2** ~ noch haard hebben *have nothing to one's name* **1.3** het ~ des Heren *the h. of God* **1.6** het ~ v.e. bijl/houweel *the case of an axe/a hatchet;* het ~ v.e. kompas *the case of a compass* **1.7** het Huis van Oranje *the H. of Orange* **2.1** een eigen ~ hebben *own one's own h.;* halfvrijstaand ~ *semi(-detached);* een houten ~ *a frame h.* **2.2** het ~ alleen hebben *have the h. to o.s.;* ⟨fig.⟩ dan is het ~ te klein *then all hell will break loose;* een ~ vol hebben *have a houseful (of guests)* **2.3** open ~ houden *have an open day;* een uitverkocht ~ *a full h.* **2.6** ⟨fig.⟩ ons aardse ~ *our earthly house* **2.7** van goeden huize komen ⟨van goede familie⟩ *be of good birth/of (a) good family;* ⟨erg goed zijn⟩ *have what it takes;* het Koninklijk ~ *the Royal Family* **2.8** het Civiele en het Militaire Huis van H.M. de Koningin *the Civil and Military Court of Her Majesty the Queen* **3.1** ⟨fig.⟩ huizen op iem. bouwen *have total faith in s.o.;* hij doet in/bezit huizen *he deals in/owns property* **3.2** ⟨fig.⟩ er is geen ~ met hem te houden *he is impossible/intractable;* het ouderlijk ~ *verlaten, uit ~ gaan leave the parental home, leave home* **6.1** ~ **aan** ~ (verkopen) *(sell) door-to-door;* een ~ **in** een rij *a terraced h.;* ~ **in** de stad *town h.;* je moet **in** ~ gaan *you must go into the h.;* een ~ **van** drie verdiepingen *a three-storeyed/^-storied h.;* **van** ~ **tot** ~ (gaan) *make h. to h. calls* **6.2** heel wat **in** ~ hebben ⟨fig.⟩ *have a lot going for one;* niets **in** ~ hebben *have no food/drinks in the h.;* hij is er kind **aan** ~ *he is treated as/like one of the family, he's a regular/frequent visitor;* bij iem. **aan** ~ komen *be on visiting terms with s.o.;* **aan** ~ gebonden *housebound;* bezorging **aan** ~ *door-to-door/home delivery;* om wat dichter **bij** ~ te blijven ⟨fig.⟩ *to take an example close(r) to home/an example we're all familiar with;* dicht **bij** ~ *near home;* iem. **in** ~ hebben/nemen *have/take a boarder, take s.o. in;* ⟨fig.⟩ met de deur **in** ~ vallen *come straight to the point;* zij is de baas **in** ~ *she wears the trousers;* ergens **in** ~ *somewhere about the h.;* **in** ~ (moeten) blijven ⟨van zieke⟩ *(have to) stay indoors, be confined to the h.;* ~ is het veel warmer *it's much warmer inside;* pantoffels voor **in** ~ *slippers for indoors;* **in** ~ zijn bij *lodge with;* ⟨fig.⟩ het is niet om over **naar** ~ te schrijven *it is nothing to write home about;* ik ga/moet **naar** ~ *I am off (home), I must be getting back/home;* mee **naar** ~ nemen *take home;* **naar** ~ sturen *send home;* ⟨arbeiders ook⟩ *lay off;* ⟨patiënten⟩ *discharge;* ⟨Tweede Kamer⟩ *dissolve;* ⟨soldaten⟩ *dismiss, demobilize;* iem./ een meisje

naar ~ brengen *see / take / walk s.o. / a girl home;* met iemand mee **naar** ~ gaan *go home with s.o.;* iem. **uit** zijn ~ zetten *turn s.o. out (of his h.);* ⟨huurder ook⟩ *evict s.o.;* nu de kinderen het ~ **uit** zijn *now that the children have all left;* ik kom **van** ~ *I have come from home;* dan zijn we nog verder **van** ~ ⟨fig.⟩ *then we will be even worse off;* niet **van** ~ kunnen *be housebound;* zich verder **van** ~ wagen *venture further afield;* tuin **vóór** het ~ *front garden* **6.3** ~ **van** bewaring *h. of detention;* ~ **van** ontucht *h. of ill-repute* **6.4** naar ~ schrijven *write h.;* ⟨fig.⟩ **van** ~ uit *originally, by birth;* **van** ~ weglopen *run away from h.* **6.5** (op kosten) **van** het ~ *on the h.* **7.1** twee huizen onder één kap *semis, semi-detached houses;* een tweede ~ *a country h. / cottage, a second home* **8.1** dat is / staat zo vast als een hell / fate, as sure as eggs (is eggs); een ~ als een kasteel / paleis *a h. like a castle / palace* ¶.1 Lauriergracht 78 huis *basement flat, 78 Lauriergracht.*

huis-, tuin- en keuken- 0.1 *household, common-or-garden* ♦ **1.1** een boormachine voor huis-, tuin- en keukengebruik, een huis-, tuin- en keukenboormachine *a drill for use around the house;* een huis-, tuin- en keukenmiddeltje tegen griep *a h. remedy for flu;* een huis-, tuin- en keukenroman / uitdrukking / onderwerp / verkoudheid(je) *a common-or-garden novel / expression / topic / cold.*

huis-aan-huisblad ⟨het⟩ 0.1 *free local paper.*
huis-aan-huisverkoop ⟨de (m.)⟩ 0.1 *door-to-door sales(manship) / selling.*
huisaansluiting ⟨de (v.)⟩ 0.1 *service pipe;* ⟨elek.⟩ *service line.*
huisadres ⟨het⟩ 0.1 *home / private address.*
huisafval ⟨het, de (m.)⟩ 0.1 *domestic / household waste.*
huisaltaar ⟨het, de (m.)⟩ 0.1 *family / house altar.*
huisapotheek ⟨de (v.)⟩ 0.1 *medicine chest.*
huisarbeid ⟨de (m.)⟩ 0.1 [werk] *outwork* 0.2 [stelsel] *home industry.*
huisarchief ⟨het⟩ 0.1 *private archives.*
huisarrest ⟨het⟩ 0.1 *house arrest* ♦ **3.1** ~ hebben ⟨jur.⟩ *be under h. a.;* ⟨mbt. kinderen⟩ *be kept in.*
huisarts ⟨de (m.)⟩ 0.1 *family doctor* ⇒⟨schr.⟩ *general practitioner,* ⟨vnl. BE; inf.⟩ *GP.*
huisbaas ⟨de (m.)⟩ 0.1 *landlord* ⟨m.⟩; *landlady* ⟨v.⟩.
huisbakken ⟨bn.⟩ 0.1 [thuis gebakken] *home-made* ⇒*home-baked* 0.2 [alledaags] *trivial* ⇒*trite, banal, pedestrian.*
huisbar ⟨de (m.)⟩ 0.1 *home bar.*
huisbediende ⟨de (m.)⟩ 0.1 *domestic.*
huisbewaarder ⟨de (m.)⟩, **-ster** ⟨de (v.)⟩ 0.1 [iem. die huis betrekt tijdens afwezigheid van bewoners] *house sitter* 0.2 [⟨AZN⟩ conciërge] *caretaker,* ^*janitor.*
huisbezoek ⟨het⟩ 0.1 *house call / visit* ♦ **3.1** ~en afleggen *visit at home* **6.1** op ~ gaan / zijn *go / be visiting.*
huisbijbel ⟨de (m.)⟩ 0.1 *family bible.*
huisbraak ⟨de⟩ 0.1 *housebreaking* ⇒*burglary, breaking-and-entering.*
huisbrandolie ⟨de⟩ 0.1 *domestic fuel oil.*
huiscollectie ⟨de⟩ 0.1 *house-to-house / door-to-door collection.*
huiscomputer ⟨de (m.)⟩ 0.1 *home computer.*
huiscorrectie ⟨de (v.)⟩ ⟨druk.⟩ 0.1 *proofreading (carried out by the publishers).*
huisdealer ⟨de (m.)⟩ 0.1 *licenced dealer in soft drugs.*
huisdeur ⟨de⟩ 0.1 *front door.*
huisdier ⟨het⟩ 0.1 *pet (animal)* ♦ **3.1** tot ~ maken *domesticate* **8.1** een kat als ~ hebben / houden *have / keep a cat as a pet.*
huisdokter ⟨de (m.)⟩ →**huisarts.**
huisduif ⟨de⟩ 0.1 [tamme duif] *domestic pigeon* 0.2 [⟨fig.⟩] ⟨→**huismus** 0.2⟩.
huiseigenaar ⟨de (m.)⟩, **-nares** ⟨de (v.)⟩ 0.1 *home-owner* ⇒⟨verhuurder⟩ *landlord* ⟨m.⟩, *landlady* ⟨v.⟩, ⟨alg. ook⟩ *proprietor.*
huiselijk ⟨bn.⟩ 0.1 [mbt. huisgezin / huishouden] *domestic* ⇒⟨attr.⟩ *home, household,* ⟨mbt. familie ook⟩ *family* 0.2 [intiem] *homelike, homely* ⇒⟨inf.⟩ *hom(e)y,* ⟨knus, gezellig⟩ *cosy* 0.3 [graag thuis zijnd] *home-loving* ⇒⟨inf.⟩ *hom(e)y,* ⟨vnl. pej.⟩ *domesticated,* ⟨thuisblijvend⟩ *stay-at-home* ♦ **1.1** ~e beslommeringen *d. worries;* ~ geluk *d. happiness;* de ~e haard *the fireside;* ⟨thuis⟩ *the home;* in de ~e kring *in the family circle;* het ~leven *d. / home / family life;* wegens ~e omstandigheden *for family reasons;* kost en inwoning met ~ verkeer *board and lodging as one of the family;* de ~e vrede weten te bewaren *know how to keep the peace in the family* **1.2** een ~ dineetje *a nice cosy dinner;* een ~ feestje *an informal get-together, a little celebration* **1.3** een ~ type *a hom(e)y / home-loving type;* ⟨man ook⟩ *a family man.*
huiselijkheid ⟨de (v.)⟩ 0.1 [vertrouwelijkheid] *hominess,* ^*homeyness* 0.2 [gehechtheid aan huis] *domesticity.*
huisgeit ⟨de⟩ 0.1 *domestic goat.*
huisgenoot ⟨de (m.)⟩, **-genote** ⟨de (v.)⟩ 0.1 ⟨medebewoner⟩ *house-mate;* ⟨gezinslid⟩ *inmate, member of the family.*
huisgewaad ⟨het⟩ 0.1 *housecoat.*
huisgezin ⟨het⟩ 0.1 *family* ⇒*household* ♦ **6.1** in elk ~ *in every household / home;* voor het hele ~ *for the whole f..*
huisgoden ⟨zn.mv.⟩ 0.1 *household gods* ⇒⟨Romeinse myth.⟩ *lares and penates.*
huisheer ⟨de (m.)⟩ 0.1 [huiseigenaar] *landlord* 0.2 [heer des huizes] *master of the house.*

huishoudafval ⟨het⟩ →**huisafval.**
huishoudbeurs ⟨de⟩ 0.1 *(ideal) home exhibition.*
huishoudboek ⟨het⟩ 0.1 *housekeeping book* ♦ **3.1** een ~je bijhouden *keep a h. b..*
huishoudelijk ⟨bn.⟩ 0.1 [mbt. de huishouding] *domestic* ⇒*household* 0.2 [met aanleg voor het huishouden] *domestic* 0.3 [behorend tot de dagelijkse aangelegenheden] *domestic* ♦ **1.1** ~e apparaten *d. appliances;* ~e artikelen *household goods;* voor ~ gebruik *for d. use;* ~ personeel *d. staff;* ~e uitgaven *housekeeping expenses;* ~e voorlichting *housekeeping advice;* ~ werk / karweitje *household work / chore* **1.3** een ~e vergadering *business / private meeting;* de ~e zaken (afhandelen / behandelen) *(settle / deal with) everyday / routine business* **2.2** (niet) ~ aangelegd *(un)d..*
huishoudelijkheid ⟨de (v.)⟩ 0.1 *domesticity.*
huishouden[1] ⟨het⟩ 0.1 [huishouding] *housekeeping* 0.2 [persoon of groep personen] *household* ⇒*family* 0.3 [wanordelijke troep] *shambles* ⇒*(untidy / real / right) mess* 0.4 [huisraad] *household goods* ⇒⟨meubels⟩ *furniture, house contents* ♦ **1.1** een ~ van Jan Steen *a real / perfect shambles, a pigsty, a(n) (untidy / real / right) mess* **2.2** nieuwe woningen voor één- en tweepersoons~s *new houses for single people and couples, new one and two person residences* **3.1** het ~ doen *run a / the home, do the housekeeping;* ⟨vnl. voor iem. anders⟩ *keep house* **3.3** het is daar een ~! *it's a real / perfect s. there!, it's a right mess there!* **6.1** ze is erg goed in het ~ *she's very good in the house / at h., she's a very good housekeeper;* geen idee hebben **van** het ~ *be no good / use at h. / good in the home, be quite undomesticated;* de ouders delen de zorg **voor** het ~ *the parents share the h. / ⟨inf.⟩ chores* **7.2** dat huis wordt door drie~s bewoond *that house houses three families.*
huishouden[2]
I ⟨onov.ww.⟩ 0.1 [tekeergaan] *carry on* ⇒*wreak havoc (in / among), cause havoc / damage* ♦ **1.1** de soldaten hebben flink huisgehouden (onder hen) *the soldiers raised hell (among them)* **6.1** ze hebben flink huisgehouden **in** onze drankvoorraad *they made great inroads into our drink supply;* de voetbalsupporters hebben weer verschrikkelijk huisgehouden **in** de binnenstad van A. *the football fans went on the rampage / went berserk again in A.'s city centre;*
II ⟨ww.⟩ 0.1 [de huishouding doen] *keep house* ⇒*run the home / house.*
huishoudgeld ⟨het⟩ 0.1 *housekeeping (money)* ⇒*housekeeping allowance.*
huishoudhulp ⟨de (m.)⟩ 0.1 *domestic help.*
huishouding ⟨de (v.)⟩ 0.1 [regeling v.h. huishouden] *housekeeping* ⇒*household management,* ⟨mbt. staat⟩ *economy* 0.2 [leven als huisgenoten] *household* ⇒*home, family* ♦ **1.1** hoofd v.d. ~ *matron* ⟨v.⟩; *head housekeeper* **2.2** we hebben vandaag een klein huishoudinkje *there are just a few of us today* **3.1** de ~ voor iem. doen *keep house / do the housekeeping for s.o.* **3.2** een ~ beginnen *set up home* **6.1** een hulp **in** de ~ *a home help.*
huishoudjam ⟨de⟩ 0.1 ≠*factory-made jam,* ≠*ordinary industrial jam.*
huishoudkunde ⟨de⟩ 0.1 *home economics* ⇒*domestic science.*
huishoudkundige ⟨de (m.)⟩ 0.1 *home economist.*
huishoudonderwijs ⟨het⟩ 0.1 *domestic science education* ⇒*teaching of domestic science / home economics.*
huishoudschool ⟨de⟩ 0.1 *d. science school.*
huishoudster ⟨de (v.)⟩ 0.1 *housekeeper.*
huishoudstroop ⟨de⟩ 0.1 ≠*factory-made black treacle.*
huishoudtrap ⟨de⟩ 0.1 *kitchen steps* ⇒*stepladder.*
huishoudweegschaal ⟨de⟩ 0.1 *(set / pair of) kitchen scales.*
huishoudwetenschappen ⟨zn.mv.⟩ 0.1 *domestic science* ⇒*home economics, household management.*
huishoudzeep ⟨de⟩ 0.1 *household soap.*
huishuur ⟨de⟩ 0.1 *rent.*
huisindustrie ⟨de (v.)⟩ 0.1 [B]*cottage industry,* [A]*home / domestic industry.*
huisjasje ⟨het⟩ 0.1 [jas voor in huis] *housecoat* ⇒*indoor coat* 0.2 [korte kamerjas] *smoking-jacket* ⇒*after-dinner jacket.*
huisje ⟨het⟩ ⟨→sprw. 307⟩ 0.1 [klein huis] *bungalow* ⇒*cottage, small / little house* 0.2 [wachthuisje] *shelter* ⇒⟨van schildwacht⟩ *sentry-box* 0.3 [afdak] *cover* ⇒*screen* ⟨voor ikonen⟩ 0.4 [slakkenhuis] *shell* 0.5 [cocon] *cocoon* ♦ **1.**¶ ⟨fig.⟩ ~, boompje, beestje *(meisjesdroom) a husband and a house in the suburbs* **2.1** heilige ~s omverschoppen *attack sacred cows, break taboos, be an iconoclast;* een leuk / lief ~ *a quaint / charming little house* **2.3** een heilig ~ ⟨fig.⟩ *a sacred cow;* ⟨lett.⟩ *a chapel* **3.1** een ~ aan zee huren / bespreken *rent / reserve a cottage by the sea.*
huisjesmelker ⟨de (m.)⟩ 0.1 *rackrenter* ⇒⟨vnl. AE⟩ *slumlord.*
huisjesslak ⟨de⟩ 0.1 *snail* ⇒*helix.*
huiskamer ⟨de⟩ 0.1 *living / sitting room.*
huiskapel ⟨de⟩ 0.1 [kapel in huis] *private chapel* 0.2 [orkest] *resident band / orchestra.*
huiskapelaan ⟨de (m.)⟩ 0.1 *private chaplain.*
huiskleur ⟨de⟩ 0.1 [bleke huidkleur] *pasty* 0.2 [herkenningskleur] *colour trade mark* ⇒*brand colour.*
huisknecht ⟨de (m.)⟩ 0.1 *manservant* ⇒*butler, valet, houseman.*

huiskrekel ⟨de (m.)⟩ **0.1** *house cricket.*

huislijk →**huiselijk.**

huislook ⟨het, de (m.)⟩ **0.1** *houseleek.*

huisman ⟨de (m.)⟩ **0.1** *househusband.*

huismarter ⟨de (m.)⟩ **0.1** *stone/beech marten.*

huismeester ⟨de (m.)⟩ **0.1** [persoon aan het hoofd van de huishouding] *head of the household* ⇒*steward, butler* **0.2** [conciërge in een flatgebouw] *caretaker,* [A]*janitor* ⇒*warden* **0.3** (⟨AZN⟩ huisbaas] *landlord.*

huismerk ⟨het⟩ **0.1** *own brand* ◆ **2.1** wij hebben ook wijn/koelkasten van ons eigen ~ *we also have our own brand of wine/refrigerators.*

huismiddeltje ⟨het⟩ **0.1** [geneesmiddel] *home/domestic/household remedy* **0.2** (⟨fig.⟩ redmiddel] *panacea* ⇒*cure-all, (universal) remedy.*

huismijt ⟨de⟩ ⟨biol.⟩ **0.1** *glycyphagus.*

huismoeder ⟨de (v.)⟩ **0.1** [huisvrouw] *housewife* ⇒*mother* **0.2** [vlinder] *common yellow underwing (moth)* ◆ **2.1** een gezellige ~ *a good homemaker.*

huismoedertje ⟨het⟩ **0.1** *home help* ⇒≠*housekeeper.*

huismuis ⟨de⟩ **0.1** *house mouse.*

huismus ⟨de⟩ **0.1** [vogel] *house sparrow* **0.2** [persoon] *stay-at-home* ⇒*homebird, homebody* ◆ **3.2** een ~ zijn ⟨ook⟩ *keep (o.s.) to o.s..*

huismuziek ⟨de (v.)⟩ **0.1** *domestic/family music-making* ⇒*music at home.*

huisnijverheid ⟨de (v.)⟩ **0.1** [B]*cottage industry,* [A]*home/domestic industry.*

huisnummer ⟨het⟩ **0.1** *number (of a/the house), house number.*

huisonderwijs ⟨het⟩ **0.1** *private/home tuition* ⇒*education at home.*

huisonderwijzer ⟨de (m.)⟩, **-es** ⟨de (v.)⟩ **0.1** *tutor* ⟨m., v.⟩ ⇒*governess, tutoress* ⟨v.⟩, *home/private teacher* ⟨m., v.⟩.

huisorde ⟨de⟩ **0.1** [huisregels] *house(hold) rules/regulations* **0.2** [ridderorde] *order of knighthood conferred by a/the monarch.*

huisorgaan ⟨het⟩ **0.1** *(in)house organ/magazine.*

huisorgel ⟨het⟩ **0.1** *home organ* ⇒⟨harmonium⟩ *harmonium.*

huisorkest ⟨het⟩ **0.1** *private/resident orchestra.*

huispraktijk ⟨de⟩ **0.1** *general practice* [A]*se.*

huisraad ⟨het⟩ **0.1** *household goods/effects* ⇒⟨meubels⟩ *(household) furniture,* ⟨inf.⟩ *stuff, gear* ◆ **1.1** stuk ~ *piece of furniture* **2.1** (stuk) schamele ~ *paltry (piece of) furniture* **3.1** al het ~ werd vernield *the entire contents of the house were/every stick of furniture was destroyed.*

huisrat ⟨de⟩ **0.1** *house rat* ⇒*black rat.*

huisrecht ⟨het⟩ **0.1** *inviolability of the home.*

huisregels ⟨zn.mv.⟩ **0.1** *house rules/regulations* ⇒⟨van drukkerij mbt. spelling en interpunctie⟩ *house style.*

huisschilder ⟨de (m.)⟩ **0.1** *house painter* ⇒⟨vnl. BE ook⟩ *decorator,* ⟨BE, als beroepsbenaming⟩ *painter and decorator.*

huisslacht ⟨de (v.)⟩ **0.1** *home killing/slaughtering.*

huissleutel ⟨de (m.)⟩ **0.1** *latchkey* ⇒*house-key, front-door key, passkey.*

huissloof ⟨de (v.)⟩ **0.1** *household/domestic drudge* ⇒*skivvy.*

huisspin ⟨de⟩ **0.1** *house spider.*

huisstijl ⟨de (m.)⟩ **0.1** *company logo.*

huisstof ⟨het⟩ **0.1** *household dust/dirt.*

huistelefoon ⟨de (m.)⟩ **0.1** *internal telephone (system).*

huistiran ⟨de (m.)⟩ **0.1** *domestic/household tyrant* ⇒ ↑*petty tyrant.*

huisvader ⟨de (m.)⟩ **0.1** *family man, father (of a/the family)* ◆ **2.1** ⟨jur.⟩ iets met de zorg van een goed~ beheren *administer sth. with the care of a prudent/reasonable man/with due diligence.*

huisvergadering ⟨de (v.)⟩ **0.1** *house meeting* ⇒⟨inf.⟩ *get-together.*

huisvesten ⟨ov.ww.⟩ **0.1** *find/provide accomodation (for), house, accomodate, put up* ⇒⟨definitief⟩ *house,* ⟨tijdelijk⟩ *find/provide accomodation for, accomodate,* ↓*put up,* ⟨in eigen huis⟩ *take in, take into the/one's house,* ⟨in iem. anders' huis⟩ *lodge* ◆ **6.1** er zijn in dat pand 10 mensen gehuisvest *that building houses 10 people.*

huisvesting ⟨de (v.)⟩ **0.1** [het verschaffen van verblijf] *housing* **0.2** [verblijf] *accomodation* ⇒*housing, quarters,* ⟨tijdelijk⟩ *lodging* **0.3** [huisvestingsbureau] *housing department* ◆ **2.2** geschikte ~ zoeken *look for suitable accomodation* **3.2** ~ bieden aan *offer accomodation to;* de ~ van gepensioneerden verbeteren *improve pensioners' housing;* ergens ~ vinden *find accomodation somewhere.*

huisvestingsbureau ⟨het⟩ **0.1** *(city) housing department.*

huisvestingscommissie ⟨de (v.)⟩ **0.1** *housing commission, house/allocation committee.*

huisvestingsvraagstuk ⟨het⟩ **0.1** *housing problem.*

huisvlieg ⟨de⟩ ⟨dierk.⟩ **0.1** *housefly.*

huisvlijt ⟨de⟩ **0.1** *home industry/crafts.*

huisvrede ⟨de⟩ **0.1** [rust in huis] *domestic peace (and quiet)* **0.2** [onschendbaarheid van een woning] *inviolability of the home.*

huisvredebreuk ⟨de⟩ ⟨jur.⟩ **0.1** *unlawful entry, trespass (in s.o.'s house)* ⇒*violation of the privacy of s.o.'s house/home.*

huisvriend ⟨de (m.)⟩, **huisvriendin** ⟨de (v.)⟩ **0.1** *family friend, friend of the family.*

huisvrouw ⟨de (v.)⟩ **0.1** [verzorgt huishouding] *housewife* **0.2** [echtgenote] *wife.*

huisvuil ⟨het⟩ **0.1** *household refuse, (household) rubbish* ⇒⟨AE⟩ *trash, garbage* ◆ **1.1** het ophalen van ~ *refuse/* [A]*garbage collection* **6.1** stort-

plaats **voor** ~ *refuse-/rubbish-dump/tip;* ⟨AE⟩ *town dump, garbage dump.*

huisvuilscheiding ⟨de (v.)⟩ **0.1** *sorting of household refuse/* [A]*garbage* ⇒ *sorted waste disposal.*

huisvuilzak ⟨de (m.)⟩ **0.1** *dustbin liner/bag,* [A]*garbage bag.*

huiswaarts ⟨bw.⟩ **0.1** *homeward(s)* ◆ **3.1** ~ keren, zich ~ begeven *return /go home, start/head for home, make one's way home(ward(s)).*

huiswerk ⟨het⟩ **0.1** [schoolwerk] *homework;* ⟨BE ook⟩ *prep(aration)* ⟨vnl. op 'betere' scholen⟩; ⟨AE ook⟩ *assignment* ⟨afzonderlijke opdracht⟩ **0.2** [werk in huis] *housework* ⇒*household work,* ↑*household /domestic duties/chores* ◆ **3.1** zijn ~ niet gedaan hebben *not have done one's h.;* ~ maken *do one's h./prep(aration)/assignment;* ~ opgeven *set h./prep(aration)/an assignment;* zijn ~ overdoen *do one's homework again.*

huiszoeking ⟨de (v.)⟩ **0.1** *(house) search* ⇒⟨jur.⟩ *domiciliary visit* ◆ **1.1** machtiging/verlof/bevel(schrift) tot ~ *search warrant* **3.1** ~ bij iem. doen *conduct a search of/search s.o.'s house/home/premises;* ⟨inf.⟩ *turn over s.o.'s house;* in de hele straat werden ~ en gedaan *there was a house-to-house search of the street, every house in the street was searched.*

huiszwaluw ⟨de⟩ **0.1** *house-martin.*

huiven ⟨ov.ww.⟩ **0.1** [een huif opzetten] *hood* **0.2** [omhullen] *envelop (in), shroud (in/with), wreathe (in).*

huiverachtig ⟨bn.⟩ →**huiverig.**

huiveren ⟨onov.ww.⟩ **0.1** [beven] ⟨van kou⟩ *shiver;* ⟨v. angst, enz.⟩ *shudder, tremble* **0.2** [terugschrikken] *recoil/shrink (from)* ◆ **3.1** doen ~ make s.o. shiver/shudder/tremble; ⟨inf.⟩ *give s.o. the creeps* **5.2** hij huiverde ervoor om de feiten te onthullen *he shrank from revealing the facts* **6.1** ~ van de kou *shiver with cold* **6.2** ik ~ **bij** de gedachte *I shudder/tremble at the thought;* ~ **voor** de gevolgen *shudder/tremble to think of the consequences.*

huiverig ⟨bn.⟩ **0.1** [terugdeinzend, aarzelend] *hesitant, wary, charry* **0.2** [rillerig] *shivery* ⇒⟨v.d. kou ook⟩ *chilly* ◆ **3.1** ~ staan om iets te doen *shrink/recoil/shy from doing sth.* **3.2** ~ zijn *be chilly, have the shivers* **5.1** ik ben er nogal ~ voor *I am/feel hesitant about/wary of/ chary of (doing) it.*

huiverigheid ⟨de (v.)⟩ **0.1** [aarzeling] *hesitation* ⇒*wariness, chariness* **0.2** [rillerig gevoel] *shiveriness* ⇒⟨v.d. kou ook⟩ *chilliness.*

huivering ⟨de (v.)⟩ **0.1** [rilling] *shiver* ⇒*shudder, tremor* **0.2** [aarzeling] *hesitation* ◆ **3.1** er voor een lichte ~ door haar lichaam *a shiver went through her, she shivered, she went cold all over.*

huiveringwekkend ⟨bn., bw.;-ly⟩ **0.1** *horrible* ⇒*terrifying, horrifying,* ↓*hair-raising.*

huizehoog ⟨bn., bw.;-ly⟩ **0.1** *towering* ⇒*mountainous* ◆ **1.1** huizehoge favoriet *(red-)hot favourite;* ⟨vnl. bij tennis⟩ *top seed;* ≠*front runner;* huizehoge golven *mountainous waves* **3.1** ~ tegen iem. opzien *look up to s.o., put s.o. on a pedestal;* iem. ~ prijzen *praise s.o. to the skies;* ~ springen *jump for joy;* ~ uitsteken boven de concurrentie *rise head and shoulders above one's competitors/the competition.*

huizen ⟨onov.ww.⟩ **0.1** [wonen] *live* ⇒*be housed,* ⟨tijdelijk⟩ *lodge* **0.2** [aanwezig zijn] *be (present)* ◆ **1.1** er ~ ratten in die schuur *there are rats in the shed* **6.1** wij ~ nu in de voorkamer *we l. in the front room now, we use the front room as the living-room* now **6.2** er huist onrust in zijn binnenste *deep down inside (him)/in his heart of hearts he is uneasy.*

huizenbezit ⟨het⟩ **0.1** ⟨het bezit⟩ *property;* ⟨het bezitten⟩ *ownership of houses.*

huizenblok ⟨het⟩ **0.1** *row of houses, terrace;* ⟨AE⟩ *block (of houses).*

huizenbouw ⟨de (m.)⟩ **0.1** *house-building, housing-construction.*

huizenbouwer ⟨de (m.)⟩ **0.1** *(house-)builder, housing contractor.*

huizenkant ⟨de (m.)⟩ **0.1** [de] *inside of the* [B]*pavement* [A]*sidewalk* ◆ **6.1** aan de ~ (gaan) lopen *walk on the inside, take the inside of the* [B]*pavement* [A]*sidewalk;* iem. aan de ~ laten lopen *let s.o. walk on the inside;* (vlak) langs de ~ lopen *keep close to/hug the houses.*

huizenmarkt ⟨de⟩ **0.1** *housing market.*

huizing ⟨de (v.)⟩ **0.1** [scheepstouw] *houseline* ⇒*marlin(e), marling* **0.2** [woning] *housing, house, premises.*

hulde ⟨de (v.)⟩ **0.1** [eerbetoon] *homage;* [lof/prijzing] *tribute* ◆ **3.1** iem. ~ brengen/bewijzen *pay h./t. to s.o.* **6.1** een ~ **aan** zijn nagedachtenis *to his memory;* ⟨fig.⟩ om ~ aan de waarheid te doen *out of respect for the truth;* ~ **aan** deze vrouw! *all honour to her!* ¶**.1** hulde! *bravo!;* ⟨als teken van instemming met redenaar⟩ *hear!, hear!.*

huldebetoon ⟨het⟩ **0.1** *homage.*

huldeblijk ⟨het⟩ **0.1** *tribute* ⇒*token of regard, testimonial.*

huldigen ⟨ov.ww.⟩ **0.1** [hulde bewijzen] *honour* ⇒*pay tribute (to), pay/render homage (to)* **0.2** [erkennen] *hold* ⇒*believe in* ◆ **1.1** een jubilaris ~ *celebrate s.o.'s jubilee* **1.2** een standpunt ~ *h. a point of view;* een stelsel ~ *believe in/hold a certain philosophy;* de waarheid ~ *respect/ have respect for/recognize the truth.*

huldiging ⟨de (v.)⟩ **0.1** [het huldigen, gehuldigd worden] *honouring, homage, tribute* **0.2** [inhuldiging] *inauguration, installation.*

hulk ⟨de⟩ **0.1** [schip] *hulk* ⇒*vessel* **0.2** [onttakeld schip] *hulk.*

hullen
I ⟨ov.ww.⟩ **0.1** [omhullen met] *wrap (up) in, envelop (in), swathe (in)* ⇒⟨fig. ook⟩ *veil/cloak/shroud (in)* ◆ **6.1 in** nevelen gehuld zijn *be shrouded/veiled in mist;* hij was **in** een deken gehuld *he was wrapped (up) in a blanket;* de stad werd plotseling **in** duisternis gehuld *the town was suddenly plunged into darkness;* gehuld **in** de mist *blankered in fog;*
II ⟨wk.ww.;zich∼⟩ **0.1** [zich omhullen met] *wrap o.s. ((up)in), envelop o.s. (in), swathe o.s. (in)* ⇒⟨fig. ook⟩ *veil/cloak/shroud o.s. (in)* ◆ **6.1** ⟨fig.⟩ zich **in** stilzwijgen ∼ *veil/cloak o.s. in silence.*
hullie ⟨pers.vnw.⟩ ⟨inf.⟩ **0.1** *them* ⇒ [†]*they* ◆ **3.1** ∼ hebben het gedaan *≠it was them as/what done it.*
hulp ⟨de⟩ **0.1** [daad] *help* ⇒*assistance, aid* **0.2** [persoon] *helper* ⇒*assistant, aide* **0.3** [middel] *help* ⇒*aid* **0.4** [⟨paardensport⟩] *aid* ⟨vaak mv.⟩ ◆ **1.1** ∼ en bijstand *aid and assistance* **2.1** medische∼ *medical aid/assistance/* ⟨behandeling⟩ *treatment* **2.2** een tijdelijke∼ *a temporary helper/assistant* **2.3** het is een handige∼ in de keuken *it is a useful aid in the kitchen* **3.1** de∼ inroepen van *summon the h./aid/assistance of, enlist the h./aid (of s.o.), call in s.o.;* ∼ verlenen *render assistance, assist, lend aid/assistance;* de reddingsboot hield zich gereed om ∼ te verlenen *the lifeboat was standing by;* ∼ vragen *ask for h./assistance* **6.1 met** Gods∼ *with God's h., by the grace of God;* **om** ∼ roepen *call/cry (out) for h.;* iem. **te** ∼ komen *come to s.o.'s aid/h./assistance/rescue;* **te** ∼ snellen/schieten *hasten to help/assist, fly/dash to the h. (of);* ⟨redden⟩ *hasten/come to the rescue (of);* iem. **te** ∼ roepen *call for s.o.'s h./aid/assistance;* (mbt. brandweer/kustwacht/reddingsteam, enz.) *call out;* iets **zonder** ∼ doen *do sth. without anybody's help/aid/assistance, do sth. unaided/singlehanded* **6.2** ∼ **in** de huishouding *home/household/domestic help;* ⟨BE;schoonmaakster⟩ *char(lady/woman);* **zonder** ∼ zitten *have no servants* **7.1** eerste∼ (bij ongelukken) *first aid;* hem kon geen∼ meer baten *he was beyond (human) aid/past human aid/beyond h.;* hij had (niet) veel∼ aan de pastoor *the priest was (not) much/a great h. to him.*
hulpactie ⟨de (v.)⟩ **0.1** *relief action/measures.*
hulpaggregaat ⟨het⟩ **0.1** *auxiliary/emergency generator.*
hulpapparaat ⟨het⟩ **0.1** *auxiliary apparatus* ⇒ [↓]*standby equipment.*
hulpapparatuur ⟨de (v.)⟩ **0.1** *auxiliary/* [↓]*standby equipment.*
hulpbehoevend ⟨bn.⟩ **0.1** *in need of/needing/requiring help* ⇒⟨ziek⟩ *invalid,* ⟨oud/gebrekkig⟩ *infirm,* ⟨arm⟩ *needy, in need, indigent,* ⟨berooid⟩ *destitute* ◆ **1.1** zij verzorgt haar∼e moeder *she looks after her invalid mother* **7.1** de∼en *those in need, the needy, the infirm, invalids, the destitute.*
hulpbehoevendheid ⟨de (v.)⟩ **0.1** [door armoede] *neediness* ⇒*destitution, indigence* **0.2** [lichamelijk] *invalidity* ⇒*helplessness* **0.3** [door ouderdom] *infirmity.*
hulpbetoon ⟨het⟩ **0.1** *assistance, aid* ⇒⟨aan armen ook⟩ *relief* ◆ **2.1** maatschappelijk ∼ *public assistance,* ⟨AE⟩ *welfare;* vereniging tot onderling∼ *mutual aid society, benefit club/society;* ⟨AE ook⟩ *benefit association;* ⟨vnl. BE ook⟩ *friendly society* **6.1** hij sloofde zich uit **in** ∼ *he toiled at rendering assistance/aid.*
hulpbisschop ⟨de (m.)⟩ ⟨r.k.⟩ **0.1** *suffragan (bishop), bishop.*
hulpboek ⟨het⟩ ⟨ec.⟩ **0.1** *auxiliary book.*
hulpbron ⟨de⟩ **0.1** *resource* ◆ **2.1** de natuurlijke∼nen van een land *the natural resources of a country.*
hulpbrug ⟨de⟩ **0.1** *temporary bridge* ⇒⟨Baileybrug⟩ *Bailey bridge.*
hulpdienst ⟨de (m.)⟩ **0.1** *auxiliary service(s)* ⇒⟨nooddienst⟩ *emergency service(s),* ⟨service-afdeling⟩ *service (department)* ◆ **2.1** telefonische ∼ *emergency number/line.*
hulpeloos ⟨bn.,bw.;-ly⟩ **0.1** *helpless* ⇒⟨machteloos⟩ *powerless, impotent,* ⟨schr.⟩ *impuissant* ◆ **3.1** ∼ staan tegenover een ramp *be h./powerless in the face of a disaster.*
hulpexpeditie ⟨de (v.)⟩ **0.1** *relief expedition.*
hulpfonds ⟨het⟩ **0.1** *relief fund.*
hulpgeroep ⟨het⟩ **0.1** *(a) cry/call for help.*
hulpje ⟨het⟩ **0.1** [persoon die bij iets assisteert] *helper* ⇒*aid(e),* [↑]*assistant* **0.2** [toestel] *appliance,* [↑]*device* ⇒⟨snufje, apparaatje⟩ *gadget,* ⟨inf.⟩ *contraption* ◆ **2.2** elektrische∼s in de keuken *electrical appliances/gadgets in the kitchen* **6.1** een∼ **voor** de kinderen [↑]*a nanny, s.o./a girl to look after the children.*
hulpkantoor ⟨het⟩ **0.1** *(branch (office), sub-office* ◆ **1.1** een∼ van een bank *a branch (office) of a bank;* een∼ van de posterijen *sub-(post)-office.*
hulpkerk ⟨de⟩ **0.1** *succursal(e)* ⇒*chapel of ease.*
hulpkracht ⟨de⟩ **0.1** [persoon die bij iets assisteert] *helper* ⇒*aid(e),* [↑]*assistant* **0.2** [tijdelijke kracht] *temporary worker* ⇒⟨inf.⟩ *temp* (ihb. uitzendkracht, vnl. typiste, administratieve medewerkster enz.).
hulpkreet ⟨de (m.)⟩ **0.1** *cry/shout/scream for help.*
hulplijn ⟨de⟩ **0.1** [⟨muz.⟩] *ledger line* **0.2** [⟨wisk.⟩] *construction line* **0.3** [mbt. een tekening] *construction line* **0.4** [tijdelijke spoorlijn] *temporary line.*
hulpmiddel ⟨het⟩ **0.1** [om een doel sneller te bereiken] *aid, help, means* ⇒⟨toestel/apparaat⟩ *appliance, device,* ⟨gereedschap⟩ *tool* **0.2** [dat uitkomst brengt] *expedient, remedy* ⇒⟨noodoplossing⟩ *makeshift* **0.3**

[hulpbron] *resource* ◆ **2.1** audio-visuele∼en *audio-visual aids;* een laatste∼ *a last resort;* verboden/kunstmatige∼en *forbidden/artificial aids* **2.3** geen financiële∼en meer hebben *have no more financial resources;* personele∼ *personal resources* **6.1** een∼ **voor** iets *an aid to/a help in sth..*
hulpmotor ⟨de (m.)⟩ **0.1** *auxiliary motor/engine* ◆ **6.1** ⟨schr.⟩ een rijwiel **met** ∼ *motor-assisted pedal cycle;* ⟨brommer⟩ [↓]*moped.*
hulpofficier ⟨de (m.)⟩ ⟨jur.⟩ **0.1** *≠assistant prosecutor.*
hulponderwijzer ⟨de (m.)⟩, **-es** ⟨de (v.)⟩ **0.1** *assistant teacher.*
hulpploeg ⟨de⟩ **0.1** [voor vervanging van werkers] *relief crew* **0.2** [bij spoorweg- of verkeersongevallen] *breakdown gang/crew.*
hulppost ⟨de⟩ **0.1** [post ter ondersteuning van andere posten] *aid station* **0.2** [post van een hulpdienst] *aid station* ⟨ook bij marathon⟩ ⇒ ⟨EHBO-post⟩ *first-aid post* ◆ **1.2** een∼ van het Rode Kruis *a Red-Cross first-aid post* **2.2** een medische∼ *a (medical) aid station,* ⟨in fabriek/school enz.⟩ *dispensary, infirmary.*
hulppostkantoor ⟨het⟩ **0.1** *sub-post-office.*
hulppredikant ⟨de (m.)⟩ **0.1** [iem. die een predikant bijstaat/vervangt] ⟨r.k., Anglikaans⟩ *curate, assistant minister* **0.2** [kandidaat op een plaats zonder eigen predikant] *assistant minister.*
hulpprogramma ⟨het⟩ **0.1** *aid programme/*[A]*program* ⇒ ⟨reddingsprogramma⟩ *rescue programme/*[A]*program.*
hulpraket ⟨de⟩ **0.1** *booster (rocket).*
hulpsignaal ⟨het⟩ **0.1** *signal for help* ⇒⟨noodsignaal⟩ *signal* ◆ **3.1** ∼ geven *signal for help, send out a distress signal.*
hulpstelling ⟨de (v.)⟩ ⟨wisk.⟩ **0.1** *lemma.*
hulpstof ⟨de⟩ **0.1** [bij de produktie gebruikte stof] *catalyst* **0.2** [bij de produktie toegevoegde stof] *additive.*
hulpstuk ⟨het⟩ **0.1** *accessory, attachment* ⇒⟨tussen/overgangsstuk⟩ *adapter,* ⟨vnl. elek., gas⟩ *fitting,* ⟨vnl. elek.⟩ *fitment.*
hulptaal ⟨de⟩ **0.1** *artificial language.*
hulptoestel ⟨het⟩ **0.1** *auxiliary appliance/device, accessory* ⇒⟨noodtoestel⟩ *emergency/* ⟨inf.⟩ *back-up appliance/device.*
hulptroepen ⟨zn.mv.⟩ **0.1** *troops/forces, auxiliaries* ⇒⟨versterkingen⟩ *reinforcements,* ⟨ontzettingsleger⟩ *relief troops/forces.*
hulpvaardig ⟨bn.⟩ **0.1** *helpful* ⇒*ready/willing to help/assist,* ⟨schr.⟩ *complaisant* ◆ **5.1** niet∼ *unhelpful.*
hulpvaardigheid ⟨de (v.)⟩ **0.1** *helpfulness* ⇒*readiness/willingness to help,* ⟨schr.⟩ *complaisance.*
hulpverlener ⟨de (m.)⟩, **-leenster** ⟨de (v.)⟩ **0.1** *social worker.*
hulpverlening ⟨de (v.)⟩ ⟨taal.⟩ **0.1** [het verlenen van hulp] *assistance, aid* ⇒ ⟨vnl. bij ramp/hongersnood enz.⟩ *relief* **0.2** [geïnstitutionaliseerde zorg] *assistance* ◆ **2.1** de internationale∼ komt langzaam op gang *international aid/relief is slowly getting under way.*
hulpvermogen ⟨het⟩ **0.1** *power* ◆ **1.1** een zeilschip met∼ *a sailing-ship with an auxiliary motor.*
hulpwerkwoord ⟨het⟩ ⟨taal.⟩ **0.1** *auxiliary (verb)* ◆ **6.1** ∼en **van** tijd *tense auxiliaries;* ∼en **van** de lijdende vorm *passive auxiliaries;* ∼en **van** wijze, modale∼en *modal auxiliaries.*
hulpwetenschap ⟨de (v.)⟩ **0.1** *auxiliary science.*
huls ⟨de⟩ **0.1** [koker, omhulsel] *case, cover, container* ⇒⟨soepel⟩ *wrapper, sleeve* **0.2** [vrucht, peul] *pod* ⇒*cod, husk* **0.3** [⟨mil.⟩] *cartridge case, shell* ◆ **2.3** lege∼ *spent/empty cartridge, cartridge case, shell.*
hulsel ⟨het⟩ **0.1** *cover(ing)* ⇒*casing, wrapping, wrapper, envelope* ⟨van ballon⟩.
hulst ⟨de (m.)⟩ **0.1** *holly* ⇒*itex.*
hulsttak ⟨de (m.)⟩ **0.1** *holly spray/sprig* ⇒*spray/sprig of holly.*
hum[1] ⟨het⟩ **0.1** *humour, temper, mood* ◆ **6.1 in** zijn∼ *in a good h./m./t.;* hij is **uit** zijn∼ *he's in a bad h./m./t., he's out of sorts.*
hum[2] ⟨tw.⟩ **0.1** [brommend geluid] *(a)hem* **0.2** [uiting van twijfel] *hmm, h'm* ⇒*hum, um* ◆ [¶.2] ∼! is dat uw mening! *hmm! is that what you think!;* ∼! dat verandert de zaak *hmm! that makes matters different.*
humaan
I ⟨bn., bw.;-ly⟩ **0.1** [menslievend] *humane* ⇒⟨filantropisch⟩ *philanthropic* ◆ **1.1** een∼ man *a h. man* **3.1** hij heeft mij∼ behandeld *he treated me humanely/like a human being;* ∼ worden *become h.;*
II ⟨bn.⟩ ⟨med.⟩ **0.1** [van de mens afkomstig] *human.*
humaniora ⟨zn.mv.⟩ **0.1** [Griekse en Latijnse taal- en letterkunde] *classics, humanities* ⇒⟨BE ook⟩ [↑]*literae humaniores* **0.2** [⟨AZN⟩ soort middelbaar onderwijs] *≠grammar school.*
humaniseren ⟨ov.ww.⟩ **0.1** [tot een beschaafd mens maken] *civilize* ⇒ *humanize* **0.2** [menselijker maken] *humanize.*
humanisme ⟨het⟩ **0.1** [wereldbeschouwing] *humanism* **0.2** [menslievende zedenleer] *humanism* **0.3** [⟨gesch.⟩] *Humanism* ⇒*New Learning.*
humanist ⟨de (m.)⟩ **0.1** [aanhanger van de humanistische wereldbeschouwing] *humanist* **0.2** [⟨gesch.⟩ iem. die de humaniora beoefent en onderwijst] *humanist.*
humanistisch ⟨bn.⟩ **0.1** *humanist(ic)* ◆ **1.1** ∼e studiën *humanist studies;* het Humanistisch Verbond *Humanist Society.*
humanitair ⟨bn.⟩ **0.1** *humanitarian* ◆ **1.1** ∼ recht *h. rights.*
humaniteit ⟨de (v.)⟩ **0.1** *humanity* ⇒*humaneness,* ⟨filantropie⟩ *philanthropy, humanitarianism.*
humeraal ⟨het⟩ ⟨r.k.⟩ **0.1** [amict] *amice* **0.2** [schoudervelum] *humeral veil.*

humeur ⟨het⟩ **0.1** [stemming] *humour, temper, mood* **0.2** [goede luim] *good humour/temper/mood* **0.3** [gemoedsgesteldheid] *temper* **0.4** [nuk] *caprice, whim* ◆ **2.1** in een bijzonder goed/prima~ zijn *be in a very good t./h./m., be in high spirits/fine fettle;* in een goed/slecht~ zijn *be in a good/bad h./t./m.* **2.3** hij heeft een lastig ~ *he's got a nasty t./* ⟨sterker⟩ *a devil of a t.* **6.2** in/uit zijn~ zijn *be in a good/bad humour/temper/mood;* dat bracht hem uit zijn ~ *that put him in a bad humour/temper/mood;* iem. uit zijn~ brengen *put s.o. out, annoy s.o.;* ⟨inf.⟩ *rub s.o. up the wrong way.*

humeurig ⟨bn.,bw.;-ly⟩ **0.1** *moody, ill-/bad-tempered/-humoured* ⇒ ↓*grumpy,* ↓*crabby* ◆ **3.1** ze is erg~ *she is very m./ill-tempered/-humoured/bad-tempered.*

humeurigheid ⟨de (v.)⟩ **0.1** *moodiness* ⇒*petulance.*

humiliant ⟨bn.⟩ **0.1** *humiliating.*

humiliatie ⟨de (v.)⟩ **0.1** *humiliation.*

humiliëren ⟨ov.ww.⟩ **0.1** *humiliate.*

hummel ⟨de (m.)⟩ **0.1** *toddler, (tiny) tot* ⇒*little mite/chit,* ⟨inf.⟩ *nipper* ◆ **2.1** zo'n kleine~ *such a (little) toddler/a tiny tot.*

hummen ⟨onov.ww.⟩ **0.1** *(a)hem.*

humor ⟨de (m.)⟩ **0.1** [gevoel voor vrolijk makende tegenstrijdigheden] *humour* **0.2** [het vrolijkmakende, uiting] *humour* ⇒*comedy, fun* ◆ **1.2** de ~ van de situatie *the h. of the situation* **2.1** zwarte ~ *black h.* **2.2** platte ~ *vulgar/crude/broad h.;* spottende ~ *caustic h., satire* **3.2** er de ~ (niet) van inzien *(not)(be able to) see the joke (of it)* **6.2** gevoel voor ~*sense of h..*

humoraal ⟨bn.⟩ **0.1** *humoral* ◆ **1.1** humorale pathologie *h. pathology.*

humoreske ⟨de⟩ **0.1** *humorous sketch/tale/piece/story* ⇒⟨muz.⟩ *humoresque.*

humorist ⟨de (m.)⟩ **0.1** *humorist* ⇒⟨komiek⟩ *comic.*

humoristisch ⟨bn.,bw.;-ly⟩ **0.1** *humorous,* ↓*funny* ⇒*humoristic, jocular, comic(al)* ◆ **1.1** een ~e opmerking *a humorous/jocular remark* **3.1** iets~ inkleden *put sth. in a humorous way.*

humorloos ⟨bn.,bw.;-ly⟩ **0.1** *humourless* ⇒⟨mbt. mensen ook⟩ *lacking /without a sense of humour.*

humus ⟨de (m.)⟩ **0.1** *humus* ⇒*vegetable mould,* ⟨bladaarde⟩ *leaf mould,* ⟨compost⟩ *compost,* ⟨potgrond⟩ *potting compost/mixture.*

humusgesteente ⟨het⟩ **0.1** *bituminous rock.*

humusgrond ⟨de (m.)⟩ **0.1** *hum(o)us soil/earth.*

humusrijk ⟨bn.⟩ **0.1** *humous* ⇒*rich in humus.*

humusvorming ⟨de (v.)⟩ **0.1** *formation of humus* ⇒*humification.*

humuszuur ⟨het⟩ **0.1** *humic/humus/humous acid.*

hun

I ⟨pers.vnw.⟩ **0.1** [(indirecte objectsvorm)] *them* **0.2** [⟨inf.;directe objectsvorm)] *them* **0.3** [⟨inf.;foutief⟩ subject] *them* ◆ **3.1** ik zal het ~ geven *I'll give it (to) t.* **3.2** heb je ~ al geroepen? *have you already called t.?* **3.3** ~ hebben het gedaan *it was t. what/as done it;*
II ⟨bez.vnw.⟩ **0.1** *their* ◆ **1.1** ~ kinderen *t. children* **3.1** één van~ vrienden *one of t. friends, a friend of theirs* **7.1** dat zijn onze boeken niet, maar de~ne *those are not our books but theirs;* de~nen *theirs;* één van de~nen *one of theirs;* het ~ne *theirs.*

hunebed ⟨het⟩ **0.1** *giant's grave* ⇒*megalith(ic tomb/monument/grave), passage/gallery grave,* ⟨dolmen⟩ *dolmen,* ⟨cromlech⟩ *cromlech.*

hunebedbouwers ⟨zn.mv.⟩ **0.1** ≠*megalith builders.*

hunkeren ⟨onov.ww.⟩ **0.1** *hanker (after/for)* ⇒*yearn (for/after), long (for/after), hunger (for/after), ache (for/after)* ◆ **6.1** hij hunkert naar roem en eer *he is yearning for/after/longing for/after fame and honour;* naar vrijheid~ *yearn for/long for freedom;* naar liefde ~ *yearn for/long for/be aching for love;* naar heibel ~ *be itching for/spoiling for/looking for trouble;* naar een bakje koffie~ *be dying for a cup of coffee;* ik hunker naar de vakantie *I'm longing for/I can't wait for the holidays;* ⟨ernaar⟩ ~ om te gaan zwemmen *be longing to/itching to go swimming.*

hunnent ⟨schr.⟩ ◆ **6.¶** te ~ *at their home/house.*

hunnenthalve ⟨bw.⟩⟨schr.⟩ **0.1** *for their sake(s)* ◆ **3.1** ~ wil ik het doen *I'll do it for their sake(s).*

hunnentwege ⟨bw.⟩⟨schr.⟩ **0.1** *on their behalf, in their name* ◆ **3.1** ik moet u ~ groeten *they wish to be remembered to you, they send their greetings/best wishes.*

hunnentwil(le) ⟨schr.⟩ ◆ **6.¶** om ~ *for their sake(s).*

hunner ⟨pers.vnw.⟩ **0.1** [⟨2de nv. mv. van 'hun'⟩] *them* ◆ **3.1** wie zal zich~ erbarmen? *who will take pity on them?.*

hunnerzijds ⟨bw.⟩⟨schr.⟩ **0.1** *for/on their part, as far as they are concerned* ⇒*on their side* ◆ **¶.1** ~ is er geen bezwaar tegen *there is no objection to it on their part/as far as they are concerned.*

hup¹ ⟨de (m.)⟩ **0.1** *hop* ⇒*skip.*

hup² ⟨tw.⟩ **0.1** [aanmoedigingskreet] *come on, go ((to) it)* **0.2** [aansporing, commando] *hup, oops-a-daisy;* ⟨mbt. trekken/tillen van iets zwaars⟩ *heave (ho)!* ◆ **1.1** ~ Holland/Oxford/Liverpool~! *come on/ go to/it/get going Holland/Oxford/Liverpool!* **7.2** een, twee, ...~! *one, two, ...up you go!.*

huppeldepup 0.1 *what's-his/her* ⟨enz.⟩ *-name* ⇒*thingummy, hingama-jig, thingamabob, whatsit, so-and-so* ◆ **1.1** daar is die meneer ~ al weer *there's that mister whats-his-name/thingmajig/whatsit again.*

huppelen ⟨onov.ww.⟩ **0.1** *skip* ⇒*frolic, frisk, gambol, prance* ◆ **1.1** vrolijk ~de kinderen *happily frolicking children* **6.1** de lammeren ~ in de weide *the lambs are frolicking/frisking/gambolling in the meadow;* ⟨fig.⟩ het bootje huppelde over de golven *the little boat skipped over the waves.*

huppelwater ⟨het⟩ ⟨scherts.⟩ **0.1** ≠*firewater, hardstuff.*

huppen ⟨onov.ww.⟩ **0.1** *hop.*

hups ⟨bn.,bw.;-ly⟩ **0.1** *nice, obliging, kind, pleasant* ⇒⟨hoffelijk/beleefd⟩ *courteous.*

hupsakee →*hup.*

huren ⟨ov.ww.⟩ **0.1** [mbt. een zaak] *hire* ⇒⟨mbt. huis/kamer/grond⟩ *rent,* ⟨mbt. schip/bus/vliegtuig⟩ *charter,* ⟨pachten⟩ *lease, take on a lease* ⟨op contract⟩ **0.2** [mbt. een persoon] *hire, take on* ⇒ ↑*engage* ◆ **1.1** een auto ~ *rent/h. a car;* gehuurde grond *leasehold land;* een huis ~ *rent a house;* kamers ~ *live in rooms/* ⟨met hospita⟩ *digs;* een vliegtuig ~ *charter an aeroplane* **1.2** een kok ~ *hire/take on/engage a cook* **5.2** ⟨fig.⟩ daar ben ik niet op gehuurd *that's not part of my job* **6.1** een huis per jaar ~ *take a house on a yearly tenancy.*

hurken¹ ⟨zn.mv.⟩ ◆ **6.¶** op zijn~ (gaan) zitten *squat (on one's haunches /down), crouch (down), sit on one's heels.*

hurken² ⟨onov.ww.⟩ **0.1** *squat (on one's haunches/down), crouch (down), sit on one's heels* ◆ **3.1** zij zaten gehurkt op de grond *they were squatting on the ground.*

hurksprong ⟨de (m.)⟩ **0.1** *squat jump.*

hurktoilet ⟨het⟩ **0.1** *seatless toilet.*

hurkzit ⟨de⟩ **0.1** *crouch* ⇒*squat.*

husselen →*hutselen.*

hut ⟨de⟩ **0.1** [primitieve woning] *hut* ⇒*cabin, shack* ⟨ihb. uit hout⟩, ⟨barak⟩ *shanty* **0.2** [⟨scheep.⟩] *cabin* ⇒⟨luxehut⟩ *stateroom,* ≠*berth* ◆ **2.1** een lemen ~ *a mud h.* **6.2** een ~ voor twee personen *a two-berth c..*

hutbagage ⟨de (v.)⟩ **0.1** *cabin luggage.*

hutbewoner ⟨de (m.)⟩, **-woonster** ⟨de (v.)⟩ **0.1** *hut-dweller.*

hutje ⟨het⟩ ◆ **1.¶** met ~ en mutje *with bag and baggage, lock, stock and barrel;* ~ en mutje *the whole lot/show/caboodle* **6.¶** ~ bij mutje leggen *club together, pool (one's) funds/resources.*

hutjongen ⟨de (m.)⟩ **0.1** *cabin-boy.*

hutkoffer ⟨de (m.)⟩ **0.1** *cabin trunk.*

hutselbeker ⟨de (m.)⟩ **0.1** *dice cup, dicebox.*

hutselen ⟨ov.ww.⟩ **0.1** *mix (up)* ⇒*shake (up),* ⟨mbt. kaarten⟩ *shuffle* ◆ **1.1** de gekookte aardappelen ~ *mash the potatoes;* dominosteen door elkaar ~ *shuffle dominoes;* zaken door elkaar ~ ⟨fig.⟩ *mix things up.*

hutsen →*hutselen.*

hutspot ⟨de (m.)⟩ **0.1** [gerecht] *hot(ch)-pot(ch), hodge-podge* ⇒≠*stew* **0.2** [⟨fig.⟩ mengelmoes] *hotch-potch, hodge-podge, mishmash* ⇒*jumble, farrago* ◆ **1.1** ~ met klapstuk eten *eat (Irish) stew with skirt.*

huttenplan ⟨het⟩ **0.1** *cabin plan.*

huttentut ⟨de⟩ ⟨plantk.⟩ **0.1** *gold-of-pleasure.*

huur ⟨de⟩ **0.1** [het huren, verbintenis] *hire* ⇒*rent,* ⟨pacht⟩ *lease* **0.2** [prijs] *rent* ⇒*rental,* ⟨loon⟩ *wages, pay* ◆ **2.1** achterstallige ~ *rent in arrears, back rent;* ƒ200,- kale ~ *basic rent;* een vaste ~ betalen *pay a fixed rent* **3.1** een huis dat een hoge ~ doet/opbrengt *a house which lets at a/commands a high rent;* de ~ gaat met november in *the tenancy commences on the first of November;* de ~ is ons met drie maanden opgezegd *we have had/are under three months notice (to quit);* iem. de ~ opzeggen *give s.o. notice (to leave/quit)* **3.2** de ~ moet de eerste van de maand betaald worden *the rent falls due on the first of the month;* hij betaalt ƒ800,-~ voor dit huis *he pays 800 guilders rent for this house, his rent (for this house) is 800 guilders* **6.1** land in ~ hebben *hold land on lease, have the leasehold on land;* dit huis is te ~ *this house is to let* ^is *for rent;* een huis te ~ stellen/zetten *put a house up for rent;* auto's te ~ *cars for h.;* het huis/de winkel is vrij van ~ *vacant possession of the house/shop may be had; the house/shop is vacant possession.*

huurachterstand ⟨de (m.)⟩ **0.1** *arrears of rent* ⇒⟨de som zelf ook⟩ *rent in arrears, back rent* ◆ **3.1** hij heeft een ~ van ƒ 1000,- *he owes 1000 guilders rent in arrears/(in) back rent.*

huuradviescommissie ⟨de (v.)⟩ **0.1** *rent tribunal.*

huurakte →*huurcontract.*

huurauto ⟨de (m.)⟩ **0.1** *rented car* ⇒⟨BE ook⟩ *hire(d) car.*

huurbeding ⟨het⟩ **0.1** ⟨*stipulation in a mortgage contract forbidding rental without permission*⟩.

huurbeleid ⟨het⟩ **0.1** *rent(s) policy.*

huurbescherming ⟨de (v.)⟩ **0.1** *rent protection.*

huurbevriezing ⟨de (v.)⟩ **0.1** *rent freeze.*

huurblokkering ⟨de (v.)⟩ **0.1** *rent freeze.*

huurceel ⟨het,de⟩ **0.1** *lease, tenancy agreement* ⇒*rental agreement/contract.*

huurcommissie ⟨de (v.)⟩ **0.1** *rent tribunal.*

huurcompensatie ⟨de (v.)⟩ **0.1** *rent subsidy/rebate.*

huurconditie ⟨de (v.)⟩ **0.1** *condition(s) of rental/leasing.*

huurcontract ⟨het⟩ **0.1** *lease* ⟨onroerende goederen⟩ ⇒*tenancy agree-*

ment, ⟨roerende goederen⟩ *contract of hire* ◆ **3.1** een ~ aangaan *enter into a l.*; een ~ opzeggen *terminate a l.*.

huurcorrectie ⟨de (v.)⟩ **0.1** *(indexed) rent adjustment.*

huurder ⟨de (m.)⟩ **0.1** *tenant* ⇒*renter*, ⟨jur.⟩ *lessee*, ⟨pachter ook⟩ *leaseholder*, ⟨mbt. auto⟩ *hirer* ◆ **2.1** de huidige ~s *the sitting tenants;* de oude en de nieuwe ~s *the outgoing and incoming tenants.*

huurderving ⟨de (v.)⟩ **0.1** *loss of rent.*

huurflat ⟨de (m.)⟩ **0.1** *rented flat/^Aapartment* ⇒*tenement.*

huurharmonisatie ⟨de (v.)⟩ **0.1** *rent harmonization* ⇒*rationalization/ bringing into line of rents.*

huurhuis ⟨het⟩ **0.1** *rented house.*

huurindexering ⟨de (v.)⟩ **0.1** *rent indexation/indexing.*

huurkazerne ⟨de⟩ **0.1** *tenement house/block, block of tenements* ⇒ ⟨ihb. Sch.E⟩ *tenement*, ⟨inf.⟩ *warren, rookery.*

huurkoop ⟨de (m.)⟩ **0.1** *hire-purchase (system)* ⇒⟨BE;inf.;afk.⟩ *h.p.*, ⟨AE vnl.⟩ *installment buying* ◆ **6.1** een piano **in** ~ nemen/geven *rent a piano on hire-purchase/(the) h.p.*; iets **in** ~ hebben *have sth. on hire-purchase/(the) h.p.*.

huurkoopovereenkomst ⟨de (v.)⟩ **0.1** *hire-purchase/h.p. contract/agreement.*

huurlast ⟨de (m.)⟩ **0.1** *rent* ◆ **2.1** op hoge ~en zitten *be paying a high r.*.

huurleger ⟨het⟩ **0.1** *army of mercenaries* ⇒*mercenary army.*

huurling ⟨de (m.)⟩ **0.1** *hireling* ⇒⟨huursoldaat⟩ *mercenary, soldier of fortune.*

huurmoord ⟨de⟩ **0.1** *assassination* ⇒⟨sl.⟩ *hit.*

huurmoordenaar ⟨de (m.)⟩ **0.1** *(hired) assassin* ⇒⟨sl.⟩ *hitman, hired gun, contract (killer).*

huuropbrengst ⟨de (v.)⟩ **0.1** *rental* ⇒*rent-roll.*

huurovereenkomst ⟨de (v.)⟩ **0.1** *hire agreement* ⇒⟨voor huis⟩ *rental/ tenancy agreement.*

huurpeil ⟨het⟩ **0.1** *rent level(s).*

huurpolitiek ⟨de (v.)⟩ **0.1** *rent(s) policy.*

huurprijs ⟨de (m.)⟩ **0.1** *rent* ⇒⟨van auto, t.v. enz.⟩ *rental, cost of hire/ hiring* ◆ **1.1** de ~ van dit huis is f 1000,- *the r. of this house is/this house rents at 1000 guilders.*

huurquote ⟨de⟩ **0.1** *portion of income spent on rent.*

huurrecht ⟨het⟩ **0.1** *rent law.*

huurrijtuig ⟨het⟩ **0.1** *hackney cab/carriage* ⇒*cab.*

huurronde ⟨de⟩ **0.1** *(controlled) general rent increase.*

huurschade ⟨de⟩ **0.1** *damage to property through letting;* ⟨huuurderving⟩ *loss of rent.*

huurschuld ⟨de⟩ **0.1** *rent arrears, arrears of rent* ◆ **3.1** de ~ bedraagt vijfduizend gulden *the r. a. amount to f5000,-;* vijfduizend gulden ~ hebben *be five thousand guilders in arrears with the rent* **6.1** wegens ~ *for non-payment of rent.*

huursoldaat ⟨de (m.)⟩ **0.1** *mercenary* ⇒*soldier of fortune.*

huursom ⟨de⟩ **0.1** *rent* ⇒⟨auto, t.v. enz. vnl.⟩ *rental.*

huurstaker ⟨de (m.)⟩ **0.1** *tenant withholding the rent/refusing to pay the rent.*

huurstaking ⟨de (v.)⟩ **0.1** *rent strike.*

huursubsidie ⟨het, de (v.)⟩ **0.1** *rent subsidy* ⇒^Brent rebate.*

huurtermijn ⟨de (m.)⟩ **0.1** *instalment*, ^Ainstallment* ⇒*tenancy, term of lease.*

huurtroepen ⟨zn.mv.⟩ **0.1** *mercenary troops* ⇒*mercenaries, mercenary forces.*

huurverhoging ⟨de (v.)⟩ **0.1** *rentincrease.*

huurverlaging ⟨de (v.)⟩ **0.1** *rentreduction.*

huurwaarde ⟨de (v.)⟩ **0.1** *rental/lettable/rentable value.*

huurwaardeforfait ⟨het⟩ ⟨ec.⟩ **0.1** ≠*rateable value.*

huurwagen ⟨de (m.)⟩ **0.1** *rented car* ⇒⟨BE ook⟩ *hire(d) car.*

huurwet ⟨de⟩ **0.1** *Rent Act.*

huwbaar ⟨bn.⟩ **0.1** *marriageable* ⇒⟨schr. of scherts.; mbt. meisjes ook⟩ *nubile* ◆ **1.1** de huwbare leeftijd bereiken *reach m. age;* ⟨van man⟩ *reach the age of manhood.*

huwelijk¹ ⟨het⟩ ⟨→sprw. 308⟩ **0.1** [echtverbintenis] *marriage* **0.2** [plechtigheid] *marriage* ⇒*wedding*, ⟨schr.⟩ *nuptials* **0.3** [toestand] *marriage* ⇒*matrimony*, ↑*wedlock*, ⟨huwelijksleven⟩ *married life* ◆ **1.1** ontbinding v.e. ~ *dissolution of a m., divorce;* het sacrament des ~s *the sacrament of (holy) matrimony, (the sacrament of) holy matrimony* **2.1** ⟨jur.⟩ kind uit een ander ~ *child of another m.;* gemengd ~ *mixed m.,* intermarriage, cross-cultural m.;* een gemengd ~ aangaan *intermarry;* ⟨mbt. geloof ook⟩ *marry out of one's faith;* een goed ~ doen/sluiten *marry well, make a good m.;* een nieuw ~ aangaan *remarry, marry again/for the second time;* een rijk ~ doen/sluiten *marry money/ wealth/a fortune;* een verkeerd/ongeschikt ~ (aangaan) *(make) a bad match;* een wettig ~ *a lawful m.* **2.2** een burgerlijk ~ *a civil wedding/ m.;* ⟨GB ook⟩ *a registry-office wedding;* een gedwongen ~ *a shotgun wedding;* een kerkelijk ~ *a church wedding/m.* **2.3** dubbel ~ *bigamy;* een gelukkig/ongelukkig ~ *a happy/unhappy marriage;* een vrij/ open ~ *an open marriage* **3.1** een ~ ⟨kerkelijk⟩ afkondigen *publish/ proclaim the banns (of m.);* een ~ inzegenen *solemnize a m., perform a m. service;* ⟨jur.⟩ een ~ stuiten *prevent a m., show (an) impediment*

to a m.; een ~ sluiten/aangaan met ... *contract a m. with, get married to;* ⟨r.k.⟩ hun ~ werd geannuleerd/ongeldig verklaard *their m. was annulled* **3.2** een ~ voltrekken *perform a m. service, celebrate a m.;* het ~ voltrekken tussen X en Y *marry X and Y* **6.1** ~ **bij** volmacht/**bij** procuratie/**met** de handschoen *m. by proxy;* een kind, **buiten** ~ geboren *an illegitimate child, a child born out of wedlock/* ⟨inf.⟩ *on the wrong side of the blanket;* zijn ~ **met** his m. to;* een ~ **met** de linkerhand *a left-handed/* ↑*morganatic m.;* een ~ **over** de puthaak *a common-law m.;* een meisje **ten** ~ vragen *propose to a girl;* ↑*ask (for) a girl's hand in m.;* ⟨inf.⟩ *pop the question;* zij brengt niets mee **ten** ~ *she has no dowry;* zijn dochter **ten** ~ geven/schenken *give one's daughter in m., give away one's daughter;* een ~ **uit** liefde *a love match;* een ~ **uit** berekening *a m. of convenience;* de kinderen **uit** dat ~ *the children of that m.;* ~ **zonder** toestemming *run away m., elopement;* ⟨Engeland; inf.⟩ *Gretna Green m.* **6.2** in het ~ treden met *enter into matrimony with;* ↓*marry,* ↓*get married to* **6.3** zijn ~ **met** *his marriage with;* goederen **staande** het ~ verkregen *property acquired during the marriage* **7.1** een tweede ~ *a second m., digamy* ¶**.1** een ~ tot stand brengen *arrange a m., make/arrange a match.*

huwelijk² ⟨bn.⟩ ◆ **1.**¶ de ~e staat ⟨→huwelijks 1.1⟩.

huwelijks ⟨bn.⟩ **0.1** *marital* ⇒*matrimonial, married, conjugal, nuptial* ◆ **1.1** de ~e staat *wedlock, the married/wedded state;* ⟨kerkelijk⟩ *the estate of (holy) matrimony; (the holy estate of) matrimony;* ~e voorwaarden ⟨→huwelijksvoorwaarden⟩.

huwelijksaangifte ⟨de (v.)⟩ **0.1** *notice/notification of (intended) m.* ◆ **3.1** ~ doen *give notice of (an intended) m.;* ⟨kerkelijk⟩ *apply for the publication of the banns.*

huwelijksaankondiging ⟨de (v.)⟩ **0.1** *wedding invitation* ⇒⟨in krant⟩ *announcement of forthcoming marriage(s).*

huwelijksaanzoek ⟨het⟩ **0.1** *proposal (of marriage)* ⇒*offer of marriage* ◆ **3.1** een ~ doen *propose (to s.o.);* ⟨inf.⟩ *pop the question;* een ~ krijgen *receive a proposal (of marriage), be proposed to.*

huwelijksadvertentie ⟨de (v.)⟩ **0.1** ⟨inf.⟩ *(advertisement in the) lonely hearts column.*

huwelijksafkondiging ⟨de (v.)⟩ **0.1** *(public) notice of (intended) marriage* ⇒⟨kerkelijk⟩ *publication/proclamation of the (marriage) banns* ◆ **3.1** de ~ voorlezen ⟨kerkelijk⟩ *read/proclaim the banns.*

huwelijksakte ⟨de⟩ **0.1** *marriage certificate* ⇒*certificate of marriage,* ⟨inf.⟩ *marriage lines.*

huwelijksband ⟨de (m.)⟩ **0.1** *marriage/marital bond(s)* ⇒*bond(s) of marriage/matrimony, nuptial bond(s)/tie,* ⟨inf.⟩ *knot,* ⟨scherts.⟩ *noose* ◆ **3.1** zij zijn door de ~ verenigd *they are united in the bond(s) of marriage/matrimony.*

huwelijksbed ⟨het⟩ **0.1** [bed van een echtpaar] *marriage bed* ⇒⟨schr.⟩ *nuptial bed* **0.2** [bed waarin de huwelijksnacht wordt doorgebracht] *bridal bed* ⇒⟨schr.⟩ *nuptial bed.*

huwelijksbeletsel ⟨het⟩ **0.1** *impediment to (a) marriage.*

huwelijksbelofte ⟨de (v.)⟩ **0.1** *marriage/matrimonial vow.*

huwelijksbemiddeling ⟨de (v.)⟩ **0.1** ≠*matchmaking* ⇒⟨per computer⟩ ≠*computer dating* ◆ **1.1** bureau voor ~ ⟨→huwelijksbureau⟩.

huwelijksbootje ⟨het⟩ ◆ **6.**¶ in het ~ stappen *get married;* ⟨inf.⟩ *tie the knot;* ⟨sl.⟩ *get hitched/spliced.*

huwelijksbureau ⟨het⟩ **0.1** *marriage bureau* ⇒*dating agency, matrimonial agency,* ⟨inf.⟩ *lonely hearts bureau/agency.*

huwelijkscadeau, huwelijksgeschenk ⟨het⟩ **0.1** *wedding present/gift.*

huwelijksconsulent ⟨de (m.)⟩, -e ⟨de (v.)⟩ **0.1** *marriage (guidance) counsellor* ^A-ler.*

huwelijkscontract ⟨het⟩ **0.1** [overeenkomst aangaande huwelijkse voorwaarden] *marriage settlement/articles* ⇒ ↑*antenuptial contract* **0.2** [huwelijk als een overeenkomst beschouwd] *marriage contract* ⇒ *contract of marriage.*

huwelijksfeest ⟨het⟩ **0.1** *wedding (party/feast).*

huwelijksgebod ⟨het⟩ ⟨→huwelijksafkondiging⟩.

huwelijksgebruik ⟨het⟩ **0.1** *marriage custom(s).*

huwelijksgeluk ⟨het⟩ **0.1** *conjugal/married/marital/wedded bliss/happiness.*

huwelijksgemeenschap ⟨de (v.)⟩ **0.1** [door het huwelijk ontstane gemeenschap] *marital union;* ⟨van goederen⟩ *marital community of property/goods* **0.2** [seksuele omgang] *marital intercourse* ⇒*intercourse within marriage,* ⟨voltrekking⟩ *consummation (of marriage)* ◆ **6.1** goederen die **in** de ~ vallen *property/goods belonging to the (marital) community, community property.*

huwelijksgeschenk ⟨het⟩ **0.1** *wedding present/gift.*

huwelijksgoed ⟨het⟩ **0.1** *dowry* ⇒*(marriage) portion,* ⟨jur.⟩ *dot.*

huwelijksinzegening ⟨de (v.)⟩ **0.1** *solemnization/consecration of (a) marriage* ⇒*wedding ceremony/service* ◆ **3.1** de ~ vindt plaats op/zal geschieden door *the wedding will take place on, the marriage service will be conducted by.*

huwelijkskandidaat ⟨de (m.)⟩ **0.1** *possible partner, potential husband/ wife* ⇒⟨schr.⟩ *suitor* ◆ **2.1** hij/zij zou een uitstekende ~ zijn *he/she would be an excellent match.*

huwelijkskantoor ⟨het⟩ ⟨→huwelijksbureau.

huwelijksleven ⟨het⟩ **0.1** *married life* ⇒*marriage* ◆ **2.1** een gelukkig ~ *a happy m. l./marriage.*

huwelijksmakelaar 〈de (m.)〉 **0.1** *marriage broker* ⇒≠*matchmaker*.

huwelijksmarkt 〈de〉 **0.1** *marriage/matrimonial market*.

huwelijksmis 〈de〉 〈r.k.〉 **0.1** *nuptial mass*.

huwelijksmoeilijkheden 〈zn.mv.〉 **0.1** *marriage problems* ⇒*matrimonial/marital problems/troubles/difficulties*.

huwelijksmoraal 〈de〉 **0.1** *conjugal ethics*.

huwelijksnacht 〈de (m.)〉 **0.1** *wedding night* ◆ **7.1** de eerste ~ *the w. n.*.

huwelijksontbinding 〈de (v.)〉 **0.1** *dissolution of a marriage*.

huwelijksovereenkomst 〈de (v.)〉 →**huwelijkscontract**.

huwelijksplechtigheid 〈de (v.)〉 **0.1** *wedding* ⇒*marriage/wedding ceremony*.

huwelijksplicht 〈de〉 **0.1** *conjugal/marital duty* 〈vaak mv.〉; 〈bijslaap〉 *conjugal/marital rights*.

huwelijkspremie 〈de (v.)〉 〈AZN〉 **0.1** *marriage bonus*.

huwelijksrecht 〈het〉 **0.1** *marriage/matrimonial law*.

huwelijksregister 〈het〉 **0.1** *register of marriages* ⇒*marriage register*.

huwelijksreis 〈de〉 **0.1** *honeymoon (trip/journey)* ◆ **6.1** op ~ gaan *(go/leave on (one's)) honeymoon, go away*; zij zijn **op** ~ *they are on (their) honeymoon, they are honeymooning/honeymooners*; zij gaan **op** ~ naar Parijs *they are going to Paris for their honeymoon, they are honeymooning in Paris*.

huwelijkstrouw 〈de〉 **0.1** *conjugal/marital fidelity*.

huwelijksvoltrekking 〈de (v.)〉 **0.1** *celebration of (a) marriage* ⇒〈in kerk ook〉 *solemnization of a marriage*, ↓*wedding*.

huwelijksvoorwaarden 〈zn.mv.〉 **0.1** *marriage settlement/articles* ⇒ ↑*antenuptial contract* ◆ **6.1** trouwen **met**/**zonder** ~ *marry with/without a marriage settlement/articles*.

huwelijkszaken 〈zn.mv.〉 **0.1** *marital affairs*.

huwelijkszegen 〈de (m.)〉 **0.1** [bruidszegen] *nuptial blessing* **0.2** 〈〈fig.〉 kinderen] ≠*offspring* ⇒*issue, progeny*.

huwelijkszwendel 〈de (m.)〉 **0.1** *marriage fraud*.

huwelijkszwendelaar 〈de (m.)〉 **0.1** *marriage swindler* ⇒≠*s.o. who commits (a) breach of promise*.

huwen 〈schr.〉
I 〈onov.ww.〉 **0.1** [trouwen]〈ongemarkeerd〉 *marry, be/get married (to)* ⇒〈lit. of krantetaal〉 *wed*, 〈sl.〉 *get spliced/hitched* ◆ ¶.1 onder elkaar ~ *intermarry, marry among themselves*;
II 〈onov.ww.〉 **0.1** [tot echtgeno(o)t(e) nemen]〈ongemarkeerd〉 *marry, be/get married to* ⇒〈lit. of krantetaal〉 *wed*, 〈dicht.〉 *espouse*.

huzaar 〈de (m.)〉 **0.1** [soldaat v.d. tanks] *cavalry man/soldier* ⇒*trooper* **0.2** [〈gesch.〉] *hussar*.

huzarenmuts 〈de〉 **0.1** [muts zoals huzaren die dragen] *busby* **0.2** [lekkernij] ≠*chocolate almond*.

huzarensla 〈de〉 **0.1** ≠*Russian salad*.

huzarenstukje 〈het〉 **0.1** *dashing/daring exploit* ⇒*deed of valour, gallant/courageous deed/act* ◆ **3.1** een ~ uithalen *pull off a difficult feat*.

hyacint
I 〈de〉 **0.1** [bolplant] *hyacinth* ◆ **2.1** wilde ~ *bluebell, wild/wood h.*;
II 〈de (m.)〉 **0.1** [halfedelgesteente] *hyacinth* ⇒*jacinth, jargon*.

hyacinteglas 〈het〉 **0.1** *hyacinth glass*.

hyaliet 〈het〉 〈geol.〉 **0.1** *hyalite*.

hyalietglas 〈het〉 **0.1** *hyalit(h)e*.

hybride 〈de (m.)〉 **0.1** *hybrid* ⇒*cross* ◆ **3.1** ~n kweken/produceren *produce hybrids, hybridize, cross(breed)*.

hybridisatie 〈de (v.)〉 **0.1** *hybridization*.

hybridisch 〈bn.〉 **0.1** *hybrid* ⇒*crossbred* ◆ **1.1** een ~ woord *a h. (word)*.

hybridiseren 〈ov.ww.〉 **0.1** *hybridize*.

hybris 〈de〉 **0.1** *hubris*.

hydra 〈de〉 **0.1** [〈myth.〉] *Hydra* **0.2** [〈fig.〉] *hydra* **0.3** [〈biol.〉] *hydra*.

hydraat 〈het〉〈schei.〉 **0.1** *hydrate*.

hydrant 〈de (m.)〉 **0.1** *hydrant*.

hydrateren 〈ov.ww.〉〈schei.〉 **0.1** *hydrate*.

hydraulica 〈de (v.)〉 〈nat.〉 **0.1** *hydraulics*.

hydrauliciteit 〈de (v.)〉 **0.1** *hydraulicity*.

hydraulisch 〈bn., bw.; -ally〉 **0.1** *hydraulic* ◆ **1.1** ~e kalk/cement/mortel *h. lime/cement/mortar*; ~e kracht *h. power*; ~e pers/ram/remmen *h. press/ram/brakes*; ~e vloeistof *h. fluid*.

hydrazine 〈de〉〈schei.〉 **0.1** *hydrazine*.

hydreren 〈ov.ww.〉 **0.1** *hydrogenate*.

hydria 〈de〉 〈arch.〉 **0.1** *hydria*.

hydride 〈het〉 **0.1** *hydride*.

hydrobiologie 〈de (v.)〉 **0.1** *hydrobiology*.

hydrobiologisch 〈bn.〉 **0.1** *hydrobiological*.

hydrocefaal[1] 〈de (m.)〉 **0.1** *hydrocephalic/hydrocephalous person*.

hydrocefaal[2] 〈bn.〉 **0.1** *hydrocephalic* ⇒〈lijdend aan hydrocephalus〉 *hydrocephalous*.

hydrodynamica 〈de (v.)〉 〈nat.〉 **0.1** *hydrodynamics*.

hydrodynamisch 〈bn.〉 **0.1** *hydrodynamic(al)*.

hydro-elektrisch 〈bn.〉 **0.1** *hydroelectric*.

hydrofiel 〈bn.〉 **0.1** *hydrophilic*.

hydrofobie 〈de (v.)〉 **0.1** *hydrophobia* ⇒↓*rabies*.

hydrofoorinstallatie 〈de (v.)〉 **0.1** *fire hydrant booster* 〈mbt. bluswater〉.

hydrofyt 〈de〉 **0.1** *hydrophyte* ⇒*aquatic (plant)*.

hydrogeneren 〈ov.ww.〉 **0.1** *hydrogenate*.

hydrogenium 〈het〉〈schei.〉 **0.1** *hydrogenium* ⇒*hydrogen*.

hydrogeologie 〈de (v.)〉 **0.1** *hydrogeology*.

hydrograaf 〈de (m.)〉 **0.1** [persoon] *hydrographer* **0.2** [toestel] *hydrograph*.

hydrografie 〈de (v.)〉 **0.1** *hydrography*.

hydrografisch 〈bn.〉 **0.1** *hydrographic(al)*.

hydrologie 〈de (v.)〉 **0.1** [wetenschap] *hydrology* **0.2** [〈med.〉] *hydrotherapy*.

hydroloog 〈de (m.)〉, **-loge** 〈de (v.)〉 **0.1** *hydrologist*.

hydrolyse 〈de (v.)〉 **0.1** *hydrolysis*.

hydrolytisch 〈bn.〉 **0.1** *hydrolytic*.

hydromechanica 〈de (v.)〉 **0.1** *hydromechanics*.

hydromechanisch 〈bn.〉 **0.1** *hydrantic*.

hydrometer 〈de (m.)〉 **0.1** [vochtweger] *hydrometer* ⇒*areometer*, 〈om zwaarte van oliën te meten〉 *oil gauge*/^*gage* **0.2** [snelheidsmeter van stromend water] *water-flow meter*.

hydrometrie 〈de (v.)〉 **0.1** *hydrometry*.

hydropneumatisch 〈bn.〉 **0.1** *hydropneumatic* ◆ **1.1** ~e vering *h. suspension*.

hydropsie 〈de (v.)〉〈med.〉 **0.1** *dropsy* ⇒*hydrops(y)*.

hydrosfeer 〈de (v.)〉 **0.1** *hydrosphere*.

hydrosol 〈het, de (m.)〉〈schei.〉 **0.1** *hydrosol*.

hydrostatica 〈de (v.)〉 〈nat.〉 **0.1** *hydrostatics*.

hydrostatisch 〈bn.〉 **0.1** *hydrostatic(al)* ◆ **1.1** ~e pers *hydrostatic/hydraulic press*.

hydrotechniek 〈de (v.)〉 **0.1** *hydraulic engineering*.

hydrotherapie 〈de (v.)〉〈med.〉 **0.1** *hydrotherapy*.

hydrothermaal 〈bn.〉 〈geol.〉 **0.1** *hydrothermal*.

hydrothorax 〈de (m.)〉 〈med.〉 **0.1** *hydrothorax*.

hydrotropisme 〈het〉 〈biol.〉 **0.1** *hydrotropism*.

hydroxyde 〈het〉〈schei.〉 **0.1** *hydroxide*.

hydroxylgroep 〈de〉〈schei.〉 **0.1** *hydroxyl group/radical*.

hyena 〈de〉 **0.1** [dier] *hy(a)ena* **0.2** [persoon] *hy(a)ena* ⇒*vulture, jackal* ◆ **1.2** de ~'s v.d. slagvelden *the hyenas/scavengers of the battlefields* **2.1** bruine ~ *brown h.*, *strand wolf*; gestreepte ~ *striped h.*; gevlekte ~ *laughing/spotted h.*.

hyena-achtig 〈bn.〉 **0.1** *hy(a)ena-like* ◆ **7.1** de ~en *the Hyaenidae*.

hyenahond 〈de (m.)〉 **0.1** *hyena dog*.

hyetometer 〈de (m.)〉 **0.1** *hyetometer* ⇒*pluviometer, ombrometer*, ↓*rain gauge* ^*gage*.

hygiëne 〈de〉 **0.1** [leer v.d. gezondheidszorg] *hygiene, hygienics* **0.2** [zindelijkheid] *hygiene* ◆ **2.2** persoonlijke/intieme ~ *personal h.*.

hygiënisch
I 〈bn.〉 **0.1** [conform de gezondheidsleer] *hygienic* ⇒*sanitary* ◆ **1.1** ~e omstandigheden *sanitary conditions*; ~e voorschriften *hygiene/sanitary regulations*; ~e voorzieningen *sanitary facilities*;
II 〈bn., bw.; -ally〉 **0.1** [zindelijk, proper] *hygienic* ◆ **2.1** ~ verpakt *hygienically packed/wrapped* ¶.1 ~ te werk gaan *be h.*.

hygiënist 〈de (m.)〉 **0.1** *hygienist* ⇒*sanitationist, sanitarian*.

hygrofiet 〈de (v.)〉 **0.1** *hygrophyte*.

hygrologie 〈de (v.)〉 **0.1** *hygrology*.

hygrometer 〈de (m.)〉 **0.1** *hygrometer*.

hygrometrie 〈de (v.)〉 **0.1** *hygrometry*.

hygroscoop 〈de (m.)〉 **0.1** *hygroscope*.

hygroscopisch 〈bn.〉 **0.1** *hygroscopic*.

hymen 〈het〉〈med.〉 **0.1** *hymen* ⇒*maidenhead*.

hymeneeën 〈zn.mv.〉 **0.1** [bruiloftsliederen] *hymeneals* ⇒*epithalamiums/ia, prothalamia* **0.2** [bruiloftsfeesten] *hymeneals* ⇒*nuptials*.

hymne 〈de〉 **0.1** *hymn*.

hymnisch 〈bn.〉 **0.1** *hymnal, hymnic*.

hymnologisch 〈bn.〉 **0.1** *hymnologic(al)*.

hymnus 〈de (m.)〉 **0.1** *hymn*.

hypallage 〈de〉〈lit.〉 **0.1** *hypallage*.

hyper- **0.1** *hyper-* ⇒*ultra-, super-*.

hyperactief 〈bn.〉 **0.1** *hyperactive*.

hyper(a)emie 〈de (v.)〉〈med.〉 **0.1** *hyperaemia*.

hyperbolisch 〈bn., bw.; -(al)ly〉 **0.1** [met de vorm v.e. hyperbool] *hyperbolic(al)* **0.2** [〈lit.〉] *hyperbolic(al)*.

hyperboliseren 〈onov., ov.ww.〉 **0.1** *hyperbolize*.

hyperbolisering 〈de (v.)〉 **0.1** *hyperbole* ⇒*hyperbolism*.

hyperboloïde 〈de (v.)〉 〈wisk.〉 **0.1** *hyperboloid*.

hyperbool 〈de〉 **0.1** [〈wisk.〉] *hyperbola* **0.2** [〈lit.〉] *hyperbole* ◆ **2.1** gelijkzijdige ~ *equilateral h.*.

hypercorrect 〈bn.〉 〈taal.〉 **0.1** *hypercorrect*.

hypercorrectie 〈de (v.)〉 〈taal.〉 **0.1** *hypercorrection*.

hyperest(h)esie 〈de (v.)〉 **0.1** *hyperaesthesia*.

hyperglyc(a)emie 〈de (v.)〉 **0.1** *hyperglycaemia*.

hyperkritiek 〈de (v.)〉 **0.1** *hypercriticism*.

hyperkritisch 〈bn., bw.; -ly〉 **0.1** *hypercritical*.

hypermetamorfose 〈de (v.)〉 **0.1** *hypermetamorphosis*.

hypermetroop 〈bn.〉〈med.〉 **0.1** *hyperopic, hypermetropic(al)* ⇒ 〈ongemarkeerd〉 *long-sighted*.

hypermetropie ⟨de (v.)⟩⟨med.⟩ **0.1** *hyper(metr)opia.*

hypermodern ⟨bn., bw.⟩ **0.1** *ultramodern* ⇒⟨modieus ook⟩ *super-fashionable* ♦ **1.1** een ~ interieur *an u. interior;* ~e uitdrukkingen *u. expressions.*

hypernerveus ⟨bn.⟩ **0.1** *really/terribly/very nervous* ⇒*jittery, on edge.*

hyperplasie ⟨de (v.)⟩⟨med.⟩ **0.1** *hyperplasia.*

hypersoon ⟨bn.⟩ **0.1** *hypersonic.*

hypertensie ⟨de (v.)⟩⟨med.⟩ **0.1** *hypertension* ⇒⟨ongemarkeerd⟩ *high blood pressure.*

hyperthyreoïdie ⟨de (v.)⟩⟨med.⟩ **0.1** *hyperthyroidism* ⇒*thyrotoxicosis.*

hypertonisch ⟨bn.⟩⟨med.⟩ **0.1** *hypertonic.*

hypertrofie ⟨de (v.)⟩ **0.1** [mbt. orgaan] *hypertrophy* **0.2** [overmatige aanzwelling] *hypertrophy.*

hypertrofisch ⟨bn., bw.;-ally⟩ **0.1** *hypertrophic.*

hyperventilant ⟨de (m.)⟩ **0.1** *hyperventilation patient.*

hyperventilatie ⟨de (v.)⟩ **0.1** *hyperventilation.*

hyperventileren ⟨onov.ww.⟩ **0.1** *hyperventilate.*

hypnopedie ⟨de (v.)⟩ **0.1** *hypnopaedia* ⇒⟨ongemarkeerd⟩ *sleep-learning.*

hypnose ⟨de (v.)⟩ **0.1** [het teweegbrengen v.e. kunstmatige slaap] *hypnosis* ⇒⟨vero.⟩ *mesmerism* **0.2** [kunstmatige slaap] *hypnosis* ⇒*(hypnotic) trance, hypnotic state* ♦ **6.2** iem. onder ~ brengen *put s.o. under h., hypnotize s.o.;* onder ~ zijn/verkeren *be under h. / be in a state of h..*

hypnotherapie ⟨de (v.)⟩⟨med.⟩ **0.1** *hypnotherapy.*

hypnoticum ⟨het⟩ **0.1** *hypnotic* ⇒*soporific.*

hypnotisch ⟨bn., bw.;-ally⟩ **0.1** *hypnotic* ⇒⟨vero.⟩ *mesmeric* ♦ **1.1** ~e blik *h. gaze;* ~e slaap/toestand *h. sleep/state.*

hypnotiseren ⟨ov.ww.⟩ **0.1** [in hypnotische toestand brengen] *hypnotize* ⇒⟨vero.⟩ *mesmerize* **0.2** [⟨fig.⟩] *mesmerize* ⇒*entrance, cast a spell on /over* ♦ **1.2** zijn woorden hadden een ~d effect *his words had a hypnotic effect;* hij hypnotiseert zijn gehele omgeving *he entrances everyone/casts his/a spell all around him* **3.2** de hele zaal zat gehypnotiseerd toe te kijken *the whole audience sat spellbound/mesmerized.*

hypnotiseur ⟨de (m.)⟩ **0.1** *hypnotist* ⇒⟨therapeut⟩ *hypnotherapist,* ⟨vero.⟩ *mesmerist.*

hypo ⟨het⟩⟨foto.⟩ **0.1** *hypo* ⇒*fixer,* [↑]*sodium thiosulphate.*

hypochloriet ⟨het⟩ **0.1** *hypochlorite.*

hypochonder¹ ⟨de (m.)⟩ **0.1** *hypochondriac* ⇒*valetudinarian.*

hypochonder² ⟨bn., bw.⟩ →**hypochondrisch.**

hypochondrie ⟨de (v.)⟩ **0.1** *hypochondria* ⇒*valetudinarianism.*

hypochondrisch ⟨bn., bw.;-ally⟩ **0.1** *hypochondriac* ⇒*valetudinarian.*

hypochondrist ⟨de (m.)⟩ →**hypochonder¹.**

hypocriet¹ ⟨de (m.)⟩ **0.1** *hypocrite* ⇒⟨farizeeër⟩ *pharisee,* ↓*sham.*

hypocriet² ⟨bn., bw.;-ly⟩ **0.1** *hypocritical* ⇒⟨farizees⟩ *pharisaic(al),* ⟨schijnheilig/vroom ook⟩ *sanctimonious,* ⟨onoprecht⟩ *insincere,* ↓*sham, two-faced.*

hypocrisie ⟨de (v.)⟩ **0.1** *hypocrisy* ⇒⟨schijnheilig/vroomheid⟩ *sanctimoniousness,* ⟨onoprechtheid⟩ *insincerity,* ↓*shamming.*

hypocritisch ⟨bn., bw.⟩ →**hypocriet².**

hypodermis ⟨de⟩⟨biol.⟩ **0.1** *hypodermis* ⇒*hypoderm.*

hypofosfaat ⟨het⟩ **0.1** *hypophosphate.*

hypofyse ⟨de (v.)⟩ **0.1** *hypophysis* ⇒*pituitary (body/gland).*

hypoglyc(a)emie ⟨de (v.)⟩ **0.1** *hypoglycaemia.*

hyponiem ⟨het⟩⟨taal.⟩ **0.1** *hyponym.*

hyponymie ⟨de (v.)⟩⟨taal.⟩ **0.1** *hyponymy.*

hypoplasie ⟨de (v.)⟩⟨med.⟩ **0.1** *hypoplasia, hypoplasty.*

hyposensibilisatie ⟨de (v.)⟩⟨med.⟩ ♦ **0.1** *hyposensitization.*

hypostase ⟨de (v.)⟩ **0.1** [⟨fil.⟩] *hypostasis* **0.2** [⟨theol.⟩] *hypostasis* **0.3** [⟨med.⟩] *hypostasis.*

hypostaseren ⟨ov.ww.⟩ **0.1** *hypostatize.*

hypotactisch ⟨bn.⟩⟨taal.⟩ **0.1** *hypotactic* ⇒*subordinate.*

hypotaxis ⟨de (v.)⟩⟨taal.⟩ **0.1** *hypotaxis* ⇒*subordination.*

hypotensie ⟨de (v.)⟩⟨med.⟩ **0.1** *hypotension* ⇒⟨ongemarkeerd⟩ *low blood pressure.*

hypotenusa ⟨de⟩⟨wisk.⟩ **0.1** *hypotenuse.*

hypot(h)ecair ⟨bn.⟩ **0.1** *mortgage* ♦ **1.1** ~e akte *m. deed;* ~e lening *m. (loan), loan on m.;* ~e schuld *m. debt;* ~e schuldeiser *mortgagee, loanholder, encumbrancer;* ~e schuldenaar *mortgagor/er;* lening onder ~ verband *loan on the security of a m.;* goederen onder ~ verband *mortgaged property.*

hypothecaris ⟨de (m.)⟩ →**hypotheekhouder.**

hypot(h)eek ⟨de (v.)⟩ **0.1** [zakelijk recht op een onroerend goed] *mortgage* ⇒⟨jur. ook⟩ *hypothec,* ⟨scherts.⟩ *monkey with a long tail* **0.2** [geldsom/-lening] *mortgage* ♦ **3.1** een ~ afsluiten *effect a m.* **3.2** een ~ aflossen *pay off/redeem/discharge a m.;* een ~ nemen op een huis *take out/raise a m. on a house, m. a house;* een ~ verlenen/verstrekken *give/arrange a m.* **6.1** met een (zware/drukkende) ~ belast *(heavily) mortgaged, encumbered with a (heavy) m.;* ⟨sterker⟩ *mortgaged up to the hilt;* geld op ~ geven *advance/lend money/make a loan on m.* **6.2** er drukt/ligt/rust/staat een ~ op zijn huis, er is een ~ op zijn huis gevestigd *there is/he has a m. on his house, his house is mortgaged;* ~ op roerend goed *chattel m.* **7.1** een eerste/tweede ~

---

hebben op *hold/have a first/second m. on* ¶.**1** vrij van ~ *unencumbered.*

hypotheekaflossing ⟨de (v.)⟩ **0.1** *mortgage repayment* ⇒*redemption/repayment/discharge of a mortgage.*

hypotheekakte ⟨de⟩ **0.1** *mortgage deed.*

hypotheekbank ⟨de⟩ **0.1** *mortgage bank/company* ⇒[B]≠*building society,* [A]≠*building and loan association.*

hypotheekbewaarder ⟨de (m.)⟩ **0.1** *registrar of mortgages.*

hypotheekgever ⟨de (m.)⟩ **0.1** [geldnemer] *mortgagor, mortgager* **0.2** [⟨minder juist⟩ geldgever] (→**hypotheeknemer 0.1**).

hypotheekhouder ⟨de (m.)⟩ **0.1** *mortgagee* ⇒*loanholder, encumbrancer.*

hypotheekkantoor ⟨het⟩ **0.1** *mortgage registry office.*

hypotheeknemer ⟨de (m.)⟩ **0.1** [geldgever] *mortgagee* ⇒*loanholder, encumbrancer* **0.2** [⟨minder juist⟩ geldnemer] (→**hypotheekgever 0.1**).

hypotheekrecht ⟨het⟩ **0.1** [recht v.d. hypotheekhouder] *mortgage right* ⇒*right of the mortgagee* **0.2** [hypotheek] *mortgage.*

hypotheekregister ⟨het⟩ **0.1** *register of mortgages.*

hypotheekrente ⟨de⟩ **0.1** *mortgage interest.*

hypotheekverklaring ⟨de (v.)⟩ **0.1** *mortgage declaration.*

hypotheekverzekering ⟨de (v.)⟩ **0.1** *mortgage insurance.*

hypot(h)ekeren ⟨ov.ww.⟩ **0.1** *mortgage* ⇒⟨jur. ook⟩ *hypothecate* ♦ **1.1** het gehypothekeerd goed *the mortgaged property.*

hypot(h)ermie ⟨de (v.)⟩⟨med.⟩ **0.1** [te lage lichaamstemperatuur] *hypothermia* **0.2** [kunstmatige verlaging v.d. lichaamstemperatuur] *hypothermia.*

hypothese ⟨de (v.)⟩ **0.1** [aangenomen veronderstelling] *hypothesis* ⇒*supposition, theory* **0.2** [wetenschappelijke stelling] *hypothesis* ⇒*thesis, proposition* ♦ **3.1** een ~ opstellen *formulate/set up a h., hypothesize* **8.1** als ~ aannemen *accept as a h., hypothesize.*

hypothetisch ⟨bn., bw.;-ly⟩ **0.1** [op veronderstelling berustend] *hypothetical* ⇒*speculative, putative* **0.2** [op een wetenschappelijke stelling berustend] *hypothetical* ⇒*theoretical* ♦ **3.1** ~ gesproken *hypothetically speaking.*

hypot(h)ymie ⟨de (v.)⟩⟨med.⟩ **0.1** *hypothymia.*

hypothyreoïdie ⟨de (v.)⟩⟨med.⟩ **0.1** *hypothyroidism.*

hypotonisch ⟨bn.⟩ **0.1** *hypotonic.*

hypsometer ⟨de (m.)⟩⟨nat.⟩ **0.1** *hypsometer.*

hysop ⟨de (m.)⟩ **0.1** *hyssop.*

hysterectomie ⟨de (v.)⟩⟨med.⟩ **0.1** *hysterectomy.*

hystericus ⟨de (m.)⟩, **-ca** ⟨de (v.)⟩ **0.1** *hysteric(al person).*

hysterie ⟨de (v.)⟩⟨med.⟩ **0.1** *hysteria.*

hysterisch

I ⟨bn.⟩ **0.1** [aan hysterie lijdend] *hysterical* **0.2** [v.d. aard van hysterie] *hysterical* ♦ **1.2** ~e toevallen/aanvallen (krijgen) *(have) h. fits/attacks, (go into/have) (fits of) hysterics;*

II ⟨bn., bw.;-ly⟩ **0.1** [als v.e. hystericus] *hysterical* ♦ **1.1** ~ gekrijs *h. screaming/screams* **3.1** doe niet zo ~! *don't be/get h.!;* zij gedroegen zich ~ *they behaved hysterically, were h.;* de popster maakte het publiek ~ *the pop star made his audience h. /* ⟨inf.⟩ *drove his audience wild/* ⟨sl.⟩ *freaked out his audience;* ~ worden *go into/have hysterics, become/get h..*

hysteron-proteron ⟨het⟩⟨lit.⟩ **0.1** *hysteron proteron.*

Hz ⟨afk.⟩ **0.1** [Hertz] *Hz* ⇒*c.p.s.* ♦ **7.1** dit orkest stemt op A 440 Hz *this orchestra tunes to A four-forty.*

i ⟨de⟩ **0.1** [letter, klank] *i,I* **0.2** [namen/woorden beginnend met i] *i,I* ♦ **6.¶** de puntjes op de ~ zetten *dot the/one's i's and cross/stroke the/one's t's.*

I 0.1 [⟨afk.⟩ Italië] *I* **0.2** [Romeins cijfer] *I* ⇒*i.*

ia ⟨tw.⟩ **0.1** *heehaw.*

iaën ⟨onov.ww.⟩ **0.1** *heehaw.*

I.A.O. ⟨de (v.)⟩ ⟨afk.⟩ **0.1** [Internationale Arbeidsorganisatie] *I.L.O.* ⟨*International Labour Organization*⟩.

I-balk ⟨de (m.)⟩ **0.1** *I-beam.*

i.b.d. ⟨afk.⟩ **0.1** [in buitengewone dienst] ⟨*extraordinary*⟩ ♦ **1.1** gezant ~ *ambassador extraordinary.*

Iberiër ⟨de (m.)⟩ **0.1** *Iberian.*

Iberisch ⟨bn.⟩ **0.1** *Iberian* ♦ **1.1** het ~ schiereiland *the I. peninsula.*

ib(id) ⟨afk.⟩ **0.1** [ibidem] *ib(id)..*

ibidem ⟨bw.⟩ **0.1** *ibidem.*

ibis ⟨de (m.)⟩ **0.1** *ibis* ⇒⟨nijlreiger, door Egyptenaren vereerd⟩ *sacred ibis.*

i.b.v. ⟨afk.⟩ **0.1** [in bezit van] ⟨*in possession of*⟩.

i.c. ⟨afk.⟩ **0.1** [in casu] ⟨*in (this) case*⟩.

ichneumon ⟨de (m.)⟩ **0.1** [civetkat] *ichneumon* **0.2** [wesp] *ichneumon fly.*

ichthyografie ⟨de (v.)⟩ **0.1** *ichthyography.*

ichthyosaurus ⟨de (m.)⟩ **0.1** *ichthyosaur(us).*

ichtyofagen ⟨zn.mv.⟩ **0.1** *ichthyophagi.*

ichtyologie ⟨de (v.)⟩ **0.1** *ichthyology.*

ichtyosis ⟨de (v.)⟩ ⟨med.⟩ **0.1** *ichthyosis.*

iconisch ⟨bn.⟩ **0.1** *iconic.*

iconoclasme ⟨het⟩ **0.1** *iconoclasm.*

iconoclast ⟨de (m.)⟩ **0.1** *iconoclast.*

iconoclastisch ⟨bn.⟩ **0.1** *iconoclastic.*

iconografie ⟨de (v.)⟩ **0.1** [wetenschap] *iconography* **0.2** [beeldbeschrijving] *iconography.*

iconologie ⟨de (v.)⟩ **0.1** *iconology* ⇒*symbolism.*

icoon ⟨de⟩ **0.1** *icon.*

ICTO ⟨het⟩ ⟨afk.⟩ **0.1** [Interkerkelijk Comité voor Tweezijdige Ontwapening] ⟨*Interdenominational Committee for Bilateral Disarmament*⟩.

id. ⟨afk.⟩ **0.1** [idem] *id..*

ideaal¹ ⟨het⟩ **0.1** [modelbeeld] *ideal* ⇒*beau ideal* **0.2** [streven] *ideal* ⇒ *ambition, goal, dream* **0.3** [persoon, zaak] *ideal* ⇒*model, pattern* **0.4** [het hogere] *ideal* **0.5** ⟨wisk.⟩ *ideal* ♦ **1.2** het ~ van zijn jeugd was arts te worden *the ambition/dream of his youth was to become a doc-*

tor **2.2** haar hoogste ~ *her loftiest ambition;* prijzenswaardige idealen koesteren *cherish laudable ambitions* **3.1** zij benaderde het ~ van vrouwelijke schoonheid *she approached the i. of female beauty* **3.2** een ~ bereiken/verwezenlijken *achieve/realize an i./ ambition, attain/reach a goal, make a dream come true;* een ~ nastreven *pursue an i./ ambition/goal, follow a dream;* het verkeerde ~ nastreven *pursue a mistaken i.;* ⟨roeping⟩ *mistake one's vocation* **3.3** zij had haar ~ gevonden *she had found her i.* **6.2** iem. zonder idealen *s.o. without ideals /ambition(s)/dreams* **6.3** zich iem. **tot** ~ stellen *set s.o. up as one's i., take s.o. as a model;* zich **tot** ~ stellen om eens een boek te schrijven *have the ambition to write a book.*

ideaal² ⟨bn., bw.; -ly⟩ **0.1** [volmaakt] *ideal* ⇒*perfect* **0.2** [zoals men zich niet beter kan wensen] *ideal* ⇒*perfect,* ⟨voorbeeldig⟩ *model, exemplary* **0.3** [denkbeeldig] *ideal* ⇒*visionary, theoretical* ♦ **1.1** een ~ voorbeeld van iets *a perfect example of sth.* **1.2** ~ gereedschap *i./ perfect tools;* een ideale omgeving *a(n) i./ perfect environment;* onder ideale omstandigheden *under i. circumstances/conditions;* een ideale partner *a(n) i./ perfect/model partner/mate* **1.3** filosoferen over de ideale staat *philosophize about the i. state* **1.¶** ⟨schei.⟩ een ~ gas *a(n) ideal/perfect gas.*

ideaalbeeld ⟨het⟩ **0.1** *ideal(ized) picture/image* ♦ **3.1** een ~ creëren *create an ideal(ized) p./i..*

idealiseren ⟨ov.ww.⟩ **0.1** [beter voorstellen] *idealize* ⇒*glamorize* **0.2** [⟨bk.⟩] *idealize.*

idealisering ⟨de (v.)⟩ **0.1** [verheerlijking] *idealization* ⇒*glamorization* **0.2** [⟨bk.⟩] *idealization.*

idealisme ⟨het⟩ **0.1** [geloof aan een zedelijk ideaal] *idealism* **0.2** [⟨kunst⟩] *idealism* **0.3** [⟨fil.⟩] *idealism.*

idealist ⟨de (m.)⟩ **0.1** [iem. van een idealiserende levensopvatting] *idealist* ⇒ ⟨pej.⟩ *visionary,* ⟨scherts.⟩ *stargazer, quixote* **0.2** [iem. die idealen nastreeft] *idealist* **0.3** [⟨fil.; kunst⟩] *idealist.*

idealistisch

I ⟨bn., bw.; -ally⟩ **0.1** [als (van) een idealist] *idealistic* ⇒⟨pej.⟩ *visionary, starry-eyed* ♦ **1.1** ~e bedoelingen *i. intentions;* een ~e levensopvatting *an i. outlook on life* **3.1** iets ~ opvatten *regard/conceive/view sth. idealistically;*

II ⟨bn.⟩ **0.1** [⟨fil.⟩ van het idealisme] *idealistic.*

idealiteit ⟨de (v.)⟩ **0.1** [het ideaal zijn] *ideality* **0.2** [⟨concr.⟩] *ideality.*

idealiter ⟨bw.⟩ **0.1** *ideally* ⇒*theoretically, in theory.*

idee ⟨het, de (v.)⟩ **0.1** [gedachtenvoorstelling] *idea* ⇒*conception, notion* **0.2** [ideaal, streven] *idea* ⇒*ideal, view, principle* **0.3** [begrip] *idea* ⇒ *notion, concept(ion)* **0.4** [mening] *idea* ⇒*view, opinion* **0.5** [ingeving] *idea* **0.6** [ontwerp] *idea* ⇒*conception, plan, scheme* **0.7** [illusie] *idea* ⇒ *notion* **0.8** [zin] *notion* **0.9** [⟨fil.⟩] *idea* ⇒*concept* ♦ **1.9** de ~ van het recht *the i./ concept of justice* **2.1** zij kon het nare ~ maar niet van zich afzetten *she just couldn't shake off/ escape the strange i./ notion;* sombere ~ën *gloomy ideas/thoughts* **2.3** een globaal ~ *a broad/ general i.* **2.4** een man met bekrompen ~ën *a narrow-minded man, a man of narrow/ contracted/ parochial views;* er extreme ~ën op na houden *be extreme in one's opinions, hold extreme opinions* **2.5** een gelukkig/ goed ~ *a happy/ good i.;* een lumineus ~ *a brilliant/ bright i., a brain-wave,* ᴬ*brainstorm;* nuttige ~ën zijn altijd welkom *useful suggestions are always welcome;* een onmogelijk ~ ⟨inf.; hersenschim⟩ *a pipe dream;* ik heb zo'n vaag ~ *I have a vague/ hazy i.* **2.6** grootse ~ën hebben *think great thoughts, think big;* een uitgewerkt ~ *an elaborate scheme* **3.1** een ~ overnemen *adopt an i., borrow an i.;* zich een ~ vormen van iets *form an i. of sth.* **3.2** bedenkelijke ~ën aanhangen *hold questionable views/ opinions;* zijn eigen ~ën volgen *go one's own way* **3.3** ik had er geen ~ van dat hij getrouwd was *I had no i./ never dreamt he was married;* ze had geen ~ van grammatica *she had no i./ notion/ conception of grammar;* ik heb geen (flauw) ~ *I have no i., I haven't the faintest/ foggiest/ vaguest/ slightest/ remotest/ least i./ notion, I couldn't think/ imagine, I haven't a clue* **3.4** van ~ veranderen *change one's mind, have second thoughts, think again* **3.5** ik heb een ~ *I've got an i.; I've got it* ⟨oplossing⟩*; het ~ krijgen *get the i.;* het ~ kwam bij haar op *the i. occurred to/ came to/ suggested itself to/ struck her, it occurred to her* **4.1** wat een ~! het ~ ⟨alleen al⟩! *what an i.! the (very) i.!* **5.4** helemaal mijn ~! *just what I was thinking!* **5.5** vol ~ën *full of ideas, brimming with ideas, brimful of ideas* **6.2** met het ~ om with the i. of (…ing), with a view to (…ing)* **6.4** in het ~ dat *thinking (that), under the impression that;* volgens/ naar mijn ~ *in my opinion/ view, to my mind/ way of thinking* **6.5** een vrouw met ~ën *a woman of ideas;* op een ~ komen *think of sth., hit upon/ conceive an i.;* iem. op een ~ brengen *suggest sth. to s.o., put an i. into s.o.'s head, give s.o. an i./ suggestion;* zij kwam op het ~ om ~ *it occurred to her to, she hit upon the i. of;* hoe kwam zij op het ~? *what/ who put that i. into her head?, what made her think/ do that?* **7.3** je hebt geen ~ hoe vervelend dat is *you have no i./ cannot think/ cannot imagine how annoying that is;* hij had geen ~ meer van de tijd *he had lost all count/ track of time* **8.3** ik heb zo'n/zo het ~ dat *I rather have the i./ the notion/ the feeling that, I have half an i. that, I rather imagine that, something tells me that* **8.6** het ~ is om *the i. is to* **¶.3** om een ~ te geven *as a suggestion/ an indication, to give an i./ impression* **¶.5** iem. een ~ aan de hand doen *suggest sth. to s.o..*

ideëel ⟨bn.⟩ **0.1** [denkbeeldig] *ideal* ⇒*theoretical, imaginary, imagined* **0.2** [gericht op de verwezenlijking van een idee] *idealistic* ◆ **1.1** ~ geld *standard of value;* ~ gewicht *standard weight;* ideële goederen *higher/better/the best things (of life)* **1.2** ideële reclame *non-commercial advertising, charity advertisements;* een ideële strekking *an i. tendency.*

ideeënbus ⟨de⟩ **0.1** *suggestion box* ⇒⟨AE ook⟩ *hopper.*

ideeëngoed ⟨het⟩ **0.1** *(stock of) ideas.*

ideeënleer ⟨de⟩⟨fil.⟩ **0.1** *idealism.*

ideeënroman ⟨de (m.)⟩ **0.1** *novel of ideas.*

ideeënwereld ⟨de⟩ **0.1** ⟨mbt. persoon⟩ *conceptual world/universe* ⇒ ⟨alg.⟩ *world of ideas/thought.*

idee-fixe ⟨het, de (v.)⟩ **0.1** [dwanggedachte] *obsession* ⇒*fixed idea, idée fixe* **0.2** [⟨muz.⟩ terugkerend thema] *idée fixe* ◆ **3.1** een ~ hebben ⟨ook inf.⟩ *have a bee in one's bonnet (about).*

idem[1] ⟨o⟩ **0.1** *idem* ◆ ¶.**1** ⟨scherts.⟩ ~ dito *same here, join the club.*

idem[2] ⟨bw.⟩ **0.1** *idem* ◆ **7.1** ~ zoveel *just as much.*

identiek ⟨bn.⟩ **0.1** *identical (with/to)* ◆ **1.1** die gevallen zijn ~ *these cases are i.;* een ~e tweeling *i. twins.*

identificateur ⟨de (m.)⟩ **0.1** *specification writer.*

identificatie ⟨de (v.)⟩ **0.1** [vereenzelviging] *identification* **0.2** [vaststelling van de identiteit] *identification.*

identificatieproces ⟨het⟩ **0.1** *identification process* ◆ **6.1** het ~ van peuters met de moeder *the process by which toddlers identify with their mothers.*

identificeerbaar ⟨bn.⟩ **0.1** *identifiable.*

identificeren ⟨ov.ww.⟩ **0.1** [de identiteit vaststellen] *identify* **0.2** [vereenzelvigen] *identify* ◆ **4.1** zich ~ *i. o.s., give evidence of/prove/establish one's identity* **4.2** zich ~ met *i. (o.s.)* with **7.1** het ~ van honden *the indentification of dogs.*

identiteit ⟨de (v.)⟩ **0.1** [persoonlijkheid] *identity* **0.2** [gelijkheid] *identity* **0.3** [specifiek karakter] *identity* ⇒*individuality, character* **0.4** [⟨wisk.⟩] *identity* ◆ **1.1** het vaststellen van de ~ *the identification* **1.2** de ~ van beide handschriften was treffend *the likeness of the two hands was striking* **2.3** hij heeft geen eigen ~ *he has no character* **3.1** zijn ~ bewijzen *give evidence of/prove/establish one's i.;* de ~ vaststellen van *establish/ascertain the i. of.*

identiteitsbewijs ⟨het⟩ **0.1** [persoonsbewijs] *identity card* ⇒*identity certificate, ID card, identification (card)* **0.2** [bewijs van gelijkheid] *proof of identity* ⇒*evidence of identity.*

identiteitscrisis ⟨de (v.)⟩ **0.1** *identity crisis.*

identiteitskaart ⟨de⟩ **0.1** *identity/*⟨inf.⟩ *ID card.*

identiteitspapieren ⟨zn.mv.⟩ **0.1** *identity/identification papers* ⇒*papers of identification.*

identiteitsplaatje ⟨het⟩ **0.1** *identification disc* ⇒*identification plate.*

identiteitsverlies ⟨het⟩ **0.1** *loss of identity.*

ideografie ⟨de (v.)⟩ **0.1** *ideography.*

ideogram ⟨het⟩ **0.1** *ideogram* ⇒*ideograph.*

ideologie ⟨de (v.)⟩ **0.1** [ideeën ten grondslag aan een wijsgerig stelsel] *ideology* **0.2** [op eenzijdige opvattingen berustend stelsel] *ideology* ⇒ *ism, dogma.*

ideologisch ⟨bn.;bw.;-ly⟩ **0.1** *ideological* ◆ **1.1** ~e beïnvloeding *indoctrination;* een ~ conflict *an i. conflict, a conflict of ideologies.*

ideologiseren ⟨ov.ww.⟩ **0.1** *ideologize.*

ideoloog ⟨de (m.)⟩ **0.1** [iem. die een ideologie opstelt] *ideologist* ⇒*ideologue* **0.2** [aanhanger van een ideologie] *ideologist* ⇒*ideologue.*

idiofoon ⟨bn.⟩ ⟨muz.⟩ **0.1** *idiophonic.*

idiolect ⟨het⟩ **0.1** *idiolect.*

idiomatisch ⟨bn.⟩ **0.1** *idiomatic* ◆ **1.1** ~e uitdrukkingen *idioms, i. expressions.*

idioom ⟨het⟩ **0.1** [taaleigenaardigheid] *idiom* **0.2** [idiolect] *idiom* ⇒*idiolect, phraseology* **0.3** [dialect] *idiom* ⇒*dialect, language, vernacular.*

idioot[1] ⟨de (m.)⟩ **0.1** [geesteszieke] *idiot* **0.2** [als scheldwoord] *idiot* ⇒ *fool, moron, ass, nitwit* **0.3** [iem. met overdreven aandacht voor iets] ⟨als tweede deel in samenst.⟩ *freak* ⇒*nut* ◆ **1.2** een stelletje idioten *a parcel of idiots, a pack of fools* **2.2** een geboren ~ *a born i./fool;* een volslagen ~ *a regular/utter/absolute/perfect/positive fool/i./moron/ ass, a raving i.* **8.2** zich als een ~ gedragen *make a (perfect) i./fool/ass of o.s., behave idiotically.*

idioot[2] ⟨bn.,bw.;-(al)ly⟩ **0.1** [zwakzinnig] *idiotic* **0.2** [bespottelijk] *idiotic* ⇒*foolish, silly, asinine, crazy* ◆ **1.1** een idiote patiënt *a mentally handicapped patient* **1.2** een idiote vraag *a(n) i./silly/foolish question* **3.2** doe niet zo ~ *don't be so silly/foolish, don't be such a fool/idiot/ ass.*

idiopatisch ⟨bn.⟩⟨med.⟩ **0.1** *idiopathic.*

idiosyncrasie ⟨de (v.)⟩ **0.1** [eigenaardigheid] *idiosyncrasy* **0.2** [⟨med.⟩] *idiosyncrasy* **0.3** [eigenaardigheid mbt. taalgebruik] *idiosyncrasy.*

idiosyncratisch ⟨bn.⟩ **0.1** [van de aard van idiosyncrasie] *idiosyncratic* **0.2** [eigen] *idiosyncratic.*

idioterie ⟨de (v.)⟩ **0.1** [onzinnigheid] *idiocy* ⇒*foolishness, folly, madness, insanity* **0.2** [uiting, handeling] *idiocy* ⇒*foolishness, folly, madness, insanity.*

idioticon ⟨het⟩ **0.1** *idioticon.*

idiotie ⟨de (v.)⟩ **0.1** [zwakzinnigheid] *idiocy* **0.2** [dwaasheid] *idiocy* ⇒ *foolishness, folly, madness, insanity.*

idiotisme ⟨het⟩ **0.1** [spreekwijze, woord van een idioom] *idiotism* ⇒ *idiom* **0.2** [toestand van geestelijke zwakte] *idiotism* ⇒*idiocy* **0.3** [stommiteit] *idiotism* ⇒*idiocy, folly, madness, foolishness.*

idolaat ⟨bn., bw.⟩ **0.1** *idolatrous* ◆ **3.1** iem. ~ vereren *idolize/worship s.o.* **6.1** ~ van iem./iets zijn *be infatuated with s.o./sth., be mad/wild about s.o./sth.;* ⟨inf.⟩ *be nuts about/on s.o./sth..*

idolatrie ⟨de (v.)⟩ **0.1** *idolatry.*

idool ⟨het⟩ **0.1** [afgod] *idol* ⇒*image* **0.2** [⟨fig.⟩ aanbeden figuur] *idol* ⇒ ⟨pej.⟩ *little tin god, holy cow.*

idylle ⟨de⟩ **0.1** [dichterlijke schildering] *idyl(l)* ⇒*pastoral, romance* **0.2** [omstandigheden] *idyl(l)* ⇒*paradise* **0.3** [liefdesverhouding] *idyl(l).*

idyllisch ⟨bn.;-(al)ly⟩ **0.1** [bekoorlijk] *idyllic* ⇒*pastoral* **0.2** [in de trant van een idylle] *idyllic* ⇒*romantic* ◆ **1.1** een ~ plekje *an i. spot;* een ~ tafereel *a(n) i./pastoral scene* **1.2** een ~ verhaal *a(n) i./romantic story* **2.1** ~ gelegen *idyllically situated.*

ie ⟨pers.vnw.⟩⟨inf.⟩ **0.1** *he* ⇒⟨ding⟩ *it* ◆ **3.1** daar gaat-i(e) *there he goes!;* ⟨drankje⟩ *(t)here goes!, bottoms up!.*

i.e. ⟨afk.⟩ **0.1** [id est] *i.e..*

iebel ⟨bn.⟩⟨inf.⟩ **0.1** *edgy* ◆ **3.1** je wordt ~ van die vent/die herrie *that guy/racket sets my teeth on edge.*

-ieder ⟨onb.vnw.⟩ ⟨→sprw. 309,310,681⟩ **0.1** [⟨bijv.⟩]⟨tezamen;meer dan twee⟩ *every;* ⟨afzonderlijk;twee of meer⟩ *each;* ⟨welk dan ook⟩ *any* **0.2** [⟨zelfst.⟩] *everyone, everybody; each (one); anyone, anybody* ◆ **1.1** het kan ~e dag *it may be over/finish any day* ⟨now⟩;werkelijk ~e dag *every single day, each and every day;* ze komt ~e dag *she comes every day;* in ~e hand *in each hand;* ~ mens moet sterven *everyone must die* **1.2** het is ~s belang *it is in everyone's/everybody's/the general interest;* tot ~s verbazing *to everyone's/everybody's surprise, to the surprise of everyone/everybody* **3.2** ~ bereidde zich voor *everyone prepared themselves;* we kregen ~ honderd gulden *we received one hundred guilders each, each of us/we each received one hundred guilders* **6.2** ~ van *each of us, every one of us* **7.2** een ~, everyone, everybody* ¶.2 ~ het zijne *(give) everyone his due;* ~ voor zich *every man for himself.*

iedereen ⟨onb.vnw.⟩ ⟨→sprw. 676⟩ **0.1** *everyone, everybody, all;* ⟨wie dan ook⟩ *anybody, anyone* ◆ **1.1** dat is niet ~z'n werk *that is no job for just anybody/anyone* **3.1** jij bent niet ~ *you're not just anybody;* ~ een hand geven *shake everyone's/everybody's hand;* ~ kent er ~ *everybody knows everybody there;* ~ spreekt erover *everyone/everybody is talking about it, it's the talk of the town* **6.1** ik wil dit tegenover ~ verdedigen *I'm prepared to defend this against all comers;* een loonsverhoging voor ~ *a wage increase across the board;* genoeg voor ~ *enough for everybody/to go round.*

iegelijk ⟨onb.vnw.⟩⟨schr.;arch.⟩ **0.1** [ongemarkeerd] *every; each; any* ◆ **1.1** een ~ mens *everyone, every man* **7.1** ⟨zelfst.⟩ elk en een ~ *each and every one, all and sundry, one and all.*

iel ⟨bn.,bw.;-ly⟩ **0.1** *thin* ⇒*puny, scrawny, meagre* ◆ **1.1** een ~ kind *a. t./puny child;* ~e ledematen *t./puny limbs;* een ~ mannetje *a scrawny/puny fellow, a weakling;* een ~ rokje *a narrow/tight skirt* ⟨te krap⟩;*a shortish skirt* ⟨te kort⟩;*a thin/flimsy skirt* ⟨van te dunne/goedkope stof⟩ **3.1** hij zag er wat ~ uit ⟨ongezond⟩ *he looked a bit off-colour.*

iemand ⟨onb.vnw.⟩ ⟨→sprw. 660⟩ **0.1** [deze of gene] *someone* ⇒*somebody,* ⟨in ontkennende/neutraal vragende zinnen⟩ *anyone, anybody* **0.2** [een ieder] *someone* ⇒*somebody,* ⟨in ontkennende/neutraal vragende zinnen⟩ *anyone, anybody, everyone, everybody* **0.3** [persoon met invloed] *somebody* ⇒ ⟨in ontkennende/ neutraal vragende zinnen⟩ *anybody* **0.4** [persoon(lijkheid)] *someone* ⇒*somebody, person, man, woman* ◆ **2.4** een belangrijk ~ in die kringen *a big name/a big noise in those circles;* een onbeduidend ~ *a nobody;* een speciaal ~ *someone special, a special someone;* een sympathiek ~ *a likable person;* (een) zeker ~ *vertrouwde mij dat toe a certain someone/somebody confided this to me* **3.1** ~ belde *somebody/someone rang;* is daar ~? *is (there) anybody there?;* hij wilde niet dat ~ het wist *he didn't want anyone/anybody to know* **3.3** hij is niet zomaar ~ *he's not just anybody* **4.1** hij is niet ~ die makkelijk opgeeft *he is not one to give up easily;* ~, die zo rijk is *one so rich;* zij maakte de indruk van ~ die *she gave the impression of being someone/a woman who* **5.2** ~ anders *someone/somebody else;* zo ~ doet dat niet *someone like that/somebody like that/wouldn't do such a thing* **6.1** is er ~ onder u, die *is there anyone here who;* ~ van het publiek/het personeel *a member of the public/the staff* ¶.2 wat maken ze het ~ toch lastig *they do like to make things difficult (for everyone).*

iep ⟨de (m.)⟩ **0.1** *elm.*

iepeboom ⟨de (m.)⟩ **0.1** *elm (tree).*

iepen ⟨bn.⟩ **0.1** *elm.*

iepziekte ⟨de (v.)⟩ **0.1** *Dutch elm disease.*

Ier ⟨de (m.)⟩ **0.1** [persoon] *Irishman* **0.2** [paard] *Irish horse* ◆ **7.1** tien ~en *ten Irishmen* ¶.1 de ~en *the Irish.*

Ierland ⟨het⟩ **0.1** [eiland] *(island of) Ireland;* ⟨lit.⟩ *Erin, Emerald Isle, Hibernia* **0.2** [republiek] *Republic of Ireland* ⇒*Eire.*

Iers[1] ⟨het⟩ **0.1** *Irish.*

Iers² 〈bn.〉 **0.1** *Irish* ◆ **1.1** ~e setter *I. setter*.
Ierse 〈de (v.)〉 **0.1** *Irishwoman*.
iets¹ 〈het〉 **0.1** *something* ◆ **2.1** een mysterieus ~ *s. mysterious, a myste-rious s.*; een onstoffelijk ~ *s. spiritual / immaterial*; dat is een verve-lend ~ *that is a nuisance / bother*.
iets² 〈bw.〉 **0.1** *a bit* ⇒ *a little, slightly, a shade*, ↑*somewhat* ◆ **2.1** ben je hier ~ gelukkiger? *are you any happier here?* **3.1** als zij er ~ om gaf *if she cared at all*; die muur wijkt ~ *that wall leans a bit / slightly* **5.1** we moeten ~ vroeger weggaan *we must leave a bit / a little / slightly earlier*.
iets³ 〈onb.vnw.〉 **0.1** [enig ding] *something* ⇒ 〈in ontkennende / neutraal vragende zinnen〉 *anything* **0.2** [een ding in meer bepaalde opvatting] *something* ⇒ 〈in ontkennende / neutraal vragende zinnen〉 *anything* **0.3** [een beetje] *something* ⇒ *a little / bit* **0.4** [heel wat] *something* ⇒ *quite a bit* **0.5** [zaak, persoon van betekenis] *something* ⇒ 〈persoon ook〉 *somebody* ◆ **2.2** zijn houding heeft ~ brutaals *there is a touch of insolence in his manner*; het heeft ~ gezelligs *it has a(n) touch / air of cosiness*; ~ lekkers / moois *s. tasty / beautiful* **3.1** wij hebben met Kerst-mis voor 't laatst ~ van haar gehoord *we last heard from her at Christ-mas*; hij heeft ~ 〈ondefinieerbare kwaliteit〉 *he has s. about him*; 〈ir-ritatie〉 *s.'s bothering him / the matter with him*; 〈ziekte〉 *s.'s / there's s. the matter with him* **3.2** ze heeft ~ met hem *she's got s. going with him*; als er ~ is dat ik haat *if there's one thing I hate*; ~ omdoen / aantrekken *put s. on*; daar zit ~ in *there's s. in / to that, there's some truth in that, you've got s. there* **3.3** dat heeft er al ~ van *that's more like it, that's better*; ~ van iem. (weg)hebben *be rather like s.o., bear a remote like-ness to s.o.* **3.4** zij bezit nogal ~ *she's worth quite a bit*; zij kan ~ *she's good* **3.5** iedereen die ~ is *everybody who is anybody*; van niets ~ ma-ken 〈fig.〉 *make s. out of nothing, make a mountain out of a molehill*; dat wil zeker wel ~ zeggen *that is saying a good deal, that is no mean thing*; ~ zijn *be somebody* **4.2** dat is ~ *dat ik niet kan zetten that is s. / one thing I can't stand*; ~ dergelijks *s. like that / of the sort / of the kind, such a thing, that sort of thing* **5.2** dat is ~ anders *that's s. else / differ-ent*; 〈fig.〉 *that's another / a different matter / case*; en dan (is er) nog ~ *and another thing*; ik hoorde zo ~ *I was told as much*; zo ~ heb ik nog nooit gezien *I have never seen anything like it*; er is ook nog zo ~ als *there is such a thing as*; zo ~ doet men niet *that's not done* **6.2** met ~ van verbazing in zijn stem *with s. like / a touch of surprise in his voice*; dat is ~ van later zorg *we'll cross that bridge when we come to it*; (echt) ~ voor jou 〈het zal je aanstaan; ook scherts.〉 *that would suit you (down to the ground), that would appeal to you, that's (right) up your street / in your line*; 〈van jou te verwachten〉 *that's (just) like you, that's you all over, you would* **8.1** (zo koud) als ~ *(as cold) as anything* ¶**.3** beter ~ dan niets *s. is better than nothing*.
ietsepietsie → *pietsje*.
ietsje 〈het〉 **0.1** *a bit (of)* ⇒ *a little*, 〈voor bn. ook〉 *a trifle, a shade* ◆ **1.1** een ~ zout *a pinch of / a bit of / a little salt* **2.1** een ~ beter *a bit / a little better*; een ~ te gaar *a tiny bit / inf.〉 wee bit / trifle / shade overdone*.
ietsjes 〈bw.〉 **0.1** *a bit* ⇒ *a little, slightly, a shade* ◆ **1.1** het is ~ zout *it's a bit / a little / slightly salty* **5.1** zij was er ~ eerder *she was there a bit / a little / slightly earlier*.
ietwat¹ 〈bw.〉 **0.1** *somewhat* ⇒ *slightly* ◆ **2.1** de zieke is ~ beter *the pa-tient is somewhat / slightly better*.
ietwat² 〈onb.vnw.〉 〈schr.〉 **0.1** [ongemarkeerd] *something* ⇒ 〈in ont-kennende / neutraal vragende zinnen〉 *anything*.
iezegrim 〈de (m.)〉 **0.1** *grump* ⇒ *grouser, grouch*.
iglo 〈de (m.)〉 **0.1** *igloo*.
ignorant¹ 〈de (m.)〉 **0.1** *ignoramus*.
ignorant² 〈bn.〉 **0.1** *ignorant*.
ignorantie 〈de (v.)〉 **0.1** *ignorance*.
ignoreren 〈ov.ww.〉 **0.1** [negeren] *ignore* ⇒ *disregard* **0.2** [niet weten] *be ignorant of*.
i-grec 〈de〉 **0.1** *y*.
i.g.st. 〈afk.〉 **0.1** [in goede staat] 〈*in good condition*〉.
i.g.z. 〈afk.〉 **0.1** [in geheime zitting] 〈*in secret session*〉, 〈jur.〉 〈*in came-ra*〉.
i.h.a. 〈afk.〉 **0.1** [in het algemeen] 〈*generally*〉.
i.h.b. 〈afk.〉 **0.1** [in het bijzonder] 〈*specifically*〉, 〈*especially*〉.
ij 〈de〉 **0.1** *(Dutch) 'ij'* ◆ **2.1** lange ~ *(Dutch) 'ij'*.
ijdel 〈bn., bw.; -ly〉 **0.1** [behaagziek] *vain* ⇒ *conceited* **0.2** [verwaand] *vain* ⇒ *conceited* **0.3** [zonder enige grond] *vain* ⇒ *groundless, idle* **0.4** [onbetekenend] *vain* ⇒ *empty, idle* ◆ **1.1** een ~ meisje *a v. girl, a co-quette*; ~ vertoon *showing off* **1.2** 〈fig.〉 een ~ kwast *a conceited / pompous ass, a stuck-up fool* **1.3** ~e hoop *v. hope*; een ~e vrees *a(n) unfounded / groundless fear* **1.4** een ~e poging *a v. attempt*; ~e woor-den *idle / empty talk* **3.3** Gods naam ~ gebruiken *take God's name in v.* **6.1** ~ zijn op *be conceited about*.
ijdelheid 〈de (v.)〉 **0.1** [pronkzucht] *vanity* **0.2** [verwaandheid] *vanity* ⇒ *conceit(edness), self-esteem* **0.3** [vergankelijkheid] *vanity* **0.4** [nietig-heid] *vanity* ⇒ *futility* ◆ **1.2** ~ der ijdelheden *v. of vanities* **1.3** de ijdelheden van deze wereld *the v. / vanities of this world* **2.1** gekrenk-te ~ *injured v. / pride* **3.2** het streelde zijn ~ *it flattered his v.*.
ijdeltuit 〈de〉 **0.1** [iem. die erg ijdel is] *vain creature* ⇒ 〈man ook〉 *cox-comb, dandy*, 〈vrouw ook〉 *coquette* **0.2** [iem. die met zichzelf inge-nomen is] *pompous ass* ⇒ *stuck-up / self-important fool, conceited ass*.

ijdeltuiterij 〈de (v.)〉 **0.1** [pronk] *vanity* ⇒ *show* **0.2** [handelingen] *show-ing off* ⇒ 〈behaagziek gedrag〉 *coquetry* **0.3** [hoedanigheid] *vanity* ⇒ *conceit(edness)*.
ijk 〈de (m.)〉 **0.1** [merk] *stamp* **0.2** [handeling] *calibration* ⇒ *gauging*, ᴬ*gaging, verifying (and stamping)* **0.3** [plaats] *(department of) weights and measures* ◆ **3.1** een ~ zetten op *stamp*.
ijken 〈ov.ww.〉 **0.1** [merken] *calibrate* ⇒ *gauge*, ᴬ*gage, verify (and stamp)* **0.2** [als gangbaar erkennen] 〈→*geijkt*〉 ◆ **1.1** een thermome-ter ~ *c. a thermometer*.
ijker 〈de (m.)〉 **0.1** *inspector of weights and measures* ⇒ *gauger*, ᴬ*gager*.
ijkgeld 〈het〉 **0.1** *charge for testing weights and measures*.
ijkgewicht 〈het〉 **0.1** *standard weight*.
ijking 〈de (v.)〉 **0.1** [handeling] *calibration* ⇒ *gauging*, ᴬ*gaging, verifying (and stamping)* **0.2** [keer] *calibration* ⇒ *gauging*, ᴬ*gaging, verifying (and stamping)*.
ijkkantoor 〈het〉 **0.1** *assay / gauging / ᴬgaging / weights and measures of-fice*.
ijkmaat 〈de〉 **0.1** *standard measure*.
ijkmeester 〈de (m.)〉 **0.1** *inspector of weights and measures* ⇒ *gauger*, ᴬ*gager*.
ijkmerk 〈het〉 **0.1** *stamp* ⇒ 〈brandmerk〉 *brand*.
ijkvoorschrift 〈het〉 **0.1** *calibration instructions*.
ijkwezen 〈het〉 **0.1** [alles wat met ijken in verband staat] *the inspection of weights and measures* **0.2** [rijksinstelling] *(the department of) weights and measures*.
ijl¹ 〈de〉 〈schr.〉 **0.1** *haste* ⇒ *speed* ◆ **6.1** in aller ~ *in great h., posthaste, with all speed*; in der ~ *in h.*.
ijl² 〈bn.〉 **0.1** [van geringe dichtheid] *rarefied* ⇒ *rare* **0.2** [leeg] *empty* ⇒ *void* **0.3** [met veel tussenruimte] *thin* **0.4** [enigszins duizelig] *light-headed* ◆ **1.1** ~e lucht *thin / rare / tenuous / rarefied air* **1.2** ~e haring *spent / shotten herring*; de ~e ruimte *the void, the e. space* **1.3** ~ linnen *loosely woven / loose-weave linen*; de doorzichtige, ~e wolken *the t. / wispy, transparent clouds* **3.4** ik ben zo ~ in mijn hoofd *I am so l.*.
ijlbode 〈de (m.)〉 **0.1** [koerier] *courier* ⇒ *express (messenger)* **0.2** [ex-presse] *courier* ⇒ *express (messenger)*.
ijlen 〈onov.ww.〉 **0.1** [haasten] *hasten* ⇒ *make haste*, ↓*hurry* **0.2** [ver-ward spreken door koorts] *be delirious* ⇒ *ramble*, 〈wild〉 *rave* **0.3** [onzin uitslaan] *rave* ◆ **1.1** in ~de vaart *posthaste, with all speed, in great haste* **4.3** 〈inf.〉 je ijlt! *you're talking nonsense, (stuff and) non-sense!*; 〈vulg.〉 *bullshit!*.
ijlgoed 〈het〉 **0.1** *express goods*.
ijlheid 〈de (v.)〉 **0.1** [geringe dichtheid] *rareness* ⇒ *rarity* **0.2** [losheid, dunheid] *thinness*.
ijlhoofdig 〈bn.〉 **0.1** *lightheaded* ⇒ 〈door koorts〉 *delirious, confused*, 〈onnadenkend〉 *empty-headed, thoughtless*.
ijlings 〈bw.〉 **0.1** *posthaste* ⇒ *with all speed, in great haste* ◆ **3.1** iem. ~ naar het ziekenhuis brengen *rush s.o. to hospital*; ~ komen aanstor-men *come tearing along / in*.
ijlkoorts 〈de〉 **0.1** *delirium*.
ijltempo 〈het〉 **0.1** *top speed* ⇒ *great haste* ◆ **6.1** in ~ *at top speed, with all speed, in great haste*.
ijs 〈het〉 **0.1** [bevroren water] *ice* **0.2** [bevroren laag van een watervlak] *ice* **0.3** [lekkernij] *ice cream* **0.4** 〈fig.〉 *ice* ◆ **1.2** 〈fig.〉 hij gaat niet over één nacht ~ *he doesn't skate on thin i., he plays it safe, he looks before he leaps* **1.3** een portie ~ *a(n) (serving / helping of) i. c.*, ᴮ*an ice* **1.¶** ~en weder dienende *(wind and) weather permitting* **2.2** 〈fig.〉 op glad ~ staan, zich op glad ~ bevinden *skate on thin i., be out of one's depth, be on dangerous / slippery ground*; 〈fig.〉 zich op glad ~ bege-ven / wagen *skate on thin i., go beyond / out of one's depth, tread on dangerous ground* **3.2** het ~ breken 〈ook fig.〉 *break the i.*; veel ~ ge-bruiken 〈sport〉 ⇒ *use a wide gliding stride*; het ~ houdt / houdt nog niet *the i. is / is not yet thick enough (to bear one's weight)*; de haven was door ~ gesloten *the port was i. bound / closed off by i.* **6.1** in ~ houden *keep on i. / in cold storage*; in ~ zetten *put on i.*; met ~ gekoel-de drank *an iced drink, a drink on the rocks*; ik drink m'n whisky zon-der ~ of water *I drink my whisk(e)y neat / straight* **6.2** 〈fig.〉 (met st.-juttemis) als de kalveren op het ~ dansen *when pigs fly, when two Sundays come together*; 〈AE〉 *when hell freezes over*; jong en oud begaf zich op het ~ *young and old took to the i.*; over het ~ lopen *walk across the i.*; 〈fig.〉 (goed) beslagen ten ~ komen *come fully / well pre-pared (for), have done one's homework*; de haven is vrij van ~ *the port is clear of i.*.
ijsaanzetting 〈de (v.)〉 **0.1** *icing up / over* ⇒ 〈vliegtuig〉 *ice accretion*.
ijsafzetting 〈de (v.)〉 **0.1** *icing up / over* ⇒ 〈vliegtuig〉 *ice accretion*.
ijsbaan 〈de〉 **0.1** *skating rink* ⇒ *ice(-skating) rink*.
ijsbal 〈de (m.)〉 **0.1** *hard snowball*.
ijsbank 〈de〉 **0.1** *ice pack*; 〈grote ijsschots〉 *ice-floe*.
ijsbeer 〈de (m.)〉 **0.1** *polar bear* ⇒ *white bear*.
ijsberen 〈onov.ww.〉 **0.1** *pace up and down* ⇒ *pace to and fro* ◆ **3.1** hij liep te ~ door zijn kamer *he paced up and down the room*; op het dek lopen te ~ *pace the deck*.
ijsberg 〈de (m.)〉 **0.1** *iceberg* ◆ **1.1** het topje van de ~ 〈ook fig.〉 *the tip of the i.*.

ijsbergsla ⟨de⟩ **0.1** *iceberg lettuce*.
ijsbericht ⟨het⟩ **0.1** *ice report (for waterways)*.
ijsbestrijder ⟨de (m.)⟩ ⟨luchtv.⟩ **0.1** *de-icer*.
ijsblauw ⟨bn.⟩ **0.1** *ice-blue*.
ijsbloemen ⟨zn.mv.⟩ **0.1** *frostwork* ⇒*frost flowers*.
ijsblokje ⟨het⟩ **0.1** *ice cube*.
ijsbok ⟨de (m.)⟩ **0.1** *ice-apron*.
ijsbreker ⟨de (m.)⟩ **0.1** [vaartuig] *icebreaker* ⇒*iceboat* **0.2** [bekleding voor de boeg] *icebreaker* **0.3** [ijsbok] *ice-apron*.
ijsclub ⟨de⟩ **0.1** [vereniging tot beoefening van de ijssport] *skating club* **0.2** [vereniging die ijsbanen onderhoudt] *skating club* **0.3** [ijsbaan] *skating club (rink)*.
ijsco ⟨de (m.)⟩ **0.1** *ice cream* ⇒ᴮ*ice*, ⟨waterijsje⟩ ᴮ*ice lolly*, ᴬ*pop(sicle)*.
ijscokar ⟨de⟩ **0.1** *ice-cream (vendor's) barrow/cart/wagon*/ ᴬ*waggon*.
ijscoman ⟨de (m.)⟩ **0.1** *ice-cream man* ⇒*ice-cream vendor*.
ijscompres ⟨het⟩ **0.1** *ice bag/pack*.
ijsdam ⟨de⟩ **0.1** *ice dam/jam*.
ijsduiker ⟨de (m.)⟩ **0.1** *great northern diver*.
ijseend ⟨de⟩ **0.1** *long-tailed duck*.
ijselijk ⟨bn., bw.;-ly⟩ **0.1** [afgrijselijk] *hideous* ⇒*dreadful, terrible, horrible, ghastly* **0.2** [hevig] *dreadful* ⇒*terrible, horrible, fearful, frightful* ◆ **1.1** een ~ daad *a(n) hideous/horrible/gruesome/atrocious deed*; een ~ gil *a blood-curdling scream* **2.2** ~ koud *dreadfully/terribly/horribly/frightfully/fearfully cold*; ~ lelijk *hideously/terribly ugly, hideous, repulsive*.
ijsemmer ⟨de (m.)⟩ **0.1** *ice bucket*.
ijsfabriek ⟨de (v.)⟩ **0.1** *ice factory* ⇒⟨consumptieijs⟩ *ice-cream factory*.
ijsgang ⟨de (m.)⟩ **0.1** *floating ice* ⇒*debacle, break-up of ice*.
ijsglas ⟨het⟩ **0.1** *frosted glass*.
ijshanden ⟨zn.mv.⟩ ⟨inf.⟩ **0.1** *freezing hands* ⇒*frozen/ice-cold/icy(-cold) hands*, ⟨winterhanden⟩ *frostbitten hands*.
ijsheilige ⟨de (m.)⟩ ⟨lett.⟩ *Ice Saint*; ⟨mv.;fig.⟩ *late spring*.
ijshockey ⟨het⟩ **0.1** *ice hockey* ⇒⟨AE vnl.⟩ *hockey*.
ijshockeyschaats ⟨de⟩ **0.1** *(ice-)hockey skate*.
ijshockeyspeler ⟨de (m.)⟩, **-ster** ⟨de (v.)⟩ **0.1** *ice hockey player* ⇒⟨AE vnl.⟩ *hockey player*.
ijshoen ⟨het⟩ **0.1** *sheathbill*.
ijshut ⟨de⟩ **0.1** *igloo*.
ijsje ⟨het⟩ **0.1** *ice cream* ⇒ᴮ*ice*, ⟨waterijsje⟩ ᴮ*ice lolly*, ᴬ*pop(sicle)*.
ijskap ⟨de⟩ **0.1** *ice cap*.
ijskar ⟨de⟩ **0.1** *ice-cream cart*/ᴬ*wagon*.
ijskast ⟨de⟩ **0.1** *refrigerator* ⇒⟨inf.⟩ *fridge* ⟨AE ook⟩ *icebox* ◆ **6.1** iets in de ~ zetten/bergen ⟨ook fig.⟩ *put sth. in cold storage*; ⟨fig.⟩ *shelve sth., put sth. on ice*; ⟨fig.⟩ de plannen zijn in de ~ gezet *the plans have been mothballed*.
ijskegel ⟨de (m.)⟩ **0.1** *icicle*.
ijskelder ⟨de (m.)⟩ **0.1** [kelder] *icehouse* **0.2** [⟨fig.⟩ zeer koud vertrek] *icehouse* ⇒*icebox*.
ijskist ⟨de⟩ **0.1** *icebox*.
ijsklomp ⟨de (m.)⟩ **0.1** *lump of ice* ⇒⟨gevoelloos iemand⟩ *iceberg* ◆ **3.1** ik ben net een ~ *I'm frozen stiff/to the bone*.
ijskonijn ⟨het⟩ ⟨scherts.⟩ **0.1** *iceberg* ⇒*marble statue*.
ijskorst ⟨de⟩ **0.1** *crust of ice*.
ijskoud ⟨bn., bw.;-ly⟩ **0.1** [zo koud als ijs] *ice-cold* ⇒*icy(-cold), freezing, frozen*, ⟨door kou aangetast⟩ *frostbitten* **0.2** [⟨fig.⟩ icy] *icy* ⇒*stony, cold as ice/marble* ◆ **1.1** een ~e wind *a(n) icy/keen wind* **1.2** een ~e ontvangst *an icy/frosty/wintry welcome* **3.1** ze kreeg het er ~ van *it sent shivers down her back/spine, it made her shiver* **3.2** hij bleef ~ *he remained as cold as ice, he remained as cool as a cucumber, he didn't bat an eyelid*; hij bleef ~ zitten *he calmly sat there, he sat there as cool as a cucumber*; zij keek hem ~ aan *she gave him a stony stare*; het laat mij ~ *it leaves me stone cold*; ze zetten je ~ op straat *they turn you into the streets just like that/without batting an eyelid/turning a hair* **7.2** ⟨zelfst.⟩ 't is een ijskouwe *he's an iceberg* ¶**.1** het liep hem ~ over de rug *cold shivers ran up and down his spine*.
ijskristal ⟨het⟩ **0.1** *ice-crystal* ⇒⟨bloemvormig⟩ *frost flower*.
ijslaag ⟨de⟩ **0.1** *layer of ice*.
IJsland ⟨het⟩ **0.1** *Iceland*.
IJslander ⟨de (m.)⟩ **0.1** *Icelander*.
IJslands ⟨bn.⟩ **0.1** *Icelandic* ◆ **1.1** ~ mos *Iceland moss/lichen*.
ijslepeltje ⟨het⟩ **0.1** *ice-cream spoon*.
ijslolly ⟨de (m.)⟩ **0.1** ᴮ*ice lolly*, ᴬ*pop(sicle)*.
ijsmachine ⟨de⟩ **0.1** [⟨mbt. kunstijs⟩] *ice machine* **0.2** [⟨mbt. consumptieijs⟩] *ice-cream maker*.
ijsmuts ⟨de⟩ **0.1** ≠*woolly hat*.
ijspegel ⟨de (m.)⟩ **0.1** *icicle*.
ijspret ⟨de⟩ **0.1** *ice sport(s)*.
ijsregen ⟨de (m.)⟩ **0.1** *sleet* ⇒*frozen rain*.
ijsrevue ⟨de⟩ **0.1** *ice show*.
ijssalon ⟨de (m.)⟩ **0.1** *ice-cream parlour*.
ijsschol ⟨de⟩ **0.1** *(ice) floe*.
ijsschots ⟨de⟩ **0.1** *(ice) floe* ⇒*pan, growler*.
ijssla ⟨de⟩ **0.1** *iceberg lettuce*.

ijsstadion ⟨het⟩ **0.1** *ice rink*.
ijssteen ⟨het, de (m.)⟩ ⟨geol.⟩ **0.1** *ice-stone* ⇒*cryolite, Greenland spa*.
ijssurfen ⟨ww.⟩ **0.1** *ice-surfing*.
ijstaart ⟨de⟩ **0.1** *ice-cream cake* ⇒*ice pudding*.
ijstang ⟨de⟩ **0.1** *(pair of) ice tongs*.
ijstent ⟨de⟩ **0.1** *ice-cream parlour*.
ijstijd ⟨de (m.)⟩ **0.1** *ice-age* ⇒*glacial period/epoch* ◆ **6.1** tussen twee ~en (gelegen) *interglacial*.
ijsveld ⟨het⟩ **0.1** *ice field* ⇒*expanse of ice*.
ijsventer ⟨de (m.)⟩ **0.1** *ice(-cream) vendor/vender/seller*.
ijsvermaak ⟨het⟩ **0.1** *ice sport(s)*.
ijsvlakte ⟨de (v.)⟩ **0.1** *ice sheet* ⇒*ice field, expanse of ice*.
ijsvogel ⟨de (m.)⟩ **0.1** *kingfisher* ⇒*halcyon*.
ijsvorming ⟨de (v.)⟩ **0.1** ⟨luchtv.⟩ *ice formation* ⇒*ice accretion, icing up*.
ijsvrij¹ ⟨het⟩ **0.1** *day(s) off to go skating* ◆ **3.1** ~ hebben van school *have (got) the day off from school to go skating*.
ijsvrij² ⟨bn.⟩ **0.1** *clear of ice* ⇒*free from ice, ice-free* ◆ **1.1** een ~e haven *an ice-free port* **3.1** ~ zijn *be clear of ice/free from ice*.
ijswafel ⟨de⟩ **0.1** *(ice-cream) wafer*.
ijswater ⟨het⟩ **0.1** [van gesmolten ijs] *ice water* **0.2** [waarin smeltend ijs ligt] *ice water*.
ijswijn ⟨de (m.)⟩ **0.1** *Eiswein*.
ijswinter ⟨de (m.)⟩ ⟨meteo.⟩ **0.1** *persistent frost* ⇒ ⟨inf.⟩ *long/big freeze*.
ijszak ⟨de (m.)⟩ **0.1** *ice pack* ⇒*ice bag*.
ijszee ⟨de⟩ **0.1** *frozen sea/ocean* ◆ **2.1** de Noordelijke/Zuidelijke IJszee *the Arctic/Antarctic Ocean*.
ijszeilen ⟨ww.⟩ **0.1** *ice-boating/-yachting*.
ijver ⟨de (m.)⟩ **0.1** [vlijt] *diligence* ⇒*application, assiduity, sedulity, industry* **0.2** [geestdrift] *zeal* ⇒*fervour, ardour, enthusiasm* ◆ **2.1** onverdroten ~ *sheer hard work* **2.2** in alle ~ *for all one is worth*; blinde ~ *blind fanaticism, over-zeal*; vurige ~ *ardent/fervent z.* **5.1** zich vol ~ van zijn taak kwijten *apply o.s. diligently to one's task* **6.1** met ~ aan iets werken *work diligently/assiduously/industriously at sth.*; zich met ~ toeleggen op *apply o.s. diligently to sth.* **6.2** ~ voor iets *enthusiasm for sth..*
ijveraar ⟨de (m.)⟩ **0.1** *advocate (of) zealot, devotee (to/of)*; ⟨mbt. wetten⟩ *stickler (for)*.
ijveren ⟨onov.ww.⟩ **0.1** *devote o.s. (to)* ⇒*work (for)* ◆ **6.1** tegen iets ~ *work hard against sth., oppose sth. ardently/fervently*; voor iets ~ *devote o.s. to/work hard for/be a zealous advocate*; zij ~ nu voor een nieuwe eis *they are now devoting themselves to a new demand*.
ijverig ⟨bn., bw.;-ly⟩ **0.1** [vlijtig] *diligent* ⇒*painstaking, industrious, assiduous, sedulous* **0.2** [fervent] *zealous* ⇒*ardent, fervent, enthusiastic* ◆ **1.1** een ~ scholier *a studious/industrious/d. pupil* **1.2** een ~ christen *a z. Christian* **3.1** men deed ~ onderzoek *assiduous inquiries were made/research was carried out*; ~ werken aan zijn taak *apply o.s. to one's task, work hard at the job in hand* **5.2** al te ~ *overzealous* **8.1** ze is zo ~ als een bij *she is as busy as a bee* ¶**.1** altijd ~ bezig zijn met *beaver away at*.
ijverzucht ⟨de⟩ **0.1** *jealousy* ⇒*envy*.
ijverzuchtig ⟨bn., bw.;-ly⟩ **0.1** *jealous (of)* ⇒*envious (of)*.
ijzel ⟨de (m.)⟩ **0.1** ⟨op wegen⟩ ᴮ*glazed frost*, ᴮ*glaze ice*, ᴬ*glaze*, ᴬ*glare (ice)*; ⟨Can.E⟩ *glitter ice* ⇒⟨vnl. op bomen e.d.⟩ *silver thaw*.
ijzelen ⟨onp.ww.⟩ **0.1** *freeze over* ⇒*ice over* ◆ **7.1** het ijzelt *it is freezing over*.
ijzen ⟨onov.ww.⟩ **0.1** *shudder* ⇒*shiver* ◆ **3.1** die gedachte doet mij ~ *that thought makes me shudder/shiver/my flesh creep, that thought sends shivers down my back/gives me the creeps* **6.1** ~ bij de gedachte *shudder at the thought*; het is om van te ~ *it makes you shudder/makes your flesh creep, it gives you the creeps*; ~ van/voor iets *shudder at sth..*
ijzer ⟨het⟩ ⟨sprw. 311⟩ **0.1** [metaal] *iron* **0.2** [ijzererts] *iron (ore)* **0.3** [voorwerpen van ijzer] *iron* **0.4** [stuk ijzer] *iron* ⇒*blade* ⟨schaats⟩, *runner* ⟨van slee⟩ ◆ **1.4** ~ van een paard *horse-shoe* **2.1** ruw ~ *pig i.*, Bessemer *pig* **2.3** oud ~ *scrap (i./metal), old/refuse i.* **3.1** ⟨fig.⟩ men kan geen ~ met handen breken *one can't do the impossible*; ~ smeden/gieten *forge/cast i.* **3.2** ~ delven *mine iron* **3.4** ⟨fig.⟩ meer ~s in het vuur hebben *have several irons in the fire*; ⟨fig.⟩ 5 ~s onderbinden *put one's skates on* **6.1** ⟨fig.⟩ iem. in de ~s slaan/sluiten, iem. de ~s aanleggen *put s.o. in/clap s.o. in(to) irons, handcuff/manacle s.o.*; met ~ beslagen *ironbound* ⟨kist⟩; *iron-shod* ⟨paal⟩; *iron-studded* ⟨met spijkerkoppen⟩.
ijzeraarde ⟨de⟩ **0.1** [ijzeroxide bevattende aarde] *ferruginous earth* **0.2** [soort potten- en steenbakkersklei] *ice clay*.
ijzerachtig ⟨bn.⟩ **0.1** *iron-like* ⇒*irony*.
ijzerader ⟨de⟩ **0.1** *iron vein*.
ijzeraluin ⟨de⟩ **0.1** *iron alum*.
ijzerarm ⟨bn.⟩ **0.1** *deficient in iron* ⇒*low-iron*.
ijzerbeslag ⟨het⟩ **0.1** *iron mount(ing)* ⟨sier⟩ ⇒*iron bands/binding* ⟨om kist⟩, *iron studs* ⟨spijkerkoppen⟩, *iron shoe* ⟨paal⟩.
ijzerboor ⟨de⟩ **0.1** *iron/steel drill*.

ijzercarbonaat ⟨het⟩ **0.1** *iron carbonate.*

ijzerdraad
I ⟨het⟩ **0.1** [tot draad getrokken ijzer] *(iron) wire;*
II ⟨het, de (m.)⟩ **0.1** [stuk daarvan] *(iron) wire* ◆ **6.1 met** ~ afsluiten *wire in / off.*

ijzeren ⟨bn.⟩ (→sprw. 253) **0.1** [van ijzer] *iron* **0.2** [⟨fig.⟩ zeer sterk] *iron* ⇒*steel* **0.3** [⟨fig.⟩ onvermurwbaar] *iron* ⇒*steely,* ⟨pred.⟩ *of stone / steel / flint* ◆ **1.1** met ~ hand/ roede/ vuist regeren *rule with an i. hand / a rod of iron / a mailed fist;* een ~ long *an i. lung;* hij heeft een hoofd als een ~ pot *he has an excellent memory, he never forgets a thing;* een ~ staaf *an i. rod, a length of iron* **1.2** een ~ gezondheid/maag *a (cast-)iron constitution, a strong stomach;* een ~ Hein *a man of iron/ steel* **1.3** een ~ tucht/ discipline *i. discipline;* een ~ wil *an i. will, a will of iron* **1.¶** het ~ gordijn *the Iron Curtain;* de IJzeren Hertog *the Duke of Alva;* een ~ voorraad *iron rations.*

ijzererts ⟨het⟩ **0.1** *iron ore.*

ijzergaas ⟨het⟩ **0.1** *iron wire gauze* ⟨fijn⟩; *iron wire netting* ⟨grof⟩.

ijzergaren ⟨het⟩ **0.1** *button thread* ⇒*patent-strong yarn.*

ijzergieten ⟨ww.⟩ **0.1** *casting/ founding of iron.*

ijzergieter ⟨de (m.)⟩ **0.1** *iron founder.*

ijzergieterij ⟨de (v.)⟩ **0.1** *iron foundry* ⇒*iron works.*

ijzerhandel ⟨de (m.)⟩ **0.1** [winkel] *ironmonger's (shop)* ⇒*hardware shop/* ^A*store* **0.2** [handel in ijzerwaren] *iron/ hardware trade.*

ijzerhard¹ ⟨het, de⟩ ⟨plantk.⟩ **0.1** *verbena* ⇒*vervain.*

ijzerhard² ⟨bn.⟩ **0.1** ~ *(as) hard as iron.*

ijzerhoudend ⟨bn.⟩ **0.1** *ferrifeous* ⇒*ferruginous, chalybeate* ⟨mineraalwater⟩ *ferrous* ◆ **1.1** ~ water/ ~e drank *chalybeate.*

ijzerhout ⟨het⟩ **0.1** *iron wood.*

ijzerindustrie ⟨de (v.)⟩ **0.1** *iron (manufacturing) industry.*

ijzerkies ⟨het⟩ **0.1** *pyrite.*

ijzerkit ⟨het, de⟩ **0.1** *iron cement.*

ijzerkleurig ⟨bn.⟩ **0.1** *iron-coloured.*

ijzermijn ⟨de⟩ **0.1** *iron mine.*

ijzeroer ⟨het⟩ **0.1** *bog ore.*

ijzeroxyde ⟨het⟩ **0.1** *iron oxide.*

ijzerpreparaat ⟨het⟩ **0.1** *iron tonic.*

ijzerrijk ⟨bn.⟩ **0.1** *rich in iron.*

ijzerroest ⟨het, de (m.)⟩ **0.1** *(iron) rust.*

ijzerslag ⟨het⟩ **0.1** *iron-scale* ⇒*hammer scale.*

ijzerslakken ⟨zn.mv.⟩ **0.1** *iron slag(s).*

ijzersmaak ⟨de (m.)⟩ **0.1** *irony taste* ◆ **3.1** hier zit een ~ aan *this has an i. t. to it, this tastes of iron.*

ijzersmelterij ⟨de (v.)⟩ **0.1** *iron foundry* ⇒*iron (melting/ smelting) works.*

ijzerspaat ⟨het⟩ **0.1** *spathic iron* ⇒*siderite, chalybite.*

ijzersteen ⟨het, de (m.)⟩ **0.1** *ironstone.*

ijzersterk ⟨bn.⟩ **0.1** *iron* ⇒*cast-iron* ◆ **1.1** hij kwam met ~e argumenten *he produced very strong/ incontestable/ overwhelming arguments;* een ~ geheugen *an excellent/ infallible memory;* een ~ gestel *an i. / a cast-iron constitution;* een ~e grap *a classic (joke);* ~e kousen *hard-wearing/ sturdy/ durable stockings;* een ~ lied *an evergreen, a classic* **3.1** zij is ~ *she has a (cast-)iron constitution* ⟨gezond⟩; *she's as strong as an ox* ⟨krachtig⟩.

ijzertijdperk ⟨het⟩ **0.1** *Iron Age.*

ijzerverbinding ⟨de (v.)⟩ **0.1** *iron compound.*

ijzervijlsel ⟨het⟩ **0.1** *iron filings.*

ijzervlechter ⟨de (m.)⟩ **0.1** *bar/ steel bender.*

ijzervreter ⟨de (m.)⟩ **0.1** [gehard militair] *war-horse* **0.2** [iem. die moeilijkheden niet schuwt] *ironside* ⇒*swashbuckler, fire-eater.*

ijzerwaren ⟨zn.mv.⟩ **0.1** *ironmongery* ⇒*hardware.*

ijzerwerk ⟨het⟩ **0.1** *ironwork.*

ijzerwinkel ⟨de (m.)⟩ **0.1** *ironmonger's (shop)* ⇒*hardware shop/* ^A*store.*

ijzerzaag ⟨de⟩ **0.1** *metal saw* ⇒*hacksaw* ⟨met beugel⟩.

ijzerzout ⟨het⟩ ⟨schei.⟩ **0.1** *iron salt.*

ijzig
I ⟨bn., bw.; -ly⟩ **0.1** [ijskoud] *icy* ⇒*freezing* **0.2** [⟨fig.⟩] *icy* ⇒*steely, frosty, wintry, stony* ◆ **1.1** ~e wind/ weersomstandigheden *an i. wind, i. / freezing weather conditions* **1.2** een ~e blik *an i. / a steely/ stony stare;* ~ gedrag *frosty behaviour;* ~e kalmte *steely composure;* ~e nauwkeurigheid *chilling accuracy* **3.2** hij bleef er ~ onder *it left him stone cold;*
II ⟨bw.⟩ **0.1** [in hoge mate] *awfully* ⇒*terribly, fearfully, frightfully, dreadfully* ◆ **2.1** ~ gevaarlijk/mooi *a. terribly/ dreadfully/ fearfully/ frightfully dangerous/ beautiful.*

ijzingwekkend ⟨bn.,bw.⟩ **0.1** *horrifying* ⇒*gruesome, appalling, macabre, ghastly* ◆ **1.1** een ~e gil *a bloodcurdling scream;* een ~ verhaal *a h. / gruesome/ macabre/ ghastly/ hair-raising tale.*

ik¹ ⟨het⟩ **0.1** *self;* ⟨psych.⟩ *ego* ◆ **2.1** iemands betere ~, een beroep doen op iemands betere ~ *s.o.'s better s.; appeal to s.o.'s finer feelings / nobler impulses;* zijn eigen ~ *one's own s.* **7.1** m'n tweede ~ *my second/ other s., my alterego.*

ik² ⟨pers.vnw.⟩ (→sprw. 265) **0.1** *I* ◆ **2.1** arme ~ *poor me* **3.1** ~ ben er ook nog! *don't forget me!;* ~ ben het *it's me;* als ~ er niet geweest was

...if it hadn't been for me ... **4.1** wie, ~? *who, me?;* ~ zelf *(I) myself* **5.1** enkel en alleen ~ *myself and me alone* **6.1** ~ voor mij *I for one* **8.1** ze is beter dan ~ *she's better than me* **¶.1** ⟨inf.⟩ ikke, ikke en de rest kan stikken *it's always self, self, self with him/ her ....*

ik-besef ⟨het⟩ **0.1** *self-awareness.*

ikebana ⟨het⟩ **0.1** *ikebana.*

ik-figuur ⟨de⟩ **0.1** *first-person narrator.*

ikke→**ik.**

ik-roman ⟨de (m.)⟩ **0.1** *first-person novel.*

ik-tijdperk ⟨het⟩ **0.1** *individualist(ic) age;* ⟨inf.⟩ *(time/ age of the) me-generation.*

IKV ⟨het⟩ ⟨afk.⟩ **0.1** [Interkerkelijk Vredesberaad] ⟨*Interdenominational Peace Council/ Forum*⟩.

ik-vorm ⟨de (m.)⟩ **0.1** *first person* ◆ **6.1** in de ~ geschreven *with a first person narrator.*

ikzucht ⟨de⟩ ⟨inf.⟩ **0.1** *selfishness.*

illegaal¹ ⟨de (m.)⟩ **0.1** [verzetsstrijder] *member of the resistance (movement)* ⇒*underground/ resistance worker* **0.2** [buitenlander] *illegal alien.*

illegaal² ⟨bn., bw.⟩ **0.1** [onwettig] *illegal* ⇒*unlawful* **0.2** [strijdend tegen overweldiger] *underground* ◆ **1.1** een illegale abortus *a back-street/ an i. abortion;* illegale gifstortingen *i. dumping of toxic waste;* illegale invoer *smuggling;* illegale praktijken *i. practices* **1.2** ~ werk *u. / resistance work* **3.1** ~ gestookte/ingevoerde sterkedrank *moonshine;* zich ~ vestigen *squat;* ~ vissen/ jagen *poach* **3.2** een blad ~ verspreiden *distribute a paper through the u. network.*

illegaliteit ⟨de (v.)⟩ **0.1** [onwettigheid] *illegality* ⇒*unlawfulness* **0.2** [illegaal werk] *resistance (movement)* ⇒*underground (movement)* **0.3** [personen] *resistance (movement)* ⇒*underground (movement).*

illegitiem ⟨bn.⟩ **0.1** [onwettig] *illegitimate* ⇒*unlawful* **0.2** [onecht] *illegitimate.*

illuminatie ⟨de (v.)⟩ ⟨schr.⟩ **0.1** [feestelijke verlichting] *illuminations* ⟨mv.⟩ **0.2** [het verkrijgen van geestelijk inzicht] *illumination.*

illuminator ⟨de (m.)⟩ **0.1** [persoon] *illuminator* **0.2** [toestel] *illuminator.*

illumineren ⟨ov.ww.⟩ **0.1** [feestelijk verlichten] *illuminate* **0.2** [met ornamenten versieren] *illuminate* **0.3** [met doorschijnende kleuren opwerken] *illuminate.*

illusie ⟨de (v.)⟩ **0.1** [zinsbegoocheling] *illusion* **0.2** [droombeeld] *illusion* ⇒*(pipe-)dream, fancy (notion), delusion* ⟨als slachtoffer het niet doorziet⟩ **0.3** [kunstmatige voorstelling] *illusion* ◆ **2.2** een ~ armer zijn *be robbed of an i., be disillusioned, have one's eyes opened;* zich valse ~s maken, zich aan dwaze ~s overgeven *live in a fool's paradise* **3.2** iem. de ~ benemen *disillusion s.o., open s.o.'s eyes, rob s.o. of an i.;* iem. geen ~s laten omtrent *leave s.o. under no. i. as to;* maakt u zich (daarover/ daaromtrent) geen ~s *you need have no illusions about that;* zich ~s maken over *entertain/ cherish/ harbour illusions about;* labour under a delusion about ⟨zonder het te weten⟩ **3.3** dat verhoogt nog de ~ *that adds to the i.;* een ~ verstoren *shatter an i.;* een ~ wekken *create an i.* **6.2** zonder ~s *without illusions, disillusioned, disenchanted.*

illusionair ⟨bn.⟩ **0.1** *illusory* ⇒*illusive. phantasmal, phantasmic.*

illusioneren ⟨ov.ww.⟩ **0.1** *delude.*

illusionisme ⟨het⟩ **0.1** [leer, opvatting] *illusionism* **0.2** [goochelkunst] *conjuring* ⇒*illusionism* **0.3** [stijlvorm] *illusionism* **0.4** [het fantaseren] *dreaming* ⇒*fantasizing.*

illusionist ⟨de (m.)⟩ **0.1** [goochelaar] *illusionist* ⇒*conjurer, magician* **0.2** [iem. die zich overgeeft aan illusies] *dreamer* ⇒*visionary, fantast.*

illusoir ⟨bn.⟩ **0.1** *illusory* ⇒*illusive, phantasmal, phantasmic* ◆ **1.1** een ~ voordeel *an illusory advantage.*

illuster ⟨bn.⟩ **0.1** *illustrious* ⇒*distinguished* ◆ **1.1** in het ~e gezelschap van de minister-president *in the i. / distinguished company of the Prime Minister;* ~e voorbeelden *i. / distinguished/ renowned/ celebrated examples.*

illustratie ⟨de (v.)⟩ **0.1** [het illustreren] *illustration* **0.2** [afbeelding] *illustration* **0.3** [voorbeeld] *illustration* ⇒*example* **0.4** [tijdschrift] *illustrated (paper)* ⇒*pictorial (paper), picture paper* ◆ **6.2** met ~s doorschieten *inlay with illustrations* **6.3** ter ~ *van* ~ lief *by way of i.;* hij er een paar zien *by way of i. / for (the purpose of) i., he displayed a pair.*

illustratief ⟨bn.⟩ **0.1** *illustrative* ◆ **1.1** illustratieve voorbeelden *i. examples.*

illustrator ⟨de (m.)⟩ **0.1** *illustrator.*

illustreren ⟨ov.ww.⟩ **0.1** [van afbeeldingen voorzien] *illustrate* **0.2** [toelichten] *illustrate* ⇒*exemplify* ⟨met voorbeeld⟩ ◆ **1.1** geïllustreerde bladen *illustrated/ picture/ pictorial papers, pictorials;* fraai/ rijk geïllustreerd *handsomely/ lavishly illustrated* **5.2** een zaak duidelijk ~ *i. / exemplify sth. clearly, provide a clear illustration/ example of sth.;* dat werd treffend geïllustreerd door *... a striking case in point was ...* **6.2** een bewering met een voorbeeld ~ *give an example to i. an argument.*

illuvium ⟨het⟩ ⟨geol.⟩ **0.1** *illuvium.*

i.m. ⟨Lat.⟩ ⟨afk.⟩ **0.1** [in margine] ⟨*in margin*⟩ **0.2** [in memoriam] ⟨*in memoriam*⟩.

imaginair ⟨bn., bw.⟩ **0.1** *imaginary* ◆ **1.1** een ~ getal *an i. (number).*

imaginatie ⟨de (v.)⟩ **0.1** [verbeeldingskracht] *imagination* ⇒*fancy* **0.2** [droombeeld] *figment of one's imagination* ⇒*imagining.*

imagineren ⟨wk.ww.; zich~⟩ **0.1** *imagine* ⇒*fancy*.
imago ⟨het, de⟩ **0.1** [image] *image* **0.2** [insekt] *imago* **0.3** [⟨psych.⟩] *imago*.
imam ⟨de (m.)⟩ **0.1** [opperste] *imam* **0.2** [titel van kalief] *imam* **0.3** [hoofd van een moskee] *imam*.
imbeciel[1] ⟨de (m.)⟩ **0.1** [zwakzinnige] *imbecile* **0.2** [stommeling] *imbecile*.
imbeciel[2] ⟨bn., bw.; -(al)ly⟩ **0.1** [zwakzinnig] *imbecile* ⇒*imbecilic* **0.2** [onnozel] *imbecile* ⇒*imbecilic*.
imbeciliteit ⟨de (v.)⟩ **0.1** [zwakzinnigheid] *imbecility* **0.2** [iets imbeciels] *imbecility*.
imbroglio ⟨het⟩ **0.1** *imbroglio*.
IMF ⟨het⟩ ⟨afk.⟩ **0.1** [Internationaal Monetair Fonds] *IMF*.
imitatie ⟨de (v.)⟩ **0.1** [nabootsing] *imitation* ⇒*copying*, ⟨persoon ook⟩ *impersonation, counterfeiting* ⟨onrechtmatig⟩ **0.2** [het nagemaakte] *imitation* ⇒*copy*, ⟨persoon ook⟩ *impersonation, counterfeit* ⟨onrechtmatig⟩, *reproduction* ⟨schilderij⟩ ♦ **2.2** een slechte ~ *a poor/ bad imitation* **3.1** een perfecte ~ geven van Thatcher *do a perfect take-off/imitation/impersonation of Thatcher, imitate/take off/impersonate Thatcher to perfection*.
imitatio ⟨de (v.)⟩ **0.1** [navolging] *imitation* **0.2** [⟨lit., muz.⟩] *imitation*.
imitator ⟨de (m.)⟩ **0.1** [navolger] *imitator* **0.2** [nabootser] *imitator* ⇒*impersonator*.
imiteerbaar ⟨bn.⟩ **0.1** *imitable*.
imiteren ⟨ov.ww.⟩ **0.1** *imitate* ⇒*copy*, ⟨persoon ook⟩ *impersonate, take off, counterfeit* ⟨onrechtmatig⟩.
imker ⟨de (m.)⟩ **0.1** *bee-keeper* ⇒*bee-master, apiarist*.
imkeren ⟨onov.ww.⟩ **0.1** *keep bees*.
imkerij ⟨de (v.)⟩ **0.1** *bee-keeping* ⇒*apiculture*.
immanent ⟨bn.⟩ **0.1** [⟨fil.⟩ niet bovenzinnelijk] *immanent* **0.2** [in zichzelf besloten, inherent] *immanent*.
immanentie ⟨de (v.)⟩ **0.1** *immanence*.
immaterialisme ⟨het⟩ ⟨fil.⟩ **0.1** *immaterialism*.
immaterieel ⟨bn.⟩ **0.1** *immaterial* ⇒*incorporeal*, ⟨jur.⟩ *intangible* ♦ **1.1** immateriële activa *intangible assets, intangibles*; immateriële goederen *intellectual property*; vergoeding van immateriële schade *compensation for emotional damage/injury* **3.1** ~ maken *immaterialize*.
immatriculeren ⟨ov.ww.⟩ **0.1** *enrol* ^*oll* ⇒*matriculate* ⟨student⟩, *receive, admit* ⟨in kerkgenootschap⟩.
immaturiteit ⟨de (v.)⟩ **0.1** *immaturity*.
immatuur ⟨bn.⟩ ⟨schr.⟩ **0.1** [onrijp] ⟨ongemarkeerd⟩ *immature* **0.2** [ontijdig] ⟨ongemarkeerd⟩ *immature* ⇒*premature*.
immens ⟨bn., bw.⟩ **0.1** *immense* ⇒*enormous, huge, vast*.
immensiteit ⟨de (v.)⟩ **0.1** *immensity* ⇒*enormity, vastness*.
immer ⟨bw.⟩ **0.1** [altijd] *ever* ⇒*for aye*, ↓*for ever*, ↓*always* **0.2** [eeuwig] *ever* ⇒*for aye*, ↓*for ever*, ↓*always* **0.3** [ooit] *ever* ♦ **2.1** het ~ aanwezige gevaar *the e.-present danger* **6.1** voor ~ *for e., for aye*.
immermeer ⟨bw.⟩ **0.1** (*for*) *evermore* ⇒*ever, for ever*, ↓*always*.
immers ⟨bw.⟩ **0.1** [toch] *after all* ⇒*now, indeed* **0.2** [namelijk] *for* ⇒*since, seeing, as* **0.3** [althans] *or at least* ⇒*or in any case* ♦ ¶.1 hij komt ~ morgen *after all, he's coming tomorrow; he's coming tomorrow, isn't he?*; dat kon hij ~ niet weten! *how was he to know?*; het was ~ niet mijn schuld! *it wasn't my fault, was it?*; ik was ~ weg gisteren *I was out yesterday, as you know/you know that* ¶.2 eet die vis niet, de mogelijkheid bestaat ~ dat je er ziek van wordt *don't eat that fish, f. there is a possibility that it will make you ill;* Jan is ~ geen onhebbelijke mens *it isn't as if Jan's a rude sort of person.*
immersie ⟨de (v.)⟩ **0.1** *immersion*.
immigrant ⟨de (m.)⟩ **0.1** *immigrant*.
immigratie ⟨de (v.)⟩ **0.1** *immigration*.
immigratiebeperking ⟨de (v.)⟩ **0.1** *immigration restriction/control*.
immigratiecontingent ⟨het⟩ **0.1** *immigration quota*.
immigratiedienst ⟨de (m.)⟩ **0.1** *immigration service*.
immigratiesaldo ⟨het⟩ **0.1** *net inflow (of immigrants)*.
immigreren ⟨onov.ww.⟩ **0.1** *immigrate*.
imminent ⟨bn.⟩ ⟨schr.⟩ **0.1** *imminent* ♦ **1.1** een ~ gevaar *an i. danger*.
immissie ⟨de (v.)⟩ **0.1** *immission*.
immissiewaarde ⟨de (v.)⟩ **0.1** *immission level*.
immobiel ⟨bn.⟩ **0.1** *immobile* ⇒*immovable*.
immobilia ⟨zn.mv.⟩ **0.1** *immovables*.
immobiliseren ⟨ov.ww.⟩ **0.1** [onbeweeglijk maken] *immobilize* **0.2** [⟨fig.⟩] *immobilize* ⇒*hamstring, paralyse, leave (s.o.) dangling* ⟨in afwachting⟩.
immobiliteit ⟨de (v.)⟩ **0.1** [onbeweeglijkheid] *immobility* ⇒*immovability, fixedness* **0.2** [⟨fig.⟩] *immobility* ⇒*paralysis* ♦ **2.2** functionele ~ *occupational i. (of labour)*; geografische ~ *geographical i. (of labour).*
immoralisme ⟨het⟩ **0.1** *immoralism*.
immoraliteit ⟨de (v.)⟩ **0.1** *immorality*.
immoreel ⟨bn., bw.; -ly⟩ **0.1** *immoral*.
immortaliteit ⟨de (v.)⟩ **0.1** *immortality*.
immortelle ⟨de⟩ **0.1** *immortelle* ⇒*everlasting*.
immuniseren ⟨ov.ww.⟩ **0.1** *immunize* ♦ **6.1** ~ tegen griep *i. against influenza.*

immunisering ⟨de (v.)⟩ **0.1** *immunization*.
immuniteit ⟨de (v.)⟩ **0.1** [onschendbaarheid] *immunity* ⇒*exemption* **0.2** [gebied] *immunity* **0.3** [weerstandsvermogen] *immunity* ♦ **2.1** parlementaire/diplomatieke ~ *parliamentary/diplomatic i.* **2.3** cellulaire ~ *cellular i.*; humorale ~ *humoral i.* **6.3** ⟨med.⟩ onderzoeken op ~ *challenge*; ~ tegen/voor ziektes *i. from/to/against diseases*.
immuniteitsleer ⟨de⟩ **0.1** *immunology*.
immuniteitsreactie ⟨de (v.)⟩ **0.1** *immune reaction/response*.
immunogeen ⟨bn.⟩ **0.1** *immunogenic*.
immunologie ⟨de (v.)⟩ **0.1** *immunology*.
immunoloog ⟨de (v.)⟩, **-loge** ⟨de (v.)⟩ **0.1** *immunologist*.
immunosuppressief ⟨bn., bw.⟩ ⟨med.⟩ **0.1** ⟨bn.⟩ *immunosuppressant, immunosuppressive;* ⟨bw.⟩ *in an immunosuppressant/immunosuppressive way* ♦ **1.1** immunosuppressieve medicamenten *immunosuppressants.*
immutatief ⟨het⟩ ⟨taal.⟩ **0.1** *static verb*.
immuun ⟨bn.⟩ **0.1** [onvatbaar] *immune* **0.2** [onaangedaan] *immune* ⇒*hardened* **0.3** [onschendbaar] *immune* ♦ **2.1** iem. ~ maken *immunize s.o., render s.o. i.* **3.2** iem. voor iets ~ maken *render s.o. i. to sth., harden s.o. against sth.* **6.1** ~ tegen ziektes *i. to diseases;* ~ voor DDT *resistant to DDT* **6.2** ~ voor kritiek *i. to criticism.*
imp. ⟨afk.⟩ **0.1** [imperator] *Imp.* **0.2** [imperatief] *imp.* ⇒*imper..*
impact ⟨de⟩ **0.1** *impact* ⇒*effect, influence*.
impala ⟨de⟩ **0.1** *impala*.
impasse ⟨de (v.)⟩ **0.1** *impasse* ⇒*deadlock, stalemate* ♦ **6.1** in een ~ raken *reach/arrive at an i.*; zich in een ~ bevinden, in een ~ zitten *be in an i.*; ⟨zaken⟩ *be at a deadlock*; in een ~ brengen *land in an i./deadlock*; de onderhandelingen raakten in een ~ ⟨ook⟩ *the negotiations/talks bogged down*; de onderhandelingen uit de ~ halen *overcome the deadlock in the negotiations.*
impedantie ⟨de (v.)⟩ **0.1** *impedance*.
impediëren ⟨ov.ww.⟩ ⟨schr.⟩ **0.1** *impede*.
impediment ⟨het⟩ ⟨schr.⟩ **0.1** *impediment*.
impenetrabel ⟨bn.⟩ **0.1** [ondoordringbaar] *impenetrable* ⇒*impervious, impermeable,* ⟨ondoorgrondelijk⟩ *unfathomable, inscrutable* **0.2** [waterdicht] *waterproof* ⇒*watertight*.
imperatief[1] ⟨de (m.)⟩ **0.1** [gebiedende wijs] *imperative (mood)* **0.2** [⟨fil.⟩ gebod] *imperative* **0.3** [middel om iem. te dwingen] *incentive* ⇒*spur* ♦ **2.2** categorische ~ *categorical i..*
imperatief[2] ⟨bn., bw.; -ly⟩ **0.1** *imperative* ⇒*mandatory* ♦ **1.1** een ~ mandaat [B]*three-line whip,* ^*instructions (to a representative);* ⟨jur.⟩ een ~ voorschrift *a mandate.*
imperator ⟨de (m.)⟩ ⟨Rom. gesch.⟩ **0.1** [opperbevelhebber] *imperator* **0.2** [titel van zegevierende veldheren; keizer] *imperator.*
imperfect[1] ⟨het⟩ **0.1** *imperfect (tense)*.
imperfect[2] ⟨bn., bw.; -ly⟩ **0.1** *imperfect*.
imperfectie ⟨de (v.)⟩ **0.1** *imperfection* ⇒*defect, shortcoming*.
imperfectum ⟨het⟩ **0.1** *imperfect (tense)*.
imperiaal[1] ⟨het, de⟩ **0.1** [bagagerek] *roofrack* ⇒⟨AE ook⟩ *luggage rack* **0.2** [bovenste verdieping van een dubbeldekker] *top deck.*
imperiaal[2] ⟨bn.⟩ **0.1** [keizerlijk] *imperial* **0.2** [heerlijk] *imperial* ⇒*royal, majestic, stately, august* ♦ **1.¶** ~ papier *imperial paper.*
imperialisme ⟨het⟩ **0.1** *imperialism.*
imperialist ⟨de (m.)⟩ **0.1** *imperialist.*
imperialistisch ⟨bn., bw.; -ally⟩ **0.1** *imperialist(ic).*
imperium ⟨het⟩ **0.1** [(keizer)rijk] *empire* **0.2** [wereldrijk] *empire* **0.3** [oppermacht] *imperium* ♦ **2.2** ⟨fig.⟩ een industrieel ~ *an industrial e.* ¶.1 een ~ in imperio *an imperium in imperio.*
impersonale ⟨het⟩ ⟨taal.⟩ **0.1** *impersonal verb.*
impertinent ⟨bn., bw.; -ly⟩ **0.1** *impertinent* ⇒*insolent, impudent* ♦ **1.1** ~e blikken *impertinent/bold looks;* ~ gedrag *impertinence, insolence, impudence, effrontery;* ~e opmerkingen *impertinent remarks;* ⟨BE; inf.⟩ *cheek, backchat;* ⟨AE; inf.⟩ *sauce, sass, backtalk* **3.1** ~ optreden *be impertinent/insolent/impudent, brazen it out.*
impertinentie ⟨de (v.)⟩ **0.1** *impertinence* ⇒*insolence, impudence, effrontery* ♦ **3.1** ik laat mij door u geen ~s zeggen *I will have none of your insolence/impudence.*
impetuoso ⟨bn.⟩ ⟨muz.⟩ **0.1** *impetuoso.*
implantaat ⟨het, de⟩ ⟨med.⟩ **0.1** *implant.*
implantatie ⟨de (v.)⟩ **0.1** *implant(ation)* ⇒*insert(ion).*
implanteren ⟨ov.ww.⟩ ⟨med.⟩ **0.1** *implant.*
implementeren ⟨ov.ww.⟩ **0.1** *implement.*
implementering ⟨de (v.)⟩ **0.1** *implementation.*
implicatie ⟨de (v.)⟩ **0.1** [verwikkeling] *implication* ⇒*complication* **0.2** [wat in iets opgesloten ligt] *implication* **0.3** [het geïmpliceerd zijn] *implication* ♦ **2.1** dit heeft politieke ~s *this has political implications* **6.3** bij ~ *by i..*
impliceren ⟨ov.ww.⟩ **0.1** [inhouden] *imply* **0.2** [verwikkelen] *implicate* ⇒*involve* ♦ **6.2** in de affaire geïmpliceerd *implicated/involved in the affair* **8.1** dat impliceert dat hij ervan op de hoogte was *that implies that he knew of it.*
impliciet ⟨bn., bw.; -ly⟩ **0.1** *implicit* ⇒*implied, understood* ♦ **3.1** iets ~ bedoelen *imply sth.;* dat is ~ door hem erkend *that has been implicitly acknowledged by him.*

imploderen ⟨onov.ww.⟩ **0.1** *implode.*
implosie ⟨de (v.)⟩ **0.1** *implosion.*
implosief ⟨bn.⟩ **0.1** *implosive.*
imponderabilia ⟨zn.mv.⟩ **0.1** [⟨nat.⟩ onweegbare zaken] *imponderables* ⇒*imponderabilia* **0.2** [⟨fig.⟩] *imponderables* ⇒*imponderabilia.*
imponeren ⟨onov.,ov.ww.⟩ **0.1** *impress* ⇒⟨ontzag inboezemen⟩ *overawe* ◆ **1.1** een ~ de figuur *an impressive/imposing/commanding figure;* een ~ de houding aannemen *draw o.s. up;* zijn zelfverzekerdheid imponeert *his confidence is impressive/overawes you* **3.1** laat je niet ~ door die deftige omgeving *don't be overawed by the grand surroundings* **6.1** hij imponeerde de tegenspelers **door** zijn gestalte *he impressed his opponents by his stature.*
impopulair ⟨bn.⟩ **0.1** *unpopular.*
impopulariteit ⟨de (v.)⟩ **0.1** *unpopularity.*
import ⟨de (m.)⟩ **0.1** [invoer van koopwaren] *import* ⇒*importation* **0.2** [ingevoerde koopwaar] *import(s)* **0.3** [⟨pej.;fig.⟩] *foreign elements/customs/ideas/products* (enz.) ◆ **1.1** de ~ van fruit en groente *the import/importation of fruit and vegetables,* (the) *fruit and vegetable imports* **3.2** de ~ moet de export niet overtreffen *imports should not exceed exports* **3.3** in deze wijk woont bijna allemaal ~ *this neighbourhood is full of foreign elements.*
important ⟨bn.⟩ **0.1** *important* ⇒*of importance/consequence.*
importantie ⟨de (v.)⟩ **0.1** *importance* ⇒*consequence* ◆ **2.1** een zaak van de grootste ~ *a matter of the greatest i. / consequence.*
importeren ⟨ov.ww.⟩ **0.1** *import.*
importeur ⟨de (m.)⟩ **0.1** *importer.*
importgoederen ⟨zn.mv.⟩ **0.1** *imports.*
importkrediet ⟨het⟩ **0.1** *import credit.*
importuun ⟨bn.⟩⟨schr.⟩ **0.1** *importunate* ⇒*inopportune, inappropriate, untoward.*
imposant ⟨bn.,bw.;-ly⟩ **0.1** *impressive* ⇒*imposing, commanding, stately* ◆ **1.1** een ~ e rij titels *an impressive list of titels;* een ~ e stijl *an impressive style.*
impost ⟨de (m.)⟩ **0.1** [accijns] *impost* ⇒*(excise) duty, imposition* **0.2** [⟨bouwk.⟩] *impost.*
impotent ⟨bn.⟩ **0.1** [onmachtig tot geslachtsgemeenschap] *impotent* **0.2** [geestelijk onbekwaam] *incompetent* ◆ **3.1** ~ maken *make/render i..*
impotentie ⟨de (v.)⟩ **0.1** [geslachtelijke onmacht] *impotence* **0.2** [geestelijke onbekwaamheid] *incompetence.*
impr. ⟨afk.⟩⟨Lat.⟩ **0.1** [imprimatur] ⟨*imprimatur*⟩.
impregnatie ⟨de (v.)⟩ **0.1** [het impregneren] *impregnation* **0.2** [het doordringen in de eicel] *impregnation.*
impregneerbaar ⟨bn.⟩ **0.1** *impregnatable.*
impregneermiddel ⟨het⟩ **0.1** *impregnating agent.*
impregneren ⟨ov.ww.⟩ **0.1** *impregnate* ◆ **6.1** hout met creosootolie ~ *i. wood with creosote.*
impresariaat ⟨het⟩ **0.1** [het impresario zijn] ≠*managership* ⇒*management* **0.2** [kantoor] *agency.*
impresario ⟨de (m.)⟩ **0.1** *impresario.*
impressie ⟨de (v.)⟩ **0.1** [indruk] *impression* **0.2** [weergave van zulke indrukken] *impression* ◆ **2.2** een goede ~ maken *make a good i..*
impressief ⟨bn.⟩ **0.1** *impressive* ⇒*imposing, commanding.*
impressionisme ⟨het⟩ **0.1** *impressionism.*
impressionist ⟨de (m.)⟩ **0.1** *impressionist.*
impressionistisch ⟨bn.,bw.;-ally⟩ **0.1** [zoals bij het impressionisme] *impressionistic* **0.2** [van de impressionisten] *impressionist.*
impressum ⟨het⟩ **0.1** ⟨boek⟩ *imprint,* ⟨krant⟩ *masthead.*
imprimatur ⟨het⟩ **0.1** *imprimatur.*
imprimé¹ ⟨het⟩ **0.1** [weefsel] *print,* ^A*calico* **0.2** [japon] *print dress,* ^A*calico dress.*
imprimé² ⟨bn.⟩ **0.1** *print(ed).*
improduktief ⟨bn.⟩ **0.1** [niet produktief] *unproductive* **0.2** [⟨taal.⟩] *unproductive.*
improduktiviteit ⟨de (v.)⟩ **0.1** *unproductiveness.*
impromptu ⟨het, de (m.)⟩ **0.1** [iets dat zonder voorbereiding is gemaakt] *impromptu/extempore performance/speech/composition* ⇒ ⟨muziekstuk⟩ *impromptu* **0.2** [onverwacht feest] *imprompty party;* ⟨maaltijd⟩ *impromptu meal.*
improvisatie ⟨de (v.)⟩ **0.1** [voordracht] *improvisation* ⇒*extemporization* **0.2** [⟨muz.⟩] *improvisation* ⇒*variation,* ⟨vnl. jazz ook⟩ *jam session.*
improvisator ⟨de (m.)⟩ **0.1** *improvisator* ⇒*improviser.*
improvisatorisch ⟨bn.,bw.;-ly⟩ **0.1** *improvisatory* ⇒*improvisatorial, improvisational, impromptu, extempore.*
improviseren ⟨onov.,ov.ww.⟩ **0.1** [onvoorbereid een voordracht houden] *improvise* ⇒*extemporize, give an impromptu speech/performance* **0.2** [met beschikbare middelen werken] *improvise* ⇒*rig (up), make do* **0.3** [⟨muz.⟩] *improvise* ⇒ ⟨vnl. jazz ook⟩ *jam* ◆ **1.2** een geïmproviseerde slaapplaats *an improvised/makeshift bed* **1.3** een begeleiding ~ (bij) *i.* ⟨inf.⟩ *vamp an accompaniment (to).*
improviste ◆ ¶.¶ à l'~ *impromptu, ex tempore, off the cuff, on the spur of the moment.*
impuls ⟨de (m.)⟩ **0.1** [eerste stoot] *impulse* **0.2** [⟨fig.⟩] *impulse* ⇒*impetus, stimulus, incentive, spur, boost* **0.3** [opwelling] *impulse* ⇒*urge* **0.4**

[⟨med.⟩] *impulse* **0.5** [⟨nat.⟩] *linear momentum* **0.6** [⟨radiotechniek⟩] *pulse* ◆ **2.2** een nieuwe ~ krijgen *receive a new impulse/impetus, be spurred on* **6.2** onder de ~ van *stimulated/spurred on/by* **6.3** hij handelde **in** een ~ *he acted on (an) i..*
impulsaankoop ⟨de (m.)⟩ **0.1** *impulse buy(ing)* ⇒*impulse purchase.*
impulsief
I ⟨bn.,bw.;-ly⟩ **0.1** [spontaan] *impulsive* ⇒*impetuous, madcap* ◆ **1.1** een impulsieve beslissing *a(n) impulsive/snap/snatch/spur-of-the-moment/madcap decision;* ~ gedrag *impulsive/impetuous behaviour, impulsiveness, impetuousity;* een impulsieve koper *an impulse buyer;* een ~ persoon ⟨ook⟩ *a madcap* **3.1** iets ~ doen *do sth. on (an) impulse/on the spur of the moment;* zich ~ gedragen *act/behave impulsively/impetuously;*
II ⟨bn.⟩⟨schr.⟩ **0.1** [opwekkend] *impulsive* ⇒*impelling, driving, motive.*
impulsiviteit ⟨de (v.)⟩ **0.1** *impulsiveness* ⇒*impetuosity.*
impulsmoment ⟨het⟩⟨nat.⟩ **0.1** *angular momentum, moment of momentum.*
imputatie ⟨de (v.)⟩ **0.1** [beschuldiging] *imputation* ⇒*charge, accusation* **0.2** [verrekening] *settlement.*
imputeren ⟨ov.ww.⟩ **0.1** *impute* ⇒*charge, accuse* ◆ **4.1** iem. iets ~ *i. sth. to s.o., accuse s.o. of sth., charge s.o. with sth..*
in¹
I ⟨bw.⟩ **0.1** [van richting] *in* ⇒*into, inside* **0.2** [van tijd] *in* **0.3** [van plaats] *in* ⇒*inside* **0.4** [van toestand] *in* ⇒*inside* **0.5** [als versterking van 'tegen'] ⟨zie **6.5**⟩ ◆ **1.2** dag ~ dag uit *day in (and) day out* **3.1** dat wil er bij mij niet ~ ⟨fig.⟩ *I find that hard to believe/understand/grasp* **5.1** ergens ~ en uit lopen *run in and out of a place* **6.3** tussen twee huizen ~ (in) *between two houses* **6.5** tegen de wind/stroom ~ *against the wind/current;* tegen alle verwachtingen ~ *contrary to/against all expectations, after all;* tegen de gewoonte ~ *against/contrary to custom/ practice;* tegen het verbod ~ *in defiance of the ban/prohibition;*
II ⟨bn.⟩ **0.1** [binnen] *in* **0.2** [populair] *in* ⇒*trendy, in the thing* ◆ **1.1** de bal was ~ *the ball was in* **1.2** dat liedje was ~ *that song was very popular/a hit* **3.2** lange rokken waren ~ raakten ~ *long skirts were/ came in.*
in² ⟨vz.⟩ **0.1** [⟨mbt. een plaats⟩] *in* ⇒*at* **0.2** [⟨mbt. een richting⟩] *into* **0.3** [⟨mbt. een tijdsduur⟩] *in* ⇒*during* **0.4** [⟨mbt. een hoeveelheid⟩] *in* **0.5** [⟨mbt. een omvang⟩] *in* **0.6** [⟨mbt. een mate/graad⟩] *in* **0.7** [⟨mbt. een snelheid⟩] *in* ⇒*at* **0.8** [⟨mbt. een toestand/omstandigheden⟩] *in* **0.9** [⟨mbt. een verandering/gevolg⟩] *in* ⇒*to, into* ◆ **1.1** een ~ vertegenwoordiger ~ het bestuur *a representative on the board;* hij stond ~ de deur *he stood in the doorway;* puistjes ~ het gezicht *spots on one's face;* hij is ~ huis *he's inside;* ~ heel het land *throughout/all over the country, everywhere in the country;* Dickens werd ~ Landport, niet ~ Londen geboren *Dickens was born at Landport, not in London;* je staat ~ het licht *you're standing in the/my light;* hij woont ~ de stad *he lives in town,* ^A*he lives downtown;* ~ heel de stad *in the whole/entire town, everywhere in the town, all over the town;* ~ 'The King's Arms' logeren *stay at 'The King's Arms';* hij zat niet ~ die trein/dat vliegtuig *he wasn't on that train/plane;* ~ iem.'s weg gaan staan *step into s.o.'s path;* ~ (volle) zee *at sea, on the high seas, on the open sea* **1.2** verder ~ het dal *up the valley;* ~ de hoogte kijken *look up;* hij is nog nooit ~ Londen geweest *he's never been to London;* hij is/moet de stad ~ *he has gone/has to go to/into town* **1.3** ~ de afdaling *during the descent;* ~ het begin *at/in the beginning, at the start;* ik heb hem ~ eeuwen niet meer gezien *I haven't seen him for ages, it's been ages since I last saw him;* het is ~ geen tien jaar zo warm geweest *it hasn't been as warm as this/this warm in ten years;* diep ~ de nacht *deep/far into the night;* ~ de pauze *in/during the break/interval;* ~ een uur *in an hour;* een keer ~ de week *once a week* **1.4** ~ de twintig *twenty-odd, twenty-something;* ⟨leeftijd⟩ *in one's twenties* **1.5** ~ drie delen *in three parts;* ⟨boek⟩ *in three volumes;* twaalf ~ een dozijn *twelve in/to a dozen;* er gaan 100 cm. ~ een meter *there are 100 centimeters in/to a meter;* twee meter ~ omtrek *two meters in circumference, two meters round* **1.6** ~ hoge mate *highly; greatly, to a (high) degree, in a great/large measure* **1.7** ~ adagio *adagio;* ~ rustig tempo *at an easy pace* **1.8** hij wil ~ de elektronika *he wants to go into electronics;* ~ het Japans vertalen *translate into Japanese;* handelen ~ koffie *deal in coffee;* berusten ~ het lot *resign o.s. to one's fate;* professor ~ de natuurkunde *professor of Physics;* ~ opwinding *in a state (of excitement);* ~ slaap *asleep;* zij is goed ~ wiskunde *she's good at mathematics* **3.9** uitbarsten ~ gelach *burst into laughter, burst out laughing* **4.1** iets ~ zich hebben *have sth. in one* **7.5** ~ tweeën snijden *cut in two.*
inacceptabel ⟨bn.,bw.;-ly⟩ **0.1** *unacceptable.*
inaccessibel ⟨bn.⟩⟨schr.⟩ **0.1** *inaccessible;* ⟨persoon⟩ *unapproachable.*
inaccuraat ⟨bn.,bw.;-ly⟩ **0.1** *inaccurate.*
inachtneming ⟨de (v.)⟩ **0.1** [oplettendheid] *regard* ⇒*consideration, observation, notice, attention* **0.2** [nakoming] *regard* ⇒*observance, compliance* ◆ **6.1** met ~ **van** uw belangen *with due r. for your interests;* met ~ **van** de moeilijke omstandigheden *having r. to/considering/ taking into account/making due allowance for the difficult circum-*

stances; **met ~ van** uw goede raad *mindful of your good advice* **6.2 met ~ van** de voorschriften *in compliance with the regulations;* iem. ontslaan **met ~ van** een opzeggingstermijn *dismiss s.o. in accordance with the terms of notice;* verkopen **met ~ van** de voorwaarden ... *sell subject to the conditions ....*

inactief 〈bn.〉 **0.1** *inactive* ⇒〈ongewenst〉 *idle,* 〈tijdelijk〉 *dormant.*

inactiveren 〈ov.ww.〉 **0.1** *inactivate* ⇒*deactivate, immobilize.*

inactiviteit 〈de (v.)〉 **0.1** *inactivity* ⇒*inaction,* 〈ongewenst〉 *idleness,* 〈tijdelijk〉 *dormancy.*

inademen
I 〈onov.ww.〉 **0.1** [de adem inhalen] *inhale* ⇒*breathe in, take/draw breath* ◆ **5.1** diep~ *take/draw a deep b.;*
II 〈ov.ww.〉 **0.1** [inhaleren] *inhale* ⇒*breathe in* ◆ **1.1** frisse lucht~*i./breathe in fresh air, take a breath of fresh air.*

inademing 〈de (v.)〉 **0.1** [handeling] *inhalation* ⇒*(intake of) breath* **0.2** [keer] *inhalation* ⇒*(intake of) breath.*

inadequaat 〈bn., bw.;-ly〉 **0.1** *inadequate* ⇒*insufficient,* 〈voor taak〉 *incompetent.*

inas 〈de (v.)〉 **0.1** *residential assistant (in a nursing home).*

inauguraal 〈bn.〉 **0.1** *inaugural* ⇒*inauguratory.*

inauguratie 〈de (v.)〉 **0.1** [inwijding] *inauguration* **0.2** [intrede als hoogleraar] *inauguration* **0.3** [intreerede] *inaugural* ⇒*inaugural lecture/speech,* 〈president U.S.A.〉 *inaugural address.*

inaugureel 〈bn.;alleen attr.〉 **0.1** *inaugural* ⇒*inauguratory* ◆ **1.1** een inaugurele rede *an inaugural lecture/speech;* 〈president U.S.A.〉 *an inaugural address.*

inaugureren 〈ov.ww.〉 **0.1** *inaugurate* ⇒〈met eed〉 *swear in.*

inbaar 〈bn.〉 **0.1** *collectable, collectible* ⇒〈inwisselbaar〉 *cashable,* 〈schuld〉 *recoverable,* 〈belasting, contributie〉 *leviable* ◆ **3.1** de huur wordt de eerste van de maand~ *the rent falls/becomes due on the first of the month;* die heffing wordt vanaf 1 januari~ *this tax will be levied from 1st. January, this tax will take effect from 1st. January.*

inbakeren 〈ov.ww.〉 **0.1** [in doeken wikkelen] *swaddle (up)* ⇒*wrap in swaddling clothes/bands* **0.2** [warm kleden, instoppen] *wrap up* ⇒*bundle/muffle up* ◆ **4.2** zich~ *wrap/bundle/muffle o.s. up.*

inbakken
I 〈ov.ww.〉 **0.1** [meebakken] *bake in* ◆ 〈fig.〉 conflicten zijn bij een dergelijke regeling ingebakken *conflicts are inherent in such an arrangement, an arrangement like that is structured to produce conflict;* 〈fig.〉 de ingebakken aard *the inborn nature, the innate character;* 〈fig.〉 die gewoonte zit er bij hem nu eenmaal ingebakken *that habit's ingrained with him, it's become an ingrained habit with him;* 〈fig.〉 ingebakken vuil *ingrained dirt;*
II 〈onov.ww.〉 **0.1** [inkrimpen] *reduce (in baking).*

inbedden 〈ov.ww.〉 **0.1** *bed, embed* ⇒*imbed* ◆ **1.1** 〈taal.〉 een ingebedde zin *an embedded sentence/clause* **6.1** 〈fig.〉 ingebed in de bossen/heuvels *nestling among the woods/hills.*

inbedroefd 〈bn., bw.〉 **0.1** *grief-stricken* ⇒*stricken with grief, filled with grief/sorrow, deeply grieved/afflicted.*

inbeelden 〈wk.ww.; zich~〉 **0.1** [als werkelijk bestaand voorstellen] *imagine* ⇒*fancy, dream up* **0.2** [verbeelding hebben] *fancy o.s.* ⇒*think much of o.s.* ◆ **1.1** een ingebeelde ziekte *an imaginary illness* **8.1** hij beeldt zich in, dat hij ziek is *he imagines that he is ill;* zij beeldt zich in dat ...*she's got hold of the idea that ...* **¶.1** dat beeld je je maar in *that's just your imagination* **¶.2** wat beeldt hij zich wel in? *who does he think he is?.*

inbeelding 〈de (v.)〉 **0.1** [visioen] *imagination* ⇒*illusion, flight of fancy* **0.2** [verbeelding] *conceit* ⇒*vanity* ◆ **3.1** kom, kom, je bent niet ziek, het is maar~ *come, come, you're not ill, it's just (your) imagination* **3.2** wat heeft die man een~ *that man really thinks the world of/really fancies himself.*

inbegrepen 〈bn.;predikatief〉 **0.1** *included* ⇒*including, inclusive of* ◆ **1.1** bediening~ *service included, the price includes service;* kosten~ *inclusive of charges, charges included* **3.1** in de prijs is het vervoer~ *transport is included in the price, the price covers transport* **4.1** alles~ *including everything, inclusive, no extras, all found;* een prijs waar alles~ is *an all-in/inclusive price* **5.1** verpakking niet~ *packing extra/not included, exclusive of packing.*

inbegrip 〈het〉 ◆ **6.¶** **met ~ van** *including, inclusive of, included;* een installatie **met ~ van** luidsprekers *a hi-fi set including speakers;* **zonder ~ van** *exclusive of, not including.*

inbeitelen 〈ov.ww.〉 **0.1** *chisel/carve/cut (into).*

inberekenen 〈ov.ww.〉 **0.1** *reckon in* ⇒*calculate in.*

inbeslagneming 〈de (v.)〉 **0.1** *seizure* ⇒〈roerende goederen〉 *confiscation, attachment, sequestration, distraint, distress* 〈wegens huur/belastingschuld〉, 〈onroerende goederen〉 *sequestration,* 〈schip〉 *arrest, embargo.*

inbeuken 〈onov.ww.〉 **0.1** *lam into* ⇒*let fly at, lay/pitch into.*

inbewaringstelling 〈de (v.)〉 **0.1** *arrest* ⇒*taking into custody* ◆ **1.1** ~van verdachten *a. of suspects, taking suspects into custody* **2.1** gerechtelijke~ *(judicial) sequestration (of property).*

inbezitneming 〈de (v.)〉 **0.1** *taking possession of* ⇒*entering into possession of* ◆ **1.1** de~van de veroverde gebieden *the occupation of the*

captured territories **2.1** 〈jur.〉 wederrechtelijke~*illegal appropriation, conversion, intrusion, usurpation.*

inbijten
I 〈onov.ww.〉 **0.1** [bijtend inwerken] *bite* ⇒*burn* ◆ **1.1** de tafel is ingebeten *the table is corroded;* pas op, dit zuur bijt in *careful, that acid bites/is corrosive/is mordant/is biting* **6.1** ~**op/in** *bite/burn into, corrode, macerate, fret* **7.1** het ~ 〈vnl. bij het etsen〉 *the bite;*
II 〈ov.ww.〉 **0.1** [met een bijtend middel bewerken] *bite* ⇒*etch, stain* **0.2** [door drijfijs leiden] *pilot (a ship) through ice* ◆ **1.1** hout met kleuren~*stainwood (with acids).*

inbinden
I 〈onov.,ov.ww.〉 **0.1** [bedwingen] *restrain* ⇒*(keep in) check, control* ◆ **3.1** moeten~ *be forced to come down a peg or two/eat humble pie/climb down/swallow one's words* **4.1** zich ~ *r./control/check o.s., keep o.s. in check* **6.1** ~ **voor** *knuckle/concede to;*
II 〈ov.ww.〉 **0.1** [〈boek.〉] *bind* **0.2** [met iets omgeven] *cover* ⇒*bind, tie up, truss up* 〈gevogelte〉 **0.3** [〈scheep.〉] *shorten* ⇒*take in, reef* ◆ **1.3** een zeil~ *take in (a) sail, s. sail, take in a reef of sail.*

inblazen
I 〈onov.ww.〉 **0.1** [door blazen inkomen] *blow in(to)* ◆ **1.1** de wind blies de schoorsteen in *the wind blew down the chimney;*
II 〈ov.ww.〉 **0.1** [door blazen doen komen in,* 〈ook fig.〉] *blow into* ⇒ 〈fig.〉 *breathe/infuse/inject/inspire into* ◆ **1.1** iets nieuw leven~ *breathe new life into sth., bring sth. back to life, reanimate/regenerate/enliven sth.;* God blies Adam de levensadem in *God breathed (the breath of) life into Adam;* iem. moed ~ *breathe/infuse courage into s.o., infuse s.o. with courage;* iem. boze plannen ~ *whisper evil plans into s.o.'s ear, urge s.o. on to evil deeds.*

inblikken
I 〈ov.ww.〉 **0.1** [in blik conserveren] *can* ⇒ᴮ*tin* **0.2** [muziek/geluiden vastleggen] *can* ◆ **1.1** ingeblikte groente *canned vegetables;*
II 〈onov.ww.〉 **0.1** [de blik keren in, naar] *look into* ⇒*gaze into* ◆ **1.1** de toekomst ~ *look/gaze into the future;* de zaal ~ *look into/out at the audience.*

inbliksemen 〈onov.ww.〉 **0.1** *flash into* ⇒*strike into, tear into.*

inboedel 〈de (m.)〉 **0.1** *moveables furniture, furnishings;* 〈schr.〉 *household effects* ◆ **2.1** een schamele ~ *a few sticks of furniture* **3.1** een ~ verzekeren *insure the contents of a house.*

inboedelverzekering 〈de (v.)〉 **0.1** *furniture insurance.*

inboeken 〈ov.ww.〉 **0.1** *book* ⇒*enter (up), register* ◆ **1.1** de rekeningen ~ *enter up the invoices, enter the invoices into the books.*

inboeren 〈onov.,ov.ww.〉 **0.1** *sink (sth.) in (sth.).*

inboeten 〈ov.ww.〉 **0.1** [verliezen] *lose* **0.2** [〈bosbouw〉] *fill up* ⇒*refill* ◆ **1.1** hij boette er zijn betrekking/leven bij in *it cost him his position/life;* geld bij iets ~ *l. money on sth.* **6.1** **aan** kracht ~ *be robbed of one's strength, lose strength, weaken;* **aan** waarde ~ *l. value, devaluate.*

inboezemen 〈ov.ww.〉 **0.1** *inspire* ⇒*infuse, incite, instil* ◆ **1.1** iem. afkeer ~ *inspire aversion in s.o., inspire/fill s.o. with aversion, disgust s.o.;* iem. eerbied/vertrouwen ~ *inspire respect/confidence in(to) s.o., infuse/instil/breathe respect/confidence into s.o., command s.o.'s respect/confidence;* iem. ontzag ~ *inspire/fill s.o. with awe, inspire awe in s.o., (over)awe s.o., instil awe into s.o.;* iem. vrees ~ *inspire fill s.o. with dread, inspire fear in s.o., strike terror into s.o. ('s heart/soul), strike s.o. with terror, frighten/scare/terrify s.o..*

inboorling 〈de (m.)〉 **0.1** [inlander] *native* ⇒*aborigine, aboriginal* 〈vnl. van Australië〉, 〈Austr.E;bel.〉 *abo,* 〈vrouw〉 *gin* **0.2** [autochtoon] *native* ⇒*local.*

inboren
I 〈ov.ww.〉 **0.1** [een gat maken in] *drill into* ⇒*bore into* ◆ **1.¶** 〈fig.〉 iem. de grond ~ 〈verslaan〉 *crush s.o.;* 〈bekritiseren〉 *pull/tear s.o. to pieces/shreds;*
II 〈onov.ww.〉 **0.1** [doordringen in] *penetrate* ◆ **1.1** de kogel boorde een heel eind de grond in *the bullet penetrated deep into the ground.*

inborst 〈de〉 **0.1** *disposition* ⇒*character, heart, mind, soul* ◆ **2.1** hij heeft een zachtzinnige ~ *he has a mild/gentle d./ character, he is mild-tempered/gentle-hearted/sweet-tempered.*

inbouw 〈de (m.)〉 **0.1** [het inbouwen] *building-in* ⇒*installation* **0.2** [de ingebouwde onderdelen] *built-in components.*

inbouwelement 〈het〉 **0.1** *built-in element.*

inbouwen 〈ov.ww.〉 **0.1** [met andere gebouwen omgeven,* 〈ook fig.〉] *build in* **0.2** [zo bouwen dat iets zich in iets anders bevindt] *build in* **0.3** [in de constructie opnemen] *build in* **0.4** [rekening houden met] *build in* ◆ **1.1** 〈fig.〉 ze hebben mijn auto ingebouwd *my car has been completely boxed in;* het park is al aardig ingebouwd *the park has been built in/round quite extensively* **1.2** die toren is ingebouwd *that tower is an integral part of the building* **1.3** een ingebouwde antenne *a built-in aerial;* een ingebouwde kast *a built-in/fitted cupboard;* een radio met ingebouwde luidspreker *a radio with a built-in speaker* **1.4** veiligheidsmaatregelen ~ *b.i. safety measures* **3.1** erg ingebouwd zitten 〈fig.〉 *be boxed/hemmed in* **6.3** de safe is in de muur ingebouwd *the safe is built/let/recessed into the wall.*

inbouwkastje 〈het〉 **0.1** *built-in cupboard/*ᴬ*closet.*

inbouwkeuken 〈de〉 **0.1** *built-in kitchen.*

inbouwpakket ⟨het⟩ **0.1** *built in assembly kit* ⇒*D.I.Y.* / *do-it-yourself built-in furniture (kit).*

inbraak ⟨de⟩ **0.1** [handeling] *breaking in* ⇒*burglary* (vnl. 's nachts), *housebreaking* (vnl. overdag) **0.2** [keer] *break-in* ⇒*burglary, (case of) house-breaking,* ⟨AE;sl.⟩ *heist* ♦ **1.1** ⟨jur.⟩ ~ *en insluiping break- ing and entering* **3.1** ~ plegen in *break into, burgle* **6.1** beveiligd **tegen** ~ *burglarproof.*

inbraakalarm ⟨het⟩ **0.1** *burglar/intrusion alarm.*

inbraakbeveiliging ⟨de (v.)⟩ **0.1** *alarm/security system; burglar alarm; protection against burglary.*

inbraakpoging ⟨de (v.)⟩ **0.1** *attempt at/attempted burglary.*

inbraakpolis ⟨de⟩ **0.1** *burglary policy.*

inbraakpreventie ⟨de (v.)⟩ **0.1** *prevention of burglary.*

inbraakverzekering ⟨de (v.)⟩ **0.1** *burglary insurance.*

inbraakvrij ⟨bn.⟩ **0.1** *burglarproof.*

inbranden
I ⟨ov.ww.⟩ **0.1** [merkteken aanbrengen] *brand* **0.2** [verf vastleggen] *anneal* **0.3** [fotografisch vastleggen] *burn in(to)* ♦ **1.1** een merk op het vee ~ *b. cattle;* een ingebrand merk *a brand (mark)* **1.3** letters in pa- pier/hout ~ *burn letters into paper/wood;*
II ⟨onov.ww.⟩ **0.1** [niet gelijkmatig afbranden] *not burn evenly* ⇒ *burn unevenly* ♦ **1.1** deze sigaar brandt in *this cigar doesn't burn evenly* **1.¶** koffiebonen branden maar weinig in *coffee beans hardly reduce in roasting.*

inbranding ⟨de (v.)⟩ **0.1** [handeling] *burning in* ⇒*branding* **0.2** [merk] *brand.*

inbreien ⟨ov.ww.⟩ **0.1** *knit in.*

inbreken ⟨onov.ww.⟩ **0.1** [inbraak plegen] *break in(to)(a house)* ⇒*bur- gle (a house)* ⟨vnl. 's nachts⟩, *commit burglary* ⟨vnl. 's nachts⟩/*house- breaking* ⟨vnl. overdag⟩ **0.2** [⟨fig.⟩ schenden, verbreken] *break in(to)* ⇒*encroach/impinge on* **0.3** [doorbreken] *break* ⇒*burst, collapse, fall /cave in* ♦ **1.1** de dieven hebben hier ingebroken *there has been a burglary here;* ⟨binnengedrongen⟩ *this is where the burglers broke in* **6.1** er is alweer **bij** ons ingebroken *we have been burgled again, our house has been broken into/burgled again, there has been another burglary/break-in at our house* **6.2 bij** een der partijen werd met suc- ces ingebroken *they succeeded in splitting one of the parties.*

inbreker ⟨de (m.)⟩, **-breekster** ⟨de (v.)⟩ **0.1** *burglar* ⟨vnl. 's nachts⟩; *housebreaker* ⟨vnl. overdag⟩ ⇒*picklock.*

inbrekerspad ⟨het⟩ **0.1** ⟨zie 3.1⟩ ♦ **3.1** het ~ inslaan/opgaan *take to burglary/housebreaking.*

inbreng ⟨de (m.)⟩ **0.1** [inleg] *deposit* **0.2** [financiële bijdrage] *contribu- tion* **0.3** [aandeel] *contribution* **0.4** [⟨jur.⟩] *collation* ⇒*hotchpot, return of advancements as an estate* **0.5** [het naar binnen brengen] *bringing in* ⇒*insertion, injection, introduction* ♦ **6.2** de ~ van een vennoot in een zaak *the capital contributed/brought in/paid in/put in by a part- ner in a business;* de ~ **in** een huwelijk *the marriage portion, the dowry* **6.3** hij heeft weinig ~ in de discussie *he contributes little/makes few contributions to the discussion* **¶.2** ~ in natura *c. in kind.*

inbrengen ⟨ov.ww.⟩ **0.1** [naar binnen brengen] *bring in(to)* ⇒*insert* ⟨thermometer, muntstuk⟩, *inject* ⟨inspuiten⟩, *introduce* **0.2** [inleg- gen] *deposit* **0.3** [afstaan voor de handelszaak] *bring in* ⇒*contribute, pay/put in, introduce, invest* **0.4** [meebrengen in een huwelijk] *bring in(to)* ⇒*contribute* **0.5** [opleveren] *bring in* ⇒*yield, produce* **0.6** [voorstellen] *contribute* ⇒*suggest, put/bring forward* **0.7** [aanvoeren] *bring (forward)* ⇒*put forward, raise, furnish* ⟨bewijs⟩ **0.8** [mbt. mest- stoffen] *dig in* ⇒*plough in* ♦ **1.1** het ~ van een maagsonde/van de penis *the introduction of a stomach-tube/of the penis* **1.3** kapitaal ~ in een zaak *bring/put capital into a business, contribute capital to a busi- ness* **1.6** een alternatief ~ *suggest/put forward/bring forward an alter- native* **1.7** bezwaren ~ tegen *raise objections to/against, bring objec- tions against, take objection to;* een klacht ~ *lodge a complaint;* kritiek ~ tegen *bring/level criticism against* **4.6** heel wat in te brengen heb- ben ⟨veel invloed⟩ *pull considerable weight;* ⟨veel suggesties⟩ *have a good deal to c./say;* niets in te brengen hebben ⟨geen invloed⟩ *have no say/voice;* ⟨geen suggesties⟩ *have nothing to contribute/say* **6.7** wat hebt u **tegen** die beschuldiging in te brengen? *what do you have to say to these charges?;* daar is/valt niets **tegen** in te brengen *there is nothing to be said against this; this is unobjectionable/perfectly sound/ unassailable/indisputable/unanswerable* **7.7** daar is veel tegen in te brengen *that is open to many objections.*

inbrenger ⟨de (m.)⟩ **0.1** *contributor* ⟨van kapitaal in zaak⟩; *vendor* ⟨van zaak in vennootschap⟩; *depositor* ⟨van geld in spaarbank⟩.

inbrenghuls ⟨de⟩ **0.1** *applicator.*

inbreuk ⟨de⟩ ⟨fig.⟩ **0.1** *infringement* ⇒*invasion, transgression, violation, breach* ♦ **3.1** ~ maken op iemands rechten *infringe (on)/encroach on /trespass on/transgress/make an inroad upon/violate s.o.'s rights* **6.1** dat is een ~ **op** onze afspraak *that is a violation/breach of our agree- ment;* een ~ **op** de privacy *an invasion of/intrusion on/incursion on one's privacy;* een ~ **op** de openbare zeden *an offence against public decency.*

inbrokkelen
I ⟨ov.ww.⟩ **0.1** [brokkelend in iets doen] *crumble and add to* **0.2**

[gaandeweg verliezen] *lose bit by bit* ♦ **1.2** hij heeft er zijn hele ver- mogen bij ingebrokkeld *he lost his entire fortune bit by bit* **4.¶** niets in (de melk) te brokken/brokkelen hebben *have no voice/say,* have nothing to say;
II ⟨onov.ww.⟩ **0.1** [afbrokkelen] *crumble* ⇒*cave in, collapse.*

inbuigen
I ⟨ov.ww.⟩ **0.1** [naar binnen buigen] *bend in(ward)* ⇒*curve in(ward), incurve, inflect;*
II ⟨onov.ww.⟩ **0.1** [doorbuigen] *bend* ⇒*sag.*

inbuiging ⟨de (v.)⟩ **0.1** [het naar binnen buigen] *incurvation* ⇒*inflec- tion, curve, bend* **0.2** [knik] *incurvation* ⇒*inflection, curve, bend.*

inburgeren ⟨onov.ww.⟩ **0.1** [mbt. personen] *naturalize* ⇒*settle down/in* **0.2** [mbt. zaken] *naturalize* ⇒*take/strike root, become current/estab- lished* ♦ **1.2** die bastaardwoorden zijn bij ons ingeburgerd *these loan-words have (become) naturalized/become current/become es- tablished here;* die gewoonte is hier goed ingeburgerd *that custom has been generally adopted here* **5.1** hij is hier al aardig ingeburgerd *he's already quite at home here* **6.1 in** een nieuwe omgeving ingeburgerd raken *settle down in new surroundings.*

inbusbout ⟨de (m.)⟩ **0.1** *socket cap/head screw.*

inbussleutel ⟨de (m.)⟩ **0.1** *socket head wrench, socket screw key.*

incalculeren ⟨ov.ww.⟩ **0.1** [begroten] *calculate in* ⇒*reckon in* **0.2** [voor- zien] *calculate in* ⇒*reckon in* ♦ **5.1** niet goed ~ *miscalculate.*

incapabel ⟨bn., bw.;-ly⟩ **0.1** *incompetent.*

incarnatie ⟨de (v.)⟩ **0.1** [⟨theol.⟩] *incarnation* **0.2** [belichaming] *incar- nation* ⇒*embodiment, personification.*

incarneren ⟨ov.ww.⟩ **0.1** *incarnate* ⇒*embody* ♦ **1.1** hij is de geïncar- neerde gierigheid *he is avarice incarnate/personified, he is the epi- tome of avarice* **4.1** zich ~ in *be embodied in.*

incassatie ⟨de (v.)⟩ **0.1** *collection.*

incasseerder ⟨de (m.)⟩ **0.1** *collector* ⇒*debt collector.*

incasseren ⟨ov.ww.⟩ **0.1** [innen] *collect* ⇒*receive, cash (in)* ⟨verzilveren⟩ **0.2** [opvangen] *accept* ⇒*receive, take* ♦ **1.2** een belediging ~ *a./take/ put up with/swallow an insult;* de bokser moest een rechtse hoek ~ *the boxer took a right hook;* hij moest al de klachten ~ *he was at/on the receiving end of all the complaints;* een klap/belediging kunnen ~ *be able to take a blow/an insult, soak up a blow/an insult;* klappen ~ *take/a. blows, take a beating.*

incassering ⟨de (v.)⟩ **0.1** *collection.*

incasseringsvermogen ⟨het⟩ **0.1** *stamina* ⇒*resilience* ♦ **3.1** hij heeft een groot ~ ⟨sport⟩ *he can take a lot.*

incasso ⟨het⟩ **0.1** [het incasseren] *collection* **0.2** [kassiersloon] *collection (charges), collecting commission/fee* **0.3** [te incasseren bedrag] *collec- tion* ⇒*sum to be collected* ♦ **3.1** ~ 's bezorgen, zich met ~'s belasten *make/undertake/collections* ⟨bank⟩; *undertake the c. of accounts, un- dertake debt collection(s), undertake to collect accounts* ⟨incassobu- reau⟩ **6.1** cheques **ter** ~ geven *pay cheques into the bank.*

incassoagent ⟨de (m.)⟩ **0.1** *collecting agent.*

incassobank ⟨de⟩, **incassobureau** ⟨het⟩ **0.1** *(debt-)collecting agency* ⇒ *debt-collection/recovery agency/office.*

incassoprovisie ⟨de (v.)⟩ **0.1** *collecting commission/fee.*

incassotarief ⟨het⟩ **0.1** *collecting rate(s).*

incassowissel ⟨de (m.)⟩ **0.1** *bill for collection.*

in casu ⟨bw.⟩ **0.1** *in this case.*

incest ⟨de (m.)⟩ **0.1** *incest.*

incestueus ⟨bn.⟩ **0.1** *incestuous.*

incheckbalie ⟨de (v.)⟩ **0.1** *check-in counter/desk.*

inchecken
I ⟨onov.ww.⟩ **0.1** [door passagiers] *check in;*
II ⟨ov.ww.⟩ **0.1** [door baliepersoneel] *check in.*

inchoatief¹ ⟨het⟩ ⟨taal.⟩ **0.1** *inceptive* ⇒*inchoative.*

inchoatief² ⟨bn.⟩ **0.1** *inceptive* ⇒*inchoative.*

incident ⟨het⟩ **0.1** [storend voorval] *incident* **0.2** [onvoorziene gebeurte- nis] *incident* ⇒*accident, coincidence,* ⟨grappig⟩ *interlude* **0.3** [con- flict] ⟨vnl. mil.⟩ *incident* **0.4** [⟨jur.⟩] *incident* ♦ **3.3** het ~ is gesloten *the matter/case is closed* **6.1** zonder ~en verlopen *pass without inci- dent, take place without mishap, be uneventful.*

incidenteel
I ⟨bn., bw.;-ly⟩ **0.1** [nu en dan] *incidental* ⇒*occasional* **0.2** [terloops] *incidental* ♦ **1.1** een ~ bezoekje *an occasional visit;* ⟨toevallig⟩ a *chance visit;* incidentele gevallen *random occurrences* **1.2** dat kreeg slechts incidentele aandacht *that received only i./casual attention* **3.1** dit verschijnsel doet zich ~ voor *this is a i./occasional phenomenon, this happens occasionally* **3.2** die kwestie is slechts ~ besproken *that question/issue was only discussed in passing;*
II ⟨bn.⟩ **0.1** [bijkomstig] *incidental* ⇒*subordinate, accessory* **0.2** [⟨jur.⟩] *incident* ♦ **1.2** ~ beroep/appel *appeal.*

incisie ⟨de (v.)⟩ **0.1** *incision.*

inciviek¹ ⟨de (m.)⟩ **0.1** *subversive* ⇒⟨2e wereldoorlog⟩ *collaborator.*

inciviek² ⟨bn.⟩ **0.1** *subversive* ⇒*unpatriotic.*

incl. ⟨afk.⟩ **0.1** [inclusief] *incl..*

inclinatie ⟨de (v.)⟩ **0.1** [⟨nat.⟩] *(magnetic) dip* ⇒*(magnetic) inclination* **0.2** [⟨aardr.⟩] *inclination* **0.3** [geneigdheid] *inclination.*

inclinatiehoek ⟨de (m.)⟩ **0.1** *angle of inclination.*

inclinatiekompas ⟨het⟩ **0.1** *inclination compass.*

inclinatienaald ⟨de⟩ **0.1** *dip(ping) needle.*

inclineren ⟨onov.ww.⟩ ⟨schr.⟩ **0.1** *incline (towards)* ◆ ¶.**1** ⟨zelfst.⟩ ~den wordt verzocht ...*those/persons interested are requested* ....

includeren ⟨ov.ww.⟩ **0.1** *include* ⇒*comprise.*

incluis 0.1 *included.*

inclusie ⟨de (v.)⟩ **0.1** *inclusion.*

inclusief ⟨bw.⟩ **0.1** *including* ⇒*inclusive (of)* ◆ **1.1** vijf gulden, ~ B.T.W. *five guilders, including V.A.T.;* de prijs is ~ B.T.W. *the price is inclusive of V.A.T., the price includes V.A.T.;* 45 gulden ~ (bedieningsgeld) *45 guilders, including service/service charges included;* ~ rente *cum dividend;* de prijs ~ rente *the cum price;* prijs ~ statiegeld *price including deposit;* de prijs is 200 gulden, ~ transportkosten *the price is/it costs 200 guilders, including transport.*

incognito¹ ⟨het⟩ **0.1** *incognito* ◆ **3.1** het ~ bewaren *keep up/maintain one's i..*

incognito² ⟨bw.⟩ **0.1** *incognito* ⇒⟨inf.⟩ *incog* ◆ **3.1** hij reist ~ *he is travelling incognito* **5.1** strikt ~ *strictly incognito.*

incoherent ⟨bn., bw.; -ly⟩ **0.1** *incoherent* ◆ **1.1** ⟨nat.⟩ ~e verstrooiing *compton scattering/effect.*

incoherentie ⟨de (v.)⟩ **0.1** *incoherence.*

incompatibel ⟨bn.⟩ **0.1** *incompatible* ⇒*inconsistent, irreconcilable,* ⟨schr.⟩ *repugnant.*

incompatibiliteit ⟨de (v.)⟩ **0.1** *incompatibility* ⇒*inconsistency, irreconcilability,* ⟨schr.⟩ *repugnance* ◆ **1.1** ~ van karakter *incompatibility of temper(ament).*

incompetent ⟨bn.⟩ **0.1** [onbevoegd] *incompetent* ⇒*unqualified, unauthorized* **0.2** [onbekwaam] *incompetent.*

incompetentie ⟨de (v.)⟩ **0.1** [onbevoegdheid] *incompetence* **0.2** [ongeschiktheid] *incompetence* **0.3** [ontoereikendheid] *incompetence.*

incompleet ⟨bn.⟩ **0.1** *incomplete* ⇒*imperfect* ◆ **1.1** de vergadering was ~ *the meeting was not fully attended;* ⟨geen quorum⟩ *there wasn't a quorum (at the meeting).*

in concreto 0.1 *in the concrete* ⇒*in this particular case.*

in confesso ⟨jur.⟩ **0.1** ⟨zie 3.1⟩ ◆ **3.1** ~ zijn *be admitted.*

incongruent ⟨bn.⟩ **0.1** [niet gelijkvormig] *incongruent* **0.2** [niet overeenstemmend] *incongruous.*

incongruentie ⟨de (v.)⟩ **0.1** [onderlinge ongelijkvormigheid] *incongruence* **0.2** [gebrek aan overeenstemming] *incongruity* ⇒*incongruousness.*

inconsequent ⟨bn., bw.; -ly⟩ **0.1** *inconsistent* ⇒*inconsequent.*

inconsequentie ⟨de (v.)⟩ **0.1** [gebrek aan consequentie] *inconsistency* ⇒*inconsequence, contradiction* **0.2** [geval daarvan] *inconsistency* ⇒*inconsequence, contradiction.*

inconsistent ⟨bn.⟩ **0.1** ⟨weinig samenhangend⟩ *inconsistent* ⇒*incoherent,* ⟨onvast⟩ *unstable, unsteady, inconstant.*

inconsistentie ⟨de (v.)⟩ **0.1** *inconsistency* ⇒*incoherence,* ⟨veranderlijkheid⟩ *instability.*

inconstitutioneel ⟨bn., bw.; -ly⟩ **0.1** *unconstitutional.*

incontinent ⟨bn.⟩ **0.1** *incontinent.*

incontinentie ⟨de (v.)⟩ **0.1** *incontinence.*

inconveniëren ⟨onov.ww.⟩ **0.1** *be inconvenient* ⇒*inconvenience, incommode, put out.*

incorporatie ⟨de (v.)⟩ **0.1** [inlijving bij] *incorporation* **0.2** [⟨rel.⟩] *Incarnation* **0.3** [⟨far.⟩] *incorporation* **0.4** [⟨taal.⟩] *incorporation.*

incorporeren ⟨ov.ww.⟩ **0.1** *incorporate* ◆ **1.1** ⟨taal.⟩ ~de talen *polysynthetic/incorporating languages.*

incorrect ⟨bn., bw.; -ly⟩ **0.1** [onnauwkeurig] *incorrect* ⇒*wrong, inaccurate* **0.2** [ongepast] *incorrect* ⇒*improper, unseemly* ◆ **1.1** ~ taalgebruik ⟨in tekst⟩ *misusage* **1.2** een ~e handeling *an incorrect/improper/unseemly action* **3.1** ~ citeren *misquote;* ~ spreken *speak incorrectly* **3.2** zich ~ gedragen tegenover iem. *behave incorrectly towards s.o..*

incourant ⟨bn.⟩ **0.1** *unsalable* ⇒*unmarketable* ◆ **1.1** ~e artikelen *unsalable/unmarketable articles;* ~e fondsen *unmarketable/unlisted/unquoted stock;* ~e maten *off-sizes,* ⟨extra groot⟩ *out-sizes.*

increment ⟨het⟩ **0.1** *increment.*

incrimineren ⟨ov.ww.⟩ **0.1** [als strafbaar beschouwen] *incriminate* **0.2** [als laakbaar beschouwen] *incriminate* ⇒*condemn, denounce, object to, take exception to* ◆ **1.1** de geïncrimineerde woorden/feiten *the incriminating words/evidence.*

incrustatie ⟨de (v.)⟩ **0.1** [omkorsting] *incrustation* ⇒*encrustation* **0.2** [invatting van edelstenen] *incrustation* ⇒*encrustation* **0.3** [⟨bouwk.⟩] *incrustation* ⇒*encrustation.*

incrusteren ⟨ov.ww.⟩ **0.1** *encrust* ⇒*incrust.*

incubatie ⟨de (v.)⟩ **0.1** *incubation.*

incubatietijd ⟨de (m.)⟩ **0.1** *incubation period* ⇒*period of incubation, latent/latency period.*

incubator ⟨de (m.)⟩ **0.1** *incubator* ⇒*hatcher.*

inculperen ⟨ov.ww.⟩ **0.1** *inculpate* ⇒*incriminate, accuse, blame.*

incunabel ⟨de (m.)⟩ **0.1** *incunabulum* ⇒*incunable.*

incunabelistiek ⟨de (v.)⟩ **0.1** *study of incunabula.*

incunabulist ⟨de (m.)⟩ **0.1** *incunabulist.*

indachtig ⟨bn.⟩ **0.1** *mindful (of)* ⇒*heedful (of)* ◆ **1.1** zijn plichten ~ *m.of one's duties* **3.1** iem. iets ~ maken *remind s.o. of sth., put s.o. in mind of sth.;* wees mij ~ *remember me;* (aan) iets/iem. ~ zijn *bear sth. /s.o. in mind* **5.1** iets niet ~ zijn *be heedless of sth..*

indagen ⟨ov.ww.⟩ **0.1** *summon* ⇒*cite.*

indaging ⟨de (v.)⟩ **0.1** [handeling] *summoning* ⇒*citation* **0.2** [dagvaarding] *summons* ⇒*citation.*

indalen ⟨onov.ww.⟩ ⟨med.⟩ **0.1** *engage.*

indammen ⟨ov.ww.⟩ **0.1** [tussen dijken insluiten] *dam* ⇒*dike, embank* **0.2** [⟨fig.⟩] *dam* ⇒*contain, confine, keep/hold back* ◆ **1.2** een conflict ~ *keep a conflict under control;* iem.'s enthousiasme ~ *stem s.o.'s enthusiasm.*

indampen ⟨ov.ww.⟩ **0.1** *evaporate* ⇒*condense, concentrate.*

indecent ⟨bn., bw.; -ly⟩ **0.1** *indecent* ⇒⟨vnl. mbt. vrouw⟩ *immodest.*

indecentie ⟨de (v.)⟩ **0.1** *indecency* ⇒*immodesty.*

indeclinabel ⟨bn.⟩ ⟨taal.⟩ **0.1** *indeclinable.*

indekken ⟨wk.ww.; zich ~⟩ **0.1** *cover o.s. (against)* ⇒*safeguard (against), hedge (one's bets)* ◆ **6.1** zich ~ tegen de inflatie *hedge (against) inflation.*

indelen ⟨ov.ww.⟩ **0.1** [rangschikken] *divide* ⇒*order, class(ify), group, arrange* **0.2** [onderbrengen bij] *group* ⇒*class(ify), range, assign/attach to a group/class* ◆ **1.1** zijn dag ~ *plan one's day;* een kamer rationeel ~ *arrange a room rationally* **5.1** opnieuw ~ *rearrange, reclassify, redistribute, re-form* **6.1** zijn klanten in vier groepen ~ *class(ify) one's customers into four groups;* de deelnemers in groepjes d. *the participants into four groups* **6.2** hij werd bij de gevorderden ingedeeld *he was assigned to/attached to/placed in the advanced group;* het konijn bij de knaagdieren ~ *class(ify) the rabbit as a rodent/among the rodents;* een gemeente bij een andere provincie ~ *incorporate a municipality into another province;* een soldaat bij een tankeenheid ~ *assign a soldier to a tank unit.*

indelicaat ⟨bn., bw.; -ly⟩ **0.1** *indelicate* ⇒*indiscreet.*

indeling ⟨de (v.)⟩ **0.1** [handeling] *division* ⇒*arrangement, classification,* ⟨onderbrenging⟩ *assignment, incorporation* **0.2** [resultaat] *division* ⇒*arrangement, classification, lay-out* ⟨van tuin, gebouw⟩ ◆ **2.2** een alfabetische ~ *an alphabetical order/arrangement;* een overzichtelijke ~ *a clear/well-ordered arrangement/lay-out* **6.1** de ~ van een gebied in districten *the d. / zoning of a region into districts* **6.2** een ~ in categorieën *a classification into categories, a categorization.*

indelingsraad ⟨de (m.)⟩ ⟨mil.⟩ **0.1** ᴮ*conscription/* ᴬ*draft board.*

indemnisatie ⟨de (v.)⟩ **0.1** *idemnification.*

indemniseren ⟨ov.ww.⟩ **0.1** [schadeloosstellen] *indemnify* **0.2** [vrijwaren] *indemnify* ⇒*safeguard.*

indemniteit ⟨de (v.)⟩ **0.1** [schadevergoeding] *indemnity* **0.2** [bekrachtiging achteraf] *indemnity* ◆ **1.2** een akte van ~ *an act of i..*

indemniteitswet ⟨de (v.)⟩ **0.1** *law of indemnity.*

indenken ⟨wk.ww.; zich ~⟩ **0.1** *imagine* ⇒*realize, conceive, think, understand* ◆ **3.1** ik kan er mij niet ~ *I cannot visualize it;* je kunt je niet ~ hoe woedend ik was *you cannot i. / think/conceive how angry I was* **4.1** denk je dat eens even in *i. /fancy that!* **6.1** zich in iemands situatie ~ *put o.s. in s.o.'s place/position/shoes, enter into/i. o.s. in/realize s.o.'s position* **8.1** ik kan mij ~ dat ...*I can i. / understand/conceive that.*

independent ⟨bn.⟩ ⟨schr.⟩ **0.1** ⟨ongemarkeerd⟩ *independent.*

independentie ⟨de (v.)⟩ ⟨schr.⟩ **0.1** ⟨ongemarkeerd⟩ *independence.*

inderdaad ⟨bw.⟩ **0.1** *indeed* ⇒⟨werkelijk⟩ *really, actually, in (point of) fact,* ⟨zoals verwacht⟩ *sure enough* ◆ **3.1** ik heb dat ~ gezegd, maar ... *(it's true) I did say that, but ...;* het lijkt er ~ op dat het helpt *it really does seem to help, it does seem to help after all;* ze voorspelden regen, en ~ later regende het *they forecast rain and, sure enough, it rained later on;* ik betaal slechts nadat het werk ~ uitgevoerd is *I shall not pay until the work has actually been completed* ¶.**1** ~, ik ken zulke mensen *I certainly do know people like that,* ᴬ*sure, I know people like that;* geloof je dat nu werkelijk? ~! *do you really believe that? I (certainly/jolly well) do!/* ᴬ*you bet (I do)!/* ᴬ(I) *sure do!;* dat is ~ het geval *that is indeed/in fact the case;* je gelooft het niet, maar hij heeft ~ gelijk *you don't believe it, but he is (in fact) right;* zij is de grootste! Dat is ze ~! *she's the biggest! So she is!/ She certainly is!/ She is indeed!;* ~, dat dacht ik nu ook! *exactly/precisely, that's what I thought, too!.*

inderhaast ⟨bw.⟩ **0.1** *hurriedly* ⇒*hastily, in haste, in a hurry* ◆ **3.1** iets ~ afmaken *finish sth. in a hurry, polish sth. off;* ze had ~ haar portemonnee vergeten in her haste *she had forgotten her purse.*

indertijd ⟨bw.⟩ **0.1** *at the time* ⇒⟨vroeger⟩ *way back when* ◆ **3.1** toen ik dat ~ beloofde ...*a.t.t. I promised that* ... ¶.**1** dat was ~ niet te voorzien *it could not have been foreseen at the time;* dit hotel was ~ een school *at one time this hotel was a school;* hij was ~ een goede voetballer *in his day/time he was a good football player;* ~ was zij ... ⟨ook⟩ *she used to be ...*

indeterminisme ⟨het⟩ ⟨fil.⟩ **0.1** *indeterminism.*

indeuken
I ⟨onov.ww.⟩ **0.1** [een deuk krijgen] *be dented* ⇒*be crushed;*
II ⟨ov.ww.⟩ **0.1** [een deuk maken (in)] *dent* ⇒*crush.*

index ⟨de (m.)⟩ **0.1** [inhoudsopgave] *index* **0.2** [verhoudingscijfer] *index* **0.3** [toegevoegd cijfertje/lettertje] *index* ⇒*subscript*, ⟨wisk. ook⟩ *exponent* **0.4** [⟨r.k.⟩ zwarte lijst] *Index* **0.5** [⟨kristallografie⟩] *Miller index* **0.6** [wijsvinger] *index (finger)* ♦ **6.4** deze werken zijn op de ~ geplaatst *these works have been placed on the I.;* ⟨fig.⟩ iem./iets op de ~ zetten *backlist s.o./sth..*

indexaanpassing ⟨de (v.)⟩ **0.1** *index correction/adjustment.*

indexatie ⟨de (v.)⟩ **0.1** [het indexeren] *indexing* **0.2** [⟨geldw.⟩ het bepalen van het prijsindexcijfer] *indexing.*

indexberekening ⟨de (v.)⟩ **0.1** *index calculation.*

indexcijfer ⟨het⟩ **0.1** *index (number).*

indexeren ⟨ov.ww.⟩ **0.1** [een index maken op] *index* **0.2** [in een index opnemen] *index* **0.3** [binden aan een index] *index* ♦ **1.3** geïndexeerd loon *indexed/index-linked wages* **3.1** het boek is slecht geïndexeerd *the book has been badly indexed* **6.2** het is geïndexeerd onder 'Europa' *it has been indexed under 'Europe'.*

indexering ⟨de (v.)⟩ **0.1** *indexation* ⇒*indexing, index-linking.*

indexlening ⟨de (v.)⟩ ⟨geldw.⟩ **0.1** *index-linked loan.*

indexloon ⟨het⟩ **0.1** *indexed/index-linked wages.*

indexpolis ⟨de⟩ **0.1** *index-linked/indexed policy.*

India ⟨het⟩ **0.1** *India.*

Indiaan ⟨de (m.)⟩ **0.1** *(American) Indian* ⇒⟨pej.⟩ *Injun* ♦ **2.1** Amerikaanse ~ *American Indian, Native American, Amerind(ian),* [B]*Red Indian.*

Indiaans ⟨bn.⟩ **0.1** *Indian* ⇒*Amerindian, Amerindic.*

Indiaanse ⟨de (v.)⟩ **0.1** *(American) Indian (woman)* ⇒⟨getrouwd⟩ *squaw.*

indiaantje ⟨het⟩ ♦ **3.¶** ~ spelen *play cowboys and Indians.*

Indiaas ⟨bn.⟩ **0.1** *Indian.*

indianenboek ⟨het⟩ **0.1** *storybook about (cowboys and) Indians.*

indianendans ⟨de (m.)⟩ ⟨fig.⟩ **0.1** *dance of joy.*

indianengehuil ⟨het⟩ **0.1** *(Indian) warcries.*

indianenstam ⟨de (m.)⟩ **0.1** *Indian tribe.*

indianenverhaal ⟨het⟩ **0.1** [verhaal over Indianen] *story about (cowboys and) Indians* **0.2** [ongeloofwaardig verhaal] *tall story.*

indicatie ⟨de (v.)⟩ **0.1** [aanwijzing] *indication* ⇒*sign, symptom* **0.2** [⟨jur.⟩] *evidence* ♦ **2.1** op medische ~ *on medical grounds* **6.1** ter ~ *as an i..*

indicatief¹ ⟨de (m.)⟩ ⟨taal.⟩ **0.1** [aantonende wijs] *indicative (mood)* **0.2** [vorm(en) daarvan] *indicative* ♦ **6.1** dit werkwoord staat in de ~ *this verb is in the i. (m.)*.

indicatief² ⟨bn.⟩ **0.1** *indicative* ♦ **1.1** een ~ excerpt *an extract.*

indiceren ⟨ov.ww.⟩ **0.1** [een aanwijzing zijn voor] *indicate* **0.2** [mbt. personen] *note/mark down for* ♦ **6.2** een bejaarde ~ **op** twee dagdelen thuishulp *n./m. an elderly person down for two periods of home help.*

indicering ⟨de (v.)⟩ **0.1** [het aanwijzing zijn voor] *indication* **0.2** [het plaatsen op de index] *indexation* ⇒*indexing, index-linking.*

indicie ⟨de (v.)⟩, *indicium* ⟨het⟩ **0.1** *indicia* (ook mv.), *indicium* ⇒*index, indication, sign, piece of evidence.*

indictie ⟨de (v.)⟩ **0.1** [bijeenroeping tot een kerkvergadering] *convocation* **0.2** [tijdkring van vijftien jaar] *indiction* ♦ **2.2** de Romeinse ~ *the Roman i..*

Indië **0.1** ⟨gesch.⟩ *the Dutch East Indies,* ⟨tegenwoordig⟩ *Indonesia;* ⟨India⟩ *India.*

indien ⟨8⟩ **0.1** *if* ⇒*in case, in the event of,* ⟨verondersteld dat⟩ *supposing* ♦ **5.1** ~ al mocht blijken dat er onderdelen ontbreken *should parts prove to be missing;* ~ niet *if not;* ⟨om niet te zeggen⟩ *not to say.*

indienen ⟨ov.ww.⟩ **0.1** *submit* ⇒*put/bring forward, introduce, hand/send/put in* ♦ **1.1** een aanvraag ~ *make/file an application;* een aanvraag tot echtscheiding ~ *file a petition for divorce;* de begroting ~ *present, bring in/introduce the budget/estimates;* een klacht ~ tegen *lodge/bring/file a complaint against, inform against;* een motie ~ *bring forward/put forward/introduce/put down/propose/make/move a motion;* ⟨schriftelijk⟩ *hand in/table/put down/give notice of a motion;* een onkostennota ~ *submit/send in an expense account;* zijn ontslag ~ *tender/hand in/send in/submit/give (in)/offer one's resignation;* ⟨inf.⟩ *notice;* een protest ~ tegen iets *enter/lodge/make a protest against sth.;* een verzoekschrift ~ *present/hand in a petition/memorial, petition, memorialize;* een wetsontwerp ~ bij het parlement *introduce a bill into Parliament. bring/lay/place/put a bill before Parliament* **6.1** een rapport ~ **bij** *submit/present/hand in/make/send in/render a report to, lay a report before;* een aanklacht ~ **tegen** iem. ⟨strafrecht⟩ *bring an accusation/a charge against s.o., prefer a charge against s.o.;* ⟨burgerlijk recht⟩ *bring a suit/* [A]*complaint against s.o..*

indiening ⟨de (v.)⟩ **0.1** *submission* ⇒*filing, lodg(e)ment* ⟨klacht, aanvraag⟩, ⟨motie⟩ *proposing* ⟨mondeling⟩, *tabling* ⟨schriftelijk⟩, *introduction (into Parliament)* ⟨wetsvoorstel⟩.

indienstneming ⟨de (v.)⟩ **0.1** *engagement, taking on* ⇒*hiring* ⟨knecht, losse arbeider⟩.

indienststreding ⟨de (v.)⟩ **0.1** *entrance (up)on/taking up one's duties* ⇒*entrance into office, commencement of employment.*

Indiër ⟨de (m.)⟩ **0.1** [bewoner van India] *Indian* **0.2** [bewoner van voor-

malig Nederlands-Indië] *inhabitant of the former Dutch East Indies* ⇒⟨tegenwoordig⟩ *Indonesian.*

indifferent ⟨bn.⟩ **0.1** [ongevoelig] *indifferent* **0.2** [geen bepaalde werking vertonend] *indifferent* ♦ **1.2** ~ evenwicht *neutral equilibrium.*

indifferentisme ⟨het⟩ **0.1** [onverschilligheid] *indifferentism* **0.2** [⟨rel.⟩] *indifferentism.*

indigestie ⟨de (v.)⟩ **0.1** *indigestion* ♦ **3.1** zich ergens een ~ aan eten ≠*overeat (o.s.).*

indignatie ⟨de (v.)⟩ **0.1** *indignation.*

indigo¹
I ⟨de (m.)⟩ **0.1** [kleurstof] *indigo* **0.2** [plant] *indigo;*
II ⟨het⟩ **0.1** [kleur] *indigo (blue).*

indigo² ⟨bn.⟩ **0.1** *indigo.*

indigoplant ⟨de⟩ **0.1** *indigo (plant).*

indigoverf ⟨de⟩ **0.1** *indigo dye.*

indijken ⟨ov.ww.⟩ **0.1** *dike (in)* ⇒*dam (in), embank* ⟨vnl. rivier⟩, *reclaim* ⟨land⟩ ♦ **1.1** een polder ~ *dike (in)/enclose/reclaim a polder;* een rivier ~ *embank a river.*

indijking ⟨de (v.)⟩ **0.1** [handeling] *diking in* ⇒*damming in, embankment, reclamation, enclosure* **0.2** [ingedijkt land] *reclaimed land* ⇒*polder.*

indikken ⟨onov., ov.ww.⟩ **0.1** *thicken* ⇒*condense,* ⟨schr.⟩ *inspissate* ♦ **1.1** ingedikt vruchtensap *concentrated fruit juice.*

indirect ⟨bn., bw.; -ly⟩ **0.1** *indirect* ⇒⟨spreken ook⟩ *roundabout, oblique, circuitious* ♦ **1.1** ~ bewijs *circumstantial evidence;* op ~ e manier *in an i./roundabout way, indirectly, circuitiously, obliquely;* ⟨taal.⟩ ~ object *i. object;* ~ e schade *consequential damage;* ⟨sport⟩ ~ e vrije trap *i. free kick;* een ~ e verbinding *an i. connection, no through connection;* ~ e verlichting *i. concealed lighting;* ~ verzekerde *secondary insured (party);* ⟨taal.⟩ ~ e vraag *i./oblique question* **3.1** iem. ~ bij iets betrekken *involve s.o. in sth. indirectly;* iem. ~ schaden *harm s.o. indirectly, do s.o. consequential damage.*

Indisch¹ ⟨het⟩ **0.1** ⟨*Dutch with a heavy Indonesian influence*⟩.

Indisch² ⟨bn.⟩ **0.1** [mbt. het voormalig Nederlands Indië] *of the former Dutch East Indies* ⇒⟨tegenwoordig⟩ *Indonesian* **0.2** [mbt. (Voor-)Indië] *(East) Indian* ⇒⟨vnl. taal.⟩ *Indic* ♦ **1.1** de ~ e tafel *Indonesian food/cooking, the Indonesian cuisine* **1.2** de ~ e archipel *the Malay Archipelago;* ~ Engels *Anglo-Indian;* de ~ e Oceaan *the Indian Ocean* **3.1** zij is ~ *she's an Indo.*

Indischgast ⟨de (m.)⟩ **0.1** *colonial.*

Indischman ⟨de (m.)⟩ **0.1** *colonial.*

indiscreet ⟨bn., bw.; -ly⟩ **0.1** *indiscreet* ⇒*indelicate* ♦ **3.1** zonder ~ te zijn *without being indiscreet.*

indiscretie ⟨de (v.)⟩ **0.1** *indiscretion* ⇒*indelicacy,* ⟨geval hiervan ook⟩ *faux pas.*

indiscutabel ⟨bn.⟩ **0.1** *indisputable.*

indispensabel ⟨bn.⟩ **0.1** *indispensable.*

indisponibel ⟨bn.⟩ **0.1** *unavailable.*

indispositie ⟨de (v.)⟩ **0.1** [ongesteldheid] *indisposition* ⇒*ill-health, ailment* **0.2** [ontstemdheid] *indisposition* ⇒*bad temper, low spirits.*

indium ⟨het⟩ ⟨schei.⟩ **0.1** *indium.*

individu ⟨het, de (m.)⟩ **0.1** [mens, dier op zichzelf beschouwd] *individual* **0.2** [⟨pej.⟩ persoon] *individual* ⇒*person, character, customer,* ⟨man⟩ *fellow* ♦ **2.2** een of ander ~ heeft mijn fiets gestolen *some wretch or other has stolen my bicycle;* ⟨iron.⟩ *some kind person has stolen my bicycle;* hij was een raar ~ *he was a strange/queer/odd i./character/customer/chap/fellow, he was an odd fish;* ⟨AE; inf.⟩ *he was an oddball.*

individualiseren ⟨ov.ww.⟩ **0.1** [een op het individu gericht karakter geven] *individualize* **0.2** [op zichzelf beschouwen] *view in isolation* **0.3** [⟨jur.⟩] *identify* ♦ **1.1** geïndividualiseerd onderwijs *individual/personal tuition.*

individualisering ⟨de (v.)⟩ **0.1** *individualization.*

individualisme ⟨het⟩ **0.1** [leer] *individualism* **0.2** [levenshouding] *individualism.*

individualist ⟨de (m.)⟩ **0.1** *individualist.*

individualistisch ⟨bn., bw.; -ally⟩ **0.1** *individualistic.*

individualiteit ⟨de (v.)⟩ **0.1** [persoonlijkheid] *individuality* ⇒*personality, particularity, peculiarity, selfhood* **0.2** [als individu te onderscheiden wezen] *individual.*

individuatie ⟨de (v.)⟩ ⟨psych.⟩ **0.1** *individuation.*

individueel
I ⟨bn.⟩ **0.1** [ieder afzonderlijk persoon betreffend] *individual* **0.2** [persoonlijk] *individual* ⇒*particular, special, idiosyncratic* ♦ **1.1** individuele verantwoordelijkheid *i. responsibility* **1.2** individuele afwijkingen *individual defects;*
II ⟨bw.⟩ **0.1** [afzonderlijk] *individually* ⇒*singly, alone, in isolation, on one's own* ♦ **3.1** ~ optreden *act alone/on one's own, take independent action* **4.1** ieder van ons ~ *each of us individuallly/viewed in isolation.*

Indo ⟨de (m.)⟩ **0.1** *Eurasian* ⇒⟨pej.⟩ *half-caste, Indo.*

Indochinees ⟨bn.⟩ **0.1** *Indo-Chinese.*

indoctrinatie ⟨de (v.)⟩ **0.1** *indoctrination.*

indoctrineren ⟨ov.ww.⟩ **0.1** *indoctrinate.*

Indo-europeaan ⟨de (m.)⟩ **0.1** *Eurasian* ⇒⟨mbt. Brits-Indië⟩ *Anglo-Indian*, ⟨pej.⟩ *half-caste.*

Indo-europees¹ ⟨het⟩ **0.1** [de Indo-Europese talen] *Indo-European* **0.2** [gereconstrueerde grondvorm] *Indo-European.*

Indo-europees² ⟨bn.⟩ **0.1** [mbt. personen] *Eurasian* ⇒⟨mbt. Brits-Indië⟩ *Anglo-Indian,* ⟨pej.⟩ *half-caste* **0.2** [mbt. talen] *Indo-European.*

Indogermaan ⟨de (m.)⟩ **0.1** *Indo-European* ⇒*Aryan.*

Indo-germaans¹ ⟨het⟩ **0.1** *Indo-Germanic / European.*

Indo-germaans² ⟨bn.⟩ **0.1** *Indo-Germanic / European.*

Indogermanistiek ⟨de (v.)⟩ **0.1** *Indo-Germanic / European linguistics.*

Indo-iraans ⟨bn.⟩ **0.1** *Indo-Iranian* ⇒*Indo-Aryan.*

indolent ⟨bn.⟩ **0.1** *indolent* ⇒*slothful, inert, sluggish, supine.*

indolentie ⟨de (v.)⟩ **0.1** *indolence* ⇒*slothfulness, inertia, sluggishness.*

indologie ⟨de (v.)⟩ **0.1** *Indology.*

indoloog ⟨de (m.)⟩, **-loge** ⟨de (v.)⟩ **0.1** *Indologist.*

indom ⟨bn.⟩ **0.1** *dense* ⇒ ↑*obtuse,* ⟨pej.⟩ *moronic, dull-witted,* ⟨inf.⟩ *thick as a brick, addle-brained, thick(-skulled).*

Indomaleis ⟨bn.⟩ **0.1** *Indo-Malayan.*

indommelen ⟨onov.ww.⟩ **0.1** [in slaap vallen] *doze off* ⇒*drop / nod off, drowse (off)* **0.2** [⟨fig.⟩ de aandacht verliezen] *doze off* ⇒*drop / nod off, drowse (off), go to sleep.*

indompelen ⟨ov.ww.⟩ **0.1** *immerse (in)* ⇒⟨kort / gedeeltelijk⟩ *dip (in(to)),* ⟨krachtig⟩ *plunge in(to).*

indompeling ⟨de (v.)⟩ **0.1** [handeling] *immersion* ⇒*dipping, plunging (in)* **0.2** [toestand] *immersion* ⇒⟨diepgang van schip⟩ *dip* ◆ **6.1** doop **bij** ~ *(baptism by) i..*

indonderen ⟨inf.⟩
I ⟨onov.ww.⟩ **0.1** [instorten] *tumble down* ⇒*fall in / down, cave in, collapse* **0.2** [met veel geraas binnenkomen] *barge in* ⇒*crash in;*
II ⟨ov.ww.⟩ **0.1** [naar binnen, beneden gooien] *hurl in / down* ⇒*fling / pitch / chuck / dash in / down* **0.2** [met geweld inslaan] *smash (in).*

Indonesië 0.1 *Indonesia.*

Indonesiër ⟨de (m.)⟩ **0.1** *Indonesian.*

Indonesisch ⟨bn.⟩ **0.1** *Indonesian.*

indopen ⟨ov.ww.⟩ **0.1** *dip (in).*

indraaien ⟨f⟩
I ⟨onov.ww.⟩ **0.1** [draaiend in iets terecht komen] *turn in(to)* ◆ **1.1** ⟨fig.⟩ de nor / de kast ~ *go to quod / jug / prison, go into clink, get time / a stretch;* de auto draaide de straat in *the car turned into the street;*
II ⟨ov.ww.⟩ **0.1** [door draaien in iets brengen] *screw in(to)* ⇒*drive in(to)* **0.2** [met een draai terecht laten komen] *turn in(to)* ◆ **1.1** een schroef ~ *drive in a screw* **1.2** hij draaide de wagen heel handig de garage in *he manoeuvred the car expertly / neatly into the garage* **4.2** ⟨fig.⟩ zich ergens ~ *worm o.s. / worm one's way into a place.*

indragen ⟨ov.ww.⟩ **0.1** [in iets dragen] *carry in(to)* ⇒*bring in(to)* **0.2** [inleveren] *hand in* ⇒*give in, turn in* ◆ **1.1** modder (het huis) ~ *bring / walk mud into the house.*

indrammen ⟨ov.ww.⟩ ⟨inf.⟩ **0.1** *drum into* ⇒*ram down (s.o.'s) throat* ◆ **1.1** een gewoonte die er van jongsafaan ingedramd is *a habit that is drummed into you / rammed down your throat from your earliest childhood.*

indraven ⟨onov.ww.⟩ **0.1** *trot in(to).*

indrijven
I ⟨onov.ww.⟩ **0.1** [drijvend komen in] *float in(to)* ⇒*drift in(to);*
II ⟨ov.ww.⟩ **0.1** [binnendrijven] *drive into* **0.2** [beitelen] *engrave into / onto* ⇒⟨beitelen⟩ *chisel into* ◆ **1.1** een wig ~ *drive a wedge in* **6.2** een opschrift in koper ~ *engrave an inscription on(to) copper.*

indringen
I ⟨onov.ww.⟩ **0.1** [binnendringen] *penetrate (into)* ⇒*intrude (into), break (into),* ⟨gewelddadig⟩ *enter by force, soak (into)* ⟨vloeistof⟩, *pry (into)* ⟨andermans zaken⟩;
II ⟨ov.ww.⟩ **0.1** [indrijven] *push into* ⇒*thrust into;*
III ⟨wk.ww.; zich ~⟩ **0.1** [zich opdringen] *thrust o.s. in(to)* ⇒*worm o.s. / one's way in(to), intrude into* ◆ **6.1** zich **bij** iem. ~ *thrust o.s. / intrude on s.o.;* zich in iemands gunst ~ *worm o.s. / worm one's way / insinuate o.s. into s.o.'s favour, ingratiate / insinuate o.s. with s.o..*

indringend ⟨bn.⟩ **0.1** [doordringend] *penetrating* ⇒*probing* **0.2** [opdringerig] *intrusive* ⇒*obtrusive, insistent, insinuative* ◆ **1.1** een ~e blik *a penetrating gaze / stare;* een ~e geur *a penetrating smell, a tang;* een ~e reportage *a penetrating / probing report* **1.2** die man is erg ~ *that man is very insistent / intrusive.*

indringer ⟨de (m.)⟩ **0.1** [iem. die zich met geweld toegang verschaft] *intruder* ⇒*invader, trespasser* **0.2** [iem. die zich ergens een positie verovered heeft] *intruder* ⇒*interloper, usurper* **0.3** [iem. die zich in een gezelschap indringt] *intruder* ⇒*insinuator, infiltrator, cuckoo in the nest, gatecrasher* ⟨feestje⟩.

indringerig ⟨bn., bw.; -ly⟩ **0.1** *intrusive* ⇒*obtrusive, insistent, insinuative,* ⟨inf.⟩ *pushy.*

indrinken ⟨ov.ww.⟩ **0.1** [door drinken in zich opnemen] *drink in* **0.2** [in zich opnemen] *drink in* ⇒*imbibe* **0.3** [opzuigen] *absorb* ◆ **1.1** zich moed ~ *take Dutch courage* **1.2** klanken / schoonheid ~ *d. i. sounds /*

---

beauty; de lucht die wij ~ *the air we breathe;* iemands woorden ~ *d. i. /* *lap up s.o.'s words* **1.3** de aarde drinkt de regen in *the earth absorbs / soaks up the rain.*

indroevig ⟨bn.⟩ **0.1** *tragic* ⇒*heart-breaking, grievous.*

indrogen ⟨onov.ww.⟩ **0.1** [droog wordend intrekken] *dry in* **0.2** [door opdrogen inkrimpen] *shrink* ⇒*reduce* ◆ **1.2** die kaas is 10% ingedroogd *that cheese has reduced by 10% through evaporation* ¶.**1** veeg het gauw af, voor het indroogt *wipe it off quickly, before it dries in.*

indroging ⟨de (v.)⟩ **0.1** [het inkrimpen] *shrinkage* ⇒*loss in weight* **0.2** [verlies door indrogen] *shrinkage* ⇒*loss in weight.*

indropp(el)en →**indruppelen.**

indruisen ⟨onov.ww.⟩ **0.1** ⟨tegen⟩ *go against* ⇒*conflict / clash with, run counter to, be opposed / contrary to* ◆ **6.1** dat druist **tegen** de waarheid in *this conflicts with / is at variance with the truth;* dat druist in **tegen** de goede smaak *this goes against good taste;* dat druist lijnrecht in **tegen** zijn vaders wens *this flies in the face of / goes right into the teeth of / is in defiance of his father's wishes;* dit druist in **tegen** hun principes / de wet *this contravenes their principles / the law.*

indruk ⟨de (m.)⟩ **0.1** [gewaarwording] *impression* ⇒*suggestion,* ⟨sfeer⟩ *air,* ⟨idee⟩ *idea* **0.2** [merk] *impression* ⇒*imprint, impress, print* ◆ **2.1** een comfortabele ~ maken *have an air of comfort;* (een) diepe / grote ~ maken *make a profound / deep impression;* een eenzame ~ maken *have an air of loneliness, seem / look lonely;* een goede ~ meenemen van iem. *carry / take away with one a good impression of s.o., be favourably impressed by s.o.;* een goede / slechte / onaangename ~ achterlaten *leave (behind) / make a good / favourable / bad / unpleasant impression;* (goed ook) *give a good account of o.s., make a good show;* op reis gaan om nieuwe ~ken op te doen *travel to gain / get / gather new impressions;* een onuitwisbare ~ *an indelible impression;* een slechte ~ op iem. maken *make a bad impression on s.o., impress s.o. unfavourably;* een vage ~ van iets *a vague impression / inkling of sth.;* een valse / verkeerde ~ geven *give a false / wrong impression* **3.1** ik kon niet aan de ~ ontkomen dat *I could not escape the impression that;* dat geeft / wekt de ~ ... *that gives / creates / conveys the impression / idea that ..., that suggests that ..., that has a suggestion of / is suggestive of ...(ing);* ik heb de ~ dat *I am under the impression that, I have an / the impression that, I gather that, I have an idea that, I incline to think that;* ik kreeg de ~ dat *I received / got / gained / was left with / obtained the impression that;* een ~ van iets krijgen *get an impression / idea of sth.;* iets doen om ~ te maken *do sth. to make an impression / for effect;* de ~ op iem. maken ervaren te zijn *strike s.o. as (being) experienced / as one who is experienced* **6.1** onder de ~ komen / raken van de ~ *impressed by / with;* vatbaar **voor** ~ken *impressionable* **6.2** op de sneeuw waren ~ken van vogelpootjes zichtbaar *in the snow the prints / imprints of birds' feet were visible* **7.1** weinig ~ maken op iem. *fail to impress s.o., make little impression on s.o., leave s.o. unimpressed, cut no ice with s.o.; fall flat* ⟨opmerking⟩; *meet with no response.*

indrukken ⟨ov.ww.⟩ **0.1** [verbrijzelen, induwen] *crush* ⇒*smash, stave (in)* **0.2** [door drukken als vorm achterlaten] *impress* ⇒*imprint* **0.3** [door drukken naar binnen brengen] *push in* ⇒*press* ◆ **1.1** ⟨fig.⟩ het kwaad / het verzet de kop ~ ⟨kwaad⟩ *root out / c. evil;* ⟨verzet⟩ *put down / c. / suppress / stamp out / quash / steamroller the opposition;* ⟨fig.⟩ een gerucht de kop ~ *suppress / squash / scotch / spike a rumour, knock a rumour on the head, dispose of a rumour;* een ruit ~ *push a pane of gass out / in* **1.3** het gaspedaal ~ *step on the* [B]*accelerator /* [A]*gas (pedal);* een knop ~ *press a button.*

indrukmakend ⟨bn.⟩ **0.1** *impressive* ◆ **1.1** hij gaf een ~e toespraak *his speech made / left a great / strong / an impression, he made an i. speech.*

indrukwekkend ⟨bn., bw.; -ly⟩ **0.1** *impressive* ⇒*imposing, striking* ◆ **1.1** het was een ~e betoging *it was an overwhelming demonstration;* ⟨inf.⟩ *it was some demonstration;* de ~e pracht v.d. Alpen *the grandeur of the Alps, the awesome beauty of the Alps;* een ~ schouwspel *an impressive scene / performance, quite a spectacle;* een ~e toespraak *a striking / an effective speech;* een ~e verschijning *a commanding presence* **2.1** ~ geleerd *really scholarly / professorial, unbelievably learned* **3.1** er ~ uitzien *look impressive* **7.1** het ~e van ... *the impressiveness of ....*

indrupp(el)en
I ⟨onov.ww.⟩ **0.1** [druppelsgewijs inlopen] *drip in* ⇒*dribble in;*
II ⟨ov.ww.⟩ **0.1** [druppelsgewijs inbrengen] *drip in* ⇒*pour in drop by drop* **0.2** [druppels inbrengen in] *put drops in* ◆ **1.2** een oog ~ *put / drip eyedrops in an eye.*

indubben ⟨ov.ww.⟩ ⟨audio⟩ **0.1** *dub in* ◆ **5.1** zijn tweede stem is later ingedubd *his second voice / part was dubbed in afterwards, he double-tracked the record.*

in dubio ◆ **3.¶** ~ staan *be in doubt, be on the horns of a dilemma.*

induceren ⟨ov.ww.⟩ **0.1** [afleiden] *induce* ⇒*infer, prove / demonstrate by induction* **0.2** [⟨nat.⟩] *induct* ⇒*induce* ◆ **1.2** geïnduceerde stromen *induced currents;* ~de stromen *inductive currents.*

inductie ⟨de (v.)⟩ **0.1** [wijze van redeneren] *induction* **0.2** [⟨nat.⟩] *induction* ⇒*inductance, inference* **0.3** [opwekking door een uitwendige prikkel] *induction* **0.4** [invloed van een deel van een organisme op een ander] *induction* **0.5** [⟨psych.⟩] *induction* **0.6** [⟨taal.⟩] *mutation.*

inductief 〈bn., bw.;-ly〉 **0.1** [uit het bijzondere tot het algemene besluitend] *inductive* ⇒*inferential* **0.2** [uit proefondervindelijk onderzoek afleidend] *inductive* **0.3** [mbt. magnetische inductie] *inductive* ◆ **1.1** de inductieve methode *the inductive method, the method of induction;* inductieve redenering *inductive / inferential reasoning* **1.3** inductieve koppeling *i. coupling* ¶**.2** ~ te werk gaan *set about it / sth. inductively / experimentally.*

inductieklos 〈de (v.)〉 **0.1** *(induction) coil.*

inductiemeter 〈de (m.)〉 **0.1** *induction meter.*

inductiemijn 〈de〉 **0.1** *magnetic mine.*

inductiemotor 〈de (m.)〉 **0.1** *induction motor.*

inductieoven 〈de (m.)〉 **0.1** *induction furnace.*

inductiespoel 〈de〉 **0.1** *induction / secondary coil.*

inductiestroom 〈de (m.)〉 **0.1** *induced current.*

inductor 〈de (m.)〉 **0.1** [mbt. het opwekken van inductiestroom] *inductance, inductor* ⇒*induction coil* **0.2** [mbt. het meten van isolatieweerstand] *ohmmeter* **0.3** [〈med.〉] *substrate.*

induiken 〈onov.ww.〉 **0.1** [duikend in iets gaan] *dive in(to)* **0.2** [zich verdiepen in] *plunge in(to)* ⇒*become engrossed in / absorbed by* ◆ **1.1** een vreemd bed ~ *be unfaithful;* 〈inf.〉 zijn nest / de koffer ~ *turn in, hit the sack;* 〈sl.〉 *flop (down)* **1.2** een materie ~ *submerge o.s. in a subject;* 〈plotseling (en haastig)〉 *plunge (o.s.) into a subject* **5.2** ergens dieper ~ *delve deeper into sth..*

indulgent 〈bn.〉 **0.1** *indulgent* ⇒*tolerant, lenient.*

indulgentie 〈de (v.)〉 **0.1** [toegevendheid] *indulgence* ⇒*leniency, tolerance* **0.2** [ontheffing van straf] *pardon* ⇒〈r.k. ook〉 *indulgence.*

indult 〈het〉 **0.1** [〈hand.〉] *indulgence* **0.2** [〈r.k.〉] *indult.*

industrialisatie 〈de (v.)〉 **0.1** *industrialization.*

industrialiseren 〈onov., ov.ww.〉 **0.1** *industrialize.*

industrialisering 〈de (v.)〉 **0.1** *industrialization* ⇒*industrial development.*

industrie 〈de (v.)〉 **0.1** [nijverheid] *(manufacturing) industry* **0.2** [tak van nijverheid, 〈ook in samenst.〉] *sector / branch (of industry), industry* ⇒*branch of industrial manufacture* **0.3** [onderneming, 〈vnl. in samenst.〉] *industry* ⇒*sector, business* ◆ **1.3** de filmindustrie *the cinematic industry, the film industry / trade;* 〈AE ook〉 *the movie business* **2.1** de zware ~ *heavy industry* **2.2** de vleesverwerkende ~ *the meat-packing / -processing industry* **2.3** 〈pej.〉 dat is een hele / ware ~ geworden *that has become a whole / real industry / been totally commercialized* **6.1** werknemer in de ~ *industrial worker.*

industriearbeider 〈de (m.)〉 **0.1** *industrial worker.*

industriebeleid 〈het〉 **0.1** *industrial policy.*

industriebond 〈de (m.)〉 **0.1** *industrial union.*

industriecentrum 〈het〉 **0.1** *industrial centre* ⇒*centre of industry.*

industriecomplex 〈het〉 **0.1** *industrial complex / estate / plant.*

industriediamant 〈het, de (m.)〉 **0.1** *industrial diamond.*

industrieel¹ 〈de (m.)〉 **0.1** [fabrikant] *industrialist* **0.2** [aandeel] *industrial share;* 〈mv.〉 *industrials.*

industrieel² 〈bn.〉 **0.1** *industrial* ◆ **1.1** industriële aandelen / fondsen *i. shares / stocks;* 〈effecten〉 *i. securities;* industriële archeologie *i. archaeology;* de industriële beschaving *i. culture;* industriële bouw *prefabricated building / construction;* voor ~ gebruik *for use in factories, for i. use;* industriële onderneming *i. enterprise / establishment / concern, manufacturing enterprise;* industriële revolutie *i. revolution;* industriële vormgeving *i. design.*

industriegaren 〈het〉 **0.1** *industrial yarn.*

industriegebied 〈het〉 **0.1** 〈streek〉 *industrial area / zone;* 〈binnen gemeente〉 *industrial ᴮestate / ᴬpark.*

industriehaven 〈de (m.)〉 **0.1** *industrial harbour / docks.*

industrieland 〈het〉 **0.1** *industrial / industrialized nation / country.*

industriepark 〈het〉 **0.1** *industrial ᴮestate / ᴬpark.*

industriepolitiek 〈de (v.)〉 〈ec.〉 **0.1** *industrial policy.*

industrieprodukt 〈het〉 **0.1** *industrial / manufacturing product.*

industrieschap 〈het〉 **0.1** *(statutory) industrial board.*

industriespreiding 〈de (v.)〉 **0.1** *industrial relocation.*

industriestad 〈de〉 **0.1** *industrial / manufacturing town.*

industrietak 〈de (m.)〉 **0.1** *branch of industry* ◆ **2.1** een kwijnende / opbloeiende ~ *a flagging / flourishing branch of industry.*

industrieterrein 〈het〉 **0.1** *industrial zone / ᴮestate / ᴬpark* ⇒〈BE ook〉 *trading estate.*

indutten 〈onov.ww.〉 **0.1** *doze off* ⇒ 〈inf.〉 *nod off.*

induwen 〈ov.ww.〉 **0.1** [door duwen naar binnen brengen] *push in(to)* ⇒ *bundle in(to)* **0.2** [door duwen stukmaken] *push in, break (in)* ◆ **1.2** in het gedrang zijn heel wat ruiten ingeduwd *a lot of windows got pushed in in the scramble.*

ineen 〈bw.〉 **0.1** [in elkaar] *together* **0.2** [dichter naar elkaar toe] *(closer) together* **0.3** [stuk] *in pieces.*

ineenflansen 〈ov.ww.〉 **0.1** *botch together / up, knock / patch up / together, jerry-build* 〈vnl. huizen〉.

ineengedoken 〈bn.〉 **0.1** *crouched* ⇒*huddled / hunched (up)* ◆ **1.1** een ~ dier *a crouching animal* **3.1** hij zat ~ in een hoekje *he was crouching in a corner* **6.1** ~ over zijn werk *hunched / huddled over his work.*

ineengedrongen 〈bn.〉 **0.1** *close / packed together* ◆ **1.1** een ~ ventje *a stocky / squat fellow.*

ineengrijpen 〈onov.ww.〉 **0.1** *interlock, (inter)connect.*

ineenkrimpen 〈onov.ww.〉 **0.1** [zich samentrekken] *curl / double / huddle up* ⇒〈fig.〉 *flinch, blench, wince* **0.2** [heftig aangedaan worden] *tighten* ◆ **1.2** als ik dat zie, krimpt mijn hart ineen *my heart contracts / tightens if / whenever I see that* **3.1** de klap deed hem ~ *the punch doubled him (up)* **6.1** ~ bij een onverwachte opmerking *flinch / wince at an unexpected comment;* ~ **onder** beledigende opmerkingen *writhe under insulting comments;* ~ **van** de pijn *wince with (the) pain;* ~ **van** angst *cower / cringe in fear, shrink with fear, be terror-stricken.*

ineenkronkelen 〈onov.ww.〉 **0.1** *coil up, convolve.*

ineens 〈bw.〉 **0.1** [tegelijk] *(all) at once* ⇒*in one fell swoop* **0.2** [abrupt] *all at once / of a sudden, suddenly* ◆ **1.1** een bedrag ~ *a lump sum;* bij betaling ~ krijg je korting *you get a reduction if you settle directly / pay outright, you get a discount for cash payment;* een uitkering ~ bij overlijden van de verzekerde *a lump sum on the death of the insured* **3.1** men hoeft de belasting niet ~ te betalen *tax does not have to be paid in one go;* aflossing geschiedt in termijnen of ~ *repayment takes place by instalments* ᴬ*llments or as a / by lump sum;* het ~ raden *guess it right off, guess it at one / the first go* **3.2** iem. ~ aanvliegen *jump on s.o. / down s.o.'s throat;* hij begon ~ te huilen *he burst into tears;* wat heb je ~? *what's bitten you?;* hij kwam ~ op mij af *he suddenly went for me;* zoiets verander je niet (zomaar) ~ *such a thing cannot be altered overnight / at the drop of a hat;* hij vertelde het ons ~ wel *suddenly he did tell us* **5.2** zomaar ~ *slap, just like that, overnight;* 〈vertellen〉 *off-hand* ¶**.2** ~ schoot het hem te binnen *he saw it in a flash, suddenly he realised.*

ineenschrompelen 〈onov.ww.〉 **0.1** *shrivel (up)* ⇒*shrink, dwindle* 〈markt, winsten〉.

ineenschuiven 〈ov.ww.〉 **0.1** *telescope* ⇒*slide into each other.*

ineenslaan 〈ov.ww.〉 ◆ **1.¶** de handen ~ 〈van verbazing〉 *clasp / throw up one's hands;* 〈fig.〉 *link / join hands.*

ineenstorten 〈onov.ww.〉 **0.1** *collapse, topple down;* 〈dak ook〉 *crash to the ground;* 〈theorie〉 *explode* ◆ **1.1** 〈fig.〉 de huizenmarkt stortte ineen *the housing sector / market collapsed / slumped / caved in;* 〈fig.〉 het rijk stortte ineen *the empire collapsed / disintegrated.*

ineenvloeien 〈onov.ww.〉 **0.1** *flow together* ⇒*merge* 〈kleuren〉.

ineenvouwen 〈ov.ww.〉 **0.1** *fold together* ⇒*fold, clasp* 〈handen〉.

ineenzakken 〈onov.ww.〉 **0.1** [ineenstorten] *collapse* ⇒*give way, crumple,* 〈van grond〉 *cave in* **0.2** [flauwvallen] *collapse* ⇒*faint.*

ineffectief 〈bn., bw.〉 **0.1** *ineffective, ineffectual* ⇒*inefficient* 〈methode, enz.〉, *inefficacious* 〈remedie, medicijn〉.

inefficiënt 〈bn., bw.;-ly〉 **0.1** *inefficient* ◆ **3.1** ~ bezig zijn *be working inefficiently.*

inenten 〈ov.ww.〉 **0.1** [vaccineren] *vaccinate, inoculate* **0.2** [als ent inzetten] *graft (onto)* ◆ **6.1** iem. ~ tegen cholera / hondsdolheid *i. / vaccinate s.o. against cholera / rabies;* iem. ~ tegen de pokken *i. / vaccinate s.o. against smallpox;* 〈med.〉 *variolate s.o..*

inenting 〈de (v.)〉 **0.1** *vaccination, inoculation* ◆ **6.1** ~ tegen de pokken *v. against smallpox;* 〈med.〉 *variol(iz)ation.*

inentingsbewijs, inentingsbriefje 〈het〉 **0.1** *vaccination certificate / papers* ⇒*certificate of vaccination.*

inept 〈bn., bw.;-ly〉 **0.1** *inept.*

ineptie 〈de (v.)〉 **0.1** *ineptitude.*

inert 〈bn., bw.;-ly〉 **0.1** *inert* ⇒*powerless, languid* ◆ **1.1** oude ~e ideeën *old sluggish ideas;* de ~e massa *i. matter* **1.¶** ~ gas *i. / noble gas* **3.1** ~ reageren *react passively / without resistance* **5.¶** chemisch ~ *chemically i..*

inertie 〈de (v.)〉 **0.1** [〈nat.〉 traagheid] *inertia* **0.2** [daadloosheid] *inertia, passivity* ⇒*languor* **0.3** [〈schei.〉 het moeilijk in reactie treden] *inertness.*

inetsen 〈ov.ww.〉 **0.1** *etch* ⇒*engrave.*

inevitabel 〈bn.〉 **0.1** *inevitable, unavoidable, inescapable.*

inexact 〈bn., bw.;-ly〉 **0.1** *inexact, inaccurate* ⇒*loose* 〈definitie, enz.〉.

inexplicabel 〈bn.〉 **0.1** *inexplicable, unexplainable;* 〈onoplosbaar〉 *insoluble.*

in extenso **0.1** *in extenso, in full* ◆ **3.1** iets ~ weergeven *give a full account of sth..*

in extremis 〈bw.〉 **0.1** *in extremis* ⇒〈inf. ook〉 *at the point of death.*

inf. 〈afk.〉 **0.1** [infra] *inf.* **0.2** [infinitief] *inf.* **0.3** [infanterie] *Inf., inf.* **0.4** [informeel] *fam..*

infaam 〈bn., bw.;-ly〉 **0.1** *infamous, shameful, ignominious* ◆ **5.1** die tekeningen zijn ~ slecht gemaakt *those drawings have been done appallingly / shamefully badly.*

infanterie 〈de (v.)〉 〈mil.〉 **0.1** *infantry* ⇒〈BE; gesch.〉 *foot* ◆ **1.1** een regiment ~ *an i. regiment* **2.1** lichte ~ *light i..*

infanteriesoldaat 〈de (m.)〉 **0.1** *infantryman* ⇒*foot-soldier.*

infanterist 〈de (m.)〉 **0.1** *infantryman, foot soldier.*

infanticide 〈de (v.)〉 **0.1** *infanticide.*

infantiel 〈bn., bw.〉 **0.1** [kinderachtig] *infantile* ⇒*puerile, childish,* 〈bw.〉 *in an infantile way, like an infant* **0.2** [stom, achterlijk] *babyish;* 〈bw.〉 *babyishly* ◆ **3.2** doe niet zo ~ *don't act so babyish(ly), don't be such a baby, stop acting like a baby.*

infantiliseren 〈onov., ov.ww.〉 **0.1** 〈onov. ww.〉 *become infantile;* 〈ov. ww.〉 *render infantile.*

infantilisme ⟨het⟩ **0.1** [het blijven staan in de ontwikkeling] *infantilism* **0.2** [symptoom daarvan] *infantilism*.
infantiliteit ⟨de (v.)⟩ **0.1** *infantility;* ⟨psych.⟩ *infantilism*.
infarct ⟨het⟩ **0.1** *infarct(ion);* ⟨van hart⟩ *heart attack*.
infatsoenlijk ⟨bn.⟩ **0.1** *utterly/highly respectable*.
infatuatie ⟨de (v.)⟩ **0.1** [verwaandheid] *(self-)conceit, vanity* **0.2** [overdreven voorliefde] *infatuation (with)*.
infecteren ⟨ov.ww.⟩ **0.1** *infect* ⇒*contaminate, taint* ⟨vlees, geest⟩ ♦ **3.1** de wond is geïnfecteerd *the wound is/has been infected* **6.1** ⟨fig.⟩ iem. ~ **met** verwerpelijke ideeën *i./taint s.o. with reprehensible ideas*.
infectie ⟨de (v.)⟩ **0.1** *infection* ⇒*contamination*.
infectiegevaar ⟨het⟩ **0.1** *risk of infection*.
infectiehaard ⟨de (m.)⟩ **0.1** *focus of infection, nidus*.
infectieus ⟨bn.⟩ **0.1** *infectious* ⇒*infective,* ⟨door contact⟩ *contagious*.
infectieziekte ⟨de (v.)⟩ **0.1** *infection, infectious/contagious/illness/disease;* ⟨med.⟩ *zymotic disease, zymosis*.
infereren ⟨ov.ww.⟩ **0.1** *infer*.
inferieur¹ ⟨de (m.)⟩ **0.1** *inferior, subordinate, underling*.
inferieur² ⟨bn.⟩ **0.1** [minderwaardig] *inferior* ⇒*low-grade, poor (quality)* **0.2** [ondergeschikt] *inferior, subordinate* ♦ **1.1** van ~e kwaliteit *of poor/i. quality, second-rate;* ⟨zeer⟩ *tenth-rate;* een ~ product *a second-rate/second-class product;* ~ werk *i. work* **1.2** een ~e betrekking *a s. position* **6.1** ~ **aan** *secondary to*.
inferioriteit ⟨de (v.)⟩ **0.1** [minderwaardigheid] *inferiority* **0.2** [ondergeschiktheid] *inferiority* ⇒*subordination*.
infernaal ⟨bn.⟩ **0.1** *infernal* ⇒*hellish*.
inferno ⟨het⟩ **0.1** *inferno* ⇒*hell,* ⟨chaos⟩ *pandemonium*.
infertiliteit ⟨de (v.)⟩ **0.1** *infertility* ⇒⟨van grond⟩ *barrenness*.
infesteren ⟨ov.ww.⟩ ⟨schr.⟩ **0.1** *infect, contaminate; pollute* ⟨lucht, water⟩.
infibulatie ⟨de (v.)⟩ **0.1** ⟨zeldz.⟩ *infibulation*.
infideel ⟨bn., bw.⟩ **0.1** *unfaithful, disloyal*.
infiltraat ⟨het⟩ **0.1** [geïnfiltreerde stof] *infiltrate* **0.2** [vochtophoping] *infiltrate*.
infiltrant ⟨de (m.)⟩ **0.1** *infiltrator*.
infiltratie ⟨de (v.)⟩ **0.1** [mbt. personen] *infiltration* **0.2** [mbt. vloeistoffen] *infiltration* **0.3** [⟨jur.⟩] *infiltration* **0.4** [⟨med.⟩] *infiltration*.
infiltreren ⟨onov.ww.⟩ **0.1** [mbt. personen] *infiltrate* **0.2** [mbt. vloeistoffen] *infiltrate* ♦ **6.1** ~ **in** een gebied/een beweging *i. (into) an area/a movement*.
infiniteit ⟨de (v.)⟩ **0.1** *infinity* ⇒*infiniteness*.
infinitesimaalrekening ⟨de (v.)⟩ **0.1** *(infinitesimal) calculus*.
infinitief ⟨de (m.)⟩ ⟨taal.⟩ **0.1** [vorm van het werkwoord] *infinitive* **0.2** [werkwoord] *infinitive*.
infix ⟨het⟩ ⟨taal.⟩ **0.1** *infix*.
inflatie ⟨de (v.)⟩ **0.1** [⟨geldw.⟩] *inflation* ⇒*money/currency inflation* **0.2** [⟨med.⟩] *inflation* ♦ **1.1** vermindering van ~ *disinflation;* een voorstander van ~ *an inflationist* **3.1** ~ veroorzaken (van) *cause i., be inflationary, inflate* **6.1** ~ **van** 10% en meer/van meer dan 100% *double-/triple-digit i.*.
inflatiebestrijding ⟨de (v.)⟩ **0.1** *fighting inflation*.
inflatiecijfer ⟨het⟩ **0.1** *inflation rate*.
inflatiecorrectie ⟨de (v.)⟩ **0.1** *inflation correction*.
inflatiedruk ⟨de (m.)⟩ **0.1** *inflationary pressure*.
inflatiegevaar ⟨het⟩ **0.1** *danger/risk of inflation*.
inflatiegolf ⟨de⟩ **0.1** *wave of inflation*.
inflatiemaatregel ⟨de (m.)⟩ **0.1** *anti-inflation measure*.
inflatiepercentage ⟨het⟩ **0.1** *inflation rate*.
inflatiepolitiek ⟨de (v.)⟩ **0.1** *anti-inflation policy*.
inflatiespiraal ⟨de⟩ **0.1** *inflationary spiral*.
inflationistisch ⟨bn.⟩ **0.1** *inflationary* ⇒⟨bewust⟩ *inflationist*.
inflatoir ⟨bn.⟩ **0.1** *inflationary* ♦ **1.1** ~e krachten *i. forces*.
inflecteren ⟨taal.⟩
  I ⟨ov.ww.⟩ **0.1** [verbuigen] *inflect;*
  II ⟨onov.ww.⟩ **0.1** [buiging bezitten] *inflect*.
inflexibel ⟨bn.⟩ **0.1** *inflexible* ⇒*rigid*.
inflexie ⟨de (v.)⟩ **0.1** [afwijking] *inflection* **0.2** [mbt. de stem] *inflection*.
inflictie ⟨de (v.)⟩ **0.1** *infliction* ⇒⟨straf⟩ *imposition*.
inflorescentie ⟨de (v.)⟩ **0.1** *inflorescence*.
influenceren ⟨ov.ww.⟩ **0.1** *influence* ⇒*affect*.
influentie ⟨de (v.)⟩ **0.1** [invloed] *influence* **0.2** [⟨nat.⟩] *induction, influence*.
influenza ⟨de⟩ ⟨med.⟩ **0.1** *influenza* ⇒⟨inf.⟩ *flu*.
influisteren ⟨ov.ww.⟩ **0.1** [fluisterend zeggen] *whisper (in s.o.'s ear)* **0.2** [met arglistige bedoeling meedelen] *suggest* **0.3** [souffleren] *prompt* ♦ **1.1** ⟨fig.⟩ mijn geweten fluistert me in dat ... *my conscience tells me that ...*.
influistering ⟨de (v.)⟩ **0.1** [handeling] *whispering* **0.2** [suggestie] *suggestion* ⇒*prompting*.
info ⟨de (v.)⟩ ⟨inf.⟩ **0.1** *info* ⇒ ↑*information,* ↑*data*.
infobox ⟨de⟩ ⟨com.⟩ **0.1** *infobar*.
informaat ⟨de (m.)⟩ **0.1** *data processing machine* ⇒*data processor*.
informalisering ⟨de (v.)⟩ **0.1** *informalization*.

informaliteit ⟨de (v.)⟩ **0.1** [informeel karakter] *informality* **0.2** [afwijking van voorgeschreven vorm] *informality* **0.3** [ambtsvergrijp] *irregularity*.
informant ⟨de (m.)⟩ **0.1** *informant* ⇒*intelligencer,* ⟨op bepaald gebied⟩ *informer*.
informateur ⟨de (m.)⟩ **0.1** [beambte] ≠*social investigator/researcher* **0.2** [⟨pol.⟩] *politician who investigates on behalf of the crown, whether a proposed cabinet formation will succeed*.
informatica ⟨de⟩ **0.1** *information science* ⇒*computer science, informatics*.
informaticus ⟨de (m.)⟩ **0.1** *information scientist* ⇒*computer scientist*.
informatie ⟨de (v.)⟩ **0.1** [wat als bericht/gegeven iem./iets bereikt] *information* ⇒⟨mbt. computers enz.⟩ *data,* ⟨inf.⟩ *material,* ⟨van iem.⟩ *particulars* **0.2** [inlichtingen] *information* ⇒⟨inf.⟩ *info,* ⟨geheim⟩ *intelligence* **0.3** [het verschaffen van kennis/inzicht] *information* ♦ **1.1** een overstelpende hoeveelheid ~ *an overwhelming amount of i./data /material* **2.1** ⟨biol.⟩ genetische ~ *genetic i.;* nuttige/waardevolle ~ *useful/valuable i.;* ⟨belangrijk⟩ *a nugget of i.* **2.2** om nadere ~ verzoeken *make inquiries, seek further information;* nadere ~(s) is/(zijn) te verkrijgen bij ... *further information can/may be obtained from ...;* verkeerde ~ *misinformation;* vertrouwelijke ~ *inside information/ knowledge* **3.1** ~ doorgeven *relay i.* **3.2** ~ geven/verstrekken/verschaffen (over iem./iets) *give/provide information (about/on s.o./ sth.);* ~(s) inwinnen (bij ...) *make inquiries (of ...), obtain information (from ...)* **6.3** ter ~ *for your i.*.
informatiebalie ⟨de (v.)⟩ **0.1** *inquiry counter/desk/office* ⇒*information counter/desk*.
informatiebank ⟨de (v.)⟩⟨comp.⟩ **0.1** *data bank*.
informatiebron ⟨de⟩ **0.1** *source of information*.
informatiebureau ⟨het⟩ **0.1** *information bureau/office*.
informatiedienst ⟨de (m.)⟩ **0.1** *information service*.
informatiedrager ⟨de (m.)⟩ **0.1** *data carrier*.
informatief ⟨bn.⟩ **0.1** [tot voorlichting dienend] *exploratory, explorative* ⇒*informatory* **0.2** [veel informatie bevattend] *informative* ⇒*instructive* ♦ **1.1** een ~ gesprek *an exploratory talk/discussion* **1.2** een ~ artikel *an informative article*.
informatie-industrie ⟨de (v.)⟩ **0.1** *information technology/I.T. industry* ⇒*software/data (processing) industry*.
informatiemarkt ⟨de⟩ **0.1** *data market*.
informatiemechanica ⟨de (v.)⟩ **0.1** *data processing*.
informatieoverdracht ⟨de⟩ **0.1** *data transmission* ⇒*transfer of information*.
informatiestroom ⟨de (m.)⟩ **0.1** *data flow*.
informatiesysteem ⟨het⟩⟨comp.⟩ **0.1** *data system*.
informatietechnologie ⟨de (v.)⟩ **0.1** *information technology* ⇒⟨afk.⟩ *I.T.*.
informatietheorie ⟨de (v.)⟩ **0.1** *information theory*.
informatietijdperk ⟨het⟩ **0.1** *information era*.
informatietoon ⟨de (m.)⟩⟨com.⟩ **0.1** *number unobtainable signal/tone*.
informatieverspreiding ⟨de (v.)⟩ **0.1** *information dissemination* ⇒*dissemination of information*.
informatieverwerkend ⟨bn.⟩ **0.1** *data-processing*.
informatieverwerker ⟨de (m.)⟩ **0.1** *data processor*.
informatieverwerking ⟨de (v.)⟩⟨tech.⟩ **0.1** *data processing/handling*.
informatisering ⟨de (v.)⟩ **0.1** *computerization*.
informatrice ⟨de (v.)⟩ **0.1** *informant* ♦ **3.1** zij is ~ bij het verkeersbureau *she works at (the inquiry desk of) the tourist information office*.
informeel ⟨bn., bw.;-ly⟩ **0.1** [onvormelijk] *informal* ⇒*unofficial, unceremonious,* ⟨taal ook⟩ *familiar, colloquial,* ⟨wijze⟩ *casual* **0.2** [vrijblijvend] *informal* ⇒*unofficial* ♦ **1.1** een ~ etentje *a quiet dinner party;* een informele ontvangst *an i. reception;* een ~ partijtje houden *have/invite a few friends round;* een ~ partijtje/avondje *a little party* **1.2** informele besprekingen *i./unofficial talks;* een informele nota *a memorandum;* ⟨inf.⟩ *a memo*.
informeren
  I ⟨onov.ww.⟩ **0.1** [inlichtingen inwinnen] *in-/enquire* ⇒*ask, find out* ♦ **5.1** ik heb ernaar geïnformeerd *I have made inquiries about it;* ~ hoe iem. het maakt *ask how s.o. is doing* **6.1** ~ **bij** iem. *ask s.o., inquire of s.o., make inquiries of s.o.;* **naar** iemands gezondheid ~ *ask/ inquire after s.o.'s health;* ~ **naar** een boek over ... *ask for a book about ...;* ~ **naar** ene Julia *i. after a certain Julia;* de prijs/de aanvangstijden ~ *i. about the price/opening times* ¶ **.1** informeer eens waar je wezen moet *ask/find out where you have to be;*
  II ⟨ov.ww.⟩ **0.1** [inlichten] *inform* ⇒*advise, notify, enlighten* ♦ **4.1** zij heeft zich daarover terdege geïnformeerd *she has made a thorough inquiry into it;* zich grondig laten ~ over iets ⟨inf.⟩ *gen up on/about sth.* **5.1** verkeerd ~ *misinform* **6.1** iem. grondig ~ **over** iets ⟨inf.⟩ *gen s.o. up on/about sth.*.
infractie ⟨de (v.)⟩ **0.1** [inbreuk] *infraction* **0.2** [beenbreuk] *infraction*.
infrarood ⟨bn.⟩ **0.1** *infrared* ♦ **1.1** een infrarode lamp *an i. lamp;* infrarode stralen/fotografie *i. rays/photography*.
infraroodstraler ⟨de (m.)⟩ **0.1** *infrared radiator/lamp*.
infrasoon ⟨bn.⟩ **0.1** *infrasonic*.

infrastructureel ⟨bn., bw.⟩ **0.1** *concerning the infrastructure* ◆ **1.1** belangrijke infrastructurele werken *works significantly affecting / developing the infrastructure.*

infrastructuur ⟨de (v.)⟩ **0.1** *infrastructure* ◆ **1.1** de ~ van een streek *the local / regional i.* **2.1** de economische ~ *the economic i..*

infrequent ⟨bn., bw.; -ly⟩ **0.1** *infrequent.*

infusie ⟨de (v.)⟩ **0.1** [het maken van een aftreksel] *infusion* **0.2** [aftreksel] *infusion* ⟹ ⟨van planten⟩ *tisane,* ⟨van kruiden⟩ *herb(al) tea* **0.3** [⟨med.⟩] *drip* ⟹ *infusion.*

infusiediertje ⟨het⟩ **0.1** *infusorian* ⟹ *monad.*

infusoriën ⟨zn.mv.⟩ **0.1** *infusoria.*

infuus ⟨het⟩ **0.1** [⟨med.⟩] *drip* ⟹ *infusion* **0.2** [aftreksel] *infusion.*

Ing. ⟨afk.⟩ **0.1** [ingenieur] *≠B.Eng., M.Eng., I.C.E.* ⟨geplaatst na naam⟩ **0.2** [ingenaaid] ⟨*stitched*⟩.

ingaan ⟨onov.ww.⟩ **0.1** [binnengaan] *go in(to)* ⟹ *walk / step in(to),* enter **0.2** [komen in] *go / come in(to)* ⟹ *enter* **0.3** [aandacht besteden aan] *examine* ⟹ *go into* **0.4** [positief reageren] *agree with / to* ⟹ *comply with* **0.5** [beginnen] *take effect* ◆ **1.1** de bak / nor ~ *go to gaol, be sent down, go down;* een deur ~ *go through a door;* de wereld ~ *set / go out into the world* **1.2** een bocht ~ *take a curve;* de diepte / het land ~ *go to the bottom / country;* wij gingen de duinen verder in *we went further into the dunes;* de geschiedenis ~ als ... *go down in history as ...;* zijn vijftigste jaar ~ *enter one's fiftieth year;* ⟨com.⟩ de lucht ~ *be transmitted, go on the air;* niet gerust de nacht ~ *be anxious as night falls;* de prullenmand ~ *be consigned to the wastepaperbasket;* de stad ~ *go into town;* de nieuwe week ~ *start the new week;* een weg ~ *turn into a road* **1.5** mijn nieuwe baan gaat volgende week in *I start my new job next week;* de huur gaat de 1e van de maand in *the rent will run from the first of the month;* de regeling gaat 1 juli in *the regulation takes effect from July 1st, the regulation is effective as from July 1st, the regulation comes into effect on July 1st;* de verlaging is al ingegaan *the decrease is already in effect* **5.3** nader ~ op een kwestie *e. a matter further, pursue a question (in greater depth)* **5.¶** ⟨inf.⟩ er wel ~ *go down well* **6.3** uitgebreid ~ *op enter at length into,* go into a full consideration of, dilate upon; niet ~ op (een vraag / probleem) *take no notice of (a question / problem);* het was een rot opmerking, maar hij ging er niet op in *it was a nasty comment, but he let it pass;* niet ~ op iemands bezwaren *brush / wave aside s.o.'s objections;* er dieper op ~ *go more deeply into it;* niet verder op een zaak ~ *let a matter drop;* ik ging er maar niet verder op in *I didn't pursue the matter, I didn't press the point* **6.4** ~ op een verzoek *comply with a request;* op een uitnodiging / weddenschap ~ *accept an invitation / a bet;* niet ~ op (een verzoek / suggestie) *refuse a request, not fall in with a suggestion;* op een aanbod ~ *respond to / accept an offer;* gretig / dadelijk ~ op (een voorstel / idee) *snap / snatch / jump at a proposal / an idea;* niet ~ op (een voorstel / idee) *take such ignore / not consider a complaint* **6.5** de vakantie gaat in op 12 juli *the holidays begin on 12th July;* de verlaging zal ~ op 1 juni *the decrease / reduction dates from June 1st* **6.¶** tegen de stroom ~ d ⟨fig.⟩ *swimming / going against the stream / tide;* ⟨lett.⟩ *upstream;* dat gaat tegen zijn principes in *that goes against his principes;* ~ tegen *run counter to, cut across; go / act counter to;* rechtstreeks ~ tegen *cut (clean) across* ⟨persoon⟩ *fly in the face of* ⟨opinie, wensen⟩; tegen (het getij van) de publieke opinie ~ *stem the tide of public opinion;* tegen de wensen ~ van iem. *disoblige s.o..*

ingaand ⟨bn.⟩ ◆ **1.¶** ⟨hand.⟩ ~e balans *balance carried / brought over;* in- en uitgaande rechten *import and export duty.*

ingaande ⟨vz.⟩ **0.1** *dating from* ⟹ *as from, (as) per, as of* ◆ **1.1** ~ mei is hij ontslagen *his dismissal is effective as from May.*

ingang ⟨de (m.)⟩ **0.1** [opening] *entrance, entry* ⟹ *doorway, gateway,* ⟨opschrift⟩ *way in,* ⟨van een hol enz.⟩ *mouth* **0.2** [mbt. informatie] *entry* **0.3** [toegang] *entrance, entry* ⟹ *access, ingress* **0.4** [aanvang] *commencement* **0.5** [het binnengaan] *entrance* ⟹ ⟨schr.⟩ *ingress* ◆ **1.1** de ~ v.h. Kanaal *the entrance to the Channel* **2.1** een nauwe / wijde ~ *a narrow / wide entrance* **3.1** het station heeft twee ~en *the station has two entrances* **3.3** iets ~ doen vinden *get sth. adopted / accepted;* ⟨produkt⟩ *push, sell, introduce sth.;* ~ vinden *find acceptance;* ⟨inf.⟩ *go down / over, catch on;* steeds meer ~ vinden *become more and more prevalent, gain increasing acceptance;* deze theorieën vinden langzamerhand ~ *these theories are gradually winning acceptance, these theories are winning through;* de nieuwe ideeën vonden gemakkelijk ~ bij het publiek *the new ideas found a ready reception with the public* **6.4** hem is ontslag verleend met ~ van 1 april *he is resigning as from April 1st;* met ~ van heden *from today,* ᴬas of today; met ~ van gisteren *as of yesterday, beginning from yesterday;* met ~ onmiddellijke ~ *to take effect at once, starting immediately.*

ingangsdatum ⟨de (m.)⟩ **0.1** *commencing date.*

ingebeeld ⟨bn.⟩ **0.1** [imaginair] *imaginary* ⟹ *fancied, supposed* **0.2** [verwaand] [self-)conceited] ⟹ *bumptious, blown-up* ◆ **1.1** ~e kwalen *i. complaints;* een ~e zieke *a hypochondriac* **1.2** een ~e kwast *a conceited coxcomb.*

ingeblikt ⟨bn.⟩ **0.1** *canned,* ᴮ*tinned* ⟹ ⟨fig.⟩ *canned* ◆ **1.1** ~e muziek *c. music.*

ingebonden ⟨bn.⟩ **0.1** [⟨boek.⟩] *bound* **0.2** [⟨bouwk.⟩] *not protruding* ◆ **1.1** een ~ boek *a b. book.*

ingeboren ⟨bn.⟩ **0.1** [aangeboren] *innate, inborn* ⟹ *native* **0.2** [inheems] *native* ◆ **1.1** een ~ afkeer hebben van *have an inborn / inbred dislike of;* de liefde tot zijn land is ieder ~ *love for / of one's country is inherent in everybody* **1.2** ⟨gesch.⟩ ~ poorter *native citizen.*

ingeborene ⟨de (m.)⟩ **0.1** *native* ⟹ [mbt. primitieve bevolking ook] *aborigine, aboriginal* ◆ **1.1** een ~ van dit land *a n. of this country.*

ingebouwd ⟨bn.⟩ **0.1** *built-in* ⟹ *in-built* ◆ **1.1** een ~e kast ⟨ook⟩ *a fitted cupboard.*

ingebrand ⟨bn.⟩ **0.1** [ingeprent] ⟨fig.⟩ *ingrained* ⟹ *deep-rooted / -seated,* ⟨lett.⟩ *burnt-in* **0.2** [mbt. kleur] *encaustic* ◆ **6.1** dat staat er bij mij ingebrand *that is i. in me.*

ingebrekestelling ⟨de (v.)⟩ **0.1** *proof of default* ◆ **6.1** na ~ van de debiteur *after serving notice upon the debtor.*

ingebruikneming ⟨de (v.)⟩ **0.1** ⟨van nieuwe produkten enz.⟩ *introduction* ⟹ ⟨van pand⟩ *occupation* ◆ **6.1** na ~ van de nieuwe machine *after the new machine came into operation / use / service.*

ingeburgerd ⟨bn.⟩ **0.1** [als burger opgenomen] *naturalized* ⟹ *established* **0.2** [algemeen aanvaard] *established* ◆ **1.2** een ~e uitdrukking *an e. expression* **3.2** ~ raken *take hold.*

ingehouden ⟨bn.⟩ **0.1** [⟨mbt. emotie⟩] *restrained* ⟹ *pent-up, bottled-up* ⟨boosheid⟩ **0.2** [⟨mbt. kracht⟩] *subdued* **0.3** [⟨mbt. adem⟩] *bated.*

ingekankerd ⟨bn.⟩ **0.1** *inveterate* ⟹ *deep-rooted / -seated* ◆ **1.1** hij heeft een ~e hekel aan hem *he has a deep-rooted dislike of him.*

ingekeerd ⟨bn.⟩ **0.1** *inward-looking* ⟹ *introverted.*

ingekleurd ⟨bn.⟩ **0.1** *coloured.*

ingekort ⟨bn.⟩ **0.1** [kledingstuk, tekst, touw] *shortened* **0.2** [macht, rechten] *restricted* ⟹ *limited, restrained, curtailed* **0.3** [bijdrage, termijn, uitkering] *reduced.*

ingeland ⟨de (m.)⟩ **0.1** *landholder (in a polder)* ◆ **2.1** de gemene ~en *the joint landholders.*

ingelegd ⟨bn.⟩ **0.1** [uit ingepaste stukjes bestaand] *inlaid* **0.2** [ingemaakt] *preserved* ⟹ ⟨in het zuur / pekel enz.⟩ *pickled,* ⟨in glas⟩ *bottled,* ⟨in potten⟩ *potted* ◆ **1.1** een ~e vloer *a woodblock floor, a parquet (inlaid) floor* **1.2** ~e augurken / haring *pickled gherkins / herring;* ~e snijbonen *bottled beans;* ~e vruchten *preserverd fruit(s)* **6.1** hout met zilver ~ *wood i. with silver* **6.2** in suiker ~e vruchten *candied fruit(s).*

ingemaakt ⟨bn.⟩ **0.1** [ingelegd] *preserved* ⟹ ⟨in glas⟩ *bottled,* ⟨in potten⟩ *potted,* ⟨in het zuur / pekel enz.⟩ *pickled* **0.2** [⟨AZN⟩ ingebouwd, mbt. kast] ⟨zie 1.2⟩ ◆ **1.1** ~e groenten / vruchten *preserved vegetables / fruit;* ~e haring *pickled herring* **1.2** een ~e kast *a built-in / fitted cupboard.*

ingemeen ⟨bn., bw.; -ly⟩ **0.1** *vile* ⟹ *utterly base.*

ingenaaid ⟨bn.⟩ **0.1** *stitched.*

ingenieur ⟨de (m.)⟩ **0.1** [aan een hogeschool gevormd technicus] [*graduate / professional / chartered) engineer* ⟹ *science / engineering graduate* **0.2** [afgestudeerde aan een HTS / hogere textiel / landbouwschool] *≠engineer* ◆ **2.1** civiel ~ *civil e.;* werktuigkundig / bouwkundig / scheikundig / elektrotechnisch / scheepsbouwkundig / landbouwkundig ~ enz. *mechanical / constructional / chemical / electrical / naval / agricultural e.* **3.1** ~ zijn, als ~ werkzaam zijn *work as / be an e..*

ingenieursbureau ⟨het⟩ **0.1** [algemeen] *engineering office / firm* **0.2** [raadgevend] *firm of consulting engineers.*

ingenieursopleiding ⟨de (v.)⟩ **0.1** [het opleiden] *education / university training of engineers* **0.2** [instituut] *polytechnic.*

ingenieursstudie ⟨de (v.)⟩ **0.1** *study of engineering.*

ingenieurstitel ⟨de (m.)⟩ **0.1** *engineering degree.*

ingenieus ⟨bn., bw.; -ly⟩ **0.1** [vindingrijk] *ingenious* ⟹ *inventive* **0.2** [geestig uitgedacht] *ingenious* ◆ **1.2** een ingenieuze uitvinding *an ingenious invention.*

ingenomen ⟨bn.⟩ **0.1** [⟨+met⟩] *pleased / delighted (with)* ⟹ ⟨inf.⟩ *bucked / chuffed (with)* **0.2** [⟨+tegen⟩] *antipathetic (towards)* ⟹ *unfavourably disposed (towards)* ◆ **6.1** hij is zeer ~ met zijn nieuwe betrekking *he is highly p. with his new position;* met zichzelf ~ zijn *p. with o.s.;* ⟨overdreven⟩ *be conceited.*

ingenomenheid ⟨de (v.)⟩ **0.1** *satisfaction* ⟹ ⟨tegen iem. / iets⟩ *dissatisfaction* ◆ **3.1** zijn ~ betuigen *met express s. at / with* ◆ **6.1** iets met ~ begroeten *welcome sth. with s.;* ~ met zichzelf *self-complacency, self-satisfaction;* ~ tegen *unfavourable disposition towards.*

ingénu ⟨bn.⟩ **0.1** *ingenuous* ⟹ *artless, naïve.*

ingénue ⟨de (v.)⟩ **0.1** *ingénue* ⟹ *innocent.*

ingeroest ⟨bn.⟩ **0.1** *entrenched* ⟹ *ingrained* ◆ **1.1** ~e gewoontes *ingrained habits.*

ingeschapen ⟨bn.⟩ **0.1** *innate* ⟹ *inborn* ◆ **1.1** ~e denkbeelden *innate ideas.*

ingeschreven ⟨bn.⟩ **0.1** [geregistreerd] *registered* **0.2** [⟨wisk.⟩] *inscribed* ◆ **1.1** ~ merk *(registered) trademark* **1.2** ~ cirkel *i. circle;* ~ veelhoeken *i. polygons* **7.1** ⟨zelfst.⟩ een ~e *a participant, a r. /* ⟨inf.⟩ *signed-up person; an entrant* ⟨wedstrijd⟩; *a candidate* ⟨tentamen⟩.

ingesloten ⟨bn., bw.⟩ **0.1** [bijgaand] *enclosed* **0.2** [ingebouwd] *enclosed* ⟹ ⟨tuin⟩ *walled,* ⟨hoek⟩ *contained* **0.3** [inclusief] *included, including* ◆ **1.1** de ~ brief *the e. letter* **1.2** door bergen ~ *shut in by mountains;* door land ~ ⟨zee enz.⟩ *mediterranean;* ⟨land⟩ *land-locked;* door rotsen ~ kust *ironbound coast;* door water/ijs ~ *water/icebound;* door de zee ~ *surrounded by the sea* **1.3** de onkosten ~ *the expenses included, including expenses* **3.2** je zit hier erg ~ *you're really shut in here.*

ingesneden ⟨bn.⟩ **0.1** *indented* ⇒*cut, scored* ◆ **1.1** ⟨plantk.⟩ ~ bladeren *laciniate leaves.*

ingesnoerd ⟨bn.⟩ **0.1** [plaatselijk vernauwd] *nipped in* **0.2** [⟨bouwk.⟩] *contracted, constricted.*

ingespannen ⟨bn., bw.; -ly⟩ **0.1** [geconcentreerd] *intensive* ⇒*intense* **0.2** [met inspanning geschiedend] *arduous* ⇒*tense, strenuous* ◆ **1.2** na drie dagen van ~ arbeid *after three strenuous days* **2.2** ~ bezig zijn *be on the grind, be hard* **3.1** ~ luisteren *listen intently, strain one's ears;* ~ nadenken *consider/reflect/ponder deeply;* hij zat ~ te studeren *he was studying intently.*

in-gespreks-toon ⟨de (m.)⟩ **0.1** *engaged signal/tone, ^busy signal.*

ingesteld ⟨bn.⟩ ◆ **6.¶ op** iem. / iets ~ zijn *be/have adjusted to s.o./sth., be geared to sth..*

ingetogen ⟨bn., bw.; -ly⟩ **0.1** *modest* ⇒*retiring* ◆ **1.1** een ~ leven leiden *lead a quiet/retired life;* een ~ schoonheid *a m. beauty;* ~ stemming *subdued mood* **3.1** ~ spelen ⟨van acteur⟩ *underact* **5.1** overdreven ~ *prudish.*

ingetogenheid ⟨de (v.)⟩ **0.1** *modesty* ⇒*retiring character/nature.*

ingeval ⟨vw.⟩ **0.1** *in case* ⇒*in the event of/that* ◆ **¶.1** ~ u iets overkomt, mag u zich alijd op mij beroepen *in case anything happens to you, you may always use my name.*

ingevallen ⟨bn.⟩ **0.1** *hollow, sunken* ⟨wangen, ogen⟩ ⇒*hollow-cheeked, fallen-in* ⟨gezicht⟩, *collapsed, fallen-in* ⟨huis⟩.

ingeven ⟨ov.ww.⟩ **0.1** [doen innemen] *administer* ⇒*give* **0.2** [inspireren] *inspire* ⇒*prompt, suggest, dictate, infuse* ◆ **1.1** al naar zijn gril hem ingaf *as the whimsy took him, as his caprice dictated* **3.1** ik weet niet wat hem ingaf zoiets te doen *I don't know what prompted him to such an act, I don't know what made him do such a thing* **4.2** alsof het mij zo werd ingegeven *as if I was divinely inspired* ⟨goede macht⟩ / *prompted by the devil* ⟨kwade macht⟩; doe wat uw hart u ingeeft *follow the dictates of your heart, follow your own inclination, do what you feel is right, trust your own instincts* **6.1** maatregelen, ingegeven door angst *measures dictated/motivated/inspired by fear.*

ingeving ⟨de (v.)⟩ **0.1** [het inspireren] *inspiration* ⇒*prompting, suggestion, infusion* **0.2** [inspiratie] *inspiration* ⇒*intuition, prompting, suggestion, dictate* **0.3** [het doen innemen] *administration* ⟨medicijnen⟩ ◆ **1.2** ~en van de Boze *inspirations/promptings of the Evil One* **2.1** een plotselinge ~ *a flash (of intuition), a sudden hunch* ⟨gevoel⟩ / *impulse* ⟨aandrang⟩ **3.2** een ~ krijgen *have a flash of inspiration, have a brainstorm/a brainwave, be struck by a bright idea* ⟨goed idee⟩; *have a flash of intuition/hunch* ⟨intuïtie⟩; *have an impulse* ⟨aandrang⟩; de ~en van zijn hart volgen *follow the dictates of one's heart* **6.1** als bij ~ *intuitively, as if by divine* ⟨goedaardig⟩ / *diabolical* ⟨kwaadaardig⟩ *inspiration, as if divinely/diabolically inspired* **¶.2** aan een ~ gehoor geven/weerstand bieden *yield to/resist an impulse.*

ingevoerd ⟨bn.⟩ **0.1** *informed* ⇒*well-up* ◆ **6.1** hij is in deze materie goed ingevoerd *he is well-informed about/well-up in this material, he is an old hand, he knows the ropes.*

ingevolge ⟨vz.⟩⟨schr.⟩ **0.1** *in accordance with* ⇒⟨wet, plan ook⟩ *pursuant to, in pursuance of, under, by virtue of* ⟨op grond van⟩ ◆ **1.1** hij is ~ dit arrestatiebevel bevoegd u te arresteren *by virtue of/under this warrant he is authorized to arrest you;* ~ uw instructies handelen *act on/under/in accordance with/in pursuance of/pursuent to/in obedience to your instructions;* ~ uw uitnodiging *in response to your invitation;* ~ uw verzoek *in accordance/compliance with your request;* ~ de wet *in accordance with/in pursuance of/pursuant to the law* **5.1** ~ hiervan *hereunder.*

ingevroren ⟨bn.⟩ **0.1** *icebound* ⟨haven, schip⟩; *frozen* ⟨voedsel⟩.

ingewanden ⟨zn.mv.⟩ **0.1** [inwendige delen van het lichaam] *intestines* ⇒*bowels, entrails* ⟨dier⟩, ⟨inf.⟩ *guts, chit(ter)lings* ⟨van varken, als gerecht⟩ **0.2** [het binnenste] *bowels* ◆ **1.2** de ~ van de aarde *the bowels of the earth* **3.1** de ~ van een kip halen *draw a chicken;* de ~ verwijderen *(dis)embowel, draw, eviscerate; gralloch* ⟨hert etc.⟩ **6.1** het in de ~ hebben *have a pain in one's insides.*

ingewandsstoornis ⟨de (v.)⟩ **0.1** *intestinal disorder* ⇒*intestinal/bowel trouble, diarrh(o)ea.*

ingewandswormen ⟨zn.mv.⟩ **0.1** *intestinal worms.*

ingewandsziekte ⟨de (v.)⟩ **0.1** *intestinal disease* ⇒*intestinal trouble, bowel trouble/disease/complaint.*

ingewijd ⟨bn.⟩ **0.1** *initiated (in)* ⇒*adept (at), expert (in/at),* ⟨op de hoogte van⟩ *privy (to), au fait (with).*

ingewijde ⟨de (m.)⟩ **0.1** *initiate* ⇒⟨fig. ook⟩ *insider, adept, expert* ⟨die alle kneepjes weet⟩ ◆ **3.1** tot de ~n behoren *be in on sth., be in the know, be privy to sth.* **6.1** alleen voor ~n *esoteric, for initiates only.*

ingewikkeld ⟨bn., bw.; -ly⟩ **0.1** *complicated* ⇒*complex, intricate, involved, sophisticated* ◆ **1.1** een ~ argument *a complicated/complex/sophisticated/convoluted/elaborate argument;* een ~e manier van vertellen *a roundabout way of telling sth.;* een ~ proces *a complex/complicated/elaborate process;* een ~e techniek *a sophisticated technique;* het is een ~ verhaal *there are wheels within wheels, it's a com-*

---

plicated story; it's a lot of double-talk ⟨hiertegen protesterend⟩; een ~e zinsbouw *an involved/a complex sentence construction* **3.1** ~ maken *complicate, entangle, perplex.*

ingewikkeldheid ⟨de (v.)⟩ **0.1** *complexity* ⇒*intricacy, complication, sophistication, complicated nature.*

ingeworteld ⟨bn.⟩ **0.1** *(deep-)rooted* ⇒*deep-seated, ingrained, ingrown, inveterate* ◆ **1.1** een ~e gewoonte *an unshakeable habit;* een ~e haat *inveterate hate, rancour, a deep-rooted hatred;* een ~ vooroordeel *a deep-rooted prejudice.*

ingezet ⟨bn.⟩ **0.1** *set-in* ⟨van mouwen⟩.

ingezetene ⟨de (m.)⟩ **0.1** *resident* ⇒*inhabitant, citizen, native* ◆ **1.1** ~n van een gemeente *residents/inhabitants of the municipality, townsfolk, townspeople;* ~n van een provincie *inhabitants of a province;* ~n van een staat *citizens/subjects of a state* **2.1** vreemde ~n *aliens, foreign nationals.*

ingezonden ⟨bn.⟩ **0.1** *sent in* ◆ **1.1** ~ mededelingen *advertisements;* ~ stukken *letters to the editor/from readers, readers' letters.*

ingezonken ⟨bn.⟩ **0.1** [diep liggend] *sunken* ⇒*hollow,* ⟨gezicht ook⟩ *fallen-in* **0.2** [verzonken] *sunken* ⇒*countersunk* ⟨bout enz.⟩ ◆ **1.1** ~ ogen *s./hollow eyes* **1.2** ⟨mil.⟩ ~ geschutsopstelling/batterij *a gun-pit, a s. battery;* bouten en schroeven met ~ kop *nuts and screws with countersunk heads, countersunk nuts and screws.*

ingieten ⟨ov.ww.⟩ **0.1** [gietend naar binnen laten stromen] *pour in(to)* ⇒*pour down (s.o.'s throat),* ⟨fig.⟩ *instil, infuse, embed* ⟨in iets bevestigen⟩ *cast in* ◆ **6.1** door een trechter ~ *pour in through a funnel;* ⟨fig.⟩ *drum in;* ⟨fig.⟩ iem. iets met de paplepel ~ *bring s.o. up/raise s.o. on sth.* **6.2** in de steen ingegoten ijzeren krammen *cramp-irons cast in the stone/brick.*

inglijden ⟨onov.ww.⟩ **0.1** [glijdend komen in] *slide in(to)* ⇒*glide in(to)* **0.2** [⟨fig.⟩] *slip in(to)* ◆ **5.2** ergens ongemerkt/vanzelf ~ *slip into a place unnoticed, slip into place.*

ingoed ⟨bn.⟩ **0.1** *very kind/good, excellent* ⇒*sterling, noble* ◆ **1.1** het is een in- en ~ mens *(s)he's a thoroughly/exceedingly kind person, (s)he's kindness itself.*

ingooi ⟨de (m.)⟩⟨sport⟩ **0.1** *throw-in.*

ingooien

I ⟨ov.ww.⟩ **0.1** [gooiend binnen doen komen] *throw in(to)* ⇒*cast in(to)* **0.2** [door een worp breken] *smash* ◆ **1.1** een cel ~ *throw s.o. into a cell* **1.2** ⟨fig.⟩ zijn eigen glazen ~ *cut off one's nose to spite one's face, be one's own worst enemy, cut one's own throat;* de ruiten ~ *s. the windows;*

II ⟨onov.ww.⟩ **0.1** [⟨sport⟩] *throw in.*

ingraven ⟨ov.ww.⟩ **0.1** [begraven] *bury* **0.2** [door graven doen ontstaan] *dig in(to)* ⇒*burrow in(to)* ⟨met handen of klauwen⟩ **0.3** [draven in] *dig in(to)* ⇒*burrow in(to)* ⟨met handen of klauwen⟩ ◆ **1.1** een schat ~ *b. a treasure* **1.2** een weg ~ *dig a road* **1.3** men groef de grond tot vijf meter *in the ground was excavated to 5 metres' depth* **4.1** zich (in de grond) ~ *entrench o.s., dig (o.s.) in* ⟨soldaat⟩; *earth, go to ground/earth* ⟨dier tijdens jacht⟩; *burrow* ⟨konijn⟩.

ingraveren ⟨ov.ww.⟩ **0.1** *engrave* ◆ **1.1** een ingegraveerde naam *an engraved name.*

ingrediënt ⟨het⟩ ⟨ook fig.⟩ **0.1** *ingredient.*

ingreep ⟨de (m.)⟩ **0.1** *intervention* ⇒⟨pej.⟩ *interference* ◆ **1.1** een ~ van de Voorzienigheid *a dispensation, an Act of God/Providence* **2.1** een chirurgische ~ *an operation, surgery* **6.1** bij één ~ is men gezakt voor het rijexamen *after one intervention one fails the driving test.*

ingressief ⟨bn.⟩ ⟨taal.⟩ **0.1** *inceptive* ⇒*inchoative.*

ingrijpen ⟨onov.ww.⟩ **0.1** [zich bemoeien met, sterk merkbaar zijn] *interfere* ⇒*encroach upon, take action* **0.2** [optreden] *intervene* ⇒*interfere, step in, take action* **0.3** [⟨tech.⟩] *mesh* ◆ **5.2** nog niet ~, zich van ~ onthouden *refrain from action/interference, hold/stay one's hand;* onmiddellijk/dadelijk ~ *take instant/prompt/immediate action* **6.1** dat grijpt diep in in het maatschappelijk leven *that encroaches deeply/makes deep inroads on social life;* ~ in de verhouding tussen vraag en aanbod *i. with the balance between demand and supply* **6.2** autoriteiten moesten in die misstanden ~ *authorities should take action/take active measures/take the matter in hand.*

ingrijpend ⟨bn., bw.; -ly⟩ **0.1** *radical* ⇒*fundamental, sweeping, drastic, far-reaching* ◆ **1.1** ~e bezuinigingen/maatregelen *drastic/far-reaching cutbacks, r./drastic/sweeping/far-reaching measures;* een ~e operatie *a major operation* **3.1** ~ veranderen *change radically/fundamentally/drastically/thoroughly.*

ingroeien ⟨onov.ww.⟩ **0.1** [in iets vast groeien] *grow in(to)* **0.2** [inwortelen] *grow in(to)* ⇒*strike/take root* ◆ **1.1** een ~de nagel *an ingrowing (toe)nail;* een ingegroeide nagel *an ingrown nail.*

ingroeven ⟨ov.ww.⟩ **0.1** [van groeven voorzien] *groove* **0.2** [ingraveren] *engrave* ◆ **1.1** een plank diep ~ *make deep grooves in a board.*

inhaalcursus ⟨de (m.)⟩ **0.1** *refresher course.*

inhaaldag ⟨de (m.)⟩ **0.1** *day for catching up.*

inhaalmanoeuvre ⟨de⟩ **0.1** *overtaking manoeuvre* ⇒*passing manoeuvre.*

inhaalstrook ⟨de⟩ **0.1** *overtaking* ⟨^passing lane.*

inhaalverbod ⟨het⟩ **0.1** *overtaking prohibition* ⇒⟨bord⟩ *no overtaking.*

inhaalwedstrijd ⟨de (m.)⟩ **0.1** *rearranged fixture, postponed match.*

inhaken

  I ⟨onov.ww.⟩ **0.1** [aanknopen bij] *take up* **0.2** [de arm steken door andermans arm] *link arms* ◆ **6.1** de spreker haakte in **op** een opmerking uit de zaal *the speaker took up a remark from the audience;* ~ **op** een nieuwe markt *zero in on a new market;*

  II ⟨ov.ww.⟩ **0.1** [met een haak slaan] *hook in(to)* **0.2** [⟨handwerken⟩] *crochet in(to)* ◆ **6.2** rozen ~ **in** gordijnen *crochet roses into curtains.*

inhakken

  I ⟨ov.ww.⟩ **0.1** [door hakken aanbrengen] *cut (in(to))* ⇒*carve,* ⟨steen ook⟩ *hew (in(to))* **0.2** [al hakkend inslaan] *break down* ◆ **1.2** de deur ~ *b. d. the door;*

  II ⟨onov.ww.⟩ **0.1** [⟨+op⟩ met woede aanvallen] *pitch into* ⇒*hit out at, let fly at, slash at* ◆ **5.¶** dat hakt er flink in *that makes a considerable hole in my pocket/ purse/ savings, that eats into the money/ my income* **6.1 op** de vijand~ *p. i./ hit out at/ let fly at the enemy;* de politie hakte (geducht) in **op** de betogers *the police laid about/ laid into/ waded into the demonstrators.*

inhalatie ⟨de (v.)⟩⟨med.⟩ **0.1** *inhalation.*

inhalatieapparaat ⟨het⟩ **0.1** *inhaler* ⇒*inspirator.*

inhalen

  I ⟨ov.ww.⟩ **0.1** [verwelkomen] *welcome* ⇒*receive in state* **0.2** [intrekken] *draw in* ⇒*take in, haul in/ home* ⟨iets zwaars⟩, *strike, lower* ⟨zeil, vlag⟩ **0.3** [(weer) bereiken] *catch up with* ⇒*come up with/ to, draw up to/ level with, get abreast of/ with,* ⟨èn voorbijrennen⟩ *outrun, outstrip, overhaul* ⟨schip⟩ **0.4** [alsnog doen/ maken] *make up (for)* ⇒*recover* ⟨verlies⟩ **0.5** [binnenbrengen] *bring in* ⇒⟨oogst ook⟩ *get/ gather in, reap* **0.6** [rimpelen] *take up/ in* **0.7** [de middellijn kleiner maken] *neck (down)* ⇒*constrict* ◆ **1.1** de burgemeester ~ *w. the mayor, receive the mayor in state* **1.2** de netten ~ *d. i./ haul in the nets;* de riemen ~ *take in the oars;* de vlag ~ *strike/ lower the flag;* ⟨scheep.⟩ de zeilen ~ *strike/ lower the sails* **1.3** iem. langzaam maar zeker ~ *slowly but surely gain up(on) s.o.* **1.4** zijn achterstand ~ *m. u./ clear one's arrears;* zijn schade ~ *m. u. for lost time;* de verloren tijd ~ *m. u. f. lost time, m. u. leeway;* de afgelaste wedstrijd op zaterdag ~ *reschedule the cancelled ^celed game for Saturday;* het werk dat is blijven liggen moet ingehaald worden *one must catch up on the work that hasn't been done* **1.7** de hals van een kan ~ *neck down a jug* **4.4** er is heel wat in te halen *there is a great deal of leeway/ a great backlog/ much lost ground to m. u.;*

  II ⟨onov. ww.⟩ ⟨verkeer⟩ **0.1** [voorbijgaan] *pass* ⇒*overtake* ◆ **1.1** een vrachtwagen/ tractor ~ *overtake/ p. a* B*lorry/* ^*truck/ tractor* **3.1** je mag hier niet ~ *overtaking is prohibited/ not allowed here* **6.1** veel ongelukken gebeuren **bij** het ~ *overtaking gives rise to a great number of accidents.*

inhaleren ⟨onov.,ov.ww.⟩ **0.1** ⟨ov. en onov. ww.⟩ *inhale;* ⟨alleen ov. ww.⟩ *draw in* ⇒⟨door neus ook⟩ *sniff.*

inhalig ⟨bn.⟩ **0.1** *greedy* ⇒*grasping, hoggish, covetous, rapacious* ◆ **1.1** een ~ persoon *a shark, a hog* **3.1** ~ zijn *have an itching palm.*

inhaligheid ⟨de (v.)⟩ **0.1** *greed* ⇒*avarice, cupidity, covetousness, rapacity.*

inham ⟨de (m.)⟩ **0.1** [baai] *bay* ⇒*cove, inlet, creek* ⟨dieper⟩, *gulf* ⟨groot⟩ **0.2** [insnijding] *indentation* ⇒*recess.*

inhameren ⟨ov.ww.⟩ **0.1** [⟨mbt. spijker⟩] *drive/ hammer/ knock (into)* **0.2** [figuur, bv. in munt] *incuse (into)* **0.3** [⟨fig.⟩ erin stampen] *implant sth. (in) s.o.* ⇒*pound home sth. (to) s.o., hammer/ beat sth. into s.o.'s head, ram sth. into s.o..*

inhebben ⟨ov.ww.⟩ ◆ **1.¶** ⟨fig.⟩ de pest/ pee/ schurft/ smoor ~ *have the hump/ the pip.*

inhechtenisneming ⟨de (v.)⟩ **0.1** *arrest* ⇒*apprehension, committal* ◆ **1.1** een bevel tot ~ tegen iem. *a warrant of arrest (against s.o.), a warrant for the arrest of s.o..*

inheems ⟨bn.⟩ **0.1** *native* ⇒*indigenous, endemic, home* ⟨geproduceerd in het binnenland⟩ ◆ **1.1** een ~ gebruik *a n./ national custom;* ~e planten *indigenous/ n./ endemic plants;* ~e produkten *home-made products; home produce, home-grown products* ⟨gewas⟩; ~e volkeren *aboriginal/ n'. peoples;* ~e woorden *n./ indigenous words;* die ziekte is in dat land ~ *that disease is endemic in that country.*

inherent ⟨bn.⟩ **0.1** *inherent (in)* ⇒*subsistent (in), part and parcel of, intrinsic (to).*

inherentie ⟨de (v.)⟩ **0.1** *inherence* ⇒*inhesion.*

inhibitie ⟨de (v.)⟩ **0.1** [⟨schei.⟩] *inhibition* **0.2** [⟨med.⟩] *inhibition* **0.3** [⟨jur.⟩] *injunction* ⇒*prohibition.*

inhibitor ⟨de (m.)⟩ ⟨schei.⟩ **0.1** *inhibitor.*

inhoud ⟨de (m.)⟩ **0.1** [grootte] *content* ⇒*capacity, volume* **0.2** [volume] *content* ⇒*capacity, volume* **0.3** [dat waarmee iets gevuld is] *contents* **0.4** [dat waarover iets handelt] *content(s)* ⇒*substance, (subject) matter* **0.5** [overzicht] *(table of) contents* **0.6** [betekenis] *import* ⇒*purport, tenor, meaning, implication* ◆ **1.1** de ~ van een bol *the volume of a sphere* **1.2** dit schip heeft tweehonderd ton ~ *this ship measures two hundred tons* **1.3** de ~ van iemands zakken *the c. of s.o.'s pocket* **1.4** de ~ van een brief/ boek *the content(s)/ substance/ (subject) matter of a letter/ book;* vorm en ~ *form and content* **2.1** van geringe ~ *of small*

capacity/ size/ content **2.2** kubieke ~ *cubic/ solid content, cubic measurements/ capacity, volume* **2.4** van (ongeveer) gelijke ~ *to (about) the same effect;* korte ~ *summary, abstract, argument, précis, résumé;* een telegram met de volgende ~ *a telegram to the following effect/ that reads as follows/ with the following text* **6.3** een portemonnaie **met** ~ *a purse with money in it;* een envelop **met** ~ *an envelope with money in it.*

inhoudelijk ⟨bn., bw.⟩ **0.1** *as regards content* ⇒*with respect to/ concerning content* ◆ **1.1** ~e opmerkingen *remarks as regards/ with respect to/ concerning content.*

inhouden

  I ⟨ov.ww.⟩ **0.1** [bedwingen, beheersen] *restrain* ⇒*check, control, hold (in/ back), refrain* **0.2** [niet uitbetalen, innemen] *stop* ⇒*dock, deduct, cancel, check off* ⟨vakbondsbijdrage⟩ **0.3** [bevatten] *contain* ⇒*hold* **0.4** [betekenen] *imply* ⇒*import, mean, signify, carry (with it)* **0.5** [ingetrokken houden] *pull in* ◆ **1.1** de adem ~ *catch/ hold one's breath;* een paard ~ *slow down/ check/ restrain a horse, draw bit/ bridle/ rein;* rein in/ up a horse ⟨doen stoppen⟩; hij schreef op ingehouden toon *he wrote in a subdued/ restrained/ measured tone;* zijn toorn ~ *restrain/ check/ contain one's anger;* zijn vaart ~ *slow down, reduce speed, pull up, stop short* **1.2** een zeker percentage van het loon ~ *deduct/ dock/* ⟨mbt. belasting⟩ *withhold a certain percentage of the wages* **1.3** een doos ~ de naaigerei en knopen *a box containing sewing-things and buttons* **1.4** een belofte ~ *hold a promise;* ik wist wat de brief inhield *I knew the content(s) of the letter* **1.5** zijn buik ~ *hold one's stomach in* **1.¶** een paspoort ~ *impound/ withhold a passport* **4.1** hij kan (er) niets meer ~ ⟨voedsel⟩ *he can't keep anything down/ retain anything* **4.4** zijn beloften houden niets in *his promises are meaningless;*

  II ⟨wk.ww.;zich~⟩ **0.1** [zich bedwingen] *control o.s.* ⇒*restrain o.s., check o.s., contain o.s., hold o.s. in* ◆ **4.1** zij kon zich niet langer ~ en barstte in tranen uit *she broke down and cried* **6.1 zich** ~ **om** niet in lachen uit te barsten *keep a straight face* **¶.1** ik heb me maar ingehouden *I checked myself* ⟨zei niets⟩; *I held/ stayed my hand* ⟨ondernam niets⟩.

inhouding ⟨de (v.)⟩ **0.1** [handeling] *deduction* ⇒⟨mbt. belasting/ premies⟩ *withholding* **0.2** [bedrag] *deduction* ⇒⟨mbt. belasting/ premies⟩ *amount withhold* ◆ **6.1 onder** ~ **van** *(while) deducting/ retaining/ withholding.*

inhoudsbepaling ⟨de (v.)⟩ **0.1** [het berekenen van de inhoud] *determination of content* ⇒*determination of volume, gauging* ⟨vat⟩ **0.2** [bepaling van de inhoud van een term] *definition* ⇒*determination of meaning.*

inhoudsloos ⟨bn.⟩ **0.1** *having/ with/ of little substance.*

inhoudsmaat ⟨de⟩ **0.1** *measure of capacity* ⇒*measure of volume* ◆ **6.1** ~ **voor** droge/ natte waren *dry* ⟨droog⟩/ *liquid* ⟨nat⟩ *measure.*

inhoudsopgave ⟨de⟩ **0.1** *(table of) contents* ◆ **2.1** een alfabetische ~ *an index.*

inhout ⟨het⟩ **0.1** *frame-timber.*

inhouten ⟨zn.mv.⟩ **0.1** *timbers.*

inhouwen ⟨ov.ww.⟩ **0.1** *hew in(to)* ⇒*cut in(to), carve.*

inhuldigen ⟨ov.ww.⟩ **0.1** *inaugurate* ⇒*install, induct* ⟨vnl. geestelijke⟩ ◆ **1.1** een burgemeester ~ *instal/ inaugurate a mayor.*

inhuldiging ⟨de (v.)⟩ **0.1** *inauguration* ⇒*installation, investiture, induction* ⟨vnl. geestelijke⟩.

inhuldigingsfeest ⟨het⟩ **0.1** *inauguration party.*

inhuldigingsplechtigheid ⟨de (v.)⟩ **0.1** *inauguration ceremony.*

inhullen ⟨ov.ww.⟩ **0.1** *wrap in* ⇒*envelop in,* ⟨veel kleren ook⟩ *swaddle in.*

inhumaan ⟨bn., bw.;-ly⟩ **0.1** *inhumane.*

inhuren ⟨ov.ww.⟩ **0.1** [huren] *engage* ⇒*hire, take on, employ* **0.2** [opnieuw in huur/ pacht nemen] *renew one's lease/ the lease of* ~ ⟨weer in dienst nemen⟩ *re-engage, re-employ* ◆ **5.¶** ⟨scherts.⟩ zij heeft weer ingehuurd *she's taken on a new lease of life* **6.1 voor** die klus kunnen we iem. ~ *we can hire s.o. to do the job;* ⟨inf.⟩ daar ben ik niet **voor** ingehuurd *I'm not paid to do that.*

inhuwen ⟨onov.ww.⟩ **0.1** *marry into.*

initia ⟨zn.mv.⟩ **0.1** [eerste beginselen] *basic/ first principles* **0.2** [beginregels] *first lines.*

initiaal[1] ⟨de⟩ **0.1** [mbt. namen] *initial* **0.2** [mbt. handschriften/ teksten] *initial.*

initiaal[2] ⟨bn.⟩ **0.1** *initial* ◆ **1.1** ~ accent *i. stress/ emphasis.*

initiaalwoord ⟨het⟩ **0.1** *acronym.*

initiatie ⟨de (v.)⟩ **0.1** *initiation.*

initiatief ⟨het⟩ **0.1** *initiative* ⇒⟨als eigenschap⟩ *enterprise,* ⟨inf.⟩ *gumption* ◆ **1.1** het recht van ~ *the power of i.* **2.1** op eigen ~ *on one's own i., of one's own accord, in one's own name;* het particulier ~ *private enterprise* **3.1** het ~ gaat uit van *the i. was taken by;* het ~ nemen *take the i., make the first move;* het ~ nemen tot *take the first step towards;* ~ aan de dag leggen/ tonen *show i./ enterprise* **6.1** iem. **met** ~ *s.o. with/ showing i./ enterprise;* op ~ **van** *on the i. of* **7.1** absoluut geen ~ ⟨inf.⟩ *no drive at all* **¶.1** gebrek aan ~ hebben *lack i./ enterprise.*

initiatiefnemer ⟨de (m.)⟩, **-neemster** ⟨de (v.)⟩ **0.1** *initiator* ⇒*originator.*

initiatiefrecht ⟨het⟩ ⟨pol.⟩ **0.1** *right of initiative*.
initiatiefvoorstel ⟨de⟩ **0.1** ᴮ*private member's bill*.
initiatiefwet ⟨de⟩ **0.1** *private member's bill*.
initiator ⟨de (m.)⟩ **0.1** *initiator* ⇒*originator*.
initieel ⟨bn.⟩ **0.1** *initial* ⇒*first, inceptive* ♦ **1.1** ⟨econ.⟩ initiële kosten *initial costs*.
initiëren ⟨ov.ww.⟩ **0.1** {inwijden} *initiate (into)* ⇒*inaugurate* **0.2** [invoeren] *set* ⇒*start (off)*, ⟨schr.⟩ *initiate* ♦ **1.2** een nieuwe stijl ~ *set/start (off) a new style*.
injagen ⟨ov.ww.⟩ **0.1** [ergens in/naar binnen jagen] *drive/send into/* ⟨fig.⟩ *to* **0.2** [africhten voor de jacht] *train* ♦ **1.1** ⟨fig.⟩ iem. de dood ~ *send s.o. to his/her death;* jaag de hond de tuin in *chase/send the dog into the garden*.
injecteren ⟨ov.ww.⟩ **0.1** [injectie geven] *inject (s.o. with)* ⇒*prime* ⟨motor⟩ **0.2** [⟨fig.⟩] *prompt* ⇒*inspire*.
injectie ⟨de (v.)⟩ **0.1** [prik] *injection* ⇒⟨inf.⟩ *shot* **0.2** [materiële hulp/ stimulering] *injection* ⇒*boost* **0.3** [mbt. brandstof] *fuel injection* ♦ **2.1** een intraveneuze ~ *an intravenous i.;* een onderhuidse/subcutane ~ *a hypodermic/subcutaneous i.* **2.2** een financiële ~ *a financial i./boost* **3.1** een ~ geven/krijgen *to be given an i./a shot;* ik moet een ~ krijgen *I must get an i.* **3.2** de economie een ~ geven *boost (up) the economy, give the economy a shot in the arm*.
injectiegeweer ⟨het⟩ **0.1** *tranquillizer gun*.
injectienaald ⟨de⟩ **0.1** *hypodermic needle*.
injectiepistool ⟨het⟩ **0.1** *injection gun*.
injectiespuitje ⟨het⟩ **0.1** *hypodermic (syringe)*.
injector ⟨de (m.)⟩ **0.1** [inspuittoestel] *injector* **0.2** [deel van een motor] *fuel injector*.
injiciëren ⟨ov.ww.⟩ **0.1** *inject*.
injunctie ⟨de (v.)⟩ **0.1** *injunction* ⇒*court order*.
Inka ⟨de (m.)⟩ **0.1** [titel] *Inca* **0.2** [volk] *Inca*.
inkalven ⟨onov.ww.⟩ **0.1** *cave in*.
inkankeren ⟨onov.ww.⟩ **0.1** [invreten] *eat in(to)* ⇒*corrode* **0.2** [door kanker ingevreten worden] *cancerate* ⇒*canker* ♦ **1.1** ~d roest *spreading corrosion;* ⟨fig.⟩ een ~d verderf *a festering corruption/cancer* **1.2** die boom kankert hoe langer hoe meer in *that tree is becoming more and more cankered*.
inkappen ⟨ov.ww.⟩ **0.1** [uitholling aanbrengen in] *cut (into)* ⇒*notch* **0.2** [toppen] *top, head*.
inkapselen ⟨ov.ww.⟩ **0.1** *encase* ⇒*enclose, wrap up/round, enwrap,* ⟨in een capsule/bolster⟩ *encapsulate* ♦ **3.1** ⟨fig.⟩ de radicalen hebben zich door de politici laten ~ *the radicals have been hedged in by the politicians* **4.1** de rupsen gaan zich nu ~ *the caterpillars now begin to encapsulate* **6.1** ⟨fig.⟩ hij zit helemaal ingekapseld in zijn eigen denkwereld *he is completely wrapped up in his own thoughts*.
inkarnaat¹ ⟨het⟩ **0.1** *incarnadine*.
inkarnaat² ⟨bn.⟩ **0.1** *incarnadine* ⇒*flesh-coloured, rosy pink* ♦ **1.1** inkarnate wangen *rosy cheeks*.
inkassen ⟨ov.ww.⟩ **0.1** *set*.
inkeep ⟨de⟩ **0.1** *notch* ⇒*(s)nick, indentation,* ⟨langwerpig⟩ *score, groove*.
inkeer ⟨de (m.)⟩ **0.1** *repentance* ♦ **6.1** tot ~ komen *repent, think better of it;* iem. tot ~ brengen *get s.o. to repent, reform s.o.*.
inkepen ⟨ov.ww.⟩ **0.1** [kepen maken in] *notch* ⇒*(s)nick, jag,* ⟨langwerpig⟩ *score, groove* **0.2** [in elkaar doen sluiten] *fit (the matchboards)*.
inkeping ⟨de (v.)⟩ **0.1** [handeling] *notching* ⇒*(s)nicking, indentation,* ⟨langwerpig⟩ *scoring, grooving* **0.2** [resultaat] *notch* ⇒*(s)nick, indentation,* ⟨langwerpig⟩ *score, groove* ♦ **1.2** de ~ van een vizier *the sights of a visor* **3.2** een ~ maken in *cut a notch in,* notch **6.2** de ~ in een scheepsblok *the score in a pully-block;* de ~(en) in een sleutelbaard *the wards in a key-bit*.
inkeren ⟨onov.ww.⟩ ♦ **6.¶** tot zichzelf ~ *think/mull things over, contemplate;* het deed haar tot zichzelf ~ *it turned her in upon herself*.
inkerven
 I ⟨ov.ww.⟩ **0.1** [kerven snijden in] *notch* ⇒*(s)nick,* ⟨langwerpig⟩ *score, groove* **0.2** [kervend insnijden] *carve (in(to), on)* ♦ **1.2** initialen diep in het hout ingekorven *initials carved deep into the wood;* op bomen ingekerfde namen *names carved on trees;*
 II ⟨onov.ww.⟩ **0.1** [barsten] *split* ⇒*crack* ♦ **1.1** die zijde kerft helemaal in *this silk is coming apart*.
inkiesnummer ⟨het⟩ **0.1** *direct-dialling number*.
inkiessysteem ⟨het⟩ **0.1** *direct-dialling system*.
inkijk ⟨de (m.)⟩ **0.1** [het naar binnen kijken] *looking (in)* **0.2** [gelegenheid om in iets te kijken] *view (of the inside);* ⟨oneig.: bij jurk⟩ *cleavage* ♦ **3.2** ~ hebben *be exposing o.s.* **6.1** vitrage tegen de ~ *(net) curtains to prevent people from looking in* **6.2** een jurk met een behoorlijke ~ *a low-plunging dress*.
inkijken
 I ⟨onov.ww.⟩ **0.1** [naar binnen kijken] *look in* **0.2** [kijken in iets] *look in* ⇒*have a look* **1.2** de wereld ~ met ogen vol pret *look out into the world with gleaming eyes;*
 II ⟨ov.ww.⟩ **0.1** [vluchtig kennis nemen van de inhoud] *take a look at, glance through, peruse* ♦ **5.1** vluchtig/even ~ *glance at, skim through;* ⟨boek ook⟩ *leaf through*.

inklappen
 I ⟨onov.ww.⟩ **0.1** [mentaal instorten] *break down* ⇒*collapse* ♦ **¶.1** na een druk weekend ~ *b. d. after a busy weekend;*
 II ⟨ov.ww.⟩ **0.1** [naar binnen vouwen] *fold in/up* ♦ **1.1** de poten van een klaptafel ~ *f. i./u. the legs of a folding table*.
inklaren ⟨ov.ww.⟩ **0.1** *enter* ⟨goederen⟩; ⟨scheep.⟩ *clear (inwards)* ⇒*clear through Customs* ♦ **1.1** ingeklaarde bagage *cleared baggage;* een schip ~ *clear (in) a ship*.
inklaring ⟨de (v.)⟩ **0.1** *entering, entry* ⟨goederen⟩; ⟨scheep.⟩ *clearance, clearing (inwards)* ♦ **1.1** bewijs van ~ *clearance certificate;* ⟨scheep.⟩ *certificate of inward clearance,* jerque note **6.1** bij de ~ *at Customs clearance*.
inklaringskantoor ⟨het⟩ **0.1** *custom(s) house*.
inkleden ⟨ov.ww.⟩ **0.1** [in een vorm gieten] *frame* ⇒*put, express* **0.2** [⟨r.k.⟩: in een orde opnemen] *receive the habit* ⇒*take the veil* ⟨non⟩, *receive the cowl* ⟨monnik⟩ ♦ **1.1** hij wist zijn smoes aardig in te kleden *he managed to make his excuse sound pretty plausible;* hoe zal ik mijn verzoek ~? *how shall I put my request?*.
inkleding ⟨de (v.)⟩ **0.1** [bewoording] *wording* ⇒*presentation, phrasing* **0.2** [⟨r.k.⟩] ≠*ceremony of taking the habit*.
inklemmen ⟨ov.ww.⟩ **0.1** *stick/jam in* ⇒⟨met klem⟩ *clamp,* ⟨met wig⟩ *wedge* ♦ **6.1** ingeklemd in de file *stuck in the (traffic) jam*.
inkleuren ⟨ov.ww.⟩ **0.1** *colour* ♦ **1.1** een gebied ~ *c. an area (on the map)*.
inklinken
 I ⟨onov.ww.⟩ **0.1** [lager worden] *settle, bed down* ⇒⟨vast worden⟩ *set;*
 II ⟨ov.ww.⟩ **0.1** [inhameren] *clinch* ♦ **1.1** spijkers/bouten ~ *c. nails/ bolts*.
inklinking ⟨de (v.)⟩ **0.1** *settlement*.
inklokken ⟨ov.ww.⟩ **0.1** *clock (in/on)*.
inkoken
 I ⟨ov.ww.⟩ **0.1** [dikker doen worden] *reduce* ⇒*boil down* ♦ **1.1** de saus is ingekookt *the sauce is reduced;* we hebben vruchten ingekookt *we've been boiling down fruit;*
 II ⟨onov.ww.⟩ **0.1** [dikker worden] *reduce* ⇒*boil down* ♦ **3.1** de soep laten ~ *r. the soup* **6.1** ~ tot de helft van het volume *r./boil down to half its volume*.
inkom ⟨de (m.)⟩ ⟨AZN⟩ **0.1** [het binnengaan] *entry* **0.2** [toegang] *entry* ⇒*access* **0.3** [toegangsprijs] *entrance (fee)* **0.4** [hal] *hall(way)* ⇒*entrance (hall)*.
inkomen¹ ⟨het⟩ **0.1** *income* ⇒*wages, resources, revenue* ⟨grote instellingen⟩ ♦ **2.1** afgeleid ~ *derived income;* het belastbaar ~ *the taxable/ assessable i.;* een groot ~ *a large i.;* met een laag ~ *low-i.;* het maatschappelijk/nationaal ~ *the national i.;* met een modaal ~ *middle-/ medium-i.;* het nominale ~ *the nominal i./wages;* het reële ~ *the real i.;* een vast ~ *a steady/fixed/regular i.;* iem. met een vast ~ *s.o. with/ drawing a fixed i.* **3.1** zijn ~ voor de belasting opgeven *do one's tax returns* **6.1** ~ uit arbeid *earnings, wages*.
inkomen² ⟨onov.ww.⟩ **0.1** [binnenkomen] *enter* ⇒*come in(to)* **0.2** [in-/ aangebracht worden] *come in* ⇒*be received/handed in* ♦ **1.1** de stad ~ *e. the town* **1.2** er komt weinig geld in *there is little money coming in;* ~de goederen *incoming goods;* ingekomen stukken/brieven/mededelingen ⟨enz.⟩ *correspondence/letters/communications* ⟨enz.⟩ *received* **3.¶** daar kan ik ~ *I (can) appreciate that, I quite understand that* **5.1** ⟨fig.⟩ zij begint er juist in te komen *she's just beginning to get the hang of it* **5.¶** daar komt niets van in *that's out of the question, you'll do no such thing, I won't have it*.
inkomensafhankelijk ⟨bn.⟩ **0.1** *income-related/-linked* ⇒⟨alleen ná zn.⟩ *subject to income, dependent on/determined by (one's) income*.
inkomensaftrek ⟨de (m.)⟩ ⟨fiscus⟩ **0.1** *(tax) allowance* ⇒*untaxed/un-taxable income, tax-free sum*.
inkomensbeleid ⟨het⟩ **0.1** *income(s)/wages policy*.
inkomensgrens ⟨de⟩ **0.1** *(means-tested) income limit*.
inkomensklasse ⟨de (v.)⟩ **0.1** *income bracket*.
inkomenskloof ⟨de⟩ **0.1** *wage gap*.
inkomensnivellering ⟨de (v.)⟩ **0.1** *levelling (of incomes)* ⇒*redistribution of wealth*.
inkomenspolitiek ⟨de (v.)⟩ **0.1** *income(s)/wages policy*.
inkomensverdeling ⟨de (v.)⟩ **0.1** *distribution of incomes*.
inkomgeld ⟨het⟩ ⟨AZN⟩ **0.1** *admission (charge)* ⇒*entrance charge/fee*.
inkomst ⟨de (v.)⟩ **0.1** [intocht] *entry* ⇒*entrance, arrival* **0.2** [⟨mv.⟩: wat aan geld ontvangen wordt] ⟨dram.⟩ *(box-office) takings, receipts;* ⟨loon⟩ *income, earnings; revenue(s)* ⟨bij grote instellingen⟩ ♦ **1.2** ~en en uitgaven *receipts and expenditure* **2.1** blijde ~ *entry in state* **3.2** zijn ~en zijn belangrijk gestegen *his earnings have gone up considerably* **6.2** ~en uit beleggingen *unearned income*.
inkomstenbelasting ⟨de (v.)⟩ **0.1** *income tax*.
inkoop ⟨de (m.)⟩ **0.1** [handeling] *purchase, purchasing* ⇒*buying* **0.2** [waar] *purchase* ⇒⟨mv.⟩ *shopping* **0.3** [prijs] *purchase/cost price* ♦ **1.1** in- en verkoop van tweedehands goederen ⟨opschrift⟩ *second-hand goods bought and sold* **2.2** zijn hele ~ zo spoedig mogelijk van de hand doen *sell off one's stock as fast as possible* **3.1** inkopen

doen *go shopping* **3.3** hoeveel bedraagt de ~ daarvan? *what is the purchase price of that?;* zij kostten mij al zoveel ~ *I paid as much for them myself* **6.1** hij is belast **met** de ~ *he is in charge of purchasing.*

inkoopbeleid ⟨het⟩ **0.1** *purchasing policy.*

inkoopboek ⟨het⟩ **0.1** *purchase(s) book, bought book/journal* ⇒*invoice book.*

inkoopcombinatie ⟨de (v.)⟩ **0.1** *buyers' combine/cooperative* ⇒*purchasing.*

inkoopfactuur ⟨de (v.)⟩ **0.1** *account of goods purchased.*

inkooporder ⟨het, de⟩ **0.1** *buying order.*

inkoopprijs ⟨de (m.)⟩ **0.1** *purchase/cost price* ◆ **6.1** iets beneden/**onder** de ~ verkopen *sell sth. below cost price.*

inkoopsom ⟨de⟩ **0.1** *sum required to buy o.s. into a firm/to buy in years of service for one's pension/for admission into a home.*

inkopen ⟨ov.ww.⟩ **0.1** [voor zich kopen] *buy, purchase* **0.2** [kopen met het doel te verkopen] *buy, purchase* **0.3** [rechten verwerven] *purchase* **0.4** [op-/terugkopen] *buy in* ◆ **1.2** hij heeft zijn waren te duur ingekocht *he has paid too much for his goods, he has bought his goods too dear* **1.3** (een bepaalde) tijd ~ voor pensioen *buy in (a certain) time/a number of years for one's pension* **4.3** zich ~ ⟨in een zaak/genootschap⟩ *buy o.s. into (a company/society)* ¶.2 in het groot ~ *buy in bulk.*

inkoper ⟨de (m.)⟩, **-koopster** ⟨de (v.)⟩ **0.1** *buyer, purchaser, buying agent.*

inkoppen ⟨onov., ov.ww.⟩⟨sport⟩ **0.1** [een doelpunt maken] *head (the ball) in(to the goal)* **0.2** [in de richting van het doel koppen] *head (the ball) forward/towards the goal* ◆ **1.1** de bal werd ingekopt *the ball was headed in/home.*

inkorten ⟨onov., ov.ww.⟩ **0.1** [korter maken, bekorten] *shorten* ⇒*cut down, abbreviate, abridge* ⟨boek, film⟩ **0.2** [verminderen] *reduce, cut (down/back)* ⟨termijn, uitkering⟩; *curtail* ⟨macht⟩ ◆ **1.1** takken ~ *trim/cut back branches;* een touw ~ *s. a piece of rope;* een verhaal ~ *s. /cut down/abridge a story* **1.2** iemands straftijd ~ *reduce s.o.'s term (of imprisonment).*

inkorting ⟨de (v.)⟩ **0.1** *shortening* ⇒*reduction, cut(-back)* ⟨termijn, uitkering⟩, *curtailment* ⟨macht⟩ ◆ **1.1** ⟨jur.⟩ ~ van giften *recovery/revocation of gifts.*

inkorven ⟨ov.ww.⟩ **0.1** *put into a basket* ⇒*hive* ⟨bijen⟩.

inkoud ⟨bn.⟩ **0.1** *bitterly/ice-/stone-cold.*

inkrassen ⟨ov.ww.⟩ **0.1** *scratch in* ⇒*cut in, carve in,* ⟨afstrepen⟩ *score* ◆ **1.1** ingekraste initialen *initials scratched on/carved in;* een zoom ~ *score/scratch/mark a seam.*

inkri- → **incri-**.

inkrijgen ⟨ov.ww.⟩ **0.1** [naar binnen krijgen] *get in* ⇒*ship* ⟨schip⟩, *swallow* ⟨drenkeling⟩, *get down* ⟨voedsel⟩ **0.2** [bezorgd krijgen] *receive* ◆ **1.1** het schip kreeg water in *the ship made/shipped water.*

inkrimpen
I ⟨onov.ww.⟩ **0.1** [zich samentrekken] *shrink* ⟨stof⟩; ⟨verschrompelen⟩ *shrivel* **0.2** [afnemen] *be reduced* ⇒*decrease, remit, shrink* ⟨in formaat⟩, *get/grow shorter* ⟨in duur⟩ ◆ **1.1** dit materiaal zal nog ~ *this material will shrink* **1.2** zijn straftijd is al aardig ingekrompen *his term (of imprisonment) has been reduced/remitted quite a bit;*
II ⟨ov.ww.⟩ **0.1** [kleiner maken] *reduce* ⇒*cut (down/back (on)), scale down* ⟨plan⟩, *remit* ⟨kracht, straf⟩, *lower* ⟨gezag⟩ ◆ **1.1** het personeel ~ *cut back/down (on) one's staff;* zijn uitgaven ~ *reduce/cut down on/cut back one's expenditure, economize.*

inkrimping ⟨de (v.)⟩ **0.1** [samentrekking] *shrinking/shrinkage* ⟨stof⟩ **0.2** [vermindering] *reduction* ⇒*decrease, cut(s)* ⟨uitgaven⟩, *curtailment* ⟨macht⟩, *remission* ⟨kracht, straf⟩.

inkruipen ⟨onov.ww.⟩ **0.1** [kruipend binnenkomen] *creep/crawl into* **0.2** [ongemerkt binnenkomen, ⟨ook fig.⟩] *creep/steal in(to)* ◆ **1.1** op handen en voeten kroop hij de kamer in *he crawled into the room on all fours* **3.2** hij weet overal in te kruipen *he manages to steal in everywhere.*

inkruisen ⟨ov.ww.⟩ **0.1** *cross/breed in.*

inkt ⟨de (m.)⟩ **0.1** [vloeistof waarmee men schrijft] *ink* **0.2** [drukinkt] *(printer's) ink* **0.3** [vocht dat de inktvis uitspuit] *ink, sepia* ◆ **1.1** een flesje ~ *a bottle of i.* **2.1** onzichtbare/sympathetische ~ *invisible/sympathetic/secret i.;* Oostindische ~ *India(n) i.;* ⟨zeldzaam⟩ China *i.* **6.1** **met** ~ schrijven *write in i.;* **met** ~ overschrijven *ink in* **8.1** zo zwart als ~ *as black as i., pitchblack.*

inktachtig ⟨bn., bw.; -ly⟩ **0.1** *inky* ⇒*inklike.*

inkten ⟨ov.ww.⟩ **0.1** *ink (up)* ⇒*bray/roll ink.*

inktfles ⟨de⟩ **0.1** *inkbottle.*

inktgom ⟨het, de (m.)⟩ **0.1** *ink eraser/rubber.*

inktkoelie ⟨de (m.)⟩⟨bel.⟩ **0.1** *pen-pusher.*

inktkoker ⟨de (m.)⟩ **0.1** *inkwell* ⇒*inkpot.*

inktkussen ⟨het⟩ **0.1** *inking-pad.*

inktlap ⟨de (m.)⟩ **0.1** *penwiper.*

inktlint ⟨het⟩ **0.1** *(typewriter) ribbon.*

inktmop ⟨de⟩ **0.1** *inkblot* ⇒*inkstain.*

inktpatroon ⟨de⟩ **0.1** *(ink) cartridge.*

inktpot ⟨de (m.)⟩ **0.1** *inkpot.*

inktpotlood ⟨het⟩ **0.1** *indelible pencil* ⇒*copying (ink) pencil.*

inktreservoir ⟨het⟩ **0.1** *ink barrel/fount/container/reservoir.*

inktrol ⟨de⟩⟨druk.⟩ **0.1** *ink roller.*

inktstel ⟨het⟩ **0.1** *inkstand.*

inktvis ⟨de (m.)⟩⟨dierk.⟩ **0.1** [koppotig weekdier]⟨alg.⟩ *cephalopod* ⇒ ⟨achtarmig⟩ *octopus,* ⟨tienarmig⟩ *cuttle fish, squid, inkfish* **0.2** [⟨mv.⟩ geslacht] *cephalopoda.*

inktvlek ⟨de⟩ **0.1** *inkblot* ⇒*inkstain.*

inktzwam ⟨de⟩ **0.1** *inky cap* ⇒*ink mushroom.*

inktzwart ⟨bn.⟩ **0.1** *ink-black* ⇒*pitch-black.*

inkuilen ⟨ov.ww.⟩ **0.1** ⟨vnl. mbt. groenvoer⟩ *ensile, ensilage, silo;* ⟨vnl. mbt. aardappelen⟩ *(store in a) pit;* [B]*clamp.*

inkuiling ⟨de (v.)⟩ **0.1** *(en)silage.*

inkwakken ⟨ov.ww.⟩⟨inf.⟩ **0.1** *chuck* ⇒*hurl.*

inkwartieren ⟨ov.ww.⟩ **0.1** ⟨mil.⟩] *billet (with/on)* ⇒*quarter (on)* **0.2** [logies verschaffen] *lodge* ⇒*provide with lodging* ◆ **3.1** ingekwartierd worden *be billeted* **6.1** soldaten ~ **bij** *b.troops on.*

inkwartiering ⟨de (v.)⟩ **0.1** *billet(ing)* ⇒*quarter(ing)* ◆ **1.1** biljet van ~ *billet* **3.1** ~ hebben *have troops billeted on one.*

inl. ⟨afk.⟩ **0.1** [inleiding] *intr.* **0.2** [inlichting(en)] *inf(o).*

inlaag ⟨de⟩ **0.1** [het inleggen] *deposit* **0.2** [gestorte geldsom] *deposit* ◆ **1.2** de winst naar verhouding van de inlagen verdelen *divide the profit in proportion to the stakes* **3.1** inlagen doen *make deposits.*

inlaat ⟨de (m.)⟩ **0.1** *inlet* ⇒*intake.*

inlaatduiker ⟨de (m.)⟩ **0.1** *inlet* ⇒*sluice.*

inlaatklep ⟨de⟩⟨tech.⟩ **0.1** *inlet/intake valve.*

inlaatsluis ⟨de⟩ **0.1** *inlet* ⇒*sluice.*

inladen ⟨ov.ww.⟩ **0.1** [bevrachten] *load* ⇒⟨mbt. schip ook⟩ *ship* **0.2** [zich volstoppen] *stuff o.s.* ⇒*shovel in one's food* ◆ **5.1** opnieuw ~ *re-load.*

inlander ⟨de (m.)⟩, **-landse** ⟨de (v.)⟩ **0.1** *native.*

inlands ⟨bn.⟩ **0.1** [van/in het land zelf] *native* ⇒⟨mbt. vreemd land⟩ *autochthonous,* ⟨mbt. eigen land⟩ *internal, domestic, homegrown* **0.2** [mbt. de inheemse bevolking] *native* ⇒*autochthonous* ◆ **1.1** ~e gewassen *n. / indigenous crops;* ⟨in eigen land⟩ *homegrown crops;* ~e onlusten *internal/domestic riots* **1.2** een ~e huisbediende *a boy;* een ~ meisje *a n. girl;* ~ recht *local (customary) law;* ⟨mbt. kolonies⟩ *colonial law;* ⟨mbt. Indonesië⟩ *adat law* **7.2** ⟨zelfst.⟩ een ~e *a n. woman.*

inlappen ⟨ov.ww.⟩⟨AZN⟩ **0.1** *take in* ⇒*fool, trick.*

inlas ⟨de (m.)⟩ **0.1** [las] *weld* ⇒*joint, seam* **0.2** [ingevoegd stuk] *insertion* ⇒ ⟨in krant⟩ *stop-press news, fudge,* ⟨in tekst van ander⟩ *interpolation, intercalation* ◆ **3.2** in het toneelstuk heeft een ~ plaatsgevonden *some new material has been inserted into the play.*

inlassen ⟨ov.ww.⟩ **0.1** [invoegen] *insert* ⇒*introduce, put in,* ⟨in tekst van ander⟩ *interpolate* **0.2** [met een las invoegen] *let in* ⇒*mortise/tice* ◆ **1.1** citaten ~ in zijn redevoering *punctuate one's speech with quotations;* een trein/boot ~ *put on/run an extra train/boat.*

inlassing ⟨de (v.)⟩ **0.1** [het invoegen] *insertion* ⇒*introduction, putting in, interpolation* **0.2** [het ingevoegde] *insert(ion)* ⇒*inset, interpolation, parenthesis.*

inlaten
I ⟨onov., ov.ww.⟩ **0.1** [binnenlaten] *let in* ⇒*show/allow in, admit* **0.2** [in laten stromen] *let in* **0.3** ⟨amb.⟩ verzinken ⟨schroefkoppen⟩ *sink (in), embed;* ⟨balk in de muur⟩ *tail into* ◆ **1.1** na tien uur worden geen bezoekers meer ingelaten *no visitors after ten o'clock* **1.2** vers water ~ *let in fresh water;*
II ⟨wk.ww.; zich ~⟩ **0.1** [zich bemoeien] *meddle (with/in)* ⇒*concern o.s. (with)* ◆ **5.1** daar kun je je beter niet mee ~ *that is best left alone* **6.1** met zulke kleinigheden laat ik mij niet in *I'm not interested in such trivialities, I won't concern myself with such trivialities;* zich **met** een gevaarlijke zaak ~ *get mixed up in a dangerous affair/business;* zich ~ **met** dergelijke mensen *consort/associate with such people;* zich niet ~ **met** zijn medestudenten *keep aloof from one's fellow students;* zich **met** politiek ~ *m. in politics;* zich **met** speculeren *embark on/ engage in speculation;* niemand wou zich **met** haar ~ *nobody would have anything to do with her, they all fought shy of her;* zich **met** niemand ~ *keep o.s. to o.s.;* laat je vooral niet in **met** ...*leave ...severely/ strictly alone, steer clear of ....*

inlaut ⟨de (m.)⟩⟨taal.⟩ **0.1** *inlaut.*

inleg ⟨de (m.)⟩ **0.1** [het inleggen van geld] *deposit(ing)* **0.2** [inzet] ⟨bank⟩ *deposit;* ⟨weddenschap⟩ *stake* **0.3** [mbt. een sigaar] *filler* **0.4** [zoom] *hem* ⇒*tuck, seam* ◆ **3.2** de hele ~ winnen *win all the stakes.*

inlegblad ⟨het⟩ **0.1** [inlegvel] *insert* ⇒*supplementary sheet* **0.2** [los tafelblad] *(table) leaf* ◆ **6.1** een ~ in de boekjes *a supplementary sheet in the booklets.*

inlegeren ⟨ov.ww.⟩ **0.1** *billet* ⇒*quarter.*

inlegering ⟨de (v.)⟩ **0.1** *billeting* ⇒*quartering.*

inleggeld ⟨het⟩ **0.1** *deposit* ⇒⟨weddenschap, aandelen⟩ *stake.*

inleggen
I ⟨ov.ww.⟩ **0.1** [geld inbrengen] *deposit* ⇒⟨bij weddenschap/spel⟩ *stake,* ⟨in firma⟩ *invest, subscribe* **0.2** [mbt. kledingstuk] *take in* **0.3** [in/binnen/tussen iets leggen] *put/throw in/down* **0.4** [conserveren]

preserve ⇒〈in suiker〉 *conserve*, 〈in zuur〉 *pickle* **0.5** [tussenvoegen] **insert 0.6** [in een groef voegen] *let in* ⇒*mortise/tice* **0.7** [anders gekleurde stukjes inzetten] *inlay* ⇒〈met diamanten〉 *encrust, set*, 〈met stukjes glas〉 *tessellate* ◆ **1.1** spaargelden ~ *d. savings* **1.3** aardappelen ~ *plant potatoes;* een net ~ *throw out a net* **1.7** een tafel/een doos ~ *i. a table/box* **1.¶** ergens eer mee ~ *derive great honour from sth.* **6.7** met diamanten ingelegde broche *a brooch set with diamonds;* **II** 〈onov.ww.〉 **0.1** [aas in het water brengen] *cast (one's line)*.

inlegger 〈de (m.)〉, **-legster** 〈de (v.)〉 **0.1** [iem. die inlegt] *depositor* **0.2** [〈druk.〉] *feeder* ⇒*layer-on, stroker-in*.

inlegkapitaal 〈het〉 **0.1** *invested/subscribed capital*.

inlegkruisje 〈het〉 **0.1** *press-on panty-liner*.

inlegluier 〈de〉 **0.1** *disposable nappy/^diaper*.

inlegraampje 〈het〉〈foto.〉 **0.1** *(plate-)carrier*.

inlegsommen 〈zn.mv.〉 **0.1** [inleggelden] *stakes* **0.2** [bijeengebracht kapitaal] *capital*.

inlegvel 〈het〉 **0.1** *insert* ⇒*supplementary sheet* ◆ **2.1** losse ~ len in brochures *supplementary sheets in brochures*.

inlegwerk 〈het〉 **0.1** *inlay, inlaid work* ⇒〈mozaïek〉 *mosaic, tessellation, marquetry*, 〈hout〉 *parquetry*.

inlegzool 〈de〉 **0.1** *insole*.

inleiden 〈ov.ww.〉 **0.1** [binnenleiden] *lead in* ⇒*usher in* **0.2** [introduceren] *introduce* **0.3** [voorlopig behandelen] *introduce* ⇒*preface* **0.4** [ingang doen vinden] *introduce* ⇒*initiate, usher in, prepare* ◆ **6.2** een spreker **bij** het publiek/een kandidaat **bij** de kiezers ~ *i. a speaker to an audience/a candidate to the electorate* **6.3** zijn toespraak **met** enkele opmerkingen ~ *i. / preface one's talk with a few remarks*.

inleidend 〈bn.〉 **0.1** *introductory* ⇒〈opmerkingen ook〉 *prefatory*, 〈werkzaamheden〉 *preliminary*, 〈stappen〉 *initiatory, preparatory* ◆ **1.1** een ~ artikel *a prefacing article, a prolusion;* ~ besprekingen *preliminary/exploratory talks;* een ~ e cursus *an introductory course, a survey;* 〈jur.〉 ~ e dagvaarding *initiatory summons;* 〈mil.〉 ~ e gevechten *preliminary fighting;* een ~ e spreker *an introductory speaker;* 〈jur.〉 ~ verzoekschrift *initiatory application/summons;* een ~ woord *a word of introduction*.

inleider 〈de (m.)〉, **-leidster** 〈de (v.)〉 **0.1** *speaker* ◆ **8.1** als ~ uitgenodigd zijn *be invited to speak*.

inleiding 〈de (v.)〉 **0.1** [woorden vóór het eigenlijke onderwerp] *introductory/prefatory remarks* ⇒*preamble* **0.2** [voorwoord, introductie] *introduction* ⇒*preface, foreword* **0.3** [causerie] *paper* ⇒*address, lecture* **0.4** [voorbereiding tot kennis/begrip van iets] *introduction* **0.5** [het binnenleiden] *introducing* ⇒*introduction* ◆ **3.3** een ~ houden over iets voor een groot publiek *read/present/deliver a paper/an address on sth. before a large audience* **6.1 ter** ~ **van** *as/by way of introduction;* dat verhaal was de ~ **tot** haar verzoek *that story just served to prepare me for her request*.

inlelijk 〈bn.〉 **0.1** *hideous*.

inleven 〈wk.ww.;zich ~〉 **0.1** *immerse* ⇒*absorb* ◆ **6.1** zich **in** een situatie ~ *live a situation;* zich **in** een boek ~ *immerse o.s. in a book*.

inleveren
I 〈ov.ww.〉 **0.1** [(verplicht) doen toekomen aan iem.] *hand in* ⇒*send in*, 〈onder dwang〉 *surrender, give up* ◆ **1.1** boeken, een verslag/strafwerk ~ *hand in books/a report/lines;* een klacht ~ *lodge a complaint;* een verzoekschrift ~ *submit a request;* wapens ~ *give up/surrender arms* **5.1** weer ~ *return, hand back* **6.1** ~ **bij** *hand in to;* 〈officiële instantie〉 *lodge with;*
II 〈onov., ov.ww.〉 **0.1** [afstand doen van koopkracht] *sacrifice* ⇒*give up, make a sacrifice* ◆ **1.1** loon voor werk ~ *s. pay for more work/jobs*.

inlevingsvermogen 〈het〉 **0.1** *empathy* ⇒*sympathy*.

inlezen
I 〈wk.ww.;zich ~〉 **0.1** [door lezen thuisraken in een vakgebied] *read up* ⇒*study the literature;*
II 〈onov.,ov.ww.〉 **0.1** 〈comp.〉 *read in* ◆ **1.1** gegevens ~ *read in data*.

inlichten 〈ov.ww.〉 **0.1** *inform* ⇒*enlighten, brief* ◆ **1.1** uit wel ingelichte bron vernemen wij ... *we have heard from reliable sources;* meestal goed ingelichte mensen *usually well-informed/knowledgeable people* **4.1** zich laten ~ *acquaint/familiarize o.s. with the facts* **5.1** verkeerd ~ *misinform* **6.1** ~ **omtrent** *i. about*.

inlichting 〈de (v.)〉 **0.1** [informatie] *(piece of) information* ⇒*tip* **0.2** [〈mv.〉 informatiedienst]〈voorlichting〉 *information (office)* ⇒*inquiries*, 〈spionage〉 *intelligence* **0.3** [het inlichten] *information* ⇒*enlightenment* ◆ **2.1** enkele nuttige ~ en *some valuable i.;* voor nadere ~ en *for further particulars/i.;* verkeerde ~ en *misinformation* **3.1** ~ en verstrekken *give i., inform;* ~ en verzameld door een detective *the intelligence collected by a detective/an investigator;* ~ en vragen/inwinnen *inquire, make inquiries, ask for i..*

inlichtingenblad 〈het〉 **0.1** *information sheet*.

inlichtingenbureau 〈het〉 **0.1** *inquiry/ries office*.

inlichtingendienst 〈de (m.)〉 **0.1** [informatiedienst] *information/inquiries office* **0.2** [geheime dienst] *intelligence (service)* ⇒*secret service* ◆ **2.1** militaire ~ *military intelligence*.

---

inlichtingsofficier 〈de (m.)〉 **0.1** *intelligence officer*.

inliggend 〈bn.〉 **0.1** *enclosed* ◆ **1.1** ~ e brief *e. letter*.

inlijsten 〈onov., ov.ww.〉 **0.1** *frame*.

inlijven 〈ov.ww.〉 **0.1** [mbt. personen] *incorporate (in/with)* ⇒〈recruten〉 *attest, conscript, draft*, ^*induct* **0.2** [mbt. grondgebied] *annex* ⇒*conquer* **0.3** [mbt. zaken] *incorporate* ⇒*merge, absorb*.

in loco 0.1 *on the spot*.

inloggen 〈ww.〉〈comp.〉 **0.1** *log on, log in (on)*.

inloodsen 〈ov.ww.〉 **0.1** *pilot in* ⇒〈fig. ook〉 *steer in*.

inloop 〈de (m.)〉 **0.1** [handeling] *entering, walking in* ⇒*entrance, running/passing in* **0.2** [plaats] *open house* ◆ **3.2** 't is hier een ~ voor iedereen *it is always open house here*.

inlooptijd 〈de (v.)〉 **0.1** *apprentice/training period*.

inloopzaak 〈de〉 **0.1** *walk-in shop/^store*.

inlopen
I 〈onov.ww.〉 **0.1** [lopend ingaan] *walk/step into* ⇒〈gebouw〉 *enter*, 〈straat〉 *turn into* **0.2** [invaren] *put/run/sail into* **0.3** [inhalen] *catch up* ⇒*gain (on), overtake*, 〈schip〉 *forereach* **0.4** [met vaart en kracht afkomen (op)] *run/head into* **0.5** [door lopen uitslijten] *wear out* ◆ **1.2** de haven ~ *put into port* **3.1** 〈fig.〉 er iem. laten ~ *fool s.o., take s.o. in;* ergens in- en uitlopen *walk in and out of somewhere, come and go* **5.1** 〈fig.〉 zij zal daar niet ~ *she won't fall for/swallow that;* 〈fig.〉 daar loopt niemand in *that won't fool anybody;* 〈fig.〉 er alweer ingelopen! *sold again!;* 〈fig.〉 wat ben je er ingelopen! *what a sell!* **6.1 bij** iem. ~ *pop in at s.o.'s (house)*, drop in on s.o. **6.3** op iem. ~ *catch up/gain on s.o.* **6.4** op iem. ~ *run into s.o.;* **tegen/op** elkaar ~ 〈van schepen〉 *run into each other, collide/*〈met head on〉 **6.¶** die beide meningen lopen lijnrecht **tegen** elkaar in *these two opinions are diametrically opposed;*
II 〈ov.ww.〉 **0.1** [schoenen/kleding gemakkelijker doen zitten] *wear in* **0.2** [vuil in huis brengen] *bring in (on one's shoes)* ⇒〈in tapijt〉 *tread in, walk in* **0.3** [door lopen breken] *kick in* **0.4** [lopend binnen boord trekken] ≠*pull in* **0.5** [mbt. nieuwe motoren] *run in* **0.6** [inhalen] *make up* ◆ **1.2** ingelopen vuil *in-trodden dirt* **1.3** een deur/ruit ~ *knock in a door, walk through a window-pane* **1.6** achterstand ~ *make up arrears*.

inlossen 〈ov.ww.〉 **0.1** [belofte] *redeem* ⇒〈schuld〉 *(re-)pay, pay off, meet*, 〈pand〉 *take out of pawn* ◆ **1.1** 〈fig.〉 zijn woord ~ *keep one's word/promise*.

inlossing 〈de (v.)〉 **0.1** [〈mbt. belofte〉] *redemption* ⇒*fulfilment*, 〈AE sp. ook〉 *fulfillment* **0.2** [〈mbt. effecten〉] *repayment*.

inloten 〈onov.ww.〉 **0.1** *draw a place (by lot)* ⇒〈mil.〉 ≠ *be drafted* ◆ **6.1** hij is ingeloot **voor** medicijnen *he has drawn a place in the school of medicine*.

inlui 〈bn.〉 **0.1** *bone idle* ⇒*as lazy as can be*.

inluiden 〈ov.ww.〉 **0.1** [door klokgelui aankondigen] *ring in* **0.2** [iets nieuws/het begin aankondigen] *mark* ⇒*herald, usher in* ◆ **1.2** een nieuw tijdperk ~ *m. / herald a new era*.

inluizen 〈onov., ov.ww.〉〈inf.〉 **0.1** 〈onov.ww.〉 *go/fall for* ⇒*be taken in, be caught out, swallow*, 〈ov.ww.〉 *take in, fool, trick, cheat* ◆ **5.1** iem. er ~ *take s.o. in, fool s.o.;* zij luisden erin *they fell for it, they swallowed it (hook, line and sinker)*.

inmaak 〈de (m.)〉 **0.1** [handeling] *preservation* ⇒*bottling*, 〈in zuur〉 *pickling*, 〈met suiker〉 *conserving* **0.2** [resultaat] *preserve* ⇒*pickle, conserve, canned food* ◆ **1.1** een boek over de ~ *a book about preserving* **6.2** voor nieuwjaar moesten we al de ~ **aanspreken** *we had to start on the preserves before New Year*.

inmaakazijn 〈de (m.)〉 **0.1** *pickling vinegar*.

inmaakbrandewijn 〈de (m.)〉 **0.1** *brandy for preserving*.

inmaakfles 〈de〉 **0.1** *preserving bottle*.

inmaakfruit 〈het〉 **0.1** *preserving fruit*.

inmaakglas 〈het〉 **0.1** *preserving jar/bottle*.

inmaakgroente 〈de (v.)〉 **0.1** [groente om in te maken] *preserving/pickling vegetables* ⇒*vegetables (fit) for preservation* **0.2** [ingemaakte groente] *preserved/pickled/canned vegetables*.

inmaakpot 〈de (m.)〉 **0.1** *preserving jar*.

inmaakuitjes 〈zn.mv.〉 **0.1** *pickling onions* 〈in te maken〉; *pickled onions* 〈ingemaakt〉.

inmaken
I 〈onov., ov.ww.〉 **0.1** [wecken] *preserve* ⇒〈in zuur ook〉 *pickle*, 〈met suiker ook〉 *conserve*, 〈in pekel ook〉 *brine*, 〈in fles ook〉 *bottle*, 〈in pot ook〉 *pot;*
II 〈ov.ww.〉 **0.1** [〈fig.;sport〉] *slaughter* ⇒*murder* ◆ **6.1** ze werden ingemaakt **met** 7-0 *they were slaughtered, 7-0*.

in medias res 0.1 *in medias res*.

in medio 0.1 *in the middle/centre*.

in memoriam 〈het〉 **0.1** *in memoriam*.

inmengen
I 〈wk.ww.;zich ~〉 **0.1** [zich bemoeien] *interfere (in/with)* ⇒*intervene (in)*, ↓*meddle (in/with);*
II 〈ov.ww.〉 **0.1** [door mengen in-, bijdoen] *mix in (with)* ⇒*add (to)*.

inmenging 〈de (v.)〉 **0.1** *interference (in/with)* ⇒ ↓*meddling (in/with)* ◆ **6.1** ~ **in** de binnenlandse aangelegenheden van een land *i. in a country's internal affairs*.

inmeten ⟨ov.ww.⟩ **0.1** [minder uitmeten dan er is] *give short measure* **0.2** [⟨landmeetk.⟩] *measure* ♦ **6.1 op** dat stuk heeft hij 3% ingemeten *he has given 3% short on that sale.*

inmetselen ⟨ov.ww.⟩ **0.1** [door metselen invoegen] *brick in* ⇒*build in(to)* **0.2** [met metselwerk omringen] *brick/wall up/in* ⇒⟨schr.⟩ *immure* ♦ **1.1** een ingemetseld bad *a built-in bath;* een ingemetselde brandkast/kluis *a built-in safe, a wall-safe;* een koperen plaat ~ *insert/ build in a brass plate* **1.2** hij had zijn schat ingemetseld *he had walled up/incarcerated his treasure* **5.2** hij werd levend ingemetseld *he was walled in alive.*

inmiddels ⟨bw.⟩ **0.1** *by now/then* ⇒*meanwhile, in the meantime* ♦ **3.1** ik ben er ~ al drie keer geweest *since then I've been there (no less than) three times, I've already been there three times;* ik ben zijn naam ~ vergeten *I'm afraid I've forgotten/I can't remember his name;* dat is ~ bevestigd *this has since/now been confirmed;* ⟨in brief⟩ ~ verblijf ik *Yours sincerely;* hij was ~ opnieuw getrouwd *he had remarried by then/in the meantime;* zij weet het ~ ook *she also knows (about) it by now;* hij werkt daar ~ al weer een jaar *he's already been working there for a year (now), it's already a year that he's been working there.*

inmoffelen ⟨ov.ww.⟩ **0.1** [warm toedekken] *wrap up warm(ly)* ⇒*muffle up* **0.2** [wegmoffelen] *smuggle/spirit away.*

in morastelling ⟨de (v.)⟩ ⟨jur.⟩ **0.1** *declaration (of s.o.) in default.*

innaaien ⟨ov.ww.⟩ **0.1** [naaiend sluiten in] *sew/stitch in(to)* **0.2** [⟨boek.⟩] *stitch* ⇒*sew* **0.3** [korter/nauwer maken] *take up* ⟨korter⟩/*in* ⟨nauwer⟩ ♦ **1.2** ingenaaid boek *sewn book* **1.3** hemdsmouwen ~ *take up/in shirt-sleeves* **6.1** smokkelwaar ~ **in** de kleding *sew contraband into one's clothes.*

inname ⟨de⟩ **0.1** [verovering] *taking* ⇒*capture, seizure, reduction* **0.2** [inzameling] *collection* ♦ **1.2** ~ lege flessen *bottle collection.*

in natura 0.1 *in kind* ♦ **3.1** betalen ~ *pay i. k..*

innemen ⟨ov.ww.⟩ **0.1** [mbt. geneesmiddelen] *take* ⇒*swallow,* ⟨med.⟩ *ingest* **0.2** [mbt. een plaatsruimte] *take up* ⇒*occupy* ⟨ook post enz.⟩ **0.3** [veroveren] *take* ⇒*capture, seize, reduce* **0.4** [vertrouwen, genegenheid winnen] *captivate* ⇒*fascinate, charm* **0.5** [binnenhalen] *bring/take/fetch in* **0.6** [aan boord nemen] *take up* ⟨korter⟩/*in* ⟨nauwer⟩ **0.8** [verzamelen] *collect* ♦ **1.1** daar durf ik vergif op in te nemen *I'll bet my boots/my bottom dollar on that* **1.2** veel plaats ~ *t. u./occupy a lot a room/space;* zijn plaats ~ *take one's seat;* ⟨fig.⟩ iemands plaats ~ *take s.o.'s place,* ⟨tijdelijk⟩ *deputize/* ⟨inf.⟩ *stand in for s.o.;* een bijzondere plaats ~ *occupy a special place;* een belangrijke plaats ~ *feature (conspicuously);* een vooraanstaande plaats ~ *take a prominent position, be prominent(ly placed)/* ⟨fig.⟩ een bepaalde positie ten opzichte van elkaar ~ *t. u. a particular position/ take a particular stand relative to one another;* ⟨fig.⟩ een post gaan ~ *t. u. a post;* ⟨fig.⟩ een hoge post/functie ~ *have/occupy a senior post/ position;* ⟨fig.⟩ het standpunt ~ *take the view* **1.5** de zeilen ~ *furl the sails* **1.6** het schip moet olie/water ~ *the ship has to take in fuel/oil/ water* **1.7** een jurk van voren/achteren ~ *take a dress in/up at the front/back* **1.8** het werk/lege flessen ~ *c. the work/empty bottles* **6.1** ~ **met** wat water *t. with a little water;* iets **tegen** reisziekte ~ *t. sth. for travel sickness;* ⟨iron.⟩ hij is goed **van** ~ *he's fond of his food/drink* ⟨inf.⟩ *grub/adrop/grub* ⟨voedsel⟩; *he's fond of his drink/* ⟨inf.⟩ *a drop,* ⟨inf.⟩ *he can really/he (really) knows how to knock it back* ⟨drank⟩ **6.4** iem. **tegen** zich ~ *antagonize s.o.,* ↓*get on the wrong side of s.o.,* ↓*put/get s.o.'s back up, rub s.o. up the wrong way;* hij weet mensen **voor** zich in te nemen *he has a winning manner;* iem. **voor** zich ~ *win s.o. over, get on the right side of s.o..*

innemend ⟨bn., bw.;-ly⟩ **0.1** *captivating* ⇒*engaging, winning, prepossessing, appealing* ⟨vnl. kinderen/dieren⟩ ♦ **1.1** mat een ~ glimlach *with a charming smile;* hij is een erg ~ iemand *he really has a way with him/a c./ an engaging personality;* een ~ uiterlijk *a c. / prepossessing/ an engaging appearance;* op ~e wijze *in a c. / prepossessing/an engaging/appealing manner, captivatingly* ⟨enz.⟩ **5.1** niet erg ~ *rather unprepossessing.*

innemendheid ⟨de (v.)⟩ **0.1** *charm* ⇒*winning manner/ways.*

inneming ⟨de (v.)⟩ →**inname.**

innen ⟨ov.ww.⟩ **0.1** *collect* ⇒*recover* ⟨belastingen, schulden⟩, *cash* ⟨cheque⟩, *receive* ⟨contributie⟩ ♦ **1.1** een cheque ~ *cash a cheque/ ^cheek;* contributies ~ *collect contributions;* kwitanties ~ *collect payment, settle accounts;* te ~ wissels *bills receivable.*

innerlijk¹ ⟨het⟩ **0.1** *(one's) inner self/nature* ♦ **1.1** het ~ van de mens *the inner self/man.*

innerlijk² ⟨bn., bw.; -(al)ly; beh. inner⟩ **0.1** [zich bevindend in de geest] *inner, inward* **0.2** [wat in het wezen ligt] *intrinsic* ⇒*inherent, essential* ♦ **1.1** haar meest ~e gevoelens *her innermost/deepest feelings;* ~e rust *inner calm;* ~e strijd *inner struggle* **1.2** ~e beschaving *inherent refinement;* ~e beschaving missen *lack intrinsic/inherent refinement;* ~e kracht *inherent force/power;* ~ samenhang *intrinsic connection;* in ~e tegenspraak *self-contradictory;* ~e waarde *intrinsic value/worth* **2.¶** ~ overtuigd *convinced deep-down.*

innestelen ⟨wk.ww.; zich ~⟩ **0.1** [zich ergens vestigen] *become rooted/ implanted* **0.2** [mbt. eicel] *become implanted* ♦ **6.2** de eicel moet zich ~ **in** de baarmoederwand *the ovum must become implanted in the wall of the uterus.*

innesteling ⟨de (v.)⟩ **0.1** *implantation* ⇒⟨med.⟩ *nidation.*

innig
I ⟨bn.⟩ **0.1** [diep] *profound* ⇒*deep(est)* **0.2** [warm, waar] *ardent* ⇒*fervent, heartfelt, fond* **0.3** [intiem] *close* ⇒*deep, intimate* **0.4** [⟨rel.⟩] *fervent* ♦ **1.1** zijn ~e deelneming betuigen met iemands verlies *express one's deepest condolances/sympathy;* met ~e deelneming *with deepest condolances/sympathy;* iemands ~ste gedachten *s.o.'s innermost thoughts;* ~e hoop/spijt *p. hope/regret;* dat is mijn ~e overtuiging *I am profoundly convinced of it, it is my p. conviction;* het is haar ~e wens *it is her fervent/deepest wish* **1.2** een ~e kus *an a. kiss* **1.3** ~e contacten *c. / intimate contacts;* ~e vriendschap *deep/intimate friendship;*
II ⟨bw.⟩ **0.1** [in het binnenste plaatsvindend] *profoundly* ⇒*(most) deeply* **0.2** [hartelijk] *dearly, fondly* **0.3** [zeer dicht] *closely* ⇒*deeply, intimately* ♦ **3.2** iem. ~ liefhebben *love s.o. very d.;* ~ met elkaar omgaan *be on very close terms.*

innigheid ⟨de (v.)⟩ **0.1** [het innig zijn] *closeness* ⇒*intimacy,* ⟨diepte⟩ *profundity, depth,* ⟨warmte⟩ *ardour, fervour* **0.2** [⟨rel.⟩] *fervour.*

inning
I ⟨de (v.)⟩ **0.1** [invordering] *collection* ⇒*recovery* ⟨belastingen, schulden⟩, *cashing,* ⟨schr.⟩ *encashment* ⟨cheque⟩;
II ⟨de (m.)⟩ **0.1** [⟨sport⟩] ⟨cricket⟩ *innings;* ⟨honkbal⟩ *inning.*

innovatie ⟨de (v.)⟩ **0.1** *innovation* ♦ **6.1** ~ **in** het onderwijs *educational i..*

innovatieprogramma ⟨het⟩ **0.1** *innovation programme* ^*gram.*

innovatief ⟨bn., bw.;-ly⟩ **0.1** *innovative* ⇒*innovatory* ♦ **2.1** ~ bezig zijn *be making changes.*

innoveren ⟨ov.ww.⟩ **0.1** *innovate* ♦ **3.1** ~ ~d werken *introduce innovations.*

inoculatie ⟨de (v.)⟩ **0.1** *inoculation* ⇒*vaccination.*

inoculeren ⟨onov., ov.ww.⟩ **0.1** [inenten, ⟨ook fig.⟩] *inoculate* ⟨ook fig.⟩ ⇒*vaccinate* **0.2** [oculeren] *inoculate* ⇒*graft.*

inoefenen ⟨ov.ww.⟩ **0.1** *learn/master (by practice)* ⇒⟨AZN⟩ ⟨mbt. gedicht/ toneelstuk⟩ *rehearse, study.*

inofficieel ⟨bn., bw.;-ly⟩ **0.1** *unofficial.*

inopportuun ⟨bn.⟩ **0.1** *inopportune* ♦ **1.1** een inopportune opmerking *an i./inappropriate remark.*

in optima forma 0.1 [in de vereiste vorm] *in the proper form/manner* **0.2** [in de beste vorm] *(in) perfect (condition), on top form.*

inpakken
I ⟨ov.ww.⟩ **0.1** [in een koffer bergen] *pack (up)* ⇒⟨in krat⟩ *crate,* ⟨in balen⟩ *bale* **0.2** [tot een pak maken] *pack up;* ⟨in papier enz.⟩ *wrap up* **0.3** [in dikke kleren/doeken hullen] *wrap up* **0.4** [inpalmen] *win over* **0.5** [verslaan] *trounce;* ⟨inf.⟩ *walk all over* ♦ **1.1** een koffer ~ *pack a suitcase/* ⟨BE ook⟩ *case* **1.2** ⟨bouwk.⟩ een perceel ~ *fence off a plot of land (with a hoarding);* een postpakket ~ *pack/wrap up a parcel* **1.3** een kind warm ~ *wrap a child up warmly* **1.5** ⟨sport⟩ de tegenstander ~ *have/put one's opponent in one's pocket, walk all over/ wipe the floor with/trounce/slaughter one's opponent* **3.4** zich laten ~ door iem. / iets *fall for/let o.s. be taken in by/* ⟨inf.⟩ *sth.* **3.5** zich laten ~ *come off worst;* ⟨inf.⟩ *be taken to the cleaners, be taken in,* ↓*get screwed;*
II ⟨onov.ww.⟩ **0.1** [ophouden] *pack in, give it a rest* ♦ **3.1** hij kan wel ~ *he may as well pack it in/forget about it/give up;* ~ en wegwezen *pack up and go, get packing.*

inpakpapier ⟨het⟩ **0.1** *wrapping paper.*

inpaktafel ⟨de⟩ **0.1** *packing/packaging table.*

inpalmen ⟨ov.ww.⟩ **0.1** [voor zich winnen] *charm* ⇒*win over,* ⟨bedrog⟩ *take in, rip off* **0.2** [toeëigenen] *grab* ⇒*nab,* ⟨geld ook⟩ *pocket* **0.3** [naar zich toehalen] *haul/gather/pull in* ♦ **1.1** iem. ~ *win s.o. over;* ⟨door vleierij⟩ *get round s.o., butter s.o. up;* ⟨bedriegen⟩ *take s.o. in, rip s.o. off* **3.1** zij laat zich door iedere man ~ *she falls for/she's a push-over for any man;* zich door iem. laten ~ *fall for s.o.'s tricks/ line, get taken in;* zij probeerde hem in te palmen *she made a dead set at him.*

inpandig ⟨bn., bw.⟩ **0.1** *walled-in* ♦ **1.1** een ~e garage *a built-in garage.*

inpassen ⟨ov.ww.⟩ **0.1** [invoegen in een bestaand geheel] *fit in* **0.2** [juist passend maken] *fit in* ♦ **6.1** iem. ~ **in** een salarisschaal *place s.o. in a wage scale.*

inpekelen ⟨ov.ww.⟩ **0.1** *pickle* ⇒*souse, salt (down).*

inpeperen ⟨ov.ww.⟩ **0.1** [met peper bestrooien, ⟨vaak fig.⟩] betaald zetten] *pepper* ⇒⟨fig.⟩ *get even with (s.o.) (for)* **0.2** [zeer duidelijk maken] *make (s.o.) understand it right and proper* **0.3** [⟨AZN.⟩ afranselen] *thrash* ⇒*wallop, let (s.o.) have it* ♦ **4.1** dat zal ik hem ~ *I'll get even with him, I'll fix him;* ik heb 't hem behoorlijk ingepeperd *I got good and even with him, I got (some) of my own back on him, I fixed him good and proper.*

inperken ⟨ov.ww.⟩ **0.1** *restrict* ⇒*curtail* ♦ **1.1** de uitgaven ~ *cut down/ back (on)/r./ curtail expenditure;* iemands vrijheid ~ *r./ curtail s.o.'s freedom.*

inperking ⟨de (v.)⟩ **0.1** *curtailment* ♦ **2.1** borgstelling ad ...met een jaarlijkse ~ *surety bond for ..., reducing annually.*

in petto 0.1 [in voorraad] *in reserve/store* **0.2** [in beraad] *in store/reserve*

⇒⟨inf.⟩ *up one's sleeve* ♦ **3.2** ik heb voor jou nog iets ~ *I've got sth. else in store for you;* zij hebben nog iets ~ *they've got sth. else up their sleeve, they're keeping sth. back;* dat houden we nog ~ *we'll keep that in reserve, we'll keep that to fall back on.*

inpik ⟨de (m.)⟩⟨sport⟩ **0.1** *entry.*

inpikken ⟨ov.ww.⟩ **0.1** [pakken] *grab* ⇒⟨snel, handig⟩ *bag, snap up,* ⟨stelen⟩ *nab, pinch* **0.2** [aanleggen] *fix (up)* ⇒⟨inf.⟩ *wangle* **0.3** [een roeispaan in het water steken] *enter* **0.4** [met een haak bevestigen] *hook on(to)* ♦ **1.1** iemands plaats ~ *pinch / g. / nab s.o.'s seat;* de beste plaatsen ~ *snap up the best seats* **3.1** alles proberen in te pikken *try to hog the lot / walk off with everything* **5.2** iets handig ~ *wangle / fix sth. neatly;* dat heb je handig ingepikt *you fixed / wangled that neatly;* hoe zullen we dat nou ~? *how are we going to fix / wangle that?* ¶**.1** pik in, 't is winter *g. it while the going's good, snap it up while it's there.*

inplakken ⟨ov.ww.⟩ **0.1** *stick / glue / paste in* ♦ **1.1** foto's ~ in een album *stick photos in an album.*

inplannen ⟨ov.ww.⟩ **0.1** *plan for.*

inplant ⟨de (m.)⟩ **0.1** [jonge aanplant] *(new) plantation* **0.2** [implantatie] *implant(ation)* ⇒*insert(ion).*

inplanten ⟨ov.ww.⟩ **0.1** [in de grond zetten] *plant* **0.2** [⟨passief⟩ ingezet zijn] *be situated* **0.3** [op het hart drukken] *instil in(to), implant (in)* **0.4** [⟨med.⟩] *implant* ⇒*insert* **0.5** [⟨AZN⟩ vestigen] *locate* ⇒*set up, establish* ♦ **1.3** iem. de liefde voor de waarheid ~ *instil the love of the truth into s.o.* **5.2** ⟨pass.⟩ zijn haar is laag ingeplant *he has a low hair-line.*

inplanting ⟨de (v.)⟩ **0.1** [handeling, toestand] *(im)planting* ⇒*implantation,* ⟨med. ook⟩ *insertion,* ⟨van ideeën ook⟩ *inculcation* **0.2** [wijze] ⟨→**haarinplant**⟩ **0.3** [⟨AZN⟩ vestiging] *location, site.*

in pleno 0.1 *in plenary / full session* ⇒*at plenary level* ♦ **1.1** een vergadering ~ *a plenary (meeting / session)* **3.1** ~ vergaderen *hold a plenary meeting / session.*

inploegen ⟨ov.ww.⟩ **0.1** [⟨landb.⟩] *plough in* [A]*plow in* **0.2** [met de ploegschaaf inschaven] *tongue and groove.*

inpluggen ⟨ov.ww.⟩⟨audio⟩ **0.1** *plug in.*

inpolderen ⟨ov.ww.⟩ **0.1** *impolder* ⇒*impolder* ⟨vnl. mbt. Nederland⟩.

inpoldering ⟨de (v.)⟩ **0.1** [handeling] *(land) reclamation* ⇒*impoldering* ⟨vnl. mbt. Nederland⟩ **0.2** [resultaat] *(piece of) reclaimed land* ⇒*polder* ⟨vnl. mbt. Nederland⟩.

inpompen ⟨ov.ww.⟩ **0.1** [iem. iets leren] *drill / drum in(to)* **0.2** [dmv. een pomp inbrengen] *pump in(to)* ♦ **6.1** ik heb het er **bij** hem moeten ~ *I had to drill / drum it into him.*

inponsen ⟨ov.ww.⟩ **0.1** *put on punchcards / tape.*

inpraten

I ⟨ov.ww.⟩ **0.1** [overreden] *talk (s.o.) into (sth.)* ⇒*talk round, work on* **0.2** [iem. (iets) wijsmaken] *make (s.o.) believe* ♦ **4.1** iem. iets ~ *talk s.o. into (doing) sth.* **6.1** op iem. ~ *talk s.o. round, work on s.o.;*

II ⟨onov.ww.⟩ **0.1** [zichzelf verraden] *give o.s. away* ♦ **5.1** hij heeft zich er lelijk ingepraat *he has talked himself into a real corner.*

inprenten ⟨ov.ww.⟩ **0.1** *impress ((up)on)* ⇒*instil /* [↑]*inculcate (into),* ⟨inf.⟩ *drill / drum in* ♦ **4.1** iem. iets ~ *instil / (firmly) into one's head / mind* **5.1** dat heb ik hem terdege ingeprent *I really drummed it into him;* dat was haar voortdurend ingeprent *that had always been drummed into her.*

inproppen ⟨ov.ww.⟩ **0.1** *cram (into).*

inquisiteur ⟨de (m.)⟩⟨gesch.⟩ **0.1** *inquisitor.*

inquisitie ⟨de (v.)⟩ **0.1** [onderzoek naar misdrijven] *(Government) inquiry* **0.2** [⟨gesch.⟩ rechtbank] *inquisition* **0.3** [ketterjacht] *inquisition.*

inquisitoor ⟨bn.⟩⟨jur.⟩ **0.1** *prosecuting.*

inquisitoriaal ⟨bn.⟩ **0.1** [mbt. tot het ambt van inquisiteur] *inquisitorial* **0.2** [als van een inquisiteur] *inquisitorial.*

inramen ⟨ov.ww.⟩ **0.1** *frame* ♦ **1.1** dia's ~ *mount slides.*

inranselen ⟨ov.ww.⟩ **0.1** *beat / drub / ⟨inf.⟩ thump / belt / wallop into.*

inregenen ⟨onov.ww.⟩ **0.1** *rain in* ♦ **4.1** het regent hier in *the rain's coming in / through.*

inreisvergunning ⟨de (v.)⟩ **0.1** *entry permit.*

inreisvisum ⟨het⟩ **0.1** *entry visa.*

inrekenen ⟨ov.ww.⟩ **0.1** [in bewaring brengen] *pull / haul /* ⟨inf.⟩ *run in;* ⟨meer mensen ook⟩ *round up* **0.2** [incalculeren] *count in* ⇒*include* ♦ **3.1** zich laten ~ *give o.s. up, turn o.s. in.*

inrichten ⟨ov.ww.⟩ **0.1** [iets in orde brengen] *arrange* ⇒*organize* **0.2** [gereed maken voor gebruik / bewoning] *equip* ⇒*fit up / out,* ⟨meubelen⟩ *furnish,* ⟨inf.⟩ *fix up* **0.3** [regelen, ordenen] *arrange* ⇒*organize,* ⟨inf.⟩ *fix* **0.4** [organiseren] *organize* ⇒*set up* ♦ **1.2** zij hebben hun huis laten ~ *they've had their house furnished;* een modern ingericht ziekenhuis *a modern hospital* **1.3** zijn leven op een bepaalde manier ~ *organize / a. one's life in a particular way* **3.3** je moet het zo zien in te richten, dat ik naast je kom te zitten *you must a. / fix it so that I (can) sit next to you* **4.2** zich ~ *set up house, settle in* **5.2** de huiskamer anders ~ *rearrange the living-room;* een compleet ingerichte keuken *a fully-equipped kitchen;* een goed ingericht huis *a well appointed house;* een modern ingerichte woning *a modern flat /* [A]*appartment;* een volledig ingerichte bar *a fully-equipped bar* **5.3** het onderwijs anders ~ *re-organize education* **6.2 op** logés zijn wij niet ingericht *we're*

not (really) equipped for guests; ergens speciaal **voor** ingericht zijn *be specially fixed up / equipped for sth.* **8.2** als slaapkamer ingericht *fixed up / equipped as a bedroom;* een vertrek was ingericht als wachtkamer *one room was designed as a waiting-room.*

inrichter ⟨de (m.)⟩ ⟨AZN⟩ **0.1** *organizer.*

inrichting ⟨de (v.)⟩ **0.1** [aankleding] *design;* ⟨indeling ook⟩ *layout* **0.2** [niet commerciële instelling] *institution* ⇒*establishment* **0.3** [gesticht] *institution* **0.4** [wijze van organisatie] *organization* ⇒*arrangement,* ⟨inf.⟩ *set-up* **0.5** [constructie] *construction* ⇒*design* **0.6** [bedrijf] *establishment* **0.7** [gebouw] *establishment* ♦ **1.1** de ~ van een huis the *design / layout of a house* **1.4** de ~ van de staat *the o. /* ⟨schr.⟩ *polity of the State* **2.3** iem. in een open ~ plaatsen *admit s.o. to an open i.* **6.3** iem. **in** een ~ plaatsen / opnemen *admit s.o. to / put s.o. in an i.,* ⟨schr.⟩ *institutionalize s.o.;* in een ~ zitten *be in an i.* ¶**.3** ⟨scherts.⟩ hij is rijp voor een ~ *he's certifiable, he's a suitable case for treatment, he's one for the madhouse.*

inrichtingsassistent ⟨de (m.)⟩, **-assistente** ⟨de (v.)⟩ **0.1** [B]*(hospital / psychiatric) social work aide,* [A]*(nurse's) aide.*

inrichtingskosten ⟨zn.mv.⟩ **0.1** *settling-in expenses* ⟨huis⟩, *starting-up costs / expenses* ⟨bedrijf⟩.

inrichtingswerk ⟨het⟩ **0.1** ⟨in ziekenhuis⟩ [B]*hospital /* [A]*medical social work;* ⟨in psychiatrische inrichting⟩ *psychiatric social work;* ⟨in tehuis⟩ [B]*residential /* [A]*geriatric social work.*

inrichtingswerker ⟨de (m.)⟩, **-werkster** ⟨de (v.)⟩ **0.1** ⟨in ziekenhuis⟩ [B]*hospital /* [A]*medical social worker;* ⟨in psychiatrische inrichting⟩ *psychiatric social worker;* ⟨in tehuis⟩ [B]*residential /* [A]*geriatric social worker.*

inrijden

I ⟨onov.ww.⟩ **0.1** [naar binnen rijden] *ride in(to);* ⟨auto⟩ *drive in(to)* **0.2** [rijdend raken] *run / drive into* ⇒*collide (with)* ♦ **1.1** hij reed de straat in *he turned into the street* **6.2** recht op iem. ~ *r. / d. right into s.o.;* de auto's reden **op** elkaar in *the cars collided, the cars ran into each other;*

II ⟨ov.ww.⟩ **0.1** [rijdend binnenbrengen] *ride in(to);* ⟨auto⟩ *drive in(to)* **0.2** [geschikt maken voor gebruik] ⟨auto⟩ *run in;* ⟨paard, schaatsen⟩ *break in* **0.3** [door snel rijden tijd inhalen] *make / pick up* ♦ **1.1** hij reed zijn auto de garage in *he drove his car into the garage* **1.3** we hebben 15 minuten ingereden *we've made / picked up 15 minutes* **4.2** ik ben hem nog aan het ~ *I'm still running (it) in* **5.1** zijn auto achteruit de garage ~ *back (one's car) into the garage.*

inrijgen ⟨ov.ww.⟩ **0.1** [in iets anders rijgen] *string* ⇒*thread* **0.2** [nauwer maken] *lace up (more tightly)* ♦ **1.1** nieuwe veters ~ *thread new laces* **4.2** zich ~ *lace o.s. up (more tightly).*

inrijperiode ⟨de (v.)⟩ **0.1** [mbt. auto's] *running-in period* **0.2** [beginperiode] *running-in period* ♦ **6.1** gedurende de ~ *while running-in.*

inrit ⟨de (m.)⟩ **0.1** [plaats] *entry* ⇒*entrance,* way in **0.2** [oprijlaan] *drive(way)* **0.3** [het inrijden] *entry* ♦ **7.1** geen ~ *no entry / entrance.*

inroepen ⟨ov.ww.⟩ **0.1** *call in / (up)on* ⇒*enlist, appeal for* ♦ **1.1** iemands diensten ~ *call (up)on s.o.'s services, avail o.s. of s.o.'s services;* iemands hulp ~ *call in / enlist s.o.'s help, call (up)on s.o. for help;* hulp van de politie ~ *call (in) the police, call (up)on the police for help, enlist the help of the police.*

inroesten ⟨onov.ww.⟩ **0.1** [door de roest ingevreten worden] *rust* ⇒*go rusty* **0.2** [door roesten vastklemmen] *rust solid / up* ♦ **1.1** de auto roest in *the car is going rusty* **1.2** het slot is ingeroest *the lock has rusted solid* **1.**¶ ingeroeste vooroordelen *(deeply) ingrained / deep-rooted prejudices.*

inrollen

I ⟨onov., ov.ww.⟩ **0.1** [rollende komen / brengen in] *roll in(to)* ♦ **1.1** de bal rolde het doel in *the ball rolled into the goal;*

II ⟨ov.ww.⟩ **0.1** [tot een rol maken] *roll up* **0.2** [inwikkelen] *wrap up* **0.3** [met een rol in de akker persen] *roll in* ♦ **4.2** zich warmpjes ~ *wrap (o.s.) up warmly.*

inroosteren ⟨ov.ww.⟩⟨school.⟩ **0.1** *include in a / the timetable* ♦ **1.1** vrije dagen ~ *include / provide for some days off in the timetable.*

inruil ⟨de (m.)⟩ **0.1** [het inwisselen] *exchange* **0.2** [inlevering van een oud produkt] *part exchange* ⇒*trading-in* ♦ **1.2** bij ~ bieden wij minimaal fl 2000,- **bij** ~ **van** oude auto *we are now offering no less than 2,000 guilders in part-exchange for your old / used car;* **door** ~ verkregen *obtained on part exchange.*

inruilactie ⟨de (v.)⟩ **0.1** *trade-in / part-exchange offer.*

inruilauto ⟨de (m.)⟩ **0.1** *old car* ♦ **3.1** de ~ bracht weinig op *we didn't get much for our old car.*

inruilen ⟨ov.ww.⟩ **0.1** [inwisselen] *exchange* **0.2** [een oud produkt inleveren] *trade in* ⇒*part-exchange* **0.3** [door ruiling verkrijgen] *exchange* ⇒⟨vnl. AE⟩ *trade,* ⟨inf.⟩ *swap* ♦ **1.1** goud ~ *cash in gold* ⟨tegen geld⟩; *trade in gold* ⟨tegen iets anders⟩ **1.2** een auto ~ *trade in a car* **6.3** de prijscompensatie ~ **voor** nieuwe arbeidsplaatsen *e. / sacrifice indexing of wages for new jobs;* postzegels ~ **voor / tegen** knikkers *swap stamps for marbles.*

inruilobject ⟨het⟩ **0.1** *trade-in / part-exchange item / article* ⇒⟨inf.⟩ *trade-in.*

inruilpremie ⟨de (v.)⟩ **0.1** *part-exchange / trade-in bonus.*

inruilprijs ⟨de (m.)⟩ **0.1** *trade-in price*.

inruilwaarde ⟨de (v.)⟩ **0.1** *part-exchange/trade-in value*.

inruilwagen ⟨de (m.)⟩ →**inruilauto**.

inruimen ⟨ov.ww.⟩ **0.1** *clear (out)* ◆ **1.1** een kamer ~ *clear out a room;* voor iem. een plaats ~ *make room/clear a space for s.o., give s.o. room;* een belangrijke plaats ~ voor iets *give sth. plenty of room, devote a lot of space to sth.;* in het wetsontwerp is een belangrijke plaats ingeruimd voor de rechten van minderheden *the bill gives a great deal of prominence to minority rights; a lot of space is devoted to the right of minority groups in the bill.*

inrukken ⟨onov.ww.⟩⟨mil.⟩ **0.1** [binnenrukken] *march in(to)* ⇒*enter* **0.2** [in de kwartieren terugkeren] *dismiss* ⇒*withdraw* ◆ **1.1** de vijand is de stad ingerukt *the enemy marched into/entered the town* **1.2** de brandweer kon spoedig weer ~ *the fire brigade* ^*fire department was soon able to withdraw;* de troepen zijn weer ingerukt *the troops have returned to quarters;* de troepen laten ~ *d. (the troops)* **3.2** ⟨fig.⟩ ik kon weer ~ *I was able to clear off again* **9.2** ingerukt mars! *dismiss!.*

inschakelen ⟨ov.ww.⟩ **0.1** [⟨tech.⟩] *switch on* ⇒*connect* **0.2** [doen meewerken] *call/bring in* ⇒*involve* ◆ **1.1** de stroom ~ *switch on the current* **1.2** een adviesbureau ~ *call in a consultancy bureau;* een advocaat ~ *call in a lawyer;* het leger ~ bij de oogst *call in the army to help with the harvest;* de ouders ~ bij het onderwijs *involve parents in education;* zijn invloedrijke vrienden ~ *pull strings* **6.2** de brandweer werd ingeschakeld **bij** de hulpverlening *the fire brigade* ^*fire department was called in to assist;* slachtoffers van een ongeval weer **in** het arbeidsproces ~ *re-employ persons disabled as a result of an accident.*

inschakeling ⟨de (v.)⟩ **0.1** [van stroom] *switching-on* **0.2** [van mensen voor speciale dienst] *calling in* ⇒*mobilization.*

inschalen ⟨ov.ww.⟩ **0.1** *put on a/the scale* ◆ **5.1** iem. te laag/te hoog ~ *put s.o. too low/high on the scale;* iem. opnieuw ~ *put s.o. back on the scale.*

inschaling ⟨de (v.)⟩ **0.1** *(wage/pay) classification.*

inscharen ⟨onov.ww.⟩ **0.1** *erode.*

inschatten ⟨ov.ww.⟩ **0.1** *assess* ⇒*estimate, evaluate, judge* ◆ **5.1** de situatie volledig fout ~ *completely misjudge the situation, a. the situation quite wrongly;* iets te laag/te hoog ~ *underestimate/overestimate sth.;* iem. verkeerd ~ *misjudge s.o., assess s.o. wrongly.*

inschatting ⟨de (v.)⟩ **0.1** *assessment* ⇒*appraisal, evaluation.*

inschenken ⟨onov., ov.ww.⟩ **0.1** *pour (out)* ◆ **1.1** iem. een drankje ~ *pour s.o. (out) a drink;* zijn glas ~ *fill one's glass* **3.1** wat mag ik u ~? *what would you like to drink?, what are you drinking/having?;* de koffie staat ingeschonken *the coffee's poured* **4.1** schenk haar nog maar eens in *give her another drink;* ⟨inf.⟩ *fill her up again;* zal ik iets ~? *would anyone like anything to drink?;* hij schonk zich nog eens in *he poured himself another drink/helped himself to another drink/filled (up) his glass again.*

inschepen ⟨ov.ww.⟩ **0.1** *embark* ◆ **1.1** troepen ~ *e. troops* **4.1** zich ~ *e., go aboard/on board.*

inscheping ⟨de (v.)⟩ **0.1** *embarkation.*

inscheppen ⟨ov.ww.⟩ **0.1** ⟨lepel⟩ *spoon in(to)* ⇒⟨grote soeplepel⟩ *ladle in(to),* ⟨schop⟩ *shovel in(to).*

inscherpen ⟨ov.ww.⟩ ⟨fig.⟩ **0.1** *impress ((up)on)* ⇒*drill/drum/din (into)* ◆ **1.1** iem. zijn plichten ~ *drum/din s.o.'s duties into him, drill s.o. in his duties.*

inscheuren

I ⟨ov.ww.⟩ **0.1** [naar binnen scheuren] *tear* ◆ **1.1** een blaadje papier ~ *t. a sheet of paper;*

II ⟨onov.ww.⟩ **0.1** [uitscheuren] *tear* ⇒*rip* ◆ **1.1** dit laken scheurt overal in *this sheet is torn/ripped all over;* mijn nagel is ingescheurd *my nail is torn* **6.1** ~ **bij** de bevalling *t./suffer tearing during childbirth.*

inschieten

I ⟨ov.ww.⟩ **0.1** [iets van betekenis kwijtraken] *lose* **0.2** [verbrijzelen] *smash* ⇒*shatter* **0.3** [wapens e.d. testen, het afschieten voorbereiden] *find the range of* ◆ **1.2** een ruit ~ *smash/shatter a window* **1.3** geweren/kanonnen ~ *find the range of guns* **4.3** zich ~ *find the range* **5.1** er honderd gulden bij ~ *be 100 guilders out of pocket, be 100 guilders down (on it);* dan zou hij er geld bij ingeschoten hebben *then he'd have been the loser/have been out of pocket;* zijn leven erbij ~ *l. one's life (doing sth.), pay (for sth.) with one's life;*

II ⟨onov.ww.⟩ **0.1** [mislopen] *go by the board* ⇒ ⟨plannen ook⟩ *fall through,* ⟨inf.⟩ *go west* **0.2** [vallen in] *land in* ⇒*go/fall in(to)* **0.3** [ergens snel binnengaan] *dash/shoot in(to)* ◆ **1.3** voorover de sloot ~ *land head first in/go head first into the ditch;* een zijstraat ~ *dash/shoot into a sidestreet* **5.1** mijn lunch zal er wel bij ~ *that's the end of my lunch, that's my lunch gone for a burton, bang goes my lunch, looks as if I can forget my lunch;* dat zal er wel bij ~ *looks like I've had that/can say goodbye to that;* het jaarlijkse uitstapje schoot erbij in *bang went the annual outing, the annual outing went down the drain/up the spout;*

III ⟨onov., ov.ww.⟩ ⟨sport⟩ **0.1** [inspelen] *warm up* **0.2** [in het doel schieten] ⟨onov.ww.⟩ *score;* ⟨ov.ww.⟩ *shoot into the net, net* ◆ **3.2** waarna X kon ~ *whereupon X scored* **4.1** zich ~ *warm up, knock the*

ball about **5.2** ⟨de bal⟩ keihard/onhoudbaar ~ *rocket the ball into the net* **6.1** bij het ~ *during practice, while knocking the ball around* **6.2** de bal **voor** het ~ hebben *have an open goal.*

inschijnen ⟨onov.ww.⟩ **0.1** *shine in(to)* ◆ **1.1** de zon scheen de kamer in *the sun shone into the room.*

inschikkelijk ⟨bn., bw.;-ly⟩ **0.1** *accommodating* ⇒*obliging, willing (to please), eager to please* ◆ **3.1** zich zeer ~ tonen *be most a./obliging/willing (to please), eager to please* **5.1** niet erg ~ *rather uncompromising/unbending/unwilling.*

inschikkelijkheid ⟨de (v.)⟩ **0.1** *obligingness* ⇒*willingness (to please).*

inschikken ⟨ov.ww.⟩ **0.1** *move up* ⇒*move/sit closer (together)* ◆ **4.1** als iedereen even wat inschikt *if everyone can just move up a bit/sit a bit closer (together).*

inschoppen ⟨ov.ww.⟩ **0.1** [naar binnen schoppen, ⟨ook fig.⟩] *kick in(to)* **0.2** [door schoppen breken] *kick in/down* ◆ **1.1** een bal de tuin ~ *k. a ball into the garden;* ⟨sport⟩ hij kon de bal zo ~ *he was able to just k. the ball in* **1.2** de deur ~ *k. the door in/down.*

inschrift ⟨het⟩ **0.1** *inscription.*

inschrijfformulier ⟨het⟩ **0.1** *registration form* ⇒⟨wedstrijd ook⟩ *entry form,* ⟨sollicitatie⟩ *application form,* ⟨onderwijs⟩ *enrolment/*^*enrollment form* ◆ **3.1** een ~ invullen *fill in/* ⟨AE vnl.⟩ *fill out an entry/a registration/an enrolment/an application form.*

inschrijfgeld ⟨het⟩ **0.1** *registration fee* ⇒⟨wedstrijd ook⟩ *entry fee,* ⟨onderwijs⟩ *enrolment/*^*enrollment fee* ◆ **3.1** het ~ bedraagt honderd gulden *the registration/entry/enrolment fee is 100 guilders.*

inschrijven

I ⟨onov.ww.⟩ **0.1** [zich verbinden tot het betalen van een bedrag] *put one's name down* ⇒*subscribe* **0.2** [opgeven voor welke prijs men wil leveren] *tender* ⇒*submit a tender* **0.3** [intekenen] *sign up* ⇒*put one's name down* ◆ **1.3** er werd voor 1 miljard ingeschreven op de staatslening *subscriptions to the government loan amounted to 1,000 million* **5.2** hoog/laag ~ *submit a high/low tender;* lager/hoger ~ dan een ander *submit a lower/higher tender than s.o. else* **6.1** de donateurs schrijven **in voor** f 25,- *the donors put their names down for 25 guilders* **6.2** men kan zich ~ **bij** het secretariaat *you can sign up/put your name down at the office;* **op** een werk laten ~ *put work out to tender* **6.3** ~ **op** een boek *sign up for/put one's name down for a book;* **op** een lening ~ *subscribe to/sign up for a loan;*

II ⟨ov.ww.⟩ **0.1** [mbt. zaken] *register* ⇒*record, enter* **0.2** [mbt. personen] *register* ⇒⟨wedstrijd ook⟩ *enter,* ⟨onderwijs⟩ *enrol/*^*enroll,* ⟨inf.⟩ *sign up* **0.3** [⟨wisk.⟩] *inscribe* ◆ **1.1** ⟨jur.⟩ een hypotheek ~ *register a mortgage;* is deze post al ingeschreven? *has this mail been registered/recorded yet?* **1.2** een deelnemer/lid ~ *r./enrol/sign up a participant/member;* gasten in het hotelregister ~ *r. hotel guests;* iem. als cursist ~ *enrol s.o. for a course;* het aantal ingeschreven studenten *the number of students enrolled* **1.3** de ingeschreven cirkel *the inscribed circle* **3.2** ingeschreven staan bij een woningvereniging *be registered with a housing association* **4.2** zich (laten) ~ *sign up, enter, r., apply, enrol;* zich als student ~ *enrol as a student;* er hebben zich 50 deelnemers ingeschreven *50 participants have signed up/entered/registered;* zich ~ bij het Arbeidsbureau ≠^*Bsign on at the Employment Exchange;* zich als kiezer laten ~ *enrol as a voter.*

inschrijver ⟨de (m.)⟩ **0.1** ⟨op bouwwerk/leverantie⟩ *tenderer/tendering firm* ⇒ ⟨mbt. lening⟩ *subscriber.*

inschrijving ⟨de (v.)⟩ **0.1** [het opnemen in een register] *registration* ⇒ ⟨wedstrijd, boek⟩ *entry,* ⟨onderwijs⟩ *enrolment,* ^*enrollment* **0.2** [intekening] *subscription* ⇒ ⟨aanbesteding⟩ *tender* ◆ **1.1** het aantal ~en voor de cursus *the number of enrolments for the course* **2.2** de laagste ~ *the lowest tender* **3.1** de ~ moet vóór 1 juli plaatsvinden *entries must be received by July 1st, you must have registered/enrolled by July 1st* **3.2** een ~ openen/openstellen *call for bids/tenders;* de ~ sluit op 1 mei *the offer closes on 1st of May* **6.1** ~ **in** het handelsregister *entry in the register of business names* **6.2** verkopen **bij** ~ *sell by subscription;* ~en **op** naam *inscribed/registered stock.*

inschrijvingsbewijs ⟨het⟩ **0.1** *certificate of registration* ⇒ ⟨onderwijs⟩ *certificate of enrolment/*^*enrollment.*

inschrijvingsdatum ⟨de (m.)⟩ **0.1** ⟨mbt. uitboeking⟩ *date of entry* ⇒ ⟨mbt. een emissie⟩ *subscription/offering date,* ⟨mbt. een aanbesteding⟩ *date for submitting/sending in tenders.*

inschrijvingsformulier ⟨het⟩ **0.1** ⟨mbt. een aanbesteding⟩ *tender* ⇒ ⟨mbt. aandelen/obligaties⟩ *application form,* ⟨mbt. onderwijs⟩ *enrolment/*^*enrollment/registration form.*

inschrijvingsgeld ⟨het⟩ →**inschrijfgeld**.

inschrijvingstermijn ⟨de (m.)⟩ **0.1** *registration/entry/application/enrolment* ^*enrollment period/date* ◆ **3.1** de ~ loopt op 1 mei af *registrations/entries must be received by May 1st;* de ~ verlengen *extend the registration period.*

inschrijvingsvoorwaarden ⟨zn.mv.⟩ **0.1** *conditions of/for registration/* ^*Benrollment/*^*enrollment* ⟨studenten, leden enz.⟩/*entry* ⟨wedstrijd⟩/*application* ⟨aanvraging⟩.

inschuifbaar ⟨bn.⟩ **0.1** *collapsible* ⇒⟨telescopisch⟩ *telescopic,* ⟨deur⟩ *sliding* ◆ **1.1** een inschuifbare antenne *a telescopic aerial;* ⟨AE vnl.⟩ *a telescopic antenna;* een inschuifbare deur *a sliding door.*

inschuifladder 〈de〉 **0.1** *extendable ladder*.
inschuiftafel 〈de〉 **0.1** *extending table* ⇒*table with extending leaves*.
inschuiven
 I 〈ov.ww.〉 **0.1** [naar binnen schuiven] *push/slide in* **0.2** [opschuiven] *push/move/shift up/along* ◆ **1.1** een laatje ~ *p./s. a drawer in;* het tafelblad ~ *s. the table-leaf (back) in* **1.2** de stoelen nog wat ~ *p./m./s. the chairs up/along a bit further;*
 II 〈onov.ww.〉 **0.1** [met een schuivende beweging binnengaan] *slide/slip in(to)* ⇒〈steels〉 *sidle in(to)* ◆ **1.1** aarzelend de kamer ~ *slide/sidle hesitantly into the room.*
inschrijven 〈ov.ww.〉 **0.1** [inschrijven] *register* ⇒*record, enter* **0.2** [aan-/in-/optekenen] *record* **0.3** [opdragen] *inscribe* ⇒*dedicate.*
inscriptie 〈de (v.)〉 **0.1** [opschrift] *inscription* ⇒〈op munt/medaille〉 *legend* **0.2** [bewijs van inschrijving] *(certificate of) registration* ◆ **6.1** een pen met ~ *an inscribed pen.*
insectarium 〈het〉 **0.1** [insektenhuisje] *insectary* ⇒*insectarium* **0.2** [afdeling in een dierentuin] *insect house.*
insectie 〈de (v.)〉 **0.1** *incision.*
inseinen 〈ov.ww.〉〈inf.〉 **0.1** *tip off* ⇒*tip the wink, put wise (to sth.)* ◆ **4.1** ze hebben hem kennelijk ingeseind *they've obviously tipped him off/tipped him the wink/put him wise (to it).*
insekt 〈het〉 **0.1** *insect* ◆ **2.1** onschadelijke ~en *harmless insects;* schadelijke ~en *insect pests, infurious insects.*
insektelarve 〈de (v.)〉 **0.1** *larva* ⇒〈mbt. vlinder〉 *caterpillar*, 〈schadelijk〉 *armyworm*, 〈in koker levend〉 *caseworm.*
insektenbeet 〈de〉 **0.1** *insect bite.*
insektenbestrijding 〈de (v.)〉 **0.1** *insect/pest control.*
insektenbloem 〈de〉 **0.1** *entomophilous flower.*
insektenbloemig 〈bn.〉 **0.1** *entomophilous.*
insektendodend 〈bn.〉 **0.1** *insecticidal* ⇒*pesticide.*
insektendoders 〈zn.mv.〉 **0.1** *carnivorous fungi.*
insektenetend 〈bn.〉 **0.1** *insect-eating* ⇒*insectivorous, entomophagous* ◆ **1.1** ~e dieren/planten *insectivorous animals/plants;* 〈dieren ook〉 *insectivores.*
insekteneters 〈zn.mv.〉 **0.1** *insectivora* ⇒*insectivores.*
insektenkenner 〈de (m.)〉 **0.1** *entomologist.*
insektenkunde 〈de (v.)〉 **0.1** *entomology.*
insektenplaag 〈de〉 **0.1** *plague of insects.*
insektenpoeder 〈het, de (m.)〉 **0.1** *insect powder.*
insektenwerend 〈bn.〉 **0.1** *insect-repellent.*
insekticide 〈het〉 **0.1** *insecticide.*
insektivoor[1] 〈de (m.)〉 **0.1** *insectivore.*
insektivoor[2] 〈bn.〉 **0.1** *insectivorous* ◆ **1.1** insektivore planten *i. plants.*
insektologie 〈de (v.)〉 **0.1** *entomology.*
insektoloog 〈de (m.)〉 **0.1** *entomologist.*
inseminatie 〈de (v.)〉 **0.1** *insemination* ◆ **2.1** kunstmatige ~ *artificial i..*
insemineren 〈ov.ww.〉 **0.1** *(artificially) inseminate.*
ins en outs **0.1** *ins and outs* ⇒*twists and turns* ◆ **1.1** ik ken niet alle ~ van die zaak *I don't know all the ins and outs/twists and turns of the affair.*
inseparabel 〈bn.〉 **0.1** *inseparable.*
inseraat 〈het〉 **0.1** [bijlage] *supplement* ⇒〈brief〉 *enclosure* **0.2** [tussengevoegde mededeling] *insert.*
insereren 〈ov.ww.〉 **0.1** *insert.*
insertie 〈de (v.)〉 **0.1** *insertion.*
insgelijks 〈bw.〉 **0.1** *likewise* ⇒〈bij wensen〉 *(and) the same to you* ◆ **¶.1** gelukkig nieuwjaar! ~ *Happy New Year! (And) the same to you!.*
insigne 〈het〉 **0.1** *badge* ⇒〈ambtelijk, mv.〉 *insignia* ◆ **1.1** een ~ van de padvinderij *a scout's/scouting b..*
insinuatie 〈de (v.)〉 **0.1** [bedekte aantijging] *insinuation* ⇒*innuendo* **0.2** [gerechtelijke aanzegging] *summons, warrant* ◆ **2.1** een smerige/grove ~ *a nasty/crude insinuation* **¶.1** hou je ~s voor je *keep your insinuations to yourself.*
insinueren 〈ov.ww.〉 **0.1** [op een bedekte manier aantijgen] *insinuate* **0.2** [gerechtelijk aanzeggen] *a writ/summons/warrant on* ◆ **1.1** ~de woorden *insinuating words, insinuations, innuendoes.*
insisteren 〈onov.ww.〉 **0.1** *insist.*
inslaan
 I 〈ov.ww.〉 **0.1** [door slaan breken] *smash (in)* ⇒*bash (in), beat (in)* **0.2** [in voorraad nemen] *stock (up on/with)* ⇒*store, lay in (a stock of)* **0.3** [omslaan] *turn/fold/tuck in* **0.4** [indrijven] *drive/knock in;* 〈spijker ook〉 *hammer in* **0.5** [aanbrengen in] *stamp in/on* **0.6** [nuttigen] *knock back* 〈drank〉; *tuck/put away* 〈eten〉 ◆ **1.1** een deur ~ *smash/bash a door down/in;* iem. de hersens ~ *bash/beat s.o.'s brains in;* een ruit ~ *smash a window* **1.2** drank ~ *stock up on/lay in (a stock of) drink* **1.4** een paal de grond ~ *drive/knock a stake into the ground;* een kram/spijker ~ *drive/knock a staple/nail, hammer in a nail* **1.5** een ijkmerk ~ *stamp in/on a calibration mark* **3.6** hij kan nogal wat ~ *he can really/can't half knock it back* **5.2** te veel/te weinig van iets ~ *overstock/understock sth.;*
 II 〈onov.ww.〉 **0.1** [een richting nemen] *take* ⇒*turn into* 〈vnl. straat〉 **0.2** [met een slag in iets doordringen] *strike* ⇒*hit, land* 〈bom〉 **0.3** [〈fig.〉] *strike home* ⇒*go down well, catch on, be a hit* ◆ **1.1** hij sloeg

de verkeerde straat in *he turned into the wrong street;* 〈fig.〉 een verkeerde weg ~ *take the wrong path, go the wrong way, go astray;* 〈fig.〉 ze zijn daarmee de verkeerde weg ingeslagen *they're barking up the wrong tree/they've taken a wrong turning there;* nieuwe wegen ~ *break new ground, blaze a (new) trail, be a pioneer;* 〈fig.〉 je kunt hier twee wegen ~ *there are two courses open to you;* een zijstraat ~ *turn into/up/down a side-street* **1.2** de bliksem is hier ingeslagen *lightning has struck here* **1.3** die opmerking sloeg in *the comment struck home;* zijn nieuwe plaat sloeg enorm in *his new record was a smash hit* **1.¶** 〈boek.〉 het zetsel ~ *print the text, go to press* **6.2** op iem. blijven ~ *hit s.o. repeatedly;* met de wapenstok op iem. ~ *hit s.o. with one's truncheon* **6.3** die lezing sloeg in bij het publiek *the lecture went down well with the audience* **8.3** het nieuws sloeg in als een bom *the news was/came as a bombshell;*
 III 〈onov., ov.ww.〉 **0.1** [inspelen] *practise* ^*ce* ⇒*warm up,* 〈tennis〉 *have a knock-up* ◆ **4.1** ik moet me eerst even ~ *I've just got to practise/warm up first* **6.1** bij het ~ *during practice/the knock-up.*
inslaapmiddel 〈het〉 **0.1** *soporific (drug).*
inslachten 〈onov.ww.〉 **0.1** *lose weight (during slaughter).*
inslag 〈de (m.)〉 **0.1** [inweefsel] *weft* ⇒〈minder gebruikelijk〉 *woof* **0.2** [ingeslagen deel] ≠*seam,* ≠*hem* **0.3** [het met een slag doordringen] *impact* ⇒*landing, strike* **0.4** [mbt. waren] *stock* ⇒*store* **0.5** [strekking, tendens] *streak* 〈persoon〉; *slant, bias* 〈informatie〉 ◆ **1.1** gemaakt met ~ van katoenen garens *with a cotton weft;* 〈fig.〉 liegen is bij hem schering en ~ *he's a born liar, lying is second nature to him;* 〈fig.〉 dat is daar schering en ~ *that's run-of-the-mill to them* **1.3** de ~ van meteorieten *the i. of meteorites;* de plaats van ~ *the point/site of i.* **2.5** een artikel met een duidelijk commerciële ~ *an article with an obvious commercial b./slant (to it);* een partij met een fascistische ~ *a party with fascist leanings;* een sadistische/sarcastische ~ hebben *have a sadistic/sarcastic streak;* een theorie met een sterk sociologische ~ *a theory with a strong sociological bias/slant (to it).*
inslagdraad 〈de (m.)〉 **0.1** *weft/woof (thread).*
inslaggaren 〈het〉 **0.1** *weft* ⇒*tram* 〈zijde〉.
inslagkrater 〈de (m.)〉 **0.1** *impact crater.*
inslagspoel 〈de〉 **0.1** *shuttle.*
inslagzijde 〈de〉 **0.1** *tram.*
inslapen 〈onov.ww.〉 **0.1** [indutten] *fall asleep* ⇒*drop off/go to sleep* **0.2** [sterven] *fall asleep* ⇒*pass away/on* **0.3** [onverschillig worden] *be off (one's) guard* ⇒*not be alert* ◆ **3.2** jonge katjes laten ~ *have kittens put to sleep/put down* **3.3** omdat er geen concurrentie was, dreigde de directie in te slapen *since there was no competition, the management was in danger of being caught off guard; the lack of competition lulled the management into a false sense of security* **5.2** vredig ~ *pass away peacefully, fall asleep.*
inslapertje 〈het〉〈inf.〉 **0.1** [middel om in te slapen] *soporific* **0.2** [fantasiegedachte] *bedtime fantasy/thought, going-to-sleep thought.*
inslecht 〈bn.〉 **0.1** *rotten (to the core).*
inslenteren 〈onov.ww.〉 **0.1** *stroll/saunter in.*
inslijpen 〈ov.ww.〉 **0.1** [door slijpen aanbrengen] *engrave* **0.2** [passend slijpen] *grind* ◆ **1.1** een glas met ingeslepen figuren *a glass with patterns engraved on it* **1.2** een fles met een ingeslepen stop *a bottle with a ground-glass stopper.*
inslikken 〈ov.ww.〉 **0.1** [naar binnen slikken] *swallow* **0.2** [niet helemaal uitspreken] *swallow* **0.3** [niet uiten] *swallow* ◆ **1.1** 〈fig.〉 heb je je tong ingeslikt? *have you swallowed your tongue? has the cat got your tongue?* **1.2** woorden/klanken ~ *s. words/sounds* **1.3** een compliment ~ *s. a compliment;* een opmerking ~ *bite back a remark;* zijn tranen ~ *s. one's tears* **1.¶** een belofte weer haastig ~ *take back a promise;* hij moest zijn woorden weer ~ *he had to eat his words;* zijn woorden (weer) ~ *eat one's words.*
insluimeren 〈onov.ww.〉 **0.1** [onvast in slaap vallen] *doze off* **0.2** [overlijden] *fall asleep* ⇒*pass way/on* **0.3** [tot rust en kalmte komen] *slumber* **0.4** [onverschillig/vadsig worden] *be off (one's) guard* ⇒*not be alert* ◆ **5.1** langzaam ~ *doze off slowly, drift off to sleep.*
insluipen 〈onov.ww.〉 **0.1** [ongemerkt indringen] *steal/creep/sneak (one's way) in* **0.2** [〈fig.〉] *creep in* ◆ **1.2** er is helaas een kleine fout ingeslopen *unfortunately a small error has crept in;* een ingeslopen fout/misbruik *an abuse/error that has crept in.*
insluiper 〈de (m.)〉 **0.1** *sneak-thief* ⇒*intruder.*
insluiping 〈de (v.)〉 **0.1** *stealing/creeping/sneaking in* ◆ **1.1** diefstal met ~ *breaking and entering.*
insluipsel 〈het〉 **0.1** *abuse/habit* 〈enz.〉 *that has developed/crept in.*
insluiten 〈ov.ww.〉 **0.1** [bijsluiten] *enclose* **0.2** [omgeven, omsingelen] *surround* ⇒*enclose, close in, hem in, envelop,* 〈mil. ook〉 *invest* **0.3** [opsluiten] *shut/* 〈op slot〉 *lock in;* 〈wisk.〉 *enclose, entrap, encase* **0.4** [impliceren] *imply* ◆ **1.1** een antwoordformulier ~ *e. an answer form;* ik sluit hierbij een kopie in *I e. a copy* **1.2** het plein wordt geheel ingesloten door kantoorflats *the square is completely surrounded by office blocks;* 〈sport〉 een tegenstander ~ *s./hem in/* 〈hardlopen ook〉 *box in an opponent* **1.3** 〈bouwk.〉 de bodem ~ *encase/shutter the soil* **3.3** de inbreker liet zich ~ *the burglar let himself be shut/locked in;* ingesloten worden *be shut/locked in* **5.2** we zijn helemaal ingesloten *we*

are completely surrounded **6.3 in** een vloeistof ingesloten gasbellen *gas bubbles entrapped in a liquid.*

insluiting 〈de (v.)〉 **0.1** [omsingeling] *surrounding* ⇒〈mil. ook〉 *invest-ment* **0.2** [het bijsluiten] *enclosure* ◆ **6.2 onder ~ van** *enclosing.*

insluizen 〈onov., ov.ww.〉 **0.1** *pass in.*

insmelten

I 〈onov.ww.〉 **0.1** [in volume verminderen] *melt down / away* **0.2** [slinken] *melt down / away* **0.3** [smeltend vervloeien in] *melt (into);*
II 〈ov.ww.〉 **0.1** [smeltend invoegen] *melt in(to)* **0.2** [door smelten bevestigen in] *melt in(to).*

insmeren 〈ov., wk.ww.〉 **0.1** 〈ov. ww.〉 *rub (with)* ⇒〈met ...〉 *put ... on,* 〈wk. ww.〉 *put oil on* ◆ **1.1** zal ik even je rug insmeren? *shall I put some oil on your back?* **4.1** je moet je wel~ *rub o.s. with body lotion;* als je je niet insmeert, verbrand je *you'd better put some oil on;* zich~ met bodylotion *rub o.s. with body lotion* **6.1** iem. **met** teer~ *tar s.o.; ~* met vaseline/olie *put some vaseline/oil on.*

insmijten 〈ov.ww.〉 **0.1** *fling / hurl in(to).*

insneeuwen

I 〈onp.ww.〉 **0.1** [naar binnen sneeuwen] 〈zie 6.1〉 ◆ **6.1** het sneeuwt in **op** zolder *the snow's coming into the attic / coming in through the roof;*
II 〈onov.ww.〉 **0.1** [door sneeuw ingesloten worden] *snow in / up* ◆ **1.1** de trein/het dorp was ingesneeuwd *the train / village was snowed in / up / snowbound* **6.1** 〈fig.〉 ingesneeuwd worden **in** een discussie *be overwhelmed in a discussion.*

insnijden

I 〈ov.ww.〉 **0.1** [een snede maken in] *cut into* ⇒*make an incision in,* 〈med.〉 *lance* **0.2** [door snijden aanbrengen in] *carve (on)* ⇒*cut (into), engrave, intaglio* **0.3** [besnoeien] *cut back* ⇒*prune* ◆ **1.1** de bast van een boom~ *cut into the bark of a tree;* een boom voor harswinning ~ *make an incision in a tree to obtain resin;* een wond~ *lance / make an incision in a wound* **5.1** 〈fig.〉 bezuinigingen die diep~ *slash-ing /* 〈BE ook〉 *swingeing cuts in expenditure* **6.1** 〈fig.〉 die opmerking sneed diep **in** in haar ziel *that remark cut her deeply / cut her to the quick;*
II 〈onov.ww.〉 **0.1** [〈druk.〉] *indent.*

insnijding 〈de (v.)〉 **0.1** [handeling] *cut, incision* 〈ihb. wond〉 **0.2** [resultaat] *cut, incision* ⇒*indentation* 〈ihb. kust, blad〉, 〈klein〉 *notch, snick, nick,* 〈nauw〉 *slit.*

insnoeren 〈ov.ww.〉 **0.1** *constrict, make narrower / tighter;* 〈inrijgen〉 *lace (up)* ◆ **1.1** een bloedvat~ *c. a blood vessel* **4.1** zich~ *lace o.s. up* **5.1** sterk~ *lace up tightly, constrict greatly.*

insnoering 〈de (v.)〉 **0.1** [handeling] *constriction,* 〈inrijgen〉 *lacing-up* **0.2** [plaats] *constriction.*

insnuiven 〈ov.ww.〉 **0.1** *sniff in / up.*

insolide 〈bn., bw.; -ly〉 **0.1** [onvast] *unsteady;* 〈inf.〉 *shaky;* 〈niet sterk〉 *frail, flimsy* **0.2** [onbetrouwbaar] *unsound.*

insolvabel 〈bn.〉 **0.1** *insolvent.*

insolvabiliteit 〈de (v.)〉 **0.1** *insolvency.*

insolvent 〈bn.〉 **0.1** [insolvabel] *insolvent* **0.2** [niet opwegend tegen de schuldenlast] *bankrupt* ◆ **3.1** iem./ zich ~ verklaren *declare s.o. / o.s. i..*

insolventie 〈de (v.)〉 **0.1** *insolvency* ◆ **1.1** staat van~ *i., bankruptcy;* de boedel verkeert in staat van~ *the estate is bankrupt.*

insp. 〈afk.〉 **0.1** [inspectie] 〈*inspectorate*〉 **0.2** [inspecteur] 〈politie〉 *Insp.;* 〈*inspector*〉

inspannen 〈ov.ww.〉 **0.1** [zijn kracht aanwenden] *use;* 〈krachten ook〉 *exert* **0.2** [mbt. trekdieren] *harness to cast* 〈enz.〉 *yoke (to)* 〈os enz.〉 **0.3** [mbt. voertuigen] *harness the horses* 〈enz.〉 *yoke the oxen to* **0.4** [mbt. een proces] *institute* ◆ **1.1** zijn hersens/ geest ~ *use one's brain / mind;* al zijn krachten~ *make every effort;* zijn ogen/ stem~ *strain one's eyes / voice* **1.2** een paard~ *harness a horse to a cart* 〈enz.〉 **4.1** zich overmatig~ *overstrain / overexert o.s.;* zich volstrekt niet~ *not strain o.s. at all, make no effort at all / what(so)ever;* zich dubbel~ *re-double one's efforts;* hij moet zich~ om de deur open te krijgen *it's an effort for him to get the door open;* zich~ voor iets/iem. *exert o.s. / put o.s. out / make an effort for sth.;* zich; hoe zij zich ook inspande *try as she might, despite all her efforts;* zich bovenmatig moeten~ om iets te zeggen *have to struggle to say sth. / speak;* zich moeten~ om wakker te blijven *have to make an effort / have to struggle to stay awake;* zich werkelijk/zeer/tot het uiterste~ *make a real / great / supreme effort.*

inspannend 〈bn.〉 **0.1** 〈fysiek〉 *strenuous, laborious;* 〈geestelijk〉 *exact-ing* ◆ **1.1** ~e arbeid *strenuous / exacting work;* zware, ~e oefeningen *hard, strenuous exercises;* corrigeren is~ werk *correcting is exacting work* **6.1** dat is zeer~ **voor** de ogen *that is very hard on the eyes, that strains the eyes.*

inspanning 〈de (v.)〉 **0.1** [het aanwenden van kracht] *effort* ⇒*exertion,* 〈overmatig〉 *strain* **0.2** [het voor de wagen spannen] *harnessing; yok-ing* 〈os enz.〉 ◆ **1.1** met een laatste~ *van* zijn krachten *with a final / with one last effort* **2.1** alle~ en bleken tevergeefs *all efforts proved to be in vain;* met bovenmenselijke~ *with superhuman efforts;* iets geheel door eigen~ bereiken *achieve sth. entirely by one's own efforts;* geestelijke~ *mental exertion / strain;* uitrusten na een langdurige ~

rest from prolonged exertions; lichamelijke~ *physical exertion / strain* **3.1** een~ belonen *reward effort;* zware~ en doen *make great efforts;* zich veel~ getroosten, een zware~ leveren *put in a great effort;* dat kost~ *it's an effort / a strain;* dat kost hem geen~ *he does it effortless-ly;* elke beweging kostte hem~ *every movement was an effort (for him);* het kostte haar zichtbaar~ te spelen *it was a visible effort for her to speak;* veel~ vergen *require a great deal of effort / quite an ef-fort;* u moet elke~ vermijden *you must avoid exertion of any kind* **6.1** met~ van alle krachten *with a supreme effort;* hijgen van de~ *pant from the exertion;* **zonder** al te veel~ *without much effort;* schijnbaar **zonder**~ *without apparent effort.*

in spe 0.1 *future* ⇒*-to-be, prospective* ◆ **1.1** zijn schoondochter~ *his f. daughter-in-law.*

inspeciënt→**inspiciënt.**

inspecteren

I 〈ov.ww.〉 **0.1** [controleren] *inspect* ⇒*examine, survey, visit* **0.2** [monsteren] *inspect* ⇒*review* ◆ **1.1** de slaapzalen~ *i. the dormitories* **1.2** de troepen~ *i. / review the troops;*
II 〈onov.ww.〉 **0.1** [inspectie houden] *hold an inspection.*

inspecteur 〈de (m.)〉, **-trice** 〈de (v.)〉 **0.1** *inspector* ⇒*examiner, surveyor* ◆ **1.1** de~ van de fiscale opsporingsdienst *tax i.;* ~ van politie *police i.;* ~ v.d. volksgezondheid *public health i. / officer* **6.1** ~ **bij** het middelbaar/ lager onderwijs *secondary / primary school;* ~ **bij** een verze-keringsmaatschappij 〈insurance〉 *surveyor;* ~ **bij** de belastingen *tax i..*

inspecteur-generaal 〈de (m.)〉 **0.1** *inspector general.*

inspecteurschap 〈het〉→**inspectoraat 0.1.**

inspectie 〈de (v.)〉 **0.1** [controle] *inspection* ⇒*examination, survey* **0.2** [〈med.〉] *examination* ⇒*inspection* **0.3** [wapenschouwing] *inspection* ⇒*review* **0.4** [dienst van het op/toezicht] *inspectorate* **0.5** [ambtsge-bied van een inspecteur] *inspectorate* ◆ **2.1** een grondige~ *a thor-ough i.;* een vluchtige~ *a fleeting / cursory i., a glance / look-over* **3.1** ~ houden *hold an i.* **3.3** de soldaten hebben~ *the soldiers are being inspected / reviewed* **6.1** bij nadere~ *on closer i.;* **op**~ gaan/ zijn *go / be on a tour of i..*

inspectiebezoek 〈het〉 **0.1** *inspection / inspector's visit.*

inspectieluik 〈het〉 **0.1** *inspection trap* 〈in vloer〉; *inspection door / flap* 〈in rookkanaal〉.

inspectietocht 〈de (m.)〉 **0.1** *tour of inspection.*

inspectoraat 〈het〉 **0.1** [ambt] *inspectorship* ⇒*inspectorate* **0.2** [ambtsge-bied] *inspectorate.*

inspelden 〈ov.ww.〉 **0.1** [met spelden in iets hechten] *pin in* **0.2** [met spelden op de juiste maat brengen] *pin up / together* ◆ **1.2** een mouw ~ *pin a sleeve in.*

inspelen

I 〈onov., ov.ww.〉 **0.1** [geschikt maken voor gebruik] *play in* **0.2** [〈sport〉] *practise* ^A *ce* ⇒*warm up* ◆ **1.1** de nieuwe snaren van een gi-taar~ *play in new guitar strings* **4.2** zich~ p., *knock the ball around, play o.s. in;* 〈tennis〉 (*have a*) *knock-up* **5.2** het team is nog niet goed ingespeeld *the team hasn't played itself in properly yet / hasn't got into its stride yet* **6.2** goed **op** elkaar ingespeeld zijn *make / be a good team;* 〈fig. ook〉 *be on each other's wavelength;*
II 〈onov.ww.〉 **0.1** [vooruitlopen op] *anticipate* **0.2** [reageren op] *go / play along with* ⇒*take advantage of,* 〈begrip hebben voor〉 *feel for* ◆ **6.1** ~ **op** wat komen gaat *a. what is coming* **6.2** ~ **op** een behoefte/ rage *take advantage of a need / craze;* 〈inf.〉 *jump on the bandwagon;* ~ **op** iemands problemen *feel for s.o.'s problems.*

inspiciënt 〈de (m.)〉 **0.1** 〈toneel〉 *stage manager;* 〈radio, TV〉 *property man.*

inspinnen 〈ov.ww.〉 **0.1** *spin thread around* ◆ **1.1** de spin had het vliegje ingesponnen *the spider had spin its web around the fly* **4.1** zich~ *spin a cocoon.*

inspiratie 〈de (v.)〉 **0.1** [bezieling] *inspiration* **0.2** [inademing] *inhal-ation;* 〈med. ook〉 *inspiration* ◆ **1.1** een voortdurende bron van~ *a constant source of i.* **2.1** goddelijke~ *divine i.* **3.1** ik heb geen~ *I don't have any i., I don't feel inspired; ~* krijgen/opdoen *be inspired, have an i.; ~* opdoen uit/ontlenen aan *be inspired by, get / draw i. from;* wachten op~ *wait for i..*

inspiratiebron 〈de〉 **0.1** *source of inspiration* ⇒〈dichterlijk ook〉 *Pierian Spring.*

inspirator 〈de (m.)〉 **0.1** (*source of*) *inspiration.*

inspiratorisch 〈bn., bw.; -ly〉 **0.1** *inspiratory;* 〈taal.〉 *ingressive* ◆ **1.1** een ~e medeklinker *an ingressive consonant* **3.1** ~ spreken *speak whilst inhaling / breathing in.*

inspireren 〈ov.ww.〉 **0.1** [bezielen] *inspire* **0.2** [modelleren naar] *base (on)* ◆ **1.1** geïnspireerd worden door iets/iem. *be inspired by / draw one's inspiration from sth. / s.o.;* een geïnspireerd kunstenaar *an in-spired artist;* 〈sport〉 geïnspireerd door hun voorsprong *inspired by their lead* **3.1** geïnspireerd piano spelen *play the piano like s.o. in-spired, be an inspired piano player* **6.1** iem. **tot** deelname/dapperheid ~ *i. / incite s.o. to take part / to be brave* **6.2** een film geinspireerd **op** de gelijknamige roman *a film based on the book of the same name;* 〈inf.〉 *the film of the book.*

inspirerend 〈bn., bw.〉 **0.1** *inspiring* ⇒*stimulating, rousing, stirring* ◆ **1.1**

een ~ betoog *an i. / a stimulating / rousing / stirring speech* **3.1** ~ werken *be i. / stimulating, inspire, stir, stimulate* **5.1** weinig ~ *uninspiring, unstimulating, tedious, humdrum.*

inspraak ⟨de⟩ **0.1** *participation* ⇒*involvement,* ⟨inf.⟩ *say (in sth.)* ◆ **1.1** een beleid dat gericht is op meer ~ v.h. personeel *a policy increased staff p. / involvement* **3.1** ~ bevorderen *encourage p.;* ~ eisen *demand an opportunity to comment, insist on (having) one's say;* de werknemers ~ geven bij een benoeming *allow employees to have a say in an appointment;* ~ hebben bij een zaak *have a say in a matter.*

inspraakbegeleider ⟨de (m.)⟩, **-leidster** ⟨de (v.)⟩ **0.1** *chairman* ⟨m.⟩ / *chairwoman* ⟨v.⟩ / *chairperson of a public enquiry* ⟨officieel⟩ / *open forum* ⟨onofficieel⟩.

inspraakprocedure ⟨de⟩ **0.1** *(public) enquiry procedure.*

inspraakronde ⟨de⟩ **0.1** *opportunity for (public) comment* ◆ **3.1** drie ~ s houden *provide three opportunities for (public) comment / for the public to comment.*

inspreken ⟨ov.ww.⟩ **0.1** [inboezemen] *talk (sth.) into (s.o.)* ⇒*inspire (s.o.) with (sth.)* **0.2** [spreken in] *record* ◆ **1.1** iem. moed ~ *put heart into s.o.;* ⟨schr.⟩ *inspire s.o. with courage* **1.2** het bandmateriaal is ingesproken door twee Amerikanen *the tape material was recorded by two Americans;* boeken ~ voor een blindenbibliotheek *r. books for a Braille library;* u kunt nu uw boodschap ~ *you may leave / r. your message now.*

inspringen ⟨onov.ww.⟩ **0.1** [invallen] *stand in* ⇒*step in* **0.2** [zich meer naar binnen strekken] *be set back;* ⟨in een nis⟩ *be recessed* **0.3** [⟨boek.⟩] *be indented* **0.4** [met een sprong inkomen] *jump / leap in(to)* **0.5** [inhaken op] *jump / leap on(to)* ⇒*seize (up)on* ◆ **1.2** de gevel springt daar wat in *that part of the house-front is slightly set back* **1.3** deze regel moet een beetje ~ *this line needs to be indented slightly* **6.1** voor een zieke collega ~ *stand in for a colleague who is ill* **6.5** zij zijn meteen op die ontwikkeling ingesprongen *they immediately jumped on / leapt on / seized (up) on that development;* meteen op een nieuwe markt ~ *break into a new market.*

inspringend ⟨bn.⟩ **0.1** *receding* ⇒*set back, reflex* ⟨hoek⟩, *indented* ⟨regel⟩ ◆ **1.1** een ~ e hoek ⟨groter dan 180°⟩ *a reflex angle;* ⟨met hoekpunt naar binnen⟩ *a reentering / reentrant angle;* ⟨bouwk.⟩ een ~ e muur *a recessed wall.*

inspringing ⟨de (v.)⟩ **0.1** [van een regel] *indentation* ⇒*indention* **0.2** [van een gebouw/akker] *recess* ⇒*recession* **0.3** [⟨wisk.⟩ van hoek] *reentrance.*

inspuiten
I ⟨onov.ww.⟩ **0.1** [naar binnen spuiten] *squirt / gush / spout / spurt in(to)* ◆ **1.1** het water spoot de kamer in *the water gushed into the room;*
II ⟨ov.ww.⟩ **0.1** [(vloeistof) met een spuit inbrengen] *inject* ⇒⟨mbt. verdovende middelen ook⟩ *fix* ◆ **1.1** heroïne ~ *have a fix;* koelwater ~ *i. coolant;* het oor ~ *syringe the ear* **4.1** zichzelf met insuline ~ *inject o.s. with insulin* **6.1** serum bij iem. ~ *inject s.o. with a serum, give s.o. a shot of serum.*

inspuiting ⟨de (v.)⟩ **0.1** [handeling] *injection* ⇒*hypodermic* **0.2** [dat wat ingespoten wordt] *injection* ⇒*hypodermic,* ⟨inf.⟩ *shot* ◆ **2.1** onderhuidse ~ en *subcutaneous injections, hypodermics.*

instaan ⟨onov.ww.⟩ **0.1** [verantwoordelijk zijn] *answer, be answerable / responsible;* ⟨garanderen⟩ *warrant, guarantee, vouch* ◆ **6.1** met zijn leven voor iem. ~ *answer for sth. with one's life;* als je niet ophoudt, sta ik voor mezelf niet in *if you don't stop that, I can't answer for myself;* nergens voor ~ *give no guarantees;* ik sta niet voor de gevolgen in *I can't answer for the consequences;* ~ voor de juistheid van een bericht *vouch for / guarantee the correctness of a report;* daar sta ik voor in *I will answer for it, you may take my word for it;* voor iem. ~ *vouch for s.o.*

instabiel ⟨bn.⟩ **0.1** *unstable, insecure* ⟨gebouwen, structuren⟩; *fluid, inconstant* ⟨systemen, situaties⟩.

instabiliteit ⟨de (v.)⟩ **0.1** *instability, insecurity* ⟨gebouwen, structuren⟩; *fluidity, inconstancy* ⟨systemen, situaties⟩.

installateur ⟨de (m.)⟩ **0.1** *fitter* ⇒*installer, contractor,* ⟨elek.⟩ *electrician* ◆ **1.1** de ~ van onze centrale verwarming *the person who installed our central heating* **2.1** erkend ~ *recognized / registered f. / installer / electrician.*

installatie ⟨de (v.)⟩ **0.1** [⟨audio, video⟩] *stereo, video* **0.2** [het plaatsen van technische toestellen] *installation* ⇒*fitting* ⟨licht, gas⟩, *setting up* ⟨machines⟩, *laying* ⟨leiding⟩ **0.3** [technische toestellen] *installation, plant, unit* ⇒*equipment, machinery, fittings* ⟨sanitair, e.d.⟩ **0.4** [inauguratie] *installation* ⇒*inauguration, induction, investiture* ⟨van geestelijke⟩, *initiation* ⟨van padvinders⟩ **0.5** [officiële inwerkingstelling] *establishment* ⇒*setting up* **0.6** [vestiging] *setting up (shop / house)* ⇒*installation, settling (in)* ◆ **1.4** bij de ~ v.d. commissie *at the committee's inaugural meeting* **2.3** elektrische ~ s *electrical appliances / equipment;* een nieuwe ~ in bedrijf nemen *put a new p. into operation.*

installatiebureau ⟨het⟩ **0.1** *contractors* ⇒*fitters, installers* ◆ **2.1** elektrotechnisch ~ *electrical c..*

installatiekosten ⟨zn.mv.⟩ **0.1** [mbt. het installeren van een apparaat] *installation costs* **0.2** [mbt. een verhuizing of vestiging] *installation costs.*

installatiewerk ⟨het⟩ **0.1** *installation (of equipment)* ◆ **3.1** het ~ aannemen *(agree to) install the equipment;* wij verzorgen al uw ~ *we install equipment.*

installeren ⟨ov.ww.⟩ **0.1** [voor het gebruik gereedmaken] *install* ⇒*fit* ⟨gas, licht⟩, *set up* ⟨machines⟩, *lay* ⟨leiding⟩, *put in* ⟨zwembad⟩ **0.2** [meubileren en stofferen] *furnish* ⇒*fit up* **0.3** [plaatsen, vestigen] *install* ⇒*establish, set up, settle* **0.4** [inaugureren] *install, inaugurate* ⇒*invest, induct* ⟨van geestelijken⟩, *initiate* ⟨van padvinders⟩ ◆ **1.1** een wasmachine ~ *i. a washing machine* **4.3** ⟨scherts.⟩ zich uitgebreid ~ *make o.s. at home;* zich in Utrecht ~ *settle in Utrecht, set up shop / house in Utrecht;* zich voor de t.v. ~ *settle down in front of the TV;* ⟨scherts.⟩ zich met een boek op de bank ~ *install o.s. on the sofa with a book* **8.4** iem. als lid ~ *install / initiate s.o. as a member* ¶**.2** zodra je geïnstalleerd bent *as soon as you're settled in.*

instampen ⟨ov.ww.⟩ **0.1** [door stampen indrijven] *ram / pound / hammer in* **0.2** [door stampen doen breken] *kick / hammer / bash in* **0.3** [aanstampen] *stamp down* **1.4** met moeite iem. iets ~ ⟨schr.⟩ *inculcate* **0.5** [met een stempel slaan] *stamp* ◆ **1.1** ⟨fig.⟩ iem. de grond ~ ⟨inf.⟩ *put s.o. down;* palen ~ *ram / drive in piles;* de straatstenen dieper ~ *ram down the paving stones* **1.4** er een rijtje woorden ~ *drum in a list of words* **4.4** je moet het er bij hem echt ~ *you really have to din / drill it into him.*

instandhouding ⟨de (v.)⟩ **0.1** *upkeep, maintenance* ⟨gebouwen, dijken⟩; *conservation, preservation* ⟨natuur, monumenten⟩ ◆ **1.1** ~ van de bestaande orde / van tradities *maintaining the established order / preserving tradition;* ~ van de soort *preservation of the species;* de ~ v.h. verenigingsleven *the preservation of clubs and societies;* de ~ van de zeewering *the upkeep / maintenance of the sea walls.*

instantie ⟨de (v.)⟩ **0.1** [orgaan] *body* ⇒*authority, (government) agency, department* **0.2** [⟨jur.⟩] *instance* ⇒*court,* ⟨fig.⟩ *resort* **0.3** [dringend verzoek] *insistence* ◆ **2.1** de betrokken ~ s op de hoogte brengen *inform the authorities concerned;* de bevoegde ~ *the authorities;* zich tot een hogere ~ wenden *appeal to a higher authority;* de officiële ~ s *the government agencies, the official bodies;* openbare ~ s *public bodies / authorities / agencies;* iets bij de verantwoordelijke ~ s melden *report sth. to the authorities in charge* **6.2** ⟨fig.⟩ in laatste ~ *in the last resort;* ⟨uiteindelijk⟩ *in the final analysis;* ⟨fig.⟩ in eerste en laatste ~ *from first to last;* rechtspraak in eerste ~ *court of first i.;* ⟨fig.⟩ in eerste ~ dachten we dat het waar was *at first / initially we thought it was true;* ⟨fig.⟩ in eerste ~ leek de schade mee te vallen *at first sight the damage didn't look too bad;* ⟨fig.⟩ in eerste ~ hebben we met de portier te maken *to begin with / first of all there's the porter to contend with;* een zaak in hoogste ~ winnen *win a case in the final i.;* een zaak in laatste ~ beslissen ⟨ook fig.⟩ *make a final decision;* ⟨fig.⟩ zij kwamen pas in tweede ~ in aanmerking *they only qualified in the second i.;* ⟨fig.⟩ zijn vrouw en, in tweede ~, zijn dochter *his wife and after her his daughter.*

instapkaart ⟨de⟩ ⟨verkeer⟩ **0.1** *boarding pass / card.*

instappen ⟨onov.ww.⟩ **0.1** [mbt. een voertuig] *get in* ⟨auto, trein⟩; *get on* ⟨bus⟩; *board* ⟨vliegtuig⟩ ⇒⟨mil.⟩ *embus, entrain, emplane* **0.2** [binnenstappen] *enter* ⇒*go / step in(to)* **0.3** [intrappen] *fall for* ⇒*swallow, go for* **0.4** [meedoen aan] *join (in on)* ⇒*get in (on), jump onto the bandwagon* ◆ **1.2** parmantig de kamer komen ~ *strut into the room;* een winkel ~ *e. a shop, step into a shop* **5.1** achteraan ~ (in de trein, bus) *get in / on at the back;* vlug ~ *jump in* ¶**.1** reizigers voor Parijs, ~! *passengers for Paris, boarding now.*

instapper ⟨de (m.)⟩ **0.1** *loafer.*

instaptoets ⟨de (m.)⟩ **0.1** *entry test.*

in statu nascendi **0.1** *in statu nascendi.*

insteekalbum ⟨het⟩ ⟨filatelie⟩ **0.1** *stockbook.*

insteekblad ⟨het⟩ **0.1** *leaf.*

insteekhaven ⟨de⟩ **0.1** *(long-term) mooring / dock.*

insteken
I ⟨ov.ww.⟩ **0.1** [ergens in steken] *put in* ⇒⟨schr.⟩ *introduce, insert* **0.2** [met iets scherps ergens in steken] *cut up* **0.3** [⟨boek.⟩] *sew* ◆ **1.1** je kunt je auto er achteruit ~ *you can back / reverse your car into it;* bomen ~ *plant trees;* een draad ~ *thread a needle;* de stekker ~ *plug in, put in the plug* **1.2** veengrond ~ *cut (up) peatland;* weiland ~ *plough / break up a meadow / grassland;*
II ⟨onov., ov.ww.⟩ **0.1** [een arm geven] *link arms* **0.2** [mbt. breien] *insert* ◆ **6.1** bij elkaar ~ *link arms* ¶**.2** ~, omslaan, doorhalen, af laten gaan *i., yarn forward, pull through, slip (off).*

instelbaar ⟨bn.⟩ **0.1** *adjustable* ⇒*adaptable* ◆ **5.1** vooraf ~ *to be preset, adjustable in advance.*

instelknop ⟨de (m.)⟩ **0.1** *adjustment knob.*

instellen ⟨ov.ww.⟩ **0.1** [oprichten] *establish* ⇒*create, institute, found* **0.2** [beginnen] *set up* ⇒*start, begin, open, put into operation* **0.3** [(voor gebruik) geschikt maken] *adjust* ⇒*focus* ⟨lenzen⟩, *tune* ⟨radio, motor⟩, *regulate* ⟨klok⟩ **0.4** [⟨AZN⟩ eerste bod doen op] *make the first bid for, open the bidding for* ◆ **1.1** een avondklok / uitgaansverbod ~ *impose / introduce a curfew;* nieuwe bisdommen ~ *institute new bishoprics;* een commissie ~ *set up a committee;* vanaf het moment dat de commissie werd ingesteld *(right) from the committee's incep-*

tion; een traditie ~ *found a tradition* **1.2** een onderzoek ~ *start / open / set up / begin an investigation, investigate;* een vervolging tegen iem. ~ *bring an action against s.o.* **1.3** een camera (scherp) ~ *focus a camera;* een microscoop ~ *focus / a. a microscope;* een oven van tevoren ~ *pre-set an oven* **4.3** 〈fig.〉 zich ~ op *prepare for;* 〈fig.〉 ze had er zich al helemaal op ingesteld *she had really got herself geared up for it* **5.3** de t.v. is niet goed ingesteld *the TV needs re-tuning / adjusting;* de camera was verkeerd ingesteld *the camera had been set wrong / was out of focus;* 〈fig.〉 zakelijk ingesteld zijn *have a businesslike attitude* **6.3** 〈fig.〉 ergens niet **op** ingesteld zijn *be unprepared / not equipped for sth.;* 〈fig.〉 helemaal **op** toeristen ingesteld zijn *be entirely geared towards tourism.*

instelling 〈de (v.)〉 **0.1** [het instellen] *establishment, creation* 〈instituut〉; *focussing, adjustment* 〈lens〉; *tuning* 〈radio, motor〉 **0.2** [organisatie, instituut] *institute, institution* ⇒*agency, organization* **0.3** [mentaliteit] *attitude* ⇒*bent, disposition, mentality, outlook* **0.4** 〈(bijb.)〉 verordening] *ordinance* ♦ **2.1** 〈techn.〉 automatische ~ *automatic tuning* 〈motor〉; *automatic focus, self-regulation* 〈camera〉 **2.2** een liefdadige ~ *a charitable institution, a charity;* openbare ~en *public institutions;* een politieke ~ *a political institution;* het huwelijk is een schone ~ *marriage is fine institution* **2.3** (niet) de juiste ~ voor iets hebben *(not) have the right mentality for sth., (not) be the right person for sth.;* een materialistische ~ hebben *have a materialistic mentality / disposition;* een negatieve ~ *a negative a. / mentality;* een zakelijke ~ hebben *have a businesslike a. / mentality* **6.1** de ~ van de Olympische spelen *the founding of the Olympic Games;* de ~ **van** een camera *the focus(sing) of a camera* **6.2** een ~ **voor** hoger onderwijs *an institute of higher education.*

instelschaal 〈de〉 〈foto.〉 **0.1** *distance / focusing scale.*
instelschroef 〈de〉 **0.1** *adjusting screw* ⇒*set-screw.*
instemmen 〈onov.ww.〉 **0.1** *agree* (with / to) ⇒*endorse, concur* (with) 〈mening〉, *approve, assent to* 〈plan〉, *accept* 〈wetsvoorstel〉 ♦ **6.1** geheel **met** iem. ~ *be in full / complete agreement with s.o.;* 〈zwijgend〉 **met** een plan ~ *acquiesce in a plan;* van harte **met** iets ~ *give one's unqualified assent to sth.;* ik kan **met** dat streven ~ *I can endorse this purpose;* **met** iemands bezwaren ~ *support s.o.'s objections.*
instemmend 〈bn., bw.; -ly〉 **0.1** *assenting* ♦ **1.1** er ging een ~ gemompel op *there was a murmur of approval / assent* **3.1** ~ knikken *nod in assent / approval.*
instemming 〈de (v.)〉 **0.1** *assent* ⇒*approval, acceptance, endorsement, consent* ♦ **1.1** bewijzen van ~ ontvangen *receive letters of approval;* hij knikte ten teken van ~ *he nodded his assent / approval;* tekenen van ~ geven *give signs of approval* **2.1** met algemene ~ *by common consent* **3.1** zijn ~ aan een plan onthouden *not approve / pass a plan;* zijn ~ betuigen (met iets / aan iem.) *express one's approval of sth. / to s.o.;* iemands ~ hebben *have s.o.'s consent / approval;* iemands ~ verwerven *win s.o.'s approval;* geen ~ vinden bij de leden *be disapproved by the members;* zijn voorstel vond veel ~ bij de andere leden *his proposition met with the assent / approval of the other members;* de motie vond algemene ~ *the motion was generally approved of / applauded / endorsed* **6.1** iets **met** ~ vernemen / begroeten *hear / greet sth. with approval, be pleased to hear sth.;* **met** aller ~ *with general assent;* **met** ~ **van** *with (the) consent / approval of.*
instigatie 〈de (v.)〉 **0.1** *instigation* ⇒*initiative, encouragement* ♦ **6.1 op** ~ **van** *at the instigation of, on the initiative of.*
instigeren 〈ov.ww.〉 **0.1** *instigate* ⇒*initiate, stimulate, incite.*
instijgen 〈onov.ww.〉 **0.1** [stijgend ingaan] *rise into* **0.2** [in een voertuig stappen] *take one's seat* ⇒*board, get on board* ♦ **1.1** de ballon steeg de lucht in *the balloon rose into the air* **3.2** willen de heren maar ~ *if you gentlemen will be so good as to take your seats.*
instikken 〈ov.ww.〉 **0.1** *take in.*
instinct 〈het〉 **0.1** [natuurlijke aandrift] *instinct* **0.2** [intuïtie] *instinct* ⇒*intuition* ♦ **1.1** het ~ van dieren *animal i.* **2.1** de laagste ~en bij iem. wakker roepen *bring out s.o.'s basest instincts;* lage ~en *animal / base instincts* **2.2** het vrouwelijk ~ *the female / feminine intuition* **3.1** een ~ hebben om op het juiste moment aan te vallen *have an i. for attacking at the right time;* op iemands laagste ~en inspelen *pander to s.o.'s basest instincts;* vertrouw op je ~ *trust your i.* **6.1** bij ~ *instinctively;* het ~ **tot** zelfbehoud *the i. for self-preservation* **6.2** zij heeft een ~ **voor** voordeeltjes *she's got a nose for bargains.*
instinctief 〈bn., bw.; -ly〉 **0.1** *instinctive* ⇒*intuitive* ♦ **1.1** een instinctieve beweging *an instinctive / intuitive movement* **3.1** iets ~ aanvoelen *feel sth. in one's bones, have a gut feeling about sth.;* ~ terugdeinzen *recoil, flinch.*
instinctmatig 〈bn., bw.; -ly〉 **0.1** *instinctive* ⇒*intuitive,* 〈mbt. natuurlijke aandrift〉 *instinctual* ♦ **1.1** zij voelde een ~e afkeer voor hem *she disliked him instinctively;* een ~ gebaar / besef *an instinctive movement, an intuitive / a gut feeling;* ~ gedrag *instinctual behaviour;* een ~e handeling *an instinctive / intuitive action* **3.1** ~ handelen *act on one's instinct(s).*
instinken 〈onov.ww.〉 〈inf.〉 **0.1** [in de val lopen] *fall for (it)* ⇒*buy a pup, be duped, bite, be caught out* **0.2** [opgelicht worden] *be had / conned / taken in* ⇒*bamboozled* ♦ **3.1** iem. ergens laten ~ *take s.o. in, sell s.o.*

a pup; ze lieten hem er mooi ~ *they caught him out nicely* **5.1** is ie er ingestonken? *did he f. for it?* **6.2** zij is er **voor** *f*300 ingestonken *she was had for / to the tune of Dfl.300.-.*
institueren 〈ov.ww.〉 **0.1** *found* ⇒*institute, establish, create, set up.*
institutie 〈de (v.)〉 **0.1** [instelling] *institution* ⇒*organization* **0.2** [het aanwijzen als erfgenaam] *institution.*
institutionaliseren
I 〈onov.ww.〉 **0.1** [worden tot een officiële instelling] *become institutionalized* ⇒*become an institution;*
II 〈ov.ww.〉 **0.1** [tot een formele regeling maken] *institutionalize* ⇒ *formalize* **0.2** [tot een officiële instelling maken] *institutionalize.*
institutionalisering 〈de (v.)〉 **0.1** *institutionalization.*
institutioneel 〈bn.〉 **0.1** [mbt. de staatsinstellingen] *institutional* **0.2** [mbt. instituten] *institutional* ⇒*corporate* ♦ **1.1** de institutionele geschiedenis *the history of institutions* **1.2** institutionele beleggers *i. / corporate investors;* institutionele fondsen *i. / corporate funds.*
instituut 〈het〉 **0.1** [instelling] *institution* ⇒*institute, agency* **0.2** [genootschap] *institute* ⇒*institution, organization,* 〈geleerd〉 *college* **0.3** [instelling van onderwijs / verpleging] *institute* ⇒ 〈binnen universiteit〉 *department* **0.4** [kostschool] *boarding school* **0.5** 〈[mv.; jur.]〉 *Institutes* ♦ **1.1** het ~ van het huwelijk *the institution of marriage* **1.2** het Koninklijk ~ van Ingenieurs *the Royal Institute of Engineers* **2.3** het biologisch ~ *the biological i.;* 〈binnen universiteit〉 *the biology department;* een meteorologisch ~ *a met(eorological) office, a weather bureau;* een universitair ~ *a university department, a School* **3.1** 〈fig.〉 een ~ op zichzelf zijn / worden *be / become an institution* **6.3** het ~ voor gehoorgestoorden *the i. for the deaf;* het ~ **voor** Toegepaste Taalkunde *the Institute of Applied Linguistics.*
instituutsbibliotheek 〈de (v.)〉 **0.1** *institute / departmental library.*
instomen 〈onov.ww.〉 **0.1** *steam into* ♦ **1.1** de haven komen ~ *come steaming into the harbour.*
instoppen 〈ov.ww.〉 **0.1** [induwen] *put in* ⇒〈opvullen〉 *stuff / cram in* **0.2** [toedekken] *tuck in* 〈bed〉 ⇒*wrap (up)* 〈kleding〉 ♦ **1.1** je moet er een gulden ~ *you have to put in a guilder* **4.2** zich warm ~ *wrap up well, muffle s.o. up* **5.2** iem. lekker ~ *tuck s.o. in nice and warm.*
instore 〈bn.〉 **0.1** *in-store* ♦ **1.1** ~ reclame *i.-s. advertising.*
instormen 〈onov.ww.〉 **0.1** *rush / tear / dash / burst into* ♦ **1.1** de gang ~ *dash into the hall.*
instorten
I 〈onov.ww.〉 **0.1** [met geweld (doen) instromen] *pour* ⇒*shoot, dump* ♦ **6.1** granen in een zak ~ *p. grain into a sack;*
II 〈onov.ww.〉 **0.1** [neerstorten] *collapse* ⇒*fall / come down* 〈gebouw, brug e.d.〉, *fall in* 〈dak〉, *cave in* 〈kuil, oever〉 **0.2** [een inzinking krijgen] *collapse* ⇒*break down* **0.3** [haastig ergens binnenkomen] *crash in(to)* ⇒*come crashing in(to), tumble in(to)* ♦ **1.1** met een oorverdovend lawaai stortte het dak in *the roof came crashing / thundering down;* het dak stortte boven zijn hoofd in *the roof fell / came down about his ears;* 〈fig.〉 de huizenmarkt is ingestort *the housing market has collapsed;* 〈fig.〉 het ~ van de koersen *the collapse of the stock market;* ze zei dat haar hele wereld was ingestort *she said her whole world had collapsed* **1.2** de volgende dag stortte de patiënt weer in *the next day the patient had / suffered a relapse* **3.1** iets laten ~ *blow up sth.* **5.2** hij is finaal ingestort *he has broken down completely* **6.1** de zaak staat **op** ~ *the business is about to collapse.*
instorting 〈de (v.)〉 **0.1** *collapse* ⇒*falling / breaking down* 〈gebouw, zieke, firma〉, *caving in* 〈aarde, oever〉.
instoten 〈ov.ww.〉 **0.1** [door stoten doen indringen] *push / thrust / pound / knock in* **0.2** [naar binnen stoten] *push / shove into* **0.3** [door stoten breken] *break* ⇒*smash, go through, knock in / down, stave in* ♦ **1.3** een ruitje ~ *break a window(pane).*
instouwen 〈ov.ww.〉 **0.1** [mbt. lading] *stow in* ⇒*cram in* **0.2** [mbt. eten] *stuff / cram in.*
instrijken 〈ov.ww.〉 **0.1** [strijkend aanbrengen in] *press / iron in* **0.2** [strijkend volmaken] *fill in* ⇒*point* ♦ **1.1** plooien ~ *press pleats in(to a skirt)* **1.2** de voegen ~ *point up the brickwork.*
instroom 〈de (m.)〉 **0.1** *influx* ⇒*inflow, flood, intake* ♦ **1.1** de ~ van eerstejaars studenten *the intake of first-year students.*
instructeur 〈de (m.)〉, -**trice** 〈de (v.)〉 **0.1** *instructor* ⇒*teacher, tutor,* 〈mil.〉 *drill sergeant.*
instructie 〈de (v.)〉 **0.1** [onderwijs] *instruction* ⇒*tuition, training, teaching* **0.2** [aanwijzing] *instruction* ⇒*order, direction, brief* 〈aan advocaat〉, *briefing* 〈aan piloot〉 **0.3** [〈jur.〉] *preliminary inquiry / examination / investigation* ♦ **1.3** de rechter van ~ *the examining magistrate;* 〈bij moordzaken〉 *the coroner* **2.1** geprogrammeerde ~ *programmed learning* **2.2** strenge ~s hebben *have strict orders* **3.2** iem. ~s geven *instruct / brief s.o., give s.o. instructions / orders;* piloten (hun laatste) ~s geven *give pilots their final briefing;* ik heb ~(s) om niemand binnen te laten *I have instructions / have been instructed to let no-one in;* de ~s opvolgen *follow instructions, obey orders;* nieuwe ~s uitvaardigen *give new instructions / orders* **5.2** 〈schr.〉 conform de ~s *pursuant to your instructions* **6.2 op** ~ **van** *by order of.*
instructiebad 〈het〉 **0.1** *instruction pool, learners' pool.*
instructieboekje 〈het〉 **0.1** *workbook.*

instructief ⟨bn., bw.; -ly⟩ **0.1** *instructive* ⇒*informative, illuminating, educative*.

instructiefilm ⟨de (m.)⟩ **0.1** *training film*.

instructiemateriaal ⟨het⟩ **0.1** *teaching aids*.

instructieschip ⟨het⟩ **0.1** *training ship/vessel*.

instructieverpleegkundige ⟨de (m.)⟩ **0.1** *nursing/clinical tutor*.

instructievlucht ⟨de⟩ ⟨verk.⟩ **0.1** *training flight*.

instrueren ⟨ov.ww.⟩ **0.1** [onderrichten] *instruct* ⇒*train, tutor, teach* **0.2** [instructie(s) geven] *instruct* ⇒*prime, direct*, ⟨aan piloot/advocaat⟩ *brief* **0.3** [⟨jur.⟩] *prepare (for trial)* ◆ **1.2** zij worden door de C.I.A. geïnstrueerd *they take their instructions from the CIA;* de kinderen waren duidelijk goed geïnstrueerd *the children were obviously well-primed* **5.2** iem. goed ~ *i./prime s.o. well;* iem. verkeerd ~ *misdirect s.o.*.

instrument ⟨het⟩ **0.1** [apparaat] *instrument* ⇒*apparatus* **0.2** [(hulp)middel] *instrument* ⇒*tool, device, contraption*, ⟨fig.⟩ *agent* **0.3** [muziekinstrument] *(musical) instrument* ◆ **2.1** gevoelige ~en *(gevoelig voor invloeden) delicate instruments;* (nauwkeurig) *sensitive instruments* **2.2** een enquête is vaak een heel bruikbaar ~ *a questionnaire can often be a very useful tool* **3.1** ~en aflezen *read instruments/dials* **3.3** een ~ bespelen *play an i.* **6.1 op** de ~en vliegen *fly blind, fly on the instruments* **6.2** een ~ **in** Gods hand *an i. in God's hand*.

instrumentaal ⟨bn.⟩ **0.1** *instrumental* ◆ **1.1** ~e ensemble *an ensemble;* ⟨ihb. oude muziek⟩ *a consort;* instrumentale muziek *i. music*.

instrumentair ⟨bn.⟩ ⟨jur.⟩ **0.1** *instrumentary*.

instrumentalis ⟨de (m.)⟩ ⟨taal.⟩ **0.1** *instrumental (case)* ◆ **6.1 in** de ~ *in the instrumental (case)*.

instrumentalisme ⟨het⟩ ⟨fil.⟩ **0.1** *instrumentalism*.

instrumentalist ⟨de (m.)⟩ **0.1** [⟨muz.⟩] *instrumentalist* **0.2** [⟨fil.⟩] *instrumentalist*.

instrumentarium ⟨het⟩ **0.1** *armamentarium* ⇒*set of instruments*, ⟨med.⟩ *instrumentarium*.

instrumentatie ⟨de (v.)⟩ **0.1** [⟨muz.⟩] *instrumentation* ⇒*orchestration* **0.2** [⟨tech.⟩] *instrumentation*.

instrumentenbord ⟨het⟩ **0.1** *instrument panel/board* ⇒*dashboard* ⟨auto, vliegtuig⟩.

instrumentenlanding ⟨de (v.)⟩ ⟨verk.⟩ **0.1** *blind/instrument landing*.

instrumenteren ⟨onov., ov.ww.⟩ **0.1** [⟨muz.⟩] *instrument, orchestrate* **0.2** [⟨jur.⟩] *draw up (deeds)* **0.3** [⟨med.⟩] *instrumentate* ◆ **1.2** de ~de notaris/deurwaarder *the executing notary/bailiff*.

instrumentist ⟨de (m.)⟩ →**instrumentalist 0.1**.

instrumentmaker ⟨de (m.)⟩ **0.1** *instrument maker/builder*.

instuderen ⟨ov.ww.⟩ **0.1** *practise* ^A*ce* ⇒*learn, rehearse* ◆ **1.1** een muziekstuk ~ *p. a piece of music;* een rol ~ *learn a part;* een nieuw stuk ~ *rehearse a new play;* ⟨sport⟩ een ingestudeerde vrije trap *a well-practised/rehearsed free kick*.

instuif ⟨de (m.)⟩ **0.1** [fuif] *informal party/gathering* **0.2** [vorm van jeugdwerk] *open (youth) centre*.

instuiven ⟨onov.ww.⟩ **0.1** [naar binnen stuiven] *get in* **0.2** [landwaarts verstuiven] *be blown/drift inland* **0.3** [mbt. personen] *rush/tear/dash in(to)* ◆ **1.2** de duinen stuiven in *the dunes are drifting inland* **1.3** zij stoof de kamer in *she rushed/dashed into the room* **4.1** het stuift hier erg in *the dust gets in here, it is very dusty here*.

instulpen ⟨onov., ov.ww.⟩ **0.1** [ov.ww.; biol., med.] *invaginate, introvert;* ⟨onov.ww.⟩ *intussuscept* ⟨van darm⟩.

instulping ⟨de (v.)⟩ **0.1** [biol., med.] *invagination; intussusception* ⟨van darm⟩.

insturen ⟨ov.ww.⟩ **0.1** [inzenden] *send in* ⇒*submit* **0.2** [naar binnen sturen] *steer/manoeuvre into; sail into* ⟨schip⟩ **0.3** [zenden naar een plaats] *send into* ◆ **1.1** een wedstrijdformulier ~ *send in an entry form* **1.2** een schip de haven ~ *steer/sail a ship into the harbour* **1.3** iem. de dood ~ *send s.o. to his/her death;* een kind de stad ~ *send a child into town;* het vee de wei ~ *put/send/turn the cattle out to grass;* een bericht de wereld ~ *launch a rumour/report;* zijn kinderen de wereld ~ *send one's children out into the world* **3.1** voor wanneer moet je dat ~? *by what date is this supposed to be in?* **6.1** een schilderij **voor** een tentoonstelling ~ *enter a painting for an exhibition* **6.2** recht **op** elkaar ~ *meet end/head on, head straight for one another*.

instuwen ⟨ov.ww.⟩ **0.1** [stuwend ergens in brengen] *push/thrust/propel into* **0.2** [op de juiste plaats opstellen] *stow (in)*.

insubordinatie ⟨de (v.)⟩ **0.1** *insubordination* ⇒*wilful disobedience* ◆ **2.1** dat is je reinste ~ *that's sheer i.* **3.1** ~ plegen *commit (an act of) i., wilfully disobey an order*.

insuffen ⟨onov.ww.⟩ **0.1** *doze* ⇒*drowse* ◆ **6.1** ~ **boven** een boek *drowse over a book*.

insufficiënt ⟨bn., bw.; -ly⟩ **0.1** *insufficient*.

insufficiëntie ⟨de (v.)⟩ **0.1** *insufficiency* ⇒*failure* ⟨van orgaan⟩.

insulair ⟨bn.⟩ **0.1** *insular* ⇒*isolated, island* ⟨attr.⟩ ◆ **1.1** Engelands ~e positie *England's insular/isolated position;* een ~ rijk *an insular/island kingdom*.

insuline ⟨de⟩ ⟨med.⟩ **0.1** *insulin*.

insult ⟨het⟩ **0.1** [belediging] *insult* **0.2** [⟨med.⟩] *insult* ⇒*stroke* ◆ **2.2** epileptisch ~ *epileptic seizure*.

insultatie ⟨de (v.)⟩ **0.1** *insult*.

insulteren ⟨ov.ww.⟩ **0.1** *insult* ⇒*affront*.

in summa 0.1 [alles bij elkaar genomen] *(all) in all* ⇒*on the whole* **0.2** [om kort te gaan] *in short* ⇒*to sum up*.

in suspenso 0.1 *in doubt, undecided*.

intabuleren ⟨ov.ww.⟩ **0.1** [tafelwerk] *frame* **0.2** [in een register] *register*.

intact ⟨bn.⟩ **0.1** *intact* ⇒*undamaged* ◆ **1.1** iets ~ laten *leave sth. i./as it is;* die oude molen is nog geheel ~ *that old mill is still in perfect condition* **3.1** het lijk was geheel ~ gebleven *the body had remained entirely i..*

intake ⟨de⟩ **0.1** [lijst met gegevens] *register* **0.2** [lijst van ontvangen goederen] *list of goods received* **0.3** [intakegesprek] ⟨→**intakegesprek**⟩ ◆ **3.1** de ~ doen *register a patient*.

intakegesprek ⟨het⟩ **0.1** *interview on admission to hospital*.

intapen ⟨ww.⟩ ⟨med., sport⟩ **0.1** *tape up*.

inteelt ⟨de⟩ **0.1** *inbreeding* ◆ **6.1 aan** ~ doen *go in for i..*

integendeel ⟨bw.⟩ **0.1** *on the contrary* ⇒*quite the reverse/contrary* ◆ **¶.1** ik lui? ~! *me lazy? quite the contrary!;* het wilde maar niet droog worden; ~, het ging eerder nog harder regenen *the rain would not stop; if anything it began to rain even harder*.

integer ⟨bn., bw.; -ly⟩ **0.1** *sound* ⇒*honest, honourable, incorruptible*.

integraal¹ ⟨de⟩ **0.1** [⟨wisk.⟩] *integral* **0.2** [⟨ec.⟩] ≠*Netherlands* $2^{1/2}$ % *Government Inscribed Stock* ◆ **2.1** de (on)bepaalde ~ *the (in)definite i.* **3.1** de ~ berekenen van ... *calculate the i. of, integrate*.

integraal² ⟨bn., bw.; -ly⟩ **0.1** [volledig] *integral* ⇒*complete, entire* **0.2** [op zichzelf bestaande] *integral* ⇒*integrated* ◆ **1.1** integrale betaling *payment in full;* integrale geneeskunde *integrated medicine;* een integrale uitgave *a complete and unabridged edition;* een integrale uitvoering *a performance of the full work* **1.2** de een ~ deel van het geheel *an integral/integrated/organic part of the whole;* integrale teelt van gewassen *integrated/biological agriculture* **3.1** een tekst ~ overnemen *copy a text in its entirely/in full;* een tekst ~ uitgeven *publish a complete/unabridged edition of a text*.

integraalband ⟨de (m.)⟩ ⟨boek.⟩ **0.1** *integral cover* ⇒*self-cover*.

integraalhelm ⟨de (m.)⟩ **0.1** *regulation (crash-)helmet*.

integraalrekening ⟨de (v.)⟩ ⟨wisk.⟩ **0.1** *integral calculus*.

integrand¹ ⟨de (m.)⟩ ⟨wisk.⟩ **0.1** *integrand*.

integrant² ⟨bn.⟩ **0.1** *integrant* ⇒*integral*.

integratie ⟨de (v.)⟩ **0.1** [het maken tot/opnemen in een geheel] *integration* ⇒*unification* **0.2** [mbt. bevolkingsgroepen] *integration* **0.3** [⟨ec.⟩] *integration* **0.4** [⟨fysiol., psych.⟩] *integration* ⇒*coordination* **0.5** [⟨wisk.⟩] *integration* ◆ **1.2** de ~ van minderheden in de maatschappij *the i. of minority groups in society;* een voorstander van ~ *an integrationist* **2.1** de Europese ~ *(the) European u.* **2.5** grafische ~ *graphic i.* **¶.2** de ~ op gang brengen *stimulate i..*

integratiebeleid ⟨het⟩ **0.1** *integration policy* ◆ **3.1** een actief ~ voeren *pursue an active i.p..*

integrator ⟨de (m.)⟩ ⟨wisk.⟩ **0.1** *integrator*.

integreren

I ⟨ov.ww.⟩ **0.1** [volledig maken] *integrate* ⇒*(make) complete* **0.2** [tot een geheel samenvoegen] *integrate* ⇒*unify, desegregate* ⟨rassen⟩ **0.3** [⟨wisk.⟩] *integrate* ◆ **1.1** een ~d (bestand)deel uitmaken van iets *be/form an integral part of sth., be part and parcel of sth.* **1.2** ⟨ec.⟩ geïntegreerd bedrijf *integrated company;*

II ⟨onov.ww.⟩ **0.1** [tot één geheel worden] *integrate* ⇒*amalgamate, be unified* ◆ **5.1** de nieuwe bewoners integreerden snel met de autochtone bevolking *the new settlers quickly integrated with the original population*.

integrerend ⟨bn.⟩ **0.1** *integral;* ⟨onderdelen ook⟩ *integrant*.

integriteit ⟨de (v.)⟩ **0.1** [onkreukbaarheid] *integrity* ⇒*incorruptibility, sincerity, honesty* **0.2** [ongeschonden toestand] *integrity* ⇒*intactness, unimpairedness* **0.3** [onschendbaarheid] *integrity* ⇒*inviolability* ◆ **1.1** dat is een aantasting van mijn ~ *that is an attack on my integrity* **3.1** zijn ~ bewaren *preserve/maintain one's integrity* **¶.1** iemands ~ in twijfel trekken *doubt s.o.'s integrity;* zijn ~ staat op het spel *his integrity/honour is at stake*.

integument ⟨het⟩ **0.1** [omhulsel] *integument* ⇒*covering, box* ⟨van boek⟩ **0.2** [⟨biol.⟩] *integument* ⇒*skin, dermis, cutis*.

intekenaar ⟨de (m.)⟩ **0.1** [subscribent] *subscriber* ⇒*participant* **0.2** [⟨confectie⟩] *pattern maker*.

intekenbiljet ⟨het⟩ ⟨boek.⟩ **0.1** *subscription form*.

intekenen

I ⟨onov.ww.⟩ **0.1** [subscriberen] *subscribe* ⇒*put one's name down* ◆ **3.1** u kunt nu ~ *you can s. now, the subscription is open now* **6.1** ~ **op** een nieuwe druk van een woordenboek *s. to a new edition of a dictionary;* ~ **voor** een som van f100 s. *put one's name down for (a sum of) f100;*

II ⟨ov.ww.⟩ **0.1** [inschrijven] *register* ⇒*enter* **0.2** [tekenend aanbrengen] *sketch/draw in;* ⟨op kaart⟩ *plot* ◆ **1.2** details op een kaart ~ *p./sketch in details on a map* **6.1** een aanstaand bruidspaar ~ **in** het register ≠*issue a marriage licence to a couple*.

intekening ⟨de (v.)⟩ **0.1** [handeling] *subscribing* ⇒*subscription, registration* **0.2** [geval] *subscription* ⇒*registration, participation, booking* ◆

6.1 bij ~ op de gehele reeks ontvangt u een waardevol geschenk *if you subscribe to the entire series you will receive a valuable gift;* prijs **bij** ~ op de hele serie *price on subscription to the entire series.*

intekenlijst ⟨de⟩ **0.1** *subscription list* ◆ **3.1** een ~ laten rondgaan *pass round a s.l..*

intekenprijs ⟨de (m.)⟩ **0.1** *subscription price* ◆ **¶.1** ~ vóór verschijnen *pre-publication price.*

intellect ⟨het⟩ **0.1** [verstand] *intellect* ⇒*intelligence, understanding, reason* **0.2** [de intellectuelen] *intelligentsia* ⇒*intellectuals* **0.3** [persoon mbt. zijn verstand] *intellect* ⇒*brain* ◆ **1.3** (iron.) jij bent zeker het ~ van de familie *you must be the bright/ brainy one of the family.*

intellectualistisch ⟨bn., bw.; -ally⟩ **0.1** *intellectualistic* ⇒*rationalistic,* (pej.) *sophisticated.*

intellectualisme ⟨het⟩ **0.1** [wereldbeschouwing] *intellectualism* ⇒*rationalism* **0.2** [verstandelijkheid] *intellectualism.*

intellectualist ⟨de (m.)⟩ **0.1** [aanhanger van het intellectualisme] *intellectualist* ⇒*rationalist* **0.2** [nuchter verstandsmens] *intellectualist.*

intellectualiter ⟨bw.⟩ **0.1** *intellectually.*

intellectueel¹ ⟨de (m.)⟩ **0.1** [iem. met hoge ontwikkeling] *intellectual* **0.2** [⟨mv.⟩ intelligentsia] *intelligentsia* ⇒*intellectuals.*

intellectueel² ⟨bn., bw.; -ly⟩ **0.1** *intellectual* ◆ **1.1** intellectuele arbeid *brainwork;* intellectuele begaafdheid *intellect(ual capacities);* intellectuele gaven *i. gifts;* het intellectuele leven *the i. life;* intellectuele ontwikkeling *i. / mental development;* intellectuele vorming *i. training / education* **1.¶** (jur.) intellectuele valsheid van een akte *false authentication of a document* **2.1** ~ begaafd *intelligent, intellectually gifted.*

intelligent ⟨bn., bw.; -ly⟩ **0.1** *intelligent* ⇒*clever, smart, bright* (persoon), *wise* (beslissing e.d.) ◆ **1.1** een ~ dier *an i. / clever animal;* een ~ gezicht *an i. face* **3.1** (sport) een ~ opgezette aanval *a clever attack* **5.1** buitengewoon ~ *brilliant, as sharp as a razor.*

intelligentie ⟨de (v.)⟩ **0.1** *intelligence* ⇒*cleverness* ◆ **2.1** mensen met een hoge ~ *people with a high I.Q.;* kunstmatige ~ *artificial i.;* sociale ~ *social insight.*

intelligentieleeftijd ⟨de (m.)⟩ **0.1** *mental age.*

intelligentieonderzoek ⟨het⟩ **0.1** *intelligence/ mental test(s).*

intelligentiequotiënt ⟨het⟩ **0.1** *intelligence quotient.*

intelligentietest ⟨de (m.)⟩, **-onderzoek** ⟨het⟩ **0.1** [onderzoek] *intelligence test* **0.2** [vragen] *intelligence test.*

intelligentsia ⟨de (v.)⟩ **0.1** *intelligentsia.*

intendance ⟨de (v.)⟩ **0.1** [rentmeesterschap] *intendancy* **0.2** [korps ambtenaren] *intendancy* **0.3** [⟨mil.⟩] *commissariat* ⇒*Army Service Corps, supply corps.*

intendant ⟨de (m.)⟩ **0.1** [ambtenaar] *intendant* ⇒*house steward,* (theater) *manager* **0.2** [⟨mil.⟩] *quartermaster* ⇒*supply officer, commissary* ◆ **1.1** ~ van het paleis *house steward at the palace.*

intenderen ⟨ov.ww.⟩ **0.1** *intend* ⇒*purpose.*

intens ⟨bn., bw.; -ly⟩ **0.1** *intense* ⇒*keen, intensive, acute* (zorgen) ◆ **1.1** ~e afkeer *fierce dislike;* een ~ verlangen / plezier *an intense desire/ joy* **2.1** ~ bezorgd *acutely worried;* ~ blauw *deep blue;* ~ gelukkig *intensely happy;* hoe ~ laag en gemeen! *what an intensely vile and mean thing to do!;* ~ vervelend *intensely annoying* **3.1** ~ genieten *get a kick out of, enjoy immensely;* ~ studeren *study very hard / intensively;* zich ~ vervelen *be bored to death.*

intensief¹ ⟨het⟩ (taal.) **0.1** *intensive verb.*

intensief² ⟨bn., bw.; -ly⟩ **0.1** [diepgaand, krachtig] *intensive* ⇒*intense* **0.2** [⟨taal.⟩] *intensive* ◆ **1.1** intensieve bemesting *intensive manuring;* een intensieve campagne *an intensive campaign;* ~ contact onderhouden *keep in close contact;* (landb.) intensieve cultuur *intensive cultivation;* van deze voorzieningen wordt heel ~ gebruik gemaakt *these facilities are very intensively used here;* intensieve propaganda *intensive propaganda campaign;* intensieve veehouderij *factory farming;* ~ verkeer *busy traffic;* (med.) intensieve verpleging *intensive care;* een intensieve werking *a profound effect* **2.1** ~ werkzaam / bezig zijn *be working intensively / intensely.*

intensifiëren ⟨onov.ww.⟩ **0.1** *intensify.*

intensiteit ⟨de (v.)⟩ **0.1** [mate van kracht] *intensity* **0.2** [hoedanigheid] *intensity* ⇒*intenseness* ◆ **1.1** (nat.) de ~ van een magnetisch veld *the i. of a magnetic field.*

intensive care ⟨de⟩ (med.) **0.1** [verpleging] *intensive care* **0.2** [afdeling] *intensive care (unit)* ◆ **6.1** op de ~ liggen *be in i. c.* **6.2** op de ~ werken *work in the i. c. u., work in i. c..*

intensiveren ⟨ov.ww.⟩ **0.1** *intensify* ⇒*step up, heighten.*

intentie ⟨de (v.)⟩ **0.1** *intention* ⇒*purpose* ◆ **2.1** oprechte ~s *sincere intentions* **3.1** de ~ hebben om *have it in mind to, intend to* **6.1** (r.k.) een mis opdragen **tot** zekere ~ *celebrate mass for a particular i.;* (r.k.) een mis opdragen **tot** ~ van iem. *celebrate mass to the remembrance of s.o.* **6.¶** ter ~ van *for the p. of.*

intentieverklaring ⟨de (v.)⟩ **0.1** *declaration of intent.*

intentionaliteit ⟨de (v.)⟩ **0.1** *intentionality* ⇒*purpose (fulness), directedness* ◆ **3.1** acties, naar hun ~ gemeten *actions judged by their i..*

intentioneel ⟨bn., bw.; -ly⟩ **0.1** *intentional* ⇒(alleen predicatief) *by design, on purpose.*

interacademiaal ⟨bn., bw.; -ally⟩ **0.1** *interacademic* ⇒(universiteit ook) *interuniversity.*

interactie ⟨de (v.)⟩ **0.1** *interaction* ⇒*interplay.*

interactief ⟨bn., bw.; -ly⟩ ⟨comp.⟩ **0.1** *interactive* ◆ **3.1** ~ werken *work interactively.*

interbellum ⟨het⟩ **0.1** *interbellum period* ⇒*period between (two) wars.*

intercalatie ⟨de (v.)⟩ **0.1** *intercalation* ⇒*insertion, interpolation.*

intercedent ⟨de (m.)⟩, **-e** ⟨de (v.)⟩ **0.1** *interagent* ⇒*intermediary, mediator, go-between* ◆ **8.1** als ~(e) werken bij een uitzendbureau *be employed as an intermediary by an employment agency / ^bureau.*

intercederen ⟨onov.ww.⟩ **0.1** [als bemiddelaar optreden] *intercede* ⇒*mediate* **0.2** [een goed woord doen] *intercede* ⇒*mediate, put in a word* ◆ **6.2** (bij iem.) voor iem. ~ *intercede for s.o. / on s.o.'s behalf.*

intercellulair ⟨bn.⟩ (med.) **0.1** *intercellular* ◆ **1.1** ~ vocht *i. fluid.*

interceptie ⟨de (v.)⟩ **0.1** *interception.*

interceptiemiddel ⟨het⟩ (med.) **0.1** *contraceptive (device/ pill).*

interceptor ⟨de (m.)⟩ **0.1** [radartoestel] *interceptor* **0.2** [jachtvliegtuig] *interceptor (fighter).*

intercity ⟨de (m.)⟩ **0.1** ^Bintercity train, ≠ ^Alimited train ◆ **3.1** de ~ nemen, met de ~ reizen *go by intercity (train).*

intercitylijn ⟨de⟩ **0.1** *intercity line.*

intercitynet ⟨het⟩ **0.1** *intercity network.*

intercitytrein →**intercity.**

intercom ⟨de (m.)⟩ **0.1** *intercom* ◆ **6.1** iets over de ~ omroepen *announce sth. over/ on the i.;* iem. via de ~ oproepen *call s.o. via the i..*

intercommunaal ⟨bn., bw.; -ly⟩ **0.1** *interurban* ⟨verkeer e.d.⟩ ◆ **1.1** intercommunale gesprekken ⟨vnl. BE⟩ *trunk /* ⟨vnl. AE⟩ *long distance calls.*

intercommunie ⟨de (v.)⟩ **0.1** [interkerkelijke communie] *intercommunion* **0.2** [verhouding tussen kerken] *intercommunion.*

interconfessioneel ⟨bn., bw.; -ly⟩ **0.1** *interdenominational* ◆ **1.1** een ~ ziekenhuis *an i. hospital.*

intercontinentaal ⟨bn., bw.; -ly⟩ **0.1** *intercontinental* ◆ **1.1** intercontinentale raketten *i. ballistic missiles.*

intercurrent ⟨bn.⟩ **0.1** [bijkomend] *intercurrent* **0.2** [onregelmatig] *intercurrent* ◆ **1.1** ~e ziekten *i. diseases* **1.2** een ~e hartslag *an i. heart-beat.*

interdepartementaal ⟨bn., bw.; -ly⟩ **0.1** *interdepartmental.*

interdependentie ⟨de (v.)⟩ **0.1** *interdependence.*

interdict ⟨het⟩ **0.1** [verbod] *interdict* ⇒*prohibition* **0.2** [⟨r.k.⟩] *interdict* ◆ **3.2** een ~ uitspreken over een stad *lay a town under an i.;* een ~ uitvaardigen *promulgate an i..*

interdictie ⟨de (v.)⟩ **0.1** *interdiction* ⇒*prohibition.*

interdiocesaan ⟨bn., bw.⟩ **0.1** *interdiocesan* ◆ **1.1** ~ beraad *i. consultation(s).*

interdisciplinair ⟨bn., bw.⟩ **0.1** *interdisciplinary* ◆ **1.1** het ~e karakter van het onderzoek *the i. character of the research.*

interen ⟨onov., ov.ww.⟩ **0.1** ⟨onov. ww.⟩ *eat into (one's capital)* ⇒*live on one's fat,* ⟨ov.ww.⟩ *use up* ◆ **1.1** tienduizend gulden ~ *use up ten thousand guilders* **6.1** ~ **op** zijn spaargeld / vermogen *eat into one's savings.*

interessant

I ⟨bn., bw.; -ly⟩ **0.1** [boeiend] *interesting* ⇒*intriguing* ◆ **3.1** hij kan heel ~ vertellen *he is very good at story-telling;* iets niet langer ~ vinden *lose one's interest in sth.;* iets (hoogst) ~ vinden *find sth. (highly) interesting* **7.1** het ~e is … *the interesting thing is …;*

II ⟨bn., bw.; -ly⟩ **0.1** [mbt. personen] *interesting* **0.2** [de indruk gevend van belangrijkheid] *important* ⇒*interesting* **0.3** [voordelig] *advantageous* ⇒*profitable* ◆ **3.2** ze zit gewoon een beetje ~ te doen *she's just trying to attract attention;* ~ willen zijn *show off* **6.3** dat zaakje is niet ~ **voor** ons *it isn't a good / profitable deal for us.*

interesse ⟨het, de (v.)⟩ **0.1** [belangstelling] *interest* **0.2** [belang] *interest* **0.3** [lust om te kopen] *interest* **0.4** [voorwerp van belangstelling] *interest* ◆ **2.1** een brede ~ hebben *have wide interests* **3.1** het heeft haar ~ niet *it does not interest her;* bij leerlingen ~ kweken voor een vak *interest one's pupils in a subject;* ~ tonen voor iem. *show i. in s.o.;* zijn ~ voor iets verliezen *lose i. (in sth.);* (inf.) *get turned off sth.;* iemands ~ weten te wekken voor iets *arouse s.o.'s i. in sth* **3.4** allerlei / weinig ~s hebben *have many / few interests* **5.1** vol ~ zijn *be highly interested* **6.1** (geen) ~ hebben **voor** iets *be interested in sth., have no i. in …* **6.3** hebt u ~ **voor** deze kast? *are you interested in this cupboard?.*

interessegebied ⟨het⟩, **-sfeer** ⟨de⟩ **0.1** *field / sphere of interest* ⇒*line* ◆ **6.1** dat valt **buiten / binnen** zijn ~ *that is outside / out of / in his line.*

interesseren

I ⟨ov.ww.⟩ **0.1** [nieuwsgierig maken] *interest* ◆ **4.1** het zal je misschien ~ te horen … *you may be interested to hear, it may i. you to hear;* wie het gedaan heeft interesseert me niet *I am not interested in who did it;* geld interesseert me niet zo *money doesn't i. me much* **5.1** dat interesseert me niet *I don't care;* dat interesseert me zeer *I am greatly interested in it* **6.1** zij wist hem te ~ **voor** een avondje uit *she was able to i. him in a night out* **¶.1** het interesseert hem geen barst / moer *he doesn't give / care a damn;* het interesseert hem geen zier *he couldn't care less;*

II ⟨wk.ww.; zich ~⟩ **0.1** [belangstelling tonen voor] *be interested* ⇒*interest o.s.* ◆ **4.1** zich voor iets gaan ~ *become interested in sth., begin* *to* interest *o.s. in sth.* **6.1** zij schijnt zich te ~ **voor** de buurman *she seems to have taken a fancy to the neighbour;* zich **voor** niets~ *be interested in nothing;* hij interesseert zich tegenwoordig zeer **voor** reggae *he's into reggae these days.*

interest ⟨de (m.)⟩ **0.1** *interest* ◆ **1.1** drie maanden ~ *three months' i.* **2.1** samengestelde ~ *compound i.* **3.1** ~ geven *bear/yield i.* **6.1** ⟨fig.⟩ iem. iets **met** ~ betaald zetten *return sth. to s.o. with i., give back to s.o. with i.;* ~ **op** ~ *(at) compound i.;* geld **op** ~ uitzetten *put out money at i.;* **tegen** 9% ~ *at the rate of* 9%.

interestbedrag ⟨het⟩ **0.1** *(amount of) interest.*

interestberekening ⟨de (v.)⟩ **0.1** *calculation of/charging interest.*

interestcijfer ⟨het⟩ **0.1** *interest rate.*

interestrekening ⟨de (v.)⟩ **0.1** [bank] *deposit account* **0.2** [rekenmethode] *calculation of interest.*

intereuropees ⟨bn.⟩ **0.1** *inter-European* ◆ **1.1** intereuropese commissie *i.-E. commission;* ⟨de⟩ intereuropese samenwerking *i.-E. co-operation.*

interfacultair ⟨bn., bw.⟩ **0.1** [mbt. een interfaculteit] *of/from the combined/joint faculty* **0.2** [mbt. faculteiten onderling] *interfaculty* ◆ **1.2** een ~e vakgroep *an i. department.*

interfaculteit ⟨de (v.)⟩ **0.1** *combined/joined faculty* ◆ **1.1** de ~ van aardrijkskunde en prehistorie *the combined/joint faculty of geography and prehistory.*

interfase ⟨de (v.)⟩ ⟨biol.⟩ **0.1** *interphase* ⇒*interkinesis.*

interferentie ⟨de (v.)⟩ **0.1** [inmenging] *interference* **0.2** [⟨schaakspel⟩] *interference* **0.3** [gelijktijdige werking van twee bewegingen] *interference* **0.4** [⟨taal.⟩] *interference* **0.5** [⟨med.⟩] *interference* ◆ **1.1** ~ van de moedertaal *native language i.* **1.4** ~ van standaardtaal en dialect *i. between standard language and dialect.*

interferentiepatroon ⟨het⟩ **0.1** *interference pattern.*

interferentieverschijnsel ⟨het⟩ **0.1** *interference phenomenon.*

interfereren ⟨onov.ww.⟩ **0.1** [tussenbeide komen] *interfere* ⇒*intervene* **0.2** [samentreffen] *interfere.*

interferon ⟨het⟩ ⟨med.⟩ **0.1** [eiwit] *interferon* **0.2** [geneesmiddel] *interferon.*

intergalactisch ⟨bn.⟩ **0.1** *intergalactic.*

intergemeentelijk ⟨bn., bw.;-ly⟩ **0.1** *intermunicipal* ⇒*intercommunal* ◆ **1.1** ~ huisvestingsbeleid *intermunicipal housing policy.*

interglaciaal¹ ⟨het⟩ **0.1** *interglacial.*

interglaciaal² ⟨het⟩ *interglacial* ◆ **1.1** interglaciale tijdvakken *i. eras.*

interieur ⟨het⟩ **0.1** [het inwendige] *interior* ⇒*inside* **0.2** [⟨bk.⟩] *interior* **0.3** [binnenwerk van matrassen] *stuffing* **0.4** [vulling van bonbons] *stuffing* **0.5** [pak papiervellen] *file sheets* ◆ **2.1** een smakeloos ~ *a tasteless interior.*

interieurverlichting ⟨de (v.)⟩ **0.1** *courtesy light* ⟨auto⟩.

interieurverzorger ⟨de (m.)⟩, **-zorgster** ⟨de (v.)⟩ ⟨euf.⟩ **0.1** *cleaner;* ⟨v. ook⟩ *cleaning-lady.*

interieurzaak ⟨de⟩ **0.1** *interior design/decoration.*

interim
I ⟨het⟩ **0.1** [tussentijd] *interim* ⇒*interval, meantime* **0.2** [⟨AZN⟩ tussentijds ambt] *temporary job/occupation/post* ◆ **¶.1** minister ad~ *(ad) interim/temporary minister;* de directeur ad~ *the acting manager;*
II ⟨de (m.)⟩ **0.1** [tijdelijke werkkracht] *temporary (employee).*

interimaandeel ⟨het⟩ ⟨hand.⟩ **0.1** *scrip (certificate).*

interimaat ⟨het⟩ **0.1** [periode] *interim (period)* **0.2** [bestuur] *interim government* ◆ **6.2** onder het ~ **van** *during the i. g. of.*

interimadvies ⟨het⟩ **0.1** *interim advice* ◆ **3.1** een ~ uitbrengen (over iets) *give i. a. (on sth.).*

interimakkoord ⟨het⟩ **0.1** *interim agreement.*

interimaris ⟨de⟩ ⟨AZN⟩ **0.1** [tijdelijke werkkracht] *temporary employee* **0.2** [vervanger] *substitute* ⇒*supply, acting* ⟨+functie⟩, *supply teacher* ⟨onderwijzer⟩.

interimbestuur ⟨het⟩ **0.1** *interim/temporary government.*

interimdividend ⟨het⟩ ⟨hand.⟩ **0.1** *interim dividend.*

interimrapport ⟨het⟩ **0.1** *interim report.*

interimregeling ⟨de (v.)⟩ **0.1** *interim measure.*

interimregering ⟨de (v.)⟩ **0.1** *caretaker/interim/provisional government.*

interinsulair ⟨bn., bw.⟩ **0.1** *interinsular.*

interjectie ⟨de (v.)⟩ ⟨taal.⟩ **0.1** *interjection.*

interkerkelijk ⟨bn.⟩ **0.1** *interchurch* ⇒*interdenominational* ◆ **1.1** het ~ overleg *the interchurch talks;* het Interkerkelijk Vredesberaad (IKV) *the Interdenominational Peace Council/Forum.*

interland ⟨de (m.)⟩ ⟨sport⟩ **0.1** *international (match)* ⇒*test match* ⟨cricket⟩ ◆ **3.1** een ~ fluiten/leiden *referee an international (match);* zijn eerste ~ spelen *receive one's first cap, play one's first international match* **7.1** tien ~s op zijn naam hebben staan ⟨vnl. voetbal⟩ *have ten caps, have been capped ten times.*

interlandwedstrijd →**interland.**

interlineair ⟨bn.⟩ **0.1** *interlinear.*

interlinguïstiek ⟨de (v.)⟩ **0.1** *interlinguistics.*

interlinie ⟨de (v.)⟩ ⟨druk.⟩ **0.1** [metalen plaatje] *lead* **0.2** [ruimte tussen opeenvolgende regels] *spacing* **0.3** [onderdeel van de maat voor het letterkorps] *lead* ◆ **3.2** ~ aanbrengen *leave (wider) spaces/s. between the lines, type in wider s., space the lines* **6.2** zonder ~ typen *type in single s..*

interliniëren ⟨ov.ww.⟩ **0.1** *leave spaces/spacing in* ⇒⟨druk.⟩ *lead (matter).*

interlock ⟨het, de (m.)⟩ **0.1** [dubbel breigoed] *interlock/lock-knit fabric* **0.2** [ondergoed] *interlock/lock-knit underwear* ◆ **6.2** in zijn/haar~je *in his/her* [B]*vest/* [A]*undershirt.*

interlocutie ⟨de (v.)⟩ ⟨jur.⟩ **0.1** *interlocutory judg(e)ment/decree* ⇒*interlocution.*

interlocutoir ⟨bn.⟩ **0.1** *interlocutory* ◆ **1.1** een ~e beschikking *an i. decree;* een ~ vonnis *an i. judg(e)ment.*

interlokaal ⟨bn., bw.⟩ **0.1** [verkeer] *intercity* ⇒*interurban* **0.2** [telefoongesprek] ⟨vnl. BE⟩ *trunk;* ⟨vnl. AE⟩ *long-distance* ◆ **1.1** een interlokale trein *a(n) mainline/intercity train* **1.2** een ~ gesprek *a t. call/conversation;* een ~ gesprek voeren *put in a l.-d. call* **3.2** ~ telefoneren *telephone by trunk-call.*

interludium ⟨het⟩ **0.1** [⟨muz.⟩] *interlude* **0.2** [⟨fig.⟩] *interlude.*

intermediair¹
I ⟨het⟩ **0.1** [bemiddeling] *intermediary* **0.2** [intermedium] *intermediary* ⇒*medium;*
II ⟨de (m.)⟩ **0.1** [bemiddelaar] *intermediary* ⇒*mediator, interagent, go-between* ◆ **8.1** als ~ optreden *act as intermediary.*

intermediair² ⟨bn.⟩ **0.1** [tussenliggend] *intermediary* ⇒*intermediate* **0.2** [bemiddelend] *intermediary* ◆ **1.2** ~ onderwijs *remedial teaching.*

intermedium ⟨het⟩ **0.1** [tijd] *interval* **0.2** [persoon, zaak] *(inter)medium* ⇒*intermediary.*

intermenselijk ⟨bn.⟩ **0.1** *interpersonal* ⇒*human* ◆ **1.1** (de) ~e verhoudingen (waren ernstig verstoord) *(the) human relations (were seriously upset).*

intermezzo ⟨het⟩ **0.1** [⟨dram.⟩ ⟨muz.⟩] *intermezzo* **0.2** [⟨fig.⟩] *interlude.*

intermissie ⟨de (v.)⟩ **0.1** [het uitblijven] *omission* **0.2** [tussentijd] *intermission* ⇒*interval.*

intermitterend ⟨bn., bw.;-(al)ly⟩ **0.1** *intermittent* ⇒*periodic, recurrent* ◆ **1.1** een ~e koorts *i. fever.*

intermoleculair ⟨bn.⟩ **0.1** *intermolecular.*

intern¹ ⟨het⟩ **0.1** [kost(school)leerling] *boarder* ⇒*resident pupil* **0.2** [inwonend arts] [B]*houseman,* [A]*intern(e).*

intern² ⟨bn., bw.;-ly⟩ **0.1** [inwonend] *resident* **0.2** [mbt. een staat, organisatie] *internal* ⇒*domestic* **0.3** [mbt. het lichaam] *internal* ◆ **1.1** ~e leerlingen *boarders, r. pupils;* ~e patiënten *in-patients* **1.2** ~e aangelegenheden *i. / domestic affairs;* uitsluitend voor ~e doeleinden/voor ~ gebruik *for private purposes/use only, confidential;* vacatures opvullen door ~e verschuivingen *fill vacancies by means of i. relocation* **1.3** ~e geneeskunde *i. medicine;* ~e ziekten *i. diseases* **3.1** ⟨school.⟩ was je daar ~? *were you a boarder?* **3.3** iem. ~ onderzoeken *examine s.o. internally* **6.3** op ⟨de afdeling⟩ ~e ⟨geneeskunde⟩ liggen *be in the i. medicine ward.*

internaat ⟨het⟩ **0.1** *boarding school.*

internaliseren ⟨ov.ww.⟩ **0.1** *internalize.*

internalisering ⟨de (v.)⟩ **0.1** *internalization.*

internationaal ⟨bn., bw.;-ly⟩ **0.1** *international* ◆ **1.1** het ~ Olympisch Comité (IOC) *the International Olympic Committee;* het ~ Gerechtshof *the International Court of Justice;* een discussie op ~ niveau voeren *carry on a discussion on an i. level;* de internationale politiek *i. politics;* een gebied onder ~ toezicht plaatsen *place an area under i. supervision/control, internationalize an area;* het ~ verkeer/privaatrecht *i. traffic/civil law* **2.1** ~ geldig *internationally valid* **3.1** ~ werken *operate internationally/on an i. basis.*

international ⟨de (m.)⟩ **0.1** [⟨sport⟩] *international* **0.2** [⟨hand.⟩ aandeel] *international (stock)* **0.3** [⟨hand.⟩ concern] *international/multinational company.*

Internationale ⟨de⟩ **0.1** [arbeidersverbond] *International* **0.2** [strijdlied] *International.*

internationalisatie ⟨de (v.)⟩ **0.1** *internationalization.*

internationaliseren ⟨ov.ww.⟩ **0.1** *internationalize.*

internationalisering ⟨de (v.)⟩ **0.1** *internationalization.*

internationalisme ⟨het⟩ **0.1** [wereldbeschouwing] *internationalism* **0.2** [samenwerking] *internationalism* ◆ **1.1** aanhanger v.h. ~ *internationalist.*

internationalistisch ⟨bn., bw.;-ically⟩ **0.1** *internationalist(ic).*

interneren ⟨ov.ww.⟩ **0.1** *intern.*

internering ⟨de (v.)⟩ **0.1** [het interneren/geïnterneerd worden] *internment* **0.2** [op gronden van algemeen belang] *internment.*

interneringskamp ⟨het⟩ **0.1** *internment camp.*

internist ⟨de (m.)⟩ **0.1** *internist.*

internodiaal ⟨bn.⟩ ⟨biol.⟩ **0.1** *internodal* ⇒*internodial.*

internodium ⟨de (v.)⟩ ⟨biol.⟩ **0.1** *internode.*

internuntiatuur ⟨de (v.)⟩ **0.1** [ambt] *internunciature* **0.2** [residentie] *internuncial residence.*

internuntius ⟨de (m.)⟩ **0.1** *internuncio.*

interoceanisch ⟨bn.⟩ **0.1** *interoceanic.*

interparlementair ⟨bn., bw.⟩ **0.1** *interparliamentary* ◆ **1.1** de Interparlementaire Unie *the Interparliamentary Union.*

interpellant ⟨de (m.)⟩ **0.1** *interpellator* ⇒⟨in GB⟩ *questioner*.

interpellatie ⟨de (v.)⟩ **0.1** *interpellation* ⇒⟨in GB⟩ *questioning*, ⟨onderbreking van rede ook⟩ *interruption* ◆ **1.1** ⟨pol.⟩ recht van ~ *right of interpellation*.

interpelleren ⟨ov.ww.⟩ **0.1** [zich met een interpellatie richten tot] *interpellate* ⇒⟨in GB⟩ *question* **0.2** [om opheldering vragen] *demand an explanation from* ◆ **6.1** de minister ~ **over** *i. the minister about*.

interplanetair ⟨bn.⟩ **0.1** *interplanetary* ◆ **1.1** de ~e ruimte *i. space;* ~ verkeer *i. travel*.

Interpol ⟨de (v.)⟩ **0.1** *Interpol*.

interpolatie ⟨de (v.)⟩ **0.1** [inlassing in een tekst] *interpolation* ⇒*insertion* **0.2** [⟨wisk.⟩] *interpolation*.

interpoleren ⟨ov.ww.⟩ **0.1** *interpolate* ⇒*insert*.

interpolitiek ⟨bn.⟩ **0.1** *interparty* ◆ **1.1** een ~ debat *an i. debate*.

interpreet ⟨de (m.)⟩ **0.1** [uitlegger] *interpreter* **0.2** [vertolker] *interpreter* ◆ **1.1** een ~ van orakels *an i. of oracles* **1.2** een goed ~ van de muziek van Bach *a fine i. of (the music of) Bach*.

interpretabel ⟨bn.⟩ **0.1** *interpretable*.

interpretatie ⟨de (v.)⟩ **0.1** [uitlegging] *interpretation* ⇒*reading*, ⟨explicatie⟩ *explication* **0.2** [vertolking] *interpretation* ◆ **1.1** de ~ van Middelnederlandse gedichten *the i. of Middle Dutch poetry;* de ~ van een wetsartikel *the i. of an article of law* **2.1** foute/verkeerde ~ *misinterpretation* **2.2** een fraaie ~ *a fine i.* **3.1** zijn eigen ~ aan iets geven *place one's own i. on sth.;* een ~ die de feiten geweld aandoet/verdraait *an i. which flies in the face of the facts* ¶**.1** zijn verklaring is voor meer dan één ~ vatbaar *his explanation is open to/admits of more than one i.*.

interpretatief ⟨bn.⟩ **0.1** [verklarend] *interpretative* **0.2** [afgeleid, indirect] *constructive, constructional*.

interpreteren ⟨ov.ww.⟩ **0.1** [uitleggen] *interpret* ⇒*construe, read* **0.2** [vertolken] ◆ **1.1** dit gedicht kun je zo niet ~ *you can't i. this poem like that, this poem can't be interpreted like that;* hoe zou jij deze passage ~? *how would you i. this passage?* **1.2** een muziekstuk ~ *i. a piece of music* **5.1** de wet ruim ~ *give a broad/wide interpretation of the law;* iets verkeerd ~ *misinterpret sth., i. sth. wrongly;* de regels vrij ~ *bend the rules*.

interprovinciaal ⟨bn.,bw.;-ly⟩ **0.1** *interprovincial*.

interpunctie ⟨de (v.)⟩ **0.1** [(leer van) de plaatsing van leestekens] *punctuation* ⇒*pointing* **0.2** [leestekens] *punctuation* ◆ **3.2** ~ aanbrengen in een tekst *punctuate a text* **6.2** zonder ~ *without punctuation, unpointed*.

interpunctieteken ⟨het⟩ **0.1** *punctuation mark*.

interpungeren ⟨onov., ov.ww.⟩ **0.1** *punctuate* ⇒*point*.

interregionaal ⟨bn.⟩ **0.1** *interregional*.

interregnum ⟨het⟩ **0.1** *interregnum*.

interrogatie ⟨de (v.)⟩ **0.1** *interrogation*.

interrogatief[1] ⟨het⟩⟨taal.⟩ **0.1** [vragend voornaamwoord] *interrogative* **0.2** [vragende vorm] *interrogative*.

interrogatief[2] ⟨bn.,bw.;-ly⟩ **0.1** *interrogative*.

interrogeren ⟨ov.ww.⟩ **0.1** *interrogate*.

interrumperen ⟨ov.ww.⟩ **0.1** *interrupt* ◆ **5.1** telkens ~ *i. repeatedly, keep on interrupting* **6.1** ~ **met** lastige vragen ⟨ook⟩ *heckle*.

interruptie ⟨de (v.)⟩ **0.1** [onderbreking] *interruption* **0.2** [uitroep, opmerking] *interruption* ⇒*interjection*.

interruptiemicrofoon ⟨de (m.)⟩ **0.1** *intervention microphone*.

interruptor ⟨de (m.)⟩ ⟨nat.⟩ **0.1** *contact breaker* ⇒*interrupter*.

interscolair ⟨bn.⟩ **0.1** *interschool* ⇒⟨AE; sport⟩ *extramural*.

intersectie ⟨de (v.)⟩ **0.1** [doorsnijding, kruising] *intersection* **0.2** [snij(dings)punt] *intersection* **0.3** [doorsnee] *section*.

interseks ⟨de (m.)⟩ **0.1** *intersex* ⇒*hermaphrodite*.

interseksualiteit ⟨de (v.)⟩ **0.1** [het zich kunnen ontwikkelen naar het mannelijke of vrouwelijke geslacht] *intersexuality* ⇒*intersex* **0.2** [hermafroditisme] *intersexuality* ⇒*hermaphroditism*.

interstellair ⟨bn.⟩ **0.1** *interstellar* ◆ **1.1** ~ gas *i. gas*.

intersubjectief ⟨bn.⟩ **0.1** *intersubjective* ⇒*widely applicable, generally valid*.

intersubjectiviteit ⟨de (v.)⟩ **0.1** [relatie van subject tot subject] *intersubjectivity* ⇒*relationship between subjects* **0.2** [onderlinge geldigheid van betrekkingen] *intersubjectivity* ⇒*mutual relationship, reciprocal validity*.

interuniversitair ⟨bn.,bw.⟩ **0.1** *interuniversity* ◆ **1.1** ~e sportwedstrijden *i. sport competitions* **3.1** ~ voorgestelde maatregelen *measures proposed by the universities*.

interval ⟨het⟩ **0.1** [tussenruimte/tijd] *interval* ⇒*space, gap* **0.2** [⟨muz.⟩] *interval* **0.3** [⟨wisk.⟩] *interval* ◆ **2.1** met regelmatige ~len *at regular intervals* **2.2** overmatig ~ *augmented i.;* rein ~ *perfect i.* **2.3** open/gesloten ~ *open/closed i.*.

intervalschakeling ⟨de (v.)⟩ **0.1** *interval(-selector) circuit*.

interveniëren ⟨onov.ww.⟩ **0.1** [tussenbeide komen] *intervene* **0.2** [bemiddelen] *intervene* **0.3** [mbt. een staat] *intervene*.

interveniërend ⟨bn.,bw.⟩ **0.1** *intervening*.

interventie ⟨de (v.)⟩ **0.1** [tussenkomst] *intervention* **0.2** [mbt. een staat] *intervention* ◆ **6.2** de Russische ~ **in** Afghanistan *the Russian i. in Afghanistan*.

interventieprijs ⟨de (m.)⟩ **0.1** *intervention price*.

interventietroepen ⟨zn.mv.⟩ **0.1** *intervention troops* ⇒*brought-in/called-in troops*.

interventionisme ⟨het⟩ **0.1** [politiek streven] *interventionism* **0.2** [economisch stelsel] *interventionism*.

interversie ⟨de (v.)⟩ ⟨jur.⟩ **0.1** *reversal* ◆ **1.1** ~ van bewijslast *r./shifting of the burden/onus of proof*.

interview ⟨het⟩ **0.1** [vraaggesprek] *interview* **0.2** [uitzending, publikatie] *interview* ◆ **3.1** een ~ (weg)geven *give an i., be interviewed;* iem. een ~ afnemen *i. s.o.;* iem. een ~ toestaan *grant/give an i. to s.o.*.

interviewen ⟨ov.ww.⟩ **0.1** *interview* ◆ **7.1** de geïnterviewde *the person being interviewed, the interviewee*.

interviewer ⟨de (m.)⟩, **-viewster** ⟨de (v.)⟩ **0.1** *interviewer*.

interviewtechniek ⟨de (v.)⟩ **0.1** *interview(ing) technique*.

interzonaal ⟨bn., bw.;-ly⟩ **0.1** *interzonal* ⇒*between/*⟨meer dan 2 zones⟩ *across zones* ◆ **1.1** interzonale ritten *journeys/* ↓*rides between/across zones* **3.1** ⟨AZN⟩ ~ bellen/telefoneren *make a long distance call/*⟨BE ook⟩ *a trunk call*.

intestaat[1] ⟨de (m.)⟩⟨jur.⟩ **0.1** *intestate*.

intestaat[2] ⟨bn.⟩⟨jur.⟩ **0.1** *intestate* ◆ **1.1** een ~ erfgenaam *heir ab intestato;* ~ erfrecht *the law of i. succession* **3.1** ~ overlijden *die i.*.

intestinaal ⟨bn.⟩ **0.1** *intestinal*.

intiem

I ⟨bn.⟩ **0.1** [in het diepste gelegen] *intimate* **0.2** [gezellig, knus] *cosy* ⇒*snug* ◆ **1.1** haar ~ste gedachten *her most i. thoughts, her inmost thoughts;*

II ⟨bn., bw.;-ly⟩ **0.1** [persoonlijk, zeer vertrouwelijk] *intimate* **0.2** [seksueel] *intimate* ◆ **1.1** ~ gesprek in bed *pillow talk;* een ~ gesprek/etentje *an i. conversation/meal;* in ~e kring *in the circle of one's (most) i. friends, with one's closest friends;* zij/het zijn ~e vrienden *they are i./(very) close/(very) good friends, they are very close* **1.2** ~e omgang *intimacy;* ~e hygiëne *personal hygiene;* ~e omgang hebben met iem. *be i. with s.o.* **3.1** zij gaan nogal ~ met elkaar om *they are on quite i. terms (with one another), they are quite close friends* **6.1** ~ zijn **met** iem. *be on (very) i. terms with s.o., be very close to s.o.;* ~ worden **met** *become i. with s.o., get on i./familiar terms with s.o.*.

intiemspray ⟨de (m.)⟩ **0.1** *intimate spray*.

intijds ⟨bw.⟩⟨schr.⟩ **0.1** *in good time/season* ◆ **3.1** hij heeft mij ~ gewaarschuwd *he warned me in good time*.

intikken ⟨ov.ww.⟩ **0.1** [inslaan] *smash, break* ⟨ruit⟩ **0.2** [intypen] *type in* **0.3** [intoetsen] *key in* ⇒*ring up* ⟨kassa⟩ **0.4** [naar binnen plaatsen, deponeren in] *tap in(to)* ◆ **1.4** ⟨sport⟩ de bal (het doel) ~ *tap/put the ball in(to the net)*.

intimatie ⟨de (v.)⟩ ⟨jur.⟩ **0.1** *summons*.

intimidatie ⟨de (v.)⟩ **0.1** [vreesaanjaging] *intimidation* **0.2** [ontmoediging] *intimidation* ◆ **1.1** door ~ zorgen dat iem. zijn mond houdt *intimidate s.o. into silence;* iem. **met** ~s/**door** ~ brengen tot *intimidate s.o. into*.

intimidatiepoging ⟨de (v.)⟩ **0.1** *attempt of intimidation*.

intimideren ⟨ov.ww.⟩ **0.1** [schrik aanjagen] *intimidate* ⇒*overawe* **0.2** [afschrikken] *intimidate* ⇒*bully, browbeat* ◆ **3.2** zich niet laten ~ door iem. *stand up to s.o., refuse to be intimidated by s.o.*.

intimiteit ⟨de (v.)⟩ **0.1** [het intiem zijn] *intimacy* ⇒*familiarity* **0.2** [vrijpostige handeling] *intimacy* ⇒⟨ongewenst⟩ *liberty* **0.3** [⟨mv.⟩ vertrouwelijke mededelingen] *intimacies* **0.4** [vertrouwde sfeer] *intimacy* ⇒*cosiness* ◆ **2.2** ongewenste ~en *liberties* **3.2** hebben er ~en plaatsgevonden? *was there some i.?;* zich ~en veroorloven *take liberties* **3.3** ~en uitwisselen *exchange i.*.

intimmeren ⟨ov.ww.⟩⟨inf.⟩ **0.1** *bash/smash in* ◆ **1.1** iem. de hersens ~ *bash/smash s.o.'s brains in*.

intimus ⟨de (m.)⟩ **0.1** *bosom friend*.

intituleren ⟨ov.ww.⟩ **0.1** *entitle*.

intocht ⟨de (m.)⟩ **0.1** *entry* ⇒*entrance* ◆ **1.1** de ~ van St. Nicolaas *the entry of St. Nicholas* **3.1** zijn ~ houden in *make one's entry into*.

intoetsen ⟨ov.ww.⟩⟨comp.⟩ **0.1** *key in* ⇒*enter*.

intolerabel ⟨bn.⟩ **0.1** *intolerable*.

intolerant ⟨bn.⟩ **0.1** [onverdraagzaam] *intolerant* **0.2** [⟨med.⟩] *intolerant* ◆ **6.1** ~ tegenover buitenlanders *i. of foreigners*.

intolerantie ⟨de (v.)⟩ **0.1** [onverdraagzaamheid] *intolerance* **0.2** [⟨med.⟩] *intolerance*.

intomen ⟨ov.ww.⟩ **0.1** [van personen/emoties] *curb, restrain, check, moderate* **0.2** [mbt. rij/trekdier] *curb, rein in, check, restrain* ◆ **1.1** zijn geestdrift ~ *curb/restrain/check one's enthusiasm*.

intonatie ⟨de (v.)⟩ **0.1** [stembuiging] *intonation* **0.2** [⟨muz.⟩ het juist stemmen] *tuning* **0.3** ⟨muz.⟩ het inzetten van de toon] ≠*attack* ⟨orkest en koor⟩; *entry* ⟨orkest of koor⟩ **0.4** [het voordragen van de beginwoorden bij het kerkgezang] *intonation* ◆ **2.1** zangerige ~ *sing-song i.*.

intonatieleer ⟨de⟩ **0.1** *tonetics*.

intoneren ⟨onov., ov.ww.⟩ **0.1** [een bep. stembuiging volgen] *intone* **0.2** [⟨muz.⟩ beginnen te zingen/spelen, de toon aangeven] *strike up* ⟨lied, muziekstuk⟩; ≠*attack* ⟨toon⟩ **0.3** [⟨muz.⟩ juist stemmen] *tune*.

intoneur ⟨de (m.)⟩ **0.1** *tuner*.

intoxicatie ⟨de (v.)⟩ **0.1** [vergiftiging] *poisoning* **0.2** [bedwelming] *intoxication*.

int(r). ⟨afk.⟩ **0.1** [int(e)rest] *int.* **0.2** [intransitief] *intr.*.

intra ⟨vz.⟩ **0.1** *intra* ♦ **¶.1** ~ muros *i. muros*.

intracellulair ⟨bn.⟩ **0.1** *intracellular*.

intramuraal ⟨bn., bw.; -ly⟩ **0.1** *intramural* ♦ **1.1** intramurale gezondheidszorg ≠*hospital health care*.

intramusculair ⟨bn., bw.; -ly⟩ **0.1** *intramuscular*.

intransigent¹ ⟨de (m.)⟩ **0.1** *intransigent* ⇒⟨inf.⟩ *die-hard*.

intransigent² ⟨bn.⟩ **0.1** *intransigent* ⇒*uncompromising*, ⟨inf.⟩ *die-hard*.

intransitief¹ ⟨het⟩ ⟨taal.⟩ **0.1** *intransitive*.

intransitief² ⟨bn., bw.; -ly⟩ **0.1** *intransitive* ♦ **1.1** een ~ werkwoord *an i. verb*.

intrappen ⟨onv.ww.⟩ **0.1** [trappend breken/forceren] *kick in/down* **0.2** [door trappen ergens in brengen] *kick in(to)* **0.3** [inlopen/stampen] *tread in* ⟨kruimels, aarde⟩ ⇒⟨aarde ook⟩ *tread/stamp/trample down* ♦ **1.1** de deur ~ *kick the door in/down;* ⟨fig.⟩ open deuren ~ ≠*force an open door, state the obvious* **1.2** ⟨sport⟩ de bal (het doel) ~ *kick the ball in(to the net), put the ball in(to) the net, score (a goal);* iem. nog verder de grond ~ *kick s.o. when he is down* **1.¶** het gaspedaal ~ *press down the accelerator (pedal)*.

intra-uterien ⟨bn.⟩ ⟨med.⟩ **0.1** *intrauterine* ♦ **1.1** ~e voorbehoedmiddelen *i. devices*.

intraveneus ⟨bn., bw.; -ly⟩ **0.1** *intravenous* ♦ **1.1** intraveneuze voeding *i. alimentation* **3.1** ~ inspuiten *inject intravenously*.

intrede ⟨de⟩ **0.1** [binnenkomst] *entry* ⇒*entrance, ingress(ion)*, ⟨opneming⟩ *reception* **0.2** [ambtsaanvaarding] *inauguration* ⇒*entrance* **0.3** [het in gebruik komen] *appearance* ⇒*arrival, advent* **0.4** [aanvang] *commencement* ⇒*coming, entrance* **0.5** [debuut] *entry* ⇒*entrée, debut* ♦ **3.2** zondag a.s. zal de nieuwe dominee zijn ~ doen ⟨dmv. preek⟩ *the new vicar will preach his first sermon next Sunday;* zijn ~ doen *take up office, enter upon one's duties* ⟨ambtenaar⟩; *deliver one's inaugural lecture* ⟨professor⟩ **3.3** voordat de fiets zijn ~ deed *before the advent of the bicycle* **3.4** zijn ~ doen ⟨van winter enz.⟩ *set in* **3.5** zijn ~ doen in de wereld der grote cineasten *make one's entry into the world of great cinematographers.*

intreden ⟨onv.ww.⟩ **0.1** [binnengaan in/door] *enter (upon/into)* **0.2** [in een orde treden] *enter a convent/order/monastery* **0.3** [mbt. tijdruimten] *set in* ⇒*arrive, begin,* ↑*commence* **0.4** [mbt. toestanden] *set in* ⇒ *occur, take place/effect, become operative* ♦ **1.1** hij trad de kamer in *he entered the room;* ⟨fig.⟩ de maatschappij ~ *enter into society;* hiermee zijn we een nieuw tijdperk (van/voor …) ingetreden *this marks (the beginning of) a new period/era (of/for)* **1.4** de dood trad spoedig in *death occurred soon afterwards;* de dood was nog niet ingetreden *death had not yet occurred;* de dood trad onmiddellijk in *death was instantaneous.*

intree →**intrede**.

intreebiljet ⟨het⟩ **0.1** *(entrance) ticket* ⇒*ticket of admission.*

intreegeld ⟨het⟩ **0.1** *admission (fee)* ⇒*entrance fee.*

intrek ⟨de (m.)⟩ **0.1** *residence* ⇒*abode, quarter(s), lodgings* ♦ **3.1** bij iem. zijn ~ nemen *move in with/take up r. with s.o.;* zijn ~ nemen in een hotel/riante bungalow *put up at a hotel; move into a splendid bungalow.*

intrekbaar ⟨bn.⟩ **0.1** *retractable* ⟨landingsgestel, antenne⟩; *retractile* ⟨kattenagels⟩; *withdrawable, revocable* ⟨vergunning⟩.

intrekken

I ⟨onv.ww.⟩ **0.1** [gaan inwonen (bij)] *move in (with)* ⇒*put up (with), take up residence/one's abode (with)* **0.2** [binnentrekken] *enter* ⇒ *move/march into, make for, penetrate (into)* **0.3** [opgezogen worden door] *be absorbed* ⇒*soak in, dry up* **0.4** [krimpen] *shrink* ♦ **1.1** een nieuw huis ~ *move into/take possession of a new house;* een klooster ~ *enter a convent* **1.2** de betogers trokken de binnenstad in *the demonstrators marched into the city centre;* verder het land ~ *go/penetrate further into the country;* de wijde wereld ~ *set forth/go out into the world* **1.3** de verf moet nog ~ *the paint must soak in first* **6.1** bij zijn vriendin ~ *move in with one's girlfriend;*

II ⟨ov.ww.⟩ **0.1** [achteruit/naar binnen brengen] *draw in/up* ⇒*retract, withdraw, pull/haul in* **0.2** [terugnemen, afschaffen] *withdraw* ⇒ *cancel* ⟨opdracht⟩, *abolish* ⟨rechten⟩, *drop* ⟨aanklacht⟩ **0.3** [binnen een ruimte trekken] *pull/draw in* **0.4** ⟨mil.⟩ *withdraw* **0.5** [(vocht) in zich opnemen] *soak/take up, absorb* ♦ **1.1** zijn benen/de voelhorens ~ *draw up one's legs; retract/draw in the feelers;* een draad/touw ~ *pull in a wire; pull/haul in a rope;* snel zijn hoofd ~ *duck (one's head);* de loopplank ~ *draw up the gangboard* **1.2** bankbiljetten ~ *call in/recall banknotes;* een belofte ~ *go back on/retract/renegue on a promise;* een benoeming (weer) ~ *cancel/revoke an appointment;* een vorig besluit ~ *revoke/reverse an earlier decision;* een bevel ~ ⟨ook⟩ *countermand an order;* zijn kandidatuur ~ *w. one's candidacy;* een toelage ~ *stop/discontinue an allowance;* een vergunning/iemands rijbewijs ~ / tijdelijk ~ *w./suspend a licence/s.o.'s driving licence;* een verlof ~ *cancel a leave;* een wetsvoorstel ~ *w. a bill;* een wet/verordening ~ *repeal/rescind/revoke a law/by-law;* zijn woorden ~ *take back/retract one's words;* ⟨inf.⟩ *eat/swallow one's words.*

intrekking ⟨de (v.)⟩ **0.1** [herroeping, afschaffing] *withdrawal* ⟨plan⟩ ⇒ *abolition* ⟨bv. doodstraf⟩, *cancellation* ⟨afspraak⟩, *repeal* ⟨wet⟩ **0.2** [inzuiging] *absorption* ⇒*soaking/taking up* **0.3** [samentrekking] *retraction* ⇒*drawing up/in* ♦ **1.1** ~ v.e. aanklacht *w. of a charge;* ⟨jur. ook⟩ *nolle prosequi.*

intrest →**interest**.

intrigant¹ ⟨de (m.)⟩, **-ante** ⟨de (v.)⟩ **0.1** *intriguer* ⇒*schemer, plotter, machinator* ⟨m., v.⟩, *intrigant* ⟨m.⟩, *intrigante* ⟨v.⟩.

intrigant² ⟨bn., bw.; -ly⟩ **0.1** [arglistig] *scheming* ⇒*plotting, machinating, contriving* **0.2** [boeiend, belangwekkend] *intriguing* ⇒*fascinating, captivating.*

intrige ⟨de⟩ **0.1** [complot] *intrigue* ⇒*machination, cabal* **0.2** [verwikkeling, plot] *plot* ⇒*intrigue, story(line)* ♦ **2.1** een verhaal vol ~s *a cloak-and-dagger story* **2.2** ondergeschikte ~ *subplot, underplot* **6.2** zonder ~ *plotless.*

intrigeren ⟨onov.ww.⟩ **0.1** [konkelen, samenzweren] *plot* ⇒*scheme, intrigue, contrive* **0.2** [boeien] *intrigue* ⇒*fascinate, captivate, enchant* ♦ **1.1** een ~d persoon *a designing/scheming person* **4.2** dat gedicht intrigeert mij *that poem fascinates/intrigues me* **5.1** hij intrigeert graag *he loves scheming* **6.1** ~ tegen *p./scheme against.*

intrigestuk ⟨het⟩ ⟨lit.⟩ **0.1** *comedy of intrigue* ⇒*cloak-and-dagger play.*

intrinsiek ⟨bn., bw.; -(al)ly⟩ **0.1** *intrinsic* ⇒*inherent, innate, immanent, essential* ♦ **1.1** de ~e waarde (van munten) *the intrinsic value (of coins);* de ~e waarde (van aandelen) *the assets value (of shares).*

intro ⟨het, de⟩ **0.1** *intro.*

introducé ⟨de (m.)⟩, **-ducée** ⟨de (v.)⟩ **0.1** *guest* ⇒*friend, visitor* ♦ **1.1** avond voor ~s *g. night.*

introduceren ⟨ov.ww.⟩ **0.1** [inleiden, voorstellen] *introduce* ⇒*bring (in/along), present,* ⟨in vereniging⟩ *induct, initiate* **0.2** [invoeren] *introduce* ⇒*launch,* ⟨geleidelijk⟩ *phase in* ♦ **1.2** aandelen op de beurs ~ *i. stocks onto the Exchange;* een artikel/nieuwe ideeën ~ *introduce/write an introduction to an article; introduce new ideas* **6.1** iem. ~ **bij** het bestuur/de vereniging *present s.o. to the committee/society;* iem. ~ in invloedrijke kringen *introduce s.o. into influential circles.*

introductie ⟨de (v.)⟩ **0.1** [bemiddeling] *introduction* ⇒*presentation* **0.2** [middel] *introduction* ⇒*passport, letter of introduction/recommendation* **0.3** [⟨muz.⟩] *introduction* ⇒*opening bars* **0.4** [het in zwang/op de markt brengen] *introduction* ⇒*launching* **0.5** [⟨geldw.⟩] *introduction* ♦ **1.1** ~ van personeel *working in/initiation of (new) staff members* **3.2** deze actrice behoeft geen (nadere) ~ *this actress needs no further i.;* iem. een ~ meegeven *give s.o. a letter of introduction/recommendation;* een ~ ontvangen *be given an i.* **6.1** ik kwam met hen in contact **door** ~ **van** X *I was introduced to them by X* **6.4** ter ~ voor de helft van de prijs *half price introductory offer.*

introeven ⟨onov.ww.⟩ ⟨kaartspel⟩ **0.1** *trump* ⇒*ruff.*

introïtus ⟨het, de (m.)⟩ **0.1** [⟨r.k.⟩] *Introit* **0.2** [⟨med.⟩] *introitus* ♦ **¶.2** ~ vaginae *i. (vaginae).*

introspectie ⟨de (v.)⟩ **0.1** *introspection.*

introspectief ⟨bn., bw.; -ly⟩ **0.1** *introspective* ⇒*meditative, reflective.*

introuwen ⟨onov.ww.⟩ **0.1** *set up home/move in with (s.o.)(after one's wedding)* ♦ **6.1** de jongelui trouwen **bij** ons in *the newly-weds are moving in/setting up home with us.*

introvert¹ ⟨de (m.)⟩ **0.1** *introvert.*

introvert² ⟨bn.⟩ **0.1** *introverted* ⇒*introvert(ive), shut in, turned in (upon s.o.).*

intrusie ⟨de (v.)⟩ **0.1** [het binnendringen/(zich) indringen] *intrusion* **0.2** [⟨geol.⟩] *intrusion.*

intrusiegesteente ⟨het⟩ ⟨geol.⟩ **0.1** *intrusive rock.*

intuinen ⟨onov.ww.⟩ ⟨inf.⟩ **0.1** *go/fall for* ⇒*swallow, be fooled, be caught out* **5.1** er/ergens ~ *fall for it/sth..*

intuïtie ⟨de (v.)⟩ **0.1** *intuition* ⇒*instinct* ♦ **2.1** vrouwelijke ~ *feminine intuition* **3.1** op zijn ~ afgaan *act on a hunch/on one's intuition/on instinct* **6.1** bij ~ wist hij hoe hij handelen moest *he knew instinctively how to act;* tegen de ~ indruisend *going against instinct/intuition, counterintuitive.*

intuïtief ⟨bn., bw.; -ly⟩ **0.1** *intuitive* ⇒*instinctive, intuitional* ♦ **1.1** intuïtieve kennis ⟨ook⟩ *immediate knowledge* **3.1** ~ aanvoelen/inzien *know intuitively, intuit;* zij wist ~ dat de zaak fout zat *she had an intuition/hunch that sth. was wrong* **5.1** ~ juist reageren *do the right thing instinctively, know instinctively how to act.*

intussen ⟨bw.⟩ **0.1** [inmiddels] *meanwhile* ⇒*in the meantime/interim* **0.2** [desondanks] *nevertheless* ⇒*all the same, for all that, yet* ♦ **3.1** het eten was ~ koud geworden *meanwhile the dinner had gone cold* **¶.2** het vriest, maar ~ loopt zij nog zonder jas! *it's freezing, and yet she is still walking about without a coat.*

inundatie ⟨de (v.)⟩ **0.1** [het onder water zetten] *inundation* ⇒*flooding* **0.2** [terrein] *inundated/flooded area* **0.3** [water] *flood/inundating water.*

inunderen ⟨ov.ww.⟩ **0.1** *inundate* ⇒*flood, drown.*

in usu 0.1 [gewoon(lijk)] *usually* ⇒*ordinarily, normally* **0.2** [in gebruik] *in use, being used.*

invaginatie ⟨de (v.)⟩ **0.1** [ineenschuiving] *invagination* ⇒*sheathing* **0.2** [⟨med.⟩] *intussusception* ⇒*invagination (of the intestine).*

inval ⟨de (m.)⟩ **0.1** [invasie] *raid* ⇒*incursion, inroad, foray, invasion* **0.2** [ingeving, idee] *(bright) idea* ⇒*thought, flash, brainwave* **0.3** [(plotseling) begin] *setting in* ⇒*(sudden) descent* **0.4** [⟨muz.⟩] *joining in* ◆ **1.**¶ hoek van~ *angle of incidence* **2.2** dwaze~ *a silly whim;* een goede / geestige / geniale~ *a bright idea; a flash of wit; a brainwave* **2.**¶ het lijkt daar wel de zoete~ *it's always open house there* **3.1** een~ doen in een café *raid* / ⟨inf.⟩ *bust a club* / *pub;* een~ doen in *raid* ⟨gebouw⟩; *invade* / *foray into* ⟨land⟩ **3.2** hij kreeg de~ zijn huis te verkopen *it suddenly occurred to him to sell his house* **6.3** de~ *van* de dooi *the setting in of the thaw.*

invalidatie ⟨de (v.)⟩ ⟨jur.⟩ **0.1** *invalidation* ⇒*nullification, annulment.*

invalide[1] ⟨de (m.)⟩ **0.1** *invalid* ⇒*disabled* / *handicapped* / *incapacitated person,* ⟨mv.⟩ *disabled* ◆ **2.1** een blijvend~ *a chronic invalid* **8.1** als~ naar huis gezonden worden *be invalided home.*

invalide[2] ⟨bn.⟩ **0.1** [gehandicapt] *invalid* ⇒*handicapped, disabled* ⟨ihb. soldaten en arbeiders⟩, *infirm* **0.2** [⟨jur.⟩] *invalid* ⇒*nullified, null (and void)* ◆ **2.1** gedeeltelijk~ *partially disabled, semi-invalid* **3.1**~ maken *lame, invalid;*~ verklaren *declare disabled, declare unfit for work* / ⟨mil.⟩ *for active service;*~ worden *be(come) disabled* / *an invalid.*

invalidenhuis ⟨het⟩ **0.1** *nursing-home (for the disabled).*

invalidenwagentje ⟨het⟩ **0.1** *wheelchair.*

invalidenwoning ⟨de (v.)⟩ **0.1** *flat* / *house specially adapted for the disabled.*

invalideren ⟨ov.ww.⟩ ⟨jur.⟩ **0.1** *invalidate* ⇒*nullify, annul.*

invaliditeit ⟨de (v.)⟩ **0.1** [het invalide zijn] *invalidity* ⇒*infirmity,* [B]*disablement,* [A]*disability* **0.2** [arbeidsongeschiktheid] *incapacity (for work)* ⇒[B]*disablement,* [A]*disability, invalidity* **0.3** [⟨jur.⟩] *invalidity.*

invaliditeitspensioen ⟨het⟩ **0.1** [B]*disablement* / [A]*disability pension.*

invaliditeitsuitkering ⟨de (v.)⟩ **0.1** [B]*disablement* / [A]*disability benefit.*

invaliditeitsverzekering ⟨de (v.)⟩ **0.1** [B]*disablement* / [A]*disability insurance.*

invaliditeitswet ⟨de⟩ **0.1** [B]*Disablement* / [A]*Disability Act.*

invallen ⟨onov.ww.⟩ **0.1** [naar binnen vallen, in iets vallen] *enter* ⇒*drop* / *fall in(to),* come in **0.2** [binnenvallen] *raid* ⇒*invade, foray* **0.3** [(plotseling) beginnen] *set in* ⟨vorst, lente⟩ ⇒*fall* ⟨stilte, nacht⟩, *close in* ⟨nacht, winter⟩ **0.4** [vervangen] *stand in (for)* ⇒*deputize, cover (for), fill in (for), (act as a) substitute (for), replace* **0.5** [te binnen schieten] *occur to* ⇒*cross one's mind, strike, come to (s.o.)* **0.6** [in de rede vallen] *interrupt* ⇒⟨inf.⟩ *cut* / *chime* / *chip in,* [↑]*interpose* **0.7** [⟨muz.⟩] *join in* ⇒*come in* **0.8** [instorten, inzakken] *fall* / *come down* ⇒*collapse, cave in* **0.9** [⟨scheep.⟩] *put in(to port)* ◆ **1.1** schuin~d licht *slanting light;*~d(e) licht(stralen) *incident rays of light* **1.3** de dooi is ingevallen *it has started to thaw;* bij~de duisternis *at nightfall, at lighting-up time;* voor / bij het~ van de nacht *at nightfall;* de~de stilte *the silence that fell* **1.8** ingevallen wangen *hollow* / *sunken cheeks* **6.1** het licht moet *van* links~ *the light must come (in) from the left* **6.4** *voor* de keeper / een collega~ *stand in for the goalkeeper* / *a colleague;* substitute for the goalkeeper, be the substitute goalkeeper **6.7**~ *bij* de derde tel *join* / *come in on the count of three;*~ *met* het refrein *join in the chorus.*

invaller ⟨de (m.)⟩, **-valster** ⟨de (v.)⟩ **0.1** [plaatsvervanger] ⟨ook sport⟩ *substitute* ⇒*deputy, replacement, reserve* **0.2** [iem. die een inval doet] *invader* ⇒*raider* ◆ **3.1** dit / zij is mijn~ *this* / *she is my deputy.*

invalshoek ⟨de (m.)⟩ **0.1** [hoek van inval] *angle of incidence;* ⟨van projectiel⟩ *angle* / *line of descent* **0.2** [gezichtshoek] *(line of) approach* ⇒*point of view.*

invalsweg ⟨de (m.)⟩ **0.1** [grote straat die aansluit op een rijksweg] *approach road* **0.2** [bij een inval gevolgde weg] *invasion route.*

invaren ⟨onov.ww.⟩ **0.1** *sail in(to)* ⇒*enter, put in(to).*

invariabel ⟨bn.⟩ **0.1** *invariable* ⇒*unchanging, fixed, unvarying, constant.*

invariant[1] ⟨de (m.)⟩ **0.1** *invariant.*

invariant[2] ⟨bn.⟩ **0.1** ⟨vnl. wisk.⟩ *invariant* ⇒*invariable, unchanging, fixed, constant, unvarying.*

invasie ⟨de (v.)⟩ **0.1** [vijandelijke inval] *invasion* ⇒*inroad, incursion, raid, foray* **0.2** [massale intocht] *invasion* ⇒*flood, deluge, influx* ◆ **1.2** een~ van toeristen *a tourist invasion.*

invechten ⟨ww.⟩ ⟨sport⟩ **0.1** *infighting* ⇒*fighting* / *boxing at close range.*

invectief ⟨het⟩ **0.1** *invective.*

invegen ⟨ov.ww.⟩ **0.1** [door vegen vullen] ⟨zie 1.1⟩ **0.2** [naar binnen vegen] *sweep in(to)* ◆ **1.1** de voegen van een bestrating~ *sweep sand into the gaps between the bricks.*

inventaris ⟨de (m.)⟩ **0.1** [lijst van aanwezige voorwerpen] *inventory* ⇒*list (of contents)* **0.2** [⟨hand.⟩] *inventory* ⇒*statement of affairs* / *of assets and liabilities* **0.3** [⟨jur.⟩ lijst van dossierstukken] *bordereau* **0.4** [aanwezige voorwerpen / goederen] *stock (in trade)* ⇒*inventory, contents,* ⟨van gebouw⟩ *fittings,* ⟨van huis⟩ *furniture* ◆ **3.2** jaarlijks de~ opmaken *do annual stock-taking;* de~ opmaken ⟨ook fig.⟩ *take stock;* de~ opmaken van iets ⟨ook fig.⟩ *inventory sth.*

inventarisatie ⟨de (v.)⟩ **0.1** ⟨ook fig.⟩ *stock-taking* ⇒*making* / *drawing up an inventory* / *a statement of affairs* ◆ **6.1** gesloten wegens~ *closed for s.-t..*

inventariseren ⟨ov.ww.⟩ **0.1** [inventaris opmaken van] *(make an) inven-*

---

tory ⇒*take stock (of), draw up a statement of affairs* / *of assets and liabilities* **0.2** [lijst opmaken van wat men aantreft] *list* ⇒*survey, inventory* ◆ **1.1** de winkel(voorraad)~ *take stock of* / *inventory the shop* **1.2** de problemen / de antwoorden~ *l. the problems* / *answers.*

inventie ⟨de (v.)⟩ **0.1** [(uit)vinding] *invention* ⇒*discovery* **0.2** [verdichtsel] *fabrication* ⇒*invention, fiction* **0.3** [vindingrijkheid] *inventiveness* ⇒*(creative) imagination, invention.*

inventief ⟨bn.⟩ **0.1** *inventive* ⇒*ingenious, resourceful, creative.*

inventiviteit ⟨de (v.)⟩ **0.1** *inventiveness* ⇒*ingenuity, resourcefulness, creativity.*

inverdienen ⟨ov.ww.⟩ **0.1** *work off* ⇒*make up.*

invers ⟨bn.⟩ **0.1** *inverse* ⇒*inverted, reverse, opposite.*

inversie ⟨de (v.)⟩ **0.1** [omkering] *inversion* **0.2** [⟨taal.⟩] *inversion* **0.3** [⟨muz.⟩] *inversion* **0.4** [⟨wisk.⟩] *inversion* **0.5** [⟨schei.⟩] *inversion* **0.6** [⟨med.⟩] *inversion* **0.7** [⟨meteo.⟩] *inversion.*

inversielaag ⟨de⟩ ⟨meteo.⟩ **0.1** *inversion layer.*

invert ⟨bn.⟩ **0.1** *inverted* ⇒*reverse(d).*

invertebrata ⟨zn.mv.⟩ **0.1** *invertebrates* ⇒*invertebrata.*

inverzekeringstelling ⟨de (v.)⟩ **0.1** *(taking into) custody* ⇒*imprisonment.*

investeerder ⟨de (m.)⟩ **0.1** *investor.*

investeren ⟨ov.ww.⟩ **0.1** [beleggen] *invest* ⇒*place* **0.2** [⟨fig.⟩] *invest* ⇒*put in* ◆ **6.1** geld in een onderneming~ *i. money in a business (venture);* winsten in apparatuur~ *plough back profits into equipment* **6.2** ik heb in dat project veel tijd geïnvesteerd *I have invested a great deal of time in that project.*

investering ⟨de (v.)⟩ **0.1** [⟨handeling⟩] *investing* ⇒*investment, capital expenditure,* ⟨ter stimulering; inf.⟩ *pump priming* **0.2** [wat geïnvesteerd wordt / is] *investment.*

investeringsaftrek ⟨de (m.)⟩ **0.1** *investment allowance.*

investeringsbijdrage ⟨de⟩ **0.1** *contribution to investment.*

investeringsklimaat ⟨het⟩ **0.1** *climate for investment.*

investeringskosten ⟨zn.mv.⟩ **0.1** ⟨in bedrijf⟩ *capital outlay.*

investeringsrekening ⟨de (v.)⟩ **0.1** *investment account.*

investeringsstop ⟨de (m.)⟩ **0.1** *investment freeze.*

investituur ⟨de (v.)⟩ **0.1** *investiture* ⇒⟨in ambt ook⟩ *induction, inauguration,* ⟨van bisschop⟩ *instalment.*

investituurstrijd ⟨de (m.)⟩ ⟨gesch.⟩ **0.1** *Investiture Controversy.*

invetten ⟨ov.ww.⟩ **0.1** *grease.*

inviet →*invite.*

invitatie ⟨de (v.)⟩ **0.1** [uitnodiging] *invitation* **0.2** [kaart] *invitation.*

invite ⟨de⟩ **0.1** [⟨kaartspel⟩] *signal* ⇒≠*peter* **0.2** [indirecte uitnodiging] *(indirect) invitation.*

invité ⟨de (m.)⟩ **0.1** *invitee* ⇒*guest.*

inviteren ⟨ov.ww.⟩ **0.1** [uitnodigen] *invite* ⇒⟨tekst op kaartjes ook⟩ *request the company of* **0.2** [⟨kaartspel⟩] *signal* ⇒≠*peter* **0.3** [⟨schermsport⟩] *invite* ◆ **6.1** we waren geïnviteerd *voor* het diner *we were invited to dinner* **6.**¶~ *op* iets~ *angle* / *fish for sth.*

invlechten ⟨ov.ww.⟩ **0.1** [door vlechten in / tussenbrengen] *plait in(to)* ⇒*braid in(to)* **0.2** [⟨fig.⟩] *weave in(to)* ◆ **6.2** de spreker vlocht in zijn rede enkele anekdotes *the speaker worked* / *wove a few anecdotes into his speech.*

invliegen

I ⟨onov.ww.⟩ **0.1** [zich vliegend begeven in / naar] *fly into* **0.2** [met grote snelheid binnengaan] *fly into* ⇒*rush* / *shoot* / *tear* / *dash into* ◆ **1.1** de dampkring~ *enter the earth's atmosphere* **1.2** een boom~ *shoot up a tree;* met volle vaart vloog de trein de tunnel in *the train rushed* / *shot into the tunnel at full speed* **5.**¶ er~ *be had* / *caught (out)* / *fooled* **6.2** op een tegenstander~ *tear* / *lay* / *lam into an opponent;*

II ⟨ov.ww.⟩ **0.1** [testen] *test-fly* ⇒⟨de eerste kilometers maken met⟩ *break in.*

invlieger ⟨de (m.)⟩ **0.1** *test pilot.*

invloed ⟨de (m.)⟩ **0.1** [inwerking] *influence* ⇒*effect,* ⟨overheersend⟩ *domination* **0.2** [morele inwerking] *influence* ⇒⟨grote⟩ *impact* **0.3** [gezag] *influence* ⇒*weight, authority* **0.4** [inspiratie] *influence* **0.5** [⟨nat.⟩ inductie] *influence* ⇒*induction* ◆ **2.1** van nadelige~ zijn op *have a(n) adverse* / *detrimental* / *harmful effect on, affect detrimentally* / *unfavourably* / *adversely* **2.2** een goede / slechte~ hebben *have a good* / *bad i., be an i. for good* / *bad;* een overheersende~ hebben op *have a controlling i. on, have ascendancy over, dominate* **2.3** grote~ hebben op *have a strong hold on* / *over, carry much weight with* **3.1** welke~ zal de nieuwe wet op onze situatie hebben? *how will the new law affect our situation?;* weinig / geen~ ondervinden van *be little affected* / *unaffected by* **3.2** zijn~ laten gelden / aanwenden *assert* / *exercise* / *exert* / *use one's i., make one's i. felt;*~ uitoefenen op iem. *influence s.o., exert* / *exercise (an) i. on s.o.* **3.3** zijn~ aanwenden bij iem. (om ...) *bring one's i. to bear on s.o.* / *use one's i. with s.o. (to ...), pull some strings;*~ krijgen bij *secure i.* / *get a hold over* **6.1** door~ en van buitenaf *by outside influences;* ⟨pregn.⟩ rijden *onder*~ *drive under the i.;* onder de~ *van;* onder~ zijn *be under the i. / the worse for drink;* zijn buitensporige leefwijze zal er ook wel op *van*~ geweest zijn *his extravagant lifestyle will also have had sth. to do with it* / *played a part in it* **6.2** als vriend heb je misschien nog~ *op* hem *as a friend you may have some i. over* / *on him* **6.3** *onder* iemands~ staan *be influenced by s.o., be in s.o.'s pocket;* een man van ~ *a man of i., an influential man* **7.1** geen ~ hebben op *have no i. on, have no bearing on, carry no weight with, not affect* **7.3** veel ~ hebben *have a long arm, carry much weight.*

invloedrijk ⟨bn.⟩ **0.1** *influential* ⇒*of influence* ◆ **1.1** een ~e bankier *a big banker, a gnome;* een ~ man *an i. man, a man of influence;* een ~e naam *a big name, a name to conjure with;* hij heeft veel ~e vrienden *he has many i. friends.*

invloedssfeer ⟨de⟩ **0.1** *sphere of influence* ⇒*range of influence.*

invloeier ⟨de (m.)⟩ ⟨film.⟩ **0.1** *fade in.*

invluchten ⟨onov.ww.⟩ **0.1** *escape into* ⇒*run away / flee / make one's escape into.*

invocatie ⟨de (v.)⟩ **0.1** *invocation.*

in voce 0.1 *under the word.*

invochten ⟨ov.ww.⟩ **0.1** *damp (down)* ⟨was⟩; *moisten* ⟨tabak⟩.

invoegen
I ⟨ov.ww.⟩ **0.1** [inlassen] *insert (into)* ⇒*fit / put in(to)* **0.2** [mbt. metselwerk] *point* ⇒*joint, join* (planken) ◆ **6.1** wilt u dat in uw brief nog even ~? *could you i. / put that into your letter?;* **tussen** twee bladzijden ~ *interpage, i. / put in between two pages;* **tussen** de regels ~ *interline, i. / put between the lines;*
II ⟨onov.ww.⟩ **0.1** [⟨verkeer⟩] *join the traffic* ⇒*filter / feed in* ◆ **5.1** gevaarlijk ~ *cut in* **6.1** ik vind het altijd eng om in te voegen **op** de snelweg *it's always scary trying to join the traffic / filter in when you drive onto the motorway.*

invoeging ⟨de (v.)⟩ **0.1** [handeling] *insertion* ⇒*interpolation, intercalation* ⟨extra dag in jaar⟩, ⟨verkeer⟩ *merging,* ⟨metselen⟩ *pointing, jointing* **0.2** [invoegsel] *insertion* ⇒*interpolation.*

invoegstrook ⟨de⟩ **0.1** *acceleration lane.*

invoelbaar ⟨bn.⟩ **0.1** *understandable* ⇒*recognizable* ◆ **1.1** een ~ probleem ⟨ook⟩ *a problem easily sympathized with.*

invoelen ⟨onov.ww.⟩ **0.1** *feel* ⇒*get the feeling of.*

invoer ⟨de (m.)⟩ **0.1** [het invoeren] *import* ⇒*importation* **0.2** [goederen] *imports* **0.3** [⟨comp.⟩] *input.*

invoerbelasting ⟨de (v.)⟩ **0.1** *import duty.*

invoerbepaling ⟨de (v.)⟩ **0.1** *import regulation.*

invoerbeperking ⟨de (v.)⟩ **0.1** *import restriction* ⇒*restriction on the import of* ...

invoerbuis ⟨de⟩ ⟨elek.⟩ **0.1** *lead-in tube.*

invoercontingent ⟨het⟩ **0.1** *import quota.*

invoerdraad ⟨de (m.)⟩ ⟨radio⟩ **0.1** *lead-in (wire).*

invoeren ⟨ov.ww.⟩ **0.1** [importeren] *import* **0.2** [instellen] *introduce* ⇒*bring into force / operation, adopt* **0.3** [introduceren] *introduce* ⇒*establish* **0.4** [⟨meestal tech.⟩ ergens inbrengen] *introduce* ⇒*feed in(to), lead in,* ⟨comp.⟩ *input (to), read in(to)* ⟨van band / schijf naar computer⟩ **0.5** [ten tonele voeren] *present* ⇒*introduce, bring on* ◆ **1.2** de doodstraf weer ~ *bring back / restore capital punishment / the death penalty;* een wet / belastingen ~ *i. a law / taxes, bring a law / taxes into force / operation* **1.3** nieuwe denkbeelden / methodes ~ *i. new ideas / methods* **1.4** koude lucht ~ *introduce cold air;* de stroom / een draad ~ *lead electricity / a wire in;* ⟨wisk.⟩ een waarde ~ *substitute* **5.1** iets clandestien ~ *smuggle sth. in;* iets vrij mogen ~ *be allowed to bring sth. into the country / to import sth. duty-free* **6.4** papier **in** een kopieermachine ~ *feed paper into a copier.*

invoerhandel ⟨de (m.)⟩ **0.1** *import trade.*

invoerhaven ⟨de⟩ **0.1** *port of import(ation)* ⇒*importing port.*

invoerheffing ⟨de (v.)⟩ **0.1** *levy on imports.*

invoering ⟨de (v.)⟩ **0.1** [het in werking stellen] *introduction* ⇒*institution* **0.2** [het in gebruik nemen, introductie] *introduction* ⇒*adoption* **0.3** [het inbrengen / plaatsen] *introduction* ⇒⟨comp.⟩ *input* **0.4** [het ten tonele voeren] *presentation* ⇒*introduction* **0.5** [het importeren] *import(ation).*

invoerpremie ⟨de (v.)⟩ **0.1** *import bounty* ⇒*bounty on imports.*

invoerrecht ⟨het⟩ **0.1** *import duty* ⇒*customs (duty)* ◆ **2.1** vrij van ~ en *duty-free.*

invoerverbod ⟨het⟩ **0.1** *import ban* ⇒*ban on imports, import embargo.*

invoervergunning ⟨de (v.)⟩ **0.1** *import licence / permit.*

involveren ⟨ov.ww.⟩ ⟨schr.⟩ **0.1** [met zich meebrengen] ⟨ongemarkeerd⟩ *involve* **0.2** [betrekken bij] ⟨ongemarkeerd⟩ *involve.*

invorderbaar ⟨bn.⟩ **0.1** *collectable* ⇒⟨jur.⟩ *recoverable,* ⟨belasting ook⟩ *leviable.*

invorderen ⟨ov.ww.⟩ **0.1** [betaling eisen van] *demand payment of* ⇒*claim (payment of)* **0.2** [innen] *collect* ⇒⟨jur.⟩ *recover,* ⟨belasting ook⟩ *levy.*

invordering ⟨de (v.)⟩ **0.1** *collection* ⇒⟨jur.⟩ *recovery,* ⟨belasting ook⟩ *levy.*

invorderingsrecht ⟨het⟩ **0.1** *collecting / collection fee / charge.*

invreten
I ⟨onov.ww.⟩ **0.1** [inbijten] *corrode* ⇒*be corrosive,* ⟨zuren ook⟩ *bite, erode* ⟨land⟩, ⟨ook fig.⟩ *gnaw (at), fret* **0.2** [ingebeten worden] *corrode; erode* ⟨land⟩ ◆ **1.1** ⟨fig.⟩ een ~d kwaad *a spreading evil;* roest vreet in *rust corrodes / is corrosive* **5.1** ⟨fig.⟩ dergelijke frustrerende ervaringen vreten diep in *such frustrating experiences gnaw at one / you;*

II ⟨ov.ww.⟩ **0.1** [door zijn inwerking verteren] *eat away, eat into* ⇒*fret, gnaw at, corrode,* ⟨zuur ook⟩ *bite into* ◆ **1.1** ingevreten ijzerwerk *corroded / rusty / rusted ironwork;*
III ⟨wk.ww.; zich ~⟩ **0.1** [door vreten gaten maken] *eat one's way into / through.*

invriezen
I ⟨onov.ww.⟩ **0.1** [in een vaarwater vast komen te zitten] *be frozen in / up* ⇒*become ice-bound* **0.2** [gedeeltelijk stukvriezen] *catch the frost* ⇒*be frost-damaged* ◆ **3.1** het eiland is ingevroren *the island is ice-bound;* wij zijn ingevroren *we're frozen in;*
II ⟨ov.ww.⟩ **0.1** [mbt. conserveren] *freeze* ⇒*quick-freeze, deep-freeze* ◆ **5.1** kun je aardbeien goed ~? *do strawberries f. well?.*

invrijheidstelling ⟨de (v.)⟩ **0.1** *release* ⇒*discharge.*

invulformulier ⟨het⟩ **0.1** *form (for completion).*

invullen ⟨ov.ww.⟩ **0.1** [wat ontbreekt erbij schrijven] *fill in* ⇒*fill ↓ up / * ⟨vnl. AE⟩ *out, make out, complete, mark* ⟨stembiljet⟩ **0.2** [(een leeg vlak) vullen] *fill up* ⇒*fill in,* ⟨fig.; van beleid, plan⟩ *flesh out* **0.3** [voegen] *point* ⇒*joint* ◆ **1.1** de antwoorden / de weggelaten woorden ~ *fill in the answers / omitted words;* belastingbiljetten ~ *fill in / fill out / complete tax returns;* vul de bon in voor een gratis catalogus *complete the coupon for a free catalogue;* de cijfers naast de namen ~ *enter the marks against the names;* het formulier ingevuld terugzenden aan ... *please return completed form to ...;* gegevens ~ op een kaart *enter data up on a card;* in het hotelregister vulde hij de naam 'Jansen' in *in the hotel register he put himself down as 'Jansen', in the hotel he registered as 'Jansen'* **1.2** ⟨fig.⟩ het voorstel eerst schetsmatig ~, en later de details ~ *first give a rough outline of the proposal, and put in the details later* **5.1** vul maar in ⟨fig.⟩ *and so on / forth, and the like, and all that jazz.*

invulling ⟨de (v.)⟩ **0.1** [het invullen] *filling-in;* ⟨AE ook; mbt. formulier⟩ *filling-out* ⇒ ↑*completion* ⟨mbt. formulier⟩ **0.2** [interpretatie] *interpretation* ◆ **3.2** een geheel eigen ~ geven aan een opdracht *give a task a highly personal i.*.

invuloefening ⟨de (v.)⟩ **0.1** *gap-exercise.*

inwaaien
I ⟨onov.ww.⟩ **0.1** [stukwaaien] *be blown in* **0.2** [naar binnen waaien] *be blown in* ◆ **1.1** de ruiten waaiden in *the windows were blown in;*
II ⟨onp.ww.⟩ **0.1** [mbt. de wind] *blow in* ◆ **5.1** het waait hier nogal in *quite a draught comes in here.*

inwaarts
I ⟨bn.⟩ **0.1** [naar binnen gericht] *inward;*
II ⟨bw.⟩ **0.1** [naar binnen] *inward(s).*

inwachten ⟨ov.ww.⟩ ⟨schr.⟩ **0.1** *await* ⇒⟨antwoord brief ook⟩ *look forward to, invite* ⟨aanbiedingen⟩ ◆ **1.1** aanbiedingen / sollicitaties worden ingewacht onder letter N., bureau van dit blad *offers / applications to be sent / submitted to the editor's office, box number N.*

inwalsen
I ⟨ov.ww.⟩ **0.1** [met een wals in elkaar drukken] *roll* **0.2** [met een wals aanbrengen] *roll in;*
II ⟨onov.ww.⟩ **0.1** [al walsende ingaan] *waltz into.*

inwandelen ⟨onov.ww.⟩ **0.1** *walk into* ⇒*stroll into.*

inwassen ⟨ov.ww.⟩ **0.1** *wash in* ⟨bv. voegen v.e. bestrating met zand⟩.

inwateren
I ⟨onov.ww.⟩ **0.1** [van water doortrokken worden] *become damp* ⇒*become soaked;*
II ⟨onp.ww.⟩ **0.1** [water doorlaten] *let the water in* ⇒*rain in* ◆ ¶**.1** boven op zolder watert het in *it rains in in the attic;*
III ⟨ov.ww.⟩ **0.1** [doen dichttrekken] *soak* **0.2** [inwassen] *soak* ⟨→**inwassen**⟩.

inwegen ⟨ov.ww.⟩ **0.1** *give extra weight.*

inweken ⟨onov., ov.ww.⟩ **0.1** [zacht maken] *soak* ⇒*soften* **0.2** [mbt. vuile was] *soak* ◆ **3.2** moeder liet de was altijd ~ *mother always left the washing to soak / soaked the washing.*

inwendig
I ⟨bn.⟩ **0.1** [van binnen zittend] *internal* ⇒*inner, inward* **0.2** [niet naar buiten blijkend] *internal* ⇒*inner* ◆ **1.1** ⟨nat.⟩ ~e energie *latent energy;* voor ~ gebruik *for internal use;* ~e kneuzingen *internal injuries;* ⟨scherts.⟩ de ~e mens versterken *fortify the inner man!* ⟨zeldz.⟩ ~e vrouw *woman;* ⟨prot.⟩ ~e zending *home mission* **1.2** met ~e voldoening iets opmerken *notice sth. with an inner sense of satisfaction;* ~e wrok koesteren *bear a grudge inside / deep down* **1.¶** ⟨taal.⟩ ~ voorwerp *implied / implicit object;*
II ⟨bw.⟩ **0.1** [in zichzelf] *inside* ◆ **3.1** ~ kookte hij van woede *i. he was boiling with rage, he was simmering with rage;* ~ moest ik lachen *I had to laugh to myself.*

inwerken
I ⟨ov.ww.⟩ **0.1** [in een materie thuis laten worden] *break in* ⇒*settle in, show the ropes* **0.2** [indrukken, indrijven] *work in(to)* **0.3** [aanbrengen in] *work in(to)* ⇒*fit / piece / dovetail in(to)* **0.4** [⟨amb., bouwk.⟩] *taper* ◆ **1.2** een ~de paal **in** de harde grond *drive a pile into the hard ground;* de voegen van een metselwerk ~ *point the joints of a piece of masonry* **1.3** ingewerkte motieven / versieringen *inwrought patterns / ornaments* **4.1** zich ergens ~ *(get) settle(d) into a place, learn*

the ropes/the tricks of the trade in a place; ⟨pej.⟩ *worm one's way in(to);* hij zal zich eerst moeten ~ *he'll have to get used to the work* **first 6.1** hij is **(in** die functie) nog niet ingewerkt *he hasn't settled in(to that job) yet;* zich **in** een onderwerp ~ *work up a subject* ¶**.1** je zal eerst een half jaar worden ingewerkt *you will first be given six months' induction/training;*

II ⟨onov.ww.⟩ **0.1** [⟨+op⟩(uit)werking hebben op] *act on* ⇒*operate on, influence, affect, corrode* ⟨zuur⟩ ◆ **6.1** een film **op** zich laten ~ *let a film sink in;* **op** elkaar ~ *interact;* **op** elkaar ~d *interactive;* ongunstig ~ **op** *affect unfavourably, have an unfavourable effect on;* A laten ~ **op** B ⟨ook⟩ *expose B to A.*

inwerking ⟨de (v.)⟩ **0.1** *action* ⇒*effect, influence, impact* ◆ **1.1** de ~ van weer en wind *weather a.* **2.1** wederzijdse ~ van A op B *the interaction of A and B* **6.1 onder** de ~ van *under the influence/impact of;* de ~ **van** het ene op het andere *the effect/influence of one on the other.*

inwerkingtreding ⟨de (v.)⟩ **0.1** *coming into force/operation* ⇒*taking effect* ◆ **1.1** de datum van ~ *the date of commencement.*

inwerktijd ⟨de (m.)⟩, **inwerkperiode** ⟨de (v.)⟩ **0.1** *training period* ⇒*initial period.*

inwerpen
I ⟨ov.ww.⟩ **0.1** [ingooien, stukgooien] *break* ⇒*smash* **0.2** [naar binnen werpen] *throw in* ⇒*hurl/fling in, insert* ⟨munt in automaat⟩ **0.3** [⟨+tegen⟩ inbrengen tegen] *raise an objection (to)* ◆ **6.3** hier is niets **tegen** in te werpen *there is nothing to be said against this, this is indisputable;* iets **tegen** een plan ~ *raise objections/an objection to a plan;*
II ⟨onov., ov.ww.⟩ **0.1** ⟨sport⟩ *throw in* ◆ **1.1** de rechtsbuiten wierp in *the right-winger took the throw-in.*

inwerper ⟨de (m.)⟩ **0.1** *player taking the throw-in/throwing in (the ball).*

inweven
I ⟨ov.ww.⟩ **0.1** [(mbt. weven) inwerken, aanbrengen] *weave in(to)* **0.2** [⟨fig.⟩ invoegen] *weave in(to)* ⇒*fit/work in(to)* ◆ **1.1** bloemen ~ *weave in flowers* **6.2** hij wist **in** zijn rede vermakelijke anekdotes in te weven *he succeeded in weaving/working amusing anecdotes into his speech;*
II ⟨onov.ww.⟩ **0.1** [onder het weven korter worden] *shorten/get shorter during weaving.*

inwijden ⟨ov.ww.⟩ **0.1** [plechtig in gebruik nemen] *inaugurate* ⇒*dedicate, consecrate* ⟨kerk⟩, *[iets voor het eerst gebruiken; inf.⟩ christen* **0.2** [deelgenoot maken] *initiate* ⇒*show the ropes* ◆ **1.1** een huis ~ *give a house-warming (party)* **3.2** (goed) ingewijd zijn *be in the swim/ know/picture* **5.2** iem. helemaal ~ *show s.o. the ropes, teach s.o. the tricks of the trade* **6.2** iem. ~ **in** de kunst van iets *initiate s.o. into the art of sth.;* ingewijd worden **in** *become initiated in; become adept in* ⟨steeds beter worden in⟩; iem. ~ **in** een plan *let s.o. in on a plan;* iem. ~ **in** een geheim *let s.o. into a secret.*

inwijding ⟨de (v.)⟩ **0.1** [plechtige ingebruikneming] *inauguration* ⇒*dedication, consecration* ⟨kerk⟩ **0.2** [mbt. personen] *initiation* ⇒*inauguration.*

inwijdingsfeest ⟨het⟩ **0.1** *inauguration* ⇒*consecratory celebration/ceremony* ⟨kerk⟩, *housewarming* ⟨huis in gebruik nemen⟩, *initiation party/celebrations* ⟨personen⟩.

inwijdingsrede ⟨de⟩ **0.1** *inaugural address* ⇒*inaugural speech.*

inwikkelen ⟨ov.ww.⟩ **0.1** [inpakken] *wrap (up)* ⇒*envelop* **0.2** [⟨fig.⟩ (iem. in iets) betrekken] *involve* ◆ **4.1** zich ~ *wrap o.s. up* **6.1** iets **in** papier ~ *wrap sth. (up) in paper* **6.2** in zulke zaken zou ik mij maar niet ~ *I wouldn't get involved in such goings-on if I were you.*

inwilligen ⟨ov.ww.⟩ **0.1** *grant* ⇒*comply with, accede/consent/agree to* ◆ **1.1** zijn eisen ~ *comply with/agree to his demands;* hij heeft mijn verzoek ingewilligd *he has granted/complied with/acceded to/agreed to my request;* iemands wensen ~ *g. / comply with s.o.'s wishes.*

inwilliging ⟨de (v.)⟩ **0.1** *granting (of)* ⇒*consent (to), concession (to), compliance (with), agreement (to)* ◆ **6.1** uw verzoek is niet **voor** ~ vatbaar *your request cannot be granted.*

inwinden ⟨ov.ww.⟩ **0.1** [inwikkelen] *wrap (up)* ⇒*envelop,* ⟨in zwachtels⟩ *bandage, swathe* **0.2** [⟨mbt. ankertouw⟩] *wind in.*

inwinnen ⟨ov.ww.⟩ **0.1** [(trachten te) krijgen] *obtain* ⇒*gather, collect, seek* **0.2** [⟨druk.⟩] *save/gain* ⟨ruimte⟩ ◆ **1.1** het advies ~ van *consult (with), o. / seek the advice of;* bijkomend advies ~ *get a second opinion;* ik zal informatie ~ *I shall gather/collect/o. information, I shall make inquiries;* inlichtingen ~ over ⟨ook⟩ *get a line on* **6.1 bij** iem. informatie ~ *go to s.o. for information.*

inwippen
I ⟨onov.ww.⟩ **0.1** [snel binnengaan] *pop into* ⇒*whisk/whip/*[B]*nip into;*
II ⟨ov.ww.⟩ **0.1** [inbrengen] *pop into* ◆ **1.1** de midvoor wipte de bal het doel in *the centre forward popped the ball into the net.*

inwisselbaar ⟨bn.⟩ **0.1** *exchangeable* ⇒⟨cheques/waardepapieren ook⟩ *convertible, negotiable, commutable, redeemable* ⟨coupons⟩.

inwisselen ⟨ov.ww.⟩ **0.1** *exchange* ⇒*convert* ⟨in goud/dollars⟩, *cash* ⟨cheque⟩, *change* ⟨valuta⟩, *redeem* ⟨coupons⟩ ◆ **6.1 voor** contanten ~ *cash (in),* [B]*encash;* ~ **voor/tegen** *e. for, convert/turn/change into.*

inwisseling ⟨de (v.)⟩ **0.1** *exchange* ⇒*conversion, cashing* ◆ **6.1 tegen/ bij** ~ **van** *in e. for.*

inwit ⟨bn.⟩ **0.1** ⟨van gezicht⟩ *white as a sheet* ⇒⟨alg.⟩ *snow-white.*

inwoekeren ⟨onov.ww.⟩ **0.1** *spread.*

inwonen ⟨onov.ww.⟩ **0.1** *live* ⇒*lodge,* [A]*room (in)* ⟨kostganger⟩, *live in* ⟨bediende, stagiair(e)⟩ ◆ **1.1** de man woonde al jaren in *the man had been a lodger for years* **6.1** ~ **bij** *live with* ⟨partner, ouders⟩; *lodge with, live in with;* gaan ~ **bij** *go to live with;* **bij** zijn ouders ~ *live with one's parents, live at home.*

inwonend ⟨bn.⟩ **0.1** [in een huis] *resident* ⇒*living in* ⟨bediende⟩, *living as a member of the household* **0.2** [in een gebied] *resident* ◆ **1.1** ~ arts /chirurg *r. (doctor); r. surgeon;* ~ assistent *intern, house officer;* ~ bediende zijn *live in;* ~e kinderen *children living at home;* ~ personeel *staff living in, r. / living-in staff.*

inwoner ⟨de (m.)⟩ **0.1** *inhabitant* ⇒*resident* ◆ **1.1** Nederland heeft ruim 14 miljoen ~ *the Netherlands has a population of over 14 million* **8.1** voor de belasting als ~ gelden *be a resident for purposes of taxation.*

inwonertal, inwonersaantal ⟨het⟩ **0.1** *population.*

inwoning ⟨de (v.)⟩ **0.1** [het inwonen] *living together* ⇒*living in* ⟨bediende⟩, *lodging* ⟨kostganger⟩, *subtenancy* ⟨onderhuurder⟩, *residence* ⟨arts⟩ **0.2** [het wonen binnen een bepaald gebied] *residence* ⇒*inhabitancy* **0.3** [⟨fig.⟩ van Heilige Geest] *indwelling* **0.4** [⟨fig.⟩ inwonend persoon/gezin] *lodger(s)* ⇒*subtenant(s)* ⟨onderhuurders⟩ ◆ **1.1** kost en ~ *board and lodging, room/bed and board;* ze krijgt 150 gulden per week en kost en ~ *she gets 150 guilders a week and all found* **1.2** de plaats/de stad van iemands ~ *s.o.'s place of r.* **3.4** zij hebben ~ *they have lodgers/subtenants.*

inworp ⟨de (m.)⟩ **0.1** [handeling] *throwing in* ⇒*insertion* ⟨geld in automaat⟩ **0.2** [wat ingeworpen wordt] *money inserted* ⟨geld in automaat⟩ **0.3** [⟨sport⟩] *throw-in* ◆ **1.3** een verkeerde/foute ~ *a foul throw* **3.2** de ~ is drie gulden *insert 3 guilders.*

inwortelen ⟨onov.ww.⟩ **0.1** *take root* ⇒⟨ook fig.⟩ *strike root.*

inwrijven ⟨ov.ww.⟩ **0.1** [in/op/aanbrengen] *rub in(to)* **0.2** [hevig verwijten] *rub in(to)* ◆ **4.1** zich met zalf ~ *rub ointment into one's skin, rub o.s. with ointment, apply ointment to s.o. / one's skin* **4.2** dat zal ik hem eens ~ *I'll rub his nose in it* **6.1** elkaar **met** sneeuw ~ *rub snow into each other's faces;* een vloer **met** was ~ *wax a floor.*

inwroeten ⟨ov.ww.⟩ **0.1** *burrow (one's way) in(to).*

inz. (afk.) **0.1** [inzonderheid] *esp..*

inzaaien ⟨ov.ww.⟩ **0.1** [uitzaaien] *sow* ⇒*met iets bezaaien] sow* ⇒*crop, seed* **0.3** [tussen ander gewas zaaien] *sow (sth.) between (sth.)* ◆ **1.2** een gazon ~ *seed a lawn* **6.2 met** gras ~ *sow grass on.*

inzage ⟨de⟩ **0.1** *inspection* ⇒*perusal* ◆ **3.1** ~ vragen *demand access/i., ask leave to inspect* **6.1** ~ verlenen in de stukken *give i. of/grant i. of/ allow access to/grant leave to inspect the documents;* s.v.p. retourneren **na** ~ *please return after perusal;* een boek **ter** ~ *ontvangen receive a book on approval;* **ter** ~ for i. / *perusal;* de notulen liggen **ter** ~ *the minutes are available (for perusal);* het ligt (voor iedereen) **ter** ~ op het gemeentehuis *it is open to public/general i. at the town hall;* een brief **ter** ~ geven *submit a letter to s.o.'s i. / to s.o. for i.;* een exemplaar **ter** ~ *an i. copy;* **ter** ~ leggen *deposit for i.;* hierbij zenden wij u een copie **ter** ~ *we hereby send you a copy for (your kind) perusal/i..*

inzagen ⟨ov.ww.⟩ **0.1** [snee/kerf maken] *make a cut in* **0.2** [door zagen aanbrengen] *cut out* ◆ **1.2** ingezaagde openingen *cut-out holes.*

inzake ⟨vz.⟩ **0.1** *concerning* ⇒*with regard to, in respect of, in the matter of, on the subject of* ◆ **1.1** ~ uw verdere opmerkingen, verwijzen wij u naar *… as far as your other remarks are concerned, we refer you to …;* zijn standpunt ~ het racisme *his attitude towards racism.*

inzakken ⟨onov.ww.⟩ **0.1** [door zijn gewicht dringen in] *sag* ⇒*settle, subside* ⟨fundament, grond⟩ **0.2** [invallen] *collapse* ⇒*cave in, give way* ⟨vloer, grond⟩ **0.3** [⟨hand.⟩] *collapse* ⇒*slump, fall off* ⟨handel⟩ **0.4** [mbt. personen] *relapse* ◆ **1.1** de grond laten ~ *allow the soil to settle* **1.2** de grond zakte onder ons in *the ground gave away beneath us.*

inzamelaar ⟨de (m.)⟩ **0.1** *collector.*

inzamelen ⟨onov., ov.ww.⟩ **0.1** [ophalen, collecteren] *collect* ⇒*get together,* ⟨geld ook⟩ *raise* **0.2** [oogsten, vergaren] *gather (in)* ⇒*bring/ get in* ◆ **1.1** geld ~ (voor) *raise money/funds (for);* ⟨op kleine schaal⟩ *pass/send/take round the hat (for);* giften/bijdragen ~ *c. donations/ contributions* **1.2** honing ~ *collect honey;* de oogst ~ *bring/get/gather in the crops, reap the harvest;* vruchten ~ *gather in fruit.*

inzameling ⟨de (v.)⟩ **0.1** *collection* ⇒*(in)gathering* ⟨oogst⟩ ◆ **3.1** een ~ houden *make a c.;* ⟨op kleine schaal⟩ *send/pass/take the hat round.*

inzamelingsactie ⟨de (v.)⟩ **0.1** *collection.*

inzegenen ⟨ov.ww.⟩ **0.1** *consecrate* ⇒⟨kerkgebouw ook⟩ *dedicate, solemnize, celebrate* ⟨huwelijk⟩.

inzegening ⟨de (v.)⟩ **0.1** [handeling] *consecration* ⇒⟨kerkgebouw ook⟩ *dedication, solemnization, celebration* ⟨huwelijk⟩ **0.2** [plechtigheid] *consecration* ⇒⟨kerk ook⟩ *dedication, celebration, solemnization, ceremony* ⟨huwelijk⟩.

inzeilen ⟨onov.ww.⟩ **0.1** *sail in(to)* ◆ **1.1** ⟨fig.⟩ de dronken man zeilde de dwarsstraat in *the drunk reeled into the side street.*

inzenden ⟨ov.ww.⟩ **0.1** [binnen een ruimte/plaats zenden] *send in(to)* **0.2** [insturen, indienen] *send in* ⇒⟨bij prijsvraag ook⟩ *enter, submit,*

contribute 〈stuk in krant〉 ◆ **1.1** iem./ een boek de wereld ~ *send s.o. / a book out into the world* **1.2** een offerte ~ *make an offer/ a bid;* een verzoekschrift ~ *send in/present a petition;* 〈voor scheiding〉 *file a petition* **6.2** goederen ~ **voor** een tentoonstelling *send in/enter goods for an exhibition.*

inzender 〈de (m.)〉 **0.1** 〈bij prijsvraag〉 *competitor, entrant, sender;* 〈op tentoonstelling〉 *exhibitor;* 〈in krant〉 *contributor.*

inzending 〈de (v.)〉 **0.1** [handeling] *submission* ⇒〈bij prijsvraag ook〉 *entry, contribution* 〈stuk in krant〉 **0.2** [het ingezondene] *entry; contribution;* 〈op tentoonstelling〉 *exhibit.*

inzepen 〈onov., ov.ww.〉 **0.1** *soap;* 〈bij scheren〉 *lather* ◆ **1.1** boorden ~ *s. collars* **4.1** we zullen hem even ~ 〈fig.〉 *we'll rub his face with snow.*

inzet 〈de (m.)〉 **0.1** [inspanning] *effort* ⇒*dedication, application, devotion* **0.2** [tekening, foto] *inset* **0.3** 〈spel〉 inleg] *stake* ⇒*bet, wager,* 〈poker〉 *ante* **0.4** [dat wat op het spel staat] 〈zie 3.4,6.4〉 **0.5** [eerste bod] 〈gevraagd〉 *starting price;* 〈gedaan〉 *opening bid* **0.6** 〈sport〉 schot/ kopbal op het doel] *shot* **0.7** 〈muz.〉] *attack* ⇒*entry* ◆ **2.1** geheel door eigen ~ *entirely by one's own efforts/ on one's own;* de spelers vochten met enorme ~ *the players gave it all they'd got/ gave their all* **2.7** een ongelijke ~ *a ragged a./ entry* **3.1** ontwapening werd de ~ van de verkiezing *disarmament became the main issue of the elections* **3.3** hij had de hele ~ gewonnen *he had swept the board/ table, he had won the (jack)pot/ pool/* 〈kaarten〉 *kitty;* de ~ verhogen *raise one's bet / the ante/ the stakes* **3.4** zijn ~ verliezen *lose everything that was at stake* **6.1** met ~ van alle krachten, **met** volledige ~ *with one's whole heart, giving one's all;* **met** ~ **van** alles/iedereen *making an all-out e.* **6.4 met** ~ **van** alles *staking everything;* Antwerpen was de ~ **van** de strijd *Antwerp was at s. in the battle.*

inzetbaar 〈bn.〉 **0.1** *usable* ⇒*employable,* 〈beschikbaar〉 *available* ◆ **3.1** een agent dient op verschillende fronten ~ te zijn *a policeman needs to be versatile.*

inzetbaarheid 〈de (v.)〉 **0.1** *availability* ⇒*usability* ◆ **1.1** de ~ van extra personeel *the a. of extra staff/ personnel.*

inzetstuk 〈het〉 **0.1** *insert* ⇒〈als versiering in naaiwerk〉 *insertion, panel,* 〈bij verstellen〉 *patch,* 〈ter opvulling〉 *packing.*

inzetten
I 〈ov.ww.〉 **0.1** [aanbrengen in/ tussen] *put in* ⇒*set in* 〈mouw〉,*set* 〈edelsteen〉 **0.2** [beginnen te doen] *start* ⇒*launch* **0.3** [in actie laten komen] *bring into action* ⇒*put into action/ service, deploy* **0.4** [op zijn plaats zetten] *set* 〈gebroken ledemaat〉 ⇒*set up, step* 〈mast〉 ◆ **1.1** een ruit ~*put in a pane of glass;* 〈herstellen〉 *replace a broken pane;* tanden laten ~ 〈losse tanden〉 *have implants,* 〈kunstgebit〉 *have dentures fitted* **1.2** een aanval ~ *launch/ mount an attack, go into action;* de achtervolging ~ *set off in pursuit;* er de pas ~ *go a good pace, walk at a stiff/ brisk pace;* een sprint ~ *put on a spurt, break into a sprint* **1.3** bulldozers werden ingezet om *bulldozers were brought into action to;* duizenden soldaten werden ingezet om *thousands of soldiers were deployed to;* troepen ~ *bring/ put troops into action, commit troops to battle;* al zijn vakmanschap ~ *call forth all one's skill;* de trainer zette beide wisselspelers in *the coach put on both substitutes;*
II 〈onov., ov.ww.〉 **0.1** 〈spel〉] *stake* ⇒*gamble, bet* **0.2** [mbt. een veiling] *start* **0.3** 〈muz.〉] *start* ⇒*break into,* 〈met instrumenten ook〉 *strike up* ◆ **1.1** ik zet een gulden in *I s./ bet a guilder* **1.2** ik heb het huis ingezet op 210.000 gulden *I started the house at 210,000 guilders, the starting-price of the house was 210,000 guilders;* een schilderij te hoog~*put too high a starting-price on a painting* **1.3** de vrouwen zetten een lied in *the women broke into a song;* het orkest zette (een wals) in *the band struck up (a waltz);* het volkslied ~ *strike up the national anthem* **2.3** te hoog/ te laag ~ *start too low/ high* **4.1** wie heeft nog niet ingezet? *who hasn't placed his bet yet?* **6.1** zijn geld ~ **op** 〈rood/ een paard〉 *s./ put one's money on (red/ a horse)* **6.2** de veilingmeester zette in **op** vijftig gulden *the auctioneer started the bidding at fifty guilders;*
III 〈onov.ww.〉 **0.1** [beginnen] *set in* ◆ **1.1** de winter zet stevig in *winter is really setting in;*
IV 〈wk.ww.; zich ~〉 **0.1** [zijn best doen] *do one's best* ⇒*devote/ dedicate o.s., labour* ◆ **1.1** alle deelnemers hebben zich volledig ingezet *all participants did their very best/ gave their all* **6.1** zich **voor** een zaak ~ *dedicate/ devote o.s. to a cause, labour for a cause.*

inzetting 〈de (v.)〉 **0.1** [het aanbrengen/ plaatsen] 〈tussenzetten〉 *insertion* ⇒*setting* 〈edelsteen, gebroken ledemaat〉, 〈beginnen〉 *start,* 〈in actie doen komen〉 *deployment,* 〈gokken〉 *betting* **0.2** [〈bijb., prot.〉] *ordinance.*

inzicht 〈het〉 **0.1** [begrip, visie] *insight* ⇒*understanding, perception* **0.2** [opvatting, mening] *view* ⇒*opinion* **0.3** [moreel besef] 〈zie 3.3〉 **0.4** [gezicht naar binnen] *inward view* ◆ **1.2** er bestaat enig verschil van ~ over ... 〈ook〉 *there is a certain amount of controversy about …* **2.1** commercieel/ technisch ~ hebben *have an understanding of commercial/ technical matters;* een duidelijk ~ krijgen in *gain a clear understanding of, gain a clear i. into;* zakelijk ~ *business acumen* **2.2** naar eigen ~ handelen/ beslissen *act/ decide according to/ in accordance with one's own views/ opinion/ judgement, act/ decide at one's own discretion;* geleid door een juist ~ *led by a correct judgement* **3.2**

iemands ~ en kennen/ delen *know/ share s.o.'s views/ opinions;* tot het ~ komen, dat ... *come to see that, recognize that, realize that, wake up to the fact that* **3.3** tot ~ komen *see the light/ error of one's ways* **6.1** we hebben iem. **met** ~ nodig *we need s.o. with acumen/ i.* **6.2** naar zijn ~ *in his v./ opinion, to his mind;* verschil **van** ~ *difference of opinion, disagreement* **7.1** geen ~ hebben *lack i./ sense/ understanding, have no perception (of).*

inzichtelijk 〈bn.〉 **0.1** 〈alleen ná zn.〉 *providing/ allowing/ requiring insight (into).*

inzien¹ 〈het〉 ◆ **2.¶** bij nader ~ geef ik hem gelijk *on (further) consideration/ on second thoughts/ on reflection I agree with him* **4.¶** mijns/ ons~s *in my/ our view/ opinion, to my/ your mind.*

inzien²
I 〈ov.ww.〉 **0.1** [een blik in iets slaan] *have a look at* ⇒*glance over* **0.2** [beseffen] *see* ⇒*recognize, realize, understand, appreciate* **0.3** [houden voor] *take a … view of* ⇒*consider, regard* ◆ **1.1** stukken ~ *inspect / examine documents* **1.2** een dwaling ~*s. an error;* het geestige van iets ~*s. the funny side of sth.;* de noodzaak gaan ~ van *come to recognize/ wake up to the necessity of;* de waarde niet ~ van *fail to realize/ appreciate/ recognize/ s. the value of sth.* **2.3** hij ziet de toekomst donker in *he takes a gloomy/ black view of the future;* de dokter ziet het ernstig in *the doctor considers the case very serious* **3.2** iem. iets doen ~ *make s.o.s. sth., open s.o.'s eyes to sth., get s.o. to understand sth.;* iets gaan ~ *wake up to sth., come to s./ realize/ recognize/ understand sth.* **5.1** een boek vluchtig ~ *leaf/ thumb through a book* **5.2** zij zien heel goed in dat ze fout waren *they clearly recognize/ are fully aware that they were wrong;* dat zie ik niet in *I don't s. that* **5.3** ik zie het niet zo somber in *I'm not all that pessimistic about it;* ik zie het somber in *I have little hope on that score, I'm pessimistic/ none too optimistic about that, I cherish no illusions as to that;*
II 〈onov.ww.〉 **0.1** [inkijken] *see in* ⇒*look in.*

inzinken 〈onov.ww.〉 **0.1** [(weg)zakken in] *sink (down)* ⇒〈dieper gaan liggen van schip ook〉 *subside* **0.2** [lager komen te liggen] *subside* ⇒ 〈grond ook〉 *sink (in)* **0.3** [de moed verliezen] *give up* ⇒*lose heart* **0.4** [mbt. fondsen] *go down* ⇒*slump* ◆ **1.1** het schip zonk de diepte in *the ship sank to the bottom* **5.3** hij zonk met de minuut verder in *his heart sank by the minute.*

inzinking 〈de (v.)〉 **0.1** [instorting, depressie] *breakdown* ⇒*collapse,* 〈inf.〉 *crackup* **0.2** 〈hand.〉 achteruitgang] *slump* ⇒*depression, recession* 〈economie〉 **0.3** [het (weg)zakken] *sinking* ⇒〈in water〉 *submersion, subsidence* 〈grond, gebouw〉 **0.4** [plaats] *depression* ⇒*dip* ◆ **2.1** je had zeker even een kleine ~ *I suppose it was one of your off moments.*

inzitten 〈onov.ww.〉 **0.1** [zitten in iets] *sit in* **0.2** [〈+over〉 bezorgd zijn] *worry about/ over* ⇒*fret/ brood about/ over* ◆ **5.1** 〈fig.〉 dat zit er niet in *there's no chance of that* **5.¶** ergens mee/ ermee ~ *be at one's wits' end about sth., be in a terrible hole about sth.* **6.2** hij zit **over** die kwestie in *he's worried about that matter;* ik heb erg **over** je ingezeten *I've been worried sick about you;* ergens zwaar/ diep **over** ~ *brood/ fret over sth., be greatly/ deeply troubled about sth..*

inzittende 〈de (m.)〉 **0.1** *occupant* ⇒*passenger.*

inzonderheid 〈bw.〉〈schr.〉 **0.1** 〈ongemarkeerd〉 *especially.*

inzoomen 〈onov.ww.〉 **0.1** *zoom in (on).*

inzouten 〈ov.ww.〉 **0.1** *salt (down)* ⇒*brine, pickle* ◆ **1.1** vlees/ haring ~ *salt (down) meat/ herring.*

inzuigen 〈ov.ww.〉 **0.1** [door inademen] *breathe in* ⇒*inhale* **0.2** [met de mond] *suck up* **0.3** [door capillaire werking opslurpen] *suck up* ⇒ *soak up, absorb* **0.4** [〈fig.〉 in zich opnemen] *pick up* ⇒*absorb* ◆ **1.1** frisse lucht/ de rook van een sigaar ~ *breathe in fresh air; inhale the smoke of a cigar.*

inzwachtelen 〈ov.ww.〉 **0.1** *bandage* ⇒*swathe.*

inzwemmen 〈onov.ww.〉 **0.1** [naar binnen zwemmen] *swim into* **0.2** [vooraf zwemmen] *swim a few laps to warm up.*

i.o. 〈afk.〉 **0.1** [in oprichting] 〈*being established*〉.

ion 〈het〉 **0.1** *ion.*

ionenbuis 〈de〉 **0.1** *ionic valve.*

ionenpomp 〈de〉 **0.1** *ionic pump.*

ionenraket 〈de〉 **0.1** *ion rocket* ⇒*ion engine.*

ionentheorie 〈de (v.)〉 **0.1** *ionic theory.*

ionisatie 〈de (v.)〉 **0.1** *ionization.*

ionisator 〈de (m.)〉 **0.1** *ionizing agent.*

Ionisch¹ 〈het〉 **0.1** *Ionic.*

Ionisch² 〈bn.〉 **0.1** *Ionic* ⇒*Ionian* ◆ **1.1** ~ bouworde/ stijl *Ionic order* **1.¶** ~e toonladder *Ionian mode.*

ioniseren
I 〈ov.ww.〉 **0.1** [in ionen splitsen] *ionize;*
II 〈onov.ww.〉 **0.1** [in ionen gesplitst worden] *ionize.*

ionosfeer 〈de〉 **0.1** *ionosphere.*

i.p(l).v. 〈afk.〉 **0.1** [in plaats van] 〈*instead of*〉.

ipso facto 0.1 *ipso facto.*

ipso jure 0.1 *ipso jure.*

IQ 〈het〉 **0.1** *I.Q..*

ir. 〈afk.〉 **0.1** [ingenieur] ≠*B.Sc.* 〈na de naam〉.

Iraaks ⟨bn.⟩ **0.1** *Iraqi.*
Iraans ⟨bn.⟩ **0.1** *Iranian.*
Irak ⟨het⟩ **0.1** *Iraq.*
Irakees ⟨de (m.)⟩, **Iraakse** ⟨de (v.)⟩ **0.1** *Iraqi.*
Iran ⟨het⟩ **0.1** *Iran.*
Iraniër ⟨de (m.)⟩ **0.1** *Iranian.*
irenisch ⟨bn.⟩ **0.1** *irenic(al).*
irenologie ⟨de (v.)⟩ **0.1** *peace studies.*
iridium¹ ⟨het⟩⟨schei.⟩ **0.1** *iridium.*
iridium² ⟨bn.⟩⟨schei.⟩ **0.1** *iridium.*
iris
  I ⟨de⟩ **0.1** [plant] *iris* **0.2** [vlies in het oog] *iris* **0.3** [regenboog] *rainbow* ⇒⟨zelden⟩ *iris* ◆ **2.1** Florentijnse ~ / lis *orris;*
  II ⟨de (m.)⟩ **0.1** [bergkristal] *rock crystal.*
iriscopie ⟨de (v.)⟩ **0.1** *iridiscopy.*
iriscopist ⟨de (m.)⟩ **0.1** *iriscopist.*
irisdiafragma ⟨het⟩ **0.1** *iris diaphragm* ⇒*iris.*
iriseren
  I ⟨onov.ww.⟩ **0.1** [de kleuren van de regenboog vertonen] *be iridescent/irised;*
  II ⟨onov., ov.ww.⟩ **0.1** [in elkaar opvolgende tinten kleuren] *iris.*
Irokees¹ ⟨de (m.)⟩ **0.1** *Iroquois, Iroquoian.*
Irokees² ⟨bn.⟩ **0.1** *Iroquoian, Iroquois.*
ironie ⟨de (v.)⟩ **0.1** *irony* ◆ **2.1** bittere ~ *bitter i.* **6.1** hij zei dat met lichte ~ *he said it with a touch of i.;* ⟨fig.⟩ de ~ **van** het lot *the i. of fate.*
ironisch ⟨bn., bw.; -(al)ly⟩ **0.1** *ironic(al)* ◆ **1.1** een ~ iem. *an ironist;* ~e opmerkingen *ironic remarks;* in ~e zin *in an ironical sense* **3.1** de brief was ~ bedoeld *he wrote the letter tongue-in-cheek, the letter was meant ironically;* ~ glimlachen *smile ironically* **5.1** ~ genoeg werd hij gearresteerd door zijn beste vriend *ironically, he was arrested by his best friend.*
ironiseren
  I ⟨ov.ww.⟩ **0.1** [tot voorwerp van ironie maken] ≠*mock* ⇒*ridicule;*
  II ⟨onov.ww.⟩ **0.1** [in ironie spreken] *ironize.*
irradiatie ⟨de (v.)⟩ **0.1** [optisch bedrog] *irradiation* **0.2** [uitstraling van pijn] *radiation* **0.3** ⟨nat., med.⟩ bestraling] *irradiation* ⇒*radiation* **0.4** [⟨fig.⟩] *irradiation.*
irrationaal ⟨bn.⟩⟨wisk.⟩ **0.1** *irrational.*
irrationaliteit ⟨de (v.)⟩ **0.1** *irrationality.*
irrationeel
  I ⟨bn.⟩ **0.1** [onberedeneerbaar] *irrational* **0.2** [⟨wisk.⟩] *irrational* ◆ **7.1** het irrationele *the i.;*
  II ⟨bw.⟩ **0.1** [op onberedeneerbare wijze] *irrationally.*
irrealis ⟨de (m.)⟩⟨taal.⟩ **0.1** *counterfactual (meaning).*
irrealiteit ⟨de (v.)⟩ **0.1** *unreality.*
irredentisme ⟨het⟩ **0.1** *irredentism.*
irreëel ⟨bn.⟩ **0.1** *unreal* ⇒*imaginary.*
irregulariteit ⟨de (v.)⟩ **0.1** *irregularity.*
irregulier ⟨bn.⟩ **0.1** [onregelmatig] *irregular* **0.2** [ongeregeld] *irregular* ◆ **1.1** op ~e tijden *at i. intervals* **1.2** ~e troepen *i. forces/troops, the irregulars.*
irrelevant ⟨bn.⟩ **0.1** *irrelevant* ⇒*extraneous, immaterial* ◆ **1.1** een ~ feit *an irrelevant fact, an irrelevance/irrelevancy;* die opmerking is ~ *that remark is not to the point* **3.1** dat is ~ *that's not the point, that's wide of the mark/purpose.*
irreversibel ⟨bn.⟩ **0.1** *irreversible.*
irrigatie ⟨de (v.)⟩ **0.1** [kunstmatige bevloeiing] *irrigation* **0.2** [⟨med.⟩ uitspoeling] ⟨van wond⟩ *irrigation;* ⟨van de schede⟩ *douche;* ⟨van de dikke darm⟩ *enema* ◆ **2.1** ondergrondse ~ *subirrigation.*
irrigatiekanaal ⟨het⟩ **0.1** *irrigation channel/canal.*
irrigatiesluis ⟨de⟩ **0.1** *irrigation sluice.*
irrigatiewerken ⟨zn.mv.⟩ **0.1** *irrigation system/works.*
irrigator ⟨de (m.)⟩⟨med.⟩ **0.1** *irrigator* ⇒*syringe,* ⟨schede ook⟩ *douche, enema* ⟨dikke darm⟩.
irrigeren ⟨onov., ov.ww.⟩ **0.1** [⟨landb.⟩] *irrigate* **0.2** [⟨med.⟩] *irrigate* ⇒*douche.*
irritant ⟨bn., bw.⟩ **0.1** *irritating* ⇒*bothersome, annoying,* ⟨van een substantie⟩ *irritant, irritative* ◆ **1.1** wat een ~ mannetje is dat, zeg! *he's a real pain (in the neck), that guy!.*
irritatie ⟨de (v.)⟩ **0.1** [het prikkelen] *irritation* **0.2** [ergernis] *irritation* ⇒*vexation* **0.3** [⟨med.⟩] *irritation.*
irritatiegrens ⟨de⟩ **0.1** *irritation threshold.*
irriteren ⟨onov., ov.ww.⟩ **0.1** [ergeren] *irritate* ⇒*aggravate, provoke, annoy* **0.2** [sterk prikkelen] *irritate* ⇒*chafe* ◆ **1.2** de huid wordt door die zeep geïrriteerd *this soap causes irritation of the skin;* de nek wordt door die nieuwe kraag geïrriteerd *this new collar chafes the neck* **4.1** het irriteert mij *that's getting on my nerves/under my skin.*
ISBN ⟨het⟩⟨afk.⟩ **0.1** [internationaal standaardboeknummer] *ISBN.*
ischias ⟨de⟩ **0.1** *sciatica.*
isgelijkteken ⟨het⟩ **0.1** *equal(s) sign.*
islam ⟨de (m.)⟩ **0.1** [mohammedanisme] *Islam* **0.2** [de islamieten] *Islam.*
islamiet ⟨de (m.)⟩ **0.1** *Islamite.*

islamiseren ⟨ov.ww.⟩ **0.1** *islamize.*
islamisme ⟨het⟩ **0.1** *Islamism.*
islamitisch ⟨bn.⟩ **0.1** *Islamic, Islamitic.*
islamologie ⟨de (v.)⟩ **0.1** *Islamics.*
i.s.m. ⟨afk.⟩ **0.1** [in samenwerking met] ⟨*in collaboration with*⟩.
isme ⟨het⟩⟨inf.⟩ **0.1** *ism* ⇒*ology.*
isobaar ⟨de (m.)⟩ **0.1** [mbt. luchtdruk] *isobar* **0.2** [mbt. thermodynamica] *isobar* **0.3** [mbt. kernfysica] *isobar.*
isobaat ⟨de (m.)⟩ **0.1** *isobath.*
isobarometrisch ⟨bn.⟩⟨meteo.⟩ ◆ **1.¶** ~e lijnen *isobars.*
isobase ⟨de (v.)⟩ **0.1** *isobase.*
isochromatisch ⟨bn.⟩⟨foto.⟩ **0.1** *isochromatic* ⇒*orthochromatic.*
isochronie ⟨de (v.)⟩ **0.1** *isochronism.*
isochroon ⟨bn.⟩⟨nat.⟩ **0.1** *isochronous, isochronal.*
isocline ⟨de (v.)⟩ **0.1** *isoclinic/isoclinal (line).*
isodynaam ⟨de (m.)⟩ **0.1** *isodynamic line.*
isofoon ⟨de (m.)⟩⟨taal.⟩ **0.1** *isophone.*
isofoot ⟨de (m.)⟩⟨fotometrie⟩ **0.1** *isophote.*
isogamie ⟨de (v.)⟩ **0.1** *isogamy.*
isoglosse ⟨de (v.)⟩⟨taal.⟩ **0.1** *isogloss.*
isogonaal ⟨bn.⟩⟨wisk.⟩ **0.1** *isogonic, isogonal.*
isogonisch ⟨bn.⟩ **0.1** *isogonic, isogonal.*
isogoon ⟨de (m.)⟩ **0.1** *isogonal/isogonic line.*
isohypse ⟨de (v.)⟩ **0.1** *contour line* ⇒*surface contour (line), isohypse.*
isolatie ⟨de (v.)⟩ **0.1** [afzondering, isolement] *isolation* **0.2** [mbt. kou/geluid] *insulation* **0.3** [materiaal] *insulation* **0.4** [mbt. elektriciteit] *insulation* ◆ **1.2** ~ v.e. spouwmuur *cavity wall i..*
isolatieband ⟨het⟩ **0.1** ᴮ*insulating tape,* ᴬ*friction tape.*
isolatiebuis ⟨de⟩ **0.1** *insulating casing/*ᴮ*sleeve,* ᴬ*jacket* ⇒⟨elek.⟩ *insulating/insulation conduit.*
isolatiecel →**isoleercel.**
isolatielaag ⟨de⟩ **0.1** *insulating/insulation layer.*
isolatiemateriaal ⟨het⟩ **0.1** ⟨elek.⟩ *insulating material, insulant;* ⟨tegen warmteverlies, om cv-buizen, boiler e.d.⟩ *lag, lagging (material).*
isolatiemiddel ⟨het⟩ **0.1** ⟨elek.⟩ *insulator;* ⟨tegen warmteverlies⟩⟨*heat*⟩ *insulator.*
isolatiewaarde ⟨de (v.)⟩ **0.1** *insulating value.*
isolationisme ⟨het⟩ **0.1** *isolationism.*
isolationistisch ⟨bn.⟩ **0.1** *isolationist.*
isolator ⟨de (m.)⟩ **0.1** *insulator.*
isoleercel ⟨de⟩ **0.1** *isolation cell* ⇒⟨voor psychiatrische patienten ook⟩ *padded cell.*
isoleerkamer ⟨de⟩ **0.1** *isolation room* ⇒⟨zaal, alleen mbt. besmettelijke ziektes⟩ *isolation ward.*
isoleerkan ⟨de⟩ **0.1** *thermos (flask/jug).*
isolement ⟨het⟩ **0.1** *isolation* ◆ **6.1** in mijn ~ ligt mijn kracht *my i. is my strength.*
isoleren
  I ⟨ov.ww.⟩ **0.1** [afzonderen] *isolate* ⇒⟨mbt. zieken ook⟩ *quarantine,* ⟨door storm, overstroming, sneeuw ook⟩ *cut off* **0.2** [uit een geheel halen] *isolate* ◆ **1.1** de boeren waren door de overstroming volkomen geïsoleerd *the farmers were cut off/marooned by the floods;* de gevangene werd geïsoleerd gehouden *the prisoner was held incommunicado/in solitary confinement;* iem. ~ (in quarantaine) *i. / quarantine s.o.;* ⟨in sociaal isolement⟩ *cut s.o.* **1.2** ⟨taal.⟩ ~de talen *isolating languages* **4.1** hij isoleert zich te veel *he isolates himself too much;*
  II ⟨onov., ov.ww.⟩ **0.1** [van afscherming voorzien] *insulate (from/against)* ◆ **1.1** geïsoleerd elektriciteitsdraad *insulated (electric) wire.*
isolering ⟨de (v.)⟩ **0.1** [afzondering, isolement] *isolation (from)* **0.2** [afscherming tegen kou, geluid] *insulation (from/against)* **0.3** [materiaal] *insulation* **0.4** [mbt. elektriciteit] *insulation.*
isomeer ⟨de (m.)⟩⟨nat., schei.⟩ **0.1** *isomer.*
isomeriseren ⟨ov.ww.⟩⟨schei.⟩ **0.1** *isomerize.*
isometrie ⟨de (v.)⟩ **0.1** *isometry.*
isometrisch ⟨bn.⟩⟨wisk.⟩ **0.1** *isometric(al).*
isomorf¹ ⟨de (m.)⟩⟨taal.⟩ **0.1** *isomorph.*
isomorf² ⟨bn.⟩ **0.1** *isomorphic, isomorphous.*
isostasie ⟨de (v.)⟩⟨geol.⟩ **0.1** *isostasy.*
isosyllabisme ⟨het⟩ **0.1** *isosyllabism.*
isotherm¹ ⟨de (m.)⟩ **0.1** [⟨meteo.⟩] *isotherm* **0.2** [⟨nat.⟩] *isotherm.*
isotherm² ⟨bn.⟩ **0.1** *isothermal.*
isotoon ⟨bn.⟩ **0.1** *isotonic* ⇒*isosmotic.*
isotoop ⟨het, de (m.)⟩⟨schei., nat.⟩ **0.1** [vorm van een element] *isotope* **0.2** [blok materiaal dat isotopen bevat] *isotope.*
isotroop ⟨bn.⟩ **0.1** *isotropic.*
Israël ⟨het⟩ **0.1** *Israel.*
Israëli ⟨de (m.)⟩ **0.1** *Israeli.*
Israëliet ⟨de (m.)⟩⟨bijb.⟩ **0.1** *Israelite* ⇒*Jew.*
Israëlisch¹ ⟨het⟩ **0.1** *modern Hebrew* ⇒*Israeli Hebrew.*
Israëlisch² ⟨bn.⟩ **0.1** *Israeli.*
israëlitisch ⟨bn.⟩ **0.1** *Jewish.*
Israëlitisch ⟨bn.⟩ **0.1** *Israelite* ⇒*Jewish.*
issue ⟨het, de (m.)⟩ **0.1** *issue* ◆ **¶.1** een hot ~ *a burning i..*

it. ⟨afk.⟩ **0.1** [item] *id.*.

ita est 0.1 ≠*I declare/certify that this is a true copy, I declare/certify this to be a true copy.*

Italiaan ⟨de (m.)⟩, **-se** ⟨de (v.)⟩ **0.1** *Italian.*

Italiaans¹ ⟨het⟩ **0.1** *Italian.*

Italiaans² ⟨bn.⟩ **0.1** *Italian* ◆ **1.1** het ~ boekhouden *double-entry book-keeping* **2.1** van Italiaans-Duitse afkomst *of Italo-German descent.*

Italianisant ⟨de (m.)⟩ ⟨bk., gesch.⟩ **0.1** *Italianizer.*

italianiseren ⟨onov.ww.⟩ ⟨bk.⟩ **0.1** *Italianize.*

italianisme ⟨het⟩ **0.1** [typisch Italiaanse trek/uitdrukking] *Italianism* **0.2** [⟨bk.⟩] *Italianism.*

Italië ⟨het⟩ **0.1** *Italy.*

italiek ⟨de (v.)⟩ ⟨druk.⟩ **0.1** *italic type, italics.*

Italisch ⟨bn.⟩ ⟨gesch.⟩ **0.1** *Italic.*

item¹ ⟨het⟩ **0.1** [nieuwsbericht, onderwerp] *item* ⇒*news item, topic* **0.2** [punt, post] *item* ◆ **¶.1** een hot ~ *a burning issue;* een ~pje *a small point/issue.*

item² ⟨bw.⟩ **0.1** *item* ⇒*the same, ditto.*

iteratie ⟨de (v.)⟩ **0.1** *(re)iteration* ⇒*repetition.*

iteratief¹ ⟨het⟩ ⟨taal.⟩ **0.1** *iterative* ⇒*frequentative.*

iteratief² ⟨bn.⟩ **0.1** *iterative* ⇒ ⟨taal. ook⟩ *frequentative* ◆ **1.1** een iteratieve bewerking *an i. operation.*

itereren ⟨ov.ww.⟩ **0.1** *(re)iterate* ⇒*repeat.*

itinerarium ⟨het⟩ **0.1** *itinerary.*

i.t.t. ⟨afk.⟩ **0.1** [in tegenstelling tot] ⟨*in contrast with, as opposed to, in contradistinction to*⟩.

i.v. ⟨afk.⟩ **0.1** [in voce] *i.v.*.

i.v.m. ⟨afk.⟩ **0.1** [in verband met] ⟨*in connection with, with respect to*⟩.

IVO ⟨het⟩ ⟨afk.⟩ **0.1** [Individueel Voortgezet Onderwijs] ⟨*Individual Secondary Education*⟩.

ivoor
I ⟨het⟩ **0.1** [materiaal] *ivory* **0.2** [kleur] *ivory* ⇒*cream* ◆ **2.1** bewerkt ~*carved i.;* ⟨ingesneden⟩ *incised/engraved i.;* ⟨ook op balein⟩ *scrimshawed i., scrimshaw;* ⟨gesch.; fig.⟩ zwart ~ *black i.* **3.1** ~ bewerken *carve/*⟨draaien⟩ *turn i.;* ⟨insnijden⟩ *engrave/incise i.;* ⟨op balein ook⟩ *scrimshaw;*
II ⟨het, de (m.)⟩ **0.1** [kunstvoorwerp] *ivory.*

ivoorkarton ⟨het⟩ **0.1** *ivory (card) board.*

ivoorkleurig ⟨bn.⟩ **0.1** *ivory(-couloured).*

Ivoorkust ⟨de⟩ **0.1** *Ivory Coast.*

ivoorpapier ⟨het⟩ **0.1** *ivory paper.*

ivoren ⟨bn.⟩ **0.1** *ivory* ◆ **1.1** ⟨myth.⟩ ~ poort *gate of i.;* ⟨fig.⟩ in een ~ toren leven *live in an i. tower.*

Ivriet ⟨het⟩ **0.1** *(modern) Hebrew.*

ixia ⟨de⟩ ⟨plantk.⟩ **0.1** *ixia.*

izabel ⟨de (m.)⟩ **0.1** *Isabella-coloured horse.*

izabelantilope ⟨de⟩ **0.1** *Bohor reedbuck.*

i.z.g.st. ⟨afk.⟩ **0.1** [in zeer goede staat] ⟨*in very good condition*⟩.

j ⟨de⟩ **0.1** [letter, klank] *j, J* **0.2** [namen/woorden beginnend met 'j'] *j, J.*

j. ⟨afk.⟩ **0.1** [jaar] *y(r)*.

ja¹ ⟨het⟩ **0.1** *yes* ⇒ ⟨bij stemprocedures ook⟩ *yea,* ^*ay(e),* ⟨bij stemming in House of Lords⟩ *content,* ⟨scheep.⟩ *ay ay,* ⟨vero.⟩ *yea* ◆ **2.1** het antwoord was een duidelijk ~ *the answer was a clear affirmative/a wholehearted 'yes'* **3.1** nee heb je, ~ kun je krijgen *you never know until you ask; you never know your luck; nothing ventured, nothing gained* **4.1** laat uw ~ ~ zijn, en uw nee nee *let your yea be yea, and your nay, nay;* zijn ~ is/tegen mijn nee *it's his word against mine/my word against his* **6.1** de vraag met ~ beantwoorden *answer in the affirmative, say yes.*

ja² ⟨tw.⟩ **0.1** [mbt. bevestiging/toestemming] *yes* ⇒ ⟨inf.⟩ *yeah, yeh* ^*yah,* ⟨bevestiging, inwilliging ook⟩ *all right, OK,* ⟨bij stemprocedures ook⟩ *yea,* ^*ay(e),* ⟨bij stemming in House of Lords⟩ *content,* ⟨vero.⟩ *yea* **0.2** [mbt. berusting/toegeving] *oh, well* **0.3** [als aanknoping] *oh, yes* **0.4** [als versterking] *yes* ⇒*indeed, even* **0.5** [mbt. verwondering/verbazing] *really* ⇒*indeed,* ⟨inf.⟩ *yeah, yeh, yah* **0.6** [mbt. ergernis/ongeduld] *well* ⇒*so* ◆ **3.1** ~ knikken *nod;* ~ zeggen tegen iets *say yes to sth.;* ⟨fig.⟩ ~ zeggen tegen het leven *be/think positive* **5.1** nog wat thee? ~ graag *more tea? yes, please/*⟨Austr.E⟩ *thank you* **5.4** mannen, vrouwen, kinderen ~ zelfs ouden van dagen *men, women, children, even the elderly* **8.1** en zo ~ *and if so* **8.2** het is niet geweldig, maar ~, wat wil je voor een tientje? *it's not fantastic/no great shakes, but then what do you expect for ten guilders?;* ~, maar …*yes, but …, true/fair enough, but …;* het is niet leuk, maar ~ *it's no joke, but there it is* **9.1** ~ en amen zeggen *agree with everything (that is said), not have a mind of one's own;* ik was al bang dat het op zou zijn, en ~ hoor *I was afraid there would be none left, and sure enough;* geen ~ en geen nee zeggen *not commit o.s. (one way or the other);* ⟨weifelen⟩ *shelly, shally, hum and ho(w), yea and nay;* heb je het al gedaan? ~ en nee *have you done it? yes and no/sort of/I have and I haven't;* zal ik het kopen, ~ of nee? *shall I buy it, yes or no?, shall I buy it or not?;* heeft zij dat gezegd?, ~ zeker!/o ~! *did she say that? oh yes, yes indeed, she did indeed,* ^*you bet,* ^*she sure did* **9.2** nou ~, als ze van hem houdt *(oh) well, if she loves him;* ⟨iron.⟩ wel ~, spot er maar mee *all right/that's right, laugh at it/make fun of it/poke fun at it/joke about it* **¶.1** ⟨iron.⟩ ~, dat kun je denken! *oh yes,* ^*sure; no chance/*^*way;* ~! ⟨na klop op de deur⟩ *come in!;* is hij al weg? ~, ik denk/geloof van wel *has he gone (already)? I think so, yes;* ~, wat is er? *what is it?, what's the matter?;* kan ik binnenkomen? ~ *may I come in? yes, you may/yes, do!;* ~? wie? o, kom binnen *yes? who is it? oh, come (on) in* **¶.2**

och ~, zo gaat dat ⟨vnl. AE⟩ *oh, well, that's the way the cookie crumbles, you can't win 'em all;* ⟨iron.⟩ ~, ~, eerst zulke verhalen en nu ... *well, well, first all this big talk and now ...* ¶.3 o ~, nu ik je toch spreek *...oh, yes, by the way ...;* incidentally ... ¶.4 ~ nog mooier, hij wilde niet meer naar huis *what's more/ worse, he didn't want to go home any more* ¶.5 ~, weet u dat zeker? *really, are you sure of that?;* o ~? *oh yes/* ⟨inf.⟩ *yeah?/* ⟨iron.⟩ *(oh) really?, indeed?, is that so/ a fact?;* je zei het net zelf! ~? *you just said it/ so yourself! did I?* ¶.6 ~, wat schieten we daar nu mee op? *well, what use/ good is that?; what good does that do us?;* doe me een lol, ~! *knock it off, will you* ¶.¶ ~! ⟨ik kom eraan⟩ *coming!.*

jaaglijn ⟨de⟩ ⟨gesch.⟩ **0.1** *tow-line/ rope* ⇒*towing-line/ rope.*

jaagpaard ⟨het⟩ ⟨gesch.⟩ **0.1** *towing-horse.*

jaagpad ⟨het⟩ **0.1** *tow path* ⇒*towing-path.*

jaagtros ⟨de (m.)⟩ **0.1** *warp* ⇒*tow-line/ rope.*

jaap ⟨de (m.)⟩ ⟨inf.⟩ **0.1** *cut* ⇒⟨diep⟩ *gash,* ⟨lang⟩ *slash* ◆ **3.1** iem. een ~ geven/ bezorgen *cut/ gash/ slash s.o.* **6.1** een ~ in zijn vinger *a c. / gash in his finger.*

jaar ⟨het⟩ ⟨→sprw. 127,603⟩ **0.1** [tijd van 12 maanden] *year* **0.2** [kalenderjaar] *year* **0.3** [omlooptijd van een planeet rond de zon] *year* ◆ **1.1** de last van de jaren *the burden of years;* de jaren des onderscheids *the years/ age of discretion* **1.2** ~ en dag *a y. and a day;* sinds ~ en dag *for years (and years), for ages;* ⟨inf.⟩ *for donkey's years;* het ~ van het kind/ de vrouw *the y. of the child, women's y.;* een paar ~ geleden/ terug *a few/ some years ago/ back/ past* **2.1** astronomisch ~ *astronomical/ equinoctial/ natural/ solar/ tropical y.;* burgerlijk ~ *civil/ calendar y.;* een dik ~ *a good y.;* een half ~ *half a y.;* in zijn jonge jaren *in his youth, in his younger years;* ⟨r.k.⟩ kerkelijk ~ *Church/ ecclesiastical/ Christian/ liturgical y.;* een klein ~ *a little under a y., nearly a y.;* ⟨fig.⟩ dat was in lange jaren niet meer voorgekomen *that hadn't happened/ occurred in years/ for many a long y. / for ages/* ⟨inf.⟩ *for donkey's years;* zes ~ later *six years later;* magere en vette jaren *good and bad years;* ⟨magere ook⟩ *lean years;* een slecht ~ voor de tuinders *a bad y. / season for the market-gardeners;* in vroeger jaren *in years gone by* **2.2** komend/ volgend ~ *next y.;* in latere jaren *in later/ after years;* het lopend ~ *the present/ current y.;* er zit een vol ~ garantie op *it carries a year's guarantee;* in de loop van vorig ~ *in the course of last y., sometime last y.* **3.1** zo iets duurt jaren *sh. like that takes years (and years)/ ages;* zij heeft er de jaren voor *she is old enough for it;* het is nu zes ~ (geleden) dat *it has been/ is six years now since* **3.2** deze rok gaat nog wel een ~ (tje) mee *this skirt will do for another y. / season* **4.2** dit ~ *this y., the present y.;* elk ~ *every/ each y.* **5.2** ik lig nu al een ~/ al jaren in het ziekenhuis *I have been in hospital for a y. / for years now;* ~ in, ~ uit *y. after y., y. out, y. in and y. out;* het hele ~ rond/ door *all (the) y. round, throughout the y.;* perennial ⟨attr.⟩; jaren terug *years ago/ back* **6.1** ⟨fig.⟩ ik doe het **in** geen honderd ~ *I'm damned if I'll do it, you won't catch me doing it;* met de jaren werd hij rustiger/ werd het beter *over the years/ as he grew older/ with the years he became calmer; with the years/ as years went on/ as the years passed/ in course of time things looked better;* verboden (toegang) voor personen **onder** (de) achttien ~ *persons under eighteen (years of age) not admitted/ allowed;* **op** jaren zijn *be well on/ advanced in years;* oud/ jong **van** jaren *young/ old in years;* een kind **van** zes ~ *a child aged six, a child of six (years old), a six-y.-old (child);* **vanaf** zijn derde ~ *from the age of three (onwards), from his third y. onwards;* hij is groot **voor** zijn jaren *he's big for his years/ age;* zijn contract was steeds **voor** een ~ verlengbaar *his contract was renewable from y. to y.* **6.2 binnen** het ~, nog geen ~ na ... *within a y. (of ...), less than a y. after ...;* **door** de jaren heen *through/ over the years;* in het ~ onzes Heren 1990 *in the y. of our Lord/ our redemption/ grace 1990;* **in** de afgelopen tien ~ *in the past ten years/ past decade;* **in** de laatste paar ~, de laatste jaren *in the last few years, in recent years;* **om** de vier ~ *every fourth y.;* **om** de twee ~ *every other y.;* ~ **op** ~ *y. after/ by y., every y.;* **over** vijf ~ *five years from now/ in five years' time, five years hence;* vandaag **over** een ~ *y. from today;* **per** ~ *yearly, a y.;* ⟨geldzaken ook⟩ *per annum/ y.;* ik zie nog vaak mensen **uit** mijn/ ons ~ *I often meet people of my/ our y.,* ^Aclass, *I often meet classfellows/ classmates;* **van** 't ~ komt het er niet meer van *we won't get round to it this y., it won't be for this y., it won't happen this y.;* de politicus/ de voetballer/ de auto **van** het ~ *the politician/ the footballer/ the car of the y.;* **van** ~ **tot** ~ *y. after/ by y.;* **van** ~ **tot** ~ uitstellen *put sth. off y. after y. / from y. to y.;* een wijn **van** een goed ~ *wine from a good y., wine of a good vintage;* een wijn **van** het ~ 1979 *a wine of 1979 vintage;* een vriend **van** jaren her/ terug *a friend of many years' standing, an old friend;* **vóór** een ~ *a y. ago/ back;* dit baantje is **voor** een ~ *this job is (tenable) for a y.* **7.1** zij is 2 ~ ouder dan ik *she is two years older than I am/ older than me/ my senior, she is my elder/ senior by two years;* dit bedrijf bestaat 10 jaar *this company is celebrating its tenth anniversary, this company is ten years old;* anderhalf ~ *a y. and a half;* ik zit in het derde ~ van mijn studie *I'm in my third y. of college;* wel honderd ~ worden *live to be a hundred;* verleden week dinsdag is ze twaalf ~ geworden *she was twelve on Tuesday of last week;* hij is twee ~ jonger dan ik *he is two years younger than I am/ than me, he is two years my*

junior/ *my junior by two years;* bijna vijftien ~ ⟨oud⟩ *nearly/ almost fifteen (years old), going on fifteen* **7.2** hij had haar dertig ~ lang niet/ de laatste dertig ~ niet/ in geen dertig ~ gezien *he hadn't seen her for/ in (the last) thirty years;* precies drie ~ geleden *exactly three years ago, three years ago to the day;* van het ~ nul ^B*from the y. dot,* ^A*horse-and-buggy;* ⟨en⟩ nog vele jaren *many happy returns (of the day);* de jaren zestig *the Sixties* **8.1** jaren en jaren *years and years, years on end, ages.*

jaarabonnement ⟨het⟩ **0.1** *annual subscription* ⇒*yearly subscription, year's subscription* ⟨voor een jaar⟩, *annual season/* ^A*commutation ticket* ⟨trein e.d.⟩.

jaarbalans ⟨de⟩ ⟨hand.; geldw.⟩ **0.1** *annual balance sheet.*

jaarbasis ⟨de (v.)⟩ ◆ **6.¶ op** ~ *on an annual/ a yearly basis.*

jaarbericht ⟨het⟩ **0.1** *annual report.*

jaarbeurs ⟨de⟩ **0.1** [tentoonstelling] *(annual) fair* ⇒*trade fair* **0.2** [gebouw] *exhibition centre.*

jaarbeursgebouw ⟨het⟩ **0.1** *trade fair centre.*

jaarboek ⟨het⟩ **0.1** [kroniek] *yearbook* ⇒*annual* **0.2** [⟨mv.⟩ annalen] *annals* ⇒*chronicles* **0.3** [almanak] *yearbook* ⇒*annual* ◆ **2.1** meteorologisch ~ *almanac(k);* statistisch ~ *statistical abstract.*

jaarboekje ⟨het⟩ **0.1** *yearbook* ⇒*annual.*

jaarcapaciteit ⟨de (v.)⟩ **0.1** *yearly capacity.*

jaarcijfer ⟨het⟩ **0.1** [jaartal] *year* ⇒*date,* ⟨stat.⟩ ⟨wijn⟩ *year, vintage* **0.2** [⟨mv.⟩ statistische cijfers] *annual returns* ⇒*yearly returns, annual/ yearly statistics/ figures.*

jaarclub ⟨de⟩ **0.1** *society of students of the same year/* ^A*class.*

jaarcontract ⟨het⟩ **0.1** *annual contract* ⇒*annual lease* ⟨van huur⟩.

jaardicht ⟨het⟩ **0.1** *chronogram.*

jaarfeest ⟨het⟩ **0.1** *anniversary* ⇒*annual celebration/ feast,* ⟨geboortefeest⟩ *birthday.*

jaargang ⟨de (m.)⟩ **0.1** [alle afleveringen van een periodiek werk] *volume* ⇒*year (of publication)* **0.2** [al die afleveringen bij elkaar] *volume* ⇒*set, series* **0.3** [wijnsoort] *vintage* ◆ **2.1** oude ~en *back volumes/* ⟨van krant⟩ *file(s)* **2.2** een ingebonden ~ van een tijdschrift *a bound v. of a periodical* **2.3** de kelder is voorzien van uitsluitend beste ~en *the cellar is supplied with only the best vintages* **3.1** zijn tweede ~ ingaan/ beleven *go into one's second year of publication* **6.1** prijs **per** ~ f135,- *annual/ yearly subscription 135 guilders* **7.1** de derde ~ ontbreekt *the third v. / v. three/ the third year (of publication) is lacking.*

jaargeld ⟨het⟩ **0.1** *annuity* ⇒*annual allowance,* ⟨ouderen, weduwen, kunstenaar, geleerde; wegens bewezen diensten⟩ *pension* ◆ **3.1** iem. een ~ toekennen/ uitkeren *grant s.o. an annuity, give s.o. an annual allowance;* ⟨pensioen⟩ *pension s.o.;* ⟨geleerde/ kunstenaar⟩ *bestow a pension on s.o...*

jaargemiddelde ⟨het⟩ **0.1** *annual/ yearly average.*

jaargenoot ⟨de (m.)⟩, **-genote** ⟨de (v.)⟩ **0.1** [medestudent] *contemporary* ⇒^A*classmate,* ⟨man ook⟩ *classfellow* **0.2** [leeftijdgenoot] *contemporary.*

jaargetijde ⟨het⟩ **0.1** [seizoen] *season* **0.2** [⟨r.k.⟩ mis] *annual mass.*

jaarhuur ⟨de⟩ **0.1** [geldbedrag van huishuur of pacht] *annual/ yearly rent* **0.2** [huishuur-, pachttermijn] *annual/ yearly tenancy* **0.3** [huurtermijn van goederen, pachttermijn] *annual/ yearly lease.*

jaarinkomen ⟨het⟩ **0.1** *annual income* ⇒*yearly income.*

jaarinkomsten ⟨zn.mv.⟩ **0.1** *income for the year.*

jaarkaart ⟨de⟩ **0.1** ⟨trein e.d.⟩ *annual season/* ^A*commutation ticket.*

jaarkalender ⟨de⟩ **0.1** *calendar* ⇒.

jaarkring ⟨de (m.)⟩ **0.1** [twaalf maanden] *annual cycle* **0.2** [jaarring] *annual ring* ⇒*growth/ tree ring.*

jaarlijks ⟨bn., bw.; -ly⟩ **0.1** [ieder jaar (weer)] *annual* ⇒*yearly,* ⟨bijw. ook⟩ *every/ each year, once a year* **0.2** [per jaar, over het gehele jaar] *annual* ⇒*yearly,* ⟨over het gehele jaar ook⟩ *over the year,* ⟨geldzaken ook⟩ *per annum/ year* ◆ **1.1** de ~e draaiing van de aarde om de zon *the a. / yearly revolution of the earth around the sun;* ~e volkstellingen *a. / yearly censuses* **1.2** een ~ inkomen *an a. / a yearly income* **3.1** dit feest wordt ~ gevierd *this celebration takes place yearly/ annually/ every year/ once a year* **3.2** ~ komen hier duizenden bezoekers *thousands of visitors come here every year.*

jaarling ⟨de (m.)⟩ **0.1** *yearling.*

jaarloon ⟨het⟩ **0.1** *annual pay* ⇒*year's/ yearly/ annual wages.*

jaarmarkt ⟨de⟩ **0.1** *(annual) fair.*

jaarmis ⟨de⟩ ⟨r.k.⟩ **0.1** [mis op iemands sterfdag] *annual mass* **0.2** [dagelijkse zielemis] *(mass said daily during one year).*

jaaromzet ⟨de (m.)⟩ **0.1** *annual turnover/ sales* ⇒*annual volume/ amount of business.*

jaaropening ⟨de (v.)⟩ **0.1** ⟨ceremony at the start of the academic year⟩.

jaaropgaaf ⟨de⟩ **0.1** *annual statement.*

jaaroverzicht ⟨het⟩ **0.1** *annual survey* ⇒*yearly survey, annual/ yearly report/ review.*

jaarrekening ⟨de (v.)⟩ **0.1** [rekening-courant] *annual/ yearly account* **0.2** [financieel overzicht] *annual accounts* ⇒*annual statement of account(s)* ◆ **6.1 op** ~ kopen/ verkopen *run up an annual/ yearly a..*

jaarrente ⟨de⟩ **0.1** *annuity.*

jaarring ⟨de (m.)⟩ **0.1** *annual ring* ⇒*growth/ tree ring.*

jaarsalaris ⟨het⟩ **0.1** *annual/yearly salary*.
jaarstaat ⟨de (m.)⟩ **0.1** *annual returns/statement*.
jaarstukken ⟨zn.mv.⟩ **0.1** *annual accounts* ⇒*annual statement of account(s)*.
jaartal ⟨het⟩ **0.1** [getal van het jaar] *year* ⇒*date* **0.2** [⟨mv.⟩ tabel van gebeurtenissen] *(historical) dates* **0.3** [leeftijd] *age* ⇒*years* ◆ **3.1** er staat geen~ in het boek *the book has no date in it/bears no date/is undated* **3.2** ~len opschrijven/leren *take down/learn dates* **7.1** een boek met het~ 1932 *a book dated 1932*.
jaartalvers ⟨het⟩ **0.1** *chronogram*.
jaartelling ⟨de (v.)⟩ **0.1** *era* ◆ **2.1** de christelijke~ *the Christian e..*
jaartermijn ⟨de (m.)⟩ **0.1** [periode] *annual/yearly period* **0.2** [afbetaling] *annual/yearly instalment*.
jaarvergadering ⟨de (v.)⟩ **0.1** *annual meeting* ◆ **2.1** algemene~ *annual general meeting*, ⟨afk.⟩ *AGM*.
jaarverslag ⟨het⟩ **0.1** *annual report*.
jaarwedde ⟨de⟩⟨schr.⟩ **0.1** *(annual) salary* ⇒*stipend* ⟨geestelijke⟩.
jaarwisseling ⟨de (v.)⟩ **0.1** *turn of the year* ◆ **2.1** goede/prettige ~! *happy New Year!*.
jabot ⟨het, de (m.)⟩ **0.1** [⟨gesch.⟩ kanten plooi aan mansoverhemd] *jabot* ⇒*frill* **0.2** [id. op damesjapon] *jabot, tucker* ⇒*frill*.
jabroer ⟨de (m.)⟩ **0.1** *yes-man*.
JAC ⟨het⟩⟨afk.⟩ **0.1** [Jongerenadviescentrum] *(Young People's Advisory Centre)*.
jacht
I ⟨het⟩ **0.1** [zeilboot] *yacht* **0.2** [motorjacht] *yacht;*
II ⟨de⟩ **0.1** [het jagen] *hunting* ⇒⟨op klein wild⟩ ᴮ*shooting* **0.2** [jachtpartij] *hunt* ⇒⟨op klein wild⟩ *shoot* **0.3** [jachttijd] *(open) season* ⇒*gaming/hunting/* ⟨op klein wild⟩ ᴮ*shooting season* **0.4** [achtervolging] *hunt* ⇒*chase, pursuit* **0.5** [het nastreven] *hunt* ⇒*pursuit* **0.6** [jachtterrein] *hunt(ing ground)* ⇒ᴮ*chase*, ⟨voor klein wild⟩ ᴮ*shoot(ing)*, ᴮ*shooting ground* **0.7** [schilderstuk] *hunting-scene* ⇒*hunting-scene* **0.8** [honden] *pack* **0.9** [buitgemaakt wild] *bag* ⇒*kill* ◆ **2.1** korte~ *shooting;* lange~ *coursing* **2.2** een goede~ hebben *have a good run, make a bag;* van welke~? *a bad h. / shoot* **2.3** gesloten/verboden~ ᴮ*the close season*, ᴬ*the closed season*, ᴮ*close time, fence month/time/season;* de~ is open *the hunting/shooting season has opened;* ⟨op vluchteling⟩ *the hunt is on;* ⟨fig.⟩ *the gloves are off* **2.8** de wilde~ *the wild hunt* **3.1** ~ maken op *hunt* ⟨wild⟩; *shoot* ⟨klein wild⟩; *hunt (for)* ⟨persoon⟩; *pursue* ⟨eer, rijkdom⟩; ⟨van roofdier⟩ *hunt, prey on* **3.2** de~ beginnen *throw off* **3.4** ~ maken op een man/een vrouw *be after/chase (after)/pursue a man/a woman;* ~ maken op oorlogsmisdadigers *hunt/track down war criminals;* ~ maken op een partij heroïne *hunt for a consignment of heroine;* ~ maken op de meiden *chase (around after) girls, go after a piece of skirt* **3.6** de~ verpachten *rent/hire out the shoot(ing)* **6.1** de~ op *big game h.;* **op** ~ gaan *go (out) h.,* ᴮ*go (out) shooting* ⟨klein wild⟩; ⟨van vossen⟩ *ride to hounds;* ⟨op de lange jacht⟩ *go coursing;* ⟨van roofdier⟩ *go h., prowl;* **op** ~ zijn *be (at) h. /* ⟨klein wild⟩ ᴮ*shooting, be out with the hounds/guns;* ⟨van dier⟩ *hunt, prowl;* **van** de~ leven *live by h. / by the chase* **6.2** mee op ~ gaan *follow the guns/chase* **6.3** de ~ **op** wilde zwijnen is open *the hunting/shooting/gaming season has opened for wild boar* **6.4** de ~ **met** de camera *the great picture h.;* **op** ~ ⟨naar man /vrouw⟩⟨inf.⟩ *on the make;* **op** ~ zijn **naar** iets *be hunting/on the h. for sth., smell about/around for sth.* **6.5** ~ **naar** roem/succes *the pursuit of fame/success;* de ~ **op** koopjes/baantjes *bargain-hunting, job-hunting;* ⟨hand.⟩ de ~ **op** koper/goud *the run on copper/gold*.
jachtakte ⟨de⟩ **0.1** *hunting licence* ᴬ*se* ⇒*game licence*, ⟨klein wild⟩ *shooting licence/permit* ◆ **2.1** grote~ *full h. / shooting l.;* kleine ~ *limited h. / shooting l..*
jachtbommenwerper ⟨de (m.)⟩ **0.1** *fighter-bomber*.
jachtclub ⟨de (m.)⟩ **0.1** *yacht-club* ⇒*sailing club*.
jachten
I ⟨ov.ww.⟩ **0.1** [haasten] *hurry* ⇒*rush, drive, hustle* ◆ **4.1** als je hem zo jacht, wordt hij zenuwachtig *if you keep after him like that you'll make him nervous;*
II ⟨onov.ww.⟩ **0.1** [zich haasten] *hurry* ⇒*haste, hustle, tear along* **0.2** [mbt. wolken] *fleet* ⇒↓*scurry* ◆ **3.1** je hoeft niet zo te ~ *there's no need to hurry/rush;* ze loopt de hele tijd te ~ en te jagen *she has been hustling and bustling all the time*.
jachteskader ⟨het⟩ **0.1** *fighter-squadron*.
jachtexpeditie ⟨de (v.)⟩ **0.1** *shoot* ⇒*hunting/shooting expedition*.
jachtgebied ⟨het⟩ **0.1** *hunt(ing ground)* ⇒*chase*, ⟨voor klein wild⟩ ᴮ*shoot(ing)*, ᴮ*shooting ground*, ⟨fig.⟩ *field (of interest)*.
jachtgenot ⟨het⟩ **0.1** *hunting-rights* ⇒*shooting-rights* ◆ **1.1** verhuring van het~ *renting/hiring/leasing of the h.-rights*.
jachtgeweer ⟨het⟩ **0.1** *shotgun* ⇒*sporting-gun/rifle*.
jachtgezelschap ⟨het⟩ **0.1** *hunt* ⇒*meet/shooting/hunting party*.
jachtgrond ⟨het⟩ **0.1** *hunt(ing ground)* ⇒*chase*, ⟨voor klein wild⟩ ᴮ*shoot(ing)*, ᴮ*shooting ground*.
jachthaven ⟨de⟩ **0.1** *yacht-basin* ⇒ ⟨aan zee ook⟩ *marina*.
jachthond ⟨de (m.)⟩ **0.1** *hound* ⇒*gun/sporting-dog* ◆ **1.1** troep~en *a pack of hounds, the hounds* **6.1** met ~en jagen op *hound*.

jachthoorn ⟨de (m.)⟩ **0.1** [instrument op de jacht] *hunting-horn* ⇒*bugle (horn)* **0.2** [muziekinstrument] *(hunting-)horn*.
jachthuis ⟨het⟩ **0.1** *(shooting/hunting) lodge* ⇒*box* ⟨klein⟩.
jachtig ⟨bn., bw.;-ly⟩ **0.1** *hurried* ⇒*hectic, hasty, hurry-scurry* ◆ **1.1** de ~e dagen/tijd voor Kerstmis *the hectic days/the (hustle and) bustle before Christmas;* de ~e mensen *the madding crowd;* mijn nieuwe baan is tenminste niet meer zo'n ~e toestand *at least my new job is less hestic* ¶*.1* ~ in de weer zijn *hurry/bustle (about)*.
jachtlak ⟨het, de (m.)⟩ **0.1** *yacht/marine varnish*.
jachtliefhebber ⟨de (m.)⟩ **0.1** *sportsman* ⇒*lover of sport/the chase*.
jachtluipaard ⟨de (m.)⟩ **0.1** *cheetah*.
jachtmes ⟨het⟩ **0.1** *hunting knife* ⇒⟨lang⟩ *bowie (knife)*.
jachtopziener, jachtopzichter ⟨de (m.)⟩ **0.1** *game-warden* ⇒*game-keeper*.
jachtpaard ⟨het⟩ **0.1** *hunter*.
jachtpartij ⟨de (v.)⟩ **0.1** *hunt(ing-party);* ⟨met geweren⟩ *shoot-(ing-party)*.
jachtrecht ⟨het⟩ **0.1** [voor de jacht geldend recht] *game laws* ⟨mv.⟩ **0.2** [jachtvergunning] *hunting/shooting rights* ⇒*hunting/shooting permit*.
jachtrevier ⟨het⟩ **0.1** *hunting-ground/-area* ⇒⟨met geweer⟩ *shoot*.
jachtsaus ⟨de⟩⟨cul.⟩ **0.1** *sauce chasseur*.
jachtschotel ⟨de⟩ **0.1** ≠*hotpot*.
jachtseizoen ⟨het⟩ **0.1** *hunting/shooting season*.
jachtslot ⟨het⟩ **0.1** *hunting seat/lodge*.
jachtsneeuw ⟨de⟩ **0.1** *driving snow*.
jachtspin ⟨de⟩ **0.1** *wolf spider* ⇒*hunting spider*.
jachtstoet ⟨de (m.)⟩ **0.1** *hunting/shooting party* ⇒⟨bereden vossenjacht ook⟩ *field*.
jachttafereel ⟨het⟩ **0.1** *hunting scene*.
jachtterrein ⟨het⟩ ⟨vnl. fig.⟩ **0.1** *hunting-ground(s)*.
jachttijd ⟨de (m.)⟩ **0.1** *hunting/shooting-season* ◆ **2.1** open/gesloten ~ *open/closed season*.
jachttrofee ⟨de (v.)⟩ **0.1** *hunting trophy*.
jachtveld ⟨het⟩ **0.1** *hunting-ground* ◆ **2.1** ⟨fig.⟩ naar de eeuwige ~en gaan *go (on) to the happy hunting-grounds;* particulier ~ *preserve, private hunting-grounds/* ⟨met geweer⟩ *shoot*.
jachtverbod ⟨het⟩ **0.1** *prohibition of hunting/shooting*.
jachtvereniging ⟨de (v.)⟩ **0.1** *hunt* ⇒*hunting association*.
jachtvlieger ⟨de (m.)⟩ **0.1** *fighter pilot*.
jachtvliegtuig ⟨het⟩ **0.1** *fighter* ⇒*pursuit plane*.
jachtvogel ⟨de (m.)⟩ **0.1** *bird of prey trained to hunt small game* ⇒*falcon, hawk*.
jachtwet ⟨de⟩ **0.1** *game act/law*.
jack ⟨de (m.)⟩ **0.1** *jacket* ⇒*coat*.
jacket ⟨het⟩ **0.1** [mbt. boeken] *(dust) jacket* ⇒*dust cover* **0.2** [mbt. het gebit] *crown*.
jacketkroon ⟨de⟩⟨med.⟩ **0.1** *crown* ◆ **6.1** tanden/kiezen met jacketkronen *c. teeth/molars*.
jackpot ⟨de (m.)⟩ **0.1** *jackpot* ⇒⟨inf.⟩ *jack*.
jaconnet ⟨het⟩ **0.1** *jaconet*.
jacquardmachine ⟨de (v.)⟩⟨weven⟩ **0.1** *jacquard/Jacquard (loom)*.
jacquardpatroon ⟨het⟩⟨weven⟩ **0.1** *jacquard/Jacquard pattern/design*.
jacquet ⟨het, de⟩ **0.1** [kledingstuk] *morning coat* ⇒⟨inf.⟩ *tails*, ⟨dames⟩ *jacket* **0.2** [spel] ≠*backgammon* ◆ **6.1** in ~ *in morning dress;* ⟨inf.⟩ *in tails*.
jade ⟨het, de (m.)⟩ **0.1** *jade* ◆ **6.1** van ~, uit ~ *vervaardigd jade*.
jadmoos →**jatmoos**.
jaeger ⟨het⟩ **0.1** *jaeger*.
jagen ⟨→sprw. 261⟩
I ⟨ov.ww.⟩ **0.1** [(wild) vervolgen] *hunt (* ⟨ook⟩ *for);* ⟨mbt. klein wild⟩ *shoot* ⇒⟨herten ook⟩ *stalk*, ⟨hazen ook⟩ *course* **0.2** [drijven] *drive* ⇒*send*, ⟨in clichés vaak⟩ *put*, ⟨snel⟩ *race, rush* **0.3** [nalopen] *chase* **0.4** [dwingen tot snel(ler) gaan] *drive (on)* ⇒*rush, urge on* ◆ **1.1** herten~ *h. (for)/stalk deer*, op deer-hunting/-stalking **1.3** hoeren~ *c. whores* **1.4** een paard~ *drive/urge a horse on* **5.2** zijn geld erdoor~ *go through one's money (fast);* prijzen/koersen omhoog/omlaag~ *d. / send prices/rates up/down;* uiteen~ *scatter* **6.2** zich een kogel **door** het hoofd~ *put a bullet through one's brain/head, blow one's brains out;* die wet werd **door** de Tweede Kamer gejaagd *the law was rushed/hastened through parliament;* iem. **op** kosten~ *put s.o. to (great) expense;* iem. **op** de vlucht~ *put s.o. to flight;* ⟨mil. ook⟩ *rout s.o.;* ⟨scherts. ook⟩ *send s.o. flying;* alle misdaad de stad **uit**~ *hunt all crime out of town;* **uit** bed~ *rout/* ⟨AE ook⟩ *roust out of bed;* **uit** zijn hol~ *chase/d. / ferret/* ⟨met vuur⟩ *smoke (sth.) from its lair;* een gevluchte misdadiger **uit** zijn schuilplaats~ *smoke out a runaway criminal;* de Russen **uit** Afghanistan~ *d. the Russians out of Afghanistan;* **uit** huis/ **van** het erf~ *d. out of the house/off the premises;* **van** school ~ *expel from school* ¶*.2* voor zich uit~ *d. before one;*
II ⟨onov.ww.⟩ **0.1** [op jacht zijn] *hunt* ⇒*be/go (out) hunting*, ⟨met geweer⟩ *shoot, be/go (out) shooting* **0.2** [rusteloos streven] *pursue* ⇒*seek (after)* **0.3** [snel gaan] *race* ⇒*rush* ◆ **1.3** zijn pols jaagt *his pulse is racing* **3.3** je hoeft niet zo te ~ *slow down!, what's the hurry?* **6.1**

met pijl en boog ~ *h. with bow and arrow;* **met** honden ~ (op) *h. with hounds; ride to hounds* ⟨op vossen⟩; **op** patrijs ~ *h. (for)/be/go (out) hunting (for) partridge, be/go (out) partridge-shooting;* ~ **op** ⟨→Io.1⟩; **op** ratten/korhoenders/walvis ⟨enz.⟩ ~ *rat/grouse/whale, go ratting/grousing/whaling* ⟨enz.⟩ **6.2 naar** eer en roem ~ *p. / seek (after) honour and fame;* **op** effect ~ *be after/look for effects* **6.3** de wolken joegen **voorbij** de maan *the clouds scudded/scurried/raced across the moon.*

jager ⟨de (m.)⟩ **0.1** [iem. die op jacht gaat] *hunter* **0.2** [soldaat] *rifleman* **0.3** [jachtvliegtuig] *fighter* ⇒*pursuit plane* **0.4** [bepaald schip] *hunter* **0.5** [vogel] *skua* ⇒*jaeger* **0.6** [snoek] *(male) pike* **0.7** [⟨in samenst.⟩] *hunter* ⇒*chaser* **0.8** [haringjager] *carrier* ◆ **1.2** het tweede regiment ~s *the 2nd (regiment of) chasseurs* **1.7** premiejager *bounty-h.* **2.1** een slechte ~ *a poor shot;* een voortreffelijk ~ *an excellent shot* **2.5** de grote/kleine ~ *the great/arctic s.,* ᴬ*the s. / parasitic jaeger;* kleinste/middelste ~ *long-tailed/pomarine s. / ᴬjaeger* **6.1** een ~ **op** groot wild *a big-game h.* **6.2** de ~s **te** paard *the cavalry.*

jagermeester ⟨de (m.)⟩ **0.1** *huntsman* ⇒*master of the hunt, Master of (the) (fox) hounds.*

jagershoed ⟨de (m.)⟩ **0.1** *huntsman's hat* ⇒≠*deerstalker.*

jagersjas ⟨de (m.)⟩ **0.1** *riding coat.*

jagerslatijn ⟨het⟩ **0.1** *sportsman's yarn(s)* ⇒*tall story/stories,* ⟨inf.⟩ *story /stories about the one that got away.*

jagerssaus ⟨de⟩ ⟨cul.⟩ **0.1** *sauce chasseur.*

jagerstaal ⟨de⟩ **0.1** *hunting talk/jargon.*

jagerstas ⟨de⟩ **0.1** *game-bag.*

jaguar ⟨de (m.)⟩ **0.1** *jaguar.*

Jahwe(h) 0.1 *Yahweh.*

jajem ⟨de (m.)⟩ **0.1** *mother's/blue ruin* ⇒*schnapps.*

jak ⟨de (m.)⟩ **0.1** [blouseachtig kledingstuk] *smock* **0.2** [kort jasje] *jacket.*

jakhals ⟨de (m.)⟩ **0.1** [roofdier] *jackal* **0.2** [scheldwoord] [lafaard] *yel-low-belly;* ⟨minder sterk⟩ *chicken* ⇒⟨berooide kerel; BE; sl.⟩ *poor bugger* ◆ **8.1** de jongens vielen aan op de gedekte tafel als jakhalzen *the boys set about/fell on the laden table like locusts.*

jakkeren
I ⟨ov.ww.⟩ **0.1** [aandrijven, voortjagen] ⟨rijden⟩ *ride to death/into the ground;* ⟨doen werken⟩ *work to death/into the ground, slave-drive;* **II** ⟨onov.ww.⟩ **0.1** [onbehoorlijk hard rijden/lopen/werken ⟨enz.⟩] ⟨rijden⟩ *ride hard;* ⟨lopen⟩ *rear/rush/pelt along;* ⟨werken⟩ *work o.s. to death, slave away.*

jakkes ⟨tw.⟩ **0.1** *ugh!* ⇒⟨AE vaak ook⟩ *yuk!, bah!, pooh!.*

jaknikken ⟨ww.⟩ **0.1** *nod (agreement).*

jaknikker ⟨de (m.)⟩ **0.1** [persoon] *yes-man* ⟨m.⟩ ⇒*nodder* **0.2** [(olie)pomp] *nodding donkey (pump)* ⇒*beam-type (oil) pumping unit.*

Jakob 0.1 *James* ⇒*Jacob* ◆ **2.1** de ware ~ *Mister Right.*

jakobiet ⟨de (m.)⟩ **0.1** *Jacobite.*

jakobijn ⟨de (m.)⟩ **0.1** *Jacobin.*

jakobijnenmuts ⟨de⟩ **0.1** *Phrygian cap/bonnet* ⇒*cap of liberty* ⟨symbool v.d. Franse revolutie⟩.

jakobijns ⟨bn.⟩ **0.1** *Jacobin.*

jakobinisme ⟨het⟩ **0.1** *Jacobinism.*

jakobitisch ⟨bn.⟩ **0.1** *Jacobite* ⇒*Jacobitical.*

jakobs(kruis)kruid ⟨het⟩ **0.1** *ragwort* ⇒*ragweed, groundsel.*

jakobsladder ⟨de (m.)⟩ **0.1** [⟨bijb.⟩] *Jacob's ladder* **0.2** [werktuig] *Jacob's ladder, bucket elevator* **0.3** [speerkruid] *Jacob's ladder* ◆ **2.1** ⟨fig.⟩ het was een hele ~ *it was one long/endless string of complaints.*

jakobsschelp ⟨de⟩ **0.1** *scallop* ⇒⟨herald.⟩ *escallop.*

jakobsstaf ⟨de (m.)⟩ **0.1** *Jacob's staff.*

jakobsvlinder ⟨de (m.)⟩ **0.1** *cinnabar (moth).*

Jakobus 0.1 *James* ⇒⟨heilige⟩ *St. James.*

jaloers ⟨bn., bw.; -ly⟩ **0.1** [afgunstig] *jealous (of)* ⇒*envious (of)* **0.2** [mbt. liefde] *jealous (of)* ◆ **3.1** iem. ~ maken *make s.o. j. / envious;* ⟨vnl. BE; inf.⟩ *put s.o.'s nose out of joint;* er is geen enkele reden om ~ te zijn *there's no reason whatever for jealousy/envy/to be j. / envious* **6.1** Jan was ~ **op** de mooie tekening van Piet *Jan was j. / envious of Piet's beautiful drawing;* om ~ **op** te worden/zijn *enviable, to be envious about;* hij heeft een huis waar iedereen ~ **op** is *his house is the envy of the neighbourhood;* hij is ~ **van** aard *he's j. by nature, he's of a j. nature.*

jaloersheid ⟨de (v.)⟩ **0.1** ⟨→jaloezie 0.1⟩.

jaloezie ⟨de (v.)⟩ **0.1** [jaloersheid] *envy;* ⟨mbt. liefde ook⟩ *jealousy* **0.2** [zonnescherm] *venetian blind* ◆ **3.1** iemands ~ opwekken *arouse s.o.'s j. / e.* **3.2** de ~(ën) neerlaten *let the (venetian) blind(s) down* **6.1** verteerd worden **door**/**van** ~ *be eaten up with j. / e.;* **uit** ~ *out of j., out of/in e..*

jaloeziekoord ⟨het⟩ **0.1** *blind cord.*

jaloezielat ⟨de⟩ **0.1** *slat, lath.*

jalon ⟨de (m.)⟩ ⟨landmeetkunde⟩ **0.1** *surveyor's staff* ⇒*levelling rod/ pole/staff, sighting mark.*

jalousie de métier ⟨de (v.)⟩ **0.1** *professional jealousy.*

jam ⟨de⟩ **0.1** *jam* ◆ **1.1** een potje ~ *a jar of j., a j. pot* **2.1** zelfgemaakte ~ *home-made j.* **3.1** ~ maken van *make j. out of …;* ~ smeren op *put/*

spread *j. on;* ⟨inf.⟩ *jam* **6.1** een beschuit **met** ~ *a dried biscuit with j. on;* het kind zat **onder** de ~ *the child was covered in j..*

Jamaica ⟨het⟩ **0.1** *Jamaica.*

Jamaicaan ⟨de (m.)⟩, **-se** ⟨de (v.)⟩ **0.1** *Jamaican* ⟨m.⟩; *Jamaican woman* ⟨v.⟩.

Jamaicaans ⟨bn.⟩ **0.1** *Jamaican.*

jambe ⟨de⟩ ⟨lit.⟩ **0.1** [versvoet] *iamb(us)* **0.2** [dichtstuk/regel] *piece/line of iambic verse.*

jambisch ⟨bn.⟩ **0.1** *iambic* ◆ **1.1** ~e versmaat *i. metre;* ~e vijfvoetige verzen *i. pentameters.*

jamfabrikant ⟨de (m.)⟩ **0.1** *jam-maker/manufacturer.*

jammen ⟨onov.ww.⟩ **0.1** *gig* ⇒*jam.*

jammer¹ ⟨het, de (m.)⟩ **0.1** (rampspoed) *misery* ⇒*distress, wretched-ness,* ⟨ramp⟩ *disaster, calamity, adversity* ◆ **1.1** ⟨de oorlog *the miseries of war* **6.1 in** ~ en ellende *in utter m., in total desolation.*

jammer² ⟨bn.⟩ **0.1** *a pity* ⇒*a shame,* ⟨AE; inf.⟩ *too bad* ◆ **3.1** dat is ~ *that's (just) too bad, bad luck* ⟨ook iron.⟩; het is ~ dat *it's a p. / shame that …,* ⟨inf.⟩ *too bad that …;* al vind ik het erg ~ *much to my regret;* het zou ~ zijn er niet van te profiteren *it would be a shame/p. not to take advantage of it* **5.1** ~ genoeg *unfortunately, sad to say, more's the p.;* het is verschrikkelijk/ontzettend ~ *it's an awful/a terrible shame/ p.;* wat ~! *what a p.!/shame!* **6.1** 't is ~ **van** al die tijd en moeite *it's a p. (about) all that time and effort;* ~ **van** hen *it's/what a shame, they were so nice;* het is ~ **van** het mooie cadeau *it's such a shame/p. to see that lovely present damaged/wasted;* dat is dan ~ **voor** hem ⟨iron.⟩ *stiff cheddar; that's his hard/bad luck;* ⟨meevoelend⟩ *that's hard/ tough on him;* hij vond het ~ **voor** me *he was/felt sorry for me;* het is erg ~ **voor** hem *it's very hard/* ⟨inf.⟩ *tough on him* **8.1** het is wel/erg ~ dat je niet kon komen *it really is (such) a shame/(such) a p. / too bad that you couldn't come;* we vonden het ~ dat ze er niet bij was *we were sorry she wasn't there;* het is (zo) ~ dat …, het is alleen ~ dat … *the p. of it is that …*

jammer³ ⟨tw.⟩ **0.1** *(a) pity* ⇒*too bad, bad luck* ◆ **9.1** ~ dan! *oh well, too bad!* ¶**.1** ~ , hij is net weg *(a) p. / bad luck, he's just left.*

jammeren ⟨onov.ww.⟩ **0.1** *moan* ⇒*whine, whimper, wail,* ⟨schr.⟩ *lament* ◆ **1.1** ~de gewonden *moaning wounded* **5.1** erbarmelijk ~ *whine/ wail pitifully* **6.1** ~ **om** (over) zijn ongeluk *m. / whine about/lament one's misfortune.*

jammerhout ⟨het⟩ ⟨iron.⟩ **0.1** *fiddle.*

jammerklacht ⟨de⟩ **0.1** *lament(ation)* ⇒⟨schr.; vero.⟩ *(com)plaint,* ⟨bij begrafenis⟩ *wailing,* ⟨in Ierland⟩ *keening.*

jammerlijk ⟨bn., bw.; -ly⟩ **0.1** *pitiful* ⇒*miserable, woeful,* ⟨schr.⟩ *piteous, wretched, pathetic, heartrending,* ⟨bedroevend slecht⟩ *pathetic* ◆ **1.1** een ~ fiasco *a miserable/woeful failure, a fiasco;* een ~ gehuil *pitiful weeping;* de ~e resten *the sad remains* ⟨ook scherts.⟩; *the ruins;* op ~e toon *pitifully, in a pitiful/heartrending tone;* op een ~e wijze om het leven komen *die a miserable/wretched death* **3.1** het is ~ *it's pitiful, heartrending;* ~ mislukken *fail miserably;* zij zingt ~ *her sing-ing is woeful/pathetic.*

jammertoon ⟨de (m.)⟩ **0.1** *wailing tone* ⇒*tone of lamentation.*

jampot ⟨de (m.)⟩ **0.1** *jam-jar/pot.*

jan. ⟨afk.⟩ **0.1** [januari] *Jan..*

Jan ⟨→sprw.65,313⟩ **0.1** *John* ◆ **1.1** een ~ Klaassen ⟨grappenmaker⟩ *a tomfool/funnyman/buffoon/dunce/clown/fool;* ⟨schijnvertoning⟩ *a show;* ⟨mal gedoe⟩ *a silly business;* ~ Boezeroen *the worker(s);* ⟨mv.; iron.⟩ *the horny handed sons of labour; the working class(es);* ~ Contant ⟨die altijd contant betaalt⟩ *Mr. Cash, the cash-payer;* ⟨solide koopman⟩ *the good/sound businessman;* ~ Gat *Joe Soap;* Jan Klaasen en Katrijn/Trijn *Punch and Judy;* ~ Kordaat/Soldaat ≠*Tommy,* ᴬ*GI Joe;* ⟨Austr.E⟩ *Anzac;* ~ Krediet *Mr. Reliable, Hon-est Joe;* ~ Krent *scrooge;* een ~ Lul/Joker *a stupid prick; a booby, a dope, a sap, a dill;* ⟨sterker⟩ *a moron;* ⟨Austr.E⟩ *a drongo;* ~ Modaal *Mr. Average Income/Earnings;* ome ~ *uncle (three balls), the hock-shop;* ᴮ*popshop;* ~ Ongeluk *an accident waiting for a chance to happen; a born loser;* ~, Piet en Klaas *Tom, Dick and Harry;* ~ Pu-bliek *John Q. (Public/Citizen), the man in the street, the man on the Clapham onmibus, Joe Bloggs,* ᴬ*John Doe;* ~ Rap en zijn maat *rag-tag and bobtail;* een ~ Salie/een jansalie *a drip, a ninny, a nincom-poop* **2.1** ⟨fig.⟩ de grote ~ uithangen *act high and mighty, play the big shot, put on airs;* het is een hele ~ *he's quite/really s.o. / a person* **4.1** ~ en alleman *everyone and his dog, every Tom, Dick and Harry* **6.1** ~ **met** de pet *the average worker* **6.¶ boven** ~ zijn *have broken the back of the game, have turned the corner, be out of the wood/over the hump* ¶**.1** ~ zonder land *John Lackland;* ~ zonder Vrees *John the Fearless.*

janboel ⟨de (m.)⟩ **0.1** *shambles* ⇒*mess, muddle* ◆ **2.1** 't is hier een echte ~ *it's a real s. (in) here;* er een vreselijke ~ van maken *make a terrible/ an awful s. of it/things, get things in a terrible/an awful muddle.*

jan-boerenfluitjes **6.¶ op** zijn ~ *anyhow, any old how, in a slaphappy/ slapdash/slipshod way.*

jandoedel ⟨de (m.)⟩ **0.1** [jenever] *mother's/blue ruin* ⇒*schnapps* **0.2** [domoor] *nitwit; nit, thicko; cretin, halfwit.*

jandome, jandorie ⟨tw.⟩ **0.1** *gosh!* ⇒⟨BE ook⟩ *crikey!, cripes!, by gum!,* ⟨AE ook⟩ *gee (whiz)!.*

janhagel
I ⟨de (m.)⟩ **0.1** [koekje] *Nice biscuit;*
II ⟨het⟩ **0.1** [het gepeupel] *riffraff* ⇒*rabble, hoi polloi, plebs, mob,* ⟨inf.⟩ *ragtag and bobtail.*

janhen ⟨de (m.)⟩ **0.1** *milksop, sissy;* ⟨AE ook⟩ *pantywaist, milquetoast; henpecked husband.*

jan-in-de-zak ⟨de (m.)⟩ **0.1** ≠*plumduff.*

janken ⟨onov.ww.⟩ **0.1** [klaaglijk schreeuwen (van honden/vossen)] *whine* ⇒*yowl, howl* **0.2** [schreeuwen/huilen (vnl. van kinderen)] *whine, howl* ⇒*yell,* ⟨inf.⟩ *blubber* **0.3** [zaniken om iets] *badger, pester* ⇒ ⟨klagen⟩ *moan, whine* **0.4** [mbt. platenspeler] *wow* ◆ **3.2** ze kon wel∼ *she was almost in tears/close to tears/on the verge of tears* **6.2** ∼ om niets *cry/blubber over/about nothing.*

janker(d)⟨de (m.)⟩ **0.1** *whiner, grizzler* ⇒⟨zanik⟩ *pest, bind,* ⟨klager⟩ *moaner.*

jankerig ⟨bn., bw.; -ly⟩ **0.1** *whining, whiny* ⇒*whimpering,* ⟨klagend⟩ *moaning.*

janmaat ⟨de (m.)⟩ **0.1** ⟨vero.⟩ *(jack-)tar* ⇒*bluejacket.*

janplezier ⟨de (m.)⟩ **0.1** *break, brake, wagonette* ⇒⟨lange⟩ *charabanc,* ⟨rijtuig; alg.⟩ *(horse-drawn) carriage.*

jansenisme ⟨het⟩ **0.1** *Jansenism.*

jansenist ⟨de (m.)⟩ **0.1** *Jansenist.*

jansenistisch ⟨bn., bw.; -ly⟩ **0.1** [van zeer strenge godsdienstige/ethische principes] *Jansenistic* **0.2** [van het jansenisme] *Jansenist(ic).*

jansul ⟨de (m.)⟩ ⟨inf.; pej.⟩ **0.1** *booby* ⇒*noodle,* ⟨AE⟩ *sucker,* ⟨BE⟩ *mug, clot, ninny.*

jantje ⟨het⟩ **0.1** ⟨vero.⟩ *(jack-)tar* ⇒*bluejacket* ◆ **3.¶** (een) Jantje lacht Jantje huilt *he/she('s s.o. who)'ll be crying one minute and laughing the next.*

jantje-van-leiden ⟨het⟩ ◆ **6.¶** zich **met** een ∼ ergens van afmaken *talk one's way/get out of sth.;* ⟨niet ernstig opvatten⟩ *brush sth. aside, make light of sth., treat/dismiss sth. lightly.*

januari ⟨de (m.)⟩ **0.1** *January* ◆ **1.1** de maand ∼ *the month of J..*

januskop ⟨de (m.)⟩, **janusgezicht** ⟨het⟩ **0.1** [kop met twee gezichten] *head with two faces, double-faced head;* ⟨schr.⟩ *Janus face* **0.2** [dubbelhartig mens] *two-faced person;* ⟨schr.⟩ *Janus face* ◆ **3.1** ⟨fig.⟩ een∼ hebben *be two-faced, face both ways;* ⟨schr.⟩ *be Janus-faced;* ⟨inf.⟩ *be a Mr. Facing-Both-Ways.*

jan-van-gent ⟨de (m.)⟩ **0.1** *gannet.*

jap ⟨de (m.)⟩ **0.1** ⟨alleen met hoofdletter; pej.⟩ Japanner] *Jap* ⇒*Nip* **0.2** [⟨AZN⟩ drop] *liquorice,* ^*licorice.*

Japan ⟨het⟩ **0.1** *Japan.*

japanner ⟨de (m.)⟩ **0.1** [⟨alleen met hoofdletter⟩ man uit Japan] *Japanese* **0.2** [betonstortkar] ≠*wheelbarrow for concrete* **0.3** [⟨inf.⟩ auto uit Japan] *Japanese car,* ↓*Jap.*

japanoloog ⟨de (m.)⟩ **0.1** *Japanologist.*

Japans ⟨bn.⟩ **0.1** *Japanese* ◆ **1.1** de ∼e Zee *the Sea of Japan.*

Japanse ⟨de (v.)⟩ **0.1** *Japanese woman.*

japen ⟨ov.ww.⟩ **0.1** *gash* ⇒*cut open* ◆ **6.1** ik heb me flink **in** mijn vinger gejaapt *I've given myself a nasty gash in my finger, I've gashed my finger.*

japon ⟨de (m.)⟩ **0.1** *dress, frock;* ⟨lange (avond)japon; AE ook; BE ↑⟩ *gown* ◆ **2.1** een eenvoudige/een geklede ∼ *a simple/an elegant dress;* een gedecolleteerde ∼ *a décolleté/low-cut dress/gown; a dress with a plunging neckline* **6.1** dames **in** prachtige lange ∼nen *ladies in magnificent gowns.*

japonstof ⟨de⟩ **0.1** *dress material.*

Jappenkamp ⟨het⟩ **0.1** *Japanese (POW) camp.*

jaquemart ⟨de (m.)⟩ **0.1** *jack.*

jardinière ⟨de⟩ **0.1** [bloemenvaas/bak] *jardinière* **0.2** [gerecht] *jardinière* ◆ **1.2** à la ∼ *jardinière.*

jarenlang ⟨bn., bw.⟩ **0.1** *many years'*; ⟨bw.⟩ *for years on end, for years and years* ◆ **1.1** na ∼e afwezigheid *after many years' absence, after (many) years of absence;* een ∼e vriendschap *a friendship of many years' standing* **3.1** hij heeft ∼ zijn plicht trouw vervuld *he faithfully carried out his duty for years/year after year.*

jargon ⟨bn.⟩ **0.1** [zijn verjaardag vierend] *jargon;* ⟨scherts., in samenst.⟩ *-ese* **0.2** [brabbeltaal] *gibberish* ⇒*gobbledygook* ◆ **1.1** ∼ van onderwijskundigen *educationese, educational jargon;* het ∼ van de rechtsgeleerden *legal j.* **2.1** academisch ∼ *academic j.;* ambtelijk ∼ *officialese, gobbledygook;* journalistiek ∼ *journalese* **3.1** ∼ bezigen, zich bedienen van ∼ *use j.* **6.1** een artikel **met** ∼ doorspekken *fill an article with j..*

jarig ⟨bn.⟩ **0.1** [zijn verjaardag vierend] ⟨zie 1.1,3.1⟩ **0.2** [één jaar oud] ⟨na zn.⟩ *one year old;* ⟨voor zn.⟩ *(one-)year-old* ◆ **1.1** de ∼e Job/Jet *the birthday boy/girl* **1.2** een ∼ kalf *a year-old/yearling calf* **3.1** ⟨fig.⟩ ⟨inf.⟩ (als dat gebeurt) dan ben je nog niet∼ *it won't be the happiest day of your life;* wanneer ben je ∼, ik ben de dertiende ∼/ op een zondag ∼ *when's your birthday? it's my birthday/my birthday falls on the thirteenth/on a Sunday;* ik ben vandaag ∼ *it's my birthday, it's my birthday today;* ik ben al ∼ geweest *I've had my birthday, my birthday's passed.*

jarige ⟨de (m.)⟩ **0.1** *person whose birthday it is;* ⟨inf.⟩ *birthday boy/girl.*

jarretel(le) ⟨de⟩ **0.1** *suspender,* ^*garter.*

jarretel(l)egordel ⟨de (m.)⟩ **0.1** *suspender-/*^*garter-belt.*

jas
I ⟨de⟩ **0.1** [mantel] *coat* ⇒*overcoat* **0.2** [deel van een kostuum] *jacket* ◆ **1.2** ∼, broek en vest *j. trousers/*^*pants and waistcoat/* ^*vest* **2.1** een geklede ∼ *a smart c.;* ⟨gesch.⟩ *a frock-c.;* een lichte/warme ∼ *a light/warm c.;* een waterdichte ∼ *a waterproof (c.)* **3.1** zijn/haar ∼ aantrekken/uitdoen *put on/take off one's c.* **6.1** ⟨fig.⟩ iem. **aan** zijn ∼ (je) trekken *buttonhole s.o.;* iem. **in/uit** zijn ∼ helpen *help s.o. into/out of his c.* **6.2** een ∼ **met** slippen *a tailc.;*
II ⟨de (m.)⟩ ⟨sport⟩ **0.1** [spel waarbij boer troef is] *(a game of) 'jas'* **0.2** [kaart] *jack/knave of trumps* ◆ **1.2** ∼ en nel *all the trumps.*

jasbeschermer ⟨de (m.)⟩ **0.1** *dress-guard.*

jasje ⟨het⟩ ⟨→sprw. 662⟩ **0.1** [kleine jas] *(short/little) coat* **0.2** [colbertjas] *jacket* **0.3** [aardappelschil] *jacket* ◆ **2.1** een gebreid ∼ *a cardigan* **3.1** ⟨fig.⟩ hij heeft een ∼ uitgetrokken *he's lost/dropped a few pounds/quite a bit of weight, he has summed down quite a lot.*

jasmijn ⟨de⟩ **0.1** [heester, Jasminum] *jasmine* ⇒*jessamine* **0.2** [steenbreekachtige plant, Philadelphus] *mock orange,* ⟨wet.⟩ *philadelphus.*

jasmijnolie ⟨de⟩ **0.1** *frangipani.*

jaspand ⟨het⟩ **0.1** *coat tail.*

jaspis ⟨de (m.)⟩ **0.1** *jasper.*

jaspisporselein ⟨het⟩ **0.1** *jasperware.*

jasschort ⟨het, de⟩ **0.1** *overall.*

jassen ⟨onov.ww.⟩ **0.1** [⟨kaartspel⟩] *play (a game of) 'jas'* **0.2** [schillen] ↑*peel* ⇒ ⟨in mil. jargon, mbt. aardappels ook⟩ *bash* ◆ **1.2** piepers ∼ *do some spud-bashing, bash spuds.*

jasses ⟨tw.⟩ **0.1** *ugh!;* ⟨AE ook⟩ *yuch!.*

jaszak ⟨de (m.)⟩ **0.1** *jacket/coat pocket.*

jat ⟨de⟩ ⟨inf.⟩ **0.1** *paw* ◆ **6.1** je blijft er **met** je ∼ten vanaf *(keep your) paws off!.*

jatmoos ⟨inf.⟩
I ⟨de (m.)⟩ ⟨Barg.⟩ **0.1** [dief, zwendelaar] ⟨dief⟩ *pincher* ⇒*swiper, nabber,* ⟨kruimeldief ook⟩ *pilferer, filcher,* ⟨zwendelaar⟩ *fiddler, nicker;*
II ⟨het⟩ **0.1** [handgeld] *han(d)bel,* ↑*earnest (money).*

jatten ⟨onov.ww., ov.ww.⟩ ⟨inf.⟩ **0.1** *pinch* ⇒*swipe, lift, filch, pilfer,* ⟨BE ook⟩ *nick,* ⟨vnl. AE⟩ *rip off* ◆ **1.1** geld ∼ uit moeder's portemonnee *pinch money out of mother's purse.*

jatter ⟨de (m.)⟩ ⟨inf.⟩ **0.1** *pincher* ⇒*swiper, filcher, pilferer* ◆ **2.1** Jan is een vreselijke ∼ *Jan is a born pilferer.*

Java ⟨het⟩ **0.1** *Java.*

Javaan ⟨de (m.)⟩, **-se** ⟨de (v.)⟩ **0.1** *Javan(ese)* ⟨m.⟩; *Javanese woman* ⟨v.⟩.

Javaans[1] ⟨het⟩ **0.1** *Javanese.*

Javaans[2] ⟨bn.⟩ **0.1** *Javan(ese)* ◆ **1.1** ∼e thee *Java tea.*

jawel ⟨tw.⟩ **0.1** ⟨oh⟩ *yes* ⇒*sure (enough),* ⟨beleefde instemming⟩ *certainly,* ↑*very good/well* ◆ **¶.1** ∼, het was te laat *(oh) yes, it was too late!;* ⟨inf.⟩ *sure, it was too late!;* ∼, hij doet het wel degelijk *sure/oh yes, he'll do it all right!, he'll do it sure/right enough!;* wat is er aan de hand? niets! ∼! *what's the matter? nothing! but there is!/(oh) yes, there is!;* ∼ meneer *certainly/very good/very well, sir;* en/maar ∼ hoor! *and/but sure enough!, just as you might expect!, wouldn't you know!.*

jawoord ⟨het⟩ **0.1** ⟨alg.⟩ *consent* ⇒ ≠*'I will'* ⟨tijdens huwelijksceremonie⟩ ◆ **3.1** elkaar het ∼ geven *say 'I will' to one another;* ⟨iem.⟩ het ∼ geven *consent/say yes (to s.o.).*

jazz ⟨de (m.)⟩ **0.1** *jazz* ◆ **3.1** ∼ spelen *play j.* **6.1** op ∼ dansen *danse to j..*

jazzliefhebber ⟨de (m.)⟩, **-ster** ⟨de (v.)⟩ **0.1** *jazz fan/enthusiast.*

jazzmusicus ⟨de (m.)⟩ **0.1** *jazzman* ⇒*jazz musician.*

jazzmuziek ⟨de (v.)⟩ **0.1** *jazz (music).*

J.C. ⟨afk.⟩ **0.1** [Jezus Christus] ⟨*Jesus Christ*⟩.

je
I ⟨pers.vnw.⟩ **0.1** [⟨niet-nadrukkelijke vorm van 'jij'⟩] *you* **0.2** [⟨niet-nadrukkelijke vorm van 'jou'⟩] *you* **0.3** [⟨niet-nadrukkelijke vorm van 'jullie'⟩] *you* ◆ **3.3** jullie zouden∼ moeten schamen *you ought to be ashamed of yourselves;*
II ⟨onb.vnw.⟩ **0.1** [men] *you* ◆ **3.1** zo iets doe ∼ niet *you don't do things like that;* ∼ hebt van die mensen *that kind of people exist;* ⟨als uitdrukking van ongenoegen⟩ *some people ...!;* ∼ kon er niet mee praten *there was no talking (sense) to him/her/them, you couldn't get any sense out of him/her/them;* ∼ verandert er toch niets aan *you can't do anything about it anyway;*
III ⟨bez.vnw.⟩ **0.1** [⟨niet-nadrukkelijke vorm van 'jouw'⟩] *your* **0.2** [de/het beste] *the very best, first class* **0.3** [⟨onbep. bez. vnw.⟩] ⟨zie 1.3,¶.3⟩ ◆ **1.1** is dit ∼ boek? *is this your book?, is this book yours?;* één van ∼ vrienden *a friend of yours, one of your friends;* hoe gaat het met ∼ vrouw? *how's your/*⟨inf.⟩ *the wife?;* ⟨inf.⟩ *how's the missis?* **1.2** dat is jè tabak *(now) that's what I('d) call tobacco, that's something like tobacco* **1.3** dat is ∼ ware *that's the (real) thing!/the stuff!/the ticket!/the real McCoy!/just what the doctor ordered!* **¶.2** je hèt the tops, it, the thing **¶.3** (expletief) van ∼ hela, hola ≠*with a hey and a ho!.*

jee ⟨tw.⟩ **0.1** *Jesus!, Lord!* ⇒⟨BE ook⟩ ↓*blimey!,* ⟨AE ook⟩ *gee!* ◆ **¶.1**

o~, nou zullen we het hebben *oh Jesus/Lord/blimey/gee, now we're in for it;* o~, tijd zat *oh Jesus/Lord, there's plenty of time;* o~ ja *Lord, yes!;* ~, nee *Lord, no!*.

jegens ⟨vz.⟩⟨schr.⟩ **0.1** *towards* ⇒ ↓*to,* ↓*for* ♦ **1.1** vriendelijk ~ mensen zijn *be kind to(wards) people;* een verplichting ~ ouders *a duty to-(wards) (one's) parents;* diep wantrouwen koesteren ~ iem. *have a deep/profound distrust of s.o..*.

Jehova ⟨de (m.)⟩ **0.1** *Jehovah* ♦ **1.1** ~'s getuigen *J.'s Witnesses*.

jekker ⟨de (m.)⟩ **0.1** *reefer* ⇒*(reefing/pea/pilot) jacket,* ⟨van officier⟩ *British warm,* ⟨van matroos⟩ *monkey jacket,* ⟨van werkman;BE⟩ *donkey jacket.*

Jemen ⟨het⟩ **0.1** *(the) Yemen.*

Jemenitisch ⟨bn.⟩ **0.1** *Yemenite.*

jeminee ⟨tw.⟩ **0.1** *Lord!* ⇒⟨BE ook⟩ ↓*crumbs!,* ↓*blimey!,* ⟨AE ook⟩ *gee!, gosh!.*

jen ⟨de (m.)⟩⟨inf.⟩ **0.1** *joke* ⇒*laugh,* ⟨inf.⟩ *giggle* ♦ **6.1** voor de ~ *for a laugh/giggle, for fun.*

jenever ⟨de (m.)⟩ **0.1** *gin* ⇒*Holland/Schiedam gin, geneva, Hollands* ♦ **2.1** jonge/oude ~ *young/matured gin* **3.1** ~ stoken *distill gin.*

jeneverbes ⟨de⟩ **0.1** [bes van de jeneverstruik] *juniper-berry* **0.2** [jene-verstruik] *juniper(-bush).*

jeneverbranderij ⟨de (v.)⟩ **0.1** [plaats] *gin distillery* **0.2** [bedrijf] *gin dis-tilling.*

jeneverfles ⟨de⟩ **0.1** *(Dutch) gin/geneva* ⟨alg.⟩ *spirits bottle* ♦ **3.1** naar de ~ grijpen *drink spirits;* ⟨overmatig⟩ *hit the bottle.*

jenevergezicht ⟨het⟩ **0.1** *(gin-)sodden face.*

jeneverglas ⟨het⟩ **0.1** *gin glass.*

jeneverlucht ⟨de⟩ **0.1** *gin smell.*

jenevermoed ⟨de (m.)⟩ **0.1** *Dutch courage* ⇒*pot valour.*

jeneverneus ⟨de (m.)⟩ **0.1** *grog-blossom* ⇒*coppernose, bottle nose.*

jeneverolie ⟨de⟩ **0.1** *juniper oil* ⇒*oil of juniper.*

jeneversmaak ⟨de (m.)⟩ **0.1** *taste of gin.*

jeneverstoker ⟨de (m.)⟩ **0.1** *gin distiller.*

jeneverstruik ⟨de (m.)⟩ **0.1** *juniper(-bush).*

jenevervat ⟨het⟩ **0.1** *gin barrel.*

jengel ⟨de⟩ **0.1** *wow* ⟨bij laag toerental⟩;*flutter* ⟨bij hoog toerental⟩.

jengelen ⟨onov.ww.⟩ **0.1** [dreinen] *whine* ⇒*whimper, moan* **0.2** [eentonig klinken] *drone;jangle* ⟨vals⟩;*twang* ♦ **1.2** een ~d orgel *a jangling organ, an organ grinding away* **6.1** om iets ~ *cry/whine for sth.* **6.2** ~ op een gitaar *twang (away) on a guitar.*

jennen ⟨ov.ww.⟩ **0.1** *badger* ⇒*tease, pester, harrass,* ⟨inf.⟩ *be on s.o.'s back.*

jenzen ⟨onov.ww.⟩⟨inf.⟩ **0.1** *fling* ⇒*strike, tess, throw.*

jeremiade ⟨de (v.)⟩ **0.1** *lament(ation)* ⇒⟨schr.⟩ *jeremiad.*

Jeremias ⟨bijb.⟩ **0.1** *Jeremiah.*

jeremiëren ⟨onov.ww.⟩ **0.1** *lament* ⇒*complain,* ⟨inf.⟩ *moan, whine* ♦ **6.1** ~ over iets *l. / complain/moan/whine about sth..*

jersey ⟨de (m.)⟩ **0.1** [kledingstof] *jersey* **0.2** [trui als sportkleding] *jersey* ⇒*sweater.*

Jeruzalem ⟨het⟩ **0.1** *Jerusalem* ♦ **2.1** ⟨fig.⟩ het hemelse ~ *the New J., the City of God;* ⟨fig.⟩ een nieuw~ *a new J., a taste of things to come.*

Jesaja ⟨bijb.⟩ **0.1** *Isaiah.*

jet ⟨de (m.)⟩ **0.1** *jet (aircraft/* ⟨inf.⟩ *plane).*

Jet 0.1 *Jet,Harriet* ♦ **2.1** de jarige ~ *the birthday girl* **6.** ¶ geef hem van ~(je)! *give him a good hiding!, let him have it!.*

jetmotor ⟨de (m.)⟩ **0.1** *jet (engine).*

jeu ⟨de (m.)⟩ **0.1** *flavour* ⇒*gilt, gloss,* ⟨van persoon⟩ *gusto, relish,* ⟨zwier⟩ *panache* ♦ **3.1** extra ~ geven *aan add zest to* **6.1** iets met veel ~ vertellen *tell sth. with gusto/great relish;* dat is voor de ~ *that's to give it some flavour/gilt* ¶**.1** de ~ is eraf *the gloss has gone off (it), worn off,* ⟨BE ook⟩ *that's taken the gilt off the gingerbread.*

jeu de boules ⟨het⟩ **0.1** *boule* ⇒*(lawn) bowling* ⟨Engelse versie⟩.

jeugd ⟨de⟩ ⟨→sprw. 314⟩ **0.1** [hoedanigheid] *youth* **0.2** [tijdperk] *youth* **0.3** [personen] *youth* ⇒*young people, the young, youngsters* ♦ **1.3** de baldadigheid van de ~ *the wantonness of youth/the young* **2.1** de eeuwige ~ bezitten *possess eternal y.* **2.2** in zijn prille ~ *in one's early/earliest youth/one's early days* **2.3** de Belgische ~ *Belgian youth, young people in Belgium;* de studerende ~ *young students* **3.2** hij had zijn ~ doorgebracht in R. *he had spent his y. in R., R. was his home-town* **6.2** zij was niet meer in haar eerste ~ *she was past her first y.;* van zijn ~ af *since one's y.* **6.3** dat boek is enorm ingeslagen bij de ~ *that book has really gone down well/been a hit/clicked with the young* **7.2** de tweede ~ *one's prime, (in) the prime of (one's) life* ¶**.3** de ~ van tegenwoordig *young people nowadays, today's youth/young people.*

jeugdafdeling ⟨de (v.)⟩ **0.1** *youth/young people's/young persons' sec-tion.*

jeugdbende ⟨de⟩ **0.1** *gang of youths.*

jeugdbeweging ⟨de (v.)⟩ **0.1** *youth movement.*

jeugdblad ⟨het⟩ **0.1** [tijdschrift] *youth magazine* ⇒*magazine for the young people/adults* **0.2** ⟨plantk.⟩ *cotyledon* ⇒*seed-leaf.*

jeugdboek ⟨het⟩ **0.1** *juvenile book* ⇒*book for young people/adults.*

jeugdcentrum ⟨het⟩ **0.1** *youth club/centre.*

jeugdcriminaliteit ⟨de (v.)⟩ **0.1** *juvenile delinquency.*

jeugddroom ⟨de (m.)⟩ **0.1** *childhood dream.*

jeugdfilm ⟨de (m.)⟩ **0.1** *juvenile film* ⇒*film for young people.*

jeugdgevangenis ⟨de (v.)⟩ **0.1** *detention centre,* ⟨BE ook⟩ *borstal (insti-tution).*

jeugdherberg ⟨de⟩ **0.1** *youth hostel* ♦ **6.1** hij trekt/reist van ~ naar ~ *he's hostelling, he's a hosteller.*

jeugdherbergcentrale ⟨de (v.)⟩ **0.1** *youth hostels association,Y.H.A..*

jeugdherinnering ⟨de (v.)⟩ **0.1** *reminescence of childhood* ⇒*childhood memory.*

jeugdhuis ⟨het⟩ **0.1** *youth centre/club.*

jeugdidool ⟨het⟩ **0.1** *teenage/youth/young people's idol.*

jeugdig
I ⟨bn.⟩ **0.1** [jong] *youthful* ⇒*young(ish)* **0.2** [eigenschappen van de jeugd vertonend] *youthful* ⇒*young* **0.3** [nog niet lang bestaand] *youthful* ⇒*young(ish)* ♦ **1.1** dit programma is niet geschikt voor ~e kijkers *this programme is unsuitable for younger viewers;* op ~e leef-tijd *at an early/* ⟨heel jong⟩ *a tender age;* ~e misdadiger *juvenile de-linquent;* ~e personen *young people, youngsters;* ⟨jur.⟩ *young per-sons, juveniles* **1.2** een ~e grijsaard *a youthful greybeard/old man* **6.2** ~ van hart *young in/at heart;*
II ⟨bn., bw.;-ly⟩ **0.1** [zoals bij de jeugd hoort/past] *youthful* ⇒*young* ♦ **1.1** ~e gebaren *youthful gestures;* met ~e overmoed *with youthful recklessness/the presumptuousness of youth.*

jeugdigheid ⟨de (v.)⟩ **0.1** [hoedanigheid] *youth(fulness)* **0.2** [eigenschap] *(piece of) youthful behaviour.*

jeugdindruk ⟨de (m.)⟩ **0.1** *youthful/childhood impression.*

jeugdjaren ⟨zn.mv.⟩ **0.1** *(years/days of one's) youth.*

jeugdjournaal ⟨het⟩ **0.1** *news for young people.*

jeugdkoor ⟨het⟩ **0.1** *youth choir.*

jeugdleider ⟨de (m.)⟩,**-leidster** ⟨de (v.)⟩ **0.1** *youth leader.*

jeugdliefde ⟨de (v.)⟩ **0.1** *youthful/adolescent love/passion/affair* ⇒*calf-love,* ⟨persoon⟩ *love(rs) of one's youth* ♦ **3.1** zij is een van zijn ~s *she's one of his old loves.*

jeugdliteratuur ⟨de (v.)⟩ **0.1** *juvenile literature, children's books.*

jeugdloon ⟨het⟩ **0.1** *juvenile wage.*

jeugdmisdrijf ⟨het⟩ **0.1** *juvenile offence/crime.*

jeugdorganisatie ⟨de (v.)⟩ **0.1** *youth organization.*

jeugdpuistjes ⟨zn.mv.⟩ **0.1** *acne* ⇒⟨inf.⟩ *spots/pimples.*

jeugdrechter ⟨de (m.)⟩ ⟨AZN⟩ **0.1** *juvenile court.*

jeugdsentiment ⟨het⟩ **0.1** *memories of (one's) youth* ⇒*youthful/child-hood memories/recollections, nostalgia for one's youth.*

jeugdserie ⟨de (v.)⟩ **0.1** *children's/juvenile series* ⇒*series for young people.*

jeugdvereniging ⟨de (v.)⟩ **0.1** *youth association/club.*

jeugdvriend ⟨de (m.)⟩,**-in** ⟨de (v.)⟩ **0.1** *old (girl) friend.*

jeugdwerk ⟨het⟩ **0.1** [uit de jeugd daterend werk] *(very) early/youthful work* **0.2** [vormings- en cultureel werk] *youth work.*

jeugdwerker ⟨de (m.)⟩,**-ster** ⟨de (v.)⟩ **0.1** *youth worker.*

jeugdwerkloosheid ⟨de (v.)⟩ **0.1** *youth unemployment.*

jeugdzaken ⟨zn.mv.⟩ **0.1** [(afdeling voor) overheidsbemoeiingen] *juven-ile/young people's affairs* ⇒⟨in titel vaak⟩ *youth* **0.2** [al wat de jeugd betreft en aangaat] *juvenile affairs/matters* ⇒*young people's affairs.*

jeugdzonde ⟨de (v.)⟩ **0.1** [fout/misslag uit de jeugdjaren] *sin(s) of one's youth* ⇒⟨inf.⟩ *wild oats* **0.2** [⟨scherts.⟩] *sin(s) of one's youth* ⇒*youth-ful lapse.*

jeugdzorg ⟨de⟩ **0.1** *child (and adolescent) welfare, youth welfare work.*

jeuig ⟨bn.,bw.⟩ **0.1** *lively* ⇒*witty* ♦ **1.1** een ~e verteltrant *a l./witty nar-rative style.*

jeuk ⟨de (m.)⟩ **0.1** *itch(ing)* ⇒⟨med.⟩ *pruritus* ♦ **3.1** ik heb overal ~ *I'm itching all over.*

jeuken ⟨onov.ww.⟩ **0.1** [kriebelen] *itch* **0.2** [⟨fig.⟩] *itch* ♦ **1.1** mijn arm jeukt *my arm's itching;* een ~de uitslag *an itchy/irritating rash;* ik voel dat wondje ~ *I can feel that cut itching* **1.2** mijn handen ~ om hem een pak slaag te geven *I'm (just) itching to give him a good thrashing;* ⟨fig.⟩ de oren ~ hem *his ears are pricked up;* mijn vingers ~ om iets te doen/dat stukje te schrijven *my fingers are itching to do sth./to write that piece.*

jeukerig ⟨bn.⟩ **0.1** [jeukend] *scratchy* ⇒*itchy* **0.2** [jeuk voelend] *itchy.*

jeukpoeder ⟨het,de (m.)⟩ **0.1** *itching-powder.*

jeune premier ⟨de (m.)⟩ ⟨dram.⟩ **0.1** *juvenile lead* ⇒*jeune premier* ♦ **1.1** de rol van ~ *the juvenile lead.*

je-weet-wel ⟨de (m.)⟩ **0.1** *what's-his-name.*

Jezabel ⟨bijb.⟩ **0.1** *Jezebel.*

jezelf ⟨pers.vnw.⟩ **0.1** *yourself* ♦ **6.1** kijk naar ~ *look at yourself;* je praat nooit over ~ *you never talk about yourself;* koop wat snoep voor ~ *buy yourself some sweets.*

jezuïet ⟨de (m.)⟩ **0.1** [lid van een geestelijke orde] *Jesuit* **0.2** [⟨pej.⟩] *Jesuit; intriguer* ⇒*schemer, plotter, machiavellian character.*

jezuïetencollege ⟨het⟩ **0.1** *Jesuit college.*

jezuïetenorde ⟨de⟩ **0.1** *Order of Jesuits* ⇒*Jesuit Order.*

jezuïetenstreek ⟨de⟩ **0.1** *rotten/nasty/lousy/machiavellian trick* ♦ **3.1** je-zuïetenstreken uithalen *play nasty tricks, be machiavellian/a Machiavelli.*

Jezus¹ ⟨de (m.)⟩ **0.1** *Jesus* ◆ **1.1** ~ Christus *J. Christ;* de Heer ~ *(the) Lord J.;* het kind(eke) ~ *Baby J.;* ⟨schr.⟩ *the Christ-child;* ~ van Nazareth *J. of Nazareth.*

Jezus² ⟨tw.⟩ **0.1** *Jesus* ⇒ *Christ (Almighty)* ◆ **¶.1** ~ Mina! *J. wept!, Christ in Heaven!;* ~ (Christus), wat een troep is het hier! *J. (Christ) / Christ (Almighty), what a (bloody) mess!;* alle ~ lelijk / gevaarlijk / mooi *ugly / dangerous / beautiful as Christ knows what.*

Jezusfreak ⟨de (m.)⟩ ⟨iron.⟩ **0.1** *Jesus-freak.*

jg. ⟨afk.⟩ **0.1** [jaargang] *Vol.* ⟨van tijdschrift⟩.

jicht ⟨de⟩ **0.1** [stofwisselingsziekte] *gout* **0.2** [soort van kramp] *cramp.*

jichtig ⟨bn.⟩ **0.1** *gouty* ◆ **2.1** mijn vader is nu oud en ~ *my father is now old and suffers from gout.*

jichtknobbel ⟨de (m.)⟩ **0.1** *gout-stone* ⇒ *chalk-stone,* ⟨med.⟩ *tophus.*

Jiddisch¹ ⟨het⟩ **0.1** *Yiddish.*

Jiddisch² ⟨bn.⟩ **0.1** *Yiddish.*

jij ⟨pers.vnw.⟩ **0.1** *you;* ⟨in Noordengelse dialecten ook⟩ *thou, tha* ◆ **1.1** ~ (lelijke) schooier *you little brat!* **3.1** wat kom ~ doen? *what are you doing here?, what brings you here?* **5.1** zeg, ~ daar! *hey, you!;* ~ hier? *how come you're here?* **8.1** hij gebruikt evenveel verf als ~ *he uses as much paint as you (do);* een meisje zoals ~ *a girl like you.*

jijen ⟨onov.ww.⟩ **0.1** ≠ *be / get on first-name / familiar terms (with s.o.)* ⇒ ↑ *use the familiar form of address,* ⟨in Noord-Engeland⟩ *thou (s.o.),* ⟨alg.⟩ *be / get familiar (with s.o.)* ◆ **3.1** ~ in jouen *be on familiar / christian-name / first-name terms (with s.o.).*

jioe-jitsoe ⟨het⟩ **0.1** *j(i)ujitsu.*

Jkvr. ⟨afk.⟩ **0.1** [Jonkvrouw] *Hon.* ⇒ *Lady.*

jl. ⟨afk.⟩ **0.1** [jongstleden] *ult.* ⟨vorige maand⟩; *inst.* ⟨dezelfde/deze maand⟩.

jo → **joh.**

job ⟨de (m.)⟩ **0.1** [baan] *job* **0.2** [klus] *job* ◆ **2.2** dat is een flinke ~ *that's quite some j., that's no easy matter* **¶.1** hij heeft een full-time / half-time ~ *he has a full-time / half-time j., he works full-time / half-time.*

Job ⟨de (m.)⟩ ⟨bijb.⟩ **0.1** [persoon] *Job* **0.2** [boek] *Job* ◆ **8.1** zo arm als ~ *as poor as a church mouse;* hij is zo geduldig als ~ *he has the patience of J..*

jobber ⟨de⟩ **0.1** [knoeier] *botcher* ⇒ ⟨inf.⟩ *cowboy,* ⟨amateur⟩ *odd-job man* **0.2** [gewetenloos beursspeculant] *stock-jobber* **0.3** [beurshandelaar] ⟨vnl. BE⟩ *jobber, stock-jobber* ⇒ *dealer.*

jobdienst ⟨de (m.)⟩ ⟨AZN⟩ **0.1** ≠ *job centre for students.*

jobsbode ⟨de (m.)⟩ **0.1** *bearer of bad tidings / news.*

jobsgeduld ⟨het⟩ **0.1** *patience of Job* ◆ **6.1** met (waar) ~ *with the patience of Job.*

jobstijding ⟨de (v.)⟩ **0.1** *bad tidings* ⟨mv.⟩ ⇒ *bad news.*

jobstudent ⟨de (m.)⟩ ⟨AZN⟩ **0.1** *student working his / her way through university* / ^college ⇒ *student with a part-time job.*

joch ⟨het⟩ ⟨inf.⟩ **0.1** *lad* ⇒ *kid,* ⟨aanspreekvorm⟩ *son.*

jochie ⟨het⟩ ⟨inf.⟩ **0.1** *(little) lad* ⇒ *(little) kid,* ⟨aanspreekvorm⟩ *sonny* ◆ **3.1** hij is nog maar een ~ *he's only a kid.*

jockey ⟨de (m.)⟩ **0.1** *jockey* ⇒ ⟨inf.⟩ *jock.*

jockeypet ⟨de⟩ **0.1** *jockey cap.*

jodelaar ⟨de (m.)⟩, **-ster** ⟨de (v.)⟩ **0.1** *yodeller* ^ *eler.*

jodelen ⟨onov.ww.⟩ **0.1** *yodel.*

jodenbaard ⟨de (m.)⟩ **0.1** [baard als van een jood] *Jew beard* **0.2** [plant] *Aaron's beard.*

jodenbuurt ⟨de⟩ **0.1** *Jewish / Jews' quarter.*

jodendom ⟨het⟩ **0.1** [volk] *Jewry* ⇒ *Jews, Judaism* **0.2** [godsdienst] *Judaism.*

jodenfooi ⟨de⟩ ⟨inf.⟩ **0.1** ⟨ongemarkeerd⟩ *(mere) pittance.*

jodenhaat ⟨de (m.)⟩ **0.1** *anti-Semitism.*

jodenhater ⟨de (m.)⟩ **0.1** *Jew-hater* ⇒ *antisemite.*

jodenkerk ⟨de⟩ **0.1** *synagogue* ◆ **3.1** ⟨fig.⟩ het lijkt hier wel een ~ *it's bedlam broke loose, it's a regular bear-garden.*

jodenkers ⟨de⟩ ⟨plantk.⟩ **0.1** *winter cherry* ⇒ *Chinese lantern.*

jodenkoek ⟨de (m.)⟩ **0.1** *matzo.*

jodenlijm ⟨de (m.)⟩ ⟨inf.⟩ **0.1** [asfalt] ⟨ongemarkeerd⟩ *asphalt, bitumen* **0.2** [speeksel] ⟨ongemarkeerd⟩ *spittle.*

jodenneus ⟨de⟩ ⟨inf.⟩ **0.1** ⟨ongemarkeerd⟩ *Jewish nose.*

jodenster ⟨de⟩ **0.1** [davidster (als symbool)] *Star of David* **0.2** [mbt. de 2e W.O.] *Star of David.*

jodenstreek ⟨de⟩ ⟨inf.⟩ **0.1** *dirty trick* ⇒ *underhand / low(-down) / filthy trick.*

jodenvervolger ⟨de (m.)⟩ **0.1** *persecutor of (the) Jews* ⇒ *Jew-baiter.*

jodenvervolging ⟨de (v.)⟩ **0.1** *persecution of the Jews* ⇒ *Jew-baiting,* ⟨in Oosteuropese landen⟩ *pogrom.*

jodenvraagstuk ⟨het⟩ **0.1** *Jewish question.*

jodide ⟨het⟩ ⟨schei.⟩ **0.1** *iodide.*

jodin ⟨de (v.)⟩ **0.1** *Jewess.*

jodin → **jood.**

jodium ⟨het⟩ ⟨schei.⟩ **0.1** *iodine.*

jodiumtinctuur ⟨de⟩ ⟨schei.⟩ **0.1** *tincture of iodine.*

jodometrie ⟨de (v.)⟩ ⟨schei.⟩ **0.1** *iodometry.*

joe ⟨tw.⟩ ⟨inf.⟩ **0.1** *ya(h), yeah, yup.*

joedje → **joetje.**

Joegoslaaf, -slaviër ⟨de (m.)⟩, **Joegoslavische** ⟨de (v.)⟩ **0.1** *Yugoslav(ian), Jugoslav(ian)* ⟨m.⟩, *Yugoslav(ian) / Jugoslav(ian) woman* ⟨v.⟩.

Joegoslavië ⟨het⟩ **0.1** *Yugoslavia, Jugoslavia.*

Joegoslavisch ⟨bn.⟩ **0.1** *Yugoslav(ian), Jugoslav(ian).*

joehoe ⟨tw.⟩ **0.1** *yo-ho, yo-ho-ho, yoo-hoo.*

joekel ⟨de (m.)⟩ ⟨inf.⟩ **0.1** [kanjer] *whopper* **0.2** [hond] *mutt* ◆ **6.1** wat een ~ van een huis! *some palace (that)!, that's a house and a half!, what a whacking / great house!.*

joelen ⟨onov.ww.⟩ **0.1** [luidkeels zijn enthousiasme of afkeuring uiten] *whoop* ⇒ *scream, roar* **0.2** [gieren] *howl* ⇒ *whine, wail* ◆ **1.1** joelende kinderen *screaming / shouting children;* een joelende menigte *a roaring crowd* **6.1** ~ van geestdrift *w. with joy / merriment / enthusiasm;* ~ van afkeuring *roar / howl with fury / displeasure, jeer* **6.2** de storm joelde **door** de schoorsteen *the wind howled through / in the chimney.*

joep ⟨tw.⟩ **0.1** ⟨bij inspanning⟩ *hup* ◆ **¶.1** ~, daar gaat ie *hup, there it goes / you go.*

joepie ⟨tw.⟩ **0.1** *whoopee, yippee.*

joetje, joedje ⟨het⟩ ⟨inf.⟩ **0.1** *tenner.*

jofel ⟨bn., bw.⟩ ⟨inf.⟩ **0.1** *great* ⇒ *nice, super* ◆ **1.1** een ~e meid *a bit of the goods, a bit of all right;* een ~ plekje *a nice / super spot;* een ~e vent *a g. guy.*

joggen ⟨onov.ww.⟩ ⟨sport⟩ **0.1** *jog.*

joghurt → **yoghurt.**

joh ⟨tw.⟩ ⟨inf.⟩ **0.1** *you* ⇒ *chappie, missie, mate* ◆ **¶.1** hé ~, kijk een beetje uit *hey (y.), watch out;* kop op, ~ *(come on) cheer up, (chappie / old boy / girl).*

Johannes ⟨bijb.⟩ **0.1** *John* ◆ **1.1** ~ de Doper *John the Baptist* **6.1** het evangelie **naar / volgens** ~ *the Gospel according to St. J., the Johannine Gospel.*

johannesbrood ⟨het⟩ ⟨plantk.⟩ **0.1** *carob* ⇒ *locust bean, St. John's bread.*

johannesbroodboom ⟨de (m.)⟩ ⟨plantk.⟩ **0.1** *carob / locust tree* ⇒ *St. John's bread tree.*

johanneswormpje ⟨het⟩ **0.1** *glow-worm, firefly.*

johannieter ⟨de (m.)⟩ **0.1** *knight of St. John, knight Hospitaller.*

joho ⟨tw.⟩ **0.1** *yippee* ⇒ *whoopee.*

joint ⟨de (m.)⟩ **0.1** *joint* ⇒ *stick* ◆ **3.1** een ~ draaien *roll a j..*

jojo ⟨de (m.)⟩ **0.1** *yo-yo.*

joker ⟨de (m.)⟩ ⟨kaartspel⟩ **0.1** *joker* ◆ **6.¶** **voor** ~ staan *look a fool, look foolish;* iem. **voor** ~ zetten *make s.o. look a fool / look foolish, make a fool of s.o..*

jokeren ⟨het⟩ ⟨kaartspel⟩ **0.1** ⟨*card game in which the joker is important*⟩.

jokkebrok ⟨de (m.)⟩ ⟨kind.⟩ **0.1** *(little) fibber* ⇒ *fibster, storyteller.*

jokken ⟨onov.ww.⟩ ⟨kind.⟩ **0.1** *fib* ⇒ *tell a fib, tell fibs / stories / untruths / tales / lies.*

jol ⟨de⟩ **0.1** *yawl* ⇒ *jolly(-boat),* ⟨klein⟩ *dinghy.*

jolen ⟨onov.ww.⟩ **0.1** *make merry* ⇒ *celebrate, revel.*

jolig ⟨bn., bw.⟩ **0.1** *jolly* ⇒ *merry, reveltous, festive* ◆ **1.1** een ~ feest *a j. / lively party;* een ~e stemming *a j. / merry atmosphere, a mood of gaiety.*

joligheid ⟨de (v.)⟩ **0.1** *jollity* ⇒ *merriment, merry-making, revelry.*

Jona(s) ⟨de (m.)⟩ ⟨bijb.⟩ ⟨→ sprw. 412⟩ **0.1** *Jonah* ◆ **2.1** hij is een echte ~ *he was born a failure, he is a born loser* **8.1** hij zit te kijken als ~ in de walvis *he looks scared out of his wits / scared stiff.*

jonassen ⟨ov.ww.⟩ **0.1** *toss in the air* ⇒ *toss in a blanket.*

jong¹ ⟨het⟩ **0.1** [pasgeboren dier] *young (one)* ⇒ ⟨wilde dieren⟩ *cub,* ⟨hond⟩ *pup(py), whelp* **0.2** [jongen, meisje] *kid* ⇒ *child* ◆ **1.1** een vogel en zijn ~ *a bird and its young* **2.2** lekker ~! *little darling, sweetie, poppet* **3.1** ~en werpen *give birth, drop (their) young / calves* ⟨enz.⟩, *produce / bear young; litter* ⟨mbt. hond / kat / vos enz.⟩ **6.1** een tijger met ~en *a tiger and its young / cubs* **¶.2** zeg ~, kom eens hier *hey, youngster / you / kid, come here.*

jong² ⟨bn.⟩ ⟨→ sprw. 80, 282, 316-318, 559, 673⟩ **0.1** [nog niet lang geleefd hebbend] *young* **0.2** [(als) van een jeugdig persoon] *young* **0.3** [(nog) niet oud] *young* **0.4** [nog niet lang bestaande] *young* ⇒ *immature* **0.5** [later komend in de tijd] *recent* ⇒ *late* **0.6** [nieuw, vers] *young* ⇒ *new, immature* **0.7** ⟨geol.⟩ [recent] *recent* ⇒ *Tertiary and Quaternary* ◆ **1.1** een ~e boom *a y. tree, a sapling;* ~e groente *y. vegetables;* een ~e hond *a puppy, a y. dog;* ~ en oud *y. and old;* ze hebben een ~e zoon *they have a baby boy / y. / small son* **1.2** ~e benen hebben *have y. legs;* een ~ gezicht *a y. face* **1.3** dat was in mijn ~e jaren *that was in my young(er) days;* op ~e leeftijd *at an early age;* de ~e mevrouw Jansen *y. Mrs. Jansen* **1.4** de dag is nog ~ *the day is still y.;* de ~e doctor *the new / newly-graduated Ph. D.;* het ~e paar *the y. couple* **1.5** de ~ste bediende *the most junior employee;* ⟨fig.⟩ *the junior clerk, the office junior;* de ~ste berichten *the latest news;* zijn ~ere broertje / zusje ⟨ook⟩ *his kid brother / sister;* de ~ste dag *the Day of Judg(e)ment, Judg(e)ment Day, the Last Day;* tot aan de ~ste dag *till the crack of doom;* van ~e datum *of r. date;* de ~ste gebeurtenissen *r. events* **1.6** ~e kaas *y. / immature cheese;* ~e wijn *new / y. wine;* ~e worteltjes *y. / spring carrots* **1.7** ~e gesteenten *r. rocks* **3.1** we zijn maar eens ~ *we are only y. once* **3.2** zich ~ kleden *dress y. / youthfully;* ⟨je tong⟩ *look* *like mutton dressed as lamb;* zij ziet er ~ uit voor haar leeftijd *she looks y. for her age/years* **3.3** jij bent toch ook ~ geweest *you have been y. yourself, you were y. yourself once;* ~ getrouwd zijn *be married y.;* zij worden er niet ~ er op *they are not getting any younger;* we zijn niet zo ~ meer *we're not as y. as we used to be* **3.5** zij is de ~ ste (van de twee) *she's the younger (one)* **6.1** ~ van jaren *in years;* **van** ~ s af *(right) from childhood;* ⟨schr.⟩ *from my/his* ⟨enz.⟩ *youth up;* ~ **van hart/van** geest *y. at heart/in mind/spirit* **8.5** hij is twee jaar ~ er dan ik *he is two years younger than I am, he is my junior by two years;* je ziet er ~ er uit dan je bent *you don't look your age.*

jonge¹ ⟨de (m.)⟩ **0.1** [jeneversoort] *Hollands (gin), Dutch gin* **0.2** [glaasje jonge] *glass of Hollands/Dutch gin.*

jonge² ⟨tw.⟩ **0.1** ᴮ*gosh;* ⟨vnl. AE⟩*(oh) boy;(oh) my* ⇒*wow,* ↑*I say,* ↓*cor* ◆ **¶.1** ~, wat 'n grote! *gosh! boy/my/cor/wow, what a big one!* ↓*whopper!;* ~ ~, wat is dat mooi! *gosh! boy/my, that's beautiful/real pretty!;* ⟨iron.⟩ ~ ~ ~, wat gaat het hier weer snel! *boy oh boy/my oh my/oh oh oh that's really top speed!.*

jongedame ⟨de (v.)⟩ ⟨schr.⟩ **0.1** *young lady* ◆ **4.1** welke ~ wil mij helpen met … *young lady required/sought for …/as assistant in/with …* **¶.1** ⟨iron.⟩ zeg eens, ~, een beetje kalm daar! *now, young lady, that's enough of that!.*

jongeheer ⟨de (m.)⟩ **0.1** [jongen, jongeman] *young gentleman* **0.2** [penis] *willie, John Thomas* ◆ **1.1** ⟨de⟩ ~ John *Master John.*

jongejuffrouw ⟨de (v.)⟩ ⟨vero.⟩ **0.1** *damsel* ⇒*demoiselle, maid* ◆ **2.¶** oude ~ *old maid.*

jongelieden ⟨zn.mv.⟩ ⟨schr.⟩ **0.1** [jongelingen] *young men/lads* ⇒*youths* **0.2** [jongelui] *young persons* ⇒*youngsters, youth.*

jongeling ⟨de (m.)⟩ **0.1** *youth* ⇒*lad, young man.*

jongelui ⟨zn.mv.⟩ **0.1** [jongeren] ⇒*young folk/people,* ⟨m., vnl. pej.⟩ *youths* ◆ **1.1** een troepje ~ *a crowd/gang/gaggle of youngsters/young folk* **7.1** er komen veel ~ *a lot of young people/folk are coming.*

jongeman ⟨de (m.)⟩ **0.1** *young man* ◆ **8.1** als ~ was hij revolutionair *as a young man he was a revolutionary* **¶.1** zeg ~, een beetje kalm alsjeblieft! *I say/excuse me, young man, not so much/a little less noise please!.*

jongen¹ ⟨de (m.)⟩ **0.1** [kind van het mannelijk geslacht] *boy* **0.2** [zoon] *boy* **0.3** [adolescent] *boy* ⇒*youth, lad* **0.4** [volwassen mannelijk persoon] *boy* ⇒*lad, guy* **0.5** ⟨(mv.) jongen(s) en/of meisje(s)⟩⟨kinderen⟩ *kids;* ⟨jongens, mannen⟩ *lads, chaps,* ⟨alg.⟩ *folks;* ⟨BE ook⟩ *you lot;* ⟨AE ook⟩*(you) guys* **0.6** [vrijer] *boyfriend* ⇒*partner* **¶.2** is het een ~ of een meisje? *is it a he or a she/a b. or a girl?* **1.4** een ~ van Jan de Witt *a tower of strength, a stalwart/real friend;* ⟨schr.⟩ *a heart of oak* **2.1** daar is hij maar een kleine ~ bij *he's nothing in comparison, he can't compare* **2.3** onze dochter is een echte ~ *our daughter is a real tomboy;* opgeschoten ~ s *youths* **2.4** een gladde ~ ᴮ*a wide b.;* ⟨vnl. AE⟩ *a wheeler-dealer;* kom, ouwe ~ *come on, old b./man/chap;* een zware ~ *a tough (guy)/toughie* **2.¶** de kleine ~ *willie, John Thomas* **3.1** daar is/zijn het nu eenmaal een ~ /~ s voor *boys will be boys* **3.6** zij heeft al een ~ *she already has a b./partner* **4.4** deze ~ wil er niets mee te maken hebben *I don't want anything to do with it;* onze ~ s hebben zich dapper geweerd *our boys/lads put up a brave defence* **4.5** zijn dat jouw ~ s? *are those your kids?* **¶.5** gaan jullie mee, ~ s? *are you coming, you lot/kids/lads/lads/folks?;* ⟨AE ook⟩ *hey you guys, are you coming along?.*

jongen² ⟨onov.ww.⟩ **0.1** *give birth, drop (their) young/calves* ⟨enz.⟩, *produce/bear young; litter* ⟨mbt. hond/kat/vos enz.⟩ ◆ **1.1** onze kat heeft vandaag gejongd *our cat has had kittens today.*

jongensachtig ⟨bn., bw.;-ly⟩ **0.1** *boyish* ◆ **3.1** zich ~ gedragen *behave like a boy.*

jongensboek ⟨het⟩ **0.1** *boys' book.*

jongensgek ⟨de (v.)⟩ **0.1** *proper/regular flirt* ⇒*manhunter* ◆ **3.1** ze is een ~ *she's boy-mad/boy-crazy, all she ever thinks about is boys.*

jongensnaam ⟨de (m.)⟩ **0.1** *boy's name.*

jongenskamer ⟨de (m.)⟩ **0.1** *boys' room.*

jongenskop ⟨de (m.)⟩ **0.1** [jongenshoofd] *boy's head* **0.2** [haardracht] *boyish hair style* ⇒*Eton crop, close trim.*

jongensschool ⟨de⟩ **0.1** *boys' school.*

jongensstreek ⟨de⟩ **0.1** *boyish prank/trick* ◆ **¶.1** de jongensstreken zijn er bij hem nog niet uit *he still gets up to boyish pranks.*

jongere ⟨de (m.)⟩ **0.1** *young person* ◆ **2.1** werkende ~ n *working youngsters* **¶.1** de ~ n *young people/persons.*

jongerejaars ⟨de (m.)⟩ **0.1** *first or second year student.*

jongerentijdschrift ⟨het⟩ **0.1** *magazine for the young.*

jongerenwerk ⟨het⟩ **0.1** *youth work.*

jongerenwerker ⟨de (m.)⟩, **-werkster** ⟨de (v.)⟩ **0.1** *youth worker.*

jongetje ⟨het⟩ **0.1** [baby] *baby boy* **0.2** [kleuter] *little boy* **0.3** [7- tot 10-jarige leeftijd] *small boy* **0.4** [vnl. aanspreekvorm] *sonny.*

jonggeboren ⟨bn.⟩ **0.1** *new-born.*

jonggeborene ⟨de (m.)⟩ **0.1** *new-born baby* ⇒*(new) baby,* ⟨inf.⟩ *new arrival.*

jonggehuwd ⟨bn.⟩ **0.1** *newly-married* ⇒ ⟨inf.⟩ *newly-wed.*

jonggehuwden ⟨zn.mv.⟩ **0.1** *newly-married couple* ⇒ ⟨inf.⟩ *newly-weds.*

jonggestorven ⟨bn.⟩ **0.1** *untimely deceased* ◆ **2.1** de ~ dichter Perk *the poet Perk, who died young.*

jongleerder ⟨de (m.)⟩ **0.1** *juggler.*

jongleren ⟨onov.ww.⟩ **0.1** *juggle* ◆ **6.1** ⟨fig.⟩ ~ met woorden/met cijfers *conjure with words, j. with figures.*

jongleur ⟨de (m.)⟩ **0.1** [iem. die jongleert] *juggler* ⇒*acrobat* **0.2** [⟨gesch.⟩] *jongleur.*

jongmens ⟨het⟩ **0.1** [jonge man] *young man* **0.2** [⟨mv.⟩ jonge mensen] *young people* ⇒*youngsters.*

jongstleden ⟨bn.⟩ **0.1** *last* ◆ **1.1** de 14de ~ ⟨dezer⟩ *the 14th instant/inst.;* in januari ~ *in January l., l. January;* 9 juni ~ *on June 9th l.;* de 31ste ~ ⟨van vorige maand⟩ *the 31st ultimo/ult.;* ~ woensdag, woensdag ~ l. *Wednesday, Wednesday l..*

jonk ⟨de (m.)⟩ **0.1** *junk.*

jonker ⟨de (m.)⟩ **0.1** *nobleman* ⇒⟨landedelman⟩ *squire* ◆ **2.1** een kale ~ *an impecunious/impoverished n..*

jonkheer ⟨de (m.)⟩ **0.1** *esquire.*

jonkie ⟨het⟩ ⟨inf.⟩ **0.1** [jong van een dier] *young one* ⇒*baby* **0.2** [jong dier, mens] *little/young one* **0.3** [glas jonge jenever] *Dutch gin, Hollands (gin).*

jonkvrouw ⟨de (v.)⟩ **0.1** [titel] ≠*Lady* ⇒⟨aanspreekvorm⟩ *Ma'am* **0.2** [⟨schr.⟩ huwbare jonge vrouw] *maid(en)* ◆ **2.2** o schone ~ e *oh fair m./damsel.*

jood ⟨→sprw. 315⟩
I ⟨de (m.)⟩ **0.1** [iem. die tot het joodse volk behoort] *Jew* **0.2** [iem. die het joodse geloof aanhangt] *Jew* **0.3** [afzetter, woekeraar] *jew* ◆ **2.1** een gedoopte ~ *a Christian J.;* de Wandelende Jood *the Wandering J.;*
II ⟨het⟩ **0.1** [⟨schei.⟩] *iodine* ⇒⟨in samenst. ook⟩ *iodic.*

joods¹ ⟨het⟩ **0.1** *Jewish (way of speaking)* ◆ **3.1** hij praat ~ *he sounds (very) Jewish (when he speaks).*

joods² ⟨bn., bw.;-ly⟩ **0.1** *Jewish* ⇒*Judaic* ◆ **1.1** het ~ e geloof *the Jewish faith, Judaism;* het ~ e land *the land of the Jews;* de ~ e tijdrekening *the Jewish calendar;* het ~ e volk *the Jews, the Jewish people,* ↑*Judaism;* ⟨bijb.⟩ *Israelites, Hebrews;* een ~ e vrouw *a Jewess, a Jewish woman.*

joon ⟨het, de⟩ **0.1** *dan (buoy).*

Joost ⟨de (m.)⟩ **0.1** *Justus* ◆ **3.¶** ~ mag het weten *goodness/heaven (only) knows, God knows, search me, (I'm) hanged/blowed if I know.*

jopper ⟨de (m.)⟩ **0.1** *pea jacket* ⇒*pea coat* ⟨pijjekker⟩, *donkey jacket* ⟨korte duffelse jas⟩.

Jordaan ⟨de⟩ **0.1** *(the river) Jordan.*

Jordaans ⟨bn.⟩ **0.1** *Jordanian.*

Jordaanse ⟨de (v.)⟩ **0.1** *Jordanian woman.*

Jordanië ⟨het⟩ **0.1** *Jordan.*

Jordaniër ⟨de (m.)⟩ **0.1** *Jordanian.*

Joris **0.1** *George* ◆ **¶.1** ~ Goedbloed *softy, softie, soft touch, goody-goody.*

jota ⟨de⟩ **0.1** *iota* ◆ **1.¶** geen tittel of ~ *not one/a jot or tittle* **7.¶** hij kent /snapt er geen ~ van *he doesn't know/understand the first/a thing about it.*

jottum ⟨tw.⟩ ⟨kind.⟩ **0.1** *hurray, hooray.*

jou ⟨pers.vnw.⟩ **0.1** *you* ◆ **1.1** ~ vlegel! ik zal je kelen! *you insolent lout! I'll have your guts (for garters)/I'll kill/do you* **3.1** ~ moet ik hebben *you're just the person I want/am looking for/need* **6.1** met mij gaat het goed. En met ~? *I'm fine. And you?;* ik heb het **tegen** ~ *I'm talking to you, it's you I'm talking to;* is dit boek **van** ~? *is this book yours?* **¶.1** een kabaal van heb ik ~ *daar a terrific/fantastic din (the likes of which you've never heard).*

jouen ⟨onov.ww., ov.ww.⟩ ◆ **3.¶** jijen en ~ *be on familiar/christian-name/first-name terms (with s.o.).*

jouissance ⟨de (v.)⟩ **0.1** [genot, genieting] *enjoyment* **0.2** [vruchtgebruik] *usufruct* ◆ **¶.¶** ⟨hand.⟩ action de ~ *profit-sharing note.*

jouker ⟨bn.⟩ ⟨inf., Barg.⟩ **0.1** *pricey.*

joule ⟨de⟩ **0.1** [eenheid van energie] *joule* **0.2** [eenheid van elektrische arbeid] *joule.*

journaal ⟨het⟩ **0.1** [vertoning/bespreking van nieuws en actualiteiten] ⟨tv., radio⟩ *news, newscast;* ⟨bioscoop⟩ *newsreel* **0.2** [dagboek] *journal* ⇒*diary* **0.3** [boek met reisaantekeningen] *log(-book)* **0.4** [hoofdboek van een boekhoudkundige administratie] *journal* ◆ **6.1** het ~ **van** acht uur *the 8 o'clock news* **6.4** in het ~ boeken *enter in the j., journalize.*

journalist ⟨de (m.)⟩, **-liste** ⟨de (v.)⟩ **0.1** *journalist* ⟨m., v.⟩ ⇒*newspaperman* ⟨m.⟩*/woman* ⟨v.⟩, *pressman* ⟨m.⟩*/woman* ⟨v.⟩.

journalistiek¹ ⟨de (v.)⟩ **0.1** [het verstrekken van in- en voorlichting via de media] *journalism* **0.2** [(als genre)] *journalism* ◆ **2.2** dat boek is zuivere ~ *that book is sheer j.* **3.1** ~ bedrijven *work as/be a journalist* **6.1** in de ~ gaan *go into/take up j., become a journalist.*

journalistiek² ⟨bn., bw.;-ally⟩ **0.1** *journalistic* ◆ **1.1** een ~ e carrière *a newspaper career, a career in journalism;* een ~ e stijl *journalese;* ~ e werkzaamheden *j./press/newspaper activities.*

jouw ⟨bez.vnw.⟩ **0.1** *your* ◆ **1.1** is dat ~ werk? *is that your work?* **7.1** dat potlood is het ~ e *that pencil is yours.*

jouwen ⟨onov.ww.⟩ **0.1** *jeer* ⇒*hoot, boo.*

jouwerzijds ⟨bw.⟩ **0.1** *on/for your part.*
joviaal ⟨bn.,bw.;-ly⟩ **0.1** *jovial* ⇒*genial, friendly* ◆ **1.1** een joviale kerel *a j./ very friendly chap;* een joviale toon *a j./ genial tone* **3.1** ~ met iem. omgaan *be on (very) friendly terms/get on very well with s.o.*.
jovialiteit ⟨de (v.)⟩ **0.1** *joviality* ⇒*geniality.*
joy-riden ⟨ww.⟩ **0.1** *joyride.*
joystick ⟨de⟩ **0.1** [hendel, met name van een computerspel] *joystick* **0.2** [penis] *joy-stick, (joy) knob.*
Jozef ⟨bijb.⟩ **0.1** *Joseph* ◆ **2.¶** een kuise ~ *a holy Joe;* de ware ~ *Mr. Right.*
jr. ⟨afk.⟩ **0.1** [junior] *Jr.* ⇒*Jun(r).,* [B]*Jnr.* ⟨allen ook met j-⟩.
ju ⟨tw.⟩ **0.1** *gee-up* ⇒*gee(-ho), gidd(y)ap, giddyup* ◆ **3.1** ju-ju spelen *play gee-gees.*
jubel ⟨de (m.)⟩ ⟨schr.⟩ **0.1** *(cries of) jubilation* ◆ **2.1** het volk barstte in een luide ~ uit *the people burst into loud (cries of) jubilation.*
jubelen ⟨onov.ww.⟩ **0.1** [vreugdekreten aanheffen] *shout with joy* ⇒ *cheer* **0.2** [uiting geven aan zijn vreugde] *be jubilant* ⇒*rejoice/exult (at)* **0.3** [jubileren] *celebrate one's jubilee/anniversary* ◆ **1.2** de ~ de menigte *the cheering crowd* **6.1** van blijdschap/van vreugde ~ *shout with happiness/joy* **6.2** ~ over *be jubilant at/about, rejoice/exult at.*
jubeljaar ⟨het⟩ ⟨r.k. en jud.⟩ **0.1** *jubilee;* ⟨r.k. ook⟩ *Holy Year.*
jubelkreet ⟨de (m.)⟩ **0.1** *shout of joy/jubilation* ⇒*cheer, cry of delight.*
jubelstemming ⟨de (v.)⟩ **0.1** *jubilant/rejoicing/exultant mood.*
jubeltenen ⟨zn.mv.⟩ ⟨scherts.⟩ **0.1** ⟨ongemarkeerd⟩ *upturned toes.*
jubilaris ⟨de (m.)⟩, **jubilaresse** ⟨de (v.)⟩ **0.1** [iem. die een jubileum viert] ≠*person celebrating his/her jubilee/anniversary* **0.2** [feestvarken] ≠*person in whose honour a party/reception is being held* ⇒*guest of honour.*
jubileren ⟨onov.ww.⟩ **0.1** *celebrate one's jubilee/anniversary.*
jubileum ⟨het⟩ **0.1** ⟨mbt. belangrijke persoon/instelling⟩ *jubilee;* ⟨alg.⟩ *anniversary* ◆ **2.1** 60-jarig ~ *diamond j., 60th a.;* gouden ~ *golden j., 50th a.;* zilveren ~ *silver j., 25th a.* **3.1** een ~ vieren *celebrate a j./ a..*
jubileumaanbieding ⟨de (v.)⟩ **0.1** *jubilee offer.*
jubileumjaar ⟨het⟩ **0.1** *jubilee year.*
jubileumnummer ⟨het⟩ **0.1** *jubilee issue.*
jubileum(post)zegel ⟨het, de (m.)⟩ **0.1** *jubilee stamp/issue.*
jubileumuitgave ⟨de⟩ **0.1** [boek] *jubilee volume/edition* **0.2** [tijdschrift] *jubilee number/issue.*
juchtleer ⟨het⟩ **0.1** *Russia (leather).*
judaïsme ⟨het⟩ **0.1** [jodendom, de joodse instellingen en godsdienst] *Judaism* **0.2** [joodse uitdrukking] *hebraism.*
judas ⟨de (m.)⟩ **0.1** [verraderlijk mens] *Judas* **0.2** [kweller] *rotter, pest* ⇒*tease.*
Judas ⟨de (m.)⟩ ⟨bijb.⟩ **0.1** *Judas.*
judasboom ⟨de (m.)⟩ **0.1** *Judas tree.*
judasgeld →**judasloon.**
judaskus ⟨de (m.)⟩ **0.1** *Judas kiss.*
judaslach ⟨de (m.)⟩ **0.1** *false/Judas smile.*
judasloon ⟨het⟩ **0.1** *bloodmoney* ⇒*thirty pieces of silver.*
judasoor ⟨het⟩ ⟨plantk.⟩ **0.1** *jew's ear, Judas's ear.*
judaspenning ⟨de (m.)⟩ ⟨plantk.⟩ **0.1** *honesty* ⇒*satinflower, satinpod, moonwort.*
judasrol ⟨de⟩ **0.1** *role of traitor/betrayer.*
judassen ⟨onov., ov.ww.⟩ **0.1** *needle* ⇒*tease, annoy, pester, nag, hassle* ◆ **1.1** hij kan niet anders dan zijn zusje ~ *he just has to tease/annoy his sister.*
judasstreek ⟨de⟩ **0.1** *Judastrick* ⇒*act of betrayal/treachery, (piece of) treachery, treacherous act.*
Judea ⟨het⟩ **0.1** *Judea.*
judicatuur ⟨de (v.)⟩ ⟨jur.⟩ **0.1** [rechtspraak, berechtiging] *judicature* **0.2** [bevoegdheid] *judicature* ◆ **6.1** de ~ in strafzaken *criminal j..*
judiceren ⟨onov.ww.⟩ ⟨jur.⟩ **0.1** *pass judg(e)ment, adjudicate.*
judicieel ⟨bn.⟩ ⟨jur.⟩ **0.1** [rechterlijk] *judicial* **0.2** [in het geding, in rechte] *at law, in court* ◆ **1.2** judiciële houding *case, contentions, position.*
judicium ⟨het⟩ **0.1** [(jur.) vonnis] *judg(e)ment* ⇒*sentence* **0.2** [(universiteit) oordeel mbt. examens] *grade* ⇒*(examination/degree) result, class(ification).*
judo ⟨het⟩ ⟨sport⟩ **0.1** *judo.*
judoband ⟨de (m.)⟩ **0.1** *judo belt.*
judoën ⟨onov.ww.⟩ ⟨sport⟩ **0.1** *do judo.*
judogi ⟨de⟩ ⟨sport⟩ **0.1** *judogi.*
judoka ⟨de (m.)⟩ ⟨sport⟩ **0.1** *judoka* ⇒*judoist.*
juf ⟨de (v.)⟩ ⟨inf.⟩ **0.1** [(school)juffrouw] ⟨ongemarkeerd⟩ *teacher* ⇒ ⟨aanspreekvorm⟩ *Miss,* ⟨AE ook⟩ *Ma'am* **0.2** [jonge (pedante) vrouw] *(proper little) madam/miss(y).*
juffer ⟨de (v.)⟩ **0.1** [dame] *damsel* ⇒*lady* **0.2** ⟨scheep.⟩ *deadeye* ⇒ *(e)uphroe* **0.3** [libel] *dragonfly* **0.4** [paal] *pile* **0.5** [straatstamper] *paving beetle* ⇒*rammer.*
juffershondje ⟨het⟩ **0.1** *lap-dog* ⇒*toy dog* ◆ **8.1** beven als een ~ *shake like a jelly/leaf.*
juffertje ⟨het⟩ **0.1** [kleine/jonge juffrouw; ⟨iron.⟩] *young lady;* ⟨vnl. iron.⟩ *missy, madam* **0.2** ⟨biol.⟩ *damselfly* ⇒*demoiselle* **0.3** [torentje] *(Sanctus) bell-cote* ◆ **¶.¶** ~ in 't groen *love-in-a-mist.*

juffrouw ⟨de (v.)⟩ **0.1** [ongehuwde vrouw] *Miss* ⇒ [↑]*madam* ⟨beide ook als aanspreekvorm⟩ **0.2** [kinderjuffrouw, onderwijzeres] ⟨onderwijzeres⟩ *teacher* ⇒⟨aanspreekvorm⟩ *Miss,* ⟨kindermeisje⟩ *nurse-(maid),* ⟨BE ook⟩ *nanny,* ⟨gouvernante⟩ *governess* **0.3** [⟨inf.⟩ vrouw] *lady* ◆ **1.2** de ~ van de eerste klas *the first form/year/*[A]*grade teacher* **2.3** een aardige ~ *a nice l.* **3.3** die ~ kan zich uitstekend redden *that l./* ⟨iron.⟩ *young l./ madam is well able to look after herself* **¶.3** goedemiddag, ~ *good afternoon, Miss/Madam/Ma'am/*[A]*lady;* ~, twee thee, a.u.b. *two teas, (Miss) please.*
Jugendstil ⟨de (m.)⟩ ⟨bk.⟩ **0.1** *Jugendstil.*
juichen ⟨onov.ww.⟩ **0.1** [met uitbundig geluid zijn vreugde te kennen geven] *shout with joy* ⇒*cheer* **0.2** [uiting geven aan zijn vreugde] *be jubilant* ⇒*rejoice/exult (at)* ◆ **1.1** de menigte juichte toen het doelpunt werd gemaakt *the crowd cheered when the goal was scored* **5.2** (ik verwacht dat ze me wel aannemen), maar ik moet niet te vroeg ~ *(I expect them to* ⟨BE⟩ *take me on/* ⟨AE⟩ *hire me), but I mustn't speak too soon* **6.2** ~ over *be jubilant at/about, exult at;* er is nog geen reden tot ~ *there is no cause/reason for jubilation, it's too soon to start cheering* **¶.1** ~ *d jubilant.*
juichkreet ⟨de (m.)⟩ **0.1** *shout of joy/jubilation* ⇒*cheer, cry of delight.*
juichtoon →**juichkreet.**
juist
I ⟨bn., bw.;-ly⟩ **0.1** [waar, gegrond] *right* ⇒*correct* **0.2** [adequaat, geschikt] *right* ⇒*proper, correct* **0.3** [correct] *correct* **0.4** [gerechtvaardigd, billijk] *just* ⇒*fair* ◆ **1.1** de ~e tijd *the r./ correct time;* de ~e uitkomst krijgen *get the sum r.;* een ~e voorstelling van zaken *a correct representation of things* **1.2** het ~e bedrag overmaken *make over the r. amount;* op de ~e manier *in the r. way/manner;* precies op het ~e ogenblik *at the r./ proper moment;* het ~e ogenblik kiezen *choose the r. moment, choose the moment well;* dat is het ~e woord niet *that's not the (r.) word (for it);* de ~e woorden weten te vinden *manage to find the r./ proper words* **1.3** een ~ optreden *c. behaviour;* in de ~e positie *in (the right) position;* niet in de ~e positie *out of position;* is dit de ~e spelling? *is this the right spelling?* **1.4** een ~e beloning *a j./ just reward* **3.2** ~ mikken *aim true/accurately;* een karakter ~ omschrijven/ typeren *describe/identify a character correctly* **3.3** ~ handelen *act correctly;* die deur is niet ~ geplaatst *that door is not true* **3.4** ~ oordelen *judge fairly;* ik vond het niet meer dan ~ u dit te vertellen *it seemed only right to tell you (this)* **5.1** zeer ~! *quite r.!,* ⟨in vergadering ook⟩ *hear, hear!* **¶.1** ~! *exactly!, precisely!, that's it!;* o, ~! *(oh), I see!* ⟨als men bv. juist niét begrijpt!⟩;
II ⟨bw.⟩ **0.1** [precies] *just, exactly, of all times/places/people/* ⟨enz.⟩; ⟨in tegenstellingen⟩ *no, on the contrary* **0.2** [zoëven] *just* **0.3** [met name] *just, exactly, of all times/places/people/* ⟨enz.⟩; ⟨in tegenstellingen⟩ *no, on the contrary* ◆ **1.1** ze bedoelde ~ het tegendeel *she meant just/ exactly the opposite* **2.3** gelukkig? ik ben ~ diep bedroefd! *happy? no/ on the contrary, I'm terribly sad!* **3.1** of ~ er gezegd ...*or rather ..., or (to put it) more correctly ...;* dat is ~ wat we zoeken *that's just/ exactly what/ that's the very thing we're looking for;* u moest ik ~ hebben! *you're just/ exactly who I wanted to see!, (you're) just the man /woman I want!* **3.2** zij is ~ gearriveerd *she's j. arrived;* ik zei het ~ *I j. said it* **4.1** ~ wat ik zei *just/ exactly what I said;* waarom ~ zij? *why her (of all people)? / rather than anyone else?* **5.1** daar zit nu ~ de fout *that's just where the mistake lies/ comes in;* daarom ~ *that's exactly why;* waarom ~ hier/ vandaag? *why here (of all places)? / today (of all days)?;* de bal ging ~ naast *the ball just missed* **5.3** ~ nu moeten we het hoofd koel houden *now of all times we need to keep a cool head* **6.1** ~ op dat ogenblik kwam zij binnen *just/ right at that moment she came in* **¶.1** ~ op tijd *just in time* **¶.3** dat is het (hem nu) ~! *that's (just) it! / (just) the point!.*
juistheid ⟨de (v.)⟩ **0.1** *correctness* ⇒*accuracy, rightness,* ⟨waarheid⟩ *truth,* ⟨stiptheid⟩ *exactitude, preciseness,* ⟨toepasselijkheid⟩ *propriety, appropriateness* ◆ **3.1** de ~ van een bewering aantonen/staven *justify/verify a statement;* ik betwist de ~ van die cijfers *I dispute the accuracy of those figures;* de ~ nagaan van *verify the c./ accuracy/ truth of.*
ju jitsu →**jioe-jitsoe.**
jujube ⟨de⟩ **0.1** [vrucht] *jujube* **0.2** [dropje] *jujube.*
juk ⟨het⟩ **0.1** [trektuig] *yoke* **0.2** [⟨fig.⟩ dwang, beproeving] *yoke* **0.3** [schouderblok om iets aan te dragen] *yoke* **0.4** [⟨tech.⟩⟨dwarsbalk⟩ *(cross) beam* ⇒⟨elek.⟩ *yoke,* ⟨bouwk.⟩ *trestle,* ⟨scheep.⟩ *yoke* ⟨van roer⟩, *beam* ⟨van balans⟩ ◆ **1.1** een ~ ossen *a y./ team of oxen* **2.4** het ~ van een brug *the trestlework of a bridge* **3.2** het ~ afwerpen/af-schudden *throw/shake off the y.;* onder het ~ doorgaan *pass under the y.* **6.1** in het ~ spannen *(put to the) yoke, harness* **6.2** onder het ~ buigen *submit to the y.;* onder het ~ brengen *bring under the y..*
jukbeen ⟨het⟩ ⟨med.⟩ **0.1** *cheekbone* ◆ **2.1** uitstekende ~deren *high/ prominent cheekbones.*
jukboog ⟨de (m.)⟩ ⟨med.⟩ **0.1** *zygoma* ⇒*zygomatic arc.*
jukspier ⟨de⟩ ⟨med.⟩ **0.1** *zygomatic muscle.*
juli ⟨de (m.)⟩ **0.1** *July* ◆ **1.1** de maand ~ *the month of J..*
Juliaans ⟨bn.⟩ **0.1** *Julian* ◆ **1.1** ~e kalender/stijl *Julian calendar, Old Style.*

julienne ⟨de⟩ **0.1** [fijn gesneden groenten] *julienne* **0.2** [groentesoep] *julienne*.

jullie
I ⟨pers.vnw.⟩ **0.1** *you* ◆ **1.1** ~ ellendelingen! *you villains* **3.1** ~ hebben gelijk *you're right;*
II ⟨bez.vnw.⟩ **0.1** *your* ◆ **1.1** is dat ~ boek? *is that your book?* **6.1** is die auto van ~? *is that car yours?, is that your car?*.

jumelage ⟨de (v.)⟩ **0.1** *twinning* ◆ **3.1** onze twee steden zijn een ~ aangegaan *our two towns are twinned.*

junctie ⟨de (v.)⟩ **0.1** *junction.*

juncto ⟨bn.⟩ **0.1** *in conjunction with* ◆ ¶.1 art. 3 ~ art. 4 *art. 3 in conjunction with art. 4;* art. 3 junctis artt. 4 en 5 *art. 3 in conjunction with arts 4 and 5.*

junctuur ⟨de (v.)⟩ **0.1** [verbinding] *juncture* **0.2** [tijdsgewricht, omstandigheid] *juncture.*

jungle ⟨de⟩ **0.1** [wildernis] *jungle* **0.2** [⟨fig.⟩] *jungle* ⇒ *mish-mash, hodge-podge* ◆ **6.2** een ~ van verordeningen *a mish-mash of regulations/stipulations.*

junglemes ⟨het⟩ **0.1** *machete* ⇒ *matchet.*

juni ⟨de⟩ **0.1** *June* ◆ **1.1** de maand ~ *the month of J..*

junibes ⟨de⟩ **0.1** *juneberry,* ^A*service-berry.*

junikever ⟨de (m.)⟩ **0.1** *june beetle/bug* ⇒ *summer chafer, St. John's beetle.*

junior[1] ⟨de (m.)⟩ **0.1** *junior* ◆ **3.1** de ~ en hebben de senioren verslagen *the juniors beat the seniors.*

junior[2] ⟨bn.⟩ **0.1** *junior* ◆ **1.1** mevrouw M. Hemels ~ *Mrs. M. Hemels Jnr., the younger Mrs. M. Hemels;* Smith ~ *Smith Minor/* ^A*Junior.*

junior-manager ⟨de (m.)⟩ **0.1** *junior manager* ⇒ *trainee manager.*

junk ⟨de (m.)⟩ **0.1** [persoon] *junkie, junky, junker* **0.2** [heroïne] *junk* ⇒ *smack.*

junta ⟨de⟩ **0.1** [regering] *junta* ⇒ *junto* **0.2** [vertegenwoordigend lichaam] *junta.*

jupon ⟨de (m.)⟩ **0.1** *petticoat* ⇒ *underskirt.*

jureren ⟨onov.ww.⟩ **0.1** *adjudicate* ⇒ *act as a judge.*

jurering ⟨de (v.)⟩ **0.1** *adjudication* ⇒ *judging.*

juridisch ⟨bn., bw.; -(al)ly⟩ **0.1** *juridical* ⇒ *legal, juristic(al), judicial, juridic,* ⟨attr.⟩ *law* ◆ **1.1** ~ adviseur *legal adviser;* de ~ e afdeling *the legal department;* ~ e bijstand *legal aid;* ~ e commissie *judicial/jurists' committee;* de ~ e faculteit *the Faculty of Law(s),* ^A*the Law School;* ~ e gronden/bezwaren *legal grounds/objections;* de ~ e stand *the legal profession, the law;* ~ e term *legal term* **2.1** ~ aansprakelijk zijn *be liable (for), be legally responsible (for).*

juridisering ⟨de (v.)⟩ **0.1** [het maken tot een juridische zaak] *making (sth.) into a lawsuit, bringing (sth.) sub judice* **0.2** [het redeneren over juridische zaken] *legal discourse.*

jurisdictie ⟨de (v.)⟩ **0.1** [rechtspraak, rechtsmacht] *jurisdiction* ⇒ ⟨rechtsmacht ook⟩ *competence, cognizance* **0.2** [rechtsgebied] *(territorial) jurisdiction* ◆ **2.1** geestelijke/wereldlijke ~ *ecclesiastical/secular j.;* ⟨geestelijke ook⟩ *obedience* **3.1** ~ hebben *have j. (over);* ~ uitoefenen *exercise legal authority* **6.1** buiten de ~ vallen *van fall/come outside the j./competence/cognizance of;* onder de ~ vallen *van fall/come within (under) the j./competence/cognizance of;* zaken brengen onder de ~ van een rechtbank *bring cases within the competence of a court* **6.2** de ~ van de kantonrechter in strafzaken *the j. of the ⟨local/regional judge⟩ in criminal cases.*

jurisdictiegeschil ⟨het⟩ **0.1** *dispute over/concerning jurisdiction.*

jurisprudentie ⟨de (v.)⟩ **0.1** *jurisprudence* ⇒ ≠*case law, law of precedent, judge-made law* ◆ **1.1** de ~ van de Hoge Raad *the j. of the supreme court* **3.1** deze beslissing levert ~ voor gelijkwaardige zaken *this decision provides a precedent for similar cases.*

jurist ⟨de (m.)⟩, -e ⟨de (v.)⟩ **0.1** [rechtsgeleerde] *jurist* ⇒ *legist, lawyer* **0.2** [student] *law student* ◆ **1.1** de orde der ~ en the Bar **3.2** ~ zijn *study/read law, go in for law.*

jurk ⟨de⟩ **0.1** *dress* ⇒ (japon ook) *frock* ◆ **2.1** een blote ~ *a revealing d.;* een lange ~ *a long d., a gown;* een schattig ~ je *a sweet/lovely/charming little d..*

jurkangst ⟨de (m.)⟩ ⟨scherts.⟩ **0.1** *terror/fear of females/women.*

jury ⟨de⟩ **0.1** [commissie van beoordeling] *jury* ⇒ *committee of judges, judging-committee, panel (of judges, adjudicators)* **0.2** [⟨jur.⟩] *jury* **0.3** [⟨AZN⟩ examencommissie] *examining-board* ⇒ *board of examiners* ◆ **1.2** voorzitter/ster van de ~ *foreman/forewoman* **6.1** in de ~ zitten *be on the jury, be/serve on the panel (of judges), be a judge/adjudicator.*

jurylid ⟨het⟩ **0.1** ⟨jur.⟩ *member of the jury* ⇒ *juror, juryman/jurywoman,* ⟨commissie⟩ *judge, adjudicator, member of the jury/panel* ◆ **8.1** als ~ optreden ⟨jur.⟩ *serve on the jury, be a member of the jury;* ⟨commissie⟩ *be/serve on the panel (of judges)/jury, be a judge/an adjudicator.*

jus
I ⟨de (m.)⟩ **0.1** [⟨cul.⟩] *gravy* **0.2** [⟨jur.⟩] *jus* ⇒ *law* ◆ **2.2** vette ~ *fat/rich g.;*
II ⟨het⟩ ◆ ¶.1 ~ promovendi *j. promovendi.*

jusblokje ⟨het⟩ **0.1** *oxo cube* ⇒ *bouillon cube.*

jus d'orange ⟨de (m.)⟩ **0.1** *orange juice.*

juskom ⟨de⟩ **0.1** *gravy boat/dish.*

juslepel ⟨de (m.)⟩ **0.1** *gravy-spoon.*

justeren ⟨ov.ww.⟩ **0.1** [(een instrument) juist stellen] *adjust* ⇒ *set* **0.2** [controleren en tot de juiste maat brengen] *adjust* ⇒ ⟨ijken⟩ *gauge* **0.3** [⟨comp.; druk.⟩] *justify.*

justificatie ⟨de (v.)⟩ **0.1** [rechtvaardiging] *justification* ⇒ *vindication* **0.2** [verdediging] *justification* ⇒ ⟨verontschuldiging⟩ *excuse* ◆ **6.2** ter ~ van *in extenuation/mitigation of, as an excuse for.*

justificeerbaar ⟨bn.⟩ **0.1** [te verdedigen] *justifiable* **0.2** [te rechtvaardigen] *justifiable.*

justificeren ⟨ov.ww.⟩ **0.1** [rechtvaardigen] *justify* **0.2** [verdedigen] *justify.*

Justitia ⟨myth.⟩ **0.1** *Justice* ◆ **1.1** Vrouwe ~ *the figure/symbol of J..*

justitiabel ⟨bn.⟩ **0.1** *justiciable.*

justitie ⟨de (v.)⟩ **0.1** [rechtspraak] *justice* ⇒ *administration of justice, judicature* **0.2** [rechterlijke macht] *judiciary* ⇒ *judicature,* ⟨inf.⟩ *the law, the police* **0.3** [rechtswezen] *justice* ◆ **1.1** hof van ~ *court of justice, law court;* officier van ~ *public prosecutor,* ^A*state/district attorney;* het paleis van ~ *the Palace of Justice, the law court(s)* **1.2** uit de handen van de ~ blijven *keep/steer clear of the law;* de zaak in de handen van de ~ geven *go to law, take the matter into court* **1.3** minister van ~ *Minister of J., J. Minister;* ministerie van ~ *Ministry of J., J. Ministry* **3.2** de ~ stelt een onderzoek in *the judicial authorities are holding an investigation/are investigating* **6.2** aangifte doen bij de ~ *notify the police;* met de ~ in aanraking komen *collide with/find o.s. up against the law, come into conflict/contact with the law, run/fall foul of the police /the law.*

justitieel ⟨bn.⟩ **0.1** *judicial* ⇒ *juristic(al), juridic(al)* ◆ **1.1** een ~ onderzoek *a judicial inquiry/investigation.*

Jut ⟨de (m.)⟩ ◆ **1.¶** ~ en Jul *an odd couple;* de kop/het hoofd van ~ *try-your-strength machine.*

jute[1] ⟨de⟩ **0.1** *jute* ⇒ *sackcloth, burlap, gunny, hopsack(ing).*

jute[2] ⟨bn., alleen attr.⟩ **0.1** *jute* ⇒ *gunny-, burlap.*

jutezak ⟨de (m.)⟩ **0.1** *gunny(sack)* ⇒ *gunny/jute/burlap sack/bag.*

Jutland ⟨het⟩ **0.1** *Jutland.*

Jutlander ⟨de (m.)⟩ **0.1** *Jute.*

jutten ⟨onov., ov.ww.⟩ **0.1** *comb the beach.*

juttepeer ⟨de⟩ **0.1** *yat-pear.*

jutter ⟨de (m.)⟩ **0.1** *beachcomber.*

juut ⟨de (m.)⟩ ⟨inf.⟩ **0.1** *cop(per)* ⇒ [B]*bobby,* ^A*pig, fuzz.*

juvenaat ⟨het⟩ ⟨r.k.⟩ **0.1** ≠*seminary.*

juveniel ⟨bn.⟩ **0.1** [jeugdig] *juvenile* **0.2** [⟨geol.⟩] *juvenile* ⇒ *magmatic* ◆ **1.1** ~ e paralyse *j. paralysis* **1.2** ~ water *j. /magmatic water.*

juweel ⟨het⟩ **0.1** [geslepen edelgesteente, vooral diamant] *jewel* ⇒ *gem,* ⟨inf.⟩ *sparkler* **0.2** [⟨mv.⟩ kostbaarheden] *jewellery,* ^A*jewelry* **0.3** [iets dat/iem. die uitmunt] *gem* ⇒ *treasure, jewel* ◆ **6.1** bezet met juwelen *set with jewels, jewelled* **6.3** een ~ van een vrouw *a g. /treasure of a woman;* een ~ tje van siersmeedkunst *a splendid/fine example of metalwork.*

juwelen ⟨bn.⟩ **0.1** [uit juwelen samengesteld] *jewelled* ^A*eled* **0.2** [met een juweel/juwelen bezet] *jewelled* ^A*eled* ⇒ *set with jewels* ◆ **1.1** een ~ armband *a j. bracelet.*

juwelendief ⟨de (m.)⟩ **0.1** *jewel thief.*

juwelendiefstal ⟨de (m.)⟩ **0.1** *jewel/jewellery/* ^A*jewelry theft.*

juwelenkistje ⟨het⟩ **0.1** *jewel case/box.*

juwelier ⟨de (m.)⟩, -ster ⟨de (v.)⟩ **0.1** [handelaar in juwelen] *jeweller* ^A*eler* **0.2** [iem. die edelstenen in goud en zilver zet] *jeweller* ^A*eler* ⇒ *enchaser.*

juwelierswinkel ⟨de (m.)⟩ **0.1** *jeweller's* ^A*eler's (shop)* ⇒ *jewellery/* ^A*jewelry shop.*

juxtapositie ⟨de (v.)⟩ **0.1** [het naast elkaar/op dezelfde lijn plaatsen] *juxtaposition* **0.2** [toeneming van anorganische lichamen] *juxtaposition.*

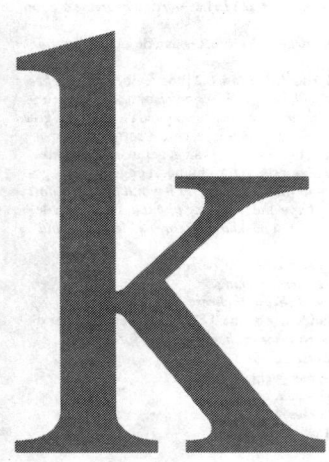

k¹ ⟨afk.⟩ **0.1** [kilo] *K*.
k² ⟨de⟩ **0.1** [letter, klank] *k* **0.2** [namen/woorden beginnend met K] *k, K* ◆ **2.1** Kunst met een grote K *Art with a capital A*.
K ⟨afk.⟩ **0.1** [⟨schei.⟩ Kalium] *K* **0.2** [⟨nat.⟩ Kelvin] *K* **0.3** [⟨comp.⟩ 1024 bytes] *K* **0.4** [⟨euf.⟩ kanker] ⟨*cancer*⟩ ◆ **7.3** een computer van 256~*a 256K computer*.
ka ⟨de (v.)⟩ **0.1** *dragon* ◆ **2.¶** een bijdehante ~*a forward lass, a pert young thing*.
kaag ⟨de⟩ **0.1** [land] ≠*polder* **0.2** [vaartuig] ≠*flat-bottomed boat*.
kaaien ⟨ov.ww.⟩ ⟨inf.⟩ **0.1** [jatten] *pinch* ⇒*swipe*, ᴮ*nick* **0.2** [gooien] *chuck* ⇒*fling* ◆ **1.¶** de ra's~ *trip the yards*.
kaaiman ⟨de (m.)⟩ **0.1** [geslacht van krokodillen] *caiman* **0.2** [de eigenlijke krokodil] *crocodile* **0.3** [⟨mv.⟩ familie van de alligators] *alligator*.
kaak ⟨de⟩ **0.1** [beendergestel] *jaw* **0.2** [boven-/onderkaak] *jaw* ⇒⟨wet. ook, vnl. bovenkaak⟩ *maxilla*, ⟨wet. ook, vnl. onderkaak⟩ *mandible* **0.3** [wang] *cheek* **0.4** [kieuw] *gill* **0.5** [schandpaal] *pillory* ◆ **2.2** met magere/lange kaken *lantern-jawed* **2.3** met beschaamde kaken *shamefaced(ly)*; met rode kaken *blushing, with a red face* **3.2** zijn kaken roeren *give one's jaws no/little rest;* ⟨eten ook⟩ *get one's teeth into sth.* **6.1** van/mbt. de ~ *mandibular, maxillary* **6.5** ⟨fig.⟩ iets **aan** de ~ stellen *expose/denounce sth.* **¶.2** kaken op elkaar! *not a word!, keep your mouth!/↓trap shut,* ⟨ BE ook⟩ *keep your gob;* ⟨fig.⟩ zijn kaken stijf op elkaar houden *refuse to say a word*.
kaakbeen ⟨het⟩ **0.1** *jawbone;* ⟨wet. ook, vnl. bovenkaak⟩ *maxilla;* ⟨wet. ook, vnl. onderkaak⟩ *mandible*.
kaakchirurg ⟨de (m.)⟩ **0.1** *oral/dental surgeon*.
kaakchirurgie ⟨de (v.)⟩ **0.1** *oral/dental surgery*.
kaakfractuur ⟨de (v.)⟩ **0.1** *broken/fractured jaw* ⇒*fracture of the jaw*.
kaakgewricht ⟨het⟩ **0.1** *jaw* ⇒*maxillary joint,* ⟨dieren ook⟩ *mandibular joint*.
kaakholte ⟨de (v.)⟩ ⟨med.⟩ **0.1** *maxillary sinus*.
kaakje ⟨het⟩ **0.1** *biscuit,* ᴬ*cookie*.
kaakklem ⟨de⟩ **0.1** *lockjaw* ⇒*trismus*.
kaakkramp ⟨de⟩ ⟨med.⟩ **0.1** *trismus*.
kaakontsteking ⟨de (v.)⟩ **0.1** *inflammation of the jaw*.
kaakslag ⟨de (m.)⟩ **0.1** [slag op de wang] *slap in the face* ⇒⟨met vuist⟩ *punch in the face/on the jaw* **0.2** [belediging] *slap in the face (of)* ◆ **3.1** iem. een ~ geven *slap s.o. in the face, punch s.o. in the face/on the jaw*.
kaakspier ⟨de⟩ **0.1** *jaw muscle* ⇒*maxillary/mandibular muscle,* ⟨med. ook⟩ *masseter*.

kaakstomp ⟨de (m.)⟩ **0.1** *punch on the jaw/in the mouth*.
kaakstoot ⟨de (m.)⟩ **0.1** *punch on the jaw/in the mouth*.
kaal ⟨bn.⟩ ⟨→sprw. 322⟩ **0.1** [haarloos] *bald* ⇒⟨planten⟩ *hairless* **0.2** [geplukt] *featherless* **0.3** [afgesleten] *(thread)bare* ⇒*worn* **0.4** [ontbladerd] *bare* ⇒⟨onvruchtbaar ook⟩ *barren* **0.5** [onbegroeid] *bare* **0.6** [onbedekt] *bare* **0.7** [arm] *penniless* **0.8** [schraal] *meagre* ⇒*scanty* **0.9** [als schijnvertoning dienend] *put-on* ◆ **1.1** een ~ hoofd *a b. head;* een ~ hoofd hebben *be b.(-headed);* een kale man *a b.(-headed) man* **1.3** een ~ pak, een kale plek *a threadbare suit, a (thread)bare patch/spot* **1.6** een kale boterham *a slice of bread and butter;* een kale deur *a stripped door;* ⟨fig.⟩ de kale huur *the basic rent;* een kale wand *a b. wall* **1.7** een kale juffer *a genteel young lady;* een kale neet *a p. wretch, a pauper* **3.1** zijn hoofd ~ laten knippen *have one's head shaved;* ~ worden *go b.* **3.4** een tak ~ gevreten door rupsen *a branch eaten b. by caterpillars;* de bomen worden ~ *the trees are losing/shedding their leaves* **3.5** ~ gevreten weiden *close-/closely-cropped pastures* **3.7** iem. ~ plukken *bleed s.o. white, squeeze s.o. dry* **8.1** zo ~ als een biljartbal/knikker zijn *be (as) b. as a coot/an egg*.
kaalheid ⟨de (v.)⟩ **0.1** [afwezigheid van haren] *baldness* **0.2** [armoe(de)] *poverty* **0.3** [zonder versiering] *bareness* **0.4** [⟨biol.⟩ afwezigheid van uitsteeksels] *hairlessness* **0.5** [onbegroeidheid] *bareness* ⇒⟨onvruchtbaar ook⟩ *barrenness*.
kaalhoofdig ⟨bn.⟩ **0.1** *bald(-headed)*.
kaalknippen ⟨ov.ww.⟩ **0.1** *shave bald*.
kaalkop ⟨de (m.)⟩ ⟨inf.⟩ **0.1** *baldy*.
kaalscheren ⟨ov.ww.⟩ **0.1** *shave* ◆ **1.1** schapen ~ *shear sheep*.
kaalslaan ⟨ov.ww.⟩ **0.1** *clear*.
kaalslag ⟨de (m.)⟩ **0.1** [⟨landb.⟩ het vellen van alle bomen] *deforestation* **0.2** [⟨landb.⟩ bedrijfsvorm] *clear felling/cutting* **0.3** [woningafbraak] *demolition* **0.4** [kale plek in bos] *clearing*.
kaaltjes ⟨bn., bw.;-ly⟩ **0.1** *meagre* ⇒*scanty*.
kaam ⟨de⟩ **0.1** *mould*.
kaan ⟨de⟩ **0.1** [stukje uitgebraden vet] *dripping* **0.2** [stukje hardgebakken spek] *crackling* **0.3** [buitenkansje] *stroke/bit of luck* ⇒*godsend, windfall* **0.4** [karweitje] *job* ◆ **3.¶** de kanen krijgen *get a good hiding, be thrashed*.
kaap ⟨de⟩ **0.1** *cape* ⇒*headland, promontory* ◆ **3.1** een ~ ronden/omzeilen *round a c.* **6.1** ter ~ varen *go privateering* **¶.1** een ~ te boven komen *round a c.;* ~ de Goede Hoop *Cape of Good Hope;* de Kaap *the Cape;* Kaap Hoorn *Cape Horn, the Horn*.
Kaapkolonie ⟨de (v.)⟩ **0.1** *Cape Colony*.
Kaapprovincie ⟨de (v.)⟩ **0.1** *(the) Cape Province* ⇒*the Cape*.
Kaaps ⟨bn.⟩ **0.1** *Cape* ◆ **1.1** ~e duif *C. pigeon;* ~e ezel *zebra;* ~e jasmijn *C. jasmine;* ~e viooltje *African violet;* ~e wolken *Magellanic clouds* **2.1** Kaaps-Hollandse stijl *C. Dutch style*.
Kaapstad ⟨het⟩ **0.1** *Cape Town*.
kaapstander ⟨de (m.)⟩ **0.1** ⟨scheep.⟩ *capstan* **0.2** [⟨mijnw.⟩] *whim*.
kaapvaarder ⟨de (m.)⟩ **0.1** [schip] *privateer* ⇒⟨van zeerover⟩ *corsair* **0.2** [persoon] *privateer(sman)* ⇒⟨zeerover⟩ *corsair, pirate*.
kaapvaart ⟨de⟩ **0.1** *privateering*.
Kaap-Verdisch ⟨bn.⟩ **0.1** *Cape Verdean/Verdian/Verde*.
Kaap-Verdische Eilanden ⟨zn.mv.⟩ **0.1** *Cape Verde Islands*.
kaar
I ⟨het, de⟩ **0.1** [viskaar] *creel;*
II ⟨het⟩ **0.1** [bak zonder bodem] *(feeding) hopper*.
kaard(e) ⟨de⟩ **0.1** [⟨biol.⟩] *teasel* **0.2** [⟨plantk.⟩ bol] *teasel* **0.3** [ijzeren gereedschap] *card* **0.4** [eetbare plantensteel] *chard*.
kaardebol ⟨de⟩ ⟨plantk.⟩ **0.1** [kop van plantensoort] *teasel (head)* **0.2** [plantensoort] *teasel* ⇒⟨wild⟩ *wild teasel, card thistle, fuller's teasel*.
kaardedistel ⟨de⟩ **0.1** *card thistle* ⇒*(fuller's) teasel*.
kaarden ⟨ov.ww.⟩ **0.1** *card* ⇒*tease, comb* ◆ **1.1** wol ~ *card/tease/comb wool* **1.¶** laken ~ *card cloth*.
kaardenmaker ⟨de (m.)⟩ **0.1** *card-maker*.
kaarder ⟨de (m.)⟩, **-ster** ⟨de (v.)⟩ **0.1** *carder* ⇒*teaser,* ⟨in fabriek ook⟩ *card-room operative*.
kaardmachine ⟨de (v.)⟩ **0.1** *carding machine/*ᴮ*engine* ⇒*carder*.
kaardwol ⟨de⟩ **0.1** *carding wool*.
kaars ⟨de⟩ ⟨→sprw. 319⟩ **0.1** [ronde staaf van stearine/was] *candle* **0.2** [oude eenheid van lichtsterkte] *candle(-power)* ⇒⟨thans⟩ *candela* **0.3** [kaarsvormig voorwerp] *candle* ◆ **1.3** de ~ v.e. kastanje *a horse-chestnut c.;* de ~ v.e. paardebloem *a dandelion clock* **2.1** een dunne ~ *a taper* **3.1** de ~ aansteken *light the c.;* de ~ uitblazen *be the last to leave* **6.1** ⟨fig.⟩ zo iem. moet je **met** een ~ je zoeken *you can count people like that on the fingers of one hand, people like that are like gold dust* **8.1** zo recht als een ~ *dead straight (as) straight as an arrow;* ⟨rechtop⟩ *bolt upright*.
kaarsenkroon ⟨de⟩ **0.1** *candelabrum;* ⟨vaak in mv.⟩ *candelabra* ⇒*chandelier*.
kaarsenmaker ⟨de (m.)⟩ **0.1** *candle maker* ⇒*chandler*.
kaarsepit ⟨de⟩ **0.1** *wick*.
kaars(e)snuiter ⟨de (m.)⟩ **0.1** *(pair of) snuffers* ⇒*candle snuffer*.
kaarshouder ⟨de (m.)⟩ **0.1** *candlestick* ⇒⟨voor kleine kaarsen⟩ *taperstick,* ⟨holte⟩ *(candle) socket,* ⟨aan piano⟩ *candle bracket*.

kaarslantaarn ⟨de⟩ **0.1** *(candle) lantern / lamp.*

kaarslicht ⟨het⟩ **0.1** *candlelight* ◆ **6.1** bij ~ dineren *dine by c., have a candlelit dinner.*

kaarsrecht ⟨bn., bw.⟩ **0.1** *dead straight* ⇒*(as) straight as an arrow / die,* ⟨rechtop⟩ *bolt upright* ◆ **3.1** ~ blijven staan *remain (standing) bolt upright;* ~ lopen / staan *walk / stand bolt upright.*

kaarssterkte ⟨de (v.)⟩ **0.1** *candlepower.*

kaarsvet ⟨het⟩ **0.1** [v.e. brandende kaars afgedropen vet] *candle-grease* **0.2** [grondstof] *tallow.*

kaart ⟨de⟩ ⟨→sprw. 7,186⟩ **0.1** [speelkaart] *card* **0.2** [toebedeelde speelkaarten] *cards* ⇒*hand* **0.3** [stuk met gegevens] *card;* ⟨spijskaart⟩ *menu* **0.4** [toegangskaart] *ticket* **0.5** [ansichtkaart] *card* **0.6** [blad met voorstelling v.d. aarde / hemel] *map;* ⟨zee, weer⟩ *chart* ◆ **1.1** een partijtje ~ *a game of cards;* een spel ~ en *a pack* / ⟨AE ook⟩ *deck of cards* **1.3** de ~ van patiënt B. *patient B.'s c.* / ⟨temperatuur enz.⟩ *chart* **2.1** een spel gemerkte ~ en *a marked pack* / ⟨AE ook⟩ *deck;* ⟨sport⟩ met een hoge ~ uitkomen *lead with a high c.* **2.2** ⟨fig.⟩ dat is doorgestoken ~ *it's fixed / rigged, it's a put-up job;* ⟨fig.⟩ (geen) haalbare ~ *(not) on the cards, a(n un)workable / (not) a viable proposition;* een mooie / goede ~ hebben *have a nice / good cards, have a nice / good hand;* ⟨fig.⟩ open ~ spelen *put all one's cards on the table, show one's cards / hand, be frank (with s.o.)* **2.3** de gele ~ krijgen *be shown the yellow c., be booked, receive a booking;* een groene ~ *a green c.;* ⟨cul.⟩ de kleine ~ *snacks, snack list;* de rode ~ krijgen *be shown the red c., be sent off (the field)* **2.6** een blinde ~ *an unmarked m.;* een platte ~ *a Mercator's projection map,* ⟨zee⟩ *a plane chart;* ⟨fig.⟩ sociale ~ *survey of social services and voluntary organizations (in the Netherlands);* een topografische / geologische ~ *a topographical / geological m.* **2.¶** een sociale ~ maken *make an assessment of social problems in an area* **3.1** ~ geven *deal (the cards);* ⟨fig.⟩ iem. de ~ leggen *read s.o.'s cards;* zijn ~ en op tafel leggen / blootleggen *put all one's cards on the table, show one's cards / hand;* de ~ en liggen nu anders *things are different now, things have changed;* een ~ trekken *draw / take a c.;* een ~ trekken om te zien wie er betaalt *cut for who pays* **6.1** ⟨fig.⟩ alles op één ~ zetten *put all one's eggs in one basket, put all one's money on one horse* **6.2** ⟨fig.⟩ zich niet in de ~ laten kijken *play one's cards close to one's chest;* ⟨fig.⟩ iem. in de ~ kijken / zien *see through s.o.;* ⟨fig.⟩ zich in de ~ laten kijken *show one's cards / hand, give one's hand away;* ⟨fig.⟩ iem. in de ~ spelen *play into s.o.'s hands, play s.o.'s game* **6.6** in ~ brengen *map;* *chart* ⟨zee⟩; niet in ~ gebrachte gebieden *uncharted areas;* die plaats staat niet op de ~ *that place isn't on the m.;* ⟨fig.⟩ een stad / volk van de ~ vegen *wipe a city / a people off the m.* **6.¶** van de ~ zijn *be (all) at sea, be out of it / finished;* ⟨van streek⟩ *be upset* **¶.1** ~ en van één kleur *suit* **¶.3** mag ik de ~ van u *may I have the menu, please?.*

kaartavondje ⟨het⟩ **0.1** *evening for cards.*

kaartcatalogus ⟨de (m.)⟩ **0.1** *card catalogue* [A]*log* ⇒*card index.*

kaartclub ⟨de⟩ **0.1** *card(-playing) club.*

kaarten ⟨onov.ww.⟩ **0.1** *play cards* ◆ **1.1** een spelletje ~ *play a game of cards* **6.1** met ~ een vermogen verdienen *win a fortune at cards;* ~ om geld *play cards for money.*

kaartenbak ⟨de (m.)⟩ **0.1** *card-tray* ⇒*card-index box.*

kaartencontrole ⟨de⟩ **0.1** *ticket check / inspection.*

kaartenhuis ⟨het⟩ **0.1** [van speelkaarten gemaakt gebouwtje] *house of cards* **0.2** [⟨fig.⟩] *house of cards* ◆ **8.1** instorten als een ~ *collapse like a house of cards.*

kaartenkamer ⟨de⟩ **0.1** *chart-room.*

kaarter ⟨de (m.)⟩, **kaartster** ⟨de (v.)⟩ **0.1** *card player.*

kaarthouder ⟨de (m.)⟩ **0.1** [houder voor kaarten] *card-holder* **0.2** [etui voor landkaarten] *map-holder* **0.3** [persoon] *ticket-holder.*

kaartindex ⟨de (m.)⟩ **0.1** *card index.*

kaartje ⟨het⟩ **0.1** [kleine kaart] *ticket* ⇒*card* **0.2** [visitekaartje] *(visiting / ⟨zakenlieden⟩ business) card* **0.3** [toegangskaartje] *ticket* **0.4** [plaatsbewijs] *ticket* ◆ **1.2** zijn ~ afgeven / achterlaten *leave one's c.* **3.3** ~ s afscheuren *tear tickets* **3.¶** een ~ leggen / maken *have a game of cards* **6.1** de prijs staat op het ~ je *the price is on the t.* **6.3** een ~ voor de bioscoop *a t. for the cinema* / [A]*movie theater* / [A]*movies* **6.4** een ~ voor de tram *a tram* / [A]*streetcar t..*

kaartjesautomaat ⟨de (m.)⟩ **0.1** *ticket (vending) machine;* ⟨apparaat met bel⟩ *bell-punch.*

kaartjesknipper ⟨de (m.)⟩ **0.1** *ticket collector* ⇒*ticket inspector,* ⟨instrument⟩ *ticket punch.*

kaartlegger ⟨de (m.)⟩, **-legster** ⟨de (v.)⟩ **0.1** *fortune-teller.*

kaartlezen ⟨ww.⟩ **0.1** *read maps.*

kaartlezer ⟨de (m.)⟩ **0.1** [persoon] *map-reader* **0.2** [⟨comp.⟩] *(punched) card reader.*

kaartpassen ⟨ww.⟩ ⟨scheep.⟩ **0.1** *plot* ⇒*chart.*

kaartponser ⟨de (m.)⟩ ⟨comp.⟩ **0.1** *card punch;* ⟨AE ook⟩ *card key.*

kaartprojectie ⟨de (v.)⟩ **0.1** *map projection.*

kaartregister ⟨het⟩ **0.1** *card index.*

kaartspel ⟨het⟩ **0.1** [het kaartspelen] *card playing* ⇒⟨inf.⟩ *cards* **0.2** [spel met kaarten] *card game* **0.3** [een spel kaarten] *pack* / ⟨AE ook⟩ *deck of cards* ◆ **6.1** geld verliezen bij het ~ *lose money at cards.*

kaartspelen ⟨onov.ww.⟩ **0.1** *play cards.*

kaartsysteem ⟨het⟩ **0.1** *card index* ◆ **6.1** in het ~ zitten *be in the c. i.;* op ~ brengen *card-index.*

kaartverkoop ⟨de (m.)⟩ **0.1** *ticket sales* ◆ **6.1** ~ aan de zaal *tickets on sale at the door.*

kaas ⟨de (m.)⟩ **0.1** [zuivelprodukt] *cheese* **0.2** [hoeveelheid kaas] *cheese* ◆ **1.1** een broodje ~ *a c. roll;* een partij ~ *a batch of c.* **2.1** belegen ~ *matured c.;* Edammer ~ *Edam c.;* geraspte ~ *grated c.;* groene ~ *green c.;* jonge ~ *new c.;* oude ~ *fully mature c.;* zachte ~ *soft c.* **2.2** een Goudse ~ *a Gouda c.* **3.1** ⟨fig.⟩ ergens ~ van gegeten hebben *know how to do sth., know all about sth.;* ⟨fig.⟩ hij heeft er geen ~ van gegeten *he hasn't a clue about (how to do) it, it's beyond him, he's no(t much) good at it / doesn't know the first thing about it;* ⟨fig.⟩ zich de ~ van het brood laten halen / eten *not stand up for o.s., let o.s. be bullied.*

kaasachtig ⟨bn.⟩ **0.1** *cheesy* ⇒*cheese-like, caseous.*

kaasbereiding ⟨de (v.)⟩ **0.1** *cheese making.*

kaasblokje ⟨het⟩ **0.1** *square of cheese* ⇒*cheese cube.*

kaasboer ⟨de (m.)⟩ **0.1** [handelaar in kaas] *cheesemonger* **0.2** [boer die vooral kaas maakt] *cheese-maker* ⇒*cheese-making farmer.*

kaasbolletje ⟨het⟩ **0.1** ≠*cheese biscuit.*

kaasboor ⟨de⟩ **0.1** *cheese scoop* ⇒*cheese taster.*

kaasbroodje ⟨het⟩ **0.1** *cheese roll.*

kaasburger ⟨de (m.)⟩ **0.1** *cheeseburger.*

kaascracker ⟨de (m.)⟩ **0.1** *cheese cracker.*

kaasdoek
I ⟨het⟩ **0.1** [kaaslinnen] *cheesecloth;*
II ⟨de (m.)⟩ **0.1** [doek waarin de wei wordt verwijderd] *cheesecloth* **0.2** [doek waarin verse kaas onder de pers gelegd wordt] *cheesecloth.*

kaasdrager ⟨de⟩ **0.1** *cheese carrier / porter.*

kaasfondue ⟨de⟩ **0.1** *cheese fondue.*

kaasgerecht ⟨het⟩ **0.1** *cheese dish.*

kaashandel ⟨de (m.)⟩ **0.1** *cheese trade;* ⟨winkel⟩ *cheese shop.*

kaasjeskruid ⟨het⟩ **0.1** *mallow.*

kaaskamer ⟨de⟩ **0.1** *cheese (store)room.*

kaaskoekje ⟨het⟩ **0.1** *cheese biscuit* / [A]*puff* / [A]*ball.*

kaaskop ⟨de (m.)⟩ **0.1** *'kaaskop'* ⟨Belgian nickname for a Dutchman⟩.

kaaskorst ⟨de⟩ **0.1** *cheese rind, rind of cheese.*

kaasmaker ⟨de (m.)⟩ **0.1** *cheese maker.*

kaasmakerij ⟨de (v.)⟩ **0.1** [het maken] *cheese making* **0.2** [plaats] *(cheese) dairy* ⇒*cheese room.*

kaasmarkt ⟨de⟩ **0.1** *cheese market.*

kaasmes ⟨het⟩ **0.1** *cheesecutter.*

kaasmijt ⟨de⟩ **0.1** *cheesemite.*

kaaspers ⟨de⟩ **0.1** *cheese press* ⇒*wring.*

kaasplank ⟨de⟩ **0.1** [plank om kaas op te snijden] *cheeseboard* **0.2** [plank met blokjes kaas] *cheeseboard.*

kaasplateau ⟨het⟩ **0.1** *cheeseboard.*

kaassaus ⟨de⟩ **0.1** *cheese sauce.*

kaasschaaf ⟨de⟩ **0.1** *cheeseslicer.*

kaasschotel ⟨de⟩ **0.1** *cheese dish.*

kaassoufflé ⟨de⟩ **0.1** [ovenschotel] *cheese soufflé* **0.2** [gefrituurde kaasplak] *deep-fried cheese.*

kaasstengel ⟨de (m.)⟩ **0.1** *cheese straw / stick.*

kaasstof ⟨de⟩ **0.1** [eiwitstof] *casein* **0.2** [wrongel] *curds.*

kaasstolp ⟨de⟩ **0.1** *cheese cover.*

kaasstremsel ⟨het⟩ **0.1** *rennet.*

kaastaart ⟨de⟩ **0.1** ≠*quiche.*

kaasvat ⟨het⟩ **0.1** *cheese mould, chessel.*

kaasvorm ⟨de (m.)⟩ **0.1** *cheese* [B]*mould* / [A]*mold* ⇒*cheese vat.*

kaaswaag ⟨de⟩ **0.1** *weighhouse for cheese.*

kaatsbaan ⟨de⟩ ⟨sport⟩ **0.1** ≠[B]*fives court.*

kaatsbal ⟨de (m.)⟩ ⟨sport⟩ **0.1** [harde bal] ≠[B]*fives ball* **0.2** [kleine elastieken bal] *rubber ball.*

kaatsclub ⟨de (m.)⟩ ⟨sport⟩ **0.1** ≠[B]*fives club.*

kaatsen ⟨→sprw. 320⟩
I ⟨onov.ww.⟩ ⟨sport⟩ **0.1** [het kaatsspel spelen] ≠[B]*play fives* **0.2** [stuiten] *bounce* ⇒⟨schr.⟩ *rebound;*
II ⟨ov.ww.⟩ **0.1** [weerkaatsen] *throw back* ⇒ ⟨geluid ook⟩ *echo,* ⟨licht ook⟩ *reflect.*

kaatsspel ⟨het⟩ **0.1** *fives.*

kabaal ⟨het⟩ **0.1** *racket* ⇒*row, hubbub, rumpus, hullaballoo* ◆ **2.1** er was een hels ~ *there was pandemonium / an infernal racket / row* **3.1** ~ maken / schoppen *make a racket, kick up / make a row / rumpus / din.*

kabaalmaker ⟨de (m.)⟩ **0.1** *rowdy* ⇒*troublemaker.*

kabbala ⟨de⟩ **0.1** *ca(b)bala.*

kabbalist ⟨de (m.)⟩ **0.1** *cabbalist.*

kabbelen ⟨onov.ww.⟩ **0.1** *lap;* ⟨ook fig.⟩ *ripple, babble, murmur* ◆ **1.1** een ~ d gelach *a ripple of laughter;* een ~ d geluid ⟨ook⟩ *a babble;* ⟨fig.⟩ het gesprek kabbelt maar voort *the conversation babbles on;* ~ d water *rippling* / ⟨geluid⟩ *murmuring water.*

kabel ⟨de (m.)⟩ ⟨→sprw. 553⟩ **0.1** [dik touw] *cable* ⇒⟨scheep. ook⟩ *hawser* **0.2** [staaldraad] *cable* ⇒⟨scheep. ook⟩ *hawser* **0.3** [geleidingsdraad) *wire* ⇒ ⟨dikker⟩ *cable* **0.4** [kabeltelevisie] *cable television* **0.5** [ankertouw] *cable* ◆ **2.3** éénaderige/meeraderige ~ *single-core/ multi-core cable* **3.4** ~ ontvangen *receive c. t.* **3.5** de ~ vieren/kappen *pay out/cut the c.* **6.3** per ~ overseinen *cable, wire* **6.4** deze wijk zit nog niet **op** de ~ *this area doesn't receive c. t. yet* **6.5** het schip sloeg los van de ~s *the ship parted its/her moorings* **6.¶** met/aan ~s/een ~ vastmaken ⟨schip⟩ *moor.*

kabelabonnee ⟨de (m.)⟩ **0.1** *subscriber to cable television/cablevision.*

kabelabonnement ⟨het⟩ **0.1** *subscription to cable television/cablevision.*

kabelbaan ⟨de (v.)⟩ **0.1** *funicular (railway)* ⇒⟨luchtspoor⟩ *(aerial) cableway, cable-lift.*

kabelballon ⟨de (m.)⟩ **0.1** *captive balloon* ⇒⟨mil.⟩ *barrage balloon* ⟨tegen luchtaanval⟩, *kite-balloon* ⟨voor waarnemingen⟩.

kabelboring ⟨de (v.)⟩ ⟨tech.⟩ **0.1** *rope-drilling* ⇒*cable drilling/system, percussion drilling.*

kabelbrug ⟨de⟩ **0.1** *(suspended) rope bridge.*

kabeldraad ⟨de (m.)⟩ **0.1** *strand.*

kabelen
   I ⟨ov.ww.⟩ **0.1** [aan/met kabels vastmaken] *cable* **0.2** [telegraferen] *cable;*
   II ⟨onov.ww.⟩ ⟨foto.⟩ **0.1** [verticale krassen veroorzaken] *cause/lead to telegraph lines.*

kabelexploitant ⟨de (m.)⟩ **0.1** *proprietor/operator of a cable TV system.*

kabelfabriek ⟨de (v.)⟩ **0.1** *cable-works.*

kabelgaren ⟨het⟩ **0.1** [hennepdraad] *rope yarn* **0.2** [garen van uitgeplozen kabels] *cable yarn.*

kabelgat ⟨het⟩ ⟨scheep.⟩ **0.1** *cable tier* ⇒*chain locker.*

kabeljauw ⟨de (m.)⟩ **0.1** *cod(fish)* ◆ **2.1** jonge~ *codling;* ⟨vnl. AE⟩ *scrod* **3.1** ⟨fig.⟩ een spiering uitgooien om een kabeljauw te vangen *set a sprat to catch a whale/herring/mackerel.*

kabeljauwfilet ⟨de, het (m.)⟩ **0.1** *fillet of cod* ⇒*filleted cod.*

kabeljauwvangst ⟨de (v.)⟩ **0.1** *cod fishing/fishery.*

kabeljauwvisserij ⟨de (v.)⟩ **0.1** *cod fishery/fishing.*

kabelkanaal ⟨het⟩ **0.1** [waardoor een kabel geleid wordt] *conduit* ⇒ *pipe, duct, channel* **0.2** [van kabeltelevisie] *cable (television) channel.*

kabelketting ⟨de (v.)⟩ **0.1** *chain-cable.*

kabelkrant ⟨de⟩ **0.1** *cable TV information service.*

kabellengte ⟨de (v.)⟩ **0.1** [lengte v.e. kabel] *length of a/the cable* **0.2** [afstandsmaat] *≠cable (length)* ◆ **7.1** op drie ~n afstand *≠three cables away/off;* op drie ~n afstand van *≠(at a distance of) three cables from.*

kabelnet ⟨het⟩ **0.1** [kabeltelevisienet] *cable television network* **0.2** [stelsel van kabels] *cable system/network* ◆ **6.1** aangesloten zijn **op** het ~ *receive cable television.*

kabelnota ⟨de⟩ **0.1** *Government paper on cable television.*

kabelomroep ⟨de (m.)⟩ **0.1** *rediffusion.*

kabelpont ⟨de⟩ **0.1** *cable ferry.*

kabelproject ⟨het⟩ **0.1** *cable TV project.*

kabelschip ⟨het⟩ **0.1** *cable(-laying) ship.*

kabelschoen ⟨de (m.)⟩ **0.1** *cable socket;* ⟨aan elektrische leiding⟩ *cable eye.*

kabelslot ⟨het⟩ **0.1** *bicycle lock with a cable.*

kabelspoorweg ⟨de (m.)⟩ **0.1** [bergspoorweg] *funicular (railway), cable railway* **0.2** [spoorweg, transportbaan] *(aerial) cableway* ⇒*cable-lift.*

kabelsteek ⟨de (m.)⟩ **0.1** *cable stitch.*

kabeltelegram ⟨het⟩ **0.1** *cable* ⇒*wire.*

kabeltelevisie ⟨de (v.)⟩ **0.1** *cable television* ◆ **¶.1** tweeweg ~ *two-way c. t..*

kabeltouw ⟨het⟩ **0.1** [ankertouw] *cable* **0.2** [zwaar touw] *cable* ⇒ ⟨scheep. ook⟩ *hawser* **0.3** [staaldraadtouw] *steel cable* ◆ **8.2** aderen als ~en *bulging veins;* armen als ~en *arms like tree-trunks.*

kabelverbinding ⟨het⟩ **0.1** ⟨alg., in huis⟩ *(electric) wiring;* ⟨aansluiting⟩ *cable connection;* ⟨transmissie⟩ *cable link;* ⟨gesprek⟩ *cable communication.*

kabelvoering ⟨de (v.)⟩ **0.1** *cable sheat.*

kabinet ⟨het⟩ **0.1** [regering] *cabinet* ⇒*government* **0.2** [ambtelijk bureau] *office bureau* **0.3** [werkkamer] *study* ⇒*room* **0.4** [afgezonderd vertrek] *retreat* ⇒*den, study* **0.5** [meubelstuk] *cabinet* ⇒ [verzameling; vertrek daarvoor] *(vertrek) gallery* ⇒*room,* ⟨verzameling⟩ *collection* **0.7** [toilet] *lavatory* ⇒*toilet,* ⟨AE ook⟩ *bathroom* ◆ **1.1** het ~ Lubbers *the Lubbers c./government* **1.6** een ~ van schilderijen/penningen *a collection of paintings/coins* **1.¶** het ~ der Koningin *the Queen's Cabinet* **2.1** een nationaal ~ *a government of national unity* **3.1** het hele ~ is afgetreden *the entire c. has resigned;* het ~ is gevallen *the government has fallen;* opdracht krijgen om een ~ te vormen *be instructed to form a government/a c..*

kabinetformaat ⟨het⟩ ⟨foto.⟩ **0.1** *cabinet (size)* ◆ **6.1** foto **in** ~ *cabinet photograph.*

kabinetsberaad ⟨het⟩ **0.1** *cabinet meeting.*

kabinetsbeslissing ⟨de (v.)⟩ **0.1** *cabinet('s) decision.*

kabinetschef ⟨de (m.)⟩ **0.1** *≠principal private secretary.*

kabinetscrisis ⟨de (v.)⟩ **0.1** [val v.h. kabinet] *fall of the government* **0.2** [ministeriële crisis] *cabinet/ministerial crisis.*

---

kabinetsformateur ⟨de (m.)⟩ **0.1** *person charged with forming a new government* ◆ **3.1** ... is tot ~ benoemd ... *has been asked to form a (new) government/cabinet.*

kabinetsformatie ⟨de (v.)⟩ **0.1** *formation of a (new) government/cabinet.*

kabinetskwestie ⟨de (v.)⟩ **0.1** *vote of confidence* ◆ **3.1** ⟨fig.⟩ ergens een ~ van maken *make a major/a life-or-death issue (out) of sth.;* de ~ stellen *ask for a vote of confidence.*

kabinetsorder ⟨het, de⟩ **0.1** *ministerial order* ⟨van minister⟩; *≠order in council* ⟨van Koningin⟩; *council order* ⟨van B. en W.⟩.

kabinetsstuk ⟨het⟩ ⟨pol.⟩ **0.1** *cabinet document.*

kabinetwerker ⟨de (m.)⟩ **0.1** *cabinet-maker* ⇒*joiner.*

kabouter ⟨de (m.)⟩ **0.1** [sprookjesfiguur] *gnome* ⇒*(hob)goblin, pixie,* ⟨mv. ook⟩ *little people,* ⟨IE⟩ *leprechaun,* ⟨in tuin⟩ *garden-gnome* **0.2** [klein kind] *little pixie* **0.3** [vrouwelijke padvinder] *Brownie* **0.4** [⟨mv.⟩ politieke groepering] *Kabouters* ◆ **3.1** dat hebben de ~tjes gedaan *it must have been the fairies/little people.*

kachel[1] ⟨de⟩ **0.1** *stove;* ⟨elektrisch, gas⟩ *heater, fire;* ⟨haard⟩ *fire* ◆ **2.1** een elektrische ~ *an electric fire/heater* **3.1** ⟨fig.⟩ met iem. de ~ aanmaken ⟨de spot drijven⟩ *take the mickey out of s.o.;* ⟨gemakkelijk aan kunnen⟩ *be more than a match for s.o.* **5.1** is de ~ aan? *is the fire/heater on?* **6.1** achter de ~ blijven *stay (at) home;* ⟨pej.⟩ *be stuck at home;* wat **op** de ~ leggen *put sth. on the fire.*

kachel[2] ⟨bn.⟩ ⟨inf.⟩ **0.1** *tight, loaded* ⇒[B]*blotto, sozzled,* [A]*stinko* ◆ **3.1** ~ zijn *be t./l./* ⟨enz.⟩.

kachelglans ⟨de (m.)⟩ **0.1** *stove polish.*

kachelhoutjes ⟨zn.mv.⟩ **0.1** *firewood.*

kachelkolen ⟨zn.mv.⟩ **0.1** *stove coal* ⇒*house(hold)/domestic coal.*

kachelpijp ⟨de⟩ **0.1** [pijp van een kachel] *stovepipe* **0.2** [hoge hoed] *stovepipe hat.*

kachelplaat ⟨de⟩ **0.1** *floor plate under/in front of a stove.*

kachelrooster ⟨het⟩ **0.1** *(stove-)grate.*

kachelsmid ⟨de (m.)⟩ **0.1** *stove maker* ⇒*blacksmith.*

kacheltje ⟨het⟩ **0.1** *(small) heater* ⇒⟨met kolen gestookt⟩ *coal-pot/burner,* ⟨met hout gestookt⟩ *woodburner, woodburning stove,* ⟨met olie gestookt⟩ *oil-burner, oil-burning stone.*

kadaster ⟨het⟩ **0.1** [openbaar register] *≠land register* **0.2** [dienst] *≠land registry* **0.3** [kantoor] *≠land registry (office)* ◆ **1.2** een landmeter v.h. ~ *≠a l. r. surveyor* **2.1** ⟨fig.⟩ het hele ~ is in de war *everything is topsy-turvy* **6.1** in het ~ opnemen *enter in the l. r..*

kadastraal ⟨bn., bw.;-ly⟩ **0.1** *cadastral* ◆ **1.1** ~ boek *terrier;* kadastrale kaarten *c. maps;* de kadastrale omschrijving van een perceel *the description of a plot of land in the land register;* kadastrale opmetingen verrichten *make a c. survey* **1.¶** ⟨AZN⟩ ~ inkomen ⟨→huurwaardeforfait⟩.

kadastreren ⟨ov.ww.⟩ **0.1** *survey* ⇒*make a cadastral survey of.*

kadaver ⟨het⟩ **0.1** ⟨kreng⟩ *(dead) body, carrion;* ⟨lijk⟩ *corpse;* ⟨med. ook⟩ *cadaver.*

kadaverdiscipline ⟨de⟩ **0.1** *rigid discipline.*

kade ⟨de⟩ **0.1** *quay, wharf* ◆ **1.1** tussen ~ en schip raken/verloren gaan ⟨fig.⟩ *miss the boat/bus;* ⟨verdwijnen⟩ *disappear/vanish into thin air/down the plug-hole* **2.1** op een goede ~ geland zijn ⟨fig.⟩ *land on one's feet, be on easy street* **6.1** het schip ligt **aan** de ~ *the ship lies by the quay(side)/w.;* een ligplaats **aan** de ~ *a berth;* aanleggen/meren/vastleggen **aan** de ~ *moor alongside the q.;* vastleggen **aan** de ~ *unload onto the q. w./ land;* langs de ~ afmeren *moor by the quay(side)/w..*

kadelengte ⟨de (v.)⟩ **0.1** *length of a quay/wharf* ⇒*quayage, quay/wharf frontage.*

kademeester ⟨de (m.)⟩ **0.1** *wharfmaster* ⇒*wharfinger.*

kademuur ⟨de (m.)⟩ **0.1** [om walkanten te beschermen] *quay-wall* ⇒ *embankment* **0.2** [laag muurtje langs een water] *embankment.*

kader ⟨het⟩ **0.1** [omlijsting] *frame(work)* ⇒⟨mbt. zetsel⟩ *box* **0.2** [staf] *executives* **0.3** [⟨mil.⟩ officers and N.C.O.'s] **0.4** [⟨biljart⟩] *baulk/[A]balk lines* **0.5** [⟨AZN⟩ omgeving] *surroundings* **0.6** [frame] *frame(work)* ◆ **3.1** ⟨fig.⟩ in welk ~ moet ik dat plaatsen? *where does that come in/fit in?* **3.2** tot het ~ toetreden *become an executive* **6.1** ⟨fig.⟩ buiten het ~ van *outside the scope of;* ⟨fig.⟩ in het ~ van *within the framework/scope of, as part of, under the terms of* ⟨vredrag, enz.⟩.

kadercursus ⟨de (m.)⟩ **0.1** *officer/teacher/instructor's/management* ⟨enz.⟩ *training course.*

kaderen ⟨ov.ww.⟩ ⟨AZN⟩ **0.1** *fit (sth.) in with.*

kaderleger ⟨het⟩ **0.1** *skeleton army* ⇒*peacetime army.*

kaderlid ⟨het⟩ **0.1** *executive;* ⟨mil.⟩ *officer* ⟨officier⟩, *N.C.O.* ⟨onderofficier⟩.

kaderopleiding ⟨de (v.)⟩ **0.1** ⟨mil.⟩ *cadre training;* ⟨bedrijfsleven⟩ *executive/management training.*

kaderpersoneel ⟨het⟩ **0.1** ⟨mil.⟩ *cadre (personnel);* ⟨bedrijfsleven⟩ *senior officials, executive staff (members), management* ◆ **6.1** tot het ~ behorend *being one of the executive staff, executive, senior;* ⟨AE; inf.⟩ *up-front.*

kaderschool ⟨de⟩ **0.1** *school for officers and N.C.O.'s.*

kaderspel ⟨het⟩ **0.1** *baulk/[A]balk lines billiards.*

kadervorming ⟨de (v.)⟩ ⟨→kaderopleiding.

kaderwet ⟨de⟩ **0.1** *basic/general law.*

kadetje ⟨het⟩ **0.1** (*bread*) *roll*.
kadi ⟨de (m.)⟩ **0.1** *cadi*.
kadotheek ⟨de (v.)⟩ **0.1** *gift shop*.
kadraaier ⟨de (m.)⟩ **0.1** [persoon] *bumboat-man / woman* **0.2** [schip] *bumboat*.
kadreren ⟨ov.ww.⟩ **0.1** *frame ⇒mount*.
kaduuk ⟨bn.⟩ ⟨inf.⟩ **0.1** *in a bad way, in bad shape;* ⟨BE ook⟩ *in bad nick;* ⟨stoel enz. ook⟩ *rickety* ◆ **1.1** een kaduke stoel *a rickety chair*.
kaenozoïcum ⟨het⟩ ⟨geol.⟩ **0.1** *cainozoic* [A]*cenozoic*.
kaf ⟨het⟩ ⟨→sprw. 367⟩ **0.1** [hulzen van korenaren] *chaff* **0.2** [doppen] *husks* ◆ **0.1** van ~ontdoen *winnow;* het ~ van het koren scheiden / ziften ⟨fig.⟩ *separate the wheat from the c. / the sheep from the goats / the men from the boys* ⟨mbt. prestaties⟩; het ~ uit het koren wannen *winnow the c. (out) from the grain* **6.1** ⟨fig.⟩ er is veel ~ **onder** het koren *there's a lot of dead wood*.
kaffer ⟨de (m.)⟩ ⟨inf.⟩ **0.1** [lomperik] *boor ⇒lout* **0.2** [stommeling] *blockhead ⇒nitwit, numbskull, fathead* **0.3** [Bantoeneger] *Kaffir*.
kafferen ⟨onov.ww.⟩ **0.1** *let rip / fly (at), cut up rough*.
kafferkoren ⟨het⟩ **0.1** ⟨Afrikaanse soort⟩ *kaffir (corn);* ⟨Europese soort⟩ *sorghum, durra, guinea corn, Indian millet*.
kafje ⟨het⟩ **0.1** [schubvormig blaadje] ⟨kroonkafje⟩ *bract;* ⟨kelkkafje⟩ *glume* **0.2** [kafdeeltje] *husk*.
kaft ⟨het, de⟩ **0.1** [omslag] *cover* **0.2** [beschermend papier] *jacket ⇒* ⟨vnl. BE⟩ *wrapper* ◆ **2.1** met harde ~ *hard-back / -bound / -cover(ed)*.
kaftan ⟨de (m.)⟩ **0.1** *caftan*.
kaften ⟨ov.ww.⟩ **0.1** *cover ⇒* ⟨met losse stofomslag⟩ *put a jacket /* ⟨vnl. BE⟩ *wrapper on*.
kaftpapier ⟨het⟩ **0.1** *wrapping-paper ⇒brown paper*.
Kain 0.1 *Cain*.
kainiet ⟨het⟩ ⟨schei.⟩ **0.1** *kainite*.
kainsteken ⟨het⟩ **0.1** *mark / brand of Cain*.
kajak ⟨de (m.)⟩ **0.1** [vaartuigje v.d. Eskimo's] *kayak* **0.2** [⟨kanosport⟩] *kayak*.
kajuit ⟨de⟩ **0.1** *saloon*.
kajuitsjongen ⟨de (m.)⟩ **0.1** *cabin-boy ⇒ship('s) boy*.
kajuitskap ⟨de⟩ **0.1** *companion (hatch)*.
kajuitspoort ⟨de (v.)⟩ **0.1** ⟨*saloon*⟩ *port-hole*.
kajuitstrap ⟨de (m.)⟩ **0.1** *companionway ⇒companion ladder*.
kak ⟨de (m.)⟩ ⟨inf.⟩ **0.1** [poep] *shit ⇒crap* **0.2** [iets verachtelijks] *shit ⇒ crap* **0.3** [bluf, drukte] *swank ⇒(fancy) airs* ◆ **2.3** kale / kouwe ~ *s., la-di-da behaviour, (fancy) airs* **3.3** ~ maken / hebben *swank, la-di-da, put on (fancy) airs* **6.1** ⟨fig.⟩ er is ~ **aan** de knikker *there's sth. fishy about this;* ⟨er zijn moeilijkheden⟩ *we / they are up the creek / in the s..*
kakadoris ⟨de (m.)⟩ **0.1** *quack*.
kakdoos ⟨de⟩ ⟨inf.⟩ **0.1** ↓*shithouse ⇒*⟨BE ook⟩ *bog,* ↓*shitter,* ⟨AE ook⟩ ↑*can*.
kakel ⟨de (m.)⟩ **0.1** [persoon] *chatterer ⇒cackler, babbler, chatterbox* **0.2** [het gekakel] *cackle ⇒chatter, gabble* ◆ **2.1** het zijn echte ~s *they're real / proper chatters, they really cackle / chatter / gabble (away)* **3.2** houd je ~! *cut the cackle!;* ⟨vnl. BE⟩ *put a sock in it!*.
kakelaar ⟨de (m.)⟩, **-ster** ⟨de (v.)⟩ **0.1** *chatterer ⇒cackler, babbler, chatterbox*.
kakelbont ⟨bn.⟩ **0.1** [met veel kleuren] *gaudy ⇒garish* **0.2** [⟨fig.⟩ overladen] *gaudy ⇒flashy* ◆ **1.2** een ~e stijl *g. / f. style*.
kakelen ⟨onov.ww.⟩ ⟨→sprw. 321⟩ **0.1** [het roepen van de kippen] *cackle* **0.2** [⟨fig.⟩] *cackle ⇒chatter, gabble*.
kakelvers ⟨bn.⟩ **0.1** *farm-fresh ⇒fresh from the hen*.
kakement ⟨het⟩ **0.1** [kaakgestel] *jaw(s)* **0.2** [gezicht, mond] *chops;* ⟨mond ook⟩ *kisser*.
kaken ⟨ov.ww.⟩ **0.1** ≠*gut*.
kaketoe ⟨de (m.)⟩ **0.1** *cockatoo*.
kaki
I ⟨het⟩ **0.1** [grauwgele katoenen stof] *khaki;*
II ⟨de⟩ **0.1** [vrucht] *kaki ⇒Japanese persimmon*.
kakikleur ⟨de⟩ **0.1** *khaki (colour)*.
kakivrucht ⟨de⟩ **0.1** ⟨*Japanese*⟩ *persimmon*.
kakkebroek ⟨de (m.)⟩ ⟨inf.⟩ **0.1** ↑*chicken(-liver)* ◆ **3.1** een ~ zijn *be shit-scared;* ↑*be chicken(-livered) / yellow*.
kakken ⟨inf.⟩
I ⟨onov.ww.⟩ **0.1** [poepen] *crap ⇒shit* **6.1** in zijn broek ~ *shit one's pants, shit o.s.;* ⟨fig.⟩ *be shit-scared;* ⟨fig.⟩ iem. **te** ~ zetten *make s.o. look* [B]*a berk /* [A]*a jerk /* [B]*a twit;* ⟨fig.⟩ **te** ~ staan *look* [B]*a berk /* [A]*a jerk /* [B]*a twit* **8.1** het komt op als (het) ~ *it takes you short, it catches you with your pants down;*
II ⟨ov.ww.⟩ **0.1** [uitpoepen] *crap*.
kakker(d) ⟨de⟩ ⟨inf.⟩ **0.1** [bekrompen persoon] *narrow-minded /* ⟨AE ook⟩ *tight-assed bastard* **0.2** [bekakt persoon] *pompous bastard ⇒* ↑*stuck-up idiot,* ↑[B]*toffee-nose* **0.3** [bangerd] ⟨→**kakkebroek**⟩.
kakkerij ⟨de (v.)⟩ ⟨inf.⟩ **0.1** [diarree] *shits ⇒runs* **0.2** [drukte] *pissing / farting about* ◆ **6.1** aan de ~ zijn *have (a case of) the s. / the runs*.
kakkerlak ⟨de (m.)⟩ **0.1** *cockroach*.
kakkies ⟨zn.mv.⟩ ⟨inf.⟩ ◆ **2.¶** op blote ~ ⟨ongemarkeerd⟩ *barefoot*.

kakkineus ⟨bn.⟩ ⟨scherts.⟩ **0.1** *stuck-up ⇒snooty,* [B]*toffee-nosed*.
kakmadam ⟨de (v.)⟩ ⟨inf.⟩ **0.1** ↑*stuck-up /* [B]*toffee-nosed woman;* ⟨opgedirkt⟩ *tarted-up woman*.
kakofonie ⟨de (v.)⟩ **0.1** ⟨*cacophony*⟩ ◆ **1.1** een ~ van stemmen *a c. of voices*.
kakstoel ⟨de (m.)⟩ ⟨inf.⟩ **0.1** *potty-chair*.
kalander
I ⟨de (m.)⟩ **0.1** [insekt] *granary weevil;*
II ⟨de⟩ **0.1** [mangel om iets glad en glanzig te maken] *calender* **0.2** [mangel om iets in stroken te persen] *calender*.
kalanderen ⟨ov.ww.⟩ **0.1** *calender ⇒beetle, hot-press*.
kale →kaalkop.
kal(e)bas ⟨de⟩ **0.1** [soort pompoen] *gourd ⇒calabash, pumpkin,* [B]*marrow,* [A]*squash* **0.2** [kommerachtige plant] *gourd ⇒calabash* **0.3** [uitgeholde bast] *gourd ⇒calabash, bottle gourd*.
kalen
I ⟨onov.ww.⟩ **0.1** [kaal beginnen te worden] *be balding* ◆ **1.1** een ~de man *a balding man;*
II ⟨ov.ww.⟩ ⟨scheep.⟩ **0.1** [onttakelen] *unrig*.
kalender ⟨de (m.)⟩ **0.1** [wandkalender] *calendar* **0.2** [heiligenkalender] *calendar* **0.3** [tijdrekening] *calendar* ◆ **2.3** burgerlijke ~ *civil c.;* de Gregoriaanse / Juliaanse / republikeinse / Romeinse / joodse ~ *the Gregorian / Julian / Revolutionary / Roman / Jewish c.;* kerkelijke ~ *ecclesiastical / church c.;* ⟨vnl. Grieks-orthodox ook⟩ *menology;* lunisolaire ~ *lunisolar c.* **3.1** op de ~ kijken *look at the c..*
kalenderdag ⟨de (m.)⟩ **0.1** *calendar day*.
kalendermaand ⟨de⟩ **0.1** *calendar month*.
kalenderjaar ⟨het⟩ **0.1** *calendar year*.
kalendermethode ⟨de (v.)⟩ **0.1** *rhythm method ⇒*⟨inf.⟩ *Vatican roulette*.
kalenderspreuk ⟨de⟩ **0.1** *calendar saying / quotation*.
kales ⟨de (v.)⟩ **0.1** *calash ⇒calèche*.
kalf ⟨het⟩ ⟨→sprw. 323⟩ **0.1** [dier] *calf* ⟨ook van hert, walvis enz.⟩ **0.2** [persoon] *wet ⇒willing horse, good soul, softy* **0.3** [⟨bouwk.⟩] *lintel ⇒*⟨van raam⟩ *transom,* ⟨dwarsbalk⟩ *crossbeam* ◆ **2.1** het gemeste ~ slachten *kill the fatted c.;* ⟨fig.⟩ het gouden ~ aanbidden *worship the golden c.;* nuchter ~ *newborn c.* **3.1** een ~ krijgen *calve* **6.2** een ~ **van** een jongen *a sweet lad;* [pej.] *a softy / sucker* **¶.1** als de kalveren op het ijs dansen *when pigs fly, when two Sundays come together;* ⟨AE⟩ *when hell freezes over*.
kalfkoe ⟨de (v.)⟩ **0.1** *cow in calf*.
kalfsbiefstuk ⟨de (m.)⟩ **0.1** *veal steak*.
kalfsborst ⟨de⟩ **0.1** *breast of veal*.
kalfsgehakt ⟨het⟩ **0.1** *minced veal ⇒veal mince(meat)*.
kalfshuid ⟨de⟩ **0.1** *calfskin ⇒*⟨groot⟩ *vealskin*.
kalfskop ⟨de (m.)⟩ **0.1** [kop van een kalf] *calf's head* **0.2** [domoor] *blockhead ⇒nitwit, fathead*.
kalfskotelet ⟨de⟩ **0.1** *veal cutlet / chop*.
kalfslapje ⟨het⟩ **0.1** *veal steak*.
kalfsleer ⟨het⟩ **0.1** *calf leather, calfskin* ◆ **6.1** in ~ gebonden *bound in calf, calfbound*.
kalfslever ⟨de⟩ **0.1** *calf's liver*.
kalfsmedaillon ⟨het⟩ **0.1** *medallion of veal*.
kalfsoester ⟨de⟩ **0.1** *veal escalope / collop*.
kalfsoog ⟨het⟩ **0.1** [oog v.e. kalf] *calf's eye* **0.2** [⟨fig.⟩] *goggle-eye ⇒ bulging eye* **0.3** [gepocheerd ei] *poached egg* **0.4** [koekje] *large frosted biscuit / cookie*.
kalfsperkament ⟨het⟩ **0.1** *vellum*.
kalfsschenkel ⟨de (m.)⟩ **0.1** *knuckle of veal ⇒veal knuckle*.
kalfsschnitzel ⟨de (m.)⟩ **0.1** *schnitzel ⇒veal cutlet*.
kalfstand ⟨de (m.)⟩ **0.1** [tand v.e. kalf] *calf's tooth* **0.2** [⟨bouwk.⟩] *dentil*.
kalfstong ⟨de⟩ **0.1** *calf's tongue*.
kalfsvel ⟨het⟩ **0.1** [kalfshuid] *calf's skin ⇒calfskin,* ⟨groot⟩ *vealskin* **0.2** [trom] *drum* ◆ **3.2** het ~ volgen *join up, follow the d..*
kalfsvlees ⟨het⟩ **0.1** *veal*.
kalfszwezerik ⟨de (m.)⟩ **0.1** *(neck / throat) sweetbread*.
kali ⟨de (m.)⟩ ⟨schei.⟩ [kalium] *potassium, potash;* ⟨kaliumhydroxyde⟩ *potassium hydroxide, (caustic) potash* **0.2** [⟨landb.⟩] *potash*.
kaliber ⟨het⟩ **0.1** [middellijn] *calibre ⇒bore* **0.2** [omvang v.e. voorwerp] *size ⇒grade* **0.3** [soort, aard] *calibre* **0.4** [mbt. personen] *calibre* ◆ **2.1** een stuk geschut van groot ~ *a large-bore weapon;* van klein ~ *small-c., small-bore* **2.2** appels v.h. grootste ~ *apples of the largest grade / s.* **3.1** het ~ bepalen van *gauge,* [A]*gage* **4.3** zij zijn van hetzelfde ~ *they are of the same c.;* ⟨inf.⟩ *they are birds of a feather, they are of the same ilk* **4.4** iem. van zijn ~ kan deze taak zeker aan *s.o. of his c. can certainly handle this*.
kaliberpasser ⟨de (m.)⟩ **0.1** *calibrator*.
kalibreren ⟨ov.ww.⟩ ⟨tech.⟩ **0.1** [schaalverdeling aanbrengen] *calibrate ⇒graduate* **0.2** [(de doorsnee van buizen) controleren] *calibrate, gauge* **0.3** [in een bepaalde vorm walsen of trekken] *groove* **0.4** [sorteren naar grootte] *size*.
kalief ⟨de (m.)⟩ **0.1** *caliph*.
kalifaat ⟨het⟩ **0.1** [waardigheid] *caliphate* **0.2** [rijk] *caliphate*.

kaliloog ⟨het⟩ **0.1** *caustic potash* ⟹*potash lye.*
kalium ⟨het⟩ **0.1** *potassium* ⟹*potash.*
kaliumcarbonaat ⟨het⟩ **0.1** *potassium carbonate* ⟹*pearl ash.*
kaliumnitraat ⟨het⟩ **0.1** *potassium nitrate* ⟹*nitre, saltpetre.*
kaliumverbinding ⟨de v.⟩⟩ **0.1** *potassium compound.*
kaliumzout ⟨het⟩ **0.1** *potassium salt.*
kaliveldspaat ⟨het⟩⟨geol.⟩ **0.1** *potassium feldspar* ⟹ ⟨monoclien⟩ *ortho-clase,* ⟨triclien⟩ *microcline.*
kalk ⟨de (m.)⟩ **0.1** [ongebluste kalk] *(quick)lime* **0.2** [gebluste kalk] *slaked lime* **0.3** [metselspecie] *(lime) mortar* **0.4** [specie om mee te pleisteren] *plaster* ⟹⟨om mee te witten⟩ *whitewash, limewash* **0.5** [specie op de muur] *plaster* ⟹*whitewash, limewash* **0.6** [⟨geol.⟩] *lime-stone* **0.7** [⟨schei.⟩] *calcium* ⟹⟨vero.⟩ *lime* ♦ **1.3** ⟨fig.⟩ de zaak is in ~ en cement *it's all (neatly) tied up* **2.1** magere/ vette ~ *lean/ fat l.* **2.7** zwavelzure ~ *c. sulphate* [A]*fate* **3.1** ~ blussen *slake lime;* ~ branden *burn lime* **6.7** met ~ bemesten *lime.*
kalkaanslag ⟨de (m.)⟩ **0.1** *scale* ⟹*fur* ♦ **3.1** ~ verwijderen uit *descale.*
kalkachtig ⟨bn.⟩ **0.1** *limy* ⟹*calcareous.*
kalkafzetting ⟨de (v.)⟩ **0.1** *calcification* ⟹⟨laag⟩ *calcareous/ lime de-posit(s),* ⟨proces⟩ *deposition of lime.*
kalkarm ⟨bn.⟩ **0.1** *deficient in lime* ♦ **1.1** ~ duin *duneland with a lime deficiency.*
kalkbak ⟨de (m.)⟩ **0.1** ⟨draagbak⟩ *hod;* ⟨mengbak⟩ *mortar trough.*
kalkbemesting ⟨de (v.)⟩ **0.1** *lime dressing.*
kalkbranderij ⟨de (v.)⟩ **0.1** [kalkoven] *lime-kiln* **0.2** [proces] *lime burn-ing.*
kalkei ⟨het⟩ **0.1** [in kalk bewaard ei] *egg preserved in lime* ⟹*pickled egg* **0.2** [uit kalk gemaakt ei] *plaster egg.*
kalken[1] ⟨bn.⟩ **0.1** [uit witkalk bestaand]⟨uit pleister bestaand⟩ *plaster,* ⟨met kalk gewit⟩ *whitewashed, limewashed;* ⟨met pleister bedekt⟩ *plastered* **0.2** [gipsen] *gypsum.*
kalken[2] ⟨ov.ww.⟩ **0.1** [met kalk bewerken] *lime* ⟨grond, huid⟩; ⟨pleiste-ren⟩ *plaster;* ⟨witten⟩ *whitewash, limewash;* ⟨ruw pleisteren⟩ *rough-cast; pickle* ⟨ei⟩ **0.2** [slordig en snel schrijven] *scribble* **0.3** [(opschrif-ten) op muren aanbrengen] *chalk* ⟹*daub* ♦ **2.1** een muur wit~ *whitewash/ linewash a wall* **4.2** zij kalkt maar wat *she's just scribbling* **5.2** tien velletjes vol ~ *s. ten sheets, cover ten sheets with scribbling* **6.3** zij kalkten teksten **op** de muur v.h. stadhuis *they chalked/ daubed slo-gans on the wall of the town hall.*
kalkgebergte ⟨het⟩ **0.1** *limestone mountains/ hills.*
kalkgebrek ⟨het⟩ **0.1** ⟨med.⟩ *calcium deficiency;* ⟨in grond⟩ *deficiency in lime.*
kalkgroeve ⟨de⟩ **0.1** *limestone quarry.*
kalkgrond ⟨de (m.)⟩ **0.1** *calcareous soil* ⟹*limy soil.*
kalkhoudend ⟨bn.⟩ **0.1** *calcareous* ⟹*calciferous,* ⟨water⟩ *hard* ♦ **1.1** een ~e bodem *a limy soil, calcareous/ calciferous soil.*
kalklaag ⟨de⟩ **0.1** [⟨geol.⟩] *limestone stratum/ layer* ⟹*limestone deposit* **0.2** [op muur/ enz.] *coat of whitewash/ limewash, plaster rendering.*
kalkmortel ⟨de (m.)⟩ **0.1** *lime mortar.*
kalkoen ⟨de (m.)⟩ **0.1** [hoenderachtige vogel] *turkey* ⟹⟨inf.⟩ *gobbler* **0.2** [pen in het hoefijzer] *calk(in)* ♦ **2.1** een jonge~ *a t. poult* **8.1** rood worden als een ~ *go/ turn red as a t. (cock), go/ turn puce, go/ turn purple in the face.*
kalkoven ⟨de (m.)⟩ **0.1** *limekiln.*
kalkpoot ⟨de (m.)⟩ **0.1** *scaly leg.*
kalkput ⟨de (m.)⟩ **0.1** *limepit.*
kalkrijk ⟨bn.⟩ **0.1** *rich in lime* ⟹*lime-rich, calcareous* ♦ **4.1** ~e grond *limy/ calcareous soil.*
kalkrots ⟨de⟩ **0.1** *limestone rock/ cliff.*
kalksalpeter ⟨het, de (m.)⟩ **0.1** *calcium nitrate* ⟹*nitrate of lime.*
kalkspaat ⟨het⟩ *calcite* ⟹*calcspar, calcareous spar.*
kalksteen ⟨het, de (m.)⟩ **0.1** *limestone.*
kalkstikstof ⟨het⟩ **0.1** *(calcium) cyanamide* ⟹*lime nitrogen, nitrolim.*
kalktuf ⟨het⟩ ⟨geol.⟩ **0.1** *calc-tuff/* ⟨AE ook⟩ *tufa* ⟹*calcareous tufa.*
kalkwater ⟨het⟩ **0.1** *limewater* ⟹*milk of lime.*
kalkzandsteen
I ⟨de (m.)⟩ **0.1** [metselsteen] *sand-lime brick;*
II ⟨het⟩ **0.1** [stof] *calcium silicate* **0.2** [⟨geol.⟩] *calcareous sandstone* ♦ **6.1** stenen van ~ *sand-lime bricks.*
kalligraaf ⟨de (m.)⟩ **0.1** *calligrapher.*
kalligraferen
I ⟨ov.ww.⟩ **0.1** [in schoonschrift opstellen] *write in calligraphy/ fine handwriting* ♦ **1.1** een gekalligrafeerde oorkonde *a calligraphic docu-ment;*
II ⟨onov.ww.⟩ **0.1** [schoonschrijven] *practise* [A]*ce calligraphy/ pen-manship.*
kalligrafie ⟨de (v.)⟩ **0.1** [schoonschrijfkunst] *calligraphy* ⟹*penmanship* **0.2** [fraai geschreven stuk] *piece of calligraphy.*
kalligrafisch ⟨bn., bw.;-ally⟩ **0.1** *calligraphic.*
kalm ⟨bn., bw.;-ly⟩ **0.1** [(mbt. het gemoed) niet opgewonden] *calm* ⟹ *cool, reposed, composed* **0.2** [niet gejaagd] *calm* ⟹*peaceful, quiet* **0.3** [mbt. de natuur] *calm* ⟹*still, tranquil* ♦ **1.2** een ~ gangetje *a smooth run;* een ~ leven *a c./ peaceful/ quiet/ uneventful life* **1.3** een ~e over-

tocht *a smooth crossing;* een ~e rivier *a c./ peaceful/ quiet river;* ~ weer met weinig wind *c. weather with little wind;* een ~e zee *a c./* ⟨schr.⟩ *tranquil sea* **1.¶** (ec.) een ~e beurs *a quiet/ dull (stock) mar-ket* **3.1** ~ blijven *stay/ remain calm/ cool;* iets ~ opnemen *take sth. calmly;* ~ worden *calm (down)* **3.2** ~ antwoorden *answer calmly;* ~ spreken *speak calmly* **4.1** ~ jij! *(will you) be quiet!* **5.2** ~ aan! ⟨ge-moed⟩ *calm down!;* ⟨tempo⟩ *take it easy!, easy does it!;* ⟨woede⟩ ⟨BE; inf.⟩ *steady on!;* ⟨AE; inf.⟩ *cool it!;* ~ aan doen *take it easy,* ⟨inf.⟩ *play it cool;* ~ aan doen met *go easy on.*
kalmeren
I ⟨onov.ww.⟩ **0.1** [kalm worden] *calm (down);*
II ⟨ov.ww.⟩ **0.1** [kalm maken] *calm (down)* ⟹*soothe, tranquillize* ♦ **1.1** een ~d effect *a calming/ soothing/ tranquillizing effect;* de opge-wonden gemoederen ~ *calm/ soothe tempers;* een ~d middel *a seda-tive, a tranquillizer* **3.1** ~d werken op *have a calming/ soothing/ tran-quillizing effect on.*
kalmeringsmiddel ⟨het⟩ **0.1** *sedative* ⟹*tranquillizer.*
kalmoes ⟨de (m.)⟩ **0.1** *sweet flag/ sedge/ rush* ⟹*calamus.*
kalmpjes ⟨bw.⟩ **0.1** [onbewogen] *calmly* ⟹*easily,* ⟨AE; inf.⟩ *real cool* **0.2** [niet gejaagd] *calmly* **0.3** [ongestoord] *calmly* ⟹*quietly* ♦ **3.1** iets ~ kunnen aanzien/ opnemen *take sth. c./ unruffled* **3.3** ~ leven *live a quiet life* **5.2** ~ aan! ⟨tempo⟩ *easy does it!, take your time/ it easy!, easy (now)!.*
kalmte ⟨de (v.)⟩ **0.1** [bedaardheid] *calm(ness)* ⟹*composure, self-con-trol/ possession,* ⟨inf.⟩ *cool* **0.2** [staat van rust] *calm(ness)* ⟹*tranquil-lity, quietness* **0.3** [afwezigheid van drukte] *calm* ⟹*composure* ♦ **1.2** een ogenblik van ~ *a moment of calm* **2.1** ijzige ~ *icy calm, steely composure* **3.1** zijn ~ bewaren *keep one's head/ composure/ self-control/ cool;* zijn ~ verliezen *lose one's head/ composure/ self-control* **3.4** ik hervond mijn ~ *I recovered my compo-sure/ regained my self-control* **6.1** iem. tot ~ brengen *calm s.o. (down), soothe s.o.* **6.2** ~ **op** zee *calm at sea* **¶.1** geen paniek, ~ alleen kan u redden! *don't panic, you must keep calm!/* ⟨levensgevaar⟩ *your life depends on keeping calm!.*
kalmtegordel ⟨de (m.)⟩ ⟨meteo.⟩ **0.1** *doldrums* ⟨mv.⟩.
kalmweg ⟨bw.⟩ **0.1** *brazenly* ⟹*blandly, as cool as you please, coolly* ♦ **3.1** ik verbood het hem, maar hij ging ~ door *I told him not to do it, but he brazenly/ coolly went ahead (and did it).*
kalong ⟨de (m.)⟩ **0.1** *kalong* ⟹*flying fox, fox/ fruit bat.*
kalot ⟨de (m.)⟩ **0.1** [mutsje van r.k. priesters] *calotte* ⟹*skull-cap* **0.2** [alpino-petje] *beret.*
kalven ⟨onov.ww.⟩ **0.1** [een kalf werpen] *calve* **0.2** [afbrokkelen] *break off* ⟨grond⟩; *calve* ⟨ijsberg, gletsjer⟩.
kalverachtig ⟨bn., bw.⟩ **0.1** [als (van) een kalf] *calf-like* **0.2** [dartel] *puppy/ kitten-like* ⟹*frisky, puppyish, kittenish, skittish.*
kalverbox ⟨de (m.)⟩ **0.1** *calf pen.*
kalveren ⟨onov.ww.⟩ **0.1** *calve.*
kalverig ⟨bw.⟩ **0.1** *in a bovine way* ♦ **3.1** ~ kijken *look bovine, have a bovine look on one's face, ogle.*
kalverliefde ⟨de (v.)⟩ **0.1** *calf love, puppy love.*
kalverschets ⟨de⟩ **0.1** *calf identification certificate.*
kam ⟨de (m.)⟩ **0.1** [toiletgereedschap] *comb* **0.2** [haarspeld] *comb* **0.3** [uitwas op kop]⟨van hoenders⟩ *comb;* ⟨van hoenders, andere vogels, hagedissen, helm⟩ *crest* **0.4** [aantal bananen aan een tros] *hand (of bananas)* **0.5** [bergkam] *crest* ⟹*ridge* **0.6** [tand v.e. rad] *cam* ⟹*cog* **0.7** [⟨muz.⟩] *bridge* **0.8** [weefkam] *reed* ⟹*sley* **0.9** [schacht aan een weef-getouw] *shaft* **0.10** [uitsteeksel op beenderen] *crest* ♦ **2.1** een fijne ~ *a fine toothcomb;* ⟨fig.⟩ iets met de fijne ~ reinigen/ ordenen/ nagaan *go over sth. with a fine toothcomb;* er moet eens een stevige ~ door zijn haar *his hair needs a good c.* **3.1** een ~ door het haar halen *run a c. through one's hair* **3.3** ⟨fig.⟩ ~ opsteken *raise one's crest* **6.1** ⟨fig.⟩ alles/ iedereen **over** één ~ scheren *put everything/ everyone in the same/ in one box/ category, lump everything/ everyone together* **6.3** ⟨fig.⟩ iem. **in** de ~ zitten/ pikken *needle s.o.;* ⟨BE; inf.⟩ *get up s.o.'s nose.*
kamdragend ⟨bn.⟩ **0.1** *crested.*
kameel ⟨de (m.)⟩ **0.1** *camel.*
kameeldrijver ⟨de (m.)⟩ **0.1** *camel-driver.*
kameelhaar ⟨het⟩ **0.1** [haar van kamelen] *camel('s) hair* **0.2** [mohair] *ca-melhair.*
kameelharen ⟨bn.⟩ **0.1** *camel-hair.*
kamelemaag ⟨de⟩ **0.1** *camel's (three-chambered) stomach.*
kameleon
I ⟨het, de (m.)⟩ **0.1** [dier] *chameleon* **0.2** [⟨fig.⟩ beeld van verander-lijkheid] *chameleon* **0.3** [sterrenbeeld] *Chamaeleon;*
II ⟨de (m.)⟩ **0.1** [persoon] *chameleon.*
kameleontisch ⟨bn.⟩ **0.1** *chameleonic.*
kamelot ⟨het⟩ **0.1** ⟨textiel⟩ *camlet.*
kamen ⟨onov.ww.⟩ **0.1** *go/ turn mouldy.*
kamenier ⟨de (v.)⟩,**-ster** ⟨de (v.)⟩ ⟨vero.⟩ **0.1** *lady's-maid.*
kamer ⟨de⟩ **0.1** [vertrek] *room* ⟹⟨klein⟩ *closet,* ⟨voor speciale doelein-den⟩ *chamber* **0.2** [huurkamer] *room* ⟹⟨BE ook⟩ *apartment* **0.3** [af-deling v.e. wetgevend lichaam] *chamber, house* **0.4** [vereniging van

personen] *chamber* ⇒*board, college,* ⟨jur.⟩ *court* **0.5** [⟨scheep.⟩] *room, (cable) locker* **0.6** [ruimte in een hol] *chamber* **0.7** [⟨med.⟩] *chamber* ⇒*cavity, recess, socket,* ⟨hart⟩ *ventricle* **0.8** [⟨wwb.⟩] *(lock) chamber* **0.9** [⟨mil.⟩] *chamber* **0.10** [⟨biol.⟩ bv. van zaaddoos] *chamber* ♦ **1.4** de ~van Koophandel en Fabrieken *Chamber of Commerce* **1.7** de ~s v.h. hart zijn de hartboezem en de hartkamer *the chambers of the heart are the atrium and the ventricle;* de twee ~s v.h. oog *the two chambers of the eye* **2.1** donkere ~ *dark r., darkroom;* het kleinste ~tje *the smallest r., 'the little r.';* mooie/beste ~ *(front) parlour, front r.* **2.4** ⟨jur.⟩ enkelvoudige ~ *judge in chambers* **3.1** de ~s doen *clean the rooms;* zijn ~houden *keep/be confined to one's r.* **3.2** een ~ delen ⟨in hotel⟩ *share a r.;* ⟨inf.⟩ *double up;* ~s verhuren ⟨aan studenten⟩ *take in lodgers/* ⟨AE ook⟩ *roomers* **3.3** de ~ontbinden/bijeenroepen *dissolve/convoke the House/Chamber* **5.1** we hadden een ~vol (gasten) *we had a roomful (of guests)* **6.1** op mijn ~ *in my r.* **6.2** ~met ontbijt *Bed and Breakfast, B & B;* hij woont **op** ~s *he is/lives in lodgings/rooms/* ⟨inf.⟩ *digs;* **op** ~s gaan wonen *move into lodgings/rooms/* ⟨inf.⟩ *digs;* met iem. **op** één ~wonen *share a r. with s.o.;* ontbijt **op** de ~*breakfast in bed* **6.3** in beide Kamers *in both Houses (of Parliament)* **6.4** ⟨jur.⟩ de ~**voor** strafzaken *the criminal court* **7.1** ~honderd *'little r.',* bathroom **7.3** de Eerste Kamer *the (Dutch) Upper Chamber/House;* ⟨in GB⟩ *the (House of) Lords, the Upper House;* ⟨in USA⟩ *the Senate;* de Tweede Kamer *the (Dutch) Lower Chamber /House;* ⟨in GB⟩ *the (House of) Commons, the Lower House;* ⟨in USA⟩ *the House (of Representatives)* ¶**.2** ~s te huur (hebben) *(have) apartments/rooms to let.*

kameraad ⟨de (m.)⟩ **0.1** [makker] *comrade, companion* ⇒⟨inf.⟩ *mate, pal, buddy, chum* **0.2** [⟨pol.⟩] *comrade* ♦ **2.1** gezworen kameraden zijn *be as thick as thieves, be sworn friends;* hij is mijn vaste ~ *he is my buddy* ¶**.1** wacht maar, ~ *just you wait, matey/* ⟨vnl. AE⟩ *buddy.*

kameraadschap ⟨de (v.)⟩ **0.1** *companionship, (good-)fellowship* ⇒*camaraderie.*

kameraadschappelijk ⟨bn., bw.;-ly⟩ **0.1** *companionable* ⇒*friendly, comradely,* ⟨inf.⟩ *chummy, pally, mat(e)y* ♦ **3.1** ~met elkaar omgaan *fraternize with s.o.;* ⟨inf.⟩ *be pally/mat(e)y with s.o..*

kamerantenne ⟨de⟩ **0.1** *indoor aerial.*

kamerarrest ⟨het⟩ ⟨mil.⟩ **0.1** *confine to barracks/one's room* ♦ **3.1** ⟨fig.⟩ ~hebben *be confined to one's room.*

kamerbewoner ⟨de (m.)⟩, **-woonster** ⟨de (v.)⟩ **0.1** *lodger* ⇒⟨AE ook⟩ *roomer, paying guest.*

kamerbiljart ⟨het⟩ **0.1** *home billiards.*

kamerbreed ⟨bn.⟩ **0.1** [mbt. breedte] *wall-to-wall* **0.2** [ruim] *vast* ♦ **1.1** ~tapijt *wall-to-wall carpet(ing), fitted carpet* **1.2** een kamerbrede meerderheid *an overwhelming majority.*

kamercommissie ⟨de (v.)⟩ **0.1** *parliamentary/* ⟨in USA⟩ *congressional committee.*

kamerconcert ⟨het⟩ **0.1** *chamber (music) concert.*

kamerdebat ⟨het⟩ **0.1** *parliamentary/* ⟨in USA⟩ *congressional debate.*

kamerdeur ⟨de⟩ **0.1** *room door.*

kamerdienaar ⟨de (m.)⟩ **0.1** *valet* ⇒⟨plechtig⟩ *chamberlain,* ⟨scherts.⟩ *gentleman's gentleman.*

kamerdoek ⟨het⟩ **0.1** *cambric* ⇒*lawn.*

kamerfractie ⟨de (v.)⟩ **0.1** *parliamentary/* ⟨in USA⟩ *congressional party/ group.*

kamergeleerde ⟨de (m.)⟩ **0.1** *scholarly recluse, bookish person.*

kamergenoot ⟨de (m.)⟩ **0.1** *room-mate* ⇒⟨AE; vero.⟩ *chum.*

kamerheer ⟨de (m.)⟩ **0.1** [dienstdoend edelman] *chamberlain* ⇒*lord/ gentleman in waiting* **0.2** [dienstdoende geestelijke] *chamberlain.*

kamerhuur ⟨de⟩ **0.1** [huurprijs] *(room-)rent* **0.2** [verbintenis] *lease* ♦ **3.2** mijn ~loopt af eind 1986 *my l. expires at the end of 1986.*

kamerinrichting ⟨de (v.)⟩ **0.1** *furnishing and decoration (of the room).*

kamerjas ⟨de⟩ **0.1** *dressing gown* ⇒⟨AE ook⟩ *bathrobe.*

kamerkoor ⟨het⟩ **0.1** *chamber choir.*

kamerlid ⟨het⟩ **0.1** *Member of Parliament* ⇒*M.P.* ♦ **6.1** het ~**voor** de PvdA, het PvdA ~...*the PvdA Member of Parliament/M.P., the socialist M.P.....*

kamerling ⟨de (m.)⟩ **0.1** [⟨r.-k.⟩ Camerlengo] *camerlingo* **0.2** [kamerdienaar] *chamberlain;* ⟨ihb.⟩ *eunuch.*

kamerlucht ⟨de⟩ **0.1** *stuffy/stale/close air.*

kamermeisje ⟨het⟩ **0.1** *chambermaid* ⇒⟨vnl. AE; in motel, op schip⟩ *cabin girl.*

kamermuziek ⟨de (v.)⟩ **0.1** *chamber music* ⇒⟨uitvoering⟩ *chamber concert.*

kamernummer ⟨het⟩ **0.1** *room number.*

Kameroen ⟨het⟩ **0.1** *Cameroon.*

Kameroens ⟨bn.⟩ **0.1** *Cameroonian.*

kamerolifant ⟨de (m.)⟩ **0.1** ⟨scherts.⟩ *butterball* ⇒*ᴮpudge, ᴬpodge* ♦ **8.1** iemand zo elegant als een ~ *s.o. as graceful as an elephant.*

kamerontbinding ⟨de (v.)⟩ **0.1** ⟨één of beide⟩ *dissolution of the Chamber(s)* ⇒⟨beide⟩ *dissolution of Parliament/* ⟨in USA⟩ *Congress.*

kamerorgel ⟨het⟩ **0.1** *chamber organ.*

kamerorkest ⟨het⟩ **0.1** *chamber orchestra.*

kameroverzicht ⟨het⟩ **0.1** *parliamentary/* ⟨in USA⟩ *congressional report /review* ⇒*proceedings of the Parliament/* ⟨USA⟩ *Congress.*

kamerplant ⟨de⟩ **0.1** *houseplant, indoor plant.*

kamerpot ⟨de (m.)⟩ **0.1** *chamber pot* ⇒⟨BE; gew.⟩ *Jordan.*

kamerscherm ⟨het⟩ **0.1** *(folding) screen.*

kamertemperatuur ⟨de (v.)⟩ **0.1** [normale temperatuur in een woonkamer] *room temperature* **0.2** [⟨schei.; nat.⟩] *room temperature* ♦ **6.1** deze wijn moet **op** ~geserveerd worden *this wine should be served at r. t..*

kamerthermostaat ⟨de (m.)⟩ **0.1** *room thermostat.*

kamertje ⟨het⟩ **0.1** [kleine kamer] *small/little room* ⇒⟨krap⟩ *cubby-/ pigeon-hole,* ⟨bel.⟩ *cupboard, cuady* **0.2** [cel in honigraat] *cell* **0.3** [hokje] *cubicle* ♦ **2.1** het kleinste ~ *the smallest room, the toilet;* ⟨BE ook⟩ *the WC.*

kamertoon ⟨de⟩ ⟨muz.⟩ **0.1** *diapason normal.*

kamerverhuurbureau ⟨het⟩ **0.1** *accommodation office/agency.*

kamerverhuurder ⟨de (m.)⟩, **-huurster** ⟨de (v.)⟩ **0.1** *lodging-house keeper* ⇒⟨AE ook⟩ *rooming-house keeper.*

kamerverkiezing ⟨de (v.)⟩ **0.1** *parliamentary/* ⟨in USA⟩ *congressional elections.*

kamerverslag ⟨het⟩ **0.1** *report of parliamentary/* ⟨in USA⟩ *congressional proceedings* ⇒*Hansard, ᴬCongressional Record.*

kamervoorzitter ⟨de (m.)⟩ **0.1** *chairman/president of the House (of Parliament)* ⇒⟨in Engeland⟩ ≠*Speaker* ⟨vnl. van 2e Kamer/House of Commons⟩, *Lord Chancellor* ⟨1e Kamer/House of Lords⟩.

kamervotum ⟨het⟩ **0.1** *(the) vote* ⇒*(the) legislative vote.*

kamerzetel ⟨de (m.)⟩ **0.1** [lidmaatschap] *seat* **0.2** [zitplaats] *seat* ♦ **3.1** zijn ~opgeven *resign one's s..*

kamerzitting ⟨de (v.)⟩ **0.1** *session of Parliament/* ⟨in USA⟩ *Congress.*

kamfer ⟨de (m.)⟩ **0.1** *camphor.*

kamferachtig ⟨bn.⟩ **0.1** *camphoric.*

kamferballetje ⟨het⟩ **0.1** *camphor ball.*

kamferen ⟨ov.ww.⟩ **0.1** *camphorate.*

kamferkist ⟨de⟩ **0.1** *camphor-wood/chest.*

kamferspiritus ⟨de (m.)⟩ **0.1** *camphorated spirits, spirits of camphor.*

kamgaren¹ ⟨het⟩ **0.1** [garen] *worsted (yarn)* **0.2** [stof] *worsted.*

kamgaren² ⟨bn.⟩ **0.1** *worsted.*

kamgras ⟨het⟩ **0.1** *crested dog's tail* ⇒⟨alg.⟩ *dog's tail grass* ⟨Cynosurus cristatus⟩.

kamig ⟨bn.⟩ **0.1** *mouldy* ♦ **1.1** ~bier *m. beer.*

kamikaze-actie ⟨de (v.)⟩ **0.1** *kamikaze action/attack.*

kamikaze(piloot) ⟨de (m.)⟩ **0.1** *kamikaze* ⇒*suicide pilot.*

kamille ⟨de⟩ **0.1** [plantengeslacht] *camomile* **0.2** [aftreksel] *camomile extract* ♦ **2.1** stinkende ~ *stinking mayweed/c.,* dog fennel; wilde ~ *corn c..*

kamillethee ⟨de (m.)⟩ **0.1** *camomile tea.*

kammen ⟨ov.ww.⟩ **0.1** *comb* ♦ **1.1** zijn haar strak achterover ~ *c. back one's hair;* een kind ~ *c. a child's hair;* een paard de manen ~ *c. a horse's mane;* wol ~ *c. / tease wool* **4.1** zich ~ *c. (one's hair), do one's hair.*

kamp
I ⟨het⟩ **0.1** [legerplaats] *camp* ⇒*encampment* **0.2** [groepsvakantie] *camp* **0.3** [verblijfplaats in het open veld] *camp* **0.4** [aanhangers van een partij/stelsel] *camp* ♦ **2.1** de strijd tot het vijandige ~uitbreiden *take/carry the war into the enemy's c./territory* **3.1** het ~afbreken *strike/break c.;* een ~betrekken *go into c.;* het ~opslaan *pitch c./the tents* **6.4** in twee ~en verdeeld *divided into two camps;*
II ⟨de (m.)⟩ **0.1** [strijd] *combat* ⇒*struggle, battle* **0.2** [wedstrijd] *match* ⇒⟨vechtsport⟩ *fight* **0.3** [afgegrensd veld] *lot, parcel* ⇒*enclosed field,* ⟨Z.Afr.E⟩ *camp* ♦ **3.1** een ~voeren *fight a battle* **3**.¶~geven *give in;* ⟨inf.⟩ *throw up the sponge.*

kampanje ⟨de⟩ ⟨scheep.⟩ **0.1** [verhoogd achtergedeelte] *poop* ⇒*island* **0.2** [achterdek] *poop (deck).*

kampbeheerder ⟨de (m.)⟩, **-heerster** ⟨de (v.)⟩ **0.1** *campsite/camping ground attendant.*

kampbeul ⟨de (m.)⟩ **0.1** *camp bully.*

kampbewoner ⟨de (m.)⟩, **-ster** ⟨de (v.)⟩ **0.1** *inmate of a camp, camp inmate.*

kampcommandant ⟨de (m.)⟩ **0.1** *camp commander.*

kampeerauto ⟨de (m.)⟩ **0.1** *camper* ⇒*mobile home,* ⟨BE ook⟩ *dormobile.*

kampeerbus ⟨de⟩ **0.1** *camper (bus/van).*

kampeerder ⟨de (m.)⟩, **-ster** ⟨de (v.)⟩ **0.1** *camper.*

kampeerplaats ⟨de⟩ **0.1** *camping site, camp site.*

kampeerterrein ⟨het⟩ **0.1** *camp(ing) site* ⇒⟨voor caravans⟩ *caravan park/site, ᴬtrailer park.*

kampeeruitrusting ⟨de (v.)⟩ **0.1** *camping equipment, camping outfit.*

kampeervakantie ⟨de (v.)⟩ **0.1** *camping ᴮholiday, ᴬvacation.*

kampeerwagen ⟨de (m.)⟩ **0.1** [aanhangwagen] *caravan, ᴬtrailer* ⇒*camper* **0.2** [kampeerauto] ⟨→kampeerauto⟩.

kampement ⟨het⟩ **0.1** *camp, encampment* ⇒⟨van barakken, kazerne⟩ *barracks.*

kampen ⟨onov.ww.⟩ ⟨schr.⟩ **0.1** *contend (with)* ⇒*combat/struggle/fight/ wrestle (with)* ♦ **6.1** met problemen ~ *contend/wrestle with problems;* **te** ~hebben met moeilijkheden *have to contend with/labour under difficulties;* met tegenslag **te** ~hebben *have to cope with set-backs.*

kamperen ⟨onov.ww.⟩ **0.1** [tijdelijk verblijf opslaan] *camp (out)*, *encamp* ⇒*pitch (one's) tents* **0.2** [een tocht ondernemen] *camp (out)* **0.3** [bivakkeren] *camp*, *encamp* ⇒*bivouac* ◆ **3.1** gaan ~ *go camping* **5.1** vrij/bij de boer ~ *c. wild*/*on a farm* **6.1** in een tent/caravan ~ *c. in a tent*/*caravan*.

kamperfoelie ⟨de⟩ **0.1** *honeysuckle* ◆ **2.1** wilde ~ *wild h., woodbine*.

kampernoelie ⟨de⟩⟨plantk.⟩ **0.1** *field mushroom*.

kamphuis ⟨het⟩ **0.1** *(main) lodge*.

kampioen ⟨de (m.)⟩ **0.1** [⟨sport⟩ winnaar] *champion* ⇒⟨inf.⟩ *champ, titleholder* **0.2** [voorvechter] *champion (of)* ⇒*advocate (of)* ◆ **1.2** ~ van de vrijheid zijn *be the*/*a c. of liberty, champion liberty* **2.1** de gedoodverfde ~ *the certain winner*/⟨inf.⟩ *cert* **6.1** hij is ~ **op** de schaats *he is the skating champion*.

kampioenschap ⟨het⟩ **0.1** [wedstrijd] *championship* ⇒*contest, competition, tournament* **0.2** [hoedanigheid] *championship* ⇒*title* ◆ **1.2** houder v.h. ~ *holder of the title, titleholder* **2.1** open ~(pen) *open (tournament)*.

kampioenstitel ⟨de (m.)⟩ **0.1** *(champion's) title*.

kampkaart ⟨de⟩ **0.1** *camping permit*.

kamplaat ⟨de⟩ **0.1** *comb-plate*.

kampleider ⟨de (m.)⟩, **-leidster** ⟨de (v.)⟩ **0.1** *camp leader*.

kampleiding ⟨de (v.)⟩ **0.1** *camp leadership*/*management*.

kamplied ⟨het⟩ **0.1** *camp song*.

kampong ⟨de (m.)⟩ **0.1** *kampong* ⇒*compound* ◆ **6.1** een vrouw **uit** de ~ *a woman from the k..*

kamprechter ⟨de (m.)⟩ **0.1** [mbt. een tweekamp] *umpire* **0.2** [mbt. kampspelen/wedstrijden] *umpire, referee* ⇒⟨inf.⟩ *ref*.

kampsyndroom ⟨het⟩⟨psych.⟩ **0.1** *concentration-camp syndrome* ⇒ *post-traumatic stress disorder*.

Kampuchea ⟨het⟩ **0.1** *Kampuchea*.

kampvechter ⟨de (m.)⟩ **0.1** *champion, fighter*.

kampvuur ⟨het⟩ **0.1** [vuur in een kamp] *campfire* ⇒⟨wachtvuur⟩ *watchfire* **0.2** [vuur van kampeerders] *campfire*.

kampwinkel ⟨de (m.)⟩ **0.1** *camp shop*.

kamrad, kamwiel ⟨het⟩ **0.1** *cog(wheel), gearwheel*.

kamschelp ⟨de (v.)⟩⟨dierk.⟩ **0.1** *scallop* ⇒*Pecten*.

kamvormig ⟨bn.⟩ **0.1** *comb-shaped* ⇒*pectinate(d), ridgy, ctenoid*.

kamwol ⟨het⟩ **0.1** *combing wool*.

kan ⟨de⟩ (→sprw. 324.653) **0.1** [vaatwerk] *jug*, ^*pitcher* **0.2** [oosterse titel] *khan* ◆ **1.1** een ~ bier *a tankard of beer*; een ~ koffie/stroop *a jug*/^*pitcher of coffee*/*syrup*; ⟨fig.⟩ de zaak is in ~nen en kruiken *it's in the bag*/*all fixed (up)*/*all settled* **6.1** een ~ **met** melk *a jug (kannetje)/can (kit) of milk*; ⟨fig.⟩ het onderste **uit** de ~ willen hebben *want to have one's cake and eat it*.

Kanaak ⟨de (m.)⟩ **0.1** *Kanaka*.

kanaal ⟨het⟩ **0.1** [kunstmatige waterweg] *canal* ⇒*channel* **0.2** [natuurlijke zeeëngte] *channel* **0.3** [weg, middel] *channel* **0.4** [⟨radio, t.v.⟩] *channel* **0.5** [pijp] *channel* ⇒*duct* **0.6** [⟨med.⟩] *channel, canal* ⇒*duct*, ⟨spijsvertering⟩ *tract* ◆ **2.3** langs diplomatieke kanalen *through diplomatic channels* **3.4** een ander ~ kiezen *select another c.* ¶**.2** Het Kanaal *the (English) Channel*.

Kanaaleilanden ⟨zn.mv.⟩ **0.1** *(the) Channel Islands*/*Isles*.

kanaalgeld ⟨het⟩, **-gelden** ⟨zn.mv.⟩ **0.1** *canal dues*/*toll*.

kanaalkiezer ⟨de (m.)⟩⟨com.⟩ **0.1** *programme* ^*gram*/*channel selector*.

kanaalschip ⟨het⟩ **0.1** *canalboat* ⇒*narrow boat*.

kanaalsluis ⟨de (v.)⟩ **0.1** *pound-lock, canal-lock*.

kanaalstralen ⟨zn.mv.⟩⟨nat.⟩ **0.1** *canal*/*positive (ion) rays*.

Kanaaltunnel ⟨de (m.)⟩ **0.1** *Channel tunnel, tunnel under the Channel*.

kanaalverbinding ⟨de (v.)⟩ **0.1** *canal communication*/*link*.

Kanaalzone ⟨de (v.)⟩ **0.1** *(Panama) Canal Zone*.

Kanaalzwemmer ⟨de (m.)⟩, **-ster** ⟨de (v.)⟩ **0.1** *cross-Channel swimmer*.

Kanaän ⟨het⟩ **0.1** *Canaan* ◆ **1.1** de tale ~s ⟨pej.⟩ *pious*/*sanctimonious talk, canting* **2.1** het hemels ~ *the Kingdom of Heaven*.

Kanaäniet ⟨de (m.)⟩ **0.1** *Canaanite*.

kanaat ⟨het⟩ **0.1** *khanate*.

kanalenkiezer →**kanaalkiezer**.

kanalennet ⟨het⟩ **0.1** *canal system*/*network*.

kanalisatie ⟨de (v.)⟩ **0.1** [aanleg van kanalen] *canalization* **0.2** [het geschikt maken voor de scheepvaart] *canalization*.

kanaliseren ⟨ov.ww.⟩ **0.1** [⟨fig.⟩ in zekere banen leiden] *channel* **0.2** [van kanalen voorzien] *canalize* **0.3** [tot kanaal maken] *canalize*.

kanarie ⟨de (m.)⟩ **0.1** *canary (bird)* ◆ **2.1** Europese ~ *serin*.

kanariegeel ⟨bn.⟩ **0.1** *canary yellow* ◆ **7.1** ⟨zelfst.⟩ het ~ *canary yellow*.

kanariegras ⟨het⟩ **0.1** *canary grass*.

kanariekooi ⟨de⟩ **0.1** *canary bird cage*.

kanariepietje ⟨het⟩ **0.1** *canary (cockbird)*.

kanarieslag ⟨de (m.)⟩ **0.1** *canary song*.

kanariezaad ⟨het⟩ **0.1** [zaad als voedsel voor kanaries] *canary seed* **0.2** [plant] *canary grass*.

kand. ⟨afk.⟩ **0.1** [kandidaat] *(candidate)* ⇒≠*B.A., B.Sc., LL.B.*.

kandeel ⟨de⟩ **0.1** *caudle*.

kandelaar ⟨de (m.)⟩ **0.1** *candlestick* ⇒*candleholder* ◆ **2.1** een grote ~ ⟨ook⟩ *a candlestand*; een zevenarmige ~ *a menorah*.

kandelaber ⟨de (m.)⟩ **0.1** *candelabrum*; ⟨BE vnl.⟩ *candelabra*.

kandelaren ⟨ov.ww.⟩ **0.1** *trim*/*shape (trees)*.

kandidaat ⟨de (m.)⟩, **-date** ⟨de (v.)⟩ ◆ **0.1** [gegadigde] *candidate* ⇒⟨sollicitant⟩ *applicant*, ⟨voorgedragen kandidaat⟩ *nominee* **0.2** [iem. die zich voor een examen aanmeldt] *candidate* ⇒*examinee* **0.3** [drager van de laagste academische graad] ≠*bachelor of arts*/*science*/*law* ◆ **2.1** een geschikte ~ *a suitable*/*an eligible c.* **2.2** een geslaagde ~ *a successful c.* **3.1** zich ~ stellen (voor) *stand*/*put (o.s.) up (for)*; ⟨vnl. AE⟩ *run (for)*; ⟨iem.⟩ ~ stellen *nominate*/*put forward (s.o.)* **3.2** de kandidaten zijn geslaagd *the candidates passed* **6.1** hij is ~ **voor** de gemeenteraad *he's pulling himself forward*/*he's up*/*he's standing for the municipal council* **6.3** ~ in de letteren/in de rechten ≠*Bachelor of Arts*/*Law* ¶**.1** ⟨scherts.⟩ zijn er nog kandidaten om mee te rijden? *is anyone interested in a lift*/*ride?*.

kandidaat-assistent ⟨de (m.)⟩ **0.1** *teaching fellow* ⇒*teaching assistant, TA, student assistant*.

kandidaat-notaris ⟨de (m.)⟩ **0.1** ≠*junior notary*.

kandidaats ⟨het⟩ **0.1** ≠*first university examination*/*degree* ⇒*B.A., B.Sc, LL.B.* ◆ **3.1** zijn ~ doen *sit for one's B.A. examination*/*first degree* **6.1** na zijn ~ *after his B.A.*/*getting his degree*.

kandidaatsexamen ⟨het⟩ **0.1** ≠*B.A.*/*B.Sc.*/*LL.B. examination*.

kandidaatstelling ⟨de (v.)⟩ **0.1** *nomination* ⇒*selection* ◆ **2.1** zij werd verkozen bij enkele ~ *she was elected unopposed, her election was uncontested*.

kandidatenlijst ⟨de⟩ **0.1** *list of candidates* ⇒⟨vnl. AE⟩ *slate*.

kandidatentournooi ⟨het⟩⟨sport⟩ **0.1** *candidates' tournament*.

kandidatuur ⟨de (v.)⟩ **0.1** *candidature* ⇒*candidacy, nomination* ◆ **3.1** zijn ~ intrekken *withdraw (one's nomination) as a candidate, resign (from) one's candidature*; voor een ~ bedanken *decline to stand as candidate*.

kandideren
I ⟨ov.ww.⟩ **0.1** [als kandidaat voorstellen] *nominate* ⇒*put forward, propose*;
II ⟨onov.ww.⟩ **0.1** [zich kandidaat stellen] *stand*/*put (o.s.) up (for)* ⇒ ⟨vnl. AE⟩ *run (for)* ◆ **6.1** zij kandideert **voor** de gemeenteraad *she is standing for the municipal*/*local council*.

kandij ⟨de⟩ **0.1** *candy*.

kandijstroop ⟨de⟩ **0.1** *candy*/*candied syrup*.

kandijsuiker ⟨de (m.)⟩ **0.1** *(sugar) candy*.

kaneel ⟨het, de (m.)⟩ **0.1** *cinnamon* ◆ **1.1** een pijpje ~ *a stick of c., a c. stick* **2.1** fijne ~ *ground c., c. powder* **6.1** rijst **met** ~ *rice (flavoured) with c., cinnamoned rice*.

kaneelappel ⟨de (m.)⟩ **0.1** [vrucht] *sweetsop* ⇒*custard*/*sugar*/^*cinnamon apple, anon* **0.2** [boom]⟨annona squamosa⟩ *sweetsop*.

kaneelbeschuitje ⟨het⟩ **0.1** *cinnamon toast*.

kaneelkleur ⟨de⟩ **0.1** *cinnamon (colour)*.

kaneelkleurig ⟨bn.⟩ **0.1** *cinnamoncoloured* ⇒*fulvous*.

kaneelpijp ⟨de⟩ **0.1** *cinnamon stick* ⇒*stick of cinnamon*.

kaneelstok ⟨de (m.)⟩ **0.1** *cinnamon-flavoured Edinburgh rock*.

kaneelstokje ⟨het⟩ **0.1** *cinnamon stick*.

kanen
I ⟨ww.⟩ **0.1** [⟨inf.⟩ met smaak eten] *tuck in*;
II ⟨onov.ww.⟩ **0.1** [muf worden] *become musty*/*fusty*.

kangoeroe ⟨de (m.)⟩ **0.1** *kangaroo* ⇒⟨klein⟩ *wallaby*.

kangoeroebal ⟨de (m.)⟩ **0.1** *space-hopper*.

kangoeroeschip ⟨het⟩ **0.1** *lash-ship*.

kanis ⟨de (m.)⟩⟨inf.⟩ **0.1** [kop] *block* ⇒*nut, pate, noggin*, ⟨BE ook⟩ *nob, bonce* **0.2** [bek] *trap* ⇒⟨BE;sl.⟩ *gob*, ⟨AE;sl.⟩ *yap, kisser* ◆ **2.1** een kale ~ *a bald pate* **3.2** hou je ~! *belt*/*shut up!*, *shut your t.*/*gob* **6.1** iem. een dreun **voor** zijn ~ geven *biff s.o. on the kisser*.

kanjer ⟨de (m.)⟩ **0.1** [iem. die voortreffelijk is in iets] *wizard* ⇒ ↑*topper*, ⟨inf.⟩ *humdinger, whiz kid*, ⟨sport⟩ *star (player), top player* **0.2** [knots] *whopper* ⇒*colossus* **0.3** [⟨sport⟩] *(a) real beauty* ⇒*scorcher, sizzler* ◆ **4.1** ⟨mooie man/vrouw⟩ wat een ~! *some eyeful!, take a load of that!* **6.1** een ~ **van** een baas *a super boss* **6.2** een ~ **van** een vis/appel *a whopping fish*/*apple, a whopper*; een ~ **van** een boom *a great big*/*a huge tree*; een ~ **van** een huis *a thumping*/*whopping great house*.

kanker ⟨de (m.)⟩ **0.1** [ziekte] *cancer* ⇒⟨med.⟩ *carcinoma* **0.2** [⟨fig.⟩] *cancer* ⇒*canker* **0.3** [ziekte bij dieren/planten/bomen] *canker* ⇒*cankerous growth* ◆ **1.1** ~ v.d. maag *stomach cancer*/*carcinoma, cancer of the stomach* **3.1** aan ~ doodgaan *die of cancer*; ~ hebben *have (a) cancer*; aan ~ lijden *suffer from cancer* **3.3** door ~ aangevreten *cankerous* **6.1** ~ **in** het eerste/in een vroeg stadium *incipient cancer* **6.2** de enorme werkloosheid is een ~ **voor** de maatschappij *the enormous rate of unemployment is a cancer*/*canker in society*.

kankeraar ⟨de (m.)⟩ **0.1** *grouser* ⇒*grumbler, whiner*, ⟨vnl. AE;inf.⟩ *grump(y)*, ⟨sl.⟩ *bellyacher*.

kankerachtig ⟨bn., bw.; -ly⟩ **0.1** [op kanker lijkend] *cancerous* ⇒*cancroid, cankerous* **0.2** [(als) door kanker aangetast] *cancerous* ⇒*cankerous* ⟨dieren, bomen⟩ ◆ **1.1** een ~ gezwel *a cancerous tumour*/*growth*.

kankerbestrijding ⟨de (v.)⟩ **0.1** *fight against cancer* ⇒*cancer-control*, ⟨campagne⟩ *anti-cancer campaign*.

kankeren ⟨onov.ww.⟩ **0.1** [mopperen] *grouse* ⇒*grumble, gripe, whine, moan,* ⟨sl.⟩ *bellyache* **0.2** [kanker hebben] *cancerate* ⇒*be cancerous, be cankerous* ⟨bomen, dieren⟩ **0.3** [zich woekerend verspreiden] *canker* ◆ **6.1** ~ **op** de maatschappij *grouse about society;* hij loopt altijd **over/op** iets te ~ *he is always grousing/moaning about sth., he always has sth. to grouse about.*

kankergezwel ⟨het⟩ **0.1** *cancerous tumour/growth* ◆ **2.1** hard ~ *scirrhus.*

kankerinstituut ⟨het⟩ **0.1** *cancer (research) institute/centre.*

kankerlijer ⟨de (m.)⟩ ⟨inf.⟩ **0.1** *(rotten) bastard* ⇒*arsehole.*

kankerneurose ⟨de (v.)⟩ **0.1** *cancer neurosis.*

kankeronderzoek ⟨het⟩ **0.1** *cancer research.*

kankerpatiënt ⟨de (m.)⟩, **-e** ⟨de (v.)⟩ **0.1** *cancer patient.*

kankerpit ⟨de (m.)⟩ ⟨inf.⟩ **0.1** *bellyacher* ⇒*Jeremiah.*

kankerstok ⟨de (m.)⟩ ⟨scherts.⟩ **0.1** *cancer stick* ⇒^*coffin nail.*

kankerverwekkend ⟨bn.⟩ **0.1** *carcinogenic* ◆ **1.1** ~ e stof *carcinogen.*

kankerzooi ⟨de⟩ ⟨inf.⟩ ◆ **2.¶** de hele ~ *the whole bloody/* ↓*fucking mess.*

kannibaal ⟨de (m.)⟩ **0.1** [menseneter] *cannibal* ⇒*man-eater, anthropophagite, anthropophagus* **0.2** [woesteling] *cannibal* ⇒*savage.*

kannibalisme ⟨het⟩ **0.1** [menseneterij] *cannibalism* ⇒*anthropophagy* **0.2** [het eten van vlees v.e. soortgenoot] *cannibalism* **0.3** [vernielzucht] *cannibalism.*

kano ⟨de (m.)⟩ **0.1** [bootje] *canoe* **0.2** [licht sportvaartuigje] *canoe* **0.3** [gebakje] *almond boat* ◆ **6.1** per ~ bevaren/vervoeren *canoe.*

kanoën ⟨onov.ww.⟩ **0.1** *canoe.*

kanoetstrandloper, -vogel ⟨de (m.)⟩ **0.1** *knot.*

kanon ⟨het⟩ **0.1** [vuurwapen] *gun* ⇒*cannon* **0.2** [vuurmond] *gun* **0.3** [persoon, kopstuk] *big shot* ⇒*big name, authority* **0.4** ⟨⟨sport⟩⟩ *fast shot* ◆ **2.3** de economische en politieke ~ nen *the economic and political big shots/top people/authorities* **3.1** een ~ laden/afvuren *load/fire a g.;* als de ~ nen spreken *in time of war* **6.1 met** ~ nen beschieten *put down a barrage, pound, hammer;* ⟨fig.⟩ **met** een ~ op een mug/vlieg schieten *crack a nut with a sledgehammer* **8.1** zo doof als een ~ *as deaf as a post* **8.¶** zo dronken als een ~ *dead drunk, gloshed to the eyeballs/out of one's mind; high as a kite.*

kanongebulder ⟨het⟩ **0.1** *booming/thunder/roar(ing) of cannons/guns.*

kanongieterij ⟨de (v.)⟩ **0.1** *cannon/gun foundry.*

kanonikes ⟨de (v.)⟩ ⟨r.k.⟩ **0.1** *canoness.*

kanonloop ⟨de (m.)⟩ **0.1** *gun barrel.*

kanonnade ⟨de (v.)⟩ **0.1** [het schieten met kanonnen] *cannonade* ⇒*barrage* **0.2** [geschutvuur] *cannonade* ⇒*volley.*

kanonneerboot ⟨de⟩ **0.1** *gunboat.*

kanonneren ⟨onov.,ov.ww.⟩ **0.1** *cannon(ade)* ⇒*bombard.*

kanonnenvlees, kanonnevoer ⟨het⟩ **0.1** *cannon fodder.*

kanonnier ⟨de (m.)⟩ **0.1** *gunner* ⇒*cannoneer/nier.*

kanonschot ⟨het⟩ **0.1** [schot met een kanon] *gun/cannonshot* **0.2** [⟨sport⟩] *terrific/cannonball shot* ⇒⟨inf.⟩ *sizzler, scorcher.*

kanonskogel ⟨de (m.)⟩ **0.1** [kogel uit een kanon] *cannonball/shot* ⇒ *projectile* **0.2** [⟨sport⟩] *cannonball* ⇒*bullet.*

kanonslag ⟨de (m.)⟩ **0.1** *thunderflash* ⇒*banger.*

kanonvuur ⟨het⟩ **0.1** *gunfire* ⇒*cannonade/cannonry, barrage.*

kanovaarder ⟨de (m.)⟩, **-vaarster** ⟨de (v.)⟩ **0.1** *canoeist.*

kanovaren ⟨ww.⟩ **0.1** *canoe.*

kans ⟨de⟩ **0.1** [mogelijkheid] *chance* ⇒*possibility, opportunity,* ⟨op iets onaangenaams⟩ *liability, risk* **0.2** [gunstige gelegenheid] *opportunity, chance* ⇒*break, opening* ◆ **1.1** vijftig procent ~ *even chances* **2.1** ⟨inf.⟩ (een) dikke ~ dat *...a good c. that ...;* hun ~ en zijn gelijk *it's a toss-up between them;* bijna gelijke ~ en *short odds;* een goede ~ maken voor de benoeming *be well in the running for the appointment;* de ~ is groot dat *...the odds are that ...;* er is een klein ~ je dat *...there's a slight possibility/c. that ...;* een redelijke/eerlijke ~ *a fair c.* **2.2** gelijke ~ en voor iedereen *equal opportunities/chances for everyone;* wisselende ~ en *swaying fortunes, vicissitudes* **3.1** zijn ~ en ten volle benutten/waarnemen *make the most of one's chances/opportunities;* de artsen gaven hem geen ~ meer *the doctors gave him up as hopeless;* iem. de ~ geven om *...give s.o. the opportunity/c. to ...;* hij heeft een goede/veel ~ te winnen *he stands/has a good c. of winning;* er is/bestaat een ~ dat *...there is a c./ possibility that ...;* de ~ en keren de tide/his luck is turning; de ~ en doen keren *turn the tide;* de ~ krijgen te *...get/be given the c./ opportunity to ...;* de ~ lopen *run the risk, be liable;* ~ maken op *stand a c. of (sth./ doing sth.);* ~ maken op een goede baan *stand a good/fair chance of getting a good job;* de ~ en staan erg goed/slecht voor hem *his chances are very good/poor;* hij zag zijn ~ en stijgen *he saw his chances multiply;* ik zie er wel ~ toe *I think I can manage it;* ik zie er geen ~ toe *I see no opportunity to do it, I don't think I can manage it;* ~ zien te ontkomen *manage to escape* **3.2** zijn ~ en aangrijpen/waarnemen *seize the opportunity;* zijn ~ afwachten *await one's chances;* een gemiste ~ *a lost/ missed opportunity;* iem. een ~ geven *give s.o. a c./ break;* grijp je ~ ! *seize the opportunity!;* de ~ is verkeken *you've had your c./ opportunity;* zijn ~ schoon zien *see one's c./ opportunity* **3.¶** een ~ (je) wagen *give it a try* **4.1** je hebt alle ~ dat *there's every chance that* **6.1** er is ~ **op** regen *there's a c. it will rain;* ~ **van** slagen hebben *have a c. of success* **6.2** de ~ **van** zijn

leven *the c. of a/ his lifetime* **7.1** daar is geen ~ op *not a c., there is no c. (of it);* morgen is er meer ~ *there'll be a better c. tomorrow;* je hebt de meeste ~ het in Van Dale te vinden *you're most likely to find it in Van Dale;* er is niet veel ~ dat *...there's little c. of ...;* ⟨inf.⟩ weinig ~ ! *not bloody likely!;* weinig ~ maken *stand little c., stand much c.* **¶**.1 de ~ is honderd tegen één *the odds/ chances are a hundred to one* **¶**.2 geen schijn van ~ *not a c. in the world, not even the ghost of a c..*

kansarm ⟨bn.⟩ **0.1** *underprivileged* ⇒*deprived* ◆ **7.1** de ~ en *the underprivileged.*

kans(be)rekening ⟨de (v.)⟩ **0.1** [het berekenen van een kans] *calculation of probability* **0.2** [⟨wisk., statistiek⟩] *theory of probability/ probabilities/ chances, probability calculus;* ⟨aparte som⟩ *calculation of probability* ◆ **6.1** volgens iedere ~ *by all the laws of probability.*

kansel ⟨de (m.)⟩ **0.1** *pulpit* ◆ **3.1** ⟨fig.⟩ de ~ verlaten *resign/ step down as a minister* **6.1** (iets) **van** de ~ verkondigen *announce (sth.) from the p. on behalf of the church.*

kanselarij ⟨de (v.)⟩ **0.1** [griffie] *chancellery* ⇒*chancery* **0.2** [kantoor v.e. gezantschap] *chancellery* ⇒*chancery.*

kanselarijtaal ⟨de⟩ **0.1** [de in kanselarijen gebruikelijke taal] *official style* **0.2** [dorre schrijftrant] *officialese.*

kanselier ⟨de (m.)⟩ **0.1** [ambtenaar] *chancellor* **0.2** [hoogwaardigheidsbekleder] *chancellor* **0.3** [⟨r.k.⟩] *chancellor.*

kanselstijl ⟨de (m.)⟩ **0.1** *parsonical manner/ voice* ⇒*pulpit style.*

kanshebber ⟨de (m.)⟩ **0.1** *likely candidate/ winner* ⇒*probable* ◆ **6.1** de grootste ~ **op/voor** de 5000 meter *the favourite in/ to win the 5000 metres;* ~ zijn **voor** *... be in line for, be the hot contender/ odds on for.*

kansloos ⟨bn., bw.⟩ **0.1** *prospectless* ⇒*losing* ◆ **3.1** ~ zijn vanaf het begin *be a non-starter/ left at the post* **5.1** volkomen ~ zijn *not have/ stand a (snowball's) chance in hell, not have a cat in hell's chance* **6.1** hij was ~ **tegen** hem *he did not stand a chance against him.*

kanspaard ⟨het⟩ **0.1** (ook fig.) *favourite* ⇒*likely candidate, naturel.*

kansrekening ⇒*kansberekening.*

kansrijk ⟨bn.⟩ **0.1** [kans op succes hebbend] *likely* ⟨kandidaat⟩ ⇒*favourable* **0.2** [kans hebbend om in de maatschappij te slagen] *privileged.*

kansspel ⟨het⟩ **0.1** *game of chance* ⇒*lottery,* ≠*gambling game* ◆ **1.1** de wet op de ~ en *the law concerning games of chance.*

kansspelbelasting ⟨de (v.)⟩ **0.1** *lottery/ betting tax/ levy.*

kansverdeling ⟨de (v.)⟩ ⟨statistiek⟩ **0.1** *distribution of probability.*

kant[1] ⟨de (m.)⟩ **0.1** [weefsel] *lace* **0.2** [rand, zijkant] *edge, side;* ⟨kantlijn⟩ *marge* **0.3** [oever] *bank* ⇒*edge* **0.4** [grensvlak van een lichaam] *side* ⇒(sur)face, ⟨fig.⟩ *aspect, facet, angle, view* **0.5** [smalle zijvlak] *side* ⇒*end, edge* **0.6** [plaats waar twee vlakken samenkomen] *edge* **0.7** [richting] *way, direction* **0.8** [plaatsbepaling mbt. een scheidslijn] *side* **0.9** [deel/ uiteinde van een gebied/ lichaam] *side, end* **0.10** [helft v.h. lichaam] *side* **0.11** [partij, kamp] *side, part(y)* **0.12** [mbt. verwantschap] *side* ◆ **1.3** ⟨fig.⟩ dat raakt ~ noch wal *that's neither here nor there* **1.4** ⟨fig.⟩ dat is één ~ v.d. zaak *that's (only) one side of the matter* **1.12** familie van vaders/ moeders ~ *paternal/ maternal relatives, relatives on one's father's/ mother's s.* **2.1** Brussels ~ *Brussels l.;* fijne ~ *fine l., mignonette;* geklooste ~ *bobbin l.;* linnen/ katoenen ~ *thread l.* **2.4** zich van zijn goede ~ laten zien *show one's good side;* de goede/ verkeerde ~ v.e. stof *the right/ wrong side of a fabric;* ⟨fig.⟩ iets van de mooie/beste ~ bekijken *put a good face on sth., see the bright side of sth.;* de schuine ~ v.e. plank *the bevel of a plank;* iemands sterke/ zwakke ~ en *s.o.'s strong/ weak points;* de vlakke ~ v.e. plank *the face of a plank;* ⟨fig.⟩ alles van de zonnige ~ bekijken *see the bright side of everything* **2.5** de smalle ~ v.e. plank *the edge of a plank* **2.6** de scherpe ~ en/ ~ jes van iets afnemen *take the e. off sth.;* scherpe ~ *(cutting) e.; bezel* ⟨van beitel⟩ **2.7** ik keek net de andere ~ uit *I was just looking the other w./ d.;* een andere ~ op (doen) gaan *veer;* dit gaat dezelfde ~ uit *this is going the same w./ d.;* het gaat met hem de goede ~ op *he's improving;* ⟨na ziekte⟩ *he is on the mend;* het gaat met hem de verkeerde ~ op *he's going to the bad;* ⟨na ziekte⟩ *he's taken a turn for the worse* **2.8** aan de andere ~ v.d. rivier *on the other s. of the river, across the river;* ⟨fig., scherts.⟩ aan de verkeerde ~ v.d. veertig (on) *the wrong s. of forty* **2.9** aan de andere ~ v.h. graf *beyond the grave;* ⟨scheep.⟩ de staande ~ *the leech;* ⟨fig.⟩ aan de veilige ~ blijven *bij een raming stay on the safe s. with one's estimate, make a conservative estimate* **2.¶** hij is aan de kleine ~ *he is shortish/ fairly short;* van de verkeerde ~ zijn *be on the other persuasion, be bent* **3.11** iets met ~ afzetten *edge/ trim sth. with l.;* opengewerkte ~ *openwork l.* **3.11** de ~ v.d. sterkste kiezen *side with the winning/ strongest party* **4.4** ⟨fig.⟩ een zaak aan/ van alle ~ en bekijken *look at the matter from all sides/ every angle* **4.7** ⟨fig.⟩ ik kunt met mij alle ~ en op *I'm game for anything;* ⟨fig.⟩ zij kan nog alle ~ en op *she has kept her options open, she's still free to do as she pleases, she's got room in which to manoeuvre* ^*neuver;* ⟨fig.⟩ daar kun je alle ~ en mee op/ uit *it serves all sorts of purposes, it's open to interpretation, that leaves (plenty of) room for manoeuvring* ^*neuvring;* deze ~ op, alstublieft *this w., please;* ⟨inf.⟩ we komen binnenkort jullie ~ op *we'll be coming your w. soon;* welke ~ ga jij op? *which w. are you going/ heading?;* ⟨fig.⟩ ik weet niet welke ~ dit opgaat *I don't know what this is coming to/ where this will end* **4.¶** wij van onze ~ *(we) for our part* **6.2 aan** de ~ v.d. weg staan *stand by the side of the road;* **aan** de ~! *step aside!, out of my/the way!;* ⟨fig.⟩ een zaak **aan** de ~ doen/zetten *close down a business, sell one's business;* ⟨inf.⟩ *put up the shutters;* ⟨fig.⟩ zet je zorgen **aan** de ~ *forget your troubles;* iets **aan** (de) ~ leggen *put sth. aside/by;* **aan** de ~ gaan rijden *pull in;* **aan** de ~ gaan staan *stand/step aside;* zijn auto **aan** de ~ zetten *pull up/over;* ⟨fig.⟩ iem. **aan** de ~ zetten *push s.o. out;* ⟨inf.⟩ *give s.o. the old heave-ho, give s.o. the push/shove;* **aan** de ~ v.d. weg *at the side of the road, by the roadside; wayside* ⟨restaurant⟩ **6.3** het schip ligt **aan/voor** de ~ *the ship is moored/berthed;* **naar** de ~ komen *swim ashore;* **op** de ~ klimmen *climb ashore/on land;* iem. **van** de ~ afduwen *push s.o. in* **6.4** ⟨fig.⟩ **aan** de ene ~ wel, **aan** de andere ~ niet *on the one hand/from one point of view, yes, on the other* (hand)/*from another (point of view), no; yes and no;* ⟨fig.⟩ **van/aan** de andere ~ *on the other hand* **6.5** iets **op** zijn ~ zetten *put sth. on its s.;* ⟨fig.⟩ het was een dubbeltje **op** zijn ~ *it was touch and go* **6.7** dat is de ~ van Haarlem op *that's out towards/in the d. of Haarlem, that's out Haarlem w.;* **van** alle ~ en *left and right, from/on all sides; from all quarters* ⟨komen⟩ **6.9** **aan** de ~ zitten waar de klappen vallen *be on the receiving end* **6.10** hij is **aan** één ~ doof *he is deaf on one s.* **6.11** ik sta **aan** jouw ~ *I'm on your s., I'm with you;* iem. **aan** zijn ~ krijgen *win s.o. over to one's s.;* **van** die ~ hebben we niets te vrezen *we have nothing to fear from that s./end/quarter;* de liefde kan **van** één ~ komen *love must be a two-sided affair;* dat hoor je **van** alle ~ en *that's what one hears on/from all sides;* wantrouwen **van** de ~ v.d. bevolking *distrust on the part of the public/populace* **6.¶** iets **aan** ~ maken *tidy sth. up;* de boel is weer **aan** ~ *everything is back in place, the job is fininshed;* iets **over** zijn ~ laten gaan *take sth. (lying down), stand for sth.;* iets niet **over** zijn ~ laten gaan *not let sth. pass, not take sth. (lying down), not put up with sth.;* zich/iem. **van** ~ maken *do o.s./s.o. in;* ⟨iem. ook⟩ *do away with s.o.* **7.4** ⟨fig.⟩ er zitten meer ~ en aan die zaak *there are more sides to this case, this case has several sides/facets* **7.7** geen ~ meer op kunnen *have nowhere (left) to go* **7.¶** ⟨inf.⟩ dat klopt van geen ~ en *that's all/completely wrong* **¶.4** deze ~ boven *this side up.*

kant² ⟨bn.⟩ ◆ **2.¶** ~ en klaar *ready-made, ready to hand/for use* (→ook kant-en-klaar); iets ~ en klaar (in de winkel) kopen/v.d. fabriek krijgen *buy sth. ready-made (in the shop), get sth. fully assembled/ready to/for use from the factory;* ~ en klaar zijn voor …*be ready for …;* een project dat ~ en klaar wordt opgeleverd *a fully worked-out project/scheme.*

kanteel ⟨de (m.)⟩ **0.1** [deel van oude stads- en burchtmuren] *merlon* **0.2** [⟨mv.⟩ de hele muurbekroning] *battlement(s)* ⇒ *crenellation* ᴬ*elation* **0.3** [trans] *battlement* ⇒ *gallery* ◆ **6.1** met kantelen *battlemented, crenellated* ᴬ*elated.*

kantelbed ⟨het⟩ **0.1** *tip-up bed.*

kanteldeur ⟨de⟩ **0.1** *up-and-over door* ⇒ *overhead/swing-up door.*

kanteldoel ⟨het⟩ ⟨sport⟩ **0.1** *moveable/mobile goal (frame).*

kantelen
I ⟨ov.ww.⟩ **0.1** [over een kant wenden] *cant* ⇒ *tilt, tip (over/to one side), turn over, overturn* ◆ **1.1** ⟨scheep.⟩ een schip ~ *careen/heave down a ship;* een zware steen ~ *turn over a heavy stone* **5.1** niet ~! *this side up!;*
II ⟨onov.ww.⟩ **0.1** [over een kant omvallen] *topple/turn over* **0.2** [kapseizen] *capsize* ◆ **1.1** pas op, die kist gaat ~ *look out, that crate/chest is going to topple/turn over.*

kanteling ⟨de (v.)⟩ **0.1** *turning over* ⇒ *toppling.*

kantelraam ⟨het⟩ **0.1** *swing/cantilever window.*

kanten¹ ⟨de⟩ **0.1** *agar(-agar)* ⇒ *Chinese/Japanese gelatin.*

kanten² ⟨bn.⟩ **0.1** *(of) lace* ⇒ *lac(e)y* ◆ **1.1** een ~ kraagje *a lace collar;* een ~ sluier *a mantilla, lace veil.*

kanten³
I ⟨ov.ww.⟩ **0.1** [vlak/recht maken] *square;*
II ⟨wk.ww.; zich ~⟩ **0.1** [verzetten] *oppose* ⇒ *resist* ◆ **6.1** zich **tegen** iets of iem. ~ *oppose sth. or s.o., set one's face against sth. or s.o..*

kantengrip ⟨de⟩ ⟨skisport⟩ **0.1** *edge grip.*

kant-en-klaar ⟨bn.⟩ **0.1** *ready-made, instant* ⇒ *ready-to-eat* ⟨voedsel⟩, *ready-to-wear, off the peg* ⟨kleding⟩ ◆ **1.1** een ~ geleverde fabriek *a turnkey factory;* kant-en-klare maaltijden ⟨ook⟩ *convenience food;* geen kant-en-klare oplossing hebben *have no cut-and-dried solution/no quick and easy answer;* kant-en-klare oplossingen *cut-and-dried solutions;* een ~ rapport *a report in apple-pie order.*

kanterkaas ⟨de (m.)⟩ **0.1** *cum(m)in cheese.*

kantgaren ⟨het⟩ **0.1** *lace thread.*

kanthalf ⟨de (m.)⟩ ⟨sport⟩ **0.1** *(left/right) wing, (left-/right-)winger.*

kantianisme ⟨het⟩ **0.1** *kantianism.*

kantig ⟨bn.⟩ **0.1** [hoekig] *angular* ⇒ *sharp-edged,* ⟨fig.⟩ *rugged* **0.2** [naar fust smakend] *fusty* ⇒ *musty.*

kantindustrie ⟨de (v.)⟩ **0.1** *lace industry.*

kantine ⟨de (v.)⟩ **0.1** *canteen.*

kantinebeheerder ⟨de (m.)⟩ **0.1** ⟨mil.⟩ *canteen manager;* ⟨in scholen, bedrijven e.d.⟩ *cafeteria/* ⟨BE ook⟩ *canteen manager/supervisor.*

kantinewagen ⟨de (m.)⟩ **0.1** *mobile canteen.*

kantje ⟨het⟩ **0.1** [uiterste rand] *edge* ⇒ *verge* **0.2** [bladzijde] *page* ⇒ *side*

0.3 [kantwerkje] *piece of lacework* **0.4** [vers ingelegde ton haring] ≠*cran* ◆ **1.1** ⟨fig.⟩ het was ~ boord *it was a close shave/touch and go* **2.1** ⟨fig.⟩ de scherpe ~ s van iets afhalen *turn the e. of sth.* **3.¶** er de ~ s aflopen *cut corners* **6.1** ⟨fig.⟩ dat is **op** het ~ *that is pretty close to the wind;* ⟨inf.⟩ *that is near the knuckle;* ⟨fig.⟩ dat was **op** het ~ *af that was a narrow escape;* ⟨inf.⟩ *a narrow squeak;* ⟨fig.⟩ zijn verhalen zijn altijd **op** het ~ af *his stories are always risqué/a little near the knuckle;* ⟨fig.⟩ **op** het ~ (af) slagen (voor een examen) *scrape through (an exam)* **6.2** een opstel **van** drie ~ s *a three-page essay* **6.3** met ~ s ⟨bv. lingerie⟩ *frilly.*

kantjesharing ⟨de (m.)⟩ **0.1** *pickled herring.*

kantklossen ⟨ww.⟩ **0.1** *make bobbin lace.*

kantkoek ⟨de (m.)⟩ **0.1** [repen koek] *'kantkoek'* ⟨*pieces trimmed from the side of a cake*⟩ ⇒ *cake trimmings* **0.2** [koek gebakken langs de kant v.d. oven] *'kantkoek'* ⟨*cake baked on the side of an oven*⟩.

kantkussen ⟨het⟩ **0.1** *lace pillow.*

kantlaag ⟨de⟩ **0.1** [stenen] *kerb,* ᴬ*curb* **0.2** [zoden] *verge.*

kantlijn ⟨de⟩ **0.1** [lijn op een blad papier] *margin (line)* **0.2** [marge] *margin* **0.3** [ribbe v.e. kubus] *edge* ◆ **3.2** v.e. ~ voorzien *margin(ate)* **6.2** iets **in** de ~ schrijven *write sth. in the m.;* **in** de ~ geschreven opmerkingen *marginal notes/remarks, notes written in the m., marginals.*

kantlijnopheffer ⟨de (m.)⟩ **0.1** *margin release.*

kantlijnstop ⟨de (m.)⟩ **0.1** *margin stop.*

kantnaald ⟨de⟩ **0.1** *lace needle.*

kanton ⟨het⟩ **0.1** [mbt. een administratieve indeling] *canton* ⇒ *district* **0.2** [mbt. een weg] *section.*

kantonaal → **kantonnaal** 0.1.

kantongerecht ⟨het⟩ **0.1** [rechtscollege] *cantonal court* ⇒ ⟨Engeland⟩ ≠*magistrates' court,* ⟨Schotland⟩ ≠*district court,* ⟨USA⟩ ≠*municipal /police/Justice of the Peace court* **0.2** [gebouw] *cantonal court(-house).*

kantonnaal ⟨bn.⟩ **0.1** [van/bij de kantonrechter] *of the cantonal (magistrate's) court* **0.2** [v.e. kanton] *cantonal* ◆ **1.1** een kantonnale procedure *proceedings in the cantonal (magistrate's) court.*

kantonneren
I ⟨ov.ww.⟩ **0.1** [troepen inkwartieren] *canton* ⇒ *quarter;*
II ⟨onov.ww.⟩ **0.1** [gelegerd worden] *be quartered.*

kantonnier ⟨de (m.)⟩ **0.1** *roadman.*

kantonrechter ⟨de (m.)⟩ **0.1** *cantonal judge* ⇒ ⟨GB⟩ *magistrate, J.P.,* ⟨USA⟩ *Justice of the Peace.*

kantoor ⟨het⟩ **0.1** [gebouw/vertrekken voor administratieve werkzaamheden] *office* **0.2** [werkvertrek(ken)] *office* ◆ **1.1** ~ van afzending/bestelling/uitbetaling/rebuten ⟨enz.⟩ *o. of despatch/delivery/payment/dead letters* ⟨enz.⟩ **2.2** hij heeft een druk ~ *he has a busy practice* **3.2** een ~ houden *maintain/run an o.;* ~ houden in Noordeinde *have offices in Noordeinde* **6.1 na** ~ een borrel pakken *have a drink/quick one after o./business hours;* **naar** ~ gaan *go to the o.;* hij is **op** zijn ~ *he is in his o.;* **ten** kantore v.d. bank *at the offices of the bank* **6.2** overdag ben ik **op** (mijn) ~ *I am at the o. in the daytime;* te laat **op** (het) ~ komen *be late at the o., get to the office late;* **op** ~ werken *be engaged in o. work, work in an o..*

kantoorautomatisering ⟨de (v.)⟩ **0.1** *office automation.*

kantoorbaan ⟨de⟩ **0.1** *office/clerical job.*

kantoorbediende ⟨de (m.)⟩ **0.1** *(office-)clerk.*

kantoorbehoeften ⟨zn.mv.⟩ **0.1** *office equipment/appliances/materials* ⇒ ⟨schrijfbehoeften⟩ *office stationery.*

kantoorboek ⟨het⟩ **0.1** *account book* ⇒ ⟨inf.⟩ *the books.*

kantoorboekhandel ⟨de (m.)⟩ **0.1** *office stationer's.*

kantoorcomputer ⟨de (m.)⟩ **0.1** *office computer.*

kantoorervaring ⟨de (v.)⟩ **0.1** *office/clerical experience* ⇒ *experience in office work.*

kantoorgebouw ⟨het⟩ **0.1** *office block/building.*

kantoorinventaris ⟨de (m.)⟩ **0.1** *office furniture and equipment.*

kantoormachine ⟨de (v.)⟩ **0.1** *business/office machine.*

kantoorpand ⟨het⟩ **0.1** *office premises* ⟨mv.⟩ ⇒ ⟨groot⟩ *office-block.*

kantoorpersoneel ⟨het⟩ **0.1** *office staff/employees/workers* ⇒ *deskworkers, white-collar workers.*

kantoorpik ⟨de (m.)⟩ ⟨pej.⟩ **0.1** *pen-pusher.*

kantoortijd ⟨de (m.)⟩ **0.1** *office/business hours* ◆ **6.1 na** ~ *after (o.) h.;* **onder** ~ *during o./b. h..*

kantoortje ⟨het⟩ **0.1** [klein kantoor] *(small) office* **0.2** [afgeschoten hokje] *office.*

kantoortuin ⟨de (m.)⟩ **0.1** *open-plan office.*

kantooruren ⟨zn.mv.⟩ **0.1** *office hours* ⇒ ⟨voor personeel ook⟩ *working hours,* ⟨voor publiek ook⟩ *business hours* ◆ **6.1 buiten** ⟨de⟩ (normale) ~ *outside ordinary business hours;* **tijdens** ⟨de⟩ ~ *during business hours/o. h., from nine to five.*

kantoorwerk ⟨het⟩ **0.1** [werk dat op een kantoor verricht wordt] *office/clerical work* ⇒ *desk work* **0.2** [en baan op een kantoor] *office/clerical work.*

kantrechten ⟨ov.ww.⟩ **0.1** *square.*

kantsteek ⟨de (m.)⟩ **0.1** [bij het kantwerken] *lace stitch* **0.2** [bij het breien] *edge stitch.*

kantsteen ⟨de (m.)⟩ **0.1** [aan de buitenkant v.e. bestrating] *kerb* [A]*curb stone* **0.2** [om een metsellaag gelijk te maken] *edge stone*.

kanttekening ⟨de (v.)⟩ **0.1** [kleine opmerking] *(short/marginal) comment* **0.2** [aantekening in de marge] *marginal note* ⇒⟨mv.ook⟩ *marginalia* **0.3** [verklarende aantekening] *annotation* ⇒*marginal note* ◆ **3.1** ~en plaatsen bij iets *comment/give a short comment on sth.* **6.1** ~en **bij** het voorstel *comments/remarks on the proposal/motion* **6.2** ~en **in** een verslag *marginal notes in a report* **6.3** een uitgave **met** ~en *an annotated edition*.

kantwerk ⟨het⟩ **0.1** *lace(work)*.

kantwerkster ⟨de (v.)⟩ **0.1** *lace-worker/-maker*.

kanunnik ⟨de (m.)⟩ **0.1** *canon*.

kaolien ⟨het⟩ **0.1** *kaolin* ⇒*china clay*.

kap ⟨→sprw. 434⟩
I ⟨de⟩ **0.1** [hoofddeksel voor vrouwen] *cap* ⇒⟨van klederdracht⟩ *casque*, ⟨van non⟩ *wimple* **0.2** [capuchon] *hood* **0.3** [bedekking] *hood* ⟨auto, kinderwagen⟩ *hood* ⇒⟨motorkap van auto⟩ *bonnet*, [A]*hood; coping* ⟨van muur⟩; *gauntlet* ⟨van handschoen⟩ **0.4** [monnikspij] *cowl* ⇒ *hood* ◆ **1.3** het ~je v.h. brood *the heel/crust of a loaf;* de ~ v.e. huis *roof timbers;* de ~ v.e. laars *the top of a boot;* de ~ v.d. lamp *the (lamp-)shade;* de ~ v.e. molen *the cap of a windmill;* ⟨mil.⟩ de ~ v.e. projectiel *the hood of a bullet;* ⟨amb.⟩ de ~ v.e. schoorsteen *the cowl/cap of a chimney* **2.3** een auto met open ~ *an open-topped car;* met openschuivende ~ *with a sliding roof;* een auto met vaste/opvouwbare ~ *a car with a fixed/folding roof/hood* **3.3** de ~ neerlaten/opzetten ⟨v.e. auto⟩ *put down/up the hood* **6.2** ⟨AZN⟩ **op** iemands ~ ⟨fig.⟩ *at s.o.'s expense;* ⟨AZN⟩ alles komt **op** zijn ~ (neer) *everything is laid at his door/blamed on him* **6.3** twee (huizen) onder één ~ *two semi-detached houses;* een auto **met** de ~ open *with the roof down/top off;* het huis is **onder** de ~ *the roof is on;* een lamp **zonder** ~ *an unshaded lamp;*
II ⟨de (m.)⟩ **0.1** [houw] *cut* ⇒*chop* **0.2** [het kappen] *cutting* ⇒*felling* **0.3** [opbrengst v.d. houtkap] *timber cut/felled* **0.4** [hout v.e. gevelde boom] *cuttings, fellings* **0.5** [inhakking] *cut*.

kap. ⟨afk.⟩ **0.1** [kapelaan] *Chap.*.

kapbal ⟨de (m.)⟩ ⟨sport⟩ **0.1** *checked ball*.

kapbalk ⟨de (m.)⟩ **0.1** [onbehakte stam] *log* **0.2** [balk in een kapconstructie] *ba(u)lk*.

kapbeitel ⟨de (m.)⟩ **0.1** *cold/chipping chisel*.

kapblok ⟨het⟩ ⟨AZN⟩ **0.1** *chopping block*.

kapconstructie ⟨de (v.)⟩ **0.1** [samenstelling v.d. kapgebinten] *roof timbers* **0.2** [manier waarop een kap geconstrueerd is] *roof construction*.

kapdoos ⟨de⟩ **0.1** *dressing/toilet case*.

kapel ⟨de⟩ ⟨→sprw. 232⟩ **0.1** [bedehuisje] *chapel* **0.2** [kerkgebouwtje op een begraafplaats] *chapel* **0.3** [kerk v.e. klooster] *chapel* **0.4** [onderdeel v.e. kerk] *chapel* **0.5** [dakvenster] *dormer (window)* **0.6** [muziekgezelschap] *band* **0.7** [dagvlinder] *butterfly* ◆ **2.6** een militaire ~ *a military b.*.

kapelaan ⟨de (m.)⟩ ⟨r.k.⟩ **0.1** [hulppriester] *curate* ⇒*assistant priest* **0.2** [huisgeestelijke] *chaplain*.

kapelmeester ⟨de (m.)⟩ **0.1** *bandmaster*.

kapen
I ⟨ov.ww.⟩ **0.1** [(een voertuig) overmeesteren en de inzittenden gijzelen] *hijack* ⇒⟨mbt. vliegtuig ook⟩ *skyjack* **0.2** [⟨inf.⟩ gappen] *pinch* ⇒*sneak;*
II ⟨onov.ww.⟩ **0.1** [⟨gesch.⟩] *privateer*.

kaper ⟨de (m.)⟩ **0.1** [terrorist] *hijacker* ⇒⟨mbt. vliegtuig ook⟩ *skyjacker* **0.2** [⟨gesch.⟩] *privateer* ⇒*privateersman* ◆ **3.1** de ~s dwongen het vliegtuig naar Cuba te vliegen *the plane was hijacked to Cuba* **6.2** ⟨fig.⟩ er zijn ~s **op** de kust *the coast is not clear*.

kaperbrief ⟨de (m.)⟩ ⟨gesch.⟩ **0.1** *letter of marque (and reprisal)*.

kaperkapitein ⟨de (m.)⟩ **0.1** *privateer(sman)* ⇒*captain of a privateer*.

kaperschip ⟨het⟩ **0.1** *privateer*.

kapersnest ⟨het⟩ **0.1** *pirates' nest*.

kapgebint ⟨het⟩ **0.1** *truss*.

kapgewelf ⟨het⟩ **0.1** *vaulted roof*.

kaping ⟨de (v.)⟩ **0.1** *hijack(ing)* ⇒⟨mbt. vliegtuig ook⟩ *skyjack(ing)*.

kapitaal[1]
I ⟨het⟩ **0.1** [aanzienlijke som geld] *fortune* **0.2** [hoofdsom] *capital* ⇒ *principal* **0.3** [vermogen] *capital* **0.4** [⟨ec.⟩ fonds voor een onderneming] *capital* **0.5** [⟨ec.⟩ produktiefactor] *capital* **0.6** [bezitters v.d. produktiemiddelen] *capital* **0.7** [⟨boekhouden⟩] *capital* ◆ **1.5** arbeid en ~ *capital and labour* **2.3** dit land trekt buitenlands ~ aan *this country attracts foreign c.;* dood ~ *dead c./money, dead stock, idle capital;* geplaatst ~ *subscribed c.;* risicodragend ~ *risk(-bearing)/venture c.* **2.4** maatschappelijk ~ *nominal/share c.* **3.1** het kost kapitalen/een ~tje om … *it costs a fortune/lots of money/a bomb to … 3.2 een ~ beleggen/uitzetten invest c.* **3.4** het ~ beheren van *control the c. of;* ~ verschaffen, van ~ voorzien *finance, capitalize* **6.1** een ~ **aan** boeken *a (small) f. in books* **6.3** een man **van** ~ *a man of c.;* **van** zijn ~ teren *live on one's c.;*
II ⟨de⟩ **0.1** [hoofdletter] *capital (letter)* ◆ **2.1** cursieve kapitalen *italicized capitals* **6.1** in kapitalen *in capital letters*.

kapitaal[2] ⟨bn.⟩ **0.1** [v.d. eerste/grootste soort] *capital* ⇒*substantial* **0.2** [voortreffelijk] *excellent* ⇒*first-rate*, ⟨vnl. BE⟩ *capital* **0.3** [aan het hoofd staand] *capital* ◆ **1.1** een kapitale boerderij *a c. farm;* een kapitale fout *a c. error;* een ~ misdrijf *a c. crime* **1.2** een kapitale grap *a capital joke;* een kapitale kerel *a capital fellow;* ⟨inf.⟩ *a trump* **1.3** de kapitale som *the c. sum* ¶.**2** ⟨als tussenw.⟩ ~! *capital!*.

kapitaalaanwas ⟨de (m.)⟩ **0.1** *capital growth*.

kapitaalbandje ⟨het⟩ **0.1** ⟨boven⟩ *headband;* ⟨onder⟩ *footband, tailband*.

kapitaalbelegging ⟨de (v.)⟩ **0.1** *capital investment*.

kapitaalbezit ⟨het⟩ **0.1** *capital holding(s)*.

kapitaalgoederen ⟨zn.mv.⟩ **0.1** *capital goods* ⇒*investment goods*.

kapitaalheffing ⟨de (v.)⟩ **0.1** *capital levy* ⇒*levy on capital*.

kapitaalintensief ⟨bn.⟩ **0.1** *capital-intensive*.

kapitaalkracht ⟨de⟩ **0.1** *financial strength* ⇒*capital resources*.

kapitaalkrachtig ⟨bn.⟩ **0.1** *wealthy* ⇒*substantial* ◆ **1.1** een ~e firma *a substantial company;* ~e mensen *men of substance, men with capital*.

kapitaalkrediet ⟨het⟩ **0.1** *variable rate credit* ⇒*industrial credit where the interest depends on profits*.

kapitaalmarkt ⟨de⟩ **0.1** *capital market*.

kapitaalrente ⟨de⟩ **0.1** *interest on capital*.

kapitaalschaarste ⟨de (v.)⟩ **0.1** *scarcity/dearth of capital*.

kapitaalstroom ⟨de (m.)⟩ ⟨ec.⟩ **0.1** [toevloed] *influx/inflow of capital* **0.2** [kringloop] *capital flow*.

kapitaaluitgave ⟨de⟩ **0.1** *capital expenditure/outlay/spending/appropriations*.

kapitaalverkeer ⟨het⟩ **0.1** *movement/circulation/exchange of capital* ⇒ *capital transactions*.

kapitaalverlies ⟨het⟩ **0.1** *loss of capital*.

kapitaalverzekering ⟨de (v.)⟩ **0.1** *endowment insurance*/⟨BE ook⟩ *assurance* ⇒*endowment policy*.

kapitaalvlucht ⟨de⟩ **0.1** *flight of capital*.

kapitaalvorming ⟨de (v.)⟩ **0.1** *creation/formation of (new) capital*.

kapitalisatie ⟨de (v.)⟩ **0.1** *capitalization* ⇒*realization*.

kapitaliseren ⟨ov.ww.⟩ **0.1** [tot kapitaal aanleggen] *capitalize* ⇒*realize* **0.2** [in kapitaalwaarde uitdrukken] *capitalize*.

kapitalisme ⟨het⟩ **0.1** [maatschappelijk stelsel] *capitalism* **0.2** [overmacht v.h. geld] *capitalism* ◆ **6.2** de strijd **tegen** het ~ *the struggle against c.*.

kapitalist ⟨de (m.)⟩, **-e** ⟨de (v.)⟩ **0.1** [iem. die kapitaal bezit] *capitalist* **0.2** [aanhanger v.h. kapitalisme] *capitalist*.

kapitalistisch ⟨bn.⟩ **0.1** [gekenmerkt door kapitalisme] *capitalist(ic)* **0.2** [van kapitalisten] *capitalist(ic)* ◆ **1.1** de ~e landen *capitalist countries;* de ~e maatschappij *capitalist society*.

kapiteel ⟨het⟩ ⟨bouwk.⟩ **0.1** *capital* ⇒*chapiter*.

kapitein ⟨de (m.)⟩ ⟨→sprw. 325⟩ **0.1** [scheepsgezagvoerder] *captain* ⇒ *master, skipper* ⟨van klein schip⟩ **0.2** [⟨mil.⟩] *captain* **0.3** [iem. die ergens de baas speelt] *captain* ◆ **1.2** ~ v.d. infanterie *infantry c.* **6.1** ~ **op** de grote vaart *c. in the merchant navy;* ~ zijn **van/op** … *skipper* **6.2** ~ **bij** de generale staf/luchtmacht *officer on the general staff, wing commander* **7.1** ⟨fig.⟩ er kunnen geen twee ~s zijn op één schip *you can't have/there isn't room for two captains on one ship*.

kapitein-ingenieur ⟨de (m.)⟩ **0.1** *captain (in the* [B]*Royal Corps of Engineers/*[A]*Engineering Corps)*.

kapitein-luitenant-ter-zee ⟨de (m.)⟩ **0.1** *commander*.

kapiteinschap ⟨het⟩ **0.1** *captaincy* ⇒*captainship*.

kapiteinskopie ⟨de (v.)⟩ **0.1** *captain's copy*.

kapiteinssterren ⟨zn.mv.⟩ **0.1** *a captain's stars*/⟨BE; inf.⟩ *pips*.

kapitein-ter-zee ⟨de (m.)⟩ **0.1** *(naval) captain*.

kapitein-vlieger ⟨de (m.)⟩ **0.1** *flight lieutenant*.

Kapitolijns ⟨bn.⟩ **0.1** *Capitolian* ⇒*Capitoline*.

kapittel ⟨het⟩ **0.1** [hoofdstuk v.e. boek] *chapter* **0.2** [vergadering van kloosterlingen/kanunniken] *chapter* **0.3** [onderwerp van gesprek] *chapter* ⇒*subject, topic* ◆ **2.2** het provinciaal/generaal ~ *the provincial/general c.* **6.2** ⟨fig.⟩(een) stem **in** het ~ hebben *have a voice/say*.

kapittelen ⟨ov.ww.⟩ **0.1** *read (s.o.) a lecture* ⇒*lecture (s.o.), read (s.o.) a lesson*.

kapittelheer ⟨de (m.)⟩ **0.1** *canon*.

kapittelkamer ⟨de⟩ ⟨r.k.⟩ **0.1** *chapter-house/-room*.

kapittelkerk ⟨de⟩ ⟨r.k.⟩ **0.1** *collegiate church*.

kapittelstokje ⟨de⟩ **0.1** [als bladwijzer] *bible-marker* **0.2** [sluitstaafje] *pin*.

kapje ⟨het⟩ **0.1** [kleine kap] *cap* **0.2** [stukje van een brood] *heel* ⇒*crust* **0.3** [⟨meteo.⟩] *cap* **0.4** [accentteken] *circumflex (accent)* **0.5** [narcosekapje] *(face)mask (for anaesthetic)*.

kaplaars ⟨de⟩ **0.1** *top boot* ⇒*jackboot*.

kaplaken ⟨het⟩ ⟨scheep.⟩ **0.1** *primage*.

kapmantel ⟨de (m.)⟩ **0.1** [bij het kappen] *hairdressing cape* **0.2** [mantel met kap] *hooded cloak*.

kapmeeuw ⟨de⟩ **0.1** *black-headed/laughing gull*.

kapmes ⟨het⟩ **0.1** *chopping-knife* ⇒*chopper*, ⟨slagersmes⟩ *cleaver*, ⟨machete⟩ *machete*.

kapnaad ⟨de (m.)⟩ **0.1** *back-stitched seam*.

kapoen ⟨de (m.)⟩ **0.1** [gesneden haan] *capon* **0.2** [deugniet] *rascal*.

kapoeres ⟨bn.⟩ ⟨inf.⟩ **0.1** *done for* ⇒*bust* ◆ **3.1** zij zijn ~ *they are done for*.

kapoets ⟨de⟩ **0.1** *furcap/bonnet/hat*.

kapok ⟨de (m.)⟩ **0.1** [zaadpluis] *kapok* **0.2** [boomgewas] *kapok/silk-cotton trees*.

kapokboom ⟨de (m.)⟩ **0.1** *kapok tree* ⇒*silk-cotton tree*.

kapot ⟨bn.⟩ **0.1** [niet meer heel] *broken* ⇒*in bits* **0.2** [niet meer functionerend] *broken* ⇒*broken down* ⟨auto⟩, ⟨gew.⟩ *bust(ed)* **0.3** [doodmoe] *beat* ⇒*worn out, wrecked all in*, ⟨BE ook⟩ *whacked, knackered*, ⟨AE ook⟩ *done in, dead tired* **0.4** [ontzet] *cut up* ⇒*broken(-hearted)* **0.5** [verrukt] *wild* ⇒*crazy, mad* **0.6** [dood] *kaput* ⇒ ⟨AE ook⟩ *had it, done for* ◆ **1.1** die jas is ~ *that coat is torn;* dat kopje is ~ *that cup is b. / cracked;* ⟨fig.⟩ mijn leven is ~ *my life is in bits/pieces;* het raam was ~ *the window was broken/smashed;* die schoenen zijn ~ *those shoes have had it* **1.2** de radio is ~ *the radio is broken, the radio's had it;* de sigarettenautomaat is ~ *the cigarette machine is broken/out of order* **3.3** zich ~ lachen *split one's sides with laughter, laugh one's head off;* zich ~ vervelen *be bored stiff/to tears/to death;* zich ~ werken *work one's fingers to the bone;* ~ zitten *be worn out/knackered/dead tired* **5.5** ik ben er niet ~ van *I'm not gone on it, I'm not mad/w. about it* **6.3** ~ van vermoeidheid *worn out, exhausted, whacked, all in;* ~ van verdriet *broken(-hearted) with grief* **6.4** hij was ~ van dat ongeluk *he went to pieces after the accident;* ergens ~ van zijn *be (all) c. u. about sth.* ¶**.1** dat boek is niet ~ te krijgen *that book is indestructible/is a classic* ¶**.3** hij is niet ~ te krijgen *he goes on forever, he's a tough one, he keeps on bouncing back.*

kapotgaan ⟨onov.ww.⟩ **0.1** [stukgaan] *break* ⇒*fall apart, break down* ⟨auto, machine⟩ **0.2** [doodgaan] *pop off* ⇒*conk out, kick the bucket* ◆ **1.1** je broek/overhemd gaat (nu al) kapot *your shirt/your trousers /ᴬpants are already worn* **6.1** zijn zaak/huwelijk is aan de drank kapotgegaan *liquor was the downfall of his business/marriage, his business/marriage broke up because of his drinking* **6.2** ~ van de honger *starve, be starving.*

kapotjas ⟨de⟩ **0.1** *capote.*

kapotje ⟨het⟩ ⟨inf.⟩ **0.1** *sheath* ⇒*rubber*, ᴮ*French letter*, ᴬ*safe* ◆ **6.1** zonder ~ ⟨ook⟩ *bareback.*

kapotmaken ⟨ov.ww.⟩ **0.1** [stukmaken] *break (up)* ⇒*destroy, wreck, ruin* **0.2** [doodmaken] *do (s.o.) in* ◆ **1.1** met die stuntprijzen maken ze de hele handel kapot *such price slashes will ruin/upset the entire trade;* een goed huwelijk ~ *ruin/destroy/wreck/break up a good marriage;* verdriet maakt iem. kapot *grief destroys/wrecks a person.*

kapotslaan ⟨ov.ww.⟩ **0.1** [kapotmaken] *smash* ⇒*break (up), bust* **0.2** [doodslaan] *do (so) in* **0.3** [een aframmeling geven] *beat s.o. up, beat the hell out of s.o..*

kapotspelen ⟨ov.ww.⟩ ⟨kaartspel⟩ **0.1** *capot* ◆ **1.1** je tegenspeler ~ *c. your opponent, win all the tricks.*

kapotvallen ⟨ww.⟩ **0.1** *fall and break/smash.*

kappa ⟨tw.⟩ ⟨com.⟩ **0.1** *roger.*

kappen
I ⟨ov.ww.⟩ **0.1** [het hoofdhaar opmaken] *do one's/s.o.'s hair* **0.2** [omhouwen] *cut down* ⇒*chop down, fell, lop (off)* **0.3** [in stukken verdelen] *chop (up)* ⇒*cut up* **0.4** [door hakken doen ontstaan] *cut* ⇒*hew, hack* **0.5** [door hakken fijn maken] *chop* ⇒*dice* **0.6** [⟨sport⟩] *check* ◆ **1.1** een ~ *cut down/fell trees;* de kabel/het anker ~ *cut the cable/the anchor* **1.4** klompen ~ *hew/c. out clogs/wooden shoes;* een weg door het bos ~ *c./hack a way through the wood* **1.5** kool ~ *c. cabbage* **3.1** zich laten ~ *have one's hair done* **6.3** een stok in tweeën ~ *chop a stick in two;*
II ⟨onov.ww.⟩ **0.1** [hakken] *chop* ⇒*cut, axe* **0.2** [⟨inf.⟩ ophouden, breken met] *quit* ⇒*leave/knock off, break met) break off* **0.3** [⟨sport⟩] *slice* ◆ **5.2** ik kap er mee *I'm knocking off, I'm going to call it a day* **6.1** ⟨fig.⟩ in de uitgaven ~ *cut/trim down expenditure* **6.2** ~ met die onzin! *q. talking nonsense!;* met iem. ~ *break off with s.o..*

kapper ⟨de⟩, **-ster** ⟨de (v.)⟩ **0.1** ⟨dames en heren⟩ *hairdresser, hairstylist* ⟨v., m.⟩; ⟨heren⟩ *barber* ⟨m.⟩.

kappersluchtje ⟨het⟩ **0.1** *smell/odour of a hairdresser's/beauty parlour/of hair-tonic.*

kappersschool ⟨de⟩ **0.1** ⟨dames⟩ *hair-dressing school, beauty school/college;* ⟨heren⟩ *barber college.*

kapperszaak →*kapsalon.*

kappertjes ⟨zn.mv.⟩ **0.1** *capers.*

kappertjessaus ⟨de⟩ **0.1** *caper sauce.*

kaprijp ⟨bn.⟩ ⟨landb.⟩ **0.1** *ready for felling.*

kapsalon ⟨het, de (m.)⟩ **0.1** *hairdresser's/hairdressing salon, beauty parlour* ⇒⟨voor heren ook⟩ *barbershop.*

kapseizen ⟨onov.ww.⟩ **0.1** *capsize* ⇒*keel over*, ⟨inf.⟩ *turn turtle* ◆ **1.1** het schip kapseisde *the ship capsized.*

kapsel ⟨het⟩ **0.1** [wijze van haardracht] *hair-style* ⇒*haircut* **0.2** [het opgemaakte haar] *hair-style* ⇒*hairdo* **0.3** [omhulsel] *capsule* **0.4** [doosvrucht] *capsule* ◆ **2.1** een kort kapsel *a short hair-style* **2.3** het abces was door een sterk ~ omgeven *the abcess was thickly encapsulated* **3.2** haar ~ ging los *her hair(do) came undone.*

kapsones ⟨zn.mv.⟩ ⟨inf.⟩ **0.1** ⟨zie 3.1.⟩ ◆ **3.1** ~ hebben *put on airs, be full of o.s.;* te veel ~ krijgen *be cocky, get too big for one's britches;* ~ maken *make a scene, kick up a fuss, cause a racket/rumpus.*

kapspant ⟨het⟩ ⟨amb.⟩ **0.1** *truss.*

kapspiegel ⟨de (m.)⟩ **0.1** *dressing-table mirror.*

kapstok ⟨de (m.)⟩ **0.1** [meubel/plank voor kledingstukken] ⟨staand⟩ *hall-stand, hatstand;* ⟨aan de muur⟩ *hatrack, coat-hooks* ⟨mv.⟩ **0.2** [⟨fig.⟩ aanknopingspunt] ⟨zie 8.2⟩ ◆ **8.2** iets als ~ gebruiken *use sth. as a stepping-stone.*

kapt. ⟨afk.⟩ **0.1** [kapitein] *Capt..*

kaptafel ⟨de⟩ **0.1** *dressing-table* ⇒*vanity table.*

kapucijn ⟨de (m.)⟩ **0.1** [bedelmonnik] *Capuchin* **0.2** [duif] *capuchin pigeon.*

kapucijnaap ⟨de (m.)⟩ **0.1** *capuchin (monkey)* ⇒*sapajou, weeper.*

kapucijner[1] ⟨de (m.)⟩ **0.1** ≠*marrowfat (pea).*

kapucijner[2] ⟨bn.⟩ **0.1** *Capuchin* ◆ **1.1** een ~ monnik *a Capuchin (monk);* een ~ non/klooster *a C. nun/convent.*

kapverbod ⟨het⟩ **0.1** *tree-felling ban;* ⟨bepaling⟩ *tree preservation order.*

kapzaag ⟨de⟩ ⟨amb.⟩ **0.1** *tenon saw.*

kar ⟨de⟩ **0.1** [voertuig op twee wielen] *cart* ⇒*barrow* **0.2** [⟨inf.⟩ fiets] *bike* **0.3** [⟨inf.⟩ auto] ᵀ*car* **0.4** [hoeveelheid] *cart-load* ⇒*cartful* ◆ **1.4** een ~ zand/grind *a cart-load of sand/gravel* **2.1** een driewielige ~ *a three-wheeled c.* **2.3** een oude ~ *a banger, a crock, a jalopy* **3.1** zijn ~ keren ⟨fig.⟩ *change one's mind, do an about turn;* de ~ trekken ⟨fig.⟩ *carry the load, do the dirty work* **6.1** een ~ met een paard *a horse and c.*

kar. ⟨afk.⟩ **0.1** [karaat] *car., ct.*, ᴬ*kt..*

karaat ⟨het⟩ **0.1** [eenheid van diamant-/parelgewicht] *carat* **0.2** [⟨ook in samenst.⟩ eenheid v.h. goudgehalte] *carat* ᴬ*Karat* ◆ **2.1** metriek ~ *(metric) c.* **7.2** ⟨fig.⟩ dat is ook geen 18-karaats *that's not the real thing /the real McCoy;* achttien-karaats goud *eighteen-carat gold.*

karabijn ⟨de⟩ **0.1** *carbine.*

karabinier ⟨de (m.)⟩ **0.1** [soldaat] *car(a)bineer* ⇒*rifleman* **0.2** [⟨AZN⟩ infanterist] *infantryman.*

karaf ⟨de⟩ **0.1** *carafe* ⇒*decanter.*

karakter ⟨het⟩ **0.1** [aard, inborst] *character* ⇒*nature, disposition* **0.2** [krachtige persoonlijkheid] *character* ⇒*personality, mettle, spirit* **0.3** [wezen, aard] *character* ⇒*nature, make-up, quality* **0.4** [het kenmerkende van iets] *character* **0.5** [⟨biol.⟩] *character* ⇒*characteristics* ⟨mv.⟩, *individuality* **0.6** [letter, figuur] *character* ⇒*symbol* ◆ **1.4** het ~ v.e. volk/land *the c. of a people/country* **2.1** een avontuurlijk ~ hebben *have an adventurous nature;* hij heeft een slap ~ *he is weak-natured/spineless;* iem. met een sterk ~ *s.o. with (great) strength of c.;* een zacht/vals ~ *a gentle nature/a mean/vicious c.* **2.3** een tijdelijk/blijvend ~ dragen, van een tijdelijk/blijvend ~ zijn *be temporary /permanent (in nature)* **2.4** het Hollandse ~ van Kaapstad *the Dutch c. of Capetown* **2.6** algebraïsche ~s *algebraic symbols;* Chinese ~s *Chinese characters* **3.2** ~ tonen *show c. / spirit/one's mettle* **3.5** zijn eigen ~ bewaren *retain one's individuality* **6.2** een man van ~ *a man of c.;* zonder ~ *without c. / backbone, spineless* **6.4** een nieuwbouwwijk zonder ~ *a new housing estate/development with no c..*

karaktereigenschap ⟨de (v.)⟩ **0.1** *character trait.*

karakterfout ⟨de⟩ **0.1** *defect of/in one's character* ⇒*fault/blemish/imperfection (in one's character).*

karaktergenerator ⟨de (m.)⟩ ⟨druk.⟩ **0.1** *character generator.*

karakterieel ⟨bn., bw.⟩ **0.1** ≠*characteristic.*

karakteriseren ⟨ov.ww.⟩ **0.1** *characterize* ⇒*typify* ◆ **1.1** een gebeurtenis /situatie ~ *c./describe an incident/situation;* een persoon ~ *c. a person.*

karakterisering ⟨de (v.)⟩ **0.1** [het karakteriseren] *characterizing* ⇒*characterization* **0.2** [kenschets] *characterization* ⇒*character sketch, profile.*

karakteristiek[1] ⟨de (v.)⟩ **0.1** [schildering v.h. kenmerkende] *characterization* ⇒*typification, description* **0.2** [⟨wisk.⟩] *characteristic* ◆ **3.1** een ~ geven van iets *give a c. of sth..*

karakteristiek[2] ⟨bn.⟩ **0.1** *characteristic* ⇒*typical* ◆ **1.1** een ~e geur *a c./distinctive smell;* ~e trekken *c. features, characteristics* **6.1** ~ zijn voor *be c. of.*

karakterloos ⟨bn.⟩ **0.1** [zonder persoonlijkheid, daarvan blijk gevend] *characterless* ⇒*insipid, chinless* **0.2** [zonder eigen karakter] *characterless* ⇒*without character/individuality, bland* ◆ **1.1** een ~ mens *an insipid person;* karakterloze slapheid *insipidness* **1.2** karakterloze gebouwen *c. buildings;* ~ woordgebruik *colourless use of words.*

karakterloosheid ⟨de (v.)⟩ **0.1** [zonder persoonlijkheid] *lack of character* ⇒*spinelessness, insipidness* **0.2** [zonder eigen karakter] *lack of character* ⇒*blandness.*

karakterologie ⟨de (v.)⟩ **0.1** [karakterkunde] *characterology* **0.2** [karakterbeschrijving] *characterization* ⇒*character description/sketch* ◆ **1.2** de ~ v.d. getuigen *the character description given by the witnesses.*

karakterrol ⟨de⟩ **0.1** *character part.*

karakterschets ⟨de⟩ **0.1** *character sketch* ⇒*profile, vignette,* ⟨lit., dram.⟩ *cameo.*

karakterschildering ⟨de (v.)⟩ **0.1** *character drawing/painting* ⇒*characterization, delineation of character,* ⟨lit., dram.⟩ *cameo.*

karakterspeler ⟨de (m.)⟩, **-speelster** ⟨de (v.)⟩ **0.1** *character actor* ⟨m.⟩ / *actress* ⟨v.⟩.

karaktertrek ⟨de (m.)⟩ **0.1** *characteristic* ⇒*feature, trait, streak* ◆ **2.1** een beminnelijke ~ *an amiable trait*.

karaktervastheid ⟨de (v.)⟩ **0.1** *strength of character* ⇒*firmness / steadiness / steadfastness of character*.

karaktervol ⟨bn., bw.⟩ **0.1** *full of / with character* ⇒*distinctive, individual* ◆ **1.1** een ~le inrichting *an interior full of / with character*.

karaktervormend ⟨bn.⟩ **0.1** *character-forming / building* ⇒*edifying*.

karaktervorming ⟨de (v.)⟩ **0.1** *character formation* ⇒*formation of character, character building*.

karamel ⟨de⟩ **0.1** [gebrande suiker] *caramel* **0.2** [snoepje] *caramel* ⇒ *toffee*.

karamelpudding ⟨de (m.)⟩ **0.1** *caramel pudding* ⇒*crème caramel*.

karate ⟨het⟩ **0.1** *karate*.

karateka ⟨de (m.)⟩ **0.1** *karateka*.

karavaan ⟨de⟩ **0.1** [groep reizigers op hun tocht] *caravan* ⇒*train* **0.2** [troep] *retinue* ⇒*convoy, troop* ◆ **2.2** hij kwam met de hele ~ bij ons eten *he brought a whole r. / troop along to dinner*.

karavansera(i) ⟨de (m.)⟩ **0.1** *caravanserai* ^*sary* ⇒*serai, khan*.

karbeel ⟨de (m.)⟩ ⟨bouwk.⟩ **0.1** [schoorbalkje] *jack-rafter* **0.2** [kraagsteen] *corbel* ⇒*truss, bracket*.

karbies ⟨de⟩ **0.1** ≠*straw bag*.

karbonade ⟨de (v.)⟩ **0.1** *chop* ⇒*cutlet*.

karbonkel
I ⟨de (m.)⟩ **0.1** [edelsteen] *carbuncle* **0.2** [steenpuist] *carbuncle* ◆ **8.1** ogen als ~s ≠*eyes like live coals, flashing / fiery eyes;*
II ⟨het⟩ **0.1** [edelgesteente] *carbuncle*.

karbonkelneus ⟨de (m.)⟩ **0.1** *drinker's nose* ⇒ ↓*boozer's nose*.

karbouw ⟨de (m.)⟩ **0.1** *(water-)buffalo*.

kardinaal[1] ⟨de (m.)⟩ ⟨rel.⟩ **0.1** *cardinal* ◆ **3.1** ~ worden *be raised to the purple*.

kardinaal[2] ⟨bn.⟩ **0.1** *cardinal* ⇒*chief, principal* ◆ **1.1** de vier kardinale deugden *the four cardinal virtues;* de kardinale getallen *the cardinal numbers;* het kardinale punt *the principal / crucial point, the crux of the matter*.

kardinaal-deken ⟨de (m.)⟩ **0.1** *cardinal dean*.

kardinaalrood[1] ⟨het⟩ **0.1** *cardinal (red)*.

kardinaalrood[2] ⟨bn.⟩ **0.1** *cardinal (red)*.

kardinaalschap ⟨het⟩ **0.1** *cardinalate* ⇒*cardinalship*.

kardinaalshoed ⟨de (m.)⟩ **0.1** [cardinal's hat] ⇒*red / scarlet hat* ◆ **3.1** de ~ ontvangen *be raised to the purple*.

kardinaalsmuts ⟨de⟩ **0.1** *spindle tree*.

kardinaalvogel ⟨de (m.)⟩ ⟨dierk.⟩ **0.1** *cardinal (bird), cardinal grosbeak,* ^*redbird*.

kardoes ⟨de⟩ **0.1** *cartouche* ⇒*cartridge*.

kardoespapier ⟨het⟩ **0.1** *cartridge paper*.

karekiet ⟨de (m.)⟩ **0.1** ⟨kleine⟩ *reed warbler / wren;* ⟨grote⟩ *great reed warbler*.

Karel 0.1 *Charles* ⇒⟨bijnaam⟩ *Charlie, Chuck* ◆ **1.1** ~ de Grote *Charlemagne;* ~ de Stoute / de Kale *Charles the Bold / the Bald;* het tijdperk van ~ I en II ⟨van Engeland⟩ *the Carolean / Caroline Age*.

Karelroman ⟨de (m.)⟩ **0.1** *Carolingian romance*.

karhengst ⟨de (m.)⟩ **0.1** *oaf* ⇒*boor, clodhopper*.

kariatide ⟨de (v.)⟩ ⟨bouwk.⟩ **0.1** *caryatid*.

kariboe ⟨de (m.)⟩ **0.1** *caribou*.

karig
I ⟨bn.⟩ **0.1** [gierig] *sparing* ⇒*parsimonious, mean, frugal* **0.2** [schraal] *meagre* ⇒*scant(y), frugal, niggardly* **0.3** [weinig talrijk] *scant(y)* ⇒ *sparse, scarce* ◆ **1.2** een ~loon *a pittance, a slender income, m. wages;* een ~maal *a frugal meal* **1.3** ~e gegevens *scant information* **6.1** ~ zijn met woorden *be s. of words / in speech;* ~ zijn met complimenten *be s. of compliments / in giving compliments;*
II ⟨bw.⟩ **0.1** [niet royaal] *sparingly* ⇒*frugally* ◆ **1.1** ~ gebruik maken van *skimp on, make s. use of* **3.1** ~ bedeeld zijn *be poorly endowed (with)*.

karigheid ⟨de (v.)⟩ **0.1** [grote zuinigheid] *parsimony* ⇒*meanness, frugality,* ↓*stinginess* **0.2** [schraalheid] *meagreness* ⇒*scantiness, frugality* **0.3** [geringheid in aantal] *scantiness* ⇒*sparseness, scarcity*.

karikaturaal ⟨bn., bw.⟩ **0.1** *caricatural*.

karikaturiseren ⟨ov.ww.⟩ **0.1** [in een bespottelijk daglicht stellen] *caricature* ⇒*parody* **0.2** [een karikatuur maken] *caricature*.

karikaturist ⟨de (v.)⟩ **0.1** *caricaturist*.

karikatuur ⟨de (v.)⟩ **0.1** [spotprent] *caricature* **0.2** [persoon] *caricature* **0.3** [bespottelijke voorstelling van zaken] *caricature* ◆ **3.3** een ~ maken van *caricature*.

karkas ⟨het, de⟩ **0.1** [geraamte] *carcass* ⇒⟨gebouw ook⟩ *skeleton, shell* **0.2** [gebrekkig gestel] *carcass*.

karma ⟨het⟩ **0.1** *karma*.

karmeliet ⟨de (m.)⟩ **0.1** *Carmelite* ⇒*White Friar*.

karmelietes ⟨de (v.)⟩ **0.1** *Carmelite (nun)*.

karmijn ⟨het⟩ **0.1** *carmine* ⇒*lake*.

karmijnrood ⟨bn.⟩ **0.1** *carmine (red)*.

karmozijn ⟨het⟩ **0.1** [verf, kleur] *crimson* **0.2** [karmijn] *carmine* ⇒*crimson*.

karmozijnrood ⟨bn.⟩ **0.1** *crimson*.

karn ⟨de⟩ **0.1** *milk churn*.

karnemelk ⟨de⟩ **0.1** *buttermilk*.

karnemelkspap ⟨de⟩ **0.1** *buttermilk porridge / mush*.

karnen
I ⟨onov.ww.⟩ **0.1** [boterdelen uit melk afzonderen] *churn;*
II ⟨ov.ww.⟩ **0.1** [boterdelen ontnemen aan] *churn* **0.2** [doen ontstaan] *churn* ◆ **1.1** melk / room ~ *c. milk / cream* **1.2** boter ~ *c. butter*.

karnstok ⟨de (m.)⟩ **0.1** *dasher*.

karnton ⟨de⟩ **0.1** *churn*.

Karolingisch ⟨bn.⟩ **0.1** *Carolingian* ⇒*Caroline* ◆ **1.1** ~ schrift, ~e minuskels *Carolingian script, Carolingian / Caroline minuscule*.

karonje ⟨het, de (v.)⟩ **0.1** [verachtelijke vrouw] *cow* **0.2** [feeks] *shrew* ⇒ *vixen, hellcat*.

karos ⟨de⟩ **0.1** *coach* ⇒*(state-)carriage*.

karottentrekker ⟨de (m.)⟩ ⟨AZN⟩ **0.1** [fopper] *conman* ⇒*trickster, hoaxer* **0.2** [lijntrekker] *shirker* ⇒*dodger*.

karper ⟨de (m.)⟩ **0.1** *carp*.

karperachtigen ⟨zn.mv.⟩ **0.1** *cypriniformes* ⇒*minnows, suckers and loaches*.

karpet ⟨het⟩ **0.1** *rug*.

karren
I ⟨onov.ww.⟩ **0.1** [rijden] *ride* ⇒⟨inf.⟩ *trundle, tootle, drive* **0.2** [fietsen] *bike;* ⟨BE ook⟩ *cycle* ⇒*ride;*
II ⟨ov.ww.⟩ **0.1** [met een kar vervoeren] *cart*.

karrepaard ⟨het⟩ **0.1** [boerenpaard] *cart-horse* ⇒*dobbin, draught-horse* **0.2** [logge vrouw] *cart-horse* ⇒*cow* ◆ **8.1** werken als een ~ *work like a slave / Trojan / horse*.

karrespoor ⟨het⟩ **0.1** *cart track*.

karretje ⟨het⟩ **0.1** [wagentje] *(little) cart* ⇒*car, trap* ⟨rijtuigje⟩, *trolley* ⟨in supermarkt⟩, *soapbox* ⟨van kinderen⟩ **0.2** [fiets] *bike* ◆ **3.1** ⟨fig.⟩ zijn ~ rijdt op een zandweg *he is sailing before the wind, he is flying high* **6.1** ⟨fig.⟩ zich voor iemands ~ laten spannen *be a cat's paw, be s.o.'s tool / lackey, be a doormat, dance to s.o. else's tune, do s.o.'s dirty work;* ⟨fig.⟩ iem. voor zijn ~ spannen *get s.o. to do one's dirty work*.

karrevracht ⟨de⟩ **0.1** *cartload* ◆ **6.1** bij / met ~en *by the c.*.

karrewiel ⟨het⟩ **0.1** *cart-wheel*.

kar'tel ⟨het⟩ **0.1** [⟨hand.⟩] *cartel* ⇒*trust* **0.2** [overeenkomst mbt. krijgsgevangenen] *cartel* ◆ **3.1** een ~ vormen / oprichten, zich aansluiten tot een ~ *cartelize / form a c.,* cartelize **6.1** in een ~ omzetten *cartelize, trustify*.

'kartel ⟨de (m.)⟩ **0.1** *serration* ⇒*crenation, notch*.

kartelafspraak ⟨de⟩ **0.1** *cartel agreement*.

kartelbesluit ⟨het⟩ **0.1** *cartel decision*.

kartelen
I ⟨ov.ww.⟩ **0.1** [kerven] *serrate* ⇒*notch,* ⟨munten ook⟩ *mill* **0.2** [⟨bk.⟩] *grain* **0.3** [mbt. boter] *curl* ◆ **1.1** gekartelde randen van munten *milled edges of coins;*
II ⟨onov.ww.⟩ **0.1** [kerven krijgen] *serrate* **0.2** [mbt. melk, schiften] *curdle, separate*.

kartelig ⟨bn.⟩ **0.1** [gekarteld] *serrated* ⇒*notched, crenated* [blad, schelp], *serrated* [munt] **0.2** [geschift] *curdled*.

kartellering ⟨de (v.)⟩ **0.1** *cartelization*.

kartelmachine ⟨de (v.)⟩ **0.1** *knurling machine / roller* ⇒⟨voor munten⟩ *mill(ing machine)*.

kartelmes ⟨het⟩ **0.1** *serrated knife*.

kartelrand ⟨de (m.)⟩ **0.1** [mbt. muntstukken] *milled edge* **0.2** [mbt. breihaakwerk] *zigzag edge*.

kartelschaar ⟨de⟩ **0.1** *pinking shears* ⇒*pinking scissors*.

kartelsnede ⟨de⟩ **0.1** *serrated edge* ⇒*sawtoothed edge*.

kartelvorming ⟨de (v.)⟩ **0.1** *formation of a trust cartel / of trusts / cartels* ⇒*trust / cartel formation*.

karteren ⟨ov.ww.⟩ **0.1** *map* ⇒*survey, chart* ◆ **1.1** het ~ van de bodem *soil survey* **7.1** het ~ *ordnance survey* ⟨GB⟩.

kartering ⟨de (v.)⟩ **0.1** *mapping* ◆ **6.1** ~ uit de lucht *aerial survey*.

karteringsvliegtuig ⟨het⟩ **0.1** *mapping airplane*.

karteringsvlucht ⟨de (v.)⟩ **0.1** *mission*.

karton ⟨het⟩ **0.1** [bordpapier] *cardboard* ⇒*paperboard, pasteboard* **0.2** [stuk bordpapier] *cardboard* **0.3** [doos, verpakking] *carton* ⇒*cardboard box* ◆ **2.1** gegolfd ~ *corrugated c.* **6.3** melk in ~ *milk in a carton*.

kartonnage ⟨de (v.)⟩ **0.1** [het maken van kartonwerk] *cardboard manufacture* **0.2** [het innaaien van boeken] *board binding* ⇒*binding in boards*.

kartonnen ⟨bn.⟩ **0.1** *cardboard* ⇒*paperboard* ◆ **1.1** een ~ bekertje *a paper cup;* een ~ kaft *a hard back / cover*.

kartonneren ⟨ov.ww.⟩ **0.1** *bind in boards* ◆ **1.1** gekartonneerde boeken *books bound in boards, hardback / hardcover books*.

kartouw ⟨de⟩ ◆ **8.¶** zo dronken als een ~ *as drunk as a lord*.

kartuizer[1] ⟨de (m.)⟩ **0.1** *Carthusian*.

kartuizer² ⟨bn.⟩ **0.1** *Carthusian* ◆ **1.1** ~ klooster *C. monastery/convent, charterhouse;* ~ non/monnik *Carthusian (nun/monk).*
karveel ⟨het, de⟩ **0.1** *caravel.*
karveelbouw ⟨de (m.)⟩ **0.1** *carvel-built construction.*
karwats ⟨de⟩ **0.1** *(riding-)crop* ⇒*(riding-)whip* ◆ **6.1 met** de ~ slaan *(horse)whip.*
karwei ⟨het, de⟩ **0.1** [werk/taak van een ambachtsman] *job* ⇒*work* **0.2** [plaats waar het werk wordt uitgevoerd] *job* ⇒*work* **0.3** [tijdelijk werk, klusje] *job* ⇒*odd job, chore* **0.4** [zwaar, veelomvattend werk] *job* ⇒*task, chore* ◆ **2.1** hij heeft een groot ~ aangenomen *he has taken on a big j.; he has undertaken a large contract* **2.3** een huishoudelijk ~tje *a (household) chore;* een makkelijk ~(tje) *a five-finger exercise, a snip, a snap, a doddle, a cinch* **2.4** dat is een heel ~ *that's a tough j. / a real chore, that's a hard pull;* een heidens ~ *a devil/hell of a j.;* een lastig ~ *a tough j., a difficult task, a real chore, a hard row to hoe* **3.3** een (vervelend) ~tje opknappen voor iem. *do a (difficult) j. for s.o.* **6.2** de loodgieter is **op** ~ *the plumber is (out) on a j.;* **op (naar)** ~ gaan *go out on a j.* **6.3** dat is net een ~tje **voor** jou *that's just the j. for you, that's up your alley, you're the right person for the j..*
karwij ⟨de⟩ **0.1** [plant] *caraway* **0.2** [specerij, geneesmiddel] *caraway (seed).*
karwijzaad ⟨het⟩ **0.1** *caraway seed.*
kas ⟨de⟩ **0.1** [broeikas] *greenhouse* ⇒*glasshouse, hothouse, hotbed* **0.2** [kassa] *cash-desk* ⇒*cashier's office, pay desk* **0.3** [bergplaats voor geld] *cashbox* ⇒*moneybox* **0.4** [contanten] *cash* ⇒*fund(s)* **0.5** [omhulsel] *case* ⇒*casing* **0.6** [holte waarin iets gevat is] *socket* (bv. oog, tand) **0.7** [⟨AZN⟩ lichaam] *body* ◆ **1.4** de beschikking over de/'s lands ~ *power(s) of the purse;* 's lands ~ *the Exchequer, the Treasury, state/public coffers/chest* **1.5** de ~ van een horloge, orgel *watch-case/organ-case* **1.6** de ~ van een edelsteen *the setting of/for a jewel* **2.1** koude ~ *green/glasshouse;* warme ~ *hothouse* **2.4** de kleine ~ *petty c.;* de openbare ~ *the public purse/money/funds, the national coffers* **3.4** de ~ beheren/houden *manage/keep the c.;* de ~ klopt/sluit *the c. balances;* de ~ opmaken *make up the c. (account), write up the c.;* de ~ /accounts **6.1** groente **uit** de ~ *green/glasshouse vegetables, forced vegetables* **6.3** 25 gulden **in** ~ hebben *have 25 guilders in hand/handy* **6.4** goed **bij** ~ zijn *have plenty of c. / money, be flush (with money), be well off/well-heeled;* krap/slecht **bij** ~ zitten *be short of c. / money / funds, be hard up;* hij is er **met** de ~ vandoor gegaan *he has run off with the c.* **6.5** zijn ogen puilen **uit** de (hun) ~sen *his eyes are popping out (of their sockets).*
kasaantekening ⟨de (v.)⟩ **0.1** *cash entry.*
kasba ⟨de (m.)⟩ **0.1** *casbah* ⇒*kasbah.*
kasbediende ⟨de (m.)⟩ **0.1** *teller* ⇒*cashier,* ⟨mbt. loon⟩ *pay clerk.*
kasbescheiden ⟨zn.mv.⟩ **0.1** *vouchers.*
kasbiljet ⟨het⟩ **0.1** *bond.*
kasbloem ⟨de⟩ **0.1** [gekweekte bloem/plant] *hothouse plant* ⇒*hothouse flower/bloom* **0.2** [teer persoon] *hothouse plant.*
kasboek ⟨het⟩ **0.1** *cash book* ⇒*account(s) book* ◆ **3.1** het ~ bijhouden *keep the books, enter/write up the (c.) b..*
kasbon →**kassabon.**
kascheque ⟨de (m.)⟩ **0.1** *giro cheque.*
kascommissie ⟨de (v.)⟩ **0.1** *audit(ing) committee.*
kascontrole ⟨de⟩ **0.1** *checking the cash* ⇒⟨door accountant⟩ *cash audit.*
kasfruit ⟨het⟩ **0.1** *hothouse fruit.*
kasgeld ⟨het⟩ **0.1** *cash.*
kasgroente ⟨de (v.)⟩ **0.1** *greenhouse vegetables* ⇒*glasshouse/hothouse vegetables, forced vegetables.*
kasje ⟨het⟩ **0.1** ≠*publication/notice board* ◆ **6.1** ⟨AZN⟩ zij staan **in** het ~ ≠*their (marriage) banns have been published, their banns are up.*
kasjmier ⟨het⟩ **0.1** *cashmere.*
kasklimaat ⟨het⟩ **0.1** *hothouse climate.*
kaskraker ⟨de (m.)⟩ ⟨film.; inf.⟩ **0.1** *(box-office) hit/winner/success.*
kasloper ⟨de (m.)⟩ **0.1** *(cash) collector* ⇒*collecting clerk.*
kasmiddelen ⟨zn.mv.⟩ **0.1** *cash (resources).*
kasnotitie ⟨de (v.)⟩ **0.1** *cash entry.*
kasobligatie ⟨de (v.)⟩ **0.1** *bearer bond* ⇒*coupon bond.*
kasontvangsten ⟨zn.mv.⟩ **0.1** *cash receipts* ⇒⟨in winkel ook⟩ *takings.*
kasopneming ⟨de (v.)⟩ **0.1** *examination/inspection/checking of the cash.*
Kaspische Zee ⟨de⟩ **0.1** *Caspian Sea.*
kasplant ⟨de⟩ **0.1** [in een kas gekweekte plant] *hothouse plant* **0.2** [persoon met weinig weerstand] *hothouse plant.*
kaspositie ⟨de (v.)⟩ **0.1** *cash situation* ⇒*cash resources/supplies.*
kasregister ⟨het⟩ **0.1** *cash register* ⇒*check-out register.*
kasrekening ⟨de (v.)⟩ ⟨boekhouden⟩ **0.1** *cash account.*
kasreserve ⟨de⟩ **0.1** *cash reserve.*
kassa¹ ⟨de⟩ **0.1** [telmachine] *cash register* ⇒*till* **0.2** [plaats waar men betaalt] *cash desk* ⇒*cash point, checkout* ⟨supermarkt⟩, *box/booking office* ⟨schouwburg, bioscoop⟩ ◆ **3.1** de ~ opmaken *cash up* **6.1** geld **uit** de ~ stelen ⟨in de winkel waar men werkt⟩ *steal money from the till, have one's fingers in the till* **6.2 bij/aan** de ~ betalen/afrekenen *pay at the c. d.;* **per** ~ *net cash.*
kassa² ⟨tw.⟩ **0.1** *robbery!, a fortune!.*

kassabank ⟨de⟩ **0.1** *point-of-sale terminal/scanner.*
kassabon ⟨de (m.)⟩ **0.1** *receipt* ⇒⟨AE ook⟩ *sales slip,* ⟨vnl. BE⟩ *docket.*
kassakoopje ⟨het⟩ **0.1** ≠*bargain* ⇒*sales goods.*
kassaldo ⟨het⟩ **0.1** *cash balance.*
kassei ⟨de⟩ ⟨AZN⟩ **0.1** [straatkei] *cobble(stone)* ⇒*paving-stone* **0.2** [steenweg] *cobbled road.*
kasseiweg ⟨de (m.)⟩ **0.1** *paved road* ⇒*cobbled street.*
kassen ⟨ov.ww.⟩ **0.1** *set.*
kassian ⟨tw.⟩ **0.1** *what a pity!* ⇒*how sad/awful/terrible!.*
kassier ⟨de (m.)⟩ **0.1** [iem. die een kas beheert] *cashier* ⇒⟨bank ook⟩ *teller* **0.2** [persoon/firma wie men gelden toevertrouwt] *banker.*
kassiersboekje ⟨het⟩ **0.1** *bankbook, passbook.*
kassiersbriefje ⟨het⟩ **0.1** *bank draft* ⇒*cash order, cheque.*
kassierskantoor ⟨het⟩ **0.1** *banking office.*
kassiersprovisie ⟨de (v.)⟩ **0.1** *bank commission.*
kassiewijlen ⟨bn.⟩ ⟨inf.⟩ **0.1** vaste ⟨zie 3.1⟩ ◆ **3.1** ~ gaan *conk out, pop off, kick the bucket;* hij is ~ *he's kicked the bucket.*
kasstelsel ⟨het⟩ ⟨boekhouden⟩ **0.1** *accounts system/method* ⇒*accounting.*
kasstroom ⟨de (m.)⟩ ⟨ec.⟩ **0.1** *cash flow.*
kasstuk ⟨het⟩ **0.1** [toneelstuk] *box office success/draw* **0.2** [⟨boekhouden⟩] *voucher.*
kassucces ⟨het⟩ **0.1** *box office success.*
kast ⟨de⟩ **0.1** [meubel] *cupboard* ⇒*closet* ⟨vnl. vaste kast⟩, *wardrobe* ⟨kleren⟩, *cabinet* ⟨ihb. voor sierspulletjes⟩ **0.2** [afsluitbaar deel van een meubel] *compartment* ⇒*cupboard* **0.3** [ombouw] *case* ⇒*cabinet, casing* **0.4** [groot gebouw, voer-/vaartuig] *barracks, barn* ⟨huis⟩; ⟨lelijk ook⟩ *monstrosity; tub* ⟨schip⟩ *tank, rattle-trap* ⟨voertuig⟩ **0.5** [⟨barg.⟩ gevangenis] ⟨inf.⟩ *nick* ⇒*quod* **0.6** [bordeel] ᴮ*knocking shop,* ᴬ*cathouse* **0.7** [bijenkast] *(bee-)hive* ◆ **2.1** vaste ~en *fitted/built-in cupboards* **2.7** losse en vaste ~en *hives with removable and non-removable honeycombs* **6.1** iem. **op** de ~ jagen/krijgen ⟨fig.⟩ *get a rise of s.o., needle s.o.;* **op** de ~ zitten ⟨fig.⟩ *be angry* **6.4** een ~ **van** een huis *a barn of a house* **6.5** ⟨inf.⟩ **in** de ~ zitten *be in the n., doing time.*
kastanje
I ⟨de (m.)⟩ **0.1** [paardekastanjeboom] *horse chestnut* **0.2** [kastanjeboom] *chestnut;*
II ⟨het⟩ **0.1** [hout] *chestnut;*
III ⟨de⟩ **0.1** [paardekastanje] *(horse) chestnut* ⇒⟨vnl. BE; inf.⟩ *conker* **0.2** [tamme kastanje] *(Spanish/sweet) chestnut* ◆ **2.2** gepofte/geglaceerde ~s *roast chestnuts/marrons glacés* **¶.2** iem. de ~s uit het vuur laten halen ⟨fig.⟩ *use s.o. as a cat's paw;* ⟨fig.⟩ de ~s voor een ander uit het vuur halen/slepen *do s.o. else's dirty work.*
kastanjeachtig ⟨bn.⟩ **0.1** *chestnut* ⇒*chestnutty, chestnut-like* ◆ **¶.1** ⟨zelfst.⟩ ⟨plantk.⟩ ~en *Hippocastanaceae.*
kastanjebloesem ⟨de (m.)⟩ **0.1** *chestnut blossom/bloom.*
kastanjebolster ⟨de (m.)⟩ **0.1** *chestnut shell.*
kastanjeboom ⟨de (m.)⟩ **0.1** *chestnut (tree).*
kastanjebruin¹ ⟨het⟩ **0.1** *chestnut (brown)* ⇒*auburn.*
kastanjebruin² ⟨bn.⟩ **0.1** *chestnut* ⇒*auburn* ◆ **1.1** ~ haar *c. / auburn hair;* een ~ paard *a bay (horse).*
kastanjekleurig ⟨bn.⟩ **0.1** *chestnut(-coloured)* ⇒*chestnutty.*
kastdeur ⟨de⟩ **0.1** *cupboard/cabinet door.*
kaste ⟨de⟩ **0.1** [stand] *caste* **0.2** [maatschappelijke kring] *caste* ◆ **2.1** de hoogste ~ is die v.d. brahmanen *the Brahmans are the highest c..*
kasteel ⟨het⟩ **0.1** [slot] *castle* ⇒*chateau* **0.2** [burcht] *castle* ⇒*citadel* **0.3** [schaakstuk] *castle* ⇒*rook* **0.4** [landhuis] *castle* ⇒*manor (house), mansion* ◆ **2.1** een middeleeuws ~ *a medieval castle* **3.1** op hem kun je kastelen bouwen *he's a rock* **6.1** een ~ **van** een huis *a real mansion.*
kasteelheer ⟨de (m.)⟩, -vrouwe ⟨de (v.)⟩ **0.1** *lord of the castle/manor* ⇒ *chatelain* ⟨m.⟩, *chatelaine* ⟨v.⟩.
kasteelroman ⟨de (m.)⟩ **0.1** *Gothic(k) novel/romance.*
kastegeest ⟨de (m.)⟩ **0.1** *caste spirit* ⇒*elitism,* ⟨klassegeest⟩ *class spirit/consciousness.*
kastekort ⟨het⟩ **0.1** *deficit.*
kastelein ⟨de (m.)⟩, -se, -es ⟨de (v.)⟩ **0.1** *innkeeper* ⇒ᴮ*publican, landlord* ⟨m.⟩, *landlady* ⟨v.⟩.
kasteloos ⟨bn.⟩ **0.1** *outcaste* ⇒⟨AE ook⟩ *casteless.*
kasteloze ⟨de (m.)⟩ **0.1** *outcaste.*
kastenmaker ⟨de (m.)⟩ **0.1** *cabinetmaker.*
kastenstelsel →**kastenwezen.**
kastenwand ⟨de (m.)⟩ **0.1** *wall units.*
kastenwezen ⟨het⟩ **0.1** *caste system.*
kastie ⟨het⟩ **0.1** 'kastie' ⟨game resembling rounders⟩.
kastijden ⟨ov.ww.⟩ **0.1** *chastise* ⇒*castigate, punish* ◆ **1.1** ⟨bijb.⟩ de Heer kastijdt degene die Hij liefheeft *whom the Lord loveth he correcteth;* ⟨bijb.⟩ zijn vlees ~ *chastise one's flesh.*
kastijding ⟨de (v.)⟩ **0.1** *chastisement* ⇒*castigation,* ⟨inf.⟩ *dressing down* ◆ **3.1** een ~ toedienen *chastise s.o..*
kastje ⟨het⟩ **0.1** [kleine kast] *cupboard* ⇒*locker* **0.2** [televisietoestel] *box* **0.3** [kijkkast] *peep show* ⇒*raree show* ◆ **3.2** de hele avond ~ kijken *watch the b. all evening* **5.3** poppetje gezien? ~ dicht *now you see*

it, now you don't **6.1** een bureau **met** ~s en laatjes *a desk with cupboards and drawers;* **van** het ~ naar de muur gestuurd worden ⟨fig.⟩ *be sent/driven from pillar to post.*

kastoor
I ⟨het⟩ **0.1** [bevervilt] *castor;*
II ⟨de (m.)⟩ **0.1** [hoed van bevervilt] *beaver (hat)* ⇒*castor.*
kastpapier ⟨het⟩ **0.1** *shelf paper.*
kastplank ⟨de⟩ **0.1** *cupboard shelf.*
kastrandje ⟨het⟩ **0.1** *shelf edging.*
kastruimte ⟨de (v.)⟩ **0.1** *cupboard space.*
kastuinder ⟨de (m.)⟩ **0.1** *greenhouse gardener* ⇒*market gardener.*
kasuaris ⟨de (m.)⟩ **0.1** *cassowary.*
kasuitgave ⟨de⟩ **0.1** *cash expenditure.*
kasvoorraad ⟨de (m.)⟩ **0.1** *cash in hand* ⇒*(ready) cash, ready money, petty cash.*
kasvoorschot ⟨het⟩ **0.1** *cash advance* ◆ **3.1** een ~ verlenen *make a c.a..*
kat ⟨de⟩ (→sprw. 326-329,437,439,541) **0.1** [huisdier] *cat* **0.2** [snibbig meisje] *cat* **0.3** [(mv.) de katachtigen] *cats* ⇒*felines* **0.4** [snauw] *snarl* **0.5** [(gesch.) ophoging] *bastion* **0.6** [(gesch.) werktuig] *cat* ◆ **1.1** ⟨fig.⟩ leven als ~ en hond *lead a cat-and-dog life/existence, be at loggerheads;* ⟨fig.⟩ ~ en muis spelen *play c. and mouse* **2.1** de gelaarsde ~ *Puss-in-Boots;* er uitzien als een verzopen ~ *look like a drowned rat/like sth. the c. brought in* **2.2** een valse ~ *a bitch/* ↓*cow* **2.3** de wilde ~ *European wildcat* **3.1** ⟨fig.⟩ de ~ uit de boom kijken *wait to see which way the wind blows/which way the c. jumps;* ⟨fig.⟩ de ~ in het donker knijpen *saint it in public, sin it in secret;* een ~ komt altijd op haar poten terecht *a c. has nine lives;* ⟨fig.⟩ maak dat de ~ wijs *tell it to the horse marines;* de ~ mauwt/spint/blaast/krolt *the c. is miaowing/purring/hissing/caterwauling;* dat weet de (onze) ~ ook *everybody knows that;* ⟨fig.⟩ de ~ bij het spek zetten/op het spek binden *leave/set the fox to watch the geese, trust the c. to keep the cream;* ⟨fig.⟩ de ~ zit in de gordijnen *the fur is flying;* ⟨inf.⟩ all hell breaks loose;* ⟨AE; inf.⟩ *the shit hits the fan* **3.4** iem. een ~ geven *snarl/snap at s.o.;* ⟨inf.⟩ *bite s.o.'s head off* **6.1** een ~ **in** de zak kopen ⟨fig.⟩ *buy a pig in a poke; buy a lemon;* ⟨fig.;vulg.⟩ iets **voor** de ~ z'n kloten/kont doen *piddle/fart/fuck around (for nothing),* ↑*do sth. for nothing/for peanuts* **8.1** ⟨fig.⟩ zo nat als een ~ *soaking wet, drenched;* ⟨fig.⟩ zo vals als een ~ *mean as a dog;* ⟨fig.⟩ zo vlug als een ~ *fast as lightning;* ⟨fig.⟩ ergens staan te kijken als een ~ in een vreemd pakhuis *feel like a fish out of water;* als een ~ in het nauw *like a cornered rat* ¶**.1** ⟨fig.⟩ de ~ de bel aanbinden *bell the c.;* ⟨inf.⟩ ~ in het bakkie *it's child's play/straightforward/plain sailing/a piece of cake, it's as easy as/like falling off a log* ¶**.¶** de ~ met negen staarten *the cat-o'-nine-tails.*
katabolie, katabolisme ⟨de (v.)⟩ **0.1** *catabolism.*
katabool ⟨bn.⟩⟨med.⟩ **0.1** *catabolic.*
katachtig ⟨bn.⟩ **0.1** [als een kat] *catlike* **0.2** [tot de katachtigen behorend] *feline* **0.3** [vinnig] *catty* ⇒*mean* ◆ **1.1** ~e lenigheid *c. litheness/suppleness* **1.2** ~e roofdieren *f. predators* **1.3** een ~e vrouw *a c./mean woman.*
katafalk ⟨de⟩ **0.1** *catafalque* ⇒*bier.*
katalysator ⟨de (m.)⟩ **0.1** [(schei.)] *catalyst* ⇒*catalytic agent* **0.2** [datgene wat een proces bevordert] *catalyst.*
katalyse ⟨de (v.)⟩⟨schei.⟩ **0.1** *catalysis* ◆ **2.1** negatieve ~ *(catalyst) poison.*
katalyseren ⟨ov.ww.⟩⟨schei.⟩ **0.1** *catalyse/-yze.*
katalytisch ⟨bn.⟩⟨schei.⟩ **0.1** *catalytic.*
katapult ⟨de (m.)⟩ **0.1** [speeltuig] [B]*catapult,* [A]*slingshot* **0.2** [(gesch.)] *catapult* **0.3** [inrichting om vliegtuigen te lanceren] *catapult* ◆ **6.1** met een ~ (af-/be)schieten *shoot/hit with a c.* **6.2** met een ~ (af-/be)schieten *catapult* **6.3** met een ~ afschieten *catapult.*
katenspek ⟨het⟩ **0.1** ≠*smoked bacon.*
kater ⟨de (m.)⟩ **0.1** [mannetje v.d. kat] *tomcat* **0.2** [na alcoholgebruik] *hangover* **0.3** [ontgoocheling] *disillusionment* ⇒*let down* ◆ **2.1** een gesneden ~ *a castrated/sterilised t.* **2.3** een morele ~ *moral qualms* **3.2** een ~ hebben *have a h.* **6.2** met een ~ ↓*hung (over).*
katern ⟨het,de⟩ **0.1** [aantal gevouwen vellen] *quire* **0.2** [(amb.)] *section, signature* ⇒*quire,* ⟨fig.⟩ *gather(ing).*
kath. ⟨afk.⟩ **0.1** [katholiek] *Cath..*
katheder ⟨de (m.)⟩ **0.1** [spreekgestoelte] *lectern* **0.2** [plaats, ambt] *chair* **0.3** [bisschopszetel in een kathedraal] *bishop's throne.*
kathedraal¹ ⟨de⟩⟨r.k.⟩ **0.1** [domkerk] *cathedral* **0.2** [groot kerkgebouw] *large church.*
kathedraal² ⟨bn.⟩⟨r.k.⟩ **0.1** *cathedral* ◆ **1.1** kathedrale basiliek *c. basilica;* kathedrale kerk *c. church.*
kathedraalglas ⟨het⟩ **0.1** *cathedral glass.*
kathode ⟨de (v.)⟩⟨nat.⟩ **0.1** *cathode.*
kathodestraal ⟨de⟩ **0.1** *cathode ray.*
kathodestraalbuis ⟨de⟩⟨nat.⟩ **0.1** *cathode ray tube.*
katholicisme ⟨het⟩ [godsdienst] *Catholicism* **0.2** [opvattingen, levensuitingen] *Roman Catholicism* ◆ **3.1** (zich) bekeren tot het ~ *convert to (R.) C..*
katholiciteit ⟨de (v.)⟩ **0.1** [het katholiek zijn] *Catholicity* **0.2** [het overeenstemmen met de katholieke leer] *Catholicity.*

katholiek¹ ⟨de (m.)⟩ **0.1** *Roman Catholic.*
katholiek² ⟨bn.⟩ **0.1** [rooms] *(Roman) Catholic* **0.2** [deugdelijk] *right* ⇒ *proper* **0.3** [algemeen] *catholic* ◆ **1.1** het ~e geloof *the C. faith;* een ~e school *a C. school* **1.3** de ~ brieven *the Catholic epistles;* de heilige ~e kerk *the holy c. church* **3.1** ~ worden *become C.* **3.2** dat ziet er niet ~ uit *that doesn't look (quite) kosher* **8.1** ~er/roomser zijn dan de paus *be holier than the pope.*
kation ⟨het⟩ **0.1** *cation.*
katjang ⟨de⟩ **0.1** [Indonesische peulvrucht] *legume* **0.2** [apenootje] *peanut* ◆ ¶**.1** ~ idjoe *mung bean.*
katje ⟨het⟩ **0.1** [jonge/kleine kat] *kitten* **0.2** [bloeiwijze] *catkin* ⇒*ament* ◆ **2.2** mannelijke/vrouwelijke ~s *male/female catkins* **3.¶** ⟨AZN⟩ ~ spelen *play tag* **7.1** ⟨fig.⟩ zij is geen ~ om zonder handschoenen aan te pakken *she is not to be trifled with* ¶**.1** in het donker zijn alle ~s grauw *all cats are grey* [A]*gray in the dark.*
katjesdrop ⟨de⟩ **0.1** *'katjesdrop'* ⟨liquorice in the shape of a cat⟩.
katjesspel ⟨het⟩ **0.1** *kittenish romp* ◆ **3.1** dat zal ~ worden *that will (surely) end in ructions/mischief/a free-for-all.*
katoen ⟨het,de (m.)⟩ **0.1** [draad, garen] *cotton* **0.2** [stof] *cotton* **0.3** [zaadpluis] *cotton* **0.4** [plant] *cotton(plant)* **0.5** [pit in een olielamp] *(cotton-)wick* ◆ **1.1** een kluwen ~ *a ball of c.* **2.2** ongebleekt/bedrukt ~ *unbleached/printed c.* **2.3** ruwe/gezuiverde ~ *raw/refined c.;* ⟨ruw ook⟩ *cotton wool* **3.4** ~ verbouwen *grow c.* **6.3** een draad **van** ~ *c. thread* **6.¶** 'm **van** ~ geven *give all one has got;* iem. **van** ~ geven *give s.o. what for.*
katoenachtig ⟨bn.⟩ **0.1** *cottony* ⇒*cotton-like* ◆ **1.1** ~e stoffen *cotton-like fabrics.*
katoenbaal ⟨de⟩ **0.1** [ruwe katoen] *cotton bale* ⇒*bale of cotton* **0.2** [gedrukte katoenen stoffen] *bale of cotton.*
katoenbatist ⟨het⟩ **0.1** *percale.*
katoenblekerij ⟨de (v.)⟩ **0.1** *cotton bleaching plant.*
katoenbouw ⟨de (m.)⟩ **0.1** *cotton cultivation/growing* ⇒*cultivation/growing of cotton.*
katoendruk ⟨de (m.)⟩ **0.1** *cotton printing.*
katoendrukkerij ⟨de (v.)⟩ **0.1** [het drukken] *cotton/calico-printing* **0.2** [fabriek] *(calico) print-works* ⇒*cotton printing mill, printery.*
katoenen ⟨bn.⟩ **0.1** *cotton* ◆ **1.1** ~ garens *c. thread/yarn;* ~ stoffen *c. fabrics, cottons.*
katoenfabriek ⟨de (v.)⟩ **0.1** *cotton mill.*
katoenflanel ⟨het⟩ **0.1** *cotton flannel* ⇒*flannelette, domett, outing flannel,* ⟨vnl. AE⟩ *flannel.*
katoengaren ⟨het⟩ **0.1** *cotton yarn.*
katoenindustrie ⟨de (v.)⟩ **0.1** *cotton industry.*
katoenolie ⟨de⟩ **0.1** *cotton seed oil.*
katoenplant ⟨de⟩ **0.1** *cotton plant.*
katoenplantage ⟨de (v.)⟩ **0.1** *cotton plantation.*
katoenpluk ⟨de (m.)⟩ **0.1** *cotton picking.*
katoenspinnerij ⟨de (v.)⟩ **0.1** *cotton mill.*
katoentje ⟨het⟩ **0.1** [weefsel] *cotton (fabric)* **0.2** [jurk] *cotton dress* **0.3** [pit] *(oil) wick* ◆ **6.1** hij handelt **in** ~s *he deals/* ⟨inf.⟩ *is in cotton.*
katoenzaad ⟨het⟩ **0.1** *cottonseed.*
katoog → **katteoog.**
katrol ⟨de⟩ **0.1** [(hengelsport)] *(fishing) reel* **0.2** [hijsblok] *pulley* ◆ **2.2** vaste/losse/dubbele ~ *fixed/loose/double p..*
katrolblok ⟨het⟩ **0.1** *pulley block.*
katrolschijf ⟨de⟩ **0.1** *(pulley) sheave.*
katsjoe ⟨de (m.)⟩ **0.1** ⟨verfstof⟩ *catechu, cutch* ⇒*cachou, gambir,* ⟨hoestmiddel⟩ *cachou, catechu.*
kattebak ⟨de (m.)⟩ **0.1** [bak waarin een kat haar behoefte doet] *cat('s) box* **0.2** [etensbak] *cat's bowl/dish* **0.3** [bagageruimte van personenauto] [B]*dick(e)y seat,* [A]*rumble seat.*
kattebelletje ⟨het⟩ **0.1** [briefje] *scribbled note, memo* **0.2** [belletje] *cat bell.*
kattedarm ⟨de (m.)⟩ **0.1** [darm v.e. kat] *cat intestine/gut* **0.2** [snaar] *catgut.*
kattedoorn ⟨de (m.)⟩⟨plantk.⟩ **0.1** [stalkruid] *rest harrow* **0.2** [duindoorn] *sea buckthorn* **0.3** [stekelbrem] *needle-furze/gorse* **0.4** [gaspeldoorn] *furze,gorse.*
kattedrek ⟨de (m.)⟩ **0.1** *cat dirt* ◆ **7.¶** dat is geen ~ *that's no chicken feed.*
kattegat ⟨het⟩ **0.1** [smalle doorgang] *alley(way)* **0.2** [katteluikje] *cat door* **0.3** [nauwe doorvaart] *narrow passage.*
kattegejank ⟨het⟩ **0.1** [gemiauw] *me(o)wing* ⇒*caterwauling* ⟨van krolse kat⟩ **0.2** [(scherts.)] *slecht vioolspel] scraping.*
kattekop ⟨de (m.)⟩ **0.1** [de kop v.e. kat] *cat's head* **0.2** [kattige vrouw] *cat* ⇒ ↓*bitch.*
kattekruid ⟨het⟩ **0.1** *catmint* ⇒*catnip.*
kattekwaad ⟨het⟩ **0.1** *mischief* ⇒*tomfoolery* ◆ **3.1** ~ uithalen *get into m.;* waarschuw de kinderen dat zij geen ~ uithalen *warn the children to keep out of m..*
katteluik ⟨het⟩ **0.1** *cat flap.*
katten
I ⟨onov.ww.⟩ **0.1** [afsnauwen] *snap/snarl (at)* ◆ **6.1** ~ **tegen/op** iem. *crab s.o.,* ¶ *bite s.o.'s head off;*

II ⟨ov.ww.⟩ **0.1** [⟨scheep.⟩] *cat* **0.2** [weigeren] *reject* ⇒*refuse* ◆ **1.1** het anker te ~ *c. the anchor.*

kattengeslacht ⟨het⟩ **0.1** *cat/feline family.*

kattenmepper ⟨de (m.)⟩ **0.1** *cat snatcher/thief.*

katteoog
I ⟨het⟩ **0.1** [oog (als) v.e. kat] *cat's eye* ⇒*cat eye* **0.2** [lichtreflector op de weg] [B]*cat's eye,* [A]*reflector* ◆ **3.1** katteogen hebben *have eyes like a cat;*
II ⟨het, de (m.)⟩ **0.1** [halfedelgesteente] *cat's eye.*

kattepis ⟨de (m.)⟩ **0.1** *cat piss* ◆ **7.1** (fig.) dat is geen ~ *no kidding, that's going some,* [A]*you ain't whistling Dixie;* (veel geld) [B]*that's not to be sneezed at,* [A]*that ain't hay/beans.*

kattepoot ⟨de (m.)⟩ **0.1** [poot v.e. kat] *cat's paw* **0.2** [onleesbaar handschrift] *scrawl* ⇒*hen scratch/track.*

kattepootje ⟨het⟩ **0.1** [roerkruid] *cat's foot* **0.2** [rimpeling van watervlak] *cat's paw.*

kattepul ⟨de (m.)⟩ **0.1** [B]*catapult,* [A]*slingshot.*

katteras ⟨het⟩ **0.1** *type/breed of cat.*

katterig ⟨bn.⟩ **0.1** [licht ziek/verkouden] *under the weather* **0.2** [een kater hebbend] *hung over* ◆ **1.1** een ~ gevoel hebben, ~ zijn *feel/be under the weather* **3.2** ~ zijn *have a hangover; feel like the morning after* ⟨ook alg.⟩

katterigheid ⟨de (v.)⟩ **0.1** *hangover* ⇒⟨inf.⟩ *head,* ⟨vero.⟩ *crapulence.*

katterug ⟨de (m.)⟩ **0.1** *arched back* ◆ **3.1** hij heeft al een ~ *he is already bent down with age;* een ~ maken/zetten *grovel.*

kattesnaar ⟨de (v.)⟩ **0.1** *catgut (string).*

kattesprong ⟨de (m.)⟩ **0.1** [sprong] *cat's leap* **0.2** [dwaze handeling] *caper* **0.3** [korte afstand] *stone's throw* ◆ **3.2** ~en maken *cut capers.*

kattestaart ⟨de (m.)⟩ **0.1** [staart van een kat] *cat's tail* **0.2** [plant] *purple loosestrife* ⇒*spiked loosestrife.*

kattetong ⟨de⟩ **0.1** [tong v.e. kat] *cat's tongue* **0.2** [koekje, chocolaatje] *langue de chat.*

kattevoer ⟨het⟩ **0.1** *cat food.*

kattewasje ⟨het⟩ **0.1** [heel klein wasje] *small wash* **0.2** [haastige wassing] *quick wash* ⇒*lick and a promise, catlick.*

kattezilver ⟨het⟩ **0.1** *mica.*

kattig ⟨bn., bw.; -ly⟩ **0.1** *catty* ◆ **1.1** een ~ antwoord *a c. reply* **3.1** doe niet zo ~ *don't be so c..*

katuil ⟨de (m.)⟩ **0.1** ⟨kerkuil⟩ *barn owl;* ⟨velduil⟩ *short-eared owl;* ⟨bosuil⟩ *tawny owl;* ⟨ransuil⟩ *long-eared owl.*

katvis ⟨de (m.)⟩ **0.1** [karpervis] *catfish* **0.2** [klein visje] ≠*tiddler* ⇒⟨mv. ook⟩ *fry.*

katzwijm ⟨de⟩ **0.1** *faint* ◆ **6.1** in ~ liggen *have fainted;* in ~ vallen *faint;* ⟨scheep.⟩ in ~ liggen *be becalmed* ⟨windstilte⟩; *lay idle* ⟨motorpech⟩.

Kaukasiër ⟨de (m.)⟩ **0.1** *Caucasian.*

Kaukasisch ⟨bn.⟩ **0.1** *Caucasian* ⇒⟨vnl. mbt. taal⟩ *Caucasic.*

kauri
I ⟨de (m.)⟩ **0.1** [schelp] *cowrie* ⇒⟨groot⟩ *turtle shell/cowrie;*
II ⟨het⟩ **0.1** [houtsoort] *kauri (pine).*

kauw ⟨de⟩ **0.1** *jackdaw.*

kauwbeweging ⟨de (v.)⟩ **0.1** *mastication* ◆ **1.1** kauw- en slikbewegingen *chewing/masticating and swallowing motions.*

kauwen
I ⟨onov.ww.⟩ **0.1** [bijten] *chew* ◆ **6.1** op een potlood ~ *c. (on) a pencil;*
II ⟨onov., ov.ww.⟩ **0.1** [met tanden en kiezen fijnmaken] *chew* ⇒ *masticate* ◆ **1.1** het eten ~ *c. one's food* **3.1** (fig.) daar heb je wat aan te ~! *that's sth. for you to be getting on with* **5.1** goed ~ is belangrijk *it is important to c. (one's food) properly.*

kauwgom ⟨het, de (m.)⟩ **0.1** *chewing gum.*

kauwmaag ⟨de (m.)⟩ **0.1** *gizzard.*

kauwspier ⟨de⟩ **0.1** *masseter* ⇒*digastric (muscle).*

kavalje ⟨het⟩ **0.1** ⟨huis⟩ *tumbledown/ramshackle house;* ⟨pej.⟩ *old barrack;* ⟨inf.⟩ *dump;* ⟨schip⟩ *old tub, heap;* ⟨paard⟩ *screw, jade, old crock.*

kavel ⟨de (m.)⟩ **0.1** [perceel waarin land verdeeld wordt] *lot* ⇒*parcel, plot* **0.2** [deel v.e. partij goederen/nalatenschap] *lot* ⇒*parcel* ⟨goederen⟩, *share, portion* ⟨nalatenschap⟩.

kavelen ⟨ov.ww.⟩ **0.1** *parcel (out)* ⇒*lot (out), divide, apportion* ⟨nalatenschap⟩ ◆ **1.¶** tijd en tij ~ *pick one's moment.*

kavelindeling ⟨de (v.)⟩ **0.1** *parcelling (out)* ⇒*lotting (out), division, apportionment* ⟨nalatenschap⟩.

kaveling ⟨de (v.)⟩ **0.1** [het kavelen] *parcelling (out)* ⇒*lotting (out), division, apportionment* ⟨nalatenschap⟩ **0.2** [perceel van drooggemaakte landerijen] *parcel, plot* **0.3** [⟨jur.⟩ deel v.e. partij koopgoederen] *lot* ⇒*parcel, portion* ◆ **6.4** die koffie zal **bij** ~en worden verkocht *that coffee will be sold in lots.*

kaviaar ⟨de (m.)⟩ **0.1** *caviar(e).*

kazemat ⟨de⟩ **0.1** *casemate* ⇒*bunker, pillbox.*

kazen ⟨onov.ww.⟩ **0.1** [dik worden (van melk)] *curdle* **0.2** [kaas maken] *make cheese* ◆ **4.2** zelf ~ *make one's own cheese.*

kazerne ⟨de⟩ **0.1** [complex voor soldaten/brandweer/marechaussee]

---

barrack(s) ⟨mil.⟩; *station* ⟨brandweer⟩; *station* ⟨marechaussee⟩ **0.2** [⟨pej.⟩ blok woningen] *barrack(s)* ⇒*tenement house* ◆ **1.1** hun ~ is een monstrum *their barracks is/are ugly* **6.1** in zo'n afschuwelijke ~ wil ik niet wonen *I don't want to live in a barracks like that* **¶.1** een ~ *a barracks.*

kazerneachtig ⟨bn.⟩ **0.1** *barrack-like.*

kazerneleven ⟨het⟩ **0.1** *life in barracks* ⇒*barrack(s)-life.*

kazerneren ⟨ov.ww.⟩ **0.1** *barrack* ⇒*house in barracks.*

kazernewoning ⟨de (v.)⟩ **0.1** *tenement house* ⇒*barrack(s).*

kazuifel ⟨de (m.)⟩ **0.1** *chasuble* ⇒*planet.*

Kb ⟨de⟩ ⟨afk.⟩ ⟨comp.⟩ **0.1** [kilobyte] *K, KB.*

K.B. ⟨afk.⟩ **0.1** [Koninklijk Besluit] ⟨*Royal Decree*⟩ **0.2** [Koninklijke Bibliotheek] ⟨*Royal Library*⟩.

kcal ⟨afk.⟩ **0.1** [kilocalorie] *kcal..*

kebab ⟨de⟩ **0.1** *kebab.*

keel
I ⟨het⟩ **0.1** [⟨herald.⟩] *gules;*
II ⟨de⟩ **0.1** [deel v.d. hals/strot] *throat* **0.2** [keelgat] *throat* **0.3** [stem(geluid)] *throat* ◆ **2.2** een dikke ~ hebben *have a swollen/sore t.;* een droge ~ hebben ⟨ook fig.⟩ *have a dry t.;* een ontstoken ~ hebben *have a sore t.* **3.1** iem. de ~ afsnijden ⟨ook fig.⟩ *cut s.o.'s t.;* iem. de ~ dichtknijpen *throttle/choke/strangle s.o.* **3.2** zijn ~ schrapen *clear one's t.;* zich de ~ smeren *wet one's whistle* **3.3** een ~ opzetten *start yelling/to yell;* (fig.) *make an outcry* (tekeergaan tegen iets) **6.1** iem. **bij** de ~ grijpen *seize s.o. by the t.;* (fig.) *twist s.o.'s arm;* iem. **naar** de ~ vliegen *fly at/go for s.o.'s t.;* (fig.) iem. het mes **op** de ~ zetten *hold a pistol/gun to s.o.'s head;* (fig.) met het mes **op** de ~ *under duress, at pistol-/gun-point* **6.2** dat krijg ik niet **door** mijn ~ *I just can't eat that;* het hart bonsde hem in de ~ *his heart was in/leapt into his mouth;* de woorden bleven **in** zijn ~ steken *the words stuck in his t.;* iem. de woorden **uit** de ~ moeten trekken *have to force the words out of s.o.* **¶.2** dat hangt me de ~ uit *I'm fed up with it, I'm sick (and tired)/sick to death of it.*

keelaandoening ⟨de (v.)⟩ **0.1** *throat affection/malady/trouble* ⇒*affection of the throat.*

keelamandel ⟨de⟩ **0.1** *tonsil.*

keelarts ⟨de (m.)⟩ **0.1** *throat specialist* ⇒*laryngologist* ◆ **1.1** keel-, neus- en oorarts *ear, nose and throat specialist, E.N.T. specialist, otorhinolaryngologist.*

keelband ⟨de (m.)⟩ **0.1** ⟨dameshoed⟩ *ribbon;* ⟨helm⟩ *chin-strap.*

keelgat ⟨het⟩ **0.1** *gullet* ◆ **2.1** in het verkeerde ~ schieten *go down the wrong way;* (fig.) *not go down very well (with s.o.)* **6.1** door het ~ jagen *send down one's throat.*

keelgeluid ⟨het⟩ **0.1** [geluid v.e. keelklank] *guttural sound* ⇒*throaty sound* **0.2** [ongearticuleerd stemgeluid] *noise in the throat.*

keelholte ⟨de (v.)⟩ **0.1** *pharynx.*

keelkanker ⟨de (m.)⟩ **0.1** *cancer of the throat.*

keelklank ⟨de (m.)⟩ **0.1** [diep uit de keel klinkende klank] *guttural sound* ⇒*throaty sound* **0.2** [⟨taal.⟩] *guttural (sound)* ◆ **3.1** ~en uitstoten *let out guttural/throaty sounds.*

keelklepje ⟨het⟩ **0.1** *epiglottis.*

keelmicrofoon ⟨de (m.)⟩ **0.1** *laryngophone* ⇒*throat microphone.*

keelontsteking ⟨de (v.)⟩ **0.1** *(oro-)pharyngitis* ⇒⟨ruimer⟩ *laryngitis, quinsy, inflammation of the throat* ◆ **3.1** een ~ hebben *have laryngitis/quinsy/a sore throat.*

keelpijn ⟨de⟩ **0.1** *sore throat* ◆ **3.1** ~ hebben *have a sore throat.*

keelspiegel ⟨de (m.)⟩ **0.1** *laryngoscope.*

keelstem ⟨de⟩ **0.1** *guttural voice* ⇒*throaty voice.*

keeltjes ⟨zn.mv.⟩ **0.1** *young turnip tops.*

keen ⟨de⟩ **0.1** *chap* ⇒*crack.*

keep
I ⟨de (m.)⟩ **0.1** [vogel] *brambling* ⇒⟨BE ook⟩ *cock of the north;*
II ⟨de⟩ **0.1** [inkeping] *notch* ⇒*nick, score* ◆ **3.1** kepen in een boom hakken *cut notches in a tree* **3.¶** ~ houden *stick to one's guns* **6.1** de ~ in een pijl *the nock in an arrow.*

keepen ⟨onov.ww.⟩ **0.1** *be in goal* ⇒*keep goal.*

keeper ⟨de (m.)⟩ **0.1** *goalkeeper* ⇒*keeper,* ⟨inf.⟩ *goalie,* ⟨AE; ijshockey⟩ *goal-tender, goal-minder.*

keer ⟨de (m.)⟩ ⟨→sprw. 173⟩ **0.1** [maal] *time* **0.2** [wending] *turn* ◆ **1.2** de ~ van het water *the t. of the tide* **2.1** een doodenkele ~ *once in a blue moon;* elke/iedere ~ *each/every t.;* een ~ of wat, een enkele ~, een paar ~ *once or twice, a couple of times, two or three times;* geen enkele ~ *not/never once;* voor de laatste ~ *for the last t.;* volgende ~ beter! *better luck next t.;* de vorige/laatste ~ dat hij hier was *when he was last here, last t.* he was here **2.2** de zaken namen een andere ~ *things took an unexpected turn;* de zaken namen een goede/gunstige ~ *things took a favourable t./changed for the better* **2.¶** in/binnen de kortste keren *in no time (at all)* **3.1** nu moet je toch eens een ~ ophouden *and now it's about t. you stopped* **3.2** de ~ die de zaken genomen hebben *the t. of events* **4.1** (op) een andere ~ *another t., some other t.;* deze (ene) ~ hield iedereen nu eens zijn mond *for once everybody kept quiet;* nou vooruit, voor deze ~ dan! *all right then, but only/just for this once, mind you!;* de ene ~ ... de andere ~ *the one t.*

... *the other;* de ene ~ (is het) dit, de andere ~ dat *now it's this and then it's that* **5.1** nog een ~(tje) *(once) again, once more* **6.1** ~ **om** ~ *t. after t.;* ~ **op** ~ *in turn;* **per** ~ *a t.;* **voor** een ~(tje) kan dat geen kwaad *once in a while/just once it can't do any harm* **7.1** anderhalf ~ zoveel *half as much/many again;* drie ~ achter elkaar *three times running;* (op) een ~ *one day;* dat is één ~ en nooit meer *never again;* dat is nu een ~ zo *that's how it is/things are;* één enkele ~, slechts één ~ *only once;* één ~ moet de eerste zijn *there has to be a first t. (for everything);* nog één ~ en dan zwaait er wat! *just let that happen again and you're for it!;* (het lukte hem) in één ~ *(he did it) in one go;* hij dronk zijn glas in één ~ leeg *he emptied his glass at a draught/in one go;* hij heeft al zijn geld in één ~ opgemaakt *he got rid of all his money in one go;* we hebben alles in één ~ betaald *we paid for everything outright;* je bent maar één ~ jong *you're only young once;* een ~ te veel *once too often;* de eerste ~ *the first t.;* (meteen) de eerste ~ al *at the first go;* toen hij daar voor de eerste ~ kwam *the first t. he came there;* negen van de tien ~ *nine times out of ten;* dat heb ik nu al tien/honderd ~ gezegd/gehoord *I've already said/heard that I don't know how many times/ten times/a hundred times;* twee ~ *twice;* twee ~ twee is vier *twice two is four;* two twos are four* (tafel); dat heeft hij wel twee ~ gezegd *he has said that twice over;* dat hoef je hem geen twee ~ te zeggen *he doesn't need telling twice;* dat zal me geen tweede ~ gebeuren! *I'll make sure that doesn't happen again;* voor mijn part is hij twintig ~ burgemeester *he can be mayor twenty times over for all I care;* de zoveelste ~ *the umpteenth t.* **¶.1** en als hij dan al eens een ~ ... *and if for once he ....*

keerboei ⟨de⟩ **0.1** *buoy (to be rounded).*
keerdam ⟨de (m.)⟩ **0.1** *weir* ⇒*barrage.*
keerdicht ⟨het (lit.)⟩ **0.1** [keervers] *refrain* ⇒*burden* **0.2** [gedicht als antwoord op een ander] ≠*echo verse.*
keerkoppeling ⟨de (v.)⟩ ⟨tech.⟩ **0.1** *reversing clutch.*
keerkring ⟨de (m.)⟩ **0.1** *tropic* ♦ **6.1** onder/**tussen** de ~en *in the tropics.*
keerkringsgordel ⟨de (m.)⟩ **0.1** *tropical zone* ⇒*tropics* ⟨mv.⟩.
keerkringsjaar ⟨het⟩ **0.1** *tropical year.*
keerkromme ⟨de⟩ ⟨wisk.⟩ **0.1** *cusp.*
keerlus ⟨de⟩ **0.1** *terminus loop.*
keermuur ⟨de (m.)⟩ **0.1** *quay wall;* ⟨om stenen tegen te houden⟩ *retaining wall, revetment.*
keerpunt ⟨het⟩ **0.1** [⟨fig.⟩] *turning point* ⇒*watershed* **0.2** [punt van keren] *turning point* ♦ **3.2** ⟨zwemmen⟩ het ~ goed nemen *turn well* **6.1** het ~ in zijn leven *the t. p. in his life;* een ~ in de geschiedenis *a t. p./ watershed in history;* **op** het ~ zijn *be on the turn.*
keersluis ⟨de⟩ **0.1** [enkele sluis] *sluice* ⇒*floodgate* **0.2** [stuwsluis] *sluice.*
keerteen ⟨de⟩ **0.1** *reversible toe.*
keervers ⟨het⟩ ⟨lit.⟩ **0.1** [keerdicht] *refrain* ⇒*burden* **0.2** [refrein] *refrain* ⇒*burden.*
keerweer ⟨de (m.)⟩ **0.1** ⟨ook fig.⟩ *blind alley* ⇒*cul-de-sac.*
keerzang ⟨de (m.)⟩ **0.1** *chorus* ⇒*refrain.*
keerzijde ⟨de⟩ ⟨→sprw. 426⟩ **0.1** *other side* ⇒⟨munt, medaille ook⟩ *reverse, verso,* ⟨bladzijde enz. ook⟩ *back,* ⟨stof ook⟩ *wrong side, reverse, seamy side* ⟨v.h. leven⟩, *obverse* ⟨stelling⟩ ♦ **1.1** de ~ v.d. medaille ⟨fig.⟩ *the other side of the coin/picture* **3.1** alles heeft zijn ~ *there's a drawback to everything, there's always some snag, nothing is perfect* **6.1** **op** de ~ ⟨bv. van bladzijde⟩ *overleaf.*
kees ⟨de (m.)⟩ **0.1** [keeshond] *keeshond* **0.2** [tabaksspruim] *chew of tobacco.*
keeshond ⟨de (m.)⟩ **0.1** *keeshond.*
keet ⟨de⟩ [loods] *hut* ⇒*shed* **0.2** [herrie] *racket* ⇒*din, row* **0.3** [⟨pej.⟩ gebouw] *show* ⇒⟨AE; inf.⟩ *shebang* ♦ **2.3** de hele ~ is afgebrand *the whole show/shebang burned down* **3.2** ~ schoppen/trappen ⟨de boel op stelten zetten⟩ *muck around;* ⟨herrie maken⟩ *make/ kick up a racket;* het was me daar een ~! *there was a hell of a noise going on* **6.1** de bouwvakkers schuilden **in** de ~ *the builders sheltered in the h..*
keffen ⟨onov.ww.⟩ **0.1** [hoog en schel blaffen] *yap* ⇒*yelp,* ⟨AE ook⟩ *yip* **0.2** [tekeergaan] *yap.*
keffertje ⟨het⟩ **0.1** [hond] *yapper* **0.2** [persoon] *yapper.*
kefir ⟨de (m.)⟩ **0.1** *kefir.*
keg ⟨de⟩ **0.1** *wedge* ⇒*key, cotter.*
kegel ⟨de (m.)⟩ **0.1** [⟨wisk.⟩ *cone* **0.2** [⟨sport⟩]⟨kegelspel; met negen kegels⟩ *ninepin* ⇒*pin,* ⟨BE ook⟩ *skittle (pin),* ⟨bowling; met tien kegels⟩ *pin, tenpin* **0.3** [op een kegel lijkend iets] *cone* **0.4** [stinkende adem] *badly smelling breath* ♦ **1.3** de ~s van de naaldboom *the cones of a conifer;* de ~ van een vulkaan *the c. of a volcano* **2.1** afgeknotte ~ *truncated c., frustum* **3.2** de ~s opzetten *set up the pins/skittles* **3.¶** ⟨jacht.⟩ ~ maken *sit up* **6.4** met een ~ thuiskomen *come home smelling heavily of drink.*
kegelas ⟨de⟩ **0.1** *axis of a cone.*
kegelbaan ⟨de⟩ **0.1** [baan voor kegelballen] ⟨kegelspel⟩ *skittle alley;* ⟨met tien kegels →bowlingbaan⟩ **0.2** [plaats, gebouw] ⟨kegelspel⟩ *skittle alley;* ⟨met tien kegels →bowlingbaan⟩.
kegelbal ⟨de (m.)⟩ **0.1** ⟨voor negen kegels⟩ *skittle ball;* ⟨voor tien kegels⟩ *bowling ball, tenpin ball.*

kegelclub ⟨de⟩ **0.1** ⟨kegelspel⟩ *skittle club;* ⟨met tien kegels →bowlingclub⟩.
kegeldragenden ⟨zn.mv.⟩ **0.1** *conifers* ⇒*coniferous trees.*
kegelen
I ⟨onov.ww.⟩ **0.1** [het kegelspel spelen]⟨negen kegels⟩ *play skittles/ ninepins;* ⟨met tien kegels →bowlen⟩ **0.2** [vallen] *crash* ♦ **6.2** de vaas kegelde **op** de grond *the vase crashed to the floor;*
II ⟨ov.ww.⟩ ⟨fig.⟩ **0.1** [ergens af/uit gooien] *throw out* ⇒⟨inf.⟩ *chuck out,* ⟨vnl. BE; inf.⟩ *turf out* ♦ **5.1** eruit ~ *chuck/throw out, sack;* de uitsmijter heeft de herriemakers eruit gekegeld *the bouncer threw/ chucked/turfed out the rowdies;* toen hij eruit gekegeld was, moest hij op zoek naar een nieuwe baan *after he had been sacked/chucked out he had to look for a new job.*
kegelmantel ⟨de (m.)⟩ ⟨wisk.⟩ **0.1** *conical surface, conoid.*
kegelschijf ⟨de⟩ **0.1** [⟨tech.⟩] *cone pulley* ⟨van lamellenkoppeling⟩ **0.2** [⟨wisk.⟩] *frustrum of a cone.*
kegelsnede ⟨de⟩ ⟨wisk.⟩ **0.1** *conic (section)* ♦ **4.1** de leer der ~n *conics.*
kegelspel ⟨het⟩ **0.1** [het spelen, wijze van spelen]⟨met negen kegels⟩ *(game of) skittles/ninepins;* ⟨met tien kegels →bowling⟩ **0.2** [benodigdheden]⟨met negen kegels⟩ *skittle set; ninepin set;* ⟨met tien kegels⟩ *bowling set, tenpinset* ♦ **6.2** ⟨AZN⟩ ontvangen worden/komen als een hond **in** een ~ *be made to feel (very) unwelcome/turn up at an inconvenient moment.*
kegeltje ⟨het⟩ ⟨anatomie⟩ **0.1** *(retinal) cone.*
kegelvlak ⟨het⟩ ⟨wisk.⟩ **0.1** →*kegelmantel.*
kegelvormig ⟨bn.⟩ **0.1** *conical* ⇒*cone-shaped* ♦ **1.1** een ~e berg *a conical mountain.*
kegelvrucht ⟨de⟩ ⟨plantk.⟩ **0.1** *cone* ⇒*strobile, strobilus.*
kegelwiel ⟨het⟩ ⟨tech.⟩ **0.1** *bevel gear/wheel.*
kegge →*keg.*
keggen ⟨ov.ww.⟩ **0.1** *wedge (in)* ⇒*key.*
kei ⟨de (m.)⟩ **0.1** [rolsteen] *boulder* ⇒⟨AE sport ook⟩ *bowlder* **0.2** [kassei] *cobble(-stone)* **0.3** [persoon] ⟨zie 3.3⟩ **0.4** [zwerfblok] *erratic block* ♦ **2.4** de Amersfoortse ~ *the Amersfoort erratic block* **3.3** Jan is een ~ in wiskunde *John is no slouch at maths/is a crack mathematician* **6.1** 't is kop **tegen** ~ *neither of them will give in/give way/budge an inch* **6.2** met ~en bestraat *cobbled;* ⟨fig.⟩ iem. **op** de ~en zetten *give s.o. the boot;* ⟨fig.⟩ op de ~en komen te staan *be out on one's ear;* ⟨fig.⟩ **op** de ~en staan *be out of a job.*
keiengroeve ⟨de⟩ **0.1** ≠*(stone) quarry.*
keihard ⟨bn., bw.⟩ **0.1** [zeer hard] *rock-hard, as hard as rock/(a) stone* ⇒ †*adamant(ine)* **0.2** [onaandoenlijk] *(rock-)hard, tough* ⇒*hard-boiled* ⟨mbt. mensen⟩, *rigorous* ⟨rigoureus/onbuigzaam⟩ **0.3** [zeer luid] †*stentorian* ⟨mbt. stem⟩ ♦ **1.1** ⟨sport⟩ een ~ schot, een ~e bal *a powerful shot, a hard/powerful ball;* die stopverf is ~ *that putty is rock-hard;* ⟨fig.⟩ ~e valuta *hard currency* **1.2** de ~e deflatiepolitiek v.d. regering *the government's rigorous policy of deflation;* ~e feiten *hard/incontrovertible facts;* ~e onderhandelingen *hard bargaining;* ~e zakenlui *hard-boiled businessmen* **3.1** ~ weghollen *run away at full pelt* **3.2** ~ onderhandelen *drive a hard bargain;* zich ~ opstellen *take a hard/firm/strong line;* het ~ spelen *go all out, push one's luck, play to win;* (iem.) ~ zeggen waar het op staat *give it to s.o. straight-(out)* **3.3** ~ schreeuwen *shout at the top of one's voice;* de radio stond ~ aan *the radio was on full blast/was blaring away* **7.2** ⟨zelfst.⟩ hij is een ~e ⟨uiterst zakelijk⟩ *he's a hard/tough one, as hard as nails;* ⟨hij kan veel pijn verdragen⟩ *he's tough.*
keil ⟨de (m.)⟩ **0.1** [wig] *wedge* **0.2** [borrel] *tot of gin* ⇒≠*nip, drink, dram.*
keilbout ⟨de (m.)⟩ **0.1** *Rawlplug* ⇒*rawl.*
keileem ⟨het, de (m.)⟩ ⟨geol.⟩ **0.1** *boulder clay* ⇒*till.*
keilen
I ⟨onov., ov.ww.⟩ **0.1** [kiskassen] *skim (stones (on the water));* ⟨alleen onov.ww.⟩ *play (at)/make ducks and drakes;*
II ⟨ov.ww.⟩ [werpen] *throw* ⇒*chuck, fling, heave, pitch, hurl* ♦ **¶.1** iem. de deur uit ~ *t./ chuck s.o. out ((of) the door).*
keiler ⟨de (m.)⟩ ⟨jacht⟩ **0.1** *(wild) boar.*
keirin ⟨de (m.)⟩ ⟨wielersport⟩ **0.1** *keirin (race)* ⇒*devil-take-the-hindmost.*
keisteen ⟨de (m.)⟩ **0.1** *cobble(-stone).*
keizer ⟨de (m.)⟩ ⟨→sprw. 312⟩ **0.1** *emperor* ⟨met naam erbij met hoofdletter⟩ ⇒⟨Romeins ook⟩ *Caesar,* ⟨tsaar⟩ *tsar, czar,* ⟨van Japan ook⟩ *tenno, mikado* ♦ **1.1** spelen om des ~s baard *play for fun/love;* ~ Karel *Charles the Fifth* **3.1** waar niets is, verliest de ~ zijn recht *you cannot get blood out of a stone* **¶.1** gaan waar de ~ te voet gaat *pay a call, spend a penny, see a man about a dog;* ⟨bijb.⟩ geef de ~ wat des ~s is *render to Caesar the things that are Caesar's.*
keizerin ⟨de (v.)⟩ **0.1** [regerende alleenheerseres] *empress* ⟨met naam erbij met hoofletter⟩ **0.2** [vrouw v.e. keizer] *empress* ⟨met naam erbij met hoofdletter⟩ ⇒⟨tsarina⟩ *tsarina, czarina* ♦ **1.1** keizerin-weduwe *empress dowager.*
keizerlijk ⟨bn., bw.;-ly⟩ **0.1** *imperial* ⇒⟨mbt. Rome ook⟩ *Caesarean* ♦ **1.1** een ~ decreet *an i. decree;* Zijne Keizerlijke Majesteit *His Imperial Majesty;* het ~ paleis *the i. palace, the palace of the emperor.*

keizerrijk ⟨het⟩ **0.1** *empire.*
keizerschap ⟨het⟩ **0.1** *emperorship* ⇒*(imperial) reign/rule* ◆ **1.1** onder/ tijdens zijn ~ *during/under his reign.*
keizershuis ⟨de (v.)⟩ **0.1** *imperial house.*
keizerskroon ⟨de⟩ **0.1** [kroon v.e. keizer] *imperial crown* **0.2** [waardigheid] *imperial crown* ⇒*crown imperial* **0.3** [plant] *fritillary.*
keizersnede ⟨de⟩ ⟨med.⟩ **0.1** *Caesarean/Caesarian/Cesarean/Cesarian (section/operation).*
keizerstitel ⟨de (m.)⟩ **0.1** *imperial title* ⇒*title of emperor.*
keizerthee ⟨de (m.)⟩ **0.1** *imperial tea.*
keizertijd ⟨de (m.)⟩ **0.1** *imperial age/period* ⇒*time of the emperors.*
kek ⟨bn.⟩ **0.1** *bouncy* ⇒*sprightly, lively.*
keker ⟨de (m.)⟩ **0.1** *chickpea* ⇒*garbanzo.*
kelder ⟨de (m.)⟩ **0.1** [deel v.e. gebouw] *cellar* ⇒ ⟨kluis, bewaarplaats⟩ *vault* ⟨vnl. mbt. bank/museum⟩, ⟨in bank ook⟩ *strongroom* **0.2** [grafkelder] *crypt* ⟨in kerk⟩ ⇒ ⟨catacombe⟩ *catacomb* **0.3** [wijnvoorraad] *cellar* ◆ **2.3** zijn ~ is goed voorzien *he has a well-stocked c.* **6.1** in de ~ opslaan/bergen *lay up, cellar, store in a/the c.;* de trap *naar* de ~ *the stairs to the c., the c. stairs* **6.¶** *naar* de ~ gaan ⟨mbt. schip⟩ *go to the bottom/ to Davy Jones's locker;* ⟨te gronde/failliet gaan⟩ *go to the dogs/to pot.*
kelderdeur ⟨de⟩ **0.1** *cellar door.*
kelderen
 I ⟨onov.ww.⟩ **0.1** [sterk in waarde dalen] *plummet* ⇒*shrimp, topple, tumble, take a (downward) plunge* **0.2** [zinken] *go to the bottom* ⇒ *sink, founder* ◆ **1.1** de aandelen ~ *shares are plummeting/toppling/ tumbling;* de gulden is gekelderd *the guilder has plummeted/toppled/ tumbled/slumped/taken a (downward) plunge;* de markt is gekelderd ⟨ook⟩ *the bottom has fallen out of the market;*
 II ⟨ov.ww.⟩ **0.1** [laten zinken] *send to the bottom* ⇒*sink* **0.2** [opslaan] *lay up, cellar, store in a/the cellar* ◆ **1.2** aardappels ~ *store potatoes in the cellar.*
kelderfles ⟨de⟩ **0.1** *square bottle.*
keldergat ⟨het⟩ **0.1** [luchtopening] *air hole* ⇒*vent hole,* ⟨venster⟩ *cellar window* **0.2** [toegang tot een kelder] *trapdoor* ⇒ ⟨mangat⟩ *manhole, coal-hole* ⟨van kolenkelder⟩.
kelderhuur ⟨de⟩ **0.1** *cellarage* ⇒*cellar rental fee.*
kelderkamer ⟨de⟩ **0.1** ⟨in kelderverdieping⟩ *basement room;* ⟨boven kelder⟩ *room over a/the cellar.*
kelderkast ⟨de⟩ **0.1** *cupboard under the stairs.*
kelderlucht ⟨de⟩ **0.1** ≠*damp/musty/fusty smell.*
kelderluik ⟨het⟩ **0.1** *cellar-flap.*
keldermeester ⟨de (m.)⟩ **0.1** ⟨in klooster⟩ *cellarer;* ⟨in huishouden⟩ *butler.*
keldermot ⟨de⟩ **0.1** *wood-louse, sow-bug* ⇒*slater.*
kelderruimte ⟨de (v.)⟩ **0.1** *cellarage, cellar space.*
keldertrap ⟨de (m.)⟩ **0.1** *cellar stairs/staircase* ⇒ ⟨stenen trap⟩ *cellar steps.*
kelderverdieping ⟨de (v.)⟩ **0.1** *basement.*
kelderwoning ⟨de (v.)⟩ **0.1** *basement* ⟨[Bflat] ⟨vnl. AE⟩ *apartment*⟩.
kelen ⟨ov.ww.⟩ **0.1** [de keel afsnijden] *cut the throat (of sth./s.o.)* ⇒ *stick* ⟨varkens⟩ **0.2** [wurgen] *strangle, throttle.*
kelere ⟨de⟩ ⟨vulg.⟩ ◆ **3.¶** krijg de ~! *get knotted!, drop dead!,* ↓*fuck you!.*
kelerelij(d)er ⟨de (m.)⟩ ⟨vulg.⟩ **0.1** *bastard,* ↓*cunt* ⇒ ⟨AE ook⟩ *motherfucker.*
kelim ⟨de (m.)⟩ **0.1** *kilim.*
kelk ⟨de (m.)⟩ **0.1** [drinkglas] *(drinking) goblet* ⇒ ⟨vero. of schr.⟩ *beaker* **0.2** [bloem(kroon)] *calyx* **0.3** ⟨rel.⟩ *chalice* ⇒ ⟨schr.⟩ *cup* ◆ **1.1** ⟨fig.⟩ de ~ des lijdens *the cup of sorrow.*
kelkblad ⟨het⟩ **0.1** *sepal.*
kelkvormig ⟨bn.⟩ **0.1** *cup-shaped/-like* ⇒ ⟨bij bloemen ook⟩ *calyx-like, chaliced.*
kelner ⟨de (m.)⟩, **-in** ⟨de (v.)⟩ **0.1** *waiter* ⟨m.⟩*; waitress* ⟨v.⟩ ◆ **7.1** eerste ~ *head waiter, maître d'hôtel.*
kelnersjasje ⟨het⟩ **0.1** *waiter's jacket.*
kelp ⟨de⟩ **0.1** *kelp* ⇒*varec, wrack.*
Kelten ⟨zn.mv.⟩ **0.1** *Celts* ⇒*Kelts.*
Keltisch¹ ⟨het⟩ **0.1** *Celtic* ⇒*Keltic.*
Keltisch² ⟨bn.⟩ **0.1** *Celtic* ⇒*Keltic.*
keltist ⟨de (m.)⟩ **0.1** *Celticist* ⇒*Celtist.*
keltoloog ⟨de (m.)⟩ **0.1** *Celticist* ⇒*Celtist.*
KEMA ⟨de⟩ ⟨afk.⟩ **0.1** [(instituut voor) Keuring van Electrotechnische Materialen te Arnhem] ⟨*Dutch quality-control institute for electrical materials and appliances, like the* ᴮ*British Standards Institution/* ᴬ*National Bureau of Standards*⟩.
KEMA-keur 0.1 *quality-control label* ⇒≠ᴮ*BSI-mark.*
kemelgeit ⟨de⟩ **0.1** *angora goat.*
kemelsgaren ⟨het⟩ **0.1** *mohair.*
kemelshaar ⟨het⟩ **0.1** [haar van kamelen] *camel('s) hair* **0.2** [haar v.d. angorageit] *angora, mohair* **0.3** [wol] *mohair, angora (wool).*
kemphaan ⟨de (m.)⟩ **0.1** [trekvogel] *ruff* ⇒ ⟨vrouwtje ook⟩ *reeve, ree* **0.2** [ruziezoeker] *fighting cock* ⇒*gamecock, bantam, brawler* ◆ **8.1**

vechten als kemphanen *fight like fighting cocks/gamecocks/bantams;* ze stonden als kemphanen tegenover elkaar *they were at daggers drawn.*
kempo ⟨het, de⟩ **0.1** *kempo* ◆ **6.1** op ~ zitten, *aan* ~ doen *practice* ᴬ*se k..*
kenau ⟨de (v.)⟩ **0.1** *battle-axe* ⇒*virago, amazon.*
kenbaar ⟨bn.⟩ **0.1** [te herkennen] *recognizable, distinguishable* **0.2** [waarvan men kennis kan verkrijgen] *knowable* ⇒ ↑*cognizable* **0.3** [bekend] *known* ◆ **1.2** kenbare waarheden *k./cognizable truths* **3.3** een wens~ maken *make one's wish k.;* zijn bedoelingen ~ maken *make k./declare one's intentions;* iem. iets ~ maken *make sth. knowable to s.o., let s.o. know sth., inform s.o. of sth.;* ~ worden *become k.* **6.1** zij zijn ~ *aan they can be identified/distinguished/recognized by;* hij is *uit* honderden ~ *you could pick him out of a thousand/a crowd.*
kenbaarheid ⟨de (v.)⟩ **0.1** *recognizability, distinguishability.*
kencijfer ⟨het⟩ →*kengetal 0.2.*
kengetal ⟨het⟩ **0.1** [netnummer] ᴮ*dialing code,* ᴬ*area code, prefix* **0.2** [⟨statistiek⟩ kencijfer] *index number* ⇒*indicator.*
kenleer ⟨de⟩ **0.1** *gnoseology, gnosiology.*
kenmerk ⟨het⟩ **0.1** [kenteken] *(identification/identifying) mark* ⇒ ⟨waarborgstempel⟩ *hallmark* ⟨ook fig.⟩ **0.2** [symptoom] *symptom* **0.3** [karaktertrek] *(distinguishing) characteristic/feature* ⇒*stamp, earmark, fingerprint, hallmark, trademark* ◆ **1.2** de ~en van ondervoeding *the symptoms of undernourishment* **2.3** erfelijke ~en *hereditary characteristics;* een typisch ~ van *a peculiarity of, a typical feature of;* de voornaamste ~en *the outstanding/chief/leading/distinctive/most striking characteristics/features* **3.1** de ~en dragen van *bear the mark(s)/stamp/hallmark/fingerprint of;* van een ~ voorzien *mark* **6.1** *zonder* bijzondere ~en *without (any) special/outstanding/distinguishing features* **6.3** het ~ *van* ware grootheid *the hallmark of true greatness.*
kenmerken ⟨ov.ww.⟩ **0.1** [karakteriseren] *characterize, mark, typify, distinguish* **0.2** [merken] *mark* ◆ **1.2** alle boeken van de bibliotheek zijn door een stempel gekenmerkt *all the library books are marked with a stamp* **4.1** deze woorden ~ hem *these words are characteristic/typical of him;* deze woorden ~ hem als een geleerde *these words mark him out as a scholar;* onze eeuw kenmerkt zich door geestelijke verwarring *our century is characterized by spiritual confusion.*
kenmerkend ⟨bn., bw.; -ly⟩ **0.1** *characteristic (of)* ⇒*distinctive,* ⟨specifiek⟩ *specific (to),* ⟨med. ook⟩ *diagnostic (of)* ◆ **1.1** ~e eigenschappen *(distinctive) characteristics, distinctive/characteristic/characteristic/outstanding /salient features* **3.1** zich ~ onderscheiden *be clearly/sharply distinguishable from;* ~ zijn voor *be c./typical of* **7.1** ⟨zelfst.⟩ het ~e hiervan is, dat …*the distinctive/c. feature of this is that ….*
kennel ⟨de (m.)⟩ **0.1** [hondehok met ren] *kennel* **0.2** [hondenfokkerij] ᴮ*kennels,* ᴬ*kennel* **0.3** [troep jachthonden] *kennel, pack* **0.4** [kooi voor een kat] *cat basket.*
kennelhoest ⟨de (m.)⟩ **0.1** ≠*infectious cough.*
kennelijk
 I ⟨bn.⟩ **0.1** [waarneembaar] *obvious* ⇒*apparent, evident,* ⟨zichtbaar⟩ *visible,* ⟨duidelijk⟩ *clear,* ⟨onmiskenbaar⟩ *unmistakable* ◆ **1.1** ~e gebreken *o. defects;* met ~ genoegen *with o./unmistakable pleasure* **1.¶** in ~e staat zijn *be under the influence, be the worse for drink;*
 II ⟨bw.⟩ **0.1** [klaarblijkelijk] *obviously* ⇒*clearly, apparently* ◆ **3.1** het is ~ zonder opzet gedaan *it was o. done unintentionally;* zij vervelen zich ~ *they are o./clearly bored.*
kennen ⟨ov.ww.⟩ ⟨→sprw. 71, 78, 227, 313, 330, 413, 458, 597⟩ **0.1** [bekend zijn met] *know* ⇒*be acquainted with* **0.2** [geleerd hebben] *know* ⇒*understand* ⟨taal⟩*, have* **0.3** [⟨+in⟩ raadplegen] *consult* ⇒*take counsel* **0.4** [herkennen] *recognize, know* ◆ **1.1** betere dagen gekend hebben *have seen better days;* ik wil eerst de feiten ~ *first I want to k./ be in possession of the facts;* zij heeft geen geluk gekend in haar leven *she has known no happiness in her life;* geen gevaar ~ *see/k. no danger;* je kent Jan toch wel! *you must k. John! surely you k. John!;* geen medelijden ~ *k. no pity, be pitiless;* van de mensen die ik ken … *among my acquaintances/the people of my acquaintance;* hij kent zijn mensen/pappenheimers *he knows who he is dealing with;* ik ken die naam (goed) *the name is/sounds (very) familiar to me;* zijn plicht ~ *k. one's duty;* geen schaamte ~ *have no shame;* de wereld ~ *k. the (ways of the) world;* de Engelse wet kent dat onderscheid niet *English law does not make/k. this distinction;* hij kent geen zenuwen *he doesn't k. what nerves are;* geen zorgen ~ *be carefree* **1.2** ik ken geen Spaans/fysica *I don't k. any Spanish/anything about physics;* een taal ~ k./ speak a language;* zijn ~ k. one's job/business/stuff **3.1** zich doen ~ als *prove/show o.s. to be;* ⟨fig.⟩ laat je niet ~! *give 'em hell!;* zich van zijn beste kant laten ~ *show o.s. at one's best, show one's best side;* ⟨fig.⟩ hij wilde zich niet laten ~ en deed toch mee/ging toch naar het feestje *he didn't want to be a spoilsport, so (he) went along with the others/went along to the party;* iem. (beter/nader) leren ~ *get/come to know s.o. (better);* iem. leren ~ ⟨ook⟩ *make the acquaintance of s.o., make s.o.'s acquaintance;* elkaar leren ~ *become/get acquainted, get to k. each other;* je moet hem ~ om dat te begrijpen *he takes some knowing;* iem. niet willen ~ *cut s.o. (dead), refuse to recog-*

nize s.o., disown/ostracize s.o. **4.1** dat ~ we we *k. all about that, we've heard that one before;* ken je deze al? *have you heard this one?;* ⟨fig.⟩ we ~ elkaar (al langer dan vandaag) *we k. each other well enough, we k. where we stand;* jullie ~ elkaar al? *you are acquainted?, you've met before?, you know each other?;* ik ken haar al jaren *I've known her for years;* zo ken ik je helemaal niet *I've never known you like this before;* sinds ik jou ken …*since I met you;* nee, ook niet één whisky, ik ken mezelf *no, not even one whiskey, I k. what I'm like/* ⟨inf.⟩ *k. me;* ken u zelf! *k. thyself!* **4.2** ons kent ons *we know what to expect/what you're up to/each others ways* **5.1** dan ken je me nog niet *you haven't seen anything yet;* ik ken hem absoluut niet/ ⟨AZN⟩ van haar noch pluim(en) *I wouldn't k. him from Adam;* dat ~ we hier niet *we don't have that sort of thing (over) here* **5.3** de directie moet hierin gekend worden *we must consult the management about this* **6.1** iem. van gezicht/van naam ~ *know s.o.'s face/s.o. by name* **6.3** ik ben in deze zaak niet gekend *I haven't been consulted in this matter* **6.¶** **te** ~ geven dat …*indicate/signal/hint that …;* een wens **te** ~ geven *utter a wish, express a desire;* zijdelings **te** ~ geven *insinuate, intimate, hint* **8.1** hij kent de omgeving als zijn broekzak *he knows the surroundings like the back of his hand;* ik ken hem als een goed speler *I k. him for a good player* **¶.1** iem. door en door ~ *know s.o. inside out* **¶.2** iets van buiten/uit zijn hoofd/op zijn duimpje ~ *know sth. by heart, have sth. off pat.*

kenner ⟨de (m.)⟩ **0.1** [⟨ook in samenst.⟩ fijnproever] *connoisseur* ⇒ *(good) judge (of sth.)* **0.2** [deskundige] *authority (on), expert (on)* ⇒ ⟨geleerde in geesteswetenschappen ook⟩ *scholar,* ⟨ware meester, vakman⟩ *past/passed master* ⟨m., v.⟩ ♦ **1.1** een kunstkenner *an art c., a c. of art* **2.2** een groot ~ v.h. Sanskriet *a great Sanskrit scholar/ expert/authority on Sanskrit* **3.1** een ~ weet deze wijn te waarderen *connoisseurs appreciate this wine.*

kennersblik ⟨de (m.)⟩ **0.1** *expert('s) eye* ⇒ *eye of a connoisseur/an expert* ♦ **6.1 met** ~ iets beschouwen *look at sth. with an expert('s) eye/ with the eye of a connoisseur/expert.*

kennersoog → **kennersblik.**

kennis ⟨→sprw. 331⟩
I ⟨de (v.)⟩ **0.1** [het weten, bekendheid (met)] *knowledge (of)* ⇒ ⟨mbt. mensen⟩ *acquaintance (with)* **0.2** [besef, bewustzijn] *consciousness* **0.3** [wat men geleerd heeft] *knowledge* ⇒ ⟨informatie⟩ *information,* ⟨geleerdheid, wetenschappelijke kennis⟩ *learning* ⟨ihb. mbt. de alfawetenschappen⟩, ⟨technische kennis ook⟩ *know-how* **0.4** [verstand] ⟨zie ¶.4⟩ ♦ **1.1** de boom der ~ (van goed en kwaad) *the tree of k., the forbidden tree* **1.3** ⟨fil.⟩ de gronden van onze ~ *the bases of our k.;* ~ der natuur *natural history* **2.3** een grondige ~ v.h. Latijn hebben *have an intimate/thorough knowledge of Latin;* halve ~ *partial knowledge;* een oppervlakkige ~ v.h. Engels hebben ⟨ook⟩ *have a smattering of English;* parate ~ *ready knowledge;* technische ~ ⟨ook⟩ *know-how* **3.1** ~ dragen van iets *have k. of/be aware of sth.;* ~ geven van iets *announce/notify sth., give notice of sth.;* zonder (vooraf) ~ te geven *without (giving) notice;* ~ nemen van iets *take note/cognizance of sth., become acquainted with sth.* **3.3** ~ vergaren *amass knowledge* **3.¶** ⟨inf.⟩ ~ aan iem. hebben/krijgen *be seeing/meet s.o.* **6.1** dat is *buiten* mijn ~ gebeurd *that happened without my k./without my knowing (about it);* iem. van iets in ~ stellen *inform/notify s.o. of sth., let s.o. know sth., acquaint s.o. with sth.;* mensen met elkaar *in* ~ brengen *introduce people to each other, make people acquainted;* met ~ van zaken *expertly;* **ter** ~ brengen *bring to (s.o.'s) notice;* **ter** ~ komen van iem. *come to the notice of s.o./to s.o.'s notice* **6.2** zij is weer *bij* ~ gekomen *she has regained consciousness, she is conscious again, she has come round;* buiten ~ zijn/raken *be/become unconscious;* ⟨raken ook⟩ *lose consciousness* **6.3** dorst *naar* ~ *thirst for knowledge;* ~ **van** vreemde talen *knowledge of foreign languages* **¶.4** dat gaat mijn ~ te boven *that's above/beyond me;*
II ⟨de (m.)⟩ **0.1** [bekende] *acquaintance* ♦ **1.1** hij heeft veel vrienden en ~sen *he has a lot of friends and acquaintances, he knows a lot of people* **2.1** zij waren goede ~sen *they were well acquainted/on good terms (with each other);* een oppervlakkige ~ *a casual a.;* een oude ~ *an old a.* **6.1** A: 'Wie was dat?' B: 'Een ~ **van** mij' *A: 'Who was that?' B: 'An a./a friend of mine/Someone I know'.*

kennisbank ⟨de⟩ ⟨com.⟩ **0.1** *databank.*

kennisbron ⟨de⟩ **0.1** *source (of information).*

kennisgeving ⟨de (v.)⟩ **0.1** [mededeling] *notification* ⇒ *notice* **0.2** [geschrift] *announcement* ⇒ *notice, notification* ♦ **1.2** ~ van bijschrijving *advice note* **2.1** tot nadere ~ *until further notice;* schriftelijke ~ *written notice/notification, notice/notification in writing* **3.1** ~ geschiedt door publikatie in de dagbladen *due notice/notification of …shall be given via the national press* **6.1 onder** ~ aan betrokkenen *notice/notification being given to those concerned;* iets **voor** ~ aannemen *(merely) take note/notice of sth.;* afwezig **zonder** ~ *absent without notification.*

kennisje ⟨het⟩ **0.1** *girl-friend.*

kennisleer ⟨de⟩ **0.1** *theory of knowledge* ⇒ *epistemology.*

kennismaken ⟨onov.ww.⟩ **0.1** [zich voorstellen] *get acquainted (with), meet* ⇒ *get to know, be introduced* **0.2** [de eerste beginselen leren kennen] *be introduced (to), get/become acquainted (with)* ♦ **2.1** aange-

naam kennis te maken! *pleased to m. you* **3.2** iem. laten ~ met …*introduce s.o. to …* **5.1** persoonlijk met iem. ~ *get to know s.o. personally/in person* **6.1** ~ **met** de nieuwe buren *get to know the new neighbours* **6.2** ~ **met** de middeleeuwse spelling *become acquainted with medieval spelling* **¶.1** hebben jullie al kennis gemaakt? *have you two met (before)/been introduced?*.

kennismaking ⟨de (v.)⟩ **0.1** [begin van omgang met iem.] *acquaintance* ⇒ *getting acquainted (with s.o./sth.), making (s.o.'s) acquaintance* **0.2** [het bekend worden met iets] *introduction (to)* ♦ **2.1** bij nadere ~ *(up)on further/closer a.* **3.1** onze ~ dateert van die dag *our a. dates from that day;* de ~ hernieuwen/voortzetten *renew/continue the acquaintance(ship);* ~ zoeken *seek a. with/the a. (of s.o.)* **6.2** de eerste ~ **met** het Sanskriet *the first i. to Sanskrit;* (wij zenden u dit exemplaar) **ter** ~ *(we are sending you this copy) for your (kind) inspection;* speciale aanbieding **ter** ~ *special introductory offer* **7.1** bij de eerste ~ *on first a.;* ⟨mbt. ontmoeting/vergadering⟩ *at our first meeting, when we first met.*

kennisneming ⟨de (v.)⟩ **0.1** [het zich op de hoogte stellen van] *examination, inspection* ⇒ *perusal, cognizance* **0.2** [onderzoek en oordeel] *cognizance, jurisdiction (to try an offence)* ♦ **6.1 na** ~ **van** (de inhoud van) de brief *after reading the letter;* **na** ~ van de dossiers/stukken *after e./ perusal of the dossiers/documents;* **ter** ~ *for your information;* exemplaar **ter** ~ *inspection/complimentary copy* **6.2** deze zaak staat **ter** ~ **van** de kantonrechter *this case belongs to/is within/falls within the c./ j. of the magistrate, the magistrate is competent to take c. of/has j. to try this case.*

kennisniveau ⟨het⟩ **0.1** *level/state of knowledge.*

kennisoverdracht ⟨de⟩ **0.1** *transfer of knowledge.*

kennissenkring ⟨de (m.)⟩ **0.1** *(circle of) acquaintances* ♦ **2.1** een grote ~ hebben *have a wide circle of acquaintances* **3.1** behoren tot de ~ van …*be an acquaintance of s.o., be acquainted with s.o., know s.o.;* zijn ~ uitbreiden *extend one's circle of acquaintances.*

kennistheorie ⟨de (v.)⟩ **0.1** *epistemology.*

kenschets ⟨de⟩ **0.1** *characterization* ⇒ ⟨profiel⟩ *profile, ≠definition, delineation* ♦ **3.1** een ~ geven van *characterize (s.o./sth.).*

kenschetsen ⟨ov.ww.⟩ **0.1** [karakteriseren] *characterize* ⇒ ⟨schetsen⟩ *sketch, profile, ≠define, delineate* **0.2** [in zijn aard/hoedanigheid laten zien] *characterize* ⇒ *typify, be characteristic/typical of, mark* ♦ **1.2** zo'n handelwijze kenschetst de gehele man *such behaviour is characteristic/typical of him/gives a good idea of what he's like.*

kenschetsend ⟨bn.⟩ **0.1** *characteristic (of)* ⇒ *typical (of), distinctive.*

kenspreuk ⟨de⟩ **0.1** *motto* ⇒ *slogan.*

kenteken ⟨het⟩ **0.1** *distinguishing mark* ⟨ook lichamelijk⟩ ⇒ [B]*registration number,* [A]*license number,* ⟨mbt. kleur, insigne, ook van rang⟩ *badge,* ⟨mil. ook⟩ *patch* ⟨insigne⟩ ♦ **1.1** de ~en v.e. ziekte *the symptoms of an illness* **2.1** bijzondere ~s worden in een paspoort genoteerd *distinguishing marks are noted in a passport* **3.1** de ~en van iets dragen *bear (all) the marks of sth..*

kentekenbewijs ⟨het⟩ **0.1** *≠registration certificate.*

kentekenen ⟨ov.ww.⟩ **0.1** [veranderen] *characterize* ⇒ *typify, be characteristic/typical (of), distinguish* ♦ **4.1** zo iets kentekent hem *that sort of thing is characteristic/typical of him.*

kentekenplaat ⟨de⟩ **0.1** [B]*number plate,* [A]*license plate* ⇒ ⟨BE ook⟩ *registration plate,* ⟨inf.⟩ *plate* ♦ **2.1** een auto met een Franse ~ *a car with a French number/license plate/with French number/license plates/with French plates.*

kentelaar ⟨de (m.)⟩, -**ster** ⟨de (v.)⟩ **0.1** ⟨treuzelaar⟩ *trifler, dwadler* ⇒ ⟨beuzelaar⟩ *piddler, putterer.*

kenteren ⟨onov.ww.⟩ **0.1** [veranderen] ~ *(op het keerpunt zijn] be on the turn, omlopen,* mbt. wind] *shift* **0.2** [omslaan] *turn over, overturn* ⇒ ⟨kapseizen⟩ *capsize* ♦ **1.1** de storm kentert *the storm is turning;* het ~ van de stroom/het tij *the t. of the current/the tide;* het tij kentert *the tide is turning/is on the turn* ⟨ook fig.⟩; het ~ van de wind *the veering/backing of the wind* **1.2** het schip kentert *the ship turns over/capsizes.*

kentering ⟨de (v.)⟩ **0.1** [mbt. getij/weer] *turn* ⇒ *change* ⟨ook mbt. moesson⟩ **0.2** [⟨fig.⟩] *turn* ⇒ *swing, change* ♦ **3.2** er trad een ~ in *the tide turned, a turning-point was reached, a change set in* **6.2** de ~ in de publieke opinie *the t./change of public opinion;* er komt een ~ **in** de publieke opinie *the tide of public opinion is turning/is on the t.;* **op** de ~ der tijden geboren zijn *be born during a period of unrest/great change.*

kentheoretisch ⟨bn.⟩ ⟨fil.⟩ **0.1** *epistemological.*

kenvermogen ⟨het⟩ **0.1** *(faculty of) cognition* ⇒ *cognitive power/faculty.*

Kenya ⟨het⟩ **0.1** *Kenya.*

Kenyaan ⟨de (m.)⟩, -**se** ⟨de (v.)⟩ **0.1** *Kenyan.*

Kenyaans ⟨bn.⟩ **0.1** *Kenyan.*

kepen ⟨ov.ww.⟩ **0.1** *notch* ⇒ *nick, nock* ⟨in een boog/pijl⟩, ⟨groeven⟩ *groove,* ⟨lijn(en) trekken/krassen⟩ *score.*

keper
I ⟨de (m.)⟩ **0.1** [weefpatroon] *twill (weave)* **0.2** [⟨herald.⟩] *chevron* ♦ **1.1** de ~ van die zijde is fraai *that silk has a beautiful twill* **6.¶** **op** de ~ beschouwen *look at/examine/scrutinize (sth.) closely;* **op** de ~ be-

schouwd *on close(r) inspection/analysis;* ⟨uiteindelijk⟩ *in the final analysis, when all is said and done;*
II ⟨het⟩ **0.1** [geweven stof] *twill* ⇒*twilled cloth,* ⟨dril⟩ *drill.*
keperband ⟨het⟩ **0.1** *twilled ribbon/tape.*
keperen ⟨ov.ww.⟩ **0.1** *twill.*
keperflanel ⟨het⟩ **0.1** *twilled flannel.*
kepie ⟨de (m.)⟩ **0.1** *kepi* ⟨ihb. van Franse Vreemdelingenlegioen⟩ ⇒ ⟨sjako⟩ *shako.*
keppeltje ⟨het⟩ **0.1** *yarmulka* ⇒*yarmulke, yarmelke.*
keratine ⟨de⟩ ⟨biol.⟩ **0.1** *keratin.*
kerel ⟨de (m.)⟩ **0.1** [forse man] *big fellow* ⇒*big guy,* ⟨vnl. BE ook⟩ *big chap/bloke,* ⟨AE ook⟩ *strapper* **0.2** [mannetjesputter] *he-man* ⇒*macho (guy)* **0.3** [man] *fellow* ⇒*guy,* ⟨vnl. BE ook⟩ *chap, bloke,* ⟨vocatief⟩ *man* **0.4** [ruwe klant] *tough (guy)* ⇒*thug, heavy, gorilla* **0.5** [echtgenoot] *(old) man* ⇒⟨vnl. BE ook⟩ *bloke* **0.6** [⟨gesch.⟩ kinkel] *boor* ⇒*clodhopper, (country) bumpkin* ◆ **1.6** ⟨gesch.⟩ de ~s van Vlaanderen the *'Kerels' of Flanders* ⟨*Flemish farmers rebelling against the payment of French fines in the early 14th c.*⟩ **2.1** dat jongetje is een echte ~ geworden *that little lad has turned into a (fine) big chap* **2.2** een echte ~ *a real h.-m.;* een flinke ~ *a fine figure of a man* **2.3** een aardige/toffe/gezellige ~ *a nice/fine/sociable f./bloke/chap/guy;* arme ~! *(the) poor f./bloke/chap/guy!;* ⟨sl.⟩ *(the) poor sod!;* ⟨vulg.⟩ *(the) poor bastard/buggar;* een goeie/beste ~ *a good/fine f./chap/bloke/guy;* een ouwe ~ *an old f./guy;* ⟨sl.⟩ *an old sod* **3.2** kom naar buiten als je een ~ bent *come outside if you're man enough;* wees een ~ *be a man ¶.3* ~, wat zie je er goed uit *man, you're looking good.*
kereltje ⟨het⟩ **0.1** *little fellow* ⇒*little guy/man,* ⟨vnl. BE ook⟩ *little chap/bloke,* ⟨jochie, jongen⟩ *little lad, youngster, young'un,* ⟨AE ook⟩ *kiddo* ◆ **2.1** een lief ~ *a nice little fellow/chap/lad/guy/bloke ¶.1* pas op~! *watch out, little man/lad!.*
keren (→sprw. 252)
I ⟨onov.ww.⟩ **0.1** [omkeren] *turn (round/around)* ⇒⟨wind⟩ *shift, veer* ⟨wind, met de klok⟩, *back* ⟨wind, tegen de klok⟩ **0.2** [veranderen (van loop)] *turn* **0.3** [teruggaan] *turn (back)* ⇒*return* ◆ **1.2** de ziekte keert *the sickness is taking a turn for the better* **1.3** per ~de post *by return (of) post* **3.1** het getij doen ~ *turn the tide* ⟨ook fig.⟩; ~ verboden *no U-turn* **3.¶** in zichzelf gekeerd zijn *be introverted/withdrawn, be a real h.-m.;* ⟨gesch.⟩ rechtsom keert *right turn* **6.3** naar huis ~ *turn/head for home* **6.¶** in zichzelf ~ *turn in upon o.s., withdraw into o.s.;*
II ⟨ov.ww.⟩ **0.1** [omdraaien] *turn* **0.2** [toewenden] *turn (towards)* **0.3** [doen omwenden] *turn (back)* ⇒ ⟨tegenhouden⟩ *stem, check, stop, avert* ◆ **1.1** een blad/kaart/schip ~ *t. a page/card/ship;* hooi ~ *toss/ted hay* **1.3** grond ~ *support/prop the mound/bank/* ⟨enz.⟩; het water ~ *stem the (flow of) water* **3.3** het kwaad is niet meer te ~ *the evil cannot be averted* **5.1** achterstevoren/binnenstebuiten ~ *t. back to front/inside out;* ondersteboven ~ *t. upside down* **6.2** het hoofd/de rug naar iem. ~ *t. one's head towards/back on s.o.;* iets **ten** goede/beste ~ *make sth. turn out right;*
III ⟨wk.ww.⟩ **0.1** [zich omdraaien] *turn (round)* **0.2** [zich in een richting wenden] *turn* ◆ **3.1** zich ergens niet kunnen wenden of ~ *have no room (to swing a cat)* **6.2** zich ~ **tegen** iem. *t. against s.o.;* ⟨aanvallen⟩ *t. round on s.o.;* zich **beter** ~ *good aflopen) t. out well, work out for the best;* ⟨iets⟩ beter worden ⟩ *take a turn for the better;* zich ~ **tot** iem. *t. to s.o..*
kerf ⟨de⟩ **0.1** *notch* ⇒*nick,* ⟨groef⟩ *groove,* ⟨ingesneden lijn⟩ *score* ◆ **6.1** ⟨fig.⟩ dat gaat uit/**buiten** de ~ *that's going too far.*
kerfmes ⟨het⟩ **0.1** *notching/cutting knife.*
kerfstok ⟨de (m.)⟩ ◆ **6.¶** iets op iemands ~ zetten *lay sth. at s.o.'s door;* heel wat **op** zijn ~ hebben *have a bad record, have a lot/a good deal on one's slate, have a lot to answer for;* ik wil dat niet **op** mijn ~ hebben *I won't be made responsible for that;* iets **op** de ~ halen *buy sth. on tick, put sth. on the slate;* niets **op** zijn ~ hebben *have a clean slate/record.*
kerk ⟨de⟩ ⟨→sprw. 232,270,332⟩ **0.1** [kerkgebouw] *church* ⇒⟨BE; dissidente kerk, vnl. in Eng. en Wales⟩ *chapel,* ⟨Sch.E ook⟩ *kirk* ⟨mbt. Schotse nationale kerk⟩, ⟨van Quakers⟩ *meetinghouse,* ⟨methodisten ook⟩ *tabernacle* **0.2** [gemeenschap van alle christenen] *church* **0.3** [kerkgenootschap] *church* ⇒*denomination, communion,* ⟨sekte⟩ *sect,* ⟨Sch.E ook⟩ *kirk* ⟨mbt. Schotse nationale kerk⟩ **0.4** [gezagdragend orgaan] *church* ⇒⟨Sch.E ook⟩ *kirk* ⟨mbt. Schotse nationale kerk⟩ **0.5** [kerkdienst] *church* ⇒*(divine) service/worship,* ⟨mis⟩ *mass,* ⟨BE; mbt. dissidente kerk, vnl. in Eng. en Wales⟩ *chapel* **0.6** [kerkelijke corporatie] *church* ⇒⟨Sch.E ook⟩ *kirk* ⟨mbt. Schotse nationale kerk⟩ ◆ **1.2** de ~ van Christus *the c. of Christ* **1.4** scheiding van ~ en staat *separation of c. and state, disestablishment;* een uitspraak v.d. ~ *a judgement of the c.* **2.2** de lijdende ~ *the c. suffering;* de strijdende/zegepralende ~ *the c. militant/triumphant* **2.3** de Hervormde ~ *the Reformed/Protestant Church* **3.1** vóór het zingen de ~ uitgaan *leave before the gospel,* ⟨fig.⟩ de ~ in tijden zetten *turn things upside down* **3.3** tot welke ~ behoor je? *what is your religious affiliation/religion?;* behoren tot de Grieks-Orthodoxe ~ *belong to the Greek-Orthodox church, be of the Greek-Orthodox persuasion;*

bij geen enkele ~ horen *have no religion, not be religious;* ⟨inf.⟩ *be nothing* **3.5** de ~ gaat aan/uit *church is starting/over;* vandaag is er geen ~ *there is no church/mass/chapel/service today* **5.5** als de ~ uit is, na de ~ *after church/mass/chapel;* de ~ is uit om elf uur *church/mass/chapel is over at eleven o'clock* **6.1** in de ~ trouwen *get married in church, have a church wedding;* ⟨fig.⟩ je bent zeker in de ~ geboren *were you born in a barn?;* in de ~ zijn ⟨voor een kerkdienst⟩ *be in/at church;* het concert is in de ~ *the concert is in the church;* ⟨geregeld⟩ naar de ~ gaan *be a regular churchgoer* **6.3** van onze ~ zijn *be a member of our church, be of our persuasion* **6.5** te ~/**ter** ~e gaan *go to/attend church/mass/chapel ¶.1* ⟨fig.⟩ de ~ in het midden laten *steer a middle course, keep to the middle of the road.*
kerkban ⟨de (m.)⟩ **0.1** *excommunication* ⇒⟨anat(h)ema⟩ *anathema* ◆ **2.1** de grote/kleine ~ *major/minor e., greater/lesser e.* **6.1** in de ~ doen *excommunicate, anathematize.*
kerkbank ⟨de⟩ **0.1** *pew* ◆ **2.1** gesloten ~ *box pew.*
kerkbestuur ⟨het⟩ **0.1** [het besturen v.e. kerk] *church government/administration* **0.2** [⟨prot.⟩] *church council* **0.3** [⟨r.k.⟩] *church council.*
kerkbewaarder ⟨de (m.)⟩ **0.1** *sexton* ⇒*verger, sacristan*
kerkbezoek ⟨het⟩ **0.1** *church attendance* ⇒*churchgoing, attendance at church* ◆ **2.1** het teruglopend ~ *the decline in/the declining church attendance/attendance at church.*
kerkblad ⟨het⟩ **0.1** *parish magazine.*
kerkboek ⟨het⟩ **0.1** [boek] *prayer book* ⇒*church book, service book,* ⟨missaal⟩ *missal* **0.2** [kerkelijk register] *church register* ⇒*parish register.*
kerkbriefje ⟨het⟩ **0.1** *(church) notice/announcement.*
kerkdienst ⟨de (m.)⟩ **0.1** [godsdienstoefening] *(church/religious/divine) service* ⇒*(divine/religious/public) worship, church,* ⟨mis⟩ *mass* **0.2** [het dienen v.d. kerk] *the service of the church* ◆ **2.1** oecumenische ~ *an ecumenical service* **3.1** een ~ bijwonen *attend divine service/worship, go to mass/church.*
kerkdorp ⟨het⟩ **0.1** ≠*parish.*
kerkelijk
I ⟨bn.⟩ **0.1** [tot een kerk in betrekking staand] *church, ecclesiastical* **0.2** [bij een kerk in gebruik] *church* ⇒*ecclesiastic(al),* ⟨religieus⟩ *religious,* ⟨klerikaal⟩ *clerical* **0.3** [van een kerk uitgaand] *church* ⇒*ecclesiastic(al),* ⟨religieus⟩ *religious,* ⟨mbt. recht⟩ *canon* **0.4** [aan een kerk toebehorend] *church* ⇒*ecclesiastic(al)* **0.5** [de kerk tot voorwerp hebbend] *church* ⇒*ecclesiastical,* ⟨religieus⟩ *religious* **0.6** [aangesloten bij een kerkgenootschap] *churchgoing* ◆ **1.1** een ~ ambt *an ecclesiastical office;* ⟨predikantsplaats⟩ *incumbency;* de ~e partijen *the clerical parties* **1.2** ~e ceremoniën *religious ceremonies;* ~e feesten *church/religious festivals;* ⟨r.k.⟩ het ~ jaar *the Christian/Ecclesiastical year;* ~e liederen *hymns* **1.3** ~e begrafenis *Christian burial;* ~e goedkeuring *approval of the church;* op ~e grondslag *on religious principles;* een ~ huwelijk *a church/religious marriage/wedding;* ~en burgerlijk recht *canon law and civil law* **1.4** ~e goederen *c. property;* de ~e Staat *the Vatican (State);* ⟨vroeger; mv.⟩ *Papal States, States of the Church* **1.5** de ~e geschiedenis *c./ecclesiastical history* **3.6** is die man ook ~? *is he a churchman?* **5.6** niet ~ *secular;*
II ⟨bw.⟩ **0.1** [volgens de gebruiken v.e. kerk] *religiously* **0.2** [vanwege een kerk] ⟨zie 3.2⟩ **0.3** [voor zover een kerk betreft] *ecclesiastically* ◆ **3.1** een huwelijk ~ inzegenen *consecrate a marriage (in church)* **3.2** ~ goedgekeurd *with the approval of the church* **3.3** Geertruidenberg ressorteerde ~ onder 's-Hertogenbosch *Geertruidenberg came under the jurisdiction of 's-Hertogenbosch in ecclesiastical matters.*
kerkelijken ⟨zn.mv.⟩ **0.1** *clerical people/* ⟨pol.⟩ *parties/side/group.*
kerkelijkheid ⟨de (v.)⟩ **0.1** *piety, devotion.*
kerken ⟨onov.ww.⟩ **0.1** *go to/attend church* ⇒*worship, attend divine service* ◆ **6.1** zij ~ in Amsterdam *they go to/attend church in Amsterdam.*
kerker ⟨de (m.)⟩ ⟨schr.⟩ **0.1** ⟨ongemarkeerd⟩ *jail,* ⟨BE sp. ook⟩ *gaol, prison* ⇒⟨onderaards⟩ *dungeon,* ⟨oubliëtte⟩ *oubliette* ◆ **2.1** een donkere ~ *a dark dungeon.*
kerkeraad ⟨de (m.)⟩ **0.1** [vergadering] *church council meeting* **0.2** [college] *(parochial) church council* ◆ **1.2** lid v.d. ~ *a member of the church council* **3.1** ~ houden/beleggen *hold/convene a meeting of the church council* **3.2** er is een nieuwe ~ gekozen *a new church council has been chosen.*
kerkeraadskamer ⟨de⟩ **0.1** *vestry (room).*
kerkeren ⟨ov.ww.⟩ **0.1** ⟨ook fig.⟩ *incarcerate* ⇒*imprison, dungeon.*
kerkewerk ⟨het⟩ **0.1** *church/parish work.*
kerkezakje ⟨het⟩ **0.1** *offertory bag* ⇒*ladle* ◆ **3.1** rondgaan met het ~ *take (up) the collection,* ≠*pass the plate.*
kerkfabriek ⟨de (v.)⟩ ⟨r.k.⟩ **0.1** [materiële belangen v.e. kerk] *(church-)fabric* **0.2** [beheerders v.h. kerkvermogen] *churchwardens.*
kerkgang ⟨de (m.)⟩ **0.1** *churchgoing* ⇒*going to church, church attendance, attendance at church,* ⟨na bevalling/ziekte⟩ *churching* ◆ **3.1** haar ~ houden/doen *be churched.*
kerkganger ⟨de (m.)⟩, **-gangster** ⟨de (v.)⟩ **0.1** *churchgoer* ⇒⟨BE mbt. dissidente kerk, vnl. in Eng. en Wales⟩ *chapelgoer, worshipper,* ⟨mv. ook⟩ *congregation* ⟨gemeente⟩ ◆ **2.1** een trouw ~ *a regular churchgoer/attender at church/worshipper.*

kerkgebouw ⟨het⟩ **0.1** *church (building)* ⇒*chapel* ⟨ihb. protestant⟩.
kerkgenootschap ⟨het⟩ **0.1** *(religious) denomination* ⇒*(religious) community/persuasion, communion* ⟨meestal niet r.k.⟩.
kerkgeschiedenis ⟨de (v.)⟩ **0.1** [geschiedenis v.e. kerk] *church history* ⇒ *ecclesiastical/sacred history* **0.2** [boek] *history of a/the church.*
kerkgezang ⟨het⟩ **0.1** [het zingen in de kerk] *singing in church* **0.2** [lied] *hymn* ⇒⟨psalm⟩ *psalm,* ⟨koraal⟩ *chorale* ◆ **2.2** Gregoriaans ~ *Gregorian chant, plainsong, plainchant.*
kerkhervorming ⟨de (v.)⟩ **0.1** *Reformation.*
kerkhof ⟨het⟩ ⟨→sprw. 102⟩ **0.1** *churchyard* ⇒*graveyard,* ⟨begraafplaats⟩ *cemetery* ⟨meestal niet bij een kerk⟩ ◆ **6.1** op het ~ liggen *be dead and buried;* ⟨fig.⟩ de dader ligt **op** het ~ *there's no trace of the culprit* **6.¶** ⟨fig.⟩ sommige kleuters lopen al **met** een ~ rond *some small children have already got a mouthful of tombstones/haven't got a sound tooth in their head.*
kerkhofhoest ⟨de (m.)⟩ **0.1** *graveyard/churchyard cough.*
kerkklok ⟨de⟩ **0.1** [luiklok v.e. kerk] *church bell* **0.2** [torenuurwerk] *church clock* ◆ **3.1** de ~ken luiden *ring the church bells.*
kerkkoor ⟨het⟩ **0.1** [⟨bouwk.⟩] *choir* ⇒*chancel* **0.2** [zangkoor] *church choir* ◆ **1.2** lid v.h. ~ *member of the c. c..*
kerklatijn ⟨het⟩ **0.1** *Church Latin.*
kerkleer ⟨de⟩ **0.1** *dogma* ⇒*church/religious doctrine.*
kerkleraar ⟨de (m.)⟩ ⟨r.k.⟩ **0.1** *Doctor of the Church.*
kerklid ⟨het⟩ **0.1** *church member* ⇒*member of the church* ◆ **8.1** iem. als ~ aanvaarden *receive s.o. into the church, accept s.o. as a c. m..*
kerkmeester ⟨de (m.)⟩ ⟨r.k.⟩ **0.1** *church warden.*
kerkmuziek ⟨de (v.)⟩ **0.1** *church music* ⇒*religious music, sacred music.*
kerkorde ⟨de⟩ **0.1** *rules governing church life.*
kerkorgel ⟨het⟩ **0.1** *church organ.*
kerkpatroon ⟨de (m.)⟩, **-patrones** ⟨de (v.)⟩ **0.1** *patron saint (of a church).*
kerkplein ⟨het⟩ **0.1** ≠*village square* ⇒≠*village green* ⟨dorpsweide/veld⟩ ◆ **6.1** op het ~ *in the village square, on the village green.*
kerkportaal ⟨het⟩ **0.1** *vestibule* ⇒*narthex.*
kerkprovincie ⟨de (v.)⟩ **0.1** *archdiocese* ⇒*province.*
kerkraam ⟨het⟩ **0.1** [vensterraam in een kerk] *church window* **0.2** [geslepen vlak in een glas] *facet* ⇒⟨vero.⟩ *pretty.*
kerkrat ⟨de⟩ ◆ **8.¶** zo arm als een ~ *as poor as a churchmouse.*
kerkrecht ⟨het⟩ **0.1** *canon law.*
kerkrechtelijk ⟨bn., bw.;-(al)ly⟩ **0.1** *canonic(al)* ⇒*canonistic(al).*
kerkroof ⟨de (m.)⟩ **0.1** *church robbery* ⇒*sacrilege.*
kerks ⟨bn.⟩ **0.1** *churchgoing* ⟨meestal niet pred.⟩ ⇒⟨godsdienstig, religieus⟩ *religious,* ⟨vroom⟩ *devout, pious,* ⟨overdreven kerks⟩ *churchy* ◆ **3.1** zij is niet ~ *she is not a churchgoer/a churchgoing person, she does not go to church.*
kerkscheuring ⟨de (v.)⟩ **0.1** *schism.*
kerkschip ⟨het⟩ **0.1** *nave.*
kerkslavisch ⟨het⟩ ⟨rel.; taal.⟩ **0.1** *(Old) Church Slavonic.*
kerkstoel ⟨de (m.)⟩ **0.1** *prie-dieu (chair).*
kerktijd ⟨de (m.)⟩ **0.1** [tijd en duur v.d. kerkdienst] *church (service)* **0.2** [tijd om zich naar de kerk te begeven] *church-time, time to go to church* ◆ **3.2** het is ~ *it is time to go to church* **6.1** onder ~ *during c., during the c. s..*
kerktoren ⟨de (m.)⟩ **0.1** [toren v.e. kerk] *church-tower* ⇒⟨spitse toren, torenspits⟩ *steeple, spire* **0.2** [klok] *church clock* ◆ **2.1** klein ~tje *flèche* **3.2** de ~ slaat elf *the c. c. is striking eleven.*
kerkuil ⟨de (m.)⟩ **0.1** *barn owl* ⇒*screech owl,* ⟨BE ook⟩ *lich/lych owl.*
kerkvader ⟨de (m.)⟩ **0.1** [persoon] *Father (of the Church), Church Father* **0.2** [geschriften] *(Church) Father* ◆ **2.1** de Latijnse/Apostolische/Griekse ~s *the Latin/Apostolic/Greek Fathers* **3.2** Erasmus gaf verscheidene ~s uit *Erasmus edited (the works of) various Church Fathers* **6.¶** mbt./van de ~s *patristic.*
kerkvergadering ⟨de (v.)⟩ **0.1** *synod* ⇒*(ecclesiastical) council* ◆ **2.1** ⟨r.k.⟩ algemene ~ *Council.*
kerkvervolging ⟨de (v.)⟩ **0.1** [⟨r.k.⟩] *persecution of a/the church.*
kerkvisitatie ⟨de (v.)⟩ **0.1** [⟨r.k.⟩] *visitation* **0.2** [⟨prot.⟩] *visitation.*
kerkvisitator ⟨de (m.)⟩ **0.1** *visitor;* ⟨r.k.⟩ *visitator.*
kerkvolk ⟨het⟩ **0.1** [kerkgangers] *congregation* ⇒*churchgoers* **0.2** [mensen die regelmatig ter kerke gaan] *churchgoers.*
kerkvoogd ⟨de (m.)⟩ **0.1** [⟨r.k.⟩] *prelate* **0.2** [⟨prot.⟩] *churchwarden* ◆ **1.2** ⟨Angl.⟩ college van ~en *Church Commissioners.*
kerkvoogdij ⟨de (v.)⟩ **0.1** [gezag v.e. kerk] *ecclesiastical authority* **0.2** [⟨prot.⟩] *churchwardens.*
kerkvorst ⟨de (m.)⟩ **0.1** *Prince of the Church* ⇒*prelate.*
kerkwijding ⟨de (v.)⟩ **0.1** [inwijding v.e. kerk] *consecration/dedication of a church* **0.2** [herdenking] *(the) Feast of the Dedication (of a church).*
kerkzakje →**kerkezakje.**
kerkzang ⟨de (m.)⟩ →**kerkgezang.**
kermen
I ⟨onov.ww.⟩ **0.1** [uiting geven aan lichamelijk leed] *moan, groan* **0.2** [jammeren] *moan* ⇒⟨jengelen⟩ *whine,* ⟨(wee)klagen⟩ *wail, lament* ◆ **3.2** bij het minste of geringste begint hij al te ~ *the slightest little*

thing starts him moaning, he starts moaning at the slightest little thing **6.1** ~ **van** pijn *m./g. with pain* **6.2** ~ **over** zijn lot *m. about/lament/*[†]*bewail one's lot;*
II ⟨ov.ww.⟩ **0.1** [klaaglijk kreunend zeggen] *whine* ⇒*pule,* ⟨(wee)klagen⟩ *wail* ◆ **8.1** de verrader kermde dat hij onschuldig was *the traitor whined/puled that he was innocent.*
kermes ⟨de⟩ **0.1** *kermes.*
kermis ⟨de⟩ ⟨→sprw. 125,333⟩ **0.1** [evenement met attracties] *fair* ⇒ ⟨BE ook⟩ *funfair,* ⟨AE ook⟩ *carnival,* ⟨Ned./Belg. ook⟩ *kermis, kermess, kirmess* **0.2** [terrein] *fairground* **0.3** [gezellige drukte] *uproar, bustle* ⇒⟨vnl. pej.⟩ *pandemonium* ◆ **1.¶** ~ der ijdelheid *Vanity Fair* **2.1** ⟨fig.⟩ v.e. koude ~ thuiskomen *have a rude awakening, be brought down to earth with a shock, get more than one bargained for* **3.1** ~ houden *have a fair/kermis;* ⟨fig.⟩ het is niet alle dagen ~ *life is not all beer and skittles, Christmas comes but once a year* **6.¶** het is ~ te/in Antwerpen *there is a fair/kermis (on) in Antwerp* **6.3** het was daar een ~ **met** al die kinderen *the place was in an uproar/it was p. with all those children there.*
kermisattractie ⟨de (v.)⟩ **0.1** *fairground attraction.*
kermisbed ⟨het⟩ **0.1** *makeshift bed* ⇒*shakedown* ◆ **6.1** slapen in een ~ ⟨ook⟩ *doss down.*
kermisexploitant ⟨de (m.)⟩ **0.1** *showman.*
kermisgast ⟨de (m.)⟩ **0.1** *showman.*
kermisklant ⟨de (m.)⟩ **0.1** *showman.*
kermiskraam ⟨het, de⟩ **0.1** *(fairground) booth, fairground attraction.*
kermistent ⟨de⟩ **0.1** *(fairground) booth, show tent* ⇒⟨grote tent⟩ *marquee.*
kermisterrein ⟨het⟩ **0.1** *fair ground* ⇒⟨AE ook⟩ *lot.*
kermisvolk ⟨het⟩ **0.1** [kunstenmakers] *show people* ⇒*showmen* ⟨m.⟩ **0.2** [bezoekers] *fairgoers* ⇒ ⟨menigte⟩ *fairground crowd.*
kermiswagen ⟨de (m.)⟩ **0.1** *caravan.*
kern ⟨de⟩ **0.1** [binnenste] *core* ⇒⟨van hout/boom⟩ *heart,* ⟨van stengel⟩ *pith* **0.2** [binnenste van zaad of pit] *kernel* (met omhulsel) ⇒ ⟨van kers/avocado/perzik enz.⟩ *stone* **0.3** [⟨fig.⟩] *core* ⇒*heart, essence, root, crux* **0.4** [⟨biol.⟩] *nucleus* **0.5** [⟨nat.⟩] *nucleus* **0.6** [plaats, dorp, ⟨ook in samenst.⟩] *centre, place* **0.7** [⟨in samenst.⟩ belangrijkste, hoofd-] *central* ◆ **1.1** de ~ v.d. aarde/zon *the earth's/sun's c.* **1.3** de ~ v.d. algebra *algebra in a nutshell, the essence of algebra;* de ~ v.e. partij *the backbone of a party;* de ~ v.h. probleem *the c. / heart/essence of the problem;* de ~ v.e. verhaal *the point/essence/gist/nub of a story* **1.6** plattelandskern rural centre, ≠*market town* **1.7** kernidee *c./main/basic idea;* kernpunt *c. point* **2.3** de harde ~ v.e. terroristengroep *the hard c. of a terrorist group* **2.6** kleine ~en *small centres, places* **6.3** in de ~ **van** de zaak *in essence;* tot de ~ v.e. zaak doordringen *get (down) to the (very) root/heart/core/crux/kernel of the matter/of sth.;* ⟨inf.⟩ *get down to essentials;* dat bevat een ~ **van** waarheid *that has an element/a germ/grain of truth (in it).*
kernaandrijving ⟨de (v.)⟩ **0.1** *nuclear propulsion* ◆ **6.1** een onderzeeër met ~ *a nuclear(-powered) submarine.*
kernachtig ⟨bn., bw.;-ly⟩ **0.1** *pithy* ⇒*concise, crisp, terse* ◆ **1.1** een ~ gezegde *a p. saying.*
kernafval ⟨het, de (m.)⟩ **0.1** *nuclear waste.*
kernbewapening ⟨de (v.)⟩ **0.1** *nuclear armament.*
kernbom ⟨de⟩ **0.1** *nuclear bomb* ⇒⟨atoombom⟩ *atom/fission bomb,* ⟨inf.⟩ *A bomb,* ⟨waterstofbom⟩ *hydrogen bomb,* ⟨inf.⟩ *H bomb,* ⟨vnl. AE; inf.⟩ *nuke.*
kernboor ⟨de⟩ **0.1** *core drill* ⇒⟨voor bodemmonsters⟩ *core tube.*
kernbrandstof ⟨de⟩ **0.1** *nuclear fuel.*
kerncentrale ⟨de (v.)⟩ **0.1** *nuclear/atomic power station/plant* ⇒ ↓*nuclear/ atomic plant,* ⟨vnl. AE; inf.⟩ *nuke.*
kernchemie ⟨de (v.)⟩ **0.1** *nuclear chemistry.*
kerndeeltje ⟨het⟩ **0.1** *nuclear particle* ⇒*nucleon.*
kerndeling ⟨de (v.)⟩ ⟨biol.⟩ **0.1** *nuclear division.*
kernenergie ⟨de (v.)⟩ **0.1** *nuclear/atomic energy/power.*
kerngeheugen ⟨het⟩ **0.1** *core memory.*
kernexplosie ⟨de (v.)⟩ **0.1** *nuclear explosion.*
kernfusie ⟨de (v.)⟩ **0.1** *nuclear fusion.*
kernfysica ⟨de (v.)⟩ **0.1** *nuclear/atomic physics* ⇒*nucleonics.*
kernfysicus ⟨de (m.)⟩ **0.1** *nuclear/atomic physicist* ⇒*nuclear/atomic scientist.*
kerngedachte ⟨de (v.)⟩ **0.1** *central/main/basic idea* ⇒⟨boodschap⟩ *message* v.e. boek/rede enz.).
kerngeleerde ⟨de (m.)⟩ **0.1** *nuclear scientist* ⇒*nuclear physicist.*
kerngetal ⟨het⟩ **0.1** *base (figure).*
kerngezin ⟨het⟩ **0.1** *nuclear family.*
kerngezond ⟨bn.⟩ **0.1** ⟨mbt. mensen⟩ *perfectly healthy, in perfect health* ⇒⟨inf.⟩ *as right as rain,* ⟨mbt. zaken⟩ *perfectly/thoroughly sound* ◆ **1.1** ⟨fig.⟩ dat bedrijf is ~ *that business is perfectly/thoroughly sound* **¶.1** hij ziet er ~ uit *he looks (to be) in perfect health/as right as rain/as sound as a bell.*
kernhout ⟨het⟩ **0.1** *heartwood.*
kernidee ⟨het⟩ **0.1** *central idea/concept/thought.*
kernkop ⟨de (m.)⟩ **0.1** *(nuclear/atomic) warhead* ◆ **6.1** een raket **met**

drie~pen *a missile with three (nuclear/atomic) warheads;* **met** meerdere~pen *multi-warheaded, with several warheads.*

kernkracht ⟨de⟩ **0.1** *nuclear forces.*

kernlading ⟨de (v.)⟩ **0.1** [⟨nat.⟩] *nuclear charge* **0.2** [lading v.e. kernbom] *nuclear warhead/payload.*

kernlichaampje ⟨het⟩ **0.1** [1]*nucleolus* ⇒⟨plasmosoom⟩ *plasmosome,* ⟨karyosoom⟩ *karyosome.*

kernmacht ⟨de⟩ →**kernmogendheid.**

kernmogendheid ⟨de (v.)⟩ **0.1** *nuclear/atomic power* ⇒⟨inf.⟩ *nuclear.*

kernonderzoek ⟨het⟩ **0.1** *nuclear/atomic research.*

kernontwapening ⟨de (v.)⟩ **0.1** *nuclear disarmament.*

kernoorlog ⟨de (m.)⟩ **0.1** *nuclear war.*

kernploeg ⟨de⟩ ⟨sport⟩ **0.1** *squad.*

kernprobleem ⟨het⟩ **0.1** *key/central/main/basic problem.*

kernproef ⟨de⟩ **0.1** *nuclear/atomic test.*

kernpunt ⟨het⟩ **0.1** *central/crucial/essential point, crux* ⇒*essence,* ↓*nub* ♦ **1.1** het~ v.e. betoog/probleem *the crux of an argument/a problem.*

kernraket ⟨de⟩ **0.1** *nuclear missile* ♦ **6.1** een aanval met ~ten ⟨ook⟩ *an air-atomic attack.*

kernreactie ⟨de (v.)⟩ **0.1** *nuclear reaction.*

kernreactor ⟨de (m.)⟩ **0.1** *(nuclear/atomic) reactor* ⇒⟨vroegere benaming⟩ *atomic pile.*

kernredactie ⟨de (v.)⟩ **0.1** *central editorial board.*

kernschaduw ⟨de⟩ **0.1** *umbra.*

kernsmelting ⟨de (v.)⟩ ⟨nat.⟩ **0.1** *nuclear fusion.*

kernsplijting ⟨de (v.)⟩ **0.1** *nuclear/atomic fission.*

kernspreuk ⟨de⟩ **0.1** *aphorism* ⇒*maxim, apo(ph)thegm, (pithy) saying.*

kernstop ⟨de (m.)⟩ **0.1** *nuclear freeze* ⇒[1]*(nuclear) nonproliferation agreement,* ⟨mbt. kernproeven⟩ *nuclear test ban.*

kernstopverdrag ⟨het⟩ **0.1** *nonproliferation treaty* ⇒⟨mbt. kernproeven⟩ *(nuclear) test ban treaty.*

kernstrijdmacht ⟨de⟩ **0.1** *nuclear (strike) force* ⇒⟨vnl. AE⟩ *nuclear capability.*

kerntaak ⟨de⟩ **0.1** *nuclear role* ♦ **3.1** kerntaken afstoten *reject nuclear responsibilities.*

kernvraag ⟨de⟩ **0.1** *key question.*

kernvrij ⟨bn.⟩ **0.1** *nuclear-free* ⇒⟨kernvrij gemaakt; ook⟩ *denuclearized* ♦ **1.1** ~e zone *n.-f. zone.*

kernwapen ⟨het⟩ **0.1** *nuclear/atomic weapon* ⇒⟨inf.⟩ *nuclear,* ⟨vnl. AE; inf.⟩ *nuke* ♦ **4.1** alle ~s de wereld uit! *ban nuclear weapons!, ban the bomb!;* ⟨inf.⟩ *nukes out!;* ⟨vnl. AE; inf.⟩ *no nukes!* **6.1** aanvallen met ~s *attack with nuclear/atomic weapons;* ⟨vnl. AE; sl.⟩ *nuke.*

kernwapenvrij ⟨bn.⟩ **0.1** *nuclear-free.*

kernwetenschap ⟨de (v.)⟩ →**kernfysica.**

kerosine ⟨de⟩ **0.1** *kerosene, kerosine* ⟨vnl. AE⟩ [B]*paraffin (oil), kerogen,* ⟨AE ook⟩ *coal-oil,* ⟨lampolie⟩ *lamp oil.*

kerrie ⟨de (m.)⟩ **0.1** *curry, currie* ⇒⟨poeder⟩ *curry powder.*

kerriepoeder ⟨het⟩ **0.1** *curry powder.*

kers ⟨→sprw. 277⟩
I ⟨de⟩ **0.1** [vrucht] *cherry* ♦ **2.1** zoete~ *wild/black c., merry;* ⟨vnl. Sch.E ook⟩ *gean; zure~ (sour) c.;*
II ⟨de (m.)⟩ **0.1** [boom] *cherry (tree)* **0.2** [siergewas] ⟨zie 2.2⟩ ♦ **2.1** zoete~ *wild/black/sweet c., merry;* ⟨vnl. Sch.E ook⟩ *gean; zure~ sour cherry* **2.2** Japanse~ *Japanese flowering cherry;* Oostindische~ *(garden) nasturtium.*

kersebloesem ⟨de (m.)⟩ **0.1** [bloesem van kersebomen] *cherry blossom* **0.2** [kleur, verf] *cherry-blossom (pink).*

kersebonbon ⟨de (m.)⟩ **0.1** *cherry liqueur chocolate.*

kerseboom ⟨de (m.)⟩ **0.1** *cherry tree.*

kersehout ⟨het⟩ **0.1** *cherry(-wood).*

kersenbrandewijn ⟨de (m.)⟩ **0.1** *cherry brandy.*

kersenjam ⟨de (m.)⟩ **0.1** *cherry jam.*

kersenpluk ⟨de (m.)⟩ **0.1** [handeling] *cherry-picking* **0.2** [tijd] *cherry-picking season.*

kersentijd ⟨de (m.)⟩ **0.1** *cherry season* ♦ **3.1** het is ~ *it is the c.s., cherries are in season* **6.1** in de ~ *in the c.s., when cherries are in season.*

kersepit ⟨de⟩ **0.1** [pit v.e. kers] *cherry stone* **0.2** [kop] *nut* ⇒*conk, noddle,* ⟨BE ook⟩ *bonce.*

kersontpitter ⟨de (m.)⟩ **0.1** *cherry-pitter.*

kerspel ⟨het⟩ **0.1** [⟨gesch.; lit.⟩ r.k. kerkdorp] *vill* ⇒*(ecclesiastical) parish* **0.2** [plattelandsgemeente] *township.*

kersrood ⟨bn.⟩ **0.1** *cherry red* ⇒*cerise.*

kerst ⟨de⟩ **0.1** *Christmas* ⇒*Yule,* ⟨inf.⟩ *Xmas* ♦ **2.1** een witte~ *a white C.* **3.1** ~ vieren *celebrate C.* **6.1** met de ~ kom ik naar huis *I'll be home for C.;* **voor** de ~ doe ik examen *I have an exam(ination) before C..*

kerstavond ⟨de (m.)⟩ **0.1** [(avond van) de 24ste dec.] *Christmas Eve* **0.2** [avond van een van beide kerstdagen] *evening of Christmas Day* ⟨25 dec.⟩ */Boxing Day* ⟨26 dec.⟩

kerstbal ⟨de (m.)⟩ **0.1** ≠*Christmas tree decoration.*

kerstboodschap ⟨de (v.)⟩ **0.1** [kerstevangelie] *Christmas message, message of Christ/the Nativity* **0.2** [boodschap aan het volk] *Christmas message* ⇒⟨uitzending ook⟩ *Christmas broadcast,* ⟨in GB ook⟩ *the Queen's (Christmas) broadcast.*

kerstboom ⟨de (m.)⟩ **0.1** *Christmas tree* ♦ **3.1** de ~ optuigen *decorate/dress the C. t.* **6.1** ⟨fig.⟩ dat is er niet één voor **onder** de ~ *that's a bit risqué, that's a bit of an off one;* ⟨fig.⟩ een mopje voor **onder** de ~ *a clean/an innocent joke.*

kerstboter ⟨de⟩ **0.1** ≠*cheap surplus butter.*

kerstdag ⟨de (m.)⟩ **0.1** [de 25ste december] *Christmas Day* **0.2** [een van de dagen v.h. kerstfeest] ⟨zie 2.2, 6.2, 7.2⟩ ♦ **2.2** prettige~en! *Merry/Happy Christmas!, (the) compliments of the Season!, Season's Greetings!* **6.2** tijdens de ~en *at/during Christmas(time), on Christmas Day and Boxing Day* **7.2** eerste ~ *Christmas Day;* tweede ~ *Boxing Day.*

kerstdienst ⟨de (m.)⟩ **0.1** *Christmas service.*

kerstdrukte ⟨de (v.)⟩ **0.1** *Christmas rush.*

kerstenen ⟨ov.ww.⟩ **0.1** *christianize* ⇒*convert.*

kerstening ⟨de (v.)⟩ **0.1** *Christianization* ♦ **1.1** ~ van heidenen *conversion of pagans to Christianity.*

kerstevangelie ⟨het⟩ **0.1** *Christmas message, message of Christmas.*

kerstfeest ⟨het⟩ **0.1** *(feast/festival of) Christmas* ⇒*Yule(tide feast/festival)* ♦ **2.1** zalig, gelukkig~! *Merry/Happy C.!, (the) compliments of the Season, Season's Greetings!.*

kerstgeschenk ⟨het⟩ **0.1** *Christmas present* ⇒⟨aan werknemers⟩ [B]*Christmas box/*[A]*bonus.*

kerstgratificatie ⟨de (v.)⟩ **0.1** *Christmas bonus.*

kerst-in ⟨de⟩ **0.1** *Christmas (Day) open house.*

kerstkaart ⟨de⟩ **0.1** [kerstgroet] *Christmas card* ⇒*Christmas greeting* **0.2** [kaart met een afbeelding in kerstsfeer] *Christmas card.*

kerstkind ⟨het⟩ **0.1** *Christ-child* ⇒*infant/baby Jesus.*

kerstklok ⟨de⟩ **0.1** [⟨mv.⟩ klokken op Kerstmis] *Christmas bells* **0.2** [papieren klok] *Christmas bell.*

kerstkrans ⟨de⟩ **0.1** *(almond) pastry ring.*

kerstkransje ⟨het⟩ **0.1** [koekje] *Christmas* [B]*biscuit/*[A]*cookie* **0.2** [chocolaatje] *chocolate wreathe.*

kerstkribbe ⟨de⟩ **0.1** *crib.*

kerstlied ⟨het⟩ **0.1** *(Christmas) carol.*

kerstman ⟨de (m.)⟩ **0.1** *Father Christmas, Santa (Claus).*

kerstmenu ⟨het, de (v.)⟩ **0.1** *Christmas menu.*

kerstmis ⟨de⟩ **0.1** *Christmas mass* ⇒⟨nachtmis⟩ *Midnight Mass.*

Kerstmis ⟨de (m.)⟩ **0.1** *Christmas* ⇒*the Nativity, Yule,* ⟨inf.⟩ *Xmas,* ⟨schr.⟩ *Noel* ⟨vnl. in kerstliederen⟩, ⟨25 dec.⟩ *Christmas Day* ♦ **2.1** prettige~! *Merry/Happy Christmas!, (the) compliments of the Season!* **3.1** ~ vieren *celebrate Christmas.*

kerstnacht ⟨de (m.)⟩ **0.1** [nacht waarin Christus geboren is] *Christmas night* **0.2** [nacht waarin Christus' geboorte herdacht wordt] *Christmas night.*

kerstnachtmis ⟨de⟩ **0.1** *Midnight Mass.*

kerstnummer ⟨het⟩ **0.1** *Christmas number/edition.*

kerstpakket ⟨het⟩ **0.1** *Christmas hamper/box.*

kerstpot ⟨de (m.)⟩ **0.1** ⟨container for Salvation Army's Christmas collection⟩.

kerstreces ⟨het⟩ ⟨pol.⟩ **0.1** *Christmas recess/vacation* ♦ **6.1** de Kamer is **op** ~ *the chamber has recessed/adjourned for Christmas.*

kerstroos ⟨de⟩ **0.1** *Christmas/winter rose* ⇒*Christmas flower.*

kerstsfeer ⟨de⟩ **0.1** *Christmas atmosphere/mood.*

kerstspel ⟨het⟩ **0.1** *Nativity play* ♦ **3.1** een ~ opvoeren *put on/perform a N. p..*

kerststaaf ⟨de⟩ **0.1** *(almond) pastry roll.*

kerststal ⟨de (m.)⟩ **0.1** *crib.*

kerstster ⟨de⟩ **0.1** [de ster van Bethlehem] *Star of Bethlehem* ⇒*Star in the East, Eastern Star* ⟨vnl. in kerstliederen⟩ **0.2** [versiering] *Christmas star* **0.3** [sierplant] *poinsettia* ⇒*Christmas flower.*

kerststukje ⟨het⟩ **0.1** [bloemstukje] *Christmas bouquet* **0.2** [kerstspel] *Nativity play.*

kersttijd ⟨de (m.)⟩ **0.1** [tijd waarin Kerstmis valt] *Christmastime* ⇒*Christmastide, Christmas season/period, Yule(tide),* ⟨inf.⟩ *season of good will/cheer* **0.2** [⟨r.k.⟩] *Christmastide* ⇒*Christmastime* ♦ **6.1** in de ~ *at Christmas(time), at the Christmas season, during the Christmas period.*

kerstvakantie ⟨de (v.)⟩ **0.1** *Christmas holidays/*[A]*vacation.*

kerstverhaal ⟨het⟩ **0.1** [kerstevangelie] *Christmas story* **0.2** [verhaal op kerstavond] *Christmas story/tale.*

kerstversiering ⟨de (v.)⟩ **0.1** [artikelen] *Christmas decorations/ornaments* **0.2** [versiering in kerstsfeer] *Christmas decorations.*

kerstvreugde ⟨de (v.)⟩ **0.1** *Christmas rejoicings/cheer* ⇒*joy of Christmas.*

kerstweek ⟨de⟩ **0.1** *Christmas week.*

kersvers
I ⟨bn.⟩ **0.1** [geheel vers] *(quite) fresh/new* ⇒⟨mbt. boek⟩ *hot from the press,* ⟨mbt. nieuws/gerucht/tip⟩ *red-hot* ♦ **1.1** ~e eieren *new-laid eggs* **6.1** het komt zo ~ **uit** de winkel *it is f./straight from the shop;* ⟨fig.⟩ ~ **van** school *f./straight from school;*
II ⟨bw.⟩ **0.1** [zo juist] *just (this minute/a minute ago)* ♦ **3.1** hij is hier ~ aangekomen *he has hardly been here five minutes.*

kervel ⟨de (m.)⟩ **0.1** [plant] *chervil* **0.2** [blad v.d. tuinkervel] *chervil* ♦ **2.1** roomse ~ *(sweet) cicely, myrrh.*

kerven

I ⟨onov.ww.⟩ **0.1** [snijden] *gouge (out)* ⇒*cut* **0.2** [vezelig worden] ≠*tear*, ≠*rip* ◆ **1.2** die zijde is gekerfd *the silk is/has torn/ripped* **6.1** de jongen kerfde met zijn mes in het hout *the boy was gouging the wood with his knife;*
II ⟨ov.ww.⟩ **0.1** [inkepen] *notch*, *nick* ⇒*cut*, ⟨mbt. groef/lijn⟩ *score*, ⟨een spleet maken⟩ *slash*, *gash* **0.2** [uitsnijden] *carve (out)* ⇒*cut (out)* **0.3** [mbt. tabak] *cut* ◆ **1.1** vis ~*slash/gash fish, cut slashes/gashes in fish* **1.2** zij kerfden hun naam in de boom *they carved their names in the (bark of the) tree.*

ketch-up ⟨de (m.)⟩ **0.1** *ketchup* ⇒⟨AE; inf.; ook⟩ *catsup.*

ketel ⟨de (m.)⟩⟨→sprw. 502⟩ **0.1** [metalen vat] *kettle* ⇒⟨grote pot⟩ *cauldron*, ⟨vnl. BE, wasketel⟩ *copper* ⟨ook in brouwerij⟩, ⟨in brouwerij⟩ *brew-kettle*, ⟨in distilleerderij⟩ *still* **0.2** [stoomketel] *boiler* **0.3** [⟨jacht⟩ *(chamber of an) earth* **0.4** [⟨aardr.⟩]⟨→keteldal⟩ ◆ **1.2** de druk is v.d. ~ ⟨fig.⟩ *the pressure's off;* de ~ v.d. verwarming is kapot *the (central-heating) b. is out of order* **2.1** een koperen/elektrische ~*a copper/electric k.* **3.1** de ~ opzetten (voor de thee) *put the k. on (for tea)* **6.1** ⟨fig.⟩ het vet is *van* de ~ *the good times are over.*

ketelbink(ie) ⟨de (m.)⟩ **0.1** *cabin boy.*

keteldal ⟨het⟩ **0.1** *basin*, *bowl* ⟨door gletsjer⟩ *cirque*, *coomb.*

keteldruk ⟨de (m.)⟩ **0.1** *boiler pressure.*

ketelhuis ⟨het⟩ **0.1** *boilerhouse.*

ketellapper ⟨de (m.)⟩ **0.1** *tinker* ◆ **8.1** vloeken als een ~ *swear like a trooper/bargee/lord.*

ketelmuziek ⟨de (v.)⟩ **0.1** *charivari*, [A]*chivari* ⇒*tin-kettling, shivaree.*

ketelsteen ⟨het, de (m.)⟩ **0.1** *(boiler) scale* ⇒*scaling, fur(ring)* ◆ **3.1** ~ verwijderen *descale, defur.*

keteltrom ⟨de⟩ **0.1** *kettledrum* ⇒*timbal.*

keten[1] ⟨de⟩⟨→sprw. 334⟩ **0.1** [⟨mv.⟩ gevangenschap, gebondenheid] *chains* ⇒*bonds, fetters, irons* **0.2** [zware ketting] *chain* **0.3** [reeks, rij] *chain* ⇒*series, sequence* **0.4** [⟨schei.⟩] *chain* **0.5** [⟨tech.⟩] *chain* ⇒*circuit* ◆ **1.2** de ~ v.d. burgemeester *the mayor's c. of office* **2.2** een dubbele ~*a double c.* **3.1** zijn ~en afschudden/verbreken *shake off/burst/break one's c.* **6.2** in de ~en slaan/klinken *put/throw into chains, chain (up)* **6.3** een ~*van* snackbars *a c. of snackbars;* een ~ *van* bergen *a c. of mountains/mountain range;* een ~ *van* leugens/ongelukken *a c. of lies/accidents.*

keten[2] ⟨onov.ww.⟩ ⟨inf.⟩ **0.1** *fool/lark/monkey about.*

ketenaansprakelijkheid ⟨de (v.)⟩ **0.1** ≠*ultimate responsibility (for payment of taxes and social security contributions).*

ketenen ⟨ov.ww.⟩ **0.1** [aan een keten bevestigen] *chain (up)* **0.2** [boeien] *chain* ⇒*fetter, shackle, put in irons* **0.3** [⟨fig.⟩] *curb* ⇒*check, restrict, restrain.*

ketjap ⟨de⟩ **0.1** *soy(a) sauce.*

keton ⟨het⟩ ⟨schei.⟩ **0.1** *ketone.*

ketsen

I ⟨onov.ww.⟩ **0.1** [afstuiten] *glance off* **0.2** [niet afgaan] *misfire* ⇒ *miss fire, fail to go off/fire, not go off* **0.3** [geslachtsgemeenschap hebben] *screw* ◆ **1.1** ⟨biljarten⟩ de keu ketste *the cue glanced off, the player miscued* **1.2** het geweer ketste *the gun misfired/didn't go off* **6.1** het grind ketste *tegen* de achterruit v.d. auto *the gravel glanced off the rear window of the car;*
II ⟨ov.ww.⟩ **0.1** [⟨fig.⟩] afketsen] *turn down* ⇒*throw out, defeat, reject.*

ketsschot ⟨het⟩ **0.1** *misfire.*

ketsstoot ⟨de (m.)⟩⟨biljarten⟩ **0.1** *miscue.*

ketter ⟨de (m.)⟩⟨→sprw. 335⟩ **0.1** [mbt. een geloof] *heretic* ⇒*deviationist*, ⟨pol. ook⟩ *revisionist* **0.2** [mbt. wetenschap/kunst] *heretic* ◆ **8.¶** vloeken als een ~ *swear like a trooper/bargee/lord;* roken als een ~ *smoke like a chimney(stack);* zuipen als een ~ *drink like a fish.*

ketterdom ⟨het⟩ **0.1** *heretics.*

ketteren ⟨onov.ww.⟩ **0.1** *rage, storm, rave, rant* ◆ **3.1** vloeken en ~ *rant and rave, storm and swear.*

kettergericht ⟨het⟩ **0.1** [inquisitie] *inquisition* **0.2** [gericht over ketters] *inquisition (trial).*

ketterij ⟨de (v.)⟩ **0.1** [het afwijken v.d. geloofsleer] *heresy* ⇒*heterodoxy*, ⟨dwalen⟩ *misbelief*, ⟨onorthodox ook⟩ *unorthodoxy* **0.2** [afwijkende leer] *heresy* ⇒⟨dwaalleer⟩ *misbelief* **0.3** [mbt. wetenschap/kunst] *heresy* ⇒*unorthodoxy* ◆ **3.1** naar ~ rieken *smack of h..*

ketterjacht ⟨de (m.)⟩ **0.1** *witch hunt* ⟨ook fig.⟩ ⇒⟨inquisitie⟩ *inquisition.*

ketters ⟨bn., bw.; -ally⟩ **0.1** [mbt. een geloof] *heretical* ⇒*heterodox*, ⟨onorthodox⟩ *unorthodox* **0.2** [mbt. wetenschap/kunst] *heretical* ⇒*unorthodox* ◆ **3.2** dat is ~ gedacht *that is a h. thought/heresy.*

ketterverbranding ⟨de (v.)⟩ **0.1** *burning (alive) of a heretic* ⇒⟨gesch. ook⟩ *auto-da-fé.*

ketting ⟨de (m.)⟩ [keten] *chain* ⇒⟨boei⟩ *fetter* **0.2** [mbt. weefsels] *warp* ⇒*chain* ◆ **1.1** de ~ v.e. fiets/anker/lier *the c. of a bicycle/anchor/winch* **2.1** een gouden ~*a gold c.* **2.2** een enkele/dubbele ~ *a single/double chain* **6.1** aan de ~ leggen ⟨mbt. dier⟩ *chain up, put on the c.;* ⟨mbt. schip⟩ *(hold/keep under) arrest, (put under) embargo;* ⟨fig.⟩ **op** de ~ springen *stick up for s.o.;* doe de deur **op** de ~ *put the c. on the door, put the door on the c., chain the door;* ⟨fig.⟩ **van** de ~ zijn *be wild with joy/jumping for joy/on top of the world/over the moon/overjoyed.*

kettingbak ⟨de (m.)⟩⟨scheep.⟩ **0.1** *chain locker/well.*

kettingbeding ⟨het⟩ **0.1** *perpetual clause.*

kettingbotsing ⟨de (v.)⟩ **0.1** *multiple collision* ⇒ ↓*pile-up.*

kettingbout ⟨de (m.)⟩ **0.1** *link pin.*

kettingbrief ⟨de (m.)⟩ **0.1** *chain letter.*

kettingbrug ⟨de (m.)⟩ **0.1** *chain(-suspension) bridge* ⇒*catenary bridge*, ≠*suspension bridge.*

kettingformulier ⟨het⟩ **0.1** *continuous/fanfold form.*

kettinghandel ⟨de (m.)⟩ **0.1** ≠*speculative trading*, ≠*profiteering.*

kettinghond ⟨de (m.)⟩ **0.1** *bandog* ⇒*chained (up) dog*, ≠*watchdog.*

kettingkast ⟨de⟩ **0.1** *chain guard.*

kettinglijn ⟨de⟩⟨wisk.⟩ **0.1** *catenary (curve).*

kettingrad ⟨het⟩ **0.1** *chain-wheel* ⇒*sprocket/rag (wheel).*

kettingreactie ⟨de (v.)⟩⟨nat., schei.⟩ **0.1** *chain reaction* ◆ **3.1** een ~ teweegbrengen *set off/start a c. r..*

kettingregel ⟨de (m.)⟩⟨wisk.⟩ **0.1** *chain rule* ⇒*compound rule of three, chain method, conjoined rule of three.*

kettingrijm ⟨het⟩ **0.1** *chain rhyme.*

kettingroker ⟨de (m.)⟩, **-rookster** ⟨de (v.)⟩ **0.1** *chain smoker.*

kettingslot ⟨het⟩ **0.1** *chainlock.*

kettingspanner ⟨de (m.)⟩ **0.1** *chain tensioner.*

kettingsteek ⟨de (m.)⟩ **0.1** [mbt. naaien/borduren] *chain stitch* **0.2** [⟨scheep.⟩] *figure of 8 knot.*

kettingzaag ⟨de⟩ **0.1** *chain saw* ⇒*flexible/folding saw.*

keu ⟨de⟩ **0.1** [biljartstok] *(billiard)* *cue* **0.2** [jong varken] *piglet.*

keuken ⟨de⟩ **0.1** [vertrek] *kitchen* ⇒⟨keukencomplex⟩ *kitchens* ⟨in instelling/paleis enz.⟩ **0.2** [kookkunst] *(art of) cooking* ⇒*cookery*, [†]*cuisine* **0.3** [eten] *cooking* ⇒*fare* **0.4** [keukenblok]⟨→keukenblok⟩ ◆ **2.1** een centrale ~ *a central kitchen;* een volledig ingerichte ~ *a fully fitted kitchen;* een moderne ~ *a modern kitchen;* ⟨inf.⟩ *a kitchen with all mod. cons.;* een open ~ *an open kitchen* **2.2** de fijne/Franse ~ *fine/French cooking/cuisine, haute cuisine* **2.3** een koude ~ *cold dishes;* ⟨koud buffet⟩ *cold buffet;* een schrale ~ *scanty fare, short commons;* een vette ~ *rich fare/c.* **6.1** ergens in de ~ kijken ⟨fig.⟩ *take a look behind the scenes* **6.¶** uit de ~ klappen *give away/tell trade secrets* **¶.1** ~tje *kitchenette.*

keukenafval ⟨het⟩ **0.1** *kitchen refuse/waste* ⇒*garbage*, ⟨vnl. vetresten⟩ *kitchen stuff, drippings.*

keukenblok ⟨het⟩ **0.1** *kitchen unit.*

keukendeur ⟨de⟩ **0.1** [binnendeur] *kitchen door* **0.2** [buitendeur] *kitchen door* ⇒*back door.*

keukendoek ⟨de (m.)⟩ **0.1** *kitchen towel.*

keukenfornuis ⟨het⟩ **0.1** *stove*, [B]*(gas) cooker* ⇒*(kitchen) range*, ⟨BE ook⟩ *kitchener*, ⟨AE ook⟩ *cookstove.*

keukengeheim ⟨het⟩ **0.1** *culinary/chef's secret.*

keukengerei ⟨het⟩ **0.1** *kitchen ware, kitchen/cooking utensils* ⇒⟨hout⟩ *wood(en)ware.*

keukenhulp ⟨de⟩ **0.1** [persoon] *kitchen help* ⇒⟨keukenmeisje⟩ *kitchen/scullery maid*, ⟨bordenwasser⟩ *dishwasher, washer-up* **0.2** [apparaat] *food processor.*

keukenkast ⟨de⟩ **0.1** *kitchen cabinet/cupboard* ⇒⟨vnl. BE⟩ *(kitchen) dresser.*

keukenmachine ⟨de (v.)⟩ **0.1** *food processor.*

keukenmeester ⟨de (m.)⟩ ◆ **3.¶** daar is schraalhans ~ *they starve you there, you don't get much to eat there, they are on short commons.*

keukenmeid ⟨de⟩ **0.1** *kitchen maid* ⇒*cook* ◆ **2.¶** gillende ~ ⇒≠*whizzer, whizz-bang, squib, cracker* **8.1** hij schrijft als een ~ ≠*he is a hack (writer), he writes badly.*

keukenmeidenpootje ⟨het⟩ **0.1** *(illiterate) scrawl.*

keukenmeidenroman ⟨de (m.)⟩ **0.1** *pulp novel* ⇒⟨AE ook⟩ *dime novel.*

keukenmixer ⟨de (m.)⟩ **0.1** *(household) mixer.*

keukenpiet ⟨de (m.)⟩ **0.1** *busybody in the kitchen.*

keukenprinses ⟨de (v.)⟩ **0.1** ⟨scherts.⟩ *queen of the kitchen* ⇒*lady of the frying-pan*, ⟨goede kokkin⟩ *(gourmet) cook.*

keukenrol ⟨de⟩ **0.1** *kitchen roll.*

keukensnufje ⟨het⟩ **0.1** *kitchen gadget.*

keukenstoel ⟨de (m.)⟩ **0.1** *kitchen chair.*

keukenstroop ⟨de⟩ **0.1** [B]*treacle*, [A]*molasses.*

keukentafel ⟨de⟩ **0.1** *kitchen table.*

keukentrap ⟨de (m.)⟩ **0.1** *stepladder, steps.*

keukenwagen ⟨de (m.)⟩ **0.1** *mobile canteen* ⇒*chuck wagon.*

keukenzout ⟨het⟩ **0.1** *kitchen salt* ⇒*household/common salt, table salt.*

Keulen ⟨het⟩ ⟨→sprw. 10⟩ **0.1** *Cologne* ◆ **6.1** ⟨fig.⟩ het in ~ horen donderen *be (utterly) staggered/flabbergasted/astonished;* ⟨fig.⟩ een mes waarop je naar ~ kunt rijden *a blunt knife.*

Keuls ⟨bn.⟩ **0.1** *Cologne* ◆ **1.1** ~ aardewerk *C. ware;* een ~e pot *a C. pot* **1.¶** ⟨fig.⟩ dat is een ~e reis *that's quite a trip/journey/trek.*

keur ⟨de⟩ ⟨→sprw. 84⟩ **0.1** [stempelmerk] *hallmark* ⇒*plate-mark* **0.2** [selectie] *choice (selection)* ⇒*pick, flower, elite* **0.3** [⟨gesch.⟩ plaatselijke verordening] *statute* ⇒*by(e)-law* ◆ **6.¶** de ~ *van* de sportlieden *the pick/elite of the sportsmen* **6.¶** **op** ~ *on approval, subject to approval;* te kust en te ~ in *plenty, galore.*

631

keurbende ⟨de⟩ →**keurkorps**.
keurcollectie ⟨de (v.)⟩ **0.1** *choice collection*.
keurder ⟨de (m.)⟩ **0.1** [keurmeester] *sampler* ⇒*tester*, ⟨mbt. thee/whisky/wijn enz.⟩ *taster*, ⟨bij wedstrijden⟩ *judge* **0.2** [fijnproever] *connoisseur* ⇒*judge, expert* ♦ **2.2** de ware genieter en ~ *the true judge/c.*.
keuren ⟨ov.ww.⟩ **0.1** *test* ⇒*assay* ⟨edelmetalen⟩, *inspect* ⟨eetwaren, dieren⟩, ⟨monsteren, ook voedsel⟩ *sample*, ⟨mbt. thee/whisky/wijn enz.⟩ *taste*, ⟨medisch⟩ *examine* ♦ **1.1** iem. geen blik waardig ~ *not deign to look at s.o.*; films ~ *censor films*; sieraden ~ *assay jewellery* [A]*jewelry* **6.1** voor militaire dienst/een levensverzekering gekeurd worden *be medically examined/have a medical (examination)/*⟨inf.⟩ *be vetted for military service/a life-insurance company*.
keurgewicht ⟨het⟩ **0.1** *assay weight*.
keurig
I ⟨bn.⟩ **0.1** [net, netjes] *neat* ⇒*tidy, smart* **0.2** [smaakvol] *smart* ⇒ *nice,* [↑]*exquisite* **0.3** [zeer goed] *fine* ⇒*choice, exquisite* ♦ **1.1** ~e manieren *exquisite manners*; het zijn ~e mensen *they are nice people* **1.2** een ~ kapsel/handschrift/~e blouse *a nice hair-do/fine hand/nice blouse* **1.3** een ~ rapport/opstel *a f. report/essay* **3.1** er ~ uitzien *look n. (and tidy)/smart/spruce*; de bruid zag er ~ uit *the bride looked lovely, she was/made a beautiful bride*;
II ⟨bw.⟩ **0.1** [fijntjes] *nicely* ⇒⟨netjes⟩ *neatly*, ⟨bijdehand, slim⟩ *smartly, cleverly* ♦ **3.1** dat heb je ~ gedaan *you've done that nicely,* [↓]*nice work!*; dit past ~ *this fits you perfectly/beautifully/*⟨inf.⟩ *to a T* **3.¶** ~ getrouwd *properly/respectably married* **5.¶** ~ netjes *prim and proper* **¶.1** ~! *nice work!*; ⟨tegen kind/hond⟩ *good boy/girl!*.
keurijzer ⟨het⟩ **0.1** *assayer's stamp, hallmark*.
keuring ⟨de (v.)⟩ **0.1** [het keuren/gekeurd worden] *testing* ⇒⟨mbt. edelmetalen⟩ *assaying*, ⟨mbt. eetwaren/dieren⟩ *inspection*, ⟨monsteren, ook mbt. voedsel⟩ *sampling*, ⟨mbt. thee/whisky/wijn enz.⟩ *tasting*, ⟨medisch⟩ *examination* **0.2** [onderzoek] *test* ⇒⟨mbt. edelmetalen⟩ *assay*, ⟨mbt. eetwaren/dieren⟩ *inspection*, ⟨medisch⟩ *examination* ♦ **2.2** een medische ~ *a medical (examination), a physical* **6.1** ~ van films *film censorship, censorship of films* **6.2** naar de ~ moeten *have to have/take a medical/physical* **6.¶** ~ boven de 18 *X rating, Adults only*.
keuringsarts ⟨de (m.)⟩ **0.1** *medical examiner*.
keuringscommissie ⟨de (v.)⟩ **0.1** *committee of inspection* ⇒⟨film.⟩ *board of (film) censors*, ⟨med.⟩ *medical (examining) board*.
keuringsdienst ⟨de (m.)⟩ **0.1** *inspection service* ♦ **1.1** ~ van waren ≠[B]*Food Inspection Department*, [A]*Food and Drug Administration*.
keuringseis ⟨de (m.)⟩ **0.1** ⟨tech.⟩ *test requirement/specification;* ⟨landb.⟩ *certification standard, requirement of the inspection service;* ⟨ambtelijk⟩ *approval specification* ♦ **6.1** voldoen **aan** de ~ en *come up to the test requirements*.
keurkamer ⟨de⟩ **0.1** *Assay Office*.
keurkorps ⟨het⟩ **0.1** *crack troops* ⇒*(body of) picked men*, ⟨regiment⟩ *crack regiment,* [↑]*corps d'élite*, ⟨stoottroepen⟩ *shock troops*.
keurmeester ⟨de (m.)⟩ **0.1** *inspector* ⇒*sampler*, ⟨mbt. edelmetalen⟩ *assay-master, assayer, assayist*, ⟨iem. die iets test⟩ *tester*.
keurmerk ⟨het⟩ **0.1** [stempel] *hallmark* ⇒*plate-mark* **0.2** [kwaliteitsmerk] *quality mark, mark of quality, hallmark*.
keurs ⟨het⟩ **0.1** [lijfje] *bodice* ⇒⟨korset⟩ *corset, stays* **0.2** [⟨fig.⟩] ⟨→**keurslijf**⟩.
keurschaal ⟨de⟩ **0.1** *test scale*.
keurslager ⟨de (m.)⟩ **0.1** *top-quality/top-class/first-class/first-rate butcher*.
keurslijf ⟨het⟩ **0.1** *straitjacket* ⇒*shackles, trammels* ♦ **1.1** het ~ van allerlei regels *the straitjacket of all sorts of regulations* **6.1** in een ~ zitten ⟨fig.⟩ *have one's hands tied*; iem. **in** een ~ dwingen *straitjacket/trammel/shackle/curb/cramp s.o.*.
keurtroepen ⟨zn.mv.⟩ **0.1** *crack troops* ⇒*(body of) picked men*, ⟨regiment⟩ *crack regiment*, ⟨stoottroepen⟩ *shock troops*.
keurvorst ⟨de (m.)⟩ ⟨gesch.⟩ **0.1** *Elector* ♦ **2.1** de Grote ~ *the Great E.*.
keurvorstendom ⟨het⟩ ⟨gesch.⟩ **0.1** *electorate*.
keus ⟨de⟩ **0.1** [het kiezen] *choice* ⇒*selection, option* **0.2** [mogelijkheid om te kiezen] *choice* ⇒*option, alternative* **0.3** [wat gekozen wordt] *choice* ⇒*selection,* [↓]*pick* **0.4** [sortering] *choice* ⇒*assortment, range, selection* **0.5** [(uit)verkiezing] *election* ♦ **2.1** een makkelijke ~ *an easy c.*; ⟨mbt. vakken enz.⟩ *a soft option* **2.3** een goede ~ *a good choice* **2.4** een grote ~ *a wide/large c./assortment/selection, a wide range* **3.2** iem. de ~ laten *give/leave s.o. the c., leave the c. up to s.o., let s.o. take his c.* **3.3** heeft u uw ~ al bepaald? *have you made your c.?*; zijn ~ vestigen op/laten vallen op *decide upon, choose* **3.4** een uitgebreide ~ bieden *offer a wide range (of)* **5.3** er is volop ~ *there's a lot to choose from* **6.1** naar ~ *as desired; optional* ⟨bv. bijgerechten⟩; **uit** vrije ~ *of one's own free will* **6.2** aan u de ~ *the c. is yours/lies with you; take your c.*; ⟨inf.⟩ *take your pick*; vrij zijn **in** de ~ van zijn huisarts *be free to choose one's (family) doctor*; **voor** een ~ staan *be faced with a c.*; iem. **voor** de ~ stellen *give s.o. the c.* **6.3** het vak/de vrouw **van** zijn ~ *the subject/woman of his c.* **7.2** de agent had geen (andere) ~ *the policeman had no (other) c./alternative/option;*

er is/wij hebben geen ~ *there is/we have no c./alternative/option;* ⟨inf.⟩ *it's (a matter/question of) Hobson's c.* **7.3** hij kan maar geen ~ doen/maken *he can't decide/make up his mind* **7.4** tweede ~ *seconds* **¶.1** ⟨hand.⟩ in kopers ~ *buyer's option*.
keutel ⟨de (m.)⟩ **0.1** [drol] *droppings* ⟨mv.⟩ ⇒⟨van dier, klein⟩ *pellet*, ⟨van mens⟩ [↓]*turd* **0.2** [klein persoon] *titch*; ⟨kind⟩ *nipper*.
keutelachtig ⟨bn., bw.; -ly⟩ **0.1** [↑]*niggling, trivial*.
keutelen ⟨onov.ww.⟩ **0.1** [beuzelen] *trifle* ⇒*niggle, potter, fiddle,* [A]*boondoggle* **0.2** [poepen] [↓]*crap, shit*.
keuterboer ⟨de (m.)⟩ **0.1** [A]*dirt farmer* ⇒⟨minder neerbuigend⟩ *smallholder, small farmer, crofter* ♦ **3.1** het is een ~ *he has to scrape a living off a small plot of land*.
keuvelaar ⟨de (m.)⟩, -**ster** ⟨de (v.)⟩ **0.1** [gezellige] *chatterer, talker* **0.2** [kind] *babbler, prattler*.
keuvelarij ⟨de (v.)⟩ **0.1** *chat* ⇒*chit-chat, prattle*, ⟨vnl. BE⟩ *natter*.
keuvelen ⟨onov.ww.⟩ **0.1** [gezellig] *(have a) chat, talk* **0.2** [kind] *babble, prattle*.
keuze →**keus**.
keuzecommissie ⟨de (v.)⟩ **0.1** *selection committee* ⇒*committee of selectors*.
keuzemenu ⟨het⟩ **0.1** *à la carte menu*.
keuzemogelijkheid ⟨de (v.)⟩ **0.1** *option* ⇒*choice*.
keuzepakket ⟨het⟩ **0.1** *options* ⇒*choice of subjects/courses*.
keuzeschakelaar ⟨de (m.)⟩ **0.1** *selector switch*.
keuzevak ⟨het⟩ **0.1** *option* ⇒*optional subject*.
keV ⟨de (m.)⟩ ⟨afk.⟩ ⟨elek.⟩ **0.1** [kilo-elektron-volt] *keV*.
kevel ⟨de (m.)⟩ **0.1** *jaw(-bone), toothless gum*.
kever ⟨de (m.)⟩ **0.1** [insekt] *beetle* ⇒⟨groot⟩ *chafer,* [A]*bug* **0.2** [auto] *beetle, Beetle*.
keveren ⟨onov.ww.⟩ ⟨inf.⟩ **0.1** *(take a) nap*.
kevlar ⟨het⟩ **0.1** *Kevlar*.
keyboard ⟨het⟩ **0.1** *keyboard instrument* ♦ **3.1** ~ spelen *play keyboards*.
keynesiaans ⟨bn.⟩ ⟨ec.⟩ **0.1** *Keynesian*.
kezen ⟨onov.ww.⟩ ⟨vulg.⟩ **0.1** *hump* ⇒ [↑]*screw*.
KG ⟨afk.⟩ **0.1** [korte golf] *SW*.
KGV ⟨afk.⟩ **0.1** [kleinste gemene veelvoud] *LCM*.
khaki →**kaki**.
khan →**kan**.
Khmer ⟨de (m.)⟩ **0.1** *Khmer* ♦ **2.1** de rode ~ *the Khmer Rouge*.
kHz. ⟨afk.⟩ **0.1** [kilohertz] *kHz* ⇒[B]*kc/sec,* [A]*kc*.
KI ⟨de (v.)⟩ ⟨afk.⟩ **0.1** [kunstmatige inseminatie] *AI*.
kibbelaar ⟨de (m.)⟩, -**ster** ⟨de (v.)⟩ **0.1** *squabbler* ⇒*quibbler, bickerer, wrangler, quareller* [A]*ler*.
kibbelachtig ⟨bn.⟩ **0.1** *quarrelsome* ⇒*quibbling, squabbling, bickering*.
kibbelarij ⟨de (v.)⟩ **0.1** *bickering* ⇒*squabbling, wrangling*.
kibbelen ⟨onov.ww.⟩ **0.1** *bicker* ⇒*squabble, argue, haggle, wrangle*.
kibbelpartij ⟨de (v.)⟩ **0.1** *bicker* ⇒*squabble, tiff, wrangle*.
kibboets ⟨de (m.)⟩ **0.1** *kibbutz*.
kibboetsnik ⟨de (m.)⟩ **0.1** *kibbutznik*.
kicken ⟨onov.ww.⟩ **0.1** *get a kick (out of)* ⇒⟨AE; sl.⟩ *get off (on), dig* ♦ **6.1** zij kickt **op** artikelen uit de jaren vijftig *she gets a kick out of fifties stuff*.
KID ⟨de (v.)⟩ ⟨afk.⟩ **0.1** [kunstmatige inseminatie met behulp van donor] *AID*.
kidnappen ⟨ov.ww.⟩ **0.1** *kidnap*.
kidnapper ⟨de (m.)⟩ **0.1** *kidnapper*.
KIE ⟨de (v.)⟩ ⟨afk.⟩ **0.1** [kunstmatige inseminatie met behulp van de echtgenoot] *AIH*.
kiekeboe¹ ♦ **3.¶** je speelt ~ met me ⟨fig.⟩ *you're not levelling with me;* ~ spelen ⟨lett.⟩ *play (at) peep-bo,* [A]*peekaboo*.
kiekeboe² ⟨tw.⟩ **0.1** *peekaboo!*.
kieken ⟨ov.ww.⟩ **0.1** *snap* ⇒*take a snapshot of* ♦ **1.1** de hele familie ~ *take a snapshot of the whole family*.
kiekendief ⟨de (m.)⟩ ⟨dierk.⟩ **0.1** *harrier* ♦ **2.1** de blauwe ~ *hen h.*; de bruine ~ *marsh h.*; de grauwe ~ *Montague's h.*.
kiekje ⟨het⟩ **0.1** *snap(shot)* ♦ **3.1** een ~ nemen (van) *take a s. (of), snap*.
kiel
I ⟨de (m.)⟩ **0.1** [kledingstuk] *smock* ⇒⟨zeldz.⟩ *blouse*;
II ⟨de⟩ **0.1** [⟨scheep.⟩] *keel* **0.2** [schip] *keel, bottom* **0.3** [⟨plantk.⟩] *keel* ♦ **2.1** een loze ~ *a false k.* **3.1** de ~ leggen *lay (down) the k.*; met de ~ over de grond schuren *graze the bottom (with one's k.)* **3.2** de vloot telde zestig ~en *the fleet consisted of sixty keels/bottoms*.
kiele ⟨tw.⟩ **0.1** *tickle(-tickle)!*.
kiele-kiele ♦ **3.¶** het was ~ *it was touch and go/a close shave*.
kielen ⟨ov.ww.⟩ **0.1** [schip overzij halen] *careen* ⇒*heave down, keel* **0.2** [kielhalen] *keelhaul*.
kielhalen ⟨ov.ww.⟩ **0.1** *keelhaul*.
kieling ⟨de (v.)⟩ **0.1** [het kielen] *careen* **0.2** [kielkade] *careenage* ♦ **6.2** een schip **op** de ~ halen *put a ship on the careen*.
kielvlak ⟨het⟩ ⟨luchtv.⟩ **0.1** *vertical stabilizer* ⇒[B]*aerofoil,* [A]*airfoil*, ⟨inf.⟩ *(tail) fin*.
kielwater ⟨het⟩ **0.1** *wake* ⟨ook fig.⟩ ⇒*wash* ♦ **6.1** ⟨fig.⟩ iem. **in** zijn ~ zeilen *follow in s.o.'s wake/track(s)*; ⟨fig.⟩ blijf **uit** zijn ~, of je raakt

in zijn zog *steer clear of him, or he'll get the better of you;* ⟨fig.⟩ blijf **uit** mijn ~ *steer clear of me.*

kielzog ⟨het⟩ **0.1** [kielwater] *wake* ⇒*wash* **0.2** [voorbeeld] *wake* ⇒ *track(s)* ◆ **6.1 in** iemands ~ varen *follow in s.o.'s wake/ track(s)* **6.2 in** het ~ v.h. expressionisme *in the w. of impressionism.*

kielzwaard ⟨het⟩ ⟨scheep.⟩ **0.1** *centreboard* ⇒*drop/sliding keel.*

kiem ⟨de⟩ **0.1** [eerste beginsel] *germ* ⇒*seed, bud* **0.2** [beginsel v.e. organisme] *germ* ⇒*embryo* **0.3** [micro-organisme] *germ* **0.4** [uitloper v.e. knol] *shoot* ⇒*chit* **0.5** [⟨nat., schei.⟩] *seed* ⇒*nucleus* ◆ **1.1** de ~en v.h. kwaad/verzet *the germs/seeds of evil/rebellion* **1.3** de ~en van veel ziekten zijn bekend *the germs of many diseases are known* **3.1** de ~ leggen van *sow the seeds of* **6.1** het kwaad **in** de ~ smoren *nip evil in the bud;* zijn latere krankzinnigheid was hier al **in** de ~ aanwezig *the seeds of his later insanity are already present here.*

kiembak ⟨de (m.)⟩ **0.1** *propagator.*

kiemblad ⟨het⟩ **0.1** *cotyledon* ⇒*seed leaf.*

kiemcel ⟨de⟩ ⟨biol.⟩ **0.1** [geslachtscel] *germ cell* **0.2** [spore] *germ.*

kiemdodend ⟨bn.⟩ ⟨med.⟩ **0.1** *germicidal.*

kiemdrager ⟨de (m.)⟩ **0.1** ⟨van ziekte⟩ *carrier (of a/the germ)/* ⟨med.⟩ *pathogen(ic organism).*

kiemen ⟨onov.ww.⟩ **0.1** [ontkiemen] *germinate* ⇒*bud, shoot, sprout, chit* **0.2** [uit de kiem opgroeien] *come up/through* ⇒*sprout, chit* **0.3** [⟨fig.⟩] *bud* ⇒*sprout* ◆ **3.3** liefde doen ~ in iemands hart *sow the seeds of love in s.o.'s heart.*

kiemkracht ⟨de⟩ ⟨biol.⟩ **0.1** *germinative power/capacity.*

kiemkrachtig ⟨bn.⟩ ⟨plantk.⟩ **0.1** *germinative* ⇒*germinable, capable of germination,* ⟨ook fig.⟩ *seminal,* ⟨korrels⟩ *viable.*

kiemplantje ⟨het⟩ **0.1** *seedling.*

kiemvrij ⟨bn.⟩ **0.1** *germfree* ⇒*aseptic, sterile* ◆ **1.1** ~e melk *certified/attested milk* **3.1** iets~ maken *sterilize sth..*

kiemwit ⟨het⟩ **0.1** ⟨dierk.⟩ *albumen;* ⟨plantk.⟩ *endosperm, perisperm* ⟨extern⟩.

kien¹
I ⟨bn., bw.; -ly⟩ **0.1** [pienter] *sharp* ⇒*smart, keen, bright* ◆ **5.1** zij is zeer ~ *she's as sharp as a needle;*
II ⟨bn.⟩ ◆ **6.¶** ~ **op** *keen on, eager for (sth.)/(to do sth.).*

kien² ⟨tw.⟩ ⟨spel⟩ **0.1** *bingo* ⇒*lotto,* ^*keno.*

kiendopje ⟨het⟩ ⟨spel⟩ **0.1** *counter.*

kienen ⟨onov.ww.⟩ **0.1** *play bingo/lotto/*^*keno.*

kienhout ⟨het⟩ **0.1** *fossil(ized) wood* ⇒*bog oak.*

kienkaart ⟨de⟩ **0.1** *bingo/lotto/*^*keno card.*

kienspel ⟨het⟩ **0.1** *bingo/lotto/*^*keno.*

kiep ⟨de (m.)⟩ **0.1** *goalie* ◆ **2.1** vliegende ~ ⟨sport⟩ ⟨goal keeper who also plays in the outfield, in desperate last-minute situations or children's football⟩; ⟨fig.⟩ *maid-of-all-work, head-cook-and-bottle waster.*

kiepauto ⟨de (m.)⟩ **0.1** *tip up truck* ⇒*tipper,* ^*dump truck.*

kiepbak ⟨de (m.)⟩ **0.1** *tipping body,* ^*dump body.*

kiepelton ⟨de⟩ **0.1** *cesspit.*

kiepen
I ⟨onov.ww.⟩ **0.1** [kantelen] *topple* ⇒*tumble, keel over* ◆ **6.1** het glas is **van** de tafel gekiept *the glass toppled/tumbled off the table;*
II ⟨ov.ww.⟩ **0.1** [doen omslaan] *tip over* ⇒*topple (over), keel over* **0.2** [neergooien] *dump* ◆ **1.1** hij heeft de wagen zand in de tuin gekiept *he tipped a load of sand into the garden* **6.2** iets **op** de grond ~ *d. sth. on the ground.*

kieper ⟨de (m.)⟩ **0.1** [laadbak die kan kiepen] *dumper* **0.2** [auto] *dump(er) truck.*

kieperen ⟨inf.⟩
I ⟨onov.ww.⟩ **0.1** [tuimelen] *tumble* ⇒*topple* ◆ **6.1** hij kieperde **uit** de boot/**uit** de boom/**van** de stoel *he tumbled out of the boat/tree/chair;*
II ⟨ov.ww.⟩ **0.1** [gooien] *dump* ⇒*pitch, flop, throw* ◆ **5.1** ze kieperde het hele zaakje weg *she threw out the lot* **6.1** hij kieperde alles **in** de sloot *he dumped the whole lot in the ditch.*

kiepkar ⟨de⟩ **0.1** [vrachtauto] *tip up truck,* ^*dump truck* **0.2** [karretje] *tip(ping)/dumping (cart)* ⇒*tipper, dumper.*

kiepwagen ⟨de (m.)⟩ **0.1** *tip up truck* ⇒*tipper,* ^*dump truck.*

kier ⟨de⟩ **0.1** *chink* ⟨ook van gordijnen⟩ ⇒*slit,* ⟨metselwerk, planken⟩ *crack* ◆ **6.1** door een ~ v.d. schutting/v.h. gordijn gluren *peek through a crack in the fence/a chink in the curtains;* de deur **op** een ~ zetten ⟨fig.⟩ *to leave the question/door open;* **op** een ~ staan/zetten/ laten staan *be/set/leave ajar.*

kieren
I ⟨onov.ww.⟩ **0.1** [op een kier staan] *be ajar/on the jar/off the latch* **0.2** [kieren vertonen] *show cracks* **0.3** [geslachtsverkeer hebben] *have nookie;*
II ⟨ov.ww.⟩ ⟨inf.⟩ ◆ **4.¶** 'm ~ ('m knijpen) *have the wind up, be in a blue funk.*

kierewiet ⟨bn.⟩ ⟨inf.⟩ **0.1** [tureluurs] *mad* ⇒*bananas, frantic, gaga, berserk* **0.2** [niet helemaal snik] *crackers* ⇒*round the bend,* ^B*barmy* ◆ **6.1** het is om ~ **van** te worden! *it's enough to drive me m./bananas/ up the wall.*

kies¹
I ⟨de⟩ **0.1** [maaltand] *molar* ⇒⟨mbt. pijn⟩ *tooth grinder* ◆ **1.1** een gat in een ~ *a cavity/hole in a m./tooth* **2.1** echte kiezen *molars;* een holle ~ *a hollow m./tooth;* ⟨fig.⟩ dat kan ik wel in mijn holle ~ stoppen *I shan't get fat on that, that's (not even) chicken feed;* een rotte ~ *a bad/decayed m.;* valse kiezen *premolars* **3.1** er moeten bij mij twee kiezen getrokken worden *I need to have two teeth out;* ⟨fig.⟩ zijn kiezen op elkaar houden *keep mum;* een ~ trekken *pull out/extract a m./ tooth;* een ~ vullen *fill a m./tooth;* ⟨fig.⟩ de kiezen op elkaar zetten *grit one's teeth, grin and bear it* **6.1** ⟨inf.⟩ zijn brood **achter** de kiezen hebben ⟨gegeten hebben⟩ *have one's sandwiches under one's belt;* ⟨inf.⟩ heel wat **achter** de kiezen hebben ⟨meegemaakt hebben⟩ *have been/gone through a lot;* ⟨fig.⟩ iets **voor** zijn kiezen krijgen *be forced to swallow sth.;*
II ⟨het⟩ **0.1** [natuurlijke zwavelverbinding] *pyrite(s).*

kies²
I ⟨bn.⟩ **0.1** [kieskeurig] *fastidious* ⇒*particular, delicate, discerning, discriminating* **0.2** [fijngevoelig] *delicate* ⇒*tender,* ⟨met takt⟩ *discreet, tactful* **0.3** [fatsoenlijk] *considerate* ⇒*tactful* ⟨gebaar⟩*, discreet, decent* **0.4** [delicaat] *delicate* ⟨taak, opdracht⟩ ⇒*discreet* ⟨gedrag⟩ ◆ **3.3** zo ~ zijn om *have the delicacy to* **5.3** een weinig ~e uitdrukking *not a very nice/decent expression* **6.1** niet ~ zijn **in** de keuze van zijn middelen *not be particular in one's methods;* ~ **op** zijn eten zijn *be particular about one's food;*
II ⟨bw.⟩ **0.1** [op discrete wijze] *considerately* ⇒*discreetly, tactfully.*

kiesbaar ⟨bn.⟩ **0.1** *eligible* ⇒*qualified for election.*

kiesbevoegd ⟨bn.⟩ **0.1** *entitled to vote* ⇒*enfranchised.*

kiesbriefje ⟨het⟩ ⟨AZN⟩ **0.1** [stembriefje] *ballot (paper)* ⇒*voting paper* **0.2** [oproeping om te kiezen] *polling card.*

kiescollege ⟨het⟩ **0.1** *electoral college.*

kiesdeler ⟨de (m.)⟩ **0.1** *quota.*

kiesdistrict ⟨het⟩ **0.1** *electoral district, constituency* ⇒^*borough,* ⟨voor gemeenteraad⟩ *ward.*

kiesdrempel ⟨de (m.)⟩ **0.1** *electoral threshold* ◆ **3.1** de ~ niet halen/ halen *(fail to) reach/* ⟨inf.⟩ *make the electoral threshold;* de ~ verhogen/verlagen *raise/lower the electoral threshold.*

kiesgerechtigd ⟨bn.⟩ **0.1** *entitled to vote* ⇒*enfranchised* ◆ **1.1** ~e burgers *enfranchised citizens;* ~e leden *voting members.*

kiesgerechtigde ⟨de (m.)⟩ **0.1** *s.o. on the electoral roll* ⇒*voter, member of a constituency.*

kiesgerechtigdheid ⟨de (v.)⟩ **0.1** *eligibility to vote.*

kiesheid ⟨de (v.)⟩ **0.1** [gevoeligheid] *delicacy* ⇒*consideration, tactfulness, decency, discretion* **0.2** [kieskeurigheid] *fastidiousness* ⇒*discrimination, discernment, delicacy* ◆ **3.1** van ~ getuigen *betray/reveal/show consideration* **6.1** uit ~ handelen *act in consideration.*

kieskauw ⟨de (m.)⟩ **0.1** *fusspot.*

kieskauwen ⟨onov.ww.⟩ **0.1** [treuzelend eten] *dawdle over/pick at/peck at/trifle with one's food* **0.2** [doorzeuren] *keep on about, nag* ⇒*badger* ◆ **3.1** zit niet zo te ~ *stop picking at your food.*

kieskauwer ⟨de (m.)⟩, **-ster** ⟨de (v.)⟩ **0.1** [kieskauw] *fusspot* **0.2** [zeur] *bore.*

kieskeurig ⟨bn.⟩ **0.1** *choosy* ⇒⟨voedsel⟩ *fussy, finicky,* ⟨fijne smaak⟩ *fastidious, discerning,* ⟨moeilijk te voldoen⟩ *particular* ◆ **1.1** hij is een ~ mens *he is a c. person;* op ~e wijze te werk gaan (bij) *exercize discrimination (in)* **3.1** ~ zijn *be c./fussy; be fastidious/particular;* we kunnen niet ~ zijn *we cannot afford to pick and choose, beggars can't be choosers;* (al) te ~ zijn *be overparticular/squeamish* **6.1** niet ~ **in** de keuze van zijn middelen zijn *not be squeamish in one's methods;* ~ **op** het eten zijn *be fussy/particular/finicky about one's food.*

kieskeurigheid ⟨de (v.)⟩ **0.1** *fastidiousness* ⇒*(over)nicety, (over)niceness, daintiness, particularity* ◆ **3.1** zij koos haar vrienden **met** grote ~ *she chose her friends with a great deal of f./discrimination* **¶.1** zijn ~ wat eten betreft was een gevolg van zijn allergieën *his finickingness/ persnickitiness/chariness about food was a consequence of/stemmed from his allergies.*

kieskring ⟨de (m.)⟩ **0.1** *constituency* ⇒*borough,* ⟨voor gemeenteraad⟩ *ward.*

kiesman ⟨de (m.)⟩ **0.1** *elector.*

kiesnummer ⟨het⟩ **0.1** ^B*dialling code, STD code,* ^*area code.*

kiespijn ⟨de⟩ **0.1** *toothache* ◆ **3.1** ~ hebben *have (a) t.;* lachen als een boer die ~ heeft *smile wrily* **8.1** ik kan hem missen als ~ *I need him like I need a hole in the head.*

kiesplicht ⟨de⟩ **0.1** [stemplicht] *compulsory voting/suffrage* **0.2** [opkomstplicht] *compulsory attendance (at the polls).*

kiesquotiënt ⟨het⟩ **0.1** *quota.*

kiesraad ⟨de⟩ **0.1** *electoral council.*

kiesrecht ⟨het⟩ **0.1** *(electoral) suffrage, franchise, right to vote, (the) vote* ◆ **1.1** de verlening/ontneming v.h. ~ *enfranchisement/ disenfranchisement* **2.1** actief ~ *suffrage, franchise, right to vote;* actief/passief ~ bezitten *be entitled to vote/be eligible for election;* algemeen ~ *universal suffrage;* passief ~ *eligibility* **3.1** het ~ bezitten/krijgen *have/be given the vote, be enfranchised;* het ~ ontnemen *dis(en)franchise;* het ~ verlenen *enfranchise, give the vote* **6.1** burgers **zonder** ~ *citizens* *without franchise* ¶.1 gebruik maken van het ~ *exercize one's right to vote.*

kiesrechthervorming ⟨de (v.)⟩ **0.1** *electoral reform.*

kiesregister ⟨het⟩ **0.1** *list of eligible (political) parties.*

kiesschijf ⟨de⟩ **0.1** *dial.*

kiesstelsel ⟨het⟩ **0.1** *electoral/elective/voting system.*

kiessysteem →**kiesstelsel.**

kiessysteem ⟨het⟩⟨pol.⟩.

kiessysteem →**kiesstelsel.**

kiestoon ⟨de (m.)⟩⟨com.⟩ **0.1** *dialling tone,* ^*dialing tone.*

kiesvereniging ⟨de (v.)⟩ **0.1** *electoral/electors' association.*

kieswet ⟨de⟩ **0.1** *electoral/franchise law.*

kiet →**quitte.**

kietelaar →**kittelaar.**

kietelen ⟨onov., ov.ww.⟩ **0.1** [kriebeling opwekken] *tickle* ⇒⟨schr.⟩ *titillate* **0.2** [aangenaam prikkelen, ⟨ook fig.⟩] *tickle, titillate* ⟨ook tong, oor, ijdelheid⟩ ♦ **1.1** de das kietelde (hem) in de nek *the scarf felt ticklish in his neck/tickled his neck;* een ~d gevoel *a tickle, a ticklish feeling* **6.1** iem. **onder** de kin/voet~ *tickle s.o.'s chin/the sole of s.o.'s foot.*

kieuw ⟨de⟩ **0.1** [ademhalingswerktuig] *gill* ⇒*branchia* **0.2** [kieuwdeksel] ⟨→**kieuwdeksel**⟩.

kieuwboog ⟨de (m.)⟩ **0.1** *gill arch* ⇒*branchial arch.*

kieuwdeksel ⟨het⟩ **0.1** *gill cover* ⇒⟨wet.⟩ *operculum.*

kieuwspleet ⟨de⟩ **0.1** *gill slit/cleft* ⇒*branchial cleft.*

kievietsbloem ⟨de⟩ **0.1** [tuinplant] *lady's smock* ⇒*cuckooflower* **0.2** [lelieachtige plant] *guinea-hen flower* ⇒*frilillary, snake's head,* ^*checkered lily.*

kievit ⟨de (m.)⟩ **0.1** *lapwing* ⇒*pe(e)wit, green plover* ♦ **8.1** lopen/zo vlug zijn als een~ *run like the wind.*

kievitsei ⟨het⟩ **0.1** *lapwing's/plover's egg* ♦ **7.1** het eerste ~ *the first l.'s/p.'s e. (of the year).*

kiezel
I ⟨de (m.)⟩ **0.1** [kiezelsteen] *pebble(stone);*
II ⟨het⟩ [grind] *gravel* ⇒⟨fijn⟩ *grit,* ⟨op strand⟩ *shingle* **0.2** [⟨schei.⟩] *silicon.*

kiezelaarde ⟨de⟩ **0.1** *silica, silicon dioxide* ⇒*siliceous earth.*

kiezelachtig ⟨bn.⟩ **0.1** [lijkend op kiezel] *silica-like* ⇒⟨grindachtig⟩ *gravelly* ^*vely, pebbly* **0.2** [kiezel bevattend] *siliceous* ⇒*silicic.*

kiezelbank ⟨de⟩ **0.1** *gravel bank.*

kiezelbed ⟨het⟩ **0.1** *gravel bed.*

kiezelgesteente ⟨het⟩ **0.1** *siliceous rock.*

kiezelpad ⟨het⟩ **0.1** *gravel(led)/pebbled walk/path.*

kiezelsteen ⟨de⟩ **0.1** *pebble(stone).*

kiezelstrand ⟨het⟩ **0.1** *shingle* ⇒*pebble(d) beach.*

kiezelzuur ⟨het⟩⟨schei.⟩ **0.1** *silicic acid.*

kiezen ⟨→sprw. 336⟩
I ⟨onov.ww.⟩ **0.1** [een keus doen] *choose* ⇒*make a choice, decide* **0.2** [stemmen] *vote* ⇒*cast one's vote* ♦ **3.1** het is/je moet~ of delen *you can't have it both ways/have your cake and eat it;* ik kon niet~ ⟨had geen keus⟩ *I had no choice,* ⟨kon geen keuze maken⟩ *I couldn't decide;* je kunt/moet~ ⟨uit/of ... of ...⟩ *you will have to c. decide (between/whether ... or ...);* moeten~ ⟨tussen⟩ *have to c. (between)/decide/come to a decision;* er valt weinig (aan) te~ *there's little to c. (between them)* **3.2** alle stemgerechtigde Nederlanders mogen~ *all enfranchised Dutchmen are entitled to v.* **4.1** een baan die men zelf gekozen had *a job not of her own choice/choosing* **5.1** ik had goed gekozen *I had made the right choice/decision;* er wordt voor ons gekozen *the choice is not ours (to make);* zorgvuldig~ *pick and c.* **6.1** ~ **tussen** *c. between/from (among);* we~ **uit** drie kandidaten *we have to c. from three candidates;* zij kozen **voor** de vrijheid *they chose freedom;* je hebt het voor het~ *it's up to you (to c.)* **6.2 voor** een vrouwelijke kandidaat ~ *v. for a woman candidate;*
II ⟨ov.ww.⟩ **0.1** [zijn voorkeur bepalen voor] *choose* ⇒*select, pick (out), single out* **0.2** [door te stemmen zijn voorkeur bepalen voor] *vote (for)* ⇒*elect* ⟨president, parlement⟩ **0.3** [verkiezen] *choose, elect* ♦ **1.1** een beroep~ *c. a profession;* de kant~ van *take the part of;* het juiste ogenblik~ *judge the moment well;* partij~ *take sides;* geen partij~ *not take sides, sit on the fence;* partij~ voor/tegen *side with/against, take side with/against;* positie~ *take up position;* een richting ~ *take a course;* zee/het ruime sop~ *set/stand out to sea, put forth (to sea);* zijn woorden goed~ *express o.s. with felicity, weigh one's words* **1.3** een kandidaat~ *cast one's vote for a candidate;* gekozen leden *elective/elected members* **1.¶** een nummer~ *dial a number* **3.2** gekozen worden (in/voor het parlement) *be elected/returned (to parliament)* **5.1** goed/gelukkig gekozen woorden *felicitous/well-chosen words;* slecht/ongelukkig gekozen ogenblik *inopportune/ill-timed moment* **5.3** de nieuw gekozen voorzitter/president *the chairman/president-elect* **6.1** iem. **tot** vriend~ *choose s.o. for a friend* **6.2** iem. **in** het bestuur~ *elect s.o. to the board* **6.3** iem. **tot** president/afgevaardigde~ *elect s.o. president/as a representative;* iem. **tot** voorzitter~ *call s.o. to the chair.*

kiezer ⟨de (m.)⟩ **0.1** *voter* ⇒*elector, constituent,* ⟨mv.⟩ *electorate* ♦ **2.1** zwevende~ *floating vote* **3.1** de~s raadplegen, naar de~s gaan *go to*

---

the people/country **6.1** 40% **van** de~s bleef thuis *40% of the voters/the electorate stayed at home.*

kiezersbedrog ⟨het⟩ **0.1** ⟨*deception of the electorate (through unfulfilled election promises)*⟩.

kiezerskorps ⟨het⟩ **0.1** *electorate* ⇒*the people,* ⟨in één kiesdistrict⟩ *constituency.*

kiezerslijst ⟨de⟩ **0.1** *register/list of voters* ⇒*poll, electoral roll/register* ♦ **6.1** zich op de~laten inschrijven *register (as a voter/an elector/to vote), have one's name added to the register of voters/* ⟨GB ook⟩ *Parliamentary Register/* ⟨USA ook⟩ *voter registration list.*

kif ⟨de⟩ **0.1** *kef.*

kift ⟨de⟩⟨inf.⟩ **0.1** [ruzie] *quarrel* ⇒⟨luidruchtig⟩ *wrangle, row,* ⟨gekibbel⟩ *tiff, squabble* **0.2** [jaloezie] *envy* ⇒*heartburn(ing)* ♦ **3.1** ~ maken *have a q.!* tiff ¶.2 dat is de~*sour grapes!*

kiften ⟨onov.ww.⟩ **0.1** *quarrel* ⇒⟨luidruchtig⟩ *wrangle, row,* ⟨kibbelen⟩ *have a tiff, squabble.*

kijf ⟨de⟩ ♦ **6.¶** dat is **buiten** ~ *that is beyond dispute/question(ing).*

kijfachtig ⟨bn.⟩ **0.1** *quarrelsome* ⇒*shrewish, cantankerous* ⟨karakter⟩.

kijfziek ⟨bn.⟩ →**kijfachtig.**

kijk ⟨de (m.)⟩ **0.1** [het bekijken] *view(ing)* **0.2** [visie, mening] *view* ⇒*outlook, vision, perspective,* ⟨inzicht⟩ *insight* ♦ **2.2** een andere~ krijgen op *get a different perspective/outlook on;* een goede~ hebben op de beurs *have a good understanding of the Stock Exchange;* een juiste ~ op iets hebben *see/look at sth. in the right perspective* **3.2** ~ op iets beginnen te krijgen *be getting one's eye in* **6.1** te~ zitten *be on view/show;* ⟨fig.⟩ iem. **te**~ zetten *expose s.o.;* met iets **te**~ lopen *parade/show off/make a show of sth.* **6.2** ~ **op** iets hebben *have a good eye for sth.;* jouw~**op** het probleem/leven *your view of the matter/vision of/outlook on life;* geen~**op** iets hebben *be no judge of sth.* **6.¶** ⟨inf.⟩ **tot** ~ *see you!* **7.¶** daar is geen~op *not a chance (in the world).*

kijkbuis ⟨de⟩⟨scherts.⟩ **0.1** *(goggle-)box* ⇒*telly,* ⟨vnl. AE⟩ *(boob) tube.*

kijkcijfer ⟨het⟩ **0.1** *rating* ⇒*viewing figures* ♦ **2.1** een programma met zeer hoge~s *a programme with very high ratings.*

kijkdag ⟨de (m.)⟩ **0.1** *view day* ⇒⟨voor genodigden⟩ *private viewing,* ⟨voor pers⟩ *press preview.*

kijkdichtheid ⟨de (v.)⟩ **0.1** *ratings* ⇒*viewing figures.*

kijkdoos ⟨de⟩ **0.1** *peep-show* ⇒*raree-show, show-box.*

kijken
I ⟨onov.ww.⟩ **0.1** [de ogen gebruiken] *look* ⇒*see, have a look/peep* **0.2** [zoeken] *look* ⇒*search* **0.3** [zich vertonen] *appear, peep* ♦ **1.1** met open mond staan te~ *l. / stare (at sth.) open-mouthed* **2.3** bang~ *l. frightened, have a frightened look/air* **3.1** ga eens~ wie er is *go and see who's there;* kom eens~ wie er is *come and l. who's here;* jonge katjes kunnen nog niet~ *young kittens are still blind/cannot see yet;* laat haar even~ *let her have a look;* daar sta ik van te~ *well I'll be!;* ⟨fig.⟩ staan te~ *van niets not be surprised by anything;* de lammeling staat maar te~ *that blighter just stands there and watches;* je staat toch even raar te~, als je fiets weg is *it does take you aback for a moment to discover your bike is gone;* daar stond ze van te~ *that made her open her eyes, that came as a surprise to her;* hij is wezen~ *he's had a look (around)* **3.3** we zullen eens gaan~ *let's go and see/have a look* **3.¶** daar komen allerlei dingen bij~ *all kinds of things enter into this;* die amateur komt pas~ *that amateur is still wet behind the ears;* voor zo'n examen komt heel wat~ *an exam like that is no walkover/* ⟨vnl. BE ook⟩ *no piece of cake;* laat eens~, wat hebben we nodig *let's see, what do we need* **5.1** kijk eens aan! *l. at that now!, well I'll be!;* toen hij beter keek, ...*on a closer look, ...;* kijk eens wie we daar hebben *l. who's here!;* kijk maar eens hoe ze het doet *just watch her (doing it);* kijk nou eens wat je gedaan hebt *l. what you've done;* ik zal er eens naar~ *I'll have a look at it;* ik moet er eens naar laten~ *I must have it seen to/looked at;* even (naar boven/beneden)~ *glance (up/down);* goed~ *watch closely, have a good look (at sth.);* als je goed kijkt, kun je ons huis zien *you can just make out our house;* kijk (eens) hier *(have a) look at this;* ⟨als inleiding op zin⟩ *l. here;* ik wist niet hoe ik moest~ *I didn't know which way to l.;* ⟨straal⟩ langs iem. heen~ *l. straight through s.o.;* niet~! *don't l.!, l. the other way!;* ik zal nog eens~ ⟨fig.⟩ *I'll think about it, I'll see;* niet zuinig~ *l. daggers/dan je neus lang is (not) see beyond the end of one's nose;* vooruit/achteruit ~ *l. ahead/back;* kijk maar niet zo *you needn't l. like that* **5.3** zijn oren komen er net boven uit~ *his ears just peep out (over it)* **5.¶** niet zo nauw~ *not be particular* **6.1** in de kast/krant~ *l. in the cupboard/at the paper;* **naar** rechts~ *l. to the right;* ⟨fig.⟩ **naar** iets/iem. ~ *have a look at/see about sth. / s.o.;* ⟨fig.⟩ laat maar je~ *don't be ridiculous/silly!, you ought to have your head examined;* kijk **naar** jezelf! *l. who's talking!, l. at home!;* ~ **naar** *l. at* ⟨schilderij⟩; *watch* ⟨film⟩; ⟨omzien naar⟩ *l. about/out for;* ⟨verzorgen⟩ *l. after;* ⟨in orde maken⟩ *l. to see to;* **naar** een wedstrijd gaan~ *go watch a game;* ik krijg al kippevel als ik **naar** je kijk ⟨van kou⟩ *it makes me shiver just to l. at you;* ⟨van afgrijzen⟩ *the mere sight of you makes my flesh crawl;* **op** de klok~ *l. at the clock;* ⟨fig.⟩ **op** een cent~ *be stingy/penny-pinching;* **op** zijn horloge~ *consult one's watch;* ⟨fig.⟩ zij~ niet **op** geld/een paar gulden *money is no object with them;* **uit** het raam~ *l. out (of) the window;* **uit** zijn ogen (doppen)~ *l. where one is going, watch what one is doing;*

kijk **voor** je ⟨niet naar mij⟩ *don't l.;* ⟨waar je loopt⟩ *l. where you're going* **6.2** iem. **in** de ogen ~ *l. into s.o.'s eyes;* ⟨fig.⟩ wij ~ niet **op** vijf minuten *five minutes is neither here nor there* **8.1** hij keek of hij water zag branden *he looked flabbergasted* **8.2** we zullen ~ of dat verhaal klopt *we shall see whether he is/you are right;* ik keek of je er was *I (just) looked/came to see if you're in* **8.3** ~ als een oorwurm *make a long face* **¶.1** ~ is gratis/kost geen geld *you/we can always have a look;* even de andere kant op ~ *look the other way, turn a blind eye* **¶.2** kijk, daar is Jan ook! *look who's here - John!;*
II ⟨ov.ww.⟩ **0.1** [bekijken] *look at* ⇒*watch, view, eye, peek at* ◆ **1.1** plaatjes ~ *look at (the) pictures;* televisie ~ *watch television* **1.¶** klok ~ *read the clock/time* **3.1** etalages gaan ~ *go window-shopping* **4.1** kijk dat nou lopen *will you look at the way that one walks!;* kijk haar eens lachen *look at her laughing;* kijk hem eens *look at him!* **6.1** daar is heel wat te ~ *there's a lot to be seen there* **6.¶** zijn ogen **uit** zijn hoofd ~ *stare one's eyes out.*

kijker ⟨de (m.)⟩, **0.17 -ster** ⟨de (v.); alleen in o.⟩ **0.1** [toeschouwer] *spectator* ⇒*onlooker, looker-on,* ⟨tv⟩ *viewer* **0.2** [verrekijker] *field-glass* ⇒*telescope,* ⟨dubbel⟩ *binoculars,* ⟨klein⟩ *spy-glass,* ⟨theater⟩ *opera-glass(es)* **0.3** (⟨mv.⟩⟨kinder⟩ogen) †*eyes* ⇒ ↓*peepers* ◆ **2.1** deze film is niet geschikt voor jeugdige ~s *this film is not suitable for children/younger viewers* **2.3** Jantje met zijn blauwe ~s *blue-eyed little Johnny, little Johnny blue-eyes* **3.1** alle ~s zitten voor de buis *everyone's in front of/* ⟨inf.⟩ *glued to the TV/* ⟨BE ook⟩ *telly/box;* de expositie trok veel ~s *the exhibition drew a large number of/a great/good many visitors* **6.3** iets/iem. **in** de ~(s) hebben *see/* ⟨fig.⟩ *see through sth./ s.o.;* het/hij loopt **in** de ~(d) *it/he is beginning to attract attention.*

kijkgat ⟨het⟩ **0.1** *spyhole* ⇒*eyehole, peephole,* ⟨in machine⟩ *inspection hole,* ⟨in celdeur ook⟩ *judas(-hole),* ⟨in kasteelmuur⟩ *loophole.*

kijkgedrag ⟨het⟩ ⟨t.v.⟩ **0.1** *viewing habits.*

kijkgeld ⟨het⟩ **0.1** *television licence* ^se *fee* ◆ **1.1** kijk- en luistergeld *radio and t. l. f..*

kijkgenot ⟨het⟩ **0.1** *viewing pleasure/enjoyment.*

kijkglas ⟨het⟩ **0.1** *sight-glass* ⇒*window, eyelet, inspection hole.*

kijkgraag ⟨bn.⟩ **0.1** *inquisitive* ⇒*curious, eager to see* ◆ **1.1** de kijkgrage menigte *the crowd of gazers/gapers,* ⟨AE; inf.⟩ *the rubber-necks.*

kijkje ⟨het⟩ **0.1** ~ *glance, peep, peep,* ⟨glimp⟩ *glimpse,* ⟨BE; inf.⟩ *squint* ◆ **3.1** de politie zal een ~ nemen *the police will have a l.;* ⟨fig.⟩ ergens een ~ nemen *drop in/have a l. somewhere;* ⟨BE; sl.⟩ *have a dekko* **6.1** een ~ **achter** de schermen *a glimpse behind the scenes;* deze afbeelding geeft een ~ **in** de machinekamer *this picture gives a glimpse of the engine room.*

kijkkast ⟨de⟩ **0.1** *(goggle-)box* ⇒*telly,* ⟨vnl. AE⟩ *(boob)tube.*

kijklustig ⟨bn.⟩ **0.1** *inquisitive* ⇒*curious, eager to see* ◆ **7.1** ⟨zelfst.⟩ de ~ en *the gapers/sightseers.*

kijkonderzoek ⟨het⟩ ⟨t.v.⟩ **0.1** *audience survey.*

kijkrichting ⟨de (v.)⟩ **0.1** *direction of view.*

kijkspel ⟨het⟩ **0.1** ⟨(kermis)spel⟩ *spectacle* ⇒*show* ⟨naast hoofdspektakel⟩ *side-show* **0.2** [spectaculair schouwspel] *spectacle* ⇒ *show(-piece),* ⟨grootschalig⟩ *extravaganza.*

kijkstuk ⟨het⟩ **0.1** *show(-piece)* ⇒*spectacle, spectacular play.*

kijkuit ⟨de (m.)⟩ **0.1** [uitkijk] *lookout* ⇒*watch, observation* **0.2** [uitzicht] *view* ⇒*prospect* **0.3** [kleine dakkapel] *dormer (window).*

kijkvergunning ⟨de (v.)⟩ **0.1** *television licence* ^se.

kijkwoning ⟨de (v.)⟩ **0.1** *show house/flat.*

kijven ⟨onov.ww.⟩ (→sprw. 337) **0.1** *scold (at)* ⇒*wrangle/quarrel (with), rail (at).*

kik ⟨de (m.)⟩ **0.1** *sound* ⇒*peep, sign, whimper* ◆ **3.¶** hij gaf geen ~ *there wasn't a sound/* ⟨inf.⟩ *peep out of him, he gave no sign;* hij gaf geen ~ meer *there wasn't another sound out of him;* zonder een ~ te geven *without a sound/whimper.*

kikken ⟨onov.ww.⟩ **0.1** *open one's mouth, give a sound/peep/sign, breathe a word* ◆ **3.1** niet durven ~ *not dare open one's mouth/breathe a word;* ik hoef maar te ~ en hij komt *I have him/he is at my beck and call;* je hoeft maar te ~ en het gebeurt *you only have to say the word (and it happens).*

kikker ⟨de (m.)⟩ (→sprw. 338) **0.1** [dier] *frog* **0.2** [apparaat om grond te stampen] *(paving) beetle/rammer* **0.3** [wervel om schuiframen vast te zetten] *cleat* **0.4** [klamp] *belay(ing pin)* ◆ **2.1** ⟨fig.⟩ een koele/koude ~ *a cold fish, an icicle;* ⟨fig.⟩ een opgeblazen ~ *a windbag/gasbag* **6.1** ⟨fig.⟩ een ~ in zijn keel hebben *have a f. in one's throat* **8.1** springen als een ~ *jump like a f.;* door de regen werd ik zo koud als een ~ *the rain chilled me to the bone.*

kikkerbad ⟨de⟩ **0.1** *wading pool.*

kikkerbilletje ⟨het⟩ **0.1** *frog's leg.*

kikkerbloed ⟨het⟩ ◆ **3.¶** ⟨fig.⟩ ~ hebben †*not/never feel the cold.*

kikkerdril ⟨het⟩ **0.1** *frogspawn* ⇒*frog-jelly, frog's eggs.*

kikkeren ⟨onov.ww.⟩ **0.1** *hop around like a rabbit.*

kikkererwt ⟨de (v.)⟩ **0.1** *chickpea* ⇒*garbanzo.*

kikkerland ⟨het⟩ **0.1** *chilly/damp country* ◆ **2.1** in ons koude ~ *in this chilly/damp country of ours.*

kikkerproef ⟨de⟩ **0.1** *Hogben test* ⇒≠*pregnancy test.*

kikkervisje ⟨het⟩ **0.1** *tadpole* ⇒*polliwog.*

kikvors ⟨de (m.)⟩ **0.1** *frog* ◆ **2.1** de bruine ~ *the common f.;* de groene ~ *the edible f..*

kikvorsachtigen ⟨zn.mv.⟩ **0.1** *Anura* ⇒*Salientia, toads and frogs.*

kikvorsman ⟨de (m.)⟩ **0.1** *frogman.*

kikvorspak ⟨het⟩ **0.1** *wetsuit* ⇒*diving suit.*

kil[1] ⟨de⟩ **0.1** [geul] *channel* **0.2** [trog] *deep* ⇒*trough.*

kil[2] ⟨bn., bw.⟩ **0.1** [onaangenaam koel]⟨bn.⟩ *chilly* ⇒*cold, bleak* ⟨sfeer⟩, ⟨weer ook⟩ *shivery, wintry,* ⟨bw.⟩ *bleakly, in a chilly way* **0.2** [onvriendelijk]⟨bn.⟩ *chilly* ⇒*frigid, cold, impassive, cool* ⟨houding⟩, ⟨bw.⟩ *coldly, in a chilly way* ◆ **1.¶** het ~le graf *the chilly/cold grave* **3.1** dat voelt ~ aan *it's cold to the touch* **3.2** ~ geweigerd worden *meet with a cold refusal.*

kilheid ⟨de (v.)⟩ **0.1** [onaangename kou] *chill* ⇒*chilliness, cold(ness), bleakness, wintriness* **0.2** [harteloosheid] *chilliness* ⇒*frigidity, impassiveness, coldness.*

kille ⟨de (v.)⟩ **0.1** [joodse gemeente] *Jewish community* **0.2** [kleine, exclusieve groep] *set, circle* ⇒⟨pej.⟩ *clique.*

killen
I ⟨onov.ww.⟩ **0.1** [klapperen] *shiver;*
II ⟨ov.ww.⟩ **0.1** [vermoorden] *kill* ⇒ ↓*bump off,* ↓*do in, despatch* **0.2** [meedogenloos optreden tegen] *slaughter* ⇒*wreak havoc on, grind, savage, suppress ruthlessly.*

killersatelliet ⟨de (m.)⟩ ⟨ruim.⟩ **0.1** *(hunter-)killer satellite.*

killersmentaliteit ⟨de (v.)⟩ **0.1** *killer instinct.*

kilo ⟨de (m.)⟩ **0.1** [gewicht] *kilo(gram(me))* **0.2** [hoeveelheid] *kilo(gram(me))* ◆ **1.2** een ~ suiker *a k. of sugar* **3.1** ik ben heel wat ~otjes aangekomen/afgevallen *I have gained/lost a good few pounds;* de jockey weegt 60 ~ *the jockey weighs (in at) 60 kilos.*

kilocalorie ⟨de (v.)⟩ **0.1** *kilocalorie.*

kilogram ⟨het, de (m.)⟩ **0.1** [eenheid van gewicht en massa] *kilogram(me)* **0.2** [hoeveelheid] *kilogram(me)* **0.3** [eenheid van vermogen van straalmotoren] *kilogram, pound, lbs.*

kilogrammeter ⟨de (m.)⟩ **0.1** *kilogram-meter.*

kilohertz ⟨de (m.); radio⟩ **0.1** *kilohertz* ⇒*kilocycle (per second).*

kilojoule ⟨de (m.)⟩ ⟨nat.⟩ **0.1** *kilojoule.*

kiloliter ⟨de (m.)⟩ **0.1** *kilolitre.*

kilometer ⟨de (m.)⟩ **0.1** *kilometre* ◆ **1.1** op een ~ afstand *at a distance of one k., at a k.'s distance* **2.1** de file was ~s lang *there was a queue stretching for miles;* vierkante ~ *square k., k. square* **3.1** ~s vreten *burn up (the road), speed* **6.1** negentig ~ per uur rijden *do ninety, drive at 90 kilometres an hour* **7.1** het is vijf ~ hiervandaan *it is five kilometres/about three miles off/from here.*

kilometerpaal ⟨de (m.)⟩ **0.1** *kilometre marker/stone.*

kilometerprijs ⟨de (m.)⟩ **0.1** *price per kilometre* ⇒⟨los⟩ *mileage (rate).*

kilometerstand ⟨de (m.)⟩ **0.1** *mileage* ⇒*number of kilometres.*

kilometerteller ⟨de (m.)⟩ **0.1** *mil(e)ometer* ⇒*odometer, mileage indicator/counter,* ⟨inf.⟩ *clock.*

kilometervergoeding ⟨de (v.)⟩ **0.1** *mileage (allowance).*

kilometervreter ⟨de (m.)⟩ **0.1** *speed merchant* ⇒*speed fiend, speeder, road maniac.*

kilometrage ⟨de (v.)⟩ **0.1** *mileage* ⇒*number of kilometres.*

kiloprijs ⟨de (m.)⟩ **0.1** *price per kilogramme* ^*gram.*

kilovolt ⟨de (m.)⟩ **0.1** *kilovolt.*

kilowatt ⟨de (m.)⟩ **0.1** *kilowatt.*

kilowattuur ⟨het⟩ **0.1** *kilowatt-hour.*

kilte ⟨de (v.)⟩ **0.1** *chilliness* ⇒*chill.*

kim ⟨de⟩ **0.1** [horizon] *horizon* ⇒*skyline* **0.2** [uitstekende rand] *rim* ⇒ ⟨schr.⟩ *chime/chimb/chine* **0.3** [⟨scheep.⟩] *bilge* ◆ **6.1** de zon verrijst aan de ~ *the sun appears on the h.;* onder de ~ duiken *sink/dip below the h.;* ter ~ me nijgen *decline towards the h..*

kimduiking ⟨de (v.)⟩ **0.1** *dip/depression (of the horizon).*

kimkiel ⟨de⟩ ⟨scheep.⟩ **0.1** *bilge-keel/piece.*

kimmen ⟨onov.ww.⟩ ⟨scheep.⟩ **0.1** *list* ⇒*heel (over).*

kimono ⟨de⟩ **0.1** *kimono.*

kin ⟨de⟩ **0.1** [deel v.h. gezicht] *chin* **0.2** [⟨med.⟩] *chin* ◆ **2.1** een dubbele ~ *a double c.;* een ruige/ongeschoren ~ *a stubbly/stubbled/unshaven c.;* een vierkante ~ *a square c.;* met vooruitgestoken/fier opgeheven ~ *with one's c. forward/up proudly/thrust out/up proudly* **6.1** tot aan de ~ reiken/staan *come up to s.o.'s c.;* iem. **onder** de ~ strijken *chuck s.o. under the c.;* met de band **onder** de ~ *with one's c. cupped in one's hand.*

kina ⟨de (m.)⟩ **0.1** [bast] *cinchona (bark)* ⇒*Peruvian/calisaya/china bark* **0.2** [boom] *cinchona (tree)* ⇒*quina, bark tree.*

kinabast ⟨de (m.)⟩ **0.1** *cinchona (bark)* ⇒*Peruvian/calisaya/china bark.*

kinabitter ⟨het, de (m.)⟩ **0.1** *cinchona bitters.*

kinaboom ⟨de (m.)⟩ **0.1** *cinchona (tree)* ⇒*quina, bark tree.*

kinaplantage ⟨de (v.)⟩ **0.1** *cinchona estate/plantation.*

kinawijn ⟨de (m.)⟩ ⟨med.⟩ **0.1** *quinine/cinchona wine.*

kinband ⟨de (m.)⟩ **0.1** *chinstrap.*

kinbesturing ⟨de (v.)⟩ **0.1** *chin control* ◆ **6.1** een rolstoel met ~ *a chin-controlled wheelchair.*

kind 〈het〉〈→sprw. 339-342〉 **0.1** [jong mens, baby] *child* ⇒〈zeer jong ook〉 *baby*, 〈schr.〉 *infant* **0.2** [zoon, dochter] *child* **0.3** [meisje] *child*, *girl* ⇒〈inf.〉 *thing*, *lass* **0.4** [persoon die men liefdevol kritiseert] *dear fellow* bij/*girl* 〈v.〉 **0.5** [persoon mbt. een ander soort relatie] *child* **0.6** [〈fig.〉 voortbrengsel] *child* ◆ **1.1** het ~eke Jezus *the Infant Jesus, the Christ-Child;* 〈fig.〉 een ~ v.h. land 〈m.〉 *a son of the soil, a country boy/lad;* 〈v.〉 *a country girl/lass* **1.2** ~ noch kraai hebben *be completely alone (in the world), have neither chick nor child;* met zijn vrouw en ~eren *with his wife and children/and family, with his family* **1.5** een ~ des doods zijn *be a dead man/woman;* 〈inf.〉 *be a goner;* de ~eren van het duister/van de vrijheid *the sons of darkness/of freedom;* een ~ van zijn tijd zijn *be a c. of one's time* **1.¶** het ~ van de rekening zijn *suffer, lose out (on), be the loser* **2.1** 〈fig.〉 een doodgeboren ~ *a stillborn c., a stillborn, a non-starter;* nog een groot ~ zijn *be a big baby/an overgrown c.;* iem. als een klein ~ behandelen 〈ook〉 *baby s.o.;* een gezin met kleine ~eren *a family with small children, a young family;* lastige/schattige ~eren *troublesome/delightful children;* een ongeboren ~ *an unborn c.* **2.2** een echt/wettig ~ *a legitimate c.;* een natuurlijk/onwettig/buitenechtelijk ~ *an illegitimate/a natural c.;* 〈jur. ook〉 *a bastard;* een vreselijk ~ *a little horror;* 〈schr.〉 *an enfant terrible* **2.3** een lief/knap/sexy ~ *a sweet/pretty/sexy thing* **2.4** mijn lieve ~, je weet toch wel beter *for goodness' sake, you should know better (than that)* **2.6** papieren ~eren 〈wet.〉 *brain children;* 〈lit.〉 *literary offspring* **3.1** daar ben ik een ~ bij *I'm nowhere when it comes to that, I'm not a patch on him* 〈enz.〉; daar ben ik een ~ in *I'm just a c. in this area;* een ~ halen *help at/the birth;* een ~ hebben bij/van een ~ *by;* dat kan een ~ begrijpen *a(ny) c. can see that, a c. of two/three* 〈enz.〉 *could see that;* 〈fig.〉 een ~ kan de was doen *that's c.'s play;* 〈scherts.〉 ik mag een ~ krijgen als het niet waar is *otherwise I'll eat my hat, … or I'm a Dutchman/a Chinaman;* een ~ krijgen van iets/iem. 〈fig. inf.〉 *be fed up (to the (back) teeth) with/ sick (to death) of sth./s.o.;* zij kan geen ~eren meer krijgen 〈wegens ziekte enz.〉 *she can't have any more children;* 〈wegens leeftijd〉 *she's past childbearing age, her childbearing days are over;* een ~ krijgen/ baren *have/bear a c./baby;* 〈inf.〉 een ~ maken *start a baby;* daar moet een ~ komen *a baby is going to be born there, their baby is due;* 〈fig.〉 het ~ bij zijn naam noemen *call a spade a spade, not mince words/matters;* ~eren opvoeden *bring up/educate children;* een ~ verwachten *be expecting (a c./baby);* het ~ met het badwater weggooien/wegwerpen *throw out/away the baby with the bathwater* **3.2** die mensen hebben twee ~eren *those people have got two children;* geen ~eren hebben *be childless;* hebt u ~eren? *do you have a family?, do you have any children?;* ~eren zijn ~eren *children will be children* **3.3** het ~ trouwde veel te jong *the poor g./c./thing (got) married far too young* **4.1** haar ~ertjes *her little ones* **4.3** 〈pej.〉 dat ~ van hiernaast *that g. next door* **5.1** geestelijk zijn het nog ~eren *mentally they are still infants/children* **6.1** ~eren beneden de zes *children under six, children of six and over/from six years up, children over six;* uit de (kleine) ~eren zijn *be free of the children, have the children off one's hands;* een ~ van zes jaar *a c. of six, a six-year-old* 〈enz.〉 **7.1** geen ~ (meer) zijn *be no (longer a) c., not be a c. (any longer);* geen ~ aan iem. hebben *have no bother with s.o.* **8.1** zo onschuldig als een (pasgeboren) ~ *as innocent as a c./a babe-in-arms/a newborn babe;* blij/gelukkig als een ~ *over the moon, like a dog with two tails, (as) happy as a sandboy* **8.2** als (eigen) ~ aannemen *adopt as a c.* **¶.1** van ~ af aan, van kindsaf *since/from childhood, since I/he* 〈enz.〉 *was a c.;* slaap lekker, ~je *sweet dreams, dear /love/little one* **¶.2** ergens (als) ~ aan huis zijn *be one of the family;* 〈mbt. huizen enz.〉 *have the run of a/the place* **¶.4** ach ~, schei toch uit *now, for goodness' sake, stop it!, ah, go on with you!, come on, get away with you!.*

kinderachtig 〈bn., bw.〉 **0.1** [als van/voor een kind] *childlike* ⇒*child(ren)'s* 〈ook kleren enz.〉 **0.2** [〈pej.〉] *childish* ⇒ ↑*infantile*, ↑*puerile*, ↑*juvenile* ◆ **1.1** de beloning is niet ~ *the reward is nothing to sneeze at/is not to be sneezed at/isn't peanuts;* een ~ portie *a child(ren)'s portion* **1.2** een ~e handelwijze *a c. behaviour* **3.2** zich ~ aanstellen *be c., act like a child;* doe niet zo ~ *grow up!, be your age!, don't be such a baby!;* het staat zo ~ *it looks so c.* **5.1** dat is niet ~ *that's a tall/large order, that'll take some doing;* dat boek is te ~ voor zo'n grote jongen *that book is too young for a boy of his age* **6.2** niet ~ in iets zijn *not stint/skimp on sth..*

kinderachtigheid 〈de (v.)〉 **0.1** [hoedanigheid] *childishness* ⇒ ↑*puerility* **0.2** [handelwijze] *(piece of) childish/* ↑*infantile/* ↑*puerile behaviour.*

kinderafdeling 〈de (v.)〉 **0.1** [in een winkel] *children's department* **0.2** [in een leeszaal/ziekenhuis] [leeszaal] *children's section;* [ziekenhuis] *paediatric ward/section/department* ◆ **6.2** op de ~ liggen 〈van ziekenhuis〉 *be in the paediatric ward.*

kinderaftrek 〈de (m.)〉 **0.1** *child allowance* ⇒*tax relief for children.*

kinderangst 〈de (m.)〉 **0.1** *childlike fears.*

kinderarbeid 〈de (m.)〉 **0.1** *child labour.*

kinderarts 〈de (m.)〉 **0.1** *paediatrician.*

kinderbad 〈het〉 **0.1** [teil] *baby bath* **0.2** [ondiep zwembad] *learners'/ baby pool.*

kinderbed 〈het〉 **0.1** [bed voor/v.e. kind] *child's bed* ⇒〈van baby〉 *cot* **0.2** [〈AZN〉 kraambed] *childbed.*

kinderbescherming 〈de (v.)〉 **0.1** *child protection/welfare* ◆ **1.1** bureau voor ~ *child welfare office;* Raad voor de Kinderbescherming *Child Welfare Council.*

kinderbeul 〈de (m.)〉 **0.1** *child-torturer/-molester* ⇒〈ouder〉 *cruel parent.*

kinderbijbel 〈de (m.)〉 **0.1** *children's bible.*

kinderbijslag 〈de (m.)〉 **0.1** *child/family allowance* ⇒〈BE ook〉 *child benefit.*

kinderbijslagregeling 〈de (v.)〉 **0.1** *family/allowance scheme.*

kinderboek 〈het〉 **0.1** *children's book.*

kinderboekenweek 〈de〉 **0.1** *children's book week.*

kinderboerderij 〈de (v.)〉 **0.1** *children's farm.*

kinderdagverblijf 〈het〉 **0.1** [B]*crèche,* 〈AE vnl.〉 *day care centre* ⇒*day nursery,* 〈AE ook〉 *(children's) day care.*

kinderdienst 〈de (m.)〉 **0.1** *children's service.*

kinderdoop 〈de (m.)〉 **0.1** *infant baptism.*

kinderdorp 〈het〉 **0.1** *children's village.*

kinder(en)bedtijd 〈de (m.)〉 **0.1** [tijd waarop kinderen naar bed gaan] *bedtime* ⇒*time (for children) to go to bed* **0.2** [laat nachtelijk uur] *past bedtime* ⇒*time (all) little children were in bed/were asleep.*

kinderfeest 〈het〉 **0.1** *children's party.*

kinderfiets 〈de〉 **0.1** [driewieler] *fairy-cycle* ⇒*tricycle, trike* **0.2** [kleine fiets] *child's bicycle/* 〈inf.〉 *bike.*

kinderfilm 〈de (m.)〉 **0.1** *children's film.*

kindergeneeskunde 〈de (v.)〉 **0.1** *paediatrics.*

kindergezicht 〈het〉 **0.1** *baby/child's face* ⇒*childish face* ◆ **6.1** met een ~ *baby-faced.*

kindergoed 〈het〉 **0.1** [luiergoed; kledingstukken] *baby clothes/linen* **0.2** [speelgoed] *children's toys.*

kinderhand 〈de〉 〈→sprw. 343〉 **0.1** *child(ren)'s hand.*

kinderhart 〈het〉 〈fig.〉 **0.1** *child's heart.*

kinderhoofd 〈het〉 **0.1** [hoofd v.e. kind] *child's head* **0.2** [〈mv.〉 bestrating] *(large) cobble(stone)s* ⇒*set(t)s.*

kinderhuwelijk 〈het〉 **0.1** *child marriage/wedding.*

kinderjaren 〈zn. mv.〉 **0.1** *childhood (years)* ⇒*infancy* 〈ook fig.〉 ◆ **1.1** 〈fig.〉 de ~ v.d. meteorologie *the infancy of meteorology* **3.1** de ~ ontgroeid zijn *have outgrown (one's) c.* **4.1** mijn eerste ~ *my earliest c.* **6.1** ik woon hier al sinds mijn ~ *I've lived here since I was a child.*

kinderjuffrouw 〈de (v.)〉 **0.1** [mbt. een familie] *nurse(maid)* ⇒*nanny,* 〈vero.〉 *governess* **0.2** [mbt. een instelling] *(child/nursery) nurse.*

kinderjurk 〈de〉 **0.1** *child's frock.*

kinderkaart 〈de〉 **0.1** *child(ren)'s ticket* ⇒*half ticket,* 〈inf.〉 *half.*

kinderkamer 〈de〉 **0.1** *nursery* ⇒*playroom, den.*

kinderkanaal 〈het〉 **0.1** *children's channel/station.*

kinderkleding 〈de (v.)〉 **0.1** *children's clothes* ⇒ 〈in winkels ook〉 *children's wear.*

kinderkolonie 〈de (v.)〉 **0.1** *children's holiday-camp,* [A]*children's vacation /summer-camp.*

kinderkoor 〈het〉 **0.1** *children's choir.*

kinderkorting 〈de (v.)〉 **0.1** *reduction for children.*

kinderkost 〈de (m.)〉 **0.1** *children's food* ⇒〈voor baby's〉 *infant/baby food* ◆ **3.1** dat is (geen) ~ *that's (not) children's stuff, that's (not) (fit) for children.*

kinderkruistocht 〈de (m.)〉 **0.1** *children's crusade.*

kinderleed 〈het〉 **0.1** *child's grief/sorrow* ⇒*sorrow of children.*

kinderlied 〈het〉 **0.1** [dat men kinderen voorzingt] *children's song* ⇒ *song for children* **0.2** [dat kinderen zingen] *children's song.*

kinderliefde 〈de (v.)〉 **0.1** [liefde voor de kinderen] *love of (one's) children* **0.2** [liefde v.d. kinderen] *(a) child's/children's love* ⇒ 〈schr.〉 *filial love/affection* **0.3** [kinderlijke verliefdheid] *childhood crush* ⇒ 〈persoon ook〉 *childhood flame.*

kinderlijk 〈bn., bw.〉 **0.1** [van een kind] *childlike* ⇒*child's* **0.2** [argeloos] *childlike* ⇒*artless,* 〈pej. ook〉 *childish* ◆ **1.1** een ~ geloof *a child's faith;* een ~e gestalte/oogopslag *a childlike figure/glance* **1.2** ~ geloof/vertrouwen *childlike faith/trust* **2.1** een woordenboek maken is ~ eenvoudig *putting a dictionary together is child's play* **2.2** ~ naïef *as naïve as a child, with childlike naïveté* **4.1** 〈zelfst.〉 de onderwijzeres heeft iets ~s *there is sth. childlike about the teacher.*

kinderlijkheid 〈de (v.)〉 **0.1** [kinderlijk wezen] *childlike nature/qualities* **0.2** [argeloosheid] *childlike nature* ⇒*artlessness.*

kinderliteratuur 〈de (v.)〉 **0.1** *children's literature.*

kinderlokker 〈de (m.)〉 **0.1** *child molester* ⇒*seducer of children.*

kinderloos 〈bn.〉 **0.1** *childless* ⇒ 〈med.〉 *nulliparous* ◆ **1.1** een ~ echtpaar/huwelijk *a c. couple/marriage;* een kinderloze vrouw 〈med.〉 *a nullipara* **3.1** hun huwelijk is ~ gebleven *their marriage was (a) c. (one);* ~ sterven *die c./* 〈jur.〉 *without issue.*

kindermaat 〈de〉 **0.1** *children's size.*

kindermeel 〈het〉 **0.1** *infant cereal* ⇒ 〈schr.〉 *farinaceous infant food.*

kindermeisje 〈het〉 **0.1** *nurse(maid)* ⇒*nanny.*

kindermenu 〈het〉 **0.1** *children's menu.*

kindermishandeling 〈de (v.)〉 **0.1** *cruelty to/mistreatment of children* ⇒ *child abuse/molesting.*

kindermond ⟨de (m.)⟩ **0.1** *child(ren)'s mouth* ◆ **1.1** de waarheid komt uit een ~ *out of the mouths (of babes and sucklings)* **3.1** een ~ staat nooit stil *you can't keep a child quiet.*

kindermoord ⟨de (m.)⟩ **0.1** *child-murder* ⇒*murder of a child/of children,* ⟨jur.⟩ *infanticide* ◆ **¶.1** de ~ te Bethlehem *the Massacre of the Innocent(s).*

kindermoordenaar ⟨de (m.)⟩ **0.1** *child-/baby-killer* ⇒*infanticide.*

kindermuts ⟨de⟩ **0.1** *child's cap* ⇒*baby bonnet.*

kindernevendienst ⟨de (m.)⟩⟨rel.⟩ **0.1** *simultaneous children's service.*

kinderoppas ⟨de (m.)⟩ **0.1** [babysit] *baby sitter* ⇒⟨vnl. BE ook⟩ *child minder* **0.2** [crèche]⟨→**kinderopvang**⟩.

kinderopvang ⟨de (m.)⟩ **0.1** *(day) nursery;* ⟨AE vnl.⟩ *day care center* ⇒⟨vnl. BE ook⟩ *crèche.*

kinderoren ⟨zn.mv.⟩ ◆ **3.¶** niet bestemd voor ~ *not meant for children to hear/the ears of babes/* ⟨inf.⟩ *little pitchers.*

kinderpartijtje ⟨de (v.)⟩ **0.1** *children's party.*

kinderpistooltje ⟨het⟩ **0.1** *toy/dummy gun/pistol* ⇒*popgun.*

kinderplicht ⟨de⟩ **0.1** *filial duty.*

kinderpokken ⟨zn.mv.⟩ **0.1** *smallpox.*

kinderpolitie ⟨de (v.)⟩ **0.1** *juvenile police* ⇒*juvenile bureau.*

kinderporno ⟨de⟩ **0.1** *child pornography* ⇒⟨inf.⟩ *kiddy porno.*

kinderportie ⟨de (v.)⟩ **0.1** *child's portion.*

kinderpostzegel ⟨de (m.)⟩ **0.1** *stamp sold to benefit children* ⇒⟨minder duidelijk⟩ *children's stamp.*

kinderpraat ⟨de (m.)⟩ **0.1** [het praten v.e. kind] *child(ren)'s talk* **0.2** [kinderachtig gepraat] *childish/baby talk.*

kinderprogramma ⟨het⟩ **0.1** *children's programme* [A]*gram* ⇒⟨BE ook; inf.⟩ *children's hour.*

kinderpsychologie ⟨de (v.)⟩ **0.1** *child psychology.*

kinderpsycholoog ⟨de (m.)⟩ **0.1** *child psychologist.* ·

kinderrecht ⟨het⟩ **0.1** [rechtsregels mbt. minderjarigen] *juvenile law* ⇒*law governing minors/juveniles* **0.2** [recht v.e. kind op iets] *right(s) of a child/children* ⇒*a child's right(s).*

kinderrechtbank ⟨de⟩ **0.1** *children's/juvenile court.*

kinderrechter ⟨de (m.)⟩ **0.1** *magistrate of/in a juvenile court.*

kinderrijk ⟨bn.⟩ **0.1** *(blessed) with many children.*

kinderrijm(pje) ⟨het⟩ **0.1** *nursery-rhyme.*

kinderroof ⟨de (m.)⟩ **0.1** *kidnapping* ⇒*child-stealing,* ⟨AE;sl.⟩ *snatch.*

kinderrubriek ⟨de (v.)⟩ **0.1** *children's page/section.*

kinderschaar ⟨de⟩ **0.1** *bunch of children* ⇒⟨groter⟩ *crowd of children,* ⟨scherts.⟩ *swarm of children.*

kinderschaats ⟨de⟩ **0.1** *child(ren)'s skate.*

kinderschoen ⟨de (m.)⟩ **0.1** *child(ren)'s shoe* ◆ **3.1** ⟨fig.⟩(aan) de ~ en ontwassen zijn *have grown up/out of one's infancy, be past one's infancy;* ⟨fig.⟩ de ~ en uittrekken/uitgetrokken hebben *(have) grow(n) up;* ⟨lit.⟩ *(have) put away childish things* **6.1** ⟨fig.⟩ nog in de ~ en staan /steken *still be in one's infancy, be scarcely out of the egg.*

kinderserie ⟨de (v.)⟩ **0.1** *children's series/* ⟨verhaal in opeenvolgende afleveringen⟩ *serial.*

kinderslot ⟨het⟩ **0.1** *childproof lock.*

kinderspeelgoed ⟨het⟩ **0.1** *children's toys* ◆ **1.1** een stuk ~ *a child's toy/ plaything.*

kinderspeelplaats ⟨de⟩ **0.1** *children's playground.*

kinderspel ⟨het⟩ **0.1** [het spelen van kinderen] *children's games* ⇒*children playing,* ⟨fig.⟩ *child's play* [dat speldt kinderen spelen] *children's game* ◆ **3.1** dat is maar ~ voor hem *this is (mere) child's play to him;* ⟨vnl. BE⟩ *this is a piece of cake to him;* het is geen ~ *this is no joke, this isn't a nursery game.*

kinderstem ⟨de⟩ **0.1** *child's voice* ⇒⟨kinderachtig⟩ *baby/childish voice,* ⟨bijb.⟩ *voice of a child/babe.*

kindersterfte ⟨de (v.)⟩ **0.1** *child mortality* ⇒⟨zeer jonge kinderen⟩ *infant mortality.*

kinderstoel ⟨de (m.)⟩ **0.1** *baby chair* ⇒*highchair* ⟨aan tafel⟩.

kindertaal ⟨de⟩ **0.1** *child language* ⇒*infant speech,* ⟨inf.⟩ *baby talk.*

kindertal ⟨het⟩ **0.1** *number of children* ◆ **2.1** het gemiddelde ~ per gezin *the average number of children per family, the average size of a family /family size.*

kindertehuis ⟨het⟩ **0.1** *children's home* ◆ **6.1** opnemen in een ~ *take into care.*

kindertelefoon ⟨de (m.)⟩ **0.1** [speelgoed] *child's/toy telephone* **0.2** [hulp- en informatiedienst] *children's helpline/switchboard.*

kindertijd ⟨de (m.)⟩ **0.1** *childhood (days)* ⇒*infancy.*

kindertoeslag ⟨de (m.)⟩.

kindertoeslag ⟨de (m.)⟩⟨→**kinderbijslag.**

kindertuigje ⟨het⟩ **0.1** *baby/child's harness.*

kinderverhaal ⟨het⟩ **0.1** *children's story/tale* ⇒*story for children.*

kinderverlamming ⟨de (v.)⟩ **0.1** *polio(myelitis)* ⇒⟨vero.⟩ *infantile paralysis.*

kinderverzorging ⟨de (v.)⟩ **0.1** *child care.*

kinderverzorgster ⟨de (v.)⟩ **0.1** *(qualified) child care worker* ⇒⟨oppas⟩ *(qualified) child minder.*

kindervoedsel ⟨het⟩ **0.1** *baby/infants' food.*

kindervriend ⟨de (m.)⟩ **0.1** *children's friend* ⇒*child-lover.*

kinderwagen ⟨de (m.)⟩ **0.1** *pram,* [A]*baby carriage/buggy* ⇒⟨schr., scherts.⟩ *perambulator* ◆ **6.1 achter** de ~ lopen *wheel/push the pram (along).*

kinderwereld ⟨de⟩ **0.1** [levenssfeer der kinderen] *children's world* ⇒*world of children* **0.2** [al de kinderen] *all the world's children.*

kinderwerk ⟨het⟩ **0.1** [beuzelarij] *fiddling about* ⇒*pottering* **0.2** [werk dat een kind kan doen] *child(ren)'s work* ⇒*work for a child/for children* **0.3** [werkstuk] *child(ren)'s work* ⇒*work (done) by a child/by children* ◆ **3.1** dat is maar ~ *you can't call that (proper) work, that's just fiddling about/pittering* **3.2** dat is geen ~ *that's no work for a child.*

kinderwet ⟨de⟩ **0.1** *child welfare/protection law* ⇒≠[B]*Children and Young Persons Act* ◆ **1.1** de invoering van de ~ ten *the introduction of child welfare/protection legislation, the introduction of legislation to protect children.*

kinderwoordenboek ⟨het⟩ **0.1** *children's dictionary.*

kinderzegel →**kinderpostzegel.**

kinderzegen ⟨de (m.)⟩ **0.1** [het krijgen van kinderen] *having children* **0.2** [kinderen] *children* ◆ **2.2** een rijke ~ *a quiverful of c..*

kinderziekenhuis ⟨het⟩ **0.1** *child hospital.*

kinderziekte ⟨de (v.)⟩ **0.1** *childhood/pediatric disease/illness* ⇒⟨mv.; fig.⟩ *teething troubles, growing pains* ◆ **1.1** ⟨fig.⟩ de ~ n v.e. instelling /een uitvinding enz. *the teething troubles/growing pains of an institution/invention etc.* **¶.1** ⟨fig.⟩ de ~ n (nog niet) te boven zijn *(not yet) be over one's teething troubles.*

kinderzitje ⟨het⟩ **0.1** [in een auto] *baby/child's seat* **0.2** [op een fiets] *baby/child's saddle.*

kinderzorg ⟨de⟩ **0.1** [zorg om kinderen] *care (of children)* **0.2** [zorg v.e. kind] *child's/* ⟨mv.⟩ *child cares/worries* **0.3** [zorg voor kinderen;instelling] *child care* ⇒⟨van overheid⟩ *child welfare,* ⟨BE ook⟩ *infant welfare work.*

kindgericht ⟨bn.⟩ **0.1** *child-centred.*

kindje ⟨het⟩ **0.1** *baby, babe, infant* ⇒*young/little/small child* ◆ **3.1** Hedy heeft net een ~ gekregen *Hedy has just had a baby.*

kindlief ⟨zn.mv.⟩ **0.1** *dear(ie)* ⇒*sweetie, (little) love, darling, my dear child* ◆ **¶.1** maar ~, hoe kom je daar bij? *my dear child, what makes you think that?*

kindoekje ⟨het⟩ **0.1** *chin cloth/pad.*

kinds ⟨bn.⟩ **0.1** *doting, senile* ⇒*in one's second childhood/one's dotage,* ⟨sl.⟩ *gaga* ◆ **1.¶** in mijn ~ e dagen/jaren *in my childhood* **3.1** ~ worden/zijn *enter/be in one's dotage/one's second childhood, go/be gaga.*

kindsbeen ◆ **6.¶ van** ~ (af) *from childhood (on), since childhood;* ik ken hem **van** ~ af *I've known him from/since childhood.*

kindsdeel ⟨het⟩⟨jur.⟩ **0.1** *child's portion, statutory portion.*

kindsheid ⟨de (v.)⟩ **0.1** [eerste jeugd, (ook fig.)] *childhood* ⇒*infancy* ⟨ook fig.⟩ **0.2** [seniliteit] *second childhood, dotage* ◆ **7.1** allereerste ~ *babyhood, earliest c., infancy;* eerste ~ *early c..*

kindskind ⟨het⟩ **0.1** *grandchild* ◆ **1.1** onze kinderen en ~ eren zullen ervan vertellen *this will (still) be told by our children and our children's children.*

kindvriendelijk ⟨bn.⟩ **0.1** ⟨houding⟩ *pro-children;* ⟨pred.⟩ *in favour of children;* ⟨persoon⟩ *child-loving;* ⟨pred.⟩ *who/that like(s)/love(s) children;* ⟨plaats;pred.⟩ *safe/pleasant/suitable for children* ◆ **1.1** een ~ beleid *a policy that favours/in favour of children, a pro-children policy;* een ~ hotel *a hotel where children are welcome/with (good/plenty of) facilities for children/that is suitable for children;* een ~ e straat *a street that is safe for children.*

kindvrouwtje ⟨het⟩ **0.1** *child wife.*

kinematica ⟨de (v.)⟩ **0.1** *kinematics.*

kinematisch ⟨bn.⟩ **0.1** *kinematic* ◆ **1.1** ~ e viscositeit *k. viscosity.*

kinesiologie ⟨de (v.)⟩ **0.1** *kinesiology.*

kinest(h)esie ⟨de (v.)⟩ **0.1** *kinaesthesia.*

kinetica ⟨de (v.)⟩ **0.1** *kinetics.*

kinetisch ⟨bn.⟩ **0.1** *kinetic* ◆ **1.1** ⟨nat.⟩ ~ e energie *k. energy;* ~ e kunst *k. art;* ⟨nat.⟩ de ~ e theorie van gassen *the k. theory of gases.*

kinine ⟨de (v.)⟩ **0.1** *quinine.*

kink ⟨de⟩ ⟨scheep.⟩ **0.1** *kink* ⇒*hitch* (ook fig.) ◆ **6.1** ⟨fig.⟩ er zit een ~ in de kabel *there's a hitch/snag (somewhere);* ⟨fig.⟩ er kwam een ~ in de kabel *there was a hitch;* ⟨fig.⟩ zolang er geen ~ in de kabel komt *as long as there are no hitches;* ⟨AE ook⟩ *as long as things don't foul up.*

kinkel ⟨de (m.)⟩ **0.1** *lout* ⇒*oaf, boor.*

kinkelachtig ⟨bn.⟩ **0.1** *loutish* ⇒*oafish, boorish, uncouth, rustic.*

kinkelen ⟨onov., ov.ww.⟩ **0.1** ⟨onov. ww.⟩ *smash, fall to pieces, shatter;* ⟨ov. ww.⟩ *smash* ◆ **1.1** het glas kinkelde op de stenen *the glass smashed on the pavement.*

kinken ⟨onov.ww.⟩ **0.1** [op iets stoten/slaan] *clink* **0.2** [kinken krijgen] *kink.*

kinketting ⟨de (v.)⟩ **0.1** ⟨voor paard⟩ *curb(-chain);* ⟨van helm⟩ *chain.*

kinkhoest ⟨de (m.)⟩ **0.1** *whooping cough;* ⟨med.⟩ *pertussis.*

kinkhoorn ⟨de (m.)⟩ **0.1** [zeehoorn;schelp v.e. zeeslak] *whelk-shell* **0.2** [wulk] *whelk* **0.3** [⟨myth.⟩] ⟨horen⟩ *triton shell.*

kinnebak ⟨de⟩ **0.1** [onderkaak] *lower jaw* ⇒*jawbone,* ⟨wet.⟩ *mandible* **0.2** [⟨mv.⟩ kaken] *jaws.*

kinnesinne ⟨de (m.)⟩ **0.1** *envy*.
kinriem ⟨de (m.)⟩ **0.1** *chin strap*.
Kinshasa ⟨het⟩ **0.1** *Kinshasa*.
kiosk ⟨de⟩ **0.1** [soort winkel] *kiosk* ⇒*booth* **0.2** [muziektent] *bandstand* **0.3** [tuinhuisje] *pavilion*.
kip ⟨de (v.)⟩ ⟨→sprw. 157,158,344,619⟩ **0.1** [hen] *chicken* ⇒*hen* **0.2** [⟨mv.⟩ hoenders] *chickens* ⇒*poultry, fowl(s)* **0.3** [voedsel] *chicken* **0.4** [vrouw] *chick* **0.5** [⟨inf.⟩ politie(agent)] *cop* ⇒⟨mv., AE;sl.⟩ *(the) fuzz* ♦ **1.1** wat was er het eerst: de ~ of het ei? *which came first, the c. / hen or the egg?*; het probleem van de ~ of het ei *the chicken-and-egg problem* **1.3** ~ aan het spit *barbecued c.* **3.1** ~pen *pullet* **3.2** ~pen fokken *rear chickens;* ~pen houden *keep poultry / chickens / fowls* **6.1** ⟨fig.⟩ de ~ **met** de gouden eieren slachten *kill the goose that lays the golden eggs;* eieren zo van de ~ *farm-fresh eggs* **6.2** ⟨fig.⟩ **met** de~pen op stok gaan *go to bed with the sun* **7.1** ⟨fig.⟩ er was geen ~ te zien / te bekennen *there wasn't a (living) soul (around / to be seen);* ⟨fig.⟩ er kwam geen ~*not a soul turned up* **8.1** praten / redeneren als een ~ zonder kop *talk through one's hat* **8.2** er als de~pen bij zijn *be / get there like lightning / like a flash, lose no time in getting there / in …-ing (sth.)* ¶.**1** ~ ! ~ ! ~ ! *chick! chick! chick!* ¶.¶ ~, ik heb je! *gotcha!, caught you!*.
kipauto →**kiepauto**.
kipbak →**kiepbak**.
kipfilet ⟨het, de (m.)⟩ **0.1** *chicken breast(s), fillet of chicken*.
kipkar →**kiepkar**.
kiplekker ⟨bn.⟩ **0.1** *as fit as a fiddle* ⇒*as right as rain, on top of the world, in the pink,* ⟨AE ook⟩ *like a million dollars* ♦ **3.1** ik voel me ~ *I feel as fit as a fiddle*.
kippeborst ⟨de⟩ **0.1** [borst v.e. kip] *chicken breast* **0.2** [misvorming v.d. borstkas] *chicken / pigeon breast* ♦ **6.2** met een ~, een ~ hebbend *chicken- / pigeon-breasted*.
kippeboutje ⟨het⟩ **0.1** *drumstick*.
kippecholera ⟨de⟩ **0.1** *fowl / chicken cholera*.
kippeëi ⟨het⟩ **0.1** *hen's / chicken's egg*.
kippeëind ⟨het⟩ ⟨inf.⟩ **0.1** ⟨zie ¶.1⟩ ♦ ¶.**1** dat is maar een ~ lopen *it's no distance at all to walk*.
kippegaas ⟨het⟩ **0.1** *chicken wire* ⇒*wire netting* ♦ **6.1** afgesloten **met** ~ *wire-netted, closed off with c. w.*.
kippekontje ⟨het⟩ **0.1** [kontje v.e. kip] *(duck's / chicken's) tail* **0.2** [haardracht] ᴮ*duck's arse,* ᴬ*ducktail* ⇒⟨afk.⟩ *D.A.*.
kippekoorts ⟨de⟩ **0.1** [gejaagdheid, nervositeit] *butterflies in one's stomach;* ⟨inf.⟩ *(the) heebie-jeebies* **0.2** [kippeziekte] *pip* ♦ **3.1** ik krijg er de ~ van *it gives me butterflies in my stomach / the heebie-jeebies*.
kippekuur ⟨de⟩ **0.1** *whim* ⇒*freak*.
kippelever ⟨de⟩ **0.1** *chicken liver*.
kippe(n)boer ⟨de (m.)⟩ **0.1** *chicken farmer* ⇒*poultryman, poultry farmer*.
kippendief ⟨de (m.)⟩ **0.1** *chicken / poultry thief / stealer*.
kippenfokkerij ⟨de (v.)⟩ **0.1** [het fokken] *chicken farming* **0.2** [bedrijf] *chicken farm*.
kippenhok ⟨het⟩ **0.1** [verblijf voor kippen] *chicken coop* ⇒*henhouse, hencoop, poultry house* **0.2** [armzalige woning] *(rabbit) hutch* ⇒*box* ♦ **6.1** ⟨fig.⟩ er is ruzie in het ~ ≠*there's uproar in the farmyard*.
kippenladder ⟨de⟩ **0.1** *chicken-ladder*.
kippenren ⟨de⟩ **0.1** *chicken / fowl run, henrun* ⇒*coop*.
kipper →**kieper**.
kippesoep ⟨de⟩ **0.1** *chicken soup*.
kippetje ⟨het (v.)⟩ **0.1** [kleine kip] *chick* **0.2** [meisje, vrouw] *bird, chick* ♦ **2.2** een lekker ~ *a tasty-looking b. / c.*.
kippevel ⟨het⟩ **0.1** *goose flesh / pimples* ⇒⟨AE ook⟩ *goose bumps* ♦ **3.1** ik had / kreeg ~ *I got g.f. / p. / bumps;* ik krijg er ~ van *it makes my flesh creep / my skin crawl;* ⟨inf.⟩ *it gives me the creeps / the willies;* ik krijg al ~ als ik naar je kijk *the mere sight of you makes my flesh creep / my skin crawl / gives me the creeps* **6.1** met ~ *goosy*.
kippevlees ⟨het⟩ **0.1** *chicken*.
kippevoer ⟨het⟩ **0.1** *chicken / poultry feed / food*.
kippig ⟨bn.⟩ **0.1** *short- / near-sighted*.
kipploeg ⟨de⟩ **0.1** *balance plough,* ᴬ*plow*.
kipptoestel ⟨het⟩ ⟨schei.⟩ **0.1** *Kipp's apparatus*.
kipschnitzel ⟨het, de (m.)⟩ **0.1** *chicken in bread crumbs*.
kirren ⟨onov.ww.⟩ **0.1** [mbt. duiven] *coo* **0.2** [opgewonden lacherige geluidjes maken] *coo;* ⟨baby⟩ *gurgle*.
kirsch ⟨de⟩ **0.1** *kirsch*.
kiskassen ⟨onov.ww.⟩ **0.1** *make / play at ducks and drakes, skip rocks* ⇒ *dap stones*.
kissebissen ⟨onov.ww.⟩ **0.1** [scharrelen, prutsen] *potter about* ⇒*fiddle around* **0.2** [ruzie maken] *squabble* ⇒*bicker, wrangle*.
kist ⟨de⟩ **0.1** [meubel om voorwerpen te bergen] *chest* **0.2** [doodkist] *coffin* ⇒⟨AE ook⟩ *casket* **0.3** [voorwerp om dank in te bergen / te vervoeren] *box* ⇒*case* ⟨voor viool enz.⟩*, crate* ⟨voor fruit enz.⟩. **0.4** [vliegtuig] *bus* ⇒⟨wrakkig;inf.⟩ *crate,* ⟨sl.⟩ *bird,* ⟨BE;sl.⟩ *kite* **0.5** [⟨wwb.⟩] *coffer* **0.6** [bekisting] *formwork;* ⟨vnl. BE⟩ *shuttering* ♦ **1.3** een ~ groente / fruit *a crate of vegetables / fruit* **2.4** een oude ~ *an old*

crate **6.2** het lijk **in** de ~ leggen *lay the body in the coffin* **6.3** **in** ~en verpakt *boxed, crated*.
K.I.-station ⟨het⟩ ⟨veeteelt⟩ **0.1** *A.I. centre*.
kistdam ⟨de (m.)⟩ **0.1** *cofferdam*.
kisten
  I ⟨onov.ww.⟩ **0.1** [beplanking voor betonwerk maken] *put in / place a form / forms / formwork /* ⟨vnl. BE⟩ *shuttering;*
  II ⟨ov.ww.⟩ **0.1** [in de doodskist leggen] *lay in a / the coffin /* ⟨AE ook⟩ *in a / the casket* ♦ **3.1** ⟨inf., fig.⟩ laat je niet ~ *don't let them walk all over you, don't let them grind you down*.
kisting ⟨de (v.)⟩ **0.1** [het in de doodskist leggen] *laying in a / the coffin /* ⟨AE ook⟩ *in a / the casket* **0.2** [beplanking voor het maken van betonwerk] *form(work)* ⇒⟨vnl. BE⟩ *shuttering* **0.3** [⟨wwb.⟩] *cofferdam*.
kistje ⟨het⟩ **0.1** [kleine kist] *box* ⇒*case* **0.2** [⟨mv.⟩ schoen] *clodhoppers* ♦ **1.1** een ~ sigaren *a b. of cigars* **2.1** in een zilveren ~ opbergen *store away in a silver b. / case* ¶.**1** een EHBO-kistje *a first-aid b. / kit*.
kistkalf ⟨het⟩ **0.1** *boxed calf, intensive real calf*.
kistwerk ⟨het⟩ **0.1** *formwork*.
kit
  I ⟨de⟩ **0.1** [kolenkit] *(coal-)scuttle* ⇒*hod* **0.2** [kan] *jug,* ᴬ*pitcher* **0.3** [kroeg, bordeel] *joint* ⇒*dive* **0.4** [wateremmer] *bucket* ⇒*pail* **0.5** [⟨sl.⟩ politie] *cops* ⇒⟨AE ook⟩ *fuzz;*
  II ⟨het, de⟩ **0.1** [kleef- / bindmiddel] *cement* ⇒*glue*.
kitmiddel ⟨het⟩ **0.1** *waterproof cement / glue*.
kits¹ ⟨de⟩ **0.1** *gravel-heap*.
kits² ⟨bn.⟩ ⟨inf.⟩ **0.1** *O.K.* ⇒*alright* ♦ **1.1** alles ~? *how are things?, how's things?, everything O.K. / alright?*.
kitsch ⟨de⟩ **0.1** *kitsch*.
kitscherig ⟨bn., bw.⟩ **0.1** *kitschy* ⇒*tawdry* ♦ **3.1** een huis ~ inrichten *tart up a house*.
kitsen ⟨ov.ww.⟩ ⟨amb.⟩ **0.1** *dress (with the trowel)*.
kittelaar ⟨de (m.)⟩ **0.1** *clitoris*.
kittelachtig ⟨bn.⟩ **0.1** [gevoelig voor kitteling] *ticklish* **0.2** [lichtgeraakt] *touchy* ⇒*ticklish*.
kittelachtigheid ⟨de (v.)⟩ ⟨fig.⟩ **0.1** *touchiness* ⇒*ticklishness*.
kittelig ⟨bn.⟩ **0.1** *ticklish*.
kitteling ⟨de (v.)⟩ **0.1** [het kittelen] *tickling* ⇒*(a) tickle* **0.2** [tinteling] *tingling* ⇒*tickling, (a) tickle*.
kittelorig ⟨bn.⟩ **0.1** *touchy*.
kitten ⟨ov.ww.⟩ **0.1** *cement / glue (together)*.
kittig ⟨bn., bw.; -ly⟩ **0.1** *spirited* ⇒*alert, sharp, brisk* ⟨vnl. beweging⟩ ♦ **1.1** een ~ ding / meisje *a spirited young thing / girl;* ~e paardjes *spirited horses* **3.1** ~ lopen / kijken *walk briskly / look with / have sparkling eyes*.
kiwi ⟨de (m.)⟩ **0.1** [vrucht] *kiwi (fruit)* ⇒*Chinese gooseberry* **0.2** [loopvogel] *kiwi*.
kJ ⟨de (m.)⟩ ⟨nat.⟩ ⟨afk.⟩ **0.1** [kilojoule] *kj*.
kl. ⟨afk.⟩ **0.1** [klasse] *cl.* **0.2** [klein] *S., s.* ⟨maat⟩.
klaagdicht ⟨het⟩ **0.1** *lament(ation)*.
klaaghuis ⟨het⟩ **0.1** [sterfhuis] *house of mourning* **0.2** [huis van droefenis] *house of mourning*.
klaaglied ⟨het⟩ **0.1** [treurlied] *lament(ation)* **0.2** [⟨fig.⟩] *lament(ation)* ♦ **1.1** de Klaagliederen van Jeremia *the Lamentations of Jeremiah* **3.1** ~eren zingen *sing songs of lamentation* **3.2** je hoort van hem niets anders dan ~eren *all he ever does is moan / complain*.
klaaglijk ⟨bn., bw.; -ly⟩ **0.1** *plaintive* ⇒*piteous*.
Klaagmuur ⟨de (m.)⟩ **0.1** *Wailing Wall*.
klaagpsalm ⟨de (m.)⟩ **0.1** *penitential psalm*.
klaagschrift ⟨het⟩ **0.1** *plaint*.
klaagstem ⟨de⟩ **0.1** *plaintive / whining voice* ⇒*wail(ing voice)*.
klaagtoon ⟨de (m.)⟩ **0.1** [klagende toon] *plaintive tone* **0.2** [klacht] *complaint* ♦ **3.2** onophoudelijk klaagtonen aanheffen *be constantly complaining* **6.1** op een ~ spreken *speak in a plaintive tone*.
klaagvrouw ⟨de (v.)⟩ **0.1** *wailer, mourner* ⇒*wailing woman*.
klaagzang ⟨de (m.)⟩ **0.1** *lament(ation)* ♦ **3.1** een ~ aanheffen *raise one's voice in complaint*.
klaar¹ ⟨het⟩ **0.1** *egg-white*.
klaar² ⟨bn., bw.; -ly⟩ ⟨→sprw. 365⟩ **0.1** [mbt. zien] *clear* **0.2** [zuiver, onvermengd] *pure;* ⟨drank⟩ *neat* **0.3** [duidelijk] *clear* **0.4** [gereed] *ready* ⇒*set* **0.5** [af] *finished* ⇒*done,* ⟨AE ook;persoon⟩ *through* ♦ **1.1** het is ~ dag *it's broad daylight;* de klare lucht *the sky* **1.2** klare jenever *raw Hollands* **1.3** klare nonsens *pure nonsense* **2.3** duidelijk en ~ ⟨ook⟩ *in words of one syllable, in plain English* **2.4** ~ terwijl u wacht *r. while you wait* **2.5** kant en ~ *ready-to-use, ready for use,* ⟨reclame ook⟩ *instant* **2.¶** ~ wakker *wide awake* **3.4** alles ~ hebben voor een feest *have everything r. for a party;* iets ~ houden *keep sth. r. / handy / in readiness* **3.5** ben je ~? ⟨om te beginnen / te gaan enz.⟩ *are you ready?;* ⟨met werk enz.⟩ *have / are you f. /* ⟨inf.⟩ *done,* ⟨AE ook⟩ *are you through?;* ik ben zo ~ *I won't be a minute!* ⟨AE sl.⟩ *a tick;* je moet het voor vanmiddag ~ hebben *you must have / get it f. / done / ready by this afternoon;* zijn antwoord ~ hebben *have an / one's answer ready, be ready with an / one's answer;* het eten is ~ *lunch / dinner / supper is ready;* ~ is Kees *(and) that's that!, (and) Bob's your uncle!,*

(and) there you are!; het gebouw is bijna ~ *the building is almost f. / is nearing completion;* dat is (ook weer) ~ *(well,) that's that (done), that's done;* nog even schoonmaken en ~ is Kees/~ ben je *just clean up a bit and Bob's your uncle;* een lexicograaf is eigenlijk nooit ~ *a lexicographer's work is never done;* ~ zijn *be f. / done;* zo goed als ~ zijn *be just about / pretty well f., have just about / pretty well done* 3.¶ ~ ben je, daar ben je mooi klaar mee *(now) there's a fine thing! / a fine state of affairs!* 6.4 de boot is ~ *voor* vertrek/om te vertrekken *the boat is ready to sail / to go;* ~ *voor* de strijd *r. for action, fighting fit,* 〈fig. ook〉 *ready for the fray;* ik ben er ~ *voor* f. *(all) r.;* ~ *voor* gebruik *ready-to-use, ready for use,* 〈huis enz.〉 *ready to occupy / for occupation* 6.5 *met* iem./ iets nog niet ~ zijn *not yet be f. / done / through with s.o. / sth.;* we zijn ben er ~ *voor* opruimen/ons werk/deze kandidaat/uw kamer *we've f. eating / clearing up / our work / with this candidate / with your room,* 〈AE ook〉 *we're through with eating / clearing up / our work / this candidate / your room;* *met* haar zul je gauw ~ zijn *she won't take you long, you'll be f. with her pretty fast;* hij was zo ~ *met* dat klusje *he wasn't long about that job, he got that job done in no time / in a trice;* ben je ~ *met* je toilet? 〈scherts.〉 *have you performed your ablutions?* 8.1 〈fig.〉 ~ als een klontje *as plain as a pikestaff / as the nose on your face* ¶.4 〈sport〉 ~? af! *(get) set? go!; ready, steady, go!.*

klaarbak 〈de (m.)〉 0.1 *settling tank.*

klaarbassin 〈het〉 0.1 *settling pool / tank* ⇒*sump.*

klaarblijkelijk

I 〈bn.〉 0.1 [duidelijk blijkend] *evident* ⇒*obvious,* [1]*manifest* ◆ 1.1 ~e bezwaren/tekortkomingen *e. drawbacks / shortcomings;*

II 〈bw.〉 0.1 [kennelijk, blijkbaar] *seemingly, apparently* ⇒*evidently, obviously* ◆ 2.1 vandaag is hij ~ doof *he seems to be deaf today;* dat is ~ verkeerd *that is obviously wrong* 3.1 ~ kan ik er niets aan doen *s. there's nothing I can do* ¶.1 ~ had niemand haar dat verteld *obviously / evidently no-one had told her.*

klaarblijkend →**klaarblijkelijk.**

klaarheid 〈de (v.)〉 0.1 [〈schr.〉 licht, glans] *clarity* ⇒*clearness,* [1]*limpidity* 0.2 [het niet-bewolkt zijn] *clearness* 0.3 [duidelijkheid] *clarity* 0.4 [helderheid mbt. inzicht] *clarity* ⇒*lucidity* ◆ 3.3 ~ (proberen te) brengen in een zaak *(try to) throw / shed light on/* [1]*elucidate a matter* 6.3 de ~ v.e. *betoog the c. of an argument;* iets tot ~ brengen *throw / shed light on/* [1]*elucidate sth., clear up sth.* 6.4 we zijn nog niet tot ~ gekomen *we are not yet clear (in our minds) about this.*

klaarkomen 〈onov.ww.〉 0.1 [gereedkomen] *(be) finish(ed)* ⇒*complete, be done,* 〈oplossing vinden〉 *get things settled, settle things* 0.2 [orgasme krijgen] *come* ◆ 5.1 〈fig.〉 daar kom je nooit mee klaar *you'll never get that finished / done* 5.2 tegelijk ~ *c. together* 6.1 op tijd *met* zijn werk ~ *finish / complete one's work / get one's work finished / completed / done on time;* *met* iem. ~ *settle things / get things settled with s.o.* ¶.2 te vroeg ~ *c. too soon.*

klaarkrijgen 〈ov.ww.〉 0.1 [afkrijgen] *get finished / done* 0.2 [voor elkaar krijgen] *get done* ⇒*fix (up), get fixed (up)* ◆ 4.2 hoe heb je dat klaargekregen? *how did you manage to get that done / fixed (up)?.*

klaarleggen 〈ov.ww.〉 0.1 *put ready* ⇒〈kleren ook〉 *lay out* ◆ 1.1 〈sport〉 de bal ~ voor een doeltrap/vrije trap *set up the ball for a goal kick / free kick;* ik zal het boek/het geld ~ *I'll put the book / money ready;* leg je mijn kleren even klaar voor morgen *just lay my clothes out / put my clothes ready for tomorrow.*

klaarlicht 〈bn.〉 ◆ 1.¶ op ~e dag *in broad daylight.*

klaarliggen 〈onov.ww.〉 0.1 [gereedliggen] *be ready* 0.2 [mbt. schepen] *be set to sail* ◆ 3.1 iets hebben ~ *have sth. ready* 4.1 alles ligt klaar *everything's ready.*

klaarmaken 〈ov.ww.〉 0.1 [voorbereiden, in gereedheid brengen] *get ready* ⇒*prepare* 0.2 [(toe)bereiden] *make* ⇒*get ready, prepare,* 〈warm eten ook〉 *cook,* 〈drankje, sla ook〉 *mix* 0.3 [tot een orgasme brengen] *bring off* 0.4 [presteren] *do* ⇒*manage* ◆ 1.1 de tafel ~ *lay the table* 1.2 de bestellingen van vandaag ~ *make up today's orders;* brood ~ *make bread;* het eten/ontbijt ~ *make lunch / dinner / supper / breakfast;* een kop chocolade ~ *make a cup of chocolate;* een slaatje ~ *make / mix a salad* 2.1 ik denk niet dat je dat kunt ~ *I don't think you can d. / manage that* 4.1 zich ~ *get (o.s.) ready;* 〈voor de aanval enz.〉 *make ready (to attack (enz.));* 〈om te vertrekken〉 *get one's coat; dress (for dinner)* 5.2 de hutspot is lekker klaargemaakt *the stew is tasty* 6.1 alles ~ *voor* de reis *get everything ready for the journey;* iem. ~ *voor* een examen *prepare s.o. for an exam;* de auto ~ *voor* de winter *get the car ready for the winter* 7.4 niet veel ~ *not be ~ voor* op to much.

klaar-over 〈de (m.)〉 0.1 *member of the school crossing patrol* ⇒〈BE ook〉 *lollipop man / woman / boy / girl.*

klaarspelen 〈ov.ww.〉 0.1 *manage (to do)* ⇒*contrive to do,* 〈inf.〉 *pull off, wangle* ◆ 4.1 hoe heb je dat klaargespeeld? *how did you manage (to do) / contrive to do / wangle that / manage to pull that off?;* 't ~ *manage* 5.1 hij heeft 't weer klaargespeeld *he's done it / pulled it off again;* zij zal het heus wel ~ *I'm sure she'll manage.*

klaarstaan 〈onov.ww.〉 0.1 [(mbt. personen) gereedstaan] *be ready* ⇒*be waiting,* 〈militair enz.〉 *stand by* 0.2 [gereedgezet zijn] *be ready* ⇒*be*

---

waiting ◆ 1.2 het eten/de tafel staat klaar *lunch / dinner / supper is ready* 6.1 altijd *met* zijn mening ~ *always have sth. to say, always have an opinion;* iets te gauw *met* zijn vuisten ~ *be a little too eager with one's fists;* altijd *met* kritiek ~ *always be ready to criticize;* ~ *om* te schieten/helpen *have one's finger on the trigger / be ready to help;* altijd *voor* iem. ~ *always be ready / available to help s.o., always be around / there;* zij moet altijd *voor* hem ~ *he expects her to be at his beck and call;* altijd *voor* de klanten/leerlingen ~ *always be ready to serve one's customers, always be available to one's students* 6.2 de trein stond klaar *om* te vertrekken *the train was ready to leave;* er stonden drie ambulances klaar *voor* noodgevallen *three ambulances were standing by for emergencies / to deal with emergencies.*

klaarstomen 〈ov.ww.〉 0.1 *cram* ◆ 6.1 iem. *voor* een examen ~ *cram s.o. for an exam.*

klaarte 〈de (v.)〉 0.1 *clarity* ⇒*clearness, lucidity.*

klaarwakker 〈bn.〉 0.1 *wide awake* ⇒〈fig.〉 *alert, on the spot.*

klaarzetten 〈ov.ww.〉 0.1 *put ready* ⇒*put out, set out* ◆ 1.1 de kopjes ~ *put the cups ready / out;* het ontbijt ~ *make breakfast, put breakfast on the table* 6.1 een stoel *voor* iem. ~ *put a chair out for s.o.;* de flessen ~ *voor* de melkboer *put out the bottles for the milkman.*

klaarziend 〈bn.〉 0.1 [mbt. gezichtsvermogen] *sharp-eyed* 0.2 [scherpzinnig] *clear-sighted.*

klaas 〈de (m.)〉 0.1 *chap* ⇒*bloke,* [A]*guy* ◆ 2.1 een houten/een stijve ~ *a dry (old) stick.*

Klaas 0.1 *Nicholas* ⇒〈inf.〉 *Nick* ◆ 1.1 Jan, Piet en ~ *Tom, Dick and Harry;* ~ Vaak *the sandman.*

klabak 〈de (m.)〉 0.1 *pig* ⇒〈mv.〉 *fuzz.*

klacht 〈de〉 0.1 [uiting van ontevredenheid] *complaint* 0.2 [〈jur.〉] *complaint* 0.3 [grief, grond tot klagen] *complaint* ⇒〈med. ook〉 *symptom* 0.4 [uiting van smart] *lament* ⇒*complaint* ◆ 1.3 wat zijn de ~en van de patiënt? *what are the patient's symptoms?* 3.1 ~en aanhoren *listen to complaints;* zijn ~en uiten *make complaints, air one's grievances* 3.2 een ~ indienen bij / tegen de politie *complain to / about the police, lodge / file a c. with / against the police* 3.3 ~en behandelen *deal with complaints;* mocht u ~en krijgen *should any symptoms develop;* en, wat zijn de ~en? *what seems to be the matter?,* [1]*what are your symptoms?* 3.4 geen ~ kwam over zijn lippen *he uttered not one word of complaint, not a word of complaint passed his lips* 6.1 het regende ~en over dat programma *complaints poured in / there was a flood of complaints about that programme.*

klachtdelict 〈het〉 0.1 *offence* [A]*se prosecuted only in case of complaint.*

klachtenboek 〈het〉 0.1 *complaint(s) book.*

klachtenbus 〈de (v.)〉 0.1 *complaint(s) box* ⇒*suggestions box.*

klachtencommissie 〈de (v.)〉 0.1 *complaint / grievance committee.*

klachtrecht 〈het〉 〈jur.〉 0.1 *right of complaint.*

klad

I 〈het〉 0.1 [voorlopige vorm] *(rough) draft* 0.2 [〈hand.〉] *daybook* ⇒*ledger* ◆ 6.1 een brief in (het) ~ schrijven *draft a letter, write a letter out in rough;*

II 〈de〉 0.1 [vuil, vlek] *stain* ⇒*splodge, blotch, blot* 〈inkt〉, *smudge* 〈olie enz.〉 0.2 [laster] *slur* ⇒*stain, blot* 0.3 [bederf in de prijzen] *ruin* ◆ 3.3 de ~ kwam the bottom will fall out of the market; 〈fig.〉 ik had besloten niet meer te roken, maar daar kwam al gauw de ~ in *I decided to stop smoking but I didn't get very far / that resolution soon bit the dust / soon went out of the window;* 〈fig.〉 na een paar dagen kwam de ~ er in *after a few days it tailed off* 6.¶ iem. bij zijn/de ~en krijgen/grijpen 〈fig.〉 *catch / grab / seize hold of s.o..*

kladblaadje 〈het〉 0.1 *piece of scrap paper.*

kladblok 〈het〉 0.1 *scribbling-pad* ⇒*scratch-pad, jotter.*

kladboek 〈het〉 0.1 [memoriaal] *daybook* ⇒*ledger* 0.2 [werk-/schrijfboek] *rough book* ◆ 6.2 ik heb wel een betere in mijn ~ je staan *I'm sure I know of a better one* 6.¶ hij staat in mijn ~ *he owes me money.*

kladbrief 〈de (m.)〉 0.1 *draft (letter).*

kladden

I 〈onov.ww.〉 0.1 [knoeien] *be messy* ⇒*make stains / smudges / blots* 〈inkt〉 0.2 [vlekken geven] *blot* 0.3 [onder de prijs verkopen] *under-cut* ◆ 1.2 het papier kladt *the paper blot* 6.3 de slijters ~ *met* de drank *the off-licences / * [A]*liquor stores are undercutting on drinks;*

II 〈ov.ww.〉 0.1 [als een kladt aanbrengen op] *daub* 0.2 [slordig neerschrijven] *scribble* ⇒*scrawl* 0.3 [slecht, slordig schilderen] *daub.*

kladderaar 〈de (m.)〉 0.1 [knoeier] *smudger* ⇒*dauber* 〈met verf〉 0.2 [〈hand.〉] *undercutter.*

kladderen 〈onov.ww.〉 0.1 [voortdurend kladden] *smudge* ⇒*splodge, blotch, blot* 〈inkt〉 0.2 [slecht schilderen] *daub.*

kladderig 〈bn., bw.; -ly〉 0.1 [vol kladden] *smudgy* ⇒*splodgy, blotchy* 0.2 [mbt. personen] *messy* ◆ 3.1 ~ schrijven *write smudgily / blotchily.*

kladderij 〈de (v.)〉 0.1 [slordig geschrift / schilderwerk] 〈geschrift〉 *(smudgy) scrawl;* 〈schilderwerk〉 *daubing* 0.2 [〈hand.〉] *undercutting.*

kladje 〈het〉 0.1 *(rough) draft;* 〈kladblaadje〉 *piece of scrap paper* ◆ 3.1 een ~ maken *make a (rough) draft* 6.1 iets op een ~ schrijven *write sth. on a piece of scrap paper.*

kladpapier 〈het〉 0.1 *scrap paper* ◆ ¶.1 een ~ tje *a piece of s. p..*

kladpapiertje 〈het〉 0.1 *piece of scrap paper.*

kladschilder ⟨de (m.)⟩, **-es** ⟨de (v.)⟩ **0.1** *dauber*.
kladschilderen ⟨ww.⟩ **0.1** *daub*.
kladschrift ⟨het⟩ **0.1** [schrijfboek] *rough(-copy) book* **0.2** [slordig (hand)schrift] *scrawl* ⇒*scribble*.
kladschrijver ⟨de (m.)⟩, **-schrijfster** ⟨de (v.)⟩ **0.1** *scribbler* ⇒*scrawler*.
kladschuld ⟨de⟩ **0.1** *petty/trifling debt*.
kladsel ⟨het⟩ **0.1** *splodge(s)* ⇒*blot(s)*⟨inkt⟩, *smudges* ⟨olie enz.⟩, *scribbling* ⟨op papier⟩, *daubing* ⟨op muur/doek⟩.
kladwerk ⟨het⟩ **0.1** [knoeiwerk] *messy/shoddy/botched work* **0.2** [schoolwerk] *rough work*.
klagen
I ⟨onov.ww.⟩ **0.1** [droefheid/pijn te kennen geven] *complain* **0.2** [⟨jur.⟩] *complain* ◆ **1.1** ~de boeren *complaining farmers;* steen en been ~ *c. bitterly;* de zieke klaagt de hele dag *the patient complains all day long* **1.2** recht van ~ *right of complaint* **3.1** ik heb niet te ~ *I can't c., I'm not complaining;* jij hebt niets te ~ *you're in no position to c., you've got nothing to c. about/of;* hij heeft niet over belangstelling te ~ *he can't c. about lack of interest;* je hoeft niet bij mij te komen ~ *don't come complaining to me;* hij loopt altijd te ~ *he's always complaining/* ⟨inf.⟩ *moaning;* ⟨euf.⟩ ik mag niet ~ *I mustn't/can't grumble* **5.1** zij klaagt niet gauw *she's not one to c., she's not the complaining type* **6.1** er wordt veel **over** geklaagd *there are lots of complaints/there is a good deal of complaint about it;* **over** een moeilijke ontlasting/**over** maagzuur ~ *c. of constipation/heartburn;* geen reden **tot** ~ hebben *have no cause for complaint/reason to c.;* **zonder** ~ *without complaint, uncomplaining(ly);*
II ⟨ov.ww.⟩ **0.1** [als klacht uiten] *complain (of)* ◆ ¶.**1** het is God geklaagd *it's worse than bad, it's appalling.*
klagend ⟨bn., bw.; -ly⟩ **0.1** *plaintive* ⇒*piteous* ◆ **1.1** op ~e toon *in a plaintive tone (of voice).*
klager ⟨de (m.)⟩, **klaagster** ⟨de (v.)⟩ ⟨→sprw. 345,346⟩ **0.1** [iem. die klaagt] *complainer* ⇒⟨inf.⟩ *moaner* **0.2** [iem. die zijn beklag doet] *complainant* **0.3** [⟨jur.⟩] *plaintiff* ⇒*complainant.*
klagerig ⟨bn., bw.; -ly⟩ **0.1** [geneigd tot klagen] *complaining* ⇒⟨schr.⟩ *querulous* **0.2** [klagend] *plaintive* ◆ **1.2** op ~e toon *in a p. tone (of voice).*
klak ⟨de⟩ **0.1** [⟨AZN⟩ pet] *cap* ⇒[hoed] *opera hat, crush hat.*
klakkelings ⟨bw.⟩ **0.1** *all of a sudden* ⇒*suddenly, without warning.*
klakkeloos ⟨bn., bw.; -ly⟩ **0.1** [zonder overweging] *unthinking* ⇒*rash*, ⟨onkritisch⟩ *indiscriminate*, ⟨zonder reden⟩ *groundless, unfounded, gratuitous, wild* **0.2** [onverwachts] *unexpected* ⇒*sudden* ◆ **3.1** iets ~ aannemen *accept sth. unthinkingly, swallow sth.;* ⟨inf.⟩ *fall for sth.;* iem. ~ beschuldigen *accuse s.o. groundlessly/wildly;* iets ~ overnemen *adopt/copy sth. indiscriminately* **3.2** het viel mij zo ~ op het lijf *it hit me out of the blue/without warning/all of a sudden.*
klakken ⟨onov.ww.⟩ **0.1** *click, clack* ◆ **6.1** met de tong ~ *click, clack one's tongue,* ⟨inf.⟩ *go 'tsk!'*.
klam ⟨bn., bw.; -ly⟩ **0.1** *clammy* ⇒*moist, damp* ◆ **1.1** met ~me handen *with c. hands, clammy-handed;* zijn voorhoofd was ~ van het zweet *his forehead was c. with sweat;* het ~me zweet breekt me uit ⟨fig.⟩ *I'm in a cold sweat* **3.1** die muur voelt ~ aan *the wall feels c., the wall is c. to the touch.*
klamaaien ⟨onov., ov.ww.⟩ **0.1** *caulk.*
klamaaijzer ⟨het⟩ **0.1** *caulking iron.*
klamachtig ⟨bn.⟩ **0.1** *dampish* ⇒(slightly) *clammy.*
klamboe ⟨de⟩ **0.1** *mosquito net.*
klamheid ⟨de (v.)⟩ **0.1** *clamminess* ⇒*moistness, dampness.*
klammig ⟨bn.⟩ **0.1** *clammy* ⇒*moist, damp* ◆ **3.1** ~ aanvoelen *feel c..*
klamp
I ⟨de (m.)⟩ **0.1** [stapel] *stack* ⇒*pile, rick;*
II ⟨de⟩ **0.1** [belegstuk, bindlat] *cleat* ⇒⟨lat⟩ *batten* **0.2** [steunlat, klos] *cleat, chock, brace* **0.3** [sluithaak voor boeken] *clasp* **0.4** [uitsteeksel] *cleat* ◆ **6.1** een deur met ~en *a battened door* **6.4** een touw om een ~ slaan *secure a rope to a c..*
klampen
I ⟨onov.ww.⟩ **0.1** [klitten, kleven] *cling* ◆ **6.1** de sneeuw klampt **aan** de schoenen *the snow clings to one's shoes;*
II ⟨ov.ww.⟩ **0.1** [met een belegstuk vastmaken/versterken] *cleat* ⇒⟨met lat⟩ *batten* **0.2** [(vast)klemmen] *clasp* ⇒*cling* **0.3** [enteren] *board* **0.4** [opstapelen] *stack/pile (up)* ◆ **4.2** zich aan iets ~ *cling to sth., clasp sth. to o.s.* **6.2** iem. tegen zich aan ~ *clasp s.o. to o.s.* **6.3** een schip **aan** boord ~ *b. a ship.*
klamplaag ⟨de⟩ **0.1** *bond/header course.*
klamplat ⟨de⟩ **0.1** ≠*batten.*
klampnagel →klampspijker.
klampspijker ⟨de⟩ **0.1** *clamp nail.*
klampvogel ⟨de (m.)⟩ **0.1** *kestrel.*
klandizie ⟨de (v.)⟩ **0.1** [klanten] *clientele* ⇒*customers, trade, business* **0.2** [betrekking als klant] *custom* ◆ **2.1** zich in een toenemende ~ kunnen verheugen *enjoy an increasing number of customers/a growing clientele* **3.1** hun ~ breidt zich uit *their clientele is growing;* ⟨veel⟩ ~ hebben/krijgen/trekken *have/attract (plenty of) customers/trade/business;* de ~ verloopt *business/trade is falling off* **3.2** zijn ~ gunnen

aan iem., iem. met de ~ begunstigen *give one's c. to s.o.;* de ~ winnen/behouden van iem. *gain/keep s.o.'s c..*
klank ⟨de (m.)⟩ **0.1** [toon, galm] *sound* **0.2** [datgene waardoor een geluid zich onderscheidt] *sound* ⇒*tone* **0.3** [gearticuleerd spraakgeluid] *sound* **0.4** [geluid van gesproken woorden] *sound* ⇒*ring* **0.5** [⟨mv.⟩ muziek, zang] *sound* ◆ **1.2** de ~ van hout/een viool *the s. of wood/a violin* **1.4** rijm is overeenkomst van ~ *rhyme is a similarity of sounds* **2.2** een fraaie ~ geven *give forth a pretty s./tone;* de piano heeft een goede/volle/warme ~ *the piano has a good/full/warm tone* **2.4** haar stem had een eigenaardige/oprechte ~ *there was a peculiar/sincere ring to her voice;* ⟨fig.⟩ zijn naam heeft een goede ~ *he has a good name/reputation;* dat woord heeft een lelijke ~ *that word has an ugly ring to it;* vreemde/uitheemse ~en *foreign sounds* **2.5** gewijde ~en *solemn music* **6.5** op de ~ van ... *to the s. of ....*
klankanalyse ⟨de (v.)⟩ **0.1** [⟨nat.⟩] *sound analysis* **0.2** [⟨taal.⟩] *sound analysis.*
klankassociatie ⟨de (v.)⟩ **0.1** [⟨abstract⟩] *sound association* **0.2** [⟨concreet⟩] *sound association.*
klankbeeld ⟨het⟩ **0.1** *radio commentary/report.*
klankbodem ⟨de (m.)⟩ **0.1** *sounding board, soundboard* ◆ **3.1** ⟨fig.⟩ een goede ~ vinden *touch/strike a responsive chord.*
klankbord ⟨het⟩ **0.1** [paneel voor een luidspreker] *baffle(-board)* **0.2** [klankbodem] *sounding board, soundboard* **0.3** [galmbord] *sounding board, soundboard* ◆ **3.3** ⟨fig.⟩ een ~ vormen *be/act as a sounding board (for).*
klankdemper ⟨de (m.)⟩ **0.1** *muffler* ⟨piano⟩ ⇒*mute* ⟨viool, trompet enz.⟩.
klank-en-lichtspel ⟨het⟩ **0.1** *sound-and-light* [B]*programme,* [A]*show* ⇒*son et lumière.*
klankexpressie ⟨de (v.)⟩ **0.1** *portrayal/expression through/by means of sound(s).*
klankfiguur ⟨de⟩ **0.1** *Chladni's/sonorous figure* ◆ **1.1** de klankfiguren van Chladni *Chladni's/sonorous figures.*
klankgat ⟨het⟩ ⟨muz.⟩ **0.1** *sound hole.*
klankgevoel ⟨het⟩ **0.1** *feeling for sounds.*
klankkast ⟨de⟩ **0.1** [mbt. een snaarinstrument] *sound box* ⇒*body* **0.2** [mbt. een stemvork] *resonance box.*
klankkleur ⟨de⟩ **0.1** *timbre* ⇒*tone* ⟨colour⟩.
klankkleurregelaar ⟨de (m.)⟩ **0.1** *timbre control* ⇒*tone colour control.*
klankleer ⟨de⟩ ⟨taal.⟩ **0.1** *phonetics/phonology* ⇒*phonetics and phonology* ◆ **2.1** de Engelse ~ *English phonetics and phonology, the phonetics/phonology of English.*
klankloos ⟨bn., bw.; -ly⟩ **0.1** *toneless* ⇒*dull* ◆ **1.1** zij antwoordde met klankloze stem *she answered tonelessly/dully.*
klankmeter ⟨de (m.)⟩ **0.1** [⟨tech.⟩] *audiometer* ⇒*sonometer* **0.2** [⟨muz.⟩] *monochord* ⇒*sonometer.*
klankmet(h)ode ⟨de (v.)⟩ **0.1** *phonetic method.*
klanknabootsend ⟨bn.⟩ **0.1** *onomatopoeic* ⇒*echoic.*
klanknabootsing ⟨de (v.)⟩ ⟨taal.⟩ **0.1** [onomatopee] *onomatopoeia* ⇒*onomatopoeic word* **0.2** [onomatopoësis] *onomatopoeia* ⇒*echoism.*
klankovergang ⟨de (m.)⟩ ⟨taal.⟩ **0.1** *juncture.*
klankregisseur ⟨de (m.)⟩, **-euse** ⟨de (v.)⟩ ⟨film, t.v.⟩ **0.1** *sound engineer/mixer.*
klankrijk ⟨bn.⟩ **0.1** *sonorous* ⇒*rich, resonant.*
klankschildering →klankexpressie.
klankschrift ⟨het⟩ **0.1** [schrift waarvan de tekens klanken voorstellen] *phonetic writing/system* **0.2** [fonetisch schrift] *phonetic script.*
klankstelsel ⟨het⟩ **0.1** *phonetic system* ⇒*phonetics.*
klanksymboliek ⟨de (v.)⟩ **0.1** *sound symbolism.*
klanksysteem ⟨het⟩ **0.1** *phonetic/sound system.*
klankteken ⟨het⟩ **0.1** [om de klemtoon aan te geven] *stress mark* **0.2** [om de klank v.e. letter aan te geven] *diacritic.*
klanktrap ⟨de (m.)⟩ ⟨muz.⟩ **0.1** *interval.*
klankverandering ⟨de (v.)⟩ ⟨alg.⟩ **0.1** *sound change, change in sound* ⇒⟨fonetiek ook⟩ *phonetic change, sound shift(ing)* ⟨wet van Grimm⟩, *euphony* ⟨om uitspraakgemak⟩, *(phonetic) modification* ⟨bv. door umlaut⟩.
klankverschuiving ⟨de (v.)⟩ ⟨taal.⟩ **0.1** *sound shift* ◆ **7.1** de eerste ~ *the first sound-shifting, Grimm's Law.*
klankvol ⟨bn., bw.; -ly⟩ **0.1** *sonorous* ⇒*rich, resonant,* ⟨melodieus⟩ *melodious* ◆ **1.1** een ~le stem *a s./melodious/resonant voice.*
klankvolume ⟨het⟩ **0.1** *volume (of sound).*
klankwaarde ⟨de (v.)⟩ **0.1** *phonetic/sound value.*
klankweergave ⟨de⟩ **0.1** *sound reproduction.*
klankwet ⟨de⟩ **0.1** *sound law* ⇒*phonetic law.*
klant ⟨de (m.)⟩ **0.1** [cliënt] *customer* ⇒*client, shopper, guest* ⟨in horeca⟩ **0.2** [persoon, kerel] *customer* ⇒*sort,* [B]*bloke,* ⟨vnl. BE⟩ *chap,* ⟨vnl. AE⟩ *fellow* ◆ **2.1** een goede ~ *a good customer;* potentiële ~en *prospective customers;* ⟨inf.⟩ *nibblers;* een vaste ~ *a regular (customer);* a *patron* ⟨bv. van restaurant⟩; *a habitué;* ⟨scherts.⟩ vaste ~en v.d. rechter *jailbirds, backsliders;* ⟨AE ook⟩ *guests of the state* **2.2** hij is nogal een ruwe ~ *he's a rough customer/* ⟨sl.⟩ *a roughneck;* een vrolijke/rare ~ *a cheerful sort, a strange/queer customer, an odd character*

3.1 ~en hebben/winnen/verliezen/werven *have/gain/lose/canvass customers;* ~en lokken (met stuntprijzen) *bait customers;* ergens ~ zijn *be a regular customer/client/patron;* zij zijn daar al jaren ~ *they have done business there for years* **7.1** daar ben ik geen ~ meer *I have withdrawn my custom from them/him, I don't deal with them anymore, I don't do business there any longer* ¶.**1** de ~ is koning *the customer is always right.*

klantenbinding ⟨de (v.)⟩ **0.1** *customer relations* ◆ **3.1** aan ~ doen *work at/be into c. r.*.

klantenkring ⟨de (m.)⟩ **0.1** *customers, clientele.*

klantenlokker ⟨de (m.)⟩ **0.1** [artikel] *customer draw, bait* **0.2** [persoon] *tout* ⇒⟨circus, kermis⟩ *barker.*

klantenrekening ⟨de (v.)⟩ **0.1** *customer's account.*

klantenservice ⟨de (m.)⟩ **0.1** *customer service.*

klantenwerving ⟨de (v.)⟩ **0.1** *canvassing/*⟨pej.⟩ *touting for custom(ers)* ⇒⟨reclame⟩ *advertising for custom(ers).*

klap¹ ⟨de (m.)⟩ (→sprw. 101) **0.1** [geluid] *bang* ⇒*crash,* ⟨ihb. donder⟩ *clap, crack* ⟨van zweep⟩ **0.2** [slag, tik] *slap* ⇒*smack, blow, stroke* **0.3** [⟨fig.⟩] *blow* ⇒*knock* **0.4** [klep] *flap* ⇒*leaf* ⟨van tafel⟩, *bascule* ⟨van brug⟩ ◆ **1.2** ⟨fig.⟩ een ~ v.d. molen gehad hebben *have a screw loose (somewhere), have bats in the belfry, be a bit touched* **2.2** een fikse/gemene ~ *a hefty/nasty blow;* er vielen rake ~pen *the blows struck home/fell thick and fast;* rake ~pen uitdelen aan *rain blows upon;* een rake/gevoelige ~ *a telling/sharp blow* **2.3** een zware ~ toebrengen aan *deal (s.o.) a hard/heavy/nasty b.* **3.1** dat zal (me) een ~ geven *that will be a/some blow* **3.2** iem. een ~ geven *hit/slap s.o., deal s.o. a blow;* een kind ~pen geven *smack/slap/spank a child;* een lelijke ~ oplopen *take a bad rap/a nasty blow;* de eerste ~(pen) opvangen ⟨fig.⟩ *bear/get the brunt of s.o.'s anger/temper;* er kunnen wel eens ~pen vallen *it may/can come to blows;* een ~ verkopen/uitdelen *deliver/deal a blow,* ↓*whack/wallop (s.o.)* **3.3** een (lelijke/zware) ~ krijgen *receive/be dealt an ugly/a heavy b.* **6.1** met een ~ dichtslaan *slam (shut)* **6.2** een ~ in het gezicht ⟨ook fig.⟩ *a slap in the face, a kick in the teeth;* ⟨fig.⟩ in één ~ *at one go/stroke, in one fell swoop;* iem. een ~ om de oren geven *box s.o.'s ears;* iem. een ~ op zijn kop geven *hit s.o. on the head;* iem. een ~ op de schouder geven *slap s.o. on the back;* iem. een ~ op zijn achterste geven *smack s.o. on the bottom* **7.**¶ geen ~ uitvoeren *not do a stroke of work/lift a finger;* je hebt er geen ~ aan *it's no good/useless;* ik vind er geen ~ aan *it's no good (as far as I'm concerned), I don't like it one bit;* daar schiet je geen ~ mee op *that won't be worthy a rap to you, that won't do you any good to you;* dat kan me geen ~ schelen *I don't care a rap/fig/* ↓*give a damn/rap/* ᴬ*rip about that, I couldn't care less about that* ¶.**1** ⟨fig.⟩ de ~ op de vuurpijl *the grand final, the final flourish;* ⟨fig.⟩ als ~ op de vuurpijl *to crown/top it all.*

klap² ⟨tw.⟩ **0.1** *smack!* ⇒*bang!.*

klapband ⟨de (m.)⟩ **0.1** *blowout* ⇒*flat, flat/burst tyre* ᴬ*tire* ◆ **3.1** een ~ krijgen *get a flat.*

klapbank ⟨de⟩ **0.1** *folding seat/* ⟨in auto⟩ *reversible seat.*

klapbes ⟨de⟩ **0.1** [kruisbes] *gooseberry* ⇒⟨inf.⟩ *goosegog* **0.2** [vrucht v.d. sneeuwbes] *snowberry.*

klapbrug ⟨de⟩ **0.1** *drawbridge* ⇒⟨verticaal omhoog⟩ *lift bridge,* ⟨met tegenwicht⟩ *bascule bridge.*

klapbus ⟨de⟩ **0.1** *peashooter.*

klapdeksel ⟨het⟩ **0.1** *(hinged) lid.*

klapdeur ⟨de⟩ **0.1** [deur die vanzelf dichtslaat] *spring-loaded door* ⇒ *door with a spring* **0.2** [doordraaiende deur] *swing/swinging door* **0.3** [⟨mv.⟩ saloondeuren] *swing doors* ⇒*saloon/bar doors.*

klapekster ⟨de⟩ **0.1** [vogel] *great greyshrike* ⇒*butcherbird* **0.2** [persoon] *chatterbox* ⇒*gabber.*

klaphek ⟨het⟩ **0.1** [hek, dat door eigen gewicht dichtvalt] *swing gate* **0.2** [doordraaiend hek] *turnstile.*

klapkauwgom ⟨het⟩ **0.1** *bubble gum.*

klaplong ⟨de⟩ ⟨med.⟩ **0.1** *pneumothorax* ◆ **2.1** spontane ~ *spontaneous p..*

klaplopen ⟨ww.⟩ **0.1** *sponge (on/off)* ⇒*cadge, be on the cadge,* ⟨vnl. AE⟩ *mooch,* ᴬ ↓*freeload.*

klaploper ⟨de (m.)⟩, **-loopster** ⟨de (v.)⟩ **0.1** *sponger* ⇒*cadger,* ᴬ ↓*freeloader.*

klaploperij ⟨de (v.)⟩ **0.1** *sponging* ⇒*cadging,* ⟨vnl. AE⟩ *mooching,* ᴬ ↓*freeloading.*

klappen ⟨onov.ww.⟩ (→sprw. 610) **0.1** [klappend geluid maken met de handen] *clap* ⇒*applaud* **0.2** [uiteenspringen, ontploffen] *bang* ⇒*pop* **0.3** [klappend geluid geven/maken] *bang* ⇒*slam* ⟨ihb. deur⟩, *flap, clap* ⟨vleugels⟩ **0.4** [klikken] *split (on)* ⇒*blab, spill the beans, let the cat out of the bag* **0.5** [mbt. vogels] *talk* ⇒*parrot, mimic* **0.6** [druk babbelen] *gab* ⇒*chatter, tattle, babble* ◆ **1.2** de voorband is geklapt *the front tyre has blown out/burst* **1.3** het zeil klapt *the sail snaps;* het ~ v.d. zweep kennen *know the ropes/the tricks of the trade, be well up, have been through the mill* **5.1** er werd bijna niet/lang geklapt *there was hardly any/a long applause* **6.1** voor iem. ~ *clap for/applaud s.o., give s.o. a hand* **6.2** uit elkaar ~ *burst, explode* **6.3** in de handen ~ *clap (one's hands);* met een zweep ~ *crack a whip;* met de hakken

tegen elkaar ~ *click/clack one's heels together* ¶.**2** in elkaar ~ *collapse* ⟨ook fig.⟩; ⟨fig.⟩ *crock/crack up* ¶.**4** uit de school ~ *spill the beans, blow the whistle/tell tales (on s.o.), blow the lid.*

klapper ⟨de (m.)⟩ (→sprw. 347) **0.1** [register] *index* ⇒*file, register* **0.2** [ringband] *folder* ⇒*file* **0.3** [kokosnoot] *coconut* **0.4** [kokospalm] *coconut tree/palm* **0.5** [⟨taal.⟩] *plosive (consonant)* **0.6** [iets dat ontploft] *cracker* ⇒⟨speelgoed⟩ *banger,* ⟨vuurwerk⟩ *squib* **0.7** [uitschieter] *smasher* ⇒*wow* ⟨AE; inf.⟩, *hit, topper* **0.8** [⟨film⟩] *clapper board* ◆ **3.7** een (financiële) ~ maken *hit the jackpot;* ergens een ~ mee maken *score a hit with sth.* **6.2** iets in een ~ opbergen *put sth. in a folder, file sth..*

klapperboom ⟨de (m.)⟩ **0.1** *coconut tree/palm.*

klapperen ⟨onov.ww.⟩ **0.1** [mbt. geluid] *flap* ⇒*chatter* ⟨tanden⟩, *bang, rattle* **0.2** [mbt. beweging] *flap* ⇒*flutter* ◆ **1.1** wat klappert de deur toch *how the door bangs;* het zeil klappert *the sail flaps/shivers* **6.2** ⟨fig.⟩ ik stond wel even met mijn oren te ~ *I couldn't believe my ears/ what I was hearing,* ≠*my eyes were popping out of my head.*

klappermelk ⟨de⟩ **0.1** *coconut milk.*

klapperolie ⟨de⟩ **0.1** *coconut oil.*

klapperpistool ⟨het⟩ **0.1** *cap pistol/gun.*

klappertanden ⟨onov.ww.⟩ **0.1** ≠*shiver* ◆ **3.1** hij stond te ~ *his teeth were chattering;* ~d toekijken *look on with teeth chattering/* ⟨inf.⟩ *all of a shiver* **6.1** ~ van de kou *s. with cold.*

klappertje ⟨het⟩ **0.1** *cap.*

klapraam ⟨het⟩ **0.1** *cantilever window.*

klaproos ⟨de⟩ **0.1** *poppy.*

klaproosdag ⟨de (m.)⟩ **0.1** *Poppy Day.*

klapsigaar ⟨de⟩ **0.1** *explosive/trick cigar.*

klapstoel ⟨de (m.)⟩ **0.1** *folding chair* ⇒*tip-up seat, theatre seat* ⟨in theater/bioscoop⟩.

klapstuk ⟨het⟩ **0.1** [stuk rundvlees] *rib of beef* **0.2** [hoogtepunt] *highlight* ⇒*crowning touch* ◆ **6.1** hutspot met ~ *hotchpotch/stew with rib of beef.*

klaptafel ⟨de⟩ **0.1** [mbt. de poten] *folding table* **0.2** [mbt. het blad] *drop-leaf table* ⇒⟨AE ook⟩ *flap table,* ⟨hangoortafel⟩ *gate-leg(ged) table, butterfly table* **0.3** [die men tegen een wand aan kan klappen] *drop-leaf table.*

klapwieken ⟨onov.ww.⟩ **0.1** [met vleugels kleppen/slaan] *flap (one's/its wings)* ⇒*flutter,* ᴬ*flop* **0.2** [zich zo voortbewegen] *flap* ⇒*flutter* **0.3** [⟨fig.⟩] *flap* ⇒*flop, whirr, flutter.*

klapzitting ⟨de (v.)⟩ **0.1** *tip-up seat.*

klapzoen ⟨de (m.)⟩ **0.1** *smacking kiss* ⇒*smacker, smack,* ⟨AE ook⟩ *buss.*

klare ⟨de (m.)⟩ **0.1** [klare jenever] *jenever* ⇒*Dutch gin,* ⟨vero.⟩ *Hollands* **0.2** [glas klare jenever] *a (glass of) jenever/Dutch gin/Hollands* ◆ **2.1** een glaasje oude/jonge ~ *a glass of old/young j..*

klaren
I ⟨onov.ww.⟩ **0.1** [licht/helder worden] *clear (up)* ⇒*brighten, lighten,* ⟨dag worden⟩ *dawn;*
II ⟨ov.ww.⟩ **0.1** [in orde maken] *settle* ⇒*manage* **0.2** [zuiveren] *clarify* ⇒*purify, clear, fine down* ⟨bier⟩ ◆ **1.1** een schip ~ *clear a ship* **1.2** drinkwater ~ *clarify/purify drinking water;* wijn ~ *clear/decant wine* **3.1** kan hij dat alleen ~? *can he manage that alone?.*

klarinet ⟨de⟩ **0.1** [blaasinstrument] *clarinet* **0.2** [orgelregister] *clarinet.*

klarinettist ⟨de (m.)⟩ **0.1** *clarinettist* ᴬ*etist.*

klaring ⟨de (v.)⟩ **0.1** *clearance.*

klaringsvaartuig ⟨het⟩ **0.1** *customs vessel.*

klaroen ⟨de⟩ **0.1** *clarion* ◆ **3.1** ⟨schr.⟩ de ~ steken ⟨ongemarkeerd⟩ *blow/sound the c., give a c. call.*

klaroengeschal ⟨het⟩ ⟨schr.⟩ **0.1** *clarion call.*

klaroenstoot ⟨de (m.)⟩ **0.1** *clarion call/blast.*

klas ⟨de (v.)⟩ **0.1** [leslokaal] *classroom* **0.2** [leerlingen] *class* **0.3** [leerjaar] ᴮ*form,* ᴬ*grade* ⇒⟨BE; lagere school⟩ *standard* **0.4** [afdeling met verschil in prijs en comfort] *class* **0.5** [rang, stand] *class* ⇒*grade,* ⟨sport⟩ *league, division* **0.6** [kwaliteit] *class* ⇒*grade, calibre, rate* ◆ **1.2** de beste/eerste van de ~ zijn *be (at the) top of the c.;* de laatste van de ~ zijn *be bottom of the c.;* een schoolkinderen *a c. of schoolchildren* **2.3** lagere/hogere ~sen *junior/senior forms* **3.1** de ~ uitgestuurd worden *be sent out of the (class)room* **3.3** alle ~sen doorlopen *pass through all the forms/standards/grades;* een ~ overslaan *skip one* ᴮ*f.* / ᴬ*g.* **6.2** bij iem. in de ~ zitten *be in s.o.'s c., be in the same c. as s.o.;* leerling uit de tweede ~ *second-former/grader;* ⟨fig.⟩ voor de ~ staan *teach* **6.4** op ~ liggen ≠*be in a private ward/*ᴬ*private room* **6.5** ⟨sport⟩ in de tweede ~ spelen *play in the second/* ⟨BE; voetbal⟩ *third division/league;* in ~sen verdelen *classify, group/divide into classes;* ⟨sport⟩ naar een lagere ~ overgaan *be relegated to a lower division/league* **7.3** in de vierde ~ zitten *be in the fourth f. / g.* **7.4** een kaartje eerste ~ *a first-class ticket;* tweede ~ reizen *travel second c.;* ⟨AE; luchtv.⟩ *travel coach (c.)* **7.5** sergeant eerste ~ *sergeant first c.;* ambtenaar eerste ~ *grade I civil servant* **7.6** eerste ~ aardappels *top-quality/grade potatoes;* alles eerste ~ ! *all top quality!;* tweede ~ *second-class/-rate,* ⟨BE; inf.⟩ *second-chop.*

klasgenoot ⟨de (m.)⟩, **-note** ⟨de (v.)⟩ **0.1** *classmate.*

641

klaslokaal ⟨het⟩ **0.1** *classroom* ⇒*schoolroom.*

klasse ⟨de (v.)⟩ **0.1** [groepering v.d. bevolking] *class* **0.2** [categorie] *class* ⇒*grade, league* **0.3** [hoog niveau] *class* **0.4** [⟨biol.⟩] *class* **0.5** [⟨statistiek⟩] *class* ♦ **1.2** ⟨taal.⟩ de ~ v.d. sterke werkwoorden *the c. of the strong verbs* **1.4** de ~ v.d. zoogdieren *the mammalian c., the c. of mammalians* **1.¶** ⟨wisk.⟩ de ~ v.e. vlakke kromme *the class of a plane curve* **2.1** de laagste/lagere ~n *the underclasses/lower classes* **2.2** een ~ beter zijn/spelen dan *outclass, be a c./notch/cut above* **2.3** ⟨inf.⟩ dat is grote ~! *that's first-rate!* **3.1** de bezittende/werkende ~ *the propertied/working classes* **3.3** ~ hebben *have (a touch of) c.* **6.2** in een ~ vallen *belong to a c.* **6.3** van ~ *top-class, big-league, classy.*

klasseavond ⟨de (m.)⟩ **0.1** *class party.*

klas(se)bak ⟨de (m.)⟩ **0.1** ⟨inf.⟩ *great wheels.*

klassebewust ⟨bn.⟩ **0.1** *class-conscious.*

klassebewustzijn ⟨het⟩ **0.1** *class-consciousness* ⇒*class feeling.*

klasseboek ⟨het⟩ **0.1** *class/form book/register,* ^A*roll book.*

klassebreedte ⟨de (m.)⟩ ⟨statistiek⟩ **0.1** *class interval.*

klassedeler ⟨de (m.)⟩ **0.1** *minimum pupil-teacher ratio.*

klassedictatuur ⟨de (v.)⟩ **0.1** *class rule.*

klassegeest ⟨de (m.)⟩ **0.1** *class feeling/spirit/consciousness* ⇒*caste feeling.*

klassegenoot ⟨de (m.)⟩ **0.1** *fellow class member.*

klassegrens ⟨de⟩ ⟨statistiek⟩ **0.1** *class boundary.*

klassejustitie ⟨de (v.)⟩ **0.1** *class justice* ♦ **1.1** een ernstige vorm van ~ *a serious form/instance of c. j.* **2.1** dat is je reinste ~ *that is pure/sheer c. j..*

klasseleraar ⟨de (m.)⟩, **-lerares** ⟨de (v.)⟩ **0.1** *form/class tutor* ⟨m.,v.⟩/ *master* ⟨m.⟩/*mistress* ⟨v.⟩.

klassement ⟨het⟩ **0.1** *list of rankings/ratings* ⇒⟨sport⟩ *league table* ♦ **2.1** het algemeen ~ *the overall list (of rankings)/score* **6.1** hij staat **bovenaan (in)** het ~ *he is (at the) top of the list/league (table).*

klassemidden ⟨het⟩ ⟨statistiek⟩ **0.1** *midmark (of a class).*

klassenhaat ⟨de (m.)⟩ **0.1** *class hatred.*

klassenindeling ⟨de (v.)⟩ **0.1** *classification* ⇒*grouping, categorization,* ⟨BE; middelbare school⟩ *streaming.*

klassenloos ⟨bn.⟩ **0.1** *classless* ♦ **1.1** de klassenloze maatschappij *the c. society.*

klassenmaatschappij ⟨de (v.)⟩ **0.1** *class society.*

klassenscheiding ⟨de (v.)⟩ **0.1** *class division* ⇒*division into classes.*

klassenstelsel ⟨het⟩ **0.1** *class system.*

klassenstrijd ⟨de (m.)⟩ **0.1** *class struggle* ⇒*class war(fare).*

klassentegenstelling ⟨de (v.)⟩ **0.1** *class difference* ♦ **3.1** de ~en verscherpen *the class differences are intensifying.*

klasseonderscheid ⟨het⟩ **0.1** *class distinction(s)* ⇒*distinction in class, class difference(s).*

klasseonderwijzer ⟨de (m.)⟩ **0.1** *class/form teacher/tutor.*

klassepatiënt ⟨de (m.)⟩, **-e** ⟨de (v.)⟩ **0.1** *patient with a private room* ⇒ ≠^B*private patient.*

klasseren
 I ⟨ov.ww.⟩ **0.1** [in een klasse onderbrengen] *classify* ⇒*divide, sort* **0.2** [geordend opbergen] *classify* ⇒*categorize, file;*
 II ⟨wk.ww.; zich ~⟩ **0.1** [⟨sport⟩] *qualify* ⇒*rank* ♦ **6.1** zich ~ **voor** de finale *q. for the final(s)* **9.1** zich als eerste ~ *rank/come first.*

klassering ⟨de (v.)⟩ **0.1** *classification* ⇒⟨in rang⟩ *placing* ♦ **2.1** een hogere ~ zit er niet in *there's no chance of a higher placing.*

klasseverschil ⟨het⟩ **0.1** *class difference* ♦ **¶.1** het ~ in stand houden *maintain the c. d..*

klassevertegenwoordiger ⟨de (m.)⟩, **-ster** ⟨de (v.)⟩ **0.1** [mbt. een sociale klasse] *class representative* **0.2** [(school)] *class/form representative/ spokesman/captain.*

klassevoetballer ⟨de (m.)⟩ **0.1** *a top-/first-class/-rate footballer/* ⟨BE ook; AE vnl.⟩ *soccer player.*

klassevooroordeel ⟨het⟩ **0.1** *class prejudice.*

klassewagen ⟨de (m.)⟩ **0.1** *super car.*

klassewerk ⟨het⟩ **0.1** *super/brilliant/splendid work.*

klassiek
 I ⟨bn.⟩ **0.1** [mbt. de Griekse/Romeinse Oudheid] *classical* **0.2** [voorbeeldig in zijn soort] *classic* ♦ **1.1** ~ Latijn *c. Latin;* de ~e letteren *c. studies/literature; classics* ⟨studie⟩; de ~e oudheid *c. antiquity* **1.2** een ~ voorbeeld *a c. example/instance* **3.2** die film/dat boek is nu ~ *that film/book is now a classic/has become a classic;*
 II ⟨bn., bw.; -ly⟩ **0.1** [(als) van vroeger] *classic(al)* ⇒*traditional, standard, conventional* ♦ **1.1** een ~ begin *a standard opener;* ~ toespraak, gesprek, voorstelling; de ~e bewapening *conventional arms;* een ~ kostuum *a classic suit;* de ~e mechanica *classical mechanics;* ~e meubelen *period furniture;* een fiets van ~ model *a classic/standard/ model bicycle;* ~e muziek *classical music;* het ~e repertoire *legitimate drama* **3.1** een probleem ~ oplossen *solve a problem in a/the traditional way.*

klassieken ⟨zn.mv.⟩ **0.1** [kunstenaars/schrijvers v.d. oudheid] *classics* **0.2** [schrijvers/kunstenaars uit een bloeiperiode] *classics* ♦ **1.1** een leraar ~ *a teacher of (the) c..*

klassieker ⟨de (m.)⟩ **0.1** [lied, boek enz.] *classic* **0.2** [⟨sport⟩] *classic.*

klassikaal ⟨bn., bw.⟩ **0.1** ⟨attr.⟩ *class* ⇒⟨attr.⟩ *group* ♦ **1.1** een klassikale bespreking *a c. discussion;* voor ~ gebruik *for c. use;* ~ onderwijs *c./group teaching* **3.1** iets ~ behandelen *deal with sth. at c. level.*

klateren ⟨onov.ww.⟩ **0.1** *splash* ⟨water⟩ ⇒*gurgle* ⟨bv. stroom⟩, *splatter* ♦ **1.1** een ~de fontein *a splashing fountain;* ⟨fig.⟩ een ~de lach *a loud laugh;* ⟨fig.⟩ ~d zonlicht *dancing sunlight.*

klatergoud ⟨het⟩ **0.1** [vals bladgoud] *Dutch metal/leaf/gold* ⇒*gilt, tinsel, pinchbeck* **0.2** [⟨fig.⟩] *tinsel* ⇒*gilt, pinchbeck* ♦ **6.1** lovertjes van ~ *gilt spangles/sequins* **¶.2** niets dan ~ *only sham.*

klats ⟨tw.⟩ **0.1** *smack! ⇒crack!, bang!* ♦ **¶.1** klits! ~! *slish! slash!, swish! crack!.*

klauter ⟨de (m.)⟩ **0.1** *clamber* ⇒*scramble, climb.*

klauteraar ⟨de (m.)⟩ **0.1** *clamberer* ⇒*climber.*

klauteren ⟨onov.ww.⟩ **0.1** *clamber* ⇒*scramble, climb,* ⟨met gemak⟩ *shin* ♦ **6.1** in een boom ~ *climb a tree;* over banken heen ~ *clamber over seats;* over een muur ~ *clamber over a wall.*

klauw ⟨de⟩ **0.1** [nagel van roofdieren] *claw* ⇒⟨roofvogel⟩ *talon* **0.2** [poot van een roofdier] *paw* ⇒*claw* **0.3** [hand van een mens] *claw* ⇒ *paw,* ⟨vnl. mv.⟩ *clutch* **0.4** [hoef van een hoefdier] *claw* **0.5** [krab, slag met een klauw] *claw* **0.6** [mbt. zaken] ⟨bv. hamer⟩ *claw* ♦ **3.5** een ~ van de kat krijgen *get a c. from/be clawed by the cat* **6.3** iem. in zijn ~en hebben/krijgen *have s.o. in one's clutches;* in iemands ~en vallen *fall into s.o.'s clutches;* blijf **met** je ~en van mijn auto af *keep your hands/paws off my car;* iem. redden **uit** de ~en van (de dood) *rescue s.o. from the jaws of death;* **uit** de ~ gieren/lopen *get out of hand/control, go too far/overboard.*

klauwanker ⟨de (m.)⟩ **0.1** *clutch anchor.*

klauwen
 I ⟨onov.ww.⟩ **0.1** [de klauwen uitslaan] *claw* **0.2** [met korte streken schaatsen] ⟨zie 6.2⟩ **0.3** [met de klauw als instrument werken] *claw* ♦ **6.2** over het ijs ~ ≠*use a short, catlike gliding stride,* ≠*use short-track stroking;*
 II ⟨ov.ww.⟩ **0.1** [stelen] *pinch* ⇒*knock off, nick* **0.2** [krabben] *claw.*

klauweolie ⟨de⟩ **0.1** *neat's-foot oil.*

klauwhamer ⟨de (m.)⟩ **0.1** *claw hammer.*

klauwhand ⟨de⟩ **0.1** *claw hand.*

klauwier ⟨de (m.)⟩ **0.1** [haakvormig voorwerp] *hook* **0.2** [⟨plantk.⟩] *tendril* **0.3** [roofvogel] *shrike* ♦ **2.3** blauwe ~ *butcherbird;* grauwe ~ *redbacked s..*

klauwijzer ⟨het⟩ **0.1** [bevestigingsijzer] *clamp* **0.2** [hoefijzer] *horseshoe.*

klauwplaat ⟨de⟩ **0.1** *chuck.*

klauwstuk ⟨het⟩ **0.1** *stone scroll.*

klauwvormig ⟨bn.⟩ **0.1** *claw-shaped.*

klauwzeer ⟨het⟩ ⟨med.⟩ **0.1** *foot rot* ♦ **1.1** mond- en ~ *foot-and-mouth (disease).*

klavechord(ium) ⟨het⟩ **0.1** *clavichord.*

klavecimbel ⟨het, de (m.)⟩ **0.1** *harpsichord* ⇒*clavicymbal.*

klavecimbelspeler ⟨de (m.)⟩ **0.1** *harpsichordist, harpsichord player.*

klaver ⟨de⟩ **0.1** [plantengeslacht] *clover* ⇒*trifolium* **0.2** [hierop lijkende gewassen] *trefoil* ⇒*wood sorrel* **0.3** [⟨kaartspel⟩] *club* ♦ **2.1** rode/ witte ~ *hop/red/white c.* **3.3** geen ~ hebben *have no clubs.*

klaveraas ⟨het, de (m.)⟩ ⟨kaartspel⟩ **0.1** *ace of clubs.*

klaverachtigen ⟨zn.mv.⟩ **0.1** *wood sorrel family.*

klaverblad ⟨het⟩ **0.1** [blad van een klaverplant] *cloverleaf* **0.2** [⟨verkeer⟩] *cloverleaf* **0.3** [⟨kaartspel⟩] *club* ♦ **1.2** het ~ Oudenrijn *the c. at Oudenrijn.*

klaverbladvormig ⟨bn.⟩ **0.1** *trefoiled* ⇒*cloverleaf.*

klaverbloem ⟨de⟩ **0.1** *clover-head.*

klaverbouw ⟨de (m.)⟩ **0.1** *clover cultivation/growing.*

klaveren ⟨de⟩ **0.1** *clubs* ♦ **2.1** ~ troef maken *make c. trumps* **3.1** ~ bekennen *follow/play c.;* ~ uitspelen *lead c..*

klaverenaas →**klaveraas.**

klaverenboer ⟨de (m.)⟩ **0.1** *Jack/Knave of clubs.*

klaverenheer ⟨de (m.)⟩ **0.1** *King of clubs.*

klaverentien ⟨de⟩ **0.1** *ten of clubs.*

klaverenvrouw ⟨de (v.)⟩ **0.1** *Queen of clubs.*

klaverhoni(n)g ⟨de (m.)⟩ **0.1** *clover honey.*

klaverjasclub ⟨de (m.)⟩ **0.1** *(klaber)jass club.*

klaverjassen ⟨onov.ww.⟩ **0.1** *play (Klaber)jass.*

klaverjasser ⟨de (m.)⟩ **0.1** *one who plays (Klaber)jass.*

klaverkaart ⟨de⟩ ⟨kaartspel⟩ **0.1** [speelkaart] *club* **0.2** [⟨verz.n.⟩] alle kaarten van klaver die een speler heeft *hand in clubs* ⇒*club hand.*

klavertijd ⟨de (m.)⟩ **0.1** *clover season.*

klavertjevier ⟨het⟩ **0.1** *four-leaf clover.*

klaverveld ⟨het⟩ **0.1** *field of clover* ⇒*clover-field.*

klaverwei(de) ⟨de⟩ **0.1** *clover meadow/pasture.*

klaverzuring ⟨de⟩ **0.1** *oxalis* ⇒ ⟨wit⟩ *wood sorrel* ⟨o. acetosella⟩, ⟨gehoornd⟩ *procumbent yellow sorrel* ⟨o. corniculata⟩.

klavichordium →**klavechordium.**

klavier
 I ⟨het⟩ **0.1** [toetsenbord] *keyboard* ⇒*fingerboard, clavier* **0.2** [piano, vleugel] *piano(forte);*
 II ⟨zn.mv.⟩ ⟨inf.⟩ **0.1** [hand, klauw] *paw* ⇒*claw, hand* ♦ **6.1** blijf er **met** je ~en af *keep your hands off it/to yourself.*

klavierconcert ⟨het⟩ **0.1** *piano concert.*
klavierinstrument ⟨het⟩ **0.1** *keyboard instrument.*
klavierslot ⟨het⟩ **0.1** *tumbler lock.*
klavierspel ⟨het⟩ **0.1** *piano playing.*
klavierspeler ⟨de (m.)⟩, **-speelster** ⟨de (v.)⟩ **0.1** *pianist* ⇒*piano player.*
kledder[1] ⟨de (m.)⟩ **0.1** *spatter* ⇒*splash, blob, clot* ◆ **1.1** een ~ modder *a mud spatter;* een ~ water *a splash of water.*
kledder[2] ⟨bn.⟩ **0.1** *soaking* ⇒*sopping, drenched.*
kledder[3] ⟨tw.⟩ **0.1** *splash!* ◆ **¶.1** pats! ~ ! *splish! splash!, plop! plop!.*
kledderen ⟨onov.ww.⟩ **0.1** [met een natte slag op/tegen iets aan komen] *splash* ⇒*slop, spatter* **0.2** [kliederen] *slop* ⇒*mess, splash.*
kleddernat ⟨bn.⟩ ⟨inf.⟩ **0.1** *soaking (wet)* ⇒*sopping (wet), drenched (to the skin).*
kleden
I ⟨onov.ww.⟩ **0.1** [goed staan] *dress* ◆ **1.1** zo'n rok kleedt dadelijk *you're dressed at once in a skirt like that;*
II ⟨ov.ww.⟩ **0.1** [aankleden] *dress* ⇒*clothe* **0.2** [verwoorden, weergeven] *clothe* **0.3** [(van kledingstukken) een bepaald effekt hebben] *suit* ⇒*become, flatter* ◆ **1.1** die couturier kleedt de koningin al jaren *that designer has been dressing the queen for years* **1.3** dat pakje kleedt Sophia goed *that suit suits / becomes Sophia well* **3.1** ⟨pregn.⟩ zich weten te ~ *know how to d., have a good dress sense* **4.1** zich ~ *dress (o.s.), get dressed;* zich degelijk / modern ~ *d. conservatively / fashionably;* zich ~ voor het diner *d. for dinner* **5.1** de best geklede vrouw *the best dressed woman;* zij gaat altijd uitstekend gekleed *she's always beautifully / very smartly dressed;* zich vrouwelijk / mannelijk ~ *have a feminine / masculine style of dressing* **6.1** in het wit gekleed gaan *wear white.*
klederdracht ⟨de⟩ **0.1** *(traditional / national) costume / dress / attire* ◆ **2.1** historische ~en *period / historical costumes* **6.1** oude mensen in ~ *old people in traditional costume.*
klederpracht ⟨de⟩ **0.1** *gorgeous attire* ⇒*array (of clothes).*
kledij ⟨de (v.)⟩ **0.1** [wijze van gekleed te gaan] *attire* ⇒*garb, dress, costume* **0.2** [kleren] *attire* ⇒*clothing, clothes, garb,* ^*apparel.*
kleding ⟨de (v.)⟩ **0.1** [het kleden, be-/omkleden, inkleding] *dressing* ⇒*clothing* **0.2** [kleren] *clothing* ⇒*clothes, attire, garb,* ^*apparel* ◆ **2.2** gepaste ~ *suitable / fitting attire;* nette ~ *neat / smart clothing;* sportieve ~ *casual wear, informal clothes;* vrije ~ hebben *have free uniform* **3.2** gedragen ~ *second hand clothes;* gemakkelijk zittende ~ *casual wear, leisure wear* **6.2** ~ naar maat *clothing) made to measure.*
kledingbedrijf ⟨het⟩ **0.1** *clothing firm / business / company.*
kledingmagazijn ⟨het⟩ **0.1** [mbt. militaire kleding] *clothing depot* **0.2** [kledingzaak] ⟨→**kledingzaak**⟩.
kledingstof ⟨de⟩ **0.1** *clothing material.*
kledingstoffen ⟨zn.mv.⟩ **0.1** *(clothing) fabrics / materials* ⇒⟨vnl. wol⟩ *(clothing) stuffs,* ⟨voor dameskleding ook⟩ *dress fabrics materials.*
kledingstuk ⟨het⟩ **0.1** *garment* ⇒*article of clothing.*
kledingtoelage ⟨de⟩ **0.1** *clothing / clothes / uniform allowance* ◆ **3.1** een ~ verstrekken *provide a clothes allowance.*
kledingverhuur ⟨de (m.)⟩ **0.1** *dress hire / rental.*
kledingzaak ⟨de⟩ **0.1** *clothes / dress shop /* ^*store* ⇒⟨dames⟩ *boutique,* ⟨AE ook; heren⟩ *haberdashery.*
kleed ⟨het⟩ **0.1** [tapijt, vloerkleed] *carpet, rug* ⇒⟨tafel⟩ *tablecloth,* ⟨algemeen⟩ *cloth* **0.2** [kledingstuk voor mannen] *robe, garment* **0.3** [⟨AZN⟩ jurk] *dress* ⇒*frock,* ⟨formeel⟩ *gown* ◆ **2.1** een kanten ~ *a lace doily / runner / cloth* **2.2** het geestelijk / priesterlijk ~ aantrekken ⟨ook fig.⟩ *the clerical garb / robes / vestments* **6.1** een ~ over de divan *a r. over the sofa.*
kleedcabine →**kleedhokje**.
kleedgeld ⟨het⟩ **0.1** *dress / clothing allowance.*
kleedhokje ⟨het⟩ **0.1** *changing / dressing cubicle* ⇒⟨sport, vnl. AE⟩ *locker room.*
kleedkamer ⟨de⟩ **0.1** [in het theater] *dressing room* **0.2** [⟨sport⟩] ^B*changing room,* ^A*changeroom* ^A*locker room* **0.3** [mbt. rechters] *robing room* ◆ **3.2** hij kon de ~ opzoeken *he was sent off* **6.2** een speler naar de ~ sturen *send a player off.*
kleedlokaal →**kleedkamer 0.2**.
kleedster ⟨de (v.)⟩ **0.1** *dresser* ⇒*tirewoman,* ⟨dressing⟩ *assistant.*
kleef ⟨bn.⟩ ⟨inf.⟩ **0.1** *sticky stuff* ⇒*goo.*
kleefband ⟨het, de (m.)⟩ **0.1** [plakband] *adhesive tape* ⇒⟨inf.⟩ *sticky tape,* ^A*sticking plaster* **0.2** [klitband] *adhesive tape.*
kleefdeeg ⟨het⟩ **0.1** [sluitingstof voor flessen e.d.] *lute* **0.2** [water en bloemmengsel] *paste used to seal a pâté dish.*
kleefkracht ⟨de⟩ **0.1** *adhesive strength.*
kleefkruid ⟨het⟩ **0.1** *cleavers* ⇒*catchweed, goose grass, beggar's lice.*
kleefmiddel ⟨het⟩ **0.1** *adhesive* ⇒*glue, agglutinant.*
kleefmijn ⟨de⟩ **0.1** *limpet mine.*
kleefpasta ⟨de (m.)⟩ **0.1** *adhesive paste.*
kleefpleister ⟨de⟩ **0.1** *(sticking) plaster.*
kleefspecie ⟨de (v.)⟩ **0.1** *tile cement.*
kleefstof ⟨het⟩ **0.1** *adhesive* ⇒*gluten,* ⟨lijm⟩ *glue, gum.*
kleerborstel ⟨de (m.)⟩ **0.1** *clothes brush.*
kleerhaak ⟨de (m.)⟩ **0.1** *clothes hook* ⇒*coat hook.*

kleerhanger ⟨de (m.)⟩ **0.1** [knaapje] *coat hanger* ⇒*clothes hanger, peg* **0.2** [kapstok] *hat stand* ⇒*coat stand.*
kleerkast ⟨de⟩ **0.1** [bergplaats] *wardrobe,* ^A*closet* **0.2** [gespierd persoon] *giant* ⇒*barrel-chested man,* ⟨vrouw⟩ *Amazon.*
kleerkist ⟨de⟩ **0.1** *clothes chest.*
kleerkoffer ⟨de (m.)⟩ **0.1** *wardrobe trunk.*
kleerkoper ⟨de (m.)⟩, **-koopster** ⟨de (v.)⟩ **0.1** *old-clothes dealer / man* ⟨m.⟩ / *woman* ⟨v.⟩.
kleermaker ⟨de (m.)⟩ **0.1** [tailleur] *tailor* ⇒*outfitter, clothier,* ⟨mbt. dameskleding⟩ *dressmaker* **0.2** [iem. die een kleermakerszaak heeft] *tailor* ⇒*draper, outfitter, clothier.*
kleermakerij ⟨de (v.)⟩ **0.1** [handeling] *tailoring* ⇒*dressmaking* **0.2** [bedrijf, atelier] *tailor's / clothing firm / business.*
kleermakersbedrijf ⟨het⟩ **0.1** *tailoring firm / business / establishment* ⇒ *tailoring (trade).*
kleermakersfournituren ⟨zn.mv.⟩ **0.1** *tailor's requisites / trimmings.*
kleermakerskrijt ⟨het⟩ **0.1** *tailor's chalk* ⇒*French / Venetian chalk.*
kleermakersspier ⟨de⟩ **0.1** *sartorius* ⇒*tailor('s) muscle.*
kleermakersvak ⟨het⟩ **0.1** ⟨vnl. mbt. herenkleding⟩ *tailoring, tailor's trade;* ⟨mbt. dameskleding⟩ *dressmaking, dressmaker's trade.*
kleermakerszit ⟨de⟩ **0.1** ⟨zie 6.1⟩ ◆ **6.1** in ~ zitten *sit cross-legged.*
kleerscheuren ⟨zn.mv.⟩ ◆ **6.¶** er zonder ~ afkomen ⟨financieel ook⟩ *get off / away / escape unscathed / unhurt;* ⟨zonder straf⟩ *get off scot free;* het begin **zonder** ~ doorkomen *get through the beginning in one piece.*
kleertjes ⟨zn.mv.⟩ **0.1** *(baby)clothes* ⇒*(dolls) clothes.*
klef ⟨bn.⟩ **0.1** [kleverig, plakkend] *sticky* ⇒*gooey,* ⟨brood⟩ *doughy, sad* **0.2** [klam] *sticky* ⇒*clammy, soggy* **0.3** [bekrompen] *sticky* ⇒*clammy* **0.4** [hinderlijk aanhalig] *clinging* ◆ **1.3** een ~fe bedoening *a s. business;* ~fe burgerlijkheid *clammy bourgeoisie.*
klefferig ⟨bn.⟩ **0.1** *sticky(ish)* ⇒*gooey, soggy,* ⟨nat⟩ *clammy.*
klei ⟨de⟩ **0.1** [organische grond] *clay* **0.2** [bodem] *clay soil* ⇒*clay* **0.3** [streek] *clay* ⇒*clay region / area* ◆ **2.1** blauwe ~ *blue c.,* ⟨in Midlands ook⟩ *Oxford c.;* korte ~ *short c.;* lange ~ *plastic clay;* Limburgse ~ *loess;* magere / lichte ~ *light c.;* vette / zware ~ *rich / heavy c.* **2.3** de Friese ~ *the Friesian c.* **6.1** in ~ werken *work c.;* ~ om te boetseren *modelling c.;* ⟨fig.⟩ uit de ~ getrokken zijn *be from the bog, have a lot of rough edges.*
kleiaardappel ⟨de (m.)⟩ **0.1** *dark soil / claysoil potato.*
kleiaarde ⟨de⟩ **0.1** *clay(ey) soil.*
kleiachtig ⟨bn.⟩ **0.1** [op klei lijkend] *clayey* ⇒*clayish* **0.2** [klei bevattend] *clayey* ⇒*clayish, argillaceous,* ⟨leemachtig⟩ *loamy* ◆ **1.2** ~e grond / laag *clayey / argillaceous soil / stratum.*
kleiboer ⟨de (m.)⟩ **0.1** *claysoil farmer.*
kleiduif ⟨de⟩ **0.1** *claysoil pigeon.*
kleiduivenschieten ⟨onov.ww.⟩ **0.1** *skeet(-shooting)* ⇒*clay-pigeon shooting, trapshooting.*
kleien[1] ⟨bn.⟩ **0.1** *clay.*
kleien[2] ⟨onov., ov.ww.⟩ **0.1** *work clay.*
kleigebied ⟨het⟩ **0.1** *clay area.*
kleigrond ⟨de (m.)⟩ **0.1** [grondsoort] *clay(ey) soil* **0.2** [stuk grond] *clay ground* ◆ **2.1** lichte / zware ~ *light / heavy c. s..*
kleihoudend ⟨bn.⟩ **0.1** *clayey, clayish* ⇒*argillaceous.*
kleiig ⟨bn.⟩ **0.1** [het voorkomen / de aard van klei hebbend] *clayey* ⇒ *clayish* **0.2** [klei bevattend] *clayey* ⇒*clayish, argillaceous.*
klei-industrie ⟨de (v.)⟩ **0.1** *clay industry.*
kleilaag ⟨de⟩ **0.1** *clay layer / stratum.*
kleimasker ⟨het⟩ **0.1** *mud pack.*
kleimolen ⟨de (m.)⟩ **0.1** *pug / clay mill.*
klein[1] ⟨het⟩ ⟨→sprw. 123⟩ **0.1** [wat niet groot is] *small* **0.2** [kinderen] *small* **0.3** [de gewone man] *small* ◆ **1.2** ~ en groot *so op de been all sorts of people / large and s. were about* **1.3** geëerd door ~ en groot *honoured / revered by great and s.* **6.1** Madurodam is Nederland in het ~ *Madurodam is Holland in miniature;* in het ~ verkopen *retail, sell (by) retail;* de wereld in het ~ *the world in a nutshell / in miniature;* in het ~ beginnen *begin / start in a small way / on a small scale / from small beginnings;* een Marilyn Monroe in het ~ *a mini Marilyn Monroe.*
klein[2] ⟨→sprw. 81,88,349,357,384,469,481,504,505,605,606,647⟩
I ⟨bn.⟩ **0.1** [van minder dan gemiddelde afmeting] *small* ⇒⟨met emotionele ondertoon⟩ *little* **0.2** [jong] *little* ⇒*young, small* **0.3** [gering in aantal / hoeveelheid] *small* ⇒*slight* **0.4** [minder in waarde / stand] *small* ⇒*minor, little* **0.5** [niet voornaam / groots] *small* ⇒*petty* **0.6** [niet helemaal] *little* **0.7** [bang, bekrompen] *small* ⇒*petty, small-minded* ◆ **1.1** een ~ eindje *a short distance / little way;* een ongeluk zit in een ~ hoekje *accidents will happen, accidents easily happen;* er is een ~ kansje dat het lukt *there is a s. chance that it will succeed;* ~ kapitaal *s. capital;* een kop ~er dan ... *a head shorter than ...;* iem. een kopje ~er maken *behead s.o.;* ~e letters *s. letters;* ⟨tgov. hoofdletters⟩ *lower case;* ~e lettertjes *s. print;* te ~e schoenen *tight shoes, shoes that are too s.;* ~e stappen nemen *take short steps;* in ~e stukjes snijden *cut fine / s. / into s. pieces;* de ~e teen *the little toe;* de ~e wijzer v.e. uurwerk *the hour- / little hand of a clock;* ~ wild *ground game* **1.2** ~e kinderen worden groot *young children grow into men and*

woman, the children are growing up **1.3** een ~ bedrag/gezelschap *a small amount/party;* een ~ beetje *a little bit* **1.4** de ~e man *the s./little man, the man in the street;* ~e dieven *s./petty thieves;* een ~e eter *a.s. /poor eater;* de ~e middenstanders *the s. shopkeepers/retailers;* de ~e profeten *the minor prophets;* de ~e spaarders *the s. savers;* een ~ verstand *a s./narrow intellect;* ⟨inf.⟩ *pea-brained* **1.5** een ~e boodschap ⟨inf.⟩ *a pee;* ⟨mil.⟩ ~ tenue *undress (uniform);* de ~e vaart *home trade;* ⟨fig.⟩ op ~e voet leven *live on a modest/small scale* **1.7** met een ~ stemmetje *in a timid/small voice* **2.1** hij is ~ gebouwd *he is short in stature* **3.1** ~ blijven *be dwarfed, remain s.;* ⟨fig.⟩ iem. ~ houden *keep s.o. down/under/in his place;* het vliegtuig maakt afstanden ~er *the aeroplane makes distances shorter;* ⟨fig.⟩ zich ~ voelen *feel s./dwarfed;* ⟨fig.⟩ ~ worden *shrink* **3.4** hebt u het niet ~er? *have you got /do you have nothing smaller?* **4.1** iets ~s *something s., a midget* **5.1** die broek is hem te ~ *those trousers are too s./tight for him;* uiterst ~ *minute, tiny, diminutive* **5.2** daar is hij nog te ~ voor *he is still too young for that* **6.1** ~ van stuk *of s. stature/build;* zij is ~ voor haar leeftijd *she is s. for her age* **6.7** ~ van geest *petty, narrow-minded, small-minded* **7.2** Daniël is de ~ste, dan komt Astrid *the smallest is Daniel, and the next is Astrid* **7.6** een ~e drie kilometer *close on three kilometres* **8.1** ~ maar dapper *s. but tough/game;* ~ maar rein *s. but select;* ~ maar fijn *good things come in s. packages;*
II ⟨bw.⟩ **0.1** [op kleine wijze] *small* **0.2** [op gemene wijze] *small* ◆ **3.1** ~er gaan wonen *move into a smaller house/flat;* ~ schrijven *write s.* **3.2** dat was ~ gehandeld *that was a mean act.*

kleinachten ⟨ov.ww.⟩ **0.1** *disparage* ⇒*slight.*
Klein-Azië ⟨het⟩ **0.1** *Asia Minor.*
kleinbedrijf ⟨het⟩ ⟨collectief⟩ **0.1** *small(-scale) business.*
kleinbeeldcamera ⟨de⟩ **0.1** *miniature camera.*
kleinbehuisd ⟨bn.⟩ **0.1** *cramped (for space).*
kleinbehuisde ⟨de (m.)⟩ **0.1** *s.o. who is cramped for room.*
kleinburgerlijk ⟨bn.⟩ **0.1** *lower middle class* ⇒*petty/petit bourgeois,* ⟨geestelijk bekrompen⟩ *narrow-minded, parochial.*
kleindenkend ⟨bn.⟩ **0.1** *petty* ⇒*small-/narrow-minded.*
kleindochter ⟨de (v.)⟩ **0.1** *granddaughter.*
kleinduimpje ⟨het⟩ **0.1** [⟨met hoofdletter⟩ held uit een sprookje] *Tom Thumb* **0.2** [klein ventje] *hop-o'-my-thumb.*
kleine ⟨de (m.)⟩ ⟨→sprw. 348,350⟩ **0.1** *baby* ⇒*little one.*
kleineren ⟨ov.ww.⟩ **0.1** *belittle* ⇒*disparage, cry down* ◆ **1.1** een ~de opmerking *a belittling/disparaging remark.*
kleinering ⟨de (v.)⟩ **0.1** *belittlement* ⇒*disparagement, denigration, deprecation,* ⟨inf.⟩ *put-down.*
kleine-tertstoonladder ⟨de⟩ **0.1** *minor (scale)* ◆ **2.1** harmonische/melodische ~ *harmonic m./melodic m..*
kleine-tertstoonsoort ⟨de⟩ **0.1** *minor.*
kleingeestig ⟨bn.⟩ **0.1** [niet ruim en breed denkend] *narrow-minded* ⇒*small-minded* **0.2** [bekrompen, kinderachtig] *petty* ⇒*narrow-minded, parochial, mean* ◆ **1.2** een ~ mannetje *a narrow-/small-minded little man;* ~e vitterij *petty/mean cavilling* ¶**.1** wat ~, om zich zo iets aan te trekken *how petty (of you), to be bothered by such a thing.*
kleingeestigheid ⟨de (v.)⟩ **0.1** *narrow-/small-mindedness* ⇒*pettiness,* ⟨vnl. mbt. een streek/land⟩ *parochialism, insularity.*
kleingeld ⟨het⟩ **0.1** *(small) change* ⇒*small coin* ◆ **6.1** een gulden aan ~ *change for a guilder.*
kleingelovig ⟨bn.⟩ **0.1** *of little faith* ⇒*lacking in faith.*
kleingelovigheid ⟨de (v.)⟩ **0.1** *little faith* ⇒*lack of faith.*
kleingoed ⟨het⟩ **0.1** [kleine koekjes] ≠*small assorted biscuits* **0.2** [kleine exemplaren] *small wares* **0.3** [kinderen] *young children* ⇒ ⟨inf.⟩ *small fry.*
kleinhandel ⟨de (m.)⟩ **0.1** *retail trade* ◆ **3.1** ~ drijven *conduct r. t.* **6.1** verkoop aan de ~ *sell to the r. t..*
kleinhandelaar ⟨de (m.)⟩ **0.1** *retailer* ⇒*retail trader.*
kleinhandelsbedrijf ⟨het⟩ **0.1** *retail business/firm/trade.*
kleinhandelsprijs ⟨de (m.)⟩ **0.1** *retail price* ◆ **6.1** tegen kleinhandelsprijzen *at retail price(s).*
kleinhartig ⟨bn.⟩ **0.1** *faint(hearted)* ⇒*pusillanimous* ◆ **3.1** zich ~ gedragen *behave faintheartedly/like a faintheart.*
kleinhartigheid ⟨de (v.)⟩ **0.1** *faintheartedness* ⇒*pusillanimity.*
kleinheid ⟨de (v.)⟩ **0.1** *smallness* ⇒ ⟨vnl. fig.⟩ *littleness.*
kleinhoofdig ⟨bn.⟩ **0.1** [klein van hoofd] *small-headed* ⇒*microcephalic/lous* **0.2** [klein van begrip] *pea-brained* ⇒*of little intelligence.*
kleinigheid ⟨de (v.)⟩ **0.1** [klein geschenk/voorwerp] *little thing* ⇒ ⟨snuisterij⟩ *knick-knack, trinket, bauble* **0.2** [zaak van weinig belang] *trifle* ⇒*small matter/affair, little thing* **0.3** [geringe geldsom] *trifle* ⇒*trifling sum* ◆ **2.2** tot in de kleinste kleinigheden *down to the minutest detail* **3.1** ik heb een ~je meegebracht *I have brought you a little something* **3.2** dat is voor hem maar een ~ *that is nothing to him;* zich met kleinigheden bezighouden *concern o.s. with mere trifles* **3.3** een ~ geven aan een bedelaar *give a trifle to a beggar* **6.2** maak je niet druk om ~! *don't make a fuss about such a little thing/t.* **7.2** dat is geen ~ *that is no small matter, that matter is no t..*
kleinkind ⟨het⟩ **0.1** *grandchild.*
kleinkrijgen ⟨ov.ww.⟩ **0.1** [mbt. personen] *subdue* ⇒*bring (s.o.) to his*

---

knees/to heel, intimidate **0.2** [mbt. zaken] *conquer* ⇒*overcome* **0.3** [mbt. geld] *change* ⇒*break* ◆ **1.3** hoe kan ik nu dit bankbiljet ~? *how can I c. this banknote?* **5.1** hij is niet klein te krijgen *he is indomitable/is not to be intimidated.*
kleinkunst ⟨de (v.)⟩ **0.1** *cabaret.*
kleinmaken
I ⟨ov.ww.⟩ **0.1** [fijnmaken, in stukken slaan] *cut small* ⇒*cut up* **0.2** [mbt. geld] ⟨→**kleinkrijgen** 0.3⟩ **0.3** [mbt. personen] ⟨→**kleinkrijgen** 0.1⟩;
II ⟨wk.ww.;zich~⟩ **0.1** [zich deemoedig/nederig tonen/voordoen] *humble o.s.* **0.2** [proberen om niet op te vallen] *make o.s. small* ⇒ *shrink into o.s.,* ^*hunch.*
kleinmetaalindustrie ⟨de (v.)⟩, **kleinmetaal** ⟨de⟩ **0.1** *light engineering industry.*
kleinmoedig ⟨bn.⟩ **0.1** *faint-hearted* ⇒ ⟨schr.⟩ *pusillanimous.*
kleinood ⟨het⟩ **0.1** [bijou] *jewel* ⇒*gem, bijou* **0.2** [iets waaraan men veel waarde hecht] *valuable.*
kleinschalig ⟨bn.⟩ **0.1** [met kleine schaal] *small-scale(d)* **0.2** [op kleine schaal gemaakt/geschiedend] *small-scale.*
kleinschaligheidstoeslag ⟨de (m.)⟩ ⟨fiscus⟩ **0.1** ≠*extra allowance for small scale investment.*
kleinschrift ⟨het⟩ **0.1** [schrift] *small/tiny/miniscule hand/writing* **0.2** [schrijfboek] *small notebook.*
kleinseminarie ⟨het⟩ **0.1** *preparatory seminary* ⇒*junior/minor seminar.*
kleinslaan ⟨ov.ww.⟩ **0.1** *smash (up)* ⇒*smash/dash/knock to pieces.*
kleinsmid ⟨de (m.)⟩ **0.1** *fine metal worker* ⇒≠*locks smith.*
kleinsnijden ⟨ov.ww.⟩ **0.1** *cut up (into small pieces).*
kleinsteeds ⟨bn., bw.;-ly⟩ **0.1** *suburban* ⇒*parochial, small-town* ◆ **1.1** ~e gewoonten/begrippen *suburban habits/ideas* **3.1** het plaatsje deed zeer ~ aan *the little place looked very suburban.*
kleinsteedsheid ⟨de (v.)⟩ **0.1** *provinciality* ⇒*provincial manners, parochialism,* ⟨fig.⟩ ^*Main Street.*
kleintje ⟨het⟩ ⟨→sprw. 351⟩ **0.1** [klein persoon] *small/short one* ⇒ ⟨inf.⟩ *shortie/ty* **0.2** [jong kind/dier] *little/young one* ⇒ ⟨kind⟩ *baby* **0.3** [klein voorwerp] *trifle* ⇒*small/little thing* **0.4** [iets van weinig waarde, klein bedrag] *trifle* ◆ **1.3** een ~ koffie *a small (cup of) coffee;* een ~ pils *a half of lager* **3.2** de buurvrouw heeft pas een ~ gekregen *our neighbour has just had a baby* **6.4** op de ~s letten *watch one's pennies, be penny-wise* **6.¶** hij is voor geen ~ vervaard *he is not easily frightened/shocked/scared* ¶**.1** hé, ~! *hi, shortie!* ¶**.2** de ~s *the little ones;* ⟨inf. ook⟩ *the small fry.*
kleintjes
I ⟨bn.⟩ **0.1** [klein en zwak] *puny* **0.2** [petieterig] *tiny* ⇒*wee* ◆ **3.1** zich ~ voelen *feel dwarfed/small;*
II ⟨bw.⟩ **0.1** [armetierig] *miserably* **0.2** [deemoedig] *humbly.*
kleinvee ⟨het⟩ **0.1** *small (live) stock.*
klein-verlofganger ⟨de (m.)⟩ **0.1** *person on short leave.*
kleinzagen ⟨ov.ww.⟩ **0.1** *saw into small pieces.*
kleinzen ⟨ov.ww.⟩ **0.1** *strain.*
kleinzerig ⟨bn.⟩ **0.1** [angstig voor pijn] *frightened of pain* ⇒*squeamish about pain, easily hurt* **0.2** [lichtgeraakt] *touchy* ⇒*oversensitive.*
kleinzerigheid ⟨de (v.)⟩ **0.1** [angst voor pijn] *fear of pain* **0.2** [lichtgeraaktheid] *touchiness* ⇒*oversensitiveness.*
kleinzielig ⟨bn., bw.;-ly⟩ **0.1** *petty* ⇒*small-/petty-/narrow-minded* ◆ **6.1** dat is ~ van hem *that is small of him.*
kleinzoon ⟨de (m.)⟩ **0.1** *grandson.*
kleioker ⟨de (m.)⟩ **0.1** *ochre.*
kleiplastiek ⟨de (v.)⟩ **0.1** *sculpture in clay.*
kleipolder ⟨de (m.)⟩ **0.1** *clay polder.*
kleisteen ⟨de (m.)⟩ ⟨geol.⟩ **0.1** *clay stone.*
kleistreek ⟨de⟩ **0.1** *clayey region.*
kleitablet ⟨het,de⟩ **0.1** *clay tablet.*
kleitafeltje ⟨het⟩ **0.1** *clay tablet.*
klem[1] ⟨de⟩ **0.1** [knellende greep] *grip* **0.2** [moeilijke omstandigheden] *predicament* ⇒*fix, scrape* **0.3** [aandrang, nadruk] *emphasis* ⇒ *stress* **0.4** [klemtoon] *stress* ⇒*accent* **0.5** [toestel om te vangen] *trap* ⇒ *catch* **0.6** [knijper, paperclip] *clip* ⇒*fastener* ◆ **3.5** de ~ opzetten *set a. t.* **6.1** zijn vinger zit in de ~ *his finger is jammed* **6.2** in de ~ zitten *be in a fix/scrape/cleft stick/squeeze;* uit de ~ raken *get out of a tight corner /a hole* **6.3** met ~ spreken *speak with great e./emphatically;* met ~ beweren dat …*contend, ever;* iem. met ~ iets verzoeken *beg sth. of s.o.;* iets met ~ (van redenen) betogen *argue with forceful arguments/forcibly;* ik zou er met ~ op aan willen dringen dat …*I would like to insist with great force that ….*
klem[2] ⟨bn.⟩ **0.1** [vastgeklemd] *jammed* ⇒*stuck* **0.2** [in moeilijkheden] *jammed* ⇒*stuck* ◆ **3.1** de agenten slaagden erin de daders ~ te rijden *the policemen were able to force the offenders into the kerb/of the road;* de kater zat ~ in het gat *the tom-cat got stuck in the hole;* ~ zetten *jam, stalemate* **3.2** hij heeft zich ~ gepraat *he has talked himself into a corner;* ik zit ~ *I'm embarrassed/in a spot.*
klemband ⟨de (m.)⟩ **0.1** *clip binding.*
klembeugel ⟨de (m.)⟩ **0.1** *clamp.*
klembord ⟨het⟩ **0.1** *clipboard.*

klemhaak ⟨de (m.)⟩ **0.1** [⟨amb.⟩ toestel] *cramp* **0.2** [klembout] *clamp hook* ⇒*holdfast.*

klemhoutje ⟨het⟩ **0.1** *peg, plug* ⇒*dip.*

klemmap ⟨de⟩ **0.1** *chip binder.*

klemmen
I ⟨ov.ww.⟩ **0.1** [vastzetten, knijpen] *clasp* ⇒*press* ◆ **1.1** de kiezen op elkaar~/ ⟨fig.⟩/ ⟨ook fig.⟩ *clench one's teeth;* de lippen op elkaar geklemd *tight-lipped* **6.1** ~ **aan**/**op** *clip onto;* een kind **tegen** zich aan/**in** zijn armen~ *c. a child in one's arms;* de dolk **tussen** de tanden geklemd *the dagger clasped (tightly) between the teeth;* zijn vinger(s) **tussen** de deur ~ *jam one's finger(s) in the door;*
II ⟨onov.ww.⟩ **0.1** [knellend vastzitten] *stick* ⇒*jam* **0.2** [overtuigen, dwingen] *be conclusive/cogent/convincing* **0.3** [benauwen] *oppress.*

klemmend ⟨bn., bw.;-ly⟩ **0.1** [overtuigend] *convincing* ⇒*conclusive, forcible, cogent, persuasive* **0.2** [benauwend] *oppressive* ◆ **1.2** een~e vraag *an o. question.*

klemplaat ⟨de⟩ **0.1** *jaw* ⇒*clamping plate.*

klemschroef ⟨de⟩ **0.1** *clamp(ing) screw.*

klemspanning ⟨de (v.)⟩ ⟨tech.⟩ **0.1** *terminal voltage.*

klemspot ⟨de (m.)⟩ **0.1** *clamp spot.*

klemtoon ⟨de (m.)⟩ **0.1** [accent] *stress* ⇒*accent(uation)* **0.2** [eigen nadruk in een woord] *stress* ⇒*accent* **0.3** [⟨fig.⟩] *emphasis* ⇒*stress* ◆ **3.1** de~ verkeerd leggen *stress wrongly, use the wrong s.* **3.2** de~ ligt op de eerste lettergreep *the s./accent is on the first syllable, the first syllable is stressed/accented* **3.3** de~ leggen op iets *lay stress on sth., emphasize/stress sth..*

klemvast ⟨bn.⟩ **0.1** [zeer vast] *jammed* ⇒*stuck, tightly wedged* **0.2** [⟨balsport⟩] [⟨zie 1.2,3.2,5.2⟩] ◆ **1.2** een~e bal *a liquid catch* **3.2** een bal~ hebben *be a liquid catch* **5.2** die keeper is niet~ *that keeper is butter-fingered.*

klep¹
I ⟨de (m.)⟩ **0.1** [een keer kleppen] *peal* ⇒*toll* ◆ **6.1** bij de eerste~ *on the first p./toll;*
II ⟨de⟩ **0.1** [klepper] *rattle* **0.2** [deksel, sluitstuk] *lid* ⇒⟨bv. pomp, motor, machine⟩ *valve,* ⟨blaasinstrument⟩ *valve* **0.4** [beweegbaar luik/schot/blad] *flap* ⇒⟨veerboot⟩ *ramp,* ⟨vrachtwagen⟩ *board,* ⟨bar⟩ *trap,* ⟨bureau⟩ *cover, leaf,* ⟨vizier⟩ *leaf,* ⟨kachelpijp⟩ *damper* **0.5** [⟨plantk.⟩] *valve* **0.6** [overslaande sluiting] ⟨jaszak, envelop enz.⟩ *flap* ⇒⟨broek⟩ *fly (front)* **0.7** [deel v.e. hoofddeksel] *peak* ⇒*bill, visor/zor* **0.8** [⟨inf.⟩ mond] *trap* **0.9** [kletskous] *chatterbox* ◆ **1.2** de~ v.e. kan *the l. of a jug;* de~ v.e. motor afstellen *adjust the valves of a motor* **1.4** de~ v.e. duivenslag *the f. of a pigeon-loft;* de ~ v.e. mand/een brievenbus *the f. of a basket/letter-box;* de~ v.e. secretaire *the leaf of a secretaire/secretary* **1.6** de~ v.e. tas *the flap of a bag* **2.7** een groene~ tegen te fel licht *a green visor against the dazzling light;* een pet met een lange~ *a peaked cap* **3.8** hou je~ dicht! *shut up! shut your trap!.*

klep² ⟨tw.⟩ **0.1** *clack.*

klepafsluiter ⟨de (m.)⟩ **0.1** *stop valve.*

klepboor ⟨de⟩ **0.1** *clack bit.*

klepbrug ⟨de⟩ **0.1** *drawbridge* ⇒*bascule bridge.*

klepdeur ⟨de⟩ **0.1** *swing door.*

klepel ⟨de (m.)⟩ **0.1** *clapper* ⇒*tongue.*

klepelen ⟨onov.ww.⟩ **0.1** *toll.*

klephoorn ⟨de (m.)⟩ ⟨muz.⟩ **0.1** *key(ed)-bugle.*

kleppen ⟨onov.ww.⟩ **0.1** [kort, helder geluid laten horen] *clack* **0.2** [babbelen] *chatter* ⇒*prattle* **0.3** [mbt. een klok] *peal* ⇒*toll* **0.4** [heen en weer gaande bewegingen maken] *flap* **0.5** [snateren] *clatter* ◆ **1.1** het deksel klept op de kan *the lid clacks on the can* **3.4** er staat een deur te~ *a door is flapping* **6.4** met de vleugels~ *clap/f. one's wings* **6.5** de ooievaar klept **met** zijn snavel *the stork is clattering with its bill.*

klepper ⟨de (m.)⟩ **0.1** [voorwerp] *rattle* **0.2** [rijpaard] *steed* **0.3** [houten sandaal] *clog* ◆ **¶**.1 ~s *castanets.*

klepperen ⟨onov.ww.⟩ **0.1** [klepperend geluid voortbrengen] *clatter* ⇒ *rattle* **0.2** [heen en weer gaan] *flap* **0.3** [met klappers spelen] *rattle* **0.4** [babbelen] *chatter* ◆ **1.1** de deur/het raam kleppert *the door/window rattles* **6.2** met de vleugels~ *f./clap one's wings.*

kleptomaan ⟨de (m.)⟩ **0.1** *klepto/cleptomaniac.*

kleptomanie ⟨de (v.)⟩ **0.1** *klepto/cleptomania.*

klepvormig ⟨bn.⟩ **0.1** *valvular* ⇒*valve-shaped/-like.*

klere ⟨de⟩ ⟨vulg.⟩ **0.1** **¶** die~school *that bloody school* **¶**.1 loop naar de~! *go to blazes! go to hell!.*

klerefiets ⟨de⟩ **0.1** *fucking/^Bbloody/^Bsodding/* ⟨AE ook⟩ *rotten/* ⟨BE ook⟩ *frigging bike* ⇒*piece of junk.*

klerelijer ⟨de (m.)⟩ ⟨vulg.⟩ **0.1** *rotter.*

kleren ⟨zn.mv.⟩ ⟨→sprw. 352,353⟩ **0.1** *clothes* ◆ **2.1** andere/schone~ aantrekken *change (into sth. else/clean c.);* zijn koude/kouwe~ aantrekken *wear one's (Sunday) best/Sunday c.;* ⟨fig.⟩ dat gaat je niet in je koude/kouwe~ zitten *a thing that gets you, such a thing will leave its mark on you;* oude~ *cast-offs* **3.1** zijn~ aandoen/aanschieten *get dressed, put on one's c.;* ze had niet meer~ bij zich dan ze aanhad *she only had the c. she stood up in;* iem. de~ van het lijf trekken *strip s.o. of his c.;* zijn~ uitdoen/uittrekken *undress* **6.1** iem. **in**

de~ steken ⟨lett.⟩ *turn s.o. out, clothe s.o.;* ⟨fig.⟩ *take s.o. in, pull s.o.'s leg;* **in** zijn~ schieten *climb into one's c., throw one's c. on;* zij stak haar altijd goed **in** de ~ *she always turned her out well;* iets **onder** zijn~ verbergen *conceal sth. on/about one's person;* ik ben sinds gisteren niet meer **uit** de~ geweest *I haven't changed my c. since yesterday, I have not been out of my c. since yesterday;* ze wil niet **uit** de ~ ⟨fig.⟩ *she won't drop her knickers/won't play ball/ ↓spread her legs;* ze gaat vlot **uit** de ~ ⟨fig.⟩ *she's an easy lay, she's a push-over, she loves it, she'll drop her knickers for anyone;* **uit** zijn~ schieten *fling off one's c.* **¶**.1 zijn~ in orde brengen *tidy one's c..*

klerenborstel →*kleerborstel.*

klerengek ⟨de (m.)⟩ **0.1** *clothes maniac.*

klerengeld ⟨het⟩ **0.1** *dress/clothing allowance.*

klerenhanger →*kleerhanger.*

klerenkast →*kleerkast.*

klerenstandaard ⟨de (m.)⟩ **0.1** *hatstand* ⇒*clothes tree, hallstand.*

klerewerk ⟨het⟩ **0.1** ^Bbloody/^Agoddam awful job/work ⇒*rotten/bum job, shit work* ◆ **4.1** wat een~ ⟨ook⟩ *what a godawful job/a bastard/* ⟨BE ook⟩ *a bugger (of a job) (this is)!.*

klerewijf ⟨het⟩ ⟨vulg.⟩ **0.1** *bloody cow/^bitch.*

klerezooi ⟨de⟩ **0.1** ^Bbloody/^Agoddam/ ↓fucking mess ◆ **2.1** de hele~ *the whole fucking mess* **4.1** wat een~! ⟨ook⟩ *what a balls-up/* ⟨BE ook⟩ *cock-up/* ⟨AE ook⟩ *ball-up!.*

klerikaal ⟨bn.⟩ **0.1** [geestelijk] *clerical* **0.2** [⟨pol.⟩] *clerical* ◆ **1.2** de klerikale partijen *the c. parties* **7.2** ⟨zelfst.⟩ de klerikalen *the clericalists.*

klerikalisme ⟨het⟩ **0.1** *clericalism.*

klerk ⟨de (m.)⟩ **0.1** [bediende] *clerk* ⇒*writer,* ⟨pej.⟩ *pen-pusher* **0.2** [rang] *clerk* ◆ **6.1** ~ **op** een notariskantoor *notary's c.* **7.2** eerste~ *chief/head c..*

klerkenwerk ⟨het⟩ ⟨pej.⟩ **0.1** *clerical work.*

klessebes ⟨de (v.)⟩ ⟨inf.⟩ **0.1** *chatterbox* ⇒*gossip.*

klessebessen ⟨onov.ww.⟩ **0.1** *chatter* ⇒*gossip, twaddle, tattle* ◆ **3.1** de hele tijd zaten ze te~ *they were gossiping all the time.*

klessen →*kletsen.*

klets¹
I ⟨de⟩ **0.1** [kletspraat] *twaddle* ⇒*piffle, rubbish, tattle* **0.2** [slag] ⟨op het hoofd⟩ *crack;* ⟨in het gezicht⟩ *slap;* ⟨op de dijen⟩ *smack;* ⟨op het achterste⟩ *spank* ◆ **3.1** dat is maar ~ *that is rubbish, that's just nonsense/tattle* **6.2** iemand een ~ **om** de oren geven *give s.o. a box around the ears, slap s.o.;*
II ⟨de⟩ **0.1** [kwak, scheut] *splash* ◆ **1.1** een~ water *a s. of water;*
III ⟨de (m.)⟩ **0.1** [persoon] *chatterer* ⇒*gossip, twaddler.*

klets² ⟨bn.⟩ →*kletsnat.*

klets³ ⟨tw.⟩ **0.1** [geluidsnabootsing] *bang!, smack!, slap!* **0.2** [uitdrukking bij overwachte gebeurtenis] *bang!, smack!* ◆ **¶**.2 ~! daar lag hij *smack! there he lay on his back/on the ground.*

kletsbui ⟨de⟩ [plensbui] *downpour* ⇒*drencher* **0.2** [praatgrage stemming] *chatty/gossipy mood.*

kletscollege ⟨het⟩ **0.1** *talkfest* ⇒⟨BE ook⟩ *talking-shop.*

kletsen
I ⟨onov.ww.⟩ **0.1** [praten] *chatter* ⇒^Bnatter **0.2** [met, onder elkaar babbelen] *chat* ⇒*have a chat* **0.3** [roddelen] *gossip* **0.4** [onzin verkopen] *talk nonsense* ⇒*talk rubbish/rot, babble* **0.5** [(door te slaan) het geluid 'klets' laten horen] *splash* ◆ **1.5** de klompen~ in het slijk *the clogs s. in the mud;* een~de slag *a smack* **3.1** en hij blijft maar~ *he does keep on, doesn't he?* **3.3** laat ze maar~ *let them g.* **4.1** hij kletst maar wat *he is just talking nonsense/babbling* **4.5** hij sloeg op de dijen dat het kletste *he smacked his thighs* **5.1** hij kan goed~ *he is a good chatterer, he's a talker, he can talk the hind leg off a donkey;* voortdurend~ *constant chattering/nattering* **5.2** we hebben even gezellig gekletst *we have had a good chin-wag* **5.3** hij kletst niet *he is no gossip* **5.4** waar kletst-ie toch over? *what's he babbling on about?* **6.3** er werd **over** hem gekletst *people gossiped about him* **6.4** **uit** zijn nek ~ *talk through one's hat, talk through (the back of) one's neck* **¶**.1 iem. de oren van het hoofd~ *talk the hind leg off a donkey;* erop los~ *chat(ter) away;*
II ⟨ov.ww.⟩ **0.1** [met een kletsend geluid werpen] *splash* ⇒*dash* **0.2** [hard gooien/slaan] *slap* ⇒⟨op de dijen⟩ *smack,* ⟨op het achterste⟩ *spank* ◆ **6.1** een steen in het water~ *s. a stone into the water;* een klont boter **in** de pan~ *dash a dollop of butter into the frying-pan;* een emmer water **over** de vloer~ *s. a bucket of water over the floor.*

kletser ⟨de (m.)⟩ **0.1** [praatziek persoon] *chatterer* ⇒*gossip(er)* **0.2** [kwaadspreker] *scandalmonger* **0.3** [iem. die onzin uitslaat] *twaddler.*

kletserig ⟨bn.⟩ **0.1** [babbelziek] *talkative* ⇒*loquacious, garrulous* **0.2** [roddelziek] *gossipy.*

kletserij ⟨de (v.)⟩ **0.1** [geleuter] *twaddle* ⇒*drivel* **0.2** [roddelpraat] *gossip* ⇒*scandalmongering* **0.3** [onzin] *rubbish* ⇒*nonsense.*

kletskoek ⟨de (m.)⟩ **0.1** *nonsense* ⇒*twaddle, piffle,* ⟨sl.⟩ *rot* ◆ **3.1** ~ verkopen *talk n.* **¶**.1 wat een~! *stuff and n.!.*

kletskop ⟨de (m.)⟩ **0.1** [koekje] *≠ginger snap* **0.2** [kletskous] *chatterbox* ⇒*garrulous chap, rattle(head)* **0.3** [hoofdzeer] *scald head* **0.4** [kaal hoofd] *baldhead.*

kletskous ⟨de (v.)⟩ **0.1** *chatterbox* ⇒*garrulous chap, rattle(head) gossip, twaddler* ◆ **2.1** het is een echte ~ *(s)he's a regular c..*

kletsmajoor →kletsmeier.
kletsmeier ⟨de (m.)⟩ **0.1** *twaddler* ⇒*gossipmonger, blatherer.*
kletsmeieren ⟨onov.ww.⟩ **0.1** *twaddle* ⇒*prate.*
kletsnat ⟨bn.⟩ **0.1** *soaking (wet)* ⇒*wet through, soaked to the skin / through* ♦ **3.1** ~ worden *get soaking wet / drenched* **6.1** ~ van de regen *soaked through by the rain.*
kletspartij ⟨de (v.)⟩ **0.1** *gab session* ⇒*confab,* ⟨AE⟩ *ball session, gab-fest,* ⟨van vrouwen⟩ *hen party.*
kletspraat ⟨de (m.)⟩ **0.1** [prietpraat] *twaddle* ⇒*small talk* **0.2** [roddel] *gossip* ⇒*scandal* **0.3** [onzin, gezwam] *nonsense* ⇒*rubbish* ♦ **3.1** ~ verkopen *gossip.*
kletspraatje ⟨het⟩ **0.1** [beuzelpraatje] *twaddle* ⇒*small talk* **0.2** [roddel] *gossip* ♦ **3.2** stoor je niet aan ~s *don't listen to g., take no notice of g..*
kletstafel ⟨de⟩ **0.1** *club table.*
kletstante ⟨de (v.)⟩ **0.1** *chatterbox.*
kletsverhaal ⟨het⟩ **0.1** [onzin] *rubbish* ⇒*nonsense* **0.2** [roddel] *gossip.*
kletteraar ⟨de (m.)⟩, **-ster** ⟨de (v.)⟩ **0.1** *mountaineer* ⇒*mountain climber, alpinist.*
kletteren ⟨onov.ww.⟩ **0.1** *clash, clang* ⟨wapens⟩; *patter, pelt* ⟨regen⟩; *rattle* ⟨hagel⟩ ♦ **6.1** de borden kletterden **op** de grond *the plates crashed to the floor;* de zwaarden kletterden **tegen** elkaar *the swords clashed together;* de regen klettert **tegen** de ramen *rain patters against the windows / beats at the windows.*
kleumen ⟨onov.ww.⟩ **0.1** *be blue with cold* ⇒*be cold all over / half frozen.*
kleumer ⟨de (m.)⟩ **0.1** *shivery type / person.*
kleumerig ⟨bn.⟩ **0.1** *shivery* ⇒*feeling the cold* ♦ **3.1** ~ op een bankje zitten *sit shivering on a bench.*
kleun ⟨de (m.)⟩ ⟨inf.⟩ **0.1** ⟨in het gezicht⟩ *slap;* ⟨op de neus⟩ *punch;* ⟨in de ribben⟩ *dig.*
kleunen ⟨onov.ww.⟩ ⟨inf.⟩ **0.1** [harde slagen geven] *hit out hard* **0.2** [vechten] *fight* ♦ **5.1** ernaast ~ ⟨fig.⟩ *be wide of the mark.*
kleur ⟨de⟩ **0.1** [eigenschap] *colour* **0.2** [bestanddeel van licht] *colour* ⇒ ⟨tint⟩ *hue* **0.3** [verf- / kleurstof] *colour* ⇒*paint* **0.4** [als kenmerkende eigenschap] *colour* ⇒ ⟨tint⟩ *hue* **0.5** [gelaatskleur] *complexion* **0.6** [⟨kaartspel⟩] *suit* **0.7** [partij, politieke mening] *colour* ⇒*complexion, hue* **0.8** [⟨bk.⟩] *colouring* ⇒*colouration* ♦ **1.2** een zee / een orgie van ~ en *a sea / rist of c.* **1.3** ⟨sport⟩ de ~ van je club verdedigen *defend the colours of your team;* de stukjes ~ in een waterverfdoos *the paints in a paint-box* **1.4** wat voor ~ ogen heeft ze? *what c. are her eyes?* **2.2** ze hebben (allemaal) dezelfde ~ *they're (all) the same c. / one c.* **1.3** funda-mentele of primaire ~en *primary colours;* nationale ~en *national colours;* opzichtige ~en *showy / gandy colours;* verschoten ~en *faded colours;* vloekende ~en *clashing / discordant colours, colours that do not match;* zachte / warme / vrolijke / sprekende / schreeuwende ~en *soft / warm / cheerful / vivid / glaring colours* **2.3** natuurlijke / kunstmati-ge ~en *natural / artificial colours* **2.5** hij heeft een bleke / ongezonde ~ *he has a pale / unhealthy c.;* zij heeft een frisse ~ *she has a fresh c.;* een gezonde ~ hebben *have a healthy c. / colour* **3.2** die ~en vloeken (met elkaar) *those colours clash (with each other)* **3.3** ⟨fig.⟩ ~ geven aan een verhaal *lend c. to a story* **3.4** zijn ~ verliezen *turn pale, lose (one's) c.* **3.5** een ~ hebben van opwinding *be flushed with excitement;* hij voelde dat hij een ~ kreeg *he felt himself blushing;* een ~ krijgen *flush, gored in the face, blush;* hij krijgt er een ~ van *it makes him blush / turn red, it gives him a flush;* de ~ trok weg uit zijn gezicht *he turned pale;* van ~ verschieten *change colour* **3.6** ~ bekennen ⟨lett.⟩ *follow suit;* ⟨fig.⟩ *show one's colours, take sides,* ⟨fig.⟩ ~ moeten bekennen *have to take sides, have to come down on one side or the other;* ~ verzaken *renounce, revoke* **3.7** welke ~ heeft dat dagblad? *what is the political colour of this newspaper?;* van ~ veranderen *change sides* **4.2** in welke kleur (wilt u het hebben)? *what c. (do you want)?* **4.4** welke ~ heeft het? *what c. is it?* **6.2** een afbeelding in ~ *a picture in c., a c. picture;* een broek **in** dezelfde ~ *a pair of trousers in the same c.;* ⟨ind.⟩ ~ **op** ~, *in toning shades, in matching tones;* rood **van** ~ *red in c., of a red c.;* beter **van** ~ *of better c.* **6.6** uitkomen **met** een ~ *lead / go off with a s.* **8.5** ~ als een boei hebben *be as red as a beetroot, blush like a peony.*
kleuraanduiding ⟨de (v.)⟩ **0.1** *colour indication.*
kleuraanpassing ⟨de (v.)⟩ ⟨biol.⟩ **0.1** *protective colouring.*
kleurafwijking ⟨de (v.)⟩ **0.1** *deviation in colour* ⇒*chromatic deviation,* ⟨verkleuring⟩.
kleurbad ⟨het⟩ **0.1** *dye-bath* ⇒ ⟨foto.⟩ *toning-bath* ♦ **3.1** een ~ geven *dye;* ⟨foto.⟩ *tone.*
kleurbepaling ⟨de (v.)⟩ **0.1** *colour designation* ⇒*determination of a / the colours / of (the) colours.*
kleurboek ⟨het⟩ **0.1** *colouring-book* ⇒*painting-book.*
kleurcombinatie →kleurencombinatie.
kleurcontrast ⟨het⟩ **0.1** *colour contrast.*
kleurdoos ⟨de⟩ **0.1** *paint-box* ⇒*colour-box.*
kleurdragers ⟨de (m.)⟩ **0.1** *chromatophores.*
kleurecht ⟨bn.⟩ **0.1** *colourfast* ⇒*fast-dyed* ♦ **5.1** gegarandeerd ~ *fast colours.*
kleurechtheid ⟨de (v.)⟩ **0.1** *(colour) fastness.*

kleuren
    I ⟨onov.ww.⟩ **0.1** [kleur aannemen] *colour* **0.2** [blozen] *blush* ⇒*red-den, grow red* **0.3** [passen bij] *match* ♦ **3.1** de appels beginnen te ~ *the apples are beginning / begin to ripen* **6.2** hij kleurde **tot** achter zijn oren *he blushed / coloured to the roots of his hair, he blushed deeply* **6.3** die schoenen ~ niet **bij** je rok *those shoes don't match your skirt;* dat kleurt er niet **bij** *that doesn't match;*
    II ⟨ov.ww.⟩ **0.1** [kleur geven aan] *colour* ⇒*give colour* **0.2** [overdrijven] *overstate* **0.3** [laten blozen] *blush* ⇒*give colour* **0.4** [beschuit weer bakken] *bake (rusks) a second time* ♦ **1.2** een (sterk) gekleurde versie van de feiten *a (highly) coloured version of the facts* **1.3** een lichte blos kleurde haar wangen *a light blush / flush gave colour to her cheeks* **5.2** feiten sterk ~ *o. facts;*
    III ⟨onov.ww., ov.ww.⟩ **0.1** [verven] *colour* ⇒*paint, dye* ⟨stoffen enz.⟩, *tint* ⟨vnl. haar⟩, ⟨lichtjes kleuren⟩ *tincture, tinge* ♦ **3.1** de kinderen gingen liever ~ *the children preferred to paint.*
kleurenadviseur ⟨de (m.)⟩, **-seuse** ⟨de (v.)⟩ **0.1** *colour adviser.*
kleurenafdruk ⟨de (m.)⟩ **0.1** *colour print.*
kleurenbeeld ⟨het⟩ **0.1** *spectrum.*
kleurenblind ⟨bn.⟩ **0.1** *colour-blind* ♦ **5.1** ⟨med.⟩ partieel ~ *dichromatic* **6.1** ~ voor groen / rood *green- / red-blind* **7.1** een ~ e *a c.-b. person.*
kleurenblindheid ⟨de (v.)⟩ **0.1** *colour-blindness* ♦ **2.1** ⟨med.⟩ partiële ~ *dichromatism.*
kleurencatalogus ⟨de (m.)⟩ **0.1** *colour catalogue* ⟨AE ook⟩ *catalog.*
kleurencirkel ⟨de (m.)⟩ **0.1** *colour circle.*
kleurencode ⟨de (m.)⟩ **0.1** *colour code / key.*
kleurencombinatie ⟨de (v.)⟩ **0.1** *colour combination* ⇒ ⟨in kamer⟩ *colour scheme.*
kleurencontrast ⟨het⟩ **0.1** *colour contrast.*
kleurendia ⟨de (m.)⟩ **0.1** *colour slide.*
kleurendriehoek ⟨de (m.)⟩ **0.1** *colour triangle.*
kleurendruk ⟨de (m.)⟩ **0.1** [techniek] *colour printing* **0.2** [afdruk] *colour printing* ♦ **6.1** in ~ ⟨uitgevoerd⟩ *(printed) in colour.*
kleurenfilm ⟨de (m.)⟩ **0.1** *colour film.*
kleurenfilter →kleurfilter.
kleurenfoto ⟨de (m.)⟩ **0.1** *colour photo(graph).*
kleurenfotografie ⟨de (v.)⟩ **0.1** *colour photography.*
kleurengamma ⟨het, de⟩ **0.1** *colour range* ⇒*range of colours.*
kleurenholografie ⟨de (v.)⟩ **0.1** *colour holography.*
kleurenleer ⟨de⟩ **0.1** *chromatics* ⇒*theory of colour.*
kleurennegatief ⟨het⟩ **0.1** *colour negative.*
kleurenontvanger ⟨de (m.)⟩ **0.1** *colour receiver.*
kleurenopname ⟨de⟩ **0.1** [handeling] *colour photography* **0.2** [resultaat] *colour photo(graph).*
kleurenpotlood →kleurpotlood.
kleurenpracht ⟨de⟩ **0.1** *magnificent display of colour* ♦ **2.1** de uitbundi-ge ~ v.d. herfst *the rich colouring of autumn.*
kleurenpsychologie ⟨de (v.)⟩ **0.1** *colour psychology.*
kleurenreproduktie ⟨de (v.)⟩ **0.1** *colour reproduction.*
kleurenscala ⟨de⟩ **0.1** *colour range* ⇒*range of colours.*
kleurenschema ⟨het⟩ **0.1** *colour scheme* ⇒ ⟨BE; mbt. behang e.d.⟩ *colourway.*
kleurenschijf ⟨de⟩ **0.1** *colour disc.*,
kleurenspectrum ⟨het⟩ ⟨nat.⟩ **0.1** *colour spectrum.*
kleurenspel ⟨het⟩ **0.1** *play of colours* ⇒ ⟨met de kleuren v.d. regen-boog⟩ *iridescence.*
kleurensymboliek ⟨de (v.)⟩ **0.1** *colour symbolism.*
kleurentekening ⟨de (v.)⟩ **0.1** *colour drawing* ⇒*drawing in colour.*
kleurentelevisie ⟨de (v.)⟩ **0.1** *colour television.*
kleurentoestel ⟨het⟩ **0.1** *colour (TV) set.*
kleurenvrees ⟨de⟩ **0.1** *chromatophobia.*
kleurenweelde ⟨de⟩ **0.1** *riot of colours* ⇒*blaze / feast of colours.*
kleurfilter ⟨het, de (m.)⟩ **0.1** *colour filter.*
kleurfixeerbad ⟨het⟩ ⟨foto.⟩ **0.1** *toning and fixing bath.*
kleurfout ⟨de⟩ **0.1** [mbt. een lens / lenzenstelsel] *chromatic aberration* **0.2** [mbt. een foto] *colour fault* ♦ **3.2** dat is een ~ *the colour is not right.*
kleurgevoel ⟨het⟩ **0.1** *feeling for colour* ⇒*sense of colour, colour sense.*
kleurgevoelig ⟨bn.⟩ **0.1** [gevoelig voor kleuren] *colour-sensitive;* ⟨foto.; gevoelig voor alle kleuren behalve rood⟩ *orthochromatic* **0.2** [kleur-gevoel hebbend] ⟨zie 1.2⟩ ♦ **1.1** ⟨foto.⟩ ~ e platen *orthochromatic plates* **1.2** een ~ oog hebben *have an eye for colour.*
kleurgevoeligheid ⟨de (v.)⟩ ⟨foto.⟩ **0.1** *colour sensitivity.*
kleurgewaarwording ⟨de (v.)⟩ **0.1** [het gewaarworden van kleur] *per-ception of colour* ⇒*colour perception* **0.2** [synesthesie] *chrom(a)esthe-sia* ⇒*colour hearing.*
kleurharmonie ⟨de (v.)⟩ **0.1** *colour harmony* ⇒*harmony of colours.*
kleurhoudend ⟨bn.⟩ **0.1** *colourfast.*
kleurig ⟨bn., bw.; -ly⟩ **0.1** [kleurrijk] *colourful* ⇒*rich in colour* **0.2** [de juiste kleur vertonend] *with a full colour* ⇒*full-coloured* **0.3** [leven-dig] *colourful* ♦ **1.3** een ~ verhaal *a c. story;* iets op ~ e wijze vertellen *give a c. account of sth.* **3.1** er ~ uitzien *look c..*
kleurindex ⟨de (m.)⟩ **0.1** *colour index.*

kleurindruk ⟨de (m.)⟩ **0.1** *impression of colour.*
kleuring ⟨de (v.)⟩ **0.1** *colouring.*
kleurkaart ⟨de⟩ **0.1** *colour chart.*
kleurkombinatie →**kleurencombinatie.**
kleurkrijt ⟨het⟩ **0.1** *coloured chalk.*
kleurling ⟨de (m.)⟩ **0.1** *coloured (person* ⟨mv. people⟩ / *man*/*woman* ⟨enz.⟩) ◆ **6.1** de ~en in Zuid-Afrika *the Coloureds in South Africa.*
kleurlingenvraagstuk ⟨het⟩ **0.1** *colour problem.*
kleurloos ⟨bn.⟩ **0.1** [zonder kleur] *colourless* ⇒*clear,* ⟨foto.; biol.; optica⟩ *achromatic* **0.2** [vaal, bleek] *colourless* ⇒*pale, grey(ish), drab, dull* **0.3** [saai] *colourless* ⇒*dull, dreary, drab, lifeless* **0.4** [⟨pol.⟩] *free-floating* ⇒*neutral, uncommitted* ◆ **1.1** ~ glas *clear glass;* ~vocht *colourless*/*clear fluid* **1.3** een ~ figuur *a c.*/*dull*/*dreary*/*drab figure* **1.4** een ~ dagblad *a f.-f.*/*neutral newspaper;* het kleurloze midden *the f.-f. centre;* kleurloze politici *f.-f. politicians.*
kleurmenging ⟨de (v.)⟩ **0.1** *colour mixing.*
kleurontwikkelaar ⟨de (m.)⟩ ⟨foto.⟩ **0.1** *colour developer.*
kleurplaat ⟨de⟩ **0.1** *colouring picture.*
kleurpotlood ⟨het⟩ **0.1** *coloured pencil* ⇒*(coloured) crayon.*
kleurrijk ⟨bn.⟩ **0.1** [met veel kleuren] *colourful* ⇒*rich in colour, brightly-coloured, multicoloured* **0.2** [fig.] *colourful* ◆ **5.2** iets ~ beschrijven *give a c. description of sth..*
kleurschakering ⟨de (v.)⟩ **0.1** [van een kleur] *hue* ⇒⟨lichtere schakering⟩ *tint,* ⟨met schaduwlijnen⟩ *shade,* ⟨kleurovergang⟩ *gradation,* ⟨subtiel⟩ *nuance* **0.2** [van twee of meer kleuren] *range of colouring* ◆ **2.2** de harmonische ~ v.d. zaal *the harmonious colour scheme*/*arrangement of colour in the hall;* een rijke ~ *a rich range of colouring.*
kleurschifting ⟨de (v.)⟩ **0.1** *(chromatic) dispersion.*
kleursel ⟨het⟩ **0.1** *colouring.*
kleurshampoo ⟨de (v.)⟩ **0.1** *colour rinse shampoo.*
kleurspoeling ⟨de (v.)⟩ **0.1** *(colour) rinse* ◆ **3.1** ⟨haar⟩ een ~ geven *rinse*/*dye*/*tint (hair).*
kleurstelling ⟨de (v.)⟩ **0.1** [het naast elkaar toepassen van kleuren] *colour combination*/*scheme*/*balance* **0.2** [mbt. garens/wol] *colour combination.*
kleurstof ⟨de⟩ **0.1** [organische stof om iets te kleuren] *colour* ⇒⟨voor textiel⟩ *dye(stuff),* ⟨voor levensmiddelen⟩ *colouring, colouring agent, colouring matter,* ⟨voor beits⟩ *stain* **0.2** [pigment] *pigment* ◆ **2.1** directe ~fen *direct dyes* **3.1** ⟨chemische⟩ ~fen toevoegen aan levensmiddelen *add colouring agents to foodstuffs.*
kleurtemperatuur ⟨de (v.)⟩ **0.1** *colour temperature.*
kleurtje ⟨het⟩ **0.1** [kleur] *colour* **0.2** [blosje] *colour* ⇒⟨van koorts, wind enz.⟩ *flush,* ⟨van verlegenheid⟩ *blush* **0.3** [⟨mv.⟩ kleurpotlood] *coloured pencils* ⇒⟨krijtjes⟩ *coloured crayons* ◆ **1.3** een doos ~s *a box of coloured pencils*/*crayons* **2.1** een gemeen ~ *a vile c.* **2.2** een verdacht ~ *a feverish flush* **3.1** een deur een ~ geven *paint a door, give a door a coat of paint;* zijn haar een ~ geven *rinse*/*dye*/*tint one's hair* **3.2** een ~ hebben *have a c.*/*look flushed;* je krijgt alweer een ~ *you're getting a c.*/*your c. again.*
kleurvariëteit ⟨de (v.)⟩ **0.1** *colour variety.*
kleurvast ⟨bn.⟩ **0.1** *colourfast.*
kleurvel ⟨het⟩ ⟨druk.⟩ **0.1** *progressive proof, colour guide.*
kleurverandering ⟨de (v.)⟩ **0.1** [kleurwisseling] *change of colour* ⇒*colour change* **0.2** [⟨pol.⟩] *change of*/*in political allegiance.*
kleurverlies ⟨het⟩ **0.1** *loss of*/*change in colour* ⇒⟨metaaloppervlak⟩ *tornish,* ⟨stof; foto⟩ *discolouration.*
kleurvernis ⟨de (m.)⟩ **0.1** *colour(ed) non-transparent varnish.*
kleurversteviger ⟨de (m.)⟩ **0.1** *(colour) rinse* ⇒*tint.*
kleurvlak ⟨het⟩ **0.1** *colour(ed) area* ⇒*area of colour.*
kleurwerking ⟨de (v.)⟩ **0.1** *colour effect.*
kleurwisseling ⟨de (v.)⟩ **0.1** *change of colour* ⇒*colour change.*
kleurzin ⟨de (m.)⟩ **0.1** [zin(tuig) voor het waarnemen van kleuren] *colour perception* ⇒*colour sense* **0.2** [gevoel voor harmonie van kleuren] *sense of colour* ⇒*colour sense, feeling for colour.*
kleuter ⟨de (m.)⟩ **0.1** *pre-schoolchild* ⇒⟨in schoolverband, 5-7 jaar⟩ [B]*infant,* ⟨peuter⟩ *toddler,* ⟨mv.⟩ *under fives,* ⟨alg., vaag⟩ *small child* ◆ **2.1** kleine ~ *tiny tot* **8.1** ⟨pej.⟩ zich als een ~ gedragen *behave*/*carry on like a baby*/*two-year-old.*
kleuterbad ⟨het⟩ **0.1** [badkuipje] *children's bath* **0.2** [(deelvan) een zwembad] *paddling*/*wading pool.*
kleutercursus ⟨de (m.)⟩ **0.1** ≠*course on the care of pre-school children.*
kleuterklas ⟨de (v.)⟩ **0.1** ≠*infant class* ⇒*kindergarten class* ◆ **3.1** ⟨pej.⟩ jullie lijken wel een ~ *je you're carrying on*/*behaving like two-year-olds*/*kindergarten children.*
kleuterkweekschool ⟨de⟩ **0.1** ≠[B]*infant teacher training college.*
kleuterleeftijd ⟨de (m.)⟩ **0.1** *toddler age-group* ⟨ook →kleuter⟩ ◆ **6.1** kinderen in de ~ *toddlers.*
kleuterleidster ⟨de (v.)⟩ **0.1** *nursery school*/*kindergarten teacher* ⇒ ≠[B]*infant teacher.*
kleuterperiode ⟨de (v.)⟩ **0.1** *pre-school age.*
kleuterschool ⟨de⟩ **0.1** ⟨3-5jaar, niet officieel⟩ *pre-school kindergarten;* ⟨5jaar, officieel voorbereidend jaar van infant school⟩ *kindergarten;* ⟨daarna tot 7 jaar⟩ *infant school;* ⟨alg.; vaag⟩ *nursery school.*

kleuterzorg ⟨de⟩ **0.1** *infant care* ⇒⟨van school⟩ [B]*infant school,* [A]*kindergarten.*
kleven
I ⟨onov.ww.⟩ **0.1** [vast blijven zitten] *stick (to)* ⇒*cling (to), adhere (to)* **0.2** [⟨fig.⟩] *stick* **0.3** [kleverig zijn] *be sticky*/*tacky* ◆ **1.3** mijn handen ~ *my hands are sticky;* ~de klei *sticky clay* **3.1** blijven ~ *stay on* **5.1** er kleeft bloed aan ⟨fig.⟩ *it is tainted with blood* **5.2** er ~ nog enige gebreken aan *it still has certain shortcomings, there are still certain shortcomings attached to it* **5.3** bah, ik kleef helemaal *ugh, I'm all sticky* **6.1** kauwgom kleeft **aan** de vingers *chewing gum sticks to the fingers;* zijn overhemd kleefde **aan** zijn rug *his shirt stuck*/*clung to his back;* zijn overhemd kleefde **van** het zweet *his shirt was sticky*/*stuck to him with perspiration* **6.2** ⟨sport⟩ **aan** een tegenstander ~ *s. to an opponent;*
II ⟨ov.ww.⟩ **0.1** [doen hechten/kleven] *stick* ⇒⟨met lijm⟩ *glue, gum,* [†]*affix.*
klever ⟨de (m.)⟩ **0.1** [persoon] *limpet* ⇒*s.o. one can't get rid of*/*who won't go home* **0.2** [plant] ⟨kleefkruid⟩ *cleavers, hairiff, goosegrass* **0.3** [⟨sport⟩] *a shadow.*
kleverig ⟨bn.⟩ **0.1** *sticky* ⇒*gluey,* ⟨mbt. vernis, verf⟩ *tacky* ◆ **1.1** een ~ goedje *s. stuff;* ⟨pej.⟩ *s. mess;* ⟨sl.; pej.⟩ *gooey*/*mess, goo;* ~e grond *heavy*/*sticky*/*clayey soil;* ~e handen *s. hands;* ⟨fig.⟩ een ~e kerel *a slimy*/*oily*/[B]*smarmy character;* ~ vocht *a s. liquid* **3.1** ⟨fig.⟩ doe niet zo ~! *don't be so sugar-sweet*/*all over me*/[B]*swarmy.*
kleverigheid ⟨de (v.)⟩ **0.1** [kleverige stof] *stickiness* ⇒*tackiness* **0.2** [het kleverig zijn] *stickiness;* ⟨fig.⟩ *sliminess, oiliness,* [B]*swarminess.*
klewang ⟨de (m.)⟩ **0.1** *'klewang'* ⟨*Javanese scimitar*⟩.
klieder ⟨de (m.)⟩ **0.1** *messpot.*
kliederboel ⟨de (m.)⟩ **0.1** *mess.*
kliederen ⟨onov.ww.⟩ **0.1** *make a mess* ⇒*mess around* ◆ **6.1** zit niet zo te ~ met dat water *don't mess around like that with that water.*
kliederig ⟨bn.⟩ **0.1** *messy* ⇒⟨modderig⟩ *muddy.*
kliek ⟨de⟩ **0.1** *clique* ◆ **1.1** hij behoort tot de ~ van B. *he belongs to B's c.* **3.1** een ~ vormen *form a c..*
klieken ⟨onov.ww.⟩ **0.1** [bord niet leeg eten] *not clear one's plate, leave some food on one's plate* **0.2** [een kliek vormen] *form a clique.*
kliekgeest ⟨de (m.)⟩ **0.1** *cliquism* ⇒*cliquishness.*
kliekje ⟨het⟩ **0.1** *leftover(s)* ⇒⟨mv. ook⟩ ⟨tafel⟩ *scraps, scrapings, leavings, pickings* ◆ **1.1** er is een lekker ~ hutspot voor vanavond *there's some nice leftover hotchpot for this evening* **2.1** opgewarmde ~s *heated-up leftovers* **3.1** geen ~s maken *clear one's plate, eat everything up.*
kliekjesdag ⟨de (m.)⟩ **0.1** *leftover*/*scraps day* ◆ **3.1** vandaag is het ~ *today is leftover day, today we're having*/*eating (yesterday's) leftovers*/*a scratch meal*/*odds and ends from yesterday.*
kliekjesmaaltijd ⟨de (m.)⟩ **0.1** *scratch meal* ⇒*(meal of) leftovers.*
klier
I ⟨de⟩ **0.1** [orgaan] *gland* **0.2** [cel(groep)] *gland* ◆ **2.1** opgezette ~en hebben *have swollen glands* **3.¶** ~en hebben, aan ~en lijden *have scrofula, be scrofulous;*
II ⟨de (m.)⟩ ⟨fig.; inf.⟩ **0.1** [vervelend mens] *pain in the neck*/[A]*ass*/*the you-know-what* ◆ **2.1** 't is een vervelend ~tje *he's an awful pain in the neck* **6.1** een ~ van een vent *a pain in the neck.*
klierachtig ⟨bn.⟩ **0.1** [mbt. een klier] *glandular* ⇒*glandulous* **0.2** [als v.e. klier] *glandular* ⇒*gland-like* **0.3** ⟨med.⟩ *scrofuleus* ⇒*scrofulous* ⇒*strumose.*
klierafscheiding ⟨de (v.)⟩ **0.1** *gland secretion* ⇒⟨inwendig ook⟩ *incretion.*
klierdragend ⟨bn.⟩ ⟨biol.⟩ ◆ **1.¶** ~e haren *glandular hairs.*
klieren ⟨onov.ww.⟩ **0.1** *be a pest* ⇒*be a pain in the neck*/[A]*ass.*
kliergezwel ⟨het⟩ **0.1** *scrofulous tumour.*
klierig ⟨bn., bw.⟩ ⟨inf.⟩ **0.1** ⟨zie 3.1⟩ ◆ **3.1** doe niet zo ~ *don't be such a pest*/*pain in the neck.*
klierkoorts ⟨de⟩ **0.1** *glandular fever;* ⟨vnl. AE⟩ [†]*mononucleosis.*
kliermaag ⟨de⟩ **0.1** *glandular stomach.*
klierontsteking ⟨de (v.)⟩ **0.1** *adenitis.*
klierverharding ⟨de (v.)⟩ **0.1** *scleradenitis.*
kliervormig ⟨bn.⟩ **0.1** *adeniform* ◆ **1.1** een ~ aanhangsel *an a. appendage.*
klierziekte ⟨de (v.)⟩ **0.1** *scrofula, struma.*
klieven
I ⟨ov.ww.⟩ **0.1** [doorslaan/-houwen] *cleave* ◆ **1.1** hout/diamant ~ *c. wood*/*diamond;* ⟨fig.⟩ de lucht/de golven ~ ⟨van vogel, schip⟩ *c. the air*/*the waves;*
II ⟨onov.ww.⟩ **0.1** [zich laten splijten] *cleave* **0.2** [barsten krijgen] *cleave.*
klieving ⟨de (v.)⟩ **0.1** [het klieven] *cleavage* ⇒*cleaving* **0.2** [splijting; celdeling na de bevruchting] *cleavage.*
klif ⟨het⟩ **0.1** [steile bodemverheffing] *cliff* **0.2** [steile, afgebrokkelde kusten] *cliff* ⇒*bluff.*
klik[1] ⟨de (m.)⟩ **0.1** [kort geluid] *click* **0.2** [taalklank] *click* **0.3** ⟨scheep.⟩ *rudder blade* ◆ **3.1** het slot gaf een ~ *the lock clicked* **6.1** het slot sprong **met** een ~ open *the lock shot open with a c..*
klik[2] ⟨tw.⟩ **0.1** *click* ⇒*clack.*

klikken ⟨onov.ww.⟩ **0.1** [het geluid 'klik' laten horen] *click* ⇒*clack, snap* ⟨v.e. geweer⟩ **0.2** [verklikken] *tell (on s.o.), let on (about sth.)* ⇒ ⟨inf.⟩ *snitch (on), blab, squeal, squeak,* ⟨BE;sl.⟩ *grass* ⟨bij de politie⟩ **0.3** [eensgezind zijn, samengaan] *click, hit it off* ⟨met pers. subject⟩ ♦ **5.2** je mag niet ~ *don't t. tales / on others!;* er wordt hier niet geklikt! *no snitching here!* **6.2 over** iem. ~ *t. / tattle on s.o.;* ⟨vnl. kind⟩ *split / sneak on s.o.* **6.3** het klikte niet **tussen** hen *they did not c.;* het klikte meteen **tussen** hen *they clicked with each other / hit it off immediately* ¶.**2** er is kennelijk weer geklikt *s.o. must have blabbed!.*
klikker ⟨de (m.)⟩, **-ster** ⟨de (v.)⟩ **0.1** *telltale* ⇒*babbler,* ⟨vnl. AE⟩ *tattle-tale,* ⟨sl.⟩ *snitch(er),* ⟨BE;sl.⟩ *grass,* ⟨vnl. AE;sl.⟩ *rat.*
klikklak ⟨tw.⟩ **0.1** *click-clack.*
klikklakken ⟨onov.ww.⟩ **0.1** *click-clack* ⇒*clip-clop.*
klikspaan ⟨de (m.)⟩ **0.1** *telltale* ⇒*babbler,* ⟨vnl. AE⟩ *tattletale,* ⟨BE; kind.⟩ *sneak(er).*
klim ⟨de (m.)⟩ **0.1** [daad van klimmen] *climb* **0.2** [steilte] *climb* ♦ **2.1** dat was een hele ~ *that was a good / stiff c., that was a bit of a c. / scramble.*
klimaat ⟨het⟩ **0.1** [gesteldheid v.d. lucht en het weer] *climate* ⇒⟨schr.⟩ *clime* **0.2** [⟨fig.⟩] *climate* ⇒*atmosphere* ♦ **2.1** fysisch ~ *physical climate;* een zacht / guur / gezond / slopend ~ *a gentle / rigorous / healthy / debilitating climate* **2.2** een verbetering van het fiscale / politieke ~ *an improvement in the fiscal / political c.;* het geestelijke ~ *the spiritual c.;* een gunstig ~ scheppen *create a favourable c. / atmosphere;* een vijandig ~ *a hostile c. / atmosphere, a c. of hostility.*
klimaatbeeld ⟨het⟩ **0.1** *climatic conditions.*
klimaatgesteldheid ⟨de (v.)⟩ **0.1** *climatic conditions.*
klimaatgordel ⟨de (m.)⟩ **0.1** *climatic zone / belt* ⇒*climate, clime, latitude* ⟨vnl. mv.⟩.
klimaatkamer ⟨de⟩ **0.1** *climate / environmental test chamber.*
klimaatregelaar ⟨de (m.)⟩ **0.1** *air conditioner.*
klimaatregeling ⟨de (v.)⟩ **0.1** *air conditioning.*
klimaatschommeling ⟨de (v.)⟩ **0.1** *climatic change / variation.*
klimaatvast ⟨bn.⟩ **0.1** *climate resistant.*
klimatologie ⟨de (v.)⟩ **0.1** *climatology.*
klimatologisch ⟨bn., bw.; -ally⟩ **0.1** *climatic* ⇒*climatological* ♦ **1.1** ~e invloeden / veranderingen *climatic influences / changes.*
klimatoloog ⟨de (m.)⟩, **-loge** ⟨de (v.)⟩ **0.1** *climatologist.*
klimatotherapie ⟨de (v.)⟩ **0.1** *climatotherapy.*
klimboon ⟨de⟩ **0.1** *runner bean.*
klimbuideldier ⟨het⟩ **0.1** *phalanger* ⇒*opossum.*
klimgordel ⟨de (m.)⟩ **0.1** *climbing sling / harness.*
klimhaak ⟨de (m.)⟩ **0.1** [⟨plantk.⟩] *tendril* **0.2** [⟨bergsport⟩] *piton.*
klimijzer ⟨het⟩ **0.1** [beugel in een muur / schoorsteen] *climbing support / bracket* **0.2** [staaf aan een laars] *climbing iron.*
klimmen ⟨onov.ww.⟩ ⟨→sprw. 536⟩ **0.1** [klauteren] *climb (up / down)* ⇒ *clamber (about), scale,* ⟨vnl. mbt. palen, bomen⟩ *shin (up / down), swarm (up)* **0.2** [rijdend / fietsend een berg opgaan] *climb* **0.3** [omhoog gaan] *climb* ⇒*mount, go up* **0.4** [toenemen, vermeerderen] *climb* ⇒*rise, mount (up), go up, increase, grow* **0.5** [promoveren] *climb* ⇒*ascend* **0.6** [tegen iets omhoog groeien] *climb* ♦ **1.1** het is twee uur ~ *it is two hours' climb / a two hour climb* **1.4** met ~de belangstelling / aandacht *with growing / increasing / mounting interest* **5.2** hij kan goed ~ *he's a good climber* **6.1** in een boom ~ *climb (up) a tree;* **in** de mast ~ *swarm / shin up the mast;* ⟨fig.⟩ in de pen ~ *take up one's pen;* een toren ~ *climb a tower;* bij iem. **op** de knie / rug ~ *climb (up)on s.o.'s knee / back;* **over** stoelen en tafels ~ *clamber about over chairs and tables;* **over** een muur ~ *climb over / scale a wall;* **uit** een boom / raam ~ *climb down from a tree / out of a window* **6.3** de zon klimt **aan** de hemel *the sun climbs / rises in the sky* **6.4** met / **bij** het ~ der jaren *with advancing years, as one advances in years* **6.5 in** rang / aanzien ~ *rise in rank / estimate.*
klimmend ⟨bn.⟩ **0.1** [bezig met klimmen] *climbing* **0.2** [hellend] *climbing* **0.3** [⟨herald.⟩] *rampant* ♦ **1.2** ⟨sport⟩ een ~ schot *a rising shot;* een ~e weg *a c. road* **1.3** een ~e leeuw *a lion r.* **1.**¶ ⟨aardr.⟩ ~e knoop *ascending node.*
klimmer ⟨de (m.)⟩ **0.1** [iem. die klimt] *climber* **0.2** [wielrenner] *climber* **0.3** [plant] *climber* ⇒*creeper* **0.4** [vogel] *wall creeper* ⇒*tichodrome.*
klimmersbaas ⟨de (m.)⟩ **0.1** *expert climber / mountaineer.*
klimming ⟨de (v.)⟩ **0.1** [handeling] *climb* **0.2** [helling] *ascent, acclivity* **0.3** [⟨astron.⟩] *ascension* ♦ **2.3** rechte ~ *right a..*
klimnet ⟨het⟩ ⟨sport⟩ **0.1** *climbing net.*
klimoefening ⟨de (v.)⟩ **0.1** *climbing exercise.*
klimop ⟨het, de (m.)⟩ **0.1** [heester] *ivy* **0.2** [loof] *ivy* ♦ **6.2 met** ~ begroeid / bedekt *covered with i..*
klimopachtigen ⟨zn.mv.⟩ **0.1** *ivy / ginseng family.*
klimpaal ⟨de (m.)⟩ **0.1** *climbing pole* ⇒*greasy pole.*
klimpartij ⟨de (v.)⟩ **0.1** *climb* ⇒*scramble* ♦ **2.1** een hele ~ *quite a c. / scramble, a stiff c..*
klimplant ⟨de (m.)⟩ **0.1** *climber, climbing plant* ⇒*creeper.*
klimpoot ⟨de (m.)⟩ ⟨dierk.⟩ **0.1** *scansorial foot.*
klimrek ⟨het⟩ **0.1** [rek voor gymnastische oefeningen] *wall bars* **0.2** [klimtoestel voor kinderen] *climbing frame.*

klimroos ⟨de⟩ **0.1** *rambler (rose)* ⇒*rambling / climbing rose.*
klimschoen ⟨de (m.)⟩ **0.1** [bij het klimmen gebruikte schoen] *climbing shoe* **0.2** [bergschoen] *climbing shoe / boot.*
klimsnelheid ⟨de (v.)⟩ **0.1** ⟨van vliegtuig⟩ *rate of climb.*
klimspecialist ⟨de (m.)⟩ ⟨sport⟩ **0.1** *climbing expert.*
klimspoor ⟨de⟩ **0.1** [klimijzer] *climbing iron* ⇒*creeper* **0.2** [beugel aan de schoen] *climbing iron* ⇒*crampon, creeper.*
klimstag ⟨het⟩ ⟨scheep.⟩ **0.1** *manropes of the bowsprit.*
klimtijdrijder ⟨de (m.)⟩ ⟨sport⟩ **0.1** *competitor in a mountain time trial.*
klimtijdrit ⟨de (m.)⟩ ⟨sport⟩ **0.1** *mountain(ous) time trial.*
klimtocht ⟨de (m.)⟩ **0.1** *climb* ⇒ ⟨hoge berg⟩ *climbing expedition.*
klimtouw ⟨het⟩ **0.1** *climbing rope.*
klimvaren ⟨de⟩ **0.1** *climbing / creeping fern.*
klimvis ⟨de (m.)⟩ **0.1** *anabas* ⇒*climbing perch.*
klimvogels ⟨zn.mv.⟩ **0.1** *scansorial birds* ⇒*zygodactyls.*
klimwortel ⟨de (m.)⟩ **0.1** *adventious root.*
kling ⟨de⟩ **0.1** [lemmet] *blade* **0.2** [wapen] *sword* ♦ **1.1** de ~ van een bajonet *the b. of a bayonet* **2.1** rechte / gebogen ~en *straight / curved blades* **6.2** ⟨fig.⟩ de vijand **over** de ~ jagen *put the enemy to the s..*
klingel ⟨de (m.)⟩ **0.1** *tinkle* ⇒*jingle, chink, clink.*
klingelen ⟨onov.ww.⟩ **0.1** *tinkle* ⇒*jingle, chink, clink.*
klingeling ⟨tw.⟩ **0.1** *ting / ding-a-ling* ⇒*ting-ting.*
kliniek ⟨de (v.)⟩ **0.1** [inrichting] *clinic* **0.2** [gebouw] *clinic* ⇒*hospital.*
klinisch ⟨bn., bw.; -ly⟩ **0.1** [mbt. een kliniek] *clinical* **0.2** [mbt. ziekteverschijnselen] *clinical* ⇒*clinico-* **0.3** [kil, koel] *clinical* ⇒ ⟨van blik / waarneming ook⟩ *analytical* ♦ **1.1** de ~e fase v.d. medicijnenstudie *housemanship,* [A]*residence, residency, internship;* ~ onderricht *clinic* **1.2** ~e dood *clinical death;* ~e pathologie *clinicopathology;* een ~ psycholoog *a clinical psychologist / clinician;* ~e verschijnselen *clin.i-cal symptoms / phenomena* **1.3** een ~e aankleding *(a) c. interior design;* een ~e blik hebben *have a c. / an analytical eye* **2.2** ~ dood zijn *be clinically dead.*
klink[1]
I ⟨de⟩ **0.1** [deurkruk] *(door)handle* **0.2** [deel v.e. deurslot] *latch* **0.3** [pal] *catch* ⇒*detent, click,* ⟨op wiel ook⟩ *pawl* ♦ **3.2** de ~ oplichten *unlatch* **6.2** de deur is **op** de ~ *the door is on the l.;* **op / van** de ~ doen *latch / unlatch (the door);*
II ⟨de (m.)⟩ **0.1** [inklinking] *setting* ⟨van aardewerk⟩; *settling* ⟨van grond⟩.
klink[2] ⟨tw.⟩ **0.1** *clink* ⇒*click.*
klinkbout ⟨de (m.)⟩ **0.1** *rivet.*
klinkdicht ⟨het⟩ **0.1** *sonnet.*
klinken ⟨→sprw. 354,588⟩
I ⟨onov.ww.⟩ **0.1** [luiden, galmen] *sound* ⇒⟨luid en klaar⟩ *resound, blow* ⟨van fluit⟩, ⟨van klok ook⟩ *chime,* ⟨rinkelen⟩ *clink, ring* **0.2** [⟨fig.⟩ van zich doen spreken] *resound* **0.3** [toeschijnen, voorkomen] *sound, ring* **0.4** [toosten] *clink / touch glasses (with s.o.)* ⇒*drink (a toast) (to s.o. / sth.), toast (s.o. / sth.)* ♦ **1.1** ⟨sport⟩ het eindsignaal heeft geklonken *the final whistle has blown;* er klinkt een luid gejuich *a resounding cheer goes up;* er klonk een schot *a shot rang out* **1.2** een ~de naam *a famous / outstanding / big name;* ~de woorden *resounding words* **1.3** een Italiaans ~de naam *an Italian sounding name* **2.3** die naam klinkt (me) bekend *(in de oren) that name sounds familiar (to me)* **5.1** zuiver / vals ~ *s. pure / false* **5.3** het klonk haar aangenaam in de oren *it was pleasing to her ear;* zijn stem klonk dreigend *his voice sounded threatening;* zijn lach klonk gedwongen *his laugh had a forced ring;* zo'n opmerking klinkt gek uit de mond v.e. pacifist *such a remark sounds odd coming from a pacifist;* hun stemmen ~ goed bij elkaar *their voices blend well with each other;* het klonk hem onaangenaam in de oren *it was unpleasant to his ear, it grated on his ear;* vals / onoprecht / echt ~ *have a false / hollow / true ring, r. false / hollow / true;* dat klinkt verdacht *that sounds fishy / has a suspicious ring* **6.3** dat zal u vreemd **in** de oren ~ *this will s. strange to you* **6.4 met** elkaar ~ *c. glasses with each other* **8.1** het klinkt als een klok *it sounds superb / magnificent;* ⟨fig. ook⟩ *that's perfect / first rate;* ⟨duidelijk⟩ *that's crystal clear;* een stem die klinkt als een klok *a bell-like voice* **8.3** het klonk hem als muziek in de oren *it was music to his ears;*
II ⟨ov.ww.⟩ **0.1** [door hameren tot een kop vormen] *rivet* ⇒*clinch* **0.2** [door kloppen / smeden verbinden] *rivet* ⇒*clinch* **0.3** [ketenen, boeien] *chain* **0.4** [vastnagelen] *nail* ♦ **1.2** buizen / platen ~ *r. pipes / plates* **3.1** ⟨fig.⟩ het zit geklonken *that's settled.*
klinker ⟨de (m.)⟩ **0.1** [spraakgeluid] *vowel* ⇒*vocal* **0.2** [teken] *vowel* **0.3** [hardgebakken steen] *clinker* ♦ **2.1** een gedekte / ongedekte ~ *a free / checked vowel;* een gespannen / ongespannen ~ *a terse / lax vowel;* een stomme ~ *a neutral vowel* **2.3** een gele ~ *a Dutch c., a Flemish brick / Hollander.*
klinkerbestrating ⟨de (v.)⟩ **0.1** *(Dutch) brick / clinker (brick) paving.*
klinkerrijm ⟨het⟩ **0.1** *assonance.*
klinkersteen ⟨de (m.)⟩ →**klinker 0.3**.
klinkerweg ⟨de (m.)⟩ **0.1** *brick(-paved) road.*
klinkerwisseling ⟨de (v.)⟩ ⟨taal.⟩ **0.1** *(vowel) gradation* ⇒*ablaut.*
klinket ⟨het⟩ **0.1** [kleine deur in een grote] *wicket* ⇒*wicket-door, wicket-gate* **0.2** [valdeurtje / schuif in een sluisdeur] *sluice gate* ⇒ ⟨AE ook⟩ *wicket* **0.3** [deurraampje] *wicket.*

klinkhamer ⟨de (m.)⟩ **0.1** *riveting hammer.*

klinkklaar ⟨bn.⟩ **0.1** *plain, pure* ⟨van goud, boter enz.⟩ ◆ **1.1** dat is klinkklare onzin *that's sheer / blatant / outright / downright nonsense, that's pure drivel.*

klinkmachine ⟨de (v.)⟩ **0.1** *riveter* ⇒*riveting machine.*

klinknaad ⟨de (m.)⟩ **0.1** *riveted joint.*

klinknagel ⟨de (m.)⟩ **0.1** *rivet* ⇒*clinch(er), clinch-nail.*

klip¹ ⟨de⟩ **0.1** [steile rots] *rock* ⇒*reef,* ⟨hoog⟩ *cliff* **0.2** [⟨fig.⟩] *obstacle* ⇒*snag* ◆ **2.1** blinde ~ *sunken / submerged rock;* wakende ~ *visible rock, rock above the water(line)* **3.2** hij tracht die ~ te omzeilen *he is trying to avoid those obstacles* **6.1** op een ~ lopen *strike / come (up)on a rock, hit a rock* **6.2** hun huwelijk is op de ~pen gelopen *their marriage has gone / is on the rocks;* tussen de ~pen door zeilen *steer clear of the rocks* **6.¶** tegen de ~pen op liegen / drinken *lie / drink shamelessly / outrageously.*

klip² ⟨bn., bw.⟩ ◆ **2.¶** ~ en klaar *crystal-clear, clear as daylight, clear-cut;* iets ~ en klaar formuleren *to say sth. in plain language / speech / words.*

klipdas ⟨de (m.)⟩ **0.1** *procavia, klipdas(sie)* ⇒⟨Kaapse klipdas⟩ *rock-badger / rabbit, dassie.*

klipgeit ⟨de⟩ **0.1** *chamois.*

klip-klap ⟨de (m.)⟩ **0.1** *click-clack* ⇒⟨van iets dat los zit⟩ *flip-flap, clitter-clatter.*

klipper ⟨de⟩ **0.1** *clipper.*

klippig ⟨bn.⟩ **0.1** *full of rocks* ⇒*rocky* ◆ **1.1** ~e kust *a rocky / rugged / ironbound coast.*

klipvis ⟨de (m.)⟩ **0.1** [tropische zeevis] *angelfish* ⇒*butterfly fish* **0.2** [gezouten zeevis] *dried cod.*

klipzout ⟨het⟩ ⟨geol.⟩ **0.1** *rock-salt.*

klipzwaluw ⟨de⟩ **0.1** *salangane* ⇒*swiftlet.*

klis ⟨de⟩ **0.1** [plant] *burdock* **0.2** [bloemhoofdje] *bur(r)* ⇒⟨v.d. stekelnoot⟩ *cocklebur* **0.3** [knoop, klit] ⟨vnl. van haar⟩ *tangle* ⇒*knot, snarl, mat, twine* ◆ **1.3** een ~ haar *a tangle of hair* **8.2** hij hangt aan je als een ~ *he sticks (to you) like a leech / limpet.*

klisma →*klysma.*

klis(se)kruid ⟨het⟩ **0.1** *burdock.*

klissen ⟨onov.ww.⟩ **0.1** *become / get entangled* ◆ **1.1** geklist garen *entangled yarn;* geklist haar *entangled hair, a tangle / mat of hair.*

klisteer ⟨het, de⟩ **0.1** *enema* ⇒*clyster, lavage* ◆ **3.1** een ~ zetten / toedienen *insert / administer an e..*

klisteerspuit ⟨de⟩ **0.1** *enema (syringe).*

klit →*klis.*

klits ⟨tw.⟩ **0.1** *swish-swash.*

klit(te)band ⟨het⟩ **0.1** *Velcro* ◆ **6.1** deze schoenen sluiten met ~ *these shoes fasten with V..*

klitten ⟨onov.ww.⟩ **0.1** [klit(ten) vormen] *become / get entangled* **0.2** [klampen, kleven] *stick* ◆ **6.2** aan iem. ~ *s. to s.o. (like a leech / limpet);* aan elkaar ~ *hang / s. together.*

klitvrucht ⟨de⟩ **0.1** *pappus.*

klitwortel ⟨de (m.)⟩ **0.1** *burdock root.*

KLM ⟨de (v.)⟩ ⟨afk.⟩ **0.1** [Koninklijke Luchtvaart Maatschappij] *KLM (Royal Dutch Airlines).*

klodder ⟨de (m.)⟩ **0.1** ⟨vnl. verf⟩ *daub, splodge,* ^*splotch;* ⟨vnl. bloed⟩ *clot, gout / blob* ◆ **1.1** ~s gestold bloed *blood clots;* een ~ mayonaise *a dash of mayonnaise;* een ~ verf *a d. of paint.*

klodderaar ⟨de (m.)⟩, -ster ⟨de (v.)⟩ **0.1** [knoeipot] *messy person* **0.2** [schilder] *dauber.*

klodderen ⟨onov.ww.⟩ **0.1** [knoeien] *mess (about / around)* **0.2** [slordig / dik schilderen] *daub* ◆ **6.1** met inkt / water ~ *m. around with ink / water* **6.2** met verf ~ op het doek *d. the canvas with paint, splash / slosh paint on the canvas.*

kloek¹ ⟨de (v.)⟩ **0.1** *cluck(y) hen.*

kloek²

I ⟨bn.⟩ **0.1** [groot / flink van lichaamsbouw] *stout* ⇒*sturdy, robust, firm, hefty* **0.2** [omvangrijk van afmetingen] *big, substantial* **0.3** [wakker, alert] *keen* ⇒*sharp, alert, clever* ◆ **1.1** een ~e kerel *a stout fellow;* een ~ kind *a fine / strapping child* **1.2** een werk in drie ~e delen *a work in three s. volumes* **6.3** ~ van verstand zijn *have a k. mind;*
II ⟨bn., bw., -ly⟩ **0.1** [dapper, moedig] *brave* ⇒*bold, courageous* ◆ **1.1** een ~ besluit nemen *take a brave decision;* ~ gedrag *courageous behaviour* **3.1** zich ~ houden *maintain / keep up / show a brave front.*

kloekgebouwd ⟨bn.⟩ **0.1** *stout* ⇒*sturdy, robust, strapping.*

kloekmoedig ⟨bn., bw., -ly⟩ **0.1** *brave* ⇒*bold, stouthearted, valiant.*

kloekmoedigheid ⟨de (v.)⟩ **0.1** *bravery* ⇒*boldness, stoutheartedness, valour.*

kloet ⟨de (m.)⟩ **0.1** [schippersboom] *punting pole* ⇒⟨BE ook⟩ *quant* **0.2** [knop aan een polsstok / vaarboom] *knob* ⇒⟨duidelijker⟩ *handle of a punting / vaulting pole* **0.3** [gestoken klomp klei] ⟨square / lump / block of cut clay⟩ **0.4** [kalkklopper] *lime rake, mortar beater.*

kloffie ⟨het⟩ ⟨inf.⟩ **0.1** *rags, togs* ⇒*toggery,* ⟨vnl. BE; sl.⟩ *clobber, gear* ◆ **2.1** in zijn beste ~ *in his best bib and tucker, in his glad r. / best togs;* in zijn ouwe ~ *in his old togs / clobber.*

klojo ⟨de (m.)⟩ ⟨inf.⟩ **0.1** ^B*berk, twit, wally,* ^*jerk* ⇒⟨AE ook⟩ *nerd.*

klok¹ ⟨→sprw. 355⟩

I ⟨de⟩ **0.1** [bel] *bell* **0.2** [uurwerk] *clock* ⇒*timepiece, watch* **0.3** [klokslag] *stroke* **0.4** [hart van een rekenmachine] *clock* **0.5** [toestel om voorwerpen op te halen] *bell* **0.6** [glazen stolp] *belljar* ⇒*bell glass, cloche* **0.7** [meter, teller] *timer* ⇒⟨in samenst.⟩ *-meter,* ⟨inf.⟩ *clock* ◆ **1.2** ⟨fig.⟩ een man van de ~ *a punctual man* **2.1** ⟨fig.⟩ iets aan de grote ~ hangen *make a fuss about sth., tell everyone about sth.;* ⟨geheimen ook⟩ *do one's dirty washing in public* **2.2** een anologe / digitale ~ *an analogue / a digital c.;* een staande ~ *a grandfather / grandmother / longcase c.* **3.1** de ~ beiert / klept *the b. is chiming / tolling / ringing;* een ~ gieten / luiden *found / ring a b.* **3.2** ⟨fig.⟩ daar kun je de ~ op gelijkzetten *you can set your watch / the c. by it;* de ~ met de radio gelijkzetten *set the c. by the radio;* hij kan nog geen ~ kijken / niet op de ~ kijken *he can't tell (the) time yet;* de ~ loopt voor / achter / gelijk *the c. is (running) fast / slow / on time / right;* de ~ opwinden *wind the c.;* de ~ slaat / wijst zes uur *the c. strikes / shows six o'clock;* de ~ staat stil *the c. isn't running, has stopped;* de ~ terugzetten ⟨ook fig.⟩ *set / put / turn the c. back;* de ~ voor / achterzetten *set / put / turn the c. on / ahead / back* **3.7** de ~ stilzetten *stop the t.* **5.2** de ~ rond *(a)round the c.;* de ~ rond slapen *sleep around the c.* **5.7** de auto is het ~ je rond *the car has gone around the clock* **6.2** op de ~ kijken *look at the c.;* ⟨sport⟩ een tijd op de ~ ken brengen *make a time;* ⟨sport⟩ een race tegen de ~ *a race against the c. /* ⟨fig. ook⟩ *against time;* tegen de ~ werken *work against time* **6.3** tegen / rond de ~ van tien *about / around ten (o'clock), tennish* **6.7** een auto met 50.000 km op de ~ *a car with 50,000 km on the c. /* ^*odometer / on it* **¶.2** met de ~ mee *clockwise;* tegen de ~ in *anticlockwise,* ^*counterclockwise;* met de regelmaat van de ~ *with the regularity of clockwork, like / regular as clockwork;* het is allemaal sport wat de ~ slaat bij hem *he eats, drinks, and sleeps sports / can only think of sport;* het is allemaal werken wat de ~ slaat *working is the order of the day* **¶.3** op de ~ af *right to the minute, sharp, prompt;*
II ⟨de (v.)⟩ **0.1** [kloek] *hen, brood(y) hen.*

klok² ⟨tw.⟩ **0.1** *glug* ⇒*glub.*

klokbeker ⟨de (m.)⟩ **0.1** *bell beaker.*

klokbekercultuur ⟨de (v.)⟩ **0.1** *beaker folk / people.*

klokbloem ⟨de⟩ **0.1** [bloem met klokvormige bloemkroon] *bellflower* **0.2** [klokje, akelei] *bellflower, campanula* ⇒*bluebell, harebell, canterbury bell.*

klokbloemig ⟨bn.⟩ **0.1** *bellflower-like* ◆ **1.1** ~e planten *bellflower-like plants.*

klokdiertje ⟨het⟩ **0.1** *protozoan* ⇒⟨vero.⟩ *infusorian.*

klok-en-hamerspel ⟨het⟩ ⟨scherts.⟩ **0.1** *tools,* ^*family jewels.*

klokgaaf ⟨bn.⟩ **0.1** *sound as a bell.*

klokgelui ⟨het⟩ **0.1** [het luiden] *bell ringing* ⇒*bell chiming / sounding / playing,* ⟨voor doden⟩ *bell tolling* **0.2** [geluid, gebeier] *ringing* ⇒*chiming, chime, peal(ing)* ◆ **6.2** onder ~ binnentreden *walk / come in (just) as the bells sound / ring.*

klokgevel ⟨de (m.)⟩ **0.1** *Dutch gable.*

klokgieten ⟨ww.⟩ →*klokkengieten.*

klokhen ⟨de (v.)⟩ **0.1** *mother hen* ⇒*brood(y) hen.*

klokhuis ⟨het⟩ **0.1** *core* ⟨appels, peer⟩; *pericarp* ⟨bloem⟩ ◆ **3.1** de appel van het ~ ontdoen *core the apple.*

klokje ⟨het⟩ ⟨→sprw. 356⟩ **0.1** [klein uurwerk] *little / small clock* **0.2** [plant] *bellflower, campanula* ⇒*bluebell, harebell, Canterbury bell* **0.3** [horloge] *watch* ◆ **1.1** ⟨fig.⟩ het ~ van de gehoorzaamheid *time for all good children (to go home / to bed / to sleep).*

klokjesachtigen ⟨zn.mv.⟩ **0.1** *bellflower family* ⇒*campanulaceae.*

klokjesgentiaan ⟨de (v.)⟩ **0.1** *bog gentian.*

klokkaart ⟨de⟩ **0.1** *time card.*

klokke ⟨zn.mv.⟩ ◆ **7.¶** ~ tien (uur) *ten o'clock on the dot / sharp.*

klokkebalk ⟨de⟩ **0.1** *stock.*

klokkegalg ⟨de⟩, -stoel ⟨de (m.)⟩ **0.1** *bell cage* ⇒*belfry.*

klokkekast ⟨de⟩ **0.1** *clock case.*

klokkeluider ⟨de (m.)⟩, -luidster ⟨de (v.)⟩ **0.1** *bell-ringer.*

klokken

I ⟨onov.ww.⟩ **0.1** [werktijden laten vastleggen] *clock (on / off),* ^*punch (in / out)* **0.2** [het geluid 'klok' laten horen] *cluck* ⟨kip⟩; *gobble* ⟨kalkoen⟩; *gurgle* ⟨vanuit een fles⟩ **0.3** [als een klok uitstaan / vallen] *flare* ◆ **1.3** ~de rokken *flared skirts* **3.1** al het personeel moet ~ *all personnel must c. (on and off) /* ^*p. (in and out / the clock);*
II ⟨onov., ov.ww.⟩ ⟨sport⟩ **0.1** [de tijd opnemen] *time* ⇒*clock* ◆ **5.1** elektronisch geklokt *electronically timed / clocked* **¶.1** met de hand geklokt *timed by hand / with a stopwatch.*

klok(ken)gieten ⟨ww.⟩ **0.1** *found bells* **7.1** het ~ *bell-founding.*

klokkengieter ⟨de (m.)⟩ **0.1** *bell-founder.*

klokkengieterij ⟨de (v.)⟩ **0.1** *bell-foundry.*

klokkenhuis ⟨het⟩ **0.1** *belfry* ⇒*bell-chamber.*

klokkenist ⟨de (m.)⟩, -e ⟨de (v.)⟩ **0.1** *carillon player* ⇒*carilloneur.*

klokkenkunde ⟨de (v.)⟩ **0.1** *campanology.*

klokkenmaker ⟨de (m.)⟩, -maakster ⟨de (v.)⟩ **0.1** *clockmaker.*

klokkenspel ⟨het⟩ **0.1** [carillon, beiaard] *carillon* ⇒*chimes* **0.2** [slaginstrument] *glockenspiel,* ^*orchestra bells* **0.3** [geluid van klokken] *ringing / chiming / pealing of bells* **0.4** [het bespelen] *carillon playing* ⇒*bell-ringing.*

klokkenspeler ⟨de (m.)⟩,**-speelster** ⟨de (v.)⟩ **0.1** *carillon player* ⇒*carilloneur*.

klokspijs ⟨de⟩ **0.1** *bell-metal*.

klokkestoel ⟨de (m.)⟩ →**klokkegalg**.

klokketoren ⟨de (m.)⟩ **0.1** *clock/bell tower* ⇒*belfry*.

klokketouw ⟨het⟩ **0.1** *bell rope*.

klokmetaal ⟨het⟩ **0.1** *bell-metal*.

klokmodel ⟨het⟩ **0.1** *flared model/style*.

klokradio ⟨de (m.)⟩ **0.1** *clock radio*.

klokrok ⟨de (m.)⟩ **0.1** *flared skirt*.

kloksignaal ⟨het⟩ **0.1** [sein met een klok] *bell signal* **0.2** [mistsein] *fog signal* ⇒⟨scheep. ook⟩ *submarine bell signal*.

klokslag ⟨de (m.)⟩ **0.1** [het slaan] *striking of the clock* **0.2** [keer] *stroke of the clock* ◆ **7.1** ~ vier uur *on/at the stroke of four (o'clock), at four (o'clock) precisely/sharp*.

klokslot ⟨het⟩ **0.1** *time lock*.

klokurn ⟨de (v.)⟩ **0.1** *bell-shaped urn*.

klokuur ⟨het⟩ **0.1** *hour on/according to the clock*.

klokvast ⟨bn.⟩ **0.1** ⟨alleen ná zn.⟩ *(as) regular as clockwork*.

klokvogel ⟨de (m.)⟩ **0.1** *bell-bird*.

klokvormig ⟨bn., bw.⟩ **0.1** *bell-shaped* ⇒*bell-like* ◆ **1.1** ~e bloemen *bell-shaped/campanulate flowers*.

klokweegschaal ⟨de⟩ **0.1** *scales*.

klomp ⟨de (m.)⟩ **0.1** [houten schoeisel] *clog*, ^wooden shoe* **0.2** [schoen met houten zool en hak] *clog* **0.3** [kluit, klont] *clod* ⇒*lump, glob* **0.4** [troep, massa] *bunch, load, pile, heap* ◆ **1.3** een ~ aarde/boter/vlees a *lump of earth/butter/meat*; een ~ goud *a nugget of gold* **3.1** ⟨fig.⟩ nu breekt mijn ~ *that's the limit/takes the cake* **6.1** ⟨fig.⟩ dat kun je **met/op** je ~ aanvoelen *that stands/sticks out a mile*; een man op ~en a *man in clogs/*^wooden shoes*; ⟨fig.⟩ een boer **op** ~en a *peasant/boor/*^hick/*^hayseed*.

klompachtig ⟨bn.⟩ **0.1** [klompvormig] ⟨→**klompvormig**⟩ **0.2** [klonterig] *cloggy* ⇒*lumpy*.

klompendans ⟨de (m.)⟩ **0.1** *clog/*^wooden shoe dance*.

klompenhout ⟨het⟩ **0.1** *clogwood* ⇒*wood for (making) clogs*.

klompenmaker ⟨de (m.)⟩,**-maakster** ⟨de (v.)⟩ **0.1** *clog/*^wooden shoe maker*.

klompenmakerij ⟨de (v.)⟩ **0.1** [handeling] *clog-making/*^wooden shoe business* **0.2** [bedrijf, werkplaats] *clog/*^wooden shoe factory/shop*.

klompenwinkel ⟨de (m.)⟩ **0.1** *clog shop*, ^wooden shoe store*.

klomphand ⟨de⟩ **0.1** *clubhand*.

klompschoen ⟨de (m.)⟩ **0.1** [met houten onderwerk] *clog* ⇒*wooden-soled shoe* **0.2** [van klompvormig model] *clog-like shoe*.

klompvis ⟨de (m.)⟩ **0.1** *(ocean) sunfish* ⇒*moonfish, globefish*.

klompvoet ⟨de (m.)⟩ **0.1** *clubfoot* ⇒⟨med.⟩ *talipes*.

klompvormig ⟨bn.⟩ **0.1** *clog-like* ⇒*in the form of a clog/*^wooden shoe*.

klonen ⟨onov., ov.ww.⟩ **0.1** *clone*.

klonisch ⟨bn.⟩ **0.1** *clonic* ◆ **1.1** ~e kramp *c. spasm, clonus*.

klont ⟨de⟩ **0.1** [kleine samenhangende massa] *lump* ⇒*glob, dab, daub* ⟨verf⟩ **0.2** [samenplakkend stukje] *lump* ⇒*clod, clot* ◆ **1.1** een ~ boter a *pat/*^knob of butter*; met een flinke ~ slagroom *with a big dab/dollop of whipped cream*; een ~ suiker a *sugar l.*; ~ cube **5.2** de saus is/zit vol ~en *the sauce/gravy is full of lumps/lumpy*.

klonter ⟨de (m.)⟩ **0.1** [klont mbt. een vloeistof] *clot* ⇒*lump* **0.2** [klont van modder/klei] *clod* ⇒*lump* ◆ **1.1** een ~ bloed a *blood c.*.

klonteren ⟨onov.ww.⟩ **0.1** *lump, become lumpy; clot* ⟨bloed⟩; *curdle* ⟨melk⟩.

klonterig ⟨bn.⟩ **0.1** *lumpy*.

klontje ⟨het⟩ **0.1** [kleine klont] *lump* ⇒*dab, pat/*^knob* ⟨boter⟩ **0.2** [blokje suiker] *sugar lump/cube* ◆ **8.¶** zo klaar als een ~ *crystal clear, as plain as the nose on your face*.

klontjessuiker ⟨de⟩ **0.1** *lump/cube sugar*.

klontjestang ⟨de⟩ **0.1** *(pair of) sugar tongs*.

kloof ⟨de⟩ **0.1** [spleet, barst] *split* ⇒*gash, gap, cut, rent* **0.2** [ravijn] *crevice* ⇒*gorge, chasm, cleft, fissure* **0.3** ⟨fig.⟩ *gap* ⇒*gulf* ◆ **6.1** kloven in de lippen/**in** de handen *splits in one's lips/hands, severely cracked lips/chapped hands* **6.3** de ~ **tussen** arm en rijk wordt steeds groter/dieper/wijder *the gap between (the) rich and (the) poor is getting larger and larger, the gulf between (the) rich and (the) poor is getting deeper and deeper/wider and wider/is deepening/widening*; er gaapt een diepe ~ **tussen** theorie en praktijk *there is a big/yawning gap/gulf between theory and practice*.

kloofbaar ⟨bn.⟩ **0.1** *cleavable* ⇒⟨geol.⟩ *spathic*.

kloofbeitel ⟨de (m.)⟩ **0.1** *bolster*.

kloofbijl ⟨de⟩ **0.1** *cleaver* ⇒*chopper, (splitting) axe*.

kloofvlak ⟨het⟩ **0.1** *split surface*.

klooi ⟨de (m.)⟩ ⟨vulg.⟩ **0.1** *bungler, botcher*.

klooien ⟨onov.ww.⟩ ⟨inf.⟩ **0.1** [stuntelen, prutsen] *bungle* ⇒*mess/screw/botch/muck up* **0.2** [luieren, rondhangen] *hang about/around* ⇒*fart/moon/muck/screw about/around* **0.3** [donderjagen] *monkey (about/around)* ⇒*fart/mess/piss/play about/around* **0.4** [zeuren] *drone (on)* ⇒*whine* ◆ **3.3** lig/zit niet met die lucifers te ~ *don't monkey/mess/muck (about/around) with those matches, stop messing/mucking about with those matches*.

kloon ⟨de⟩ **0.1** *clone*.

klooster ⟨het⟩ **0.1** [religieuze instelling] *monastery* ⟨mannen⟩; *convent, nunnery* ⟨vrouwen⟩; *cloister* **0.2** [gebouw] *monastery* ⟨mannen⟩; *convent, nunnery* ⟨vrouwen⟩; *cloister* **0.3** [bewoners] *monastery* ⟨mannen⟩; *convent, nunnery* ⟨vrouwen⟩ ◆ **2.1** een boeddhistisch ~ a *buddhist monastery* **3.1** een ~ stichten *found a monastery/convent* **6.1** in een/het ~ gaan/treden *go into/enter a/the monastery/convent; take the veil* ⟨nonnen⟩.

kloosterachtig ⟨bn.⟩ **0.1** *cloistral* ⇒*monastic, claustral, conventual*.

kloosterbalsem ⟨de (m.)⟩ **0.1** *friar's balsam*.

kloosterbeschaving ⟨de (v.)⟩ **0.1** *monastic society*.

kloosterbibliotheek ⟨de⟩ **0.1** *monastery/convent/cloister library*.

kloosterbier ⟨het⟩ **0.1** *monks' beer*.

kloosterbroeder ⟨de (m.)⟩ **0.1** *monk* ⇒*friar, lay brother,* ↑*monastic*.

kloostercel ⟨de⟩ **0.1** *monastery/convent cell/cubicle*.

kloostercongregatie ⟨de (v.)⟩ **0.1** *monastic congregation*.

kloosterfeest ⟨het⟩ **0.1** *anniversary of taking monastic vows* ◆ **3.1** zijn twintigjarig ~ vieren *celebrate one's twentieth anniversary in a monastery/convent*.

kloostergang ⟨de (m.)⟩ **0.1** [gang om de binnenhof] *cloister* ⇒*ambulatory* **0.2** [gang in een klooster] *monastery/convent hall/corridor*.

kloostergelofte ⟨de (v.)⟩ **0.1** *(monastic) vows* ⇒*profession* ◆ **3.1** zijn ~ afleggen *take one's v., profess*.

kloostergemeenschap ⟨de (v.)⟩ **0.1** *monastic/convent community*.

kloostergewaad ⟨het⟩ **0.1** *habit* ⇒*monastic garb/robe(s)/dress*.

kloostergewelf ⟨het⟩ ⟨bouwk.⟩ **0.1** [gewelf waarvan het grondvlak een veelhoek is] *ribbed/lierne vault* **0.2** [kruising van twee tongewelven] *intersecting barrel-vault*.

kloostergrond ⟨de (m.)⟩ **0.1** *monastery/convent grounds* ⇒*property/possessions of a monastery/convent*.

kloosterkapel ⟨de⟩ **0.1** *monastery/convent chapel*.

kloosterkerk ⟨de⟩ **0.1** *monastery/convent church, minster*.

kloosterlatijn ⟨het⟩ **0.1** *church Latin*.

kloosterleven ⟨het⟩ **0.1** [het leven in een klooster] *monastic/convent life* **0.2** [afgezonderd leven] *cloistered life*.

kloosterlijk ⟨bn., bw.⟩ **0.1** [het klooster betreffend] *cloistral* ⇒*monastic, conventual* **0.2** [stil] *cloister-like, cloistered* ⇒*monastery-like, convent-like*.

kloosterling ⟨de (m.)⟩,**-e** ⟨de (v.)⟩ **0.1** *religious, conventual* ⇒*monk, monastic* ⟨m.⟩, *nun* ⟨v.⟩.

kloostermoeder ⟨de (v.)⟩ **0.1** *Mother Superior* ⇒*abbess, prioress*.

kloostermop ⟨de⟩,**-steen** ⟨de (m.)⟩ **0.1** ≠*Roman brick*.

kloostermuur ⟨de (m.)⟩ **0.1** [muur v.e. kloostergebouw] *monastery/convent wall* **0.2** [ringmuur om een klooster] *monastery/convent wall(s)*.

kloosterorde ⟨de⟩ **0.1** *monastic/convent(ual) order*.

kloosteroverste ⟨de⟩ **0.1** *abbot, prior* ⟨m.⟩; *abbess, prioress* ⟨v.⟩.

kloosterpoort ⟨de⟩ **0.1** *monastery/convent doors*.

kloosterregel ⟨de (m.)⟩ **0.1** *monastic rule*.

kloosterroeping ⟨de (v.)⟩ **0.1** *monastic/conventual calling*.

kloosterschool ⟨de⟩ **0.1** *convent school*.

kloostersteen →**kloostermop**.

kloostertafel ⟨de⟩ **0.1** *refectory table*.

kloostertuin ⟨de⟩ **0.1** *monastery/convent garden*.

kloosterwezen ⟨het⟩ **0.1** *monasticism*.

kloosterzuster ⟨de (v.)⟩ **0.1** [non] *nun* ⇒*sister* **0.2** [medebewoonster v.e. klooster] *lay sister*.

kloot ⟨de (m.)⟩ ⟨vulg.⟩ **0.1** [persoon] *bastard* ⇒*fart, jerk, fucker,* ^twat, arse, ^ass(hole)* **0.2** [teel/zaadbal] *testicle* ⇒⟨inf.⟩ *ball* ◆ **3.2** hij kan me de kloten kussen *he can kiss my arse/*^ass!, balls to him!* **6.1** wat een ~ **van** een vent *what a* ^twat/*^fucking asshole* **6.2** iem. **voor** zijn kloten schoppen *kick s.o. in the balls* **6.¶** naar de kloten zijn *be screwed/fucked up; be down the drain/out of the window* ⟨geld⟩; **naar** de ~en gaan *go to hell* **7.¶** dat kan me geen ~ schelen *I don't give a damn/shit/fuck* **¶.2** ⟨fig.⟩ het is kloten van de bok *it isn't worth shit/a (bloody) damn/a toss*.

kloothannesen ⟨ww.⟩ ⟨vulg.⟩ **0.1** [vervelend doen] *monkey around/about* ⇒*screw around* **0.2** [klungelen, stuntelen] *mess around* ⇒*monkey around/about, screw around*.

kloothommel ⟨de (m.)⟩ ⟨vulg.⟩ **0.1** ⟨BE vnl.⟩ *twat, bugger;* ⟨AE vnl.⟩ *ass(hole), jerk*.

klootjesvolk ⟨het⟩ ⟨pej.⟩ **0.1** ↑*the bourgeois*.

klootzak ⟨de⟩ **0.1** [⟨vulg.⟩ persoon] *bastard* ⇒^sod, ^son-of a-bitch, ^mother(fucker)* **0.2** [balzak] *scrotum* ◆ **2.1** stomme ~! *bloody fool!,* ↓*fucking idiot!; vuile* ~ *dirty b.!*.

klop¹ ⟨de (m.)⟩ **0.1** [slag] *knock* ⇒⟨snel⟩ *rap*, ⟨zacht⟩ *tap* **0.2** [mbt. hart] *beat(ing)* ⇒*throb(bing), knock(ing), stroke* **0.3** [⟨inf.⟩ slaag] *lick(ing)* ⇒*whack(ing), knock(ing), wallop(ing)* ◆ **3.3** iem. ~ geven *give s.o. a l.*/*whack(ing)/beating/thumping, whop/lick/trounce/beat/wallop s.o.*; ~ krijgen *get a l., get licked/whopped/trounced/beat(en)/walloped* **6.1** een ~ op de deur geven *give a k.l knock on the door*; een ~(je) op de schouders *a slap on the back*; **tegen** een ~ kunnen *be able to take/survive a few knocks*.

klop² ⟨tw.⟩ **0.1** *knock* ◆ **3.1** ~, ~, ~ ging het op de deur *there was a k. k. at the door*.

klopboor ⟨de⟩ **0.1** *hammer drill*.

klopgeest ⟨de (m.)⟩ **0.1** *poltergeist*.

klophamer ⟨de (m.)⟩ **0.1** [houten hamer van beeldhouwers] *mallet* **0.2** [ijzeren hamer] *finishing hammer*.

klophengst ⟨de (m.)⟩ **0.1** *ridg(e)ling* ⇒*ridgel*.

klopjacht ⟨de⟩ **0.1** [mbt. mensen] *round-up* **0.2** [mbt. dieren] *drive* ⇒ *round-up, beat* ◆ **3.1** een ~ houden op *round up, drive/hunt down* **3.2** een ~ houden op wolven *hunt down the wolves*.

klopklop ⟨de⟩ **0.1** *ready-whip*.

klopmassage ⟨de (v.)⟩ **0.1** *tapotement, percussion* ⇒*clapping, pounding, patting*.

klopmolen ⟨de (m.)⟩ ⟨vis.⟩ **0.1** *hammer mill*.

kloppartij ⟨de (v.)⟩ **0.1** *scuffle* ⇒*tussle* ◆ **2.1** het werd een algemene ~ *it turned into a free-for-all/free-fight;* een stevige ~ *a serious s..*

kloppen

I ⟨onov.ww.⟩ **0.1** [hoorbaar op/tegen iets slaan] *knock (at/on)* ⇒ ⟨snel⟩ *rap,* ⟨zacht⟩ *tap* **0.2** [op iets slaan om er de aandacht op te vestigen] *knock* ⇒⟨snel⟩ *rap,* ⟨zacht⟩ *tap* **0.3** [mbt. de hartspier] *beat* ⇒ *throb* **0.4** [overeenkomen, passen] *correspond* ⇒*agree, tally* ◆ **1.1** wat ~ v.e. motor *the knocking of an engine* **1.3** met ~d hart *with one's heart racing/throbbing;* vol verwachting klopt ons hart *our hearts pound with anticipation;* ~de pijn *throbbing pain;* een ~de pols *a beating pulse* **1.4** een ~d antwoord *a correct answer;* ~de boekhouding *balanced books;* daar klopt iets niet *there is sth. wrong here;* de rekening klopt *the bill tallies* **3.3** het hart sneller doen ~ *make one's heart b. faster, make one's heart quicken* **4.4** dat klopt *that's right/correct* **6.1** ~ op een tafel/tegen een muur *k. / tap on a table/wall* **6.2** binnen zonder ~ *enter without knocking* **6.3** het hart klopte hem in de keel *his heart was in his mouth/throat* **6.4** dat klopt **met** de feiten *that agrees/tallies with the facts;* hun verklaringen klopten niet **met** elkaar *their explanations didn't tally;* deze redenering klopt niet **op** een punt *there is one flaw in this argument;* de berekening klopte **tot op** de cent *the calculations were right to the (last) penny* ¶.**2** er wordt geklopt *there's a knock at the door;*

II ⟨ov.ww.⟩ **0.1** [een slag geven] *knock* ⇒⟨snel⟩ *rap,* ⟨zacht⟩ *tap* **0.2** [verbrijzelen] *break* ⇒*smash* **0.3** [door slaan in een andere toestand brengen] *beat* ⇒*whisk, whip* **0.4** [verslaan, overwinnen] *beat* **0.5** [opkloppen] *beat (up)* ⇒*whisk (up), whip (up)* **0.6** [wekken] *wake up* ⇒ ᴮ*knock up* ◆ **1.1** ⟨inf.⟩ de astmapatiënt werd geklopt *the asthma patient was palpitated;* ⟨amb.⟩ een vorm ~ *straighten a form* **1.2** cokes/keien ~ *b. coke/stones* **1.3** eieren ~ *b. / whisk eggs;* het kleed ~ *b. the carpet* **1.¶** ⟨AZN,inf.⟩ veel uren ~ *put in a lot of hours;* ⟨mil.⟩ wacht ~ *stand guard* **6.1** iem. **op** de rug/schouder ~ ⟨fig.⟩ *pat s.o. on the back;* de dokter klopte de patiënt **op** de borst *the doctor palpitated the patient's chest* **6.3** ⟨fig.⟩ iem. geld **uit** zijn zak ~ *shake money out of s.o.'s pocket;* de as **van** de sigaar ~ *knock/tap the ash from the cigar* **6.4** hij werd geklopt **op** de 200 m *he was beaten on the 200 m.*

klopper ⟨de (m.)⟩ **0.1** [persoon] *knocker* ⇒⟨tegen raam⟩ *window-tapper,* ⟨van jacht⟩ *beater,* ⟨porder⟩ ᴮ*knocker-up* **0.2** [iets dat waarmee men klopt] *beater* ⇒⟨van deur⟩ *knocker,* ⟨matteklopper⟩ *(carpet-)beater* **0.3** [van telegraaf] *sounder* **0.4** [paard] *crib-biter* ⇒*cribber.*

klopping ⟨de (v.)⟩ **0.1** [het kloppen] *beating* ⇒*throbbing, pulsation, palpitation* **0.2** [⟨AZN,inf.⟩ pak slaag (ook fig.)] *beating* ⇒*thrashing* ◆ **3.2** een ~ krijgen *get a thrashing;* ⟨van een individu ook⟩ *have the stuffing knocked/beaten out of one.*

klopsignaal ⟨het⟩ **0.1** *knock;* ⟨spiritualisme⟩ *rap.*

klopsteen ⟨de (m.)⟩ **0.1** *lapstone* ⟨van schoenmaker⟩.

kloptor ⟨de⟩ **0.1** *deathwatch (beetle).*

klopvastheid ⟨de (v.)⟩ **0.1** *anti-knock property/quality/rating.*

kloris ⟨de (m.)⟩⟨inf.⟩ **0.1** [vrijer] *sweetheart* **0.2** [sukkel] *nitwit* ⇒⟨pej.⟩ *dolt, (country) bumpkin.*

klos¹ ⟨de⟩ **0.1** [kort en breed stukje hout] *chock* ⇒*block* **0.2** [spoel] *bobbin* ⇒*spool, reel,* ⟨elek.⟩ *coil* ◆ **1.2** ~je garen ᴮ*reel of cotton,* ᴬ*spool of thread* **1.¶** ⟨inf.⟩ de ~ zijn †*be the sucker/*ᴬ*fall guy.*

klos² ⟨tw.⟩ **0.1** *clump.*

kloskant ⟨de (m.)⟩ **0.1** *bobbin/pillow lace.*

klossen

I ⟨onov.ww.⟩ **0.1** [de voeten niet optillen] *clump* ⇒*stump* ◆ **3.1** hij loopt maar te klossen *he is just clumping/stumping along;*

II ⟨ov.ww.⟩ **0.1** [op een spoel winden] *wind* ⇒*reel* **0.2** [met klossen vervaardigen] *work/make with bobbins* ◆ **1.1** garen ~ *w. (up) yarn.*

klote ⟨bn.,bw.⟩⟨vulg.⟩ **0.1** [⟨vaak in samenst.⟩] *bloody awful* ⇒*shitty,* ↓*fucking (awful)* ◆ **1.1** een klotedag *a bloody/* ↓*fucking awful day;* klotetroep ᴮ*bloody/*↓*fucking awful mess, shit-heap,* ᴮ*pigsty;* ⟨vnl. AE⟩ *garbage dump;* kloteweer *bloody awful/rotten weather, shitty/* ↓*fucking (awful) weather;* een klotewijf *a (fucking) bitch* **3.1** dat heeft hij ~ gemaakt/gedaan *he really screwed/fucked things up;* zich ~ voelen *feel shitty/crappy* **5.1** dat is zwaar ~ *that's really bloody awful.*

kloten ⟨onov.ww.⟩⟨vulg.⟩ **0.1** [prutsen] ᴮ*piss about/around,* ᴬ*screw around* ⇒ᴮ*bugger about/around,* ᴬ*fuck around* **0.2** [zeuren] *whine* ⇒ *drone* **0.3** [⟨AZN⟩ bedriegen] ᴮ*bugger about/around,* ᴬ*screw,* ᴬ ↓*fuck* ◆ **3.1** wat zit/sta je nou te ~? *what are you pissing about?.*

---

kloterig ⟨bn.,bw.⟩⟨vulg.⟩ **0.1** [ellendig, waardeloos] *rotten* ⇒*shitty, lousy, crappy* **0.2** [onhandig, prutserig] *bungling* ⇒*bumbling* **0.3** [zeurderig] *whining* ⇒*droning.*

kloterij ⟨de (v.)⟩ ⟨AZN;vulg.⟩ **0.1** *load of balls* ⇒*pile of shit.*

klots ⟨tw.⟩ **0.1** *click, slosh.*

klotsen ⟨onov.ww.⟩ **0.1** [het geluid 'klots' laten horen] *slosh* ⇒(s)*plash* **0.2** [⟨biljart⟩] *kiss* ⇒*click* ◆ **6.1** de golven ~ **tegen** de kade *the waves are splashing onto the quayside* **6.2** de ballen ~ **tegen** elkaar *the balls k..*

kloven

I ⟨ov.ww.⟩ **0.1** [splijten, klieven] *split* (ook hout) ⇒*cleave, cut* ⟨diamanten⟩ ◆ **1.1** ⟨taal.⟩ gekloofde zinnen *cleft sentences* **6.1** in tweeën ~ *s. in two;*

II ⟨onov.ww.⟩ **0.1** [splijten, zich laten kloven] *split* ◆ **5.1** dit hout klooft slecht *this wood doesn't s. easily.*

klover ⟨de (m.)⟩ **0.1** *cleaver, chopper.*

KLu. ⟨afk.⟩ **0.1** [Koninklijke Luchtmacht] ⟨*Royal Netherlands Airforce*⟩.

klucht ⟨de⟩ **0.1** [toneelstuk] *farce* ⇒*burlesque* **0.2** [belachelijke zaak, lachwekkend voorval] *farce* ⇒*burlesque* **0.3** [troep/vlucht vogels] *flock* ◆ **2.1** een platte/dolle ~ *a vulgar/screaming f.;* stomme ~ *(panto)mime, dumbshow.*

kluchtfiguur ⟨de⟩ **0.1** *character in/from a farce* ⇒ ⟨fig.⟩ *farcical character.*

kluchtfilm ⟨de (m.)⟩ **0.1** *farce.*

kluchtig ⟨bn.,bw.⟩ **0.1** *farcical* ⇒*burlesque, comical, funny* ◆ **1.1** een ~ voorval *a farcical occurrence.*

kluchtspel ⟨het⟩ **0.1** *farce* ⇒*burlesque.*

kluif ⟨de⟩ **0.1** [stuk been/bot] *knuckle(bone)* **0.2** [plezierig werk] *easy job* ⇒*plum (job)* **0.3** [zwaar werk] *big/tough job* **0.4** [klauw] *claw* ⇒ *paw* ◆ **2.1** dat is een hele ~ *that's quite a job* **2.2** een lekker ~je (ook fig., bv. schandaaltje) *a nice titbit/*ᴬ*tidbit;* daar had hij een mooie/vette ~ aan *that was a sweet deal* **2.3** daar zal hij een hele ~ aan hebben *that will be a hard nut for him to crack* **6.1** erwtensoep **met** ~ *peasoup with pig's knuckle* **6.2** dat is net een ~je **voor** hem *that is right up his street* **6.4** iem. in zijn kluiven krijgen *get s.o. in one's clutches/claws.*

kluifhout ⟨het⟩⟨scheep.⟩ **0.1** *jibboom.*

kluis ⟨de⟩ **0.1** [brandkast, safe] *safe* ⇒*strongbox, vault* ⟨bank⟩*, safe-deposit box* ⟨bank⟩ **0.2** [woning v.e. kluizenaar] *hermitage* **0.3** [⟨scheep.⟩] *hawse-hole* ◆ **6.1** kostbaarheden opbergen in een ~ *lock/ shut up valuables in a safe.*

kluisbeheerder ⟨de (m.)⟩ **0.1** *safe-deposit box attendant.*

kluisdeur ⟨de⟩ **0.1** *safe door.*

kluisgat ⟨het⟩ **0.1** [⟨scheep.⟩] *hawsehole* ⇒⟨AE ook⟩ *hawse* **0.2** [⟨inf.; fig.⟩ oog] †*eye* ◆ **3.2** houd je ~en open *keep your eyes open/* ⟨inf.⟩ *peeled* **6.1** door de ~en aan boord zijn gekomen *have started/worked one's way up from the bottom of the ladder.*

kluister ⟨de⟩ **0.1** [boei] *shackle(s)* ⇒*fetter(s), manacle* **0.2** [mbt. dieren] *hobble* ⇒*shackle, trammel* ◆ **3.1** een paard/rund de ~s aanleggen *hobble a horse/cow* **6.1** iem. in de ~s slaan *shackle s.o.;* ⟨fig.⟩ in de ~s v.d. vijand *in the grasp of the enemy.*

kluisteren ⟨ov.ww.⟩ **0.1** [boeien] *shackle* ⇒*manacle, hobble* **0.2** [⟨fig.⟩] *chain* ⇒*bind,* ⟨lit.⟩ *fetter* ◆ **1.1** een paard ~ *hobble a horse* **6.2** **aan** het ziekbed gekluisterd *bedridden, confined to one's sickbed;* door ziekte **aan** huis gekluisterd *housebound/confined/bound to the house by one's illness;* **aan** de radio/televisie gekluisterd *glued to the radio/ television.*

kluit ⟨de⟩ **0.1** [brok, klont] *lump* ⇒*clod,* ⟨vnl. golf⟩ *divot* **0.2** [klomp aarde rond de wortels] *ball of earth/soil* **0.3** [hoop, menigte] *bunch* ⇒ *heap, pile* ◆ **1.1** een ~je boter ᴮ*a knob of butter,* ᴬ*a butterball;* een ~ deeg *a ball of dough* **1.3** een ~ mensen *a b. of people* **3.3** ⟨vulg.⟩ hij belazert de ~ *he is taking the whole caboodle for a ride* **6.1** ⟨fig.⟩ iem. **met** een ~je in het riet sturen *send s.o. off none the wiser/ empty-handed;* ⟨fig.⟩ **op** een ~je zitten/staan *crowd/squeeze together, be bunched up;* ⟨fig.⟩ hij is flink **uit** de ~en gewassen *he's a strapping lad.*

kluitden ⟨de (m.)⟩ **0.1** *balled pine sapling.*

kluitenbreker ⟨de (m.)⟩ **0.1** *grubber cultivator.*

kluithoudend ⟨bn.⟩ ◆ **1.¶** ~e grond *binding soil.*

kluitplant ⟨de⟩ **0.1** *seedling/plant with rootball.*

kluiven ⟨onov.ww.⟩ ⟨→sprw. 285⟩ **0.1** [de eetbare delen van iets afhalen] *gnaw* ⇒*pick* **0.2** [zuigen, sabbelen] *suck* ⇒*chew* **0.3** [werk hebben aan, moeite hebben met] *be faced with* ⇒*be keen* ~ g. *a bone* **6.2 op** zijn pen ~ *gnaw/chew (on) one's pen;* zit niet steeds **op** je vingers te ~ *stop chewing your fingers* **8.3** daar is heel wat aan te ~ *that's a tough proposition/quite a job/a tall order.*

kluiver ⟨de (m.)⟩⟨scheep.⟩ **0.1** *jib.*

kluiverboom ⟨de (m.)⟩⟨scheep.⟩ **0.1** *jibboom.*

kluizenaar ⟨de (m.)⟩,-**ster** ⟨de (v.)⟩ **0.1** [heremiet] *hermit* ⟨m.,v.⟩ ⇒ *recluse* ⟨m.,v.⟩*, anchorite* ⟨m.,v.⟩*, hermitess* ⟨v.⟩*, anchoress* ⟨v.⟩*, ancress* ⟨v.⟩ **0.2** [eenzelvig persoon] *hermit* ⇒*recluse* **0.3** [vlinder] *nun moth.*

kluizenaarsbestaan ⟨het⟩ **0.1** *hermit's / solitary life / existence* ⇒*life of a hermit / recluse* ◆ **3.1** een ~ leiden *lead a hermit's life.*
kluizenaarshut ⟨de⟩ **0.1** *hermitage* ⇒*hermit's cell.*
kluizenaarskreeft ⟨de⟩ **0.1** *hermit crab.*
kluizenaarsleven ⟨het⟩ **0.1** *hermit's life* ⇒*solitary life* ◆ **3.1** een ~ leiden *lead the life of a hermit / recluse / solitary.*
klungel ⟨de⟩, **klungelaar** ⟨de (m.)⟩, **-ster** ⟨de (v.)⟩ **0.1** *bungler* ⇒⟨AE; inf.⟩ *klutz,* ⟨vnl. AE; sl.⟩ *goof(er).*
klungelen ⟨onov.ww.⟩ **0.1** [prutsen, knoeien] *bungle* ⇒*muddle* **0.2** [rondhangen] *dawdle,* **(dilly-)dally** ◆ **3.1** hij zit vreselijk te ~ achter die piano *he's just banging on the piano* **6.1** hij klungelt graag **aan** radio's *he likes to tinker with radios* ¶.2 hij klungelt maar wat aan *he's just dilly-dallying / dawdling.*
klungelig ⟨bn., bw.⟩ **0.1** *bungling* ⇒*gawky,* ᴬ*klutzy.*
klungelwerk ⟨het⟩ **0.1** *botch(-up), botched job.*
kluns ⟨de (m.)⟩ ⟨inf.⟩ **0.1** *bungler* ⇒*blunderer, botcher.*
klunzen ⟨onov.ww.⟩ ⟨inf.⟩ **0.1** *bungle* ⇒*bumble, muff, blunder, botch,* ⟨vnl. AE;sl.⟩ *goof* ◆ **3.1** wat zit je toch te ~ *what a mess you're making of it / what a bungler you are.*
klunz(er)ig ⟨bn., bw.⟩ ⟨inf.⟩ **0.1** *bungling* ⇒*bumbling, blundering, botch(ed).*
klus ⟨de (m.)⟩ ⟨inf.⟩ **0.1** [zwaar karwei] *big / tough job* **0.2** [licht/eenvoudig werk] *small job* ⇒*chore* **0.3** [overschot v.e. maaltijd] *leftovers* **0.4** [troepje] *bunch* ⇒*group* ◆ **2.1** er een hele ~ aan hebben *be faced with / have quite a job;* een zware ~ *a big job, a tall order, some labour* **2.2** ik heb een leuk ~je voor je *I have a nice little job for you* **3.2** wat ~jes doen in huis *do odd jobs about the house, potter about the house;* ~jes opknappen / klaren *do odd jobs / chores* **6.4 in** een ~ bijeengedreven *rounded up (in a group).*
klusjesman ⟨de (m.)⟩ **0.1** *handyman* ⇒*odd-jobber.*
klussen ⟨onov., ov.ww.⟩ **0.1** [zwart bijverdienen] *moonlight* **0.2** [klusjes verrichten] *do odd jobs.*
klussenbus ⟨de⟩ **0.1** *bus taking (unemployed) people around to do odd jobs in the community.*
klussencollectief ⟨het⟩ **0.1** *collective / co-operative for carrying out odd jobs.*
kluts ⟨de⟩ **0.1** [kleine hoeveelheid] *dab* ⇒*touch* **0.2** [klauw(koppeling)] *clutch* ◆ **1.1** een ~ melk *a drop of milk* **2.¶** de ~ kwijt zijn / raken *lose one's bearings, be in a tizzy / flurry;* ⟨v.d. zenuwen / schrik⟩ *be / get tied up in knots, be shaken / rattled.*
klutsei ⟨het⟩ **0.1** *beaten(-up) / whipped / whisked egg.*
klutsen ⟨ov.ww.⟩ **0.1** *beat (up)* ⇒*whisk (up), whip (up).*
kluut ⟨de (m.)⟩ **0.1** *avocet.*
kluwen ⟨het⟩ **0.1** [knot] *ball* ⇒*clew* **0.2** [⟨fig.⟩] *tangle* ⇒*jumble* ◆ **1.2** een ~ wormen / mensen *a jumble of worms / people* **2.1** een verwarde ~ *a tangled b.* **7.2** één (grote) ~ *one big t. / jumble.*
kluwenklokje ⟨het⟩⟨plantk.⟩ **0.1** *Canterbury bell.*
klysma ⟨het⟩ **0.1** *enema* ⇒*clyster.*
klystron ⟨het⟩ ⟨nat.⟩ **0.1** *klystron.*
KM ⟨afk.⟩ **0.1** [Koninklijke Marine] ⟨*Royal Netherlands Navy*⟩ **0.2** [Koninklijke / Keizerlijke Majesteit] *HRM, HIM.*
KMA ⟨de (v.)⟩ ⟨afk.⟩ **0.1** [⟨afk.⟩ Koninklijke Militaire Academie] ᴮ*RMA.*
KMI ⟨AZN⟩ ⟨afk.⟩ **0.1** [Koninklijk Meteorologisch Instituut ⟨het Belgische De Bilt⟩] (⟨*Belgian*⟩ *Royal Meteorological Institute*⟩.
km/u ⟨afk.⟩ **0.1** [kilometer per uur] *km/h* ⇒*mph.*
knaagdier ⟨het⟩ **0.1** *rodent.*
knaagtand ⟨de (m.)⟩ **0.1** *rodent incisor.*
knaak ⟨de⟩ ⟨inf.⟩ **0.1** ≠ᴮ*quid,* ᴬ*buck.*
knaap ⟨de (m.)⟩ **0.1** [jongen] *lad* ⇒*fellow* **0.2** [⟨pej.⟩ persoon] *fellow* ⇒ *guy, character* **0.3** [kanjer] *whopper* **0.4** [⟨meestal knaapje⟩ klerenhanger] *coat / clothes hanger* ◆ **2.1** een pientere / wakkere ~ *a smart / bright l.;* een stevige ~ *a sturdy l. / fellow* **3.2** wat doet / moet / zoekt die ~ hier *what's that fellow / guy doing around here* **5.1** hij is nog ~ *he's still a virgin* **6.1** een ~ **van** een karper *a w. of a carp* **6.4** zijn kleren **op** een ~je hangen *hang one's clothes on a hanger.*
knabbel ⟨de (m.)⟩ **0.1** *nibble.*
knabbelaar ⟨de (m.)⟩, **-ster** ⟨de (v.)⟩ **0.1** *nibbler* ⇒*muncher,* ⟨vnl. dieren⟩ *gnawer.*
knabbelen ⟨onov., ov.ww.⟩ **0.1** *nibble* ⇒*pick, gnaw* ◆ **6.1 aan** een stukje kaas / **op** een koekje ~ *n. a piece of cheese / a biscuit,* ᴬ*a cookie.*
knabbeltje ⟨het⟩ **0.1** *nibble(s)* ⇒*snack.*
KNAC ⟨de⟩ ⟨afk.⟩ **0.1** [Koninklijke Nederlandse Automobielclub] ⟨*Royal Netherlands Automobile Club*⟩.
knäckebröd ⟨het⟩ **0.1** (*Swedish*) *crackers / crisp bread* ⇒*knäckebröd.*
knagen
I ⟨onov.ww.⟩ **0.1** [met de tanden bijten in] *gnaw* ⇒*eat* **0.2** [een onaangename gewaarwording veroorzaken] *gnaw* ⇒*eat* ◆ **1.2** een ~d geweten *pangs of conscience, a troubled conscience;* een ~de honger *gnawing hunger, hunger pangs;* ~de pijn *nagging pain;* ~d verdriet *pangs of sorrow;* ~ de zorgen *gnawing worries* **3.2** de opmerking bleef ~ *the remark continued to rankle* **6.1** de ratten ~ **aan** het hout *the rats are gnawing the wood;* **aan** een been ~ *g. / chew a bone* **6.2** het verdriet knaagde **aan** zijn hart *sorrow was eating his heart (away);*

II ⟨ov.ww.⟩ **0.1** [een gat door knagen doen ontstaan] *gnaw through* ⇒*eat through.*
knaging ⟨de (v.)⟩ **0.1** [knabbeling] *gnawing* **0.2** [⟨fig.⟩] *pang* ⇒*gnawing* ◆ **1.1** de ~en v.h. geweten *pangs / twinges / stings / (pin) pricks of conscience.*
knak¹ ⟨de (m.)⟩ **0.1** [geluid] *crack* ⇒*snap* **0.2** [breuk] *crack* ⇒*snap* **0.3** [⟨fig.⟩ beschadiging, knauw] *blow* **0.4** [sigaar] *Corona* ◆ **2.3** een geduchte ~ krijgen *receive quite a b..*
knak² ⟨tw.⟩ **0.1** *crack* ⇒*snap.*
knakenkaart ⟨de⟩ ⟨inf.⟩ **0.1** *card recording patient's payment of prescription charge* ⇒≠*medicine card.*
knakenpijp ⟨de⟩ **0.1** ≠*coin tube.*
knakken
I ⟨onov.ww.⟩ **0.1** [een knak krijgen] *snap* ⇒*break* **0.2** [het geluid 'knak' laten horen] *crack* ⇒*snap* ◆ **1.1** pas op, die bloem zal ~ *be careful, that flower will break* **3.2** zijn vingers laten ~ *c. one's knuckles;*
II ⟨ov.ww.⟩ **0.1** [met een knak breken] *snap* ⇒*crack* **0.2** [⟨fig.⟩] *break* ⇒*cripple* ⟨bedrijf⟩, *injure, impair,* ⟨sterker⟩ *shatter* ◆ **1.2** dat ongeluk heeft hem geknakt *that misfortune has broken him* **3.1** geknakt zijn ⟨ook⟩ *have (developed) a crack.*
knakker ⟨de (m.)⟩ ⟨inf.⟩ **0.1** *character* ⇒*customer* ◆ **2.1** een rare ~ *a queer customer / fish.*
knakworst ⟨de⟩ **0.1** ≠*frankfurter* ⇒⟨AE ook⟩ *wiener, frankfurt.*
knal¹ ⟨de (m.)⟩ **0.1** *bang* ⇒*pop,* ⟨geweer ook⟩ *report, crack,* ⟨donder, applaus⟩ *clap,* ⟨door geluidsmuur⟩ *boom, detonation, explosion* ◆ **1.1** de ~ v.e. champagnekurk *the pop of a champagne cork* **2.1** de Grote Knal *the Big Bang;* met een luide ~ *with a big bang / a loud report* **3.1** ⟨inf.⟩ iem. een ~ voor zijn kop / oog geven *clout / slosh / sock s.o. in the face / eye.*
knal² ⟨bn.⟩ **0.1** [geweldig, reuze] *smashing* ⇒*great, super,* ᴬ*swell* **0.2** [⟨van kleuren⟩ fel] *loud* ⇒*garish, glaring* ◆ **3.1** dat feest was ~ *that party was smashing / great / super / really sth.* **3.2** dit rood is wel erg ~ *this red is really rather l. / garish.*
knal³ ⟨tw.⟩ **0.1** ⇒*smashing.*
knalbonbon ⟨de (m.)⟩ **0.1** (*Christmas*) *cracker.*
knaldemper ⟨de (m.)⟩ →**knalpot.**
knaleffect ⟨het⟩ **0.1** *sensation* ⇒⟨dram.⟩ *stage effect, claptrap.*
knalfuif ⟨de⟩ ⟨inf.⟩ **0.1** *rave-up* ⇒*bash* ᴬ*wingding* ◆ **3.1** het was een ~ *it was a really wild party, it was a real r.-u..*
knalgas ⟨het⟩ ⟨schei.⟩ **0.1** *oxyhydrogen.*
knalgasbrander ⟨de (m.)⟩ **0.1** *oxyhydrogen blowpipe.*
knalgasvlam ⟨de⟩ **0.1** *oxyhydrogen flame.*
knalgoud ⟨het⟩ ⟨schei.⟩ **0.1** *fulminating gold* ⇒*fulminate of gold.*
knalkoopje ⟨het⟩ **0.1** *super bargain* ⇒*amazing / stunning bargain.*
knalkurk ⟨de⟩ **0.1** *popping cork.*
knalkwik ⟨het⟩ **0.1** *fulminating mercury.*
knallen ⟨onov.ww.⟩ **0.1** [een knal geven] *bang* ⇒*crack* ⟨zweep, geweer⟩, *boom* ⟨kanon⟩, *pop* ⟨kurk⟩ **0.2** [met een knal raken] *bang* ⇒ *crash, smash* ◆ **1.1** ~de donderslagen *claps / peals of thunder;* in de verte knalden geweerschoten *gun shots rang out in the distance* **3.1** de zweep laten ~ *crack the whip* **6.2** de deur knalde **in** het slot *the door banged / slammed shut;* hij is **op** een boom geknald *he has crashed / smashed into a tree* **¶.1** er op los ~ *fire / shoot* ⟨inf.⟩ *pot away (at sth.);* ⟨inf.⟩ *take pot-shots (at sth.).*
knaller ⟨de (m.)⟩ **0.1** *scream(er)* ⇒ᴬ*riot, topper, popper.*
knalpatroon ⟨de⟩ ⟨spoorw.⟩ **0.1** *detonator* ⇒ᴬ*torpedo.*
knalpoeder ⟨het, de m.⟩ **0.1** *fulminating / detonating powder.*
knalpot ⟨de (m.)⟩ **0.1** ᴮ*silencer,* ᴬ*muffler* ◆ **2.1** met open ~ rijden *drive with an open exhaust, without a silencer /* ᴬ*muffler.*
knalprijs ⟨de (m.)⟩ **0.1** *amazing / stunning price.*
knalrood ⟨bn.⟩ **0.1** *bright / vivid red* ⇒⟨BE ook⟩ *fire-engine red.*
knalsignaal ⟨het⟩ **0.1** *detonating signal* ⇒*detonator,* ᴮ*fogsignal,* ᴬ*torpedo* ⟨trein⟩.
knalzilver ⟨het⟩ **0.1** *fulminating silver* ⇒*silver fulminate, fulminate of silver.*
knalzuur ⟨het⟩ **0.1** *fulminic acid.*
knap¹ ⟨de (m.)⟩ **0.1** *crack* ⇒*snap* ◆ **3.1** de balk gaf een ~ *the beam went crack / cracked.*
knap²
I ⟨bn., bw.; -ly⟩ **0.1** [mooi] *good-looking* ⇒*handsome* ⟨vnl. man⟩, *pretty* ⟨vnl. vrouw⟩, *comely, personable* **0.2** [intelligent] *clever* ⇒ *bright, sharp,* ⟨vnl. AE⟩ *smart, brainy* **0.3** [bekwaam] *smart, able, capable* ⇒*clever,* ⟨mbt. handwerk⟩ *handy, deft,* †*dexterous* **0.4** [flink / vrij groot] *jolly good / big* ⇒*fine* ◆ **1.1** een ~ ding *a pretty little thing;* een ~pe jongen / vent *a good-looking boy, a fine figure of a man;* een ~pe verschijning *a (good-)looker* **1.2** een ~pe kop *a brain, a whiz(z) kid,* ᴬ*a double-dome* **1.3** ⟨scherts.⟩ een ~pe jongen die ...*it would take a genius to ...;* een ~ stuk werk *a clever / smart piece of work;* hij is een ~ werkman *he is a skilful* ᴬ*skillful workman / good at his job* **5.1** er niet ~per op worden *lose one's looks* **6.3** ~ zijn **in** *be good / a good hand at, be expert at / in* **9.3** ~ zo! *well done!, good for you!;*

II ⟨bw.⟩ **0.1** [tamelijk] *pretty* ⇒*jolly, rather, fairly* **0.2** [op bekwame wijze] *cleverly* ⇒*well, smartly, deftly* **0.3** [netjes] *neatly* ⇒*sprucely, tidily* ◆ **2.1** 't wordt al ~ donker *it's getting p. / jolly dark already* **3.2** dat heb je ~ gedaan *you have made a good job of that, you've done a good job* **3.3** zij is altijd ~ gekleed ⟨inf. ook⟩ *she's a natty / nifty dresser* ¶**.3** ~ voor de dag komen *look well-dressed, be well turned out.*

knap³ ⟨tw.⟩ **0.1** *snap* ⇒*crack* ◆ **3.1** ~ zei / ging het glas *s. went the glass.*

knapenkoor ⟨het⟩ **0.1** *boys' choir.*

knapenliefde ⟨de (v.)⟩ **0.1** *love of boys.*

knapenvereniging ⟨de (v.)⟩ **0.1** *boys' association* ⇒*youth fellowship, young men's Christian Association, YMCA.*

knapheid ⟨de (v.)⟩ **0.1** [schoonheid] *handsomeness* ⇒*prettiness, good looks* **0.2** [intelligentie] *cleverness* ⇒*sharpness, wit, smartness, braininess* **0.3** [bekwaamheid] *smartness, ability, capability* ⇒*handiness, deftness, dexterity.*

knapjes →**knap² II.**

knapkers ⟨de⟩ ⟨plantk.⟩ **0.1** *(white-)heart cherry* ⇒*big arreau cherry.*

knappen
I ⟨onov.ww.⟩ **0.1** [korte plofjes laten horen] *crackle* ⟨vnl. vuur⟩ ⇒ *crack, snap* **0.2** [breken] *crack* ⇒*snap* ⟨touw⟩ ◆ **1.1** het vuur knapt in de haard *the fire is crackling (away) in the hearth* **1.¶** een fles ~ *put away / crack a bottle* **3.1** zijn vingers laten ~ *crack one's knuckels* **3.2** ik hoorde het glas ~ *I heard the glass* ⟨barsten⟩ *c. /* ⟨breken⟩ *snap;* **II** ⟨ov.ww.⟩ ◆ **1.¶** ⟨inf.⟩ een uiltje ~ *take a nap / forty winks, have a kip / snooze.*

knapperd ⟨de (m.)⟩ **0.1** [intelligent iem.] *brain* ⇒*whiz(z) kid,* [B]*bright spark,* [A]*double-dome* **0.2** [schoonheid] ⟨iron. ook⟩ *beauty* ◆ **4.1** ⟨tegen kind⟩ wat (ben jij) een ~! *aren't you clever!* **4.2** wat een ~! *he / she is no beauty,* ⟨van vrouw ook⟩ *she is no beauty queen / picture.*

knapperen ⟨onov.ww.⟩ **0.1** *crackle* ⟨vnl. vuur⟩ ⇒*crack, snap.*

knapperig ⟨bn.⟩ **0.1** *crisp* ⟨bv. sla, groente⟩ ⇒*crunchy* ⟨bv. koekje, appel⟩, *brittle* ⟨hout⟩, *crusty* ⟨brood⟩.

knapzak ⟨de (m.)⟩ **0.1** *knapsack.*

knar ⟨de (m.)⟩ ⟨inf.⟩ **0.1** [oud mens] ⟨man⟩*(old) fogey, (old) geezer;* ⟨vrouw⟩ *(old) crone, (old) bag* **0.2** [hoofd] *nut* ⇒*noodle, conk, loaf* **0.3** [gierigaard] *skinflint* ⇒*miser, scrooge* ◆ **2.3** 't is zo'n oude ~ *he / she is such an old skinflint* **6.2** hoe haal je 't in je ~? *how did you get that into your noodle?.*

knarpen →**knerpen.**

knarsen ⟨onov.ww.⟩ **0.1** *crunch* ⇒*creak, grind, grate* ◆ **1.1** de deur knarst in haar scharnieren *the door creaks / squeaks on its hinges;* het grind knarste onder onze voeten *the gravel crunched under our feet;* de wielen knarsten in het grind *the wheels crunched over / on the gravel* **6.1** op / met de tanden ~ *grate / grind / grit one's teeth.*

knarsetanden ⟨onov.ww.⟩ **0.1** ⟨ook fig.⟩ *gnash / grind one's teeth.*

knasperbrood ⟨het⟩ **0.1** *crispbread.*

knauw ⟨de (m.)⟩ **0.1** [harde beet] *bite* ⇒*chew* **0.2** [⟨fig.⟩ knak] *blow* ⇒ *damage, injury, set-back* ◆ **2.1** een gemene ~ *a nasty b.* **2.2** zijn gezondheid heeft een lelijke ~ gekregen *his health took a severe b. / was severely damaged / impaired* **3.2** dat gaf hem een ~ *that shook him / dealt him a b.;* ⟨vnl. geld⟩ *that set him back / hit him hard.*

knauwen ⟨onov.ww.⟩ **0.1** [sterk kauwen] *gnaw (at)* ⇒*munch, chew,* ⟨luidruchtig⟩ *crunch (on)* **0.2** [mbt. spreken] ≠*drawl.*

knecht ⟨de (m.)⟩ ⟨→sprw. 268,357,427⟩ **0.1** [bediende, hulp] *servant* ⇒ ⟨op boerderij⟩ *farm-hand, labourer, helper* **0.2** [⟨sport⟩] *domestique* ⇒⟨waterdrager⟩ *water-carrier* ◆ **1.1** heren en ~en *masters and servants;* de ~ des Heren *the s. of the Lord* **3.1** ik ben je ~ je niet *I'm not your s. / slave;* had je me gisteren gehuurd, dan was ik vandaag je ~ geweest *nothing doing!* **5.1** zo heer, zo ~ *like master like man.*

knechten ⟨ov.ww.⟩ **0.1** *subjugate* ⇒*enslave* ◆ **3.1** ik laat me niet ~ *I won't be led by the nose, I am no one's servant / slave* **6.1** heel Europa door geknecht *all of Europe under Hitler's heel.*

knechtschap ⟨het⟩ ⟨schr.⟩ **0.1** *bondage* ⇒*bondservice, thraldom* ◆ **6.1** iem. tot ~ brengen *put / place s.o. in bondage.*

kneden ⟨ov.ww.⟩ **0.1** [door drukken / knijpen bewerken] *knead* ⇒*work* **0.2** [door drukken / knijpen week maken] *knead* ⇒*mould* **0.3** [vormen, boetseren] *mould* [A]*mold* ⇒*form, fashion, model* ◆ **1.2** was ~ *mould wax* **1.3** ⟨fig.⟩ iem. ~ als was *mould s.o. like wax;* poppetjes van deeg ~ *knead / form / mould dough into figures;* ⟨fig.⟩ de taal / iemands karakter ~ *mould the language / s.o.'s character.*

kneedbaar ⟨bn.⟩ **0.1** [makkelijk gekneed kunnende worden] *kneadable* **0.2** [⟨fig.⟩ handelbaar] *pliable* ⇒*plastic, malliable, mouldable, ductile* ◆ **1.2** een ~ gemoed *a pliant / pliable / malleable disposition* **3.2** iem. ~ maken *make s.o. like putty in one's hands.*

kneedbaarheid ⟨de (v.)⟩ **0.1** ⟨ook fig.⟩ *pliability* ⇒*plasticity, malleability, mouldability, ductility.*

kneedbom ⟨de⟩ **0.1** *plastic bomb.*

kneedhaak ⟨de (m.)⟩ **0.1** *kneading hook, agitator.*

kneedmachine ⟨de (v.)⟩ **0.1** *kneading machine* ⇒*dough mixer, kneader.*

kneedmassage ⟨de⟩ **0.1** *massage.*

kneedtrog ⟨de (m.)⟩ **0.1** *kneading trough / table* ⇒*dough tray.*

kneep ⟨de⟩ **0.1** [daad van knijpen] *pinch* ⇒*squeeze, nip, tweak* **0.2** [indruk van knijpen] *pinch (mark)* **0.3** [⟨fig.⟩ kunstgreep] *knack* ⇒*trick,*

twist ◆ **1.3** kunstjes en knepen *tricks and dodges;* de (fijne) ~jes v.h. spel / vak kennen / leren *know the ropes, know / learn the tricks of the trade* **2.1** een valse ~ *a nasty nip* **3.2** de knepen staan nog in mijn arm *I've still got the pinch marks / the bruises on my arm* **3.3** voel je de ~? *do you see what he / she is / they are* ⟨enz.⟩ *up to?;* daar zit (hem) de ~ ⟨de essentie⟩ *that is the crux of the matter;* ⟨de moeilijkheid⟩ *that is the snag / catch / rub* **6.1** een ~je in de wangen *a p. in / on the cheek.*

kneippkuur ⟨de⟩ **0.1** *kneipp('s) cure* ⇒*kneippism.*

knekel ⟨de (m.)⟩ **0.1** *bone.*

knekelhuis ⟨het⟩ **0.1** *charnel(house)* ⇒ [↑]*ossuary.*

knekelman ⟨de (m.)⟩ **0.1** *skeleton* ⇒*Death, Grim Reaper.*

knel¹ ⟨de⟩ **0.1** [knelling, klem] *catch* ⇒*jam, trap* **0.2** [benauwdheid, nood] *fix* ⇒*jam, scrape, tight corner* ◆ **6.1** mijn vinger zit in de ~ *my finger is stuck / caught* **6.2** in de ~ zitten *be in a f. / in hot water /* ⟨caught⟩ *in a cleft stick;* uit de ~ raken *get off the hook, get out of a f. / mess / tight corner.*

knel² ⟨bn.⟩ **0.1** *stuck* ⇒*caught, trapped* ◆ **3.1** ~ zitten / raken *be / get s. / caught / jammed / trapped.*

knellen
I ⟨ov.ww.⟩ **0.1** [stevig drukken / vasthouden] *squeeze* ⇒*press, crush, clip* ◆ **6.1** iem. in de armen ~ *hug s.o. tightly;*
II ⟨onov.ww.⟩ **0.1** [door drukken pijn veroorzaken] *squeeze* ⇒*pinch* ⟨bv. schoenen, kleding⟩, *press* ◆ **1.1** ⟨fig.⟩ ~de banden *galling bonds;* ⟨fig.⟩ het ~de juk v.d. dictatuur *the heavy yoke of a dictator / tyrant;* ⟨fig.⟩ daar knelt de schoen *that's where the shoe pinches.*

knelling ⟨de (v.)⟩ **0.1** [het knellen / gekneld worden] *squeezing* ⇒*pressing, pinching, crushing* **0.2** [⟨fig.⟩ benauwing] *oppression.*

knelpunt ⟨het⟩ **0.1** *bottleneck* ⇒*pressure point,* [A]*choke point.*

kneppel →**knuppel.**

knerpen ⟨onov.ww.⟩ **0.1** *crunch* ⟨bv. sneeuw⟩ ⇒*grate* ⟨geluid⟩, *grind, grit* ◆ **1.1** een ~d geluid *a grating noise.*

knersen →**knarsen.**

knetter ⟨bn.⟩, **knettergek** ⟨bn.⟩ ⟨inf.⟩ **0.1** ⟨vnl. BE⟩ *crackers* ⇒[B]*bonkers, nuts, (stark staring) mad, bananas* ◆ **3.1** je wordt ~ van dit werk *this work drives you round the bend / up the wall / out of your mind / c..*

knetteren ⟨onov.ww.⟩ **0.1** *crepitate* ⇒*crackle* ⟨vuur, radio⟩, *sputter* ⟨radio, motor, vlam, kaars⟩ ◆ **1.1** een ~de donderslag *a clap / peal of thunder* **1.¶** ⟨fig.⟩ een ~de vloek *a thundering curse.*

knetterslag ⟨de (m.)⟩ **0.1** *peal / clap of thunder.*

kneu ⟨de⟩ ⟨dierk.⟩ **0.1** *linnet* ◆ **¶.¶** ⟨fig.⟩ een ~tje *a poor old dear.*

kneukel ⟨de (m.)⟩ **0.1** *knuckle.*

kneus ⟨de (m.)⟩ **0.1** [persoon] ⟨gehandicapte⟩ *cripple;* ⟨die niet meekan⟩ *failure* **0.2** [gebruiksartikel] *old crock* ⟨vnl. auto⟩ ⇒⟨tweede keus⟩ *reject,* ⟨mv. ook⟩ *second(s)* **0.3** [vrucht, ei] *damaged / bruised fruit, cracked / broken egg* ◆ **¶.2** het ~ je v.d. maand *the wreck / jalopy of the month.*

kneuswond ⟨de⟩ **0.1** *bruise* ⇒*contusion.*

kneuteren ⟨onov.ww.⟩ **0.1** [brommen, kniezen] *grumble* ⇒*grouse, mope, fret* **0.2** [babbelen] *chat* ⇒*gossip, babble, gab.*

kneuterig ⟨bn., bw.; -ly⟩ **0.1** *snug* ⇒*cosy.*

kneuzen ⟨ov.ww.⟩ **0.1** [mbt. lichaamsdelen] *bruise* ⇒*contuse* **0.2** [aan de oppervlakte beschadigen] *bruise* ⟨fruit⟩; *crack* ⟨ei⟩; *crush* ⟨zaad⟩ ⇒ *squash* **0.3** [afbreuk doen] *bruise* ⇒*batter, injure, harm* ◆ **1.3** dat heeft zijn reputatie / trots gekneusd *that has injured his reputation / hurt / wounded his pride* **4.1** zich ~ *bruise o.s., get / be bruised.*

kneuzing ⟨de (v.)⟩ **0.1** [kwetsing] *injury* ⇒*damage, bruise* **0.2** [onderhuidse beschadiging] *bruise* ⇒*contusion, bruising* ◆ **2.2** inwendige ~en oplopen *sustain internal bruising.*

knevel ⟨de (m.)⟩ **0.1** [snor] *moustache* [A]*mustache* ⟨vaak scherts.; kat ook⟩ *whiskers* **0.2** [staafje, stokje] *clamp* ⇒*brace, casp, band* **0.3** [mondprop] *gag* ◆ **3.1** de ~ opstrijken *curl up / wax one's m.* **6.1** een ~ met opstaande punten *a handlebar m..*

knevelaar ⟨de (m.)⟩ **0.1** *extortioner.*

knevelarij ⟨de (v.)⟩ **0.1** *extortion.*

knevelen ⟨ov.ww.⟩ **0.1** [boeien] *tie down / up* ⇒*truss, pinion, bind,* ⟨met mondprop⟩ *gag* **0.2** [en banden leggen] *muzzle* ⇒*gag, tie (the hands of), oppress* **0.3** [afpersen] *extort* ◆ **1.2** de pers ~ m. / *silence / gag the press.*

kneveling ⟨de (v.)⟩ **0.1** *binding* ⇒⟨met mondprop⟩ *gagging,* ⟨ook fig.⟩ *tying.*

knevelschakelaar ⟨de (m.)⟩ ⟨elek.⟩ **0.1** *toggle switch.*

knibbelaar ⟨de (m.)⟩, **-ster** ⟨de (v.)⟩ **0.1** *haggler* ⇒⟨vrek⟩ *niggard, penny pincher.*

knibbelarij ⟨de (v.)⟩ **0.1** *haggling* ⇒*chaffering, bargaining.*

knibbelen ⟨onov.ww.⟩ **0.1** *haggle* ⇒*chaffer, bargain* ◆ **6.1** ~ op alle uitgaven *h. about every expenditure, be penny-pinching.*

knibbelspel ⟨het⟩ **0.1** *jackstraw(s)* ⇒*spillikin(s).*

knickerbocker ⟨de (m.)⟩ **0.1** *(a pair of) knickerbockers* ⇒*bloomers, plus fours,* [A]*knickers.*

knie ⟨de (m.)⟩ **0.1** [kniegewricht] *knee* **0.2** [horizontale bovenvlak v.h. been] *knee* **0.3** [mbt. dieren] *knee* **0.4** [deel v.e. kous / broek] *knee* **0.5** [(iets met) rechthoekige ombuiging] *knee* ⇒*elbow* ◆ **2.1** God danken op zijn blote ~ën *thank God on bended knees;* met knikkende / trillende

~ën *with knocking/trembling/shaking knees, trembling/shaking at the knees* 2.4 de ~ën zijn versleten *the knees are worn/gone* **6.1 beneden/boven** de ~ën *below/above the knee(s);* **door** de ~ën gaan ⟨fig.⟩ *collapse, cave in;* ⟨ook fig.⟩ *buckle at the knees;* ⟨fig.⟩ iets **onder** de ~ hebben *have grasped/mastered sth., have sth. down to a fine art;* ⟨fig.⟩ iets **onder** de ~ krijgen *master sth., get the hang/knack of sth.;* **op** de ~ën liggen/vallen *kneel, fall to/go down on/drop to one's knees;* ⟨fig.⟩ voor iets/iem. **op** de ~ën liggen *go down on one's knees to/before sth./s.o.;* iem. **op** de ~ën brengen ⟨ook fig.⟩ *bring/force s.o. to his knees;* hij sloeg zich **op** de ~ën van pret *he slapped his thigh with mirth;* **op** je ~ën! *(down) on your knees!;* **over** de ~ *below the knee(s);* ⟨pregn.⟩ iem. **over** de ~ leggen *put s.o. across one's k.;* **tot aan** de ~ën in 't water staan *be up to one's knees/be knee-deep in water;* een rok **tot op/tot halverwege** de ~ *a knee-length skirt, a skirt halfway to the k.* **6.2** een kind **op** de ~ laten rijden *jog/bounce/dandle a child on one's knee(s)/lap* **6.4** een broek **met** ~ën *a pair of baggy trousers/trousers sagging at the knees* **6.5** een ~**in** een kachelpijp *an elbow in a stove-pipe.*
knieband ⟨de (m.)⟩ **0.1** [van knickerbocker] *knee backle/string* **0.2** [beschermingsband] *knee protector/supporter* **0.3** [⟨anatomie⟩ kniepees] *hamstring* **0.4** [riem om rund te kniepoten] *knee-halter.*
kniebeschermer ⟨de (m.)⟩ **0.1** *knee pad/cap.*
kniebocht ⟨de (v.)⟩ **0.1** *elbow (bend)* ⟨weg, rivier⟩ ⇒⟨buis ook⟩ *knee.*
knieboog ⟨de (m.)⟩ ⟨med.⟩.
knieboog →**knieholte.**
kniebroek ⟨de⟩ **0.1** *knee breeches* ⇒*plus fours, knickerbockers.*
kniebuiging ⟨de (v.)⟩ **0.1** [handeling] *kneeling* ⇒⟨r.k.⟩ *genuflection* **0.2** [gymnastische oefening] *knee bend* **0.3** [plaats] *knee joint* **2.1** enkelvoudige/dubbele ~ *kneeling (down) on one knee/both knees* **2.2** tien diepe ~en maken *do ten deep knee bends* **3.1** een ~ maken voor iem. *curts(e)y to s.o..*
kniedicht ⟨het⟩ **0.1** *impromptu poem.*
kniediep ⟨bw.⟩ **0.1** *knee-deep* ◆ **3.1** ~ door de sneeuw waden *wade k.-d. through the snow.*
kniegeboorte ⟨de (v.)⟩ **0.1** *knee presentation.*
kniegewricht ⟨het⟩ **0.1** *knee joint.*
kniehefboom ⟨de (m.)⟩ **0.1** *toggle lever.*
knieholte ⟨de (v.)⟩ **0.1** *hollow/back of the knee* ⇒⟨med.⟩ *popliteal space.*
kniehoog ⟨bn., bw.⟩ **0.1** *knee-high.*
kniehoogte ⟨de (v.)⟩ **0.1** *knee-height* ⇒*knee-depth* ◆ **6.1** tot **op** ~ *up to the knees, to k.-h..*
kniekous ⟨de⟩ **0.1** *knee sock.*
knielaars ⟨de⟩ **0.1** *knee(-length) boot* ⇒*wellington (boot).*
knielap ⟨de (m.)⟩ **0.1** *knee-piece* ⇒⟨bescherming⟩ *knee-pad.*
knielbankje ⟨het⟩ **0.1** *kneeler* ⇒*prie-dieu.*
knielbus ⟨de⟩ **0.1** *bus with access for wheelchairs.*
knielen ⟨onov.ww.⟩ **0.1** [op de knieën vallen] *kneel* ⇒*genuflect* ⟨vnl. in kerk⟩ **0.2** [zich onderwerpen] *kneel* ⇒*genuflect* **0.3** [mbt. dieren] *kneel* ◆ **1.1** een ~de houding *a kneeling position/posture* **3.1** geknield liggen *k.* **6.1** ~ **voor** *k. before, bow for* **6.2** ~ **voor** *God k. before God.*
knielengte ⟨de (v.)⟩ **0.1** *knee length.*
knieling ⟨de (v.)⟩ **0.1** *kneeling* ⇒*genuflection.*
knielkussen ⟨het⟩ **0.1** *hassock* ⇒*kneeler.*
kniepedaal ⟨het, de (m.)⟩ **0.1** *knee(-operated) control.*
kniepees ⟨de⟩ **0.1** *hamstring.*
knieperig →**knijperig.**
knier ⟨de⟩ **0.1** *hinge.*
kniereflex ⟨de⟩ ⟨med.⟩ **0.1** *knee reflex* ⇒*knee jerk,* ⟨med. ook⟩ *patellar reflex* ◆ **3.1** de ~ testen *test the k.r..*
knieruimte ⟨de (v.)⟩ **0.1** *knee room* ⇒*leg room, kneehole* ⟨bv. in bureau⟩.
knieschijf ⟨de⟩ ⟨med.⟩ **0.1** ⟨ongemarkeerd⟩ *kneecap* ⇒⟨med.⟩ *patella.*
kniesoor ⟨de (m.)⟩ **0.1** *moper, grumbler, grouch* ◆ **¶.1** een ~ die daarop let *details, details; but that is a (mere) detail.*
kniestuk ⟨het⟩ **0.1** [kniebeschermer] *knee-pad* **0.2** [verbindings/steunstuk] *kneepiece* ⇒*knee, elbow(-piece),* ⟨pijp⟩ *knee-pipe* **0.3** [portret] *three quarter (length portrait).*
knietje ⟨het⟩ **0.1** [kleine knie] *(little) knee* **0.2** [⟨sport⟩ geblesseerde knie] *injured knee* **0.3** [duw met de knie] *knee* ◆ **3.1** ~ vrijen, ~s geven *play footsie* **3.3** iem. een ~ geven *knee s.o., give s.o. a k..*
knieval ⟨de (m.)⟩ **0.1** *genuflection* ◆ **3.1** een ~ doen voor ⟨ook fig.⟩ *fall to one's knees before s.o., throw o.s. at s.o.'s feet, fall prostrate before s.o., prostrate o.s. before s.o..*
knieviool ⟨de⟩ **0.1** *(Viola da) gamba.*
knievormig ⟨bn., bw.⟩ **0.1** *knee-shaped* ◆ **1.1** met een ~e geleding *kneed* **3.1** ~gebogen houten *knees, knee timber.*
kniewarmer ⟨de (m.)⟩ **0.1** *knee warmer* ⇒*leg warmer.*
kniewater ⟨het⟩ **0.1** *water on the knee.*
kniezen ⟨onov.ww.⟩ **0.1** *moan (about)* ⇒*grumble (about), grouch (about), fret (about)* ◆ **3.1** (ergens over) zitten te ~ *mope, have a mope.*
kniezer ⟨de (m.)⟩ **0.1** *moaner* ⇒*grouch, grumbler.*

kniezerig ⟨bn., bw.;-ly⟩ **0.1** *grumpy* ⇒*gloomy, glum, fretful, sullen* ◆ **3.1** ~ kijken *look glum, look down in the mouth.*
kniezig ⟨bn., bw.;-ly⟩ **0.1** *grumpy* ⇒*fretful, mopisch, grouchy,* ⟨BE gew. en AE⟩ *cranky.*
knijp[1] ⟨de⟩ ⟨inf.⟩ **0.1** *pub* ⇒[B]*boozer,* [A]*barrelhouse* ◆ **6.¶** in de ~ zitten *in verlegenheid) be in a fix/jam, be up the creek;* ⟨in angst⟩ *have the wind up.*
knijp[2] ⟨bn.⟩ ⟨inf.⟩ **0.1** *stuck* ⇒*trapped* ⟨ook fig.⟩ ◆ **3.1** ~ zitten ⟨fig.⟩ *be hard pressed/skint* **3.¶** ~ lopen *go off the rails.*
knijpbril ⟨de (m.)⟩ ⟨vero.⟩ **0.1** *pince-nez* ⇒*nippers.*
knijpdynamo ⟨de (m.)⟩ **0.1** ⟨→**knijpkat**⟩.
knijpen
I ⟨onov.ov.ww.⟩ **0.1** [druk uitoefenen op iemands vel/een lichaamsdeel] *pinch* ⇒*tweak* ⟨bv. neus als liefkozing⟩, *squeeze, clench* ⟨vuist, hand⟩ ◆ **4.¶** ⟨inf.⟩ 'em ~ *have the wind up* **5.1** ⟨iem.⟩ gemeen ~ *give (s.o.) a nasty pinch* **6.1** iem. **in** de arm/zijn wang ~ *p. s.o.'s arm/cheek;* iem. in de neus ~ *tweak s.o.'s nose;*
II ⟨onov.ww.⟩ **0.1** [druk uitoefenen door samenpersing] *pinch* ⇒*press, squeeze* **0.2** [bezuinigen] *cut back/down (on)* ⇒*reduce,* [†]*curtail* ◆ **5.¶** ⟨inf.⟩ ertussenuit ~ *slip off/away/out (unnoticed), get out (while the going's good);* ⟨sl.⟩ *do a bunk, skedaddle;* ⟨vnl. door jongeren gebruikt⟩ *split* **6.1 in** een bal/peer ~ *squeeze a ball, press a pear;*
III ⟨ov.ww.⟩ **0.1** [door knijpen verplaatsen] *squeeze* ◆ **6.1** tandpasta **uit** de tube ~ *s. toothpaste from the tube.*
knijper ⟨de (m.)⟩ **0.1** [knijpend voorwerp] *(clothes) peg* ⇒⟨AE vnl.⟩ *clothes pin, clip, pincer* **0.2** [iem. die knijpt] *pincher* ⇒*sqeezer* **0.3** [vrek] *miser* ⇒*scrooge, skinflint* ◆ **1.1** de ~s van een kreeft *the pincers of a lobster.*
knijperig ⟨bn., bw.;-ly⟩ **0.1** *stingy* ⇒*miserly, mean, tightfisted.*
knijpertje, knijpkoekje ⟨het⟩ **0.1** ≠*waffle.*
knijpfles ⟨de⟩ **0.1** *squeeze-bottle.*
knijpkat ⟨de (m.)⟩ **0.1** *dyno torch.*
knijpkut ⟨de (v.)⟩ ⟨vulg.⟩ **0.1** *tight/frigid bitch.*
knijprem ⟨de⟩ **0.1** *(hand/handlebar) brake* ⟨amb.⟩ *calliper* [A]*caliper brake.*
knijpstuk ⟨het⟩ **0.1** *choke, (flow)beam.*
knijptang ⟨de⟩ **0.1** *pincers* ⇒*nippers* ⟨kleiner⟩.
knik ⟨de (m.)⟩ **0.1** [gedeeltelijke breuk/knak] *crack* ⇒*dent, split, twist, kink* **0.2** [uitwijking/buiging van een staaf] *buckle* **0.3** [richtingsverandering in een lijn/oppervlak] *twist* ⇒*kink, bend, dip* **0.4** [buiging van het hoofd] *nod* ⇒**2.1** een valse ~ *a loop* **2.4** een goedkeurend ~je *a n. of approval;* een kort ~je *a brief n.* **3.1** die steel heeft een ~ *that stem is bent/broken* **6.1** een ~ in een slang *a kink in a hose/tube* **6.3** een ~ **in** de rijweg *a dip in the road* **6.4** iem. **met** een ~ groeten *greet s.o. with a n., nod to s.o. in greeting.*
knikkebenen ⟨onov.ww.⟩ **0.1** *give at the knees* ⇒*be over at the knee* ⟨paard⟩.
knikkebollen ⟨onov.ww.⟩ **0.1** *nod.*
knikken
I ⟨onov.ww.⟩ **0.1** [half breken, knakken] *crack* ⇒*snap, split, bend* **0.2** [doorbuigen] *bend* ⇒*buckle, kink* **0.3** [het hoofd op en neer laten gaan] *nod* **0.4** [⟨tech.⟩ zijdelings uitbuigen onder druk] *buckle* ◆ **1.1** de bloemen zijn geknikt *the flowers are bent/broken* **1.2** met ~d hoofd *with nodding head;* zijn knieën knikten *his knees shook/bent/gave way/buckled/went;* met ~de knieën *with shaking/knocking knees* **1.3** goedendag ~ *n. good day/in greeting/a greeting* **5.3** bevestigend/goedkeurend/instemmend ~ *n. one's confirmation/approval/assent;* ja ~ *n. (assent);* neen ~ *shake one's head* **6.3** ~ **met** zijn hoofd *n. one's head;* hij knikte **van** ja *he nodded (in agreement), he gave a nod;*
II ⟨ov.ww.⟩ **0.1** [een knik maken in] *bend* ⇒*snap* ⟨bv. steel⟩, *twist, fold.*
knikker ⟨de (m.)⟩ **0.1** [speelballetje] *marble* ⇒*taw* ⟨grote knikker⟩, ⟨alikas⟩ *alley* **0.2** [klein hard balletje] *ball* **0.3** ⟨inf.⟩ hoofd] *nut* ⇒*onion,* ⟨BE;sl.⟩ *bonce,* ⟨AE;sl.⟩ *bean* ◆ **2.3** een kale ~ *a bald dome/pate* **6.1** met ~s spelen *play marbles;* ⟨fig.⟩ het is niet **om** de ~s, maar om (het recht van) het spel *it's not winning that counts (but taking part); we're/I'm not in this/doing this for the money* **6.¶** er is stront/kak/vuil **aan** de ~ [†]*there's sth. fishy going on;* er is toch niets **aan** de ~? *there's nothing wrong/the matter, is there?.*
knikkerbaan ⟨de⟩ **0.1** *marble alley.*
knikkeren
I ⟨onov.ww.⟩ **0.1** [met knikkers spelen] *play marbles* ⇒*shoot marbles* ◆ **6.1** ik heb nog **met** hem geknikkerd ⟨fig.⟩ ≠*I knew when he was in short pants* **7.1** het ~ *playing marbles;*
II ⟨ov.ww.⟩ ⟨inf.⟩ **0.1** [verwijderen] *kick/chuck/turf out* ◆ **5.1** iem. eruit ~ *chuck/turf s.o. out* **6.1** ze hebben hem **uit** de raad geknikkerd *they have chucked him off the council;* iem. **van** de baan ~ *get s.o. out of the way, get rid of s.o..*
knikkerspel ⟨het⟩ **0.1** *(game of) marbles* ⇒⟨in kringetje ook⟩ *ring-taw.*
knikkertijd ⟨de (m.)⟩ **0.1** *marbles season.*
knikkerzak ⟨de (m.)⟩ **0.1** *marbles pouch/bag.*
knikpan ⟨de⟩ **0.1** *curb tile.*

knikplooi ⟨de⟩ **0.1** *flexing, flexure.*

KNIL ⟨het⟩ ⟨afk.⟩ ⟨gesch.⟩ **0.1** [Koninklijk Nederlands-Indisch Leger] ⟨*Royal Dutch East-Indian Army*⟩.

knip[1]
  I ⟨de (m.)⟩ **0.1** [geluid] *snip* ⇒*clip, click, snap* **0.2** [beweging] *snap* ⟨ihb. met vinger en duim⟩ ⇒*snip* ⟨met schaar⟩ **0.3** [snee, gaatje] *(punch-)hole* ⇒*clip* ♦ **3.2** een ~ je geven in *snip, make a cut / snip in* **3.3** de conducteur geeft een ~ in het kaartje *the conductor punches a hole in the ticket* **6.2** een ~ **met** de vingers *a snap of the fingers;* ⟨fig.⟩ hij is geen ~ **voor** de neus waard *he's not worth a snap of one's fingers / tuppence / a button / a straw;*
  II ⟨de⟩ **0.1** [sluiting met een veer] *snap* ⟨sieraden, beurs⟩ ⇒*(spring) catch* ⟨sieraden, deur, paraplu⟩, *clasp* ⟨sieraden, boek⟩ **0.2** [plat grendeltje] *catch* **0.3** [verende knijper/klem] *peg* ⇒*clip* **0.4** [val] *trap* ⇒*snare, spring, catch* **0.5** [portemonnaie] *snap-purse* ♦ **6.1** een bijbel **met** ~ pen *a Bible with clasps* **6.2** doe de ~ **op** de deur ⟨om af te sluiten⟩ *put the c. on the door;* ⟨om deur open te houden⟩ *put the door on the c. / latch* **6.4** ⟨fig.⟩ iem. **in** de ~ hebben *have caught / trapped s.o., have s.o. in one's clutches / hands;* iem. **in** de ~ krijgen *catch / trap s.o., get s.o. in one's clutches / hands* **6.5** de hand **op** de ~ houden *keep a / one's hand on the purse-strings;* ⟨mbt. eigen budget⟩ *keep a tight hand on one's purse.*

knip[2] ⟨tw.⟩ **0.1** *snip(!)* ⟨schaar⟩ ⇒*snap(!)* ⟨beugel, sluiting⟩.
knipbeugel ⟨de (m.)⟩ **0.1** *clasp* ⇒*snap frame / catch.*
knipbeurs ⟨de⟩ **0.1** *snap purse.*
knipbrood ⟨het⟩ **0.1** *loaf with cuts in the top.*
knipbuigtang ⟨de⟩ **0.1** *pliers* ⇒*wirecutter(s).*
knipcursus ⟨de (m.)⟩ **0.1** *course in patternmaking.*
knipgaatje ⟨het⟩ **0.1** *punch-hole.*
knipkaart ⟨de⟩ **0.1** *season ticket (in which holes are punched).*
knipkamer ⟨de⟩ **0.1** *cutting room.*
knipkunst ⟨de⟩ **0.1** *cutting.*
knipmachine ⟨de (v.)⟩ **0.1** [tondeuse] *(a pair of) clippers* **0.2** [mbt. stalen platen] *shearing machine.*
knipmes ⟨het⟩ **0.1** *clasp knife* ⇒⟨groot⟩ *jackknife* ♦ **¶.1** buigen als een ~ *bow and scrape, grovel.*
knipmuts ⟨de⟩ **0.1** *goffered cap.*
knipmutsje ⟨het⟩ ⟨plantk.⟩ **0.1** *California poppy.*
knipogen ⟨onov.ww.⟩ **0.1** [knipoogjes geven] *wink* **0.2** [met de ogen knippen] *blink* ♦ **6.1** tegen elkaar ~ *w. at one another;* ⟨verliefd⟩ *make eyes at one another.*
knipoog ⟨de (m.)⟩ **0.1** *wink* ♦ **2.1** een vertrouwelijk ~ je *a confidential look* **3.1** hij gaf mij een ~ *he winked at me, he gave me a w.;* elkaar ~ jes geven *wink at one another;* ⟨verliefd⟩ *make eyes at one another, exchange winks / looks* **6.1** een ~ van **verstandhouding** *a knowing w. / look.*
knippatroon ⟨het⟩ **0.1** *paper pattern.*
knippen
  I ⟨ov.ww.⟩ **0.1** [afknippen] *cut (off / out)* ⇒⟨zelden⟩ *scissor* ⟨met schaar⟩ **0.2** [de vereiste vorm geven] *cut* ⇒*trim* **0.3** [knippen geven (in iets)] *cut* ⇒*punch, clip* **0.4** [vangen] *trap* ⇒*catch,* ⟨onderscheppen⟩ *waylay,* ⟨inf.⟩ *nab, snare* ⟨vogels⟩ ♦ **1.1** de amandelen ~ *remove tonsils;* gras ~ *c. / mow the grass;* de heg ~ *clip / trim the hedge;* zijn nagels ~ *c. / trim / clip one's nails;* een plaat uit een tijdschrift ~ *c. out a picture from a magazine / journal;* een stuk van een draad ~ *cut / snip off a piece of thread* **1.2** figuren ~ *c. out figures;* een punt aan iets ~ *cut sth. into a point;* een rok uit een lap stof ~ *c. a skirt from / out of a length of cloth* **1.3** kaartjes ~ *punch /* ⟨inkepingen⟩ *clip tickets* **1.¶** mosselen ~ *clean mussels* **3.1** zich laten ~ *have one's hair c., have a haircut;* ~ en scheren ⟨lett.⟩ *a shave and a haircut;* ⟨fig.⟩ *a good going-over;* ⟨scheep.⟩ *defouling;* wassen en ~ *wash and c.* **5.1** met kort geknipt haar *with (closely) cropped hair* **6.1** in die film is heel wat geknipt *that film has been severely c., there has been a lot c. out of that film;*
  II ⟨onov.ww.⟩ **0.1** [snijden met een schaar] *cut* ⇒*snip* **0.2** [van een schaar] *cut* **0.3** [het geluid 'knip' maken] *snip* ⟨schaar⟩ ⇒*snap* ⟨met vinger en duim⟩ **0.4** [knipperen] *blink* ⇒*flicker, flutter* ⟨oogleden⟩, *wink* ⟨knipoogje⟩ ♦ **5.1** recht / scheef ~ *c. straight / crooked* **5.2** deze schaar knipt goed *these scissors c. well* **6.3** met de vingers ~ *snap one's fingers;* ⟨fig.⟩ hij hoeft maar **met** zijn vingers te ~ of... *he only has to snap his fingers and ...* **6.4** met de ogen ~ *blink.*
knipper ⟨de (m.)⟩ **0.1** ⟨coupeur⟩ *cutter* ⇒*fitter,* ⟨van bv. haar, heggen⟩ *clipper, trimmer.*
knipperbol ⟨de (m.)⟩ **0.1** [knipperlicht] *flashing light* ⇒⟨BE ook⟩ *(Belisha) beacon* **0.2** [drankje] *sherry with orange juice.*
knipperen ⟨onov.ww.⟩ **0.1** [met de ogen knippen] *blink* ⇒*flutter, flicker* ⟨oogleden⟩ **0.2** [mbt. een auto] *flash* ⇒*blink, wink* ♦ **3.1** met de ogen zitten ~ *b. repeatedly;* ⟨fig.⟩ *look astonished / surprised* **6.1** met de ogen ~ *flutter one's eyelids, blink;* **tegen** het licht ~ *b. against the light;* **zonder** ~ *unblinking, without batting an eyelid* **6.2** zijn lichten ~ *f. (one's lights), blink / wink one's lights.*
knipperlamp ⟨de⟩ **0.1** *indicator* ⇒*blinker,* ⟨BE vnl.⟩ *winker.*
knipperlicht ⟨het⟩ **0.1** ⟨verkeerslicht⟩ *flashing (traffic) light / signal;* ⟨richtingaanwijzer⟩ *indicator, blinker,* ⟨BE vnl.⟩ *winker.*

knipplaat ⟨de⟩ **0.1** *cut-out.*
knipschaar ⟨de⟩ **0.1** *(pair of) scissors.*
knipsel ⟨het⟩ **0.1** [uitgeknipt bericht] [B]*cutting,* [A]*clipping* **0.2** [uit papier geknipt figuur] *cut-out* ⇒*paper doll* **0.3** [afval] *clippings* ⇒*cuttings, snippings, snippets.*
knipselarchief ⟨het⟩ **0.1** *collection of (newspaper)* [B]*cuttings /* [A]*clippings* ⇒*newspaper-cutting / clipping files,* ⟨van dagbladpers⟩ *morgue.*
knipselbureau ⟨het⟩ **0.1** [B]*cutting /* [A]*clipping service / agency / bureau.*
knipseldienst ⟨de (m.)⟩ **0.1** [B]*cutting /* [A]*clipping department / office* ⇒⟨bij krant ook⟩ *morgue.*
knipselkrant ⟨de⟩ **0.1** *(collection of)(newspaper)* [B]*cuttings /* [A]*clippings.*
knipslot ⟨het⟩ **0.1** *snap (lock)* ⇒*snap bolt,* ⟨Sch.E en gew.⟩ *sneck.*
knipsluiting ⟨de (v.)⟩ **0.1** *snap (fastener).*
kniptang ⟨de⟩ **0.1** [om iets door te knippen] *(pair of) wire-cutters* **0.2** [om gaatjes e.d. te knippen] *punch* ⇒⟨mbt. inkepingen⟩ *clipper.*
kniptor ⟨de⟩ ⟨dierk.⟩ **0.1** *click-beetle* ⇒*snap-beetle, skipjack.*
knipvlies ⟨het⟩ **0.1** *nictitating membrane* ⇒*third eyelid.*
knisperen ⟨onov.ww.⟩ **0.1** *crackle;* ⟨papier enz.⟩ *rustle* ♦ **1.1** ~ d haard-vuur *crackling fire.*
knisteren ⟨onov.ww.⟩ **0.1** *rustle* ⇒*crackle* ♦ **1.1** het ~ van papier / zijde *the rustling / r. of paper / silk.*
knix ⟨de (m.)⟩ **0.1** *curts(e)y* ⇒*bob, duck.*
KNMI ⟨het⟩ ⟨afk.⟩ **0.1** [Koninklijk Nederlands Meteorologisch Instituut] ⟨*Royal Dutch Meteorological Institute*⟩.
K.N.O.-arts ⟨de (m.)⟩ **0.1** [keel-, neus-, en oorarts] *E.N.T. specialist* ⇒*ear, nose and throat specialist.*
knobbel ⟨de (m.)⟩ **0.1** [bolvormige uitwas] *knob* ⇒*knot* ⟨hout⟩, *bump* ⟨op hoofd⟩, ⟨plantk., med.⟩ *tubercle, node* **0.2** [⟨fig.⟩ natuurlijke aanleg ⟨vnl. in samenst.⟩] *gift for sth.* **1.2** een wiskunde-knobbel *a gift for mathematics* **6.1** een ~ tje **in** de borst *a lump in the breast;* hij heeft een ~ **op** zijn voorhoofd *he has a bump / lump on his forehead* **6.2** een ~ **voor** iets *a k. / gift / talent for sth.* **¶.1** ~ tje *nodule, nub, knobble, tubercle.*
knobbelachtig ⟨bn.⟩ **0.1** [vol knobbels] *lumpy* ⇒*tubercular, nodulous* **0.2** [lijkend op een knobbel] *nub-like* ⇒*tuber-like, nodule-like.*
knobbeleend ⟨de⟩ **0.1** *comb duck.*
knobbelen ⟨onov.ww.⟩ **0.1** [gokken, dobbelen] *gamble* ⇒*play dice* **0.2** [piekeren (over)] *mull (over)* ⇒*reflect (on), ponder* ♦ **6.1** om iets ~ *cast lots, draw straws.*
knobbelgans ⟨de⟩ **0.1** *swan goose* ⇒*chinese goose.*
knobbelig ⟨bn.⟩ **0.1** *knobby* ⇒*gnarled, knotty, bumpy, nodular.*
knobbeljicht ⟨de⟩ **0.1** *chronic gout.*
knobbeluitwas ⟨het, de (m.)⟩ **0.1** *protuberance* ⇒*knob, bulge.*
knobbelvormig ⟨bn.⟩ **0.1** *knob-like* ⇒*knot-like, node-like, knobby, nodular.*
knobbelzwaan ⟨de (m.)⟩ **0.1** *mute swan.*
knobbelzwijn ⟨het⟩ **0.1** *wart hog.*
knock-out[1] ⟨de (m.)⟩⟨sport⟩ **0.1** *knock-out* ⇒*K.O.* ♦ **3.1** de ~ viel in de vierde ronde *the knock-out occured in the fourth round;* zoals afgesproken viel de ~ in de derde ronde / ging hij ~ in de derde ronde *he took a dive in the third round.*
knock-out[2] ⟨bn.⟩ **0.1** ⟨⟨sport⟩⟩ *knock-out* **0.2** [⟨algemeen⟩] *knock-out* ♦ **3.1** ~ gaan *go down, kiss the canvas;* iem. ~ slaan *knock s.o. out, K.O. s.o., floor s.o..*
knoddig ⟨bn.⟩⟨AZN⟩ **0.1** *funny.*
knoedel ⟨de (m.)⟩ **0.1** [meelballetje] *dumpling* ⇒*knoedel* **0.2** [kluwen] *ball* ⇒*skein, hank* **0.3** [haarknot] *bun* ⇒*knot.*
knoei ⟨zn.mv.⟩ ♦ **6.¶** in de ~ zitten *be in a mess / fix / jam / pickle;* lelijk **in** de ~ zitten *be in a real / terrible / nice mess / fix / jam / pickle, be in a sad / sorry pickle.*
knoeiboel ⟨de (m.)⟩ **0.1** [morsig geheel, troep] *mess* **0.2** [slordig werk] *mess* ⇒*botched(-up) job* **0.3** [bedrog, zwendel] *swindle* ⇒*cheat* ♦ **2.2** een onleesbare ~ *an illegible m.* **3.1** ergens een (grote) ~ van maken *make a (terrible) m. of sth., blunder, mess sth. up;* ruim die ~ op! *clean up that m..*
knoeien ⟨onov.ww.⟩ **0.1** [morsen] *make a mess* ⇒*mess about / up* **0.2** [slordig werken] *make a mess of* ⇒*bungle* **0.3** [onhandig te werk gaan] *tinker* ⇒*monkey / mess / muck around / about (with), fuss (around)* **0.4** [oneerlijk / bedrieglijk te werk gaan] *swindle* ⇒*tamper (with), cheat* ♦ **3.1** wat zit je toch te ~! *what a mess you've made!* **4.3** zelf aan iets ~ *t. / fiddle / mess around with sth. o.s.* **6.1** met tabak / eten ~ *spill tobacco / one's food (all over the place)* **6.4** er **is in** die zaak geknoeid *there has been sth. fishy / some funny business going on;* **in / met** de boeken ~ *tamper with / inf.⟩ fiddle / doctor the books;* **met** wijn ~ ↓ *adulterate /* ↓ *doctor wine, tamper with the wine;* ~ **met** zijn belastingaangifte ⟨inf.⟩ *fiddle one's taxes,* [A]*cheat on one's taxes,* [B]*cheat the taxman.*
knoeier ⟨de (m.)⟩, **knoeister** ⟨de (v.)⟩ **0.1** [knoeipot] *messy person* **0.2** [sloddervos] *sloppy person* **0.3** [onhandige prutser] *bungler* **0.4** [fraudeur] *cheat* ⇒*swindler,* ⟨inf.⟩ *fiddler* ♦ **2.1** jij grote ~! *what a messy person you are!, you are messy!* **2.2** jij grote ~! *what a sloppy person you are!, you are sloppy!.*
knoeierig ⟨bn., bw.⟩ **0.1** *messy* ⇒*bungling* ♦ **1.1** ~ werk *m. work, a messed-up / bungled job.*

knoeierij ⟨de (v.)⟩ **0.1** *corruption* ⇒*corrupt/dishonest practices* ⟨geld; pol.⟩, *malversation, falsification* ⟨statistieken, balansen⟩, *tampering (with)* ◆ **6.1** ik houd mij **met** die ~en niet bezig *I stay away/have nothing to do with shady dealings like that;* ~en **met** *irregularities concerning.*

knoeipot →knoeier **0.1.**

knoeiwerk ⟨het⟩ **0.1** [onhandig/verprutst werk] *messy work* ⇒*sloppy/ shoddy work* **0.2** [slordig werk] *messy work* ⇒*sloppy/shoddy work, bungle, botched-up job.*

knoeper ⟨de (m.)⟩⟨inf.⟩ **0.1** ⟨zie 6.1⟩ ◆ **6.1** een ~ **van** een fout *a real boner, a bad case of foot-and-mouth diseaese,* [B]*a bloomer,* [A]*a real boo-boo;* ⟨vnl. AE⟩ *a blooper.*

knoert ⟨de (m.)⟩⟨inf.⟩ **0.1** [knots, joekel] *whopper* **0.2** [slag, stoot, schot] *hard blow* ⇒*hard kick/punch* ◆ **6.1** (hij woont alleen in) een ~ v.e. huis ⟨ook⟩ *(he lives all alone in) a whopping/whacking (great) house.*

knoerthard ⟨bn., bw.⟩⟨inf.⟩ **0.1** *hard as a rock* ⇒⟨snel⟩ *fast as a bullet* ◆ **1.1** hij heeft ~e handen *he has iron fists* **3.1** ~ liegen *lie through one's teeth.*

knoest ⟨de (m.)⟩⟨→sprw. 358⟩ **0.1** [uitwas aan een boom] *gnarl* ⇒ *knur(r)* **0.2** [oorsprong van een wortel] *node* **0.3** [noest] *knot* ⇒*knar, knag,* ⟨AE ook⟩ *burl* ◆ **5.3** het hout zat vol~en *the wood was full of knots.*

knoesterig ⟨bn.⟩ **0.1** *knotty* ⇒*gnarled, gnarly, knaggy* ◆ **1.1** ~ hout *knotty wood.*

knoestig →knoesterig.

knoet ⟨de (m.)⟩ **0.1** [gesel] *knout* ⇒*strap, cat-o'-nine-tails* **0.2** [knot] *bun* ⇒*knot* ◆ **6.1** met de ~ regeren *rule with a rod of iron;* **met** de ~ geven *knout, strap, thrash, whip;* **met** de ~ krijgen *be knouted/strapped/ thrashed/whipped* **6.2** het haar in een~ *je dragen wear one's hair in a b..*

knoflook ⟨het, de (m.)⟩ **0.1** *garlic* ◆ **1.1** een streng~ *a string of g.;* een teentje~ *a clove of g.* **2.1** wilde~ *wild g., moly.*

knoflookbol ⟨de (m.)⟩ **0.1** *garlic.*

knoflookboter ⟨de⟩ **0.1** *garlic butter* ◆ **6.1** stokbrood **met** ~ *French bread with g. b., garlic bread.*

knoflookgeur ⟨de (m.)⟩ **0.1** *smell of garlic.*

knoflooklucht ⟨de⟩ **0.1** *smell of garlic* ⇒*garlicky smell/air.*

knoflookpers ⟨de⟩ **0.1** *garlic press.*

knoflooksaus ⟨de⟩ **0.1** *garlic sauce.*

knoflookworst ⟨de⟩ **0.1** *garlic sausage.*

knok →knook.

knokig ⟨bn.⟩ **0.1** [mager en benig] *bony* ⇒*angular* **0.2** [sterk van knoken] *big-boned* ◆ **1.1** ~e knieën *b. knees;* ~e vingers *b. fingers* **1.2** een ~e kerel *a b.-b. fellow.*

knok(k)el ⟨de (m.)⟩ **0.1** *knuckle* ◆ **6.1** met zijn~s tegen het raam tikken *rap on the window (with one's knuckles).*

knokkelachtig ⟨bn.⟩ **0.1** *knuckle-like.*

knokkelig ⟨bn.⟩ **0.1** *knuckly* ⇒*bony.*

knokkelkoorts ⟨de⟩ **0.1** *dengue* ⇒*dandy (fever), breakbone fever.*

knokken ⟨onov.ww.⟩⟨inf.⟩ **0.1** [vechten] *fight* ⇒*scuffle, scrap, mix it* **0.2** [⟨fig.⟩] *fight hard* ◆ **1.1** een partijtje ~ *a scuffle/tussle/mêlée/scrap* **¶.1** ~? *want to make sth. of it?*

knokker ⟨de (m.)⟩ **0.1** [vechtersbaas] *brawler* ⇒*tussler* **0.2** [doorzetter] *plugger* ⇒*fighter.*

knokpartij ⟨de (v.)⟩ **0.1** *scuffle* ⇒*tussle, mêlée, scrap, fight* ◆ **2.1** een stevige~ *a serious scuffle/scrap, a mêlée.*

knokploeg ⟨de⟩ **0.1** [groep die tegenstanders te lijf gaat] *(bunch/gang of) thugs* ⟨mv.⟩ ⇒⟨handlangers van misdadigers⟩ *henchmen* ⟨mv.⟩, ⟨sl.⟩ *(bunch/gang of) heavies* ⟨mv.⟩, ⟨sl.⟩ *heavy mob, strong arm boys* **0.2** ⟨gesch.⟩ vechtersploeg] *commando (group)* ⇒*assault group.*

knol ⟨de (m.)⟩ **0.1** [stengel/worteldeel] *tuber* ⟨aardappel e.d.⟩ ⇒*corm* ⟨krokus e.d.⟩ **0.2** [raap] *turnip* **0.3** [gat in een sok] *potato* **0.4** [paard] *nag* ⇒jade **0.5** [horloge] *turnip* ◆ **2.4** een magere/afgejakkerde~ *a thin/overworked n.;* een ouwe~ *an old n.* **3.2** ⟨fig.⟩ iem. ~len voor citroenen verkopen *make s.o. believe the moon is made of cream/ green cheese;* ⟨fig.⟩ zich geen ~len voor citroenen laten verkopen *not let s.o. pull the wool over one's eyes.*

knolachtig ⟨bn.⟩ **0.1** *tuberous* ⇒*tuberose,* ⟨ihb. de smaak⟩ *turnipy.*

knolbegonia ⟨de⟩ **0.1** *tuberous begonia.*

knolboterbloem ⟨de⟩ **0.1** *king cup/cob* ⇒*bulbous buttercup.*

knoldragend ⟨bn.⟩⟨plantk.⟩ **0.1** *tuberous* ⇒*tuberose.*

knolgewas ⟨het⟩ **0.1** *tuberous plant.*

knolknop ⟨de (m.)⟩⟨plantk.⟩ **0.1** *cormel* ⇒*bulblet.*

knollentuin ⟨de (m.)⟩ **0.1** *(root) vegetable garden* ◆ **6.¶** hij is **in** zijn~ *he is in his element, he's as pleased as Punch, he's like a pig in clover.*

knolletje ⟨het⟩ **0.1** [kleine knol] *tubercle* **0.2** [⟨mv.⟩ raapjes] *(cooked) turnips* ⇒*sliced/grated/chopped/diced turnips.*

knolraap ⟨de (v.)⟩ **0.1** [koolraap] *swede (turnip);* ⟨koolrabi⟩ *kohlrabi.*

knolradijs ⟨de⟩ **0.1** *turnip radish.*

knolrond ⟨bn.⟩ **0.1** *round as a ball.*

knolselderij ⟨de (m.)⟩ **0.1** *celeriac.*

knolsmeris ⟨de (m.)⟩⟨inf.⟩ **0.1** [†]*mounted police.*

---

knolvenkel ⟨de⟩ **0.1** *fennel.*

knolvoet ⟨de (m.)⟩ **0.1** *clubroot.*

knolvormig ⟨bn., bw.⟩ **0.1** *tuberiform* ◆ **3.1** ~ verdikt *bulged, swollen.*

knolvrucht ⟨de⟩ **0.1** *root crop.*

knolzwam ⟨de⟩ **0.1** *amanita* ◆ **2.1** groene~ *death cup/cap/angel.*

knook ⟨de⟩ **0.1** *bone* ◆ **6.1** merg in zijn knoken hebben *have strong muscles.*

knoop ⟨de (m.)⟩ **0.1** [mbt. kleding] *button* ⇒*stud* ⟨losse⟩ **0.2** [dichtgetrokken lus] *knot* **0.3** [⟨scheep.⟩] *knot* **0.4** [knobbel aan een stengel] *node* ⇒*joint* **0.5** [⟨wisk.⟩] *node* **0.6** [⟨ster.⟩ snijpunt] *node* **0.7** [⟨nat.⟩ rustpunt] *node* **0.8** [vloek] *oath* ⇒*expletive* ◆ **1.1** een jasje met één rij /twee rijen knopen *a single/double breasted jacket* **2.1** bij de blauwe ~ gaan *sign/take the pledge;* van de blauwe ~ zijn *be a teetotaler* **2.2** een dubbele~ *a double (k.);* een enkele~ *an overhand (k.);* ⟨fig.⟩ een gordiaanse~ *a Gordian k.;* een platte~ *a reef k.* **3.1** een~ aanzetten *sew on a b.;* de knopen van zijn jas dichtdoen *button up one's coat;* zijn knopen tellen *toss/flip a coin* **3.2** de~ doorhakken *cut the k.;* een~ leggen/maken *tie/make a k.;* een~ losmaken/ontwarren *untie/undo a k., unravel a tangle;* ⟨fig.⟩ hier zit 'em de~ *there's/that's the rub/problem* **3.3** het schip liep negen knopen *the ship was travelling at (a speed of)/was doing 9 knots* **5.2** dat garen is vol knopen *that yarn is all tangled/full of knots* **6.2** het touw is/zit **in** de~ *the rope is tangled/full of knots;* een~ in zijn zakdoek leggen *tie a k. in one's handkerchief;* (met zichzelf) **in** de~ zitten *be at odds with o.s.;* **in** de~ raken *become entangled;* een veter **uit** de~ halen *untie/ undo a shoelace;* het haar **uit** de~ halen *untangle one's hair, brush out the tangles/knots.*

knoopband ⟨het⟩ **0.1** *macramé string.*

knoopgras ⟨het⟩ **0.1** *knotgrass* ⇒*swine's-grass.*

knoopje ⟨het⟩ **0.1** [mbt. kleding] *(small/tiny/little) button* ⇒⟨op boord, manchet⟩ *stud* **0.2** [dichtgetrokken lusje] *(small/tiny/little) knot* **0.3** [⟨plantk.⟩] *nodule* ⇒*knot, batton.*

knoopjesdrop ⟨het, de⟩ **0.1** '*knoopjesdrop*' ⟨button-shaped liqorice [A]*licorice*⟩

knoopkoord →knoopband.

knoopkromme ⟨de⟩⟨wisk.⟩ **0.1** *node locus.*

knoopkruid ⟨het⟩ **0.1** *knapweed.*

knooplijn ⟨de⟩⟨ster., nat.⟩ **0.1** *nodal line.*

knoopmier ⟨de⟩ **0.1** *myrmicine* ⇒⟨mv. ook⟩ *myrmicinae.*

knooppunt ⟨het⟩ **0.1** [punt van samenkomst] *junction* **0.2** [ongelijkvloers kruispunt] *interchange* ⇒*intersection.*

knoopsgat ⟨het⟩ **0.1** *buttonhole* ◆ **2.1** loze ~en *false b.* **3.1** een ~ knippen *(cut) open/snip (open) a b.* **6.1** een lintje in het ~ dragen *wear a ribbon in one's b.* **7.1** ⟨AZN⟩ familie v.h. zevende ~ *distant relative.*

knoopsgatenelastiek ⟨het⟩ **0.1** *buttonhole elastic.*

knoopsgatenschaar ⟨de⟩ **0.1** *buttonhole scissors/shears.*

knoopsgatensteek ⟨de (m.)⟩ **0.1** *buttonhole stitch.*

knoopsgatenzijde ⟨de⟩ **0.1** *button thread, buttonhole twist.*

knoopsluiting ⟨de (v.)⟩ **0.1** *button fastening.*

knoopwerk ⟨het⟩ **0.1** *hand-knotted work/carpets/* ⟨enz.⟩ ⇒⟨macramé⟩ *macramé,* ⟨zeldz.⟩ *knotwork.*

knop ⟨de (m.)⟩ **0.1** [als schakelaar] *button* ⇒*switch, knob* **0.2** [als versiering/bescherming/handvat] *button* ⇒*knob, handle* **0.3** [om iets aan op te hangen/vast te maken] *peg* **0.4** [oorsieraad] *earring* **0.5** [⟨plantk.⟩] *bud* ◆ **1.2** de ~ v.e. deksel/deur/speld/op een vlaggestok *the handle of a cover/door, the head of a pin, the nob on a flagpole;* de ~ v.e. schild/degen/zadel *the boss of a shield, the pommel of a sword/ saddle;* de ~ v.e. wandelstok/paraplu *the handle of a walking stick/ umbrella* **2.4** kleine ~jes in de oren *small earrings in one's ears* **3.1** de ~ (van het licht) indrukken/omdraaien *press the b., turn the knob, press/flick the (light) switch;* ⟨fig.⟩(bij zichzelf) een ~ omdraaien *switch over;* ⟨pregnant⟩ de ~ omdraaien *turn the knob, switch it off;* ⟨pregnant⟩ op de (rode) ~ drukken *press the (red) b.* **6.1** ⟨radio, t.v.⟩ **achter** de ~pen zitten *sit at the controls;* een schakelbord met ~pen *a switchboard;* ⟨fig.⟩ ik heb x voor je **onder** de (witte) ~ *I have Mr. X for you on hold;* met een druk **op** de ~ *presto, with a press of the b.* **6.5** er zitten veel ~pen **aan** de begonia *the begonia has a lot of buds;* in ~pen schieten *bud, sprout;* de roos is nog **in** de ~ *the rosebuds have not opened (up) yet, the rose tree/bush is not fully out yet* **6.¶** **naar** de ~pen gaan *go up the spout/down the drain/west!* ⟨AE ook⟩ *down the tubes, bite the dust;* nu is mijn vakantie mooi **naar** de ~pen *I can kiss my holiday/*[A]*vacation goodbye, that's my holiday/*[A]*vacation up the spout/* ⟨BE ook⟩ *gone for a burton.*

knopas ⟨de⟩ **0.1** *bud axis.*

knopbies ⟨de⟩⟨plantk.⟩ **0.1** *bog-rush.*

knopehaakje ⟨het⟩ **0.1** *buttonhook.*

knopen ⟨ov.ww.⟩ **0.1** [een knoop leggen in] *(make a) knot* **0.2** [vastmaken, verbinden] *tie (a knot)* ⇒*knot* **0.3** [vervaardigen door knopen te leggen] *knot* **0.4** [sluiten] *button (up)* ◆ **1.1** een das ~ *tie a tie, do up a tie, tie a knot in a tie* **1.3** een net ~ *(make a) net* **6.2** twee touwen **aan** elkaar ~ *tie two ropes/lines together;* ⟨fig.⟩ met moeite de eindjes **aan** elkaar kunnen ~ *barely make ends meet;* ⟨fig.⟩ er nog een dagje **aan** vast ~ *stay another day;* iets in een doek ~ *tie (up) in a cloth;* ⟨fig.⟩ knoop dat maar **in** je oren *get that into your head.*

knopendoos ⟨de⟩ **0.1** *button box*.

knopendraaier ⟨de (m.)⟩ **0.1** [iem. die knopen draait] *button maker* **0.2** [⟨fig.⟩ flikflooier] *cheat* ⇒*phony*.

knopenschrift ⟨het⟩ **0.1** *quipu*.

knopeschaar ⟨de⟩ **0.1** *button stick*.

knopig ⟨bn.⟩ **0.1** *nodose* ⇒*nodous*.

knopkruid ⟨het⟩ **0.1** *gallant soldier* ⇒*Joey Hooker*.

knopkruis ⟨het⟩ ⟨herald.⟩ **0.1** *cross pommée*.

knopligging ⟨de (v.)⟩ ⟨plantk.⟩ **0.1** *vernation*.

knopoor ⟨het⟩ **0.1** *button ear* ⇒*drop ear*.

knoppen
  I ⟨onov.ww.⟩ **0.1** [uitbotten] *bud* **0.2** [uit knop komen] *blossom;*
  II ⟨ov.ww.⟩ **0.1** [van de (bloem)knoppen ontdoen] *remove the buds from* ⇒*snip/clip/cut off the buds from*.

knopschakelaar ⟨de (m.)⟩ **0.1** *button* ⇒*switch*.

knopschub ⟨de⟩ ⟨plantk.⟩ **0.1** *bud scale*.

knopspeld ⟨de⟩ **0.1** *(large) safety pin*.

knopvariatie ⟨de (v.)⟩ **0.1** *sport, bud mutation*.

knopvorming ⟨de (v.)⟩ ⟨dierk.⟩ **0.1** *budding*.

knor ⟨de (m.)⟩ **0.1** [knorrend geluid] *grunt* ⇒*growl* **0.2** [knobbel] *knob* ⇒*protuberance* **0.3** [balksteen] *lintel* **0.4** [⟨stud.⟩ niet-corpslid] ⟨ongemarkeerd⟩ *outsider* ⇒*non-member of a fraternity*.

knorbeen ⟨het⟩ **0.1** *cartilage* ⇒*gristle*.

knorf ⟨de (m.)⟩ **0.1** *node* ⇒*joint*.

knorhaan ⟨de (m.)⟩ **0.1** [soort haan] *black cock* **0.2** [vis] *gurnard, gurnet*.

knorren ⟨onov.ww.⟩ **0.1** [brommerig geluid maken] *growl* ⇒*grunt* **0.2** [mopperen] *grumble* ⇒*grump* **0.3** [slapen] *kip* ♦ **1.1** ⟨scherts.⟩ mijn maag knort *my stomach's rumbling/grumbling* **6.2 op/tegen** iem. ~ *grumble/grouse at s.o.;* **over** iets ~ *grumble about sth..*

knorrepot ⟨de (m.)⟩ **0.1** *grumbler* ⇒*grump, sorehead* ♦ **2.1** een oude ~ *an old grumbler/grump*.

knorrig ⟨bn., bw.;-ly⟩ **0.1** *grumbling* ⇒*grumpy, testy, peevish, growling* ♦ **1.1** in een zeer ~e bui zijn *have the grumps;* een ~e opmerking *a testy remark;* een ~e vrouw *a peevish woman*.

knorrigheid ⟨de (v.)⟩ **0.1** *grumpiness* ⇒*testiness, peevishness*.

knot
  I ⟨de⟩ **0.1** [kluwen, bosje] *knot* ⇒*ball, hank, skein, tuft* ⟨haar, veren⟩ ♦ **1.1** een ~ haar *a bun;* een ~ katoen *a skein/hank of (cotton) thread;*
  II ⟨de (m.)⟩ **0.1** [vogel] *(European) knot*.

knots[1] ⟨de⟩ **0.1** [zwar stok] *club, bludgeon* **0.2** [berg] *mountain* **0.3** [vaartuig] *(flat-bottomed) fishing boat* ⇒*shrimp boat* **0.4** [iets groots/moois] *whopper* ♦ **1.1** de ~ van Hercules *Hercules' c.* **3.¶** de ~ zijn *be the dupe* **6.4** een ~ van een huis *a whopping/thundering big house*.

knots[2] ⟨bn., bw.;-ly⟩ ⟨inf.⟩ **0.1** [dwaas] *crazy* ⇒*loony* **0.2** [goed] *great* ⇒*fantastic, marvellous, wonderful* ♦ **1.2** een ~ idee *a g./ fantastic/marvellous/wonderful idea* **3.1** die vent is ~ *that guy/fellow is c./ has a screw loose/is a loony*.

knots-boem ⟨tw.⟩ **0.1** *wham*.

knotsgek ⟨bn., bw.⟩ ⟨inf.⟩ **0.1** ⟨pred. bn.⟩ *nuts* ⇒*mad as a hatter/March hare, crackers, bananas, bonkers,* ⟨bw.⟩ *in a crazy/loony way*.

knotsoefening ⟨de (v.)⟩ **0.1** *exercise with Indian clubs*.

knotsslag ⟨de (m.)⟩ **0.1** *blow with a club*.

knotssprietigen ⟨zn.mv.⟩ ⟨dierk.⟩ **0.1** *clavicornia, clavicorns*.

knotsvormig ⟨bn.⟩ **0.1** *clavate, claviform* ⇒*club-shaped*.

knotszwaaien ⟨ww.⟩ **0.1** *Indian clubbing*.

knotten ⟨ov.ww.⟩ **0.1** [mbt. bomen/takken] *top* ⇒*head, truncate, poll(ard)* **0.2** [de top afsnijden] *clip* ⇒*truncate* **0.3** [⟨fig.⟩] *clip* ⇒*curtail* ⟨vrijheid⟩, *deflate* ⟨trots⟩ ♦ **1.1** een geknotte boom *a pollarded/headed/truncated tree;* wilgen ~ *poll(ard) willows* **1.2** een geknotte kegel *a truncated cone;* een geknotte staart *a docked tail;* ⟨herald.⟩ een geknot vogeltje *a martlet* **1.3** iemands hoogmoed ~ *deflate s.o.'s pride;* ⟨inf.⟩ take the wind out of s.o.'s sails.

knotwilg ⟨de (m.)⟩ **0.1** *pollard willow*.

knudde ⟨bn.⟩ ⟨inf.⟩ **0.1** *no good at all, rubbishy* ♦ **3.1** 't is ~ *it's a mess/no good at all* **6.1** ~ met 'n rietje/met de bijl/met de pet op *it's a total flop/washout/bust, bugger-all*.

knuddig ⟨bn.⟩ ⟨inf.⟩ **0.1** *rotten* ⇒*wretched, miserable, horrible*.

knuffel ⟨de (m.)⟩ **0.1** [liefkozing] *cuddle* ⇒*hug* **0.2** [knuffeldier] *soft/cuddly toy* ⇒*teddy (bear)* ♦ **2.1** een stevige ~ geven *give (s.o.) a big hug*.

knuffelaar ⟨de (m.)⟩ **0.1** *cuddler* ⇒*snuggler*.

knuffelbeest ⟨het⟩ **0.1** *cuddly toy/animal*.

knuffeldier ⟨het⟩ **0.1** [speelgoedbeest] *soft/cuddly toy* ⇒*teddy (bear)* **0.2** [persoon] *cuddler* ⇒*snuggler*.

knuffeldrift ⟨de⟩ **0.1** *urge to cuddle*.

knuffelen
  I ⟨ov.ww.⟩ **0.1** [liefkozend aanhalen] *cuddle* ♦ **1.1** een klein kind ~ *c. a small child;*
  II ⟨onov.ww.⟩ **0.1** [vrijen] *cuddle* ⇒*snuggle*.

knuffelmuur ⟨de (m.)⟩ **0.1** *warm air wall*.

knuffeltje ⟨het⟩ **0.1** [persoon] *cuddler* ⇒*snuggler* **0.2** [knuffeldier] *soft/cuddly toy* ⇒*teddy (bear)*.

knuffelziekte ⟨de (v.)⟩ ⟨med.⟩ **0.1** *kissing disease*.

knuist ⟨de⟩ **0.1** *fist* ⇒⟨inf.;meestal mv.⟩ *mitt* ♦ **2.1** ⟨inf.⟩ hij heeft fikse ~en aan zijn lijf *he ha big mitts, he has iron fists;* lompe/ruwe ~en *huge/coarse hands;* onbarmhartige ~en *merciless fists*.

knuistje ⟨het⟩ **0.1** *little hand*.

knul ⟨de (m.)⟩ **0.1** *fellow, guy* ⇒⟨vnl. BE⟩ *chap, bloke, lad(die)* ♦ **2.1** 't is een goeie ~ *he's a nice bloke/f./ good chap/g.* **3.1** ⟨inf.⟩ zij heeft een ~ *she has a bloke/f..*

knullig ⟨bn., bw.;-ly⟩ **0.1** *awkward* ⇒*gawky, uncomfortable* ♦ **1.1** een ~e indruk maken *make an a. impression* **3.1** dat is ~ gedaan *that has been done awkwardly/clumsily;* wat ziet hij er ~ uit *he looks so soft/doltish*.

knuppel ⟨de (m.)⟩ **0.1** [korte, dikke stok] *club* ⇒*cudgel, mace,* ⟨van politie⟩ [B]*truncheon,* [A]*billy (club),* [A]*nightstick* **0.2** [stuurstang] *stick* ⇒⟨inf.⟩ *joy stick* **0.3** [persoon] *lout* ⇒*clod(hopper)* ♦ **6.1** ⟨fig.⟩ een/de ~ **in** het hoenderhok gooien *set/put the cat among the pigeons, drop a bombshell* **6.¶** een ~ **in** 't honderd gooien *criticize without naming names*.

knuppelbrug ⟨de⟩ **0.1** *rustic bridge*.

knuppeldam ⟨de (m.)⟩ **0.1** *corduroy road*.

knuppelen ⟨onov., ov.ww.⟩ **0.1** *club* ⇒*bludgeon, cudgel, beat*.

knuppelhout ⟨het⟩ **0.1** *billet* ⇒*log, firewood*.

knuppelstok ⟨de (m.)⟩ **0.1** *club*.

knurf ⟨de (m.)⟩ **0.1** [knorf] *node* ⇒*joint* **0.2** [brok] *piece* ⇒*bit, fragment*.

knurft ⟨de (m.)⟩ ⟨inf.⟩ **0.1** *nitwit* ⇒*nincompoop, blockhead,* ⟨BE ook⟩ *nit, fathead, wally,* ⟨AE ook⟩ *nerd*.

knus ⟨bn., bw.;-ly⟩ **0.1** *cosy* [A]*cozy* ⇒*homey, snug, friendly, comfy* ♦ **1.1** een ~ babbeltje *a friendly/pleasant chat;* een ~ woninkje *a cosy home* **3.1** ~ bij elkaar zitten *sit cosily/snug(ly) together*.

knusjes ⟨bw.⟩ **0.1** *cosily* ⇒*snugly*.

knutselaar ⟨de (m.)⟩, **-ster** ⟨de (v.)⟩ **0.1** *handyman* ⇒*tinkerer, do-it-yourselfer, hobbyist, potterer*.

knutselen
  I ⟨ov.ww.⟩ **0.1** [met geringe hulpmiddelen maken] *knock up/together* **0.2** [⟨pej.⟩] *botch together* ⇒*mess/fuss/play/* ⌊*screw around with* ♦ **1.1** een zelf (in elkaar) geknutseld radiotoestel *a homemade radio;*
  II ⟨onov.ww.⟩ **0.1** [uit liefhebberij maken] ⟨ook pej.⟩ *tinker* ⇒*potter,* ⟨pej.⟩ *mess/fuss/play around* ♦ **6.1** hij knutselt graag **aan** zijn bromfiets *he likes to t. with his mo-ped*.

knutselruimte ⟨de⟩ **0.1** *hobby room* ⇒*workroom, (work)shop*.

knutselwerk ⟨het⟩ **0.1** [werk] *odd jobs* ⇒*tinkering, fiddling, handicraft* **0.2** [dingen] *handiwork, handicraft(s)* ⇒*homemade thing(s), Heath Robinson affair/ contraption*.

k.o. 0.1 *k.o.* ⇒*kayo* ♦ **3.1** iem. ~ slaan *k.o.s.o., knock s.o. cold/out*.

koala ⟨de (m.)⟩ **0.1** *koala (bear)*.

kobalt ⟨het⟩ **0.1** [chemisch element] *cobalt* **0.2** [kleur] *cobalt blue*.

kobaltbestraling ⟨de (v.)⟩ **0.1** *cobalt treatment*.

kobaltblauw[1] ⟨het⟩ **0.1** [verfstof] *cobalt blue* **0.2** [kleurstof] *cobalt blue* ⇒*powder blue*.

kobaltblauw[2] ⟨bn.⟩ **0.1** *cobalt blue* ⇒⟨attr.⟩ *cobalt-blue*.

kobaltbom ⟨de⟩ **0.1** *cobalt bomb*.

kobalterts ⟨het⟩ **0.1** *cobalt ore*.

kobaltkalk ⟨de (m.)⟩ **0.1** *zaffre*.

kobaltstraal ⟨de⟩ **0.1** *cobalt ray*.

kobbe ⟨de⟩ ⟨inf.⟩ **0.1** *herring gull*.

kobbenet ⟨het⟩ **0.1** *spider web*.

kobold ⟨de (m.)⟩ **0.1** *kobold* ⇒*elf, (hob)goblin, gnome,* ⟨IE⟩ *pooka*.

kocher ⟨de (m.)⟩ ⟨med.⟩ **0.1** *Kocher's forceps*.

koddebeier ⟨de (m.)⟩ **0.1** [⟨scherts.⟩ politieagent] *cop(per)* **0.2** [jachtopziener] *game-keeper* ⇒*park-keeper*.

koddig ⟨bn., bw.;-ly⟩ **0.1** *droll* ⇒*funny, comical* ♦ **1.1** een ~ventje *a d. fellow* **3.1** hij kan dat zo ~ vertellen *he can tell that so comically, he has such a d./ comic way of telling that*.

koddigheid ⟨de (v.)⟩ **0.1** *drollery* ⇒*drollness, comicalness*.

koe ⟨de (v.)⟩ ⟨→sprw. 359-362⟩ **0.1** [vrouwelijk rund] *cow* **0.2** ⟨mv.⟩ runderen] *cows* **0.3** [som mens] *dumbbell* ⇒*dumb cluck* **0.4** [wijfje van andere grote dieren] *cow* **0.5** [iets dat zeer groot iets] *giant* ♦ **1.1** ⟨fig.⟩ over ~tjes en kalfjes praten *talk about the weather/about one thing and another/about this, that and the other* **2.1** ⟨fig.⟩ oude ~ien uit de sloot halen *open old wounds, drag/rake/bring up old matters, dredge up long-forgotten stories;* dat is een ouwe ~/ dat zijn oude ~ien *that is ancient/ past history, that is water under the bridge* **2.2** heilige ~ *sacred cow;* rood-/zwartbonte ~ien *brown/black spotted cows* **3.1** iem. ~ien met gouden horens beloven *promise s.o. the (sun and the) moon* **3.2** de ~ bij de horens vatten ⟨fig.⟩ *take the bull by the horns, grasp the nettle* **6.5** ~ien **van** letters/fouten *giant letters, huge mistakes* **8.1** hij is zo dom als een ~ *he is a dumb as an ox*.

koebeest ⟨het⟩ **0.1** *cow* ⇒*beast*.

koebel ⟨de⟩ **0.1** *cowbell*.

koebloempje ⟨het⟩ **0.1** *daisy*.

koebrug ⟨de⟩ **0.1** [loopplank] *gangplnk* ⇒*loading plank* **0.2** [laag gelegen dek] *orlop deck*.

koebrugdek ⟨het⟩ **0.1** *gangplank* ⇒*loading plank*.
koedoe ⟨de (m.)⟩ **0.1** *koodoo, kudu*.
Koefisch ⟨bn.⟩ **0.1** *Kufic*.
koefje ⟨het⟩ ⟨inf.⟩ **0.1** *pre(e)mie*.
koehandel ⟨de (m.)⟩ ⟨pej.⟩ **0.1** *horse trading*.
koeherder ⟨de (m.)⟩ **0.1** *cowherd*.
koehoorn ⟨de (m.)⟩ **0.1** *cow's horn*.
koeiedrek ⟨de (m.)⟩ **0.1** *cow dung* ⇒*cow pat(s)*.
koeiehuid ⟨de⟩ **0.1** *cowhide*.
koeieletter ⟨de⟩ **0.1** *giant letter*.
koeiemest →**koemest**.
koeieoog ⟨het⟩ **0.1** [oog van koe] *cow's eye* **0.2** [⟨med.⟩ kalfsoog] *goggle-eye* **0.3** [⟨plantk.⟩ sierplant] *oxeye* ⟨Buphthalmum speciosum⟩.
koeiepistool ⟨het⟩ **0.1** *humane killer*.
koeieplak ⟨de⟩ ⟨inf.⟩ **0.1** *cow pat* ⇒*cow cake*, ⟨vulg.⟩ *cow turd, piece of cowshit*.
koeiepoep ⟨de (m.)⟩ **0.1** *cow's muck* ⇒ ⟨vulg.⟩ *cowshit*.
koeievlaai →**koeieplak**.
koeioneren ⟨ov.ww.⟩ **0.1** *bully* ⇒*browbeat*.
koek ⟨de (m.)⟩ **0.1** [zoet gebak] *gingerbread* ⇒*cake* **0.2** [koekje] [B]*biscuit*, [A]*cooky* **0.3** [gesperste/gesneden tablet] *cake* **0.4** [platte, samenhangende massa] *cake* **0.5** [iets gerings] *nonsense* ♦ **1.1** ⟨fig.⟩ het is~ en ei met/tussen hen *they are like hand and glove/as thick as thieve;* een plakje~ *a piece of cake* **1.3** een~ indigo/tabak *a c. of indigo/c./ plug of tobacco* **2.1** ⟨fig.⟩ dat is andere~ (dan pepernoten)! *that's a horse of another colour;* ⟨fig.⟩ dat is voor haar gesneden~ *that is (mere) child's play for her;* een gevulde~ ≠*a filled cupcake;* ⟨fig.⟩ dat is ouwe *that is old hat;* iets/alles voor zoete~ opeten/slikken *swallow sth./everything (whole)* **2.4** een dikke~ opgedroogde verf *a thick c. of dried paint* **5.1** ⟨fig.⟩ de~is op *the party's over* **6.1** ⟨fig.⟩ iem. een ~je van (zijn) eigen deeg geven *give s.o. a taste of his own medicine;* ⟨fig.⟩ een~je van eigen deeg krijgen *get a taste of one's own medicine, get paid in kind, get beat at one's own game* **8.1** ⟨fig.⟩ dat gaat erin als (gesneden)~ *it is a huge success;* ⟨vindt aftrek⟩ *it's selling like hot cakes;* ⟨fig.⟩ ze gaan als~ *they sell like hot cakes/like wildfire.*
koekalf ⟨het⟩ **0.1** *heifer*.
koekbakker ⟨de (m.)⟩ **0.1** *pastry-cook* ⇒⟨in eigen zaak⟩ *confectioner.*
koekdeeg ⟨het⟩ **0.1** [van Drentse koek e.d.] *cake batter*, ≠*gingerbread batter;* [van koekjes] [B]*biscuit/*[A]*cooky dough.*
koekebakker ⟨de (m.)⟩ **0.1** *bungler.*
koekeloeren ⟨onov.ww.⟩ **0.1** [spiedend kijken] *peep, peek* ⇒*peer* **0.2** [zich vervelen] *twiddle one's thumbs* ⇒*fiddle/*[A]*diddle around*, ⟨BE ook⟩ *fiddle about, (sit and) stare at the ceiling* ♦ **3.2** maar wat zitten te~ *just (be) sit(ting) around twiddling one's thumbs* **5.1** ergens naar binnen~ *peep/peek/peer in at the window/door* ⟨enz.⟩.
koeken ⟨onov.ww.⟩ **0.1** *cake* ♦ **1.1** het deeg is helemaal gekoekt *the dough has gone lumpy.*
koekenbakker ⟨de (m.)⟩ **0.1** [koekbakker] *pastry-cook* ⇒⟨in eigen zaak⟩ *confectioner* **0.2** [knoeier] ⟨→**koekebakker**⟩.
koek-en-zopie ⟨de (m.)⟩ **0.1** *refreshment(s) stall.*
koekepan ⟨de⟩ **0.1** *frying-pan;* ⟨AE ook⟩ *skillet.*
koekhappen ⟨ww.⟩ **0.1** *(game of) bite-the-cake* ⇒≠*ducking/bobbing for apples.*
koekjestrommel ⟨de⟩ **0.1** *biscuit-tin*, [A]*cookie-tin/-box.*
koekkraam ⟨de⟩ **0.1** *cake-stall.*
koekkruiden ⟨zn.mv.⟩ **0.1** *mixed spices* ⇒⟨kant en klaar⟩ *mixed spice.*
koekkruimel ⟨de⟩ **0.1** *cake crumb(s).*
koeklauw ⟨de⟩ **0.1** *toe (of a cow).*
koekoek[1] ⟨de (m.)⟩ **0.1** [vogel] *cuckoo* **0.2** [klok] *cuckoo clock* **0.3** [dakkapel] *dormer (window)* **0.4** [de duivel] ↓*devil* ⇒ ↓*hell*, ⟨vero.⟩ *deuce* **0.5** [keldergat] *cellar window* **0.6** [lichtkoepel] *skylight* ♦ **3.4** ⟨fig.⟩ dat dank(t), haal(t) je de~ ⟨dat zal best⟩ *I('ll) bet you/they were/will /he was/will/would;* ⟨mij niet gezien⟩ *not on your life!, catch me doing that!,* ⟨inf.⟩ *no way!* **6.4** loop naar de~! *go to blazes!, you know what you can do!,* ⟨BE ook⟩ *you know where you can get off!* ¶.1 ⟨fig.⟩ het is altijd~ één zang *it's always the same old story.*
koekoek[2] ⟨tw.⟩ **0.1** *cuckoo!* ♦ ¶.1 ~, daar ben ik weer! *cuckoo!.*
koekoeksbeen ⟨het⟩ ⟨biol.⟩ **0.1** *caudal vertebrae.*
koekoeksbij ⟨de⟩ **0.1** *cuckoo/homeless bee.*
koekoeksbloem ⟨de⟩ **0.1** [kraaiebloem] *ragged robin* ⇒*cuckooflower* **0.2** [plant van het geslacht Melandrium] *campion.*
koekoeksbrood ⟨het⟩ **0.1** *wood-sorrel* ⇒*cuckoo('s) bread, cuckoo's meat,* ⟨AE ook⟩ *cuckoo-flower.*
koekoeksjong ⟨het⟩ **0.1** [jong v.e. koekoek] *young cuckoo* **0.2** [⟨fig.⟩] ⟨persoon⟩ *cuckoo in the nest;* ⟨zaak⟩ ⟨zie 3.2⟩ ♦ **3.2** dit project dreigt een~ te worden *this project is threatening to get out of hand/to get (far) too much attention.*
koekoeksklok ⟨de⟩ **0.1** *cuckoo clock.*
koekoeksspeeksel ⟨het⟩ **0.1** *cuckoo/frog spit.*
koekoekszang ⟨de (m.)⟩ **0.1** *cuckoo's note/call* ♦ **3.1** ⟨fig.⟩ de~zingen *keep harping on the same thing, get/be on one's hobby-horse.*
koekoekvogels ⟨zn.mv.⟩ **0.1** ⟨wet.⟩ *Cuculiformes.*
koekplank ⟨de⟩ **0.1** [snijplank] *cake-board* **0.2** [koekvorm] *cake-mould.*

koekprent ⟨de⟩ **0.1** *cake-mould.*
koektrommel ⟨de⟩ **0.1** *cake-tin.*
koekvorm ⟨de (m.)⟩ **0.1** [vorm die men aan een koek geeft] *shape of a/ the cake* **0.2** [bakvorm] *cake-mould.*
koel
I ⟨bn.⟩ **0.1** [matig koud] *cool;* ⟨tè koud⟩ *chilly* **0.2** [kalm] *cool* ⇒*calm* ♦ **1.1** een~e kamer *a cool room;* ~ water *cool water;* een~e zomer *a cool summer* **1.2** ons schijnbaar~e volk *our seemingly reserved people* **3.1** ~ bewaren *store in a cool place;* ~ serveren *serve chilled;* het wordt~er *it's getting/growing cooler/* ⟨koud⟩ *chillier, it's cooling down/off* **3.2** ⟨fig.⟩ het hoofd~ houden *keep a cool head, keep (* ⟨inf.⟩ *one's) cool, keep a level head, stay level-headed;*
II ⟨bn.,bw.;-ly⟩ **0.1** [onhartelijk] *cool* ⇒⟨erg koel⟩ *cold, chilly* ♦ **1.1** ~e bewoordingen *cold terms;* een~e man *a cold man;* een~e ontvangst krijgen *get/* [↑]*receive a cool reception/a frosty welcome* **2.1** ~ beleefd *coldly/icily polite* **3.1** iem. ~ bejegenen *treat s.o. coolly/coldly.*
koelak ⟨de (m.)⟩ **0.1** *kulak.*
koelan ⟨de (m.)⟩ ⟨dierk.⟩ **0.1** *kulan.*
koelapparaat ⟨het⟩ **0.1** *cooler* ⇒*refrigerator, cooling apparatus.*
koelauto ⟨de (m.)⟩ **0.1** *refrigerated vehicle/* ⟨vrachtauto ook⟩ *lorry/* [A]*truck.*
koelbak ⟨de (m.)⟩ **0.1** [koelbox] *cooler* **0.2** [waterbak] *quenching/water trough.*
koelbalk ⟨de (m.)⟩ **0.1** ≠*cooling box.*
koelbassin ⟨het⟩ **0.1** *quenching trough.*
koelbloedig ⟨bn., bw.;-ly⟩ **0.1** [onbewogen] *cool-/level-headed* **0.2** [onverschillig] *cold(-blooded).*
koelbloedigheid ⟨de (v.)⟩ **0.1** [onverschrokkenheid] *cool-/level-headedness;* ⟨schr.⟩ *sang-froid* **0.2** [onverschilligheid] *cold(-blooded)ness.*
koelbox ⟨de (m.)⟩ **0.1** *cool box.*
koelcel ⟨de⟩ **0.1** *cold store.*
koeldoos ⟨de⟩ **0.1** *crisper.*
koelemmer ⟨de (m.)⟩ **0.1** *wine-cooler* ⇒*bucket/ice pail.*
koelen
I ⟨ov.ww.⟩ **0.1** [koel(er) doen worden] *cool (down/off)* ⇒⟨erg koel⟩ *chill,* ⟨met ijs ook⟩ *ice* **0.2** [afreageren] *vent* ⇒*unleash* ♦ **1.1** gekoelde boter *chilled butter;* gloeiend ijzer~ *cool down red-hot iron* **6.1** met lucht gekoelde motoren *air-cooled engines;* met ijs gekoelde wijn *chilled wine* **6.2** zij woede op iem. ~ *v. one's fury (up)on s.o.;*
II ⟨onov.ww.⟩ **0.1** [koel(er) worden] *cool (off/down)* ⇒*get/grow cooler/* ⟨té koud⟩ *chillier.*
koeler ⟨de (m.)⟩ **0.1** [toestel om te koelen] *cooler* ⇒⟨in auto⟩ *radiator* **0.2** [ijsemmer] *ice-bucket, cooler.*
koelheid ⟨de (v.)⟩ **0.1** [frisheid] *coolness* ⇒⟨kou⟩ *chill(iness),* ⟨scherts.⟩ *coolth* **0.2** [onhartelijkheid] *coolness* ⇒*coldness* ♦ **3.2** ik kan zijn~ niet verklaren *I can't explain his coldness.*
koelhuis ⟨het⟩ **0.1** [inrichting met koelkamers] *cold store* **0.2** [frisgelegen schuur, vertrek] *cold store.*
koelhuisboter ⟨de⟩ **0.1** *cold-stored butter.*
koelhuiseieren ⟨zn.mv.⟩ **0.1** *cole-store(d)/-storage eggs.*
koelie ⟨de (m.)⟩ **0.1** [gehuurde, gekleurde arbeider] *coolie* **0.2** [loonslaaf] *drudge* **0.3** [stommeling] *moron.*
koeliewerk ⟨het⟩ **0.1** [zwaar werk] *slave labour* ⇒*drudgery, donkey-work* **0.2** [werk voor een koelie] *coolie's work.*
koeling ⟨de (v.)⟩ **0.1** [handeling] *cooling* ⇒⟨van levensmiddelen⟩ *refrigeration* **0.2** [koelcel] *cold store* ♦ **3.2** iets in de~ leggen *put sth. in cold storage.*
koelinrichting ⟨de (v.)⟩ **0.1** ⟨ruimte⟩ *cold store;* ⟨installatie⟩ *refrigerator, cooling/refrigerating system/equipment/plant.*
koelkamer ⟨de⟩ **0.1** *cold-storage room* ⇒⟨temperatuur boven vriespunt⟩ *chillroom, cooling room.*
koelkast ⟨de⟩ **0.1** *refrigerator;* ⟨BE;inf.⟩ *fridge;* ⟨AE;inf.⟩ *icebox* ♦ **3.1** iets in de~ zetten *put sth. in the fridge/icebox* **6.1** ⟨fig.⟩ problemen in de~ stoppen *sweep problems under the carpet;* ⟨fig.⟩ plannen in de~ leggen *put plans on ice, shelve plans,* ⟨AE ook⟩ *put plans on the back burner.*
koelketel ⟨de (m.)⟩ **0.1** *cooler* ⇒*cooling vat, refrigerator.*
koellading ⟨de (v.)⟩ **0.1** *refrigerated load.*
koelleiding ⟨de (v.)⟩ **0.1** *coolant pipe.*
koellucht ⟨de⟩ **0.1** *cooling air.*
koelmachine ⟨de (v.)⟩ **0.1** *refrigerator* ⇒*refrigerating apparatus.*
koelmantel ⟨de (m.)⟩ ⟨tech.⟩ **0.1** *water jacket.*
koelmiddel ⟨het⟩ **0.1** *coolant* ⇒*cooling agent,* ⟨in koelkast⟩ *refrigerant (agent).*
koeloven ⟨de (m.)⟩ **0.1** *annealing furnace.*
koelpakhuis ⟨het⟩ **0.1** *cold store* ⇒*refrigerated warehouse.*
koelrib ⟨de⟩ **0.1** *fin.*
koelruim ⟨het⟩ ⟨scheep.⟩ **0.1** *refrigerated hold.*
koelruimte ⟨de (v.)⟩ **0.1** *cold store* ⇒*refrigerator.*
koelschip ⟨het⟩ **0.1** *refrigerated ship.*
koelspiraal ⟨de⟩ **0.1** *cooling spiral/coil* ⇒⟨bij brouwerijen⟩ *condensing coil, worm.*

koelsysteem ⟨het⟩ **0.1** *cooling* / ⟨in pakhuis enz.⟩ *refrigeration system.*

koeltank ⟨de (m.)⟩ **0.1** *refrigerated tank.*

koeltas ⟨de⟩ **0.1** [koelbox]⟨→koelbox⟩ **0.2** [tas van isolerend materiaal] *cool bag.*

koelte ⟨de (v.)⟩ **0.1** [frisheid] *cool(ness)* ⇒⟨tè koud⟩ *chill(iness),* ⟨scherts.⟩ *coolth* **0.2** [koele plaats] *cool (place)* **0.3** [onbewogenheid] *coolness* ⇒⟨inf.⟩ *cool* **0.4** [⟨scheep.⟩ wind] *breeze* ♦ **2.4** flauwe/frisse /lichte/matige/stijve ~ *faint/fresh/light/moderate/stiff b.* **3.1** zich ~ toewuiven *fan o.s.* **3.2** de ~ opzoeken *look for somewhere cool/a cool place* **6.1** in de ~ van de avond *in the cool of the evening* **6.3** een dichter/een vrijer in de ~ *a poet/lover without passion.*

koeltechnicus ⟨de (m.)⟩ **0.1** *refrigeration/cold-storage engineer.*

koeltechniek ⟨de (v.)⟩ **0.1** *refrigeration;* ⟨mbt. levensmiddelen ook⟩ *cold storage.*

koeltje ⟨het⟩ **0.1** *(gentle) breeze* ♦ **3.1** een ~ waait ons om de oren *there is a (gentle) b. blowing around us.*

koeltjes
I ⟨bn.⟩ **0.1** [een beetje koud] *(a bit) chilly* ♦ **3.1** het wordt 's avonds buiten al ~ *it's (already) getting a bit chilly outside in the evenings;*
II ⟨bw.⟩ **0.1** [onhartelijk] *coolly;* ⟨sterker⟩ *coldly* ♦ **3.1** iem. ~ bejegenen *treat s.o. coolly/coldly,* ⟨inf.⟩ *give s.o. the cold shoulder;* zij heeft mij maar ~ ontvangen *she only gave me a cool welcome, she welcomed/↑received me rather coolly/coldly;* ~ reageren *respond coolly/coldly.*

koeltoren ⟨de (m.)⟩ **0.1** *cooling tower.*

koeltransport ⟨het⟩ **0.1** *refrigerated transport/* ⟨AE ook⟩ *transportation.*

koelvak ⟨het⟩ **0.1** *refrigerated display.*

koelvat ⟨het⟩ **0.1** [om te koelen] *cooler* **0.2** [om koel te houden] *cooler.*

koelvloeistof ⟨de⟩ **0.1** *coolant.*

koelwagen ⟨de (m.)⟩ **0.1** *refrigerator car;* ⟨BE ook⟩ *refrigerator van.*

koelwand ⟨de (m.)⟩ **0.1** *(cooling-)jacket.*

koelwater ⟨het⟩ **0.1** *cooling-water.*

koelweg ⟨bw.⟩ **0.1** *coolly* ♦ **3.1** ~ antwoorden/vertellen *answer/relate c..*

koemarkt ⟨de⟩ **0.1** *cattle market.*

koemelk ⟨de⟩ **0.1** *cow's milk.*

koemest ⟨de (m.)⟩ **0.1** *cow manure/dung* ♦ **2.1** gedroogde ~ *dried c. m..*

koemis ⟨de (v.)⟩ **0.1** *koumiss* ⟨Aziatische drank⟩.

koen ⟨bn., bw.⟩ ⟨schr.⟩ **0.1** *bold* ⇒*stout-hearted, daring* ♦ **1.1** een ~ besluit *a b./stout-hearted/daring decision;* ~e daden *b./stout-hearted deeds, deeds of daring;* een ~e held *a b./stout-hearted hero;* ↑*a hero b. (and daring).*

koenheid ⟨de (v.)⟩ ⟨schr.⟩ **0.1** *boldness* ⇒*stout-heartedness, daring.*

koepaard ⟨het⟩ **0.1** ≠*piebald horse.*

koepeen ⟨de⟩ **0.1** *mangel(-wurzel), mangold(-wurzel).*

koepel ⟨de (m.)⟩ **0.1** [halfbolvormig dak] *dome* ⇒⟨ihb. kleine⟩ *cupola* **0.2** [tuinhuisje] *summer house* **0.3** [⟨mil.⟩] *cupola, (gun) turret* **0.4** [ronde uitbouw voor waarneming] *(observation) turret* ♦ **1.1** ⟨fig.⟩ de ~ v.d. blauwe lucht *the (sky-)blue d. of heaven;* de ~ v.d. St.-Pieter(skerk) te Rome *the d. of St. Peter's in Rome.*

koepelberg ⟨de (m.)⟩ **0.1** *domed mountain.*

koepelbouw ⟨de (m.)⟩ ⟨bouwk.⟩ **0.1** [handeling] *construction/building of domes/a dome/cupolas/a cupola* **0.2** [resultàat] *dome(d)/cupola construction.*

koepeldak ⟨het⟩ **0.1** *dome(d roof).*

koepelgevangenis ⟨de (v.)⟩ **0.1** *panopticon.*

koepelgewelf ⟨het⟩ ⟨bouwk.⟩ **0.1** *dome* ⇒*cupola, domed/spherical vault.*

koepelgraf ⟨het⟩ ⟨gesch.⟩ **0.1** *beehive tomb.*

koepelkerk ⟨de⟩ **0.1** *domed church* ⇒*church with a dome.*

koepelorganisatie ⟨de (v.)⟩ **0.1** *umbrella organization* ♦ **8.1** met de EG als ~ *under the umbrella of the EC.*

koepeloven ⟨de (m.)⟩ **0.1** *cupola (furnace).*

koepelraam ⟨het⟩ **0.1** *dome/cupola window, window in a dome/cupola.*

koepeltent ⟨de⟩ **0.1** *dome tent.*

koepeltoren ⟨de (m.)⟩ **0.1** [koepelvormige toren] *domed tower* **0.2** [toren boven een kruiskerk] *crossing tower.*

koepelvormig ⟨bn.⟩ **0.1** *domed* ⇒*dome-shaped* ♦ **1.1** ~e daken *domed roofs.*

koepokinenting ⟨de (v.)⟩ **0.1** *vaccination against cowpox.*

koepokken ⟨zn.mv.⟩ **0.1** *cowpox* ⇒⟨wet.⟩ *vaccinia.*

koepokstof ⟨de⟩ **0.1** *vaccine (lymph).*

koer ⟨AZN⟩ **0.1** *court (yard).*

Koerd ⟨de (m.)⟩ **0.1** *Kurd.*

Koerdisch ⟨bn.⟩ **0.1** *Kurdish* ⇒*Kurd.*

Koerdistan ⟨het⟩ **0.1** *Kurdistan.*

koereiger ⟨de (m.)⟩ **0.1** *cattle egret.*

koeren ⟨onov.ww.⟩ **0.1** *coo.*

koerier ⟨de (m.)⟩ **0.1** [renbode] *courier* ⇒*messenger* **0.2** [iem. die goederen vervoert, smokkelt] *courier* **0.3** [krant] *courier.*

koeriersdienst ⟨de (m.)⟩ **0.1** *courier/messenger service.*

koerierster ⟨de (v.)⟩ **0.1** *(woman) courier.*

koers

I ⟨de (m.)⟩ **0.1** [richting] *course* ⇒*direction* **0.2** [route] *route* **0.3** [loop] *course* ⇒*trend, tendency, drift* **0.4** [⟨hand.⟩] *price* ⇒*quotation, value,* ⟨wisselkoers⟩ *(exchange) rate* **0.5** [⟨geldw.⟩] *circulation* ♦ **1.4** ~ van uitgifte *issue p.* **2.1** de ~ kwijt zijn ⟨ook fig.⟩ *be off c.;* van de rechte ~ afdwalen ⟨fig.⟩ *leave the strait and narrow (path);* een verkeerde ~ nemen/uitgaan ⟨fig.⟩ *take/pursue a wrong c.* **2.3** een harde/strakkere ~ volgen *take/pursue a hard/more rigid line;* de nieuwe ~ op politiek gebied *the new political line/trend/drift;* een nieuwe ~ inslaan ⟨fig.⟩ *embark on a new c./line* **2.4** tegen de hoogste ~ verkopen *sell at the highest p.* **3.1** de ~ bepalen/afzetten/uitzetten *fix/determine/delimit/chart the c.;* ⟨ook fig.⟩ *set at a tangent;* welke ~ ga je volgen? *which c. will you steer?;* ~ houden naar het vasteland *head/stand for/towards the mainland;* van ~ veranderen *change c./tack;* plotseling van ~ veranderen ⟨fig.⟩ *fly/go off at a tangent;* dezelfde ~ volgen *travel the same path;* ~ zetten naar het noorden *head/haul north;* ~ zetten naar de haven *stand in towards the harbour;* ⟨de⟩ ~ zetten/richten naar *steer a c. for, set c. for, make (head) for, head for* **3.4** de ~en brokkelen af/dalen/lopen op/lopen terug/storten in *prices are falling off/falling/rising/turning down/collapsing;* de ~en noteren *quote the prices* **6.1** uit de ~ raken/van de ~ zijn ⟨fig.⟩ *be driven off c., lose direction;* van de ~ zijn ⟨fig.⟩ *have lost one's way, be off the beam* **6.4** tegen de ~ van de dag *at the p. of the day, at the current market value,* ⟨wisselkoers⟩ *at today's exchange rate;*
II ⟨de⟩ **0.1** [⟨sport⟩] *race.*

koersaanwijzer ⟨de (m.)⟩ ⟨luchtv.⟩ **0.1** *direction indicator.*

koersafwijking ⟨de (v.)⟩ **0.1** [⟨scheep.; luchtv.⟩ *deviation/departure (from the course)* ⇒⟨door wind⟩ *leeway* **0.2** [⟨hand.⟩] *difference/deviation in prices/the exchange rate.*

koersauto ⟨de (m.)⟩ ⟨AZN⟩ **0.1** *racing car.*

koersbaken ⟨het⟩ ⟨luchtv.⟩ **0.1** *radio range beacon.*

koersberekening ⟨de (v.)⟩ **0.1** ⟨van effecten⟩ *price calculation, calculation of prices;* ⟨van wisselkoers⟩ *currency value calculation, calculation of currency values.*

koersbericht ⟨het⟩ ⟨hand.⟩ **0.1** *Stock Exchange index.*

koersblad ⟨het⟩ ⟨hand.⟩ **0.1** *Stock Exchange Gazette.*

koersbord ⟨het⟩ **0.1** [⟨hand.⟩] *price board* **0.2** [⟨spoorw.⟩] *destination board.*

koersbroek ⟨de⟩ ⟨AZN⟩ **0.1** *cycling shorts.*

koerscorrectie ⟨de (v.)⟩ **0.1** *course correction* ⇒⟨in volle vlucht⟩ *midcourse correction.*

koersdaling ⟨de (v.)⟩ **0.1** ⟨effecten⟩ *fall/drop in prices;* ⟨geld⟩ *depreciation of/in currency values.*

koersdruk ⟨de (m.)⟩ ⟨hand.⟩ **0.1** *pressure on the price (of stocks/of foreign exchange)* (enz.⟩).

koersen ⟨onov.ww.⟩ **0.1** [de koers richten] *steer a course (for), set course (for)* **0.2** [⟨sport⟩] *race* ♦ **1.2** de wielrenner koerste voorin *the cyclist was at the front/was heading the race* **6.1** het schip koerste naar het noorden *the ship set course for the north/headed north.*

koersfluctuatie ⟨de (v.)⟩ ⟨hand.⟩ **0.1** *price fluctuation/variation* ⇒*market fluctuation.*

koersgemiddelde ⟨het⟩ ⟨hand.⟩ **0.1** *average price.*

koersgevoelig ⟨bn.⟩ **0.1** *liable to considerable price fluctuations.*

koershebbend ⟨bn.⟩ ⟨hand.⟩ **0.1** *negotiable on the Stock Exchange, marketable.*

koersherstel ⟨het⟩ **0.1** ⟨geld⟩ *recovery/rally in price(s)/of the currency values;* ⟨effecten⟩ *market recovery.*

koershoudend ⟨bn.⟩ ⟨hand.⟩ **0.1** *steady* ⇒*firm.*

koersindex ⟨de (m.)⟩ **0.1** *(stock exchange/market) index.*

koerslijn ⟨de⟩ ⟨verkeer⟩ **0.1** *route.*

koerslijst ⟨de⟩ ⟨hand.⟩ **0.1** *price list* ⇒*list of prices/quotations, stocklist,* ⟨beursnotering⟩ *official list.*

koerslimiet ⟨de⟩ **0.1** *price limit.*

koersniveau ⟨het⟩ **0.1** *level of prices/quotations/the exchanges* ⇒*price/exchange level.*

koersnivellering ⟨de (v.)⟩ **0.1** *exchange equalization.*

koersnotering ⟨de (v.)⟩ ⟨hand.⟩ **0.1** *(price/market) quotation.*

koersontwikkeling ⟨de (v.)⟩ **0.1** *price trend.*

koersreactie ⟨de (v.)⟩ ⟨hand.⟩ **0.1** *reaction on the exchange/market.*

koersrekening ⟨de (v.)⟩ **0.1** [berekening van de waarde] *calculation of prices/exchange rates* **0.2** [rekening met koersverschillen] *exchange account.*

koersreserve ⟨de⟩ ⟨hand.⟩ **0.1** *exchange reserve.*

koersrisico ⟨het⟩ ⟨hand.⟩ **0.1** *risk of a fall in prices* ⇒*risk of depreciation.*

koersschommeling ⟨de (v.)⟩ →**koersfluctuatie.**

koersstijging ⟨de (v.)⟩ →**koersverhoging.**

koersval ⟨de (m.)⟩ **0.1** ⟨effecten⟩ *(rapid) fall/drop in price;* ⟨geld⟩ *(rapid) fall/drop in currency values.*

koersverandering ⟨de (v.)⟩ **0.1** [⟨scheep.; luchtv.⟩]⟨scheep.⟩ *change of course/tack* ⇒*deviation,* ⟨luchtv.⟩ *change in/alteration of the course* **0.2** [⟨fig.⟩] *change of/in course* ⇒*new orientation* ♦ **2.2** plotselinge ~ *right-about turn, change of front;* ⟨volledige ommekeer⟩ *volte face;* ⟨van beleid ook⟩ *reversal of policy.*

koersverhoging ⟨de (v.)⟩ ⟨hand.⟩ **0.1** *rise/increase in prices* ⇒⟨mbt. wisselkoers⟩ *rise/increase in the exchange (rate).*

koersverlaging ⟨de (v.)⟩ ⟨hand.⟩ **0.1** *fall in prices* ⇒⟨mbt. wisselkoers⟩ *fall in the exchange (rate).*

koersverlies ⟨het⟩ ⟨hand.⟩ **0.1** *loss* ⇒*decline/fall in price, loss on the price,* ⟨mbt. wisselkoers⟩ *exchange loss.*

koersverloop ⟨het⟩ **0.1** *price trend/range.*

koersverschil ⟨het⟩ **0.1** *difference in price/of exchange.*

koerswaarde ⟨de (v.)⟩ ⟨hand.⟩ **0.1** *market value/price* ⇒*exchange value* ⟨van wisselkoers⟩.

koerswinst ⟨de (v.)⟩ **0.1** ⟨effecten⟩ *stock exchange/market profit, gain(s) (made by stock fluctuations);* ⟨geld⟩ *exchange-rate profit, profit made by selling shares.*

koeskoes
I ⟨de (m.)⟩ ⟨dierk.⟩ **0.1** [buideldier] *cuscus;*
II ⟨de⟩ **0.1** [gerecht] *couscous.*

koest[1] ⟨bn.⟩ ♦ **3.¶** *zich* ~ *houden keep quiet/close/mum.*

koest[2] ⟨tw.⟩ **0.1** *down!* ⇒*quiet!.*

koestal ⟨de (m.)⟩ **0.1** *cowshed* ⇒*cowhouse.*

koesteren
I ⟨ov.ww.⟩ **0.1** [verwarmen] *foster* ⇒*warm* **0.2** [vertroetelen] *cherish* ⇒*foster, nourish* **0.3** [uit waardering beschermen] *cherish* ⇒*foster, nourish* **0.4** [bij zich zelf voelen] *entertain* ⇒*nurse, nourish, harbour* ♦ **1.1** de zon koestert de aarde *the sun warms the earth* **1.2** zij koestert haar kind *she cherishes her child* **1.3** illusies ~ *c./ foster illusions;* zij koestert haar vrijheid/onafhankelijkheid *she cherishes her freedom/independence* **1.4** argwaan/boze gedachten/hoop ~ *harbour suspicions, harbour/nourish evil thoughts, nurse hopes;* hoge verwachtingen ~ *have high hopes;* het voornemen ~ *intend to, have the intention to;* de stille wens ~ om ... *have a sneaking desire to* ... **6.4** wrok jegens/tegen iem. ~ *bear s.o. a grudge, harbour a grudge against s.o.;*
II ⟨wk.ww.; zich ~⟩ **0.1** [zich laten verwarmen] *bask* ♦ **6.1** zich in de zon ~ *b. in the sun, sun o.s.;* ⟨fig.⟩ zich in iemands liefde ~ *b. in s.o.'s love.*

koet ⟨de (m.)⟩ ⟨biol.⟩ **0.1** *coot.*

koeterwaals[1] ⟨het⟩ **0.1** *gibberish* ⇒*jabber, double Dutch.*

koeterwaals[2] ⟨bn.⟩ **0.1** *incomprehensible.*

koetjeboe ⟨kind.⟩ **0.1** *moocow.*

koets ⟨de⟩ **0.1** *coach* ⇒*carriage* ♦ **1.1** ~ en paarden houden *keep a carriage* **2.1** de gouden ~ *the golden coach* **6.1** uit de ~ vallen *come down (to earth) with a bump;* ⟨tekeergaan⟩ *swear like a trooper.*

koetsen ⟨ov.ww.⟩ ⟨amb.⟩ **0.1** *couch.*

koetser ⟨de (m.)⟩ ⟨amb.⟩ **0.1** *coucher.*

koetshuis ⟨het⟩ **0.1** *coach house.*

koetsier ⟨de (m.)⟩ **0.1** [iem. die een koets bestuurt] *coachman* **0.2** [voerman] *driver.*

koetsierswoning ⟨de (v.)⟩ **0.1** *coachman's house.*

koetsierszweep ⟨de⟩ **0.1** *coachwhip* ⇒⟨AE ook⟩ *buggy whip,* ⟨Austr.E⟩ *whip-bird.*

koetsiertje ⟨het⟩ **0.1** *(drop/tot of) brandy.*

koetspaard ⟨het⟩ **0.1** *carriage/coach horse* ♦ **8.1** zweten als een ~ *sweat like a horse/pig.*

koetspers ⟨de⟩ ⟨amb.⟩ **0.1** *couch roll.*

koetspoort ⟨de⟩ **0.1** *porte-cochère* ⇒*carriage porch, carriage entrance.*

koetswals ⟨de⟩ ⟨amb.⟩ **0.1** *couch roll.*

koetswerk ⟨het⟩ **0.1** *bodywork, coachwork.*

koevoet ⟨de (m.)⟩ **0.1** *crowbar.*

koevogel ⟨de (m.)⟩ **0.1** *cowbird* ⇒*cow-blackbird, cow-bunting.*

Koeweit ⟨het⟩ **0.1** *Kuwait.*

Koeweiter ⟨de (m.)⟩, **-se** ⟨de (v.)⟩ **0.1** *Kuwaiti.*

Koeweits ⟨bn.⟩ **0.1** *Kuwaiti.*

kof ⟨de⟩ ⟨scheep.⟩ **0.1** *koff.*

koffer ⟨de (m.)⟩ **0.1** [valies] *(suit)case* ⇒*(hand)bag, trunk* ⟨grote⟩, *box* ⟨voor kostbaarheden enz.⟩ **0.2** [⟨wwb.⟩] *coffer* ⇒*caisson* **0.3** [⟨inf.⟩ bed] *bed* ♦ **3.1** ⟨fig.⟩ hij kan zijn ~ wel pakken *he can pack/start packing his bags;* ⟨ontslag krijgen⟩ *he can collect his cards;* zijn ~s pakken/uitpakken *pack/unpack one's bags* **5.3** met iem. de ~ in duiken *have a roll in the sack with s.o.* **6.3** in de ~ duiken *turn in, hit the sack/hay.*

kofferbak ⟨de (m.)⟩ **0.1** B*boot,* A*trunk.*

kofferdeksel ⟨het⟩ **0.1** ⟨van auto⟩ B*boot/* A*trunk lid* ⇒⟨van kist⟩ *trunk lid,* ⟨van koffer⟩ *suitcase lid.*

kofferetiket ⟨het⟩ **0.1** *sticker.*

koffergrammofoon ⟨de (m.)⟩ **0.1** *portable gramophone,* A*portable phonograph.*

kofferlabel ⟨de (m.)⟩ **0.1** *(luggage/* ⟨vnl. AE⟩ *baggage) label/tag.*

kofferorgel ⟨het⟩ **0.1** *portable organ/harmonium.*

kofferruimte ⟨de (v.)⟩ **0.1** B*boot,* A*trunk.*

kofferschrijfmachine ⟨de (v.)⟩ **0.1** *portable typewriter.*

koffervis ⟨de (m.)⟩ **0.1** *coffer-fish.*

koffie ⟨de (m.)⟩ **0.1** [koffiebonen] *coffee* **0.2** [drank] *coffee* **0.3** [kop koffie] *coffee* **0.4** [koffietijd] ⟨'s middags⟩ *lunch,* ⟨in de voormiddag⟩

coffee break 0.5 [koffiegewas] *coffee* ♦ **1.2** een kopje/bakje ~ *a cup of c.* **2.1** ongebrande ~ *unroasted c.* **2.2** ⟨fig.⟩ dat is andere ~ *that's another/a different story;* slappe/sterke ~ *weak/strong c.;* ~ verkeerd *café au lait, c. made with hot milk;* ⟨fig.⟩ dat is geen zuivere ~ *there's sth. fishy about it, it looks suspicious;* zwarte ~ *black c.* **3.1** ~ branden *roast c.;* ~ vacuüm verpakken *vacuum-pack c.* **3.2** ~ drinken *take/have c.;* ~ schenken *pour out the c.;* ~ zetten *make c., put c.* **6.2** ~ met/zonder melk *white c./ black c.;* ze drinkt haar ~ zonder *she has her c. black* **6.4** zij zou na de ~ nog even langskomen *she was going to drop/call/pop in after l.;* op de ~ komen *be invited for l./ coffee;* ⟨fig.⟩ *come away with a flea in one's ear* **7.3** twee ~! *two coffees* **¶.2** een kleintje ~ *an after-dinner cup.*

koffiearoma ⟨het⟩ **0.1** [geur] *coffee aroma/fragrance* **0.2** [toevoeging] *coffee flavour enhancer.*

koffieautomaat ⟨de (m.)⟩ **0.1** *coffee machine.*

koffiebaal ⟨de⟩ **0.1** *coffee bag.*

koffiebar ⟨de⟩ **0.1** *café* ⇒⟨BE ook⟩ *coffee bar,* ⟨AE ook⟩ *coffee shop,* ⟨espressobar⟩ *espresso (bar).*

koffiebes ⟨de⟩ **0.1** *coffee berry/cherry.*

koffiebitter ⟨het⟩ **0.1** *caffein(e).*

koffieblad ⟨het⟩ **0.1** [dienblad] *tea-tray* **0.2** [blad van de koffieboom] *coffee-leaf.*

koffiebon ⟨de (m.)⟩ **0.1** *coffee coupon/voucher.*

koffieboom ⟨de (m.)⟩ **0.1** *coffee tree.*

koffieboon ⟨de (m.)⟩ **0.1** *coffee bean* ♦ **2.1** een gebrande ~ *a roasted c. b.;* een groene ~ *a green/unroasted c. b.* **3.1** koffiebonen malen/lezen *grind/pick coffee beans.*

koffiebrander ⟨de (m.)⟩ **0.1** [iem. die de bonen brandt] *coffee roaster* **0.2** [eigenaar van een branderij] *coffee roaster* **0.3** [apparaat] *coffee roaster.*

koffiebranderij ⟨de (v.)⟩ **0.1** [handeling] *coffee-roasting* **0.2** [inrichting] *coffee-roasting house.*

koffiebroodje ⟨het⟩ **0.1** ≠*currant bun.*

koffiebruin ⟨bn.⟩ **0.1** *coffee-colour(ed)* ⇒*coffee, moderate brown.*

koffiebuffet ⟨het⟩ **0.1** *coffee bar/counter.*

koffiebus ⟨de⟩ **0.1** [mbt. het bewaren] *coffee canister/tin* **0.2** [mbt. het branden] *roaster.*

koffieconcert ⟨het⟩ **0.1** *coffee-time concert.*

koffiecreamer ⟨de (m.)⟩ **0.1** *coffee creamer.*

koffiecultuur ⟨de (v.)⟩ **0.1** *coffee-growing* ⇒*cultivation of coffee.*

koffiedik ⟨het⟩ **0.1** [mv.] *coffee grounds* ♦ **3.1** ik kan geen ~ kijken *I can't read tea-leaves, I am not a crystal-gazer, I haven't got a crystal ball* **8.1** ⟨iron.⟩ het is zo helder als ~ *it is as clear as mud.*

koffiedikkijker ⟨de (m.)⟩, **-kijkster** ⟨de (v.)⟩ **0.1** *crystal-gazer* ⟨m., v.⟩.

koffiedrinken ⟨het⟩ **0.1** *lunch.*

koffiedrinker ⟨de (m.)⟩, **-ster** ⟨de (v.)⟩ **0.1** [iem. die koffie drinkt] *coffee drinker* **0.2** [iem. die komt koffiedrinken] *person who comes for coffee.*

koffie-extract ⟨het⟩ **0.1** *coffee essence* ⇒*essence/extract of coffee.*

koffiefilter ⟨het, de (m.)⟩ **0.1** *coffee filter.*

koffiegerei ⟨het⟩ **0.1** ⟨mv.⟩ *coffee things/utensils.*

koffieheester ⟨de (m.)⟩ **0.1** *coffee plant.*

koffiehuis ⟨het⟩ ⟨arch.⟩ **0.1** *coffee house.*

koffiehuispoëet ⟨de (m.)⟩ **0.1** *coffeehouse/beatnik poet.*

koffiejuffrouw ⟨de (v.)⟩ **0.1** *tea lady.*

koffiekamer ⟨de⟩ **0.1** *refreshment room* ⇒⟨schouwburg enz. ook⟩ *foyer,* ⟨vnl. BE⟩ *crush-room.*

koffiekan ⟨de⟩ **0.1** *coffeepot.*

koffiekelder ⟨de (m.)⟩ **0.1** ≠*coffee bar.*

koffiekeuken ⟨de⟩ **0.1** *kitchenette.*

koffiekleurig ⟨bn.⟩ **0.1** *coffee-colour(ed).*

koffiekom ⟨de⟩ **0.1** *coffee bowl.*

koffiekopje ⟨het⟩ **0.1** *coffee cup.*

koffiekransje ⟨het⟩ **0.1** *coffee morning/circle* ⇒⟨'s namiddags⟩ *coffee party,* A*coffee klatsch, kaffeeklatsch.*

koffieland ⟨het⟩ **0.1** [koffieplantage] *coffee plantation* **0.2** [land waar veel koffie groeit] *coffee(-growing) country.*

koffielepeltje ⟨het⟩ **0.1** *coffee spoon.*

koffieleut ⟨de (m.)⟩ **0.1** *coffee nut/freak/guzzler* ♦ **3.1** ik ben zo'n ~ ⟨ook⟩ *I'm hooked on coffee.*

koffielooizuur ⟨het⟩ ⟨schei.⟩ **0.1** *caffeic acid.*

koffieluis ⟨de⟩ **0.1** *coffee-bug.*

koffiemaaltijd ⟨de (m.)⟩ **0.1** *(light/snack/cold) lunch.*

koffiemakelaar ⟨de (m.)⟩ **0.1** *coffee broker* ⇒*dealer in coffee.*

koffiemeisje ⟨het⟩ **0.1** *tea lady.*

koffiemelk ⟨de⟩ **0.1** *evaporated/condensed/thickened milk* ♦ **3.1** gebruikt u ~? *do you take milk in your coffee?.*

koffiemelkpoeder ⟨het⟩ **0.1** *coffee lightener/whitener.*

koffiemolen ⟨de (m.)⟩ **0.1** [molen waarin koffiebonen worden gemalen] *coffee mill/grinder* **0.2** [⟨amb.⟩ verzinkboor] *countersink (drill).*

koffieoogst ⟨de (m.)⟩ **0.1** [handeling] *coffee harvest/picking* **0.2** [tijd] *coffee harvest* **0.3** [opbrengst] *coffee crop/harvest.*

koffiepauze ⟨de⟩ **0.1** *coffee break* ♦ **6.1** in de ~ *during the c. b..*

koffieplant ⟨de⟩ **0.1** *coffee tree / plant*.
koffieplantage ⟨de (v.)⟩ **0.1** *coffee plantation*.
koffieplanter ⟨de (m.)⟩ **0.1** *coffee planter*.
koffiepluk ⟨de (m.)⟩ **0.1** ⟨handeling⟩ *coffee picking* ⇒⟨tijd⟩ *coffee harvest*, ⟨opbrengst⟩ *coffee crop*.
koffiepoeder ⟨het, de (m.)⟩ **0.1** *coffee powder* ⇒*instant coffee*.
koffiepot ⟨de (m.)⟩ **0.1** *coffeepot*.
koffiepraatje ⟨het⟩ **0.1** *gossip*.
koffieprijs ⟨de (m.)⟩ **0.1** *price of coffee*.
koffieproducent ⟨de (m.)⟩ **0.1** *coffee-grower*.
koffieproduktie ⟨de (v.)⟩ **0.1** *coffee production*.
koffieprut ⟨de⟩ **0.1** ⟨mv.⟩ *grounds*.
koffieroom ⟨de (m.)⟩ **0.1** *coffee cream*.
koffieservies ⟨het⟩ **0.1** *coffee set / service*.
koffieshop ⟨de (m.)⟩ **0.1** *coffee shop / bar*.
koffiespaantje ⟨het⟩ **0.1** *coffee stirrer*.
koffiestalletje ⟨het⟩ **0.1** [^B]*coffee stall* / [^A]*stand*.
koffiesurrogaat ⟨het⟩ **0.1** *coffee substitute*.
koffietafel ⟨de⟩ **0.1** [maaltijd] *(light / snack) lunch* ⇒*(afternoon) tea table* **0.2** [gerechten] *(light / snack) lunch* **0.3** [tafel] *coffee table*.
koffietafelen ⟨onov.ww.⟩ **0.1** ≠*(have) lunch*.
koffieteelt ⟨de⟩ **0.1** *coffee-growing* ⇒*cultivation of coffee*.
koffietent ⟨de⟩ **0.1** *coffee shop* ⇒ [^B]*coffee stall* / [^A]*stand*.
koffietijd ⟨de (m.)⟩ **0.1** *lunch time / hour* ⟨'s middags⟩ ⇒*coffee break* ⟨in de voormiddag⟩ ◆ **6.1** hij kwam juist **op** ~ *he arrived just at l. t.*.
koffietrommel ⟨de⟩ **0.1** [trommel om koffie in te bewaren] *coffee canister / tin* **0.2** [bus waarin koffie gebrand wordt] *roaster*.
koffieuur ⟨het⟩ **0.1** *coffee time* / ⟨AE ook⟩ *hour* ⇒*lunch time / hour* ⟨'s middags⟩, ⟨pauze⟩ *coffee break*.
koffievlek ⟨de⟩ **0.1** *coffee stain* / ⟨inf.⟩ *spill*.
koffiewagen ⟨de (m.)⟩ **0.1** *(tea) trolley*.
koffiewater ⟨het⟩ **0.1** *water for (making) coffee*, *coffee water* ◆ **3.1** ~ opzetten *put the kettle on*.
koffiezetapparaat ⟨het⟩, **koffiezetmachine** ⟨de (v.)⟩ **0.1** *(automatic) coffee-maker*.
kofschip ⟨het⟩ **0.1** *koff* ◆ ¶.¶ ⟨taal.⟩ 't ~ ⟨*mnemonic for voiceless consonants of Dutch*⟩.
kog ⟨de⟩ ⟨scheep.; gesch.⟩ **0.1** *cog* ⇒*cock-boat*.
kogel ⟨de (m.)⟩ **0.1** [projectiel] *bullet* ⟨geweer⟩ ⇒*ball* ⟨kanon⟩, *pellet* ⟨kogeltje, van luchtbuks bv.⟩ **0.2** [⟨tech.⟩] *ball-bearing* **0.3** ⟨sport⟩ keihard schot *rocket* **0.4** [gewricht bij een paard / rund] *pastern (joint)* **0.5** [dijspier van een slachtdier] *thigh* **0.6** ⟨atletiek⟩ *shot* ◆ **1.5** biefstuk v.d. ~ *round-steak* **2.1** een verdwaalde ~ *a stray bullet* **3.1** het lichaam was met ~s doorzeefd *the body was riddled with bullets / bullet holes;* de ~s floten hen om de oren *bullets whizzed past their ears, bullets were flying thick and fast;* zich een ~ door het hoofd jagen *put a bullet through one's head, blow one's brains out;* de ~ krijgen *be shot;* veroordeeld tot de ~ *sentenced to be shot / to death by shooting* ¶.1 ⟨fig.⟩ de ~ is door de kerk *the die is cast*.
kogelafsluiter ⟨de (m.)⟩ **0.1** *ball (retaining) valve*.
kogelas ⟨de⟩ ⟨techn.⟩ **0.1** *ball bearing / shaft, journal*.
kogelbaan ⟨de⟩ **0.1** *(ballistic) trajectory* ⇒*path of a projectile*.
kogelbiefstuk ⟨de (m.)⟩ **0.1** *round-steak*.
kogelbloem ⟨de⟩ **0.1** *globe-flower, trollflower* ⇒*globe daisy* ⟨Globularia⟩.
kogelen
I ⟨onov., ov.ww.⟩ **0.1** [smijten] *hurl* ⇒*throw* **0.2** [⟨sport⟩] *rocket* ◆ **1.2** de bal in het doel ~ *r. the ball into the goal;*
II ⟨onov.ww.⟩ **0.1** [snel voortschieten] *shoot* ⇒*dart*.
kogelgat ⟨het⟩ **0.1** *bullet hole* ⇒*shot hole* ◆ **5.1** een muur vol ~en *a bullet-scarred wall, a wall full of bullet holes*.
kogelgewricht ⟨het⟩ **0.1** *ball(-and-socket) joint* ⇒*cup-and-ball joint*.
kogelklep ⟨de (m.)⟩ **0.1** *ball (check) / spherical / globe valve*.
kogellager ⟨het⟩ ⟨techn.⟩ **0.1** *ball-bearing* ◆ **6.1** rijwielnaven lopen **op** ~s *bicycle hubs are fitted with ball-bearings*.
kogelmolen ⟨de (m.)⟩ ⟨techn.⟩ **0.1** *ball mill*.
kogelpen ⟨de⟩ **0.1** *ballpoint (pen)* ⇒*ball pen,* [^B]*biro*.
kogelpunt ⟨de (m.)⟩ **0.1** *(tip / head of a / the) bullet*.
kogelpuntpen →**kogelpen**.
kogelregen ⟨de (m.)⟩ **0.1** *shower / hail / rain of bullets*.
kogelring ⟨de (m.)⟩ ⟨techn.⟩ **0.1** *ball race*.
kogelrond ⟨bn.⟩ **0.1** *spherical* ⇒*globular, as round as a ball*.
kogelscharnier ⟨het⟩ ⟨techn.⟩ **0.1** *ball(-and-socket) joint*.
kogelslingeraar ⟨de (m.)⟩ ⟨sport⟩ **0.1** *hammer thrower*.
kogelslingeren ⟨ww.⟩ ⟨sport⟩ **0.1** *hammer (throw)* ◆ **1.1** het onderdeel ~ *the hammer (throw)*.
kogelspin ⟨de⟩ **0.1** *orb-web spider* ⇒*orb weaver*.
kogelstoten ⟨ww.⟩ ⟨sport⟩ **0.1** *shot-put(ting)* ⇒*putting the shot* ◆ **1.1** een medaille behalen op het onderdeel ~ *win a medal in the shot(-put)* **7.1** het ~ *the shot-put*.
kogelstoter ⟨de (m.)⟩, **-stootster** ⟨de (v.)⟩ **0.1** *shot-putter*.
kogeltafel ⟨de⟩ **0.1** *ball table*.
kogeltang ⟨de⟩ ⟨med.⟩ **0.1** *bulletdrawer* ⇒*crow-bill*.

kogelton ⟨de⟩ **0.1** *spherical buoy*.
kogelvanger ⟨de (m.)⟩ **0.1** *(stop / practice) butt*.
kogelventiel ⟨het⟩ ⟨tech.⟩ **0.1** *ball valve*.
kogelvis ⟨de (m.)⟩ **0.1** *globefish* ⇒*puffer*.
kogelvorm ⟨de (m.)⟩ **0.1** [gietvorm] *bullet-mould* [^A]*mold* ⇒*ball mould* [^A]*mold* ⟨voor kanonskogels⟩ **0.2** [bolvorm] *spherical / globular form / shape*.
kogelvormig ⟨bn.⟩ **0.1** *spherical* ⇒*globular*.
kogelvrij ⟨bn.⟩ **0.1** *bulletproof, shotproof* ◆ **1.1** ~ glas *b. glass;* een ~ vest *a b. vest;* ⟨mil.⟩ *a flak jacket* / [^A]*vest*.
kogelwond ⟨de⟩ **0.1** *bullet wound* ⇒*shot-wound*.
kohier ⟨het⟩ **0.1** *assessment register / list*.
kohierbelasting ⟨de (v.)⟩ **0.1** *direct tax*.
kohiernummer ⟨het⟩ **0.1** *number on the assessment list*.
koine ⟨de⟩ **0.1** *koine* ⇒*lingua franca*.
kok[1] ⟨de (m.)⟩, **kokkin** ⟨de (v.)⟩ ⟨→sprw. 363,364⟩ **0.1** [beroep] *cook* **0.2** [leverancier, traiteur] *caterer* ◆ **2.1** de eerste ~ *the chef* ¶.1 de chef ~ *the chef*.
kok[2] ⟨de (m.)⟩ ⟨jacht⟩ **0.1** *cock-pheasant*.
Kokanje ⟨het⟩ **0.1** *Cockaigne* ◆ **1.1** Land van ~ *Land of C.*.
kokanjemast ⟨de (m.)⟩ **0.1** *greased / greasy pole*.
kokarde ⟨de⟩ **0.1** *cockade* ⇒*cocarde*.
kokardebloem ⟨de⟩ **0.1** *gaillardia*.
koken
I ⟨onov.ww.⟩ **0.1** [in / van vloeistof] *boil* ⇒*be on the boil* **0.2** [maaltijden bereiden] *cook, do the cooking* **0.3** [borrelen] *bubble* ⇒*seethe* ⟨zee⟩ **0.4** [door hartstocht in heftige beweging zijn] *boil* ⇒*seethe, fume* ◆ **1.1** de eieren ~ al *the eggs are already on the boil* **1.4** haar bloed kookte *her blood boiled / her blood was up;* het stadion kookte *the whole stadium was wild with excitement, the atmosphere in the stadium was electric* **3.1** 3 minuten laten ~ *allow to b. for 3 minutes;* het water staat te ~ *the kettle is boiling* **3.2** hij heeft nooit leren ~ *he has never learnt cookery / how to cook* **4.2** hij kookt zelf *he does his own cooking* **5.1** iets even laten ~ *parboil sth.; just bring sth. to the boil;* iets gaar ~ *cook sth. through;* het water kookt niet meer *the water has gone / is off the boil* **5.2** hij kookt uitstekend *he's an excellent / a very good cook, he's very good at cooking* **5.1** ~ be seething inside, fume / b. inwardly, smoulder* **6.1** water kookt **bij** 100° C *water boils at 100° C* **6.2** ~ **op** aardgas / butagas *cook by / with natural gas / calor gas* **5.1** een watervat ~ *...* **6.4** ~ **van** woede / verontwaardiging *b. / seethe / fume with rage / indignation, be in a white rage* **7.3** het ~ van de zee *the churning / raging of the sea;*
II ⟨ov.ww.⟩ **0.1** [in / van vloeistof] *boil* **0.2** [klaarmaken, bereiden] *cook* ◆ **1.1** aardappels / eieren ~ *b. potatoes / eggs;* gekookte ham *boiled ham;* gekookt spek *boiled bacon* **1.2** het eten ~ *c. the meal;* soep ~ *c. soup* **5.1** eieren hard / zacht ~ *hard / soft-boil eggs;* een hard / zacht gekookt ei *a hard / soft-boiled egg;* ⟨fig.⟩ een zacht gekookt ei *a piece of cake;* iets zachtjes laten ~ *let sth. simmer gently, simmer sth.* (over a low heat) **6.1** de appels zijn tot moes gekookt *the apples have been boiled to mash / down / to a pulp*.
kokend ⟨bn.⟩ **0.1** [aan de kook zijnde] *boiling* ⇒⟨fig. ook⟩ *seething, fuming* **0.2** [zeer heet] *boiling / piping / scalding hot* ⇒*water b. water* **1.2** de soep is ~ *the soup is piping hot* **1.**¶ ~e golven *seething / foaming / b. / frothing waves* **6.1** ⟨fig.⟩ ~ **van** woede *fuming with rage, b. / seething with anger*.
kokendheet ⟨bn.⟩ **0.1** *piping / boiling / scalding hot*.
koker ⟨de (m.)⟩ **0.1** [om iets in te bergen / beschermen] *case* ⇒*sheath, quiver* ⟨pijlen⟩, ⟨tech.⟩ *socket, sleeve* **0.2** [om iets in te steken] *container* ⇒*cylinder* **0.3** [waardoor iets stroomt / bewogen wordt] *shaft* ⟨lift⟩ ⇒*tube* ⟨tunnel, ketting⟩, *well* ⟨trap⟩, *chute* ⟨graan⟩, *chute* ⟨stortkoker⟩ **0.4** [kookapparaat] *cooker* ⇒*(electric) kettle* **0.5** [sluiskolk] *lock chamber* ◆ **2.3** de ~ is verstopt *the shaft / tube is clogged up* **6.1** ⟨fig.⟩ dat komt niet uit zijn eigen ~ *he hasn't thought that up himself;* ⟨fig.⟩ **uit** wiens ~ komt dit? *who has thought this up / come up with this?, whose bright idea is this?* **6.3** een ~ **voor** luchttoevoer *air / ventilation-shaft*.
kokerbalk ⟨de (m.)⟩ **0.1** *box girder*.
kokerbrug ⟨de⟩ **0.1** *tubular bridge*.
kokergat ⟨het⟩ **0.1** [kokervormig gat] *cylindrical hole* **0.2** [⟨amb.⟩ holte in een vensterkozijn] *sash pocket / box*.
kokerij ⟨de (v.)⟩ **0.1** [het koken] *cooking* ⇒⟨uitzending⟩ *catering*.
kokerjuffer ⟨de⟩ ⟨dierk.⟩ **0.1** *caddis (worm)* ⇒*strawworm*.
kokerpaal ⟨de (m.)⟩ ⟨wwb.⟩ **0.1** *tubular pole*.
kokerrok ⟨de (m.)⟩ **0.1** *pencil skirt*.
kokersluis ⟨de⟩ **0.1** *chambered lock*.
kokertje ⟨het⟩ **0.1** [kleine koker] *tube* ⇒*tubule,* ⟨van metaal⟩ *canister* **0.2** [⟨plantk.⟩] *closed (leaf-)sheath*.
kokervormig ⟨bn.⟩ **0.1** *tubular, cylindrical*.
kokervrucht ⟨de⟩ ⟨plantk.⟩ **0.1** *follicle* ⇒*capsule*.
kokerworm ⟨de (m.)⟩ **0.1** *tube / pipe-worm*.
koket ⟨bn., bw.; -ly⟩ **0.1** [behaagziek] *coquettish* **0.2** [opvallend sierlijk] *smart* ⇒*elegant, stylish* ◆ **1.1** een ~ dametje *a c. lady, a coquette* **1.2** een ~ hoedje *a s. hat*.

koketteren ⟨onov.ww.⟩ **0.1** [behaagziek zijn, flirten] *coquet(te)* ⇒*flirt* **0.2** [ergens mee pronken] *show off* ⇒*parade* ◆ **6.1** ⟨fig.⟩ met een idee/plan~ *toy/flirt with an idea/a plan;* met zijn leeftijd~ *play up(on) one's age* **6.2** ~ met iets *parade sth.;* hij koketteert met zijn kennis *he shows off his learning.*

koketterie ⟨de (v.)⟩ **0.1** [behaagzucht] *coquetry* **0.2** [⟨mv.⟩ kokette manieren] *coquettish behaviour* ⇒*coquettishness, coquetting.*

kokhaan ⟨de (m.)⟩ **0.1** *cockle.*

kokhalzen ⟨onov.ww.⟩ **0.1** [op het punt staan te braken] *retch* ⇒*heave* **0.2** [walgen] ⟨zie 6.2⟩ ◆ **3.1** iem. doen~ ⟨ook fig.⟩ *make s.o. sick, revolt s.o.* **6.2** van iets~ *keck at sth., gag on sth.* **6.2** het is om van te~ *it turns your stomach/makes your stomach turn, it's enough to make you sick/* ⟨inf.⟩ *puke.*

kokindje ⟨het⟩ **0.1** *liquorice* [A]*licorice button.*

kokkel ⟨de (m.)⟩ **0.1** *cockle.*

kokkelen ⟨onov.ww.⟩ **0.1** [kakelen, kraaien] *cackle* **0.2** [⟨fig.⟩] *cackle.*

kokkelkorrels ⟨zn.mv.⟩ **0.1** *Indian berries.*

kokken ⟨zn.mv.⟩ ⟨inf.⟩ **0.1** ⟨ongemarkeerd⟩ *cocci.*

kokkerd ⟨de (m.)⟩⟨inf.⟩ **0.1** *whopper* ◆ **6.1** een~ van een neus *a big conk/hooter/s(ch)nozzle.*

kokkerellen ⟨onov.ww.⟩ **0.1** [allerlei kookseltjes maken] *cook special things* ⇒*cook fancy things, do fancy cooking* **0.2** [(met plezier) koken] *cook (as a hobby)* ⇒*cook for fun.*

kokkeren ⟨onov.ww.⟩ **0.1** *crow cock-up.*

kokkin ⟨de (v.)⟩ **0.1** *(female) chef* ⟨in restaurant⟩; *cook* ⟨in huis⟩.

kokmeeuw ⟨de⟩ **0.1** *black-headed gull* ⇒*great black-backed gull.*

kokos ⟨het⟩ **0.1** [kokosvezel(stof)] *coir* ⇒*coconut fibre* **0.2** [kokosnoten(vlees)] *coconut.*

kokosbast ⟨de (m.)⟩ **0.1** *coconut shell/husk.*

kokosboom ⟨de (m.)⟩ →*kokospalm.*

kokosboter ⟨de⟩ **0.1** *coconut butter.*

kokosbrood ⟨het⟩ **0.1** *coconut slices.*

kokosgaren ⟨het⟩ **0.1** *coir yarn/twine.*

kokoskleed ⟨het⟩ **0.1** *coconut matting.*

kokoskoek ⟨de (m.)⟩ **0.1** [koekje] *coconut* [B]*biscuit/* [A]*cookie* **0.2** [veekoek] *coconut (oil)cake.*

kokosmakron ⟨de (m.)⟩ **0.1** *coconut macaroon/pyramid.*

kokosmat ⟨de⟩ **0.1** *(piece of) coconut matting* ⇒⟨deurmat ook⟩ *coconut mat.*

kokosmelk ⟨de⟩ **0.1** *coconut milk.*

kokosnoot ⟨de⟩ **0.1** [vrucht] *coconut* **0.2** [stof waaruit de schaal bestaat] *coconut.*

kokosnootboom ⟨de (m.)⟩ →*kokospalm.*

kokosolie ⟨de⟩ **0.1** *coconut oil.*

kokospalm ⟨de (m.)⟩ **0.1** *coconut palm* ⇒*coconut tree, coco(-palm).*

kokossuiker ⟨de (m.)⟩ **0.1** *coco-palm sugar.*

kokostouw ⟨het⟩ **0.1** *coir rope.*

kokosvet ⟨het⟩ **0.1** *(hard) coconut oil.*

kokosvezel ⟨de⟩ **0.1** *coconut fibre* ⇒*coir (fibre)* ◆ **¶.1** ~s *coir.*

kokosvlees ⟨het⟩ **0.1** *coconut meat/flesh.*

kokosvrucht ⟨de⟩ **0.1** *coconut.*

kokoszeep ⟨de⟩ **0.1** *coco soap.*

koksbuis ⟨het⟩ **0.1** *chef's jacket.*

koksjongen ⟨de (m.)⟩ **0.1** *cook's boy;* ⟨op schip⟩ *galley boy.*

kokskruiden ⟨zn.mv.⟩ **0.1** *mixed herbs* ⇒⟨in sachet⟩ *bouquet garni.*

koksmaat ⟨de (m.)⟩ **0.1** *galley boy.*

koksmes ⟨het⟩ **0.1** *cook's knife.*

koksmuts ⟨de⟩ **0.1** *chef's hat.*

koksschool ⟨de⟩ **0.1** *cookery school* ⇒*catering college.*

kol
  I ⟨de (m.)⟩ **0.1** [witte plek] *star;*
  II ⟨de (v.)⟩ **0.1** [feeks] *shrew, vixen* **0.2** [tovenares] *witch, sorceress.*

kola ⟨de (m.)⟩ **0.1** [boom] *cola/kola (tree)* **0.2** [zaden, noten] *cola/kola (nut)* **0.3** [extract] *cola, kola.*

kola-extract ⟨het⟩ →*kola 0.3.*

kolanoot ⟨de⟩ **0.1** *cola/kola nut/seed.*

kolbak ⟨de (m.)⟩⟨mil.⟩ **0.1** *busby* ⇒*bearskin.*

kolchoz ⟨de (m.)⟩ **0.1** *kolkhoz(e)* ⇒*collective farm.*

kolder ⟨de (m.)⟩ **0.1** [nonsens] *nonsense* ⇒*rubbish, baloney, garbage* **0.2** [gemoedsgesteldheid] *(mad) frenzy* **0.3** [hersenziekte] *staggers* ◆ **3.3** ⟨fig.⟩ de ~ in het hoofd krijgen *go crazy/haywire.*

kolderen ⟨onov.ww.⟩ **0.1** [aan de kolder lijden] *have the staggers* **0.2** [raaskallen] *talk rubbish* ⇒*talk nonsense, blather* **0.3** [geluid van zilvermeeuwen] *mew.*

kolderfilm ⟨de⟩ **0.1** *(slapstick) comedy (film).*

kolderiek ⟨bn., bw.; -ly⟩⟨inf.⟩ **0.1** *crazy* ⇒*mad* ◆ **3.1** ik besef hoe~ dat klinkt, maar het is zo *I realize how c. that sounds, but it's true.*

kolderpoëzie ⟨de (v.)⟩ **0.1** *nonsense poetry/rhymes.*

kolderschijf ⟨de⟩⟨tech.⟩ **0.1** *eccentric.*

kolderstuk ⟨het⟩ **0.1** *(slapstick) comedy.*

koldervers ⟨het⟩ **0.1** *nonsense verse/rhymes.*

kolen ⟨zn.mv.⟩⟨verz.n.⟩ **0.1** *coal* ◆ **2.1** gloeiende~ *glowing/live coal(s)/embers;* ⟨fig.⟩ op hete~ zitten *be on tenterhooks/pins and needles/*

thorns; vette/magere ~ *soft/bituminous c.;* ⟨magere⟩ *anthracite, hard c.;* ⟨fig.⟩ vurige~ op iemands hoofd stapelen *heap coals of fire on s.o.'s head* **3.1** ~ innemen *take in c.;* ~ stoken *burn c.;* ~ winnen *extract/mine c.* **6.1** deze machine loopt op ~ *this machine burns c..*

kolenaak ⟨de⟩⟨scheep.⟩ **0.1** *coal barge.*

kolenader ⟨de⟩ **0.1** *coal vein/seam.*

kolenbak ⟨de (m.)⟩ →*kolenkit.*

kolenbedding ⟨de (v.)⟩⟨vero.;geol.⟩ **0.1** *coal bed/seam.*

kolenbekken ⟨het⟩ **0.1** *coal basin.*

kolenboer ⟨de (m.)⟩ **0.1** *coalman.*

kolenboot ⟨de⟩ **0.1** *coal carrier/barge* ⇒*collier.*

kolenbrander ⟨de (m.)⟩ **0.1** *charcoal burner.*

kolenbranderij ⟨de (v.)⟩ **0.1** [bedrijf] *charcoal works* **0.2** [handeling] *charcoal burning.*

kolenbunker ⟨de (m.)⟩ **0.1** *coal-bunker.*

kolencentrale ⟨de⟩ **0.1** *coal-fired power/generating station/* [A]*plant.*

kolendamp ⟨de (m.)⟩ **0.1** *carbon monoxide (fumes)* ◆ **3.1** door~ stikken *be suffocated by c. m..*

kolendampvergiftiging ⟨de (v.)⟩ **0.1** *carbon-monoxide poisoning.*

kolendrager ⟨de (m.)⟩ **0.1** *coal-porter/heaver.*

kolenemmer ⟨de (m.)⟩ →*kolenkit.*

kolengas ⟨het⟩ **0.1** *coal gas.*

kolengebied ⟨het⟩ **0.1** *coalfield.*

kolengloed ⟨de (m.)⟩ **0.1** [warmte] *heat from the/a coal fire* **0.2** [gloeiende kolen] *glowing embers.*

kolengraver ⟨de (m.)⟩ **0.1** *coal-digging machine.*

kolengrijper ⟨de (m.)⟩ **0.1** *coal grab.*

kolengruis ⟨het⟩ **0.1** *coal-dust* ⇒*slack.*

kolenhak ⟨de (m.)⟩ **0.1** *(coal) pick.*

kolenhandelaar ⟨de (m.)⟩ **0.1** *coal merchant* ⇒*coaler,* ⟨klein⟩ *coal dealer.*

kolenhok ⟨het⟩ **0.1** *coal-shed* ⇒*coal-house/-bunker,* ⟨BE ook⟩ *coal-hole.*

kolenkachel ⟨de (m.)⟩ **0.1** *coal(-fired) stove/heater.*

kolenkalk ⟨de (m.)⟩ **0.1** *carboniferous lime.*

kolenkalksteen ⟨de (m.)⟩ **0.1** *carboniferous limestone.*

kolenkelder ⟨de (m.)⟩ **0.1** *coal cellar* ⇒⟨BE; klein⟩ *coal hole.*

kolenkist ⟨de⟩ **0.1** *coal box.*

kolenkit ⟨de⟩ **0.1** *coal-scuttle* ⇒*coal-box.*

kolenlaag ⟨de⟩ **0.1** *coal bed/seam/stratum* ◆ **2.1** blootgelegde~ *coalface.*

kolenlichter ⟨de (m.)⟩⟨scheep.⟩ **0.1** *coal lighter.*

kolenmijn ⟨de (m.)⟩ [mijn] *coal-mine* ⇒*coal-pit,* ⟨vnl. BE⟩ *colliery* **0.2** [onderneming] *coal-mining company* ⇒*colliery* ◆ **1.1** de voorgenomen sluiting van vele~ en *the proposed closure of many (coal-)pits/workings.*

kolenmoker ⟨de (m.)⟩ **0.1** *coal-hammer.*

kolenpijler ⟨de (m.)⟩ **0.1** *coal deposit/seam.*

kolenruim ⟨het⟩⟨scheep.⟩ **0.1** *(coal-)bunker* ⇒*coal-hold.*

kolenschaarste ⟨de (v.)⟩ **0.1** *scarcity of coal.*

kolenschip ⟨het⟩ **0.1** *coaler* ⇒*collier.*

kolenschop ⟨de⟩ **0.1** *coal-shovel* ◆ **8.1** handen als~pen *massive hands, mutton fists.*

kolenschuur ⟨de⟩ **0.1** *coal shed* ⇒*coal-house.*

kolenslakken ⟨zn.mv.⟩ **0.1** *(coal) slag.*

kolenslik ⟨het⟩ **0.1** *slack* ⇒*washed coal-dust.*

kolenstation ⟨het⟩ **0.1** *coaling-station.*

kolenstof ⟨het⟩ **0.1** *coal-dust* ⇒*smut* ⟨roet⟩.

kolenstook ⟨de⟩ **0.1** *coal-firing* ⇒⟨in centrale verwarming⟩ *coal burning central heating system.*

kolentip ⟨de⟩ **0.1** [werktuig] *coal-chute/-tip/-hoist/-conveyor* **0.2** [wagonkipper] *tipple.*

kolentransporteur ⟨de (m.)⟩ **0.1** *coal (belt) conveyor* ⇒*shuttle.*

kolentrein ⟨de (m.)⟩ **0.1** *coal-train* ⇒*coaler.*

kolentremmer ⟨de (m.)⟩ **0.1** *(coal) trimmer.*

kolenwagen ⟨de (m.)⟩ **0.1** *tender* ⟨van locomotief⟩; *coal-truck* ⟨voor vervoer⟩.

kolenwinning ⟨de (v.)⟩ **0.1** *coal mining* ⇒*extraction/winning of coal.*

kolenzaag ⟨de⟩ **0.1** *coal cutter* ⇒⟨inf.⟩ *cutter.*

kolenzak ⟨de (m.)⟩ **0.1** [zak om steenkolen in te vervoeren] *coal-sack* ⇒*coal-bag* **0.2** [schacht van een hoogoven] *blast furnace shaft* **0.3** [⟨ster.⟩] *Coal Sack.*

kolenzandsteen ⟨het, de (m.)⟩ **0.1** *millstone-grit.*

kolenzwart ⟨het⟩ **0.1** *bone-black* ⇒*charcoal black.*

kolere ⟨de⟩ ◆ **3.¶** ⟨inf.⟩ krijg de ~! *get stuffed!, drop dead!.*

koleriek ⟨bn.⟩ ⟨AZN⟩ **0.1** *quick-tempered* ⇒*hot-tempered.*

kolf ⟨de⟩ **0.1** [achterstuk van een geweer] *butt* **0.2** [retort] ⟨met rechte hals⟩ *flask;* ⟨met omgebogen hals⟩ *retort* **0.3** [bloeiwijze] *spadix* ⇒*spike* ⟨bloemen⟩, *ear* ⟨koren⟩, *cob* ⟨mais⟩ **0.4** [eind van een biljartkeu] *butt* **0.5** [slaghout] *club* ◆ **3.¶** ⟨fig.⟩ de ~ naar de bal werpen *throw in the towel/throw one's hand in* **6.¶** dat is een~je naar haar hand *that is just/right up her street.*

kolffles ⟨de⟩ →*kolf 0.2.*

kolfplaat ⟨de⟩ **0.1** *butt plate*.
kolfspel ⟨het⟩ **0.1** '*kolfspel*' ⇒≠(*pall-*)*mall*.
kolgans ⟨de⟩ **0.1** *white-fronted goose*.
kolharing ⟨de (m.)⟩ **0.1** *young herring*.
kolibrie ⟨de⟩ **0.1** *hummingbird*.
kolibrievlinder ⟨de (m.)⟩ **0.1** *hummingbird hawk moth*.
koliek ⟨het, de (v.)⟩ ⟨med.⟩ **0.1** *colic* ⇒*the gripes* ◆ **3.1** ~ hebben / krijgen *have / get c. / the gripes*.
koliekpijn ⟨de⟩ **0.1** *colic (pain)* ⇒⟨mv. ook⟩ *the gripes*.
kolk ⟨de⟩ **0.1** [maalstroom] *eddy* ⇒*whirlpool, maelstrom, vortex* **0.2** [peilloze diepte van het water] *canyon* ⇒⟨schr. ook⟩ *gulf* **0.3** [waterput, plas] ⟨waterput⟩ *well;* ⟨plas⟩ *pool;* ⟨wiel⟩ *scour-hole* **0.4** [rioolput] *cesspit* ⇒*cesspool* **0.5** [ruimte tussen sluisdeuren] *chamber* **0.6** [uitwatering] *outlet* ⇒*discharge, drain* **0.7** [kolkdijk] ⟨→**kolkdijk**⟩ ◆ **1.2** de ~ en van de zee *submarine canyons*.
kolken ⟨onov.ww.⟩ **0.1** *swirl* ⇒*eddy, churn, whirl* ◆ **1.1** ⟨fig.⟩ een ~ de (mensen)massa *a seething crowd;* ~ d water *swirling water* **3.1** doen ~ *swirl / eddy, churn, whirl*.
kolkenzuiger ⟨de (m.)⟩ **0.1** *sludge-gulper*.
kolkgat ⟨het⟩ **0.1** *pot-hole*.
kolkmuur ⟨de (m.)⟩ **0.1** *chamber wall*.
kolksloot ⟨de⟩ **0.1** (*mill*)*race*.
kolksluis ⟨de⟩ **0.1** *lock*.
kollergang ⟨de (m.)⟩ **0.1** *pug mill* ⇒*edge mill*.
kolokwint ⟨de⟩ **0.1** [plant] *bitter-apple* ⇒*colocynth* **0.2** [vrucht] *bitter-apple* ⇒*colocynth* **0.3** [purgeermiddel] *bitter-apple* ⇒*colocynth*.
kolom ⟨de⟩ **0.1** [zuil] *column* ⇒ ⟨mbt. boor / slijpmachines enz.⟩ *pillar* **0.2** [vak van een bladzijde] *column* **0.3** [reeks van getallen] *column* **0.4** [column] *column* ◆ **1.1** ⟨fig.⟩ een ~ van rook (en vuur) *a c. of smoke (and fire)* **1.3** een lange ~ cijfers optellen *add up a long c. of figures* **3.2** vier ~ men in de toto / lotto invullen *fill in four columns in the football pools / the lottery;* zijn ~ men openen voor *devote space to* **6.2** in ~ men verdelen *rule in columns*.
kolomapparaat ⟨het⟩ **0.1** *fractionating column, fractionator*.
kolombekisting ⟨de (v.)⟩ ⟨bouwk.⟩ **0.1** *column formwork* / ⟨BE ook⟩ *shuttering*.
kolombijntje ⟨het⟩ **0.1** ≠*small sponge cake*.
kolomboormachine ⟨de (v.)⟩ **0.1** *drill press* ⇒*upright drill*.
kolombreedte ⟨de (v.)⟩ **0.1** ⟨ook bouwk.⟩ *column width* ⇒*width of the / a column*.
kolomhoogte ⟨de (v.)⟩ **0.1** ⟨van tekst⟩ *column length* ⇒*length of the / a column* ⟨uitgedrukt in column-inch⟩, ⟨bouwk.⟩ *column height, height of the / a column*.
kolomkachel ⟨de⟩ **0.1** *cannon stove*.
kolomlijn ⟨de⟩ ⟨druk.⟩ **0.1** *column rule*.
kolomlijst ⟨de⟩ ⟨bouwk.⟩ **0.1** *collar*.
kolommendiagram ⟨het⟩ ⟨statistiek⟩ **0.1** *bar chart* ⇒*histogram*.
kolompoot ⟨de (m.)⟩ **0.1** *pedestal*.
kolomradiator ⟨de (m.)⟩ **0.1** *ribbed / gilled radiator*.
kolomschroef ⟨de⟩ **0.1** *machine / stove screw*.
kolomtafel ⟨de⟩ **0.1** *pedestal-table*.
kolomtitel ⟨de (m.)⟩ ⟨druk.⟩ **0.1** *column heading*.
kolomtoets ⟨de (m.)⟩ **0.1** *tabulator key*.
kolonel ⟨de (m.)⟩ ⟨mil.⟩ **0.1** *colonel*.
kolonelsbewind ⟨→**kolonelsregime**.
kolonelschap ⟨het⟩ **0.1** [waardigheid] *colonelcy* ⇒*colonelship* **0.2** [gezamenlijke kolonels] *colonels*.
kolonelsregime ⟨het⟩ **0.1** (*military*) *junta* ⇒*colonels' regime*.
koloniaal
I ⟨bn.⟩ **0.1** [van een kolonie] *colonial* **0.2** [koloniën bezittend] *colonial* **0.3** [kolonialistisch] *colonial(ist)* ◆ **1.1** koloniale politiek *c. policy;* koloniale waren *c. goods* **1.2** koloniale mogendheden *c. powers;*
II ⟨bw.⟩ **0.1** [zoals in de kolonie] *colonially*.
kolonialisme ⟨het⟩ ⟨pej.⟩ **0.1** *colonialism*.
kolonialistisch ⟨bn.⟩ **0.1** *colonialist*.
kolonie ⟨de⟩ **0.1** [wingewest] *colony* **0.2** [vreemdelingen in een stad] *colony* ⇒*community* **0.3** [vreemdelingen in een stad] *colony* ⇒*community* **0.4** [inrichting voor kinderen] *holiday / recreation camp / home* **0.5** [groep kinderen] *children at / from a holiday / recreation camp / home* **0.6** [groep dieren] *colony* ◆ **1.1** Ministerie van Koloniën *Ministry of Colonial Affairs / for the Colonies, Colonial Office* **1.6** een ~ (van) reigers *a c. of herons* **2.3** de Nederlandse ~ te Parijs *the Dutch colony / community in Paris* **3.1** een ~ stichten / vestigen *found / establish a c.*.
kolonievogel ⟨de (m.)⟩ ⟨dierk.⟩ **0.1** *gregarious bird*.
kolonisatie ⟨de (v.)⟩ **0.1** *colonization* ⇒*settlement* ◆ **2.1** de binnenlandse ~ *land settlement* **6.1** ~ door Europeanen *European c.*.
kolonisatiebeleid ⟨het⟩ **0.1** *colonization policy*.
kolonisator ⟨de (m.)⟩ **0.1** [stichter van een kolonie] *colonizer* **0.2** [koloniserende mogendheid] *colonizer*.
koloniseren ⟨onov., ov.ww.⟩ **0.1** *colonize*.
kolonist ⟨de (m.)⟩ **0.1** *colonist* ⇒*settler,* ⟨Austr.E⟩ *squatter*.
koloog ⟨het⟩ **0.1** *bulging eye* ⇒⟨inf.⟩ *goggle-eye, pop-eye*.
koloriet ⟨het⟩ **0.1** *colour(ing)* ⇒*coloration*.

kolorist ⟨de (m.)⟩ **0.1** *colourist*.
koloristisch ⟨bn., bw.⟩ **0.1** *colour(ing)* ⇒⟨bw.⟩ *from the point of view of / with regard to (the) colour(ing) / coloration*.
kolos ⟨de (m.)⟩ **0.1** [voorwerp] *colossus* **0.2** [mbt. personen] *colossus* ⇒ ⟨fig. ook⟩ *giant* ◆ **1.1** de ~ van Rhodos *the c. of Rhodes* **6.2** een ~ **van** een kerel *a c. / giant of a fellow*.
kolossaal
I ⟨bn.⟩ **0.1** [buitengewoon groot] *colossal* ⇒*immense, huge, vast, gigantic* **0.2** [zeer omvangrijk] *colossal* ⇒*stupendous, stunning, enormous* ◆ **1.1** een monument van kolossale afmetingen *a monument of c. dimensions;* ⟨fig.⟩ een kolossale blunder / fout *a stupendous / c. blunder / mistake;* ⟨fig.⟩ een kolossale leugen *a huge / * ⟨inf.⟩ *whopping lie;* ⟨inf.⟩ *a whopper;* ⟨bouwk.⟩ kolossale orde *giant order* **1.2** een ~ vermogen *c. wealth* **3.2** dat is ~! *that's stupendous!;*
II ⟨bw.⟩ **0.1** [geweldig] *colossally* ⇒*immensely, enormously, tremendously, hugely*.
kolossus →*kolos*.
kolven ⟨onov., ov.ww.⟩ **0.1** *express milk*.
kom[1] ⟨de⟩ **0.1** [vaatwerk, glaswerk] *bowl* ⇒ ⟨afwas, pudding⟩ *basin,* ⟨waskom⟩ *wash basin* **0.2** [uitholling, holte] *basin* ⇒*bowl* **0.3** [vijvertje] *pool* ⇒*pond* **0.4** [gewrichtsholte] *socket* **0.5** [deel van een gemeente] *centre* ⇒*central part* **0.6** [deel van een haven] *inner harbour* ◆ **2.5** de maximum snelheid binnen de bebouwde ~ is 50 *the maximum speed within the built-up area is 50* **6.4** zijn arm **uit** de ~ draaien *twist one's arm out of its s.;* haar arm is **uit** de ~ geschoten *her arm has come out of its s. / is dislocated*.
kom[2] ⟨tw.⟩ **0.1** [(aansporing)] *come on!* ⇒*come along!* **0.2** [(sussende uitroep)] *there, there* ⇒ ⟨verbazing, twijfel, ongeloof)] *come on (now)* ⇒(*oh,*) *really!, now honestly!* ◆ **5.3** ~ nou, dat maak je me niet wijs *come on (now) / look, don't give me that* ¶**.1** ~, schiet nu eens op *come on (now) / look, don't give me that* ¶**.1** ~, schiet nu eens op *come on (now)* ⟨verbazing...⟩ ~, ik stap maar weer eens op *right, I'm off now!;* ~ op! *come on!* ¶**.2** ~, huil nu maar niet *there, there, (now) don't cry;* ~, ~, zo'n vaart zal het niet lopen *don't (you) worry (now), it won't come to that* ¶**.3** och ~, dat kan toch niet! *now really, that's impossible!;* ach ~! *oh, really!, now honestly!*.
komaan ⟨tw.⟩ **0.1** *come on* ⇒⟨aanmoediging ook⟩ *come (along), come now,* ⟨kop op⟩ *cheer up*.
komaf ⟨de (m.)⟩ ⟨inf.⟩ **0.1** ⟨ongemarkeerd⟩ *origin* ⇒*birth, stock, parentage, extraction* ◆ **2.1** van goede ~ *upper-crust, top-drawer,* [†]*high-born;* van hoge ~ zijn *be out of the top drawer, be (one of the) upper-crust,* [†]*be high-born;* van lage ~ zijn *be low-class /* ⟨erg pej.⟩ *common;* van rijke ~ *born rich / wealthy, born into money, born with a silver spoon in one's mouth*.
kombuis ⟨de⟩ ⟨scheep.⟩ **0.1** *galley, caboose*.
komediant ⟨de (m.)⟩, -**e** ⟨de (v.)⟩ **0.1** [⟨dram.⟩] *actor* ⟨m.⟩, *actress* ⟨v.⟩ ⇒⟨in blijspel⟩ *comedy actor* ⟨m.⟩ / *actress* ⟨v.⟩, *comedian* ⟨m.⟩, *comedienne* ⟨v.⟩ **0.2** [aansteller] (*play-*)*actor* ⇒*sham(mer), pretender*.
komedie ⟨de (v.)⟩ **0.1** [blijspel] *comedy* **0.2** [vertoning] *comedy* **0.3** [ijdele vertoning] *comedy* ⇒*sham, (piece of) (play-)acting* **0.4** [toneel(opvoering)] (*stage-*)*play* **0.5** [theater] *theatre* ⇒ ⟨vero.⟩ *playhouse* (nog steeds in titels gebruikt) ◆ **2.1** een muzikale ~ *a musical (c.)* **3.3** dat is allemaal ~ *this is (all) just play-acting / all sham, it's all an act;* spelen (*play-*)*act, pretend, act a part, put on an act* **3.5** de ~ bezoeken *go to the t.* **6.5** naar de ~ gaan *go to the t.*.
komediegebouw ⟨het⟩ **0.1** *theatre* ⇒ ⟨vero.⟩ *playhouse*.
komedieschrijver ⟨de (m.)⟩ **0.1** *writer of comedy* ⇒*comedian, comedist*.
komediespel ⟨het⟩ **0.1** [toneel] (*stage-*)*play* ⇒⟨blijspel⟩ *comedy* **0.2** [veinzerij] (*piece of*) (*play-*)*acting* ⇒*sham*.
komediespelen ⟨onov.ww.⟩ **0.1** [toneelspelen] *act* **0.2** [veinzen] (*play-*)*act* ⇒*put on an act, feign, pretend*.
komediespeler, -speelster →**komediant**.
komediestuk ⟨het⟩ **0.1** [toneelspel] (*stage-*)*play* ⇒⟨blijspel⟩ *comedy* **0.2** [grappige vertoning] (*piece of*) *comedy*.
komeet ⟨de⟩ ⟨ster.⟩ **0.1** *comet* ◆ **1.1** de ~ Halley *Halley's c.,* Halley's **8.1** ⟨fig.⟩ als een ~ omhoog schieten *shoot up like a rocket*.
komen ⟨onov.ww.⟩ ⟨→sprw. 11,49,51,262,280,284,296,390,420,435, 437,450,452,468,485,510,652⟩ **0.1** [een punt bereiken] *come* ⇒ ⟨inf.⟩ *get* **0.2** [na volbrachte beweging verschijnen] *come* **0.3** [zichtbaar worden] *come* **0.4** [op bezoek komen] *come (round / over)* ⇒*call* **0.5** [raken aan] *touch* **0.6** [mbt.oorsprong / oorzaak] *come (about)* ⇒*happen* **0.7** [het resultaat zijn] *come about* ⇒*happen* **0.8** [gestuurd worden] *come* **0.9** [aanbreken] *come* **0.10** [toebedeeld worden] *strike* ⇒⟨schr.⟩ *come upon* **0.11** [in het bezit van iets raken] *come (by)* ⇒ ⟨inf.⟩ *get (hold of)* **0.12** [tot een punt vorderen] *come* ⇒*move,* ⟨inf.⟩ *get* **0.13** [een toestand feitelijk bereiken] *come* ⇒⟨inf.⟩ *get* **0.14** [zich uitstrekken] *come* **0.15** [toegevoegd worden aan] *be added* **0.16** [gaan] *come* **0.17** [⟨inf.⟩ klaarkomen] *come* ◆ **1.1** er komt regen *it's going to be rain, we're in for rain* **1.2** daar komt de boot *de haven in there's the boat coming into (the) harbour* **1.3** er kwam bloed uit zijn mond *there was blood coming out of his mouth* **1.4** er ~ mensen vanavond *there are / we've got people coming (round / over) this evening* **1.6** die wet zal er wel niet (door) ~ *I don't think that law will get through / that bill will become law* **1.9** er komt geen eind aan *there's no end to it;* het mo-

ment/de tijd is gekomen dat/om ...*the time has come to* ... **1.12** een heel eind ~ *go/get quite a way/a long way* **2.¶** dat komt gelegen/van pas *that's convenient/* ⟨inf.⟩ *handy* **3.1** ergens bij kunnen~ *be able to get at sth.;* ze zullen je zien ~! *they'll see you coming!;* je moet op een kantoor zien te ~ *you must arrange to get into an office* **3.2** hij kwam haar (af)halen *he came for her/came to fetch her;* er kwamen niet veel mensen kijken *not many people came to look;* ik zou de dokter maar laten ~ *I'd call (in)/send for the doctor;* de politie laten ~ *call/send for the police;* ~ logeren bij iem. *c. and stay with s.o.;* hij is helemaal ~ lopen *he walked the whole way;* daar mag je niet ~ *you're not to/you mustn't go there;* kom naast me zitten *come and sit (down) next to me* **3.3** een ~ en gaan van bezoekers *to-and-fro/coming(s) and going(s) of visitors* **3.6** er moet een kindje ~ *there's a baby due/on the way* **3.7** wat niet is, kan nog ~ *anything can happen, it may still happen* **3.9** in afwachting van de dingen die ~ gaan *in expectation of things to c.* **3.12** iets te weten ~ c./ ⟨inf.⟩ *get to know sth., find sth. out/out sth.* **3.13** hij kwam te overlijden *he died* **4.6** waardoor komt het? *how come?, how did that happen?* **5.1** zij kunnen er van zijn inkomen nauwelijks ~ *they can hardly live/hardly get by on his income;* ⟨fig.⟩ hoe kom je erbij! *what(ever) gives/gave you that idea?, what makes you think so?, what put(s) that idea into your head?;* te laat ~ *be late;* ik kom er wel uit *I'll let/see myself out;* zij komt de deur niet meer uit *she doesn't get out of the house any more;* ⟨fig.⟩ we kwamen er niet uit *we couldn't make/work it out;* maak dat je weg komt! *get out (of here)!, hop it!, scram!* **5.2** ⟨fig.⟩ ergens achter ~ *find out/get to know/get on to sth.;* kom daar nu eens om! ⟨fig.⟩ *try to find that!, where do you find that!;* ik kom eraan/al! *(I'm) coming!, I'm on my way!;* kom hier *come here;* hoe kom jij hier? *what are you doing here?, how do you c. to be here?, how c. you're here?;* kom eens langs! *come over/round some time!;* kom nou toch eens! *get a move on!, (do) come on!;* overeind ~ *stand up, c. to one's feet;* ⟨fig.⟩ wat f10,- kom je niet ver meer tegenwoordig *you don't get far on 10 guilders nowadays, 10 guilders won't get/take you very far nowadays* **5.3** tevoorschijn ~ (uit) *appear (from), emerge (from)* **5.5** kom nergens aan! *don't touch (anything/a thing)!;* kom er eens aan, als je durft *I dare you to touch it!, just touch it if you dare!* **5.6** daar ~ ongelukken van *that's how you get accidents, that's how accidents happen* **5.7** daar komt niets van in *that's out of the question;* ⟨inf.⟩ *no way!;* ⟨afgelast⟩ *that's off;* daar zal voorlopig wel niets van ~ *nothing will c. of that for the time being;* komt er nog wat van? *come on (, do/say sth!);* als het er ooit van komt *if it ever comes to anything;* het zal er toch van moeten ~ *it'll just have to be/it's just got to be done;* ik zie het er nog wel van ~ dat ...*I can just see ..., next thing ..., before you we know it ...;* er kwam niet veel van *nothing much came of it;* er is niets van gekomen *it didn't materialize, nothing came of it, it came to nothing, it fell through,* ⟨inf.⟩ *it was a wash-out;* hoe ben je zo gekomen? *how did this happen/ c. about?* **5.9** ze hadden het nooit zover moeten laten ~ *they should never have let things go/get this/that far/reach this/that stage;* hoe is het ooit zover kunnen ~ *how did it/things ever c. to this?/get to this stage?* **5.12** ⟨in gesprek⟩ hoe kwamen we hierop? *how did we get onto this (subject)?* **5.15** daar komt nog bij dat ...*what's more, in addition, besides; and on top of it all/that ..., then there is ...;* kom 15% voor bediening bij *there's 15% extra/added on/* ⟨inf.⟩ *on top for service;* ⟨fig.⟩ dat moest er nog bij ~! *that's all I/we needed!, that really/just crowns everything!;* daar komt de limiet, that would put the lid on* **6.1** bij elkaar ~ c./ *get together, meet;* er is vuil **bij** de wond gekomen *dirt has got into the wound;* ⟨fig.⟩ haar kinderen komen bij haar **op** de eerste plaats *the children come first/take first place with her;* **tot** staan ~ *c. to rest/a halt/standstill/stop* **6.2 door** een examen ~ *make it through/get through an exam, pass;* zij komt bij haar vader **in** de zaak *she's joining/will join her father in the business;* met de boot/ **per** spoor/**te** voet ~ *c. by boat/by train/on foot,* ⟨te voet ook⟩ *walk (t)here;* hoe kom je van hier **naar** het museum? *how do you get to the museum from here?;* zij kan niet **uit** zijn bed ~ *he can't get out of bed;* **van** school/**uit** de kerk ~ *c. (home) from school, c. out of church;* er is een tijd van ~ en een tijd van gaan ≠ ⟨inf.⟩ *when you've gotta go you've gotta go* **6.6** nergens **aan** toe ~ *fiddle about, not get anything done;* **van** het een komt het ander *one thing leads to another* **6.7** komt **in** orde/**voor** elkaar right *(you are)!, will do!, no problem!;* dat komt **van** zijn opa *that's from his granddad* **6.11** hoe kom je **aan** die knul? *where did you pick up/how did you run into/* ⟨te pakken krijgen⟩ *get hold of that guy?;* **aan** geld/heroïne iets te ~ *get hold of/c. by some money/heroin;* eerlijk **aan** iets ~ *c. by sth. honestly;* goedkoop **aan** iets ~ *pick sth. up cheaply* **6.12** ergens niet **aan** toe ~ *not get round/ ^Aaround/down to sth.;* vervolgens kwam de spreker **op** ...*next the speaker turned to ..., the speaker moved/went on to ...;* ergens niet **op** kunnen ~ *not to be able to think of sth./ bring sth. to mind;* **tot** iets ~ c. to sth.;* ⟨over zijn hart krijgen⟩ *bring o.s. to do sth.;* ⟨de tijd vinden⟩ *get round/^Aaround to sth.;* **uit** een probleem ~ *get out of a problem* **6.13 in** andere omstandigheden ~ *change one's circumstances;* **om** het leven ~ *die, be killed;* **tot** zichzelf ~ *c. to one's senses/* ⟨schr.⟩ *o.s.;* ⟨het bewustzijn herkrijgen, ook⟩ *c. to/round* **6.14** de wegen ~ hier

bij elkaar *the roads meet here/join (up) here/come together here;* dat komt **op** 200 gld *that comes to/makes 200 guilders;* hij komt **tot** mijn schouder *he comes (up) to my shoulder* **6.16** er kwam een optocht **langs** mijn huis *a procession came past my house* **6.** ⟨fig.⟩ ergens **in** (kunnen) ~ ⟨begrijpen⟩ *(be able to) see sth.;* ⟨vertrouwd raken⟩ *get/ become familiar with/* ⟨inf.⟩ *get into sth.* **8.2** je komt als geroepen *you're just what's needed/* ⟨inf.⟩ *just what the doctor ordered;* ik zie hem liever gaan dan ~ *I'm always glad to see the back of him, I prefer his room to his company* **¶.2** tussenbeide ~ ⟨ingrijpen⟩ *intervene;* ⟨zich bemoeien⟩ *interfere* **¶.7** dat komt ervan als je niet luistert *that's what you get/what happens if you don't listen, that's what comes of not listening* **¶.13** dat komt hem duur te staan ⟨fig.⟩ *that'll cost him dear(ly), he'll pay dearly for that, he'll have to pay through the nose* **¶.¶** nu komt het erop aan om ...*now it's a matter/question of ...(-ing);* hoe kom je daar nou bij? *where did you get that idea from?, what makes you think that?, what(ever) gave/gives you that idea/ makes you think so/that?, who/what (has) put that (idea) into your head?;* dat komt er niet op aan *it doesn't matter.*

komend ⟨bn.⟩ **0.1** *coming* ⇒*to come* ⟨ná zn.⟩, ⟨mbt. tijd ook⟩ *next, future* ♦ **1.1** de ~ geslachten *generations to come, the coming generations, future generations;* in de ~ e jaren *in the years to come/coming years;* de gaande en de ~ e man *comers and goers;* ~ e week *next week;* de ~ e weken *the c. (few)/the next few weeks.*
kometebaan ⟨de⟩ ⟨ster.⟩ **0.1** *comet's path* ⇒*path of a/the comet.*
komfoor ⟨het⟩ **0.1** [theelichtje] *chafing dish* **0.2** [kooktoestel] *(gas/spirit) stove* ♦ **6.1** de thee stond op het ~tje *the tea was (keeping warm) on the c. d..*
komfoort ⟨het⟩ ⟨amb.⟩ **0.1** *counter.*
komgrond ⟨de (m.)⟩ **0.1** *backland.*
komiek[1] ⟨de (m.)⟩ **0.1** [acteur] *comedian* ⇒*comic* **0.2** [grapjas] *comedian* ⇒*comic, joker, clown* ♦ **3.2** ⟨fig.⟩ de ~ uithangen *act/play the comedian/clown.*
komiek[2] ⟨bn., bw.;-(al)ly⟩ **0.1** *comic(al)* ⇒*droll, funny.*
komiekeling ⟨de (m.)⟩ ⟨inf.⟩ **0.1** ⟨ongemarkeerd⟩ *comedian* ⇒*comic, joker, clown, funny-man.*
komiekerig ⟨bn., bw.;-(al)ly⟩ ⟨inf.⟩ **0.1** ⟨ongemarkeerd⟩ *comic(al)* ⇒*funny.*
komijn ⟨de (m.)⟩ **0.1** [specerij] *cum(m)in* **0.2** [plant(engelslacht)] *cum(m)in.*
komijnekaas ⟨de (m.)⟩ **0.1** *cum(m)in cheese.*
komijnolie ⟨de⟩ **0.1** *cum(m)in oil.*
komijnplant ⟨de⟩ **0.1** *cum(m)in.*
komijnzaad ⟨het⟩ ⟨coll.⟩ **0.1** *cum(m)in-seed.*
Kominform ⟨de (m.)⟩ **0.1** *Cominform.*
Komintern ⟨de (m.)⟩ **0.1** *Comintern.*
komisch ⟨bn., bw.;-(al)ly⟩ **0.1** *comic(al)* ⇒*droll, funny* ♦ **1.1** een ~ e act /een ~ nummer *for twee heren a two-man comedy/comic act/number;* een ~ e opera *a comic opera;* een ~ voorval *a funny/amusing incident;* een ~ zanger/acteur *a comic singer/actor* **5.1** zijn gedrag was hoogst ~ *his behaviour was highly comical* **7.1** het ~ e van iets niet zien *not see the joke/what's funny about sth./ the fun of sth., miss the joke.*
komklei ⟨de⟩ **0.1** *clay from river basin.*
komkommer ⟨de⟩ **0.1** [vrucht] *cucumber* **0.2** [plant] *cucumber.*
komkommerachtigen ⟨zn.mv.⟩ **0.1** *cucumbers* ⇒*cucumber family, cucurbitaceae.*
komkommerplant ⟨de⟩ **0.1** *cucumber.*
komkommerpraatje ⟨het⟩ **0.1** *silly (season) story.*
komkommersalade ⟨de⟩ **0.1** *cucumber salad.*
komkommerschaaf ⟨de⟩ **0.1** *cucumber slicer.*
komkommertijd ⟨de (m.)⟩ **0.1** [tijd waarin de komkommers rijp zijn] *cucumber season* **0.2** [vakantietijd] *silly season* ⇒*dull/slack/dead season, off-season.*
komkommervrucht ⟨de⟩ **0.1** *pepo.*
komma ⟨het, de⟩ **0.1** [leesteken] *comma* **0.2** [apostrofe] *apostrophe* **0.3** [teken voor de decimalen] *(decimal) point* **0.4** [⟨muz.⟩] *comma* ♦ **2.1** Duitse ~ *slash (mark), diagonal* **2.2** ⟨inf.⟩ hoge ~'s ⟨ongemarkeerd⟩ *inverted commas, quotation marks* **2.3** ⟨comp.⟩ zwevende/drijvende ~ *floating point* **6.3** tot op vijf decimalen/cijfers **na** de ~ uitrekenen *calculate to five decimal places;* een bedrag met zeven cijfers **voor** de ~ *a seven-figure sum* **7.3** met een vaart van nul ~ nul *at a speed of zero miles per hour;* nul ~ drie (0,3) *(nought/^Azero) point three (0.3).*
kommabacil ⟨de (m.)⟩ ⟨biol.⟩ **0.1** *comma bacillus.*
kommaneuker ⟨de (m.)⟩ ⟨inf.⟩ **0.1** *nitpicker/ hairsplitter (about style and punctuation).*
kommapunt ⟨de⟩ **0.1** *semicolon.*
kommavlinder ⟨de (m.)⟩ **0.1** *comma butterfly.*
kommer ⟨de (m.)⟩ **0.1** [gebrek] *destitution* ⇒*want, need, distress* **0.2** [ellende] *sorrow* ⇒*distress, trouble(s), affliction, misery* ♦ **1.1** ~ en gebrek *distress and poverty* **1.2** ~ en kwel *trouble and affliction* **6.2** van ~ en verdriet sterven *die of s. and grief/a broken heart;* geen vreugde zonder ~ *no joy without s..*
kommerlijk ⟨bn., bw.;-ly⟩ **0.1** [armelijk, behoeftig] *destitute* ⇒*needy*

0.2 [bekommerd, vol zorg] *pitiful* ⇒*wretched, miserable* ◆ **1.1** een ~ bestaan *a miserable existence;* in ~e omstandigheden achterblijven *be left d. / in wretched circumstances* **1.2** een ~e blik *a worried look*.
kommerloos ⟨bn., bw.⟩ **0.1** *carefree* ⇒*troublefree, free from care*.
kommernis ⟨de (v.)⟩ **0.1** *care* ⇒*trouble, worry*.
kommervol ⟨bn., bw.;-ly⟩ **0.1** *distressful* ⇒*sorrowful, woeful, wretched, distressed* ◆ **1.1** een ~ bestaan leiden *lead a sorry existence;* in ~le omstandigheden *in distressed circumstances, in penury*.
kompas ⟨het⟩ **0.1** [instrument] *compass* **0.2** [richtlijn] *precept* ◆ **3.1** ⟨fig.⟩ zijn ~ is verdraaid ⟨verward⟩ *he's a bit confused;* ⟨humeurig⟩ *he's in a bad mood* **6.1** op iemands ~ zeilen/varen ⟨lett.⟩ *go by s.o.'s c.;* ⟨fig.⟩ *follow s.o.'s lead;* ⟨fig.⟩ streken **op** zijn ~ hebben *have tricks up one's sleeve;* **op** ~ varen *sail/steer by c.* **6.2 op** dat ~ kan men veilig afgaan *that's a reliable p.*.
kompasafwijking ⟨de (v.)⟩ **0.1** *(compass) deviation* ⇒*deflection of the compass needle*.
kompasbeugel ⟨de (m.)⟩ **0.1** *gimbal ring* ⇒*gimbals*.
kompasdoos ⟨de⟩ **0.1** *compass case / box*.
kompasfout ⟨de⟩ **0.1** *compass error*.
kompashuisje ⟨het⟩ ⟨scheep.⟩ **0.1** *(compass) binnacle*.
kompaskaart ⟨de⟩ **0.1** *compass map*.
kompasketel ⟨de (m.)⟩ **0.1** *compass bowl*.
kompaskoers ⟨de (m.)⟩ **0.1** *compass course*.
kompasnaald ⟨de⟩ **0.1** *compass needle*.
kompaspatroon ⟨het⟩ **0.1** *compass pattern*.
kompaspeiling ⟨de (v.)⟩ **0.1** *compass bearing*.
kompaspen ⟨de⟩ **0.1** *compass pivot*.
kompasrichting →**kompasstreek**.
kompasroos ⟨de⟩ **0.1** *compass card* ⇒*rhumb card*.
kompasstreek ⟨de⟩ **0.1** *compass point, point of the compass* ⇒*rhumb (line)*.
kompel ⟨de (m.)⟩ **0.1** *priner* ⇒*collier, pitman*.
komplot ⟨het⟩ **0.1** [samenzwering] *plot* ⇒*conspiracy, collusion, intrigue* **0.2** [samenzweerders] *conspiracy* ⇒*confederacy* ◆ **3.1** een ~ smeden *plot, scheme, machinate, hatch a p., conspire* **6.1** iem. in een ~ betrekken *involve s.o. in a p., let s.o. in on a p.* **6.2** er zaten zes man in het ~ *there were six people in the conspiracy*.
komplotteren ⟨onov.ww.⟩ **0.1** *plot* ⇒*conspire, collude, scheme, machinate*.
komplottheorie ⟨de (v.)⟩ **0.1** *conspiracy theory*.
kompres[1] ⟨het⟩ **0.1** *compress* ⇒*pledget* ◆ **3.1** warme ~sen leggen op een gezwel *place hot compresses on a swelling* **6.1** met ~sen behandelen, (een) ~(sen) leggen op *apply compresses/a compress to*.
kompres[2] ⟨bn., bw.;-ly⟩ **0.1** *solid* ⇒*close, compact* ◆ **1.1** ~se druk *s. printing,* [A]*crowded type* **3.1** ~ gedrukt *closely printed, printed s., closely packed* ⟨bladzijden⟩; ~ gezet *unleaded, set s.*.
komst ⟨de (v.)⟩ **0.1** *coming* ⇒*arrival, advent* ◆ **1.1** de ~ van Christus *the c. of Christ;* het doel van zijn ~ was ... *the object of his c. / visit was ...* **3.1** de ~ afwachten van *await the arrival of* **6.1** met de ~ v.d. auto with *the arrival/advent of the car;* zij zijn op ~ *they are on their/the way;* er is er een **op** ~ ⟨lett.⟩ *there is one on the way;* ⟨fig.⟩ *there is a baby on the way;* er is storm/sneeuw **op** ~ *there is a storm brewing, it looks like snow;* **op** ~ zijn *be in the making/offing, be imminent/on the way/coming, be in the wind, be brewing, be at hand*.
komvisserij ⟨de (v.)⟩ **0.1** *fishing with fixed nets*.
komvorm ⟨de (m.)⟩ **0.1** *bowl- / basin-shape*.
komvormig ⟨bn., bw.⟩ **0.1** *bowl-shaped* ⇒*basin-shaped, cup-shaped,* ⟨geol.⟩ *crateriform* ◆ **1.1** een ~e diepte/uitholling *a bowl-shaped hollow, a pan*.
kond ⟨bn.⟩ ⟨schr.⟩ ◆ **3.¶** ⟨iem.⟩ ~ van iets doen ⟨ongemarkeerd⟩ *notify (s.o.) of sth.;* iets ~ maken ⟨ongemarkeerd⟩ *make sth. known, announce sth.*.
kondschap ⟨de (v.)⟩ ⟨schr.⟩ **0.1** ⟨ongemarkeerd⟩ *information, intelligence* ◆ **3.1** ~ krijgen/doen inwinnen *obtain/send s.o. out to gather information;* op ~ uitgaan *make a reconnaissance, reconnoitre*.
konfijten ⟨ov.ww.⟩ **0.1** *preserve* ⇒*candy* ◆ **1.1** gekonfijte vruchten *candied fruits, crystallized fruit*.
kongeraal ⟨de (m.)⟩ ⟨dierk.⟩ **0.1** *conger eel*.
Kongo ⟨de⟩ **0.1** *Congo*.
Kongolees[1] ⟨de (m.)⟩, -lese ⟨de (v.)⟩ **0.1** *Congolese*.
Kongolees[2] ⟨bn.⟩ **0.1** *Congolese*.
kongsi ⟨de⟩ **0.1** [firma] *combine* ⇒*trust, ring* **0.2** ⟨pej.⟩ groep] *clique*.
konijn ⟨het⟩ **0.1** [dier] *rabbit* ⇒⟨inf.; kind⟩ *bunny* **0.2** [vlees, bont] *rabbit* ⇒⟨bont ook⟩ *con(e)y* ◆ **2.1** een tam ~ *a bred/domestic r.;* een wild ~ *a wild r.* **6.1** ⟨fig.⟩ met de ~en door de tralies kunnen (eten) *be as thin as a whippet;* **op** ~en jagen *hunt/*[B]*shoot rabbits, rabbit, go rabbiting* **6.¶** het is bij de ~en af *it's disgraceful/a shame, it's terrible/too awful for words* **8.1** zich als ~en vermenigvuldigen *breed like rabbits*.
konijnblad ⟨het⟩ ⟨inf.⟩ **0.1** ⟨ongemarkeerd⟩ *greater plantain*.
konijnebont ⟨het⟩ **0.1** *rabbit fur* ⇒⟨winkeltaal⟩ *con(e)y (fur)*.
konijnehok ⟨het⟩ **0.1** *rabbit hutch* ⇒*rabbitry*.
konijnehol ⟨het⟩ **0.1** *rabbit's burrow* ⇒*rabbit-hole*.
konijnejacht ⟨de⟩ **0.1** *rabbit hunting / ⟨BE ook⟩ shooting* ⇒*rabbiting,* ⟨met fret⟩ *ferreting*.

konijnekeutel ⟨de (m.)⟩ **0.1** *rabbit pellet*.
konijnenberg ⟨de (m.)⟩ **0.1** ⟨rabbit⟩ *warren*.
konijnenfokkerij ⟨de (v.)⟩ **0.1** [handeling] *rabbit breeding* **0.2** [plaats] *rabbit farm* ⇒*rabbitry*.
konijnenplaag ⟨de⟩ **0.1** *plague of rabbits, rabbit plague*.
konijnenstand ⟨de (m.)⟩ **0.1** *rabbit population*.
konijnenteelt ⟨de⟩ **0.1** *rabbit breeding*.
konijnepijp ⟨de⟩ **0.1** *rabbit's burrow* ⇒*rabbit-hole*.
konijnepluim ⟨de⟩ **0.1** *rabbit's tail* ⇒⟨inf.⟩ *bobtail*.
konijnepoot ⟨de (m.)⟩ **0.1** *rabbit('s) foot*.
konijnevel ⟨het⟩ **0.1** *rabbit skin* ⇒⟨als bont⟩ *con(e)y*.
konijnevoer ⟨het⟩ **0.1** *rabbit food*.
konijneziekte ⟨de (v.)⟩ **0.1** *rabbit disease / fever* ⇒⟨med.⟩ *tularaemia*.
koning ⟨de (m.)⟩ ⟨→sprw. 64⟩ **0.1** [regerend vorst] *king* ⇒*monarch, sovereign* **0.2** [⟨fig.⟩ heerser, opperste gebieder] *king* **0.3** [de beste] *king* **0.4** [mbt. een overheersende positie/uitnemende kwaliteit] *king* **0.5** [hij die de rol van 'koning' speelt/de eerste prijs behaalt] *king* **0.6** [⟨sport⟩] *king* ◆ **1.1** Boudewijn, Koning van België *Baldwin, King of Belgium;* ⟨bijb.⟩ de boeken der Koningen *the books of Kings* **1.2** de ~ der beesten *the k. of beasts;* de ~ der elfen *the k. of the elves;* de ~ der hel *the prince of hell;* de ~ der hemelen/der koningen *the King of Heaven/Kings;* de ~ der vogels *the k. of birds, the lord of the skies* **1.4** de ~ der metalen *the k. of metals;* Koning Voetbal *King Soccer;* Koning Winter *Jack Frost* **3.1** de ~ afzetten *depose/dethrone the k.;* de ~ dienen *serve the k. / one's country;* hij heeft de ~ gezien ⟨lett.⟩ *he has been to see the k.;* ⟨fig.⟩ *he is legless;* ⟨iem.⟩(tot) ~ maken *crown (s.o.) k.* **3.6** ⟨kaarten⟩ de ~ uitspelen/opgooien *play/turn up the k.;* ⟨schaken⟩ de ~ schaak/⟨schaak⟩mat zetten *check/(check)mate the k., give check* **3.¶** zijn haan moet ~ kraaien *he wants to be the cock of the walk, he wants to have it all/his own way* **5.1** een ~ onwaardig, niet betamelijk voor een ~ *unkingly, not fitting for a k.* **6.3** X, de koning **onder** de kazen *X, the leading/first name in cheese(s)* **7.1** ⟨bijb.⟩ de drie ~en *the three Kings/Wise Men* **8.1** leven als een ~ *live like a k. / royalty* **¶.1** ⟨fig.⟩ de ~ te rijk zijn *be as happy as Larry/a k.* **¶.2** de klant is ~ *the customer is always right*.
koningin ⟨de (v.)⟩ **0.1** [gemalin v.e. koning] *queen* ⇒*queen consort* **0.2** [regerende vorstin] *queen* ⇒*monarch* **0.3** [⟨fig.⟩ heerseres] *queen* **0.4** [de beste] *queen* **0.5** [zij die de rol van 'koningin' speelt/de eerste prijs behaalt] *queen* **0.6** [⟨sport⟩] *queen* **0.7** ⟨biol.⟩ *queen* ◆ **1.2** Beatrix, Koningin der Nederlanden *Beatrix, Queen of the Netherlands* **1.3** de ~ der goden *Queen of heaven;* de ~ v.d. hemel *the Queen of Heaven;* de maan is de ~ v.d. nacht *the moon is q. of the night* **1.4** de ~ van het bal, het feest *the q. / belle of the ball / party;* Parijs, de ~ der steden *Paris, q. of cities* **2.2** regerende ~ *q. regnant* **3.2** (tot) ~ maken *crown q.* **3.6** ⟨schaken⟩ een ~ halen *queen (a pawn)* **6.2 door** de ~ in audiëntie ontvangen worden *be admitted to the royal presence* **8.1, 8.2** als een ~, een ~ waardig/passend *queenly, queenlike* **8.2** als een ~ heersen over iem. *queen it over s.o.*.
koningin-moeder ⟨de (v.)⟩ ⟨schr.⟩ **0.1** *Queen Mother*.
koninginnedag ⟨de (m.)⟩ **0.1** *Queen's Birthday* ⟨in Ned.⟩ ⇒*Commonwealth Day* ⟨in GB⟩ ◆ **3.1** ~ vieren *celebrate the Q.'s B. / C. D.* **6.1 op** ~ *on the Q's B. / C. D.*.
koninginneharing ⟨de (m.)⟩ **0.1** *'koninginneharing'* ⟨*first herring of the season offered to the queen*⟩.
koninginnenbrood ⟨het⟩ ⟨dierk.⟩ **0.1** *royal jelly*.
koninginnencel ⟨de⟩ ⟨dierk.⟩ **0.1** *queen cell*.
koninginnepage ⟨de (m.)⟩ ⟨dierk.⟩ **0.1** *swallowtail (butterfly)*.
koninginnesoep ⟨de⟩ **0.1** *cream of chicken soup*.
koninginnesteek ⟨de (m.)⟩ ⟨amb.⟩ **0.1** *(double) cross-stitch*.
koningin-regentes ⟨de (v.)⟩ **0.1** *queen regent*.
koningin-weduwe ⟨de (v.)⟩ **0.1** *queen dowager, dowager queen*.
koningsadelaar →**koningsarend**.
koningsader ⟨de⟩ ⟨biol.⟩ **0.1** *basilic vein*.
koningsappel ⟨de (m.)⟩ **0.1** *orb* ⇒*globe*.
koningsarend ⟨de (m.)⟩ **0.1** *royal eagle* ⇒*golden eagle,* ⟨Aziatisch⟩ *imperial/king eagle*.
koningsblauw ⟨het⟩ **0.1** [kleur] *royal blue* **0.2** [porseleinglazuur] *royal blue*.
koningschap ⟨het⟩ **0.1** [staat van koning] *kingship* ⇒*kinghood, regality* **0.2** [regeringsvorm] *monarchy* ◆ **2.1** het erfelijk ~ *hereditary monarchy* **2.2** het constitutionele ~ *constitutional m.*.
koningsdochter ⟨de (v.)⟩ **0.1** *king's daughter* ⇒*royal princess*.
koningsgeel ⟨het⟩ **0.1** *royal/king's yellow* ⇒*orpiment*.
koningsgezind ⟨bn.⟩ **0.1** *royalist(ic)* ⇒*monarchist* ◆ **7.1** ⟨zelfst.⟩ de ~en *the royalists/monarchists*.
koningsgezindheid ⟨de (v.)⟩ **0.1** *royalism* ⇒*monarchism*.
koningsgier ⟨de (m.)⟩ **0.1** *king vulture* ⇒*condor*.
koningsgraf ⟨het⟩ **0.1** *king's tomb* ⇒*royal tomb*.
koningshuis ⟨het⟩ **0.1** *royal family/house*.
koningskaars ⟨de⟩ ⟨plantk.⟩ **0.1** *Aaron's rod* ⇒*great mullein, shepherd's club*.
koningskind ⟨het⟩ **0.1** *royal offspring/child* ◆ **8.1** zo mooi als een ~ ≠*as handsome as a prince,* ≠*as pretty as a princess*.

koningskleur ⟨de⟩ **0.1** *purple*.

koningskroon ⟨de⟩ **0.1** [kroon] *royal crown* **0.2** [waardigheid] *royal crown*.

koningskruid ⟨het⟩ ⟨plantk.⟩ **0.1** *(sweet) basil*.

koningskwestie ⟨de (v.)⟩ ⟨pol.⟩ **0.1** *Royal Question*.

koningslelie ⟨de⟩ ⟨herald.⟩ **0.1** *fleur-de-lis*.

koningsloper ⟨de (m.)⟩ ⟨schaken⟩ **0.1** *king's bishop*.

koningsmaal ⟨het⟩ **0.1** *(royal) feast* ♦ **3.1** het was een ~ *it was a meal fit for a king*.

koningsmantel ⟨de (m.)⟩ **0.1** [mantel] *royal robe* **0.2** [vlinder] *Camberwell beauty*, [A]*mourning cloak* **0.3** [zwam] *tricholoma (rutilans)*.

koningsmoord ⟨de⟩ **0.1** *regicide*.

koningsmoordenaar ⟨de (m.)⟩ **0.1** *regicide*.

koningspaar ⟨het⟩ **0.1** *royal couple*.

koningspage ⟨de (m.)⟩ ⟨dierk.⟩ **0.1** *swallowtail*.

koningspinguïn ⟨de (m.)⟩ **0.1** *king pinguin*.

koningspion ⟨de (m.)⟩ ⟨schaken⟩ **0.1** *king's pawn*.

koningsslang ⟨de⟩ **0.1** *boa (constrictor)*.

koningsstaf ⟨de (m.)⟩ **0.1** *(royal) sceptre*.

koningsstijl ⟨de (m.)⟩ ⟨bouwk.⟩ **0.1** *king post*.

koning-stadhouder ⟨de (m.)⟩ **0.1** *king-stad(t)holder*.

koningstelg ⟨de (m.)⟩ ⟨schr.⟩ **0.1** *royal scion* ⟹⟨ongemarkeerd⟩ *royal child/offspring*.

koningstijger ⟨de (m.)⟩ **0.1** *Bengal tiger*.

koningstitel ⟨de (m.)⟩ **0.1** *title of king* ⟹*regal title*.

koningsvaren ⟨de⟩ **0.1** [soort varen] *royal fern* ⟹*osmund* **0.2** [plantengeslacht] *Osmunda*.

koningsvis ⟨de (m.)⟩ **0.1** *blue-ringed angelfish* ⟨Pomacanthus annularis⟩; *moonfish/opah* ⟨Lampris regius⟩.

koningsvleugel ⟨de (m.)⟩ ⟨schaken⟩ **0.1** *king('s) side*, *king's wing*.

koningsvogel ⟨de (m.)⟩ **0.1** *king bird; bird of paradise* ⟨Paradisen Regia⟩.

koningswater ⟨het⟩ ⟨schei.⟩ **0.1** *aqua regia*.

koningszeer ⟨het⟩ ⟨med.⟩ **0.1** *king's evil* ⟹*scrofula*.

koningszoon ⟨de (m.)⟩ **0.1** *king's son* ⟹*royal prince*.

koninkje ⟨het⟩ **0.1** [⟨dierk.⟩ zangvogel] *wren* ⟨Troglodytes troglodytes⟩ **0.2** [kleine koning] *petty king* ⟹*kingling, kinglet*.

koninklijk
I ⟨bn.⟩ **0.1** [(als) van een koning(in)] *royal* ⟹⟨bv. gedrag, houding⟩ *regal, kingly* **0.2** [koning(in) zijnd] *royal* **0.3** [van de koning(in) uitgaand] *royal* **0.4** [⟨als predikaat⟩] *Royal* ⟹*King's/Queen's* ♦ **1.1** van ~en bloede *of royal blood;* de ~e domeinen *the royal estates;* de ~e familie *the Royal Family, blood royal;* de ~e garde *the household brigade/troops;* ~ gezag *royal authority;* Zijne/Hare Koninklijke Hoogheid *His/Her Royal Highness;* het Koninklijk Huis *the Royal Household/Family* **1.3** een Koninklijk Besluit *a R. decree* **1.4** Koninklijke Luchtvaart Maatschappij *R. Dutch Airlines;* de Koninklijke Marine *the R. Navy;* de Koninklijke Olie, ⟨ook vaak afgekort tot⟩ de Koninklijke *R. Dutch Shell* **1.**¶ de ~e weg gaan *take the royal road, steer a straight course;*
II ⟨bn., bw.; -ly⟩ **0.1** [vorstelijk, royaal] *regal* ⟹*royal, splendid, stately* ♦ **1.1** ~e grootmoedigheid *magnificent generosity;* een ~ maal *a repast fit for a king* **3.1** ~ leven *live like a king;* iem. ~ onthalen *give s.o. a welcome fit for a king, entertain s.o. royally*.

koninkrijk ⟨het⟩ **0.1** *kingdom* ⟹*monarchy, regality, realm* ♦ **1.1** het ~ Gods/der hemelen *the k. of God/of Heaven;* het Koninkrijk der Nederlanden *The (Kingdom of the) Netherlands* **2.1** het Verenigd Koninkrijk *the United Kingdom*.

konkelaar ⟨de (m.)⟩ **0.1** *schemer* ⟹*wangler, intriguer*.

konkelachtig ⟨bn., bw.; -ly⟩ **0.1** *scheming* ⟹*devious*.

konkelarij ⟨de (v.)⟩ **0.1** *scheming* ⟹*intrigue, wangling, conniving*.

konkelen ⟨onov.ww.⟩ ⟨inf.⟩ **0.1** [intrigeren] *scheme* ⟹*intrigue, wangle, connive* **0.2** [roddelen] *gossip* ♦ **6.1** zij hadden met elkaar gekonkeld *they had schemed/connived together*.

konkelfoes ⟨de (m.)⟩ ⟨AZN⟩ →**konkelarij**.

konkelfoezen ⟨onov.ww.⟩ **0.1** [arglistig handelen] *scheme* ⟹*contrive, wangle* **0.2** [samenzweren] *intrigue* ⟹*conspire, connive, plot* **0.3** [smoezen] *whisper*.

konstabel ⟨de (m.)⟩ **0.1** [mbt. de marine] *gunner* **0.2** [mbt. grote rederijen] *chief security officer at the docks*.

kont ⟨de⟩ **0.1** [⟨inf.⟩ zitvlak] *bottom* ⟹*behind, rear*, ⟨AE; vulg.⟩ *ass*, ⟨BE; sl.⟩ *bum* **0.2** [⟨inf.⟩ lichaam] ⟨zie 2.2,6.2⟩ **0.3** [achterkant] ⟨bv. boom⟩ *bottom* ⟹⟨bv. muntstuk⟩ *tail*, ⟨bv. schip⟩ *back* ♦ **2.2** in zijn blote ~ *in the altogether* **3.1** ⟨fig.⟩ de ~ tegen de krib gooien *dig one's heels in;* ⟨fig.⟩ zijn ~ ergens indraaien *worm one's way in somewhere/into sth.;* je kunt hier je ~ niet keren *you couldn't swing a cat here;* je kan m'n ~ kussen *kiss my arse!/ass!, you can go and jump, not on my life;* ⟨fig.⟩ zijn ~ ergens uitdraaien *worm one's way/wriggle out of sth.* **6.1** ⟨fig.⟩ iem. in zijn ~ kruipen *suck up to s.o.;* ⟨vulg.⟩ lick *s.o.'s ass;* hij zat met zijn ~ tegen een verkeerspaal ⟨van auto⟩ *it had its back end up against a bollard;* een schop onder/voor je ~ *a kick in the pants/ass;* op zijn (luie) ~ blijven zitten *sit/laze around on one's ass;* ⟨fig.⟩ het hele bedrijf ligt op zijn ~ *the entire business is at a standstill;*

(een klap) voor je ~ kun je krijgen *you'll get a smack/slap on the bottom/bum* **6.2** dure kleren aan z'n ~ hebben [↑]*be dressed expensively;* ⟨AE ook⟩ ↓*have expensive clothes on one's ass.*

konterfeiten ⟨ov.ww.⟩ ⟨meestal iron.⟩ **0.1** ⟨ongemarkeerd⟩ *portray* ⟹ ⟨ongemarkeerd⟩ *picture, depict*.

konterfeitsel ⟨het⟩ **0.1** *likeness* ⟹*portrait*.

konterfoort ⟨het, de (m.)⟩ **0.1** *counter, stiffener*.

kontje ⟨het⟩ **0.1** [kleine kont] *bottom* ⟹⟨BE; sl.⟩ *bum*, ⟨AE ook⟩ *gig* **0.2** [duw tegen iemands zitvlak] ≠*boost* ⟹*leg up* ♦ **3.1** ~ ketsen *give s.o. the bumps* **3.2** geef 's effen een ~ *give me a leg up*.

kontjongetje ⟨het⟩ ⟨inf.⟩ **0.1** ⟨ongemarkeerd⟩ *catamite*.

kontkruiper ⟨de (m.)⟩ ⟨vulg.⟩ **0.1** [B]*arse-/*[A]*ass-licker* ⟹⟨BE ook⟩ *bumsucker*, ⟨AE ook⟩ *ass-kisser, brown-nose(r)*.

kontlikken ⟨ww.⟩ ⟨inf.⟩ **0.1** *sucking up (to s.o.)* ⟹*toadying (to s.o.)*.

kontlikker ⟨de (m.)⟩, **kontlikster** ⟨de (v.)⟩ ⟨inf.⟩ **0.1** *creep* ⟹⟨BE; sl.⟩ *bumsucker*, ⟨AE; vulg.⟩ *asskisser*.

kontneuken ⟨ww.⟩ ⟨vulg.⟩ **0.1** *bugger* ⟹⟨AE ook⟩ *ass-fuck*.

kontzak ⟨de (m.)⟩ ⟨inf.⟩ **0.1** ⟨ongemarkeerd⟩ *back pocket*.

konvooi ⟨het⟩ **0.1** [krijgsgeleide] *convoy* **0.2** [schepen onder geleide] *convoy* **0.3** [militair transport] *convoy* **0.4** [spoorwagons] *convoy* ♦ **6.1** onder ~ varen *sail in c..*

konvooieerder ⟨de (m.)⟩ **0.1** *consort*.

konvooieren ⟨ov.ww.⟩ **0.1** [mbt. schepen] *convoy* **0.2** [begeleiden] *convoy* ⟹*escort, conduct*.

konvooiloper ⟨de (m.)⟩ **0.1** *customs broker/agent*.

konvooischip ⟨het⟩ **0.1** *consort*.

koof ⟨de⟩ **0.1** *cove*.

koog ⟨de⟩ **0.1** *land lying beyond a dyke*.

kooi ⟨de⟩ ⟨→sprw. 365⟩ **0.1** [met tralies afgesloten dierenverblijf] *cage* **0.2** [stal] *pen* ⟹⟨voor kippen⟩ *coop*, ⟨schapen⟩ *fold*, ⟨varkens⟩ *sty* **0.3** [slaapplaats op een schip] *berth* ⟹*bunk* **0.4** [voorwerp dat lijkt op een hok] *cage* **0.5** [inrichting om vogels/eenden te vangen] *decoy* **0.6** [⟨druk.⟩] *quoin* ♦ **1.4** de ~ van een auto *the bodywork of a car;* ⟨nat.⟩ de ~ van Faraday *Faraday c.;* de ~ van een lift *the c. / car of an elevator*, [A]*the c. of a lift* **3.3** ~ en opbrengen/afnemen *hang up/take down the mats* **6.1** in een ~ opsluiten/gevangen houden *cage; mew* ⟨havik⟩; *pen* ⟨schapen⟩; *coop up* ⟨kippen⟩; een vogel in een ~tje *a captive bird* **6.3** naar/te ~ gaan *turn in* **6.4** ⟨sport⟩ de keeper staat voor de ~ *the keeper is standing in front of the goal*.

kooianker ⟨het⟩ **0.1** *squirrel cage (armature)*.

kooiantenne ⟨de⟩ **0.1** *cage antenna/aerial*.

kooiconstructie ⟨de (v.)⟩ **0.1** *cage*.

kooieend ⟨de⟩ **0.1** *decoy-duck*.

kooien
I ⟨ov.ww.⟩ **0.1** [in een kooi sluiten] *cage* ⟹*encage*, ⟨kippen ook⟩ *coop (up)*, *pen* ⟨schapen⟩ **0.2** [⟨druk.⟩] *quoin (up)*;
II ⟨onov.ww.⟩ **0.1** [eenden vangen] *decoy*.

kooiker ⟨de (m.)⟩, **kooier** ⟨de (m.)⟩ **0.1** *decoy-man*.

kooisysteem ⟨het⟩ **0.1** *(Faraday) cage system*.

kooiverbinding ⟨de (v.)⟩ ⟨schei.⟩ **0.1** *cage compound*.

kooivogel ⟨de (m.)⟩ **0.1** *cage(d) bird* ⟹*cageling*.

kook ⟨de⟩ **0.1** *boil* ♦ **6.1** het water is aan de ~ *the water is on the b. / is boiling;* aan de ~ brengen *bring to the b. / to boiling point;* iets zachtjes aan de ~ brengen *bring sth. to a simmer;* even aan de ~ brengen *boil briefly;* het water/de ketel aan de ~ brengen *bring the water/kettle to the b.;* van de ~ zijn ⟨lett.⟩ *be off the b.;* ⟨fig.⟩ *be tied up in knots;* van de ~ raken *go off the b.;* ⟨fig.⟩ iem. van de ~ brengen *tie s.o. up in knots, put s.o. off his stroke;* ⟨fig.⟩ volkomen van de ~ raken *come apart at the seams, go to pieces*.

kookboek ⟨het⟩ **0.1** *cookery book*, [A]*cookbook*.

kookcursus ⟨de (m.)⟩ **0.1** *cookery course* ⟹*course in cookery*.

kookdeeg ⟨het⟩ ⟨cul.⟩ **0.1** *choux pastry*.

kookeiland ⟨het⟩ **0.1** *free-standing cooker*.

kookfornuis ⟨het⟩ **0.1** *stove* ⟹⟨kachel⟩ *range*.

kookgelegenheid ⟨de (v.)⟩ **0.1** *cooking facilities* ♦ **6.1** kamer met ~ *room with c. f.,* [↑]*self-catering accommodation*.

kookgerei ⟨het⟩ **0.1** *cooking utensils*.

kookhitte ⟨de (v.)⟩ **0.1** *boiling point* ♦ **6.1** tot ~ verwarmen *heat to boiling point*.

kookhoek ⟨de (m.)⟩ **0.1** *kitchen/cooking area/* ⟨nis⟩ *recess/alcove*.

kookhok ⟨het⟩ **0.1** *cookshed*.

kookkachel ⟨de⟩ **0.1** *range*.

kookketel ⟨de (m.)⟩ **0.1** *boiler, cauldron* ⟹*soup kettle, marmite*.

kookkolf ⟨de⟩ ⟨schei., nat.⟩ **0.1** *florence flask* ⟹*boiling flask*.

kookkunst ⟨de (v.)⟩ **0.1** *cookery* ⟹*(the art of) cooking, culinary art* ♦ **2.1** de hogere ~ *haute cuisine*.

kookles ⟨de⟩ **0.1** *cooking /* ⟨BE ook⟩ *cookery class*.

kooklucht ⟨de⟩ **0.1** *cooking smell(s)*.

kookpan ⟨de⟩ **0.1** *saucepan*.

kookplaat ⟨de⟩ **0.1** *cooking ring* ⟹*hot plate, griddle*.

kookplaatje ⟨het⟩ **0.1** *hot plate* ⟹[B]*boiling ring*.

kookpunt ⟨het⟩ ⟨ook fig.⟩ **0.1** *boiling point* ⟹⟨fig.⟩ *fever pitch* ♦ **3.1** het ~ bereiken ⟨ook fig.⟩ *reach b. p.* **6.1** ⟨fig.⟩ de verontwaardiging steeg tot het ~ *the indignation rose to fever pitch*.

kookpunt(s)bepaling ⟨de (v.)⟩ **0.1** *determination of boiling point*.

kooks →cokes.

kookschool ⟨de⟩ **0.1** *cookery school* ⇒*catering school / college*.

kooksel ⟨het⟩ **0.1** *cooked mess*.

kooktoel ⟨het⟩ **0.1** *camping stove* ⇒*spirit stove / burner*.

kooktijd ⟨de (m.)⟩ **0.1** *boiling / cooking time* ◆ **1.1** de ~ van aardappels is 20 minuten *potatoes boil in 20 minutes / take 20 minutes to boil*.

kooktoestel ⟨het⟩ **0.1** *cooker* ⇒*cooking apparatus*.

kooktraject ⟨het⟩ **0.1** *boiling range*.

kookwas ⟨de⟩ **0.1** [wasgoed] *laundry that needs boiling* ⇒*white wash* **0.2** [wasprogramma] *boiling programme* ^gram *whites, 95°*.

kookwekker ⟨de (m.)⟩ **0.1** *kitchen timer*.

kool ⟨de⟩ ⟨→sprw. 668⟩ **0.1** [plantengeslacht] *cabbage* **0.2** [groente] *cabbage* **0.3** [gerecht] *cabbage* **0.4** [steenkool] *coal* **0.5** [koolstof] *carbon* **0.6** [gloeiend stuk koolstof] *(live) coal* ⇒*ember* ◆ **1.2** de ~ en de geit willen sparen *sit on the fence, run with the hare and hunt with the hounds* **2.1** één chinese ~, graag *one head of Chinese cabbage / leaves, please;* rode / witte / groene ~ *red / white / green c.* **2.5** plantaardige / dierlijke ~ *vegetable / animal c.* **2.6** een dove ~ *a dead c., a cinder* **3.2** ⟨fig.⟩ iem. een ~ stoven *play a trick on s.o., pull the wool over s.o.'s eyes, take s.o. for a ride* **6.¶** uit de ~ gekomen zijn / komen *be found under a gooseberry bush* **8.1** groeien als ~ *shoot up*.

koolaanslag ⟨de (m.)⟩ **0.1** *carbon deposit*.

koolachtig ⟨bn.⟩ **0.1** *carbonaceous* ⇒*coaly*.

koolassimilatie ⟨de (v.)⟩ ⟨biol.⟩ **0.1** *carbon assimilation* ⇒⟨planten⟩ *photosynthesis*.

koolblad ⟨het⟩ **0.1** *cabbage leaf*.

koolborstel ⟨de (m.)⟩ ⟨tech.⟩ **0.1** *carbon brush* ⇒*graphite brush*.

kooldioxyde ⟨het⟩ ⟨schei.⟩ **0.1** *carbon dioxide*.

kooldraad ⟨de (m.)⟩ **0.1** *carbon filament*.

kooldruk ⟨de (m.)⟩ ⟨foto.⟩ **0.1** [pigmentdruk] *carbon printing* **0.2** [foto] *carbon print*.

kooldrukpapier ⟨het⟩ **0.1** *pigment paper* ⇒*carbon paper*.

koolelement ⟨het⟩ **0.1** *carbon-rod element*.

koolhydraat ⟨de⟩ **0.1** *carbohydrate*.

koollong ⟨de⟩ **0.1** *anthracosis*.

koolmees ⟨de⟩ **0.1** *great tit(mouse)* ⇒^Boxeye.

koolmijn ⟨de⟩ **0.1** *coal-mine*.

koolmonoxyd(e) ⟨het⟩ ⟨schei.⟩ **0.1** *carbon monoxide*.

koolmonoxydevergiftiging ⟨de (v.)⟩ **0.1** *carbon monoxide poisoning*.

koolraap ⟨de (m.)⟩ **0.1** [groente] *kohlrabi* ⇒*turnip cabbage* **0.2** [knolgewas] *swede* ⇒*Swedish turnip*, ⟨AE ook⟩ *rutabaga* ◆ **6.1** ~ boven de grond *k., turnip cabbage*.

koolrabi ⟨de⟩ **0.1** *kohlrabi* ⇒*turnip cabbage*.

koolrups ⟨de⟩ **0.1** *cabbageworm*.

koolsla ⟨de⟩ **0.1** *coleslaw* ⇒⟨AE ook⟩ *cold slaw*.

koolspits ⟨de⟩ **0.1** *carbon*.

koolstof ⟨de⟩ **0.1** *carbon* ◆ **2.1** radioactieve ~ *radio c..*

koolstofchemie ⟨de (v.)⟩ **0.1** *organic chemistry*.

koolstofcyclus ⟨de (m.)⟩ **0.1** [⟨biol.⟩] *carbon cycle* **0.2** [⟨kernfysica⟩] *carbon cycle*.

koolstofdatering ⟨de (v.)⟩ **0.1** *carbon (14) dating* ⇒*radiocarbon dating*.

koolstofhoudend ⟨bn.⟩ **0.1** *carbonaceous* ⇒*carboniferous*.

koolstofstaal ⟨het⟩ **0.1** *carbon steel*.

koolstofverbinding ⟨de (v.)⟩ ⟨schei.⟩ **0.1** *carbon compound*.

koolstofvezel ⟨de (m.)⟩ **0.1** *carbon-fibre*.

koolstronk ⟨de (m.)⟩ **0.1** *cabbage stalk / stump*.

koolteer ⟨het, de (m.)⟩ ⟨schei.⟩ **0.1** *coal tar*.

kooltekening ⟨de (v.)⟩ **0.1** *charcoal (sketch / drawing)*.

kooltje ⟨het⟩ **0.1** [kleine kool] *small cabbage* **0.2** [stukje (houts/turf)kool] *(piece of) charcoal* ⇒*coal* ◆ **1.2** onder vuur a burning (piece of) charcoal **2.1** met ogen als gloeiende ~s *with blazing eyes* **2.2** een smeulend ~ *a smouldering ember*.

koolvis ⟨de (m.)⟩ **0.1** *pollack*.

koolvlinder →koolwitje.

koolwaterstof ⟨de⟩ ⟨schei.⟩ **0.1** *hydrocarbon* ◆ **2.1** verzadigde en onverzadigde ~fen *saturated and unsaturated hydrocarbons* **6.1** met ~ verbinden / vermengen *carburet*.

koolwaterstofverbinding ⟨de (v.)⟩ **0.1** *hydrocarbon compound*.

koolweerstand ⟨de (m.)⟩ ⟨tech.⟩ **0.1** *carbon resistor*.

koolwitje ⟨het⟩ **0.1** *cabbage white butterfly* ⇒*garden white*.

koolzaad ⟨het⟩ **0.1** [zaad] *coleseed* **0.2** [plant] *rape* ⇒*colza*.

koolzaadveld ⟨het⟩ **0.1** *field of rape(seed) / colza*.

koolzuur[1] ⟨het⟩ ⟨schei.⟩ **0.1** [verbinding] *carbonic acid* **0.2** [koolzuurgas] *carbon dioxide* ⇒*carbonic acid gas* ◆ **6.2** zonder ~ (van frisdrank) *still*.

koolzuur[2] ⟨bn.⟩ ⟨schei.⟩ **0.1** *carbonate(d)* ◆ **1.1** ~zout *carbonate (salt)*.

koolzuurassimilatie ⟨de (m.)⟩ ⟨biol.⟩ **0.1** *photosynthesis* ⇒*carbon assimilation*.

koolzuurgas ⟨het⟩ ⟨schei.⟩ **0.1** *carbon dioxide* ⇒*carbonic acid gas*.

koolzuurhoudend ⟨bn.⟩ **0.1** *carbonated* ◆ **1.1** ~e dranken *c. drinks* **3.1** mineraalwater ~ maken *(artificially) carbonate mineral water*.

koolzuurpatroon ⟨het⟩ **0.1** *carbon dioxide bulb / cartridge*.

koolzuurstift ⟨de⟩ ⟨med.⟩ **0.1** ≠*cryoprobe*.

koolzwart[1] ⟨het⟩ **0.1** *(coal tar) creosote*.

koolzwart[2] ⟨bn.⟩ **0.1** *coal-black* ⇒*pitch-black*.

koon ⟨de⟩ ⟨schr.⟩ **0.1** *cheek* ◆ **2.1** een kind met blozende / rode konen *a child with flushed / red cheeks*.

koop ⟨de (m.)⟩ ⟨→sprw. 191⟩ **0.1** [handeling] *buy* ⇒*purchase* **0.2** [overeenkomst in handelszaken] *deal* ⇒*transaction, sale* **0.3** [deel van een partij] *parcel* ⇒*lot* ◆ **1.1** recht van ~ *right of purchase;* ~ en verkoop *buying and selling* **2.1** een goede ~ doen *get a good bargain / b. / deal* **2.2** een goede ~ *a good buy / d. / purchase, a bargain;* een slechte / kwade ~ *a bad / poor buy / d. / purchase* **3.1** de ~ met een drankje beklinken *seal the deal / celebrate the purchase with a drink;* ⟨jur.⟩ ~ breekt geen huur *leasing agreements are not affected / broken by sale;* de ~ breken *not go through with a deal / sale;* de ~ gaat door *the deal / transaction / sale is going through;* een ~ sluiten *close a deal, conclude a sale / transaction;* tot de ~ van iets overgaan *purchase / buy sth.* **6.1** ⟨fig.⟩ op de ~ toe *into the bargain, in addition, to boot, thrown in(to the deal);* op de ~ toe geven *throw in (for nothing);* ⟨fig.⟩ ze was gierig en bazig op de ~ toe *she was mean and bossy into the bargain / to boot;* ⟨fig.⟩ iets op de ~ toe nemen *(be prepared to) put up with sth.;* te ~ (zijn / staan) *(be) for sale;* ⟨fig.⟩ weten wat er in de wereld te ~ is *know what's what, have seen a thing or two, know the way of the world;* ⟨AZN⟩ te ~ hebben *have coming out of one's ears;* ⟨fig.⟩ te ~ zitten *be exposed;* met iets te ~ lopen ⟨fig.⟩ *parade / flaunt sth., make a show / flourish of sth.;* ⟨fig.⟩ vriendschap is niet te ~ *you can't buy friendship;* er is van alles te ~ *you can get anything you want;* het is niet te ~, nog voor geen miljoen *it's not for sale, not even for a million pounds / ^dollars;* zijn laatste boek ligt te ~ *voor een habbekrats his latest book is being sold off cheap / is being remaindered;* ⟨fig.⟩ ik wil niet zo voor iedereen te ~ zitten *I don't want to sit and be stared at by everyone;* te ~ aangeboden *offered / up for sale;* te ~ aanbieden / hebben *offer / have for sale;* ⟨fig.⟩ met zichzelf te ~ lopen *sing one's own praises;* ⟨fig.⟩ met zijn rechtschapenheid te ~ lopen *(always) brag about one's integrity / honesty / sense of fairness;* ⟨fig.⟩ willen zien wat er in de wereld te ~ is *want to see the world / sth. of life;* in de winkel voor een gulden te ~ zijn *be in the shops / stores for / at one guilder;* te ~ of te huur ^Bto buy or let, ^Afor sale or lease;* te ~ gevraagd *wanted;* te ~ zetten *display for sale*.

koopakte ⟨de⟩ **0.1** *deed of sale / purchase*.

koopal ⟨de (m.)⟩ **0.1** *compulsive buyer / shopper*.

koopavond ⟨de (m.)⟩ **0.1** *late night shopping, late opening*.

koopbrief ⟨de (m.)⟩ **0.1** [koopakte] *deed of sale / purchase* **0.2** [koopbevestiging] *contract of sale* ⇒*confirmation of sale* (bij bestelling).

koopcontract ⟨het⟩ **0.1** (brief) *contract / bill of sale* ⇒⟨akte⟩ *purchase / title deed, deed of purchase,* ⟨onroerend goed ook⟩ *(deed of) conveyance*.

koopdag ⟨de (m.)⟩ **0.1** [dag waarop verkoping gehouden wordt] *sale day* **0.2** [openbare verkoping] *public sale* ⇒*auction* ◆ **3.1** ~ houden op woensdag *van veiling) hold an auction on Wednesdays*.

koopflat ⟨de (m.)⟩ **0.1** *owner-occupied flat* ⇒⟨AE ook⟩ *condominium,* ⟨AE; inf.⟩ *condo*.

koopgedrag ⟨het⟩ **0.1** *purchasing / buying behaviour*.

koopgraag ⟨bn.⟩ **0.1** *acquisitive* ⇒*eager to buy / spend money*.

koophandel ⟨de (m.)⟩ ⟨schr.⟩ **0.1** *commerce* ⇒*trade* ◆ **1.1** Kamer van Koophandel ≠*Chamber of Commerce;* het Wetboek van ~ *(Dutch) Commercial Code* **3.1** ~ drijven *be in trade / c..*

koophuis ⟨het⟩ **0.1** [huis dat eigendom is v.d. bewoners] *owner-occupied house* **0.2** [huis dat te koop wordt aangeboden] *house for sale*.

koopje ⟨het⟩ **0.1** [voordeeltje] *bargain* ⇒*good buy / deal* **0.2** [grap] *trick* **0.3** [kaveling] *parcel* ◆ **3.1** ~s halen / doen *pick up bargains;* dat is een ~, daar heb je een ~ aan *that's a real bargain / a good deal / buy;* ⟨iron.⟩ nou dat is zeker een ~ *what a sell!* **3.2** iem. een ~ leveren / bezorgen *play a t. on s.o.* **6.1** op een ~ *at a bargain price, for next to nothing, for peanuts / a song, dirt cheap;* op ~s gaan *(go) bargain hunt(ing), be a bargain hunter;* ⟨fig.⟩ 't is op een ~ gemaakt *it's done / made cheaply, it's shoddy (work);* bij hem moet alles op een ~ *he's a penny pincher, he does everything as cheaply as possible;* hij kreeg het voor een ~ *he got it for a song / pittance*.

koopjesjager, -jaagster ⟨de (v.)⟩ **0.1** *bargain hunter* ⇒*snapper-up,* ⟨AE; sl.⟩ *schlepper*.

koopkaart ⟨de⟩ ⟨sport⟩ **0.1** *stock card*.

koopkracht ⟨de⟩ ⟨ec.⟩ **0.1** *purchasing / buying / spending power* ◆ **1.1** het behoud van de ~ *the maintenance / strength of consumer purchasing / buying power;* ⟨fig.⟩ de ~ van het geld *the real value of money;* de ~ van de bevolking neemt af *public purchasing power is declining* **3.1** de dollar heeft aan ~ ingeboet *the real value of the dollar has declined, the purchasing power of the dollar has declined*.

koopkrachtdaling ⟨de (v.)⟩ **0.1** *fall / drop / decline in purchasing / buying / spending power*.

koopkrachtig ⟨bn.⟩ **0.1** *with great purchasing power* ◆ **1.1** een ~ publiek *a public with great purchasing power*.

koopkrachttheorie ⟨de (v.)⟩ **0.1** *purchasing power theory*.

koopkrediet ⟨het⟩ **0.1** *(purchase) credit*.

kooplust ⟨de (m.)⟩ **0.1** *consumer interest/activity* ⇒*inclination/willingness/desire to buy, interest in buying, buyer response* ♦ **1.1** gebrek aan ~ *consumer/sales resistance* **3.1** zijn ~ bevredigen/niet bedwingen *go on a spending spree;* iemands ~/ de ~ van het publiek opwekken *stir up (s.o.'s) buying interest/consumer interest* **5.1** er was bijzonder weinig ~ *there was very little c. interest/activity/buyer response*.

kooplustig ⟨bn.⟩ **0.1** *acquisitive* ⇒*fond of spending money/buying* ♦ **3.1** niet erg ~ zijn *not be very a., not be in a mood to buy* **7.1** ⟨zelfst.⟩ een ~e *an a. person, an eager buyer/shopper*.

koopman ⟨de (m.)⟩ **0.1** [handelaar] *dealer* ⇒*trader, merchant, businessman* **0.2** [venter] *vender* ⇒*hawker, door-to-door salesman* ♦ **2.1** ⟨fig.⟩ hij is een echte ~ *he'd sell his own mother for a price, he always thinks of the financial side/money angle* **6.1** ~ in graan *grain merchant;* het is gedaan met de ~ *he is/they/you are done for.*

koopmansbeurs ⟨de⟩ **0.1** *commodity exchange.*

koopmansboek ⟨het⟩ **0.1** *account book.*

koopmansbrief ⟨de (m.)⟩ **0.1** *business letter.*

koopmanschap ⟨de (v.)⟩ **0.1** [handel, bedrijf] *trade* ⇒*business* **0.2** [koopmansgeest] *business sense* ♦ **2.2** het getuigt van goed ~ *that shows business acumen/good b. s.* **3.1** ~ drijven *carry on t..*

koopmansdurf ⟨de (m.)⟩ **0.1** *mercantile spirit/enterprise.*

koopmansgebruik ⟨het⟩ **0.1** *trade/commercial practice.*

koopmansgeest ⟨de (m.)⟩ **0.1** *business sense.*

koopmansgilde ⟨het⟩ **0.1** *merchant guild* ⇒ ⟨vnl. in Duitsland in middeleeuwen⟩ *hanse.*

koopmansgoederen ⟨zn.mv.⟩ **0.1** *merchandise* ⇒*wares, goods (for trade), (trade) commodities.*

koopmansinstinct ⟨het⟩ **0.1** *commercial instinct* ⇒*flair for trade.*

koopmansstijl ⟨de (m.)⟩ **0.1** [handelsstijl] *commercial/business style* **0.2** [handelsgebruik] *commercial/business practice* ♦ **6.2** naar ~ te werk gaan *do sth. professionally.*

koopmonster ⟨het⟩ **0.1** *sample.*

kooporder ⟨de (m.)⟩ **0.1** *buying/purchase order* ⇒*order to buy/purchase.*

koopovereenkomst ⟨de (v.)⟩ **0.1** *purchase/sale agreement* ♦ **3.1** zij tekende de ~ voor het huis *she signed the agreement for the purchase/sale of the house.*

kooppenningen ⟨zn.mv.⟩ ⟨schr.⟩ **0.1** *commission.*

koopprijs ⟨de (m.)⟩, **koopsom** ⟨de⟩ **0.1** *purchase price.*

koopsompolis ⟨de (v.)⟩ **0.1** *single-premium insurance*/ ⟨BE ook⟩ *assurance policy.*

koopvaarder ⟨de (m.)⟩ **0.1** *merchant/trading vessel* ⇒*merchantman.*

koopvaardij ⟨de (v.)⟩, **koopvaart** ⟨de⟩ **0.1** ⟨vnl. BE⟩ *merchant navy* ⇒ ⟨vnl. BE⟩ *mercantile marine,* ⟨vnl. AE⟩ *merchant marine* ♦ **1.1** wet op de ~ *Merchant Shipping Act* **6.1** schipper/stuurman **ter/bij** de ~ *skipper/mate in the merchant navy.*

koopvaardijhaven ⟨de⟩ **0.1** *trading/shipping port.*

koopvaardijkapitein ⟨de (m.)⟩ **0.1** *captain/master of a merchant ship/merchantman* ⇒*master mariner, captain in the merchant* ᴮ*navy/*ᴬ*marine.*

koopvaardijmatroos ⟨de (m.)⟩ **0.1** *merchant seaman/sailor.*

koopvaardijvloot ⟨de⟩ **0.1** *merchant fleet* ⇒*mercantile/merchant* ᴮ*navy/*ᴬ*marine/service (fleet).*

koopvaardijschip ⟨het⟩ **0.1** *merchantman* ⇒*merchant ship, trader, trading-vessel/-ship.*

koopvernietigend ⟨bn.⟩ ⟨jur.⟩ ♦ **1.¶** een ~ gebrek *a defect that gives grounds for annulment of sale.*

koopvernietiging ⟨de (v.)⟩ **0.1** *annulment of sale.*

koopvoorwaarden ⟨zn.mv.⟩ **0.1** *conditions/terms of purchase.*

koopvrouw ⟨de (v.)⟩ **0.1** [ventster] *vender* ⇒*pedlar/*ᴬ*ddler, huckster* **0.2** [zakenvrouw] *businesswoman.*

koopwaar ⟨de⟩ **0.1** *merchandise* ⇒*wares, commodities* ♦ **3.1** zijn ~ aanprijzen *sing the praises of*/ ⟨inf.⟩ *talk up one's goods/wares.*

koopwaardig ⟨bn.⟩ **0.1** *sound.*

koopwoede ⟨de (v.)⟩ **0.1** *spending mania* ⇒*compulsive buying* ♦ **1.1** vlaag/aanval van ~ *spending spree/binge.*

koopwoning ⟨de (v.)⟩ **0.1** *owner occupied property* ⇒*private property.*

koopziek ⟨bn.⟩ **0.1** ⟨zie 3.1⟩ ♦ **3.1** ~ zijn *be a compulsive buyer.*

koopzucht ⟨de⟩ **0.1** *extravagance* ⇒*squandermania.*

koor ⟨het⟩ **0.1** [koorzang] *chorus* **0.2** [zanggroep] *choir* **0.3** [gezamenlijk voortgebracht geluid] *chorus* **0.4** [ruimte in een r.k. kerk] *choir* ⇒*chancel* **0.5** [⟨gesch.⟩ rei] *chorus* ♦ **1.2** ⟨fig.⟩ een ~ van engelen/geesten *a c. of angels/spirits* **2.2** een gemengd ~ *a mixed (voice) c.* **6.3** men riep **in** ~ zijn naam *the crowd called his name with one voice/in unison;* een ~ **van** protesten *a c. of protest.*

koorafsluiting →**koorhek.**

koorbank ⟨de⟩ **0.1** *choir stall.*

koorboek ⟨het⟩ ⟨r.k.⟩ **0.1** *gradual.*

koord ⟨het, de⟩ **0.1** [touw] *cord* ⇒*(thick) string, (light) rope* **0.2** [sierlijk gevlochten snoer] *braid* ⇒*(decorative) cord, cording* **0.3** [boogpees] *bowstring* ♦ **2.1** zich op het slappe ~ begeven ⟨fig.⟩ *take the plunge* **3.2** een ~ vlechten *plait/braid a cord* **6.1 op** het/de (slappe) ~ dansen

⟨fig.⟩ *show one's paces* **6.2** een ~ met een kwast eraan *a cord/rope with a brush on the end* **¶.2** ~ je bit/*piece of string.*

koordans ⟨de (m.)⟩ **0.1** *choral dance.*

koorddansen ⟨ww.⟩ **0.1** *walk a tightrope/(high) wire.*

koorddanser ⟨de (m.)⟩, -**es** ⟨de (v.)⟩ **0.1** *tightrope/high wire walker.*

koorde ⟨de⟩ ⟨wisk.⟩ **0.1** *chord.*

koorden ⟨bn.⟩ **0.1** *cord* ⇒*string.*

koordenveelhoek ⟨de (m.)⟩ ⟨wisk.⟩ **0.1** *inscribed polygon of a circle.*

koordfluweel ⟨het⟩ **0.1** *corduroy (velvet).*

koordirigent ⟨de (m.)⟩ ⟨muz.⟩ **0.1** *choir master* ⇒⟨AE ook⟩ *chorister.*

koordmanchester ⟨het⟩ **0.1** *corduroy.*

koordveter ⟨de (m.)⟩ **0.1** *cord shoelace*/ ⟨vnl. AE⟩ *shoestring.*

koordzeep ⟨de⟩ **0.1** *shower soap* ⇒*soap on a rope.*

koorfestival ⟨het⟩ ⟨muz.⟩ **0.1** *choir festival.*

koorgebed ⟨het⟩ ⟨r.k.⟩ **0.1** *choral prayer.*

koorgedeelte ⟨het⟩ **0.1** [⟨bouwk.⟩] *choir* ⇒*chancel* **0.2** [⟨muz.⟩] *chorus* ⇒*choral section.*

koorgestoelte ⟨het⟩ ⟨schr.⟩ **0.1** *choir stalls.*

koorgezang ⟨het⟩ **0.1** (lied) *choral song;* ⟨het zingen⟩ *choral singing.*

koorheer ⟨de (m.)⟩ ⟨r.k.⟩ **0.1** *canon.*

koorhek ⟨het⟩ **0.1** *choir screen* ⇒*rood screen.*

koorhemd ⟨het⟩ ⟨r.k.⟩ **0.1** *surplice.*

koorkap ⟨de⟩ ⟨r.k.⟩ **0.1** *cope.*

koorkapel ⟨de⟩ ⟨bouwk.⟩ **0.1** *radiating chapel.*

koorknaap ⟨de (m.)⟩ ⟨r.k.⟩ **0.1** [lid van een zangerskoor] *choir boy* ⇒*chorister* **0.2** [misdienaar] *altar boy* ⇒*server.*

koorleider ⟨de (m.)⟩ **0.1** [koordirigent] *choir master* ⇒⟨AE ook⟩ *chorister* **0.2** [⟨gesch.⟩ aanvoerder van een rei] *chorus leader.*

koorlied ⟨het⟩ ⟨muz.⟩ **0.1** *chorus.*

koormantel ⟨de (m.)⟩ **0.1** *cope.*

koormuziek ⟨de (v.)⟩ **0.1** *choral music.*

kooromgang ⟨de (m.)⟩ ⟨bouwk.⟩ **0.1** *choir aisle.*

koorrepetitie ⟨de (v.)⟩ **0.1** *choir practice/rehearsal.*

koorsluiting ⟨de⟩ ⟨bouwk.⟩ **0.1** ⟨uitbouw⟩ *apse.*

koorstoel ⟨de (m.)⟩ **0.1** *choir stall.*

koorsymfonie ⟨de (v.)⟩ **0.1** *choral symphony.*

koortrans →**kooromgang.**

koorts ⟨de⟩ **0.1** [verhoogde lichaamstemperatuur] *fever* **0.2** [begeerte] *fever* ♦ **2.1** de alle-/derden-/vierden-/vijfdendaagse ~ *quotidian/quartan*/ ⟨vierden- en vijfdendaags⟩ *quintan ague;* anderdaagse/derdendaagse ~ *tertian (f. / ague);* gele ~ *yellow f.;* hoge/hevige ~ *high temperature/f., serious f.;* ijlende ~ *delirium;* koude ~ *ague;* lichte ~ *slight f.;* ⟨AZN⟩ rode ~ *scarlet f.* **3.1** ⟨de⟩ ~ hebben/krijgen *have/get a f.;* de ~ is gezakt/verdwenen *the f. has abated/passed;* krijg de (kouwe) ~ *drop dead;* bij iem. de ~ opnemen *take s.o.'s temperature* **6.1 met** ~ (in bed) liggen *be in bed/sick with a f.;* medicijn **tegen** de ~ *antifebrile/antipyretic (medicine/drug);* rillen/gloeien **van** de ~ *shake/burn (up) with f.* **6.2** de ~ naar roem *the (burning) desire for fame.*

koortsaanval ⟨de (m.)⟩ **0.1** *attack of fever* ♦ **2.1** een zware ~ *an onslaught of fever.*

koortsachtig ⟨bn., bw.;-(al)ly⟩ **0.1** [koortsig] *feverish* **0.2** [gejaagd] *feverish* ⇒*frenetic, feverous* ♦ **1.2** ~e bedrijvigheid *feverish energy;* met ~e haast *in a feverish hurry;* ~e pogingen *feverish attempts* **3.2** ~ naar iets zoeken *search feverishly/frenetically for sth..*

koortshitte ⟨de (v.)⟩ **0.1** *fever heat.*

koortsig ⟨bn.⟩ **0.1** [aan koorts onderhevig] *feverish* **0.2** [wijzend op koorts] *feverish* ♦ **1.2** een ~ gloed *a f. glow;* een ~ voorhoofd *a f. forehead* **3.1** ik ben een beetje ~ vandaag *I'm feeling a bit f. today, I feel as if I've got a bit of a temperature today;* zich ~ voelen *feel f..*

koortsigheid ⟨de (v.)⟩ **0.1** *feverishness* ⇒*flush.*

koortskruiden ⟨zn.mv.⟩ **0.1** *febrifugal herbs.*

koortsmiddel ⟨het⟩ ⟨med.⟩ **0.1** *febrifuge* ⇒*antipyretic, refrigerant* ♦ **3.1** de arts schreef haar een ~ voor *the doctor prescribed a f. / something to lower the fever.*

koortsmoeras ⟨het⟩ **0.1** *malarial marsh, miasma* ⇒*feverish/feverous swamp.*

koortsstuip ⟨de⟩ **0.1** *feverish convulsion*/ ⟨inf.⟩ *fit* ⇒⟨med. ook⟩ *febrile convulsion.*

koortstherapie ⟨de (v.)⟩ ⟨med.⟩ **0.1** *fever therapy.*

koortsthermometer ⟨de (m.)⟩ **0.1** *clinical thermometer.*

koortstoestand ⟨de (m.)⟩ **0.1** [toestand van koorts] *feverishness* **0.2** [toestand van hevige opwinding] *feverishness.*

koortsuitslag ⟨de (m.)⟩ **0.1** *cold sore* ⇒*fever blister.*

koortsverwekkend ⟨bn.⟩ **0.1** *febrile* ⇒*pyretic.*

koortsvrij ⟨bn.⟩ **0.1** *free of fever, without fever, feverless* ⇒*non-feverish,* ⟨med. ook⟩ *non-febrile, afebrile* ♦ **3.1** (niet) ~ zijn *(not) be rid of one's fever, still/no longer be feverish/have a fever/temperature, (not) have got over one's fever.*

koortswerend ⟨bn.⟩ **0.1** *antipyretic* ⇒*antifebrile, febrifugal, refrigerant* ♦ **1.1** ~e middelen *antipyretics, febrifuges.*

koorvereniging ⟨de (v.)⟩ ⟨muz.⟩ **0.1** *choral society.*

koorzang ⟨de (m.)⟩ **0.1** [het zingen] *choral singing* **0.2** [lied] *choral song* **0.3** [⟨dram.⟩ reizang] *dithyramb* ⇒*choric hymn.*

koorzanger ⟨de (m.)⟩, **-zangeres** ⟨de (v.)⟩ **0.1** *chorister.*

koorzuster ⟨de (v.)⟩ **0.1** *choir nun/sister.*

koosjer ⟨bn.⟩ **0.1** [⟨rel.⟩] *kosher* **0.2** [in orde] *kosher* ◆ **1.1** de ~e bakker *the k. baker;* ~ vlees/ ~e kaas *k. meat/cheese* **1.2** dat zaakje is niet ~ *that business doesn't look too k..*

koosnaam ⟨de (m.)⟩ **0.1** *pet name.*

koot ⟨de⟩ **0.1** [been van het eerste vinger/teenlid van hoefdieren] *pastern* **0.2** [vinger/teenlid van hoefdieren] *pastern* ◆ **6.1** over ~ gaan *twist one's ankle.*

kootbeen ⟨het⟩ **0.1** [been van het eerste vinger/teenlid van hoefdieren] *pastern* **0.2** [sprongbeen] *ankle-bone* ⇒*tarsal.*

kootje ⟨het⟩ **0.1** *phalanx.*

kop ⟨de (m.)⟩(→sprw. 366) **0.1** [deel van het dierlijk lichaam] *head* ⇒ *mask* (van vos) **0.2** [hoofd] (ongemarkeerd) *head* ⇒*nut,* ↓*noggin,* ↓*noodle,* ⟨AE; sl.⟩ *bean* **0.3** [verstand] *head* ⇒*pate, headpiece, brain* **0.4** [bovenste gedeelte] *head* ⇒*top* **0.5** [voorste/uiterste gedeelte] *head* ⇒(*head*) *end, top* **0.6** [drinkgerei] ⇒*mug* **0.7** [krantekop] *headline* ⇒*heading, caption* **0.8** [afbeelding] *head* **0.9** [persoon] *head* ⇒⟨mv.; op schip⟩ *hands, souls* **0.10** [iets met de gedaante v.e. kop] *head* **0.11** [bovenvlak v.e. langwerpig voorwerp] *top edge/surface* ◆ **1.1** ⟨fig.⟩ er zit ~ noch staart aan *you can't make h. or tail of it* **1.2** iem. bij ~ en kont pakken *grab s.o. (any which way);* ⟨eruit smijten⟩ *bounce s.o., toss s.o. out;* ⟨BE ook⟩ *give s.o. the bum's rush/the French walk;* ⟨fig.⟩ met ~ en schouders uitsteken boven *be a cut above, stand out h. and shoulders above* **1.4** de ~ v.e. cilinder *the h. of a cilinder;* de ~ v.h. dijbeen *the h. of the thighbone;* de ~ v.d. golven *the crests of the waves;* de ~ v.e. paal *the top of a pole;* de ~ v.e. spijker/punaise *the h. of a nail/drawing pin;* de ~ v.e. wolk *the cloud top* **1.5** de ~ v.e. dijk *the h. / top of a dike;* de ~ v.e. haven *the h. of a harbour;* de ~ v.e. lucifer/hamer *the h. of a match/hammer;* de ~ van Overijssel *the north of Overijssel;* de ~ van een stoet/het peloton *the h. of a procession/the platoon;* de ~ v.e. vliegtuig *the nose of a plane* **1.6** een ~ koffie *a c. / mug of coffee;* een ~ en schotel *a c. and saucer* **1.8** postzegels met de ~ van de koningin *stamps with the queen's h. on them;* ~ of munt *heads or tails* **1.10** donderkoppen *thunderclouds;* de ~ v.e. pijp *the bowl of a pipe;* de ~ op/v.e. puist *the h. of a pimple* **2.2** ~ dicht! *shut up!, shut your trap!, put a sock in it!;* ⟨fig.⟩ een houten ~ *a thick h., a hangover;* een kale ~ *a bald h., a cue ball;* zij is een ~ kleiner dan hij *she's a h. shorter than he is;* een mooie ~ met haar *a beautiful h. of hair* **2.3** iets doen met een dolle ~ *go off half-cocked, run amok;* iets doen met een dronken ~ *do sth. while (one is) drunk;* dat is een knappe ~ *he is a brain/smart fellow;* hij heeft een knappe ~ *he's got a good headpiece;* met een kwaaie ~ weglopen *leave in a huff, go away mad/fuming;* hij heeft een stijve/harde ~ *he's headstrong/bull-headed/stubborn as a mule* **2.7** grote/vette ~pen *big/bold headlines* **3.1** ⟨fig.⟩ de ~ indrukken *suppress/crush/clamp down on/quash/quell;* hij kreeg de ~ *she had the first sip of one's drink* **3.9** de ~pen tellen *count heads* **3.¶** iets de ~ indrukken *suppress/crush/clamp down on/quash/quell/spike sth.* **4.3** iets in zijn ~ halen *get the idea into one's head, take it into one's head* **5.2** mijn ~ eraf! *I'll eat my hat;* ~op! *chin/cheer up!* **5.10** met een ~ erop ⟨maat⟩ *heaped;* ⟨bier⟩ *with a h.* **6.2** ⟨fig.⟩ met de ~ tegen de muur lopen *bang/run one's h. against a (brick) wall;* ⟨fig.⟩ zich niet op zijn ~ laten zitten *not let o.s. be bullied/bossed around, not take things lying down;* ⟨fig.⟩ iem. op zijn ~ geven *give s.o. what for, tell s.o. off, scold s.o.;* ⟨fig.⟩ op zijn ~ krijgen *get a good scolding/telling-off;* je krijgt het niet al ga je op je ~ staan *you're not going to get it no matter what you do;* ⟨fig.⟩ zich over de ~ werken *burn o.s. out;* zich voor de ~ schieten *blow one's brains out* **6.3** veel aan zijn ~ hebben *have a lot on one's mind;* iem. aan zijn ~ zeuren *be at s.o.'s nag/bug s.o.;* ⟨fig.⟩ wat hij in zijn ~ heeft, heeft hij niet in zijn kont (gat) *once he has an idea in his head he doesn't let go of it easily;* hij heeft het nu eenmaal in zijn ~ *he has taken it into his head* **6.4** ⟨fig.⟩ het hele huis staat op zijn ~ *the whole house has been turned upside down, the whole house looks like a hurricane hit it;* ⟨fig.⟩ de zaal stond op zijn ~ *it brought the house down;* op zijn ~ staan *be topsy-turvy/upside down;* iets op zijn ~ houden *hold sth. upside down;* over de ~ gaan/slaan *overturn, somersault;* ⟨fig.⟩ over de ~ gaan *crash, go broke, fold* **6.5** ⟨fig.⟩ iets bij de ~ vatten *get going on/tackle sth.;* ⟨scheep.⟩ met de ~ op de wind gaan liggen *turn with the h. to the wind;* ⟨sport⟩ op ~/ aan (de) ~ liggen *be up front, have/be in the lead* **6.¶** iets op de ~ tikken *pick/snap sth. up;* het is vijf uur op de ~ af *it is exactly five o'clock, it is five o'clock exactly/dead-on;* in op de ~ af tien seconden *in ten seconds flat, in exactly ten seconds* **8.2** zij kreeg een ~ als vuur *she turned as red as a beetroot.*

kopal ⟨het, de (m.)⟩ **0.1** *copal.*

kopbal ⟨de (m.)⟩ ⟨sport⟩ **0.1** *header.*

kopduel ⟨het⟩ ⟨sport⟩ **0.1** *heading duel.*

kopek ⟨de (m.)⟩ **0.1** *copeck.*

kopen
I ⟨ov.ww.⟩ **0.1** [voor geld in eigendom krijgen] *buy* ⇒ [?]*purchase* **0.2** [afkopen, contracteren] *buy (off)* ⇒ [?]*purchase* ◆ **1.1** huizen/landerijen ~ *b. / purchase houses/estates;* ⟨spel⟩ kaarten ~ *b. cards* **1.2** gekochte moordenaars *hired killers,* ↓*hit/hatchet men;* stemmen ~ *buy votes;* iemands stilzwijgen ~ *bribe s.o. into silence/to keep his mouth shut;* ⟨sport⟩ een voetballer van een andere club ~ *purchase a footballer from another club* **4.1** zich arm ~ *spend money like it's going out of style;* zich in een bejaardentehuis ~ *b. one's way into an old people's home;* zich uit de gevangenis ~ *b. one's way out of prison* **5.1** ⟨fig.⟩ wat koop ik ervoor? *what good will it do me?;* voor 10 gulden kun je nu veel minder ~ dan toen *ten guilders buys less than/ doesn't buy as much as it used to* **6.1** op krediet ~ *b. on credit;* op tijd/ levering ~ *b. forward(s);* ⟨zelfst.⟩ *forward buying, stockpiling* **6.2** ⟨fig.⟩ de vrijheid werd met bloed gekocht *freedom was paid for with blood;*
II ⟨onov.ww.⟩ **0.1** [een aankoop doen] *trade (with)* ⇒*deal (with), shop* ◆ **3.1** ~en verkopen *buy and sell* **5.1** ik koop daar nooit *I never shop there* **6.1** bij/van iem. ~ *trade/deal with s.o.;* op stalen ~ *buy from samples.*

Kopenhaags ⟨bn.⟩ **0.1** *Copenhagen.*

Kopenhagen ⟨het⟩ **0.1** *Copenhagen.*

koper[1] ⟨het⟩ **0.1** [⟨schei.⟩] *copper* **0.2** [geelkoper] *brass* **0.3** [koperwerk] *brass* ⇒*brassware* **0.4** [blaasinstrumenten] *brass* ◆ **2.1** ongezuiverd ~ *unpurified c.;* rood ~*c.* **2.2** geel ~ *brass* **2.3** gehamerd ~ *beaten brass* **3.3** het ~ poetsen *polish the brass* **3.4** het ~ klonk vals *the b. was playing out of tune* **6.1** in ~ snijden *engrave in/on c.;* in ~ engraved in *c.* **6.2** een deurknop van ~ *a b. doorknob.*

koper[2] ⟨de (m.)⟩, **koopster** ⟨de (v.)⟩ **0.1** *buyer* ⇒*shopper,* ⟨koopman⟩ *purchaser* ◆ **1.1** kosten (voor rekening v.d.) ~ ⟨in makelaardij⟩ *expenses to be paid for by b.* **3.1** een ~ vinden *find a b.* **7.1** veel kijkers maar geen ~ *lots of window shoppers but no buyers.*

koperachtig ⟨bn.⟩ **0.1** *brassy* ⇒*coppery* ◆ **1.1** een ~e kleur *a b. / coppery colour.*

koperader ⟨de⟩ **0.1** *copper lode/vein.*

koperbeslag ⟨het⟩ **0.1** *copper/brass fitting* ⟨doodskist⟩; *metal work* ⟨deur, venster⟩; *hoops* ⟨vat⟩.

koperblad ⟨het⟩ **0.1** *copperplate.*

koperblazer ⟨de (m.)⟩ **0.1** *brass player.*

koperdiepdruk ⟨de (m.)⟩ **0.1** [procédé] *copper intaglio/copper plate printing* **0.2** [plaat] *copper (intaglio) plate.*

koperdraad
I ⟨de (m.)⟩ ⟨als voorwerpsnaam⟩ **0.1** [stuk draad van koper] *copper/ brass wire;*
II ⟨het, de (m.)⟩ ⟨als stofnaam⟩ **0.1** [tot draad getrokken koper] *copper/brass wire.*

koperdruk ⟨de (m.)⟩ **0.1** [procédé] *copperplate printing* **0.2** [gravure] *copperplate.*

koperdrukker ⟨de (m.)⟩ **0.1** *copperplate printer.*

koperdrukplaat ⟨de⟩ **0.1** *copperplate.*

koperen[1] ⟨bn.⟩ **0.1** [van koper] *brass* ⇒*copper* **0.2** [als van koper] *brassy* ⇒*coppery, cupreous* **0.3** [koperkleurig] *coppery* ⇒*brassy* ◆ **1.2** ~ gewichten *b. weights;* een ~ ketting *a b. chain;* ~ muziekinstrumenten *b. musical instruments* **1.2** een ~ klank *a b. sound;* een ~ munt [B]*a copper, a copper coin;* ⟨scheī.⟩ de ~ ploert ≠*the tropical sun* **1.3** haar haar had een ~ glans *her hair had a c. sheen* **1.¶** ~ bruiloft ⟨*wedding anniversary after 12 1/2 years*⟩.

koperen[2] ⟨ov.ww.⟩ **0.1** *copper* ◆ **1.1** een schip ~ *copper a ship.*

kopererts ⟨het⟩ **0.1** *copper ore.*

koperets ⟨de⟩ **0.1** *copper etching.*

kopergeld ⟨het⟩ **0.1** *copper coin(s).*

kopergieter ⟨de (m.)⟩ **0.1** *brass-founder.*

kopergieterij ⟨de (v.)⟩ **0.1** *copper foundry* ⇒*brass works.*

kopergietwerk ⟨het⟩ **0.1** *copper/brass castings.*

koperglans
I ⟨de (m.)⟩ **0.1** [weerschijn van koper] *brassy/coppery shine;*
II ⟨het⟩ **0.1** [kopersulfide] *copper glance* ⇒*chalcocite.*

kopergoud ⟨het⟩ **0.1** *similor.*

kopergraveerkunst ⟨de (v.)⟩ **0.1** *copperplate engraving* ⇒*chalcography.*

kopergraveur ⟨de (m.)⟩ **0.1** *copperplate engraver* ⇒*chalcographer.*

kopergravure ⟨de⟩ **0.1** [plaat] *copperplate* **0.2** [afdruk] *copperplate* ⇒ *copper engraving* **0.3** [handeling] *copper engraving.*

kopergroen[1] ⟨het⟩ **0.1** [koperoxydatielaag] *verdigris* ⇒*patina, verd-antique* **0.2** [kleur] *verdigris* **0.3** [azijnzuur] *acetic acid.*

kopergroen[2] ⟨bn.⟩ **0.1** *(a)eruginous.*

koperhoudend ⟨bn.⟩ **0.1** [gesteente] *copper-beating* ⇒*cupriferous,* ⟨schei.⟩ *cupric, cuprous.*

koperindustrie ⟨de (v.)⟩ **0.1** *copper industry.*

koperkies ⟨het⟩ **0.1** *chalcopyrite* ⇒*copper pyrites.*

koperkleur ⟨de⟩ **0.1** *copper colour.*

koperkleurig ⟨bn.⟩ **0.1** *copper* ⇒*copper-/brass-coloured, coppery, brassy,* ⟨lucht e.d.⟩ *brazen.*

koperlazuur ⟨het⟩ ⟨mijnw.⟩ **0.1** *lazurite.*

koperlegering ⟨de (v.)⟩ **0.1** *copper alloy.*
kopermijn ⟨de⟩ **0.1** *copper mine.*
kopermuziek ⟨de (v.)⟩ **0.1** *brass music.*
koperoxyde ⟨het⟩⟨schei.⟩ **0.1** *copper/cupric oxide.*
koperpletterij ⟨de (v.)⟩ **0.1** *copper-mill.*
koperpoets ⟨de (m.)⟩ **0.1** *copper/brass polish.*
koperslager ⟨de (m.)⟩⟨amb.⟩ **0.1** *coppersmith* ⇒*brazier.*
koperslagerij ⟨de (v.)⟩⟨amb.⟩ **0.1** *copper smith's (workshop)* ⇒*braziery, brass shop.*
kopersmarkt ⟨de⟩ **0.1** *buyers' market.*
kopersmid ⟨de (m.)⟩⟨amb.⟩ **0.1** *coppersmith.*
kopersstaking ⟨de (v.)⟩ **0.1** *shoppers'/consumer strike* ⇒*boycott.*
koperstuk ⟨het⟩ **0.1** [B]*copper* ⇒*copper coin.*
kopersulfaat ⟨het⟩⟨schei.⟩ **0.1** *copper sulphate* ⇒*sulphate of copper,* ⟨kopervitriool⟩ *copper/blue vitriol.*
koperwerk ⟨het⟩ **0.1** *copper work* ⇒*brass work, brassware.*
koperwiek ⟨de⟩ **0.1** *redwing.*
koperzout ⟨het⟩⟨schei.⟩ **0.1** *copper salt.*
kopgroep ⟨de⟩⟨sport⟩ **0.1** *group in the lead/up front* ⇒*leaders.*
kophout ⟨het⟩ **0.1** [steunhout in een mijn] *pitprop* **0.2** [top van een boom; hout daarvan] *treetop (wood)* **0.3** [kopshout] *end grain.*
kopie ⟨de (m.)⟩ **0.1** [duplicaat] *copy* ⇒*duplicate* **0.2** [fotokopie] *copy* ⇒*Xerox copy, photocopy* **0.3** [reproduktie] *copy* ⇒*reproduction, replica* **0.4** [naar een voorbeeld gemaakt is] *copy* ⇒*image* **0.5** [afdruk van een foto/film] *print* ⇒*copy* **0.6** [kopij] *copy* ◆ **2.1** een eensluidende ∼ *a true c.* **2.4** een getrouwe ∼ *a replica* **3.1** ik heb van deze brief een ∼ gehouden *I've kept a c. of this letter.*
kopieboek ⟨het⟩ **0.1** *copy book* ⇒*letter book.*
kopieerapparaat ⟨het⟩ **0.1** *photocopier* ⇒*photocopying/xerox machine, copier.*
kopieerder →**kopieerapparaat.**
kopieerinkt ⟨de (m.)⟩ **0.1** *copying ink.*
kopieerinrichting ⟨de (v.)⟩ **0.1** *(photo)copy centre* ⇒*copymart, copiers.*
kopieermachine ⟨de (v.)⟩ **0.1** [kopieerapparaat] *photocopier* ⇒*photocopying/xerox machine, copier, photostat,* ⟨met inkt⟩ *duplicator, mimeograph (machine)* **0.2** [⟨film.⟩] *film copier.*
kopieerpapier ⟨het⟩ **0.1** *(photo)copying paper.*
kopieerpers ⟨de (m.)⟩ **0.1** *copying press* ⇒*letterpress.*
kopieerwieltje ⟨het⟩ **0.1** *tracing wheel.*
kopiëren
  I ⟨ov.ww.⟩ **0.1** [een afschrift maken] *copy* ⇒*make a copy (of),* ⟨afschrijven⟩ *transcribe* **0.2** [naschilderen, natekenen] *copy;*
  II ⟨onov., ov.ww.⟩ **0.1** [een fotokopie maken] *(photo)copy* ⇒*xerox.*
kopiïst ⟨de (m.)⟩, -e ⟨de (v.)⟩ **0.1** *copyist,* ⟨afschrijver⟩ *transcriber* ◆ **1.1** een ∼ van akten *a law writer.*
kopij ⟨de (v.)⟩ **0.1** *copy* ⇒*manuscript* ◆ **3.1** de ∼ zetten *set (up) the type;* hier zit ∼ in *there's good c. in this, c. can be made out of this.*
kopijlezer ⟨de (m.)⟩ **0.1** *copyholder.*
kopijrecht ⟨het⟩ **0.1** *copyright* ◆ **3.1** het ∼ van dit boek is verzekerd *this book has been duly copyrighted, c. reserved,* ©; het ∼ van dit boek is/is nog niet verstreken *this book is out of/in c.;* alle ∼ en voorbehouden *all rights reserved.*
kopijvoorbereider ⟨de (m.)⟩ **0.1** *copyreader.*
kopje ⟨het⟩ **0.1** [drinkgerei] *(small/little) cup* ⇒⟨espressokopje⟩ *demi-tasse,* ⟨Sch.E⟩ *tassie,* ⟨inhoudsmaat⟩ *cup(ful)* **0.2** [hoofd v.e. klein dier] *(small/little) head* **0.3** [klein hoofd v.e. mens] *(small/little) head* **0.4** [uiteinde] *head (end)* ⇒*top* **0.5** [heuvel(tje)] *hillock* ⇒⟨Zuidafrikaans⟩ *kopje* ◆ **1.1** één ∼ bloem *one cup(ful) of flour* **2.3** een kort ∼ hebben *wear one's hair short/in a bob;* wat een pretty *face* **2.¶** iem. een ∼ kleiner maken *chop s.o.'s head off,* ↑*behead s.o.,* ↓*bump/push s.o. off* **3.2** de poes gaf haar steeds ∼s *the cat kept rubbing (its head) against her* **3.4** de tulpen laten hun ∼s hangen *the tulips are drooping;* de bloemen steken hun ∼ boven de grond *the flowers stuck their heads out/are peeping through the soil* **3.¶** ∼ duikelen *turn somersaults/head over heels/over and over;* hij heeft daar het kopetje niet voor *he hasn't got a head for that* **¶.¶** hij ging ∼ onder *he got a ducking/a dip.*
kopjeduikelen ⟨onov.ww.⟩ **0.1** *(turn/do a) somersault.*
kopje-onder ⟨bw.⟩ ◆ **3.¶** hij ging ∼ *he got a ducking/dip.*
kopklep ⟨de⟩⟨tech.⟩ **0.1** *overhead valve.*
koplaag ⟨de⟩⟨bouwk.⟩ **0.1** *top/header course* ⇒*course of headers.*
koplamp ⟨de⟩ →**koplicht.**
koplast ⟨de (m.)⟩ **0.1** ⟨schip⟩ *weight to the bow, bow-heavy load;* ⟨vliegtuig⟩ *nose-heavy load.*
koplastig ⟨bn.⟩ **0.1** ⟨schip⟩ *bow-heavy;* ⟨vliegtuig⟩ *nose-heavy.*
koplat ⟨de⟩⟨amb.⟩ **0.1** *moulding.*
koplengte ⟨de⟩ ◆ **6.1** met een ∼ winnen *win by a h..*
kopletter ⟨de⟩ **0.1** *upstroke letter.*
koplicht ⟨het⟩ **0.1** *headlight* ⇒*headlamp.*
koploos ⟨bn.⟩ **0.1** *headless* ⇒⟨big.⟩ *brainless,* ⟨dierk.⟩ *acephalous* ◆ **1.1** ∼ spijkertje *h. nail, sprig, brad;* koploze weekdieren *acephalous molluscs* [A]*sks.*
koploper ⟨de (m.)⟩, -loopster ⟨de (v.)⟩ **0.1** ⟨sport⟩ *leader* ⇒*front runner*

0.2 [iem. die een leidende positie inneemt] *leader* ⇒⟨vernieuwer⟩ *trend-setter* ◆ **3.1** bij de ∼s horen *be one of/be among the leaders* **6.1** de ∼s in het klassement *the leaders in the race/competition.*
kopman ⟨de (m.)⟩⟨sport⟩ **0.1** *leader* ⇒*captain.*
kopnagel ⟨de (m.)⟩ **0.1** *clout (nail).*
koppakking ⟨de (v.)⟩⟨tech.⟩ **0.1** *cylinder head gasket.*
koppel
  I ⟨de⟩ **0.1** [draagriem] *(sword) belt* **0.2** [honderiem] *leash* ⇒*lead, slip;*
  II ⟨het⟩ **0.1** [span] *couple* ⇒*pair, team, duo,* ⟨groep⟩ *group, bunch,* ⟨zaken⟩ *set,* ⟨kudde⟩ *herd* **0.2** [paartje] *couple* ⇒*pair* **0.3** [vlucht] *flock* ⇒⟨wilde vogels⟩ *covey,* ⟨kwartels⟩ *bevy,* ⟨paar wilde vogels⟩ *brace,* ⟨ganzen; ook fig. voor snaterende meisjes⟩ *gaggle* **0.4** [⟨nat.⟩] *couple* **0.5** [⟨muz.⟩] *coupler* **0.6** [draaimoment] *torque* ◆ **1.1** een ∼ paarden/ossen *a yoke of horses/oxen* **1.2** een ∼ duiven *a pair of doves* **1.3** een ∼ patrijzen *a covey of partridges* **2.1** een aardig ∼ *a nice c.* **2.4** een rechts/linksdraaiend ∼ *a right-/left-hand c..*
koppelaar ⟨de (m.)⟩, -ster ⟨de (v.)⟩ **0.1** [mbt. relaties] *matchmaker* ⇒*marriage broker* **0.2** [mbt. ontucht] *procurer/procuress* ⇒*panderer,* ↓*pimp.*
koppelarij ⟨de (v.)⟩ **0.1** [mbt. relaties] *matchmaking* **0.2** [mbt. ontucht] *procuration* ⇒*pandering,* ↓*pimping.*
koppelbaas ⟨de (m.)⟩ **0.1** *contractor.*
koppelband ⟨de (m.)⟩ **0.1** *coupling-strap* ⇒⟨voor twee honden⟩ *couple.*
koppelboog ⟨de (m.)⟩⟨muz.⟩ **0.1** *tie.*
koppelen
  I ⟨ov.ww.⟩ **0.1** [verbinding tot stand brengen] *couple* ⇒⟨ruim.⟩ *dock* **0.2** [een relatie leggen tussen] *link, relate* **0.3** [een paar verenigen] *pair* **0.4** [liefdesrelatie tot stand brengen] *pair off* ⇒⟨vero.⟩ *match* **0.5** [⟨tech.⟩ verbinden door overbrenging van beweging] *couple* ⇒*connect* ◆ **1.1** treinstellen (aan elkaar) ∼ *c. railway-carriages/*[A]*railroad cars (together)* **1.5** assen/dynamo's ∼ *couple shafts/dynamos;* raderen ∼ *mesh gears* **3.4** twee mensen proberen te ∼ *try to pair two people off* **6.1** de maanlander **aan** het ruimteschip ∼ *dock the lunar module with the space ship* **6.2** het loon ∼ **aan** de prijsindex *l. wages to the price index, index-link wages* **6.3** de loting koppelde Ajax **aan** Benfica *Ajax was drawn against Benfica, the draw paired Ajax with Benfica;*
  II ⟨onov.ww.⟩ **0.1** [mbt. een voertuig] *let in/engage the clutch.*
koppelgenoot ⟨de (m.)⟩ **0.1** *partner* ⇒*teammate.*
koppeling ⟨de (v.)⟩ **0.1** [inrichting die beweegkracht overbrengt] *clutch* **0.2** [koppelingspedaal] *clutch (pedal)* **0.3** [verbindingsstuk] *coupling* ⇒*link* **0.4** [relatie, verhouding] *pair(ing)* ⇒*couple* **0.5** [het verbinden met een verbindingsstuk] *coupling* ⇒*linking* **0.6** [het relateren] *linking, relating* **0.7** [het verenigen tot paren] *pairing (off)* **0.8** [⟨tech.⟩ verbinding door overbrenging van beweging] *coupling* ◆ **2.3** een vaste/beweeglijke ∼ *a tight/loose c.* **3.2** de ∼ intrappen *declutch, let out the clutch;* de ∼ op laten komen *let in/engage the clutch* **6.4** de ∼ v.d. bijstandsuitkering **aan** het minimumloon *linking of social security to the minimum wage.*
koppelingspedaal ⟨het⟩ **0.1** *clutch (pedal).*
koppelkoers ⟨de (m.)⟩ **0.1** [⟨scheep.⟩] *traverse sailing* ⇒*compound course* **0.2** [wielrennen] *madison (race).*
koppelletter ⟨de⟩⟨druk.⟩ **0.1** *ligature.*
koppelnet ⟨het⟩ **0.1** *grid.*
koppelomvormer ⟨de (m.)⟩⟨tech.⟩ **0.1** *torque converter/*⟨BE ook⟩ *convertor.*
koppelplaat ⟨de⟩⟨tech.⟩ **0.1** *clutch plate.*
koppelriem ⟨de (m.)⟩ **0.1** *(sword-)belt* ⇒⟨van officier⟩ *Sam Browne (belt),* ⟨schouder⟩ *baldric,* ⟨paard⟩ *girth,* ⟨jachthond⟩ *leash,* ⟨hond⟩ *slip.*
koppelstang ⟨de⟩ **0.1** *drawbar* ⇒*dragbar.*
koppelstuk ⟨het⟩⟨tech.⟩ **0.1** *coupling* ⇒⟨buizen ook⟩ *union,* ⟨mijnbouw⟩ *tool joint.*
koppelteken ⟨het⟩ **0.1** [⟨taal.⟩] *hyphen* **0.2** [⟨muz.⟩] *tie* ◆ **3.1** door een ∼ verbonden *hyphenated.*
koppeltjeduiken →**kopjeduikelen.**
koppelverkoop ⟨de (m.)⟩ **0.1** *conditional sale.*
koppelwerkwoord ⟨het⟩⟨taal.⟩ **0.1** *copula* ⇒*link(ing)/copulative verb.*
koppelwoord ⟨het⟩⟨taal.⟩ **0.1** [voegwoord] *conjunction* ⇒*copulative* **0.2** [koppelwerkwoord] *copula* ⇒*link(ing)/copulative verb.*
koppen ⟨onov., ov.ww.⟩ **0.1** [sport] *head* **0.2** [de kop afsnijden] *top* ⇒*decapitate, poll* **0.3** [⟨med.⟩] *cup* ◆ **1.2** ansjovis ∼ *cut the heads off/decapitate anchovies;* tulpen/suikerbieten ∼ *cut the tops off tulips/sugarbeets.*
koppencilinder →**beeldtrommel.**
koppensnellen ⟨ww.⟩ **0.1** [vijanden onthoofden] *headhunt* **0.2** [topfunctionarissen wegkopen] *headhunt* ⇒*buy up/lure away/raid (another company's top personnel)* **0.3** [slechts de koppen lezen] ≠*skim (through) the headlines/paper* ⇒*just read the headlines* **0.4** [schuldigen zoeken] *headhunt* ⇒*let heads roll.*
koppensneller ⟨de (m.)⟩ **0.1** [iem. die vijanden onthoofdt] *headhunter* **0.2** [scout van topfunctionarissen] *headhunter* ⇒*recruiter* **0.3** [lezer van koppen] ⟨superficial reader ⇒*s.o. who only reads the headlines*⟩.
kopper(tjes)maandag ⟨de (m.)⟩ **0.1** ≠*wayzgoose.*

koppie ⟨het⟩ ⟨inf.⟩ **0.1** *head* ◆ **3.1** ~, ~ hebben *be a smart cookie* **¶.1** ⟨scherts⟩ ~, ~! *good thinking!, clever!*.

koppig ⟨bn., bw.; -ly⟩ **0.1** [halsstarrig] *stubborn* ⇒*obdurate, obstinate,* ⟨volhoudend⟩ *dogged,* ⟨eigenzinnig⟩ *headstrong,* ⟨pej.⟩ *pigheaded* **0.2** [naar het hoofd stijgend] *heady* ◆ **1.1** een ~e ezel *a s. mule* **1.2** ~e wijn *h. wine* **3.1** ~ volhouden *persist obstinately* **8.1** (zo) ~ als een ezel *(as) s. as a mule.*

koppigaard ⟨de (m.)⟩ ⟨AZN⟩ **0.1** *a stubborn / an obstinate person.*

koppigheid ⟨de (v.)⟩ **0.1** [halsstarrigheid] *stubborness* ⇒*obstinacy, obduracy, doggedness,* ⟨pej.⟩ *pigheadedness* **0.2** [mbt. alcoholische drank] *headiness* ⇒*heady quality.*

koppijn ⟨de⟩ ⟨inf.⟩ **0.1** *headache.*

koppositie ⟨de (v.)⟩ ⟨sport⟩ **0.1** *lead.*

koppotigen ⟨zn.mv.⟩ ⟨biol.⟩ **0.1** *cephalopoda.*

kopra ⟨de⟩ **0.1** *copra.*

kopregel ⟨de (m.)⟩ **0.1** *running head(line)* ⇒⟨titel⟩ *running title.*

koprol ⟨de (m.)⟩ **0.1** *somersault* ◆ **3.1** een ~ maken ⟨→koprollen⟩.

koprollen ⟨onov.ww.⟩ **0.1** *(do a) somersault* ⇒*do a forward roll, turn / go head-over-heelds.*

kops ⟨bn.⟩ **0.1** *on end* ⇒*crosscut* ◆ **1.1** ~ hout *crosscut wood;* een ~e laag *a layer of headers* **3.1** ~ gezaagd *crosscut.*

kopschroef ⟨de⟩ **0.1** *cap screw* ⇒*tap bolt / screw.*

kopschudden ⟨ww.⟩ **0.1** *headshaking.*

kopschuw ⟨bn.⟩ **0.1** *shy* ⇒*withdrawn* ◆ **3.1** iem. ~ maken *scare / frighten s.o. off;* ~ worden *grow / become s.;* ⟨paarden, mensen⟩ *shy away;* ⟨paarden⟩ *jib.*

kopshout ⟨het⟩ ⟨amb.⟩ **0.1** *crosscut.*

kopspiegellamp ⟨de⟩ **0.1** *upward reflecting light / lamp.*

kopspijker ⟨de (m.)⟩ **0.1** [kleine spijker met platte kop] *clout (nail), tack* **0.2** [grote spijker met vierkante kop] *hobnail.*

kopstation ⟨het⟩ **0.1** *terminus* ⇒*terminal.*

kopsteen ⟨de (m.)⟩ ⟨bouwk.⟩ **0.1** *header* ⇒⟨sluitsteen⟩ *bonder, bondstone, binder, through-stone.*

kopstem ⟨de⟩ **0.1** *falsetto.*

kopstoot ⟨de (m.)⟩ **0.1** [kopbal] *header* **0.2** [stoot met het (voor)hoofd] *butt (of the head)* **0.3** [bier en jenever] ≠*boilermaker* ⟨bier met whisky⟩ **0.4** [biljartstoot] *massé (shot)* ◆ **3.2** iem. een ~ geven *butt s.o. (with the head).*

kopstudie ⟨de (v.)⟩ **0.1** *postgraduate course, (taught) MA.*

kopstuk ⟨het⟩ **0.1** [leider] *head / big man* ⇒*heavyweight,* ⟨inf.⟩ *bigwig, big gun,* ⟨inf., vnl. AE⟩ *big shot,* ⟨aanstoker⟩ *ringleader,* ⟨centrale figuur⟩ *kingpin* **0.2** [koppig mens] *obstinate / stubborn person* ⇒*stubborn mule* **0.3** [bovenste deel van iets] *head* ⇒*top* **0.4** [deel van een hoofdstel] *headband* ◆ **2.1** alle Londense ~ken *all of London's top people.*

koptelefoon ⟨de (m.)⟩ **0.1** *headphone(s)* ⇒*earphone(s), headset.*

Kopten ⟨zn.mv.⟩ **0.1** *Copts.*

Koptisch[1] ⟨het⟩ **0.1** *Coptic.*

Koptisch[2] ⟨bn.⟩ **0.1** *Coptic.*

kopvoorn, -voren ⟨de (m.)⟩ ⟨dierk.⟩ **0.1** *chub.*

kopwerk ⟨het⟩ ⟨wielersport⟩ **0.1** *front riding.*

kopwind ⟨de (m.)⟩ **0.1** *head wind.*

kopzee ⟨de⟩ **0.1** *head sea.*

kopziekte ⟨de (v.)⟩ **0.1** *grass tetany / disease / staggers.*

kopzijde ⟨de⟩ **0.1** *front.*

kopzorg ⟨de⟩ **0.1** *worry* ⇒*concern, headache* ◆ **3.1** zich geen ~en maken *not worry, not be concerned* **5.1** dat is één ~ minder *that is one less headache / one less thing to worry about.*

kor ⟨de⟩ **0.1** [sleepnet voor de visvangst] *trawl(net)* **0.2** [sleepnet voor het vangen van oesters] *oyster net.*

koraal
I ⟨het⟩ **0.1** [⟨biol.⟩] *coral* **0.2** [rode kleur] *coral* **0.3** [⟨r.k.⟩] *choral(e)* ⇒*plainsong* **0.4** [⟨prot.⟩] *choral(e)* **0.5** [melodie] *choral(e)* ◆ **1.2** het ~ van haar lippen *her c. lips* **6.1** van ~ *coral, coralline;*
II ⟨de⟩ **0.1** [bolletje van 'koraal'] *coral;*
III ⟨de (m.)⟩ **0.1** [koorzanger] *choir member* ⇒*chorister.*

koraalachtig ⟨bn.⟩ **0.1** *coralline* ⇒*coralloid.*

koraalbank ⟨de⟩ **0.1** *coral reef.*

koraalboek ⟨het⟩ **0.1** *choral(e) book* ⇒*hymnbook.*

koraaldieren ⟨zn.mv.⟩ **0.1** *coral polyps.*

koraaleiland ⟨het⟩ **0.1** *coral island.*

koraalfuga ⟨de⟩ ⟨muz.⟩ **0.1** *chorale and fugue.*

koraalgezang ⟨het⟩ ⟨muz.⟩ **0.1** [koraal] *choral(e)(song)* **0.2** [het zingen van een koraal] *choral(e) singing.*

koraalmos ⟨het⟩ **0.1** [kamerplant] *nullipore* **0.2** [koralijn] *coralline.*

koraalmuziek ⟨de (v.)⟩ **0.1** *choral music.*

koraalrif ⟨het⟩ **0.1** *coral reef.*

koraalrood[1] ⟨het⟩ **0.1** *coral(line).*

koraalrood[2] ⟨bn.⟩ **0.1** *coral.*

koraalslang ⟨de⟩ **0.1** *coral snake* ⇒*harlequin snake.*

koraalvis ⟨de (m.)⟩ **0.1** *coral fish* ⇒*clown fish.*

koraalvisser ⟨de (m.)⟩ **0.1** *coral fisher / diver.*

koralen ⟨bn.⟩ **0.1** [van koraal vervaardigd] *coral(line)* **0.2** [(rood) als koraal] *coral(line)* ◆ **1.1** een ~ armband *a coral bracelet.*

koraliet ⟨het⟩ ⟨geol.⟩ **0.1** *corallite.*

koran ⟨de (m.)⟩ ⟨rel.⟩ **0.1** *Koran* ⇒*Quran, Alcoran, Alkoran* ◆ **6.1** van / volgens / mbt. de ~ *Koranic.*

kordaat ⟨bn., bw.⟩ **0.1** *firm* ⇒*resolute, brisk,* ⟨dapper⟩ *plucky, bold, courageous* ◆ **3.1** ~ optreden tegen *act firmly against, deal firmly with.*

kordaatheid ⟨de (v.)⟩ **0.1** *resolution, resolve, firmness* ⇒*briskness, pluck, boldness.*

kordelier ⟨de (m.)⟩ **0.1** *cordelier.*

kordon ⟨het⟩ **0.1** [keten van posten / personen] *cordon* **0.2** [geweerriem] *sling* ◆ **1.1** er werd een ~ van troepen rond het dorp gelegd *a c. of troops was thrown round the village, the troops cordoned off the village* **3.1** een ~ vormen / leggen / trekken (om) *cordon (off), form / draw / throw a c. (round)* **6.1** afgrendelen dmv. een ~ *cordon off, close off by a c..*

Korea ⟨het⟩ **0.1** *Korea.*

Koreaan ⟨de (m.)⟩, -se ⟨de (v.)⟩ **0.1** *Korean.*

Koreaans[1] ⟨het⟩ **0.1** *Korean.*

Koreaans[2] ⟨bn.⟩ **0.1** *Korean.*

koren ⟨de⟩ ⟨→sprw. 367⟩ **0.1** [graankorrels] *corn* ⇒*cereal(s), grain* **0.2** [gewas] *corn* ⇒*cereal(s), grain* **0.3** [het gemaaide graan] *corn* ⇒*cereal(s), grain,* ⟨klaar voor het malen⟩ *grist* **0.4** [kleine hoeveelheid] *grain* ◆ **1.2** gezolderd ~ *stored / sacked corn* **3.2** ~ maaien *reap corn* **3.3** ~ dorsen *thresh corn* **6.1** een zak met ~ *a sack of c.* **¶.1** het kaf van het ~ scheiden (ook fig.) *sift / separate the wheat from the chaff;* (fig.) dat is ~ op zijn molen *that is grist to the / his mill.*

korenaar ⟨de⟩ **0.1** [bovenste deel van een korenhalm] *ear of corn* ⇒*spike* **0.2** [⟨ster.⟩] *Spica.*

korenakker ⟨de⟩ **0.1** *cornfield.*

korenbeurs ⟨de⟩ **0.1** *corn exchange.*

korenblauw ⟨bn.⟩ **0.1** *cornflower blue.*

korenbloem ⟨de⟩ **0.1** *cornflower* ⇒*bluebottle* ◆ **2.1** ⟨inf.⟩ (rode) ~ *(corn)poppy.*

korenblond ⟨bn.⟩ **0.1** *corngold* ⇒*flaxen, amber.*

korenbrander ⟨de (m.)⟩ **0.1** *gin distiller.*

korenbrandewijn ⟨de (m.)⟩ **0.1** *corn brandy / -spirit.*

korenfactor ⟨de (m.)⟩ **0.1** *corn factor* ⇒*dealer in corn / grain.*

korenhalm ⟨de (m.)⟩ **0.1** *cornstalk* ⇒*spike, wheat stalk.*

korenmaaier ⟨de (m.)⟩ **0.1** [mens] *reaper* ⇒*harvester, header* **0.2** [machine] *reaper* ⇒*reaping machine, harvester, combine, reaper-binder / -thresher, binder.*

korenmaat ⟨de⟩ **0.1** [maat om koren te meten] *corn measure* ⇒*bushel* **0.2** [maatvat] *corn measure* ⇒*bushel* ◆ **6.2** (fig.) zijn licht onder de ~ zetten *hide one's light under a bushel.*

korenmijt ⟨de⟩ **0.1** *corn-stack* ⇒*heap of corn.*

korenmolen ⟨de (m.)⟩ **0.1** *flourmill.*

korenmolenaar ⟨de (m.)⟩ **0.1** *flour-miller.*

korenoogst ⟨de (m.)⟩ **0.1** [inzameling] *corn harvest(ing)* **0.2** [opbrengst] *crop of corn* ⇒*corn crop / harvest* ◆ **3.2** de ~ binnenhalen *harvest the corn.*

korenschoof ⟨de⟩ **0.1** *sheaf of corn* ⇒*corn sheaf.*

korenschuur ⟨de⟩ **0.1** [schuur] *granary* ⇒*corn barn* **0.2** [streek] *granary* ⇒*corn district / area,* ^Acornbelt.

korenstoppel ⟨de (m.)⟩ **0.1** *corn / grain stubble.*

korentang ⟨de⟩ **0.1** [⟨med.⟩ instrument] *sequestrum forceps* **0.2** [verende tang] *handpliers.*

korenveld ⟨het⟩ **0.1** *cornfield.*

korenwan ⟨de⟩ **0.1** *corn dresser.*

korenzolder ⟨de (m.)⟩ **0.1** *corn loft.*

korf ⟨de (m.)⟩ **0.1** *basket* ⇒⟨groot⟩ *hamper,* ⟨voor bijen⟩ *hive* ◆ **1.1** een ~ vijgen / aardbeien ⟨BE ook⟩ *a punnet of figs / strawberries* **3.1** bijen in een ~ brengen *hive bees;* bijen zoeken de ~ op *bees are hiving* **3.¶** een ~ halen / krijgen *get the mitten;* ⟨op examen⟩ *be plucked* **6.1** ⟨korfballen⟩ de bal door de ~ werpen *throw the ball through the b., sink the ball in the b.* **6.¶** hij leeft uit de ~ zonder zorg *his nest is well-feathered.*

korfbal ⟨sport⟩
I ⟨het⟩ **0.1** [balspel] *korfball;*
II ⟨de (m.)⟩ **0.1** [bal] *korfball ball.*

korfballen ⟨ww.⟩ **0.1** *play korfball.*

korffles ⟨de⟩ **0.1** *demijohn* ⇒*carboy.*

Korfoe ⟨het⟩ **0.1** *Corfu.*

korhaan ⟨de (m.)⟩ **0.1** *blackcock* ⇒*moorcock, heath cock.*

korhen ⟨de (v.)⟩ **0.1** *greyhen,* ^Agrayhen.

korhoen ⟨het⟩ **0.1** *black grouse / game.*

koriander ⟨de (m.)⟩ **0.1** [plant] *coriander* **0.2** [zaad] *coriander (seed).*

korist ⟨de (m.)⟩, -e ⟨de (v.)⟩ **0.1** *member of / singer in the chorus* ⇒*chorist.*

korjaal ⟨de (m.)⟩ **0.1** *dug-out* ⇒*corial, piragua, pirogue.*

kornak ⟨de (m.)⟩ **0.1** *mahout.*

kornalijn
I ⟨de (m.)⟩ **0.1** [edelsteen] *cor / carnelian;*
II ⟨het⟩ **0.1** [edelgesteente] *cor / carnelian.*

kornet
I ⟨de (m.)⟩ ⟨mil.⟩ **0.1** [vaandrig] *cornet* ◆ **1.1** rang van ~ ⟨ook⟩ *cornetcy;*
II ⟨de⟩ ⟨muz.⟩ **0.1** [blaashoorn] *cornet.*
kornis ⟨de⟩ **0.1** *cornice.*
kornoelje ⟨de⟩ ⟨plantk.⟩ **0.1** *cornel* ◆ **2.1** gele/eetbare ~ *cornelian cherry;* rode/wilde ~ *red dogwood;* witte/Amerikaanse ~ *flowering dogwood/c..*
kornoeljehout ⟨het⟩ **0.1** *dogwood.*
kornuit ⟨de (m.)⟩ **0.1** *mate* ⇒*buddy, crony,* ⟨inf.⟩ *chum* ◆ **2.1** vrolijke ~en *boon companions.*
koroester ⟨de⟩ **0.1** *dredged oyster.*
korporaal ⟨de (m.)⟩ **0.1** *corporal* ◆ **2.1** ⟨gesch.⟩ de kleine ~ *the little Corporal* ¶**.1** ~ van de week *duty corporal.*
korporaalsstrepen ⟨zn.mv.⟩ **0.1** *corporal's stripes.*
korps ⟨het⟩ **0.1** [vereniging van personen] *corps* ⇒⟨studenten⟩ *union, body* **0.2** [legerkorps] *corps* ⇒*force* **0.3** [⟨druk.⟩] *type face* **0.4** [(gevechts)troepeneenheid] *corps* ⇒*force* ◆ **1.**¶ het ~ mariniers ⟨kapel⟩ *The Marine Band;* ⟨troepen⟩ [A] *the Marine Corps,* the ([B]*Royal) Marines* **2.3** een tekst in klein ~ zetten *set a text in lower case.*
korpscommandant ⟨de (m.)⟩ **0.1** *corps commander.*
korpsgeest ⟨de (m.)⟩ **0.1** *esprit de corps.*
korpssterkte ⟨de (v.)⟩ **0.1** *corps complement.*
korre →**kor.**
korrel ⟨de (m.)⟩ **0.1** [zaadje] *grain* ⇒*kernel, granule* **0.2** [rond hard lichaampje] *granule* ⇒*grain, pearl* **0.3** [geringe hoeveelheid] *spot* ⇒ *trace, grain* **0.4** [structuur] *texture* ⇒⟨hout, steen, metaal⟩ *grain,* ⟨steen⟩ *grit* **0.5** [vizierkorrel] *bead* ◆ **1.1** een ~ maïs *a kernel of* [B]*maize/*[A]*corn* **1.2** ⟨foto.⟩ de ~ van een foto/film *the grain of a photo /film;* een paar ~s suiker *a few grains of sugar;* ⟨fig.⟩ iets met een ~(tje) zout nemen *take sth. with a pinch/grain of salt* **2.4** schuurpapier met grove ~ *coarse grain/grit/grade sand paper* **6.5** iem./iets **op** de ~ nemen *aim at s.o./sth., draw a b. on s.o./sth., take s.o. to task.*
korrelbeton ⟨het⟩ **0.1** *gravel concrete.*
korrelen
I ⟨onov., ov.ww.⟩ **0.1** [in korrelige toestand (doen) zijn] *grain* ⇒ *granulate;*
II ⟨ov.ww.⟩ **0.1** [korrelige oppervlakte geven aan] *granulate.*
korrelig ⟨bn.⟩ **0.1** [uit korreltjes bestaand] *granular* ◆ **1.1** ~e rijst *g. rice* **1.2** een ~ breukvlak *a g. fracture;* ~ papier *g. paper;* ~e structuur *g. structure* **2** ⟨oppervlaktestructuur⟩ *texture;* ⟨van steen⟩ *gritty structure* **1.**¶ een ~e foto *a coarse-grained photo.*
korreligheid ⟨de (v.)⟩ **0.1** *granularity* ⇒⟨vnl. aarde, foto's⟩ *graininess,* ⟨vnl. zand⟩ *grittiness.*
korreling ⟨de (v.)⟩ **0.1** [het korrelen] *granulation* ⇒⟨vnl. hout, marmer e.d.⟩ *graining,* ⟨kruit⟩ *corning* **0.2** [korrelige structuur] *granulation* ⇒*graininess.*
korrelsneeuw ⟨de (m.)⟩ **0.1** *corn snow* ⇒*spring corn/snow.*
korrelstructuur ⟨de (v.)⟩ **0.1** *granular/grain(y) structure* ◆ **3.1** de aarde heeft een ~ *the soil is of a grainy consistency.*
korreltje ⟨het⟩ →**korrel.**
korrelvormig ⟨bn.⟩ **0.1** *granular* ⇒*graniform.*
korset ⟨het⟩ **0.1** [onderkledingstuk] *corset* ⇒⟨met baleinen⟩ *stays* ⟨mv.⟩ **0.2** [⟨fig.⟩] *corset.*
korsetveter ⟨de (v.)⟩ **0.1** *corset lace* ⇒*staylace.*
korst ⟨de⟩ ⟨→sprw. 94⟩ **0.1** [harde, taaie oppervlakte] *crust* ⇒⟨op wond⟩ *scab,* ⟨van kaas⟩ *rind* **0.2** [stuk korst] *crust* **0.3** [hard geworden restant] *crust* ⇒*deposit, cake* ◆ **1.1** een ~ ijs *a coating/layer of ice;* ⟨bedekt⟩ met een ~ van zout *encrusted with salt* **1.2** een ~(tje) brood *a c. (of bread)* **1.3** een ~ gestold kaarsvet op het bureau *caked-on candlewax on the desk-top* **2.1** met een dikke ~ bloed ⟨ook⟩ *thickly crusted (over)/encrusted with blood* **2.3** met een dikke ~ modder ⟨ook⟩ *thickly caked with mud* **3.1** de kaas van de ~ ontdoen *take/cut off the rind of the cheese* **6.1** er zit een ~ **op** de wond ⟨ook⟩ *the wound is scabbed over.*
korstachtig ⟨bn.⟩ **0.1** ⟨schaalachtig⟩ *crustaceous;* ⟨korstig⟩ *crusty.*
korstdeeg ⟨het⟩ **0.1** *puff pastry/*[A]*paste.*
korsten ⟨onov.ww.⟩ **0.1** *crust.*
korstgebak ⟨het⟩ **0.1** *flaky/Danish/puff pastry/*[A]*paste.*
korstig ⟨bn.⟩ **0.1** *crusty* ⇒⟨modder, vuil⟩ *cak(e)y,* ⟨wonden⟩ *scabby, encrusted.*
korstloos ⟨bn.⟩ **0.1** *crustless* ◆ **1.1** korstloze kaas *rindless cheese.*
korstmos ⟨het⟩ ⟨biol.⟩ **0.1** *lichen.*
korstvorming ⟨de (v.)⟩ **0.1** *crustation* ⇒*encrustment.*
kort ⟨→sprw. 288,395,514⟩
I ⟨bn., bw.⟩ **0.1** [mbt. lengte/afstand] *short* **0.2** [mbt. tijd] *short* ⇒ *brief* **0.3** [beknopt] *brief* ⇒*short,* ⟨pej.⟩ *curt, terse* ◆ **1.1** ⟨fig.⟩ aan het ~ste eind trekken *come off worst, get the worst of it, lose out;* ~e golf *s. wave;* ~e golfslag *choppy water/sea;* ~ haar *s. hair,* ~ kop *(a) clean-cut hair(style);* een ~ kopje hebben *wear one's hair bobbed/in a bob;* de ~e ribben *the s. ribs;* ⟨voetbal, hockey⟩ ze speelden een ~ spel *they played with s. passes, they kept the passes s.;* een ~, dik vent-

je *a fat little guy; a thickset/stocky/* ⟨pej.⟩ *squat little guy;* een ~ere weg nemen *take a s. cut* **1.2** ⟨fig.⟩ het is ~ dag *time is (getting/running) s./* ⟨ook scherts.⟩ *is of the essence;* de ~ste dag *the shortest day;* haar geluk was van ~e duur *her happiness was short-lived;* ⟨jur.⟩ ~ geding *summary proceedings;* binnen de ~ste keren *in the shortest possible time, without delay, in no time;* ⟨taal.⟩ ~e klinkers *s. vowels;* op ~e termijn *in the s. term, short-term;* ⟨bijna zonder waarschuwing⟩ *at s. notice;* iets op ~e termijn zien *take a/the s. view of sth.;* na ~e tijd kreeg de brandweer het vuur onder controle *the fire brigade soon had the fire under control;* sinds ~e tijd *recently, lately* **1.3** een ~ briefje *a short/b. note,* a memo(randum); ~e inhoud v.h. voorafgaande *b. summary of the above;* een ~ overzicht/verslag *a b./short summary/report* **1.**¶ ~e metten met iets maken *not beat about the bush, make short work of sth., give sth. short shrift* **2.1** alles ~ en klein slaan *smash everything up/to pieces/to matchwood/smithereens* **3.1** ~ draaien met een auto *make a sharp turn (with a car), turn a car sharply;* ~ geknipt *closely-clipped* ⟨haar, snor, heg⟩; *closely-cut* ⟨nagel, gras⟩; ⟨haar ook⟩ *close(ly)-cropped;* iem. ~ houden *keep s.o. on a tight rein, keep s.o. well in hand* **3.2** maak het ~ *don't be long;* de dagen worden ~er ⟨ook⟩ *the days are drawing in* **3.3** om ~ te gaan *to cut a long story short,* (to put it) *briefly* **5.2** ~ daarna/daarop *shortly after(wards);* ~ tevoren *shortly before* **5.3** ~ en goed/~ en bondig *b. and to the point; short but/and sweet* ⟨ook scherts.⟩ **6.1** ~ **op** elkaar zitten ⟨lett.⟩ *sit close (up) together;* ⟨kort na elkaar volgen⟩ *follow each other closely* **6.2** ~ **na** elkaar aankomen *arrive shortly after each other;* ik hoorde twee schoten ~ **na** elkaar *I heard two shots within a s. space of time/ following each other,* ⟨van memorie zijn *have a s. memory;* tot **voor** ~ *until recently* **6.3** ~ **van** stof zijn *be short-winded* **7.1** zij is in het ~ (gekleed) *she is wearing a s. dress* **7.3** in het ~ betekent het *in short/b. it means;* iets in het ~ uiteenzetten *explain sth. briefly* ¶**.2** ~ geleden *recently, lately, not long ago;*
II ⟨bw.⟩ **0.1** [weinig, ontoereikend] ⟨zie 5.1⟩ ◆ **5.1** te ~ komen *run short (of);* iem. te ~ doen *wrong s.o.;* er is geld te ~ *money is lacking, there's a shortage of money/* ⟨kastekort⟩ *cash shortage/deficit;* we komen tijd te ~ *we're running short of/out of time;* hij komt drie gulden te ~ *he's three guilders short;* zij kwam ogen en oren te ~ ≠*her eyes were popping out of her head, she didn't know where to start;* ik voelde me te ~ gedaan *I felt cheated/* ⟨emotioneel ook⟩ *frustrated;* zich te ~ doen ⟨geldelijk⟩ *stint/deprive o.s.;* ⟨zelfmoord⟩ *do away with o.s.;* we komen 3 man te ~ *we're three men short;* we komen handen te ~ *we're short-handed/short of staff/short-staffed;* we kwamen slaap te ~ *we were short of sleep;* ik kom woorden te ~ *I lack (the) words ..., I can't find (the) words ...;* hij nam de bocht te ~ *he took the corner too tightly/too sharply;* in iets te ~ schieten *fail in sth.;* in zijn plichten te ~ schieten ⟨ook⟩ *be remiss in one's duties.*
kortaangebonden ⟨bn.⟩ **0.1** *short-spoken* ⇒⟨antwoord⟩ *curt, snappy,* ⟨heetgebakerd⟩ *hot-tempered,* ⟨lomp⟩ *crusty.*
kortademig ⟨bn.⟩ **0.1** *short of breath* ⇒⟨ook fig.⟩ *short-winded* ◆ **1.1** ⟨fig.⟩ een ~e stijl *a breathless style.*
kortademigheid ⟨de (v.)⟩ **0.1** *shortness of breath* ⇒⟨ook fig.⟩ *short-windedness, short wind.*
kortaf ⟨bn., bw.;-ly⟩ **0.1** *curt* ⇒*abrupt, offhand, short* ◆ **1.1** haar manier van doen was ~ *she had an abrupt/offhand manner, her manner was blunt/gruff/short* **3.1** ~ antwoorden *reply/answer curtly;* iets ~ weigeren *refuse sth. abruptly/offhand* **6.1** ~ **tegen** iem. zijn ⟨ook⟩ *bite s.o.'s head off, be short-spoken to/with s.o..*
kortbenig ⟨bn.⟩ **0.1** *short-legged.*
kortbij ⟨bw.⟩ **0.1** *near by* ⇒*close (by).*
korte-afstandloper ⟨de (m.)⟩, **-lopster** ⟨de (v.)⟩ ⟨sport⟩ **0.1** *short-distance runner.*
korteafstandsraket ⟨de⟩ **0.1** *short-range missile* ⇒⟨supersonisch type⟩ *sidewinder.*
kortebaanwedstrijd ⟨de (m.)⟩ ⟨sport⟩ **0.1** *short race/match* ⇒*sprint.*
kortedrachtswapen ⟨het⟩ ⟨mil.⟩ **0.1** *short-range weapon.*
kortegolfontvanger ⟨de (m.)⟩ **0.1** *short-wave receiver.*
kortegolfuitzending ⟨de (v.)⟩ **0.1** *short-wave transmission.*
kortegolfzender ⟨de (m.)⟩ **0.1** *short-wave transmitter.*
kortelings ⟨bw.⟩ ⟨schr.⟩ **0.1** *recently, the other day.*
korten
I ⟨onov.ww.⟩ **0.1** [korter worden] *shorten* **0.2** [⟨AZN⟩ baten] *avail* ⇒*help* ◆ **1.1** de dagen ~ *alweer the days are shortening again;*
II ⟨ov.ww.⟩ **0.1** [korter maken] *shorten* ⇒*cut (short)* **0.2** [mbt. betalingen] *cut (back)* ⇒*curtail,* ⟨als boete⟩ *dock* **0.3** [mbt. de tijd] *shorten* ◆ **1.2** ⟨fig.⟩ de ambtenaren werden gekort *civil service pay was cut;* de sociale uitkeringen ~ met 5% *cut (down/back) social security benefits/*[A]*welfare spending by 5%* **1.3** hij kortte (zich) de tijd met lezen *he passed the time/whiled away the hours by reading* **6.2** ~ **op** de uitkeringen *cut back on social security/*[A]*welfare.*
kortgeknipt ⟨bn.⟩ **0.1** *close-cut* ⟨nagel, gras⟩; *close-clipped* ⟨haar, snor, heg⟩; ⟨haar ook⟩ *close-cropped;* ⟨gazon ook⟩ *barbered, manicured* ◆ **1.1** een ~ hoofd *(a) close-cropped/short hair(-do);* ⟨bij vrouwen ook⟩ *bobbed hair;* ⟨BE⟩ *Eton crop;* ⟨bij mannen ook⟩ *crop-eared.*

kortharig ⟨bn.⟩ **0.1** *short-haired* ♦ **1.1** een~e hond *a s.-h./ smooth-haired dog;* een~e kwast *a s.-h. brush.*
kortheid ⟨de (v.)⟩ **0.1** *brevity* ⇒*shortness.*
kortheidshalve ⟨bw.⟩ **0.1** *for (the sake of) brevity* ♦ **3.1** ~zullen wij de voorbeelden weglaten *for brevity's sake we shall omit the examples.*
korting ⟨de (v.)⟩ **0.1** [korter maken, aftrekken] *discount* ⇒*deduction,* ⟨bezuiniging⟩ *cut* **0.2** [afgetrokken bedrag, hoeveelheid] *discount* ⇒ *deduction,* ⟨bezuiniging⟩ *cut* ♦ **1.2** vijf procent~voor contante betaling *cash discount five per cent* **3.1** ~ bedingen *obtain/* ⟨inf.⟩ *manage/* ⟨sl.⟩ *wangle a discount;* ~ geven/ toestaan/ genieten op de prijs *give/ allow/ enjoy a discount off/ reduction in the price* **6.1** de~**op** lonen en salarissen *the cut(-back) in wages and salaries* **6.2** met een~van tien procent *less ten per cent discount, (with) ten per cent off, at a discount of ten per cent, reduced by ten per cent;* meubelen **met** grote~ *cut-price furniture, furniture greatly reduced.*
kortingkaart ⟨de⟩ **0.1** *reduced-fare card/ pass.*
kortlopend ⟨bn.⟩ **0.1** *short-term.*
kortom ⟨bw.⟩ **0.1** *in short/ brief/ sum/ a word* ⇒*to put it briefly/ shortly.*
kortparkeerder ⟨de (m.)⟩ **0.1** [A]*short-term parker;* [B]*person parking his/ her car for a short time* ♦ **6.1** parkeerterrein voor~s *short-stay car park.*
Kortrijk ⟨het⟩ **0.1** *Courtrai.*
kortschedelig ⟨bn.⟩ **0.1** *brachycephalic* ⇒*short-headed.*
kortschrift ⟨het⟩ **0.1** [journalistieke publikatie] *survey* ⇒*digest* **0.2** [stenografie] *shorthand* ⇒*stenography, tachygraphy.*
kortsluiten ⟨ov.ww.⟩ ⟨techn.⟩ **0.1** *short-circuit* ⇒*short* ♦ **1.1** een ampèremeter~ *s.-c. an ammeter;* ⟨fig.⟩ de zaken~ *s.-c. matters.*
kortsluiting ⟨de (v.)⟩ **0.1** [mbt. een stroomkring] *short circuit* ⇒*short,* ⟨als gevolg van vocht, bij telegraafpalen⟩ *weather contact* **0.2** [misverstand] *communication breakdown* ♦ **3.1** ~ maken *in short-circuit;* ~ veroorzaken *cause/ create a short circuit.*
kortstaart ⟨de (m.)⟩ **0.1** *bobtail.*
kortstaarten ⟨ov.ww.⟩ **0.1** *dock (the tail of), bobtail.*
kortstondig ⟨bn.⟩ **0.1** *short-lived* ⇒*brief, fleeting,* ⟨vergankelijk⟩ *transient, ephemeral, momentary* ♦ **1.1** een~e vreugde *a fleeting joy;* een ~e ziekte *a short illness.*
kortstondigheid ⟨de (v.)⟩ **0.1** *shortness, brevity* ⇒*transience, ephemerality.*
kortswijl ⟨de⟩ ⟨schr.⟩ **0.1** *pleasantry* ⇒*jest, sport, jocosity* ♦ **3.1** het is maar~ *it is only a jest* **6.1** uit~ iets doen *do sth. in jest.*
kortswijlen ⟨onov.ww.⟩ ⟨schr.⟩ **0.1** *jest* ⇒*banter, sport, joke.*
kortverbander →**kortverbandvrijwilliger.**
kortverbandvrijwilliger ⟨de (m.)⟩ **0.1** *short-term volunteer* ⇒[B]*member of the Territorial Army Volunteer Reserve.*
kortvoer ⟨het⟩ **0.1** *fodder.*
kortweg ⟨bw.⟩ **0.1** [zonder omhaal van woorden] *briefly* ⇒*shortly* **0.2** [eenvoudigweg] *simply* ⇒*in sum* **0.3** [kortaf] *flatly* ⇒*off-hand, curtly, summarily* ⟨afwijzen⟩ ♦ **1.2** dat is~ onzin *that is s. nonsense* **3.1** hij vertelde~ wat hij ervan wist *he b. told what he knew about it* **3.3** ~ weigeren *refuse f./ curtly.*
kortwieken ⟨ov.ww.⟩ **0.1** [mbt. vogels] *clip the wings of* ⇒*pinion* **0.2** [het haar knippen] *clip, trim* ⇒*crop* ♦ **1.2** ⟨fig.⟩ iem. ~ *clip s.o.'s wings, curtail s.o.'s power/ freedom* **5.2** ze hebben je flink/ je bent goed gekortwiekt, zeg *hey, they've really clipped you good/ you've really been shorn/ they really gave you a close/ crew cut.*
kortzaag ⟨de⟩ **0.1** *(two-man) crosscut saw* ⇒*cut-off saw.*
kortzicht ⟨het⟩ ⟨geldw.⟩ ♦ **6.¶** een wissel **op**~ *a short(-dated/-term/ -usance) bill, a bill at short sight.* `
kortzichtig
I ⟨bn., bw.⟩ **0.1** [zonder doorzicht] *short-sighted* ⇒*myopic, lacking foresight* **1.1** een~e politiek *a s.-s. policy;* een~ standpunt *a parochial point of view* **3.1** ~ handelen/ oordelen *act without foresight, make s.-s./ myopic judgements* **6.1** het is nogal~ van hem om geen geld te besteden aan (het) onderhoud van zijn huis *it's rather s.-s. of him not to spend money on keeping his house up;*
II ⟨bn.⟩ **0.1** [bijziende] *short-sighted* ⇒*myopic, nearsighted.*
korund ⟨het⟩ **0.1** *corundum.*
korven ⟨ov.ww.⟩ **0.1** *hive.*
korvet ⟨de⟩ **0.1** *corvette.*
korvijnagel ⟨de (m.)⟩ ⟨scheep.⟩ **0.1** *belaying pin* ⇒*cleat.*
korzelig ⟨bn., bw.; -ly⟩ **0.1** [ontstemd] *grumpy* ⇒*ratty, irritable, bad-tempered* **0.2** [opvliegend] *testy* ⇒*irritable, snappy, waspish.*
kosmetica ⟨zn.mv.⟩ **0.1** *cosmetics* ⇒*make-up.*
kosmetiek ⟨de (v.)⟩ **0.1** [kunst] *cosmetology* ⇒*beauty culture, cosmetics* **0.2** [middel] *cosmetic.*
kosmetisch ⟨bn.⟩ **0.1** *cosmetic* ⇒*beauty* ♦ **1.1** de~e industrie *the c./ beauty industry.*
kosmisch ⟨bn.⟩ **0.1** *cosmic* ⇒*universal, heavenly* ♦ **1.1** ~e geheimen *c. secrets;* ~e goden *heavenly gods;* ~ jaar *c. year;* de~e ruimte *outer space;* ~e stof *c. dust;* ~e straling/ stralen *c. radiation/ rayes.*
kosmogonie ⟨de (v.)⟩ **0.1** *cosmogony.*
kosmogonisch ⟨bn.⟩ **0.1** *cosmogonic(al)* ⇒*cosmogonal.*
kosmograaf ⟨de (m.)⟩ **0.1** *cosmographer.*

kosmografie ⟨de (v.)⟩ **0.1** [wetenschap] *cosmography* **0.2** [wiskundige aardrijkskunde] *mathematical geography.*
kosmologie ⟨de (v.)⟩ **0.1** *cosmology.*
kosmologisch ⟨bn.⟩ **0.1** *cosmologic(al).*
kosmonaut ⟨de (m.)⟩, **-naute** ⟨de (v.)⟩ **0.1** *cosmonaut* ⟨m., v.⟩ ⇒*spaceman* ⟨m.⟩, *spacewoman* ⟨v.⟩.
kosmopoliet ⟨de (m.)⟩ **0.1** *cosmopolitan* ⇒*cosmopolite.*
kosmopolitisch ⟨bn., bw.⟩ **0.1** [wereldwijd voorkomend]⟨bn.⟩ *cosmopolitan* **0.2** [van personen]⟨bn.⟩ *cosmopolitan* ⇒*cosmopolite,* ⟨bw.⟩ *in a cosmopolitan way* ♦ **1.1** ~e stromingen in de literatuur *c. trends in literature* **1.2** een~e geest *a cosmopolitan mind.*
kosmopolitisme ⟨het⟩ **0.1** *cosmopolitanism* ⇒*internationalism.*
kosmos ⟨de (m.)⟩ **0.1** *cosmos* ⇒*universe, (deep/ outer) space.*
kossem ⟨de (m.)⟩ **0.1** *dewlap* ⇒*jowl.*
kost ⟨de (m.)⟩ ⟨→sprw. 169,368⟩ **0.1** [⟨mv.⟩ wat betaald moet worden] *cost(s), expense(s)* ⇒⟨investeringen⟩ *outlay, charge(s), fare* ⟨voor diensten⟩ **0.2** [levensonderhoud] *living, livelihood* ⇒*daily bread, bread-and-butter, subsistence* **0.3** [dagelijkse voeding] *board(ing)* ⇒ *keep, victuals* **0.4** [voedsel] *fare, food* ⇒*cooking,* ⟨fig.⟩ *stuff, meat* ♦ **1.1** ~en koper *expenses to be paid for by the buyer;* ~en van levensonderhoud *cost of living, living expenses;* ⟨ec.⟩ ~en en onkosten *costs and expenditure;* ~en van vervoer *transport/ freight charges* **1.3** ~en inwoning *board and lodging* **2.1** bijkomende~en *additional/ extra charge(s)/ expenses;* directe en indirecte/ variabele en constante~en *direct and indirect/ variable and fixed costs/ charges;* op haar eigen ~en *at her own expense* **2.3** halve/ volle~ *half/ full board;* vrije~ hebben *have free board, have board found* **2.4** dagelijkse~ *ordinary food, everyday fare;* eenvoudige/ degelijke~ *simple/ substantial fare;* lichte/ zware~ *light/ heavy food/ fare;* ⟨fig.⟩ dat is al oude~ *that's old hat, that's passé;* slappe~ *slops;* taaie~ ⟨fig.⟩ *dry/ dull stuff;* ⟨fig.⟩ die poëzie is zware~ *this poetry is heavy stuff* **3.1** de~en bedragen ...*the costs amount to ...;* hiervoor worden geen~en berekend *there is no charge for this, this is free of charge;* de~en bestrijden *meet the costs;* de~en betalen/ dragen *bear/ defray the expenses;* bijdragen in de~en *contribute towards the costs/ expenses;* dit brengt veel~en met zich mee *this involves/ entails considerable costs/ expense;* de~en dekken *cover the costs;* de~en delen met iem. *share (the) expenses, split the costs;* wij zullen u in de~en tegemoetkomen *we will bear/ defray part of the expenses;* veel~en maken *go to great expense;* ~en maken *incur expenses;* veel~en meebrengen *involve one in heavy expenses;* ~en noch moeite sparen *spare no trouble or expense;* de~en van anderen verhalen *recover one's expenses from others* **3.2** de~en verdienen (als/ door) *make/ earn a living (as/ out of/ by -ing);* zelf de~en verdienen *provide/ fend for o.s.* **3.3** iem. de~en geven *provide board for s.o., keep s.o. in food;* ik zou ze niet graag de~willen geven, die ...*there are more than you think who ...* **3.4** ⟨fig.⟩ zijn ogen de~geven *keep one's eyes open/ peeled/ skinned* **5.1** de~en eruit hebben *have recovered one's expenses/ outlay, clear expenses, break even* **6.1** ⟨jur.⟩ iem. veroordelen in de~en (van het proces) *condemn s.o. in the costs, order s.o. to pay the costs;* met weinig~en *at little expense;* niet op de~en kijken *spare no expense;* iem. **op**~en jagen *put s.o. to expense(s);* **op** ~en van *at the expense of;* de uitgave geschiedt **op**~en van het rijk *publishing costs are borne/ met by the State;* **op**~en van zijn moeder/ vrouw leven *live off one's mother/ wife;* dit rondje is **op** mijn~en *this round/ one is on me;* dit gaat **op** mijn~en *this is at my expense;* **uit** de~en zijn *have recovered/ recouped one's costs;* **zonder**~en *without/ free of charge(s)* **6.2** **aan** de~en komen *make a living;* wat doe jij **voor** de~? *what do you do for a living?;* ⟨fig.⟩ doe jij ook eens wat **voor** de ~*get your hands dirty for a change;* werken **voor** de~ *work for a living* **6.3** bij iem. **in** de~ zijn *board with s.o.;* **in** de~ nemen *put up, take in as a boarder;* **in** de~ gaan bij *lodge/ board with;* toen ik daar **in** de ~ ging *when I took lodgings there* **6.4** ⟨fig.⟩ dat is geen~ **voor** kinderen *that is not suitable for children* **6.¶** **ten**~e **van** *at the expense/ cost of;* het gaat **ten**~e **van** zijn gezondheid *it is at the expense of his health;* **ten**~e **van** zijn leven *at the cost of his life, paid for with his life;* geestig zijn **ten**~e **van** iem. anders *be witty at s.o. else's expense/ cost.*
kostbaar ⟨bn.⟩ **0.1** [hoog in prijs] *expensive* ⇒*dear,* ⟨sterker⟩ *costly* **0.2** [van grote waarde] *valuable* ⇒⟨sterker⟩ *precious, costly* **0.3** [weelderig] *rich* ⇒*expensive, precious, sumptuous* ♦ **1.2** het meest kostbare exemplaar uit de collectie *the most v./ precious piece in the collection;* kostbare ogenblikken *precious moments;* onze tijd is~ *our time is precious* **1.3** kostbare kleren *expensive clothes* **3.1** dat kunstwerk is mij te~ *that piece of art is too e. for me.*
kostbaarheden ⟨zn.mv.⟩ **0.1** *valuables* ⇒*treasures, riches, precious objects.*
kostbaarhedenverzekering ⟨de (v.)⟩ **0.1** *insurance of valuables* ⇒⟨AE; reis/ transportverzekering⟩ *floater, floating policy.*
kostbaas ⟨de (m.)⟩ **0.1** *landlord* ⇒*boarding-house keeper.*
kostelijk ⟨bn., bw.; -ly⟩ **0.1** [voortreffelijk] *precious* ⇒⟨lekker⟩ *exquisite,* ⟨uitstekend⟩ *excellent, splendid, delightful* **0.2** [amusant] *priceless* ⇒*capital, rare* ♦ **1.1** een~e avond *a splendid evening;* dat is een ~ bezit *that is a p./ splendid possession;* een~boek *a marvellous/ de-*

lightful book; ~ materiaal voor een studie *excellent/valuable material for a study;* ~ e wijn *excellent/exquisite wine* **1.2** een ~ verhaal *a p./capital story* **3.1** zich ~ amuseren *have a wonderful time;* dat smaakt ~ *this is delicious* **3.2** (die is) ~! *that's a great/capital/rare one!, that's rich!.*

kosteloos ⟨bn.,bw.⟩ **0.1** ⟨bn.⟩ *free,gratuitous;* ⟨bw.⟩ *free of charge(s), gratis,for free* ◆ **1.1** ~ huis *rent-free house;* ~ onderwijs *free education* **3.1** ~ procederen *litigate free of charge.*

kosten ⟨onov.ww.⟩ (→sprw. 41,315,599) **0.1** [voor het genoemde bedrag verkrijgbaar zijn] *cost, be* ⇒*sell at* **0.2** [vereisen] *cost, take* ◆ **1.1** dat kost geld *that will c. money/you;* of 't geen geld kost *you'd think it was for free;* dat zal u geld ~ *this is going to c. you;* zijn kinderen ~ hem veel geld *his children are a heavy financial burden to him;* vragen kost geen geld *it doesn't c. anything to ask;* het kost kapitalen *it costs the earth;* het heeft ons maanden gekost om dit te regelen *it took us months to organise this;* ze ~ een pond per stuk *they are a pound each;* de ~ de prijs *the cost (price)* **1.2** het kostte hem zijn baan/been *it c. him his job/his leg;* ⟨fig.⟩ dat zal je de kop niet ~ *it's not going to kill/ruin you;* dat kostte hem het leven *that killed him;* dat kan je het/je leven ~ *this could c. you your life, this could kill you;* het ongeluk kostte (aan) drie kinderen het leven *three children died/lost their lives in the accident, the accident took the lives of three children;* het kost hem moeite zijn ongelijk te bekennen *it is difficult for him to admit he is wrong;* het kost mij moeite hem te volgen *I find it hard to follow him;* dat kost moeite/tijd *that will require effort/c. time;* dat kostte ons de overwinning *that c. us the victory;* dit karwei zal heel wat tijd ~ *this job will t. up a great deal of time* **3.1** hoeveel mag het ~? *how much do you wish to spend?, what price do you have in mind?* **4.1** dit kost u niets *there is no charge for this;* wat kost het? *what does it c.?, how much is it?;* aardig wat ~ *come to a pretty sum* ¶.**2** het koste wat het wil *whatever the cost, at all costs, at any cost.*

kosten-batenanalyse ⟨de (v.)⟩ **0.1** *cost-benefit analysis.*

kostenberekening ⟨de (v.)⟩ **0.1** *calculation of the costs/expenses;* ⟨van bep. produkt/bepaalde methode⟩ *cost accounting, costing.*

kostenbesparend ⟨bn.⟩ **0.1** *money-saving* ⇒*cost-cutting/-reducing* ◆ **1.1** ~ e maatregelen *m.-s./cost-cutting/cost-reducing measures.*

kostenbesparing ⟨de (v.)⟩ **0.1** *saving in costs/expenses/expenditures* ⇒ *economy* ◆ **6.1** een ~ van 5% (opleveren) *(result in) a saving of 5%* ¶.**1** ter wille van/met het oog op ~ *in order to save expenses, with an eye toward economizing.*

kostenbewaking ⟨de (v.)⟩ **0.1** *price control.*

kostendekkend ⟨bn.⟩ **0.1** *cost-effective* ⇒*self-supporting/-financing,* ⟨inf.⟩ *break-even* ◆ **1.1** een ~ plan *a c.-e. plan, a plan that covers its (own) costs, a break-even plan.*

kostenderving ⟨de (v.)⟩ **0.1** *loss of income* ◆ **6.1** vergoeding wegens ~ *compensation for loss of income.*

kostendeskundige ⟨de (m.)⟩ **0.1** *cost accountant/* ⟨BE ook⟩ *clerk* ⇒⟨in de bouw ook⟩ *quantity surveyor.*

kostendrager ⟨de (m.)⟩ ⟨adm.⟩ **0.1** *cost centre.*

kostenplaats ⟨de (v.)⟩ ⟨adm.⟩ **0.1** *cost centre.*

kostenraming ⟨de (v.)⟩ **0.1** *estimate (of (the) cost(s))* ⇒*cost estimate,* ⟨geschatte kosten⟩ *estimated cost(s).*

kostenteller ⟨de (m.)⟩ **0.1** *charge counter/meter.*

kostenverhogend ⟨bn.,bw.⟩ **0.1** *cost-raising/-increasing* ◆ **1.1** dat heeft een ~ effect *that raises/increases/pushes up (the) costs.*

kostenverlagend ⟨bn.⟩ **0.1** *cost-reducing* ⇒*money-saving* ◆ **3.1** ~ werken *cause a reduction in costs.*

kostenvriendelijk ⟨bn.⟩ **0.1** *low-cost/-budget* ⇒*money-saving,* ⟨reclametaal ook⟩ *budget.*

koster ⟨de (m.)⟩ **0.1** *sexton* ⇒*verger, sacristan.*

kosteres ⟨de (v.)⟩ **0.1** [vrouw van de koster] *sexton's/verger's/sacristan's wife* **0.2** [vrouwelijke koster] *sextoness* ⇒*(woman/lady) sexton /verger/sacristan.*

kosterij ⟨de (v.)⟩ **0.1** [woning] *sexton's/verger's/sacristan's house* **0.2** [ambt] *sextonship* ⇒*post of verger/sacristan.*

kostganger ⟨de (m.)⟩ (→sprw. 267) **0.1** *boarder* ⇒*lodger* ◆ **2.1** ⟨scherts.⟩ een dure ~ *a big eater* **3.1** ~ s houden *take in boarders/lodgers.*

kostgeld ⟨het⟩ **0.1** [vergoeding] *board (and lodging)* ⇒*pension* **0.2** [toelage] *board wages* ⇒*subsistence money* ◆ **6.1** tegen ~ en pension.

kosthuis ⟨het⟩ **0.1** *boarding-house* ⇒*lodging(-house), pension,* ⟨inf.⟩ *digs.*

kostje ⟨het⟩ **0.1** *living, livelihood* ◆ **3.1** met moeite zijn ~ bij elkaar scharrelen *scrape/eke out a (meagre) living, keep the wolf from the door;* zijn ~ is gekocht *he is provided for, he is a made man, he has it made.*

kostleerling ⟨de (m.)⟩,-e ⟨de (v.)⟩ **0.1** *boarder* ⇒*resident (pupil/student)* ◆ **2.1** halve ~ *day-boarder, non-resident pupil/student.*

kostprijs ⟨de (m.)⟩ **0.1** [mbt. het produceren] *cost price* **0.2** [mbt. het aankopen] *prime cost* ◆ **3.1** de ~ van het artikel berekenen *cost the article* **6.1** iets tegen ~ verkopen *sell sth. at c.p.* **6.2** iets onder de ~ verkopen *sell sth. below cost/at a loss.*

kostprijsberekening ⟨de (v.)⟩ **0.1** *calculation of the cost price* ⇒⟨adm.⟩ *cost accounting, costing.*

---

kostschool ⟨de⟩ **0.1** *boarding school* ⇒⟨grote Engelse privéschool⟩ *public school* ◆ **6.1** naar een ~ gaan, op een ~ zitten *go to/attend a b. s..*

kostschoolhouder ⟨de (m.)⟩,-houdster ⟨de (v.)⟩ **0.1** *boarding school proprietor* ⟨m.⟩/*proprietress* ⟨v.⟩.

kostumeren ⟨ov.ww.⟩ **0.1** *costume, dress (up).*

kostuum ⟨het⟩ **0.1** [pak] *suit (of clothes)* **0.2** [mantelpak] *suit* ⇒*costume* **0.3** [kleding] *costume, dress* ⇒⟨voor bal⟩ *fancy dress,* ⟨inf.⟩ *outfit, garb, attire* ◆ **2.1** een driedelig ~ *a three-piece suit* **2.3** een licht ~ *a light c./dress;* nationaal ~ *national c.* **6.1** in ~ gaan wandelen *go out walking in one's suit/without an overcoat* **6.3** een repetitie in ~ *a dress rehearsal.*

kostuumnaaien ⟨ww.⟩ **0.1** *dressmaking* ⇒↑*couture.*

kostuumnaaister ⟨de (v.)⟩ **0.1** *dressmaker* ⇒⟨theater⟩ *costumer, costumier, wardrobe mistress.*

kostuumrepetitie ⟨de (v.)⟩ **0.1** *dress rehearsal.*

kostuumstuk ⟨het⟩ **0.1** *costume piece/play/drama.*

kostvrouw ⟨de (v.)⟩ **0.1** *landlady* ⇒*boarding-house keeper.*

kostwinner ⟨de (m.)⟩,-ster ⟨de (v.)⟩ **0.1** *breadwinner* ⇒*wage earner, provider.*

kostwinnerschap ⟨het⟩ **0.1** *breadwinner's position/role* ⇒*position/role as a breadwinner.*

kostwinnersprincipe ⟨het⟩ **0.1** ⟨*principle linking the right to work with role as breadwinner⟩.*

kostwinnersvergoeding ⟨de (v.)⟩ **0.1** *seperation allowance.*

kostwinning ⟨de (v.)⟩ **0.1** *livelihood, living* ⇒*breadwinning.*

kot ⟨het⟩ **0.1** [krot] *hovel* ⇒*cabin, shack, doghole, rattrap* **0.2** [hok] *pen* ⇒*cote* ⟨duiven⟩,*sty* ⟨varkens⟩, *kennel* ⟨honden⟩ **0.3** [gevangenis] *clink* ⇒*cage, can,* ᴮ*quod,* ᴬ*pen* **0.4** [studentenkamer] *den* ⇒*digs* ◆ **6.3** in 't ~ zitten *be in the clink/can, serve/do time.*

kotelet ⟨de⟩ **0.1** *chop, cutlet.*

koter ⟨de (m.)⟩ ⟨inf.⟩ **0.1** *youngster* ⇒*kid,* ᴮ*nipper.*

kotiënt →**quotiënt.**

kots[1] ⟨de (m.)⟩ ⟨inf.⟩ **0.1** *puke, sick* ⇒ᴬ*barf.*

kots[2] ⟨bn.⟩ ⟨inf.⟩ **0.1** *sick.*

kotsen ⟨onov.ww.⟩ ⟨inf.⟩ **0.1** *puke* ⇒*spew, spit,* ᴮ*cat,* ᴬ*barf* ◆ **5.1** ⟨fig.⟩ ik kots ervan *I'm sick to death of it* **6.1** ⟨fig.⟩ 't is om van te ~ ⟨walgelijk⟩ *it's nauseating/sickening;* ⟨vervelend⟩ *it bores one sick/to death;* ⟨fig.⟩ ik kots jullie *you make me want to p..*

kotsmisselijk ⟨bn.⟩⟨inf.⟩ **0.1** *sick as a dog/cat/pig* ◆ **3.1** ik word er ~ van ⟨fig.⟩ *I'm sick to death of it, it makes me sick.*

kotter ⟨de (m.)⟩ **0.1** [vaartuig] *cutter* **0.2** [werktuig] *spoon bit.*

kotteraar ⟨de (m.)⟩ **0.1** *borer.*

kotterbank ⟨de (v.)⟩ **0.1** *borer, boring machine/lathe/mill.*

kotteren ⟨onov.ww.⟩ **0.1** *bore.*

kotterjacht ⟨het⟩ **0.1** *cutter yacht.*

kou ⟨de⟩ **0.1** [lage temperatuur] *cold(ness)* ⇒*chill* **0.2** [toestand, gewaarwording] *cold, chill* **0.3** [verkoudheid] *cold* ⇒ᴮ*chill* **0.4** [harteloosheid] *coldness* **0.5** [wind] *breeze* ⇒*wind* ◆ **2.1** een snerpende/bijtende ~ *a sharp/nipping/bitter cold;* de winterse ~ *the wintry cold* **2.5** er kwam een stevige ~ opzetten *a strong b. blew up* **3.2** ~ lijden *suffer from the cold, freeze* **3.3** (een) ~ bij zich hebben *be having/getting a cold;* ~ vatten *catch (a) cold* **6.1** ⟨fig.⟩ in de ~ staan *be left out in the cold;* iem. in de ~ laten staan ⟨ook fig.⟩ *leave s.o. (out) in the cold;* een stevige borrel tegen de ~ *a stiff drink to keep the cold out* **6.2** blauw zien van de ~ *be blue/perished with the cold* **6.3** een ~ in 't hoofd *a cold in the head, a head cold;* een ~ op de maag *a stomach chill;* een ~ op de borst *a cold on the chest.*

koubeitel ⟨de (m.)⟩ **0.1** *cold chisel* ⇒*cold set.*

koubulten ⟨zn.mv.⟩ **0.1** *chilblains.*

koud (→sprw.591)

I ⟨bn.⟩ **0.1** [niet warm] *cold* ⇒⟨lucht ook⟩ *chilly,* ⟨schr.⟩ *frigid, gelid, algid* **0.2** [mbut. het lichaam] *cold, chilly* **0.3** [onaangedaan, harteloos] *cold* ⇒*chilly, cold-hearted* **0.4** [mbt. licht] *cold* ⇒*bleak* ◆ **1.1** ⟨fig.⟩ een ~ e bakker ⟨persoon⟩ *a baker who doesn't bake his own bread;* ⟨winkel⟩ *a bread-shop/*ᴬ*store;* een ~ buffet *a cold buffet;* een ~ e douche ⟨lett.⟩ *a cold shower;* ⟨fig.⟩ *a rude awakening;* ⟨persoon⟩ *a wet blanket;* ⟨fig.⟩ dat was een ~ e douche voor ons *that brought us out of the clouds;* ⟨landb.⟩ ~ e gewassen *outdoor crops;* ⟨fig.⟩ een kunstenaar van de ~ e grond *an artist of sorts, a would-be/twopenny-halfpenny artist;* groenten v.d. ~ e grond *outdoor vegetables;* aardbeien v.d. ~ e grond *field strawberries;* kouwe kikker *cold fish, cool one/customer;* de ~ e luchtstreken *the frigid/frozen zones;* een ~ e luchtstroom *a cold/chilly stream of air;* de ~ e oorlog *cold war;* ~ vlees *cold meat/*ᴬ*cuts* **1.2** ~ e koorts *chill;* ⟨vnl. als symptoom van malaria⟩ *ague;* het ~ e zweet brak mij uit *I was in a cold sweat* **1.3** een ~ e blik *a cold glance, an icy stare;* op ~ e toon *in a cold voice, in an icy tone;* ik word er ~ van *it gives me the chills/shivers/creeps* **1.**¶ kouwe drukte *much ado about nothing;* kouwe kak *high-and-mighty airs;* ⟨landb.⟩ ~ e kassen *cold frames/houses;* iets langs zijn ~ e kleren af laten glijden *remain unaffected by sth.;* het is een ~ kunstje *there's nothing to it, it's a lark/snap* **3.1** het voelt ~ aan *it is cold to the touch, it feels cold;* iets niet ~ laten worden ⟨lett.⟩ *not let sth. go cold;* ⟨fig.⟩

strike while the iron is hot; ⟨tech.⟩ iets~ smeden/ hameren *cold-work sth.;* schiet op, je soep staat ~ te worden *hurry up, your soup is getting cold;* het wordt~ *it's getting cold/ chilly* **3.2** het ~ hebben *be/ feel cold;* het ~ krijgen *get cold;* het loopt mij ~ over de rug *it sends shivers down my spine;* iem. ~ maken *do s.o. in, bump/ knock s.o. off,* [A]*waste s.o.* **3.3** ~ onder iets blijven ⟨niet enthousiast⟩ *be left cold by sth.;* ⟨niet bang⟩ *keep (one's) cool under sth.;* het laat mij ~ *it leaves me cold* **3.¶** het viel haar ~ op 't lijf/ dak *it gave her a shock, it made her go cold all over* **6.1 in** het ~st van de winter *in the dead of winter* **8.1** zo ~ als ijs/ als een steen *cold as ice, stone-cold;* ⟨fig.⟩ zo ~ als een kikker *frigid* **¶.1** olie~ persen *cold-press oil;*
II ⟨bw.⟩ ⟨inf.⟩ **0.1** [nauwelijks] *hardly/ scarcely (when)* ⇒*no sooner (than),* ⟨zonder inversie ook⟩ *(only) just, barely, no more than* **3.1** ~ waren we de brug over of ... *hardly had we crossed the bridge when* ....

koudbeitel →**koubeitel.**
koudbewerking ⟨de (v.)⟩ **0.1** *cold-work.*
koudbloed ⟨de (m.)⟩ **0.1** *underbred (horse)* ⇒*coldblood, cold-blooded horse.*
koudbloedig ⟨bn.⟩ **0.1** [⟨biol.⟩] *cold-blooded* ⇒*poikilothermic, heterothermic* **0.2** [tot het koudbloedras behorend] *heavy* ⇒*cold-blooded* **0.3** [koelbloedig] *cold-blooded* ⇒*cool(-headed)* **0.4** [⟨scherts.⟩ erg gevoelig voor kou] ⟨ongemarkeerd⟩ *cold-blooded.*
koudbloedpaard ⟨het⟩ **0.1** *heavy horse* ⇒*coldblood.*
koudbloedras ⟨het⟩ **0.1** *heavy breed of horse* ⇒*cold-blooded breed.*
koudbreukig, -bros ⟨bn.⟩ **0.1** *cold-short.*
koudegolf ⟨de⟩ **0.1** *cold wave;* ⟨van korte duur⟩ *cold spell.*
koudegreep ⟨de (m.)⟩ **0.1** *insulated handle.*
koudetechniek ⟨de (v.)⟩ **0.1** *cryogenics* **6.1** laboratorium **voor** ~ *cryogenic laboratory.*
koudetherapie ⟨de (v.)⟩ **0.1** *crymotherapy* ⇒*cryotherapy.*
koudheid ⟨de (v.)⟩ **0.1** [het koud zijn] *cold(ness)* ⇒*chilliness* **0.2** [ongevoeligheid] *coldness* ⇒*cold-heartedness.*
koudlassen ⟨het⟩ ⟨tech.⟩ **0.1** *cold-welding.*
koudmakend ⟨bn.⟩ ⟨nat.⟩ **0.1** *cryogenic* ⇒*cooling, freezing, refrigerating* **1.1** ~ mengsel *cryogen, freezing mixture.*
koudslachter ⟨de (m.)⟩ **0.1** [B]*(horse) knacker,* [A]*renderer* ⇒*flayer.*
koudsmeden ⟨ww.⟩ **0.1** *cold-forging, cold-working.*
koudvuur ⟨het⟩ **0.1** *gangrene* ⇒*mortification, canker* **3.1** door~ aangetast *gangrenous.*
koudwaterbad ⟨het⟩ **0.1** [bad] *cold bath* **0.2** [plotselinge ontgoocheling] *rude awakening.*
koudwaterkraan ⟨de⟩ **0.1** *cold-water tap/ faucet.*
koudwaterkuur ⟨de⟩ **0.1** *cold-water cure* ⇒*hydropathy.*
koudwatervrees ⟨de⟩ **0.1** [angst voor koud water] *fear of cold water* **0.2** [overbodige vrees] *cold feet* ⇒ [↑]*timorousness.*
koudweg ⟨bw.⟩ **0.1** [onaangedaan] *cold-bloodedly, coolly* **0.2** [zonder verbindingsstuk] *unconnected.*
koufront ⟨het⟩ ⟨meteo.⟩ **0.1** *cold front* ⇒*squall line.*
koukleum ⟨de (m.)⟩ **0.1** *shivery type/ person* ⇒*chilly/ cold-blooded person* **3.1** hij is een~ *he is very sensitive to the cold, he feels the cold.*
koukleumen ⟨ww.⟩ **0.1** *be cold all over/ half frozen/ blue with cold* ⇒ *being cold/ chilly* **3.1** zitten~ op een bankje *sit shivering on a bench.*
kous ⟨de⟩ **0.1** [kledingstuk] *stocking* ⇒⟨kort⟩ *sock,* ⟨winkeltaal⟩ *hose* **0.2** [pit/ van olielamp] *wick;* ⟨van gaslamp⟩ *mantle* **0.3** [huls] *thimble* **0.4** [spaarkous] *hoard* **2.1** afgezakte ~ *sagged stocking;* halve ~ *half hose, short stockings, socks;* wollen/ katoenen/ zijden ~ *woollen/ cotton/ silk stocking* **3.1** ~ en stoppen *darn/ mend stockings* **5.1** ⟨fig.⟩ daarmee is de ~ af *and that's it, and there's an end to it/ the matter* **6.1** een~ **met** een ladder *a stocking with a* [B]*ladder/* [A]*run;* een ~ **met** een gat *a stocking with a hole in it;* **op** ⟨zijn⟩ ~en lopen *walk in one's stocking(ed) feet;* ⟨fig.⟩ de ~ **op** de kop krijgen *be turned down/ given the brush off;* **zonder** ~en *bare-legged* **¶.1** met de ~ op de kop thuiskomen *come away with a flea in one's ear.*
kousbroek ⟨de⟩ ⟨AZN⟩ **0.1** *tights* ⇒⟨AE ook⟩ *panty hose.*
kouscher →**koosjer.**
kouseband ⟨de (m.)⟩ **0.1** [band] *garter* **0.2** [peulvrucht] *cow-pea* **6.1** Orde van de Kouseband *Order of the Garter.*
kousebandsteek ⟨de (m.)⟩ **0.1** *garter stitch.*
kousenwinkel ⟨de (m.)⟩ **0.1** *hosiery shop, hosier's.*
kousevoet ⟨de (m.)⟩ **0.1** *stocking(ed) foot* **6.1 op** ~en lopen ⟨lett.⟩ *walk in one's stocking(ed) feet;* ⟨fig.⟩ *pussyfoot.*
kousje ⟨het⟩ **0.1** [kleine kous] *stocking* ⇒*sock* **0.2** [nylon kniekous] *pop sock, knee-high sock* **0.3** [pit/ van olielamp] *wick;* ⟨van gaslamp⟩ *mantle.*
kousjer →**koosjer.**
kousophouder ⟨de (m.)⟩ **0.1** [B]*suspender,* [A]*garter.*
kout ⟨de (m.)⟩ ⟨schr., beh. in AZN⟩ **0.1** ⟨schr.⟩ *confabulation* ⇒⟨ongemarkeerd⟩ *chat, conversation.*
kouten ⟨onov.ww.⟩ ⟨schr., beh. in AZN⟩ **0.1** ⟨schr.⟩ *confabulate* ⇒⟨ongemarkeerd⟩ *converse, chat.*
kouter ⟨het⟩ **0.1** [ploegijzer] [B]*coulter,* [A]*colter* **0.2** [ploeg] *plough(share).*

kouvatten ⟨ww.⟩ **0.1** *catch (a) cold* ⇒⟨BE ook⟩ *catch a chill.*
kouwelijk ⟨bn., bw.; -ly⟩ **0.1** [gevoelig voor de kou] *chilly, cold-blooded* **0.2** [het koud hebbend] *chilly, cold* **3.1** zij is erg~ *she is very sensitive to (the) cold, she feels the cold.*
kovel ⟨de⟩ **0.1** *hood.*
kozak ⟨de (m.)⟩ **0.1** [lid van een russische volksstam] *Cossack* **0.2** [ruw optredend militair] *cossack.*
kozakkendans ⟨de (m.)⟩ **0.1** *Cossack dance* ⇒*Russian dance.*
kozakkenkoor ⟨het⟩ **0.1** *Cossack choir/ chorus.*
kozakkenmuts ⟨de⟩ **0.1** *Cossack hat.*
kozen ⟨schr.⟩
I ⟨onov.ww.⟩ **0.1** [minnekozen] *court* ⇒*bill and coo, say/ talk/ whisper sweet nothings;*
II ⟨ov.ww.⟩ **0.1** [liefkozen] *caress* ⇒*fondle, pet.*
kozijn
I ⟨het⟩ **0.1** [raamwerk] *(window/ door) frame/ case/ casing* **0.2** [deel van een raamwerk] *(window/ door) post* ⇒⟨vensterbank⟩ *window-sill;*
II ⟨de (m.)⟩ ⟨AZN⟩ **0.1** [neef/ kind van oom/ tante] *cousin* ⇒⟨soms oomzegger⟩ *nephew.*
KP ⟨afk.⟩ ⟨AZN⟩ **0.1** [Kommunistische Partij] ⟨*Communist Party*⟩.
kraag ⟨de (m.)⟩ **0.1** [deel van een kledingstuk] *collar* **0.2** [als sieraad] *collar* ⇒⟨Spaanse⟩ *ruff,* ⟨bont⟩ *tippet,* ⟨dun⟩ *neckband* **0.3** [mbt. vogels] *ruff* ⇒*collar, tippet, frill* **0.4** [uitstekend gedeelte] *collar* ⇒ *flange, shoulder,* ⟨aan uiteinde van pijp⟩ *socket* **0.5** [schuimmanchet] *head* **1.4** de ~ v.e. buis *the c./ flange of a pipe* **2.1** geplooide ~ *ruff(le)* **2.2** een kraak ~ *a lace c./ neckband;* Spaanse ~ ⟨lett.⟩ *ruff;* ⟨fig.⟩ *paraphimosis* **3.1** de ~ omslaan *turn the c.;* de ~ van zijn jas zetten *turn up the c. of one's coat* **6.1** iem. **bij/ in** zijn~ grijpen ⟨beetpakken⟩ *collar s.o.;* ⟨arresteren⟩ *arrest s.o.;* iem **met/ zonder** ~ *collared/ collarless* **6.5** een glas bier **met** een~ *a glass of beer with a h.* **6.¶** een stuk **in** zijn~ hebben *be well-oiled/ fuddled, have a jag/ load on.*
kraagbeer ⟨de (m.)⟩ **0.1** *(Asiatic) black bear.*
kraageend ⟨de⟩ **0.1** *harlequin duck.*
kraagjas ⟨de⟩ **0.1** *collared coat.*
kraagje ⟨het⟩ **0.1** *collaret(te)* ⇒⟨kanten⟩ *tucker.*
kraagmerel ⟨de⟩ **0.1** *ring ouzel* ⇒*ring blackbird, ring thrush.*
kraagsteen ⟨de (m.)⟩ ⟨bouwk.⟩ **0.1** *corbel* ⇒*console, (stone) bracket, ancon.*
kraagstuk ⟨het⟩ **0.1** [⟨wwb.⟩] *crib* **0.2** [kraagsteen] *corbel* ⇒*console, (stone) bracket, ancon.*
kraagveer ⟨de⟩ **0.1** *collar/ ruff/ frill feather.*
kraai ⟨de⟩ ⟨→sprw. 369,370⟩ **0.1** [vogel] *crow* **0.2** [⟨scherts.⟩ persoon] ⟨ongemarkeerd⟩ *undertaker's man* ⇒*mute* **0.3** [vlaggetje] *pilot flag/ jack* **1.¶** kind noch~ hebben *no one/ not a soul in the world* **2.1** bonte ~ *hooded/ grey c., saddleback;* ⟨Sch.E⟩ *corbie;* gewone/ zwarte ~ *carrion c..*
kraaiachtig ⟨bn.⟩ **0.1** *corvine* ⇒*crow-like* **7.1** de ~en *corvidae.*
kraaiebek ⟨de (m.)⟩ **0.1** [nijptangetje] *needle-nosed pliers* **0.2** [bek v.e. kraai] *crow's beak.*
kraaien ⟨→sprw. 246⟩
I ⟨onov.ww.⟩ **0.1** [mbt. hanen] *crow* **0.2** [mbt. kinderen] *crow* **1.1** ⟨fig.⟩ zijn haan moet altijd koning ~ *he always has to be cock of the walk, he wants to have his way in everything* **5.1** ⟨fig.⟩ geen haan zal ernaar ~ *nobody will know about it/ will be any the wiser for it* **6.2** de baby kraaide van plezier *the baby crowed with pleasure* **7.1** voor het ~ van de haan *before cockcrow;*
II ⟨ov.ww.⟩ **0.1** [uitschreeuwen] *crow* **1.1** oproer~ *stir up sedition/ rebellion;* victorie ~ *be cock-a-hoop, crow.*
kraaienest ⟨het⟩ **0.1** [nest van een kraai] *crow's nest* **0.2** [⟨scheep.⟩] *crow's/ bird's nest* ⇒⟨rond de mast⟩ *round-top.*
kraaienkap ⟨de⟩ **0.1** *chimney cap.*
kraaienmars ⟨de (m.)⟩ **3.¶** de ~ blazen *go west, peg out, snuff it, kick the bucket.*
kraaiepoot ⟨de (m.)⟩ **0.1** [mbt. autobanden] *caltrop* ⇒*crow's-foot* **0.2** [poot van een kraai] *crow's leg.*
kraaiepootjes ⟨zn.mv.⟩ **0.1** ⟨rimpels⟩ *crow's-feet.*
kraaiewip ⟨de (m.)⟩ ⟨sport⟩ **0.1** *standing jump, jump from a standing start.*
kraaiheide ⟨de⟩ **0.1** *crowberry.*
kraak
I ⟨de (m.)⟩ **0.1** [inbraak] *break-in* ⇒[B]*job,* [A]*heist,* [↑]*burglary* **0.2** [galerij in een kerk] *gallery* **0.3** [ongeluk met een vliegtuig] *crash* **0.4** [kraakactie] *squat* **1.¶** daar zit ~ noch smaak aan *it tastes of nothing; it has no taste at all;* ⟨fig.⟩ *it's neither fish nor fowl* **3.1** een ~(je) zetten *do a job/ heist, crack a crib;*
II ⟨de (m.)⟩ **0.1** [inktvis] *octopus* **0.2** [zeeschip] *carrack* ⇒*galleon.*
kraakactie ⟨de (v.)⟩ **0.1** *squat.*
kraakbeen ⟨het⟩ **0.1** ⟨med.⟩ *cartilage* ⇒⟨cul.⟩ *gristle* **2.1** ringvormig ~ *ring-shaped/ cricoid c.;* schildvormig ~ *thyroid c..*
kraakbeenachtig ⟨bn.⟩ ⟨med.⟩ **0.1** *cartilaginous* ⇒⟨cul.⟩ *gristly.*
kraakbeenvis ⟨de (m.)⟩ **0.1** *elasmobranch.*
kraakbenzine ⟨de⟩ **0.1** *cracked petrol.*

kraakbes 〈de〉 **0.1** [blauwe bosbes] *whortleberry* ⇒*huckleberry, bilberry* **0.2** [rode bosbes] *cowberry* ⇒*red whortleberry*.
kraakbeweging 〈de (v.)〉 **0.1** *squatters' movement*.
kraakgas 〈het〉 **0.1** *cracker gas*.
kraakhelder, kraaknet 〈bn., bw.;-ly〉 **0.1** *spotless* ⇒*speckless, scrupulously clean, immaculate, spic(k) and span*, 〈vnl. AE;inf.〉 *squeaky clean*, 〈keurig〉 *prim and proper* ♦ **3.1** het is er ~ *it's absolutely spick and span, it's as clean as a whistle/new pin*.
kraakijs 〈het〉 **0.1** *cat-ice, cat's ice*.
kraakinstallatie 〈de (v.)〉 **0.1** *cracking plant/unit*.
kraakpand 〈het〉 **0.1** *squat* ♦ **6.1** in een ~ zitten/ wonen *live in a s.*.
kraakporselein 〈het〉 **0.1** *egg-shell china* ♦ **6.1** 〈fig.〉 iem. van ~ *a fragile /delicate person*.
kraakstem 〈de〉 **0.1** *grating/rasping voice*.
kraakwagen 〈de (m.)〉 **0.1** *mechanical dustcart/^garbage truck*.
kraakzindelijk →**kraakhelder**.
kraal 〈de〉 **0.1** [rond geslepen stukje hard materiaal] *bead* **0.2** [bolrond voorwerpje] *bead* **0.3** [lijst langs planken] *bead(ing)* **0.4** [rand van een metalen plaat] *bead(ing)* **0.5** [ruimte voor vee] *corral* ⇒ 〈in Z.-Afrika〉 *kraal, (cattle) pen* ♦ **1.1** de kralen van een rozenkrans *the beads of a rosary;* een snoer kralen *a string of beads;* spiegeltjes en ~tjes *knick-knacks, trifles, frippery* **1.2** ~tjes vet op de soep *beads/droplets of fat on top of the soup* **2.1** houten/ glazen kralen *wooden/ glass beads* **3.1** kralen rijgen *thread beads/a chain of beads* **6.1** een met kralen bestikt tasje *a beaded bag*.
kraaldelen 〈zn.mv.〉 **0.1** *panelled sections* ♦ **2.1** vuren ~ *deal fence units*.
kraalgordijn →**kralengordijn**.
kraaloog
I 〈het〉 **0.1** [oog als een kraal] *beady eye* ♦ **2.1** zij heeft zwarte ~jes *she has black beady eyes;*
II 〈de (m.)〉 **0.1** [mens] *beady-eyed person*.
kraam 〈het, de〉 **0.1** *stall* ⇒*booth, stand* ♦ **3.1** de ~ opzetten/ afbreken *set up/take down the stall* **6.1** 〈fig.〉 dat komt (hem) in zijn ~ pas *that suits him down to the ground/is just what he needs*.
kraamaantekening 〈de (v.)〉 **0.1** ≠*midwifery certificate/diploma*.
kraamafdeling 〈de (v.)〉 **0.1** *maternity ward/department* ⇒*obstetric(al) ward*, 〈inf.〉 *maternity, obstetrics*, 〈BE ook〉 *lying-in ward*.
kraambed 〈het〉 **0.1** [bed waarin een vrouw bevalt] *childbed* **0.2** [het · kraamvrouw zijn] ≠*lying-in* ⇒≠*confinement* ♦ **2.2** een lang ~ *a long period of lying-in* **6.1** in het ~ sterven *die in childbirth;* in het ~ (liggen) *be confined;* zij is pas uit het ~ *she has only recently given birth/ had a baby*.
kraambedpsychose 〈de (v.)〉 **0.1** *puerperal psychosis*.
kraambeen 〈het〉 **0.1** *white/ milk leg*.
kraambezoek 〈het〉 **0.1** *lying-in/ maternity visit;* 〈bezoekers〉 *visitors (after a/ the birth)* ♦ **6.1** op ~ komen *come to see the baby*.
kraamgeld 〈het〉 **0.1** *maternity allowance/benefit*.
kraamheer 〈de (m.)〉 **0.1** *father of the new(ly)-born child* ⇒*new father*.
kraamhulp 〈de〉 **0.1** [kraamverzorg(st)er] *maternity assistant* **0.2** [kraamverpleging] 〈→*kraamverpleging*〉.
kraaminrichting 〈de (v.)〉 **0.1** *obstetric clinic* ⇒*maternity home/ hospital*.
kraamkamer 〈de〉 **0.1** [kamer van een kraamvrouw] 〈verloskamer〉 *delivery room* ⇒ 〈vóór de bevalling〉 *labour room*, 〈na de bevalling〉 *recovery room* **0.2** [broedplaats] *incubator* **0.3** [〈fig.〉] *breeding ground* ⇒*seat, centre*.
kraamkliniek 〈de (v.)〉 **0.1** *obstetric/ maternity clinic* ⇒*ante-/ post-natal clinic*.
kraamverband 〈het〉 **0.1** *maternity sanitary towels*.
kraamverpleegster 〈de (v.)〉 **0.1** *obstetric/maternity nurse*.
kraamverpleging 〈de (v.)〉 **0.1** *maternity (ward) nursing, nursing of mother and child/baby*.
kraamverzorging 〈de (v.)〉 **0.1** *maternity care* ⇒〈dienst〉 *maternity welfare/ work/service*.
kraamverzorgster 〈de (v.)〉 **0.1** ≠*health visitor* ⇒*district/maternity nurse*.
kraamvisite 〈de〉 **0.1** [kraambezoek] *lying-in/maternity visit* **0.2** [bezoekers na de bevalling] *visitors (after a/the birth)* ♦ **6.1** op ~ gaan *visit a new mother and her baby/child* **7.2** veel ~ krijgen *receive a lot of visitors after the birth*.
kraamvloed 〈de〉 **0.1** *lochia*.
kraamvrouw 〈de (v.)〉 **0.1** 〈tijdens de bevalling〉 *woman in childbed;* 〈na de bevalling〉 *new mother, mother of a new(ly)-born child*.
kraamvrouwenkoorts 〈de (v.)〉 **0.1** *puerperal fever*.
kraamvrouwensterfte 〈de (v.)〉 **0.1** *maternity mortality (rate)*.
kraamzorg 〈de〉 **0.1** *maternity care*.
kraamzuivering 〈de (v.)〉 →**kraamvloed**.
kraan
I 〈de (m.)〉 〈inf.〉 **0.1** [kei] *crack* ⇒*ace* ♦ **6.1** een ~ in rekenen *be a dab hand at figures;*
II 〈de〉 **0.1** [soort tap (vaak in samenst.)] *tap, ^faucet* ⇒ 〈afsluit-/ doorlaatkraan〉 *(stop)cock, valve* **0.2** [hijswerktuig] *crane* ⇒*derrick* **0.3** [vogel] *crane* ♦ **1.1** 〈fig.〉 de subsidiekraan dichtdraaien *cut/shut*

off the supply of government funds/money/subsidies **2.1** een druppelende/lekkende ~ *a dripping/leaky/leaking t./f.* **2.2** een drijvende ~ *a floating pontoon/c., a c./ derrick barge;* vaste en beweegbare kranen *fixed/ permanent and travelling cranes* **3.1** de ~ laten lopen *leave the t. on/running, let the t. run;* de ~ openzetten/sluiten *turn the t. on/ off* **6.1** je moet hier niet/ geen water uit de ~ drinken *the t. water here is not drinkable;* uit de koude ~ *from the cold t.*.
kraanarm 〈de (m.)〉 **0.1** *(crane) jib* ⇒*boom*.
kraanauto 〈de (m.)〉 **0.1** ^B*breakdown lorry*, ^A*crane truck*, ^A*wrecking crane*.
kraanbaan 〈de〉 **0.1** *craneway* ⇒*crane runway/ gantry*.
kraanbalk 〈de (m.)〉 〈scheep.〉 **0.1** *cathead* ⇒ 〈kraanarm〉 *(crane) jib/ beam*.
kraanbestuurder 〈de (m.)〉 →**kraandrijver**.
kraanboor 〈de〉 **0.1** *fintre drill*.
kraanbrug 〈de〉 **0.1** *crane bridge*.
kraandrijver 〈de (m.)〉 **0.1** *crane driver/ operator* ⇒*craneman*.
kraaneiland 〈het〉 **0.1** *floating crane, pontoon*.
kraangeld 〈het〉 **0.1** *cranage*.
kraanhals 〈de (m.)〉 **0.1** [dunne hals] *crane neck* **0.2** [zwanehals] *swan's / swan neck* ⇒*goose-neck/ -trap* **0.3** [〈plantk.〉 reigersbek] *common storksbill*.
kraanhuis 〈het〉 **0.1** *tap/cock body*.
kraankabel 〈de (m.)〉 **0.1** *crane cable*.
kraanleertje 〈het〉 **0.1** *tap/^faucet washer*.
kraanschip 〈het〉 **0.1** *crane ship*.
kraansleutel 〈de (m.)〉 **0.1** *cock spanner/ wrench*.
kraanspoor 〈het〉 **0.1** *craneway* ⇒*crane railway/track*.
kraantjeskan 〈de〉 **0.1** *coffee urn*.
kraanvogel 〈de (m.)〉 **0.1** [loopvogel] *common crane* **0.2** [sterrenbeeld] *Grus* ⇒*(the) Crane*.
kraanwagen 〈de (m.)〉 **0.1** ^B*breakdown van/truck*, ^A*wrecker*, ^A*tow truck*.
kraanwater 〈het〉 **0.1** *tap water*.
kraanzaag 〈de〉 **0.1** *pit-saw*.
krab 〈de〉 **0.1** [dier] *crab* **0.2** [handeling van krabben] *scratch(ing)* **0.3** [schram] *scratch* ⇒*claw mark* ♦ **3.1** ~ben vangen *catch crabs, go crabbing/c. catching*.
krabbegang 〈de (m.)〉 **0.1** *crab walk* ⇒*crabwise gait* ♦ **6.1** in ~ *crabwise, crabways*.
krabbekat
I 〈de (m.)〉 **0.1** [kat die krabt] *scratcher* ⇒*scratch cat;*
II 〈de (v.)〉 **0.1** [kattig meisje] *cat* ⇒*catty girl,* ↓*bitch*.
krabbel 〈de〉 **0.1** [krab] *scratch* **0.2** [onduidelijk schriftteken] *scrawl* ⇒ *scribble* **0.3** [vluchtige schets] *thumbnail sketch* ♦ **3.1** zet er even een ~ onder *just put your scrawl here*.
krabbelbaan 〈de (m.)〉 **0.1** *beginners'/ novices' rink*.
krabbelen
I 〈onov.ww.〉 **0.1** [krabben] *scratch* **0.2** [slecht schaatsenrijden] *skate clumsily* ⇒*be a poor skater* ♦ **5.¶** (weer) overeind ~ *scramble to one's feet, pick o.s. up, recover one's feet/legs* **6.1** niet aan dat wondje ~ *don't pick that scab, stop scratching that cut;*
II 〈onov., ov.ww.〉 **0.1** [slordig schrijven of tekenen] *scrawl* ⇒*scribble, scrabble*.
krabbelig 〈bn.〉 **0.1** *crabbed* ⇒*scrawly, squiggly, cramped, scratchy*.
krabbelpootje 〈het〉 **0.1** *scrawl*.
krabbelschrift 〈het〉 **0.1** *scrawly/ niggling/ crabbed hand(writing)* ⇒ *scrawl*.
krabbeltje 〈het〉 **0.1** *scrawl* ⇒*scribble, scribbled note, dashed-off letter*.
krabben
I 〈onov., ov.ww.〉 **0.1** [krabbelen] *scratch* ♦ **1.1** het anker krabt *the anchor is dragging;* zijn hoofd ~ *s. one's head;* de kat krabt op/ aan de deur *the cat is scratching at the door/ scrabbling her nails on the door* **4.1** zich (eens goed) ~ *have a (good) scratch* **6.1** in zijn haar ~ *s. one's head;*
II 〈onov.ww.〉 **0.1** [door krabben verwijderen] *scratch out/ off* ♦ **1.1** een gat in de grond ~ *s. a hole in the ground* **6.1** iem. de ogen uit het hoofd ~ *s.s.o.'s eyes out;* een vlek van de muur ~ *s. a spot off the wall*.
krabbenvisser 〈de (m.)〉 **0.1** *crabber*.
krabber 〈de (m.)〉 **0.1** [persoon] *scratcher* **0.2** [schrapijzer] *scraper* **0.3** [breekijzer] *crowbar* ⇒*jemmy*.
krabbetje 〈het〉 **0.1** [kleine krab] *small crab* **0.2** [varkenslapje] *sparerib*.
krabcocktail 〈de〉 **0.1** *crab cocktail*.
krabpaal 〈de (m.)〉 **0.1** *scratch(ing)-post*.
krach 〈de〉 **0.1** *crash*.
kracht 〈de〉 〈→sprw. 233〉 **0.1** [fysieke sterkte] *strength* ⇒*power*, 〈van wind ook〉 *force*, 〈van zon ook〉 *intensity*, 〈groeikracht〉 *vigour* **0.2** [vermogen om invloed uit te oefenen] *power(s)* **0.3** [geestelijk/ zedelijk vermogen] *strength* ⇒*effort, ability* **0.4** [geestelijke en fysieke vermogens samen] *strength* ⇒*power, effort* **0.5** [macht om iets uit te werken] *force* ⇒*effect*, 〈overtuigingskracht〉 *cogency* **0.6** [medewerker] *employee* ⇒*worker, hand, staffmember*, 〈mv.〉 *personnel, staff, labour* **0.7** [〈nat., tech.〉] *force* ⇒〈vermogen〉 *power*, 〈uitgeoefende kracht〉 *effort* ♦ **1.4** de ~ van de natie *the s. of the nation* **1.5** de ~ van

een redenering/een betoog *the strength/cogency of a line of reasoning/an argument;* 〈jur.〉 de ~ van de vermoedens of aanwijzingen *the strength/weight of the suspicions or indications;* ~ van wet hebben/krijgen *have/gain f. of law;* de ~ van een woord *the power of a word* **2.1** met zijn laatste ~en *on one's last legs, with a final effort;* met vereende ~en *with combined efforts, by joining forces/pulling together;* met vernieuwde ~en *with renewed efforts* **2.2** de stille ~*unseen/hidden powers/forces* **2.3** scheppende ~ *creative force* **2.4** op eigen ~ *on one's own, by o.s., off one's own bat;* kwade/hemelse/reactionaire ~en *evil/celestial/reactionary forces/powers;* nieuwe ~en verzamelen *acquire/gain new/fresh s., recover one's s.;* stuwende/drijvende ~ *driving spirit, moving force* **2.5** de wet heeft geen terugwerkende ~ *the Act does not apply retroactively/retrospectively/with retrospective f./will not be backdated* **2.6** betaalde en onbetaalde ~en *paid and unpaid staff/employees;* een ervaren/een bevoegde/een geschikte ~ *an experienced/a qualified/suitable hand/worker/e.;* een extra ~ aannemen *take on/employ an additional hand/member of staff* **2.7** varen op eigen ~ *travel under one's own steam* 〈ook fig.〉; middelpuntvliedende ~ *centrifugal f.;* neer-/opwaartse ~ *downward/upward pressure;* volle ~ vooruit *full steam/speed ahead;* met/op volle ~ *at full blast, to capacity;* op volle/halve ~ 〈werken〉 *operate at full/half speed/power* **3.1** dat kost ~ *that will take some effort/doing;* al zijn ~en aanspreken/inspannen/aanwenden *exert all one's energies/s., use all one's powers;* het gaat zijn ~en te boven *that's beyond him/too much for him;* ~ geven 〈bv. van suiker, stevige maaltijd〉 *invigorate, make s.o. feel a new man;* zijn ~en meten met iem. *measure one's s. with s.o., pit one's s. against s.o.;* zijn ~en nemen met de dag af *he is fading by the day;* ~ putten uit *draw s./inspiration from;* zijn ~en sparen *conserve one's energies/energy/s.;* zijn ~en verspillen *waste/dissipate one's energies/energy* **3.2** (aan) argumenten/zien~bijzetten 〈door ...〉 *press home/enforce arguments/claims (with/by)* **3.3** zijn ~en wijden aan iets *devote one's efforts towards sth.* **3.4** aan ~winnen 〈van een beweging enz.〉 *gain impetus, gain in s./power, gather weight/head;* iets beproeven op/aan ...*try one's hand at,* ↓*give sth. a go/try;* de ~ breken van de vijand *break the enemy's s.;* 〈de〉 ~ geven om ...*give the s. to ...;* zijn beste ~en aan iets geven *give one's best to sth.;* daarin ligt zijn ~ *that's his s.;* de ~ missen om door te gaan met iets *lack the s. to go on with sth.;* zijn ~en overschatten *be out of one's depth;* zijn ~en verzamelen/bijeenrapen *mobilize/gather/summon (all) one's s.* **3.5** de ~ ontnemen, van zijn ~ beroven *render ineffective* **6.1** in ~ afnemen/toenemen 〈van wind〉 〈afnemen〉 *abate, drop;* 〈toenemen〉 *rise, freshen;* **met** ~ op iets drukken *press forcibly/strongly on sth.;* **met** alle ~ *with might and main, full out, at full tilt, flat out;* 〈fig.〉 **met** zijn ~en woekeren *burn the candle at both ends, not take care of o.s.;* 〈weer〉 **op** ~en komen *regain one's s., recuperate, rally;* **uit** zijn ~en groeien *overgrow o.s./outgrow one's s.* **6.4** in de ~ van zijn leven *in the full bloom of one's life, in one's prime, in the prime of life;* het vergt veel **van** mij ~ *it takes a lot out of me, it's a great drain on my energy* **6.5** doen afnemen **in** ~ *weaken;* **uit** ~ van *by virtue of* 〈ambt〉; *on the strength of, under* 〈testament〉; **van** ~ zijn/worden/blijven *be/become/remain valid/effective/operative, take/come into effect, obtain, hold good, stand;* niet (meer) **van** ~ ~, zonder ~ *invalid, ineffectual, inoperative, null, void;* 〈weer〉 **van** ~ doen worden *bring into effect/operation, put into f.* 〈again〉; weer **van** ~ worden *come into f. again/be revived;* de voor die tijd/thans **van** ~ zijnde regeling *the prevailing/ruling regulation* **7.1** geen ~ meer hebben (in zijn armen/benen) *lose all the s. (in one's arms/legs)* ¶**.1** aan het eind van zijn ~en zijn *be totally exhausted, have no s. left.*

krachtbron 〈de〉 **0.1** *source of energy/power* ⇒*power-supply,* 〈elek. centrale〉 *power station/* 〈vnl. BE〉 *plant,* 〈geestelijk〉 *sinew, strength.*

krachtcentrale 〈de〉 **0.1** *power station/* 〈vnl. BE〉 *plant.*

krachtdadig 〈bn., bw.; -(al)ly〉 **0.1** *energetic* ⇒*vigorous,* 〈doeltreffend〉 *effectual, efficacious* ◆ **1.1** iem. op ~e wijze steun verlenen *give effective help to s.o., be vigorous in one's efforts on s.o.'s behalf* **3.1** de klas ~ tot kalmte manen *read the class the riot act.*

krachtdadigheid 〈de (v.)〉 **0.1** 〈flinkheid〉 *vigour* ⇒*energy,* 〈krachtige werking〉 *efficacy, efficaciousness.*

krachteloos 〈bn.〉 **0.1** 〈zwak〉 *weak* ⇒*feeble,* 〈slap〉 *limp,* 〈machteloos〉 *powerless, impotent,* ↓*toothless* **0.2** 〈ongeldig〉 *invalid* ⇒*inoperative, null and void* ◆ **1.1** een krachteloze grijsaard *a feeble old man;* met krachteloze stem *in a faint voice;* een krachteloze stijl *a limp/effete style* **3.1** ~ maken 〈fig.〉 *paralyze, palsy;* 〈jur.〉 *invalidate, make null and void, annul, nullify* **3.2** die bepaling is onwettig en bijgevolg ~ *the clause is illegal and therefore invalid;* tijdelijk ~ zijn/raken *be in/fall into abeyance.*

krachteloosheid 〈de (v.)〉 **0.1** 〈zwakheid〉 *weakness* ⇒*feebleness,* 〈slapheid〉 *limpness,* 〈machteloosheid〉 *powerlessness, impotence* **0.2** 〈niet-geldigheid〉 *invalidity* ⇒*inoperativeness, nullity.*

krachtenbundeling 〈de (v.)〉 **0.1** *concentration of strength/force(s).*

krachtendiagram 〈het〉 〈techn., wwb.〉 **0.1** *diagram of forces* ⇒*stress diagram, polygon of forces.*

krachtendriehoek 〈de (m.)〉 **0.1** *triangle of forces.*

krachtenleer 〈de〉 〈techn.〉 **0.1** *dynamics.*

krachtens 〈vz.〉 **0.1** *by virtue of* ⇒*on the strength of, under, in pursuance of, pursuant to* 〈een besluit〉 ◆ **1.1** ~ zijn ambt *by virtue/right of his office;* ~ een rechterlijk dwangbevel *under a court order;* ~ zijn geboorte *by (reason of) birth;* ~ de wet/de wil van zijn vader *under the law/his father's will.*

krachtenspel 〈het〉 **0.1** *interplay of forces* ◆ **2.1** het Europese ~ *the interplay of forces in Europe.*

krachtenveelhoek 〈de (m.)〉 **0.1** *polygon of forces.*

krachtenveld 〈het〉 **0.1** *field of force/influence.*

krachtexplosie 〈de (v.)〉 **0.1** *exertion* ⇒*(tremendous) effort.*

krachtfiguur 〈de〉 **0.1** *powerful/energetic/vigorous person* ⇒*muscleman,* 〈fig.〉 *strong-man.*

krachtig 〈bn., bw.; -ly〉 **0.1** [met fysieke kracht] *strong* ⇒*powerful, lusty, strong(ly)-/powerfully-built* **0.2** [met geestelijke/zedelijke kracht] *powerful* ⇒*forceful, vigorous,* 〈redenering〉 *cogent,* 〈inspanning〉 *strenuous* **0.3** [grote uitwerking hebbend] *powerful* ⇒*potent, effective* ◆ **1.1** een ~ applaus *a hearty applause;* met ~e hand *with a firm hand;* 〈fig.〉 met ~e hand regeren *rule with a firm hand;* een ~e motor *a powerful/high-powered engine;* zwemmen met ~e slagen *swim strongly, strike out (for);* een ~e stroom *a powerful current;* matige tot ~e wind *winds varying from moderate to fresh* **1.2** een ~ argument *a p./cogent argument;* een ~ gebed *an ardent/a fervent prayer;* een ~e persoonlijkheid *a p./forceful personality;* een ~ protest *a strong/vigorous protest;* ~e taal gebruiken *use strong/forcible/forceful language;* ~ verzet *vigorous/spirited/stout resistance* **1.3** een ~ geneesmiddel *(a) potent medicine, an effective drug;* een ~e soep *a nourishing soup/rich broth;* een ~ full-bodied wine **2.2** kort maar/en ~ *brief and to the point, succinct, concise;* 〈fig.〉 *short and sweet* **3.1** ~ gebouwd *powerfully built* **3.2** ~ aandringen op *push hard for;* ~ optreden/handelen *take vigorous/forceful action/strong measures.*

krachtinstallatie 〈de (v.)〉 **0.1** 〈elektriciteitscentrale〉 *power station* ⇒ 〈vnl. BE; complex〉 *power plant.*

krachtlijn 〈de〉 〈nat.〉 **0.1** *line of force.*

krachtmeter 〈de (m.)〉 **0.1** *dynamometer.*

krachtmeting 〈de (v.)〉 **0.1** 〈ontmoeting〉 *contest* ⇒*trial of strength, tug-of-war, showdown* **0.2** [meting van krachten] *power measurement.*

krachtoverbrenging 〈de (v.)〉 **0.1** *power transmission* ⇒*transmission of power/energy/force.*

krachtpatser 〈de (m.)〉 〈inf.〉 **0.1** *bruiser* ⇒*Samson,* 〈AE; sl.〉 *bambino.*

krachtproef 〈de〉 **0.1** [proef om het vermogen te onderzoeken] *power test* ⇒*test of (the) power* **0.2** [mbt. tot personen] *trial of strength.*

krachtseenheid 〈de (v.)〉 **0.1** *unit of force* ⇒*dynamic unit.*

krachtsinspanning 〈de (v.)〉 **0.1** *effort* ⇒*exertion* ◆ **2.1** met de uiterste ~ *with a supreme e., by exerting o.s. fully;* een uiterste ~ doen *make a supreme e..*

krachtsport 〈de〉 **0.1** 〈sport which is primarily a test of physical strength〉.

krachtstation 〈het〉 **0.1** *electricity generating/power station.*

krachtstroom 〈de (m.)〉 **0.1** *highvoltage current.*

krachtterm 〈de (m.)〉 **0.1** *swearword* ⇒*expletive,* 〈AE; inf.〉 *cussword,* 〈verz. n.〉 *invective* ◆ **3.1** hij gebruikte nogal veel ~en *he used a lot of strong language/swearwords.*

krachttoer 〈de (m.)〉 **0.1** *feat of strength* ⇒*labour of Hercules, tour de force* 〈geestelijke kracht〉.

krachtveld 〈het〉 **0.1** [ruimte waar een kracht werkzaam is] *field (of force)* ⇒*force field* **0.2** [invloedssfeer] *sphere of influence.*

krachtverspilling 〈de (v.)〉 **0.1** *waste/dissipation of energy* ⇒*wasted energy/effort.*

krachtvertoon 〈het〉 **0.1** *display/exhibition/show of force/strength.*

krachtvoe(de)r 〈het〉 **0.1** *concentrate(s).*

krak¹ 〈de (m.)〉 **0.1** *crack* ⇒*snap* ◆ **3.1** een ~ geven *go c./snap* **6.1** met een ~ afbreken *break off with a c./snap.*

krak² 〈tw.〉 **0.1** *crack* ⇒*snap* ◆ ¶**.1** ~! daar lag de mast! *c.! there was/lay the mast!*

Krakau 〈het〉 **0.1** *Cracow.*

krakeel 〈het〉 **0.1** [ruzie] *row* ⇒*fray,* 〈op straat〉 *brawl* **0.2** [onenigheid] *quarrel* ⇒*wrangle,* 〈ihb. kinderen〉 *squabble,* 〈triviaal〉 *tiff* ◆ **2.2** huiselijk ~ *domestic q..*

krakeend 〈de〉 **0.1** *gadwall.*

krakelen 〈onov.ww.〉 **0.1** *quarrel* ⇒*wrangle, row,* 〈ihb. kinderen〉 *squabble,* 〈op straat〉 *brawl.*

krakeling 〈de (m.)〉 **0.1** [koekje] *type of biscuit* **0.2** [vlinder] *figure-of-eight moth* ◆ **2.1** zoete ~en ≠*cracknels, jumbles;* zoute ~en *pretzels.*

krakemikkig, krakkemikkig 〈bn., bw.〉 **0.1** 〈bn.〉 *rickety* ⇒*shaky,* 〈BE; sl.〉 *wonky, ramshackle* 〈gebouwen〉, 〈gebrekkig〉 *ragged,* 〈bw.〉 *in a rickety/ramshackle way/fashion.*

kraken 〈→sprw. 634〉

I 〈onov.ww.〉 **0.1** [scherp geluid maken] *crack* ⇒*creak* 〈hout, trap, vloer, schoenen〉, *crunch* 〈zand, grint, sneeuw〉, *screech* 〈remmen〉, *croak* 〈stem〉 **0.2** [〈schei.〉] *decompose* ⇒*break down* ◆ **1.1** het bed kraakt *the bed creaks;* de plank kraakte onder zijn gewicht *the plank/*

shelf groaned under his/its weight; ~de schoenen/stoelen *creaky shoes/chairs;* sneeuw kraakt onder je voeten *snow crunches underfoot;* een krakende stem *a croaky voice* **3.1** iets laten/doen ~ *crack/crash sth.* **¶.1** het vriest dat het kraakt *there is a sharp frost;* **II** ⟨ov.ww.⟩ **0.1** [krakende doen breken] *crack* ⟨ook fig.⟩ ⇒⟨van noten; vnl. AE⟩ *shuck* **0.2** [(een gebouw) binnendringen en in gebruik nemen] *squat* **in 0.3** [inbreken] *break into* ⟨gebouw⟩; *crack* ⟨een kluis, slot, code⟩ **0.4** [afkraken] *pan* ⇒⟨BE; inf.⟩ *slate,* ⟨vnl. AE⟩ *slash* **0.5** [⟨schei.⟩] *crack* ◆ **1.1** iemands botten ~ ⟨fig.⟩ *treat s.o. roughly, twist s.o.'s arm;* ⟨fig.⟩ dat is een harde noot om te ~ *that is a tough/hard nut (to crack);* ⟨fig.⟩ daar werden harde noten gekraakt *some tough/hard nuts were cracked;* walnoten/amandelen ~ *c. walnuts/almonds* **1.2** een woning ~ *s. in a house* **1.3** een bank/kluis ~ *b. into a bank/c. a safe* **1.4** die film is gekraakt door alle recensenten *that film has been slated/slashed by all the critics.*

kraker ⟨de (m.)⟩ **0.1** [iem. die een huis kraakt] *squatter* **0.2** [inbreker] *cracker* ⇒*cracksman* **0.3** [chiropracticus] *chiropractor* **0.4** [topper] *smash (hit)* **0.5** [kraakinstallatie] *(catalytic) cracker/cracking unit* **0.6** [van databanken] *hacker* ◆ **1.2** een brandkastkraker *safe cracker.*

krakerig ⟨bn.⟩ **0.1** *creaky* ⇒*squeaky* ⟨stoel, vloer, remmen⟩, *croaky* ⟨stem⟩, *crunching* ⟨sneeuw, zand, grint⟩.

kralen ⟨bn.⟩ **0.1** *bead.*

kralengordijn ⟨het⟩ **0.1** *bead curtain.*

kralensnoer ⟨het⟩ **0.1** *string of beads* ⇒⟨vnl. r.k.⟩ *chaplet.*

Kralingen ⟨het⟩ ◆ **6.¶** dat is (al) zo oud als de weg *naar* ~ *it's as old as the hills.*

kram ⟨de⟩ **0.1** [staaf, draad] *clamp* ⇒*cramp (iron)* ⟨bergbeklimming⟩, *clasp* ⟨boeksluiting⟩, *staple* ⟨voor elektriciteitskabels⟩ **0.2** [⟨med.⟩] *needle* ◆ **6.¶** ⟨AZN⟩ **in**/**uit** zijn ~⟨men⟩ schieten *fly off the handle, lose one's cool;* ⟨AZN; sport⟩ **uit** zijn ~men schieten *take/go into action, go into the attack/offensive.*

kramer ⟨de (m.)⟩ ⟨→sprw. 185⟩ **0.1** *pedlar* ^*ddler* ⇒*hawker,* ⟨vaak pej.⟩ *huckster, monger, cheap-jack/-john.*

kramerij ⟨de (v.)⟩ **0.1** [kramerswaren] *pedlar's* ^*ddler's wares/merchandise* ⇒*pedlary,* ⟨AE vnl.⟩ *ped(d)lary,* ⟨niet degelijk⟩ *gimmick(ery), gimmick(e)ry, cheapjack goods* **0.2** [het kramen] *pedlary;* ⟨AE vnl.⟩ *ped(d)lery.*

kramerslatijn ⟨het⟩ **0.1** ⟨onverstaanbare taal⟩ *gibberish;* ⟨slecht Latijn; BE⟩ *dog Latin.*

kramiek ⟨de (m.)⟩ ⟨AZN⟩ **0.1** *current loaf/bread.*

krammat ⟨de⟩ ⟨wwb.⟩ **0.1** *fascine work.*

krammen
I ⟨onov.ww.⟩ ⟨wwb.⟩ **0.1** [een krammat leggen] *fascine;*
II ⟨ov.ww.⟩ **0.1** [met een kram aaneenhechten] *clamp* ⇒*cramp, staple,* ⟨porselein ook⟩ *rivet* **0.2** [⟨med.⟩] *suture* ⇒⟨inf.⟩ *stitch* **0.3** [een ring door de neus steken] *ring* ◆ **1.2** een wond ~ *suture/stitch a wound.*

kramp ⟨de⟩ **0.1** *cramp* ⇒*spasm,* ⟨med.⟩ *paroxysm, twitch* ◆ **2.1** klonische/tonische ~ *clonic/tonic spasm* **3.1** ~ krijgen/hebben *get/have cramp* **6.1** ~en in de buik *stomach cramps.*

krampaanval ⟨de (m.)⟩ **0.1** *attack/fit of cramp.*

krampachtig ⟨bn., bw.; -(al)ly⟩ **0.1** [geforceerd] *forced* **0.2** [met wanhopige inspanning] *frenetic* ⇒*grim* **0.3** [als een kramp] *convulsive* ⇒*spasmodic, spastic* ◆ **1.1** een ~e glimlach *a f. smile;* een ~lachje *a false laugh* **1.2** ~e pogingen *f. efforts* **1.3** een ~e samentrekking van de spieren *a muscular spasm* **3.1** met een ~ vertrokken gezicht *grimacing* **3.2** zich ~ aan iem./iets vasthouden *hang on to s.o./sth. by one's fingernails, cling on to s.o./sth. like grim death* **3.3** zich ~ samentrekken *convulse.*

kramphoest ⟨de (m.)⟩ **0.1** *spasmodic/convulsive cough* ⇒*spasm of coughing.*

krampmiddel ⟨het⟩ **0.1** *antispasmodic.*

kramppijn ⟨de⟩ **0.1** *pain from cramp* ⇒*spasmodic pain.*

krampwerend ⟨bn.⟩ **0.1** *antispasmodic* ◆ **1.1** een ~ middel *an antispasmodic.*

kramsvogel ⟨de (m.)⟩ **0.1** *fieldfare.*

kramwerk ⟨het⟩ ⟨wwb.⟩ **0.1** *fascine work.*

kranig ⟨bn., bw.; -ly⟩ **0.1** [met pit] *spirited, mettlesome;* ⟨dapper⟩ *plucky, brave;* ⟨inf.⟩ *crack, dab* ◆ **1.1** een ~e schutter *a crack shot;* een ~e vent *a ripper/topper/capital fellow;* een ~e vrouw *a spirited woman* **3.1** dat heb je er ~ afgebracht *you played it well;* zich ~ houden *put up a brave fight, keep one's end up, give a good account of o.s., keep a stiff upper lip;* zich nog ~ weren *still have some fight left in one.*

krank ⟨bn.⟩ ⟨schr.⟩ **0.1** *sick* ⇒*ill* ◆ **1.1** een ~e geest *a s. mind.*

krankjorem ⟨bn., bw.⟩ ⟨inf.⟩ **0.1** *crackers* ⇒*bonkers, nuts, crazy, damfool, idiotic* ⟨vraag, idee⟩ ◆ **3.1** is hij nou helemaal ~? *is he stark staring mad?*

krankzinnig
I ⟨bn.⟩ **0.1** [geestesziek] *mentally ill/deranged* ⇒*insane, mad, demented,* ⟨vero.⟩ *lunatic,* ⟨inf.⟩ *crazy* ◆ **3.1** ~ maken *derange, dement;* iem. ~ verklaren *certify s.o.;* ~ worden *go mad/insane/out of one's mind, loose one's reason/mind;*

II ⟨bn., bw.; -ly⟩ **0.1** [onzinnig] *crazy* ⇒*insane, mad,* ⟨inf.⟩ *gonzo, brainsick* ◆ **1.1** een ~ plan *a c./mad plan;* een ~ verhaal *a c./mad story* **2.1** dat is ~ veel *that is an insane/a c. amount* **5.1** het is absoluut ~ *it is sheer/utter madness* **¶.1** ~ te werk gaan *get to work like a madman/s.o. possessed.*

krankzinnige ⟨de (m.)⟩ **0.1** *madman* ⟨m.⟩, *madwoman* ⟨v.⟩ ⟨ook fig.⟩ ⇒ ⟨vero. of fig.⟩ *lunatic.*

krankzinnigenafdeling ⟨de (v.)⟩ **0.1** *insane ward.*

krankzinnigengesticht ⟨het⟩ **0.1** *psychiatric/mental hospital* ⇒*madhouse,* ⟨vero.⟩ *lunatic/insane asylum.*

krankzinnigenverpleger ⟨de (m.)⟩, -**pleegster** ⟨de (v.)⟩ **0.1** *mental-health/psychiatric nurse* ⇒⟨m., v.⟩.

krankzinnigenverpleging ⟨de (v.)⟩ **0.1** *nursing/care of the insane.*

krankzinnigheid ⟨de (v.)⟩ **0.1** [geesteziekte] *mental/psychiatric illness* ⇒*madness, (mental) derangement, insanity,* ⟨vero.⟩ *lunacy* **0.2** [onzinnigheid] *madness* ⇒*lunacy, insanity, craziness.*

krankzinnigverklaring ⟨de (v.)⟩ **0.1** *certificate/attestation of insanity.*

krans ⟨de (m.)⟩ ⟨→sprw. 654⟩ **0.1** [ring van bloemen, bladeren] *wreath* ⇒*garland* ⟨vooral bloemen⟩ **0.2** [ring, kring] *ring* ⇒*girdle, corona* ⟨lichtkring⟩, *coronal, diadem* ⟨kroontje⟩ **0.3** [groep bevriende personen] *circle* ⇒*club* **0.4** [⟨amb.⟩ bekisting] *form(work)* ⇒⟨vnl. BE⟩ *shuttering* **0.5** [⟨plantk.⟩ rondom ingeplante blaadjes] *whorl* ⇒*verticil* ◆ **1.2** de ~ v.e. wiel *the rim of a wheel* **3.1** ⟨fig.; schr.⟩ iem. een ~ aanbieden *offer s.o. a garland;* ~ op het graf leggen *lay a w. on the grave;* ~en vlechten *twist/plait/make wreaths/garlands* **6.2** een ~ **om** de zon/de maan *a corona round the sun/moon.*

kransen ⟨ov.ww.⟩ **0.1** [met een krans versieren] *wreathe* ⇒*garland* ⟨vooral met bloemen⟩ **0.2** [met, als een krans omgeven] *wreathe* ⇒*encircle, girdle.*

kransje ⟨het⟩ **0.1** [kleine krans] *(small) wreath/garland* ⇒*wreathlet, circlet, chain* ⟨van madeliefjes⟩, *coronet* ⟨op het hoofd⟩ **0.2** [gezellige bijeenkomst ⟨vnl. in samenst.⟩] *cirlce* ⇒*club* **0.3** [koekje, gebak] ⟨ring-shaped biscuit or cake⟩ ◆ **1.2** theekransje *tea party.*

kranslegging ⟨de (v.)⟩ **0.1** *laying a wreath/wreathes.*

kranslijst ⟨de⟩ ⟨bouwk.⟩ **0.1** ⟨aan een kast⟩ *cornice;* ⟨gootlijst⟩ *weather/drip moulding* ^*molding.*

kransslagader ⟨de⟩ **0.1** *coronary artery.*

kransstandig ⟨bn.⟩ ⟨plantk.⟩ **0.1** *verticillate.*

kransvat ⟨het⟩ **0.1** *coronary artery.*

kransvormig ⟨bn.⟩ **0.1** *wreath-shaped* ⇒*whorled, coronary.*

krant ⟨de⟩ **0.1** [dagblad] *newspaper* ⇒*paper, daily* **0.2** [exemplaar] *newspaper* ⇒*paper* **0.3** [onderneming] *newspaper* **0.4** [de pers] *papers* ◆ **1.1** mag ik een stuk ~ van jou/een stuk van jouw ~ *can I have a piece/section of your n./paper* **3.1** de ~ opzeggen *cancel one's subscription (to the n.)* **3.2** is de ~ er al? *has the n./paper come yet?;* de ~ openslaan/openvouwen op de sportpagina *(fold) open the n./paper at/to the sports page* **6.1** het besluit heeft **in** alle ~en gestaan *the decision has been (published) in all the (news)papers;* ik heb hem **uit** de ~/uit onze ~ *I saw it in/got it from the n./paper;* iets **uit**/**via** de ~ te weten (moeten) komen *learn of/about sth. from the n./paper;* de ~ **van** zaterdag/vandaag/morgen *saturday's/today's/tomorrow's n./paper* **6.2** hij had zijn boeken **met** ~en gekaft *he had covered his books in/with n.* **6.3** is bij een ~ *she works for/is with a n.* **6.4** het staat **in** de ~ *it is in the paper(s);* dat mag wel **in** de ~ *that can/should go in the p..*

kranteartikel ⟨het⟩ **0.1** *newspaper article.*

krantebedrijf ⟨het⟩ **0.1** *newspaper (trade/industry/business).*

kranteberichten ⟨het⟩ **0.1** *newspaper report.*

krantebureau ⟨het⟩ **0.1** *newspaper office.*

krantefoto ⟨de⟩ **0.1** *newspaper photo(graph).*

kranteknipsel ⟨het⟩ **0.1** *newspaper/press cutting* ⇒*newspaper/press clipping,* ⟨klein fragment⟩ *scrap.*

krantekop ⟨de (m.)⟩ **0.1** *(newspaper) headline* ◆ **2.1** grote/vette ~pen *big/bold headlines;* paginabrede ~ *banner/streamer (headline);* schreeuwende ~(pen) *splash.*

krantelezer ⟨de (m.)⟩ **0.1** *newspaper reader.*

krantenbezorger ⟨de (m.)⟩, -**ster** ⟨de (v.)⟩ **0.1** *newspaper/paper boy/man* ⟨m.⟩*/girl/woman* ⟨v.⟩.

krantengroep ⟨de (m.)⟩ **0.1** *newspaper syndicate* ◆ **4.1** die zijn van dezelfde ~ *they're from the same n.s./* ⟨inf.⟩ *stable of newspapers.*

krantenieuws ⟨het⟩ **0.1** *newspaper-reports/items, news.*

krantenjongen ⟨de (m.)⟩ **0.1** [bezorger] *(news)paper boy* ⇒*newsboy* **0.2** [⟨inf.⟩ journalist] *newspaperman.*

krantenkiosk ⟨de⟩ **0.1** *newspaper kiosk/stand.*

krantenmagnaat ⟨de (m.)⟩ **0.1** *newspaper tycoon* ⇒*press baron/lord.*

krantenman ⟨de (m.)⟩ **0.1** *newspaperman.*

krantenpapier ⟨het⟩ **0.1** [papiersoort] *newsprint* **0.2** [stuk van een gedrukte krant] *newsprint.*

krantenrekje ⟨het⟩ **0.1** *newspaper rack.*

krantenverkoper ⟨de (m.)⟩ **0.1** *newsvendor* ⇒ ⟨in kiosk⟩ ^*news agent,* ^*news dealer.*

krantenwijk ⟨de⟩ **0.1** *(news)paper round* ◆ **3.1** een ~ hebben *have a (news)paper round.*

krantestijl ⟨de (m.)⟩ **0.1** *journalism* ⇒*journalistic style*, ⟨vaak pej.⟩ *journalese.*

krantetaal ⟨de⟩ **0.1** *newspaper-language* ⇒⟨vaak pej.⟩ *journalese.*

krap¹ ⟨de⟩ **0.1** *madder.*

krap² ⟨bn., bw.; -ly⟩ **0.1** [nauw(sluitend)] *tight* ⇒⟨smal⟩ *narrow* **0.2** [gering] *tight* ⇒*scarce, scant(y), skimpy, short* ⟨voorraden⟩, ⟨financieel⟩ *stringent* **0.3** [zonder speelruimte] *tight* ⇒*limited, confined, cramped* ⟨ruimte⟩ ◆ **1.1** de schoenen zijn aan de ~pe kant *the shoes are a bit t.;* die schoenen zijn mij te ~ *those shoes are too t. for me* **1.2** ⟨geldw.⟩ een ~pe markt *a small market* **1.3** met een ~pe meerderheid *with a bare majority;* een ~ tijdschema *a t. schedule* **3.1** die jas zit mij nogal ~ *that coat is a bit t. for me* **3.2** het ~ hebben/ krijgen *be/become hard up;* iem. ~ houden *keep s.o. short, stint s.o.;* ~ meten/ wegen *measure skimpily, weigh scantily; give barely enough;* de markt wordt ~ *the market tightens;* ~ zitten, ~ bij kas zitten *be short of money/ cash;* ~ in de ruimte/ met personeel zitten *be short of space/ staff* **3.3** de winstmarges erg ~ berekenen *cut the profit margins very fine;* dat is ~ gemeten ⟨hoeveelheid⟩ *that is hardly/ barely/ scarcely enough;* ⟨ruimte⟩ *that is a bit t.;* de breedte niet te ~ nemen *allow enough material;* de tijd te ~ nemen *cut it/ things too fine;* ~ toekomen *just manage to make ends meet;* dat wordt erg ~ als je de trein nog wilt halen *you are cutting it very fine if you still want to catch the train;* het zit ~ it is a tight fit; ~ in zijn tijd zitten *be pushed for time* **5.3** het is maar ~ aan *that is only just enough.*

krapjes ⟨bw.⟩ ◆ **3.¶** het ~ hebben *be hard up.*

krapte ⟨de (v.)⟩ **0.1** *scarcity* ⇒*tightness, shortness,* ⟨vnl. geld⟩ *stringency* ◆ **6.1** de ~ op de arbeidsmarkt *labour shortage.*

krapwortel ⟨de (m.)⟩ **0.1** *madder root.*

kras¹ ⟨de (m.)⟩ **0.1** [beweging] *scratch* ⇒*score* ⟨om iets te kunnen vouwen⟩ **0.2** [resultaat] *scratch* ⇒*score* **0.3** [geluid] *scrape* ◆ **2.2** een diepe ~ *a deep s.* ⟨mensen en dingen⟩; *a groove* ⟨dingen⟩ **3.2** snel ~sen krijgen *scratch easily/ soon;* dit schuurmiddel maakt geen ~sen op roestvrij staal *this abrasive does not scratch stainless steel* **5.2** die oude plaat zit vol ~sen *that old record is full of scratches/ very scratchy* **6.1** een ~ met de pen *a stroke of the pen* **6.2** ~sen op een auto maken *scratch a car.*

kras² ⟨bn., bw.; -ly⟩ **0.1** [mbt. personen] *strong* ⇒*vigorous,* ⟨van oudere personen⟩ *hale and hearty* **0.2** [mbt. zaken] *strong* ⇒*crass, drastic, severe* ◆ **1.1** een ~se grijsaard *a spry old man* **1.2** ~se middelen gebruiken *use drastic means;* dat is een nogal ~se opmerking *that is rather a crass remark* **3.1** zich ~ houden *be (still) going s., keep hale and hearty* **3.2** dat is al te/ nogal ~ *that is beyond the pale;* dat is ~ *that beats everything/ is the limit;* dat is al te ~ gezegd/ uitgedrukt *that is too strongly worded/ pitched too s.;* dat lijkt me al te ~ *that seems a bit thick/ steep to me;* het een beetje (te) ~ uitdrukken *pitch it a bit (too) s.* **6.1** hij is nog ~ voor zijn jaren *he's very hale and hearty for his age, he has worn well, he carries his age/ years well.*

krasheid ⟨de (v.)⟩ **0.1** [scherpte] *severity* ⇒*rigour* **0.2** [flinkheid] *vigour* ⇒⟨gezondheid⟩ *haleness.*

krasjestest ⟨de (m.)⟩ **0.1** *scratch test* ⇒*mantoux test.*

kraspen ⟨de⟩ **0.1** *scriber* ⇒*scribe.*

krassen

I ⟨onov.ww.⟩ **0.1** [schrapend geluid geven] *scrape* ⇒*grate* ⟨slot⟩, *jar* ⟨pijn doen aan je oren⟩ **0.2** [rauw keelgeluid geven] *caw* ⟨kraai⟩; *rasp, scrape* ⟨stem⟩; *croak* ⟨kikker, raaf, kraai, mens⟩; *hoot, screech* ⟨uil, mens⟩ **0.3** [schrappen maken] *scratch* ⇒*scrape* ◆ **1.1** het ~ de geluid *a scratching/ scraping/ rasping noise* **6.1** op een viool ~ *s. a violin;* zijn ring kraste over het glas *his ring scraped across the glass* **6.3** met een potlood op het behang ~ *make scratches in/ on/ scratch the wallpaper* **7.2** het ~ van de kraaien *the cawing of the crows;*

II ⟨ov.ww.⟩ **0.1** [inkervingen doen ontstaan] *scratch* ⇒*scribe* ⟨met een kraspen⟩, *carve* ⟨diep⟩, *score* ⟨vouwlijnen⟩ **0.2** [rauw keelgeluid voortbrengen/ zeggen] *rasp* ⇒*croak (out)* ◆ **6.1** zijn naam in een boom ~ *scratch/ carve one's name in a tree.*

krasser ⟨de (m.)⟩ **0.1** [werktuig] *scraper, scratcher* ⇒⟨slecht vioolspeler⟩ *(gut-)scraper,* ⟨dier⟩ *croaker,* ⟨kaarde⟩ *card* ◆ **6.1** een geweer met een ~ schoonmaken *clean a gun with a wad-hook/ worm(er).*

krasserig ⟨bn., bw.; -ly⟩ **0.1** [er als krassen uitziend] *scratchy* **0.2** [een krassend geluid makend] *scratchy* ⇒*scraping* ◆ **1.1** een ~ handschrift *s. handwriting* **3.2** ~ vioolspelen *scrape away at/ on the violin.*

krasvrij ⟨bn.⟩ **0.1** *scratchless.*

krat ⟨het⟩ **0.1** [kist] *crate* ⇒*box, case* **0.2** [schot van een (boeren)wagen] ⟨vnl. BE⟩ *tailboard;* ⟨vnl. AE⟩ *tailgate* ◆ **1.1** een ~ sinaasappelen *a crate(ful) of oranges* **2.1** geretourneerde lege ~ten *returned empties* **6.1** 24 flesjes in een ~ *24 bottles in a crate/ case;* in (een) ~(ten) doen/ verpakken *crate.*

krater ⟨de (m.)⟩ **0.1** [door uitbarstingen gevormde opening] *crater* **0.2** [daarop lijkende vorm] ⟨ook in samenst.⟩ *crater* **0.3** [mengvat] ⟨alleen oudheid⟩ *crater* ◆ **1.2** een bomkrater *a bomb c.* **3.2** een ~ slaan ⟨van bom, komeet⟩ *crater, make a c.* **6.1** ~s op het maanoppervlak *craters on the moon (surface), moon craters.*

kratermeer ⟨het⟩ **0.1** *crater lake.*

kraterpijp ⟨de⟩ **0.1** *chimney* ⇒*pipe.*

kratervormig ⟨bn.⟩ **0.1** *crater-shaped* ⇒*crater-like,* ⟨ihb. kommen, borden⟩ *crateriform.*

krats ⟨de⟩ ⟨inf.⟩ **0.1** *song* ⇒*(next to) nothing, trifle* ◆ **3.1** dat kost (maar) een ~ *that costs next to nothing* **6.1** dat boek heb ik voor een ~ gekregen *I have bought that book for a s. / (next to) nothing.*

krauw ⟨de⟩ **0.1** *scratch.*

krauwen ⟨onov., ov.ww.⟩ **0.1** *scratch.*

kravat ⟨de⟩ ⟨AZN⟩ **0.1** *tie* ⇒⟨vnl. AE⟩ *necktie.*

krediet ⟨het⟩ **0.1** [vertrouwen in het betaalvermogen] *credit* ⇒*trust* **0.2** [uitstel van betaling] *credit* ⇒⟨BE; inf.⟩ *tick* **0.3** [vertrouwen dat iem. inboezemt] *credit* ⇒*respect, prestige, esteem, standing* **0.4** [het verstrekken van kapitaal] *credit* ⇒⟨telb.⟩ *loan* ◆ **2.1** onbepaald ~ *unlimited c.* **2.2** aflopend ~ *limited c.;* doorlopend ~ *revolving c.* **2.4** blanco ~ *unlimited c.;* consumptief ~ *consumer c.;* kort/ lang ~ *short-/ long-term c. / loan;* openbaar ~ *public lending* **3.1** veel ~ hebben *enjoy great trust;* op zijn eerlijke gezicht ~ krijgen *be trusted because one has an honest face* **3.2** iem. (geen) ~ geven *give s.o. (no) c.* **3.3** die politicus heeft veel ~ bij zijn achterban *that politician has a high standing with/ is highly respected by his supporters* **3.4** ~ geven/ verlenen/ verstrekken/ toestaan *give/ grant/ extend c. / a loan* **6.2** goederen op ~ *goods on c. / ↓tick;* op ~ kopen/ leveren *buy/ supply on c. / ↓tick* **¶.1** zijn ~ kwijt zijn *have lost all c.* **¶.2** Piet ~ woont hier niet *no credit given.*

kredietaanvraag ⟨de⟩ **0.1** *credit application.*

kredietbank ⟨de⟩ **0.1** ⟨money-lending institution⟩.

kredietbeperking ⟨de (v.)⟩ ⟨ec.⟩ **0.1** [beperking v.h. te nemen krediet] *credit squeeze* **0.2** [korting bij contante of zeer snelle betaling] *cash discount.*

kredietbewaker ⟨de (m.)⟩ **0.1** *credit controller.*

kredietbewaking ⟨de (v.)⟩ **0.1** *credit control.*

kredietbrief ⟨de (m.)⟩ **0.1** *letter of credit.*

kredietcontrole ⟨de (v.)⟩ **0.1** *credit check.*

kredietexpansie ⟨de (v.)⟩ **0.1** *credit expansion.*

kredietgarantie ⟨de (v.)⟩ **0.1** *credit guarantee.*

kredietgever ⟨de (m.)⟩ **0.1** *lender.*

kredithypotheek ⟨de (v.)⟩ **0.1** *mortgage.*

kredietinstelling ⟨de (v.)⟩ **0.1** *credit institution/ company/ bank* ⇒*loan/ finance company.*

kredietkaart ⟨de⟩ ⟨geldw.⟩ **0.1** *credit card.*

kredietlimiet ⟨de⟩ ⟨ec.⟩ **0.1** [mbt. rechtspersonen] *credit limit* ⇒⟨AE ook⟩ *credit line* **0.2** [mbt. een bank] *credit limit* ⇒⟨AE ook⟩ *credit line.*

kredietnemer ⟨de (m.)⟩ **0.1** *borrower.*

kredietpand ⟨het⟩ **0.1** *collateral security.*

kredietplafond ⟨het⟩ ⟨ec.⟩ →**kredietlimiet.**

kredietprovisie ⟨de (v.)⟩ **0.1** *credit commission.*

kredietrapport ⟨het⟩ **0.1** *credit rating.*

kredietstelsel ⟨het⟩ **0.1** *credit system, system of credit.*

kredietuur ⟨het⟩ ⟨AZN⟩ **0.1** ≠*refresher course leave* ⇒*study leave.*

kredietvereniging ⟨de (v.)⟩ **0.1** *credit union.*

kredietverlening ⟨de (v.)⟩ **0.1** *credit loan;* ⟨abstr.⟩ *granting of credits.*

kredietverstrekking ⟨de (v.)⟩ **0.1** *granting of credit.*

kredietverzekering ⟨de (v.)⟩ **0.1** *credit/ loan insurance.*

kredietwaardig ⟨bn.⟩ **0.1** *creditworthy* ◆ **3.1** die man is ~ *the man is c., the man's credit is good.*

kredietwaardigheid ⟨de (v.)⟩ **0.1** *creditworthiness* ⇒*financial status/ standing, solvency* ◆ **1.1** taxatie van iemands ~ *s.o.'s credit rating* **6.1** inlichtingen omtrent de ~ *credit report.*

kredietwezen ⟨het⟩ **0.1** *credit system.*

kreeft ⟨de⟩ **0.1** [schaaldier] *lobster* ⇒⟨rivierkreeft⟩ *crayfish,* ^*crawfish* **0.2** [sterrenbeeld] *Cancer* **0.3** [⟨muz.⟩] (→**kreeftcanon**) ◆ **8.1** zo rood als een ~ *as red as a lobster.*

kreeftachtig ⟨bn.⟩ ◆ **1.¶** ~e dieren *crustaceans;* ⟨lagere⟩ *entomostracans;* ⟨hogere⟩ *malacostracans.*

kreeftcanon ⟨de⟩ ⟨muz.⟩ **0.1** *crab canon* ⇒*canon cancrizans.*

kreeftcocktail ⟨de (m.)⟩ **0.1** *lobster cocktail.*

kreeftdicht ⟨het⟩ **0.1** *palindrome.*

kreeftegang ⟨de⟩ **0.1** [gang als van de kreeft] ⟨movement like a lobster's i.e. backwards⟩ **0.2** [⟨muz.⟩] *retrogression* ⇒*retrograde motion* ◆ **3.1** de ~ gaan *decline, go downhill.*

kreefteschaar ⟨de⟩ **0.1** *lobster claw* ⇒*pincers.*

kreeftesoep ⟨de⟩ **0.1** *lobster/ crayfish soup* ⇒*bisque, bisk.*

kreeftsbloem ⟨de⟩ **0.1** *heliotrope.*

kreeftskeerkring ⟨de (m.)⟩ **0.1** *tropic of Cancer.*

kreek ⟨de⟩ **0.1** [stilstaand water, kleine inham] *creek* ⇒*cove, inlet,* ⟨op Shetlandeilanden⟩ *voe* **0.2** [riviertje] *stream* ⇒*(small) river,* ⟨AE ook⟩ *creek.*

kreet ⟨de (m.)⟩ **0.1** [schreeuw] *cry* ⇒*shout, shriek, yell* **0.2** [uitroep, bewering] *slogan* ⇒*catchword, catchphrase, watchword, buzzword* ◆ **1.1** een ~ van vreugde *a shout/ whoop of joy* **2.1** een schrille ~ *a shrill/ strident cry, a shriek* **2.2** loze kreten *empty slogans;* hij kwam met wat wilde kreten *he came out with some catchphrases/ buzzwords* **3.1** een ~ onderdrukken/ smoren *stifle/ suppress/ muffle a c.;* een ~ slaken/ uiten *give a cry/ yell.*

kregel ⟨bn.⟩ **0.1** *touchy* ⇒*prickly, peevish, testy* ◆ **3.1** daar word je ~ van, dat maakt je ~ ⟨sl.⟩ *that gets your goat/on your nerves.*

kregelheid ⟨de (v.)⟩ **0.1** *touchiness* ⇒*prickliness, peevishness, testiness.*

kregelig ⟨bn.⟩ **0.1** ⟨→**kregel**⟩.

krek ⟨bw.⟩ ⟨inf.⟩ **0.1** *just* ⇒*bang/spot on,* ↑*exactly, precisely* ◆ **2.1** dat is ~ eender *that is just the same* ¶ **.1** dat komt ~ van pas *that is just right/exactly what was needed/* ⟨inf.⟩ *spot on.*

krekel ⟨de (m.)⟩ **0.1** *cricket.*

krekelrietzanger ⟨de (m.)⟩ **0.1** *grasshopper-warbler.*

Kreml(in) ⟨het⟩ **0.1** [gebouw] *Kremlin* **0.2** [de Sovjetmacht] *Kremlin.*

kremlinologie ⟨de (v.)⟩ **0.1** *Kremlinology.*

kreng ⟨het⟩ **0.1** [sekreet] *beast, brute* ⇒↓*bastard,* ⟨vrouw⟩ *bitch, vixen, she-devil* **0.2** [rotding] *wretched/blooming/blasted/*↓*bloody thing* **0.3** [rottend dier, aas] *carrion* ⇒*carcass* **0.4** [prul] *(piece of) trash/rubbish* ⇒⟨inf.⟩ *bastard* ◆ **2.1** gemeen ~ ! ⟨inf.⟩ *bastard!, rotten beast!;* ⟨vrouw⟩ *real bitch!* **2.2** jullie kat is een kwaad ~ *your cat is a vicious beast/thing* **2.4** een waardeloos ~ *worthless trash* **3.2** dat ~ wil niet starten *the blooming/bloody thing won't start* **6.1** een ~ **van** een baas/wijf ⟨baas⟩ *a real beast, an absolute rotter, a nasty piece of work;* ⟨wijf⟩ *bitch.*

krengen ⟨onov.ww.⟩ ⟨scheep.⟩ **0.1** *heel over* ⇒*careen.*

krengerig ⟨bn.⟩ **0.1** *bitchy* ⇒*catty, spiteful* ◆ **3.1** doe niet zo ~ *don't be so b..*

krenken ⟨ov.ww.⟩ **0.1** [beledigen, kwetsen] *offend* ⇒*hurt, affront, aggrieve, mortify* **0.2** [schade, nadeel toebrengen] *injure* ⇒*wound, hurt, harm* ◆ **1.1** gekrenkte ijdelheid *wounded pride;* ~ de opmerkingen *offensive/hurtful remarks* **1.2** rechten/vrijheden ~ *infringe rights/freedoms* **3.1** zich gekrenkt voelen *be/feel offended/hurt/mortified/aggrieved* **5.1** iem. diep ~ *deeply o./wound s.o., cut s.o. to the quick* **6.1** iem. niet **in** zijn gevoelens willen ~ *consider/have consideration for s.o.'s feelings* **6.2** iem. **in** zijn eer ~ *hurt s.o.'s pride.*

krenking ⟨de (v.)⟩ **0.1** [belediging] *offence* ⇒*hurt, humiliation, affront* **0.2** [benadeling] *injury* ⇒*hurt, harm.*

krent
I ⟨de⟩ **0.1** [gedroogde druif] *currant* **0.2** [zitvlak] *backside* ⇒⟨AE; inf.⟩ *butt,* ⟨inf.⟩ *tail (bone),* ⟨BE;sl.⟩ *bum* **0.3** [(koorts)uitslag] *cold sore* ⇒*herpes (simplex)* ◆ **6.1** cake **met** ~ en *c. cake;* ⟨Sch.E⟩ *singing hinny;* de ~en uit de pap *the best bits* **6.2** ⟨fig.⟩ iem. op zijn ~ zetten *put s.o. in his place, lecture s.o., read s.o. the riot act;* **op** zijn ~ zitten *sit on one's backside, laze, idle;*
II ⟨de (m.)⟩ **0.1** [gierigaard] ⟨→**krentenkakker**⟩.

krenteboompje ⟨het⟩ **0.1** [⟨Amelanchier⟩] *serviceberry, juneberry, shadbush* **0.2** [⟨Ribes alpinum⟩] *mountain currant.*

krenten ⟨onov., ov.ww.⟩ **0.1** *thin (out).*

krentenbaard ⟨de (m.)⟩ **0.1** ⟨*crusty rash on chin and round mouth*⟩.

krentenbol ⟨de (m.)⟩ **0.1** *currant bun/*⟨bolletje⟩ *bun.*

krentenboterham ⟨de⟩ **0.1** *slice of currant bread.*

krentenbrood ⟨het⟩ **0.1** [brood] *currant loaf/bread* **0.2** [dominosteen] *double six.*

krentenbroodje ⟨het⟩ **0.1** *currant bun.*

krentencake ⟨de (m.)⟩ **0.1** *currant cake* ⇒⟨BE;vnl.⟩ *plumcake,* ⟨Sch.E⟩ *singing hinny,* ⟨klein, hartvormig⟩ *queencake.*

krentenkakker ⟨de (m.)⟩ ⟨inf.⟩ **0.1** *skinflint* ⇒*scrooge,* ⟨vnl. BE;inf.⟩ *meanie,* ⟨AE;pej.⟩ *cheapskate,* ⟨AE;inf.⟩ *tightwad* ◆ **2.1** hij is een echte ~ *he is a tightfisted old devil.*

krentenkakkerig ⟨bn., bw.;-ly⟩ ⟨inf.⟩ **0.1** *stingy* ⇒*tightfisted, penny-pinching, cheese-paring,* ⟨vnl. BE⟩ *mean,* ⟨BE;inf.⟩ *mingy.*

krentenkoek ⟨de (m.)⟩ **0.1** *currant cake.*

krentenmik ⟨de⟩ **0.1** *currant loaf.*

krentenpikker ⟨de (m.)⟩ ⟨inf.⟩ **0.1** ⟨*s.o. who pockets the best for himself*⟩ ⇒*profiteer.*

krentenslof ⟨de (m.)⟩ **0.1** *(long) currant loaf.*

krentenweger ⟨de (m.)⟩ ⟨inf.⟩ **0.1** [gierigaard] *cheese-parer* ⇒*niggard, skinflint* **0.2** [pietlut] *hair-splitter* ⇒*niggler, old woman.*

krenterig ⟨bn., bw.;-ly⟩ **0.1** *stingy* ⇒*niggardly, tightfisted, miserly, cheese-paring* ◆ **1.1** dat ~ e gedoe moet nu eens over zijn *there must be an end to all that cheese-paring* **3.1** ~ met ⟨snibbig⟩ *catty* ◆ **1.1** een ~ antwoord *a g. answer* **3.1** ~ doen *be g./testy/catty.*

krenterigheid ⟨de (v.)⟩ **0.1** [gierigheid] *stinginess* ⇒*niggardliness, cheese-paring, parsimony* **0.2** [aardappelziekte] *blight.*

krep →**krip.**

kreppen ⟨ov.ww.⟩ **0.1** *frizz* ⇒*crimp, crisp, curl.*

kressen ⟨onov.ww.⟩ ⟨AZN⟩ **0.1** *scream* ⇒*cry, shriek,* ⟨vogel ook⟩ *screech, squawk.*

Kreta ⟨het⟩ **0.1** *Crete.*

Kretenzer¹ ⟨de (m.)⟩ **0.1** *Cretan.*

Kretenzer² ⟨bn.⟩ **0.1** *Cretan.*

Kretenzisch ⟨bn.⟩ **0.1** *Cretan.*

kretologie ⟨de (v.)⟩ ⟨scherts.⟩ **0.1** *ballyhoo* ⇒*slogans, slogan-mongering* ◆ **3.1** zich van ~ bedienen *(use) ballyhoo.*

kreuk ⟨de⟩ **0.1** *crease* ⇒*ruck* ◆ **3.1** zo komen er ~en in *it will get creased/crumpled like that;* er zitten ~en in dit overhemd *this shirt is creased.*

kreukecht ⟨bn.⟩ **0.1** *crease-resistant* ⇒*non-iron, drip-dry.*

kreukel ⟨de⟩ **0.1** *crease* ⇒*ruck* ◆ **6.1** ⟨inf.⟩ in de ~(s) rijden *write off a car; smashed up;* ⟨inf.⟩ een auto (totaal) in de ~s rijden *write off a car;* ⟨AE;sl.⟩ *total/pile up a car.*

kreukelen
I ⟨ov.ww.⟩ **0.1** [kreuken maken in] *crease* ⇒*rumple, crumple, ruck (up)* ◆ **1.1** het zat in gekreukeld papier *it was wrapped in crumpled paper;*
II ⟨onov.ww.⟩ **0.1** [kreukels krijgen] *get/become creased/rumpled/crumpled/rucked (up)* ⇒*get wrecked* ⟨auto⟩ ◆ **3.1** de auto zag er gekreukeld uit *the car looked a wreck/write-off.*

kreukelig ⟨bn.⟩ **0.1** [vol kreukels] *crumpled* ⇒*creased, rumpled* **0.2** [makkelijk kreukels krijgend] *easily crumpled/creased* ◆ **1.2** ~ goed *material that creases easily.*

kreukellak ⟨het, de (m.)⟩ **0.1** ≠*crackle-finish leather/fabric.*

kreukelzone ⟨de⟩ **0.1** *crushable zone.*

kreuken
I ⟨ov.ww.⟩ **0.1** [vouwen maken] *crease* ⇒*crumple,* ⟨stof⟩ *rumple, crush, ruck* ◆ **1.1** mijn jurk is erg gekreukt *my dress is very crumpled;* kreuk dat papier niet zo *don't crumple/stop crumpling that paper like that;*
II ⟨onov.ww.⟩ **0.1** [vouwen krijgen] *get/become creased/rumpled/crumpled/rucked* **0.2** [knakken] *break* ⇒*snap* ◆ **1.1** dit goed kreukt gauw *this material creases easily* **1.2** gekreukt riet *broken reeds.*

kreukherstellend ⟨bn.⟩ **0.1** *crease-resistant* ⇒*non-iron, drip-dry* ◆ **1.1** ~ e overhemden *drip-dry/non-iron shirts.*

kreukloos ⟨bn.⟩ **0.1** *uncreased* ⇒*not creased.*

kreukvrij ⟨bn.⟩ **0.1** *crease-resistant* ⇒⟨vnl. AE⟩ *uncrushable* ⟨lichte stof als voor jurk⟩ ◆ **1.1** een ~ e das *a crease-resistant tie.*

kreunen ⟨onov.ww.⟩ **0.1** *groan* ⇒*moan* ◆ **3.1** hij zei ~d dat *...he said in a moan that ...;* hij zei ~d nog een gebed *he prayed in a moan* **6.1** hij kreunde **van** pijn *he groaned with pain.*

kreupel ⟨bn., bw.;-ly⟩ ⟨→sprw. 371⟩ **0.1** [mank] *lame* ⇒*crippled, game* ⟨been⟩, ⟨BE;sl.⟩ *gammy,* ⟨AE.;sl.⟩ *gimpy* **0.2** [gebrekkig] *poor* ⇒*clumsy, awkward, miserable, faulty* ◆ **1.1** een ~ e grijsaard *a l. old man* **1.2** ~ Engels spreken *speak halting/faulty/broken/p. English;* een ~ e stijl *an awkward/a clumsy style;* ~ e vergelijking *a p. comparison* **1.**¶ ⟨geldw.⟩ de ~ e standaard *the creeping standard;* ~ e verzen *doggerel* **3.1** het paard loopt/gaat ~ *the horse is/has gone l.;* ~ maken *lame, maim, hamstring;* hij was/liep nog een beetje ~ *he had/walked with a slight limp* **3.2** ~ schrijven *scrawl* **6.1** ~ **aan** een been/voet *lame in one leg/foot.*

kreupelbos ⟨het⟩ **0.1** *copse, coppice* ⇒*thicket,* ⟨waar wild schuilt⟩ *covert.*

kreupeldicht ⟨het⟩ **0.1** *doggerel.*

kreupele ⟨de (m.)⟩ **0.1** *cripple* ⇒*lame person.*

kreupelen ⟨onov.ww.⟩ **0.1** *limp* ⇒*walk with a limp.*

kreupelheid ⟨de (v.)⟩ **0.1** [het kreupel zijn] *lameness* **0.2** [gebrekkigheid] *faultiness* ⇒*clumsiness, awkwardness, poverty.*

kreupelhout ⟨het⟩ **0.1** *undergrowth* ⇒*brushwood, thicket, copse,* ⟨AE, Austr.E⟩ *brush* ◆ **5.1** begroeid met/vol ~ *covered with u..*

kreupelrijm ⟨het⟩ **0.1** *doggerel.*

krib ⟨de⟩ **0.1** [voederbak] *manger* ⇒*crib, cratch* **0.2** [ledikant] *crib* ⇒*cot* **0.3** [hoofd in een rivier] *groyne* ^*groin* ⇒*breakwater, spur* ◆ **6.1** een ~ **met** hooi *a m. with hay in it;* ⟨fig.⟩ zijn gat/kont **tegen** de ~ zetten/gooien *be contrary/rebellious.*

kribbebijten ⟨ww.⟩ **0.1** [mbt. paard, ezel] *crib-bite* ⇒*crib, suck wind* **0.2** [twistziek zijn] *be cantankerous/quarrelsome/argumentative.*

kribbebijter ⟨de (m.)⟩ **0.1** [paard] *crib-biter* **0.2** [persoon] *grumbler* ⇒*grouser, crosspatch.*

kribben
I ⟨onov.ww.⟩ **0.1** [ruziemaken] *quarrel* ⇒*argue,* ⟨inf.⟩ *(have a) row;*
II ⟨ov.ww.⟩ **0.1** [kribben in een rivier maken] *make/build a groyne/* ^*groin.*

kribbig ⟨bn., bw.;-ly⟩ **0.1** *grumpy* ⇒*testy,* ⟨sl.⟩ *ratty, petulant* ⟨als een kind⟩, ⟨snibbig⟩ *catty* ◆ **1.1** een ~ antwoord *a g. answer* **3.1** ~ doen *be g./testy/catty.*

kribwerk ⟨het⟩ **0.1** [het maken van rivierkribben] *groyning* ⇒^*groining* **0.2** [waterbouwwerk] *cribwork* ⇒*fascine/groyne/*^*groined work.*

kriebel ⟨de (m.)⟩ **0.1** *itch* ⇒*tickle* ◆ **3.1** iem. de ~ s geven ⟨inf.⟩ *get under s.o.'s skin, give s.o. the heebie-jeebies/creeps;* ⟨fig.⟩ hij heeft de ~ in zijn gat ⟨sl.⟩ *he has got ants in his pants;* ↑*he is fidgety/fidgeting;* ik krijg daar de ~ s van *it gets on my nerves;* de ~(s) in zijn benen voelen ⟨fig.⟩ *be itching to go (out)* **6.1** ~ **in** de keel hebben *have a tickle in one's throat.*

kriebelen ⟨onov., ov.ww.⟩ **0.1** [zachtjes kietelen] *tickle* ⇒⟨jeuken⟩ *itch* **0.2** [slordig, klein schrijven] *scrawl* ⇒*scribble* ◆ **1.1** mijn benen ~ *my legs itch* **6.1** iem. **onder** zijn neus ~ *tickle s.o. under his nose.*

kriebelhoest ⟨de (m.)⟩ **0.1** *tickling cough.*

kriebelig ⟨bn.⟩ **0.1** [kriebeling veroorzakend] *itchy* ⇒*tickling, scratchy* **0.2** [geprikkeld] *irritated* ⇒*nettled* **0.3** [klein en slordig geschreven] *crabbed* ⇒*cramped, scrawly* ◆ **1.3** ~ schrift *crabbed/cramped (hand)writing* **3.2** ~ van iets worden *get i./nettled by sth..*

kriebelmugje ⟨het⟩ **0.1** *sand fly* ⇒*black fly, buffalo gnat* ⟨Simulia⟩.
kriebelpootje ⟨het⟩ **0.1** *cramped/crabbed hand (writing)*.
kriebelschrift ⟨het⟩ **0.1** *cramped/crabbed/spidery (hand)writing*.
kriebelziekte ⟨de (v.)⟩ **0.1** *ergotism* ⇒*st. Anthony's fire*.
kriegel ⟨bn.⟩ ⟨inf.⟩ **0.1** *touchy* ⇒*prickly, testy* ♦ **3.1** daar word je ~ van ⟨inf.⟩ *it gets under your skin;* ⟨sl.⟩ *it gets your goat*.
kriek ⟨de⟩ **0.1** [zwarte zoete kers] *black cherry* **0.2** [⟨AZN⟩ gewone rode kers] *cherry* ♦ **3.¶** zich een ~ lachen *laugh one's head off, roar with laughter, laugh until one cries*.
kriekelaar ⟨de (m.)⟩⟨AZN⟩ **0.1** *cherry tree*.
krieken
  I ⟨ww.⟩ **0.1** [aanbreken] *dawn* ⇒⟨fig.⟩ *emerge, unfold* ♦ **7.1** voor het ~ v.d. dag *before daybreak;* met/bij het ~ v.d. dag *at (the crack of) dawn, at daybreak;*
  II ⟨onov.ww.⟩ **0.1** [het geluid v.e. krekel maken] *chirp* ⇒*chirrup*.
kriel
  I ⟨de (m.)⟩ **0.1** [klein, kort persoon] *midget* ⇒⟨inf.⟩ *ti(t)ch, shorty,* ⟨kind⟩ *nipper, littl'un;*
  II ⟨de⟩ **0.1** [krielkip] *bantam (hen);*
  III ⟨het⟩ **0.1** [kleine aardappel] *kidney (potato)* ⇒*chat, new potato* **0.2** [kleingoed] *odds and ends* ⟨mv.⟩ ⇒*bits and pieces* ⟨mv.⟩, ⟨inf.⟩ *bibs and bobs* ⟨mv.⟩ **0.3** [uitschot] *rejects* ⟨mv.⟩ ⇒⟨inf.⟩ *throw-/chuck-outs* ⟨mv.⟩, *dross*.
krielaardappel ⟨de (m.)⟩ **0.1** *kidney (potato)* ⇒*chat, new potato*.
krielei ⟨het⟩ **0.1** [klein ei] *small egg* ⇒⟨van jonge kip⟩ *pullet's egg* **0.2** [eierkooltje] *(cool) nut*.
krielen
  I ⟨onov.ww.⟩ **0.1** [wemelen] *swarm* ⇒*teem, bristle,* ⟨mbt. insekten⟩ *crawl,* ⟨mbt. dieren⟩ *be overrun with* **0.2** [vol zijn (van)] *teem (with)* ⇒*be full (of), bristle (with),* ⟨mbt. gebreken⟩ *be riddled (with)* **0.3** [kriel-/rolzoom maken] *make a roled-seam/-hem* ♦ **6.1** de scheepjes ~ op de plas *the small craft are swarming over the lake;* het krielt er van wespen *it is crawling/alive with wasps there* **6.2** dit opstel krielt van fouten *this essay is riddled with/bristling with/full of mistakes;*
  II ⟨onov.ww.⟩ **0.1** [uitschot uitzoeken] *sift/weed out*.
krielhaan ⟨de (m.)⟩ **0.1** [dier] *bantam cock* **0.2** [persoon]⟨→krielkip **0.2**⟩.
krielkip ⟨de (v.)⟩ **0.1** [dier] *bantam hen* **0.2** [persoon] *midget* ⇒⟨inf.⟩ *ti(t)ch, shorty, littl'un, nipper*.
krieuwel ⟨de (m.)⟩ →**kriebel**.
krieuwelen ⟨onov.ww.⟩ →**kriebelen**.
krijg ⟨de (m.)⟩⟨schr.⟩ **0.1** [ongemarkeerd] *war, battle* ♦ **3.1** ~ voeren *wage w.*.
krijgen ⟨ov.ww.⟩ ⟨→sprw. 169,186,263,290,324,493⟩ **0.1** [ontvangen] *get* **0.2** [door eigen toedoen verkrijgen] *get* **0.3** [getroffen worden door, onderwerp zijn van] *get* **0.4** [eigen worden aan, bedeeld worden met] *get* **0.5** [uit-/toegereikt worden met] *get* **0.6** [in genoemde omstandigheden terecht komen] *get* **0.7** [in het genot gesteld worden van] *get* **0.8** [mbt. opkomende gedachten/gevoelens] *get* **0.9** [op een plaats/in een toestand brengen] *get* **0.10** [grijpen, pakken] *catch, get* ♦ **1.1** gelijk ~ *be proved right;* zij krijgt haar inkomen uit ...*she gets/↑derives her income from* ..., *she makes a living out of* ...; een prijs ~ *g. a prize* **1.2** geen gehoor ~ *not g. an(y) answer,* ⟨telefoon ook⟩ *not (be able to) g. through;* kinderen ~ *have children;* naam ~ als schilder *make a/one's name as a painter* **1.3** aandacht ~ *g. attention;* bericht ~ *g. news;* bevel ~ te ...*g. orders/be ordered to* ...; griep/koorts ~ *g. (the) flu/a temperature;* je krijgt de groeten van ......*sends (you) his/her regards;* zij kreeg er hoofdpijn van *it gave her a headache;* een grote mond ~ *start shooting one's mouth off;* een ongeluk ~ *have an accident;* ontslag ~ *lose one's job, g./ be dismissed;* ⟨inf.⟩ *g./ be fired, g. the sack;* een pak slaag ~ *g. a beating;* ⟨in elkaar geslagen worden⟩ *g. beaten up;* slaap/trek ~ *feel sleepy/hungry;* straf ~ *be punished* **1.4** kijk op iets ~ *begin to g. an idea of sth./ to see sth. (more) clearly;* praatjes ~ *g. too big for one's boots, g. above o.s.;* hij kreeg tranen in de ogen *tears came to his eyes;* haar ogen kregen een glazige uitdrukking *her eyes took on/developed a glazed expression* **1.5** een naam ~ *g. a (bad) name;* het huis krijgt een verfje *the house is getting a coat/* ⟨inf.⟩ *lick of paint* **1.6** moeilijkheden ~ *get (o.s.) into/have trouble/difficulties;* we ~ regen *we're going to have rain, we're in for rain;* ruzie ~ *have an argument;* ⟨inf.⟩ *fall out (with each other)* **1.7** hulp ~ *g. help, be helped;* les ~ *be taught, be taking lessons;* de lucht/neus van iets ~ *g. wind of sth.;* nu ~ we een stukje muziek *now we'll have a bit of music;* vakantie ~ *be given a ᴮholiday/ᴬa vacation;* een zusje ~ *g. a little sister* **1.8** de overtuiging ~ *become convinced;* daar zul je spijt van ~ *you'll regret that;* ⟨inf.⟩ *you'll be sorry!* **2.6** het benauwd ~ *feel anxious;* het goed ~ *not go on good times;* zij kreeg het koud *she got cold/began to feel cold;* het te kwaad ~ *break down, be overcome by tears/one's emotions* **2.9** iets af ~ *get sth. done/finished;* ik kan de deur niet dicht ~ *I can't g. the door to shut;* ⟨fig.⟩ iem. klein ~ *put s.o. in his place, cut s.o. down to size* **3.1** wat ~ we te eten? *what are we having/getting to eat?* **3.2** dat goed is niet meer te ~ *you can't g. that stuff any more;* ⟨inf.⟩ iem. te pakken ~ *get s.o.;* iem. te spreken ~ *g. to speak to s.o.* **3.3** het te pakken ~ *g. it;* ⟨kou vatten⟩ *catch (a) cold;*

⟨verliefd worden⟩ *fall in love* **3.9** iets van iem. gedaan ~ *get s.o. to do sth.* **3.10** ze hebben die dief niet kunnen ~ *they weren't able to catch the thief* **4.2** ~ ze elkaar? *do they end up together?* **4.3** ⟨inf.⟩ krijg wat! *you know what you can do!, you know where you can g. off!* **4.6** wat zullen we nou ~ ! *what(ever) next!, what are we in for now?* **4.¶** wij kregen het over ...*we got talking about* ..., *we got onto the subject of* ... **5.3** ik krijg er iets van *it gets my goat!* ⟨BE ook⟩ *gets on my wick;* je zult er niets van ~ *you won't g. anything from it* **6.1** ik krijg nog geld van je *you (still) owe me some money* **6.9** ⟨inf.⟩ hoe krijg je het in je hersens ? *what possesses you?, what's got into you?, what on earth are you playing at?;* ik kon er geen woord tussen ~ *I couldn't g. a word in (edgewise);* iets voor elkaar ~ *manage sth.* **¶.2** de slag te pakken ~ *g. the knack (of sth.)/the hang of it* **¶.3** ⟨inf.⟩ op zijn donder ~ *g. in the neck, catch it;* ⟨fig.;inf.⟩ heb je het of krijg je het? *have you gone off your head, or what?, are you sure you haven't got a screw loose somewhere?;*
krijger ⟨de (m.)⟩ ⟨schr.⟩ **0.1** *warrior*.
krijgertje ⟨het⟩ **0.1** [kinderspel] *tag, tig* ⇒*catch(-me), catchings* **0.2** [gekregen voorwerp] *cast-off, hand-me-down* ♦ **3.1** ~ spelen *play tag/tig*.
krijgsbanier ⟨de⟩ **0.1** *battle standard* ⇒*military banner*.
krijgsbijl ⟨de⟩ **0.1** *battle-axe* ⇒⟨Indiaans⟩ *tomahawk* ♦ **3.1** ⟨fig.⟩ de ~ begraven *bury the hatchet;* ⟨fig.⟩ de ~ opgraven *commence hostilities, declare war*.
krijgsdans ⟨de (m.)⟩ **0.1** *war dance*.
krijgsdienst ⟨de (m.)⟩ **0.1** *military service* ♦ **3.1** toetreden tot de ~ *join the armed services/forces, enlist;* de ~ verlaten *be demobbed;* ⟨inf.⟩ *be demobbed, return to civvy street;* ⟨na een loopbaan⟩ *retire from the armed services* **6.1** in ~ zijn *be under arms;* tot ~ dwingen *press into service; pressgang* (in de vloot).
krijgsgeschiedenis ⟨de (v.)⟩ **0.1** *military history*.
krijgsgeschreeuw ⟨het⟩ **0.1** *war cry* ⇒*(war)(w)hoop*.
krijgsgevangen ⟨bn.⟩ **0.1** *captive* ♦ **3.1** iem. ~ maken *take s.o. (a) prisoner (of war)*.
krijgsgevangene ⟨de (m.)⟩ **0.1** *prisoner of war* ⇒⟨inf.⟩ *P.O.W.* ♦ **3.1** ~ n uitwisselen *exchange prisoners of war*.
krijgsgevangenkamp ⟨het⟩ **0.1** *prisoners of war camp* ⇒*prison camp*.
krijgsgevangenschap ⟨de (v.)⟩ **0.1** *captivity* ♦ **6.1** in ~ raken *be taken prisoner/into c.*.
krijgsgewoel ⟨het⟩ **0.1** *turmoil of war/battle*.
krijgsgod ⟨de (m.)⟩, -**in** ⟨de (v.)⟩ **0.1** *god of war* ⟨m.⟩;*goddess of war* ⟨v.⟩.
krijgshaftig ⟨bn.,bw.⟩ **0.1** [dapper] *warlike* ⇒*martial* **0.2** [oorlogszuchtig] *bellicose* ⇒*belligerent, aggressive* ♦ **1.1** een ~ man/volk *a w. man/race* **1.2** ~ vertoon *a show of aggression/belligerence, sabre-rattling*.
krijgshaftigheid ⟨de (v.)⟩ **0.1** *valour* ⇒*bravery, warlike/martial spirit/appearance*.
krijgsheld ⟨de (m.)⟩, -**in** ⟨de (v.)⟩ **0.1** *war hero* ⟨m.⟩;*war heroine* ⟨v.⟩.
krijgskans ⟨de⟩ **0.1** ⟨mv.⟩ *chances/fortunes of war* ♦ **3.1** de ~ en doen keren *turn the fortunes of war/the tide of the battle*.
krijgskunde ⟨de (v.)⟩ **0.1** *military science* ⇒*art of war,* ⟨wet.⟩ *strategic studies* ♦ **2.1** hogere ~ *(military) strategy*.
krijgskundig
  I ⟨bn.,bw.⟩ **0.1** [mbt./ volgens de krijgskunst] *military* ♦ **1.1** uit ~ oogpunt *from a m. viewpoint/point of view;*
  II ⟨bn.⟩ **0.1** [in de krijgskunst bedreven] *skilled in strategy* ♦ **3.1** ~ zijn *be a good strategist*.
krijgsleus ⟨de⟩ **0.1** *war/battle cry* ⇒*(war) slogan*.
krijgslied ⟨het⟩ **0.1** [lied dat in de oorlog wordt gezongen] *war/battle song* **0.2** [lied dat een wapenfeit bezingt] *war/victory song*.
krijgslieden ⟨zn.mv.⟩ **0.1** *warriors*.
krijgslist ⟨de⟩ **0.1** *stratagem* ⇒*ruse* ♦ **3.1** een ~ gebruiken *adopt/use a s.*.
krijgsmacht ⟨de⟩ **0.1** [leger] *armed force* ⇒*army* **0.2** [totale land-, zee- en luchtmacht]⟨mv.⟩ *armed forces*.
krijgsmachtonderdeel ⟨het⟩ **0.1** *(branch of military) service* ⟨leger, luchtmacht, marine⟩.
krijgsmakker ⟨de (m.)⟩ **0.1** *fellow soldier* ⇒*comrade-in-arms,* ⟨officier⟩ *brother officer,* ⟨inf.⟩ *old (war) buddy*.
krijgsman ⟨de (m.)⟩ **0.1** *warrior* ⇒⟨gesch.⟩ *man-at-arms*.
krijgsraad ⟨de (m.)⟩ **0.1** [militaire rechtbank] *court-martial* **0.2** [vergadering van officieren] *council of war* ♦ **3.2** ~ houden/beleggen *hold/summon a council of war* **6.1** ~ te velde *drumhead c.-m.;* iem. voor de ~ brengen *court-martial s.o.*.
krijgsrecht ⟨het⟩ **0.1** *military law*.
krijgsschool ⟨de⟩ **0.1** *military academy*.
krijgstocht ⟨de (m.)⟩ **0.1** *(military) expedition*.
krijgstoneel ⟨het⟩ **0.1** *theatre of war* ⇒*scene of battle, battle-scene*.
krijgstucht ⟨de⟩ **0.1** *military discipline*.
krijgsverraad ⟨het⟩ **0.1** *treason*.
krijgsverrichting ⟨de (v.)⟩ **0.1** *military operation*.
krijgsvolk ⟨het⟩ **0.1** *military personnel* ⇒⟨mbt. soldaten⟩ *soldiery* ♦ **¶.1** het ~ *the military*.
krijgswet ⟨de⟩ **0.1** *martial law* ♦ **3.1** de ~ afkondigen *proclaim/declare martial law*.

krijgswetenschap 〈de (v.)〉 **0.1** *military science* ⇒*strategic studies* 〈mv.〉.

krijgswezen 〈het〉 **0.1** *military matters/affairs* 〈mv.〉.

krijgszuchtig 〈bn.,bw.;-ly〉 **0.1** *belligerent* ⇒*bellicose, warmongering.*

krijn 〈het〉 **0.1** *vegetable hair/fibre.*

krijsen 〈onov.ww.〉 **0.1** [schel schreeuwen] *shriek* ⇒*scream, screech* **0.2** [mbt. dieren] *screech* ⇒ 〈mbt. vogels ook〉 *squawk* **0.3** [huilen] *scream* ◆ **1.1** met ~de stem spreken *talk in a screech, squawk.*

krijt 〈het〉 **0.1** [delfstof] *chalk* **0.2** [staafje gegoten gips als schrijfgereedschap] *chalk* ⇒ 〈kleurstift〉 *crayon* **0.3** [strijdperk] *lists* 〈mv.〉 ⇒ *arena, ring* **0.4** [〈geol.〉 gronden] *chalk* **0.5** [〈geol.〉 tijdperk] *Cretaceous period* ◆ **1.2** een pijpje ~ *a stick of chalk* **2.2** met dubbel~ schrijven 〈fig.〉 *charge double*; rood/zwart/gekleurd ~ *red/black/ coloured chalk/crayon* **6.2** met (een)~(je) op het bord schrijven *(write in) chalk on the blackboard* **6.3** in het ~ treden *enter the arena/ ring/l.*; voor iem. **in** het ~ treden *enter the l. on s.o.'s behalf, take up the cudgels for s.o.* **6.¶** bij iem. **in** het ~ staan *be in the red with s.o.*; bij iem. **in** het ~ staan voor 800 gulden *owe s.o. 800 guilders, be 800 guilders in the red with s.o.*, *have chalked up a debt of 800 guilders with s.o.*, *have 800 guilders on the slate with s.o.*, *be 800 guilders to the wrong with s.o.* **¶.2** een ~(je) *a bit/piece/stick of chalk.*

krijtaarde 〈de〉 **0.1** *chalky soil.*

krijtachtig 〈bn.〉 **0.1** *chalky* ⇒ 〈vnl. mbt. formatie〉 *cretaceous.*

krijtbakje 〈het〉 **0.1** *chalk tray.*

krijtberg 〈de (m.)〉 **0.1** *chalk hill.*

krijten
I 〈ov.ww.〉 **0.1** [met krijt behandelen] *chalk* ◆ **1.1** 〈sport〉 de keu~ *c. the cue;*
II 〈onov.ww.〉 **0.1** [luid roepen/huilen] *cry* ⇒*wail* 〈op een klaagtoon〉, *yell* 〈uit smart/angst〉.

krijtformatie 〈de (v.)〉〈geol.〉 **0.1** *cretaceous formation.*

krijtgebergte 〈het〉 **0.1** *chalk hills/cliffs.*

krijtgroeve 〈de〉 **0.1** *chalk pit.*

krijtgrond 〈de (m.)〉 **0.1** [grondsoort] *chalky soil* **0.2** [witpleister] *gypsum/plaster-of-Paris base.*

krijtje 〈het〉 **0.1** *(bit/piece of) chalk.*

krijtlaag 〈de〉〈geol.〉 **0.1** *layer of chalk* ⇒*chalk stratum/bed.*

krijtlijn 〈de〉 **0.1** *chalk (mark/line).*

krijtmergel 〈de (m.)〉 **0.1** *chalk marl.*

krijtperiode 〈de (v.)〉〈geol.〉 **0.1** *cretaceous period.*

krijtpoeder 〈het〉 **0.1** *powdered chalk.*

krijtrots 〈de〉 **0.1** *chalk cliff.*

krijtstof 〈het〉 **0.1** *whiting* ⇒*chalk dust.*

krijtstrand 〈het〉 **0.1** *chalk coastline.*

krijtstreep 〈de〉 **0.1** [streep met krijt getrokken] *chalk (line/mark)* **0.2** [mbt. textiel 〈ook in samenst.〉] *pinstripe* ◆ **1.2** krijtstreeppak *p. suit* **6.1** langs een ~ lopen *walk the chalk.*

krijttechniek 〈de (v.)〉 **0.1** *pastel (drawing).*

krijttekening 〈de (v.)〉 **0.1** *chalk/pastel drawing.*

krijttijd 〈de (v.)〉 **0.1** *cretaceous period.*

krijtwit 〈bn.〉 **0.1** *chalk-white* ◆ **6.1** ~ van de schrik *c.-w./ ashen with fear* **7.1** 〈zelfst.〉 het ~ *powdered chalk, French chalk, whiting.*

krik[1] 〈de〉 **0.1** [toestel] *jack* **0.2** [geluid] *crack, rip.*

krik[2] 〈tw.〉 **0.1** *crack.*

krikkemik 〈de〉 **0.1** *shears* 〈mv.〉 ⇒*(hydraulical) jack.*

krikkemikkig 〈bn.,bw.;-ly〉 **0.1** *rickety* ⇒*wobbly, tottery, shaky.*

krikkrak 〈tw.〉 **0.1** *crick-crack.*

kril(l) 〈het〉 **0.1** *krill.*

Krim 〈de (v.)〉 ◆ **¶** de ~ *the Crimean.*

krimi 〈de〉〈inf.〉 **0.1** *cops-and-robbers/* ↑*detective film/series.*

Krimoorlog 〈de (m.)〉 **0.1** *Crimean War.*

krimp[1] 〈de (m.)〉 **0.1** [het krimpen] *shrinkage* **0.2** [gebrek] *pinch* **0.3** [〈wwb.〉] *allowance for shrinkage/settling* ◆ **3.2** geen ~ hebben *not feel the p., not be hard up* **3.¶** geen ~ geven *not falter/flinch/give way/ shrink (from)* **6.1** iets op de ~ kopen/maken *allow for s..*

krimp[2] 〈bn.〉 **0.1** *crimped* ◆ **3.1** vis~ snijden *crimp fish.*

krimpen 〈onov.ww.〉 **0.1** [zich samentrekken] *shrink* ⇒*contract* **0.2** [mbt. levende wezens] *wince* ⇒ 〈mbt. wind〉 *writhe* 〈zich wringen〉 **0.3** [afnemen] *shrink* ⇒*contract, wane* **0.4** [(mbt. de wind) teruglopen] *back* ◆ **3.1** iets doen/laten ~ *shrink sth.* **5.1** dit goed krimpt niet *this article is shrink-proof/-resistant, this article is non-shrink* **5.1** hout krimpt **door** de droogte *wood shrinks in drying/when it dries*; die trui is gekrompen **in** de was *that pullover/sweater has shrunk in the wash* **6.2** ~ van de pijn/de kou *wince with pain/cold* **6.3** de maan is **aan** het ~ *the moon is waning/on the wane.*

krimpfolie 〈de〉 **0.1** *cling film, shrink-wrapping* ◆ **6.1 in** ~ verpakken *wrap in c.f., shrink-wrap.*

krimping 〈de (v.)〉 **0.1** [samentrekking, verkorting] *shrinkage* ⇒*contraction* **0.2** [kramp] *contraction* ⇒*cramp* ◆ **6.2** ~en **in** de buik *contractions/cramps in the stomach/belly.*

krimpkous 〈de〉 **0.1** *shrink sleeve.*

krimpnaad 〈de (m.)〉 **0.1** *split.*

krimpring 〈de (m.)〉 **0.1** *shrink(-on) ring.*

krimpverbinding 〈de (v.)〉 **0.1** *shrink fit.*

krimpvrij 〈bn.〉 **0.1** *shrink-proof/-resistant* ⇒*non-shrink(able).*

krimpwals 〈de〉 **0.1** *calender.*

kring 〈de (m.)〉 **0.1** [cirkelvormig figuur] *circle* ⇒*ring,* 〈elek.〉 *circuit, orbit* 〈van hemellichaam〉, *halo, corona* 〈om hemellichaam〉 **0.2** [cirkel van personen of dingen] *circle* ⇒*ring* **0.3** [maatschappelijke groep] *circle* ⇒*company, set,* 〈inf.〉 *crowd* **0.4** [omsloten ruimte, gebied] *circle* ⇒*field, range, sphere, orbit* **0.5** [personen die iem. omringen] *circle* **0.6** [cyclus] *cycle* ◆ **1.2** een ~ van kopers (op veiling) *a sale ring* **1.4** de ~ van een eendenkooi *the range of a decoy* **1.5** een ~ van vrienden *a c. of friends* **2.1** halve ~ *semicircle* **2.3** uit de betere ~en 〈bn.〉 *upper-class/-crust;* de hogere ~en *high society;* de hoogste ~en 〈ook〉 *the upper crust, the upper walks of life; the jet set* 〈zaken〉*; the top brass* 〈diensten〉; in politieke ~en *in political circles;* in welingelichte ~en *in well-informed circles/quarters* **2.4** 〈fig.〉 iets in ruimer~ bekendmaken *make sth. more widely known* **2.5** in besloten kring *in a closed/private c.;* de huiselijke ~ *the family/domestic c.* **3.1** een ~ beschrijven *describe a circle;* 〈ook〉 *circle/wheel round;* ~en onder de ogen hebben *have rings/bags under one's eyes;* een ~ trekken *draw a circle;* de grachten vormen een ~ om de stad *the canals ring the city* **6.1** in een ~ ronddraaien *go round in a circle, go/run round in circles;* de aarde beweegt zich **in** een ~ om de zon *the earth moves in an orbit around the sun;* ~en maken **in/op** een tafelblad *make rings on a table-top* **6.2 in** een ~ zitten *sit in a ring/c.;* **uit** de ~ treden *leave the ring/c.* **6.3** in de hoogste ~en verkeren *move in the highest circles, mix with the top people/set;* zich **in** alle ~en thuis voelen *mix well in any company;* in alle ~en *in all walks of life;* mensen **uit** in haar (eigen) ~ *people from/in her (own) set;* 〈inf.〉 *people from/in her (own) crowd/ mob* **6.4 in** ruime/brede/wijde ~ *widely;* **in** ruime ~ de aandacht trekken *attract wide attention;* **in** brede ~ ontevredenheid oproepen *cause widespread dissatisfaction.*

kringbeweging 〈de (v.)〉 **0.1** *circular movement.*

kringelen 〈onov.ww.〉 **0.1** *spiral* ⇒*curl,* 〈kronkelen〉 *wind, meander* ◆ **1.1** een sigaret waar rook vanaf kringelt *a cigarette with smoke curling/spiralling up from it* **6.1** de rook kringelde **uit** de schoorsteen *the smoke spiralled/curled up out of the chimney.*

kringetje 〈het〉 **0.1** *ringlet* ⇒*circlet, small ring/circle* ◆ **3.1** ~s blazen *blow smoke-rings;* ~s spugen 〈fig.〉 *loaf/lounge about/around* **6.1 in** een ~ ronddraaien *go round in a small circle, go/run round in circles, chase one's tail;* hij verkeerde altijd **in** hetzelfde ~ *he always associated with the same circle/group.*

kringgesprek 〈het〉 **0.1** *group discussion.*

kringloop 〈de (m.)〉 **0.1** [〈fig.〉] *cycle* ⇒ 〈van geld/informatie〉 *circulation* **0.2** [het zich bewegen in een kring] *circuit* ⇒*orbit* 〈van hemellichaam〉 ◆ **1.1** de ~ v.d. natuur/van de jaargetijden *the cycle of nature /the seasons* **1.2** de ~ v.d. planeten *the orbits of the planets* **3.1** het jaar heeft zijn ~ volbracht *the year has come full circle.*

kringlooppapier 〈het〉 **0.1** *recycled paper.*

kringloopproces 〈het〉 **0.1** *cycle* ⇒*cyclic(al) process.*

kringloopwinkel 〈de (m.)〉 **0.1** *second-hand shop.*

kringproces 〈het〉 **0.1** *circular process* ⇒*(fixed) ring.*

kringsgewijs 〈bn.,bw.;-ly〉 **0.1** *circular.*

kringsluiter 〈de (m.)〉〈foto.〉 **0.1** *leaf shutter.*

kringspier 〈de〉 **0.1** *orbicular muscle* ⇒*orbicularis, sphincter(-muscle).*

kringtaal 〈de〉 **0.1** *jargon* ⇒*private language.*

kringvormig 〈bn.〉 **0.1** *circular.*

krinkel 〈de (m.)〉 **0.1** [kronkel] *twist* ⇒*curl,* 〈bocht〉 *turn, bend, curve,* 〈kronkeling〉 *coil* **0.2** [virusziekte] *(leaf-)curl.*

krinkelen 〈onov.ww.〉 **0.1** *twist* ⇒*curl, wind, curve,* 〈kronkelen〉 *coil* ◆ **1.1** ~d haar *curly hair.*

krioelen 〈onov.ww.〉 **0.1** [door elkaar bewegen] *swarm* ⇒*teem, bristle,* 〈mbt. insekten〉 *crawl* **0.2** [veel voorkomen] *teem (with)* ⇒*be full (of), bristle (with),* 〈vol gebreken zijn〉 *be riddled (with)* ◆ **4.1** het krioelde van de mensen op het plein, het plein krioelde van de mensen *people were swarming over the square* **4.2** het krioelde er van ongedierte *the place was crawling/overrun with vermin* **6.1** de kinderen krioelden **door** elkaar *the children were milling about/around* **6.2** het boek krioelt **van** de drukfouten *the book is full of/riddled with printing errors;* in dit water krioelt het **van** vissen *this water is teeming/ brimming with fish.*

krip 〈het〉 **0.1** *crape, crêpe.*

kris 〈de〉 **0.1** *kris* ⇒*crease, creese, kreese.*

kriskras 〈bw.〉 **0.1** *criss-cross* ◆ **3.1** ~ lopende lijnen *criss-cross lines* **6.1** alles staat ~ door elkaar *everything is mixed up (together), everything is jumbled up/in a jumble/in disarray;* 〈sterker〉 *it's all in a state of chaos;* alles ~ **door** elkaar gooien *throw everything into a jumble/into confusion/down anyhow/around anyhow;* alles ~ **door** elkaar schrijven *write erratically/all higgledy-piggledy;* haar kleren lagen ~ **over** de vloer verspreid *her clothes lay strewn/in disarray across the floor;* diersporen liepen ~ **over** de besneeuwde velden *animal tracks ran c.-c. over the snowy/snow-covered fields.*

krispelen 〈ov.ww.〉 **0.1** 〈leer〉 *pebble* ⇒*grain, cripple.*

kristal 〈het〉 **0.1** [kristalglas] *crystal* ⇒*crystal/flint glass* **0.2** [gekristalliseerd kwarts] *crystal* **0.3** [〈nat.〉] *crystal* ◆ **1.2** 〈fig.〉 het ~ v.h. beekje *the crystal clarity / limpid water(s) of the brook* **2.2** IJslands ~ *Iceland c. / spar* **2.3** achtvlakkig ~ *octahedron;* vloeibare ~len *liquid crystals* **6.1** een kast met ~ *a cabinet / case containing c., a glass cupboard / cabinet;* een wijnglas van ~ *a crystal wine glass* **6.3** in ~len schieten, zich tot ~len vormen *from crystals, crystallize* **8.2** zo helder als ~ *as clear as day, crystal-clear;* glinsteren als ~ *sparkle / shimmer like c..*

kristalachtig 〈bn.〉 **0.1** *crystalline* ⇒*crystalloid.*

kristalchemie 〈de (v.)〉 **0.1** *crystal chemistry.*

kristaldetector 〈de (m.)〉 **0.1** *crystal detector.*

kristalelement 〈het〉 **0.1** *crystal element* ◆ **6.1** een toonarm met ~ *a crystal pickup.*

kristalfout 〈de〉〈nat.〉 **0.1** *dislocation.*

kristalgeometrie 〈de (v.)〉 **0.1** *crystallometry.*

kristalglas 〈het〉 **0.1** *crystal / flint glass.*

kristalglazuur 〈het〉 **0.1** *crystal glaze* ⇒*frosted glazing, frosting.*

kristalgrot 〈de〉 **0.1** *crystal cave.*

kristalhelder 〈bn.〉 **0.1** *crystal-clear* ⇒*lucid* 〈van gedachten〉, 〈doorzichtig〉 *limpid* ◆ **1.1** ~e ogen *c.-c. / limpid eyes;* ~ water *c.-c. / limpid water.*

kristalkijker 〈de (m.)〉 **0.1** *crystal-gazer.*

kristalklasse 〈de〉 **0.1** *crystal class.*

kristalkunde 〈de (v.)〉 **0.1** *crystallography.*

kristallen 〈bn.〉 **0.1** *crystal* ⇒*crystalline* ◆ **1.1** ~ bol 〈van waarzegster〉 *crystal ball;* ~ sieraad *crystal jewel / gem.*

kristallens 〈de〉 **0.1** *crystalline lens.*

kristalliet 〈de〉 **0.1** [〈geol.〉] *crystallite* **0.2** [〈tech.〉] *grain.*

kristallijn 〈bn.〉 **0.1** [〈nat.〉] *crystalline* **0.2** [〈fig.;schr.〉] helder als kristal] *crystalline* ◆ **1.1** een ~ breukvlak *a c. fracture.*

kristalliniteit 〈de (v.)〉 **0.1** *crystallinity.*

kristallisatie 〈de (v.)〉 **0.1** *crystal(l)ization* ◆ **2.1** gefractioneerde ~ *fractional c..*

kristallisatiekern 〈de〉 **0.1** *crystal nucleus.*

kristallisatiepunt 〈het〉 **0.1** *crystal(l)ization point.*

kristalliseerbaar 〈bn.〉 **0.1** *crystal(l)izable.*

kristalliseerschaal 〈de〉 **0.1** *crystal(l)ization bowl / dish.*

kristalliseren 〈onov.ww.〉 **0.1** [kristallen vormen] *crystal(l)ize* **0.2** [〈fig.〉] *crystal(l)ize (out)* ◆ **1.1** gekristalliseerde suiker *refined / granulated sugar* **5.1** naaldvormig ~ *needle.*

kristallografie 〈de (v.)〉 **0.1** *crystallography.*

kristalloïd(e) 〈het〉 **0.1** *crystalloid.*

kristallometrie 〈de (v.)〉 **0.1** *crystallometry.*

kristalmicrofoon 〈de (m.)〉 **0.1** *crystal microphone.*

kristalnaald 〈de〉 **0.1** *crystal) needle.*

kristalontvanger 〈de (m.)〉 **0.1** *crystal receiver / set.*

kristalrooster 〈het〉〈schei.〉 **0.1** *crystal lattice.*

kristalsoda 〈de〉 **0.1** *washing soda.*

kristalstelsel 〈het〉 **0.1** *crystal system.*

kristalstructuur 〈de (v.)〉 **0.1** *crystalline structure.*

kristalsuiker 〈de〉 **0.1** *granulated sugar.*

kristalvorm 〈de (m.)〉 **0.1** *crystalline form* ◆ **6.1** in ~ overgaan *crystallize.*

kristalvormig 〈bn.〉 **0.1** *crystalliform* ⇒*crystal-shaped.*

kristalwater 〈het〉〈schei.〉 **0.1** *water of crystallization.*

kristalwerk 〈het〉〈verz.n.〉 **0.1** *crystal(ware)* ⇒*fine glassware.*

kristalwieren 〈zn.mv.〉 **0.1** *diatoms.*

kritiek[1] 〈de (v.)〉 **0.1** [analyse, beschouwing] *criticism* ⇒〈schr.〉 *critique,* 〈waarderend〉 *appreciation* **0.2** [uiting van afkeuring] *criticism* ⇒*censure, stricture,* 〈schr.〉 *animadversion* **0.3** [recensie, bespreking] *criticism* ⇒〈critical〉 *review, notice,* 〈waarderend〉 〈critical〉 *appreciation,* 〈schr.〉 *critique* **0.4** [recensenten, critici] *critics* 〈mv.〉 **0.5** [het vak / de kunst van recenseren] *criticism* ◆ **1.2** een golf van ~ *a tide / barrage / wave of criticism;* het mikpunt van ~ zijn *be the target / butt of criticism* **2.1** opbouwende / afbrekende ~ *constructive / destructive criticism* **2.2** scherpe / felle ~ *scathing / fierce / severe criticism;* vernietigende / scherpe ~ leveren op *criticize violently / severely, berate, lay about* **2.3** een goede / slechte ~ krijgen *get / receive favourable / adverse criticism* **3.1** ~ hebben / leveren / uitoefenen op iem. / iets *be critical of s.o. / sth., pass criticism on s.o. / sth.* **3.2** openlijk ~ leveren *criticize openly;* achteraf ~ leveren *criticize with hindsight, be wise after the event;* zijn ~ op iets richten *direct / level one's criticism against sth.;* ~ weerleggen *meet / answer criticism* **3.3** een ~ schrijven *write a (critical) review / notice* **3.4** wat zegt de ~ ervan? *what do the c. say (about it)?* **5.2** altijd met ~ klaar staan / vol ~ zijn *be always criticizing, be always ready / quick to criticize* **6.1** beneden (alle) ~ *beneath contempt;* ben je niet bestand tegen ~? *can't you take criticism?* ¶**.4** de ~ was unaniem van oordeel dat ... *the c. were unanimous in their opinion that ....*

kritiek[2] 〈bn.〉 **0.1** [netelig, hachelijk, gevaarlijk] *critical* **0.2** [cruciaal, doorslaggevend] *crucial* ⇒*critical, decisive* **0.3** [〈nat.〉] [→**kritisch** II0.1] ◆ **1.1** ~e plaats 〈inf.〉 *hot spot;* ~e plaats [verantwoordelijkheid] *a knife-edge situation* **1.2** het ~e punt *she crux of the matter;* op het ~e moment *at the crucial / critical moment;* ~(e) periode / leeftijd / jaar *crucial / critical phase / age / year;* een ~ punt bereiken, in een ~ stadium komen *reach a crucial /*

critical point / a crisis, come to a head **2.1** de toestand van de patiënt was ~ *the patient was in a c. condition / was critically ill.*

kritiekloos 〈bn., bw.;-ly〉 **0.1** *uncritical* ⇒*unquestioning,* 〈bw.〉 *without question* ◆ **3.1** iets ~ aanvaarden / overnemen *accept / adopt sth. without question;* ~ slikken *swallow whole.*

kritiekloosheid 〈de (v.)〉 **0.1** *indiscrimination* ⇒*lack of critical perception / expression.*

kritikaliteit 〈de (v.)〉 **0.1** *criticality.*

kritisch

I 〈bn., bw.;-ly〉 **0.1** [zorgvuldig oordelend, analyserend, onderzoekend] *critical* ⇒*discerning, discriminating,* 〈nauwgezet〉 *scrupulous* **0.2** [negatief] *critical* ⇒*fault-finding, cavilling,* 〈AE sp. ook〉 *caviling,* 〈schr.〉 *censorious,* 〈inf.〉 *nit-picking, hair-splitting* **0.3** [〈mbt. tekstuitgave〉 niet diplomatisch] *critical* ◆ **1.1** ~e geest *a c. / discerning mind;* een ~e instelling *a scrupulous / serious / scholarly attitude;* een ~ onderzoek *a c. study / investigation;* ~e opmerkingen maken *make c. comments* **1.2** een ~ iem. *a caviller;* 〈inf.〉 a nit-picker **1.3** ~ apparaat (bij boek) *c. apparatus, apparatus criticus* **3.1, 3.2** ergens tegenover staan *be c. of sth., adopt a c. altitude towards sth.* **3.2** iem. een ~e blik toewerpen *cast a critical glance at / eye on s.o., put s.o. under one's critical gaze / eye* **3.3** een tekst ~ uitgeven *make / prepare a c. edition of a text* **5.2** al te ~ *hypercritical;*

II 〈bn.〉 **0.1** 〈nat.〉 mbt. stoffen] *critical* **0.2** [〈nat.〉 voldoende voor kettingreaktie] *critical* ◆ **1.1** ~ punt / ~ drempel *c. point;* ~e temperatuur *c. temperature* **1.2** ~e massa *c. mass* **1.¶** 〈psych.〉 ~e leeftijd *critical age;* 〈plantk.〉 een ~e plantesoort *a critical botanical species* **3.2** ~ worden / zijn *go / be c..*

kritiseren 〈ov.ww.〉 **0.1** [beoordelen] *criticize* ⇒〈afkeurend ook〉 *censure,* 〈mbt. boek〉 *review* **0.2** [hekelen] *criticize* ◆ **5.2** het beleid van de regering fel / scherp ~ *severely c. / attack the policy of the government.*

krocht 〈de〉 **0.1** [crypt] *crypt* ⇒*vault, undercroft* **0.2** [spelonk] *cave* ⇒ 〈schr.〉 *cavern.*

krodde 〈de〉〈plantk.〉 **0.1** [herik] *charlock* ⇒*field / wild mustard* **0.2** [witte krodde] *(field) pennycress* ⇒*penny grass.*

kroeg 〈de〉 **0.1** [B]*pub,* [A]*bar* ◆ **2.1** een ordinaire ~ *a common alehouse, a cheap joint;* 〈inf.〉 *a spit-and-sawdust place,* [A]*a dive* **3.1** de / alle ~en aflopen *pub-crawl;* iem. de ~ uitsmijten *chuck / throw s.o. out of the p. / b.* **6.1** altijd in de ~ zitten 〈inf.〉 *always be in the p. / b.;* naar de ~ gaan *go to the p. / b..*

kroegbaas 〈de (m.)〉 **0.1** *landlord, innkeeper* ⇒[B]*publican,* [A]*barkeeper.*

kroegentocht 〈de (m.)〉 **0.1** [B]*pub-crawl,* [A]*bar- / joint-happing* ◆ **3.1** een ~ maken / houden *(go on a) pub-crawl,* [A]*go bar- / jiont-happing.*

kroeglopen 〈ww.〉 **0.1** *pub-crawl.*

kroegloper 〈de (m.)〉 **0.1** *pub-crawler* ⇒ 〈AE ook〉 *barfly.*

kroelen 〈onov.ww.〉 **0.1** *cuddle* ⇒*caress, fondle,* 〈inf.〉 *spoon, neck.*

kroep 〈de (m.)〉〈med.〉 **0.1** *croup* ◆ **2.1** valse ~ *spurious c..*

kroephoest 〈de (m.)〉 **0.1** *croupy / spasmic / convulsive cough.*

kroepoek 〈de (m.)〉 **0.1** *prawn / shrimp crackers.*

kroes[1] 〈de (m.)〉 **0.1** [drinkbeker] *mug* ⇒*cup* **0.2** [vuurvast vat] *crucible.*

kroes[2] 〈bn.〉 **0.1** *frizzy, fuzzy* ⇒*frizzly, frizzled, crisp(ed).*

kroeshaar 〈het〉 **0.1** *frizzy / fuzzy / curly hair* ⇒*friz(z), afro.*

kroesharig 〈bn.〉 **0.1** *curly- / frizzy- / fuzzy-haired* ⇒*woolly-headed.*

kroeskarper 〈de (m.)〉〈dierk.〉 **0.1** *crucian / crusian (carp)* ⇒*German / Prussian carp.*

kroeskop 〈de (m.)〉 **0.1** [hoofd met gekroesd haar] *frizzy / fuzzy head* ⇒ *frizzy / fuzzy head, curly top* **0.2** [persoon] *frizzy / fuzzy head* ⇒*curly top,* 〈als aanspreekvorm〉 *curly, fuzzy-wuzzy* 〈inf.;pej. mbt. neger〉 ◆ **2.1** een zwarte ~ *a head of frizzy / fuzzy black hair* **3.1** een ~ hebben *have frizzy / fuzzy hair, have a curly top / an afro (hairstyle).*

kroesziekte 〈de (v.)〉 **0.1** *(leaf-)curl.*

kroet 〈het〉 **0.1** *scrump.*

kroezelen 〈onov.ww.〉〈AZN〉 **0.1** *frizzle* ⇒*curl up.*

kroezen

I 〈onov.ww.〉 **0.1** [kroes zijn] *frizzle* ⇒*curl (up);*

II 〈ov.ww.〉 **0.1** [kroes maken] *crimp* ⇒*frizz, crisp* ◆ **1.1** iemands haar ~ *crimp s.o.'s hair.*

kroezenstaal 〈het〉 **0.1** *crucible steel.*

kroezig 〈bn.〉 →**kroes[2]**.

krokant 〈bn.〉 **0.1** *crisp* ⇒*crunchy, crusty* ◆ **1.1** ~e broodjes *crusty rolls.*

krokodil 〈de〉 **0.1** *crocodile.*

krokodillebek →**krokodilleklem**.

krokodilleklem 〈de〉〈tech.〉 **0.1** *alligator clip.*

krokodilleleer 〈het〉 **0.1** *crocodile (leather / skin)* ◆ **6.1** een tasje van ~ *a crocodile (leather / skin) bag.*

krokodilletranen 〈zn.mv.〉 ◆ **3.¶** ~ huilen *shed / weep crocodile tears.*

krokodilwachter 〈de (m.)〉〈dierk.〉 **0.1** *crocodile bird* ⇒*trochilus.*

krokus 〈de (m.)〉 **0.1** *crocus.*

krokusvakantie 〈de (v.)〉 **0.1** ≠[B]*spring half-term* ⇒≠[A]*semester break.*

krollen 〈onov.ww.〉 **0.1** *caterwaul.*

krols 〈bn.〉 **0.1** *on / in heat* ◆ **1.1** ~ geschreeuw *caterwauling.*

krolsteen ⟨de (m.)⟩ ⟨amb.⟩ **0.1** *corbel* ⇒*console, bracket, ancon.*
krolzie →**krols.**
krom ⟨bn., bw.;-ly⟩ ⟨→sprw. 189⟩ **0.1** [gebogen] *bent* ⇒*crooked,* ⟨lijn⟩ *curved,* ⟨neus⟩ *hooked,* ⟨lichaam ook⟩ *stooped* **0.2** [verkeerd] *crooked* ⇒*devious* **0.3** [gebrekkig] *clumsy* ⇒⟨mbt. taal⟩ *inarticulate* ◆ **1.1** ⟨sport⟩ een ~me bal *a swinger/swerver;* ⟨inf.⟩ *a bender;* (sl.) *a banana (shot);* ~me benen *bandy legs, bow-legs;* ⟨x-benen⟩ *knock-knees;* met ~me benen ⟨met x-benen⟩ *knock-kneed;* ⟨met o-benen⟩ *bow-legged;* ~ Nederlands *bad/inarticulate Dutch;* ⟨fig.⟩ een ~me redenering *a wry argument, warped/twisted reasoning;* met een ~me rug *with a crooked/hunched/b. back, with an arched back;* ~me sabel *scimitar, curved sword;* ~ taalgebruik *inarticulateness;* ⟨verkeerd gebruik⟩ *misus(ag)e of language, (use of) malaprop(ism)s;* ~me vingers hebben *be light-fingered;* een ~me weg *a crooked/winding path* **3.1** ~ gaan staan *become stooped;* ⟨fig.⟩ zich ~ lachen, ~ liggen (van het lachen) *double up/crease (up) with laughter, fall about laughing;* zich ~ lopen *become b. (double)/stooped with walking;* ~ maken *make b.;* een spijker ~ slaan *bend a nail, hit a nail in bent;* zich ~ werken *become b. with work;* ⟨fig.⟩ *work one's fingers to the bone* **3.3** ~ praten *talk inarticulately/incoherently, gibber* **6.1** ~ van het harde werken *bowed down with hard work;* ~ van ouderdom *bowed down/b./stooped with age;* ~ van *crippled with gout* ¶**.1** ⟨fig.⟩ dat is om je ~ te lachen *that is a(n absolute) scream* ¶**.2** iets dat ~ is recht trachten te praten *try to argue that what is wrong is right.*
krombaangeschut ⟨het⟩ **0.1** *high-trajectory/-angle fire.*
krombaanvuur ⟨het⟩ **0.1** *curved/high-angle fire.*
krombeen ⟨de (m.)⟩ ⟨inf.⟩ **0.1** *bandy-legs* ⇒⟨met x-benen⟩ *knock-knees.*
krombeenpasser ⟨de (m.)⟩ **0.1** *cal(l)ipers* ⟨mv.⟩ ⇒*cal(l)iper compasses* ⟨mv.⟩ ◆ ¶**.1** een ~ *a pair of callipers.*
krombek ⟨de (m.)⟩ **0.1** [inbrekerswerktuig] *skeleton key* **0.2** [smidstang] *round tongs* **0.3** [doperwt, snijboon] ⟨erwt⟩ *dwarf (garden) pea;* ⟨boon⟩ *kidney bean.*
krombekstrandloper ⟨de (m.)⟩ ⟨dierk.⟩ **0.1** *curlew sandpiper.*
krombenig ⟨bn.⟩ **0.1** ⟨met o-benen⟩ *bow-legged* ⇒*bandy(-legged),* ⟨met x-benen⟩ *knock-kneed.*
krombladig ⟨bn.⟩ ⟨plantk.⟩ **0.1** *curvifoliate.*
krombuigen ⟨onov., ov.ww.⟩ **0.1** *bend* ⇒⟨terug op zichzelf⟩ *bend double,* ⟨ov.ww.⟩ *hunch* ⟨een rug⟩.
kromdradig ⟨bn.⟩ **0.1** *cross-grained* ◆ **1.1** ~ hout *c.-g. wood.*
kromgroeien ⟨onov.ww.⟩ **0.1** *grow crooked/warped/awry* ◆ **1.1** kromgegroeide bomen *gnarled trees.*
kromhals ⟨de (m.)⟩ **0.1** [voorwerp] *retort* **0.2** [plantje] *bugloss* **0.3** [⟨inf.⟩ persoon] *wryneck.*
kromheid ⟨de (v.)⟩ **0.1** *crookedness* ⇒*wryness.*
kromhoorn ⟨de (m.)⟩ ⟨muz.⟩ **0.1** [blaasinstrument] *crumhorn* ⇒*krum(m)horn, cromorne* **0.2** [orgelregister] *crumhorn (stop)* ⇒*krum(m)horn/cromorne (stop).*
kromhout ⟨het⟩ **0.1** [krom gegroeid hout] *knee/compass timber* **0.2** [den; hout daarvan] *knee/dwarf pine.*
kromliggen ⟨onov.ww.⟩ **0.1** [mbt. personen] *scrimp and save* ⇒*tighten one's belt* ◆ **6.1** ~ om iets te kunnen doen *scrimp and save/tighten one's belt in order to do sth., do sth. at a pinch;* zijn ouders moeten ~ voor de financiering van zijn studie *his parents have to scrimp and save to finance his study.*
kromlijnig ⟨bn.⟩ **0.1** [door kromme lijnen begrensd] *curviform* ⇒*curvilinear, curvilineal* **0.2** [een kromme lijn zijnde] *curvilinear* ⇒*curvilineal.*
kromlopen ⟨onov.ww.⟩ **0.1** [mbt. personen] *stoop* **0.2** [niet in rechte richting lopen] *bend* ⇒⟨mbt. lijnen⟩ *curve.*
kromme
  I ⟨de⟩ ⟨wisk.⟩ **0.1** [gebogen lijn] *curve* **0.2** [curve] *graph* ⇒*chart, curve* ◆ **2.1** vlakke ~ *flat c.;*
  II ⟨de (m.)⟩ **0.1** [persoon] *deformed person* ⇒*≠cripple,* ⟨gebochelde⟩ *hunchback.*
krommen
  I ⟨onov.ww.⟩ **0.1** [krom worden] *bend* ⇒⟨mbt. lijnen⟩ *curve;*
  II ⟨ov., wk.ww.⟩ **0.1** [krom maken] *bend* ⇒*distort* ◆ **1.1** men moet heet warm maken om te ~ *one has to heat wood in order to b. it;* ⟨fig.⟩ het recht ~ *≠b. the rules;* de rug ~ *b./arch one's back* **4.1** haar rug begint zich te ~ *her back is beginning to get bent/bowed;* de rivier kromt zich om dit gebergte heen *the river bends/winds round these mountains;* zich ~ onder het juk der …*b./buckle under the yoke of …*
krommes ⟨het⟩ ⟨amb.⟩ **0.1** (snoeimes) *pruning knife* ⇒⟨voor zeil enz.⟩ *lino-knife,* ⟨fruit⟩ *grapefruit knife.*
kromming ⟨de (v.)⟩ **0.1** [handeling; hoedanigheid] *bend(ing)* ⇒*curving,* ⟨mbt. vlak/rand/ruggegraat⟩ *curvature,* ⟨weg⟩ *winding* **0.2** [plaats] *bend* ⇒*curve, turn* ◆ **1.1** de ~ v.e. holle spiegel *the curvature of a concave mirror* **6.2** bij een ~ v.d. weg *at a b. in the road.*
kromnervig ⟨bn.⟩ ⟨plantk.⟩ **0.1** *curvinervate* ⇒*curvinerved, curve-veined* ◆ **1.1** ~e bladeren *curvinervate leaves.*
kromneus ⟨de (m.)⟩ **0.1** *hook-nose* ⇒*hook-nosed person.*

krompasser ⟨de (m.)⟩ **0.1** *cal(l)ipers* ⟨mv.⟩ ⇒*cal(l)iper compasses* ⟨mv.⟩ ◆ ¶**.1** een ~ *a pair of callipers.*
kromstaf ⟨de (m.)⟩ **0.1** *crook* ⇒*crosier, crozier.*
kromstelig ⟨bn.⟩ ⟨plantk.⟩ **0.1** *with a curved stem.*
kromtaal ⟨de⟩ **0.1** *broken language* ⇒*gibberish.*
kromtrekken ⟨onov.ww.⟩ **0.1** *warp* ⇒*buckle* ⟨metaal⟩, ⟨zijwaarts v.d. einden v.e. plank⟩ *bow,* ⟨hol door de breedte v.e. plank⟩ *cup,* ⟨bolvormig door de lengte v.e. plank⟩ *spring* ◆ **1.1** kromgetrokken grammofoonplaat *warped gramophone record* **5.1** hout dat niet kromtrekt *warp-proof/-resistant wood.*
kromzwaard ⟨het⟩ **0.1** [gebogen zwaard] *sabre* ⇒ ⟨Turks⟩ *scimitar* **0.2** [⟨als symbool⟩] *scimitar.*
kronen ⟨ov.ww.⟩ **0.1** [kroon opzetten] *crown* **0.2** [ereprijs toekennen] *crown* ⇒*acclaim, honour* **0.3** ⟨⟨fig.⟩ eren⟩ *crown* ⇒*set the seal on,* (put the) *cap (on)* ◆ **1.1** gekroonde hoofden *crowned heads* **1.2** de overwinnaar ~ *honour/acclaim the victor* **1.3** ⟨fig.⟩ dat is de dwaasheid gekroond *that takes the biscuit/cake;* ⟨fig.⟩ het einde kroont het werk *≠the last act crowns the play* **6.1** iem. tot koning/tot keizer ~ *crown s.o. king/emperor.*
kroniek ⟨de (v.)⟩ **0.1** [verhaal, jaarboek] *chronicle* ⇒*record, annal(s), calendar* **0.2** [rubriek, artikel(en)] *column* ◆ **2.1** ⟨inf.⟩ een wandelende ~ *a walking encyclop(a)edia* **6.1** in een ~ schrijven *chronicle (sth.)* ¶**.1** ⟨bijb.⟩ de Kronieken *the Chronicles.*
kroniekschrijver ⟨de (m.)⟩, **-schrijfster** ⟨de (v.)⟩ **0.1** *chronicler* ⇒*recorder, annalist.*
kroniekstijl ⟨de (m.)⟩ **0.1** [stijl (als) v.e. kroniek] *chronicle style* **0.2** [dorre stijl] *factual manner/style.*
kroning ⟨de (v.)⟩ **0.1** *crowning* ⇒⟨plechtig⟩ *coronation,* ⟨intronisatie⟩ *enthronement.*
kroningsdag ⟨de (m.)⟩ **0.1** *coronation day.*
kroningsplechtigheid ⟨de (v.)⟩ **0.1** *coronation ceremony.*
kronkel ⟨de (m.)⟩ **0.1** *twist(ing)* ⇒*coil,* ⟨touw, redenering⟩ *kink* ◆ **2.1** ⟨fig.⟩ een rare ~ in zijn hersens hebben *have a twisted/warped mind.*
kronkelachtig ⟨bn.⟩ **0.1** *twisty* ⇒*winding, wiggly* ⟨lijn⟩.
kronkeldarm ⟨de (m.)⟩ ⟨med.⟩ **0.1** *ileum.*
kronkelen
  I ⟨onov.ww.⟩ **0.1** [kronkels vertonen] *twist* ⇒*wind, coil,* ⟨wriggelen⟩ *wriggle, squirm* ◆ **1.1** een ~d touw *a coiling rope;* een ~de weg *a winding/meandering road* **6.1** ~ om/rond ⟨ook⟩ *curl/twine round;* ~ van pijn *writhe in agony* **8.1** ~ als een slang *snake, wind like a snake;*
  II ⟨ov., wk.ww.⟩ **0.1** [kronkels maken] *twist* ⇒*wind* ◆ **1.1** een touw ~ *coil a rope* **4.1** een beekje kronkelt zich tussen de heuvels door *a brook twists/winds/threads/snakes its way/meanders through the hills;* zich ~ om/rond *entwine/wrap o.s. (a)round* ¶**.1** zich ~d een weg banen door *weave/twist/wind/thread/snake one's way through.*
kronkelig ⟨bn.⟩ **0.1** *twisting* ⇒*winding, bendy,* ⟨schr.⟩ *tortuous, sinuous* ◆ **1.1** een ~e boom/tak *a twisted/gnarled tree/branch;* een ~e weg *a twisting/winding/bendy road.*
kronkeling ⟨de (v.)⟩ **0.1** [handeling] *twisting* ⇒*winding, coiling,* ⟨worm, slang⟩ *wriggling, squirming* **0.2** [kronkel] *twist* ⇒*coil.*
kronkelredenering ⟨de (v.)⟩ **0.1** [duistere redenering] *convoluted argument;* [foute redenering] *false argument.*
kronkelweg ⟨de (m.)⟩ **0.1** *twisting/winding/bendy road* ⇒*crooked path* ⟨ook fig.⟩ ◆ **6.1** langs ~en gaan *go crooked ways/paths, use devious means;* langs allerlei ~getjes *by all sorts of devious means.*
kroon ⟨de⟩ **0.1** [hoofdsieraad] *crown* **0.2** [heerschappij] *crown* ⇒*royalty* **0.3** [vorst(in)] *Crown* **0.4** [krans, ereprijs] *crown* ⇒*accolade* **0.5** [munt] *crown* **0.6** [op een kroon lijkend voorwerp] *crown* ⇒⟨van boom ook⟩ *top,* ⟨van bloem⟩ *corolla,* ⟨kroonluchter⟩ *chandelier* **0.7** [⟨fig.⟩ luister] *jewel* ⇒*pearl* ◆ **1.6** de ~ v.e. hertegewei *the crown of a set of antlers;* the surroyal *(V.e. tak v.h. gewei);* de ~ v.e. horloge *the winder of a watch* **2.1** adellijke ~ *coronet;* de koninklijke/keizerlijke ~ *the royal/imperial c.;* de pauselijke/driedubbele ~ *the papal/triple c.* **2.6** een gouden ~ op een kies zetten *put a gold crown on a tooth* **3.2** de ~ neerleggen *abdicate* **3.4** iem. een ~ opzetten *award s.o. an accolade;* een ~ verdienen *earn/deserve an accolade* **3.**¶ dat spant de ~ *that beats the lot/everything;* zij spant de ~ *she beats the lot/them all* **6.1** een parel aan zijn ~ *a jewel in s.o.'s c.* **6.3** een benoeming door de ~ *a C. appointment;* een zaak voor de ~ brengen *bring a case before the C.* **6.**¶ iem. naar de ~ steken *compete with/vie with/rival s.o.;* dat is de ~ op zijn werk *that sets the seal on his work.*
kroonbalk ⟨de (m.)⟩ ⟨bouwk.⟩ **0.1** *ridge rib.*
kroonblad ⟨het⟩ ⟨plantk.⟩ **0.1** *petal.*
kroondocent ⟨de (m.)⟩ **0.1** *Crown-appointed professor/reader.*
kroondomein ⟨het⟩ **0.1** *crown property* ⇒*crown estate/territory/land, land belonging to the crown.*
kroonduif ⟨de⟩ **0.1** *crown(ed) pigeon.*
krooneend ⟨de⟩ **0.1** *red-crested pochard.*
kroongetuige ⟨de (m.)⟩ **0.1** *crown witness* ⇒*witness for the crown.*
kroonglas ⟨het⟩ **0.1** *crown glass.*
kroonkandelaar ⟨de (m.)⟩ **0.1** *chandelier* ⇒*candelabra/-brum.*
kroonjaar ⟨het⟩ **0.1** *jubilee year.*
kroonjuwelen ⟨zn.mv.⟩ **0.1** *crown jewels.*

kroonkolonie ⟨de (v.)⟩ **0.1** *Crown colony.*

kroonkurk ⟨de⟩ **0.1** *crown cap.*

kroonlamp ⟨de⟩ **0.1** *chandelier.*

kroonlid ⟨het⟩ **0.1** *Crown-appointed member.*

kroonlijst ⟨de⟩ ⟨amb.⟩ **0.1** *cornice* ♦ **2.1** holle ~ *cove* **6.1** afgewerkt met een ~ *coved.*

kroonluchter ⟨de (m.)⟩ **0.1** *chandelier* ♦ **2.1** elektrische ~ *electrolier, (electric) c.;* vijfarmige ~ *five-branched c..*

kroonmoer ⟨de⟩ **0.1** *castellated/castle nut.*

kroonnaad ⟨de⟩ ⟨med.⟩ **0.1** *coronal suture.*

kroonorde ⟨de⟩ **0.1** *order of the Crown.*

kroonpen →kroontjespen.

kroonpretendent ⟨de (m.)⟩ **0.1** *pretender to the throne.*

kroonprins ⟨de (m.)⟩ **0.1** [troonopvolger] *crown prince* ⇒⟨oudste zoon van koning(in)⟩ *prince royal, heir-apparent,* ⟨GB⟩ *Prince of Wales* **0.2** [⟨fig.⟩ opvolger] *heir-apparent* ⇒*crown prince* ♦ **3.2** een ~ aanwijzen *indicate/designate an h.-a..*

kroonprinselijk ⟨bn.⟩ **0.1** [van de kroonprins] *of/belonging to the crown prince* **0.2** [kroonprins(es) zijnde] ≠*royal* ♦ **1.2** het ~ paar *the r. couple;* ⟨GB⟩ *the Prince and Princess of Wales.*

kroonprinses ⟨de (v.)⟩ **0.1** [troonopvolgster] *crown princess* ⇒⟨oudste dochter van koning(in)⟩ *princess royal* **0.2** [gemalin] *crown princess* ⇒⟨GB⟩ *Princess of Wales.*

kroonraad ⟨de (m.)⟩ **0.1** *crown council* ⇒⟨vnl. GB⟩ *Privy Council* ♦ **1.1** voorzitter v.d. ~ *Lord President of the Privy Council.*

kroonrad ⟨het⟩ **0.1** *crown wheel* ⇒⟨uurwerken ook⟩ *contrate (gear) wheel, pin-wheel,* ⟨molens⟩ *crown gear.*

kroonrand ⟨de (m.)⟩ ⟨med.⟩ **0.1** *coronal suture.*

kroonsieraden ⟨zn.mv.⟩ **0.1** *regalia.*

kroonslagader ⟨de⟩ **0.1** *coronary artery.*

kroonsteentje ⟨het⟩ **0.1** *connector (black/strip).*

kroontje ⟨het⟩ **0.1** [kleine kroon] *coronet* **0.2** [mbt. appelen/peren] *calyx* ⇒*sepals* ⟨mv.⟩.

kroontjeskruid ⟨het⟩ ⟨plantk.⟩ **0.1** [wolfsmelkachtige plant] *milkweed* ⇒*(sun) spurge, wolf's milk* **0.2** [volksnaam voor tuinwolfsmelk] *devil's milk* ⇒*(purple) spurge.*

kroontjespen ⟨de⟩ **0.1** *dip pen.*

kroonvormig ⟨bn.⟩ **0.1** *crown-shaped* ⇒*coronary.*

kroonwiel ⟨het⟩ **0.1** *crown wheel* ⇒⟨uurwerken ook⟩ *contrate (gear) wheel, pin-wheel.*

kroonzaag ⟨de⟩ **0.1** *crown/cylinder/hole saw, hole cutter.*

kroos ⟨het⟩ ⟨plantk.⟩ **0.1** [plantjes op het wateroppervlak] *duckweed* **0.2** [schijfvormige plantjes] *duckweed.*

kroosje ⟨het⟩ ⟨plantk.⟩ **0.1** *damson (plum)* ⇒*bullace, damascene.*

kroosplant ⟨de⟩ **0.1** *duckweed.*

kroost ⟨het⟩ **0.1** [kinderen] *offspring* ⇒ ↑*issue, progeny* **0.2** [nakomelingen] *offspring* ⇒⟨bijb.⟩ *seed* ♦ **1.1** met vrouw en ~ *with wife and children* **1.2** het ~ van Abraham *the seed of Abraham* **2.2** een talrijk ~ *numerous o., a large family.*

kroostrijk ⟨bn.⟩ ♦ **1.¶** een ~ gezin *a large family.*

kroosvlindertje ⟨het⟩ **0.1** *small china mark moth.*

kroot ⟨de⟩ **0.1** *beet(root)* ♦ **8.1** zo rood als een ~ *as red as a beetroot.*

krop
I ⟨de (m.)⟩ **0.1** [mbt. groenten] *head* **0.2** [voormaag] *crop, gizzard, maw* **0.3** [gezwel] *goitre* ⇒*struma* ♦ **1.1** een ~ sla *a (h. of) lettuce* **3.2** een ~ (op)zetten ⟨fig.⟩ *puff o.s. up;* de duif zette een ~ op *the pigeon puffed itself out/up* **6.¶** een ~ in de keel hebben *have a lump in one's throat;* dat steekt mij in de ~ *that sticks in my gizzard;*
II ⟨het⟩ **0.1** [meel] *wholemeal/whole-wheat/Graham (flour)* **0.2** [brood] *wholemeal/whole-wheat/Graham (bread).*

kropaar ⟨de⟩ ⟨plantk.⟩ **0.1** *cocksfoot* ⟨mv. cocksfoots⟩ ⇒*orchard grass.*

kropachtig ⟨bn.⟩ **0.1** *goitrous.*

kropader ⟨de⟩ ⟨med.⟩ **0.1** *jugular (vein).*

kropandijvie ⟨de⟩ **0.1** *endive* ⇒⟨AE ook⟩ *escarole.*

kropbrood ⟨het⟩ **0.1** *wholemeal/whole-wheat/Graham bread* ⇒≠*brown bread.*

kropduif ⟨de⟩ →kropper.

kropgezwel ⟨het⟩ **0.1** *goitre* ⇒*struma.*

kropglas ⟨het⟩ **0.1** *(glass) flask.*

krophals ⟨de (m.)⟩ **0.1** *goitrous neck.*

kropmens ⟨de (m.)⟩ **0.1** *cretin.*

kroppen
I ⟨ov.ww.⟩ **0.1** [in de krop bergen] *put into its crop* **0.2** [opkroppen] *bottle/cork/pent up* **0.3** [verkroppen] *stand* ⇒*stick* **0.4** [voederen] *cram* ⟨ganzen⟩ ♦ **3.3** ik kan het niet langer ~ *I can't stand/take it any longer;*
II ⟨onov.ww.⟩ **0.1** [tot een krop worden] *head, form a head, heart* ⟨sla⟩.

kropper(d) ⟨de (m.)⟩ ⟨dierk.⟩ **0.1** *pouter/cropper(-pigeon).*

kropsla ⟨de⟩ **0.1** *cabbage lettuce.*

krot ⟨het⟩ **0.1** *slum* ⇒*hovel.*

krotopruiming ⟨de (v.)⟩ **0.1** *slum clearance* ⇒≠*urban renewal, (urban) redevelopment.*

krottenbuurt ⟨de⟩ **0.1** *slum(s).*

krotwoning ⟨de (v.)⟩ **0.1** *slum (dwelling).*

kruias ⟨de⟩ **0.1** *axle of the capstan wheel* ⇒*capstan wheel axle.*

kruid ⟨het⟩ ⟨→sprw. 121⟩ **0.1** [plant] *herb* **0.2** [specerij] *herb* ⇒*spice* **0.3** [gewas met sappige stengel] *herb* ⇒ ↑*herbaceous plant* ♦ **2.1** geneeskrachtige ~en *medicinal herbs;* ⟨vero.⟩ *simples;* ⟨scherts.⟩ het Nicotiaanse ~ *the (soothing) weed* **3.1** ~en drinken *drink herbal medicine* **6.2** met veel ~en highly-seasoned/-flavoured; ~en voor de soep/het vlees *herbs for the soup/the meat* **7.1** ⟨fig.⟩ daar is geen ~ tegen gewassen *there is no cure/remedy for that;* ⟨fig.⟩ voor hem is geen ~ gewassen *he is past/beyond recovery.*

kruidachtig ⟨bn.⟩ ⟨plantk.⟩ **0.1** *herbaceous.*

kruiden ⟨ov.ww.⟩ **0.1** [met kruiden vermengen] *season, flavour* ⇒*spice,* ⟨met kerrie⟩ *curry* **0.2** [⟨fig.⟩] *season, flavour, spice (up), add spice (to), pep up* ♦ **1.1** sterk gekruide spijzen *highly-seasoned/-flavoured dishes* **6.2** een verhaal ~ met geestige opmerkingen *season/flavour/spice/sauce/pepper a story with witty remarks.*

kruidenaftreksel ⟨het⟩ **0.1** *decoction of herbs* ⇒*herb tea/water/beer.*

kruidenazijn ⟨de (m.)⟩ **0.1** *herb vinegar* ⇒*aromatic vinegar.*

kruidenbitter ⟨de (m.)⟩ **0.1** *bitters* ⇒*cordial, elixir.*

kruidenboek ⟨het⟩ **0.1** [boek over kruiden] *herbal* **0.2** [verzameling gedroogde kruiden] *herbarium.*

kruidenboter ⟨de⟩ **0.1** *herb butter.*

kruidenbuiltje ⟨het⟩ **0.1** *bouquet garni.*

kruidendokter ⟨de (m.)⟩ **0.1** *herb doctor* ⇒*herbalist.*

kruidendrank ⟨de (m.)⟩ **0.1** *herb tea/water/beer.*

kruidenflora ⟨de⟩ **0.1** *herbal flora.*

kruidenier ⟨de (m.)⟩ **0.1** [kleinhandelaar] *grocer* **0.2** [kleingeestig, bekrompen persoon] *petit bourgeois* ⇒⟨AE ook⟩ *babbitt* **0.3** [winkel] *grocer's (shop/^store), grocery (shop/^store)* ♦ **2.3** de ~ op de hoek, de kleine ~ *the corner shop.*

kruideniersgeest ⟨de (m.)⟩ **0.1** *petit bourgeois mentality* ⇒*narrow-/small-mindedness, provincialism,* ⟨AE ook⟩ *babbitry.*

kruidenierspolitiek ⟨de (v.)⟩ **0.1** *narrow-minded policy* ⇒⟨AE ook⟩ *peanut policy.*

kruidenierswaren ⟨zn.mv.⟩ **0.1** *groceries.*

kruidenierswinkel ⟨de (m.)⟩ **0.1** *grocer's/grocery (shop/^store).*

kruidenierszaak ⟨de⟩ **0.1** *grocer's/grocery (shop/^store).*

kruidenkaas ⟨de (m.)⟩ **0.1** *herb cheese.*

kruidenkenner ⟨de (m.)⟩ **0.1** *herbalist.*

kruidenlezer ⟨de (m.)⟩ **0.1** *herbalist* ⇒*herb collector/gatherer.*

kruidenrekje ⟨het⟩ **0.1** *spice rack.*

kruidenshampoo ⟨de (m.)⟩ **0.1** *herb shampoo.*

kruidenthee ⟨de (m.)⟩ **0.1** *herb(al) tea.*

kruidentuin ⟨de (m.)⟩ **0.1** *herb garden* ⇒*kitchen garden* ⟨voor keuken⟩.

kruidenwijn ⟨de (m.)⟩ **0.1** *spiced wine* ⇒*mulled wine,* ⟨bisschopswijn⟩ *glühwein.*

kruidenwijzer ⟨de (m.)⟩ **0.1** *herb chart.*

kruiderij ⟨de (v.)⟩ **0.1** *spice(s)* ⇒*seasoning(s), condiment(s), spicery* ♦ **1.1** sausjes en ~en *sauces and flavourings.*

kruidig ⟨bn.⟩ **0.1** *spicy* ⇒⟨fig. ook⟩ *racy.*

kruidje-roer-mij-niet ⟨het⟩ **0.1** [⟨plantk.⟩ Mimosa pudica] *sensitive plant* **0.2** ⟨plantk.⟩ Impatiens noli-tangere] *touch-me-not* ⇒*jewelweed, snapweed* **0.3** [⟨fig.⟩ persoon] *thin-skinned/touchy person* ⇒*person with a thin skin,* ⟨schr.⟩ *noli-me-tangere.*

kruidkaas ⟨de (m.)⟩ **0.1** *herb/spiced cheese.*

kruidkers ⟨de⟩ **0.1** *canary grass* ♦ **2.1** Virginische ~ *peppergrass* ⟨Lepidium virginicum⟩.

kruidkoek ⟨de (m.)⟩ **0.1** ≠*spiced gingerbread.*

kruidnagel ⟨de (m.)⟩ **0.1** *clove.*

kruidnagelboom ⟨de (m.)⟩ **0.1** *clove (tree).*

kruidnagelolie ⟨de⟩ **0.1** *clove oil* ⇒*oil of cloves.*

kruidnoot ⟨de⟩ **0.1** [pepernoot] *ginger nut, gingerbread nut, ^ginger snap* **0.2** [muskaatnoot] *nutmeg.*

kruidvlier ⟨de (m.)⟩ **0.1** *Danewort* ⇒*dwarf elder, Dane's blood, bloodwort.*

kruien
I ⟨ov.ww.⟩ **0.1** [met een kruiwagen vervoeren] *wheel (in a wheelbarrow)* **0.2** [voor zich uit duwen] *wheel (a wheelbarrow)* **0.3** [mbt. een windmolen] *turn (to face the wind)* ♦ **1.1** ⟨fig.⟩ hij zal mijn koffer niet ~ *I wouldn't let him mind my shop;*
II ⟨onov.ww.⟩ **0.1** [mbt. ijs] ⟨breken⟩ *break up;* ⟨schuiven⟩ *drift;* ⟨zich opstapelen⟩ *pile up* ♦ **1.1** ~d ijs dreigt de Afsluitdijk te blokkeren *drift(ing) ice threatens to block the Afsluitdijk* **3.1** (het ijs in) de rivier begint te ~ *(the ice in) the river is beginning to break up* **6.1** ⟨fig.⟩ de wolken ~ langs de hemel *the clouds are drifting across the sky.*

kruier ⟨de (m.)⟩ **0.1** [witkiel] *porter* **0.2** [met kruiwagen] *barrow-man.*

kruiersloon ⟨het⟩ **0.1** *porterage.*

kruiing ⟨de (v.)⟩ **0.1** [ijsstuwing] ⟨breken⟩ *breaking up, break-up;* ⟨schuiven⟩ *drifting;* ⟨opstapeling⟩ *piling up* **0.2** [mbt. molen] *turning (to face the wind)* **0.3** [vervoer per kruiwagen] *wheeling.*

kruik ⟨de⟩ ⟨→sprw. 372⟩ **0.1** [pul, vat] *jar, pitcher, jug* ⇒*(stone) bottle, crock* **0.2** [bedverwarming] *(hot-)water bottle* ⟨ook van rubber⟩ ⇒ ⟨AE ook⟩ *hot-water bag* ⟨van rubber⟩ ◆ **1.1** ⟨fig.⟩ de zaak is nog niet in kannen en ∼en *the matter is not yet settled / in the bag / cut and dried.*

kruim ⟨het, de⟩ **0.1** [kruimel] *crumb* ⇒⟨van brood ook⟩ *breadcrumb* ⟨vnl. mv.⟩ **0.2** [binnenste van het brood] *crumb* **0.3** [verkruimelde aardappels] *meal* **0.4** [⟨AZN⟩ het beste deel] *cream, pick, best* **0.5** [van shag] *shreds* ◆ **6.3** de aardappels zijn **tot** ∼gekookt *the potatoes have gone floury* **6.¶** jongens **met** ∼ *sterling boys.*

kruimel ⟨de (m.)⟩ **0.1** [afgebroken stukje] *crumb* ⇒*scrap* **0.2** [klein beetje] *scrap, crumb, bit, whit* ◆ **1.1** een ∼(tje) brood / beschuit *a breadcrumb / biscuitcrumb* **2.1** ze at alles tot en met de laatste ∼ op *she ate every last scrap / (little) bit (of food)* **3.1** ⟨fig.⟩ de ∼s steken hem *the wealth / money has gone to his head* **3.2** wat ∼s overlaten voor *leave some crumbs / scraps for* **7.2** geen ∼ *not a s..*

kruimelaar ⟨de (m.)⟩ **0.1** [kleingeestig persoon] *niggler, piffler* **0.2** [krenterig, gierig persoon] *cheeseparer, penny-pincher* ⇒*skinflint, miser* **0.3** [scharrelaar] *potterer, fiddler.*

kruimelarij ⟨de (v.)⟩ **0.1** *niggardliness, cheese-paring, stinginess.*

kruimeldeeg ⟨het⟩ **0.1** *crumbly pastry* ⇒⟨op vruchtentaart⟩ *crumble.*

kruimeldief ⟨de (m.)⟩ **0.1** [persoon] *petty thief, pilferer, filcher* ⇒⟨vnl. AE ook⟩ *smalltime thief* **0.2** [handstofzuiger] *dustbuster.*

kruimeldiefstal ⟨de (m.)⟩ **0.1** *petty theft / thieving, pilfering, filching* ⇒⟨vnl. AE ook⟩ *smalltime theft.*

kruimelen
I ⟨ov.ww.⟩ **0.1** [aan kruimels wrijven] *crumble;*
II ⟨onov.ww.⟩ **0.1** [brokkelen] *crumble* **0.2** [bij het eten kruimels maken] *make crumbs* ◆ **1.1** die kaas kruimelt *that cheese is crumbly / crumbles* **3.2** het kind zit te ∼ *the child is making (a lot of) crumbs* **5.1** (snel) ∼d *crumbly.*

kruimelfraude ⟨de (v.)⟩ **0.1** *petty fraud.*

kruimelveger ⟨de (m.)⟩ **0.1** *mini carpet-sweeper for picking up crumbs.*

kruimelwerk ⟨het⟩ **0.1** [kleine karweitjes] *odd jobs* **0.2** [onbetekenend werk] *pottering (about), fiddling (about), tinkering (about).*

kruimen ⟨onov.ww.⟩ **0.1** *turn floury / mealy.*

kruimig ⟨bn.⟩ **0.1** *crumbly* ⇒*mealy, floury.*

kruin ⟨de⟩ **0.1** [deel v.h. hoofd] *crown* ⇒*top*, ⟨vero. of inf.⟩ *pate* **0.2** [hoofd] *crown* ⇒*head, skull*, ⟨vero. of inf.⟩ *pate* **0.3** [top] *crown* ⟨ook van weg, berg, dijk, boom⟩ ⇒*crest* ⟨van golf, berg⟩, *peak, summit* ⟨van berg⟩, *top* ⟨ook van boom⟩ **0.4** [tonsuur] *tonsure* ◆ **2.1** een dubbele ∼ *a double c.* **2.2** een kale ∼ *a bald head / pate / skull* **2.3** een eik met een kale ∼ *a stag-headed oak;* de witte ∼en van de golven *the white crests of the waves* **6.1 bij** de ∼ begon hij kaal te worden *he began to go bald on top.*

kruinschering ⟨de (v.)⟩ ⟨r.k.⟩ **0.1** [het scheren] *tonsure* **0.2** [geschoren kruin] *tonsure.*

kruipauto ⟨de (m.)⟩ **0.1** *delivery van (capable of only slow speeds).*

kruipen ⟨onov.ww.⟩ ⟨→sprw. 66⟩ **0.1** [mbt. mensen] *creep, crawl / go on all fours / on hands and knees* ⇒*crawl* ⟨op buik⟩, *worm* ⟨wurmen⟩ **0.2** [mbt. dieren] *crawl* ⇒*creep* **0.3** [mbt. planten] *creep, trail* **0.4** [zich moeilijk voortbewegen] *crawl (along)* ⇒*drag* ⟨mbt. tijd⟩, *drag o.s. along* ⟨mbt. mensen / dieren⟩ **0.5** [onderdanig zijn] *crawl, cringe, grovel, bow and scrape, kowtow* **0.6** [schuilplaats zoeken bij] ⟨zie 5.6,6.6⟩ ◆ **1.4** ∼de inflatie *creeping inflation* **5.4** ⟨fig.⟩ de uren kropen voorbij *time dragged (on)* **5.6** erin ∼ *turn in,* ⌐*hit the sack / hay;* ⟨kind.⟩ *go to bo-boes / beddy-byes / bye-byes* **6.1 op** handen en voeten ∼ *crawl / go on hands and knees / on all fours* **6.2** de rupsen ∼ **over** de takken *the caterpillars crawl along the boughs* **6.3** de komkommers ∼ **over** de grond *the cucumbers trail across the ground* **6.4** ⟨fig.⟩ de wind kruipt **naar** het westen *the wind is gradually* ⟨met de klok⟩ *veering /* ⟨tegen de klok⟩ *backing westward(s);* de stoet kroop **over** de weg *the procession crawled along the road* **6.5 voor** iem. ∼ *crawl / cringe / grovel before / to s.o., fawn upon s.o., bow and scrape to s.o., kowtow to s.o., suck up to s.o.* **6.6 bij** de kachel ∼ ⟨één mens⟩ *huddle / snuggle up to the stove;* ⟨meerdere mensen⟩ *huddle round the stove;* **bij** elkaar ∼ *huddle together;* **in** elkaar ∼ *curl up, huddle o.s. up* **6.¶** iem. in zijn gat ∼ *brownnose (s.o.), suckhole (s.o.);* **in** iemands huid ∼ *put o.s. in s.o.'s shoes / place;* het zand kruipt **in** de kieren *the sand gets into / works itself into the cracks;* **naar** boven / omhoog ∼ ⟨van kleding⟩ *ride up.*

kruipend ⟨bn.⟩ **0.1** [⟨dierk.⟩] *creeping* ⇒*crawling*, ⟨behorende tot de reptielen⟩ *reptilian* **0.2** [⟨plantk.⟩] *creeping* ◆ **1.1** ∼e dieren *reptiles;* ∼ insekt *crawling insect;* ⟨inf.⟩ *creepy-crawly* **1.2** ∼ gewas *creeper;* ∼e stengels *creeping /* ⟨wet.⟩ *decumbent stems.*

kruiper ⟨de (m.)⟩ **0.1** [iem. die kruipt] *crawler, creeper* **0.2** [lage vleier] *creep(er), crawler, toady* ⇒⟨vulg.⟩ *brownnose, suckhole* **0.3** [⟨plantk.⟩] *creeper.*

kruiperig ⟨bn., bw.; -ly⟩ **0.1** *cringing, slimy, oily* ⇒*servile, grovelling* ^*eling,* ↑*obsequious,* ⟨vulg.⟩ *brown-nosed* ◆ **1.1** een ∼e aard hebben *be (of a) servile (nature), be obsequious / sycophantic* **2.1** hij is ∼ beleefd *he is obsequiously / fawningly / abjectly polite* **3.1** iem. ∼ vleien *grovel to / fawn on / be obsequious to s.o.; suck up to s.o.;* ⟨vulg.⟩ *brownnose / suckhole (s.o.).*

---

kruiperij ⟨de (v.)⟩ **0.1** *toadyism* ⇒*fawning, sycophancy, cringe, cringing.*

kruipknie ⟨de⟩ ⟨med.⟩ **0.1** *housemaid's knee.*

kruipolie ⟨de⟩ **0.1** *penetrating oil.*

kruippakje ⟨het⟩ **0.1** *romper (suit), playsuit.*

kruipruimte ⟨de (v.)⟩ **0.1** *crawl space.*

kruipspoor ⟨het⟩ **0.1** *crawl(er) lane.*

kruipstrook ⟨de (v.)⟩ **0.1** *crawl(er) lane.*

kruis ⟨het⟩ ⟨→sprw. 233,307⟩ **0.1** [lichaam, figuur] *cross* **0.2** [strafpaal] *cross* ⇒⟨vero.⟩ *(Holy) Rood* ⟨van Christus⟩ **0.3** [mbt. kledingstukken] *crotch, crutch* ⇒*seat* ⟨zitvlak⟩ **0.4** [geslachtsdelen] *groin* ⇒ ⟨vulg.⟩ *balls* ⟨van man⟩, ⟨vulg.⟩ *cunt, snatch* ⟨van vrouw⟩ **0.5** [⟨fig.⟩ beproeving] *cross* ⇒*trial, vexation, (sore) affliction, burden* **0.6** [⟨r.k.⟩ kruisgebaar] *(sign of the) cross* **0.7** [teken voor verenigingen] *cross* **0.8** [mbt. munten] *head* **0.9** [kruisvormige zaak] *cross* ⇒*crown* ⟨van anker⟩, *fork* ⟨van boom⟩, *ward(s)* ⟨van sleutel⟩ **0.10** [afbeelding v.h. kruis als zinnebeeld v.d. kerk] *cross* **0.11** [kruisvormig teken als ondertekening] *cross* ⇒*mark* **0.12** [tiental] *ten* **0.13** [stuit, (van dieren) het hogere deel op de rug] *small of the back* ⟨van mens⟩; *croup* ⟨van dieren⟩ ⇒⟨van paard ook⟩ *crupper* **0.14** [⟨herald.⟩] *cross* **0.15** [⟨muz.⟩] *sharp* ◆ **1.8** ∼ of munt gooien *flip / toss / spin a coin, toss (up), toss for sth.* ⟨om iets te beslissen⟩; ∼ of munt? *heads or tails?, you call!;* we zullen ∼ of munt doen *we'll toss for it;* het is een kwestie van ∼ of munt *it's a toss-up* **2.2** het Heilige ∼ *the Holy Cross, the Cross of Christ / Calvary* **2.3** een nieuw ∼ zetten in een broek *reseat / put a new seat in a pair of trousers* **2.7** het Rode ∼ *the Red Cross* **2.14** Grieks ∼ *Greek c.;* Jerusalems ∼ *Jerusalem c.;* Latijns ∼ *Latin c.* **2.15** ⟨muz.⟩ dubbel ∼ *double s.* **3.1** een ∼ zetten bij / naast *put a c. against, mark with a c.* **3.5** het ∼ van Christus dragen *take up / bear the Cross of Christ;* ieder moet zijn eigen ∼ dragen *everyone must bear his cross / burden* **3.6** ⟨fig.⟩⟨AZN⟩ een ∼ maken over iets *put an end /* ⟨BE ook⟩ *put paid to sth., forget about sth.;* iem. het heilig ∼ ⟨achter⟩nageven *be glad to get / be rid of / see the back of s.o.;* ⌐*be glad to get shut / shot of s.o.;* say good riddance to s.o.; een ∼ maken / slaan *make the sign of the cross, cross o.s.* **3.11** een ∼ zetten onder een stuk, een stuk tekenen met een ∼ *make / put one's mark (to a document)* **6.1** de molen in het ∼ zetten *set the sails (of a / the windmill) at (an angle of) 45°* **6.2** iem. **aan** het ∼ slaan / nagelen / hangen *nail to the c., crucify* **6.3** die broek is te nauw in het ∼ *this pair of trousers is too tight in the crotch / crutch;* **uit** zijn ∼ scheuren *burst / split the seat of one's trousers* **6.4** een trap in zijn ∼ krijgen *get a kick in the groin / balls;* ⟨fig.⟩ zich **in** zijn ∼ getast voelen *feel pissed off /* ⟨AE ook⟩ *pissed;* ik heb pijn in mijn ∼ *I've got a pain in my g. / balls;* iem. **in** zijn ∼ grijpen *grab s.o. by the g. / balls / snatch* **6.5** het is een ∼ **met** die jongen *that boy is / gives no end of trouble, that boy is a great burden / affliction / nuisance / trial;* deze plaats is een ∼ **voor** alle vertalers *this passage is the bane of / a crux for all translators* **7.15** dit stuk heeft vier ∼en *this piece is in four sharps.*

kruisafdoening ⟨de (v.)⟩ ⟨AZN⟩ →**kruisafneming.**

kruisafneming ⟨de (v.)⟩ **0.1** *descent from the Cross* ⟨ook schilderij⟩ ⇒ *deposition (from the Cross).*

kruisarcering ⟨de (v.)⟩ **0.1** *crosshatching.*

kruisbalk ⟨de (m.)⟩ **0.1** [dwarsbalk v.e. kruis] *cross- / transverse bar* **0.2** [⟨bouwk.⟩] *crossbeam.*

kruisband ⟨de (m.)⟩ **0.1** [⟨bouwk.⟩] *cruciform girder* **0.2** [om poststuk] *(postal / double) wrapper* **0.3** [rijshout] *binder wood* **0.4** [kniegewrichtsbanden] *cruciate ligament* ◆ **6.2** onder ∼ verzenden *send under wrapper /* ⟨BE⟩ *by book-post.*

kruisbanier ⟨de⟩ ⟨gesch.⟩ **0.1** *Banner of the Cross.*

kruisbeeld ⟨het⟩ **0.1** *crucifix.*

kruisbek ⟨de⟩ ⟨dierk.⟩ **0.1** *crossbill.*

kruisbes ⟨de⟩ **0.1** [vrucht] *gooseberry* ⇒⟨BE; gew.⟩ *goosegog* **0.2** [struik] *gooseberry (bush)* ◆ **2.¶** wilde ∼ *wild gooseberry, dogberry.*

kruisbesmetting ⟨de (v.)⟩ ⟨med.⟩ **0.1** *cross-infection.*

kruisbestuiving ⟨de (v.)⟩ **0.1** *cross-pollination / -fertilization* ⇒*allogamy, xenogamy* ◆ **¶.1** bevruchten dmv. ∼ *cross-pollinate / -fertilize.*

kruisbeuk ⟨de (m.)⟩ **0.1** [ruimte / deel v.h. dwarsschip] *transept* **0.2** [dwarsschip] *transept.*

kruisbloem ⟨de⟩ ⟨bouwk.⟩ **0.1** *finial.*

kruisbloemigen ⟨zn.mv.⟩ **0.1** *Cruciferae.*

kruisboog ⟨de (m.)⟩ **0.1** [⟨bouwk.⟩] *ogive* **0.2** [schiettuig] *crossbow* ⇒ *arbalest.*

kruisdagen ⟨zn.mv.⟩ **0.1** *Rogation days.*

kruisdistel ⟨de⟩ **0.1** *(field) eryngo* ⟨Eryngium campestre⟩; *sea holly* ⟨Eryngium maritimum⟩.

kruisdood ⟨de (m.)⟩ **0.1** *death on the cross, (death by) crucifixion* ◆ **3.1** de ∼ sterven *die on the cross / by crucifixion, be crucified.*

kruisdraad ⟨de (m.)⟩ **0.1** *crosshair(s), crosswire(s)* ⇒*spider('s) line(s),* ⟨beide draden⟩ *reticle.*

kruisdrager ⟨de (m.)⟩ ⟨r.k.⟩ **0.1** *crucifer* ⇒⟨fig. ook⟩ *cross-bearer.*

kruiselings ⟨bn., bw.⟩ **0.1** *crosswise, crossways* ⇒⟨kriskras⟩ *crisscross* ◆ **6.1** met de benen ∼ **over** elkaar geslagen zitten *sit with one's legs crossed / with crossed legs;* ∼ **over** elkaar liggen / leggen *lie / lay crosswise / crossways.*

kruisen
I ⟨ov.ww.⟩ **0.1** [kruiselings plaatsen] *cross* **0.2** [snijden] *cross* ⇒*cut across, intersect* **0.3** [laten bevruchten] *cross(breed)* ⇒*interbreed,* ⟨vnl. mbt. planten⟩ *cross-fertilize* **0.4** [insnijdingen aanbrengen] *make crosswise cuts (in), score crosses (in)* ◆ **1.1** de armen over de borst ~ *c. one's arms in front of one's breast* **1.2** ⟨wisk.⟩ kruisende lijnen *intersecting lines;* iemands pad ~ *cross the path of s.o. / s.o.'s path;* de spoorbaan kruist hier de straatweg *the railway crosses the road here* **1.3** gekruiste dieren / planten *crossbred animals / plants, crosses, crossbreeds;* honden van gekruist ras *crossbred dogs, crossbreeds* **4.2** onze brieven hebben elkaar gekruist *our letters crossed (each other);* deze / ⟨fig.⟩ onze wegen ~ elkaar *these / our paths cross (one another);* patroon van elkaar ~ de lijnen *a pattern of intersecting lines* **6.3** kortharige **met** langharige katten ~ *cross short-haired with long-haired cats, interbreed short-haired and long-haired cats;*
II ⟨onov.ww.⟩ **0.1** [zich kruiselings bewegen] *crisscross* ⇒⟨mbt. oorlogschepen vnl.⟩ *cruise* **0.2** [laveren] *tack* **0.3** [normale snelheid vliegen / rijden / varen] *cruise.*

kruiser ⟨de (m.)⟩ **0.1** [oorlogsschip] *cruiser* **0.2** [jacht] *(cabin) cruiser* ◆ **2.1** zware / lichte ~ *heavy / light cruisers.*

kruisgang ⟨de (m.)⟩ **0.1** [kruisweg] *Way / Stations of the Cross* **0.2** [⟨bouwk.⟩] *cloister.*

kruisgewelf ⟨het⟩ ⟨amb.⟩ **0.1** *cross / groined vault.*

kruisgewijs ⟨bw.⟩ **0.1** *crosswise, crossways* ⇒⟨kriskras⟩ *crisscross,* ⟨plantk.⟩ *decussate* ⟨van bladstand⟩.

kruisheer ⟨de (m.)⟩ **0.1** *Crutched Friar.*

kruishout ⟨het⟩ **0.1** *cross* ⟨ook van Christus⟩ ⇒⟨vero.⟩ *tree, rood* ⟨van Christus⟩.

kruisigen ⟨ov.ww.⟩ **0.1** *crucify.*

kruisiging ⟨de (v.)⟩ **0.1** [het kruisigen] *crucifixion* **0.2** [een voorstelling daarvan] *crucifixion.*

kruisinfectie ⟨de (v.)⟩ ⟨med.⟩ **0.1** *cross-infection.*

kruising ⟨de (v.)⟩ **0.1** [kruispunt] *crossing, junction* ⇒*intersection,* ⟨vnl. buiten de stad⟩ *crossroads* **0.2** [snijding] *intersection* **0.3** [het elkaar voorbijgaan] *passing* ⇒*crossing* **0.4** [bevruchting] *crossing, crossbreeding, hybridization* ⇒⟨vnl. mbt. planten⟩ *cross-fertilization* **0.5** [ontstane soort] *cross, hybrid* ⇒⟨vnl. mbt. dieren⟩ *crossbreed* **0.6** [⟨sport⟩] *corner of the goal / net* **0.7** [⟨bouwk.⟩] *crossing* ◆ **2.1** een ongelijkvloerse ~ *an overpass;* ⟨BE ook⟩ *a fly-over* **6.1** de botsing vond **op** de ~ plaats *the collision took place at the crossroads / intersection* **6.5** ⟨fig.⟩ dit spul smaakt als een ~ **van / tussen** bier en limonade *this stuff tastes like a cross between beer and lemonade.*

kruisjas ⟨het⟩ **0.1** *jass.*

kruisjassen ⟨onov.ww.⟩ **0.1** *play jass.*

kruisje ⟨het⟩ **0.1** [klein kruis] *cross* **0.2** [kruisteken] *sign of the Cross* **0.3** [tiental] ⟨*numeral*⟩ *X* **0.4** [⟨schrift⟩teken] *cross* ⇒*mark* ⟨van analfabeet⟩ ◆ **3.2** een ~ halen ⟨op Aswoensdag⟩ *receive the ashes;* een ~ slaan *make the sign of the Cross, cross o.s.* **3.4** ergens een ~ bij zetten *put a c. next to sth.* **6.4 met** een ~ ondertekenen *make / put one's mark* **7.3** hij heeft al zes ~s achter de rug *he's the wrong side of / he's turned sixty / he's over sixty.*

kruiskerk ⟨de⟩ **0.1** [kerk] *cruciform church* **0.2** [de Christelijke kerk] *the Christian Church.*

kruiskop ⟨de (m.)⟩ **0.1** [machinedeel] *crosshead* **0.2** [schroefkop] *crosshead* ⇒⟨specifieke systemen⟩ *Phillips / Pozidriv head, Reed and Prince head.*

kruiskoppeling ⟨de (v.)⟩ **0.1** [verbinding van buizen / stangen] *cross* **0.2** [verbinding van assen] *universal joint.*

kruiskopschroef ⟨de⟩ **0.1** *crosshead screw, cross-slotted screw* ⇒⟨specifieke systemen⟩ *Phillips / Pozidriv Screw, Reed and Prince screw.*

kruiskop-schroevedraaier ⟨de (m.)⟩ **0.1** *crosshead (tip) screwdriver, cross-slotted screwdriver* ⇒⟨specifieke systemen⟩ *Phillips / Pozidriv screwdriver, Reed and Prince screwdriver.*

kruiskruid ⟨het⟩ **0.1** *groundsel* ⇒*ragwort.*

kruislegende ⟨de⟩ **0.1** *legend of the cross.*

kruismonogram ⟨het⟩ **0.1** *chi-rho* ⇒*chrismon, christogram.*

kruisnet ⟨het⟩ **0.1** *square (fishing-)net, bag net.*

kruisoffer ⟨het⟩ **0.1** *sacrifice of the Cross.*

kruisorganisatie ⟨de (v.)⟩ **0.1** ≠*home nursing service.*

kruispaal ⟨de (m.)⟩ **0.1** [(staak v.h.) kruis] *cross* ⇒*upright (bar) / stake of the cross* **0.2** [draaiboom op een voetpad] *turnstile.*

kruispass ⟨de (m.)⟩ **0.1** *cross.*

kruispeiling ⟨de (v.)⟩ **0.1** *crossbearing, fix* ◆ **3.1** ~en nemen *take crossbearings / a f..*

kruisproef ⟨de⟩ **0.1** *ordeal by cross.*

kruispunt ⟨het⟩ **0.1** *crossing, junction* ⇒*intersection,* ⟨vnl. buiten de stad⟩ *cross-road(s)* ◆ **1.1** ⟨fig.⟩ een ~ van culturen *a crossroads of cultures;* een ~ van spoorwegen *a railway j.;* een ~ van wegen *a crossing / (road) j. / intersection / crossroads* **2.1** een druk ~ *a busy crossing* **3.1** een ~ naderen *approach a crossing* **6.1** afspreken **op** een ~ *arrange to meet at a crossing;* de winkel ligt **op** een ~ *the shop is at a crossing;* het ongeluk gebeurde **op** het ~ *the accident happened at the crossing;* ⟨fig.⟩ **op** een ~ staan *stand at the crossroads.*

kruisraket ⟨de⟩ **0.1** *cruise missile* ◆ **3.¶** stop de ~ten!, ~ten nee! *stop the cruise missiles!, (say) no to cruise!.*

kruisrelatie ⟨de (v.)⟩ **0.1** *cross-relation(ship).*

kruisridder ⟨de (m.)⟩ **0.1** [⟨gesch.⟩] *crusader* ⇒*knight of the Cross* **0.2** [strijder voor een ideaal] *crusader.*

kruisrijm ⟨het⟩ **0.1** *cross(ed) rhyme.*

kruisschroevedraaier ⟨de (m.)⟩ **0.1** *crosshead (tip) screwdriver, cross-slotted screwdriver* ⇒⟨specifieke systemen⟩ *Phillips / Pozidriv screwdriver, Reed and Prince screwdriver.*

kruissleutel ⟨de (m.)⟩ **0.1** *capstan wheel nut spanner, four-way wrench.*

kruissnarig ⟨bn.⟩ **0.1** *overstrung.*

kruissnede ⟨de⟩ **0.1** *crosscut / crucial incision.*

kruissnelheid ⟨de (v.)⟩ ⟨verkeer⟩ **0.1** *cruising speed.*

kruisspin ⟨de⟩ **0.1** *diadem / garden / cross spider.*

kruissteek ⟨de (m.)⟩ **0.1** [naaisteek] *cross-stitch* **0.2** [touwverbinding] *cross-stitch.*

kruisstelling ⟨de (v.)⟩ **0.1** *chiasmus.*

kruisstuk ⟨het⟩ **0.1** [⟨tech.⟩] ⟨spoorw.⟩ *frog, cross(ing piece);* ⟨elek.⟩ *spider;* ⟨pijpfitting⟩ *four-way junction* **0.2** [kruis in broek / panty e.d.] *crotch (section).*

kruistafel ⟨de⟩ **0.1** *mechanical stage* ⟨van microscoop⟩.

kruisteken ⟨het⟩ **0.1** *(sign of the) cross* ◆ **3.1** een ~ maken / slaan *make the sign of the cross, cross o.s..*

kruistocht ⟨de (m.)⟩ **0.1** [⟨gesch.⟩] *crusade* **0.2** [krachtige actie] *crusade* **0.3** [cruise] *cruise* ◆ **3.2** een ~ voeren voor / tegen *(wage / conduct a) c. for / against* **6.1** ter ~ gaan *go on a c., take the cross.*

kruisvaan ⟨de⟩ **0.1** [vlag, standaard] *banner / flag of the Cross* **0.2** [⟨r.k.⟩] wimpelvlag] *labarum.*

kruisvaarder ⟨de (m.)⟩ **0.1** *crusader.*

kruisvaart ⟨de⟩ **0.1** [kruistocht] *crusade* **0.2** [vaart die een andere kruist] *crossing course.*

kruisverband ⟨het⟩ **0.1** [⟨med.⟩] *cross-bandage* **0.2** [verbinding] *cross bond.*

kruisvereniging ⟨de (v.)⟩ **0.1** ≠*home nursing service.*

kruisverheffing ⟨de (v.)⟩ ⟨r.k.⟩ **0.1** *Exultation of the Cross* ⇒⟨feestdag⟩ *Holy Rood / Cross Day.*

kruisverhoor ⟨het⟩ **0.1** [scherpe ondervraging] *cross-examination / -questioning* ⇒⟨inf.⟩ *grilling* **0.2** [⟨jur.⟩] *cross-examination / -questioning* ◆ **2.1** een streng ~ *a stiff / searching cross-examination / -questioning* **3.1** iem. een ~ afnemen *cross-examine / -question s.o.;* een ~ ondergaan *be cross-examined / -questioned* **6.1** iem. **aan** een ~ onderwerpen *cross-examine / -question s.o.;* ⟨inf.⟩ *grill s.o., give s.o. the third degree.*

kruisvermogen ⟨het⟩ **0.1** *cruising capacity.*

kruisverwijzing ⟨de (v.)⟩ **0.1** *cross-reference.*

kruisvluchtwapen ⟨het⟩ **0.1** *cruise missile.*

kruisvormig ⟨bn.⟩ **0.1** *crossshaped* ⇒*cruciform, cruciate.*

kruisvuur ⟨het⟩ ⟨mil.⟩ **0.1** *crossfire* ◆ **1.1** ⟨fig.⟩ een ~ van vragen *a battery of questions.*

kruisweg ⟨de (m.)⟩ **0.1** [⟨rel.⟩] *Way of the Cross* ⇒*Road to Calvary* **0.2** [⟨r.k., b.k.⟩ afbeeldingen] *Stations of the Cross* **0.3** [⟨fig.⟩ beproeving, lijdensweg] *calvary* ⇒*way of the cross* **0.4** [snijpunt van twee wegen] *intersection, junction* ⇒*crossing, crossroad(s)* ⟨vnl. buiten de stad⟩ ◆ **3.1** de ~ bidden *make / perform / do the Stations of the Cross.*

kruiswerk ⟨het⟩ ⟨inf.⟩ **0.1** ≠*home nursing.*

kruiswoord ⟨het⟩ **0.1** *Word from the Cross* ⟨vnl. mv.⟩ ◆ **7.1** de zeven ~en *the Seven Words from the Cross.*

kruiswoordpuzzel ⟨de (m.)⟩ **0.1** *crossword (puzzle).*

kruiswoordraadsel ⟨het⟩ **0.1** *crossword (puzzle).*

kruiszijde ⟨de⟩ **0.1** *head* ⟨vnl. mv.⟩.

kruit ⟨het⟩ **0.1** *(gun)powder* ⇒⟨fig. ook⟩ *ammunition* ◆ **2.1** met los ~ schieten *fire buckshot* **3.1** ⟨fig.⟩ zijn ~ drooghouden *keep one's powder dry;* ⟨fig.⟩ niet al zijn ~ verschieten *have a last bolt / arrow left in one's quiver, have (one) last shot left;* ⟨fig.⟩ al zijn ~ verschoten hebben [lichamelijk uitgeput zijn] *be / feel shattered / exhausted,* ⟨sl.⟩ *be / feel pooped;* ⟨niet meer weten wat men zeggen moet⟩ *have shot one's bolt / used up all one's ammunition.*

kruitdamp ⟨de (m.)⟩ **0.1** ⟨ook fig.⟩ *powder-smoke, gunsmoke* ⇒*smoke of battle* ◆ **3.1** toen de ~ was opgetrokken *when the smoke (of battle) had cleared* ⟨vnl. fig.⟩.

kruitfabriek ⟨de (v.)⟩ **0.1** *(gun)powder-factory.*

kruithoorn ⟨de (m.)⟩ **0.1** *powder horn / flask.*

kruitkamer ⟨de⟩ **0.1** [deel v.e. vuurwapen] *chamber* **0.2** [bewaarplaats van buskruit] *(powder) magazine.*

kruitlading ⟨de (v.)⟩ **0.1** *grain* ⇒⟨in vuurwapens⟩ *(gun powder) charge.*

kruitlucht ⟨de⟩ **0.1** *smell of (gun)powder.*

kruitmagazijn ⟨het⟩ **0.1** *(powder) magazine.*

kruitslijm ⟨het⟩ ⟨mil.⟩ **0.1** ≠*traces* ⟨mv.⟩ *of gunpowder.*

kruitvat ⟨het⟩ **0.1** [kruitton] *powder barrel / keg* **0.2** [⟨fig.⟩] *powder keg* ⇒*tinderbox, minefield* ◆ **3.2** Midden-Amerika is een ~ *Central America is a p. k., the situation in Central America is explosive* **6.2** dat was de lont **in** het ~ *that set the p. k. off;* de lont **in** het ~ steken *light the fuse of the p. k..*

kruiwagen ⟨de (m.)⟩ **0.1** [voertuig] *(wheel)barrow* **0.2** [⟨fig.⟩ voorspraak] *connections* ⇒*influence, pull* ◆ **1.1** een ~ grind *a barrowful/ barrowload of gravel* **3.2** ~s gebruiken *pull strings, make use of/use one's influence/pull;* een (goede) ~ hebben *have (a lot of) pull/influence/c., have powerful friends/friends in high places* **6.1 met/achter** een ~ lopen *push/wheel a wheelbarrow* **6.2** **op** iemands ~ zitten *be s.o.'s protégé(e), be promoted/pushed by s.o.;* een baan krijgen **via** ~s get a job through one's c.;* **zonder** ~ kom je er niet *you won't get there without influence/powerful friends/pull/c..*

kruizemunt ⟨de⟩, **kruizemuntkruid** ⟨het⟩ **0.1** [⟨mentha spicata⟩] *spearmint* **0.2** [⟨volksnaam voor watermunt en akkermunt⟩] *mint* ⇒⟨watermunt⟩ *watermint,* ⟨akkermunt⟩ *corn-mint.*

kruizemuntkruid ⟨het⟩ →**kruizemunt.**

kruizemuntolie ⟨de⟩ **0.1** *spearmint oil.*

kruk
I ⟨de⟩ **0.1** [taboeret] *stool* **0.2** [loopstok] *crutch* **0.3** [deurknop] *(door) handle* **0.4** [handvat] *handle* **0.5** [zwengel] *handle* ⇒*crank* ⟨vnl. mbt. auto's⟩ ◆ **6.2** zij loopt **met** een ~ *she walks with/uses a c.;* ⟨fig.⟩ de fortuin loopt daar **op** ~ken *people are down on their luck there;* **op** ~ken lopen *be on crutches;*
II ⟨de (m.)⟩ **0.1** [knoeier] *bungler, duffer* ⇒*incompetent, botcher, blunderer, poor hand at sth.* ◆ **6.1** een ~ **in** rekenen zijn *be no good/ be useless/hopeless at maths;* een ~ **op** de schaats *a d. at skating, a poor/an incompetent skater;* ⟨sterker⟩ *a lousy/rotten skater.*

krukas ⟨de⟩ **0.1** *crankshaft.*

krukboor ⟨de⟩ **0.1** *auger.*

krukken ⟨onov.ww.⟩ **0.1** [moeizaam iets verrichten] *bungle, botch* ⇒*flounder* **0.2** [na een ziekte nog sukkelen] *(still) be sick/ailing/poorly/ in poor shape/in a bad way* ◆ **3.1** wat zit je weer te ~ *what a (clumsy) mess you're making, how clumsy you are.*

krukkig ⟨bn., bw.; -ly⟩ **0.1** [stumperig] *clumsy, bungling, awkward* **0.2** [ziekelijk] *poorly, ailing, under the weather, in poor shape* ◆ **3.1** hij zingt ~ *he's a poor singer.*

krukmechanisme ⟨het⟩ **0.1** *crank mechanism.*

krukpen ⟨de⟩ ⟨tech.⟩ **0.1** *crankpin.*

krukstang ⟨de⟩ ⟨tech.⟩ **0.1** *connecting rod* ⇒⟨AE⟩ *pitman.*

krul ⟨de⟩ **0.1** [spiraalvormige ronding] *curl* ⇒*whorl* ⟨mbt. bloem, schelp, vingerafdruk⟩ **0.2** [haarlok] *curl* ⇒*lovelock* ⟨op voorhoofd/ slaap, vnl. 17-18e eeuw⟩, ⟨lange krul⟩ *ringlet, dreadlock* ⟨vnl. mv.; bij Rasta's⟩ **0.3** [⟨mv.⟩ gekruld haar] *curls* ⇒ ⟨lange krullen⟩ *ringlets,* ⟨bij Rasta's⟩ *dreadlocks* **0.4** [schaafspaan] *(wood)shaving* **0.5** [⟨mv.⟩ houtschaafsel] *(wood)shavings* **0.6** [versiersel] *scroll;* ⟨ook op viool⟩ *volute* **0.7** [rondgaande pennetrek] *flourish* ⇒*quirk, twirl, squiggle, squirl* **0.8** [planteziekte] *curl* ◆ **2.2** schattige ~letjes *sweet curls* **2.7** een sierlijke ~ onder zijn naam *an elegant f. under his name* **3.7** een ~ zetten bij een goed antwoord ≠*tick a correct answer* **6.2** ~len in het haar zetten *curl/crimp one's hair, put curls in one's hair;* het haar **in** de ~ houden *keep one's hair in c.;* een ~letje **op** het voorhoofd/**bij** het oor *kiss-curl;* ⟨AE ook⟩ *cowlick;* uit de ~ gaan *lose it's c., go out of c.* **6.3** een meisje **met** ~len *a girl with curls, a curly-headed girl* **¶.2** de ~ is uit mijn haar *my hair has lost its c., my hair has gone/is out of c., the c. has gone out of my hair.*

krulandijvie ⟨de⟩ **0.1** *chicory* ⇒*curled endive.*

kruldistel ⟨de⟩ **0.1** *welted thistle.*

krulhaar ⟨het⟩ **0.1** *curly hair.*

krulijzer ⟨het⟩ **0.1** *curling/crimping tongs/iron(s), (hair) curler.*

krullebol →**krullekop.**

krullekop ⟨de (m.)⟩ **0.1** [hoofd met krullend haar] *curly head, head of curls* **0.2** [persoon] *curly (head)* ◆ **2.1** hij had een prachtige ~ *he had a splendid head of curls/mop of curly hair.*

krullen
I ⟨ov.ww.⟩ **0.1** [krullen maken in] *curl;* ⟨mbt. haar ook⟩ *crimp* ⇒ ⟨kroezelig maken⟩ *crisp, frizz(le),* ⟨golven⟩ *wave* ◆ **1.1** een lach krulde zijn lippen *a smile came across his lips, his lip curled* **4.1** de auto krulde zich om de lantaarnpaal *the car wrapped itself round the lamppost;*
II ⟨onov.ww.⟩ **0.1** [krullen hebben] *curl* **0.2** [krullen krijgen] *curl* ⇒ *crinkle, wave* ◆ **1.1** een ~d blad *a curly leaf;* met ~d haar *curly-haired, with curly hair;* zijn haar krult ontzettend *he's got awfully curly hair* **1.2** ⟨fig.⟩ zijn neus krult *he's looking pleased (with himself).*

krullenjongen ⟨de (m.)⟩ **0.1** [leerling-timmerman] *carpenter's apprentice* ⇒*apprentice* **0.2** [⟨fig.⟩] *dogsbody, factotum* ◆ **8.2** iem. als ~ gebruiken *use s.o. as a d..*

kruller ⟨de (m.)⟩ **0.1** *curler, roller* ⇒*curling pin.*

krulletter ⟨de⟩ **0.1** *flourished letter* ⇒*swash letter* ◆ **6.1 met** grote ~s schrijven *write with (a lot of) flourishes.*

krullig ⟨bn.⟩ **0.1** [krullend] *curly* **0.2** [⟨fig.⟩ wonderlijk] *mysterious.*

krulpen →**krulspeld.**

krulset ⟨het⟩ **0.1** *set of electric curlers/rollers.*

krulsla ⟨de⟩ **0.1** *crinkly lettuce.*

krulspeld ⟨de⟩ **0.1** *curler, roller* ⇒*curling pin.*

krulstaart ⟨de (m.)⟩ **0.1** [krullende staart] *curly tail* **0.2** [dier] *curlytail.*

---

krultang ⟨de⟩ **0.1** *curling/crimping tongs/iron(s), (hair) curler.*

krulversiering ⟨de (v.)⟩ **0.1** *scroll (work)* ⇒*volute, cartouche.*

krulziekte ⟨de (v.)⟩ **0.1** *curl.*

kryoliet ⟨het⟩ **0.1** *cryolite.*

krypton ⟨het⟩ **0.1** *krypton.*

ks(t) ⟨tw.⟩ **0.1** *shoo.*

kt ⟨afk.⟩ **0.1** [karaat] *kt..*

K.T.V. ⟨de (v.)⟩ ⟨afk.⟩ **0.1** [kleurentelevisie] ⟨*colour T.V./ television*⟩.

kuberen ⟨ov.ww.⟩ **0.1** [tot de derde macht verheffen] *cube* ⇒*raise to the third power* **0.2** [de inhoud berekenen] *cube* ⇒*measure the cubic contents.*

kubiek[1] ⟨het, de (m.)⟩ **0.1** [kubieke meter] *cubic metre* ⇒ ⟨hout⟩ *stere, solid metre* **0.2** [derde macht] *cube* ⇒*third power* ◆ **6.1** tien meter **in** het ~ *ten cubic metres;* de prijs **per** ~ *the price per cubic metre* **6.2** een getal **tot** het ~ verheffen *cube a number, raise a number to the third power.*

kubiek[2] ⟨bn.⟩ **0.1** *cubic* ◆ **1.1** ~e afmetingen *c. measurements;* ~e inhoud *c./ solid content(s), cubature;* de inhoud bedraagt tien ~e meter *the contents are/it contains ten c. metres;* een ~e meter gas *a c. metre of gas;* een ~e meter hout *a stere of timber.*

kubiekgetal ⟨het⟩ **0.1** *cube.*

kubiekwortel ⟨de (m.)⟩ **0.1** *cube/cubic root.*

kubisch ⟨bn.⟩ **0.1** [kubusvormig ook] *cube-shaped, cuboid(al), cubiform* ◆ **1.1** ~ oppervlak *cubic surface;* ~e vergelijking *cubic equation.*

kubisme ⟨het⟩ **0.1** *cubism.*

kubist ⟨de (m.)⟩ **0.1** *cubist.*

kubistisch ⟨bn., bw.; -ically⟩ **0.1** *cubist.*

kubus ⟨de (m.)⟩ **0.1** *cube* ◆ **¶.1** de (magische) ~ *Rubik's c..*

kubusvormig ⟨bn.⟩ **0.1** *cubic(al)* ⇒*cube-shaped, cubiform, cuboid(al).*

kuch
I ⟨de (m.)⟩ **0.1** [droge/korte hoest] *cough* ⇒*hack* **0.2** [longziekte] *cough T.B.* ◆ **3.1** geen ~ je meer horen *there wasn't a c. to be heard anymore* **6.1 met** een ~ je iemands aandacht trekken *cough/(a)hem to attrack s.o.'s attention* **¶.1** last van een ~ je hebben ⟨ook van zenuwen⟩ *have a (nervous ⟨van zenuwen⟩) c.;*
II ⟨het⟩ **0.1** [commiesbrood] *ration bread.*

kuchen ⟨onov.ww.⟩ **0.1** *cough* ⇒*hack, hawk,* ⟨om aandacht ook⟩ *give a cough, (a)hem* ◆ **2.1** het hinderlijke ~ v.h. publiek *the distracting coughing of the audience* **5.1** luid ~ *c. loudly.*

kuchhoest ⟨de (m.)⟩ **0.1** *dry cough* ⇒*hacking cough.*

kudde ⟨de⟩ ⟨→sprw. 520⟩ **0.1** [groep landzoogdieren] *herd* ⟨vnl. grote dieren⟩; *flock* ⟨schapen, geiten, ganzen, wilde vogels⟩ ⇒*drove* ⟨voortgedreven⟩ **0.2** [⟨fig.⟩] *flock* ◆ **1.1** een ~ vee *a h. of cattle;* een ~ zwanen *a f. of swans;* ⟨in gevangenschap ook⟩ *a game of swans* **3.2** de Here zal zijn ~ weiden gelijk een herder *the Lord shall feed his f. like a shepherd* **6.1 in** ~n levend *gregarious* **¶.1** een op hol geslagen ~ *a runaway h., a stampede;* ⟨Austr.E ook⟩ *a breakaway* **¶.2** de ~ ⟨pej.⟩ *the (common) herd, the mob.*

kuddedier ⟨het⟩ **0.1** [dier] *herd/gregarious animal* **0.2** [⟨fig.⟩ mens] *one of the mob/herd.*

kuddegeest ⟨de (m.)⟩ **0.1** *herd instinct.*

kuddeinstinct ⟨het⟩ **0.1** *herd instinct.*

kuddemens ⟨de (m.)⟩ **0.1** *one of the crowd/mob/herd.*

kuier ⟨de (m.)⟩ **0.1** [wandeling] *stroll* ⇒*walk, saunter* **0.2** [het wandelen] *stroll* ⇒*walk, saunter* ◆ **2.1** dat is een hele ~ *that's quite a stroll/ walk* **6.2** zij zijn **aan** de ~ *they are out for a stroll/walk, they are taking a stroll/walk.*

kuieren ⟨onov.ww.⟩ ⟨inf.⟩ **0.1** *(go for a) stroll* ⇒*(go for a) walk, saunter* ◆ **1.1** een eindje ~ *go for a (bit of a) stroll/walk* **5.1** ⟨fig.⟩ hij kuiert overal aardig tussendoor ≠*he always fails on his feet* **6.1 met** iemand gaan ~ ⟨fig.⟩ *take s.o. for a ride, pull s.o.'s leg, put one over s.o.;* hij kuiert al aardig **naar** de tachtig *he's getting on for/pushing eighty;* één van de vijf is **uit** ~ bij hem ⟨fig.⟩ *he's got a screw loose, he's not all there, he's not the full quid.*

kuierlatten ⟨zn.mv.⟩ ⟨inf.⟩ **0.1** ≠*shanks, pins* ◆ **3.1** de ~ nemen *take to one's heels.*

kuif ⟨de⟩ **0.1** [hoofdhaar] *(head of) hair* ⇒*shock,* ⟨inf.⟩ *mop* ⟨haarbos⟩ **0.2** [voorhaar] *cowlick* ⇒ ⟨bles⟩ *flick,* ⟨vetkuif⟩ *quiff* **0.3** [mbt. vogels] *crest, tuft* ◆ **2.1** een lekkere korte ~ *a college cut* **3.3** ⟨fig.⟩ de ~ opsteken *bristle* **6.1** iem. in zijn ~ vliegen *fly at/go for s.o.* **6.3** ⟨fig.⟩ **in** zijn ~ gepikt zijn *feel offended/insulted, take offence;* **met** een ~ *crested, tufted;* ⟨dierk. ook⟩ *pileate(d)* **¶.¶** Kuifje ⟨stripfiguur⟩ *Tintin.*

kuifaap ⟨de (m.)⟩ **0.1** *moor macaque.*

kuifarend ⟨de (m.)⟩ **0.1** *crested eagle.*

kuifeend ⟨de⟩ **0.1** *tufted duck/pochard.*

kuifhen ⟨de (v.)⟩ **0.1** *crested fowl* ⇒ ⟨ihb.⟩ *hoatzin, stinkbird.*

kuifleeuwerik ⟨de (m.)⟩ **0.1** *crested lark.*

kuifmees ⟨de (v.)⟩ **0.1** *crested tit(mouse)* ⟨Parus cristatus⟩; *tufted tit(mouse)* ⟨Parus bicolor⟩.

kuifpotigen ⟨zn.mv.⟩ **0.1** *copepods.*

kuiken ⟨het⟩ **0.1** [dier] *chick(en)* ⇒*peeper, poult* ⟨ihb. jonge kalkoen⟩

0.2 [persoon] *ninny, chump, nincompoop* ⇒⟨sl.⟩ *wally, nit, twit, mug,* ⟨vnl. AE;sl.⟩ *dummy, clot* ♦ **2.1** gebraden~s *roast(ed)/barbecued chickens;* jong~chick, *peeper.*

kuikenbroeder ⟨de (m.)⟩, **-ster** ⟨de (v.); alleen in o.⟩ **0.1** [machine] *hatcher, incubator* **0.2** [bezitter v.e. fokkerij] *poultry-farmer.*

kuikendief ⟨de (m.)⟩ **0.1** *harrier* ♦ **2.1** blauwe~*hen h.;* bruine~*marsh h..*

kuikensekser ⟨de (m.)⟩, **-sekster** ⟨de (v.)⟩ **0.1** *(chicken) sexer.*

kuil ⟨de (m.)⟩⟨→sprw. 373⟩ **0.1** [holte, uitholling] *pit, hole* ⇒⟨uitholling⟩ *hollow,* ⟨in wegdek⟩ *pot-hole,* ⟨valkuil⟩ *trap* **0.2** [gat om gewassen te bewaren] *pit* ⇒⟨BE ook⟩ *clamp, silo* **0.3** [deel v.e. visnet] *cod (end)* **0.4** [visnet] *trawl (net)* ♦ **3.1** ~en graven *dig holes/pits* **6.1** ⟨fig.⟩ in de~vallen die je voor een ander gegraven hebt *be caught in/fall into one's own trap, be hoist with one's own petard;* een weg vol met ~en *a road full of pot-holes, a pot-holed road.*

kuildek ⟨het⟩ **0.1** *well deck.*

kuilen
I ⟨ov.ww.⟩ **0.1** [in een kuil opbergen] *pit* ⇒*put in pits,* ⟨BE ook⟩ *clamp* **0.2** [onder zware druk opbergen] *ensile* ⇒*ensilage, store in a silo;*
II ⟨onov.ww.⟩ **0.1** [met de kuil vissen] *trawl.*

kuiler ⟨de (m.)⟩ **0.1** [schip] *trawler* **0.2** [persoon] *trawlerman.*

kuilgras ⟨het⟩ **0.1** *silage* ⇒*ensilage.*

kuiltje ⟨het⟩ **0.1** [kleine kuil] *(small/little) hole* **0.2** [⟨sport⟩] *hole* **0.3** [holte in wangen/kin] *dimple* ⇒⟨gleuf in kin ook⟩ *cleft* ♦ **6.1** een~ **voor** de jus *a well/hole for the gravy* **6.3** ~s in de wangen hebben/ krijgen *have/get dimples (in one's cheeks)/dimpled cheeks* **6.¶** met ~s *dimply.*

kuilvoer ⟨het⟩ **0.1** *(en)silage.*

kuip ⟨de⟩ **0.1** [wijd vat] *tub* ⇒*barrel* ⟨ton, vat⟩, ⟨vnl. industrie⟩ *vat, tank* **0.2** [bak met een draaischijf, weegbrug] *pit* **0.3** [⟨leerlooierij⟩] *vat* ♦ **6.¶** hij weet heel goed, wat voor vlees hij in de~heeft *he knows who he's dealing with, he's got his/her/their number.*

kuipbad ⟨het⟩ **0.1** [wasbeurt] *bath (in a tin/hip bath)* **0.2** [badkuip] *(bath)tub* ⇒*hip bath, tin bath.*

kuipen
I ⟨ov.ww.⟩ **0.1** [vaten vervaardigen] *cooper* ⇒*make barrels* **0.2** [in kuipen leggen] *tub, put in tubs/a tub* ⇒*barrel, put in barrels/a barrel* ⟨in vaten doen, vnl. mbt. bier/whisky enz.⟩ ♦ **1.1** gekuipte mast *built-up mast* **1.2** het vlees~*salt the meat;*
II ⟨onov.ww.⟩ **0.1** [het kuipersambacht uitoefenen] *(be a) cooper* **0.2** [intrigeren] *scheme* ⇒*(hatch a) plot, intrigue, connive.*

kuiper ⟨de (m.)⟩ **0.1** [vatenmaker] *cooper* ⇒*hooper* **0.2** [intrigant] *schemer* ⇒*plotter, intriguer, conniver.*

kuiperij ⟨de (v.)⟩ **0.1** [geïntrigeer] *scheming* ⇒*plotting, intriguing, conniving,* ⟨vnl. mv.⟩ *machination* **0.2** [het kuipersambacht] *cooperage* ⇒*coopery* **0.3** [werkplaats] *cooperage* ⇒*coopery.*

kuiphout ⟨het⟩ **0.1** *stave-wood, wood for staves.*

kuipje ⟨het⟩ **0.1** *tub* ♦ **1.1** een~margarine *a t. of margarine* **6.1** boter uit een~*butter from a t..*

kuipkleurstof ⟨de⟩ **0.1** *vat dye/colour.*

kuiploon ⟨het⟩ **0.1** *cooperage.*

kuipstoel ⟨de (m.)⟩ **0.1** *bucket seat.*

kuipververij ⟨de (v.)⟩ **0.1** [verfmethode] *vat dyeing/colouring* **0.2** [werkplaats] *vat dyeing/colouring works.*

kuis¹ ⟨de (v.)⟩ **0.1** *vealer.*

kuis² ⟨bn., bw.;-ly⟩ **0.1** *chaste* ⇒*pure* ⟨ook taal⟩, *virgin(al)* ⟨maagdelijk⟩, *clean,* ⟨zedig; vnl. mbt. kleding⟩ *modest* ♦ **1.1** een~e jongeling *a chaste youth;* een~e Jozef *a virtuous man;* een~e maagd *a chaste virgin;* een~e Suzanne *a virtuous woman;* ⟨pej.⟩ *a real virgin* **3.1** ~ leven *lead a chaste/pure life.*

kuisboom ⟨de (m.)⟩ **0.1** *chaste-tree* ⇒*agnus castus.*

kuisen ⟨ov.ww.⟩ **0.1** [zuiveren van ongepaste uitdrukkingen] *expurgate* ⇒*censor,* ⟨vnl. mbt. stijl⟩ *purify,* ⟨pej.; vnl. mbt. lit.⟩ *bowdlerize* **0.2** [⟨AZN⟩ schoonmaken] *clean* ♦ **1.1** gekuiste taal *cleaned up language; purified language;* een gekuiste versie *an expurgated/a bowdlerized version.*

kuisheid ⟨de (v.)⟩ **0.1** [eerbaarheid] *chastity* ⇒*purity* **0.2** [seksuele ongereptheid] *chastity* ⇒*continence, virginity* ♦ **1.2** de gelofte van~ afleggen *take the vow of chastity.*

kuisheidsgordel ⟨de (m.)⟩ **0.1** *chastity belt.*

kuiskalf ⟨het⟩ **0.1** *vealer.*

kuisvrouw ⟨de (v.)⟩⟨AZN⟩ **0.1** *cleaning lady/woman,* ⟨BE ook⟩ *charlady, charwoman.*

kuit ⟨de⟩ **0.1** [deel v.h. onderbeen] *calf* **0.2** [mbt. vissen] *spawn* ⇒*(hard) roe* ⟨ook de gevulde eierstok⟩, ⟨van schelpdieren, vnl. oesters⟩ *spat,* ⟨kaviaar⟩ *caviar* ♦ **1.2** een pond~van de kabeljauw *a pound of cod's roe;* drie~en van de kabeljauw *three cod's roes* **3.1** de ~en nemen *take to one's heels* **8.2** ⟨fig.⟩ ik wil er haring of~van hebben *I want to know what is what, I want to know how things/matters stand.*

kuitader ⟨de⟩ **0.1** *peroneal artery.*

kuitbeen ⟨het⟩ **0.1** *splint(-bone)* ⇒*fibula.*

kuitbeenspier ⟨de⟩ **0.1** *peroneus.*

kuitbroek ⟨de⟩ **0.1** *knee-breeches.*

kuitenflikker ⟨de (m.)⟩ **0.1** [⟨dansk.⟩] *cross-caper* **0.2** [rare sprong] *leap* ♦ **3.2** een~maken/slaan *leap about, perform antics;* ⟨vero.⟩ *cut a caper.*

kuitenparade ⟨de (v.)⟩ **0.1** *leg-show* ⇒*legs on parade, display of legs.*

kuiter ⟨de (v.)⟩ **0.1** *spawner* ⇒*seed-fish.*

kuitharing ⟨de (v.)⟩ **0.1** *seedy herring* ⇒*seed-herring.*

kuitkramp ⟨de⟩ **0.1** *cramp in one's calf.*

kuitlaars ⟨de⟩ **0.1** *calf-length boot.*

kuitschieten ⟨onov.ww.⟩ **0.1** *spawn.*

kuitspier ⟨de⟩ **0.1** *calf-muscle;* ⟨med. ook⟩ *sural muscle.*

kuitsteen ⟨het, de (m.)⟩ ⟨geol.⟩ **0.1** *oolite.*

kuitvis ⟨de (v.)⟩ →**kuiter.**

kuitzak ⟨de (m.)⟩ **0.1** *ovary.*

kuitziek ⟨bn.⟩ **0.1** *seedy* ⇒*full of spawn, ready to spawn.*

kukeleku ⟨tw.⟩ **0.1** *cock-a-doodle-doo.*

kukelen ⟨onov.ww.⟩ ⟨inf.⟩ **0.1** *go flying* ⇒*tumble.*

kukkel ⟨de (m.)⟩ ⟨inf.⟩ **0.1** ⟨ongemarkeerd⟩ *(little) kiss.*

Ku-Klux-Klan ⟨de (m.)⟩ **0.1** *Ku-Klux-Klan.*

kul ⟨de (m.)⟩ ⟨inf.⟩ **0.1** *rubbish;* ⟨AE ook⟩ *garbage* ⇒*claptrap,* ⟨BE ook⟩ *rot, codswallop, humbug, nonsense* ♦ **2.1** flauwe~*rubbish, garbage, humbug, nonsense,* ⟨vulg.⟩ *crap,* ↓*bullshit* **4.1** wat een~*what a load/lot of rubbish.*

kulas ⟨de⟩ **0.1** *breech* ⟨van kanon⟩.

kummel ⟨de (m.)⟩ **0.1** [komijn] *caraway(-seed)* **0.2** [likeur] *kümmel.*

kummelolie ⟨de⟩ **0.1** *caraway oil.*

kumquat ⟨de⟩ **0.1** *cumquat.*

kunde ⟨de (v.)⟩ **0.1** *knowledge* ⇒*learning, skill* ♦ **2.1** uit dit werk spreekt grote~*this work is eloquent of/evinces great learning.*

kundig ⟨bn., bw.;-ly⟩ **0.1** *able* ⇒*capable, skilful, proficient, efficient, competent, knowledgeable* ♦ **1.1** een~ingenieur *a capable/skilful/proficient/competent/an a. efficient engineer* **3.1** iets~repareren *repair sth. efficiently/skilfully/competently* **6.¶** ter zake~zijn *be an expert/very knowledgeable (on sth.), be informed (on sth.);* een ter zake ~e *an expert.*

kundigheid ⟨de (v.)⟩ **0.1** [bekwaamheid] *skill* ⇒*knowledge* **0.2** [kennis] *knowledge* ♦ **1.1** blijken van~geven *show (evidence of) s.* **2.¶** grote~ *expertise.*

kungfu ⟨het⟩ **0.1** *kung fu.*

kunne ⟨de⟩ **0.1** *sex* ⇒*gender* ♦ **2.1** van beiderlei~*of both sexes, of either s..*

kunnen¹ ⟨het⟩ **0.1** *capacity* ⇒*capability, ability* ♦ **6.1** zijn prestaties zijn beneden zijn~*he's not performing to capacity, he's an underachiever.*

kunnen² ⟨→sprw. 658⟩
I ⟨onov., ov.ww.⟩ **0.1** [mbt. bekwaamheid] ⟨tegenwoordige tijd⟩ *can/* ⟨verleden tijd⟩ *could* ⇒*be able to* **0.2** [mbt. mogelijkheid inherent aan onderwerp] ⟨tegenwoordige tijd⟩ *can/* ⟨verleden tijd⟩ *could* ⇒*it is/was/* ⟨enz.⟩ *possible for … to* ♦ **3.1** ze kan uren voor zich uit zitten staren *she can sit staring in the distance for hours;* ik kan niet begrijpen … *I fail to/I am unable to understand …, I'm at a loss to understand …, I can't understand …;* hij kon soms nachten doorwerken *sometimes he worked/he would work on into the night;* ik kan wel wachten *I can (always) wait, I can afford to wait;* willen is~*where there's a will there's a way;* hij kan goed zingen ⟨ook⟩ *he's a good singer* **3.2** je kunt niet beter doen dan …*the best you can do is to …;* je kunt hier heel lekker eten *you can have a very nice meal here;* je zou~weigeren *you could refuse, it would be possible for you to refuse* **4.1** een handige man kan alles *a handyman can do anything/can turn his hand to anything;* had jij dat gekund? *could you have done that?;* je kunt het of je kunt het niet *either you can do it or you can't,* ⟨inf.⟩ ik kan daar niets mee (doen) *that's no use to me;* laat eens zien wat je kunt *let's see what you can do;* hij kan er wat van *he's pretty good at it;* hij liep wat hij kon *he ran as fast as he could* **4.2** dat kan een andere keer wel *it can be done some other time;* dat kan *it can be done, it's possible* **5.1** iets beter~dan *be better at sth. than;* hij kon er niet onderuit *he couldn't escape (…ing), he just had to;* ik kan er niet in/uit *I can't get in/out;* hij kan er niet bij ⟨fig.⟩ *it's beyond him, it's too much for him, he's not up to it;* hij kan er niet over uit *he can't stop talking/ he's always talking* ⟨inf.⟩ *he's always on about it;* hij kan niet meer *he can't go on;* ⟨inf.⟩ *he's finished, he's all in;* ik kan niet meer van het lachen *I'm laughing so much it hurts, I'm weak with laughter* **5.2** het deksel kan er niet af *the lid won't come off;* alle boodschappen~er niet in *the shopping won't all go in;* er kan geen jas uit die lap *you can't make a coat out of that piece (of cloth);* morgen kan ik niet *tomorrow I can't, tomorrow's impossible for me;* het kan niet op *there's more than enough/than we can get through* **6.1** buiten iets~*manage/* ⟨inf.⟩ *do without sth.;* ergens tegen~*be able to take sth.;*
II ⟨onov.ww., hww.⟩ **0.1** [mbt. mogelijkheid zoals geschat door spreker] *may, might, could* ⇒*it is possible that …* ♦ **3.1** het kan een vergissing zijn *it may be a mistake;* het zou~*could be, perhaps, maybe;*
III ⟨hww.⟩ **0.1** [mbt. toelating] ⟨tegenwoordige tijd⟩ *can* ⇒*be al-*

lowed to, ⟨schr.⟩ *may*, ⟨verleden tijd, algemeen⟩ *could, be allowed to*, ⟨verleden tijd, individueel geval⟩ *be allowed to, could*, ⟨verleden tijd, indirecte rede, schr. ook⟩ *might* **0.2** [mbt. wens/ verwensing] *can* ⇒*let him/ her/* ⟨enz.⟩ **0.3** [mbt. irritatie] *might* ⇒*could* **0.4** [van een bekwaamheid/ mogelijkheid gebruik maken] *be able to* ⇒*manage to, succeed in …-ing* ◆ **3.1** ⟨iron.⟩ dat kan híj doen *he can/ let him do that sort of thing;* zoiets kun je niet doen *you can't do that sort of thing;* bij oma konden we gaan en komen *at granny's we could come and go as we pleased;* de juf zei dat ik naar huis kon gaan *teacher said that I could/ might go home;* ⟨iron., als bevel⟩ je kunt gaan! *off with you!;* maar ik kon niet buiten spelen, want ik was ziek *I wasn't allowed to play outside, 'cause I was ill* **3.3** je kunt net zo goed tegen een dove praten *you might just as well be talking to a post/ the well, it goes in one ear and out (of) the other;* je had het me wel—vertellen *you might/ could have told me* **3.4** de gevangene kon ontsnappen *the prisoner was able to/ managed to escape* ¶.**2** ⟨inf.⟩ hij kan verrekken! *to hell with him!, you can go to hell!* ¶.**3** ⟨inf.⟩ ze kàn me wat *she can whistle (for all I care);*
IV ⟨onov.ww.⟩ **0.1** [aanvaardbaar zijn] *will do* ◆ **4.1** zo kan het niet langer *it/ things can't go on like this, this won't do any more* **5.1** het kan ermee door *it'll do, it's alright;* die trui kàn gewoon niet *that sweater's just impossible.*

kunst ⟨de (v.)⟩ ⟨→sprw. 263,460⟩ **0.1** [benutten v.h. scheppend vermogen] *art* **0.2** [door kunstenaars beoefende discipline] *art* **0.3** [kunstwerk(en)] *art* **0.4** [kundigheid] *art* ⇒*skill* **0.5** [moeilijke handeling] *trick* ⇒*feat* **0.6** [wat door mensen is gemaakt ⟨vnl. in samenst.⟩] *artificial/ man-made/ synthetic things* ⟨enz.⟩ **0.7** ⟨[mv.) fratsen] *tricks* **0.8** [⟨gesch.⟩ wetenschap] *art* ◆ **1.1** de ~ van Rubens *Rubens' a.* **1.2** ~en en wetenschappen *art(s) and science(s)* **1.4** ~ en ambacht *arts and crafts* **1.5** de ~en van de goochelaar *conjuring tricks;* ergens met veel ~ en vliegwerk in slagen *manage to do sth. by pulling out all the stops* **1.6** kunstbloemen, kunstboot *artificial flowers, artificial/ man-made/ synthetic fur* **2.2** de beeldende ~en *the plastic/ visual arts;* de bouwkunst is een van de oudste ~en *architecture is among the most ancient arts* **2.4** door slinkse ~en iets gedaan weten te krijgen *get sth. done by devious means;* zwarte ~ *black magic* **2.5** het is vaak groter ~ te zwijgen dan te spreken *knowing when to speak is often less of an art than knowing when not to, discretion is the better part of valour* **2.8** de (zeven) vrije ~en *the (seven) liberal arts* **3.4** iemands ~ beproeven *put s.o.'s skills to the test;* hij verstaat de ~ *he knows how to fence/ swim, he's a master/* ⟨inf.⟩ *dab-hand at fencing/ swimming;* hij verstaat de ~ met mensen om te gaan *he knows how to handle people;* vertoon je ~en show (us) what you can do;* ⟨inf.⟩ *do your stuff!* **3.5** dat is juist de ~ *that's the t., that's where the art/ skill comes in,* ⟨inf.⟩ *that's the tricky bit;* het is (nu juist) de ~ om het met losse handen te doen *the t./ real art is doing it without holding on;* ~en maken/ vertonen *perform/ do tricks* **3.7** ik zal hem die ~en wel afleren *I'll teach him to try that kind of t.!, he won't try that kind of t. again;* dat zijn mooie ~en *that's a (lot of) trickery* **6.1** ~ met een grote/ met een kleine k *Art with a capital A/ with a small A;* de ~ om de ~ *a. for a.'s sake;* voor de ~ leven *live for (one's) a.* **6.3** een handelaar in ~ *an a. dealer* **6.4** een meester in de ~ *a master of the a.;* dat is uit de ~ *that's amazing!/ stunning!/* ⟨inf.⟩ *too much!* **7.5** zo is er geen ~ aan *there's nothing clever in that, that's no big deal* ¶.**5** (dat is een) ~! *so what!/ brilliant!, very clever!/ anyone can do that!.*
kunstaas ⟨het⟩ **0.1** *artificial bait.*
kunstacademie ⟨de (v.)⟩ **0.1** *art academy* ⇒*academy of art(s).*
kunstambacht ⟨het⟩ **0.1** [het beoefenen v.e. kunst] *practice of an art* **0.2** [ambacht dat decoratieve afwerking verzorgt] *artistic/ decorative craft.*
kunstantiquariaat ⟨het⟩ **0.1** *antique art dealer.*
kunstarm[1] ⟨de (m.)⟩ **0.1** *artificial arm.*
kunstarm[2] ⟨bn.⟩ **0.1** *unartistic.*
kunstavond ⟨de (m.)⟩ **0.1** *artistic evening.*
kunstazijn ⟨de (m.)⟩ **0.1** *synthetic vinegar.*
kunstbeen ⟨het⟩ **0.1** *artificial leg.*
kunstbegrip ⟨het⟩ **0.1** [het begrijpen van kunst] *understanding/ appreciation of art* **0.2** [kunstterm] *art(istic) term.*
kunstbeleid ⟨het⟩ **0.1** *policy on art* ⇒*art(istic) policy* ◆ **2.1** een actief ~ voeren *have an active policy on art.*
kunstbemesting ⟨de (v.)⟩ **0.1** *(use of)(artificial/ man-made) fertilizer.*
kunstbeoefening ⟨de (v.)⟩ **0.1** *practice of art* ⇒*artistry.*
kunstbeschermer ⟨de (m.)⟩ **0.1** *patron of art/ the arts* ⇒*art patron, Maecenas.*
kunstbeschouwing ⟨de (v.)⟩ **0.1** *art review* ⇒*art criticism.*
kunstbezit ⟨het⟩ **0.1** *art collection* ⇒*art possessions* ◆ **2.1** openbaar ~ *(public) art treasures/ collection.*
kunstbloem ⟨de⟩ **0.1** *artificial flower.*
kunstboek ⟨het⟩ **0.1** *art book.*
kunstbont ⟨het⟩ **0.1** *artificial/ man-made/ synthetic fur.*
kunstboter ⟨de⟩ **0.1** *synthetic butter, margarine.*
kunstbroeder ⟨de (m.)⟩ **0.1** *fellow artist.*
kunstcollectie ⟨de (v.)⟩ **0.1** *art collection.*

kunstcriticus ⟨de (m.)⟩, **-ca** ⟨de (v.)⟩ **0.1** *art critic.*
kunstdarm ⟨de (m.)⟩ **0.1** *synthetic casing(s).*
kunstdraaier ⟨de (m.)⟩ **0.1** *ivory turner* ⟨ivoor⟩; *palm-wood turner* ⟨palmhout⟩.
kunstdruk
I ⟨de (m.)⟩ **0.1** [handeling] *(fine) art printing;*
II ⟨het⟩ **0.1** [papier] *art paper.*
kunstdrukpapier ⟨het⟩ **0.1** *art paper.*
kunsteigendom ⟨de (m.)⟩ **0.1** *art copyright.*
kunstenaar ⟨de (m.)⟩, **-ares** ⟨de (v.)⟩ **0.1** *artist* ◆ **2.1** een begenadigd ~ *a gifted/ an inspired a.* **3.1** beeldend ~ *visual/ graphic a.* **6.1** ⟨bij uitbr.⟩ hij is een ~ in zijn vak *he's an a./ a past master in his field;* ⟨bij uitbr.⟩ hij is een ~ met de bal ⟨voetballer⟩ *he's an a. with the ball.*
kunstenaarschap ⟨het⟩ **0.1** [hoedanigheid] *artistic calling* **0.2** [bedrevenheid als kunstenaar] *artistry* ⇒*artistic skill.*
kunstenaarshand ⟨de⟩ **0.1** *touch/ hand of an artist* ◆ **6.1** dat is met ~ gedaan *that shows/ has the touch of an artist/ an artist's touch/ shows the hand of an artist.*
kunstenaarsnaam ⟨de (m.)⟩ **0.1** [pseudoniem] *pseudonym* ⇒*assumed name* **0.2** [faam als kunstenaar] *reputation/ name as an artist.*
kunstenaarstalent ⟨het⟩ **0.1** *artistic talent* ⇒*artistry.*
kunstenmaker ⟨de (m.)⟩ **0.1** [acrobaat] *(circus) artiste* ⇒*acrobat, juggler, trick-artist* **0.2** [fratsenmaker] *clown* ⇒*buffoon.*
kunstenmakerij ⟨de (v.)⟩ **0.1** [het vertonen van kunsten] *acrobatics* ⇒ *juggling, acrobatic display* **0.2** [aanstellerij] *antics* ⇒*buffoonery, clowning.*
kunstepos ⟨het⟩ **0.1** *literary epic.*
kunstfoto ⟨de⟩ **0.1** *art photo(graph).*
kunstfotografie ⟨de (v.)⟩ **0.1** *art photography.*
kunstgalerij ⟨de (v.)⟩ **0.1** *(art) gallery.*
kunstgebit ⟨het⟩ **0.1** *(set of) false teeth* ⇒*(set of) dentures,* ⟨gebitplaat⟩ *(dental) plate.*
kunstgenootschap ⟨het⟩ **0.1** *(fine) art society* ⇒*society of (fine) art(s).*
kunstgenot ⟨het⟩ **0.1** *artistic enjoyment* ⇒*enjoyment of art.*
kunstgenre ⟨het⟩ **0.1** *art(istic) genre.*
kunstgeschiedenis ⟨de (v.)⟩ **0.1** [geschiedenis v.d. kunst] *history of art* ⇒ *art history* **0.2** [boek] *art history* ⇒*history of art* **0.3** [les/ vak op school] *history of art.*
kunstgevoel ⟨het⟩ **0.1** *feeling for art* ⇒*artistic sense/ feeling* ◆ **3.1** hij heeft geen ~ *he has no feeling for art, he's a (complete) Philistine.*
kunstgevoelig ⟨bn.⟩ **0.1** *sensitive to art* ⇒*artistic.*
kunstgieterij ⟨de (v.)⟩ **0.1** [handeling] *sculpture-casting* **0.2** [werkplaats] *sculpture-casting foundry.*
kunstglas ⟨het⟩ **0.1** [bewerkt glas] *decorative/ patterned glass* **0.2** [vervangend materiaal] *artificial/ synthetic glass* ⇒*glass substitute.*
kunstgras ⟨het⟩ **0.1** *artificial grass/ turf* ◆ **6.1** hockeyen op ~ *play hockey on artificial turf.*
kunstgreep ⟨de (m.)⟩ **0.1** [vaardigheid] *skill* ⇒*mastery* **0.2** [slimme handeling] *trick* ⇒*ruse, manoeuvre* [A]*ruse,* ⟨schr.⟩ *device, artifice* ◆ **6.2** iets bereiken door kunstgrepen (te gebruiken) *achieve sth. by (using) subtle/ cunning manoeuvres/ tricks/ artifice.*
kunsthandel ⟨de (m.)⟩ **0.1** [handel in kunst] *art-dealing* ⇒*(the) art trade* **0.2** [winkel] *art shop/* [A]*store.*
kunsthandelaar ⟨de (m.)⟩, **-ster** ⟨de (v.)⟩ **0.1** *art-dealer.*
kunsthars ⟨het, de (m.)⟩ **0.1** [synthetische produkt] *synthetic resin; bakelite, plastic* **0.2** [fenolhars, verfstof] *phenolic resin.*
kunsthart ⟨het⟩ **0.1** *artificial heart.*
kunsthistoricus ⟨de (m.)⟩, **-ca** ⟨de (v.)⟩ **0.1** *art historian.*
kunsthistorisch ⟨bn., bw.; -ly⟩ **0.1** *art-historical* ◆ **1.1** uit (een) ~ oogpunt *from an a.-h. point of view.*
kunsthoorn ⟨het⟩ **0.1** *synthetic horn.*
kunstig ⟨bn., bw.; -ly⟩ **0.1** *ingenious* ⇒*skilful, clever* ◆ **1.1** een ~ bouwwerk *an i./ a clever structure;* een ~ muziekstuk *an i./ a clever piece of music* **3.1** een ~ bewerkte vaas/ vervalste cheque *an ingeniously/ a skilfully decorated vase/ forged cheque/* [A]*check.*
kunstigheid ⟨de (v.)⟩ **0.1** *ingeniousness, skilfulness* ⇒*cleverness.*
kunstijs ⟨het⟩ **0.1** *artificially prepared ice* ⇒*manufactured/ man-made ice,* ⟨baan⟩ *(ice) rink.*
kunstijsbaan ⟨de⟩ **0.1** *ice-/ skating-rink.*
kunstijsmachine ⟨de⟩ **0.1** *ice-machine.*
kunstivoor ⟨het⟩ **0.1** *artificial ivory* ⇒⟨vnl. attr.⟩ *ivorine.*
kunstje ⟨het⟩ **0.1** [handigheidje] *knack* ⇒*trick* **0.2** [truc, toer] *trick* **0.3** [listige handeling] *trick* ◆ **2.1** dat is een koud ~ *that's child's play/ simplicity itself/ as easy as falling off a log;* ⟨BE ook; inf.⟩ *that's a doddle;* het is voor hem een koud ~ om te repareren *he can fix it with his eyes shut, he'll fix it in no time, it'll be child's play to him to fix it* **3.2** die hond kan ~s *the dog can do tricks;* een dier ~s laten doen/ leren *make an animal do/ teach an animal tricks* **6.2** ~s met lucifers/ met kaarten *match/ card tricks* **7.3** geen ~s! *none of your tricks!/ games!.*
kunstkabinet ⟨het⟩ **0.1** *art collection.*
kunstkalender ⟨de (m.)⟩ **0.1** *art calendar.*
kunstkenner ⟨de (m.)⟩ **0.1** *art connoisseur/ expert* ⇒*connoisseur of art.*

kunstkennis ⟨de (v.)⟩ **0.1** *knowledge of art.*
kunstkoe ⟨de (v.)⟩ **0.1** *cream machine.*
kunstkop ⟨de (m.)⟩ ⟨inf.⟩ **0.1** ⟨plagend of als scheldwoord⟩ *ugly mug* ⇒ *stupid(-looking) face* ◆ **3.1** wat een ~ heeft die vent! *what an ugly mug/a stupid(-looking) face that guy's got!* **3.¶** ik krijg daar een ~ van *it drives me up the wall.*
kunstkring ⟨de (m.)⟩ **0.1** *art society/club.*
kunstkritiek ⟨de (v.)⟩ **0.1** [het beoordelen] *art criticism* **0.2** [beoordelaars] *art critics* **0.3** [geschrift] *art review.*
kunstkroniek ⟨de (v.)⟩ **0.1** *art column/section/page(s).*
kunstledematen ⟨zn.mv.⟩ **0.1** *artificial limbs.*
kunstleer ⟨het⟩ **0.1** [skai] *imitation leather* ⇒*leatherette, leather-cloth, American cloth* **0.2** [uit afval bereid leer] *imitation leather.*
kunstleren ⟨bn.⟩ **0.1** *imitation leather* ⇒*leatherette, leather-cloth.*
kunstlicht ⟨het⟩ **0.1** *artificial light* ◆ **6.1** bij ~ *in artificial light.*
kunstlichtfilm ⟨de (m.)⟩ **0.1** *tungsten (type) film.*
kunstlied ⟨het⟩ **0.1** *classical song.*
kunstliefhebber ⟨de (m.)⟩ **0.1** *art-lover.*
kunstlievend ⟨bn.⟩ **0.1** *art-loving.*
kunstlijm ⟨de (m.)⟩ **0.1** *synthetic adhesive/glue.*
kunstlong ⟨de⟩ **0.1** *artificial/* ⟨inf.⟩ *iron lung.*
kunstmaan ⟨de⟩ **0.1** ⟨artificial⟩ *satellite* ⇒*man-made moon.*
kunstmagneet ⟨de (m.)⟩ **0.1** *induction magnet* ⇒*electromagnet.*
kunstmarkt ⟨de⟩ **0.1** [vraag en aanbod] *art market* **0.2** [openbare verkoop] *(public) art sale* **0.3** [plaats] *(public) art salesroom(s).*
kunstmarmer ⟨het⟩ **0.1** *imitation marble.*
kunstmateriaal ⟨het⟩ **0.1** *synthetic* ⇒*plastic, man-made material.*
kunstmatig ⟨bn.,bw.;-ly⟩ **0.1** *artificial* ⇒⟨bewerkt ook⟩ *synthetic, man-made,* ⟨namaak ook⟩ *imitation* ◆ **1.1** ~e ademhaling toepassen *apply a. respiration;* ~e bevloeiing *(a.) irrigation;* ~ eiland *floating island;* ~e inseminatie *a. insemination;* ~e intelligentie *a. intelligence;* een ~ meer *a man-made lake;* ~e voeding *a. / forced feeding* **3.1** de prijzen zijn ~ opgedreven *prices have been (artificially) inflated, prices have been pushed up artificially* **¶.1** een situatie/bedrijf ~ in stand/leven houden *bolster/shore up a situation/business.*
kunstmatigheid ⟨de (v.)⟩ **0.1** *artificiality.*
kunstmest ⟨het⟩ **0.1** ⟨artificial⟩ *fertilizer* ⇒*chemical manure.*
kunstmeststrooier ⟨de (m.)⟩ **0.1** *fertilizer distributor/drill.*
kunstmiddel ⟨het⟩ **0.1** [kunstmatig middel] *artificial means/aid/device* ⇒⟨artful/clever/ingenious⟩ *device* **0.2** [⟨vnl.mv.⟩ trucje] *device(s)* ⇒ *expedient(s),* ⟨schr.⟩ *art(s),* ⟨pej.⟩ *trick, artifice.*
kunstminnaar ⟨de (m.)⟩ **0.1** *art-lover.*
kunstminnend ⟨bn.⟩ **0.1** *art-loving.*
kunstmoeder ⟨de (v.)⟩ **0.1** *brooder* ⇒⟨artificial⟩ *mother, hover.*
kunstnier ⟨de⟩ **0.1** *artificial kidney* ⇒*kidney machine.*
kunstnijverheid ⟨de (v.)⟩ **0.1** [ambachtskunst] *applied/industrial art* ⇒ *consumer design* **0.2** [vervaardigde voorwerpen] *applied/industrial art* ⇒*arts and crafts.*
kunstoog ⟨het⟩ **0.1** *artificial eye;* ⟨inf.⟩ *glass eye.*
kunstopvatting ⟨de (v.)⟩ **0.1** *conception of art* ⇒*theory of art, artistic creed.*
kunstparel ⟨de⟩ **0.1** *artificial pearl.*
kunstpenis ⟨de (m.)⟩ **0.1** *dildo* ⇒*artificial penis.*
kunstpok ⟨de⟩ **0.1** *vaccination-mark.*
kunstprodukt ⟨het⟩ **0.1** *art(istic) product* ⇒*work of art,* ⟨ihb. gebruiksvoorwerp⟩ *artefact.*
kunstraad ⟨de (m.)⟩ **0.1** *art(s) council.*
kunstredactie ⟨de (v.)⟩ **0.1** *art editors/editorial staff.*
kunstreis ⟨de⟩ **0.1** [tournee] *tour* **0.2** [reis] *arts tour.*
kunstrichting ⟨de (v.)⟩ **0.1** *trend in art* ⇒*artistic trend* ◆ **2.1** de moderne ~ *modern art.*
kunstrijden ⟨ww.⟩ **0.1** [op schaats] *figure-skate* **0.2** [op paard] ⟨dressuur⟩ *ride in an equestrian event* ⇒ ⟨circus enz.⟩ *perform tricks (on a horse)* ◆ **6.1** ~ op de schaats *figure skating.*
kunstrijder ⟨de (m.)⟩, **-rijdster** ⟨de (v.)⟩ **0.1** [op schaats] *figure-skater* **0.2** [op paard] *equestrian,* ⟨v. ook⟩ *equestrienne* ⇒⟨competition⟩ *horse-rider,* ⟨circus enz.⟩ *trick-rider, circus-rider.*
kunstrubber ⟨het, de (m.)⟩ **0.1** *synthetic rubber.*
kunstsatelliet ⟨de⟩ **0.1** ⟨artificial⟩ *satellite.*
kunstschaats ⟨de⟩ **0.1** *figure-skate.*
kunstschaatsen ⟨onov.ww.⟩ **0.1** *figure-skate* ⇒*do figure-skating.*
kunstschat ⟨de (m.)⟩ **0.1** *art treasure* ⇒ ⟨verzameling⟩ *art collection.*
kunstschilder ⟨de (m.)⟩ **0.1** *artist* ⇒*painter.*
kunstschool ⟨de⟩ **0.1** [kunstacademie] *art school* ⇒ ⟨vaak in titels⟩ *school of art* **0.2** [personen] *artistic school/circle.*
kunstsmaak ⟨de (m.)⟩ **0.1** *artistic/aesthetic taste* ⇒ ⟨zeldz.⟩ *virtu.*
kunstsmeedwerk ⟨het⟩ **0.1** *ornamental/decorative metalwork* ⇒*wrought iron.*
kunstsmid ⟨de (m.)⟩ **0.1** *ornamental metalworker.*
kunstsneeuw ⟨de⟩ **0.1** *artificial snow.*
kunststof¹ ⟨de⟩ **0.1** *synthetic (material/fibre)* ⇒*plastic, man-made fibre* ◆ **6.1** van ~ *s., plastic.*
kunststof² ⟨bn.⟩ **0.1** *synthetic* ⇒*plastic* ◆ **1.1** ~ bekleding *s./plastic covering;* ~ bouwmaterialen *s. building materials.*

kunststoot ⟨de (m.)⟩ ⟨biljarten⟩ **0.1** *trick shot/stroke.*
kunststroming ⟨de (v.)⟩ **0.1** *trend in art* ⇒*artistic trend.*
kunststuk ⟨het⟩ **0.1** *work of art* ⇒*masterpiece,* ⟨sport enz.⟩ *feat, accomplishment,* ⟨gevaarlijk⟩ *stunt* ◆ **2.1** een journalistiek ~ je *a masterpiece of journalism, a newspaper stunt;* het is een waar ~ *it's a real work of art/masterpiece* **3.1** dat is een ~ dat ik je niet na zou doen *that's an accomplishment/a feat I couldn't match/manage* **6.1** ~ ken *op* de schaats verrichten *perform skating feats.*
kunsttaal ⟨de⟩ **0.1** [vaktaal] *specialist language* ⇒⟨inf.⟩ *jargon* **0.2** [kunstmatige taal] *artificial language.*
kunsttand ⟨de (m.)⟩ **0.1** *artificial/* ⟨inf.⟩ *false tooth* ⇒*bridge.*
kunstterm ⟨de (m.)⟩ **0.1** *specialist/technical term* ⇒*art term.*
kunstuiting ⟨de (v.)⟩ **0.1** *work of art* ⇒*art(istic) product, artistic expression.*
kunstuitleen ⟨de (m.)⟩ **0.1** *art library.*
kunstvaardig ⟨bn.,bw.;-ly⟩ **0.1** *skilful* ⇒*craftsmanlike.*
kunstvaardigheid ⟨de (v.)⟩ **0.1** *skill* ⇒*craft.*
kunstveiling ⟨de (v.)⟩ **0.1** *art auction.*
kunstverlichting ⟨de (v.)⟩ **0.1** *artificial lighting.*
kunstverlossing ⟨de (v.)⟩ **0.1** *assisted delivery/birth.*
kunstverzamelaar ⟨de (m.)⟩ **0.1** *art collector.*
kunstverzameling ⟨de (v.)⟩ **0.1** *art collection.*
kunstvezel ⟨de⟩ **0.1** *man-made/synthetic/artificial fibre.*
kunstvlees ⟨het⟩ **0.1** *meat substitute* ⇒*synthetic meat.*
kunstvlieg ⟨de⟩ **0.1** *(fishing-)fly* ◆ **6.1** vissen met ~ en *fly-fish.*
kunstvliegen ⟨ww.⟩ **0.1** *perform/* ⟨inf.⟩ *do aerobatics* ⇒*be a stunt-flier, stunt* ◆ **7.1** het ~ *aerobatics, aerobatic/stunt flying.*
kunstvlieger ⟨de (m.)⟩ **0.1** *stunt-flier* ⇒*stunt/aerobatic pilot.*
kunstvlucht ⟨de⟩ **0.1** *(piece of) aerobatics* ⇒*piece of stunt-flying, aerial stunt, aerobatic display.*
kunstvoeding ⟨de (v.)⟩ **0.1** *artificial/forced feeding* ◆ **3.1** iem. ~ toedienen *forcefeed s.o..*
kunstvoer ⟨het⟩ **0.1** *synthetic fish-food.*
kunstvoortbrengsel ⟨het⟩ **0.1** (→*kunstprodukt*).
kunstvoorwerp ⟨het⟩ **0.1** *work of art* ⇒ ⟨klein⟩ ↑*objet d'art,* ⟨ihb. gebruiksvoorwerp⟩ *artefact.*
kunstvorm ⟨de (m.)⟩ **0.1** *art form* ⇒*medium (of art).*
kunstvriend ⟨de (m.)⟩ **0.1** [liefhebber van kunst] *art-lover, patron of the arts* **0.2** [medekunstenaar] *fellow-artist.*
kunstvuurwerk ⟨het⟩ **0.1** *set piece* ⇒*firework (display).*
kunstwaarde ⟨de (v.)⟩ **0.1** *artistic value.*
kunstwereld ⟨de⟩ **0.1** *art world* ⇒*world of art, art(istic) circles.*
kunstwerk ⟨het⟩ **0.1** [⟨bk.⟩] *work of art* ⇒*masterpiece* **0.2** [⟨wwb.⟩] *construction/engineering/structural work(s)* ⇒*construction(s)* ◆ **1.¶** ergens met (veel) kunst- en vliegwerk in slagen *manage to do sth. by pulling out all the stops* **2.1** dat is een klein ~ je *it's a little gem/masterpiece/work of art.*
kunstwol ⟨de⟩ **0.1** [synthetisch produkt] *synthetic/artificial wool* **0.2** [wol bereid uit afvalprodukten] *(wool) shoddy.*
kunstwollen ⟨bn.⟩ **0.1** *synthetic/artificial wool* ⇒⟨wol van afval⟩ *made from shoddy* ⟨alleen pred.⟩.
kunstwoord ⟨het⟩ **0.1** *specialist/technical term* ⇒*art term.*
kunstzaak ⟨de⟩ **0.1** [aangelegenheid v.d. kunst] *artistic matter/question* **0.2** [winkel] *art shop/* ᴬ*store.*
kunstzaal ⟨de⟩ **0.1** [galerie] *art gallery* **0.2** [museum] *art museum.*
kunstzijde ⟨de⟩ **0.1** *artificial silk* ⇒*rayon,* ⟨inf.⟩ *art silk.*
kunstzijden ⟨bn.⟩ **0.1** *artificial silk* ⇒*rayon.*
kunstzin ⟨de (m.)⟩ **0.1** *artistic sense* ⇒*feeling for art.*
kunstzinnig ⟨bn.⟩ **0.1** *artistic(ally-minded)* ⇒*appreciative of art* ◆ **1.1** ~e vorming *art(istic) training/education.*
kunstzwemmen ⟨ww.⟩ **0.1** *(solo/duet) synchronised swimming.*
kuras ⟨het⟩ **0.1** *cuirass.*
kuren¹ ⟨zn.mv.⟩ **0.1** *quirks* ⇒⟨tijdelijk⟩ *moods,* ⟨schr.⟩ *whims, caprices* ◆ **2.1** hij heeft weer een van zijn rare ~ *he's having/he's in another of his silly moods again;* ⟨BE ook;inf.⟩ *he's playing silly buggers/silly B's again;* hij heeft altijd van die vreemde ~ *he's quirky/moody, he's a quirky/moody one* **3.1** die ~ moet je maar afleren! *just slap out of it!, you'd better stop those tricks right now!;* dat zijn maar ~ *that's just him* ⟨enz.⟩ *in one of his moods, he's just putting on an act* **5.1** vol ~ ⟨mens⟩ *quirky, moody;* ⟨paard⟩ *tricky, awkward* **7.1** en geen ~, hé! *none of your tricks/games, now!.*
kuren² ⟨onov.ww.⟩ **0.1** *take a/go on a cure/course of treatment;* ⟨badplaats;vero.⟩ *take the waters.*
kurhaus ⟨het⟩ **0.1** *Spa* ⇒*kursaal, hydropathic/water-cure establishment,* ⟨vermaakscentrum⟩ *casino.*

kurk
I ⟨het, de (m.)⟩ **0.1** [weefsel op de schors v.d. kurkeik] *cork* **0.2** [weefsel aan plantedelen] *cork* ⇒*phellogen, cork cambium* ◆ **6.1** wij hebben ~ in de gang *we've got c. flooring/we've laid c. in the hall* **8.1** zo droog als ~ *(as) dry as a bone/as dust, bone-dry;*
II ⟨de⟩ **0.1** [om flessen af te sluiten] *cork* **0.2** [om visnetten te laten drijven] *cork* ◆ **3.1** doe de ~ er goed op *cork it up properly, put the c.*

back (in) properly **3.2** ⟨fig.⟩ dat is de ~ waarop de zaak drijft *that's the mainstay of the business* **6.1** we hebben nog wat onder de ~ *there's (still) plenty of liquid refreshment;* **met** een ~ (afgesloten) *corked(-up);* de wijn smaakt **naar** de ~ *the wine is / tastes corked.*

kurkachtig ⟨bn.⟩ **0.1** *corky* ⇒ *corklike.*

kurkboom ⟨de (m.)⟩ **0.1** *cork tree.*

kurkboor ⟨de⟩ **0.1** *cork borer.*

kurkdroog ⟨bn.⟩ **0.1** *(as) dry as a bone / as dust* ⇒ *bone-dry.*

kurkeik ⟨de (m.)⟩ **0.1** *cork-oak.*

kurken¹ ⟨bn.⟩ **0.1** *cork* ♦ **1.1** een ~ wand *a c. wall;* met ~ zolen *cork-soled;* een ~ zwemvest *life / c. jacket.*

kurken² ⟨ov.ww.⟩ **0.1** *cork (up)* ⇒ ⟨fig.⟩ *bottle up, block, stop up* ♦ **1.1** die fles is niet goed gekurkt *the bottle hasn't been properly corked (up);* ⟨fig.⟩ een haven / kanaal ~ *block the entrance to a harbour, block a channel.*

kurkengeld ⟨het⟩ **0.1** *corkage.*

kurkenzak ⟨de (m.)⟩ ⟨scheep.⟩ **0.1** *fender.*

kurketrekker ⟨de (m.)⟩ **0.1** [werktuig om flessen te ontkurken] *corkscrew* **0.2** [haarlok] *corkscrew / tight curl* **0.3** [spiraalbeweging] *corkscrew;* ⟨stuntvliegen⟩ *barrel / victory roll.*

kurkfilter ⟨het⟩ **0.1** *cork tip* ♦ **6.1** een sigaret **met** ~ *a cork-tipped cigarette.*

kurkhout ⟨het⟩ **0.1** *corkwood.*

kurkiep ⟨de (m.)⟩ **0.1** *cork-bark elm* ⇒ *rock elm.*

kurkisolatie ⟨de (v.)⟩ **0.1** *cork insolation.*

kurkje ⟨het⟩ **0.1** *small cork* ♦ **3.1** ~ breien *French knitting.*

kurkolm ⟨de (m.)⟩ **0.1** ⟨→kurkiep⟩.

kurkpakking ⟨de (v.)⟩ **0.1** *cork gasket.*

kurkpapier ⟨het⟩ **0.1** *cork leaf.*

kurkparket ⟨het⟩ **0.1** *cork parquetry.*

kurkplaat ⟨de⟩ **0.1** *cork sheeting* ⇒ *sheet(s) of cork.*

kurkschroef ⟨de (m.)⟩ **0.1** *screw-cork.*

kurksmaak ⟨de (m.)⟩ **0.1** *corky taste.*

kurksteen ⟨het, de (m.)⟩ **0.1** *cork tile.*

kurkstof ⟨het⟩ **0.1** *suberin.*

kurkuma ⟨de (m.)⟩ ⟨plantk.⟩ **0.1** *turmeric.*

kurkvijl ⟨de⟩ **0.1** *round / rat-tail file.*

kurkweefsel ⟨het⟩ **0.1** *phellem* ⇒ *periderm, cork tissue.*

kurkzeil ⟨het⟩ **0.1** *cork lino(leum).*

kurkzuur ⟨het⟩ **0.1** *suberic acid.*

kus ⟨de (m.)⟩ **0.1** *kiss* ♦ **2.1** vurige ~ sen *ardent kisses* **3.1** geef me eens een ~ *give me /* ⟨BE ook; inf.⟩ *us a k.; how about a k.?;* een ~ krijgen van iem. *be kissed by s.o., get a k. from s.o.;* een ~ stelen *steal a k.;* iem. een ~ toewerpen *blow s.o. a k..*

kushandje ⟨het⟩ **0.1** *a blown kiss* ♦ **3.1** ~ s geven *blow kisses (to s.o.).*

kusje ⟨het⟩ **0.1** *kiss* ♦ **2.1** een vluchtig ~ *peck* **3.1** een ~ stelen *steal a k.* **¶.1** (geef me eens een) ~! *give me! /* ⟨BE ook; inf.⟩ *us a kiss!; how about a kiss?;* ~ s! *(lots of) love (and kisses); look after yourself!, take care (of yourself)!.*

kussen¹ ⟨het⟩ **0.1** [om een lichaamsdeel te ondersteunen] *cushion* ⇒ *pillow* [bed] **0.2** [voor andere doeleinden] *cushion* **0.3** [wat aan een kussen doet denken] *pad* ⇒ *cushion* ♦ **3.1** de ~ s (op)schudden *shake / plump up / fluff up / out the pillows* **6.1** ⟨fig.⟩ op het ~ zitten / raken *(come to) wear the crown, be in / achieve office;* ⟨inf.⟩ *be at / reach the top;* een bank **met** ~ s *a cushioned sofa, cushioned seats, a sofa / seats with cushions;* **met** ~ s ondersteunen *cushion, pillow.*

kussen² ⟨onov., ov.ww.⟩ **0.1** *kiss* ♦ **1.1** iem. gedag / vaarwel ~ *kiss s.o. goodbye;* iem. de hand ~ *kiss s.o.'s hand;* ⟨scherts.⟩ iem. de straat / de stenen ~ *make s.o. bite the dust* **4.1** elkaar ~ *k. (each other)* **5.1** hij kuste haar vluchtig op het voorhoofd *he gave her a peck / pecked her on the forehead;* vochtig ~ *slobber over (s.o.), give (s.o.) a wet / slobbery kiss;* zij kuste zijn tranen weg *she kissed away his tears / his tears away* **6.1** iem. op de mond ~ *kiss s.o. on the mouth.*

kussenbankje ⟨het⟩ **0.1** *cushioned stool* ⇒ *stool with a cushion.*

kussenblok ⟨het⟩ **0.1** [lager waarop een as rust] *pedestal* ⇒ *pillow-block, axle-guard, bearing* **0.2** [onderstel waarop een brugligger rust] *pillow(-bere / -beer).*

kussengevecht ⟨het⟩ **0.1** *pillow-fight* ♦ **3.1** ~ en leveren *have a p.-f..*

kussenkast ⟨de⟩ **0.1** *Dutch bombé chest.*

kussenlava ⟨de⟩ **0.1** *pillow lava.*

kussenovertrek ⟨de (m.)⟩ **0.1** *pillow / cushion-cover.*

kussensloop ⟨het, de⟩ **0.1** *pillow-case* ⇒ *pillow-slip.*

kussentijk ⟨het⟩ **0.1** *tick(ing).*

kussentje ⟨het⟩ **0.1** [klein kussen] *(small) cushion / pillow* **0.2** [voorwerp dat aan een kussen doet denken] *cushion* ⇒ *pad* **0.3** ⟨(plantk.)⟩ *pulvinus* **0.4** [schelpdier] *gaper* ♦ **2.1** een los ~ *a scatter cushion* **6.2** hij heeft kleine dikke handen **met** ~ s *he's got chubby / podgy* ^*pudgy (little) hands.*

kust

I ⟨de⟩ **0.1** [zeekust] *coast* ⇒ *(sea)shore, seaboard* ⟨vnl. AE⟩ **0.2** [strand] *seaside* ⇒ *(sea)shore,* ^*coast,* ⟨vnl. AE⟩ *seaboard* **0.3** [land] *shore* ♦ **2.1** een ontwikkelde ~ *a jagged c. (line);* ⟨fig.⟩ de ~ is veilig *the c. is clear* **2.3** vreemde ~ en bezoeken *visit foreign shores* **5.1** van

---

de ~ af staan ⟨van wind⟩ *blow offshore* **6.1 aan** de ~ verblijven / liggen *stay / be on the c. / by the sea;* een huisje **aan** de ~ *a cottage by the sea* ⟨side ^*shore⟩;* **langs** de ~ varen *follow the c., keep inshore;* de duinen **langs** de ~ *the dunes along the c. / shore / by the sea;* **naar** de ~ (toe) varen *sail to shore / landward(s) / shoreward(s);* hij zeilde dichter **onder** de ~ dan wij *he sailed inshore of us;* **onder / dicht onder** de ~ blijven *stay inshore, hug the c. / shore;* **onder / op / voor** de ~ *off the c., offshore;* ⟨vanuit zee gezien⟩ *inshore;* het schip liep **op** de ~ / werd **op** de ~ gezet *the ship ran ashore / was beached / blown onto the beach* ⟨door storm⟩; vijftig kilometer **uit** de ~ *~ 50 kilometres offshore / off the coast;* in Engeland **van** ~ **tot** ~ reizen *cross England from c. to c. / c.-to-c.;* **van** de ~ (af) varen *sail out to sea / seaward(s);* ⟨het vissen⟩ vlak **voor** de ~ *inshore / coastal (fishing);* eilanden **voor** de ~ *offshore islands;*

II ⟨de⟩ ♦ **6.¶** te ~ en te keur *galore, in plenty;* ze zijn er **te** ~ en te keur *there's no shortage / lack of them, there are plenty / (more than) enough of them, there's any amount of them.*

kustafslag ⟨de (m.)⟩ **0.1** *coastal erosion.*

kustafzetting ⟨de (v.)⟩ **0.1** *coastal sediment.*

kustbatterij ⟨de (v.)⟩ **0.1** *coastal / shore battery.*

kustbewoner ⟨de (m.)⟩ **0.1** *inhabitant of the coast;* ⟨aardr. ook⟩ *coast-dweller.*

kustdeining ⟨de (v.)⟩ **0.1** *land swell.*

kusteiland ⟨het⟩ **0.1** *offshore island.*

kuster ⟨de (m.)⟩ **0.1** *coaster.*

kustformatie ⟨de (v.)⟩ **0.1** *(formation of a / the) coastline.*

kustgebergte ⟨de (v.)⟩ **0.1** *coastal (mountain) range / mountains.*

kustgebied ⟨het⟩ **0.1** *coastal area / region* ⇒ ⟨schr.⟩ *littoral (region).*

kustgemeente ⟨de (v.)⟩ **0.1** *coastal / seaside commune;* ⟨in Engelstalige landen⟩ *town / district on the coast / seaside.*

kusthandel ⟨de (m.)⟩ **0.1** *coasting / coastal trade* ⇒ *coastal shipping, coastwise business, cabotage.*

kusthaven ⟨de⟩ **0.1** *coastal port / harbour.*

kustkaart ⟨de⟩ **0.1** *coastal map;* ⟨inf.⟩ *map of a / the coast.*

kustland ⟨het⟩ **0.1** *coastland* ⇒ ⟨laagliggend⟩ *tidewater* ♦ **2.1** moerasachtig ~ *swampy c. / maremma.*

kustlicht ⟨het⟩ **0.1** *lighthouse* ⇒ *beacon.*

kustlichtwachter ⟨de (m.)⟩ **0.1** *lighthouse-keeper.*

kustlijn ⟨de⟩ **0.1** *coastline* ⇒ *shoreline.*

kustmeer ⟨het⟩ **0.1** *lagoon* ⇒ *lagune.*

kustplaats ⟨de⟩ **0.1** *seaside / coastal town.*

kustprovincie ⟨de (v.)⟩ **0.1** *coastal province.*

kustrivier ⟨de⟩ **0.1** *coastal river.*

kustschip ⟨het⟩ **0.1** *coaster.*

kuststaat ⟨de (m.)⟩ **0.1** *coastal state.*

kuststreek ⟨de⟩ **0.1** *coastal region* ⇒ ⟨schr.⟩ *littoral (region).*

kuststrook ⟨de⟩ **0.1** *coastal strip / belt.*

kuststroom ⟨de (m.)⟩ **0.1** *coastal / littoral current.*

kustvaarder ⟨de (m.)⟩ **0.1** [vaartuig dat voor de kust vaart] *coaster* **0.2** [koopvaardijschip tot 500 ton] *coaster* **0.3** [schipper] *coaster.*

kustvaart ⟨de (v.)⟩ **0.1** *coastal navigation;* ⟨handel⟩ *coasting / coastal trade.*

kustvaartuig ⟨het⟩ **0.1** *coaster.*

kustverdediging ⟨de (v.)⟩ **0.1** ⟨mil.⟩ *coastal defence(s)* ^*se(s)* **0.2** [waterstaatkundige verdediging] *protection of a / the coast.*

kustverkorting ⟨de (v.)⟩ **0.1** *shortening of a / the coastline.*

kustverlichting ⟨de (v.)⟩ **0.1** *coastal lights.*

kustvervuiling ⟨de (v.)⟩ **0.1** *coastal pollution.*

kustvisserij ⟨de (v.)⟩ **0.1** *coastal fishing / fisheries.*

kustvlakte ⟨de (v.)⟩ **0.1** *coastal plain.*

kustwaarts ⟨bw.⟩ **0.1** *shoreward(s)* ⇒ *ashore.*

kustwacht ⟨de⟩ **0.1** *coastguard (service).*

kustwachter ⟨de (m.)⟩ **0.1** [persoon] *coastguard,* ^*coastguardsman* **0.2** [vaartuig] *coastguard vessel* ⇒ *cutter.*

kustwateren ⟨zn.mv.⟩ **0.1** *coastal waters.*

kustweg ⟨de (m.)⟩ **0.1** *coast(al) road* ⇒ ⟨aan rotskust⟩ *corniche (road).*

kustzoom ⟨de (m.)⟩ **0.1** *seaboard.*

kut ⟨de⟩ ⟨vulg.⟩ **0.1** *cunt* ⇒ *pussy, twat,* ⟨BE ook⟩ *fanny,* ⟨AE ook⟩ *crack* ♦ **1.¶** ik ben er voor de kat z'n ~ geweest *what a fucking waste of time that was!, I've wasted my fucking time there!, I went there for / to do fuck all* **2.1** een lekker ~ je *a nice / sweet little cunt* **¶.¶** ~ met peren! ⟨that's⟩ *fucking bullshit!! /* ⟨waardeloos⟩ *useless!; dat slaat als ~ op dirk *that's got fuck-all to do with it;* ~! *fuck!, fucking hell!.*

kutding ⟨het⟩ ⟨vulg.⟩ **0.1** *fucking / bloody (stupid) thing.*

kutklus ⟨de (m.)⟩ ⟨vulg.⟩ **0.1** *bloody / awful / shitty job.*

kutlikken ⟨ww.⟩ ⟨vulg.⟩ **0.1** [de vulva likken] *lick / eat cunt / pussy / twat* **0.2** [kruiperig vleien] *lick (s.o.'s) arse /* ^*ass.*

kutsmoes ⟨de⟩ ⟨vulg.⟩ **0.1** *fucking / bloody / silly / shitty excuse.*

kuttekop ⟨de (v.)⟩ ⟨vulg.; bel.⟩ **0.1** *cunt.*

kutvent ⟨de (m.)⟩ ⟨vulg.; bel.⟩ **0.1** *bastard* ⇒ *prick, cunt, fucker.*

kutwijf ⟨de (v.)⟩ ⟨vulg.; bel.⟩ **0.1** *fucking bitch / cow.*

kuub ⟨de (m.)⟩ **0.1** ↑ *cubic (metre* ^*er)* ⇒ ≠*cubic yard / foot* ♦ **1.1** te koop voor een tientje de ~ *on sale for 10 guilders a cubic (metre).*

kuur ⟨de⟩ **0.1** *cure* ⇒*course of treatment* ♦ **3.1** een ~ doen om mager te worden *take/follow a course of treatment to lose weight;* ⟨dieet⟩ *go/be on a (slimming) diet;* een ~ ondergaan *take/follow a cure/a course of treatment.*

kuuroord ⟨het⟩ **0.1** *health resort;* ⟨badplaats ook⟩ *spa* ♦ **6.1** een ~ **voor** astmapatienten *a health resort for asthma patients.*

KVV'er ⟨de (m.)⟩ ⟨afk.⟩ **0.1** [kortverband vrijwilliger] *short-service volunteer* ⇒≠*territorial.*

kwaad[1] ⟨het⟩ ⟨→sprw. 103,196,230,374,375⟩ **0.1** [het slechte/verkeerde] *wrong* ⇒*harm,* ↑*evil* **0.2** [schade, nadeel] *harm* ⇒*damage,* ↑*evil* **0.3** [onheil, ongeluk] *trouble* ⇒*mischief, harm* **0.4** [gebrek] *badness* ⇒*illness* ♦ **2.3** een noodzakelijk ~ *a necessary evil* **3.1** ~ doen *do wrong / evil;* hij doet geen vlieg ~ *he wouldn't hurt/harm a fly;* tot ~ geneigd *inclined to evil* **3.2** meer ~ dan goed doen *do more h. than good;* ~ stichten *do h. / damage;* het ~ met wortel en al uitroeien *stamp out/* ↑*eradicate the evil* **3.3** het ~ was al geschied *the damage had already been done* **7.1** hij kan daar geen ~ doen *he can't put a foot wrong there;* van geen ~ weten *be completely innocent;* ik zie daar geen ~ in, daar steekt geen ~ in *I don't see any/there's no harm in that* **7.2** dat kan geen ~ *that/it can't do any h.;* van twee kwaden de minste kiezen *choose the lesser of two evils* **7.3** zij bedoelt daar geen ~ mee *she doesn't mean any harm* ¶**.1** van ~ tot erger vervallen *go from bad to worse* ¶**.4** het ~ moet/komt eruit *the badness /* ⟨ziekte enz.⟩ *infection must come/is coming out.*

kwaad[2] ⟨→sprw. 154,277,286,291,551,555,571,649,663⟩
I ⟨bn., bw.;-ly⟩ **0.1** [niet zoals het behoort te zijn] *bad* ⇒*wrong,* ⟨schr.; ook in samenst.⟩ *ill* **0.2** [zondig, verkeerd] *bad* ⇒⟨heel erg⟩ *evil, wicked* **0.3** [boos] *angry* **0.4** [hinder/nadeel opleveren] *bad* ⇒*serious* ⟨ook ziekten⟩, ⟨inf.⟩ *nasty* **0.5** [ongunstig, onaangenaam] *bad;* ⟨schr.⟩ *ill* ♦ **1.1** ~ bloed zetten *cause/make b. blood, cause/stir up/make for ill-feeling/bad feeling/ill-will;* iem. in een ~ daglicht stellen *show/put s.o. in a poor/b. light;* dat is geen ~ idee *that's not (at all) a b. idea* **1.2** kwade begeerten/praktijken *evil/wicked desires/practices;* een kwade invloed ondergaan *be exposed to b. / ⟨heel erg⟩ evil influence(s);* te kwader trouw handelen *act in b. faith;* een advocaat van kwade zaken *a shady/bent lawyer* **1.3** een kwaaie brief *a sharp/strong/a. letter;* een kwaaie bui hebben *be in a b. temper/mood;* met een kwaaie kop weglopen *walk off in high dudgeon/* ⟨inf.⟩ *in a huff* **1.4** ⟨med.⟩ kwade droes *glanders;* kwade koortsen/ziekten *serious fevers/diseases* **3.1** het ~ (te verduren) hebben *be having a b. /* ⟨inf.⟩ *rough time (of it)* **3.2** ze bedoelde er niets ~s mee *she meant nothing by it, she meant no harm/offence, she didn't mean it badly;* het is niet ~ bedoeld *that isn't/wasn't meant badly/in a b. way, no offence is/was meant* **3.3** ~ kijken (naar) *look angrily (at s.o.), give (s.o.) an a. look;* ⟨inf.⟩ *look daggers (at s.o.);* maak je toch niet zo ~! *don't get yourself all worked up;* ⟨inf.⟩ *keep your shirt/* [B]*hair on!;* zich ~ maken *get a.;* iem. ~ maken *make s.o. a., anger s.o.;* ~ worden/blijven *get/stay a.* **5.1** het was lang niet ~ *that wasn't (at all) bad;* het te ~ krijgen *be overcome (by);* ⟨emoties⟩ *(feel like) break(ing) down;* ⟨in 't nauw gedreven⟩ *be hard pressed;* ⟨politie enz.⟩ *fall foul of;* dat is zo ~ niet *that's not (at all) b.* **5.3** hij wordt snel/niet snel ~ *he's quick/slow to anger, he has a quick/slow temper, he angers quickly/slowly;* vreselijk ~ *hopping mad, boiling/seething with anger/rage/fury* **5.5** hij meent het zo ~ niet *he doesn't mean badly, no offence is meant, he means no offence* **6.3** ~ zijn **op/om** *be a. at/with (s.o.)/at/about (sth.)* **7.2** het kwade in ieder mens *the evil (that lurks) in all of us* **7.4** aan hem heb je een kwaaie *he's a nasty bit of goods/customer, you'd better watch out for him/ keep an eye on him* **8.1** zo goed en zo ~ als het gaat *for better or worse, as best we can, for good or ill;*

II ⟨bn.⟩ **0.1** [boosaardig] *evil* ⇒*bad, vicious,* ⟨inf.⟩ *nasty* **0.2** [mbt. tijdruimten] *evil* ⇒*ill-starred/-fated* ♦ **1.1** een kwaaie hond *a vicious/nasty dog* **1.2** op een kwade dag *one ill-starred/-fated day* **5.1** hij is niet zo ~ als hij eruit ziet *his bark is worse than his bite;* hij is zo ~ niet *he's not so bad (as all that)* **7.1** hij is de ~ste niet *he's not (at all) a bad chap/guy.*

kwaadaardig
I ⟨bn.⟩ **0.1** [boosaardig] *malicious* ⇒*ill-natured,* ⟨ook hond⟩ *vicious* **0.2** [schadelijk] *pernicious* ⇒⟨gezwel, ziekte⟩ *malignant,* ⟨ziekte ook⟩ *virulent* ♦ **1.2** een ~ gezwel *a malignant tumour;*
II ⟨bn., bw.;-ly⟩ **0.1** [nijdig] *bad-tempered* ⇒*angry, testy,* ⟨inf.⟩ *nasty* ♦ **1.1** iem. met een ~e blik aanzien *give s.o. a b.-t. / nasty/an angry look;* ⟨inf.⟩ *look daggers at s.o.* **3.1** hij zei dat zo ~ *he said it so bad-temperedly/angrily/nastily.*

kwaadaardigheid ⟨de (v.)⟩ **0.1** [nijdigheid] *bad temper* ⇒*anger,* ⟨boosaardigheid⟩ *malice, spite, ill-nature,* ⟨inf.⟩ *nastiness* **0.2** [schadelijkheid] *perniciousness* ⇒*malignancy* ⟨ziekte, gezwel⟩, ⟨ziekte ook⟩ *virulence* ♦ **6.1** uit ~ *out of/from spite/malice;* hij zwol op **van** ~ *he swelled up with anger.*

kwaaddenkend ⟨bn.⟩ **0.1** *suspicious* ⇒*negative.*

kwaaddoener ⟨de (m.)⟩, **-doenster** ⟨de (v.)⟩ **0.1** *malefactor* ⇒*wrongdoer, illdoer, evildoer.*

kwaadgezind ⟨bn.⟩ **0.1** *evil-minded* ⇒*ill-disposed (towards), scheming,* ⟨schr.⟩ *malevolent.*

kwaadgezindheid ⟨de (v.)⟩ **0.1** *malevolence* ⇒*ill will, malice.*

kwaadheid ⟨de (v.)⟩ **0.1** *anger* ⇒*fury, rage* ♦ **6.1** rood (worden) **van** ~ *(turn) red/crimson/* ⟨scherts.⟩ *puce with a. / fury/rage.*

kwaadschiks ⟨bw.⟩ **0.1** *unwillingly* ⇒*against one's will, with an ill/a bad grace* ♦ **5.1** goedschiks of ~ *willy-nilly, willing(ly) or unwilling(ly), willing(ly) or not/otherwise;* zeg het maar: moet het goedschiks of ~? *which is it to be, the carrot or the stick?, will you do it or do I have to make you?.*

kwaadspreken ⟨onov.ww.⟩ **0.1** *speak ill/badly* ⇒*gossip, spread scandal, slander* ♦ **6.1** ~ **van** (iem.) *speak ill/badly /* ⟨schr.⟩ *evil of (s.o.), talk/spread scandal, gossip;* ⟨gelogen⟩ *slander (s.o.);* ⟨schr.⟩ *vilify (s.o.), calumniate (s.o.);* ⟨inf.⟩ *run (s.o.) down;* ⟨AE ook⟩ *badmouth (s.o.).*

kwaadsprekend ⟨bn.⟩ **0.1** *scandalous* ⇒*calumnious, defamatory, slanderous, libellous.*

kwaadspreker ⟨de (m.)⟩, **-spreekster** ⟨de (v.)⟩ **0.1** *scandalmonger* ⇒*gossip, backbiter,* ⟨leugenaar⟩ *slanderer,* ⟨schr.⟩ *calumniator, detractor.*

kwaadsprekerij ⟨de (v.)⟩ **0.1** *scandal-mongering* ⇒*backbiting, slander, defamation, calumny.*

kwaadwillig ⟨bn.⟩ **0.1** [boosaardig] *malicious, malevolent* ⇒*evil-minded* **0.2** [uit slechte gezindheid voortspruitend] *malicious* ♦ **1.2** ~e beëindiging van de arbeidsovereenkomst *unfair/wrongful dismissal;* ⟨jur.⟩ ~e verlating *desertion, m. abandonment;* ~e verzinsels *m. fabrications* **7.1** een ~e *a rebel/subversive* ⟨jegens de staat⟩.

kwaadwilligheid ⟨de (v.)⟩ **0.1** *malevolence, malice* ⇒*malicious intent* ⟨ook jur.⟩ ♦ **1.1** ⟨jur.⟩ schade door ~ *malicious damage* ¶**.1** misschien is er ~ in het spel? *could there be foul play here somewhere?.*

kwaaie ⟨de (m.)⟩ ⟨inf.⟩ **0.1** *bad/evil one* ⇒*nasty person, ugly customer,* ⟨BE; sl.⟩ *bad hat/apple* ♦ **3.1** daar heb je een ~ aan *you've got a bad one there.*

kwaaiigheid ⟨de (v.)⟩ ⟨inf.⟩ **0.1** *crossness, spite* ⇒*ill humour, peeve,* [A]*soreness.*

kwaakspraak ⟨de⟩ ⟨inf.⟩ **0.1** *gibberish.*

kwaal ⟨de⟩ ⟨→sprw. 433⟩ **0.1** [ziekte (vaak in samenst.)] *complaint, disease* ⇒*illness, ailment,* ⟨vooral in samenst.⟩ *trouble, condition, problem* **0.2** [onvolkomenheid] *trouble* ⇒*problem, fault, malady,* ⟨maatschappelijk⟩ *evil* ♦ **1.1** een hartkwaal *a heart condition/complaint/problem;* de kwalen v.d. ouderdom *the infirmities of old age* **2.1** een ongeneeslijke ~ *an incurable d.* **2.2** jaloezie is een helse ~ *jealousy is an infernal evil* **3.1** hij heeft altijd wel een of ander ~tje *he is always complaining about some ailment or other, there's always sth. wrong with him* **8.1** ⟨fig.⟩ het middel is erger dan de ~ *the remedy is worse than the d..*

kwab ⟨de⟩ **0.1** [weke massa vlees/vet] *(roll of) fat/flab* ⇒*flabby mass, pouch, jowl* ⟨aan wang⟩, *dewlap* ⟨aan hals⟩ **0.2** [deel van lever/longen/hersenen] *lobe* ⇒⟨klein⟩ *lobule.*

kwabaal ⟨de (m.)⟩ **0.1** *burbot* ⇒*eelpout,* ⟨gew.⟩ *lawyer.*

kwabbend ⟨bn.⟩ **0.1** *flabby* ♦ **1.1** een ~e onderkin *a jowl.*

kwabbig ⟨bn.⟩ **0.1** *flabby* ⇒*pouchy* ⟨wangen⟩.

kwadraat ⟨het⟩ **0.1** [vierkant] *square* ⇒*quadrate* **0.2** [voorwerp] *square* ⇒*quadrate* **0.3** ⟨muz.⟩ *natural (sign)* **0.4** [tweede macht] *square* ♦ **1.4** x ~ *x squared* **2.1** magisch ~ *magic s.* **6.4** ⟨fig.⟩ hij is een ezel, een stommerik in het ~ *he is a consummate ass/a prize/perfect/* [A]*double-dyed fool;* **in** het ~ *square(d);* **in** het ~ verheffen *(raise to the) s..*

kwadraatgetal ⟨het⟩ **0.1** *square number* ♦ **2.1** een geheel ~ *a perfect square.*

kwadraatschrift ⟨het⟩ **0.1** *square/Hebrew alphabet/script* ⇒*square Hebrew.*

kwadraatsvergelijking ⟨de (v.)⟩ ⟨wisk.⟩ **0.1** *quadratic equation.*

kwadraatwortel ⟨de (m.)⟩ **0.1** *square root.*

kwadrant ⟨het⟩ **0.1** [cirkelsector] *quadrant* **0.2** [meettoestel] *quadrant* ♦ **6.1** een hoek in het eerste ~ *an angle in the first q..*

kwadrateren ⟨ov.ww.⟩ **0.1** *(raise to the) square.*

kwadratisch ⟨bn.⟩ **0.1** *quadratic* ⇒*quadrate, square,* [A]*superficial* ♦ **1.1** ~e vergelijking *quadratic equation.*

kwadratuur ⟨de (v.)⟩ **0.1** ⟨wisk.⟩ *quadrature* ⇒*square* **0.2** [net van vierkanten] *square netting* **0.3** ⟨ster.⟩ *quadrature* ♦ **1.1** de ~ v.d. cirkel ⟨ook fig.⟩ *the q. / square of the circle;* de ~ v.d. cirkel zoeken ⟨ook fig.⟩ *(try to) square the circle.*

kwadreren
I ⟨ov.ww.⟩ ⟨wisk.⟩ **0.1** [kwadrateren] *(raise to the) square;*
II ⟨onov.ww.⟩ **0.1** [overeenstemmen] *square* ⇒*agree, suit, tally, quadrate.*

kwadrofonie ⟨de (v.)⟩ **0.1** *quadriphony* ⇒*quadrophony, quadraphony.*

kwajongen ⟨de (m.)⟩ **0.1** [deugniet] *naughty boy* ⇒*brat, rogue, rascal* **0.2** [snotneus] *urchin* ⇒*monkey, whelp, boy* ♦ **3.2** hij is nog maar een ~ *he is just a boy;* vergeleken met Jan is hij nog maar een ~ *John could teach him (a thing/trick or two).*

kwajongensachtig ⟨bn., bw.;-ly⟩ **0.1** *boyish* ⇒*monkeyish, naughty, impish.*

kwajongensstreek ⟨de⟩ **0.1** *(boyish) prank* ⇒*monkey trick, mischief, roguery* ♦ **3.1** een ~ uithalen *play a trick.*

kwak[1] ⟨de (m.)⟩ **0.1** [geluid] *thud, flop* ⇒*thump, smack, bump* **0.2** [hoeveelheid vloeibare stof/brij]⟨verf,lijm⟩ **dab,daub,splotch;** ⟨slag-room⟩ **blob;** ⟨modder,slagroom, pudding⟩ **dollop 0.3** [grote hoeveel-heid] **dollop** ⇒*heap, bunch, wad,* **0.4** [nachtreiger] **night heron ◆ 1.2** een~kalk/eten/inkt *a dab/daub of mortar/dollop of food/smear of ink* **1.3** hij heeft een~geld *he has wads/stacks of money* **3.2** ⟨vulg.⟩ een~(je) schieten *come, cream* **6.1** hij kwam **met** een~op de grond *he landed with a thud on the ground.*

kwak² ⟨tw.⟩ **0.1** [kikvorsen en eenden] *quack* ⟨eend⟩;*croak* ⟨kikvors⟩ **0.2** [mbt. weke massa] *smack* ⇒*flop, thud.*

kwakbol ⟨de (m.)⟩⟨inf.⟩ **0.1** [ongemarkeerd] *tadpole.*

kwaken ⟨onov.ww.⟩ **0.1** [geluid 'kwak' laten horen] *quack* ⇒*croak* ⟨kikvors⟩ **0.2** [luidruchtig praten] *chatter* ⇒*gaggle, gabble, rabbit.*

kwaker ⟨de (m.)⟩ **0.1** *Quaker* ⇒*member of the Society of Friends ◆* **2.1** vrouwelijke~*Quakeress.*

kwakkel

I ⟨de⟩ **0.1** [kwartel] *quail;*

II ⟨de (m.)⟩ **◆ 3.¶** aan de~zijn *be ailing/sickly/infirm.*

kwakkelaar ⟨de (m.)⟩ **0.1** *valetudinarian* ⇒*infirm/sickly person.*

kwakkelen

I ⟨onov.ww.⟩ **0.1** [telkens ziek zijn] *be ailing/sickly/infirm;*

II ⟨onp.ww.⟩ **0.1** [afwisselend vriezen en dooien] *drag, linger* ⟨win-ter⟩;*be fitful/uncertain/changeable* ⟨weer⟩

kwakkelig ⟨bn.⟩ **0.1** [met zijn gezondheid sukkelend] *sickly* ⇒↑*ailing,* ⟨inf.⟩ *poorly* **0.2** [mbt. het weer] *uncertain* ⇒*changeable.*

kwakkelweer ⟨het⟩ **0.1** *unsteady/fitful/changeable weather.*

kwakkelwinter ⟨de (m.)⟩ **0.1** *lingering/fitful/sluggish winter.*

kwakken

I ⟨onov.ww.⟩ **0.1** [met een plof vallen] *bump, crash* ⇒*plump, fall with a thud ◆* **6.1** hij kwakte **tegen** de grond *he crashed on/landed with a thud on the floor;*

II ⟨ov.ww.⟩ **0.1** [neersmijten] *dump* ⇒*chuck, slap, dab, daub* ⟨verf⟩, *dollop* ⟨modder, voedsel⟩ **◆ 6.1** zij kwakte haar tas **op** het bureau *she smacked her bag on the desk;* hij kwakte de jongen **tegen** de grond *he chucked/dumped the boy on the floor.*

kwakkie ⟨het⟩⟨vulg.⟩ **0.1** ᴮ*spunk,* ᴬ*gism.*

kwakzalven ⟨onov.ww.⟩ **0.1** [onbevoegd de geneeskunde uitoefenen] *(play the) quack* **0.2** [huismiddeltjes gebruiken] *use quack remedies.*

kwakzalver ⟨de (m.)⟩ **0.1** [onbevoegd beoefenaar v.d. geneeskunst] *quack (doctor)* ⇒*charlatan, mountebank, medicaster* **0.2** [oplichter] *charlatan* ⇒*swindler, mountebank, quack.*

kwakzalverachtig ⟨bn.⟩ **0.1** *quack(ish)* ⇒*quacksalvering.*

kwakzalverij ⟨de (v.)⟩ **0.1** *quackery* ⇒*charlatanism, charlatanry.*

kwakzalversmiddel ⟨het⟩ **0.1** *quack medicine/remedy* ⇒*nostrum.*

kwal ⟨de⟩ **0.1** [dier] *jellyfish* ⇒*medusa* **0.2** [scheldwoord] ᴮ*toad,* ᴬ*jerk* ⇒⟨vnl.BE⟩ *rotter,* ⟨BE ook⟩ *burk, pillock ◆* **6.2** een~**van** een vent *a regular j./t..*

kwalificatie ⟨de (v.)⟩ **0.1** [toekenning v.e. eigenschap/titel] *designation* ⇒*description, characterization, labelling, rating* **0.2** [geschiktheid] *qualification(s)* ⇒*capacity, accomplishment* **0.3** [⟨jur.⟩] *characteriza-tion, classification.*

kwalificatietoernooi ⟨het⟩⟨sport⟩ **0.1** *qualifying rounds* ⟨mv.⟩.

kwalificeren

I ⟨ov.ww.⟩ **0.1** [benoemen] *designate* ⇒*characterize, describe, style, term* **0.2** [geschikt maken] *capacitate* ⇒*endow, qualify* **0.3** [rechtskun-dige naam geven] *characterize, classify ◆* **8.1** iem.~als bedrieger *style s.o. an impostor;*

II ⟨wk.ww.;zich~⟩ **0.1** [zich plaatsen] *qualify ◆* **6.1** zich~**voor** de fi-nale *qualify for/get through to the finals.*

kwalijk

I ⟨bn.,bw.⟩ **0.1** [slecht] ⟨bn.⟩ *evil* ⇒*vile, detrimental, nasty,* ⟨bw.⟩ *vilely, nastily, badly ◆* **1.1** de~e gevolgen v.h. roken *the e./bad/de-trimental consequences of smoking;* een~e zaak *that is a nasty/e. business, that's bad* **3.1** iem.~bejege-nen *treat s.o. ill/badly;* ~riekend *evil-/vile-smelling, foetid;* ~ruiken *have a nasty/e. smell, stink* **3.¶** hij nam het ons zeer/niet~he gave us the full blame (for it), he did not blame us for it; neem me niet~, dat ik te laat ben *excuse me being late/me for being late;* ⟨inf.⟩ *(I'm) sorry I'm late;* neem me niet~, maar ik ben het daar niet mee eens *excuse me/sorry, but I disagree/I beg to differ;* neem ons dat eens~*could you blame us?;* neem(t)(u) mij niet~*I am sorry, I beg your pardon;* ⟨als inleiding tot vraag⟩ *excuse me;* het is hem niet~te nemen, je kunt hem dat toch niet~nemen *you can hardly blame him, the blame can hardly be his;* ze zullen het je~nemen dat...*they'll hold/count it against you that...;* iem. iets~nemen *resent/take offence at s.o.'s doing sth., take sth. ill of s.o.* **4.¶** hij nam het zichzelf~dat...*he blamed himself for...;*

II ⟨bw.⟩ **0.1** [moeilijk, bezwaarlijk] *hardly* ⇒*not very well, with diffi-culty* **0.2** [op gebrekkige wijze] *badly* ⇒*little, poorly, imperfectly,* ⟨in samenst.⟩ *ill-* **0.3** [nauwelijks, pas] *scarcely, hardly* ⇒*only just, no more than, barely* **1.4** [ternauwernood] *scarcely, hardly* ⇒*narrowly, barely ◆* **3.1** zoiets kan ik van hem toch~verlangen *I can h./not very well ask him to do such a thing.*

kwalijkgezind ⟨bn.⟩ **0.1** [kwaadwillig] *ill-disposed* **0.2** [vijandig gezind] *malevolent* ⇒*malicious, hostile, evil-minded.*

kwalitatief ⟨bn.,bw.;-ly⟩ **0.1** *qualitative ◆* **1.1** ⟨schei.⟩ kwalitatieve analyse *q. analysis;* ~was het verschil groot *there was a large differ-ence in quality.*

kwaliteit ⟨de (v.)⟩⟨→sprw. 376⟩ **0.1** [deugdelijkheid] *quality* ⇒*grade, calibre, standard, stature* **0.2** [eigenschap] *quality* ⇒*charactirestic, point, feature, trait* **0.3** [waardigheid] *capacity* ⇒*quality, function* **0.4** [goede hoedanigheid, ⟨vaak in samenst.⟩] *quality* ⇒*superiority, excel-lence, virtue* ⟨van mensen⟩ **0.5** [⟨schaakspel⟩] *exchange ◆* **1.4** kwali-teitsprodukten *q. products* **2.1** eerste~wol/vlees *first/top q./grade wool, grade A wool,* ⟨hout⟩ van goede/slechte~*high-/low-q.(wood);* deze soort is van hogere/betere/mindere~*this type is of higher/bet-ter/lower q./standard;* melk v.d. hoogste~*grade A milk;* van infe-rieure/ongelijke~, inferieur/ongelijk van~*third-/tenth-rate, (of) in-ferior/uneven (q.)* **2.2** hij heeft vele goede~en *he has many good qualities/points* **2.5** kleine~*minor e.* **3.1** de~v.d. produkten verbete-ren, de~verhogen *grade up the q. of the products* **3.4** deze wijn heeft~*this is a q./superior wine* **3.5** ~winnen/offeren *gain/sacrifice the e.* **6.1** in~achteruitgaan *lose q., decline;* beter van~worden *improve (in q.)* **6.3** in mijn~van voorzitter kan ik...*in my c./quality as chair-man I can....*

kwaliteitsaanduiding ⟨de (v.)⟩ **0.1** *quality indicator* ⇒⟨klasse⟩ *quality grading,* ⟨cijfer⟩ *quality index/code.*

kwaliteitsartikel ⟨het⟩ **0.1** *quality/superior article/product.*

kwaliteitscontrole ⟨de⟩ **0.1** *quality control/check* ⇒*quality inspection* ⟨in fabriek⟩.

kwaliteitseisen ⟨zn.mv.⟩ **0.1** *quality requirements/standards* ⇒*require-ments as to quality, specifications.*

kwaliteitsgarantie ⟨de (v.)⟩ **0.1** *guarantee* ⇒*warranty of quality ◆* **6.1** met~*(fully) guaranteed;* ⟨goedgekeurd⟩ *accredited.*

kwaliteitsgoederen ⟨zn.mv.⟩ **0.1** *quality articles/products/goods.*

kwaliteitskrant ⟨de⟩ **0.1** *quality (news)paper ◆* **¶.1** ⟨in lezersbrief⟩ dit geschrijf is uw~onwaardig *such journalism is unworthy of a q. (news)paper like yours.*

kwaliteitsnorm ⟨de⟩ **0.1** *quality standard* ⇒*standard of quality.*

kwaliteitsprodukt ⟨het⟩ **0.1** *(high-)quality product.*

kwaliteitsverbetering ⟨de (v.)⟩ **0.1** *quality improvement* ⇒*improvement in quality.*

kwaliteitsverschil ⟨het⟩ **0.1** *difference in quality.*

kwaliteitswerk ⟨het⟩ **0.1** *high-grade/quality work* ⇒⟨van machine ook⟩ *excellent performance ◆* **3.1** de timmerlieden hebben~verricht *the carpenters did q. w./* ⟨inf.⟩ *a first-rate job.*

kwaliteitswijn ⟨de (m.)⟩ **0.1** *quality wine.*

kwallebeet ⟨de (m.)⟩ **0.1** *jellyfish's sting.*

kwallig ⟨bn.⟩ **0.1** [als (van) een kwal] *jellyfish-like* **0.2** [⟨fig.⟩] *nasty* ⇒*toadish, rotten, jerkish ◆* **1.2** een~e kerel *a n. fellow, a toad/jerk.*

kwalm ⟨de (m.)⟩ **0.1** *thick/dense smoke* ⇒*fume, smother.*

kwalmen ⟨onov.ww.⟩ **0.1** *fume* ⇒*smoke.*

kwalpoliep ⟨de⟩ **0.1** *hydrozoan* ⇒*hydroid.*

kwalster ⟨de (m.)⟩ **0.1** *phlegm, spit* ⇒⟨BE;inf.⟩ *gob,* ↑*sputum.*

kwalsteren ⟨onov.ww.⟩ **0.1** *spit* ⇒*expectorate, bring up phlegm,* ⟨BE; inf.⟩ *gob.*

kwanselaar ⟨de (m.)⟩ **0.1** *barterer, haggler.*

kwanselarij ⟨de (v.)⟩ **0.1** *bartering* ⇒*trucking, haggling.*

kwanselen ⟨onov.ww.⟩ **0.1** *barter* ⇒*truck, haggle.*

kwansuis ⟨bw.⟩⟨schr.⟩ **0.1** *for appearance's/form's sake* ⇒*ostensibly, by way of pretence ᴬpse ◆* **3.1** iets~doen *do sth. for the sake of appear-ance's form, go through the motions of sth..*

kwant ⟨de (m.)⟩ **0.1** [(jonge) man] *fellow, chap* ⇒*guy, customer, charac-ter* **0.2** [hoeveelheid energie] *quant(um) ◆* **2.1** een vreemde/rare~*a queer/strange/weird customer;* een vrolijke~*a cheerful f./chap, a reveller.*

kwantificeerbaar ⟨bn.⟩ **0.1** *quantifiable.*

kwantificeren ⟨ov.ww.⟩ **0.1** *quantify.*

kwantitatief ⟨bn.,bw.;-ly⟩ **0.1** *quantitative ◆* **1.1** kwantitatieve analyse *q. analysis* **7.1** ~is het meer, maar kwalitatief minder *it is quantity ra-ther than quality, quantitatively it is more, but qualitatively it is less.*

kwantiteit ⟨de (v.)⟩⟨→sprw. 376⟩ **0.1** *quantity* ⇒*amount, number ◆* **3.1** overtreffen in~*surmount/surpass in q./number.*

kwantiteitstheorie ⟨de (v.)⟩⟨ec.⟩ **0.1** *quantity theory (of money).*

kwar ⟨de (m.)⟩ **0.1** [knoest in hout] *knot* **0.2** [achterblijvende plant/dier] *weakling* ⇒*runt, retarded plant/animal.*

kwark ⟨de (m.)⟩ **0.1** ≠*cottage/pot/curd cheese, curd(s).*

kwarkpunt ⟨de (m.)⟩ **0.1** ≠*slice of cheesecake.*

kwarktaart ⟨de⟩ **0.1** ≠*cheesecake.*

kwart

I ⟨het⟩ **0.1** [vierde deel v.e. geheel] *quarter* ⇒*fourth (part)* **0.2** [kwar-tier] *quarter (of an hour)* **0.3** [inhoudsmaat] *quart ◆* **1.1** een~⟨je⟩ peer *a q./fourth part of a pear;* voor een~v.d. prijs *for a q. of the price* **2.1** hij is voor een~Engels *he is one q. English;* de fles is voor een~leeg *the bottle is one q.;* ~voor/over elf *elf it is a q. to/past eleven* **7.1** drie~van zijn vermogen *three quarters of his for-tune;* één en een~⟨liter, gulden, meter⟩ *one and a q. (litre/guilder/metre), one (litre/guilder/metre) and a q.; one (guilder) twenty-five;*

de vier~en v.e. cirkeloppervlak *the four quarters/ quadrants of a circle;*
II ⟨de⟩ ⟨muz.⟩ **0.1** [kwartnoot] [B]*crotchet,* [A]*quarter note* **0.2** [derde toon na de grondtoon] *fourth* ⇒*subdominant* **0.3** [interval van vier trappen] *fourth* ♦ **2.3** een~ hoger *up/ raised a f..*
kwartaal ⟨het⟩ **0.1** [trimester] *quarter* ⇒*trimester,* ⟨school.⟩ *term* **0.2** [bedrag] *quarterly instalment/ payment* ♦ **6.1** (eenmaal) per ~ *quarterly, by the q.;* tweemaal per ~ *biquarterly.*
kwartaalabonnement ⟨het⟩ **0.1** *quarterly subscription.*
kwartaalbericht ⟨het⟩ **0.1** *quarterly bulletin/ report.*
kwartaalbetaling ⟨de (v.)⟩ **0.1** *quarterly payment* ⇒*quarterage.*
kwartaalblad ⟨het⟩ **0.1** *quarterly (magazine).*
kwartaalcijfers ⟨zn.mv.⟩ **0.1** *quarterly figures.*
kwartaaldrinker ⟨de (m.)⟩ **0.1** *binge drinker* ⇒*dipsomaniac.*
kwartaaloverzicht ⟨het⟩ **0.1** *quarterly report.*
kwartaalrapport ⟨het⟩ **0.1** *quarterly report* ⇒⟨school.⟩ *(end-of-)term report.*
kwartaalrekening ⟨de (v.)⟩ **0.1** *quarterly account.*
kwartaalresultaten ⟨zn.mv.⟩ **0.1** *quarterly results.*
kwartaalstaat ⟨de (m.)⟩ **0.1** *quarterly list/ balance.*
kwartanker ⟨het⟩ **0.1** *quarter anker.*
kwartcirkel ⟨de (m.)⟩ **0.1** *quarter-circle* ⇒*quadrant.*
kwarteeuw ⟨de⟩ **0.1** *quarter (of a) century.*
kwartel ⟨de⟩ **0.1** *quail* ♦ **2.1** ⟨fig.⟩ hij/ het is een dove~ *he's a deaf as a post* **8.1** zo vet als een~ *as fat as a pig;* zo doof als een~ *as deaf as a (door)post, stone deaf.*
kwartelen ⟨onov.ww.⟩ ⟨jacht⟩ **0.1** *hunt (for)/ shoot quail(s).*
kwartelfluitje ⟨het⟩ **0.1** *quail-call/ -pipe.*
kwartelkoning ⟨de (m.)⟩ **0.1** *(corn)crake* ⇒*land rail.*
kwartelslag ⟨de (m.)⟩ **0.1** *call of the quail.*
kwartet ⟨het⟩ **0.1** [muziek/ zangstuk] *quartet(te)* **0.2** [musici] *quartet(te)* **0.3** [⟨spel⟩] *happy families* ♦ **3.3** een~ hebben *have a (complete) set* **6.1** een~ **voor** strijkers *a string q..*
kwartetmuziek ⟨de (v.)⟩ **0.1** *quartet(te) music* ⇒*music for quartet(te)/ four instruments.*
kwartetspel ⟨het⟩ **0.1** *happy families.*
kwartetten ⟨onov.ww.⟩ **0.1** *play happy families.*
kwartfinale ⟨de⟩ ⟨sport⟩ **0.1** [stadium in een afvaltoernooi] *quarter-finals* **0.2** [wedstrijd] *quarter-final* ♦ **3.1** de ~(s) halen *make/ get through to the q.-f..*
kwartfles ⟨de⟩ **0.1** *quarter bottle.*
kwartiel ⟨het⟩ ⟨statistiek⟩ **0.1** *quartile.*
kwartier ⟨het⟩ **0.1** [deel v.e. uur] *quarter (of an hour)* **0.2** [⟨mil.⟩ verblijfplaats] *quarter(s)* ⇒*billet(s)* **0.3** [schijngestalte v.d. maan] *quarter* **0.4** [⟨herald.⟩] *quarter(ing)* **0.5** [⟨geneal.⟩] *quarter* ⇒⟨in mv. ook⟩ *quarterings* **0.6** [vierde gedeelte v.e. slachtdier] *quarter* **0.7** [⟨scheep.⟩] *quarter watch* **0.8** [stadswijk] *quarter, district* ⇒*area* **0.9** [⟨AZN⟩ deel v.e. woning] *room* ⇒⟨BE;inf.⟩ *digs* **0.10** [genade] *quarter* ⇒*mercy, forbearance* ♦ **2.3** het eerste/ laatste~ *the first/ last q.* **3.1** het duurde nog een~ (wachten) *it took a q. of an hour;* (voorstelling) *it lasted a q. of an hour;* de klok slaat het/ ieder~, de klok slaat de~en *the clock strikes the quarters* **3.2** ~ maken *take up one's quarters* **6.1** binnen een/ het~ *within a q. of an hour/ fifteen minutes;* **om** het~ *at the q. (hour), every q. of an hour* **6.2** soldaten **in**~ hebben/ krijgen *have soldiers quartered/ billeted on one* **7.1** drie/ vijf~ *three quarters of an hour, an hour and a quarter.*
kwartierarrest ⟨het⟩ **0.1** *confinement to barracks* ♦ **3.1** ~ hebben *be confined to barracks.*
kwartierlijst ⟨de⟩ **0.1** *station-list.*
kwartiermaker ⟨de (m.)⟩ **0.1** [⟨mil.⟩] *quartermaster* **0.2** [voorloper] *harbinger* ⇒*trailblazer, forerunner, precursor.*
kwartiermeester ⟨de (m.)⟩ **0.1** [⟨mil.⟩] *quartermaster* ⇒*billet-master* **0.2** [⟨scheep.⟩] *quartermaster.*
kwartiermeester-generaal ⟨de (m.)⟩ **0.1** *quartermaster general.*
kwartiermuts ⟨de⟩ **0.1** *garrison cap.*
kwartierrol ⟨de⟩ **0.1** *watchmen's/ duty men's list.*
kwartiers ⟨bw.⟩ **0.1** *quartered* ♦ **3.1** ~ gezaagde delen *quarterings.*
kwartierstanden ⟨zn.mv.⟩ ⟨aardr.⟩ **0.1** *the second and fourth phases of the moon.*
kwartiertje ⟨het⟩ **0.1** *quarter (of an hour)* ♦ **2.1** een benauwd~ doormaken *have/ go through a bad q. of an hour;* het professoraal/ academisch~ *the academic quarter (of an hour)/ break;* in het vrije~ (op school) *during (the) break/* [A]*recess, at break time.*
kwartiervolk ⟨het⟩ ⟨scheep.⟩ **0.1** *(sea) duty men* ⇒*watchkeepers.*
kwartijn ⟨de (m.)⟩ **0.1** *quarto.*
kwartileren ⟨ov.ww.⟩ **0.1** *quarter.*
kwartje ⟨het⟩ ⟨→sprw. 137⟩ **0.1** [muntstuk] *25-cents piece,* [A]*quarter* **0.2** [kwart anker] *quarter anker* ♦ **3.1** het kost twee ~s *it's fifty cents.*
kwartjesblad ⟨het⟩ **0.1** *aspidistra* ⇒*cast-iron plant.*
kwartjesplant ⟨de⟩ **0.1** *honesty* ⇒*moonwort, satinpod.*
kwartjesvinder ⟨de (m.)⟩ **0.1** [oplichter] *swindler* ⇒*con(fidence) man,* [A]*bunco steerer,* ⟨ihb. mbt. kaarten⟩ *sharper* **0.2** [padvinder] *boy scout.*

kwartnoot ⟨de⟩ ⟨muz.⟩ **0.1** [noot] [B]*crotchet,* [A]*quarter note* **0.2** [teken] [B]*crotchet,* [A]*quarter note.*
kwarto¹ ⟨het⟩ **0.1** *quarto* ⇒*4to, 4* ♦ **6.1** in ~ *in q..*
kwarto² ⟨bw.⟩ **0.1** *(in the) fourth (place)* ⇒*fourthly.*
kwartoformaat ⟨het⟩ **0.1** *quarto* ⇒*4to, 4* ♦ **6.1** de eerste uitgaven in ~ van enkele stukken van Shakespeare *the first quartos of some Shakespeare plays.*
kwartrond¹ ⟨de (m.)⟩ **0.1** *round plane.*
kwartrond² ⟨bn.⟩ **0.1** *quadrantal* ⇒*shaped like a quarter circle.*
kwartrust ⟨de⟩ ⟨muz.⟩ **0.1** [rust] [B]*crotchet/* [A]*quarter rest* **0.2** [teken] [B]*crotchet/* [A]*quarter rest.*
kwarts ⟨het⟩ **0.1** *quartz* ♦ **2.1** gele ~ *citrine, false topaz.*
kwartsachtig ⟨bn.⟩ **0.1** *quartzous, quartzose* ⇒*quartzlike.*
kwartsbrander ⟨de (m.)⟩ **0.1** *quartz(-iodine) lamp.*
kwartsglas ⟨het⟩ **0.1** *quartz glass* ⇒*vitreous silica, silica glass,* [A]*fused quartz/ silica.*
kwartshorloge ⟨het⟩ **0.1** *quartz watch.*
kwartsiet ⟨het⟩ **0.1** *quartzite.*
kwartsklok ⟨de⟩ **0.1** *quartz clock.*
kwartslag ⟨de (m.)⟩ **0.1** *quarter (of a) turn.*
kwartslamp ⟨de⟩ **0.1** *quartz(-iodine) lamp.*
kwartsporfier ⟨het⟩ **0.1** *quartz porphyry.*
kwartszand ⟨het⟩ **0.1** *quartz sand.*
kwarttoon ⟨de (m.)⟩ **0.1** *quarter tone/ step* ⇒*demisemitone.*
kwassie(boom) ⟨de (m.)⟩ **0.1** *(Surinam) quassia* ⟨Quassia amara⟩.
kwassiehout ⟨het⟩ **0.1** *quassia* ⇒*bitterwood.*
kwast ⟨de (m.)⟩ **0.1** [borstel als gereedschap, ⟨vaak in samenst.⟩] *brush* **0.2** [samengebonden draden] *tassel* ⇒⟨klein⟩ *tuft* **0.3** [knoest] *knot* ⇒*gnarl, knur(r), knar* **0.4** [dwaas/ verwaand persoon] ⟨zie 2.4⟩ **0.5** [drank] *(lemon) squash* ⇒*lemonade* ♦ **2.4** arrogante ~ *smart alec(k)/* ⟨vulg.⟩ *arse,* [B]*Clever Dick,* [A]*smarty-pants;* pedante ~ *prig;* rare ~ *queer customer/* [B]*fish;* verwaande ~ *prig, fop;* ⟨jongeman⟩ *conceited puppy* **5.3** dit hout zit vol (met) ~en *this wood is full of knots/ is very knotty* **6.2** met ~en (versierd) *tasselled.*
kwasterig ⟨bn., bw.;-ly⟩ **0.1** ⟨verwaand⟩ *foppish, conceited, priggish, puppyish;* ⟨pedant⟩ *smart-alecky;* ⟨raar⟩ *queer, weird.*
kwastgras ⟨het⟩ **0.1** *grey hair grass.*
kwastig
I ⟨bn.⟩ **0.1** [knoestig] *knotty* ⇒*gnarled, knarry, knarred;*
II ⟨bn., bw.;-ly⟩ **0.1** [kwasterig] ⟨verwaand⟩ *foppish, priggish, conceited;* ⟨pedant⟩ *smart-alecky;* ⟨raar⟩ *queer, weird.*
kwastje ⟨het⟩ **0.1** *(fine)/ (narrow) brush* ⇒⟨fijn penseel⟩ *pencil* ♦ **3.1** iets een~ geven *give sth. a b./ da(u)b (of paint);* dat mag wel een~ hebben *that could use a b./ da(u)b (of paint)/ lick of paint.*
kwatrijn ⟨het⟩ **0.1** *quatrain* ⇒*tetrastich.*
kwebbel
I ⟨de (m.)⟩ **0.1** [persoon] *rattle(r)* ⇒*babbler,* ⟨inf.⟩ *magpie, gasbag,* ⟨kind⟩ *chatterbox* ♦ **2.1** wat een ouwe~ ben jij *you're such an old gasbag;*
II ⟨de⟩ **0.1** [mond] *trap* ⇒*tongue, face,* ↓*gob* ♦ **3.1** houd je~ dicht *shut up, cut the cackle, shut your trap/ face/ gob, hold your tongue, quit/ stop gabbling.*
kwebbelen ⟨onov.ww.⟩ **0.1** *chatter* ⇒*jabber, gabble, cackle, yap, gas* ♦ ¶**.1** erop los ~ *chatter/ jabber away.*
kwee
I ⟨de (m.)⟩ **0.1** [boom] *quince* ♦ **2.1** Japanse ~ *Japanese/ flowering q.;*
II ⟨de⟩ **0.1** [vrucht] *quince.*
kweeappel ⟨de (m.)⟩ **0.1** [vrucht] *quince* **0.2** [boom] *quince.*
kweek
I ⟨de (m.)⟩ **0.1** [handeling] *cultivation* ⇒*culture* ⟨ook in laboratorium⟩, *growing, nursing* **0.2** [het gekweekte] *culture* ⟨ook in laboratorium⟩ ⇒*growth,* ⟨oogst⟩ *crop, stand;*
II ⟨de⟩ **0.1** [tarwegras] *couch (grass)* ⇒*twitch/ scutch/ quitch/ quick (grass).*
kweekbak ⟨de (m.)⟩ **0.1** *seed tray/ box* ⇒*nursing tray/ box.*
kweekbed ⟨het⟩ **0.1** *seed-bed/ -plot* ⇒*nursery(-bed).*
kweekgras ⟨het⟩ **0.1** *couch (grass)* ⇒*twitch/ scutch/ quitch/ quick (grass).*
kweekgrond ⟨de (m.)⟩ **0.1** *breeding ground.*
kweekkamer ⟨de⟩ **0.1** *culture room* ⇒⟨klein⟩ *incubator.*
kweekkas ⟨de⟩ **0.1** *greenhouse* ⇒⟨verwarmd⟩ *hothouse,* ⟨serre⟩ *conservatory.*
kweekmateriaal ⟨het⟩ **0.1** [bomen, planten] *nursery stock* ⇒⟨voor veredeling⟩ *breeding material/ stock.*
kweekplaats ⟨de⟩ **0.1** [kwekerij] *nursery* ⇒*seed-bed,* ⟨broeikas⟩ *hatchery* **0.2** [⟨fig.⟩ onderzoek/ opleidingscentrum] *nursery, breeding ground* **0.3** [⟨fig;pej.⟩ broeinest] *hotbed* ⇒*breeding ground* ♦ **1.3** een~ van negatieve elementen *a h. for subversive elements.*
kweekplant ⟨de⟩ **0.1** *cultivated/ gardener's/ nursery plant.*
kweekproef ⟨de⟩ **0.1** *culture* ♦ **6.1** een~ op tuberculose/ tyfus *a tuberculosis/ typhoid c..*
kweekreactor ⟨de (m.)⟩ **0.1** *breeder reactor* ♦ **2.1** een snelle ~ *a fast breeder.*

kweekschool ⟨de⟩ **0.1** [opleidingsschool] *training school / college* ⇒⟨fig.⟩ *breeding ground,* ⟨fig.; pej.⟩ *hotbed* **0.2** [pedagogische academie] *teacher training (college), college of education* ◆ **6.1** ~ **voor** de zeevaart *a nautical college / school of navigation;* ⟨fig.⟩ dit krantje is een ~ **voor** talent *this periodical is a breeding ground for talent.*

kweeksel ⟨het⟩ **0.1** [mbt. planten en gewassen] *culture* ⇒*crop, nursery / breeding stock* **0.2** [⟨fig.⟩ voortbrengsel] *product.*

kweektuin ⟨de (m.)⟩ **0.1** [kwekerij] *nursery (garden)* **0.2** [⟨fig.⟩ onderzoek / opleidingscentrum] *breeding ground* ⇒*nursery* **0.3** [⟨fig.; pej.⟩ broeinest] *hotbed* ⇒*breeding ground.*

kweekvijver ⟨de (m.)⟩ **0.1** *fish-breeding / rearing pond, nurse / fry pond* ⇒ *hatchery.*

kween ⟨de (v.)⟩ **0.1** *freemartin.*

kweepeer
   I ⟨de⟩ **0.1** [vrucht] *quince;*
   II ⟨de (m.)⟩ **0.1** [boom] *quince.*

kwek[1]
   I ⟨de (m.)⟩ **0.1** [persoon] *rattle(r)* ⇒*babbler,* ⟨inf.⟩ *magpie, gasbag,* ⟨kind⟩ *chatterbox,*
   II ⟨de⟩ **0.1** [mond] *trap* ⇒*tongue, face,* ↓*gob* ◆ **3.1** je moet nu even je ~ houden *shut up / shut your gob / trap / face, will you?,* hold your tongue / stop rattling for a minute, will you?*.

kwek[2] ⟨tw.⟩ **0.1** *quack* ⇒⟨kikvors⟩ *croak.*

kwekeling ⟨de (m.)⟩, **-linge** ⟨de (v.)⟩ **0.1** [iem. die tot een vak opgeleid wordt] *trainee* ⇒*student, pupil, apprentice* **0.2** [student aan een pedagogische academie] *student / pupil teacher* ⇒*teacher trainee.*

kweken ⟨ov.ww.⟩ **0.1** [⟨mbt. planten en gewassen⟩ verbouwen] *grow, cultivate* ⇒*raise, produce* **0.2** [⟨mbt. nieuwe planterassen⟩ *breed* ⇒ *propagate* **0.3** [⟨mbt. dieren⟩] *raise* ⇒*rear,* ⟨fokken⟩ *breed* **0.4** [doen ontstaan en aanwakkeren] *breed, cultivate* ⇒*foster, generate, engender* **0.5** [opleiden] *train* ⇒*educate, make* ◆ **1.1** bloemen / bomen / champignons ~ *g. / c. flowers / trees / mushrooms;* gekweekte planten *cultivated plants* **1.3** oesters / slakken ~ *breed / produce oysters / snails;* gekweekte parel *cultured pearl* **1.4** goodwill ~ *foster goodwill;* dat kweekt haat *that breeds / generates hatred;* bij de leerlingen interesse voor het vak ~ *interest one's pupils / raise the pupils' interest in the subject;* rente ~ *make / earn interest;* gekweekte rente *accrued interest;* een voorraadje ~ *accumulate / build up a supply / stock, stock-pile* **4.1** zelf gekweekte tomaten *home-grown tomatoes* **5.1** gemakkelijk te ~ planten *plants of easy culture, easily grown / easy growing plants.*

kweker ⟨de (m.)⟩, **kweekster** ⟨de (v.)⟩ **0.1** *grower* ⇒⟨tuinder⟩ *(market) gardener, farmer,* ⟨bloemen⟩ *florist,* ⟨ihb. dieren⟩ *breeder.*

kwekerij ⟨de (v.)⟩ **0.1** [het kweken] *cultivation, growing* ⇒*raising, breeding, production* **0.2** [plaats, bedrijf] *nursery (garden)* ⇒⟨groenten⟩ *market garden,* [A]*truck farm,* ⟨bv. vis⟩ *farm,* ⟨experimenteel⟩ *plant breeding station.*

kwekersrecht ⟨het⟩ **0.1** *plant breeder's / variety rights* ◆ **6.1** raad voor het ~ *Board for the Breeder's Rights; Council of Legislation on Plant Breeding.*

kwekkebekken → **kwekken 0.2.**

kwekken ⟨onov.ww.⟩ **0.1** [van dieren] *quack* ⇒⟨kikvors⟩ *croak* **0.2** [van mensen] *chatter* ⇒*jabber, burble, prattle.*

kwel
   I ⟨het, de⟩ **0.1** [doorsijpeling] *seepage* ⇒*oozing, percolation* **0.2** [kwelwater] *seepage (water)* ⇒*percolating water;*
   II ⟨de⟩ ◆ **1.¶** het is niets dan kommer en ~ *it is all sorrow and misery, it's a hard life.*

kweldam ⟨de (m.)⟩ **0.1** ≠*inner dyke.*

kwelder ⟨de⟩ [aangeslibd land] *salt-marsh / -meadow* ⇒*tidal marsh(es), mud flats,* ⟨BE; vaker onderlopend⟩ *salting(s)* **0.2** [gras, hooi] *salt(-marsh / -meadow) grass / hay.*

kweldergras ⟨het⟩ **0.1** [Pucinellia] *(sea) poa* **0.2** [Engels gras] *thrift, sea pink.*

kwelderland ⟨het⟩ **0.1** *mud-flats* ⟨mv.⟩ ⇒*salt-flats, saltings.*

kwelduivel ⟨de (m.)⟩ **0.1** *tormentor, tease(r)* ⇒*pesterer, plague,* ⟨demon⟩ *goblin, sprite.*

kwelen ⟨onov., ov.ww.⟩ **0.1** [mbt. vogels] *warble* ⇒*carol, pipe* **0.2** [mbt. mensen] *lilt, croon* ⇒*carol, warble* ◆ **1.2** een deuntje ~ *l. / warble a tune.*

kwelgeest ⟨de (m.)⟩ **0.1** [demon] *goblin* ⇒*sprite, pooka(h)* **0.2** [lastig / hinderlijk persoon] *tormentor, tease(r)* ⇒*pesterer,* ⟨fig.⟩ *pain in the neck, plague* ◆ **2.2** hij is een ware ~ met al zijn vragen *he is a regular plague / pain in the neck with all his questioning.*

kwellen
   I ⟨ov.ww.⟩ **0.1** [pijn doen] *hurt* ⇒⟨sterker⟩ *torment, torture, pain, stab* **0.2** [leed / ongemak aandoen] *torment* ⇒*agonize, harass, persecute, plague* **0.3** [niet met rust laten] *trouble* ⇒*worry, plague, disturb, vex* ◆ **1.1** dieren ~ *torment / torture animals* **1.2** angst kwelde hem *he was haunted / tormented by fear;* een gekweld gelaat *an agonized face;* gekweld worden door geldgebrek *be troubled / harassed by lack of money;* ~ de herinneringen *haunting memories;* de honger / de dorst kwelt hem *he is tormented by hunger / thirst;* een ~ de pijn *an excruciating / racking / agonizing pain;* gekweld worden door een constante

---

pijn in zijn rug *be tormented by / racked with chronic back-ache* **1.3** die gedachte bleef hem ~ *the thought kept rankling in his mind / kept exercising his brain;* ~ de onzekerheid / problemen *agonizing / tormenting doubts / problems;* een gekweld persoon *a tormented person / character;* gekweld door wroeging / zijn obsessie *haunted / plagued by remorse / by an obsession* **4.3** er is iets dat haar kwelt *there is sth. troubling her;* ⟨inf.⟩ *she's hung up about sth.;*
   II ⟨onov.ww.⟩ **0.1** [mbt. water] *seep* ⇒*ooze, percolate.*

kweller ⟨de (m.)⟩, **-ster** ⟨de (v.)⟩ **0.1** *tormentor* ⟨m.⟩; *tormentress* ⟨v.⟩ ⇒ *harrier* ⟨m., v.⟩, *persecutor* ⟨m.⟩, *persecutress* ⟨v.⟩.

kwelling ⟨de (v.)⟩ **0.1** [pijniging, marteling] *torture* ⇒*torment, agony, pain* **0.2** [leed, ongemak] *torment, harassment* ⇒*agony, trial, annoyance, affliction* **0.3** [getob, zorg] *worry* ⇒*trouble, vexation,* ⟨soort obsessie⟩ *hangup* ◆ **2.2** een brief schrijven is een ware ~ voor hem *writing a letter is sheer torment / a regular trial for him.*

kwelspreuk ⟨de⟩ **0.1** *riddle, conundrum.*

kwelwater ⟨het⟩ **0.1** *seepage (water)* ⇒*percolating / oozing water.*

kwelziek ⟨bn.⟩ **0.1** *fond of / delighting in teasing / pestering / tormenting* ⇒ *vexatious,* ⟨sterk⟩ *sadistic.*

kwelzucht ⟨de⟩ **0.1** *fondness of / delight in teasing / pestering / torment* ⇒ *vexatiousness,* ⟨sterk⟩ *sadism.*

kwestie ⟨de (v.)⟩ **0.1** [zaak waarmee men zich bezighoudt] *question* ⇒ *matter* **0.2** [probleem] *question* ⇒*issue, matter* **0.3** [twijfel] *question* **0.4** [aangelegenheid, geval] *question* ⇒*matter* **0.5** [onenigheid] *argument* ⇒*dispute* ◆ **1.1** ⟨pol.⟩ de ~ van vertrouwen stellen *ask for a vote of confidence* **1.2** de ~ van de woningnood *the q. / issue of the housing shortage* **2.1** een brandende ~ *a burning q.* **2.2** een netelige ~ *a delicate q. / matter / issue;* de Palestijnse ~ *the Palestine q. / issue;* een slepende ~ *a matter that drags on* **3.5** ~ krijgen / zoeken met iem. *have / pick an q. with s.o.* **6.1** de persoon / de zaak / het geval in ~ *the person / matter / case in q.;* op deze ~ wil ik later nog terugkomen *I will return to this matter later;* over die ~ kun je van mening verschillen *opinions may differ on that matter* **6.2** dat is een ~ voor de politie *that's a matter for the police* **6.3** dat is buiten ~ *it's beyond (all) q.* **6.4** een ~ van smaak *a q. / matter of taste;* een ~ van opvoeding *a q. / matter of education;* een ~ van vertrouwen *a matter of confidence;* dat is alleen nog maar een ~ van tijd *it's only a q. of time now* **7.5** daarover kan geen ~ zijn *there can be no two ways about it / no disputing it* **¶.¶** daar is geen ~ van *that's out of the question, there's no question of that;* geen ~ van! *out of the question!;* ⟨sl.⟩ *no way!.*

kwestieus ⟨bn.⟩ **0.1** *doubtful* ⇒*questionable* ◆ **3.1** de zaak komt ons ~ voor *it seems to us to be a d. matter;* ~ zijn *be a matter of doubt.*

kwets ⟨de⟩ **0.1** *damson.*

kwetsbaar ⟨bn.⟩ **0.1** [gewetst kunnende worden] *vulnerable* ⇒⟨mbt. fysiek, psychisch ook⟩ *fragile* **0.2** [⟨bridge⟩] *vulnerable* ◆ **1.1** ⟨fig.⟩ een kwetsbare hypothese *an assailable assumption,* ⟨fig.⟩ dit is zijn kwetsbare plek / zijde *this is his v. / weak spot / side* **6.1** ~ voor *v. to.*

kwetsbaarheid ⟨de (v.)⟩ **0.1** *vulnerability* ⇒⟨mbt. fysiek, psych. ook⟩ *fragility.*

kwetsen ⟨ov.ww.⟩ **0.1** [verwonden] *injure* ⇒*wound, hurt, bruise, damage* ⟨vruchten⟩ **0.2** [grieven] *hurt* ⇒*grieve, wound, offend* ◆ **1.2** iemands gevoelens ~ *h. / trample on s.o.'s feelings;* iemands goede naam ~ *offend s.o.'s good name;* ~ de taal *offensive language;* gekwetste trots *wounded pride* **3.2** hij toonde zich gekwetst door die opmerking *he was (apparently) offended by that remark* **4.1** zich ~ *hurt / i. o.s.* **5.1** licht gekwetst *slightly hurt / injured / wounded /* ⟨mbt. fruit⟩ *bruised / damaged.*

kwetsing ⟨de (v.)⟩ **0.1** [het bezeren, bezeerd raken] *hurting* ⇒*wounding* **0.2** [mbt. vruchten] *bruise* **0.3** [krenking] *injury* ⇒*offence, hurt.*

kwetsuur ⟨de (v.)⟩ **0.1** *injury* ⇒*hurt, wound.*

kwetteren ⟨onov.ww.⟩ **0.1** [mbt. vogels] *twitter* ⇒*chirp, chatter* **0.2** [mbt. mensen] *chatter* ⇒*(p)rattle.*

kwezel ⟨de (v.)⟩ ⟨pej.⟩ **0.1** [vroom persoon] *bigot* ⇒*devotee, pietist* **0.2** [sukkel] *simpleton* ⇒*goody / die, goody-goody, noodle.*

kwezelaar ⟨de (m.)⟩, **-ster** ⟨de (v.)⟩ **0.1** [overdreven vroom persoon] *bigot, devotee* ⇒*pietist,* ⟨inf.⟩ *holy Joe* ⟨m.⟩, *bible-thumper* **0.2** [beuzelaar] *trifler* ⇒*dawdler* **0.3** [onbenul] *simpleton* ⇒*fathead.*

kwezelachtig ⟨bn., bw.; -ly⟩ **0.1** [als (van) een overdreven vroom persoon] *bigoted* ⇒⟨schijnvroom⟩ *sanctimonious* **0.2** [beuzelachtig, onbeduidend, onbenullig] *trifling* ⇒*trivial* **0.3** [onnozel, dom] *silly* ⇒ *simple, half-witted* ◆ **1.2** wat is dat voor een ~ e opmerking *what a trivial / senseless remark* **3.3** sta niet zo ~ te kijken *don't stand there gawking, don't look so half-witted.*

kwezelarij ⟨de (v.)⟩ **0.1** [het overdreven vroom doen] *bigotry* ⇒*pietism,* ⟨schijnvroomheid⟩ *sanctimoniousness* **0.2** [gewauwel, larie, onzin] *nonsense* ⇒*rot, twaddle,* [A]*garbage.*

kwezelen ⟨onov.ww.⟩ **0.1** [overdreven vroom doen] *behave like a bigot / devotee* ⇒*be / act holier-than-thou,* ⟨praten⟩ *talk cant* **0.2** [onbeduidende opmerkingen maken] *talk rubbish / nonsense* ⇒⟨AE ook⟩ *talk garbage, talk silly* ⟨kinderen⟩.

kwibus ⟨de (m.)⟩ **0.1** *joker* ⇒*funnyman,* ⟨inf.⟩ *weirdo,* ⟨schr.; vero.⟩ *coxcomb, jackanapes* ◆ **2.1** een rare ~ *a weird chap / customer / cove / card.*

kwiek
I ⟨bn.,bw.;-ly⟩ **0.1** [vlug en levendig] *alert* ⇒*spry, dapper, bright, brisk* ◆ **1.1** een ~ e tred *a brisk pace / step;* een ~ ventje *a dapper little chap* **3.1** ~ lopen *step / walk briskly, step out;*
II ⟨bw.⟩ **0.1** [vlot] *smartly* ◆ **3.1** dat hoedje staat je ~ *that little hat looks smart on you, that smart little hat suits you well, you look quite dashing in that hat.*
kwijl ⟨het,de⟩ **0.1** *slaver* ⇒*slobber, drivel.*
kwijlen ⟨onov.ww.⟩ **0.1** [het kwijl uit de mond laten lopen] *slaver* ⇒*slobber, drivel, dribble, run at the mouth* **0.2** [zaniken] *snivel* ⇒*moan, whine* ◆ **6.1** om van te ~ *mouth-watering.*
kwijler ⟨de (m.)⟩ **0.1** *slaverer* ⇒*slobberer, driveller.*
kwijnen ⟨onov.ww.⟩ **0.1** [mbt. levende wezens] *languish* ⇒*pine (away),* ⟨verhongeren⟩ *starve,* ⟨planten ook⟩ *droop, wilt* **0.2** [⟨fig.⟩ verzwakken] *languish* ⇒*flag* ◆ **1.2** een ~ de genegenheid *a languishing / flagging affection;* de handel kwijnt *trade is languishing* **3.1** hij begon te ~ *he was sickening / ailing.*
kwijnend ⟨bn.,bw.;-ly⟩ **0.1** [krachteloos, slepend] *languishing* ⇒*lingering, sickly* **0.2** [flauw] *languid* ⇒*dull, flat, weak* ◆ **1.1** ⟨fig.⟩ een ~ bestaan leiden *linger on,* ~ e gezondheid *failing health;* aan een ~ e ziekte lijden *suffer from a lingering disease / illness* **1.2** ~ e blikken *l. looks* **3.2** ~ antwoorden *answer flatly / weakly / faintly.*
kwijt ⟨bn.⟩ ⟨→sprw. 16⟩ **0.1** [vrij van] *rid (of)* **0.2** [mbt. het wegschenken/verkopen] *rid (of)* **0.3** [beroofd van] *deprived (of)* **0.4** [verloren hebbend] *lost* ⇒*mislaid* ◆ **3.1** ik ben mijn kiespijn ~ *I've got r. of my toothache;* hij is al die zorgen ~ *he is r. of all those troubles;* ik wil hem best ~ *I would be glad to be r. / see the back of him;* die zijn we gelukkig ~ *we are well r. of him, good riddance to him* **3.2** ik kan niets aan je ~? *aren't you going to have anything?, there's nothing I can get r. / shot of you?;* hij heeft heel wat wat hij ~ moet *he has plenty to dispose of;* (de hele ellendige geschiedenis,) ik moet het nu een keer ~ *(the whole sad story,) I just have to get it off my mind / chest now;* wel ~ willen *be willing to say / admit, want to get off one's chest;* zeg maar wat je ~ wilt *just say how much you want to spend / dispose of;* hij zei niet meer dan hij ~ wou *he only said what he wanted to be r. of, he wasn't letting on anything he did not want to* **3.3** ik ben zijn naam ~ *I've forgotten / I cannot think of / remember his name, his name eludes me;* ⟨fig.⟩ nu ben ik het ~ *now it has slipped my memory;* door dat bezoek was ik mijn hele morgen ~ *I've lost the whole morning because of that visit;* de weg ~ zijn *be l., have lost one's way;* ⟨fig.⟩ zijn verstand ~ zijn *be off one's head* **3.4** ik ben mijn sleutels ~ *I have mislaid / lost my keys;* het is ~ *it's l., it's nowhere to be found, it has been mislaid;* dat kind is zijn moeder ~ *that child has lost its mother;* nu is hij al zijn geld ~ *now all his money is gone;* je zou een hoop geld ~ zijn aan onkosten *you would have to pay a lot for repairs / maintenance / overheads* **3.¶** je kunt heel wat ~ in deze kist *this chest will take / store a lot of things, you can dispose of a lot / great deal in this chest.*
kwijten ⟨schr.⟩
I ⟨wk.ww.;zich~⟩ **0.1** [zijn plicht doen] *acquit o.s.* **0.2** [vervullen] *acquit o.s. (of)* ⇒*discharge / perform (of)* ◆ **5.1** hij heeft zich dapper gekweten *he has acquitted himself well* **6.2** zich van zijn taak / een opdracht ~ *discharge / perform / acquit o.s. of one's task / an order;*
II ⟨ov.ww.⟩ **0.1** [vervullen] *discharge* ⇒*perform, complete* ◆ **1.1** een schuld ~ *pay (off) / d. a debt;* een verbintenis ~ *d. an obligation.*
kwijting ⟨de (v.)⟩ ⟨schr.⟩ **0.1** [plichtsvervulling] *acquittal* ⇒*discharge, performance* **0.2** [betaling / voldoening v.e. schuld] *payment* ⇒*discharge, acquittance* **0.3** [kwitantie] *acquittance* ⇒*receipt* ◆ **2.2** ⟨hand.⟩ finale / algehele ~ *full discharge / acquittal* **6.3** betalen tegen ~ *pay on / against receipt.*
kwijtraken ⟨ov.ww.⟩ **0.1** [bevrijd worden van] *get rid of* **0.2** [niet meer beschikken over] *lose* **0.3** [als afvalstof lozen] *pass (out)* **0.4** [verliezen] *lose* **0.5** [verkopen] *dispose of* ⇒*sell* ◆ **1.2** zijn evenwicht ~ ⟨ook fig.⟩ *l. one's balance / composure* **1.3** de zieke is veel slijm / gal / bloed kwijtgeraakt *the patient has passed / lost a lot of mucus / bile / blood* **1.4** de weg ~ *lose the / one's way* **1.5** zij proberen hun huis kwijt te raken *they are trying to sell / dispose of their house;* die waren zul je makkelijk ~ *you will easily dispose / get rid / of;* shot of those goods* **4.1** ik kon hem maar niet ~ *I just couldn't shake him off* **5.1** auto's raken we niet meer kwijt *cars have come to stay* **6.2** veel / zijn geld aan iets ~ *l. a lot / one's money on sth..*
kwijtschelden ⟨ov.ww.⟩ **0.1** [mbt. schuld] *acquit* ⇒*forgive, let off, exonerate* **0.2** [mbt. straf] *remit* ⇒*let off* **0.3** [mbt. plicht] *excuse (from)* ◆ **1.1** hij heeft mij de rest kwijtgescholden *he has let me off the rest;* iem. zijn zonden ~ *forgive s.o. his sins* **1.2** van zijn straf is (hem) 2 jaar kwijtgescholden *he had 2 years of his punishment remitted;* iem. een straf ~ *let s.o. off a punishment* **1.3** dat deel van die taak zal ik je maar ~ *I'll e. you from that (particular) part of that task.*
kwijtschelding ⟨de (v.)⟩ **0.1** [handeling] *remission* ⟨schuld, zonde⟩ ⇒ ⟨straf ook⟩ *pardon,* ⟨zonde ook⟩ *absolution,* ⟨schuld ook⟩ *cancellation, exoneration* ⟨blaam⟩ *discharge* ⇒*acquittal, quittance* ◆ **6.1** ~ van straf krijgen *be pardoned.*
kwijtspelen ⟨ov.ww.⟩ ⟨sport⟩ **0.1** *beat* ⇒*dodge,* ⟨te snel zijn voor⟩ *outrun.*

kwik
I ⟨het⟩ **0.1** [kwikzilver] *mercury* ⇒*quicksilver* **0.2** [thermo- / barometer] *mercury* ◆ **3.2** het ~ stijgt / daalt *the m. / barometer is rising / falling* **8.1** hij is als ~ *he is like quicksilver /* ⟨inf.⟩ *greased lightning;*
II ⟨de⟩ ◆ **1.¶** ~ jes en strikjes *fallals, frills, fineries, frou-frou.*
kwikachtig ⟨bn.,bw.;-ly⟩ **0.1** [als van kwik] *mercurial* ⇒*mercuric, mercurous* **0.2** [zeer vlug en levendig] *mercurial.*
kwikbad ⟨het⟩ **0.1** *mercury bath* ⇒*bath of mercury.*
kwikbak ⟨de (m.)⟩ **0.1** *mercury cup / trough.*
kwikbarometer ⟨de (m.)⟩ **0.1** *mercury / mercurial barometer.*
kwikbolletje ⟨het⟩ **0.1** *mercury globule.*
kwikboog ⟨de (m.)⟩ **0.1** *mercury are.*
kwikchloride ⟨het⟩ ⟨schei.⟩ **0.1** [mercurichloride ⟨$HgCl_2$⟩] *mercury(II) / mercuric chloride* ⇒*bichloride of mercury,* ⟨handelsnaam⟩ *corrosive sublimate* **0.2** [mercurochloride ⟨Hg_2Cl_2⟩] *mercurous chloride* ⇒*calomel.*
kwikdampgelijkrichter ⟨de (m.)⟩ **0.1** *mercury vapour rectifier.*
kwikdamplamp ⟨de⟩ **0.1** *mercury vapour lamp* ⇒*mercury-arc lamp.*
kwikdruk ⟨de (m.)⟩ **0.1** *mercury pressure.*
kwikkolom ⟨de (m.)⟩ **0.1** *mercury column* ⇒*column of mercury.*
kwiklamp ⟨de⟩ **0.1** *mercury (vapour) lamp.*
kwikmiddel ⟨het⟩ **0.1** *mercurial (drug).*
kwikoxyde ⟨het⟩ ⟨schei.⟩ **0.1** *mercury(II) / mercuric oxide* ⇒*oxide of mercury* ⟨HgO⟩.
kwikpil ⟨de⟩ **0.1** *blue pill.*
kwikstaart ⟨de (m.)⟩ **0.1** *wagtail.*
kwikthermometer ⟨de (m.)⟩ **0.1** *mercury / mercurial thermometer.*
kwikvergiftiging ⟨de (v.)⟩ **0.1** *merculiasm* ⇒*mercury poisoning, hydrargyrism.*
kwikwater ⟨het⟩ **0.1** *quicksilver water.*
kwikzalf ⟨de⟩ **0.1** *mercurial / blue ointment.*
kwikzilver ⟨het⟩ **0.1** *mercury* ⇒*quicksilver.*
kwikzilverachtig ⟨bn.⟩ **0.1** [op kwikzilver lijkend] *mercurial* **0.2** [uiterst beweeglijk] *mercurial.*
kwikzuil ⟨de (m.)⟩ **0.1** *mercury column* ⇒*column of mercury.*
kwinkeleren ⟨onov.ww.⟩ **0.1** [mbt. vogels] *warble* **0.2** [mbt. mensen] *warble* ◆ **8.2** ~ als een nachtegaal *w. like a nightingale.*
kwinkslag ⟨de (m.)⟩ **0.1** *witticism* ⇒*joke* ◆ **6.1** hij wil er zich met een ~ afmaken *he wants to shrug it off with a joke, he's trying to make it a laughing matter.*
kwint ⟨de⟩ ⟨muz.⟩ **0.1** [toon] *fifth* **0.2** [interval] *fifth* ⇒*quint(e)* **0.3** [snaar] *quint(e)* ◆ **2.1** een grote ~ *a dominant* **2.2** een reine / zuivere ~ *a pure f.* **3.3** een ~ opspannen *string / tune a q..*
kwintaal ⟨het⟩ **0.1** *quintal.*
kwintakkoord ⟨het⟩ ⟨muz.⟩ **0.1** *triad* ⇒*common chord.*
kwintencirkel ⟨de (m.)⟩ ⟨muz.⟩ **0.1** *circle of fifths.*
kwintessens ⟨de⟩ **0.1** [hoofdzaak] *quintessence* ⇒*epitome* **0.2** [⟨fil.⟩ de vijfde substantie] *quintessence* ⇒*ether* **0.3** [ether] *quintessence* ◆ **1.1** de ~ v.d. zaak is gauw verteld *it doesn't take long to tell the q. / basic essentials of the matter.*
kwintet ⟨het⟩ **0.1** [muziekstuk] *quintet(te)* **0.2** [musici] *quintet(te).*
kwispedoor ⟨het,de (m.)⟩ **0.1** *spittoon* ⇒⟨AE ook⟩ *cuspidor.*
kwispel ⟨de (m.)⟩ **0.1** [⟨rel.⟩ kwast] *sprinkler* **0.2** [van staart] *brush* ⇒*tuft* **0.3** [tuchtzweep] *whip.*
kwispelen ⟨onov.ww.⟩ **0.1** *wag* ◆ **6.1** met de staart ~ *w. the tail;* ⟨fig.; vleien⟩ *fawn.*
kwispelstaarten ⟨onov.ww.⟩ **0.1** *wag the tail* ⇒ ⟨fig.; vleien⟩ *fawn* ◆ **6.1** de hond kwispelstaartte van vreugde *the dog wagged its tail for joy.*
kwistig ⟨bn.,bw.;-ly⟩ **0.1** *lavish* ⇒*prodigal, unsparing, profuse, extravagant* ◆ **1.1** met ~ e hand uitdelen *give with a l. hand / lavishly* **6.1** ~ zijn in het geven van ...*be l. in giving ..., give lavishly / extravagantly / unsparingly;* ~ met iets zijn *be l. / profuse / unsparing of sth.;* ~ zijn met lof over ...*be l. in one's praise of;* ~ zijn met geld *be extravagant / prodigal with money.*
kwistigheid ⟨de (v.)⟩ **0.1** *lavishness* ⇒*prodigality, profusion.*
kwitantie ⟨de (v.)⟩ **0.1** [bewijs van betaling] *receipt* **0.2** [formulier] *receipt (from)* ◆ **3.1** om een ~ vragen *ask for a r.* **3.¶** een ~ innen *collect payment.*
kwitantieboekje ⟨het⟩ **0.1** *receipt book.*
kwiteren ⟨ov.ww.⟩ **0.1** [vrijstelling / ontheffing verlenen] *discharge* ⇒*exempt* **0.2** [voor voldaan ondertekenen] *receipt* ◆ **1.2** een rekening ~ *r. a bill / an account;* gekwiteerde rekeningen *discharged statements / accounts* **6.1** iem. van / voor iets ~ *discharge s.o. from sth..*
kyaniseren ⟨ov.ww.⟩ **0.1** *kyanize.*
kyfose ⟨de (v.)⟩ **0.1** *kyphosis.*
kymograaf ⟨de (m.)⟩ **0.1** *kymograph* ⇒*cymograph.*
kynologenclub ⟨de⟩ **0.1** *kennel club.*
kynologie ⟨de (v.)⟩ **0.1** *dog-breeding,* ⟨wet.⟩ *cynology.*
kynologisch ⟨bn.⟩ **0.1** *dog-breeding.*
kynoloog ⟨de (m.)⟩ **0.1** *dog-fancier / breeder* ⇒*member of a kennel club.*
kyrie ⟨het⟩ **0.1** *kyrie.*
KZ-syndroom ⟨het⟩ **0.1** *(concentration) camp syndrome* ⇒ ◆ *P.O.W. syndrome.*

l¹ ⟨afk.⟩ **0.1** [liter] *l.*.
l² ⟨de⟩ **0.1** [letter] *l, L* **0.2** [namen/woorden beginnend met l] *l, L.*
l. ⟨afk.⟩ **0.1** [lees] ⟨*read*⟩ **0.2** [links] *l.* **0.3** [lire] *l.*.
L ⟨afk.⟩ **0.1** [vijftig] *L.*
L. 0.1 [lengte] *l.* **0.2** [Luxemburg] *L.* **0.3** [Linnaeus] *L., Linn.*.
la¹→**lade.**
la² ⟨de⟩ ⟨muz.⟩ **0.1** *la.*
laadbak ⟨de (m.)⟩ **0.1** [laadruimte op een vrachtwagen] *(loading) platform, body* **0.2** [container] ⟨gesloten⟩ *container* ⇒⟨open, voor puin/glas enz.⟩ *skip, (open) container* ◆ **2.1** bestelwagen met open~ *pick-up.*
laadband ⟨de (m.)⟩ **0.1** *loader* ⇒*conveyor (belt).*
laadblok ⟨het⟩ ⟨scheep.⟩ **0.1** *head block* ⇒*cargo block.*
laadboom ⟨de (m.)⟩ ⟨scheep.⟩ **0.1** *cargo boom* ⇒*derrick (boom), davit, jib, steeve.*
laadbord ⟨het⟩ **0.1** [⟨scheep.⟩] *skid(s)* **0.2** [pallet] *pallet* ⇒*cargo skid* ◆ ¶.2 ~ voor eenmalig gebruik *disposable/throw-away p.*.
laadbrief ⟨de (m.)⟩ **0.1** *bill of lading.*
laadbrug ⟨de⟩ **0.1** [het werktuig] *gantry* ⇒*transporter loading bridge* **0.2** [brug] *loading bridge/ramp/stage.*
laadcapaciteit ⟨de (v.)⟩ **0.1** *carrying/cargo/loading capacity* ⇒⟨elek.⟩ *charging capacity.*
laaddeur ⟨de⟩ **0.1** *loading door.*
laadhaven ⟨de⟩ **0.1** *loading port.*
laadhoofd ⟨het⟩ **0.1** *hatchway.*
laadinrichting ⟨de (v.)⟩ **0.1** [voor schepen] *loader* ⇒*(piece of) loading equipment* **0.2** [voor accu's] *charger.*
laadkist ⟨de⟩ **0.1** *container* ⇒⟨van heftruck⟩ *box pallet.*
laadklep ⟨de⟩ **0.1** [mbt. een vrachtauto] *tailboard* ⇒⟨AE ook⟩ *tailgate* **0.2** [mbt. een veerboot, pont] *(loading) ramp* **0.3** [mond] *trap* ⇒ ᴮ*cake-hole,* ᴬ*yap.*
laadlijn ⟨de⟩ ⟨scheep.⟩ **0.1** *load-line* ⇒*Plimsoll line.*
laadperron ⟨het⟩ **0.1** *loading platform* ⇒*goods/loading bank.*
laadplaats ⟨de⟩ ⟨scheep.⟩ **0.1** [haven] *loading port* **0.2** [kade] *loading quay/wharf* **0.3** [speciale plaats aan kade] *loading point/berth.*
laadplateau ⟨net⟩ **0.1** *pallet.*
laadruim ⟨het⟩ **0.1** *cargo hold* ⇒⟨vliegtuig ook⟩ *cargo/freight compartment.*
laadruimte ⟨de (v.)⟩ **0.1** *loading/stowage/* ⟨vliegtuig/schip ook⟩ *cargo space.*
laadschop ⟨de⟩ **0.1** *mechanical shovel/scoop.*
laadspanning ⟨de (v.)⟩ **0.1** *charging voltage.*

laadstation ⟨het⟩ **0.1** [mbt. brandstof] *filling station* ⇒⟨BE ook⟩ *petrol station,* ⟨vnl. AE⟩ *gasstation* **0.2** [mbt. het laden van accu's] *charging station.*
laadstok ⟨de (m.)⟩ **0.1** *ramrod.*
laadstroom ⟨de (m.)⟩ **0.1** *charging current.*
laadvermogen ⟨het⟩ **0.1** *carrying/loading capacity* ⇒⟨scheep.⟩ *cargo/deadweight capacity, shipping space, tonnage,* ⟨elek.⟩ *charging capacity.*
laaf ⟨de⟩ ⟨amb.⟩ **0.1** *metal nose-protection* ⇒*step cover strip, (metal) nosing.*
laag¹ ⟨de⟩ **0.1** [mbt. een stof, voorwerpen] *layer* ⇒⟨beschermlaag⟩ *coating,* ⟨dun⟩ *film, sheet,* ⟨geol.⟩ *bed, horizon, stratum,* ⟨erts⟩ *deposit,* ⟨dunne kolenlaag⟩ *seam,* ⟨verf⟩ *coat,* ⟨baksteen⟩ *course,* ⟨weefsel⟩ *ply* **0.2** [stand in de maatschappij] *stratum* ⇒*level, class, section (of the population)* **0.3** [hinderlaag] *ambush* ⇒*trap, snare, pitfall* **0.4** [geschut op een oorlogsschip] *broadside* ◆ **1.1** een~steenkool *a seam, a bed of coal;* (bedekt) met een dikke ~ stof *(covered) with a thick l. of dust, encrusted with dust* **2.1** ⟨geol.⟩ bovenliggende/onderliggende ~ *overlying/underlying stratum;* ⟨foto.⟩ een lichtgevoelige ~ *an emulsion* **2.2** in brede lagen van de bevolking *in large sections of the population;* de onderste lagen van de bevolking *the lower strata/ranks of society/the population* **2.4** ⟨fig.⟩ iem. de volle ~ geven *give s.o. a terrific b.;* ⟨fig.⟩ de volle ~ krijgen *get the full blast* **6.2** uit alle lagen van de maatschappij *from all strata/sections of society, from all walks of life.*
laag² ⟨bn., bw.; -ly⟩ ⟨→sprw. 536,609⟩ **0.1** [niet hoog] *low* ⇒⟨mbt. stand⟩ *lowly, humble* **0.2** [gemeen] *low* ⇒*mean, base, vile* **0.3** [benedenwinds] *leeward* ⇒*downwind* ◆ **1.1** hij is van lage afkomst *he is of low/lowly birth/descent;* de lagere ambtenaren *the minor officials, low(er)-grade civil servants;* een auto met een ~ benzineverbruik *an economy car;* een lage c *a low C;* de lagere dieren en planten *the lower animals and plants;* een lage dunk van iem. hebben *have a low/poor opinion of s.o., not think much of s.o.;* lage eisen stellen *make low demands;* de lagere geestelijkheid *the lower clergy;* de ~ste inschrijver *the lowest tenderer;* lage kleuren *minor suits;* het lager onderwijs *primary education;* de lagere overheid *local government;* ~ peil *low level;* voor een lage prijs verkopen *sell at a low price, sell cheap(ly);* de prijzen hebben het ~ste punt bereikt *prices have touched/reached bottom/have bottomed out;* de lagere school *(the) primary school;* lage schouders *drooping shoulders;* een lage som *a small amount/sum;* ⟨elektr.⟩ lage spanning *low tension;* de lagere standen *the lower classes;* een lage straf *a mild/lenient punishment/sentence;* ~ struikgewas *low shrubs/bushes;* lage venen *low-lying fens;* een ~ vertrek *a low(-ceilinged) room;* een ~ voorhoofd *a low forehead;* bij ~ water *at low water/tide;* een lage weide *a low(-lying) meadow* **1.2** lieden van het ~ste allooi *people of the lowest sort, (the) scum of the earth;* een lage daad begaan *commit a vile/foul deed;* een lage daad *a foul deed;* een ~ karakter *a mean character* **1.3** lager wal *lee shore, land on the lee beam;* aan lager wal raken *come/go down in the world, go to pot/the dogs, sink low;* aan lager wal zijn ⟨fig.⟩ *be (down) on one's uppers, be in straitened circumstances, be down at heel, be down and out* **3.1** het gas ~ draaien *lower the gas;* zijn gewicht / de prijs ~ houden *keep one's weight/the price down;* ⟨sport⟩ de bal ~ houden *keep the ball low;* te ~ schatten *underestimate;* olie-aandelen staan ~ genoteerd *oil shares have been marked down/are low;* de lire staat ~ *the lire is low/down;* de barometer staat ~ *the barometer is low;* zijn eisen lager stellen *lower one's demands/sights;* iets ~ taxeren *assess sth. low/at a low rate;* een ~ uitgesneden japon *a low(-necked/cut) dress;* de prijzen worden lager *prices are going down/dropping/easing;* zet jij de soep wat lager? *will you turn down the gas?* **3.2** zich ~ aanstellen *put on a mean behaviour;* iem. ~ behandelen *treat s.o. meanly/lowly* **3.3** ~ aanleggen *moor at the l. side* **6.1** ⟨fig.⟩ ~ bij de grond *commonplace, pedestrian, trite* **8.1** 10% lager dan vorig jaar *10% down on last year;* ⟨hand.⟩ de aandelen waren twee punten lager dan gisteren *shares were two points down on/lower than yesterday.*
Laag-België ⟨het⟩ **0.1** *Lower Belgium.*
laag-bij-de-gronds ⟨bn., bw.⟩ ⟨fig.⟩ **0.1** *commonplace* ⇒*pedestrian, trite, prosaic* ◆ **1.1** ~e opmerkingen *c. / pedestrian remarks;* ~e pleziertjes *prosaic little amusements.*
laagbouw ⟨de (m.)⟩ **0.1** [handeling] *low-rise building* **0.2** [resultaat] *low-rise (building).*
laagconjunctuur ⟨de (v.)⟩ **0.1** *(economic) recession/depression* ⇒ ↓*slump* ◆ **1.1** een periode van ~ *a slump, a period of recession/of low economic activity.*
laagdrempelig ⟨bn.⟩ **0.1** *approachable* ⇒*accessible, available,* ↓*get-at-able,* ⟨gedienstig⟩ *accommodating* ◆ **1.1** ~e hulpverlening *getatable social assistance/service.*
laagfrequent ⟨bn.⟩ **0.1** [⟨tech.⟩ met een lage frequentie] *low-frequency, audio frequency* **0.2** [⟨taal.⟩] *low-frequency* ◆ **1.2** ~e woorden *l.-f. words.*
laagfrequentie ⟨de (v.)⟩ **0.1** *low frequency.*
laaggelegen ⟨bn.⟩ **0.1** *low-lying.*

laaggeprijsd ⟨bn.⟩ **0.1** *low-priced* ⇒*cheap(ly-priced)*, ⟨alleen ná zn.⟩ *low in price, inexpensive* ◆ **1.1** ~e aandelen *l.-p. shares*.

laaggroeiend ⟨bn.⟩ **0.1** *low(-growing)* ◆ **1.1** ~e planten *l. plants*.

laaghangend ⟨bn.⟩ **0.1** *low* ⇒*low-hanging* ◆ **1.1** ~e bewolking *low clouds*.

laaghartig ⟨bn., bw.; -ly⟩ **0.1** *mean* ⇒*low, vile, base* ◆ **1.1** een ~e bedrieger *a vile impostor* **3.1** ~ handelen *commit a foul act, act despicably* ¶.1 iem. ~ in de steek laten *let s.o. down in a m. / base manner*.

laagheid ⟨de (v.)⟩ **0.1** *lowness* ⇒⟨karakter ook⟩ *meanness, baseness, vileness* ◆ **3.1** laagheden begaan *commit foul acts / acts of meanness*.

laagje ⟨het⟩ **0.1** *film* ⇒*thin layer / coating*, ⟨ijs, metaal⟩ *sheet* ◆ **1.1** een ~ fineer *a veneer*; een ~ goud bedekken *coat with a thin layer of gold*; een ~ olie op het water *a f. of oil on the water*; een dun ~ stof *a film of dust* **2.1** ⟨fig.⟩ de beschaving zit er maar met een dun ~ op *civilization is only skin-deep / is just a veneer* **3.1** een ~ verf, plastic aanbrengen op iets *put on / apply a thin layer of paint / plastic on sth., coat sth. with a thin layer of paint / plastic*.

laagland ⟨het⟩ **0.1** [laag gelegen, vlak land] *lowland(s)* ⇒*low-lying country / land*, ⟨bij riviermonding⟩ *flats*, ⟨drassig land⟩ *marshes, marshland* **0.2** [niet meer dan 200m boven het zeeniveau] *lowland* ◆ **2.1** de Schotse Laaglanden *the (Scottish) Lowlands*.

laagseizoen ⟨het⟩ **0.1** *low / off / slow season* ◆ **6.1** in het ~ *during (the) low / off / slow season*.

laagsgewijs ⟨bn., bw.⟩ **0.1** *in layers, layer by layer* ◆ **1.1** met een laagsgewijze structuur *stratified*.

laagspanning ⟨de (v.)⟩ **0.1** [niet meer dan de normale spanning] *low tension* **0.2** [minder dan 42 V] *low voltage / tension*.

laagspanningskabel ⟨de (m.)⟩ **0.1** *low-voltage / cable*.

laagstaand ⟨bn.⟩ **0.1** [van laag niveau] *low* ⇒*mean, base, vile* **0.2** [weinig ontwikkeld] *low* ⇒*unsophisticated, inferior*.

laagstammig ⟨bn.⟩ **0.1** *half-standard* ⇒*dwarf* ◆ **1.1** ~e fruitbomen *h.-s. fruit trees*.

laagstbetaalde ⟨de (m.)⟩ **0.1** *lowest-paid worker;* ⟨mv. ook⟩ *(the) lowest-paid*.

laagte ⟨de (v.)⟩ **0.1** [hoedanigheid] *lowness* ⇒*low level* **0.2** [plaats] *depression* ⇒*hollow, dip* ◆ **1.2** hoogten en ~n *elevations and depressions / hollows;* ⟨fig.⟩ *ups and downs* **6.2** een ~ tussen twee heuvels *a hollow between two hills*.

laagtepunt ⟨het⟩ **0.1** [minimum waarde] *minimum (value)* ⇒⟨in grafiek ook⟩ *trough*, ⟨op meetinstrument ook⟩ *lowest reading* **0.2** [waterniveau / rivier] *low-water level;* ⟨zee⟩ *low-water / -tide mark* **0.3** [in terrein] *dip* ⇒*low point, depression* **0.4** [⟨fig.⟩] *low point* ⇒*low*, ⟨schr.⟩ *nadir*.

laagterecord ⟨het⟩ **0.1** *(record / all-time) low*.

laagterras ⟨het⟩ ⟨geol.⟩ **0.1** *lower terrace*.

laagtij ⟨het⟩ →*laagwater*.

laagveen ⟨het⟩ **0.1** [mbt. de oppervlakte] *(low) fen* ⇒*marsh, bog* **0.2** [mbt. de opbouw] *peat moor / bog* **0.3** [gebied] *fen(s)* ⇒*fenland, bogland*.

laagveengebied ⟨het⟩ →*laagveen* **0.3**.

laagvlak ⟨het⟩ ⟨geol.⟩ **0.1** *bedding / stratification / sheeting plane*.

laagvlakte ⟨de (v.)⟩ **0.1** *lowland plain* ⇒*lowland(s)* ◆ **2.1** de Noordduitse ~ *the North German Plain / Lowlands*.

laagwater ⟨het⟩ **0.1** [eb] *low tide* ⇒*ebb tide, low water* **0.2** [lage rivierstand] *low water* ◆ **6.1** bij ~ *when the tide is out, at l. t.* **6.2** bij ~ *at l. w.*.

laagwaterlijn ⟨de (v.)⟩ **0.1** ⟨rivier⟩ *low-water level;* ⟨zee⟩ *low-water / -tide mark*.

laagwolk ⟨de⟩ **0.1** *stratus*.

laaien ⟨onov.ww.⟩ **0.1** *blaze* ⇒*flare, flame* ◆ **6.1** hij laaide **van** verontwaardiging *he blazed / burned with indignation*.

laaiend ⟨bn.⟩ **0.1** [vlammend] *excited* ⇒*wild, enthusiastic* **0.2** [woedend] *furious* ⇒*livid, hopping mad, wild* ◆ **1.1** ~ enthousiasme *wild enthusiasm* **2.1** iem. ~ enthousiast maken *get s.o. worked up, make s.o. wildly enthusiastic / excited;* ~ enthousiast over iets worden / zijn *become / be wildly enthusiastic about sth., get / be worked / steamed up about sth.* **3.2** hij was ~ *he was f..*

laakbaar ⟨bn., bw.; -ly⟩ **0.1** *reprehensible* ⇒*censurable, blameworthy,* ⟨schandelijk⟩ *outrageous, monstrous* ◆ **1.1** een laakbare handelwijze *r. behaviour* **3.1** zich ~ gedragen *behave in a r. / objectionable way*.

laakbaarheid ⟨de (v.)⟩ **0.1** *reprehensibility* ⇒*blameworthiness*.

laan ⟨de⟩ **0.1** *avenue* ◆ **3.1** ⟨fig.⟩ de ~ uitgaan / uitgestuurd worden *be fired / sacked, get the sack / boot;* ⟨fig.⟩ iem. de ~ uitsturen *sack / fire s.o., send s.o. packing, give s.o. the sack / boot*.

laars ⟨de⟩ **0.1** *boot* ◆ **2.1** halfhoge laarzen *calf-length boots;* hele laarzen *knee-length boots;* ⟨vaak versierd⟩ *top boots;* ⟨mil.⟩ *jackboot;* rubber laarzen *gumboots, wellingtons, wellington boots,* ↓*wellies* **6.1** ⟨inf., fig.⟩ iets **aan** zijn ~ lappen *ignore / flout sth., not bother o.s. about sth., take not the slightest notice of sth.;* laarzen met hoge hakken *high-heeled boots;* ⟨fig.⟩ zuchten **onder** de ~ van de onderdrukker *groan under the b. / jackboot of the oppressor* **7.¶** ⟨inf.⟩ dat kan hem geen ~ schelen *he doesn't / couldn't care a damn / fig / cuss;* ⟨inf.⟩ hij weet er geen ~ van *he doesn't know the first thing about it;* ⟨sl.⟩ he knows bugger all about it ¶.1 ~jes *bootees*.

laarzeknecht ⟨de (m.)⟩ **0.1** *bootjack*.

laarzenspanner ⟨de (m.)⟩ **0.1** *boot-tree*.

laat ⟨bn., bw.⟩ ⟨→sprw. 104,260,262,377,510⟩ **0.1** *late* ◆ **1.1** van de vroege morgen tot de late avond *from early in the morning till l. at night, from dawn till dark;* wegens te late betaling *owing to l. payment;* een late druk *a l. printing / edition;* een late gast *a l. guest;* een late Pasen *a l. Easter;* een wat late reactie *a rather belated reaction;* een ~ voorjaar *a l. spring* **3.1** is het nog ~ geworden gisteravond? *did the people stay l. last night?, did you work l. last night?, did you make a night of it?;* wat is het al ~! *look how l. it is!, look at the time!;* doe het nu maar voor het te ~ is *do it now before it is too l. / before you run out of time;* het is wel wat ~ om nu zoiets voor te stellen *it is rather l. in the day to make such a proposal;* waarom kom je zo ~? *why are you so l.? what kept you?;* daar kom je wel wat ~ mee *it's rather l. in the day (to do that);* wegens te ~ komen *owing to l. arrival;* hij kwam / was te ~ (om nog binnengelaten te worden) *he was too l. (to be allowed to enter);* het ~ maken *keep l. hours, make a (l.) night of it;* ~ opblijven *stay up l.;* het wordt ~ *it's getting l. / getting on* **5.1** gisteravond ~ *l. last night, l. yesterday evening;* hoe ~ is het? *what's the time?, what time is it?;* hoe ~? *what time?;* ⟨fig.⟩ ik weet al hoe ~ het is *I know / can see how matters stand;* hoe ~ heb jij het? *what time do you make it?, what do you make the time?;* kijk eens hoe ~ het al is! *(just) look at the time!;* weet jij hoe ~ het is? *do you know / have you got the time?;* hoe ~ is het precies? *what's the right time?;* hoe ~ beginnen we? *what time do we start?;* zij wist niet hoe ~ het al was *she did not know how l. it was;* 's avonds ~ *l. at night / in the evening;* pas op, als je een ongeluk krijgt is het te ~ *mind how you go, better safe than sorry;* te ~ komen (op school / kantoor / je werk) *be l. (for school / at the office / for work);* ik was twee minuten te ~ voor de bus *I missed the bus by two minutes;* je was weer te ~, hè? *l. again?;* vijf minuten / een dag te ~ *five minutes / a day l. / overdue;* de informatie / hulp kwam veel te ~ *the information / help came far too l.;* ⟨fig.⟩ is het weer zo ~? *here we go again!;* omdat het al zo ~ was *in view of the time / the l. hour / the advanced hour, because it was getting rather l.* **6.1** ~ in de middag / het voorjaar in the *l. afternoon / spring;* hij was te ~ met zijn aanvraag *he was l. (in) applying;* ~ **op** de dag / in de nacht / in het jaar *l. in the day / at night / in the year;* ~ **op** een avond *l. one night / evening;* van vroeg **tot** ~ *from dawn till dusk*.

laat-antiek ⟨bn.⟩ **0.1** *late classical*.

laatavondjournaal ⟨het⟩ **0.1** *late night news*.

laatbeurs ⟨bw.⟩ **0.1** *in the late dealings* ⇒*at / towards the close / end (of the session)* ◆ **¶.1** ~ waren de koersen iets hoger *the late dealings showed an improvement*.

laatbloeiend ⟨bn.⟩ **0.1** *late-flowering* ⇒⟨plantk.⟩ *serotine*.

laatbloeier ⟨de (m.)⟩ **0.1** [plant] *late-bloomer* **0.2** [persoon] *late-developer*.

laatdunkend ⟨bn., bw.; -ly⟩ **0.1** *conceited* ⇒*arrogant, condescending* ◆ **1.1** een ~ lachje *a conceited little smile* **3.1** doe niet zo ~ *don't be so arrogant / condescending;* zich ~ uitlaten over iets / iem. *speak slightingly of s.o. / sth., be condescending about s.o. / sth..*

laatdunkendheid ⟨de (v.)⟩ **0.1** *conceit(edness)* ⇒*arrogance, overweeningness, condescension*.

laat-gotisch ⟨bn.⟩ **0.1** *Flamboyant* ⇒*late (French) Gothic*.

laatje ⟨het⟩ ◆ **6.¶** **aan** het ~ zitten *hold / control the purse-strings;* dat brengt geld in 't ~ *it's a way of earning a living, it brings in a bit of cash;* die maatregel heeft de staat miljoenen in 't ~ gebracht *that measure was worth millions to the state / earned the state millions*.

laatkoers ⟨de (m.)⟩ **0.1** *selling rate* ⇒*asked price / quotation / rate*.

laatkomer ⟨de (m.)⟩ **0.1** *latecomer, late arrival*.

laatmes ⟨het⟩ ⟨med.⟩ **0.1** *fleam*.

laatmis ⟨de⟩ ⟨r.k.⟩ **0.1** *high mass*.

laatprijs ⟨de (m.)⟩ **0.1** *selling price*.

laatst ⟨→sprw. 136,378, 380,411,674⟩

I ⟨bn.⟩ **0.1** [in tijd / reeks] *last* ⇒*final* **0.2** [mbt. de dood] *last* ⇒*ultimate* **0.3** [meest recent] *last* ⇒*latest, recent* **0.4** [afsluitend] *last* ⇒*final* **0.5** [van twee] *latter* ◆ **1.1** zijn ~e boek *his l. book;* iem. iets tot de ~e cent terugbetalen *pay s.o. back to the very last penny;* hij zou zijn ~e cent nog weggeven *he'd give (you) the shirt off his back;* je zou hem je ~e dubbeltje toevertrouwen *you'd trust him with your last pound note / farthing /* ^*dime;* de ~e hand aan iets leggen *put / add the finishing / final touches;* voor de ~e keer, heb je hem geslagen? *once and for all / for the l. time, did you hit him?;* ik zeg het je voor de ~e keer *I'm telling you for the l. time;* ⟨sport⟩ ~e man spelen *play sweeper;* op het ~e ogenblik *at the l. minute / moment / second;* het ~e oordeel / de ~e dag *the Last / Final Judgement;* het stadion was tot de ~e plaats bezet *every (l.) seat in the stadium was taken, the stadium was filled to capacity;* een ~e, wanhopige poging doen *make a l.-ditch effort;* een ~e, wanhopige poging doen *make a l., desperate attempt;* met de ~e post *with the l. mail / collection / pick-up;* een ~e redmiddel *a l. resort;* de ~e rustplaats *the l. resting place, one's final home;* zijn ~e troef uitspelen *play one's l. trump;* dit is mijn ~e woord *this is the last thing I'm going to say (about the matter);* ⟨dreigement⟩ *this is my final word;* altijd het ~e woord willen hebben *always have to have the l. word* **1.2** zijn

~e adem(tocht) *his l. / final breath* **1.3** volgens de ~e berichten *according to the latest reports;* zijn ~e boek *his latest/ most recent/ last book;* in de ~e jaren *in the last few years, in recent years;* naar de ~e mode gekleed *dressed in the latest style/ fashion;* het ~e nieuws *the latest news;* het ~e nummer van Punch *in the current/ most recent issue of Punch;* de ~e paar dagen *the last couple of / few days;* het ~e snufje *the latest (thing);* de ~e tijd *recently, lately, of late* **1.4** het ~e bedrijf *the l. / final act;* voor de ~e keer optreden *make one's l. / final appearance;* een ~e sigaar/ kus *one l. cigar/ kiss;* (sport) op het ~e rechte stuk *on the home stretch* **1.5** dit ~e argument *this argument, the latter (of these) argument(s);* in de ~e helft van juli/ het jaar/ de eeuw *in the latter/ l. half of July/ the year/ the century* **6.1** op het ~e van de maand *at the end of the month* **7.1** de ~e zijn om iets te doen *be the l. to do sth.;* de ~e die vertrok was Jan *John was the l. to leave;* dat zou het ~e zijn wat ik zou doen *that is the l. thing I would do;* **II** (bw.) **0.1** [onlangs] *recently* ⇒ *lately, of late, the other day* **0.2** [in tijd/ reeks] *last* ◆ **3.1** ik ben ~ nog bij hem geweest *I visited him r.;* ik was ~ op een feestje en … *when I was at a party r.* **3.2** de ~ overgebleven afstammeling *the l. remaining descendant;* haar ~ verschenen roman zal waarschijnlijk ook haar ~e zijn *her most recent(-ly published) book will probably also be her last* **6.1** ~ op een avond the other evening/ night; ~ op een keer/ middag *the other day/ afternoon* **6.2** morgen op zijn ~ *tomorrow at the latest;* je zou hem op het ~ nog gaan geloven ook *you would almost end up believing him;* op het ~ waren ze allemaal dronken *they all wound/ ended up drunk;* tot het ~ blijven *stay to the (bitter) end;* voor het ~ *for the l. time;* het lekkerst voor het ~ bewaren *save the best (part) for (the) l.;* ze is hier voor het ~ *today is her l. day (here);* toen zag ik haar voor het ~ *that was the l. (time) he saw her* **6.2** in/ op het ~ *finally, toward the end;* ten ~e *at the latest* **7.2** hij kwam weer het ~e *he was the l. to arrive as usual;* het ~ dat ik hem zag was in augustus *the l. time I saw him was in August, I saw him l. in August* **8.2** als ~e aankomen/ eindigen *be the l. to arrive, arrive l..*

laatstbedoelde (de (m.) of het) **0.1** *last mentioned* ⇒ (van twee) *latter.*

laatstejaars (de (m.)) **0.1** *final-year student* ⇒ (vnl. AE) *senior.*

laatstelijk (bw.) **0.1** *lately* ⇒ *finally, last(ly)* ◆ **1.1** ~ gemeentesecretaris te A. *(until) recently town clerk at/ in A.* **2.1** ~ woonachtig te B., Parkstraat 4 *last known at 4 Park St. in B.* **3.1** ~ gewijzigd op 1 mei (jur.) *(as) most recently amended on May 1, with the latest amendment of 1 May.*

laatstgeborene (de (m.)) **0.1** *last (born).*

laatstgenoemde (de (m.)) **0.1** *last (named/ mentioned)* ⇒ (van twee) *latter* ◆ **1.1** het ~ werk *the work just mentioned, the last/ latter work.*

laatstleden (bn.) **0.1** *last* ◆ **1.1** vrijdag ~/ ~ vrijdag *Friday l. / l. Friday.*

lab (het) (inf.) **0.1** *lab.*

labarum (het) **0.1** (r.k.)] *labarum* **0.2** [(gesch.)] *labarum.*

labbekak (de (m.)) **0.1** *coward* ⇒ *milksop,* (sl.) *chicken.*

labbekakkerig (bn., bw.) **0.1** *cowardly* ⇒ (inf.) *yellow,* (sl.) *chicken(-livered).*

labberdaan (de (m.)) **0.1** *salt fish/* (kabeljauw) *cod.*

label (de (m.)) **0.1** (ook grammofoonplatenmerk) *label* ⇒ (etiket) *sticker,* (adreskaartje) *address tag,* (goederen) *ticket,* (prijskaartje) *(price) tag* ◆ **2.1** die plaat komt uit onder een nieuw ~ *that record is coming out on/ under/ with a new l.* **3.1** van een ~ voorzien *labelled, stickered, tagged.*

labelen (ov.ww.) **0.1** *label* ⇒ *put a label on.*

labeur (het) (AZN) **0.1** [zwaar werk] *labour* ⇒ *chore* **0.2** [akkerbouw] *agriculture* ⇒ *tilling, farming* **0.3** [hoeveelheid land die iem. bebouwt] *area (of land) under cultivation* ⇒ *cropping area/ acreage.*

labiaal[1]

I (het) **0.1** [orgelpijp] *labial* ⇒ *flue pipe;*
II (de) **0.1** [(taal.)] *labial.*

labiaal[2] (bn.) (taal.) **0.1** *labial* ◆ **1.1** labiale klanken *labials.*

labiaalpijp (de) (muz.) →**labiaal** I.

labialisatie (de (v.)) (taal.) **0.1** *labialization* ⇒ *labialism, rounding.*

labiaten (zn.mv.) **0.1** *labiate plants* ⇒ (geslacht) *Labiatae.*

labiel (bn.) **0.1** *unstable* ⇒ *erratic* ◆ **1.1** een ~e constructie *an u. / a precarious construction;* ~ evenwicht *u. equilibrium;* ~ personen *u. / erratic people* **3.1** ~ van stemming zijn *be moody.*

labiliteit (de (v.)) **0.1** *unstableness* ⇒ *erraticness.*

labiodentaal[1] (de) (taal.) **0.1** *labiodental.*

labiodentaal[2] (bn.) (taal.) **0.1** *labiodental.*

labiovelaar[1] (de) (taal.) **0.1** *labiovelar.*

labiovelaar[2] (bn.) (taal.) **0.1** *labiovelar.*

labo (het) (AZN; inf.) **0.1** *lab.*

laborant (de (m.)) **0.1** *lab(oratory) assistant/ technician* ⇒ *analyst* ◆ **1.1** EEG-~ *EEC operator/ technician* **2.1** chemisch ~ *chemical lab(oratory) assistant/ technician, chemical analyst;* medisch ~ *(medical) lab(oratory) assistant/ technician;* radiologisch ~e *radiology/ x-ray assistant / technician.*

laboratorium (het) **0.1** *lab(oratory)* ◆ **2.1** galenisch ~ *pharmaceutical l..*

laboratoriumapparatuur (de (v.)) **0.1** *laboratory equipment.*

laboratoriumassistent (de (m.)), -e (de (v.)) **0.1** *laboratory/* (inf.) *lab assistant/ technician.*

laboratoriumdier (het) **0.1** *laboratory/ test animal.*

laboratoriumjas (de) **0.1** *laboratory/* (inf.) *lab coat.*

laboratoriumonderzoek (het) **0.1** [(alg.)] *laboratory research (on)* **0.2** [(specifiek)] *laboratory investigation (into).*

laboratoriumpersoneel (het) **0.1** *laboratory/* (inf.) *lab personnel/ staff* ◆ **1.1** school voor ~ *laboratory personnel training college/* [A]*school.*

laboratoriumproef (de) **0.1** *laboratory experiment/ test.*

laboreren (onov.ww.) **0.1** *labour (under)* ⇒ *suffer (from),* (steeds zwakker worden) *languish* ◆ **6.1** ~ aan een ziekte *labour under an illness, languish with a sickness.*

Labour-aanhang (de (m.)) **0.1** *Labour following* ⇒ *Labour supporters.*

Labour-partij (de (v.)) **0.1** *Labour Party* ◆ **1.1** een aanhanger van de ~ *labourite.*

labourregering (de (v.)) **0.1** *Labour government.*

labrador (de (m.)) **0.1** *labrador.*

labroïden (zn.mv.) **0.1** *wrasse* ⇒ *Labridae.*

labyrint (het) **0.1** [(gesch.)] *Labyrinth* **0.2** [doolhof] *labyrinth* ⇒ *maze* **0.3** [(fig.)] *labyrinth* ⇒ *maze* **0.4** [(med.)] *labyrinth* ◆ **6.3** een ~ van bepalingen/ termen/ gedachten *labyrinthian/ a l. of definitions/ terms/ thoughts.*

labyrintisch (bn.) **0.1** *labyrinthian* ⇒ *labyrinthine.*

labyrintvissen (zn.mv.) **0.1** *Belontiids.*

Lacedaemoniër (de (m.)) (gesch.) **0.1** *Lacedaemonian.*

lacet (het) **0.1** *lace.*

lacetwerk (het) **0.1** *lace(work).*

lach (de (m.)) **0.1** [handeling] *laugh* ⇒ (gegiechel) *giggle,* (gegrinnik) *chuckle,* (bulderend) *guffaw* **0.2** [keer] *laugh* ⇒ (burst of) *laughter,* (gegiechel) *giggle,* (gegrinnik) *chuckle,* (bulderend) *guffaw* ◆ **1.1** een lied/ verhaal met een ~ en een traan *a song/ story with a laugh and a tear* **2.1** een aanstekelijke ~ *an infectious/ a contagious laugh;* de slappe ~ krijgen/ hebben *get/ have the giggles;* een spottende ~ *a sarcastic laugh* **2.2** ik hoorde een luide ~ *I heard a loud laugh;* een spottende ~ *a sardonic grin* **3.1** zijn ~ inhouden *repress/ swallow one's laughter* **6.1** in de ~ schieten *break/ burst into laughter, give a sudden laugh;* stikken van de ~ *choke with laughter.*

lachbui (de) **0.1** *fit of laughter* ⇒ *laughing fit, spasm/ convulsion of laughter* ◆ **2.1** een onbedaarlijke ~ hebben *have an uncontrollable fit of laughter.*

lachduif (de) (dierk.) **0.1** *laugher.*

lachebekje (het) **0.1** [persoon] *giggly person* **0.2** [zoutje] *cocktail snack.*

lachen (⇒ sprw. 379,380)

I (onov.ww.) **0.1** [als uiting van vrolijkheid, opgewektheid] *laugh* ⇒ (grinniken) *chuckle,* (giechelen) *giggle,* (glimlachen) *smile,* (bulderend) *guffaw* **0.2** [bespotten, schertsen] *laugh at* **0.3** [(leed)vermaak hebben] *laugh about/ at* ◆ **1.1** geen reden om te ~ hebben *have no reason to l., it's no laughing matter* **3.1** (fig.) je blijft ~ *this is ridiculous/ absurd;* kijk non zijn ~ niet houden *he couldn't help laughing/ hold back his laughter;* ze wist niet goed of ze moest huilen of ~ *she didn't know whether to l. or cry;* kun je niet meer ~? *keep laughing;* dan kunnen we ~ *then we'll have a good laugh;* (fig.) als hij dat merkt dan kunnen we nog ~ *if he notices, then we're in trouble/ then all hell will break loose;* nou, je kunt daar wel ~ *that place is a laugh,* [A]*that's a fun place;* laat mij niet ~ *don't make me l.;* laat me niet ~ *pull the other one, who are you kidding?;* ik zie niet in wat er te ~ valt *I don't see what's funny;* het ~ zal hem wel vergaan *he won't l. (for) long* **3.3** er is/ valt niets te ~ *this is no laughing matter, there is nothing to l. at;* dan zou je ~, hè? *that's what you'd like, isn't it?* **5.1** wie lacht daar? *you don't believe me?, do I hear s.o. laughing?;* ~ door zijn tranen heen *l. and cry at the same time;* hij lachte er maar wat om *he just laughed about it/ was just amused by it;* fijntjes ~ *smile quietly, subtly;* heimelijk ~ *l. secretly/ to o.s.;* ik moest inwendig ~ *I had to l. to myself;* lach jij maar *go ahead and laugh;* hij lachte maar *he laughed and laughed, he couldn't stop laughing;* schaterend/ luidkeels ~ *roar with laughter/ guffaw;* ik moest stiekem ~ *I had to l. secretly/ to myself* **5.2** daar lach hij om *he just laughs at that, he doesn't take that seriously;* daar lach ik niet om *that's no laughing matter* **6.1** iem. aan het ~ maken *make s.o. l.;* in zichzelf ~ *l. to o.s.;* iedereen moest om haar ~ *she made everyone l.;* hij moest er erg om ~ *he really had to l. about it;* om / over iets ~ *l. about/ at;* tegen iem. ~ *l. at s.o.;* gieren van het ~ *shriek/ howl/ scream with laughter;* niet meer bijkomen van het ~ *be beyond o.s. with laughter/ laughing;* zich beschreuren van het ~ *split one's sides laughing/ with laughter, die laughing, l. o.s. silly/ sick;* dubbel/ krom liggen van het ~ *be doubled over with laughter/ from laughing;* hij kon het niet zonder ~ *zeggen he couldn't say it with a straight face/ without laughing* **6.2** daar kun je nu wel om ~, maar … *it's all very well/ all fine and well to l., but …* **6.3** nu was het mijn beurt om te ~ *now it was my turn to l.* **8.1** ~ als een boer die kiespijn heeft *l. uncomfortably* ¶ **1** ~ is gezond *laughter is good for the soul, it's good to l.;* lach, of ik schiet! *not that I want to twist your arm;* het huilen stond haar nader dan het ~ *she was closer to crying than laughing;*

II (ov.ww.) **0.1** [door lachen in een toestand komen] *laugh* ◆ **4.1** zich tranen ~ *l. until the tears run down one's cheeks;* zich een ongeluk / een bult ~ *double up with laughter/ laughing, l. o.s. silly/ sick, die* *laughing;* zich krom/slap/zich halfdood ~ *l. until one is weak/sick, be weak from laughing/laughter;* zich te barsten ~ *l. one's head off, split one's sides laughing/with laughter* **6.1** het is **om** je rot te ~ *it is enough to make you die laughing;* 〈sarcastisch〉 *it's enough to make you weep.*

lachend 〈bn.〉 **0.1** [die, dat lacht] *laughing* ⇒*smiling* **0.2** [leedvermaak hebbend] *laughing* ⇒*sneering* ◆ **1.1** een ~ gezicht/~e ogen *a smiling face/l./sparkling eyes;* ~e kinderen *l. children* **1.2** de ~e derde *the one who's sitting pretty* **3.1** iem. ~ aankijken *smile at s.o.;* zich ~ van iets/iem. afmaken *laugh sth./s.o. off/away;* ja, zei hij ~ *yes, he laughed/said, laughing* **5.1** half huilend, half ~ *laughing and crying at the same time, both laughing and crying.*

lacher 〈de (m.)〉 **0.1** *laugher* ◆ ¶.1 de ~s op zijn hand hebben *have the laugh on one's side.*

lacherig 〈bn.〉 **0.1** *giggly.*

lachertje 〈het〉 **0.1** [makkie] *cinch;* 〈BE ook〉 *doddle* **0.2** [iets belachelijks] *laugh* ⇒*joke, scream,* 〈AE ook〉 *panic* **0.3** [grapje] *lark* ◆ **3.2** dat voorstel is gewoon een ~ *that proposal as a (quite) ridiculous* **7.1** dat is geen ~ *that's no easy matter, you've got your work cut out (for you) there* **8.2** dat bericht beschouw ik als een ~ *that's a j., I can't take that seriously.*

lachfilm 〈de (m.)〉 **0.1** *comedy.*

lachgas 〈het〉 **0.1** *laughing gas* ⇒*nitrous oxide.*

lachlust 〈de (m.)〉 **0.1** *inclination to laugh* ◆ **3.1** de ~ opwekken *set (s.o.) off/get (s.o.) laughing,* ^Atickle/*strike (s.o.'s) funnybone.*

lachrimpeltje 〈het〉 **0.1** 〈zie 3.1〉 ◆ **3.1** hij had ~s *his face wrinkled/puckered up when he smiled.*

lachsalvo 〈het〉 **0.1** *wave/burst/shout/round/peals of laughter.*

lachspiegel 〈de (m.)〉 **0.1** *distorting/carnival mirror* ◆ **3.1** 〈fig.〉 iem. een ~ voorhouden *parody s.o..*

lachspier 〈de〉 **0.1** *laughing muscle* ◆ **6.1** op de ~en werken *get (s.o.)/set (s.o.) off laughing,* ^Atickle *s.o.'s funnybone;* het werkte **op** haar ~en 〈ook〉 *it set her off in a fit of the giggles/laughter, it tickled her funnybone.*

lachstuip 〈de〉 **0.1** *convulsion/fit/spasm of laughter.*

lachsucces 〈het〉 **0.1** *laugh* ⇒*sth. to raise a laugh* ◆ **3.1** hij/het was een ~ *he/it raised a laugh.*

lachvogel 〈de (m.)〉 **0.1** *laughing cuckoo.*

lachwekkend 〈bn.〉 **0.1** *risible* ⇒*laughable, funny,* 〈belachelijk〉 *ridiculous, ludicrous* ◆ **1.1** een ~e vertoning *a risible/ridiculous display.*

lachzak 〈de (m.)〉 **0.1** *laughing machine.*

laconiek 〈bn., bw.;-ally〉 **0.1** *laconic* ⇒*taciturn* ◆ **1.1** een ~ antwoord *a l. answer* **3.1** hij vertelde mij heel ~ dat hij ontslag genomen had *he told me very laconically/matter-of-factly that he had resigned.*

laconisme 〈het〉 **0.1** *laconism* ⇒*laconicism.*

lacrimoso 〈bw.〉 〈muz.〉 **0.1** *lacrimoso* ⇒*lagrimoso.*

lacrosse 〈het〉 〈sport〉 **0.1** *lacrosse.*

lactaat 〈het〉 **0.1** *lactate.*

lactase 〈het, de (v.)〉 **0.1** *lactase.*

lactatie 〈de (v.)〉 **0.1** [afscheiding] *lactation* **0.2** [voeding] *lactation.*

lactatieperiode 〈de (v.)〉 **0.1** *lactation period.*

lactogeen 〈bn.〉 **0.1** *lactogenic* ◆ **1.1** lactogene hormonen *l. hormones.*

lactometer 〈de (m.)〉 **0.1** *lactometer.*

lactose 〈de〉 **0.1** *lactose* ⇒*milk sugar.*

lactose-intolerantie 〈de (v.)〉 〈med.〉 **0.1** 〈ziekte〉 *lactose intolerance* ⇒〈oorzaak〉 *deficiency in lactase, lactase deficiency.*

lacto-vegetariër 〈de (m.)〉 **0.1** *lacto-vegetarian.*

lacunair 〈bn.〉 **0.1** *lacunal* ⇒*lacunar, lacunary* ◆ **1.1** ~e amnesie *lacunar amnesia.*

lacune 〈de〉 **0.1** *lacuna* ⇒*gap, void, hole* ◆ **3.1** ernstige ~s in iemands kennis aantreffen *come upon serious gaps/holes in one's knowledge;* een ~ aanvullen *fill a gap* **6.1** hier is er een ~ **in** de overlevering *there is a l./gap here in the tradition.*

lacuneus 〈bn.〉 **0.1** *lacunal* ⇒*lacunary, incomplete* ◆ **1.1** een ~ voorschrift *patchy directions/instructions.*

ladder 〈de〉 **0.1** [trap] *ladder* **0.2** [mbt. kousen] ^Bladder ⇒^Arun **0.3** [reeks] *ladder* ⇒*scale* **0.4** 〈(muz.)〉 *scale* ◆ **2.1** een dubbele ~ *a double l.;* 〈sport〉 de liggende/schuine/hellende ~ *horizontal/45-degree/vertical l.* **2.3** de maatschappelijke ~ *the social l./scale;* bovenaan/hoog op de maatschappelijke ~ staan *be on top of/high up the social l.* **3.2** een ~ ophalen *mend a l./run* **6.2** je hebt een ~ **in** je kous *you have a l./run in your stocking* **6.3** de voet **op** de ~ hebben *have one's foot on the l..*

ladderauto 〈de (m.)〉 **0.1** *ladder truck.*

ladderboom 〈de (m.)〉 **0.1** *stile (of a ladder)* ⇒〈halfrond〉 *pole.*

laddereigen 〈bn.〉 〈muz.〉 **0.1** *diatonic.*

ladderen 〈onov.ww.〉 **0.1** ^Bladder ⇒^Arun ◆ **1.1** die kousen ~ niet *these stockings won't l./run.*

ladderhaak 〈de (m.)〉 **0.1** [om ladders op, aan elk. te zetten] *ladder catch* **0.2** [om dakladders aan te hangen] *ladder hook* ⇒*ridge hook.*

ladderrecht 〈het〉 〈jur.〉 **0.1** *'ladder right'* 〈right to put a ladder on one's neighbour's property while repairing one's own house〉.

ladderschoen 〈de (m.)〉 **0.1** *ladder (safety) shoe.*

---

laddersport 〈de〉 **0.1** *rung* ⇒*step.*

laddersteun 〈de (m.)〉 **0.1** *ladder support.*

laddertrap 〈de (m.)〉 **0.1** *loft ladder* ⇒*disappearing stair.*

laddervormig 〈bn.〉 〈biol.〉 **0.1** *scalariform.*

laddervreemd 〈bn.〉 〈muz.〉 **0.1** *atonal* ⇒*polytonal, microtonal.*

laddervrij 〈bn.〉 **0.1** *run-resist* ◆ **1.1** ~e kousen/weefsels *r.-r. stockings/material.*

ladderwagen 〈de (m.)〉 **0.1** [wagen met ladder] *ladder truck* **0.2** [boerenwagen met losse zijstukken] *rack wagon.*

ladderzat 〈bn.〉 〈inf.〉 **0.1** *smashed* ⇒^Bblotto, ^Azonked, *three sheets to the wind, blind drunk, stoned out of one's head.*

lade 〈de〉 **0.1** [schuifbak] *drawer* ⇒〈geld〉 *till* **0.2** [deel van een geweer] *stock* ◆ **3.1** de ~ uittrekken/dichtschuiven *pull a d. open, open a d./push a d. shut, shut a d.* **6.2** geweer zonder ~ *unstocked rifle.*

laden 〈ov.ww.〉 **0.1** [bevrachten] *load* ⇒*lade, freight* **0.2** [mbt. vuurwapens] *load* ⇒*charge* **0.3** [van elektriciteit voorzien] *charge* ⇒〈opnieuw〉 *recharge,* 〈bijladen〉 *boost* **0.4** [voorzien van het nodige] *load* ◆ **1.1** deze vrachtauto kan niet meer dan 10 ton ~ *this* ^Blorry ^Atruck *cannot hold/carry (a load of) more than 10 tons* **1.2** een kanon/een geweer ~ *l. a canon/gun* **1.3** een accu ~ *c. a battery;* 〈fig.〉 een geladen atmosfeer *a charged atmosphere* **1.4** een camera ~ *l. a camera* **2.1** het schip is te zwaar geladen *the ship is overloaded/overladen* **3.1** ~ en lossen *loading (and unloading);* 〈verkeer〉 *loading zone* **5.1** onvoldoende ~ *underload* **5.3** onvoldoende ~ *undercharge* **6.1** een grote verantwoordelijkheid **op** zich ~ *take on/shoulder a tremendous responsibility;* de goederen uit het schip **op** de wagen ~ *unload/defreight goods from the ship into the wagon;* stenen **op** een wagen ~ *load stones onto/into a wagon;* koffers **uit** de auto ~ *unload the bags from the car, take the bags out of the car* ¶.3 〈fig.〉 hij is geladen *he is furious/hopping mad.*

ladenkast 〈de〉 **0.1** *chest (of drawers)* ⇒*dresser, bureau, commode,* 〈archief〉 *filing cabinet* ◆ **2.1** hoge ~ ^Btallboy, ^Ahighboy.

ladenlichter 〈de (m.)〉 **0.1** *petty thief* ⇒*s.o. with his fingers in the till/with sticky fingers.*

lader 〈de (m.)〉 **0.1** 〈(tech.) v.e. accu〉 *charger* **0.2** [iem. die laadt] *loader* **0.3** [laadinrichting voor schip of voertuig] *loader* ⇒*(piece of) loading equipment.*

ladeslot 〈het〉 **0.1** *drawer lock.*

ladewerk 〈het〉 〈pej.; bouwk.〉 **0.1** *rehash.*

lading 〈de (v.)〉 **0.1** [elektriciteit] *charge* ⇒*load, charging* **0.2** [vracht] *cargo* ⇒〈schip〉 *load, lading,* 〈vliegtuig, schip〉 *freight, loading* **0.3** [ontplofbare stof] *load* ⇒*charge, blast, charging, loading* ◆ **1.2** een ~ rijst *a load of rice;* 〈scherts.〉 een ~ toeristen *a bevy/truckload of tourists* **2.1** elementaire ~ *charge on an electron* **2.2** 〈inf.〉 hij heeft er een hele ~ van *he has a (whole) load/pile of those;* nieuwe ~ *recharge;* een schip met volle ~ *a fully loaded ship, a ship with a full c./load;* te zware ~ *overload* **2.3** gemengde ~ *general/mixed cargo;* halve/dubbele ~ *half/double charge;* holle ~ *hollow charge;* losse ~ *blank;* nuttige ~ *useful load;* de volle ~ geven *blow/blast (sth./s.o.) to bits/to high heaven/to smithereens;* 〈fig.〉 give (s.o.) a blast, tear to shreds, 〈inf.〉 give the (whole) works **3.1** de batterij geeft een deel van haar ~ af *the battery is leaking/* 〈inf.〉 *losing juice;* accu's die voldoende ~ kunnen hebben *batteries that can carry a full charge* **3.2** 〈fig.〉 de vlag dekt de ~ *it's sold under false pretenses;* ~ innemen *take in cargo/a load* **6.2** 〈scheep.〉 zonder ~ *in ballast, empty.*

ladingboek 〈het〉 **0.1** *tallysheet* ⇒*cargo book.*

ladingcontroleur 〈de (m.)〉 **0.1** *tally/loading clerk* ⇒*tallier.*

ladingdichtheid 〈de (v.)〉 **0.1** [verhouding stof/ruimte] *charge density* **0.2** [elektrische lading per eenheid] *charge density.*

ladingdrager 〈de (m.)〉 **0.1** *load bearer* ⇒*charge carrier* ◆ **2.1** positieve ~ *hole.*

ladingmeester 〈de (m.)〉 **0.1** *tally/loading clerk* ⇒*bagage master, tallier.*

ladingsbrief 〈de (m.)〉 **0.1** 〈scheep.〉 *ship's manifest;* 〈landvervoer〉 *waybill.*

ladingscertificaat 〈het〉 **0.1** *clearance (certificate).*

ladingschrijver 〈de (m.)〉 **0.1** *tally/loading clerk* ⇒*tallier.*

ladingskromme 〈de〉 〈tech.〉 **0.1** *load curve.*

ladingprofiel 〈het〉 **0.1** *loading capacity/dimensions.*

ladingsteken 〈het〉 **0.1** *negative/positive symbol.*

lady 〈de (v.)〉 **0.1** 〈Eng.〉 titel] *lady* **0.2** [dame] *lady* **0.3** [zendamateur] *(ham) radio operator* ⇒〈inf.〉 *radio ham* ◆ **6.1** met ~ aanspreken *address as 'lady',* 〈inf.〉 *ladyfy.*

laederen 〈ov.ww.〉 **0.1** [benadelen] *injure* ⇒*damage, violate* **0.2** [〈med.〉 *injure* ⇒*damage* ◆ **1.1** iemands belangen ~ *damage s.o.'s interests;* de gelaedeerde partij *the injured party;* iemands rechten ~ *violate s.o.'s rights.*

laesie 〈de (v.)〉 〈med.〉 **0.1** *lesion.*

Laetare 〈de (m.)〉 〈r.k.〉 **0.1** *Laetare Sunday* ⇒*Refreshment/Refection Sunday, Mid-Lent Sunday.*

laevulose 〈de〉 **0.1** *laevulose* ⇒*fructose.*

laf 〈bn., bw.;-ly〉 **0.1** [lafhartig] *cowardly* ⇒〈schr.〉 *pusillanimous, faint-hearted, spineless, weak-kneed,* 〈inf.〉 *yellow, chicken(-livered)* **0.2** [flauw] *flat* ⇒*insipid, saltless, bland* **0.3** [slap] *insipid* ⇒*dull, feeble*

0.4 [niet geestig] *insipid* ⇒*dull, vapid,* ⟨grap⟩ *feeble, corny* ◆ **1.1** een ~fe vent *a weak-kneed/spineless fellow* **1.3** een ~ drankje *weak drink, slop(s);* ~fe excuus *i. / weak stuff;* ~fe verontschuldigingen *feeble excuses* **1.4** een ~fe grap *a bad/feeble joke* **3.1** zich ~ gedragen *act faint-heartedly/like a coward, be yellow, turn chicken.*

lafaard ⟨de (m.)⟩ **0.1** *coward* ⇒*milksop,* ⟨inf.⟩ *funk, chicken.*

lafbek ⟨de (m.)⟩⟨inf.⟩ **0.1** [iem. met flauwe praatjes] *twit* ⇒*boor, waffler* **0.2** [lafaard]⟨→lafaard⟩.

lafenis ⟨de (v.)⟩ ⟨schr.⟩ **0.1** [verkwikking] *comfort* **0.2** [drank] *refreshment* **0.3** [bemoediging] *encouragement* ◆ **3.1** iem. ~ brengen *bring s.o.c., comfort s.o..*

lafhartigheid ⟨de (v.)⟩ →**lafheid 0.1.**

lafhartig ⟨bn., bw.⟩ **0.1** ⟨→laf 0.1⟩ ◆ **3.1** zich ~ gedragen *show the white feather.*

lafheid ⟨de (v.)⟩ **0.1** [lafhartigheid] *cowardice* ⇒*cowardliness, pusillanimity* **0.2** [laffe daad] *cowardly deed* ⇒*act of cowardice* **0.3** ⟨⟨mv.⟩ flauwiteiten] *feebleness* ⇒⟨schr.⟩ *vacuity.*

lagedrukgebied ⟨het⟩⟨meteo.⟩ **0.1** *low pressure area/region* ⇒*depression.*

lagen ⟨onov.ww.⟩ ⟨amb.⟩ **0.1** *follow regular courses.*

lagenhout ⟨het⟩ **0.1** *plywood* ⇒*three-ply, multiply, balanced construction ply.*

lager ⟨het⟩ **0.1** [lagerbier] *lager* **0.2** [deel waarin een as draait] *bearing.*

lagerbier ⟨het⟩ **0.1** *lager beer.*

lagerbus ⟨de⟩ ⟨tech.⟩ **0.1** *bearing bush.*

lagerhand ⟨de⟩ **0.1** *left* ◆ **6.1** hij zit **aan** de ~ *he is sitting to the left.*

Lagerhuis ⟨het⟩ **0.1** *Lower House/Chamber* ⇒*House of Commons* ◆ **2.1** het Ierse ~ *Dail (Eireann)* **6.1** in het ~ zitten *be a member of the L. H./House of Commons.*

lagerhuislid ⟨het⟩ **0.1** ⟨GB en elders⟩ *Member of Parliament;* ⟨GB ook⟩ *Member of the House of Commons;* ⟨USA⟩ *House (of Representatives) Member, Member of the House of Representatives).*

lagervat ⟨het⟩ **0.1** *ageing vat.*

lagervet ⟨het⟩ **0.1** *bearing grease.*

lagerwal ⟨de (m.)⟩ ⟨scheep.⟩ **0.1** *lee shore* ◆ **6.1** aan ~ geraken ⟨lett.⟩ *be (caught) on the l. s.;* ⟨fig.⟩ *come down in the world.*

Lagos ⟨het⟩ **0.1** *Lagos.*

lagune ⟨de⟩ **0.1** *lagoon* ⇒*laguna.*

laïceren ⟨ov.ww.⟩⟨r.k.⟩ **0.1** *laicize.*

laïciseren ⟨de (v.)⟩ **0.1** [het laïciseren] *laicization* ⇒*laicising* **0.2** [terugkeer tot de lekenstatus] *laicization* ⇒*return to the lay world/to lay status.*

laïcisme ⟨het⟩⟨r.k.⟩ **0.1** *laicism.*

laisser-aller ⟨het⟩ **0.1** *laissez/laisser aller.*

laisser-faire ⟨het⟩ **0.1** *laissez/laisser faire.*

laisser-passer ⟨het⟩ **0.1** *laissez/laisser passer.*

lak ⟨het, de (m.)⟩ **0.1** [oplossing] *lacquer* ⇒*lac, enamel, japan, varnish* **0.2** [(laag) lakverf] *(layer/coat of) lacquer/varnish* ⇒ ⟨laag⟩ *paintwork,* [voor nagels] *polish* **0.3** [zegellak] *sealing wax* **0.4** [zegel] *seal* **0.5** [gelakte artikelen] *lacquer ware* **0.6** [verflak] *dye* ◆ **2.1** blanke/kleurloze/naturel ~ *clear/natural varnish* **2.5** Chinees en Japans ~ *Chinese and Japanese l. w.* **3.2** de ~ is beschadigd *the finish is damaged* **3.¶** daar heb ik ~ aan *I don't give a rip/rap/damn, fat lot I care, I couldn't care less;* ⟨inf.⟩ ~ aan iem. hebben *not be able to stand/bear/stomach s.o.* **6.4** een brief **met** vijf ~ken *a letter with five seals.*

lakachtig ⟨bn.⟩ **0.1** *lacquer-like.*

lakafdruk ⟨de (m.)⟩ **0.1** *seal* ◆ **6.1** het wapen **in** ~ op een akte *the coat of arms sealed/impressed on an instrument/a deed.*

lakanthurium ⟨de (m.)⟩ **0.1** *oil cloth flower* ⇒*tail flower, painter's pallette.*

lakbeits ⟨het, de (m.)⟩ **0.1** *varnish stain* ⇒*stain varnish.*

lakbenzine ⟨de⟩ **0.1** *mineral jelly.*

lakboom ⟨de (m.)⟩ **0.1** *lacquer-tree.*

lakceintuur ⟨de (v.)⟩ **0.1** *patent leather belt.*

lakecht ⟨bn.⟩ **0.1** *varnish-proof* ⇒*fixed* ◆ **1.1** ~e inkten *v.-p./fixed inks.*

lakei ⟨de (m.)⟩ **0.1** *lackey* ⇒*footman, valet, groom,* ⟨inf.; pej.⟩ *flunky* ◆ **8.1** als ~ dienen *lackey, groom.*

laken[1] ⟨het⟩ ⟨→sprw. 381⟩ **0.1** [stuk stof]⟨bed⟩ *sheet* ⇒*tablecloth,* ⟨stof voor beddelakens⟩ *sheeting* **0.2** [wollen stof] *cloth* ⇒*worsted* **0.3** [doodlaken] *shroud* ⇒*sheet* ◆ **1.1** het ~ van een biljart *the cloth of a billiard table, billiard cloth;* ~s en slopen *bed linen* **2.1** op het groene ~ *at/on the billiard table, on the green baize* **2.2** ruw/ongevold ~ *raw c.;* een jas van fijn zwart ~ *a black doeskin coat* **3.1** de ~s omslaan/openslaan *turn down the sheets;* ⟨fig.⟩ de ~s uitdelen *rule the roost, play/be first fiddle, call the tune* ^shots, run the show* **3.2** ~ ruwen *roughen c.* **4.2** ⟨fig.⟩ van hetzelfde ~ een pak (krijgen) *get some of the same medecine, be served with the same sauce, get as good as one gives* **6.1** **onder, tussen** de ~s kruipen *slip between the sheets, crawl under the covers.* **onder** één ~ liggen *be in the same boat;* een onder- en bovenlaken *a top and a bottom sheet.*

laken[2] ⟨ov.ww.⟩ **0.1** [(sterk) afkeuren] *(strongly) disapprove (of)* ⇒*con-*

demn, reprehend* **0.2** [berispen] *rebuke* ⇒*reprimand, censure, chide, castigate* ◆ **1.1** een verkeerde eigenschap in iem. ~ *condemn a bad quality in s.o.* **3.1** dat is zeer te ~ *that is reprehensible.*

lakenachtig ⟨bn.⟩ **0.1** *sheet-like* ⇒*cloth-like.*

lakenfabrikant ⟨de (m.)⟩ **0.1** *cloth manufacturer/maker* ⇒*manufacturer/maker of cloth.*

lakengaren ⟨het⟩ **0.1** *woollen thread* ⇒*spun wool, worsted.*

lakenhal ⟨de⟩ **0.1** *clothmakers' hall.*

lakenindustrie ⟨de (v.)⟩ **0.1** *textile industry.*

lakenpers ⟨de⟩ **0.1** *cloth press.*

lakens ⟨bn.⟩ **0.1** *cloth, worsted* ◆ **1.1** ⟨scherts.⟩ je mag je ~e bril wel opzetten *put your glasses on, look again;* een ~e jas *a cloth/worsted jacket/coat.*

lakenvelder ⟨de (m.)⟩ **0.1** *sheeted/belted cow (breed).*

lakenvelds ⟨bn.⟩ **0.1** *sheeted* ⇒*belted* ◆ **1.1** ~e koe *a s. / belted cow.*

lakenwinkel ⟨de (m.)⟩ **0.1** [B]*draper's shop* ⇒[B]*drapery,* [A]≠*dry goods store.*

lakenzak ⟨de (m.)⟩ **0.1** *sleeping bag liner.*

lakfilm ⟨de (m.)⟩ **0.1** *thin coat of varnish/lacquer.*

lakhars ⟨het, de (m.)⟩ **0.1** *varnish gum.*

lakinkt ⟨de (m.)⟩⟨druk.⟩ **0.1** *letterpress/lithographic ink.*

lakjas ⟨de⟩ **0.1** *patent leather jacket.*

lakken ⟨ov.ww.⟩ **0.1** [met lak bedekken] *lacquer* ⇒*enamel,* ⟨gekleurd⟩ *japan,* ⟨doorzichtig⟩ *varnish, polish* ⟨nagels⟩ **0.2** [verven] *paint* ⇒ *enamel, japan* **0.3** [dichtlakken] *seal* ◆ **1.1** nagels ~ *polish/paint/lacquer one's nails;* gelakte schoenen *patent leather shoes;* de vloer ~ *varnish the floor* **1.3** een brief ~ *s. a letter;* flessen wijn ~ *s. wine bottles* **2.2** een deur/een auto rood ~ *p. a door/car red.*

lakkerij ⟨de (v.)⟩ **0.1** *paint shop/room.*

laklaag ⟨de (v.)⟩ **0.1** *(layer of) lacquer/varnish.*

lakleer ⟨het⟩ **0.1** *patent leather.*

lakleren ⟨bn.⟩ **0.1** *patent leather.*

lakmoes ⟨het⟩ **0.1** *litmus.*

lakmoespapier ⟨het⟩ **0.1** *litmus paper.*

lakmoestinctuur ⟨de⟩ **0.1** *litmus.*

lakooi ⟨de⟩ **0.1** *stock* ⇒*gillyflower.*

laks ⟨bn., bw.⟩ **0.1** [traag] *lax* ⇒*slack, indolent, lazy* **0.2** [niet principieel] *lax* ⇒*slack, loose* ◆ **1.2** een ~e moraal *lax/relaxed principles* **3.2** ~ regeren *have/keep a loose rein (on sth.), have a poor/no control over.*

lakschoen ⟨de (m.)⟩ **0.1** *patent leather shoe* ⇒*dress shoe,* ⟨mv.⟩ *patent leathers.*

lakschurft ⟨de⟩ **0.1** *black scab* [A]*rhizoctoniose.*

laksheid ⟨de (v.)⟩ **0.1** [hoedanigheid] *laxity* ⇒*laxness, slackness, indolence, sloth* **0.2** [uiting] *example/incidence of laxness/slackness/sloth.*

lakspuit ⟨de⟩ **0.1** *paint sprayer.*

lakstaaf ⟨de⟩ **0.1** *stick of sealing wax.*

laksteeltje ⟨het⟩ **0.1** *darnel poa.*

lakstempel
I ⟨de (m.)⟩ **0.1** [stempel] *wax stamp;*
II ⟨het, de (m.)⟩ **0.1** [aangebracht stempel] *wax stamp/seal.*

lakstraat ⟨de⟩ **0.1** *lacquer/* ⟨mbt. auto's⟩ *paint train.*

lakverf ⟨de⟩ **0.1** *enamel paint.*

lakvernis ⟨het, de (m.)⟩ **0.1** *lacquer.*

lakwerk ⟨het⟩ **0.1** [het vervaardigen van gelakte voorwerpen] *lacquerwork* ⇒*lacquering* **0.2** [voorwerpen] *lacquer(work)* ⇒*lacquer ware* **0.3** [mbt. auto enz.] *paint(work).*

lakzegel ⟨het⟩ **0.1** *wax seal.*

lala ⟨bw.⟩⟨inf.⟩ ◆ **¶** hoe gaat het? och, zozo, ~ *how are things?, oh, (just) so-so/nothing special.*

lallen ⟨onov., ov.ww.⟩ **0.1** *jabber, babble* ⇒*splutter, stammer,* ⟨bij dronkenschap⟩ *speak with a thick tongue, slur one's words.*

lam[1] ⟨het⟩ **0.1** [jong van een schaap] *lamb* **0.2** [Christus] *Lamb* ◆ **1.2** het Lam Gods *the L. of God* **1.¶** ⟨AZN⟩ van het ~ Gods geslagen zijn *be staggered/stunned* **3.1** ~meren werpen *lamb* **8.1** als een ~ ter slachtbank geleid worden *be brought like a l. to the slaughter;* zo gedwee/mak als een ~ *as gentle/meek as a l.;* als een ~ leven *be a peaceful soul;* onschuldig als een pasgeboren ~ *(as) innocent as a newborn babe.*

lam[2] ⟨bn., bw.⟩ **0.1** [verlamd] *paralysed* ⇒ ⟨fig. ook⟩ *out of action* **0.2** [stukgedraaid] *stripped* ⟨schroef⟩*;weak* ⟨veer⟩ **0.3** [krachteloos] *numb* ⇒*powerless* **0.4** [onaangenaam] *tiresome* **0.5** [dronken] *blind drunk* ⇒*smashed,* ↓*paralytic,* ↓*legless* ◆ **1.1** hij heeft een ~me hand *his hand is p.* **3.1** als ~ geslagen van schrik *p. with terror/fear;* ⟨fig.⟩ de organisatie is voorlopig ~ geslagen *the organization has been temporarily knocked out of/put out of action;* ⟨fig.⟩ het verkeer ~ leggen *bring traffic to a (complete) standstill;* ⟨inf.⟩ iem. ~ slaan *beat s.o. senseless/to a jelly/to a pulp;* ik werk mij (half) ~ *I'm working my fingers to the bone, I'm working flat out.*

lama
I ⟨de (m.)⟩ **0.1** [Boeddhistische priester] *lama* **0.2** [dier] *llama;*
II ⟨het⟩ **0.1** [stof van lamawol] *llama* **0.2** [katoenflanel] *flannelette.*

lamaïsme ⟨het⟩ **0.1** *lamaism.*

lamaklooster ⟨het⟩ **0.1** *lamasery*.
lamantijn ⟨de (m.)⟩ **0.1** *manatee*.
lambdacisme ⟨het⟩ **0.1** *lambdacism* ⇒*lallation*.
lambdanaad ⟨de (m.)⟩⟨med.⟩ **0.1** *lambdoid suture*.
lambdapunt ⟨het⟩⟨nat.⟩ **0.1** *lambda point*.
lambert ⟨de⟩ **0.1** *lambert*.
lambiek ⟨de (m.)⟩ **0.1** *lambic*.
lambrekijn ⟨de (m.)⟩ **0.1** [⟨herald.⟩] *lambrequin* **0.2** [draperie] ᴮ*pelmet*, ᴬ*lambrequin* ⇒*valance*.
lambrizeren ⟨ov.ww.⟩ **0.1** *panel* ⇒*wainscot*.
lambrizering ⟨de (v.)⟩ **0.1** *wainscot(t)ing* ⇒*panelling* ᴬ*eling, panelwork*.
lamé ⟨het⟩ **0.1** *lamé* ♦ **2.1** *goud* ~ *gold l.*.
lamel ⟨de⟩ **0.1** ⟨plaatje⟩ *plate* ⇒*layer*, ⟨strook⟩ *strip*, ⟨van weekdier/ plaatzwam⟩ *lamella*, ⟨van gesteente⟩ *lamina* ♦ **1.1** de ~len van een transformator/van een zonwering *the (cooling) fins of a transformer, the slats of a Venetian blind* **3.1** tennisrackets bestaan uit ~len *tennis rackets have laminated/layered frames* **6.1** parket in ~len *parquet in strips*.
lamellenband ⟨de (m.)⟩ **0.1** *steel apron conveyor*.
lamelleren ⟨ov.ww.⟩ **0.1** [tot lamellen vormen] *laminate* **0.2** [als lamellen op elkaar leggen] *laminate*.
lamelvloer ⟨de (m.)⟩ **0.1** *tongue-and-groove parquet*.
lamentabel ⟨bn., bw.;-ly⟩ **0.1** *pitiful* ⇒*pitiable, wretched*.
lamentatie ⟨de (v.)⟩ **0.1** *lament(ation)*.
lamenteren ⟨onov.ww.⟩ **0.1** *lament*.
lamento ⟨het⟩⟨muz.⟩ **0.1** *lament*.
lamentoso ⟨bw.⟩⟨muz.⟩ **0.1** *lamentoso*.
lamfer ⟨het, de (m.)⟩ **0.1** *weeper(s)* ⇒*crape, streamer*.
lamheid ⟨de (v.)⟩ **0.1** [verlamdheid] *paralysis* **0.2** [futloosheid] *lack of energy/strength/* ⟨wilskracht⟩ *willpower* ♦ **6.1** ⟨fig.⟩ met ~ geslagen zijn *be paralysed, be unable to move/unable to lift a finger* ~.
laminair ⟨bn.⟩ **0.1** *laminar*.
lamineren ⟨ov.ww.⟩ **0.1** [tot blik pletten] *laminate* **0.2** [laagsgewijs vervaardigen] *laminate* **0.3** [⟨textielind.⟩] *laminate* ♦ **1.2** gelamineerd hout *laminated wood,* ᴬ*plywood*.
lamleggen ⟨ov.ww.⟩ **0.1** *paralyse* ᴬ*lyze* ⇒*bring to a standstill* ♦ **1.1** het verkeer ~ *bring the traffic to a standstill, p. the traffic*.
lamlendig ⟨bn., bw.;-ly⟩ **0.1** [onaangenaam] *wretched* ⇒*nasty, foul* **0.2** [futloos] *shiftless* ⇒*sluggish, slack, lazy* ♦ **1.2** een ~ figuur ⟨ook⟩ *a dead loss*.
lamlendigheid ⟨de (v.)⟩ **0.1** [onaangenaamheid] *wretchedness* ⇒*nastiness, foulness* **0.2** [futloosheid] *shiftlessness* ⇒*sluggishness, slackness, laziness*.
lamme ⟨de (m.)⟩ **0.1** *paralysed/lame person* ♦ **3.1** ⟨fig.⟩ de ~ leidt de blinde *the blind is leading the blind* ¶**.1** de ~n *the paralysed/lame*.
Lamme Goedzak 0.1 ≠*Sancho Panza*.
lammeling ⟨de (m.)⟩⟨inf.⟩ **0.1** [futloos] *dead loss;* ⟨onaangenaam⟩ *stinker, rotter, pain in the neck*.
lammen ⟨onov.ww.⟩ **0.1** *lamb; kid* ⟨geit⟩.
lammergang ⟨de (m.)⟩ **0.1** *amble*.
lammergier ⟨de (m.)⟩ **0.1** *lammergeyer* ⇒*bearded vulture*.
lammertjesnoot ⟨de⟩ **0.1** ⟨noot en boom⟩ *filbert*.
lammetje ⟨het⟩ **0.1** *lambkin, lambie, little lamb*.
lammetjespap ⟨de⟩ **0.1** *gruel, meal pap*.
lammetjestijd ⟨de (m.)⟩ **0.1** *lambing season*.
lamoen ⟨het⟩ **0.1** *shafts* ⟨mv.⟩.
lamp ⟨de⟩ **0.1** [tot verlichting dienend voorwerp] *lamp;* ⟨inf.⟩ *light;* ⟨gloeilamp⟩ *bulb* **0.2** [verlichtingsarmatuur] *lamp;* ⟨inf.⟩ *light* **0.3** [radiolamp] *valve,* ᴬ*tube* ♦ **2.1** een rode ~ *a red light* **2.2** een staande/ hangende ~ *a standard/hanging lamp* **3.1** de ~en aandoen *turn/put the lights on, light up;* ⟨fig.⟩ er gaat een ~je branden *that rings a bell* **6.2** ⟨fig.⟩ tegen de ~ lopen *get into/land in trouble, be caught out*.
lamparm ⟨de (m.)⟩ **0.1** *lamp bracket*.
lampeglas ⟨het⟩ **0.1** *lamp chimney;* ⟨inf.⟩ *glass*.
lampekap ⟨de⟩ **0.1** *lampshade*.
lampekatoen ⟨het⟩ **0.1** *(lamp) wick*.
lampekooi ⟨de⟩ **0.1** *wire gauze*.
lampekousje ⟨het⟩ **0.1** [pit van een olielamp] *(lamp) wick* **0.2** [gloeikousje] *(gas-)mantle*.
lampenwinkel ⟨de (m.)⟩ **0.1** *lamp/light shop*.
lampepit
  I ⟨de⟩ **0.1** [kousje in een lamp] *(lamp) wick;*
  II ⟨de (m.)⟩ ⟨pej.⟩ **0.1** [naarling] *pain in the neck*.
lampet ⟨het⟩ **0.1** ⟨kan⟩ *(water)jug;* ⟨kom⟩ *(wash)basin*.
lampetkan ⟨de⟩ **0.1** *(water)jug*.
lampetkom ⟨de⟩ **0.1** *(wash)basin*.
lampetten ⟨onov., ov.ww.⟩⟨AZN⟩ **0.1** *soak (it) up* ⇒*knock (it) back*.
lampfitting ⟨de (m.)⟩ **0.1** *light fitting, lamp holder*.
lamphouder ⟨de (m.)⟩ **0.1** *lamp holder*.
lampion ⟨de (m.)⟩ **0.1** *Chinese lantern*.
lampionplant ⟨de⟩ **0.1** *Chinese lantern (plant)* ⇒*winter cherry*.
lampionvrucht ⟨de⟩ **0.1** *Chinese lantern (plant)* ⇒*winter cherry*.
lamplicht ⟨het⟩ **0.1** *lamplight* ⇒*artificial light*.

lampolie ⟨de⟩ **0.1** *paraffin,* ᴬ*kerosene*.
lampongaap ⟨de (m.)⟩ **0.1** *pig-tailed macaque*.
lamprei
  I ⟨het⟩ **0.1** [konijn] *young rabbit;*
  II ⟨de⟩ [vis] *lamprey*.
lampzwart ⟨het⟩ **0.1** [roet] *soot (from an oil-lamp)* **0.2** [verfstof] *lampblack*.
lamsbout ⟨de (m.)⟩ **0.1** *shoulder* ⟨voordeel⟩ */leg* ⟨achterdeel⟩ *of lamb*.
lamskarbonade ⟨de (v.)⟩ **0.1** *lamb chop*.
lamskotelet ⟨de⟩ **0.1** *lamb chop/cutlet*.
lamslaan ⟨ov.ww.⟩ **0.1** *beat senseless/to a jelly/to a pulp*.
lamsleer ⟨het⟩ **0.1** *lambskin*.
lamsoor ⟨het⟩ **0.1** [oor van een lam] *lamb's ear* **0.2** [⟨mv.⟩ plant] *sea lavender*.
lamsteligheid ⟨de (v.)⟩ **0.1** *paralysis of stalks*.
lamstong ⟨de⟩ **0.1** [tong van een lam] *lamb's tongue* **0.2** [plant] *lamb's tongue* ⇒*hoary plantain*.
lamstraal ⟨de (m.)⟩ →*lammeling*.
lamsvacht ⟨de⟩ **0.1** *lambskin* ⇒⟨met haar ook⟩ *(lamb's) fleece*.
lamsvel ⟨het⟩ **0.1** *lambskin*.
lamsvlees ⟨het⟩ **0.1** *lamb*.
lamsvlies ⟨het⟩⟨med.⟩ **0.1** *amnion*.
lamsvocht ⟨het⟩⟨med.⟩ **0.1** *amniotic fluid*.
lamswol ⟨de⟩ **0.1** *lambswool*.
lamswollen ⟨bn.⟩ **0.1** *lambswool*.
lamzak ⟨de (m.)⟩ →*lammeling*.
lamzakkig, lamzalig ⟨bn., bw.⟩ →*lamlendig*.
lancaster ⟨het⟩ **0.1** *lancaster cloth*.
lanceerbasis ⟨de (v.)⟩ **0.1** *launching site/pad* ⇒*launch site*.
lanceerbuis ⟨de⟩ **0.1** *launching tube*.
lanceerinrichting ⟨de (v.)⟩ **0.1** *launcher* ⇒*launching device*.
lanceerplatform ⟨het⟩ **0.1** *launching pad/site* ⇒*launch site*.
lanceerraket ⟨de⟩ **0.1** *launcher* ⇒*rocket*.
lanceersysteem ⟨het⟩ **0.1** *launching system*.
lanceervenster ⟨het⟩ **0.1** *launch window*.
lanceren ⟨ov.ww.⟩ **0.1** [afvuren] *launch;* ⟨raket ook⟩ *blast off, lift off* **0.2** [de wereld insturen] *launch* ⇒*start* ♦ **1.2** een bericht/een gerucht/ laster ~ *spread a report/a rumour/slander;* een mode ~ *start a fashion;* een produkt ~ *l. a product;* een nieuwe theorie ~ *l. / put forward a new theory* **6.1** ~ vanuit de lucht *air-launch*.
lancering ⟨de (v.)⟩ **0.1** *launch(ing);* ⟨raket ook⟩ *blast-off, lift-off*.
lancet ⟨het⟩⟨med.⟩ **0.1** *lancet*.
lancetbladig ⟨bn.⟩⟨plantk.⟩ **0.1** *with lanceolate leaves*.
lancetboog ⟨de (m.)⟩⟨bouwk.⟩ **0.1** *lancet arch*.
lancetdrager ⟨de (m.)⟩⟨dierk.⟩ **0.1** *lancelet* ⇒*amphioxus*.
lancetstijl ⟨de (m.)⟩⟨bouwk.⟩ **0.1** *Early English style*.
lancetvenster ⟨het⟩⟨bouwk.⟩ **0.1** *lancet (window)*.
lancetvisje ⟨het⟩ **0.1** *lancelet* ⇒*amphioxus*.
lancetvormig ⟨bn.⟩ **0.1** [⟨plantk.⟩] *lanceolate* **0.2** [⟨alg.⟩] *lancet-shaped*.
lanciers ⟨zn.mv.⟩⟨dansk.⟩ **0.1** *lancers*.
land ⟨het⟩ ⟨→sprw. 64,280,382,383,508,524⟩ **0.1** [wat boven water uitsteekt] *land* **0.2** [bouwland] *land* **0.3** [platteland] *country(side)* **0.4** [staat] *country* ⇒*nation,* ↑*country* **0.5** [vaderland] *(mother) country* ⇒*homeland* **0.6** [streek] *land* ⇒*country* ♦ **1.1** een stuk ~ *a piece of l.* **1.3** een kind v.h. ~ *a country boy/girl;* ⟨schr.; vaak scherts.⟩ *a son/ daughter of the soil;* ik heb stad en ~ afgelopen *I've searched (for it) high and low, I've left no stone unturned (trying to find it)* **1.4** het ~ van de rijzende zon *the Land of the Rising Sun* **1.5** ~ van herkomst *country of origin;* 's ~s schatkist *the public purse;* de welvaart van het ~ *national prosperity, the prosperity of the country* **1.6** het ~ van belofte *the promised l.;* het ~ van Rembrandt/Rubens *the l. / country of Rembrandt/Rubens* **2.1** bij eb droogvallend ~ *l. exposed/left dry at low tide* **2.4** de warme ~en *hot countries* **2.6** het Beloofde Land *the Promised Land* **3.1** een ~ aandoen ⟨met schip⟩ *put in to shore; visit a country;* ~ betreden *set foot ashore;* ⟨fig.⟩ er is met hem geen ~ te bezeilen *you won't/can't get anywhere with him, he's quite unmanageable, you're wasting your time with him* **3.5** het ~ dienen/verdedigen *serve/defend one's country* **3.9** ergens het ~ aan hebben *hate/detest sth.;* het ~ hebben *be in a bad mood,* ⟨neerslachtig⟩ *be down in the dumps;* ergens het ~ over hebben *be annoyed at/about sth.;* ergens het ~ aan krijgen *get annoyed at/about sth., take a dislike to sth.* **6.1** aan ~ komen *land, reach the/come to shore, come ashore;* **aan** ~ zetten *put ashore, land;* **aan** ~ gaan *go ashore;* **aan** ~ spoelen *wash ashore/up;* hij kon nog **naar** het ~ zwemmen *he was still able to swim to shore/ashore;* **naar** het ~ toe *landward, shoreward;* dieren die **op** het ~ leven *l. animals;* goederen **over** ~ vervoeren *transport goods overland;* **over** ~ en over zee *by l. and by sea;* te water en **te** ~ *on l. and sea;* **te** ~ en ter zee *on l. and sea* **6.2 op** het ~ werken *work (on) the l.;* ⟨bewerken⟩ *cultivate/farm the l.* **6.3 op** het ~ wonen *live in the country* **6.4** hij is **door** het hele ~/ het hele ~ **door** geliefd *he is loved the length and breadth of/throughout the c., he's the darling of the (whole) c.;* **door** het ~ trekken *travel about the c.;* **in** ons ~ *in this c.;* **over** het hele ~ *throughout/all over the c., nationwide* **6.5** hij is al een

week weer **in** het ~ *he's been home for a week now;* militairen met verlof **in** het ~ *soldiers home on leave* / ^A*furlough;* waren **uit**/**van** eigen ~ *domestic* / *home-produced goods* **6.6** hij is nog **in** het ~ van de levenden *he's still in the l. of the living;* hier **te** ~ *e hereabouts, in* / *(a)round these parts* ¶**.1** ~ (in zicht)! *l. ho!;* ~ in zicht krijgen *(come in) sight l..*

landaanwinning ⟨de (v.)⟩ **0.1** [handeling] *land reclamation* **0.2** [resultaat] *reclaimed land.*

landaanwinst ⟨de (v.)⟩ **0.1** *(amount of) land reclaimed.*

landaard ⟨de (m.)⟩ **0.1** *national character.*

landadel ⟨de (m.)⟩ **0.1** *landed nobility* / *aristocracy* ◆ **2.1** de lage ~ *the landed gentry.*

landanker ⟨het⟩ ⟨scheep.⟩ **0.1** *shore anchor.*

landarbeid ⟨de (m.)⟩ **0.1** *farm* / *agricultural work.*

landarbeider ⟨de (m.)⟩ **0.1** *farm* / *agricultural worker* / *labourer.*

landauer ⟨de (m.)⟩ **0.1** *landau.*

landaulet(te) ⟨de⟩ **0.1** *laudaulet.*

landbeschrijving ⟨de (v.)⟩ **0.1** *(regional) geography* ⇒*chorography.*

landbezit ⟨het⟩ **0.1** [het land] *(landed) estate* ⇒*(landed) property,* ⟨van boer⟩ *land* **0.2** [het bezitten] *landownership* ⇒*ownership of land.*

landbouw ⟨de (m.)⟩ **0.1** [akkerbouw] *arable farming* ⇒*agriculture* **0.2** [⟨ec.⟩] *agriculture* ⇒*farming* ◆ **1.1** ~ en veeteelt ⟨voor vlees⟩ *arable farming and stockbreeding,* ⟨voor melk⟩ *arable and dairy farming* **1.2** het Ministerie van Landbouw *the Ministry of Agriculture* **3.1** gemechaniseerde ~ *mechanized agriculture;* zich op de ~ toeleggen *go into* / *take up arable farming* ¶**.2** ~ in dienst van de veeteelt *mixed farming.*

landbouwakte ⟨de⟩ **0.1** *teaching certificate in agriculture.*

landbouwarbeidswet ⟨de⟩ **0.1** *agricultural labour law.*

landbouwareaal ⟨het⟩ **0.1** *area of land used for agriculture* ⇒*farm land.*

landbouwbank ⟨de⟩ **0.1** *agrarian* / *agricultural bank.*

landbouwbedrijf ⟨het⟩ **0.1** [de landbouw] *agriculture* ⇒*farming* **0.2** [boerderij] *farm* ◆ **2.2** een collectief ~ *a collective f..*

landbouwbegroting ⟨de (v.)⟩ **0.1** *agricultural estimates* / *budget.*

landbouwbeleid ⟨het⟩ **0.1** *agricultural policy.*

landbouwbeurs ⟨de⟩ **0.1** *agricultural fair.*

landbouwconsulent ⟨de (m.)⟩ **0.1** *agricultural consultant* / *adviser.*

landbouwcoöperatie ⟨de (v.)⟩ **0.1** *agricultural cooperative.*

landbouwdeskundige ⟨de (m.)⟩ **0.1** *agricultural expert.*

landbouweconomie ⟨de (v.)⟩ **0.1** [leer van de landbouw] *farm* / *agricultural* / *rural economics* **0.2** [bedrijfseconomie] *agricultural economics.*

landbouwer ⟨de (m.)⟩ **0.1** *farmer* ⇒ ⟨schr.⟩ *agricultur(al)ist, cultivator.*

landbouwerwten ⟨zn.mv.⟩ **0.1** *dry peas.*

landbouwfront ⟨het⟩ **0.1** ≠*farmers' union* ⇒⇒*agricultural lobby.*

landbouwgebied ⟨het⟩ **0.1** [onderwerp, terrein] *field of agriculture, agricultural domain* **0.2** [streek] *agricultural area* ◆ **6.1** op ~ *in the field of agriculture* / *agricultural d..*

landbouwgewas ⟨het⟩ **0.1** *agricultural* / *farm crop.*

landbouwgrond ⟨de (m.)⟩ **0.1** *agricultural* / *farming land* ⇒*farmland* ◆ **2.1** bebouwde ~ *farmland that has been built over.*

landbouwhervorming ⟨de (v.)⟩ **0.1** *agricultural* / *farming reform.*

landbouwhogeschool ⟨de⟩ **0.1** *Agricultural University, University of Agriculture.*

landbouwhuishoudkundige ⟨de (m.)⟩ **0.1** *agricultural economist.*

landbouwhuishoudonderwijs ⟨het⟩ **0.1** *instruction in agricultural housekeeping.*

landbouwhuishoudschool ⟨de⟩ **0.1** *agricultural housekeeping school.*

landbouwindustrie ⟨de (v.)⟩ **0.1** *agricultural industry* ⇒*agribusiness.*

landbouwingenieur ⟨de (m.)⟩ **0.1** *agricultural engineer.*

landbouwinkomen ⟨het⟩ **0.1** *farmers' income.*

landbouwkalk ⟨de⟩ **0.1** *agricultural lime.*

landbouwkrediet ⟨het⟩ **0.1** *agricultural credit.*

landbouwkredietwezen ⟨het⟩ **0.1** *agricultural credit.*

landbouwkunde ⟨de (v.)⟩ **0.1** *agronomy* ⇒*agricultural science.*

landbouwkundig ⟨bn.⟩ **0.1** *agricultural* ◆ **1.1** ~ ingenieur *a. engineer.*

landbouwkundige ⟨de (m.)⟩ **0.1** *agricultur(al)ist* ⇒*agricultural* / *farming expert, agricultural scientist, agronomist.*

landbouwmaatschappij ⟨de (v.)⟩ **0.1** *(provincial* / *regional) agricultural association.*

landbouwmachine ⟨de (v.)⟩ **0.1** *agricultural* / *farming machine;* ⟨mv. ook⟩ *agricultural* / *farming machinery.*

landbouwmethode ⟨de (v.)⟩ **0.1** *method of agriculture.*

landbouwonderwijs ⟨het⟩ **0.1** *agricultural training.*

landbouworganisatie ⟨de (v.)⟩ **0.1** *agricultural organization.*

landbouwoverschot ⟨het⟩ **0.1** *glut (of farm produce).*

landbouwpolitiek ⟨de (v.)⟩ **0.1** *agricultural farming politics.*

landbouwprijzen ⟨zn.mv.⟩ **0.1** *agricultural prices.*

landbouwprodukten ⟨zn.mv.⟩ **0.1** *agricultural* / *farm(ing) produce* / *products.*

landbouwproefstation ⟨het⟩ **0.1** *agricultural research* / *experiment station.*

landbouwschap ⟨het⟩ **0.1** *agricultural board.*

landbouwscheikunde ⟨de (v.)⟩ **0.1** *agricultural chemistry.*

landbouwschool ⟨de⟩ **0.1** *agricultural college.*

landbouwsector ⟨de (m.)⟩ **0.1** *agricultural* / *farming sector.*

landbouwstaat ⟨de (m.)⟩ **0.1** *agricultural country.*

landbouwtentoonstelling ⟨de (v.)⟩ **0.1** *agricultural show.*

landbouwtrekker ⟨de (m.)⟩ **0.1** *(agricultural* / *farm) tractor.*

landbouwvereniging ⟨de (v.)⟩ **0.1** *farmers'* / *agricultural association.*

landbouwvoorlichtingsdienst ⟨de (m.)⟩ **0.1** *agricultural advisory service.*

landbouwweg ⟨de (m.)⟩ **0.1** *farm road.*

landbouwwetenschap ⟨de (v.)⟩ **0.1** *agricultural science* ⇒*agronomy.*

landbouwwintercursus ⟨de (m.)⟩ **0.1** *winter course in agriculture.*

landbouwzout ⟨het⟩ **0.1** *agricultural salt.*

landdag ⟨de (m.)⟩ **0.1** [landsvergadering] *convention* ⇒*congress* **0.2** [algemene jaarvergadering] *convention* ⇒*congress* ◆ **1.1** ⟨gesch.⟩ de ~ van de gewestelijke staten van Friesland / Drente *the convention of the provincial council of Friesland* / *Drente* **2.¶** een Poolse ~ *bedlam.*

landdienst ⟨de (m.)⟩ ⟨mil.⟩ **0.1** *army service* ⇒*military service,* ≠*national service.*

landdier ⟨het⟩ **0.1** *land animal* ⇒*terrestrial.*

landdrost ⟨de (m.)⟩ **0.1** [bestuurder] *'landdrost', (local) administrator* **0.2** [⟨gesch.⟩] *bailiff.*

landduin ⟨het⟩ **0.1** *inland dune.*

landedelman ⟨de (m.)⟩ **0.1** *country nobleman.*

landeigenaar ⟨de (m.)⟩ **0.1** *landowner, landed propietor* ◆ **2.1** kleine ~ ⟨gesch., vnl. in Engeland⟩ *yeoman; small proprietor.*

landelijk
I ⟨bn., bw.;-ly⟩ **0.1** [mbt. het hele land] *national;* ⟨vnl. als bw.⟩ *nationwide* ◆ **1.1** ~e bekendheid genieten *have a national reputation,* ⟨van persoon ook⟩ *be a national figure;* het ~ comité *the national committee;* ~e dagbladen *national (news)papers* / *dailies* **3.1** het feest wordt ~ gevierd *the holiday is celebrated all over the country* / *throughout the country* / *nationwide;*
II ⟨bn.⟩ **0.1** [bij het platteland passend] *rural* ⇒ ⟨boers⟩ *rustic, country* **0.2** [op het platteland liggend] *rural* ⇒*country* ◆ **1.1** een ~ feest *a rustic* / *country festival;* ~ gebied *country(side);* ~e genoegens / eenvoud *rustic pleasures* / *simplicity* **1.2** ~e eigendommen *country* / *rural estates.*

landelijkheid ⟨de (v.)⟩ **0.1** *rural character* ⇒*rurality,* ⟨charme⟩ *rural charm,* ⟨ook pej.⟩ *rusticity.*

landen
I ⟨onov.ww.⟩ **0.1** [neerkomen] *land, touch down;* ⟨ruimteschip op water ook⟩ *splash down* **0.2** [aan land gaan] *land* ◆ **1.1** toestemming tot ~ *clearance for landing* / *to l.;* ⟨vnl. mil.⟩ *permission to l.* **3.1** doen ~ *land;* een vliegtuig dwingen tot ~ *force a plane down* / *to l.* **5.1** de piloot kon veilig ~ *the pilot landed safely* / *made a safe landing;* te vroeg ~ *undershoot* **6.1** de ruimtecapsule landde **in** de Stille Oceaan *the space capsule splashed down* / *came down* / *landed in the Pacific;* **op** de maan ~ *l. on the moon;* **op** Schiphol *l. at Schiphol;*
II ⟨ov.ww.⟩ **0.1** [ontschepen] *land* ⇒*disembark* **0.2** [neerlaten] *land* **0.3** [⟨hengelsp.⟩] *land.*

landengte ⟨de (v.)⟩ **0.1** *isthmus* ⇒*neck of land.*

landenklassement ⟨het⟩ ⟨sport⟩ **0.1** *international table.*

landenploeg ⟨de⟩ ⟨sport⟩ **0.1** *national team.*

land- en volkenkunde ⟨de (v.)⟩ **0.1** *geography and ethnology.*

landenwedstrijd ⟨de (m.)⟩ ⟨sport⟩ **0.1** *international match;* ⟨inf.⟩ *international.*

landerig ⟨bn.⟩ **0.1** [futloos] *down in the dumps* **0.2** [slecht gehumeurd] *in a bad mood, bad-tempered* ⇒*annoyed, irritated* ◆ **3.2** ik word er ~ van *it puts me in a bad mood.*

landerigheid ⟨de (v.)⟩ **0.1** *boredom* ⇒ ⟨inf.⟩ *(the) dumps, (the) mopes.*

landerijen ⟨zn.mv.⟩ **0.1** *(farm)land(s); estates, landed property.*

landgenoot ⟨de (m.)⟩, -**note** ⟨v.⟩ **0.1** *(fellow-)countryman* ⟨m.⟩; *(fellow-)countrywoman* ⟨v.⟩; *compatriot, fellow-Englishman.*

landgoed ⟨het⟩ **0.1** *country* / *rural estate.*

landgraaf ⟨de (m.)⟩ ⟨gesch.⟩ **0.1** *landgrave.*

landgrens ⟨de⟩ **0.1** [van het / een land] *border* ⇒*frontier* **0.2** [aan landzijde] *land-frontier.*

landheer ⟨de (m.)⟩ **0.1** *landowner, landed proprietor;* ⟨mbt. pacht⟩ *landlord; lord of the manor.*

landhervorming ⟨de (v.)⟩ **0.1** *land reform.*

landhonger ⟨de (m.)⟩ **0.1** [het streven naar expansie] *hunger* / *greed for territory* **0.2** [verlangen naar landbouwgrond] *hunger for land.*

landhoofd ⟨het⟩ **0.1** [mbt. bruggen] *land-abutment* **0.2** [pier] *(abutment) pier.*

landhuis ⟨het⟩ **0.1** *country house* / *cottage;* ⟨GB ook⟩ *stately home.*

landhuishoudkunde ⟨de (v.)⟩ **0.1** *rural economy.*

landhuur ⟨de⟩ **0.1** *land-rent.*

landijs ⟨het⟩ **0.1** *ice-cap.*

landing ⟨de (v.)⟩ **0.1** [het neerkomen] *landing; touchdown* ⟨van ruimteschip op water ook⟩ *splashdown* **0.2** [⟨mil.⟩] *landing* **0.3** [het aan land brengen] *landing* ⇒*disembarkation, disembarkment* ◆ **2.1** doorgeschoten / niet doorgezette ~ *overshoot;* het vliegtuig maakte een zachte ~ *the plane made a smooth l.* **6.2** de geallieerden in Normandië *the Allied landings in Normandy* **6.3** de ~ **van** passagiers en goederen *l.* / *disembarkation of passengers and goods.*

landingsbaan ⟨de⟩ **0.1** *runway;* ⟨kleiner⟩ *airstrip, landing-strip* ◆ **2.1** verlichte ~ *flare-path* **3.1** de ~ voorbijschieten, doorschieten op de ~ *overshoot.*

landingsbaken ⟨het⟩ **0.1** *landing-beacon.*

landingsboot ⟨de⟩ **0.1** *landing-craft.*

landingsbrug ⟨de⟩ **0.1** *jetty* ⇒*landing-stage.*

landingsdivisie ⟨de (v.)⟩ **0.1** *landing party/force.*

landingsgestel ⟨het⟩ **0.1** *undercarriage* ⇒*landing-gear,* ⟨inf.⟩ *undercart* ◆ **3.1** het ~ intrekken *retract/pull up the undercarriage.*

landingsleger ⟨het⟩ **0.1** *landing force.*

landingslicht ⟨het⟩ **0.1** [mbt. het vliegveld] *approach lights; runway lights* **0.2** [mbt. het vliegtuig] *landing light.*

landingsofficier ⟨de (m.)⟩ **0.1** *approach controller* ⇒*batman.*

landingspatroon ⟨het⟩ **0.1** *(final) approach.*

landingsplaats ⟨de⟩ **0.1** [mbt. lucht-/ruimtevaartuigen] *landing field/ -site* **0.2** [⟨mil.⟩] *landing point* ◆ **6.1** ~ *voor* watervliegtuigen *air harbour.*

landingspoging ⟨de (v.)⟩ **0.1** *attempted landing* ⇒*attempt at landing, landing attempt.*

landingsrecht ⟨het⟩ **0.1** [recht om te landen] *authority/right to land* **0.2** [geldsom] *landing tax.*

landingsschip ⟨het⟩ **0.1** *landing craft.*

landingssnelheid ⟨de (v.)⟩ **0.1** *landing speed.*

landingsstrip ⟨de (m.)⟩ **0.1** *landing strip* ⇒*airstrip.*

landingsstrook ⟨de⟩ **0.1** *landing strip.*

landingsterrein ⟨het⟩ **0.1** *landing field/area* ⇒*airfield,* ⟨strook⟩ *landing strip, airstrip.*

landingstrap ⟨de (m.)⟩ **0.1** *mobile steps* ⟨mv.⟩.

landingstroepen ⟨zn.mv.⟩ **0.1** *landing force(s).*

landingsvaartuig ⟨het⟩ **0.1** *landing craft.*

landingsvloot ⟨de⟩ **0.1** *landing fleet.*

landingswiel ⟨het⟩ **0.1** *landing-wheel.*

landinrichting ⟨de (v.)⟩ **0.1** *land use/development/planning.*

landinwaarts ⟨bw.⟩ **0.1** *inland* ◆ **3.1** ~ gaan *go i.;* ~ richten *point i..*

landje ⟨het⟩ **0.1** [klein land] *small/little country* **0.2** [braakliggend terrein] *piece of (waste) ground.*

landjonker ⟨de (m.)⟩ **0.1** *country gentleman;* ⟨GB ook⟩ *squire.*

landjuffer ⟨de (v.)⟩ **0.1** *hemerobius, lacewing (fly).*

landjuweel ⟨het⟩ ⟨gesch., let.⟩ **0.1** *national or regional drama festival/ contest.*

landkaart ⟨de⟩ **0.1** *map.*

landkabel ⟨de (m.)⟩ **0.1** *land cable.*

landkikvors ⟨de (m.)⟩ **0.1** *grass frog.*

landklimaat ⟨het⟩ **0.1** *continental climate.*

landkrab ⟨de⟩ **0.1** [dier] *land crab* **0.2** [persoon] *landlubber.*

landkunde ⟨de (v.)⟩ ◆ **1.¶** land-en volkenkunde *geography and ethnology.*

landleger ⟨het⟩ **0.1** *land force(s)/army.*

ländler ⟨de (m.)⟩ **0.1** [dans] *ländler* **0.2** [muziek] *ländler.*

landleven ⟨het⟩ **0.1** *country/rural life* ⇒*life in the country.*

landlieden ⟨zn.mv.⟩ ⟨schr.⟩ **0.1** *country-folk.*

landlijn ⟨de⟩ ⟨com.⟩ **0.1** *landline.*

landlopen ⟨ww.⟩ **0.1** *vagrancy* ⇒*vagabondage/vagabondism, tramping.*

landloper ⟨de (m.)⟩ **0.1** *tramp, vagabond, vagrant* ⇒ ⟨vnl. AE⟩ *hobo,* ⟨scherts.⟩ *knight of the road.*

landloperij ⟨de (v.)⟩ **0.1** *vagrancy* ⇒*vagabondage/vagabondism, tramping* ◆ **6.1** arresteren/veroordelen **wegens** ~ *arrest/sentence for vagrancy;* ⟨sl.⟩ *vag.*

landlucht ⟨de⟩ **0.1** [de lucht op het platteland] *country air* **0.2** [tgov. 'zeelucht'] *country air.*

landmaat ⟨de⟩ **0.1** *land measure.*

landmacht ⟨de⟩ ⟨mil.⟩ **0.1** *army* ⇒*land forces.*

landman ⟨de (m.)⟩ **0.1** ⟨landbouwer⟩ *farmer;* ⟨buitenman⟩ *countryman* ⇒ ⟨kleine boer⟩ *peasant,* ⟨vero., nu scherts.⟩ *rustic* ⟨buitenman⟩.

landmeetkunde ⟨de (v.)⟩ **0.1** *(land) surveying.*

landmerk ⟨het⟩ **0.1** *landmark.*

landmeten ⟨ww.⟩ **0.1** *(land) surveying.*

landmeter ⟨de (m.)⟩ **0.1** [persoon] *(land) surveyor* **0.2** [rups] *inchworm* ⇒*geometer, looper,* ⟨AE ook⟩ *spanworm.*

landmeting ⟨de (v.)⟩ **0.1** *(land) surveying* ⇒*geodesy.*

landmijl ⟨de⟩ **0.1** *mile.*

landmijn ⟨de⟩ ⟨mil.⟩ **0.1** *landmine* ⇒ ⟨AE ook⟩ *claymore (mine),* ⟨floddermijn⟩ *fougasse.*

landmuis ⟨de⟩ **0.1** *field mouse.*

landnummer ⟨het⟩ ⟨com.⟩ **0.1** *international (dialing) code.*

landontginning ⟨de (v.)⟩ **0.1** *land reclamation/clearing.*

landoorlog ⟨de (m.)⟩ **0.1** *land war, war on land.*

landouwen ⟨zn.mv.⟩ ⟨schr.⟩ **0.1** *meads, pastures, leas* ◆ **2.1** welige ~en *luxuriant meads/pastures/leas.*

landpaal ⟨de⟩ **0.1** *boundary post/marker* ⇒ ⟨steen⟩ *boundary stone* ◆ **6.1 binnen** de landpalen *within the borders.*

landpijler ⟨de (m.)⟩ **0.1** *pylon.*

landpost ⟨de⟩ **0.1** *overland mail.*

landpunt ⟨de⟩ **0.1** *point (of land)* ⇒*head(land)* ⟨hoog⟩.

landras ⟨het⟩ **0.1** *native species.*

landrat ⟨de⟩ **0.1** *field rat.*

landrol ⟨de⟩ ⟨landb.⟩ **0.1** *roller.*

landrug ⟨de (m.)⟩ **0.1** *ridge (of land).*

landsadvocaat ⟨de (m.)⟩ **0.1** *government prosecutor,* [A]*government attorney.*

landsalamander ⟨de (m.)⟩ **0.1** *salamander* ◆ **2.1** de gevlekte ~ *spotted/ fire s..*

landsbelang ⟨het⟩ **0.1** *national interest* ◆ **6.1** dat is strijdig **met** het ~ *that is not in the national interest;* het onderhoud van de dijken is **van** ~ *the upkeep of the dikes is a matter of national importance/is vital to the national interest* **¶.1** het ~ *the national interest.*

landschap ⟨het⟩ **0.1** [stuk land] *scenery* ⇒*landscape* **0.2** [streek] *landscape* ⇒*region, district* **0.3** [⟨B.K.⟩] *landscape (painting/picture* ⟨etc.⟩) ◆ **2.1** wat een mooi ~! *what beautiful s.!, what a beautiful landscape!* **2.2** nationaal ~ *national park, nature reserve;* ⟨in GB ook⟩ *area of outstanding natural beauty* **3.1** ~pen schilderen *paint landscapes.*

landschappelijk ⟨bn.⟩ **0.1** *of the landscape* ◆ **1.1** het ~ schoon *the scenic/ natural beauty, the beauty of the landscape.*

landschapsarchitect ⟨de (m.)⟩ **0.1** *landscape architect/gardener.*

landschapsarchitectuur ⟨de (v.)⟩ **0.1** *landscape architecture/gardening.*

landschapsbeschrijving ⟨de (v.)⟩ **0.1** [chorografie] *topography* ⇒ ⟨van grotere streken⟩ *chorography* **0.2** [beschrijving van het landschap] *description of a/the landscape.*

landschapschilder ⟨de (m.)⟩ **0.1** *landscape painter/artist* ⇒*painter of landscapes, landscapist, paysagist.*

landschapsgeografie ⟨de (v.)⟩ **0.1** *landscape geography, geography of the landscape.*

landschapspark ⟨het⟩ **0.1** *national park, nature reserve* ⇒ ⟨GB ook⟩ *area of outstanding natural beauty.*

landschapsplan ⟨het⟩ **0.1** *environmental protection plan.*

landschapsschoon ⟨het⟩ **0.1** *beauty of the landscape/countryside scenic/ natural beauty.*

landschapsstijl ⟨de (m.)⟩ **0.1** [schilderstijl] *landscape style* **0.2** [landelijke stijl] *country style.*

landschapsverzorging ⟨de (v.)⟩ **0.1** *protection of the environment, environmental protection.*

landschildpad ⟨de⟩ **0.1** *(land) tortoise* ⇒*land turtle,* ⟨dierk.⟩ *testudo.*

landsdienaar ⟨de (m.)⟩ **0.1** *public servant* ⇒*government official, civil servant.*

landsdrukkerij ⟨de (v.)⟩ **0.1** *Government/State printing office/house.*

landsfinanciën ⟨zn.mv.⟩ **0.1** *national finance(s).*

landsgrens →**landgrens.**

landsheer ⟨de (m.)⟩ ⟨gesch.⟩ **0.1** *sovereign (ruler/lord/prince), ruler, prince, monarch.*

landsheerlijk ⟨bn.⟩ ⟨gesch.⟩ **0.1** *sovereign, royal, princely, regal.*

landskampioen ⟨de (m.)⟩ ⟨sport⟩ **0.1** *national champion.*

landsknecht ⟨de (m.)⟩ ⟨gesch.⟩ **0.1** *landsknecht, lansquenet.*

landslak ⟨de⟩ **0.1** *land snail.*

landsman ⟨de (m.)⟩ **0.1** *(fellow) countryman, compatriot* ◆ **¶.¶** wat voor een ~ is hij? *what nationality is he?, what country/where does he come from?, what's his nationality?.*

landsregering ⟨de (v.)⟩ **0.1** *national/central government, government of a /the country* ⇒ ⟨mbt. USA, Canada, Australië, enz.⟩ *federal government.*

landstaal ⟨de⟩ **0.1** *national language* ⇒*vernacular (language)* ◆ **1.1** de ~ van IJsland is IJslands *the (national) language of Iceland is Icelandic* **6.1** in de ~ overbrengen *translate into the national language/vernacular.*

landstorm ⟨de (m.)⟩ ⟨gesch.⟩ **0.1** [oproepbare mannen] *last/home reserves* ⇒*militia,* ⟨scherts.⟩ *dad's army* **0.2** [mil. organisatie] *landstorm.*

landstreek ⟨de⟩ **0.1** *region, district, part of the country, area.*

landstrijdkrachten ⟨zn.mv.⟩ **0.1** *land forces* ⇒*army.*

landsverdediging ⟨de (v.)⟩ **0.1** *national defence.*

landsvorst ⟨de (m.)⟩ **0.1** *sovereign* ⇒*king, prince.*

landsvrouwe ⟨de (v.)⟩ **0.1** [vorstin] *sovereign (lady)* ⇒*queen, princess* **0.2** [echtgenote van een vorst] *queen consort.*

landszaak ⟨de⟩ **0.1** *national matter, matter of national importance.*

landtong ⟨de⟩ **0.1** *spit/tongue/neck/finger of land* ⇒*point (of land),* ⟨hoog⟩ *head (land),* ⟨schiereiland⟩ *peninsula.*

landvarken ⟨het⟩ **0.1** *native pig.*

landvast ⟨de (m.)⟩ ⟨scheep.⟩ **0.1** *mooring(-rope).*

landverbetering ⟨de (v.)⟩ **0.1** *land improvement.*

landverhuizer ⟨de (m.)⟩ **0.1** *emigrant.*

landverhuizing ⟨de (v.)⟩ **0.1** *emigration.*

landverkenning ⟨de (v.)⟩ ⟨scheep.⟩ **0.1** [onderzoek] *landfall* **0.2** [beeld v.d. kust] *landfall.*

landverraad ⟨het⟩ **0.1** *(high) treason, treason against the state* ◆ **2.1** schuldig aan ~ *guilty of (high) treason.*

landverrader ⟨de (m.)⟩ **0.1** *traitor (to one's country)* ⇒*collaborator, collaborationist, quisling* ⟨collaborateur⟩.

landverschuiving ⟨de (v.)⟩ **0.1** *landslide* ⇒*landslip.*
landvest ⟨de⟩ ⟨wwb.⟩ **0.1** *anchor, tie.*
landvlucht ⟨de⟩ **0.1** *rural flight* ⇒*migration to the cities.*
landvoogd ⟨de (m.)⟩ **0.1** *governor* ⇒*viceroy,* ⟨Indonesië⟩ *governor-general.*
landvoogdes ⟨de (v.)⟩ **0.1** *governess* ⇒*vicequeen, vicereine.*
landvorm ⟨de (m.)⟩ ⟨plantk.⟩ **0.1** *terrestrial form.*
landvrucht ⟨de⟩ **0.1** [⟨mv.⟩] *chief produce (of a country).*
landwaarts ⟨bw.⟩ **0.1** *landward(s)* ⇒*towards the land, shoreward, onshore* ⟨vnl. mbt. de wind⟩ ◆ **3.1** de wind draaide ~ *the wind shifted onshore;* ~ richten *head for shore;* ⟨scheep.⟩ *put to;* ~ stevenen *steer landward(s);* ⟨scheep.⟩ *put to* **6.1** ~ **in** gelegen *inland in the interior.*
landwants ⟨de⟩ **0.1** *land bug.*
landweer ⟨de⟩ **0.1** [verdediging van het land] *national defence* **0.2** [dam, dijk] *dike* **0.3** [deel van het leger] *reserve* ⇒⟨vnl. BE, mbt. Tweede Wereldoorlog⟩ *Home Guard* ◆ **2.3** de vrijwillige ~ ⟨BE⟩ *the Territorial Army,* ⟨inf.⟩ *the Terries;* ⟨AE⟩ *the National Guard;* soldaat v.d. vrijwillige ~ *militiaman;* ⟨BE⟩ *Territorial,* ⟨inf.⟩ *terrier, terry;* ⟨AE⟩ *National Guardsman.*
landweg ⟨de (m.)⟩ **0.1** [weg door het land] *country road* **0.2** [niet-bestrate weg] *(country) lane/track* ⇒*cart road/track,* ⟨karrespoor⟩ *unsealed road,* ⟨vnl. Austr.E⟩ *dirt road/track.*
landwijn ⟨de (m.)⟩ **0.1** *local wine.*
landwind ⟨de (m.)⟩ **0.1** *land wind/breeze, offshore wind.*
landwinning ⟨de (v.)⟩ **0.1** *land reclamation.*
landziek ⟨bn.⟩ **0.1** *landsick.*
landzij(de) ⟨de⟩ **0.1** *landside, landward side* ◆ **6.1 aan** de ~ *on the land-(ward) side.*
lang (→ sprw. 42, 145, 249, 364, 514, 633)
I ⟨bn.⟩ **0.1** [met een grote lengte] *long;* ⟨persoon, staand voorwerp⟩ *tall* **0.2** [met een bep. lengte] *long;* ⟨persoon, staand voorwerp⟩ *tall* **0.3** [geruime tijd durend] *long* **0.4** [een bepaalde tijd durend] *long* ⇒ *at a stretch, on end* **0.5** [mbt. vloeistoffen] *weak* ◆ **1.1** een ~ e broek *l. trousers/*^A*pants;* ⟨fig.⟩ aan het ~ste eind trekken *come off best, get the best of it;* ~ haar hebben *have l. hair, be long-haired;* ⟨jacht⟩ een ~e hond *a greyhound;* ~e mouwen *l. sleeves;* een ~ rij *a l. line/row;* een ~ e vent *a t. chap/guy;* een ~ verhaal ⟨ook⟩ *a lengthy story* **1.2** de kamer is zes meter ~ *the room is six metres l.* **1.3** een werk van ~ e adem *a long-winded work;* op de ~ e duur *in the l. run;* een ~ krediet *long-term credit;* op ~ e termijn *in the l. term;* een ~ weekend *a l. weekend* **1.4** vijf jaar ~ *for five years;* hij heeft zijn leven ~ armoe geleden *he lived a life of/spent his life in poverty;* hij zweeg wel een minuut ~ *he was silent for a full minute/for all of a minute;* twee weken ~ *for (all of) two weeks;* ⟨zonder onderbreking⟩ *two weeks at a stretch/on end;* heel de zomer ~ *all summer l., throughout the summer* **3.1** een jurk ~ er maken *lengthen a dress, take the hem of a dress down;* ~ er zijn dan 1.90 *be more than/over 1.90 m (tall/in height);* het verhaal mag niet ~ er zijn dan 1000 woorden *the story must not exceed/be longer than/go over 1000 words* **3.3** de avonden vallen haar ~ *the evenings drag with her;* de tijd valt me ~ *time drags/won't pass, time's hanging heavy on my hands;* de dagen worden ~ er *the days are getting longer/are lengthening/are drawing out* **5.2** ze zijn even ~ *they're the same height/as t. as each other* **6.3** ~ **van** stof zijn *be long-winded* **7.1** in het ~ zijn wear *a l./ evening dress* **8.2** het is zo ~ als het breed is *it's as broad as it's l., it's six of one and half-a-dozen of the other;*
II ⟨bw.⟩ **0.1** [gedurende geruime tijd] *long* ⇒ *(for) a long time* **0.2** [gedurende een bep. tijd] *long* **0.3** [(met ontkenning) helemaal] *far (from)* ⇒ *nothing like, (not) nearly* ◆ **1.2** ik blijf geen dag ~ er *I won't stay another day/won't stay a day longer* **3.1** hij deed er ~ over voor hij achter de waarheid kwam *he was a long time getting at the truth;* ~ over iets doen *be long about/long (in) doing sth.;* hij doet ~ over zijn werk *he's/he takes (a) long (time) over his work;* ~ duren *take a long time, last long, last a long time;* ze leefden ~ en gelukkig *they lived happily ever after;* ~ zal hij leven! *for he's a jolly good fellow!;* hij maakt het niet ~ meer *he won't last much longer;* ~ meegaan *last (a long time), last long;* ~ opzitten/opblijven *sit/stay up late;* als je denkt dat ik dat zal doen kun je ~ wachten *if you think I'm going to do that you've got another think coming/you're in for a long wait;* je bent ~ weggebleven! *you've been (out/away) a long time!* **3.2** het vriest niet ~ er *it's stopped freezing* **5.1** al ~ *for a long time (now);* hij had al ~ weg moeten zijn *you should have (been) gone long ago;* we hebben het er ~ en breed over gehad *we've talked about it at great length;* ~ geleden *long ago;* ⟨inf.⟩ *way back;* heel ~ geleden *a long time/a great while ago, once upon a time;* hoe ~ nog? *how much longer?;* het duurde vreselijk ~ *it went on awfully long/for ages;* al heel ~ weggebleven *you've been (gone/away) ages;* de kinderen zeurden net zo ~ tot ze ja zei *the children kept on and on until she said yes* **5.2** dat heeft ~ genoeg geduurd *this has gone on l./far enough;* ze kan niet ~ er wachten *she can't wait any longer/more* **5.3** hij verdient ~ geen 500 gulden in de week *he doesn't earn anywhere near 500 guilders a week;* dat weegt ~ geen vier kilo *it weighs nowhere near four kilos, it doesn't weigh anywhere near four kilos;* men was het ~ niet eens *there was no agreement at all;* dat smaakt ~ niet slecht *it doesn't taste at all*

bad/*doesn't taste half bad;* hij is nog ~ niet zo ver *he hasn't got/isn't anything like/he's nothing like as far as that, he isn't anywhere near/ nowhere near as far as that;* hij is ~ zo rijk niet als beweerd wordt *he's not nearly as rich/not half as rich/nothing like as rich/far from being so rich as people say;* dat is ~ niet slecht/gek *that's not at all bad;* ze is ~ niet zo groot als Jan *she's not nearly/she isn't anywhere near/she's nowhere near/she's nothing like/she isn't anything like as tall as Jan;* ik vind het ~ niet grappig *I don't see the joke (at all);* deze wijn is ~ zo goed niet *this wine is nothing like/not nearly/nowhere near so/as good;* ze waren ~ niet allemaal aanwezig *by no means all of them were there;* dat was ~ niet de eerste keer *that wasn't the first time by any means/by any means the first time;* er waren er ~ niet zoveel die het wisten *there weren't by any means/at all many who knew;* ⟨fig.⟩ wij zijn er nog ~ niet ⟨fig.⟩ *we've a long way to go (yet);* het was ~ niet zo ver *it wasn't at all far;* die zaal is ~ niet groot genoeg *that room is nowhere/isn't anywhere near big enough;* ⟨inf.⟩ *that room is miles too small* **6.1** ik heb **in** ~ niet zo gelachen *I haven't laughed so much in/ for a long time;* ~ **na** mijn vertrek *long/well after my departure* **8.1** ~ er dan een jaar *(for) over a year, (for) more than a year;* ze bleven ~ er dan ons lief was *they outstayed their welcome* **8.2** het wordt hoe ~ er hoe erger *it gets worse and worse, it goes from bad to worse;* hoe ~ er, hoe liever *the longer the better* **¶.2** dat kan zo niet ~ er *things can't go on like this* **¶.3** bij ~ e na niet *far from it, not by a long chalk, by no means;* bij ~ e na niet zo goed *not nearly as good, nothing like as good.*

langademig ⟨bn., bw.; -ly⟩ **0.1** *land-winded* ⇒*lengthy, land-drawn-out* ◆ **1.1** een ~ verhaal *a l.-w. story* **3.1** ~ preken *preach in a l.-w. way, preachify.*
lang-afstandsschot ⟨het⟩ **0.1** *long (distance) shot/* ⟨voetbal ook⟩ *kick.*
langarmapen ⟨zn.mv.⟩ **0.1** *gibbons.*
langarmig ⟨bn.⟩ **0.1** *long-armed.*
langbeen ⟨de (m.)⟩ **0.1** [insekt] *(daddy) longlegs, harvestman, harvest spider* **0.2** [ooievaar] *stork* **0.3** [persoon] *longlegs.*
langbekken ⟨zn.mv.⟩ ⟨biol.⟩ **0.1** [vogelfamilie] *longbills* **0.2** [insektenfamilie] *empididae.*
langbenig ⟨bn.⟩ **0.1** *long-legged* ⇒ ⟨inf.⟩ *leggy* ⟨vnl. van vrouwen⟩ ◆ **1.1** een ~ e passer *a pair of l.-l. compasses.*
langbladig ⟨bn.⟩ **0.1** *long-leaved.*
langbloem ⟨de⟩ **0.1** *festuca, fescue grass* ◆ **2.1** de rijzige ~ *tall fescue.*
langdradig
I ⟨bn., bw.; -ly⟩ **0.1** [breedsprakig] *long-winded* ⇒*lengthy, long-drawn-out, tedious,* ↑*prolix* ◆ **1.1** een ~ redenaar *a l.-w./ tedious speaker;* een ~ schrijver *a prolix/discursive writer;* een ~ verhaal *a l.-w./ tedious story* **3.1** ~ preken *preach in a l.-w. way, preachify;* ~ over iets uitweiden *go on (at length) about sth., ramble on about sth.* **5.1** hij is altijd zo ~ *he is always so l.-w.;*
II ⟨bn.⟩ **0.1** [uit lange draden bestaand] *long-threaded.*
langdradigheid ⟨de (v.)⟩ **0.1** *long-windedness* ⇒⟨schr.⟩ *verbosity, prolixity.*
langdurig ⟨bn., bw.⟩ **0.1** *long(-lasting/-term), lengthy, protracted* ⇒*sustained, long-standing/-established, of long standing* ◆ **1.1** een ~ applaus *sustained/protracted applause;* ~ e handelsrelaties *long-standing business relationships;* een ~ gerechtelijk onderzoek *a lengthy/ protracted legal investigation;* een ~ verblijf *a protracted/prolonged/ lengthy stay;* een ~ vriendschap *a lasting friendship, a long-established /-standing friendship, a friendship of long standing;* ~ e werkloosheid *long-term unemployment;* een ~ e ziekte *a long/protracted illness.*
langdurigheid ⟨de (v.)⟩ **0.1** *lengthiness* ⇒*great length, long duration.*
lange-afstandloper ⟨de (m.)⟩ **0.1** *long-distance runner* ⇒*stayer, marathon runner.*
lange-afstandsmars ⟨de⟩ **0.1** *long(-distance) march.*
lange-afstandsraket ⟨de⟩ ⟨mil.⟩ **0.1** *long-range missile* ⇒ ⟨intercontinentaal ook⟩ *intercontinental ballistic missile, ICBM.*
lange-afstandsvliegtuig ⟨het⟩ **0.1** ⟨mil.⟩ *long-range/* ⟨burgerlijk⟩ *long-haul aircraft.*
lange-afstandsvlucht ⟨de⟩ **0.1** *long-distance flight.*
langebaanrijder ⟨de (m.)⟩ **0.1** *long-distance/marathon skater.*
langebaanwedstrijd ⟨de (m.)⟩ **0.1** *long-distance skating race.*
langegolf ⟨de⟩ **0.1** *long wave.*
langejaap ⟨de (m.)⟩ ⟨kind.⟩ **0.1** ⟨ongemarkeerd⟩ *middle finger.*
langgerekt ⟨bn.⟩ **0.1** [lang en smal] *long-drawn-out, elongated* ⇒*attenuated* **0.2** [lang aangehouden/durend] *long-drawn-out* ⇒*lengthy, protracted, prolonged, long-winded, prolix* ◆ **1.1** een ~ stuk grond *a long, narrow piece of land, an elongated piece of land* **1.2** de gong bracht een ~ e klank voort *the gong produced a lingering sound;* een ~ e kreet *a l.-d.-o./ protracted cry;* een ~ verhaal *a l.-d.-o./ long-winded story.*
langgras ⟨het⟩ ⟨biol.⟩ **0.1** *tall oat grass, tall meadow oat.*
langhals ⟨de (m.)⟩ **0.1** [persoon] *long-necked person* **0.2** [fles] *long-necked bottle.*
langharig ⟨bn.⟩ **0.1** [mbt. dieren, planten] *long-haired* ⇒⟨mbt. dieren ook⟩ *long-coated* **0.2** [mbt. personen] *long-haired* ◆ **1.2** ~ werkschuw tuig *l.-h. workshy riff-raff/layabouts.*

langhoofdig ⟨bn.⟩ ⟨antr.⟩ **0.1** *long-headed* ⇒*dolichocephalic.*
langhoornig ⟨bn.⟩ **0.1** *long-horned* ◆ **1.1** ~ *rund longhorn.*
langlaufen ⟨ww.⟩ **0.1** *ski cross-country* ◆ **7.1** het ~ *Nordic/cross-country skiing;* ⟨vnl. onder beoefenaars⟩ *langlauf.*
langlevend ⟨bn.⟩ **0.1** *long-lived.*
langlopend ⟨bn.⟩ **0.1** [wat lange tijd loopt] *long-term* **0.2** [voor lange tijd opgesteld] *long-term* ◆ **1.1** ~e *kredieten l.-t. credits;* ~e *obligaties l.-t. bonds* **1.2** een ~ *programma voor de bouwnijverheid a l.-t. programme for the building industry.*
langoest ⟨de (m.)⟩ **0.1** *spiny lobster, langouste.*
langoor ⟨de (m.)⟩ **0.1** *long-ears.*
langoureus ⟨bn., bw.;-ly⟩ **0.1** *languorous.*
langoustine ⟨de⟩ **0.1** *langoustine, Norway lobster* ⇒*Dublin (Bay) prawn,* ⟨mv. ook; cul.⟩ *scampi.*
langparkeerder ⟨de (m.)⟩ **0.1** *long-term parker.*
langpoot ⟨de (m.)⟩ **0.1** [hooiwagen] *harvestman, harvest spider* ⇒⟨AE ook⟩ *(daddy) longlegs* **0.2** [langpootmug] ⟨→**langpootmug**⟩.
langpootmug ⟨de⟩ **0.1** *daddy longlegs, crane fly.*
langs[1] ⟨bw.⟩ **0.1** [in de lengte naast] *along* **0.2** [aan] *round* ⇒*in, by* **0.3** [voorbij] *past* **0.4** [in de lengte/richting van] *along* ◆ **3.1** in een boot de kust ~ *varen sail a./ skirt the coast;* ⟨dicht langs⟩ *hug the coast* **3.2** ik kom nog wel eens ~ *I'll drop/call in/r./ by sometime* **3.3** hij kwam net ~ *he just came p.* **3.4** de weg ~ *gaan go a. the road* **5.**¶ iem. ervan~ geven, ervan ~ krijgen *let s.o. have it, give s.o. what for, lay into s.o.* **6.**¶ iem. er ongenadig van ~ geven *give s.o. a hell of a time/ hell;* er geducht **van** ~ krijgen *catch it, get what-for.*
langs[2] ⟨vz.⟩ **0.1** [in de lengte van] *along* **0.2** [via] *via* ⇒*by (way/ means of)* **0.3** [voorbij] *past* **0.4** [aan bij] *in at* ◆ **1.1** de weg loopt vlak ~ een bos *the road skirts a wood;* de stoelen stonden ~ de muur *the chairs were lined up a. the wall;* ~ de rivier wandelen *go for a walk a. the river;* ⟨AZN⟩ ~ de straat *a hut by the roadside;* er staan bomen ~ de weg *there are trees a. (the side of) the road, the road is lined with trees;* ~ de hele weg *all a. the road, the length of the road* **1.2** ~ de regenpijp naar omlaag *down the drainpipe* **1.4** wil jij even ~ de bakker rijden? *could you just drop/ call in at the baker's?* **3.1** ~ de kust varen *sail a./ up/ down the coast, skirt the coast;* ⟨dicht langs⟩ *hug the coast* **3.3** ~ het huis komen *pass by the house* **5.2** hier/daar~ *this/ that way* ¶.**3** iets ~ zich heen laten gaan *take no notice of sth.;* ~ elkaar heen praten/ leven *talk at cross-purposes, live without (any) real contact.*
langsbreuk ⟨de⟩ ⟨geol.⟩ **0.1** *longitudinal fault.*
langschedeligen ⟨zn.mv.⟩ **0.1** *longheads* ⇒⟨wet.⟩ *dolichocephals, dolichocephali.*
langscheeps →**langsscheeps.**
langschip ⟨het⟩ **0.1** *nave.*
langsdoorsnede ⟨de⟩ **0.1** *longitudinal (cross)section.*
langsdrager ⟨de (m.)⟩ **0.1** *longitudinal sleeper/ girder.*
langsgaan ⟨onov.ww.⟩ **0.1** [passeren] *pass (by)* **0.2** [aangaan] *call in/ round (at), go round (to)* ◆ **6.2** bij iem. ~ ⟨ook⟩ *call on s.o., look/ drop in on s.o.'s house, pay a call on s.o..*
langsheen ⟨vz.⟩ ⟨AZN⟩ **0.1** *along.*
langshelling ⟨de (v.)⟩ **0.1** *longitudinal slipway/ building slip/ building berth.*
langshout ⟨het⟩ **0.1** *quartersawn timber.*
langskomen ⟨onov.ww.⟩ **0.1** [ergens voorbij komen] *come past/ by, pass by* **0.2** [op bezoek komen] *come round/ over/* ⟨AE ook⟩ *around* ⇒ *drop by/ in, pop in.*
langslaper ⟨de (m.)⟩, **-slaapster** ⟨de (v.)⟩ **0.1** *late riser* ⇒*lie-abed.*
langsligger ⟨de (m.)⟩ **0.1** *longitudinal sleeper/ girder.*
langslopen ⟨onov.ww.⟩ **0.1** [passeren] *walk past* **0.2** [aangaan] ⟨→**langsgaan 0.2**⟩.
langsnaveligen ⟨zn.mv.⟩ **0.1** *longbills.*
langsnuitdolfijn ⟨de (m.)⟩ **0.1** *white-sided dolphin.*
langspeelband ⟨de (m.)⟩ **0.1** *long-playing tape.*
langspeelplaat ⟨de⟩ **0.1** *long-playing record/ disc, long-player* ⇒*album,* ⟨inf.⟩ *L.P.* ◆ **6.1** opgenomen **op** de ~ *recorded on L.P..*
langspeler ⟨de (m.)⟩ →**langspeelplaat.**
langsprieten ⟨zn.mv.⟩ ⟨dierk.⟩ **0.1** *longicornia.*
langsrijden ⟨onov.ww.⟩ **0.1** [voorbij rijden] *ride past* ⟨op paard/ fiets enz.⟩; *drive past* ⟨met auto⟩ **0.2** [aangaan] ⟨→**langsgaan 0.2**⟩.
langsscheeps ⟨bn., bw.⟩ **0.1** ⟨bn.⟩ *fore and aft;* ⟨bw.⟩ *alongship* ◆ **1.1** ~ *tuig fore and aft rigging* **3.1** de mast viel ~ *the mast fell a..*
langsslag ⟨de (m.)⟩ **0.1** *lang lay.*
langst ⟨bn., bw.⟩ ⟨→sprw. 152,634⟩ **0.1** *longest* ◆ **6.1** het kan **op** zijn ~ een maand duren *it will take a month at the l./ most.*
langstaart ⟨de (m.)⟩ **0.1** *longtail.*
langstaartapen ⟨zn.mv.⟩ **0.1** ⟨wet.⟩ *cercopithecidae.*
langstijlig ⟨bn.⟩ ⟨plantk.⟩ **0.1** *long-styled.*
langstlevende ⟨de (m.)⟩ **0.1** *survivor* ◆ **6.1** testament **op** de ~ *will in favour of the s./ surviving spouse.*
langstrekken ⟨onov.ww.⟩ **0.1** *pass* ⇒⟨in een stoet⟩ *parade.*
langsverband ⟨het⟩ **0.1** [verband in de lengterichting] *stringer* **0.2** [⟨scheep.⟩] *longitudinal strength.*

langsvoeg ⟨de⟩ **0.1** *longitudinal joint.*
langszaling ⟨de (v.)⟩ ⟨scheep.⟩ **0.1** *trestletree.*
langszij ⟨bw.⟩ **0.1** *alongside* ⇒⟨scheep. ook⟩ *aboard* ◆ **3.1** ~ komen *come alongside, lay aboard* **6.1** ~ **van** het schip *alongside the ship.*
languido ⟨bw.⟩ ⟨muz.⟩ **0.1** *languido.*
languissant ⟨bn., bw.;-ly⟩ **0.1** *languid.*
languit ⟨bw.⟩ **0.1** *(at) full length, stretched out* ⇒*recumbent,* [↑] *procumbent* ◆ **3.1** hij lag ~ op de grond *he lay stretched out on the ground;* ik kan in dat bed niet ~ liggen *I can't lie full length in that bed, that bed is too short for me;* ~ liggend *(lying) stretched out;* ~ op de grond vallen *fall flat (out)/ fall full length on the ground, fall flat on one's face, measure one's length;* ~ achterover vallen *fall flat on one's back.*
langverbeid ⟨bn.⟩ ⟨schr.⟩ **0.1** *long-awaited, long looked-for.*
langvers ⟨het⟩ **0.1** *long verse.*
langverwacht ⟨bn.⟩ **0.1** *long-awaited/ -expected/ -anticipated* ◆ **1.1** het ~e *ogenblik* ⟨inf.⟩ *the big moment.*
langvleugeltapuit ⟨de (m.)⟩ **0.1** *wheatear of Greenland.*
langvoer ⟨het⟩ **0.1** *roughage.*
langwerpig ⟨bn., bw.⟩ **0.1** [met een lange vorm] *elongated* ⇒*long* **0.2** [⟨landb.⟩] *along the furrow* ◆ **1.1** een ~ *figuur an oblong* **2.1** ~ *rond oval, elliptic(al);* ~ *vierkant rectangular.*
langzaam ⟨bn., bw.;-ly⟩ ⟨→sprw. 235,251,408⟩ **0.1** [niet vlug] *slow* ⇒ *tardy, sluggish* **0.2** [mbt. een voortbeweging] *slow* ⇒*sluggish* ⟨vnl. mbt. water⟩ **0.3** [geleidelijk] *gradual* ⇒*progressive,* ⟨bw.ook⟩ *bit by bit, little by little, by degrees* ◆ **1.1** een langzame dood sterven *die a slow/ lingering death* **3.1** ~ eten/ drinken *eat/ drink slowly;* haast je ~ *make haste slowly; more haste, less speed;* ~ laten zakken *ease down;* langzamer gaan rijden/ werken *slow down, ease up, take it easy, slacken off one's pace;* ~ vooruitkomen *make slow progress;* ~ vooruitkomen/ voortgaan, zich ~ verplaatsen *inch (one's way) forward, edge (one's way/ o.s.) forward;* dat werk vordert maar ~ *that job is progressing but slowly/ is making only slow progress;* ~ wegsterven *fade out;* ~ werkend vergif *slow(-acting) poison* **3.2** ~ rijden *ride* ⟨op paard/ fiets enz.⟩ */ drive* ⟨met auto⟩ *slowly;* ⟨op verkeersbord⟩ *(drive) slow* **3.3** ~ werd hij wat beter *he gradually got a bit better* **5.1** ~ aan! *slow down!, steady (on)!, (take it) easy!;* het ~ aan doen *go slow;* heel ~ *very slowly, dead slow, at a crawl/ a snail's pace* **6.1** hij is ~ **van** betalen *he is tardy in paying/ slow to pay/ a slow payer* ¶.**1** ~ maar zeker *slow but sure.*
langzaam-aan-actie ⟨de (v.)⟩ **0.1** *go-slow* ⇒*slow-down,* ⟨stiptheidsactie⟩ ≠[B]*work-to-rule.*
langzamerhand ⟨bw.⟩ **0.1** *gradually* ⇒*progressively, bit by bit, little by little, by degrees* ◆ **3.1** ik krijg er ~ genoeg van *I'm starting to get tired of/ fed up with it.*
langzichtwissel ⟨de (m.)⟩ **0.1** *long-dated bill.*
lankmoedig ⟨bn.⟩ **0.1** *long-suffering* ⇒⟨geduldig⟩ *patient,* ⟨toegewend⟩ *tolerant/ lenient (towards), indulgent* ◆ **3.1** iets ~ verdragen *be l.-s. under/ in the face of sth., bear sth. with patience/ patiently.*
lankmoedigheid ⟨de (v.)⟩ **0.1** *long-suffering* ⇒*patience, tolerance, lenience/ -cy, indulgence.*
lanoline ⟨de⟩ **0.1** *lanolin(e)* ⇒*wool fat.*
lanolinezalf ⟨de⟩ **0.1** *lanolin(e) ointment.*
lans ⟨de⟩ **0.1** *lance* ⇒*spear* ◆ **2.**¶ thermische ~ *high-power cutting torch* **3.1** een ~ met iem. breken ⟨ook fig.⟩ *break a l. with s.o.;* ⟨fig.⟩ een ~ voor iem./ iets breken *break a l. for/ stand up for s.o./ sth.;* de ~ vellen *couch the l., lay the l. in its rest.*
lansegel ⟨de (m.)⟩ **0.1** *sea wichin/ hedgehog.*
lansier ⟨de (m.)⟩ **0.1** *lancer.*
lansknecht →**landsknecht.**
lanspunt ⟨de (m.)⟩ **0.1** *lance head/ tip/ point.*
lansslang ⟨de (v.)⟩ **0.1** *fer-de-lance* ⇒*bonetail.*
lantaarn ⟨de⟩ **0.1** [straatlantaarn] *streetlamp, streetlight* **0.2** [lamp] *lantern* ⟨vnl. niet elektrisch⟩; *lamp* ⟨vnl. elektrisch⟩ ⇒⟨zaklamp⟩ *torch* **0.3** [deel v.e. vuurtoren] *lantern* **0.4** [glazen kap] *lantern* ⇒⟨in dak ook⟩ *skylight, deadlight* ◆ **1.**¶ ~ van Aristoteles *Aristotle's lantern* **2.2** rode ~ *tailender;* ⟨fig.⟩ onze ploeg droeg de rode ~ *our team came (in) last* **6.2** ⟨fig.⟩ dat/ die zul je met een ~tje moeten zoeken *it doesn't/ they don't grow on trees.*
lantaarnboei ⟨de⟩ **0.1** *light buoy.*
lantaarndrager ⟨de (m.)⟩ ⟨biol.⟩ **0.1** [insekt] *lantern fly* **0.2** [vis] *lantern fish.*
lantaarnopsteker ⟨de (m.)⟩ **0.1** *lamplighter.*
lantaarnpaal ⟨de (m.)⟩ **0.1** *lamppost, lamp standard.*
lantaarnvissen ⟨zn.mv.⟩ **0.1** [familie van zilverblanke visjes] *lantern fish* **0.2** [slijmkopvissen] *firefly fish.*
lanterfant ⟨de (m.)⟩ **0.1** *loafer, idler* ⇒*lounger,* ⟨BE; inf.⟩ *layabout,* ⟨nietsnut⟩ *good-for-nothing.*
lanterfanten ⟨onov.ww.⟩ **0.1** *lounge/ loaf (about), idle* ⇒*sit about/ around* ⟨vnl. thuis⟩ **3.1** lopen ~ *lounge/ loaf (about).*
lanterlu(i) ⟨het⟩ ⟨kaartspel⟩ **0.1** *loo.*
lanthaan ⟨het⟩ ⟨schei.⟩ **0.1** *lanthanum.*
lanthaanreeks ⟨de⟩ ⟨schei.⟩ **0.1** *lanthanide series.*
lanthaniden ⟨zn.mv.⟩ ⟨schei.⟩ **0.1** *lanthanides* ⇒*rare earth, rare-earth elements.*

lantierboom →latierboom.
lantierpaal →latierpaal.
Laocoöngroep ⟨de⟩ 0.1 *Laocoon group.*
Laodiceeër ⟨de (m.)⟩ 0.1 *Laodicean.*
Laos ⟨het⟩ 0.1 *Laos* ◆ 1.1 Democratische Volksrepubliek ~ *People's Democratic Republic of L..*
Laotiaan ⟨de (m.)⟩,-se ⟨de (v.)⟩ 0.1 *Laotian.*
Laotiaans ⟨bn.⟩ 0.1 *Laotian.*
lap ⟨het⟩ ⟨→sprw. 384⟩ 0.1 [stuk stof] *piece* ⇒*length* ⟨v.d. rol, om iets mee te maken⟩, ⟨vod⟩ *rag,* ⟨→ook lapje⟩ 0.2 [dun stuk materiaal] *piece* ⇒⟨→ook lapje⟩ 0.3 [coupon] *remnant, oddment* 0.4 [klap] *slap (in the face)* ⟨in gezicht⟩; *box (on the ear(s))* ⟨oorveeg⟩ ◆ 2.1 dat werkt op hem als een rode ~ op een stier *that's like a red rag to him, that's like a red rag to a bull for him* 2.2 een leren ~ *a p. of leather;* een zeemleren/zemen ~ *a chamois leather;* ⟨inf.⟩ *a shammy (leather)* 3.1 de ~pen hangen erbij *it's all/it's in rags and tatters;* een ~ inzetten *put /sew in a patch* 6.1 een ~ **voor** een jurk *a piece/length of cloth for a dress.*
laparoscoop ⟨de (m.)⟩ ⟨med.⟩ 0.1 *laparoscope.*
laparoscopisch ⟨bn.⟩ ⟨med.⟩ 0.1 *laparoscopic* ◆ 1.1 ~e sterilisatie *l. sterilization.*
laparotomie ⟨de (v.)⟩ ⟨med.⟩ 0.1 *laparotomy.*
lapidair
    I ⟨bn.⟩ 0.1 [in steen gehouwen] *lapidary* ⇒*lapidarian;*
    II ⟨bn., bw.⟩ 0.1 [kort en kernachtig] *lapidary* ⇒*laconic* ◆ 1.1 ~e stijl *lapidary style* 3.1 zich ~ uitdrukken *express o.s. laconically/in a lapidary manner.*
lapidarist ⟨de (m.)⟩ 0.1 *lapidary* ⇒⟨AE; inf.⟩ *rock-hound.*
lapidarium ⟨het⟩ 0.1 *lapidary.*
lapis lazuli ⟨de (m.)⟩ 0.1 *lapis (lazuli).*
lapje ⟨het⟩ 0.1 [stukje textiel] *piece* ⇒⟨voor reparatie⟩ *patch,* ⟨doekje⟩ *cloth* 0.2 [dun/klein stukje materiaal] *piece* ⇒⟨vodje⟩ *scrap, slice* ⟨vnl. mbt. vlees⟩ ◆ 1.2 een ~ grond *a p. / plot/patch of land;* ⟨volkstuintje⟩ B*an allotment;* een ~ vlees *a p. / slice of meat; a steak* ⟨ihb. runderlapje⟩; ⟨kalfslapje⟩ *an escalope (of veal)* 6.2 een ~ **van** duizend *a thousand guilder note/*^A*bill* 6.¶ iem. **voor** het ~ houden *have s.o. on, pull s.o.'s leg.*
lapjeskat ⟨de⟩ 0.1 *tortoiseshell (cat).*
Lapland ⟨het⟩ 0.1 *Lapland.*
laplander ⟨de (m.)⟩ ⟨dierk.⟩ 0.1 *Lapland bunting.*
Laplander ⟨de (m.)⟩,-se ⟨de (v.)⟩ 0.1 *Lapp* ⇒*Laplander.*
Laplands ⟨bn.⟩ 0.1 *Lapp(ish).*
lapmiddel ⟨het⟩ 0.1 *makeshift (measure), stop-gap* ⇒⟨AE; inf.⟩ *band-aid,* ↑*temporary expedient/measure,* ↑*palliative (measure)* ◆ 3.1 al die ~en helpen niet *none of those makeshift measures helps, all that fiddling/tinkering doesn't help.*
lapnaad ⟨de (m.)⟩ 0.1 *lap joint* ⇒*lapped joint.*
lapnaam ⟨de (m.)⟩ ⟨AZN⟩ 0.1 *nickname.*
lappen
    I ⟨ov.ww.⟩ 0.1 [herstellen] *patch* ⇒*mend, fix (up), cobble* ⟨vnl. mbt. schoenen, ook fig.⟩ 0.2 [klaarspelen] *manage, pull off, do the trick* 0.3 [met een zeemlap schoonmaken] *clean* 0.4 [een ronde voorkomen] *lap* ◆ 1.3 ramen ~ c. / *do the windows* 4.2 dat heb je 'em gauw gelapt *that's quick (work);* dat lap jij hem niet *you'll never manage (that)/ pull it off* 4.¶ dat zou jij mij niet moeten ~ *don't try that (one/trick) on/with me* 5.¶ iem. erbij ~ *blow the whistle on s.o.* 6.¶ dat lap ik **aan** mijn laars *I don't give two* ^A*hoots/*^B*pins (about it), (a) fat lot I care;* ⟨vulg.⟩ *I don't give a shit/fuck (about it)* ¶.¶ als je (mij) dat nog een keer lapt *if you do that again;*
    II ⟨onov.ww.⟩ 0.1 [geld bij elkaar brengen] *have a whip-round, pass the hat (a)round.*
lappendeken ⟨de⟩ 0.1 [deken] *patchwork quilt* ⇒*crazy quilt* 0.2 [⟨fig.⟩] *patchwork* ⇒*hotchpotch,* ⟨vnl. AE⟩ *hodgepodge.*
lappenmand ⟨de⟩ 0.1 *ragbag, rag basket* ◆ 6.1 ⟨fig.⟩ in de ~ zijn *be laid up/ailing/on the sick list.*
lappenmos ⟨het⟩ 0.1 *dog lichen.*
lappenpop ⟨de⟩ 0.1 *rag doll.*
Laps ⟨het⟩ 0.1 *Lapp(ish).*
Laps? ⟨bn.⟩ →**Laplands.**
lapsnuittor ⟨de⟩ 0.1 *otiorhynchild.*
lapsus ⟨de (m.)⟩ 0.1 *slip* ⇒*lapse, lapsus, error* ◆ ¶.1 ~ calami *s. of the pen, lapsus calami;* ~ linguae *s. of the tongue, lapsus linguae;* ~ memoriae *lapse of memory, lapsus memoriae.*
lapwerk ⟨het⟩ 0.1 [niet afdoende verbetering] *stop-gap (remedy/solution)* ⇒*makeshift solution* 0.2 [wat gelapt moet worden] *repair work* ⇒*mending.*
lapzalf ⟨de⟩ 0.1 *quack remedy/medicine.*
lapzalven ⟨onov., ov.ww.⟩ 0.1 [⟨med.⟩] ⟨ov.ww.⟩ *make a rough-and-ready/shoddy job of treating (s.o.);* ⟨onov. ww.⟩ *be a quack* 0.2 [vergoelijken] ⟨ov.ww.⟩ *gloss over, patch up;* ⟨onov.ww.⟩ *gloss over things, patch things up.*
lapzwans ⟨de (m.)⟩ 0.1 *drip* ⇒^A*jerk,* ⟨sl.⟩ *jerk-off,* ⟨BE; sl.⟩ *berk.*
laqué ⟨bn.⟩ 0.1 *lacquered* ⇒*varnished.*

lar ⟨de (m.)⟩ ⟨dierk.⟩ 0.1 *lar (gibbon).*
lardeerpriem ⟨de (m.)⟩ 0.1 *larding-pin/needle.*
lardeerspek ⟨het⟩ 0.1 *lardo(o)n.*
larderen ⟨ov.ww.⟩ 0.1 [mbt. vlees] *lard* 0.2 [⟨fig.⟩] *(inter)lard* ⇒*intersperse, interlace, sprinkle* ◆ 1.1 gelardeerde lever *larded liver* 1.2 een tekst ~ met citaten *(inter)lard a text with quotations* 5.2 een goed gelardeerde beurs *a well-lined purse.*
laren ⟨zn. mv.⟩ ⟨myth.⟩ 0.1 *lares* ◆ 1.1 ~ en penaten *l. and penates.*
larf →**larve.**
larghetto¹ ⟨het⟩ ⟨muz.⟩ 0.1 *larghetto.*
larghetto² ⟨bw.⟩ ⟨muz.⟩ 0.1 *larghetto.*
largo¹ ⟨het⟩ ⟨muz.⟩ 0.1 *largo.*
largo² ⟨bw.⟩ ⟨muz.⟩ 0.1 *largo.*
larie ⟨de (v.)⟩ 0.1 *(stuff and) nonsense* ⇒*rubbish, hogwash,* ⟨AE ook⟩ *baloney* ◆ 7.1 allemaal ~ *all stuff and nonsense* ¶.1 ~! *rubbish!, my eye! foot!.*
lariekoek ⟨de (m.)⟩ →**larie.**
lariks
    I ⟨de (m.)⟩ 0.1 [boom] *larch;*
    II ⟨het⟩ 0.1 [hout] *larch(wood).*
lariksboleet ⟨de (m.)⟩ 0.1 *Clinton's boletus, pine-tree boletus.*
larikszwam ⟨de⟩ 0.1 *larch canker.*
larmoyant ⟨bn.⟩ 0.1 *lachrymose* ⇒*larmoyant, tearful, melancholy.*
larve ⟨de⟩ ⟨biol.⟩ 0.1 *larva* ◆ 3.1 ~n voortbrengend *larviparous.*
larvetoestand ⟨de (m.)⟩ 0.1 *larval state.*
laryngaal ⟨de⟩ ⟨taal.⟩ 0.1 *laryng(e)al.*
laryngectomie ⟨de (v.)⟩ ⟨med.⟩ 0.1 *laryngectomy.*
laryngitis ⟨de (v.)⟩ ⟨med.⟩ 0.1 *laryngitis.*
laryngograaf ⟨de (m.)⟩ 0.1 *laryngograph.*
laryngoscoop ⟨de (m.)⟩ 0.1 *laryngoscope.*
laryngoscopie ⟨de (v.)⟩ 0.1 *laryngoscopy.*
laryngotomie ⟨de (v.)⟩ ⟨med.⟩ 0.1 *laryngotomy.*
larynx ⟨de (m.)⟩ ⟨med.⟩ 0.1 *larynx.*
las ⟨de⟩ 0.1 [verbinding door samensmelting] *welding* 0.2 [lasnaad] *weld* ⇒*joint, seam,* ⟨film.⟩ *splice* 0.3 [ingezet stuk] *joint* ⇒*scarf, mortise* ◆ 2.2 overlapse ~ *lap joint* 6.2 zonder ~ *weldless.*
lasaggregaat ⟨het⟩ 0.1 *(portable)(gas) welding equipment/unit.*
lasagna ⟨de⟩ ⟨cul.⟩ 0.1 *lasagna* ⇒*lasagne.*
lasapparaat ⟨het⟩ 0.1 *welding apparatus* ⇒*welder,* ⟨film.⟩ *splicer.*
lasbaar ⟨bn.⟩ 0.1 *weldable.*
lasbrander ⟨de (m.)⟩ 0.1 *welding torch/blowpipe.*
lasbril ⟨de (m.)⟩ 0.1 *welding goggles.*
lascief ⟨bn., bw.; -ly⟩ 0.1 *lascivious* ⇒*lewd.*
lasdoos ⟨de⟩ 0.1 [aansluitdoos] *junction box* 0.2 [gereedschapsdoos] *welder's kit.*
lasdop ⟨de (m.)⟩ 0.1 *wire connector.*
lasdraad ⟨het, de (m.)⟩ 0.1 *welding/electrode wire.*
lasergyroscoop ⟨de (m.)⟩ ⟨ruim.⟩ 0.1 *laser gyroscope.*
laserkanon ⟨het⟩ 0.1 *laser-gun.*
laserradar ⟨de (m.)⟩ 0.1 *laser radar* ⇒*ladar, lidar.*
laserstraal ⟨de⟩ 0.1 *laser beam.*
laservisie ⟨de (v.)⟩ ⟨com.⟩ 0.1 *laservision.*
lasfout ⟨de⟩ 0.1 [in een las] *faulty/defective weld* ⇒*fault in a/the weld* 0.2 [verkeerd lassen] *welding fault.*
lash-schip ⟨het⟩ 0.1 *lash vessel.*
lasijzer ⟨het⟩ 0.1 *fishplate.*
laskap ⟨de⟩ 0.1 *welder's (hand) shield.*
lasnaad ⟨de (m.)⟩ 0.1 *weld* ⇒*welded joint* ◆ 2.1 een onzichtbare ~ *an invisible weld.*
lasogen ⟨zn.mv.⟩ 0.1 *actinic conjunctivitis.*
laspistool ⟨het⟩ 0.1 *welding gun.*
laspleister ⟨de⟩ 0.1 *welding insert.*
lasrups ⟨de⟩ 0.1 *bead.*
lassen
    I ⟨onov., ov.ww.⟩ 0.1 [door een las verbinden] *weld* ⟨ijzer, plastic⟩; *join, scarf* ⟨hout⟩; ⟨film.⟩ *splice* ◆ 5.1 autogeen en elektrisch ~ *autogenous and electric welding;* overlaps ~ *lap-weld;*
    II ⟨ov.ww.⟩ 0.1 [invoegen, aanbrengen] *put in* ⇒*mortise, splice (in),* ⟨ook fig.⟩ *insert* 0.2 [verbinden] *join* ⇒*weld, string together* ◆ 1.2 ⟨fig.⟩ zinnen aan elkaar ~ *string sentences together* 5.1 ⟨fig.⟩ die woorden zijn ertussen gelast *these words have been inserted.*
lasser ⟨de (m.)⟩ 0.1 *welder* ⟨metaal⟩; *joiner* ⟨hout⟩.
lasserij ⟨de (v.)⟩ 0.1 *welding shop.*
lasso ⟨de (m.)⟩ 0.1 *lasso* ⇒*rope, lariat* ◆ 6.1 met een ~ vangen *lasso, rope.*
lasstaaf ⟨de (m.)⟩ 0.1 *welding rod.*
last ⟨de (m.)⟩ ⟨→sprw. 160, 417⟩ 0.1 [vracht] *load* ⇒*freight, pack, burden, weight* ⟨op schouders; ook fig.⟩ 0.2 [verplichting] *burden* 0.3 [geldelijke verplichting] *cost(s)* ⇒*burden, charge, expense(s), tax* 0.4 [hinder] *trouble* ⇒*problem(s), nuisance,* ⟨ongemak⟩ *inconvenience* 0.5 [beschuldiging] *charge* 0.6 [scheepslading] *cargo* ⇒*(pay)load* 0.7 [⟨nat.⟩] *weight* 0.8 [opdracht] *order* ⇒*assignment, instruction,* ⟨verplichting⟩ *obligation,* ⟨jur.⟩ *mandate* ◆ 1.4 lusten en ~en *advantages*

and disadvantages; ⟨hand.⟩ *profits and expenses* **2.3** op hoge~en zitten *be under great expense, be faced with high costs/overheads;* sociale~en betalen *pay one's/s.o.'s social security;* vaste~en *fixed charges, recurring expenses; overhead(s)* ⟨in bedrijf⟩ **3.3** de opgelegde~ moet door de hele natie worden gedragen *the burden that has been imposed will have to be borne by the whole nation* **3.4** iem. ~ aandoen /bezorgen *inconvenience/bother/trouble s.o., put s.o. to inconvenience;* daar hebben zij nooit ~mee *that never troubles them, they're never bothered by that;* dat heeft een hoop~ veroorzaakt *that has caused/given a lot of t./inconvenience;* daar kan je~mee krijgen *you could get into trouble over/doing that* **3.6** ~ innemen/lichten *load, unload* **3.8** iem. ~ geven tot iets *instruct/order s.o. to do sth.* **6.1** hij bezweek haast **onder** de~ *he nearly broke down under the burden* **6.2** iem. **tot** ~ zijn ~ hebben *have to support s.o.* **6.3 te** mijnen~e *at my expense;* **tot** ~/ **ten** ~e **van** *to the account of, at the expense of* **6.4** toen was Leiden **in** ~ *there was the devil to pay;* **ten** ~e van de gemeenschap komen *be(come) a public charge;* iem. **tot** ~ zijn *bother s.o., be an annoyance to s.o.;* hij is iedereen/zichzelf **tot** ~ *he is a nuisance/burden to everyone/himself;* ik heb~ **van** mijn maag *my stomach is giving me t.;* wij hebben veel~ **van** onze buren *our neighbours are a great nuisance to us;* de~ **van** de jaren *the burden of the years/of old age;* hij heeft vaak~ **van** migraine *he often suffers from migraine;* zij heeft gauw~ **van** blaren *she gets blisters easily, she's liable to blisters;* heb je er~ **van** als ik rook? *will/does it bother you if I smoke?* **6.5** ik weet niets **te** zijnen~e te zeggen *I cannot charge him with anything;* ⟨inf.⟩ *I can't pin anything on him;* iem. iets **ten** ~e leggen *charge s.o. with sth.;* het **ten** ~e gelegde **feit** *the charge* **6.8 op** ~ **van** de politie *by order of the police* **7.4** ik heb er geen~ **van** *it doesn't bother/trouble me;* zij heeft geen~ **van** verlegenheid *she's anything but shy;* geen~ van hoogtevrees hebben *have a head for heights.*

lastarm ⟨de (m.)⟩ ⟨nat.⟩ **0.1** *weight arm.*

lastbrief ⟨de (m.)⟩ **0.1** *mandate* ⇒*letter of instruction(s).*

lastdier ⟨het⟩ **0.1** *beast of burden* ⇒*pack animal,* ⟨vero.⟩ *sumpter.*

lastdrager ⟨de (m.)⟩ [sjouwer] *porter* ⇒*carrier,* ⟨bij expeditie⟩ *bearer* **0.2** [steun-/schoorzuil] *buttress.*

lastendruk ⟨de (m.)⟩ **0.1** *(burden of) regular expenses.*

lastenverzwaring ⟨de (v.)⟩ **0.1** ⟨alg.⟩ *additional (financial) burden, increase in the (financial) burden;* ⟨belasting- en premieverhoging, increase in the tax burden/the burden on the taxpayer, tax increase(s).*

laster ⟨de (m.)⟩ **0.1** [kwaadsprekerij] ⟨gesproken⟩ *slander;* ⟨geschreven⟩ *libel* ⇒*calumny, defamation* **0.2** ⟨jur.⟩ *slander; libel* ⇒*defamation (of character)* ♦ **3.1** v.d. ~ blijft altijd wat hangen *if you throw enough dirt some of it will stick;* het is~dit te zeggen *it's a s. to say so;* ~ rondstrooien over iem. *spread s. about s.o., calumniate s.o.* **6.2** een aanklacht **wegens** ~ *an action for l., a l. suit, an action for s.;* iem. vervolgen **wegens/ter** ~ *bring a l. action/an action for defamation of character/for s. against s.o..*

lasteraar ⟨de (m.)⟩ **0.1** ⟨gesproken⟩ *slanderer;* ⟨geschreven⟩ *libeller* ⇒*calumniator, scandalmonger, maligner.*

lastercampagne ⟨de⟩ **0.1** *smear(ing) campaign* ⇒*campaign of slander/defamation/innuendo* ♦ **3.1** er werd een~ gevoerd tegen hem *a smear campaign was conducted against him, he was subjected to a smear campaign.*

lasteren ⟨ov.ww.⟩ ⟨→sprw. 443⟩ **0.1** [beledigen, honen] *insult* ⇒*cast aspersions on* **0.2** [kwaadspreken] ⟨gesproken⟩ *slander;* ⟨geschreven⟩ *libel* ⇒*defamate, calumniate* ♦ **1.1** God~ *blaspheme.*

lasterlijk ⟨bn., bw., -ly⟩ **0.1** [mbt. God] *blasphemous* **0.2** [mbt. een persoon] ⟨gesproken⟩ *slanderous;* ⟨geschreven⟩ *libellous* ⇒*calumniating, defamatory, detractory* ♦ **1.1** ~e woorden *b. words, blasphemy* **1.2** ~e aantijging *s. accusation;* ~ artikel/~e publikatie *a l./defamatory article/publication.*

lasterpraat ⟨de (m.)⟩ **0.1** *slander(ous talk)* ⇒*calumny, backbiting, scandal* ♦ **5.1** allemaal ~ *it's all slander.*

lasterpraatje ⟨het⟩ **0.1** *gossip* ♦ **5.1** allemaal ~s *it's all slander.*

lasterproces ⟨het⟩ **0.1** *slander suit, libel action* ⇒*action for slander.*

lasterschrift ⟨het⟩ **0.1** *(piece of) libel* ⇒⟨anoniem⟩ *poison-pen letter.*

lastertaal ⟨de⟩ **0.1** [mbt. God] *blasphemy* ⇒*blasphemous language* **0.2** [⟨alg.⟩] *slanderous/defamatory language.*

lastex ⟨het, de (m.)⟩ **0.1** *lastex.*

lastezel ⟨de (m.)⟩ **0.1** [pakezel] *mule* **0.2** [⟨fig.⟩ persoon] *packhorse, drudge* ⇒*mule.*

lastgeld ⟨het⟩ **0.1** *lastage.*

lastgever ⟨de (m.)⟩, **-geefster** ⟨de (v.)⟩ **0.1** [opdrachtgever] *mandator* ⇒*bidder, principal* **0.2** [⟨jur.⟩] *mandator, principal.*

lastgeving ⟨de (v.)⟩ **0.1** [opdracht] *order* ⇒*instruction(s), assignment* **0.2** [⟨jur.⟩] *agency* ⇒*mandate* **0.3** [lastbrief, volmacht] *mandate* ⇒*authority, instruction(s)* ♦ **1.2** een overeenkomst van~ *a contract of a./mandate.*

lasthebber ⟨de (m.)⟩ **0.1** [gevolmachtigde] *agent* ⇒⟨jur. ook⟩ *mandatary, trustee* **0.2** [⟨pol.⟩] *representative.*

lastig ⟨bn., bw.⟩ **0.1** [vervelend] *awkward* ⇒⟨ongelegen⟩ *inconvenient,* ⟨persoon ook⟩ *troublesome* **0.2** [moeilijk] *difficult* ⇒*hard,* ⟨netelig⟩ *tricky, troublesome* ♦ **1.1** een ~e examinator *an exacting/demanding* *examiner;* een~ kind *a troublesome/unruly/difficult child;* ~e klanten *customers/people who are hard to please;* de zieke is~ *the patient is hard/difficult to handle/is troublesome* **1.2** een~ geval *a d./hard case, a hard nut to crack;* in een~ parket (ge)raken *get into a scrape/fix/hot water/up a stump;* die schroef zit op een~e plaats *that screw is in an a. place;* hij is een~ portret *he's a tough proposition/customer;* zij is een~e tante *she's an old fusspot/hard to please;* een~ vraagstuk *a knotty/thorny/tricky problem* **3.1** het iem. ~ maken *make things hard for s.o., pester/badger s.o.;* iem. ~ vallen *trouble/annoy/hassle/^bug s.o.;* ⟨vrouw op straat⟩ *molest, hassle, harass;* ⟨door prostituée⟩ *solicit;* ~ worden *become troublesome* **3.2** dat zal erg~ gaan ⟨komt slecht uit⟩ *that's most inconvenient;* ⟨is moeilijk⟩ *that will be d.;* ~ te hanteren *hard to handle* **6.1** ~ **met** eten *fussy/particular about one's food;* ~ **van** humeur *ill-tempered.*

lastlijn ⟨de⟩ ⟨scheep.⟩ **0.1** *loadline* ⇒*Plimsoll line/mark.*

lastpaard ⟨het⟩ **0.1** *packhorse.*

lastpak ⟨de (m.)⟩ →**lastpost.**

lastpost ⟨de⟩ **0.1** *nuisance* ⇒*troublemaker, bore, pest, pain in the neck/ ↓arse* ♦ **2.1** dat kind is een echte~ *that child is quite a handful!* ⟨voor ouders⟩ *a big worry.*

lastransformator ⟨de (m.)⟩ **0.1** *welding transformer.*

lat ⟨de⟩ **0.1** [stuk hout] *slat* ⇒*strip (of wood),* ⟨voor dakpannen⟩ *batten,* ⟨voor pleisterwerk⟩ *lath* **0.2** [dun mens] *broomstick* ♦ **1.1** de ~ten v.e. hekje *the fence/* ⟨van poortje⟩ *gateposts* **2.1** de lange~ten *skis* **6.1** ⟨sport⟩ **onder** de~ staan *be/stand in goal;* ⟨sport⟩ de bal kwam **tegen** de~ *the ball hit the cross-bar* **6.** ¶ hij hangt **aan** de~ten *he is on the rocks/insolvent;* **op** de~ kopen *buy on tick/^on the cuff;* schrijf het maar **op** de~ *put it on the slate* **8.1** zo mager als een~ *thin as a wire/lath/rake.*

Lat. ⟨afk.⟩ **0.1** [Latijn] *Lat..*

lataanboom ⟨de (m.)⟩ **0.1** *latania.*

latafel ⟨de⟩ **0.1** *chest of drawers* ⇒*commode.*

laten ⟨→sprw. 199,409⟩

I ⟨ov.ww.⟩ **0.1** [achterwege laten] *omit, keep/abstain from* ⇒*fail to, give up* **0.2** [op een plaats/in een toestand houden] *leave* ⇒*let* **0.3** [achterlaten] *leave* **0.4** [ergens in bergen] *put* ⇒*stick, stow, leave* **0.5** [toegang geven tot] *show (into)* ⇒*let (into)* **0.6** [toestaan, dulden] *let, allow* ⇒*grant, permit, give* **0.7** [veroorzaken,⟨+actief object⟩] *let* ⇒*have, make, get, order (to)* **0.8** [veroorzaken,⟨+passief object⟩] *let (be)* ⇒*have, make, get, order (to)* **0.9** [niet inhouden] *let (out)* ⇒*give (out)* **0.10** [op een plaats/in een toestand brengen] *let* **0.11** [opgeven] *leave off/over, give up* ⇒*resign, lay off, stop* **0.12** [iets niet ontnemen] *leave* ⇒*give, grant, let have* **0.13** [bij zijn dood nalaten] *leave* ⇒*bequeathe, let have* **0.14** [afstaan] *give* ⇒*grant, leave, let have* **0.15** [in stand houden] *keep* ⇒*let be, allow* ♦ **1.1** hij kan het roken niet~ *he cannot give up smoking* **1.3** waar heb ik dat potlood gelaten? *where did I l./put that pencil?* **1.4** waar moet ik het boek~? *where shall I p./leave the book?* **1.6** laat de kinderen maar *just l. the kids be* **1.9** een traantje~ *shed a tear* **1.11** het leven~ *lose one's life, be killed* **1.12** iem. het leven~ *spare s.o.'s life* **1.14** ik laat er hem de eer van *I let him have the credit for it* **2.2** dat laat mij koud *it leaves me cold, it doesn't interest me in the slightest;* de deur open~ *leave the door open /unlocked* **3.1** het doen en~ *all one's actions, one's every movement;* je moet doen wat je niet~ kunt *it's up to you, suit yourself, I can't stop you (if you insist)* **3.2** iem. ~ schrikken *give s.o. a start;* een meisje~ zitten *jilt/abandon a girl* **3.3** ik heb het op tafel~ liggen *I left it on the table* **3.6** iem. ~ begaan *l. s.o. be/do as he/she pleases;* dat laat zich denken *one/you/I can imagine;* zich~ gezegen *listen to advice;* dat laat zich horen *that is not hard to believe;* leven en~ leven *live and l. live;* iets~ lopen *l. sth. go/pass;* een plan~ varen *abandon a plan;* ik heb mij~ wijsmaken/vertellen *I've been told, it's been suggested to me;* ⟨lett. wijsmaken⟩ *I've been fooled into thinking* **3.7** het laat zich aanzien *dat it would appear that;* zijn gedachten over iets~ gaan *reflect on sth.;* zijn oog over iets~ gaan *glance at sth., cast one's eye over sth.;* zich~ gaan *l. o.s. go;* ⟨inf./scherts.⟩ *l. it all hang out;* laat nog eens wat (van je) horen *keep in touch;* de dokter~ komen *send for the doctor;* zij lieten hem ombrengen door een huurmoordenaar *they had him killed by a hired assassin;* iets~ vallen *drop sth.;* iem. iets~ weten *l. s.o. know sth.;* iets~ zien *show/demonstrate sth.* **3.8** zich~ beetnemen *be had, go/fall for it;* iem. ~ halen *send for s.o., have s.o. fetched;* zich~ leiden *let o.s. be guided;* dat laat zich (wel) raden *one/you can guess/(well) imagine* **3.14** laat me niet lachen *don't make me laugh, that's a laugh* **3.** ¶ laat staan dat …*let alone (that)* … **4.1** laat dat! *stop that!, don't do that!;* hij kan het niet~ *he can't help (doing) it* **4.2** het erbij~ (zitten) ⟨met het bedoelde ophouden⟩ *let things go at that, let things stand;* ⟨niet gerechtelijk vervolgen⟩ *not press/prefer charges;* het bij dreigementen~ *not go beyond threats* **5.1** laat maar! *never mind!, leave it!* **5.2** iem. alleen~ *leave s.o. alone;* eens buiten~ *leave s.o. out of sth.;* iem. erdoor~ *let s.o. pass;* laat maar zitten *don't bother with the change* **5.3** iem. ver achter zich~ *l. s.o. miles /way/far behind, outdistance/outstrip s.o.* **5.4** waar laat die jongen al dat eten? *where does the boy p. all that food?* **6.2** alles **bij** het oude~ *leave everything as it was;* daar zullen we het **bij** ~! *let's leave it at that*

/stop here! **6.3** ik heb mijn paraplu **in** de hal gelaten *I've left my umbrella in the hall* **6.5** laat de kat maar **in** de tuin *just let the cat (out) into the garden;* hij werd **in** de kamer gelaten *he was shown into the room* **6.10** de lamp **naar** beneden ~ *l. down the lamp* **¶.1** wil je dat wel eens ~! *will you stop doing that!* **¶.2** iem. in de steek ~ *run out on/betray/abandon s.o.;*

II ⟨hww.⟩ **0.1** [(mbt. wenselijkheid, aansporing)] *let* **0.2** [⟨mbt. mogelijkheid⟩] *let* **0.3** [⟨in uitroepen⟩] ⟨zie ¶.3⟩ ◆ **3.1** laat ons bidden *l. us pray;* ~ wij elkaar helpen *l. us help one another;* ~ we nu maar opschieten *l.'s hurry up, shall we;* ~ we niet vergeten, dat ... *don't l. us forget that ...* **3.2** laat ze mooi zijn, erg verstandig is ze niet *she may be pretty, but she's not very sensible* **¶.3** laat hij het nu nog doen ook! *(and) he actually did it!; imagine, he did it, too!;* laat het nu net beginnen te gieten *and wouldn't you know: at that moment it started to pour.*

latent ⟨bn., bw.; -ly⟩ **0.1** *latent* ⇒*hidden, dormant, potential* ◆ **1.1** ~e gevoelens *l. /slumbering/dormant feelings;* ~e infectie *l. infection;* ~e kracht *potency, potentiality;* ~ leven *anabiosis, suspended animation;* ⟨nat.⟩ ~e warmte *l. heat* **2.1** ~ aanwezig *latent(ly present), lurking;* ~ aanwezig zijn *lurk* **3.1** ~ blijven *remain hidden/l..*

latentie ⟨de (v.)⟩ **0.1** *latency* ⇒*dormancy, potentiality.*

latentietijd ⟨de (m.)⟩ **0.1** *latency* ⇒*reaction time, latent period.*

later
I ⟨bw.⟩ **0.1** [nadien] *later (on)* ⇒*afterwards,* ⟨op korte termijn⟩ *presently,* ⟨in de toekomst⟩ *in (the) future* ◆ **3.1** enige tijd ~ *after some time/a while, a little l.;* dit hoofdstuk is ~ toegevoegd *this chapter was added l. /afterwards/subsequently;* ik kom hier ~ nog op terug *I shall come back to this (point);* zij zullen ongetwijfeld ~ komen *they'll be/arrive late, no doubt;* dat komt ~ wel *we'll see about that l.;* hier krijg je ~ misschien spijt van *you may regret this l. (on), you may live/come to regret this;* het wordt snel ~ *time is getting on* **5.1** even ~ *soon after, presently, by and by;* niet ~ dan twee uur *by two o'clock* **6.1** ~ **op** de dag *l. that (same) day, l. in the day;* **tot** ~ *goodbye for now, see you l.;*
II ⟨bn.⟩ **0.1** [nieuwer] *later* ⇒*further, subsequent,* ⟨toekomstige⟩ *future* ◆ **1.1** ~e berichten *l. /subsequent messages;* voor ~ gebruik *for future/subsequent use;* in ~e jaren *in l. years;* op ~e leeftijd *at an advanced age, late in life;* in zijn ~e leven *in his l. life;* de ~e Mevrouw P. *the future Mrs. P..*

lateraal ⟨bn.⟩ **0.1** [zijdelings gelegen] *lateral* ⇒*side-* **0.2** [⟨taal.⟩] *lateral* **0.3** [mbt. verwanten] *collateral* ◆ **1.1** ~ kanaal *l. canal;* ~ stelsel *l. system;* laterale vleugelklep *air brake* **1.3** laterale erfgenamen *c. heirs* **1.¶** het laterale denken *lateral thinking/thought.*

Lateraan(paleis)⟨het⟩ **0.1** *(the) Lateran* ⇒*(the) Lateran palace.*

lateraliteit ⟨de (v.)⟩ **0.1** *laterality.*

latertje ⟨het⟩ **0.1** *late one* ◆ **3.1** het is een ~ geworden/zal een ~ worden *we were/will be late finishing.*

latex ⟨het, de (m.)⟩ **0.1** [melksap v.d. rubberboom] *latex* **0.2** [grondstof van synthetisch bereide rubber] *latex* **0.3** [latexverf] *latex (paint).*

latexcement ⟨het⟩ **0.1** *rubber cement.*

latexverf ⟨de⟩ **0.1** *latex paint.*

lathyrus ⟨de (m.)⟩ **0.1** *lathyrus* ⇒*vetch(ling),* ⟨in engere zin, Lathyrus odoratus⟩ *sweet pea.*

latierboom ⟨de (m.)⟩ **0.1** *swinging bail.*

latierpaal ⟨de (m.)⟩ **0.1** ≠*stable post.*

latifundium ⟨het⟩ **0.1** *latifundium* ⇒*great landed estate.*

Latijn
I ⟨het⟩ **0.1** [de Latijnse taal] *Latin* **0.2** [onverstaanbare taal] *Greek* ⇒*double Dutch* ◆ **1.1** Grieks en ~ studeren *study Greek and L. / (the) classical languages* **1.¶** aan het einde van zijn ~ zijn *be at the end of one's resources, be stumped/at one's wits' end* **2.1** middeleeuws ~ *mediaeval/low L.;* modern ~ *modern L.;* vulgair ~ *popular/vulgar L.* **3.2** dat is ~ voor me *it is G. to me;*
II ⟨de (m.)⟩ **0.1** [westerling] *Latin* **0.2** [Romaan] *Latin.*

Latijns ⟨bn.⟩ **0.1** [in/mbt. het Latijn] *Latin* **0.2** [Romaans] *Latin* ⇒*Roman(ce)* **0.3** [westers] *Latin* ◆ **1.1** ~e Kerk *L. /Roman Church;* ~e spraakkunst *L. grammar;* de ~e taal *Latin, the L. language;* ~e vertaling/transcriptie *Latinization;* ~ zeil *lateen* **1.2** het ~e burgerrecht *Roman Civil Law;* de ~e volkeren *the L. peoples* **1.¶** het ~e alfabet/schrift *the Roman/L. alphabet/script;* het ~e kruis *the L. cross.*

Latijns-Amerika ⟨het⟩ **0.1** *Latin America.*

Latijns-Amerikaan ⟨de (m.)⟩ **0.1** *Latin American.*

Latijnsamerikaans ⟨bn.⟩ **0.1** *Latin-American.*

latijnzeil ⟨het⟩ **0.1** *lateen sail.*

latiniseren ⟨ov.ww.⟩ **0.1** *latinize.*

latinisme ⟨het⟩ **0.1** [aan het Latijn ontleende zinswending] *Latinism* **0.2** [Latijnse uitdrukking] *Latinism.*

latinist ⟨de (m.)⟩, **-e** ⟨de (v.)⟩ **0.1** *Latinist, Latin scholar.*

latiniteit ⟨de (v.)⟩ **0.1** *Latinity* ⇒*Latin* ◆ **2.1** de latere ~ *the later Latinity.*

latitude ⟨de (v.)⟩ ⟨aardr.⟩ **0.1** *latitude.*

latmodel ⟨het⟩ **0.1** *lath(work) prototype.*

laton ⟨het⟩ **0.1** *served wire.*

lat-relatie ⟨de (v.)⟩ **0.1** *l.a.t.-relationship* ⟨*living apart together*⟩.

---

latrine ⟨de (v.)⟩ **0.1** *latrine* ⇒*privy,* [B]*earth-closet.*

latten[1] ⟨bn.⟩ **0.1** *lath* ⇒*slat(ted),* ⟨kruisend⟩ *lattice* ◆ **1.1** een ~ afscheiding *a lath/slat partition.*

latten[2] ⟨ov.ww.⟩ **0.1** *lath* ⇒*slat, batten* ⟨dak⟩ ◆ **1.1** een plafond ~ *l. a ceiling.*

lattenbodem ⟨de (m.)⟩ **0.1** *slats* ⟨mv.⟩ ⇒*slatted base/board.*

lattenrooster ⟨het⟩ **0.1** [stalvoer] *slats* ⟨mv.⟩ **0.2** [leilatten] *trellis(work).*

latuw ⟨de⟩ **0.1** *lettuce.*

latwerk ⟨het⟩ **0.1** [geraamte van latten] *lathing* ⇒*lattice, lathwork,* ⟨leilatten⟩ *trellis(work)* **0.2** [hekwerk] *lattice* ◆ **3.1** langs een ~ leiden/voorzien v.e. ~ *trellis.*

laudanum ⟨het⟩ **0.1** *laudanum.*

lauden ⟨zn.mv.⟩ ⟨r.k.⟩ **0.1** *lauds.*

laureaat ⟨de (m.)⟩ **0.1** *laureate.*

laurier ⟨de (m.)⟩ **0.1** [boom] *(bay) laurel* ⇒*bay (tree)* **0.2** [⟨cul.⟩] *bay leaves* **0.3** [krans] *(wreath of) laurels.*

laurierachtigen ⟨zn.mv.⟩ **0.1** *laurel family* ⇒*Lauraceae.*

laurierbes ⟨de⟩ **0.1** *laurel berry.*

laurierblad ⟨het⟩ **0.1** *bay leaf* ⟨ook specerij⟩ ⇒*laurel leaf.*

laurierdrop ⟨het, de⟩ **0.1** *bay (flavoured)* [B]*liquorice*/[A]*licorice.*

laurierkers
I ⟨de (m.)⟩ **0.1** [heester] *cherry laurel* ⇒*laurel cherry;*
II ⟨de⟩ **0.1** [vrucht] *laurel cherry* ⇒*bay cherry.*

laurierolie ⟨de⟩ **0.1** *laurel oil.*

laurierroos ⟨de⟩ **0.1** *oleander.*

laurierwilg ⟨de (m.)⟩ **0.1** *bay willow* ⇒*laurel-leaved willow.*

lauw
I ⟨bn.⟩ **0.1** [niet erg warm] *tepid* ⇒*lukewarm, warmish;*
II ⟨bn., bw.; -ly⟩ **0.1** [zonder enthousiasme] *halfhearted, lukewarm* ⇒*tepid, unenthusiastic* ◆ **3.1** ~ reageren *react halfheartedly, show a l. response.*

lauweren[1] ⟨zn.mv.⟩ **0.1** *laurels* ◆ **3.1** ~ behalen/plukken/oogsten *gain/reap/gather l.* **6.1** gekroond **met** ~ *laureate, laurelled;* ⟨fig.⟩ **op** zijn ~ rusten *rest on one's l..*

lauweren[2] ⟨ov.ww.⟩ **0.1** [met lauweren kronen] *laurel* ⇒*laureate, crown/wreathe with laurels* **0.2** [loven] *eulogize* ⇒*honour, praise, extol, glorify* ◆ **3.1** gelauwerd uit de strijd treden *come out/through with honour(s)/with flying colours.*

lauwerkrans ⟨de (m.)⟩ **0.1** *laurel wreath.*

lauwertak ⟨de (m.)⟩ **0.1** *laurel branch.*

lauwheid ⟨de (v.)⟩ **0.1** [halfwarme toestand] *tepidness, tepidity* ⇒*lukewarmness* **0.2** [gebrek aan enthousiasme] *halfheartedness* ⇒*lukewarmness, tepidity, tepidness.*

lauwwarm ⟨bn.⟩ **0.1** *tepid* ⇒*lukewarm.*

lava ⟨de⟩ **0.1** *lava.*

lavabo ⟨de (m.)⟩ ⟨AZN⟩ **0.1** *lavabo* ⇒*washstand, washbasin,* ⟨vero.⟩ *lavatory.*

lavaglas ⟨het⟩ **0.1** *obsidian.*

lavas ⟨de⟩ **0.1** *lovage* ⇒*sea parsley.*

lavasteen ⟨het, de (m.)⟩ **0.1** *lava rock.*

lavastroom ⟨de (m.)⟩ **0.1** *stream of lava* ⇒*lava flow, coulée.*

laveien ⟨onov.ww.⟩ ⟨jacht⟩ **0.1** *forage.*

laveloos ⟨bn.⟩ ⟨inf.⟩ **0.1** *sloshed, looded* ⇒*plastered,* [B]*soaked,* [A]*stewed.*

lavement ⟨het⟩ **0.1** *enema* ◆ **3.1** een ~ geven/zetten/toedienen *apply/administer an e..*

lavementspuit ⟨de (v.)⟩ **0.1** *enema.*

laven ⟨ov.ww.⟩ **0.1** *slake* ⇒*quench, refresh* ◆ **3.1** gevoed en gelaafd ⟨van mensen⟩ *fed and refreshed;* ⟨vnl. van dieren; scherts. ook van mensen⟩ *fed and watered* **4.1** zich ~ aan s. / *quench one's thirst with; refresh o.s. at;* ⟨fig.⟩ zich ~ aan kennis *drink in/feed upon knowledge.*

lavendel ⟨de⟩ **0.1** *lavender.*

lavendelblauw ⟨bn.⟩ **0.1** *lavender (blue).*

lavendelbloesem ⟨de (m.)⟩ **0.1** *lavender blossom.*

lavendelgeur ⟨de (m.)⟩ **0.1** *scent/smell of lavender.*

lavendelheide ⟨de⟩ **0.1** *marsh rosemary.*

lavendelolie ⟨de⟩ **0.1** *lavender oil, oil of lavender* ⇒⟨los⟩ *spike (lavender) oil.*

lavendelwater ⟨het⟩ **0.1** *lavender water.*

laveren ⟨onov.ww.⟩ **0.1** [(mbt. zeilen)] *tack* ⇒*navigate, beat (up)/ply against the wind* **0.2** [met wankelende gang lopen] *stagger (about)* ⇒*reel, totter* **0.3** [tussenweg zoeken] *steer a middle course* ⇒*tack, shift, navigate.*

lavet ⟨de (m.)⟩ **0.1** *lavette.*

lavo ⟨de (v.)⟩ **0.1** *'lavo' school* ⟨*School for Elementary General Secondary Education*⟩.

LAVO ⟨het⟩ ⟨afk.⟩ **0.1** [lager algemeen voortgezet onderwijs] ⟨*Elementary General Secondary Education*⟩.

lawaai ⟨het⟩ **0.1** *noise* ⇒*tumult,* ⟨sterker⟩ *racket, clamour, row,* ⟨ophef⟩ *fuss* ◆ **1.1** het ~ v.h. verkeer *the n. /din of the traffic, the traffic n.* **2.1** een hels ~ *an infernal racket/n.;* een oorverdovend ~ *a deafening n. /tumult, an almighty din/racket* **3.1** maak niet zo'n ~ *don't be so noisy, don't make such a racket/row;* veel ~ maken *make a racket/row;* ~ schoppen/trappen *make a racket* **6.1** zonder ~ *noiselessly, silently.*

lawaaiarm ⟨bn.⟩ **0.1** *quiet.*
lawaaidoofheid ⟨de (v.)⟩ **0.1** *noise-related deafness.*
lawaaierig ⟨bn., bw.;-ly⟩ **0.1** *noisy* ⇒*clamorous, tumultuous, loud, rowdy* ◆ **3.1** ~feestvieren *throw a n. party;* ⟨vero.⟩ *maffick.*
lawaaimaker ⟨de (m.)⟩ **0.1** *noise-maker* ⇒*rowdy,* ⟨opschepper⟩ *swaggerer, braggart.*
lawaaioverlast ⟨de (m.)⟩ **0.1** *noise pollution.*
lawaaischopper ⟨de (m.)⟩ →**lawaaimaker.**
lawine ⟨de (v.)⟩ **0.1** [massa sneeuw/puin] *avalanche* ⇒⟨sneeuw⟩ *snow-slide,* ⟨puin e.d.⟩ *landslide* **0.2** [stortvloed] *avalanche* ⇒*torrent, shower, barrage, fusillade* ⟨vragen, kritiek⟩ ◆ **6.1** onder een ~ bedolven worden *be buried by/swallowed up in an a.* **6.2** een ~ van scheldwoorden *a(n) a./fusillade/barrage of abuse* **8.1** neerstorten als een ~ *sweep down like an a..*
lawinegang ⟨de (m.)⟩ **0.1** *avalanche track/path* ◆ **2.1** kunstmatige ~en aanleggen *construct artificial avalanche tracks/paths.*
lawinegevaar ⟨het⟩ **0.1** *danger/risk of avalanche(s).*
lawinehond ⟨de (m.)⟩ **0.1** *avalanche dog.*
lawinereactie ⟨de (v.)⟩ ⟨nat.⟩ **0.1** *chain reaction* ⇒*snowball reaction.*
lawinetunnel ⟨de (m.)⟩ **0.1** *avalanche tunnel.*
lawineus ⟨bn., bw.⟩ **0.1** *avalanche-like, avalanchine* ⇒*torrential, overpowering.*
lawinewering ⟨de (v.)⟩ **0.1** *avalanche wall.*
lawrencium ⟨het⟩ ⟨scheik.⟩ **0.1** *lawrencium.*
laxatief¹ ⟨het⟩ →**laxeermiddel.**
laxatief² ⟨bn.⟩ **0.1** *laxative* ⇒*purgative, aperient.*
laxeermiddel ⟨het⟩ **0.1** *laxative* ⇒*purgative, aperient.*
laxeren ⟨onov., ov.ww.⟩ **0.1** *purge* ⇒⟨onov. ww. ook⟩ *open/loose/relax the bowels* ◆ **3.1** dat werkt ~d *that is a laxative, that opens/relaxes the bowels.*
lay-outen ⟨onov., ov.ww.⟩ **0.1** ⟨onov. ww.⟩ *do the layout;* ⟨ov. ww.⟩ *lay/set out.*
lazaret ⟨het⟩ **0.1** *field/military hospital.*
lazaretschip ⟨het⟩ **0.1** *hospital ship.*
lazarist ⟨de (m.)⟩ ⟨r.k.⟩ **0.1** *Lazarist* ⇒*Vincentian.*
lazarus¹ ⟨het⟩ ⟨vulg.⟩ ◆ **3.¶** zich het ~ schrikken *be shocked/frightened out of one's wits/* ⟨AE ook⟩ *scared silly;* zich het ~ werken *work o.s. to death/one's fingers to the bone.*
lazarus² ⟨bn.⟩ ⟨vulg.⟩ **0.1** *sloshed, loaded* ⇒*plastered,* ᴮ*soaked, blotto,* ᴬ*smashed.*
lazer ⟨de (m.)⟩ ⟨vulg.⟩ **0.1** ↑*body* ◆ **6.1** heb het hart eens in je ~ *don't you dare!;* iem. op zijn ~ geven *give s.o. what for/a good hiding, beat the shit/crap out of s.o.,* ⟨met woorden⟩ *bawl s.o. out.*
lazeren ⟨vulg.⟩
  I ⟨ov.ww.⟩ **0.1** [smijten] *chuck, sling* ⇒*pitch, toss, hurl* ◆ **6.1** hij lazerde alles naar beneden *he slung/chucked/kicked everything downstairs;*
  II ⟨onov.ww.⟩ **0.1** [vallen] ↑*tumble* ⇒*drop, topple* **0.2** [ertoe doen] ↑*matter* ◆ **5.2** dat lazert niet *I don't give a shit/damn (about that), what the hell/heck (do I care)* **6.1** hij lazerde van de trap af *he fell arse over tip down the stairs.*
lazerij ⟨de (v.)⟩ →**lazer.**
lazerkruid ⟨het⟩ **0.1** *laserwort.*
lazersteen ⟨de (m.)⟩ →**lazerstraal.**
lazerstraal ⟨de (m.)⟩ ⟨vulg.⟩ **0.1** *blighter* ⇒*rotter, plague, pain in the neck/ass.*
lazerstralen ⟨onov.ww.⟩ ⟨vulg.⟩ **0.1** *fuck/* ⟨BE ook⟩ *arse about/around* ⇒*mess/muck (about), fool around.*
lazerus →**lazarus.**
lazuren ⟨bn., alleen attr.⟩ **0.1** [van lazuur] *lapis lazuli* **0.2** [diepblauw] *ultramarine (blue)* ⇒*lapis (lazuli) blue, bice blue.*
lazuur ⟨het⟩ **0.1** [gesteente] *lapis (lazuli)* ⇒*azure stone* **0.2** [kleur] *azure* **0.3** [iets dat hemelsblauw is] *azure.*
lazuurblauw ⟨bn.⟩ **0.1** *lapis lazuli blue, azure.*
lazuursteek ⟨de (m.)⟩ **0.1** *couching stitch.*
lazuursteen ⟨de (m.)⟩ **0.1** *lapis lazuli* ⇒*lazurite.*
lb. ⟨afk.⟩ **0.1** [pond] *lb..*
L.B. ⟨afk.⟩ **0.1** [loco-burgemeester] ⟨*acting mayor*⟩ **0.2** [Lector benevole] ⟨*benevolent reader*⟩.
lbo ⟨het⟩ ⟨afk.⟩ **0.1** [lager beroepsonderwijs] ⟨*lower vocational education*⟩.
l.c. ⟨afk.⟩ **0.1** [loco citato] *loc. cit., l.c..*
L.d.H. ⟨afk.⟩ ⟨afk.;rel.⟩ **0.1** [Leger des Heils] ⟨zeldz.⟩ *S.A..*
L-dopa ⟨het⟩ ⟨med.⟩ **0.1** *L-Dopa* ⇒*levodopa.*
leader ⟨de (m.)⟩ **0.1** [hoofdartikel] ⟨vnl. BE⟩ *leader;* ⟨vnl. AE⟩ *leading article* ⇒*leading editorial* **0.2** [film, t.v., radio] herkenningsmelodie] *signature tune.*
leadzanger ⟨de (m.)⟩ **0.1** *lead singer.*
leao ⟨de (v.)⟩ **0.1** *'leao' school* ⟨*lower economic and administrative school*⟩.
LEAO ⟨het⟩ ⟨afk.⟩ **0.1** *'LEAO'* ⟨*Lower Economic and Administrative Education/Training*⟩.
leasebedrijf ⟨het⟩ **0.1** ⟨mbt. auto's⟩ *car-rental/* ⟨BE ook⟩ *car-hire company/firm.*

leasen ⟨ov.ww.⟩ **0.1** *lease.*
leaseovereenkomst ⟨de (v.)⟩ **0.1** *lease.*
leb, lebbe ⟨de⟩ **0.1** [lebmaag] *fourth/true stomach* ⇒*abomasum, rennet stomach* **0.2** [stremsel] *rennet* **0.3** [inhoud van de lebmaag] *rennet.*
lebaal ⟨de (m.)⟩ **0.1** *large eel (of at least two pounds).*
lebberen ⟨onov.ww.⟩ **0.1** *lap* ⇒*lick (up), sip* ◆ **1.1** thee ~ *sip tea* **6.1** van /aan iets ~ *lap up/sip sth..*
lebbes ⟨het⟩ ⟨inf.⟩ ◆ **3.¶** zich het ~ schrikken/werken *be frightened/shocked out of one's wits/work o.s. to death/one's fingers to the bone.*
lebbig ⟨bn., bw.;-ly⟩ **0.1** [naar leb smakend] *rennety* **0.2** [zuur, bits] *sour, wry* ⟨bv. gezicht⟩ ◆ **1.1** ~e kaas *≠curd cheese.*
lebferment ⟨het⟩ **0.1** *rennin* ⇒*chymase, chymosin.*
lebklier ⟨de⟩ **0.1** *rennet gland.*
leblam ⟨het⟩ **0.1** *bottle-/hand-fed lamb.*
lebmaag ⟨de⟩ **0.1** *fourth/true stomach* ⇒*abomasum, rennet stomach.*
lecit(h)ine ⟨de⟩ **0.1** *lecithin.*
lectionarium ⟨het⟩ ⟨r.k.⟩ **0.1** *lectionary.*
lector ⟨de (m.)⟩ **0.1** [docent(e)] *(university) lecturer* ⇒ᴮ*reader, instructor, lector, praelector* **0.2** [iem. die manuscripten doorleest] *(proof) reader* **0.3** [geestelijke] *lector* ⇒*reader.*
lectoraat ⟨het⟩ **0.1** [ambt/rang van lector] *lectureship* ⇒ᴮ*readership* **0.2** [⟨r.k.⟩] *lectorate.*
lectorencollege ⟨het⟩ **0.1** *college of lecturers/*ᴮ*readers.*
lectuur ⟨de (v.)⟩ **0.1** [boeken, tijdschriften] *reading (matter)* ⇒*literature* **0.2** [het lezen] *reading* ◆ **2.1** lichte ~ *light r.;* het rapport is nou niet bepaald opwindende ~ *the report does not exactly make exciting r.;* deze essays zijn verplichte ~ *these essays are required r.;* zware ~ *heavy/stodgy r.* **3.1** breng eens wat ~ voor me mee *bring me sth. to read* **6.2** iem. storen in zijn ~ *disturb s.o.'s r..*
lectuurbak ⟨de (m.)⟩ **0.1** *magazine tray/rack.*
lectuurgids ⟨de (m.)⟩ **0.1** *reader's guide.*
lectuurlijst ⟨de⟩ **0.1** *reading list.*
ledebraken ⟨ov.ww.⟩ **0.1** [⟨gesch.⟩ radbraken] *break on the wheel* **0.2** [verknoeien] *botch up, murder* ⟨taal⟩ ⇒*abuse, ruin* **0.3** [vermoeien] *wear/tire out* ⇒*exhaust.*
ledematen ⟨zn.mv.⟩ **0.1** *limbs* ⇒*members* ◆ **2.1** de bovenste/achterste/voorste ~ *superior/hind-/fore-limbs;* met sterke ~ *strong-limbed* **6.1** zonder ~ *limbless;* ⟨na afhakking⟩ *dismembered.*
ledenadministratie ⟨de (v.)⟩ **0.1** *membership records.*
ledenbestand ⟨het⟩ **0.1** *membership file.*
ledenlijst ⟨de⟩ **0.1** *membership list/register/roll.*
ledenpop ⟨de⟩ **0.1** [pop met beweegbare leden] *lay figure* ⇒*dummy, mannequin* **0.2** [⟨fig.⟩ persoon] *puppet* ⇒*dummy, lay figure.*
ledenradiator ⟨de (m.)⟩ **0.1** *ribbed radiator* ⇒*multiple-section/sectional radiator.*
ledenstop ⟨de (m.)⟩ **0.1** *halt on recruitment (of (new) members).*
ledental ⟨het⟩ **0.1** *membership (figure)* ◆ **3.1** het ~ bedraagt 10.000 *the members number 10,000.*
ledenvergadering ⟨de (v.)⟩ **0.1** *general meeting.*
ledenverlies ⟨het⟩ **0.1** *fall/drop in membership* ⇒*loss of members.*
ledenwerving ⟨de (v.)⟩ **0.1** *membership recruitment* ⇒*canvassing (for) members, bringing in new members.*
ledenwinst ⟨de (v.)⟩ **0.1** *increase/growth in membership.*
leder →**leer.**
le(d)erboom ⟨de (m.)⟩ **0.1** *hop tree.*
le(de)ren ⟨bn., alleen attr.⟩ **0.1** *leather* ◆ **1.1** een boek in ~ band *a leather-bound book;* ~ handschoenen *l. gloves.*
le(d)erwaren ⟨zn.mv.⟩ **0.1** *leather goods/leatherware* ⇒*leather articles.*
ledig ⟨bn., bw.;-ly⟩ ⟨schr.⟩ **0.1** *empty* ⇒*vacant, void, vacuous, idle* ⟨tijd⟩, *blank* ⟨plek⟩ ◆ **1.1** ~e uren *idle/empty hours.*
ledig- →**leeg-.**
ledigen ⟨ov.ww.⟩ ⟨schr.⟩ **0.1** *empty (out)* ⇒*drain, drink (off), clear* ⟨laadruim e.d.⟩, ⟨uitputten⟩ *deplete* ◆ **1.1** ik ledig mijn glas op de gezondheid van onze gastheer *I drink to the health of our host* **6.1** de schatkist is tot op de bodem geledigd *the treasury is completely empty/depleted.*
lediggaan ⟨onov.ww.⟩ **0.1** *(be/go) idle* ⇒*loaf (about), loiter.*
lediggang ⟨de (m.)⟩ ⟨schr.⟩ **0.1** *idleness* ◆ **¶.1** ~ is des duivels oorkussen *the devil finds work for idle hands.*
ledigheid ⟨de (v.)⟩ ⟨schr.⟩ ⟨→sprw. 385⟩ **0.1** [⟨arch.⟩ het leeg zijn] *emptiness* **0.2** [lediggang] *idleness.*
lediging ⟨de (v.)⟩ ⟨schr.⟩ **0.1** *emptying* ⇒*drainage, evacuation, clearing (out)* ⟨laadruimte e.d.⟩, *depletion* ⟨voorraad⟩.
ledikant ⟨het⟩ **0.1** *bed(stead)* ◆ **6.1** een ~ voor één/voor twee personen *a single/double bed.*
lee ⟨de⟩ **0.1** *watercourse.*
leed¹ ⟨het⟩ ⟨→sprw. 100⟩ **0.1** [verdriet] *sorrow* ⇒*grief, affliction, distress* **0.2** [letsel, schade] *harm* ⇒*grief, hurt, injury, suffering* ◆ **0.2** bron van ~ *source of distress/grief;* het ~ van de oorlog *the evils of war* **3.1** ~ berokkenen/aandoen *harm/pain/distress;* het doet mij ~ te/dat ... *I'm sorry to .../I'm afraid that ...;* het ~ is weer geleden *there you are; that wasn't so bad, was it?;* aan iem. zijn ~ klagen *lay one's grievances before s.o.* **3.2** iem. ~ doen *harm/hurt s.o.;* jullie zal geen ~ geschieden *you will not be hurt/harmed, you will suffer no harm.*

leed² ⟨bn., bw.⟩ **0.1** ⟨bn.⟩ *sorry, sorrowful* ⇒⟨afgunst⟩ *envious*, ⟨misnoegen⟩ *disfavouring*, ⟨bn.⟩ *with sorrow*, ⟨afgunst⟩ *enviously*, ⟨misnoegen⟩ *with disfavour* ◆ **1.1** iets met lede ogen aanzien *look upon sth. with envy / sorrow*.

leedgevoel ⟨het⟩ **0.1** *sense / feeling of grief / sorrow*.

leedgras ⟨het⟩ **0.1** *couch grass* ⇒*scutch / twitch grass*.

leedvermaak ⟨het⟩ **0.1** *malicious / perverse delight / joy / pleasure* ⇒*gloating, unholy glee* ◆ **3.1** ~ hebben over … *chuckle / crow / gloat over …* **5.1** een blik / grijns vol ~ *a leer, a look / grin full of malicious delight*.

leedwezen ⟨het⟩ ⟨schr.⟩ **0.1** *regret* ⇒*sorrow* ◆ **3.1** iem. zijn ~ betuigen *express one's regrets / extend one's sympathy to s.o.*; zijn ~ betuigen met / over *express one's r. at, sympathize about* **6.1** met ~ *regretfully*; **met** (diep) ~ kennis geven van … *announce with deep r.*, *deeply regret to announce*; tot mijn ~ kan ik aan uw verzoek niet voldoen *I regret / am sorry to say I cannot comply with your request*.

leefbaar ⟨bn.⟩ **0.1** *livable* ⇒*bearable / endurable* ⟨leven⟩ ◆ **1.1** een ~ klimaat *a l. climate*; zó is het leven heel ~ *this is the life*, *life is quite l. / bearable like this*; een ~e wereld *a l. world* **3.1** een huis ~ maken *make a house inhabitable / l. (-up)*.

leefbaarheid ⟨de (v.)⟩ **0.1** *livability* ⇒*quality of life*.

leefeenheid ⟨de (v.)⟩ **0.1** [appartement] *living / dwelling unit* **0.2** [personen] *communal unit* ⇒*commune*.

leefgemeenschap ⟨de (v.)⟩ **0.1** *commune, community*.

leefgewoonte ⟨de (v.)⟩ **0.1** *way / mode of living*; ⟨mv. ook⟩ *way of life*.

leefgroep ⟨de⟩ **0.1** [woongroep] ≠*commune* ⇒*communal living (arrangement)* **0.2** [groep bewoners van een tehuis] *community*.

leefhoek ⟨de (m.)⟩ **0.1** *living (area)*.

leefklimaat ⟨het⟩ **0.1** *social climate* ⇒*climate of life* ◆ **2.1** een optimaal ~ *a perfect s. c..*

leefkuil ⟨de (m.)⟩ **0.1** *sunken living / sitting area* ⇒⟨AE ook⟩ *conversation pit*.

leefmilieu ⟨het⟩ **0.1** *environment*.

leefnet ⟨het⟩ **0.1** *live net* ⇒*keep net*.

leefpatroon ⟨het⟩ **0.1** *pattern / mode / way of living / life*.

leefregel ⟨de (m.)⟩ **0.1** *rule / mode of life* ⇒*regimen*, ⟨dieet⟩ *diet(ary)* ◆ **2.1** een gezonde ~ volgen *stick to a healthy regimen, live healthily*.

leefruimte ⟨de (v.)⟩ **0.1** *living space* ⇒*room for living, lebensraum* ◆ **2.1** ⟨fig.⟩ hij geeft haar onvoldoende ~ *he does not give her enough room to move / freedom*.

leefstad ⟨de⟩ **0.1** ⟨zie 2.1⟩ ◆ **2.1** een goede ~ *a good town to live in*.

leefstijl ⟨de⟩ **0.1** *lifestyle*.

leeftijd ⟨de (m.)⟩ **0.1** [tijd dat iem. leeft] *age* ⇒*lifetime, life span* **0.2** [gedeelte van iemands leven dat achter de rug is] *age* **0.3** [periode van iemands leven] *age* ◆ **2.2** op gevorderde ~ *well on in years*; van gevorderde / hoge ~ *advanced in years, of advanced years*; de gezegende ~ van 95 jaar bereiken *attain the ripe old a. of 95*; op hoge ~ *at an advanced a., late in life*; een hoge ~ bereiken *attain a great a.*; op latere ~ *at an advanced a., in afterlife*; een vrouw van middelbare ~ *a middle-aged woman*; op middelbare / jeugdige ~ *in middle life / at an early a.*; van onbepaalde ~ *of indefinite / uncertain a.*; de volwassen ~ / de twaalfjarige ~ bereiken *come of a. / reach the a. of twelve* **2.3** een gevaarlijke ~ *a dangerous a.*; de middelbare / dienstplichtige / mannelijke (enz.) ~ bereiken *reach middle a. / the military a. / adulthood* (enz.); moeilijke ~ *awkward a.* **3.2** wanneer je mijn ~ / van mijn ~ bent, dan … *when you're my a. / at my a.. / my a. then …*; hij bereikte de ~ van 95 jaar *he lived to be 95*; de rimpels verraden zijn ~ *those wrinkles show / betray his a.* **6.2** mensen **beneden** de ~ van 21 jaar *people under 21 years of a.*; overleden in de ~ van 78 jaar *died at the a. of 78* / aged 78 / 78 years of a.*; zij gedraagt zich niet **naar** haar ~ *she does not act her a.*; ⟨pregn.⟩ een man **op** ~ *an elderly man*; en dat **op** zijn ~! *and at his a.!*; ze komt nu **op** de ~ dat ze gaat lezen *she is now getting to the a. where she is ready to read*; **op** vijftienjarige ~, **op** de ~ van vijftien jaar *at the a. of / aged* / ⟨schr.⟩ *aetatis* (in biografie) *15*; **op** ~ komen *get on in years*; de ~ te **boven** zijn om … *be past the a. of …*, *be too old to …*; ze is groter dan andere meisjes **van** haar ~ / **van** dezelfde ~ *she is taller than other girls (of) her a.*; **volgens** ~ *by seniority*; ergens **de** ~ **voor** hebben *be the right a. for sth.*; er jong uitzien **voor** zijn ~ *look young for one's a.*; **voor** alle ~en ᴮU(-rated) / ᴬG(-rated) (film); ze ziet er goed uit **voor** haar ~ *she carries / wears her a. well, she doesn't show her a..*

leeftijdgenoot ⟨de (m.)⟩ **0.1** *contemporary* ⇒*(com)peer* ◆ **6.1** een kind dat **achter** is **bij** zijn leeftijdgenoten *a child which is retarded in comparison with its peer group, a backward child*.

leeftijdsgrens ⟨de⟩ **0.1** *age limit* ◆ **6.1** boven de ~ *overage*.

leeftijdsgroep ⟨de⟩ **0.1** *age group / bracket / category* ◆ **6.1** de indeling van de kinderen **volgens** ~ *the assignment of the children to age groups, the age-grouping of the children*.

leeftijdsloos ⟨bn.⟩ **0.1** *ageless*.

leeftijdsontslag ⟨het⟩ **0.1** *superannuation*.

leeftijdsopbouw ⟨de (m.)⟩ **0.1** *age structure / distribution*.

leeftijdsverschil ⟨het⟩ **0.1** *age difference / gap* ⇒*difference / disparity in age*.

leeftocht ⟨de (m.)⟩ **0.1** *provisions* ⇒*food*.

leefwarmte ⟨de (v.)⟩ **0.1** *comfortable / enjoyable heat / temperature* ◆ **3.1** een kolen- of houtvuur geeft ~ *a coal or wood fire creates a c. / an e. h. / t..*

leefwijze ⟨de⟩ **0.1** *way / style / mode / manner of living / life* ⇒*mode of existence, life-style* ◆ **2.1** een kostbare / luxueuze / buitensporige ~ *an expensive / luxurious / extravagant life-style*; zijn regelmatige / kalme / teruggetrokken ~ *his regular / quiet / withdrawn mode of life* **3.1** iem. zijn / de westerse ~ opdringen *force one's mode of living upon s.o.*, *westernize s.o. / a people*; zijn ~ veranderen *change one's habits / life-style*.

leeg ⟨bn.⟩ ⟨→sprw. 54,155,488,588⟩ **0.1** [zonder inhoud] *empty* ⇒*void, vacant* ⟨plaats⟩, *flat* ⟨band, accu⟩, *blank* ⟨bladzijde, geluidsband⟩ **0.2** [vrij van werkzaamheden / bezigheden] *idle* ⇒*empty, vacant, unoccupied* **0.3** [zonder gehalte / geestelijke inhoud] *empty* ⇒*hollow, vain* **0.4** [uitgeput] *exhausted* ◆ **1.1** een lege accu *a flat / dead / run-down battery*; een lege band *a flat (tyre), a puncture(d tyre)*; een lege dop ⟨van noot e.d.⟩ *a husk / shell*; lege flessen, ~ fust *empties, empty (barrel)*; als je glas ~ is gaan we *as soon as you've finished your drink we'll go*; lege glazen / hersenen *e. glasses / an e. head*; met lege handen vertrekken ⟨fig.⟩ *leave e. -handed, have nothing to show for one's pains*; met lege handen staan ⟨fig.⟩ *be left e. -handed*; een ~ huis / lege ruimte *a(n) e. / vacant / unoccupied house, e. space*; lege huls *spent cartridge / shell*; op / met een lege maag *on an e. stomach*; een lege muur *a blank wall*; een lege pen *a dry (fountain-)pen*; een ~ plekje *a vacant / e. spot*; een lege stoel *an e. chair* **1.2** in een ~ uurtje *in an i. / empty hour* **1.3** ~ vermaak *e. / hollow / vain pleasures* **3.1** deze plaats zal niet ~ blijven *this place / chair will not be left vacant* **3.4** ⟨sport⟩ zich ~ spelen *exhaust o.s..*

leegblazen ⟨ov.ww.⟩ **0.1** *blow out / dry* ⟨bv. eieren⟩.

leegbloeden ⟨onov.ww.⟩ **0.1** *bleed dry / to death*.

leegdrinken ⟨ov.ww.⟩ **0.1** *empty* ⇒*drain, drink (up), finish* ◆ **1.1** drink je glas leeg *drink up!*; zijn kopje ~ *drain / e. one's cup* **5.1** een half leeggedronken fles jenever *a half-empty / half-finished bottle of gin* **6.1** zijn glas in één teug ~ *e. one's glass in one draught*; **tot** op de bodem ~ *drink / drain to the lees*.

leegeten ⟨ov.ww.⟩ **0.1** *finish* ⇒*eat (up), empty* ◆ **1.1** zijn bord ~ *f. / empty one's plate*.

leeggaan →*lediggaan*.

leeggewicht ⟨het⟩ **0.1** [gewicht in onbeladen toestand] *unladen / empty weight* ⇒ᴮ*kerb weight* ⟨auto⟩, *tare* ⟨verpakking⟩ **0.2** [mbt. vliegtuigen] *empty weight*.

leeggieten ⟨ov.ww.⟩ **0.1** *empty (out)* ⇒*pour (out)* ◆ **1.1** een emmer ~ *e. (out) a pail / bucket*; ⟨fig.⟩ het is alsof je een emmer leeggiet! *you'd say they have tons of it!*.

leeggoed ⟨het⟩ **0.1** *empty bottles (and crates)* ⇒⟨inf.⟩ *empties*.

leeggooien ⟨ov.ww.⟩ **0.1** *empty (out)* ⇒*discharge*.

leeghalen ⟨ov.ww.⟩ **0.1** *empty; clear; clean out* ⟨huis⟩ ⇒*turn out* ⟨zakken⟩, *dismantle* ⟨schip, gebouw⟩, ⟨stelen⟩ *ransack* ◆ **5.1** een huis helemaal ~ *gut a house, strip a house bare*.

leegheid ⟨de (v.)⟩ **0.1** [afwezigheid van inhoud / vulling] *emptiness* ⇒*vacuity, hollowness*, ⟨zinloosheid⟩ *vanity* **0.2** [het vrij zijn van werkzaamheden] *idleness* ◆ **2.1** ⟨fig.⟩ de beklemmende ~ van de avond *the oppressive / boredom of the evening*; de betrekkelijke ~ van het heelal *the relative vacuity / e. of the universe* **6.2** hij leeft **in** ~ *he lives in i. / idles his life away*.

leeghoofd ⟨het, de (m.)⟩ **0.1** *featherbrain, nitwit* ⇒*rattlebrain*, *empty-headed person, bird-brain(s)*.

leeghoofdig ⟨bn.⟩ **0.1** *empty-headed* ⇒*featherbrained, rattlebrained*, ⟨schr.⟩ *vacuous*.

leegkopen ⟨ov.ww.⟩ **0.1** *buy out / up* ◆ **1.1** een winkel ~ *buy up a shop*.

leegloop ⟨de (m.)⟩ **0.1** [⟨soc.⟩] *exodus (from, to)* **0.2** [⟨ec.⟩] *underload, underutilization*.

leeglopen ⟨onov.ww.⟩ **0.1** [leeg worden] *(become) empty* ⇒*become deflated* ⟨ballon⟩, *go flat* ⟨band⟩, *run down* ⟨accu⟩ **0.2** [luieren] *idle / loaf (about)* **0.3** [⟨inf.⟩ diarree hebben] *have the runs* ◆ **1.1** de fietsband liep leeg *the tyre / ᴬtire of the bike went flat*; de stad is leeggelopen *everybody has left the town*; het vat is leeggelopen *the cask has been emptied* **3.1** iemands banden leeg laten lopen *let s.o.'s tyres / ᴬtires down*; iets laten ~ ⟨ballon, bad⟩ *let the air out of sth.* ⟨ballon⟩; *empty sth.* ⟨bad⟩.

leegloper ⟨de (m.)⟩ **0.1** *loafer, idler* ⇒⟨BE; inf.⟩ *layabout*.

leegloperij ⟨de (v.)⟩ **0.1** *idling* ⇒*loafing (about), dawdling, loitering*.

leegmaken ⟨ov.ww.⟩ **0.1** *empty* ⇒*drain, deplete* ⟨kas⟩, *finish* ⟨fles⟩, *clear* ⟨vrachtruim⟩ ◆ **1.1** we zullen die fles maar ~ *let's finish the bottle*; zijn zakken ~ *e. / turn out one's pockets* **6.1** **tot** op de bodem ~ *drain to the dregs / lees, drain dry*.

leegmalen ⟨ov.ww.⟩ **0.1** *drain* ⇒*pump dry*.

leegplukken ⟨ov.ww.⟩ **0.1** *pick / pluck all the fruit from* ◆ **1.1** zij hebben de kerseboom leeggeplukt *they've picked all the cherries from the tree, they've picked the cherry tree clean*.

leegplunderen ⟨ov.ww.⟩ **0.1** *loot, rifle* ⇒*ransack, plunder, gut, ravage* ◆ **1.1** het hele huis was leeggeplunderd *the whole house had been ransacked / gutted / stripped*.

leegpompen ⟨ov.ww.⟩ **0.1** *pump (out / dry)* ⇒*drain, exhaust* ⟨dmv. luchtpomp⟩ ◆ **1.1** een ondergelopen kelder ~ *p. out a flooded cellar;* ⟨med.⟩ een maag~ *p. a stomach.*

leegrijden ⟨ov.ww.⟩ **0.1** *empty through driving / riding* ⟨zie ook voorbeelden⟩ ◆ **1.1** hij heeft zijn hele tank leeggereden *he drove until the tank was empty* **4.1** de wielrenner had zich helemaal leeggereden *the cyclist was completely drained after the race / had completely burned himself out.*

leegroven ⟨ov.ww.⟩ **0.1** *ransack* ⇒*loot, plunder.*

leegruimen ⟨ov.ww.⟩ **0.1** *clear (out)* ⇒*tidy* ◆ **1.1** de tafel ~ *clear the table.*

leegschenken ⟨ov.ww.⟩ **0.1** *empty* ⇒*finish (up).*

leegscheppen ⟨ov.ww.⟩ **0.1** *empty* ⇒*finish (up), bail / bale (out)* ⟨boot⟩.

leegschudden ⟨ov.ww.⟩ **0.1** *shake out* ◆ **1.1** een zak ~ *shake a bag out.*

leegstaan ⟨onov.ww.⟩ **0.1** *be empty / vacant / uninhabited / unoccupied* ◆ **1.1** een ~de fabriek *a disused factory;* een ~d gebouw / huis *an empty / uninhabited / a vacant building / house;* dat huis staat leeg *that house is empty / vacant / uninhabited.*

leegstand ⟨de (m.)⟩ **0.1** *vacancy* ⇒*lack of occupancy* ◆ **1.1** ~ van nieuwe woningen *the matter of unoccupied new houses.*

leegstandswet ⟨de⟩ **0.1** ⟨*law pertaining to unoccupied dwellings / buildings*⟩.

leegstelen ⟨ov.ww.⟩ **0.1** *ransack* ⇒*loot, steal everything* ◆ **1.1** een auto ~ *steal everything from a / out of a car.*

leegstorten ⟨ov.ww.⟩ **0.1** *dump (out)* ⇒*empty.*

leegte ⟨de (v.)⟩ **0.1** [inhoudsloosheid] *emptiness* ⇒*vacuity, hollowness* **0.2** [ongevulde ruimte / plaats] *emptiness* ⇒*void, vacuum, hollow* ◆ **2.1** een innerlijke ~ *an inner void;* de totale ~ van dit begrip *the complete meaninglessness of this concept* **2.2** hij liet een grote ~ achter *he left a great e. / void (behind him).*

leegvissen ⟨ov.ww.⟩ **0.1** *fish out.*

leegvlot ⟨het⟩ **0.1** *empty draught /* ^*draft of a ship.*

leegzuigen ⟨ov.ww.⟩ **0.1** *drain* ⇒*suck out / dry* ◆ **1.1** een mergpijp~ *suck out the marrow from a bone;* een riool ~ *d. a sewer.*

leek ⟨de (m.)⟩ **0.1** [ondeskundige] *layman* **0.2** [niet geestelijke] *layman* ⇒*lay person, laic,* ⟨verz.n.⟩ *laity* ◆ **2.1** ik ben een volslagen ~ in dat vak *I'm just a l. in that field* **6.1** voor een ~ is dit niet te snappen *this cannot be understood by a l..*

leem ⟨het, de (m.)⟩ **0.1** *loam* ⇒*clay, mud* ◆ **1.1** van tenen en ~ *wattle and daub* **6.1** met ~ bedekken / opvullen *loam;* van ~ opgetrokken hutten *mud / clay huts.*

leemaarde ⟨de⟩ **0.1** *loam* ⇒*loamy earth / ground / soil.*

leemachtig ⟨bn.⟩ **0.1** *loamy.*

leeman ⟨de (m.)⟩ **0.1** *lay figure* ⇒*mannequin, dummy.*

leemgroeve ⟨de⟩ →**leemkuil.**

leemgrond ⟨de (m.)⟩ **0.1** *loamy ground / soil / earth.*

leemhoudend ⟨bn.⟩ **0.1** *loamy.*

leemkuil ⟨de (m.)⟩ **0.1** *loam pit.*

leemlaag ⟨de⟩ **0.1** *layer of loam* ⇒*loam deposit.*

leemmergel ⟨de (m.)⟩ **0.1** *(loamy) marl.*

leemmortel ⟨de (m.)⟩ **0.1** *clay mortar.*

leemsteen ⟨de (m.)⟩ **0.1** *mud brick* ⇒*adobe brick.*

leemte ⟨de (v.)⟩ **0.1** [hiaat] *gap* ⇒*hiatus, lacuna, void, blank* **0.2** [(zedelijk) gebrek] *weakness* ⇒*fault, error* ◆ **3.1** de ~n aanvullen *fill a g. / void;* in een ~ voorzien *supply a want, stop a g.;* ~ vertonen *show / have gaps / lacunae / blanks* **5.1** vol ~n *full of gaps / blanks* **6.1** dat is een ~ in zijn betoog *that is a hole in his argument;* ~n in het geheugen *gaps in one's memory.*

leen ⟨het⟩ **0.1** [wat men voor tijdelijk gebruik ontvangt] *loan* **0.2** [⟨gesch.⟩] *fief* ⇒*fee, feud(al benefice / estate)* ◆ **2.2** adellijk / Hollands ~ *noble fief, fief of Holland;* vrij ~ *allodium* **6.1** iets van iem. in ~ hebben *have sth. on l. from s.o.,* have the l. of sth. from s.o.; **te** ~ *for l.;* vijfhonderd gulden **te** ~ krijgen *receive 500 guilders in l. / as a l., get a l. of 500 guilders;* iem. iets **te** ~ geven *loan s.o. sth., give s.o. sth. as a l. in l.;* iem. iets **te** ~ vragen *ask s.o. for the l. of sth., ask sth. on l. from s.o.* **6.2** iem. grond **in** ~ geven *grant s.o. land in fief / fee / as a fief / feudal benefice.*

leenbank ⟨de⟩ **0.1** [lommerd] *pawnshop, pawnbroker('s)* **0.2** [boerenleenbank] *loan office.*

leenbrief ⟨de (m.)⟩ ⟨gesch.⟩ **0.1** *enfeoffment.*

leendepot ⟨het⟩ **0.1** ⟨*sort of loan arrangement in which a client loans out his stock to a bank for which he receives compensation*⟩.

leeneed ⟨de (m.)⟩ ⟨gesch.⟩ **0.1** *oath of fealty / allegiance.*

leengeld ⟨het⟩ **0.1** *lending fee / charge.*

leengoed ⟨het⟩ ⟨gesch.⟩ **0.1** *fief* ⇒*fee, feud(al estate / benefice)* ◆ **8.1** een stuk grond als ~ geven *grant a piece of property as a / in fief.*

leenheer ⟨de (m.)⟩ ⟨gesch.⟩ **0.1** *liege (lord).*

leenman ⟨de (m.)⟩ ⟨gesch.⟩ **0.1** *vassal* ⇒*liege man, thane* ⟨van de koning in ruil voor militaire dienst⟩, *vavasour* ⟨van baron⟩.

leenmanschap ⟨het⟩ ⟨gesch.⟩ **0.1** *vassalage.*

leenmoeder ⟨de (v.)⟩ **0.1** *surrogate mother.*

leenplicht ⟨de⟩ ⟨gesch.⟩ **0.1** *vassalage.*

leenplichtig ⟨bn.⟩ ⟨gesch.⟩ **0.1** *liege* ◆ **3.1** ~ zijn *be a vassal, be (s.o.'s) liege man.*

leenrecht ⟨het⟩ **0.1** [het in leenzaken geldende recht] *feudal law* **0.2** [⟨gesch.⟩] *feudal right* **0.3** [uitleenvergoeding] *lending rights / fee* ◆ **6.1** volgens het ~ *according to feudal law.*

leenrechtelijk ⟨bn., bw.⟩ **0.1** *in accordance with / according to / pertaining to feudal law.*

leenroerig ⟨bn.⟩ ⟨gesch.⟩ **0.1** *feudal.*

leenspreuk ⟨de⟩ **0.1** *metaphor.*

leenstelsel ⟨het⟩ ⟨gesch.⟩ **0.1** *feudal system* ⇒*feudalism.*

leentjebuur ◆ **3.¶** ~ spelen *scrounge, cadge.*

leenverhouding ⟨de (v.)⟩ ⟨gesch.⟩ **0.1** *vassalage.*

leenvertaling ⟨de (v.)⟩ ⟨taal.⟩ **0.1** *loan translation* ⇒*calque.*

leenvorst ⟨de (m.)⟩ ⟨gesch.⟩ **0.1** [vorst als leenheer] *overlord* ⇒*lord, suzerain* **0.2** [vorst die zijn gebied als leen bezit] *feudal prince.*

leenwoord ⟨het⟩ **0.1** *loan word* ⇒*borrowing* ◆ **6.1** een ~ uit het Duits *a l. w. from German.*

leep ⟨bn., bw.; -ly⟩ **0.1** *cunning* ⇒*canny, shrewd, sly, sharp* ◆ **3.1** iem. ~ bedriegen *cunningly deceive s.o. / take s.o. in;* dat heeft hij ~ aangelegd *he managed that shrewdly, he did that cannily.*

leepheid ⟨de (v.)⟩ **0.1** *cunning* ⇒*slyness, shrewdness.*

leer ⟨→sprw. 384, 387, 440, 515⟩

I ⟨het⟩ **0.1** [bewerkte dierenhuid] *leather* **0.2** [voorwerp van leer, met name voetbal] ^B*football,* ^A*pigskin* **0.3** [stof voor boekbanden] *leather* ◆ **2.1** onbewerkt ~ *untreated l.;* zacht / stug / echt ~ *soft / stiff / real l.* **2.3** half ~ *half l.;* heel ~ *full l.* **2.¶** Engels ~ *moleskin* **3.1** ~ looien *tan l.;* ~ touwen *curry / dress l.* **6.1** ze was in het ~ *she was (dressed) in l.;* met ~ bekleed *covered with / in l., l.-covered;* van ~ *leather(en)* **6.3** in ~ (gebonden) *l.-bound* **6.¶** ~ **om** ~ *tit for tat, measure for measure;* van ~ trekken tegen *lash / strike out at,* ↑*inveigh bitterly / strongly against* **8.1** zo droog / taai als ~ *like l., tough as l., leathery;*

II ⟨de⟩ **0.1** [doctrine, stelsel] *science* ⇒*theory, principles,* ⟨vaak pej.⟩ *ism* **0.2** [⟨rel.⟩] *doctrine* ⇒*teachings, creed, faith* **0.3** [het onderricht (worden)] *apprenticeship* **0.4** [les uit de ervaring] *lesson* **0.5** [ladder] *ladder* **0.6** [trapleer] *step ladder* ◆ **1.1** de ~ van het geluid / het perspectief *the principles of sound / perspective;* de ~ der huidziekten *dermatology* **1.2** de ~ van de Drieëenheid *the d. of the Trinity, Trinitarianism;* de ~ van Mozes / Christus / Mohammed *the teachings of Moses / Christ / Mohammed* **2.1** een nieuwe ~ vestigen *establish a new school (of thought)* **2.2** de oude en de nieuwe ~ *catholicism and protestantism* **3.1** een ~ aanhangen *hold to a doctrine* **6.2** hij is niet zuiver in de ~ *he is not orthodox / sound in the faith* **6.3** bij iemand in de ~ gaan / komen *apprentice o.s. to s.o.;* iem. **in** de ~ doen *bij apprentice / bind s.o. to, article s.o. to / with;* **in** de ~ zijn (bij) *serve one's a. (with), be articled (to), be in articles;* wij hoeven niet **in** de ~ (te gaan) bij ... *we can't learn much from.*

leerachtig ⟨bn.⟩ **0.1** *leathery* ⇒*leather-like.*

leerbegrip ⟨het⟩ **0.1** *principle* ⇒*dogma, tenet.*

leerbewerking ⟨de (v.)⟩ **0.1** *leather-working.*

leerboek ⟨het⟩ **0.1** *textbook* ⇒*manual.*

leercontract ⟨het⟩ ⟨AZN⟩ **0.1** *articles of apprenticeship* ⇒*indentures.*

leerdicht ⟨het⟩ **0.1** *didactic poem.*

leerdienst ⟨de (m.)⟩ ⟨prot.⟩ **0.1** *catechism (class).*

leerdoek ⟨het⟩ **0.1** *leatherette* ⇒*imitation leather, naugahyde.*

leergang ⟨de (m.)⟩ **0.1** [cursus] *course (of instruction)* **0.2** [methode] *(educational) method* ⇒*methodology* ◆ **3.1** een ~ volgen *take a c.* **6.2** ~ voor onderwijs in de Engelse taal *English language teaching method, method for teaching English.*

leergebied ⟨het⟩ **0.1** *area / field of learning.*

leergeld ⟨het⟩ **0.1** *apprenticeship fee* ⇒*premium,* ⟨schoolgeld⟩ *tuition, fees* ◆ **3.1** ~ betalen *pay one's dues, learn one's lesson.*

leergeschil ⟨het⟩ **0.1** *doctrinal dispute / controversy.*

leergezag ⟨het⟩ **0.1** *(doctrinal) authority.*

leergierig ⟨bn., bw.; -ly⟩ **0.1** *inquisitive* ⇒*questioning, inquiring* ◆ **1.1** de ~e jeugd *inquisitive / questioning young people.*

leergierigheid ⟨de (v.)⟩ **0.1** *inquisitiveness* ⇒*eagerness to learn.*

leergoed ⟨het⟩ **0.1** *leatherwork.*

leerhoofd ⟨het⟩ **0.1** [aanleg] ⟨zie 3.1⟩ **0.2** [persoon] *studious person* ⇒ ⟨scherts.⟩ ^A*grind,* ^B*swot* ◆ **3.1** hij heeft geen ~ *he's not a great student.*

leerhout ⟨het⟩ ⟨plantk.⟩ **0.1** *leatherwood* ⇒*moosewood.*

leerhuid ⟨de⟩ **0.1** *corium* ⇒*derma, cutis.*

leerhuis ⟨het⟩ **0.1** *theological study group.*

leerjaar ⟨het⟩ **0.1** *(school) year* ◆ **2.1** het derde ~ omvat zeven vakken, t.w. ... *the third y. is comprised of seven subjects, i.e..*

leerjongen ⟨de (m.)⟩ **0.1** *apprentice.*

leerkarper ⟨de (m.)⟩ **0.1** *leather carp.*

leerkracht ⟨de (m.)⟩ **0.1** *teacher* ⇒*instructor.*

leerling ⟨de (m.)⟩, **-linge** ⟨de (v.)⟩ **0.1** [scholier(e)] *student* ⇒*pupil* **0.2** [volgeling] *disciple* ⇒*follower* **0.3** [aspirant(-)] *apprentice* ⇒*learner, trainee* ◆ **1.2** een ~ van Hegel *a follower of Hegel;* ⟨bijb.⟩ de ~en van Jezus *the disciples of Jesus* **1.3** leerling-verpleegster, leerling-programmeur *student nurse,* ^B*probationer; student programmer* **2.1** een nieuwe ~ *a new / transfer s.;* een zwakke ~ *a poor s.* **6.1** een ~ **uit** de tweede / vierde klas *a pupil of the second / fourth year,* ^A*a second-gra-*

der/fourth-grader; een ~ **uit** één v.d. hogere klassen ^*an upperclassman, a senior.*
leerlingenadministratie ⟨de (v.)⟩ **0.1** *pupil records* ◆ **3.1** zij doet de ~ *she keeps the p. r..*
leerlingenschaal ⟨de⟩ **0.1** *student-teacher ratio.*
leerlingstelsel ⟨het⟩ **0.1** *apprentice system.*
leerlooien ⟨ww.⟩ **0.1** *tan.*
leerlooier ⟨de (m.)⟩ **0.1** *tanner.*
leerlooierij ⟨de (v.)⟩ **0.1** [vak, bedrijf] *tanning* **0.2** [werkplaats, zaak] *tannery.*
leermeester ⟨de (m.)⟩, **-es** ⟨de (v.)⟩ ⟨→sprw. 466⟩ **0.1** [iem. die volgelingen heeft] *master ⇒leader, guru* **0.2** [iem. die in een vak opleidt] *master* **0.3** [docent] *instructor ⇒teacher, tutor, preceptor* ◆ **2.2** een harde ~ *a hard taskmaster.*
leermethode ⟨de (v.)⟩ **0.1** *teaching method ⇒method of teaching/instruction, training method, method of training* ⟨mbt. vaardigheid⟩.
leermiddelen ⟨het⟩ **0.1** *educational tools ⇒instructional devices/equipment.*
leermos ⟨het⟩ **0.1** *ground liverwort, scale moss.*
leeropdracht ⟨de⟩ **0.1** *teaching (committment).*
leerovereenkomst ⟨de (v.)⟩ **0.1** *articles of apprenticeship ⇒indentures* ◆ ¶**.1** iem. aannemen op basis v.e. ~ *indenture s.o..*
leerpakket ⟨het⟩ **0.1** *curriculum ⇒selection of courses.*
leerplan ⟨het⟩ **0.1** [document] ⟨*statement of the intention, principles and organization of a given school*⟩ **0.2** [verdeling v.d. leerstof] *syllabus ⇒curriculum.*
leerplanontwikkeling ⟨de (v.)⟩ **0.1** *curriculum.*
leerplicht ⟨de⟩ **0.1** *compulsory education.*
leerplichtig ⟨bn.⟩ **0.1** *of school age* ◆ **1.1** de ~e leeftijd *school age* **2.1** partieel ~ zijn *only have to go to school part-time* **5.1** nog ~ zijn *still have to go to school, still be of school age.*
leerplichtwet ⟨de⟩ **0.1** *compulsory education law.*
leerproces ⟨het⟩ **0.1** *learning process.*
leerpsychologie ⟨de (v.)⟩ **0.1** *educational psychology.*
leerpsycholoog ⟨de (m.)⟩, **-loge** ⟨de (v.)⟩ **0.1** *educational psychologist.*
leerrede ⟨de⟩ **0.1** *sermon.*
leerregel ⟨de (m.)⟩ **0.1** [grondregel] *ground rule ⇒principle* **0.2** [regel mbt. de leermethode] *(methodological) rule/principle.*
leerrijk ⟨bn.⟩ **0.1** *instructive ⇒informative.*
leerschildpad ⟨de⟩ **0.1** *leatherback, ᴮleathery turtle.*
leerschool ⟨de⟩ **0.1** *school* ◆ **2.1** dat was een goede ~ voor hem *that was good training/experience for him;* een harde ~ moeten doorlopen *have to learn the hard way, go through the mill, go through the school of hard knocks.*
leerstellig ⟨bn.⟩ **0.1** [dogmatisch] *doctrinal ⇒dogmatic* **0.2** [doctrinair] *dogmatic ⇒doctrinaire, doctrinarian.*
leerstelling ⟨de (v.)⟩ **0.1** *doctrine ⇒dogma, tenet.*
leerstelsel ⟨het⟩ **0.1** [systeem van een wetenschap/leer] *doctrine ⇒principles, system* **0.2** [dogma] *doctrine ⇒dogma, tenet.*
leerstoel ⟨de (m.)⟩ **0.1** [katheder] *chair* **0.2** [hoogleraarschap] *chair* ◆ **2.2** een bijzondere ~ *a special c.* **3.2** een ~ bekleden *hold/have a c.* **6.2** een ~ **voor** filosofie oprichten *establish a c. in philosophy.*
leerstof ⟨de⟩ **0.1** *subject matter ⇒(subject) material* ◆ **6.1** de ~ voor het examen *the material for the exam(ination).*
leerstofjaarklassensysteem ⟨het⟩ ⟨school.⟩ **0.1** ≠*year group system.*
leerstoornis ⟨de (v.)⟩ **0.1** *learning disability.*
leerstuk ⟨het⟩ **0.1** *doctrine ⇒dogma, tenet.*
leertijd ⟨de (m.)⟩ **0.1** *school years ⇒schooling, pupillage, period of training,* ⟨van leerjongen⟩ *apprenticeship* ◆ **3.1** zijn ~ afsluiten *finish one's apprenticeship/training;* hij moest eerst een ~ van acht jaar doormaken *he had first had (to go through) a training period of eight years;* zijn ~ uitdienen *serve one's apprenticeship.*
leertje ⟨het⟩ **0.1** *leather ⇒strap, thong, washer* ⟨kraan⟩, *tongue* ⟨schoen⟩.
leertouwen ⟨ww.⟩ **0.1** *curry/dress leather.*
leertouwer ⟨de (m.)⟩ **0.1** *leather currier/dresser.*
leertouwerij ⟨de (v.)⟩ **0.1** *leather currying/dressing (shop, business).*
leertucht ⟨de⟩ ⟨prot.⟩ **0.1** *obligation to adhere to the doctrine of the/a church.*
leervak ⟨het⟩ **0.1** [theoretisch vak] *theoretical subject* **0.2** [vak van onderwijs] *subject.*
leervet ⟨het⟩ **0.1** *dubbin.*
leervrijheid ⟨de (v.)⟩ **0.1** *doctrinal freedom.*
leerwaren →lederwaren.
leerzaam ⟨bn., bw.⟩ **0.1** [nuttig] *instructive ⇒informative, helpful, useful* **0.2** [geschiktheid bezittend om te leren] *teachable* **0.3** [leergierig] *eager to learn ⇒inquisitive, inquiring, questioning, curious* ◆ **1.1** een ~ boek/voorbeeld/geval *an instructive book/example/case;* een leerzame ervaring *a lesson.*
leerzaamheid ⟨de (v.)⟩ **0.1** [geschiktheid om onderwijs te ontvangen] *teachability ⇒ability/capacity to learn* **0.2** [mbt. voorbeeld of boek] *instructiveness.*
leesapparaat ⟨het⟩ **0.1** [voor het lezen van microfilms] *reader* **0.2** [dat informatie leest] *reader* **0.3** [ter verbetering v.d. leesmethode] *reader.*

leesbaar ⟨bn., bw.⟩ **0.1** [gelezen kunnende worden] *legible ⇒readable* **0.2** [aangenaam om te lezen] *readable* ◆ **1.1** een ~ handschrift hebben *have a good/clear/l. hand(writing);* de laatste woorden zijn niet ~ *the last words aren't l.* **1.2** een heel ~ boek *a very r. book* **6.1** door/voor computer ~ *computer-/machine-readable.*
leesbaarheid ⟨de (v.)⟩ **0.1** [mbt. handschrift] *legibility ⇒readability* **0.2** [mbt. inhoud] *readability ⇒readableness.*
leesbaarheidsonderzoek ⟨het⟩ **0.1** *readability research.*
leesbeurt ⟨de⟩ **0.1** [beurt bij een leesles] *turn to read* **0.2** [beurt in een reeks lezingen] *lecture ⇒talk, speech* ◆ **3.1** iem. een ~ geven *give s.o. a turn to read* **3.2** ik heb deze winter drie ~en *I have to give three lectures/have three lectures to give this winter.*
leesbibliotheek ⟨de (v.)⟩ **0.1** *(lending) library.*
leesblind ⟨bn.⟩ **0.1** *word blind ⇒alexic, dyslexic.*
leesblindheid ⟨de (v.)⟩ **0.1** *word blindness ⇒learning/reading problem/disability, dyslexia, alexia.*
leesboek ⟨het⟩ **0.1** [om te leren lezen] *reader* **0.2** [dat een vak behandelt] *reader* **0.3** [dat men voor zijn genoegen leest] *recreational reading* ◆ **3.3** dat is een ~ *that's recreational reading, I'm/he's* ⟨enz.⟩ *reading that for pleasure* **7.1** eerste ~ *first r., primer.*
leesbril ⟨de (m.)⟩ **0.1** *reading glasses.*
leescentrum ⟨het⟩ **0.1** *reading centre (of the brain).*
leesdienst ⟨de (m.)⟩ ⟨prot.⟩ **0.1** *reading service.*
leesgenot ⟨het⟩ **0.1** *reading pleasure ⇒pleasure in/from reading.*
leesgewoonte ⟨de (v.)⟩ **0.1** *reading habits.*
leesgezelschap ⟨het⟩ **0.1** *book-club ⇒*⟨circulerend⟩ *reading circle.*
leesglas ⟨het⟩ **0.1** *reading/magnifying glass ⇒loupe.*
leesgraag ⟨bn.⟩ **0.1** *eager to read ⇒bookish.*
leesgroep ⟨de⟩ ⟨school.⟩ **0.1** *reading group.*
leeshonger ⟨de (m.)⟩ **0.1** *hunger/appetite for reading.*
leeskamer ⟨de⟩ **0.1** [leeszaal] *reading-room* **0.2** [afdeling v.e. kantoor/bedrijf] *reading-room ⇒library.*
leeskop ⟨de (m.)⟩ **0.1** *reader, read(ing) head* ◆ **1.1** lees- en schrijfkop combined (read/write) head.*
leeskring ⟨de (m.)⟩ **0.1** *reading circle/club/group.*
leeslamp ⟨de⟩ **0.1** *reading lamp.*
leesles ⟨de⟩ **0.1** [les in lezen] *reading lesson* **0.2** [leesoefening] *reading lesson/exercise.*
leeslijst ⟨de⟩ **0.1** *reading list.*
leeslint ⟨het⟩ **0.1** *(book)mark(er).*
leeslust ⟨de (m.)⟩ **0.1** *love of reading.*
leesmachine ⟨de (v.)⟩ **0.1** *reader.*
leesmethode ⟨de (v.)⟩ **0.1** *reading method.*
leesmoeder ⟨de (v.)⟩ **0.1** *parent volunteer, volunteer teacher, reading helper.*
leesoefening ⟨de (v.)⟩ **0.1** *reading exercise.*
leesonderwijs ⟨het⟩ **0.1** *reading lessons/instruction.*
leespen ⟨de⟩ **0.1** *hand-held reader ⇒bar-code reader.*
leesplank ⟨de⟩ **0.1** *primer ⇒*⟨gesch.⟩ *hornbook.*
leesplezier ⟨het⟩ **0.1** *reading pleasure ⇒enjoyment of reading.*
leesportefeuille ⟨de (m.)⟩ **0.1** *portfolio (with magazines).*
leessnelheid ⟨de (v.)⟩ **0.1** *reading speed.*
leesstof ⟨de⟩ **0.1** *reading matter/material.*
leest ⟨de⟩ ⟨→sprw. 529⟩ **0.1** [mbt. schoenen] ⟨v.e. schoenmaker⟩ *last;* ⟨v.e. drager⟩ *(shoe)tree, boottree* **0.2** [taille] *figure ⇒waist* ◆ **2.2** een slanke ~ *a slender f.* **6.1** ⟨fig.⟩ iets **naar/op** zekere ~ vormen *plan/organize/make sth. according to a model, base sth. on a certain pattern;* schoenen **op** de ~ zetten *put shoes on the l., put trees in one's shoes, last/tree shoes;* ⟨fig.⟩ dat is **op** dezelfde ~ geschoeid *that is done along the same lines/follows the same pattern.*
leestafel ⟨de⟩ **0.1** [tafel met lectuur] *reading table* **0.2** [sorteertafel] *sorting table.*
leesteken ⟨het⟩ **0.1** [interpunctie] *punctuation mark* **0.2** [accent] *accent* ◆ **3.1** ~s aanbrengen (in) *punctuate.*
leestmaat ⟨de (m.)⟩ **0.1** *last/(shoe)tree size.*
leestoestel ⟨het⟩ **0.1** *(microfilm) reader.*
leestoon ⟨de (m.)⟩ **0.1** *reading voice.*
leesvaardigheid ⟨de (v.)⟩ **0.1** *reading proficiency/skill.*
leesvenster ⟨het⟩ **0.1** *display.*
leesvloer ⟨de (m.)⟩ **0.1** *sorting floor.*
leesvoer ⟨het⟩ **0.1** *pulp (literature).*
leeswijzer ⟨de (m.)⟩ **0.1** [bladwijzer] *(book)mark(er)* **0.2** [⟨com.⟩] *time indicator.*
leeswoede ⟨de⟩ **0.1** *passion/mania for reading.*
leeszaal ⟨de⟩ **0.1** [leesvertrek] *reading room* **0.2** [openbare instelling] ⟨van kerk enz.⟩ *reading room;* ⟨van gemeente⟩ *public library* ◆ **2.2** openbare ~ en bibliotheek *public library.*
leeszwakte ⟨de (v.)⟩ **0.1** *reading/learning problem/disability ⇒dyslexia.*
leeuw ⟨de (m.)⟩, **leeuwin** ⟨de (v.)⟩ ⟨→sprw. 162⟩ **0.1** *lion ⇒lioness* ⟨v.⟩ ◆ **1.1** ⟨fig.⟩ ~en en beren op de weg zien *see bears along the way;* ⟨fig.⟩ zich in het hol v.d. ~ wagen *put one's head in the lion's mouth, beard the lion in his (own) den* **2.1** de Amerikaanse ~ *puma, cougar, mountain lion* **6.1** ⟨fig.⟩ de ~ **uit** de stam Juda *the lion of Judah;* iem.

voor de ~en gooien *throw s.o. to the wolves* **8.1** zo sterk als een ~ *as strong as an ox;* vechten als een ~ *fight like a Trojan/lion;* moedig als een ~ *lionhearted.*

leeuw² ⟨de (m.)⟩ **0.1** [⟨astrol.⟩] *The Lion* ⇒*Leo* **0.2** [⟨herald.⟩] *lion* ◆ **2.1** Kleine Leeuw *Leo Minor* **2.2** gaande/aanziende ~ *leopard;* de orde v.d. Nederlandse Leeuw *the Order of the Dutch Lion;* de Nederlandse/Vlaamse Leeuw *the Dutch/Flemish l..*
leeuwachtig ⟨bn.⟩ **0.1** *leonine* ⇒*lion-like.*
leeuweaandeel ⟨het⟩ **0.1** *lion's share.*
leeuwebek ⟨de (m.)⟩ ⟨plantk.⟩ **0.1** *snapdragon* ⇒*antirrhinum.*
leeuwebekachtigen ⟨zn.mv.⟩ ⟨plantk.⟩ **0.1** *(members of the genus) antirrhinum, scrophulareaceae.*
leeuwedeel ⟨het⟩ **0.1** *lion's share* ◆ **3.1** het ~ opeisen/op zich nemen van *demand/take the lion's share/the bulk of.*
leeuwehart ⟨het⟩ **0.1** *lionhearted* ◆ **1.1** Richard Leeuwehart *Richard the Lionhearted, Richard Lionheart.*
leeuwehuid ⟨de⟩ **0.1** *lion's skin* ◆ **6.1** ⟨fig.⟩ de ~ **aantrekken** *swagger, swashbuckle.*
leeuwejong ⟨het⟩ **0.1** *(lion) cub.*
leeuweklauw ⟨de (m.)⟩ **0.1** [klauw v.e. leeuw] *lion's paw* **0.2** [plant(engeslacht)] *lady's-mantle.*
leeuwekooi ⟨de⟩ **0.1** *lion's cage.*
leeuwekuil ⟨de (m.)⟩ **0.1** *lion's den* ◆ **6.1** ⟨bijb.⟩ Daniël in de ~ *Daniel in the lion's den.*
leeuwemanen ⟨zn.mv.⟩ **0.1** *lion's mane.*
leeuwemoed ⟨de (m.)⟩ **0.1** *courage of a lion* ◆ **6.1** zich met ~ verdedigen *defend o.s. heroically.*
leeuwentemmer ⟨de (m.)⟩ **0.1** *lion-tamer.*
leeuwerik ⟨de (m.)⟩ **0.1** *lark* ◆ **8.1** zingen als een ~ *sing like a l..*
leeuwetand ⟨de (m.)⟩ **0.1** [tand v.e. leeuw] *lion's tooth* **0.2** [plant(engeslacht)] *hawkbit, leontodon.*
leeuwevlag ⟨de⟩ **0.1** *lion flag/standard.*
leeuwewelp ⟨het, de (m.)⟩ **0.1** *(lion) cub.*
leeuwhondje ⟨het⟩ **0.1** *Maltese terrier.*
leeuwin ⟨de (v.)⟩ →**leeuw.**
leeuwtje ⟨het⟩ **0.1** [welp] *(l.) cub* **0.2** [ridderorde] ≠*grand cross* **0.3** [hond] *Maltese terrier* ◆ **2.3** een Maltezer ~ *Maltese terrier.*
leewater ⟨het⟩ **0.1** *synovitis* ⇒*water on the knee,* ↓*housemaid's knee.*
leewieken ⟨ov.ww.⟩ **0.1** *clip the wings (of).*
lef ⟨het, de (m.)⟩ ⟨inf.⟩ **0.1** *guts* ⇒*nerve, spunk, grit, moxie* ◆ **3.1** heb het ~ niet om dat te doen *don't you dare do that;* ~ hebben *have nerve/guts;* het ~ hebben om te ... *have the cheek to, be brash enough to;* dat is ~ hebben! *what (a) nerve!;* begin nou eens als je ~ hebt *go ahead and start if you dare;* ~ schoppen/trappen *show off, grandstand, swagger* **5.1** hij heeft wel ~ *he's got a lot of nerve.*
lefdoekje ⟨het⟩ ⟨inf.⟩ **0.1** *breast pocket handkerchief.*
lefgozer ⟨de (m.)⟩ ⟨inf.⟩ →**lefschopper.**
lefschopper ⟨de (m.)⟩ **0.1** *hotshot* ⇒*swaggerer, grandstander, show-off.*
leg
I ⟨de (m.)⟩ **0.1** [het eieren leggen] *(egg) laying* ◆ **6.1** aan de ~ zijn *be l./in lay;* van de ~ zijn *have stopped l.;*
II ⟨het, de⟩ **0.1** [plaats van het eieren leggen] *laying place.*
legaal ⟨bn., bw.⟩ **0.1** *legal* ⇒*licit, lawful* ◆ **1.1** langs legale weg *in a legal manner, through legal channels/connections.*
legaat
I ⟨de (m.)⟩ **0.1** [⟨Rom. gesch.⟩] *legate* **0.2** [pauselijk gezant] *legate* ⇒ *nuncio;*
II ⟨het⟩ **0.1** [erfmaking] *bequest* **0.2** [erfenis] *legacy* ⇒*bequest, inheritance* ◆ **3.2** een ~ krijgen *receive a l./bequest.*
legalisatie ⟨de (v.)⟩ **0.1** *notarization* ⇒*authentication, attestation, validation.*
legalisatiekosten ⟨zn.mv.⟩ **0.1** *notarization/authentication charge/fee.*
legaliseren ⟨ov.ww.⟩ **0.1** *notarize* ⇒*authenticate, validate.*
legaliteit ⟨de (v.)⟩ **0.1** *legality* ⇒*lawfulness, licitness.*
legaliteitsbeginsel ⟨het⟩ ⟨jur.⟩ **0.1** *principle of legality.*
legasthenie ⟨de (v.)⟩ **0.1** *learning/reading disability/problem* ⇒*dyslexia.*
legataris ⟨de (m.)⟩ **0.1** *legatee.*
legateren ⟨ov.ww.⟩ **0.1** *bequeath (to)* ⇒*(dispose of by) will, devise.*
legatie ⟨de (v.)⟩ **0.1** [functie van gezant] *legation* ⇒*(diplomatic) mission* **0.2** [gezantschap] *legation* **0.3** [gebouw] *legation.*
legator ⟨de (m.)⟩ **0.1** *bequeather* ⇒*devisor, legator.*
legbalk ⟨de (m.)⟩ **0.1** *joist.*
legbatterij ⟨de (v.)⟩ **0.1** *battery (cage).*
legboor ⟨de⟩ ⟨dierk.⟩ **0.1** *ovipositor* ◆ **6.1** met een ~ *terebrant.*
legbuis ⟨de⟩ ⟨dierk.⟩ **0.1** *ovipositor.*
legen ⟨ov.ww.⟩ **0.1** *empty* ◆ **1.1** de vuilnisemmer ~ *e. the* ᴮ*dustbin/* ᴬ*trashcan;* je zakken ~ *e. your pockets.*
legenda ⟨de⟩ **0.1** *legend* ⇒*key to symbols.*
legendarisch ⟨bn.⟩ **0.1** [tot de legende horend] *legendary* ⇒*fabled, fabulous* **0.2** [beroemd] *legendary.*
legende ⟨de (v.)⟩ **0.1** [⟨r.k.⟩] *saint's life/legend* **0.2** [sage, sprookje] *legend* ⇒*myth, saga* **0.3** [verklaring v.d. tekens op een (land)kaart] *legend* ⇒ *key* **0.4** [randschrift v.e. muntstuk] *legend* ◆ **2.1** Gulden Legende

Golden Legend **6.2** tot een ~ maken *mythologize, mythicize;* een beroemde figuur **uit** de ~ *n a famous character in mythology/legends, a legendary character;* **volgens** de ~ gaat hij niet dood *according to l./l. has it that he didn't die.*
legendevorming ⟨de (v.)⟩ **0.1** *creation/* ⟨spontaan⟩ *development of a legend/of legends.*
leger ⟨het⟩ **0.1** [krijgsmacht] *army* **0.2** [gehele krijgsmacht v.e. staat] *army, armed forces* **0.3** [menigte] *army* ⇒*host, horde, multitude* **0.4** [ligplaats v.e. dier] ⟨wild dier⟩ *lair;* ⟨haas⟩ *form;* ⟨hert⟩ *lair;* ⟨das⟩ *sett;* ⟨vos, beer⟩ *den* ◆ **1.3** een ~ van sprinkhanen *a plaque/horde of locusts;* zich voegen bij het ~ van werkelozen *join the ranks of the unemployed* **1.¶** het Leger des Heils *the Salvation Army,* ⟨sl.⟩ *the Sally Ann* **2.1** staand ~ *standing a.;* vliegend ~ *flying camp* **2.2** het geregelde ~ *the regular army,* ⟨BE ook⟩ ≠*the line* **6.2** bij het ~ in *the army;* bij het ~ gaan/zijn, in het ~ zitten *go into/join/be in the army* **¶.1** een ~ op de been brengen *raise an army.*
legeraalmoezenier ⟨de (m.)⟩ **0.1** *(army) chaplain* ⇒*padre.*
legeraanvoerder ⟨de (m.)⟩ **0.1** *commander-in-chief (of an/the army).*
legerafdeling ⟨de (v.)⟩ **0.1** *army unit* ⇒*army detachment.*
legerarts ⟨de (m.)⟩ **0.1** *army medical officer;* ⟨inf.⟩ *army doctor.*
legerauto ⟨de (m.)⟩ **0.1** *army car/lorry/* ᴬ*truck.*
legercommandant ⟨de (m.)⟩ **0.1** *commander(-in-chief)(of a/the army).*
legerdienst ⟨de (m.)⟩ **0.1** *military service* ⇒⟨BE ook⟩ *national service* ◆ **6.1** afgekeurd **voor** de ~ *refused/rejected/* ⟨inf.⟩ *turned down for m. s. /for the army.*
legereenheid ⟨de (v.)⟩ **0.1** *army unit.*
le'geren ⟨ov.ww.⟩ **0.1** [mbt. metalen] *alloy;* ⟨met kwik⟩ *amalgamate* **0.2** [legateren] *bequeath.*
'legeren
I ⟨ov.ww.⟩ **0.1** [doen kamperen] *encamp* **0.2** [⟨bouwk.⟩] *lay* **0.3** [ligplaats verschaffen] *quarter;* ⟨bij civielen⟩ *billet* ◆ **1.3** soldaten in het dorp ~ *b. soldiers in the village;* troepen in de kazerne ~ *q. troops in barracks;*
II ⟨onov.ww.⟩ **0.1** [platliggen] *be flattened* ⇒*be beaten down* ◆ **3.1** doen ~ *flatten, beat down;* door de slagregens ging het koren ~ *the corn was flattened/was beaten down by the heavy rains;*
III ⟨wk.ww.; zich ~⟩ **0.1** [zijn legerplaats opslaan] *(en)camp* ⇒*make camp* ◆ **6.1** de vijand had zich in in de vlakte gelegerd *the enemy had camped/made camp in the plain.*
legerformatie ⟨de (v.)⟩ **0.1** [samen/opstelling] *formation/raising of an army* **0.2** [afdeling] ⟨→**legerafdeling**⟩.
legergroen ⟨bn.⟩ **0.1** *olive drab/green.*
legerig ⟨bn.⟩ **0.1** *lying flat* ◆ **1.1** ~ koren *corn that is easily flattened.*
le'gering ⟨de (v.)⟩ **0.1** [handeling] *alloying;* ⟨met kwik⟩ *amalgamating* **0.2** [resultaat] *alloy;* ⟨met kwik⟩ *amalgam* ◆ **1.2** het gehalte van een ~ *the content of an alloy* **6.2** ~ **van** tin en lood *alloy of tin and lead, tin-lead alloy; pewter* ⟨minder juist⟩.
'legering ⟨de (v.)⟩ **0.1** [mbt. troepen] *encampment* ⇒*camping* **0.2** [mbt. granen] *flattening.*
legeringsgehalte ⟨het⟩ **0.1** *alloy content* ⇒*percentage of alloy.*
legeringsprodukt ⟨het⟩ **0.1** *alloy.*
legerkamp ⟨het⟩ **0.1** *army camp.*
legerkorps ⟨het⟩ **0.1** *army corps.*
legerleiding ⟨de (v.)⟩ **0.1** [het leiden] *command/leadership of an/the army* ⇒*army leadership* **0.2** [personen] *army command/leadership.*
legerleverancier ⟨de (m.)⟩ **0.1** *military supplier.*
legermacht ⟨de⟩ **0.1** *armed forces;* ⟨alleen krijgsmacht te land⟩ *army* ◆ **3.1** een grensgebied met een ~ uitrusten *militarize a border area.*
legernummer ⟨het⟩ **0.1** *army number.*
legeroefeningen ⟨zn.mv.⟩ **0.1** *army/military exercises/manoeuvres/* ᴬ*maneuvers.*
legeronderdeel ⟨het⟩ **0.1** *army/military unit.*
legerorder ⟨de⟩ **0.1** *army order.*
legerplaats ⟨de⟩ **0.1** [kampement] *camp* ⇒*encampment* **0.2** [stad met een kazerne] *army town.*
legerpredikant ⟨de (m.)⟩ **0.1** *army chaplain* ⇒*padre.*
legerschaar ⟨de⟩ **0.1** [troep soldaten] *host* ⇒*army* **0.2** [menigte mensen] *host* ⇒*army, multitude.*
legerstede ⟨de⟩ ⟨schr.⟩ **0.1** *couch* ⇒ ↓*bed.*
legertent ⟨de⟩ **0.1** *army tent.*
legertje ⟨het⟩ **0.1** [klein leger] *small army* ⇒*battery* **0.2** [vrij grote menigte] *(small) army* ⇒*battery* ◆ **1.1** een ~ M.E.'ers *a battery of riot police* **1.2** een heel ~ specialisten *a battery of experts.*
legertrein ⟨de (m.)⟩ →**legertros.**
legertros ⟨de (m.)⟩ **0.1** *army train* ⟨dubbelzinnig⟩ ⇒*baggage (of an/the army),* ⟨AE ook⟩ *wagon train.*
legertruck ⟨de (m.)⟩ **0.1** *army/military truck.*
legertucht ⟨de⟩ **0.1** *army/military discipline.*
legeruitrusting ⟨de (v.)⟩ **0.1** *army/military equipment.*
legervliegtuig ⟨het⟩ **0.1** *army aircraft/(* ᴮ*aero/* ᴬ*air)plane.*
legervoeg ⟨de⟩ ⟨amb.⟩ **0.1** *longitudinal joint.*
legervoorlichtingsdienst ⟨de (m.)⟩ **0.1** *army information service.*
legervoorraden ⟨zn.mv.⟩ **0.1** *army/military stores.*

leges ⟨zn.mv.⟩ **0.1** *fees* ⇒*dues.*

leggen ⟨ov.ww.⟩ ⟨→sprw. 158,321⟩ **0.1** [doen liggen] *lay (down)* ⇒*put (sth.) flat/ on its side,* ⟨worstelen, boksen⟩ *floor,* *lay out (flat)* **0.2** [(een ei) voortbrengen] *lay* **0.3** [aanbrengen, plaatsen] *put* ⇒ ↑*lay* **0.4** [doen ontstaan] *make* ⇒*build,* ↑*construct,* ⟨vloer ook⟩ *lay* **0.5** [doen zijn] *lay* ⇒*reduce* ◆ **1.1** ze moet de fles ~, niet zetten *put/l. the bottle on its side, not standing up* **1.2** in mei ~ alle vogels een ei *all birds l. (an egg)* in May **1.3** iem. de kaart ~ *tell/ read s.o.'s cards, tell/ read the cards for s.o.;* een zoom/ knoop in zijn zakdoek ~ *make a hem,* tie a knot in/ *knot one's handkerchief* **1.4** een brug/ dijk/ vloer ~ *build/ make a bridge/ dike,* *lay a floor.*¶ een kaartje ~ *play (a game of) cards* **4.1** zich te bed ~ *retire to (one's) bed;* zich in hinderlaag ~ *lie in ambush/ in wait* **5.3** geld opzij ~ *p. money aside;* hij legde het boek opzij tot 's avonds *he put the book aside till the evening;* iets terzijde ~ *lay sth. aside/ on one side, discard sth.* **6.1** een kind **op** bed ~ *put a child to bed;* te ruste(n) ~ *l. to rest* **6.2** kikvorsen ~ **in** het water *frogs lay in the water* **6.3 aan** banden ~ *tie up;* **aan** de ketting ~ *chain up,* p. on a/ the chain; alles/ hun geld **bij** elkaar ~ *pool everything/ their resources;* leg dit boekje maar **bij/ boven op** de rest *just put this booklet with/ on top of the rest;* **in** kwartier/ **in** bezetting ~ *quarter;* ⟨bij civielen⟩ *billet; occupy;* iem. bepaalde woorden **in** de mond ~ *p. certain words into s.o.'s mouth;* zij ~ dingen **in** dit gedicht die ik niet kan vinden *they read things into this poem that I can't see;* ze legde haar hele ziel/ al haar gevoel **in** het lied *she put/ threw her entire soul/ all her feeling(s) into the song;* **naast** elkaar ~ *p. together/ side by side/ against one another;* de arm **om** iemands hals ~ *p. one's arm round s.o.'s neck;* een band **om** een wiel ~ *p. a tyre/* ^A*tire on a wheel;* nieuwe buizen **onder** een straat ~ *lay new pipes under a street;* een laagje vernis **op** een meubel ~ *p. a layer of varnish on a piece of furniture;* **op** volgorde ~ *p. in order;* de hand ~ **op** iem./ iets *p./* ↑*lay one's hand on s.o./ sth.;* een pleister **op** de wonde ~ *p./ stick a plaster on the wound;* de vinger **op** de wond ~ *p. one's finger on the problem/ difficulty/* ⟨enz.⟩; klemtoon **op** een lettergreep ~ *stress/ accent a syllable,* p./ *lay the stress/ the accent on a syllable;* toeslagen ~ **op** p. *an extra charge/ a surcharge on;* **op** een hoop ~ *pile up;* **op** de pijnbank ~ *p.s.o. on the rack,* *rack s.o.;* een deken **over** iem. ~ *lay/ p. a blanket/ a cover over s.o.;* **over** elkaar ~ *p./ lay on top of one another;* **over** de knie ~ *p. across/ over one's knee;* ze legden het touw **rond** de paal *they coiled/ passed/ wound the rope round the post* **6.5** een stad **in** as/ vuur ~ *reduce a city to ashes/ to flames* **6.**¶ **aan** de dag ~ *display, show;* de laatste hand **aan** iets ~ *put the finishing/ final touches to sth.;* iem. **in** de luren ~ *take s.o. in, take s.o. for a ride;* iem. iets **ten** laste ~ *charge s.o. with/ accuse s.o. of sth.;* **ten** uitvoer ~ *carry out;* ⟨schr.⟩ *execute, (carry into) effect* ¶.¶ het er dik op ~ *lay it on thick, lay it on with a trowel.*

legger ⟨de (m.)⟩ **0.1** [dier] *layer* **0.2** [aardappel] *seed-potato* **0.3** [balk] ⟨→**leggerbalk**⟩ **0.4** [inhoudsmaat] *leaguer* **0.5** [ijkmaat] *standard* **0.6** [register] *register;* ⟨krant⟩ *file* **0.7** [molensteen] *bed-stone* ◆ **1.6** de ~ v.d. gemeente A. *the land r. of A.;* de ~ van wegen en voetpaden *the r. of roads and footpaths* **2.**¶ die kippen zijn goede ~s *those chickens/ hens are good layers* **2.**¶ ⟨sport⟩ gelijke/ ongelijke ~s *parallel/ asymmetric bars.*

leggerbalk ⟨de (m.)⟩ **0.1** *joist.*

leggiero ⟨bw.⟩ ⟨muz.⟩ **0.1** *leggiero.*

leggoed ⟨het⟩ **0.1** *seed-potatoes/* ⟨enz.⟩

leghen ⟨de (v.)⟩ **0.1** *laying-hen* ⇒*layer.*

leghorn ⟨de (m.)⟩ **0.1** *Leghorn;* ⟨BE ook⟩ *Dorking.*

legio ⟨het⟩ **0.1** *countless* ⇒*innumerable,* ⟨alleen ná zn.⟩ *legion* ◆ **1.1** hij maakte ~ fouten *he made c./ innumerable errors, the errors he made were legion.*

legioen ⟨het⟩ **0.1** [⟨Rom. gesch.⟩] *legion* **0.2** [legerafdeling] *legion* **0.3** [supporters] *supporters* **0.4** [zeer grote menigte] *host* ⇒*legion, multitude* ◆ **1.2** het Legioen van Eer *the Legion of Honour* **1.4** ~en van engelen *hosts of angels.*

legioensoldaat ⟨de (m.)⟩ →**legionair.**

legionair ⟨de (m.)⟩ **0.1** ⟨Romeins⟩ *legionary;* ⟨Frans, enz.⟩ *legionnaire.*

legionairsziekte ⟨de⟩ ⟨med.⟩ **0.1** *Legionnaire's disease.*

legislatief ⟨bn.⟩ **0.1** *legislative* ◆ **1.2** de legislatieve macht *l. power.*

legislatuur ⟨de (v.)⟩ **0.1** [wetgevende macht] *(exercise of) legislative power* **0.2** [wetgevend lichaam] *legislature.*

legisme ⟨de⟩ **0.1** *legalism.*

legitiem ⟨bn., bw.; -ly⟩ **0.1** [wettelijk] *legitimate, lawful* **0.2** [gegrond] *legitimate* **0.3** [recht op de troon betreffend] *legitimate* ◆ **1.1** de ~e portie, de ~e *the statutory share/ portion* **1.2** een ~e reden *a l. reason.*

legitimaris ⟨de (m.)⟩ **0.1** *statutory heir.*

legitimatie ⟨de (v.)⟩ **0.1** [identiteitsbewijs] *identification;* [papieren ook] *identity papers/ card/* ⟨enz.⟩, *proof of identity;* ⟨AE; inf.⟩ *I.D.* **0.2** [wettiging van een kind] *legitimization.*

legitimatiebewijs ⟨het⟩ **0.1** *identity papers/ card/* ⟨enz.⟩ ⇒*proof of identity,* ⟨AE; inf.⟩ *I.D..*

legitimatiekaart ⟨de⟩ →**legitimatiebewijs.**

legitimeren
I ⟨wk.ww.; zich ~⟩ **0.1** zijn identiteit bewijzen] *identify o.s.* ⇒*estab-*

lish/ prove one's identity **0.2** [zijn aanspraken op iets bewijzen] *establish/ prove one's identity* ◆ **3.1** een controleur moet zich kunnen ~ *an inspector must be able to identify himself/ produce (his) authority* **8.2** zich als rechthebbende ~ *establish/ prove one's entitlement;*
II ⟨ov.ww.⟩ **0.1** [wettigen] *legitimize.*

legitimist ⟨de (m.)⟩ **0.1** [aanhanger van een leer] *legitimist* **0.2** [aanhanger van een verdreven vorst] *legitimist.*

legitimiteit ⟨de (v.)⟩ **0.1** [overeenstemming met het geschreven recht] *legitimacy* **0.2** [wettigheid] *legitimacy.*

legkaart ⟨de⟩ **0.1** *jigsaw (puzzle).*

legkast ⟨de⟩ **0.1** *cupboard (with shelves);* ⟨voor wasgoed⟩ *linen-cupboard.*

legkip ⟨de (v.)⟩ **0.1** *laying-hen* ⇒*layer.*

legmeel ⟨het⟩ **0.1** *laying mash.*

legnest ⟨het⟩ **0.1** *(laying-)nest.*

legnood ⟨de (m.)⟩ ⟨med.⟩ **0.1** *egg-binding* ◆ **6.1** in ~ verkeren *be egg-bound.*

lego ⟨het, de⟩ **0.1** *Lego* ◆ **1.1** legodoos *L. set.*

legorder ⟨het, de⟩ ⟨geldw.⟩ **0.1** *standing order.*

legpenning ⟨de (m.)⟩ **0.1** *medal.*

legpuzzel ⟨de (m.)⟩ **0.1** ⟨ook fig.⟩ *(jigsaw) puzzle.*

legras ⟨het⟩ **0.1** *laying/ egg-type breed.*

legsel ⟨het⟩ **0.1** *eggs* ⟨mv.⟩; ⟨door een kip in één keer gelegde eieren⟩ *clutch (of eggs).*

legtijd ⟨de (m.)⟩ **0.1** *laying season.*

leguaan ⟨de (m.)⟩ **0.1** [dier] *iguana* **0.2** [⟨mv.⟩ dierenfamilie] *Iguanidae* **0.3** [⟨scheep.⟩] *pudd(en)ing.*

legumine ⟨de⟩ **0.1** *legumin.*

leguminosen ⟨zn.mv.⟩ **0.1** *Leguminosae.*

lei
I ⟨het⟩ **0.1** [gesteente] *slate;*
II ⟨de⟩ **0.1** [plaat om op te schrijven] *slate* **0.2** [plaat om daken te bedekken] *slate* **0.3** [⟨AZN⟩ laan] *avenue* **0.4** [koppel voor jachthonden] *leash* **0.5** [paardetoom] *bridle* ◆ **2.1** ⟨fig.⟩ (weer) met een schone ~ beginnen *start (again) with a clean s./ a clean sheet/ the s. wiped clean, wipe the s. clean, turn over a new leaf* **6.1** met een griffel **op** de ~ schrijven *write with a slate pencil (on a s.)* **6.2 met** ~ bedekken *slate(-roof);*
III ⟨de (m.)⟩ **0.1** [Roemeense munteenheid] *leu.*

leiachtig ⟨bn.⟩ ⟨geol.⟩ **0.1** *slaty.*

leiband ⟨de⟩ ⟨iem.⟩ **0.1** *leading-strings* ⟨mv.⟩ ⇒*rein* ◆ **6.1** ⟨fig.⟩ hij loopt **aan** de ~ van… *he's/ he lets himself be spoonfed by …;* ⟨de leiband v.e. vrouw⟩ *he's tied to …'s apron-strings;* ⟨fig.⟩ **aan** de ~ houden *keep on a leash/ rein, spoonfeed;* ⟨fig.⟩ niet meer aan de ~ lopen *be able to stand on one's own two feet/ stand up for o.s..*

leiboom ⟨de (m.)⟩ **0.1** [boom die tegen iets geleid wordt] *trained tree* ⇒*espalier (tree)* **0.2** [paal aan een heitoestel] *guide* ◆ **1.1** vrucht(en) van (de) leibo(o)m(en) *wall fruit.*

leidekker ⟨de (m.)⟩ **0.1** *slater.*

leiden ⟨ov.ww.⟩ ⟨→sprw. 63,645⟩ **0.1** [meenemen] *lead* **0.2** [brengen, geleiden] *bring* ⇒*lead,* (plant) *train* **0.3** [mbt. wegen] *lead* **0.4** [de weg wijzen] *lead* ⇒*guide* **0.5** [in een toestand brengen] *lead* **0.6** [besturen, in een richting sturen] *direct* ⇒*conduct, manage, lead* **0.7** [⟨sport⟩] *(be in the) lead* **0.8** [aanvoeren] *lead* **0.9** [(een leven) doorbrengen] *lead* ◆ **1.6** een bankfiliaal ~ *manage a branch of a bank;* een debat ~ *conduct a debate;* het onderzoek/ de werkzaamheden ~ *direct the research/ the work;* een opstand ~ *lead a rebellion;* een orkest ~ *conduct an orchestra;* een school ~ *run a school;* de zaak ~ *be in charge;* ⟨inf.⟩ *be the boss, run the show;* de laatste ~ *lead;* het gesprek werd heel goed geleid door … *the business/ the conversation was excellently directed by …* **1.7** Knetemann leidt het peloton *Knetemann is leading the pack;* hij neemt een ~de positie in *he holds a leading/,* enz.) *senior position* **1.8** de dans ~ *l. the dance* **1.9** een druk leven ~ *l. a busy life;* een losbandig leven ~ *l. a dissolute life;* zijn eigen leven ~ *l. one's own life;* ⟨inf.⟩ *do one's own thing;* een lui leventje ~ *l. a lazy life* **3.6** zich laten ~ *door* **led** *led/ guided/ ruled/ governed by;* zich in alles laten ~ *door* zijn vader/ eigenbelang *be governed/ ruled/ led/ guided in all things by his father/ self-interest;* hij liet zich ~ *door* zijn gevoelens *he let his feelings rule him, he was guided by his feelings* **5.5** de nieuwe bezuinigingen zullen ertoe ~ *dat* …*the new cutbacks will mean that …,* as a result of the new cutbacks, …* **6.1** een kind **aan** de hand ~ *l. a child by the hand;* een koe **aan** een touw ~ *l. a cow on a rope;* iem. **met** zachte hand ~ *guide gently;* iem. ~ **naar** ⟨ook⟩ *steer s.o. towards* **5.2** water **door** buizen ~ *pass water through pipes, pipe water;* in bepaalde banen ~ ⟨ook van gesprek⟩ *channel;* een wingerd **langs** de muur ~ *train a vine along the wall;* deze wieltjes ~ de tape **langs** de opnameknop *these rollers guide the tape past the 'record' button;* het water **naar** de stad ~ *b./* ⟨omleiden⟩ *divert the water to the city;* de weg werd **om** de oude boom (heen) geleid *the road was diverted round the old tree;* het luchtverkeer **via/ over** een andere luchthaven ~ *direct air traffic via/ to another airport;* de gevangene **voor** de rechter ~ *b./ lead the prisoner before the judge* **6.3** de weg leidde ons/ onze route leidde **door** het dorpje *the road took/ led us/ our route led* *through the village;* de trap leidt **naar** de keuken *the steps lead to the kitchen;* dit pad leidt **naar** beneden/boven *this path leads down/up* **6.4** zij leidde hem **door** de gangen *she led/guided him through the corridors* **6.5 tot** niets ~ *l. nowhere/to nothing;* ~ **tot** (felle discussies/ de ontdekking (enz.)) *l. to, end in;* **tot** rampspoed ~ *l. to/end in disaster;* onmiddellijk ~ **tot** (het gewenste resultaat) *be the key to/an open sesame to;* **tot** niets ~d gepraat *talk that leads/gets nowhere/doesn't lead/get anywhere;* de onrusten die geleid hebben **tot** het uitroepen v.d. noodtoestand *the disturbances that have ended in/led to/resulted in a state of emergency (being declared).*

Leiden 0.1 *Leiden;* (gesch.) *Leyden* ◆ **1.¶** zich met een Jantje van ~ ergens van afmaken *shirk sth.* (werk)*/skimp sth.* (slordig doen)*; brush sth. aside* (er geen rekening mee houden); dat loopt nog met een Jantje van ~ af *it'll turn out/work out all right (after all)* ¶**.1** (fig.) ~ is in last (ook iron.) *things are in a pretty pickle/have come to a pretty pass.*

leidend (bn.) **0.1** [leiding gevend] *leading* **0.2** [de leidraad zijnd] *guiding* ◆ **1.1** ~e figuur *a l. figure;* (ook; inf.) *king-pin;* hij bekleedt daar een ~e functie *he has a senior/an executive* (uitvoerend) *function there* **1.2** ~e aandelen/fondsen *l. shares, leaders;* een ~ beginsel *a g. principle;* ~e gedachte *main/principal idea, leitmotiv, keynote.*

leider (de (m.)), **leidster** (de (v.)) **0.1** [persoon die leidt, (ook vaak in samenst.)] *leader;* (hand.) *director, manager;* (gids) *guide* **0.2** [(sport)] *leader* **0.3** [dictator] *leader* **0.4** [paal, lat] *guide* ◆ **1.1** cursusleider, reisleider, bedrijfsleider *course director, courier, company manager;* ~ v.e. opinieonderzoek *director of an opinian poll;* de ~s v.d. opstand *the (ring)leaders of the rebellion/revolt* **2.1** geestelijk ~ (gesch.) *spiritual director;* militair/politiek ~ *military/political l.;* zakelijk ~ *business manager* **6.1** zonder ~ *leaderless.*

leidersbeginsel, -principe (het) **0.1** *leadership principle, priciple of leadership.*

leiderscapaciteiten (zn.mv.) **0.1** *leadership qualities* ⇒*ability to lead,* (als manager) *managerial talent/ability.*

leiderschap (het) **0.1** [het leider zijn] *leadership* ⇒*guidance* **0.2** [gezag, autoriteit, overwicht] *authority* ⇒*leadership* **0.3** [termijn als leider] *leadership* ⇒(ihb. pol.) *term of office, regime* ◆ **2.1** een collectief ~ *a collective l.;* zijn onbetwist ~ *his undisputed l.* **2.2** zijn natuurlijk ~ *his natural leadership/a.* **3.1** het ~ van iem. erkennen *recognize s.o. as one's leader;* het ~ op zich nemen *assume the l.* **6.1 voor** het ~ in de wieg gelegd *a born leader* **6.3 onder/tijdens** het ~ van Castro *under/ during the Castro regime.*

leidersfiguur (de) **0.1** *leader.*

leidersplaats (de) (sport) **0.1** *lead* ⇒*leading/front position* ◆ **6.1 op** de ~ *in the lead/the leading/front position.*

leiderspositie (de (v.)) **0.1** *lead* ⇒*leading/front position.*

leidersstrui (de) (wielersport) **0.1** *leader's jersey* ◆ **2.1** de gele ~ *the yellow jersey.*

leiding (de (v.)) **0.1** [het leiden] *guidance* ⇒*direction, leadership,* (mil.) *command* **0.2** [bestuur] *direction* ⇒*control,* (v.e. onderneming) *management, running,* (oorlog ook) *conduct,* (v.e. vergadering) *chairmanship,* (bestuurders) *management, managers, (board of) directors,* (leiders) *leadership, leaders* **0.3** [buis, draad] (hoofdleiding) *main;* (buis binnenshuis) *pipe;* (draad binnenshuis) *wire;* (dik) *cable;* (com. ook) *line;* (bedrading) *wiring,* (waterloop) *watercourse* **0.4** [(sport) koppositie] *lead* ⇒*front/leading position* ◆ **1.1** de ~ v.h. schaduwkabinet is in handen van … *the Shadow Cabinet is presided over by …;* belast zijn met de ~ van de vergadering *preside over/chair the meeting, be in the chair* **1.2** de ~ van de stakingsactie *the leaders of the strike, the strike leadership* **2.1** onder zijn bekwame ~ *under his (cap)able/skilful leadership/management/direction/g., in his capable hands;* onder de deskundige ~ v.e. psycholoog *under the expert g. of a psychologist;* geestelijke/spirituele ~ *spiritual g.* **2.3** bovengrondse/ ondergrondse ~ *above-ground/underground pipes/cables;* (elek. bovengronds) *line;* elektrische ~ *electric wire/cable;* (bedrading) (electric) *wiring;* (hoofdleiding) *electricity main(s)* **3.1** ~ geven (aan) *direct* (werkzaamheden)*; lead* (team)*; manage, run* (bedrijf)*; govern* (volk, vereniging)*; preside over/chair* (vergadering)*;* iem. de ~ geven *put s.o. in charge/command;* gewend om ~ te geven *used/accustomed to taking control/to managing people;* de ~ (in handen) hebben *be in control/charge/command;* de ~ hebben over/van *direct, preside over, lead, be in charge/control of;* wie heeft er hier de ~? *who's in charge here?;* in de computerindustrie heeft Japan de ~ *Japan is in the lead in the computer industry;* de jeugd heeft meer ~ nodig *young people need more g.;* ~ kunnen geven *have leadership qualities;* de ~ (op zich) nemen *take/assume control/charge/command;* de ~ nemen over *take charge/control of;* zelf de ~ nemen *take matters/things into one's own hands* **3.2** de ~ heeft hier gefaald *the management is at fault here* **3.3** ~en aanleggen in een huis (elek.) *wire a house;* (gas, water) *lay down/install the piping in a house;* de ~ is gesprongen *the pipe/the* (water/gas) *m. has burst;* de ~en vernieuwen *renew the piping/pipework/* (elek.) *wiring* **3.4** de ~ hebben *be in the l., lead the field;* de ~ nemen *take the lead, take up/make the running;* de ~ overnemen/af moeten staan *take over/lose the lead* **6.1** het orkest **onder** ~ van A.…

---

the orchestra conducted by A.; **onder** ~ staan van …*be led/run/managed by, be under the direction/management/command of* **6.2** er is geen vertrouwen **in** de ~ *nobody has any confidence in the leaders;* **zonder** ~ *leaderless* **6.3** drink geen water **uit** de ~ *don't drink any tap water/water from the mains* **6.4 aan** de ~ komen/gaan/liggen *gain/be in the lead;* **aan** de ~ blijven (van) *stay ahead/abreast (of);* Ajax heeft de ~ **met** 2 tegen 1 *Ajax lead 2 (to) 1.*

leidingbuis (de) **0.1** *(water-/gas-)pipe* ⇒*duct,* (groot) *main.*

leidingdruk (de (m.)) **0.1** *pipe/mains pressure.*

leidinggevend (bn.) **0.1** *executive* ⇒*managerial, management* ◆ **1.1** iem. met ~e bevoegdheid *an executive, s.o. with e. powers;* hij heeft ~e capaciteiten *he has e. ability, he's e. material;* een ~ functionaris *an e. (official);* ~ personeel *e./management staff;* lager ~ personeel *supervisory staff;* een ~e rol hebben/vervullen *fulfil an e. function.*

leidingnet (het) **0.1** *network of pipes/mains* ⇒(elek.) *(electricity) grid,* (voor water/gas) *mains system,* (buizen in huis) *piping, pipework,* (bedrading) *wiring (system),* (telefonie) *(telephone) network.*

leiding(s)draad (de (m.)) **0.1** *(electric) wire;* (dik) *cable.*

leidingwater (het) **0.1** *tap/mains water.*

leidmotief (het) [(muz.)] *leitmotiv* **0.2** [leidende gedachte] *leitmotiv.*

leidraad (de (m.)) **0.1** [richtsnoer] *guide(line)* ⇒*guiding principle, line of action* **0.2** [handleiding] *guide* ⇒*instructions, introduction, manual* ◆ **6.2** ~ bij het onderwijs in de natuurkunde *g./introduction to the teaching of physics* **8.1** iets als ~ nemen *take sth. as one's guide, be guided by sth.;* als ~ dienen (voor) *guide, serve as a guideline/guiding principle (for);* als ~ (voor) *for the guidance of;* de uitslagen van vorig jaar kunnen ons niet als ~ dienen *last year's figures can be no guide to us.*

Leids (bn.) **0.1** (attr.) *Leiden;* (vero.) *Leyden;* (pred.) *of/from Leiden/ Leyden* ◆ **1.1** ~e fles *Leyden jar;* ~e kaas *cumin cheese.*

leidsel (het) **0.1** *rein* ⇒(in mv. ook) *ribbons.*

leidsman (de) **0.1** (gids) *mentor, leader.*

leidstar, leidster (de) **0.1** (poolster) *polestar, North Star;* (fig.) *lodestar, guiding star, polestar.*

leidster (de (v.)) **0.1** [vrouw die leiding geeft] *leader* ⇒(kleuterleidster) *infantschool teacher* **0.2** [vrouw die een klassement aanvoert] *leader* **0.3** [(fig.) gids] *guide* ⇒(raadgevend) *mentor* ◆ **1.1** ~ v.e. expeditie *l. of an expedition.*

leidsvrouw (de (v.)) **0.1** [vrouw die leiding geeft] *leader* **0.2** [(fig.) gids] *guide.*

leidtoon (de (m.)) (muz.) **0.1** *leading note/^tone* ⇒*subtonic.*

leien (bn., alleen attr.) **0.1** *slate* ◆ **1.1** met een ~ dak *slate-roofed;* (fig.) het loopt van een ~ dakje *it's going smoothly/swimmingly/without a hitch;* (fig.) het liep/ging allemaal v.e. ~ dakje *it was plain sailing all the way;* (fig.) als v.e. ~ dakje *like a dream/clockwork.*

leigrijs (het) **0.1** *slate grey.*

leigroeve (de) **0.1** *slate quarry/pit.*

leihond (de (m.)) (jacht) **0.1** *leash-hound.*

leikleurig (bn.) **0.1** *slate(-coloured/-grey).*

leiplaat (de) **0.1** *baffle (plate)* ⇒*guide/directing plate.*

leiplant (de) **0.1** *trained plant* ⇒*trellis plant, climber, espalier.*

leipogram → **lipogram.**

leireep (de (m.)) **0.1** *rein* ⇒(mv. ook) *ribbons.*

leiriem (de (m.)) **0.1** *rein* ⇒*halter, lead.*

leis (de) **0.1** ≠*(Christmas) carol.*

leisel → **leidsel.**

leistang (de) **0.1** [mbt. een machine] *guide (bar/rod)* **0.2** [mbt. een kaartsysteem] *holding/filing rod.*

leisteen (het, de (m.)) **0.1** *slate* ⇒≠*rag(stone)* ◆ **2.1** oliehoudende ~ *bituminous shale, oil shale.*

leisteenolie (de) **0.1** *shale oil.*

leivleugel (de (m.)) **0.1** *extensible slat.*

leiwagen (de (m.)) (zeilsport) **0.1** *traveller.*

lek[1]

I (het) **0.1** [gat, scheur] *leak(age)* ⇒*hole, puncture* (band)*, escape* (gas)*, blowout* (luchtdrukleiding) **0.2** [(fig.)] *leak(age)* ◆ **3.1** een ~ dichten *stop a leak; mend a puncture* (band)*;* het schip heeft een ~ *the ship is making water/has sprung a leak;* een ~ krijgen *spring a leak; take on/make water, be holed* (schip) **6.1** er zit een ~ **in** de fietsband *the (bicycle) tyre has a puncture* **6.2** een ~ **in** de organisatie *a leak in the organisation* ¶**.1** we hebben het ~ boven (water) *we've sorted things out/we're on top (for the moment);* **II** (de (m.)) **0.1** [het lekken] *leakage* ⇒*drip* (vloeistof)*, escape* (gas) ◆ **6.1 onder** de ~ van het dak staan *stand in/under the drip of the roof /under the dripping roof.*

lek[2] (bn.) **0.1** *leaky* ⇒*punctured* (band)*, faulty* ◆ **1.1** een ~ke band krijgen *get a puncture;* we hebben een ~ke band *we burst a tyre;* een ~ke buis *a l. pipe;* een ~ke fietsband *a punctured tyre, a puncture;* een ~ke koppakking *a blown cylinder gasket* **3.1** de romp is ~ geslagen *the hull is stove in;* de boot sloeg ~ op een rif *the boat was holed on a reef;* ~ stoten/raken/slaan *spring a leak; be holed* (schip)*;* ~ zijn *let in water, be l./leaking, have a leak/pucture* **8.1** zo ~ als een mandje/ als een zeef *as l. as a sieve, full of leaks/holes.*

lekbak ⟨de (m.)⟩ **0.1** *drip-tray* ⟨van koelkast⟩; *save-all* ⟨van schip⟩; *dripping-pan* ⟨bij koken⟩; ⟨voor carterolie⟩ *oil trough*.
lekbier ⟨het⟩ **0.1** *(beer-)slops* ⟨mv.⟩.
lekdicht ⟨bn.⟩ **0.1** [niet lekkend] *leakproof* **0.2** [⟨fig.⟩] *leakproof*.
lekdorpel ⟨de (m.)⟩ ⟨amb.⟩ **0.1** *weathering*.
lekebroeder ⟨de (m.)⟩ **0.1** *lay brother*.
lekenapostolaat ⟨het⟩ ⟨r.k.⟩ **0.1** *lay apostolate* ⇒≠*Catholic Action*.
lekenbijbel ⟨de (m.)⟩ **0.1** *bible*.
lekenbrevier ⟨het⟩ **0.1** *breviary for laymen*.
lekenbroederschap ⟨de (v.)⟩ **0.1** *lay order/ community*.
lekenkelk ⟨de (m.)⟩ **0.1** *lay chalice*.
lekenkoor ⟨het⟩ ⟨r.k.⟩ **0.1** *choir*.
lekenmoraal ⟨de⟩ **0.1** *secularism*.
lekenoordeel ⟨het⟩ **0.1** *lay(man's) opinion*.
lekenorde ⟨de⟩ **0.1** *lay order/ community*.
lekenrechtspraak ⟨de⟩ **0.1** *lay justice* ⇒*administration of justice by lay*.
lekenstand ⟨de (m.)⟩ **0.1** ⟨staat⟩ *lay status*; ⟨personen⟩ *laity, laymen, lay circles/ public* ◆ **3.1** tot de ~ terugkeren *return to l. s., be reduced to l. s.*.
lekenverstand ⟨het⟩ **0.1** *(the) lay mind*.
lekespel ⟨het⟩ ⟨lit.⟩ **0.1** ⟨over het leven van Christus⟩ *mystery play*; ⟨bijbels verhaal⟩ *miracle play*.
lekezuster ⟨de (v.)⟩ **0.1** *lay sister*.
lekgat ⟨het⟩ **0.1** *leak* ⇒*hole*.
lekhoning ⟨de (m.)⟩ **0.1** *virgin honey*.
lekkage ⟨de (v.)⟩ **0.1** [het lek zijn] *leak(age)* **0.2** [plaats] *leak(age)* ⇒*hole* **0.3** [uitwerking] *leakage* **0.4** [⟨hand.⟩] *(allowance for) leakage* ◆ **3.1** de ~ is verholpen *the leak has been repaired/ stopped* **6.1** er is ~ **aan** het dak *the roof is leaking, there's a leak in the roof*.
lekken
I ⟨onov.ww.⟩ **0.1** [lek zijn] *leak* ⇒*be leaking*, ⟨schip ook⟩ *take on/ make water*, ⟨schoen ook⟩ *let in water*, ⟨kraan ook⟩ *leak/ leaky* **0.2** [erdoor wegsijpelen] *leak* ⇒*escape, ooze, seep*, ⟨door dijk ook⟩ *filter* ◆ **1.1** het dak lekt *the roof is leaking/ leaky*; een ~d dak *a leaky/ leaking roof*; een ~de kraan *a leaking/ dripping tap* **1.2** de wijn lekt uit het vat *the wine is leaking/ oozing/ dripping from the cask* **6.2** naar binnen ~ *l. / seep in*;
II ⟨onp.ww.⟩ ◆ ¶.¶ het lekt op zolder *there's a leak in the attic*;
III ⟨ov.ww.⟩ ⟨gew.⟩ ⟨schr.⟩ **0.1** [likken] *lick* ⇒*lap* **0.2** [oplikken] *lick (up)* ⇒*lap (up)*;
IV ⟨onov.ww.⟩ **0.1** [van vlammen] *lick* ◆ **1.1** ~de vlammen *lambent flames, tongues of flame* **6.1** de vlammen lekten **langs** de muren/ **aan** het dak *the flames were licking the walls/ the roof*.
lekker ⟨→sprw. 388,595⟩
I ⟨bn.⟩ **0.1** [smakelijk] *nice* ⇒*good, tasty*, ⟨inf.⟩ *scrumptious, yummy*, ⟨erg lekker⟩ *delicious*, ⟨vaak iron.⟩ *toothsome, palatable* **0.2** [aangenaam van geur] *nice* ⇒*sweet, delightful, pleasant* **0.3** [gezond, plezierig] *well* ⇒*fine, all right, fit* **0.4** [prettige indruk makend] *nice* ⇒*pleasant, jolly, lovely, delectable*, ᴬ*foxy* ⟨meisje⟩ **0.5** [verlekkerd] ⟨zie 3.5⟩ **0.6** [onaangenaam] *nice, fine* ◆ **1.1** een ~ hapje *a titbit*; ⟨bij de borrel⟩ *(cocktail) snack, appetizer* **1.2** een ~e geur *a pleasant/ n. / sweet smell* **1.4** een ~e dikkerd *a jolly dumpling*; wat een ~ kind *what a darling/ dear/ what a sweet little thing*; ⟨inf.⟩ een ~e meid/~ stuk *a dish/ smasher, a nice piece of skirt*, ᴬ*a foxy lady/ ↓broad/ ↓bit of tail*; ⟨inf.⟩ ~ wijf/ mokkel *a smasher*, ᴬ*a foxy (little) lady/ bit of tail* **1.6** het is me een ~e jongen *he's a fine one!, he's some guy (I don't think)!* **3.1** ze weet wel wat ~ is *she knows a good thing when she sees it*; is/ smaakt het ~? ja, het heeft me ~ gesmaakt *do you like it/ is it good? yes, it was lovely/ I enjoyed it*; hij vindt *like/ enjoy sth. (very much)* **3.2** wat ruikt die bloem ~ *doesn't that flower smell lovely* **3.3** ik ben niet ~ *I'm not feeling too well/ good, I'm a bit under the weather*; ⟨fig.⟩ je bent niet ~ *you're out of your mind, you're crazy/ bonkers, you need your head read*; zich niet ~ voelen *not feel very well*, ᴮ*feel queer/* ᴬ*sick* **3.5** iem. ~ maken *make s.o.'s mouth water, get s.o. worked up/ excited* **3.6** die is ~ ⟨in netelige positie⟩ *(s)he's in for it, (s)he's for the high jump* **4.1** iets ~s *a snack, something to nibble on*; ⟨snoep⟩ *a sweet, some sweets/* ᴬ*candy*; iets bijzonder ~s *sth. (extra) special* **4.6** je bent me wat ~s *you're a great/ fine one, you are!* **7.1** voor het ~ *just for the taste*; het ~ste voor het laatst bewaren *leave/ save the best (bit) till last* **8.3** zo ~ als wat *(as) right as rain, tip-top, in the pink*;
II ⟨bn., bw.; -ly⟩ **0.1** [prettig] *nice* ⇒*good, comfortable* ⟨meubels, huis⟩, *lovely* ◆ **1.1** een ~ bad *a n. (hot) bath*; een ~ ⟨in het gehoor liggend⟩ melodietje *a catchy tune*; een ~e stoel *a comfortable chair*; ~ weer *lovely/ beautiful weather* **2.1** ~ rustig/ zoet *nice and quiet/ sweet*; ~ verwend worden *be pampered/ coddled, be well looked after*; ~ warm *n. and warm* **3.1** ze gaat ~ *she's doing fine/ great, she's going great guns*; het gaat/ loopt ~ *it is going/ we're doing fine/ great*; ~ onder de dekens kruipen/ tegen iem. aan gaan liggen *snuggle in/ up against s.o.*; de auto loopt ~ *the car goes like a dream*; de winkel loopt ~ *the shop is doing fine/ is doing quite nicely*; de zon schijnt ~ *the sun's lovely and warm*; slaap ~ /droom maar ~ *sleep tight, pleasant/ sweet dreams*; eens ~ uithuilen *have a good cry/ weep*; het ~ vinden om ... *like/ love to*; ze vinden het ~der om thuis te blijven *they prefer to stay*

(at) home/ to stay in; zich ergens/ bij iem. ~ voelen *feel good at home somewhere/ with s.o.*; dat ziet er niet ~ uit *that doesn't look too good*; ik zit hier ~ *I'm fine/ all right here, I'm doing very nicely, thank you*; dat zit hem niet ~ *he feels uneasy about that, he has some compunction about that*; ik zit niet ~ in deze stoel *I'm not comfortable in this chair* **4.1** laten we dit weekend ~ niets doen/ ~ uitgaan *let's have jolly good rest this weekend, let's go out and have fun this weekend*;
III ⟨bw.⟩ **0.1** [smakelijk] *well* ⇒*deliciously, tastily* **0.2** [⟨mbt. leedvermaak⟩] ⟨zie 3.2,5.2⟩ **0.3** [in hoge mate] *so/ very much* ◆ **3.1** ~ eten *eat w., enjoy one's meal, have a good meal*; van ~ eten houden *be a gourmet*; ⟨graag eten⟩ *like one's food*; ~ ⟨kunnen⟩ koken *be a good cook, be good at cooking* **3.2** ik doe het ~ toch (niet)! *I won't do it, so there!*; ik doe het ~ toch! *I'm going to do it anyway, (so there)!*; hij is er ~ ingelopen *he fell for it, hook, line and sinker; he was stupid enough to fall for it* **3.3** ik dank je ~ *(not me,) thank you very much, thanks for nothing*; ~ opschieten *come along fine/ well* **5.2** (dat was) ~ mis! *ha, ha, missed!, wrong again!, try again* ¶.1 hm, ~ mmm, lovely/ delicious! ¶.¶ ~ pùh *yah boo sucks to you*.
lekkerbek ⟨de (m.)⟩ **0.1** *gourmet* ⇒*epicure, gastronome, connoisseur (of wine and food)* ◆ **3.1** mijn broer is een geweldige ~ *my brother is tremendously fond of good food (and drink)*.
lekkerbekje ⟨het⟩ **0.1** *fried fillet of haddock*.
lekkerbekken ⟨onov.ww.⟩ **0.1** [smullen] *feast* ⇒*regale o.s., banquet* **0.2** [watertanden] *lick one's lips/ chops*.
lekkernij ⟨de (v.)⟩ **0.1** *delicacy* ⇒*tasty/ dainty morsel, titbit*, ⟨meestal mv.⟩ *dainty, goody*, ⟨snoep⟩ *sweet* ◆ **2.1** voor mij is Zwitserse chocola een echte ~ *Swiss chocolate is a real treat/ something really special for me*.
lekkers ⟨het⟩ **0.1** ⟨snoep⟩ *sweet(s)*; ⟨hapje⟩ *snack* ◆ **3.1** wie zoet is krijgt ~ *sweets for the sweet* **4.1** zin hebben in iets ~ *fancy some sweets, feel like a snack*.
lekkertje ⟨het⟩ **0.1** [persoon] *darling* ⇒*dear, ducky, sweetie, cutie* **0.2** [snoepje] *sweet(ie)* ◆ **3.1** ⟨iron.⟩ het is me een ~ *(s)he's is a fine one!, (s)he's a nasty piece of work*.
lekkertjes ⟨bw.⟩ **0.1** *with relish* ◆ **3.1** ze aten alles ~ op *they polished everything off with relish*.
lekspanning ⟨de (v.)⟩ **0.1** *leakage voltage*.
lekspeen ⟨de (v.)⟩ **0.1** *dripping teat*.
leksteen ⟨de (m.)⟩ **0.1** [filtreersteen] *filtering stone* **0.2** [druipsteen] *dripstone* ⇒*stalactite or stalagmite*.
lekstralen ⟨zn.mv.⟩ **0.1** *leakage radiation, radiation leakage*.
lekstroom ⟨de (m.)⟩ **0.1** *leakage current*.
lekveld ⟨het⟩ **0.1** [magnetisch veld] *leakage field* ⇒*stray field* **0.2** [veld buiten een condensator] *stray field*.
lekvrij ⟨bn.⟩ **0.1** *leakproof*.
lekwater ⟨het⟩ **0.1** *leakage* ⇒*seepage*.
lekweerstand ⟨de (m.)⟩ **0.1** *leakage resistance*.
lekzucht ⟨de⟩ **0.1** *licking disease/ sickness* ⇒*pica (of cattle)*.
lel
I ⟨de⟩ **0.1** [stuk vlees/ vel] ⟨van oor⟩ *lobe*; ⟨onder kin⟩ *dewlap*; ⟨wang⟩ *jowl*; ⟨huig⟩ *uvula* **0.2** [mbt. vogels] *gill, wattle* ⇒*dewlap, caruncle, jowl* **0.3** [klap] *clout* ⇒*swipe* **0.4** [kanjer] *whopper* ⇒*whacker*, ᴬ*whaler* ◆ **3.3** iem. een ~ geven *swipe/ clout s.o.; give s.o. a c. / swipe*; de bal een ~ geven *give the ball a hefty kick, slam/ thump/ punch the ball*; ⟨de lucht in⟩ *sky/ loft the ball* **6.4** een ~ van een kamer/ een tafel *a huge room/ table*; ⟨sl.⟩ *a bloody great room/ table*;
II ⟨de (v.)⟩ ⟨inf.⟩ **0.1** [ordinaire meid] *slut* ⇒*tart*, ᴮ*scrubber*, ᴬ*broad*.
lelie ⟨de⟩ **0.1** [bloem, plant] *(bourbon white/ madonna) lily* **0.2** [plantengeslacht] *lily* **0.3** [plant/ bloem die op de lelie lijkt] *lily* **0.4** [als symbool] *lily* **0.5** [⟨herald.⟩] *fleur-de-lis/ -lys* ⇒*lily*, ⟨vero.⟩ *flower-de-luce* **0.6** [punt van de kompasroos] *lily* ◆ **2.2** Turkse ~ *martagon (l.)*, *Turk's cap (l.)*; valse/ onechte ~ *bog asphodel* **2.5** de Franse ~ *the fleur-de-lis*.
lelieachtigen ⟨zn.mv.⟩ **0.1** *Liliaceae* ⇒*lily family*.
leliebes ⟨de⟩ **0.1** *berry of the lily of the valley*.
lelieblank ⟨bn.⟩ **0.1** *lily-white*.
leliekruis ⟨het⟩ **0.1** *cross fleurettée* ⇒*cross fleury*.
leliënolie ⟨de⟩ **0.1** *oil with a lily perfume*.
lelietje-van-dalen ⟨het⟩ **0.1** *lily-of-the-valley*.
lelievaandel ⟨het⟩ ⟨gesch.⟩ **0.1** *lilied banner (of the Bourbons)*.
leliewit ⟨bn.⟩ **0.1** *lily-white* ⇒*as white as a lily, as white as snow* ◆ **7.1** het ~ the white of the lily.
lelijk ⟨→sprw. 4,119⟩
I ⟨bn., bw.⟩ **0.1** [niet mooi] *ugly* ⇒*unsightly, plain* ⟨vooral vrouwen⟩ ᴬ*homely* ⟨personen⟩ **0.2** [ongunstig] *bad* ⇒*nasty, ill-favoured, unpleasant* **0.3** [boos] *nasty* ⇒*angry*, ⟨AE ook⟩ *mean* **0.4** [akelig, naar] *nasty* ⇒*frightful, vile* **0.5** [gemeen] *bad* ⇒*mean, dirty, ugly* **0.6** [onbevredigend, teleurstellend] *bad* ⇒*poor, unsatisfactory* ◆ **1.1** een ~e eend *a 2-CV*; een ~ eendje *un ugly duckling*; een ~ gezicht *an ugly/ a homely face*; het was een ~ gezicht *it looked awful*; ~e gezichten trekken *grimace, make/ pull a face* **1.2** een ~ hoestje/ ongeluk/ ~e wond *a b. / nasty cough/ accident/ wound*; ze maakte een ~e smak, ze viel ~ *she had a b. fall/ tumble* **1.3** zet niet zo'n ~ gezicht *don't make/ pull*

such a(n) (angry) face **1.4** een ~ e gewoonte a n. habit; ~ weer n. / vile weather **1.5** ~ e bedrieger a dirty cheat; ~ e dief a rotten / mean thief; ~ e dingen zeggen say mean / nasty / ugly things; met iem. een ~ e grap uithalen play s.o. a dirty trick / joke; een ~ karakter an unpleasant / a mean character **2.1** ~ toegetakeld be badly hurt **3.1** ~ schrijven write untidily; die broek staat je ~ those trousers / (AE ook) pants do not suit you / look good on you; ~ worden lose one's looks **3.2** ~ hoesten have a b. / nasty cough; ~ terechtkomen get badly hurt; er ~ voorstaan be in a very bad / an awkward position / serious straits; het ziet er ~ uit things are looking b. / look black **3.3** iem. ~ aankijken frown / scowl at s.o.; wat kijk je ~ don't get you look n. / mean **3.4** ~ tegen iem. doen be n. / horrid / mean to s.o.; iem. uitmaken voor alles wat ~ is call s.o. all sorts of names / every name under the sun **5.1** erg ~ very / exceedingly ugly; (inf.) ugly enough to stop a clock / like the back end of a bus; nogal ~ rather ugly, not much to look at **6.6** daar zal hij ~ van staan te kijken / van opkijken he's in for a nasty surprise / shock **8.1** zo ~ als de nacht as ugly as sin; ~ zijn als de nacht ugly as sin **¶.2** er ~ aan toe zijn be in a b. way;

II (bw.;-ly) **0.1** [behoorlijk, erg] badly ⇒nastily ◆ **3.1** je hebt het ~ verknoeid [B]you've made a pretty mess of it, [A]you've botched / bungled / screwed it up; zich ~ vergissen in iem. / iets b. mistaken in s.o. / sth. **¶.1** er ~ naast zitten be off base, fall wide of the mark; hij heeft het ~ te pakken he really has it b.; (inf.) he's really got it bad; ~ op zijn neus kijken get a nasty surprise, [↑]stand abashed; hij werd ~ te grazen genomen he really got the business / was raked over the coals; ~ in de knel / knoei zitten be in a pretty pickle / [B]on a sticky wicket / (sl.) up the creck.

lelijkerd (de (m.)) **0.1** [iem. die niet mooi is] ugly man / fellow / chap ⇒ (vrouw) hag, witch, (AE;sl.) dog, (BE;sl.) lemon **0.2** [(als scheldwoord)](inf.) ugly guts ⇒(mbt. vrouwen) gorgon, (AE;sl.;tieners) dick **0.3** [gemeen persoon] rascal ⇒scamp, ugly customer, (sl.) bear, gorilla.

lelijkheid (de (v.)) **0.1** [het niet mooi zijn] ugliness ⇒unsightliness, plainness (vooral vrouwen), [A]homeliness (personen) **0.2** [gemeenheid] nastiness ⇒meanness ◆ **1.1** hij is het toppunt van ~ he is perfectly grisly.

lellebel (de (v.)) **0.1** slut ⇒hussy, slattern.

lellen (onov.ww., wk.ww.; zich ~) **0.1** clout ⇒whack.

lemen¹ (bn., alleen attr.) **0.1** loam ⇒mud, clay ◆ **1.1** een ~ muur a mud wall; een ~ vloer an earthen floor; (fig.) een reus op ~ voeten a giant with feet of clay.

lemen² (ov.ww.) **0.1** cover / coat with loam / clay.

lemma (het) **0.1** [trefwoord, ingang] headword ⇒(AE ook) main entry (word) **0.2** [artikel] entry ⇒definition **0.3** [hulpstelling] lemma ⇒ premise **0.4** [leus] lemma ⇒maxim.

lemmer (het) **0.1** blade.

lemmeraak (de) **0.1** 'lemmeraak' (kind of flat-bottomed fishing boat).

lemmet (het) **0.1** [deel van een mes] blade **0.2** [kling van een zwaard] blade **0.3** [kaarsepit] wick ◆ **3.2** (fig.) iem. het ~ bieden challenge s.o. to a fight, throw down the gauntlet.

lemmetje (het) **0.1** lime.

lemming (de (m.)) **0.1** lemming.

lemniscaat (de) (wisk.) **0.1** lemniscate.

lemoen →lamoen, limoen.

lemoenappel (de (m.)) **0.1** 'lemoenappel' (a kind of Golden Rennet).

lemuren (zn.mv.) **0.1** [(Rom. myth.)] Lemures **0.2** [maki's] lemurs.

lende (de) **0.1** [deel van de rug] lumbar region ⇒(inf.) small of the back, loin **0.2** [(mbt. dieren)] loin ⇒haunch **0.3** [(bouwk.)] haunch ◆ **2.1** een lange ~ a giraffe / colossus / giant **2.2** dikke ~ rump (steak) **3.1** zich ~ nen omgorden gird one's loins **6.1** pijn in de ~ n hebben have lumbar pain / pain in the small of the back; have lumbago (spit).

lendeberoerte (de (v.)) (dierk.) **0.1** haemoglobinuria.

lendebiefstuk (de (m.)) **0.1** sirloin ⇒fillet (steak).

lendeheiligbeen (het) **0.1** synsacrum.

lendendoek (de (m.)) **0.1** loincloth, waistcloth, breechcloth ⇒dho(o)ti (India).

lendepijn (de), -schot (het) **0.1** lumbar pain ⇒pain in the small of the back, (spit) lumbago.

lenderib (de) **0.1** pleurapophysis.

lendestreek (de) **0.1** lumbar area / region ⇒(inf.) small of the back.

lendestuk (het) **0.1** (sir)loin (steak) ⇒baron (of beef), fil(l)et, haunch (of beef), porterhouse (steak).

lendewervel (de (m.)) **0.1** lumbar vertebra.

lenen

I (ov.ww.) **0.1** [te leen geven] lend (to) ⇒(vnl. AE ook) loan, (geld ook) advance **0.2** [te leen krijgen] borrow (of / from) ⇒have the loan (of) **0.3** [ter beschikking stellen] lend **0.4** [verschaffen] lend ◆ **1.1** ik heb hem geld geleend I have lent / advanced / (vnl. AE ook) loaned him some money **1.2** van / bij hem kun je gemakkelijk geld ~ he's a soft / an easy touch **1.3** zijn naam ~ voor iets l. his name to sth.; het oor ~ (aan) listen; (schr.) give audience (to), lend an ear / one's ears (to) **4.3** (van personen) zich ~ voor iets (meestal pej.) be available for sth. **¶.2** hij leent altijd van alles he borrows everything in sight;

II (wk.ww.; zich ~) **0.1** [geschikt zijn (voor)] lend itself / themselves (to / for) ⇒be suitable for ◆ **6.1** dit stuk leent zich goed voor een opvoering this play makes good theatre.

lener (de (m.)) **0.1** [iem. die iets te leen geeft] lender ⇒(vnl. AE ook) loaner **0.2** [iem. die iets te leen ontvangt] borrower.

leng

I (de (m.)) **0.1** [vis] ling;

II (het) **0.1** [(scheep.)] sling ◆ **6.1** met een ~ ophijsen hoist with a s.;

III (het, de (m.)) **0.1** [bederf in graan] mould **0.2** [bederf in brood] mould.

lengen

I (onov.ww.) **0.1** [langer worden] lengthen ⇒grow / become longer ◆ **1.1** de dagen ~ the days are growing longer / drawing out;

II (ov.ww.) **0.1** [langer maken] lengthen ⇒stretch (out), make longer **0.2** [dunner maken] dilute ◆ **1.1** bladtin ~ draw out sheet tin **1.2** een saus ~ d. a sauce.

lengte (de (v.)) **0.1** [langste zijde] length **0.2** [grootte] length ⇒(van persoon / plant) height, size, stature, (van vezels van katoen / wol enz.) staple **0.3** [afmeting] length **0.4** [tijdsduur] length **0.5** [(aardr.)] longitude **0.6** [(ster.)] longitude ◆ **1.3** een snelweg van 500 km ~ a 500 km long [B]motorway / [A]highway / [A]freeway **1.4** wat is de ~ van de noot / het muziekstuk / het verhaal? how long is the note / the piece of music / the story? **2.2** totale / volle ~ total / full / overall length; hij lag in zijn volle ~ op de grond he lay full l. upon the ground **3.1** de ~ bedraagt 30 meter it is 30 metres long / in l. **3.2** hij heeft de ~ niet he is not tall enough **6.1** een plank in de ~ doorzagen saw a board lengthways / lengthwise / along the l.; doorsnede in de ~ longitudinal section; (fig.) het moet uit de ~ of uit de breedte komen it has to come from somewhere / to be found / be managed somehow **6.2** hij viel op door zijn ~ his height made him conspicuous; zich in zijn volle ~ oprichten draw / pull o.s. up to one's full height; in de ~ groeien grow in l.; met twee ~ s verschil winnen / verliezen win / lose by two lengths; een kras over de hele ~ van de auto a scratch (extending) over the entire l. of the car **6.3** op de goede ~ afknippen cut off to the exact l. / to measure; over een ~ van 60 meter for a distance of 60 metres **6.4** tot in ~ van dagen for many a long day / years to come **7.2** twee ~ s voorsprong a lead of two lengths.

lengteas (de) **0.1** longitudinal axis.

lengtecirkel (de (m.)) (aardr.) **0.1** meridian.

lengtedal (het) **0.1** longitudinal valley.

lengtedoorsnede (de) **0.1** lengthwise / (tech.) longitudinal section.

lengtedraad (de (m.)) **0.1** longitudinal thread ⇒warp.

lengteduinen (zn.mv.) **0.1** longitudinal dunes.

lengteëenheid (de (v.)) **0.1** unit of length.

lengtegraad (de (m.)) (aardr.) **0.1** degree of longitude.

lengtemaat (de) **0.1** linear / longitudinal measurement ⇒long measure, spindle (van draad / garen).

lengtemeting (de (v.)) (aardr.) **0.1** taking the longitude.

lengteprofiel (het) **0.1** elevation ⇒linear profile.

lengtepunt (het) (scheep.) **0.1** longitudinal point ⇒point of longitude.

lengterichting (de (v.)) **0.1** longitudinal / linear direction ◆ **6.1** in de ~ lengthwise, lengthways; (tech.) longitudinally.

lengteteken (het) (taal.) **0.1** quantity mark (boven klinker); (zeldz.) macron (boven klinker / lettergreep).

lenig

I (bn., bw.;-ly) **0.1** [(mbt. het lichaam en bewegingen) soepel] limber ⇒lithe, lissom(e), loose-limbed, sinuous ◆ **1.1** een ~ e sprong an agile / acrobatic jump / leap **3.1** hij is erg ~ he is very limber / loose-limbed;

II (bn.) **0.1** [(mbt. materiaal) buigzaam] pliant, pliable ⇒supple, elastic, flexible ◆ **1.1** een ~ metaal a pliant / pliable metal **3.1** het leer wordt ingesmeerd om het ~er te maken leather is greased / waxed / oiled to make it more supple.

lenigen (ov.ww.) **0.1** relieve ⇒alleviate, allay, assuage, mitigate.

lenigheid (de (v.)) **0.1** [mbt. lichaamsbewegingen] limberness ⇒lithesomeness, sinuosity **0.2** [mbt. materialen] pliancy ⇒suppleness, elasticity, flexibility ◆ **2.1** katachtige ~ feline sinuosity.

leniging (de (v.)) **0.1** relief ⇒alleviation, assuagement, mitigation ◆ **1.1** de ~ van menselijke ellende the alleviation of human misery.

lening (de (v.)) **0.1** [het te leen geven] loan **0.2** [bedrag dat te leen gegeven wordt] loan **0.3** [het opnemen van geld] loan ⇒mortgage (mbt. huizen) **0.4** [bedrag dat opgenomen wordt] loan ◆ **1.1** de bank van ~ pawnshop, l. office **2.2** een zachte ~ a low-interest / soft / concessional l. **2.3** een binnenlandse ~ a government l. **3.1** een ~ verstrekken grant / issue s.o. a l., accommodate s.o. with a l. **3.2** iem. een ~ verstrekken grant / issue s.o. a l.; een ~ uitschrijven raise / float a l. **6.1** geld in ~ storten loan / lend money **6.2** een ~ tegen lage rente a low-interest l. **6.4** een ~ van f 10.000 a f 10,000 l..

leningkapitaal (het) **0.1** loan capital.

Leningrader (de (m.)) **0.1** Leningrader.

leningsfonds (het) **0.1** loan fund ⇒loanable funds.

719

leninisme ⟨het⟩ **0.1** *Leninism.*
leninist ⟨de (m.)⟩ **0.1** *Leninist* ⇒*Leninite.*
lenis ⟨de (m.)⟩ ⟨taal.⟩ **0.1** *lenis.*
lenitief ⟨het⟩ **0.1** *lenitive* ⇒*palliative.*
lens¹ ⟨de⟩ **0.1** [doorzichtig lichaam] *lens* ⇒⟨microscoop ook⟩ *objective, lens(e)*/⟨bril⟩ **0.2** [contactlens] *lens(e)* **0.3** [deel.van het oog] *lens* **0.4** [mbt. uurwerken] *pendulum ball*/*disc* **0.5** [pen, spie] *linch-pin* ◆ **2.1** bolle/convergerende lenzen *convex*/*converging lenses;* holle/divergerende lenzen *concave*/*diverging lenses;* een sterke ~ *a strong*/*high-powered*/*strongly magnifying l.* **2.2** harde lenzen *hard (contact) lenses;* zachte/vloeibare lenzen *soft*/*hydrophilic (contact) lenses* **3.2** lenzen dragen/hebben *wear*/*have (contact) lenses*/⟨inf.⟩ *contacts.*
lens² ⟨bn.⟩ **0.1** [slap] *weak* **0.2** [leeg] *empty* ⇒*dry* ◆ **3.1** iem. ~ slaan *knock s.o. senseless*/*silly*/*the stuffing out of s.o.*/⟨BE ook⟩ *duff s.o. up* **3.2** de pomp is ~ *the pump has gone dry;* hij is ~ *he is cleaned*/⟨BE ook⟩ *cleared out*/*broke;* het schip ~ pompen *pump the ship dry, empty the bilges, free the ship of water;* het flesje was ~ *the bottle was empty* **3.**¶ zich ~ trappen ¹*pedal with all your might.*
lensbeursje ⟨het⟩ ⟨med.⟩ **0.1** *cornea.*
lensinrichting ⟨de (v.)⟩ ⟨scheep.⟩ **0.1** *bilge-pump.*
lenskap ⟨de⟩ **0.1** *lens cap.*
lenskern ⟨de (m.)⟩ ⟨med.⟩ **0.1** *lentiform nucleus.*
lensklep ⟨de⟩ ⟨scheep.⟩ **0.1** *bilge valve.*
lenskop ⟨de (m.)⟩ **0.1** *rounded head.*
lensopening ⟨de (v.)⟩ **0.1** [diafragma] *diaphragm* **0.2** [diameter] *aperture* ⇒*stop.*
lenspapier ⟨het⟩ **0.1** *lens paper*/*tissue.*
lenspomp ⟨de⟩ ⟨scheep.⟩ **0.1** *bilge-pump.*
lenspoort ⟨de⟩ ⟨scheep.⟩ **0.1** *scupper.*
lensvorm ⟨de (m.)⟩ **0.1** [vorm van een dubbelbolle lens] *lenticular shape* **0.2** [vorm van een soort van lens] *lens shape.*
lensvormig ⟨bn.⟩ **0.1** *lenticular* ⇒*lentoid.*
lenswater ⟨het⟩ ⟨scheep.⟩ **0.1** *bilge water.*
lente ⟨de⟩ **0.1** [jaargetijde] *spring* ⇒*spring time* **0.2** [jeugd] *spring* ◆ **2.1** een vroege/een late ~ *an early*/*a late spring* **3.1** één zwaluw maakt nog geen ~ *one swallow doesn't make a summer* **6.1** de ~ in het hoofd hebben *have spring on one's mind, have*/*be beset with spring-fever;* in de ~ *in (the) spring (time);* ⟨fig.⟩ een meisje van 21 ~ s *a girl of 21 summers* **6.2** zij was nog in de ~ van haar leven *she was in the s. of her life.*
lenteachtig ⟨bn., bw.⟩ **0.1** *springlike* ⇒ ↑*vernal.*
lentebloem ⟨de⟩ **0.1** [bloem] *spring flower* ⇒*blossom of spring* **0.2** [⟨fig.⟩ jong(e) man/meisje] *bud* ⇒*(spring) flower, blossom.*
lentebode ⟨de (m.)⟩ ⟨schr.⟩ **0.1** *harbinger of spring.*
lenteboter ⟨de⟩ **0.1** *May*/*grass butter.*
lentebriesje ⟨het⟩ **0.1** *spring breeze.*
lentecollectie ⟨de (v.)⟩ **0.1** *spring collection.*
lentedag ⟨de (m.)⟩ **0.1** *spring day* ⇒*day in (the) spring* ◆ **6.1** ⟨fig.⟩ in onze ~ en *in the flower of our youth.*
lenteëvening ⟨de (v.)⟩ **0.1** *vernal equinox.*
lentefeest ⟨het⟩ **0.1** [feest van het begin van de lente] *vernal equinox festival* **0.2** [feest in de lente] *spring festival* ⇒*Mayday festival.*
lentegroen ⟨het⟩ **0.1** *spring foliage* ◆ **7.1** het eerste ~ *the first leaves*/*buds of spring.*
lenteklokje ⟨het⟩ **0.1** [sneeuwklokje] *snow drop* **0.2** [grasklokje] *harebell, bluebell.*
lentekoorts ⟨de⟩ **0.1** *spring fever.*
lentelucht ⟨de⟩ **0.1** *spring air.*
lentemaand ⟨de⟩ **0.1** *March.*
lentenachtevening ⟨de (v.)⟩ **0.1** *spring*/*vernal equinox.*
lentepunt ⟨het⟩ ⟨aardr.⟩ **0.1** *spring*/*vernal equinoctial point, spring*/*vernal equinox* ⇒*first point of Aries.*
lenteteken ⟨het⟩ **0.1** *vernal sign (of the Zodiac).*
lentetijd ⟨de (m.)⟩ **0.1** [tijd van de lente] *springtime* ⇒*springtide* **0.2** [⟨fig.⟩ jeugd] *spring(time).*
lenteweer ⟨het⟩ **0.1** *spring weather.*
lentezon ⟨de⟩ **0.1** *spring sun.*
lenticel ⟨de⟩ ⟨plantk.⟩ **0.1** *lenticel.*
lenticulair ⟨bn.⟩ **0.1** *lenticular* ⇒*lentoid.*
lento¹ ⟨het⟩ ⟨muz.⟩ **0.1** *lento.*
lento² ⟨bw.⟩ ⟨muz.⟩ **0.1** *lento* ⇒*slowly.*
lenzen
 I ⟨onov.ww.⟩ **0.1** [⟨zeilsp.⟩] *scud* ⇒*run before the storm;*
 II ⟨onov., ov.ww.⟩ **0.1** [⟨scheep.⟩ lens pompen] *empty the bilges* ⇒*free (a vessel) from water.*
lenzenstelsel ⟨het⟩ **0.1** *lens system* ⇒*optical system.*
leopoldsorde ⟨de⟩ **0.1** *Order of Leopold.*
lepel ⟨de (m.)⟩ ⟨⟶sprw. 145,608⟩ **0.1** [keukengereedschap] *spoon* ⇒ ⟨grote scheplepel⟩ *ladle,* ⟨lepeltje⟩ *teaspoon* **0.2** [hoeveelheid] *spoonful* ⇒*ladleful* **0.3** [⟨hengelsport⟩] *spoon(-bait)* ⇒*spinner, troll* **0.4** [oor van een haas, konijn] *ear* **0.5** [deel van een boor] *(helical) groove* **0.6** [schoep van een scheprad] *paddle* ⇒*blade, float* **0.7** [helft van een verlostang] *blade* ⇒*jaw, beak* **0.8** [deel van een kaphamer]

(scutch) blade ◆ **3.2** ieder uur een ~ innemen *take one spoonful every hour* **6.1** het iem. met de ~ ingieten ⟨fig.⟩ *spoonfeed s.o. with it, pound*/*hammer it into s.o.;* een baby met een ~ voeren *spoonfeed a baby* **6.7** een kind met de ~ s halen *deliver a child by forceps.*
lepelaanduiding ⟨de (v.)⟩ **0.1** *dosage* ⇒*number of spoonfuls.*
lepelaar ⟨de (m.)⟩ **0.1** [moerasvogel] *spoonbill* **0.2** [ooievaar] *stork* **0.3** [plant] *shepherd's purse* ◆ **2.1** rose ~ *roseate s..*
lepelbak ⟨de (m.)⟩ ⟨amb.⟩ **0.1** *bowl of a spoon.*
lepelbek ⟨de (m.)⟩ **0.1** [slobeend] *shovel(l)er (duck)* **0.2** [⟨gew.⟩ lepelaar] *spoonbill.*
lepelblad ⟨het⟩ **0.1** [deel van een lepel] *bowl of a spoon* **0.2** [plantengeslacht] *scurvy grass* **0.3** [deel van een boor] *(drill) chuck*/*head.*
lepelboom ⟨de (m.)⟩ **0.1** *mountain laurel* ⇒*calico bush, kalmia.*
lepeldiefjes ⟨zn.mv.⟩ ⟨plantk.⟩ **0.1** *shepherd's purse.*
lepeldoosje ⟨het⟩ **0.1** *spoon box.*
lepeleend ⟨de⟩ **0.1** *shovel(l)er (duck).*
lepelen
 I ⟨onov., ov.ww.⟩ **0.1** [opscheppen, eten] *spoon (up)* ⇒⟨opscheppen⟩ *ladle,* ⟨scheppen⟩ *scoop (up)* **0.2** [vissen (op)] *spoon* ⇒*jig* ◆ **2.1** een bord leeg ~ *empty*/*finish a plate* **6.1** iets naar binnen ~ *spoon up (one's food), spoon sth. up;*
 II ⟨ov.ww.⟩ **0.1** [⟨balspel⟩] *scoop, chip* ⇒*spoon* ⟨vooral golf⟩, *lift* ◆ **6.1** de bal in het doel ~ *c.*/*scoop*/*lift the ball into the net;* de bal over de doelman heen ~ *c.*/*scoop the ball over the goalie.*
lepelexcavateur ⟨de (m.)⟩ **0.1** *power*/*mechanical shovel* ⇒*dipper.*
lepelhaas ⟨de (m.)⟩ **0.1** *jack(ass) rabbit.*
lepelkost ⟨de (m.)⟩ **0.1** *spoon-food*/*-meat.*
lepelkruid ⟨het⟩ **0.1** *scurvy grass.*
lepelmachinist ⟨de (m.)⟩ **0.1** *excavator operator.*
lepelrek ⟨het⟩ **0.1** *spoon rack.*
lepelslang ⟨de⟩ **0.1** *Indian*/*spectacled cobra.*
lepelsteur ⟨de (m.)⟩ **0.1** *paddlefish.*
lepelstruik ⟨de (m.)⟩ **0.1** *mountain laurel* ⇒*calico bush, kalmia.*
lepeltje ⟨het⟩ **0.1** *small*/*little spoon.*
lepeltjesheide ⟨de⟩ **0.1** *American*/*large cranberry.*
lepeltjeshouding ⟨de (v.)⟩ ⟨inf.⟩ **0.1** ⟨zie 6.1⟩ ◆ **6.1** in ~ snuggled up *against one's partner's*/*the other person's back.*
lepelvaasje ⟨het⟩ **0.1** *(tea)spoon vase.*
leperd ⟨de (m.)⟩ **0.1** *slyboots* ⇒*slick*/*shrewd customer*/*operator, crafty*/*wily person.*
leporello ⟨het⟩ **0.1** [harmonikaboek] *illustrated book bound in concertina folds* **0.2** [⟨boek.⟩] *concertina-type folder*/*booklet.*
lepra ⟨de⟩ **0.1** *leprosy* ⇒*Hansen's disease.*
lepralijder ⟨de (m.)⟩, **-lijdster** ⟨de (v.)⟩ **0.1** *leprosy sufferer;* ⟨ook pej.⟩ *leper.*
lepreus ⟨bn.⟩ **0.1** *leprous.*
leproos ⟨de (m.)⟩ **0.1** *leper* ⇒*leprosy sufferer*/*patient.*
leprozenhuis ⟨het⟩ **0.1** *leper house*/*asylum*/*hospital.*
leprozenkolonie ⟨de (v.)⟩ **0.1** *leper colony.*
leprozerie ⟨de (v.)⟩ ⟨gesch.⟩ **0.1** *leprosarium* ⇒*leper house.*
lepta ⟶*drachme.*
lepton ⟨het⟩ ⟨nat.⟩ **0.1** *lepton.*
leptosoom ⟨bn.⟩ **0.1** *leptosomic, leptosomatic* ◆ **1.1** een ~ type *a leptosome.*
leraar ⟨de (m.)⟩, **lerares** ⟨de (v.)⟩ **0.1** [docent] *teacher* ⇒⟨op school ook⟩ *schoolmaster (m.), schoolmistress (v.)* **0.2** [predikant] *minister* ⇒*preacher* ◆ **1.1** hij is ~ Engels *he's an English t., he teaches English;* het Nederlands Genootschap van Leraren (NGL) ≠*the Dutch Association of Teachers;* de ~ natuurkunde/scheikunde *the physics*/*chemistry t.* **2.1** (on)bevoegde leraren ᴮ*(un)qualified*/ᴬ*(un)certified teachers* **3.1** ~ willen worden *want to be a t.* ¶**.1** de leraren *the (teaching) staff*/*teachers.*
leraarsambt ⟨het⟩ **0.1** *teaching profession* ⇒*teaching* ◆ **3.1** hij ambieert het ~ *he wants to go into teaching*/*has aspirations as a teacher.*
leraarsberoep ⟨het⟩ **0.1** *teaching profession* ⇒*teaching* ◆ **3.1** het ~ kiezen *decide to go into teaching*/*into the t. p.*/*to become a teacher.*
leraarsbetrekking ⟨de (v.)⟩ **0.1** *teaching post*/*position.*
leraarskamer ⟨de⟩ **0.1** *teachers' room, staffroom* ⇒⟨BE ook⟩ *(teachers') common-room.*
leraarsvergadering ⟨de (v.)⟩ **0.1** *staff meeting* ⇒*teachers' meeting.*
lerarenblad ⟨het⟩ **0.1** *teachers' journal*/*magazine.*
lerarenkorps ⟨het⟩ **0.1** *teaching staff* ⇒*body of teachers.*
lerarenopleiding ⟨de (v.)⟩ **0.1** *secondary teacher training (course)* ◆ **2.1** de nieuwe ~ (NLO) *teacher training college, college of education;* de tweede-fase ~ *post-graduate teacher training (course);* ⟨GB⟩ ≠*Diploma in Education, Dip. Ed. course;* ⟨USA⟩ ≠*teacher credential program.*
lerarenorganisatie ⟨de (v.)⟩ **0.1** *teachers' association.*
lerarenvariant ⟨de⟩ **0.1** *teaching option* ◆ **3.1** de ~ kiezen *take the t. o..*
leren¹ ⟨bn., alleen attr.⟩ **0.1** *leather.*
leren² ⟨⟶sprw. 48,117, 206, 313, 318, 384, 454, 458, 483, 568, 582⟩
 I ⟨onov., ov.ww.⟩ **0.1** [kundigheid, kennis verwerven (van)] *learn ((how) to do)* **0.2** [doen inzien] *teach* ⇒*show* **0.3** [studeren] *study* ⇒

learn ◆ **1.1** zijn huiswerk ~ *do one's homework;* een vak ~ *l. a trade* **1.2** de ervaring leert … *experience shows / teaches* **3.1** dat moet je ~ eten *that's an acquired taste;* iem. ~ kennen *get to know s.o., become / get acquainted with s.o., make s.o.'s acquaintance / the acquaintance of s.o.;* waar hebben jullie elkaar ~ kennen? *where did you get to know / acquainted with each other?;* ⟨iron.⟩ leer mij ze kennen! *don't I know them;* op dat gebied kun je nog heel wat van hem ~ *you could go to school to him in these things, he can still teach you a few tricks of the trade / a thing or two;* ik heb nog wel iets ~ *we still have sth. to l. from him;* met iets ~ leven *l. to live with sth.;* hij leert pas lezen *he's just learning to read;* ~ lopen *l. to walk;* ⟨fig.⟩ *find one's legs;* zij moet het nog ~ *she's only a learner;* hij wil ~ schaatsenrijden *he wants to l. (how) to ice-skate / l. iceskating* **4.1** jij leert het nooit *you'll never l.* **4.2** dat zal je ~ *that'll t. you;* ik zal je ~ (dat arme dier te plagen) *I'll t. you (to tease that poor animal)* **5.3** daar hebben we wel mee geleerd *we've certainly learned our lesson from that;* moeilijk ~ de kinderen *slow learners;* hij leert moeilijk *he's a slow learner, he has a lot of difficulty learning things;* sommige mensen ~ het nooit *some people just never l. / never seem to l. anything;* iets perfect ~ (beheersen) *get / have sth. down to a fine art / to a T, master sth.;* hij leert vlot *he's a fast / quick learner* **5.3** haar kinderen kunnen goed / niet ~ *her children are good / bad learners / pupils / students / fast / slow learners* **6.1** door ervaring ~ *l. by / through experience;* een mens is nooit te oud om te ~ *one is never too old to l.;* (een viool) om het op te ~ *(a violin) to l. on;* **uit** de bijbel ~ we dat … *the Bible teaches us that …;* **van** zijn ervaringen ~ *l. from one's experiences;* als ze er nu maar wat **van** geleerd heeft *as long as she learned sth. from it* **6.3 voor** dokter ~ *s. to be a doctor* **7.3** hij heeft weinig geleerd *he's had little (formal) schooling, he left school early* ¶**.1** iets al doende ~ *pick sth. up as you go along;* iets van buiten / uit het hoofd ~ *l. / ⟨BE ook⟩ get (off) sth. by heart / rote / parrot-fashion, commit sth. to memory, memorize sth.;* **II** ⟨ov.ww.⟩ **0.1** [onderrichten omtrent] *teach (sth. to s.o. / s.o. (how) to do sth.)* ⇒ *train, instruct (s.o. in sth.)* **0.2** [zich een gewoonte eigen maken] *pick up* ⇒ *learn* **0.3** [brengen tot] *teach* ⇒ *show* ◆ **3.1** iem. ~ lezen en schrijven *teach s.o. reading and writing / to read and write* **3.2** een dier ~ gehoorzamen *discipline an animal, train an animal to obey;* waar heb jij zo ~ vloeken? *where did you p. up such swearwords / learn to swear like that?* **4.2** hij leert het al aardig *he's coming on nicely / beginning to get the hang of it.*

lering ⟨de (v.)⟩ **0.1** [wat men leert] *learning* ⇒ *lesson* **0.2** [catechisatie] *instruction* **0.3** [leerstelling] *teaching(s)* ◆ **1.3** de ~ v.d. kerk *the teaching(s) of the church* **3.1** dat strekt tot ~ *that's instructive;* ~ uit iets trekken *learn (a lesson) from sth., profit from sth.;* ⟨schr.⟩ hier is ~ uit te trekken *one can learn (a lesson) from this.*

les ⟨de⟩ **0.1** [onderwijs] *lesson* ⇒ *class* **0.2** [cursus] *lesson* ⇒ *class, course (of study)* **0.3** [iets dat onderwezen wordt] *lesson* **0.4** [de te leren stof] *lesson* **0.5** [moreel onderricht] *lesson* **0.6** [voorschrift, vermaning] *lecture, lesson* **0.7** [⟨r.k.⟩] *lesson* ◆ **2.1** een openbare ~ ⟨aan universiteit⟩ *a public lecture.* **2.6** dat is een goede ~ voor hem geweest *that's been a good lesson to him* **3.1** van 9 tot 12 ~ hebben *have a l. / class from 9 to 12;* we hebben morgen geen ~ *there are no classes tomorrow;* een ~ laten uitvallen *drop / cut a class;* ~ nemen / krijgen / geven *take / have / give lessons / classes (in);* iemands ~ sen volgen, ~ volgen bij iem. *take lessons from / study under s.o.* **3.4** zijn ~ kennen *have done one's work;* een ~ opgeven / leren *set / learn a l.;* zijn ~ opzeggen / opdreunen *recite / say a l.;* zijn ~ voorbereiden *prepare one's lesson* **3.5** hij kan je daarin een ~ je geven *he can show you a thing or two, he could give you some pointers on that;* ik heb mijn ~ je wel geleerd *I've learned my l.;* een ~ trekken uit *derive / draw / learn a l. from, learn from* **3.6** iem. een ~ je geven *teach s.o. a l.;* laat dit een ~ voor u zijn *let this be a lesson to you;* iem. de ~ lezen *teach / read s.o. a lesson, lecture s.o., give s.o. a (sound) lecturing, haul s.o. over the coals* **6.1** ~ **in** muziek / **in** tekenen *music / drawing / art classes;* praten **onder** de les *talking in / during (the) l. / in class;* op Franse ~ zijn *be taking French lessons / classes* **6.3** bij de ~ blijven *pay attention to / keep one's mind on the l.;* ⟨fig.⟩ *be alert.*

lesauto ⟨de (m.)⟩ **0.1** [Blearner car, Adriver education / training car.

lesbienne ⟨de (v.)⟩ **0.1** *lesbian* ⇒ *dyke,* ⟨vnl. AE; vaak bel.⟩ *lez(zie),* ⟨mannelijk type; sl.⟩ *butch,* ⟨AE ook⟩ *bull dyke,* ⟨vrouwelijk type⟩ *fem(me).*

Lesbiër ⟨de (m.)⟩, **Lesbische** ⟨de (v.)⟩ **0.1** *inhabitant /* ⟨geboren op Lesbos⟩ *native of Lesbos;* ⟨vero. of scherts.⟩ *Lesbian.*

lesbisch ⟨bn.⟩ **0.1** *lesbian* ⇒ *gay,* ⟨vermannelijkt; sl.⟩ *butch* ◆ **1.1** (de) ~ e liefde *lesbianism, Sapphism;* een ~ e vrouw *a lesbian* **3.1** ~ zijn *be (a) lesbian / gay;* ze zijn allebei ~ *they're both lesbians / gay.*

lesboek ⟨het⟩ **0.1** *exercise book.*

lesboer ⟨de (m.)⟩ **0.1** [onverschillige leraar] *(teaching) hack* ⇒ *nine-to-five teacher* **0.2** [⟨scherts.⟩ leraar] *(humble / simple) schoolmaster* ⟨m.⟩ / *schoolmistress* ⟨v.⟩ ◆ **3.1** soms voel ik me net een ~ *sometimes I feel I'm just a teaching machine.*

lesbrief ⟨de (m.)⟩ **0.1** *hand-out* ⇒ ⟨v.e. schriftelijke cursus⟩ *study packet, lesson.*

lesgeld ⟨het⟩ **0.1** *tuition fee(s).*

---

lesgeven ⟨ww.⟩ **0.1** *teach* ⇒ *give lessons (in)* ◆ **5.1** hij kan goed ~ *he's a good teacher / instructor* **7.1** de kunst van het ~ verstaan *know / understand the art of teaching.*

leskeuken ⟨de⟩ **0.1** *instruction kitchen.*

leslokaal ⟨het⟩ **0.1** *classroom* ⇒ *schoolroom.*

Lesotho **0.1** *Lesotho.*

lesrooster ⟨het, de (m.)⟩ **0.1** *school timetable /* [Aschedule.

lessen
I ⟨ov.ww.⟩ **0.1** [mbt. dorst] *quench* ⇒ ⟨schr.⟩ *allay, slake* **0.2** [mbt. gevoelens / verlangens / begeerten] *assuage* ⇒ *smooth, moderate, satisfy* **0.3** [mbt. kalk] *slake, slack* ◆ **1.1** zijn dorst ~ *q. / satisfy / slake one's thirst;*
II ⟨onov.ww.⟩ ⟨inf.⟩ **0.1** [les nemen, geven] *take / give lessons;* ⟨geven ook⟩ *teach* ◆ **6.1** bij wie les jij? *who are you taking / do you take lessons from?, who's your teacher?*

lessenaar ⟨de (m.)⟩ **0.1** [schrijf-, leestafel] *(reading / writing) desk* ⇒ *lectern* **0.2** [meubel waarop het muziekblad ligt] *music stand* **0.3** [blad waarop het misboek ligt] *lectern* **0.4** [broeibak] *lean-to hothouse.*

lessenaarsdak ⟨het⟩ **0.1** *pent-roof;* ⟨tegen muur van ander gebouw aan⟩ *lean-to roof.*

lest ⟨bn., bw.; -ly⟩ ⟨→sprw. 389⟩ **0.1** *last* ◆ **2.1** ten langen ~ e *at (long) last, finally.*

lestijd ⟨de (m.)⟩ **0.1** *teaching / instruction period* ◆ **6.1** de ~ en zijn **van** 9 **tot** 12 *lessons are from 9 to 12.*

lestoestel ⟨het⟩ **0.1** *instruction machine* ⇒ ⟨vliegtuig⟩ *trainer.*

lesuur ⟨het⟩ **0.1** *lesson* ⇒ *period,* ⟨vnl. AE⟩ *class.*

lesvliegtuig ⟨het⟩ **0.1** *training plane / aircraft* ⇒ *trainer.*

lesvlucht ⟨de⟩ **0.1** *training / instruction flight.*

leswagen →**lesauto.**

letaal ⟨bn.⟩ **0.1** *lethal* ⇒ *deadly* ◆ **1.1** letale genen *l. genes.*

letaliteit ⟨de (v.)⟩ **0.1** [dodelijkheid] *lethality* ⇒ *deadliness* **0.2** [sterfte] *lethality* ⇒ *mortality, death rate.*

letbal ⟨de (m.)⟩ ⟨sport⟩ **0.1** *let (ball).*

lethargie ⟨de (v.)⟩ **0.1** *lethargy* ⇒ *apathy,* [torpor, ⟨(ziekelijke) slaapzucht⟩ *lethargy.*

lethargisch ⟨bn.⟩ **0.1** *lethargic* ⇒ *apathetic,* [torpid, ⟨slaapzuchtig⟩ *lethargic.*

Lethe ⟨de⟩ ⟨myth.⟩ **0.1** *Lethe.*

Letland ⟨het⟩ **0.1** *Latvia.*

Let(lander) ⟨de (m.)⟩, **Letse** ⟨de (v.)⟩ **0.1** *Latvian.*

Lets[1] ⟨het⟩ ⟨taal.⟩ **0.1** *Latvian;* ⟨vero.⟩ *Lettish.*

Lets[2], **Letlands** ⟨bn.⟩ **0.1** *Latvian;* ⟨vero.⟩ *Lettish.*

letsel ⟨het⟩ **0.1** *injury* ⇒ *harm, damage* ◆ **2.1** ernstig ~ oplopen *be seriously / gravely / severely injured / hurt;* iem. zwaar lichamelijk ~ toebrengen *inflict grievous bodily harm on s.o.;* lichamelijk ~ oplopen *sustain / receive / suffer / meet with bodily i.;* niemand heeft enig lichamelijk ~ gekregen *there were no personal injuries* **6.1** hij is er **zonder** ~ afgekomen *he escaped without i..*

letselschade ⟨de⟩ ⟨verz.⟩ **0.1** *injury.*

letten
I ⟨onov.ww.⟩ **0.1** [acht slaan op] *pay attention (to)* ⇒ [heed, take heed (of), mind, attend (to)* **0.2** [toezicht houden op] *take care of* ⇒ *look after, keep an eye on, watch* ◆ **5.1** daar heb ik niet op gelet *I didn't notice / don't recall (having seen that);* daar hoef je niet op te ~ *you can disregard that / leave that out (of consideration);* geen mens die er op let *nobody takes any notice, nobody will notice;* let wel *mind / mark you, remember, note* **6.1 op** zijn gezondheid ~ *consider / pay attention to / watch one's health, take care of o.s.;* zonder te ~ **op** … *without regard to / heedless / regardless of …;* let **op** mijn woorden *mark / mind / heed my words;* er werd niet **op** zijn woorden gelet *his words went unheeded;* let maar niet **op** haar *don't pay any attention to her, don't mind her;* let op het verschil *notice / please note the difference;* speciaal **op** iets ~ *take particular / special care of sth., pay special attention to sth.;* let **op** onze aanbiedingen *look (out) for our special offers;* je moet niet alleen **op** de prijs ~ *it's not only the price that matters / counts;* gelet **op** het besluit van de raad *in view of / having regard to / considering the council's decision;* ik moet ook een beetje **op** de prijs ~ *I also have to think of / consider the cost* **6.2** let **op** de kinderen *mind / take care of / look after / keep an eye on the children;* let **op** je woorden *mind your words / language, be careful what you say, choose your words with care;* **op** de / zijn tijd ~ *keep an eye on / watch the time;* **op** iemands kinderen ~ *babysit for s.o.;* ik moet **op** mijn gewicht ~ *I've got to watch my weight;* goed **op** iem. ~ *take good care of s.o.;* er wordt ook **op** de uitspraak gelet *pronunciation is also taken into consideration;* er wordt niet **op** de spelling gelet *spelling will not be considered / taken into account;* er werd hoofdzakelijk / uitsluitend / minder **op** de kwaliteit gelet *quality was the main / only / a secondary consideration;*
II ⟨ov.ww.⟩ **0.1** [verhinderen] *prevent / stop (s.o. (from) doing sth.)* ⇒ *keep (s.o. from doing sth.)* ◆ **4.1** wat let mij? *what's to stop me (doing it)?;* wat let je? *what's keeping / stopping you, don't let me stop you, go ahead.*

letter ⟨de⟩ ⟨→sprw. 335⟩ **0.1** [teken, klank] *letter* ⇒ *character,* ⟨mv., opschrift⟩ *lettering* **0.2** [letterlijke inhoud] *letter* **0.3** [afdeling van een register] *letter* **0.4** [⟨druk.⟩] *type(face)* ⇒*fount* ◆ **1.2** vasthouden aan de ~ v.d. wet *keep/cling to the l. of the law* **2.1** met cursieve/schuine ~s gedrukt *printed in italics, italicized;* een dikke/vette ~ *a boldface/ fullface/heavy letter, bold/heavy type;* zijn naam staat met gouden ~s opgetekend *his name resounds (throughout), his name commands universal acclaim;* grote, kapitale ~ *big/capital letter;* ⟨druk.⟩ *upper-case/capital letter;* met grote ~s *in capitals;* kleine ~ *small letter;* ⟨druk.⟩ *lower-case letter;* ⟨fig.⟩ het staat in de kleine ~s *it's in the small/fine print;* hier moet je het woord schrijven met een kleine/ grote ~ L *in this case you have to spell the word with a small/capital L;* Romeinse/Gothische ~s *Roman/Gothic letters/print;* ⟨opschrift⟩ *Roman/Gothic lettering* **2.4** drukken met losse ~s *typeset* **3.1** ⟨fig.⟩ geen ~ van iets kennen/weten *not have the faintest idea about sth.;* de ~s leren *learn the alphabet/to read and write;* geen ~ (meer) op papier zetten *not write another word* **6.1** ~ **voor** ~ *letter for/by letter,* [1]*literatim* **6.2** naar de ~ *to the l.;* iets naar de ~ opvatten *take sth. literally;* niet naar de ~, maar naar de geest oordelen *judge according to the spirit of the l..*

letterbak ⟨de⟩ **0.1** *typecase, case.*
letterband ⟨het, de (m.)⟩ **0.1** *name-tape.*
letterbanket ⟨het⟩ **0.1** *letter-shaped almond pastry.*
letterblokje ⟨het⟩ **0.1** *letter-cube.*
letterbreedte ⟨de (v.)⟩ ⟨druk.⟩ **0.1** *set (width).*
lettercombinatie ⟨de (v.)⟩ **0.1** *combination (of letters).*
lettercorrectie ⟨de (v.)⟩ **0.1** *single character correction.*
letterdief ⟨de (m.)⟩ **0.1** *plagiarist, plagiarizer.*
letterdieverij ⟨de (v.)⟩ **0.1** *plagiarism.*
letterdoos ⟨de⟩ **0.1** *box/set of letters (used in initial reading and writing instruction).*
letterdruk ⟨de (m.)⟩ **0.1** *letterpress* ⇒*printing from type.*
letteren[1] ⟨zn.mv.⟩ **0.1** [taal- en letterkunde] *language and literature* ⇒ *arts,* ⟨AE ook⟩ *liberal arts,* ⟨alg. geesteswetenschappen⟩ *humanities* **0.2** [literatuur] *letters* ⇒*literature,* ⟨filologie⟩ *philology* ◆ **1.1** de faculteit der ~ ⟨vnl. BE⟩ *Faculty of Arts* **1.2** de republiek der ~ *the republic of letters;* het rijk der ~ *the Commonwealth of Letters* **2.2** de schone ~ *the belles lettres* **3.1** ~ studeren *be an arts student/* ⟨AE ook⟩ *a liberal arts student.*
letteren[2] ⟨ov.ww.⟩ **0.1** *letter* ⇒*mark.*
lettergieten ⟨ww.⟩ **0.1** *typecast(ing).*
lettergieter ⟨de (m.)⟩ **0.1** *type-founder* ⇒*letter-founder.*
lettergieterij ⟨de (v.)⟩ **0.1** *type-foundry* ⇒*letter-foundry.*
lettergreep ⟨de⟩ **0.1** *syllable* ◆ **2.1** de op één/twee na laatste ~ *the penultimate/antepenultimate s.;* een open/gesloten ~ *an open/a closed s..*
lettergreepraadsel ⟨het⟩ **0.1** *charade.*
lettergreepschrift ⟨het⟩ **0.1** *syllabary.*
lettergrootte ⟨de (v.)⟩ ⟨druk.⟩ **0.1** *type size, character size.*
letterhaak ⟨de (m.)⟩ **0.1** *composing stick.*
letterhout ⟨het⟩ **0.1** *letterwood.*
letterkast ⟨de⟩ **0.1** *typecase, case.*
letterkeer ⟨de (m.)⟩ **0.1** *anagram.*
letterkorps ⟨het⟩ **0.1** *type size/body/face.*
letterkunde ⟨de (v.)⟩ **0.1** [kennis, wetenschap] *literature* ⇒*letters* **0.2** [werken] *literature* **0.3** [boek] (*book on) history of literature* **0.4** [les] *literature (class)* ◆ **1.4** twee uur ~ per week *two hours literature a week* **2.2** de Nederlandse ~ *Dutch l., l. of the Low Countries* **3.1** ~ studeren *study literature.*
letterkundig
I ⟨bn.⟩ **0.1** [literair] *literary* ◆ **1.1** de ~e geschiedenis *l. history;* geschriften van ~e waarde *documents of l. value;*
II ⟨bw.⟩ **0.1** [literair] *literarily.*
letterkundige ⟨de (m.)⟩ **0.1** [kenner] *man/woman of letters, literary man /woman, student of literature* **0.2** [beoefenaar] *man/woman of letters, literary man/woman* ⇒⟨schr.⟩ *litterateur, belletrist.*
letterlievend ⟨bn.⟩ **0.1** [literatuur beminnend] *literature-loving* ⇒*literary-minded* **0.2** [bevordering van de letterkunde ten doel hebbend] *literary.*
letterlijk
I ⟨bn., bw.; -ly⟩ **0.1** [woordelijk] *literal* ⇒*verbal* ⟨citaat, vertaling⟩, *verbatim* ⟨citaat⟩ ◆ **1.1** de ~e tekst *the text word for word;* een ~ verslag v.d. feiten *a straight rendering of the facts;* in de ~e en figuurlijke zin/betekenis *in the l. and figurative sense* **3.1** iets al te ~ opvatten *take sth. too literally;* een bevel ~ uitvoeren *carry out an order to the letter;* iets ~ vertalen *translate sth. literally/verbally;* dat waren ~ zijn woorden *those were his very words* **5.1** de rommelmarkt viel ~ en figuurlijk in het water *the jumble-sale was a washout in both senses of the word/l. and figuratively;*
II ⟨bw.⟩ **0.1** [volstrekt] *literally* ⇒*totally* ◆ **4.1** daar is ~ niets mee te beginnen *there is l. / absolutely nothing you can do with it.*
letterlijn ⟨de⟩ ⟨druk.⟩ **0.1** *(letter-)line.*
letteromzetting ⟨de (v.)⟩ **0.1** [metathesis] *metathesis, transposition of (two) letters* **0.2** [anagram] *anagram.*

letterplank ⟨de⟩ **0.1** *letter-board (used in reading classes).*
letterproef ⟨de⟩ **0.1** [⟨med.⟩] *Snellen test* **0.2** [⟨druk.⟩] *example(s)/catalogue of types.*
letterraadsel ⟨het⟩ **0.1** *letter/word puzzle.*
letterrijm ⟨het⟩ **0.1** *letter rhyme.*
letterroof ⟨de (m.)⟩ **0.1** *plagiarism.*
letterschilder ⟨de (m.)⟩ **0.1** *sign painter, letterer.*
letterschrift ⟨het⟩ **0.1** *alphabetical script/writing.*
letterserie ⟨de (v.)⟩ **0.1** *letter* ⇒[B]*font,* [A]*fount.*
lettersjabloon ⟨de⟩ **0.1** *lettering stencil.*
letterslot ⟨het⟩ **0.1** *letter-lock* ⇒*combination lock, permutation lock.*
lettersnijder ⟨de (m.)⟩ **0.1** *type cutter.*
lettersoort ⟨de⟩ **0.1** *type, typeface, font, letter.*
letterspecie ⟨de (v.)⟩ **0.1** *type-metal.*
lettertang ⟨de⟩ **0.1** *device for punching/embossing letters on a tape; dymo* ⟨merknaam⟩.
letterteken ⟨het⟩ **0.1** [schriftteken] *character* ⇒*letter* **0.2** [herkenningsteken] *mark(ing)* **0.3** [⟨muz.⟩] *accent.*
lettertekenaar ⟨de (m.)⟩ **0.1** *designer (of type)* ⇒*typefounder.*
lettertje ⟨het⟩ **0.1** [kleine letter] *small character/letter* **0.2** [briefje] *note* ⇒*line* ◆ **2.1** de kleine ~s *the fine/small print* **3.2** schrijf me eens een ~ *drop me a n./line.*
lettertoets ⟨de (m.)⟩ **0.1** *character key.*
lettertype ⟨het⟩ **0.1** *type, typeface, font, letter.*
lettervers ⟨het⟩ **0.1** *acrostic.*
letterverwisseling ⟨de (v.)⟩ ⟨taal.⟩ **0.1** *metathesis.*
lettervreter ⟨de (m.)⟩ ⟨inf.⟩ **0.1** *compulsive/voracious reader* ⇒*bookworm.*
letterwoord ⟨het⟩ **0.1** *acronym.*
letterzetmachine ⟨de (v.)⟩ **0.1** *typesetting/composing machine* ⇒*type setter.*
letterzetten ⟨ww.⟩ **0.1** *typeset, compose (type)* ◆ **7.1** het ~ *typesetting, composing, typography.*
letterzetter ⟨de (m.)⟩ **0.1** [typograaf] *compositor, typesetter, typographer* ⇒*case-man,* ⟨inf.⟩ *typo* **0.2** [penseel] *lettering pencil/brush.*
letterzetterij ⟨de (v.)⟩ **0.1** *composing room, case-room.*
letterziften ⟨ww.⟩ **0.1** *quibble, pettifog* ◆ **7.1** het ~ *quibbling, pettifogging, nitpicking.*
letterzifter ⟨de (m.)⟩ **0.1** *quibbler/pettifogger, nitpicker.*
leugen ⟨de⟩ ⟨→sprw. 390-392,395⟩ **0.1** [onwaarheid] *lie* ⇒*falsehood, untruth* **0.2** [het liegen] *lying* ⇒⟨schr.⟩ *mendacity* **0.3** [valsheid] *lie* ⇒*deceit* ◆ **1.1** waarheid en ~ *truth and falsehood* **1.2** hij leeft van ~ en bedrog *he is a cheat and a liar* **2.1** ⟨jur.⟩ de grote ~ *the pretension of adultery in order to obtain a divorce;* een grove ~ *a gross/big/black l.;* een klein ~tje *a fib;* een onbeschaamde ~ *a barefaced l.;* een regelrechte ~ *a blatant/flagrant/patent l.* **2.3** haar leven was één grote ~ *her whole life was one big l./ deceit/sham* **3.1** ~s verkopen *tell lies/ stories/tales;* ~s verzinnen *make up/fabricate/invent stories* **5.1** het zijn allemaal ~s *it's all lies* **6.1** zich met een ~tje proberen te redden *try to lie one's way/o.s. out (of trouble);* een ~tje **om** bestwil *a white l.;* hij hangt **van** ~s aan elkaar *he is made up of lies, he is a great liar, he lies in his teeth* **7.1** hij is in zijn eerste ~ niet gestikt *that is not the first l. he has told.*
leugenaar ⟨de (m.)⟩, -**ster** ⟨de (v.)⟩ ⟨→sprw. 393,394⟩ **0.1** *liar* ⟨m., v.⟩ ◆ **3.1** iem. tot (een) ~ maken *set s.o. down/show s.o. up as a l.;* iem. voor ~ uitmaken *give s.o. the lie (in his/her throat/teeth).*
leugenachtig ⟨bn.⟩ **0.1** [geneigd tot liegen] *lying* ⇒*deceitful, false, untruthful,* ⟨schr.⟩ *mendacious* **0.2** [onwaar] *lying* ⇒*false, untrue, untruthful,* ⟨schr.⟩ *mendacious* **0.3** [liegend] *lying* ⇒*false, untruthful* ◆ **1.2** ~e praatjes *l./untrue/rumours/stories.*
leugenachtigheid ⟨de (v.)⟩ **0.1** [onwaarheid] *mendacity* ⇒*falsehood, lie, untruth,* ⟨schr.⟩ *mendacity* **0.2** [zucht tot liegen] *untruth fulness, falseness* ⇒*falsehood, deceit,* ⟨schr.⟩ *mendacity.*
leugenbeest ⟨het⟩ **0.1** *fibber* ⇒*habitual/* ⟨schr.⟩ *consummate liar.*
leugencampagne ⟨de⟩ **0.1** *smear campaign* ⇒*mudslinging.*
leugendetector ⟨de (m.)⟩ **0.1** *lie detector.*
leugenprofeet ⟨de (m.)⟩ **0.1** *false prophet.*
leugental ⟨het⟩ **0.1** *lies, lying* ⇒*claptrap, humbug,* ⟨sl.⟩ *guff.*
leugenverhaal ⟨het⟩ **0.1** *lie* ⇒*fable, (tall) story, yarn,* ⟨inf.; leugentje⟩ *fib.*
leugenverklikker ⟨de⟩ ⇒**leugendetector.**
leuk ⟨bn., bw.; -ly⟩ **0.1** [amusant] *funny* ⇒*amusing, jolly, droll* **0.2** [knap, flatteus] *pretty* ⇒*charming, attractive, nice* **0.3** [prettig] *nice* ⇒ *pleasant* **0.4** [kalm, onverschillig] *cool* ⇒*calm, dry, laconic* ◆ **1.2** een ~ bedrag *quite a handsome sum;* een ~ hoedje *a p. hat;* een ~e meid *a p. girl;* ⟨inf.⟩ *a sweet little thing;* een ~e prijs voor iets maken *get a good price for sth.;* een ~ snuitje *a p./* ⟨vnl. AE⟩ *cute face;* een ~ zakcentje *nice pocket-money* **1.2, 1.3** echt een ~e vent/knul *a real nice guy/* ⟨BE ook⟩ *chap* **1.3** dat was een ~e tijd *life was good fun then, those were the days;* ik vind het ~ werk *I enjoy/like the work* **2.1** ~ is anders *not exactly my idea of fun!* **3.1** ⟨iron.⟩ wat ben je weer ~ *aren't you f.;* hij denkt zeker dat hij ~ is *he seems to think he is f.;* hij wil altijd ~/de ~ste zijn *he always wants to be the funniest guy in town;*

(wachten/t.v. kijken) tot het ~ wordt *(wait/watch T.V.) till it improves;* dat zou niet erg ~ zijn *that wouldn't be much fun* **3.2** dat staat je ~ *it looks p./ good on you;* ze vindt hem kennelijk nogal ~ *apparently she rather fancies him;* wat zit je haar ~! *your hair looks p.!* **3.3** dat heb je ~ gedaan *you've done that quite well/* ⟨AE ook⟩ *handsomely;* ⟨kind.⟩ heb je ~ gespeeld? *played nicely?;* ⟨iron.⟩ dat kan ~ worden *we might be in for sth.!;* ik vind het niet ~ om dat te doen *I don't fancy doing that, I don't much like that;* welk boek vind je 't ~st? *which book do you like best?;* vissen/zwemmen niet meer ~ vinden *have gone off fishing/swimming;* iets ~ vinden *enjoy/like sth., be pleased at/with sth.* **3.4** hij kon 't zo ~ brengen *he could present it so nicely* **4.1** wat ~ *what fun!, how amusing/f.!* **4.3** laten we iets ~s gaan doen *let's do sth. n.;* er iets ~s van maken *make sth. of it* **5.1** nu is het niet ~ meer! ⟨ook⟩ *this is really getting beyond a joke* **6.2** ~ om te zien *p. to look at* **7.1** ben jij de ~ste thuis? *are you the family jester?;* 't ~e is *... the f. thing/part is that ...;* 't ~ste was ... / komt nog *the best part of it was ... / is still to come* **¶.1** ik zie niet in waar ~s aan is *I don't see the fun of this/ where the joke comes in;* ⟨iron.⟩ nou, ~ hoor *fun!, some joke!* **¶.3** ~ dat je gebeld hebt *it was n. of you to call/ ring.*

leukemie ⟨de (v.)⟩ ⟨med.⟩ **0.1** *leukaemia.*

leukerd ⟨de (m.)⟩ **0.1** *funny man/guy/* ⟨BE ook⟩ *chap* ⇒*wisecracker.*

leukheid ⟨de (v.)⟩ **0.1** [grappigheid] *fun* ⇒*jollity* **0.2** [onverschilligheid] *coolness, dryness* **0.3** [pret, gezelligheid] *fun* **0.4** [grap] *joke, wisecrack.*

leukjes ⟨bw.⟩ **0.1** *coolly, dryly, laconically.*

leukocyt ⟨de (v.)⟩ **0.1** *leucocyte* ^A*leukocyte, white blood cell.*

leukodermie ⟨de (v.)⟩ **0.1** *leucoderma,* ^A*leukoderma.*

leukoplast ⟨het, de (m.)⟩ **0.1** ^B*sticking plaster,* ^A*adhesive tape* ⇒⟨AE; inf.⟩*oorspr. merknaam) band-aid.*

leukose ⟨de (v.)⟩ **0.1** [leukemie] *leukaemia* **0.2** [leukodermia] *leucoderma,* ^A*leukoderma* **0.3** [hoenderziekte] *leukosis.*

leukotomie ⟨de (v.)⟩ **0.1** *leucotomy.*

leukweg ⟨bw.⟩ **0.1** *coolly, dryly, laconically* ◆ **3.1** ~ iets zeggen *say sth. d. / l..*

leunen ⟨onov.ww.⟩ **0.1** [in opgerichte houding] *lean (on/against)* ⇒*rest (on/against)* **0.2** [in schuine houding] *lean (on/against)* ⇒*rest (on/against)* ◆ **5.1** achterover ~ *l. back, recline,* ⟨in stoel ook⟩ *sit back* **6.1** op een stok ~ *l. on a cane;* ⟨fig.⟩ zwaar op een ~ *rely heavily on s.o. else* **6.2** met het hoofd/de ellebogen op iets ~ *l. / rest one's head/ elbows on sth.;* tegen de muur ~ *l. / rest against the wall;* het dorp leunde tegen de berg *the village clung to the mountain;* uit het raam ~ *l. out of the window.*

leuning ⟨de (v.)⟩ **0.1** [mbt. trap] *(hand)rail* ⇒*bannisters* **0.2** [mbt. meubels]⟨rug⟩ *back;* ⟨armleuning⟩ *arm (rest)* **0.3** [balustrade] *rail(ing)* ⇒*guardrail, parapet, balustrade* **0.4** [reling] *rail* ◆ **6.1** zijn jas over de ~ hangen *hang one's coat over the railing.*

leunspaan ⟨de (v.)⟩ **0.1** *support(er), hand/arm/elbow rest.*

leunstoel ⟨de (m.)⟩ **0.1** *armchair* ⇒⟨AE ook⟩ *elbow chair, easy chair, lounge chair.*

leurder ⟨de (m.)⟩ **0.1** *pedlar,* ^A*peddler, hawker.*

leuren ⟨onov.ww.⟩ **0.1** [te koop aanbieden] *peddle* ⇒⟨leuren met;ook⟩ *hawk* **0.2** [rondvertellen] *peddle* ⇒⟨leuren met;ook⟩ *hawk* **0.3** [⟨AZN⟩ dringend aanbieden] *peddle* ⇒*push* ◆ **3.2** hij ging overal met het geheim ~ *he was peddling the secret everywhere/ hawking the secret around* **6.1** met encyclopedieën ~ *p. / hawk encyclopaedias.*

leurkoop ⟨de (m.)⟩ **0.1** *hawking.*

leus ⟨de⟩ **0.1** [zinspreuk] *slogan* ⇒*motto, (rallying-/war/ battle) cry* ⟨van partij e.d.⟩, *device* ⟨in wapenschild⟩ **0.2** [wachtwoord] *watchword, password* **0.3** [schijn]⟨zie 6.3⟩ ◆ **1.1** de leuzen v.d. partij *the party slogans/ battle cries/ war cries/ rallying cries;* anti-communisme is de ~ v.d. nieuwe regering *anticommunism is the catchword of the new government* **3.1** leuzen aanvoeren in een demonstratie *carry slogans in a demonstration* **5.1** dat zijn maar leuzen *these are mere buzzwords/ catch-phrases/ parrot-cries* **6.3** iets doen **voor** de ~ *do sth. for form's sake.*

leut ⟨de⟩ **0.1** [plezier] *fun* ⇒*mirth* **0.2** [koffie] *coffee* ◆ **1.2** een bakje ~ *a cup of c.* **3.1** veel ~ hebben *have a lot of f. /* ⟨inf.⟩ *a whale of a time/* ⟨sl.⟩ *a ball* **6.1** voor de ~ *for f. / a lark.*

leuter ⟨de (m.)⟩ ⟨vulg.⟩ **0.1** *prick* ⇒*dick, cock.*

leuteraar ⟨de (m.)⟩ **0.1** [iem. die kletst] *driveller, twaddler* ⇒*drooler* **0.2** [iem. die treuzelt, talmt] *loiterer.*

leuteren ⟨onov.ww.⟩ **0.1** [kletsen] *drivel* ⇒*twaddle,* ⟨BE ook⟩ *waffle,* ⟨sl.⟩ *piffle* **0.2** [talmen] *dawdle, loiter* ◆ **3.1** hij zat weer verschrikkelijk te ~ *(there) he was drivelling on again.*

leuterig ⟨bn.⟩ **0.1** [besluiteloos] *dawdling* ⇒*loitering* **0.2** [zanikerig] *drivelling.*

leuterkoek ⟨de (m.)⟩ →**leuterpraat.**

leuterkous ⟨de (m.)⟩ **0.1** *driveller* ⇒*twaddler, chatterbox.*

leuterpraat ⟨de⟩ **0.1** [gebabbel] *prattle* ⇒*babble* **0.2** [onzin] *drivel* ⇒ ⟨inf.⟩ *piffle,* ⟨BE;sl.⟩ *rot* ◆ **3.2** ~jes verkondigen *talk piffle/rot.*

leutig ⟨bn., bw.; -ly⟩ **0.1** [grappig] *funny(-ha-ha)* ⇒*amusing, jolly, droll* **0.2** [prettig] *nice, pleasant.*

Leuven ⟨het⟩ **0.1** *Leuven, Louvain.*

Leuvens ⟨bn.⟩ **0.1** *Leuven, Louvain* ⇒⟨na zn.⟩ *of/from Leuven.*

leuze →**leus.**

Lev. ⟨afk.; bijb.⟩ **0.1** [Leviticus] *Lev..*

levade ⟨de (v.)⟩ **0.1** *levade.*

levant ⟨de (m.)⟩ **0.1** *levanter.*

Levant ⟨de (m.)⟩ **0.1** *Levant.*

Levantijn ⟨de (m.)⟩ **0.1** ⟨inwoner, schip⟩ *Levantine.*

Levantijns ⟨bn.⟩ **0.1** *Levantine.*

leven¹ ⟨het⟩ ⟨→sprw. 23,45,92,153, 177,299, 386,396-398⟩ **0.1** [het bestaan] *life* ⇒*existence* **0.2** [werkelijkheid, levensechtheid] *life* ⇒*reality* **0.3** [levensduur] *life, lifetime* **0.4** [levenswijze] *life* ⇒*living* **0.5** [morele handel en wandel] *life* ⇒*living* **0.6** [levensloop, levensgeschiedenis] *life* ⇒*life history* **0.7** [verschijnselen/werkzaamheden in een kring] *life* **0.8** [levensgeluk] *life* ⇒*living* **0.9** [levensonderhoud] *life* ⇒*living* **0.10** [lawaai] *life* ⇒*noise, racket, tumult* **0.11** [drukte, levendigheid, activiteit] *life* ⇒*liveliness, bustle, activity* **0.12** [prostitutie] *(the) Life* ⇒⟨U⟩ *the game* **0.13** [levend wezen] *life* **0.14** [het voortbestaan van de ziel] *afterlife* **0.15** [vlezig deel van dierlijk, plantaardig lichaam] *quick* ◆ **1.1** tussen ~ en dood zweven *hover/ be poised between l. and death;* elkaar op ~ en dood bestrijden *wage a life-and-death struggle with s.o., fight tooth and nail with s.o.;* geen teken van ~ meer geven *give no sign of l. anymore* **1.3** de kans van je ~ *the chance of a lifetime* **1.6** het ~ van Erasmus *the life of Erasmus, Erasmus' life* **2.1** het ~ is zo kwaad nog niet *l. is still worth living;* katten hebben een taai ~ *a cat has nine lives* **2.3** ⟨AZN⟩ al zijn ~ *all his life/ lifetime, always;* je doet er je hele ~ mee *you'll have it for life;* zulke vooroordelen hebben een lang ~ *such prejudices die hard;* zijn hele verdere ~ *for the rest of his l. /* ⟨schr.⟩ *living days* **2.4** een druk ~ hebben *lead a busy/ hectic life;* zijn eigen ~ leiden *lead one's own life;* een gemakkelijk ~ hebben *have an easy life;* van een goed ~ houden *be fond of good living, like the good life;* een nieuw ~ beginnen *begin a new life, turn over a new leaf, make a new start in life* **2.5** een christelijk ~ *a Christian life/ lifestyle;* een dubbel ~ leiden *lead a double life/ a Jekyll-and-Hyde existence;* een losbandig ~ leiden *lead a wild/ loose life, go the pace* **2.7** het maatschappelijk/het huiselijk ~ *public, social/ private, home l.;* het politieke ~ *political l.;* het volle ~ *real l.;* in het volle ~ staan *be in touch with things* **2.9** het ~ wordt steeds duurder *life is getting more expensive every day, the cost of living is going up all the time* **2.10** het is hier een heidens ~ *what an infernal/ unholy noise* **2.11** een onderneming nieuw ~ inblazen *put/ breathe/ inject new life into a firm/ business* **2.13** de bescherming van het ongeboren ~ *the protection of the unborn* **2.14** het eeuwige ~ *the eternal/ everlasting life, eternity;* hij heeft ook het eeuwige ~ niet *he won't last for ever* **2.¶** ⟨iron.⟩ toen begon het lieve ~ (tje) *then there was the devil to pay, then the fat was in the fire* **3.1** het ~ begint bij 40 *l. begins at 40;* zijn ~ geven/ laten voor zijn land *lay down one's l. for one's country;* zijn ~ hangt aan een zijden draad- (je) *his l. hangs by a thread;* de aanslag heeft aan twee mensen het ~ gekost *the attack cost two people their lives/ cost the lives of two people/ has caused the death of two people;* zolang er ~ is, is er hoop *while there is l., there is hope;* zo is het ~ *that's/ such is l.;* het ~ laten/ erbij inschieten *lose one's l.;* zijn ~ loopt op een eind *his end is drawing near;* ⟨inf.⟩ *his days are numbered;* als je je ~ nog eens kon overdoen *if (only) you could start over again;* het ~ schenken aan *give birth to;* iem. het ~ schenken *spare s.o.'s l., let s.o. live;* zijn ~ duur verkopen *put up a good fight;* voor hun ~ vreesd *one fears for their lives;* zijn ~ wagen *risk one's l., take/ carry one's l. in one's own hands, dice with death;* alle ~ was geweken *all l. had ebbed away* **3.3** zijn ~ slijten *spend one's days* **3.4** zijn ~ beteren *better one's life, mend one's ways;* zij heeft geen ~ bij die man *she has no life/ life is hell to her with that man;* hoe staat het ~? *how is life?, how are things (with you)?, how goes the world (with you)?* **3.10** ~ maken *make a noise* **3.11** ~ in de brouwerij brengen *enliven things, shake/ liven things up, get things going;* wat is er een ~ op straat *what an activity/ a (hustle and) bustle/ to-do in the street!;* er kwam ~ in de brouwerij *things were beginning to hum/ move* **5.3** daar heb je je hele ~ lang genoeg aan *it will last you a lifetime* **5.6** mijn/hun ~ lang *all my life/ their lives* **6.1** bij ~ en welzijn *all being well, if all is well, God willing;* fluitend **door** het ~ gaan *whistle one's way through l.;* iets in ~ houden *keep sth. alive;* nog in ~ zijn *be still alive/* ⟨inf.⟩ *still kicking around;* net genoeg om in ~ te **blijven** *just enough to maintain l. / to keep body and soul together;* in ~ blijven *live, remain/ keep alive, survive;* iem. **naar** het ~ staan *want to kill s.o., be after s.o.'s blood;* **om** het ~ komen *lose one's l., meet one's end, perish, be killed;* iem. **om** het ~ brengen *kill s.o., take s.o.'s l.;* op gewelddadige wijze **om** het ~ komen *meet (with)/ come by a violent death;* een strijd **op** ~ en dood *a life-and-death struggle, a fight/ struggle to the death;* het ~ **van** alle dag *everyday/ trivial l.* **6.2** een stichting in het ~ roepen *bring/ call a foundation into being/ existence, establish/ create a foundation;* een organisatie in het ~ roepen *set up/ build up/ form an organization;* tekenen/ schilderen **naar** het ~ *draw/ paint from l. / nature;* **uit** het ~ gegrepen *taken from l., a slice of l.* **6.3** dat heb ik nog nooit **van** mijn ~ gezien *I have never seen that in my life/ in all my born days;* **van** zijn ~ niet *never (in all my life), never ever, not on your life;* heb je **van** je ~ ~! *well, I never!;* hij is **voor** zijn ~ ~

ongelukkig *he will be crippled for the rest of his life / days;* **voor** het ~ benoemd *appointed for life;* een lidmaatschap **voor** het ~ *a life membership;* **voor** het ~ getekend *marked / branded for life* **6.4 in** ~, burgemeester van A. *in his lifetime, mayor of A., the late mayor of A.* **6.6 bij / tijdens** zijn ~ *in / during his lifetime, during his life* **6.11** iets / iem. weer **tot** ~ brengen *bring sth. / s.o. to life again, resuscitate sth. / s.o.* **6.12** zij is al een paar jaar **in** het ~ *she has been on the game for a few years now* **6.14** het ~ **in** het hiernamaals *(the) a., the hereafter, the life / world to come, (the) l. beyond the grave* **6.15** de dode takken **tot op** het ~ afsnijden *cut the dead branches to the living tissue* **6.¶** het stonk er **bij** het ~ *there was an awful stench in there* **8.10** het was er een ~ als een oordeel *there was quite a racket in there* **¶.1** rennen alsof je ~ ervan afhangt *run as if l. depends on it, run for one's dear l.;* zijn ~ niet (meer) zeker zijn *be not safe here (anymore);* als je ~ je lief is *if you value your l.* **¶.3** iem. het ~ zuur maken *make s.o.'s life a misery.*

leven[2]
I ⟨onov.ww.⟩ **0.1** [niet dood zijn] ***live*** *⇒exist, be alive* **0.2** [mbt. zaken / voorstellingen] ***live (on)*** **0.3** [zich voeden] ***live on*** *⇒exist / subsist on* **0.4** [zijn dagen doorbrengen] ***live*** **0.5** [zich gedragen] ***live*** **0.6** [in zijn onderhoud voorzien] ***live (on / by)*** ⇒⟨vaak pej.⟩ *live off* **0.7** [intens bestaan, zich laten gelden] ***live*** **0.8** [zich bewegen] ***live*** *⇒be alive* **0.9** [omgaan] ***live (with)*** ◆ **1.2** dat gevoel leeft heel sterk *that feeling is still very much cherished /* ⟨sl.⟩ *still going strong;* bij veel mensen leeft het idee ... *for many people the idea is still alive;* leeft die vaas nog? *is that vase still in one piece?* **1.4** de nu ~de generatie *the present / this generation;* we moeten daar nog een jaar mee ~ *we have to stick it out / l. with it for another year* **1.¶** leve de koningin *long live the Queen!;* dat portret leeft *that portrait is like life / seems to live;* deze romanpersonages ~ *these characters are true to life / very much alive;* leve de vakantie / de vrijheid *three cheers / hurrah for the holidays, freedom for ever* **3.1** blijven ~ *stay / keep alive;* mens, durf te ~ *come on, live a little;* hij heeft niet lang meer te ~ *he has not long to l.;* ⟨inf.⟩ *his days are numbered* **3.2** iets weer doen ~ *revive / resuscitate sth., bring sth. to life again* **3.4** met deze man is / valt niet te ~ *that man is not livable with, one cannot l. with that man* **3.6** van duizend gulden kun je niet ~ *you can't scrape by on thousand guilders;* goed kunnen ~ *be comfortably off;* men moet ~ en laten ~ *one should l. and let l.* **4.8** alles leeft aan hem *he is full of life* **4.¶** weten wat er leeft onder de bevolking *know the mind of the people* **5.1** eeuwig ~ *l. eternally, be among the blessed;* en zij leefden nog lang en gelukkig *and they lived happily ever after;* die leeft niet lang *he won't make old bones;* langer ~ dan iem. *outlive s.o.;* haar ouders ~ niet meer *her parents are no longer alive;* leef je nog? *are you still alive / among the living?* **5.2** een zeer kort ~d atoomdeeltje *an atomic particle with a short life;* de kermis leeft niet meer bij de mensen *fun fairs are of no interest to the people any more* **5.4** wie dan leeft die dan zorgt *all in good time, care killed the cat* **5.5** erop los ~ *go the pace, lead a wild / loose life;* papa leefde erg stil *daddy led a quiet life / kept himself very much to himself;* stil gaan ~ *go into retirement, retire* **5.6** zij kan er goed van ~ *she can l. well / do herself well;* zij moet ervan ~ *she has to l. on it, she depends for her living on it* **5.¶** lang leve de jubilaris *long may the guest of honour live, long life to the guest of honour* **6.1 in** ~ en sterven *till death do us part, now and forever;* ⟨fig.⟩ te weinig **om** te ~ en te veel om te sterven *hardly sufficient to keep body and soul together* **6.3 op** brood en rauwkost ~ *l. / exist / subsist on bread and raw vegetables* **6.4 in** angst ~ *l. in fear;* met iem. **in** vrede ~ *l. in peace / harmony with s.o.;* met iem. **in** onmin ~ *be at enmity / odds with s.o.;* we ~ toch **in** een vrij land? *it is a free country, isn't it?;* **naar** iets toe ~ *look forward to sth.;* hij leeft **voor** zijn kinderen *he lives for his children* **6.5** zij ~ **langs** elkaar heen *they have little to say to each other, they waste no words on each other;* ~ **tussen** hoop en vrees *l. between hope and fear* **6.6 op** grote voet ~ *l. in (a) great / grand style;* **van** zijn rente ~ *l. on one's means;* **van** de wind kan men niet ~ *one can't l. on air;* **van** de hand in de tand ~ *l. from hand to mouth;* hij heeft genoeg om **van** te ~ *he has enough to get by;* **van** dit vak kun je niet ~ *you can't make a living out of this trade;* **van** de bijstand ~ *l. on* [B]*social security /* [A]*welfare;* ⟨BE; inf.⟩ *l. on the dole;* net genoeg verdienen om **van** te ~ *earn just enough to eke out a living* **8.7** als hij maar plagen kan, dan leeft ie *teasing others makes his day* **¶.1** ⟨fig.⟩ die weet ook dat hij leeft *he's certainly got a burden to bear;* hij weet van voren niet dat hij van achteren leeft ⟨aartsdom⟩ *he is not all there / dead from the neck up;* ⟨de kluts kwijt⟩ *he's on the merry-go-round;*
II ⟨ov.ww.⟩ **0.1** [een leven leiden] ***live*** ◆ **1.1** het leven ~ *l. life to the fullest, l. the life;* een eenzaam leven ~ *lead a solitary / lonely life.*

levend ⟨bn.⟩ **0.1** [in leven zijnd] ***living*** *⇒existent, animate* ⟨natuur⟩, ⟨attr.⟩ *live* ⟨dieren, aas, muziek⟩, ⟨predicatief⟩ *alive, on the hoof* ⟨slachtvee⟩ **0.2** [⟨fig.⟩] ***living*** *⇒modern,* ⟨predicatief⟩ *alive* **0.3** [beweeglijk] ***living*** *⇒moving* ◆ **1.1** de ~en en de doden *the living and the dead;* varkens tot 50 kg ~ gewicht *pigs up to 50 kilos live weight;* in het land der ~en *in the land of the living;* ⟨fig.⟩ een ~ lijk *death warmed up;* de ~e natuur *the living world;* een ~ wezen *a living being / soul* **1.2** de ~e talen *the modern / l. languages* **1.3** ~ water *l. water* **3.1** het er ~ (van) afbrengen *escape with one's life / with life and limb, come out of sth. alive;* ⟨fig.⟩ daar ben je ~ begraven *you'll be buried alive there;* iem. ~ verbranden *burn s.o. alive* **3.2** een herinnering ~ houden *keep a memory alive / green* **6.1** in ~en en **lijve** *alive and well, alive and kicking;* ⟨in eigen persoon⟩ *in (one's own proper) person, as large as life.*

levendbarend ⟨bn.⟩ **0.1** ***viviparous.***

levendig ⟨bn., bw.; -ly⟩ **0.1** [druk] ⟨bn.⟩ ***lively*** *⇒active, brisk, animated,* ⟨bw.⟩ *in a lively way / manner* **0.2** [vol leven] ***lively*** *⇒vivacious* **0.3** [fris] ***lively*** *⇒vivid, alert* ⟨geest⟩ **0.4** [duidelijk] ***vivid*** *⇒clear* **0.5** [vurig] ***vivid*** *⇒spirited* ◆ **1.1** een ~e handel *a brisk trade;* ⟨geldw.⟩ stemming ~ *the market was / is l.* **1.2** een ~e baby *a l. / bouncing baby;* een druk en ~ gesprek *an animated / a l. conversation;* een erg ~ kind *a very l. / vivacious / active child;* ~e ogen *l. / expressive eyes* **1.3** een ~e en vrolijke tint *a l. and cheerful colour* **1.4** ~e herinneringen *v. memories* **1.5** een levend(ig)e belangstelling voor iets aan de dag leggen *take a keen interest in sth.;* over een ~e fantasie beschikken *have a v. imagination* **3.2** ~ praten *talk in a l. manner;* ~ van aard zijn *have a l. / vivacious nature* **3.4** ik kan mij die dag nog ~ herinneren *I remember that day vividly / clearly, I have a v. recollection of that day;* dat kan ik mij ~ voorstellen *I can well imagine that.*

levendigheid ⟨de (v.)⟩ **0.1** [beweeglijkheid] ***liveliness*** *⇒bustle, activity, life* **0.2** [opgewektheid, vitaliteit] ***liveliness*** *⇒vivacity, vitality, vividness, vivaciousness,* ⟨van kleuren ook⟩ *brightness* **0.3** [afwisseling] ***liveliness*** *⇒vitality* ◆ **1.1** de ~ v.d. stad *the activity / liveliness / bustle of the town* **1.2** de ~ van zijn aard *the l. of his character;* de ~ van deze muziek *the l. / sparkle / vivacity / vitality of this music* **1.3** de ~ v.d. taal *the l. / vitality of the language.*

levendmakend ⟨bn.⟩ **0.1** ***vivifying.***

levenloos ⟨bn.⟩ **0.1** [zonder leven] ***lifeless*** *⇒dead, inanimate* ⟨natuur⟩ **0.2** [doods, gevoelloos] ***lifeless*** *⇒dead, bloodless, spiritless* ◆ **1.2** staren met levenloze ogen *stare with l. eyes* **3.1** iem. ~ aantreffen *find s.o. dead;* ~ geboren *stillborn, dead at birth.*

levenmaker ⟨de (m.)⟩ **0.1** [druktemaker] ***roisterer*** **0.2** [praatjesmaker] ***braggart*** *⇒boaster, swank.*

levensadem ⟨de (m.)⟩ **0.1** ***breath of life.***

levensader ⟨de⟩ ⟨fig.⟩ **0.1** ***lifeblood*** *⇒lifeline* ◆ **1.1** de Schelde is de ~ van Antwerpen *the Scheldt is Antwerp's lifeline;* de handel is de ~ van Nederland *trade is the lifeblood of the Netherlands.*

levensangst ⟨de (m.)⟩ **0.1** ***fear of life / living;*** ⟨psych.⟩ ***angst.***

levensavond ⟨de (m.)⟩ ⟨schr.⟩ **0.1** ***evening of (one's) life*** *⇒autumn / twilight of (one's) life.*

levensbeginsel ⟨het⟩ **0.1** [beginsel waarnaar men zijn leven inricht] ***principle of (one's) life*** **0.2** [dat waarop het leven steunt] ***principle of life*** *⇒ vital principle / force.*

levensbehoefte ⟨de (v.)⟩ **0.1** [wat nodig is] ***necessity of life*** *⇒vital necessity, essential* **0.2** [⟨mv.⟩ levensbenodigdheden] ***necessaries /*** ⟨sterker⟩ ***necessities (of life)*** *⇒essentials (of life)* ◆ **2.2** de allernoodzakelijkste ~n *the bare essentials / necessaries / necessities (of life)* **3.1** schoonheid is voor hem een ~ *beauty is a necessity (of life) to him, beauty is an essential / a sine qua non /* ⟨inf.⟩ *an absolute must for him* **7.2** de eerste ~n *the (first / primary) necessities of life.*

levensbehoud ⟨het⟩ **0.1** ***preservation of life*** ◆ **6.1** de zucht **tot** ~ *the life-preserving instinct.*

levensbelang ⟨het⟩ **0.1** ***vital importance*** *⇒*⟨sterker⟩ *matter of life and death* ◆ **6.1 van** ~ *of vital importance, vitally important;* ⟨attr.⟩ *life-and-death;* een goede voorbereiding is hierbij **van** ~ *a good preparation is indispensable / vitally important here.*

levensbenodigdheden →**levensbehoefte 0.2.**

levensbeschouwelijk ⟨bn.⟩ **0.1** ***philosophical*** *⇒ideological* ◆ **1.1** vragen van ~e aard *p. questions;* partijen op ~e grondslag *parties on an ideological basis / based on an ideology / a philosophy.*

levensbeschouwing ⟨de (v.)⟩ **0.1** ***philosophy of life*** *⇒ideology,* ⟨kijk op het leven⟩ *outlook on life* ◆ **3.1** er een bepaalde ~ op na houden *have / hold a particular philosophy of life* **6.1** dat past niet **in** zijn ~ *that does not fit into his philosophy of life.*

levensbeschrijving ⟨de (v.)⟩ **0.1** ***biography*** *⇒life,* ⟨bij dood⟩ *necrology, obituary (notice),* ⟨bij sollicitatie⟩ *curriculum vitae,* ⟨AE ook⟩ *résumé* ◆ **2.1** sollicitaties vergezeld van een uitvoerige ~ *applications with a detailed curriculum vitae.*

levensblij ⟨bn.⟩ **0.1** ***full of the joy of life*** *⇒full of joie de vivre.*

levensblijheid ⟨de (v.)⟩ **0.1** ***joy of life*** *⇒joie de vivre, zest for life.*

levensboom ⟨de (m.)⟩ **0.1** [⟨bijb.⟩] ***tree of life*** **0.2** [⟨bk.⟩] ***tree of life*** **0.3** [⟨plantk.⟩] ***arbor vitae*** **0.4** [⟨anatomie⟩] ***arbor vitae.***

levensbron ⟨de⟩ ⟨schr.⟩ **0.1** [bron waaruit het leven ontspringt] ***source of life*** **0.2** [symbool van het verlangen naar God] ***source of life.***

levenscyclus ⟨de (m.)⟩ **0.1** ***life cycle.***

levensdag ⟨de (m.)⟩ **0.1** [dag van iemands leven] ***day in / of one's life*** **0.2** [⟨mv.⟩ leven] ***days*** *⇒life, lifetime* ◆ **1.2** de rest van zijn ~en ergens slijten *spend the last / rest of one's days / life somewhere* **6.2** daar ben ik **van** mijn ~en nooit geweest *I have never been there in all my born days / my life* **7.2** al zijn ~en *his whole life, all his born days.*

levensdoel ⟨het⟩ **0.1** ***aim / goal in life.***

levensdraad ⟨de (m.)⟩ **0.1** ***thread of life*** *⇒fatal thread* ◆ **3.1** zijn ~ is afgesneden *his life has been cut short.*

levensdrang →**levensdrift**.

levensdrift ⟨de⟩ **0.1** *will to live* ⇒*vital urge*, ⟨vnl. psychoanalyse⟩ *life instinct*.

levensduur ⟨de (m.)⟩ ⟨fig.⟩ **0.1** [duur van het leven] *life span* ⇒⟨verwachte⟩ *life expectancy, duration / length of life* **0.2** [gebruiksduur] *life* ⇒*life span* **0.3** [⟨kernfysica⟩] *mean / average life* ◆ **1.2** de ~ van een wasmachine *the life of a washing machine* **2.1** de gemiddelde ~ van de Nederlander *the life expectancy of a Dutchman;* vermoedelijk ~ *life expectancy* **2.2** een korte ~ hebben *have a short life;* batterijen met een lange ~ *long-life batteries* **3.1** de ~ verkorten / verlengen *shorten / prolong (the) life (of) / the lifespan (of);* de ~ kunstmatig verlengen *prolong life artificially.*

levensduurte ⟨de (v.)⟩ ⟨AZN⟩ **0.1** *cost of living.*

levensecht ⟨bn., bw.⟩ **0.1** ⟨bn.⟩ *lifelike* ⇒*true to life,* ⟨bw.⟩ *in a lifelike way / manner / fashion* ◆ **1.1** een ~ portret *a lifelike portrait* **3.1** personen ~ beschrijven *describe characters as true to life;* in dat boek zijn de personen ~ beschreven *in that novel the characters are true to life.*

levenseinde ⟨het⟩ **0.1** *end of (one's) life.*

levenselixer ⟨het⟩ **0.1** [⟨alch.⟩] *elixer of life* **0.2** [opwekkend elixer] *elixer* ⇒*tonic.*

levenservaring ⟨de (v.)⟩ **0.1** *experience of life* ◆ **3.1** ~ opdoen *gain experience of life* **7.1** geen ~ hebben *have no experience of life;* veel ~ hebben *have a great deal of experience of life.*

levensfase ⟨de (v.)⟩ **0.1** *stage of life.*

levensfilosofie ⟨de (v.)⟩ **0.1** [opvatting, leer] *philosophy of life* ⇒*vitalism* **0.2** [kijk op het leven] *philosophy of life* ⇒*outlook on life.*

levensfuncties ⟨zn.mv.⟩ **0.1** *vital functions.*

levensgang ⟨de (m.)⟩ **0.1** *(course of) life.*

levensgeest ⟨de (m.)⟩ **0.1** ⟨zie 3.1. ¶.1⟩ ◆ **3.1** bij iem. de ~en weer opwekken *resuscitate / revive s.o.;* de ~en waren geweken *life was extinct / had ebbed away* ¶.1 de ~en *the life spirits.*

levensgeheim ⟨het⟩ **0.1** *secret of (one's) life* ⇒*life's secret.*

levensgeluk ⟨het⟩ **0.1** *happiness (in life)* ◆ **3.1** zijn ~ hangt ervan af *his happiness depends on it.*

levensgemeenschap ⟨de (v.)⟩ **0.1** [⟨biol.⟩] *bioc(o)enosis* ⇒⟨concr.⟩ *(ecological / biotic) community* **0.2** [⟨soc.⟩] *community.*

levensgenieter ⟨de (m.)⟩ **0.1** ≠*bon vivant / viveur* ⇒*free-liver, pleasure-lover, hedonist, epicurean.*

levensgeschiedenis ⟨de (v.)⟩ **0.1** *life story* ⇒*life history,* ⟨beschrijving⟩ *biography.*

levensgetrouw ⟨bn., bw.⟩ **0.1** ⟨bn.⟩ *lifelike* ⇒*true to life / nature, to the life, realistic,* ⟨bw.⟩ *in a lifelike way / manner* ◆ **1.1** een ~ beeld *a lifelike picture / ⟨*standbeeld⟩ *statue.*

levensgevaar ⟨het⟩ **0.1** *danger of / peril to life* ⇒⟨mortal⟩ *danger* ◆ **3.1** zodra het directe ~ is geweken *as soon as the immediate danger / peril has subsided / passed;* ~ opleveren *involve peril to one's life, endanger s.o.'s life* **6.1** buiten ~ zijn *be out of danger;* in ~ verkeren *be / stand in danger of losing one's life / in peril of death;* met ~ iem. redden *save s.o. at the risk of one's (own) life.*

levensgevaarlijk ⟨bn., bw.; -ly⟩ **0.1** *perilous* ⇒*dangerous to life, involving risk of life* ◆ **1.1** dat is een ~e ontwikkeling *that is a highly dangerous / critical development;* ⟨verkeer⟩ een ~ punt *a p. intersection;* met ~e snelheid rijden *drive at breakneck speed;* ⟨sport⟩ die spits is ~ *that forward is deadly / a killer.*

levensgevoel ⟨het⟩ **0.1** *feel(ing) for life* ⇒*attitude to life.*

levensgewoonte ⟨de (v.)⟩ **0.1** *habit, custom,* ⟨mv. ook⟩ *way of life* ◆ **2.1** elke dag ontbijten is een goede ~ *it's a good h. to have breakfast every day;* sobere ~ *a simple w. of l..*

levensgezel ⟨de (m.)⟩, **-gezellin** ⟨de (v.)⟩ **0.1** *life partner / companion, partner / companion in life* ⇒⟨niet gehuwd voor de wet⟩ *common-law wife / husband.*

levensgroot ⟨bn.⟩ **0.1** [op natuurlijke grootte] *life-size(d)* ⇒*full scale, as large as life* **0.2** [zeer groot] *huge, enormous* ◆ **1.1** een levensgrote afbeelding *a life-size(d) representation* **1.2** het gevaar is ~ dat ...*there is an enormous danger that ...;* een levensgrote kans missen *miss the chance of a lifetime;* een ~ probleem *a huge / an enormous problem* **3.1** iem. ~ afbeelden *make a life-size representation of s.o.* **8.1** meer dan ~ *larger than life-size.*

levenshouding ⟨de (v.)⟩ **0.1** *attitude to life* ◆ **2.1** de juiste ~ *the right a. to l..*

levensjaar ⟨het⟩ **0.1** *year of (one's) life* ◆ **7.1** in haar vierde ~ *in the fourth y. of her l..*

levenskans ⟨de⟩ **0.1** *chance of survival* ⇒*life expectancy* ⟨om zekere leeftijd te bereiken⟩, *chance in life* ⟨om sociaal iets te bereiken⟩ ◆ **2.1** een bedrijf met (on)voldoende ~en *a (non-)viable firm* **3.1** door de operatie zijn de ~en toegenomen / verminderd *the operation has increased / decreased his chances of survival.*

levenskeus ⟨de⟩ **0.1** *life choice* ⇒*existential choice.*

levenskracht ⟨de⟩ **0.1** *vitality* ⇒*life force, vigour, vital power / force / energy* ◆ **2.1** hernomen ~ *restored / renewed vitality / vigour;* nieuwe ~ opdoen *acquire new vigour / vitality;* nieuwe ~ aan iets / iem. geven *revitalize sth. / s.o.* **3.1** iemands ~ ondermijnen *sap s.o.'s vitality.*

levenskrachtig ⟨bn.⟩ **0.1** *vital* ⇒*vigorous, full of life.*

levenskunst ⟨bn.⟩ **0.1** [savoir-vivre] *savoir-vivre* ⇒*social grace* ⟨vaak mv.⟩ **0.2** [het leven als een kunst beoefenend] *art of living.*

levenskunstenaar ⟨de (m.)⟩ **0.1** *master / expert in / s.o. who has the art of living.*

levenskwestie ⟨de (v.)⟩ **0.1** [van leven en dood] *life and death matter* ⇒*matter / question of life and death* **0.2** [van het hoogste belang] *vital question / matter* ⇒*matter of vital importance (for, to).*

levenslang[1] **0.1** *life imprisonment* ⇒⟨inf.⟩ *life* ◆ **3.1** hij kreeg ~ *he got / was sentenced to l. (i.).*

levenslang[2] ⟨bn., bw.⟩ **0.1** ⟨bn.⟩ *lifelong* ⇒*(for) life,* ⟨bw.⟩ *all one's life* ◆ **1.1** ~ bezit / ~e lijfrente *perpetuity / annuity;* een ~e garantie *a lifetime guarantee;* een ~ gestrafte *s.o. sentenced to life imprisonment;* ⟨sl.⟩ *a lifer;* ~e gevangenisstraf *life imprisonment;* verzekering met ~ premiebetaling *whole-life policy* **3.1** dat zal hem ~ heugen *he will remember that all his life / (for) the whole of his life.*

levenslicht ⟨het⟩ **0.1** *light of life; light of day* ⟨mbt. geboorte⟩ ◆ **3.1** het ~ aanschouwen *(first) see the light of day;* iem. van het ~ beroven / het ~ uitblazen *rob / extinguish the light of s.o.'s life.*

levenslied ⟨het⟩ **0.1** ≠*sentimental / corny song;* ⟨vnl. AE⟩ *torch song* ⟨over onbeantwoorde liefde⟩.

levenslijn ⟨de (v.)⟩ **0.1** [lijn in de hand] *line of life* ⇒*life line* **0.2** [⟨fig.⟩] *line of life* ⇒*life line.*

levensloop ⟨de (m.)⟩ **0.1** [iemands leven] *course of life* **0.2** [curriculum vitae] *curriculum vitae* ⇒*career history / record,* ⟨inf.⟩ *track record,* ⟨vnl. AE⟩ *résumé* ◆ **2.1** een avontuurlijke ~ *an adventurous life* **2.2** vermeld uw vroegere ~ *state your previous career record* **3.1** zijn ~ vertellen *tell one's life story / the story of one's life.*

levenslust ⟨de (m.)⟩ **0.1** [verlangen om te blijven leven] *zest for living, desire to live* **0.2** [opgewektheid] *joy of living* ⇒*high spirits,* ↑*joie de vivre* ◆ **5.2** vol ~ zijn *be full of high spirits / the joy of living.*

levenslustig ⟨bn.⟩ **0.1** [verlangend om te blijven leven] *having a zest for living* **0.2** [vol opgewektheid] *high-spirited, full of spirits* ⇒*cheerful, lively, sprightly.*

levenslustigheid ⟨de (v.)⟩ **0.1** [verlangen om te blijven leven] *zest for living* **0.2** [opgewektheid] *high spirits* ⇒*liveliness, cheerfulness,* ↑*joie de vivre.*

levensmiddelen ⟨zn.mv.⟩ **0.1** *food(s)* ⇒⟨provisie⟩ *provisions,* ⟨voedingsmiddelen⟩ *foodstuffs, articles of food, food articles / products* ◆ **2.1** verduurzaamde ~ *preserved foods;* verpakte ~ *packaged foods.*

levensmiddelenbedrijf ⟨het⟩ **0.1** *grocer's / grocery* (ᴮ*shop* / ᴬ*store*) ⇒*supermarket.*

levensmoe ⟨bn.⟩ **0.1** *weary / tired of life* ⇒*world-weary.*

levensmoed ⟨de (m.)⟩ **0.1** *courage to live / to face life.*

levensmoeheid ⟨de (v.)⟩ **0.1** *weariness of life;* ⟨schr. of med.⟩ *taedium vitae.*

levensomstandigheden ⟨zn.mv.⟩ **0.1** *living conditions* ⇒*circumstances / conditions of life* ◆ **1.1** een verbetering / verslechtering van de ~ *an improvement in / a deterioration of the living conditions.*

levensonderhoud ⟨het⟩ **0.1** [het in stand houden van het leven] *support, means of sustaining life* ⇒*maintenance, sustenance,* ↑*sustentation* **0.2** [kost] *livelihood, living* ◆ **1.1** de kosten van ~ stijgen / dalen *living costs / the cost of living are / is going up / rising / going down / falling* **2.1** in zijn eigen ~ kunnen voorzien *be able to support / keep o.s.* **3.1** voorzien in het ~ van iem. *support / keep s.o., provide for s.o.* **3.2** hij verdient net zijn ~ *he earns a subsistence wage / just enough for subsistence / barely earns his bread and butter / ekes out a living.*

levensopvatting ⟨de (v.)⟩ **0.1** *outlook (up)on life* ⇒*conception / view / philosophy of life, mental attitude to(ward) life, world view* ◆ **2.1** een bekrompen / ruime ~ hebben *have a narrow / broad outlook on / view of life.*

levensovertuiging ⟨de (v.)⟩ **0.1** *philosophy of life* ⇒*life principles, convictions about life.*

levenspad ⟨het⟩ **0.1** *path (of (s.o.'s) life)* ⇒*course of (s.o.'s) life* ◆ **3.1** iemands ~ kruisen *cross s.o.'s path;* zoiets kruist je ~ *such a thing crosses one's path.*

levenspartner ⟨de (m.)⟩ **0.1** *life partner, partner in / for life* ⇒*life companion, companion in / for life.*

levenspatroon ⟨het⟩ **0.1** *life pattern, pattern of life.*

levenspeil ⟨het⟩ **0.1** *standard of living* ⇒*living standard.*

levenspositie ⟨de (v.)⟩ **0.1** *position / job for life.*

levensruimte ⟨de (v.)⟩ **0.1** *living space* ⇒*lebensraum.*

levenssap ⟨het⟩ **0.1** *lifeblood;* ⟨plantk. of fig.⟩ *sap;* ⟨fig. ook⟩ *(vital) juice.*

levensschets ⟨de⟩ **0.1** *(brief) outline of (one's) life.*

levensschool ⟨de⟩ **0.1** *school of life.*

levenssfeer ⟨de⟩ **0.1** ⟨persoonlijke⟩ *privacy, private life* ◆ **2.1** een wet ter bescherming van de persoonlijke ~ *a law safeguarding individual / personal privacy.*

levensstandaard ⟨de (m.)⟩ **0.1** [levenspeil] *standard of living / life* ⇒*living standard* **0.2** [kosten van het levensonderhoud] *cost of living* ⇒*living costs* ◆ **2.1** landen met een hoge / lage ~ *countries with a high / low standard of living* **2.2** de ~ is daar hoger *the cost of living is higher there.*

levensstijl ⟨de (m.)⟩ **0.1** *lifestyle, style of living* ◆ **2.1** een strakke / vaste ~ *a strict / fixed lifestyle.*

levenstaak 〈de〉 **0.1** *life-task-project* ⇒*task in life, lifework,* 〈roeping〉 *mission in life.*

levensteken 〈het〉 **0.1** *sign of life* ◆ **3.1** geen~en vertonen/geven *show/ give no vital sign/signs of life* **7.1** geen~van iem. ontvangen *receive no signs of life/news, not hear from s.o..*

levensvatbaar 〈bn.〉 **0.1** *viable* ⇒*feasible, practicable, practical* 〈plan〉 ◆ **1.1** een levensvatbare vrucht *a v. foetus.*

levensvatbaarheid 〈de (v.)〉 **0.1** *viability* ⇒*feasibility, practicability* 〈plan〉.

levensverhaal 〈het〉 **0.1** *life story* ⇒*story of (one's) life.*

levensverlangen 〈het〉 **0.1** [verlangen om te (blijven) leven] *desire/wish/ longing to live* **0.2** [groot verlangen] *great(est) wish (in one's life).*

levensverrichting 〈de (v.)〉 **0.1** *vital function.*

levensverschijnsel 〈het〉 **0.1** [verschijnsel dat bij het leven hoort] *phenomenon of life* **0.2** [levensteken] *vital phenomenon, sign of life.*

levensvervulling 〈de (v.)〉 **0.1** *life fulfilment* ◆ **3.1** zijn~in iets vinden *find one's (life) fulfilment in sth..*

levensverwachting 〈de (v.)〉 **0.1** [wat men van het leven verwacht] *expectation of/from life* **0.2** [te verwachten gemiddelde duur] *life expectancy* ◆ **2.1** hoge~en hebben *have high/great expectations of life.*

levensverzekering 〈de (v.)〉 **0.1** *life insurance/* 〈BE ook〉 *assurance (policy)* ◆ **2.1** een gemengde ~ *endowment policy* **3.1** een ~ (af)sluiten 〈door verzekerde〉 *take out a l. i. / a. (p.), insure one's life;* 〈door verzekeraar〉 *effect a l. i. / a. (p.).*

levensverzekeringsagent 〈de (m.)〉 **0.1** *life-insurance salesman* 〈m.〉/ *saleswoman* 〈v.〉.

levensverzekering(s)maatschappij 〈de (v.)〉 **0.1** *life insurance/* 〈BE ook〉 *assurance company.*

levensverzekeringspolis 〈de〉 **0.1** *life-insurance/* 〈BE ook〉 *-assurance policy.*

levensverzekeringswiskunde 〈de (v.)〉 **0.1** *actuarial mathematics.*

levensverzekering(s)wiskundige 〈de (m.)〉 **0.1** *actuary.*

levensvisie 〈de (v.)〉 **0.1** *outlook on/view of life* ⇒*world view, Weltanschauung.*

levensvoldoening 〈de (v.)〉 **0.1** *satisfaction (in living/life)* ⇒*contentment (with living/life).*

levensvoorraad 〈de (m.)〉 **0.1** *provisions.*

levensvoorwaarde 〈de〉 **0.1** [waarvan een leven afhankelijk is] *vital condition* **0.2** [omstandigheid] *living condition* ◆ **3.1** 〈fig.〉 geld is voor haar een ~ *money is a necessity for her.*

levensvorm 〈de〉 **0.1** [vorm waarin het leven zich voordoet] *form of life* **0.2** [vorm die men toepast] *form of life* ⇒*way of life* **0.3** [〈psych.〉] *form of (one's) life* **0.4** [〈biol.〉] *form of life* ◆ **2.4** primaire ~en *first/ simple forms of life.*

levensvraag 〈de〉 **0.1** [waarvan het leven afhangt] *question of life and death* **0.2** [hoogst gewichtige vraag] *vital question.*

levensvraagstuk 〈het〉 **0.1** *existential problem/question.*

levensvreugde 〈de (v.)〉 **0.1** [toestand] *joy in/of living/life, joie de vivre* ⇒*zest for living/life* **0.2** [wat vreugde geeft] *joy of/in (one's) life* ◆ **2.2** dat is haar enige ~ *that is the only j. of/in her life* **7.1** weinig~hebben *have not much joy in life/zest for life.*

levenswaarde 〈de (v.)〉 **0.1** *life value, value of/in life* ◆ **2.1** de religie als grootste ~ beschouwen *consider religion the highest value/good in life.*

levenswandel 〈de (m.)〉 **0.1** *conduct (in life)* ⇒*life* ◆ **2.1** een onberispelijke ~ *an irreproachable life/character.*

levenswarmte 〈de (v.)〉 **0.1** *warmth, affection.*

levensweg 〈de (m.)〉 **0.1** *path (of (s.o.'s) life)* ◆ **2.1** iem. veel geluk wensen op zijn verdere ~ *wish s.o. success for his future/in his future life/ career* **6.1** rozen strooien op iemands ~ *strew s.o.'s p. with roses.*

levenswerk 〈het〉 **0.1** *life's work, lifework* ⇒*magnum opus* ◆ **3.1** zijn ~ voltooien *complete one's life's work.*

levenswijs 〈bn.〉 **0.1** *wise* ⇒〈wereldwijs〉 *wordly wise.*

levenswijsheid 〈de (v.)〉 **0.1** *wisdom* ⇒〈wereldwijs〉 *wordly wisdom.*

levenswijze 〈de〉 **0.1** [wijze waarop iem. leeft] *way of life* **0.2** [verrichtingen en gewoonten] *way of life* **0.3** [gedrag] *way of life/living, style of life), conduct* ◆ **2.1** een eenvoudige/een luxeueze ~ *a simple/luxurious way of life, a life of simplicity/(great) luxury* **2.2** een traditionele ~ *a traditional way of life* **3.3** dat is nu eenmaal zijn ~ *that's just his style.*

levenszat 〈bn.〉 **0.1** *fed up with life.*

leventje 〈het〉 **0.1** *life* ◆ **2.1** een lekker ~ leiden *lead a pleasant l.;* een lui ~ hebben *lead a l. of ease;* een luxe ~ leiden *live in grand/great style;* een onbezorgd ~ leiden *lead a carefree l.;* een prinsheerlijk ~ leiden *be in clover, live (like pigs) in clover, live the l. of Riley/like a King/ prince/lord;* een vrolijk ~ leiden *lead a merry l.* **2.¶** 〈iron.〉 toen begon het lieve ~ *then there was the devil to pay, then the fat was in the fire.*

levenwekkend 〈bn.〉 **0.1** [bezielend] *revitalizing, invigorating* ⇒*inspiring* **0.2** [leven tot uiting brengend] *life-giving* ◆ **1.1** het ging een ~e kracht van hem uit *he exuded/radiated life, a life-giving force emanated from him* **1.2** de ~e warmte van de zon *the l.-g. warmth of the sun.*

lever 〈de〉 **0.1** [orgaan] *liver* **0.2** [voedsel] *liver* ◆ **1.2** een broodje ~ *a l.*

sandwich **6.1** het **aan** de ~ hebben *be bilious/liverish;* 〈fig.〉 fris/vers van de ~ 〈recht voor zijn raap〉 *(right/straight) from the shoulder;* 〈geïmproviseerd〉 *off the cuff* **6.¶** 〈AZN〉 〈fig.〉 dat ligt **op** zijn ~ *that sticks in his throat, that rankles;* 〈fig.〉 iets **op** zijn ~ hebben *have sth. on one's mind.*

leveraandoening 〈de (v.)〉 **0.1** *liver complaint/disorder/* 〈inf.〉 *trouble* ◆ **3.1** ze heeft een ~ *she's got l. t. / a l. c. / d..*

leverader 〈de〉 **0.1** *hepatic vein.*

leverancier 〈de (m.)〉 **0.1** *supplier, deliverer, furnisher* ⇒〈aan grote instellingen〉 *contractor, purveyor,* 〈van eten〉 *caterer* ◆ **2.1** Denemarken is een van de voornaamste ~s van boter *Denmark is one of the leading suppliers of butter* **3.1** van ~ veranderen *take/transfer/remove one's custom/trade elsewhere.*

leveranciersingang 〈de (m.)〉 **0.1** *delivery entrance.*

leverantie 〈de (v.)〉 **0.1** [handeling, recht] *delivery* ⇒*supply(ing), provision,* 〈koninklijk recht〉 *purveyance* **0.2** [koopwaar] *supply* ⇒*provision, consignment* ◆ **3.1** een ~ doen *make a d.;* de ~ van iets hebben *have the supply/d. rights to sth..*

leverantiecontract 〈het〉 **0.1** *delivery/supply contract* ⇒*supply agreement.*

leverbaar 〈bn.〉 **0.1** [geleverd kunnende worden] *ready for delivery, available* **0.2** [in goede toestand] *ready for delivery* ◆ **1.1** het artikel is op korte termijn ~ *the article can be supplied/delivered at short notice* **1.2** een partij ~ *a parcel/shipment ready for delivery* **5.1** beperkt ~ zijn *be in limited supply;* niet meer ~ *out of stock, no longer available, non-deliverable; out of print* 〈boek〉 **6.1** uit voorraad ~ *off the shelf, in stock.*

leverbot 〈de (m.)〉 **0.1** *liver fluke.*

leverbotziekte 〈de (v.)〉 **0.1** *liver rot* ⇒*sheeprot.*

levercarcinoom 〈het〉 **0.1** *carcinoma/cancer of the liver.*

levercirrose 〈de (v.)〉 〈med.〉 **0.1** *cirrhosis (of the liver).*

leveren 〈ov.ww.〉 **0.1** [ter beschikking stellen] *supply* ⇒*furnish* **0.2** [verschaffen tegen betaling] *supply* ⇒*deliver* **0.3** [verschaffen] *furnish* ⇒*supply, provide* **0.4** [bezorgen] *give* ⇒*provide* **0.5** [produceren] *produce* ⇒*provide* **0.6** [fiksen] *fix* ⇒*do, bring off* **0.7** [aandoen] *do (to)* **0.8** [laten plaatsvinden] 〈zie 1.8〉 ◆ **1.1** een (financiële) bijdrage ~ *give/contribute/lend/supply (financial) support* **1.3** het bewijs ~ *f. a clear proof;* 〈van bewering enz.〉 *make out one's case;* het bewijs ~ dat ... *produce/bring forward/bear the evidence that ...;* iemand stof ~ voor een verhaal *supply/provide material to s.o. for a story* **1.5** een beeld van iets ~ *produce/provide a picture of sth.;* commentaar ~ *give comments/commentary, comment(ate) (on);* elke plant leverde vier vruchten *each plant produced four pieces of fruit;* goed werk ~ *turn out/produce good work, do a good job* **1.7** iem. een rotstreek ~ *play/ pull a dirty trick on s.o., do s.o. a bad turn* **1.8** slag ~ *fight a/do battle, battle;* een bittere strijd ~ *(be) engage(d) in/wage a bitter struggle* **4.6** het hem ~ *bring/pull it off;* hij heeft het hem weer geleverd *he's done it/brought it off again;* ik weet niet hoe hij het hem geleverd heeft *I don't know how he did it/pulled it off/* ↓*swung it* **4.7** wie heeft me dat geleverd? *who did that to/pulled that on me?* **6.2** bier ~ **aan** cafés *deliver beer to* [B]*pubs/*[A]*bars/* 〈Austr.E〉 *hotels;* wij ~ ook **aan** particulieren/uitsluitend aan de groothandel *we supply also private customers/ only wholesalers* **6.5** kritiek ~ **op** iem. *comment/pass criticism on s.o., criticise s.o..*

leverextract 〈het〉 **0.1** *liver extract.*

leverfunctie 〈de (v.)〉 **0.1** *liver function* ⇒*function of the liver.*

levergezwel 〈het〉 **0.1** *tumor on the liver* ⇒*carcinoma of the liver.*

levering 〈de (v.)〉 **0.1** [het leveren, geleverd worden] *delivery* ⇒*furnishing, supply, provision* **0.2** [leverantie] *delivery, supply* ◆ **6.1** verkoop op ~ *sell for forward/future d.;* ~ op krediet *sell on credit;* prijzen op ~ *forward prices* **6.2** betaling bij ~ *payment (up)on d., cash on d.;* 〈afk.〉 *C.O.D..*

leveringscondities→**leveringsvoorwaarde.**

leveringscontract 〈het〉 **0.1** *delivery/supply contract* ⇒*supply agreement* ◆ **3.1** een ~ afsluiten *conclude a delivery/supply contract.*

leveringsdatum 〈de (m.)〉 **0.1** *delivery date* ⇒*date of delivery.*

leveringsplicht 〈de〉 **0.1** *obligation/duty to deliver.*

leveringsprijs 〈de (m.)〉 **0.1** *delivery price* ⇒*price (contracted) for delivery.*

leveringstermijn 〈de (m.)〉 **0.1** *delivery period/time* ⇒*period/time of delivery* ◆ **6.1** zich houden **aan** de ~ *meet the delivery date.*

leveringsvoorwaarde 〈de (v.)〉 **0.1** *delivery condition(s)* ⇒*term(s) of delivery.*

leverkaas 〈de〉 **0.1** *liver paté* ⇒*liver paste.*

leverkleur 〈de〉 **0.1** *liver (colour).*

leverkleurig 〈bn.〉 **0.1** *liver (coloured).*

leverkruid 〈het〉 **0.1** [plant] *common agrimony* 〈Agrimonia eupatoria〉 **0.2** [plantengeslacht] *hemp agrimony* 〈Eupatorium cannabinum〉 **0.3** [leverbloem] *liverwort, hepatica* 〈genus Hepatica〉.

leverkwaal 〈de (v.)〉 **0.1** *liver complaint/disorder.*

levermos 〈het〉 **0.1** *liverwort.*

leverontsteking 〈de (v.)〉 〈med.〉 **0.1** *hepatitis.*

leverpastei 〈de〉 **0.1** *liver paté* ⇒*liver paste.*

leverpatiënt ⟨de (m.)⟩ **0.1** *liver patient* ⇒*sufferer from liver disease.*

leversteen ⟨de (m.)⟩ **0.1** *liver stone.*

levertijd ⟨de (m.)⟩ **0.1** *delivery period / time* ⇒*period / time of delivery* ◆ **2.1** men dient rekening te houden met lange ~en *long delivery times must be taken into account.*

levertraan ⟨de (m.)⟩ **0.1** *cod-liver oil.*

levervlek ⟨de⟩ **0.1** *liver spot.*

leverworst ⟨de⟩ **0.1** *liver sausage* ⇒⟨AE ook⟩ *liverwurst* ◆ **2.1** Saksische ~ *Saxon liverwurst.*

leverziekte ⟨de (v.)⟩ **0.1** *liver disease.*

leviathan ⟨de (m.)⟩ **0.1** *Leviathan.*

leviet ⟨de (m.)⟩ **0.1** ⟨r.k.⟩ *ordinand* **0.2** [lid van de stam Levi] *Levite* **0.3** [Israëlitische priester] *Levite* ◆ **3.¶** iem. de ~en lezen *lecture s.o., haul s.o. over the coals;* ⟨scherts.⟩ *read s.o. the Riot Act.*

leviraatshuwelijk ⟨het⟩ **0.1** *levirate.*

levitatie ⟨de (v.)⟩ **0.1** *levitation.*

Leviticus ⟨bijb.⟩ **0.1** *Leviticus.*

Levitisch ⟨bn.⟩ ⟨bijb.⟩ **0.1** *Levitical.*

lewisiet ⟨het⟩ **0.1** *lewisite.*

lexeem ⟨het⟩ ⟨taal.⟩ **0.1** *lexeme.*

lexicaal ⟨bn., bw.; -ly⟩ **0.1** *lexical.*

lexicograaf ⟨de (m.)⟩ **0.1** *lexicographer.*

lexicografie ⟨de (v.)⟩ **0.1** *lexicography.*

lexicografisch ⟨bn.⟩ **0.1** *lexicographic(al).*

lexicologie ⟨de (v.)⟩ **0.1** *lexicology.*

lexicoloog ⟨de (m.)⟩ **0.1** *lexicologist.*

lexicon ⟨het⟩ **0.1** [woordenboek] *lexicon* ⇒*dictionary* **0.2** [woordenschat] *lexicon, vocabulary* ⇒*lexis.*

lexicostatistiek ⟨de (v.)⟩ ⟨taal.⟩ **0.1** *lexicostatistics.*

lezen ⟨→sprw. 70⟩
I ⟨onov., ov.ww.⟩ **0.1** [kennis nemen van] *read* ⇒⟨geregeld / als abonnee; vnl. BE⟩ *take in* **0.2** [voorlezen] *read (out / aloud)* ◆ **1.1** ⟨comp.⟩ gegevens lezen *r. data;* kaart ~ *r. a map;* een schema / een tekening ~ *r. a diagram / drawing* **2.1** je handschrift is niet te ~ *your (hand)writing is unreadable / illegible* **3.1** (niet) kunnen ~ en schrijven *be (un)able to r. and write, be (il)literate;* ~, schrijven en rekenen *reading, writing and arithmetic, the three R's;* ⟨fig.⟩ hij kan ermee ~ en schrijven *he can do anything with it;* daarover staat in het rapport niets te ~ *the report says nothing about that;* in de brief / op het bord stond te ~ ... *the letter / noticeboard said ...;* ik heb even rustig zitten ~ *I have had a quiet read, I've been quietly reading* **5.1** begrijpend ~; ik ga even wat ~ *I'll have a short read / I'm going to r. a little while;* zijn boeken laten zich makkelijk ~ *his books make easy reading;* het is haast niet te ~ *it's almost impossible to r. / almost illegible / scarcely readable / legible;* ⟨stud.⟩ heb je er veel omheen gelezen? *have you read up (a lot) on this subject?;* daar heb ik kennelijk overheen gelezen *that must have escaped me, I must have overlooked it;* hij had het contract slecht gelezen *he hadn't read the contract carefully / thoroughly;* technisch ~ *technical comprehension;* hij heeft veel gelezen *he's well-read;* iets vluchtig ~ *skim / have a quick read through sth.;* die krant wordt weinig / slecht gelezen *that newspaper has a small readership* **6.1** het is leuk / pijnlijk **om** te ~ *it is / makes enjoyable / painful reading;* veel ~ **over** een schrijver / een bepaald onderwerp *r. up on a writer / on a particular subject;* na het eten werd er **uit** de bijbel gelezen *after supper s.o. read aloud from the Bible / there was a reading from the Bible;* ⟨muz.⟩ van het blad ~ *sight-read, sing / play at sight;* **voor** 'hij' en 'zijn' leze men ook 'zij' en 'haar' *for 'he' and 'his' read also 'she' and 'her'* **6.2** uit eigen werk ~ *r. (from) one's own work* **7.1** bij het ~ *when / while reading* **8.1** ik lees hier dat ... *it says here that ..., I read here that ... .* **¶.1** zich in slaap ~ *r. o.s. to sleep;* het heeft de koningin (lees: de regering) behaagd ... *it has pleased the queen (read / i.e. the government) ... ;*
II ⟨ov.ww.⟩ **0.1** [opmaken uit, ontcijferen] *make of* ⇒*read* **0.2** [interpreteren, uitleggen] *read* ⇒*interpret* **0.3** [opdragen] *say* ⇒⟨vero.⟩ *read* **0.4** [verzamelen] *gather* ⇒⟨schr.⟩ *glean,* [plukken] *pick* **0.5** [uitzoeken] *pick* ⇒⟨schr.⟩ *glean* ◆ **1.1** ⟨fig.⟩ iemands gedachten ~ *read s.o.'s thoughts / mind* **1.2** iem. de hand ~ *r. s.o.'s hand / palm;* dat staat in zijn ogen te ~ *you can see that in his eyes* **1.3** de mis ~ *s. mass* **3.1** deze bepaling dient men zo te ~ ... *this clause must be construed / understood (so as) to mean* **3.2** de angst stond op zijn gezicht te ~ *anxiety was written all over his face* **5.1** een vraag verkeerd ~ *misread a question* **6.1** er meer **in** ~ dan er staat *read more into sth. (than intended / stated);* wat lees jij **uit** dit woord / deze zin? *what do you m. of this word / sentence?;* daar lees ik **uit** ... *from that I conclude / gather ..., I read that to mean ...* **6.2** iets **op** iemands gezicht ~ *see / r. sth. from / what's written on s.o.'s face;*
III ⟨onov.ww.⟩ **0.1** [zich laten lezen] *read* ◆ **2.1** die gotische letters ~ niet prettig *those Gothic letters are unpleasant to read / to the eye / don't r. easily* **¶.1** dat boek leest lekker weg *that book is easy / pleasant reading /* ⟨BE ook⟩ *a good read.*

lezenaar ⟨de (m.)⟩ **0.1** *reading desk* ⇒*lectern,* ⟨verstelbaar⟩ *book-rest.*

lezenswaard ⟨bn.⟩ **0.1** *worth reading.*

lezer ⟨de (m.)⟩ **0.1** *reader* ◆ **1.1** het aantal ~s neemt nog steeds toe *the*

readership is still increasing; iets onder het oog van de ~ brengen *bring sth. to the attention of the r.* **2.1** de gemiddelde ~ *the average r.;* de oplettende ~ herkent hierin de heer A *the attentive r. will recognize Mr A in this;* een optische ~ *an optical character r.;* een trouwe ~ *a constant / faithful r.;* een verwoed ~ *a great / voracious r.* **7.1** het blad telt 10.000 ~s *the magazine has a readership of 10,000.*

lezerskring ⟨de (m.)⟩ **0.1** ⟨mbt. blad enz.⟩ *readership* ⇒*readers.*

lezerspubliek ⟨het⟩ **0.1** *reading public;* ⟨mbt. blad enz.⟩ *readership, readers.*

lezersrubriek ⟨de (v.)⟩ **0.1** *readers' letters column / section / page, readers' forum* ⇒*correspondence column / section / page,* ⟨in kranten⟩ *letters to the editor.*

lezing ⟨de (v.)⟩ **0.1** [het lezen] *reading* **0.2** [wijze waarop een gebeurtenis wordt voorgesteld] *version* ⇒*reading, construction* **0.3** [het voorlezen van een verhandeling] *lecture* ⇒*discourse, talk* **0.4** [voorlezing] *reading* **0.5** [formulering] *wording* ⇒*phrasing, formulation* ◆ **2.1** bij oppervlakkige / nauwkeurige ~ *on a cursory / a careful reading* **2.2** over deze zaak zijn verschillende ~en in omloop *several different versions of this matter are going around / circulating* **2.5** een bedorven ~ in een tekst *a corrupted w. / reading in a text* **3.2** zij gaf een geheel andere ~ van het gebeuren *she put an entirely different construction on what happend, she gave an entirely different v. of what háppened* **3.3** een ~ houden over *give / deliver / conduct a l. / lecture on / about, read a paper on;* een serie ~en in het land houden *be on a l. tour of the country* **6.5** volgens de ~ van het contract *according to the w. of the contract* **7.4** de tweede ~ van de begroting wordt voortgezet *the second r. of the budget will be continued.*

lezingencyclus ⟨de (m.)⟩ **0.1** *series of lectures.*

l.g. ⟨afk.⟩ **0.1** [laatstgenoemde] ⟨van twee⟩ *the latter;* ⟨van meer⟩ *the last (named / mentioned).*

LHNO ⟨afk.⟩
I ⟨het⟩ **0.1** [lager huishoud- en nijverheidsonderwijs] ⟨*domestic science*⟩;
II ⟨de⟩ **0.1** [school waaraan lager huishoud- en nijverheidsonderwijs wordt gegeven] ⟨≠*domestic science school / department*⟩.

li ⟨de (m.)⟩ **0.1** *li.*

l.i. ⟨afk.⟩ **0.1** [landbouwkundig ingenieur] ⟨*agricultural engineer*⟩.

liaan ⟨de⟩ **0.1** *liana, liane.*

liaison ⟨de (v.)⟩ **0.1** [verhouding] *liaison* ⇒*affair, relation* **0.2** [verbintenis] *liaison* ⇒*connection.*

liaison-officer ⟨de (m.)⟩ **0.1** *liaison officer.*

liane →**liaan.**

lias ⟨de⟩ **0.1** [veter, snoer] *(red) tape* ⇒*tie, cord* **0.2** [bundel papieren] *file.*

Lias ⟨het⟩ ⟨geol.⟩ **0.1** *Lias.*

liaspen ⟨de⟩ **0.1** *paper spindle.*

liasseren ⟨ov.ww.⟩ **0.1** *file.*

lib. ⟨afk.⟩ **0.1** [liberaal] *Lib..*

Libanees[1] ⟨de (m.)⟩, **Libanese** ⟨de (v.)⟩ **0.1** *Lebanese.*

Libanees[2] ⟨bn.⟩ **0.1** *Lebanese.*

libanon ⟨de⟩ **0.1** *Lebanon* ◆ **2.1** rode ~ *red L..*

Libanon ⟨het⟩ **0.1** *(the) Lebanon.*

libatie ⟨de (v.)⟩ **0.1** [drankoffer] *libation* **0.2** ⟨schr.⟩ *libation.*

libel ⟨de⟩ **0.1** [insekt] *dragonfly* **0.2** ⟨mv.⟩ insektenorde] *dragonflies, Odonata* **0.3** [waterpas] *spirit level.*

liberaal[1] ⟨de (m.)⟩ **0.1** ⟨pol.⟩ *Liberal;* ⟨in Ned. ook⟩ *Conservative* **0.2** ⟨rel.⟩ *liberal.*

liberaal[2] ⟨bn., bw.; -ly⟩ **0.1** ⟨pol.⟩ *liberal;* ⟨in Ned. ook⟩ *conservative* **0.2** [ruimdenkend] *liberal* ⇒*broad- / large-minded, tolerant, progressive* **0.3** ⟨rel.⟩ *liberal* **0.4** [vrijgevig] *liberal* ⇒*generous* **0.5** ⟨ec.⟩ *liberal* ◆ **1.1** een liberale abortuswetgeving *a l. abortion legislation, l. abortion laws;* een ~ standpunt innemen *take a l. stance;* een liberale wetgeving *l. legislation* **3.2** hij stelde zich ~ op *he took a l. position.*

liberalisatie ⟨de (v.)⟩ **0.1** *liberalization* ◆ **1.1** een voorstander / tegenstander van de ~ van de abortus *a proponent / an opponent of the l. of abortion.*

liberaliseren ⟨ov.ww.⟩ **0.1** *liberalize* ◆ **1.1** de handel met het buitenland / de huren ~ *l. foreign trade / decontrol rents.*

liberalisme ⟨het⟩ **0.1** *liberalism.*

liberaliteit ⟨de (v.)⟩ **0.1** [onbevooroordeelde denk- / handelwijze] *liberality* **0.2** [vrijgevigheid] *liberality.*

liber amicorum ⟨het⟩ **0.1** *festschrift.*

Liberia ⟨het⟩ **0.1** *Liberia.*

Liberiaan ⟨de (m.)⟩, **-se** ⟨de (v.)⟩ **0.1** *Liberian.*

Liberiaans ⟨bn.⟩ **0.1** *Liberian.*

libero ⟨de (m.)⟩ ⟨sport⟩ **0.1** *sweeper* ⇒*libero, free back.*

libertair ⟨de (m.)⟩ **0.1** *libertarian.*

libertijn ⟨de (m.)⟩ ⟨gesch.⟩ **0.1** *libertine* ⇒⟨vrijdenker⟩ *free-thinker,* ⟨losbandige⟩ *debauchee.*

libertijns ⟨bn.⟩ **0.1** *libertine* ⇒*licencious, dissolute, debauched, dissipated.*

libidineus ⟨bn.⟩ **0.1** *libidinous* ⇒*lustful.*

libido ⟨de (m.)⟩ **0.1** *libido* ⇒*sexual urge, sex drive* ◆ **3.1** een preparaat dat de ~ remt / stimuleert *a preparation that inhibits / stimulates the l..*

Libië ⟨het⟩ **0.1** *Libya.*
Libiër ⟨de (m.)⟩, **Libische** ⟨de (v.)⟩ **0.1** *Libyan.*
Libisch ⟨bn.⟩ **0.1** *Libyan.*
libratie ⟨de (v.)⟩ ⟨ster.⟩ **0.1** *libration.*
libre ⟨het⟩ ⟨sport⟩ **0.1** *free game* ◆ **3.1** ~ spelen *play a f. g.* **6.1** sterk zijn
in het ~ *be good at f. g..*
librettist ⟨de (m.)⟩ ⟨muz.⟩ **0.1** *librettist.*
libretto ⟨het⟩ **0.1** [operatekst] *libretto* **0.2** [boekje] *libretto.*
librium ⟨de (v.)⟩ **0.1** *librium* ◆ **3.1** ~ slikken *take l..*
lic. ⟨AZN; afk.⟩ **0.1** [licentiaat] ⟨*licentiate*⟩.
licentiaat
I ⟨de (m.)⟩ **0.1** [persoon] *licentiate;*
II ⟨het⟩ **0.1** [waardigheid, graad] *licentiate* ⇒*licence* ^*se*, ≠*master's
degree* **0.2** [studiejaren] *licentiate / licence years* ◆ **3.1** zijn ~ behalen
aan de universiteit van A. *be awarded one's licentiate / ≠master's degree by the University of A..*
licentiaatsdiploma ⟨het⟩ ⟨school.⟩ **0.1** *licentiate; ≠master's degree.*
licentiaatsthesis ⟨de (m.)⟩ ⟨AZN⟩ **0.1** *licentiate's thesis* ⇒≠*M.A. /
M.Sc. thesis, ≠Master's thesis.*
licentie ⟨de (v.)⟩ **0.1** [verlof, patent] *licence* ^*se* **0.2** [startvergunning]
permit ⇒*licence* ^*se* **0.3** [⟨schr.⟩ ongebondenheid] *licence* ^*se* **0.4** [li-
centiaat] *licentiate* ⇒*licence* ^*se* ◆ **2.3** poëtische ~s *poetic l.* **3.2**
⟨sport⟩ een ~ afgeven / intrekken *issue / withdraw a p.* **6.1** een artikel
in / onder ~ vervaardigen *manufacture an article under l..*
licentiegever ⟨de (m.)⟩ **0.1** *licenser* ⇒⟨vnl. AE⟩ *licensor.*
licentiehouder ⟨de (m.)⟩ **0.1** *licencee* ^*see.*
lichaam ⟨het⟩ **0.1** [lijf van mens / dier] *body* **0.2** [romp van mens / dier]
trunk ⇒*body* **0.3** [maatschappelijke instelling] *body* **0.4** [hoeveelheid
materie] *body* ⇒*corpus* **0.5** [het eigenlijke van een geheel] *substance*
⇒*body* ◆ **1.1** gezond zijn naar ~ en geest *sound / healthy in b. and
mind / spirit* **1.3** het ~ van de Staat *the State, the b. politic* **2.1** over het
hele ~ *all over (the b.) / from head to foot;* over zijn hele ~ beven
shake / shiver all over **2.3** een openbaar ~ *a public b. / corporation;* een
wetgevend ~ *a legislative b.* **2.4** meetkundige lichamen *geometric(al)
figures / bodies;* vaste / vloeibare en gasvormige lichamen *solids, liquids and gases* **3.1** ⟨fig.⟩ maar één ~ hebben *there's only one of me, I
can't be everywhere, I can only be one place at a time* **3.2** het hoofd
van het ~ scheiden *separate / sever the head from the body / t.* **6.1** iets
op zijn ~ verbergen *secrete / hide sth. on / about one's person / b..*
lichaamsarbeid ⟨de (m.)⟩ **0.1** *physical / manual labour / work.*
lichaamsbeweging ⟨de (v.)⟩ **0.1** [om het lichaam te versterken] *(physical) exercise* ⇒⟨mv.⟩ *gymnastics* **0.2** [beweging van het lichaam]
physical movement / motion ◆ **2.1** onvoldoende ~ krijgen *get insufficient (p.) e.* **3.1** hij moet meer ~ nemen / meer aan ~ doen *he must
take / do more (p.) e. / do more about his physical condition.*
lichaamsbouw ⟨de (m.)⟩ **0.1** *build, figure* ⇒*stature, physique* ◆ **2.1** een
fraaie / lelijke ~ *a nice / an ugly b. / f..*
lichaamscel ⟨de⟩ **0.1** *somatic cell.*
lichaamscultus ⟨de (m.)⟩ **0.1** *body cult, cult of the body.*
lichaamsdeel ⟨het⟩ **0.1** *part of the body* ⇒*member,* ⟨arm of been⟩ *limb.*
lichaamsgebrek ⟨het⟩ **0.1** *physical / bodily defect* ⇒*infirmity, disability,
handicap.*
lichaamsgesteldheid ⟨de (v.)⟩ **0.1** *physical / bodily condition.*
lichaamsgeur ⟨de (m.)⟩ **0.1** *body odour* ⇒⟨inf.⟩ *b.o..*
lichaamsgewicht ⟨het⟩ **0.1** *body weight.*
lichaamsholte ⟨de (v.)⟩ **0.1** [mbt. de mens] *body cavity* **0.2** [mbt. dieren]
body cavity.
lichaamshouding ⟨de (v.)⟩ **0.1** *posture* ⇒*carriage.*
lichaamskracht ⟨de⟩ **0.1** *(physical) strength.*
lichaamslengte ⟨de (v.)⟩ **0.1** ⟨van mens⟩ *(physical) height* ⇒*stature,*
⟨van dier⟩ *(physical) length.*
lichaamsluis ⟨de⟩ **0.1** *body-louse.*
lichaamsoefening ⟨de⟩, **-gen** ⟨zn.mv.⟩ **0.1** *physical exercise(s)* ⇒*gymnastics,* ⟨mv. ook; scherts.⟩ *physical jerks.*
lichaamsstaal ⟨de⟩ **0.1** *body language.*
lichaamstechniek ⟨de (v.)⟩ **0.1** *body control.*
lichaamstemperatuur ⟨de (v.)⟩ **0.1** *body temperature.*
lichaamsverzorging ⟨de (v.)⟩ **0.1** *personal hygiene* ⇒*care of the body.*
lichaamsvocht ⟨het⟩ **0.1** *bodily fluid;* ⟨gesch.⟩ *humour.*
lichaamswarmte ⟨de (v.)⟩ **0.1** *body heat* ⇒*bodily warmth.*
lichamelijk
I ⟨bn., bw.; -ly⟩ **0.1** [wat het lichaam betreft] *physical* ⇒*bodily, corporal,* ⟨med. ook⟩ *somatic* ◆ **1.1** ~ gebreken vertonen *have p. defects;* ~ letsel oplopen *sustain bodily injury / harm;* ~e opvoeding *p.
training, PT, physical education, PE, gym(nastics);* een leraar ~e opvoeding *a gym / PT / PE teacher;* het ~e welzijn *p. and
mental well-being / health* **2.1** hij is ~ zwak *he is physically weak /* ⟨ihb.
door ouderdom⟩ *infirm* ¶.**1** ~ tot niets in staat zijn *not be physically
capable of anything.*
II ⟨bn.⟩ **0.1** [tastbaar] *physical* ⇒*corporal,* ⟨stoffelijk⟩ *material, cor-
poreal* ◆ **1.1** de ~e wereld *the p. / material world.*
lichamelijkheid ⟨de (v.)⟩ **0.1** *corporality.*
lichen ⟨de⟩ ⟨med.⟩ **0.1** *lichen.*

lichenachtig ⟨bn.⟩ ⟨med.⟩ **0.1** *lichenous.*
licht[1] ⟨het⟩ ⟨→sprw. 374,631⟩ **0.1** [schijnsel] *light* **0.2** [verlichting] *light*
0.3 [verlichte plaats] *light* **0.4** [weerlicht] *lightning* **0.5** [lamp] *light* **0.6**
[intelligent mens] *genius, light* ◆ **1.1** ~ en schaduw *l. and shade;* ~ van
de zon *sunlight* **1.2** waar zit de knop van het ~? *where's the
light-switch?* **1.3** tussen ~ en donker *in the twilight / the semi-darkness*
2.1 elektrisch ~ *electric l.;* flauw ~ *dim l.;* helder / zacht ~ *bright / soft
l.;* ⟨fig.⟩ we moeten dat in het juiste ~ proberen te zien *we must try to
put that in the proper / right l. / perspective;* ⟨fig.⟩ dat werpt een nieuw
~ op de zaak *that puts things in another / a different l.* **2.3** ⟨fig.⟩ iets in
een nieuw / ander ~ zien *see sth. in a different / new / another l.;* in het
volle ~ komen *te staan come into the l. /* ⟨fig.⟩ *into the open* **2.5** ⟨fig.⟩
het groene ~ geven *give the go-ahead / the green l. /* ⟨fig.⟩ het groene ~
krijgen *get the go-ahead / the green l.;* door rood ~ rijden *drive / go
through a red l. / the red* **3.1** ⟨fig.⟩ wie brengt ~ in deze zaak? *who can
throw / shed l. on this matter?;* de lamp geeft weinig ~ *the lamp doesn't
give much l.;* ⟨fig.; scherts⟩ het ~ gezien hebben *have seen the l.;*
⟨fig.⟩ zij gunnen elkaar het ~ in de ogen niet *they can't stand each
other, they wouldn't give each other the time of day;* ⟨sl.⟩ *they hate
each other's guts;* ~ maken *light up;* ⟨elektrisch⟩ *turn on the / some l.;*
⟨lucifer⟩ *strike a l.;* ~ uitstralen *give out / send out /* ⟨wet.⟩ *radiate l.;* ~
werpen op *shed / throw / cast l. on* ⟨ook fig.⟩ **3.2** het ~ aan- / uitdoen
put / ⟨schakelaar ook⟩ *turn / switch the l. on / off /* ⟨uit ook⟩ *out;* er
brandde nog ~ op de studeerkamer *there was still (a) l. (on) in the
study;* overal viel het ~ uit ⟨ook⟩ *all the lights went out* **3.3** ⟨fig.⟩ het
~ doen zien *bring out, produce;* ⟨boek ook⟩ *publish;* iem. in het ~
staan, in iemands ~ staan, iem. het ~ benemen *be in s.o.'s light, stand
in s.o.'s light, block s.o.'s light;* ⟨fig.⟩ het ~ zien *see the l.* ⟨persoon,
zaak⟩ **3.5** ⟨fig.⟩ nu gaat mij een ~ op *now I see;* met gedimde ~en
with dipped (head)lights; ⟨fig.⟩ toen ging er een ~ je (bij me) op *then
it dawned (up)on me, then the penny dropped;* ⟨fig.⟩ laat je ~ eens op
deze zaak schijnen *could you turn your attention to / give your verdict
on this matter?;* ⟨fig.⟩ zijn ~ bij iem. opsteken *inquire of / make inquiries of s.o., go to s.o. for information;* het ~ staat op rood *the l.'s
red;* alle ~en werden gedoofd *all the lights were doused* **3.6** hij is geen
~ *he's no g. / Einstein;* je hoeft geen ~ te zijn om ... *you don't have /
need to be a g. to ..., it doesn't take / it hardly takes a g. to ...* **3.¶** zijn ~
onder de korenmaat zetten *hide one's light under a bushel* **6.1** in ⟨het⟩
~ baden *be bathed in l.;* ⟨fig.⟩ nu komt er ~ in de zaak / in de duisternis *now we can see daylight / see (l. at) the end of the tunnel;* iets **tegen**
het ~ houden *hold sth. (up) to / against the l.* ⟨ook fig.⟩; ga eens uit
mijn ~ *get out of my l. please* **6.2** een fietser / fiets / brommer / auto **zonder** ~ *a cyclist / bicycle / moped / car without (any) lights* **6.3** ⟨fig.⟩ **aan**
het ~ brengen *bring to l., reveal, bring into the open, lay bare;* ⟨ont-
dekken⟩ *uncover, unearth;* ⟨fig.⟩ **aan** het ~ komen *come to l.;* ⟨fig.⟩
de waarheid komt toch **aan** het ~ *the truth is bound to come out / come
to light;* ⟨schr.⟩ *the truth will out;* in het ~ plaatsen / stellen ⟨fig.⟩
throw / shed l. (up)on **6.5** met de ~en knipperen *flash (one's
(head)lights)* **6.¶** **in** het ~ van de gebeurtenissen *in the light of events;*
in het ~ daarvan ... *such being the case;* **in** dat ~ gezien *viewed / looked
at in that light / from that perspective.*
licht[2] ⟨→sprw. 255,283,559⟩
I ⟨bn.⟩ **0.1** [niet zwaar] *light* **0.2** [goed verlicht] *light* ⇒*bright* **0.3** [hel-
der van kleur] *light* ⇒*pale* ⟨zeer licht⟩, *fair* ⟨haar, huid⟩ **0.4** [soepel]
light ⇒⟨beweging van mens ook⟩ *agile, lithe, nimble, sprightly* **0.5**
[niet fors] *light* ⇒*delicate,* ⟨pej.⟩ *flimsy* **0.6** [weinig inspanning vra-
gend] *light* ⇒*easy, undemanding, untaxing* **0.7** [makkelijk verteer-
baar] *light* **0.8** [gering in omvang, van aard] *light* ⇒*slight* **0.9** [onvast]
light **0.10** [mbt. stemgeluiden] *soft* ⇒⟨zangstem ook⟩ *light* **0.11** [licht-
zinnig] *light(-headed)* ⇒*frivolous,* ⟨zorgeloos⟩ *easy(-going), carefree,
light-hearted, happy-go-lucky* **0.12** [mbt. grondsoort] *light* ⇒*loose,
porous* ◆ **1.1** ~e cavalerie *l. cavalry / horse;* ~e ruiterij *l. artillery / guns*
1.3 een ~e gelaatskleur *a fair complexion;* ~e ogen *l. / pale eyes* **1.4**
met ~e tred *with a light tread, treading lightly, light-footed* **1.5** een ~e
motor *a l. motorcycle;* een sierlijke en ~e vorm *a l. and graceful / elegant form* **1.6** ~e lectuur / muziek *l. reading / music;* ⟨muziek ook⟩
easy listening **1.7** ~ bier / ~e sigaretten / sigaren / tabak *l. beer / cigarettes / cigars / tobacco;* ⟨sigaretten ook⟩ *milds, lights;* een ~e maaltijd *a l.
meal, a snack;* een ~ ontbijt *a l. breakfast* **1.8** ~ arrest *open arrest;* een
~e aanrijding *a slight / minor collision;* een ~e afwijking vertonen *exhibit a slight / minor defect;* ⟨fig.⟩ een ~e afwijking hebben *be a bit
strange / funny / odd / peculiar;* een ~e blessure *a minor injury;* een ~e
buiging *a slight bow;* een ~e hartaanval *a mild heart attack;* een ~ medicament *a mild medicine;* een ~e straf *a l. penalty / sentence;* een ~
vergrijp *a minor / trivial / pecuniary offence;* een ~e verkoudheid /
griep(aanval) *a slight cold, a touch of (the) flu;* ~e verwondingen
slight injuries; ~e vorst *(s)light frost;* een ~e zonnesteek *a touch of the
sun, (a) mild sunstroke* **3.1** ⟨fig.⟩ (gewogen en) te ~ bevonden *(tried
and) found wanting;* ⟨fig.⟩ iem. honderd gulden ~er maken *take /
sting s.o. for a hundred guilders, swendle s.o. out of a hundred guilders;* ⟨fig.⟩ zij voelde zich ~ in het hoofd *she felt l. in the head / giddy /
dizzy, her head was swimming* **3.2** het wordt al ~ *it's getting l., dawn /
the day is breaking* **5.1** veel te ~ zijn *be considerably underweight;* een

kilo te ~ *a kilogram short/underweight* **6.1** ⟨fig.⟩ ~ **van** gemoed *l.-hearted, walking on air, on top of the world;* ~ **van** gewicht *light(-weight)* **8.1** zo ~ als een veer *(as) l. as a feather/as (thistle)down, gossamer l.;*

II ⟨bw.⟩ **0.1** [niet zwaar, helder, soepel] *lightly* ⇒ ⟨lopen, slapen, met weinig bagage⟩ *light* **0.2** [enigszins] *slightly* ⇒*somewhat* **0.3** [gemakkelijk, gauw] *easily* ⇒*readily* **0.4** [ten minste] *at least* **0.5** [zeer] *highly* ◆ **2.2** ~ alcoholische dranken *light/slightly alcoholic drinks;* ~ gezouten *(s)lightly salted* **2.3** ~ gekleurd papier *toned paper;* ~ verteerbaar *(e.) digestible, light* **2.5** ~ ontvlambare stoffen *h. (in)flammable materials* **3.1** deze fiets loopt lekker ~ *this bicycle is nice and light to ride/runs smoothly;* ~ slapen *sleep light* **3.2** ~ opgemaakt *lightly made-up* **3.3** je moet daar niet te ~ over denken *you mustn't think (too) lightly of that/pass over that too lightly;* dat zal ik niet ~ vergeten *I won't forget that in a hurry;* zoiets wordt ~ vergeten/over het hoofd gezien *that sort of thing is easily/liable to be forgotten/overlooked.*

lichtaansluiting ⟨de (v.)⟩ **0.1** *mains connection.*

lichtbak ⟨de (m.)⟩ **0.1** [bak met lampen] *light box/frame* **0.2** [bak om wild te verblinden] *dazzle-light* ⇒*jacklight* **0.3** [bak met doorschijnende plaat] *light box* **0.4** [reclamebord met binnenverlichting] *illuminated sign* ⇒*neon sign.*

lichtbaken ⟨het⟩ **0.1** *beacon (light)* ⟨ook fig.⟩.

lichtband ⟨de (m.)⟩ **0.1** [lichtkrant] *illuminated news trailer* **0.2** [lichtstrook] *band/ribbon of light.*

lichtbeeld ⟨het⟩ **0.1** *slide, transparency.*

lichtbeuk ⟨de⟩ **0.1** *clerestory.*

lichtblauw ⟨bn.⟩ **0.1** *light/pale blue.*

lichtblond ⟨bn.⟩ **0.1** *light(-blond)* ⇒*fair, flaxen, platinum blond* ⟨gespoeld in lichtst mogelijke kleur⟩.

lichtboei ⟨de⟩ **0.1** *light buoy.*

lichtboog ⟨de (m.)⟩ ⟨tech.⟩ **0.1** *arc.*

lichtbrekend ⟨bn.⟩ ⟨nat.⟩ **0.1** *refractive* ◆ **1.1** ~e scheidingsvlakken *r. interfaces.*

lichtbreking ⟨de (v.)⟩ ⟨nat.⟩ **0.1** *refraction of light.*

lichtbron ⟨de (m.)⟩ **0.1** *light source* ⇒*source of light.*

lichtbruin ⟨bn.⟩ **0.1** *light/pale brown;* ⟨mbt. ogen ook⟩ *hazel.*

lichtbrulboei ⟨de⟩ **0.1** *light-and-whistle buoy.*

lichtbuis ⟨de⟩ **0.1** *fluorescent/neon tube/light/lamp.*

lichtbundel ⟨de (m.)⟩ **0.1** *beam of light* ⇒*shaft/pencil of light.*

lichtcel ⟨de⟩ **0.1** *photoelectric cell.*

lichtclaxon ⟨de (m.)⟩ **0.1** *flash (of the headlights).*

lichtdicht ⟨bn.⟩ **0.1** *lighttight* ⇒*lightproof.*

lichtdruk ⟨de (m.)⟩ **0.1** [reproduktieprocédé] *collotype* ⇒*heliotype, phototype, diazo(type)* **0.2** [afdruk] *collotype* ⇒*heliotype, phototype, diazo(type)* **0.3** ⟨nat.⟩ *light pressure.*

lichtdrukken ⟨ww.⟩ **0.1** *collotype* ◆ **3.1** iets laten ~ *have a collotype made of sth..*

lichtdrukpapier ⟨het⟩ **0.1** ⟨alg.⟩ *sensitive paper;* ⟨specifieker⟩ *diazo paper.*

lichtecht ⟨bn.⟩ **0.1** *colourfast* ⇒*non-fading, lightfast,* ⟨AE ook⟩ *sunfast.*

lichtechtheid ⟨de (v.)⟩ **0.1** *colourfastness* ⇒⟨AE ook⟩ *sunfastness.*

lichteenheid ⟨de (v.)⟩ **0.1** *unit of light.*

lichteeuw ⟨de⟩ **0.1** *light century.*

lichteffect ⟨het⟩ **0.1** *light(ing) effect* ⇒*effect of light.*

lichtekooi ⟨de (v.)⟩ ⟨vero.⟩ **0.1** *strumpet* ⇒*drab, wench, punk.*

lichtelaaie→**lichterlaaie.**

lichtelijk ⟨bw.⟩ **0.1** [enigszins] *slightly* ⇒*somewhat, a bit* **0.2** [moeiteloos] *easily* ◆ **2.1** ~ aangeschoten *a bit tipsy/merry, mellow;* ⟨alleen predicatief⟩ *happy;* ~ verlegd zijn *be slightly indisposed;* hij was ~ verbaasd *he was mildly surprised;* iem. ~ verbaasd aankijken *look at s.o. in mild-eyed wonder;* ⟨inf.⟩ ~ verdwaald *a bit off-course;* ~ vermaakt toezien *look on in mild/faint amusement/mildly/faintly amused* **3.2** dat kan men ~ begrijpen *that can be e. understood, that is quite understandable* ¶.1 ~ van streek zijn *be somewhat upset/slightly ruffled.*

lichten (→sprw. 319)

I ⟨onov.ww.⟩ **0.1** [licht geven] *light (up)* ⇒*phosphoresce* ⟨zee⟩ **0.2** [bliksemen] *lighten* **0.3** [krieken] *dawn* ⇒*break* **0.4** [bijlichten] *light* ◆ **1.1** het ~ van de zee *the phosphorescence of the sea* **3.3** het begint te ~ *day is dawning/breaking, it is getting light, dawn is breaking* **6.1** er lichtte iets in zijn ogen *sth. lit up in his eyes;*

II ⟨ov.ww.⟩ **0.1** [optillen] *lift* ⇒*raise* **0.2** [optillen om toegang te krijgen] *lift* ⇒*raise* **0.3** [eruit halen] *remove* ⇒*extract, unload* **0.4** [legen] *empty* ⇒*clear, relieve,* ⟨gedeeltelijk lossen van schip⟩ *lighten* **0.5** [oproepen] *raise* ⇒*conscript, draft, levy* ◆ **1.1** het anker ~ *weigh anchor;* de hoed ~ *raise/l. one's hat;* een schip ~ *raise/l. a ship;* een visnet ~ *draw/haul in a net* **1.4** een brievenbus ~ e. a [B]*letter-box/*[A]*mailbox, collect the letters;* de lade ~ *make off with the till;* een parkeermeter ~ *e. a parking meter;* ⟨door onbevoegden⟩ *rob a parking meter* **1.**¶ daar wordt vaak de hand mee gelicht *that is often skimped/not taken seriously* **6.1** een deur **uit** zijn hengsels ~ *take a door off its hinges, unhinge a door* **6.3** een alinea **uit** een tekst ~ *extract a paragraph from a text;* iem. **van** zijn bed ~ *arrest s.o. in his bed.*

lichtend ⟨bn.⟩ **0.1** [⟨fig.⟩] *shining* **0.2** [lichtgevend] *shining* ⇒*luminous, luminescent, phosphorescent* ⟨zee⟩ ◆ **1.1** een ~ voorbeeld *a s. example/light, a beacon* **1.2** ~e ster *a s./bright/luminous star.*

lichter ⟨de (m.)⟩ **0.1** [hefboom] *lifter* ⇒*lever,* ⟨vnl. scheep.⟩ *purchase* **0.2** [vaartuig om een lading over te laden] *lighter* **0.3** [⟨gesch.⟩] *scout* ◆ **6.2** lossen in ~s *lighter.*

lichtergeld ⟨het⟩ ⟨scheep.⟩ **0.1** *lighterage.*

lichterlaaie ◆ **6.**¶ het gebouw stond in ~ *the building was (all) ablaze/in a blaze.*

lichterman ⟨de (m.)⟩ ⟨scheep.⟩ **0.1** *lighterman.*

lichtfilter ⟨het, de (m.)⟩ **0.1** *(light) filter.*

lichtflits ⟨de (m.)⟩ **0.1** *flash (of light).*

lichtgas ⟨het⟩ **0.1** *coal gas.*

lichtgebouwd ⟨bn.⟩ **0.1** ⟨persoon⟩*(s)lightly built* ⇒*slight,* ⟨voorwerpen⟩ *delicate, light/weight).*

lichtgeel ⟨bn.⟩ **0.1** *light/pale yellow.*

lichtgekleurd ⟨bn.⟩ **0.1** *light-coloured;* ⟨alleen ná zn.⟩ *light in colour.*

lichtgelovig ⟨bn.⟩ **0.1** *credulous* ⇒*gullible, naive* ◆ **3.1** ~ zijn *swallow anything, be a gudgeon, swallow sth. hook, line and sinker.*

lichtgelovigheid ⟨de (v.)⟩ **0.1** *credulity* ⇒*gullibility.*

lichtgeraakt ⟨bn.⟩ **0.1** *touchy* ⇒*irritable, quick-/short-tempered, over-sensitive, thin-skinned* ◆ **3.1** ~ zijn *be quick to take offence, have a chip on one's shoulders.*

lichtgeraaktheid ⟨de (v.)⟩ **0.1** *touchiness* ⇒*irritableness, quick-/short-temperedness, huffiness.*

lichtgevend ⟨bn.⟩ **0.1** *luminous* ⇒⟨biol.⟩ *photogenic* ◆ **1.1** een ~e diode *a light-emitting diode, a LED.*

lichtgevoelig ⟨bn.⟩ **0.1** *(light) sensitive* ⇒*photosensitive* ◆ **1.1** de ~e laag *the emulsion;* ~ papier *s. paper.*

lichtgevoeligheid ⟨de (v.)⟩ **0.1** *photo sensitivity* ⇒*light-sensitivity, sensitivity to light.*

lichtgewapend ⟨bn.⟩ **0.1** *light(ly)-armed.*

lichtgewicht[1]

I ⟨de (m.)⟩ **0.1** [⟨sport⟩] *lightweight* **0.2** [⟨fig.⟩] *lightweight* ⇒*featherweight;*

II ⟨het⟩ **0.1** [⟨sport⟩] *lightweight.*

lichtgewicht[2] ⟨bn.⟩ **0.1** *light(weight)* ⇒⟨kleding ook⟩ *summer-weight,* ⟨zeer licht⟩ *featherweight.*

lichtgolf ⟨de⟩ ⟨nat.⟩ **0.1** *light wave.*

lichtgranaat ⟨de⟩ **0.1** *star shell Very light, flare.*

lichtgrijs ⟨bn.⟩ **0.1** *light/pale grey.*

lichtgroen ⟨bn.⟩ **0.1** *light/pale green.*

lichtharig ⟨bn.⟩ **0.1** *fair(-haired)* ⇒[B]*blond* ⟨m.⟩, *blonde* ⟨v.⟩, [A]*blond* ⟨m., v.⟩.

lichtheid ⟨de (v.)⟩ **0.1** [geringe zwaarte] *lightness* **0.2** [licht gevoel] *lightness* ⇒*lightheadedness, giddiness, dizziness, unsteadiness.*

lichthoofdig ⟨bn.⟩ **0.1** *rash* ⇒*scatterbrained.*

lichting ⟨de (v.)⟩ **0.1** [rekrutering] *levy* ⇒*draft, conscription* **0.2** [opgeroepen soldaten] *batch* ⇒*class* ⟨van een jaar⟩ **0.3** [het ledigen van een brievenbus] *collection* ⇒⟨BE ook⟩ *post* **0.4** [het omhoogbrengen] *lifting* ⇒*raising* **0.5** [overbrenging van goederen] *unloading* **0.6** [mbt. een (geld)lening] *taking (up)* ◆ **1.2** ⟨fig.⟩ een nieuwe ~ studenten *a new crop of students* **2.2** een nieuwe ~ oproepen *call up a new class, make a fresh levy* **2.3** de laatste ~ halen/missen *catch/miss the last c./post* **6.2** de ~ van '86 *the 1986 b./class* **7.2** ⟨fig.⟩ oud-studenten van de ~ 1978 *former students of the 1978 vin...ge/* ⟨AE ook⟩ *of the class of 1978* **7.3** de eerste ~ heeft plaatsgehad *the first c. has been made, the first post has gone.*

lichtingstijd ⟨de (m.)⟩ **0.1** *time of collection.*

lichtinstallatie ⟨de (v.)⟩ **0.1** *lighting (installation).*

lichtintensiteit ⟨de (v.)⟩ **0.1** *light/* ⟨wet. ook⟩ *luminous intensity.*

lichtinval ⟨de (m.)⟩ **0.1** *incidence of light.*

lichtjaar ⟨het⟩ **0.1** *light-year.*

lichtjes ⟨bw.⟩ **0.1** [niet drukkend] *lightly* **0.2** [luchthartig] *lighty* ⇒*airily* **0.3** [met gemakkelijke beweging] *lightly* ⇒*airily, nimbly, gracefully* **0.4** [in zeer geringe mate] *slightly* ⇒*a bit/trifle, somewhat* ◆ **2.4** ~ verbrand *slightly/a bit/a trifle burnt* **3.1** iem. ~ duwen/aanstoten *nudge s.o.;* ~ over iets strijken *smooth (over) sth.* **l. 3.2** iets ~ opnemen *take/treat sth. l., make light of sth., think l. of sth..*

lichtkabel ⟨de (m.)⟩ **0.1** *light cable* ⇒*main.*

lichtkap ⟨de (m.)⟩ **0.1** *lantern.*

lichtkegel ⟨de (m.)⟩ **0.1** *conical beam of light* ⇒*pencil of light.*

lichtkever ⟨de (m.)⟩ **0.1** *firefly* ⇒*glow-worm.*

lichtkoepel ⟨de (m.)⟩ **0.1** *skylight.*

lichtkogel ⟨de (m.)⟩ **0.1** *(signal) flare* ⇒*Very light, star shell.*

lichtkoker ⟨de (m.)⟩ **0.1** *light shaft.*

lichtkracht ⟨de⟩ **0.1** *light intensity* ⇒⟨ster.⟩ *luminosity.*

lichtkrans ⟨de (m.)⟩ **0.1** *halo* ⇒⟨ster. ook⟩ *aureole, corona,* ⟨om hoofd ook⟩ *glory.*

lichtkrant ⟨de⟩ **0.1** *illuminated news trailer.*

lichtkring ⟨de (m.)⟩ **0.1** [verlichte kring] *circle of light* **0.2** [halo] *halo* ⇒*aureole, corona.*

lichtkroon ⟨de⟩ **0.1** *chandelier.*

lichtleiding ⟨de (v.)⟩ **0.1** *(lighting) main(s)* ⇒⟨alle leidingen in huis⟩ *electric wiring*.
lichtloep ⟨de⟩ **0.1** *magnifying glass (with a light in it)*.
lichtmast ⟨de (m.)⟩ **0.1** *lamppost* =*lamp standard*.
lichtmatroos ⟨de (m.)⟩ **0.1** *ordinary seaman* ⇒*O.S.,* ⟨BE ook⟩ *(naval) rating*.
lichtmetaal ⟨het⟩ ⟨tech.⟩ **0.1** *light metal*.
lichtmetalen ⟨bn., alleen attr.⟩ **0.1** *light metal*.
lichtmeter ⟨de (m.)⟩ **0.1** [fotometer] *photometer* **0.2** [⟨foto.⟩] *light meter*.
lichtminuut ⟨de⟩ **0.1** *light-minute*.
lichtmis ⟨de (m.)⟩ **0.1** *libertine* ⇒*rake, profligate, reprobate* ◆ **1.**¶ ⟨r.k.⟩ Maria-Lichtmis *the Purification, Candlemas*.
lichtmot ⟨de⟩ **0.1** *pyralid*.
lichtnet ⟨het⟩ **0.1** *(electric) mains* ⇒*lighting system* ◆ **6.1** een apparaat op het ~ aansluiten *connect an appliance to the m. / to the electric supply, plug in an appliance;* op het ~ werken *run / operate off the m.*.
lichtpaars ⟨bn.⟩ **0.1** *light / pale purple* ⇒*mauve*.
lichtpeertje ⟨het⟩ **0.1** *(electric)(light) bulb*.
lichtpen ⟨de⟩ ⟨comp.⟩ **0.1** *light pen(cil)*.
lichtpistool ⟨het⟩ **0.1** *Very / flare pistol*.
lichtpunt ⟨het⟩ **0.1** [lichtend punt] *point / spot / pin-prick of light* **0.2** [⟨fig.⟩] *ray of hope* ⇒*bright spot, redeeming feature* **0.3** [aansluitingspunt op het lichtnet] *power point* ⇒*connection,* ⟨BE ook⟩ *point* ◆ **1.3** de plaatsing van de ~en *the location of the (p.) points / connections* **2.2** het enige ~ je *the one / only r. of h. / bright spot / redeeming feature* **3.3** ~en aanbrengen *the location of the (p.) points / connections, put in / install (p.) points / connections* **7.2** ik zie één ~ je en dat is ... *I can see just one r. of h. / bright spot / redeeming feature, and that is ...*.
lichtquant ⟨het⟩ **0.1** *photon*.
lichtraket ⟨de⟩ **0.1** *(signal) rocket*.
lichtreactie ⟨de (v.)⟩ **0.1** *photochemical reaction*.
lichtreclame ⟨de⟩ **0.1** [reclame] *illuminated advertising* ⇒*illuminated advertisement* ⟨geval hiervan⟩ **0.2** [toestel] *electric light sign* ⇒*illuminated / neon sign, sky-sign* ⟨bovenop gebouw⟩, *flasher unit* ⟨knipperend⟩.
lichtrood ⟨bn.⟩ **0.1** *light /* ⟨zeldz.⟩ *pale red*.
lichtrooster ⟨het, de (m.)⟩ **0.1** [rooster] *grating* **0.2** [roosterwerk] *grating*.
lichtrose ⟨bn.⟩ **0.1** *pale / light pink*.
lichtschakering ⟨de (v.)⟩ **0.1** *chiaroscuro* ⇒*(play of) light and shade*.
lichtschip ⟨het⟩ **0.1** *lightship* ⇒*floating light*.
lichtschuw ⟨bn.⟩ **0.1** [⟨med.⟩] *photophobic* **0.2** [⟨biol.⟩]⟨ook⟩ *lucifugous, lucifugal* **0.3** [⟨fig.⟩] *shunning the light* ⇒*afraid of the light,* ⟨schr.⟩ *lucifuous* ◆ **1.2** uilen zijn ~ *owls are lucifugous* **1.3** allerlei ~ gespuis *all sorts of riffraff that is afraid of / that shuns the light, all sorts of shady characters*.
lichtschuwheid ⟨de (v.)⟩ **0.1** *photophobia*.
lichtshow ⟨de (m.)⟩ **0.1** *light show*.
lichtsignaal ⟨het⟩ **0.1** *light signal* ⇒*flash* ◆ **3.1** een ~ geven *flash* **6.1** iets met lichtsignalen aan iem. doorgeven *wink /* ^A*blink / flash sth. at s.o.*.
lichtsluis ⟨de⟩ **0.1** [tussenvertrek tussen twee ruimten] *light trap* **0.2** [lichtkoker] *light shaft*.
lichtsnelheid ⟨de (v.)⟩ **0.1** *speed of light* ⇒ ⟨nat.⟩ *velocity of light*.
lichtspoormunitie ⟨het⟩ **0.1** *tracer (bullets)*.
lichtstad ⟨de⟩ **0.1** [stad van beschaving; Parijs] *City of Light* **0.2** [stad badend in elektrisch licht] *city of lights*.
lichtsterk ⟨bn.⟩ **0.1** [veel lichtstralen verzamelend] *fast* ⟨objectief⟩ **0.2** [veel licht gevend] *bright* =*intense*.
lichtsterkte ⟨de (v.)⟩ **0.1** [intensiteit van het licht] *brightness, intensity of light* ⇒⟨nat.⟩ *luminous intensity, luminosity* **0.2** [⟨foto.⟩] *speed* ◆ **6.1** een ~ van 200 kaarsen *200 candelas / candlepower*.
lichtstraal ⟨de⟩ **0.1** [lijn van het licht] *ray / beam / shaft of light* ⇒⟨spleet ook⟩ *chink of light,* ⟨bliksem⟩ *flash of lightning* **0.2** [⟨fig.⟩] *ray of light / sunshine* ⇒*gleam of hope, bright spot, redeeming feature*.
lichtstreep ⟨de⟩ **0.1** *streak of light*.
lichtstroom ⟨de (m.)⟩ **0.1** [stroom van licht] *stream of light* **0.2** [⟨nat.⟩] *light flux* =*luminous flux* **0.3** [stroom voor elektrische verlichting] *light current*.
lichttechniek ⟨de (v.)⟩ **0.1** *lighting (engineering)*.
lichttherapie ⟨de (v.)⟩ **0.1** *phototherapy* ⇒*light treatment / cure*.
lichttijd ⟨de (m.)⟩ **0.1** *light equation*.
lichtvaardig ⟨bn., bw.; -ly⟩ **0.1** *rash* ⇒*thoughtless, imprudent,* ⟨bw. ook⟩ *lightly, flippant* ⟨woorden⟩ ◆ **1.1** je laat je tot een ~ oordeel verleiden *you are tempted / inclined to judge rashly / prematurely / to jump to a r. conclusion;* ~ optimisme *shallow optimism* **3.1** ~ een eed doen *swear rashly;* ~ handelen *act rashly, trifle (with);* ~ spreken *speak lightly / flippantly / triflingly;* zijn vertrouwen ~ wegschenken *trust too easily / readily*.
lichtvaardigheid ⟨de (v.)⟩ **0.1** *rashness* ⇒*thoughtlessness, imprudence,* ⟨schr.⟩ *levity*.
lichtval ⟨de (m.)⟩ **0.1** *incidence of light*.
lichtverbruik ⟨het⟩ **0.1** *consumption of light /* ⟨stroom⟩ *electricity*.

lichtvisje ⟨het⟩ **0.1** *head-and-tail-light (fish)*.
lichtvlek ⟨de⟩ **0.1** *patch of light;* ⟨lichtere plek⟩ *bright spot / patch*.
lichtvoetig ⟨bn., bw.⟩ **0.1** *light-footed* ⇒*light on one's feet, nimble, agile, fleet of foot* ◆ **1.1** ⟨fig.⟩ ~e poëzie *graceful / elegant / flowing verse*.
lichtwachter ⟨de (m.)⟩ **0.1** ⟨op vuurtoren⟩ *lighthouse /* ⟨op lichtschip⟩ *lightship keeper*.
lichtwaterreactor ⟨de (m.)⟩ **0.1** *light water reactor*.
lichtwedstrijd ⟨de (m.)⟩⟨sport⟩ **0.1** *match played by floodlight* ⇒*floodlight match, evening match*.
lichtwerking ⟨de (v.)⟩ **0.1** *action of light* ⇒*effect(s) of light*.
lichtzetmachine ⟨de (v.)⟩ **0.1** *photosetting machine*.
lichtzijde ⟨de⟩ **0.1** [naar het licht toegekeerde kant] *light(ed) side* **0.2** [⟨fig.⟩] *bright side* ⇒*sunny side*.
lichtzinnig ⟨bn., bw.⟩ **0.1** [ondoordacht] *frivolous* ⇒*shallow, superficial,* ⟨in positieve zin⟩ *light-hearted, gay* **0.2** [losbandig] *light* ⇒*loose, licentious, abandoned, profligate* ⟨met geld⟩, ⟨vero.⟩ *wanton* ◆ **1.1** een ~e fout *a silly mistake* **3.1** ~ omspringen met *trifle with* **3.2** ~ leven *live a loose life;* ⟨sl.⟩ *swing*.
lichtzinnigheid ⟨de (v.)⟩ **0.1** *frivolity* ⇒⟨schr.⟩ *levity*.
lichtzwak ⟨bn.⟩ **0.1** [niet lichtsterk] *slow* **0.2** [weinig licht gevend] *dim*.
lictorenbundel ⟨de (m.)⟩⟨gesch.⟩ **0.1** *fasces*.
lid ⟨het⟩ ⟨→sprw. 324⟩ **0.1** [deksel] *lid* =*top* **0.2** [ooglid] *lid* **0.3** [persoon die deel uitmaakt van een groep, ⟨vaak in samenst.⟩] *member* **0.4** [onderdeel] *part* **0.5** [deel van het lichaam] *part* ⇒*member,* ⟨ledemaat ook⟩ *limb,* ⟨deel vinger / teen⟩ *phalanx* **0.6** [gewricht] *joint* **0.7** [lichaamsdeel van een insekt] *part* ⇒*segment* **0.8** [⟨biol.⟩ deel van een stengel] *section* ⇒*internode* **0.9** [deel v.e. samengesteld woord] *morpheme* **0.10** [⟨wisk.⟩] *term* **0.11** [paragraaf] *paragraph* =*clause, head, (sub-)section* **0.12** [⟨iron., pej.⟩ persoon] *character* ⇒*sort* ◆ **1.3** het aantal leden bedraagt ... *the membership is ...;* ~ v.e. firma *a m. of / a partner in a firm;* ~ v.d. gemeenteraad *(town) councillor;* ~ v.d. Kamer [B]*Member of Parliament, M.P.,* [A]*Representative;* hij werd verkozen tot ~ van de Raad / het Parlement *he was elected / voted onto the Council / into Parliament /* [A]*Congress;* ⟨Parlement ook⟩ *he was returned to Parliament;* ~ van verdienste *honorary m.* **1.5** recht van lijf en leden *straight-limbed* **2.3** betalend ~ *sustaining m.;* buitengewoon ~ *associate (m.);* geregistreerd / stemgerechtigd ~ *card-carrying / voting m.;* nieuw ~ ⟨ook⟩ *entrant, entryist, recruit;* ouder ~ ⟨ook⟩ *oldster;* ⟨pej.⟩ papieren ~ *paper m.;* zittend ~ *sitting m.* **2.5** het (mannelijk) ~ *the (male / virile) member* **3.3** ~ blijven *stay on the books, continue as (a) m., continue one's membership;* ⟨in bestuur⟩ *continue in office;* deze omroep heeft / telt 500.000 leden *this broadcasting company has a membership of 500,000;* hij is ~ v.d. raad van bestuur *he serves on the (company) board;* ⟨school.⟩ *he's one of the governors;* niet-studenten kunnen geen ~ worden *non-students are not eligible for / admitted to membership;* ~ worden van *join, become a m. of, enter, go into;* ~ worden v.d. E.E.G. *join / go into Europe / the EEC;* voor het leven worden *become a life / paid up m.;* ~ zijn van de bibliotheek *be a library m., belong to the library;* ~ zijn van *be a member of;* be / serve on *(comité e.d.);* be a partner in ⟨firma⟩ **4.5** hij beefde over al zijn leden *he trembled / shook in every limb / all over / from head to toe* **6.2** een griep onder de leden hebben *be sickening for / coming down with 'flu* **6.5** hij heeft een ziekte onder de leden *he has caught / is getting a disease* **6.6** een ontwrichte elleboog in het ~ plaatsen / zetten *put back /* ⟨med.⟩ *reduce a dislocated elbow;* zijn arm is uit het ~ *his arm is out of j. / dislocated* **7.11** artikel 3, ~ 4 *sectio 3, p. 4; subsection 4 of section 3* **8.3** als ~ bedanken *resign one's membership;* iem. als ~ schrappen / royeren *strike s.o.'s name from the books;* ⟨beroepsorganisaties e.d.⟩ *strike s.o. off;* iem. als ~ afwijzen *blackball s.o.;* als ~ toelaten *admit to / accept for membership;* ⟨plechtig⟩ *incorporate, induct;* weer als ~ aanvaarden *receive back into the fold;* beëdigd worden als ~ *van be sworn in as a member of;* zich als ~ aanmelden / opgeven *apply for membership*.
lidcactus ⟨de (m.)⟩ **0.1** *Christmas / crab cactus*.
lidkaart ⟨de⟩⟨AZN⟩ **0.1** *membership card*.
lidmaat ⟨het, de (m.)⟩ **0.1** *(church) member, member of the congregation* ◆ **8.1** als ~ bevestigen / aannemen *confirm*.
lidmaatschap ⟨het⟩ **0.1** [mbt. een vereniging / college] *membership* **0.2** [mbt. een kerkgenootschap] *membership* ◆ **1.1** bewijs van ~ *m. card / ticket / certificate, card / ticket of m., member's ticket;* iem. v.h. ~ v.e. vereniging uitsluiten *exclude s.o. from m. of a club, refuse to admit s.o. as (a) member of a club* **3.1** het ~ kost f25,- *the m. fee / (m.) subscription is 25 guilders;* zijn ~ opzeggen *resign one's m., leave, withdraw;* het ~ staat ook open voor niet-studenten *m. is also open to non-students* **6.1** voor het ~ bedanken *resign one's m.*.
lidmaatschapsgeld ⟨het⟩ **0.1** *membership fee / contribution*.
lidmaatschapskaart ⟨de⟩ **0.1** *membership card*.
lido ⟨het⟩ **0.1** ⟨aardr.⟩ *barrier;* ⟨badstrand⟩ *lido* ◆ **1.1** het ~ van Venetië *the Venice l.*.
lidstaat ⟨de (m.)⟩ **0.1** *member coutry* ⇒*member state*.
lidsteng ⟨de⟩⟨biol.⟩ **0.1** *mare's-tail*.
lidwoord ⟨het⟩ ⟨taal.⟩ **0.1** *article* ◆ **2.1** bepaald en onbepaald ~ *definite and indefinite a.*.

liebaard ⟨de (m.)⟩ ⟨herald.⟩ **0.1** *lion*.

Liechtenstein 0.1 *Liechtenstein*.

Liechtensteins ⟨bn.⟩ **0.1** *Liechtenstein*.

lied ⟨het⟩ **0.1** [gezang] *song* ⇒⟨rel.⟩ *hymn, canticle,* ⟨vnl. Dui. romantiek⟩ *lied* **0.2** [melodisch geluid] *song, singing* **0.3** [vogelgezang] *song, call* ◆ **1.2** het ~ v.d. wind/ zee *the s. / singing of the wind/ sea* **2.1** de ~eren van Brahms *Brahms' Lieder;* geestelijke en wereldlijke ~eren *sacred/ religious and secular songs;* het hoogste ~ zingen *be over the moon, be wild with joy;* meerstemmig ~ *part-song;* ⟨hist.⟩ *glee, madrigal* **3.1** een ~ aanheffen *strike up a/ burst/ break into s.* **¶.1** Lied der Liederen *Song of songs, Song of Solomon;* ⟨zeldz.⟩ *Canticle of canticles*.

liedboek ⟨het⟩ **0.1** *songbook* ⇒⟨met kerkliederen⟩ *hymnbook*.

lieden ⟨zn.mv.⟩ **0.1** *folk* ^*folks* ⇒*people* ◆ **1.1** ~ v.h. laagste allooi *riffraff, rabble, vermin, low characters* **4.1** ⟨pej.⟩ dat kun je verwachten bij zulke ~ *that's to be expected from such f. / people like that*.

liederlijk
I ⟨bn., bw.; -ly⟩ **0.1** [zeer zedeloos] *debauched* ⇒*dissolute, dissipated, brutish* ◆ **1.1** ~ gedrag *lechery, debauchery;* een ~ leven leiden *lead a loose life;* ~e taal uitslaan *utter obscenities, use vulgar language;* een ~e vent *a debauchee/ lecher/* ⟨inf.⟩ *dirty old man;*
II ⟨bw.⟩ ⟨inf.⟩ ◆ **3.¶** ik verveel mij ~ *I'm bored stiff/ to death*.

liederlijkheid ⟨de (v.)⟩ **0.1** *debauchery* ⇒*dissoluteness,* ⟨van man ook⟩ *rakishness*.

liedje ⟨het⟩ **0.1** *song* ⇒*tune, ditty* ◆ **1.1** ⟨fig.⟩ het einde van het ~ was, dat… *the end of it/ the upshot was that* **2.1** ⟨fig.⟩ ik zal haar een ander ~ laten zingen *I'll make her change her tune;* ⟨fig.⟩ altijd hetzelfde ~ *(it's) the same old s. / story;* ⟨fig.⟩ het is weer het oude ~ *it's the same old s. / story* **3.1** ⟨fig.⟩⟨nee,⟩ dat ~ kennen we *say no more, no need to go on* **6.1** ⟨fig.⟩ zij zingen het ~ **van** verlangen *they're playing for time / drawing it out as long as they can;* ⟨fig.⟩ dat is een ~ **zonder** einde *that goes on and on, there's no end to it* **¶.1** een ~ ten beste geven *give a s.*.

liedjesschrijver ⟨de (m.)⟩, **-schrijfster** ⟨de (v.)⟩ **0.1** ⟨*woman/ female*⟩ *songwriter* ⇒⟨*woman/ female*⟩ *writer of songs,* ⟨inf.⟩ *song/ tunesmith*.

lief¹ ⟨het⟩ **0.1** [iets aangenaams] *joy* **0.2** ⟨schr.⟩ geliefde] *beloved* ⇒ ↓*love,* ↓*dear,* ↓*sweetheart,* ↓*darling* ◆ **1.1** ~ en leed met iem. delen *share life's joys and sorrows with s.o., share the sweet and the bitter with s.o.;* in ~ en leed *for better (or) for worse, (in) rain or shine*.

lief² ⟨→sprw. 267,340⟩
I ⟨bn.⟩ **0.1** [geliefd] *dear* ⇒*beloved* **0.2** [vriendelijk] *dear* ⇒*sweet, nice, kind* **0.3** [aangenaam] *nice* ⇒*sweet, kind, agreeable* **0.4** [mooi] *dear* ⇒*sweet, cute* **0.5** ⟨aanspreekvorm⟩ *dear* **0.6** [gewenst] *fond* **0.7** [dierbaar] *dear* ⇒*treasured, valued, precious* ◆ **1.1** Onze Lieve Heer *Our (dear/ blessed) Lord;* dat lieve hondje van jou heeft in mijn schoen gepoept *that precious little dog of yours/ your dear little dog has shit/ pooped in my shoe;* (maar) mijn lieve kind *(but) my d. / child / girl* ⟨enz.⟩; lieve vrouw *d. / beloved wife;* Onze Lieve Vrouw *Our Lady* **1.2** ⟨iron.⟩ een lieve jongen *a nice/ precious fellow, a cute one;* een ~ karakter *a sweet temper/ nature, a kind heart* **1.3** lieve woordjes *sweet nothings, endearments, soft words* **1.4** een ~ gezichtje *a sweet/ pretty/ d. (little) face;* een ~ hoedje *a d. / sweet/ cute little hat;* een ~ kind *a sweet/ darling/ adorable child, a little darling/ cherub/ angel/ love;* met een ~ stemmetje *with a sweet voice* **1.5** lieve mensen *(my) d. people/ friends* **1.6** zijn ~ste klusje is piepers schillen *his favourite job is peeling potatoes;* zijn ~ste wens *his dearest/ fondest wish* **1.7** dat kost een lieve cent/ duit/ stuiver *that costs/ that'll cost a pretty penny/ a fortune/ a bit;* lieve hemel!/ God!/ help! ⟨verrassing⟩ *heavens (above)!, good Lord!/ gracious!/ grief!, bless my soul!;* ⟨bezorgdheid⟩ oh *d.!, dear(y) me!, a. God!, Oh Lord!;* een ~ sommetje *a precious sum, a pretty penny;* voor het lieve sommetje van 1000 gulden *to the tune of 1,000 guilders;* om de lieve vrede *for the sake of peace (and quiet)* **2.7** ze heeft er een ~ ding voor over om te slagen *she would give her right arm/ her ears to pass* **3.1** iem. ~ krijgen *come to love s.o., grow fond of s.o., take to s.o.;* ⟨verliefd worden ook⟩ *fall in love with s.o.* **3.2** dat is ~ *God bless your soul!, there's a good soul* **3.3** al te/ overdreven ~ doen ⟨tortelduifjesachtig⟩ *be lovey-dovey, coo/ slobber (over s.o. / one another);* hij was zo ~ tegen u *he was so kind/ nice/ sweet to you;* zij zijn erg ~ voor elkaar *they are very devoted to each other;* zich ~ voordoen *pretend to be sweet/ n., act the n. guy;* wees nu eens ~, toe nou *there's a good boy/ girl/ fellow, be a dear* **3.4** er ~ uitzien *look sweet/ lovely* **3.6** langer blijven dan ⟨iem.⟩ ~ is *outstay/ overstay one's welcome;* meer dan mij ~ was *more than I cared for/ liked;* het gebeurde vaker dan mij ~ was *it happened more often than I care to remember/ count* **3.7** de vrijheid is ons boven alles ~ *we love/ value freedom/ liberty above all;* als je leven je ~ is *if you value your life, if you hold your life d.* **6.2** dat was ~ **van** haar om jou mee te nemen *it was nice/ sweet/ kind of her to take you along* **6.7** iets **voor** ~ nemen *put up with sth.; make do with sth.* ⟨bij gebrek aan beter⟩; tegenslagen **voor** ~ nemen *take the rough with the smooth;*
II ⟨bw.⟩ **0.1** [op vriendelijke wijze] *sweetly* ⇒*nicely, kindly, affectionately* **0.2** [bekoorlijk] *sweetly* ⇒*nicely, prettily* **0.3** [gaarne] ⟨zie 5.3⟩ ◆ **3.1** iem. ~ aankijken *give s.o. a sweet/ affectionate look;* ze deden ~

tegen elkaar *they were (being) very nice/ sweet to each other;* als je het heel ~ vraagt dan …*if you ask nicely, then* …**3.2** die jurk staat je ~ *that dress looks sweet/ charming/ lovely on you;* zij wonen hier ~ *they've got a charming/ sweet little place here* **5.3** ik deed het net zo ~ niet *I'd (just) as soon not do it*.

liefdadig ⟨bn.⟩ **0.1** *charitable* ⇒*benevolent,* ⟨persoon ook⟩ *beneficent* ◆ **1.1** een ~ doel *a charity/ good cause;* het is voor een ~ doel *it is c. / for charity;* ~e instellingen *c. institutions, benevolent societies*.

liefdadigheid ⟨de (v.)⟩ **0.1** *charity* ⇒*benevolence, benefaction, beneficence* ◆ **1.1** werken van ~ *charitable deeds, deeds of c.;* ⟨vaak pej.⟩ *good works* **3.1** ~ bedrijven *work for charity, do charitable work/* ⟨vaak pej.⟩ *good works* **6.1** van de ~ leven *live on charity*.

liefdadigheidsbazaar ⟨de (m.)⟩ **0.1** *charity bazaar* ⇒*charity rummage/* ⟨BE vnl.⟩ *jumble sale, sale of work for charity*.

liefdadigheidsconcert ⟨het⟩ **0.1** *charity concert;* ⟨voor één persoon⟩ *benefit concert*.

liefdadigheidsinstelling ⟨de (v.)⟩ **0.1** *charity* ⇒*charitable institution*.

liefdadigheidsvoorstelling ⟨de (v.)⟩ **0.1** *charity performance;* ⟨voor één persoon⟩ *benefit performance*.

liefde ⟨de (v.)⟩ ⟨→sprw. 26,399-404,480,544⟩ **0.1** [genegenheid] *love* ⇒ *affection, devotion, fondness, attachment* **0.2** [gehechtheid] *love* ⇒*attachment* **0.3** [⟨rel.⟩] *love* ⇒*charity* ⟨voor naaste⟩ **0.4** [interesse] *love* ⇒*fondness,* ⟨hevig⟩ *passion* **0.5** [belangstellende toewijding] *love* ⇒ *devotion* **0.6** [voorwerp van liefde] *love* **0.7** [seksuele omgang] *love, lovemaking* ◆ **1.1** kind der ~ *l.-child* **2.1** hartstochtelijke ~ *passion;* kinderlijke ~ *childish l. / affection;* ⟨van kind voor ouder⟩ *filial l. / affection;* een onbeantwoorde ~ koesteren voor iem. *carry a/ the torch for s.o., foster an unrequited l. for s.o.;* een ongelukkige ~ achter de rug hebben *have been crossed in l., have suffered a disappointment in l.;* oprechte/ zuivere/ zinnelijke ~ *true/ pure l.;* ⟨zinnelijk⟩ *sensual/ carnal l.;* platonische ~ *platonic l.* **2.4** landschapschilders hadden zijn grote ~ *landscape painters were his great l. / passion* **2.6** haar grote ~ *her great l.;* de ware ~ *true l.* **2.7** betaalde ~ *l. for sale;* vrije ~ *free l.* **3.1** iemands ~ beantwoorden *return s.o.'s l. / affection;* ~ opvatten voor iem. *come to love s.o., fall in l. with s.o.;* iem. zijn ~ verklaren *declare o.s. to s.o., affirm one's l. for s.o.;* ~ voelen voor *love, feel affection for, be fond of;* de ~ v.e. vrouw winnen *win a woman's l. / hand* **3.7** de ~ bedrijven *make l., have sex* **6.1** geluk hebben/ gelukkig zijn in de ~ *be lucky in l.;* ~ **op** het eerste gezicht *l. at first sight;* de ~ **tot** zijn ouders *filial l. / affection;* hij deed het uit ~ *he did it for l. / as a labour of l.;* geheel en al **uit** ~ *purely and simply out of l.;* een huwelijk **uit** ~ *a l. match;* trouwen **uit** ~ *marry for l.;* **van** ~ branden *be aflame/ burning with l. / passion;* smachtend **van** ~ *lovesick, lovelorn, mooning, pining* **6.2** de ~ **voor** het vaderland *(the) l. of one's country, patriotism* **6.3** de ~ **tot** God *l. of God* **6.4** ~ **voor** de kunst *l. of art;* zijn ~ **voor** de vrouwtjes *his fondness for the ladies* **6.5** hij vervult zijn taak met ~ *he fulfils ^fills his task lovingly/ devotedly/ with devotion/ dedication;* wil je dat voor me doen? ja hoor, met ~ alle ~ *would you do that for me? of course, with pleasure/ gladly/ I'd be (only too) glad to*.

liefdeblijk ⟨het⟩ **0.1** *love token* ⇒*token of love*.

liefdedaad ⟨de⟩ **0.1** *act of charity/ love*.

liefdedienst ⟨de (m.)⟩ **0.1** [dienst uit liefde] *labour of love* ⇒*(act of) kindness, kind service, kindly office* **0.2** [weldaad] *act of charity* ⇒ *charitable deed* ◆ **3.2** iem. een ~ bewijzen *do someone a kindness/ a labour of love for s.o.*.

liefdegave ⟨de⟩ **0.1** *charity* ⇒*alms, charitable gift*.

liefdegesticht ⟨het⟩ **0.1** *charitable institution*.

liefdegod ⟨de (m.)⟩ **0.1** *(the god of) love* ⇒*Cupid*.

liefdegras ⟨het⟩ **0.1** [geslacht van grassen] *love grass* **0.2** [siergras] *panic (grass)*.

liefdeleven ⟨het⟩ **0.1** *love life*.

liefdeloos ⟨bn., bw.; -ly⟩ **0.1** *loveless* ⇒*cold-/ hard-hearted, unfeeling,* ⟨zonder naastenliefde⟩ *uncharitable* ◆ **3.1** iem. ~ behandelen *treat s.o. coldly/ hard-heartedly, be hard-hearted towards s.o.*.

liefdemaal ⟨het⟩ **0.1** *love feast* ⇒*agape*.

liefderijk ⟨bn., bw.; -ly⟩ **0.1** *loving* ⇒*affectionate, devoted, warm* ◆ **3.1** iem. ~ opnemen *take s.o. into one's home, welcome s.o. (in) with open arms;* iem. ~ verzorgen *give s.o. (tender) l. care, foster s.o.*.

liefdesaffaire ⟨de⟩ **0.1** *(love) affair* ⇒*romance* ◆ **2.1** onstuimige ~ *passionate affair, grande passion*.

liefdesappel ⟨de (m.)⟩ ⟨vero.⟩ **0.1** *love apple*.

liefdesavontuur ⟨het⟩ **0.1** *romance* ⇒*love affair, love/ amorous adventure/ escapade/ entanglement*.

liefdesbetrekking ⟨de (v.)⟩ **0.1** *(love) affair* ⇒⟨euf.⟩ *relationship, romance, (love) intrigue* ◆ **3.1** een ~ aanknopen *start/ enter into a relationship, start an affair, strike up a romance*.

liefdesbetuiging ⟨de (v.)⟩ **0.1** *profession/ protestation of love*.

liefdesbrief ⟨de (m.)⟩ **0.1** *love letter*.

liefdesdaad ⟨de⟩ **0.1** *act of love(making)*.

liefdesdrama ⟨het⟩ **0.1** *love tragedy*.

liefdesdrank ⟨de (m.)⟩ **0.1** *love potion/* ⟨zeldz.⟩ *philtre*.

liefdesgedicht ⟨het⟩ **0.1** *love poem*.

liefdesgeschiedenis ⟨de (v.)⟩ **0.1** [minnarij] *love affair* ⇒*romance* **0.2** [romannetje] *love story* ⇒*romance*.

liefdeskind 〈het〉〈euf.〉 **0.1** *love child.*
liefdesknoop 〈de (m.)〉 **0.1** *love-/lovers' knot* ⇒*true-love/-lovers' knot.*
liefdeslied 〈het〉 **0.1** *love song.*
liefdesroman 〈de (m.)〉 **0.1** *love story* ⇒*romance.*
liefdesscène 〈het,de (m.)〉 **0.1** *love scene.*
liefdesspel 〈het〉 **0.1** *love-play, lovemaking* ⇒*intimacy.*
liefdesverdriet 〈het〉 **0.1** *pangs of love* ◆ **3.1** ~ hebben *be crossed/disappointed in love, wear the willow, carry a/the torch for s.o..*
liefdesverhouding 〈de (v.)〉 **0.1** *(love) affair* ⇒〈euf.〉 *relationship, romance, (love) intrigue* ◆ **3.1** een ~ met iem. hebben *have an affair/a relationship with s.o., carry on with s.o..*
liefdesverklaring 〈de (v.)〉 **0.1** *declaration of love* ⇒〈huwelijksaanzoek〉 *proposal* ◆ **3.1** iem. een ~ doen *declare o.s. to s.o., affirm one's love for s.o.;* 〈huwelijksaanzoek doen〉 *propose to s.o..*
liefdevol 〈bn., bw.;-ly〉 **0.1** *loving* ⇒*affectionate, devoted, warm* ◆ **1.1** een ~le omgeving *a l./caring environment;* ~le toewijding *l. devotion;* ~le verzorging iem. *care* **3.1** iem. ~ aankijken *give s.o. a l. look, look at s.o. with love;* ~ behandelen *treat lovingly/affectionately, caress sth.;* iets ~ hanteren *use sth. lovingly/affectionately.*
liefdewerk 〈het〉 **0.1** [naastenliefde] *work of charity* ⇒*work of mercy, charitable deed,* 〈onbetaald〉 *labour of love* **0.2** [liefdadige bezigheid] *charity* ⇒*charitable work,* 〈mv.〉 *good works* ◆ **3.1** een ~ verrichten *do a good deed/work of charity/charitable deed/labour of love* **¶.2** het is ~ oud papier *it's for love only, I'm* 〈enz.〉 *doing it for love.*
liefdezuster 〈de (v.)〉 **0.1** *Sister of Charity* ⇒*Sister of Mercy.*
liefdoenerij 〈de (v.)〉 **0.1** *soft soap* ⇒*blandishments, fawning (on).*
liefelijk 〈bn., bw.;-ly〉 **0.1** *sweet* ⇒*charming, lovely* ◆ **1.1** een ~e landstreek *a charming/pleasant region;* met ~e stem *with a s./silvery/dulcet voice* **3.1** ~ zingen *sing sweetly.*
liefelijkheid 〈de (v.)〉 **0.1** [bekoorlijkheid] *sweetness* ⇒*charm, loveliness* **0.2** 〈mv.;iron.〉 *hatelijkheid] shenanigans* ⇒*abuse* ◆ **1.1** de ~ van het Limburgse landschap *the charm of the Limburg landscape* **3.2** elkaar allerlei liefelijkheden naar het hoofd slingeren *hurl all sorts of abuse at each other, fling mud at each other.*
liefhebben 〈ov.ww.〉〈→sprw. 341〉 **0.1** *love* ◆ **1.1** een meisje ~ *l. a girl;* zijn naaste ~ *l. one's neighbour* **5.1** iem. innig ~ *l. s.o. dearly* **6.1** iem. met hart en ziel ~ *l./cherish s.o. with all one's heart* **¶.¶** God zal me ~ *God bless me, God bless my soul.*
liefhebbend 〈bn.〉 **0.1** *loving* ⇒*affectionate, fond* ◆ **1.1** uw ~e dochter Rita *your l. daughter Rita, affectionately, your daughter Rita.*
liefhebber 〈de (m.)〉,-ster 〈de (v.)〉 **0.1** [iem. die veel van iets houdt] *lover* ⇒*enthusiast, devotee,* 〈vnl. AE〉 *buff,* 〈van dieren en planten ook〉 *fancier* **0.2** 〈AZN〉 *amateur] dabbler* ⇒〈wielersport alleen〉 *amateur* ◆ **1.1** een ~ van chocola *a chocolate l.;* hij is een ~ van paarden/van de jacht 〈paarden〉 *he's a horse-lover/-fancier,* 〈paardenrennen〉 *he's a racing man;* 〈jacht〉 *he's a hunting man, he's fond of/keen on blood sports;* een ~ van wijn/kaas/opera 〈ook〉 *a wine/cheese/opera buff* **2.1** een hartstochtelijk ~ van Bach/van wandelen *a devotee/votary of Bach; a keen walker* **3.1** zijn er nog ~s? 〈bij verkoping〉 *are there any buyers/takers?, is anybody interested?;* 〈voor kop koffie/stuk taart〉 *anyone want any more?, anyone else want some?* **6.1** daar zullen wel ~s voor zijn *there are sure to be candidates/* 〈ook fig.〉 *customers for that* **7.1** geen ~s *no takers.*
liefhebberen 〈onov.ww.〉〈inf.〉 **0.1** *dabble* ⇒*play, potter* ^putter ◆ **6.1** hij liefhebbert zo wat in de chemie/in de schilderkunst *he dabbles/potters* ^putters *in/at chemistry/painting, he plays at chemistry/painting.*
liefhebberij 〈de (v.)〉 **0.1** [hobby] *hobby* ⇒*pastime, pursuit, fancy, interest* **0.2** [lust] *pleasure* ◆ **2.1** een duur ~ 〈fig.〉 *an expensive h./indulgence, a costly business;* lezen is zijn enige ~ *reading is his only h./interest;* muziek is zijn grootste ~ *music is his favourite pursuit/pastime* **2.¶** er is grote ~ voor oude meubelen *old furniture is much sought after/the 'in' thing* **3.1** ergens ~ in hebben *be fond of/keen on sth., make a hobby of sth.;* hij heeft geen ~en *he is a man of no resources/interests* **6.2** uit/voor ~ *for p./one's amusement/fun.*
liefheid 〈de (v.)〉 **0.1** [eigenschap] *sweetness* ⇒*kindness, amiability* **0.2** [uiting] *kindness* ⇒*caress* 〈aanhaling〉.
liefje 〈het〉 **0.1** [geliefde] *sweetheart* ⇒*love, darling, girl(friend), one-and-only,* 〈minares vnl.〉 *mistress* **0.2** [aanspreekterm] *dear(est)* ⇒*darling, sweetheart,* ^love/luv, ^hon(ey) **0.3** [lief exemplaar] *love* ⇒*darling, honey, duck, sweetie, sweetheart.*
liefjes 〈bw.〉 **0.1** [op lieve wijze] *sweetly* ⇒*nicely* **0.2** 〈iron.〉 *(over)sweetly, honey-lipped, unctuously* ◆ **3.2** ~ glimlachen *give s.o. a saccharine smile;* iets ~ vragen *ask sth. unctuously.*
liefkozen 〈ov.ww.〉 **0.1** *caress* ⇒*fondle* ◆ **1.1** de moeder liefkoosde haar kind *the mother caressed/fondled her child* **4.1** elkaar ~ *c. one another, cuddle,* 〈inf.〉 *smooch.*
liefkozend 〈bn.〉 **0.1** *soothing* ⇒*honeyed* ◆ **1.1** op ~e toon *in a s. tone of voice.*
liefkozing 〈de (v.)〉 **0.1** [het liefkozen] *caressing* ⇒*fondling* **0.2** [streling] *caress.*
lieflijk →liefelijk.
liefst 〈bw.〉 **0.1** [op de meest lieve manier] *dearest* ⇒*sweetest, nicest,*

〈mooi ook〉 *prettiest, loveliest* **0.2** [het meest gaarne] *for preference* **0.3** [bij voorkeur] *rather* ⇒*sooner, preferably* **0.4** [nota bene]〈zie 5.4〉 ◆ **1.3** men neme een banana, ~ een rijpe *take a banana, preferably a ripe one* **3.1** zij zag er van allen het ~ uit *she looked the sweetest/prettiest/loveliest of them all* **3.2** wat zou je het ~ doen? *what would you rather/sooner do?, what is your preference?, what would you really like to do?;* het ~ hebben dat hij weggaat *prefer him to go, prefer that he should go/*^he *go, rather have him go;* in welke auto rijd je het ~? *what car do you prefer to drive?/most like driving?;* het ~ wandelt hij maar wat door de stad *he asks for nothing better than to be allowed to wander about town* **3.3** hij blijft ~ thuis *he prefers to/likes best to stay at home, he's happiest at home* **5.3** ~ niet *I'd r. not* **5.4** ik moet morgen maar ~ om vijf uur op *I must get up as early as five o'clock tomorrow morning;* ze hebben er maar ~ 500 gulden voor durven vragen *they rushed me 500 guilders for it, they charged as much as 500 guilders for it;* we moeten maar ~ 9% inleveren *we are suffering a cutback of as much as/no less than 9%;* ze wil op reis gaan, en ~ nog wel naar Marbella! *she wants to go on a trip, and that to Marbella, if you please!.*
liefste 〈de (m.)〉 **0.1** [geliefde] *sweetheart* ⇒*darling, love* **0.2** [aanspreekvorm] *dear(est)* ⇒*sweetheart, darling* ◆ **4.2** mijn ~ *my dear(est)/love/sweetheart.*
lieftallig 〈bn., bw.;-ly〉 **0.1** *sweet* ⇒*pretty, lovely, charming, winsome* ◆ **1.1** ~e kinderen *s./charming/taking/winning/adorable children, little darlings;* een ~ uiterlijk 〈ook〉 *a(n) attractive/taking/fetching appearance* **3.1** zij kon zo ~ smeken *she could plead so sweetly/prettily.*
liegbeest 〈het〉〈kind.〉 **0.1** *fibber* ⇒*story(teller).*
liegen 〈→sprw. 622〉
I 〈onov., ov.ww.〉 **0.1** [onwaarheid spreken] *lie* ⇒*tell a lie,* 〈kind.〉 *fib, tell stories* ◆ **3.1** hij staat gewoon te ~! *he's a downright liar* **4.1** dat liegt je *that's a lie!;* je liegt het toch zeker? *you're not serious, are you?;* 〈inf.〉 *you've got to be kidding!* **5.1** eens kijken hoe hij zich er nu weer uit liegt *let's see if he can l. his way out of this;* hij kan geweldig ~ *he's a great/born liar* **6.1** als ik lieg, lieg ik in commissie *I give you this for what it's worth, I've told you the story just as it was told to me;* tegen iem. ~ *l. to s.o.* **8.1** hij loog (als)of het gedrukt stond/dat hij scheel zag/dat hij blauw zag/dat hij zwart werd/dat hij barstte *he lied in his teeth/in his throat/till he was black/blue in the face* **¶.1** ~ tegen beter weten in *l. against one's better judg(e)ment;* dat is allemaal gelogen *that's a pack of lies/all lies;* wat die allemaal bij elkaar liegt! *the things he/she cooks/dreams/dishes up!;* hij loog alles aan elkaar (vast) *he was just making it all/the whole thing up;*
II 〈onov.ww.〉 **0.1** [zich verloochenen] *lie* **0.2** 〈sport〉 *cheat* ◆ **5.¶** dat liegt er niet om 〈goed〉 *that's really sth./not bad;* 〈duidelijk〉 *that's as plain as day/as the nose on your face;* 〈onverbloemd〉 *that's telling him all right.*
lier 〈de (m.)〉 **0.1** [snaarinstrument] *lyre* **0.2** [hijswerktuig] *winch* ⇒*hoist, crab, gin, windlass* **0.3** 〈ster.〉 *Lyra* ⇒*(the) Harp* ◆ **3.1** 〈fig.〉 de ~ aan de wilgen hangen *hang one's harp on the willows, hang up one's boots* **8.¶** het brandt als een ~ *it's really ablaze, it's burning like matchwood/a torch;* het loopt/gaat als een ~ *it's going like a house on fire/like nobody's business/great guns, it's doing champion, it works like a charm.*
lierdicht 〈het〉 **0.1** [gedicht] *lyric (poem)* **0.2** [poëzie] *lyric poetry.*
liëren 〈ov.ww.〉〈schr.〉 **0.1** *associate* ⇒*ally* 〈politiek; door huwelijk〉 ◆ **5.1** zij zijn nauw gelieerd *they are on friendly/familiar terms* **6.1** aan een familie gelieerd zijn *be related to a family,* 〈door huwelijk ook〉 *be allied to a family.*
liertrommel 〈de〉〈tech.〉 **0.1** *winding cable/drum.*
liervis 〈de (m.)〉 **0.1** [zeelier] *piper* **0.2** [pitvis] *common dragonet* ⇒*sculpin.*
liervogel 〈de (m.)〉 **0.1** [vogel] *(superb) lyre-bird* **0.2** 〈mv.〉 vogelfamilie] *lyre-birds.*
liervormig 〈bn.〉 **0.1** *lyre-shaped* ⇒*lyrate* 〈ook plantk.〉.
lies 〈de〉 **0.1** [vogel] *groin* **0.2** [plant.] ^reed grass, ^floating grass **0.3** 〈bouwk.〉 *groin.*
liesbreuk 〈de〉〈med.〉 **0.1** *inguinal/groin rupture/hernia.*
liesje 〈het〉 ◆ **2.¶** gouden ~s *golden delicious;* een vlijtig ~ *a Busy Lizzy.*
lieskanaal 〈het〉〈med.〉 **0.1** *inguinal canal.*
lieslaars 〈de〉 **0.1** *wader.*
Lieveheer 〈de (v.)〉〈r.k.〉 **0.1** *Blessed Lord* ⇒*Dear Lord* ◆ **4.1** onze ~ nog aan toe *Good/Dear Lord!, (good) heavens!, bless my eyes/heart/soul!, my/goodness gracious!, good grief!;* onze ~ *Our (Blessed) Lord;* onze ~ heeft hem tot zich geroepen *he has been gathered to his fathers, the Lord has taken him away.*
lieveheersbeestje 〈het〉 **0.1** *ladybird* ⇒*lady beetle, lady cow,* ^ladybug.
lieveheershaantje 〈het〉 **0.1** *seven-spot ladybird.*
lieveling 〈de (m.)〉 **0.1** [iem. die men liefheeft] *darling* ⇒*sweetheart, love, pet* **0.2** [gunsteling] *darling* ⇒*favourite* **0.3** [lieverdje] *favourite* ⇒*pet, minion* ◆ **1.1** zij is de ~ van de familie *she's the d. of the family* **1.2** een ~ van het lot *s.o. favoured by fate, a lucky man* 〈enz.〉; de ~ van het publiek *the d./favourite/pet of the public* **1.3** Jan is het ~etje van de leraar *Jan is the teacher's pet/blue-eyed boy/fair-haired boy.*

lievelingsboek ⟨het⟩ **0.1** ***favourite book.***
lievelingsdichter ⟨de (m.)⟩ **0.1** ***favourite poet.***
lievelingsdrankje ⟨het⟩ **0.1** ***favourite drink*** / ⟨inf.⟩ ***tipple.***
lievelingsgerecht ⟨het⟩ **0.1** ***favourite dish.***
lievelingskind ⟨het⟩ **0.1** ***favourite child*** ⇒*pet.*
lievelingsschrijver ⟨de (m.)⟩ **0.1** ***favourite author/writer.***
lievelingsvak ⟨het⟩ ⟨school.⟩ **0.1** ***favourite subject.***
lievemoederen ◆ **3.¶** daar helpt geen ~ aan *there's nothing for it, there's nothing anyone/I/you/he/* ⟨enz.⟩ *can do about it.*
liever ⟨bw.⟩ **0.1** [bij voorkeur] ***rather*** ⇒*sooner* **0.2** [veeleer] ***rather*** ◆ **3.1** ik drink ~ koffie dan thee *I prefer coffee to tea;* ik zou ~ gaan (dan blijven) *I'd r. go than stay/than otherwise;* als je ~ hebt dat ik wegga, hoef je het alleen maar te zeggen *say the word, and I'll leave;* ik wil nu ~ geen TV kijken ⟨ook⟩ *I don't feel like watching TV right now;* ik zie hem ~ gaan dan komen *I prefer his room to his company, I'm glad to see the back of him* **3.2** laat mij het ~ doen *it's better for me to do it, you'd better let me do it;* ik weet het, of ~ gezegd, ik denk het *I know, at least, I think so;* laat ik ~ zeggen/~ gezegd *(or) r.;* zwijg maar ~! *that's enough!, say no more!, hold your tongue!* **4.1** niets ~ wensen dan *wish/ask for nothing better than* **5.1** hoe meer, hoe ~ *the more the better/merrier;* hoe meer er misgaat hoe ~ ik het heb *the more that goes wrong, the better I like it;* we willen ~ niet met hem gezien worden *we'd r. not/we don't care to be seen in his company;* dat heb ik ~ niet *I don't care for that/like that;* ik vraag het je ~ niet *I don't like asking you; I'd r. not ask you;* ~ wel dan niet *as soon as not* **8.1** hij ~ dan ik *better him than me, I wouldn't change places with him/want to be in his shoes;* (hij is) ~ lui dan moe *(he's) just lazy/born idle/tired, (he's) a lazy dog;* ik ging nog ~ dood dan dat ik ... *I'd r./sooner die than ..., I'd die (first) before ...* **¶.1** ~ rood dan dood *better red than dead.*
lieverd ⟨de (m.)⟩ **0.1** [beminde] ***(real) dear*** ⇒*darling, angel, pet, sweetie* **0.2** [aanspreekvorm] ***dear(est)*** ⇒*darling, sweetheart, sweetie,* [B]*love,* [A]*hon(ey)* ◆ **1.1** het ~je van de meester *the teacher's pet/blue-eyed boy/fair-haired boy* **2.1** ⟨iron.⟩ het Amsterdamse ~je *≠the Amsterdam Guttersnipe, ≠the Little Rascal of Amsterdam* **3.1** ⟨iron.⟩ het is me een ~je *he's/she's a nice one* **7.1** dat zijn geen ~jes *they're no saints/angels* **¶.1** ze zei dat we haar auto mochten gebruiken, de ~! *she said we could use her car, bless her (heart).*
lieverle(d)e ◆ **6.¶** **van** ~ *gradually, little by little, bit by bit, by degrees.*
Lievevrouw ⟨de (v.)⟩ ⟨r.k.⟩ **0.1** ***Lady*** ◆ **4.1** onze ~ *Our Lady.*
lievevrouwebedstro ⟨het⟩ ⟨plantk.⟩ **0.1** ***sweet(-scented) woodruff.***
lievig ⟨bn., bw.; -ly⟩ **0.1** ***insincere*** ◆ **3.1** ~ glimlachen *smile insincerely.*
liflaf ⟨de (m.)⟩ **0.1** [flauwe kost] ***cheap/trashy/junk food/meal*** **0.2** [verfijnd gerecht] ***titbit*** ⇒*tidbit, dainty dish* **0.3** [flauwe praat] ***chit-chat*** ⇒*gossip, blather, chatter,* [A]*baloney* ◆ **2.2** lekkere ~jes *tasty titbits.*
lift ⟨de (m.)⟩ **0.1** [(cabine van) hijstoestel] [B]***lift (cage),*** [A]***elevator (car)*** ⇒ ⟨goederen ook⟩ *hoist* **0.2** [het meerijden] ***lift*** ⇒*ride, hop* **0.3** [stijgkracht v.e. vliegtuig] ***lift(-off)*** ◆ **3.1** de ~ nemen *take the lift/elevator* **3.2** iem. een ~ geven *give s.o. a l./ride, pick s.o. up;* een ~ krijgen *get/hitch a l.;* een ~ vragen *thumb/hitch/cadge a l./ride* **6.1** ⟨fig.⟩ **in** de ~ zitten *be on the way up/on the rise/in the ascendant;* **met** de ~ naar boven gaan *go up in the lift/elevator.*
liftboy ⟨de (m.)⟩ →**liftjongen.**
liftdeur ⟨de⟩ **0.1** [B]***lift***/[A]***elevator door.***
liften ⟨onov.ww.⟩ **0.1** ***hitch(hike)*** ⇒*thumb/hitch a ride/lift,* [A]*bum (a lift)* ◆ **6.1** een maand **door** Scandinavië ~ *hitch(hike) through Scandinavia for a month.*
lifter ⟨de (m.)⟩, **liftster** ⟨de (v.)⟩ **0.1** ***hitchhiker*** ⇒*pickup* ⟨vanuit chauffeursoogpunt⟩.
liftjongen ⟨de (m.)⟩ **0.1** ***liftboy*** ⇒*liftman,* ⟨AE ook⟩ *elevator operator.*
liftkoker ⟨de (m.)⟩ **0.1** [B]***lift***/[A]***elevator shaft*** ⇒*well (hole).*
liftkooi ⟨de⟩ **0.1** [B]***lift cage,*** [A]***elevator (car).***
liftschacht →**liftkoker.**
liga ⟨de⟩ **0.1** ***league*** ⇒*association, alliance.*
ligament ⟨het⟩ **0.1** [bindweefsel] ***ligament*** **0.2** [slotband van een schelp] ***ligament*** **0.3** [⟨boek.⟩] ***ligature.***
ligato ⟨bw.⟩ ⟨muz.⟩ **0.1** ***legato.***
ligatuur ⟨de (v.)⟩ **0.1** [⟨med.⟩] ***ligature*** **0.2** [⟨muz.⟩] ***ligature*** ⇒*tie, slur* **0.3** [⟨druk.⟩] ***ligature.***
ligbad ⟨het⟩ **0.1** ***bath*** ⇒[A]*(bath)tub.*
ligbank ⟨de⟩ **0.1** ***couch*** ⇒*settee, sofa.*
ligbox ⟨de (m.)⟩ **0.1** ***(cow) cubicle.***
ligdag ⟨de (m.)⟩ ⟨scheep.⟩ **0.1** ***lay day.***
ligfiets ⟨de⟩ **0.1** ***reclining bicycle.***
liggeld ⟨het⟩ **0.1** [voor het liggen in een haven] ***harbour dues*** ⇒*dock/quay/pier dues/charges, port charges* **0.2** [voor het wachten op lossing/lading] ***demurrage*** **0.3** [voor een ziekenhuisbed] ***(daily) in-patient accommodation (and services) charge(s).***
liggen ⟨onov.ww.⟩ ⟨→sprw. 102⟩ **0.1** [uitgestrekt zijn] ***lie*** **0.2** [in bed vertoeven] ***lie*** ⇒*be laid up* ⟨ziek⟩ **0.3** [zich bevinden] ***lie, be*** ⇒*be (situated/*[A]*located), stand* ⟨gebouw, stad⟩ **0.4** [⟨mbt. zaken⟩ rusten] ***lie*** **0.5** [⟨+aan⟩ afhangen van] ***depend (on)*** ⇒*lie/rest with* ⟨beslissing van persoon⟩, *be caused by, be due to* ⟨veroorzaakt⟩ **0.6** [passen bij een aanleg/belangstelling] ***suit*** ⇒*agree with, be in one's line/up one's street* **0.7** [mbt. storm/wind] ***die down*** ⇒*subside,* ⟨wind ook⟩ *fall, drop* **0.8** [begraven zijn] ***lie*** ⇒*rest* **0.9** [⟨fig.⟩ uitgespreid zijn] ***lie*** **0.10** [bezig zijn] ***be (lying)*** **0.11** [gelegerd zijn] ***be stationed*** ◆ **1.1** er lag een halve meter sneeuw *the snow lay half a metre deep, there was half a metre of snow* **1.3** daar ligt onze kans *that's where our chance lies* **2.2** ziek ~ *l. ill, be laid up;* ⟨inf.⟩ *be on one's back* **2.¶** dubbel ~ (van het lachen) *double up/split/burst/hold/shake one's sides laughing/with laughter;* die zaak ligt nogal gevoelig *the matter is a bit delicate* **3.1** lekker tegen iem. aan gaan ~ *snuggle up to s.o., nestle (o.s.) against s.o.;* dure vloerbedekking hebben ~ *have expensive carpets (on the floor)* **3.2** ik blijf morgen ~ tot half tien *I'm going to stay in bed/l. in till 9.30 tomorrow;* ga ~! ⟨tegen een hond⟩ *(l.) down!;* ik ga even ~ *I'm going to have a lie-down, I'm going to put my feet up;* gaan ~ *l. down;* ⟨voor een dutje⟩ *have a lie-down;* ⟨door ziekte⟩ *take to one's bed;* op zijn zij gaan ~ *l. down on one's side;* ⟨omdraaien⟩ *roll over on to one's side* **3.3** ⟨fig.⟩ iemand links laten ~ *ignore s.o., pass s.o. by/over, send s.o. to Coventry, cut s.o. (dead);* ⟨fig.⟩ iets links laten ~ *ignore sth., pass sth. over/by, shrug sth. off* **3.4** dat werk is blijven ~ *that work has been left (over)/put on one side;* die spullen blijven maar ~ *those goods won't sell/are going begging;* uw bijdrage/artikel is blijven ~ *your contribution/article has been held over;* dat werk is voor ons blijven ~ *that work has been left for us;* ik heb nog een paar flessen wijn ~ *I have a few bottles of wine put by/handy/left;* nog een partij jassen hebben ~ *have a number of coats on hand/lying about/unsold;* het geld hebben ~ *have the money ready/available;* ⟨fig.⟩ laat het dorp rechts van u ~ *leave/pass the village on your right;* ik heb dat boek laten ~ *I left that book (behind);* ⟨fig.⟩ het lelijk laten ~ *make a bad job of it, botch things up, bungle;* zijn werk laten ~ ⟨inf.⟩ *chuck work, leave one's work;* dat bier moet nog een poosje ~ *this beer should stand for a while yet* **3.7** de wind ging ~ *the wind died down/fell/dropped/subsided* **3.9** de sneeuw bleef niet ~ *the snow did not settle* **3.10** lig niet zo te klieren *stop pestering (me* ⟨enz.⟩ *);* hij ligt te slapen *he's (lying) asleep/sleeping* **3.¶** zich nergens iets aan gelegen laten ~ *not give a hoot/two hoots for anything, be a law unto o.s.* **4.3** ze ligt me na aan het hart *she is very dear to me, I hold her very dear* **4.6** ze ~ elkaar niet zo erg *they don't get on/along (with each other);* dat genre ligt mij niet *that genre is not my cup of tea/not in my line/doesn't appeal to me;* dit klimaat ligt mij niet *this climate disagrees with me;* die jongen ligt mij helemaal niet *that boy/bloke isn't my sort/kind/cup of tea* **5.1** ⟨fig.⟩ dat ligt er duimendik bovenop *that sticks out a mile/like a sore thumb, that's as plain as day/a pikestaf;* lekker ~ *lie snug, be comfortable;* lig je lekker/goed? *are you comfortable?* **5.2** zij moet zes weken plat ~ *she must l. flat on her back for six weeks* **5.3** de toestand ligt hier anders *the situation is (quite) different here;* de zaken ~ nu heel anders *things have changed a lot (since then), it's quite another story now;* daardoor kwam de zaak anders te ~ *this caused a change in the situation/caused the situation to take on a different aspect;* de oorzaken van de crisis ~ diep *the causes of the crisis l. deep;* het feit ligt er *the fact remains, that's how it is(, anyway);* het plan, zoals het er ligt, is onaanvaardbaar *as it stands, the plan is unacceptable;* hoe ~ onze kansen? *what are the odds/our chances?;* de prijzen ~ vrij hoog *the prices are rather high;* hoog op het water ~ *ride high;* uw bestelling ligt klaar *your order is ready (for dispatch/collection);* onze winsten ~ lager dan die van vorig jaar *our profits are down on/less than last year's;* de verhoudingen ~ hier wat moeilijk *the relations are somewhat strained/problematic here;* die dagen ~ ver achter ons *those days are long past;* de zaken ~ zo *it's/things are like this, that's how it is* **5.5** dat ligt eraan *it depends* **5.8** ⟨op grafstenen⟩ hier ligt... *here lies ...* **5.¶** dat ligt heel anders *that's a different thing/story altogether;* met Italië ligt het anders *in Italy's case things are different;* hoe ligt het erbij? ⟨eruit zien⟩ *how does it look?;* ⟨hoe staat het ervoor⟩ *how is it getting on?;* als ze dat merken lig ik eruit *if they catch on, I'm out/I'll be fired/I'll be sacked;* deze auto ligt goed in de bocht *this car takes corners well/handles well on bends;* dit bed ligt lekker/hard *this bed is comfortable/(too) hard;* ver uiteen ~ *be worlds/poles apart;* deze auto ligt vast op de weg *this car holds the road well* **6.1** hij ligt **in/op** bed *he's (lying) in bed;* onze tuin ligt **naast** het kerkhof *our garden borders on/is next to the churchyard;* ⟨fig.⟩ **op** de loer ~ *l./wait in ambush, l. in wait, lay wait;* **over** elkaar ~ *overlap* **6.2** ⟨bijb.⟩ **bij** een vrouw ~ *l. with a woman;* **in** het ziekenhuis ~ *be in hospital;* hij ligt **met** koorts *he's in bed with a fever/temperature;* **op** sterven ~/**in** het kraambed ~ ⟨sterven⟩ *l./be dying;* ⟨kraambed⟩ *be in confinement, l. in* **6.3** Antwerpen ligt **aan** de Schelde *Antwerp lies/is (situated) on the Scheldt;* ik denk dat het **aan** je versterker ligt *I think there's/must be sth. wrong with your amplifier;* de vakantie ligt weer **achter** ons *the holidays are behind us now;* de schuld ligt **bij** mij *the blame/fault is mine;* de beslissing ligt **bij** ons *the decision is ours;* de macht ligt **bij** het volk *the power is vested with the people;* Leuven ligt 80 m **boven** de zeespiegel *Leuven is 80 m. above sea-level;* **in** de haven lagen vele schepen *many ships were berthed/were lying in the harbour;* met iem. **in** proces/overhoop ~ ⟨in proces⟩ *litigate with s.o., be at law with s.o.;* ⟨overhoop⟩ *be at loggerheads/variance/odds with*

s.o., be out/embroiled with s.o.; de lijn die **in** dat vlak ligt *the line lying in that plane;* dat ligt nog **in** het verschiet *that is still in store/(future) prospect;* het ligt **in** de bedoeling om *... it is my/his/her/our/ their intention to ..., I/we/they intend/purpose to ..., he/she intends/ purposes to ...;* **in** scheiding ~ *be in the process of getting a divorce;* **onder** het gemiddelde ~ *b. below average, lag behind the average;* de bal ligt **op** de grond *the ball is on the ground;* **op** het zuiden ~ *face (the) south/towards the south, have a southern/south-facing aspect;* ⟨heuvel⟩ *verge to the south;* het ligt niet **op** mijn weg *it is not in my way;* het ligt **op** uw weg de nodige maatregelen te nemen *it is yours to take the necessary measures;* ze ~ **voor** het grijpen *they grow on trees, they're there for the picking;* het ligt vlak **voor** je neus *it's staring you in the face;* **voor** mij ligt uw brief *I have before me your letter;* er lagen moeilijke jaren **voor** ons *there were hard years ahead (of us), hard years stretched out before us;* de vijand lag **voor** de stad *the enemy lay before the town* 6.5 dat lag **aan** verscheidene oorzaken *that was due to various causes, that was caused by various factors;* **aan** mij zal het niet ~ *it won't be my fault, it won't be for want of trying;* is het nu zo koud of ligt het **aan** mij? *is it really so cold, or is it just me?;* daar is veel **aan** gelegen *a lot depends on it;* er is mij niets **aan** gelegen *it doesn't matter to me;* ⟨inf.⟩ *it's no skin off my nose;* het ligt **aan** die rotfiets van me *it's (the fault of) that bloody bike of mine;* als het **aan** mij ligt zal hij daar niet blijven *he won't stay there if I can help it/I have anything to do with it;* als het **aan** mij ligt niet *not if I can help/I know it;* voor zover het **aan** mij ligt *as far as I'm concerned;* waar zou dat **aan** ~? *what could be the cause of this?, what is that due to?;* het lag misschien ook een beetje **aan** mij *I may have had sth. to do with it;* het kan **aan** mij ~, maar *... it may be just me, but ..., there may be sth. wrong with me, but ...;* als het **aan** mij lag/ligt *if I have/had my way, if it was up to me* 6.6 dat ligt niet **in** mijn aard *that is not in me/my nature, I'm not that sort/built that way* 6.9 de dauw lag **over** de velden *the dew lay on the fields* 6.10 ~ te zeuren *keep (on)/be whining/bellyaching/moaning* 6.¶ goed **in** de markt ~ *sell well, be in great demand, find a ready sale;* goed **in** het gehoor ~ *be catchy* ¶.3 het dorp ligt te midden van de bergen *the village lies in the middle of the mountains/nestles in among the mountains* ¶.¶ het ligt zwaar op de maag *it lies/sits heavy (on one's stomach).*

liggend ⟨bn.⟩ **0.1** [horizontaal] *lying ⇒horizontal, flat, recumbent* ⟨persoon⟩, *turn-down* ⟨kraag⟩ **0.2** [gelegen zijnd] *lying ⇒situated, located* ◆ **1.1** een ~e houding *a l./recumbent posture;* de ~e roede in een raam *horizontal glazing/sash bar;* ⟨biol.⟩ ~e stengel *procumbent/decumbent stalk;* een ~ streepje *a dash* **1.2** ~ geld *ready money* ⟨contant⟩; *idle capital* ⟨renteloos⟩; hij bezit veel ~e goederen *he possesses a great deal of real property/estate;* ⟨herald.⟩ ~e leeuw *lion couchant;* ~e renten *ground rents* **5.2** diep~e ogen *deep-set/sunken eyes.*

ligger ⟨de (m.)⟩ **0.1** [draagbalk] *joist ⇒beam, sleeper, girder,* ⟨voor rails⟩ [B]*sleeper,* [A]*tie* **0.2** [⟨sport⟩] *(horizontal) bar* **0.3** [ijkmaat] *standard measure* **0.4** [register] *record ⇒register.*

ligging ⟨de (v.)⟩ **0.1** *position ⇒⟨geografisch ook⟩ situation, location, aspect, exposure* [mbt. windrichting], *lay-out* ⟨plaatsing⟩ ◆ **1.1** de ~ v. d. heuvels *the set/lie of the hills;* de ~ v. e. kind in de baarmoeder *the presentation/p. of a child in the womb;* de ~ v. e. schip *the trim of a ship* **2.1** ⟨geol.⟩ normale ~ *normal/original p.;* omgekeerde ~ *reverse/inverted p.;* de schilderachtige ~ van dat kasteel *the picturesque location of the castle* **6.1** een ~ **op** het noorden hebben *have a northern aspect, look to the north, face (to(wards) the) north.*

ligkuur ⟨de⟩ **0.1** *rest-cure.*

ligniet ⟨het⟩ ⟨geol.⟩ **0.1** *lignite.*

lignine ⟨de⟩ ⟨schei.⟩ **0.1** *lignin.*

ligplaats ⟨de⟩ **0.1** [plaats waar iets ligt] *storage (place) ⇒store* **0.2** [ree] *berth ⇒mooring (place), moorings.*

ligroïen, ligroïne ⟨de⟩ ⟨schei.⟩ **0.1** *ligroin.*

ligstoel ⟨de (m.)⟩ **0.1** *reclining chair/seat ⇒chaise longue,* ⟨voor buiten⟩ *deck chair.*

liguster ⟨de (m.)⟩ **0.1** *privet.*

ligusterhaag ⟨de⟩ **0.1** *privet hedge.*

ligusterpijlstaart ⟨de (m.)⟩ **0.1** *privet hawk-moth.*

ligweide ⟨de⟩ **0.1** *sunbathing area, sun terrace.*

lij ⟨de⟩ **0.1** [zijde van een schip] *lee(side)* **0.2** [mbt. eiland e.d.] *lee(side/ shore)* ◆ **6.1** in ~/aan ~ *in/under the lee, on the/to leeward, alee.*

lijboord ⟨het⟩ ⟨scheep.⟩ **0.1** *lee-board.*

lijdelijk ⟨bn.; bw.; -ly⟩ **0.1** [geduldig] *patient ⇒resigned, subdued* **0.2** [passief] *passive ⇒inactive, resigned* ◆ **1.1** ~e berusting *subdued resignation* **1.2** ~ verzet *p. resistance* **3.2** iets ~ aanzien/ondergaan *stand idly by (while sth. happens), take sth. lying down;* ~ toezien *look on passively, resignedly, be a passive witness/looker-on.*

lijdelijkheid ⟨de (v.)⟩ **0.1** *passiveness ⇒passivity.*

lijden¹ ⟨het⟩ **0.1** *suffering ⇒affliction,* ⟨pijn⟩ *pain, agony,* ⟨verdriet⟩ *grief,* ⟨ellende⟩ *misery, hardship* ◆ **1.1** het ~ van Christus *the Passion of Christ* **2.1** een smartelijk ~ *a terrible s.;* ⟨rouwadvertenties ook⟩ *a painful illness* **6.1** nu is hij **uit** zijn ~ verlost *he is now released from his s., his troubles are over now, he suffers no longer/more;* een dier **uit** zijn ~ verlossen *put an animal out of its misery.*

---

lijden² ⟨→sprw. 406,407⟩

I ⟨ov.ww.⟩ **0.1** [ondergaan] *suffer ⇒undergo, endure* **0.2** [verdragen] *suffer ⇒endure, stand* **0.3** [toestaan] *allow* ◆ **1.1** armoe/gebrek ~ *live in poverty/great want;* honger ~ *starve;* ontberingen ~ *s. hardship;* hevige pijn ~ *s./be in terrible pain;* een groot verlies ~ *s./sustain a great loss* **1.3** geen uitstel kunnen ~ *brook no delay* **3.¶** ik mag ~ dat hij ... *I hope he ..., I'd like to see him ...;* ik mag/kan die man wel/niet ~ *I like that man, I think that man's alright, I can't stand/bear that man;*

II ⟨onov.ww.⟩ **0.1** [in ellende verkeren] *suffer ⇒be in distress/distressed circumstances* **0.2** [schade ondervinden] *suffer ⇒be damaged* ◆ **3.1** zwaar te ~ hebben van iets *s. severely by/be hard hit by sth.* **5.1** zij leed het ergst van al *she was (the) hardest hit of all/suffered most* **6.1** aan een kwaal ~ *s. from a disease/complaint;* zij lijdt **aan** zelfoverschatting *she thinks she's the bee's knees, she thinks the world of herself;* ~ **aan** zwaarmoedigheid *s. from depression, be depressed/melancholic;* **in** stilte ~ *s. in silence, bear one's trouble(s)/grief alone;* zwaar ~ **onder** iets *s. terribly under sth.* **6.2** zijn gezondheid leed er **onder** **en onder** *his health suffered (from it)/was damaged/affected by it;* de planten hebben veel geleden **van** de nachtvorst *the plants have suffered badly from the post/have been severely damaged by (ground) frost.*

lijdend ⟨bn.⟩ **0.1** *suffering* ◆ **1.1** de ~e Christus *the s. Christ,* ⟨r.k.⟩ de lijdende Kerk *the s. Church;* hij was de ~e partij *he was the loser* **1.¶** ⟨taal.⟩ ~ voorwerp *(direct) object;* ⟨taal.⟩ ~e vorm *passive voice/ form.*

lijdend-voorwerpszin ⟨de (m.)⟩ **0.1** *direct object clause.*

lijdensbeker ⟨de (m.)⟩ **0.1** *cup of sorrow* ◆ **3.1** de ~ tot de bodem ledigen* ⟨fig.⟩ *drain/drink one's cup to the dregs.*

lijdensgeschiedenis ⟨de (v.)⟩ **0.1** [⟨rel.⟩] *Passion* **0.2** [⟨fig.⟩] *tale of woe.*

lijdenspreek ⟨de (v.)⟩ **0.1** *Passion sermon.*

lijdensverhaal ⟨het⟩ **0.1** *Passion.*

lijdensweek ⟨de⟩ **0.1** *Passion/Holy Week.*

lijdensweg ⟨de (m.)⟩ **0.1** [weg van Christus] *Via Dolorosa ⇒Stations/ Way of the Cross* **0.2** [⟨fig.⟩ martelgang] *martyrdom, agony ⇒via dolorosa* ◆ **¶.2** haar afstuderen werd een ~ *she agonized over her graduation.*

lijder ⟨de (m.)⟩, **-es** ⟨de (v.)⟩ **0.1** [iem. die lijdt] *sufferer* **0.2** [patiënt(e)] *patient ⇒sufferer.*

lijdzaam ⟨bn.; bw.; -ly⟩ **0.1** [geduldig] *patient ⇒resigned* **0.2** [passief] *passive ⇒submissive, resigned* ◆ **3.1** hij schikte zich ~ in het voorschrift *he bowed to the regulations* **3.2** ~ toezien *stand/sit by (and watch).*

lijdzaamheid ⟨de (v.)⟩ **0.1** *patience ⇒endurance, resignation, submission* ◆ **6.1 met** ~ zijn lot dragen *bear/suffer one's lot (in life) patiently / with p./resignation.*

lijf ⟨het⟩ **0.1** [lichaam] *body ⇒⟨inf.⟩ carcass, anatomy* **0.2** [romp] *body ⇒torso* **0.3** [onderlijf] *belly ⇒abdomen,* ⟨sl.⟩ *gut* **0.4** [kledingstuk] *bodice ⇒corsage, midriff* ◆ **2.1** hij stond in zijn blote ~ *he stood in his bare skin/scherts.⟩ in his birthday suit;* hij beefde over zijn gehele ~ *his whole body was trembling, he was shaking in every limb;* in levenden lijve *in person, him/herself, (as) large as life;* het ~ ~ redden *save one's skin/carcass* **2.2** hij draagt zijn geld op zijn blote ~ *he keeps his money next to his skin* **6.1 aan** mijn ~ geen polonaise *count me out;* bijna geen kleren **aan** zijn ~ hebben *have hardly a shirt to one's back/a stitch on/a stitch to wear;* iets **aan** den lijve ondervinden *experience (sth.) personally, live through sth.;* **aan** den lijve voelen wat armoede is *know/see poverty;* ~ **aan** ~ *vechten fight man to man;* geen pit **in** zijn ~ hebben *have no spunk/guts;* geen hart **in** zijn ~ hebben *have no heart;* die rol is haar **op** het ~ geschreven *she's made/cut out for that part, that part/role might have been written/is just right for her;* zich de dood **op** het ~ halen *catch one's death (of cold);* iem. **te** ~ gaan *fly/let go at s.o.;* iem. (toevallig) **tegen** het ~ lopen *run/bump into s.o.;* zijn longen **uit** zijn ~ hoesten *cough one's lungs up;* blijf **van** mijn ~ *hands off, keep away from me;* zich iets **van** het ~ houden *fend / stave sth. off;* ik kon hem niet **van** het ~ houden *I couldn't keep him off me;* een vrouw de kleren **van** het ~ kijken *undress a woman with one's eyes* **6.2** de armen **langs** het ~ laten hangen *sit by, sit on one's hand;* zijn benen **uit** zijn ~ lopen *walk one's legs off;* iem. de benen **uit** zijn ~ laten lopen *walk s.o. off his feet/into the ground;* gezond **van** ~ en leden *able-bodied, sound in body and mind/wind and limb* **6.3** pijn in het ~ hebben *have a belly-ache;* ⟨bezorgd zijn⟩ *have an aching heart* **6.¶** dat heeft niets **om** het ~ *there's nothing to it, that's/it's nothing, it's a piece of cake;* ⟨gemakkelijk⟩ *it's a walk-over;* de voorstelling had weinig **om** het ~ *the performance didn't amount to much.*

lijfarts ⟨de (m.)⟩ **0.1** *personal physician ⇒court physician* ⟨hofarts⟩.

lijfbieden ⟨het⟩ ⟨biol.⟩ **0.1** *vaginal prolapse.*

lijfblad ⟨het⟩ **0.1** *favourite magazine/paper.*

lijfeigene ⟨de (m.)⟩ **0.1** *serf ⇒bondman, slave,* ⟨gesch.⟩ *villein.*

lijfeigenschap ⟨het⟩ **0.1** *bondage;* ⟨gesch., horigheid⟩ *serfdom.*

lijfelijk

I ⟨bn.⟩ **0.1** [lichamelijk] *physical ⇒bodily, corpor(e)al* ◆ **1.1** een ~ mens *a p. person;*

II ⟨bn.; bw.; -ly⟩ **0.1** [vleselijk] *physical ⇒carnal, fleshly* ◆ **1.1** een ~e afkeer van iets/iemand hebben *have a p. revulsion at/to s.o./sth.,*

be physically repelled by s.o. / sth.; haar ~e broeder her own / blood brother **2.1** zij was ~ aanwezig *she was there in person.*
lijfgarde ⟨de⟩ **0.1** *body-guard.*
lijfgoed ⟨het⟩ **0.1** *underwear.*
lijfknecht ⟨de (m.)⟩ **0.1** *manservant ⇒valet.*
lijflied ⟨het⟩ **0.1** *favourite song ⇒⟨*scherts.⟩ *national anthem.*
lijfrente ⟨de⟩ **0.1** *annuity ⇒⟨*van pensioenfonds ook⟩ *superannuation* ◆ **2.1** uitgestelde ~ *deferred annuities* **6.1** zijn geld **op** ~ zetten *put one's money into an a..*
lijfrentetrekker ⟨de (m.)⟩ **0.1** *annuitant.*
lijfrenteverzekering ⟨de (v.)⟩ **0.1** *annuity insurance.*
lijfsbehoud ⟨het⟩ **0.1** *preservation of life* ◆ **6.1** uit ~ *to save one's life.*
lijfsdwang ⟨de (m.)⟩ **0.1** [lichamelijke dwang] *(physical) force / coercion* **0.2** [⟨jur.⟩] *civil imprisonment, personal arrest ⇒attachment.*
lijfsgemeenschap ⟨de (v.)⟩ **0.1** *(sexual) intercourse.*
lijfsieraden ⟨zn.mv.⟩ **0.1** *personal ornaments.*
lijfspreuk ⟨de⟩ **0.1** *motto.*
lijfstoet ⟨de (m.)⟩ **0.1** *retinue ⇒suite, following.*
lijfstraf ⟨de⟩ **0.1** *corporal punishment.*
lijfstraffelijk ⟨bn.⟩ **0.1** *criminal* ◆ **1.1** ~e rechtspleging *c. justice.*
lijfwacht
I ⟨de⟩ ⟨coll.⟩ **0.1** [lijfgarde] *body-guard;*
II ⟨de (m.)⟩ **0.1** [persoon] *body-guard ⇒⟨*sl.⟩ *gorilla.*
lijgierig ⟨bw.⟩ **0.1** *leewardly.*
lijk ⟨het⟩ **0.1** [dood lichaam] *corpse ⇒(dead) body,* ⟨med. ook⟩ *cadaver,* ⟨sl.⟩ *stiff* **0.2** [⟨fig.⟩] *carcass ⇒husk, empty shell* **0.3** [⟨scheep.⟩] *leech* ◆ **2.2** een levend ~ *a walking corpse;* een oud ~ *an old bag* ⟨vrouw⟩; *an old wreck / heap / crock / banger* ⟨auto⟩; *an old crate* ⟨fiets⟩ **6.1** ⟨fig.⟩ *over* mijn ~! *over my dead body!, you'll have to see me dead first!;* ⟨fig.⟩ *over* ~en gaan *show no mercy, be merciless, let nothing / no one stand in one's way;* iem. **voor** ~ laten liggen *leave s.o. for dead;* hij kwam **voor** ~ aan de finish *he arrived at the finish more dead than alive* **6.¶** ⟨stud.⟩ **voor** ~ liggen ⟨dronken, uitgeteld⟩ *be legless / left mindless / under the table* **8.1** zo wit / bleek als een ~ *as white as a sheet / ghost.*
lijkachtig ⟨bn.⟩ **0.1** *corpse-like ⇒cadaverous.*
lijkant ⟨de (m.)⟩ **0.1** *lee (gauge / side).*
lijkauto ⟨de (m.)⟩ **0.1** *hearse.*
lijkbaar ⟨de⟩ **0.1** *bier.*
lijkbezorger ⟨de (m.)⟩ **0.1** *undertaker ⇒⟨*AE ook⟩ *mortician.*
lijkbezorging ⟨de (v.)⟩ **0.1** *disposal of the dead;* ⟨beroep⟩ *undertaking.*
lijkbleek ⟨bn.⟩ **0.1** *deathly pale ⇒pale as death, ashen, livid, grey-faced.*
lijkbus ⟨de⟩ **0.1** *funeral urn.*
lijkdicht ⟨het⟩ **0.1** *elegy.*
lijkdienst ⟨de (m.)⟩ **0.1** *funeral (service) ⇒burial / memorial service, office for the dead.*
lijkdrager ⟨de (m.)⟩ **0.1** *(pall)bearer.*
lijkegif ⟨het⟩ **0.1** *ptomaine.*
lijken
I ⟨onov.ww.⟩ **0.1** [gelijkenis vertonen] *be / look (a)like ⇒resemble, be the same (as)* **0.2** [schijnen] *seem, appear ⇒look* **0.3** [passen] *suit, fit ⇒be right (for)* ◆ **1.1** hij lijkt de onschuld zelve *(you'd think) butter wouldn't melt in his mouth, he's all innocence;* ik doe een raam open, het lijkt hier wel een oven *do open a window, it's like an oven / a hot-house in here;* je lijkt je vader wel *you act / sound / are just like your father;* het lijkt wel wijn *it's rather / almost like wine* **1.3** dat huis lijkt me niet *I don't think that house'll do, I don't think much of that house;* zij is juist de vrouw die ons lijkt *she is the very woman (for us)* **2.2** hij lijkt jonger dan hij is *he looks younger than he is, he doesn't look his age;* het lijkt me vreemd *it seems odd to me* **3.2** het lijkt wel te regenen ⟨ook iron.⟩ *it looks as if it's raining* **4.2** hij lijkt me een aardige kerel te zijn *he seems (to me) to be a nice guy, he seems a nice guy to me;* hij lijkt me niet geschikt voor deze baan *I don't think he's suited to / the (right) man for this job;* het lijkt me onmogelijk *(it) seems impossible to me* **4.3** dat lijkt me wel wat *it sounds / seems possible / a good idea / alright to me, that wouldn't come amiss;* dat zou me wel ~ *I'd like that, that would suit me (down to the ground);* het lijkt me niets *I don't think much of it, I don't like it at all / one little bit* **5.1** dat lijkt er niet naar *it's way off, it's nowhere near / nothing like it;* het begint erop te ~ *it's getting there, it's beginning to look (more) like it / to bear some semblance (of it);* niets leek erop, dat ... *there was nothing to indicate that ...;* portretten ~ vaak slecht *portraits often show a poor resemblance / likeness* **5.2** hij lijkt wel gek *he must be daft / crazy;* zij leek razend *she looked livid;* het lijkt maar zo *it only seems that way / so* **6.1** hij lijkt sprekend **op** zijn vader *he's the spitting image of his father;* zij lijkt **op** haar moeder *she looks like her mother, she takes after her mother;* ze ~ helemaal niet **op** elkaar *they're not a bit alike, they don't resemble each other at all;* het lijkt **op** Grieks of zoiets *it looks / sounds like greek or sth.;* dat lijkt nergens op / naar *that's / it's absolutely hopeless, that looks like nothing on earth* **8.1** het lijkt wel dat zij niets te doen heeft *anyone would think she'd got nothing to do* **8.2** 't lijkt, of 't gaat regenen *it looks like rain, it looks as if it's going to rain;*

II ⟨ov.ww.⟩ ⟨scheep.⟩ **0.1** [op de wind brassen] *brace (square) to the wind* **0.2** [met touwwerk omzomen] *rope* ⟨zeil⟩.
lijkenhuis ⟨het⟩ **0.1** *mortuary ⇒morgue.*
lijkenlucht ⟨de⟩ **0.1** *cadaverous /* ⟨als v.e. lijk⟩ *corpse-like smell /* ↑ *odour.*
lijkenpikker ⟨de (m.)⟩ **0.1** [soldaat werkend in een militair hospitaal] ⟨ongemarkeerd⟩ *medical orderly ⇒⟨*sl.⟩ *bodysnatcher* **0.2** [⟨fig.⟩] *vulture ⇒ghoul.*
lijketouw ⟨het⟩ ⟨scheep.⟩ **0.1** *bolt rope.*
lijkevet ⟨het⟩ **0.1** *adipocere.*
lijkkist ⟨de⟩ **0.1** *coffin ⇒⟨*AE ook⟩ *casket,* ⟨met baarkleed bedekt ook⟩ *pall.*
lijkkleed ⟨het⟩ **0.1** [kleed over een dood(s)kist] *pall* **0.2** [kleed om een dode] *shroud ⇒winding-sheet.*
lijkkleur ⟨de⟩ **0.1** *livid / cadaverous colour ⇒deathly pallor, lividity.*
lijkkleurig ⟨bn.⟩ **0.1** *deathly pale ⇒cadaverous,* ⟨schr.⟩ *livid.*
lijkkoets ⟨de⟩ **0.1** *hearse ⇒funeral carriage.*
lijkkrans ⟨de (m.)⟩ **0.1** *(funeral) wreath ⇒⟨*schr.; euf.⟩ *floral tribute.*
lijklucht ⟨de⟩ **0.1** *cadaverous smell.*
lijkmis ⟨de⟩ **0.1** *Mass for the Dead ⇒Requiem Mass.*
lijkopening ⟨de (v.)⟩ **0.1** *autopsy ⇒post mortem (examination).*
lijkoven ⟨de (m.)⟩ **0.1** *cremator ⇒⟨*vnl. AE⟩ *cinerator.*
lijkplechtigheid ⟨de (v.)⟩ **0.1** *funeral ceremony /* ↑ *rites* ⟨mv.⟩ *⇒⟨*schr.; mv.⟩ *obsequies.*
lijkrede ⟨de⟩ **0.1** *funeral oration ⇒éloge, eulogy.*
lijkroof ⟨de (m.)⟩ **0.1** *body-snatching.*
lijkschennis ⟨de (v.)⟩ **0.1** *violation / desecration of a / the corpse.*
lijkschouwer ⟨de (m.)⟩ ⟨med⟩ **0.1** *autopsist ⇒medical examiner, pathologist,* ⟨jur.⟩ *coroner.*
lijkschouwing ⟨de (v.)⟩ ⟨med.⟩ **0.1** *autopsy ⇒post-mortem (examination), necropsy* ◆ **2.1** gerechtelijke ~ *(coroner's) inquest* **3.1** een ~ verrichten *perform / conduct / hold an autopsy / a post-mortem (examination).*
lijkstijfheid ⟨de (v.)⟩ **0.1** *rigor mortis.*
lijkstoet ⟨de (m.)⟩ **0.1** *funeral procession / cortège.*
lijkverbranding ⟨de (v.)⟩ **0.1** *cremation.*
lijkvlek ⟨de⟩ **0.1** *post mortem lividity.*
lijkwade ⟨de⟩ **0.1** *shroud ⇒graveclothes.*
lijkwagen ⟨de (m.)⟩ **0.1** *hearse.*
lijkzang ⟨de (m.)⟩ ⟨rel.⟩ **0.1** *funeral song.*
lijm ⟨de (m.)⟩ **0.1** *glue ⇒adhesive, gum* ⟨papier⟩, *(bird)lime* ⟨vogel-⟩ ◆ **3.1** ~ koken *boilglue* **6.1** papier **door** de ~ halen *size paper;* hout **met** ~ aan elkaar hechten *glue wood, stick wood together with glue.*
lijmachtig ⟨bn.⟩ **0.1** *glue-like ⇒⟨*inf.⟩ *gluey.*
lijmband ⟨de (m.)⟩ **0.1** *grease band* ⟨om boom⟩.
lijmen
I ⟨ov.ww.⟩ **0.1** [vasthechten] *glue (together) ⇒stick together, fix with glue* **0.2** [herstellen] *glue (together) ⇒stick (back) together,* ⟨ook fig.⟩ *patch up, mend* **0.3** [bepraten] *talk round ⇒win over* ◆ **1.1** ⟨fig.⟩ de brokken ~ *pick up the pieces;* een kistje ~ *g. a box together* **1.2** ⟨fig.⟩ de breuk binnen het kabinet ~ *heal the breach within the cabinet;* een kopje ~ *g. a cup (back together), mend a cup* **3.3** zich niet laten ~ *refuse to be roped in / ensnared* **6.1** de scherven **aan** elkaar ~ *g. / stick the pieces together;*
II ⟨onov.ww.⟩ **0.1** [treuzelen] *dawdle ⇒linger* **0.2** [lijmerig spreken] *drawl.*
lijmerig
I ⟨bn.⟩ **0.1** [als lijm] *gluey, sticky ⇒gummy, viscous, glutinous* ◆ **1.1** ~e vloeistoffen *viscous fluids, glutinous liquids;*
II ⟨bn., bw.⟩ **0.1** [langzaam] ⟨spreken⟩ *drawling ⇒⟨*persoon⟩ *sluggish* ◆ **3.1** ~ praten *drawl, speak with a drawl.*
lijmig ⟨bn.⟩ **0.1** *gluey, sticky ⇒viscous, glutinous.*
lijmkam ⟨de (m.)⟩ **0.1** *glue spatula / spreader.*
lijmklem ⟨de (m.)⟩ **0.1** *(glueing) clamp ⇒cramp.*
lijmknecht ⟨de (m.)⟩ **0.1** *cramp head ⇒clamp.*
lijmkwast ⟨de (m.)⟩ **0.1** *glue-brush.*
lijmnaad ⟨de (m.)⟩ **0.1** *(glued) joint.*
lijmpers ⟨de⟩ **0.1** [mbt. lijmwerk] *clamp* **0.2** [mbt. papier] *size-press.*
lijmpot ⟨de (m.)⟩ **0.1** [pot waarin lijm wordt gekookt] *glue-pot* **0.2** [pot met lijm] *pot of glue.*
lijmschroef ⟨de⟩ **0.1** *(glueing) cramp / clamp.*
lijmstang ⟨de⟩ **0.1** *⇒lijmstok.*
lijmstof ⟨het⟩ **0.1** *collagen.*
lijmstok ⟨de (m.)⟩ **0.1** *lime-twig* ◆ **6.¶** **op** het ~ je vliegen *fall for sth..*
lijmsuiker ⟨de (m.)⟩ **0.1** *glycine ⇒glycocoll.*
lijmtang ⟨de⟩ **0.1** *(glueing) cramp / clamp.*
lijmverf ⟨de⟩ **0.1** *distemper.*
lijmwater ⟨het⟩ **0.1** *size.*
lijn ⟨de⟩ ⟨→sprw. 408⟩ **0.1** [touw] *line ⇒rope, cord, thread, string* **0.2** [⟨fig.⟩] *string ⇒leash, lead* **0.3** [⟨wisk.⟩] *line* **0.4** [groef] *line ⇒track, crease, wrinkle* **0.5** [omtrek] *(out)line, contour ⇒lineament* **0.6** [linie] *line ⇒file, rank* **0.7** [⟨verkeer, com.⟩] *line ⇒⟨*verkeer⟩ *route, track* **0.8** [potlood / krijtstreep] *line ⇒stripe, streak* **0.9** [weg] *line ⇒route, course, way, tendency, trend* **0.10** [reeks punten mbt. een doel] *line*

0.11 [⟨geneal.⟩] *(blood)line* ⇒*lineage,* ⟨dieren⟩ *strain, strand* **0.12** [produktieproces ⟨vaak in samenst.⟩] *line* ◆ **1.7** de ∼ Haarlem-Amsterdam *the Haarlem-Amsterdam line* **1.12** de autolijn *the car (production)* *l.* **2.4** de scherpe ∼ en om de neus *the deep / sharp lines around the nose* **2.5** iets in grote ∼ en aangeven *sketch sth. in broad outlines;* in grote ∼ en *broadly speaking, on the whole, in general* **2.7** alleen op binnenlandse ∼ en vliegen *fly only domestic / national routes;* een eigen ∼ *a private l.* **2.9** zij ziet in de geschiedenis bepaalde ∼ en *she sees certain lines / paths / tendencies / threads in history;* de grote ∼ en uit het oog verliezen *lose o.s. in details, get involved in side issues;* een harde ∼ *a hard / tough l. / stand;* de resultaten bewegen zich in opgaande ∼ *the results show an upward tendency / trend* **2.11** de mannelijke / vrouwelijke ∼ *the male / female line;* in een rechte ∼ van iem. afstammen *be a direct / lineal descendant from s.o., descend from s.o. in a direct line* **3.7** die ∼ bestaat niet meer *that service / route no longer exists* **3.8** een ∼ trekken om *circumscribe;* een ∼ trekken boven / onder *overline, underline;* ∼ en trekken / krassen (op) *draw / scratch lines (on)* **3.9** een andere ∼ (gaan) volgen *pursue / adopt a different course* **6.2** iem. aan het ∼ tje houden *keep s.o. dangling / up in the air / in suspense;* een hond aan de ∼ houden *keep a dog on the lead / leash;* een vis aan de ∼ hebben *have a fish hooked;* iem. aan het ∼ tje hebben *have s.o. on a s.* **6.3** in rechte ∼ (gemeten) *in a straight / direct l., as the crow flies;* op één ∼ met *(ook fig.) in l. with, aligned with* **6.5** aan de (slanke) ∼ doen *be slimming / on a diet;* in grote ∼ en begrijpen wat er gezegd wordt *get the gist / tenor of what is being said;* dat mag ik niet hebben vanwege de ∼ *I can't eat that / have to watch my calories / it's fattening / it's bad for the figure* **6.6** in één ∼ liggen / staan *(bv. van huizen) be in l., have a common frontage;* de soldaten stonden op één ∼ *the soldiers were in l.;* op één ∼ stellen met *rank / class with, put on a par with;* ⟨fig.⟩ op dezelfde / op één ∼ zitten *on the same wavelength / click (with s.o.);* ⟨fig.⟩ op één ∼ brengen *align, bring into l.;* ⟨fig.⟩ op één ∼ staan (met), zich op één ∼ bevinden (met) *be on a par (with), rank (with);* ⟨fig.⟩ niet op één ∼ staan *not come up to, rank below* **6.7** Maastricht is aan de ∼ *Maastricht is calling / is on the l.;* blijft u even **aan** de ∼ *a.u.b. hold the l. / hold on, please;* iem. (thuis / op kantoor) **aan** de ∼ krijgen *get / contact s.o. on the phone (at home / at the office);* ik heb je moeder **aan** de ∼ *your mother is on the l. / phone* **6.8 op** de ∼ ⟨bij gokken, tussen twee kleuren⟩ *à cheval;* de bal ging **over** de ∼ *the ball crossed the l. / went / was out* **6.9 in** de ∼ liggen van *be in keeping / agreement with;* dat ligt helemaal in zijn ∼ *that is his l. / beat / cup of tea entirely;* ⟨fig.⟩ dat ligt **in** zijn ∼ *(ongunstig) that's just the sort of thing he'd do;* (gunstig) *that's right up his street;* dat ligt niet **in** zijn ∼ *that's off his beat, that's not in his l.* **6.10** oorlogsoperaties **op** de ∼ Rotterdam-Bonn *military actions on the l. Rotterdam-Bonn* **7.3** ⟨fig.⟩ daar zit geen ∼ in *there's no consistency in it, it is a disconnected jumble (of facts)* **7.7** ∼ 15 *number 15* **7.¶** zij trekken één ∼ *they speak with one voice / stick together / back one another up / present a common front.*

lijnbaan ⟨de⟩ ⟨amb.⟩ **0.1** *rope walk / yard* ⇒*ropery.*

lijnboot ⟨de⟩ **0.1** *liner.*

lijncliché ⟨de (v.)⟩ **0.1** *line block / cut / plate / engraving.*

lijndiagram ⟨het⟩ **0.1** *graph* ⇒*curve.*

lijndienst ⟨de (m.)⟩ **0.1** *regular / scheduled service* ⇒*line* ◆ **3.1** een ∼ onderhouden op *run a regular service on.*

lijnen
   I ⟨ov.ww.⟩ **0.1** [een smetlijn trekken] *rule* ⇒*line (out);*
   II ⟨onov.ww.⟩ **0.1** [vermageren] *slim, diet* ⇒*watch one's weight / calories.*

lijnenspectrum ⟨het⟩ ⟨nat.⟩ **0.1** *line spectrum.*

lijnenspel ⟨het⟩ **0.1** *(line) pattern* ⇒*tracings, interplay of lines, lining.*

lijnfunctie ⟨de (v.)⟩ **0.1** *line position.*

lijnfunctionaris ⟨de (m.)⟩ **0.1** *line executive.*

lijngravure ⟨de⟩ ⟨druk.⟩ **0.1** [handeling] *line engraving* **0.2** [resultaat] *line engraving.*

lijningang ⟨de (m.)⟩ ⟨audio⟩ **0.1** *(line) input.*

lijnkiezer ⟨de (m.)⟩ ⟨com.⟩ **0.1** *line / extension switch.*

lijnkoek ⟨de (m.)⟩ **0.1** *linseed / oil cake.*

lijnmotor ⟨de (m.)⟩ **0.1** *in-line /* ⁿ*straight engine / motor.*

lijnolie ⟨de⟩ **0.1** *linseed oil.*

lijnopzichter ⟨de (m.)⟩ **0.1** *track-walker.*

lijnorganisatie ⟨de (v.)⟩ **0.1** *line organization.*

lijnrecht
   I ⟨bn.⟩ **0.1** [recht als een lijn] *(dead) straight, linear* ⇒*straight as a poker;*
   II ⟨bw.⟩ **0.1** [in een rechte lijn] *straight* ⇒*right* **0.2** [volkomen] *directly* ⇒*flatly* ◆ **5.1** hier ∼ tegenover s. / *right across from here, directly / immediately opposite* **5.2** ∼ staan tegenover / ingaan tegen *be diametrically / flatly opposed to* **6.1** ∼ naar beneden s. *down* **6.2** ⟨fig.⟩ je hebt ∼ **tegen** mijn bevel in gehandeld *you have flatly contravened / acted in direct opposition to my orders* **¶.2** dit bewijs is ∼ in strijd met uw bewering *this (piece of) evidence is in flat contradiction to / is entirely at odds with your statement.*

lijnrechter ⟨de (m.)⟩ ⟨sport⟩ **0.1** *linesman.*

lijnrederij ⟨de (v.)⟩ **0.1** *(shipping) line* ⇒*liner company.*

lijnscheepvaart ⟨de⟩ **0.1** *liner trade.*

lijnschip ⟨het⟩ **0.1** *liner.*

lijnsignaal ⟨het⟩ **0.1** ᴮ*railway /* ᴬ*railroad signal.*

lijnstoring ⟨de (v.)⟩ **0.1** *faulty line / connection.*

lijntaxi ⟨de (m.)⟩ **0.1** *shared / regular taxi service* ⇒≠*minibus.*

lijntekenen ⟨ww.⟩ **0.1** *geometric(al) drawing* ⇒*construction / linear drawing.*

lijntekening ⟨de (v.)⟩ **0.1** *line drawing;* ⟨wisk.⟩ *geometrical drawing / diagram.*

lijntoestel ⟨het⟩ **0.1** *airliner* ⇒*scheduled plane.*

lijntrekken ⟨ww.⟩ **0.1** *slack* ⇒*malinger, lie down on the job,* ⟨inf.⟩ *swing the lead,* (als protest) *go slow.*

lijntrekker ⟨de (m.)⟩, **-ster** ⟨de (v.)⟩ **0.1** *slacker* ⇒*malingerer, shirker,* ⟨AE; inf.⟩ *goldbrick(er).*

lijntrekkerij ⟨de (v.)⟩ **0.1** *slacking* ⇒*shirking, malingering,* ⟨AE; inf.⟩ *goldbricking.*

lijnuitgang ⟨de (m.)⟩ ⟨audio⟩ **0.1** *(line) output.*

lijnvaart ⟨de⟩ **0.1** *liner trade / traffic.*

lijnverbinding ⟨de (v.)⟩ ⟨radio, t.v.⟩ **0.1** *connection* ⇒*link.*

lijnvliegtuig ⟨het⟩ **0.1** *airliner* ⇒*scheduled plane.*

lijnvlucht ⟨de (v.)⟩ **0.1** *scheduled flight.*

lijnvormig ⟨bn.⟩ ⟨biol.⟩ **0.1** *linear.*

lijnwachter ⟨de (m.)⟩ **0.1** *line(s)man* ⇒*wireman.*

lijnwerker ⟨de (m.)⟩ **0.1** *line(s)man, wireman* ⇒ ⟨spoorw.⟩ ᴮ*lineman,* ᴮ*platelayer,* ᴬ*tracklayer.*

lijnworp ⟨de (m.)⟩ ⟨sport⟩ **0.1** [inworp] *throw-in* **0.2** [vrije worp] *free throw.*

lijnzaad ⟨het⟩ **0.1** *linseed* ⇒*flax seed.*

lijnzaadmeel ⟨het⟩ **0.1** *linseed meal.*

lijnzaadolie ⟨de⟩ **0.1** *linseed oil.*

lijnzoeker ⟨de (m.)⟩ **0.1** *line / extension selector.*

lijp[1] ⟨de (m.)⟩ ⟨inf.⟩ **0.1** [idioot] *weirdie / do / dy* ⇒*moron, loon(y), nut, idiot, dope* **0.2** [slapjanus] *jerk* ⇒*oaf, lout, sop.*

lijp[2] ⟨bn., bw.; -ly⟩ ⟨inf.⟩ **0.1** [gevaarlijk] *risky* ⇒*dangerous, tricky* **0.2** [gek] *silly* ⇒*daft, loony, nuts, crackers* ◆ **3.2** doe niet zo ∼! *don't be s. / daft!* **6.¶** ∼ zijn op iets / iem. *be gone on / crazy about sth. / s.o..*

lijperik ⟨de (m.)⟩ ⟨inf.⟩ **0.1** *slippery / greasy customer.*

lijpkikker ⟨de (m.)⟩ ⟨inf.⟩ **0.1** *weirdie / do / dy* ⇒*loon(y), moron, nut, idiot, dope.*

lijpo ⟨de (m.)⟩ ⟨inf.⟩ **0.1** *nut(case)* ⇒*weirdo.*

lijs
   I ⟨de⟩ **0.1** [pop] *rag / soft doll* **0.2** [porselein] ⟨kind of China vase⟩;
   II ⟨de (m.)⟩ **0.1** [sloom persoon] *dawdle(r)* ⇒*slowcoach, slug(gard), tortoise, lazybones* ◆ **2.1** een lange ∼ *a bean pole.*

lijst ⟨de⟩ **0.1** [register] *list* ⇒*record, inventory, register, bill* **0.2** [omlijsting] *frame* **0.3** [vooruitspringende rand] *ledge, moulding* ⇒*cornice, band, border* ◆ **1.1** de ∼ der gesneuvelden *the death roll / roll of honour;* ∼ van geslaagde kandidaten *pass / class l., examination records;* op de ∼ van sprekers staan *be down to speak* **2.1** de zwarte ∼ *the blacklist* **2.2** een verguide ∼ *a gilt f.* **2.3** holle / platte ∼ *hollow bed, platband* **3.1** iem. van een ∼ afvoeren / schrappen *remove / scratch s.o.'s ('s name) from a l.;* een ∼ laten rondgaan *(voor geld) get up a subscription;* (anders) *send round / circulate a l.;* ∼ en opmaken *draw up lists;* er worden ∼ en bijgehouden van wie op college aanwezig is en wie niet *records are kept of attendance at (the) lectures* **5.1** zijn naam staat bovenaan de ∼ *he is (at the) top of the l. / bill;* hij staat laag bovenaan de ∼ *his name is well up on the l.* **6.1** niet **in** de ∼ en opgenomen *unlisted;* dit gebouw staat **op** de ∼ van monumentenzorg *there is a preservation order on this building;* iem. **op** een ∼ zetten / plaatsen *put / enter sth. / s.o. ('s name) on a l., book sth. / s.o.;* als derde **op** de ∼, nummer drie **op** de ∼ *third in line / on the l., ranking third;* **op** de zwarte ∼ plaatsen *blacklist* **6.2** ⟨fig.⟩ iem. **in** een ∼ zetten *revere / adore s.o., put s.o. in a gilt f.;* **in** een ∼ zetten *frame;* **zonder** ∼ *unframed* **6.3** de ∼ **om** een dakgoot *the gutter bearer(s).*

lijstaanvoerder ⟨de (m.)⟩, **-voerster** ⟨de (v.)⟩ **0.1** [lijsttrekker] *person heading the list of candidates* ⇒≠*party leader (in election)* **0.2** [koploper] *(competition) leader* ⇒*top of the league.*

lijstduwer ⟨de (m.)⟩ **0.1** ≠*one at the bottom / end of the list.*

lijsten ⟨ov.ww.⟩ **0.1** *frame.*

lijstenmaker ⟨de (m.)⟩ **0.1** *frame-maker* ⇒*picture-framer.*

lijster ⟨de⟩ **0.1** [geslacht van zangvogels] *thrush* **0.2** ⟨mv.⟩ onderfamilie] *thrushes* ◆ **2.1** grote ∼ *mistle / missel-thrush;* zwarte ∼ *blackbird* **8.1** zingen als een ∼ *sing like a lark.*

lijsterachtigen ⟨zn. mv.⟩ **0.1** *Turdidae* ⇒*thrush genus / family.*

lijsterbes
   I ⟨de⟩ **0.1** [vrucht] *rowan(berry)* ⇒*mountain ash berry;*
   II ⟨de (m.)⟩ **0.1** [boom] *rowan(tree)* ⇒*(European) mountain ash, sorb, (wild) service tree* **0.2** [bomengeslacht] *Sorbus.*

lijstladder ⟨de⟩ **0.1** *hanging ladder.*

lijsttrekker ⟨de (m.)⟩ →**lijstaanvoerder 0.1.**

lijstverbinding ⟨de (v.)⟩ ⟨pol.⟩ **0.1** ≠*electoral alliance / pact.*

lijstverhaal ⟨het⟩ **0.1** *frame story / tale.*

lijstwerk ⟨het⟩ **0.1** [deel van een gebouw / voorwerp] *moulding(s)* ⇒

beadwork, frame, trim **0.2** [werk bestaande in lijsten] ⟨mv.⟩ *lists* ⇒*registers, tables* ♦ **3.2** ~ drukken *print lists.*

lijvig ⟨bn.⟩ **0.1** [omvangrijk] *bulky* ⇒*voluminous, substantial, hefty* **0.2** [gezet] *thick-set* ⇒*heavy, massive, corpulent* **0.3** [gebonden] *thick-(ened)* ⇒*creamy, viscous* **0.4** [mbt. wijn] *full-bodied* ♦ **1.1** een ~ rapport *a b. report* **1.3** ~e stroop *thick syrup.*

lijvigheid ⟨de (v.)⟩ **0.1** [mbt. menselijk lichaam] *bulk(iness)* ⇒ ↑*corpulence,* ⟨ook med.⟩ ↑*obesity* **0.2** [mbt. boek/rapport] *bulk(iness)* ⇒*volume* **0.3** [mbt. vloeistoffen] *thickness.*

lijwaarts ⟨bw.⟩ **0.1** *leeward* ⇒*alee, downwind.*

lijzebet ⟨de (v.)⟩ **0.1** *slowcoach* ⇒*lounge lizard.*

lijzeil ⟨het⟩ ⟨scheep.⟩ **0.1** *studding sail* ⇒*stunsail.*

lijzen ⟨onov.ww.⟩ **0.1** [zich gedragen als een sukkel] *dawdle* ⇒⟨moeizaam doen⟩ *plod,* ⟨onhandig doen⟩ *blunder* **0.2** [lijzig spreken] *drawl.*

lijzig ⟨bn., bw.;-ly⟩ **0.1** [zeurderig] *drawling* ⇒*sing-song, mincing* **0.2** [langzaam] *slow* ⇒*tardy, dawdling* ♦ **1.1** een ~e stem *a sing-song voice* **3.1** ~ spreken *speak in a sing-song voice/manner, mince one's words.*

lijzigheid ⟨de (v.)⟩ **0.1** [lijzerige manier van spreken] *drawl* **0.2** [slungelachtigheid] *loutishness* ⇒*oafishness.*

lijzijde ⟨de⟩ **0.1** [⟨scheep.⟩] *lee (gauge/side)* ⇒*leeward* **0.2** [mbt. bomen] *lee/sheltered side.*

lik ⟨de (m.)⟩ **0.1** [het likken] *lick* ⇒*lap* **0.2** [zoen] *smack* ⇒*buss, kiss* **0.3** [onmiddellijke reactie] ⟨klap⟩ *lick* ⇒*box, smack* **0.4** [kleine hoeveelheid] *lick* ⇒*da(u)b* **0.5** [nor] *clink, cage* ⇒*can, pen, gaol* ♦ **1.4** een ~ stroop/verf *a l. / da(u)b of syrup/paint* **6.3** ⟨fig.⟩ een ~ **om** de oren *a box on the ears;* (iem.) een ~ **uit** de pan geven *tick (s.o.) off sharply, give (s.o.) a dressing down, lash out at s.o.* ¶**.3** ~ op stuk geven/krijgen *give/get tit for tat.*

likdoorn ⟨de (m.)⟩ **0.1** *corn* ⇒*clavus.*

likdoornpleister ⟨de⟩ **0.1** *corn plaster.*

likdoornzalf ⟨de⟩ **0.1** *corn salve.*

likeur ⟨de⟩ **0.1** *liqueur* ⇒*cordial* ♦ **6.1** ~ **op** ijs *l. frappé.*

likeurbonbon ⟨de (m.)⟩ **0.1** *liqueur chocolate;* ⟨zonder chocolade⟩ *liqueur bonbon.*

likeurglaasje ⟨het⟩ **0.1** *liqueur glass.*

likeurstel ⟨het⟩ **0.1** *liqueur set/stand.*

likeurstokerij ⟨de (v.)⟩ **0.1** *liqueur distillery.*

likeurstroop ⟨de⟩ **0.1** *starch/corn syrup.*

likeurtje ⟨het⟩ **0.1** *(glass of) liqueur.*

likkebaarden ⟨onov.ww.⟩ **0.1** *lick one's lips* ⇒*lick/smack one's chops* ♦ **6.1** naar iets ~ *lick one's lips over/for sth..*

likken ⟨onov.ww.⟩ ⟨→sprw. 541⟩ **0.1** [mbt. de tong] *lick* ⇒*lap* **0.2** [⟨inf.⟩ vleien] *toady* ⇒*fawn, soft-soap, boot-lick, flatter* **0.3** [polijsten] *shine* ⇒*polish, hone, sleek* **0.4** [⟨inf.⟩ bedriegen] *cheat* ⇒*take in, diddle, have* **0.5** [⟨vulg.⟩ cunnilingus bedrijven] *suck* ⇒*lick, blow, French* ♦ **1.1** ⟨fig.⟩⟨vulg.⟩ lik me gat/reet! *kiss my arse!, bugger/suck off!;* zijn lippen ~ *lick/smack one's lips* **1.3** ⟨fig.⟩ een gelikt iem. *a (city) slicker, a slick/fly customer;* gelikte verzen *highly polished/slick verse* **4.1** ⟨inf.⟩ ze zitten mekaar de godganse tijd te ~ *they just sit there necking/slobbering (all the time)* **5.4** hij is door zijn vrienden flink gelikt *he's been badly bitten by his friends* **6.1 aan** suikergoed ~ *lick sweets.*

likkepot ⟨de (m.)⟩ **0.1** *toady* ⇒*lickspittle, heeler, licker, toad-eater.*

likker ⟨de (m.)⟩ **0.1** → *likkepot.*

likmevestje ♦ **6.**¶ (een boek/vent) **van** ~ *a rubbishy/trashy/twopenny-halfpenny book, a dud/washout/good-for-nothing.*

liksteen ⟨de (m.)⟩ **0.1** *salt/mineral lick.*

likzout ⟨het⟩ **0.1** *salt/mineral lick.*

lil ⟨het, de (m.)⟩ **0.1** *(meat) jelly.*

lila ⟨bn.⟩ **0.1** *lilac* ⇒⟨zacht⟩ *lavender* ♦ **7.1** het ~ *lilac.*

lillen ⟨onov.ww.⟩ **0.1** *quiver* ⇒*shake, tremble,* ⟨schr.⟩ *palpitate* ♦ **1.1** het ~d ingewand *the quivering/palpitating intestines;* zijn vet lilde *his flab was quivering.*

lilliputachtig ⟨bn.⟩ **0.1** *lilliputian* ⇒*midget.*

lilliputter ⟨de (m.)⟩ **0.1** [klein mens] *lilliputian* ⇒*Tom Thumb, midget, dwarf* **0.2** [klein dier/ding] *lilliputian* ⇒*midget.*

limabonen ⟨zn.mv.⟩ **0.1** *lima beans* ⇒*limas, butter beans* ⟨gedroogd⟩.

liman ⟨de (m.)⟩ **0.1** *liman.*

limba ⟨het⟩ **0.1** *limba.*

limbisch ⟨bn.⟩ **0.1** *limbic* ♦ **1.1** ~ systeem *l. system.*

limbo ⟨de (m.)⟩ **0.1** *limbo.*

Limburg 0.1 *Limburg.*

Limburger ⟨de (m.)⟩ **0.1** *Limburger (cheese).*

Limburgs ⟨bn.⟩ **0.1** *Limburg* ⇒⟨kaas⟩ *Limburger.*

limbus ⟨de (m.)⟩ **0.1** [⟨plantk.⟩] *limb* **0.2** [boordsel] *edging* ⇒*facing, lacing* **0.3** [⟨ster., nat.⟩] *limb* **0.4** [⟨r.k.⟩] *limbo.*

limiet ⟨de⟩ **0.1** [uiterste grens] ⟨vaak mv.⟩ *limit* ⇒*verge, edge* **0.2** [⟨hand.⟩] *reserve price* ⇒⟨vnl. AE⟩ *upset price* **0.3** [⟨wisk.⟩] *limit* ♦ **2.1** de Olympische ~ *the Olympic standard* **3.1** het/zijn ~ bereiken *reach the/o.'s limits/saturation point;* een ~ stellen aan een budget *set a l. to the budget;* de atleten moeten voldoen aan de ~ *the athletes have to pass the standards/have to qualify.*

limietverzekering ⟨de (v.)⟩ ⟨verz.⟩ **0.1** *limited (insurance) coverage.*

limit ⟨de⟩ **0.1** *limit* ⇒*end* ♦ **3.1** dat is toch wel de ~! *that's the l.!, that's the (absolute) end!,* [B]*that puts the lid on it!; that's the last straw!.*

limitatie ⟨de (v.)⟩ **0.1** *limitation.*

limitatief ⟨bn.⟩ **0.1** *limitative* ⇒*restrictive* ♦ **1.1** een ~ voorschrift *a l. / restrictive regulation* **1.**¶ een limitatieve opsomming *an exhaustive account.*

limiteren ⟨ov.ww.⟩ **0.1** [beperken] *limit* ⇒*confine* **0.2** [⟨hand.⟩] *give a stop(-loss) order (to a broker)* ♦ **1.1** een gelimiteerde oplage *a limited edition.*

limnologie ⟨de (v.)⟩ **0.1** *limnology.*

limoen ⟨de (m.)⟩ **0.1** *lime.*

limoenkruid ⟨het⟩ **0.1** [citroenkruid] *southernwood* ⇒⟨BE ook⟩ *boy's love* **0.2** [strandkruid] *sea lavender.*

limonade ⟨de⟩ **0.1** *lemonade* ♦ **2.1** niet-gazeuse ~ *l. squash, still l.* **3.1** priklimonade, ~ gazeuse *fizzy/aerated/sparkling l..*

limonadesiroop ⟨de⟩ **0.1** *lemon syrup.*

limoniet ⟨het⟩ ⟨geol.⟩ **0.1** *limonite.*

limousine ⟨de (v.)⟩ **0.1** *limousine* ⇒*berlin(e),* ⟨inf.⟩ *limo.*

limpido ⟨bw.⟩ ♦ **1.**¶ dat is honderd gulden ~ (winst) in mijn zak *that's a hundred guilders sheer profit in my pocket.*

linac ⟨de (m.)⟩ ⟨nat.⟩ **0.1** *linac.*

lindaan ⟨het⟩ **0.1** *lindane.*

linde ⟨de⟩ **0.1** *lime (tree)* ⇒*linden* ♦ **2.1** Amerikaanse/zwarte ~ *basswood;* Hollandse ~ *common lime (tree).*

lindebloesem ⟨de (m.)⟩ **0.1** *lime blossom.*

lindebloesemthee ⟨de (m.)⟩ **0.1** *lime-/linden-blossom tea.*

lindeboom ⟨de (m.)⟩ **0.1** *lime/linden (tree).*

lindehout ⟨het⟩ **0.1** *limewood* ⇒⟨van Amerikaanse linde⟩ *basswood.*

linden ⟨bn.⟩ **0.1** *limewood.*

lindepijlstaart ⟨de (m.)⟩ **0.1** *lime hawkmoth.*

lineair ⟨bn.⟩ **0.1** [uit lijnen bestaand] *linear* ⇒*lineal* **0.2** [in de lengte] *linear* ⇒*lineal* **0.3** [⟨wisk.⟩] *linear* ⇒*lineal* ♦ **1.1** Lineair A/B ⟨oude Kretensische schriften⟩ *Linear A/B;* ~e constructies *linear constructions/structures;* ~e programmering *linear programming;* ~ schrift *linear script* **1.2** ~e inductiemotor *linear (induction) motor;* ~ perspectief *linear perspective;* de ~e uitzetting van ijzer *the linear expansion of iron* **1.3** ~e vergelijking *linear equation* **1.**¶ ⟨nat.⟩ ~e (deeltjes)versneller *linear accelerator, linac;* ~e hypotheek *level repayment mortgage.*

linea recta ⟨bw.⟩ **0.1** *straight* ♦ **3.1** ~ gaan naar *go s. to, make a beeline for.*

lingerie ⟨de (v.)⟩ **0.1** [stof] ≠*(fine) linen* **0.2** [ondergoed] *lingerie* ⇒*women's/lady's underwear* **0.3** [winkel] *lingerie/lady's underwear shop/boutique.*

linguaal[1] ⟨het, de⟩ **0.1** *reed (pipe).*

linguaal[2] ⟨bn.⟩ **0.1** [mbt. de tong] *lingual* ⇒*glossal* **0.2** [aan de tongzijde] *lingual* ⇒*glossal.*

lingua franca ⟨de⟩ ⟨taal.⟩ **0.1** *lingua franca.*

linguïst ⟨de (m.)⟩ **0.1** *linguist* ⇒*linguistician.*

linguïstiek ⟨de (v.)⟩ **0.1** *linguistics.*

linguïstisch ⟨bn., bw.;-ally⟩ **0.1** *linguistic.*

liniaal ⟨het, de⟩ **0.1** *ruler.*

liniatuur ⟨de (v.)⟩ **0.1** [samenstel van lijnen] *lineation* ⇒*lines, pattern (of lines)* **0.2** [manier van liniëren] *lineation.*

linie ⟨de⟩ **0.1** [⟨mil.⟩] *line* ⇒*rank* **0.2** [evenaar] *(the) line* ⇒*equator* **0.3** [⟨scheep.⟩] *line* ⇒*alignment* **0.4** [⟨sport⟩ groep spelers ⟨vaak in samenst.⟩] *line* ⇒*row* **0.5** [reeks verdedigingswerken] *line (of defensive works/defences* [A]*ses)* **0.6** [tak van bloedverwantschap] *line* **0.7** [denkbeeldige lijn] *line* ♦ **1.4** de aanvalslinie/verdedigingslinie *the attack/defence* **1.5** de Maginot-~ *the Maginot l.* **2.1** door de vijandelijke ~ (heen)breken *break through the enemy lines* **2.6** mannelijke ~ *male l., spear side;* opgaande/neergaande/rechte ~ *ascending/descending/direct l.;* een afstammeling in de rechte ~ *a direct/linear descendant;* vrouwelijke ~ *female l., distaff/spindle side* **2.**¶ over de hele ~ *all along the line, on all points, all-round, all-over, across the board;* de prijzen gingen over de hele ~ omhoog *prices made an all-round rise, rose across the board* **3.2** de ~ passeren *cross the Line* **6.3** in ~ varen *sail in l..*

linieermachine ⟨de (v.)⟩ **0.1** *ruling machine* ⇒*machine ruler.*

liniëren ⟨ov.ww.⟩ **0.1** *line, rule* ⇒*draw lines* ♦ **1.1** papier ~ *l. / r. paper.*

linieschip ⟨het⟩ **0.1** *ship of the line.*

linietroepen ⟨zn.mv.⟩ **0.1** *(troops of) the line.*

link[1] ⟨de⟩ **0.1** *link* ⇒*connection, relationship* ♦ **3.1** een ~ leggen tussen twee gebeurtenissen *link two events.*

link[2] ⟨bn.⟩ ⟨inf.⟩ **0.1** [slim] *sly* ⇒*cunning, artful, knowing,* ⟨AE; sl.⟩ *mean* **0.2** [gevaarlijk] *risky* ⇒*shaky, dicey* ♦ **1.2** ~e jongens *a shavy/shifty lot, rogues;* ⟨sl.⟩ *heavies;* ⟨fig.⟩ dat is ~e soep *that's a r. / dicey/shakey business;* ~e waar *hot goods/stuff, stuff 'off the back of a lorry'* **2.2** dat is me ~ ~ *that's too r.; that's too r. for me* **8.1** hij is zo ~ als een looie deur *he's as crooked/bent as a corkscrew, he's a wheeler-dealer/slick alec.*

linken ⟨ov.ww.⟩ ⟨inf.⟩ **0.1** *diddle* ⇒*spoof, bamboozle* ♦ **3.1** laat je niet ~ *don't be taken for a ride/diddled/spoofed.*

linker ⟨bn.⟩ **0.1** *left* ⇒*left-hand,* ⟨van auto, been van paard⟩ *nearside* ◆ **1.1** huizen aan de ∼ kant van de straat *houses on the left-hand side of the street;* ∼ pedaal ⟨van piano⟩ *soft pedal;* ∼ rijbaan *l. lane;* het ∼ voorwiel *the nearside/* ^A^*near front wheel* **4.1** ⟨zelfst.⟩ deze hand is mijn ∼ *this hand is my l. one* **6.1** ⟨zelfst.⟩ hij nam de bal vol **op** de ∼ *he took the ball on his l. foot.*

linkerachterpoot ⟨de (m.)⟩ **0.1** *left hind-/rear-leg.*

linkerarm ⟨de (m.)⟩ **0.1** *left arm.*

linkerbeen ⟨het⟩ **0.1** *left leg* ◆ **6.1** ⟨fig.⟩ hij is **met** zijn ∼ uit bed gestapt *he got out of bed on the wrong side.*

linkerbenedenhoek ⟨de (m.)⟩ **0.1** *bottom left-hand corner.*

linkerbovenhoek ⟨de (m.)⟩ **0.1** *top left-hand corner.*

linkerd ⟨de (m.)⟩ **0.1** *crafty devil* ⇒*wheeler-dealer, slick alec/operator,* ^B^*spir.*

linkerhand ⟨de⟩ ⟨→sprw. 409⟩ **0.1** *left hand* ⇒⟨van ruiter ook⟩ *bridle hand,* ⟨AE;inf.;sport⟩ *southpaw* ◆ **6.1 aan** de ∼ *at/on/to one's l. h./ left* **6.¶** huwelijk **met** de ∼ *left-handed/morganatic marriage;* huwen **met** de ∼ *marry with the l. h., enter into a left-handed marriage* **7.1** ⟨fig.⟩ twee ∼ en hebben, met twee ∼en geboren zijn *have two left feet /ten thumbs, be all fingers and thumbs.*

linkerhandschoen ⟨de (m.)⟩ **0.1** *left-hand glove.*

linkerkant ⟨de (m.)⟩ **0.1** *left(-hand) side* ⇒*left,* ⟨BE ook; mbt. auto⟩ *nearside.*

linkeroever ⟨de (m.)⟩ **0.1** *left bank.*

linkerschouder ⟨de (m.)⟩ **0.1** *left shoulder* ◆ **6.1** ⟨fig.⟩ iem. **over** de ∼ aanzien *pooh-pooh s.o., hold s.o. cheap.*

linkervleugel ⟨de (m.)⟩ **0.1** [vleugel] *left wing* ⇒⟨van troepen ook⟩ *left flank* **0.2** [⟨pol.⟩ linkerzijde] *left (wing), Left* ⇒⟨mv.⟩ *(the) socialists* **0.3** [⟨pol.⟩ afdeling] *left (wing)* ⇒*socialist/radical wing* ◆ **1.1** ⟨fig.⟩ de ∼ van een gebouw/een troepenmacht/voetbalelftal *the l. w. of a building/military force/football team;* de ∼ van een vliegtuig *the port/ l. w. of a plane* **1.3** lid van de ∼ *member of the left, left-wing member, left-winger.*

linkervleugelspeler ⟨de (m.)⟩ ⟨sport⟩ **0.1** *left-winger.*

linkervoet ⟨de (m.)⟩ **0.1** *left foot.*

linkervoorpoot ⟨de (m.)⟩ **0.1** *left fore-/front-leg.*

linkerzij ⟨de⟩ **0.1** [linkerkant] *left(-hand) side, left* ⇒⟨van weg, auto in GB⟩ *near side* ⟨de kant van de weg waarlangs men rijdt⟩ **0.2** [deel van het lichaam] *left side* ⇒*left part/half* **0.3** [⟨pol.⟩] *(the) left/Left, left wing* ⇒*(the) socialists,* ⟨GB⟩ *Labour* ◆ **6.1** zij zat **aan** mijn ∼ *she was sitting on my left* **6.2** pijn/steken **in** de ∼ *pain/stitches in the l. s..*

linking pin ⟨de (m.)⟩ **0.1** *link* ⇒*(point of) contact, contact-man/-woman /-person,* ⟨BE ook⟩ *linkman/woman.*

linkmichel ⟨de (m.)⟩ **0.1** *crafty number* ⇒*wheeler-dealer.*

links ⟨bn., bw.⟩ **0.1** [aan de linkerzijde] *left* ⇒⟨bw. ook⟩ *to/on the left,* ⟨herald.⟩ *sinister* **0.2** [bewegend naar de linkerzijde] *left* ⇒ *left-handed, anticlockwise, counterclockwise* **0.3** [met de linkerhand of linkervoet werkend] *left-handed* ⇒⟨sport ook⟩ *left-footed,* ⟨wet.⟩ *sinistral,* ⟨attr.⟩ ⟨AE;inf.;sport⟩ *southpaw* **0.4** [onhandig] *left-handed* ⇒*gauche, awkward, left-footed,* ⟨wet.⟩ *cackhanded, maladroit, hamfisted, hamhanded* **0.5** [⟨pol.⟩] *left-wing* ⇒*leftist, socialist* ◆ **1.1** de tweede kamer ∼ *the second room to/on the left* **1.2** een ∼e deur *a left-hand door;* ∼e schroef *left-hand(ed) screw* **1.3** ⟨sport⟩ een ∼ recte, een ∼e *a straight left, a left-hander* **1.4** ∼e manieren *gauche behaviour/manners* **1.5** ∼(e) beleid/denkbeelden *leftist/left-wing policy/ideas, leftism;* de ∼ partijen *the left(-wing)/leftist parties, the parties of the left;* een ∼e rakker *lefty, commie, Red, bolshie, militant;* ⟨niet overtuigd⟩ *trendy lefty* **2.1** ∼ en rechts *right and left, on all sides* **2.2** ∼ en rechts *right and left, to and fro, up and down* **2.5** ⟨zn.⟩ nieuw ∼ *(the) New Left* **3.1** ∼ houden/aanhouden *keep (to the) left;* ∼ inhalen *overtake/pass on the left;* ⟨fig.⟩ iem. ∼ laten liggen *ignore/cut s.o., give s.o. the cold shoulder/the go-by, pass s.o. by;* de stad ∼ laten liggen *leave the town on one's left;* ⟨de stad vermijden⟩ *bypass the town;* ⟨zn.⟩ ∼ moet stoppen *traffic from the left must give way* **3.2** ∼ afslaan *turn/bear (to the) left;* het hoofd ∼ buigen *bend one's head to the left;* ∼ gebreid *purled, knitted in purl stitch* **3.3** dit kind is van nature ∼ *this child is l.-h. by birth;* ∼ schrijven *write with one's left hand* **3.5** ∼ georiënteerd zijn *be leftist, have leftist/left-wing sympathies;* ⟨op⟩ ∼ stemmen *vote left* **5.1** van ∼ en rechts komend verkeer *cross-traffic, traffic coming from right and left* **5.5** gematigd ∼ ⟨als zn.⟩ *the moderate left;* ⟨als bn.⟩ *moderately left;* uiterst/extreem ∼ ⟨als zn.⟩ *(the) far left/extreme left;* ⟨als bn.⟩ *militantly left* **6.1** ⟨sport⟩ iem. **op** ∼ laten spelen *place s.o. in the left field;* ∼ **van** iem. zitten *sit to the left of s.o./ to one's l.s* ∼ is **links 6.2 naar** ∼ ⟨bw.⟩ *(to the) left, leftwards,* ^A^*leftward;* ∼ de bocht **om** rijden *take the left-hand bend/ turn* **6.5** ⟨zn.⟩ naar ∼ lonkend, **met** ∼ flirtend *leftish, liberal,* ⟨BE; inf.⟩ *pink;* ⟨zn.⟩ **tegen** ∼ aanleunend *left-leaning, inclined towards the left.*

linksachter ⟨de (m.)⟩ ⟨sport⟩ **0.1** *left back.*

linksaf ⟨bw.⟩ **0.1** *(to the) left* ⇒*leftwards,* ^A^*leftward* ◆ **3.1** bij de brug moet u ∼ (gaan) *turn (to the) l. at the bridge.*

linksback ⟨de (m.)⟩ ⟨sport⟩ **0.1** *left-back.*

linksbinnen ⟨de (m.)⟩ ⟨sport⟩ **0.1** *inside left.*

linksbuiten ⟨de (m.)⟩ ⟨sport⟩ **0.1** *outside left* ⇒⟨vnl. BE⟩ *left-wing(er).*

linksdraaiend ⟨bn.⟩ **0.1** [⟨schei.⟩] *laevorotatory* ⇒⟨in samenstellingen⟩ *laevo-* **0.2** [mbt. een deur] *left-hand.*

linksdragend ⟨bn.⟩ **0.1** *dressing on/to the left.*

linkshalf ⟨de (m.)⟩ ⟨sport⟩ **0.1** *left half(back).*

linkshandig ⟨bn.⟩ **0.1** *left-handed* ⇒⟨wet.⟩ *sinistral,* ⟨BE;inf.⟩ *cackhanded,* ⟨attr.⟩ ⟨AE;inf.;sport⟩ *southpaw* ◆ **2.1** zowel links- als rechtshandig *ambidextrous* **6.1** schaar/lepel ⟨enz.⟩ **voor** ∼en *l. -h. scissors/spoon* **7.1** ⟨zn.⟩ een ∼e *a left-hander/sinistral;* ⟨inf.⟩ *a lefty,* ⟨AE;sl.⟩ *a side-wheeler.*

linksheid ⟨de (v.)⟩ **0.1** [het links zijn] *left-handedness* ⇒⟨wet.⟩ *sinistrality* **0.2** [onhandigheid] *lefthandedness* ⇒*gaucherie, awkwardness.*

linksom ⟨bw.⟩ **0.1** *left* ◆ **3.1** ∼ draaien *turn (to the) left;* ⟨dansk.⟩ *reverse;* ⟨mil.⟩ ∼ keert! *left turn!.*

linksvoetig ⟨bn.⟩ **0.1** *left-footed.*

linnen[1] ⟨het⟩ **0.1** [weefsel] *linen* ⇒*toile,* ⟨mbt. boeken⟩ *cloth* **0.2** [linnengoed] *linen* ◆ **2.1** ruw/ongebleekt/wit/fijn ∼ *coarse/unbleached/ white/fine l.;* Vlaams/Hollands ∼ *Flemish/Holland l.* **6.1** een boek **in** ∼ gebonden *a clothbound book, a book in cloth.*

linnen[2] ⟨bn.⟩ **0.1** [uit vlas] *linen* ⇒*flax* **0.2** [van linnen] *linen* ◆ **1.1** ∼ garen *l. thread/yarn, linen* **1.2** een ∼ band *cloth-binding;* in ∼ band in ∼ ondergoed *l. underwear, linen.*

linnengoed ⟨het⟩ **0.1** *linen.*

linnenkamer ⟨de⟩ **0.1** *linen-room.*

linnenkast ⟨de⟩ **0.1** *linen-cupboard* ^A^*closet.*

linnenpapier ⟨het⟩ **0.1** *linen (paper).*

linnenpers ⟨de⟩ **0.1** *linen-press.*

linnenweverij ⟨de (v.)⟩ **0.1** [het linnenweven] *linen-weaving;* ⟨fabriek⟩ *linen-factory.*

lino ⟨de⟩ ⟨bk.⟩ **0.1** *lino-cut.*

linoleum[1] ⟨het, de (m.)⟩ **0.1** *linoleum* ⇒⟨vnl. BE;inf.⟩ *lino* ◆ **6.1** met ∼ bekleed/op de vloer *linoleumed.*

linoleum[2] ⟨bn.⟩ **0.1** *linoleum.*

linoleumdruk ⟨de (m.)⟩ **0.1** [drukproces] *lino-block print* **0.2** [afdruk] *linocut.*

linoleumkit ⟨het⟩ **0.1** *linoleum cement.*

linoleumsnede ⟨de⟩ **0.1** [voorstelling in reliëf] *linocut* **0.2** [afdruk] *linocut.*

linoleumwas ⟨het, de (m.)⟩ **0.1** *linoleum polish/wax.*

linolzuur ⟨het⟩ **0.1** *linol(e)ic acid.*

linon ⟨het⟩ **0.1** *leno* ⇒*lawn* ◆ **2.1** een kraagje van geborduurd ∼ *a collar of embroidered leno/lawn.*

linotype ⟨de⟩ ⟨boek., druk.⟩ **0.1** *linotype* ⇒⟨handelsmerk⟩ *Linotype.*

linozetter ⟨de (m.)⟩ **0.1** *linotypist* ⇒*Linotype operator.*

lint ⟨het⟩ **0.1** [smal weefsel] *ribbon, tape* ⇒⟨boordlint⟩ *(bias) binding* **0.2** [stuk lint] *ribbon, tape* ⇒⟨boordlint⟩ *binding, band* ⟨om hoed⟩ **0.3** [bast] *flax/hemp fibre* ◆ **2.1** een zwart ∼ om zijn hoed *a black band round his hat* **3.2** het ∼ doorknippen ⟨ook fig.⟩ *cut the t.;* daar krijg je vast een ∼ voor! ⟨scherts.⟩ *you'll get a medal for that!;* ⟨AE ook⟩ *you deserve a putty medal!* **6.2** ⟨fig.⟩ **door** het ∼ gaan *blow up, blow one's top, lose one's head, fly off the handle;* **met** ∼en *ribboned;* ⟨van hoofddeksel ook⟩ *lappeted;* het ∼ **van** een schrijfmachine *the (typewriter) r..*

lintaal ⟨de (m.)⟩ ⟨dierk.⟩ **0.1** *elver.*

lintbebouwing ⟨de (v.)⟩ **0.1** *ribbon development/building.*

lintbloem ⟨de⟩ **0.1** *ray flower.*

lintcassette ⟨de⟩ **0.1** *ribbon cassette.*

linters ⟨zn.mv.⟩ **0.1** *linters.*

lintgras ⟨het⟩ **0.1** *ribbon grass* ⇒*gardener's garters.*

lintje ⟨het⟩ **0.1** *decoration* ◆ **3.1** een ∼ krijgen *be decorated, get/be given a d..*

lintjesjager ⟨de (m.)⟩ **0.1** *ribbon/decoration hunter.*

lintjesregen ⟨de (m.)⟩ **0.1** *rain of titles (on the monarch's birthday)* ⇒ *shower of birthday honours,* ⟨GB⟩ *Birthday Honours (List).*

lintomschakelaar ⟨de (m.)⟩ **0.1** *(ribbon) colour change lever.*

lintvis ⟨de (m.)⟩ **0.1** *ribbon-fish.*

lintvoeg ⟨de⟩ ⟨amb.⟩ **0.1** *edge joint.*

lintvormig ⟨bn.⟩ **0.1** *ribbon-shaped* ⇒⟨plantk.⟩ *ligulate.*

lintworm ⟨de (m.)⟩ **0.1** *tapeworm.*

lintworminfectie ⟨de (v.)⟩ ⟨med.⟩ **0.1** *infestation with tapeworms* ⇒ ⟨med. ook⟩ *taeniasis.*

lintzaag ⟨de⟩ **0.1** [bandzaag] *bandsaw* **0.2** [machine] *bandsaw.*

linze ⟨de⟩ **0.1** [plant] *lentil* **0.2** [zaad] *lentil* ◆ **1.2** een schotel ∼n *a dish of lentils;* ⟨voor zieken⟩ *revalenta;* zijn eerste geboorterecht voor een schotel ∼ verkopen *sell one's birthright for a mess of pottage.*

linzenmoes ⟨de⟩ **0.1** *crushed lentils;* ⟨bijb.⟩ *mess of pottage.*

linzenschotel ⟨de (m.)⟩ **0.1** *lentil dish.*

linzensoep ⟨de⟩ **0.1** *lentil soup.*

lip ⟨de⟩ **0.1** [deel van de mond] *lip* **0.2** [op een lip gelijkende zaak] ⟨ook plantk./schaamlip/mbt. wond/vaas/orgelpijp⟩ *lip* ⇒⟨tech. ook⟩ *joggle,* ⟨van anker⟩ *bill,* ⟨van hoefijzer⟩ *clip,* ⟨van schoen⟩ *tongue,* ⟨plantk. ook⟩ *labellum* ◆ **1.1** ⟨cul.⟩ ∼pen en kelen *sounds and tongues;* ⟨fig.⟩ tussen neus en ∼pen *in odd moments, casually* **2.1** een dikke ~ hebben *have a swollen l.;* dikke ~pen *thick / full lips;* met dunne/bleke/opeengeklemde ~pen *thin/white/tight-lipped;* gesprongen ~pen *chapped/cracked lips;* schrale ~pen *dry lips* **3.1** zijn ~pen ergens bij aflikken *lick/smack one's lips;* zijn ~pen op iets drukken *press one's lips against sth., kiss sth.;* de ~pen op elkaar klemmen *set/compress one's lips;* de ~ laten hangen *hang one's lips, pout;* de/zijn ~pen optrekken *curl one's lips (up);* de ~pen tuiten/samentrekken *pout, purse one's lips* **6.1** een glas **aan** de ~pen brengen *raise/put/set/lift/place a glass to one's lips, set one's lips to a glass;* ⟨fig.⟩ **aan** iemands ~pen hangen *hang (up)on s.o.'s lips/words;* ⟨fig.⟩ iem. **op** de ~ zitten *sit very close to s.o., be sticky;* ⟨fig.⟩ ik had het woord **op** mijn ~pen *I had the word/the word was on the tip of my tongue;* ⟨fig.⟩ **op** aller ~pen zijn *be on everybody's lips, be on every l., be in every/everybody's mouth;* zich **op** de ~pen bijten *bite one's lips;* de vinger **op** de ~pen leggen *place/put a/one's finger to one's lips;* een dergelijk woord is nooit **over** mijn ~pen gekomen *such a word never passed/crossed my lips, I never uttered such a word.*

lipariet ⟨het⟩ **0.1** *liparite* ⇒*rhyolite.*
lipbloemigen ⟨zn.mv.⟩ ⟨plantk.⟩ **0.1** *labiates.*
lipide¹ ⟨het⟩ **0.1** *lipid(e).*
lipide² ⟨bn.⟩ **0.1** *lipidic.*
Lipizzaner ⟨de (m.)⟩ **0.1** *Lippizaner, Lipizzaner.*
lipje ⟨het⟩ **0.1** *tab* ⟨ook van blikje⟩ ⇒*lip,* ⟨van schoen⟩ *tongue.*
lipkanker ⟨de (m.)⟩ **0.1** *cancer of the lip* ⇒*lip cancer.*
lipklank ⟨de (m.)⟩ ⟨taal.⟩ **0.1** *labial (sound).*
liplas ⟨de⟩ ⟨amb.⟩ **0.1** *halved joint* ◆ **2.1** rechte/schuine ~ *straight/oblique halved joint.*
liplezen ⟨ww.⟩ **0.1** *lip reading* ⇒*speechreading* ◆ **3.1** leren ~ *learn to lip-read/read s.o.'s lips.*
lipmedeklinker ⟨de (m.)⟩ ⟨taal.⟩ **0.1** *labial (consonant).*
lipogram ⟨het⟩ **0.1** *lipogram.*
lipogrammatisch ⟨bn.⟩ **0.1** *lipogrammatic.*
lipoïde ⟨het⟩ **0.1** [stof] *lipoid* **0.2** [mengsel] *lipoid.*
lippenbeer ⟨de (m.)⟩ **0.1** *slothbear.*
lippendienst ⟨de (m.)⟩ **0.1** *lip service* ◆ **3.1** ~ bewijzen aan *pay/give/do l.s. to.*
lippenglans ⟨de (m.)⟩ **0.1** *lip gloss.*
lippenpotlood ⟨het⟩ **0.1** *lip pencil.*
lippenstift ⟨de⟩ **0.1** *lipstick* ◆ **3.1** ~ opdoen *put on l..*
lippenzalf ⟨de⟩ **0.1** *lip salve;* ⟨stift; vnl. AE⟩ *chapstick.*
lippig ⟨bn.⟩ ⟨biol.⟩ **0.1** *labiate, lipped.*
lippijp ⟨de⟩ **0.1** *flue pipe.*
lipssleutel ⟨de (m.)⟩ **0.1** *yale key.*
lipsslot ⟨het⟩ **0.1** *yale lock* ⇒*cylinder lock.*
lipsynchroon ⟨bn.⟩ **0.1** *dubbed* ⇒*synchronized,* ⟨inf.; vaak pej.⟩ *mickey-moused.*
lipvis ⟨de (m.)⟩ **0.1** *wrasse* ⇒*sea wife,* ⟨AE ook⟩ *nipper.*
lipvormig ⟨bn.⟩ **0.1** *labial, lip-shaped.*
liquida ⟨de (v.)⟩ ⟨taal.⟩ **0.1** *liquid.*
liquidateur ⟨de (m.)⟩, **-trice** ⟨de (v.)⟩ **0.1** *liquidator.*
liquidatie ⟨de (v.)⟩ **0.1** [⟨euf.⟩ mbt. personen] *liquidation* ⇒*elimination* **0.2** [mbt. transacties] *liquidation* ⇒*winding-up, break-up, dissolution,* ⟨op beurs ook⟩ *settlement* ◆ **3.2** ~ ondergaan *liquidate* **6.2 in** ~ zijn *be in l., be wound up;* **in** ~ gaan *go into l., liquidate, wind up (one's affairs);* ⟨AE ook⟩ *close out;* de **met** de ~ belaste bank *the liquidating bank.*
liquidatiedag ⟨de (m.)⟩ **0.1** *settlement/ᴮsettling day.*
liquidatiekas ⟨de⟩ **0.1** *clearing bank/house/office.*
liquidatiekoers ⟨de (m.)⟩ **0.1** *settlement price.*
liquidatieuitverkoop ⟨de (m.)⟩ **0.1** *liquidation/closing-down sale* ⇒⟨AE ook⟩ *close-out.*
liquidatiewinst ⟨de⟩ **0.1** *profit made on liquidation.*
liquide ⟨bn.⟩ **0.1** [onmiddellijk vereffenbaar] *liquid, fluid* **0.2** [vloeibaar] *liquid* ◆ **1.1** ~ middelen *l. / f. assets.*
liquideren ⟨ov.ww.⟩ **0.1** [vereffenen] *settle* ⇒*clear* **0.2** [opheffen] *wind up* ⇒*liquidate* **0.3** [vernietigen] *eliminate* ⇒*destroy, dispose of,* ⟨inf.⟩ *liquidate* ◆ **1.1** de kosten ~ *s. the costs;* zijn positie ~ *clear one's debts* **1.3** de tegenstanders van het regime werden geliquideerd *opponents of the regime were eliminated.*
liquiditeit ⟨de (v.)⟩ **0.1** [mogelijkheid tot vereffening] *liquidity* **0.2** [betalingsmiddelen] *liquid/fluid assets.*
liquiditeitsmoeilijkheden ⟨zn.mv.⟩ **0.1** *problems of liquidity.*
liquiditeitsquote ⟨de⟩ ⟨ec.⟩ **0.1** *liquidity ratio.*
liquor ⟨de (m.)⟩ **0.1** [⟨med.⟩ vocht in centraal zenuwstelsel] *(spinal) fluid* **0.2** [vloeibaar geneesmiddel] *liquor* **0.3** [sterk water] *liquor.*
lira ⟨de⟩ **0.1** ⟨Turks pond⟩ *lira.*
lire ⟨de⟩ **0.1** *lira.*
lis ⟨het, de (m.)⟩ ⟨biol.⟩ **0.1** *iris* ⇒⟨vnl. wilde⟩ *flag* ◆ **2.1** gele ~ *(yellow) i. / flag, corn/water/sword flag.*
lisachtigen ⟨zn.mv.⟩ **0.1** *Iridaceae* ⇒*flags.*
lisbloem ⟨de⟩ **0.1** *iris* ⇒⟨vnl. wilde⟩ *flag.*
lisdodde ⟨de⟩ ⟨biol.⟩ **0.1** *reed mace* ⇒*cat's tail* ◆ **2.1** grote/kleine ~ *great/lesser r. m..*

liseen ⟨de⟩ ⟨bouwk.⟩ **0.1** *pilaster.*
lispelen
I ⟨onov.ww.⟩ **0.1** [onduidelijk spreken] *lisp* ⇒*speak with a lisp* **0.2** [⟨schr.⟩ ruisen] *ripple* ⇒*whisper* ◆ **6.2** de wind lispelde **in** de blaren *the wind rippled/whispered in the leaves;*
II ⟨ov.ww.⟩ **0.1** [lispelend zeggen] *lisp* ⇒*whisper.*
Lissabon ⟨het⟩ **0.1** *Lisbon.*
list ⟨de⟩ (→sprw. 27,404,459) **0.1** ⟨concreet⟩ *trick, guile, ruse, scheme, wile;* ⟨abstract⟩ *cunning, craft, artifice* ◆ **1.1** ~ en bedrog *double-crossing/dealing;* er komen met ~ en bedrog *achieve sth. through cunning and guile;* ~ en lagen *crafty/cunning schemes;* ⟨inf.⟩ *monkeytricks,* ᴬ*monkeyshines;* ⟨schr.⟩ *toils, devices, designs* **2.1** boze ~en *evil/diabolic(al) tricks* **6.1** een stad door ~ overmeesteren *take a city by stratagem/cunning;* iem. **door** ~ ergens toe krijgen/ertoe krijgen iets te doen *bamboozle/trick/*⟨inf.⟩ *spoof s.o. into (doing) sth.;* iem. **door** een ~ tot een bekentenis dwingen *trap s.o. into confession;* het **met** ~ proberen *try guile/cunning, resort to schemes/tricks/ruses.*
listig ⟨bn., bw.;-ly⟩ **0.1** *cunning, crafty* ⇒*wily, subtle, artful, clever,* ⟨vnl. BE; inf.⟩ *dodgy,* ⟨pej. ook⟩ *sly* ◆ **1.1** een ~ spelletje *a clever/subtle* ⟨AE ook⟩ *long game* **3.1** een ~ gespannen strik *a craftily designed snare;* het ~ spelen *play it skillfully.*
listigheid ⟨de (v.)⟩ **0.1** [het listig zijn] *cunning, craft* ⇒*artifice, subtlety,* ⟨pej. ook⟩ *slyness* **0.2** [toepassing van list] *trick, guile* ⇒*ruse, scheme, wile,* ⟨listigheidje⟩ *ploy.*
litanie ⟨de⟩ **0.1** [⟨r.k.⟩] *litany* **0.2** [opsomming van klachten] *litany* ⇒*jeremiad, lamentation* ◆ **1.2** een ~ van klachten/ellende *a(n) litany/jeremiad/Iliad of grievances/woes* **3.1** een ~ bidden *recite/say a l.* **3.2** een ~ houden *reel off a litany.*
liter ⟨de (m.)⟩ **0.1** [inhoudsmaat] *litre* **0.2** [maatvat] *a litre measure* ◆ **1.1** twee ~ melk *two litres of milk.*
literair ⟨bn., bw.;-ly⟩ **0.1** *literary* ◆ **1.1** ~ café *l. café, 'café littéraire';* de ~e faculteit *the faculty of letters, the modern languages faculty,* ᴬ*the literature department;* ~e kringen *l. set/circles, literati;* ⟨ook scherts.⟩ *l. in-crowd;* met ~e pretenties *with l. / bookish pretensions;* ⟨inf.⟩ ~ tijdschrift *l. journal/periodical/magazine.*
literair-historicus ⟨de (m.)⟩, **-ca** ⟨de (v.)⟩ **0.1** *literary historian, historian of literature.*
literair-historisch ⟨bn., bw.⟩ **0.1** *of/on/relating to literary history/the history of literature.*
literator ⟨de (m.)⟩ **0.1** [letterkundige] *man/woman of letters, literary man/woman* ⇒*literator, littérateur* **0.2** [student] *student of literature* ⇒⟨AE ook⟩ *literature major.*
literatuur ⟨de (v.)⟩ **0.1** [letterkunde] *literature* **0.2** [al wat over iets geschreven is] *literature* ◆ **1.1** ~ en wetenschap *science and l., the two cultures* **2.1** de moderne ~ *contemporary/modern l.* **2.2** de geraadpleegde ~ over een onderwerp *the l. consulted on a subject/topic.*
literatuurbeschouwing ⟨de (v.)⟩ **0.1** [kijk op de literatuur] *view of/approach to literature* ⇒⟨literaire kritiek⟩ *literary criticism* **0.2** [studie over de literatuur] *study of literature* ⇒*literary criticism.*
literatuurgeschiedenis ⟨de (v.)⟩ **0.1** [geschiedenis van de literatuur] *literary history, history of literature* **0.2** [boek] *(book of) literary history, history of literature.*
literatuurlijst ⟨de⟩ **0.1** *reading list* ⇒*bibliography,* ⟨aanbevolen⟩ *recommended reading.*
literatuuronderzoek ⟨het⟩ **0.1** *literature search* ⇒*library search.*
literatuuropgave ⟨de⟩ **0.1** *bibliography* ⇒⟨van geciteerde werken⟩ *(list of) literature/works cited, references,* ⟨van geraadpleegde werken⟩ *(list of) works consulted,* ᴬ*checklist.*
literatuuroverzicht ⟨het⟩ **0.1** *descriptive bibliography* ⇒*review of the (existing/available) literature on a subject.*
literatuurprijs ⟨de (m.)⟩ **0.1** *literary prize.*
literatuurstudie ⟨de (v.)⟩ **0.1** [⟨abstr.⟩] *study of literature* ⇒*literary theory* **0.2** [⟨concr.⟩] *literary study* ⇒*literary article.*
literatuurtaal ⟨de⟩ **0.1** *literary language, language of literature* ⇒*poetic language.*
literatuurverwijzing ⟨de (v.)⟩ **0.1** ⟨geraadpleegd⟩ *references;* ⟨te raadplegen⟩ *further references/reading, recommended reading* ⇒*bibliography,* ᴬ*checklist.*
literatuurwetenschap ⟨de (v.)⟩ **0.1** *literary theory* ⇒*study of literature* ◆ **2.1** algemene ~ *general literature;* vergelijkende ~ *comparative literature.*
literfles ⟨de⟩ **0.1** *a litre bottle.*
litermaat ⟨de⟩ **0.1** *(litre) measuring-jug.*
lithium ⟨het⟩ **0.1** *lithium.*
lithiumbatterij ⟨de (v.)⟩ **0.1** *lithium cell.*
litho ⟨de⟩ **0.1** *litho.*
lithochromie ⟨de (v.)⟩ **0.1** *chromolithography.*
lithogenese ⟨de (v.)⟩ **0.1** *lithogenesis.*
lithograaf ⟨de (m.)⟩ **0.1** *lithographer.*
lithograferen ⟨ov.ww.⟩ **0.1** *litho(graph).*
lithografie ⟨de (v.)⟩ **0.1** [handeling] *lithography* **0.2** [resultaat] *lithograph.*
lithografisch ⟨bn., bw.;-ally⟩ **0.1** *lithographic* ◆ **1.1** ~e steen *litho stone, l. limestone.*

lithologie ⟨de (v.)⟩ **0.1** *lithology.*
lithologisch ⟨bn.,bw.;-(al)ly⟩ **0.1** *lithologic(al).*
lithopoon ⟨het⟩ **0.1** *lithopone.*
lithosfeer ⟨de⟩ **0.1** *lithosphere.*
lithotomie ⟨de (v.)⟩ **0.1** *lithotomy.*
litigeren ⟨onov.ww.⟩ **0.1** *litigate.*
litigieus ⟨bn.⟩ **0.1** *disputed, in dispute.*
litoraal ⟨bn.⟩ **0.1** *littoral* ⇒*coastal* ◆ **1.1** litorale afzettingen *l. / coastal deposits;* litorale planten *l. plants;* litorale zone *l. zone.*
litotes ⟨de⟩ **0.1** *litotes* ⇒*meiosis, understatement.*
Litouwen 0.1 *Lithuania* ⇒ ⟨als deel van Sovjet-Unie⟩ *Lithuanian Soviet Socialist Republic,* ⟨in Litouwen zelf⟩ *Lietuva.*
Litouws[1] ⟨het⟩ ⟨taal.⟩ **0.1** *Lithuanian.*
Litouws[2] ⟨bn.⟩ **0.1** *Lithuanian.*
lits-jumeaux ⟨het⟩ **0.1** *twin beds.*
litteken ⟨het⟩ **0.1** [mbt. een wond] *scar* ⇒ ⟨schr. of med.⟩ *cicatrice, cicatrix, mark,* ⟨naad⟩ *seam* **0.2** [mbt. bladeren] *scar* ⇒*cicatrice, cicatrix* ◆ **3.1** een ~ vormen *scar (over);* ⟨schr. of med.⟩ *cicatrize* **6.1** met ~s op zijn gezicht *scarred in the face; with a scarred face / a face seamed with scars;* ⟨med.⟩ *with a cicatricose face.*
littekenbreuk ⟨de⟩ **0.1** *rupture of scar tissue.*
littekenvorming ⟨het⟩ **0.1** *formation of scar tissue;* ⟨med. ook⟩ *cicatrization.*
liturg ⟨de (m.)⟩ **0.1** *liturgist.*
liturgie ⟨de (v.)⟩ **0.1** [alles mbt. een eredienst] *liturgy* ⇒*rite, ritual, service* **0.2** [verzameling van / boek met liederen enz.] *prayer book* ◆ **2.1** de Latijnse / katholieke ~ *the Latin / Roman rite;* de oosterse ~ *the Byzantine rite* **2.2** Anglicaanse ~ *the Book of Common Prayer, ASB (Alternative Service Book).*
liturgiek ⟨de (v.)⟩ **0.1** *liturgics.*
liturgiologie ⟨de (v.)⟩ **0.1** *liturgiology* ⇒*liturgics.*
liturgisch ⟨bn.⟩ **0.1** *liturgical* ⇒*ritual, ceremonial* ◆ **1.1** ~e ceremonie *ritual, l. ceremony;* ~e gewaden *(l. / ceremonial) vestments;* ~ voorschrift *l. rule, rubric;* ~e zang *l. (choral) music, chanting.*
living ⟨de⟩ **0.1** *living room.*
livrei ⟨de⟩ **0.1** [uniform] *livery* **0.2** [⟨jacht⟩] *coat* ◆ **3.1** ~ dragen *be in l.* **6.1** in ~ *liveried, in l..*
livreiknecht ⟨de (m.)⟩ **0.1** *footman* ⇒*liveried servant,* ⟨vnl. fig.; pej.⟩ *lackey.*
livreirok ⟨de (m.)⟩ **0.1** *livery-coat.*
L.K. ⟨afk.⟩ **0.1** [laatste kwartier] ⟨*last quarter*⟩
L-kamer ⟨de⟩ **0.1** *L-shaped room.*
ll. ⟨afk.⟩ **0.1** [laatstleden] ⟨*last*⟩ ◆ **1.1** vrijdag ~ *last Friday.*
llano ⟨de (m.)⟩ **0.1** *llano.*
Lloyd ⟨de (m.)⟩ **0.1** [⟨verz.⟩] *Lloyd's (of London)* **0.2** [⟨scheep.⟩] *Lloyd's agent(s).*
Lloyd's-register ⟨het⟩ **0.1** *Lloyd's Register (of Shipping).*
lm ⟨afk.⟩ **0.1** [lumen] *lm.*
l.o. ⟨afk.⟩ **0.1** [lichamelijke opvoeding / oefening] *PE (physical education); PT (physical training).*
L.O. ⟨afk.⟩ **0.1** [lager onderwijs] ⟨*primary / ᴬelementary education*⟩.
lob
  I ⟨de⟩ **0.1** [⟨med.⟩] *lobe* ⇒*lobation* **0.2** [deel van een blad] *lobe* ⇒*lobation* **0.3** [zaadlob] *seed lobe* ⇒*seed leaf, cotyledon* ◆ **1.1** ⟨fig.⟩ ~ben van een stad *outskirts of a town* **2.1** kleine ~ *small lobe, lobule* **7.2** met drie ~ben *trilobate;* in drie ~ben verdeeld *trifid;*
  II ⟨de (m.)⟩ **0.1** [⟨sport⟩] *lob* (tennis, voetbal) ⇒*voetbal ook*⟩ *loft.*
lobben ⟨onov., ov.ww.⟩ ⟨sport⟩ **0.1** *lob* ⇒⟨voetbal ook⟩ *loft.*
lobberen ⟨onov.ww.⟩ **0.1** [in het water ploeteren] *splash, dabble* **0.2** [waggelen] *wobble, wabble* ⇒*totter, stagger* **0.3** [slobberen] *hang loosely* ⇒*flap, flop, flutter.*
lobberig ⟨bn.,bw.;-ly⟩ **0.1** [mbt. kledingstukken] *loose, baggy* ⇒⟨mbt. de knieën van een broek⟩ *sagging,* ⟨slap⟩ *floppy,* ⟨slordig⟩ *sloppy, slovenly* **0.2** [mbt. spijzen] *quivering* ⇒*wobbling, wabbling, (fairly) thick.*
lobbes ⟨de (m.)⟩ **0.1** [grote hond] *big, good-natured dog* **0.2** [goedzak] *good / kind / dear soul, good-natured fellow* ⇒*softy, simpleton.*
lobbesachtig ⟨bn.,bw.⟩ **0.1** *good-natured (but rather simple)* ⇒*soft, simple.*
lobby ⟨de⟩ **0.1** [wachtruimte] *lobby* ⇒⟨hotel ook⟩ *lounge, foyer, hall* **0.2** [wandelgangen van het Engelse parlement] *lobby* **0.3** [vertrouwelijk gesprek] *confidential / preparatory lobbying* **0.4** [pressiegroep] *lobby.*
lobbyen ⟨onov.ww.⟩ **0.1** *lobby.*
lobbyist ⟨de (m.)⟩ **0.1** *lobbyist, lobbyer* ◆ **2.1** succesvolle ~ *successful lobbyist;* ⟨sl.⟩ *rainmaker.*
lobectomie ⟨de (v.)⟩ ⟨med.⟩ **0.1** *lobectomy.*
lobelia ⟨de⟩ **0.1** *lobelia.*
loboor ⟨de (m.)⟩ **0.1** *lop / floppy-eared dog / pig.*
loborig ⟨bn.⟩ **0.1** *lop-eared* ⇒*floppy-eared.*
lobotomie ⟨de (v.)⟩ ⟨med.⟩ **0.1** *lobotomy* ◆ **2.1** prefrontale ~ *prefrontal l.* **3.1** ~ uitvoeren *perform a l..*
lobvoet ⟨de (m.)⟩ **0.1** *lobed foot.*

lobvormig ⟨bn.⟩ ⟨plantk.⟩ **0.1** *lobate.*
loc ⟨de⟩ **0.1** *loco.*
locatie ⟨de (v.)⟩ **0.1** [plaats voor film- / t.v.-opnamen] *location* **0.2** [plaats voor exploitatie] *site* ⇒*location* ◆ **6.1** op ~ filmen *film on l..*
locatief ⟨de (m.)⟩ ⟨taal.⟩ **0.1** *locative.*
loco[1] ⟨het⟩ →**locopreparaat.**
loco[2] ⟨bw.⟩ **0.1** *(on the) spot.*
locoaffaire ⟨de⟩ **0.1** *spot transaction.*
loco-burgemeester ⟨de⟩ **0.1** *deputy / acting mayor / burgomaster.*
locogoederen ⟨zn.mv.⟩ **0.1** *spot goods* ⇒*goods on the spot.*
locohandel ⟨de (m.)⟩ **0.1** *spot market* ⇒*spot transactions.*
locomobiel ⟨de (m.)⟩ **0.1** *traction engine.*
locomotief ⟨de⟩ **0.1** *(locomotive)* engine, locomotive ⇒⟨AE; kind.⟩ *choochoo* ◆ **1.1** ~ en tender ⟨in één tank⟩ *tank engine / locomotive* **2.1** losse ~ *light engine.*
locomotiefbestuurder ⟨de (m.)⟩, -**ster** ⟨de (v.)⟩ **0.1** *engine driver,* ᴬ*engineer* ⇒*engineman,* ᴮ*footplateman* ⟨m.⟩.
locomotor ⟨de (m.)⟩ **0.1** *shunter.*
locopreparaat ⟨het⟩ ⟨med.⟩ **0.1** *generic drug / medicine / preparation.*
locoprijs ⟨de (m.)⟩ **0.1** *spot price.*
locus ⟨de (m.)⟩ ⟨biol.⟩ **0.1** *locus.*
lodderen ⟨onov.ww.⟩ **0.1** *flap, flop, flutter* ⇒*hang loosely.*
lodderig ⟨bn.,bw.;-ly⟩ **0.1** *drowsy* ⇒*sleepy* ◆ **1.1** met ~e ogen *with d. / heavy / sleepy eyes, sleepy-eyed.*
lodderogen ⟨onov.ww.⟩ **0.1** *sit / stand with drooping eyelids* ⇒*drowse.*
lodderoog ⟨het⟩ **0.1** *hooded eye* ⇒*drowsy eye, eye with a drooping lid.*
loden[1] ⟨het, de (m.)⟩ **0.1** [stof] *loden* **0.2** [jas] *loden coat.*
loden[2] ⟨bn.⟩ **0.1** [van lood] *lead* ⇒*leaden,* ⟨vnl. kleur⟩ *plumbeous* **0.2** [⟨fig.⟩] *leaden* ⇒*heavy* **0.3** [van loden] *loden* ◆ **1.1** een ~ dak a *lead(-covered) / leaded roof;* ~ nagel *lead nail;* ~ pijp / kogels *lead pipe / bullets* **1.2** een ~ hand *a heavy hand;* een ~ last *a l. burden;* een ~ lucht *a l. sky, l. skies;* met ~ schoenen *with l. step / feet, l.-footed;* een ~ stilte *a l. / depressing silence.*
loden[3] ⟨ov.ww.⟩ **0.1** [in lood zetten] *lead* **0.2** [met een dieplood peilen] *sound* ⇒*plumb, take / make soundings on / of, heave / cast the lead* **0.3** [onderzoeken of iets lodrecht staat] *(take a) plumb* **0.4** [verzegelen] *plumb* ◆ **1.2** de diepte ~ van *take a sounding on / of.*
loding ⟨de (v.)⟩ **0.1** [het peilen] *sounding* **0.2** [diepte] *sounding* ◆ **3.1** ~ en doen / verrichten *take / make soundings.*
loeder ⟨het, de (m.)⟩ ⟨inf.⟩ **0.1** *brute, bastard, beast* ⟨m.⟩; *bitch* ⟨v.⟩.
loef ⟨de⟩ ⟨scheep.⟩ **0.1** *luff* ⇒*windward / weather side* ◆ **3.1** ⟨fig.⟩ iem. de ~ afsteken *get / have / take the wind of s.o., take the wind from / out of s.o.'s sails, get the better of / outstrip / outdo s.o.;* een schip de ~ afsteken / afknijpen / afwinnen *get the weather ga(u)ge of a ship, get to windward of a ship, luff a ship;* de ~ hebben / houden *have the weather ga(u)ge (of another ship).*
loefbijter ⟨de⟩ **0.1** *cut-water (of bow).*
loefgierig ⟨bn.⟩ **0.1** *weatherly* ⇒*windwardly* ◆ **3.1** ~ zijn *gripe, luff, carry weather helm.*
loefwaarts ⟨bn.,bw.⟩ **0.1** *(to) windward.*
loefzijde ⟨de⟩ **0.1** *weather / windward (side), weatherboard* ⇒*luff* ◆ **6.1** aan de ~ *on the weather side;* ⟨attr. ook⟩ *weather.*
loei ⟨de (m.)⟩ ⟨inf.⟩ **0.1** [iets groots] *whopper* **0.2** [hard schot, harde klap] ⟨klap⟩ *thump, bash;* ⟨schot⟩ *sizzler, cracker* ◆ **3.2** een ~ verkopen / uitdelen *hit / lash out (at s.o.), deal a blow* **6.1** een ~ van een glas *a whale of a glass, a dirty great glass* **6.2** een ~ op het doel *a sizzler / cracker at goal.*
loeien ⟨onov.ww.⟩ **0.1** [mbt. het geluid van runderen] *moo, low* ⟨koeien⟩; *bellow* ⟨stier⟩ **0.2** [mbt. de wind, het vuur, enz.] *howl, whine* ⟨wind⟩; *roar* ⟨wind, golven, vlammen⟩; *blare, hoot, boom* ⟨hoorn⟩; *blare, wail, shriek* ⟨sirene⟩ ◆ **1.2** de misthoorn loeide *the foghorn boomed;* de motor laten ~ *race the engine;* met ~de sirenes *with blaring sirens.*
loeier →**loei.**
loeigoed ⟨bn.,bw.;-ly⟩ **0.1** *terrific, great* ⇒*sensational, brilliant,* ⟨vnl. AE⟩ *swell.*
loeihard ⟨bn.,bw.;-ly⟩ **0.1** [mbt. snelheid] *speedy* ⇒*hellbent, going full tilt* **0.2** [mbt. geluid] *blaring* ⇒*booming* ◆ ¶.**2** de radio staat ~ (aan) *the radio is booming / blaring.*
loempia ⟨de⟩ **0.1** *spring / pancake roll,* ᴬ*egg roll.*
loens ⟨bn.,bw.;-ly⟩ **0.1** [scheel] *squinting, cross-eyed* **0.2** [oneerlijk] *fishy* ⇒*shady, bent, double-dealing* **0.3** [mbt. jachthonden] *unreliable* ⇒*tricky* ◆ **1.1** een ~e blik *a squint* **1.2** ⟨inf.⟩ ~ poen *false / counterfeit coinage, dud money;* ~e streken *dirty / double dealing, tricky / f. business* **3.1** ~ kijken / zien *have a cast in one's eye, look out of the corner of one's eye, squint.*
loensen ⟨onov.ww.⟩ **0.1** [scheel zijn] *squint* ⇒*be cross-eyed* **0.2** [steels terzijde kijken] *look sideways / askance (at)* ⇒*skew (at),* ⟨begerig⟩ *ogle (at)* ◆ **1.1** ~ d oog *squint(ing) eye* **6.2** hij loenste **naar** haar tas *he skewed at / ogled at her purse, he looked at her purse out of the corner of his eye.*
loep ⟨de⟩ **0.1** *magnifying glass, magnifyer* ⇒*loupe, lens* ◆ **6.1** ⟨fig.⟩ iets **onder** de ~ nemen *scrutinize sth., go (thoroughly) into sth., take a close look at sth., put sth. under the microscope.*

loepzuiver ⟨bn.,bw.;-ly⟩ **0.1** *flawless* ⇒*perfect* ◆ **1.1** een ~e diamant *a f. diamond;* een ~e pass *a f. / perfect pass.*

loer ⟨de⟩ **0.1** [het loeren] *lurking* **0.2** [streek] *trick* **0.3** [⟨valkerij⟩] *lure* ◆ **3.2** iem. een ~ draaien *play s.o. a nasty / dirty t., play s.o. false / foul* **6.1** op de ~ liggen ⟨ook fig.⟩ *lie in wait / ambush / ambuscade (for), lay wait, lurk, lie / be on the look-out (for);* op de ~ staan *watch, be on the watch;* op de ~ ⟨ook fig.⟩ *on the lurk / look-out;* ⟨klaar om aan te vallen⟩ *ready to pounce.*

loerder ⟨de (m.)⟩ **0.1** *prowler* ⇒⟨voyeur⟩ *peeper, Peeping Tom* ⟨m.⟩.

loeren ⟨onov.ww.⟩ **0.1** *leer (at)* ⇒⟨met moeite zien⟩ *peer / peek at,* ⟨bespieden⟩ *spy on* ◆ **1.1** ⟨fig.⟩ het gevaar / verraad loert overal *danger / treachery is lurking everywhere* **3.1** lopen ~ *prowl, be on the prowl* **6.1** door een sleutelgat ~ *peer through a keyhole;* op iem. / iets ~ *lie on the lurk / lie in wait / watch out for s.o. / sth.;* op een kansje ~ *be on the look-out / (be on the) watch for an opportunity.*

loeres ⟨de (m.)⟩ **0.1** *nitwit, dummy.*

loerogen ⟨onov.ww.⟩ **0.1** *leer (at)* ⇒*spy (on).*

loet ⟨de⟩ **0.1** *scoop* ⇒*scraper.*

loeven ⟨onov.ww.⟩ ⟨scheep.⟩ **0.1** *luff* ⇒*tack.*

loever(t) ⟨bw.⟩ ◆ **6.¶** te ~ *to windward.*

lof ⟨→sprw. 410⟩
I ⟨de (m.)⟩ **0.1** [het prijzen] *praise* ⇒*commendation,* ⟨schr.⟩ *laudation, homage, glory* **0.2** [roem] *honour* ⇒*credit,* ⟨vero.⟩ *praise* ◆ **2.1** eigen ~ *self-p.;* karige / uitbundige ~ *faint / lavish p.* **3.1** iem. ~ geven / toezwaaien *give (high) p. to s.o. / pay (a high) tribute to s.o.;* ~ oogsten *win / gain / obtain high p.;* ~ verdienen *deserve p., be highly commendable;* iemands ~ zingen / verkondigen *sound / trumpet forth / sing s.o.'s praises;* ⟨vnl. relig.⟩ *laud s.o.* **3.2** dat strekt u tot ~ *it does you credit / h., it is to your credit / h., it reflects credit on you* **5.1** vol ~ zijn over *speak highly / in the highest terms of, be full of p. for, be full of (s.o.'s) p., eulogize about (s.o.)* **6.1** boven alle ~ verheven zijn *be above / beyond all p.;* met ~ over iem. spreken *speak of s.o. with p., speak highly / in high terms of s.o.* **6.2** een examen met ~ afleggen *pass (an exam) with distinction; pass an exam cum laude;*
II ⟨het⟩ **0.1** [witlof] ⟨Brussels⟩ *chicory,* ᴬ*(Belgian) endive* **0.2** [knol en loof van aardappelplant] *potato (plant)* **0.3** [⟨r.k.⟩] *benediction.*

lofbazuin ⟨de⟩ ◆ **3.¶** de ~ steken *trumpet forth / sound / sing the praises (of s.o. / sth.).*

lofdicht ⟨het⟩ **0.1** *ode* ⇒*panegyric, laudatory poem, hymn* ◆ **6.1** een ~ op *an o., a poem in praise of.*

lofdichter ⟨de (m.)⟩ **0.1** *panegyrist* ⇒*eulogist, encomiast.*

loffelijk ⟨bn.,bw.;-ly⟩ **0.1** [eervol] *honourable* ⇒*creditable* **0.2** [respectabel] *praiseworthy* ⇒*commendable, laudable* ◆ **1.2** een ~e gewoonte *a commendable habit;* een ~e poging *a p. / commendable / creditable attempt;* een ~ streven *a p. / laudable pursuit / aspiration* **3.1** hij heeft zich ~ onderscheiden *he has achieved h. distinction;* ⟨bij examen⟩ *he has done / performed (very) creditably.*

loffelijkheid ⟨de (v.)⟩ **0.1** *praiseworthiness* ⇒*commendability, laudability.*

loflied ⟨het⟩ **0.1** *hymn, song of praise, ode* ◆ **6.1** een ~ op de natuur / de liefde *an o. to nature / love.*

lofprijzing ⟨de (v.)⟩ **0.1** *eulogy* ⇒*praise, laudation,* ⟨ihb. in hymne⟩ *laud.*

lofpsalm ⟨de (m.)⟩ **0.1** *hymn / psalm / song of praise* ⇒⟨van God⟩ *doxology.*

lofrede ⟨de⟩ **0.1** *eulogy* ⇒*panegyric, laudation, encomium, éloge* ◆ **3.1** een ~ houden over / op *eulogize, panegyrize, pronounce a eulogy on.*

lofredenaar ⟨de (m.)⟩ **0.1** *eulogist* ⇒*panegyrist, encomiast.*

lofspraak ⟨de⟩ **0.1** *laudation* ⇒*panegyric, eulogy, éloge, praise.*

loftrompet ⟨de⟩ ◆ **2.¶** zijn eigen ~ steken *blow / toot one's own trumpet / horn, be one's own trumpeter* **3.¶** de ~ over iem. / iets steken *trumpet forth / sing / sound s.o.'s praises.*

loftuiting ⟨de (v.)⟩ **0.1** *(words of) praise* ⇒*commendation, eulogy.*

lofwaardig ⟨bn.,bw.⟩ ⟹**loffelijk 0.2.**

lofwerk ⟨het⟩ **0.1** *leafwork, (ornamental) foliage.*

lofzang ⟨de (m.)⟩ **0.1** [ode] *hymn, song of praise, ode* ⇒⟨van God⟩ *doxology* **0.2** [lofdicht] *ode* ⇒*panegyric, laudatory poem, hymn* ◆ **1.1** een ~ van Maria *a magnificat* **6.2** een ~ op de vrede *an o. to peace.*

log¹ ⟨afk.⟩ ⟨wisk.⟩ **0.1** [logaritme] *log.*

log² ⟨de⟩ ⟨scheep.⟩ **0.1** *log.*

log³ ⟨bn.,bw.;-ly⟩ **0.1** [moeilijk in zijn bewegingen] *unwieldy, cumbersome* ⇒*cumbrous, ponderous, clumsy, heavy* **0.2** [moeilijk te bewegen, verplaatsen] *unwieldy, cumbersome* ⇒*cumbrous, clumsy, heavy* **0.3** [lomp, onbehouwen] *unwieldy, cumbersome* ⇒*cumbrous, ponderous, clumsy* **0.4** [traag] *sluggish* ⇒*slow, lumbering* ◆ **1.1** een ~ge olifant / beer *a ponderous elephant / bear;* een ~ge schuit *an u. boat* **1.2** een ~ge gevaarte *a(n) cumbersome / u. monster* **1.4** een ~ge geest *a slow mind;* met ~ge tred lopen, zich ~ voortbewegen *lumber (along), move with heavy gait, toil on / along.*

loganbes ⟨de⟩ **0.1** *loganberry.*

logaritme ⟨de⟩ ⟨wisk.⟩ **0.1** *logarithm.*

logaritmenstelsel ⟨het⟩ **0.1** *(system of) logarithms* ◆ **2.1** het gewone /

Briggse ~ *common / Briggsian logarithms;* het natuurlijke / Neperiaanse ~ *natural / Napierian logarithms.*

logaritmentafel ⟨de⟩ **0.1** *table of logarithms, log table.*

logaritmewijzer ⟨de (m.)⟩ **0.1** *characteristic.*

logaritmisch ⟨bn.⟩ **0.1** *logarithmic* ◆ **1.1** ~ papier *l. paper, graph paper.*

logboek ⟨het⟩ **0.1** [scheepsjournaal] *log(book)* **0.2** [journaal van waarnemingen] *log(book)* ⇒*journal* ◆ **6.1** in het ~ opschrijven *log.*

loge ⟨de⟩ **0.1** [afdeling in het theater] *box* ⇒*loge* **0.2** [vereniging van vrijmetselarij] *lodge* **0.3** [verenigingsgebouw van vrijmetselaars] *lodge* **0.4** [bijeenkomst van vrijmetselaars] *lodge* **0.5** [hokje] *lodge* ⇒ ⟨van portier⟩ *porter's lodge, gatehouse* ◆ **6.2** in de ~ zitten *be on the square* **¶.1** ~ avant-scène *stage / proscenium b..*

logé ⟨de (m.)⟩ **0.1** *guest* ⇒*visitor* ◆ **2.1** betalende ~ *paying g.* **3.1** we krijgen een ~ *we are having a g. / a visitor / s.o. to stay.*

logeerbed ⟨het⟩ **0.1** *guest(-room) bed* ⇒*spare bed.*

logeergast ⟨de (m.)⟩ **0.1** *guest* ⇒*visitor.*

logeerkamer ⟨de⟩ **0.1** *guest-room* ⇒*spare (bed)room, visitor's room.*

logeerpartij ⟨de (v.)⟩ **0.1** *stay.*

logement ⟨het⟩ **0.1** *lodging (house)* ⇒*boardinghouse, guesthouse,* ⟨herberg⟩ *inn.*

logementhouder ⟨de (m.)⟩ **0.1** *lodging-keeper* ⇒*innkeeper.*

logen ⟨ov.ww.⟩ **0.1** *soak in / steep in / treat with lye.*

logenstraffen ⟨ov.ww.⟩ **0.1** [bewijzen dat iem. onwaarheid spreekt] *give the lie to* **0.2** [de onjuistheid laten blijken] *belie* ⟨daad, hoop⟩; *falsify* ⟨voorspelling⟩; *deny* ⟨bericht⟩; *live down* ⟨leefwijze, vooringenomenheid⟩ ◆ **1.2** de feiten ~ zijn bewering *the facts belie his claim.*

logeplaats ⟨de⟩ **0.1** *box seat* ⇒*seat in a / the box.*

logeren
I ⟨onov.ww.⟩ **0.1** [tijdelijk zijn intrek nemen] *stay* ⇒*put up, visit* ⟨vrienden⟩, ⟨in logement, kosthuis ook⟩ *board, lodge* ◆ **3.1** blijven ~ *s. the night, s. over, stop the night* **6.1** ik logeer bij een vriend *I'm staying at a friend's (home) / with a friend;* kan ik bij jou ~? *could you put me up (tonight) / for the night)?;* in een hotel / herberg ~ *s. / put up at a(n) hotel / inn;* iem. voor enkele dagen te ~ vragen *ask s.o. to s. for a few days;* iem. te ~ krijgen *have s.o. staying, have visitors;* uit ~ gaan *go to s. (with) / on a visit (to);*
II ⟨ov.ww.⟩ **0.1** [tijdelijk huisvesten] *accommodate* ⇒*put up,* ⟨vnl. in logement, kosthuis⟩ *lodge, board.*

loggen ⟨onov.ww.⟩ **0.1** *sail by the log.*

logger ⟨de (m.)⟩ **0.1** *lugger.*

loggerzeil ⟨het⟩ **0.1** *lugsail.*

loggia ⟨de⟩ ⟨amb.⟩ **0.1** [veranda] *loggia* **0.2** [galerij] *loggia.*

logheid ⟨de (v.)⟩ **0.1** *unwieldiness, cumbrousness* ⇒*ponderousness, inertia.*

logica ⟨de (v.)⟩ **0.1** [juiste redenering] *logic* **0.2** [redeneerkunde] *logic* **0.3** [vanzelfsprekendheid] *logic* ◆ **1.2** gebrek aan ~ *illogicality* **1.3** de ~ van de gebeurtenissen *the l. of events / things* **3.1** er is / zit geen ~ in wat je zegt *there is no l. in what you're saying.*

logicisme ⟨het⟩ **0.1** [⟨fil., wisk.⟩] *logicism* **0.2** [onterecht gebruik v.d. logica] *logicism.*

logies ⟨het⟩ **0.1** [onderdak] *accommodation* ⇒*lodging(s), quarters* **0.2** [⟨scheep.⟩] *living quarters* ◆ **6.1** ~ met ontbijt *bed and breakfast;* ⟨inf.⟩ *b. and b..*

logisch ⟨bn.,bw.;-ly⟩ **0.1** [overeenkomstig de logica] *logical* ⇒*rational, sound, straight* **0.2** [behorend tot de logica] *logical* ◆ **1.1** ~e conclusie *l. / sound conclusion* **1.2** de ~e principes *the principles / foundations of logic;* een ~e tegenstrijdigheid *a l. paradox* **3.1** ~ denken *think logically / rationally;* dat is nogal ~ *that's only l., that's just plain logic, it figures, that goes without saying, that's a matter of course* **5.1** streng ~ redeneren *reason closely, argue strictly logically.*

logischerwijs ⟨bw.⟩ **0.1** *logically.*

logistiek¹ ⟨de (v.)⟩ **0.1** [⟨mil.⟩] *logistics* **0.2** [tak van wiskunde] *formal / symbolic / mathematical logic* ⇒⟨vero.⟩ *logistics.*

logistiek² ⟨bn.⟩ **0.1** *logistic* ◆ **1.1** ~e dienst *ordnance;* ⟨AE ook⟩ *Ordnance Corps.*

logistisch ⟨bn.⟩ ⟨ec., mil., wisk.⟩ **0.1** *logistic.*

loglijn ⟨de⟩ **0.1** *log line.*

logo ⟨het⟩ **0.1** *logo(type).*

logo-akoepedist ⟨de (m.)⟩ **0.1** *speech and hearing therapist.*

logograaf ⟨de (m.)⟩ **0.1** *logographer.*

logogram ⟨het⟩ **0.1** *logogram.*

logogrief ⟨de⟩ **0.1** *logogriph.*

logopedie ⟨de (v.)⟩ **0.1** *speech therapy* ⇒*logopaedics.*

logopedisch ⟨bn.,bw.;-ally⟩ **0.1** *logopaedic.*

logopedist ⟨de (m.)⟩ **0.1** *speech therapist.*

logos ⟨de (m.)⟩ **0.1** [woord, rede] *logos* **0.2** [⟨fil.⟩] *Logos, logos.*

logrol ⟨de⟩ ⟨scheep.⟩ **0.1** *log reel.*

loipe ⟨de⟩ **0.1** *(ski) run* ⇒*piste.*

lok ⟨de⟩ **0.1** [plukje haar] *lock* ⇒*strand of hair, tress* ⟨vnl. bij vrouw / meisje⟩, ⟨krul⟩ *curl, ringlet* **0.2** [⟨mv.⟩ haren] *locks* ⇒*hair, tresses* ⟨vnl. bij vrouw / meisje⟩ ◆ **2.1** weerbarstige ~ken *difficult / unmanageable hair* **2.2** haar blonde ~ken *her blond / golden locks / tresses.*

lokaal¹ ⟨het⟩ **0.1** [vertrek] *room* **0.2** [gebouw] *premises* ⟨mv.⟩ ⇒*centre,* headquarters ⟨mv.⟩ ♦ 6.1 de lokalen van een **school** *the classrooms of a school* 6.2 het ~ van een **partij** *the party headquarters / meeting-place / p..*

lokaal² ⟨bn.⟩ 0.1 [plaatselijk] *local* ⇒*home* 0.2 [mbt. het lichaam] *local* ⇒*topical* ♦ 1.1 lokale buien *l. showers;* ~ gesprek *l. call;* lokale horizon *apparent / visible / sensible horizon;* om 10 uur lokale tijd *at 10 o'clock l. time;* lokale weg *minor road* 1.2 lokale verdoving *l. / topical anaesthesia.*

lokaalspoorweg ⟨de (m.)⟩ 0.1 *local railway* ⇒*light railway.*

lokaaltje ⟨het⟩ 0.1 [klein lokaal] *small / little room* 0.2 [trein] *local train* ⇒*slow train,* ⟨AE ook⟩ *shuttle (train).*

lokaaltrein ⟨de (m.)⟩ 0.1 *local train* ⇒*slow train.*

lokaalverkeer ⟨het⟩ 0.1 *local traffic.*

lokaalvredebreuk ⟨de⟩ ⟨jur.⟩ 0.1 *breach of the peace.*

lokaas ⟨het⟩ 0.1 [lokspijs] *bait* 0.2 [⟨fig.⟩] *bait* ⇒*lure, enticement,* ⟨inf.⟩ *carrot* ♦ 1.2 het ~ bestond uit geld *the lure was money* 6.1 ~ voor de vissen *b. for the fish; ground b.* ⟨op bodem⟩.

lokalisatie ⟨de (v.)⟩ 0.1 [het binnen de grenzen houden] *localization* 0.2 [plaatsbepaling] *location.*

lokaliseerbaar ⟨bn.⟩ 0.1 [te vinden] *locatable;* [tot een bepaalde plaats te beperken] *localizable, containable.*

lokaliseren ⟨ov.ww.⟩ 0.1 [tot een plaats beperken] *localize* ⇒*contain* 0.2 [plaats toekennen] *locate* ♦ 1.1 men slaagde erin de brand te ~ *it proved possible to contain the fire;* een epidemie ~ *l. an epidemic* 1.2 een niet gelokaliseerde pijn *a generalized pain* 5.2 precies ~ *pinpoint.*

lokaliteit ⟨de (v.)⟩ 0.1 *room* ⇒*hall, premises* ⟨mv.⟩, *meeting-place.*

lokartikel ⟨het⟩ 0.1 *loss-leader* ⇒*special offer.*

lokduif ⟨de⟩ 0.1 *decoy pigeon.*

lokeend ⟨de⟩ 0.1 *decoy(-duck).*

loket ⟨het⟩ 0.1 [raamvormige opening] *(office) window* ⇒⟨theater, station⟩ *booking / ticket office,* ⟨theater ook⟩ *box-office (window),* ⟨postkantoor, bank⟩ *counter* 0.2 [vak] *pigeonhole* ⇒⟨kluis⟩ *(safe-deposit) box, safe, locker.*

loketambtenaar ⟨de (m.)⟩ 0.1 *counter clerk;* ⟨kaartjesverkoper⟩ *ticket clerk;* ⟨voor reserveringen⟩ *booking clerk.*

lokethuur ⟨de⟩ 0.1 *hire of a safe-deposit box.*

loketkast ⟨de⟩ 0.1 *(set of) pigeon-holes* ⇒*letter-rack.*

loketmachine ⟨de (v.)⟩ 0.1 *terminal.*

lokettist ⟨de (m.)⟩ 0.1 *booking- / ticket-clerk* ⇒⟨theater ook⟩ *box-office clerk,* ⟨postkantoor, bank⟩ *counter clerk,* ⟨bank, AE ook⟩ *teller.*

lokfluitje ⟨het⟩ 0.1 *call* ⇒*birdcall.*

lokken
I ⟨ov.ww.⟩ 0.1 [naar zich toe proberen te halen] *entice* ⇒*(al)lure, tempt* 0.2 [aantrekken] *tempt* ⇒*entice, attract* ♦ 1.1 zij lokte de honden *she lured the dogs;* klanten ~ voor de show *tout for customers for the show* 1.2 dat lokt me wel *that sounds tempting / attractive / enticing (to me)* 6.1 in de val ~ *lure into a trap, (en)snare, (en)trap;* het mooie weer lokte de mensen naar buiten *the fine weather drew people outside;* toeschouwers naar binnen ~ *e. / lure spectations inside;*
II ⟨onov.ww.⟩ 0.1 [aantrekkingskracht uitoefenen] *be tempting / enticing* 0.2 [proberen te verleiden] *tempt* ♦ 1.1 op het plein lokten de terrasjes *the terraces / ^sidewalk cafés in the square looked inviting;* de vrijheid lokt *freedom beckons* 1.2 het ~d kwaad *the lure / temptations / fascination of evil.*

lokker ⟨de⟩ 0.1 *tempter* ⇒*touter* ⟨van klanten⟩.

lokkertje ⟨het⟩ 0.1 *bait* ⇒↓*carrot,* ⟨lokartikel ook⟩ *loss-leader, special offer,* ⟨AE; inf.⟩ *come-on.*

lokkig ⟨bn.⟩ 0.1 *curly* ♦ 1.1 een ~ hoofd *a c. head.*

lokmiddel ⟨het⟩ 0.1 *bait* ⇒*lure,* ⟨fig. ook⟩ *enticement, inducement.*

lokroep ⟨de (m.)⟩ 0.1 *call (note)* ⇒*birdcall* ⟨van vogel⟩ ♦ 1.1 ⟨fig.⟩ de ~ van de grote stad / de zee *the call / lure of the big city / the sea.*

lokspijs ⟨de⟩ 0.1 *bait* ⇒⟨valkerij⟩ *lure.*

lokstem ⟨de⟩ 0.1 *(siren) call* ⇒*lure.*

lokstof ⟨de⟩ 0.1 *bait* ⇒*lure.*

lokvogel ⟨de (m.)⟩ 0.1 [persoon] *tout(er)* ⟨van klanten⟩; ⟨AE; publiekstrekker⟩ *steerer;* ⟨oplichter⟩ *decoy* 0.2 [vogel] *call bird, decoy (bird)* ⇒⟨duif⟩ *stool pigeon,* ⟨eend⟩ *decoy duck* 0.3 [voorwerp] *decoy.*

lokzet ⟨de (m.)⟩ ⟨dammen⟩ 0.1 *decoy move.*

lol ⟨de⟩ ⟨inf.⟩ 0.1 *laugh* ⇒⟨ongemarkeerd⟩ *fun, frolic, lark* ♦ 3.1 zeg, doe me een ~ *do me a favour, knock it off, will you;* ~ hebben / maken *have a l. / fun / a great time / a ball / a whale of a time, (en)joy;* niet veel ~ in haar leven *she doesn't have a lot of fun in life;* ⟨iron.⟩ zijn ~ wel opkunnen *be in for / have a happy / pleasant time* 6.1 voor de ~ *for a l., for fun / a lark / the ride / laughs, just for kicks / the fun of it;* ik doe dit niet voor de ~ *I'm not doing this for the good of my health* ¶.1 de ~ was er gauw af *the fun was soon over, the gilt soon wore off the gingerbread.*

lolbroek ⟨de (m.)⟩ ⟨inf.⟩ 0.1 ⟨ongemarkeerd⟩ *buffoon* ⇒*joker.*

lolbroekerij ⟨de (v.)⟩ 0.1 *horseplay.*

lolita ⟨de⟩ 0.1 *nympho(maniac).*

lolletje ⟨het⟩ ⟨inf.⟩ 0.1 [pleziertje] *laugh* ⇒⟨ongemarkeerd⟩ *fun, frolic, lark* 0.2 [grapje] *joke* ⇒*trick* ♦ 3.1 dat is geen ~ *this is not exactly a l. a minute* 3.2 ik hou niet van die ~s *I don't like that sort of j.;* een ~ met iem. uithalen *play a trick on s.o..*

lollig ⟨bn., bw.⟩ ⟨inf.⟩ 0.1 *jolly* ⇒*funny* ♦ 1.1 't is een ~e vent *he's a j. man* 3.1 ⟨euf.⟩ een beetje ~ zijn *be tipsy* 7.1 de ~ste thuis *the family joker.*

lolly ⟨de (m.)⟩ 0.1 *lollipop, lolly.*

lolmaker ⟨de (m.)⟩ 0.1 *merry-maker* ⇒*reveller, frolicker, rollicker.*

lom ⟨afk.⟩ 0.1 [leer- en opvoedingsmoeilijkheden] *(learning and educational problems)* ♦ 1.1 ~-school *remedial / special school.*

lombok ⟨de (m.)⟩ 0.1 *red pepper, cayenne (pepper).*

lomig ⟨bn., bw.; -ly⟩ 0.1 *somewhat drowsy* ⇒*dull.*

lommer ⟨het⟩ ⟨schr.⟩ 0.1 [schaduw] *shade* 0.2 [bladeren] *foliage* ⇒*leafage* ♦ 2.1 in het koele ~ zitten *sit in the cool s..*

lommerd ⟨de (m.)⟩ 0.1 *pawnshop* ⇒*pawnbroker's (shop),* ⟨inf.⟩ *hock-shop,* ⟨sl.⟩ *uncle's,* ⟨BE; sl.⟩ *popshop* ♦ 6.1 in de ~ in / at pawn, in hock; in de ~ zetten, naar de ~ brengen *take (sth.) to the pawnbroker's, (put in) pawn;* ⟨inf.⟩ *hock;* uit de ~ halen / lossen *get (sth.) out of pawn, redeem* ¶.1 daar geeft de ~ geen geld voor *you wouldn't get tuppence for it.*

lommerdbriefje ⟨het⟩ 0.1 *pawn ticket.*

lommerdhouder ⟨de (m.)⟩ 0.1 *pawnbroker.*

lommerig ⟨bn.⟩ ⟨schr.⟩ 0.1 [schaduwrijk] *shady* ⇒*shadowy* 0.2 [bladerrijk] *leafy* ♦ 1.1 het ~ woud *the shady forest.*

lommerrijk ⟨bn.⟩ 0.1 [schaduwrijk] *shady* ⇒*shadowy, umbrageous* 0.2 [bladerrijk] *leafy.*

lomp¹ ⟨de⟩ 0.1 [kapotte kleding] ⟨vnl. mv.⟩ *rag* ⇒⟨vnl. mv.⟩ *tatter* 0.2 [vod] *rag* ⇒*tatter* ♦ 2.2 nieuwe ~en *remnants* 6.1 hij was in ~en gekleed *he was dressed in rags / tatters, he was ragged / tattered.*

lomp² ⟨bn., bw.⟩ 0.1 [plomp] *ponderous* ⇒*unwieldy, hulking, bulky, ungainly* 0.2 [onhandig] *clumsy* ⇒*awkward, ungainly,* ⟨inf.⟩ *dumpish* 0.3 [onbeleefd] *rude* ⇒*unmannerly, uncivil* 0.4 [onbeschaafd] *churlish* ⇒*rude, boorish* 0.5 [dom] *dumb* ⇒*asinine, inane, imbecile, stupid* ♦ 1.1 ~e schoenen *clumsy / clumpy shoes* 1.2 een ~ figuur slaan *cut an awkward / ungainly figure* 1.3 een ~ antwoord *a r. answer* 1.4 een ~e boer *a c. boor, a bumpkin* 1.5 een ~e fout *a stupid mistake* 3.1 zich ~ bewegen *move awkwardly / gracelessly / clumsily / in an ungainly manner* 3.3 iem. ~ behandelen *treat s.o. rudely, be uncivil to s.o..*

lompenhandel ⟨de (m.)⟩ 0.1 *old clothes* / ⟨BE ook⟩ *rag-and-bone business.*

lompenhandelaar ⟨de (m.)⟩ 0.1 *ragman, old-clothes-man, ragpicker* ⇒ ⟨BE ook⟩ *rag-and-bone man,* ⟨AE ook⟩ *junkman.*

lompenpakhuis ⟨het⟩ 0.1 *old clothes* / ⟨BE ook⟩ *rag-and-bone warehouse.*

lompenpapier ⟨het⟩ 0.1 *rag paper.*

lompenproletariaat ⟨het⟩ 0.1 *lumpenproletariat.*

lompenwolf ⟨de (m.)⟩ ⟨vnl. mv.⟩ 0.1 *willow.*

lomperd ⟨de (m.)⟩ 0.1 [onhandig persoon] *cack-handed person* ⇒ *ham-handed / ham-fisted person* 0.2 [onbeleefd mens] *lout* ⇒*boor* 0.3 [plomp mens] *bulky / hulking person.*

lomperik ⟨de (m.)⟩ →**lomperd.**

lompheid ⟨de (v.)⟩ 0.1 [onhandigheid] *clumsiness* ⇒*awkwardness, cack-handedness, ham-fistedness* 0.2 [onbeleefdheid] *rudeness* ⇒*insolence* 0.3 [mbt. lichaamsbouw] *bulkiness.*

lompigheid ⟨de (v.)⟩ 0.1 *loutishness.*

lompweg ⟨bw.⟩ 0.1 *bluntly* ⇒*flatly* ♦ 3.1 ~ iets weigeren *refuse sth. point-blank.*

lom-school ⟨de⟩ →**lom.**

Londen ⟨het⟩ 0.1 *London.*

Londenaar ⟨de (m.)⟩ 0.1 *Londoner.*

Londens ⟨bn.⟩ 0.1 *London.*

lonen ⟨ov.ww.⟩ 0.1 [opwegen tegen] *be worth* 0.2 [belonen] *reward* ⇒*repay, remunerate* ♦ 1.1 dat loont de moeite niet *it is not worth one's while / not worthwhile / not worth the trouble;* dat loont de moeite *that pays (off), that is worthwhile* 4.2 ⟨schr.⟩ ik zal het u ~ *I will repay you;* God lone het u! *(may) God reward you (for it)!.*

lonend ⟨bn.⟩ 0.1 *paying* ⇒*rewarding,* ⟨financieel ook⟩ *profitable, remunerative, remunerating, economic* ♦ 3.1 het nieuwe bedrijf ~ maken *make the new business / firm pay;* investeringen ~ maken *make investments remunerative* 5.1 dat is niet ~ *that doesn't pay, that is not a paying proposition.*

long ⟨de⟩ 0.1 [mbt. mensen] *lung* 0.2 [mbt. geslachte dieren] *lights* ⟨mv.⟩ ♦ 2.1 ijzeren ~ *iron l., cuirass;* sterke ~en hebben *have good lungs* 3.1 een ~ wegnemen *remove a l., perform a pneumonectomy;* zijn ~en zijn aangedaan *his lungs are affected* 6.1 over de ~en roken *inhale* ¶.1 zich de ~en uit het lijf schreeuwen *shout at the top of one's voice / lungs;* zich de ~en uit het lijf hoesten ⟨inf.⟩ *cough one's heart out.*

longaandoening ⟨de (v.)⟩ 0.1 *lung / pulmonary condition / complaint* ⇒ *condition of the lungs,* ⟨inf.⟩ *lung trouble* ♦ 3.1 ik heb een ~ *I've got lung trouble / a lung condition / complaint.*

longabces ⟨het⟩ 0.1 *pulmonary abscess* ⇒*abscess on the lung.*

longader ⟨de⟩ 0.1 *pulmonary / pulmonic vein.*

longarts ⟨de⟩ 0.1 *lung specialist* ⇒⟨med. ook⟩ *pneumonologist.*

longautomaat ⟨de (m.)⟩ 0.1 *respirator.*

longblaasje ⟨het⟩ 0.1 *alveolus* ♦ 6.1 mbt. / van de ~s *alveolar.*

longbloeding ⟨de (v.)⟩ **0.1** *pulmonary/lung haemorrhage.*
longcarcinoom ⟨het⟩ ⟨med.⟩ **0.1** *lung cancer.*
longcirculatie ⟨de (v.)⟩ **0.1** *pulmonary circulation.*
longembolie ⟨de (v.)⟩ ⟨med.⟩ **0.1** *pulmonary embolism.*
longemfyseem ⟨het⟩ ⟨med.⟩ **0.1** *(pulmonary) emphysema.*
longgezwel ⟨het⟩ **0.1** *lung tumour.*
longicefaal ⟨bn.⟩ **0.1** *longheaded.*
longimetrie ⟨de (v.)⟩ **0.1** *measurement of (the) longitude.*
longitudinaal ⟨bn.⟩ **0.1** [mbt. de lengte] *longitudinal* ⇒*lengthwise,* lengthways **0.2** [mbt. een tijdsverloop] *longitudinal* ◆ **1.1** ~ onderzoek *longitudinal study;* longitudinale trillingen *longitudinal waves.*
longkanker ⟨de (m.)⟩ **0.1** *lung cancer.*
longknobbel ⟨de (m.)⟩ **0.1** *tubercle, tuberculum.*
longkruid ⟨het⟩ ⟨plantk.⟩ **0.1** *lungwort.*
longkwab ⟨de (m.)⟩ **0.1** *pulmonary lobe* ⇒*lobe of the lung.*
longletsel ⟨het⟩ **0.1** *lung injury.*
longoedeem ⟨het⟩ **0.1** *pulmonary oedema.*
longontsteking ⟨de (v.)⟩ **0.1** *pneumonia.*
longoperatie ⟨de (v.)⟩ **0.1** *lung operation.*
longpatiënt ⟨de (m.)⟩ **0.1** *lung patient.*
longpijp ⟨de (m.)⟩ **0.1** *bronchus.*
longroom ⟨de (v.)⟩ **0.1** *wardroom.*
longslagader ⟨de⟩ **0.1** *pulmonary/pulmonic artery.*
longslak ⟨de⟩ **0.1** *pulmonate.*
longspecialist ⟨de (m.)⟩ **0.1** *lung specialist.*
longtering ⟨de (v.)⟩ **0.1** *(pulmonary/tubercular) consumption, consumption of the lungs* ⇒*phthisis.*
longtop ⟨de (m.)⟩ **0.1** *apex of the lung.*
longtrechter ⟨de (m.)⟩ **0.1** *terminal bronchiole/bronchiolus.*
longvaten ⟨zn.mv.⟩ **0.1** *capillaries of the lung.*
longvis ⟨de (m.)⟩ **0.1** *lungfish* ⇒⟨Australische longvis⟩ *barramunda, barramundi.*
longvlies ⟨het⟩ **0.1** *pulmonary membrane.*
longweefsel ⟨het⟩ **0.1** *lung/pulmonary tissue.*
longzak ⟨de (m.)⟩ **0.1** *air cell* ⇒⟨vogel⟩ *air sac.*
longziekte ⟨de (v.)⟩ **0.1** *pulmonary/pulmonic/lung disease.*
lonk ⟨de (m.)⟩ **0.1** *ogle* ⇒*(amorous) glance, oeillade* ◆ **3.1** iem. een ~ toewerpen *make eyes at/ogle s.o., give s.o. the glad eye.*
lonken ⟨onov.ww.⟩ **0.1** *ogle* ◆ **6.1** ⟨fig.⟩ ~ **naar** een betere positie *have one's eye on a better job;* **naar** iem. ~ *make eyes at/o.s.o., give s.o. the glad eye.*
lont ⟨de⟩ **0.1** [ontstekingskoord] *fuse* ⇒*(slow) match,* ⟨van vuurwerk/explosieven ook⟩ *portfire,* ⟨salpeterpapier⟩ *touch-paper* **0.2** [koordje van een kaars] *taper* ◆ **3.1** ⟨fig.⟩ ~ ruiken *smell a rat, scent sth. suspicious, suspect sth.;* ⟨gevaar⟩ *scent/sniff/sense danger;* de ~ in het kruit werpen *set fire to the powder;* ⟨fig. ook⟩ *put the spark to the finder.*
loochenaar ⟨de (m.)⟩ **0.1** *denier.*
loochenbaar ⟨bn.⟩ **0.1** *deniable.*
loochenen ⟨ov.ww.⟩ **0.1** [ontkennen] *deny* ⇒⟨schr.⟩ *gainsay, negate,* ⟨vnl. passief⟩ *negative,* ⟨niet erkennen⟩ *disown, disavow, disclaim* **0.2** [het bestaan ontkennen] *deny the existence of* ◆ **1.2** God ~ *deny the existence of God* **3.1** dat kun je niet ~ *that's sth. you cannot d..*
loochening ⟨de (v.)⟩ **0.1** *denial* ⇒*negation, negative,* ⟨schr.⟩ *disavowal, disclaimer.*
lood ⟨het⟩ ⟨→sprw. 624⟩ **0.1** ⟨schei.⟩ *lead* **0.2** [stuk metaal] *piece/lump of lead* ⇒⟨plombeerloodje⟩ *leaden seal* **0.3** [kogel(s)] *lead* ⇒*shot, ammunition* **0.4** [gewicht] *decagram* **0.5** [dieplood] *(sounding) lead, plummet, plumb(-line)* ⇒⟨gewichtje van dieplood ook⟩ *(plumb) bob* ◆ **1.1** een blok ~ *a pig* **1.3** kruit en ~ *powder and shot* **3.5** het ~ werpen *heave/cast the l.* **5.3** iem. vol ~ schieten *pump s.o. full of l.* **6.1** ~ in de benen hebben *have limbs like l.;* ⟨fig.⟩ *met* ~ in de schoenen aankomen *approach with unwilling steps;* **van** ~ *lead(en)* **6.¶** die muur staat niet in het ~ *that wall is off plumb, that wall is out of plumb/true/the perpendicular/the vertical;* ⟨druk.⟩ in het ~ *in type, typeset;* **in** het ~ (zijn/staan) *(be/set) plumb/upright/true;* **uit** het ~ (geslagen) zijn *be thrown off one's balance, be foxed/upset/perplexed/bewildered* **8.1** het weegt als ~ *it's as heavy as l.* **¶.1** dat is ~ om oud ijzer *it's six of one and half a dozen of the other, it's much of a muchness, it's tweedledum and tweedledee* **¶.3** het ~ floot ons om de oren *bullets whistled round our ears.*
loodaccumulator ⟨de (m.)⟩ **0.1** *lead battery* ⇒⟨BE ook⟩ *lead accumulator.*
loodacetaat ⟨het⟩ **0.1** *lead acetate* ⇒*sugar of lead.*
loodachtig ⟨bn.⟩ **0.1** *leady.*
loodarm ⟨bn.⟩ **0.1** *low-lead* ◆ **1.1** ~e benzine *l.-l. petrol/* ^A*gasoline.*
loodas ⟨de⟩ **0.1** *lead ash* ⇒*litharge.*
loodazijn ⟨de (m.)⟩ **0.1** *lead subacetate* ⇒*basic lead acetate.*
loodband ⟨de⟩ **0.1** ≠*flashing.*
loodblauw ⟨bn.⟩ **0.1** *blue grey* ⇒*greyish blue.*
loodcarbonaat ⟨het⟩ **0.1** *lead carbonate.*
loodchloride ⟨het⟩ **0.1** *lead chloride.*

looddamp ⟨de (m.)⟩ **0.1** *lead fumes* ⟨mv.⟩.
looddekker ⟨de (m.)⟩ **0.1** *roofer, plumber.*
looderts ⟨het⟩ **0.1** *lead ore.*
loodgeel ⟨het⟩ **0.1** *lead monoxide.*
loodgehalte ⟨het⟩ **0.1** *lead content* ◆ **6.1** ~ in het bloed *l. c. of the blood.*
loodgieter ⟨de (m.)⟩ **0.1** *plumber* ⇒*pipefitter.*
loodgieterij ⟨de (v.)⟩ **0.1** [werkplaats] *plumber's workshop* ⇒⟨fabriek⟩ *lead works* **0.2** [handeling] *plumbing* ⇒*pipefitting.*
loodgieterswerk ⟨het⟩ **0.1** *plumbing (work)* ⇒*plumber's work.*
loodglans ⟨het⟩ ⟨schei.⟩ **0.1** *lead glance* ⇒*galena.*
loodglazuur ⟨het⟩ **0.1** *(lead) glaze/glost.*
loodglit ⟨het⟩ **0.1** *litharge* ⇒*lead monoxide.*
loodgrijs ⟨bn.⟩ **0.1** *leaden (grey)* ◆ **1.1** zij had een loodgrijze jas *she had a dark/smokey grey coat;* de lucht hing ~ neer *the sky was grey and threatening* **7.1** het ~ *lead(en) grey.*
loodhagel ⟨de (m.)⟩ ⟨vis.⟩ **0.1** *lead shot.*
loodhoudend ⟨bn.⟩ **0.1** *plumbiferous* ⇒⟨met valentie 2⟩ *plumbous,* ⟨met valentie 4⟩ *plumbic* ◆ **1.1** ~e benzine *leaded* ^B*petrol/* ^A*gas(oline);* ~ blik *terne(plate).*
loodje ⟨het⟩ ⟨→sprw. 411⟩ **0.1** [stukje lood met stempel] *(leaden) seal* **0.2** [stukje lood] *piece of lead* ⇒*plumb (bob), plummet* ⟨aan schietlood/dieplood⟩ ◆ **2.¶** de laatste ~s *the home straight/stretch, the tail end* **3.¶** het ~ leggen ⟨aan het kortste eind trekken⟩ *come off badly, get the short end of the stick;* ⟨doodgaan⟩ *kick the bucket, croak, turn up one's toes, cash in one's chips* **6.1** iets *met* een ~ verzegelen *seal sth. with lead* **6.2** iets *met* een ~ verzwaren *weight sth. with a piece of lead* **6.¶** een verzoek *onder* het ~ leggen *pigeon-hole/shelve a request, put a request on ice.*
loodkabel ⟨de (m.)⟩ **0.1** *lead(-covered) cable.*
loodkleur ⟨de⟩ **0.1** *lead(en) colour* ⇒⟨schr.⟩ *leaden hue.*
loodkleurig ⟨bn.⟩ **0.1** *lead-coloured* ⇒*lead-grey* ^A*gray,* ⟨hemel ook⟩ *leaden.*
loodkoliek ⟨het, de (v.)⟩ **0.1** *lead colic* ⇒*painter's colic.*
loodkoord ⟨het, de⟩ →*loodveter.*
loodkruid ⟨het⟩ **0.1** *plumbago* ⇒*leadwort.*
loodlepel ⟨de (m.)⟩ **0.1** *lead ladle.*
loodlijn ⟨de⟩ **0.1** ⟨wisk.⟩ *perpendicular (line)* ⇒*normal (line)* ⟨ihb. op raaklijn/raakvlak⟩ **0.2** ⟨scheep.⟩ *plumb (line)* ⇒*sounding line, lead line* ◆ **3.1** een ~ neerlaten/oprichten *drop/set up a p..*
loodmantel ⟨de (m.)⟩ **0.1** *lead covering/sheathing.*
loodmenie ⟨de⟩ **0.1** *red lead.*
loodmes ⟨het⟩ **0.1** *lead knife.*
loodmetaal ⟨het⟩ **0.1** *solder.*
loodmijn ⟨de⟩ **0.1** *lead mine.*
loodoxyde ⟨het⟩ ⟨schei.⟩ **0.1** *lead oxide* ⇒*lead monoxide.*
loodpapier ⟨het⟩ **0.1** *lead foil.*
loodrecht ⟨bn., bw.;-ly⟩ **0.1** [zuiver recht] *perpendicular (to)* ⇒*plumb, vertical, upright, square (to), sheer* ⟨helling⟩ **0.2** ⟨wisk.⟩ *perpendicular* ⇒*normal* ◆ **1.2** ~ vlak *p./vertical (plane)* **3.1** ~ omhoog rijzen *rise sheer* **3.2** een lijn ~ middendoor delen *bisect a line perpendicularly* **5.1** niet ~ zijn *be out of true/the perpendicular/the vertical/plumb* **6.1** ~ **naar** beneden vallen *fall straight down;* ~ **op** iets staan ⟨ook⟩ *be at right angles to sth..*
loods
I ⟨de (m.)⟩ **0.1** ⟨scheep.⟩ *pilot* **0.2** [vis] *pilot fish;*
II ⟨de⟩ **0.1** [keet] *shed* ⇒⟨vliegtuigloods⟩ *hangar.*
loodsauto ⟨de (m.)⟩ **0.1** *pilot van.*
loodsballon ⟨de (m.)⟩ ⟨meteo.⟩ **0.1** *pilot balloon.*
loodsboot ⟨de (m.)⟩ **0.1** *pilot boat.*
loodschort ⟨het⟩ **0.1** *lead apron.*
loodsdienst ⟨de (m.)⟩ **0.1** *pilotage* ⇒*pilot(age) service.*
loodsdwang ⟨de (m.)⟩ **0.1** *compulsory pilotage.*
loodsen ⟨ov.ww.⟩ **0.1** [mbt. schepen] *pilot* **0.2** [leiden] *pilot* ⇒*steer, guide, conduct,* ⟨een groep ook⟩ *shepherd* ◆ **6.2** hij loodste ons *langs* de controle *he shepherded us through the checking point* **7.1** het ~ *pilotage.*
loodsgeld ⟨het⟩ **0.1** *pilotage* ⇒*pilotage dues/charges.*
loodskantoor ⟨het⟩ **0.1** *pilotage office.*
loodskotter ⟨de (m.)⟩ **0.1** *pilot cutter.*
loodslab ⟨de⟩ ⟨amb.⟩ **0.1** *chimney/lead flashing.*
loodslicht ⟨het⟩ **0.1** *light of a pilot boat.*
loodsman ⟨de (m.)⟩ **0.1** *pilot.*
loodsmannetje ⟨het⟩ **0.1** *pilot fish.*
loodsoldeer ⟨het⟩ **0.1** *solder.*
loodspaat ⟨het⟩ **0.1** *crocoite* ⇒*red l. ore.*
loodsplicht ⟨de⟩ **0.1** *compulsory pilotage.*
loodsreglement ⟨het⟩ **0.1** *pilotage regulations.*
loodssignaal ⟨het⟩ **0.1** *pilot signal.*
loodsstation ⟨het⟩ **0.1** *pilot station.*
loodstaaf ⟨het⟩ **0.1** *plumb (bob)* ⇒*plummet.*
loodsuiker ⟨de (m.)⟩ **0.1** *sugar of lead* ⇒*lead acetate.*
loodsulfaat ⟨het⟩ **0.1** *lead sulphate* ^A*fate.*
loodsvaartuig ⟨het⟩ **0.1** *pilot vessel.*

loodsvaarwater ⟨het⟩ **0.1** *pilot's water(s), waters in which vessels require a pilot.*

loodsvlag ⟨de⟩ **0.1** [om een loods te vragen] *pilot jack* ⇒*pilot flag* **0.2** [v.e. loodsvaartuig] *pilot's flag.*

loodswet ⟨de⟩ **0.1** *Pilotage Act, Pilots' Act.*

loodswezen ⟨het⟩ **0.1** *pilotage* ⇒*pilot(age) service* ◆ **6.1** misstanden **in** het ~ *inefficiency in the pilotage system.*

loodtang ⟨de⟩ **0.1** ⟨voor het opwijden van pijpen⟩ *lead-pipe expander.*

loodverbinding ⟨de (v.)⟩ **0.1** *lead compound.*

loodverf ⟨de⟩ **0.1** *lead paint.*

loodvergiftiging ⟨de (v.)⟩ **0.1** *lead poisoning* ⇒*plumbism.*

loodveter ⟨het⟩ **0.1** ⟨zie 6.1⟩ ◆ **6.1** met ~ *with weighted bottom hem(s).*

loodvrij ⟨bn.⟩ **0.1** *leadless* ⇒*lead-free, nonleaded, unleaded* ◆ **1.1** ~e benzine *unleaded / lead-free petrol /* ^*gasoline.*

loodwit ⟨het⟩ **0.1** *white lead* ⇒*basic carbonate white lead, ceruse,* ⟨schelpwit⟩ *flake white.*

loodwitfabriek ⟨de (v.)⟩ **0.1** *white-lead works* ⇒*white-lead factory.*

loodwitvrij ⟨bn.⟩ **0.1** *containing no white lead.*

loodwol ⟨het⟩ **0.1** *lead wool.*

loodzalf ⟨de⟩ **0.1** *diachylon.*

loodziekte ⟨het⟩ **0.1** [mbt. vruchtbomen] *silverleaf, silver leaf disease* ⇒*silver blight* **0.2** [⟨med.⟩] ⟨→loodkoliek⟩.

loodzout ⟨het⟩ **0.1** *lead salt.*

loodzwaar ⟨bn., bw.⟩ **0.1** *heavy* ⇒⟨fig. ook⟩ *leaden* ◆ **1.1** een ~ boek ⟨fig.⟩ *a h. / serious / weighty / ponderous book / tome;* loodzware kost *very h. food;* ⟨fig., bv. studie⟩ *very h. / dull stuff;* er kwam een loodzware lucht aanzetten *lowering / louring clouds were gathering, the sky became h. and threatening;* een loodzware slaap *an extremely deep sleep* **3.1** ⟨fig.⟩ dat drukt mij ~ op de borst *that weighs heavily on me.*

loof ⟨het⟩ **0.1** [gebladerte] *foliage* ⇒*leaves, green* ⟨van groente⟩, ⟨zeldz.⟩ *leafage* **0.2** [weefsel van cryptogamen] *thallus* ◆ **2.1** ~ van wortels *carrot-tops.*

loofachtig ⟨bn.⟩ **0.1** *foliage-like* ⇒*leaf-like, leafy.*

loofboom ⟨de (m.)⟩ **0.1** *broad-leaved /* ^*broadleaf tree.*

loofbos ⟨het⟩ **0.1** *deciduous / broad-leaved forest.*

loofdak ⟨het⟩ **0.1** *leafy canopy* ⇒*canopy / coverage of foliage.*

loofhout ⟨het⟩ **0.1** [loofbomen] *broad-leaved /* ^*broadleaf trees* **0.2** [hout van loofbomen] *hardwood.*

loofhut ⟨de⟩ **0.1** [hutje van loof] *bower* ⇒*arbour* **0.2** [mbt. de Israëlieten] *tabernacle.*

Loofhuttenfeest ⟨het⟩ **0.1** *Feast of Tabernacles* ⇒*Sukkoth.*

loofklapper ⟨de (m.)⟩ **0.1** *haulm stripper / slasher / shredder.*

loofrijk ⟨bn.⟩ **0.1** *leafy* ⇒*green, verdant* ⟨streek⟩, *wooded* ⟨met veel bomen⟩.

loofwerk ⟨het⟩ ⟨amb.⟩ **0.1** *foliage* ⇒*leafage.*

loog ⟨het, de⟩ **0.1** [⟨schei.⟩] *caustic (solution)* ⇒*lye,* ⟨natronloog⟩ *caustic soda,* ⟨kaliloog⟩ *caustic potash* **0.2** [oplossing] *lye* ◆ **2.1** afgewerkte ~ *spent caustic / lye* **6.2** het linnen **in** de ~ zetten *put the linen in l., leach the linen.*

loogachtig ⟨bn.⟩ **0.1** [⟨schei.⟩] *alkaline* **0.2** [mbt. wasloog] *lixivial.*

loogbad ⟨het⟩ **0.1** *caustic / alkali(ne) bath* ⇒*lye bath.*

loogkruid ⟨het⟩ **0.1** *saltwort* ⇒*barilla, kali.*

loogvast ⟨bn.⟩ **0.1** *alkali-resistant.*

looi ⟨de⟩ **0.1** *tan* ⇒*tan-bark.*

looien ⟨ov.ww.⟩ **0.1** *tan* ◆ **7.1** het ~ *tanning, tannage.*

looier ⟨de (m.)⟩ **0.1** *tanner.*

looierij ⟨de (v.)⟩ **0.1** [werkplaats] *tannery* ⇒*tan yard / house* **0.2** [bedrijf] *tannery* ⇒*tanning / tanner's trade / industry.*

looiersboom ⟨de (m.)⟩ **0.1** *(tanner's) sumac(h).*

looiersmes ⟨het⟩ **0.1** *fleshing knife.*

looikuip ⟨de⟩ **0.1** *tan vat* ⇒*tan pit.*

looistof ⟨de⟩ **0.1** [⟨schei.⟩] *tannin* **0.2** [⟨alg.⟩] *tanning extract.*

looizuur ⟨het⟩ **0.1** *tannic acid* ⇒*tannin.*

look ⟨het, de (m.)⟩ **0.1** *allium* ⇒⟨knoflook⟩ *garlic,* ⟨bieslook⟩ *chive(s).*

lookbed ⟨het⟩ **0.1** *bed of* ⟨uien⟩ *onions /* ⟨knoflook⟩ *garlic.*

looksaus ⟨de⟩ **0.1** ⟨ihb. met knoflook⟩ *garlic sauce.*

look-zonder-look ⟨het⟩ **0.1** *garlic mustard* ⇒*hedge garlic.*

loom ⟨bn., bw.; -ly⟩ **0.1** [traag] *heavy* ⇒*leaden,* ⟨langzaam⟩ *slow, sluggish* **0.2** [futloos] *languid* ⇒*inert, listless* ◆ **1.1** met lome schreden *with leaden feet, dragging one's feet, with dragging steps, leaden-footed* **1.2** de markt was ~ *trading / the market was dull / inactive;* de lome massa *the idle masses* **3.1** zich ~ bewegen *move heavily / sluggishly / slowly* **6.1** ik ben zo ~ **in** mijn benen *my legs feel so h. / feel like lead* **6.2** ~ **door** de warmte *sluggish from the heat;* ~ **van** geest *slow-witted.*

loomheid ⟨de (v.)⟩ **0.1** [traagheid] *heaviness* ⇒*slowness* **0.2** [futloosheid] *languidness* ⇒*lethargy.*

loomte ⟨de (v.)⟩ →**loomheid.**

loon ⟨het⟩ ⟨→sprw. 22,82,465⟩ **0.1** [salaris] *pay* ⇒*wage(s)* **0.2** [beloning] *reward* **0.3** [straf] *deserts* ⇒*reward,* ⟨inf.⟩ *come-uppance* ◆ **1.1** vakantie met behoud van ~ *holidays /* ^*vacation with full p.;* inhouding van ~ *stoppage of p.* **2.1** een hoog ~ verdienen *make good money, earn high wages;* een karig ~ *a mere pittance;* netto ~ *net earn-*

---

ings, aftertax earnings; een vast ~ *a fixed / set wage;* voldoende / menswaardig ~ *living wages* **2.3** dat is zijn verdiende ~ *it serves him right, he had it coming to him;* hij gaf hem zijn verdiende ~ *he gave him his just d. / what was coming to him* **3.1** ~ trekken *earn / draw / get wages* **3.2** een dankbare blik was zijn ~ *a grateful look was his r.* **3.3** de misdadiger zal zijn ~ wel ontvangen *the criminal will get / receive his just d. /* ⟨inf.⟩ *will get what was coming to him* **6.1** hij kreeg ~ **naar** werken ⟨ook fig.⟩ *he got what he deserved.*

loonaandeel ⟨het⟩ ⟨ec.⟩ **0.1** *wage share (ratio), salary (ratio), ratio of wages and salaries to national product.*

loonactie ⟨de (v.)⟩ **0.1** *campaign for higher wages / pay.*

loonadministrateur ⟨de (m.)⟩ **0.1** *salary / wage(s) /* ⟨inf.⟩ *pay clerk.*

loonadministratie ⟨de (v.)⟩ **0.1** *wages administration / records.*

loonakkoord ⟨het⟩ ⟨ec.⟩ **0.1** *wage / pay agreement / settlement.*

loonarbeid ⟨de (m.)⟩ **0.1** *wage work* ⇒*wage / hired labour* ◆ **3.1** ~ verrichten *work for wages, undertake w. w. / labour.*

loonarbeider ⟨de (m.)⟩ **0.1** *wage labourer.*

loonbasis ⟨de (v.)⟩ **0.1** *wage (scale) basis.*

loonbedrijf ⟨het⟩ **0.1** *contracting firm.*

loonbeheersing ⟨de (v.)⟩ **0.1** *wage control.*

loonbelasting ⟨de (v.)⟩ **0.1** *tax on wages / salaries* ⇒⟨inf.⟩ *income tax.*

loonbelastingsverklaring ⟨de (v.)⟩ **0.1** *wage(s) / salary /* ⟨inf.⟩ *income tax /* ⟨BE ook⟩ *P.A.Y.E. statement.*

loonbeleid ⟨het⟩ **0.1** *incomes policy.*

loonbeslag ⟨het⟩ ⟨jur.⟩ **0.1** *attachment of earnings* ⇒*distraint on wages.*

loonboek ⟨het⟩ **0.1** *pay / wage(s) book.*

loonbriefje ⟨het⟩ **0.1** *pay slip.*

loonconfectiebedrijf ⟨het⟩ **0.1** *clothing contracting firm.*

loonconflict ⟨het⟩ **0.1** *pay / wage dispute.*

looncontroledienst ⟨de (m.)⟩ **0.1** *wages (control) board.*

loonderving ⟨de (v.)⟩ **0.1** *loss of wages.*

loondienst ⟨de (m.)⟩ **0.1** *paid / salaried employment* ◆ **3.1** ~ verrichten *work for pay / wages, render paid services* **6.1** mensen **in** ~ *people in employment;* **in** ~ zijn bij *be in the pay / employ of, be on the payroll of;* **in** ~ treden *enter employment.*

loondorser ⟨de (m.)⟩ **0.1** *threshing contractor.*

loondruk ⟨de (m.)⟩ **0.1** *contract printing.*

looneis ⟨de (m.)⟩ **0.1** *pay / wage claim.*

loonexplosie ⟨de (v.)⟩ **0.1** *wage explosion.*

loonfonds ⟨het⟩ **0.1** *wage fund.*

loonfront ⟨het⟩ **0.1** *wages front* ◆ **6.1 op** het ~ is alles rustig gebleven *everything is quiet on the wages front.*

loongeschil ⟨het⟩ **0.1** *pay / wage dispute.*

loongrens ⟨de⟩ **0.1** [welstandsgrens] *maximum wage level (for entitlement to national health insurance)* **0.2** [grens v.h. loonbedrag] *pay / wage limit.*

loongroep ⟨de⟩ **0.1** *pay / wage group.*

loonindexering ⟨de (v.)⟩ **0.1** *pay / wage indexing.*

loonintensief ⟨bn.⟩ **0.1** *(with) high wage cost* ◆ **1.1** een ~ bedrijf *a company with high wage cost.*

loonkaart ⟨de⟩ **0.1** ≠*pay slip.*

loonklasse ⟨de (v.)⟩ **0.1** *wage / earnings group.*

loonkosten ⟨zn.mv.⟩ **0.1** *labour costs.*

loonkosteninflatie ⟨de (v.)⟩ **0.1** *wage-push inflation.*

loonlasten ⟨zn.mv.⟩ ⟨ec.⟩ **0.1** *labour costs* ◆ **2.1** hoge ~ *high labour costs.*

loonlijst ⟨de⟩ **0.1** *payroll* ⇒*pay sheet, register* ◆ **3.1** v.d. ~ afgevoerd worden *be taken off the payroll* **6.1 op** de ~ staan *be on the payroll.*

loonmaaier ⟨de (m.)⟩ **0.1** *harvesting contractor.*

loonmaatregel ⟨de (m.)⟩ **0.1** *(government) measure on wages / pay* ⇒*government wage control.*

loonmatiging ⟨de (v.)⟩ **0.1** *pay / wage restraint.*

loononderhandeling ⟨de (v.)⟩ **0.1** *pay / wage negotiations.*

loonontwikkeling ⟨de (v.)⟩ **0.1** *wage movements* ⟨mv.⟩.

loonovereenkomst →**loonregeling.**

loonovertreding ⟨de (v.)⟩ **0.1** *breach of pay / wage(s) agreement.*

locnpauze ⟨de⟩ **0.1** *pause in wage movements* ⇒*wage / pay standstill.*

loonplafond ⟨het⟩ **0.1** *pay / wage ceiling.*

loonpolitiek ⟨de (v.)⟩ **0.1** *incomes policy.*

loonpost ⟨de (m.)⟩ **0.1** [bedrag op een loonlijst] *wage item / entry* **0.2** [lonen als deel v.d. uitgaven] *wage bill* ⇒*payload.*

loonregeling ⟨de (v.)⟩ **0.1** *pay / wage(s) agreement.*

loonronde ⟨de (v.)⟩ **0.1** *pay round.*

loonschaal ⟨de⟩ **0.1** *pay / wage scale* ◆ **2.1** glijdende ~ *sliding p. / w. s..*

loonslaaf ⟨de (m.)⟩ **0.1** *wage slave.*

loonslip ⟨de (m.)⟩ **0.1** *pay slip.*

loonsom ⟨de⟩ **0.1** *average pay / earnings.*

loonspecificatie ⟨de (v.)⟩ →**loonslip.**

loonspiraal ⟨de⟩ **0.1** *wage spiral.*

loonstaat ⟨de (m.)⟩ →**loonlijst.**

loonstaking ⟨de (v.)⟩ **0.1** *strike for higher pay / wages.*

loonstamkaart ⟨de⟩ **0.1** ⟨salary / wage specification⟩.

loonstandaard ⟨de (m.)⟩ **0.1** *pay / wage level / rate* ⇒*standard of pay* ◆

3.1 de~opvoeren *raise* ⟨werkgever⟩ / *force up* ⟨werknemers⟩ *the w. l..*

loonstelsel ⟨het⟩ **0.1** [stelsel mbt. lonen] *wage structure* **0.2** [dienstverhouding] *wage economy/society/system*.

loonstop ⟨de (m.)⟩ **0.1** *pay/wage freeze* ◆ **1.1** opheffing v.d. ~ *lifting/ end of the p.f.*.

loonstrijd ⟨de (m.)⟩ **0.1** *pay/wage dispute*.

loonstrookje ⟨het⟩ **0.1** *pay slip*.

loonsverhoging ⟨de (v.)⟩ **0.1** *wage/pay increase* ⇒*increase in wages/ pay*, (inf.) ᴮ*rise*, ᴬ*raise* ◆ **3.1** ~ krijgen *get a p. i. / a* ᴮ*rise/raise*.

loonsverlaging ⟨de (v.)⟩ **0.1** *wage reduction* ⇒*reduction in wages*, ⟨inf.⟩ *(wage-)cut*.

loontarief ⟨het⟩ **0.1** *wage rate*.

loontoeslag ⟨de (m.)⟩ **0.1** *extra/additional pay*.

loontrekkend ⟨bn.⟩ **0.1** *wage-earning*.

loontrekker ⟨de (m.)⟩ **0.1** *wage earner/worker*.

loonvloer ⟨de (v.)⟩ **0.1** *minimum wage*.

loonvoet ⟨de (m.)⟩ **0.1** *wage base*.

loonvoorschrift ⟨het⟩ **0.1** *pay/wage regulation* ⇒⟨mv. ook⟩ *pay/wage control*.

loonvorming ⟨de (v.)⟩ **0.1** *wage base determination* ◆ **2.1** geleide~*pay/ wage control*.

loonwerker ⟨de (m.)⟩ **0.1** *contractor* ⇒⟨ihb.⟩ *agricultural contractor, contract worker*.

loonwet ⟨de⟩ **0.1** ⟨alg.⟩ *law regulating wages*, ⟨mv.⟩ *wage legislation*; ⟨specifiek⟩ *Wages Act*.

loonzakje ⟨het⟩ **0.1** *pay packet* ⇒⟨AE ook⟩ *pay envelope*.

loop ⟨de (m.)⟩ **0.1** [af-/ontwikkeling] *course* ⇒*unfolding, development* **0.2** [deel v.e. vuurwapen] *barrel* **0.3** [vlucht] *run* ⇒*flight* **0.4** [voortbeweging v.e. zaak] *course* **0.5** [voortgang in de tijd] *course* **0.6** [richting] *course* ⇒*direction* **0.7** [het (harde) lopen] ⟨lopen⟩ *walk, gait;* ⟨hardlopen⟩ *run* **0.8** [doorgang] *aisle* **0.9** [diarree] runs ⇒*trots* ◆ **1.1** de~der dingen/gebeurtenissen *the c. of things/events;* de~v.h. gevecht *the c. of the fight;* de~v.h. verhaal *the thread/line of the story* **1.4** de~v.d. hemellichamen bestuderen *study the c. / movement of the stars;* de~v.d. Rijn *the c. of the Rhine, the Rhine's c.* **1.5** in de~ der tijd *in the c. of time, in due c.* **2.1** zijn gedachten de vrije~laten *give one's thoughts/imagination free rein/play* **2.2** met dubbele~ *double-barrelled* **2.4** het water zijn vrije~laten *let the water take its own c.;* zijn tranen de vrije~laten *not hold back one's tears* **3.5** het recht moet zijn~hebben/krijgen *the law must take its c.* **3.7** iem. aan zijn~herkennen *recognise s.o.'s walk* **6.3** op de~zijn *be on the r. / in flight, flee;* op de~gaan (voor) *run away (from);* ⟨inf.⟩ *bolt* **6.4** de bal werd in zijn~gestuit *the ball was stopped/blocked (in its c.)* **6.5** in de ~v.d. dag *in/during the c. of the day;* in de~der jaren *through the years* **6.6** de winkel ligt **uit** de~*the shop/* ᴬ*store is off the beaten track*.

loopafstand ⟨de (m.)⟩ **0.1** *walking distance* ◆ **6.1** op ~ *within w. d..*

loopas ⟨de⟩ **0.1** *axle*.

loopbaan ⟨de⟩ **0.1** [carrière] *career* **0.2** [mbt. een hemellichaam] *orbit* ◆ **2.1** een langdurige politieke~*a long/lengthy political c.* **3.1** een~beginnen *begin a/one's c., enter upon one's c., start out*.

loopbaanplan ⟨het⟩ **0.1** *career policy*.

loopbeen ⟨het⟩ **0.1** *shank* ⇒*tarsus*.

loopbrug ⟨de⟩ **0.1** [brug voor voetgangers] *footbridge* ⇒*catwalk* **0.2** [loopplank met leuning] *gangplank* ⇒*gangboard*.

loopeend ⟨de⟩ **0.1** *runner duck*.

loopfiets ⟨de (m.)⟩ **0.1** [hulpmiddel in de revalidatie] ≠*walking frame* **0.2** [⟨gesch.⟩ *hobby(horse)* ⇒*dandy horse*.

loopgips ⟨het⟩ **0.1** *walking plaster*.

loopgraaf ⟨de⟩ **0.1** *trench* ◆ **2.1** smalle~*slit t..*

loopgraafvoet ⟨de (m.)⟩ **0.1** *trench foot*.

loopgraafwacht ⟨de⟩ **0.1** *trench unit*.

loopgravenkoorts ⟨de⟩ **0.1** *trench fever*.

loopgravenoorlog ⟨de (m.)⟩ **0.1** *trench war(fare)*.

loopgravenstelsel ⟨het⟩ **0.1** *entrenchment*.

loopijzer ⟨het⟩ **0.1** *light horse shoe*.

loopje ⟨het⟩ **0.1** [kleine/korte loop] *trot* ⇒*half-run* **0.2** [⟨muz.⟩] *run* ⇒ *roulade* **0.3** [wandelingetje] *little/short walk* ◆ **3.2** zij maakte~s op de vleugel *she played runs on the grand piano* **3.3** een~doen/maken *take/have a little/short walk* **3.¶** een~met iem. nemen *pull s.o.'s leg, play a trick on s.o.* **6.1** op een~*at a t., half running*.

loopjongen ⟨de (m.)⟩ **0.1** *errand/messenger boy*.

loopkabel ⟨de⟩ **0.1** *trolley wire* ⇒*overhead (contact) wire*.

loopkat ⟨de⟩ **0.1** *crab* ⇒*trolley*.

loopkever ⟨de (m.)⟩ **0.1** [insect] *ground beetle* **0.2** [persoon] *camper*.

loopkraan ⟨de⟩ **0.1** *travelling* ᴬ*eling crane* ⇒*jenny*.

looplamp ⟨de⟩ **0.1** *portable/inspection lamp, trouble light*.

looplijn ⟨de⟩ **0.1** *run(ning) line*.

loopneus ⟨de (m.)⟩ **0.1** *runny/running nose* ⇒*sniffles* ◆ **3.1** een~hebben ⟨ook⟩ *have (a case of) the sniffles, sniffle*.

loopoefening ⟨de (v.)⟩ **0.1** *walking exercise* ⟨ook van zieke⟩; ⟨hardlopen⟩ *running exercise*.

loopoor ⟨het⟩ **0.1** *runny/running ear*.

looppad ⟨het⟩ **0.1** *aisle* ⇒*passageway*, ⟨BE ook⟩ *gangway* ◆ **2.1** een smal~*a catwalk*.

looppas ⟨de (m.)⟩ ⟨sport⟩ **0.1** *jog* ⇒*run* ◆ **2.1** lichte ~ *light/slow j.;* snelle~*fast j.* **6.1** in ~ *at/* ⟨mil. alleen⟩ *on the double*.

loopplank ⟨de⟩ **0.1** [om aan/van boord te komen] *gangplank* ⇒*gangway, gangboard* **0.2** [om ergens over te lopen] *(foot) plank* ⇒*bridge, duckboards* **0.3** [mbt. kegelen] *alley* ◆ **3.1** de~inhalen *haul/draw in the gangplank*.

looppop ⟨de⟩ **0.1** *walking doll*.

looprail ⟨de⟩ **0.1** *rail* ⇒*track*.

looprek ⟨het⟩ **0.1** *walking frame* ⇒*walker*.

looprichting ⟨de (v.)⟩ **0.1** *run* ⇒*feed(ing)*, ⟨scheep.⟩ *lead* ⟨van lijn⟩ ◆ **1.1** ⟨amb.⟩ ~ v.h. papier *the direction in which paper feeds*.

loopring ⟨de (m.)⟩ **0.1** *(ball) race*.

loops ⟨bn.⟩ **0.1** *in heat/season*.

loopsheid ⟨de (v.)⟩ **0.1** *heat* ⇒*season*.

loopstal ⟨de (m.)⟩ **0.1** *loose house/yard*, ᴬ*loafing barn/shed*.

looptechniek ⟨de (v.)⟩ **0.1** *running technique*.

looptijd ⟨de (m.)⟩ **0.1** [tijd dat een wissel/lening loopt] *term* ⇒*(period of) currency, duration* **0.2** [geldigheidsduur] *(length/term of) validity* **0.3** [mbt. regeltechniek] *execution time* ◆ **2.1** lening met lange~ *long-term loan*.

loopvlak ⟨het⟩ **0.1** *tread* ◆ **2.1** een band met een glad~*a tyre* ᴬ*tire with little/a worn/a smooth t.;* (voorzien van) een nieuw~*re-tread*.

loopvoet ⟨de (m.)⟩ **0.1** *ambulatory*.

loopvogel ⟨de (m.)⟩ **0.1** *walker* ⇒*cursorial bird, courser*, ⟨mv. ook⟩ *cursores*.

loopvuur ⟨het⟩ **0.1** *brush fire* ⇒⟨soms⟩ *grass fire*.

loopwerk ⟨het⟩ **0.1** *running/moving parts* ⇒*wheel mechanism*.

loopwiel ⟨het⟩ **0.1** [mbt. een voertuig] *running wheel* **0.2** [mbt. een vliegtuig] *landing wheel* **0.3** [in een turbine] *runner* ⇒*turbin wheel*.

loopzand ⟨het⟩ **0.1** *quicksand*.

loos ⟨bn.⟩ **0.1** [vals] *false* ⇒*fake, dummy* **0.2** [leeg] *empty* **0.3** [ondeugend] *sly* ⇒*cunning, crafty, sneaky, clever, wily* ◆ **1.1** ~ alarm *false alarm;* een~gebaar *an empty gesture;* een~gerucht *an idle rumour;* een loze zoom *a false hem* **1.2** een~beukenootje *an e. / a deaf beech nut;* een loze ruimte *wasted space;* een loze zondagmiddag *a lazy/ dead Sunday afternoon* **1.3** daar was laatst een meisje~*there was once a clever girl;* het loze vissertje *the crafty fisherman* **3.¶** er is iets~ *sth.'s up/going on*.

loosgat ⟨het⟩ **0.1** *drain*.

loosheid ⟨de (v.)⟩ **0.1** [sluwheid] *slyness* ⇒*cunning, craftiness, sneakiness, wiliness* **0.2** [sluwe daad] *sly/crafty/sneaky action/deed/thing*.

loospijp ⟨de⟩ **0.1** *drain/waste pipe*.

loot ⟨de⟩ **0.1** [twijg] *shoot* ⇒*cutting* **0.2** [nakomeling] *(off)shoot* ⇒*offspring, scion* ◆ **1.2** de Germaanse talen zijn loten van dezelfde stam *the Germanic languages are all members of the same family/are all related* **2.1** er komen nieuwe loten aan *it's getting new shoots, new shoots are coming*.

lootje ⟨het⟩ **0.1** *lottery/raffle ticket* ⇒*lot* ◆ **3.1** ~s trekken *draw lots*.

lopen (→sprw. 35,86,271,292,317,582,634,639)

I ⟨onov.ww.⟩ **0.1** [zich te voet voortbewegen] *walk* **0.2** [rennen] *run* **0.3** [zich verplaatsen] *go* ⇒*run* **0.4** [⟨mbt. zaken⟩ voortbewogen worden] *run* **0.5** [stromen] *run* **0.6** [in werking zijn] *run* **0.7** [voortduren] *run* **0.8** [zich uitstrekken] *run* **0.9** [zich ontwikkelen] *run* ⇒go **0.10** [blootgesteld worden aan] *run* **0.11** [geschikt zijn om op/in te lopen] *be* **0.12** [⟨+onbep. wijs⟩ bezig zijn met] *be* ⟨+...ing⟩ ◆ **1.1** trappen~ *go upstairs and downstairs/up and down the stairs* **1.4** die auto loopt lekker *that car runs/goes well;* deze trein loopt 's zondags niet *this train doesn't r. on Sundays* **1.5** het bad loopt *the bath's running;* de kraan loopt niet meer *the tap's stopped running;* zijn neus/ogen/ wond begon(nen) weer te~*his nose/eyes began to r. / stream again, his wound began to bleed again* **1.6** dit horloge loopt uitstekend *this watch keeps excellent time/runs/goes splendidly;* de motor loopt langzaam *the engine turns over/runs slowly* **1.7** de contracten~nog *the contracts are still in force/valid* **1.9** deze zin loopt niet *this sentence doesn't r. properly/doesn't work* **2.1** zijn schoenen stuk ~ *w. the soles off one's shoes;* ⟨AZN⟩ verloren~*get lost, lose one's way* **2.2** de atleten liepen zich warm *the athletes warmed up* **2.6** de motor begon warm te ~ *the engine began to warm up/* ⟨te warm⟩ *r. hot;* ⟨fig.⟩ warm ~ voor *get/be keen about …* **2.8** deze lijnen ~ evenwijdig *these lines r. / are parallel* **3.1** iem. laten ~ ⟨vrijlaten⟩ *let s.o. go;* ⟨zich niet meer bemoeien met⟩ *leave s.o. alone/be;* over zich laten ~ *let o.s. be walked all over/bullied;* leren ~ *learn to w.* **3.4** iets laten ~ *let sth. go;* ⟨nalatig⟩ *let sth. slide/slip* **3.5** alles laten ~ ⟨incontinent⟩ *let everything go;* ⟨nalatig⟩ *let everything slip/slide* **3.12** hij liep maar te lachen *he was just laughing (all the way);* ze liepen uren te wandelen *they walked (around) for hours* **5.1** heen en weer ~ *w. back and forth/ up and down/to and fro* **5.4** er loopt wel eens een slechte fles tussendoor *every so often you get a defective bottle* **5.5** ⟨fig.⟩ de zaak begint vol te ~ *the place is starting to fill up* **5.9** het is anders gelopen *it worked out/turned out otherwise/differently;* de zaak loopt fout/

scheef *it's (all) going wrong;* alles loopt gesmeerd *everything's running smoothly;* het moet al heel raar ~ als ... *things will have to go very badly wrong for ... to ...* **5.11** deze schoenen ~ gemakkelijk *these shoes are comfortable (to walk in)* **6.1** achter iem. aan ~ *run after s.o.* ⟨ook fig.⟩; iem. in de weg ~ *get in s.o.'s way;* met iem. ~ *go with s.o.;* het is te ver om te ~ *it's too far to w.;* te zwak om te ~ *too weak to w. / to get about /* ᴬ*around;* op handen en voeten ~ *w. on one's hands and feet / on all fours;* op zijn sokken ~ *w. around in one's socks* **6.2** ⟨AZN⟩ achter iets ~ *chase sth.;* het op een ~ zetten *take to one's heels;* ⟨scherts.⟩ *show a clean pair of heels* **6.3** hij loopt voor elk wissewasje naar de dokter *he goes to the doctor for the slightest (little) thing /* ⟨inf.⟩ *at the drop of a hat;* de wind loopt naar het westen *the wind shifts to the west* **6.4** het schip liep vast op een rots *the ship ran onto a rock;* een rilling liep over haar rug *a shiver ran down her back* **6.5** het water loopt door de goot *the water runs along / down the gutter;* het zweet liep haar over het gezicht *(the) sweat ran down her face;* de tranen liepen over zijn wangen *(the) tears ran down his cheeks;* het bloed loopt uit de wond *blood flows / runs out of / from the wound* **6.6** een motor die loopt op benzine / alcohol *an engine that runs on petrol /* ᴬ*gasoline / alcohol* **6.7** dat onderzoek loopt over heel wat jaren *the investigation is spread over / will take / will r. for a good many / few years;* het eerste tijdperk loopt tot 1100 *the first period runs up to 1100* **6.8** deze weg loopt naar Haarlem *this road goes / leads to Haarlem;* het gebergte loopt van het oosten naar het westen *the mountain range runs from east to west;* de prijzen ~ van ƒ100 tot ƒ1000 *the prizes range / go / r. from 100 to 1000 guilders* **6.9** de zaak loopt op zijn einde *the business is running down;* ⟨fig.⟩ uit de hand ~ *get out of hand* **6.¶** in de gaten ~ *get noticed /* ⟨inf.⟩ *spotted, strike people;* in de W.W. / ziektewet ~ ᴮ*be on unemployment benefit /* ⟨inf.⟩ *spotted, strike people;* in de W.W. / ziektewet ~ ᴮ*be on unemployment benefit /* ⟨inf.⟩ *on the dole,* ᴮ*be on sickness benefit / sick pay /* ᴬ*(out) on sick leave* **8.2** ~ als een haas *r. like mad* **¶.2** hij liep wat hij kon *he ran as hard as he could;* uit alle macht ~ *r. flat out;* ~! *scram!, hop it!, be off with you!, beat it!;*
II ⟨ov.ww.⟩ **0.1** [deelnemen aan] *go to* ⇒*attend;*
III ⟨onp.ww.⟩ **0.1** [naderen] *go / get on (for / towards)* ◆ **6.1** het loopt tegen zes uur / zessen *it's going on / getting on for / towards six (o'clock).*
lopend ⟨bn.⟩ ⟨→sprw. 490⟩ **0.1** [die / dat loopt] *walking, running* ⇒*going* **0.2** [zich voortbewegend] *running, moving* ⇒*going* **0.3** [voortgang hebbend] *current* ⇒*running* **0.4** [rondgaand] *current* ⇒*going round* **0.5** [stromend] *running* ⇒*streaming* ⟨ook ogen⟩, ⟨neus / oor ook⟩ *runny* **0.6** [zich uitstrekkend] *running* **0.7** [waarbij gelopen wordt] *walking* ◆ **1.1** een ~e patiënt *an ambulant / w. patient* **1.2** ~ e band ⟨band afleid⟩ *conveyor belt;* ⟨systeem⟩ *assembly line;* ⟨fig.⟩ aan de ~e band *continually, ceaselessly;* produktie aan de ~e band *assembly line / flow production;* een ~e hand *a r. hand;* ~ schrift *italic (writing), r. hand;* een nauwkeurig ~ uurwerk *a precision / accurate clock / timepiece* **1.3** het ~e jaar *the c. year;* de zesde v.d. ~ e maand *the sixth inst.;* de ~e prijs *the c. price;* een ~e rekening *a c. account;* de ~e rentetermijn *the c. interest term;* ~e schulden *running / c. / outstanding / open debts;* de ~e uitgaven *the day-to-day costs / expenses;* een ~ woordenboek *a c. dictionary;* de ~e zaken *c. affairs, the affairs in hand* **1.5** ⟨cul.⟩ ~ meel *a thick liquid mixture of water and flour used as a thickener* **1.6** ⟨AZN⟩ ~ meter *metre run, r. metre* **1.7** een ~ buffet *buffet lunch / dinner, a stand-up buffet* **¶.¶** in het oog ~ *conspicuous, noticeable, florid.*
loper ⟨de⟩ **0.1** [persoon] *walker* ⇒ ⟨voor bank e.d.⟩ *courier, messenger* **0.2** [tapijt] *carpet (strip)* ⇒*runner* ⟨op kast / tafel⟩ **0.3** [schaakstuk] *bishop* **0.4** [sleutel] *passkey* ⇒*master / skeleton key, picklock* **0.5** [paard] *racehorse* ⇒*runner, fast trotter* **0.6** [schaats] *runner* **0.7** [⟨scherts.⟩ been] *paw, trotter* **0.8** [raampje van rekenliniaal] *runner, cursor* **0.9** [varken] *weaner* ◆ **2.1** hij is een slechte ~ *he is a poor w.* **3.2** ⟨fig.⟩ de (rode) ~ voor iem. uitleggen *give s.o. a red-carpet welcome / treatment* **6.2** een kale trap zonder ~ *uncarpeted stairs* **6.3** ~ aan dame-zijde *queen's b..*
loperstof ⟨de⟩ **0.1** (*stair) carpeting.*
lopertje ⟨het⟩ **0.1** [kleine loper] *(little) walker / runner* **0.2** [boomkruipertje] *(short-toed) tree creeper.*
lor ⟨het, de⟩ **0.1** [vod] *rag* **0.2** [prul] *piece of trash / junk / rubbish* ◆ **2.2** een dronken ~ *a drunken sod, a boozer, a lush* **6.2** een ~ van een boek *a trashy book;* een ~ van een vent *a good-for-nothing* **7.1** ik begrijp er geen ~ van *I haven't a clue, I cannot make head or tail of it;* het kan me geen ~ schelen *I don't give a ↓damn / a hoot / a snap /* ᴮ*twopence, I don't care a fig.*
lord ⟨de (m.)⟩ **0.1** *lord* ◆ **1.1** ⟨inf.⟩ ~ wanhoop *bungler, blunderer.*
lordose ⟨de (v.)⟩ ⟨med.⟩ **0.1** *lordosis.*
lordschap ⟨het⟩ **0.1** *lordship.*
lorentzkracht ⟨de⟩ ⟨nat.⟩ **0.1** *Lorentz force.*
lorgnet ⟨het, de⟩ **0.1** *lorgnette* ⇒*pince-nez* ◆ **3.1** een ~ dragen *wear a l. / pince-nez, lorgnette* **6.1** een man met een ~ op *a man wearing a l. / pince-nez.*
lork(eboom) ⟨de (m.)⟩ **0.1** *larch.*
lororekening ⟨de (v.)⟩ ⟨geldw.⟩ **0.1** *loro account.*
lorre 0.1 *Polly.*

lorregoed ⟨het⟩ **0.1** *trash, junk, rubbish.*
lorrenkraam ⟨de⟩ **0.1** *jumble / rummage stand / booth / stall.*
lorrenman ⟨de (m.)⟩ **0.1** *rag(-and-bone) man.*
lorrenmand ⟨de⟩ **0.1** *rag basket.*
lorrenwerk ⟨het⟩ **0.1** *trashy work* ⇒*bad job, mess, botch.*
lorrie ⟨de (v.)⟩ **0.1** [wagentje op rails] *lorry* ⇒*trolley,* ⟨vnl. BE⟩ *truck, (railway) bogie* **0.2** [kipkarretje] *dump car* ⇒ ⟨vnl. BE⟩ *trolley.*
lorrig ⟨bn.⟩ **0.1** *trashy* ⇒*rubbishy, paltry* ◆ **1.1** voor een ~e honderd gulden kun je het krijgen *you can have it for a measly hundred guilders.*
lorum ⟨inf.⟩ ◆ **6.¶** in de ~ zijn ⟨in de war⟩ *be confused;* ⟨dronken⟩ *be* ᴮ*sloshed /* ᴮ*plastered /* ᴬ*soaked;* ⟨in moeilijke omstandigheden⟩ *be in a tight spot.*
los¹ ⟨de (m.)⟩ **0.1** *lynx.*
los² ⟨bn., bw.; -ly⟩ **0.1** [niet stevig vastzittend] *loose* **0.2** [niet bevestigd / gebonden] *loose* ⇒*free, undone* ⟨veter, knoop⟩, ⟨afneembaar⟩ *detachable,* ⟨roerend⟩ *movable* **0.3** [afzonderlijk] *loose, separate* ⇒*individual, odd, single* **0.4** [niet strak gespannen] *slack, loose* **0.5** [niet dicht / compact] *loose* **0.6** [enkel maar, niets dan] *sheer, pure* **0.7** [onsamenhangend] *disconnected* ⇒*disjointed* ⟨opmerkingen⟩, *stray* **0.8** [leeg] *empty, sold out* **0.9** [op zichzelf staand] *detached* ⇒*independent, separate* **0.10** [niet stijf, sierlijk] *easy* ⇒*loose, informal, relaxed* **0.11** [oppervlakkig] *casual* ⇒*light, idle* **0.12** [losbandig] *loose* ⇒*lax, fast* **0.13** [mbt. slaap] *light* ◆ **1.1** ⟨fig.⟩ uit de ~se hand *roughly, in an improvised way;* een ~se tand / kies *a l. tooth / molar;* een ~se zitting ⟨van stoel⟩ *a l. / drop-in seat* **1.2** een ~se boord *a detachable collar;* ~se goederen *l. / unpacked / bulk goods, movables;* zij kamde haar ~se haren *she combed her l. hair;* een ~se voering *a detachable lining;* ~ werkman / arbeider *casual / day labourer, odd-jobman* **1.3** een boek in ~se afleveringen *a book in instalments;* ~se centen / dubbeltjes *l. change / coins;* ⟨v.e. krant / tijdschrift⟩ ~se nummers *single / odd issues / numbers* **1.4** er is een ~se band tussen de beide instituten *there is a l. connection between the two institutes;* een ~ jak *a l. jacket;* ⟨fig.⟩ een ~se tong hebben *be loose-tongued / talkative;* de vingers ~ maken *loosen up one's fingers* **1.6** ~se patronen *blank cartridges, blanks* **1.7** ~se gedachten *stray thoughts;* ~se geschriften *miscellaneous writings* **1.9** een ~se aantekening *an occasional note / jotting;* ~se feiten *isolated facts* **1.10** een ~se houding *an l. / relaxed pose / attitude;* een ~se stijl *an e. / fluent style* **1.12** ~se zeden *loose / lax morals* **1.¶** met ~se handen rijden *ride with no hands* **2.2** ~ en vast *movable and immovable;* hij schold op alles wat ~ en vast zat *he cursed everything and anything* **3.1** er is een schroef ~ *a screw has come l.;* haar hoest werd ~ser *her cough loosened up* **3.2** ze liepen ~ naast elkaar *they walked without holding hands* **3.3** thee wordt bijna niet meer ~ verkocht *tea is hardly sold l. anymore* **3.8** het schip is ~ *the ship is e.;* hij is ~ *he is (all) sold out* **5.¶** ze leven er maar op ~ *they live from one day to the next;* erop ~ (let's) go!, go / now for it!;* erop ~ slaan *hit out, battle away;* erop ~ praten *talk nineteen to the dozen;* erop ~ schieten *fire / blaze away* **6.9** dat is niet ~ te denken van *this cannot be detached from;* ~ van de r.k. Kerk *separated / d. from the R.C. Church;* ~ van apart from, besides;* ⟨inf.⟩ ben je nou helemaal van God ~? *have you gone out of your mind?;* nog even ~ van mijn mening hierover *(quite) apart from what I think about it* **6.11** hij is wat ~ in de omgang *he doesn't watch what he is saying* **¶.2** ~! *let go!;* ⟨boksen⟩ *break* **¶.¶** op iem. ~ slaan *bash / pitch into s.o., bash away at s.o..*
losarm ⟨de⟩ **0.1** *derrick.*
losbaar ⟨bn.⟩ **0.1** ⟨aflosbaar⟩ *redeemable;* ⟨betaalbaar⟩ *payable* ◆ **1.1** een losbare rente *p. interest.*
losbandig ⟨bn., bw.; -ly⟩ **0.1** *lawless* ⇒*loose* ⟨vnl. mbt. vrouw⟩, *fast, dissipated, riotous, licentious* ◆ **1.1** een ~e jeugd *a wild youth;* een ~ leven leiden *lead a riotous / fast life;* een ~ mens *a profligate* **3.1** zich ~ gedragen *behave licentiously.*
losbandigheid ⟨de (v.)⟩ **0.1** *lawlessness* ⇒*looseness, licentiousness, debauchery, profligacy* ◆ **6.1** vrijheid die in ~ oversloeg *freedom which ended in lawlessness;* iem. tot ~ aanzetten *incite s.o. to lawlessness / licentiousness.*
losbarsten ⟨onov.ww.⟩ **0.1** [plotseling te voorschijn komen] *break out, burst out / up* ⇒*flare up, erupt,* ⟨storm ook⟩ *break up* **0.2** [mbt. emoties] *burst (out)* ⇒*break (out), explode* **0.3** [losgaan] *burst / break (loose)* ◆ **1.1** applaus barstte los *there was a burst of applause;* een hevig geweervuur barstte los *there was a heavy burst of gunfire;* de ~de lavastroom *the erupting flow of lava;* en ~ onweer *a thunderstorm bursting / breaking* **¶.2** hij kon zich niet langer bedwingen en barstte los *he could no longer control himself and burst out.*
losbarsting ⟨de (v.)⟩ **0.1** *explosion, outburst* ⇒*flare-up, eruption* ⟨van vulkaan⟩.
losbeitelen ⟨ov.ww.⟩ **0.1** *chisel / chip off.*
losbeuken ⟨ov.ww.⟩ **0.1** *bash off / in.*
losbijten ⟨ov.ww.⟩ **0.1** [losmaken] *chew / bite through* **0.2** [door vocht openen] *bite off (with a corrosive)* ⇒*etch away* ◆ **1.1** de hond heeft het touw waaraan hij vastlag losgebeten *the dog has chewed through the line it was fastened with.*
losbinden ⟨ov.ww.⟩ **0.1** *untie* ⇒*release* ⟨gevangene⟩, *undo* ⟨knoop⟩, *loose(n)* ◆ **1.1** de hond ~ *untie / unleash the dog.*

losbladig ⟨bn.⟩ **0.1** [samengevoegd uit losse bladen] *loose-leaf* **0.2** [⟨plantk.⟩]⟨zie 1.2⟩ ◆ **1.1** een ~ systeem *a l.-l. system* **1.2** ~e kelk *polysepalous calyx;* ~e kroon *polypetalous/choripetalous corolla.*

losbol ⟨de (m.)⟩ **0.1** *loose/fast liver* ⇒*debauchee, rake, libertine, profligate.*

losbranden
I ⟨ov.ww.⟩ **0.1** [losmaken] *burn off/loose* ◆ **6.1** ⟨fig.⟩ iets **van** iem. ~ *wring/extract/squeeze sth. from s.o.;*
II ⟨onov.ww.⟩ **0.1** [beginnen] *fire/blaze away* ⇒*burst into* ◆ **1.1** een spervuur van vragen brandde los *there was a barrage of questions* **5.1** brand maar los! *fire away!*.

losbreken
I ⟨ov.ww.⟩ **0.1** [brekend losmaken/afscheiden] *break off* ⇒*tear off/loose, separate* ◆ **1.1** planken ~ *tear off boarding;*
II ⟨onov.ww.⟩ **0.1** [los worden] *break loose* ⇒*be torn (loose)* **0.2** [zich uit gevangenschap bevrijden] *break out/free* ⇒*escape* **0.3** [met geweld in beweging komen] *burst out* ⇒*blow up, set in* ◆ **1.1** het touw brak los *the rope broke/was torn loose* **1.2** het schip is losgebroken *the ship has broken adrift/away from its moorings* **1.3** een hevig onweer brak los *a heavy thunderstorm broke* **3.2** de hond is losgebroken *the dog has torn itself/free* **5.3** hij had zich lang bedwongen, maar eindelijk brak hij los *for a long time he had controlled himself, but finally he burst out.*

loscedel ⟨het, de⟩ **0.1** *unloading/discharge.*

losdag ⟨de (m.)⟩ **0.1** *day of discharge* ⇒*discharging day.*

losdoen ⟨ov.ww.⟩ **0.1** *undo* ⇒*untie* ⟨veter, knoop in touw⟩, ⟨losknopen⟩ *unbutton* ◆ **1.1** doe maar gauw je jas los *just unbutton your coat.*

losdraaien
I ⟨ov.ww.⟩ **0.1** [uit elkaar halen] *unscrew* ⇒*untwine, untwist* **0.2** [opendraaien, losmaken] *take/twist off/out* ⇒*loosen* ◆ **1.2** een schroef ~ *loosen a screw;*
II ⟨onov.ww.⟩ **0.1** [losgaan] *come loose/undone* ⇒*loosen up* ◆ **1.1** er is een schroef losgedraaid *a screw has come loose.*

losdrukken ⟨ov.ww.⟩ **0.1** *press/push loose/off/out/open* ◆ **1.1** het slot ~ *push open the lock.*

los- en laadbedrijf ⟨het⟩ **0.1** *loading and unloading.*

losgaan ⟨onov.ww.⟩ **0.1** [loslaten] *come/work loose/off* ⇒*give way, become untied/unstuck/detached* **0.2** [fel afgaan op] *(let) fly/go (at)* ⇒ *go (for)* **0.3** [opengaan] *open (up)* **0.4** [afgaan] *go off* ⇒*discharge, fire* ◆ **1.1** mijn haar gaat steeds los *my hair keeps coming undone;* die kram/schroef/bout gaat los *that cramp/screw/bolt is coming loose;* mijn veter is losgegaan *my shoelace has become undone* **1.3** de koffer ging los *the suitcase opened* **1.4** het pistool ging los *the pistol went off* **5.2** erop ~ *go for it, make a dash for it* **6.2** op iem. ~ *(let) fly at/bash away at s.o..*

losgeld ⟨het⟩ **0.1** [losprijs] *ransom (money)* **0.2** [heffing bij het lossen] *cost of discharge* ⇒⟨scheep. ook⟩ *landing/wharf charges, wharfage* ◆ **3.1** ~ eisen voor iem. *hold s.o. to r., ask a r. for s.o..*

losgelegenheid ⟨de (v.)⟩ **0.1** *discharging facility* ⇒⟨scheep. ook⟩ *landing facility.*

losgespen ⟨ov.ww.⟩ **0.1** *unbuckle* ⇒*unclasp, unstrap* ⟨riem⟩.

losgooien ⟨ov.ww.⟩ **0.1** *loose(n)* ⇒*cast off* ⟨ook scheep.⟩, ⟨scheep. ook⟩ *unmoor, unanchor, unleash* ◆ **1.1** het anker ~ *unmoor/trip the anchor, unanchor;* een boot ~ *cast a boat off/loose/adrift;* alle remmen ~ ⟨fig.⟩ *let things rip, let loose;* gooi de touwen los *cast off the ropes.*

losgraven ⟨ov.ww.⟩ **0.1** *dig up/out/loose* ⇒*loosen* ◆ **1.1** de grond ~ *dig up/loosen the soil;* de wortels v.e. boom ~ *dig up/out the roots of a tree.*

loshaken ⟨ov.ww.⟩ **0.1** *unhitch* ⇒*unclasp, uncouple, detach* ⟨aanhanger⟩, *unhook* ⟨kleding⟩ ◆ **1.1** een wagon ~ *detach/uncouple a (railway) carriage.*

loshangen ⟨onov.ww.⟩ **0.1** [niet goed vastzitten] *hang loose* ⇒*trail* **0.2** [niet opgestoken zijn] *hang/be down* **0.3** [vrij hangen] *trail* ⇒*flow, float (free), hang free* ◆ **1.1** haar haar hing los *she was wearing her hair loose/down* **1.3** het touw hangt los *the rope is trailing/hanging free.*

losharken ⟨ov.ww.⟩ **0.1** *rake/hoe/loosen/break (up)* ◆ **1.1** de grond ~ *rake* ⟨enz.⟩ *the soil.*

loshaven ⟨de⟩ **0.1** *port of unloading/landing/discharge.*

losheid ⟨de (v.)⟩ **0.1** [ongedwongenheid] *looseness* ⇒*abandon(ment), ease* **0.2** [toestand] *laxity, looseness* ◆ **1.2** de ~ v.e. weefsel *the looseness/laxity of a (woven) cloth;* ⟨fig.⟩ ~ van zeden *laxity/looseness of morals.*

loshoofd ⟨de (m.)⟩ →**losbol.**

losjes ⟨bw.⟩ **0.1** [zonder stevige verbinding] *loosely* **0.2** [luchthartig] *airily* ⇒*lightly, lightheartedly* **0.3** [oppervlakkig] *casually* ⇒*lightly, superficially* **0.4** [luchtig] *loosely* ⇒*airily* ◆ **3.1** dat zit ~ aan elkaar *that is l. fixed/connected* **3.2** de zaken ~ opnemen *take matters lightly/lightheartedly* **3.3** hij ging er ~ op in *he went into it cursorily;* hij zei het zo ~ he just mentioned it in passing/ casually **3.4** zich ~ kleden *wear light clothes.*

losjesweg ⟨bw.⟩ **0.1** *loosely* ⇒*airily* ⟨spreken⟩, *cursorily, lightly.*

loskaai ⟨de⟩ →**loskade.**

loskade ⟨de⟩ **0.1** *discharging/landing quay.*

loskloppen ⟨ov.ww.⟩ **0.1** *beat/knock loose/off* ◆ **1.1** eieren ~ *beat eggs.*

losknippen ⟨ov.ww.⟩ **0.1** *cut (loose/off/out)* ◆ **1.1** een naad ~ *cut (through) a seam.*

losknopen ⟨ov.ww.⟩ **0.1** *undo* ⇒*untie* ⟨touw⟩, ⟨jas ook⟩ *unbutton.*

loskomen ⟨onov.ww.⟩ **0.1** [los worden] *come loose/off* ⇒*break loose/ free, come apart* **0.2** [zich uiten] *come out* ⇒*unbend, relax, loosen/open up, expand* **0.3** [beweeglijk worden] *(be)come loose* ⇒*be loose(ne)d, get going, start to move* **0.4** [beschikbaar worden] *be released/set free* ⇒*become available* **0.5** [uit de gevangenis komen] *be released/set free* ⇒*come out* ◆ **1.1** de hoest/het slijm komt los *the cough/slime is breaking up;* de snelheid bij het ~ v.h. vliegtuig *the speed as the plane gets off the ground/becomes airborne* **1.2** de tranen en verwijten kwamen los *tears and reproaches came out* **1.3** de tongen kwamen los *tongues started wagging* **5.2** hij komt niet zo gauw los *he does not unbend easily* **6.1** hij kan niet ~ van zijn verleden *he cannot forget his past, he is wedded to his past.*

loskopen ⟨ov.ww.⟩ **0.1** *buy off/out* ⇒*ransom, redeem* ⟨gevangene⟩.

loskoppelen ⟨ov.ww.⟩ **0.1** *detach, uncouple* ⇒*disconnect, unlink, separate* ◆ **1.1** de aanhangwagen ~ *disconnect/uncouple the trailer;* spoorwagens ~ *uncouple railway/*^*railroad carriages;* je kunt die twee zaken niet ~ *you cannot separate the two* **6.1** ⟨fig.⟩ de bijstandsuitkeringen ~ **van** het minimumloon *unlink social security benefits from the minimum wage.*

loskrijgen ⟨ov.ww.⟩ **0.1** [los/vrij krijgen] *get loose* ⇒⟨los ook⟩ *get undone,* ⟨vrij ook⟩ *get free/released* **0.2** [tot zijn beschikking krijgen] *secure, extract* ⇒*(manage to) obtain,* ⟨geld ook⟩ *raise* ◆ **1.1** een gevangene/knoop ~ *get a prisoner released/a knot untied;* een schroef ~ *get a screw out* **1.2** geld v.e. vrek ~ e. *money from a miser;* die handelsreiziger weet altijd orders los te krijgen *that salesman always manages to get some orders/* ⟨inf.⟩ *always wangles out some orders;* subsidie ~ *s. a grant.*

loslaten
I ⟨ov.ww.⟩ **0.1** [vrijlaten] *release* ⇒*set free, let off/go, discharge, unleash* ⟨hond⟩ **0.2** [laten blijken] *reveal* ⇒*speak, release* ⟨informatie⟩, *leak* ⟨geheimen⟩ **0.3** [met rust laten] *let go (of)* **0.4** [in de steek laten] *let go, give up* ⇒*drop, abandon* **0.5** [toelaten dat iets in beweging komt] *set free* ⇒*unleash, unbridle* ◆ **1.1** honden ~ op de demonstranten *set (the) dogs at the demonstrators* **1.3** ik laat je zus niet los voor zij antwoord heeft gegeven op mijn vraag *I shan't let go of your sister until she has answered my question* **1.4** wij kunnen die oude man niet ~ *we cannot abandon the old man;* de traditie ~ *give up/drop the tradition* **1.5** de driften zijn losgelaten *passions have been unbridled* **4.1** laat me los! *let go of me!* **5.2** hij laat niets ~ *his lips are sealed, he doesn't give away anything* **6.2** zij wil niets ~ **over** het programma *she will not reveal anything about the programme* ^*gram;* geen woord ~ **over** iets *keep mum/close about sth.* ¶.**3** het probleem laat mij niet los *the problem keeps haunting me;*
II ⟨onov.ww.⟩ **0.1** [losgaan] *come/peel off* ⇒*come loose/unstuck/untied, give way* ◆ **1.1** de lijm heeft losgelaten *the glue has given way/ has become unstuck;* de zolen laten los *the soles are coming loose/off.*

losliggend ⟨bn.⟩ **0.1** [vrij rondlopen] *loose* ◆ **1.1** ~e tegels *l. tiles.*

loslippig ⟨bn.⟩ **0.1** *loose-lipped/-tongued* ⇒*talkative, indiscrete* ◆ **3.1** hij is mij te ~ *he is too l.-l. for my taste.*

loslippigheid ⟨de (v.)⟩ **0.1** *lack of discretion* ⇒*indiscretion,* ⟨gesch., mbt. oorlogsgeheimen⟩ *careless talk.*

losloon ⟨het⟩ **0.1** *unloading charges* ⇒⟨scheep. ook⟩ *landing charges.*

loslopen ⟨onov.ww.⟩ **0.1** [vrij rondlopen] *walk about (freely)* ⇒*run free, be at large* ⟨misdadiger, wild dier⟩, *stray* ⟨vee⟩ **0.2** [terechtkomen] *be all right* **0.3** [los gaan zitten] *work/come loose/off* **0.4** [losdraaien, werken] *run free* ◆ **1.1** de honden lopen er los *dogs run free there* **1.3** het voorwiel is losgelopen *the front wheel has come loose* **3.2** het zal wel ~ *it will be all right, it'll sort itself out* ¶.¶ dat is te gek om los te lopen *that's too absurd/ridiculous for words/so ridiculous it isn't true.*

loslopend ⟨bn.⟩ **0.1** *free(-ranging)* ⇒*at large, stray, untethered, unattached* ⟨ook fig.⟩ ◆ **1.1** een ~e hond *a stray dog;* verboden voor ~e honden *dogs not allowed except on leash;* ⟨fig.⟩ een ~e vrijgezel *an unattached (young) man.*

losmaken ⟨ov.ww.⟩ **0.1** [maken dat iets/iem. los wordt] *release, set free* ⇒*untie* ⟨knoop in touw⟩ **0.2** [minder samenhangend maken] *loosen (up)* ⇒*rake/make loose, break (up)* **0.3** [ter beschikking weten te krijgen] *get hold of* ⇒*extract, obtain* **0.4** [interesse/emoties oproepen/tevoorschijn brengen] *stir up interest/a commotion, create a stir* ◆ **1.1** een gevangene ~ *release a prisoner, set a prisoner free;* de hond ~ *unleash the dog;* een knoop ~ *untie a knot, undo a button;* ⟨fig.⟩ de spieren ~ *limber up;* ⟨fig.⟩ de wijn heeft zijn tong losgemaakt *the wine has untied/loosened his tongue* **1.2** de grond om een boom ~ *loosen up the soil around a tree* **1.3** geld ~ *extract/obtain money* **4.1** zich ~ van iets/iem. *break away/free from/extricate o.s. from sth./s.o.;* zich v.e. denkbeeld/gedachte ~ *dissociate o.s. from an idea/a thought* **4.**¶ wie maakt me los? *who'll buy the last one(s)?* **6.1** de dollar ~ **van** de goudstandaard *unlink the dollar from gold* ¶.**4** die t.v.-film heeft een hoop losgemaakt *that TV film has stirred up a great deal.*

losmiddel ⟨het⟩ **0.1** *stripping / unmoulding agent*.
losnemen ⟨ov.ww.⟩ ⟨tech.⟩ **0.1** *detach* ⇒*take off*.
lospeuteren ⟨ov.ww.⟩ **0.1** [met moeite losmaken] *prize off* **0.2** [trachten te verkrijgen/ te weten te komen] *extract* ⇒*get (out of)* ◆ **1.2** een man die geld van me wilde ~ *a man who tried to get money out of me* **6.2 met** gevlei ~ *wheedle (from/out of)*; **met** trammelant ~ *wrest (from)*.
lospier ⟨de (m.)⟩ **0.1** *unloading pier* ⇒*landing stage/pier*.
lospikken ⟨ov.ww.⟩ **0.1** [mbt. gevogelte] *peck (loose)* **0.2** [mbt. houweel] *pick loose*.
losplaats ⟨de⟩ **0.1** *unloading quay* ⟨voor schepen⟩; *unloading bay* ⟨voor wagens⟩ ◆ **3.1** de reder bepaalt de ~ *the (ship-)owner determines the place of discharge/ for unloading* **6.1** een ~ **op** het station *an unloading stage at the station*.
lospraten ⟨ov.ww.⟩ **0.1** [gedaan krijgen] *talk (s.o.) out of* ⟨bv. geld⟩ ⇒*extract (by talking), wheedle (away)* **0.2** [vrijspraak verkrijgen voor] *obtain the release of* ~*talk (s.o.) into releasing*.
losprijs ⟨de (m.)⟩ **0.1** *ransom (money)* ◆ **3.1** er werd een ~ van één miljoen voor hem geëist ⟨ook⟩ *he was being held to r. for one million (guilders)*.
losraken ⟨onov.ww.⟩ **0.1** [vrij komen] *be released* ⇒*be set free, break free, get out* **0.2** [los gaan] *come loose/off/away* ⇒*dislodge, become detached* ◆ **1.2** het schip raakte weer los *the ship got afloat again*; er raakten wat stenen los *some stones (were) dislodged* **1.¶** de tongen raakten los *the tongues were loose(ne)d/ were set wagging*.
losrijden ⟨onov.ww.⟩ ⟨sport⟩ **0.1** *shake off* ⇒*leave behind, break away/ escape from*.
losrijgen ⟨ov.ww.⟩ **0.1** *unlace* ⇒*untack* ⟨aan elkaar genaaide stukjes stof enz.⟩, *unpick* ⟨kralen⟩.
losrukken
 I ⟨ov.ww.⟩ **0.1** [losmaken] *tear loose* ⇒*rip off, wrench/ yank away/ off* ◆ **6.1** zij rukte zich **uit** zijn armen los *she tore herself loose from his arms*; ⟨fig.⟩ zich ~ **uit** de kring *tear o.s. away from the circle*; **II** ⟨onov.ww.⟩ **0.1** [op iem./ iets afgaan] *let rip* ⇒*strike out (at)* ◆ **6.1 op** de vijand ~ *strike out at the enemy*.
löss ⟨de⟩ **0.1** *loess*.
lössbodem ⟨de (m.)⟩ **0.1** *loess (land)* ⇒*loessial soil*.
losscheuren
 I ⟨ov.ww.⟩ **0.1** [los doen worden] *tear loose* ⇒*rip off/ away* **0.2** [zich vrij maken] *tear (o.s.) loose* ⇒*wrench/ drag (o.s.) away* ◆ **6.2** zich **uit** de armen van zijn vriendin ~ *tear o.s. loose from the arms of one's girlfriend*; **II** ⟨onov.ww.⟩ **0.1** [losgaan] *be torn loose* ⇒*come off, be served* ◆ **1.1** bij het ruw openen van het boek is een blad losgescheurd *when the book was carelessly opened, a page was torn out*.
losschieten ⟨onov.ww.⟩ **0.1** *slip (off/ out)* ⇒*come off/ loose, become detached, snap* ◆ **1.1** de grendel schoot los *the bolt is slipped*.
losschroeven ⟨ov.ww.⟩ **0.1** *unscrew* ⇒*loosen, screw off* ⟨deksel⟩, *disconnect* ⟨bv. stangen⟩.
losschudden
 I ⟨ov.ww.⟩ **0.1** [losmaken, openen] *shake loose/ off/ open*;
 II ⟨onov.ww.⟩ **0.1** [losgaan] *come/ work/ shake loose* ⇒*be loosened/ detached/ dislodged*.
losse ⟨de (m.)⟩ **0.1** *chain (stitch)* ◆ **1.1** ~n, vasten en stokjes *chain stitches, double crochets and treble stitches*.
lossebandstoot ⟨de (m.)⟩ ⟨sport⟩ **0.1** *bank shot*.
lossen
 I ⟨ov.ww.⟩ **0.1** [ontladen] *discharge* ⇒*unload, clear, empty, disburden* **0.2** [uitladen] *unload* ⇒*land, discharge, unship* ⟨bagage⟩, *disembark* ⟨passagiers⟩ **0.3** [losrijden] *shake off* ⇒*break away/ escape from* **0.4** [afschieten] *discharge* ⇒*shoot* ⟨wapen⟩, *fire* **0.5** [loslaten] *release, set free* ⟨duiven⟩; *let go/ out* **0.6** [aflossen] *repay* ⇒*redeem* ◆ **1.2** vaten~ *land/ unship casks* **1.5** de duiven werden om 8.30 te Orléans gelost *the pigeons were released at Orléans at 8.30*;
 II ⟨onov.ww.⟩ **0.1** [ontladen worden] *be unloaded* ⇒*be discharged/ disburdened* **0.2** [achterop raken] *stay behind* ⇒*be left behind, be shaken off* ◆ **1.1** deze wagens ~ gemakkelijk *these vans are easy to unload* **1.4** ⟨sport⟩ een schot op (het) doel ~ *shoot at the goal* **3.2** bij de eerste belemmering al moeten ~ *be shaken off/ left behind at the first obstruction*.
losser ⟨de (m.)⟩ **0.1** *unloader*; ⟨van schuld; bijb.⟩ *redeemer*.
lössgrond ⟨de (m.)⟩ **0.1** *loess(land)* ⇒*loess(ial) soil*.
lösshoudend ⟨bn.⟩ **0.1** *loessial*.
lossing ⟨de (v.)⟩ **0.1** [het in-/ aflossen] *paying back* ⇒*repayment, redemption* **0.2** [ontlading] *unloading* ⇒*discharging, unshipping* ◆ **6.2** het schip ligt **in** ~ *the ship is being unloaded/ discharged/ is discharging*.
lossingscondities ⟨zn.rav.⟩ **0.1** *unloading/* ⟨van schip ook⟩ *landing conditions*.
lossingshaven ⟨de⟩ **0.1** *port of discharge*.
lossjorren ⟨ov.ww.⟩ **0.1** *unlash*.
losslaan
 I ⟨ov.ww.⟩ **0.1** [losmaken, openen] *knock open* ⇒*knock loose/ in*;

 II ⟨onov.ww.⟩ **0.1** [opengaan] *fly open* ⇒*burst/ blow open* **0.2** [uit de band springen] *go astray* ⇒*go adrift, lose one's bearings* **0.3** [van zijn ankers slaan] *break away* ⇒*break loose, be turned adrift, break from the moorings* ◆ **1.2** die jongen is helemaal losgeslagen *that boy has gone completely astray*.
lossnijden ⟨ov.ww.⟩ **0.1** *cut free/ loose* ⇒*cut down* ⟨gehangene⟩.
losspringen ⟨onov.ww.⟩ **0.1** *slip* ⇒*snap/ spring open, come loose/ off, start* ⟨plank, spijker⟩ ◆ **1.1** dat slot springt vanzelf los *this lock springs/ snaps open by itself* **6.¶ op** iem. ~ *jump on s.o.*.
losstaan ⟨onov.ww.⟩ **0.1** [niet stevig staan] *stand loose* ⇒*be unstable* **0.2** [openstaan] *be open* ⇒*be ajar/ unlocked*.
losstaand ⟨bn.⟩ **0.1** *detached* ⇒*isolated* ⟨feit⟩, *freestanding* ⟨huis, schuur, muur enz.⟩, *disconnected* ◆ **1.1** een ~ feit/ huis *an isolated fact, a freestanding/ detached house*.
lossteiger ⟨de (m.)⟩ **0.1** *landing stage* ◆ **1.1** ~-en laadsteiger *loading and unloading stage*.
losstormen ⟨onov.ww.⟩ **0.1** *storm* ⇒*rush, charge, fly* ◆ **6.1** woedend was ze **op** hem losgestormd *she had let rip/ had stormed at him*.
lostornen ⟨ov.ww.⟩ **0.1** *unpick* ⇒*pick to pieces*.
lostrekken ⟨ov.ww.⟩ **0.1** [losmaken] *pull loose* ⇒*loosen, draw loose* **0.2** [openen] *(pull) open* ◆ **1.1** de dekens ~ *pull the blankets loose* **1.2** het slot ~ *pull off the lock* **4.1** zich ~ *tear/ wrench o.s. away*.
los-vast ⟨bn.⟩ **0.1** *half-fastened* ⇒⟨fig.⟩ *informal* ◆ **1.1** ~e schroeven *h.-f.screws*; een ~e verhouding *an informal relationship*.
losvergunning ⟨de (v.)⟩ **0.1** *unloading/* ⟨van schip ook⟩ *landing permit/ licence* ^se ⇒*permit/ licence to unload*.
losvliegen ⟨onov.ww.⟩ **0.1** [los-/ opengaan] *fly loose* ⇒*burst loose/ open* **0.2** [toestormen] *fly (at)* ⇒*storm (at), burst (upon)* ◆ **6.2** ⟨fig.⟩ **op** iem. ~ *f./ storm at s.o.*.
loswaaien ⟨onov.ww.⟩ **0.1** *blow/ loose* ⇒*blow open* ◆ **1.1** het luik is losgewaaid *the shutter has blown open*.
losweg ⟨bw.⟩ **0.1** [zomaar] *off-hand* ⇒*thoughtlessly* **0.2** [nonchalant] *lightly* ⇒*loosely, carelessly*.
losweken
 I ⟨ov.ww.⟩ **0.1** [wekend losmaken] *soak off* ⇒⟨met stoom⟩ *steam off / open* **0.2** [langzaam losmaken] *detach* ⇒*ease away/ off* ◆ **1.1** een postzegel ~ *soak/ steam off a stamp* **4.2** hij probeert zich los te weken van zijn oude omgeving *he is trying to ease himself away/ detach himself from his old milieu*;
 II ⟨onov.ww.⟩ **0.1** [door weking losgaan] *become unstuck*.
loswerken
 I ⟨ov.ww.⟩ **0.1** [bevrijden] *extricate* ⇒*detach, disengage, free* **0.2** [met moeite loskrijgen] *extract* ⇒*release, force off/ away* **0.3** [⟨sport⟩(spieren) losmaken] *loosen up* ⇒*limber (up)* ◆ **6.1** zich **uit** de modder ~ *extricate o.s. from the mud*;
 II ⟨onov.ww.⟩ **0.1** [gaan loszitten] *come loose* ⇒*loosen* ◆ **1.1** de bouten zijn losgewerkt *the bolts have come loose*.
loswerpen ⟨ov.ww.⟩ ⟨scheep.⟩ **0.1** *cast off*.
loswikkelen ⟨ov.ww.⟩ **0.1** *unwrap* ⇒*unfold* ⟨stof⟩, ⟨verband ook⟩ *unswathe*.
loswinden ⟨ov.ww.⟩ **0.1** *unwind* ⇒*untwist, unswathe, untwine* ◆ **1.1** een zwachtel ~ *unswathe a bandage*.
loswrikken ⟨ov.ww.⟩ **0.1** *wrest* ⇒*dislodge, extract, disengage, wrench* ◆ **1.1** losgewrikte trottoirtegels *flagstones wrested/ dislodged from the pavement*.
loswringen ⟨ov.ww.⟩ **0.1** *wring* ⇒*extricate* ◆ **4.1** zich ~ *wring (o.s.)/ loose/ free, extricate o.s.*.
loswroeten ⟨ov.ww.⟩ **0.1** *dig root up*.
loszagen ⟨ov.ww.⟩ **0.1** *saw off* ⇒*saw loose*.
loszinnig ⟨bn., bw.; -ly⟩ **0.1** *frivolous* ⇒*wild, flippant* ⟨opmerking⟩.
loszinnigheid ⟨de (v.)⟩ **0.1** *frivolity* ⇒*wild*.
loszitten ⟨onov.ww.⟩ **0.1** *be loose* ⇒*be slack* ⟨touw⟩, *be coming off* ⟨knoop⟩ ◆ **1.1** ⟨fig.⟩ zijn handen zitten los *he lashes out the slightest provocation*; die knoop zit los *that button is coming off*; de schroeven zitten los *the screws are loose/ have come loose*.
lot ⟨het⟩ ⟨→sprw. 412⟩ **0.1** [loterijbriefje] *lottery ticket* ⟨met geldprijs⟩; *raffle ticket* ⟨met prijs in natura⟩ **0.2** [bewijs van aandeel in een loterij] *lottery-share/ -bond* **0.3** [wat door een lot wordt toegewezen] *lot* ⇒*share* **0.4** [voorwerp waarmee geloot wordt] *lot, die* **0.5** [de fortuin] *fortune* ⇒*chance* **0.6** [noodlot] *lot* ⇒*fate, destiny* **0.7** [dat wat iem. in zijn leven beschikt is] *fate* ⇒*destiny, lot, portion, share* **0.8** [jonge tak] *shoot* **0.9** [teengewas] *osier* ◆ **2.1** een vals/ ongeldig ~ *a counterfeit/ void l.t.*; ⟨AE; sl.⟩ *a pigeon* **2.5** het ~ was hem gunstig geweest *f. had smiled upon him* **2.6** een grimmig ~ *a dire fate* **3.1** winnend ~ *winning number* **3.3** zijn ~ verbinden aan *draw a lucky number, back a winner* **3.4** het ~ beslist in zulke gevallen *these cases are decided by l.*; het ~ is geworpen *the die has been cast* **3.5** geld waarmee het ~ hem rijkelijk heeft bedacht *money which f. has bestowed upon him generously*; het ~ tempt fate **3.6** het ~ wilde dat zij nooit zouden trouwen *they were fated never to marry* **3.7** iem. aan zijn ~ overlaten *leave s.o. to fend for himself/ herself/ themselves/ to this/ her/ their own devices*; zich iemands ~ aantrekken *take pity on s.o.*; berusten in zijn ~ *resign o.s. to one's f./ lot/ destiny*; beschikken over het ~ van velen *deter-*

mine / decide the f. of many (people); dat bezegelde haar ~ *that sealed her f.;* iemands ~ delen *share s.o.'s lot;* zijn ~ verbinden aan *throw / cast in one's lot with;* een beter ~ verdienen *deserve a better lot* **6.3** ⟨fig.⟩ dat is een ~ uit de loterij *(s)he is a gem;* ⟨fig.⟩ een ~ **uit** de loterij trekken *the lot fell on him, it fell to his lot / share* **6.4 door / volgens** het ~ aanwijzen *determinate / appoint by l.* **6.6** zich **in** zijn ~ schikken *accept / embrace one's l. / destiny* **6.7** vervuld van bitterheid jegens het ~ en tegen de mensen *filled with bitterness about one's lot and mankind in general;* **met** zijn ~ tevreden zijn *accept / be satisfied with one's lot* ¶.5 het ~ is hem niet gunstig gezind *the dice are loaded against him* ¶.7 zijn ~ in eigen hand hebben ⟨ook⟩ *be the captain of one's soul.*

loten
  I ⟨onov.ww.⟩ **0.1** [iets door het lot laten beschikken] *draw lots* ⇒*toss up* ⟨door muntworp⟩ ♦ **6.1** we moesten ~ **om** de eerste prijs *we had to draw lots for the first prize;*
  II ⟨ov.ww.⟩ **0.1** [door het lot krijgen] *draw (by lot)* ♦ **1.1** hij heeft een zilveren horloge geloot *he drew a silver watch.*

loterij ⟨de (v.)⟩ **0.1** *lottery* ⟨met geldprijzen⟩; *raffle* ⟨met prijzen in natura⟩ ⇒*draw,* ⟨fig.⟩ *gamble* ♦ **2.1** prijsvragen zijn vaak een verkapte ~ *contests are often lotteries in disguise* **3.1** ⟨fig.⟩ het is een ~ *it's a gamble* **6.1** in de ~ spelen *take part in a l. / r..*

loterijbelasting ⟨de (v.)⟩ **0.1** *lottery tax.*
loterijbriefje ⟨het⟩ **0.1** *(lottery) ticket* ⟨voor geldprijzen⟩; *raffle ticket* ⟨voor prijzen in natura⟩ ⇒*lot.*
loterijkantoor ⟨het⟩ **0.1** ≠*lottery shop.*
loterijlijst ⟨de⟩ **0.1** *lottery list.*
loterijspel ⟨het⟩ **0.1** [spel] *lottery* ⟨voor geldprijzen⟩; *raffle* ⟨voor prijzen in natura⟩ ⇒*draw, game of chance* **0.2** [het spelen in de loterij] *lottery.*
loterijtrekking ⟨de (v.)⟩ **0.1** *(lottery) draw / ^drawing.*
loterijwet ⟨de⟩ **0.1** *(Public) Lotteries Act.*
lotgenoot ⟨de (m.)⟩ **0.1** *partner / companion (in misfortune / adversity)* ⇒*fellow-sufferer.*
lotgeval ⟨het⟩ **0.1** *adventure* ⇒*vicissitude,* ⟨mv. ook⟩ *fortunes, ups and downs* ♦ **3.1** iem. zijn ~len verhalen *recount one's adventures / vicissitudes to s.o..*
Lotharingen ⟨het⟩ **0.1** *Lorraine.*
lotie ⟨de (v.)⟩ ⟨nat.⟩ **0.1** *washing.*
loting ⟨de (v.)⟩ **0.1** *drawing lots* ♦ **6.1** bij / door ~ aanwijzen *select / determine by drawing lots;* **bij / door** ~ toewijzen *assign / appoint by lot.*
lotion ⟨de⟩ **0.1** [haar-/gezichtswater] *lotion* ⇒*wash* **0.2** [haarwassing] *shampoo.*
Lotje ♦ ¶.¶ hij is van ~ getikt *he is barmy / dotty, he has bats in the belfry, he is off his rocker / nut.*
lotsbedeling ⟨de (v.)⟩ **0.1** *lot* ⇒*portion, destiny.*
lotsbeschikking ⟨de (v.)⟩ **0.1** *fate, lot* ⇒*fortune.*
lotsbestel ⟨het⟩ **0.1** *fate.*
lotsbestemming ⟨de (v.)⟩ **0.1** *fate* ⇒*destiny, lot.*
lotsverandering ⟨de (v.)⟩ **0.1** *turn of fate* ⇒*vicissitudes (of fortune), chance of luck.*
lotsverbetering ⟨de (v.)⟩ **0.1** *improvement in one's lot.*
lotsverbondenheid ⟨de (v.)⟩ **0.1** *solidarity* ⇒*sympathy.*
lotswisseling ⟨de (v.)⟩ **0.1** *change of fortune* ⇒*vicissitudes (of fortune).*
lotto
  I ⟨het, de (m.)⟩ **0.1** [loterij] *lottery;*
  II ⟨het⟩ **0.1** [kienspel] *bingo* ⇒*lotto.*
lottoballetje ⟨het⟩ **0.1** ⟨bij loterij⟩ *lottery ball;* ⟨bij kienen⟩ *counter.*
lottobiljet ⟨het⟩ **0.1** *lottery ticket.*
lottobulletin ⟨het⟩ **0.1** *lottery ticket.*
lottokaart ⟨de⟩ **0.1** *bingo / lotto card.*
lottospel ⟨het⟩ **0.1** [kienspel] *bingo* ⇒*lotto* **0.2** [kaarten, nummers] *set of bingo / lotto cards and counters.*
lottotrekking ⟨de (v.)⟩ **0.1** *lottery draw / ^drawing.*
lotus ⟨de⟩ **0.1** [waterlelie] *lotus* **0.2** [klaver] ⟨lotus corniculatus⟩ *lotus, bird's-foot trefoil* ♦ **2.1** Indische ~ *(Indian) l., nelumbo.*
lotusbloem ⟨de⟩ **0.1** [bloem van de lotus] *lotus (flower)* **0.2** [lotus] *lotus* ♦ **2.1** heilige ~ *(Indian / sacred) l., nelumbo;* witte ~ *white l..*
lotusboom ⟨de (m.)⟩ **0.1** *lotus tree.*
Lotuseter ⟨de (m.)⟩ **0.1** *lotus-eater.*
lotushouding ⟨de⟩ **0.1** *lotus position.*
louche ⟨bn.⟩ **0.1** *shady* ⇒*suspect, suspicious, louche* ♦ **1.1** een ~ type *a shady / louche character;* ~ zaken *shady / louche business.*
louis d'or ⟨de (m.)⟩ ⟨gesch.⟩ **0.1** *louis (d'or).*
louter
  I ⟨bw.⟩ **0.1** [slechts] *purely* ⇒*merely, only* ♦ **2.1** het heeft ~ praktische waarde *it has only practical value* ¶.1 ~ uit een gril *p. as a whim / prank;* ~ bij toeval *by mere chance, by the merest coincidence, p. by accident;*
  II ⟨bn.⟩ **0.1** [enkel] *sheer, pure* ⇒ ⟨niet meer dan⟩ *mere, bare* **0.2** [puur] *pure* ⇒*sheer, unmixed* ♦ **1.1** hij doet het uit ~ medelijden *he does it purely out of compassion;* door een ~ toeval, het was ~ toeval *by p. coincidence, it was p. coincidence* **1.2** van ~ plezier *out of sheer pleasure;* ~ zilver *p. silver.*

louteren ⟨ov.ww.⟩ **0.1** [⟨fig.⟩] *purify* ⇒*chasten, ennoble, refine* **0.2** [mbt. metalen] *purify, refine* **0.3** [zuiveren] *cleanse* ⇒*purify* ♦ **1.1** de ~de werking van iets *the chastening / purifying influence of sth.* **6.1** door tegenspoed gelouterd *chastened by adversity.*
loutering ⟨de (v.)⟩ **0.1** *purification* ⇒*refinement,* ⟨fig.⟩ *chastening.*
louteringsberg ⟨de (m.)⟩ **0.1** *Purgatory.*
louvredeur ⟨de⟩ **0.1** *louvred ^-vered door.*
lou(w)⟨bw.⟩ ⟨inf.⟩ **0.1** *nothing* ⇒*little* ♦ **1.1** ~ loene! *nothing doing!, forget it!, no dice!* **2.1** ~ kans *not a chance, not bloody likely.*
louwmaand ⟨de⟩ **0.1** *January.*
loven ⟨ov.ww.⟩ **0.1** [prijzen] *praise* ⇒*commend, laud, applaud, celebrate* **0.2** [mbt. God] *praise* ⇒*bless, glorify* **0.3** [te koop aanbieden] ⟨zie 3.3⟩ ♦ **1.1** iemands ijver ~ *praise / commend s.o.'s diligence* **1.2** looft de Heer *praise the Lord* **3** ~ en bieden *bargain, chaffer, haggle* **5.1** iem. zeer / ten zeerste / bijzonder ~ *commend s.o. highly, give s.o. high praise* **6.1** iem. **om** iets ~ *praise s.o. for sth..*
lovend ⟨bn., bw.⟩ **0.1** *laudatory* ⇒*approving,* ⟨alleen ná zn.⟩ *full of praise* ♦ **1.1** een ~e recensie / bespreking *a favourable review* **3.1** ~ over iem. spreken *speak well of s.o., extol s.o.'s virtues.*
lovenswaardig ⟨bn., bw.;-ly⟩ **0.1** *laudable* ⇒*commendable, praiseworthy* ♦ **1.1** een ~ initiatief *a commendable initiative.*
lover ⟨het⟩ **0.1** [lovertje] ⟨→lovertje⟩ **0.2** [gebladerte] *foliage* ⇒*leafage, verdure* ♦ **1.2** het ~ van het park *the f. of the park.*
lovertje ⟨het⟩ **0.1** *spangle* ⇒*paillette, sequin* ♦ **6.1** met ~s versieren *(be)spangle.*
loxodroom ⟨de (m.)⟩ ⟨aardr.⟩ **0.1** *rhumb (line)* ⇒*loxodrome.*
loyaal ⟨bn., bw.;-ly⟩ **0.1** *loyal* ⇒*faithful, steadfast, true, sincere* ♦ **1.1** een loyale medewerking *l. cooperation;* een ~ persoon / monarchist *a trueblue, a trueblue monarchist* **3.1** zich ~ gedragen *act loyally / faithfully;* ~ met iem. omgaan *be l. to s.o.* **5.1** niet ~ *disloyal, unfaithful.*
loyalist ⟨de (m.)⟩ ⟨pol.⟩ **0.1** *loyalist.*
loyaliteit ⟨de (v.)⟩ **0.1** [oprechtheid] *sincerity* ⇒*honesty, candour* **0.2** [getrouwheid] *loyalty* ⇒*constancy, fidelity, steadfastness* ♦ **1.2** gebrek aan ~ *disloyalty, inconstancy.*
loyaliteitsverklaring ⟨de (v.)⟩ **0.1** *declaration / pledge of loyalty.*
lozen
  I ⟨onov., ov.ww.⟩ **0.1** [mbt. water] *drain* ⇒*empty* ♦ **6.1** ~ in / op de zee *discharge into the sea;*
  II ⟨ov.ww.⟩ **0.1** [uit het lichaam verwijderen] *pass* ⟨urine⟩ ⇒*discharge, evacuate* ⟨uitwerpselen⟩*, drain off* **0.2** [zich ontdoen van] *get rid of* ⇒*send off, dump, unload, bundle off* ♦ **1.1** zijn water ~ *pass / make water;* zijn zaad ~ *ejaculate;* zuchten ~ *heave sighs* **3.2** gelukkig heb ik hem kunnen ~ *fortunately I was able to get rid of him / loose him.*
lozing ⟨de (v.)⟩ **0.1** [mbt. vloeistoffen] *draining (off)* ⇒*discharge, drainage* **0.2** [mbt. het lichaam] *evacuation* ⇒*emptying, voidance, passing* **0.3** [plaats van lozing] *discharge point* ⇒*outlet* **0.4** [het opruimen van mensen / zaken] *riddance* ♦ **2.1** illegale ~en van olie / afvalstoffen *illegal dumping of oil / waste materials.*
LPG ⟨het⟩ **0.1** *LPG* ⇒*LP gaz* ♦ **6.1** op ~ lopen / rijden *run / drive on LPG;* van benzine **op** ~ overstappen *change / switch from petrol to LPG.*
LPG-installatie ⟨de (v.)⟩ **0.1** *LPG installation* ♦ **3.1** een ~ laten inbouwen *have an LPG system / unit installed.*
LPG-motor ⟨de (m.)⟩ **0.1** *LPG engine / motor.*
LPG-station ⟨het⟩ **0.1** *LPG station.*
LPG-tank ⟨de (m.)⟩ **0.1** *LPG tank.*
LPG-wagen ⟨de (m.)⟩ **0.1** *LPG car.*
L-plaat ⟨de⟩ **0.1** ⟨GB⟩ *L-plate;* ⟨USA⟩ *driver's training plate / sign.*
L.S. ⟨afk.⟩ **0.1** [Lectori salutem] ⟨to whom it may concern⟩ **0.2** [loco-secretaris] ⟨acting / deputy-secretary⟩ **0.3** [lagere school] ⟨primary school⟩.
LSD ⟨het⟩ **0.1** *LSD* ⇒*acid.*
lt. ⟨afk.⟩ **0.1** [luitenant] *Lt..*
LTS ⟨de⟩ ⟨afk.⟩ **0.1** [Lagere Technische School] ⟨Junior Technical School⟩.
lub ⟨de⟩ **0.1** *frill* ⇒*ruff(le).*
lubben ⟨ov.ww.⟩ **0.1** [castreren] *castrate* ⇒*emasculate,* ⟨mbt. dieren vnl.⟩ *geld* **0.2** [ingewanden wegnemen] *clean* ⇒*gut* **0.3** [overhalen, strikken] *lure* ⇒*inveigle* ♦ **1.1** een paard ~ *geld a horse.*
lubberen ⟨onov.ww.⟩ **0.1** *hang loosely* ⇒*flap, flutter.*
lubberig ⟨bn., bw.;-ly⟩ **0.1** *puckered* ⇒*loose* ♦ **3.1** die jurk zit ~ *this dress hangs badly / is all p..*
Lucas 0.1 *Luke.*
lucht ⟨de⟩ ⟨→sprw. 612⟩ **0.1** [gasmengsel] *air* **0.2** [dampkring] *air* **0.3** [ingeademde lucht] *air* **0.4** [buitenlucht] *air* **0.5** [hemel] *sky* **0.6** [wolken] ⟨mv.⟩ *clouds* **0.7** [reuk, geur] *smell* ⇒*scent, odour* ♦ **1.4** verandering van ~ zal je goed doen *a change of a. will do you good* **1.5** de ~ en van Ruysdael *Ruysdael's skies* **2.1** polaire ~ *polar a.* **2.3** een frisse ~ *a breath of fresh a.* **2.4** in de open ~ slapen *sleep in the open a.* **2.6** er komt een lelijke ~ opzetten *threatening c. are gathering* **3.1** ~ inademen *breathe (in) / inhale a.;* doen of iem. ~ is *ignore s.o., look right / straight through s.o.* **3.2** de ~ ingaan ⟨vliegtuig⟩ *take to the a.;*

⟨radio⟩ *go on the a.* **3.3** ~ krijgen ⟨lett.⟩ *get a.;* ⟨fig.⟩ *get room to breathe* **3.5** de ~ betrekt *the s. is becoming overcast* **3.7** ⟨fig.⟩ ~ van iets krijgen *scent/sense sth., get wind of sth.;* een merkwaardige ~ verspreiden *emit/give off a strange/peculiar smell* **3.¶** aan een overtuiging ~ geven *air/vent/give vent to an opinion* **6.2** door de ~ vervoeren *airlift;* ⟨fig.⟩ een gat **in** de ~ springen *jump for joy;* iets **in** de ~ laten vliegen *blow sth. up/to smithereens;* ⟨radio, t.v.⟩ **in** de ~ zijn/blijven *be/stay on the a.;* er zit onweer **in** de ~ ⟨ook fig.⟩ *there is a storm in the a. / brewing;* ⟨fig.⟩ er hangt iets **in** de ~ *there is sth. brewing/in the wind/afoot;* **in** de ~ vliegen *blow up, explode, go up in the a.;* ⟨fig.⟩ als het niet nader wordt beargumenteerd, blijft dat punt **in** de ~ zweven *if not argued better, that point will keep floating in the a.;* zijn armen van afgrijzen **in** de ~ gooien *throw up one's hands in horror;* een gat **in** de ~ slaan *miss one's target;* dat plan hangt nog te veel **in** de ~ *this scheme is still too (much) up in the a.;* ⟨fig.⟩ die bewering is **uit** de ~ gegrepen *that statement is totally unfounded;* ⟨fig.⟩ **uit** de ~ komen vallen *appear out of the blue/out of thin a.;* hoe kom jij zo **uit** de ~ vallen? *where have you sprung from?;* ⟨sport⟩ een bal **uit** de ~ plukken *pick/snatch a ball out of the a.* **6.3** naar ~ happen *gasp for breath/a.;* **van** de ~ leven *live on a.* **6.5** de vogels **in** de ~ *the birds of the a.* **6.¶** de klachten waren niet **van** de ~ *complaints were rife;* zij is gewoon ~ **voor** hem *he treats her as though she weren't there.*

luchtaanjager ⟨de (m.)⟩ **0.1** *fan* ⇒*ventilator.*
luchtaanval ⟨de (m.)⟩ **0.1** *air attack/raid* ◆ **3.1** een ~ uitvoeren op een doel *raid/make an a. a. on a target.*
luchtacrobaat ⟨de (m.)⟩ **0.1** [in een vliegtuig] *stunt flyer/flier* **0.2** [aan een zweefrek] *trapeze artist,* ᴬ*aerialist.*
luchtacrobatiek ⟨de (v.)⟩ **0.1** *aerobatics* ⇒*stunt flying.*
luchtafweer ⟨de (v.)⟩ **0.1** [het afweren] *antiaircraft defence* **0.2** [geschut] *antiaircraft/A.A. guns.*
luchtafweerbatterij ⟨de (v.)⟩ **0.1** *anti-aircraft battery.*
luchtafweergeschut ⟨het⟩ **0.1** *anti-aircraft guns* ⇒*flak.*
luchtalarm ⟨het⟩ **0.1** *air-raid alarm/warning/siren* ⇒(air-raid) *alert* ◆ **1.1** het einde van het ~ geven *sound the 'all clear' (signal)* **3.1** ~ geven *sound air-raid warnings;* er is drie keer ~ geweest *the air-raid warning /siren has sounded three times* **6.1** tijdens (het) ~ *during an air-raid alert.*
luchtanalyse ⟨de (v.)⟩ **0.1** *air sampling.*
luchtballon ⟨de (m.)⟩ **0.1** [luchtvaartuig] *(hot air) balloon* **0.2** [kinderspeelgoed] *balloon* ◆ **2.1** een bestuurbare ~ *a dirigible (balloon).*
luchtband ⟨de (m.)⟩ **0.1** *pneumatic tyre/*ᴬ*tire.*
luchtbasis ⟨de (v.)⟩ **0.1** *air base.*
luchtbed ⟨het⟩ **0.1** *air bed/mattress* ⇒*inflatable bed.*
luchtbel ⟨de⟩ **0.1** *air bubble/bell.*
luchtbelwaterpas ⟨het⟩ **0.1** *spirit-level.*
luchtbescherming ⟨de (v.)⟩ **0.1** [maatregelen] *air-raid protection/precautions* **0.2** [dienst] *air-raid defence* ᴬ*se service.*
luchtbevochtiger ⟨de (m.)⟩ **0.1** *humidifier.*
luchtbevrachting ⟨de (v.)⟩⟨luchtv.⟩ **0.1** *air freight(ing).*
luchtbeweging ⟨de (v.)⟩ **0.1** *movement of the air* ⇒*wind.*
luchtbezoedeling ⟨de (v.)⟩ **0.1** *air pollution.*
luchtblaas ⟨de⟩ **0.1** *(air) bubble;* ⟨in vaste stof ook⟩ *air cavity;* ⟨in leiding, pomp enz.⟩ *air lock.*
luchtbombardement ⟨het⟩ **0.1** *aerial bombardment* ⇒⟨inf.⟩ *air raid.*
luchtborst ⟨de⟩⟨med.⟩ **0.1** *pneumothorax.*
luchtbrug ⟨de⟩ **0.1** [verbinding via luchtverkeer] *airlift* **0.2** [brugverbinding] *overhead/elevated bridge* ◆ **3.1** een ~ openen op Engeland *start an a. to England* **6.1** per ~ vervoeren *airlift.*
luchtbuis ⟨de (m.)⟩ **0.1** [trachee] *trachea* **0.2** [pijp waardoor men lucht toevoert] *air pipe/tube.*
luchtbuks ⟨de⟩ **0.1** *air gun.*
luchtbus ⟨de⟩ **0.1** *air bus.*
luchtcamera ⟨de⟩ **0.1** *aerial camera.*
luchtcartering →luchtkartering.
luchtcirculatie ⟨de (v.)⟩ **0.1** *air circulation.*
luchtcondensator ⟨de (m.)⟩⟨elek.⟩ **0.1** *air-gap capacitor.*
luchtcorridor ⟨de (m.)⟩ **0.1** *air corridor.*
luchtdeeltje ⟨het⟩ **0.1** *particle of air* ⇒*aerial particle.*
luchtdefilé ⟨het⟩⟨luchtv., mil.⟩ **0.1** ᴮ*fly-past,* ᴬ*flyby,* ᴬ*flyover.*
luchtdemping ⟨de (v.)⟩ **0.1** *air damping.*
luchtdeur ⟨de⟩ **0.1** *air door.*
luchtdicht ⟨bn., bw.; -(al)ly⟩ **0.1** *airtight* ⇒*hermetic(al)* ◆ **1.1** een ~e sluiting *an hermetic seal* **3.1** iets ~ afsluiten *seal sth. hermetically, make sth. a.;* ~ verpakt *hermetically packed.*
luchtdichtheid ⟨de (v.)⟩ **0.1** [⟨meteo.⟩] *air/atmospheric density* **0.2** [⟨tech.⟩] *airtightness.*
luchtdoelartillerie ⟨de (v.)⟩ **0.1** *anti-aircraft artillery* ⇒*flak.*
luchtdoelraket ⟨de⟩ **0.1** *anti-aircraft missile.*
luchtdoop ⟨de (m.)⟩ **0.1** *maiden/first flight* ◆ **1.1** zijn ~ krijgen/ondergaan *make one's maiden flight.*
luchtdruk ⟨de (m.)⟩ **0.1** [mbt. de dampkringslucht] *(atmospheric) pressure* ⇒*air pressure* **0.2** [druk door de lucht uitgeoefend] *air pressure* ⇒⟨ontploffing⟩ *blast* ◆ **2.1** een gebied van hoge/lage ~ *a ridge of high pressure/a trough of low pressure, an area of high/low pressure.*

luchtdrukboor ⟨de⟩ **0.1** *pneumatic drill.*
luchtdrukgeweer ⟨het⟩ **0.1** *air-gun.*
luchtdrukpistool ⟨het⟩ **0.1** *air-pistol.*
luchtdrukrem ⟨de⟩⟨verkeer⟩ **0.1** *air/pneumatic brake.*
luchtembolie ⟨de (v.)⟩ **0.1** *air embolism.*
luchten
  I ⟨ov.ww.⟩ **0.1** [aan frisse lucht blootstellen] *air* ⇒*ventilate* **0.2** [uiten] *air* ⇒*vent, give vent to, ventilate* **0.3** [geuren met] *air* ⇒*show off, parade* **0.4** [⟨jacht⟩] *scent* ◆ **1.1** gevangenen ~ *give prisoners an airing/a breath of fresh air;* de kamers ~ a. / *ventilate the rooms;* kleren ~ a. *clothes* **1.2** zijn ergernis ~ *give vent to one's annoyance/irritation;* zijn hart ~ *open up/pour out one's heart, relieve one's feelings* **3.¶** iem. / iets niet kunnen ~ (of zien) *hate the sight of s.o. / sth.;* zij kunnen elkaar niet ~ (of zien) *they hate the sight of one another, they can't stand the sight of one another;* ↓*they hate each other's guts;*
  II ⟨onov.ww.⟩ **0.1** [aan de buitenlucht blootgesteld zijn] *air* ◆ **3.1** een kleed te ~ hangen *hang the dress out to a..*
luchter ⟨de (m.)⟩ **0.1** [kandelaar] *candelabrum* **0.2** [lichtkroon] *chandelier.*
luchteskader ⟨het⟩ **0.1** *air/aerial squadron.*
luchtfietser ⟨de (m.)⟩⟨inf.⟩ **0.1** *dreamer.*
luchtfilter ⟨het, de (m.)⟩ **0.1** *air filter/cleaner.*
luchtfoto ⟨de⟩ **0.1** [uit de lucht genomen foto] *aerial photo(graph)* ⇒*aerial view* **0.2** [röntgenfoto] *(pneumo)encephalogram.*
luchtfotograaf ⟨de (m.)⟩ **0.1** *air/aerial photographer.*
luchtfotografie ⟨de (v.)⟩ **0.1** *aerial photography.*
luchtgaatje ⟨het⟩ **0.1** [ventilatieopening] *vent(-hole)* **0.2** [⟨scherts.⟩ mbt. kapotte kleding]⟨ongemarkeerd⟩ *hole* ◆ **6.2** er zitten ~s in je trui *you can see the daylight through your sweater.*
luchtgas ⟨het⟩ **0.1** *air gas.*
luchtgekoeld ⟨bn.⟩ **0.1** *air-cooled.*
luchtgesteldheid ⟨de (v.)⟩ **0.1** [gesteldheid van de atmosfeer] *atmospheric condition* **0.2** [klimaat] *climate* ◆ **2.1** ⟨meteo.⟩ de algemene ~ *the general atmospheric conditions.*
luchtgevecht ⟨het⟩ **0.1** *air fight/combat.*
luchtgolf ⟨de⟩ **0.1** *air wave.*
lucht-grondraket ⟨de⟩ **0.1** *air-to-ground/-surface missile.*
luchthamer ⟨de (m.)⟩ **0.1** *pneumatic/air hammer.*
luchthartig ⟨bn., bw.; -ly⟩ **0.1** *light-hearted* ⇒*carefree, casual, flippant, airy* ◆ **1.1** op ~e toon *in a l.-h. / flippant tone* **3.1** ~ over iets heenstappen *dismiss sth. light-heartedly/lightly.*
luchthartigheid ⟨de (v.)⟩ **0.1** *light-heartedness* ⇒*thoughtlessness.*
luchthaven ⟨de⟩ **0.1** *airport* ◆ **6.1** op de ~ Heathrow *at Heathrow a..*
luchthavengebouw ⟨het⟩ **0.1** *(air) terminal* ⇒*airport building.*
luchthavenpersoneel ⟨het⟩ **0.1** *airport staff.*
luchtig
  I ⟨bn.⟩ **0.1** [niet compact] *light* ⇒*airy* **0.2** [mbt. kleren] *light* ⇒*cool, thin* **0.3** [fris] *airy* ◆ **1.1** ~ gebak *l. pastry* **1.2** een ~ bloesje *a l. blouse/ shirt* **1.3** een ~ vertrek *an a. room;*
  II ⟨bn., bw.; -ly⟩ **0.1** [niet ernstig] *airy* ⇒*light-hearted, flippant, breezy* **0.2** [licht] *airy* ⇒*vivacious, light* ◆ **1.1** een ~ romannetje *a light-hearted little novel;* een ~e toon aanslaan *adopt an a. / breezy tone;* iets op ~e toon meedelen *announce sth. casually* **3.1** iets ~ opvatten *treat sth. light-heartedly/lightly, make light of sth.;* 'ja hoor', zei ze ~ jes *'oh yes', she said breezily/airily* **3.2** ~ gekleed *dressed lightly;* ergens ~ overheen lopen *skate/skim over sth..*
luchtigheid ⟨de (v.)⟩ **0.1** [luchthartigheid] *airiness* ⇒*light-heartedness, flippancy, breeziness* **0.2** [lichtheid] *lightness* **0.3** [frisheid] *airiness.*
luchtinfanterie ⟨de (v.)⟩ **0.1** *airborne infantry.*
luchtinfectie ⟨de (v.)⟩ **0.1** *aerial/airborne infection.*
luchtinlaat ⟨de (m.)⟩ **0.1** *air scoop/intake.*
luchtje ⟨het⟩ **0.1** *smell* ⇒*scent, odour* ◆ **2.1** een lekker ~ *a pleasant smell;* een vreemd ~ *a strange odour* **3.¶** een ~ scheppen *take a breath of fresh air* **6.1** ⟨fig.⟩ aan dat zaakje zal wel een ~ zitten *there's bound to be sth. fishy about it;* ⟨fig.⟩ een vreemd/raar ~ *eraan a fishy story* **¶.1** er zit een ~ aan ⟨lett.⟩ *it smells;* ⟨fig.⟩ *there is sth. fishy about it.*
luchtkabel ⟨de (m.)⟩ **0.1** [van luchtspoorweg] *aerial cable* **0.2** [van elektrische leiding] *overhead cable.*
luchtkamer ⟨de⟩⟨tech.⟩ **0.1** *air chamber.*
luchtkanaal ⟨het⟩ **0.1** *air duct/channel.*
luchtkartering ⟨de (v.)⟩ **0.1** *aerial survey(ing).*
luchtkasteel ⟨het⟩ **0.1** *castle in the air* ⇒*daydream, illusion* ◆ **3.1** luchtkastelen bouwen *build castles in the air/Spain;* dat zijn maar luchtkastelen *they're only castles in the air.*
luchtklep ⟨de⟩ **0.1** *air valve.*
luchtkoeling ⟨de (v.)⟩ **0.1** *air cooling* ◆ **6.1** een motor met ~ *an air-cooled engine/motor.*
luchtkoker ⟨de (m.)⟩ **0.1** *air/ventilating shaft* ⇒*funnel.*
luchtkolom ⟨de⟩ **0.1** *air column.*
luchtkussen ⟨het⟩ **0.1** [met lucht gevuld kussen] *air cushion/pillow* **0.2** [mbt. een voer-/vaartuig] *air cushion* **0.3** [lucht in een vloeistofleiding] *air lock.*

luchtkussenboot ⟨de⟩ **0.1** *hovercraft*.

luchtkussentrein ⟨de (m.)⟩ **0.1** *hovertrain*.

luchtkussenvaartuig ⟨het⟩ **0.1** [B]*hovercraft*, [A]*air cushion vehicle*, [A]*ACV*, [A]*hydroskimmer*.

luchtkuur ⟨de⟩ **0.1** *air-cure* ⇒*fresh-air cure*, ⟨med.⟩ *aerotherapeutics*.

luchtlaag ⟨de⟩ **0.1** *layer of air* ⇒ ⟨meteo.⟩ *aerial stratum* ◆ **2.1** isolerende~en *insulating layers of air*.

luchtlanding ⟨de (v.)⟩ **0.1** *airborne landing*.

luchtlandingstroepen ⟨zn.mv.⟩ **0.1** *airborne troops*.

luchtledig ⟨bn.⟩ **0.1** *vacuous* ⇒*exhausted/ void of air* ◆ **1.1** een~e ruimte *a vacuous space/ vacuum* **3.1** een ruimte~ maken *create a vacuum* **7.1** ⟨fig.⟩ in het~e kletsen *talk hot air*.

luchtlek ⟨het⟩ **0.1** *leak/ escape of air*.

luchtlijn ⟨de⟩ **0.1** *airline*.

luchtmacht ⟨de⟩ **0.1** *air force* ◆ **2.1** de Amerikaanse~ *the U(nited) S(tates) Air Force/ USAF*; de Koninklijke~ *the Royal Air Force/ RAF* **6.1** officier bij de~ *a.-f. officer*.

luchtmachtbasis ⟨de (v.)⟩ **0.1** *air(force) base*.

luchtmachtdivisie ⟨de (v.)⟩ **0.1** *air force/ airborne division*.

luchtmachtofficier ⟨de (m.)⟩ **0.1** *air force officer*.

luchtmeter ⟨de (m.)⟩ ⟨tech.⟩ **0.1** *aerometer*.

luchtmonster ⟨het⟩ **0.1** *air/ atmospheric sample* ◆ **3.1** ~s nemen om de mate van SO_2-verontreiniging vast te kunnen stellen *take air/ atmospheric samples to determine the level of SO_2 pollution*.

luchtnet ⟨het⟩ **0.1** *airline system* ⇒*air network*.

luchtoffensief ⟨het⟩ **0.1** *air offensive* ⇒*airborne attack*.

luchtoorlog ⟨de (m.)⟩ **0.1** *air/ aerial war* ⇒*war in the air*, ⟨alg.⟩ *air/ aerial warfare*.

luchtopname ⟨de⟩ **0.1** [opname vanuit de lucht] *aerial photograph* ⇒ ⟨inf.⟩ *aerial photo/ shot/ picture* **0.2** [het opnemen van lucht] *air intake*.

luchtpijp ⟨de⟩ **0.1** [⟨med.⟩] *windpipe* ⇒*trachea* **0.2** [luchtslang] *air hose*.

luchtpiraat ⟨de (m.)⟩ **0.1** *air pirate* ⇒*skyjacker*.

luchtpiraterij ⟨de (v.)⟩ **0.1** *air piracy* ⇒*skyjacking*.

luchtplankton ⟨het⟩ **0.1** *aerial/ airborne plankton*.

luchtpomp ⟨de⟩ **0.1** [werktuig om lucht te verdunnen] *air pump* **0.2** [perspomp] *inflater/ tor*.

luchtpost ⟨de⟩
I ⟨de⟩ **0.1** [postvervoer] *airmail* ⇒*airpost* ◆ **6.1** een pakje per ~ verzenden *send a parcel by air(mail)*, *airmail a parcel*;
II ⟨de⟩ **0.1** [luchtpostpapier] *airmail paper* **0.2** [uitgaven van luchtpostzegels] ⟨mv.⟩ *airmail editions*.

luchtpostblad ⟨het⟩ **0.1** *air letter* ⇒*aerogram(me)*.

luchtpostbrief ⟨de (m.)⟩ **0.1** *air(mail) letter*.

luchtpostpapier ⟨het⟩ **0.1** *airmail paper*.

luchtposttarief ⟨het⟩ **0.1** *airmail rate*.

luchtpostverkeer ⟨het⟩ **0.1** *airmail*.

luchtpostzegel ⟨de (m.)⟩ **0.1** *airmail stamp*.

luchtpostzending ⟨de (v.)⟩ **0.1** *airmail packet*.

luchtramp ⟨de⟩ **0.1** *air disaster*.

luchtrecht ⟨het⟩ **0.1** [recht mbt. verkeer in de lucht] *aviation law* **0.2** [luchtport] *airmail postage*.

luchtreclame ⟨de⟩ **0.1** *aerial/ sky advertizing*.

luchtregeling ⟨de (v.)⟩ **0.1** *air conditioning*.

luchtreis ⟨de⟩ **0.1** *air voyage/ trip* ◆ **3.1** een~ maken *make an a.t./ a trip by plane*.

luchtrooster ⟨het, de (m.)⟩ **0.1** *ventilator* ⟨auto⟩ ⇒*grill(e)* ⟨vóór auto⟩, *wall ventilator* ⟨muur⟩.

luchtroute ⟨de⟩ **0.1** *air route* ⇒*airway*.

luchtruim ⟨het⟩ **0.1** [dampkring] *atmosphere* **0.2** [als territoriaal gebied] *airspace* ⇒*air* ◆ **3.1** het~ kiezen *take off/ to the air* **3.2** het~ schenden *violate (a nation's) airspace*.

luchtschip ⟨het⟩ **0.1** *airship* ⇒*dirigible*.

luchtschommel ⟨de (m.)⟩ **0.1** *swing*; ⟨bootje⟩ *swingboat*.

luchtschroef ⟨de⟩ **0.1** *(aircraft) propeller* ⇒ ⟨BE ook⟩ *airscrew*.

luchtschuif ⟨de⟩ **0.1** *(air) damper*.

luchtslag ⟨de (m.)⟩ **0.1** *air/ aerial battle*.

luchtslang ⟨de⟩ **0.1** *air hose*.

luchtsluis ⟨de⟩ **0.1** *air lock*.

luchtspiegeling ⟨de (v.)⟩ **0.1** *mirage* ⇒*fata morgana*.

luchtspion ⟨de (m.)⟩ **0.1** *(pilotless) reconnaissance plane*.

luchtspoorweg ⟨de (m.)⟩ **0.1** *elevated/ overhead/ aerial railway/* [A]*railroad*.

luchtsprong ⟨de (m.)⟩ **0.1** *caper* ◆ **3.1** ~en maken *cut capers*; een~ maken van plezier *jump (in the air) for joy*.

luchtsteward ⟨de (m.)⟩, **-stewardess** ⟨de (v.)⟩ **0.1** *steward* ⟨m.⟩, *stewardess* ⟨v.⟩, *air hostess* ⟨v.⟩.

luchtstoot ⟨de (m.)⟩ **0.1** *bump*.

luchtstoring ⟨de (v.)⟩ ⟨vaak mv.⟩ **0.1** *atmospherics* ⇒*static*, ⟨tech. ook⟩ *strays*.

luchtstreek ⟨de⟩ **0.1** *zone* ⇒*region* ◆ **2.1** de gematigde luchtstreken *the temperate zones/ regions*.

luchtstrijdkrachten ⟨zn.mv.⟩ **0.1** *air force*.

luchtstroom ⟨de (m.)⟩ **0.1** *air current* ⇒*flow of air* ◆ **2.1** een koude~ *a cold current of air*; een sterke~ *a blast/ strong current of air*.

luchttaxi ⟨de (m.)⟩ **0.1** *air taxi* ⇒*taxiplane*.

luchttoevoer ⟨de (v.)⟩ **0.1** *air supply* ⇒*supply of air*.

luchttoren ⟨de (m.)⟩ **0.1** *air shaft*.

luchttorpedo ⟨de⟩ **0.1** *aerial torpedo*.

luchttransport ⟨het⟩ **0.1** *air/ aerial transport*.

luchttrilling ⟨de (v.)⟩ **0.1** *air/ aerial vibration*.

luchttunnel ⟨de (m.)⟩ **0.1** *wind tunnel*.

luchtvaarder ⟨de (m.)⟩ **0.1** *aeronaut*.

luchtvaart ⟨de⟩ **0.1** [aëronautiek] *aviation* ⇒*flying* **0.2** [bedrijfstak] *aviation* ◆ **2.1** de civiele/ militaire~ *civil/ military a..*

luchtvaartgeneeskunde ⟨de (v.)⟩ **0.1** *aeromedicine* ⇒*air medicine*.

luchtvaartkundig ⟨bn.⟩ **0.1** *aeronautical* ⇒*aviation*.

luchtvaartmaatschappij ⟨de (v.)⟩ **0.1** *airline (company)* ◆ **2.1** de Koninklijke Luchtvaart Maatschappij *Royal Dutch Airlines, KLM*.

luchtvaartmuseum ⟨het⟩ **0.1** *aviation museum*.

luchtvaartschool ⟨de⟩ **0.1** *aviation/ flight/ flying school*.

luchtvaartterrein ⟨het⟩ **0.1** [strook grond] *airfield* **0.2** [alles mbt. de luchtvaart] *aviation field*.

luchtvaartuig ⟨het⟩ **0.1** *aircraft*.

luchtvaartverdrag ⟨het⟩ **0.1** *aviation treaty/ agreement*.

luchtverbinding ⟨de (v.)⟩ **0.1** *airlink* ◆ **2.1** een geregelde~ onderhouden met Zuid-Amerika *have regular flights to South America*.

luchtverdediging ⟨de (v.)⟩ **0.1** *air defence*.

luchtverdeling ⟨de (v.)⟩ **0.1** *air/ atmospheric distribution*.

luchtverdichter ⟨de (m.)⟩ ⟨tech.⟩ **0.1** *(air) compressor*.

luchtverfrisser ⟨de (m.)⟩ **0.1** *air-freshener* ◆ **6.1** een~ in de w.c *a a.-f. in the lavatory/* [A]*bath room*.

luchtvering ⟨de (v.)⟩ **0.1** *pneumatic/ air suspension* ◆ **6.1** een touringcar met ~ *a coach fitted with pneumatic/ a.s.*.

luchtverkeer ⟨het⟩ **0.1** *air traffic*.

luchtverkeersleider ⟨de (m.)⟩ **0.1** *air traffic controller*.

luchtverkeersleiding ⟨de (v.)⟩ **0.1** *air traffic control*.

luchtverkenning ⟨de (v.)⟩ **0.1** *air/ aerial reconnaissance*.

luchtverontreinigend ⟨bn.⟩ **0.1** *air-polluting*.

luchtverontreiniging ⟨de (v.)⟩ **0.1** *air pollution*.

luchtverplaatsing ⟨de (v.)⟩ **0.1** *displacement of air* ⇒*air displacement*.

luchtverschijnsel ⟨het⟩ **0.1** *atmospheric phenomenon*.

luchtververser ⟨de (m.)⟩ **0.1** *air freshener* ⇒ ⟨ventilator⟩ *ventilator*, ⟨elektrisch toestel⟩ *extraction fan*.

luchtverversing ⟨de (v.)⟩ **0.1** *ventilation*.

luchtvervoer ⟨het⟩ **0.1** *air transport* ⇒*transport by air*.

luchtvervuiling ⟨de (v.)⟩ **0.1** *air pollution*.

luchtverwarming ⟨de (v.)⟩ **0.1** *air heating*.

luchtvloot ⟨de⟩ **0.1** [verzameling luchtvaartuigen] *air fleet* **0.2** [luchtvaartuigen van een land/ maatschappij] *air fleet*.

luchtvochtigheid ⟨de (v.)⟩ **0.1** *(air) humidity*.

luchtvoertuig ⟨het⟩ **0.1** [B]*hovercraft*, [A]*air cushion vehicle*, [A]*ACV*.

luchtvracht ⟨de⟩ **0.1** *air cargo/ freight*.

luchtvrachtbrief ⟨de (m.)⟩ **0.1** *air(way) bill, air (freight) consignment note/ bill*.

luchtwaardig ⟨bn.⟩ **0.1** *airworthy*.

luchtwaardigheidsbewijs ⟨het⟩ **0.1** *certificate of airworthiness*.

luchtwacht ⟨de⟩ **0.1** *air surveillance* ⇒ ⟨mil.⟩ *enemy aircraft warning service*.

luchtweerstand ⟨de (m.)⟩ **0.1** *resistance of the air* ◆ **3.1** de ~ overwinnen *overcome the resistance of the air*.

luchtweg ⟨de (m.)⟩ **0.1** [⟨mv.⟩ organen] *bronchial tubes* ⇒*bronchi* **0.2** [weg door de lucht] *airway* ⇒*air route*.

luchtwortel ⟨de (m.)⟩ ⟨biol.⟩ **0.1** *aerial root*.

luchtwortelboom ⟨de (m.)⟩ **0.1** *rhizophora*.

luchtzak ⟨de (m.)⟩ **0.1** [valwind] *air pocket/ hole* **0.2** [blaas met lucht] *air bladder* **0.3** [longzak bij vogels] *air sac* **0.4** [luchtbel in een pijpleiding] *air lock/ pocket* ◆ **6.1** in een~ terechtkomen *fly into/ find o.s. in an air p./ h..*

luchtziek ⟨bn.⟩ **0.1** *airsick*.

luchtziekte ⟨de (v.)⟩ **0.1** *airsickness* ◆ **¶.1** snel last hebben van~ *be susceptible to a..*

luchtzuiger ⟨de (m.)⟩ **0.1** *extractor fan*.

luchtzuiging ⟨de (v.)⟩ **0.1** *backwash*.

luchtzuiverend ⟨bn.⟩ **0.1** *ventilating* ⇒*air purifying/ cleaning* ◆ **1.1** de ~e werking van bomen *the air-purifying function of trees*.

luchtzuivering ⟨de (v.)⟩ **0.1** *purification of the air*.

luchtzuiveringsinstallatie ⟨de (v.)⟩ **0.1** *air cleaner/ purifier*.

luchtzuiveringstoestel ⟨het⟩ **0.1** *air purifier/ cleaner*.

lucide ⟨bn.⟩ **0.1** *lucid* ◆ **1.1** ~ogenblikken *l. intervals*.

luciditeit ⟨de (v.)⟩ **0.1** *lucidity*.

lucifer ⟨de⟩ **0.1** [staafje met zwavelkopje] *match* **0.2** [⟨met hoofdletter⟩ engel] *Lucifer* ⇒*Satan* ◆ **1.1** een doosje~s *a box of matches* **2.1** een afgebrande~ *a dead m.* **3.1** ergens een~ bij houden *put a m. to sth..*

lucifersboekje ⟨het⟩ **0.1** *match book*.

lucifer(s)doosje ⟨het⟩ **0.1** *matchbox*.
lucifer(s)houder ⟨de (m.)⟩ **0.1** *matchholder*.
lucifershout ⟨het⟩ **0.1** *matchhwood*.
lucifer(s)houtje ⟨het⟩ **0.1** *matchstick* ◆ **8.1** afknappen als ~s *break like a m..*
lucifer(s)kop ⟨de (m.)⟩ **0.1** *matchhead*.
lucifersmerk ⟨het⟩ **0.1** *matchbox label*.
lucifer(s)stokje ⟨het⟩ **0.1** *matchstick*.
lucratief ⟨bn., bw.; -ly⟩ **0.1** *lucrative* ⇒*gainful, profitable* ◆ **1.1** een lucratieve aanbieding *a l. offer;* een ~ baantje *a l. job*.
lucullisch ⟨bn.⟩ **0.1** *Lucull(i)an* ⇒*lavish, luxurious*.
lucullus ⟨de (m.)⟩ **0.1** *epicure* ⇒*gourmet, gourmand*.
lucullusmaal ⟨het⟩ **0.1** *Lucullian banquet*.
ludiek ⟨bn., bw.; -(al)ly⟩ **0.1** *ludic* ⇒*playful* ◆ **1.1** ~e protestacties *happenings;* een ~e sfeer *a carnival atmosphere*.
lues ⟨de⟩ ⟨med.⟩ **0.1** *lues*.
luetisch ⟨bn.⟩ **0.1** *luetic*.
luguber ⟨bn., bw.; -ly⟩ **0.1** *lugubrious* ⇒*sinister, lurid, grim* ◆ **1.1** een ~e grap *a sick joke;* een ~e vondst *a l./ sinister discovery* **3.1** er ~ uitzien *look l..*
lui¹ ⟨zn.mv.⟩ ⟨→sprw. 413⟩ **0.1** *people* ⇒*folk* ◆ **2.1** arme/rijke ~ *poor/ rich p.;* de kleine ~den *ordinary p.;* zijn ouwe ~ *his old folks/parents;* dat zijn vervelende ~ *they are annoying/boring p..*
lui²
    I ⟨bn.⟩ **0.1** [afkerig van inspanning] *lazy* ⇒*idle* **0.2** [laks, geneigd uit te stellen] *lazy* ⇒*indolent* **0.3** [loom] *lazy* ⇒*slow, heavy* ◆ **1.1** ⟨inf.⟩ een ~e flikker/donder *a l. devil/* ⟨vnl. BE⟩ *tyke;* een ~ leven leiden *lead a(n) easy/l. life;* ⟨fig.⟩ ⟨geldw.⟩ een ~e markt, beurs *a dull market;* ⟨fig.⟩ een ~ oog *a l. eye;* een ~e schepsel *a l./ an idle creature;* een ~e stoel *an easy chair* **1.2** een ~e schrijver *a lax writer; a hopeless (letter) writer* **8.1** zo ~ als een varken *bone idle;* liever ~ dan moe zijn *be born tired;*
    II ⟨bw.⟩ **0.1** [afkerig van inspanning] *lazily* ◆ **3.1** er ~ bij liggen *lie around lazily, sprawl*.
luiaard ⟨de (m.)⟩ ⟨→sprw. 28,683⟩ **0.1** [mens] *sluggard* ⇒*do-nothing* **0.2** [dier] *sloth*.
luid ⟨bn., bw.; -ly⟩ **0.1** *loud* ◆ **1.1** ~ geschreeuw *l. shouts/shouting;* met ~er stem *in a l. voice* **3.1** kunt u iets ~er spreken? *can you speak a little louder?, can you speak up?;* iem. ~ toejuichen *applaud s.o. loudly;* het geschreeuw werd ~er *the shouts/cries were getting louder*.
luiden ⟨→sprw. 355⟩
    I ⟨onov.ww.⟩ **0.1** [mbt.een klok/bel] *sound* ⇒*ring, toll* ⟨doodsklok⟩ **0.2** [mbt. woorden] *read* ⇒*run* **0.3** [als geluid klinken] *sound* ◆ **1.1** de klok luidt *the bell is ringing/tolling* **1.2** althans, zo luidt het verhaal *at least, so the story goes;* het vonnis luidt ... *the verdict is ...* **8.2** ~d als volgt *reading/running as follows;* het verhaal luidt als volgt *the story runs as follows;* haar antwoord luidde ongeveer als volgt *her answer ran sth. like this* **9.2** het antwoord luidt nee/ ja *the answer is no/yes;*
    II ⟨ov.ww.⟩ **0.1** [de klok in beweging brengen] *ring* ⇒*sound, toll* ⟨doodsklok⟩ ◆ **1.1** de koster luidt de klok *the sexton is ringing the bell*.
luidheid ⟨de (v.)⟩ **0.1** *loudness*.
luidkeels ⟨bw.⟩ **0.1** *loudly* ⇒*at the top of one's voice* ◆ **3.1** ~ lachen *laugh at the top of one's voice;* ~ protesteren *protest l.;* ~ schreeuwen/ roepen *shout l.;* iets ~ verkondigen *proclaim sth. l., peal sth..*
luidop ⟨bw.⟩ ⟨AZN⟩ **0.1** *(a)loud*.
luidruchtig ⟨bn., bw.; -ly⟩ **0.1** [luid] *loud* ⇒*blatant* **0.2** [veel leven makend] *noisy* ⇒*boisterous, clamorous, lod(-spoken)* ◆ **1.1** een ~ geschreeuw *l. shouts* **1.2** een ~ jongen *a n. boy* **3.1** ~ zingen *sing loudly* **5.2** de klas was erg ~ *the class was very n..*
luidspreker ⟨de (m.)⟩ **0.1** *(loud-)speaker* ◆ **2.1** dubbele ~s *double loud-speakers*.
luidsprekerbox ⟨de (m.)⟩ **0.1** *loudspeaker* ⇒⟨inf.⟩ *speaker*.
luien ⟨onov., ov.ww.⟩ →**luiden**.
luier ⟨de⟩ **0.1** [doek voor baby's] *nappy/pie, napkin, ^Adiaper* **0.2** [ontlasting] *nappy/pie, napkin, ^Adiaper* ◆ **2.1** een kind een schone ~ aandoen *change a baby's nappy;* ze heeft al een schone ~ aan *she has already had a clean nappy* **2.2** het kind heeft vanmorgen een groene ~ gehad *the baby had a green nappy this morning* **3.1** ~s spoelen *wash nappies* **4.1** ⟨fig.⟩ nog in de ~s zitten *still have children in nappies*.
luierbroekje ⟨het⟩ **0.1** *plastic pants*.
luieren ⟨onov.ww.⟩ **0.1** *(be) idle/lazy* ⇒*laze* ◆ **3.1** de hele dag ~d doorbrengen *laze away the day*.
luierik ⟨de (m.)⟩ **0.1** *sluggard*.
luiermand ⟨de⟩ **0.1** [mand] *baby-linen basket;* ⟨kleertjes⟩ *baby-linen, layette*.
luierstoel ⟨de (m.)⟩ **0.1** *lounge chair* ⇒*easy chair*.
luierstof ⟨de⟩ **0.1** *towelling* ⇒*nappy material, ^Adiaper cloth*.
luierwas ⟨de (m.)⟩ **0.1** *washing of nappies/^Adiapers* ◆ **3.1** de ~ doen *do/ wash the (dirty) nappies*.
luifel ⟨de⟩ **0.1** [afdak] *penthouse* ⇒*(glass) porch,* ⟨zonnescherm⟩ *awning* **0.2** [rand van een hoed/pet] *brim* ⇒*peak* ⟨pet⟩ **0.3** [neus] *hooter*.
luifeldak ⟨het⟩ **0.1** *penthouse* ⇒*lean-to*.

luifelstok ⟨de (m.)⟩ **0.1** *awning pole*.
luiheid ⟨de (v.)⟩ **0.1** *laziness* ⇒*idleness*.
luiigheid ⟨de (v.)⟩ **0.1** *laziness*.
luik ⟨het⟩ **0.1** [schot om een opening te sluiten] *hatch* **0.2** [opening in een vloer] *trapdoor* ⇒*hatch(way)* ⟨schip⟩ **0.3** [schot om een kozijnopening te sluiten] *shutter* **0.4** [mbt. een tochtscherm/schilderij] *panel* ◆ **2.¶** ⟨inf.⟩ iem een blauw ~ slaan *give s.o. a black eye* **3.1** ⟨scheep.⟩ de ~en schalmen/sluiten *batten down the hatches* **6.3** een huis met ~en voor de ramen *a house with shuttered windows*.
Luik ⟨het⟩ **0.1** *Liège*.
luiken ⟨schr.⟩
    I ⟨onov.ww.⟩ **0.1** [dichtgaan] *close;*
    II ⟨ov.ww.⟩ **0.1** [dichtdoen] *close*.
Luikenaar ⟨de (m.)⟩ **0.1** *inhabitant/native of Liège*.
luikgat ⟨het⟩ **0.1** [door een luik gesloten gat] *hatch(way)* ⇒*scuttle* **0.2** [nokgat] *scuttle*.
luikje ⟨het⟩ **0.1** *hatch* ◆ **6.1** een deur met een ~ *a door with a h..*
luikring ⟨de (m.)⟩ **0.1** *trapdoor handle*.
Luiks ⟨bn.⟩ **0.1** *Liège*.
luilak ⟨de (m.)⟩ **0.1** [luiaard] *lazy-bones* ⇒*sluggard* **0.2** [feest] ⟨*celebration of the person who is the last one to get up on the Saturday before Pentecost*⟩.
luilakbol ⟨de (m.)⟩ **0.1** ⟨*sweet roll hotly served on the morning of the Saturday before Pentecost*⟩.
luilakken ⟨onov.ww.⟩ **0.1** [luieren] *(be) idle* ⇒*laze* **0.2** [lang uitslapen] *have a long lie in* **0.3** [luilak vieren] ⟨*celebrate the 'luilak' on the Saturday before Pentecost*⟩.
luilakviering ⟨de (v.)⟩ **0.1** ⟨*celebration of the 'luilak' on the Saturday before Pentecost*⟩.
luilekker ⟨bn.⟩ **0.1** *carefree* ◆ **1.1** een ~leventje leiden *lead a life of ease/ the life of Riley*.
luilekkerland ⟨het⟩ **0.1** *(land of) Cockaigne/ayne* ⇒*land of plenty* ◆ **6.1** men waant er zich in ~ *it's like being in heaven/paradise;* je bent hier niet in ~ *you are not in the promised land here*.
luim ⟨de⟩ **0.1** [stemming] *humour* ⇒*mood, temper* **0.2** [vrolijkheid] *mirth* ⇒*merriment* **0.3** [gril] *caprice* ⇒*whim* ◆ **1.2** ernst en ~ *solemnity and mirth/merriment*.
luimig ⟨bn., bw.; -ly⟩ **0.1** [grillig van humeur] *capricious* **0.2** [grappig] *facetious*.
luipaard ⟨de (m.)⟩ **0.1** *leopard*.
luipaardhaai ⟨de (m.)⟩ **0.1** *leopard shark*.
luipaardvel ⟨het⟩ **0.1** *leopard skin*.
luis ⟨de⟩ ⟨→sprw. 415⟩ **0.1** [mbt. mensen, zoogdieren] *louse* **0.2** [mbt. planten en dieren] *louse* ⟨dieren⟩; *aphid* ⟨planten⟩ ◆ **2.1** ⟨fig.⟩ een hongerige ~ *a greedy person* **5.2** die plant zit vol ~ *that plant is smothered in/covered with pests* **8.1** een leven als een ~ op een zeer hoofd *a life of ease, the life of Riley*.
luister ⟨de (m.)⟩ **0.1** *lustre* ⇒*splendour, glory* ◆ **3.1** om de gelegenheid ~ bij te zetten *to give added l. to the occasion;* een gebeurtenis ~ bijzetten *add l. to an event*.
luisteraar ⟨de (m.)⟩, **-ster** ⟨de (v.)⟩ **0.1** *listener* ◆ **2.1** trouwe ~s naar dit programma *regular listeners to this programme* ^Agram.
luistercabine ⟨de (v.)⟩ **0.1** *(listening) booth*.
luisterdichtheid ⟨de (v.)⟩ **0.1** *listening figures/ratings*.
luisteren ⟨onov.ww.⟩ ⟨→sprw. 414⟩ **0.1** [horen om iets te vernemen] *listen* **0.2** [tersluiks trachten te horen] *eavesdrop* ⇒*listen (in)* **0.3** [aandacht schenken aan] *listen* ⇒*respond* **0.4** [gehoorzamen aan] *listen* ⇒*follow, respond* ◆ **2.1** ⟨taal.⟩ het onderdeel begrijpend ~ *listening comprehension (section)* **3.1** ⟨radio⟩ blijf ~! *stay tuned;* goed kunnen ~ *be a good listener* **3.2** staan te ~ *be eavesdropping* **5.1** luister eens *l., say;* luister goed! ~ *l. and l. good, l. here, now l.;* als je goed luistert, hoor je het *if you l. carefully, you'll hear it* **5.¶** dat luistert nauw *that requires precision* **6.1** naar de radio ~ *l. to the radio;* zijn oor te ~ leggen *lend one's ear* **6.2** aan de deur ~ *listen at the door* **6.3** niet naar iets willen ~ *not want to l. to/to hear sth.;* de hond luistert naar de naam Tino *the dog answers to the name Tino;* naar hem wordt toch niet geluisterd *nobody pays any attention to/listens to him anyway* **6.4** ~ naar goede raad *l. to good advice;* het schip luistert naar het roer *the ship responds/answers to the helm;* naar de stem van zijn hart ~ *l. to/follow one's heart;* naar rede ~ *l. to reason* **8.1** zij luisterde of ze zijn auto hoorde *she listened for his car;* even ~ of de baby al slaapt *l. if the baby is asleep* **¶.1** met een half oor ~ *l. with one ear*.
luister- en kijkgeld ⟨het⟩ **0.1** *radio and television licence fee*.
luistergeld ⟨het⟩ **0.1** *radio licence fee*.
luisterlied ⟨het⟩ **0.1** ⟨*song in which the text is the most important element*⟩.
luisteronderzoek ⟨het⟩ ⟨radio⟩ **0.1** *monitoring of audience levels*.
luisterpost ⟨de (m.)⟩ ⟨mil.⟩ **0.1** *listening post*.
luisterrijk ⟨bn., bw.; -ly⟩ **0.1** [schitterend] *splendid* ⇒*glorious, magnificent, resplendent, glittering* **0.2** [roemrijk] *splendid* ⇒*glorious, illustrious, epic, magnificent* ◆ **1.1** een ~e optocht *a magnificent pageant* **1.2** een ~e overwinning *a glorious victory* **3.1** iets ~ vieren *celebrate sth. royally/in style*.

luisterspel ⟨het⟩ **0.1** *radio play*.

luistertoets ⟨de (m.)⟩ **0.1** *listening comprehension test*.

luistervaardigheid ⟨de (v.)⟩ **0.1** *listening skill*.

luistervergunning ⟨de (v.)⟩ **0.1** *radio licence* ᴬ*se*.

luistervink ⟨de⟩ **0.1** *eavesdropper*.

luistervoorbeeld ⟨het⟩ **0.1** *aural example*.

luit

  I ⟨de⟩ **0.1** [⟨muz.⟩] *lute* ♦ **3.1** de ~ bespelen *play the l.;*

  II ⟨de (m.)⟩⟨inf.⟩ **0.1** [luitenant] ↑*lieutenant* ⇒⟨AE;sl.⟩ *looey, looie* ♦ **9.1** ja/nee, ~ *yes/no, Sir*.

luitenant ⟨de (m.)⟩ **0.1** [⟨mil.⟩] *lieutenant* ⇒ ⟨afk.⟩ *Lieut, Lt*. **0.2** [⟨wielersport⟩] *water-carrier* ♦ **7.1** eerste ~ ⟨GB⟩ *lieutenant;* ⟨USA⟩ *first lieutenant;* tweede ~ ⟨GB; marine⟩ *sublieutenant;* ⟨bij Britse landmacht en in USA⟩ *second lieutenant*.

luitenant-admiraal ⟨de (m.)⟩⟨mil.⟩ **0.1** *Admiral of the Fleet, Fleet Admiral*.

luitenant-generaal ⟨de (m.)⟩⟨mil.⟩ **0.1** *lieutenant-general*.

luitenant-ingenieur ⟨de (m.)⟩⟨mil.⟩ **0.1** *lieutenant in the Corps of Engineers*.

luitenant-kolonel ⟨de (m.)⟩⟨mil.⟩ **0.1** *lieutenant-colonel*.

luitenantschap ⟨het⟩⟨mil.⟩ **0.1** *lieutenancy*.

luitenant-ter-zee ⟨de (m.)⟩⟨mil.⟩ **0.1** *lieutenant* ♦ **1.1** ~ 3de/2de/1ste klasse ⟨GB⟩ *sublieutenant/l./l. commander;* ⟨USA⟩ *lieutenant junior grade/l./l. commander*.

luitenant-vlieger ⟨de (m.)⟩⟨mil.⟩ **0.1** ⟨GB⟩ *flying officer* ⟨eerste luitenant-vlieger⟩; *pilot officer* ⟨tweede luitenant-vlieger⟩; ⟨USA⟩ *first lieutenant*.

luitjes ⟨zn.mv.⟩ **0.1** *folk(s)* ⇒*people* ♦ **9.1** de mazzel ~! *see you later, gang*.

luitouw ⟨het⟩ **0.1** [klokketouw] *bell-rope* **0.2** [mbt. een molen] *hoisting rope* **0.3** [mbt. een heiblok] *hoisting rope*.

luitspel ⟨het⟩ **0.1** *lute-playing*.

luitspeler ⟨de (m.)⟩, **-speelster** ⟨de (v.)⟩⟨muz.⟩ **0.1** *lute-player* ⇒*lutenist*.

luiwagen ⟨de (m.)⟩ **0.1** *carpet sweeper*.

luiwammes ⟨de (m.)⟩⟨inf.⟩ **0.1** *lazybones* ⇒*sluggard*.

luiwammesen ⟨onov.ww.⟩⟨inf.⟩ **0.1** *laze (about)* ⇒*loaf, (be) idle*.

luizeëi ⟨het⟩ **0.1** *nit*.

luizen

  I ⟨ov.ww.⟩⟨inf.⟩ ♦ **5.**¶ iem. erin ~ *take s.o. in, play a trick on s.o., trick s.o. into sth.;* ⟨verleiden tot een verspreking/vergissing⟩ *trip s.o. up;*

  II ⟨onov., ov.ww.⟩ **0.1** [luizen afvangen] *(de)louse*.

luizenbaan ⟨de⟩⟨inf.⟩ **0.1** *soft/cushy job* ♦ **3.1** nou, jij hebt ook een ~tje *what a cushy job you have*.

luizenbos ⟨de (m.)⟩⟨scherts.⟩ **0.1** *shock* ⇒*mop*.

luizenjacht ⟨de⟩ **0.1** *louse hunt*.

luizenkam ⟨de (m.)⟩ **0.1** *fine-toothed comb*.

luizenleven ⟨het⟩⟨inf.⟩ **0.1** *easy/* ⟨sl.⟩ *cushy life* ♦ **3.1** een ~ leiden *have an easy/a cushy life, lead the life of Riley*.

luizenmarkt ⟨de⟩⟨scherts.⟩ **0.1** *flea market*.

luizenpaadje ⟨het⟩⟨inf.⟩ **0.1** ⟨ongemarkeerd⟩ *parting*.

luizestreek ⟨de⟩ **0.1** *lousy trick*.

luizeveer ⟨de⟩⟨scherts.⟩ **0.1** ↑*match*.

luizig ⟨bn.⟩ **0.1** [vol luizen] *lousy* ⇒*full of lice* **0.2** [armoedig] *lousy* ⇒ *shabby, cheap, two-bit* ♦ **1.2** een ~e boel *a shabby mess;* zo'n ruzie om een ~ dubbeltje! *why argue about a l.* ᴮ*sixpence/*ᴬ*dime*.

lukken ⟨onov.ww.⟩ **0.1** *succeed, be successful* ⇒*work, manage, come off /through, gel* ♦ **1.1** de poging lukte niet *the attempt failed/was a failure;* de truc lukte niet *the idea/stunt/trick didn't work/failed* **3.1** het is mij gelukt *I did it, I managed;* het is niet gelukt *it didn't work/didn't go through, it was no go;* deze keer moet het ~ *this time it will work/it has to work;* het lukte hem te ontsnappen *he managed to escape;* het wil niet erg ~, nietwaar? *it's not working, is it?;* wil dit ~ dan is het nodig ... *if this is to/for this to succeed/work, it is necessary ...;* dat zal niet ~ *that won't work* **4.1** en, lukt het een beetje? *are you managing?, is it going well?* **5.1** de cake is goed gelukt *the cake turned out well;* die foto is goed/niet goed gelukt *that photo has/has not come out well;* dat lukt nooit *that will never work;* dat lukt je nooit *you'll never manage!* ↓*swing that;* het is hem weer gelukt *he's done it again/ pulled it off again;* het zal wel ~ *it'll work*.

lukraak ⟨bn., bw.; -ly⟩ **0.1** *haphazard* ⇒*random, chance, wild, hit and miss* ♦ **1.1** lukrake opmerkingen *random comments/remarks;* een lukrake poging doen *take a wild shot, make a wild attempt* **3.1** ~ antwoorden *give a hit and miss answer*.

lul ⟨de (m.)⟩ **0.1** [pik] *prick* ⇒*cock, dick, pecker* **0.2** [sul] ⟨sl.⟩ *prick* ⇒ *shit(head), ass(hole)*, ⟨BE;sl.⟩ *twit* ♦ **1.2** sta daar nou niet als een Jan ~, maar doe wat! *don't just stand there like an ass, do sth.!* **2.1** een stijve ~ hebben *have a hard-on* **2.2** een ouwe ~ *an old geezer/coot;* een slappe ~ *half-baked twit* **3.1** ⟨fig.⟩ zijn ~ achterna lopen ↑*run around in circles* **3.**¶ hij is de ~ *he's had it, he copped it, he is for it* **6.1** iem. **voor** ~ zetten *make an ass/* ↑*a fool out of s.o.* **6.2 voor** ~ staan *stand there like an ass/* ↑*an idiot/* ↑*a fool*.

lul-de-behanger ⟨de (m.)⟩⟨inf.⟩ **0.1** *bungler*.

lulhannes ⟨de (m.)⟩⟨vulg.⟩ **0.1** ⟨vnl. BE⟩ *wanker;* ⟨vnl. AE⟩ *jerk(-off)*.

lulkoek ⟨de (m.)⟩⟨inf.⟩ **0.1** *bullshit, rot* ⇒ ↑*twaddle,* ↑*balderdash,* ↑*hot air* ♦ **3.1** ~ verkopen *talk rot*.

lullen ⟨onov.ww.⟩⟨inf.⟩ **0.1** *bullshit* ⇒*shoot the bull/breeze* ♦ **3.1** laat ze maar ~ *let them bullshit* **5.1** niet ~ maar doen *cut the crap/bull and get down to work;* hij lult maar een eind raak *he's full of bull(shit) /crap;* er wordt hier veel te veel geluld *there is too much bullshitting going on here*.

lullensmid ⟨de (m.)⟩⟨stud.⟩ **0.1** *short arm inspector*.

lulletje ⟨het⟩⟨inf.⟩ ♦ **1.**¶ een ~ rozewater *half-baked twit*.

lullig ⟨bn., bw.⟩ **0.1** [flauw, onnozel] ⟨bn.⟩ *shitty* ⇒*cruddy, crappy,* ⟨bw.⟩ *in a shitty way* **0.2** [karakterloos] *shitty* ⇒*spineless, yellow-bellied, white livered, weak-kneed* **0.3** [vervelend] *shitty* ⇒*crappy, cruddy* ♦ **1.1** ik vind het maar een ~ gezicht *I think it looks so stupid;* wat een ~ smoesje *what a pathetic excuse* **3.1** doe niet zo ~ *don't be such a jerk* **3.2** dat vind ik ~ van je *I think that's really shitty of you* **4.3** wat ~ dat je gezakt bent *it's really s. that you failed* **¶.3** da's ook ~, nou heb ik de sleutel niet bij me *shit! I forgot/don't have my key*.

lulopmerking ⟨de (v.)⟩ **0.1** ⟨zie 6.1⟩ ♦ **6.1** wat is dat nou **voor** een ~! *what a stupid thing to say!*.

lulverhaal ⟨het⟩⟨inf.⟩ **0.1** *(piece of) bullshit/crap*.

lumbaal ⟨bn.⟩ **0.1** *lumbar* ♦ **1.1** ⟨med.⟩ lumbale punctie, ~punctie *l. puncture, spinal tap*.

lumbago ⟨de (m.)⟩⟨med.⟩ **0.1** *lumbago*.

lumbecken ⟨ov.ww.⟩ **0.1** *unsewn/perfect binding*.

lumen ⟨het⟩ **0.1** [eenheid van lichtsterkte] *lumen* **0.2** [licht] *light* **0.3** [holte in een orgaan] *lumen* **0.4** [ruimte in een cel] *lumen* **0.5** [wijdte van een kanaalopening] *lumen*.

lumenseconde ⟨de⟩ **0.1** *lumen second*.

luminescent ⟨bn.⟩ **0.1** *luminescent*.

luminescentie ⟨de (v.)⟩ **0.1** *luminescence*.

lumineus ⟨bn.⟩ **0.1** *brilliant* ⇒*bright, splendid* ♦ **1.1** een lumineuze gedachte *a bright idea/brain wave/flash (of genius);* een ~ idee krijgen *get a bright/brilliant idea, have/get a brain wave;* op een ~ idee komen *come upon/get a bright idea*.

lummel ⟨de (m.)⟩ **0.1** [pummel] *lout* ⇒*clodhopper, oaf* **0.2** [⟨kaartsp.⟩ speler] *dummy* **0.3** [⟨scheep.⟩] *swivel bolt/pin* ♦ **2.1** zo'n grote ~ als jij moest zich schamen zo iets te doen *(such) a big lump of a fellow like you, you should be ashamed;* een onbeschaafde ~ *an uncivilized l., a boor*.

lummelachtig ⟨bn., bw.; -ly⟩ **0.1** *loutish* ⇒*clodhopping, oafish*.

lummelachtigheid ⟨de (v.)⟩ **0.1** *loutishness, loutish behaviour*.

lummelen ⟨onov.ww.⟩ **0.1** [lanterfanten] *hang/fool around/about* ⇒ ⟨vnl. BE⟩ *muck about/around* **0.2** [⟨kaartsp.⟩] *sit out* ♦ **3.1** hij heeft de hele dag maar wat lopen ~ *he spent the whole day just hanging around*.

lummelig ⟨bn., bw.; -ly⟩ **0.1** *loutish* ⇒*clodhopping, oafish*.

lunair ⟨bn.⟩ **0.1** *lunar*.

lunapark ⟨het⟩ **0.1** [pretpark] ᴮ*fun-fair,* ᴬ*amusement park* **0.2** [cake-walk] *funhouse*.

lunarium ⟨het⟩ **0.1** *lunarium*.

lunaticus ⟨de (m.)⟩ **0.1** *lunatic*.

lunatie ⟨de (v.)⟩ **0.1** [tijd] *lunation* ⇒*synodic month* **0.2** [reeks] *lunation* ⇒*synodic month*.

lunatiek ⟨bn.⟩ **0.1** [maanziek] *lunatic* **0.2** [lichtzinnig, grillig] *lunatic* ⇒ *crazy*.

lunch ⟨de (m.)⟩ **0.1** *lunch(eon)* ♦ **2.1** een feestelijke ~ *a luncheon party* **3.1** iem. een ~ aanbieden *invite s.o. to/buy s.o. lunch;* de ~ gebruiken *lunch, have/eat/take lunch(eon);* de ~ is om 1 uur *lunch(eon) is (served) at one o'clock* **6.1** tijdens de ~ *during lunch*.

lunchbespreking ⟨de (v.)⟩ **0.1** *business lunch*.

lunchconcert ⟨het⟩ **0.1** *lunch(eon) concert*.

lunchen ⟨onov.ww.⟩ **0.1** *lunch* ⇒*have/eat/take lunch(eon)*.

lunchpakket ⟨het⟩ **0.1** *packed lunch* ♦ **3.1** een ~ (voor iem.) klaarmaken *make (s.o.) a p. l.*.

lunchpauze ⟨de (v.)⟩ **0.1** *lunch break*.

lunchroom ⟨de (m.)⟩ **0.1** ᴮ*tearoom, teashop,* ᴬ≠*coffee shop*.

lunchtijd ⟨de (m.)⟩ **0.1** *lunch time*.

lunchtrommel ⟨de (m.)⟩ **0.1** *lunch box*.

lunet ⟨de⟩ **0.1** [⟨bouwk.⟩] *lunette* **0.2** [bovenlicht] *lunette* **0.3** [vestingwerk] *lunetee*.

luns ⟨de⟩ **0.1** *linchpin* ⇒*axlepin*.

lunzen ⟨ov.ww.⟩ **0.1** *put in/supply a linchpin*.

lupine ⟨de⟩ **0.1** [plantengeslacht] *lupin(e)* **0.2** [zaad] *lupin(e)s*.

lupinose ⟨de (v.)⟩ **0.1** *lupinosis*.

lupuline ⟨de⟩⟨schei.⟩ **0.1** *lupulin*.

lupus ⟨de (m.)⟩ **0.1** *lupus*.

luren ⟨zn.mv.⟩ ♦ **6.**¶ iem. in de ~ leggen *take s.o. in, take s.o. for a ride, outsmart s.o.;* ⟨sl.⟩ *have s.o. on toast;* nog **in** de ~ liggen *still be green/ wet behind the ears, not have cut one's teeth yet*.

lurken ⟨onov.ww.⟩ **0.1** [zuigen] *suck noisily* **0.2** [met kleine teugen drinken] *slurp* **0.3** [pruttelend geluid geven] *gurgle* ⇒*slurp, pop* ♦ **1.3** die pijp lurkt *that pipe is gurgling* **6.1** hij zat **aan** zijn pijp te ~ *he sat there sucking noisily on his pipe.*

lurven ⟨zn.mv.⟩⟨inf.⟩ ◆ **6.¶** iem. **bij** de ~ krijgen/pakken/vatten *get/ have s.o. by the short hairs.*

lus ⟨de⟩ **0.1** [deel van een touw/lint] *loop* ⟹*noose* ⟨lasso,strop⟩,*strap* ⟨bus,tram⟩ **0.2** [vorm] *loop* ⟹⟨mv.⟩ *meanders* ⟨van een rivier/pad⟩ ◆ **3.1** een ~ in een touw maken *make a l. at the end of a/ in a rope;* een ~je aan een handdoek zetten *put/sew a l. on a towel* **3.2** een ~ beschrijven met een stok *draw a l. with a stick* **6.1** zich **aan** de ~ vasthouden ⟨in de bus⟩ *hold (on to) the strap;* ⟨inf.⟩ *straphang.*

lusfilm ⟨de⟩ **0.1** *(film-)loop.*

lushanger ⟨de (m.)⟩ **0.1** *straphanger.*

lusitanist ⟨de (m.)⟩ **0.1** *expert at Portuguese.*

lust ⟨de (m.)⟩⟨→sprw. 417⟩ **0.1** [begeerte, zin] *desire* ⟹*interest, fancy* **0.2** [hartstocht] *lust* ⟹*passion, appetite, desire* **0.3** [plezier] *delight* ⟹ *interest, joy* ◆ **1.1** tijd en ~ ontbreken me om ... *I have neither the time nor the energy to/ for ...* **1.3** ⟨hand.⟩ met ~en en lasten *with all the joys and burdens/plusses and minuses;* zwemmen is zijn ~ en zijn leven *swimming is his ruling passion/ is meat and drink/ all the world to him;* een mens zijn ~ is een mens zijn leven *one's interests keep one going* **2.2** dierlijke ~en *animal desire(s)/passions/l.;* vleselijke ~en *desires of the flesh, carnal desire* **3.1** de ~ bekroop haar om ...*the d. overtook her to ...;* iem. de ~ tot iets benemen *spoil s.o.'s pleasure for sth.;* reislust *wanderlust;* de ~ tot lachen zal je wel vergaan *that'll wipe the smile off your face, you'll be laughing on the other side of your face* **3.2** zijn ~en botvieren *give one's desires/l. free rein;* iemands ~en opwekken *waken/rouse s.o.'s desire* **3.3** iem. alle ~ in het leven benemen *take away/spoil all one's pleasure in life;* werken, dat het een (lieve) ~ is *work with a will;* het is een ~ om te zien spelen *it is a joy/ d. to see her act/play* **6.3** een ~ **voor** het oog zijn *be a treat/feast for the eye* **¶.3** wel de ~en maar niet de lasten willen hebben *want to have the fun but not the trouble.*

lustbevrediging ⟨de (v.)⟩ **0.1** *sexual satisfaction/ ↑gratification.*

lusteloos ⟨bn.,bw.;-ly⟩ **0.1** *listless* ⟹*languid, apathetic, lackadaisical,* ⟨hand.⟩ *dull* ◆ **3.1** er ~ bij zitten *sit listlessly, be listless.*

lusteloosheid ⟨de (v.)⟩ **0.1** *listlessness* ⟹*apathy, langour.*

lusten ⟨ov.ww.⟩⟨→sprw. 73,416⟩ **0.1** *like* ⟹*enjoy, be fond of, have a taste for, care for* ◆ **1.1** ik lust geen erwtjes *I don't care for peas;* ik zou wel een pilsje ~ *I could/ might do with a beer, I wouldn't mind a beer* **2.1** ⟨fig.⟩ ik lust hem rauw *let me get my hands on him* **5.1** iets graag ~ *be fond of/ like sth.;* ⟨fig.⟩ iem. niet ~ *not care for/ be able to bear s.o.;* zij lust haar eten niet meer *she has lost her appetite, she's not interested in anything more to eat* **5.¶** hij zal ervan ~ *he's going to catch it (hot), it's going to be tough going for him* **8.1** zoveel eten/ drinken als men lust *eat and drink one's fill/ as much as one wants* **¶.1** ik lust er wel eentje *I wouldn't say no to a drink;* ⟨fig.⟩ zo lust ik er nog wel een paar! *is that all?, are you finished?, anything to add?.*

luster ⟨de (m.)⟩ **0.1** *chandelier.*

lustgevoel ⟨het⟩ **0.1** *sense of pleasure* ⟹*pleasurable feeling/sensation, lust.*

lusthof ⟨de (m.)⟩ **0.1** [bekoorlijk oord] *(garden of) Eden, garden of delight* ⟹*paradise* **0.2** [tuin] *pleasure garden/ ground.*

lustig ⟨bn.,bw.;-ly⟩ **0.1** [vrolijk] *cheerful* ⟹*gay, merry,* ⟨schr.⟩ *blithe* **0.2** [met kracht] *lusty* ◆ **3.1** er ~ op los leven *lead a carefree life;* ~ zingen *sing cheerfully* **3.¶** hij sloeg er ~ op los *he banged away lustily.*

lustmoord ⟨de (m.)⟩ **0.1** *sex murder/ killing.*

lustmoordenaar ⟨de (m.)⟩ **0.1** *sex-murderer.*

lustobject ⟨het⟩ **0.1** *sex object* ◆ **3.1** zij wil niet steeds als ~ beschouwd worden *she doesn't want to be considered just as a s.o..*

lustoord ⟨het⟩ **0.1** *idyllic spot* ⟹*delightful place.*

lustre ⟨het⟩ **0.1** [metaalglazuur] *lustre* **0.2** [gloed in parels] *lustre* ⟹ *orient* **0.3** [stof] *lustre.*

lustreren ⟨ov.ww.⟩ **0.1** [metaalglans geven] *lustre* **0.2** [glanzen, glanzend maken] *lustre.*

lustrum ⟨het⟩ **0.1** [vijfjarig bestaan] *lustrum* ⟹*lustre, quinquennium* **0.2** [viering] *fifth/ tenth/ fifteenth* ⟨enz.⟩ *anniversary (celebration)* ◆ **7.1** het tweede/ vijfde ~ vieren *celebrate the tenth/ twenty-fifth anniversary.*

lustrumcommissie ⟨de (v.)⟩ **0.1** *(fifth/ tenth/* ⟨enz.⟩*) anniversary (celebration) committee.*

lustrumjaar ⟨het⟩ **0.1** *fifth/ tenth* ⟨enz.⟩ / ⟨alg.⟩ *quinquennial anniversary (year).*

lustslot ⟨het⟩ **0.1** *pleasure/ summer mansion.*

lusvlucht ⟨de⟩ **0.1** *loop.*

luswikkeling ⟨de (v.)⟩ **0.1** *lap winding* ⟹*parallel winding.*

luteine ⟨de⟩ **0.1** *lutein.*

lutetium ⟨het⟩⟨schei.⟩ **0.1** *lutetium* ⟹*lutecium.*

lutheraan ⟨de (m.)⟩ **0.1** *Lutheran.*

lutheranisme ⟨het⟩ **0.1** *Lutheranism.*

lutherdom ⟨het⟩ **0.1** [kerk] *Lutheran Church* **0.2** [leer] *Lutheranism.*

luthers ⟨bn.⟩ **0.1** [mbt. de kerk] *Lutheran* **0.2** [mbt. de leer] *Lutheran* ◆ **1.1** het ~e kerkgenootschap *the L. denomination* **1.2** de ~e bijbel *the L. Bible* **3.1** hij is ~ *he is (a) L.* **7.1** ⟨zelfst.⟩ de ~en *the Lutherans.*

---

lutrijn ⟨de (m.)⟩⟨bk.⟩ **0.1** *lectern.*

luttel ⟨bn.,bw.⟩ **0.1** ⟨bn.⟩ *little* ⟹⟨bij mv.⟩ *few, small, slight, inconsiderable,* ⟨bw.⟩ *little* ◆ **1.1** voor het ~e bedrag van tien gulden *for a mere ten guilders.*

Luva ⟨de (v.)⟩⟨afk.⟩ **0.1** [Luchtmacht Vrouwenafdeling]⟨GB⟩ *WRAF;* ⟨USA⟩ *WAF;* ⟨Austr.⟩ *WRRAF* ◆ **7.1** een ~ *a WRAF/ WAF/ WRAAF.*

luw¹ ⟨het⟩⟨schr.⟩ **0.1** *lee* ⟹*shelter* ◆ **6.1** onder 't ~ v.d. bomen *under the l. of/ sheltered by the trees.*

luw² ⟨bn.⟩ **0.1** [windvrij] *sheltered* ⟹*protected* **0.2** [zoel] *warm* ⟹*mild.*

luwen ⟨onov.ww.⟩ **0.1** [minder winderig zijn] *subside* ⟹*die/ calm down,* ⟨vnl. BE⟩ *quieten/* ⟨vnl. AE⟩ *quiet down, abate* **0.2** [bedaren] *subside* ⟹*die/ calm down,* ⟨vnl. BE⟩ *quieten/* ⟨vnl. AE⟩ *quiet down, abate* ◆ **1.1** zodra de koopwoede is geluwd *as soon as the rush to the shops has died down;* de storm luwde *the storm died down* **1.2** het enthousiasme is geluwd *(the) enthusiasm has faded.*

luwte ⟨de (v.)⟩ **0.1** [beschutte plaats] *lee* ⟹*shelter* **0.2** [zoelte] *warmth* ⟹*mildness* ◆ **6.1** hier zitten we in de ~ *we are out of the wind here;* ⟨fig.⟩ in de ~ v.d. politiek *on the political sidelines;* in de ~ van *under the l. of.*

lux¹ ⟨de⟩ **0.1** [eenheid] *lux* ⟹*metre-candle* **0.2** [licht] *light* ◆ **¶.2** ~ perpetua *lux perpetua, eternal light* ⟨ook r.k.⟩.

lux² ⟨bn.,bw.;-ly⟩⟨inf.⟩ **0.1** *luxurious* ⟹*sumptuous,* ⟨alleen pred.⟩ *luxury* ◆ **3.1** dat is wel erg ~ *that is rather dear/ expensive/* ⎿*pricy.*

luxatie ⟨de (v.)⟩⟨med.⟩ **0.1** [ontwrichting] *luxation* ⟹*dislocation* **0.2** [verplaatsing v.d. ooglens] *luxation.*

luxe¹ ⟨de (m.)⟩ **0.1** *luxury* ◆ **2.1** de enige ~ die hij zich permitteert *the only l. he permits himself* **3.1** dat is een ~ die we ons niet meer kunnen veroorloven *that is a l. we can no longer afford;* soms permitteert hij zich de ~ v.e. dure sigaar *he occasionally indulges in an expensive cigar* **6.1** in ~ grootgebracht zijn *have been brought up in the lap of l.;* in ~ leven *live in l.* **7.1** het zou geen (overbodige) ~ zijn ...*it wouldn't be a l./ be overly extravagant.*

luxe² ⟨bn.⟩ **0.1** *luxury, deluxe* ◆ **1.1** een ~ leven leiden *lead/ live a life of luxury;* ⟨inf.⟩ een ~ tent *a posh/ fancy place.*

luxeartikel ⟨het⟩ **0.1** *luxury article* ⟹⟨mv.⟩ *luxury goods.*

luxeauto ⟨de (m.)⟩ **0.1** *luxury car.*

luxeband ⟨de (m.)⟩⟨amb.⟩ **0.1** *luxury/ deluxe binding.*

luxebelasting ⟨de (v.)⟩ **0.1** *luxury tax.*

luxebroodje ⟨het⟩ **0.1** *(fancy) roll.*

luxe-editie ⟨de (v.)⟩ **0.1** *deluxe edition* ⟹*cabinet edition.*

luxehotel ⟨het⟩ **0.1** *luxury hotel.*

luxehut ⟨de⟩ **0.1** *luxury/ deluxe cabin.*

luxeleventje ⟨het⟩ **0.1** ⟨zie 3.1⟩ ◆ **3.1** een ~ leiden *live/ have/ lead the life of Riley.*

Luxemburg ⟨het⟩ **0.1** *Luxemb(o)urg.*

Luxemburger ⟨de (m.)⟩,**Luxemburgse** ⟨de (v.)⟩ **0.1** *Luxemb(o)urger.*

Luxemburgs ⟨bn.⟩ **0.1** *Luxemb(o)urgian.*

luxepaard ⟨het⟩⟨→sprw. 418⟩ **0.1** [paard] *riding horse* **0.2** [persoon] *pampered person.*

luxeuitvoering ⟨de (v.)⟩ **0.1** *luxury/ deluxe model.*

luxewagen ⟨de (m.)⟩ ⟹**luxeauto.**

luxezaak ⟨de⟩ **0.1** *luxury goods shop/ ᴬstore.*

luxmeter ⟨de (m.)⟩ **0.1** *lux(o)meter* ⟹*light meter.*

luxueus ⟨bn.,bw.;-ly⟩ **0.1** *luxurious* ⟹*sumptuous, opulent, plush* ◆ **1.1** de luxueuze inrichting van haar flat *her posh/ ritzy flat/ ᴬapartment;* een ~ leven (leiden) *(lead/ live) a life of luxury* **3.1** ~ ingericht *luxuriously/ sumptuously furnished.*

luzerne ⟨de⟩ **0.1** *alfalfa* ⟹*lucerne.*

luzernevlinder ⟨de (m.)⟩ **0.1** ⟨gele⟩ *pale clouded yellow (butterfly);* ⟨oranje⟩ *clouded yellow (butterfly).*

LVG ⟨het⟩⟨afk.⟩ **0.1** [Bureau voor Levens- en Gezinsvragen] ⟨*Family Counselling ᴬeling Centre*⟩.

L-vormig ⟨bn.,bw.⟩ **0.1** *L-shape(d).*

L.W. ⟨afk.⟩ **0.1** [laag water] *L.W..*

Lx ⟨afk.⟩ **0.1** [lux] *lx.*

lyceist ⟨de (m.)⟩,-**e** ⟨de (v.)⟩ **0.1** ≠ᴮ*grammar/* ᴬ*high school student.*

lyceum ⟨het⟩ **0.1** [school] ≠ᴮ*grammar/* ᴬ*high school* **0.2** [gebouw] ≠ᴮ*grammar/* ᴬ*high school* ◆ **6.1** op het ~ zitten *be at grammar school/ in high school.*

lychee ⟨de⟩ **0.1** *litchi* ⟹*lychee.*

lycopodium
   I ⟨de (m.)⟩ **0.1** [⟨biol.⟩ plant] *lycopodium;*
   II ⟨het⟩ **0.1** [geneesmiddel] *lycopodium (powder).*

lyddiet ⟨het⟩ **0.1** *lyddite.*

Lydië ⟨het⟩ **0.1** *Lydia.*

Lydiër ⟨de (m.)⟩ **0.1** *Lydian.*

lydiet ⟨het⟩ **0.1** *lydite* ⟹*Lydian stone, touchstone.*

Lydisch ⟨bn.⟩ **0.1** *Lydian* ◆ **1.1** ⟨muz.⟩ ~e klanksoort *L. mode* **1.¶** ~e steen *L. stone, lydite, touchstone.*

lymfangioom ⟨het⟩⟨med.⟩ **0.1** *lymphangioma.*

lymfatisch ⟨bn.⟩ **0.1** [mbt. de lymfe] *lymphatic* ⟹*lymphoid* **0.2** [mbt. het gestel] *lymphatic* ⟹*lymphoid* ◆ **1.1** ~e reactie *lymphangitis.*

lymf(e)⟨de⟩ **0.1** [weefselvocht] *lymph* **0.2** [vloeistof in de lymfklier]
  lymph **0.3** [vaccin] *vaccine lymph.*
lymf(e)klier ⟨de⟩ **0.1** *lymph node/gland.*
lymf(e)vat ⟨het⟩ **0.1** *lymphatic* ⇒*lymphatic vessel.*
lymfevatenstelsel ⟨het⟩ **0.1** *lymphatic system.*
lymflichaampje ⟨het⟩ **0.1** *lymph cell* ⇒*lymph corpuscle,* ⟨ihb.⟩ *lymphocyte.*
lymfocyt ⟨de (m.)⟩ **0.1** *lymphocyte.*
lymfografie ⟨de (v.)⟩ **0.1** *lymphography* ⇒*lymphangiography.*
lymfosarkoom ⟨het⟩ ⟨med.⟩ **0.1** *lymphosarcoma.*
lymfspleet ⟨de⟩ **0.1** ≠*lymph sac.*
lynchen ⟨ov.ww.⟩ **0.1** *lynch.*
lynchgerecht ⟨het⟩ **0.1** *lynch law.*
lynchpartij ⟨de (v.)⟩ **0.1** *hanging party.*
lynx ⟨de (m.)⟩ **0.1** [zoogdier] *lynx* **0.2** [⟨ster.⟩] *Lynx.*
lynxoog ⟨het⟩ **0.1** *eye of a lynx* ⇒⟨fig.⟩ *eagle eye* ♦ **3.1** hij had lynxogen
  he was lynx-eyed/sharp-sighted.
lyofilisatie ⟨de (v.)⟩ **0.1** *lyophilization* ⇒*freeze-drying.*
Lyon ⟨het⟩ **0.1** *Lyons* ⇒*Lyon.*
Lyonees ⟨bn.⟩ **0.1** *(of/from) Lyons.*
lyra ⟨de (m.)⟩ **0.1** *lyre.*
lyricus ⟨de (m.)⟩ **0.1** *lyric(al) poet* ⇒*lyr(ic)ist.*
lyriek ⟨de (v.)⟩ **0.1** [dichtsoort] *lyric(al)(poetry)* **0.2** [karakter] *lyricism*
  ♦ **1.2** de ~ van haar stijl *her lyrical style.*
lyrisch ⟨bn., bw.⟩ **0.1** [tot de lyriek behorend] *lyric(al)* **0.2** [emotioneel]
  lyrical ♦ **2.1** ~e poëzie *l. poetry* **3.2** ~ (over iets) worden *wax l.
  (about sth.).*
lyrisme ⟨het⟩ **0.1** [dichterlijke vlucht] *lyricism* **0.2** [gezwollenheid] *lyrical quality.*
lysine ⟨het, de⟩ ⟨bioch.⟩ **0.1** *lysine.*
lysis ⟨de (v.)⟩ ⟨bioch.⟩ **0.1** *lysis.*
lysol ⟨het, de (m.)⟩ **0.1** *lysol.*
lysosoom ⟨het⟩ ⟨med.⟩ **0.1** *lysosome.*

m ⟨de⟩ **0.1** [letter, klank] *m, M* **0.2** [namen/woorden beginnend met m]
  m, M **0.3** [meter] *m* **0.4** [milli-] *m* ♦ **3.1** met een ~ beginnen *start/
  begin with m* **6.1** iets opzoeken **onder** de ~ *look sth. up under m* **7.1** de
  ~ *m* **¶.3** m², m³ *m², m³.*
m. ⟨afk.⟩ ⟨taal.⟩ **0.1** [mannelijk] *m..*
M ⟨afk.⟩ **0.1** [Romeins cijfer] *M* **0.2** [⟨nat., schei.⟩] *M* **0.3** [mega-] *M* **0.4**
  [medium] *M* **0.5** [⟨op auto's⟩) Malta] *M.*
M. ⟨afk.⟩ **0.1** [mijnheer] *Mr* **0.2** [Mark] *DM* **0.3** [Monsieur] *M.*
ma ⟨de (v.)⟩ **0.1** [B]*mum,* [A]*mom* ⇒⟨in GB onbeleefd⟩ *Ma* ♦ **1.1** pa en ~
  Mum/Mom and Dad; ⟨AE ook⟩ *Pa and Ma.*
maag ⟨de⟩ ⟨→sprw. 400⟩ **0.1** [orgaan] *stomach* ⇒⟨van dier ook⟩ *maw*
  0.2 [maagstreek] *stomach* ⇒*belly* ♦ **2.1** een gezonde ~ *a good digestion, a strong s.;* met een hongerige ~ van tafel gaan *rise from table
  hungry;* met een lege/volle ~ *on an empty/a full s.;* op een nuchtere ~
  on an empty s.; een rommelende ~ hebben *have a (g)rumbling/
  growling s.;* een sterke ~ hebben *have a strong/cast-iron s.;* een zwakke ~ *a weak/queasy s., a poor digestion* **3.1** zijn ~ draaide ervan om *it
  turned his s./made his s. heave;* met zijn ~ sukkelen *suffer from s./
  gastric trouble, suffer with one's s.;* zijn ~ omkeren ⟨inf.⟩ *throw up,
  heave (one's heart) up* **6.1** hij heeft het **aan** zijn ~ *he suffers from s./
  gastric trouble;* daar krijg je het van **aan** je ~ *that's bad for your s.;*
  ⟨fig.⟩ iem. iets **in** de ~ splitsen ⟨ergens mee opschepen⟩ *unload sth.
  onto s.o., palm/fob sth. off on s.o.;* ⟨duur verkopen⟩ *make s.o. pay
  through the nose for sth.;* ⟨fig.⟩ ergens mee **in** zijn ~ zitten ⟨niet
  kwijtraken⟩ *be at a loss what to do with/about sth., be worried about/
  troubled by sth.;* ⟨fig.⟩ ze zitten er behoorlijk/lelijk mee **in** hun ~ *they're at
  their wits' end what to do about it;* ⟨fig.⟩ laat je niks **in** je ~ splitsen
  don't let yourself be fobbed off with anything; ⟨fig.⟩ het ligt mij zwaar
  op de ~ *it sticks in my throat/* ⟨inf.⟩ *gizzard;* het toetje lag nogal
  zwaar **op** de ~ *the dessert was rather filling, the dessert was/lay/sat rather heavy on the s.* **6.2** een stomp **in** de ~ *a punch in the s./belly* **¶.1**
  zijn ogen zijn groter dan zijn ~ *his eyes are bigger than his s.;* mijn ~ is
  van streek *my s. is upset/unsettled;* als ik paprika eet, krijg ik last van
  mijn ~ *peppers disagree with me/don't like me;* van al dat vette eten
  raakte zijn ~ van streek *all that greasy food upset/unsettled his s.;*
  door het slingeren kwam zijn ~ in opstand *the rolling/pitching made
  him feel sick/turned his s..*
maagaandoening ⟨de (v.)⟩ **0.1** *stomach complaint* ⇒⟨med. ook⟩ *gastric
  complaint.*
maagbitter ⟨het, de (m.)⟩ **0.1** *(stomach) bitters* ⇒*stomach elixir.*
maagbloeding ⟨de (v.)⟩ **0.1** *stomach bleeding* ⇒⟨med. ook⟩ *gastric haemorrhage, haemorrhage of the stomach.*

maagcatheter ⟨de (m.)⟩ **0.1** *stomach tube.*

maagd ⟨de (v.)⟩ **0.1** [maagdelijk meisje] *virgin* **0.2** [⟨schr.; scherts.⟩] *maid(en)* **0.3** [⟨astrol.⟩] *Virgo* ⇒*the Virgin* ◆ **1.2** de Maagd van Orléans *the Maid of Orléans* **2.1** de Heilige Maagd *the Blessed Virgin;* een Vestaalse ~ ⟨ook fig.⟩ *a vestal (v.)* **2.2** een kuise ~ *a chaste maiden* **2.¶** de Nederlandse ~ *the Maid of Holland* **3.1** ⟨fig.⟩ Jan is nog altijd ~ *Jan is still a v.* **3.3** zij is nog net een Maagd *she just comes into Virgo* **7.1** zij is geen ~ meer *she is no longer a v.* **7.3** (het teken van) de Maagd *(the sign of) Virgo / the Virgin.*

maag-darmcatarre ⟨de⟩ **0.1** *gastroenteritis.*

maagdarm-kanaal ⟨het⟩ **0.1** *gastrointestinal tract* ⇒*gastroenteric tract.*

maagdelijk ⟨bn., bw.; -ly⟩ **0.1** [van / als een maagd] *virginal* ⇒⟨kuis⟩ *chaste* **0.2** [ongerept] *virgin(al)* ⇒*pristine* ◆ **1.1** de ~e staat *virginity, virginhood* **1.2** een ~ blad papier *a virgin sheet of paper;* de informatica was toen nog een ~ gebied *at the time, information theory was still virgin territory / soil;* ~e sneeuw *virgin snow;* in ~e staat *in pristine condition / state;* ~e wouden *virgin forests* **1.¶** ⟨fig.⟩ de ~e geboorte van Christus *the virgin birth (of Christ)* **2.2** ~ wit *virgin white* **3.2** de velden lagen er nog ~ bij *the fields were still untouched.*

maagdelijkheid ⟨de (v.)⟩ **0.1** [ongereptheid] *virginity* **0.2** [mbt. meisje / vrouw] *virginity* ⇒*virginhood,* ⟨kuisheid⟩ *chastity* **0.3** [⟨r.k.⟩ ongehuwde staat] *celibacy.*

Maagdenburgse ⟨bn.⟩ ⟨nat.⟩ ◆ **1.¶** ~ halve bollen *Magdeburg hemispheres.*

maagdengoud ⟨het⟩ **0.1** *virgin gold.*

maagdenhoni(n)g ⟨de (m.)⟩ **0.1** *virgin honey.*

maagdenpalm ⟨de (m.)⟩ **0.1** *periwinkle* ⇒⟨AE ook⟩ *creeping / trailing myrtle.*

maagdenroof ⟨de (m.)⟩ **0.1** *abduction* ◆ **2.1** de Sabijnse ~ *the rape of the Sabines.*

maagdenvlies ⟨het⟩ **0.1** *hymen* ⇒*maidenhead, virginal membrane.*

maagelixer ⟨het⟩ **0.1** *stomach elixir* ⇒*(stomach) bitters.*

maagfistel ⟨de⟩ **0.1** *stomach fistula.*

maagfunctie ⟨de (v.)⟩ **0.1** *stomach* ⇒*gastric function* ◆ **2.1** een gestoorde ~ *disturbed s. f. / gastric function,* ⟨schr.⟩ *gastric dysfunction.*

maaghevel ⟨de (m.)⟩ ⟨med.⟩ **0.1** *stomach tube.*

maagholte ⟨de (v.)⟩ **0.1** *stomach (cavity).*

maaghorzel ⟨de (m.)⟩ **0.1** *botfly.*

maaginhoud ⟨de (m.)⟩ **0.1** *stomach contents* ⇒*contents of the stomach.*

maagkanker ⟨de (m.)⟩ **0.1** *stomach cancer* ⇒*cancer of the stomach.*

maagklacht ⟨de⟩ **0.1** *stomach complaint* ◆ **3.1** ~en hebben *suffer from stomach trouble.*

maagkoorts ⟨de⟩ **0.1** *gastric fever.*

maagkramp ⟨de⟩ **0.1** ⟨mv.⟩ *stomach cramps* ⇒⟨mv.⟩ *gastric spasms.*

maagkuil ⟨de (m.)⟩ **0.1** *pit of the stomach.*

maagkwaal ⟨de (v.)⟩ **0.1** *stomach condition* ⇒*stomach disorder / complaint.*

maaglijder ⟨de (m.)⟩ **0.1** *s.o. who suffers with his / her stomach* ⇒*gastric patient.*

maagmond ⟨de (m.)⟩ **0.1** *cardiac orifice* ⇒*upper orifice of the stomach.*

maagonderzoek ⟨het⟩ **0.1** [v.d. maag] *examination of the stomach* ⇒⟨med.⟩ *gastroscopy* **0.2** [v.d. maaginhoud] *stomach analysis* ⇒*gastric analysis* ◆ **2.1** een uitgebreid ~ *an extensive e. of the s.* **3.2** uit het ~ bleek ... *the s. a. showed ....*

maagontsteking ⟨de (v.)⟩ **0.1** *gastritis.*

maagoperatie ⟨de (v.)⟩ **0.1** *stomach operation.*

maagpatiënt ⟨de (m.)⟩ **0.1** *gastric patient* ◆ **2.1** ⟨inf.⟩ hij is zwaar ~ *he has serious stomach trouble* **3.1** ~ zijn *suffer from stomach trouble, have a stomach condition.*

maagperforatie ⟨de (v.)⟩ **0.1** *perforation of the stomach.*

maagpijn ⟨de⟩ **0.1** *stomachache* ⇒⟨med.⟩ *gastralgia,* ⟨kind.⟩ *tummy ache / trouble* ◆ **3.1** zij heeft vaak ~ *she often has* ᴮ*s.* ᴬ*stomachaches / gastric pains;* van uien krijg ik ~ *onions give me s..*

maagpomp ⟨de⟩ ⟨med.⟩ **0.1** *stomach pump.*

maagpoort ⟨de⟩ **0.1** *pylorus.*

maagresectie ⟨de (v.)⟩ ⟨med.⟩ **0.1** *resection of the stomach* ⇒*gastrectomy.*

maagsap ⟨het⟩ **0.1** *gastric juice.*

maagslang, -sonde ⟨de⟩ **0.1** *stomach tube.*

maagslijmvlies ⟨het⟩ **0.1** *stomach lining* ⇒⟨med.⟩ *mucous membrane of the stomach, gastric mucosa.*

maagstoornis ⟨de (v.)⟩ **0.1** *stomach disorder* ⇒⟨med. ook⟩ *gastric disorder,* ⟨lichte stoornis⟩ *stomach / ⟨inf.⟩ tummy upset.*

maagstoot ⟨de (m.)⟩ **0.1** *punch in the stomach / belly.*

maagstreek ⟨de⟩ **0.1** *gastric region* ⇒⟨inf.⟩ *stomach* ◆ **6.1** iem. in de ~ treffen *hit s.o. in the stomach.*

maagvergif(t) ⟨het⟩ **0.1** *stomach poison.*

maagverharding ⟨de (v.)⟩ **0.1** *gastric sclerosis.*

maagvulling ⟨de (v.)⟩ ◆ **3.¶** het is gewoon ~ *all it does is fill / line your stomach.*

maagwand ⟨de (m.)⟩ **0.1** *stomach wall* ⇒*wall of the stomach.*

maagzout ⟨het⟩ **0.1** *sodium bicarbonate, bicarbonate of soda.*

maagzuur ⟨het⟩ **0.1** [maagsap] *gastric juice* **0.2** [bestanddeel v.h. maagsap] *hydrochloric acid* **0.3** [brandend gevoel] *heartburn* ⇒*acidity of*

the stomach, ⟨med.⟩ *pyrosis, cardialgia* ◆ **2.1** last hebben van brandend ~ *suffer from h. / acidity of the stomach / pyrosis / cardialgia* **6.1** een middeltje **tegen** brandend ~ *an antacid, a remedy against h. / acidity of the stomach.*

maagzweer ⟨de⟩ **0.1** *stomach ulcer* ⇒⟨med.⟩ *gastric ulcer,* ⟨zweer in een v.d. spijsverteringskanalen⟩ *peptic ulcer* ◆ **3.1** ⟨fig.⟩ daar krijg ik een ~ van *it will give me an ulcer.*

maaibinder ⟨de⟩ ⟨landb.⟩ **0.1** *(reaper) binder.*

maaidorsen ⟨ww.⟩ **0.1** *combine harvesting.*

maaidorser ⟨de (m.)⟩ **0.1** *combine (harveste).*

maaidorsmachine ⟨de (v.)⟩ **0.1** *combine (harvester).*

maaien ⟨→sprw. 419,672⟩
I ⟨onov., ov.ww.⟩ **0.1** [afsnijden] *mow* ⇒*cut* **0.2** [maaibeweging maken] *flail* **0.3** [oogsten] *reap* ⇒*crop* ◆ **1.1** het gras ~ *cut / m. the grass;* ⟨gazon⟩ *m. the lawn;* het gras moet nodig gemaaid worden *the grass badly needs mowing / cutting* **1.2** een ~de beweging maken *make a flailing movement* **6.2** wild **met** de armen ~ *f. about wildly;* **om** zich **heen** ~ *f. about;* ⟨voetbal⟩ **over** de bal **(heen)** ~ *miss the ball;* zijn tegenstander **tegen** de grond ~ *knock one's opponent to the ground;* hij maaide de kopjes **van** tafel *he swept the cups from the table;* **II** ⟨onov.ww.⟩ **0.1** [maaivoeten] *⟨→maaivoeten⟩* **0.2** [mbt. paarden] *dish.*

maaier ⟨de (m.)⟩ **0.1** [iem. die maait] *mower* ⇒*cutter,* ⟨oogster⟩ *reaper* **0.2** [⟨sport⟩] *hacker* ⇒*notorious / savage tackler.*

maaikneuzer ⟨de (m.)⟩ **0.1** *forage harvester* ⇒*field chopper.*

maailand ⟨het⟩ **0.1** *mowing field.*

maaimachine ⟨de (v.)⟩ **0.1** [voor gras] *mowing machine* ⇒⟨kleiner, voor gazon⟩ *(lawn) mower,* ⟨voor koren⟩ *reaper, reaping machine, harvester.*

maaitijd ⟨de (m.)⟩ **0.1** *mowing time.*

maaiveld ⟨het⟩ **0.1** [⟨bouwk.⟩] *ground level* ⇒*surface level* **0.2** [hoogte v.h. grasland] *ground level* ⇒*surface level* ◆ **6.1** één meter **boven** het ~ *one metre above (the) g. l. / surface level* **6.¶** ⟨inf.⟩ **tegen** het ~ liggen *be flat on one's face.*

maaivoeten ⟨onov.ww.⟩ **0.1** *turn / swing one's legs outwards (while / when walking)* ⇒*walk like a duck.*

maak ⟨de⟩ **0.1** *making* ⇒*preparation,* ⟨herstel⟩ *repair* ◆ **6.1** mijn fiets is **in** de ~ *my bike is under repair / being repaired;* er is daarvoor een regeling / wet **in** de ~ *there's a regulation being drawn up / a law in preparation to deal with that;* er zijn plannen **in** de ~ *om ... plans are being made to ..., there are plans afoot / in hand to ....*

maakbaar ⟨bn.⟩ **0.1** *makable* ⇒⟨herstelbaar⟩ *repairable* ◆ **1.1** ⟨sport⟩ dat was een maakbare bal *that was a genuine chance, that (shot) could / should have been a goal.*

maakloon ⟨het⟩ **0.1** *cost of making* ⇒*charge for making, manufacturing costs* ⟨van fabrieksgoed⟩ *, cost of / charge for making up* ⟨van kleding, verstelwerk enz.⟩.

maaksel ⟨het⟩ **0.1** [constructie, vorm] *make* ⇒*making, workmanship,* ⟨in produktieproces⟩ *manufacture* **0.2** [produkt] *product* ⇒⟨schepping⟩ *creation, artefact,* ⟨brouwsel⟩ *concoction,* ⟨apparaat⟩ *contrivance, contraption* ◆ **1.2** de mens is het ~ van Gods handen *man is God's handiwork* **2.1** die pudding is eigen ~ *that pudding is home-made, I made that pudding myself;* is dat eigen ~? *did you make that yourself?, is that homemade?, is that of your own make / making?* **2.2** wat is dat voor vreemd ~? *what kind of a concoction / contrivance / contraption is that?*

maakwerk ⟨het⟩ **0.1** [op bestelling gemaakt werk] *goods made to order* ⇒*custom-made goods* **0.2** [⟨pej.⟩] *routine / mediocre work, hackwork* ◆ **3.2** dit blijspel is maar ~ *this comedy is just run-of-the-mill* **8.1** als ~ zijn die schoenen duurder *these shoes are more expensive when custom-made.*

maal
I ⟨het, de⟩ **0.1** [keer] *time* **0.2** [vermenigvuldigingsteken] *times* ◆ **1.1** een paar ~ *once or twice, several times;* ⟨inf.⟩ *a couple of times* **1.2** lengte ~ breedte ~ hoogte *length t. / by width t. / by height* **2.1** herhaalde malen *repeatedly, on repeated occasions* **6.1** ⟨schr.⟩ **ten** tweeden male *(ongemarkeerd) for the second time;* hij is **te(n)** enen male ongeschikt voor die functie *he's utterly / entirely unsuitable for the post;* ik verzoek u **voor** de laatste ~ het pand te verlaten *for the last t., I request you to vacate / leave the premises;* iets **voor** de tweede ~ proberen *try sth. for the second t., ↓give sth. a second try* **6.¶** dat is **te(n)** enen male onmogelijk *that is simply / absolutely / utterly impossible, that is out of the question* **7.1** anderhalf ~ zoveel *half as much / many (again);* hoeveel ~? *how many times?* **7.2** twee ~ drie is zes *two t. / twice three is / makes six;*
II ⟨het⟩ **0.1** [hoeveelheid eten] *meal* **0.2** [maaltijd] *meal* ◆ **1.1** een ~ aardappelen *a dishful of potatoes* **2.2** een feestelijk ~ *a festive m. / dinner;* ⟨inf.⟩ *a fine spread* **3.1** daar kan hij zijn ~ wel mee doen *he'll have to be content with that;* ⟨fig.⟩ *that'll be enough to keep him busy.*

maalboezem ⟨de (m.)⟩ ⟨wwb.⟩ **0.1** [voorboezem v.e. gemaal] *headrace* **0.2** [boezem waarop gemalen wordt] *millrace.*

maalderij ⟨de (v.)⟩ **0.1** *mill* ⇒*milling house.*

maalkruis ⟨het⟩ ⟨wisk.⟩ **0.1** *multiplication sign.*

maalsel ⟨het⟩ **0.1** [produkt] *sth. ground* ⇒*grains, powder,* ⟨van graan⟩ *meal* **0.2** [hoeveelheid] *quantity to be ground* ◆ **3.1** doe het ∼ in het koffiezetapparaat *put the ground coffee in the coffee machine*.

maalsteen ⟨de (m.)⟩ **0.1** *millstone* ⇒*grindstone,* ⟨bovenste⟩ *grinder*.

maalstroom ⟨de (m.)⟩ **0.1** [draaikolk] *whirlpool* ⇒*vortex, eddy, maelstrom* **0.2** [⟨fig.⟩] *vortex* ⇒*maelstrom, merry-go-round, whirl, swirl* ◆ **1.2** een ∼ van gebeurtenissen *a whirl of events;* meegesleurd worden in de ∼ v.d. politiek *be drawn into the v. / maelstrom of politics*.

maaltand ⟨de (m.)⟩ **0.1** *molar*.

maalteken ⟨het⟩ **0.1** *multiplication sign*.

maaltijd ⟨de (m.)⟩ **0.1** [handeling] *meal* **0.2** [middagmaal, diner] *meal* ⇒*dinner* ◆ **2.2** een eenvoudige ∼ *a simple / frugal m.;* een karige ∼ *Lenten fare;* een lichte ∼ *a light meal, a collation;* ⟨'s middags⟩ *a luncheon;* een stevige ∼ *a square / substantial / hearty m.;* een uitgebreide ∼ *an elaborate m. / dinner;* een uitstekend verzorgde ∼ *an excellently prepared m.;* een warme ∼ *a hot m., a dinner* **3.2** een ∼ aanbieden *offer a m.;* een ∼ in elkaar flansen *conjure / rustle / scramble up a m.,* throw a m. together; de ∼ gebruiken *take / have a m., have dinner, dine,* wij verzorgen al uw ∼en *we cater for all your meals* **5.2** overnachting inclusief / exclusief ∼ en ^Bfull board, bed and breakfast, ^American/ European plan **6.1** aan de ∼ zijn / zitten *be at table;* tijdens de ∼ *during / at dinner / the m.;* ⟨regelmatig⟩ *during meals, during / at mealtimes*.

maaltijdbon ⟨de (m.)⟩ **0.1** *meal* ^Bvoucher / ^Aticket; ⟨voor lunch⟩ *luncheon* ^Bvoucher / ^Aticket.

maaltijdsoep ⟨de (v.)⟩ **0.1** *stew*.

maaltje ⟨het⟩ **0.1** *meal* ◆ **3.1** een ∼ bij elkaar scharrelen *scrape / piece together a m.*.

maalvlakte ⟨de (v.)⟩ **0.1** *working surface / area*.

maalzolder ⟨de (m.)⟩ **0.1** *grinding loft*.

maan ⟨de⟩ **0.1** [mbt. de aarde] *moon* **0.2** [mbt. andere planeten] *moon* ⇒*satellite* **0.3** [⟨wisk.⟩] *lune* **0.4** [maand] *moon* ◆ **2.1** een halve ∼ *a half m.;* de Rode Halve Maan *the Red Crescent;* het is nieuwe ∼ *there is a / it is new m.;* het is volle ∼ *there is a / it is full m., the m. is (at the/ its) full* **3.1** een door de ∼ beschenen dal *a moonlit valley;* de ∼ schijnt / komt op / gaat onder / wast / neemt af *the m. is shining / rising / setting / waxing / waning* **6.1** bij volle / nieuwe ∼ *at full / new m., when the m. is full / new;* ⟨fig.⟩ loop naar de ∼! *go to hell!, get lost!;* ⟨fig.⟩ laat hem naar de ∼ lopen *blast him!, he can go to hell;* ⟨fig.⟩ naar de ∼ reiken *cry / reach for the m.;* ⟨fig.⟩ Nederland gaat naar de ∼ *Holland is going to the dogs / to pot / down the drain;* ⟨fig.⟩ weer een hoop geld naar de ∼ *a lot of money down the drain / plughole again;* ⟨fig.⟩ naar de ∼ zijn *have gone (by the board), be gone* ⟨geld, kansen⟩; *be ruined* ⟨reputatie, carrière⟩; *be wrecked* ⟨bedrijf⟩; *be dashed* ⟨kansen⟩; ⟨inf. / fig.⟩ tegen de ∼ blaffen *bay (at) the m.*.

maanatlas ⟨de (m.)⟩ **0.1** *moon / lunar atlas*.

maanbaan ⟨de (v.)⟩ **0.1** *moon's orbit* ⇒*lunar orbit*.

maanberg ⟨de (m.)⟩ **0.1** *lunar mountain* ⇒*mountain on the moon*.

maanbeschrijving ⟨de (v.)⟩ **0.1** *selenography*.

maanbeving ⟨de (v.)⟩ **0.1** *moonquake*.

maanbewoner ⟨de (m.)⟩ **0.1** *moon-dweller* ⇒*inhabitant of the moon*.

maanblind ⟨bn.⟩ **0.1** *moonblind*.

maanbrief ⟨de (m.)⟩ **0.1** *reminder* ⇒*dunning letter*.

maancirkel ⟨de (m.)⟩ →**maancyclus**.

maancyclus ⟨de (m.)⟩ **0.1** *lunar cycle* ⇒*Metonic cycle*.

maand ⟨de⟩ **0.1** [deel v.h. jaar] *month* **0.2** [periode van 30 dagen] *month* ◆ **1.1** de ∼ januari *the m. of January* **1.2** iem. een ∼ rust voorschrijven *prescribe s.o. a m.'s rest;* een ∼ vakantie *a m.'s* ^Bholiday / ^Avacation **2.1** ⟨schr.⟩ op de tiende van deze / vorige / volgende ∼ *on the tenth inst. / ult. / prox., on the tenth instant / ultimo / proximo* **3.2** hij kreeg zes ∼en ⟨als gevangenisstraf⟩ *he got / he was sentenced to six months;* ⟨voor herexamen⟩ *he was referred for six months* **5.2** drie ∼en lang *for three months (on end)* **6.2** binnen een ∼ *within a m.;* ze is in haar vijfde ∼ *she is in the fifth m. of her pregnancy;* ik heb hem in geen ∼en gezien *I haven't seen him for / in months;* om de twee ∼en *every two months, every other m.;* vandaag over een ∼ *a m. from today, this day m.;* over een ∼ *in a m. ('s time);* de huur bedraagt 800 gulden per ∼ *the rent is 800 guilders a / per m.;* een kind van negen ∼en *a nine months' / full-term child;* een baby van vier ∼en *a four-month-old baby* **7.2** ambtenaren hebben geen dertiende ∼ *civil servants do not get an annual / Christmas bonus*.

maandabonnement ⟨het⟩ **0.1** *monthly subscription* ⇒⟨voor trein e.d.⟩ *monthly season ticket,* ^A(monthy) *commutation ticket,* ⟨BE; inf.⟩ *monthly season*.

maandag ⟨de (m.)⟩ **0.1** [dag] *Monday* ⟨ook in samenst.⟩ **0.2** [⟨ster.⟩] *lunar day* ◆ **1.1** maandagmorgen *M. morning* **2.1** ⟨fig.⟩ een blauwe ∼ *for a (short) time / while / spell;* ⟨fig.⟩ luie ∼ houden *keep (Saint) M.* ¶**.1** 's maandags *on Mondays, every M.;* hij werkt 's∼s *he works on Mondays;* ⟨vnl. AE⟩ *he works Mondays*.

maandagmorgenexemplaar ⟨het⟩ ⟨scherts.⟩ **0.1** *Monday / Friday model* ⇒*dud, lemon*.

maandags ⟨bn., bw.⟩ **0.1** ⟨bn.⟩ *Monday;* ⟨bw.⟩ *on Mondays, every Monday,* ⟨vnl. AE⟩ *Mondays* ◆ **1.1** de ∼e krant *the Monday paper*.

maandagziekte ⟨de (v.)⟩ **0.1** [slecht humeur] *Monday morning feeling* ⇒

Monday morning blues **0.2** [paardeziekte] *haemoglobinuria* ◆ ¶**.1** ik heb last van ∼ *I've got the Monday morning feeling*.

maandbalans ⟨de⟩ ⟨boek.⟩ **0.1** *monthly balance sheet*.

maandbericht ⟨het⟩ **0.1** *monthly report* ⇒*monthly review / bulletin*.

maandblad ⟨het⟩ **0.1** *monthly* ⇒*monthly magazine / review / journal*.

maandbloeding ⟨de (v.)⟩ **0.1** *menstrual bleeding* ⇒*(monthly) period*.

maandcijfers ⟨zn.mv.⟩ **0.1** *monthly figures*.

maandelijks ⟨bn., bw.⟩ **0.1** *monthly* ⇒⟨bw. ook⟩ *once a month, every month* ◆ **1.1** een ∼e rekening *a m. invoice;* in ∼e termijnen *in m. instalments* **3.1** ∼ betalen *pay m. / once a month;* ∼ terugkerende betalingen *m. payments*.

maandenlang ⟨bn., bw.⟩ **0.1** *for months (on end), months long* ◆ **1.1** haar ∼e afwezigheid *her months long absence;* na een ∼e afwezigheid zijn rentree maken *make one's comeback after an absence of months*.

maandformulier ⟨het⟩ **0.1** *monthly (lottery) form*.

maandgeld ⟨het⟩ **0.1** *monthly pay* ⇒*monthly* ⟨van arbeider⟩ *wages /* ⟨van kantoorpersoneel⟩ *salary,* ⟨toelage⟩ *monthly allowance*.

maandgemiddelde ⟨het⟩ **0.1** *monthly average* ⇒*average over a / the month*.

maandhuur ⟨de⟩ **0.1** *monthly rent*.

maandkaart ⟨de⟩ **0.1** ^Bmonthly (season) ticket, ^A(monthly) commutation ticket; ⟨BE; inf.⟩ *monthly season*.

maandkalender ⟨de (m.)⟩ **0.1** *(monthly) calendar*.

maandlasten ⟨zn.mv.⟩ **0.1** *monthly* ^Boverheads / ^Aoverhead.

maandloon ⟨het⟩ **0.1** *monthly wages* ⇒*monthly pay*.

maandopgave ⟨de⟩ **0.1** *monthly statement / declaration / return*.

maandoverzicht ⟨het⟩ **0.1** *monthly survey*.

maandrekening ⟨de (v.)⟩ **0.1** *monthly account /* ⟨nota⟩ *bill*.

maandroos ⟨de⟩ **0.1** *monthly rose*.

maandsalaris ⟨het⟩ **0.1** *monthly salary*.

maandschrift ⟨het⟩ →**maandblad**.

maandstaat ⟨de (m.)⟩ **0.1** *monthly return* ⇒*monthly statement / summary / list*.

maandsteen ⟨de (m.)⟩ **0.1** *birthstone*.

maandstonden ⟨zn.mv.⟩ ⟨schr.⟩ **0.1** *menses* ⇒↓*(menstrual / monthly) period*.

maandtabel ⟨de⟩ **0.1** *monthly table* ⇒*monthly chart(s)*.

maandverband ⟨het⟩ **0.1** ^Bsanitary towel / ^Anapkin ◆ **1.1** een pak extra-absorberend ∼ *a pack of super-absorbent sanitary towels / napkins*.

maandverslag ⟨het⟩ **0.1** *monthly report*.

maaneclips ⟨de⟩ **0.1** *eclipse of the moon* ⇒*lunar eclipse*.

maaneffect ⟨het⟩ ⟨bk.⟩ **0.1** *effect of moonlight*.

maanexpeditie ⟨de (v.)⟩ **0.1** *lunar / moon expedition* ⇒*expedition to the moon*.

maanfase ⟨de (v.)⟩ **0.1** *phase (of the moon)*.

maanfoto ⟨de⟩ **0.1** *photograph / picture of the moon*.

maangestalte ⟨de (v.)⟩ **0.1** *phase (of the moon)*.

maanjaar ⟨het⟩ **0.1** *lunar year*.

maankaart ⟨de⟩ **0.1** *map of the moon* ⇒*lunar map / chart*.

maankalender ⟨de (m.)⟩ **0.1** *lunar calendar*.

maankarretje ⟨het⟩ **0.1** *moonbuggy* ⇒*mooncrawler*.

maankop
I ⟨de (m.)⟩ **0.1** [zaaddoos] *poppyhead* **0.2** [plant] *(opium) poppy;*
II ⟨het⟩ **0.1** [verdovend sap] *opium*.

maankorst ⟨de⟩ **0.1** *crust of the moon, moon's crust*.

maankrans ⟨de (m.)⟩ **0.1** *halo / corona (round the moon)*.

maankrater ⟨de (m.)⟩ **0.1** *lunar crater*.

maankruid ⟨het⟩ **0.1** [maanvaren] *moonwort* ⇒⟨AE ook⟩ *grape fern* **0.2** [judaspenning ⟨Lunaria annua⟩] *honesty*.

maanlander ⟨de (m.)⟩ **0.1** *lunar module* ⇒⟨wet.⟩ *LM,* ⟨zeldz.⟩ *lunar excursion module*.

maanlanding ⟨de (v.)⟩ **0.1** *moon landing*.

maanlandschap ⟨het⟩ **0.1** *moonscape* ⇒*lunarscape, lunar landscape* ◆ **3.1** zijn gezicht was een ∼ *his face was heavily pockmarked / pocked*.

maanlicht ⟨het⟩ **0.1** *moonlight* ◆ **2.1** in het heldere ∼ *in bright m., under a clear moon* **6.1** bij ∼ *by m. / the light of the moon*.

maanloop ⟨de (m.)⟩ **0.1** [maankering] *change of the moon* **0.2** [tijdsverloop] *lunar month*.

maanloos ⟨bn.⟩ **0.1** *moonless* ◆ **1.1** een maanloze nacht *a m. night*.

maanmaand ⟨de⟩ **0.1** *lunar month*.

maanmannetje ⟨het⟩ **0.1** *man in the moon*.

maanmonster ⟨het⟩ **0.1** *sample of lunar soil / rock*.

maanolie ⟨de⟩ **0.1** *poppy-seed oil*.

maanoppervlak ⟨het⟩ **0.1** *surface of the moon* ⇒*lunar / moon's surface*.

maanraket ⟨de⟩ **0.1** *moon rocket*.

maanreiziger ⟨de⟩ **0.1** *moon voyager / traveller* ^Aeler ⇒*luna(r)naut*.

maanring ⟨de (m.)⟩ **0.1** *halo / corona (round the moon)*.

maansafstand ⟨de⟩ **0.1** *distance to the moon*.

maansatelliet ⟨de (m.)⟩ **0.1** *moon satellite*.

maanschijf ⟨de⟩ **0.1** *moon's disc*.

maansikkel ⟨de (m.)⟩ **0.1** *crescent (of the moon)* ⇒*crescent moon, sickle*.

maansloep ⟨de⟩ →**maanlander**.

maansondergang ⟨de (m.)⟩ **0.1** *setting of the moon* ⇒*moonset.*

maanstand ⟨de (m.)⟩ **0.1** *position of the moon.*

maansteen
I ⟨de (m.)⟩ **0.1** [steen van/op de maan] *moon rock* ⇒*lunar rock;*
II ⟨het, de (m.)⟩ **0.1** [halfedelsteen] *moonstone.*

maanstraal ⟨de⟩ **0.1** [straal v.d. maan als bol] *radius of the moon* ⇒*lunar radius* **0.2** [straal maanlicht] *moonbeam.*

maansverduistering ⟨de (v.)⟩ **0.1** *eclipse of the moon* ⇒*lunar eclipse.*

maansvereffening ⟨de (v.)⟩ ⟨ster.⟩ **0.1** *evection.*

maantje ⟨het⟩ **0.1** [kleine maan] *moon(let)* **0.2** [klein maanvormig voorwerp] *crescent* ⇒*half-moon* **0.3** [mbt. nagels] *half-moon* ⇒⟨wet.⟩ *lunule* **0.4** [kale plek] *bald spot.*

maanverkenner ⟨de (m.)⟩ **0.1** *lunar rover, lunar roving vehicle;* ⟨bemand⟩ *lunar module.*

maanvis ⟨de (m.)⟩ **0.1** [aquariumvis] *angelfish* ⇒*scalare* **0.2** [klompvis] *short sunfish.*

maanvlek ⟨de⟩ **0.1** *moonspot.*

maanvlucht ⟨de⟩ **0.1** *moonflight* ⇒*lunar flight, flight to the moon.*

maanvormig ⟨bn.⟩ **0.1** *moon-shaped* ⇒*crescent-shaped* ⟨van halve maan⟩.

maanwandeling ⟨de (v.)⟩ ⟨ruim.⟩ **0.1** *moon walk* ⇒*walk on the moon.*

maanzaad ⟨het⟩ **0.1** *poppy seed* ⇒*mawseed* ♦ **2.1** blauw ~ ⟨grey⟩ *p.s.* **6.1** brood met ~ *bread/loaf (covered) with p.s..*

maanzaadbrood ⟨het⟩ **0.1** *poppy-seed bread/* ⟨broodje⟩ *roll.*

maanzaadolie ⟨de⟩ **0.1** *poppy-seed oil.*

maanzee ⟨de⟩ **0.1** *lunar sea* ⇒*mare.*

maanziek ⟨bn.⟩ **0.1** [lijdend aan maanziekte] *moonstruck* ⇒*moonstricken, lunatic,* ⟨inf.⟩ *loony* **0.2** [wispelturig] *fickle* ⇒*capricious, fitful, mercurial, quicksilver.*

maanziekte ⟨de (v.)⟩ **0.1** *lunacy.*

maar¹ →*mare.*

maar²
I ⟨het⟩ **0.1** [tegenwerping] *but* ♦ **3.1** altijd met maren aankomen *always bring up ifs and buts* **7.1** er is één ~ aan verbonden/ *bij there is one b. in the matter, there is a catch (in it);* geen maren! *(but me) no buts!;*
II ⟨de⟩ **0.1** [⟨geol.⟩] *maar.*

maar³ ⟨bw.⟩ **0.1** [slechts] *but* ⇒*only, just* **0.2** [inderdaad, nogal, toch] *only* ⇒*just* **0.3** [mbt. twijfel] *only* ⇒*as long as* **0.4** [mbt. een wens] *(if) only* **0.5** [aanmaning, waarschuwing] *just* **0.6** [aanhoudend] *just* ♦ **2.2** ik vind het ~ gek/raar *I think it's strange* **3.1** je hoeft ~ te bellen *you only have to phone/* [B]*ring/* [A]*call, just* [B]*ring/* [A]*call/phone;* vergeet het ~ (rustig)! *forget it!;* al was het ~ om haar te pesten *if only to make life difficult for her;* zeg het ~: koffie of thee? *which will it be: coffee or tea?* **3.2** kom ~ binnen *come on/right in;* laten we hem ~ gelijk geven *let's just agree with him and be/have done with it;* ze vergeten ~ (liever) wat het kost *they conveniently forget what it costs* **3.3** als ik ~ kan *if I (possibly) can, if I am able to;* ik wil wel tot diep in de nacht doorgaan, als het ~ klaar komt *I'm prepared to go on until deep in the night, as long as/so long as/just so it's finished* **3.4** ik hoop ~ dat hij het vindt *I only hope he finds it;* was ik ~ nooit getrouwd *I wish/if o. I'd never married;* was ik ~ dood *I wish I were/was dead* **3.5** doe het nu ~ *j. do it, go ahead (and do it);* geef het nou ~ toe *you may as well admit it;* het is ~ dat je het weet *as long as you know;* ⟨je kunt het maar beter weten⟩ *it's as well you know;* let ~ niet op hem *don't pay any attention to him;* pas ~ op *(you) (j.) watch out! it, you'd better watch out! it;* schiet nou ~ op *hurry up, will you?;* ik zou ~ uitkijken *you'd better be careful/watch out* **3.6** ze bleef ~ kijken *she (j.) stared and stared;* je gaat je gang ~ *go ahead (and do it), I'm not stopping you, please/suit yourself;* wacht ~, het kan nog veel erger *j. wait, it can get a great deal worse;* en wij ~ wachten/werken and we *j. wait(ed) and wait(ed)/work(ed) and work(ed), and we j. keep/kept on waiting/ working* **3.¶** ⟨inf.⟩ doet u ~ een pond kaas *a pound of cheese, please;* wat wil je drinken? geef ~ een pilsje *what'll you have? a beer, please/ I'll have a beer* **4.¶** wat je ~ wil *whatever you want* **5.1** hij is nog ~ pas hier *he has only just arrived, he hasn't been here b. a short while* **5.2** dat doet hij ~ al te graag *he'd be o. too happy to do it;* dat is ~ al te duidelijk *that is o. / all too clear;* dat komt ~ al te vaak voor *that happens/occurs o. / all too often;* het is misschien ~ goed dat we de bus gemist hebben *perhaps it's (just) as well we missed the bus;* het is ~ goed dat je gebeld hebt *it's a good thing you* [B]*rang/* [A]*called;* hij kwam ~ niet *he didn't come and didn't come;* we konden alleen nog ~ huilen *we could do nothing but cry, we were reduced to tears* **5.5** en dan ~ klagen dat iedereen zakt *and then go on about everybody failing;* het is ~ goed ook *a good thing, too;* wees daar ~ niet bang voor *rest assured that that won't happen, you need have no fear on that score;* rustig ~ (j.) *calm down, (j.) compose/control yourself/* ⟨inf.⟩ *cool it* **5.6** het houdt ~ niet op *there seems to be no end to it, it never seems to end;* ik vind het ~ niks *I'm none too happy about it;* ~ raak vragen *ask questions at random, ask the wildest questions;* zij koopt ~ raak *she j. chucks her money about;* hé daar, dat gaat zo ~ niet *hey you, you can't j. sit down/walk in/run off* ⟨enz.⟩ *like that!* **5.¶** geef dan ~ een glas wijn *a glass of wine will be all right;* hij vroeg er ~ liefst

30 gulden voor *he asked no less than 30 guilders for it;* waarom doe je dat? zo ~ *why do you do that? j. for fun/the fun of it;* dat kun je niet zo ~ even doen *you can't do it just like that;* zo'n vraag kun je niet zo ~ beantwoorden *one can't answer such a question off-hand;* hij gaf het kind zo ~ een klap *he hit the child for nothing* **6.1** zonder ook ~ goedendag te zeggen *without so much as a goodbye* **7.1** hij is ~ twintig jaar (oud) geworden *he only lived to be twenty* **7.¶** zoveel als je ~ wilt *as much/many as you like, any number you like* **8.1** zij bloost al, als je ~ naar haar kijkt *she blushes if you so much as look at her;* als ik zelfs/ook ~ een minuut te lang wegblijf *if I stay away even a minute too long* **8.6** en ~ kletsen, die vrouwen *rabbit, rabbit, rabbit, that's all they do, these women* **¶.2** je hebt het ~ voor het zeggen *it's up to you, just say the word.*

maar⁴ ⟨vw.⟩ **0.1** [zuiver tegenstellend] *but* **0.2** [beperkend tegenstellend] *but* ⇒*yet, only* **0.3** [⟨in zijdelingse tegenwerpingen⟩] *but* **0.4** [anderzijds] *but then* ♦ **2.2** klein, ~ dapper *small b. tough/game* **3.2** ik had je willen bellen, ~ ik wist je nummer niet *I would have phoned, b. / only/except I didn't know your number;* zij hebben ogen, ~ zien niet *they have eyes, b. / (and) yet do not see* **3.3** ~ wacht eens even b. *wait a minute, hold on a minute, hold your horses!* **3.¶** hij keek in de koelkast, ~ zag dat die leeg was *he looked in the* ⟨vnl. BE⟩ *fridge/* [A]*icebox only to find it was empty* **5.3** ja ~, als dat nu niet zo is *yes, b. what if that isn't true?; supposing that isn't true, what then?;* ~ ja, wat wil je voor vijftig gulden *but then what do you expect for fifty guilders* **5.¶** hij was altijd ~ dan ook altijd te laat *he was always but always late;* nee ~! *really!, well, I never!, I say!* **¶.3** ~ begrijpt u dat dan niet b. *don't you understand?*

maarschalk ⟨de (m.)⟩ ⟨mil.⟩ **0.1** [opperbevelhebber] [B]*Field Marshal,* [A]*General of the Army* **0.2** [eretitel] *marshal.*

maart ⟨de (m.)⟩ **0.1** *March* ♦ **¶.1** ~ roert zijn staart *late M. can be showery.*

Maarten ♦ **6.¶** de pijp aan ~ geven ⟨sterven⟩ ⟨inf.⟩ *pop off, turn up one's heels/toes;* ⟨het opgeven⟩ *throw in the towel.*

maarts ⟨bn.⟩ **0.1** *March* ♦ **1.1** ~e buien ⟨voorjaarsregenbuien⟩ *April showers* ⟨sic⟩; een ~e dag *a March day.*

maas ⟨de⟩ **0.1** [mbt. een netwerk] *mesh* **0.2** [mbt. breiwerk] *stitch* ♦ **2.1** net met grote/kleine mazen *coarse-/large-mesh net, fine-mesh net* **6.1** ⟨fig.⟩ door de mazen v.d. wet kruipen *find a loophole in the law;* door de mazen (v.h. net) glippen ⟨ook fig.⟩ *slip through the net.*

Maas ⟨de⟩ **0.1** *Meuse* ⇒⟨mbt. Nederland vnl.⟩ *Maas.*

maasgaren ⟨de⟩ **0.1** *darning/mending wool/* ⟨katoen⟩ *cotton.*

maashagedis ⟨de (m.)⟩ **0.1** *mosasaurus.*

maasknoop ⟨de (m.)⟩ **0.1** *not (in a/the) net.*

maasnaald ⟨de⟩ **0.1** *darning needle.*

maassteek ⟨de (m.)⟩ **0.1** *darning stitch.*

maaswerk ⟨het⟩ **0.1** [handeling] *netting;* ⟨breiwerk stoppen⟩ *darning* **0.2** [netwerk, gemaasd werk] *mesh (work)* ⇒*net(ting)* **0.3** [⟨bouwk.⟩] *tracery.*

maaswijdte ⟨de (v.)⟩ **0.1** *(of) mesh.*

maaswol ⟨de⟩ **0.1** *darning/mending wool.*

maat
I ⟨de⟩ **0.1** [vat] *measure* **0.2** [hoeveelheid] *measure* **0.3** [eenheid] *measure* ⇒*standard* **0.4** [afmeting, grootte] *size* ⇒*measure, dimension* ⟨van kubus⟩, ⟨precieze afmetingen, pasmaten⟩ *measurements* **0.5** [juiste/vereiste afmeting] *size* ⇒*measure,* ⟨precieze afmetingen⟩ *measurements* **0.6** [gematigdheid] *moderation* ⇒*control, measure,* ⟨mbt. alcohol ook⟩ *temperance* **0.7** [⟨muz.⟩ indeling volgens een tijdmaat] *time* ⇒⟨alg. ook⟩ *rhythm, beat* **0.8** [⟨muz.⟩ afdeling van toonduur] *bar* ⇒*measure* **0.9** [⟨lit.⟩] *metre* ⇒⟨versvoet⟩ *measure* ♦ **1.2** een ~ wijn *a m. of wine* **1.3** maten en gewichten *weights amd measures* **1.4** de maten van Miss World 1986 ⟨fig.⟩ *the vital statistics of Miss World 1986;* zij heeft een kleine ~ schoenen *she takes a small s. in shoes* **2.1** ⟨fig.⟩ de ~ is vol *that's the limit* **2.2** in belangrijke mate *to a considerable extent* **2.4** in niet geringe mate *in no small measure, to no small extent/degree;* extra grote maten *outsizes;* in hoge mate *greatly, exceedingly, highly, in a great/large measure, to a great degree, to a great/large extent;* incourante maten *off-sizes;* in meerdere of mindere mate *to a greater or lesser extent, more or less;* in ruime mate *in great measure, amply;* een schrale/goede ~ *short/full measure;* in toenemende mate *increasingly, more and more;* in voldoende mate *sufficiently, to a sufficient degree;* in welke mate …? *to what extent/degree …?;* in zekere mate *to a certain extent/degree, to some extent, in some measure* **3.3** de mens is de ~ van alle dingen *man is the m. of all things* **3.4** de ~ van iets bepalen/nemen *measure sth., take the measurements of sth.;* ~ elf hebben/dragen *take (a) s. eleven, take/wear an eleven;* welke ~ hebt u? *what is your s.?, what s. do you take?* **3.5** de ~ niet hebben *be undersize(d);* iem. de ~ nemen *take s.o.'s measure(ments)* **3.6** ~ houden met drinken *be a moderate drinker, drink moderately/in moderation;* zij kunnen geen ~ houden/weten geen ~ te houden *they don't know where to draw the line/when to stop, they have no sense of moderation, they overdo everything* **3.7** de ~ aangeven/slaan/houden *keep t.;* ⟨slaan ook⟩ *beat t.;* (geen) ~ kun-

nen houden *be (un)able to keep t.* **4.4** niet in die mate dat het hinderlijk is *not to such an extent that it is inconvenient* **5.4** neem maar een ~ groter *try a s. bigger/larger* **6.1** ⟨fig.⟩ **met** twee maten meten *apply double standards;* maten **voor** droge en natte waren *dry and liquid measures* **6.4 naar** de mate van zijn kunnen *to the best of one's ability;* ⟨geestelijk⟩ *according to one's lights* **6.5** ⟨fig.⟩ zijn werk is duidelijk **beneden** de ~ *his work is clearly not up to the mark/substandard/second-rate/inferior;* zijn optreden was **beneden/onder** de ~ vanavond *his performance was off tonight;* ⟨fig.⟩ **onder** de ~ zijn *not be up to par/scratch/the mark, be inadequate/substandard;* ⟨één keer⟩ *be off;* ⟨fig.⟩ **onder** de ~ blijven *not come up to scratch/the mark/expectations;* iets **op** ~ snijden/zagen *cut/saw (down) to s.* **6.6 met** mate *moderately, in moderation;* alles **met** mate *everything in moderation* **6.7** ⟨fig.⟩ **in/uit** de ~ lopen *march/step in t./out of t., (not) keep step/t.; walk in step/out of step* ⟨ook fig.⟩; ⟨fig. ook⟩ *step out of line;* **op** de ~ v.d. muziek dansen *dance to the music, dance to the beat/rhythm of the music;* **tegen** de ~ in *against the beat;* **uit** de ~ zijn *be off one's stroke, be out of t.* **7.7** een muziekstuk in $3/4$ ~ *a piece of music in* $3/4/$ Bthree-four/Athree-quarter t. **7.8** de eerste maten v.h. volkslied *the first few/the opening bars of the national anthem;* twee maten rust *two bars rest;*
II ⟨de (m.)⟩ **0.1** [makker] *pal* ⇒*chum, buddy,* ⟨vnl. BE, Austr.E⟩ *mate* **0.2** [partner, ploegmaat] *(team)mate* ⇒*partner* **0.3** [aanspreekvorm]⟨vnl. BE, Austr.E⟩ *mate,* ⟨vnl. AE⟩ *bud(dy/die)* ⇒ *pal, chum,* ⟨BE ook⟩ *matey* **0.4** [⟨mv.⟩ matrozen] *seamen, sailors* ⇒ ⟨inf.⟩ *tars* ◆ ¶.1 ⟨fig.⟩ Jan Rap en zijn ~ *ragtag and bobtail.*
maatanalyse ⟨de (v.)⟩⟨schei.⟩ **0.1** *volumetric analysis.*
maatbeker ⟨de (m.)⟩ **0.1** [⟨met maatverdeling⟩] *measuring jug*/⟨kleiner⟩ *cup* **0.2** [⟨met bep. inhoudsmaat⟩] *measure.*
maatbuis ⟨de⟩ **0.1** *burette.*
maatcijfer ⟨het⟩ **0.1** *scale.*
maatcilinder ⟨de (m.)⟩ **0.1** *graduated/measuring cylinder* ⇒⟨AE ook⟩ *graduate.*
maatconfectie ⟨de (v.)⟩ **0.1** *ready-made/factory-tailored clothing.*
maatcontrole ⟨de⟩ **0.1** *inspection of measures.*
maatdeel ⟨het⟩ **0.1** [⟨muz.⟩] *beat (to the bar)* **0.2** [afgemeten deel] *measure.*
maatdop ⟨de (m.)⟩ **0.1** *measuring cap.*
maateenheid ⟨de (v.)⟩ **0.1** *unit of measure.*
maatgevend ⟨bn.⟩ **0.1** *normative* ⇒⟨een maat voor⟩ *indicative,* ⟨een voorbeeld van⟩ *representative* ◆ **3.1** dat is toch niet ~? ⟨geen maatstaf⟩ *that is not a criterion, is it?;* ⟨geen goed voorbeeld⟩ *that is not representative, is it?* **6.1** zijn criteria zijn (niet) ~ **voor** mij *his criteria are (not) n. as far as I am concerned/(do not) apply to me as well;* ~ zijn **voor** iemands waarde *be indicative of/a criterion of/a measure of s.o.'s value.*
maatgevoel ⟨het⟩ **0.1** *sense of rhythm* ◆ **3.1** geen ~ hebben *have no sense of rhythm.*
maatglas ⟨het⟩ **0.1** [⟨met maatverdeling⟩] *measuring glass* ⇒⟨schei.⟩ *graduated cylinder,* ⟨AE ook⟩ *graduate* **0.2** [⟨met bepaalde inhoudsmaat⟩] *measure* ⇒⟨voor sterke drank⟩ *jigger,* ⟨BE ook⟩ *optic.*
maatgoed ⟨het⟩ **0.1** [kleding] ⟨→maatkleding⟩ **0.2** [⟨scheep.⟩] *measurement goods.*
maathouden ⟨onov.ww.⟩⟨muz.⟩ **0.1** *keep time* ◆ ¶.1 ⟨fig.⟩ hij weet van geen ~ *he doesn't know when to stop/where to draw the line, he has no sense of moderation, he overdoes everything.*
maathoudend ⟨bn.⟩ **0.1** *of the required capacity.*
maatje ⟨het⟩ **0.1** [vriendje] *chum* ⇒*pal, buddy* **0.2** [mama] Bmum(my), Amom(my) **0.3** [leerling, hulp bij ambachtelijk werk] *apprentice* **0.4** [inhoudsmaat] *decilitre* ◆ **2.1** dat zijn dikke ~s *they are the best of friends/very thick;* goede ~s met iem. *be chummy/the best of friends/thick with s.o.;* goede ~s worden met iem. *chum/pal/*⟨AE ook⟩ *buddy up with s.o.;* zij waren al gauw goede ~s *they soon chummed/palled/*⟨AE ook⟩ *buddied up;* met iedereen goede ~s zijn *be hail-fellow-well-met/as thick as thieves/*⟨AE;sl.⟩ *kissing-kin with everyone.*
maatjesharing ⟨de (m.)⟩ **0.1** ≠*young herring.*
maatkan ⟨de⟩ **0.1** *measuring jug.*
maatkleding ⟨de (v.)⟩ **0.1** *custom(-made), made-to-measure clothing/clothes/*⟨BE ook⟩ *tailor-made/*↑*bespoke clothing/clothes, tailor-mades.*
maatkleermaker ⟨de (m.)⟩ **0.1** *custom/made-to-measure/*⟨BE ook⟩ ↑*bespoke tailor.*
maatkolf ⟨de⟩⟨schei.⟩ **0.1** *volumetric flask* ⇒*graduated/measuring flask.*
maatkostuum ⟨het⟩ **0.1** *custom(-made)/made-to-measure suit* ⇒⟨BE ook⟩ *tailor-made (suit).*
maatlat ⟨de⟩ **0.1** *rule(r)* ⇒*measuring rod.*
maatlijn ⟨de⟩ **0.1** *scale.*
maatlint ⟨het⟩ **0.1** *tape measure* ⇒*measuring tape.*
maatmeter ⟨de (m.)⟩⟨muz.⟩ **0.1** *metronome.*
maatregel ⟨de (m.)⟩ **0.1** *measure* ⇒*step, move,* ⟨wet⟩ *enactment,* ⟨vnl. gerechtelijk⟩ *proceeding* ◆ **2.1** algemene ~van bestuur ≠BOrder in

Council; corrigerende ~en *corrective measures;* disciplinaire ~en nemen tegen iem. *take disciplinary action/measures against s.o., discipline s.o.;* drastische ~en nemen *take drastic action/measures, take strong/radical measures;* geen halve ~en treffen *take no half(way) measures;* een strenge/harde ~ *a strong/strict/stringent/tough measure* **3.1** we hebben ~en genomen om één en ander soepel te laten verlopen *we've made arrangements to ensure that everything goes off/runs smoothly;* als je niet onmiddellijk ~en neemt *if you don't take action at once;* ~en nemen *take measures/steps/action, make a move/moves;* we kunnen beter meteen ~en nemen *we'd better act at once;* ~en treffen *take steps/action, deal with the matter.*
maatring ⟨de (m.)⟩ **0.1** *ring gauge/*Agage.
maatschap ⟨de (v.)⟩⟨jur.⟩ **0.1** [overeenkomst] *partnership* **0.2** [samenwerkingsverband] *partnership.*
maatschappelijk
I ⟨bn., bw.;-ly⟩ **0.1** [sociaal] *social* **0.2** [mbt. hulpverlening] *social* ◆ **1.1** ~aanzien *social status;* ~e deugden *s. virtues;* ~e dienstverlening *s. service;* op ~gebied *in the s. sphere;* bovenaan de ~e ladder *at the top of the (s.) ladder/tree;* in ~opzicht *socially;* de ~e orde *the s. order;* de bestaande ~e structuur doorbreken *break through the existing s. strata/structures;* een ~verschijnsel *a s. phenomenon;* hij zit in het ~werk *he's a s. worker, he does welfare work;* een instelling voor ~werk *s. service/welfare institution* **1.2** ~werk *s./welfare work;* een ~werk(st)er *a s./welfare worker, welfare officer* **2.1** ~actief zijn *be socially active;*
II ⟨bn.⟩ **0.1** [⟨hand.⟩] *joint* ◆ **1.1** het ~kapitaal *authorized capital/issue/stock, nominal/registered/subscribed capital.*
maatschappij ⟨de (v.)⟩ **0.1** [samenleving] *society* **0.2** [vereniging mbt. wetenschap/kunst] *society* ⇒*association* **0.3** [vereniging mbt. een onderneming] *company* ◆ **1.1** de onderste laag v.d. ~ *the lowest stratum of s.* **1.2** de ~ van diergeneeskunde *the Veterinary Society* **2.1** de burgerlijke ~ *bourgeois/middle class s.* **6.3** ~ met beperkte aansprakelijkheid *limited liability c.;* ~ **op** aandelen *joint-stock c.;* ~ **van/voor** levensverzekeringen *life insurance c./group;* ⟨BE vnl.⟩ *life assurance c./group.*
maatschappijbeeld ⟨het⟩ **0.1** *view/image of society.*
maatschappijbevestigend ⟨bn.⟩ **0.1** *tending to preserve the status quo* ◆ **1.1** een ~beleid *status quo policy.*
maatschappijcrisis ⟨de (v.)⟩ **0.1** *social crisis* ⇒*crisis in society.*
maatschappijcriticus ⟨de (m.)⟩ **0.1** *social critic.*
maatschappijhervormer ⟨de (m.)⟩ **0.1** *social reformer.*
maatschappijhervorming ⟨de (v.)⟩ **0.1** *social reform* ⇒*reform of society.*
maatschappijkritiek ⟨de (v.)⟩ **0.1** *social criticism.*
maatschappijkritisch ⟨bn.⟩ **0.1** *critical of the social structure.*
maatschappijleer ⟨de⟩ **0.1** *sociology.*
maatschappijstructuur ⟨de (v.)⟩ **0.1** *structure of society* ⇒*social structure.*
maatschappijvlag ⟨de⟩ **0.1** *company flag.*
maatschappijvorm ⟨de (m.)⟩ **0.1** *social structure.*
maatschappijwetenschap ⟨de (v.)⟩ **0.1** *social science.*
maatschets ⟨de⟩ **0.1** *dimensioned sketch.*
maatslaan ⟨ww.⟩⟨muz.⟩ **0.1** *beat time.*
maatslag ⟨de (m.)⟩ **0.1** [het slaan v.d. maat] *beat* **0.2** [slaande beweging] *rhythmical beat(ing).*
maatsoort ⟨de⟩ **0.1** ⟨muz.⟩ *time;* ⟨lit.⟩ *metre.*
maatstaf ⟨de (m.)⟩ **0.1** *criterion* ⇒*standard(s), measurement, gauge* ◆ **2.1** iets naar zijn eigen maatstaven beoordelen *judge sth. by/according to one's own standards;* naar menselijke maatstaven *by/according to human standards;* een nieuwe ~aanleggen (voor) *apply a new standard/c. (to)* **3.1** dat is geen ~voor iets *be a good measurement of/c. for sth.* **6.1** iets als/**tot** ~ (aan)nemen *take/use sth. as a standard/measurement.*
maatstelsel ⟨het⟩ **0.1** *measure(ment).*
maatstok ⟨de (m.)⟩ **0.1** [duimstok] *rule(r)* ⇒⟨van één voet⟩ *footrule* **0.2** [dirigentstokje] *baton* ◆ **6.1** iets met een ~afmeten *measure sth. (off/out) with a r..*
maatstreep ⟨de⟩ **0.1** [maatverdelingsstreep] *grade mark* ⇒*graduation* **0.2** [⟨muz.⟩] *bar* ⇒*measure.*
maatteken ⟨het⟩⟨muz.⟩ **0.1** *time signature.*
maatvast
I ⟨bn., bw.⟩ **0.1** [⟨muz.⟩] *having a good sense of time* ⇒*steady (in keeping time)* ◆ **3.1** ~spelen *play steadily/evenly, keep in time;*
II ⟨bn.⟩ **0.1** [op maat blijvend] *dimensionally stable, size-holding.*
maatverdeling ⟨de (v.)⟩ **0.1** [verdeling in maateenheden] *graduation, calibration* **0.2** [⟨muz.⟩] *time division.*
maatvis ⟨de (m.)⟩ **0.1** *minimum weight/size fish.*
maatvloeistof ⟨de⟩ **0.1** *standard solution.*
maatvracht ⟨de⟩⟨hand.⟩ **0.1** *measurement cargo/freight.*
maatwerk ⟨het⟩ **0.1** *made-to-measure/custom-made goods/*⟨kleren⟩ *clothes/*⟨schoenen⟩ *footwear* ⇒⟨kleren; BE ook⟩ *tailor-made clothes, tailor-mades,* ↑*bespoke tailoring.*
macaber ⟨bn., bw.;-ly⟩ **0.1** *macabre* ◆ **1.1** ~e humor *black humour.*

macadam ⟨het, de (m.)⟩ **0.1** *macadam.*
macadamiseren ⟨ov.ww.⟩ **0.1** *macadamize.*
macaroni ⟨de (m.)⟩ **0.1** *macaroni.*
macaronisch ⟨bn.⟩ **0.1** *macaronic* ◆ **1.1** ~e verzen *m. verses, macaronics.*
macaronischotel ⟨de⟩ **0.1** *macaroni dish.*
Macedonisch ⟨bn.⟩ **0.1** *Macedonian.*
maceratie ⟨de (v.)⟩ ⟨med.⟩ **0.1** [verweking] *maceration* **0.2** [autolyse v.e. foetus] *maceration.*
mach ⟨de⟩ ⟨nat.⟩ **0.1** *Mach* ◆ **1.1** getal van ~ *M. number* **7.1** ~ twee vliegen *fly at M. two.*
machete ⟨de⟩ **0.1** *machete.*
machiavellisme ⟨het⟩ **0.1** [staatsleer] *Machiavell(ian)ism* **0.2** [gewetenloze staatkunde] *Machiavell(ian)ism.*
machiavellist ⟨de (m.)⟩ **0.1** *Machiavellist.*
machiavellistisch
  I ⟨bn.⟩ **0.1** [volgens het machiavellisme] *Machiavellian;*
  II ⟨bn., bw.⟩ **0.1** [gewetenloos]⟨bn.⟩ *Machiavellian;* ⟨bw.⟩ *in a Machiavellian way/manner/fashion, like a Machiavellist/Machiavellian.*
machinaal ⟨bn., bw.⟩ **0.1** [met machines werkend/gemaakt]⟨bn.⟩ *machineanized* ⇒*mechanical,* ⟨attr. ook⟩ *machine,* ⟨bw.⟩ *mechanically, by machine* **0.2** [zonder erbij na te denken] *mechanical* ◆ **1.1** machinale produktie *mechanized production;* machinale vertaling *machine translation* **3.1** ~ aangedreven *power-driven;* ~ bewerken/produceren/drukken *handle/manufacture/print by machine, machine-handle/-manufacture/-print;* ~ frankeren *meter;* het sorteren gaat ~ *sorting is mechanized/is done mechanically/by machine;* ~ gemaakt/vervaardigd *machine-made* **3.2** iets ~ van buiten leren *learn by rote.*
machinatie ⟨de (v.)⟩ **0.1** *machination.*
machine ⟨de (v.)⟩ **0.1** [toestel] *machine* ⇒*engine,* ⟨mv. ook⟩ *machinery* **0.2** [⟨fig.⟩ persoon] *robot* ⇒*machine* **0.3** [motorfiets] *machine* ◆ **3.1** een ~ bedienen *operate/tend/mind a machine;* een met/op de ~ geschreven brief *a typed/typewritten letter* **3.2** hij is een ~ geworden *he has turned into a r. / machine* **6.1** aan een ~ werken *operate/run a machine;* met de ~ gemaakt *machine-made.*
machinebankwerker ⟨de (m.)⟩ **0.1** *lathe operator.*
machinebouw ⟨de (m.)⟩ **0.1** [⟨concr.⟩] *machine building/construction* **0.2** [als vak] *(mechanical) engineering.*
machineconstructeur ⟨de (m.)⟩ **0.1** *constructional engineer* ⇒*machine-(ry) designer.*
machinefabriek ⟨de (v.)⟩ **0.1** *machine/engineering works/factory.*
machinegaren ⟨het⟩ **0.1** *sewing cotton.*
machinegeweer ⟨het⟩ **0.1** *machine gun* ◆ **6.1** met machinegeweren beschieten *machine-gun.*
machinekamer ⟨de⟩ **0.1** *engine room.*
machinekracht ⟨de⟩ **0.1** *machine/mechanical power.*
machinenaald ⟨de⟩ **0.1** *sewing machine needle.*
machineolie ⟨de⟩ **0.1** *machine/engine oil* ⇒ ⟨voor naaimachine⟩ *sewing machine oil.*
machinepapier ⟨het⟩ **0.1** *machine-made paper.*
machinepark ⟨het⟩ **0.1** *machinery.*
machinepistool ⟨het⟩ **0.1** *submachine gun* ⇒*(semi)automatic gun,* ⟨AE ook⟩ *burp gun.*
machinerie ⟨de (v.)⟩ **0.1** [samenstel van machines] *machinery* ⇒*enginery* **0.2** [⟨fig.⟩ stelsel] *machine* ⇒*mill* ◆ **2.2** de ambtelijke ~ *the bureaucratic machine/mill, the bureaucracy.*
machineschrift ⟨het⟩ **0.1** *typescript* ◆ **6.1** een brief in ~ *a typed/typewritten letter.*
machineschrijven ⟨het⟩ **0.1** *typewriting* ⇒*typing.*
machinestraat ⟨de⟩ **0.1** *(machine) production line.*
machinetaal ⟨de⟩ **0.1** *machine language.*
machinetekenaar ⟨de (m.)⟩ **0.1** *engineering/machine draughtsman* ^A*draftsman.*
machinetekenen ⟨het⟩ **0.1** *engineering/machine drawing.*
machinevermogen ⟨het⟩ **0.1** *engine power* ⇒*output.*
machinevoerder ⟨de (m.)⟩ **0.1** *machine operator* ⇒*machinist.*
machinezetsel ⟨het⟩ **0.1** *machine-composed text.*
machinezetter ⟨de (m.)⟩ **0.1** *compositor* ⇒*typesetter.*
machinist ⟨de (m.)⟩ **0.1** [⟨spoorw.⟩] ^B*engine-driver,* ^A*engineer* **0.2** [⟨scheep.⟩] *engineer* **0.3** [bestuurder v.e. machine] *machinist* **0.4** [⟨toneel⟩] *scene shifter* ◆ **7.2** eerste/tweede ~ *first/second e..*
machismo ⟨het⟩ **0.1** *machismo.*
machmeter ⟨de⟩ **0.1** *Machmeter.*
macho¹ ⟨de (m.)⟩ **0.1** *macho* ⇒*he-man.*
macho² ⟨bn., bw.⟩ **0.1** ⟨bn.⟩ *macho;* ⟨bw.⟩ *like a macho, in a macho way/fashion.*
macho-kerel ⟨de (m.)⟩ **0.1** *macho-man;* ⟨AE ook⟩ *macho-guy.*
macht ⟨de⟩ ⟨→sprw. 149,331,421⟩ **0.1** [gezag] *power* ⇒*force, control* **0.2** [persoon, zaak, instantie] *power* ⇒*authority* **0.3** [vermogen om iets te doen] *power* ⇒*authority, force* **0.4** [invloed] *power* **0.5** [mogendheid] *power* **0.6** [⟨wisk.⟩] *power* **0.7** [kracht] *power* ⇒*force* **0.8** [leger, troepen, ⟨ook in samenst.⟩] *force(s)* **0.9** [grote hoeveelheid] *loads* ⇒*lots, stacks* **0.10** [⟨meetkunde⟩] *power* ◆ **1.1** ~ der gewone

force of habit **1.2** scheiding der ~en *separation of powers* **1.3** met man en ~ *with might and main;* ~ gaat boven recht *might makes/is right* **1.4** de ~ v.h. woord *the p. of the word* **2.1** de gevestigde ~ *the Establishment;* ⟨vaak scherts.⟩ *the powers that be;* uit de ouderlijke ~ ontzet worden *be deprived of parental rights* **2.2** hemelse/helse/boze ~en *heavenly/satanic powers;* ⟨boze ook⟩ *forces of evil;* een hogere ~ *a higher p.;* de openbare ~ *the public authorities;* rechterlijke ~ *the judicial branch, the judiciary/judicature;* de uitvoerende ~ *the executive branch;* de wereldlijke ~ v.d. paus *the Pope's temporal p.;* de wereldlijke/kerkelijke ~ *the secular/ecclesiastical authority/authorities/power(s);* de wetgevende ~ *the legislative branch* **2.3** militaire ~ *military force* **2.8** een gewapende ~ *an armed force* **3.1** alle ~ berust bij/is in de handen v.d. president *all p. lies/rests with the president/in the hands of the president;* de ~ grijpen *(attempt/try to) seize p.;* veel ~ hebben *have great/far-reaching p.;* de ~ in handen hebben/krijgen/nemen *have/get/take p.;* ⟨nemen ook⟩ *assume p. / control;* de ~ ligt/berust bij het volk *the p. is vested/resides in/rests with the people;* de ~ aan iem. overdragen *hand over/transfer p. to s.o.;* de ~ overnemen *assume p.;* ~ uitoefenen *exercise p.;* de ~ verliezen *lose control/p., fall from p.* **3.3** iem. de ~ geven/verlenen om iets te doen *authorize/empower s.o. to do sth.;* de ~ hebben om … *have the p. to* … **6.1** aan de ~ komen/zijn/brengen *accede to/be in/bring to p.;* niet meer aan de ~ zijn *no longer be in p.;* ⟨inf.⟩ *be out;* iem. in zijn ~ hebben *have s.o. in one's p.;* geen ~ hebben over iem. *have no p. / sway/control/authority over s.o.;* de ~ over het stuur verliezen *lose control of the wheel;* de ~ over het leger hebben *have control of the army* **6.3** bij ~e zijn om … *be able/in a position to …;* niet bij ~e zijn (om) te *be unable/powerless to, not be able to/capable of (…-ing);* dat gaat boven mijn ~ *that is beyond my p.;* met/uit alle ~ *with all one's strength/might* **6.4** helemaal in iemands ~ zijn *be completely in s.o.'s sway/p.;* ⟨inf.⟩ *be under s.o.'s thumb;* iem. geheel/volledig in zijn ~ krijgen/hebben *get/have s.o. completely in one's p. /* ⟨inf.⟩ *under one's thumb* **6.5** 3 tot de ~ 3 *3 cubed, 3 to the p. of 3/to the third p.;* een getal tot de vierde ~ verheffen *raise/carry a number to the fourth p. / p. of four;* 27 is de derde ~ van 3 *27 is the third p. of 3, 27 is 3 cubed* **6.7** boven je ~ werken *do work with one's hands above one's head;* ⟨met te veel lichaamsinspanning⟩ *stretch o.s. beyond one's physical limits;* ⟨fig.⟩ *work beyond one's ability* **6.9** een ~ aan boeken *tons of books* **7.2** de drie ~en in een staat *the three branches of government;* de vierde ~ *the bureaucracy/civil service* **7.6** x tot de tweede/derde ~ *x squared/cubed;* x tot de tweede/derde ~ verheffen *square/cube x;* de vierde ~ *the biquadratic/quartic.*
machteloos ⟨bn., bw.; -ly⟩ **0.1** [zonder macht] *powerless* ⇒*impotent* **0.2** [krachteloos] *powerless* ◆ **1.1** machteloze woede *impotent/helpless anger* **3.1** ik ben ~! ⟨ook⟩ *my hands are tied!;* daar sta ik ~ tegenover *I am p. to do anything about that* **3.2** ~ maken *render p..*
machteloosheid ⟨de (v.)⟩ **0.1** *powerlessness* ⇒*impotence.*
machtenscheiding ⟨de (v.)⟩ **0.1** *separation of powers.*
machthebbend ⟨bn.⟩ **0.1** *ruling* ⇒*empowered, plenipotentiary* ⟨⟨af⟩gezant⟩.
machthebber ⟨de (m.)⟩ **0.1** [dictator] *ruler* ⇒*leader* **0.2** [gevolmachtigde] *plenipotentiary* ⇒*attorney* ◆ **2.1** de huidige ~s *the current/present rulers/leaders;* militair ~ *military r. / leader.*
machtig ⟨→sprw. 497⟩
  I ⟨bn.⟩ **0.1** [vermogen hebbend] *powerful* **0.2** [mbt. spijzen] *rich* ⇒*heavy, filling* **0.3** [heerlijk] *wonderful* ⇒*tremendous, great* ◆ **1.3** een ~ gevoel *a w. feeling* **5.2** ⟨fig.⟩ dat is mij te ~ ⟨te moeilijk⟩ *that is too much/hard for me;* ⟨niet meer aan te zien⟩ *I can't take that any more;* ⟨fig.⟩ haar gevoelens werden haar te ~ *her emotions were too much for her, she was overcome by her feelings/emotions/by emotion;* ⟨fig.⟩ dat probleem was hem te ~ *that problem defeated him/got the better of him;*
  II ⟨bn., bw.; -ly⟩ **0.1** [groot] *huge* ⇒*tremendous, stupendous, enormous* **0.2** [meester zijnd] *competent (in)* **0.3** [veel macht hebbend] *powerful* ⇒*mighty* ◆ **1.1** ~e eiken *massive oaks;* een ~e hoop mensen *a h. / an enormous crowd* **3.2** een taal ~ zijn *have mastered/have a firm grasp of a language;* een onderwerp ⟨volkomen⟩ ~ zijn *have full/(a) good command/a firm grasp of a subject* **5.2** hij is het Frans niet ~ *he does not speak/have French, he has no French;*
  III ⟨bw.⟩ **0.1** [krachtig] *powerfully* **0.2** [zeer] *tremendously* ⇒*enormously, hugely* ◆ **2.2** dat is ~ mooi *that is t. beautiful* **7.2** dat doet mij ~ veel plezier *that pleases me t., I'm awfully glad/terribly pleased;* dat kost ~ veel geld *that costs a pretty penny/heaps of money/the earth;* hij kan ~ veel eten *he can eat a tremendous/an enormous amount.*
machtige ⟨de (m.)⟩ **0.1** *ruler* ⇒*leader* ◆ **1.1** de ~n der aarde *the rulers of the earth.*
machtigen ⟨ov.ww.⟩ **0.1** *authorize* ⇒*empower* ◆ **3.1** gemachtigd zijn (om) te *be authorized/empowered to* **6.1** iem. tot betaling ~ *authorize s.o. to pay.*
machtiging ⟨de (v.)⟩ **0.1** *authorization* ⇒*authority,* ⟨jur.⟩ *power of attorney* ◆ **2.1** ⟨jur.⟩ krachtens rechterlijke ~ *by/under the authority of the court* **3.1** ⟨jur.⟩ ~ krijgen v.d. rechtbank *obtain leave of the court;* ~ verlenen/vragen/bezitten/verkrijgen *grant/ask for/have/acquire*

(the) authorization **6.1** ~ **tot** automatische afschrijving *standing order;* uitgaven **zonder** ~ *unauthorized expenditures.*

machtigingsbrief ⟨de (m.)⟩ **0.1** *letter of authority* ⇒*written authority.*

machtigingsnummer ⟨het⟩ **0.1** ⟨zie 6.1⟩ ◆ **6.1** een envelop **met** een ~ erop *a freepost envelope.*

machtigingswet ⟨de⟩ **0.1** *enabling act.*

machtlijn ⟨de⟩⟨wisk.⟩ **0.1** *radical axis.*

machtpunt ⟨het⟩⟨wisk.⟩ **0.1** *radical centre.*

machtreeks ⟨de⟩⟨wisk.⟩ **0.1** *power series.*

machtsbetoon ⟨het⟩ **0.1** *display/show of power/force* ⇒*show of strength.*

machtsblok ⟨het⟩ **0.1** [⟨pol.⟩ staten] *power block* **0.2** [personen] *power group/block.*

machtscentrum ⟨het⟩ **0.1** *centre of power, power base.*

machtsconcentratie ⟨de (v.)⟩ **0.1** *concentration of power.*

machtscrisis ⟨de (v.)⟩ **0.1** *power crisis.*

machtsdenken ⟨het⟩ **0.1** *ambition for/obsession with power.*

machtsevenwicht ⟨het⟩ **0.1** *balance of power* ⇒*power balance.*

machtsgebied ⟨het⟩ **0.1** *sphere of influence/power/authority.*

machtsgetal ⟨het⟩⟨wisk.⟩ **0.1** *exponent* ⇒*index, power.*

machtsgevoel ⟨het⟩ **0.1** *feeling/sense of power.*

machtsgreep ⟨de (m.)⟩ **0.1** *coup (d'état)* ⇒*seizure of power, takeover.*

machtshonger ⟨de (m.)⟩ **0.1** *hunger/thirst/craving/lust for power.*

machtsinsignes ⟨zn.mv.⟩ **0.1** *symbols of power.*

machtsmiddel ⟨het⟩ **0.1** *means of (exercising) power* ⇒*weapon.*

machtsmisbruik ⟨het⟩ **0.1** *misuse/abuse of power/authority.*

machtsontplooiing ⟨de (v.)⟩ ⇒**machtsuitbreiding.**

machtsovername ⟨de (v.)⟩ **0.1** *assumption of power* ⇒⟨inf.⟩ *take-over.*

machtsoverwicht ⟨het⟩ **0.1** *superior power* ⇒*dominant position, ascendancy.*

machtspolitiek ⟨de (v.)⟩ **0.1** *power politics.*

machtspositie ⟨de (v.)⟩ **0.1** *position of power.*

machtssfeer ⟨de⟩ **0.1** *sphere of influence/power/authority* ◆ **6.1** Afghanistan ligt **in** de ~ v.d. Sovjet-Unie *Afghanistan is part of/is within the sphere of influence of the Soviet Union.*

machtsstrijd ⟨de (v.)⟩ **0.1** *struggle for power* ⇒*power struggle* ◆ **3.1** een ~ voeren *struggle for power.*

machtstaat ⟨de (m.)⟩ **0.1** *police state.*

machtsuitbreiding ⟨de (v.)⟩ **0.1** *extension/expansion/spread/increase of (one's) power.*

machtsuitoefening ⟨de (v.)⟩ **0.1** *exercise of (one's) power.*

machtsverdeling ⟨de (v.)⟩ **0.1** *distribution of power* ⇒⟨structuur⟩ *power structure.*

machtsverheffing ⟨de (v.)⟩⟨wisk.⟩ **0.1** *involution* ⇒*raising/carrying to a higher power.*

machtsverhouding ⟨de (v.)⟩ **0.1** *balance of power* ⇒*power relations* ⟨mv.⟩ ◆ **2.1** de bestaande ~en in Midden-Amerika *the existing/current/present balance of power in Central America;* de nieuwe ~en in Europa *the new balance of power in Europe* **3.1** de ~en zijn gewijzigd *the balance of power has shifted/has (been) altered/changed.*

machtsvertoon ⟨het⟩ **0.1** *display of power* ⇒*show of strength* ◆ **2.1** een dergelijk ~ *a display of power/show of strength of this/that kind* **6.1** **met** groot ~ *with a great show of strength.*

machtswellust ⟨de (m.)⟩ **0.1** *perverted exercise/enjoyment of power* ⇒*tyranny.*

machtswellusteling ⟨de (m.)⟩ **0.1** *power-mad person* ⇒*person drunk with power.*

machtswisseling ⟨de (v.)⟩ **0.1** *change of power* ⇒⟨inf.⟩ *take-over.*

macis ⟨de (m.)⟩ **0.1** *mace.*

macisolie ⟨de⟩ **0.1** *mace oil.*

maçon ⟨de (m.)⟩ **0.1** *(free)mason.*

maçonnerie ⟨de (v.)⟩ **0.1** *(free)masonry.*

maçonniek ⟨bn.⟩ **0.1** *masonic.*

macramé ⟨het⟩ **0.1** *macramé.*

macrobestanddeel ⟨het⟩ **0.1** *macro-component.*

macrobioot ⟨de (m.)⟩ **0.1** *macrobiotic.*

macrobiotiek ⟨de (v.)⟩ **0.1** [levensbeschouwelijke leer] *macrobiotics* **0.2** [dieetleer] *macrobiotics.*

macrobiotisch ⟨bn.⟩ **0.1** *macrobiotic* ◆ **1.1** een ~ restaurant *a m. restaurant;* ~ voedsel *m. food.*

macrocefalie ⟨de (v.)⟩⟨med.⟩ **0.1** *macrocephaly* ⇒*mega(lo)cephaly.*

macro-economie ⟨de (v.)⟩ **0.1** *macroeconomics.*

macro-economisch ⟨bn., bw.⟩ **0.1** *macroeconomic* ◆ **1.1** ~e verkenningen *m. studies/research.*

macro-evolutie ⟨de (v.)⟩ **0.1** *macroevolution.*

macrofaag ⟨de⟩⟨med.⟩ **0.1** *macrophage.*

macrofotografie ⟨de (v.)⟩ **0.1** *macrophotography* ⇒*photomacrography.*

macroglossie ⟨de (v.)⟩⟨med.⟩ **0.1** *macroglossia.*

macrohistorie ⟨de (v.)⟩ **0.1** *macrohistory.*

macrokosmos ⟨de (m.)⟩ **0.1** *macrocosm(os).*

macrokristallijn ⟨bn.⟩⟨geol.⟩ **0.1** *macrocrystalline.*

macromoleculair ⟨bn.⟩ **0.1** *macromolecular.*

macromolecule ⟨de⟩ **0.1** *macromolecule.*

macro-organisme ⟨het⟩ **0.1** *macroorganism.*

macroparasiet ⟨de (m.)⟩ **0.1** *macroscopic parasite.*

macropsie ⟨de (v.)⟩⟨med.⟩ **0.1** *macropsia* ⇒*macropsy.*

macroscopie ⟨de (v.)⟩ **0.1** *macroscopy* ⇒*macroscopical examination.*

macroscopisch ⟨bn., bw.⟩ **0.1** *macroscopic(al).*

macrosociologie ⟨de (v.)⟩ **0.1** *macrosociology.*

macrostructuur ⟨de (v.)⟩ **0.1** [structuur] *macrostructure* **0.2** [gestructureerd geheel] *macrostructure.*

maculatuur ⟨de (v.)⟩ **0.1** [boeken v.d. oude druk] *remainders* **0.2** [misdruk] *mackle* ⇒*macule.*

mac-waarde ⟨de (v.)⟩ **0.1** *MAC level.*

Madagaskar ⟨het⟩ **0.1** *Madagascar* ◆ **1.1** de republiek ~ *the Malagasy Republic.*

Madagaskisch ⟨bn.⟩ **0.1** *Madagascan* ⇒⟨attr. ook⟩ *Madagascar, of/from Madagascar* ⟨na zn.⟩.

madam ⟨de (v.)⟩ **0.1** [⟨pej.⟩ vrouw] *woman, person;* ⟨iron.⟩ *lady* **0.2** [getrouwde burgervrouw] *lady* **0.3** [bordeelhoudster] *madam* ◆ **3.1** de ~ spelen/uithangen *act the l..*

made ⟨de⟩ **0.1** [larve v.e. insekt] *maggot* ⇒*grub(worm),* ⟨als visaas⟩ *gentle,* ⟨kaasvlieg⟩ *cheesemite* **0.2** [madeworm] *pinworm* ⇒*threadworm.*

madehaak ⟨de (m.)⟩ **0.1** ≠*fishhook.*

madeira ⟨de (m.)⟩ **0.1** *Madeira.*

madeirasaus ⟨de⟩ **0.1** *Madeira sauce.*

madeliefje ⟨het⟩ **0.1** *daisy.*

madera →**madeira.**

maderiseren ⟨onov.ww.⟩ **0.1** *mature* ⇒⟨tech.⟩ *'Estufagem'.*

madeworm ⟨de (m.)⟩ **0.1** *pinworm* ⇒*threadworm.*

Madoera ⟨het⟩ **0.1** *Madura.*

Madoerees[1] ⟨de (m.)⟩, **-rese** ⟨de (v.)⟩ **0.1** *Madurese.*

madonna ⟨de (v.)⟩ **0.1** [Maria] *Madonna* **0.2** [meisje, vrouw] *madonna.*

madonnagezichtje ⟨het⟩ **0.1** *madonna's face* ⇒*face of a madonna.*

madonnalelie ⟨de⟩ **0.1** *Madonna lily.*

madras ⟨het⟩ **0.1** [gordijnstof] *madras* **0.2** [milde kerrie] *Madras curry.*

madrigaal ⟨het⟩ **0.1** [⟨lit.⟩] *madrigal* **0.2** [⟨muz.⟩] *madrigal.*

Madrileen ⟨de (m.)⟩, **-se** ⟨de (v.)⟩ **0.1** *inhabitant/native of Madrid.*

Madrileens ⟨bn.⟩ **0.1** *Madrid* ⟨attr.⟩*; of/from Madrid* ⟨na zn.⟩.

maduro ⟨de (m.)⟩ **0.1** *maduro.*

maëstro ⟨de (m.)⟩ **0.1** *maestro.*

maf ⟨bn., bw.⟩ **0.1** [mal] *crazy* ⇒*nuts, balmy, bonkers, crackers,* ⟨vnl. BE ook⟩ *daft* **0.2** [loom] *muggy* ⇒*oppressive* ◆ **1.2** het is ~ weer *it's m. (weather)* **3.1** doe niet zo ~ *don't be so daft, stop acting the fool* **5.1** hij is compleet ~ *he is completely bonkers/off his rocker.*

maffen ⟨onov.ww.⟩⟨inf.⟩ **0.1** *kip* ⇒*have a kip/nap* ◆ **3.1** gaan ~ *hit the hay/sack, conk out;* ⟨BE ook⟩ *k./doss down;* ⟨AE ook⟩ *sack out, conk off.*

maffer ⟨de (m.)⟩ **0.1** [slaapkop] *sleepyhead* **0.2** [stakingbreker] *scab* ⇒ ⟨BE ook⟩ *blackleg.*

maffia ⟨de⟩ **0.1** *Mafia.*

maffialeider ⟨de (m.)⟩ **0.1** *Mafia boss.*

maffialid ⟨het⟩ **0.1** *mafioso* ⇒*member of the Mafia.*

mafkees ⟨de (m.)⟩, **-ketel** ⟨de (m.)⟩, **-kikker** ⟨de (m.)⟩⟨inf.⟩ **0.1** *nut goof(ball), nut.*

magazijn ⟨het⟩ **0.1** [bergplaats voor waren] *warehouse* ⇒*storehouse, depot, repository, stockroom* **0.2** [grote winkel] *shop,* [A]*store* ⇒*business* **0.3** [mbt. geweer/pistool] *magazine* ◆ **2.1** boeken in het centraal ~ onderbrengen *store books in the central repository* **6.1** iets **uit** het ~ halen *get sth. from the stockroom/warehouse.*

magazijnadministratie ⟨de (v.)⟩ **0.1** *inventory/stock/stores records* ⇒*warehouse books.*

magazijnbediende ⟨de (m.)⟩ **0.1** *warehouseman/woman.*

magazijngeweer ⟨het⟩ **0.1** *magazine rifle.*

magazijngoederen ⟨zn.mv.⟩, **-voorraad** ⟨de (m.)⟩ **0.1** *(warehouse) stock(s)/stores.*

magazijnhouder ⟨de (m.)⟩, **-meester** ⟨de (m.)⟩ **0.1** *warehouse/stock manager.*

magazijnier ⟨de (m.)⟩⟨AZN⟩ **0.1** *warehouse/stock manager.*

magazine ⟨het⟩ **0.1** [blad, tijdschrift] *magazine* ⇒⟨weekblad⟩ *weekly,* ⟨maandblad⟩ *monthly* **0.2** [programma, actualiteitenrubriek] *current affairs programme* [A]*gram.*

mager ⟨bn., bw.⟩ **0.1** [dun] *slim* ⇒*thin, lean,* ⟨broodmager⟩ *scrawny, skinny* **0.2** [met weinig vet] *lean* ⇒*meagre* **0.3** [pover] *feeble* ⇒*weak, meagre, poor, slender* **0.4** [onvruchtbaar] *poor, arid* **0.5** [⟨druk.⟩] *lean, light* **0.6** [mbt. kwaliteit/geslacht stof] *lean* ◆ **1.1** een ~ gezicht *a lean face;* ⟨fig.⟩ ~e Hein *Death;* ⟨fig.⟩ ~e jaren *lean years;* een ~e lat *a rake/skeleton* **1.2** ~e kaas *low-fat cheese;* ~e kost *l./meagre fare;* ~e melk *low-fat/skim(med) milk;* ~e riblappen *l. beef (ribs)* **1.3** een ~ excuus *a f. excuse;* een ~e ontvangst *a thin/poor reception;* een ~e overwinning *a narrow win/victory;* een ~ resultaat *a poor/meagre result* **1.5** een ~e drukletter *light type* **1.6** ~e klei/kalk *l. clay/lime* **3.1** ~ worden *lose weight* **3.3** ~ afsteken bij *compare poorly to, not match up to* **8.1** zo ~ als een lat *as thin as a rake/rail/*[B]*lath.*

magerte ⟨de (v.)⟩ **0.1** *leanness* ⇒*thinness, sparsity.*

magertjes ⟨bw.⟩ **0.1** [sober, karig] *lean* ⇒*thin, poor, scant* **0.2** [onbeduidend] *lean* ⇒*thin, slim, scant, insignificant* ♦ **3.1** het ~ hebben *go through/have l. / hard times, have trouble making ends meet, just get by* **3.2** de opbrengst was~ *the proceeds were scant, the yield was poor/ scant.*

magerzucht 〈de〉 **0.1** *anorexia (nervosa).*

maggi 〈de (m.)〉〈merknaam〉 **0.1** ≠*soup flavouring.*

maggiblokje 〈het〉 **0.1** *stock cube.*

maggiplant 〈de〉 **0.1** *lovage.*

magie 〈de (v.)〉 **0.1** [toverkunst, toverij] *magic* ⇒*wizardry, conjuring, sleight-of-hand, hocus-pocus* **0.2** [(geheime) riten] *magic* ⇒*witch-craft, sorcery* **0.3** [〈fig.〉 betovering, fascinatie] *magic* ♦ **2.1** witte~ *white m.; zwarte*~ *bedrijven practice black m..*

magiër 〈de (m.)〉 **0.1** *magician* ⇒*wizard, conjuror, magus.*

magirusladder 〈de〉 **0.1** *extension/extending/fireman's ladder.*

magisch 〈bn.〉 **0.1** [mbt. toverkracht/bovenaardse macht] *magic(al)* ⇒ *supernatural* **0.2** [〈fig.〉 betoverend, fascinerend, verlokkend] *magic(al)* ♦ **1.1** een~e kracht *a magic power;* 〈fig.〉 een~ kwadraat/vierkant *a magic square;* 〈fig.〉 het~ realisme *Magic Realism;* ~e spiegel *magic mirror;* op een haast~e wijze *as if by magic* **1.2** een~e aantrekkingskracht *a magic power/appeal.*

magister 〈de (m.)〉〈gesch.〉 **0.1** *master.*

magistraal 〈bn.〉 **0.1** *magisterial* ⇒*magistral, authoritative,* 〈fig. ook〉 *masterful, masterly* ♦ **1.1** een magistrale toon *a magisterial/an authoritative tone;* een magistrale voorstelling *a masterly performance* **1.¶** 〈med.〉 magistrale receptuur *magistral preparation.*

magistraat 〈de (m.)〉 **0.1** [overheidspersoon] *magistrate* **0.2** [rechterlijk ambtenaar] *magistrate* **0.3** [〈gesch.〉 overheid, stadsregering] *magistrate.*

magistraatschap 〈het〉 **0.1** *magistracy* ⇒*magistrature.*

magistratuur 〈de (v.)〉 **0.1** [waardigheid] *magistrature* ⇒*magistracy* **0.2** [rechterlijke macht] *magistrature* ⇒*magistracy* ♦ **2.2** de staande~ [B]*the Public Prosecutor,* [A]*the Prosecuting/State Attorney;* de zittende ~ *the court/bench.*

magma 〈het〉〈geol.〉 **0.1** *magma.*

magmatisch 〈bn.〉〈geol.〉 **0.1** *magmatic.*

magnaat 〈de (m.)〉 **0.1** *magnate* ⇒*baron.*

magneet 〈de (m.)〉 **0.1** [stuk staal] *magnet* **0.2** [〈fig.〉 persoon, zaak] *magnet.*

magneetanker 〈het〉 **0.1** *armature* ⇒*keeper.*

magneetband 〈de (m.)〉 **0.1** *(magnetic) tape.*

magneetbandlezer 〈de (m.)〉 **0.1** *tape reader.*

magneetbandschrijver 〈de (m.)〉 **0.1** *tape typewriter.*

magneetijzer 〈het〉, **-ijzersteen** 〈het, de (m.)〉 **0.1** *magnetic iron (ore)* ⇒ *magnetite, load/lodestone.*

magneetinductie 〈de (v.)〉 **0.1** *magnetic induction.*

magneetkaart 〈de〉 **0.1** *magnetic card.*

magneetkern 〈de〉 **0.1** [kern v.e. inductieklos] *magnetic core* **0.2** [〈comp.〉] *magnetic core.*

magneetkraan 〈de〉 **0.1** *lifting-magnet type crane.*

magneetkracht 〈de〉 **0.1** *magnetic force/intensity.*

magneetkussen 〈het〉 **0.1** *magnetic cushion/space.*

magneetlamp 〈de〉 **0.1** *magnetic lamp.*

magneetnaald 〈de〉 **0.1** *magnetic needle.*

magneetontsteking 〈de (v.)〉 **0.1** *magneto (ignition).*

magneetpleister 〈de〉 **0.1** *magnetic plaster.*

magneetpool 〈de〉 **0.1** *magnetic pole.*

magneetrem 〈de〉 **0.1** *magnetic brake.*

magneetschijf 〈de〉〈comp.〉 **0.1** *(magnetic) disk.*

magneetschijfgeheugen 〈het〉〈comp.〉 **0.1** *disk storage unit.*

magneetsluiting 〈de (v.)〉 **0.1** *magnetic fastening.*

magneetspoel 〈de〉 **0.1** *magnet coil.*

magneetstaaf 〈de〉 **0.1** *magnetic bar, (bar) magnet.*

magneetstaafje 〈het〉 **0.1** *magnetometer.*

magneetstrip 〈de〉 **0.1** *magnetic tape stripe.*

magneetveld 〈het〉 **0.1** [krachtveld v.e. magneet] *magnetic field* **0.2** [magnetisch veld] *magnetic field.*

magnesia 〈de〉 **0.1** *magnesia.*

magnesiet 〈het, de (m.)〉 **0.1** *magnesite.*

magnesium 〈het〉 **0.1** *magnesium.*

magnesiumlicht 〈het〉 **0.1** *magnesium light.*

magnesiumoxyde 〈het〉 **0.1** *magnesium oxide* ⇒*magnesia.*

magnesiumpoeder 〈het, de (m.)〉 **0.1** *magnesium powder.*

magnetisch 〈bn.〉 **0.1** [(nat.) met magnetische kracht] *(electro)magnetic* **0.2** [〈nat.〉 mbt./ veroorzaakt door magnetisme] *magnetic* **0.3** [onweerstaanbaar, fascinerend] *magnetic* ♦ **1.1** een~e naald *a m. needle* **1.2** ~e kracht/aantrekking *m. force/attraction;* het~noorden *the magnetic north;* een~e pool *a m. pole* **1.3** een~e zuigkracht/bezieling *a m. attraction/power* **3.1** ~ maken *magnetize.*

magnetiseerbaar 〈bn.〉 **0.1** *magnetizable.*

magnetiseerder 〈de (m.)〉 **0.1** *magnetizer.*

magnetiseren 〈ov.ww.〉 **0.1** [〈nat.〉 magnetisch maken] *magnetize* **0.2** [het bewustzijn beïnvloeden, hypnotiseren] *magnetize* **0.3** [betoverende invloed hebben] *magnetize.*

magnetiseur 〈de (m.)〉 **0.1** *magnetizer.*

magnetisme 〈het〉 **0.1** [magnetische kracht] *magnetism* **0.2** [het bezitten] *magnetism* **0.3** [theorie] *magnetism* **0.4** [〈fig.〉 biologerende invloed] *magnetism.*

magnetochemie 〈de (v.)〉〈nat.〉 **0.1** *magnetochemistry.*

magneto-detector 〈de (m.)〉 **0.1** *metal detector.*

magneto-dynamisch 〈bn.〉 **0.1** *magneto-dynamic* ♦ **1.1** ~ element *m. element.*

magneto-elektriciteit 〈de (v.)〉 **0.1** *magnetoelectricity.*

magneto-elektrisch 〈bn.〉 **0.1** [elektrisch geworden] *magnetoelectric* **0.2** [elektrische stroom opwekkend] *magnetoelectric* ♦ **1.1** ~e inductie *m. induction* **1.2** ~e machine *m. machine.*

magnetograaf 〈de (m.)〉 **0.1** *magnetograph.*

magnetogram 〈het〉 **0.1** *magnetogram.*

magnetometer 〈de (m.)〉 **0.1** *magnetometer.*

magnetomotorisch 〈bn.〉 ♦ **1.¶** ~e kracht *magnetomotive force.*

magneton 〈het〉〈nat.〉 **0.1** *magneton.*

magnetosfeer 〈de〉 **0.1** *magnetosphere.*

magnetron 〈de (m.)〉 **0.1** [〈tech.〉] *magnetron* **0.2** [magnetronoven] *microwave oven.*

magnetronoven 〈de (m.)〉 **0.1** *microwave oven.*

magnificat 〈het〉〈r.k.〉 **0.1** *magnificat.*

magnifiek 〈bn., bw.; -ly〉 **0.1** *magnificent* ⇒*marvellous, splendid, brilliant, glorious.*

magnolia 〈de〉 **0.1** *magnolia.*

magnum 〈de (m.)〉 **0.1** *magnum* ⇒*flagon.*

Magyaar 〈de (m.)〉 **0.1** *Magyar.*

Magyaars 〈bn.〉 **0.1** *Magyar.*

maharadja 〈de (m.)〉 **0.1** *maharaja(h).*

maharishi 〈de (m.)〉 **0.1** *maharishi.*

mahjong 〈het〉 **0.1** *mahjong(g).*

mahonie¹ 〈het〉 **0.1** *mahogany* ⇒*acajou.*

mahonie² 〈bn.〉 **0.1** [van mahoniehout] *mahogany* **0.2** [mahoniekleur hebbend] *mahogany(-coloured).*

mahonieboom 〈de (m.)〉 **0.1** [in Amerika] *mahogany (tree)* ⇒*acajou, Cuban/Dominican mahogany* **0.2** [in Afrika] *(African) mahogany.*

mahoniehout 〈het〉 **0.1** *mahogany* ⇒*acajou.*

mahoniehouten 〈bn.〉 **0.1** *mahogany* ♦ **1.1** een~ tafel *a m. (table).*

mahonielak 〈het, de (m.)〉 **0.1** *mahogany lacquer.*

maiden-speech 〈de (m.)〉 **0.1** [mbt. een volksvertegenwoordiger] *maiden speech* **0.2** [〈alg.〉] *maiden speech, debut (speech)* ♦ **3.1** zijn~ houden *give one's m. s..*

mailboot 〈de〉 **0.1** *mail(boat)* ⇒*packet boat.*

mailbureau 〈het〉 **0.1** *mailing list agency.*

maildienst 〈de (m.)〉 **0.1** *mail service.*

maileditie 〈de (v.)〉 **0.1** *overseas edition.*

mailen 〈ov.ww.〉 **0.1** *mail* ⇒〈BE ook〉 *post.*

maillot 〈de (m.)〉 **0.1** *tights* ⇒*hose,* 〈AE ook〉 *leotard(s),* 〈ballet ook〉 *maillot,* 〈vleeskleurig〉 *fleshings.*

mailpapier 〈het〉 **0.1** *airmail (note)paper.*

maintenee 〈de (v.)〉 **0.1** *kept/fancy woman* ⇒*mistress, (par)amour, concubine.*

maïs 〈de (m.)〉 **0.1** [graansoort] *maize,* [A]*corn* ⇒*Indian corn* **0.2** [zaadkorrels] *maize (corn), Indian corn* ♦ **2.2** gepofte~ *popcorn.*

maïsbrood 〈het〉 **0.1** *corn bread.*

maïsgeel 〈bn.〉 **0.1** *maize (yellow),* [A]*corn* ⇒〈BE ook〉 *maize-coloured.*

maïskleur 〈de〉 **0.1** *maize (yellow),* [A]*corn.*

maïskoek 〈de (m.)〉 **0.1** *corncake,* [A]*corndodger.*

maïskolf 〈de〉 **0.1** *corncob* ⇒*ear of maize/Indian corn.*

maïskorrel 〈de (m.)〉 **0.1** *grain of maize/*[A]*corn.*

maïsolie 〈de〉 **0.1** *maize/*[A]*corn oil.*

maison 〈de (v.)〉 **0.1** *house.*

maisonnette 〈de (v.)〉 **0.1** *maison(n)ette.*

maïspap 〈de〉 **0.1** *maize porridge,* [A]*mush.*

maïsveld 〈het〉 **0.1** *maize/*[A]*cornfield* ⇒*field of maize/*[A]*corn.*

maïsvlokken 〈zn.mv.〉 **0.1** *corn flakes.*

maître d'hôtel 〈de (m.)〉 **0.1** *maître d'hôtel, headwaiter;* 〈AE ook〉 *maître d'.*

maîtresse 〈de (v.)〉 **0.1** *mistress* ⇒*(par)amour, fancy woman, concubine* ♦ **3.1** een~ hebben/onderhouden *keep a m..*

maïzena 〈de (m.)〉 **0.1** *corn flour,* [A]*cornstarch* ⇒*maizena.*

maj. 〈afk.〉 **0.1** [majoor] *maj., Maj.*

majem 〈het, de (m.)〉〈inf.〉 **0.1** *drink* ⇒[↑]*water* ♦ **¶.1** iem. in de~ gooien *throw s.o. in the d..*

majesteit 〈de (v.)〉 **0.1** [titel] *Majesty* **0.2** [mbt. God] *Majesty* **0.3** [waardigheid] *majesty* ⇒*royal dignity, stateliness* **0.4** [verheven pracht] *majesty* ⇒*grandeur, splendour, glory* ♦ **2.2** de hoogste~ *the (supreme) M.* **4.1** Zijne/Hare~ *His/Her M.* **6.3** optreden met ~ *act with royal dignity.*

majesteitelijk 〈bn., bw.; -(al)ly〉 **0.1** *majestic(al)* ⇒*regal, imperial, royal, kingly, queenly.*

majesteitsschennis 〈de (v.)〉 **0.1** *lese majesty, lèse majesté.*

majestueus 〈bn., bw.; -(al)ly〉 **0.1** *majestic(al)* ⇒*regal, imperial, royal,* kingly, queenly ◆ **1.1** een majestueuze houding *a regal bearing, a m. deportment* **3.1** zich ~ bewegen *move with majesty.*

majeur ⟨de⟩ ⟨muz.⟩ **0.1** *major* ◆ **6.1** in ~ spelen *play in m. / in a m. key.*

majolica ⟨het, de⟩ **0.1** *majolica.*

majoor ⟨de⟩ **0.1** [hoofdofficier] *major* ⇒ ⟨BE; luchtmacht⟩ *squadron leader* **0.2** [sergeant-majoor] *sergeant major* **0.3** [tamboer-majoor] *drum major.*

majoorsrang ⟨de (m.)⟩ **0.1** *rank of major.*

major ⟨de (m.)⟩ **0.1** [oudste van twee broers] *senior;* ⟨BE; school.⟩ *major* **0.2** [hoofdterm in een sluitrede] *major term.*

majoraan ⟨de⟩ **0.1** *(sweet) marjoram.*

majoraat ⟨het⟩ **0.1** *entailed estate.*

majordomus ⟨de (m.)⟩ **0.1** [⟨r.k.⟩] *major-domo* **0.2** [huisbediende] *major-domo.*

majoreren ⟨onov.ww.⟩ ⟨hand.⟩ **0.1** *speculate in stocks as a stag.*

majorette ⟨de (v.)⟩ **0.1** [drum] *majorette.*

majoriteit ⟨de (v.)⟩ **0.1** [meerderheid] *majority* **0.2** [meerderjarigheid] *majority.*

majuskel ⟨de⟩ **0.1** *majuscule* ⇒*capital.*

mak ⟨bn., bw.; -ly⟩ **0.1** [getemd] *tame(d)* ⇒*docile, gentle, quiet* **0.2** [meegaand] *meek, gentle* ⇒*docile, tractable* ◆ **1.1** een ~ paard *a tame/docile horse* **3.1** ~ maken *break in* ⟨paard⟩; *tame, domesticate* **8.2** zo ~ als een lammetje *as m. / g. as a lamb.*

makelaar ⟨de (m.)⟩ **0.1** [tussenhandelaar in onroerend goed] *(real) estate agent* ⇒*land agent,* ⟨vnl. BE⟩ *house agent,* ⟨alg.⟩ *broker* **0.2** [tussenhandelaar] *broker, agent* ⇒*middleman, dealer* **0.3** [⟨bouwk.⟩] *king /crown post* ◆ **2.1** beëdigd ~ en taxateur *sworn broker and ᴮvaluer/ ᴬappraiser* **3.1** een ~ inschakelen *engage a house agent* **6.2** ~ in effecten *stockbroker;* ~ in wijnen *wine a. / dealer;* ~ in roerend goed *personal property a.;* ~ in assurantiën *insurance b..*

makelaardij ⟨de (v.)⟩ **0.1** *brokerage, agency* ⇒⟨ihb. in onroerend goed⟩ *estate / land / house agency.*

makelaarsadvies ⟨het⟩ **0.1** *preliminary valuation / quotation (given by an estate agent).*

makelaarschap ⟨het⟩ →**makelaardij.**

makelaarskantoor ⟨het⟩ **0.1** *broker's / (real) estate agent's office.*

makelaarsloon ⟨het⟩, **-provisie** ⟨de (v.)⟩ **0.1** *brokerage* ⇒*broker's commission / fee / remuneration,* ⟨mbt. huizen ook⟩ *estate agent's fees.*

makelarij →**makelaardij.**

makelij ⟨de (v.)⟩ **0.1** *make, produce* ⇒*making, facture, workmanship* ◆ **2.1** van eigen ~ *homegrown, home-produced;* van Griekse ~ *made in / produce of Greece;* van vreemde ~ *foreign-made, foreign produce.*

maken ⟨ov.ww.⟩ ~sprw. 188,201,207,228,255,287,351-353,456, 464,668⟩ **0.1** [repareren] *repair* ⇒*mend, fix* **0.2** [vervaardigen] *make (up)* ⇒*produce,* ⟨in fabriek⟩ *manufacture, construct* ⟨machines⟩, *turn out* **0.3** [scheppen] *make, create* ⇒*shape, fashion* **0.4** [in een toestand/ positie brengen] *make* ⇒*render, create* ⟨ridder⟩ **0.5** [uitvoeren, doen plaats hebben] *make* ⇒*create, do* **0.6** [verkrijgen] *make* ⇒*earn* ⟨loon, winst⟩, *raise, get* ⟨uit verkoop⟩ **0.7** [bedragen] *make, be* **0.8** [genoemde snelheid bereiken] *do* ⇒*attain* **0.9** [veroorzaken] *cause* ⇒*have, lead (to)* ◆ **1.1** zijn auto kan niet meer gemaakt worden *his car is beyond repair / is a total write-off;* een gebroken schaal ~ *mend a broken dish* **1.2** kleren ~ *make / manufacture / sew garments / clothes* **1.3** gedichten ~ *write poetry;* ⟨inf.⟩ een kindje ~ *m. a baby;* God maakte de mens naar zijn beeld *God created man in his image;* geen tijd? dan maak je maar tijd! *no time? you'll just have to m. time then!* **1.4** iem. voorzitter ~ *m. / appoint s.o. president / chairman / chairperson;* ze hebben er veel werk van gemaakt *they've gone through a lot of trouble for it* **1.5** een blunder ~ *blunder;* lange dagen ~ *work long hours;* een doelpunt ~ *score a goal;* een einde ~ aan *put an end / a stop / halt to, m. an end of;* een breed gebaar ~ *m. a magnanimous gesture;* een oefening / zijn huiswerk ~ *do an exercise / one's homework;* sommen / een vertaling ~ *do sums, do / m. a translation;* ⟨sport⟩ een goede/ slechte / scherpe tijd ~ *m. a good / bad time / a time that will be hard to beat;* een uitstapje ~ *go on / take a trip* **1.6** veel geld ~ *m. / earn a lot of money;* naam ~ *win / m. a name for o.s.;* ⟨kaartspel⟩ een slag ~ *m. a trick* **1.9** slachtoffers ~ *cause fatalities / loss of lives, lead to fatalities / casualties* **1.¶** een / geen kans ~ *stand / have a / no chance;* veel kans ~ *stand a good / fair chance* **2.4** iem. dood/ blind ~ *kill / blind s.o.;* zich gehaat ~ *incur the hatred (of);* ⟨fig.⟩ laat je niet gek ~ *don't let it drive you out of your mind;* iets kapot ~ *break / ruin sth.;* een bankbiljet klein ~ *change a (bank) note, have a note broken;* zich klein ~ *cower, huddle up;* maak het kort *be brief;* iets waar ~ *make sth. good, deliver the goods;* ⟨bewijzen⟩ *prove sth. / one's case;* iem. wanhopig ~ *drive s.o. to despair;* zoiets maakt me woest! *this kind of thing really drives me up the wall / pole / round the bend! aggravates me no end;* ⟨fig.⟩ iem. zwart ~ *speak ill / evil of s.o., drag s.o.'s name in the mud, defame / malign / blacken s.o.* **2.5** dit weer maakt dorstig *this is thirsty weather* **3.1** ⟨fig.⟩ iem. kunnen ~ en breken *be able to make or break s.o.;* zijn auto laten ~ *have one's car repaired / fixed / serviced* **3.5** je hebt daar niets te ~ *you have no business there* **3.¶** ik heb nooit mee te ~ gehad *I've never been involved in that / had anything to do with that;* heb je wel eens met X te ~ gehad? *have you ever had any dealings*

with X?; je hebt er niets mee te ~ *it is none of your business;* dat heeft er niets mee te ~ *that's got nothing to do with it, that's irrelevant;* dan krijg je met mij te ~ *in that case you'll have to deal with me / you'll have me to contend with;* ⟨inf.⟩ dat kun je niet ~ *you cannot do that, it isn't done;* ⟨inf.⟩ dat kun je tegenover haar niet ~ *you can't do that to her;* ze wil niets meer met hem te ~ hebben *she does not want anything more to do with him* **4.3** ze heeft zichzelf niet gemaakt *she cannot help being the way she is, she was born that way* **4.4** maak er wat van! *go in there and fight!, there you go!, now for it!, go for it!;* het is maar wat je ervan maakt *it all depends on what you do with / m. of it* **4.5** hij kan mij niets ~ *he's got nothing on me / can't get at / touch me* **4.¶** ⟨inf.⟩ het (helemaal) ~ *make it to the top, be top of the bill / top dog;* moeder en kind ~ *het goed mother and baby are doing ᴮwell / ᴬfine;* hij maakt het slecht *he is not (doing too) well;* ⟨inf.⟩ zij gaat het ~ *she's going to make it big, she's going places* **5.2** je snapt niet hoe ze het ervoor kunnen ~ *one wonders how they can produce it at that price;* deze auto wordt niet meer gemaakt *this model / car has been discontinued* **5.4** er het beste van ~ *m. the most / best of it;* hij maakt er niet veel van *he's making a poor / bad job of it, he is not doing too well;* hij maakt er nog niet veel van *he is not very good at it yet;* ervan ~ wat ervan te ~ valt *m. the best of a bad job;* het weer goed ~ *(kiss and) make up;* ⟨fig.⟩ iets hard ~ *substantiate / corroborate / prove sth.;* ⟨fig.⟩ kun je dat ook hard ~? *have you got any proof for that?, can you prove that (with figures)?;* hij zal het niet lang meer ~ *he is not long for this world, he is sinking fast* **5.5** je hebt het ernaar gemaakt *you've asked for it;* hoe heb je het (examen) gemaakt? *how did you do / get along (in the exam)?* **5.¶** ik weet het goed gemaakt *I'll tell you what, I'll make you an offer;* hoe maakt u het? *how do you do?;* ⟨inf.⟩ how are you?; hoe maakt je broer het? *how is your brother?* **6.2** ⟨fig.⟩ wat moet je daar nou van ~? *what on earth can / do you make of this?;* cider wordt van appels gemaakt *cider is made from apples;* een tafel die van hout / staal is gemaakt *a table made of wood / steel;* van een laken een jurk ~ *make a dress out of a (linen) sheet, make a (linen) sheet up into a dress;* een cocktail ~ van gin, ijs en tomatensap *make a cocktail out of gin, ice and tomato juice;* van deze oude goudstukken kan je een broche laten ~ *you can get these pieces of old gold made up into a brooch* **6.4** een zaak tot de zijne ~ *embrace a cause;* ergens een werkplaats van ~ *turn sth. into a workshop / workroom* **6.¶** van een vijf een zes ~ *change / turn a five into a six / a fail into a pass* **8.9** de slechte afwatering maakt het land zo drassig *the land is so marshy because of the poor drainage* **8.¶** maak dat je wegkomt! *get out of here!, clear off!* **¶.4** zich van kant ~ *do o.s. in;* er niet veel van ~ *m. a mess of sth., do poorly, bungle sth., muck it up* **¶.¶** ⟨inf.⟩ maak het nou (een beetje)! *you can't be serious!;* ⟨verbazing⟩ *go away!.*

maker ⟨de (m.)⟩ **0.1** [vervaardiger] *producer* ⇒*architect, artist* ⟨van schilderij⟩, *author* ⟨van boek⟩ **0.2** [⟨bijb.⟩] *Maker* ⇒*Creator.*

makerij ⟨de (v.)⟩ **0.1** [het vervaardigen] *making* ⇒*producing, production, construction,* ⟨in fabriek⟩ *manufacturing* **0.2** [plaats] *factory, mill, works* ◆ **2.1** dat is nog een vuile / big / hefty job.

make-up ⟨de (m.)⟩ **0.1** [middelen] *make-up* ⇒*cosmetics,* ⟨dram.⟩ *grease paint* **0.2** [resultaat] *make-up* ⇒⟨scherts.⟩ *war paint* **0.3** [gebruik] *make-up* ◆ **3.1** ~ aanbrengen / opbrengen *put on make-up* **3.2** mijn ~ is uitgelopen *my (eye) make-up / mascara has run.*

maki ⟨de (m.)⟩ **0.1** *lemur* ⇒*macaco.*

makke ⟨de⟩ ⟨inf.⟩ ◆ **3.¶** de ~ is...*the snag is ....*

makkelijk
I ⟨bn.⟩ **0.1** [eenvoudig] *easy* ⇒*simple, facile, cushy* ⟨karwei, baan⟩ ◆ **3.1** dat maakt de zaak er niet ~ er op *that doesn't make things (any) easier;*
II ⟨bw.⟩ **0.1** [zonder veel inspanning] *easily* ⇒*readily, well, casually* **0.2** [zonder veel tegenstand] *easily, readily* **0.3** [zeer wel] *easily* ⇒*certainly* ◆ **3.1** jij hebt ~ praten *it's easy (enough) for you to talk (like that)* **3.2** hij komt ~ onder de invloed van anderen *he is e. influenced by others* **3.3** dat kan ~ ⟨het is te doen⟩ *that is e. done;* ⟨het is goed mogelijk⟩ *that may well be, you may be right there.*

makken ⟨ww.⟩ ⟨inf.⟩ ◆ **¶.¶** geen cent te ~ hebben *not have a penny / red cent to one's name, be (dead) broke /* ⟨BE ook⟩ *skint.*

makker ⟨de (m.)⟩ **0.1** *pal* ⇒*buddy, chum, brother, fellow,* ⟨vnl. BE, Austr. E⟩ *mate* ◆ **¶.1** hé, ~! *hey mate!* ⟨vnl. AE⟩ *buddy / chum / pal / buster!.*

makkie ⟨het⟩ ⟨inf.⟩ **0.1** *piece of cake* ⇒*push-over, picnic, cinch,* ⟨karwei⟩ *soft / cushy / easy job* ◆ **3.1** ik heb een ~ vandaag *I've got an easy one / job today;* ergens een ~ aan hebben *get off easy with sth.;* ⟨sport⟩ een ~ hebben aan zijn tegenstander *be more than a match for one's opponent;* dat is toch zeker een ~ *that's a piece of cake, isn't it?.*

makreel ⟨de (m.)⟩ **0.1** *mackerel.*

makreelachtigen ⟨zn.mv.⟩ **0.1** *mackerel family* ⇒*scombrids, Scombridae.*

makroon ⟨de (m.)⟩ **0.1** *macaroon.*

mal¹ ⟨de (m.)⟩ **0.1** [model, patroon, uitslag] *mould* ⇒*template, pattern,* ⟨letter-⟩ *stencil(-plate),* ⟨mechanisch⟩ *jig* **0.2** [tekengereedschap] *French curve* **0.3** [voorwerp om afmetingen te controleren] *gauge* ⇒*template* ◆ **6.¶** iem. **voor** de ~ houden *fool / kid s.o., make fun / sport of s.o., pull s.o.'s leg.*

mal² ⟨bn., bw.; -ly⟩ **0.1** [gek, raar] *silly* ⇒*foolish, funny, crazy, cracked, mad* **0.2** [onbezonnen] *silly* ⇒*foolish* **0.3** [netelig, moeilijk] *awkward, tricky* ⇒*funny* ◆ **1.1** een ~ figuur slaan *look cheap;* een ~ hoedje *a s. / funny hat;* ~le ideeën krijgen *get (s.) notions into one's head;* een ~le vertoning *a s. business, mumbo-jumbo* **1.2** nee, ~le meid/ jongen *no, silly!* **1.3** een ~le geschiedenis *an a. business* **3.1** ben je ~? *of course not!, are you kidding?;* doe niet zo ~ *don't be s..*

mala ⟨de⟩ **0.1** *mala.*

malachiet ⟨het⟩ **0.1** *malachite.*

malachietgroen ⟨het⟩ **0.1** *malachite green* ⇒*bice green.*

malacologie ⟨de (v.)⟩ **0.1** *malacology.*

malafide ⟨bn.⟩ **0.1** *malafide* ◆ **1.1** ~ aannemers *m. (building) contractors.*

malaga ⟨de (m.)⟩ **0.1** *malaga.*

Malagasi ⟨het⟩ **0.1** *Malagasy.*

Malagasiër ⟨de (m.)⟩, **-ische** ⟨de (v.)⟩ **0.1** *Madagascan* ⇒*Malagasy, inhabitant/ native/ citizen of Madagascar.*

Malagasisch ⟨bn.⟩ **0.1** *Madagascan* ⇒*Malagasy,* ⟨na zn.⟩ *of/ from Madagascar.*

malaise ⟨de (v.)⟩ **0.1** [gedrukte stemming] *malaise* ⇒*dejection, depression, low* **0.2** [⟨ec.⟩] *depression* ⇒*slump, stagnancy* ◆ **1.1** een gevoel van ~ *a feeling of m. / dejection* **2.1** algehele ~ *total m.* **3.2** er heerst grote ~ in de bouwnijverheid *there is a slump in the building trade.*

malaisetijd ⟨de (m.)⟩ **0.1** *period of malaise.*

Malakka 0.1 *Malacca.*

malaria ⟨de⟩ **0.1** *malaria.*

malariabestrijding ⟨de (v.)⟩ **0.1** *malaria control* ⇒⟨maatregelen⟩ *measures to combat malaria.*

malarialijder ⟨de (m.)⟩ **0.1** *malaria patient/ sufferer* ⇒*malarial patient.*

malariamug ⟨de (m.)⟩ **0.1** *malaria(l) mosquito.*

malariaparasiet ⟨de (m.)⟩ **0.1** *malaria parasite/ germ.*

malariatherapie ⟨de (v.)⟩ **0.1** *malariotherapy.*

Malawi ⟨het⟩ **0.1** *Malawi.*

Malawiër ⟨de (m.)⟩, **-se** ⟨de (v.)⟩ **0.1** *Malawian.*

Malawisch ⟨bn.⟩ **0.1** *Malawian.*

maledictie ⟨de (v.)⟩ **0.1** *malediction* ⇒*curse, execration.*

Malediven ⟨zn.mv.⟩ **0.1** *Maldive Islands* ⇒*Maldives.*

Maleier ⟨de (m.)⟩ **0.1** *Malay(sian)* ◆ **8.1** hij was zo dronken als een ~ *he was as drunk as a lord/ fiddler/ ^a skunk (in a trunk).*

Maleis¹ ⟨het⟩ **0.1** *Malay.*

Maleis² ⟨bn.⟩ **0.1** [v.d. Maleiers] *Malay(an), Malaysian* **0.2** [mbt. de taal] *Malay.*

Maleisië ⟨het⟩ **0.1** *Malaysia.*

Maleisiër ⟨de (m.)⟩, **-se** ⟨de (v.)⟩ **0.1** *Malaysian.*

malen (→sprw. 235,420)
I ⟨onov.ww.⟩ **0.1** [draaien] *turn* ⇒*grind* **0.2** [in de war zijn] *rave* ⇒*wander,* ⟨inf.⟩ *be crackers/ raving/ crazy/ off one's rocker* **0.3** [piekeren] *worry* ⇒*puzzle, fret, care, bother* **0.4** [zaniken] *nag, bother* ⇒*harp, whine* **0.5** [steeds weer opdoemen] *keep going/ running/ churning* ◆ **5.1** ⟨fig.⟩ ambtelijke molens ~ langzaam *the wheels of government grind slowly* **6.3** niet om iets ~ *not care for sth.* **6.4** over/ op iets (blijven) ~ *keep on about sth.* **6.5** dat maalt hem steeds door het hoofd *it keeps going through his head, he can't shake it off/ get over it* **¶.2** ~de zijn *be crazy/ crackers/ off one's crust;*
II ⟨ov.ww.⟩ **0.1** [fijnmaken] *grind* ⇒⟨graan ook⟩ *mill, crush* ⟨erts⟩, ⟨grof⟩ *kibble* **0.2** [polderwater uitpompen] *pump, drain* ⇒*lift* **0.3** [met het gebit fijnmaken] *chew* ⇒*chomp, munch, grind* ◆ **1.1** koffie ~ *g. coffee.*

malentendu ⟨het⟩ **0.1** *malentendu* ⇒*misunderstanding.*

malerij ⟨de (v.)⟩ **0.1** [deel v.e. molen/ fabriek] *mill* **0.2** [het malen] *grinding, milling.*

malheid ⟨de (v.)⟩ **0.1** [gekheid] *craziness* ⇒*idiocy, foolishness* **0.2** [dwaze daad] *folly* ⇒*foolishness.*

malheur ⟨het⟩ **0.1** [ongeluk(je)] *accident* ⇒*misfortune, mishap* **0.2** [kwaal] *complaint, ailment* ⇒*disorder* **0.3** [ellende] *trouble, misery* ◆ **3.3** altijd ~ hebben met iets/ iem. *be always having/ running into trouble with sth. / s.o..*

Mali ⟨het⟩ **0.1** *Mali.*

malicieus ⟨bn., bw.; -ly⟩ **0.1** [boosaardig] *malicious* ⇒*malevolent, evil* **0.2** [ondeugend] *mischievous* ⇒*impish.*

malie ⟨de (v.)⟩ **0.1** [ringetje] *mail, ring* **0.2** [hamer voor kolfspel] *mall(et).*

maliënkolder ⟨de (m.)⟩ ⟨gesch.⟩ **0.1** *(chain)mail* ⇒*ring-mail/ -armour, coat of mail, hauberk.*

maligne ⟨bn.⟩⟨med.⟩ **0.1** *malignant* ◆ **1.1** ~ tumoren *m. tumours.*

maligniteit ⟨de (v.)⟩⟨med.⟩ **0.1** *malignancy.*

Malinees¹ ⟨de (m.)⟩, **-nese** ⟨de (v.)⟩ **0.1** *Malian.*

maling ⟨de (v.)⟩ **0.1** [wijze van gemalen zijn, ⟨ook in samenst.⟩] *grind* **0.2** [maalstroom van gedachten] *whirl of thought* ◆ **1.1** snelfiltermaling *filter fine* **2.1** grove ~ *course ground* **3.¶** daar heb ik ~ aan *I don't give a hoot/ ↓damn,* ᴮ*let it go hang* **6.2** in de ~ zijn *be all at sea, be in a (complete) fog* **6.¶** ~ aan iets/ iem. hebben *snap one's fingers at sth. / s.o., not care/ give a rap/ ↓damn/* ᴮ*tinker's curse about sth. / s.o.;* ~

hebben **aan** alles en iedereen *thumb one's nose at everything/ everyone;* iem. **in** de ~ nemen *pull s.o.'s leg, fool s.o., take s.o. for a ride;* neem jezelf **in** de ~ *pull the other leg (it's got bells on);* ⟨vnl. AE⟩ *tell that to the marines!, tell me another (one)!;* laat je niet **in** de ~ nemen *don't let yourself be taken (in)/ be had;* je neemt me (zeker) **in** de ~ *you've got to be joking/ kidding.*

malkaar ⟨wk.vnw.⟩ ⟨arch.⟩ →**elkaar.**

mallejan ⟨de (m.)⟩ **0.1** *timber wagon/ truck.*

mallemoer ⟨zn.mv.⟩ ⟨inf.⟩ ◆ **6.¶ naar** zijn ~ *ruined, destroyed, finished* **7.¶** dat gaat je geen ~ aan *that's none of your damn/ bloody business;* daar schiet je geen ~ mee op *that doesn't get you anywhere, that doesn't help one bit.*

mallemolen ⟨de (m.)⟩ **0.1** *merry-go-round* ⇒*whirligig,* ⟨BE ook⟩ *roundabout,* ⟨AE ook⟩ *carrousel.*

mallepraat ⟨de (m.)⟩ **0.1** *stuff (and nonsense)* ⇒*silly talk, balderdash.*

malligheid ⟨de (v.)⟩ **0.1** *foolishness* ⇒*nonsense, tomfoolery, buffoonery* ◆ **3.1** dat is maar ~ *it's just (a lot of) tomfoolery;* ~ uithalen *(play the) buffoon.*

malloot ⟨de (m.)⟩ **0.1** *idiot* ⇒⟨BE ook⟩ *twit, fool, scatterbrain* ◆ **¶.1** ~! *silly!.*

malloterig ⟨bn.⟩ **0.1** *foolish* ⇒*silly, crazy, cracked, harebrained,* ⟨BE ook⟩ *crackbrained.*

malrove ⟨de⟩ **0.1** *horehound, hoarhound* ⟨Marrubium vulgare⟩.

mals ⟨bn., bw.; -ly⟩ **0.1** [zacht in de mond] *tender* ⇒*mellow* ⟨fruit⟩ **0.2** [zachtzinnig] ⟨zie 1.2,5.2,¶.2⟩ **0.3** [weldadig] *soft, gentle* **0.4** [weelderig, zacht] *lush, luxurious* ◆ **1.1** een ~ biefstuk *a (nice) juicy steak;* ~ vlees *t. meat* **1.2** zijn oordeel was niet ~ *he was very harsh in his judgement* **1.3** een ~ regentje *a s. / g. rain* **1.4** het ~e gras *the lush grass* **5.2** niet ~ zijn in zijn oordeel over iets *use harsh words about sth.* **8.1** zo ~ als boter *soft as butter* **¶.2** wat zij zei was lang niet ~ *she didn't pull her punches.*

malta ⟨de⟩ **0.1** *Maltese potato.*

Malta ⟨het⟩ **0.1** *Malta.*

maltase ⟨de⟩ **0.1** *maltase.*

Maltees ⟨bn.⟩ **0.1** *Maltese.*

Maltezer ⟨bn.⟩ **0.1** *Maltese* ◆ **1.1** een ~ kruis *a M. cross;* een ~ leeuwtje *a M. (dog/ terrier);* de ~ orde *the Order of Hospitallers/ of Malta;* een ~ ridder *a Knight of Malta, a (Knight) Hospitaller, a Knight of St. John of Jerusalem.*

maltezerhond ⟨de (m.)⟩ **0.1** *Maltese (dog/ terrier).*

malthusianisme ⟨het⟩ **0.1** *Malthusianism.*

maltose ⟨de⟩ **0.1** *maltose* ⇒*malt sugar.*

maltraiteren ⟨ov.ww.⟩ **0.1** *maltreat* ⇒*ill-treat, manhandle, treat roughly/ ill, abuse.*

maluwachtigen ⟨zn.mv.⟩ **0.1** *mallow family* ⇒*Malvaceae.*

malve¹ ⟨de⟩ **0.1** *mallow.*

malve² ⟨bn.⟩ ⟨schr.⟩ **0.1** *mauve* ⇒*mallow/ Perkin's purple, Perkin's violet.*

malversatie ⟨de (v.)⟩ **0.1** *malversation* ⟨alleen enk.⟩ ⇒*embezzlement, misappropriation* ⟨alleen enk.⟩ ◆ **6.1** zich schuldig maken **aan** ~s *embezzle, be guilty of malversation;* ⟨vero.⟩ *malverse.*

malverseren ⟨onov.ww.⟩ **0.1** *be guilty of malversation.*

mama ⟨de (v.)⟩ **0.1** ᴮ*Mum(my),* ᴬ*Mom(my),*

mamaatje ⟨het⟩ **0.1** ᴮ*Mummy (dear),* ᴬ*Mommy (dear).*

mamma¹ →**mama.**

mamma² ⟨de (v.)⟩ ⟨med., dierk.⟩ **0.1** *mamma.*

mamma-amputatie ⟨de (v.)⟩ ⟨med.⟩ **0.1** *mastectomy* ⇒⟨ongemarkeerd⟩ *breast amputation.*

mammalia ⟨zn.mv.⟩ ⟨dierk.⟩ **0.1** *mammals.*

mammasparend ⟨bn.⟩ ⟨med.⟩ ◆ **1.¶** ~e behandeling *partial/ conservative mastectomy.*

mammie ⟨de (v.)⟩ **0.1** ᴮ*Mum(my),* ᴬ*Mom(my).*

mammoet ⟨de (m.)⟩ **0.1** [dier] *mammoth* **0.2** [⟨in samenst.⟩] *mammoth, giant* ◆ **1.2** mammoettanker *supertanker.*

mammoetorder ⟨de⟩ **0.1** *mammoth order* ⇒*immense/ colossal/ huge order.*

mammoetproject ⟨het⟩ **0.1** *mammoth project* ⇒*huge/ colossal/ immense project.*

mammoetsboom ⟨de (m.)⟩ **0.1** ⟨Sequoiadendron giganteum⟩ *(giant) sequoia* ⇒*big tree, wellingtonia* **0.2** [⟨Sequoia sempervirens⟩] *(California) redwood.*

mammoetwet ⟨de⟩ **0.1** *(Dutch) Mammoth Act* ⇒*(Dutch) Secondary Education Act (of 1963).*

mammografie ⟨de (v.)⟩ **0.1** *mammography.*

mammon ⟨de (m.)⟩ ⟨bijb.⟩ **0.1** *Mammon* ◆ **3.1** de ~ dienen *serve M..*

mams ⟨de (v.)⟩ ⟨inf.; teder⟩ **0.1** *Mummy,* ᴬ*Mommy.*

man ⟨de (m.)⟩ (→sprw. 68,352, 353,400,422,423,653) **0.1** [volwassen mannelijk mens] *man* **0.2** [mens] *man* ⇒*person, human* **0.3** [echtgenoot] *husband* ⇒⟨inf.⟩ *hubby* **0.4** [flink persoon] *man* **0.5** [lid v.e. bemanning] *man, hand* **0.6** [lid v.e. groep/ team] *man* ⇒*hand* **0.7** [⟨in samenst.⟩ mbt. een beroep] *man* ⟨zie 1.7⟩ ◆ **1.2** ⟨fig.⟩ ~ en paard noemen *give/ tell the whole story;* 10.000 ~ publiek *a 10,000-strong audience, a gate of 10,000* **1.5** ⟨van schepen⟩ met ~ en muis vergaan

go down with all hands **1.6** met ~ en macht aan iets werken *go all-out, make an all-out effort* **1.7** bloemenman *florist, flowerseller* **2.1** de aangewezen ~ voor dat karweitje *the/the best/the obvious m. for the job;* die arme ~ *the poor chap/fellow/m.;* beste ~ ⟨ook iron.⟩ *my dear chap/fellow/m.;* een echte ~ ⟨ook⟩ *a he-man;* de goede ~ weet nog van niets *the poor fellow knows nothing yet;* hij is hier de grote ~ *he is top dog/the great m./the big boss here;* als je wint ben je de grote ~ *if you win you make it big;* hij is geen vrij ~ *he is not his own m./not free to act* **2.2** de gewone ~ *the m. in the street, the average person, the common m.;* ⟨fig.⟩ de kleine ~ *the common m.* **3.1** hij is er de ~ niet naar om *he is not the m. to/the (sort of) m./fellow who would* **3.2** de gaande en de komende ~ *the people coming and going* **3.4** in dienst maken ze wel een ~ van je *the army will make a m. (out) of you* **3.6** ⟨sport⟩ we missen een vierde ~ *we need a fourth (person)* **4.¶** hij is je ~ *he's your man, he's the one you want;* onder die voorwaarden ben ik je ~ *under those conditions, I'm with you* **5.2** vijf ~ sterk *five strong* **6.1** de ~ **achter** de schermen *the m. behind/at the controls;* ⟨fig.⟩ de ~ **met** de hamer tegenkomen *run/fly into trouble;* **op** de ~ spelen ⟨sport⟩ *go for the m./player;* ⟨fig.⟩ *make personal attacks;* een ~ **uit** duizenden *a m. in a million;* de ~ **van** haar hart *the m. of her heart;* een ~ **van** de dag *an old m. on his last legs;* een ~ **van** niks *a good-for-nothing;* een ~ **van** de daad *a m. of action;* een ~ **van** de wereld *a m. of the world, a m. about town;* een ~ **van** weinig woorden *a m. of few words;* een ~ **van** eer/karakter *a m. of honour/character;* hij is een ~ **van** zijn woord *he is as good as his word, he is a m. of his word* **6.2** iets **aan** de ~ brengen *sell/dispose of sth.;* **op** de ~ af *straightforward, straight from the shoulder;* iem. recht **op** de ~ af iets zeggen *not beat about the bush, give it to s.o. straight;* iem. iets **op** de ~ af vragen *ask s.o. a point-blank question;* ⟨sport⟩ ~ **tegen** ~ *man-to-man;* **tot** (op) de laatste ~ *to a m., to the last m.;* een gevecht **van** ~ **tot** ~ *a hand-to-hand combat, a fight at close quarters;* ~ **voor** ~ *one by one, to a m.* **6.3 aan** de ~ komen *find (o.s.) a husband/man;* zijn dochters **aan** de ~ brengen *marry off one's daughters* **6.6** met hoeveel ~ zijn we? *how many are we?;* ⟨sport⟩ **met** tien ~ spelen *play with ten men, be one m. short* **7.2** een tientje de ~ *ten guilders each* **7.5** ⟨mil.⟩ tweeduizend ~ *two thousand troops* **8.1** als ~nen onder elkaar *(from) m. to m.* **8.2** als één ~ *as one (m.), one and all, to a m.* **8.3** als ~ en vrouw leven *cohabit, live as m. and wife* **8.4** zijn verdriet dragen als een ~ *take/bear it/bear one's grief like a m.* **9.1** ach ~, hou toch op *ah, go on (with you)/come off it.*
Man ⟨het⟩ ♦ **1.¶** het eiland ~ *the Isle of Man;* den bewoner v.h. eiland ~ *a Manxman/Manxwoman;* een typisch gebruik op het eiland ~ *a typical Manx custom;* de taal v.h. eiland ~ *Manx.*
manachtig
I ⟨bn., bw.;-ly⟩ **0.1** [⟨van vrouw⟩ mannelijk van aard] *mannish;* **II** ⟨bn.⟩ **0.1** [manziek] *man-mad.*
management ⟨het⟩ **0.1** [het besturen] *management* **0.2** [leer] *management (studies)* ⇒*business studies.*
managementfunctie ⟨de (v.)⟩ **0.1** *managerial position/post.*
managementopleiding ⟨de (v.)⟩ **0.1** *management training/*⟨cursus⟩ *course.*
managen ⟨ov.ww.⟩ **0.1** [leiden] *manage* ⇒*run, govern, administrate, control* **0.2** [fiksen] *fix* ⇒*manage to get done.*
manager ⟨de (m.)⟩ **0.1** [leider] *manager* **0.2** [belangenbehartiger] *manager* ⇒*agent.*
managerziekte ⟨de⟩ **0.1** *managerial stress.*
manche ⟨de⟩ **0.1** [wedstrijdonderdeel] *heat* **0.2** [⟨bridge⟩] *game, leg* **0.3** [windzak] *parachute.*
manchester ⟨het⟩ **0.1** [geribd] *corduroy;* ⟨glad⟩ *velveteen, cotton-velvet.*
manchet ⟨de⟩ **0.1** [boord aan een mouw] *cuff* ⇒⟨vast ook⟩ *wristband* **0.2** [mbt. paddestoelen] *annulus* ⇒*ring* **0.3** [ring voor afsluiting] *sealing ring* ⟨pakking⟩ *gasket* **0.4** [papieren omhulsel] *frill* **0.5** [schuimkraag] *head (of froth).*
manchetknoop ⟨de (m.)⟩ **0.1** *cuff link* ⇒*sleeve link, stud.*
manco ⟨het⟩ **0.1** [tekort] *flaw* ⇒*defect, shortcoming,* ⟨gebrek⟩ *imperfection, lack* **0.2** [hetgeen ontbreekt bij aflevering] *shortage (of delivery)* ⇒*deficit,* ⟨op gewicht ook⟩ *shortweight,* ⟨op aantal ook⟩ *shorts,* ⟨op maat ook⟩ *short measure* ♦ **3.1** zijn werk heeft één ~ *his work has one f.;* een ernstig ~ vertonen *show a serious defect.*
mancolijst ⟨de⟩ **0.1** *list of missing items.*
mand ⟨de⟩ ⟨→sprw. 17⟩ **0.1** [korf] *basket* ⇒*bin,* ⟨groot, met deksel⟩ *hamper,* ⟨laag, open⟩ *scuttle* **0.2** [slaapplaats voor hond/kat] *basket* **0.3** [mbt. een luchtballon] *basket* ⇒*car* ♦ **5.1** ~ en vol vis *baskets full of fish, fish by the basket(ful)* **6.2** in je ~ liggen *be laid up, be ill!* **6.¶** bij een verhoor **door** de ~ vallen *have to own up/confess/come clean;* als onderzoeker/leraar **door** de ~ vallen *fail as/fall short as a researcher/teacher;* hij is als aanvoerder lelijk **door** de ~ gevallen *he's made a poor show(ing)/he's been a failure as captain.*
mandaat ⟨het⟩ **0.1** [machtiging] *mandate* ⇒*authority, warrant,* ⟨meer permanent⟩ *tenure,* ⟨functie⟩ *(term of) office* **0.2** [opdracht] *mandate* ⇒*order, instruction, precept, ordinance* **0.3** [bevelschrift] *mandate* ⇒*warrant, precept, order* **0.4** [⟨r.k.⟩] *mandate* ♦ **2.2** een blanco ~ krijgen *be given/get a free hand/full discretionary powers* **3.1** geen ~ heb-

ben *have no authority/warrant;* ~ verlenen *give a m., grant authority* **3.2** zijn ~ neerleggen/ter beschikking stellen *resign (one's seat/office);* zij ontvangen hun ~ v.d. kiezers *they get/receive their m. from the electorate;* de kiezers hebben zijn ~ verlengd *the voters have given him a new term of office/renewed his m.* **6.3** ~ **van/tot** betaling *warrant/order of/for payment.*
mandaatgebied ⟨het⟩ **0.1** *mandate* ⇒*mandated/trust territory.*
mandaathouder ⟨de (m.)⟩ **0.1** *mandatary* ⇒*mandatory.*
mandag ⟨de (m.)⟩ **0.1** *man-day.*
mandala ⟨de (m.)⟩ **0.1** *mandala.*
mandant ⟨de (m.)⟩ →*mandator.*
mandarijn ⟨de (m.)⟩ **0.1** [vrucht] *mandarin (orange)* ⇒⟨klein⟩ *tangerine (orange),* ⟨groot⟩ *satsuma (orange)* **0.2** [staatsambtenaar in China] *mandarin* **0.3** [formalist] *mandarin.*
mandataris ⟨de (m.)⟩ **0.1** *mandatary* ⇒*trustee.*
mandateren ⟨ov.ww.⟩ **0.1** *authorize* ⇒*warrant, give a mandate.*
mandator ⟨de (m.)⟩ **0.1** *mandator* ⇒*mandant.*
mandekker ⟨de (m.)⟩ ⟨sport⟩ **0.1** *marker.*
mandekking ⟨de (v.)⟩ ⟨sport⟩ **0.1** *man-to-man marking;* ⟨USA, Canada⟩ *(single) man-on-man coverage* ♦ **6.1** in de ~ spelen/staan *be marking/covering (one's opponent).*
mandement ⟨het⟩ ⟨r.k.⟩ **0.1** *charge.*
mandewerk ⟨het⟩ **0.1** *basketry, wickerwork.*
mandfles ⟨de⟩ **0.1** *bottle in wicker basket* ⇒⟨groot⟩ *demi-john, carboy.*
mandje ⟨het⟩ **0.1** [kleine mand] *basket* ⇒⟨voor fruit⟩ *punnet, pottle* **0.2** [voor boodschappen] *(shopping) basket* **0.3** [bed] ⟨zie 3.3⟩ ♦ **3.3** ik ga mijn ~ eens opzoeken *I think I'll turn in/hit the hay/*⟨vnl. AE⟩ *the sack* **8.1** zo lek als een ~ *as leaky as a sieve, leaking like a sieve.*
mandola ⟨de⟩ **0.1** *mandola.*
mandoline ⟨de (v.)⟩ **0.1** *mandolin.*
mandragora ⟨de⟩ **0.1** *mandrake* ⇒*mandragora.*
mandril ⟨de (m.)⟩ **0.1** *mandrill.*
mandvol ⟨de⟩ **0.1** *basket(ful).*
manege ⟨de⟩ **0.1** [bedrijf] *riding school/stables/academy* ⇒*manege* **0.2** [plaats] *arena.*
manegebeweging ⟨de (v.)⟩ ⟨med.⟩ **0.1** *circus movement.*
manegehouder ⟨de (m.)⟩, **-ster** ⟨de (v.)⟩ **0.1** *riding-school owner.*
manegepaard ⟨het⟩ **0.1** *riding-school horse.*
manegeziekte ⟨de (v.)⟩ **0.1** *circus movements.*
manen[1] ⟨zn.mv.⟩ **0.1** [mbt. dieren] *mane* ⇒*crest* **0.2** [mbt. mensen] *man* ⇒*mop.*
manen[2] ⟨ov.ww.⟩ **0.1** [met aandrang herinneren] *remind* ⇒*apply (for payment),* ⟨sterker⟩ *demand, press,* ⟨nog sterker⟩ *dun* **0.2** [aansporen] *urge* ⇒*call for, admonish, counsel* ♦ **6.1** iem. **om** geld ~ *demand payment from s.o.* **6.2** hij maande **tot** eendracht *he urged unity;* **tot** voorzichtigheid ~ *caution, strike a note of warning/caution;* iem. **tot** kalmte ~ *calm s.o. down, admonish s.o. to be/remain calm;* dit maant **tot** voorzichtigheid *this should be a warning to us (to proceed cautiously).*
manenkam ⟨de (m.)⟩ **0.1** [kam] ≠*currycomb* **0.2** [manen] *mane* ⇒*crest.*
manenrob ⟨de (m.)⟩ **0.1** *South-American sea lion.*
manenschaap ⟨het⟩ **0.1** *a(o)udad* ⇒*maned sheep, arui, Barbary sheep.*
manenwolf ⟨de (m.)⟩ **0.1** *maned wolf/dog.*
manenzwijn ⟨het⟩ **0.1** *wart hog.*
maner ⟨de (m.)⟩ ⟨→sprw. 424⟩ **0.1** *dun(ner)* ⇒⟨minder sterk⟩ *person demanding payment.*
maneschijn ⟨de (m.)⟩ **0.1** [schijnsel] *moonlight* ⇒*moonshine, light of the moon* **0.2** [plaats, tijd] *moonlight* ♦ **1.1** het is niet altijd rozegeur en ~ *it/life is not all (a bed of) roses/beer and skittles* **6.1** bij ~ *by moonlight, in the light of the moon* **6.2** in de ~ wandelen *(take a) walk in the m..*
maneuver →**manoeuvre.**
manga →**mango.**
mangaan ⟨het⟩ **0.1** *manganese.*
mangaanijzer ⟨het⟩ **0.1** *ferromanganese.*
mangaanknol ⟨de (m.)⟩ **0.1** *manganese nodule.*
mangaanstaal ⟨het⟩ **0.1** *(Hadfield) manganese steel.*
mangaanzout ⟨het⟩ **0.1** *manganese salt.*
mangaanzuur ⟨het⟩ **0.1** *manganic acid.*
mangat ⟨het⟩ **0.1** *manhole* ⇒⟨scheep.⟩ *scuttle.*
mangatdeksel ⟨het⟩ **0.1** *manhole cover.*
mangel ⟨de (m.)⟩ **0.1** [toestel] *mangle* ⇒*ironer,* ⟨BE ook⟩ *mangle* **0.2** [biet] *mangel-wurzel* ⇒*mangold(-wurzel), field beet* ♦ **6.1** ⟨fig.; scherts.⟩ **door** de ~ gehaald worden *(ondervraagd) be mangled;* ⟨bekritiseerd⟩ *be crucified; go through the wringer.*
mangelen
I ⟨onov.ww.⟩ **0.1** [ontbreken] *lack* ⇒*be lacking (in), (be) want(ing)* ♦ **6.1** het mangelt hem **aan** voorstellingsvermogen *he lacks imagination;*
II ⟨ov.ww.⟩ **0.1** [gladmaken] *mangle* ⇒*press* ♦ **3.1** ⟨fig.⟩ gemangeld worden *be mangled/harassed/badgered, go through the wringer.*
mangis ⟨de (m.)⟩ **0.1** *mangosteen.*
mango ⟨de (m.)⟩ **0.1** *mango.*

mangoeste ⟨de⟩ **0.1** *mangoose* ⇒*ichneumon*.
mangrove ⟨de (m.)⟩ **0.1** *mangrove*.
manhaftig ⟨bn.,bw.;-ly⟩ **0.1** *manful* ⇒⟨bn. ook⟩ *manly, brave* ◆ **1.1** een~e daad *a manful/manly/brave act/deed;* ⟨iron.⟩ een~kereltje *a smart/perky⟨little⟩ fellow* **3.1** zich~gedragen *act manfully/bravely*.
manhaftigheid ⟨de (v.)⟩ **0.1** *manfulness* ⇒*manliness, bravery, pluck*.
maniak ⟨de (m.)⟩ **0.1** [iem. met manie] *maniac* ⇒*fan(atic), faddist, fool (for)* **0.2** [⟨in samenst.⟩ fanaat] *maniac* ⇒⟨mbt. gezondheid⟩ *freak,* ⟨mbt. film⟩ *buff, fan,* ⟨pej. of scherts.⟩ *fiend* **0.3** [gestoorde] *maniac* ⇒⟨inf.⟩ *crank* ◆ **1.2** een seksmaniak *a sex m.*.
maniakaal ⟨bn.,bw.;-ly⟩ **0.1** *maniacal* ⇒*fanatic* ◆ **1.1** een maniakale verzamelwoede *collector's mania*.
Manicheeër ⟨de (m.)⟩ **0.1** *Manichaean, Manichee*.
manicure
I ⟨de⟩ **0.1** [het verzorgen] *manicure* **0.2** [(etui met) gereedschap] *manicure set;*
II ⟨de (m.)⟩ **0.1** [persoon] *manicurist* ⇒*manicure*.
manicuren ⟨ov.ww.⟩ **0.1** *manicure* ◆ **3.1** zich laten~ *have a manicure*.
manie ⟨de (v.)⟩ **0.1** [overdreven voorliefde, bevlieging] *mania* ⇒*craze, rage, passion, fad* **0.2** [⟨psych.⟩] *mania* ⇒*frenzy* ◆ **3.1** een~hebben voor alles wat Engels is *have a passion/m. for all things English*.
manier ⟨de⟩ **0.1** [wijze van doen/handelen] *way* ⇒*manner, mode, style, fashion* **0.2** [⟨mv.⟩ omgangsvormen] *manners* ⇒*breeding* **0.3** [gewoonte] *way* ⇒*habit* ◆ **2.1** daar is hij ook niet op een eerlijke~aangekomen *he didn't get that by fair means;* iets op zijn eigen~doen *play it one's own w.;* iets op de juiste~doen *do sth. properly/the right w.;* hij heeft een rare~van lopen *he has a funny walk/w. of walking;* ik vind het maar een rare~van doen *I think it's a pretty strange thing to do* **2.2** goede~en hebben *have/show good m./breeding;* nette/slechte~en *good/bad m.;* het getuigt van slechte~en *it shows bad m.* **3.1** haar~van doen *her manner/w. of behaving, her behaviour;* hun~van leven *their w. of life/living* **3.2** hij heeft geen~en *he is ill-mannered/has no m.* **5.1** de~waarop *the w. it is done* **6.1** ze schrijft ook gedichten, op haar~*she also writes poetry of a sort/after a/her own fashion;* op die~bereik je niks *that will get you nowhere, you'll get nowhere that w.;* o, op die/zo'n~*oh, I see!, oh, is that what you mean!;* op een fatsoenlijke~*in a decent manner/w., by fair means, decently;* hij probeerde leuk te zijn **op** zijn~*he tried to be what he thought was funny;* dat kun je **op** verschillende~en doen *there are various/several ways/ways and ways of doing this;* **op** alle mogelijke~en *in every possible/conceivable w.;* **op** die~kom je nooit klaar *at this rate you'll never be finished;* **op** de een of andere~somehow or other, by hook or by crook;* **op** de gebruikelijke/die~ *(in) the usual/that w.;* ⟨fig.⟩ ik heb **op** geen enkele~moeilijkheden met hem gehad *I've had no trouble of any kind with him/no trouble with him at all/not the slightest trouble with him* **7.1** dat is dè~*that is the perfect/right w./style;* dat is geen~*(van doen) that is not the w. (to do things/to treat s.o.)* ¶**.2** wat zijn dat voor~en! *what kind/sort of behaviour is that!* ¶**.3** zo zijn onze~en *(ook iron.) that's the w. we go about it (here)/we do things here*.
manièrisme ⟨het⟩ **0.1** [gekunsteldheid] *mannerism* **0.2** [stijl(periode)] *mannerism*.
manièrist ⟨de (m.)⟩ **0.1** *mannerist*.
maniertje ⟨het⟩ **0.1** [truc] *trick* ⇒*knack* **0.2** [lichte gemaaktheid] *air* ⇒*mannerism* ◆ **2.2** fijne~s *airs and graces* **4.2** ik heb een hekel aan die~s van hem *I can't stand the airs he puts on* **6.1** bestaat er een~om dat te leren? *is there a t. to learn that/a t. for learning that?*.
manifest¹ ⟨het⟩ **0.1** [openbare bekendmaking] *manifesto* **0.2** [scheepsmanifest] *manifest*.
manifest² ⟨bn.⟩ **0.1** *manifest* ⇒*obvious, overt*.
manifestatie ⟨de (v.)⟩ **0.1** [betoging] *demonstration* ⇒⟨inf.⟩ *demo,* ⟨zonder politiek doel⟩ *happening,* ⟨cultureel e.d.⟩ *event* **0.2** [vertoning] *demonstration* ⇒*display, show* **0.3** [verschijning] *manifestation* ⇒*materialization* ◆ **1.2** een~van machtsmiddelen *a display of power* **6.1** een~**tegen** de plaatsing van kernwapens *a d. against the deployment of nuclear weapons*.
manifesteren
I ⟨ov.ww.⟩ **0.1** [vertonen] *manifest* ⇒*display, show;*
II ⟨onov.ww.⟩ **0.1** [betoging houden] *demonstrate;*
III ⟨wk.ww.;zich~⟩ **0.1** [zich openbaren] *manifest o.s.* ⇒*display/show o.s.*.
manilla ⟨de⟩ **0.1** [tabakssoort] *Manila (tobacco)* **0.2** [sigaar] *Manila (cigar)*.
manillatouw(werk) ⟨het⟩ **0.1** [touwwerk] *Manil(l)a (hemp/fibre);* ⟨touw⟩ *Manil(l)a (rope)*.
maning ⟨de (v.)⟩ **0.1** [het manen] *demanding payment* **0.2** [aanmaning] *demand for payment* ⇒*dun*.
maniok ⟨de (m.)⟩ **0.1** *cassava* ⇒*manioc(a)*.
manipel ⟨de (m.)⟩ **0.1** [⟨r.k.⟩] *maniple* **0.2** [⟨Romeinse gesch.⟩] *maniple*.
manipulatie ⟨de (v.)⟩ **0.1** [het toepassen van kunstgrepen] *manipulation* ⇒*jugglery* **0.2** [beïnvloeding] *manipulation* ◆ **2.1** genetische~*genetic engineering*.

manipulatiekunst ⟨de (v.)⟩ **0.1** *sleight of hand*.
manipulator ⟨de (m.)⟩ **0.1** *manipulator* ⇒*juggler*.
manipuleerbaar ⟨bn.⟩ **0.1** *manipul(at)able*.
manipuleren
I ⟨onov.,ov.ww.⟩ **0.1** [beïnvloeden] *manipulate* ⇒*juggle (with),* ⟨frauduleus⟩ *rig* ◆ **1.1** de verkiezingen~*rig the elections* **6.1** ~**met** statistische gegevens *m. statistics, juggle (with) statistics;*
II ⟨onov.ww.⟩ **0.1** [bewegingen/bewerkingen uitvoeren] *manoeuvre* [A]*maneuver* ⇒*manipulate, handle*.
manis ⟨bn.⟩ **0.1** *sweet*.
manisch ⟨bn.⟩ **0.1** *manic* ◆ **2.1** ~-depressieve psychose *manic-depressive psychosis/reaction;* ⟨inf.⟩ *manic depression*.
manisch-depressief ⟨bn.⟩ **0.1** *manic-depressive*.
manisme ⟨het⟩ **0.1** *manism* ⇒*ancestor cult, necrolatry*.
manjaar ⟨het⟩ **0.1** *man-year*.
mank ⟨bn.,bw.;-ly⟩ (→sprw. 448) **0.1** *lame* ⇒*crippled, game,* ⟨inf.⟩ *gammy* ◆ **3.1** ⟨fig.⟩ aan hetzelfde euvel~gaan *suffer from the same defect;* ~gaan/lopen *walk with/have a limp, limp, hobble;* ⟨fig.⟩ deze vergelijking gaat~*this comparison falls short;* ⟨fig.⟩ die redenering gaat~*that reasoning won't stand up/doesn't hold water* **6.1** ~zijn **aan** de linkervoet *have a crippled left foot*.
mankement ⟨het⟩ **0.1** [gebrek] *defect* ⇒*fault,* ⟨inf.;mbt. machines⟩ *bug* **0.2** [lichaamsgebrek] *defect* ⇒*disability* ◆ **3.1** dat~is nu verholpen *that bug has been ironed out;* nog heel wat~en vertonen *be full of shortcomings* **6.1** een~**aan** de remmen *trouble with the brakes* **6.2** hij heeft een~**aan** de voet *he has (got) sth. wrong/sth. the matter with his foot*.
manken ⟨onov.ww.⟩ ⟨AZN⟩ **0.1** *walk with/have a limp* ⇒*limp, hobble*.
mankepoot ⟨de⟩ ⟨bel.⟩ **0.1** [↑]*cripple,* [A]*gimp*.
mankeren
I ⟨onov.ww.⟩ **0.1** [schelen] *be wrong/the matter/* ⟨inf.⟩ *up* **0.2** [ontbreken] *be missing* **0.3** [in gebreke zijn] *be wrong* ◆ **4.1** wat mankeert je toch? *what's wrong/the matter/up with you?, what has come over you?* **5.2** dat mankeert er nog maar aan *that's all I/we need(ed), that's the last straw, that (just) crowns everything* **5.3** er mankeert nogal wat aan *there's a fair amount wrong with it* **6.3** ik kom, **zonder** ~*I'll come without fail;* ⟨inf.⟩ *I'll come, never fear!;*
II ⟨ov.ww.⟩ **0.1** [afwijking, ziekte] hebben] *have sth. wrong/the matter/* ⟨inf.⟩ *up (with one)* **0.2** [⟨AZN⟩ missen] *miss* ◆ **4.1** ik mankeer niets *I'm all right, there's nothing wrong with me*.
mankracht ⟨de (v.)⟩ **0.1** [menselijke kracht] *manpower* ⇒*manual labour* **0.2** [sterkte aan manschappen] *manpower* ⇒*labour* ◆ **3.1** de machine wordt door~bewogen *the machine is driven by hand/manually*.
manlief ⟨de (m.)⟩ ⟨iron.⟩ **0.1** *one's lord and master* ⇒*hubby* ◆ ¶**.1** (maar)~! *hubby dear!*.
manloos ⟨bn.⟩ **0.1** *husbandless* ⇒*without a husband/man*.
manmoedig ⟨bn.,bw.;-ly⟩ **0.1** *manful* ⇒*manly, bold, brave*.
manmoedigheid ⟨de (v.)⟩ **0.1** *manfulness* ⇒*manliness, bravery*.
manna ⟨het⟩ ⟨bijb.⟩ **0.1** *manna* ◆ **8.1** het komt als~uit de hemel vallen *it is like pennies from heaven*.
manneke(n) ⟨het⟩ **0.1** *little fellow/chap/lad/* ⟨vnl. AE⟩ *guy* ◆ ¶**.1** pas op, ~! *watch it, sonny!*.
mannelijk ⟨bn.,bw.⟩ **0.1** [mbt. het geslacht] *male* **0.2** [(als) v.e. man] *masculine* ⇒*male, manlike, virile,* ⟨mbt. vrouw ook⟩ *mannish,* ⟨potteus⟩ ↓*butch* **0.3** [manhaftig] *manly* ⇒*manful, virile* **0.4** [⟨taal.⟩] *masculine* **0.5** [⟨let.⟩] *masculine* ◆ **1.1** een~kind *a m. child;* ⟨schr.⟩ *a man-child;* het~lid *the m. organ;* ⟨schr.⟩ *the virile member;* een~e plant *a m. plant* **1.2** de~e leeftijd bereiken *reach manhood;* een~e stem *a masculine voice* **1.4** een~zelfstandig naamwoord *a m. noun* **1.5** ~rijm *m. rhyme* **3.3** zich~gedragen *behave in a manly way/* ⟨inf.⟩ *like a man;* dat is/staat~*that's the manly thing to do/way to behave; that looks manly*.
man(ne)lijkheid ⟨de (v.)⟩ **0.1** [viriliteit] *manliness* ⇒*virility, manfulness* **0.2** [penis] *manhood*.
mannenaangelegenheid ⟨de (v.)⟩ **0.1** *men's/(all-)male affair*.
mannenafdeling ⟨de (v.)⟩ **0.1** [ziekenhuis] *men's ward* **0.2** [kantoor] *all-male department*.
mannenbeweging ⟨de (v.)⟩ **0.1** *men's liberation movement*.
mannenbroeders ⟨de (m.)⟩ ⟨scherts.⟩ **0.1** *fellas!;* ⟨BE ook⟩ *lads!;* ⟨AE ook⟩ *guys!*.
mannengek ⟨de (v.)⟩ **0.1** *man-chaser* ⇒[↑]*nymphomaniac*.
mannengemeenschap ⟨de⟩ **0.1** *male community* ⇒*man's world*.
mannenhaatster ⟨de (v.)⟩ **0.1** *man-hater*.
mannenhand ⟨de⟩ **0.1** [handschrift] *man's/masculine handwriting* **0.2** [hand] *man's hand*.
mannenhuis ⟨het⟩ **0.1** [verpleeghuis] *(old) men's home* **0.2** [⟨etnol.⟩] *men's house*.
mannenklooster ⟨het⟩ **0.1** *monastery*.
mannenkoor ⟨het⟩ **0.1** *male choir* ⇒*men's choral society*.
mannenmaatschappij ⟨de (v.)⟩ **0.1** *men's world, male society*.
mannenpraatgroep ⟨de⟩ **0.1** *men's discussion group*.
mannenrol ⟨de⟩ **0.1** *male part/role*.
mannenstem ⟨de⟩ **0.1** *male voice* ⇒*man's voice*.

mannentaal ⟨de⟩ **0.1** *manly language* ⇒*strong language,* ⟨inf.⟩ *man-talk* ◆ **3.1** dat is pas ∼! *now you're talking (like a man), that's strong language.*

mannenverslindster ⟨de (v.)⟩ **0.1** *predatory female.*

mannenwereld ⟨de⟩ **0.1** *men's world.*

mannenwerk ⟨het⟩ **0.1** [dat kracht vereist] *(a) man's job* **0.2** [dat past voor een man] *man's/men's work* ⇒*work (fitting) for a man/for men.*

mannenzaal ⟨de⟩ **0.1** *male/men's ward.*

mannequin ⟨de (m.)⟩ **0.1** [persoon] *model* ⇒*mannequin* **0.2** [etalage-pop] *(tailor's/dressmaker's) dummy* ⇒*mannequin* ◆ **8.1** als ∼ showen /werken *model.*

mannetje ⟨het⟩ **0.1** [jong/klein persoon] *little fellow/chap/lad/* ⟨vnl. AE⟩ *guy* **0.2** [gestalte v.e. mens] *small figure* **0.3** [persoon] *chap* **0.4** [dier/plant] *male;* ⟨dier;inf.⟩ *he* **0.5** [getekend poppetje] *little man* ◆ **1.4** een ∼ en een wijfje *a m. and a female; a he and a she* **3.3** daar heb ik mijn ∼s voor *I've got my men/chaps/people for that* **3.¶** ∼s maken ⟨smoesjes verkopen⟩ *find excuses;* ⟨dram.⟩ *do/play/stock parts;* zijn ∼ staan *hold one's own, stick up for/look after o.s.* **6.1** een ∼ van niks *a little squirt/pip-squeak* **6.2** het ∼ **in** de maan *the man in the moon* **6.3** ⟨fig.⟩ ∼ **aan** ∼ zitten *sit shoulder to shoulder/* ⟨scherts.⟩ *thigh to thigh.*

mannetjesdier ⟨het⟩ **0.1** *male.*

mannetjeseend ⟨de (m.)⟩ **0.1** *drake.*

mannetjesmaker ⟨de (m.)⟩ **0.1** [aansteller] *poser* ⇒*show-off* **0.2** [⟨dram.⟩ acteur die stereotypen uitbeeldt] *stock/typecast actor.*

mannetjesmakerij ⟨de (v.)⟩ **0.1** [kunstenmakerij, aanstellerij] *affectation* ⇒*pose* **0.2** [⟨dram.⟩ uitbeelding van stereotiepen] *doing stock parts.*

mannetjesputter ⟨de (m.)⟩ **0.1** [sterke man/vrouw] *strapper* ⇒*strapping /husky man/woman,* ⟨mbt. man⟩ *he-man,* ⟨mbt. vrouw;scherts.⟩ *she-man* **0.2** [iem. die knap is in zijn vak is] *ace.*

mannetjesvaren ⟨de⟩ **0.1** *male fern.*

mannie **0.1** *hubby.*

mannin ⟨de (v.)⟩ ⟨bijb.⟩ **0.1** *woman.*

mannose ⟨de⟩ **0.1** *mannose.*

manoeuvre ⟨het, de⟩ **0.1** [wending] *manoeuvre* ^*maneuver* ⇒*move,* ⟨mil.⟩ *evolution* **0.2** [gevechtsoefening] *manoeuvre* ^*maneuver* **0.3** [list] *manoeuvre* ^*maneuver* ⇒*stratagem, trick* ◆ **2.1** een verkeerde ∼ bij het inhalen *a false manoeuvre while overtaking* **2.3** een handige ∼ *a clever move;* politieke ∼s *political stratagems* **6.2** op ∼ zijn *be on manoeuvres* **6.3** ∼s **bij** de verkiezingen *electoral manoeuvring.*

manoeuvreerbaar ⟨bn.⟩ **0.1** *manoeuvrable* ^*maneuverable.*

manoeuvreerbaarheid ⟨de (v.)⟩ **0.1** *manoeuvrability* ^*maneuverability.*

manoeuvreren
I ⟨onov.ww.⟩ **0.1** [behendig zijn] *manoeuvre* ^*maneuver* ⇒*manipulate* **0.2** [gevechtsoefeningen houden] *manoeuvre* ^*maneuver* ◆ **1.2** de troepen ∼ *the troops are manoeuvring* **6.1** ⟨inf.⟩ **met** iets ∼ *manoeuvre /manipulate sth.;*
II ⟨ov.ww.⟩ **0.1** [bewerkstelligen] *manoeuvre* ^*maneuver* **0.2** [besturen] *manoeuvre* ^*maneuver* ◆ **1.2** een schip ∼ *m. a ship* **3.1** hij wist het zo te ∼ dat *…he contrived to …* **6.1** iem. **in** een onaangename positie ∼ *manoeuvre s.o. into an awkward position.*

manometer ⟨de (m.)⟩ **0.1** *manometer.*

manostaat ⟨de (m.)⟩ **0.1** *manostat.*

manou ⟨het⟩ **0.1** *rattan (cane).*

mans[1] ⟨de (m.)⟩ →**mansbakje.**

mans[2] ⟨bn.⟩ ◆ **3.¶** hij is heel wat ∼ *he's got guts, he's quite a man/guy/ fellow;* ⟨flink⟩ *he's strong/got muscles* **5.¶** zij is er ∼ genoeg voor *she's (well) up to it, she can handle it;* hij is er ∼ genoeg voor ⟨ook⟩ *he's man enough to do it;* met melk meer ∼ *drinka pinta milka day, milk's got a whole lotta bottle.*

mansarde ⟨de⟩ **0.1** *mansard* ⇒*attic (room), garret.*

mansardedak ⟨het⟩ **0.1** *mansard (roof)* ⇒*curb roof,* ^*gambrel roof.*

mansbakje ⟨het⟩ **0.1** *collecting-box.*

manschappen ⟨de (m.)⟩ **0.1** *men* ⇒⟨scheep.⟩ *crew,* ⟨mbt. oorlogsschip; BE ook⟩ *ratings* ◆ **1.1** officieren en ∼ *officers and m./other ranks/ crew/ratings.*

manschappenwagen ⟨de (m.)⟩ **0.1** ⟨BE,politie⟩ *riot van;* ⟨mil.⟩ *troop/ personnel carrier.*

mansdik ⟨bn.⟩ **0.1** *(as) thick as a man* ⟨alleen na zn.⟩.

manshoog ⟨bn.⟩ **0.1** *man-size(d)* ⇒*of a man's height.*

manshoogte ⟨de (v.)⟩ **0.1** *man's height.*

manskerel ⟨de (m.)⟩ **0.1** ⟨sterk⟩ *he-man;* ⟨ruw⟩ *coarse fellow,* ↓*butch;* ⟨onguur⟩ *unsavoury customer.*

manslag ⟨de (m.)⟩ **0.1** *manslaugther* ◆ **2.1** on(vrij)willige ∼ *unintentional/involuntary homicide;* ⟨jur.⟩ *homicide by misadventure.*

manslengte ⟨de (v.)⟩ **0.1** *man's height* ⇒*height of a man* ◆ **3.1** ⟨sport⟩ een ∼ voorliggen *be a length ahead.*

mansoor ⟨het⟩ ⟨plantk.⟩ **0.1** *hazelwort* ⇒*asarabacca.*

manspersoon ⟨de (m.)⟩ **0.1** *fellow, chap* ⇒*male, man.*

mansvolk ⟨het⟩ **0.1** *menfolk(s).*

mantel ⟨de (m.)⟩ **0.1** [jas] *coat* ⇒⟨zonder mouwen;ook fig.⟩ *cloak,* ⟨vero.⟩ *mantle* **0.2** [bij vogels] *mantle* **0.3** [bij weekdieren] *mantle* ⇒

---

pallium **0.4** [⟨geldw.⟩] ≠*scrip, share without the coupon sheets* **0.5** [⟨tech.⟩] *casing* ⇒*jacket, housing, (heating) mantle* **0.6** [aanduiding v.e. samenhang] *umbrella* ⟨in samenst.⟩ ◆ **1.1** ⟨fig.⟩ met de ∼ der liefde bedekken *cover with the cloak of charity, gloss over, draw a veil over* **3.¶** ⟨fig.⟩ iem. de ∼ uitvegen *haul s.o. over the coals, give s.o. a good/proper dressing-down, give s.o. a roasting/* ⟨BE ook⟩ *a rocket* **6.5** de ∼ (van splijtstofstaaf) **in** kernreactor *the casing (of fissionable material) in a nuclear reactor* **6.¶** ⟨fig.⟩ **onder** de ∼ van *under cover/ the cloak of.*

mantelanjer ⟨de⟩ **0.1** [⟨Tunica prolifera⟩] *tunica* ⇒*proliferous pink* **0.2** [⟨Tunica saxifraga⟩] *tunica* ⇒*coat flower.*

mantelbaviaan ⟨de (m.)⟩ **0.1** *hamadryas baboon.*

manteldieren ⟨het⟩ **0.1** *tunicates.*

mantelholte ⟨de (v.)⟩ ⟨dierk.⟩ **0.1** *mantle cavity.*

mantelkoeling ⟨de (v.)⟩ **0.1** *jacket cooling.*

mantelkostuum ⟨het⟩ →**mantelpak.**

mantelmeeuw ⟨de⟩ **0.1** *great black-backed gull* ⇒*cob, swartback.*

mantelorganisatie ⟨de (v.)⟩ **0.1** *umbrella organization.*

mantelovereenkomst ⟨de (v.)⟩ **0.1** *master contract, framework agreement.*

mantelpak ⟨het⟩ **0.1** *(woman's) suit.*

mantelzorg ⟨de⟩ **0.1** *volunteer aid.*

mantilla ⟨de⟩ **0.1** *mantilla.*

mantisse ⟨de⟩ **0.1** *mantissa.*

mantouxtest ⟨de (m.)⟩ **0.1** *Mantoux test.*

mantra ⟨de⟩ ⟨rel.⟩ **0.1** *mantra.*

Mantsjoerije ⟨het⟩ **0.1** *Manchuria.*

Mantsjoerijs ⟨bn.⟩ **0.1** *Manchurian.*

manuaal ⟨het⟩ **0.1** [⟨muz.⟩] *manual* **0.2** [eigenaardig gebaar] *mannerism* ⇒*gesture.*

manueel ⟨bn.⟩ **0.1** [mbt. het gebruik v.d. handen] *manual* **0.2** [handvaardig] *manual.*

manufacturen ⟨zn.mv.⟩ **0.1** *drapery* ⇒*soft/*^*dry goods.*

manufacturenwinkel ⟨de (m.)⟩ **0.1** *draper's, drapery,* ^*dry goods store.*

manuscript ⟨het⟩ **0.1** [handschrift] *manuscript* **0.2** [geschreven, getypte tekst] *manuscript* ⇒⟨getypt ook⟩ *typescript.*

manusje ⟨het⟩ ◆ **¶.¶** een ∼ van alles ⟨iem. die alles kan⟩ *a jack-of-all-trades;* ⟨iem. die alles moet doen⟩ *a factotum/ (general) dogsbody,* ⟨inf.⟩ *chief cook and bottle-washer.*

manuur ⟨het⟩ **0.1** *man-hour.*

manvolk ⟨het⟩ **0.1** *menfolk.*

manwijf ⟨het⟩ **0.1** *mannish woman,* ↓*butch;* ⟨bazig⟩ *dragon* ⇒*battle-axe* ^*-ax,* ⟨fors;inf.⟩ *she-man,* ⟨schr.⟩ *virago.*

Manxkat ⟨de⟩ **0.1** *Manx cat.*

manziek ⟨bn.⟩ **0.1** *nymphomaniac(al).*

maoïsme ⟨het⟩ **0.1** *Maoism.*

maoïst ⟨de⟩ **0.1** *Maoist.*

Maori ⟨de (m.)⟩ **0.1** *Maori.*

map ⟨de⟩ **0.1** [omslag] *file* ⇒*folder, portfolio* **0.2** [mbt. de inhoud] *file* ◆ **6.1** iets in een ∼ doen *put sth. in a file, file sth..*

maquette ⟨de⟩ **0.1** *(scale-)model* ⇒*replica.*

maquillage ⟨de (v.)⟩ **0.1** [het opmaken] *making-up* **0.2** [make-up] *make-up.*

maquilleren ⟨ov.ww.⟩ **0.1** *make up.*

Maquis ⟨de (m.)⟩ **0.1** *Maquis.*

maraboe ⟨de (m.)⟩ **0.1** [vogel] *marabou (stork)* ⟨Afrika⟩; *adjutant (bird/ stork/crane)* ⟨Azië⟩ **0.2** [verenbont] *marabou* **0.3** [kluizenaar] *marabout.*

maraboetzijde ⟨de⟩ **0.1** *marabou (silk).*

marasquin ⟨de (m.)⟩ **0.1** *maraschino.*

marathon ⟨de (m.)⟩ **0.1** [marathonloop] *marathon* **0.2** [wedstrijd van lange duur] *marathon* **0.3** [⟨in samenst.⟩ zeer lang durend] *marathon* ◆ **1.3** marathonvergadering *m. meeting;* marathonzitting *m. session* **1.¶** filmmarathon *film m..*

marathonloop ⟨de (m.)⟩ **0.1** *marathon race.*

MARC ⟨de (v.)⟩ ⟨afk.⟩ **0.1** [machtigingsregeling voor algemene radiocommunicatie] ⟨*general broadcasting licence*⟩.

marcato ⟨bw.⟩ ⟨muz.⟩ **0.1** *marcato* ⇒*marcando.*

marchanderen ⟨onov.ww.⟩ **0.1** *bargain* ⇒*haggle* ◆ **¶.1** met haar valt niet te ∼ *there's no moving/shifting/budging her.*

marcheren ⟨onov.ww.⟩ **0.1** [in ritmische pas lopend] *march* ⇒⟨scherts. ook⟩ *troop* **0.2** [lopen] *walk* **0.3** [⟨fig.⟩ lopen] *run (well)* ⇒*go well, move* ◆ **3.1** doen ∼ *march* **5.3** de zaak marcheert niet *things aren't running/going well, things aren't working out.*

marcia ⟨de⟩ ⟨muz.⟩ **0.1** *march* ◆ **¶.1** tempo di ∼ *m. time.*

marconist ⟨de (m.)⟩ **0.1** *radio operator* ⇒⟨scheep.;inf.⟩ *sparks.*

marcotteren ⟨onov.,ov.ww.⟩ ⟨landb.⟩ **0.1** *marcot (a plant/branch), air-layer (a branch/shoot).*

Marcus **0.1** *Mark.*

mare ⟨de⟩ **0.1** [tijding] *tidings* **0.2** [gerucht] *word* ⇒*report, rumour* ◆ **3.2** de ∼ gaat/loopt *w./rumour has it, the report goes.*

marechaussee
I ⟨de (v.)⟩ **0.1** [militair politiekorps] *military police* ⇒*M.P.;*

II ⟨de (m.)⟩ **0.1** [korpslid] *military policeman* ⟨m.⟩ / *policewoman* ⟨v.⟩ ⇒*M.P.*.

marechausseekazerne ⟨de⟩ **0.1** ≠*constabulary barracks*.

maren ⟨ww.⟩ **0.1** †*raise objections* ◆ **4.1** niets te ~ *no buts (about it)*; ⟨scherts.⟩ *don't 'but' me*.

maretak ⟨de (m.)⟩ **0.1** *mistletoe*.

margarine ⟨de⟩ **0.1** [kunstboter] *margarine* ⇒⟨BE; inf.⟩ *marg(e)* **0.2** [vet voor kunstboter] *margarine*.

marge ⟨de⟩ **0.1** [witte rand] *margin* **0.2** [verschil] *margin* **0.3** [speelruimte] *margin* ◆ **2.¶** de literaire ~ *the literary fringe* **3.1** v.e. ~ voorzien *give a m.*, *margin(ate)* **6.1** opmerking in de ~ *comment in the m.*; over de ~ v.e. pagina gaan *bleed* **6.3** gerommel in de ~ *fiddling about/* ᴬ*around*.

margestop ⟨de (m.)⟩ **0.1** *margin stop*.

marginaal ⟨bn.⟩ **0.1** [in de marge aangebracht] *marginal* **0.2** [tegen de bestaansgrens aan] *marginal* **0.3** [van weinig belang] *marginal* ⇒ *fringe* ⟨alleen attr.⟩ **0.4** [mbt. het gevolg v.e. verandering] *marginal* ◆ **1.1** een marginale onderkop/titel *a sidehead* **1.2** marginale bedrijven *m. companies*; een ~ bestaan *a m. existence* **1.3** een marginale groep *a fringe group* **1.4** marginale kosten *m. costs*.

marginalia ⟨zn.mv.⟩ **0.1** *marginal notes* ⇒*marginalia*.

margriet ⟨de⟩ **0.1** *marguerite* ⇒*(oxeye) daisy*, ⟨BE ook⟩ *moondaisy*.

Maria-altaar ⟨het⟩ **0.1** *Lady altar*.

Mariabeeld ⟨het⟩ **0.1** *statue of the Virgin Mary* ⇒*Virgin*.

Maria-Boodschap ⟨de (v.)⟩ **0.1** *Lady/Annunciation Day*.

mariadistel ⟨de⟩ **0.1** *milk thistle* ⇒*Our-Lady's-thistle*.

mariage de raison 0.1 *marriage of convenience*.

Mariahartje ⟨het⟩ ⟨plantk.⟩ **0.1** *bleeding heart*.

Maria-Hemelvaart ⟨de (v.)⟩ **0.1** *Assumption*.

Mariakaakje ⟨het⟩ ⟨handelsmerk⟩ **0.1** *Marie biscuit*.

Mariakapel ⟨de⟩ ⟨r.k.⟩ **0.1** *Lady Chapel*.

Mariakroon ⟨de⟩ ⟨bouwk.⟩ **0.1** *pendant*.

Marialegende ⟨de⟩ **0.1** [mbt. het leven van Maria op aarde] *Marian legend* **0.2** [mbt. een wonderbaar feit] *Marian legend*.

Maria-Lichtmis ⟨de (v.)⟩ **0.1** *Candlemas*.

Mariaverering ⟨de (v.)⟩ ⟨rel.⟩ **0.1** *veneration of the Virgin Mary/the Blessed Virgin* ⇒⟨pej.⟩ *Mariolatry*.

marien ⟨bn.⟩ ⟨biol., geol.⟩ **0.1** *marine*.

marihuana ⟨de⟩ **0.1** *marijuana, marihuana* ⇒*cannabis*, ⟨inf.⟩ *grass, weed, pot* ◆ **6.1** aan ~ verslaafde *m. addict*; ⟨inf.⟩ *grass smoker, pot-head*.

marihuanasigaret ⟨de⟩ **0.1** *marijuana/cannabis cigarette* ⇒⟨sl.⟩ *joint, stick, reefer*.

marimba ⟨de⟩ ⟨muz.⟩ **0.1** *marimba*.

marinade ⟨de (v.)⟩ **0.1** [het marineren] *marinating* ⇒*marinading* **0.2** [kruidig mengsel] *marinade* ◆ **6.1** iets in de ~ zetten *marinate/marinade sth.*.

marine[1] ⟨de (v.)⟩ **0.1** [oorlogsvloot] *navy* **0.2** [krijgswezen] *navy* **0.3** [⟨bk.⟩] *seascape* ◆ **2.1** de Koninklijke Marine *the Royal Navy* **6.2** bij de ~ zijn *be in the m.*; officier *bij* de ~ *naval officer*.

marine[2] ⟨bn.⟩ **0.1** [marien] *marine* **0.2** [marineblauw] *navy (blue)*.

marinebasis ⟨de (v.)⟩ **0.1** *naval base*.

marineblauw[1] ⟨het⟩ **0.1** *navy blue*.

marineblauw[2] ⟨bn.⟩ **0.1** *navy blue*.

marinehaven ⟨de⟩ **0.1** *naval port/harbour*.

marinehospitaal ⟨het⟩ **0.1** *naval hospital*.

marineluchtvaartdienst ⟨de (m.)⟩ **0.1** *naval air force* ⇒⟨BE; gesch.⟩ *Fleet Air Arm*.

marineman ⟨de (m.)⟩ **0.1** *navy man*.

marineofficier ⟨de (m.)⟩ **0.1** *naval officer*.

marineopleidingsschip ⟨het⟩ **0.1** *naval training-vessel*.

marineren ⟨ov.ww.⟩ **0.1** [laten intrekken] *marinate, marinade* **0.2** [inmaken] *marinate* ⇒*marinade, pickle, souse* ◆ **1.2** gemarineerde haring *marinated/pickled/soused herring*.

marinestaf ⟨de (m.)⟩ **0.1** *naval staff*.

marinestation ⟨het⟩ **0.1** *naval station*.

marinevaartuig ⟨het⟩ **0.1** *naval vessel*.

marinevliegtuig ⟨het⟩ **0.1** *naval aircraft*.

marinewerf ⟨de⟩ **0.1** *naval dockyard*; ⟨AE⟩ *naval shipyard, navy yard*.

marinewezen ⟨het⟩ **0.1** *naval affairs* ⇒⟨inf.⟩ *navy*.

marinier ⟨de (m.)⟩ **0.1** *marine* ◆ **1.1** het Korps Mariniers *the Marine Corps*; ⟨inf.⟩ *the Marines*.

marinierskapel ⟨de⟩ **0.1** *band of the Royal Marines*.

marinisme ⟨het⟩ ⟨lit.⟩ **0.1** *Marinism*.

marionet
  I ⟨de⟩ **0.1** [pop] *puppet* ⇒*marionette*;
  II ⟨de (m.)⟩ **0.1** [persoon] *puppet* ⇒*pawn*.

marionettenregering ⟨de (v.)⟩ **0.1** *puppet regime/government*.

marionettenspel ⟨het⟩ **0.1** [het spelen] *playing with puppets* **0.2** [poppenspel] *puppet show* **0.3** [tent] *puppet show*.

marionettentheater ⟨het⟩ **0.1** *puppet theatre/show*.

maritaal ⟨bn.⟩ **0.1** *marital*.

maritiem ⟨bn.⟩ **0.1** [mbt. de zee/het zeewezen] *maritime* **0.2** [zeevaart

---

beoefenend] *maritime* **0.3** [mbt. de bewoners v.d. zeekust] *maritime* ◆ **1.1** een ~ museum *a m. museum*; ~ recht *m. law*; ⟨jur.⟩ *admiralty*; ~ station *naval base/station* **1.2** een ~ e mogendheid *a m. power*.

marjolein ⟨de⟩ **0.1** *(wild) marjoram* ⇒*pot marjoram, origan*.

mark
  I ⟨de (m.)⟩ **0.1** [munteenheid] *mark* ⇒⟨BRD ook⟩ *Deutsche mark*, ⟨DDR ook⟩ *ostmark*, ⟨Finland ook⟩ *markka*;
  II ⟨de⟩ **0.1** [markgenootschap] *mark* **0.2** [onverdeelde grond] *mark*.

markant ⟨bn.⟩ **0.1** *striking* ⇒*outstanding, prominent* ◆ **1.1** een ~ e figuur *a s. personality*; een ~ e plaats innemen *take/have a prominent place*; ~ e trekken *s. features*.

markeerder ⟨de (m.)⟩ **0.1** *marker*.

marker ⟨de⟩ **0.1** *marker*.

markeren ⟨ov.ww.⟩ **0.1** [merken] *mark* **0.2** [aanduiden door tekens] *mark* **0.3** [geurvlag afzetten] *mark* ◆ **1.1** de pas ~ *m. time*.

markering ⟨de (v.)⟩ **0.1** *marking* ⇒⟨verkeer⟩ *signposting*.

markeringsboei ⟨de⟩ **0.1** *marker buoy*.

marketentster ⟨de (v.)⟩ ⟨gesch.⟩ **0.1** *camp follower* ⇒⟨zeldz.⟩ *sutler, vivandière*.

marketing strategie ⟨de (v.)⟩ **0.1** *marketing strategy*.

markgraaf ⟨de (m.)⟩ **0.1** *margrave*.

markies
  I ⟨de (m.)⟩ **0.1** [markgraaf ⟨als titel⟩] *marquis* ⇒⟨BE vnl.⟩ *marquess*;
  II ⟨de⟩ **0.1** [luifel] *canopy* ⇒*porch*, ⟨AE ook⟩ *marquee* **0.2** [zonnescherm] *awning* ⇒*(sun-)blind*.

markieslinnen ⟨het⟩ **0.1** *striped canvas*.

markiezin ⟨de (v.)⟩ **0.1** *marquise* ⇒⟨GB⟩ *marchioness*.

markizaat ⟨het⟩ **0.1** *marquisate*.

markt ⟨de⟩ ⟨→sprw. 185,496⟩ **0.1** [openbare verkoop] *market* ⇒*mart* **0.2** [plaats] *market(place)* ⇒*mart* **0.3** [uitwisseling van produkten] *market* ⇒*mart* **0.4** [prijs] *market* **0.5** [intensiteit v.d. handel] *market* **0.6** [⟨ec.⟩] *market* ◆ **2.3** zwarte ~ *black market* **2.4** een dalende ~ *a bear m.*; een stijgende/oplopende/rijzende/willige ~ *a bull m.* **2.5** een flauwe ~ *a slow m.*; de ~ was stil *the m. was quiet*; een vaste ~ *a firm m.* **2.6** de vrije/open(bare) ~ *the open m.* **3.3** een ~ creëren *create a market*; er is geen ~ meer voor dat produkt *there is no market* / ⟨inf.⟩ *no call for that product any more*; de ~ overstromen/overspoelen met *flood/swamp the market with*; een boek van de ~ houden *keep a book out of circulation, suppress a book*; v.d. ~ verdringen *push out of/push off the market*; een ~ zoeken voor een nieuw produkt *seek a market/an outlet/an opening for a new product* **3.4** de ~ bederven *ruin/spoil trade/the m.*; de ~ opdrijven *force/drive the m. up* **6.1** ⟨fig.⟩ in de ~ zijn voor *be in the market for*; naar de ~ gaan *go to market*; op de ~ kopen *buy in/at the market*; op de ~ staan *be in/at the market/in the marketplace*; ⟨fig.⟩ zichzelf uit de ~ prijzen *price o.s. out of the market*; van alle ~ en thuis zijn *be able to turn one's hand to anything, be an all-rounder/a jack-of-all-trades* **6.3** op de ~ komen *come onto the market*; op de ~ gooien *throw/dump on the market*; iets uit de ~ nemen *take sth. off the market* **6.4** goed in de ~ liggen *be sal(e)able/marketable*; ⟨fig.⟩ *have a good name, enjoy a good reputation*.

marktaanbod ⟨het⟩ **0.1** *market supply*.

marktaandeel ⟨het⟩ **0.1** *market share* ⇒*share of a/the market*.

marktanalyse ⟨de (v.)⟩ **0.1** *market analysis* ⇒⟨onderzoek⟩ *market research*, ⟨gericht op marketing⟩ *marketing research*.

marktbederver ⟨de (m.)⟩ **0.1** [door lage prijzen] *undercutter, underseller, cut-price shop* **0.2** [dor laag bod] *underbidder* ⇒*undercutter*.

marktbericht ⟨het⟩ **0.1** *market report*.

marktconjunctuur ⟨de (v.)⟩ **0.1** [toestand] *market conditions, state of the market* **0.2** [schommelingen] *market fluctuations*.

marktdag ⟨de (m.)⟩ **0.1** *market day*.

markten
  I ⟨onov.ww.⟩ **0.1** [naar de markt gaan] *go to market* ◆ **3.1** gaan ~ *go to market*;
  II ⟨ov.ww.⟩ **0.1** [te koop aanbieden] *(bring to) market*.

marktganger ⟨de (m.)⟩ **0.1** *market-goer*.

marktgeld ⟨het⟩ **0.1** *(market) toll*; ⟨BE ook⟩ *stallage*.

marktgevoelig ⟨bn., bw.⟩ **0.1** *market-sensitive*.

marktgewoel ⟨het⟩ **0.1** *bustle/stir of the market*.

markthal ⟨de⟩ **0.1** *market hall* ⇒*covered market*.

markthandel ⟨de (m.)⟩ **0.1** *market trade/dealings*.

marktinvloed ⟨de (m.)⟩ **0.1** *effect on a/the market*.

marktkoers ⟨de (m.)⟩ **0.1** *market price/rate*.

marktkoopman ⟨de (m.)⟩ **0.1** *market vendor/dealer* ⇒*stallholder*.

marktkraam ⟨het, de⟩ **0.1** *market stall* ⇒*market booth*.

marktkramer ⟨de (m.)⟩ **0.1** *stallholder* ⇒*market vendor*.

marktkweker ⟨de (m.)⟩ **0.1** *market gardener*; ⟨AE⟩ *truck farmer, trucker*.

marktmechanisme ⟨het⟩ ⟨ec.⟩ **0.1** *market forces*.

marktmeester ⟨de (m.)⟩ **0.1** *market superintendent*.

marktnotering ⟨de (v.)⟩ **0.1** *market rate*/⟨mbt. effecten, enz.⟩ *quotation*.

marktonderzoek ⟨het⟩ **0.1** *market research* ⇒⟨gericht op marketing⟩ *marketing research*.

marktplaats ⟨de⟩ **0.1** [standplaats] *marketplace* **0.2** [stad] *market town*.

marktplein ⟨het⟩ **0.1** *marketplace, market square*.

marktpositie ⟨de (v.)⟩ **0.1** [positie op de markt] *market position* **0.2** [toestand v.d. markt] *state of the market*.

marktprijs ⟨de (m.)⟩ **0.1** [op de markt] *price in / at the market* **0.2** [in het vrije goederenverkeer] *market price* ◆ **6.2** tegen de ~ *at market price*.

marktproduktie ⟨de (v.)⟩ **0.1** *consumer goods production, production of consumer goods*.

marktprognose ⟨de (v.)⟩ **0.1** *market forecast* ◆ **3.1** een ~ opmaken *forecast the (course / behaviour of the) market*.

marktrecht ⟨het⟩ **0.1** [marktgeld] ⟨↦**marktgeld**⟩ **0.2** [op de markt gebruikelijk recht] *market law* ⇒*law pertaining to markets* **0.3** [(gesch.)] *right to hold a market*.

marktrente ⟨de⟩ **0.1** *market rate (of interest)*.

marktsegment ⟨het⟩ **0.1** *market sector*.

marktsegmentatie ⟨de (v.)⟩ ⟨ec.⟩ **0.1** *market segmentation*.

marktsituatie ⟨de (v.)⟩ **0.1** *market situation / position*.

marktstrategie ⟨de (v.)⟩ ⟨ec.⟩ **0.1** *market strategy*.

marktstructuur ⟨de (v.)⟩ **0.1** *market structure* ⇒*structure of the market*.

markttrend ⟨de (m.)⟩ **0.1** *market trend(s)*.

marktvergunning ⟨de (v.)⟩ **0.1** *market* / ⟨voor kramer⟩ *stallholder's licence* ᴬ*se*.

marktverkenning ⟨de (v.)⟩ **0.1** *marketing research*.

marktvrouw ⟨de (v.)⟩ **0.1** *market woman*.

marktwaar ⟨de⟩ **0.1** *market goods*.

marktwaarde ⟨de (v.)⟩ **0.1** *market value* ◆ **3.1** ⟨fig.⟩ de voetballer probeerde zijn ~ te verhogen *the footballer tried to increase his m. v..*

marktwezen ⟨het⟩ **0.1** *(holding of) markets*.

marlijn ⟨de (m.)⟩ **0.1** ⟨scheep.⟩ *marline* ⇒*marlin(g)*.

marlpriem ⟨de (m.)⟩ ⟨scheep.⟩ **0.1** *fid* ⇒*marline spike, marlinspike*.

marmelade ⟨de⟩ **0.1** *marmalade*.

marmer ⟨het⟩ **0.1** [gesteente] *marble* **0.2** [⟨fig.⟩] *marble* **0.3** [kleur, voorkomen] *marble* ⇒*marbling* ◆ **2.1** Carrarisch ~ *Carrara m., carrara*; rood ~ *rouge-royal m.* ⟨ihb. uit België⟩ **8.1** zo hard als ~ *(as) hard as rock, rock-hard* **8.2** haar gezicht was als van ~ *she had a stony expression on her face.*

marmerachtig ⟨bn.⟩ **0.1** *marble-like* ⇒*marbly*, ⟨schr.⟩ *marmoreal*.

marmerader ⟨de⟩ **0.1** *vein in marble*.

marmerbeeld ⟨het⟩ **0.1** *marble statue*.

marmercake ⟨de (m.)⟩ **0.1** *marble(d) cake*.

marmeren[1] ⟨bn.⟩ **0.1** [van marmer] *marble* **0.2** [met marmer bekleed] *marble* **0.3** [⟨fig.⟩] *stony* ◆ **1.1** een ~ beeld *a m. statue*; een buffet met ~ blad *a marble-topped sideboard* **1.3** een ~ gelaatsuitdrukking *a s. expression (on one's face)*.

marmeren[2] ⟨ov.ww.⟩ **0.1** *marble* ⇒⟨papier ook⟩ *mottle*, ⟨hout⟩ *grain* ◆ **1.1** gemarmerd papier *marbled / mottled paper*.

marmergroeve ⟨de⟩ **0.1** *marble-quarry*.

marmergruis ⟨het⟩ **0.1** *marble chippings*.

marmerkat ⟨de⟩ **0.1** *marbled (tiger) cat*.

marmerplaat ⟨de⟩ **0.1** *slab of marble, marble slab*.

marmerslag ⟨de (m.)⟩ **0.1** *marbling*.

marmot ⟨de⟩ **0.1** [knaagdier in de Alpen] *marmot* **0.2** [⟨inf.⟩ cavia] *guinea pig* ◆ **2.1** grijze ~ *whistler* **8.1** slapen als een ~ *sleep like a log / top*.

marokijn ⟨het⟩ **0.1** *morocco (leather)*.

marokijnen ⟨bn.⟩ **0.1** *morocco(-leather)* ◆ **1.1** band met ~ rug *morocco-bound volume*.

Marokkaans ⟨bn.⟩ **0.1** *Moroccan*.

Marokko ⟨het⟩ **0.1** *Morocco*.

maronitisch ⟨bn.⟩ **0.1** *Maronite*.

marot ⟨de⟩ **0.1** [narrenstok] *(fool's) bauble* **0.2** [stokpaardje] *hobbyhorse* ⇒⟨manie⟩ *craze, mania*.

marquise ⟨de (v.)⟩ **0.1** *marquise*.

marron ⟨de (m.)⟩ **0.1** [kastanje] *(sweet) chestnut* **0.2** [bosneger in Suriname] *maroon*.

mars[1] ⟨de⟩ **0.1** [tocht] *march* **0.2** [⟨muz.⟩] *march* **0.3** [korf] *(pedlar's) pack* **0.4** [⟨scheep.⟩] *top; fighting-top* ⟨van oorlogsschip⟩ ◆ **2.1** een geforceerde ~ *a forced m.* **2.2** een militaire ~ *a military m.* **2.4** de grote ~ *the main-top* **3.1** een ~ maken / lopen *go on a m., march* **6.1** zich op ~ begeven *go on a m., march*; de soldaten zijn op ~ *the soldiers are on the m.* **6.3** ⟨fig.⟩ hij heeft niet veel in zijn ~ *he doesn't have / hasn't got a lot to offer*; ⟨weet niet veel⟩ *he is pretty ignorant*; ⟨mbt. hersens⟩ *he hasn't got a lot up top / much upstairs*; ⟨kan niet veel⟩ *he's not up to much*; ⟨fig.⟩ hij heeft heel wat in zijn ~ *he has a lot to offer*, ⟨weet veel⟩ *he is pretty knowledgeable*, ⟨mbt. hersens⟩ *he's got it up / upstairs*.

mars[2] ⟨tw.⟩ **0.1** *march!* ◆ **¶.1** voorwaarts ~! *(quick) march!*; ingerukt ~! *dismiss!*.

Mars 0.1 [planeet] *Mars* **0.2** [⟨myth.⟩] *Mars*.

marsbevel ⟨het⟩ **0.1** *marching orders*.

marscolonne ⟨de⟩ **0.1** *marching column* ⇒*line of marchers*, ⟨schr.⟩ *column of march*.

Marseille ⟨het⟩ **0.1** *Marseilles*.

marsepein ⟨het, de (m.)⟩ **0.1** *marzipan*.

marsepeinen ⟨bn.⟩ **0.1** *marzipan*.

marsfractuur ⟨de (v.)⟩ ⟨med.⟩ **0.1** *metatarsal / march fracture*.

Marshallhulp ⟨de⟩ **0.1** *Marshall aid*.

marsklaar ⟨bn.⟩ **0.1** *ready / set to march*.

marskramer ⟨de (m.)⟩ **0.1** *hawker* ⇒*pedlar, vendor*.

marsmannetje ⟨het⟩ **0.1** *Martian*.

marsmuziek ⟨de (v.)⟩ **0.1** *marching music*.

marsorder ⟨de⟩ **0.1** *marching orders* ◆ **3.1** ~s ontvangen hebben *have received one's / be under m. o..*

marsroute ⟨de⟩ **0.1** *line of march*.

marstempo ⟨het⟩ **0.1** [bij het marcheren] *marching pace* **0.2** [van marsmuziek] *march time*.

martelaar ⟨de (m.)⟩, **-lares** ⟨de (v.)⟩ **0.1** [iem. die lijdt] *martyr* **0.2** [iem. die kwelt] *torturer*.

martelaarschap ⟨het⟩ **0.1** *martyrdom*.

martelaarsgezicht ⟨het⟩ **0.1** *face / air / look of a martyr*.

martelarij ⟨de (v.)⟩ **0.1** *torture*.

marteldood ⟨de⟩ **0.1** [dood door marteling] *martyr's death* ⇒*martyrdom* **0.2** [wrede dood] *cruel / agonizing death* ◆ **3.1** iem. de ~ doen sterven *torture s.o. to death*; de ~ sterven *die a martyr('s death), die through torture*.

martelen
I ⟨onov., ov.ww.⟩ **0.1** [folteren] *torture* **0.2** [⟨fig.⟩] *torture* ⇒*torment, rack* ◆ **2.1** iem. dood ~ *torture s.o. to death* **3.2** dat wachten is ~d *this waiting is (sheer) torture / agony*;
II ⟨onov.ww.⟩ **0.1** [lijden] *be a martyr* ⇒*suffer agony / agonies, be tortured, tormented* **0.2** [veel van zich vergen] *agonize* ◆ **6.1** ~ van de kiespijn *suffer agony / agonies from toothache, have an excruciating toothache* **6.2** we martelden **met / op** dat vraagstuk *we agonized over that question*.

martelgang ⟨de (m.)⟩ **0.1** *calvary* ⟨ook fig.⟩ ⇒*agony*.

marteling ⟨de (v.)⟩ **0.1** [het martelen / gemarteld worden] *torture* **0.2** [foltering] *torture* **0.3** [⟨fig.⟩ kwelling] *torture* ⇒*torment* ◆ **2.3** het was een ware ~ *it was sheer torture / agony*.

martelkamer ⟨de⟩ **0.1** *torture chamber*.

martellato ⟨bw.⟩ ⟨muz.⟩ **0.1** *martellato* ⇒*martellando*.

martelpaal ⟨de⟩ **0.1** *torture post*.

marteltuig ⟨het⟩ **0.1** *instrument(s) of torture*.

marter
I ⟨de (m.)⟩ **0.1** [dier] *marten*; ⟨Am. marter⟩ *pine marten*;
II ⟨het⟩ **0.1** [bont] *marten*; ⟨van sabelmarter⟩ *sable*.

marterachtigen ⟨zn.mv.⟩ **0.1** *Mustelidae*.

marterharen ⟨bn.⟩ **0.1** ⟨zie 1.1⟩ ◆ **1.1** een ~ penseel *a sable, a sable's hair pencil*.

martiaal ⟨bn., bw.; -ly⟩ **0.1** *martial*.

Martiaans ⟨bn.⟩ **0.1** *Martian*.

marva ⟨de (v.)⟩ **0.1** ⟨*servicewoman in the Dutch navy*⟩ ⇒≠ᴮ*member of the WRNS*, ⟨inf.⟩ *Wren*.

Marva ⟨de (v.)⟩ **0.1** ⟨*Dutch Women's Naval Service*⟩ ⇒≠ᴮ*WRNS*, ⟨inf.⟩ *the Wrens*.

marxisme ⟨het⟩ **0.1** *Marxism*.

marxist ⟨de (m.)⟩ **0.1** *Marxist*.

marxistisch ⟨bn.⟩ **0.1** *Marxist* ⇒*Marxian*.

mascara ⟨de⟩ **0.1** *mascara*.

mascaron ⟨de (m.)⟩ ⟨bouwk.⟩ **0.1** *mascaron* ⇒*mask*.

mascotte ⟨de⟩ **0.1** [gelukspoppetje] *mascot* **0.2** [figuurtje dat een merk vertegenwoordigt] *logo*.

masculien ⟨bn., bw.⟩ **0.1** *masculine* ◆ **1.1** ~ gedrag *m. behaviour*.

masculinisatie ⟨de (v.)⟩ **0.1** *masculinization* ⇒*virilization*.

masculinum ⟨het⟩ ⟨taal.⟩ **0.1** *masculine*.

maskage ⟨de (v.)⟩ **0.1** [het gemaskeerd worden / zijn] *masking* ⇒*camouflaging, disguising* **0.2** [⟨nat.⟩ mbt. een geluid] *masking*.

masker ⟨het⟩ **0.1** [gezichtsbedekking] *mask* **0.2** [kosmetisch preparaat] *(face) mask* ⇒*(face) pack* **0.3** [voorwerp ter bescherming / isolering] *face guard* ⇒*mask* **0.4** [schijn] *mask* ⇒*screen, veil* **0.5** [⟨biol.⟩] *larva* **0.6** [afdruk van iemands gelaat] *mask* **0.7** [⟨foto.⟩] *mask* ◆ **3.1** iem. het ~ afdoen / laten vallen *remove / drop one's m.*; ⟨fig.⟩ iem. het ~ afrukken *unmask s.o.*; een ~ opzetten *put on a m.* **6.4** iem. **met** een ~ / **onder** het ~ van vriendschap begroeten *greet s.o. under a / the mask of friendship*.

maskerade ⟨de (v.)⟩ **0.1** *masked* ⟨optocht⟩ *procession* / ⟨feest⟩ *ball* ⇒*masquerade*, ⟨hist.⟩ *masque*.

mas'keren ⟨ov.ww.⟩ **0.1** *mask* ⇒*hide, camouflage, obscure* ◆ **1.1** hij maskeerde zijn slechte bedoelingen *he masked his evil intentions*; het bos maskeert het huis *the wood hides the house*.

'maskeren ⟨ov.ww.⟩ **0.1** *mask* ⇒*disguise*.

maskerspel ⟨het⟩ **0.1** *masked play* ⇒⟨gesch.⟩ *masque*.

masochisme ⟨het⟩ **0.1** [psychische gesteldheid] *masochism* **0.2** [⟨fig.⟩] *masochism*.

masochist ⟨de (m.)⟩ **0.1** *masochist*.

masochistisch ⟨bn.⟩ **0.1** *masochistic*.

massa ⟨de⟩ **0.1** [grote hoeveelheid] *mass* ⇒*bulk* **0.2** [groot aantal] *mass*

⇒⟨inf.⟩ *heaps, masses, oodles, piles,* ⟨AE ook; inf.⟩ *slew* **0.3** [het volk] **mass** ⇒*crowd,* ⟨pol.⟩ *masses* ⟨mv.⟩ **0.4** [hoeveelheid materie] **mass** ⇒*quantity* **0.5** [⟨nat.⟩] *mass* **0.6** [geleidende eenheid] **mass** ◆ **1.1** een ~ geld *pots/barrels/bags of money;* een ~ water *a m. of water;* ⟨inf.⟩ *gallons/tons of water* **1.2** een ~ fouten *a mass/a slew/piles of errors;* ~'s mensen *masses/swarms/* ⟨AE ook; inf.⟩ *scads of people;* hij heeft een ~ vrienden *he has heaps/loads/masses/oodles of friends* **2.3** de domme ~ *the common herd, the mindless crowds;* de zwijgende ~ *the silent/voiceless masses* **2.4** het lijk was een vormeloze ~ *the body was a shapeless m./lump* **2.5** kritische ~ ⟨nat.⟩ *critical m.;* trage ~ ⟨nat.⟩ *inertial m.* **6.1** iets in ~ verkopen *sell sth. in bulk;* iets in ~ produceren *mass-produce sth.* **6.2** de soldaten vielen **bij** ~'s *the soldiers were killed wholesale/dropped like flies* **6.3** met de ~ meedoen *go with/follow the crowd, swim with the tide* **7.3** de ⟨grote⟩ ~ *the masses;* ⟨met volgende zn.⟩ *the mass/bulk (of).*

massa-actie ⟨de (v.)⟩ **0.1** *mass action* ⇒⟨campagne⟩ *mass campaign,* ⟨demonstratie⟩ *mass demonstration.*

massaal ⟨bn., bw.⟩ **0.1** [v.e. grote menigte] *massive* **0.2** [in massa geschiedend] *mass* ⇒*wholesale, bulk* ⟨goederen⟩ **0.3** [groot geheel vormend] *massive* **0.4** [samenhangende massa vormend] *undivided* ◆ **1.1** een massale opkomst *a m. turn-out;* ~ verzet *m. resistance* **1.2** het massale goederenvervoer *transport of goods in bulk, bulk goods transport;* een massale inspanning *a m. all-out effort;* een massale vernietiging van groenten *wholesale/massive destruction of vegetables* **1.3** een ~ gebouw *a m. building* **1.4** een massale boedel *an u. estate.*

massa-artikel ⟨het⟩ **0.1** *mass-produced article.*

massabetoging ⟨de (v.)⟩ **0.1** *mass demonstration* ⇒⟨krantentaal⟩ *mass lobby.*

massabeweging ⟨de (v.)⟩ **0.1** *mass movement.*

massabijeenkomst ⟨de (v.)⟩ **0.1** *mass meeting.*

massacommunicatie ⟨de (v.)⟩ **0.1** *mass communication(s).*

massacommunicatiemiddel ⟨het⟩ **0.1** *mass medium.*

massaconsumptie ⟨de (v.)⟩ ⟨ec.⟩ **0.1** *mass consumption.*

massacultuur ⟨de (v.)⟩ **0.1** *mass culture* ⇒*culture of the masses.*

massadeeltje ⟨het⟩ **0.1** *mass particle.*

massademonstratie ⟨de (v.)⟩ **0.1** *mass demonstration* ⇒⟨krantentaal⟩ *mass lobby.*

massadeportatie ⟨de (v.)⟩ **0.1** *mass deportation.*

massafabricage ⟨de (v.)⟩ **0.1** *mass production.*

massage ⟨de (v.)⟩ **0.1** *massage* ⇒*massaging.*

massagedrag ⟨het⟩ **0.1** *mass behaviour.*

massage-instituut ⟨het⟩ **0.1** [instituut voor massage] *massage parlour* **0.2** [bordeel] *massage parlour.*

massage-olie ⟨de⟩ **0.1** *massage/massaging oil.*

massagetal ⟨het⟩ ⟨nat.⟩ **0.1** *mass number.*

massagoed ⟨het⟩ **0.1** *bulk goods.*

massagraf ⟨het⟩ **0.1** *mass grave.*

massahysterie ⟨de (v.)⟩ **0.1** *mass hysteria.*

massaliteit ⟨de (v.)⟩ **0.1** [eigenschap] *massiveness* **0.2** [⟨jur.⟩] *(undivided) community of goods/property.*

massamedia ⟨zn.mv.⟩ **0.1** *mass media* ⟨ook enk.⟩.

massamedium ⟨het⟩ **0.1** *mass medium.*

massamens ⟨de (m.)⟩ **0.1** *man in the crowd* ⇒*one of the crowd.*

massamoord ⟨de⟩ **0.1** *mass murder.*

massamoordenaar ⟨de (m.)⟩ **0.1** *mass murderer.*

massaontslag ⟨het⟩ **0.1** *wholesale dismissal;* ⟨mv.⟩ *massive redundancies* ◆ **3.1** in de chemische industrie worden ~en verwacht *m. r. are expected in the chemical industry.*

massaprodukt ⟨het⟩ **0.1** *mass-produced article.*

massaproduktie ⟨de (v.)⟩ **0.1** *mass production.*

massapsychologie ⟨de (v.)⟩ **0.1** *mass psychology.*

massarecreatie ⟨de (v.)⟩ **0.1** *mass recreation.*

massaregie ⟨de (v.)⟩ **0.1** [het regisseren] *crowd direction* **0.2** [het sturen v.d. massa] *orchestration of a/the crowd/mob.*

massascène ⟨de⟩ **0.1** *crowd scene.*

massaspectrograaf ⟨de (m.)⟩ **0.1** *mass spectrograph.*

massaspectrografie ⟨de (v.)⟩ **0.1** *mass spectography.*

massaspectrometer ⟨de (m.)⟩ **0.1** *mass spectrometer.*

massasprint ⟨de (m.)⟩ →*massaspurt.*

massaspurt ⟨de (m.)⟩ ⟨sport⟩ **0.1** *mass-finish (final) sprint.*

massatoerisme ⟨het⟩ **0.1** *mass tourism.*

massatransport ⟨het⟩ **0.1** *bulk transport* ⇒*transport in bulk.*

massaverkoop ⟨de (m.)⟩ **0.1** *bulk selling/sales* ⇒*selling/sales in bulk/quantity.*

massawerkeloosheid ⟨de (v.)⟩ **0.1** *mass/massive unemployment.*

masseren ⟨onov., ov.ww.⟩ **0.1** [mbt. spieren]⟨onov. ww.⟩ *do massage;* ⟨ov. ww.⟩ *massage* **0.2** [⟨biljart⟩] *make a massé (shot).*

masseur ⟨de (m.)⟩ **0.1** *masseur.*

massief[1] ⟨het⟩ ⟨geol.⟩ **0.1** *massif.*

massief[2] ⟨bn.⟩ **0.1** [niet hol] *solid* **0.2** [sterk, stevig] *solid* ⇒*massive, heavy* ◆ **1.1** massieve banden *solid tyres* [A]*tires;* een ring van ~ zilver *a ring of s. silver* **1.2** massieve Romaanse kathedralen *heavy Romance cathedrals;* een massieve toren *a massive tower.*

---

massificatie ⟨de (v.)⟩ **0.1** *consolidation.*

massificeren ⟨onov., ov.ww.⟩ **0.1** *consolidate.*

mast ⟨de (m.)⟩ **0.1** [op schepen] *mast* **0.2** [voor elektriciteitsdraden] *pylon* **0.3** [antenne, zendinstallatie] *mast* **0.4** [denneboom] *pine(-tree)* **0.5** [varkensvoer] *mast* ◆ **2.1** de grote ~ *the mainmast* **3.1** de ~ strijken *lower the m.;* het schip verloor zijn ~(en) *the ship lost its mast(s)/was dismasted;* de ~ ⟨in het spoor⟩ voeren/vastzetten *step the m.* **6.1** achter de ~ *abaft;* in de ~ *up the m., aloft;* een vlag **in** ⟨de top van⟩ de ~ voeren *fly a flag at the masthead;* ⟨fig.⟩ **voor** de ~ dienen *serve before the m.;* **zonder** ~(en) *mastless.*

mastbeuk ⟨de (m.)⟩ **0.1** *beech.*

mastbok ⟨de (m.)⟩ **0.1** *sheer/shearlegs* ⇒*shears.*

mastboom ⟨de (m.)⟩ **0.1** [den] *pine(-tree)* **0.2** [paal] *pole.*

mastbos ⟨het⟩ **0.1** [bos] *pinewood;* ⟨groter⟩ *pine-forest* **0.2** [zeilschepen] *forest of masts* **0.3** [radio-/televisiemasten] *forest of aerials/* ⟨AE ook⟩ *antennas.*

masteluin ⟨het, de (m.)⟩ **0.1** [mengsel van tarwe en rogge] [B]*maslin* **0.2** [brood] [B]*maslin (bread).*

masten ⟨ov.ww.⟩ **0.1** *mast.*

master ⟨de (m.)⟩ **0.1** [academische graad] *Master* **0.2** [zender] *master station.*

masticatie ⟨de (v.)⟩ ⟨med.⟩ **0.1** *mastication.*

mastiek ⟨het, de (m.)⟩ **0.1** [harssoort] *mastic* **0.2** [kitlijm] *mastic* **0.3** [mengsel gebruikt voor asfalt/dakbedekking] *mastic* ⇒*asphalt mastic* **0.4** [⟨AZN⟩ stopverf] *mastic* ⇒*putty.*

mastiekbedekking ⟨de (v.)⟩ **0.1** *mastic coating/roofing.*

mastieken[1] ⟨bn.⟩ **0.1** *mastic.*

mastieken[2] ⟨ov.ww.⟩ **0.1** [met mastiek bedekken] *coat with mastic* **0.2** [⟨AZN⟩ met stopverf dichten/vastmaken] *putty.*

mastitis ⟨de (v.)⟩ ⟨med.⟩ **0.1** *mastitis.*

mastklimmen ⟨ww.⟩ **0.1** *climbing the greasy/slippery pole.*

mastkorf ⟨de (m.)⟩ ⟨scheep.⟩ **0.1** *crow's-nest.*

mastkraag ⟨de (m.)⟩ **0.1** *mast-coat.*

mastodont ⟨de (m.)⟩ **0.1** [dier] *mastodon* **0.2** [⟨fig.⟩ enorm gevaarte] *mastodon* ⇒*giant.*

masturbatie ⟨de (v.)⟩ **0.1** *masturbation* ⇒*onanism.*

masturberen ⟨onov.ww.⟩ **0.1** *masturbate.*

mastworp ⟨de (m.)⟩ **0.1** *clove hitch.*

mat[1] ⟨de⟩ **0.1** [kleed] *mat* **0.2** [zitting v.e. stoel] *rush seat/bottom* **0.3** [rieten windscherm] *mat* **0.4** [bedekking van dijkglooiingen] *mat(ting)* **0.5** [⟨sport⟩] *mat* ⇒*canvas,* ⟨AE ook⟩ *canvas* ◆ **2.1** de groene ~ *the football pitch* **3.1** ~ten kloppen *beat/shake mats;* ⟨fig.⟩ zijn ~ten oprollen *pack up (one's bags);* van ~ten voorzien *mat* **6.1** ⟨fig.⟩ iem. **op** de ~ laten staan *keep s.o. on the doorstep.*

mat[2]

I ⟨bn., bw.;-ly⟩ **0.1** [dof, glansloos] *mat(t)* ⇒⟨AE ook⟩ *matte, dull* ⟨klank, oog, markt⟩ *dim* ⟨licht⟩, ⟨ogen ook⟩ *lacklustre, lustreless, flat* ⟨verf⟩ **0.2** [niet doorschijnend] *mat(t)* ⇒⟨AE ook⟩ *matte* **0.3** [zwak, vlak] *flat* ⇒⟨moe⟩ *tired, weary* ◆ **1.1** een ~te blik *a lacklustre look;* een ~te foto *a mat photograph;* een ~te gloeilamp *a frosted lamp;* een ~ oppervlak *a mat surface;* ~ zilver *frosted silver* **1.2** ~ vensterglas *mat/frosted window-glass* **3.1** ~ maken/worden *mat(t), dull, tarnish* **3.3** hij reageerde ~ op het plan *he responded unenthusiastically to the scheme;* met ~te stem spreken *speak in a f. voice;*
II ⟨bn.⟩ **0.1** [schaakmat] *checkmate* ◆ **3.1** ~ geven *checkmate;* ~ staan *be checkmated;* iem. ~ zetten *checkmate/stalemate/stymie s.o..*

matador ⟨de (m.)⟩ **0.1** [stierendoder] *matador* **0.2** [⟨fig.⟩ baas] *past master* ⇒*crack* **0.3** [troef] *matador* **0.4** [⟨dominospel⟩] *matador.*

matadorspel ⟨het⟩ **0.1** *matador.*

mataglap ⟨bn.⟩ **0.1** *berserk* ◆ **3.1** ~ zijn *go berserk.*

matbeitel ⟨de (m.)⟩ **0.1** *matting tool.*

matbranden ⟨onov., ov.ww.⟩ **0.1** *mat(t), matte.*

matchpoint ⟨het⟩ ⟨sport⟩ **0.1** *match point* ◆ **6.1** op ~ staan *be at m. p., have a m.p..*

matdreiging ⟨de (v.)⟩ **0.1** *mating threat.*

mate ⟨de⟩ ⟨→sprw. 425⟩ **0.1** *measure, extent* ⇒*degree, intensity* ◆ **2.1** in dezelfde ~ *equally, to the same e.;* in geringe ~ *to a small degree/e.;* in hogere ~ *to a greater/larger e.;* in onbeperkte ~ *to an unlimited e./degree;* in toenemende ~ *in an increasing degree, increasingly* **4.1** in welke ~ ook *in whatever degree* **6.1** in welke ~? *to what e.?;* in aanzienlijke ~ *in considerable m., to a considerable e.;* in zekere ~ *to some/a certain e.;* in mindere ~ *to a lesser degree;* in die ~ dat ...*to the extent that ...;* de rivier is in erge ~ vervuild *the river is badly polluted;* in grote/hoge/ruime/sterke ~ *to a great/large e., largely;* ⟨AZN⟩ in de ~ v.h. mogelijke *as much as possible;* met ~ *in/with moderation, moderately.*

maté ⟨de (m.)⟩ **0.1** *maté, mate.*

matelassé ⟨het⟩ ⟨ind.⟩ **0.1** *matelassé.*

mateloos ⟨bn., bw.;-ly⟩ **0.1** *immoderate* ⇒*excessive, extravagant, immense* ◆ **2.1** ~ rijk *immensely rich.*

mateloosheid ⟨de (v.)⟩ **0.1** *immoderateness* ⇒*excessiveness, extravagance,* ⟨drankmisbruik⟩ *indulgence.*

matelot ⟨de (m.)⟩ **0.1** *sailor (hat)* ⇒⟨vnl. BE⟩ *boater.*

mater ⟨de (v.)⟩ **0.1** [⟨rel.⟩] *mother superior* **0.2** [⟨plantk.⟩] *feverfew*.

materiaal ⟨het⟩ **0.1** [grondstof] *material(s)* **0.2** [gegevens] *material* ⇒ *data, evidence* **0.3** [gereedschap] *material* ⇒ *tools* ♦ **2.1** goedkoop/inferieur ~ *shoddy;* onbewerkt ~ *rude material* **2.3** didactisch ~ *teaching aids*.

materiaalfout ⟨de⟩ **0.1** *faulty/defective material* ⇒ *fault/defect in the material*.

materiaalkeuze ⟨de⟩ **0.1** *choice of material(s)*.

materiaalkosten ⟨zn.mv.⟩ **0.1** *cost of material(s), material cost(s)*.

materiaalleer ⟨de⟩ **0.1** *materials science*.

materiaalmoeheid ⟨de (v.)⟩ ⟨tech.⟩ **0.1** *material fatigue*.

materiaalonderzoek ⟨het⟩ **0.1** *testing of materials* ♦ **1.1** station voor ~ *testing-station*.

materiaaltoepassing ⟨de (v.)⟩ **0.1** *application of materials*.

materiaalverbruik ⟨het⟩ **0.1** *consumption of material* ⇒ ⟨boekhouding⟩ *materials used*.

materiaalwagen ⟨de (m.)⟩ **0.1** *equipment van/^truck*.

materialisatie ⟨de (v.)⟩ **0.1** *materialization*.

materialiseren ⟨onov.ww.⟩ **0.1** *materialize* ♦ **4.1** zich ~ *materialize*.

materialisme ⟨het⟩ **0.1** [leer] *materialism* **0.2** [gezindheid] *materialism* ♦ **2.1** dialectisch en historisch ~ *dialectical and historical m.*.

materialist ⟨de (m.)⟩ **0.1** [aanhanger v.h. materialisme] *materialist* **0.2** [iem. die alleen waarde hecht aan stoffelijke goederen] *materialist*.

materialistisch ⟨bn., bw.; -ally⟩ **0.1** [v.h. materialisme] *materialistic* **0.2** [v.e. materialist] *materialistic*.

materie ⟨de (v.)⟩ **0.1** [stof] *matter* **0.2** [zaak, kwestie] *(subject) matter* ♦ **2.1** ruwe ~ *raw material;* vormeloze ~ *mass*.

materieel¹ ⟨het⟩ **0.1** *material(s)* ⇒ *equipment* ♦ **2.1** militair ~ (en voorraden) *ordnance;* vast en los ~ *fixed and moveable plant;* met zwaar ~ uitrukken *turn out with heavy equipment;* zwaar ~ inzetten *use heavy equipment* **3.1** rollend ~ *rolling stock*.

materieel² ⟨bn.⟩ **0.1** *material* ♦ **1.1** materiële goederen *m. goods;* materiële hulp bieden *give m. help;* materiële schade *m. damage, loss of property* **1.¶** ⟨jur.⟩ de materiële dader *principal in the first degree;* ⟨jur.⟩ het materiële recht *substantive law*.

materiegolf ⟨de⟩ **0.1** *matter wave, De Broglie wave*.

materniteit ⟨de (v.)⟩ **0.1** [moederschap] *maternity* ⇒ *motherhood* **0.2** [kraaminrichting] *maternity hospital/home*.

matglanzend ⟨bn.⟩ **0.1** *mat(-finished)*.

matglas ⟨het⟩ **0.1** [(venster)glas] *frosted/ground glass* **0.2** [glasplaat] *sheet of frosted/ground glass*.

matglazen ⟨bn.⟩ **0.1** *frosted-/ground-glass*.

matheid ⟨de (v.)⟩ **0.1** [apathie] *lassitude* ⇒ *apathy* **0.2** [matte kleur] *dullness* **0.3** [saaiheid, vlakheid] *dullness* ⇒ *flatness*.

mathematica ⟨de (v.)⟩ **0.1** [wiskunde] *mathematics* ⇒ ⟨inf.⟩ *maths,* ^*math* **0.2** [vrouwelijke wiskundige] *(woman) mathematician*.

mathematicus ⟨de (m.)⟩ **0.1** *mathematician*.

mathematisch ⟨bn., bw.; -(al)ly⟩ **0.1** [wiskundig] *mathematic(al)* **0.2** [onweerlegbaar] *mathematic(al)* ♦ **3.2** dat staat ~ vast *it is (a) mathematically established (fact)*.

mathematiseren ⟨ov.ww.⟩ **0.1** *mathemat(ic)ize*.

matig ⟨bn., bw.; -ly⟩ **0.1** [binnen een redelijke maat] *moderate* ⇒ *temperate, mild* **0.2** [maat houdend] *moderate* ⇒ [eten en drinken ook] *abstemious,* [drinken ook] *sober* **0.3** [middelmatig] *moderate* ⇒ [tamelijk slecht] *mediocre* ♦ **1.2** een ~ drinker *a m. drinker;* een ~ mens *a sober man* **1.3** een ~ concert *a mediocre concert;* een ~ succes *a moderate/an indifferent success* **3.3** hij is er maar ~ mee ingenomen *he is not overpleased with it;* ik vind dat maar ~ *I find that rather mediocre, I think it a poor show;* zijn colleges worden maar ~ bijgewoond *his lectures are not very well attended*.

matigen
I ⟨ov.ww.⟩ **0.1** [beperken] *moderate* ⇒ *restrain, temper* **0.2** [verminderen] *moderate* ⇒ *reduce* ♦ **1.1** de lonen ~ *m. wage claims;* matig uw snelheid *reduce your speed* **1.2** zijn eisen ~ *m. one's demands;* de wind heeft de hitte wat gematigd *the wind has moderated the heat a little* **4.1** zich ~ *restrain/control o.s.;*
II ⟨onov.ww.⟩ **0.1** [zuiniger worden] *economize* ♦ **¶.1** ~ moeten we allemaal *we all have to e.*.

matigheid ⟨de (v.)⟩ **0.1** [gematigdheid] *moderation* ⇒ *moderateness* **0.2** [soberheid] *moderation* ⇒ ⟨drinken ook⟩ *soberness, temperance* ♦ **3.2** ~ betrachten *show/observe m.* **6.1** de sport met ~ beoefenen *practise sports in moderation*.

matiging ⟨de (v.)⟩ **0.1** [het matigen] *moderation* **0.2** [het zich matigen] *moderation* ⇒ *temperance, restraint* ♦ **3.2** ~ betrachten *use restraint, restrain o.s., show restraint/m.*.

matigjes ⟨bn., bw.⟩ **0.1** *mediocre* ⇒ *shoddy, so-so*.

matinee ⟨de (v.)⟩ **0.1** *matinee* ^*née*.

matineus ⟨bn.⟩ **0.1** *early* ♦ **1.1** een ~ persoon *an e. riser/bird* **3.1** ⟨iron.⟩ wat ben je ~! *you are an e. bird*.

matje ⟨het⟩ **0.1** *mat* ♦ **6.1** op het ~ moeten komen/worden geroepen ⟨ter verantwoording⟩ *be put on the spot, be called/brought to account;* ⟨berisping⟩ *be (put) on the carpet, be carpeted*.

matras ⟨het, de⟩ **0.1** *mattress* ♦ **2.1** een springveren ~ *a spring m./bed*.

---

matrasbeschermer ⟨de (m.)⟩, **-dek** ⟨het⟩ **0.1** *mattress cover*.

matriarchaal ⟨bn.⟩ **0.1** *matriarchal*.

matriarchaat ⟨het⟩ **0.1** [maatschappelijk bestel] *matriarchate* ⇒ *matriarchy* **0.2** [erfrecht] *matriarchate* ⇒ *matriarchy*.

matrijs ⟨de⟩ **0.1** [⟨druk.⟩] *mould* ⇒ *matrix* **0.2** [snijijzer] *die*.

matrilineair ⟨bn.⟩ **0.1** *matrilinear* ⇒ *matrilineal* ♦ **1.1** ~e ordening *m. structure*.

matrimoniaal ⟨bn.⟩ **0.1** *matrimonial* ⇒ *conjugal, marital*.

matrimonium ⟨het⟩ **0.1** *matrimony* ⇒ *marriage*.

matrix ⟨de (v.)⟩ **0.1** [⟨biol.⟩] *matrix* **0.2** [⟨wisk.⟩] *matrix* **0.3** [matrijs] *matrix* ⇒ *mould*.

matrixalgebra ⟨de (v.)⟩ **0.1** *matrix algebra*.

matrixbord ⟨het⟩ [verkeer] **0.1** *motorway (speed restriction) signal,* ^*(electronic) speed limit sign/indicator*.

matrixprinter ⟨de⟩ ⟨comp.⟩ **0.1** *matrix/dot printer*.

matrone ⟨de (v.)⟩ **0.1** [deftige, bejaarde vrouw] *matron* **0.2** [bazige, onaardige vrouw] *matron* **0.3** [corpulente vrouw] *matron* ♦ **1.¶** staat van ~ *matronage, matronhood*.

matroos ⟨de (m.)⟩ **0.1** *sailor* ⇒ *seaman, sailorman* ♦ **1.1** ~ eerste klas ⟨GB⟩ *leading seaman;* ⟨USA⟩ *petty officer 3rd class;* ~ tweede klas ⟨GB⟩ *ordinary/able seaman;* ⟨USA⟩ *seaman apprentice, seaman;* ~ derde klas ⟨GB⟩ *junior seaman;* ⟨USA⟩ *seaman recruit* **2.1** licht ~ *ordinary seaman;* onbevaren/onervaren ~ *landlubber*.

matrozenbroek ⟨de⟩ **0.1** *(pair of) bell-bottom trousers* ⇒ *bell-bottoms*.

matrozenjekker ⟨de (m.)⟩ **0.1** *monkey jacket*.

matrozenkiel ⟨de (v.)⟩ **0.1** *sailor's blouse*.

matrozenkraag ⟨de (m.)⟩ **0.1** *sailor collar*.

matrozenmuts ⟨de⟩ **0.1** *sailor's cap*.

matrozenpak ⟨het⟩ **0.1** *sailor suit*.

matrozenplunje ⟨de⟩ **0.1** *slops*.

matse ⟨de (m.)⟩ **0.1** *matzo* ⇒ *matzot(h)* ♦ **6.¶** midden in de ~s staan *be tremendously busy*.

matsen ⟨ov.ww.⟩ ⟨inf.⟩ **0.1** [klaarspelen] *fix* **0.2** [helpen] *do a favour, give a (helping) hand* ⇒ ⟨mbt. baantje e.d.⟩ *wangle* ♦ **¶.2** ik zal je wel ~ *I'll do/*^*make you a deal; I'll wangle you into it*.

matslijpen ⟨ww.⟩ **0.1** *mat(t)* ⇒ ⟨AE ook⟩ *matte*.

matteklopper ⟨de (m.)⟩ **0.1** *carpet-beater*.

matten¹ ⟨bn.⟩ **0.1** *rush* ♦ **1.1** stoelen met ~ zitting *rush-bottomed/seated chairs*.

matten² ⟨ov.ww.⟩ **0.1** [met biezen beleggen] *rush* **0.2** [v.e. zitting voorzien] *mat* ⇒ *bottom* **0.3** [dof maken] *mat(t)* ⇒ ⟨AE ook⟩ *matte* ♦ **1.2** stoelen ~ *mend chairs*.

mattenbies ⟨de⟩ **0.1** *mat rush* ⇒ *bulrush*.

matteren ⟨ov.ww.⟩ **0.1** [dof maken] *mat(t)* ⇒ ⟨AE ook⟩ *matte, frost* [glas], *flatten* [verf] **0.2** [mbt. kunstzijde] *mat(t)* ⇒ ⟨AE ook⟩ *matte*.

mattering ⟨de (v.)⟩ **0.1** *matting*.

Matthäuspassion ⟨de⟩ **0.1** *St. Matthew Passion*.

Mattheüs 0.1 *Matthew*.

mattig ⟨bn.⟩ **0.1** *mat(t)*.

matting ⟨het, de (v.)⟩ **0.1** *matting*.

maturiteit ⟨de (v.)⟩ **0.1** *maturity* ⇒ ⟨volwassenheid ook⟩ *adulthood*.

maturiteitsdiploma ⟨het⟩ ⟨AZN⟩ **0.1** *≠Matriculation, General Certificate of Education*.

maturiteitsexamen ⟨het⟩ ⟨AZN⟩ **0.1** *university entrance examination*.

matverf ⟨de⟩ **0.1** *flat paint*.

matvernis ⟨het, de (m.)⟩ **0.1** *mat(t) varnish*.

matvoering ⟨de (v.)⟩ ⟨schaken⟩ **0.1** *mating combination*.

matwerk ⟨het⟩ **0.1** *matting*.

Mauretanië ⟨het⟩ **0.1** *Mauretania*.

Mauretaniër ⟨de (m.)⟩, **-ische** ⟨de (v.)⟩ **0.1** *Mauretanian*.

Mauritiaan ⟨de (m.)⟩, **-se** ⟨de (v.)⟩ **0.1** *Mauritian*.

Mauritius ⟨het⟩ **0.1** *(island of) Mauritius*.

mausoleum ⟨het⟩ **0.1** *mausoleum*.

mauve ⟨bn.⟩ **0.1** *mauve* ⇒ *mallow/Perkin's purple, Perkin's violet* ♦ **7.1** het ~ *the mauve*.

mauwen ⟨onov.ww.⟩ ⟨→sprw. 329⟩ **0.1** *mew* ⇒ *miaow*.

mavo ⟨de⟩ **0.1** *school for lower general secondary education*⟩.

MAVO ⟨het⟩ ⟨afk.⟩ **0.1** [middelbaar algemeen voortgezet onderwijs] ⟨*lower general secondary education*⟩.

Mavodiploma ⟨het⟩ **0.1** *≠Certificate of Secondary Education* ⇒ *Certificate of Lower General Secondary Education*.

m.a.w. ⟨afk.⟩ **0.1** [met andere woorden] ⟨*in other words*⟩.

max. ⟨afk.⟩ **0.1** [maximum] *max.* **0.2** [maximaal] ⟨*maximal*⟩.

maxi ⟨de⟩ **0.1** *maxi* ♦ **1.1** ~-jas *maxi(-coat)* **3.1** ~ dragen *wear a m., follow the maxi-fashion*.

maxi-jurk ⟨de⟩ **0.1** *maxidress*.

maximaal
I ⟨bn.⟩ **0.1** [het maximum bereikend] *maximum* ⇒ *maximal, top* (snelheid), *full* ♦ **1.1** maximale belasting/rendement v.e. installatie *peak load/efficiency of an installation;* maximale doorrijhoogte 3 meter *clearance 3 metres;* de maximale dosis *the maximum/ceiling dose;*
II ⟨bw.⟩ **0.1** [hoogstens] *at (the) most* ♦ **1.1** een boete van ~ honderd

gulden *a fine of not more than/not exceeding a hundred guilders* **3.1**. dit werk duurt ~ een week *this work lasts/takes a week at most* **6.1** een aanvulling **tot** ~ 90% v.h. loon *a supplement up to a maximum of 90% of the wages*.

maximaliseren ⟨ov.ww.⟩ **0.1** *maximize*.

maximalist ⟨de (m.)⟩ **0.1** *maximalist*.

maxime ⟨het⟩ **0.1** *maxim*.

maximeren ⟨ov.ww.⟩ **0.1** [bovengrens stellen] *fix the upper limit (of)* **0.2** [tot een maximum voeren] *maximize*.

maximum ⟨het⟩ **0.1** *maximum* ◆ **1.1** het ~ aantal deelnemers *the m. number of participants* **6.1** hij staat/zit **op** zijn ~ *he is at his m.*; **tot** een ~ **van** honderd gulden *(up) to a m. of one hundred guilders*.

maximumprijs ⟨de (m.)⟩ **0.1** *maximum price*.

maximumsnelheid ⟨de (v.)⟩ **0.1** *speed limit* ⟨van weg⟩; *maximum speed* ⟨van voertuig⟩ ◆ **3.1** zich aan de ~ houden *keep within the s. l.*; aangehouden worden wegens het overschrijden v.d. ~ *be stopped for exceeding the s. l.* **6.1** de ~ **voor** vrachtwagens is 80 km *the s. l. for lorries is 80 km*.

maxwell ⟨de (m.)⟩ **0.1** *maxwell*.

mayonaise ⟨de (v.)⟩ **0.1** *mayonnaise* ◆ **6.1** patat **met** ~ *chips with m.*.

mazelen[1] ⟨zn.mv.⟩ **0.1** [rode vlekjes] *measles* **0.2** [ziekte] *measles* ◆ **3.2** de ~ hebben/krijgen *have/get m.*.

mazelen[2] ⟨onov.ww.⟩ **0.1** *have measles* ◆ **3.1** ⟨fig.⟩ hij is gepokt en gemazeld in de politiek *he is an old hand in politics*.

mazen ⟨ov.ww.⟩ **0.1** *darn*.

mazenhaakje ⟨het⟩ **0.1** *darning needle* ⇒*darner*.

mazenwerk ⟨het⟩ **0.1** *netting* ⇒*net*.

mazurka ⟨de⟩ **0.1** *mazurka*.

mazzel ⟨de (m.)⟩ ⟨Jiddisch;inf.⟩ **0.1** *(good) luck* ⇒*fluke, (lucky) break* ◆ **2.1** een geweldige ~ *the devil's own l.* **3.1** ~ hebben *have (good) l., fluke, a lucky break*; een ~tje hebben *have a windfall* **4.1** wat een ~ dat je thuis was! *what a piece of l. you were at home!* ¶.1 de ~! *see you!*.

mazzelaar ⟨de⟩ **0.1** *lucky one*/[B]*dick*/[A]*duck*/[A]*stiff*.

mazzelen ⟨onov.ww.⟩ **0.1** *have (good) luck* ◆ **3.1** dat noem ik nog eens ~ *that's what I call good luck*.

mb ⟨meteo.⟩ ⟨afk.⟩ **0.1** [millibar] *mb*.

MBA ⟨de (v.)⟩ ⟨afk.⟩ **0.1** [moderne bedrijfsadministratie] ⟨*modern business administration*⟩.

M.B.D.-kind ⟨het⟩ ⟨psych.,med.⟩ **0.1** *MBD child*.

M.B.O. ⟨het⟩ ⟨afk.⟩ **0.1** [middelbaar Beroeps-Onderwijs] ⟨*intermediate vocational education*⟩ ◆ ¶.1 MBO/SD *intermediate vocational education in social services;* MBO/AZPW *intermediate vocational education in labour and personnel*.

Mc ⟨afk.⟩ **0.1** [megacycle] *MC* ◆ **7.1** 27 ~ *citizens' band, CB*.

MC-er ⟨de (m.)⟩ **0.1** *CB-er* ⇒*radio* [↑]*amateur/ham*.

me ⟨pers.vnw.⟩ **0.1** *me* ◆ **1.**¶ hij heeft ~ daar een blunder begaan *he has made a heavy blunder*; daar krabbelt hij ~ toch zijn naam op de deur *scribbles me his name on the door!*; je bent ~ er eentje! *you are a (nice) one!*; dit is ~ nog eens een kasteel *this is what you call a castle*.

ME[1] ⟨afk.⟩ **0.1** [middeleeuwen] *MA*.

ME[2] ⟨de (v.)⟩ ⟨afk.⟩ **0.1** [mobiele eenheid] ⟨*special duty/riot police; S(pecial) P(atrol) G(roup)*⟩.

meander ⟨de (m.)⟩ **0.1** [bocht] *meander* **0.2** [randversiering] *meander*.

meanderen ⟨onov.ww.⟩ ⟨schr.⟩ **0.1** *meander* ⇒*wind (about)*.

meandrisch ⟨bn.⟩ **0.1** *meandrous* ⇒*winding*.

meao ⟨de (v.)⟩ **0.1** ⟨*school for intermediate business education*⟩.

MEAO ⟨het⟩ ⟨afk.⟩ **0.1** [middelbaar economisch en administratief onderwijs] ⟨*intermediate business education*⟩.

mecanicien ⟨de (m.)⟩ **0.1** *mechanic*.

meccano ⟨de (m.)⟩ **0.1** *meccano (set)*.

mecenaat ⟨het⟩ **0.1** *maecenatism* ⇒*patronage*.

mecenas ⟨de (m.)⟩ **0.1** *Maecenas*.

mechanica ⟨de (v.)⟩ **0.1** *mechanics*.

mechaniek ⟨het, de (v.)⟩ **0.1** *mechanism* ⇒*action, movement, works*, ⟨klok⟩ *clockwork* ◆ **2.1** een eenvoudig/vernuftig ~ in een pop *a simple/an ingenious mechanical device in a doll*.

mechanisatie ⟨de (v.)⟩ **0.1** *mechanization*.

mechanisch ⟨bn.,bw.;-ly⟩ **0.1** [machinaal] *mechanical* **0.2** [⟨fig.⟩] *mechanical* **0.3** [mbt. de mechanica] *mechanical* ◆ **1.1** ~e krachtoverbrenging *m. transmission of power/energy;* ~e piano *player-piano;* ~ speelgoed *clockwork toys* **1.3** ~ rendement *m. advantage;* ⟨nat.⟩ ~ warmte-equivalent *m. equivalent of heat;* ⟨plantk.⟩ ~e weefsels *m. tissues* **3.1** ~ aangedreven (machine) *mechanically driven (machine);* ~ voortbewogen *mechanically propelled* **3.2** iets ~ doen *do/perform sth. mechanically;* hij doet zijn werk ~ *he does his work mechanically*.

mechaniseren ⟨onov.ww.,ov.ww.⟩ **0.1** *mechanize*.

mechanisering ⟨de (v.)⟩ **0.1** *mechanization*.

mechanisme ⟨het⟩ **0.1** [werking] *mechanism* ⇒⟨fig.ook⟩ *machinery* **0.2** [samenstel van bewegende delen] *mechanism* ⇒⟨fig.ook⟩ *machinery* **0.3** [⟨fil.⟩] *mechanism* ◆ **1.2** het ~ v.e. geweer *the action of a gun* **2.1** een bewegend ~ *a motion*; ⟨fig.⟩ het is een zeer gecompliceerd ~ *it is wheels within wheels* ¶.2 ⟨fig.⟩ als ik kwaad word treden er allerlei ~n in werking *when I get angry sth. is liable to snap*.

mechanistisch ⟨bn.⟩ **0.1** *mechanistic*.

Mechelen ⟨het⟩ **0.1** ⟨gesch.⟩ *Mechlin*, ⟨moderne stad⟩ *Malines, Mechelen*.

medaille ⟨de⟩ ⟨→sprw. 426⟩ **0.1** [penning] *medal* ⇒⟨prijs ook⟩ *prize-medal* **0.2** [⟨r.k.⟩] *medal* ◆ **1.1** ⟨fig.⟩ dat is de keerzijde v.d. ~ *that's the other side of the coin;* ⟨fig.⟩ dit is één zijde v.d. ~ *this is one side of the picture* **2.1** de winnaar v.d. gouden/zilveren/bronzen ~ *the gold/silver/bronze medallist* **3.1** het regende ~s voor de Oostbloklanden *it was raining medals for the Eastern-bloc countries*.

medailleur ⟨de (m.)⟩ **0.1** *medallist*.

medaillewinnaar ⟨de (m.)⟩ **0.1** *medallist* [A]*alist*.

medaillon ⟨de (m.)⟩ **0.1** [sieraad] *locket* **0.2** [⟨bouwk.⟩] *medallion*.

med. drs. ⟨de (m.)⟩ ⟨afk.⟩ **0.1** [medicinae doctorandus] *M.B.*.

mede[1] ⟨de⟩ **0.1** [drank] *mead* **0.2** [meekrap] *madder*.

mede[2] ⟨bw.⟩ ⟨schr.⟩ **0.1** *also* ◆ **3.1** dat is ~ in uw voordeel *that is a. to your advantage;* ik zal ~ v.d. partij zijn *I shall a. be of the party/company* **6.1** ~ **namens** uw broers overhandig ik u dit cadeau *I hand you this present a. on behalf of your brothers;* ~ **wegens** *partly due to*.

medeaansprakelijk ⟨bn.⟩ **0.1** *jointly liable* ◆ **1.1** ~ vennoot *contributory*.

medeauteur ⟨de (m.)⟩ **0.1** *co-author* ⇒*joint author (of)* ◆ **1.1** A en zijn ~s *A and his co-authors*.

medebeklaagde ⟨de (m.)⟩ **0.1** *co-accused, co-defendant*.

medebelanghebbende ⟨de (m.)⟩ **0.1** *person/party also/jointly interested (in)*.

medebepalend ⟨bn.⟩ **0.1** *contributory*.

medebeslissingsrecht ⟨het⟩ **0.1** *right of consultation*.

medebestuurder ⟨de (m.)⟩ **0.1** [van bedrijf] *co-/fellow/joint manager/director* **0.2** [van vereniging e.d.] *fellow officer; fellow member of the committee* ⟨enz.⟩ ⇒*bestuurder* **0.3** [van vakbond] *fellow official*.

medebewoner ⟨de (m.)⟩, **-woonster** ⟨de (v.)⟩ **0.1** [van huis] *co-occupier* ⇒⟨medehuurder⟩ *co-tenant,* ⟨van stad/land⟩ *co-inhabitant,* ⟨van stad ook⟩ *fellow townsman/woman,* ⟨van land ook⟩ *fellow countryman/woman*.

medebroeder ⟨de (m.)⟩ **0.1** [ambtgenoot] *colleague* **0.2** [lid van eenzelfde orde] *fellow brother* **0.3** [naaste] *fellow man* ⇒*neighbour*.

medeburger ⟨de (m.)⟩ **0.1** *fellow citizen*.

medechristen ⟨de (m.)⟩ **0.1** *fellow Christian*.

mededader ⟨de (m.)⟩ ⟨jur.⟩ **0.1** *accomplice* ⟨al dan niet aanwezig⟩ ⇒ *principal in the second degree* ⟨aanwezig⟩, ⟨aanstichter⟩ *accessory before the fact* ⟨niet aanwezig⟩.

mededeelbaar ⟨bn.⟩ **0.1** *communicable* ⇒*conveyable*.

mededeelzaam ⟨bn.⟩ **0.1** *communicative* ⇒*expansive* ◆ **3.1** hij was bijzonder ~ *he was in a very expansive mood;* na een paar pilsjes wordt hij wel mededeelzamer *he will talk more freely after a couple of beers;* niet erg ~ zijn *be self-contained/rather uncommunicative*.

mededeelzaamheid ⟨de (v.)⟩ **0.1** *communicativeness* ⇒*expansivity, expansiveness*.

mededelen →**meedelen**.

mededeling ⟨de (v.)⟩ **0.1** *communication* ⇒*statement, announcement* ◆ **1.1** verslagen en ~en v.h. congres *proceedings and reports of the conference* **2.1** ⟨op radio/t.v.⟩ nu volgt een belangrijke ~ *now follows an important announcement;* een officiële ~ over *an official statement about;* een sensationele ~ *doen drop a bombshell;* een vertrouwelijke ~ *a confidential/privileged c.* **3.1** een ~ aanplakken *post a notice;* een ~ doen *make a c./statement;* ~ doen van iets aan iem. *inform s.o. of sth.;* ingezonden ~ *advertisement* **6.1** een briefje **met** de ~ dat ...*a note saying that* ....

mededelingenblad ⟨het⟩ **0.1** *newsletter* ⇒*bulletin*.

mededelingenbord ⟨het⟩ **0.1** *notice board*.

mededingen →**meedingen**.

mededinger ⟨de (m.)⟩, **-ster** ⟨de (v.)⟩ **0.1** ⟨alg.⟩ *rival;* ⟨in wedstrijd⟩ *competitor, contestant* ◆ **2.1** een onbekende ~ *a dark horse* **3.1** zij won het van haar ~s *she beat her competitors*.

mededingersveld ⟨het⟩ **0.1** *field of competition/rivalry* ◆ **3.1** ICI heeft ook het ~ betreden *ICI has also entered the ring*.

mededinging ⟨de (v.)⟩ **0.1** *competition* ◆ **2.1** vrije ~ *open c.* **6.1** ⟨sport⟩ **buiten** ~ *not for c., hors concours;* ⟨sport⟩ meedoen **buiten** ~ *participate hors concours*.

mededirecteur ⟨de (m.)⟩, **-trice** ⟨de (v.)⟩ **0.1** *co-manager, joint manager* ⟨m.,v.⟩ ⇒⟨v.ook⟩ *co-manageress, joint manageress*.

mededogen ⟨het⟩ **0.1** *compassion* ◆ **3.1** ~ hebben/tonen met iem. *show c. with s.o.* **6.1** iem. **met** ~ gadeslaan *watch s.o. compassionately;* iem. **zonder** ~ straffen *punish s.o. mercilessly*.

medeëigenaar ⟨de (m.)⟩, **-nares** ⟨de (v.)⟩ **0.1** *joint proprietor/owner* ⟨m.,v.⟩ ⇒⟨v.ook⟩ *joint proprietress*.

medeëigendom ⟨de (m.)⟩ **0.1** *co-ownership, joint ownership* ◆ **6.1** in ~ bezitten *hold in joint ownership*.

medeërfgenaam ⟨de (m.)⟩ **0.1** *co-heir, joint heir*.

medegebruik ⟨het⟩ **0.1** *joint use* ◆ **1.1** het ~v.e. openbare weg *the joint use of a public road*.

medegerechtigd ⟨bn.⟩ **0.1** *co-entitled, jointly entitled* ◆ **6.1** ~ zijn in de boedel *be a co-participant in the estate*.

medehuurder ⟨de (m.)⟩ **0.1** *co-tenant*.

medeklinker ⟨de (m.)⟩ **0.1** [klank] *consonant* **0.2** [teken] *consonant* ◆ **2.1** stemhebbende en stemloze ~s *voiced and voiceless consonants.*
medeleerling ⟨de (m.)⟩ **0.1** *fellow pupil.*
medeleven ⟨het⟩ **0.1** *sympathy* ⇒ ⟨rouwbeklag ook⟩ *condolence* ◆ **2.1** oprecht ~ *sincere s.* **3.1** mijn ~ gaat uit naar *my s. lies with* ¶**.1** blijk geven van ~ *show / express s., give expression to one's s..*
medelevend ⟨bn.⟩ **0.1** *sympathetic.*
medelid ⟨het⟩ **0.1** *fellow member.*
medelijden ⟨het⟩ **0.1** *pity* ⇒ *compassion, commiseration* ◆ **1.1** geen greintje ~ *not a spark of compassion* **3.1** heb ~ (met) *have mercy* (upon); om ~ mee te hebben *pitiable, to be pitied* **5.1** vol ~ zijn voor iem. *be / feel very sorry for s.o.* **6.1** ~ **met** iem. hebben *pity s.o., feel p. / sorry for s.o.;* we kregen ~ **met** hem *we began to feel sorry for him;* hij heeft alleen maar ~ **met** zichzelf *he only feels sorry for himself;* iem. **uit** ~ helpen *help s.o. out of p.;* hij gaf iets **uit** oprecht ~ *he gave sth. out of sheer pity;* **zonder** ~ *pitiless.*
medelijdend ⟨bn., bw.;-ly⟩ **0.1** *compassionate* ⇒ *piteous, pitiful* ◆ **1.1** een ~e blik *a look of compassion;* op ~e toon *in a c. tone (of voice)* **3.1** ~ aankijken *look with compassion.*
medemens ⟨de (m.)⟩ **0.1** *fellow man* ⇒ *neighbour.*
medemenselijk ⟨bn., bw.;-ly⟩ **0.1** *humane.*
medemenselijkheid ⟨de (v.)⟩ **0.1** *humanity* ⇒ *solidarity* ◆ **6.1** iets doen **uit** ~ *do sth. out of solidarity.*
medeminnaar ⟨de (m.)⟩ **0.1** *rival (lover).*
Meden ⟨zn.mv.⟩ **0.1** *Medes* ◆ **1.1** ⟨fig.⟩ dat is geen wet van ~ en Perzen *that is not the law of the M. and Persians / not a hard and fast rule.*
medeondertekenaar ⟨de (m.)⟩ **0.1** *co-signatory* ⇒ *witness* ⟨bij legalisatie⟩, ⟨BE⟩ *assentor* ⟨van iemands kandidatuur bij verkiezingen⟩.
medeondertekenen ⟨ov.ww.⟩ **0.1** *co-sign;* ⟨ter bekrachtiging⟩ *countersign* ◆ **1.1** de direkteur moet het contract ~ *the manager has to countersign the contract;* zij heeft de petitie medeondertekend *she has joined in signing the petition;* Suriname heeft het verdrag medeondertekend *Surinam is a signatory to the treaty* **8.1** als getuige ~ *witness a signature.*
medeondertekening ⟨de (v.)⟩ **0.1** [⟨concr.⟩] *co-signature; countersignature* **0.2** [het ondertekenen] *co-signing; countersigning.*
mede-oorzaak ⟨de⟩ **0.1** *secondary / contributory cause.*
mede-oprichter ⟨de⟩ **0.1** *co-founder.*
medeplegen ⟨ov.ww.⟩ ⟨jur.⟩ **0.1** *participate* (⟨als mededader⟩ *as principal in the second degree* / ⟨als niet-aanwezige aanstichter⟩ *as accessory before the fact) in the commission of.*
medeplichtig ⟨bn.⟩ ⟨jur.⟩ **0.1** *accessary* ◆ **3.1** dit maakt hem ~ *this incriminates him;* ~ zijn aan *be (an) a. to the accomplice of* **6.1** ~ **aan** de moord *a. to the murder* **8.1** veroordeeld worden als ~ aan fraude *be sentenced as an a. to fraud.*
medeplichtige ⟨de (m.)⟩ ⟨jur.⟩ **0.1** *accessory* ^Aary (to), *accomplice* ⇒ ⟨handlanger⟩ *partner, associate (of / in),* ⟨bij echtscheiding⟩ *co-respondent* ◆ **3.1** hij verraadde zijn ~n *he betrayed /* ⟨sl.⟩ *peached on his associates / partners in crime* **6.1** een ~ aan een misdrijf *an accomplice in / a party to a crime, a principal in the second degree;* getuigen **tegen** zijn ~ *turn / give* ^BKing's / ^BQueen's / ^AState's *evidence.*
medeplichtigheid ⟨de (v.)⟩ ⟨jur.⟩ **0.1** *complicity (in)* ⇒ *participation (in)* ◆ **1.1** schuld aan ~ *guilty of c. / being an accessory* ^Aary **3.1** beschuldigen van ~ *accuse of c..*
mederedacteurschap ⟨het⟩ **0.1** *co-editorship.*
medereiziger ⟨de (m.)⟩, **-ster** ⟨de (v.)⟩ **0.1** *fellow traveller / passenger* ⇒ *travel(ling) companion.*
medeschepsel ⟨het⟩ **0.1** *fellow creature;* ⟨mens⟩ *fellow human being.*
medeschuldig ⟨bn.⟩ **0.1** *implicated (in), also guilty / to blame* ⇒ ⟨jur.⟩ *accessory* ^Aary (to) ◆ **6.1** ~ **aan** iets zijn *be implicated in / also g. of / to b. for sth..*
medeschuldige ⟨de (m.)⟩ **0.1** *co-offender, one of the culprits / guilty parties, joint culprit.*
medespeler ⟨de (m.)⟩, **-speelster** ⟨de (v.)⟩ **0.1** *teammate, (fellow) player;* ⟨bridge⟩ *partner;* ⟨dram., film⟩ *(fellow) actor / actress, performer, cast member* ◆ **3.1** tot de ~s behoorden *the cast included.*
medesponsor ⟨de (m.)⟩ **0.1** *co-sponsor.*
medestander ⟨de (m.)⟩, **-ster** ⟨de (v.)⟩ **0.1** *supporter* ⇒ *partner,* ⟨pol.⟩ *partisan, ally, political friend / associate.*
medestrever ⟨de (m.)⟩ **0.1** [mededinger] *rival* ⇒ *competitor, aspirant* ⟨naar betrekking e.d.⟩ **0.2** [medestander] *(fellow) supporter* ⇒ *fellow campaigner.*
medestrijder ⟨de (m.)⟩ **0.1** [mededinger] *competitor* ⇒ *rival* **0.2** [wapenbroeder] *fellow combatant* ⇒ *comrade, brother-in-arms.*
medeverantwoordelijk ⟨bn.⟩ **0.1** *jointly responsible / co-responsible (for)* ⇒ ⟨jur.⟩ *contributory.*
medeverantwoordelijkheidsheffing ⟨de (v.)⟩ **0.1** ≠ *super levy.*
medeverdachte ⟨de (m.)⟩ **0.1** *fellow suspect, co-suspect.*
medeverzekeraar ⟨de (m.)⟩ **0.1** *co-insurer.*
medewerker ⟨de (m.)⟩, **-ster** ⟨de (v.)⟩ **0.1** [iem. die ergens aan meewerkt] *fellow worker, co-worker* ⇒ *co-operator,* ⟨aan boek e.d.⟩ *collaborator,* ⟨aan krant enz.⟩ *contributor, correspondent* **0.2** [werkkracht, functionaris] *worker, assistant* ⇒ *staff member* ◆ **1.2** de ~s

v.h. bureau *the staff (members) of the office* **2.1** onze juridische / economische / weerkundige / Londense ~ *our legal / economics / weather / London correspondent* **2.2** een nieuwe ~ *a new w. / a. / employee / staff member, an entrant;* een tijdelijke / vaste ~ *a temporary / permanent staff member;* wetenschappelijk ~ *lecturer, (academic)* ⟨tech.⟩ *scientific) staff member* **6.1** ~ **aan** *contributor to, collaborator in.*
medewerking ⟨de (v.)⟩ **0.1** [het meewerken] *cooperation* ⇒ *collaboration* **0.2** [hulp] *assistance* ⇒ *support, cooperation* ◆ **2.1** met welwillende ~ van *with the kind cooperation of* **3.2** alle / geen / weinig ~ krijgen van *get full / no / little a. from;* de politie riep de ~ in v.h. publiek *the police made an appeal to the public for cooperation;* ~ verlenen aan *render / give / lend (one's) a. to, assist in* **5.2** ze waren niet bereid tot ~ *they were not cooperative / ready to cooperate* **6.1** met ~ **van** *assisted by, with the cooperation of.*
medeweten ⟨het⟩ **0.1** *(fore)knowledge* ◆ **6.1** dit is buiten / met mijn ~ gebeurd *this occurred unknown /* [1] *unbeknown(st) to me / without my knowledge, this occurred with my knowledge;* deze geheime transactie is **met** ~ v.d. direkteur geschied *this secret transaction occurred with the knowledge of* ⟨jur.⟩ *privity of the director, the director was privy to this secret transaction.*
medezeggenschap ⟨het, de (v.)⟩ **0.1** *say, voice* ⇒ ⟨in bedrijf⟩ *(employee) participation, (labour) co-partnership, joint management, co-management* ◆ **1.1** de ~ in het bedrijfsleven stelt nog niet veel voor *employee participation still doesn't amount too much* **3.1** ~ eisen / geven in *demand / give a s.;* ⟨in bedrijf⟩ *demand / allow workers participation / a share in management;* het personeel heeft enige ~ *the personnel has some s.* **6.1** je hebt in deze zaak geen ~ *you have no s. / v. in this matter.*
medezeggenschapsraad ⟨de (m.)⟩ **0.1** *representative advisory body / board / council.*
media[1] ⟨zn.mv.⟩ **0.1** *media* ◆ **2.1** de geschreven ~ *the press.*
media[2] ⟨de⟩ ⟨taal.⟩ **0.1** *media* ⇒ *voiced stop / plosive.*
mediaal ⟨bn.⟩ **0.1** [aan de binnenzijde] *medial* ⇒ *middle, central,* ⟨van lichaam ook⟩ *mesial* **0.2** [⟨taal.⟩] *medial* ⇒ *middle, central* ◆ **1.1** ⟨taal.⟩ een mediale consonant *a medial consonant* **1.2** de mediale vorm *the middle voice / form.*
mediaan[1]
I ⟨de⟩ **0.1** [⟨wisk.⟩] *median (line)* **0.2** [⟨statistiek⟩] *median* **0.3** [⟨druk.⟩] *11 point type;*
II ⟨het⟩ ⟨boekw.⟩ **0.1** [drukpapier] *medium (paper)* ◆ **2.1** groot ~ *medium writing paper* ⟨47 x 61 cm⟩; klein ~ *medium printing paper* ⟨40 x 53 cm⟩.
mediaan[2] ⟨bn.⟩ **0.1** *median.*
mediaanlijn ⟨de⟩ **0.1** *medial / mesial line.*
mediaanvlak ⟨het⟩ **0.1** *median plane.*
mediabeleid ⟨het⟩ **0.1** *media policy* ◆ **3.1** een onduidelijk ~ voeren *pursue an unclear m. p., pursue an unclear policy with regard to the media.*
mediabestel ⟨het⟩ **0.1** *media management;* ⟨verdeling van zendtijd⟩ *allocation of broadcasting time.*
mediadeskundige ⟨de (m.)⟩ **0.1** *media expert.*
mediavist ⟨de (m.)⟩ **0.1** *medievalist.*
mediaevistiek ⟨de (v.)⟩ **0.1** [historische wetenschap] *medieval studies* **0.2** [beoefening van technische hulpwetenschappen] *medieval studies.*
mediagenie ⟨bn.⟩ **0.1** *mediagenic.*
mediakunde ⟨de (v.)⟩ **0.1** *multimedia studies* ⇒ *educational technology.*
mediakundige ⟨de (m.)⟩ **0.1** *multimedia specialist.*
mediamiek ⟨bn.⟩ **0.1** *mediumistic* ⇒ *psychic(al)* ◆ **1.1** ~e gaven bezitten *possess psychic powers.*
medianota ⟨de⟩ **0.1** *Media Memorandum / Paper.*
mediante ⟨de (v.)⟩ **0.1** [⟨wisk.⟩] *mediant* **0.2** [⟨muz.⟩] *mediant.*
mediaplanner ⟨de (m.)⟩ **0.1** *media adviser.*
mediaplanning ⟨de⟩ **0.1** *media analysis / research.*
mediateur ⟨de (m.)⟩ **0.1** *mediator* ⇒ *intermediary, arbitrator.*
mediatheek ⟨de (v.)⟩ **0.1** *multimedia centre / (section of) library.*
mediatie ⟨de (v.)⟩ **0.1** *mediation* ⇒ *intermediation, arbitration.*
mediatiseren ⟨ov.ww.⟩ **0.1** *mediatize.*
mediawereld ⟨de⟩ **0.1** *world of the media.*
medicalisering ⟨de (v.)⟩ ⟨pej.⟩ **0.1** *medicalization.*
medicament ⟨het⟩ **0.1** *medicament* ⇒ *medicine, medication, remedy, drug.*
medicamenteus ⟨bn.⟩ **0.1** *medicinal* ⇒ *remedial.*
medicatie ⟨de (v.)⟩ ⟨med.⟩ **0.1** *medication* ◆ **3.1** een ~ bestaande uit ... *m. consisting of ...;* ~ toepassen *use m..*
medicijn ⟨de⟩ **0.1** [geneesmiddel] *medicine* ⇒ *medication, medicament, drug* **0.2** [⟨mv.⟩ geneeskunde] *medicine* ⇒ *studies* **1.1** pillen, poeders en andere ~en *medicines;* ⟨pej.⟩ *doctor's stuff* **1.2** een student (in de) ~en *a medical student* **2.1** ⟨fig.⟩ hard werken is dan het beste ~ *in that case hard work is the best medicine / remedy / cure* **3.1** ~en innemen *take medicine / medications / drugs;* teveel ~en slikken *take too much medicine* **3.2** ~en studeren *study / do m.;* ⟨AE ook⟩ *go to medical school* **6.2** doctor in de ~en *Doctor of Medicine, M.D.* **8.1** ⟨fig.⟩ dat werkt als ~ *it's a sure remedy.*

medicijnkastje ⟨het⟩ **0.1** *medicine chest/cabinet/cupboard*.

medicijnman ⟨de (m.)⟩ **0.1** *medicine man* ⇒*shaman, witch doctor*.

medicinaal ⟨bn.⟩ **0.1** [geneeskrachtig] *medicinal* ⇒*medicated* ⟨wijn⟩ **0.2** [als geneesmiddel] *medicinal* ♦ **1.1** medicinale wateren *medicinal waters* **1.2** voor ~ gebruik *for m. use/purposes* **1.¶** ⟨vero.⟩ ~ gewicht *apothecaries' weight*.

medicus ⟨de (m.)⟩ ⟨schr.⟩ **0.1** [arts] *doctor* ⇒*physician, medical man/ practitioner* **0.2** [student] *medical student* ♦ **7.1** (aanbevolen door) de (heren) medici *(recommended by) the medical profession*.

mediene ⟨de⟩ **0.1** [joodse gemeenschap] ≠*provincial Jewry* **0.2** [stadje in de provincie] *provincial town, small town*.

medio ⟨bw.⟩ **0.1** *in the middle of, mid* ♦ **1.1** ~ september *in/by/about the middle of September, mid-September*.

mediocriteit ⟨de (v.)⟩ ⟨schr.⟩ **0.1** *mediocrity*.

mediothecaris ⟨de (m.)⟩, -resse ⟨de (v.)⟩ **0.1** *audio-visual/multimedia technician/librarian*.

mediotheek ⟨de (v.)⟩ **0.1** [verzameling] *multimedia/audio-visual aids (to teaching)* **0.2** [opslagplaats] *multimedia/audio-visual storeroom*.

medisch
I ⟨bn.⟩ **0.1** [mbt. de geneeskunde] *medical* ♦ **1.1** op ~ advies *on/at the advice of one's doctor, on m. advice;* een ~ centrum *a m. centre;* de ~e ethiek [deel van moraalfilosofie] *m. ethics;* ⟨erecode van dokters⟩ *m. / Hippocratic code;* de ~e faculteit *the Faculty/School of Medicine,* ⟨USA ook⟩ *m. school;* een ~(e) onderzoek/keuring *a m. examination, a test;* ⟨inf.⟩ *a medical/checkup;* ⟨AE ook⟩ *a physical;* een ~ student *a m. student;* ⟨inf.⟩ *a medic(o);* een ~e verhandeling *a m. lecture/discourse;*
II ⟨bw.⟩ **0.1** [volgens de geneeskunde] *medical* ♦ **3.1** iem. ~ behandelen *treat s.o., give s.o. m. treatment*.

meditatie ⟨de (v.)⟩ **0.1** [in oosterse godsdiensten] *meditation* **0.2** [overpeinzing] *meditation* ⇒*reflection, cogitation* **0.3** [⟨r.k.⟩] *meditation* ⇒*contemplation*.

meditatief ⟨bn.⟩ **0.1** *meditative* ⇒*contemplative, reflective, pensive*.

mediteren ⟨onov.ww.⟩ **0.1** [in oosterse godsdiensten] *meditate* **0.2** [peinzen] *meditate* ⇒*cogitate, reflect, ponder* **0.3** [⟨r.k.⟩] *meditate* ⇒*contemplate*.

mediterraan ⟨bn.⟩ **0.1** *Mediterranean*.

medium¹ ⟨het⟩ **0.1** [communicatiemiddel] *medium;* ⟨minder juist enk. en mv.⟩ *media* **0.2** [⟨spiritisme⟩] *medium* ⇒*psychic, spiritual intermediary* **0.3** [hulpmiddel] *medium* ⇒*vehicle* **0.4** [⟨nat.⟩] *medium* **0.5** [⟨taal.⟩] *middle voice* ♦ **1.3** de krant als ~ van informatie *the newspaper as a m. of information* **2.1** televisie is een machtig ~ *television is a powerful m. /* ⟨minder juist⟩ *media*.

medium² ⟨bn.⟩ **0.1** [mbt. sherry] *medium* **0.2** [mbt. kledingmaten] *medium(-sized)*.

mediumbereik ⟨het⟩ **0.1** *coverage*.

medoc ⟨de (m.)⟩ **0.1** *Médoc*.

medulla ⟨het, de⟩ ⟨med.⟩ **0.1** *medulla* ⇒*marrow* ♦ **¶.1** ~ oblongata *medulla oblongata, medulla;* ~ spinalis *spinal marrow*.

medusahoofd ⟨het⟩ **0.1** [hoofd (als) van Medusa] *Medusa's head* **0.2** [vetplant] *medusa's head* **0.3** [⟨med.⟩] *caput Medusae*.

mee¹ ⟨de⟩ **0.1** [drank] *mead* **0.2** [meekrap] *madder*.

mee² ⟨bw.⟩ **0.1** [samen weg] ⟨zie 3.1⟩ **0.2** [in iemands voordeel] ⟨zie 3.2⟩ **0.3** [bijw. vorm van met] ⟨zie 3.3,4.3,5.3⟩ **0.4** [in dezelfde richting] *with* ⇒*along* ♦ **1.4** met de klok ~ *clockwise* **3.1** ~ gaan dansen *join in the dance, go dancing too;* kan ik ook ~? *can I come too/join you?;* hij wil met ons ~ *he wants to go with/join us* **3.2** de wind ~ hebben *have the wind with one, have a tailwind;* ⟨fig.⟩ *have all the luck, have the wind in one's sails;* hij heeft zijn uiterlijk ~ *he has his looks going for him/to his advantage/in his favour;* hij heeft ook alles ~ *he has got every advantage/plenty/everything going for him;* het zit hem niet ~ *the dice are loaded against him, things are not going his way, he's not having much luck* **3.3** daar spreekt u ~ ⟨aan telefoon⟩ *speaking* **3.4** met de draad ~ knippen *cut along the weave;* van hem mag Beethoven met de vuilnisman ~ *to him, Beethoven is junk* **3.¶** dat kan nog jaren ~ *that will last/do for years, that still has a lot of mileage (on it)/a great deal of wear (left)* **4.3** niets ~ te maken! *(it) leaves me cold;* dat heeft er niets ~ te maken! *that is beside the point/has nothing to do with it!* **5.3** het kan er ~ door *it is all right/passes muster, it'll do;* ergens te vroeg/laat ~ komen *be too early/late with sth..*

meebidden ⟨onov.ww.⟩ **0.1** *pray (along) with, join in the prayer*.

meeblazen ⟨onov., ov.ww.⟩ **0.1** *blow (along) with* ♦ **1.1** zijn partij ~ ⟨zijn aandeel bijdragen⟩ *do one's share/bit, pitch in;* ⟨zijn mannetje staan⟩ *stand up for o.s..*

meebrengen ⟨ov.ww.⟩ **0.1** [met zich brengen] *bring (along)(with one)* ⇒ ⟨vriend enz. ook⟩ *bring (around)* ⟨vriend enz.⟩, *bring into/to* ⟨in welijk⟩ **0.2** [van nature vertonen] *involve* ⇒*entail/bring with it/carry* ♦ **1.1** je moet wel je eigen drank ~ *you must bring (along) your own drinks;* ⟨scherts.⟩ je hebt mooi weer meegebracht *you brought good weather with you* **1.2** de verplichtingen/kosten die zijn functie meebrengt *the obligations/costs which are involved in his function/his function carries/are incident to his function;* de gevaren die dit meebrengt *the dangers which this involves/attendant on this;* ieder kind

brengt zijn eigen zorgen mee *each child brings its own set of worries* **3.1** ⟨scherts.⟩ wie wou je daarvoor ~? *maybe you'd better bring in the reserves/call in reinforcements* **4.2** de situatie brengt mee ... *the situation necessitates/requires/has the effect of ...* **6.1** iets ~ uit Londen *bring sth. from London;* wat zal ik voor je ~? *what shall I bring you?* **6.2** de oude dag brengt vele ongemakken mee *old age is accompanied by much discomfort;* de moeilijkheden die dit met zich meebracht *the difficulties which ensued/resulted from this, the difficulties which this entailed* **8.2** zijn positie brengt mee dat ... *his position involves ....*

meedeinen ⟨onov.ww.⟩ **0.1** *sway* ♦ **6.1** ze deinden mee met het ritme *they swayed to the rhythm*.

meedelen
I ⟨onov.ww.⟩ **0.1** [deel hebben in] *share (in)* ⇒*participate (in)* ♦ **1.1** alle erfgenamen delen mee *all heirs are entitled to a share* **6.1** iem. laten ~ in *give s.o. a share of;*
II ⟨ov.ww.⟩ **0.1** [kennis geven van] *inform (of), let know* ⇒*tell, communicate, impart,* ⟨officieel⟩ *notify, announce,* ⟨berichten⟩ *report* **0.2** [geven] *give a share of* ♦ **1.1** de premier deelde mee dat *the prime minister announced that;* onze verslaggever heeft ons het volgende meegedeeld *our correspondent has reported the following to us* **3.1** tot onze spijt moeten wij u ~ *we regret to inform you* **5.1** ik zal het haar voorzichtig ~ *I shall break it to her gently* **6.1** over het overleg werd niets meegedeeld *nothing about the talks was disclosed* **8.1** hierbij deel ik u mee, dat ... *I am writing to inform you that ....*

meedenken ⟨onov.ww.⟩ **0.1** *think (along) with* ⇒*help think* ♦ **6.1** als jullie nou eens met me meedachten *if you could think along with me*.

meedingen ⟨onov.ww.⟩ ♦ **3.¶** kunnen/mogen ~ *be able/allowed/eligible to compete* **6.¶** ~ naar een ambt/prijs *compete for an office/a prize;* er dingen vijftien dammers mee naar het kampioenschap *fifteen* ᴮ*draughts/*ᴬ*checkers players have entered/are contending for the championship;* ~ naar een betrekking *compete/make a bid for a position*.

meedoen ⟨onov.ww.⟩ **0.1** *join (in)* ⇒*take part (in), be/go (in)* ♦ **3.1** hij is te arm om mee te kunnen doen *he is too poor to keep up with the others;* mag ik ~? *can I join in/you?* **5.1** ze deed dapper mee aan de knokpartij *she fought with the best of them/did her share of the fighting;* hij kan nooit eens leuk ~ *he can never join in the fun;* ik doe niet meer mee *I opt/contract out* ⟨aan project⟩, ⟨inf.⟩ *I quit/call it quits;* ⟨kaartspel⟩ *I'm out* **6.1** ~ aan een wedstrijd/examen *compete in a game/exam;* ~ aan een project/staking/oorlog *participate/take part/ join in a project/strike/war;* kunnen/niet kunnen ~ aan de prijsvraag *be eligible/ineligible to compete in/enter the contest;* waarom deed je niet mee aan de stemming? *why did you abstain (from voting)?;* ~ aan een cadeau *put up/contribute sth. towards a present;* niet ~ aan de strijd/het plan *stay out of the battle, have nothing to do with the plan;* daar doe ik niet aan mee *I won't be a party to that;* ~ met zijn vrienden *join in with one's friends;* met de mode ~ *keep up with/follow the fashion;* met de massa ~ *string along with/go along with the crowd;* ⟨pej.⟩ *be like the common herd;* met de winkeliers moesten wel ~ met deze actie *the shopkeepers/* ⟨AE ook⟩ *storekeepers had to fall in with this campaign;* niet ~ met een rage *not follow/go in for a fad;* ~ voor honderd gulden *put/* ⟨inf.⟩ *chip in a hundred guilders* **¶.1** oké, ik doe mee *okay, I will join/I'm game/I'm in/count me in;* v.h. begin af ~ *be in from/get in at the start/on the ground floor*.

meedogend ⟨bn., bw.; -ly⟩ **0.1** *compassionate* ⇒*merciful, clement*.

meedogendheid ⟨de (v.)⟩ **0.1** *compassion* ⇒*mercy, clemency*.

meedogenloos ⟨bn., bw.; -ly⟩ **0.1** *merciless* ⇒*pitiless, relentless, remorseless, ruthless* ♦ **1.1** een ~ heerser *a m. / ruthless ruler;* onze meedogenloze samenleving *our dog-eat-dog society* **3.1** hij ranselde de misdadiger ~ af *he flogged the criminal ruthlessly/relentlessly;* ~ zijn *be m. / heartless/as hard as nails*.

meedraaien ⟨onov.ww.⟩ **0.1** [meedoen] *work (with)* ⇒*collaborate* **0.2** [samen draaien] *turn with* ♦ **1.1** ik draai hier al weer een hele tijd mee *I've already worked here for quite a while* **6.2** ~ met de wind/ klok/zon *turn with the wind/clockwise/with the sun;* ⟨fig.⟩ met alle winden ~ *blow hot and cold, be a weathercock, be driven by any wind*.

meedragen ⟨ov.ww.⟩ **0.1** *carry (about/around)* ♦ **4.1** wat draag je toch allemaal mee? *what are you carrying?* **6.1** ⟨fig.⟩ een last met zich ~ *carry a heavy burden*.

meedrijven ⟨onov.ww.⟩ **0.1** *drift (with)* ♦ **3.1** ⟨fig.⟩ zich laten ~ *let o.s. be carried along;* de arend liet zich ~ op de wind *the eagle was riding the wind* **6.1** met de stroom ~ *drift with the current/stream;* ⟨fig.⟩ *let o.s. be carried along by the stream*.

meedrinken ⟨onov., ov.ww.⟩ **0.1** *drink with* ⇒*join in a drink* ♦ **1.1** voor de gezelligheid een glaasje ~ *have a drink/glass to be sociable* **4.1** wie drinkt er mee? *who will join me in a drink?*

meeëten ⟨onov., ov.ww.⟩ **0.1** *eat/dine with* ⇒*join in eating* ♦ **1.1** eet je een hapje mee? *will you join us/stay for a bite?, will you have sth. to eat with us?*

meeëter ⟨de (m.)⟩ **0.1** [talgkliertje] *blackhead* ⇒ ⟨med.⟩ *comedo* **0.2** [iem. die meeëet] *fellow-diner*.

meegaan ⟨onov.ww.⟩ **0.1** [vergezellen] *go along/with, accompany* ⇒

come along/with **0.2** [volgen in denk-/handelwijze] *go (along) with* ⇒ *agree (with), concur (in)* **0.3** [bruikbaar blijven] *last* ⇒*serve, do service* ◆ **1.3** een televisie gaat gemiddeld acht jaar mee *the average life of a television is eight years;* dit toestel gaat jaren mee *this machine will l. for years/give years of service/stand years of use;* deze jurk moet nog een tijdje ~ *this dress must be made to do for a while yet* **4.1** is er nog iemand die meegaat? *is there anyone else (who is) coming/going?* **5.3** de mijne is langer meegegaan dan de jouwe *mine outwore/outlasted/lasted longer than yours* **6.1** laat Peter **met** je ~ *let Peter a./go with you* **6.2** ~ **met** iemands zienswijze *agree with s.o.'s views, follow s.o. in his views;* **met** de mode ~ *keep up/pace with (the) fashion;* hij kon niet ~ **met** ons voorstel *he couldn't agree with/subscribe to our proposal;* ~ **met** de regering *go along with/be in sympathy with/follow the government;* ik ga niet in alles **met** je mee *I don't agree/fall in/concur with you in everything;* **tot** zover kan ik met hem ~ *I can agree/go along with him so far/up to this point.*

meegaand ⟨bn.⟩ **0.1** *compliant* ⇒*pliable, flexible, accommodating,* ⟨schr.⟩ *complaisant,* ⟨volgzaam⟩ *docile* ◆ **1.1** een ~ karakter hebben *have a tractable/pliant character* **3.1** hij is erg ~ van aard *he's very accommodating/docile by nature.*

meegaandheid ⟨de (v.)⟩ **0.1** *compliance* ⇒*pliability, flexibility,* ⟨schr.⟩ *complaisance,* ⟨volgzaamheid⟩ *docility.*

meegeven
I ⟨ov.ww.⟩ **0.1** [geven] *give* ⇒*provide (with)* ◆ **1.1** iem. een boodschap ~ *send a message with s.o.;* iem. een boterham ~ voor onderweg *give s.o. a sandwich for along the way;* iem. een waarschuwing ~ g./issue s.o. a warning **5.1** haar vader had haar flink wat meegegeven ⟨in huwelijk⟩ *her father had given her a large dowry* **6.1** geef het maar mee **met** de bode/vuilnisman *send it with the messenger/*[B]*dustman/*[A]*garbageman;*
II ⟨onov.ww.⟩ **0.1** [wijken, soepel zijn] *give (way)* ⇒*yield* ◆ **1.1** geef eens een beetje mee! ⟨bij optillen⟩ *don't be a dead weight, don't make yourself a dead lift;* de planken geven niet mee *there is no give in the boards* **¶.1** het geeft mee als je er op drukt *it yields to pressure, it gives as you press on it/apply pressure on it.*

meehelpen ⟨onov.ww.⟩ **0.1** [helpen] *help (in/with)* ⇒*give/lend a hand (in/with),* ⟨BE;inf.⟩ *muck in (with)* **0.2** [mee van invloed zijn] *help (in)* ◆ **3.1** kan ik ~ dragen? *can I give you a hand/help you carrying those things?* **6.1** ~ **aan/bij** ⟨ook⟩ *assist with, lend one's assistance to;* ~ **in** het huishouden *help with/give a hand in the housekeeping* **6.2** ook zulke kleine dingen kunnen ~ **om** de situatie te verbeteren *such little things are also helpful in/conducive to improving the situation.*

meekomen ⟨onov.ww.⟩ **0.1** [komen] *come (along/with/also)* **0.2** [tegelijk te voorschijn komen] *come (also)* **0.3** [het tempo bijhouden] *keep up* ⇒*keep pace with* ◆ **1.1** de bagage is meegekomen *the luggage has come as well* **1.2** er kwam bloed mee *there was blood too* **3.3** op school kon hij niet ~ *he couldn't keep up/pace with the others at school* **4.1** ik heb er geen bezwaar tegen als hij meekomt *I don't object to his coming (along);* ik ga niet tenzij jij meekomt *I won't go unless you come with me* **5.1** ze kwam mee naar binnen/buiten *she came in/out also/*⟨AE ook⟩ *came along in/out.*

meekrap ⟨de⟩ **0.1** [plant] *madder* **0.2** [poeder] *madder* **0.3** [kleurstof] *madder.*

meekrijgen ⟨ov.ww.⟩ **0.1** [ontvangen, toegewezen krijgen] *get* ⇒*receive* **0.2** [op zijn hand krijgen] *win over, get on one's side* **0.3** [overhalen mee te komen] *get* ⇒*persuade to go* **0.4** [in zijn voordeel krijgen] *get* ◆ **1.1** kan ik het geld direct ~? *can I have the money immediately?;* vijf man ~ g. *five men/hands;* ⟨fig.⟩ hij heeft niet veel verstand meegekregen *he wasn't provided with much of a brain;* ⟨inf.⟩ *he was absent the day passed out the brains* **1.2** de zaal ~ *win over the audience, carry the audience with one, get the audience on one's side* **1.4** proberen de sociaal-democraten mee te krijgen *try to get the Social Democrats to go along;* de wind ~ g. *a tailwind.*

meel ⟨het⟩ **0.1** [van graan] *flour* **0.2** [van plantaardige organen] *meal* ⇒ ⟨van granen⟩ *farina* **0.3** [andere poedervormige stof] *powder.*

meelachen ⟨onov.ww.⟩ **0.1** *join in the laugh(ter)* ⇒*laugh too.*

meelachtig ⟨bn.⟩ **0.1** [als meel] *mealy, floury* **0.2** [melig] *mealy, floury.*

meelbal ⟨de (m.)⟩ **0.1** *dumpling.*

meelbes ⟨de⟩ **0.1** *whitebeam* ⇒*beam tree.*

meelbloem ⟨de⟩ **0.1** [fijn meel] *flour* **0.2** [⟨plantk.⟩ Clematis vitalba] *traveller's joy* ⇒*old man's beard.*

meeldauw ⟨de (m.)⟩ ⟨plantk.⟩ **0.1** *mildew* ⇒*blight.*

meeldijk ⟨de (m.)⟩ ⟨wwb.⟩ **0.1** *safety/inner/spare/back/subsidiary dike.*

meeldraad ⟨de (m.)⟩ ⟨plantk.⟩ **0.1** *stamen.*

meeleven ⟨onov.ww.⟩ **0.1** *feel (for)* ⇒*sympathize, empathize* ◆ **6.1** ~ **met** iemands verdriet *commiserate with s.o., sympathize with/share in s.o.'s grief;* ik leef met u mee *I feel for/can empathize with you.*

meelezen ⟨ov.ww.⟩ **0.1** [samen lezen] *read (with/together)* **0.2** [meebetalen aan een abonnement] *subscribe jointly.*

meelfabriek ⟨de (v.)⟩ **0.1** *flour mill.*

meeliften ⟨onov.ww.⟩ **0.1** [gratis meerijden] *hitch (a lift/ride)(with)* **0.2** [in het liften vergezellen] *hitch(-hike) together (with)* **0.3** [⟨fig.⟩ meegaan] *join in (with)* ◆ **6.3** ~ **in** een activiteit *join in (with) an activity.*

meeligger ⟨de (m.)⟩ **0.1** ⟨scheep.⟩ *consort* ⇒*companion ship/vessel, vessel/ship steering the same course,* ⟨andere voertuigen⟩ *car/*[B]*lorry/*[A]*truck* ⟨enz.⟩ *going in the same direction.*

meelij ⟨het⟩ ⟨inf.⟩ **0.1** *pity* ⇒*compassion,* ⟨medegevoel⟩ *sympathy.*

meelijden ⟨onov.ww.⟩ **0.1** *commiserate (with)* ⇒*sympathize (with), share s.o.'s grief.*

meelijwekkend ⟨bn., bw.;-ly⟩ **0.1** *pitiful* ⇒*piteous, pitiable, pathetic, sorry* ◆ **3.1** hij zag er ~ uit *he looked pitiful/a sorry sight.*

meelkalk ⟨de (m.)⟩ **0.1** *lime powder.*

meelkever ⟨de (m.)⟩ **0.1** *mealworm.*

meelkost ⟨de (m.)⟩ **0.1** *starchy/farinaceous food.*

meellijm ⟨de (m.)⟩ **0.1** *flour paste.*

meelokken ⟨ov.ww.⟩ **0.1** *entice (away), inveigle, lure.*

meelopen ⟨onov.ww.⟩ **0.1** [vergezellen] *accompany* ⇒*go/walk/come (along, with)* **0.2** [meedoen] *follow* ⇒*go (with)* **0.3** [voordelig zijn voor] *go s.o.'s way* ⇒*go well/smoothly* ◆ **6.1** ⟨fig.⟩ ze loopt al een hele tijd mee **in** dit bedrijf *she's been around in/worked with this firm for a long time;* mag ik een eindje met u ~? *may I a./tag along with you?* **6.3** alles liep mee **om** het feest te laten slagen *all went well/smoothly to ensure a successful party* **¶.3** alles loopt hem mee *everything's going his way.*

meeloper ⟨de (m.)⟩, **-loopster** ⟨de (v.)⟩ **0.1** *hanger on* ⇒*camp follower,* ⟨pol.⟩ *fellow traveller,* ⟨alg.⟩ *follower.*

meelpap ⟨de⟩ **0.1** *gruel* ⇒*porridge.*

meelspijs ⟨de⟩ **0.1** *farinaceous food.*

meelstrooier ⟨de (m.)⟩ **0.1** *flour dredger/sprinkler.*

meelton ⟨de⟩ **0.1** *flour/meal bin.*

meeltor ⟨de⟩ **0.1** *mealbeetle.*

meeluisteren ⟨onov.ww.⟩ **0.1** *listen* ⇒⟨stiekem⟩ *eavesdrop, listen in,* ⟨ook elektronisch⟩ *monitor* ◆ **6.1** ~ **naar** ⟨stiekem⟩ *overhear, listen in to, eavesdrop on to; tap* ⟨naar een telefoongesprek⟩.

meelworm ⟨de (m.)⟩ **0.1** *mealworm.*

meelzak ⟨de (m.)⟩ **0.1** *flour/meal sack.*

meemaken ⟨ov.ww.⟩ **0.1** [beleven] ⟨ervaren⟩ *experience;* ⟨doorstaan⟩ *go/be through, live;* ⟨zien gebeuren⟩ *see, witness;* ⟨deelnemen aan⟩ *take part (in)* **0.2** [een reis volbrengen] *make* ◆ **1.2** hij heeft de reis naar Noorwegen met hen meegemaakt *he made the journey to Norway with them* **3.1** had hij dit nog maar mee mogen maken *if he had only lived to see this* **5.1** zoiets heb ik nog nooit meegemaakt *I have never seen anything like it;* ⟨maakt me sprakeloos⟩ *that really bowls me over* **¶.1** ze heeft heel wat meegemaakt *she's seen/been through a lot (in her time);* moet je ~ *here's how it happened/what I went through.*

meemoeder ⟨de (v.)⟩ **0.1** *'co-mother'* ⟨partner of a lesbian mother⟩.

meeneemfiets ⟨de⟩ **0.1** *collapsible/folding bike.*

meeneemplaat ⟨de⟩ **0.1** *catch/driver/carrier plate.*

meenemen ⟨ov.ww.⟩(→sprw. 244) **0.1** [met zich meenemen] *take along/with/off/out* ⇒*bring along, carry off* **0.2** [profijt hebben van] *get out of* ⇒*profit by/from* **0.3** [in één moeite door verrichten] *do too* ⇒*take in* ◆ **1.1** neem een tas mee *take a bag, take a bag with you;* ⟨fig.⟩ wij zullen uw voorstellen ~ voor de volgende druk *we will consider your suggestion for the next printing* **1.3** die rand kun je mooi even ~ *you can do the edge as well/do the edge while you're* [B]*about/* [A]*at it* **3.1** je kunt niets ~ *spend it while you can* **4.2** dat is meegenomen *that's a (welcome) bonus, that comes in handy* **5.1** stiekem ~ *make off with, steal* **6.1** ⟨fig.⟩ hij heeft zijn geheim meegenomen in het graf *he took his secret (with him) to the grave* **6.2** Chinees eten **om** mee te nemen *Chinese food to take away,* [A]*take-out Chinese food;* **van** die lessen zullen zij niet veel ~ *they won't get much from/out of/profit much by those lessons.*

meenemer ⟨de (m.)⟩ **0.1** [onderdeel v.e. draaibank] *catch* ⇒*carrier, driver* **0.2** [inrichting aan een transportkabel] *(engaging) dog* ⇒*flight attachment* **0.3** [iets dat meegenomen kan worden] *portable* ◆ **¶.1** ~tje *bargain.*

meent ⟨de⟩ **0.1** *common (land).*

meepakken ⟨ov.ww.⟩ **0.1** *grab* ⇒*snatch, snap up* ⟨koopje⟩ ◆ **¶.1** pak mee! *snap up!.*

meepikken ⟨ov.ww.⟩ ⟨inf.⟩ **0.1** [stelen] *swipe* ⇒*pinch,* ⟨BE ook⟩ *nick, half-inch* **0.2** [in één moeite door doen] *take in (while one is about/* [A]*at it)* ⇒*include* ◆ **1.2** als we toch in de stad zijn, kunnen we dat museum mooi ~ *as we'll be in town anyway, we can easily include/take in that museum (while we're about/at it)* **1.¶** een graantje ~ *get one's share, get one's/a piece of the pie.*

meepraten ⟨onov.ww.⟩ **0.1** [met anderen praten] *take part/join in a conversation* **0.2** [naar de mond praten] *go along (with)* ⇒⟨vleien⟩ *toady* **0.3** [napraten] *parrot* ⇒*repeat* ◆ **3.1** daar kan ik van ~ *I know sth./a thing or two about that, you don't have to tell me;* hij mag ook ~ *he may/can also join in the conversation/put in a word* **6.1** daar kun je niet **over** ~ *you don't know anything about it* **6.2** hij praat maar **met** zijn chef mee *he's just going along/falling in with his boss* **6.3** hij praat maar mee **met** haar *he's just parroting her.*

meeprater ⟨de (m.)⟩, **-praatster** ⟨de (v.)⟩ **0.1** [slijmbal] *bootlicker* ⇒*toady, a smooth/slimy character* **0.2** [naprater] *yes-man* ⇒*parrot.*

meeprofiteren ⟨onov.ww.⟩ **0.1** *(also) get one's share* ⇒*profit too (from/ by)*, *share in the benefits (of)* ◆ **6.1** men liet het publiek ~ **van** de besparingen *part of the savings was passed on to the public.*

meer[1] ⟨het⟩ **0.1** *lake* ⇒⟨Sch.E⟩ *loch*, ⟨IE⟩ *lough* ◆ **1.1** het ~ van Galilea *the Sea of Galilee* **2.1** de Friese meren *the Frisian lakes;* ⟨fig.⟩ het ~ is nooit vol *the more you have the more you want.*

meer[2]
I ⟨bw.⟩ **0.1** [in hogere mate] *more* ⇒⟨achtervoegsel⟩ -*er* **0.2** [veeleer] *more*, *rather* **0.3** [verder] *more* ⇒*further* **0.4** [⟨met ontkenning⟩] *anymore*, *nȯ more*, *(any) longer* **0.5** [vaker] *more (often)* ◆ **2.1** ~ dood dan levend *m. dead than alive;* ~ lang dan breed *longer than wider* **2.2** hij is niet boos, hij is ~ verdrietig *he is m. sad/sad r. than angry* **3.1** hij heeft ~ van zijn moeder dan van zijn vader *he takes m. after his mother than his father* **3.5** we moeten dit ~ doen *we must do this more (often)* **5.1** ~ of minder *m. or less;* des te ~ *all the m. (so);* te ~ daar *all the m. so because, so much the m. because* **5.3** wie waren er nog ~? *who else was there?;* en zo ~ *and so on/the like/all that* **5.4** dat kan nu niet ~ *that's no longer possible/not possible anymore;* niet ~ zijn *be no more/longer;* dat is niet ~ dan redelijk *that is only reasonable;* niet ~ of minder *neither m. nor less;* met een pond kom je tegenwoordig niet ver ~ *a pound doesn't go very far these days;* ik weet het niet ~ *I don't know anymore/don't remember, I forget* **5.5** wel ~ *more often, frequently* **5.¶** ik kan niet ~ *I can't go on anymore/take any more, *[A]*I'm through/finished;* nooit ~! *never again!;* steeds ~ *more and more, ever more* **7.4** zij is geen kind ~ *she is no longer a child;* ik wil er geen woord ~ over horen *I don't want to hear another word about it;* hij had geen appels ~ *he had no more/was out of apples;* zij had geen geld ~ *she had no/not any money left* **8.1** hij is weinig ~ dan ... *he is little m. / else than ...;* ~ en ~ *m. and m., increasingly;*
II ⟨bn.⟩ ◆ **3.¶** wat ~ is *what's more, moreover.*

meer[3] ⟨hoofdtelw.⟩ ⟨→sprw. 216,521,679⟩ **0.1** [van wat genoemd wordt] *more* **0.2** [van wat uit het verband blijkt] *more* ◆ **1.1** hij heeft ~ boeken dan ik *he's got m. books than I (do);* tien gulden of ~ *ten guilders or m.* / [A]*plus (some), over ten guilders;* ~ loon *higher wages* **5.2** er kan nog ~ bij *the m. the merrier;* ⟨iron.⟩ *as if that isn't enough;* wat kan ik nog ~ doen? *what else can I do?;* steeds ~ willen hebben *want to have m. and m.* **6.2** zonder ~ *simply, downright, plainly;* ⟨mbt. antwoord, opmerking e.d. ook⟩ *pointblank;* ⟨terstond daarop⟩ *without further ado;* (dat is) zonder ~ waar/een feit *(that's) absolutely true/an absolute fact, absolutely!* **8.1** ~ dan eens *m. than once* **¶.2** onder ~ *among others/other things, including.*

ME-er ⟨de (m.)⟩ **0.1** *special duty policeman/policewoman* ⇒⟨mv. ook⟩ *riot police.*

meeraal ⟨de (m.)⟩ **0.1** *conger (eel).*

meeraderig ⟨bn.⟩ **0.1** *multicore.*

meerarbeid ⟨de⟩ **0.1** *extra/additional work.*

meerbasisch ⟨bn.⟩ ⟨schei.⟩ **0.1** *polybasic* ◆ **1.1** ~e zuren *p. acids.*

meerboei ⟨de⟩ **0.1** *mooring buoy* ⇒*dolphin.*

meerboezem ⟨de (m.)⟩ **0.1** *(lake) reservoir.*

meerbolder ⟨de (m.)⟩ **0.1** *mooring bollard.*

meercellig ⟨bn.⟩ ⟨biol.⟩ **0.1** *multicellular.*

meerdaags ⟨bn.⟩ **0.1** *of/for more than one day* ⇒*of/for some/several days, two-/three-/* ⟨enz.⟩ *day* ◆ **1.1** ~e weerprognose *weather forecast for the coming days.*

meerdelig ⟨bn.⟩ **0.1** *multipartite* ⇒*having many/several pieces, three-/ four-/* ⟨enz.⟩ *piece.*

meerder ⟨bn.⟩ **0.1** *greater* ◆ **1.1** tot ~e eer en glorie *to the g. honour and glory;* uw ~e ervaring *your g. experience* **7.1** het mindere moet voor het ~e wijken *the lesser must yield to the g..*

meerdere[1] ⟨de (m.)⟩ **0.1** *superior* ◆ **1.1** ⟨mil.⟩ *superior officer,* ⟨vnl. mv.; iem. die wijzer, meer ervaren enz. is⟩ *better* ◆ **3.1** zijn ~ moeten erkennen in iem. *have to acknowledge s.o.'s superiority* **6.1** hij is mijn ~ in kracht *he is my superior in strength.*

meerdere[2] ⟨hoofdtelw.⟩ **0.1** *several* ⇒*a number of* ◆ **1.1** dat is ~ keren gebeurd *that has happened s. times.*

meerderen
I ⟨onov., ov.ww.⟩ **0.1** [vermeerderen] *increase* ⇒*multiply, add (to)* **0.2** [mbt. breien] *increase* ⇒*add (on)* ◆ **1.1** zeil ~ *set extra sails* **1.2** drie steken ~ *add on/make three stitches;*
II ⟨onov.ww.⟩ ⟨schr.⟩ **0.1** [groter in getal geworden] *increase* ◆ **7.1** bij het ~ zijner jaren *with increasing age.*

meerderheid ⟨de (v.)⟩ **0.1** [het groter zijn in aantal] *majority* **0.2** [groep met de meeste stemmen] *majority* **0.3** [superioriteit] *superiority* ⇒*supremacy* ◆ **1.3** een gevoel van ~ hebben *have a sense of superiority/* ⟨pej.⟩ *a superiority complex* **2.1** een ruime ~ *a comfortable/big/large /wide m.;* bij volstrekte ~ van stemmen *with an absolute m. (of votes), by a large/clear m.* **3.1** de ~ behalen/krijgen *obtain/secure/win/gain a m.* **3.2** de zwijgende ~ *the silent m.* **6.1** bij ~ van stemmen *with a m. of votes/a m. vote;* **in** de ~ zijn *be in the m.;* ⟨pol.⟩ *hold/have a/the m., be the m. (party).*

meerderheidsbeginsel ⟨het⟩ **0.1** *majority rule.*

meerderheidsbelang ⟨het⟩ **0.1** *controlling interest.*

meerderheidsbesluit ⟨het⟩ **0.1** *majority decision.*

meerderheidscollege ⟨het⟩ **0.1** ≠*council with majority support.*

meerderheidskabinet ⟨het⟩ ⟨pol.⟩ **0.1** *cabinet with majority support.*

meerderheidspakket ⟨het⟩ **0.1** *controlling share.*

meerderheidspartij ⟨de (v.)⟩ **0.1** *majority party.*

meerderjarig ⟨bn.⟩ **0.1** [mondig] *of age* **0.2** [zelfstandig] *of age* ◆ **1.1** de ~e leeftijd bereiken *reach one's majority, attain the age of majority, come of age* **3.1** ~ worden *come of age;* bij haar ~ worden *on her coming of age;* ~ zijn *be of age.*

meerderjarige ⟨de (m.)⟩ **0.1** *adult.*

meerderjarigheid ⟨de (v.)⟩ **0.1** *adulthood* ⇒*(age of) majority, legal age,* ⟨seksuele⟩ *age of consent.*

meerderjarigverklaring ⟨de (v.)⟩ **0.1** [van mondigheid] *declaration of majority* **0.2** [van zelfstandigheid] *declaration of majority.*

meerdimensionaal ⟨bn.⟩ **0.1** *multidimensional* ◆ **1.1** meerdimensionale meetkunde *m. geometry.*

meerduidig ⟨bn.⟩ **0.1** *ambiguous* ⇒⟨taal.⟩ *polysemic.*

meerduidigheid ⟨de (v.)⟩ **0.1** *ambiguity* ⇒⟨taal.⟩ *polysemy.*

meeregeren ⟨onov.ww.⟩ **0.1** *be (one of the parties) in/hold office* ⇒*take part/share/participate in government.*

meereizen ⟨onov.ww.⟩ **0.1** *travel with* ◆ **6.1** we zijn **met** hen meegereisd *we travelled with them/in their company.*

meerekenen ⟨ov.ww.⟩ **0.1** *count/reckon (in)* ⇒*include (in), take into account* ◆ **1.1** porto niet meegerekend *exclusive of postage, excluding mailing costs* **4.1** alles meegerekend kost het ... *all in all/everything included it costs ..., it costs ... all told;* we rekenen hem niet mee *we're not counting him, we're leaving him aside/out (of the reckoning).*

meergeld ⟨het⟩ **0.1** [mbt. het meren van schepen] *moorage* **0.2** [mbt. de verkoop van panden] *surplus* ⇒*margin.*

meergevorderde ⟨de (m.)⟩ **0.1** *(more) advanced student.*

meergezinshuis ⟨het⟩ **0.1** *two-/three-family dwelling.*

meerhoofdig ⟨bn.⟩ **0.1** *joint* ◆ **1.1** een ~ bestuur *a j. management.*

meerijden ⟨onov.ww.⟩ **0.1** [als passagier] *come/go (along) with* **0.2** [op de besturing letten] ⟨vanaf de achterbank⟩ *be a back-seat driver* ⇒ *drive from the* ⟨achter⟩ *back/* ⟨voor⟩ *passenger seat* ◆ **3.1** iem. laten ~ *give s.o. a lift/ride;* vragen te mogen ~ *ask for a lift/ride* **5.1** stiekem ~ *be a stowaway (in a van/*[B]*lorry/*[A]*truck).*

meerjarenplan ⟨het⟩ **0.1** *long-range plan.*

meerjarenraming ⟨de (v.)⟩ **0.1** *long-range estimate.*

meerjarig ⟨bn.⟩ **0.1** *of more than one year* ⇒*long-range/-term* ◆ **1.1** een ~ contract *a long-term contract, a contract for more than one year;* een ~e periode *a period of more than one y.;* ~e planten *perennials.*

meerkabel ⟨de (m.)⟩ **0.1** *mooring line/cable* ⇒⟨mv.⟩ *moorings.*

meerkat ⟨de⟩ **0.1** *guenon* ◆ **2.1** groene ~ *vervet.*

meerkeuzetoets ⟨de (m.)⟩ **0.1** *multiple-choice test.*

meerkeuzevraag ⟨de⟩ **0.1** *multiple-choice question.*

meerkleurendruk ⟨de (m.)⟩ **0.1** *multi-colour printing.*

meerkoet ⟨de (m.)⟩ **0.1** *coot.*

meerkosten ⟨zn.mv.⟩ **0.1** *additional/extra charges/costs.*

meerledig ⟨bn.⟩ **0.1** *compound* ⇒*complex* ◆ **1.1** ~e samenstellingen/ zinnen *compound words, compound/complex sentences.*

meerlettergrepig ⟨bn.⟩ ⟨taal.⟩ **0.1** *polysyllabic.*

meerling ⟨de (m.)⟩ **0.1** *multiple birth.*

meermaals ⟨bw.⟩ **0.1** *several times* ⇒*more than once, repeatedly, often.*

meerman ⟨de (m.)⟩ **0.1** *merman.*

meermanskaart ⟨de⟩ ⟨verkeer⟩ **0.1** ≠*group ticket* ⇒ ≠*family ticket.*

meermin ⟨de (v.)⟩ ⟨myth.⟩ **0.1** *mermaid.*

meermotorig ⟨bn.⟩ **0.1** *multiengine(d)* ⇒*multiple engined, multimotored.*

meeropbrengst ⟨de (v.)⟩ ⟨ec.⟩ **0.1** *marginal return/output;* ⟨landb.⟩ *increased yield, surplus (produce)* ◆ **3.1** wet v.d. afnemende ~en *law of diminishing returns.*

meerpaal ⟨de (m.)⟩ **0.1** *mooring post* ⇒*bollard, dolphin.*

meerpartijenstelsel ⟨het⟩ **0.1** *multi-party system.*

meerpolig ⟨bn.⟩ **0.1** *multipolar.*

meerschuim ⟨het⟩ **0.1** *meerschaum* ⇒*sepiolite.*

meerslag ⟨de (m.)⟩ ⟨sport⟩ **0.1** *multiple take* ◆ **3.1** ~ gaat voor *multiple take precedes single take.*

meerstemmig ⟨bn., bw.⟩ **0.1** *many-voiced* ◆ **1.1** ~ gezang *part-singing;* ~ lied *part-song* **3.1** ~ zingen *sing in parts, harmonize.*

meertalig ⟨bn.⟩ **0.1** [meer dan twee talen gebruikend] *multilingual* ⇒ ⟨veeltalig⟩ *polyglot* **0.2** [in meer dan twee talen gesteld] *multilingual* ⇒⟨veeltalig⟩ *polyglot.*

meertaligheid ⟨de (v.)⟩ **0.1** *multilingualism* ⇒⟨veeltalig⟩ *polyglot(t)ism.*

meertouw ⟨het⟩ **0.1** *boatrope* ⇒*painter,* ⟨mv. ook⟩ *moorings.*

meertrapsraket ⟨de⟩ **0.1** *multistage rocket.*

meertros ⟨de (m.)⟩ **0.1** *mooring line/cable* ⇒⟨mv. ook⟩ *moorings.*

meerval ⟨de (m.)⟩ **0.1** *European catfish* ⇒*sheatfish.*

meervoud ⟨het⟩ ⟨taal.⟩ **0.1** [vorm v.e. naamwoord] *plural* **0.2** [vorm v.e. werkwoord] *plural* ◆ **6.1** in het ~ *(in the) plural;* in het ~ zetten/uitdrukken *put in(to) the p., pluralize.*

meervoudig
I ⟨bn.⟩ **0.1** [wat in meer dan een deel/vorm bestaat] *plural* ⇒*multiple*

0.2 [⟨taal.⟩] *plural* ◆ **1.1** ⟨jur.⟩ ~e kamer *full court;* ⟨jur.⟩ ~ stem-/ kiesrecht *a p. voting right/franchise* **1.2** een ~ onderwerp *a p. subject;* **II** ⟨bw.⟩ **0.1** [op meer dan een manier] *poly-, multi-* ⇒*multiply* ◆ **2.1** ~ onverzadigde vetzuren *polyunsaturated fatty acids.*

meervoudsuitgang ⟨de (m.)⟩ **0.1** *plural ending.*

meervoudsvorm ⟨de (m.)⟩ ⟨taal.⟩ **0.1** *plural (form).*

meervoudsvorming ⟨de (v.)⟩ **0.1** *formation of the plural.*

meerwaarde ⟨de (v.)⟩ **0.1** [overwaarde] *surplus value* ⇒*excess value* **0.2** [⟨ec.⟩] *surplus value* ⇒*excess value.*

meerwaardigheidsgevoel ⟨het⟩ **0.1** *sense/feeling of superiority* ⇒⟨complex⟩ *superiority complex.*

meerzijdig ⟨bn.⟩ **0.1** *multilateral.*

mees ⟨de⟩ **0.1** *tit* ⇒*titmouse, titling,* ⟨inf.; ihb. pimpelmees⟩ *tomtit* ◆ **2.1** zwarte ~ *coal-tit.*

meeschreeuwen ⟨onov.ww.⟩ **0.1** *shout too/as well/along* ⇒*join in the clamour/outcry.*

meesjouwen
I ⟨ov.ww.⟩ **0.1** [met zich meevoeren] *lug* ⇒*tote,* ⟨AE;sl.⟩ *schlepp,* ⟨Austr.E⟩ *swag* (in bundel) ◆ **1.1** een zware last ~ *tote a heavy/ weary load;* ⟨fig.⟩ *bear a heavy burden.*
II ⟨onov.ww.⟩ **0.1** [moeizaam/onwillig meegaan] *drag along (with s.o.).*

meeslepen ⟨ov.ww.⟩ **0.1** [achter zich aan slepen] *drag (along/behind)* ⇒ *tow, pull (along), have in one's train, lug* **0.2** [meebrengen, meenemen] *drag (along)* **0.3** [zijn lot doen delen] *involve* ⇒*drag down* **0.4** [iemands wil/gevoel in een richting dwingen] *carry (with/away)* ⇒ *sweep (along)* ◆ **1.4** de algemene geestdrift sleepte hem mee *he was carried/led away by the general enthusiasm* **3.4** zich laten ~ *be/get carried away, fall for* **6.1** een kleed met zich ~ *d. a carpet behind one, pull along/lug a carpet* **6.2** zijn kinderen ~ **naar** die vertoning *d. one's children to the showing/performance* **6.3** die bank sleepte vele andere banken mee in het faillissement *that bank involved/dragged down many other banks in its bankruptcy/ruin.*

meeslepend ⟨bn., bw.; -ly⟩ **0.1** *compelling* ⇒*moving, stirring* ◆ **1.1** ~e muziek *c. music.*

meesleuren ⟨ov.ww.⟩ **0.1** [meevoeren] *sweep away/along, wash/carry away* **0.2** [achter zich aan sleuren] *lug/drag/force along* ◆ **6.1** meegesleurd in de lawine *swept away in the avalanche* **6.2** meegesleurd bij z'n haar *lugged/dragged along by his hair.*

meesmokkelen ⟨ov.ww.⟩ **0.1** *smuggle (into, out of).*

meesmuilen
I ⟨onov.ww.⟩ **0.1** [spottend/ongelovig glimlachen] *smile derisively/ scornfully* ◆ **3.1** ~d gaf hij antwoord *smiling derisively, he gave his answer;*
II ⟨ov.ww.⟩ **0.1** [met een spottende/ongelovige glimlach zeggen] *smirk.*

meespelen ⟨onov.ww.⟩ **0.1** [meedoen] ⟨in spel⟩ *take part/join in a/the game;* (in toneelstuk/film) *be cast (too)/among the cast/a member of the cast/a cast member* **0.2** [mede van invloed zijn] *play a part* ⇒ *count, tell* ◆ **1.1** een partijtje whist/bridge ~ *take a hand at whist/ bridge;* ⟨fig.⟩ het spel ~ *get one's feet wet, play the game, play along* **1.2** die belangen spelen daarbij mee *these interests also play a part/ are also a factor.*

meespreken ⟨onov.ww.⟩ **0.1** [deelnemen aan een gesprek] *take part/join in a conversation* **0.2** [meebeslissen] *have a say (in)* **0.3** [van belang zijn] *also count/matter* ◆ **1.2** hij heeft daarin een woordje mee te spreken *he has a say in/can also put in a word about this* **6.1** ergens niet over kunnen ~ *not know anything about sth.;* daar kan ik van ~ *I know a thing or two about that.*

meest ⟨→sprw. 511⟩
I ⟨bn.⟩ **0.1** [het grootste deel van] *most* ⇒*the majority/bulk of* **0.2** [zeer veel/groot] *most* ⇒*greatest* ◆ **1.1** bij de ~e bedrijven *in most/ the majority/bulk of businesses;* de ~e vrouwen *most/the majority of women* **1.2** met de ~e belangstelling *with (the) great(est) interest;* met de ~e hoogachting *with the utmost respect;* ⟨in brief⟩ B*Yours faithfully/respectfully/*A*Faithfully (yours);* de ~e tijd doet ze niets *most of the time she doesn't do a thing* **6.1** op zijn ~ *at (the) m. /the outside* **7.1** de ~en van zijn voorgangers *most/the majority of his predecessors;*
II ⟨bw.⟩ **0.1** [in de hoogste mate] *most* ⇒*best,* ⟨superlatief achtervoegsel⟩ *-est* **0.2** [gewoonlijk] *mostly* ⇒*usually* ◆ **2.1** de ~ westelijke stad *the westernmost city* **3.1** de ~ gelezen krant *the m. widely read newspaper;* het ~ houden van ... *love/like (the) m. / best;* de ~ uiteenlopende inzichten *the m. (widely) divergent views* **7.1** het ~ *the m.* ¶ **.1** het ~ voor de hand liggend *the readiest/m. obvious/plausible.*

meestal ⟨bw.⟩ **0.1** *mostly* ⇒*usually, generally, predominantly, for the most part.*

meestamper ⟨de (m.)⟩ **0.1** *catchy song/tune.*

meestbegunstigd ⟨bn.⟩ **0.1** *most-favoured.*

meestbegunstiging ⟨de (v.)⟩ **0.1** *most-favoured nation treatment.*

meestbegunstigingsclausule ⟨de⟩ **0.1** *most-favoured nation clause.*

meestbiedende ⟨de (m.)⟩ **0.1** *highest bidder.*

meestemmen ⟨onov.ww.⟩ **0.1** [zijn stem uitbrengen] *vote (with others)* ⇒ *take part in a vote* **0.2** [instemmen] *agree (with)* ⇒*concur (with).*

---

meestendeels ⟨bw.⟩ ⟨schr.⟩ **0.1** *for the most part.*

meestentijds ⟨bw.⟩ ⟨schr.⟩ **0.1** *(at) most times* ⇒*mostly, as often as not.*

meester ⟨de (m.)⟩ ⟨→sprw. 34,197,427,477⟩ **0.1** [iem. die macht/gezag heeft] *master* ⇒*lord,* ↓*boss,* ↓*chief,* ⟨scherts.⟩ *lord and master* **0.2** [iem. die een kunst volmaakt beheerst] *master* ⇒*virtuoso, adept, expert* **0.3** [onderwijzer] *teacher* ⇒⟨BE ook⟩⟨school⟩*master* **0.4** [⟨jur.⟩] ≠*Master of Laws;* ⟨afk.⟩ *LL.M.* **0.5** [⟨schaaksport⟩] *(international) master;* ⟨afk.⟩ *IM* **0.6** [mbt. gildewezen] *master* **0.7** [⟨vrijmetselarij⟩] *master* ◆ **1.1** een brand ~ worden *master/subdue a fire, get/have a fire under control/in hand* **2.2** de oude/Hollandse ~s *the old/Dutch masters* **2.¶** een oude ~ *an old master* **3.1** zich ~ maken van iets *take possession/control of sth., seize sth.;* iets ~ zijn *master sth., be m./ possess mastery/have a grasp of sth.;* zichzelf niet meer ~ zijn *no longer be m. / in control/possession of o.s.;* ⟨fig.⟩ een taal volkomen ~ zijn *have a thorough command of/be highly conversant with/well versed in/* ⟨inf.⟩ *well up on a language* **6.2** ⟨scherts.⟩ hij is een ~ in het verzinnen van uitvluchten *he's a m. at/adept at dreaming up excuses/ pretexts;* zij is een ~ **op** het elektronisch orgel *she is an adept at/a virtuoso on/* ⟨inf.⟩ *knows her way around an electronic organ* **8.1** iem. als zijn ~ erkennen *recognize s.o. as one's m./superior.*

meesterbrein ⟨het⟩ **0.1** [scherpzinnig verstand] *mastermind* **0.2** [persoon] *mastermind* ◆ **6.2** het ~ achter de treinkaping *the m. behind the train hijacking.*

meesteres ⟨de (v.)⟩ **0.1** *mistress.*

meestergraad ⟨de (m.)⟩ **0.1** *(degree of) master;* ⟨van meester in de rechten⟩ ≠*(degree of) Master of Laws.*

meesterhand ⟨de⟩ **0.1** *master-hand* ⇒*touch/hand of a/the master* ◆ **3.1** dit verraadt de ~ *this betrays the touch of a master/a master's hand.*

meesterknecht ⟨de (m.)⟩ **0.1** *foreman* ⇒*overseer, captain, supervisor,* ⟨inf.⟩ *gaffer.*

meesterkok ⟨de (m.)⟩ **0.1** *chef.*

meesterlijk ⟨bn., bw.⟩ **0.1** *masterly* ⇒*skilful, expert* ◆ **1.1** een ~e zet *a masterstroke* **3.1** hij tekent ~ *he draws in a m. way.*

meester-oplichter ⟨de (m.)⟩ **0.1** *supercrook, master crook.*

meesterschap ⟨het⟩ **0.1** [volmaakte beheersing v.e. vak] *mastery* ⇒*control, command, mastership* **0.2** [macht, gezag] *mastery* ⇒*masterdom, masterhood, mastership* **0.3** [graad] *masterhood, mastership* ⇒*master craftsmanship* ◆ **6.1** dat is met ~ gedaan *that has been done with mastery* **6.2** ⟨fig.⟩ zijn ~ **over** de taal *his mastery/command of the language.*

meesterspion ⟨de (m.)⟩ **0.1** *master spy.*

meesterstitel ⟨de (m.)⟩ **0.1** *title of Master (of Laws)* ◆ **3.1** zij voert de ~ *she bears the title of Master (of Laws).*

meesterstuk ⟨het⟩ **0.1** [kunststuk] *masterpiece* ⇒ ↑*chef-d'oeuvre* **0.2** [voornaamste werk] *masterpiece* ⇒*masterwork, masterly achievement* **0.3** [kunstschat] *masterpiece* **0.4** [behendige daad] *masterstroke* ⇒ *masterpiece,* ↑*coup de maître.*

meesterteken ⟨het⟩ **0.1** *maker's mark/name* ⇒⟨keur⟩ *hallmark.*

meesterwerk ⟨het⟩ **0.1** [voortreffelijk werk] *masterwork* ⇒*masterpiece* **0.2** [voornaamste werk] *masterpiece* ⇒*masterwork,* ↑*magnum opus,* ↑*chef-d'oeuvre.*

meesterwortel ⟨de (m.)⟩ **0.1** [plant] *masterwort* (Peucedanum ostruthium) **0.2** [wortel] *masterwort.*

meestrijden ⟨onov.ww.⟩ **0.1** *join in the fight* ⇒*fight with/along(side), join forces with.*

meet ⟨de⟩ ⟨sport⟩ **0.1** *starting-line/point* ⇒*mark,* ⟨b'¦ rennen⟩ *finish(ing-line)* ◆ **6.1** ⟨fig.⟩ **boven/onder** de ~ *above/below the mark;* ⟨fig.⟩ **van** ~ (af) aan beginnen *begin from/at the beginning/outset,* ⟨inf.⟩ *start from scratch, take it from the top;* ⟨fig.⟩ weer **van** ~ (af) aan beginnen *make a fresh start, start afresh/anew.*

meetapparaat ⟨het⟩ **0.1** *measuring instrument/apparatus* ⇒*gauge, tester.*

meetapparatuur ⟨de (v.)⟩ **0.1** *measuring/measurement apparatus/equipment.*

meetbaar ⟨bn.⟩ **0.1** *measurable* ⇒*quantifiable, gaugeable* ◆ **1.1** een meetbare grootheid *a m. quantity.*

meetband ⟨de (m.)⟩ **0.1** *tape measure, measuring tape* ⇒⟨AE ook⟩ *tape line.*

meetbank ⟨de⟩ **0.1** *bench micrometer.*

meetbereik ⟨het⟩ **0.1** *measuring/measurement range.*

meetboot ⟨de⟩ **0.1** *survey ship.*

meetbrief ⟨de (m.)⟩ ⟨scheep.⟩ **0.1** *bill/certificate of tonnage* ⇒*certificate of registry.*

meetbrug ⟨de⟩ ⟨nat.⟩ **0.1** *Wheatstone bridge* ⇒*measuring bridge.*

meetbuis ⟨de⟩ ⟨nat.⟩ **0.1** *Venturi tube.*

meetcilinder ⟨de (m.)⟩ **0.1** [glazen cilinder] *(graduated) measuring cylinder, graduate* **0.2** [doorsnedemeter] *plug gauge/*A*gage.*

meetdraad ⟨de (m.)⟩ ⟨tech.⟩ **0.1** [geleiding] *test lead* **0.2** [cilindrisch stukje staal] *pitch circle/line gauge.*

meetellen
I ⟨ov.ww.⟩ **0.1** [in een telling opnemen] *count also/in* ⇒*include;*
II ⟨onov.ww.⟩ **0.1** [mede van belang zijn] *count* ⇒*reckon, tell* **0.2** [gezamenlijk tellen] *count also/in* ◆ **3.1** laten ~ *give great/due weight to* **5.1** hij telt daar niet mee *he doesn't c. (for much)/counts for nothing/*

is of no account / doesn't matter there; dat telt niet mee *that doesn't carry much weight;* niet meer ~ *no longer / cease to c. (for anything);* ⟨inf.⟩ *be a back number / out of the picture /* ⟨AE ook⟩ *out of the ball game.*

meetflens ⟨de (m.)⟩ **0.1** *orifice plate* ⇒ *metering orifice.*

meetillen ⟨ov.ww.⟩ **0.1** *help lift up / raise.*

meetinstallatie ⟨de (v.)⟩ **0.1** *measuring equipment / apparatus.*

meetinstrument ⟨het⟩ **0.1** *measuring instrument.*

meetkamer ⟨de⟩ **0.1** *measuring / measurement room.*

meetketting ⟨de⟩ **0.1** *measuring / surveyor's chain.*

meetklokje ⟨het⟩ **0.1** *dial indicator* ⇒ *clock gauge.*

meetkunde ⟨de (v.)⟩ **0.1** *geometry* ♦ **1.1** ~ v.d. ruimte *solid g., stereometry* **2.1** analytische ~ *analytic(al) g.;* vlakke ~ *plane g.;* ⟨meten⟩ *planimetry* **3.1** beschrijvende ~ *descriptive g..*

meetkundig
I ⟨bn.⟩ **0.1** [tot de meetkunde behorend] *geometric(al)* ♦ **1.1** ~ gemiddelde *g. mean;* ~e plaats *locus;* een ~e reeks *a geometric progression / series;* een ~ vraagstuk *a geometric problem;*
II ⟨bw.⟩ **0.1** [volgens de meetkunde] *geometrically.*

meetkundige ⟨de (m.)⟩ **0.1** *geometrician.*

meetlat ⟨de⟩ **0.1** *measuring rod / staff / rule, graduated ruler* ⇒ ⟨I yard lang⟩ *yardstick,* ⟨landmeetk.⟩ *surveyor's rod.*

meetlijn ⟨de⟩ **0.1** [uitgezette lijn] *traverse* ⇒ *fiducial line* **0.2** [meetlint] *measuring line / cord* ⇒ *tape measure,* ⟨AE ook⟩ *tape line.*

meetlint ⟨het⟩ **0.1** *tape measure;* ⟨AE ook⟩ *tape line* ⇒ *(measuring) tape.*

meetlood ⟨het⟩ **0.1** *plumb* ⇒ *plummet.*

meetpasser ⟨de (m.)⟩ **0.1** *(pair of) callipers* ᴬ*calipers / cal(l)iper compasses* ♦ **7.1** twee ~s *two pairs of cal(l)ipers / cal(l)iper compasses.*

meetrekken
I ⟨onov.ww.⟩ **0.1** [meereizen] *go / travel / trek (along) (with)* **0.2** [tegelijk (aan iets) trekken] *pull too;*
II ⟨ov.ww.⟩ **0.1** [slepen] *pull / drag along / after / behind one.*

meetrillen ⟨onov.ww.⟩ **0.1** *vibrate simultaneously / too / sympathetically.*

meetring ⟨de (m.)⟩ **0.1** *wire gauge.*

meetronen ⟨ov.ww.⟩ **0.1** *coax along* ⇒ *cajole into going / coming (along), lure on.*

meetschip ⟨het⟩ **0.1** *survey ship.*

meetsignaal ⟨het⟩ **0.1** *measuring signal* ⇒ *test signal.*

meetspanning ⟨de (v.)⟩ **0.1** *measurement voltage* ⇒ *test voltage.*

meetstation ⟨de⟩ ⟨mbt. het weer⟩ *weather station;* ⟨alg.⟩ *measuring station.*

meettafel ⟨de⟩ **0.1** *instrument table* ⇒ *test board / desk / table,* ⟨landmeetk.⟩ *plane table.*

meettechniek ⟨de (v.)⟩ **0.1** *measuring / measurement technique* ⇒ ⟨mv.⟩ *methods / techniques of measurement* ♦ **1.1** meet- en regeltechniek *measurement and control engineering, instrument engineering.*

meetteken ⟨het⟩ **0.1** *(measurement) mark / line / notch.*

meetuitrusting ⟨de (v.)⟩ **0.1** *measuring / measurement equipment.*

meetveer ⟨de⟩ **0.1** *steel measuring tape, tape / band measure.*

meetvermogen ⟨het⟩ **0.1** *measuring range / capacity.*

meetwaarde ⟨de (v.)⟩ **0.1** *measured value, measurement* ⇒ *reading.*

meetwagen ⟨de (m.)⟩ **0.1** *instrument car /* ᴮ*van /* ᴬ*truck /* ᴬ*bus* ⇒ ⟨elek. ook⟩ *dynamometer wagon.*

meeuw ⟨de (m.)⟩ **0.1** *gull* ⇒ *(sea) mew, sea / mew gull* ♦ **8.1** ⟨fig.⟩ dronken als een ~ *(as) drunk as a lord / fiddler /* ᴬ*a skunk (in a trunk).*

meeuwtje ⟨het⟩ **0.1** [kleine meeuw] *(small) (sea) gull / mew* **0.2** [zeezwaluw] *tern* **0.3** [duif] *turbit.*

meevallen ⟨onov.ww.⟩ **0.1** [minder erg zijn] *turn out / prove / be better than (was) expected / anticipated* **0.2** [de verwachting overtreffen] *exceed one's expectations* ♦ **1.1** de pijn viel mee *the pain wasn't so bad (as all that) / was less than was expected / might have been worse* **5.1** de onderzoeksresultaten vielen niet mee *the research results proved (to be) disappointing / fell short of our expectations* **6.1** het valt niet mee om zo hard te werken *hard work isn't as easy as one would think /* ⟨inf.⟩ *is no picnic* **6.2** dat valt me van hem mee *he did better than I expected / exceeded my expectations* ¶**.1** dat zal wel ~ *it won't be so bad / won't come to that.*

meevaller ⟨de (m.)⟩ **0.1** *piece / bit / stroke / slice of (good / unexpected) fortune / luck* ⇒ *pleasant surprise, lucky break, godsend* ♦ **2.1** een financiële ~ *a windfall / bonus / bonanza.*

meevallertje ⟨het⟩ **0.1** *windfall* ⇒ *bonanza, bonus, bit of luck,* ⟨vnl. AE; inf.⟩ *steal.*

meevaren ⟨onov.ww.⟩ ⟨→ sprw. 83⟩ **0.1** *sail too / on board the same ship (together / (along) with)* ♦ **3.1** ⟨fig.⟩ wie in 't schuitje zit moet ~ *in for a penny, in for a pound.*

meeverdienster ⟨de (v.)⟩ **0.1** *second wage-earner.*

meevoelen ⟨onov., ov.ww.⟩ **0.1** *sympathize (with)* ♦ **3.1** dat kan ik ~ *I (can) s. with that* **6.1** ik kan met je ~ *I s. with you.*

meevoeren ⟨ov.ww.⟩ **0.1** [mbt. een persoon] *carry (along / about / off / out to / on)* ⇒ *lead (along)* ⟨bij de hand, aan een touw⟩, *bear (on)* ⟨op de schouders, met de wind⟩, *sweep / swirl (off, away)* **0.2** [mbt. een zaak] *carry (along).*

---

meevragen ⟨ov.ww.⟩ **0.1** [vragen mee te gaan] *invite / ask to come along* **0.2** [uitnodigen] *invite / ask to come too / as well.*

meewaaien ⟨onov.ww.⟩ ♦ **6.¶** met alle winden ~ *trim, be a weathercock / timeserver.*

meewandelen ⟨onov.ww.⟩ **0.1** *accompany* ⇒ *go / walk (along) with,* ⟨met iem. ook⟩ *join s.o. in a walk* ♦ **1.1** mag ik een eindje ~? *may I walk with / a. you part of the / a little way?.*

meewarig ⟨bn., bw.; -ly⟩ **0.1** *pitying* ⇒ *compassionate* ♦ **1.1** met een ~e blik keek ze hem aan *she looked at him pityingly;* op ~e toon *in a p. tone (of voice), with a note of pity.*

meewerken ⟨onov.ww.⟩ **0.1** [samen aan iets werken] *cooperate* ⇒ *work together, participate (in), join (in), collaborate (in / on)* **0.2** [behulpzaam zijn] *assist* ⇒ *contribute (to(wards))* ♦ **1.1** we werkten allemaal een beetje mee *we all pulled together / did our little bit* **1.¶** ⟨taal.⟩ meewerkend voorwerp *indirect object* **6.1** ~ aan wetenschappelijk onderzoek *collaborate on / participate in scientific research* **6.2** allen werkten mee om de onderneming te laten slagen *everyone assisted in making the venture successful.*

meewillen ⟨onov.ww.⟩ **0.1** *obey* ♦ **1.1** mijn benen willen niet meer mee *my legs fail me.*

meewind ⟨de (m.)⟩ **0.1** *tail / following wind.*

meezeulen ⟨ov.ww.⟩ ⟨inf.⟩ **0.1** *drag along (with o.s.)* ♦ **1.1** ik moest al die boeken ~ *I had to drag all those books along with me.*

meezingen ⟨onov.ww.⟩ **0.1** *sing along (with)* ⇒ *join in (the singing)* ♦ **1.1** de zaal begon het lied mee te zingen *the audience took up / joined in the song.*

meezinger ⟨de (m.)⟩ **0.1** *singalong (song)* ⇒ *singable tune.*

meezitten ⟨onov.ww.⟩ **0.1** *be favourable* ♦ **4.1** in die periode zat alles haar mee *she had a lucky streak, at that time she had everything going for her* **5.1** het zat hem niet mee *luck was against him, he was unlucky* **8.1** als alles meezit *if all goes well / runs smoothly.*

mefisto ⟨de (m.)⟩ **0.1** [duivel] *Mephisto(pheles)* **0.2** [mens] *Mephisto-(pheles).*

mefistofelisch ⟨bn., bw.⟩ **0.1** ⟨bn.⟩ *Mephistophelean;* ⟨bw.⟩ *in a Mephistophelean way / manner.*

megabar ⟨de (m.)⟩ ⟨nat.⟩ **0.1** *megabar.*

megadyne ⟨de (m.)⟩ **0.1** *megadyne.*

megafoon ⟨de (m.)⟩ **0.1** *megaphone* ⇒ *(portable) loud-speaker,* ⟨BE ook⟩ *(loud-)hailer,* ⟨AE ook⟩ *bullhorn* ♦ **6.1** de menigte door een ~ toeroepen / toespreken *speak to / address the crowd through a / via / by (a) m..*

megahertz ⟨de (m.)⟩ **0.1** *megahertz.*

megajoule ⟨de (m.)⟩ ⟨nat.⟩ **0.1** *megajoule.*

megaliet ⟨de (m.)⟩ **0.1** *megalith.*

megalitisch ⟨bn.⟩ **0.1** *megalithic.*

megalomaan¹ ⟨de (m.)⟩ **0.1** *megalomaniac.*

megalomaan² ⟨bn.⟩ **0.1** *megalomaniac(al).*

megalomanie ⟨de (v.)⟩ **0.1** *megalomania.*

megalopolis ⟨de⟩ **0.1** *megalopolis* ⇒ *supercity.*

megascoop ⟨de (m.)⟩ **0.1** *megascope.*

megaton ⟨de⟩ **0.1** *megaton.*

megawatt ⟨de (m.)⟩ **0.1** *megawatt.*

megohm ⟨de (m.)⟩ ⟨tech.⟩ **0.1** *megohm.*

mei ⟨de (m.)⟩ **0.1** [maand] *May* **0.2** [bloeitijd] *bloom* ⇒ *prime, spring* ♦ **1.1** begin ~ *early in M. / (in) the beginning of M.;* de maand ~ *the month of M.* **1.2** de ~ v.h. leven *the bloom / prime / spring of life* **7.1** de eerste ~ ⟨lenteviering⟩ *May Day;* ⟨dag v.d. arbeid⟩ *Labour Day.*

meibetoging ⟨de (v.)⟩ **0.1** *May-Day demonstration / rally* ⇒ *First of May demonstration,* ⟨buiten USA ook⟩ *Labour-Day demonstration.*

meibeweging ⟨de (v.)⟩ **0.1** *Socialist movement.*

meibloempje ⟨het⟩ **0.1** *daisy.*

meiboom ⟨de (m.)⟩ **0.1** [versierde boom] *maypole* **0.2** [groene tak] ⟨*tree (with wreath) used for topping-out ceremony*⟩.

meiboter ⟨de⟩ **0.1** *spring butter.*

meid ⟨de (v.)⟩ ⟨→ sprw. 673⟩ **0.1** [meisje, vrouw] *girl* ⇒ *(young) woman, lass(ie),* ⟨sl.⟩ *doll, gal,* ⟨vnl. AE; sl.⟩ *jane* **0.2** [aanspreekvorm] ᴮ*(old) girl* ⇒ *(little) woman,* ⟨vnl. door feministen gebruikt⟩ *sister* **0.3** [⟨pej.⟩] *hussy* ⇒ *slut,* ⟨mild⟩ *petticoat,* ⟨AE; sl.⟩ *broad* **0.4** [dienstbode] *maid* ⇒ *servant (girl), menial (servant)* ♦ **1.1** kerels en ~en *guys and dolls* **2.1** een aardige ~ *a nice / sweet girl / little thing;* je bent al een hele ~ *you're quite a woman / girl;* de kleine ~ *the little girl / lass;* een lekkere ~ ⟨BE; sl.⟩ *a (nice) bit / piece of stuff / fluff / crumpet,* ⟨inf.⟩ *a dish;* ⟨AE; sl.⟩ *a package;* ⟨AE; sl.⟩ *cookie;* een mooie ~ *a beautiful / lovely woman / girl;* een wilde / ondeugende ~ *a(n elfish) tomboy, a gamine.*

meidag ⟨de (m.)⟩ **0.1** [dag in mei] *May day* ⇒ *day in May* **0.2** [socialistisch feest] *May Day;* ⟨niet in USA⟩ *Labour Day* **0.3** [lentedag] *spring day.*

meidans ⟨de (m.)⟩ **0.1** *May dance.*

meidengroep ⟨de⟩ **0.1** [popgroep] *(all) female band / group* **0.2** [praat- of werkgroep] *girls' group.*

meidenpraat ⟨de (m.)⟩ **0.1** *servants' gossip* ⇒ ⟨fig.⟩ *tittle-tattle.*

meidoorn ⟨de (m.)⟩ **0.1** *hawthorn* ⇒ *haw,* ⟨BE ook⟩ *mayflower, may (tree)* ♦ **2.1** witte ~ *whitethorn.*

meier ⟨de (m.)⟩ **0.1** [⟨inf.⟩ honderd gulden] [†] *hundred-guilder note* **0.2** [⟨gesch.⟩ baljuw] [B]*≠bailiff,* [^]*≠sheriff.*

meieren ⟨onov.ww.⟩ ⟨inf.⟩ **0.1** *carp* ⇒*nag.*

meierij ⟨de (v.)⟩ ⟨gesch.⟩ **0.1** *bailiwick.*

meifeest ⟨het⟩ **0.1** *May Day (celebration)* ⇒*maying,* ⟨Keltisch⟩ *beltane/ bealtine* ◆ **3.1** het ~ gaan vieren *go a-maying.*

meikaas ⟨de (m.)⟩ **0.1** *grass cheese.*

meikers ⟨de⟩ **0.1** *May-cherry, Mayduke (cherry).*

meikever ⟨de (m.)⟩ **0.1** *maybug, maybeetle* ⇒*(cock)chafer.*

meikoningin ⟨de (v.)⟩ **0.1** *May Queen* ⇒*Queen of the May.*

meikrans ⟨de (m.)⟩ **0.1** *May wreath.*

meiler ⟨de (m.)⟩ **0.1** *charcoal pile.*

meimaand ⟨de⟩ **0.1** *month of May* ⇒*Maytime, Maytide.*

meinedig ⟨bn.⟩ **0.1** *perjured* ⇒*perjurious, forsworn.*

meineed ⟨de (m.)⟩ ⟨jur.⟩ **0.1** *perjury* ◆ **3.1** een ~ doen *perjure o.s., commit p., give false witness, forswear o.s.* **6.1** omkoping **tot** ~ *subornation.*

meiose ⟨de (v.)⟩ ⟨biol.⟩ **0.1** *meiosis.*

meiraap ⟨de (m.)⟩ **0.1** *turnip.*

meisje ⟨het⟩ **0.1** [kind v.h. vrouwelijk geslacht] *girl* ⇒*daughter, baby girl,* ⟨AE;inf.⟩ *girl-child,* ⟨IE⟩ *colleen* **0.2** [jonge vrouw] *girl, young woman/lady* ⇒*lass,* ⟨sl.⟩ *gal,* ⟨Austr.E;sl.⟩ *sheila* **0.3** [vriendin] *girlfriend* ⇒*sweetheart, young lady/woman, best girl,* ⟨verloofde⟩ *fiancée* **0.4** [dienstmeisje] *(serving/servant) girl* ⇒*maid (servant)* ◆ **1.1** is het een jongen of een ~? *is it a boy or a girl/a he or a she/a him or a her?* **1.2** ~s van plezier *ladies of pleasure/the night/easy virtue,* [†]*filles de joie;* ⟨sl.⟩ *joy girls* **2.2** een lelijk ~ *an ugly/a plain girl, a frump;* ⟨euf.⟩ *not one's type* **3.1** zij hebben twee ~s *they have two girls/daughters* ¶**.4** een ~ voor halve dagen [B]*a girl for half days,* [^]*a part-time maid.*

meisjesachtig ⟨bn., bw.;-ly⟩ **0.1** *girlish* ⇒*girl-like,* ⟨dicht.⟩ *maidenly,* ⟨mbt. mannen/jongens⟩ *sissy, sissified.*

meisjesboek ⟨het⟩ **0.1** *girl's book.*

meisjesgek ⟨de (m.)⟩ **0.1** *girl-chaser* ⇒*girl-crazy boy/man* ◆ **2.1** een oude ~ *an old man crazy about girls, an old girl-crazy man;* [⌐]*a dirty old man.*

meisjesgezicht ⟨het⟩ **0.1** *girl's face* ⇒⟨meisjesachtig ook⟩ *girlish face.*

meisjeshand ⟨de⟩ **0.1** [kleine hand] *girl's hand* **0.2** [handschrift] *girl's hand(writing).*

meisjesjaren ⟨zn.mv.⟩ **0.1** *girlhood* ⇒*maidenhood.*

meisjeskleren ⟨zn.mv.⟩ **0.1** *girls' clothes.*

meisjesnaam ⟨de (m.)⟩ **0.1** [voornaam] *girl's name* **0.2** [familienaam] *maiden name* ◆ **6.2** na haar scheiding tekent zij weer **met** haar ~ *since her divorce she again signs (with) her m. n..*

meisjesschool ⟨de⟩ **0.1** *girls' school.*

Meissner ⟨het⟩ **0.1** *Dresden (china).*

meiviering ⟨de (v.)⟩ **0.1** *May Day celebration(s).*

meivis ⟨de (m.)⟩ **0.1** *shad.*

Mej. ⟨afk.⟩ **0.1** [Mejuffrouw] *Miss* ⇒*Ms..*

mejuffrouw ⟨pers.vnw.⟩ ⟨inf.⟩ **0.1** [†]*each other* ⇒ [†]*one another* ◆ **6.1** dik **voor** ~ *just fine,* [B]*nice as ninepence, okiedoke, sweet as it can be;* komt **voor** ~ *OK;* ⟨BE ook⟩ *right you are, righto, rightyho, okiedokie, you bet, right.*

mekaar ⟨pers.vnw.⟩ ⟨inf.⟩ **0.1** [†]*each other* ⇒ [†]*one another* ◆ **6.1** dik **voor** ~ *just fine,* [B]*nice as ninepence, okiedoke, sweet as it can be;* komt **voor** ~ *OK;* ⟨BE ook⟩ *right you are, righto, rightyho, okiedokie, you bet, right.*

mekanieker ⟨de (m.)⟩ ⟨AZN⟩ **0.1** [mecanicien] *mechanic* **0.2** [(service-)monteur] *mechanic* ⇒*service engineer.*

Mekka ⟨het⟩ **0.1** [stad] *Mecca* **0.2** [⟨fig.⟩ eldorado] *Mecca.*

Mekkaganger ⟨de (m.)⟩ **0.1** *Mecca pilgrim.*

mekkeren ⟨onov.ww.⟩ **0.1** [mbt. geiten/schapen] *bleat* **0.2** [zaniken] *keep on (at s.o. about sth.), nag* ⇒⟨vnl. AE;inf.⟩ *yammer,* ⟨sl.⟩ *beef (about).*

melaats ⟨bn.⟩ **0.1** *leprous* ◆ **7.1** een ~e *a leper.*

melaatsheid ⟨de (v.)⟩ **0.1** *leprosy* ⇒*Hansen's disease.*

melancholicus ⟨de (m.)⟩, -ca ⟨de (v.)⟩ **0.1** *melancholic* ⇒*melancholiac.*

melancholie ⟨de (v.)⟩ **0.1** [zwaarmoedigheid] *melancholy* ⇒*depression* **0.2** [⟨psych.⟩] *melancholia* **0.3** [wat zwaarmoedigheid opwekt] *melancholy* ⇒*gloom, dejection, despondence.*

melancholiek ⟨bn., bw.;-ly⟩ **0.1** *melancholy* ⇒*melancholic, despondent, doleful, sombre* ◆ **1.1** een ~e bui *a melancholy/gloomy/* ⟨inf.⟩ *blue mood;* hij is een ~ type *he is a melancholy type.*

melanemie ⟨de (v.)⟩ ⟨med.⟩ **0.1** *melanemia.*

Melanesië ⟨het⟩ **0.1** *Melanesia.*

Melanesiër ⟨de (m.)⟩, -sche ⟨de (v.)⟩ **0.1** *Melanesian.*

melange ⟨het, de (m.)⟩ **0.1** *blend* ⇒*mixture, mélange* ◆ **1.1** ~ van koffie *coffee b., b. of coffee* **2.1** een geurige ~ *a fragrant b.* **6.1** ~ **voor** sigaren *cigar b..*

melaniet ⟨het⟩ **0.1** *melanite.*

melanisme ⟨het⟩ **0.1** *melanism.*

melanistisch ⟨bn.⟩ **0.1** *melanistic.*

melasma ⟨het⟩ ⟨med.⟩ **0.1** *melasma.*

melasse ⟨de⟩ **0.1** [B]*treacle,* [^]*molasses* ⇒*blackstrap (molasses).*

melde ⟨de⟩ **0.1** [geslacht Atriplex] *orache* ⇒*saltbush* **0.2** [benaming

---

voor verschillende soorten van ganzevoet] *goosefoot* ◆ **2.2** blauwe ~ *many-seeded g..*

melden

I ⟨ov.ww.⟩ **0.1** [laten weten] *report* ⇒*inform (of), advise, state, mention/make mention of, communicate* **0.2** [aankondigen] *report* ⇒*announce* ◆ **1.1** een schadegeval ~ *report/claim the damage(s)* **4.1** ze heeft zich ziek gemeld *she has reported (herself)/* ⟨mil.⟩ *gone sick;* ⟨BE;inf.⟩ *she has gone on the sick/the panel;* ⟨telefonisch⟩ *she called in sick* **6.2** niets te ~ hebben ⟨fig.⟩ *have nothing/no news to report;*

II ⟨wk.ww.;zich ~⟩ **0.1** [aanmelden] *report* ⇒*check in* ◆ **6.1** bezoekers dienen zich te ~ bij de portier *visitors are requested to check in with the doorman/doorkeeper;* zich ~ **bij** de politie *report (o.s.) to/* ⟨criminelen⟩ *give o.s. up to the police.*

meldenswaard(ig) ⟨de (m.)⟩ **0.1** *worth mentioning/stating/reporting* ⇒*worthy of mention.*

melder ⟨de (m.)⟩ **0.1** [persoon] *informant* ⇒*announcer, notifier, bearer of news* **0.2** [toestel, ⟨ook in samenst.⟩] *alarm* ⇒⟨tech.⟩ *detector, actuator,* ⟨verbinding met politie⟩ *police box.*

melding ⟨de (v.)⟩ **0.1** [vermelding] *mention(ing), report(ing)* ⇒*informing, stating, noting* **0.2** [aanmelding] *reporting* ⇒*announcing* ◆ **3.1** ~ maken van iets *make mention of/reference to sth., mention/note sth..*

meldingsplicht ⟨de⟩ **0.1** *(one's) duty to report (to/at).*

meldkamer ⟨de⟩ ⟨alg.⟩ *centre* ⇒ ⟨voor noodgevallen⟩ *emergency/ incident room,* ⟨voor klachten⟩ *complaints department,* ⟨com.⟩ *radio room.*

melen

I ⟨onov.ww.⟩ **0.1** [bloemig worden] *become mealy/floury;*

II ⟨ov.ww.⟩ **0.1** [met bloem bewerken] *mix with flour.*

mêleren ⟨ov.ww.⟩ **0.1** *blend* ⇒*mix,* ⟨kaarten⟩ *shuffle* ◆ **1.1** een gemêleerd gezelschap *mixed company;* tabak ~ *b. tobacco;* een gemêleerd tapijt *a multi-coloured carpet* **6.1** zich **in** iets ~ *get involved/mixed up in sth..*

melig

I ⟨bn.⟩ **0.1** [uit meel bestaand] *mealy* ⇒*floury,* [†]*farinaceous,* [†]*farinose* **0.2** [pulverachtig] *mealy* ◆ **1.2** een ~e appel *a m. apple;*

II ⟨bn., bw.⟩ **0.1** [flauw en grappig] *corny* ⇒*banal* **0.2** [lusteloos] *dull* ⇒*feeble, tiresome, slow* ◆ **1.1** een ~e opmerking *a c. remark* **3.2** ~ zijn/doen *be d., act tiresome.*

melioratie ⟨de (v.)⟩ ⟨landb.⟩ **0.1** *melioration* ⇒*betterment.*

melioratief ⟨bn.⟩ **0.1** *(a)meliorative, (a)melioratory.*

melisme ⟨het⟩ ⟨muz.⟩ **0.1** *melisma.*

melisse ⟨de⟩ ⟨plantk.⟩ **0.1** *balm* ⟨Melissa officinalis⟩.

melk ⟨de⟩ **0.1** [mbt. dieren] *milk* ⇒⟨AE;sl.⟩ *cow, moo* **0.2** [mbt. de vrouw] *milk* **0.3** [sap in planten, vruchten] *milk* ◆ **1.1** een land van ~ en honing *a land of milk and honey* **2.1** gecondenseerde ~/ koffiemelk *condensed/evaporated milk;* gestandaardiseerde ~ *standardized milk;* gesteriliseerde ~ *sterilized milk;* halfvolle ~ *low-fat milk;* magere ~ *skim(med) milk;* volle ~ *whole milk, full-cream milk* **3.1** de koe gaf goed ~ *the cow gave good milk/was a good milker/milked well* **6.1** ⟨fig.⟩ niets in te brokk(el)en hebben *command no influence, be of no account;* met ~ en suiker graag *with sugar and milk/cream/ milk and sugar, please;* koffie **met**/zonder ~ *coffee with/without milk/ cream;* ⟨BE ook⟩ *white coffee/black coffee.*

melkachtig ⟨bn.⟩ **0.1** *milky* ⇒⟨biol. ook⟩ *lactescent* ◆ **1.1** ~sap *m. juice.*

melkalbast ⟨het⟩ **0.1** *milk glass.*

melkapparaat ⟨het⟩ **0.1** *milking machine/unit* ⇒*milker.*

melkauto ⟨de (m.)⟩ **0.1** *milk* [B]*van/* [^]*truck.*

melkbeker ⟨de (m.)⟩ **0.1** *milk mug/beaker.*

melkbocht ⟨de (m.)⟩ **0.1** *milking yard/pen.*

melkboer ⟨de (m.)⟩ **0.1** ⟨bezorger⟩ *milkman;* ⟨handelaar⟩ *dairyman* ◆ **6.1** ⟨scherts.⟩ dat is er een van de ~ *he/she must be the milkman's.*

melkboerenhondehaar ⟨het⟩ **0.1** *mous(e)y hair.*

melkbrood ⟨het⟩ **0.1** *milk loaf.*

melkbus ⟨de⟩ **0.1** *milk can/* [B]*churn.*

melkcentrale ⟨de⟩ **0.1** *milk marketing board.*

melkchocola ⟨de (m.)⟩ **0.1** [snoep] *milk chocolate* **0.2** [drank] *cocoa* ⇒*chocolate.*

melkcontroleur ⟨de (m.)⟩ **0.1** *milk inspector.*

melkdieet ⟨het⟩ **0.1** *milk diet.*

melkdistel ⟨de⟩ **0.1** *sow thistle* ⇒*milk thistle.*

melkeiwit ⟨het⟩ **0.1** *lactoprotein.*

melkemmer ⟨de (m.)⟩ **0.1** [waarin gemolken wordt] *milking pail* **0.2** [waarin melk bewaard wordt] *milk pail.*

melken

I ⟨ov.ww.⟩ **0.1** [van zijn melk ontlasten] *milk* **0.2** [fokken] *keep* ⇒*breed* **0.3** [voordeel halen van] *milk, exploit* ⇒*live off* ◆ **1.1** de koeien ~ *m. the cows* **1.2** duiven/konijnen ~ *keep/breed doves/rabbits;* zij melkt 40 koeien *she keeps 40 cows* **1.3** huisjes ~ *live off rented property, be a slum landlord;*

II ⟨onov.ww.⟩ ⟨inf.⟩ **0.1** [iets uit iem. trekken] *coax* **0.2** [mekkeren] *whine* ⇒*moan, go on about sth.* ◆ **3.2** lig niet zo te ~ *stop whining!.*

melkeppe ⟨de⟩ **0.1** *milk parsley.*

melker ⟨de (m.)⟩ **0.1** *milker.*

melkerij ⟨de (v.)⟩ **0.1** [bedrijf] *dairy farm* **0.2** [handeling] *milking* **0.3** [plaats waar gemolken wordt] *milking parlour*.
melkfabriek ⟨de (v.)⟩ **0.1** *milk factory/plant* ⇒*dairy factory, creamery*.
melkfles ⟨de⟩ **0.1** [fles voor melk] *milk bottle* **0.2** [zuigfles] *feeding bottle*.
melkgebit ⟨het⟩ **0.1** *milk teeth*.
melkgeit ⟨de (v.)⟩ **0.1** *milch goat*.
melkgevend ⟨bn.⟩ **0.1** *milky* ⇒*in milk* ⟨na zn.⟩, *milch* ⟨voor zn.⟩ ◆ **1.1** een ~e koe *a cow in milk, a milch cow; ~* vee *milking stock*.
melkgift ⟨de⟩ **0.1** *milk yield* ◆ **2.1** die koe heeft een lage ~ *that cow is a bad milker*.
melkglas ⟨het⟩ **0.1** [drinkglas] *milk glass* **0.2** [melkwit glas] *milk glass* ⇒ *milch glass, opal(ine) glass*.
melkhaar ⟨het⟩ **0.1** *down* ⇒*fuzz,* ⟨inf.⟩ *peach fuzz*.
melkinrichting ⟨de (v.)⟩ **0.1** *dairy* ⇒*creamery*.
melkkalf ⟨het⟩ **0.1** *sucking calf*.
melkkan ⟨de⟩ **0.1** [bij servies] *milk jug* **0.2** [melkbus] *milk can* ⇒[B]*milk churn*.
melkkannetje ⟨het⟩ **0.1** *milk jug*.
melkkies ⟨de⟩ **0.1** *milk tooth*.
melkkleur ⟨de⟩ **0.1** *milky colour*.
melkklier ⟨de⟩ **0.1** *mammary gland* ⇒⟨med. ook⟩ *mamma*.
melkkoe
   I ⟨de (v.)⟩ **0.1** [dier] *dairy/milch cow* ◆ **2.1** een goede ~ *a good milker;*
   II ⟨de (m.)⟩ ⟨fig.⟩ **0.1** [persoon] *milch cow* ⇒*moneyspinner*.
melkkoeler ⟨de (m.)⟩ **0.1** *milk cooler*.
melkkoeltank ⟨de (m.)⟩ ⟨veeteelt⟩ **0.1** *milk cooling basin*.
melkkoker ⟨de (m.)⟩ **0.1** *milk pot* ⟨*high-sided saucepan with holes in .lid*⟩.
melkkoorts ⟨de⟩ **0.1** *milk fever* ⇒*lactation tetany*.
melkkrat ⟨het, de (v.)⟩ **0.1** *milk crate*.
melkkruid ⟨het⟩ **0.1** *sea milkwort* ⇒*sea trifoly*.
melkkuur ⟨de⟩ **0.1** *milk cure*.
melkkwarts ⟨het⟩ **0.1** *milky quartz*.
melkleverantie ⟨de (v.)⟩ **0.1** *milk delivery/supply*.
melklijst ⟨de⟩ **0.1** *milk record*.
melkmachine ⟨de (v.)⟩ **0.1** *milking machine* ⇒*mechanical milker*.
melkman ⟨de (m.)⟩ **0.1** *milkman* ⇒*dairyman*.
melkmeid ⟨de (v.)⟩ **0.1** *milkmaid, dairymaid*.
melkmuil ⟨de (m.)⟩ **0.1** [groentje] *greenhorn* ⇒*colt, raw recruit,* ⟨AE ook⟩ *rookie* **0.2** [lafbek] *milksop* ⇒*sissy, milquetoast,* [B]*wet*.
melkontromer ⟨de (m.)⟩ **0.1** *separator, creamer*.
melkontvangst ⟨de (v.)⟩ ◆ **2.¶** rijdende ~ *tanker collection*.
melkopaal
   I ⟨het⟩ **0.1** [halfedelgesteente] *milky opal;*
   II ⟨de (m.)⟩ **0.1** [halfedelsteen] *milky opal*.
melkopbrengst ⟨de (v.)⟩ **0.1** *milk yield* ⇒*milk production*.
melkpap ⟨de⟩ **0.1** *milk porridge*.
melkplant ⟨de⟩ **0.1** *milkweed*.
melkplas ⟨de (m.)⟩ **0.1** [hoeveelheid melk] *milk production* **0.2** [overschot] *milk lake/pond* ◆ **1.2** de ~ en de boterberg v.d. E.G. *the E.E.C. milk lake and butter mountain*.
melkpoeder ⟨het, de (m.)⟩ **0.1** *powdered/dried/dehydrated milk* ⇒*milk powder*.
melkprijs ⟨de (m.)⟩ **0.1** *milk price*.
melkprodukt ⟨het⟩ **0.1** *milk/diary product*.
melkproduktie ⟨de (v.)⟩ **0.1** [hoeveelheid melk v.e. koe] *milk yield* **0.2** [totale hoeveelheid melk] *milk production/output*.
melkput ⟨de (m.)⟩ ⟨landb.⟩ **0.1** *operator's working passage/pit*.
melkras ⟨het⟩ **0.1** *milk/dairy breed*.
melkreep ⟨de (m.)⟩ **0.1** *bar of milk chocolate*.
melkrijder ⟨de (m.)⟩ **0.1** *milk collector*.
melkrijk ⟨bn.⟩ **0.1** *milky* ⇒*with a high milk yield* ⟨na zn.⟩.
melkrijp ⟨bn.⟩ ⟨landb.⟩ **0.1** *milk-ripe* ⇒*milky*.
melkrijpheid ⟨de (v.)⟩ ⟨landb.⟩ **0.1** *milk-ripeness* ⇒*milkiness, milky stage of maturity*.
melkronde ⟨de⟩ ⟨AZN⟩ **0.1** *milk round*.
melksap ⟨het⟩ **0.1** *milk* ⇒*milky juice, latex*.
melkseparator ⟨de (m.)⟩ **0.1** *separator, creamer*.
melkserum ⟨het⟩ **0.1** *milk serum* ⇒*whey*.
melkspiegel ⟨de (m.)⟩ **0.1** *escutcheon*.
melkstal ⟨de (m.)⟩ **0.1** *milking parlour/shed*.
melkstoeltje ⟨het⟩ **0.1** *milking stool*.
melksuiker ⟨de (m.)⟩ **0.1** *lactose* ⇒*milk sugar*.
melktand ⟨de (m.)⟩ **0.1** *milk tooth*.
melktank ⟨de (m.)⟩ **0.1** *milk tank* ⇒⟨groot⟩ *bulk (milk) tank, farm bulk tank*.
melktijd ⟨de (m.)⟩ **0.1** *milking time*.
melktype ⟨het⟩ **0.1** *dairy type*.
melkvee ⟨het⟩ **0.1** *dairy cattle/stock*.
melkveehouder ⟨de (m.)⟩ **0.1** *dairy farmer*.
melkveestapel ⟨de (m.)⟩ **0.1** *dairy stock/herd*.
melkvet ⟨het⟩ **0.1** *milk fat*.

melkwagentje ⟨het⟩ **0.1** *milk float/cart* ⇒⟨van melkslijter⟩ *milkman's cart*.
melkweg ⟨de (m.)⟩ ⟨ster.⟩ **0.1** [sterrenstelsel] *(Milky Way) galaxy* ⇒*milky way system* **0.2** [lichtende band] *milky way*.
melkweger ⟨de (m.)⟩ **0.1** *lactometer*.
melkwegstelsel ⟨het⟩ ⟨ster.⟩ **0.1** [melkweg] *Milky Way* **0.2** [ander sterrenstelsel] *galaxy* ⇒*nebula*.
melkwei ⟨de⟩ **0.1** *whey* ⇒*milk serum*.
melkwit ⟨bn.⟩ **0.1** *milk white* ⇒*milky white*.
melkzeep ⟨de⟩ **0.1** *milk-based soap*.
melkzuur¹ ⟨het⟩ **0.1** *lactic acid*.
melkzuur² ⟨bn.⟩ **0.1** *lactic acid* ◆ **1.1** een ~ zout *a lactic acid salt, a lactate*.
melkzuurbacterie ⟨de (v.)⟩ **0.1** *lactic (acid) bacterium*.
melkzuurgisting ⟨de (v.)⟩ **0.1** *lactic fermentation*.
melkzuurzout ⟨het⟩ **0.1** *lactate*.
melkzwam ⟨de⟩ **0.1** *milk fungus*.
melodie ⟨de (v.)⟩ **0.1** [⟨muz.⟩] *melody* ⇒*tune, air* **0.2** [opeenvolgende geluiden] *music* ⇒*melody, tunefulness* **0.3** [mbt. woordklanken] *modulation* **0.4** [mbt. de stem] *melodiousness* ⇒*tunefulness, musicality* ◆ **1.2** de ~ v.h. water *the music of the water* **5.4** een stem vol ~ *a melodious/musical/tuneful voice* **6.1** een lied op de ~ van *a song to the tune of*.
melodieus ⟨bn., bw.; -ly⟩ **0.1** *melodious* ⇒*tuneful, musical, sweet, euphonious*.
melodisch ⟨bn., bw.; -(al)ly⟩ **0.1** [mbt. de melodie] *melodic* **0.2** [welluidend] *melodious* ⇒*tuneful, musical, sweet, euphonious*.
melodrama ⟨het⟩ **0.1** [toneelstuk] *melodrama* **0.2** [reeks voorvallen] *melodrama* **0.3** [⟨gesch.⟩ toneelspel] *melodrama* ◆ **1.1** schrijver van ~'s ⟨ook⟩ *melodramatist*.
melodramatisch ⟨bn., bw.; -ally⟩ **0.1** *melodramatic(al)* ⇒⟨inf.⟩ *corny* ◆ **1.1** ~e kost ⟨inf.⟩ *sob-stuff, corn; ~* persoon ⟨v. ook; inf.⟩ *sob-sister;* een ~ verhaal ⟨inf.⟩ *a sob story*.
meloen ⟨de⟩ **0.1** [plant] *melon (vine)* **0.2** [vrucht] *melon*.
meloenboom ⟨de (m.)⟩ **0.1** *papaya* ⇒⟨BE ook⟩ *pa(w)paw*.
meloet ⟨de (m.)⟩ **0.1** *drunk(ard)* ◆ **8.1** zo dronken als een ~ *blind drunk, three sheets to the wind, half-cut*.
melomaan ⟨de (m.)⟩ **0.1** *melomaniac* ⇒*music addict/* ⟨inf.⟩ *freak*.
melomanie ⟨de (v.)⟩ **0.1** *melomania* ⇒*addiction to music*.
mem
   I ⟨de (m.)⟩ **0.1** [zeurderig manspersoon] *old woman* ⇒*fusspot;*
   II ⟨de⟩ ⟨inf.⟩ **0.1** [⟨mv.⟩ tieten] *tits* ⇒*boobs,* ⟨sl.⟩ *knockers,* [B]*bristols;*
   III ⟨de⟩ **0.1** [⟨Fries⟩ moeder] *mum,* [A]*mom*.
membraan ⟨het, de⟩ **0.1** [vlies] *membrane* **0.2** [trilplaatje] *diaphragm*.
membraanafsluiter ⟨de (m.)⟩ **0.1** *diaphragm valve*.
membraanevenwicht ⟨het⟩ **0.1** *osmotic equilibrium*.
membraanfilter ⟨het, de (m.)⟩ **0.1** *membrane/diaphragm filter*.
membraanmanometer ⟨de (m.)⟩ **0.1** [B]*membrane/*[A]*diaphragm manometer*.
membrafoon ⟨bn.⟩ ⟨muz.⟩ **0.1** *membranophone*.
memo¹ ⟨afk.⟩ **0.1** [mens- en milieuvriendelijk ondernemen] ⟨landb.⟩ *organic farming*.
memo² ⟨het, de (m.)⟩ **0.1** [papier] *notepaper* **0.2** [nota] *note* ⇒⟨op kantoor ook⟩ *memo,* ⟨inf.⟩ *chit*.
memobedrijf ⟨het⟩ **0.1** ⟨landb.⟩ *organic farm*.
memoblaadje ⟨het⟩ **0.1** *memo card/sheet* ⇒⟨mbt. telefoongesprek⟩ *call sheet*.
memoblok ⟨het⟩ **0.1** *notepad* ⇒⟨op kantoor ook⟩ *memo pad*.
memoformaat ⟨het⟩ **0.1** *notebook/pocket-size*.
memoires ⟨zn.mv.⟩ **0.1** *memoirs*.
memorabel ⟨bn.⟩ **0.1** *memorable* ⇒*rememberable*.
memorandum ⟨het⟩ **0.1** [gedenkboek] *memorial (book)* ⇒*commemorative volume* **0.2** [diplomatieke nota] *memorandum* ⇒*note* **0.3** [rekening] *bill* ⇒*account* **0.4** [notitieboekje] *notebook*.
memoreren ⟨ov.ww.⟩ **0.1** [vermelden] *mention* ⇒*remind* **0.2** [opschrijven] *note* ⇒*make a note of*.
memorie ⟨de (v.)⟩ **0.1** [geheugen] *memory* **0.2** [herinnering] *memory* ⇒*recollection* **0.3** [beschouwing] *memorandum* ⇒*statement* ◆ **1.3** ~ van aangifte *estate duty account;* ⟨pol.⟩ ~ van antwoord *m. in reply;* ⟨jur.⟩ ~ van debat *statement of objection in an action of account;* ⟨jur.⟩ ~ van grieven *statement of grounds of appeal;* ⟨pol.⟩ ~ van toelichting *explanatory m./statement* **3.3** een ~ indienen *submit a m.* **6.1** kort van ~ zijn *have a short m.*.
memorisatie ⟨de (v.)⟩ **0.1** *memorizing*.
memoriseren ⟨ov.ww.⟩ **0.1** *memorize*.
men¹ ⟨de⟩ **0.1** *people* ⇒*the man in the street, the public* ◆ **2.1** de grote/ .onbekende ~ *the general public, people, the man in the street*.
men² ⟨onb.vnw.⟩ **0.1** [de mensen] *one* ⇒⟨inf.⟩ *people, they* **0.2** [ik en iedereen met mij] *one* ⇒⟨inf.⟩ *you* **0.3** [één of meer personen] *one* ⇒ ⟨inf.⟩ *they* ◆ **3.1** ~ heeft mij gezegd ... *I've been/I'm told ...; ~* zegt *it is said, people/they say; ~* zegt dat hij ziek is *he's said to be ill* **3.2** ~ kan hen niet laten omkomen *they cannot be allowed to die; ~* zou zeggen dat je nog niets hebt geleerd! *you still haven't learnt your lesson,*

by the look of it! **3.3** ~ had dat kunnen voorzien *that could have been anticipated/foreseen;* ~ hoopt dat die investering zal renderen *it is hoped that the investment will prove lucrative.*

menage ⟨de (v.)⟩ **0.1** [huishouding van soldaten] *mess* **0.2** [voeding] *catering* ⇒(mil.) *mess* **0.3** [⟨AZN⟩ huishouding] *household.*

menagerie ⟨de (v.)⟩ **0.1** *menagerie.*

menarche ⟨de⟩ ⟨med.⟩ **0.1** *menarche.*

mendelen ⟨onov.ww.⟩ **0.1** *mendelize.*

mendelisme ⟨het⟩ **0.1** [erfelijkheidswetten] *Mendelism* ⇒*Mendelian inheritance* **0.2** [verklaring volgens de wetten] *Mendelian explanation.*

meneer ⟨de (m.)⟩ **0.1** *gentleman;* ⟨+naam⟩ *Mr.;* ⟨aanspreekvorm⟩ *sir* ◆ **2.1** ⟨iron.⟩ je bent een mooie ~ *you're a fine one!* **3.1** de (grote/mooie) ~ uithangen [B]*act posh, act (all) high and mighty* **6.1** ⟨iron.⟩ is het zo naar ~ zijn zin? *has his lordship/highness/nibs got everything he needs?.*

menen ⟨ov.ww.⟩ ⟨→sprw. 495,576⟩ **0.1** [in ernst bedoelen] *mean* **0.2** [voorhebben] *intend* ⇒*mean* **0.3** [veronderstellen] *think* **0.4** [doelen op] *mean* ◆ **4.1** dat meen je niet/kan je toch niet ~! *you (surely) can't be serious!/can't m. it!;* meen je het nou of niet *do you really m. it?;* ik meen het! *I m. it!* **5.2** het ernstig/serieus ~ *be serious, mean business, (really) mean it;* het was goed gemeend *it was meant for the best/well-meant;* het goed/kwaad met iem. ~ *mean well towards s.o., mean s.o. harm* **5.3** meen nu niet dat ... *don't go/start thinking that ..., don't run off/away with the idea that ...* **6.3** ik meende hem te moeten waarschuwen *I thought/felt I ought to warn him;* hij meende te weten dat ...*he understood that ...* **8.3** ik meende dat ...*I thought*

menens ⟨bn.⟩ ◆ **3.¶** het is ~ *it's (getting)/things are serious;* het is hem ~ *he means it, he's serious/in earnest;* het wordt ~ *it's getting/things are getting serious;* als het ~ wordt *when things get serious/the chips are down/it gets down to the nitty-gritty.*

meneren ⟨ov.ww.⟩ **0.1** *sir,* [I]*mister.*

mengbaar ⟨bn.⟩ **0.1** *miscible* ⇒*mixable.*

mengbak ⟨de (m.)⟩ **0.1** *mixing vessel/basin* ⇒⟨rond⟩ *mixing bowl,* ⟨trog⟩ *mixing trough,* ⟨voor voer⟩ *blending bin.*

mengbeker ⟨de (m.)⟩ **0.1** *liquidizer* ⇒*blender.*

mengcondensor ⟨de (m.)⟩ **0.1** *mixing condenser.*

mengeldichten ⟨zn.mv.⟩ **0.1** *miscellaneous poems.*

mengeling ⟨de (v.)⟩ **0.1** *miscellany* ⇒*mixture, medley* ◆ **1.1** een ~ van kleuren *a mixture/medley of colours* **2.1** een bonte ~ *a multicoloured mixture, a motley;* letterkundige ~ een *(a) literary miscellany.*

mengelmoes ⟨het, de⟩ **0.1** [mbt. zaken] *mishmash* ⇒*jumble, hodgepodge* **0.2** [mbt. mensen] *jumble* ⇒*medley.*

mengelwerk ⟨het⟩ ⟨lit.⟩ **0.1** *miscellany.*

mengen
I ⟨ov.ww.⟩ **0.1** [door elkaar werken] *mix* ⇒⟨mêleren⟩ *blend* **0.2** [bij elkaar brengen, in verband brengen] *mix* ⇒*involve,* ⟨inf.⟩ *bring/* ⟨pej.⟩ *drag in* **0.3** [betrekken bij] *involve* ⇒⟨inf.⟩ *bring/*⟨pej.⟩ *drag in* ◆ **1.1** kleuren ~ *m.*⟨mêleren⟩;thee ~ *blend tea* **6.1** meng de suiker door de pap *stir/m. the sugar into/through the porridge;* door elkaar ~ *m. together;* noten gemengd met rozijnen *mixed nuts and raisins, nuts mixed with raisins* **6.2** mijn naam wordt er ook in gemengd *my name was also mentioned/brought in/dragged in;*
II ⟨wk.ww.; zich ~⟩ **0.1** [zich inlaten met] *get (o.s.) involved (in)* ⇒*involve o.s. (in),* ⟨inf.⟩ *get (o.s.) mixed up (in)* ◆ **6.1** zich in de politiek/een twist *get (o.s.) involved/mixed up/involve o.s. in politics/an argument;* zich in iemands zaken ~ *poke one's nose into s.o.'s business/affairs;* zich in de discussie ~ *come into/intervene in the discussion;* ⟨pej.⟩ *break/butt/barge/cut into the discussion;* zich onder de menigte ~ *blend into the crowd;* ⟨koningin e.d.⟩ *mingle with the crowd(s).*

menging ⟨de (v.)⟩ **0.1** [handeling] *mixing* ⇒*blending* **0.2** [resultaat] *mixture* ⇒⟨melange⟩ *blend, mix.*

mengkamer ⟨de (v.)⟩ **0.1** *mixing chamber.*

mengkleur ⟨de⟩ **0.1** *mixed/blended colour/shade* ⇒⟨secondaire kleur⟩ *secondary colour.*

mengkoren ⟨het⟩ →*mengzaad.*

mengkraan ⟨de⟩ **0.1** *mixing tap/*[A]*faucet.*

mengkristal ⟨het⟩ **0.1** *isomorphous compounds/series.*

mengmachine ⟨de (v.)⟩ **0.1** *mixer* ⇒*mixing machine.*

mengmest ⟨de (m.)⟩ **0.1** *slurry* ⇒*semi-liquid/mixed manure.*

mengpaneel ⟨het⟩ ⟨muz.⟩ **0.1** *mixing console/desk, mixer.*

mengprodukt ⟨het⟩ **0.1** *mixture* ⇒⟨melange⟩ *blend, mix.*

mengras ⟨het⟩ **0.1** *cross-breed.*

mengsel ⟨het⟩ **0.1** *mixture* ⇒⟨melange⟩ *blend, mix* ◆ **2.1** ⟨schei.⟩ koudmakend ~ *freezing mixture;* een rijk ~ ⟨brandstof⟩ *a rich mixture* **6.1** ⟨fig.⟩ een ~ van waarheid en verdichting *a mixture/blend of truth and fiction;* een ~ van thee(soorten) *a blend of teas.*

mengsmering ⟨de (v.)⟩ **0.1** *petroil lubrication.*

mengtaal ⟨de⟩ **0.1** *mixed language* ⇒⟨als moedertaal gebruikt⟩ *creole (language), creolized language,* ⟨voor communicatie⟩ *pidgin.*

mengverhouding ⟨de (v.)⟩ **0.1** *mixture* ⇒⟨lucht en brandstof⟩ *air-fuel ratio.*

mengvoe(de)r ⟨het⟩ **0.1** *mixed/compound feed* ⇒*mash* ⟨ook pluimvee⟩.

mengvorm ⟨de (m.)⟩ **0.1** *hybrid* ⇒⟨pej.⟩ *mongrel.*

mengwarmte ⟨de (v.)⟩ ⟨schei.⟩ **0.1** *heat of mixing.*

mengzaad ⟨het⟩ **0.1** *mixed seed.*

menhir ⟨de (m.)⟩ **0.1** *menhir.*

menie[1] ⟨de⟩ **0.1** [verfstof] *red lead* ⇒*minium* **0.2** [dekverf] *red lead.*

menie[2] ⟨bn.⟩ **0.1** ≠*vermilion,* ≠*scarlet.*

meniën ⟨ov.ww.⟩ **0.1** *red-lead.*

menig ⟨hoofdtelw.⟩ **0.1** *many* ⟨+mv.⟩, *many a* ⟨+enk.⟩ ◆ **1.1** ~ mens *many (people), many a person/a one;* ~e slapeloze nachten *many sleepless nights/a sleepless night;* in ~ opzicht *in many respects.*

menigeen ⟨onb.vnw.⟩ **0.1** *many (people)* ⇒*many a person/a one.*

menigerlei ⟨bn.⟩ **0.1** *various (kinds of)* ⇒*many kinds of, of many kinds* ⟨na zn.⟩, ⟨schr.⟩ *manifold.*

menigmaal ⟨bw.⟩ **0.1** *many times* ⇒*many a time,* ⟨schr.,vero.⟩ *oft-times.*

menigte ⟨de (v.)⟩ **0.1** [veel mensen] *crowd* ⇒⟨schr.⟩ *multitude, throng, host,* ⟨pej.⟩ *mob* **0.2** [groot getal] *mass* ⇒*host* ◆ **1.1** een ~ ⟨van⟩ geschriften *a m. of writings* **2.1** de drukke ~ ⟨schr.⟩ *the madding c.;* de grote ~ *the great mass of people, the (general) public;* een ontelbare/onoverzienbare ~ *an innumerable/immense c.* **6.2** in ~ *in abundance/plenty;* ⟨inf.⟩ *galore.*

menigvuldig ⟨bn., bw.⟩ **0.1** *manifold* ⇒⟨van veel soorten⟩ *many kinds of, of many kinds* ⟨na zn.⟩, ⟨vaak⟩ *frequent,* ⟨talrijk⟩ *numerous,* ⟨overvloedig⟩ *abundant.*

menigvuldigheid ⟨de (v.)⟩ **0.1** *multiplicity* ⇒*frequency, abundance.*

mening ⟨de (v.)⟩ **0.1** *opinion* ⇒*view* ◆ **2.1** afwijkende ~ *dissenting view/o.;* een bescheiden ~ *a modest o./view;* naar mijn bescheiden ~ *in my humble/poor o.;* de openbare ~ *public o.;* een uitgesproken ~ hebben over iets *hold strong/uncompromising views about sth.;* de ~ en zijn (sterk) verdeeld (over die kwestie) *opinions/views differ (greatly) (on that matter), there is (great) controversy (about it), that's a very controversial matter;* vooropgezette ~ *preconception* **3.1** ik geef mijn ~ (graag) voor beter *I'm open to correction, here's/that's my o. for what it's worth;* zijn ~ geven *give one's o./view(s);* een ~ hebben over have/hold an o./a view/views on;* er een eigen ~ op na houden *have/hold views of one's own;* een ~ huldigen omtrent/over iets *cherish/hold an o./a view on/about sth.;* ik kan uw ~ niet delen *I cannot share your opinions/view(s);* hierover lopen de ~ en uiteen *opinions differ on this, there are various opinions about this;* dezelfde ~ toegedaan zijn *hold/have the same o./view(s), be of the same o., take the same view;* uiteenlopende ~ en *diverging opinions/views;* ronduit zijn ~ zeggen *speak one's mind, be frank* **6.1** bij zijn ~ blijven *stick to one's o./view(s);* in de ~ verkeren dat *be under the impression that ...;* naar mijn ~ *in my o./view, I think/feel, to my mind/my way of thinking;* van ~ veranderen *change one's o./view(s)/* ⟨inf.⟩ *mind;* van ~ zijn dat ...*be of the o./take the view that ...;* van ~ verschillen *differ in o., have/hold different views;* van een andere ~ zijn *differ (in o.), be of a different o., take a different view;* voor zijn ~ durven uitkomen *stand up for/defend one's o./view(s);* iem. zonder ~ ⟨pol.⟩ *a 'don't-know'* **7.1** ⟨in enquête⟩ ja, nee, geen ~ *yes, no, don't know.*

meningitis ⟨de (v.)⟩ ⟨med.⟩ **0.1** *meningitis* ◆ **¶.1** ~ cerebrospinalis *cerebrospinal m..*

meningsuiting ⟨de (v.)⟩ **0.1** [het uiten van zijn mening] *(expression of) opinion* ⇒*speech* **0.2** [oordeel] *(statement of) opinion* ⇒*view(s)* ◆ **1.1** vrijheid van ~ *freedom of speech/opinion* **2.1** vrije ~ *freedom of speech/opinion* **2.2** stellige ~ *definite view.*

meningsverschil ⟨het⟩ **0.1** [verschil van mening] *difference of opinion* ⇒*divergence of views* **0.2** [onenigheid] *difference of opinion* ◆ **3.1** hierover bestaat/heerst ~ *there are differing opinions/there is a difference of opinion about this, views/opinions differ about this* **3.2** ~ hebben *have a difference of opinion.*

meningsvorming ⟨de (v.)⟩ **0.1** *(forming of) opinion* ◆ **2.1** de openbare ~ *(the forming of) public opinion.*

meniscus ⟨de (m.)⟩ **0.1** [kraakbeenschijf] *meniscus* ⇒⟨inf.⟩ *kneecap* **0.2** [beschadiging, aandoening] *cartilage trouble* **0.3** [⟨nat.⟩] *meniscus* **0.4** [lens] *meniscus.*

menist[1] ⟨de (m.)⟩ **0.1** *Mennonite.*

menist[2] ⟨bn.⟩ **0.1** *Mennonite.*

mennen ⟨ov.ww.⟩ **0.1** *drive* ◆ **1.1** een paard/wagen ~ *d. a horse/wagon.*

menner ⟨de (m.)⟩ **0.1** *driver* ⇒*teamster, whip* ◆ **2.1** hij is een goede ~ *he is a good whip.*

meno ⟨bw.⟩ ⟨muz.⟩ **0.1** *meno.*

menopauze ⟨de⟩ **0.1** [periode na de vruchtbaarheid] *menopause* ⇒⟨inf.⟩ *change of life* **0.2** [overgang] *menopause* ⇒⟨inf.⟩ *change of life.*

menora ⟨de (m.)⟩ **0.1** *menorah.*

mens ⟨→sprw. 92,214,339,349,406,428,429,483,594⟩
I ⟨de (m.)⟩ **0.1** [redelijk wezen] *human (being)* ⇒*man,* ⟨mensdom⟩ *man(kind),* ⟨minder seksistisch⟩ *humankind* **0.2** [⟨mv.⟩ personen] *people* **0.3** [⟨mv.⟩ medewerkers] *people* **0.4** [type] *person* **0.5** [⟨mv.⟩ makkers] *people* ⇒*folks, everybody* ◆ **1.5** de groetjes ~ en! *bye, folks!, see you, everybody!, cheerio, p.!* **2.1** ik voel me een ander ~! *I feel (like) a new person/creature/man/woman;* de grote ~ en *grown-ups;* ik voel me maar een half ~ *I'm not feeling too good, I'm*

feeling off colour; de inwendige ~ versterken *fortify the inner man;* een onmogelijk ~ zijn *be impossible (to deal with)* **2.2** de gewone ~en *ordinary p.* **2.5** beste ~en ⟨in brieven⟩ *dear everybody;* ⟨aanspreekvorm⟩ *(hello,) everybody!,* ⟨inf.⟩ *people!* **3.1** ik ben ook maar een ~ *I'm only human;* dat doet een ~ goed *that does you!* ↑*good;* ⟨bijb.⟩ de ~ geworden Zoon van God *the incarnate Son of God;* die behandeling maakte weer een ~ van hem *that treatment did wonders for him/put him back on his feet;* een ~ moet toch eten! *a fellow/chap/girl's got to eat!* **3.2** sommige ~en leren het nooit! *some p. / folk never learn!;* we verwachten/krijgen vanavond ~en *we're expecting p. / we've got p. coming (over/round) this evening;* zo zijn de ~en nu eenmaal *that's human nature (for you);* zeg dat niet als er ~en bij zijn! *don't say that in front of anybody!/when there are p. around!* **3.3** daar heeft zij haar ~en voor *she's got p. to do that* **6.1** door ~en gemaakt *man-made;* het geld onder de ~en brengen *spend money generously/freely/liberally;* een ~ van vlees en bloed *a person of flesh and blood* **6.2** onder de ~en komen *get out and about, see p.* **7.1** geen ~ *not a soul;* ⟨fig.⟩ geen (half) ~ meer zijn *be worn out/shattered/dead beat* **7.2** hij is een v.d. ~en die …*he is one of those who* …**7.4** ik ben geen ~ om …*I'm not one/a p. to* …**7.¶** alle ~en! *goodness (gracious/me)!* **8.2** (eenvoudige) ~en als wij *(simple) p. / folk like us /such as we;*

II ⟨het⟩ **0.1** [(vrouwelijk) individu] *thing* ⇒*creature, soul* ◆ **2.1** het arme ~ is doodziek *the poor t. / creature/soul is awfully ill;* het is een braaf/best ~ *she's a good (old) soul;* een enig/leuk ~ *a marvellous* ^*elous/nice creature/soul;* het oude ~! *the old woman/soul!* **4.1** ik kan dat ~ niet uitstaan *I can't stand that creature/that one* **¶.1** ⟨inf.⟩ ~, pas toch op *do watch out, won't you!;* ⟨inf.⟩ ~ toch! ⟨verbaasd⟩ *Good Lord!;* ⟨medelijdend ook⟩ *you poor soul/t.!* **¶.¶** ⟨inf.⟩ ~, hou je kop! *will you shut up!;*

mensa ⟨de⟩ **0.1** *refectory* ⇒↓ *(university/student) restaurant/cafeteria.*
mensaap ⟨de (m.)⟩ **0.1** *anthropoid (ape)* ⇒⟨minder juist⟩ *ape,* ⟨wet. ook⟩ *pongid* ◆ **3.1** tot de mensapen behorend *anthropoid, pongid.*
mensachtig ⟨bn.⟩ **0.1** *anthropoid* ⇒*hominoid,* ⟨inclusief de mens⟩ *hominid.*
mensachtigen ⟨zn.mv.⟩ **0.1** *hominids.*
mensbeeld ⟨het⟩ **0.1** *portrayal of man(kind).*
mensdom ⟨het⟩ **0.1** ⟨zie **¶.1**⟩ ◆ **¶.1** het ~ *man(kind);* ⟨minder seksistisch⟩ *humankind; the human race, humanity.*
menselijk (→sprw. 598)
I ⟨bn.⟩ **0.1** [als mens] *human* **0.2** [bij de mens horend] *human* **0.3** [zoals eigen aan de mens] *human* **0.4** [makkelijk] *human* ◆ **1.1** de ~e soort ⟨wet.⟩ *genus Homo;* ⟨inf.⟩ the h. *species* ⟨wet. onjuist⟩; een ~ wezen *a h. being* **1.2** ~ verstand *h. intelligence* **1.3** naar ~e berekening /maatstaven *by h. standards* **3.3** vergissen is ~ *to err is h.* **3.4** hij begint wat ~er te worden *he's starting to become more h.* **5.2** niet ~ *non-human;*
II ⟨bn., bw.;-ly⟩ **0.1** [humaan] *humane* ◆ **1.1** een ~e behandeling *h. treatment* **5.1** niet ~ *inhumane, inhuman.*
menselijkerwijs ⟨bw.⟩ **0.1** *humanly* ◆ **3.1** dat is ~ gesproken onmogelijk *that is h. impossible/isn't h. possible.*
menselijkheid ⟨de (v.)⟩ **0.1** [humaniteit] *humanity* ⇒*humaneness* **0.2** [redelijkheid] *humanity* **0.3** [menselijke natuur] *humanity* ⇒*human nature* ◆ **6.1** iem. met ~ behandelen *treat s.o. with humanity/humanely.*
mensenbloed ⟨het⟩ **0.1** *human blood.*
mensendieck ⟨het⟩ **0.1** *Mensendieck physiotherapy.*
menseneter ⟨de (m.)⟩ **0.1** *cannibal* ⇒*man-eater.*
mensengedaante ⟨de (v.)⟩ **0.1** *human form/shape* ◆ **6.1** een duivel in ~ *the devil incarnate/in human form.*
mensengeslacht ⟨het⟩ **0.1** [het mensdom] *human race* ⇒*man(kind),* ⟨minder seksistisch⟩ *humankind* **0.2** [generatie] *generation (of man).*
mensengroep ⟨de⟩ **0.1** *group/category of people.*
mensenhaai ⟨de (m.)⟩ **0.1** *great white shark.*
mensenhaat ⟨de (m.)⟩ **0.1** *misanthropy.*
mensenhand ⟨de⟩ **0.1** [hand] *human hand* **0.2** [menselijk vermogen] *human/men's hands* ⇒⟨kracht⟩ *manpower, (human) musclepower,* ⟨schr.⟩ *hand of man* ◆ **1.2** het werk van ~en *the work of human/men's hands* **6.2** dat is niet door ~ gebouwd *that wasn't built by man/human hands.*
mensenhart ⟨het⟩ **0.1** *human heart.*
mensenhater ⟨de (m.)⟩ **0.1** *misanthrope* ⇒*misanthropist.*
mensenheugenis ⟨de (v.)⟩ **0.1** *human memory* ◆ **6.1** bij ~ *(with)in living memory;* sinds ~ *from/since time immemorial.*
mensenjacht ⟨de (v.)⟩ **0.1** *man-hunt.*
mensenkenner ⟨de (m.)⟩ **0.1** *(good) judge of (human) character/human nature/* ⟨zeldz.⟩ *of men.*
mensenkennis ⟨de (v.)⟩ **0.1** *judgement of/insight into (human) character/human nature* ◆ **3.1** veel ~ hebben *be a good judge of (human) character/of human nature.*
mensenkind ⟨het⟩ **0.1** *human (being)* ⇒⟨schr.⟩ *son of man, mortal.*
mensenkinderen ⟨tw.⟩ **0.1** *goodness gracious/me!* ◆ **¶.1** ~, wat vertel je me nu! *goodness gracious/me, whatever next?.*

mensenkluwen ⟨het, de (m.)⟩ **0.1** *tangle of people/* ⟨alleen als lichamen beschouwd⟩ *bodies.*
mensenkracht ⟨de⟩ **0.1** *human strength/force* ◆ **6.1** met meer dan ~ *with superhuman strength/force.*
mensenleeftijd ⟨de (m.)⟩ **0.1** *lifetime* ◆ **3.1** er is een ~ mee gemoeid *a l.'s efforts have gone into it, it has taken the efforts/work of a l..*
mensenleven ⟨het⟩ **0.1** [het leven v.d. mens] *(human) life* **0.2** [het bestaan v.e. mens] *(human) life* ◆ **1.2** een groot verlies aan/van ~s *great loss of lives* **3.2** een oorlog kost veel ~s *a war costs many lives;* bij die brand zijn twee ~s te betreuren *two died in the fire.*
mensenlief ⟨tw.⟩ →*menslief²*.
mensenmassa ⟨de⟩ **0.1** *crowd/throng/mass (of people).*
mensenmateriaal ⟨het⟩ **0.1** *human material.*
mensenmenigte ⟨de (v.)⟩ **0.1** *crowd* ⇒*crush, throng (of people).*
mensenoffer ⟨het⟩ **0.1** *human sacrifice.*
mensenpaar ⟨het⟩ **0.1** *(human) couple* ◆ **7.1** het eerste ~ *Adam and Eve.*
mensenplicht ⟨de⟩ **0.1** *duty towards one's fellow men/humans* ⇒*duty towards others.*
mensenras ⟨het⟩ **0.1** *race (of humans).*
mensenrechten ⟨zn.mv.⟩ **0.1** *human rights.*
mensenredder ⟨de (m.)⟩ **0.1** *lifesaver.*
mensenschuw ⟨bn.⟩ **0.1** *shy* ⇒⟨pej.⟩ *unsociable, misanthropic* ◆ **1.1** een ~e persoon *a recluse/misanthrope.*
mensenschuwheid ⟨de (v.)⟩ **0.1** *shyness* ⇒*fear of company,* ⟨pej.⟩ *unsociableness, misanthropy.*
mensensmokkel ⟨de (m.)⟩ **0.1** *frontier-running* ⇒⟨handel⟩ *slave-running.*
mensenstem ⟨de⟩ **0.1** *human voice.*
mensenstroom ⟨de (m.)⟩ **0.1** *stream/flood of people.*
mensentaal ⟨de⟩ **0.1** *human language.*
mensentype ⟨het⟩ **0.1** *type of person/people.*
mensenverstand ⟨het⟩ **0.1** *human intelligence* ◆ **¶.1** een ~ te boven gaan *surpass h. i.;* ⟨schr.⟩ *be past/beyond the wit of man.*
mensenvlees ⟨het⟩ **0.1** *human flesh.*
mensenvlo ⟨de⟩ **0.1** *human flea.*
mensenvrees ⟨de⟩ **0.1** *fear of people/* ⟨schr.⟩ *men;* ⟨med.⟩ *anthropophobia.*
mensenvriend ⟨de (m.)⟩ **0.1** *philanthropist.*
mensenwereld ⟨de⟩ **0.1** *human world* ⇒*world of man.*
mensenwerk ⟨het⟩ **0.1** *human work* ⇒⟨schr.⟩ *work(s) of man, man's handswork* ◆ **3.1** dat is geen ~ *that was not done by humans/is not the handswork of man/men.*
mensenwijsheid ⟨de (v.)⟩ **0.1** *human wisdom.*
mensenzee ⟨de⟩ **0.1** *sea of people/humanity.*
mensenziel ⟨de⟩ **0.1** *human soul.*
mensenzoon ⟨de (m.)⟩ ⟨bijb.⟩ **0.1** *Son of Man.*
mens-erger-je-niet ⟨het⟩ **0.1** *ludo.*
menses ⟨zn.mv.⟩ **0.1** *menses.*
mensheid ⟨de (v.)⟩ **0.1** [menselijke natuur] *human nature* **0.2** [het mensdom] ⟨→mensdom⟩.
mensjaar ⟨het⟩ **0.1** *person-year.*
mensjewiek ⟨de (m.)⟩ **0.1** *Menshevik.*
menskunde ⟨de (v.)⟩ **0.1** [biologie] *human biology* **0.2** [mensenkennis] ⟨→mensenkennis⟩.
menskundig ⟨bn.⟩ **0.1** *revealing/showing good judgment of/insight into human nature* ⟨alleen na zn.⟩ ⇒⟨minder juist⟩ *shrewd.*
menslief¹ ⟨het⟩ **0.1** *dear.*
menslief² ⟨tw.⟩ **0.1** ⟨verbaasd⟩ *goodness (gracious/me)!, my goodness!;* ⟨medelijdend⟩ *(you) poor thing!.*
menslievend ⟨bn., bw.;-ly⟩ **0.1** *charitable* ⇒*humane, humanitarian,* ⟨weldadig⟩ *philanthropic.*
menslievendheid ⟨de (v.)⟩ **0.1** *charity* ⇒*humanity,* ⟨weldadigheid⟩ *philanthropy.*
mensonterend ⟨bn.⟩ **0.1** *degrading* ⇒*disgraceful.*
mensonwaardig ⟨bn.⟩ **0.1** *degrading* ⇒*unworthy (of man).*
menstruaal ⟨bn.⟩ **0.1** *menstrual* ◆ **1.1** ~ bloed *m. blood.*
menstruatie ⟨de (v.)⟩ **0.1** *menstruation.*
menstruatiecyclus ⟨de (m.)⟩ **0.1** *menstrual cycle* ◆ **2.1** een onregelmatige ~ hebben *have an irregular menstrual cycle, have irregular periods, be irregular.*
menstruatieperiode ⟨de (v.)⟩ **0.1** *(menstrual) period.*
menstruatiepijn ⟨de (v.)⟩ **0.1** *menstrual/period pain.*
menstruatiestoornis ⟨de (v.)⟩ **0.1** *menstrual disorder.*
menstrueel →*menstruaal.*
menstrueren ⟨onov.ww.⟩ **0.1** *menstruate.*
mensuraal ⟨bn.⟩ **0.1** *mensural, mensurable* ◆ **1.1** mensurale muziek *mensural/mensurable music;* mensurale notatie *mensural notation.*
mensuur ⟨de⟩ **0.1** ⟨muz.⟩ *scale, scaling* ⇒*diapason* **0.2** [klinkend snaargedeelte] *stop* **0.3** ⟨schermen⟩ *(fencing) measure.*
mensvormig ⟨bn.⟩ **0.1** *having human shape/form* ⟨alleen na zn.⟩ ⇒⟨wet.⟩ *anthropomorphous.*
mensvriendelijk ⟨bn.⟩ ◆ **3.¶** ~en milieuvriendelijk ondernemen ≠*run a conservationist/organic enterprise/farm.*

menswaardig ⟨bn.⟩ **0.1** *decent* ⇒*dignified, worthy* ◆ **1.1** een ~ bestaan *a decent / dignified existence;* een ~ loon *a living / decent wage.*

menswetenschappen ⟨zn.mv.⟩ **0.1** ⟨biologie, medicijnen, antropologie, enz.⟩ *life sciences;* ⟨politiek, economie, enz.⟩ *social sciences.*

menswording ⟨de (v.)⟩ **0.1** [antropogenese] *origin of man(kind)* **0.2** [incarnatie] *incarnation* ◆ **1.2** de ~ van Gods zoon *the i. of the Son of God.*

mens-zijn ⟨het⟩ **0.1** *(human) existence* ⇒*humanity.*

mentaal ⟨bn., bw.; -ly⟩ **0.1** [geestelijk] *mental* **0.2** [dmv. de gedachte] *mental* ◆ **1.1** een mentale klap *a m. blow.*

mentaliteit ⟨de (v.)⟩ **0.1** *mentality* ⇒*state of mind* ◆ **6.1** iem. met die ~! *s.o. of that m.!* **7.1** dat is geen ~! *that's no way to think / no attitude!.*

mentaliteitsverandering ⟨de (v.)⟩ **0.1** *change of / in mentality / attitude / outlook.*

menthol ⟨de (m.)⟩ **0.1** *menthol.*

menticide ⟨de (v.)⟩ **0.1** *menticide.*

mentor ⟨de (m.)⟩ **0.1** [studiebegeleider van leerlingen / studenten] ⟨BE⟩ *tutor* ⇒*supervisor (of studies),* ⟨AE⟩ *student adviser, guidance counselor* **0.2** [raadsman] *mentor.*

mentoraat ⟨het⟩ **0.1** *tutorage, tutorship* ◆ **3.1** een ~ hebben ⟨BE⟩ *be a tutor, have a tutorial / tutorials;* ⟨AE⟩ *be an advisor / a student advisor, have advising.*

menu ⟨het, de (m.)⟩ **0.1** [gerechten] *menu* **0.2** [spijskaart] *menu* ⇒⟨fig., scherts. ook⟩ *bill of fare* **0.3** [⟨comp.⟩] *menu* ◆ **2.1** het vaste ~ *the fixed m., the set meal / dinner / lunch* **6.2** wat staat er vandaag op het ~? ⟨ook fig.⟩ *what's on the m. / the bill of fare today?.*

menuet ⟨het, de (m.)⟩ **0.1** [dans] *minuet* **0.2** [muziek] *minuet.*

menukaart ⟨de⟩ **0.1** *menu.*

ME-opleiding ⟨de (v.)⟩ **0.1** [opleiding] *special-duty (police) training* **0.2** [het opgeleid worden] *training for special (police) duties.*

mep ⟨de⟩ **0.1** *clout* ⇒⟨inf.⟩ *wallop, whack, thump, bash, thwack* ◆ **2.¶** de volle ~ *the full whack,* ↑*the full amount* **3.1** iem. een ~ geven ⟨ook⟩ *clout s.o..*

meppen ⟨ov.ww.⟩ **0.1** [slaan] *clout* ⇒⟨inf.⟩ *wallop, whack, thump, bash* **0.2** [doodslaan] *swat* ⟨vliegen⟩ ◆ **1.2** ⟨fig.⟩ andere katten te ~ hebben *have other fish to fry.*

meranti ⟨het⟩ **0.1** *meranti.*

mercantilisme ⟨het⟩ ⟨gesch.⟩ **0.1** *mercantilism.*

mercaptanen ⟨zn.mv.⟩ ⟨schei.⟩ **0.1** *mercaptans* ⇒*thiols.*

mercatorprojectie ⟨de (v.)⟩ **0.1** *Mercator's projection.*

mercenair¹ ⟨de (m.)⟩ **0.1** *mercenary.*

mercenair² ⟨bn.⟩ **0.1** *mercenary.*

merci ⟨tw.⟩ ⟨inf.⟩ **0.1** *thanks* ⇒ ↑*ta, cheers.*

mercuriäliën ⟨zn.mv.⟩ ⟨med.⟩ **0.1** *mercurials* ⇒*mercurial salts.*

Mercurius 0.1 *Mercury.*

mercuriusstaf ⟨de (m.)⟩ **0.1** *caduceus.*

mercurochroom ⟨het⟩ **0.1** *mercurochrome.*

merel ⟨de⟩ **0.1** ᴮ*blackbird.*

meren ⟨onov., ov.ww.⟩ **0.1** *moor* ⇒⟨ov.ww.ook⟩ *make fast.*

merendeel ⟨het⟩ **0.1** *greater part* ⇒*bulk, most,* ⟨van iets telbaars ook⟩ *majority* ◆ **1.1** het ~ v.d. mensen *most / the majority / the greater part of the people* **6.1** voor het ~ *for the most greater part.*

merendeels ⟨bw.⟩ **0.1** [voor het grootste gedeelte] *for the most part* ⇒*for the greater part* **0.2** [meestal] *mostly.*

merg ⟨het⟩ **0.1** [substantie in beenderen] *(bone) marrow* ⇒⟨wet.⟩ *medulla* **0.2** [vruchtvlees] *flesh* **0.3** [⟨plantk.⟩] *pith* ⇒⟨wet.⟩ *medulla* ◆ **1.1** die kou dringt door ~ en been *the cold chills you to the bone / the m. / cuts through you like a knife;* die kreet drong je door ~ en been *it was a harrowing / heart-rending cry;* hij is een musicus in ~ en been *he's a musician to the core / a musician through and through* **2.¶** ⟨med.⟩ het verlengde ~ *the medulla (oblongata).*

mergbeen ⟨het⟩ **0.1** *marrowbone.*

mergel ⟨de (m.)⟩ **0.1** *marl.*

mergelen ⟨onov., ov.ww.⟩ **0.1** *marl (land).*

mergelgroeve ⟨de⟩ **0.1** *marlpit.*

mergelkalk ⟨de (m.)⟩ **0.1** *marl* ⇒*marl limestone.*

mergelsteen
I ⟨het, de (m.)⟩ **0.1** [steensoort] *marlstone;*
II ⟨de (m.)⟩ **0.1** [steen] *marlstone.*

mergpijp ⟨de⟩ **0.1** [mergbeen] *marrowbone* **0.2** [⟨meestal ~je⟩ blokje cake] *'mergpijpje' ⟨piece of marzipan and chocolate cake⟩.*

mergvlies ⟨het⟩ **0.1** *medullary membrane.*

meridiaan ⟨de (m.)⟩ **0.1** [denkbeeldige cirkel] *meridian* **0.2** [onderdeel v.e. globe] *meridian* **0.3** [⟨acupunctuur⟩] *meridian* ◆ **2.1** magnetische ~ *magnetic m.* **6.1** ⟨ster.⟩ door de ~ gaan, de ~ passeren *culminate* **7.1** de eerste ~ *prime m..*

meridiaancirkel ⟨de (m.)⟩ **0.1** [uurcirkel] *hour circle* **0.2** [meridiaankijker] ⟨→**meridiaankijker**⟩.

meridiaankijker ⟨de (m.)⟩ **0.1** *meridian circle.*

meridiaankromme ⟨de (v.)⟩ **0.1** *meridian curve.*

meridiaanshoogte ⟨de (v.)⟩ **0.1** *meridian altitude.*

meridionaal ⟨het⟩ **0.1** [zuidelijk] *southern* ⇒ ↑*meridional,* ⟨schr.⟩ *southerly* **0.2** [van noord tot zuid] *running north to south / north-south* ⟨alleen na zn.⟩.

meringue ⟨de (m.)⟩ **0.1** *meringue.*

merinosgaren ⟨het⟩ **0.1** *merino yarn.*

merinosschaap ⟨het⟩ **0.1** *merino (sheep).*

meristeem ⟨het⟩ ⟨plantk.⟩ **0.1** *meristem.*

merite ⟨de⟩ **0.1** *merit* ◆ **1.1** de ~ s v.d. zaak *the merits of the case* **6.1** iets op zijn ~ s beoordelen *judge sth. on its merits.*

meritocratie ⟨de (v.)⟩ **0.1** *meritocracy.*

merk ⟨het⟩ **0.1** [onderscheidingsteken] *mark* ⇒⟨keur⟩ *hallmark* **0.2** [handelsmerk] *brand (name)* ⇒⟨handelsmerk⟩ *trademark, label* **0.3** [koopwaar] *brand* ⇒⟨fabrikaat⟩ *make* ◆ **2.2** ⟨iron.; fig.⟩ hij is een fijn ~ *he's a fine one / sort;* dat is wijn v.e. goed ~ *that's a good brand of wine* **2.3** een nieuw ~ sigaren *a new b. of cigars* **6.1** de ~ en op zilver en goud *hallmarks on silver and gold* **6.2** artikelen zonder ~ *unbranded articles.*

merkartikel ⟨het⟩ **0.1** *branded / proprietary brand.*

merkbaar ⟨bn., bw.; -ly⟩ **0.1** *noticeable* ⇒*appreciable, perceptible* ◆ **1.1** dat heeft een merkbare invloed it has a *n. / an appreciable effect* **3.1** hij is ~ kalmer geworden *he has grown noticeably / appreciably calmer;* het verschil is al (goed) ~ *the difference is already n. / apparent / evident / in evidence / shows already.*

merkcijfer ⟨het⟩ **0.1** [cijfer als merk] *(identifying) number* **0.2** [dossiernummer, referentienummer] *(reference / identifying) number.*

merkdoek ⟨de (m.)⟩ **0.1** *sampler.*

merkelijk ⟨bn., bw.; -ly⟩ ⟨schr.⟩ **0.1** [kennelijk] *evident* **0.2** [aanmerkelijk] *considerable* ⇒*appreciable, significant* ◆ **1.1** brand door ~ e schuld veroorzaakt *fire evidently caused by negligence* **1.2** een ~ verlies *a c. loss.*

merken ⟨ov.ww.⟩ **0.1** [bemerken] *notice* ⇒*see,* ↑*perceive* **0.2** [markeren] *mark* ⇒⟨met brandmerk⟩ *brand* ◆ **3.1** het is niet te ~ *it doesn't show;* ze heeft problemen en dat is duidelijk te ~ *she's got problems and it shows / and you can tell;* iets laten ~ *show sth., let sth. be seen;* ⟨per ongeluk⟩ *give sth. away;* zonder iets te laten ~ *without showing anything / giving anything away* ⟨inf.⟩ *letting on;* ze liet duidelijk ~ dat het haar verveelde *she made it clear (that) she was annoyed;* hij liet niets van zijn bedoelingen ~ *he gave no hint / inkling of his intentions;* hij liet niets ~ *he gave nothing away / no sign* **5.1** je zult het gauw genoeg ~ *you'll find out soon enough* **6.1** ik merkte het aan zijn gezicht *I could tell / see by / from the look on his face;* hij zou 1000 gulden kunnen uitgeven zonder het te ~ *he could spend 1000 guilders and never n. it / miss it;* hij werd van zijn portefeuille beroofd zonder het te ~ *he was robbed of his wallet unawares;* hij reed door een rood licht heen zonder het te ~ *he drove through a red light without (even) noticing.*

merkenbureau ⟨het⟩ **0.1** [rijksmerkenbureau] *Trade Mark Office* ⇒ ⟨GB⟩ *Patent Office* **0.2** [bureau van merkengemachtigden] *Trade Marks Registry.*

merkengemachtigde ⟨de (m.)⟩ **0.1** *trade-marks consultant.*

merkenwet ⟨de⟩ **0.1** *patent and trade mark law.*

merkgaren ⟨het⟩ **0.1** *marking thread.*

merkijzer ⟨het⟩ **0.1** *marking / branding / searing iron.*

merkinkt ⟨de (m.)⟩ **0.1** *marking ink.*

merklap ⟨de (m.)⟩ **0.1** *sampler.*

merklat ⟨de⟩ **0.1** *dressmaker's / tailor's rule.*

merknaam ⟨de (m.)⟩ **0.1** *brand (name)* ⇒⟨minder juist⟩ *trade name, trademark.*

merkprodukt ⟨het⟩ **0.1** *branded / proprietary product.*

merksteen ⟨de (m.)⟩ **0.1** *boundary stone.*

merkteken ⟨het⟩ **0.1** *(identifying) mark / sign.*

merkvast ⟨bn.⟩ **0.1** *faithful to a / this (particular) brand.*

merkwaardig ⟨bn., bw.; -ly⟩ **0.1** [buitengewoon] *remarkable* ⇒*noteworthy, notable* **0.2** [vreemd] *peculiar* ⇒*curious, odd* ◆ **1.2** een ~ e kerel *a p. / a curious / an odd fellow / chap / ⟨vnl. AE⟩ guy* **1.¶** ⟨wisk.⟩ ~ e produkten / quotiënten *remarkable products / quotients;* ⟨wisk.⟩ ~ e punten *remarkable points* **7.1** het ~ e van dit geval is dat ... *the r. thing / part (about this) is that ...* **7.2** het ~ e v.d. zaak is ... *the p. / curious / odd thing / part (about it) is ....*

merkwaardigerwijs ⟨bw.⟩ **0.1** *oddly / curiously / strangely enough.*

merkwaardigheid ⟨de (v.)⟩ **0.1** [curiositeit] *curiosity;* ⟨vreemd ding⟩ *oddity* **0.2** [hoedanigheid] ⟨buitengewoonheid⟩ *remarkableness* ⇒*noteworthiness,* ⟨vreemdheid⟩ *peculiarity, oddness, curiousness* ◆ **1.1** de merkwaardigheden v.e. streek *the local curiosities / sights.*

merrie ⟨de (v.)⟩ **0.1** [wijfje v.h. paard] *mare* **0.2** [wijfje van andere dieren] *mare.*

merrieveulen ⟨het⟩ **0.1** *filly* ⟨paard⟩; *young mare, female foal* ⟨andere dieren⟩.

mersennegetal ⟨het⟩ ⟨wisk.⟩ **0.1** *Mersenne('s) number.*

mes ⟨het⟩ ⟨→sprw. 364.430.431⟩ **0.1** [snijinstrument] *knife* ⇒⟨van scheerapparaat / grasmaaier enz.⟩ *blade* **0.2** [mbt. een balans] *knife-edge* ◆ **1.1** de rug / het scherp / hecht v.e. ~ *the back / blade / handle of a k.;* met ~ en vork eten *eat with a k. and fork;* ~ sen en vorken ⟨ook⟩ *cutlery* **2.1** een scherp / bot ~ *a sharp / dull k.* **2.¶** ⟨sport⟩ een groot ~ opzetten *put on speed, go into high gear* **3.1** het ~ in de begroting zetten *reduce the budget;* ⟨fig.⟩ het ~ snijdt aan twee kan-

ten ⟨geeft dubbel voordeel⟩ *we/you can kill two birds with one stone;* ⟨geeft dubbel geld⟩ *we/you can make twice as much money;* zij trekken hun ~sen *they pull/draw their knives;* het ~ in iets zetten ⟨fig.⟩ *set about sth. vigorously, take firm/drastic action;* ⟨bezuinigen⟩ *take/ apply the axe to sth., axe sth.;* iem. het ~ op de keel zetten ⟨ook fig.⟩ *put a k. to s.o.'s throat;* ⟨fig. ook⟩ *put a pistol to s.o.'s head;* het ~ zetten in de uitgaven *trim/cut down expenditure* **6.1** ⟨fig.⟩ **onder** het ~ gaan/zitten *(go and) be cut open* **6.** ¶ onderhandelingen met het ~ op tafel *hostile negotiations, negotiations with the gloves off.*
mescal ⟨de (m.)⟩ **0.1** *mescal* ⇒*peyote.*
mescaline ⟨het, de⟩ **0.1** *mescalin(e).*
mesje ⟨het⟩ **0.1** [klein mes] *(small) knife* **0.2** [scheermesje] *(razor) blade.*
mesjogge ⟨bn.⟩ ⟨inf.⟩ **0.1** *crazy* ⇒*nutty, batty,* ⟨BE ook⟩ *daft,* ⟨AE ook⟩ *meshug(g)a* ◆ **1.1** dat is een ~ idee *that's a harebrained idea/crackpot scheme* **3.1** ben je nou helemaal ~? *are you completely cracked/out of your mind/* [B]*barmy/* [A]*bats?;* dat is ~ *that's c./ nuts/loony.*
mesoderm ⟨het⟩ ⟨biol.⟩ **0.1** *mesoderm.*
mesofyt ⟨de⟩ ⟨plantk.⟩ **0.1** *mesophyte.*
Mesopotamië ⟨het⟩ **0.1** *Mesopotamia.*
Mesopotamiër ⟨de (m.)⟩ **0.1** *Mesopotamian.*
mespunt ⟨het⟩ **0.1** [punt v.e. mes] *point/tip of a knife* **0.2** [hoeveelheid] *pinch* ◆ **1.2** voeg een ~je zout toe *add a p. of salt.*
mess ⟨de (m.)⟩ ⟨mil.⟩ **0.1** [vertrek] *mess (hall)* ⇒*messroom* **0.2** [knoeiboel] *mess* ◆ **3.2** ergens een ~ van maken *make a m. of sth., mess sth. up.*
messchede ⟨de⟩ **0.1** [koker voor een mes] *knife sheath/case* **0.2** [schelpdier] *razor shell/fish* ⇒ ⟨AE ook⟩ *razor clam.*
messcherp ⟨bn.⟩ **0.1** *razor-sharp* ◆ **1.1** een ~e opmerking *a biting/caustic comment;* een ~ intellect *a r.-s. intellect.*
messelegger ⟨de (m.)⟩ **0.1** *knife rest.*
messenmandje ⟨het⟩ **0.1** [B]*plate basket.*
messenslijper ⟨de (m.)⟩ **0.1** [instrument] *knife-grinder, knife-sharpener* **0.2** [persoon] *knife-grinder.*
messetrekker ⟨de (m.)⟩ **0.1** *knife fighter* ⇒ ⟨sl.⟩ *shiv artist.*
Messiaans ⟨bn.⟩ **0.1** *Messianic.*
Messias ⟨de (m.)⟩ ⟨bijb.⟩ **0.1** *Messiah.*
messing
I ⟨het⟩ **0.1** [metaal] *brass* ◆ **2.1** rood ~ *tombac, tambac;*
II ⟨de⟩ **0.1** ⟨houtbedekking⟩ *tongue* ◆ **1.1** een verbinding met ~ en groef *t. and groove joint.*
messnee ⟨de⟩ **0.1** [met een mes] *knife cut* **0.2** [v.e. mes] *knife-edge.*
messteek ⟨de (m.)⟩ **0.1** *stab/thrust (of a knife).*
mest ⟨de (m.)⟩ **0.1** [gemaakt van uitwerpselen] *manure* ⇒*dung,* ⟨inf.⟩ *muck* **0.2** [gemaakt van andere stoffen] *fertilizer* ⇒*compost.*
mestaarde ⟨de⟩ **0.1** *mould.*
mesten
I ⟨onov., ov.ww.⟩ **0.1** [vruchtbaar maken] *fertilize* ⇒*manure, dress* **0.2** [uitmesten] *muck (out)* ◆ **1.2** stallen ~ *muck out the stalls/stables* ⟨paard⟩;
II ⟨ov.ww.⟩ **0.1** [(vee) vet maken] *fatten (up)* ⇒⟨patiënt/huisdier ook⟩ *feed up, plump, cram* ⟨gevogelte⟩ ◆ **1.1** ⟨bijb.⟩ het gemeste kalf *the fatted calf;* gemeste os *stalled ox;* op stal ~ *stall-feed;*
III ⟨onov.ww.⟩ **0.1** [mest afscheiden] *excrete dung.*
mesthoen ⟨het⟩ **0.1** *poulard(e).*
mesthok ⟨het⟩ **0.1** [waarin dieren worden vetgemest] *fatt(en)ing pen* **0.2** [voor mest] *dung shed.*
mesthoop ⟨de (m.)⟩ ⟨→sprw. 246⟩ **0.1** [mestvaalt] *dunghill* ⇒*manure heap, midden, muckheap,* [B]*mixen* **0.2** [⟨fig.⟩] *shambles* ⇒⟨vulg.⟩ *pile of shit* ◆ **6.1** zitten als Job op de ~ *have the troubles of Job.*
mesties ⟨de (m.)⟩ **0.1** *mestizo* ⟨m.⟩, *mestiza* ⟨v.⟩ ⇒*metis.*
mestkalf ⟨het⟩ **0.1** ⟨wordt gemest⟩ *fatting calf;* ⟨is gemest⟩ *fattened calf.*
mestkar ⟨de⟩ **0.1** *muck/dung cart.*
mestkever ⟨de (m.)⟩ **0.1** *dung beetle* ⇒*dung chafer, scarab* ⟨beetle⟩.
mestkuiken ⟨het⟩ **0.1** *poussin* ⇒⟨vnl. AE ook⟩ *spring chicken.*
mestkuil ⟨de (m.)⟩ **0.1** *dung pit.*
mestvaalt ⟨de⟩ **0.1** ~ *mesthoop* **0.1.**
mestvarken ⟨het⟩ **0.1** [varken] *porker* ⇒⟨BE ook⟩ *store pig,* ⟨AE ook⟩ *fattening hog* **0.2** [⟨fig.⟩ gulzigaard] *pig.*
mestvee ⟨het⟩ **0.1** ⟨wordt gemest⟩ *beef/* [B]*store cattle/stock* ⇒[B]*stores, fattening/fatting cattle,* ⟨is gemest⟩ *fatstock.*
mestvork ⟨de⟩ **0.1** *dung fork* ⇒*manure fork, muckrake.*
met[1] ⟨bw.⟩ **0.1** *just as* ⇒*at the same time/moment (as)* ◆ **8.1** ~ dat ik de deur uitkwam *...just as I came through the door ....*
met[2] ⟨vz.⟩ ⟨→sprw. 211,212⟩ **0.1** [in gezelschap van] *(along) with* ⇒*of* **0.2** [plus] *with* ⇒*and, plus,* ⟨inclusief⟩ *including* **0.3** [mbt. deelneming/overeenstemming] *with* **0.4** [vermengd met] *(mixed) with* ⇒*and* **0.5** [mbt. een wederkerige handeling] *with* **0.6** [in het bezit van] *with* **0.7** [mbt. de omstandigheid/gezindheid] *with* ⇒*by, at, in* **0.8** [door middel van] *with, by* ⇒*per, through, in* **0.9** [gelijktijdig met] *with, by* ⇒*at, in* **0.10** [aangaande] *with* ⇒*for* **0.11** [mbt. een hebbelijkheid] *with* ⇒*and* ◆ **1.1** ~ zijn allen aten ze vijf broden op *they ate five loaves (of bread) among/* ⟨inf. ook⟩ *between them;* ze kwamen ~ honder-

---

den *they came in their hundreds* **1.2** ~ tien percent korting kopen *buy at a ten percent reduction/discount;* ~ rente *w./ plus/and interest* **1.4** een brandewijntje ~ *a brandy w. sugar in it* **1.5** ~ Janssen ⟨aan de telefoon⟩ *(this is) Janssen speaking* **1.6** een man ~ geld *a monied man;* een zak ~ geld *a bag of money;* een broodje ~ ham *a ham roll;* ~ de hoed in de hand *(w.) hat in hand;* de man ~ de hoed *the man in the hat;* ~ kleren en al dook hij het water in *he dived in the water clothes and all;* patat ~ of zonder [B]*chips/* [A]*(French) fries w. or without mayonnaise* **1.7** ~ bewondering luisteren *listen in admiration;* ~ dank *w. thanks;* ~ geweld *by force;* ~ lof *w. honour, cum laude;* ~ plezier iets doen *do sth. with pleasure* **1.8** ~ hele emmers tegelijk *by the bucketful;* ~ de hand gemaakt *made by hand, hand-made;* ~ inkt schrijven *write in ink;* ~ de (ochtend)post *by/per (the morning)* [B]*post/* [A]*mail;* gezien ~ de ogen v.e. kind *seen through a child's eyes;* ~ dezelfde trein reizen *travel on the same train;* ~ de trein van acht uur *by the eight o'clock train* **1.9** ~ Kerstmis tien jaar geleden *ten Christmases ago, ten years ago, come Christmas;* ik kom ~ Kerstmis *I'm coming at Christmas;* de klok van twaalven ben ik bij je *at the stroke of twelve I'll be w. you* **1.10** ~ de VUT gaan *retire early* **1.11** jij altijd ~ je gezeur *you and your (continuous) whining;* daar heb je hem weer ~ zijn knappe kinderen *there he goes again, on about his handsome children* **3.3** ~ elkaar overeenstemmen *be in agreement* **3.5** ~ wie spreek ik? ⟨aan de telefoon⟩ *who am I speaking/talking to?, who's this/ that?;* spreken/vechten ~ iem. *speak to/fight with s.o.* **3.8** ~ een cheque/geld betalen *pay by cheque* [A]*check/ (in) cash;* zijn tijd doorbrengen ~ luieren *spend one's time lazing around/* [B]*about* **4.1** ~ ⟨zijn⟩ hoevelen zijn zij? *how many of them are there?* **4.2** ~ deze erbij zijn het er zeven *this one makes seven, including this (one) there are seven* **4.7** ~ dat al *yet for all that, in spite of this* **5.9** al ~ al *altogether* **6.2** iem. ~ een hoed op *s.o. wearing a hat/w. a hat on* **7.1** we zijn ~ ons tweeën *there are two of us;* we zijn thuis ~ ⟨ons⟩ vieren/vier kinderen *there are four (of us)/four children in the family* **7.2** ~ vijf *plus/and five* ¶.2 tot en ~ hoofdstuk drie *through/up to and including chapter three.*
M.E.T. ⟨de (m.)⟩ ⟨afk.⟩ **0.1** [middeleuropese tijd] *C.E.T.* ⟨*Central European Time*⟩.
metaal
I ⟨het⟩ **0.1** [⟨schei.⟩] *metal* ◆ **2.1** edele/onedele/half-edele metalen *precious/base/semi-precious metals;* gedegen ~ *unalloyed m.;* oud ~ *scrap/old m.;* zuiver ~ *unalloyed m.;* ⟨als metaalslak⟩ *regulus;* zware/lichte metalen *heavy/light metals* **3.1** een ~ harden *harden/temper a m.* **6.1** ⟨stofnaam⟩ dat is van ~ *that is (composed of) m.;* geheel van ~ *all-metal;*
II ⟨de⟩ **0.1** [metaalnijverheid] *metal industry* ⇒*metalworks,* ⟨mbt. staal⟩ *steel industry* ◆ **6.1** arbeider in de ~ *metalworker;* ⟨mbt. staal⟩ *steelworker.*
metaalachtig
I ⟨bn.⟩ **0.1** [metaaldelen bevattend] *metallic* ⇒*metalline;*
II ⟨bn., bw.⟩ **0.1** [als (van) metaal] *metallic* ⇒*metalline* ◆ **3.1** het klinkt ~ *it sounds metallic.*
metaalarbeider ⟨de (m.)⟩ **0.1** *metalworker;* ⟨mbt. staal⟩ *steelworker.*
metaalbedrijf ⟨het⟩ **0.1** [metaalnijverheid] (→**metaalnijverheid**⟩ **0.2** [metaalonderneming] *metallurgical concern.*
metaalbewerker ⟨de (m.)⟩ **0.1** *metalworker* ⇒*metallist.*
metaalbewerking ⟨de (v.)⟩ **0.1** *metal working.*
metaalboor ⟨de⟩ **0.1** *metal drill.*
metaaldeeltje ⟨het⟩ **0.1** *metal particle.*
metaaldraad
I ⟨de (m.)⟩ **0.1** [draad van metaal] *wire* ⇒ ⟨in lamp⟩ *filament;*
II ⟨het⟩ **0.1** [tot draad getrokken metaal] *wire.*
metaalfabriek ⟨de (v.)⟩ **0.1** *metal works.*
metaalfolie ⟨het⟩ **0.1** [halffabrikaat] *leaf metal* **0.2** [voedselverpakking] *metal foil.*
metaalgaas ⟨het⟩ **0.1** ⟨fijn⟩ *wire gauze/cloth/mesh;* ⟨grof, ook in glas⟩ *wire netting;* ⟨horrengaas⟩ *screen cloth, screening* ◆ **6.1** door ~ zeven *screen.*
metaalgehalte ⟨het⟩ **0.1** *metal content.*
metaalgieterij ⟨de (v.)⟩ **0.1** [het metaalgieten] *metal casting* **0.2** [plaats] *foundry.*
metaalglans ⟨de (m.)⟩ **0.1** *metallic lustre* ◆ **6.1** aardewerk met ~ *lustreware.*
metaalhoudend ⟨bn.⟩ **0.1** *metallic* ⇒*metalliferous, metalline.*
metaalindustrie ⟨de (v.)⟩ **0.1** *metal/metallurgical industry* ⇒⟨mbt. staal⟩ *steel industry.*
metaalklank ⟨de (m.)⟩ **0.1** *metallic ring* ⇒*clank,* ⟨van kleine voorwerpen⟩ *jingle, jangle, tinkle,* ⟨van munten⟩ *chink.*
metaalkunde ⟨de (v.)⟩ **0.1** *metallurgy.*
metaalkundig
I ⟨bn.⟩ **0.1** [mbt. de metaalkunde] *metallurgic(al);*
II ⟨bw.⟩ **0.1** [volgens de metaalkunde] *metallurgically.*
metaalkundige ⟨de (v.)⟩ **0.1** *metallurgist.*
metaallegering ⟨de (v.)⟩ **0.1** *metal alloy.*
metaalmoeheid ⟨de (v.)⟩ **0.1** *metal fatigue.*
metaalnijverheid ⟨de (v.)⟩ **0.1** *metal/metallurgical industry* ⇒⟨mbt. staal⟩ *steel industry.*

metaaloxyde ⟨het⟩ **0.1** *metal oxide.*

metaalplaat ⟨de⟩ **0.1** *metal sheet* ⇒⟨dikker⟩ *metal plate* ◆ **1.1** bekleding met/wand van metaalplaten *sheeting* **6.1** fotografie/positief **op** metaalplaten *ferrotype.*

metaalschaar ⟨de⟩ **0.1** ⟨handgereedschap⟩ *metal shears* ⇒*(tin) snips,* ⟨machine⟩ *(metal) shearing machine.*

metaalslak ⟨de⟩ **0.1** *slag* ⇒*cinder, scoria.*

metaalverbinding ⟨de (v.)⟩ **0.1** [⟨alg.⟩] *metallic joint* **0.2** [⟨schei.⟩] *metal(lic) compound* ⇒⟨legering⟩ *alloy.*

metaalverf ⟨de⟩ **0.1** [verf voor metalen] *metal paint* **0.2** [uit metaal bereide verf] *metallic paint.*

metaalverwerkend ⟨bn.⟩ ◆ **1.¶** ~e industrie *metallurgic(al)/metal-using industry.*

metaboliet ⟨de⟩⟨biol.⟩ **0.1** *metabolite.*

metacentrisch ⟨bn.⟩ **0.1** *metacentric* ◆ **1.1** ~e curve *m. curve;* ~ diagram *m. diagram.*

metacentrum ⟨het⟩ **0.1** *metacentre.*

metafase ⟨de (v.)⟩⟨biol.⟩ **0.1** *metaphase.*

metafoor ⟨de⟩⟨lit.⟩ **0.1** *metaphor* ⇒*figure of speech* ◆ **2.1** afgezaagde/versleten metaforen *overworked metaphors* **3.1** om een ~ te gebruiken *metaphorically speaking.*

metaforisch ⟨bn., bw.; -ly⟩ **0.1** *metaphorical* ⇒*figurative* ◆ **1.1** ~e uitdrukkingen *m. expressions* **3.1** een woord ~ gebruiken *use a word metaphorically;* ~ gezegd *metaphorically speaking.*

metafrase ⟨de (v.)⟩ **0.1** *metaphrase* ⇒*prose translation.*

metafysica ⟨de (v.)⟩ **0.1** [⟨fil.⟩] *metaphysics* **0.2** [⟨fig.⟩ bespiegeling] *metaphysics.*

metafysisch ⟨bn., bw.; -ly⟩ **0.1** *metaphysical.*

metalen ⟨bn.⟩ **0.1** [van metaal vervaardigd] *metal* ⇒*metallic* **0.2** [als van metaal] *metallic* ◆ **1.1** ~ schijven *metal discs* **1.2** een ~ klank *m. sound.*

metalinguistiek ⟨de (v.)⟩ **0.1** *metalinguistics.*

metalliek ⟨bn.⟩ **0.1** [metaalachtig] *metallic* **0.2** [van metaal] *metallic, metal* ◆ **1.2** ~e koppeling *metal coupling;* ~e standaard ⟨geldw.⟩ *(precious) metal standard.*

metallisatie ⟨de (v.)⟩ **0.1** [metaalvorming] *metallization* **0.2** [bewerking] *metallization.*

metallisch ⟨bn.⟩⟨nat., schei.⟩ **0.1** *metallic* ◆ **1.1** ~ seleen *m. selenium.*

metalliseren ⟨ov.ww.⟩ **0.1** [tot metaal maken] *metallize* **0.2** [een metaalachtig aanzien geven] *metallize* **0.3** [duurzaam maken] *metallize.*

metallochemie ⟨de (v.)⟩ **0.1** *metallo chemistry, metal chemistry.*

metalloïde ⟨het⟩ **0.1** *metalloid.*

metallurg ⟨de (m.)⟩ **0.1** *metallurgist.*

metallurgie ⟨de (v.)⟩ **0.1** *metallurgy.*

metallurgisch ⟨bn.⟩ **0.1** *metallurgic(al).*

metalogica ⟨de (v.)⟩ **0.1** *metalogic.*

metameer[1] ⟨het⟩ **0.1** *metamere.*

metameer[2] ⟨bn.⟩ **0.1** *metameric.*

metamorf ⟨bn.⟩⟨geol.⟩ **0.1** *metamorphic, metamorphous.*

metamorfologie ⟨de (v.)⟩ **0.1** *metamorphology.*

metamorfose ⟨de (v.)⟩ **0.1** [gedaanteverwisseling] *metamorphosis* **0.2** [⟨myth.⟩] *metamorphosis* ⇒*transformation* **0.3** [⟨biol.⟩] *metamorphosis* **0.4** [⟨plantk.⟩] *metamorphosis* **0.5** [⟨geol.⟩] *metamorphosis* ◆ **3.1** een ~ ondergaan hebben *have undergone a m., have been metamorphosed.*

metamorfoseren
  I ⟨onov.ww.⟩ **0.1** [van gedaante veranderen] *metamorphose (into)* ⇒ *be transformed (into);*
  II ⟨ov.ww.⟩ **0.1** [van gedaante doen veranderen] *metamorphose (into)* ⇒*transform (into).*

metaplasie ⟨de (v.)⟩⟨med.⟩ **0.1** *metaplasia.*

metaplasma ⟨het⟩ **0.1** *metaplasm.*

metastase ⟨de (v.)⟩⟨med.⟩ **0.1** *metastasis.*

metastaseren ⟨onov.ww.⟩ **0.1** *metastasize.*

metastasering ⟨de (v.)⟩ **0.1** *metastasis.*

metataal ⟨de⟩ **0.1** [taal waarin over taal gesproken wordt] *metalanguage* **0.2** [geformaliseerde taal] *metalanguage.*

metathesis ⟨de (v.)⟩⟨taal.⟩ **0.1** *metathesis.*

meteen ⟨bw.⟩ **0.1** [onmiddellijk] *immediately, at once* ⇒*right/straight away, directly,* ⟨inf.⟩ *pronto* **0.2** [tegelijkertijd] *at the same time* ◆ **3.1** ~ betalen *pay at once/on the nail;* ik kom ~ *I'm just coming, I won't be a minute/moment;* ze kwam ~ toen ze het hoorde *she came as soon as she heard it, she came right/straight away when she heard it;* dat zeg ik u zo ~ *I'll tell you in (just) a minute/moment* **3.2** ik heb er ~ twee gekocht *I bought two while I was at it;* koop er ook ~ eentje voor mij *buy one for me (too) while you're at it;* ik zal dit ~ maar meenemen *I'll take this with me too/at the same time;* ik bood hem een koekje aan en hij nam er ~ twee *I offered him a biscuit and he took two (at once)* **5.1** ze was ~ dood *she died/was killed instantly;* nu ~ *right now, here and now;* doe het/kom nu ~ *do it/come this (very) minute/right now* **5.¶** zo ~ verklapt hij het nog *next thing, he'll be giving it all away; he'll be giving it all away, next* **6.1** tot zo ~ *see you shortly/in a minute* **¶.1** ~ ter zake komen *come straight to the point.*

---

meten
  I ⟨onov., ov.ww.⟩ **0.1** [lengte/oppervlakte/inhoud bepalen] *measure* ⇒⟨schatten, peilen⟩ *gauge* ^*gage* **0.2** [mbt. andere groptheden] *measure* ⇒⟨met meettoestel⟩ *meter,* ⟨schatten, peilen⟩ *gauge* ^*gage* **0.3** [afpassen] *measure (out/off)* ◆ **1.1** land ~ *survey land* **1.2** de bloeddruk van iem. ~ *measure/take s.o.'s blood pressure;* elektriciteit ~ *measure/meter electricity;* warmte ~ *measure temperature* **5.3** ⟨fig.⟩ de tijd is kort gemeten *there's not much time (available), time is short;* hij meet ruim/krap *he gives full/short measure* **6.1 op** het gezicht ~ *m. by eye;* iem. **van** het hoofd **tot** de voeten ~ ⟨fig.⟩ *look s.o. up and down;* **vanaf** hier gemeten *measured/measuring from here;*
  II ⟨onov.ww.⟩ **0.1** [bepaalde afmeting hebben] *measure* ⟨vnl. niet mbt. mensen⟩ ◆ **1.1** de kamer meet 3 m. bij 5 m. *the room is 3 (metres) by 5* **7.1** hij meet 1.70 m. zonder schoenen/met zijn schoenen aan *he stands 5'7" in his socks/with his shoes on;*
  III ⟨wk.ww.; zich ~⟩ **0.1** [wedijveren] *measure (up to)* ⇒*match, measure o.s. (with), match o.s. (against)* ◆ **6.1** jij kunt je niet **met** haar ~ *you are no match for her;* hij kan zich niet ~ **met** zijn voorganger *he doesn't measure up to his predecessor;* hij kan zich **met** de besten ~ *he can hold his own with the best (of them).*

meteoor ⟨de (m.)⟩ **0.1** [meteoriet] *meteor* **0.2** [zichtbaar verschijnsel in de dampkring] *meteor.*

meteoorkrater ⟨de (m.)⟩ **0.1** *meteor crater.*

meteoorregen ⟨de (m.)⟩ **0.1** *(meteor) shower.*

meteoorsteen ⟨de (m.)⟩ →*meteoriet.*

meteoriet ⟨de (m.)⟩ **0.1** *meteorite* ⇒*meteoric stone,* ⟨aëroliet⟩ *aerolite,* ⟨sideriet⟩ *siderite.*

meteorisch ⟨bn.⟩ **0.1** *meteoric.*

meteorograaf ⟨de (m.)⟩ **0.1** *meteorograph.*

meteoroïde ⟨de (v.)⟩ **0.1** *meteoroid.*

meteorologie ⟨de (v.)⟩ **0.1** *meteorology* ⇒⟨het voorspellen van het weer ook⟩ *weather forecasting.*

meteorologisch ⟨bn.⟩ **0.1** *meteorological* ◆ **1.1** de ~e dienst *m./weather service;* het ~ instituut in De Bilt *the m. station/weather centre in De Bilt;* ~e waarnemingen *m. observations.*

meteoroloog ⟨de (m.)⟩ **0.1** *meteorologist* ⇒ [down arrow] *weatherman.*

meteosatelliet ⟨de (m.)⟩ **0.1** *meteosat(ellite).*

meter
  I ⟨de (m.)⟩ **0.1** [lengtemaat] *metre* **0.2** [meetlat, meetlint] ⟨meetlat⟩ *measuring rod;* ⟨meetlint⟩ *measuring tape, tape measure* ⇒⟨duimstok⟩ *rule,* ⟨meetlat van precies een meter⟩ *metre rule* **0.3** [meettoestel] *meter* ⇒*gauge, indicator,* ⟨inf.⟩ *clock* ⟨vnl. taximeter, snelheidsmeter⟩ **0.4** [wijzer, naald] *indicator, meter needle* **0.5** [persoon] *measurer* ⇒⟨schatten, peilen⟩ *gauger* ◆ **1.1** meters boeken *yards of books* **2.1** per strekkende ~ *per m.;* vierkante/kubieke ~ *square/cubic m.* **3.3** de ~ opnemen *read the m.* **3.4** de ~ sloeg uit *the i./m. n. jumped/reacted wildly* **5.1** meters te groot *miles/far too big;*
  II ⟨de (v.)⟩ **0.1** [peettante] *godmother.*

meterconstante ⟨de⟩ **0.1** *measuring factor.*

meterhuur ⟨de⟩ **0.1** *standing charge.*

meterkast ⟨de⟩ **0.1** *meter cupboard/*^*box/*^*closet.*

meterlens ⟨de⟩ **0.1** *dioptre.*

meteropnemer ⟨de (m.)⟩ **0.1** *meter reader* ⇒⟨mbt. gasmeter ook; inf.⟩ *gasman.*

meteropneming ⟨de (v.)⟩ **0.1** *meter reading.*

meterstand ⟨de (m.)⟩ **0.1** *meter reading* ◆ **3.1** de ~ opnemen *take the m. r., read the meter.*

metgezel ⟨de (m.)⟩, **-lin** ⟨de (v.)⟩ **0.1** *companion* ⇒*fellow* ⟨vnl. m.⟩, ⟨maat⟩ *mate* ⟨vnl. m.⟩.

methaan ⟨het⟩ **0.1** *methane.*

methaanvergisting ⟨de (v.)⟩ **0.1** *methane generation/production.*

methaanzuur ⟨het⟩ **0.1** *formic acid.*

methadon ⟨het⟩ **0.1** *methadone.*

methadonbus ⟨de⟩ **0.1** '*methadon(e) bus*' ⟨*bus supplying free methadon(e) to heroin addicts*⟩.

methadonverstrekking ⟨de (v.)⟩ **0.1** *supply of methadone.*

methanol ⟨het, de (m.)⟩ **0.1** *methanol* ⇒*methyl/wood alcohol.*

methode ⟨de (v.)⟩ **0.1** [weldoordachte handelswijze] *method* ⇒*system* **0.2** [leerplan] *method* ⇒*system* **0.3** [leerboek] *manual* ⇒*method,* ⟨eerste leesboek, beknopte handleiding⟩ *primer* **0.4** [wijze van onderzoek] *method* ◆ **3.1** in iets ~ brengen *put (some) m. into sth., methodize sth.;* een ~ volgen *follow a m./system, proceed according to a m./system* **6.1** volgens een ~ *according to a m./system* **7.¶** dat vind ik geen ~ *I don't think that's the right way (of going about it).*

methodiek ⟨de (v.)⟩ **0.1** *methodology.*

methodisch ⟨bn., bw.; -ly⟩ **0.1** [volgens een methode] *methodical* ⇒*systematic* **0.2** [ordelijk] *methodical, systematic* ⇒*orderly* ◆ **¶.1** ~ te werk gaan *approach one's work methodically;* hij gaat ~ te werk ⟨ook⟩ *he's a m. worker.*

methodisme ⟨het⟩ **0.1** *Methodism* ⇒*Wesleyanism.*

methodist ⟨de⟩ **0.1** *Methodist* ⇒*Wesleyan.*

methodistisch ⟨bn.⟩ **0.1** *Methodist* ⇒*Wesleyan.*

methodologie ⟨de (v.)⟩⟨fil.⟩ **0.1** *methodology.*

methodologisch ⟨bn.⟩ **0.1** *methodological.*
methodoloog ⟨de (m.)⟩⟨fil.⟩ **0.1** *methodologist.*
Methusalem ⟨de (m.)⟩ **0.1** *Methuselah* ◆ **8.1** zo oud als ~ *as ols as M..*
methylalcohol ⟨de (m.)⟩ **0.1** *methyl alcohol* ⇒*methanol, wood alcohol.*
methyleren ⟨ov.ww.⟩ **0.1** *methylate.*
métier ⟨het⟩ **0.1** [vak] *métier* **0.2** [kennis v.h. vak] *métier* ⇒*craftsmanship.*
meting ⟨de (v.)⟩ **0.1** [het meten] *measuring, measurement* ⇒*mensuration* **0.2** [keer dat men meet] *measurement.*
metonymia ⟨de⟩ **0.1** *metonymy.*
metonymisch ⟨bn., bw.; -ly⟩ **0.1** *metonymic(al).*
metrage ⟨de (v.)⟩ **0.1** ⟨stof⟩ ≠*yardage;* ⟨film⟩ ≠*footage* ⇒≠*length.*
metriek[1] ⟨de (v.)⟩ **0.1** [leer v.d. versbouw] *metrics* ⇒*prosody* **0.2** ⟨lit.⟩ maatsoort] *metre* **0.3** [⟨muz.⟩] *metrics.*
metriek[2] ⟨bn.⟩ **0.1** *metric* ◆ **1.1** het ~e stelsel *the m. system;* overschakelen op het ~e stelsel *change to the m. system, metricate;* ⟨inf.⟩ go m.; aanpassen aan het ~e stelsel *change to the m. system, metricize, metrify, metricate.*
metrisch
  I ⟨bn.⟩ **0.1** [tot de versmaat behorend] *metrical;*
  II ⟨bn., bw.⟩ **0.1** [in verzen] *metrical* ⇒*verse, metric* **0.2** [volgens het metrieke stelsel] *metric* ◆ **1.1** een ~e vertaling *a verse translation* **1.2** ~e meetkunde *m. geometry.*
metro ⟨de (m.)⟩ **0.1** [B]*underground (railway),* [A]*subway* ⇒⟨BE ook; inf.⟩ *tube,* ⟨vnl. mbt. Europese steden, vooral Parijs, ook⟩ *metro* ◆ **3.1** de ~ nemen *take the tube/s.* **6.1** met de ~ *by underground/s./tube;* met de ~ naar het werk gaan *go to work by tube/s..*
metrolijn ⟨de (m.)⟩ **0.1** [B]*underground/*[A]*subway line* ⇒⟨BE ook; inf.⟩ *tube line,* ⟨vnl. mbt. Europese steden, vooral Parijs, ook⟩ *metro line.*
metrologie ⟨de (v.)⟩ **0.1** [leer van maten en gewichten] *metrology* **0.2** [technick v.h. landmeten] *surveying.*
metrologisch ⟨bn.⟩ **0.1** *metrological.*
metroloog ⟨de (m.)⟩ **0.1** *surveyor.*
metronomisch ⟨bn.⟩ **0.1** *metronomic.*
metronoom ⟨de (m.)⟩⟨muz.⟩ **0.1** *metronome.*
metronymicum ⟨het⟩ **0.1** *metronymic, matronymic.*
metronymisch ⟨bn.⟩ **0.1** *metronymic, matronymic.*
metropoliet ⟨de (m.)⟩ **0.1** *metropolitan* ⇒*metropolitan bishop.*
metropolitaans ⟨bn.⟩ **0.1** *metropolitan.*
metropool ⟨de (m.)⟩ [wereldstad] *metropolis* **0.2** [moederstad] *metropolis* **0.3** [stad waar een metropoliet zetelt] *metropolis.*
metroscoop ⟨de (m.)⟩ **0.1** *hysteroscope.*
metrostation ⟨het⟩ **0.1** [B]*underground/*[A]*subway station* ⇒⟨BE ook; inf.⟩ *tube station,* ⟨vnl. mbt. Europese steden, vooral Parijs, ook⟩ *metro station.*
metrotrein ⟨de (m.)⟩, -**treinstel** ⟨het⟩ **0.1** [B]*underground/*[A]*subway train* ⇒*tube train, metro train.*
metrotunnel ⟨de (m.)⟩ **0.1** [B]*underground railway tunnel,* [A]*subway tunnel* ⇒⟨BE ook; inf.⟩ *tube.*
metrum ⟨het⟩ **0.1** *metre* ⇒*measure.*
metselaar ⟨de (m.)⟩ **0.1** *bricklayer* ⇒⟨BE; sl.⟩ *brickie.*
metselaarsbaas ⟨de (m.)⟩ **0.1** *master bricklayer.*
metselbij ⟨de⟩ **0.1** *mason bee.*
metselen ⟨onov., ov.ww.⟩ **0.1** [(iets) bouwen] *build (in brick/with bricks)* ⇒[bakstenen op elkaar voegen] *lay bricks* **0.2** [een nest maken] *build* **0.3** [drinken met de mond vol eten] *rinse/swill down (one's food)* ◆ **1.1** een muurtje ~ *build a wall;* een gemetselde schoorsteen *a brick chimney* **3.1** leren ~ *learn to lay bricks, learn bricklaying* **7.1** het ~ *bricklaying.*
metselkalk ⟨de (m.)⟩ **0.1** *mortar.*
metselspecie ⟨de⟩ **0.1** *mortar.*
metselsteen
  I ⟨de (m.)⟩ **0.1** [gebakken steen] *brick;*
  II ⟨het, de (m.)⟩ **0.1** [(als stofnaam)] *brick.*
metselverband ⟨het⟩ **0.1** *bond* ⇒*brick pattern.*
metselwerk ⟨het⟩ **0.1** [gemetseld werk] *brickwork* ⇒*masonry, stonework* **0.2** [dat wat gemetseld moet worden] *brickwork* ⇒*masonry* **0.3** [werk van metselaar] *bricklaying* ⇒*masonry* ◆ **2.1** effen ~ *smooth stonework;* opgaand ~ *aboveground masonry* **3.1** ~ voegen *point b..*
metselwesp ⟨de⟩ **0.1** *thread-waisted wasp.*
metselzand ⟨het⟩ **0.1** *masonry sand.*
metsen ⟨onov.ww., ov.ww.⟩⟨AZN⟩ **0.1** *lay bricks.*
metser ⟨de (m.)⟩⟨AZN⟩ **0.1** *bricklayer* ⇒⟨BE; sl.⟩ *brickie.*
metten ⟨zn.mv.⟩⟨r.k.⟩ **0.1** *matins* ◆ **2.1** de donkere ~ *Tenebrae* **2.¶** korte ~ met iem. maken *quash/crush s.o., finish s.o. off (in a few short strokes);* korte ~ maken (met) *give short shrift (to), make short/quick work (of), deal summarily (with)* **3.1** ⟨fig.⟩ iem. de ~ lezen *read s.o. the riot act.*
metterdaad ⟨bw.⟩ **0.1** [in werkelijkheid] *indeed* ⇒*in fact, actually, really* **0.2** [door daden] *actively* ◆ **3.2** hij heeft ~ getoond u te willen helpen *he a. demonstrated his willingness to help you.*
mettertijd ⟨bw.⟩ **0.1** *in due time/course* ⇒*in the course of time, with/in time* ◆ **3.1** dat zal ~ wel verbeteren *that will get better with/in time.*

metterwoon ⟨bw.⟩⟨schr.⟩ **0.1** ⟨zie 3.1⟩ ◆ **3.1** zich ~ vestigen (in) *take up residence (in), establish o.s. (in).*
metworst ⟨de⟩ **0.1** ≠*German sausage* ⇒*mettwurst.*
meubel ⟨het⟩ **0.1** *piece of furniture* ⇒⟨mv.⟩ *furniture* ◆ **1.1** een paar ~tjes *some sparse furniture, a few bits of furniture* **2.1** wat armoedige ~tjes *a few sticks of furniture.*
meubelbeurs ⟨de⟩ **0.1** *furniture show/fair.*
meubelen ⟨ov.ww.⟩ **0.1** *furnish.*
meubelfabriek ⟨de (v.)⟩ **0.1** *furniture factory.*
meubelhandel ⟨de (m.)⟩ **0.1** *furniture trade.*
meubelhoes ⟨de⟩ **0.1** *slip-cover* ⇒*loose cover.*
meubelhout ⟨het⟩ **0.1** *furniture (quality) wood.*
meubelindustrie ⟨de (v.)⟩ **0.1** *furniture industry.*
meubelmagazijn ⟨het⟩ **0.1** [opslagplaats] *furniture warehouse/storehouse/storeroom* **0.2** [meubelzaak] *furniture store.*
meubelmaker ⟨de (m.)⟩ **0.1** *furniture maker, cabinet-maker.*
meubelmakerij ⟨de (v.)⟩ **0.1** *furniture-making shop, furniture works.*
meubelontwerper ⟨de (m.)⟩ **0.1** *furniture designer.*
meubelplaat ⟨het, de⟩ **0.1** *blockboard.*
meubelstof ⟨de⟩ **0.1** *upholstery fabric/material* ⇒*furniture fabric.*
meubelstoffeerder ⟨de (m.)⟩ **0.1** *upholsterer.*
meubelstuk ⟨het⟩ **0.1** [meubel] *piece of furniture* **0.2** [⟨fig.⟩ persoon] *part of the furniture.*
meubeltransport ⟨het⟩ **0.1** *furniture removal.*
meubelwas ⟨het, de (m.)⟩ **0.1** *furniture wax* ⇒*furniture polish.*
meubelzaak ⟨de⟩ **0.1** *furniture business/firm/shop.*
meubilair[1] ⟨het⟩ **0.1** *furniture* ⇒*furnishings, appointments.*
meubilair[2] ⟨bn.⟩ **0.1** *household* ◆ **1.1** ~e goederen *h. goods, furnishings, furniture.*
meubileren ⟨ov.ww.⟩ **0.1** *furnish* ⇒*appoint* ◆ **1.1** gemeubileerde kamers *furnished rooms/*[B]*flat/*[A]*apartment.*
meubilering ⟨de (v.)⟩ **0.1** [het meubileren] *furnishing* ⇒*appointing* **0.2** [het meubilair] *furniture* ⇒*furnishings, appointments.*
meublement ⟨het⟩ **0.1** *furniture* ⇒*furnishings, appointments.*
meug ⟨de (m.)⟩ ⟨→sprw. 432⟩ **0.1** *taste* ◆ **1.1** iets tegen heug en ~ op-eten/opdrinken *force down sth.* **4.1** ieder zijn ~! *to each his own, everyone to his own t.* **6.1** naar zijn ~ eten *eat to one's heart's content, eat one's fill.*
meun ⟨de (m.)⟩ **0.1** [bruine zeevis] *rockling* **0.2** [zeegrondel] *sand gobey* **0.3** [kopvoorn] *chub.*
meuren ⟨onov.ww.⟩⟨inf.⟩ **0.1** [slapen]⟨BE⟩ *kip, crack it;* ⟨AE⟩ *saw logs, catch 40 winks/a few Z's* **0.2** [winden laten]⟨vulg.⟩ *fart* ⇒[B]*let off,* [A]*let (one).*
meute ⟨de⟩ **0.1** [honden] *pack* ⇒*hounds, cry, kennel* **0.2** [personen] *gang* ⇒*horde, crowd* ◆ **2.2** de hele ~ komt hier naar toe *the whole crowd is coming this way.*
Mevr. ⟨afk.⟩ **0.1** [mevrouw] *Ms.* ⇒⟨getrouwde vrouw⟩ *Mrs..*
mevrouw ⟨de (v.)⟩ **0.1** [⟨aanspreektitel voor/adressering aan een vrouw⟩] *madam* ⇒*ma'am, miss,* ⟨inf.⟩ [B]*mum, mem, 'm,* ⟨vaak ook niet vertaald⟩ **0.2** [mbt. een gehuwde vrouw] *Mrs.* **0.3** [dame] *lady* **0.4** [vrouw des huizes] *mistress* ⇒⟨inf.⟩ *missus, missis* ◆ **1.1** ~ de barones *Madam Baroness;* ~ de voorzitter *Madam Chairman/Chairperson* **3.4** de ~ spelen tov./over iem. *queen it over s.o.* **5.1** ja ~ *yes ma'am, yes 'm* **¶.1** met alle respect, ~, ... *with all due respect, madam, ...;* (pardon) ~, weet u ook de weg naar ...? *excuse me, could you tell me/do you know the way to ...?;* er staat een ~ voor de deur *there's a lady/woman at the door;* wordt u al geholpen, ~? *are you being served(, miss/madam)?* **¶.2** hoe gaat het met ~? *how is the/your wife /the little woman/the missus;* ~ Terborgh *Mrs./*⟨niet alg. gebruikt alternatief⟩ *Ms. Terborgh.*
ME-vrouw ⟨de (v.)⟩ **0.1** *special duty policewoman.*
Mexicaan ⟨de (m.)⟩, -**se** ⟨de (v.)⟩ **0.1** *Mexican.*
Mexicaans ⟨bn.⟩ **0.1** *Mexican* ◆ **1.1** ~e hond *howl.*
Mexico ⟨het⟩ **0.1** *Mexico.*
mezelf
  I ⟨pers.vnw.⟩ **0.1** [⟨als object⟩] *myself* ⇒⟨inf.⟩ *me* ◆ **5.1** namens ~ *on behalf of m., on my own behalf;*
  II ⟨wk.vnw.⟩ **0.1** [⟨als wk. vnw.⟩] *myself* ◆ **3.1** ik vermaak ~ wel *I'll look after m., I'm enjoying m. all right.*
mezza ⟨bn.⟩ **0.1** *mezza* ◆ **¶.1** ~ voce *m. voce.*
mezzo
  I ⟨bw.⟩ **0.1** [half] *mezzo* ◆ **¶.1** ~ forte *m. forte;* ~ piano *m. piano;*
  II ⟨bn.⟩ **0.1** [half] *mezzo* ◆ **¶.1** ~ soprano *mezzo-soprano.*
mezzo-sopraan
  I ⟨de⟩ **0.1** [stem] *mezzo-soprano;*
  II ⟨de (v.)⟩ **0.1** [zangeres] *mezzo-soprano.*
mezzotint(o) ⟨de (m.)⟩ **0.1** *mezzotint.*
Mgr. ⟨afk.⟩ **0.1** [Monseigneur] *Mgr., Msgr..*
mi
  I ⟨de⟩ **0.1** [toon] *mi;*
  II ⟨de (m.)⟩ **0.1** [deegsliertjes] *Chinese noodles.*
m.i. ⟨afk.⟩ **0.1** [mijns inziens] ⟨in my opinion⟩ **0.2** [mijnbouwkundig ingenieur] *M.E..*

miasma ⟨het⟩ **0.1** [uitwaseming van rottende stoffen] *miasma* **0.2** [smetstof] *miasma*.

miauw ⟨tw.⟩ **0.1** *miaow* ⇒*mew*.

miauwen ⟨onov.ww.⟩ **0.1** *miaow* ⇒*mew*.

mica ⟨het, de (m.)⟩ **0.1** [mineraal] *mica* **0.2** [voorwerp] *mica object*.

micaplaatje ⟨het⟩ **0.1** *mica sheet*.

micaruit ⟨de⟩ **0.1** *mica pane*.

micraat ⟨het⟩ **0.1** *microcopy*.

micro ⟨de (m.)⟩ **0.1** [microcomputer] *micro* **0.2** [⟨AZN⟩ microfoon] *mike*.

microanalyse ⟨de (v.)⟩ **0.1** *microanalysis*.

microarchief ⟨het⟩ **0.1** *microfilm department* ⇒*microfilm collection*.

microbalans ⟨de⟩ **0.1** *microbalance*.

microbarometer ⟨de (m.)⟩ **0.1** *microbarometer*.

microbe ⟨de⟩ **0.1** *microbe*.

microbieel ⟨bn.⟩ **0.1** *microbial, microbic*.

microbiologie ⟨de (v.)⟩ **0.1** *microbiology*.

microcefaal ⟨bn.⟩ **0.1** *microcephalic, microcephalous* ◆ **7.1** de microcefalen *the microcephalics*.

microcefalie ⟨de (v.)⟩ **0.1** *microcephaly*.

microcentrum ⟨het⟩ **0.1** *centrosome*.

microchemie ⟨de (v.)⟩ **0.1** *microchemistry*.

microchirurgie ⟨de (v.)⟩ **0.1** *microsurgery*.

microcomputer ⟨de (m.)⟩ **0.1** *microcomputer*.

microdocumentatie ⟨de (v.)⟩ **0.1** *microfilm index*.

micro-economie ⟨de (v.)⟩ **0.1** *microeconomics*.

micro-elektronica ⟨de⟩ **0.1** [vervaardiging, toepassing] *microelectronics* **0.2** [apparatuur] *microelectronic equipment*.

micro-elektronisch

I ⟨bn.⟩ **0.1** [mbt. de micro-elektronica] *microelectronic* **0.2** [samengesteld uit micro-elektronica] *microelectronic*;

II ⟨bw.⟩ **0.1** [mbt. / volgens de micro-elektronica] *microelectronically*.

micro-element ⟨het⟩ **0.1** *trace element* ⇒*microelement*.

microfauna ⟨de⟩ **0.1** *microfauna*.

microfiche ⟨het, de⟩ **0.1** *microfiche*.

microfilm ⟨de (m.)⟩ **0.1** [opname] *microfilm* **0.2** [materiaal] *microfilm*.

microfilmen ⟨ov.ww.⟩ **0.1** *microfilm* ⇒*put on microfilm*.

microflora ⟨de (v.)⟩ **0.1** *microflora*.

microfonie ⟨de (v.)⟩ **0.1** *microphonics* ⇒*microphonism*.

microfoon ⟨de (m.)⟩ **0.1** *microphone* ⇒⟨inf.⟩ *mike* ◆ **6.1** voor de ~ komen ⟨lett.⟩ *come to the microphone*; ⟨voor de radio spreken⟩ *go / be on the air*.

microfoonhengel ⟨de (m.)⟩ **0.1** *(microphone) boom*.

microfoonkoorts ⟨de⟩ →*microfoonvrees*.

microfoonrepetitie ⟨de (v.)⟩ **0.1** *microphone / mike test*.

microfoonstem ⟨de (v.)⟩ **0.1** *microphone voice*.

microfoonvrees ⟨de⟩ **0.1** *microphone fear* ⇒*mike fright* ◆ **3.1** hij heeft ~ *he is mike shy*.

microfoto ⟨de⟩ **0.1** [foto v.e. zeer klein object] *photomicrograph* ⇒*microphotograph* **0.2** [sterk verkleinde foto] *microphotograph*.

microfotografie ⟨de (v.)⟩ **0.1** [mbt. zeer klein object] *photomicrography* ⇒*microphotography* **0.2** [mbt. sterk verkleinde foto] *microphotography*.

microfotometer ⟨de (m.)⟩ **0.1** *microphotometer*.

microfysica ⟨de (v.)⟩ **0.1** *microphysics*.

microgolf ⟨de⟩ **0.1** *microwave*.

micrografie ⟨de (v.)⟩ **0.1** [beschrijving] *micrography* **0.2** [tekening] *micrography, micrograph*.

microgram ⟨het⟩ **0.1** *microgram*.

microgroef ⟨de⟩ **0.1** *microgroove*.

microkaart ⟨de⟩ **0.1** *microcard* ⇒*microfiche*.

microkaartsysteem ⟨het⟩ **0.1** *microfiche system*.

microklimaat ⟨het⟩ **0.1** *microclimate*.

microkopie ⟨de (v.)⟩ **0.1** *microcopy*.

microkorfbal ⟨het⟩ **0.1** *indoor korfball*.

microkosmisch ⟨bn.⟩ **0.1** *microcosmic*.

microkosmos ⟨de (m.)⟩ **0.1** [wereld in het klein] *microcosm* **0.2** [mens] *microcosm* **0.3** [wereld v.d. kleinste wezens] *microcosm*.

microliet ⟨de (m.)⟩ **0.1** [⟨geol.⟩] *microlite* ⇒*microlith* **0.2** [⟨archeol.⟩] *microlith*.

microlithisch ⟨bn.⟩ **0.1** [⟨geol.⟩] *microlitic* ⇒*microlithic* **0.2** [⟨archeol.⟩] *microlithic* ◆ **1.2** een ~e cultuurfase *a m. period*.

micromanie ⟨de (v.)⟩ ⟨med.⟩ **0.1** *micromania*.

micromeren ⟨zn.mv.⟩ ⟨biol.⟩ **0.1** *micromeres*.

micrometer ⟨de (m.)⟩ **0.1** [micron] *micron* ⇒*micrometre* **0.2** [meettoestel] *micrometer* **0.3** [⟨ster.⟩] *micrometer*.

micrometrisch ⟨bn.⟩ **0.1** *micrometric(al)*.

micron ⟨het, de (m.)⟩ **0.1** *micron*.

micro-organisme ⟨het⟩ **0.1** *micro-organism*.

microprocessor ⟨de⟩ **0.1** *microprocessor*.

microprojectie ⟨de (v.)⟩ **0.1** *microprojection*.

microproduktie ⟨de (v.)⟩ **0.1** *microscopic reproduction*.

microschakeling ⟨de (v.)⟩ **0.1** *microcircuit*.

microscoop ⟨het, de (m.)⟩ **0.1** [optisch instrument] *microscope* **0.2** [sterrebeeld] *Microscopium* ◆ **2.1** enkelvoudige ~ *simple m.*; samengestelde ~ *compound m.* **6.1** iets met een ~ bekijken ⟨ook fig.⟩ *look at sth. / put sth. under the m.*.

microscopie ⟨de (v.)⟩ **0.1** *microscopy*.

microscopisch ⟨bn., bw.; -ally⟩ **0.1** [mbt. een microscoop] *microscopic* **0.2** [zeer klein] *microscopic* ◆ **1.1** ~ onderzoek *m. examination* **1.2** ~e diertjes *m. animals, animalcules* **2.2** ~ klein *microscopic*.

microseconde ⟨de⟩ **0.1** *microsecond*.

microstructuur ⟨de (v.)⟩ **0.1** *microstructure*.

microtechniek ⟨de (v.)⟩ ⟨elek.⟩ *microelectronics*; ⟨mbt. machines⟩ *microtechnology*.

microtheater ⟨het⟩ **0.1** *mini-theatre*.

microtomie ⟨de (v.)⟩ **0.1** *microtomy*.

microvolt ⟨de (m.)⟩ **0.1** *microvolt*.

midasoren ⟨zn.mv.⟩ **0.1** *ass's / donkey's ears*.

middag ⟨de (m.)⟩ **0.1** [na 12 uur] *afternoon* **0.2** [12 uur] *noon* ⇒*twelve o'clock, midday* ◆ **1.2** ⟨fig.⟩ de ~ v.h. leven *the autumn of one's life* **2.1** zij is er een hele ~ geweest *she was there for a whole a.*; de hele ~ *all / the whole a.* **3.1** de ~ verslapen *sleep away / through the a.* **3.2** het is ~ *it is n.* **6.1** in de ~ *in the a.* **6.2** tegen / rond / voor / na de ~ *about / around / before / after n. / twelve*; **tussen** de ~ *at lunch time, during the lunch hour* **7.1** 's middags *in the a.*; om 5 uur 's middags *at 5 o'clock in the a.*, *at 5 p.m.* **7.2** 's middags *at n., at lunch time*.

middagbloem ⟨de⟩ **0.1** *mesembryanthemum*.

middagconcert ⟨het⟩ **0.1** *afternoon concert* ⇒*lunch time concert*.

middagdutje ⟨het⟩ **0.1** *afternoon nap* ⇒*after lunch nap, siesta*.

middageten ⟨het⟩ **0.1** [handeling] *lunch(eon)* ⇒*midday meal*, ⟨warme hoofdmaaltijd⟩ *dinner* **0.2** [voedsel] *lunch(eon)* ⇒*midday meal*, ⟨warme hoofdmaaltijd⟩ *dinner*.

middaghoogte ⟨de (v.)⟩ **0.1** *meridian, zenith* ⟨ook fig.⟩ ⇒⟨fig. ook⟩ *high point*.

middaglijn ⟨de⟩ **0.1** *meridian*.

middagmaal ⟨het⟩ **0.1** [handeling] *lunch(eon)* ⇒*midday meal*, ⟨warme hoofdmaaltijd⟩ *dinner* **0.2** [voedsel] *lunch(eon)* ⇒*midday meal*, ⟨warme hoofdmaaltijd⟩ *dinner*.

middagpauze ⟨de⟩ **0.1** *lunch hour / break* ⇒*lunch time*.

middagploeg ⟨de⟩ **0.1** *afternoon shift*.

middagschaft ⟨de⟩ **0.1** *lunch break*; ⟨later op de middag⟩ *tea break*.

middagslaapje ⟨het⟩ →**middagdutje**.

middagsluiting ⟨de (v.)⟩ **0.1** *lunch time closing*.

middaguur ⟨het⟩ **0.1** [12 uur 's middags] *noon* ⇒*twelve o'clock* **0.2** [uur v.d. namiddag] *afternoon hour* ◆ **6.1** kort na het ~ *right / shortly after twelve* **6.2** in de middaguren *in / during the afternoon (hours)*.

middagvoorstelling ⟨de (v.)⟩ **0.1** *matinee*.

middagwacht ⟨de⟩ ⟨scheep.⟩ **0.1** *afternoon watch*.

middagzitting ⟨de (v.)⟩ **0.1** *afternoon session*.

middagzon ⟨de⟩ **0.1** *afternoon sun* ⇒*midday* / ⟨schr.⟩ *noonday sun*.

middel ⟨het⟩ ⇒*sprw.* 116,433) **0.1** [taille] *waist* ⇒*middle* **0.2** [hulpmiddel] *means* **0.3** [geneesmiddel] *remedy* ⇒*medicine* **0.4** [⟨mv.⟩ geld, bezit] *means* ⇒*resources, funds* **0.5** ⟨jur.⟩ rechtsmiddel] *evidence* ⇒ *proof, argument* ◆ **1.2** ~ van bestaan *m. of existence, livelihood*; ~en van vervoer *m. of transportation / conveyance* **1.4** 's lands ~ en *the country's resources*; een man van ~en *a man of m.* **1.5** ~en ter verdediging *m. of defence* **2.1** een slank ~ hebben *have a slender w.* **2.2** de crisis met alle beschikbare ~en bestrijden *employ / use every available m. to combat the crisis*; geoorloofde / krachtdadige ~en *lawful / effective m.*; grove ~en *strong-arm methods* **2.3** anticonceptieve ~en *contraceptives*; een pijnstillend ~ *a painkiller*; een probaat ~ *an efficacious / a tried and tested r.* **2.4** gefinancierd uit algemene ~en *financed by the general fund*; mijn bescheiden ~en veroorloven mij dergelijke uitgaven niet *my modest m. prohibit such expenditures*; hij heeft geen eigen ~en *he has no private / independent m.* **3.2** alle ~en aanwenden *employ / use every (possible) m.*; het is een ~, geen doel *it's a m. to an end* **3.3** ~en innemen *swallow / take pills / medicine* **6.1** iem. **bij / om** zijn / haar / het ~ pakken *grab s.o. by / around the w.*; **tot aan** het / zijn ⟨enz.⟩ ~ *(right) up to one's middle* **6.2** door ~ van *by m. of, through* **6.3** een ~tje **tegen** hoofdpijn *a headache r.* **7.2** geen ~ onbeproefd laten *try everything, leave no stone unturned*; hij heeft geen ~en van bestaan *he has no m. of support*.

middelaar ⟨de (m.)⟩ **0.1** *mediator* ⇒*go-between*, ⟨hand.⟩ *middleman*.

middelaarschap ⟨het⟩ **0.1** *mediation* ⇒*mediatorship*.

middelbaar ⟨bn.⟩ **0.1** [tussen twee grootheden] *middle* ⇒*average, medium, intermediate* **0.2** [gemiddeld, dooreengenomen] *average* ⇒*normal, mean* ◆ **1.1** middelbare akte *secondary school teaching certificate*; een man van middelbare grootte *a man of average / medium height*; op middelbare leeftijd *in middle age*; de middelbare leeftijd bereiken *reach middle age*; een man van middelbare leeftijd *a middle-aged man*; ~ onderwijs *secondary education*; middelbare scholen *secondary schools* **1.2** middelbare tijd *mean (solar) time, civil time*.

middeleeuwen ⟨zn.mv.⟩ **0.1** [⟨gesch.⟩] *Middle Ages* **0.2** [primitieve tijd] *Middle / Dark Ages* ◆ **2.2** de donkere ~ *the Dark Ages*.

middeleeuwer ⟨de (m.)⟩ **0.1** *medi(a)eval man / woman*.

middeleeuws ⟨bn.⟩ **0.1** [mbt. de middeleeuwen] *medi(a)eval* **0.2** [primitief] *medi(a)eval* ◆ **1.1** ~e geschriften/gebouwen *m. documents/ buildings;* ~ Latijn *Medieval Latin* **1.2** ~e opvattingen *m. ideas/notions;* ~e toestanden *m. conditions.*

middelen
I ⟨onov.ww.⟩ **0.1** [bemiddelen] *mediate;*
II ⟨ov.ww.⟩ **0.1** [het gemiddelde berekenen] *average* **0.2** [gelijkelijk verdelen] *split* ⇒*divide.*

Middelengels¹ ⟨het⟩ **0.1** *Middle English.*
Middelengels² ⟨bn.⟩ **0.1** *Middle English.*
middelenwet ⟨de⟩ **0.1** *Finance Act.*
middelevenredig ⟨bn.⟩ ⟨wisk.⟩ **0.1** *mean proportional.*
middelevenredige ⟨de⟩ ⟨wisk.⟩ **0.1** *mean proportional.*
middelfijn ⟨bn.⟩ **0.1** *medium-fine/-sized* ◆ **1.1** ~e erwten *medium-sized peas.*
middelgebergte ⟨het⟩ ⟨aardr.⟩ **0.1** *low mountain range.*
middelgewicht ⟨sport⟩
I ⟨de (m.)⟩ **0.1** [persoon] *middleweight (fighter/boxer/wrestler);*
II ⟨het⟩ **0.1** [gewichtsklasse] *middleweight* ◆ **6.1** een gevecht in het ~ *a middle fight.*
middelgroot ⟨bn.⟩ **0.1** *medium-sized* ◆ **1.1** een ~ bedrijf *a m.-s. business/ company.*
middelhand ⟨de⟩ ⟨med.⟩ **0.1** *metacarpus.*
middelhandsbeen ⟨het⟩ **0.1** *metacarpal.*
Middelhoogduits¹ ⟨het⟩ **0.1** *Middle High German.*
Middelhoogduits² ⟨bn.⟩ **0.1** *Middle High German.*
middeling ⟨de (v.)⟩ **0.1** [bemiddeling] *mediation* **0.2** [berekening v.h. gemiddelde] *averaging.*
middelkleur ⟨de⟩ **0.1** *intermediate colour* ⇒*medium* ⟨sigaren e.d.⟩.
middellands ⟨bn.⟩ ⟨aardr.⟩ **0.1** *Mediterranean* ◆ **1.1** de ~e Zee *the M. (Sea);* het Middellandse-Zeegebied *the M..*
middellang ⟨bn.⟩ **0.1** [mbt. lengte] *medium (length/range)* **0.2** [mbt. duur] *medium length/term* ◆ **1.1** middellange-afstandsloper *middle-distance runner* **1.2** op ~e termijn *for a medium long period, for the medium fange;* ⟨zeldz.⟩ *in the medium term.*
middellange-afstandsraket ⟨de⟩ **0.1** *intermediate-range ballistic missile, IRBM* ⇒*medium-range missile.*
middellijk ⟨bn.,bw.;-ly⟩ **0.1** *indirect* ◆ **1.1** ⟨jur.⟩ ~ bewijs *circumstantial evidence.*
middellijn ⟨de⟩ ⟨wisk.⟩ **0.1** *diameter.*
middelloodlijn ⟨de⟩ ⟨wisk.⟩ **0.1** *perpendicular bisector.*
middelmaat ⟨de⟩ **0.1** [gemiddelde maat] *average* **0.2** [juiste maat tussen twee uitersten] *mean* ⇒*average* ◆ **2.2** de grijze ~ *dull mediocrity;* de gulden ~ *the golden m.* **3.2** ⟨fig.⟩ ~versiert de straat *mediocrity is everywhere/the rule* **6.1** zich **boven** de ~ verheffen *raise o.s./rise above the crowd* ¶**.1** hij gaat de ~ niet te boven *he's just average.*
middelmater ⟨de (m.)⟩ ⟨inf.⟩ **0.1** ≠*average joe/* ⟨vnl.AE⟩ *guy* ◆ **3.1** een ~ zijn *be just (up to) average, be run-of-the-mill.*
middelmatig ⟨bn.,bw.;-ly⟩ **0.1** [gemiddeld] *average* ⇒*medium, moderate, ordinary* **0.2** [zwakjes] *average* ⇒*middling, mediocre, so-so, indifferent* ◆ **1.1** van ~e gestalte zijn *have an a. shape/figure* **1.2** een ~ cijfer *a middling/mediocre grade* **2.1** ~ groot *moderately/medium large* **3.2** ik vind het maar ~ *I think it's pretty a.* ¶ *mediocre/indifferent/ so-so;* zij zingt maar ~ *her singing is pretty a..*
middelmatigheid ⟨de (v.)⟩ **0.1** *mediocrity.*
middelmoot ⟨de⟩ **0.1** [mbt. een vis] *middle slice/piece/cut* ⇒*steak from the middle* **0.2** [middelste stuk/afdeling] (→**middenmoot**).
Middelnederlands¹ ⟨het⟩ **0.1** *Middle Dutch.*
Middelnederlands² ⟨bn.⟩ **0.1** *Middle Dutch.*
middelpunt ⟨het⟩ **0.1** [⟨wisk.⟩] *centre* **0.2** [het midden] *centre* ⇒*middle (point)* **0.3** [centrale plaats] *centre* ⇒*middle* **0.4** [hoofdpersoon] *central figure/person* ⇒*pivot* ◆ **1.2** het ~ v.c. schild *the c. of a shield* **1.3** ~en van verkeer/van beschaving *traffic/cultural centres* **3.4** het ~ zijn *be the central figure* **6.3** in het ~ v.d. belangstelling staan *be the c. of interest/of all the excitement/of attention;* in het ~ v.d. politieke belangstelling staan ⟨ook⟩ *be in/hold the political spotlight.*
middelpuntvliedend ⟨bn.⟩ **0.1** *centrifugal* ◆ **1.1** ~e kracht *c. force.*
middelpuntzoekend ⟨bn.⟩ **0.1** *centripetal.*
middels ⟨vz.⟩ **0.1** *by means of.*
middelschot ⟨het⟩ **0.1** *partition.*
middelsoort¹ ⟨het,de⟩ **0.1** *medium/middle grade/quality* ⇒*middle sort/ type.*
middelsoort² ⟨bn.⟩ **0.1** *medium-grade/-quality/-range* ⇒*middle (sort/ type).*
middelst ⟨bn.⟩ **0.1** *middle* ⇒*middlemost, median, mid, centre* ◆ **1.1** de ~e rij/kolom *the middle/centre row/column;* de ~e vinger *the middle finger* **7.1** ⟨zelfst.⟩ hij van drie kinderen *the middle child of three.*
middelstuk ⟨het⟩ **0.1** *centrepiece.*
middelterm →**middenterm**.
middelvinger ⟨de (m.)⟩ **0.1** *middle finger.*
middelvoet ⟨de (m.)⟩ ⟨med.⟩ **0.1** *metatarsus.*
middelvoetsbeen ⟨het⟩ **0.1** *metatarsal.*
midden¹ ⟨het⟩ **0.1** [plaats, punt] *middle* ⇒*centre* **0.2** [tijdstip] *middle* **0.3**

[mbt. een verzameling] *middle* ⇒*centre, midst* **0.4** [denk-/handelwijze] *centre* **0.5** [omgeving] *milieu* ◆ **1.1** het ~ v.e. driehoekszijde *the m. of the side of a triangle* **3.1** dat laat ik in het ~ *I offer no opinion on /I'll not comment on that;* de waarheid ligt in het ~ *the truth lies (somewhere) in between;* in het ~ lopen *walk in the m.* **3.¶** het ~ houden tussen ... en ... *stand midway between ... and ..., be a cross/mixture between ... and ...* **6.1** zij woont in het ~ v.d. stad *she lives in the centre/m. of the city;* ⟨fig.⟩ iets **in** het ~ brengen *bring/put forward sth., put in a word, interpose sth.;* dat blijft voorlopig in het ~ *we'll leave that aside for the moment, that will be left unresolved/undecided for the time being;* ⟨fig.⟩ de kerk **in** het ~ laten *keep to the m. of the road, hold the balance even, be reasonable* **6.2** in het ~ v.h. trimester *halfway through the trimester, (in) midterm;* **in** het ~ v.d. winter/week *in the m. of winter/of the week, (in) midwinter/midweek;* **op** het ~ v.d. dag *in the m. of the day, (at) midday, at noon* **6.3 te** ~ **van** *in the midst of, amidst, among;* **te** ~ **van** haar familie *in the midst of her family circle* **6.4** ⟨pol.⟩ links of rechts **van** het ~? *left or right of c.?* **6.¶** hij is weer **in** ons ~ *he is back in our midst;* de vijand is **in** ons ~ *the enemy is in our midst;* iem. **uit** ons ~ *one of us.*
midden² ⟨bw.⟩ **0.1 in** the middle of ◆ **6.1** hij reed ~ **door** het bos *he drove right through the forest;* ~ **in** de roos *dead on target, bull's eye;* ~ **in** de massa *in the thick of the crowd/mob;* er ~ **in** zitten *be in the thick of it/things;* ~ **in** de zomer *in the middle of/in full summer;* ~ **in** de winter *in the middle/depths of winter;* ~ **op** de dag/**in** de week *in the middle of the day/week;* **van** ~ juni **tot** ~ augustus *from mid-June to mid-August* **7.1** hij is ~ (in de) veertig *he is in his mid(dle) forties.*
midden- ⟨ook⟩ →**middel-**.
Midden-Afrika ⟨het⟩ **0.1** *Central Africa.*
Midden-Amerika ⟨het⟩ **0.1** *Central America.*
Middenamerikaans ⟨bn.⟩ **0.1** *Central-American.*
middenas ⟨de⟩ **0.1** *central axis;* ⟨van auto⟩ *central axle.*
Midden-Azië ⟨het⟩ **0.1** *Central Asia.*
middenbaan ⟨de⟩ ⟨rijbaan⟩ *middle/centre lane* ⇒⟨ruim.⟩ *midcourse.*
middenbedrijf ⟨het⟩ **0.1** *medium-/middle-sized business/company* ◆ **1.1** het midden- en kleinbedrijf *small and medium-sized businesses.*
middenberm ⟨de (m.)⟩ **0.1** [B]*central reservation/reserve,* [A]*median strip,* [A]*mall.*
middenbermbeveiliging ⟨de (v.)⟩ **0.1** *crash barrier,* [A]*guard rail.*
middenbeuk ⟨de⟩ ⟨bouwk.⟩ **0.1** *nave.*
middenblad ⟨het⟩ **0.1** *centre spread.*
middencirkel ⟨de (m.)⟩ ⟨sport⟩ **0.1** *centre circle.*
middendek ⟨het⟩ **0.1** *middle deck.*
middendoor ⟨bw.⟩ **0.1** *in two* ⇒*in half* ◆ **3.1** iets ~ breken/snijden *break/cut sth. in two;* ~ delen ⟨ook⟩ *bisect;* ~ scheuren *tear across.*
Midden-Europa ⟨het⟩ **0.1** *Central Europe.*
Middeneuropees ⟨bn.⟩ **0.1** *Central-European.*
middengedeelte ⟨het⟩ **0.1** *central part* ⇒*central reaches* ⟨van rivier⟩.
middengolf ⟨de⟩ ⟨com.⟩ **0.1** *medium wave.*
middengroep ⟨de⟩ **0.1** *middle group/bracket/class* ◆ **¶.1** de ~en *the middle classes.*
middenhersenen ⟨zn.mv.⟩ **0.1** *midbrain* ⇒*mesencephalon.*
middenin ⟨bw.⟩ **0.1** *in the middle/centre* ◆ **3.1** mag ik ~ lopen? *can I walk in the middle?;* ~ zit het klokhuis *in the centre is the core.*
middenkader ⟨het⟩ **0.1** *middle management.*
middenklasse ⟨de (v.)⟩ **0.1** [mbt. de prijs/grootte] *medium/middle range /size* **0.2** [⟨arch.⟩ middenstand] *middle class(es)* ◆ **6.1** een auto **uit** de ~ *a medium-sized/-priced car.*
middenklasser ⟨de⟩ **0.1** *car in the medium-price/-size range.*
middenklinker ⟨de (m.)⟩ ⟨taal.⟩ **0.1** *central vowel.*
middenlijn ⟨de⟩ ⟨sport⟩ **0.1** *halfway line.*
middenlinie ⟨de⟩ ⟨sport⟩ **0.1** [middenlijn] *halfway line* **0.2** [spelers] *midfield (players).*
middenmoot ⟨de⟩ **0.1** *middle bracket/group* ◆ **6.1** die sportclub hoort thuis in de ~ *that's just an average (athletic) club* ¶.¶ dat kind is het ~ *je that's the middle child.*
Midden-Nederland ⟨het⟩ **0.1** *the Central Netherlands.*
middenoor ⟨het⟩ **0.1** *middle ear.*
middenoorontsteking ⟨de (v.)⟩ **0.1** *inflammation of the middle ear* ⇒ ⟨med.⟩ *otitis media.*
Midden-Oosten ⟨het⟩ **0.1** *Middle East.*
middenpad ⟨het⟩ **0.1** *(centre) aisle* ⇒⟨BE;trein,zaal ook⟩ *gangway,* ⟨tuin⟩ *centre path.*
middenrif ⟨het⟩ **0.1** *diaphragm* ⇒*midriff.*
middenrifademhaling ⟨de (v.)⟩ **0.1** *diaphragmatic/phrenic respiration.*
middenschip ⟨het⟩ ⟨bouwk.⟩ **0.1** *nave.*
middenschool ⟨de⟩ **0.1** *comprehensive school* ⇒≠[A]*junior highschool.*
middenspel ⟨het⟩ ⟨schaken⟩ **0.1** *middle game.*
middenspeler ⟨de (m.)⟩ ⟨sport⟩ **0.1** *midfield player* ⇒*half.*
middenstand ⟨de (m.)⟩ **0.1** [zelfstandige ondernemers] *(the) self-employed, tradespeople;* ⟨als klasse⟩ *middle class, bourgeoisie* **0.2** [stand in het midden] *central/middle position* ◆ **2.1** lagere ~ *petit/petty bourgeoisie, lower middle class;* de plaatselijke ~ *the local shopkeepers/ tradespeople/merchants.*

middenstander ⟨de (m.)⟩ **0.1** *tradesman* ⇒*shopkeeper, retailer,* ⟨ambachtsman⟩ *craftsman,* ⟨uit de klasse⟩ *bourgeois* ◆ **2.1** kleine ~ *small businessman;* lagere ~ *petit/petty bourgeois.*

middenstandsbond ⟨de (m.)⟩ **0.1** *merchants'/retailers'/shopkeepers' association, association of small businessmen.*

middenstandsdiploma ⟨het⟩ **0.1** ≠*tradesman's/retailer's certificate/diploma.*

middenstandsexamen ⟨het⟩ **0.1** ≠*tradesman's/retailer's exam(ination).*

middenstandspolitiek ⟨de (v.)⟩ **0.1** *policy concerning small businesses,* ≠ ^A*small business administration.*

middensteentijd ⟨de (m.)⟩ ⟨gesch.⟩ **0.1** *Mesolithic (period).*

middenstem ⟨de⟩ ⟨muz.⟩ **0.1** *middle voice.*

middenstijl ⟨de (m.)⟩ **0.1** *mullion.*

middenstip ⟨de⟩ ⟨sport⟩ **0.1** *centre spot.*

middenstof ⟨de⟩ ⟨nat.⟩ **0.1** *medium.*

middenstreep ⟨de (m.)⟩ **0.1** *white line.*

middenstrook ⟨de⟩ **0.1** *middle lane* ⇒*centre lane.*

middenstuk ⟨het⟩ **0.1** *middle piece/part* ⇒*central part.*

middenterm ⟨de (m.)⟩ **0.1** [⟨logica⟩] *middle term* ⇒*mean* **0.2** [⟨wisk.⟩] *mean (proportional).*

middenvak ⟨het⟩ **0.1** *middle shelf* ⟨bv. in supermarkt⟩; ⟨sport⟩ *middle zone, mid-zone.*

middenvakspel ⟨het⟩ ⟨sport⟩ **0.1** *mid(dle)-zone game/play.*

middenveld ⟨het⟩ ⟨sport⟩ **0.1** [deel v.h. veld] *midfield* ⇒*centrefield* **0.2** [spelers] *midfield players* ⇒*midfielders, linkmen.*

middenvelder ⟨de (m.)⟩ ⟨sport⟩ **0.1** *midfieldplayer* ⇒*midfield man, midfielder, linkman.*

middenweg ⟨de (m.)⟩ ⟨fig.⟩ **0.1** *middle course/path/way* ⇒*medium, mean* ◆ **2.1** de gulden ~ *the golden mean, the happy medium;* de gulden ~ bewandelen/nemen/inslaan *steer/adopt a middle course, strike a happy medium.*

mid(den)zwaard ⟨het⟩ ⟨scheep.⟩ **0.1** *centreboard* ⇒ ⟨BE ook⟩ *drop keel.*

middernacht ⟨de (m.)⟩ **0.1** *midnight* ◆ **6.1** tot nog lang **na** ~ *until the early hours of the morning, far into the small hours;* **te** ~ *at m..*

middernachtelijk ⟨bn.⟩ **0.1** *midnight* ◆ **1.1** het ~ uur *the m. hour.*

middernachtzon ⟨de⟩ **0.1** *midnight sun.*

midgetgolf ⟨het⟩ **0.1** *miniature/midget golf.*

midhalf ⟨de (m.)⟩ ⟨sport⟩ **0.1** *centre half.*

midi ⟨het⟩ **0.1** *midi* ⇒*midcalf.*

midlotto ⟨de⟩ **0.1** *midweek(ly) lottery.*

midscheeps ⟨scheep.⟩
I ⟨bn.⟩ **0.1** [in het midden v.h. schip]⟨zie I.1⟩ ◆ **1.1** een ~ e aanvaring *a collission amidships/in the midship;* ~ e masten *mainmasts;*
II ⟨bw.⟩ **0.1** [in/naar het midden v.h. schip] *amidships* ◆ **3.1** het roer ~ leggen *right the helm.*

midvoor ⟨de (m.)⟩ ⟨sport⟩ **0.1** *centre forward.*

mid-week ⟨de; ook in samenst.⟩ **0.1** *midweek* ◆ **¶.1** een ~ op vakantie gaan *go for/on a m. holiday/*^A*vacation.*

midweeks ⟨bn.⟩ **0.1** *midweekly.*

midwinter ⟨de (m.)⟩ **0.1** *midwinter.*

midwinterblazen ⟨ww.⟩ ⟨folk.⟩ **0.1** '*midwinterblazen*' ⟨*traditional blowing of large horns at midwinter*⟩.

midwinterhoorn ⟨de (m.)⟩ ⟨folk.⟩ **0.1** *midwinter horn.*

midzomer ⟨de (m.)⟩ **0.1** *midsummer.*

mie ⟨de (m.)⟩ **0.1** [homo] *queer* ⇒*pansy(-boy),* ^A*fag(got)* **0.2** [deegsliertjes] *Chinese noodles.*

mier ⟨de⟩ ⟨dierk.⟩ **0.1** [insekt] *ant* **0.2** [termiet] *termite, white ant* ◆ **2.1** gevleugelde ~ *flying/winged a.* **6.1** ⟨fig.⟩ hij is al lang **bij** de ~ en *he is pushing up daisies* **8.1** zo arm als de ~ en *as poor as a churchmouse.*

miereëi ⟨het⟩ **0.1** *ant('s) egg.*

mieren ⟨onov.ww.⟩ **0.1** [peuteren, prutsen] *fiddle* ⇒*tinker, tamper, fumble* **0.2** [piekeren] *fret (about), puzzle* ⇒*worry (about)* **0.3** [zaniken] *nag* ⇒*harp (on), go/keep on (about), whine.*

mierenegel ⟨de (m.)⟩ **0.1** *echidna* ⇒*porcupine/spiny ant-eater.*

miereneter ⟨de (m.)⟩ **0.1** *ant-eater,* ⟨grote⟩ *ant-bear.*

miereneuker ⟨de (m.)⟩ ⟨vulg.⟩ **0.1** *nit-picker* ⇒*hairsplitter,* [superscript]*quibbler,* [superscript]*niggler.*

mierenhoning ⟨de (m.)⟩ **0.1** *honeydew.*

mierenhoop ⟨de (m.)⟩ **0.1** [door mieren opgeworpen hoop] *ant hill* ⇒ *ant heap* **0.2** [heuveltje] *hillock.*

mierennest ⟨het⟩ **0.1** [nest van mieren] *ants' nest* ⇒*formicary* **0.2** [⟨fig.⟩] *ants' nest, anthill.*

mierenstaat ⟨de (m.)⟩ **0.1** *ant society/colony.*

mierezuur ⟨het⟩ **0.1** *formic acid.*

mierik ⟨de (m.)⟩ **0.1** *horseradish.*

mierikswortel ⟨de (m.)⟩ **0.1** [wortel] *horseradish* **0.2** [plant] *horseradish.*

mierzoet ⟨bn.⟩ **0.1** *saccharine* ⇒*cloying(ly sweet).*

mies ⟨bn.⟩ **0.1** *nasty* ⇒*ugly, dismal, vile.*

mieter ⟨de (m.)⟩ **0.1** iem. op zijn ~ geven *give s.o. a dressing down/*^B*telling off/*^B*rocket* **7.¶** dat gaat je geen ~ aan *that's none of your* ↓*damn/*^B*ruddy/* ⟨BE;vulg.⟩ *bloody business.*

mieteren ⟨inf.⟩

I ⟨onov., ov.ww.⟩ **0.1** [(doen) vallen]⟨onov. ww.⟩*(come) crash(ing)* ⇒*tumble, drop, fall,* ⟨ov. ww.⟩ *fling, throw, dash, chuck* ◆ **5.1** iets naar beneden ~ *fling sth. down(stairs);*
II ⟨onov.ww.⟩ **0.1** [zaniken] *nag* ⇒*harp (on), whine, go on* **0.2** [schelen, uitmaken]⟨ongemarkeerd⟩ *matter* ◆ **3.1** zij ligt constant te ~ *she's always/forever nagging/going on* **5.2** het kan me niet ~ *I don't give a damn;* dat mietert niet *(so) what the hell?.*

mieters¹ ⟨inf.⟩
I ⟨bn.⟩ **0.1** [geweldig] *great* ⇒*terrific, super, lovely,* ^A*swell* ◆ **1.1** een ~ e knul *a g. chap/* ⟨vnl. AE⟩ *guy;* een ~ e tijd *a grand/swell time, a rare/high old time;* ~ werk *a plump job;* een ~ wijf *a terrific woman,* ^A*a swell broad;*
II ⟨bw.⟩ **0.1** [erg] *damn(ed)* ◆ **2.1** deze opdracht is ~ lastig *this assignment is damned hard, this is a devil of an assignment;* een ~ mooi toneelstuk *a fantastic play.*

mieters² ⟨tw.⟩ ⟨inf.⟩ **0.1** [heerlijk] *great* ⇒*lovely, super, wonderful,* ^A*swell* **0.2** [⟨vero.⟩ vervloekt] *damn, blast, hell.*

mietje ⟨het⟩ **0.1** [homo] *queer* ⇒*pansy(-boy),* ^A*fag(got)* **0.2** [pietlut] *quibbler* ⇒*hairsplitter, niggler* ◆ **3.¶** ⟨fig.⟩ we moeten elkaar geen Mietje noemen *let's talk straight, let's call a spade a spade.*

miezel ⟨de (m.)⟩ **0.1** *drizzle* ⇒*mizzle.*

miezeren ⟨onp.ww.⟩ **0.1** *drizzle* ⇒*mizzle.*

miezerig ⟨bn.⟩ **0.1** [regenachtig] *drizzly* **0.2** [nietig] *tiny* ⇒*puny, measly, scrubby, sorry* **0.3** [triestig] *dismal* ⇒*gloomy, murky, drab* ◆ **1.2** een ~ kereltje *a weed(y fellow)* **3.¶** hij zag er ~ uit *he looked a sorry sight.*

migraine ⟨de (m.)⟩ **0.1** *migraine* ◆ **1.1** een aanval van ~ *a m., an attack of m..*

migrainestift ⟨de⟩ **0.1** *headache pencil.*

migrant ⟨de (m.)⟩ **0.1** *migrant.*

migrantenraad ⟨de (m.)⟩ **0.1** *migrant workers' council.*

migratie ⟨de (v.)⟩ **0.1** [mbt. een bevolking] *migration* **0.2** [mbt. dieren/vogels] *migration* **0.3** [mbt. gassen/vloeistoffen] *migration.*

migratieoverschot ⟨het⟩ **0.1** *population growth caused by migration.*

migratietheorie ⟨de (v.)⟩ **0.1** *theory of migration.*

migreren ⟨onov.ww.⟩ **0.1** *migrate.*

mihoen ⟨de (m.)⟩ **0.1** *(thin) Chinese noodles.*

mij
I ⟨pers.vnw.⟩ **0.1** *me* ⇒⟨inf.⟩ *us* ◆ **3.1** hij had het ~ gegeven *he gave it to m.;* moet u ~ hebben? *are you looking for m.?;* ⟨iron.⟩ dan moet je net ~ hebben! *well, you know m.!* **6.1** dat is **van** ~ *that's mine, that belongs to m.;* een vriend **van** ~ *a friend of mine;* dat is toch niet **voor** ~ bedoeld? *you mean that's for m..;* dat is ~ te duur *that's too expensive for m., I can't afford that;*
II ⟨wk.vnw.⟩ **0.1** *myself* ◆ **3.1** ik heb ~ te barsten gelachen *I laughed till I thought I'd burst, I nearly split my sides;* ik schaam ~ zeer *I am deeply ashamed.*

Mij. ⟨afk.⟩ **0.1** [maatschappij]⟨bedrijf⟩ *Co.;* ⟨genootschap⟩ *S..*

mijden ⟨ov.ww.⟩ **0.1** [ontwijken] *avoid* ⇒*keep/steer clear of, fight shy of,* ⟨sterker⟩ *shun* **0.2** [er niet komen] *avoid* ⇒*by-pass, keep clear of,* ⟨sterker⟩ *shun* **0.3** [ontkomen] *avoid* ⇒*keep/steer clear of* ◆ **1.1** slecht gezelschap ~ *steer clear of bad company;* de vijand ~ *elude the enemy* **1.2** iemands huis ~ *avoid s.o.'s house* **8.1** iem. ~ als de pest *a./shun s.o. like the plague.*

mijl ⟨de⟩ ⟨sprw. 228,403⟩ **0.1** [maat] *mile* **0.2** [grote afstand] *mile* ◆ **2.1** Engelse ~ *(statute) m.* **3.2** hij bleef ~ en achter *he was miles behind* **5.1** hij schoot er ~ en naast *he missed it by a m.;* hun standpunten lopen ~ en ver uiteen *their points of view are miles/poles apart* **6.1** hij steekt ~ en **boven** de anderen uit *he towers above the rest, he rises head and shoulders above the others* **¶.1** een ~ op zeven gaan *go about it in a roundabout way;* dat is een ~ op zeven *you're not getting anywhere, it'll take you forever.*

mijlenver ⟨bn., bw.⟩ **0.1** ⟨bn.⟩ *miles (away);* ⟨bw.⟩ *miles (away), for miles (and miles)* ◆ **3.1** ~ achterblijven *be miles behind* **3.¶** ~ boven iets uitsteken *tower above sth., be streets ahead of sth.* **¶.1** in de omtrek *for miles around.*

mijlpaal ⟨de (m.)⟩ **0.1** [afstandspaal] *milestone* **0.2** [belangrijk feit] *milestone, landmark* ◆ **6.2** een ~ in de geschiedenis *a m./l. in history;* een ~ **in** haar leven *a m. in her life.*

mijlschaal ⟨de⟩ ⟨aardr.⟩ **0.1** *scale.*

mijmeraar ⟨de (m.)⟩ **0.1** *(day)dreamer.*

mijmeren ⟨onov.ww.⟩ **0.1** *muse (on)* ⇒*(day)dream (about), meditate (on), contemplate* ⟨ov. ww.⟩ ◆ **3.1** hij zat te ~ *he was daydreaming/musing.*

mijmering ⟨de (v.)⟩ **0.1** *reverie* ⇒*musing(s), meditation, (day)dreaming* ◆ **2.1** droeve ~ en *sad musings;* in zoete ~ en verzonken *lost in sweet r..*

mijn¹ ⟨de⟩ **0.1** [delfplaats] *mine* ⇒*pit,* ⟨open⟩ *quarry* **0.2** [mijnbouwmaatschappij] *mine, mining company* **0.3** [⟨mil.⟩ toestel] *mine* **0.4** [⟨mil.⟩ ruimte, gang] *mine* ◆ **2.1** ⟨fig.⟩ die bibliotheek is een rijke ~ voor de historicus *that library is a m. of information/treasure-house for the historian* **3.1** een ~ ontginnen/exploiteren *work/exploit a m.;* de ~ en in dat gebied zullen spoedig uitgeput zijn *the area will soon be mined out/exhausted* **3.3** een drijvende ~ *a floating m.;* ~ en leggen/vegen *lay/sweep mines* **3.4** een ~ graven/aanleggen onder iets *undermine sth., mine sth.* **5.3** onze kust ligt vol ~ en *our coast(al waters) is(/*

are) heavily mined **6.1** in de ~en werken *work in the mines, be a miner;* in de ~ afdalen *go down into the m.* / pit **6.2** bij de~ werken *work for a mining company* **6.3** op een ~ lopen *strike/hit a m.* ¶**.3** een ~ tot ontploffing brengen *detonate a m.*.

mijn² ⟨bez.vnw.⟩ **0.1** [van mij] *my* **0.2** [⟨zelfst.⟩] *mine* ◆ **1.1** ~e heren *Dear Sir(s), gentlemen;* ~s inziens in m. *opinion, as I see it;* ~ plicht roept *duty calls me* **1.2** het ~en dijn m. *and thine, meum and tuum* **7.2** de ~en *my family / people;* ik en de ~en *I and m.;* wil je de ~e worden? *will you be m.?;* daar moet ik het ~e van weten/ hebben *I must get to the bottom of this;* ik heb het ~e gedaan *I've done my share/bit;* ik zal het ~e doen *I'll do my bit/ what I can;* ik denk er het ~e van *I have my own opinion about this, I know what I think of this.*

mijnader ⟨de⟩ **0.1** *mineral vein.*
mijnarbeid ⟨de (m.)⟩ **0.1** *mining.*
mijnbouw ⟨de (m.)⟩ **0.1** *mining (industry).*
mijnbouwdeskundige ⟨de (m.)⟩ **0.1** *mining expert.*
mijnbouwkunde ⟨de (v.)⟩ **0.1** *mining engineering.*
mijnbouwkundig ⟨bn.⟩ **0.1** *mining* ◆ **1.1** een ~ ingenieur *a m. engineer.*
mijnconcessie ⟨de (v.)⟩ **0.1** *mining concession.*
mijndetector ⟨de (m.)⟩ **0.1** *mine detector.*
mijnen ⟨onov.ww.⟩ **0.1** ≠*buy (at a public auction).*
mijnendienst ⟨de (m.)⟩ **0.1** *mine disposal squad/ unit.*
mijnengevaar ⟨het⟩ **0.1** *mine hazard;* ⟨opschrift⟩ *danger! mines.*
mijnenlegger ⟨de (m.)⟩ **0.1** *minelayer* ⇒⟨mv. ook⟩ *minecraft.*
mijnent ⟨schr.⟩ ◆ **6.**¶ **te** ~ *at my house/ place.*
mijnentwege ⟨bw.⟩ ⟨schr.⟩ **0.1** [uit mijn naam] *in my name* **0.2** [wat mij betreft] *as far as I am concerned.*
mijnenveger ⟨de (m.)⟩ **0.1** *minesweeper.*
mijnenveld ⟨het⟩ **0.1** *minefield.*
mijnerzijds ⟨bw.⟩ ⟨schr.⟩ **0.1** *on/ for my part.*
mijngang ⟨de (m.)⟩ **0.1** *mine gallery* ⇒*drift, head(ing).*
mijngas ⟨het⟩ **0.1** *firedamp* ⇒*methane* ◆ **2.1** verstikkend ~ *chokedamp, blackdamp.*
mijnheer ⟨de (m.)⟩ **0.1** [aanspreektitel] *sir* ⇒⟨inf.⟩ *mister,* ⟨tegen adellijk iem.; ook iron.⟩ *your lordship* **0.2** [heer] *gentleman* **0.3** [belangrijk man] *gentleman* ⇒*grand seigneur,* ⟨BE ook⟩ *toff* **0.4** [heer des huizes] (zie 3.4,4.4) **0.5** [⟨marine⟩] *sir* **0.6** [⟨leger⟩] *sir* ◆ **1.1** ~ pastoor *your reverend;* ~ de voorzitter *mister chairman* **2.2** ⟨iron.⟩ een fijne ~! *a nice guy!* **2.3** een hele ~ *quite the g.* **3.3** ⟨iron.⟩ en wat deed ~? *and what did his lordship do?* **3.4** is ~ thuis? *is Mr. X in?;* ⟨tegen bediende⟩ *is your master in?* **4.4** mijn ~ *my master* ¶**.1** had ~ nog iets gewenst? *anything else, s.?;* ~ Jansen *Mr. Jansen.*
mijnheren ⟨inf.⟩
 I ⟨onov.ww.⟩ **0.1** [vaak 'mijnheer' zeggen] ≠*fawn, be obsequious;*
 II ⟨ov.ww.⟩ **0.1** [iem. met 'mijnheer' aanspreken] *sir, mister.*
mijnhout ⟨het⟩ **0.1** *pit-props* ⇒⟨in mijnschacht⟩ *crib.*
mijnindustrie ⟨de (v.)⟩ **0.1** *mining industry.*
mijningang ⟨de (m.)⟩ **0.1** *pithead.*
mijningenieur ⟨de (m.)⟩ **0.1** *mining engineer.*
mijnlamp ⟨de (m.)⟩ **0.1** *miner's/ safety lamp* ⇒*Davy (lamp).*
mijnlift ⟨de (m.)⟩ **0.1** *mine lift* ⇒*cage.*
mijnongeluk ⟨het⟩ **0.1** *mine/ mining accident.*
mijnopruimingsdienst ⟨de (m.)⟩ **0.1** *mine/ bomb/ explosives disposal service/ squad/ unit.*
mijnramp ⟨zn.mv.⟩ **0.1** *mining/ colliery/ pit disaster.*
mijnschacht ⟨de⟩ **0.1** *mine shaft, pit.*
mijnsluiting ⟨de (v.)⟩ **0.1** *pit closure.*
mijnstad ⟨de⟩ **0.1** *mining town.*
mijnstaking ⟨de (v.)⟩ **0.1** *miners' strike.*
mijnstreek ⟨de⟩ **0.1** *mining area/ district.*
mijnstut ⟨de (m.)⟩ **0.1** *pit-prop.*
mijntrechter ⟨de (m.)⟩ **0.1** *mine crater.*
mijnwagentje ⟨het⟩ **0.1** *tub, mine car* ⇒*tram, hutch.*
mijnwater ⟨het⟩ **0.1** *water in the/ a mine.*
mijnwerker ⟨de (m.)⟩ **0.1** *miner* ⇒*mine worker,* ⟨kolenmijn⟩ *collier, coalminer.*
mijnwerkersbevolking ⟨de (v.)⟩ **0.1** *mining population.*
mijnwerkersbond ⟨de (m.)⟩ **0.1** *miners' union.*
mijnwerkerskompas ⟨het⟩ **0.1** *miner's compass* ⇒*dial.*
mijnwet ⟨de⟩ **0.1** *Mines Act;* ⟨olie-ind.⟩ *Mining Act* ◆ **2.1** natte ~ *(Netherlands) Continental Shelf Mining Act 1965.*
mijnwezen ⟨het⟩ **0.1** [mbt. de mijnontginning] *mining (matters/ industry/ activity)* **0.2** [mijnen in een streek] *mines.*
mijnworm ⟨de (m.)⟩ **0.1** *hookworm* ⇒*miner's worm.*
mijnwormziekte ⟨de (v.)⟩ **0.1** *ancylostomiasis* ⇒*miner's anaemia,* ⟨niet wet.⟩ *hookworm disease.*
mijnziekte ⟨de (v.)⟩ **0.1** *carbon monoxide poisoning.*
mijt ⟨de⟩ **0.1** [opgestapelde hoop] *stack* ⇒*pile,* ⟨van koren/ hooi ook⟩ *rick* **0.2** [diertje] *mite* ⇒⟨wet.⟩ *acarid.*
mijter ⟨de⟩ **0.1** [hoofddeksel] *mitre* **0.2** [bisschoppelijke waardigheid] *episcopate.*
mijteren ⟨ov.ww.⟩ **0.1** [met een mijter sieren] *mitre* **0.2** [tot bisschop verheffen] *mitre.*

mijzelf ⟨pers.vnw.⟩ **0.1** *myself* ◆ **3.1** ik begin ~ te leren kennen *I'm getting to know myself;* ik vond ~ een vrouw *I got me a wife* **6.1** plaatsen **voor** ~ en echtgenote ⟨ook⟩ *seats for self and wife.*
mik ⟨de⟩ **0.1** *loaf (of rye-bread)* ◆ **2.**¶ ⟨inf.⟩ dikke ~ *(you can) go fly a kite/ take a running jump/ jump in the lake;* ⟨inf.⟩ het is dikke ~ *it's all right/* ⟨vnl. AE ook⟩ *a-OK;* ⟨inf.⟩ het is dikke ~ tussen die twee *they're as thick as thiever* **3.**¶ zich een ~(kie) schrikken/ lachen *be frightened out of one's wits, split one's sides (with laughter).*
mikado ⟨Jap.⟩
 I ⟨de (m.)⟩ **0.1** [titel] *mikado;*
 II ⟨het⟩ **0.1** [spel] *spillikins, jackstraws.*
mikimotoparel ⟨de (m.)⟩ **0.1** *cultured pearl.*
mikken
 I ⟨onov.ww.⟩ **0.1** [richten] *(take) aim* **0.2** [ambiëren] *aim (for/ at)* ⇒*go (for), try (for)* ◆ **5.1** zij kan zeer goed ~ *she's a crack shot;* je moet nauwkeurig ~ alvorens te schieten *you have to take careful aim before you shoot* **5.2** je moet hoger ~ *you should aim higher/ raise your sights;* hoog ~ *aim high;* te hoog ~ *let one's ambitions outrun one's abilities* **6.1** ~ **op** iets *(take) aim at sth.* **6.2** ze mikt **op** het presidentschap *she is aiming at/ she's set her sights on the presidency;*
 II ⟨ov.ww.⟩ ⟨inf.⟩ **0.1** [gooien] *chuck* ⇒*fling, throw.*
mikmak ⟨de (m.)⟩ ⟨inf.⟩ **0.1** *caboodle* ⇒*lot, works* ◆ **2.1** de hele ~ *the lot, the works, the whole c.* **3.**¶ zich de ~ sjouwen *work o.s. to the bone, work like a dog, work one's ass off.*
mikpunt ⟨het⟩ **0.1** *butt* ⇒*target, object* ◆ **2.1** hij is een eeuwig/ voortdurend ~ van spotternij *he is a standing joke/ a laughingstock* **3.1** iem. tot een ~ maken van plagerijen/ grappen *make s.o. a butt (for teasing/ jokes)* **6.1** ~ zijn van *spot/ hatelijkheden/ smaad be the object of derision/ snide remarks/ slander.*
mil. ⟨afk.⟩ **0.1** [militair] *mil..*
Milaan ⟨het⟩ **0.1** *Milan* ⇒*Milano.*
Milanees ⟨bn.⟩ **0.1** *Milanese.*
mild ⟨bn., bw.;-ly⟩ **0.1** [gul] *generous* ⇒*liberal* **0.2** [overvloedig] *generous* ⇒*liberal, profuse, lavish, plentiful* **0.3** [welwillend] *mild* ⇒*clement, charitable* ⟨oordeel⟩*, lenient* ⟨straf⟩ **0.4** [zacht] *mild* ⇒*soft* ⟨regen⟩*, genial* ⟨weer⟩*, gentle, tender* ◆ **1.1** met ~e hand *lavishly, generously* **1.2** een ~e gift *a g. donation* **1.3** ~e kritiek m. / *charitable criticism;* een ~ oordeel *a clement/ lenient view/ judgement* **1.4** een ~e regen *a soft/ gentle rain;* een ~e shampoo *a m. shampoo;* een ~e sigaret *a m. cigarette* **3.3** mensen ~ beoordelen *judge people with charity;* iem. ~ bestraffen *punish s.o. lightly/ leniently;* het hart ~ stemmen *soften the heart* **5.3** hij is niet ~ in zijn kritiek *he is severe/ harsh in his judgement/ criticism.*
mildheid ⟨de (v.)⟩ **0.1** [toegeeflijkheid] *leniency* ⇒*clemency, charity, kindness* **0.2** [goedgeefsheid] *generosity* ⇒*liberality, lavishness* **0.3** [zachtheid] *mildness* ⇒*softness, gentleness* ◆ **1.3** de ~ v.e. sigaret *the m. of a cigarette* **3.2** hij werd geprezen om zijn ~ *he was praised for his g.* **6.1** de gevangenen met ~ behandelen *treat the prisoners with charity/ clemency.*
miliaria ⟨zn.mv.⟩ ⟨med.⟩ **0.1** *miliaria* ⇒⟨ongemarkeerd⟩ *heat rash, prickly heat.*
milieu ⟨het⟩ **0.1** [sociale kring] *milieu* ⇒*(social) environment, ambience* **0.2** [⟨biol.⟩] *environment* **0.3** [onderwereld] *gangland* ⇒*underworld* ◆ **1.2** welke zijn de gevolgen voor het ~? *what are the environmental effects?;* de vervuiling v.h. ~ *environmental pollution* **2.1** iem. uit een ander ~ *s.o. from a different social background/ m.;* een bekrompen/ asociaal ~ *a narrow-minded/ anti-social environment;* het familiale/ sociale ~ *the domestic/ social environment* **6.3** hij zit in het ~ *he is part of the underworld.*
milieu-activist ⟨de (m.)⟩ **0.1** *conservationist environmentalist* ⇒*anti pollutionist.*
milieu-ambtenaar ⟨de (m.)⟩ **0.1** *environment official, anti-pollution officer.*
milieubederf ⟨het⟩ **0.1** *environmental pollution.*
milieubeheer ⟨het⟩ **0.1** *conservancy, conservation (of nature).*
milieubelasting ⟨de (v.)⟩ **0.1** *anti-pollution tax.*
milieubeleid ⟨het⟩ **0.1** *conservation/ environmental policy.*
milieubeschermer ⟨de (m.)⟩ **0.1** *environmentalist.*
milieubescherming ⟨de (v.)⟩ **0.1** *conservation* ⇒*environmental protection.*
milieubewust ⟨bn.⟩ **0.1** *environmentalist, environment-minded* ⟨personen⟩*; ecological* ⟨handeling⟩.
milieubiologie ⟨de (v.)⟩ **0.1** *ecology* ⇒*environmental biology.*
milieudefensie ⟨de (v.)⟩ **0.1** *environmental protection* ⇒*conservancy, conservation.*
milieudeskundige ⟨de (m.)⟩ **0.1** *environmentalist* ⇒⟨wet.⟩ *ecologist.*
milieu-erosie ⟨de (v.)⟩ **0.1** *environmental deterioration.*
milieufreak ⟨de (m.)⟩ ⟨scherts.⟩ **0.1** *ecology freak* ⇒⟨ongemarkeerd⟩ *fanatical conservationist.*
milieugroep ⟨de⟩ **0.1** *ecology group* ⇒*anti-pollutionists, environmentalists,* ⟨actiegroep ook⟩ *eco-activists.*
milieuhygiëne ⟨de⟩ **0.1** [bestrijding van milieubederf] *environmental protection* ⇒*pollution control* **0.2** [toestand v.h. milieu] *state of the environment.*

milieuminister ⟨de (m.)⟩ **0.1** *minister of / for the environment / of / for environmental affairs* ⇒*environment minister.*

milieuplanning ⟨de (v.)⟩ **0.1** *environmental / ecological planning.*

milieupolitie ⟨de (v.)⟩ **0.1** *anti-pollution squad.*

milieuramp ⟨de⟩ **0.1** *environmental disaster* ⇒⟨op zeer grote schaal ook⟩ *eco-catastrophe.*

milieutaal ⟨de⟩ **0.1** *sociolect.*

milieutoeslag ⟨de (m.)⟩ ⟨fiscus⟩ **0.1** *supplementary grant for anti-pollution investment.*

milieuverontreiniging ⟨de (v.)⟩, **-vervuiling** ⟨de (v.)⟩ **0.1** *environmental pollution.*

milieuvriendelijk ⟨bn., bw.; -ly⟩ **0.1** *ecologically sound* ⇒*ecological, harmless to the environment* ♦ **2.1** een ~e verpakking *a biodegradable container / wrapper.*

milieuwachter ⟨de (m.)⟩ **0.1** *environmentalist.*

milieuwerker ⟨de (m.)⟩ ⟨scherts.⟩ **0.1** *refuse collector.*

milieuwetenschappen ⟨zn.mv.⟩ **0.1** *environmental science(s).*

milieuwetgeving ⟨de (v.)⟩ **0.1** *environmental legislation.*

milieuzorg ⟨de⟩ →**milieubescherming.**

militair¹ ⟨de (m.)⟩ **0.1** *soldier* ⇒*serviceman, military / militia man,* ⟨mv.⟩ *(the) troops / military* ♦ **2.1** dienstplichtig ~ *conscript,* ᴬ*draftee;* een goed ~ *a fine soldier.*

militair² ⟨bn., bw.⟩ **0.1** ⟨bn.⟩ *military* ⇒*army, war(like), armed, soldiers',* ⟨bw.⟩ *in a military fashion / way* ♦ **1.1** ~e academie *m. academy / school;* ~e bijstand *m. aid / support;* de ~e dienst *m. / national service;* in ~e dienst gaan *join the Forces;* ontslag uit ~e dienst *separation from the service;* uit ~e dienst ontslagen worden *get one's ticket;* met ~e eer *with m. honours;* iem. de ~e eer bewijzen *render s.o. military honours;* de ~e groet brengen *salute (in) m. fashion, stand at the salute;* hij koos voor een ~e loopbaan *he chose a career in the army;* ~e politie *m. police;* ~ tehuis *servicemen's recreation center.*

militant ⟨bn., bw.; -ly⟩ **0.1** *militant* ♦ **1.1** een ~e feministe *a m. feminist;* de ~e vleugel v.e. partij *the m. wing of a party* **3.1** zij treedt altijd nogal ~ op *she behaves in a rather aggressive way.*

militariseren ⟨ov.ww.⟩ **0.1** [drillen] *militarize* **0.2** [bewapenen] *militarize* ♦ **1.1** arbeiders ~ *m. workers, train workers for combat.*

militarisme ⟨het⟩ **0.1** [positieve houding mbt. het militaire] *militarism* **0.2** [invloed v.h. leger] *militarism.*

militarist ⟨de (m.)⟩ **0.1** *militarist.*

militaristisch ⟨bn., bw.; -ically⟩ **0.1** ⟨bn.⟩ *militarist(ic).*

military ⟨de (v.)⟩ ⟨sport⟩ **0.1** *three-day event* ⇒*eventing.*

militie ⟨de (v.)⟩ **0.1** *militia.*

militieraad ⟨de (m.)⟩ ⟨AZN⟩ **0.1** *Deferment and Exemption Board,* ᴬ*Draft Board.*

milium ⟨het⟩ **0.1** *Milium* ⇒*millet grass.*

miljard¹ ⟨het⟩ **0.1** [duizend miljoen] ᴮ*(a / one) thousand million;* ⟨vnl. AE⟩ *billion* **0.2** [ontelbare menigte, hoeveelheid] *billion* ⇒ᴬ*zillion* ♦ **3.1** hij heeft ~en *he has got billions, he is a multimillionaire / ^billionaire;* daaraan zijn ~en uitgegeven *thousands of millions / billions have been spent on this.*

miljard² ⟨hoofdtelw.⟩ **0.1** [duizend miljoen] ᴮ*(a / one) thousand million;* ⟨vnl. AE⟩ *billion* ⇒*(a / one) thousand million* **0.2** [bijzonder veel] *billion* ⇒ᴬ*zillion* ♦ **1.1** de schade loopt in de ~en guldens *the damage runs into billions / thousands of millions (of guilders);* een ~ liter olie *a b. litres of oil, one thousand million litres of oil* **1.2** ~en muggen *billions / zillions of mosquitoes.*

miljardair ⟨de (m.)⟩ **0.1** *multimillionaire,* ᴬ*billionaire.*

miljardennota ⟨de (v.)⟩ **0.1** *budget.*

miljardste¹ ⟨bn.⟩ **0.1** *billionth* ♦ **7.1** een ~ lichtjaar *one b. of a lightyear;* een ~ (deel) v.d. wereldbevolking *a b. part of the world population.*

miljardste² ⟨rangtelw.⟩ **0.1** *billionth.*

miljoen¹ ⟨het⟩ **0.1** [duizendmaal duizend] *million* **0.2** [ontelbare menigte] *million* **0.3** [cijfer] *million* ♦ **1.1** ⟨iron.⟩ een paar ~tjes verdienen *earn a few million(s)* **2.1** misschien wint ù het half ~! *perhaps you will win the half m.!* **3.3** je hebt de ~en verkeerd opgeteld *you have added up the millions wrongly* **7.1** een tekort van zes ~ *a six-million deficit, a deficit of six million(s).*

miljoen²
  I ⟨hoofdtelw.⟩ **0.1** [duizendmaal duizend] *(a / one) million* **0.2** [bijzonder veel] *million* ♦ **1.1** dit project zal ~en guldens gaan kosten *this scheme / project is going to cost millions of guilders;* een ~ kubieke meter gas *a m. cubic metres of gas;*
  II ⟨rangtelw.⟩ **0.1** [de miljoenste] *one million.*

miljoenenbedrijf ⟨het⟩ **0.1** *multi-million-pound / -dollar industry.*

miljoenenerfenis ⟨de (v.)⟩ **0.1** *inheritance of millions.*

miljoenennota ⟨de (v.)⟩ **0.1** *budget.*

miljoenenomzet ⟨de (m.)⟩ **0.1** *turnover of millions (of pounds / dollars), million-dollar turnover.*

miljoenenorder ⟨de (m.)⟩ **0.1** *order worth millions of pounds / dollars, million-dollar order.*

miljoenenschade ⟨de⟩ **0.1** *damage amounting to millions* ⇒*damage which runs into millions.*

miljoenenstad ⟨de⟩ **0.1** *city with over a million inhabitants.*

miljoenenverlies ⟨het⟩ **0.1** *loss running into millions.*

miljoenenvisje →**miljoenvisje.**

miljoenenwinst ⟨de (v.)⟩ **0.1** *profit of millions.*

miljoenenzwendel ⟨de (m.)⟩ **0.1** *fraud running into millions.*

miljoenmaal ⟨bw.⟩ **0.1** [miljoen keren] *a million times* **0.2** [ontzaglijk vaak] *a million times.*

miljoenste¹ ⟨bn.⟩ **0.1** *millionth* ♦ **1.1** een ~ lichtjaar *one m. of a lightyear* **7.1** ⟨zelfst.⟩ een kans van een ~ *a / one chance in a m..*

miljoenste² ⟨rangtelw.⟩ **0.1** *millionth* ♦ **1.1** de (één) ~ bezoeker sinds de opening van Disney Land *the m. visitor since Disney Land was opened.*

miljoenvisje ⟨het⟩ **0.1** *guppy.*

miljonair ⟨de (m.)⟩ **0.1** *millionaire* ♦ **2.1** een vrouwelijke ~ *a millionairess* **5.1** tweemaal ~ (zijn) *(be) a m. twice over;* enige malen / veelvoudig ~ *multimillionaire;* ⟨inf.⟩ *zillionaire.*

mille ⟨het⟩ **0.1** *(one) thousand* ♦ **3.1** zij verdient veertig ~ per jaar *she earns forty thousand a year* **6.1** per ~ *per thousand;* pro ~ *per mill / thousand.*

mille fleurs ⟨het⟩ **0.1** *millefleurs.*

millennium ⟨het⟩ **0.1** [tijdperk] *millennium* **0.2** [duizendjarig godsrijk] *millennium* ♦ **6.1** van een / van het ~ *millennial, millenary.*

milli-ampère ⟨de (m.)⟩ **0.1** *milliampere.*

millibar ⟨de (m.)⟩ **0.1** *millibar.*

milligram ⟨het⟩ **0.1** *milligram(me).*

milliliter ⟨de (m.)⟩ **0.1** *millilitre.*

millimeter ⟨de (m.)⟩ **0.1** *millimetre* ♦ **2.1** ⟨fig.⟩ op de / een vierkante ~ *on the / a postage stamp* **6.1** werken (tot) op de ~ *nauwkeurig carry out work accurate to the m..*

millimeteren ⟨ov.ww.⟩ **0.1** *crop.*

millimeterpapier ⟨het⟩ **0.1** *graph paper.*

millimeterwerk ⟨het⟩ **0.1** *precision work.*

millimicron ⟨het, de (m.)⟩ **0.1** *nanometer* ⇒⟨vero.⟩ *millimicron.*

milliseconde ⟨de⟩ **0.1** *millisecond.*

millivolt ⟨de (m.)⟩ **0.1** *millivolt.*

milliwatt ⟨de (m.)⟩ **0.1** *milliwatt.*

milt ⟨de⟩ ⟨biol.⟩ **0.1** *spleen.*

miltontsteking ⟨de (v.)⟩ **0.1** *splenitis.*

miltvergroting ⟨de (v.)⟩ **0.1** *splenomegaly, enlargement of the spleen.*

miltvuur ⟨het⟩ ⟨med.⟩ **0.1** *anthrax* ⇒*splenic fever* ♦ **1.1** ~ onder het vee *a. / splenic fever in cattle.*

miltvuurbacterie ⟨de (v.)⟩ **0.1** *anthrax.*

milva ⟨de (v.)⟩ **0.1** ≠ᴮ*WRAC,* ≠ᴬ*WAC.*

MILVA ⟨de (v.)⟩ ⟨afk.⟩ **0.1** [Militaire Vrouwenafdeling (bij het leger)] ≠ᴮ*WRAC,* ≠ᴬ*WAC.*

mime
  I ⟨de⟩ **0.1** [pantomime] *mime* **0.2** [gebaar] *mime* ♦ **3.1** ~ spelen *perform a m.;*
  II ⟨de (m.)⟩ **0.1** [speler] *mime (artist).*

mimegroep ⟨de⟩ **0.1** *mime group.*

mimen ⟨ov.ww.⟩ **0.1** *mime.*

mimeren ⟨ov.ww.⟩ **0.1** *mime.*

mimesis ⟨de (v.)⟩ **0.1** [nabootsing] *mimesis* ⇒*mimicry* **0.2** [⟨lit.⟩] *mimesis.*

mimespel ⟨het⟩ **0.1** *mime.*

mimespeler ⟨de (m.)⟩, **-speelster** ⟨de (v.)⟩ **0.1** *mime (artist).*

mimetheater ⟨het⟩ **0.1** [theater] *mime theatre* **0.2** [mimekunst] *mime art.*

mimi ⟨de⟩ **0.1** *nest of tables.*

mimicus ⟨de (m.)⟩ **0.1** *mime (artist).*

mimiek ⟨de (v.)⟩ **0.1** [uitdrukkingsbewegingen] *facial expression* **0.2** [gebarenkunst] *mime* ♦ **6.1** iets door ~ uitdrukken *show sth. by (one's) facial expression.*

mimisch
  I ⟨bn.⟩ **0.1** [mbt. de mimiek] *mimic(al)* ⇒*mimetic;*
  II ⟨bw.⟩ **0.1** [dmv. gebaren] *mimically* ⇒*mimetically* ♦ **3.1** iets ~ voorstellen *represent sth. mimetically.*

mimiset ⟨de⟩ **0.1** *nest of tables.*

mimitafeltje ⟨het⟩ **0.1** *small table* ♦ **1.1** een stel ~s *a nest of (small) tables.*

mimosa ⟨de⟩ **0.1** [plant] *mimosa* ⇒⟨Austr.E⟩ *wattle* **0.2** [plantengeslacht] *mimosa.*

min¹
  I ⟨de (v.)⟩ **0.1** [voedster] *wet nurse;*
  II ⟨de⟩ **0.1** [negatieve waarde] *minus* **0.2** [minteken] *minus (sign)* ⇒ *negative sign* ♦ **1.1** er zijn ~nen en plussen in deze zaak *there are pros and cons to this business, there are minuses and pluses in this matter* **3.2** voor dit cijfer moet je een ~ plaatsen *you must place a minus before this figure* **6.1** tien punten / gulden in de ~ staan *have a m. of ten points / guilders* **7.2** zij heeft op haar rapport voor tekenen een zeven ~ *she has a seven minus for drawing on her report;*
  III ⟨de; vaak / ne⟩ **0.1** [genegenheid] *love* ♦ **2.1** hoofse ~ *courtly l.* **6.¶** iets in der ~ne schikken *settle sth. amicably / by mutual agreement;* ⟨ook⟩ *settle sth. out of court.*

min²
  I ⟨bn.⟩ **0.1** [nietig, zwak] *poor* ♦ **3.1** haar examen was maar ~ *her*

exam was rather p. **5.1** arbeiders waren haar te ~ *workmen were below/beneath her;*
II ⟨bn.,bw.;-ly⟩ **0.1** [klein] *poor* **0.2** [gemeen] *mean* ⇒*low, shabby, base* **0.3** [weinig] *little* ◆ **1.2** een ~ne streek *a m.* / *dirty trick* **3.1** ~ denken over iem. *have a poor opinion of s.o.;* daar moet je niet te ~ over denken *that's not to be sneezed at* **3.2** iem. ~ behandelen *treat s.o. badly* **5.3** zo ~ mogelijk fouten maken *make as few mistakes as possible;* zij is (net) zo ~ verlegen als ik *she is as l. shy as I am;* ik weet het net zo ~ als jij *your guess is as good as mine;* ik kan het me net zo ~ als jij permitteren *I can't afford it, and no more can you;*
III ⟨bw.⟩ **0.1** [negatief] *minus* **0.2** [minder] *less* **0.3** [⟨nat.⟩] *negative* ◆ **7.1** de thermometer staat op ~ 10° *the thermometer stands at m. 10°* ¶**.2** ~ of meer *more or l., somewhat, sort of.*
min³ ⟨vz.⟩ **0.1** *minus* ⇒*less* ◆ **7.1** tien ~ drie is zeven *ten m. three equals seven;* ⟨inf.⟩ *three from ten leaves/is seven.*
min. ⟨afk.⟩ **0.1** [minuut] *min.* **0.2** [minimum] *min..*
Min. ⟨afk.⟩ **0.1** [minister] *Min.* **0.2** [ministerie] *Min..*
Mina 0.1 ≠*Mina* ⇒*Minnie* ◆ **2.1** ⟨fig.⟩ dolle ~'s ≠*women's libbers.*
minachten ⟨ov.ww.⟩ **0.1** *disdain* ⇒*hold in contempt, despise, look down on.*
minachtend ⟨bn., bw.;-ly⟩ **0.1** *disdainful* ⇒*contemptuous, depreciatory* ◆ **1.1** een ~e blik *a disdainful look* **3.1** ~ behandelen *treat with contempt;* ~ op iem. neerzien *look upon s.o. with contempt, look down on s.o.;* ~ spotten *mock contemptuously.*
minachting ⟨de (v.)⟩ **0.1** *contempt* ⇒*disdain* ◆ **1.1** zich de ~ van anderen op de hals halen *bring o.s. into c.* **2.1** een onverholen ~ tonen voor iets *have an undisguised c. for sth.* **3.1** ~ koesteren voor iem. *feel c. for s.o.* **5.1** een blik vol ~ *a contemptuous/disdainful look* **6.1** iem. **met** ~ behandelen *treat s.o. with c.* / *like dirt;* **uit** ~ **voor** *in c. of.*
minaret ⟨de⟩ **0.1** *minaret.*
minder¹
I ⟨bn.⟩ **0.1** [geringer] *less* ⇒*smaller* **0.2** [inferieur] *inferior* ⇒*lower* **0.3** [geringer van betekenis] *minor* **0.4** [slechter] *worse* ◆ **1.1** er was ~ vraag *demand was down* **1.2** de ~e rangen *the lower/i. ranks* **3.1** de olieprijs is vandaag niet ~ *the oil price is not down today;* ~ worden *decrease, diminish, lessen, decline* ⟨aanbod, aantal, vraag e.d.⟩ **3.3** de regen wordt ~ *the rain is easing off* **3.4** het is/smaakt er niet ~ om *it is/tastes none the w. for it;* mijn ogen worden ~ *my eyesight is failing;* peren/appels worden ~ in het voorjaar *pears/apples are not so good in the spring;* het wordt ~ met de omzet/service/kwaliteit *the turnover/service/quality gets w.;* de zieke wordt ~ *the patient is getting w.;* naar het einde toe wordt het (wat) ~ ⟨bv. boek, film⟩ *it goes off towards the end* **5.2** ze wordt er niet ~ om *that won't diminish her, that won't affect her reputation* **6.1** ik doe het niet **voor** ~ / *I can't do it for less* **6.2** het niet **met** ~ doen *refuse to do with less* **8.4** ~ dan ⟨in kwaliteit⟩ *inferior to;*
II ⟨bw.⟩ **0.1** [⟨van graad⟩] *less* **0.2** [⟨van wijze⟩] *less* **0.3** [⟨van modaliteit⟩] *less* ◆ **2.1** dat was ~ geslaagd *that was rather l. successful/was not so/very successful* **3.2** ~ gaan roken/drinken *cut down on smoking/drinking* **3.3** het zijn ~ de commentaren dan de sensatieverhalen die de aandacht trekken *it is the sensational stories rather than the comments that attract the attention* **4.2** hoe ~erover gezegd wordt, hoe beter *the l. said about it the better;* kan het wat ~? *there's no need to shout!.*
minder² ⟨telw.⟩ ⟨→sprw. 602⟩ **0.1** *less* ⟨met ontelb. nw.⟩*;fewer* ⟨met telb. nw.⟩ ◆ **1.1** een paar dagen ~ *a few days l.;* hij heeft niet veel geld, maar nog ~ verstand *he has little money and even l. intelligence* **3.1** dat is er weer één ~ *that is one less, that one fewer* **4.1** het is iets ~, mag dat? *it's a little l., OK?/is that all right?;* niets ~ dan dat *nothing l. than that* **6.1 in** ~ dan geen tijd was hij terug *he was back in l. than no time* **7.1** vijf minuten meer of ~ *give or take five minutes;* groepen van negen en ~ *groups of nine and under* **8.1 in** ~ dan twee weken na hun huwelijk *within two weeks of their wedding;* niemand ~ dan ...*no l. a person than ...;* net iets ~ dan 100 gulden ~o seconden *just under a hundred guilders/o seconds;* een bedrag van niet ~ dan 300 gulden *no l. a sum than 300 guilders;* niet ~ dan 300 mensen hebben gesolliciteerd *no l. than 300 people sent in an application/their applications;* weinig ~ dan sth. / *little short of.*
minderbegaafd ⟨bn.⟩ ⟨euf.⟩ **0.1** *backward.*
minderbroeder ⟨de (m.)⟩ ⟨r.k.⟩ **0.1** *Friar Minor* ⇒*Minorik.*
minder-draagkrachtige ⟨de (m.)⟩ **0.1** *financially weak person* ◆ **7.1** de ~n *the financially weak.*
mindere ⟨de (m.)⟩ **0.1** [ondergeschikte] *inferior* **0.2** [⟨mil.⟩] *private (soldier)* **0.3** [minder bekwame] *inferior* ◆ **3.1** op zijn ~n neerzien *look down on one's inferiors* **3.3** hij bleek op alle punten haar ~ te zijn *he proved to be her i. on all scores* **7.2** de ~n *the rank and file;* ⟨op schip⟩ *the ratings.*
minderen
I ⟨onov.ww.⟩ **0.1** [minder worden] *decrease* ⇒*diminish, lessen, decline* **0.2** [mbt. brei-/haakwerk] *decrease* ◆ **1.1** de kou is geminderd *the cold is less;* de pijn mindert *the pain is lessening/easing off* **6.¶** ~ **met** (roken) ⟨enz.⟩ *cut down on (smoking* ⟨enz.⟩ *)*
II ⟨ov.ww.⟩ **0.1** [minder maken] *decrease* ⇒*diminish* ◆ **1.1** snelheid/zijn vaart ~ *slow down, reduce one's speed;* twee steken ~ *d. two*

stitches; zeil ~ *shorten/take in sail;* ⟨fig.⟩ *keep/show a low profile.*
minderhedenbeleid ⟨het⟩ **0.1** *minorities policy, policy towards minorities.*
minderhedenvraagstuk ⟨het⟩ **0.1** *the problem of the minorities.*
minderheid ⟨de (v.)⟩ **0.1** [kleinste groep] *minority* **0.2** [deel v.d. bevolking] *minority (group)* **0.3** [lagere rang] *inferiority* ◆ **2.2** etnische ~ *ethnic m.* **3.1** een ~ (van zes personen) stemde tegen het voorstel *a m. (of six persons) voted against the motion* **3.2** zigeuners vormen een ~ *gipsies constitute a m.* (g.) **3.3** zijn ~ erkennen *admit one's i.* **6.1** in de ~ zijn *be in the m., be outvoted, be outnumbered.*
minderheidsbelang ⟨het⟩ **0.1** *minority interest.*
minderheidsgroepering ⟨de (v.)⟩ **0.1** *minority group.*
minderheidskabinet ⟨het⟩ ⟨pol.⟩ **0.1** *minority government.*
minderheidsnota ⟨de⟩ **0.1** *minority report.*
minderheidspartij ⟨de (v.)⟩ **0.1** *minority party.*
minderheidsregering ⟨de (v.)⟩ ⟨pol.⟩ **0.1** *minority government.*
minderheidsstandpunt ⟨het⟩ **0.1** *minority opinion/point of view.*
mindering ⟨de (v.)⟩ **0.1** [vermindering] *decrease* **0.2** [mbt. brei-/haakwerk] *decrease* ◆ **6.1** iets in ~ brengen (op) *deduct sth. (from);* in ~ komen *be reduced/diminished.*
minderjarig ⟨bn.⟩ **0.1** *minor* ⇒*underage* ◆ **3.1** ~ zijn *be a m., be underage.*
minderjarige ⟨de (m.)⟩ **0.1** *minor.*
minderjarigheid ⟨de (v.)⟩ **0.1** *minority.*
minder-valide¹ ⟨de (m.)⟩ **0.1** *disabled person.*
minder-valide² ⟨bn.⟩ **0.1** *disabled.*
minder-validenzorg ⟨de (v.)⟩ **0.1** *social care of the disabled.*
minderwaarde ⟨de (v.)⟩ **0.1** [beneden het vereiste blijvende waarde] *short value* **0.2** [mindere waarde] *loss in value, decrease in value* ◆ **1.1** de ~ v.e. onderpand *the short value of a security* **1.2** de ~ v.d. tabak door lekkage *the loss in value of the tobacco through leakage.*
minderwaardig
I ⟨bn.⟩ **0.1** [zonder veel waarde] *inferior (to)* ⇒⟨kwaliteit ook⟩ *poor, low* ◆ **1.1** dat is ~ fabrikaat/goed *these are low-quality products/goods;* ~ geld *depreciated money* **2.1** fysiek ~ *physically unfit;* geestelijk ~ *mentally disordered/deficient/defective;*
II ⟨bn., bw.;-ly⟩ **0.1** [gemeen] *mean* ⇒*low, base* ◆ **3.1** dat vind ik ~ / *I think that is low/a m. trick.*
minderwaardige ⟨de (m.)⟩ **0.1** *deficient* ◆ **2.1** ⟨jur.⟩ geestelijk ~n *mentally disordered persons.*
minderwaardigheid ⟨de (v.)⟩ **0.1** *inferiority* ⇒⟨kwaliteit ook⟩ *poor/low quality.*
minderwaardigheidsbesef ⟨het⟩ ⟨psych.⟩ **0.1** *sense/feeling of inferiority.*
minderwaardigheidscomplex ⟨het⟩ ⟨psych.⟩ **0.1** *inferiority complex.*
minderwaardigheidsgevoel ⟨het⟩ **0.1** *feeling/sense of inferiority.*
mineraal¹ ⟨het⟩ **0.1** [delfstof] *mineral* **0.2** [voedingszouten] *mineral* ◆ **1.1** hun rijkdom aan mineralen *their m. resources* **2.1** rijk aan mineralen *mineral-rich;* zware mineralen *heavy minerals.*
mineraal² ⟨bn.⟩ **0.1** [uit de aardkorst afkomstig] *mineral* **0.2** [van anorganische oorsprong] *mineral* ◆ **1.1** een minerale bron *a m. spring;* ~ gesteente *rock;* minerale olie *m. oil.*
mineraalchemie ⟨de (v.)⟩ **0.1** *mineral chemistry.*
mineraalwater ⟨het⟩ **0.1** *mineral water.*
mineralisatie ⟨de (v.)⟩ ⟨geol.⟩ **0.1** [het doen overgaan in anorganische stof] *mineralization* **0.2** [afzetting van mineralen] *mineralization.*
mineraliseren ⟨onov., ov.ww.⟩ **0.1** *mineralize.*
mineralogie ⟨de (v.)⟩ **0.1** *mineralogy.*
mineralogisch ⟨bn.⟩ **0.1** *mineralogical.*
mineraloog ⟨de (m.)⟩, -loge ⟨de (v.)⟩ **0.1** *mineralogist.*
mineren ⟨ov.ww.⟩ **0.1** [kruitmijnen aanleggen] *mine* **0.2** [mbt. insekten] *mine.*
minestrone ⟨de⟩ ⟨cul.⟩ **0.1** *minestrone (soup).*
mineur
I ⟨de⟩ **0.1** [⟨muz.⟩] *minor* **0.2** [stemming] *minor key* ◆ **6.1** dit stuk staat **in** (c) ~ *this piece is in (C) m.* **6.2 in** ~ (gestemd) zijn *be depressed;* een rede **in** ~ *a speech in a m. k.;*
II ⟨de (m.)⟩ **0.1** [⟨mil.⟩] *miner.*
mineurstemming ⟨de (v.)⟩ **0.1** *minor key.*
Ming ⟨gesch.⟩ **0.1** *Ming.*
Mingporselein ⟨het⟩ **0.1** *Ming (porcelain).*
minheid ⟨de (v.)⟩ **0.1** [lage handelswijze] *meanness* ⇒*lowness, baseness* **0.2** [nietigheid] *littleness.*
mini ⟨het⟩ **0.1** [rok, jurk] *mini* **0.2** [auto] *mini* ◆ **3.1** ~ dragen *wear minis/a m..*
miniaturisatie ⟨de (v.)⟩ **0.1** *miniaturization.*
miniaturist →**miniatuurschilder.**
miniatuur ⟨de (v.)⟩ **0.1** [⟨vaak in samenst.⟩ klein model] *miniature* **0.2** [hoofdletter, illustratie] *miniature* ⇒*illumination* **0.3** [schilderwerk] *miniature* ◆ **1.1** miniatuurautootje ⟨ook⟩ *model car;* miniatuurwoordenboek, miniatuurstaat *m. dictionary/state* **6.1 in** ~ *in m.* **6.2** een getijdeboek **met** miniaturen *an illuminated breviary.*
miniatuurformaat ⟨het⟩ **0.1** *miniature format.*
miniatuurschilder ⟨de (m.)⟩, -es ⟨de (v.)⟩ **0.1** *miniaturist* ⇒*miniature painter.*

miniatuurspoorbaan ⟨de⟩ **0.1** *miniature/model/*⟨in pretpark e.d.⟩ *scenic railway.*
miniatuurtrein ⟨de (m.)⟩ **0.1** *miniature/model train.*
minibus ⟨de⟩ **0.1** *minibus.*
minicomputer ⟨de (m.)⟩ **0.1** *minicomputer.*
miniem ⟨bn.,bw.⟩ **0.1** *small* ⇒*slight, negligible,* ⟨bedrag/kosten ook⟩ *nominal, marginal* ◆ **1.1** een~ kansje ⟨ook⟩ *an outside chance;* een~ verschil *a slight/trifling difference* **5.1** uiterst ~ *infinitesimal.*
miniformaat ⟨het⟩ **0.1** *miniature format.*
minigolf ⟨het⟩ **0.1** *miniature golf* ⇒*midget golf.*
minima ⟨zn.mv.⟩ **0.1** *minimum wage-earners* ◆ **2.1** de echte~ *the true m. w.-e..*
minimaal
  I ⟨bn.,bw.;-ly⟩ **0.1** [uiterst klein/weinig] *minimal* ◆ **1.1** (taal.) minimale (woord)paren *m. pairs* **3.1** ~ presteren *achieve very little, perform very poorly;*
  II ⟨bw.⟩ **0.1** [minstens] *at least* ◆ **3.1** hier moet je~ twaalf voor zijn ⟨ook⟩ *the minimum age is twelve;*
  III ⟨bn.⟩ **0.1** [min,laf] *mean* ⇒*base, low.*
minimal art ⟨de⟩⟨bk.⟩ **0.1** *minimal art* ⇒*minimalism, rejective art, reductivism.*
minimaliseren ⟨ov.ww.⟩ **0.1** [zo klein mogelijk maken] *minimize* ⇒*minify, keep to a minimum* **0.2** [kleineren] *belittle* ⇒*minimize, depreciate, deprecate* ◆ **1.1** de verschillen~ *m. the differences* **1.2** het aantal slachtoffers~ *minimize the number of victims/casualties.*
minimalisme ⟨het⟩ **0.1** *minimalism.*
minimalist ⟨de (m.)⟩ **0.1** *minimalist.*
minimode ⟨de (v.)⟩ **0.1** *mini (fashion/style).*
minimum ⟨het⟩ **0.1** [kleinste waarde] *minimum* **0.2** [⟨mv.⟩ mensen met minimumloon] (→**minima**) ◆ **1.1** in een~ van tijd *in (less than) no time* **2.1** het absolute/uiterste~ *the absolute/very m.* **3.1** tot het/een ~ beperken/terugbrengen *reduce to the/a m., minimize;* de lonen zijn tot een ~ gedaald *wages have fallen/dropped to a m.* **6.1** sigaren met een~ **aan** nicotine *cigars with a m. of nicotine.*
minimumeis ⟨de (m.)⟩ **0.1** *minimum claim.*
minimuminkomen ⟨het⟩ **0.1** [laagste inkomen] *minimum income* **0.2** [⟨mv.⟩ mensen] *minimum wage-earners.*
minimuminzet ⟨de (m.)⟩ **0.1** *minimum stake.*
minimumjeugdloon ⟨het⟩ **0.1** *minimum youth wage.*
minimumlijder ⟨de (m.)⟩⟨iron.⟩ **0.1** [iem. met een minimumloon] *minimum wage-earner* **0.2** [iem. die de kantjes eraf loopt] *minimalist.*
minimumloner ⟨de (m.)⟩ **0.1** *minimum-wage earner.*
minimumloon ⟨het⟩ **0.1** *minimum wage.*
minimumprijs ⟨de (m.)⟩ **0.1** *minimum price.*
minimumprogramma ⟨het⟩ **0.1** *minimum programme* ^*gram.*
minimumsnelheid ⟨de (v.)⟩ **0.1** *minimum speed.*
minimumtemperatuur ⟨de (v.)⟩ **0.1** *minimum temperature* ⇒*bottom temperature.*
minimumthermometer ⟨de (m.)⟩ **0.1** *minimum thermometer.*
minimumuitkering ⟨de (v.)⟩ **0.1** *minimum benefit/allowance.*
minipil ⟨de⟩ **0.1** *minipill.*
minirok ⟨de (m.)⟩ **0.1** *miniskirt.*
miniseren ⟨ov.ww.⟩ **0.1** *cut down (on)* ◆ **1.1** het roken~ *cut down (on) smoking.*
minister ⟨de (m.)⟩⟨pol.⟩ **0.1** [hoofd v.e. departement] *minister* ⇒⟨GB, sommige functies⟩ *secretary of state,* ⟨USA⟩ *secretary* **0.2** [staatsvertegenwoordiger] *minister* ◆ **1.1** Minister van Openbaar Ambt *Minister of the Civil Service;* Minister van Buitenlandse Zaken/Betrekkingen *Minister for Foreign Affairs/Relations;* ⟨GB⟩ *Secretary of State for Foreign Affairs;* ⟨GB;inf.⟩ *Foreign Secretary;* ⟨USA⟩ *Secretary of State;* Minister van Defensie *Minister of Defence;* ⟨GB⟩ *Secretary of State for Defence;* ⟨AE⟩ *Secretary of Defense;* ⟨GB,USA;inf.⟩ *Defence* ^*se Secretary;* Minister van Economische Zaken *Minister for Economic Affairs;* ⟨GB⟩ ≠ *President of the Board of Trade, Secretary of State for Trade and Industry;* Minister van Financiën *Minister of Finance;* ⟨GB⟩ *Chancellor of the Exchequer;* ⟨USA⟩ *Secretary of the Treasury;* Minister van Justitie *Minister of Justice;* ⟨GB⟩ ≠ *Lord (High) Chancellor;* ⟨USA⟩ ≠ *Attorney General;* Minister van Landbouw en Visserij *Minister of Agriculture and Fisheries;* Minister van Onderwijs en Wetenschappen *Minister of Education and Science;* ⟨BE;inf.⟩ *Education Secretary;* ⟨USA⟩ *Secretary of Education;* Minister van Ontwikkelingssamenwerking *Ministe for Development Cooperation;* Minister van Staat *Minister of State* ⟨honorary title bestowed on some former politicians⟩; Minister van Verkeer en Waterstaat *Minister of Transport and Construction;* ⟨GB⟩ ≠ *Secretary of State for Transport;* ⟨USA⟩ *Secretary of Transportation;* Minister van Volkshuisvesting, Ruimtelijke Ordening en Milieubeheer *Minister for Housing, Regional Development and the Environment;* Minister van Welzijn, Volksgezondheid en Cultuur *Minister of Welfare and Health and for Cultural Affairs;* ⟨GB⟩ ≠ *Secretary of State for Social Services;* ⟨USA⟩ ≠ *Secretary of Health and Human;* Minister van Sociale Zaken en Werkgelegenheid *Minister for Social Services and Employment* **2.1** zittend~ *Minister of the Crown* **2.2** gevolmachtigd~

m. plenipotentiary **6.1** Minister van Binnenlandse Zaken *Minister of the Interior;* ⟨GB⟩ *Secretary of State for the Home Department,* ⟨inf.⟩ *Home Secretary;* ⟨USA⟩ *Secretary of the Interior* **7.1** eerste ~ *prime m., premier* ¶**.1** ~ zonder portefeuille *m. without portfolio.*
ministerconferentie ⟨de (v.)⟩ **0.1** [vergadering] *Cabinet meeting* **0.2** [landenconferentie] *conference of Ministers.*
ministerie ⟨het⟩ **0.1** [departement] *ministry* ⇒⟨GB sommige, USA alle⟩ *department* **0.2** [ministerschap] *ministry, ministership* ⇒*secretaryship* **0.3** [gebouw] *ministry* **0.4** [ambtenaren] *Ministry* **0.5** [het kabinet] *Cabinet* **0.6** [predikantenvergadering] *consistory* ◆ **1.1** Ministerie van Binnenlandse Zaken *Ministry/Department of the Interior;* ⟨GB⟩ *Home Department/*⟨inf.⟩ *Office;* Ministerie van Buitenlandse Zaken *Ministry of Foreign Affairs;* ⟨GB⟩ *Foreign Office;* ⟨USA⟩ *State Department;* Ministerie van Defensie *Ministry of Defence;* ⟨USA⟩ *Department of Defense;* ⟨inf.⟩ *(the) Pentagon;* Ministerie van Financiën *Ministry of Finance, Finance Department;* ⟨GB⟩ *Treasury;* ⟨USA⟩ *Treasury Department;* Ministerie van Justitie *Ministry/Department of Justice;* Ministerie van Landbouw en Visserij *Ministry of Agriculture and Fisheries;* Ministerie van Onderwijs en Wetenschappen *Ministry of Education and Science;* ⟨GB⟩ ≠ *Department/Ministry of Education and Science;* ⟨USA⟩ ≠ *Department of Education;* Ministerie van Ontwikkelingssamenwerking ⟨USA⟩ ≠ *Agency for International Development;* Ministerie van Verkeer en Waterstaat *Ministry of Transport and Public Works;* ⟨GB⟩ *Ministry of Transport;* ⟨USA⟩ ≠ *Department of Transportation;* Ministerie van Volkshuisvesting, Ruimtelijke Ordening en Milieubeheer *Ministry for Housing, Regional Development and the Environment;* Ministerie van Welzijn, Volksgezondheid en Cultuur *Ministry of Welfare, Health and Cultural Affairs;* ⟨GB⟩ ≠ *Department of Health and Social Security;* ⟨USA⟩ ≠ *Department of Health and Human Services;* Ministerie van Economische Zaken *Ministry of Economic Affairs;* ⟨GB⟩ ≠ *Department of Trade and Industry;* Ministerie van Sociale Zaken en Werkgelegenheid *Ministry for Social Affairs and Employment* **2.**¶ het Openbaar Ministerie *the Public Prosecutor.*
ministerieel ⟨bn.⟩ **0.1** [mbt. de ministers] *ministerial* ⇒*departmental* **0.2** [mbt. de partij v.e. kabinet] *ministerial* ◆ **1.1** bij ~ besluit/ministeriële beslissing *by a Ministerial Order;* een ministeriële commissie *a departmental committee;* ministeriële crisis *Cabinet crisis;* de ministeriële verantwoordelijkheid *m. responsibility.*
minister-president ⟨de (m.)⟩ **0.1** *prime minister* ⇒*premier.*
ministerraad ⟨de (m.)⟩ **0.1** *council of ministers* ◆ **1.1** lid v.d. ~ *Cabinet Minister, Minister of the Crown;* (de) vergadering v.d. ~ (vandaag) *(today's) meeting of the Cabinet.*
ministerschap ⟨het⟩ **0.1** [ambtsperiode] *ministry* **0.2** [ambt] *ministership* ⇒*secretaryship, ministerial office.*
minister(s)portefeuille ⟨de (m.)⟩ **0.1** *ministerial portfolio.*
ministerspost ⟨de (m.)⟩ **0.1** *ministerial post* ⇒*ministerial office.*
ministerswisseling ⟨de (v.)⟩ **0.1** *Cabinet reshuffle.*
ministerszetel ⟨de (m.)⟩ **0.1** *seat in the government* ⇒*ministership, ministerial office.*
minitaxi ⟨de (m.)⟩ **0.1** *minicab.*
minitrip ⟨de (m.)⟩ **0.1** *minitrip.*
minivoetbal ⟨het⟩⟨sport⟩ **0.1** [zaalvoetbal] *indoor football* **0.2** [voetbal voor pupillen] *midget football.*
mink
  I ⟨de (m.)⟩ **0.1** [dier] *mink;*
  II ⟨het⟩ **0.1** [bont] *mink.*
minkukel ⟨de (m.)⟩⟨scherts.⟩ **0.1** *twit* ⇒*dumb-cluck, ninny, twirp.*
minnaar ⟨de (m.)⟩,-**nares** ⟨de (v.)⟩ **0.1** [iem. die v.e. ander houdt] *lover* ⟨m.,v.⟩ ⇒⟨v. ook⟩ *love, mistress* **0.2** [liefhebber] *lover* ⇒*devotee* ◆ **1.2** een ~ v.d. jacht *a l. of the chase* **2.1** een betaalde ~ *a gigolo, a lounge lizard;* een onervaren ~ *an inexperienced lover;* een ontrouwe ~ *an unfaithful lover;* ⟨inf.⟩ *a two-tuner;* een (rijke) oudere ~ *a sugar-daddy* **3.1** een ~ hebben *have a lover* **7.1** een vrouw met veel ~s *a woman with many lovers;* ⟨inf.⟩ *a nympho, a man-eater.*
minne →**min**[1] **III.**
minnebrief ⟨de (m.)⟩ **0.1** *love letter.*
minnedicht ⟨het⟩⟨schr.⟩ **0.1** *love poem.*
minnegod ⟨de (m.)⟩ **0.1** *god of love.*
minnekozen ⟨onov.ww.⟩ **0.1** *make love* ⇒*bill and coo, dally, pet.*
minnelied ⟨het⟩ **0.1** *love song.*
minnelijk ⟨bn.,bw.;-ly⟩ **0.1** *amicable* ⇒*friendly* ◆ **1.1** een ~e schikking *an a./a friendly settlement;* bij ~e schikking regelen *settle amicably/by agreement/out of court* **3.1** ~ schikken ⟨ook⟩ *compromise.*
minnelyriek ⟨de (v.)⟩ **0.1** *minnesong, minnesang* ⇒*(courtly) love lyric.*
minnen
  I ⟨onov.ww.⟩ **0.1** [vrijen] *court* ◆ **1.1** ~de paartjes *courting couples;*
  II ⟨ov.ww.⟩⟨schr.⟩ **0.1** [beminnen] *love.*
minnepijn ⟨de⟩ **0.1** *pang of love.*
minnespel ⟨het⟩ **0.1** *courting* ⇒*lovemaking.*
minnetjes ⟨bn.,bw.;-ly⟩ **0.1** [zwak] *poor* ⇒*thin* **0.2** [verachtelijk] *mean* ⇒*shabby* ◆ **3.1** de zieke voelt zich erg ~ *the patient feels very low/poorly.*

minnezang 〈de (m.)〉 **0.1** [de lyriek] *minnesong,minnesang* ⇒*(courtly) love lyric* **0.2** [minnedicht] *love poem.*

minnezanger 〈de (m.)〉 **0.1** *minnesinger* ⇒*troubadour.*

minor 〈bn.〉 **0.1** *minor* ⇒*junior.*

minoriteit 〈de (v.)〉 **0.1** [minderheid] *minority* **0.2** [minderjarigheid] *minority.*

minpunt 〈het〉 **0.1** *minus* ⇒*demerit.*

minst[1]

I 〈bn.〉 **0.1** [geringste] *slightest* ⇒〈laagst,slechtst〉 *lowest* **0.2** [〈zelfst.〉] *least* ◆ **1.1** de ~e fout niet door de vingers zien *not overlook the s. mistake;* die vaas heeft niet de ~e waarde *that vase has no value at all/whatever* **6.2** op z'n ~ *at (the) l.;* zij is op zijn ~ veertig *she's forty, if she's a day, she's at l. forty;* **ten** ~e *at l.;* **ten** ~e/op zijn ~ een week *at l. one week, one week at l.* **7.1** niet de/het ~e … 〈kans, twijfel enz.〉 *not a bit/a shadow of …, not the least touch of …, not the slightest …* **7.2** er niet het ~e van weten *not know the slightest thing about it;* die schram is nog het ~e *that scar doesn't matter (so) much;* bij het ~e of geringste *at the least little thing, at the drop of a hat, at/on the slightest provocation;* hij heeft er niet in het ~ bezwaar tegen *he does not object (to it) at all;*

II 〈bw.〉 **0.1** [in de geringste mate] *least* ◆ **7.1** het ~ slapen van allemaal *sleep l. of all;* wat ik het ~ verwacht had, gebeurde *what I had l. expected happened.*

minst[2] 〈telw.〉 〈~sprw. 347〉 **0.1** *least, fewest* ◆ **1.1** zij verdient het ~e geld *she earns the l. money;* de ~e overtredingen gemaakt hebben *have committed the f. offences.*

minstbedeelden 〈zn.mv.〉 →**minima.**

minste 〈de (m.)〉 **0.1** 〈zie 3.1〉 ◆ **3.1** wees maar de ~ *make the first move, give way.*

minstens 〈bw.〉 **0.1** *at (the) least* ◆ **3.1** ik dacht ~ dat … *I thought at (the very) least that …;* hij had ~ een klap op zijn gezicht verwacht *he expected nothing short of/less than a slap in the face* **7.1** hij is ~ veertig *he is forty, if he's a day;* het zijn er ~ duizend *there are a thousand at least;* ik moet ~ vijf gulden hebben *I need five guilders at least.*

minstreel 〈de (m.)〉 **0.1** [troubadour] *minstrel* ⇒*troubadour* **0.2** [dichter] *minstrel* ⇒*poet.*

minteken 〈het〉 **0.1** [mbt. aftrekkingen] *minus (sign)* **0.2** [mbt. negatieve waarde] *minus (sign)* ⇒*negative sign.*

minus[1] 〈het〉 **0.1** [minteken] *minus (sign)* **0.2** [tekort] *minus.*

minus[2] 〈vz.〉 **0.1** *minus* ⇒*less* ◆ **7.1** zeven ~ drie is vier *seven m. three equals four.*

minuscuul 〈bn.,bw.〉 **0.1** *tiny* ⇒*minuscule* ◆ **1.1** ~ schrift *minuscule handwriting;* minuscule vliegjes *t. flies* **2.1** ~ klein *minuscule;* een ~ klein deel(tje) *a minute fraction* **3.1** ~ schrijven *write very small.*

minuskel 〈de〉 **0.1** [kleine letter] *minuscule* **0.2** [bijbelhandschrift] *minuscule* ◆ **2.1** Karolingische ~s *Carolingian* **6.1** in ~ *minuscule.*

minuskelschrift 〈het〉 **0.1** *minuscule* ⇒*Carolingian.*

minuspool 〈de〉 **0.1** *negative pole.*

minusteken 〈het〉 **0.1** *minus sign.*

minute 〈de (v.)〉 ◆ ¶.¶ à la ~ *immediately, at once, this minute;* je kunt van mij niet verwachten dat ik je werk à la ~ nakijk *you can't expect me to mark your work on the spot;* je zou denken dat je zoiets à la ~ kon doen *you'd think I could do sth. like that at the drop of a hat;* en het moest natuurlijk à la ~ *and of course it had to be ready yesterday.*

minutenlang 〈bn.,bw.〉 **0.1** 〈bn.〉 *minute-long* ⇒*of (several) minutes* 〈na zn.〉, 〈bw.〉 *(for) minutes* ◆ **3.1** het duurde ~ voordat ze doorging *it was minutes before she went on;* hij zweeg ~ *he was silent for minutes.*

minutenwijzer 〈de (m.)〉 **0.1** *minute hand.*

minutieus 〈bn.,bw.〉 **0.1** *meticulous* ⇒*detailed, precise,* 〈detail ook〉 *minute* ◆ **1.1** een ~ onderzoek instellen *carry out a careful inquiry* **3.1** iets ~ beschrijven *describe sth. in meticulous/minute detail.*

minuut 〈de〉 **0.1** [deel v.e. uur] *minute* **0.2** [deel v.e. graad] *minute* **0.3** [origineel v.e. akte] *original (of the instrument)* **0.4** [ogenblik] *second, minute* ◆ **1.1** vijf minuten pauze nemen *take 5* **1.4** even ~(je) geduld alstublieft *(hang on) just a sec(ond) please* **2.1** iedere tien minuten rijdt er een tram *there's a tram every ten minutes/at ten-minute intervals* **3.1** het is tien minuten lopen *it's a ten-minute walk* **6.1** ze kwam om/het was vijf uur, **op** ~ **af** *she arrived at/it was five o'clock sharp /precisely, she arrived on the stroke of five/at five o'clock on the dot;* **op** de ~ **af** beginnen *start on the dot;* je hebt er **op** de ~ **af** vijf uur over gedaan *it took you precisely five hours/five hours to the m.* **6.3** de akte berust **in** ~ bij de notaris *the original of the instrument is with the notary* **6.4** de situatie verslechterde **met** de ~ *the situation was getting worse by the m.* **7.1** om drie minuten voor/over half vier *at three twenty-seven/thirty-three, at twenty-seven minutes past three/to four;* er ging geen ~ voorbij of ik dacht aan haar *not/hardly a m. went by without me thinking of her* **7.4** geen ~ zit hij stil *he won't sit still for a s..*

minuutteken 〈het〉 **0.1** *minute mark.*

minvermogend 〈bn.〉 **0.1** *poor* ⇒*needy, impecunious, indigent, of limited means* 〈na zn.〉 ◆ **7.1** de ~en *the p. (and needy), people/those of limited means.*

minzaam 〈bn.,bw.;-ly〉 **0.1** [vriendelijk] *affable* ⇒*amiable, genial, lik(e)able* **0.2** [mbt. personen van lagere rang] *gracious* ⇒*benign,* 〈neerbuigend〉 *condescending* ◆ **1.2** een ~ knikje *a bland/benign nod* **3.1** iem. ~ ontvangen/bejegenen *receive/treat s.o. graciously* **3.2** de vorst onderhield zich ~ met de aanwezigen *the monarch graciously conversed with those present.*

minzaamheid 〈de (v.)〉 **0.1** [vriendelijkheid] *affability* ⇒*amiability, geniality* **0.2** [mbt. personen van lagere rang] *benignancy, benignity* ⇒ 〈neerbuigend〉 *condescension.*

Mioceen 〈het〉 〈geol.〉 **0.1** *Miocene.*

miosis 〈de (v.)〉 **0.1** *miosis, myosis.*

mirabel 〈de〉 **0.1** *mirabelle (plum).*

miraculeus

I 〈bn.,bw.;-ly〉 **0.1** [wonderbaarlijk, verbazingwekkend] *miraculous* ⇒*wonderful, marvellous, prodigious;*

II 〈bn.〉〈rel.〉 **0.1** [wonderdoend] *miraculous* ⇒*wonder working,* 〈zeldz.〉 *thaumaturgic* ◆ **1.1** een ~ Mariabeeld *a m. image of the Virgin Mary.*

mirakel[1] →**mirakels.**

mirakel[2] 〈het〉 **0.1** [wonder] *miracle* ⇒*wonder* **0.2** [iets wonderbaarlijks] *miracle* ⇒*prodigy, marvel, wonder* ◆ **1.2** een ~ van woordkunst *a marvel of/(a) marvellous (piece of) wordcraft/writing* **3.1** God alleen kan ~en doen *only god can work/perform miracles* **6.¶** 〈inf.〉 **voor** ~ liggen *be dead to the world;* 〈dronken ook〉 *be paralytic/under the table/in a drunken stupor.*

mirakels 〈inf.〉

I 〈bn.〉 **0.1** [verdomd] *dashed, confounded, darned* ◆ **1.1** die ~e hond/ drempel! *that dashed/darned dog/doorstep!;*

II 〈bw.〉 **0.1** [zeer] *awfully* ⇒*incredibly, marvellously* ^*marvelously* ◆ **2.1** zij is ~ gelukkig *she's marvellously happy* **5.1** 't is ~ vervelend *it's a darned nuisance.*

mirakelspel 〈het〉 〈gesch.〉 **0.1** *miracle play.*

mirliton 〈de (m.)〉 **0.1** *mirliton* ⇒*reed-pipe,* 〈bij feestelijkheden〉 *novelty whistle, kazoo.*

mirre 〈de〉 **0.1** *myrrh.*

mirt 〈de (m.)〉 **0.1** *myrtle.*

mirtekrans 〈de (m.)〉 **0.1** *myrtle crown/wreath.*

mirte-olie 〈de〉 **0.1** *myrtle oil.*

mis[1] 〈de〉 **0.1** [plechtigheid] *Mass* **0.2** [muziek, gezangen] *Mass* ◆ **1.2** een ~ van Palestrina *a choral M. by Palestrina* **2.1** de heilige ~ bijwonen *attend M.;* een plechtige/gezongen ~ *a Solemn/sung M.;* een stille/gelezen ~ *a Low M.;* de zwarte ~ *Black M.;* 〈mbt. dodenmis ook〉 *M. for the dead, Requiem M.* **3.1** de ~ doen/celebreren/opdragen/ lezen *say/celebrate/read M.* **6.1** een ~ met *a High/Solemn M.; naar* de ~ gaan *go to M.;* de ~ **van** 12 uur *12 o'clock M..*

mis[2] 〈bn.,bw.〉〈→sprw. 525〉 **0.1** [niet raak] *out, off target* **0.2** [onjuist] *wrong* **0.3** [niet in orde, verkeerd] *wrong* ◆ **1.1** 〈inf.〉 ~ poes ! *tough (luck)!* **1.2** 〈inf.〉 ~ poes! *nope!, no way!, (that's (just) where you're) wrong!* **1.3** 〈inf.〉 een ~se boel *a filthy/horrible/dreadful mess* **2.1** was het ~ of raak? *was it (a) hit or (a) miss?* **3.1** ~ is as good as a mile; het schot was ~ *the shot missed/was out, the shot was off target;* 〈AZN〉 een deur/huis ~ zijn *be at the wrong house/door* **3.2** als ik het ~ heb moet je 't maar zeggen *if I'm w., do say so;* ik kan het ~ hebben maar … *I may be w. but …;* je hebt het ~ *you're w. / mistaken;* je hebt het helemaal ~ *you're quite w. / way off/way out;* in niet ~ te verstane bewoordingen *in no uncertain terms* **3.3** het liep ~ *it went w.* **5.1** niet ~ *not quite!, close!, almost!* **5.2** je hebt het niet ver ~ *you're not far out/off/w.;* heb ik het ver ~ als ik zeg dat … *am I w. / far out if I say that …* **5.¶** dat is lang niet ~! *that's not bad (at all)/not to be sneezed at* **6.3** het is helemaal ~ **met** het weer *it's rotten!/ lousy weather, the weather's all w.;* het is weer ~ **met** hem 〈weer ziek〉 *he's ill/sick again;* 〈oude kwaal〉 *he's at it again.*

misandrie 〈de (v.)〉〈med.〉 **0.1** *misandry.*

misanthropisch 〈bn.,bw.;-(al)ly〉 **0.1** *misanthropic(al).*

misantroop 〈de (v.)〉 **0.1** *misanthrope* ⇒*misanthropist.*

misantropie 〈de (v.)〉 **0.1** *misanthropy.*

misbaar[1] 〈het〉 **0.1** *clamour* ⇒〈protest ook〉 *outcry, uproar,* 〈lawaai ook〉 *hullabaloo* ◆ **3.1** ~ maken 〈schreeuwen〉 *beat one's breast, shout blue murder;* 〈ophef maken〉 *make a fuss, take on* **7.1** met veel ~ *with a great deal of noise.*

misbaar[2] 〈bn.〉 **0.1** *dispensable* ⇒*expendable, spareable.*

misbaksel 〈het〉 **0.1** [wanprodukt] *waster* ⇒*wastrel* **0.2** [mismaakt persoon] *monster* ⇒*monstrosity,* 〈mispunt〉 *bastard, louse,* 〈sl.〉 *shitbag, arsehole.*

misbelletje 〈het〉 **0.1** *sacring bell* ⇒*Sanctus bell.*

misboek 〈het〉〈r.k.〉 **0.1** [missaal] *missal* **0.2** [kerkboek] *service/prayer book.*

misbruik 〈het〉 **0.1** [verkeerd gebruik] *misuse, abuse* ⇒*improper use,* 〈overmatig gebruik ook〉 *excess* **0.2** [verkeerde gewoonte] *abuse* ⇒ *malpractice, excess* ◆ **1.1** ~ van bevoegdheid *misfeasance;* ~ van sterke drank *alcoholic excess;* ~ van gezag *a. of authority;* ~ van recht *a. of law;* ~ van vertrouwen *a. / breach of confidence/trust* **3.1** ~ wordt gestraft *improper use will be punished;* ~ maken van zijn macht *abuse*

/*misuse one's power, pull rank (over s.o.);* van iemands goedheid ~ maken *trespass upon/presume upon/take (undue) advantage of s.o.'s kindness/s.o.'s good nature;* ~ maken van iemands lichtgelovigheid *trade/play on s.o.'s credulity;* ~ maken van iemands gastvrijheid *impose on s.o.'s hospitality;* ~ van iem. maken *impose on/take advantage of s.o., use/exploit s.o.* 3.2 ~en tegengaan *suppress abuses/malpractice.*

misbruiken ⟨ov.ww.⟩ **0.1** [verkeerd gebruik maken van] *abuse* ⇒*misuse, impose upon* ⟨goedheid⟩, *make improper use of* ⟨gezag⟩ **0.2** [verkrachten] *violate* ⇒*rape, assault sexually, dishonour* ◆ **1.1** iemands goedheid ~ *presume/operate on s.o.'s kindness;* Gods naam ~ *use god's name in vain;* zijn talenten ~ *prostitute/a. one's talents* **1.2** een meisje ~ *v. a girl* **3.1** zich misbruikt voelen *feel put upon/used/exploited.*

misdaad ⟨de⟩ **0.1** [delict] *crime* ⇒*criminal act, offence* **0.2** [misdadigheid] *crime* ⇒*criminality, criminal practices* **0.3** [moreel slechte daad] *outrage, moral offence* ◆ **1.1** een golf van misdaden *a crime wave;* de plaats v.d. ~ *the scene of the crime* **2.1** zware ~ *serious crime* **3.1** een ~ begaan/plegen *commit/perpetrate a crime;* de politie denkt niet aan een ~ *the police do not suspect foul play;* dat is geen ~ *that's hardly a/no crime* **3.2** ~ loont niet *crime doesn't pay;* de stad van ~ zuiveren *clean up the town* **3.3** haar zo te onderdrukken is een ~ *it's an outrage to oppress her like that* **6.1** een ~ jegens de gemeenschap *a public wrong.*

misdaadfilm ⟨de (m.)⟩ **0.1** *crime film/*[A]*movie* ⇒⟨vaak euf.⟩ *action film/*[A]*movie.*

misdaadlectuur ⟨de (v.)⟩ **0.1** *crime fiction.*

misdaadroman ⟨de (m.)⟩ **0.1** ⟨ook mv.⟩ *crime fiction.*

misdadig
I ⟨bn., bw.; -ly⟩ **0.1** [v.d. aard v.e. misdaad] *criminal* ⇒[↑]*felonious* ◆ **1.1** met een ~ doel *with c. intent;* ~ gedrag *delinquent behaviour;* ~e jeugd *juvenile delinquents;* ~e onachtzaamheid *c. negligence;* een ~ plan *a c. plan/scheme;* ~e praktijken *c. practices;* een ~ verleden *a c. past;* ~e verwaarlozing *c. neglect* **3.1** het is bepaald ~ *it's positively c., it's daylight robbery;*
II ⟨bw.⟩ **0.1** [onbehoorlijk] *outrageously* ⇒*criminally* ◆ **2.1** deze huur is ~ hoog *the rent is o. high.*

misdadiger ⟨de (m.)⟩, **-ster** ⟨de (v.)⟩ **0.1** *criminal* ⇒*malefactor* ◆ **1.1** wat een stelletje ~s ⟨fig.⟩ *what a band of ruffians/thugs; quite a rogues' gallery, isn't it* **3.1** omgaan met ~s *consort/associate with criminals.*

misdadigersbende ⟨de⟩ **0.1** *gang* ⇒*band of criminals.*

misdadigersgezicht ⟨het⟩ **0.1** *criminal('s)/crook's face, face of a criminal.*

misdadigheid ⟨de (v.)⟩ **0.1** *crime* ⇒*criminality, delinquency* ◆ **1.1** de ~ v.e plan *the criminal character/nature of a plan* **3.1** de toenemende ~ v.d. jeugd *the increase in juvenile crime/delinquency, increasing crime among the young.*

misdeeld ⟨bn.⟩ **0.1** *deprived* ⇒*underprivileged,* ⟨zeldz.⟩ *disinherited, dispossessed* ◆ **1.1** het ~e kind *the deprived child* **2.1** lichamelijk ~ *physically deficient/defective* **6.1** door de natuur ~ *unfavoured by nature, with little natured ability/few natural gifts/endowments;* ~ van geest *mentally deficient/defective;* ~ van aanleg/vermogens *devoid of aptitude/capacities* **7.1** ⟨zelfst.⟩ de ~en *the underprivileged/deprived/needy.*

misdienaar ⟨de (m.)⟩ ⟨r.k.⟩ **0.1** *acolyte* ⇒*server,* ⟨jongen ook⟩ *altar boy.*

misdienen ⟨ww.⟩ ⟨r.k.⟩ **0.1** *serve at Mass.*

misdinette ⟨de (v.)⟩ ⟨r.k.⟩ **0.1** *altar girl.*

misdoen
I ⟨onov., ov.ww.⟩ **0.1** [zondigen] *do wrong* ⇒*sin/offend (against the law/a person)* ◆ **4.1** je hebt absoluut niets misdaan *you've done absolutely nothing wrong, you've done no wrong at all;* wat heb ik misdaan? *what have I done wrong?, how have I offended you?, where's the sin in that?;* wat heb ik misdaan, dat je me zo uitscheldt? *what have I done to deserve such abuse?;*
II ⟨ov.ww.⟩ **0.1** [onrecht aandoen] *do (s.o.) wrong/an injustice* ◆ **4.1** alles wat ze jou heeft misdaan *everything/all the wrongs she did to you.*

misdragen ⟨wk.ww.; zich ~⟩ **0.1** *misbehave* ⇒*behave badly,* ⟨mbt. kinderen⟩ *be (a) naughty (boy/girl)* ◆ **5.1** zich schandelijk ~ *m. grossly, make a shameful exhibition of o.s.* ¶**.1** ⟨iron.⟩ ik heb me kennelijk ~ *I've been a naughty boy, I'm in (her) bad/black books.*

misdrijf ⟨het⟩ **0.1** *criminal offence/act* ⇒*crime,* ⟨jur.⟩ [B]*indictable offence,* [A]*felony* ◆ **2.1** een ernstig ~ *a serious crime/offence;* politieke misdrijven *political offences* **3.1** de politie denkt niet aan een ~ *the police do not suspect any foul play;* een ~ plegen *commit a criminal offence* **6.1** misdrijven tegen de mens(elijk)heid *crimes against humanity.*

misdrijven ⟨ov.ww.⟩ **0.1** *do wrong* ⇒*sin/offend (against the law/a person).*

misdruk ⟨de (m.)⟩ **0.1** [vellen papier] *spoilage;* ⟨slecht drukwerk⟩ *mackle* **0.2** [boek] *reject (copy)* ⇒*bad copy.*

misduiden ⟨ov.ww.⟩ **0.1** [verkeerd uitleggen] *misinterpret* ⇒*misconstrue, mistake (s.o.'s meaning)* **0.2** [kwalijk nemen] *resent* ⇒*take (sth.) ill, take (sth.) in a wrong spirit* ◆ **1.2** iem. een fout ~ *hold a mistake against s.o..*

mise ⟨de (v.)⟩ **0.1** [⟨spel, loterij⟩ inleg] *stake* ⇒*ante* **0.2** [wijnbotteling] *bottling.*

mise-en-scène ⟨de (v.)⟩ **0.1** [toneelschikking] *stageing* ⇒*stage-setting, mise en scène* **0.2** [voorbereiding van een onderneming] *mise en scène* ⇒*scenario.*

miseigen ⟨het⟩ ⟨r.k.⟩ **0.1** ≠*liturgy* ◆ **2.1** het dominicaanse ~ *the Dominican l..*

miserabel
I ⟨bn.⟩ **0.1** [armzalig] *miserable* ⇒*wretched, pathetic, pitiful, paltry* ⟨bedrag⟩ **0.2** [verachtelijk] *miserable* ⇒*abject, mean, despicable* **0.3** [slecht] *abysmal* ⇒*rotten, wretched, dreadful* ◆ **1.1** een ~ beetje *a mere pittance* **1.2** een ~e vent *a wretched/despicable man* **1.3** ~e omstandigheden *wretched circumstances;* een ~e roman *an a. / a dreadful novel;*
II ⟨bw.⟩ **0.1** [op een nare manier] *miserably* ⇒*wretchedly, pathetically* **0.2** [vreselijk] *abysmally* ⇒*dreadfully* ◆ **3.1** ~ aan zijn einde komen *come to a sad/wretched end* **5.2** ~ slecht zingen *sing wretchedly, be a dreadful/rotten singer.*

misère ⟨de⟩ **0.1** [ellende] *misery* ⇒*squalor, misfortune* **0.2** [⟨kaartspel⟩] *misère* ◆ **3.2** ~ gaan/spelen *bid/play m.* **4.1** wat een ~! *what a wretched business/dreadful state of affairs* **6.1** in de ~ zitten *be in bad trouble/the dumps, be under a cloud.*

misgaan ⟨onov.ww.⟩ **0.1** [mislukken] *go wrong* ⇒*miscarry, fail, come to grief, misfire, break down, be/go on the rocks* ⟨huwelijk⟩ **0.2** [verkeerde weg ingaan] *go the wrong way* ⇒*take a wrong turning, go wrong* **0.3** [niet raken] *miss* ◆ **1.1** dit plan moet haast wel ~ *this plan is bound to fail/come a cropper* **1.3** het schot ging mis *the shot missed* **6.1** het gaat helemaal mis met me *I'm in a terrible state, I'm losing my grip* ¶**.1** er is iets misgegaan *sth. went wrong,* ↓*there's been a cock-up.*

misgeboorte ⟨de (v.)⟩ **0.1** [miskraam] *miscarriage* ⇒⟨med.⟩ *(spontaneous) abortion* **0.2** [niet levensvatbaar kind] *non viable baby* ⇒*abortion,* ⟨doodgeboren⟩ *stillbirth,* ⟨ernstig misvormd⟩ *monstrum.*

misgewaad ⟨het⟩ ⟨r.k.⟩ **0.1** *(mass) vestment(s).*

misgokken ⟨onov.ww.⟩ **0.1** *guess/gamble wrong* ⇒*make a miscalculation, bet on the wrong horse.*

misgooien ⟨onov., ov.ww.⟩ **0.1** *miss.*

misgreep ⟨de (m.)⟩ **0.1** *blunder* ⇒*slip, error,* ↓*clanger.*

misgrijpen ⟨onov.ww.⟩ **0.1** [ernaast grijpen] *miss one's hold* **0.2** [zich vergissen] *blunder* ⇒↓*put one's foot in it,* ↓*drop a clanger* ◆ ¶**.1** hij greep mis en viel *he missed his hold and fell;* nu de boekenkast anders is ingedeeld grijp ik steeds mis *I keep getting hold of the wrong book/ I can never find what I'm looking for now that the bookcase has been re-arranged.*

misgunnen ⟨ov.ww.⟩ **0.1** *(be)grudge* ⇒*resent* ◆ **1.1** iem. zijn voorspoed/ zijn geluk ~ *begrudge s.o. his prosperity/happiness, resent s.o.'s prosperity/happiness.*

mishagen[1] ⟨het⟩ ⟨schr.⟩ **0.1** *displeasure* ⇒*discontent, dissatisfaction.*

mishagen[2] ⟨onov.ww.⟩ ⟨schr.⟩ **0.1** *displease* ⇒*dissatisfy* ◆ **4.1** zijn hele optreden in deze zaak mishaagt mij *I disapprove of his conduct in this matter, the way he went about/dealt with this business gives me cause for concern.*

mishandelen ⟨ov.ww.⟩ **0.1** *ill-treat, maltreat* ⇒⟨lichamelijk letsel toebrengen⟩ *assault, batter,* ↓*knock about,* ⟨in elkaar rammen⟩ *beat up,* ↓*do over* ◆ **1.1** een mishandelde baby *a battered baby;* ⟨fig.⟩ een boek ~ *give a book a good deal of punishment, ill-treat a book;* dieren ~ *be cruel to/m. animals;* mannen die hun vrouw ~ *men who batter their wives;* ⟨fig.⟩ een woord/taal ~ *murder a word/language.*

mishandeling ⟨de (v.)⟩ **0.1** *ill-treatment, maltreatment* ⇒*assault, battery* ◆ **1.1** ~ van dieren *cruelty to animals;* echtscheiding op grond van ~ *divorce on the grounds of cruelty* **2.1** zware ~ *grievous bodily harm;* ⟨in politierapport vaak⟩ *GBH;* ⟨met mes/vuurwapen⟩ *malicious wounding.*

mishemd ⟨het⟩ **0.1** *alb.*

mishoren ⟨ww.⟩ ⟨r.k.⟩ **0.1** *go to Mass.*

misintentie ⟨de (v.)⟩ ⟨r.k.⟩ **0.1** *special/particular intention.*

miskelk ⟨de (m.)⟩ **0.1** *chalice* ⇒*communion cup.*

miskennen ⟨ov.ww.⟩ **0.1** [verloochenen] *disown* ⇒*ignore, deny, repudiate* **0.2** [niet waarderen] *misunderstand* ⇒*fail to appreciate, underestimate, sell short,* ⟨verkeerd inschatten⟩ *misjudge* ◆ **1.1** van niet te ~ betekenis *of (an) undeniable/indisputable significance;* zijn vrienden ~ *disown one's friends* **1.2** een miskend genie/talent *a genius/talent manqué, a misunderstood genius/talent;* een miskende held *an unsung hero* **3.1** die overeenkomst valt niet te ~ *that similarity is impossible to deny/is unmistakable.*

miskenning ⟨de (v.)⟩ **0.1** [het niet op juiste waarde schatten] *misunderstanding* ⇒*failure to appreciate, underestimation, misjudgment* **0.2** [verloochening] *denial* ⇒*repudiation.*

miskleed ⟨het⟩ ⟨r.k.⟩ **0.1** *(mass) vestment.*

miskleun ⟨de (m.)⟩ ⟨inf.⟩ **0.1** *blunder* ⇒*clanger, booboo,* ⟨BE ook⟩ *bloomer,* ⟨vnl. AE ook⟩ *goof.*

miskleunen ⟨onov.ww.⟩ ⟨inf.⟩ **0.1** *(make a) blunder* ⇒*drop a clanger, put one's foot in it,* ⟨vnl. AE ook⟩ *(make a) goof.*

miskleur ⟨de⟩ **0.1** [niet de juiste kleur] *off colour* **0.2** [tabak, sigaren] *discoloured/off-shade cigar; second choice tobacco.*

miskoop ⟨de (m.)⟩ **0.1** *bad bargain/buy/investment* ⇒*waste of money, (good) money down the drain* ◆ **3.1** de nieuwe speler bleek een ~ *the new player turned out to be money down the drain/a waste of money.*

miskraam ⟨het, de⟩ **0.1** *miscarriage* ⇒⟨med.⟩ *(spontaneous) abortion* ◆ **3.1** een ~ hebben/krijgen *have a m., miscarry.*

misleiden ⟨ov.ww.⟩ **0.1** *mislead* ⇒*deceive, delude, hoodwink,* ↓*con* ◆ **1.1** iem. ~ ⟨ook⟩ *lead s.o. up the garden path;* ~de reclame *(deliberately) misleading advertising* **3.1** zich door de schijn laten ~ *be fooled by appearances* **4.1** zichzelf ~ met *fool/delude o.s. with.*

misleiding ⟨de (v.)⟩ **0.1** *deception* ⇒*misrepresentation, fraud, deceit* ◆ **1.1** ~ v.d. mensen *deception of the public.*

mislezen ⟨ww.⟩ ⟨r.k.⟩ **0.1** *say Mass.*

mis'lopen ⟨wk.ww.; zich~⟩ ⟨AZN⟩ **0.1** *take the wrong turning* ⇒*get lost, go the wrong way, miss the way.*

'mislopen

  I ⟨ov.ww.⟩ **0.1** [iem./ iets niet treffen] *miss* **0.2** [iets niet krijgen] *miss (out on)* ◆ **1.1** je bent een fantastisch feestje misgelopen *you missed out on a great party;* hij is zijn promotie misgelopen *he missed (out on) his promotion/was passed over* **3.1** je kunt hem niet ~ met zijn oranje hoed *there's no mistaking him with that orange hat of his* **5.2** die straf ben je mooi misgelopen *you certainly managed to wriggle out of that punishment;*

  II ⟨onov.ww.⟩ **0.1** [misgaan] *go wrong* ⇒*fall through, miscarry, misfire, fail* ◆ **1.1** het plan liep mis *the plan miscarried/was abortive/was a failure* **4.1** dat loopt mis! *it'll end in tears/no good will come of it (you mark my words)!* **6.1** het liep mis met haar *she came to grief/a sad end.*

mislukkeling ⟨de (m.)⟩ **0.1** *failure* ⇒*flop, dud, loser* ◆ **3.1** een grote ~ zijn *be a complete failure/flop, be a dead loser.*

mislukken ⟨onov.ww.⟩ **0.1** [misgaan] *fail, be unsuccessful* ⇒*go wrong, miscarry,* ⟨plan/poging ook⟩ *fall through, break down, collapse* ⟨onderhandelingen⟩, *be/go on the rocks, break down* ⟨huwelijk⟩ **0.2** [niet worden wat het worden moest] *turn out a disappointment, fall short of expectations* ◆ **1.1** de aanslag mislukte *the attack was unsuccessful;* het feest mislukte *the party fell flat/flopped/was a failure/ bombed/*^A*was a bummer;* een mislukte foto *a photo that went wrong;* de onderhandelingen zijn mislukt *the talks have broken down;* een mislukte onderneming *an unsuccessful/ill-fated business/operation;* een mislukte oogst *a crop failure;* het plan mislukte totaal *the plan was a total disaster/failure/a complete washout;* een mislukte poging *an abortive/unsuccessful attempt;* mijn taarten ~ altijd *my pies always go wrong;* al mijn vakantiefoto's zijn mislukt *none of my holiday snaps came out* **1.2** een mislukte advocaat *a failed lawyer;* een mislukt genie *a genius manqué;* zijn zoon is mislukt *his son failed in life/ turned out a failure/was a disappointment to him* **3.1** een project doen ~*torpedo/wreck a project;* een poging zien ~ *be defeated in an attempt* **6.1** tot ~ gedoemd zijn *have the cards/odds stacked against (one/sth.), be doomed from the start, be ill-fated/-omened* **8.2** zij is mislukt als actrice *she flopped as/was a failure as an actress.*

mislukking ⟨de (v.)⟩ **0.1** *failure* ⇒*breakdown, collapse* ⟨van onderhandelingen⟩, *fiasco, flop* ◆ **2.1** het feest/het plan werd één grote ~ *the party/plan was a complete/an utter fiasco/disaster/*^A*a bummer* **3.1** uitlopen op een ~ *prove a/end in failure/fiasco* **6.1** tot ~ gedoemd zijn *be foredoomed to failure, have no chance of success.*

mismaakt ⟨bn.⟩ **0.1** *deformed* ⇒*misshapen, disfigured* ⟨gezicht⟩ ◆ **1.1** een ~ kereltje *a misshapen little fellow.*

mismaaktheid ⟨de (v.)⟩ **0.1** *deformity* ⇒*disfigurement* ⟨mbt. gezicht⟩.

mismaken ⟨ov.ww.⟩ **0.1** *deform* ⇒*disfigure.*

mismoedig ⟨bn.⟩ **0.1** *dejected, depressed, despondent,* ⟨zonder moed⟩ *disheartened, discouraged* ◆ **3.1** dit antwoord maakte hem ~ *this reply made him depressed/disheartened him/took all the heart out of him;* ~ worden *lose heart, become discouraged.*

misnoegd ⟨bn.⟩ **0.1** *displeased (with/at)* ⇒*discontented, dissatisfied (with), disgruntled (at sth./with s.o.), not best pleased (with/about)* ◆ **1.1** een ~ gezicht *a disgruntled face.*

misnoegen[1] ⟨het⟩ **0.1** *displeasure* ⇒*dissatisfaction (at/with), discontent(edness)* ◆ **3.1** iemands ~ opwekken *incur s.o.'s displeasure* ¶.1 zich het ~ van iem. op de hals halen *bring s.o.'s displeasure down (up)on one.*

misnoegen[2] ⟨ov.ww.⟩ **0.1** *displease.*

misoffer ⟨het⟩ ⟨r.k.⟩ **0.1** *Sacrifice of the Mass.*

misogaam ⟨de (m.)⟩ **0.1** *misogamist.*

misogamie ⟨de (v.)⟩ **0.1** *misogamy.*

misogijn[1] ⟨de (m.)⟩ **0.1** *misogynist.*

misogijn[2] ⟨bn.⟩ **0.1** *mysogynous* ⇒*misogynistic(al).*

misogynie ⟨de (v.)⟩ **0.1** *misogyny.*

misoogst ⟨de (m.)⟩ **0.1** *bad/poor harvest* ⇒*failure of the crop/harvest, crop failure.*

---

mis'pakken ⟨AZN⟩

  I ⟨ov.ww.⟩ **0.1** [verkeerd vastpakken] *catch/take hold of (sth.) the wrong way;*

  II ⟨wk.ww.; zich~⟩ **0.1** [zich vergissen] *get it wrong* ⇒*make a mistake* ◆ **6.1** zich~ aan iem./ iets *get the wrong person/thing.*

'mispakken ⟨onov., ov.ww.⟩ **0.1** *miss one's hold (on sth.)* ⇒*fail to catch hold (of sth.).*

mispel

  I ⟨de⟩ **0.1** [vrucht] *medlar* ◆ **8.1** zo rot als een ~ *rotten through (and through);*

  II ⟨de (m.)⟩ **0.1** [boom] *medlar (tree).*

mispelboom ⟨de (m.)⟩ **0.1** *medlar (tree).*

mispickel ⟨het⟩ ⟨geol.⟩ **0.1** *mispickel* ⇒*arsenopyrite.*

misplaatst ⟨bn.⟩ **0.1** *out of place* ⟨attr.: out-of-place⟩ ⇒*misplaced,* ⟨opmerking ook⟩ *uncalled-for, unwarranted, inappropriate,* ↑*inapposite,* ⟨gevoel ook⟩ *mistaken,* ⟨medelijden ook⟩ *misdirected* ◆ **1.1** die opmerking is geheel ~ *that remark is completely out of place/uncalled-for/unwarranted/inappropriate;* een ~ superioriteitsgevoel *a misplaced sense of superiority;* ~e trots *unwarranted pride* **3.1** zich ~ voelen *feel out of place.*

misplaatstheid ⟨de (v.)⟩ **0.1** *inappropriateness.*

misprijzen[1] ⟨het⟩ ⟨AZN⟩ **0.1** *contempt* ⇒*disdain.*

misprijzen[2] ⟨ov.ww.⟩ **0.1** *disapprove of* ◆ **1.1** een ~de blik *a look of disapproval, a disapproving look* **3.1** hij keek haar ~d aan *he looked at her disapprovingly.*

mispunt ⟨het⟩ **0.1** [vervelend persoon] *pain (in the neck)* ⇒*bastard, louse* **0.2** [⟨biljarten⟩] *miss* ◆ **3.2** een ~ maken *miss (the ball)* **4.1** wat een ~ ben jij! *you really are a pain (in the neck)!.*

misraden ⟨onov., ov.ww.⟩ **0.1** *guess wrong* ⇒*fail to guess.*

mis'rekenen ⟨wk.ww.; zich~⟩ **0.1** *miscalculate* ⇒*be out in one's reckoning,* ⟨inf.⟩ *slip up.*

'misrekenen ⟨onov., ov.ww.⟩ **0.1** *miscalculate* ⇒*be out in one's reckoning.*

misrekening ⟨de (v.)⟩ **0.1** [fout] *miscalculation* **0.2** [tegenvaller] *miscalculation* ⇒*disappointment* ◆ **3.1** een ~ maken *make a m.* **3.2** dat concert is financieel een ~ geweest *that concert was a disappointment financially.*

misrijden

  I ⟨onov.ww.⟩ **0.1** [verkeerd rijden] *get lost* ⇒*go wrong/the wrong way;*

  II ⟨ov.ww.⟩ **0.1** [niet zien] *miss* ⇒*drive past* ◆ **1.1** de automobilist reed de afslag mis *the driver missed the turn-off.*

miss ⟨de (v.)⟩ **0.1** [juffrouw] ⟨met naam⟩ *Miss,* ⟨als aanspreekvorm⟩ *miss* **0.2** [⟨titel⟩] ⟨schoonheidskoningin⟩ *beauty queen;* ⟨in titel⟩ *Miss ...* ◆ **2.2** schaars geklede ~en *scantily clad beauty queens.*

missa ⟨de (v.)⟩ ⟨r.k., muz.⟩ ◆ **¶.¶** ~ brevis *missa brevis.*

missaal ⟨het⟩ ⟨r.k.⟩ **0.1** *missal.*

misschien ⟨bw.⟩ **0.1** *perhaps* ⇒*maybe, possibly* ◆ **3.1** bent u ~ mevrouw van Dale? *are you by any chance Mrs. van Dale?;* ~ heb je geluk *you never know your luck, you may (just) be lucky;* heeft u ~ een paperclip voor me? *do you happen to have/could you possibly let me have a paperclip?;* pas op, hij heeft ~ misschien een pistool *be careful, he might have a gun;* het is ~ beter als ... *it may be better/perhaps it's better if ...;* kennen jullie elkaar ~? *do you happen to know each other?;* mag ik ~ even wat opmerken? *may I hazard a remark?;* ~ vertrek ik morgen, ~ ook niet *maybe I'll leave tomorrow, maybe not;* zoals je ~ weet *as you may know;* wilt u ~ een kopje koffie? ⟨ook⟩ *would you care for some coffee?;* het zou ~ goed zijn te ... *it might be a good idea to ...* **8.1** tenzij ~ ⟨met zn.⟩ *except perhaps/maybe;* ⟨met ww.⟩ *unless perhaps/maybe.*

misschieten ⟨onov., ov.ww.⟩ **0.1** [niet raken] *miss* **0.2** [⟨fig.⟩] *miss* ⇒*be wide (of the mark).*

misselijk

  I ⟨bn.⟩ **0.1** [onpasselijk] *sick* ⇒*queasy,* ↑*nauseated,* ⟨AE ook; inf.⟩ *nauseous* **0.2** [mis, gering] *mean* ◆ **3.1** zoiets maakt me ~ *that sort of thing makes me (feel) s.;* een ~ makende stank *a nauseating/sickening smell;* ~ makende ideeën *nauseating/sickening ideas;* ze werd ~ door het bewegen v.d. boot *the movement of the boat made her feel s./ queasy;* ik word er ~ van *it makes me (feel) s., it turns my stomach;* ~ worden bij het zien van bloed *be nauseated by/feel s. at the sight of blood;* om ~ van te worden *sickening, nauseating, disgusting, revolting;* je wordt er ~ v.d. stank *the smell makes you s./ turns your stomach* **5.2** dat is niet ~ *that's quite sth., that's no m. thing* **8.1** zo ~ als een kat *(as) s. as a dog;*

  II ⟨bn., bw.; -ly⟩ **0.1** [onuitstaanbaar] *nasty* ⇒⟨gedrag ook⟩ *disgusting, revolting,* ⟨grap ook⟩ *sick* ◆ **1.1** een ~e grap *a sick joke;* een ~e kerel *a n. bloke/* ⟨vnl. AE⟩ *guy;* een ~e opmerking *a n./ snide remark;* een ~e streek *a n. trick* **3.1** doe niet zo ~! *don't be (so) disgusting/revolting!.*

misselijkheid ⟨de (v.)⟩ **0.1** [onpasselijkheid] *(feeling of) sickness* ⇒*queasiness,* ↑*nausea* **0.2** [onuitstaanbaarheid] *nastiness* ⇒⟨gedrag ook⟩ *disgusting/revolting nature* **0.3** [iets misselijks] *(piece of) nastiness.*

missen

I ⟨ov.ww.⟩ **0.1** [doel niet treffen] *miss* **0.2** [niet op tijd bereiken] *miss* **0.3** [mbt. afwezigheid van iets of iem.] *go/do without, get along without* ⇒⟨het stellen zonder ook⟩ *spare, afford* ⟨vnl. mbt. geld⟩, ⟨ontberen⟩ *lack, lose, be without* **0.4** [betreuren van afwezigheid] *miss* **0.5** [mislopen] *miss* ◆ **1.1** de bal miste het doel *the ball missed (the goal), the ball went wide;* zijn doel ~ ⟨fig.⟩ *m./overshoot the mark;* de maatregelen misten hun doel *the measures didn't work/were ineffective, the measures failed (to have/produce/achieve the intended/desired effect);* het schot miste het doel *the shot missed (the/its target);* zijn woorden misten hun uitwerking niet *his words had the intended/desired effect/did not pass unheeded;* zijn uitwerking ~ ⟨grapje, argument, toneelstuk enz.⟩ *fall flat;* zijn woorden misten hun uitwerking *his words fell on deaf ears* **1.2** ⟨fig.⟩ de boot ~ *m. the boat;* ik had haast mijn trein nog gemist *I almost/nearly missed/I only just caught the train.* **1.3** ik kan mijn bril niet ~ *I can't do without/get along without/afford to lose my glasses;* kun je je fiets een paar uurtjes ~? *can you spare/do without your bike for a couple of hours?;* ik kon het geld eigenlijk niet ~ *I can't really spare the money, I can't really/can ill afford it;* hij mist gevoel voor humor *he is lacking/lacks/is devoid of/hasn't got a sense of humour;* zij moest een oog ~ *he had to lose an eye/lost an eye;* overtuiging ~ *be unconvincing/lacking in conviction;* ik mis mijn portemonnaie *I can't find my purse, I've lost/mislaid my purse;* ik kan de tijd niet ~ *I can't spare the time;* we ~ een van onze vliegtuigen *one of our planes is missing;* zelfvertrouwen ~ *be lacking in/lack self-confidence* **1.4** ik mis in dit boek een inleidend hoofdstuk *what this book needs is/I regret the fact that this book doesn't have an introductory chapter;* iem. zeer ~ *miss s.o. badly* **1.5** hij heeft geen college/dag gemist *he hasn't missed/didn't m. a single lecture/day, he wasn't absent for a single lecture/day;* dat is een gemiste kans *that's a missed chance;* je hebt je roeping gemist *you('ve) missed your vocation;* geen woord ~ *van wat er gezegd wordt not m. a word of what is (being) said* **1.¶** ⟨sport⟩ zo'n bal mag je niet ~ *you can't m. a ball like that;* een vraag ~ *get an answer wrong* **3.3** hij kan best wat ~ *he won't miss it, he can (well) afford it;* meer kan ik niet ~ *I can't spare/* ⟨mbt. geld ook⟩ *afford any more;* kun je er een ~? *have you got one to spare?, can you spare one?;* we kunnen je hulp best ~ *we can get along/do without your help, we don't need your help;* geef maar wat je kunt ~ *give what you can (afford)* **3.5** je kunt het niet ~ *you can't m. it, you can't go wrong/lose your way* **4.3** ze kunnen elkaar niet ~ *they can't get along/do without one another* **4.5** je hebt wat gemist! *you('ve) really missed sth.!* **5.3** ze kan slecht gemist worden *she can ill be spared, I/we* ⟨enz.⟩ *can ill spare her/can't get along/do without her/can't afford to lose her* **5.4** we hebben je node gemist *we really missed you* **6.5 aan** die reünie heb je niks gemist *you didn't m. much by not going to the reunion* **¶.3** ik zou het voor geen geld willen ~ *I wouldn't part with/do without it for the world* **¶.5** je weet niet wat je gemist hebt *you don't know what you missed, you really missed sth.;* ik had het voor geen goud willen ~ *I wouldn't have missed it for any amount of money/the world/anything/all the tea in China;*

II ⟨onov.ww.⟩ **0.1** [ontbreken] *be missing* **0.2** [niet raak schieten] *miss* ◆ **1.¶** het schot miste *the shot missed* **6.1** er ~ een paar bladzijden **uit** dat boek *there are a few pages missing from that book* **¶.2** ⟨sport⟩ ~ voor open doel *m. an easy shot/* ⟨fig.⟩ *ideal chance* **¶.¶** dat kan niet ~ *that can't go wrong/fail, that's bound to work.*

misser ⟨de (m.)⟩ **0.1** [mislukking] *failure* ⇒*fiasco,* ⟨inf.⟩ *flop, dead loss* **0.2** [⟨sport⟩] *miss* ⇒*bad/poor shot.*

missie ⟨de (v.)⟩ **0.1** [opdracht] *mission* **0.2** [personen met een opdracht] *mission* ⇒*delegation* **0.3** [⟨r.k.⟩ bekeringsactiviteit] *missionary work* **0.4** [zendingsgenootschap] *mission* **0.5** [vertegenwoordiging] *mission* ⇒*legation* ◆ **2.2** diplomatieke ~ *diplomatic m./delegation* **3.1** ~ volbracht *m. accomplished* **6.3** in de ~ werken *do missionary work.*

missiebisschop ⟨de (m.)⟩ **0.1** *missionary bishop.*

missiepost ⟨de (m.)⟩ ⟨r.k.⟩ **0.1** *mission* ⇒*missionary post, mission station.*

missiepriester ⟨de (m.)⟩ ⟨r.k.⟩ **0.1** *missionary (priest).*

missieprocuur ⟨de (v.)⟩ ⟨r.k.⟩ **0.1** *office of a missionary order.*

missiewerk ⟨het⟩ ⟨r.k.⟩ **0.1** *mission(ary) work.*

missiezuster ⟨de (v.)⟩ **0.1** *missionary.*

missionaris ⟨de (m.)⟩ **0.1** *missionary.*

missioneren ⟨onov.ww.⟩ ⟨r.k.⟩ **0.1** *do missionary work.*

missive ⟨de⟩ **0.1** *missive.*

misslaan ⟨onov., ov.ww.⟩ **0.1** ⟨verkeerd slaan⟩ *mishit;* ⟨niet raken⟩ *miss* ◆ **1.1** de bal ~ *mishit/miss the ball;* ⟨fig.⟩ de plank (totaal) ~ *be miles out, be way off target.*

misslag ⟨de (m.)⟩ **0.1** [verkeerde slag] ⟨verkeerd⟩ *mishit* ⇒*bad/poor shot,* ⟨niet raak⟩ *miss* **0.2** [flater] *mistake* ⇒*error* ◆ **3.2** een ~ begaan/herstellen *make/correct a m./an error.*

misspreken ⟨wk.ww.; zich~⟩ ⟨AZN⟩ **0.1** *make a slip of the tongue.*

misspringen ⟨onov.ww.⟩ **0.1** *miss one's jump* ⇒*jump wide (of the mark)/off-target,* ⟨te ver/hoog⟩ *jump too far/high,* ⟨niet ver/hoog genoeg⟩ *not jump far/high enough.*

misstaan ⟨onov.ww.⟩ **0.1** [lelijk staan] *not suit* ⇒↑*not become* **0.2** [on-**

---

gepast zijn voor] *not become* ⇒*not be fitting* ◆ **1.1** die jas misstaat u volstrekt niet *that jacket doesn't look at all unbecoming on you/suits you well* **¶.2** wat meer bescheidenheid zou (je) niet ~ *you could do with being a little more modest;* een verontschuldiging zou niet ~ *an apology would not be amiss/not be out of place.*

misstand ⟨de (m.)⟩ **0.1** *abuse* ⇒*wrong, evil* ◆ **2.1** sociale ~en *social evils/abuses/wrongs* **3.1** op een ~ wijzen *point out an a.* **¶.1** een ~ aan de kaak stellen *expose/denounce an a..*

misstap ⟨de (m.)⟩ **0.1** [verkeerde stap] *false/wrong step* **0.2** [verkeerde, slechte daad] *lapse* ⇒*slip, faux pas* ◆ **3.2** een ~ begaan *make a slip;* ⟨inf.⟩ *slip up* **6.2** een ~ **uit** zijn jeugd *a youthful indiscretion/l..*

misstappen ⟨onov.ww.⟩ **0.1** *step/tread in the wrong place* ⇒⟨uitglijden⟩ *miss/lose one's footing.*

misstelling ⟨de (v.)⟩ **0.1** *misplacing* ⇒*lay-out error.*

misstoot ⟨de (m.)⟩ ⟨biljarten⟩ **0.1** *miscue* ⇒*miss.*

misstoten ⟨onov., ov.ww.⟩ ⟨biljarten⟩ **0.1** *miscue.*

missverkiezing ⟨de (v.)⟩ **0.1** ⟨schoonheidskoninginnen⟩ *beauty contest; Miss Holland* ⟨enz.⟩ *contest.*

mist ⟨de (m.)⟩ **0.1** [nevel] *fog* ⇒⟨lichter⟩ *mist* **0.2** [⟨fig.⟩] *mist* ⇒*fog* ◆ **1.1** flarden ~ *patches of/patchy f.* **2.1** dichte ~ *(a) thick/heavy/dense f.;* lichte ~ *mist, haze;* zeer dichte ~ ⟨inf. ook⟩ *pea-soup (fog), a pea-souper* **3.1** ⟨fig.⟩ iets gaat de ~ **in** *sth. goes wrong/misfires/founders/draws a blank;* ⟨mbt. grap ook⟩ *that falls flat;* ⟨fig.⟩ iem. gaat de ~ **in** *s.o. louses/messes/goofs/screws sth./things up, s.o. bungles sth.;* er hangt een ~ boven de weilanden *m. hangs over the meadows;* in ~ en nevelen gehuld *a complete m. surrounds it;* er komt ~ (opzetten) *it's getting/growing foggy/misty;* de ~ trekt op *the f.'s lifting* **5.1** de ~ werd dichter *the f. thickened* **6.1** afstand houden **bij** ~ *keep one's distance in fog(gy weather);* **door** ~ opgehouden schip/reizigers *fogbound ship/travellers;* **door** ~ aan de grond blijven/staan ⟨vliegtuig⟩ *be grounded by f., be fogbound* **6.2** er kwam een ~ **voor** zijn ogen *it grew misty before his eyes.*

mistachterlicht ⟨het⟩ **0.1** *rear fog lamp.*

mistasten ⟨onov.ww.⟩ **0.1** [ernaast pakken] *reach for/take hold of the wrong one/thing* ⟨enz.⟩ **0.2** [zich vergissen] *miscalculate* ⇒**5.2** lelijk ~ *m. badly,* ⟨inf.⟩ *back the wrong horse* **¶.1** nu we de boekenkast anders ingedeeld hebben, tast ik steeds mis *now we've reorganized the bookcase, I keep reaching for/getting hold of the wrong one.*

mistbank ⟨de⟩ **0.1** *bank/* ⟨kleiner⟩ *patch of fog* ⇒*fog bank/patch.*

mistboog ⟨de (m.)⟩ **0.1** *fogbow* ⇒*white rainbow.*

mistel ⟨de (m.)⟩ **0.1** *mistletoe.*

mistelboom ⟨de (m.)⟩ **0.1** *tree bearing mistletoe.*

mistella ⟨de⟩ **0.1** *mistelle.*

mistellen ⟨onov.ww.⟩ **0.1** *miscount* ⇒*count wrongly.*

misten ⟨onp.ww.⟩ **0.1** *be foggy/* ⟨lichter⟩ *misty* ◆ **5.1** het mistte erg *it was very f., there was (a) thick/heavy/dense fog* **¶.1** het mistte voor mijn ogen ⟨kreeg waas voor ogen⟩ *it grew misty before my eyes;* ⟨begreep er niets van⟩ *I was in a complete fog.*

mistflard ⟨de⟩ **0.1** *patch of fog* ⇒*fog patch,* ⟨heel dun⟩ *wisp of fog.*

mistgordijn ⟨het⟩ **0.1** *curtain of fog.*

misthoorn ⟨de (m.)⟩ ⟨scheep.⟩ **0.1** *foghorn.*

mistig ⟨bn.⟩ **0.1** [nevelig] *foggy* ⇒⟨lichter⟩ *misty* **0.2** [⟨fig.⟩ vaag] *hazy* ⇒⟨schr.⟩ *nebulous* ◆ **1.1** een ~ e dag *a f. day;* ~ weer *f. weather* **1.2** een ~ betoog/figuur *a h./nebulous argument/character;* ~ e omstandigheden *h./nebulous circumstances* **3.1** het wordt ~ *it's getting f., (the) fog's coming down/setting in, there's fog about.*

mistlamp ⟨de⟩ **0.1** *fog lamp* ◆ **¶.1** bij mist: ~en aan! *if there's fog about - use your f. l.!.*

mistlicht ⟨het⟩ **0.1** *fog lamp.*

mistral ⟨de (m.)⟩ **0.1** *mistral.*

mistroostig ⟨bn.⟩ **0.1** [mbt. personen] *dispirited* ⇒*dejected, disconsolate, despondent, gloomy* **0.2** [mbt. zaken] *dismal* ⇒*gloomy, miserable* ◆ **1.2** ~ weer *d./miserable/gloomy weather* **3.1** ~ voor zich uit staren *stare dispiritedly/dejectedly/gloomily into the distance* **6.1 over** iets ~ zijn *be dispirited/dejected/gloomy about sth..*

mistrouwig ⟨bn., bw.; -ly⟩ **0.1** *distrustful* ⇒*suspicious.*

mistsignaal ⟨het⟩ **0.1** *fog signal.*

mistsliert ⟨de (m.)⟩ →**mistflard**

mistveld ⟨het⟩ **0.1** *stretch of fog* ◆ **2.1** uitgebreide ~en *extensive (stretches) of fog.*

misval ⟨het⟩ ⟨AZN⟩ **0.1** [ongeluk] *accident* **0.2** [miskraam] *miscarriage* ⇒⟨med.⟩ *(spontaneous) abortion.*

misvallen ⟨onov.ww.⟩ ⟨AZN⟩ **0.1** [mbt. spijs/drank] *not go down well* **0.2** [een miskraam hebben] *miscarry.*

misvatten ⟨ov.ww.⟩ **0.1** *misunderstand* ⇒⟨schr.⟩ *misapprehend, misconstrue.*

misvatting ⟨de (v.)⟩ **0.1** *misconception* ⇒*misapprehension, fallacy, delusion, error* ◆ **1.1** het slachtoffer v.e. ~ zijn *labour under a delusion* **2.1** een algemene ~ *a common fallacy/error* **3.1** op dit gebied bestaan nog veel ~en *there are still plenty of misconceptions/fallacies on this subject;* een ~ uit de weg ruimen/wegnemen *dispel a fallacy.*

misverstaan ⟨ov.ww.⟩ **0.1** *misunderstand* ⇒*mistake,* ⟨schr.⟩ *misapprehend, misconstrue* ◆ **1.1** iemands bedoeling ~ *misunderstand/mistake* *s.o.'s intention(s);* in niet mis te verstane bewoordingen *in unmistakable terms;* een niet mis te verstaan signaal *an unmistakable signal* **4.1** elkaar ~ *talk / be at cross-purposes.*

misverstand 〈het〉 **0.1** *misunderstanding* ⇒ ↑*misapprehension,* ↑*misconception* ◆ **3.1** laat daar geen ~ over bestaan *let there be no mistake about it;* dat moet een ~ zijn *there must be a misunderstanding;* op een ~ berusten *be based on a misunderstanding;* een ~ uit de weg ruimen *eliminate / remove a cause / source of misunderstanding* ¶**.1** aanleiding geven tot ~ en *give rise to misunderstanding(s).*

misvormd 〈bn.〉 **0.1** *deformed* ⇒*misshapen,* 〈med.〉 *malformed,* 〈verdraaid〉 *distorted* ◆ **3.1** een ~ beeld krijgen *get a distorted picture (of sth.);* een ~ gelaat / lichaam *deformed / misshapen features, a deformed / misshapen body.*

misvormen 〈ov.ww.〉 **0.1** *deform* ⇒〈med.〉 *malform,* 〈verdraaien〉 *distort.*

misvorming 〈de (v.)〉 **0.1** [het geven / hebben v.e. wanstaltige vorm] *deformation* ⇒〈med.〉 *malformation,* 〈verdraaiing〉 *distortion* **0.2** [datgene wat misvormd is] *deformity* ⇒〈med.〉 *malformation,* 〈verdraaiing〉 *distortion.*

miswijn 〈de (m.)〉〈r.k.〉 **0.1** *altar / sacramental wine.*

miswijzen 〈onov.ww.〉 **0.1** [verkeerd wijzen] *give a wrong indication* **0.2** [mbt. een kompas] *deviate* ⇒〈inf.〉 *be out.*

miszeggen 〈ov.ww.〉 **0.1** [iets verkeerds zeggen] *say sth. wrong* ⇒〈iets ongepasts ook〉 *say the wrong thing* **0.2** [beledigen] *(say sth. to) offend* ◆ **4.1** heb ik daaraan iets miszegd? *have I said / did I say sth. wrong / the wrong thing?* **4.2** hij heeft mij nooit iets miszegd *he's never said anything to offend me.*

miszitten 〈onov.ww.〉 **0.1** *be wrong* ◆ **4.1** dat zit mis *that's wrong / not right, there's sth. wrong / not right with that* **6.1** de kandidaat zat **bij** drie antwoorden mis *the candidate got three answers wrong.*

mitaine 〈de〉 **0.1** *mitten* ⇒*mitt.*

mitella 〈de〉〈med.〉 **0.1** *sling.*

mitigatie 〈de (v.)〉 **0.1** *mitigation.*

mitigeren 〈ov.ww.〉 **0.1** *mitigate.*

mitochondrium 〈de (v.)〉〈biol.〉 **0.1** *mitochondrion* ⇒*chondriosome.*

mitose 〈de (v.)〉〈biol.〉 **0.1** *mitosis.*

mitotisch 〈bn.〉 **0.1** *mitotic* ◆ **1.1** ~e deling *m. (cell) division, mitosis.*

mitrailleren 〈ov.ww.〉 **0.1** *machine-gun.*

mitrailleur 〈de (m.)〉 **0.1** [wapen] *machine gun* **0.2** [persoon] *machine gunner.*

mitrailleurband 〈de (m.)〉 **0.1** *machine-gun (cartridge-)belt.*

mitrailleurpistool 〈het〉 **0.1** *submachine gun* ⇒*machine / automatic pistol.*

mitrailleursnest 〈het〉 **0.1** *machine-gun nest.*

mitrailleurvuur 〈het〉 **0.1** *machine-gun fire.*

mits[1] 〈het, de〉 **0.1** *proviso* ◆ **7.1** er is één ~ aan verbonden *there's one c. / proviso (attached);* 〈inf.〉 *there's a string attached.*

mits[2] 〈vz.〉〈AZN〉 **0.1** [tegen] *at* **0.2** [behoudens] *subject to* ◆ **1.1** ~ de som van 4000 BF *at the price of BF 4,000* **1.2** ~ goedkeuring door de gouverneur *subject to the governor's approval.*

mits[3] 〈vw.〉 **0.1** *if* ⇒*provided that, providing that, on condition that, on the understanding that* ◆ ¶**.1** ~ goed bewaard, kan het jaren meegaan *(if) well looked-after, it can last for years.*

m.i.v. 〈afk.〉 **0.1** [met ingang van] 〈*(as) from* ⇒*with effect from*〉 **0.2** [met inbegrip van] *incl..*

mixage 〈de〉 **0.1** *(sound) mixing.*

mixen 〈ov.ww.〉 **0.1** [ingrediënten mengen] *mix* **0.2** [op één band overbrengen] *mix.*

mixer 〈de (m.)〉 **0.1** [handmixer] *mixer* ⇒〈bekervormig〉 *liquidizer,* [A]*blender,* 〈keukenmachine〉 *food processor* **0.2** [drank] *mixer* **0.3** [iem. die mixt] *mixer* **0.4** [schakeltechnicus] *mixer.*

mixtuur 〈de (v.)〉 **0.1** [〈far.〉] *mixture* **0.2** [mbt. kopergravures] *(etching) ground* **0.3** [〈muz.〉] *mixture* **0.4** [〈schei.〉] *mixture.*

m.l. 〈afk.〉 **0.1** [middelbare leeftijd] 〈*middle age*〉.

mld. 〈afk.〉 **0.1** [miljard] 〈[B]*milliard,* 〈vnl. AE〉 *billion*〉.

Mlle 〈afk.〉 **0.1** [Mademoiselle] *Mlle.*

mln. 〈afk.〉 **0.1** [miljoen] 〈*million*〉.

Mme 〈afk.〉 **0.1** [Madame] *Mme.*

m.m.k. 〈de〉〈afk.〉 **0.1** [magneto-motorische kracht] *m.m.f..*

mmm 〈tw.〉 **0.1** [heerlijk!] *mmm* ⇒*yummy, yum-yum* **0.2** [〈bij ongeïnteresseerdheid〉] *mmm* ⇒*(ah) well* **0.3** [〈als bevestiging〉] *mmm* ⇒〈AE;inf.〉 *yup, yep.*

MMO 〈het〉〈afk.〉 **0.1** [middelbaar middenstandsonderwijs] 〈*intermediate commercial education*〉.

MMS 〈de〉〈afk.〉 **0.1** [middelbare meisjesschool] 〈*girls' secondary school*〉.

m.m.v. 〈afk.〉 **0.1** [met medewerking van] 〈*with the cooperation of*〉.

m.n. 〈afk.〉 **0.1** [met name] 〈*in particular*〉.

mnemoniek 〈de (v.)〉 **0.1** *mnemonics.*

mnemotechnisch 〈bn., bw.; -ally〉 **0.1** *mnemonic.*

M.O. 〈het〉〈afk.〉 **0.1** [middelbaar onderwijs] 〈*secondary education*〉 ◆ **1.1** ~ Engels doen *do a (part-time) teacher training course in English.*

moa 〈de (m.)〉 **0.1** *moa.*

M.O.-akte 〈de〉 **0.1** 〈*secondary school teaching certificate*〉 ◆ **3.1** een ~ Engels halen 〈*get a teaching certificate in English*〉.

m.o.b. 〈afk.〉 **0.1** [met onbekende bestemming] 〈*destination unknown*〉.

M.O.B. 〈het〉〈afk.〉 **0.1** [Medisch-Opvoedkundig Bureau] 〈*Medical and Educational Advice Centre*〉.

mobiel[1] 〈het, de〉 **0.1** *mobile.*

mobiel[2] 〈bn.〉 **0.1** [verplaatsbaar] *mobile* **0.2** [gevechtsklaar] *mobile* ◆ **1.1** [bouwk.] ~e belasting *live load;* een ~e kraan *a movable crane / derrick* **1.2** ~e eenheid *special duty police,* ≠*riot police;* 〈GB〉 *Special Patrol Group,* [A]*state troopers* **3.1** nu zij die auto heeft, is zij veel ~ er *now that she's got that car, she's a lot more m.;* zich ~ opstellen *be m.* **3.2** het leger ~ maken *mobilize the army.*

mobilair 〈bn.〉 **0.1** *moveable* ◆ **1.1** ~ e hypotheek [B]*bill of sale,* [A]*chattel mortgage.*

mobile[1] 〈het, de〉 **0.1** *mobile.*

mobile[2] 〈bn.〉〈muz.〉 **0.1** *mobile.*

mobilhome 〈de〉〈AZN〉 **0.1** 〈BE〉 *motor caravan, dormobile;* 〈AE〉 *camper, motorhome.*

mobilisatie 〈de (v.)〉 **0.1** [handeling] *mobilization* **0.2** [periode] *mobilization* ◆ **3.1** de algemene ~ afkondigen *proclaim / promulgate general m..*

mobilisatiebevel 〈het〉 **0.1** *mobilization order.*

mobiliseerbaar 〈bn.〉 **0.1** *mobilizable.*

mobiliseren 〈ov.ww.〉 **0.1** [gevechtsklaar maken, (ook fig.)] *mobilize* **0.2** [〈mv.〉] *restore / improve (s.o.'s) mobility* ◆ **1.1** 〈fig; scherts.〉 hij heeft zijn hele familie gemobiliseerd *he mobilized his entire family;* reservisten ~ *mobilize reservists / reserves.*

mobiliteit 〈de (v.)〉 **0.1** [beweeglijkheid] *mobility* **0.2** [〈mv.〉 mbt. een onderneming] *liquid / available assets* ◆ **2.1** 〈soc.〉 horizontale / verticale ~ *horizontal / vertical m..*

mobilofonisch 〈bn., bw.; -ally〉 **0.1** *radiotelephonic* ◆ **1.1** ~ contact *r. contact* **3.1** iem. ~ oproepen *call s.o. over the radiotelephone.*

mobilofoon 〈de (m.)〉 **0.1** *radiotelephone* ◆ **6.1** iem. via de ~ oproepen *contact s.o. via the r..*

mobilofoonabonnee 〈de (m.)〉 **0.1** *radiotelephone subscriber.*

mobilofoonnet 〈het〉 **0.1** *radiotelephonic network.*

mobilofoonverkeer 〈het〉 **0.1** *radiotelephone traffic.*

mocassin 〈de (m.)〉 **0.1** [indianenschoen] *moccasin* **0.2** [pantoffel, schoen] *moccasin* ⇒〈AE ook〉 *loafer.*

modaal[1] 〈het〉 **0.1** [mbt. statistiek] *modal* ⇒*modal value* **0.2** [modaal inkomen] *standard / average income* ◆ **1.2** Jan Modaal *the man in the street, Mr average, the average worker;* vier maal ~ *four times the standard / average income* **6.2** de groepen net **onder** ~ *the income groups just below the standard / average income.*

modaal[2] 〈bn.〉 **0.1** [mbt. statistiek] *modal* ⇒〈mbt. inkomen e.d. ook〉 *standard, average* **0.2** [〈taal.〉] *modal* **0.3** [zeer middelmatig] *average* ⇒〈pej.〉 *mediocre* ◆ **1.1** een ~ inkomen hebben *earn a standard / an average income;* gezinnen met een ~ inkomen *families with a standard / an average income;* modale werknemer *employee earning a standard / an average income* **1.2** modale hulpwerkwoorden *m. auxiliaries, modals* **1.3** een ~ student *an average student* **1.**¶ 〈muz.〉 modale notatie *modal notation.*

modaliteit 〈de (v.)〉 **0.1** [〈taal.〉] *modality* **0.2** [〈fil.〉] *mode* **0.3** [beding] *stipulation* ⇒〈jur.〉 *proviso* **0.4** [〈prot.〉] ≠*branch* ◆ **1.1** een bepaling van ~ *an adjunct of m..*

modder 〈de (m.)〉 **0.1** *mud* ⇒*mire, dirt,* 〈slijk〉 *sludge* ◆ **3.1** met een dikke laag ~ bedekken *cake with mud* **6.1** door de ~ baggeren *slosh / wade / slop through the mud / mire;* iem. / iets door de ~ sleuren 〈ook fig.〉 *drag s.o. / sth. through the mire / mud;* tot over zijn knieën **in** de ~ zakken *sink up to one's knees in the mud;* met ~ naar iem. gooien 〈ook fig.〉 *sling / fling / throw mud / dirt at s.o.;* ze zit **onder** de ~ *she's covered in mud* **8.1** zo vet als ~ *as fat as a pig;* een figuur als ~ slaan *look a sorry sight, look like a fool.*

modderaar 〈de (m.)〉, **-ster** 〈de (v.)〉 **0.1** *bungler* ⇒*muddler, dabbler.*

modderachtig 〈bn.〉 **0.1** [met modder bedekt] *muddy* **0.2** [op modder lijkend] *muddy* ⇒*sludgy* ◆ **1.1** ~e straten *muddy streets.*

modderbad 〈het〉 **0.1** *mud bath* ◆ **3.1** 〈iron.〉 hij haalde een ~ *he took a dip in the mud.*

modderbak 〈de (m.)〉 **0.1** *mud scow.*

modderballet 〈het〉 **0.1** *mud bath* ◆ **1.1** de wedstrijd van vandaag werd een ~ *today's match turned into a m. b..*

modderen 〈onov.ww.〉 **0.1** [met modder knoeien] *play with mud* **0.2** [〈fig.〉 schipperen] *play around* ⇒*not be (so / too) fussy* **0.3** [klungelen] *mess around /* 〈BE ook〉 *about* ⇒*muddle (along / through)* **0.4** [baggeren] *wade through the mud* ◆ **6.2** ~ met beginselen *play fast and loose with (one's) / not be (so / too) fussy about principles* **6.3** ~ met een gebruiksaanwijzing *get in a muddle with the instructions.*

modderfiguur 〈het, de〉 ◆ **3.**¶ een ~ hebben *be pear-shaped;* een ~ slaan *cut a sorry figure, look like a fool.*

modderig 〈bn.〉 **0.1** *muddy* ◆ **1.1** ~ zand *m. sand.*

moddermolen 〈de (m.)〉 **0.1** *dredge* ⇒*dredger.*

modderpaadje 〈het〉 **0.1** *mud track.*

modderpoel ⟨de (m.)⟩ **0.1** *quagmire;* ⟨fig.;smeerboel⟩ *mire* ◆ **1.1** ⟨fig.⟩ de ~ v.d. seksindustrie *the m. of the sex business* **2.1** het (voetbal)veld was één grote ~ geworden *the (football-)pitch had turned into a q..*

modderschuit ⟨de⟩ **0.1** *mud boat/barge* ⇒*hopper barge* ◆ **6.1** dat staat als een vlag **op** een ~ *it looks totally out of place.*

moddervet ⟨bn.⟩ **0.1** *bloated* ⇒⟨BE ook⟩ *gross, disgustingly/grossly/ obscenely fat* ◆ **3.1** zich ~ eten *eat o.s. silly, stuff o.s..*

moddervulkaan ⟨de (m.)⟩ **0.1** *mud volcano* ⇒*salse.*

modderworstelen ⟨ww.⟩ **0.1** *mud wrestling.*

mode ⟨de (v.)⟩ **0.1** [trend] *fashion* ⇒*trend, vogue* **0.2** [als verschijnsel] *fashion* **0.3** [⟨mv.⟩ kleding] *fashion* ◆ **2.1** 't is dè grote ~ *it's all the rage;* zich naar de laatste ~ kleden *dress in the height of f./ after the latest f.;* de nieuwste ~ *the latest f.* **3.1** de ~ bepalen *set the f., be the arbiter of f.;* maak je niet dik, dun is de ~ *keep your hair on (, it won't grow back again);* de ~ is veranderd *fashions have changed;* de ~ volgen *keep up with/ follow the f./ the (latest) fashions;* (in de) ~ zijn *be fashionable/ in vogue* **6.1** dat komt weer in de ~ *that'll come back again/ come back into f./ come in again;* een ~ in de psychologie *a trend/ new wave in psychology;* blauw is **in** de ~ ⟨ook⟩ *blue is in;* erg **in** de ~ zijn *be quite the thing/ all the vogue;* **in/uit** de ~ raken *come into/ go out of f./ vogue;* dat is **uit** de ~ *that's out (of f.)/ out of vogue* **6.2 aan** ~ onderhevig zijn *be affected by f.* **6.3** een zaak **in** ~s *a f. shop* **7.1** je bent drie ~s achter *you're three fashions behind.*

modeartikel ⟨het⟩ **0.1** [mbt. het modevak] *fashion article* **0.2** [iets dat in de mode is] *fashionable article.*

modebeurs ⟨de⟩ **0.1** *fashion fair.*

modebewust ⟨bn., bw.;-ly⟩ **0.1** *fashion-conscious.*

modeblad ⟨het⟩ **0.1** *fashion magazine.*

modegek ⟨de (m.)⟩ **0.1** *fashion plate* ⇒*faddist,* ⟨m. ook⟩ *dandy, fop,* ^A*dude.*

modegevoelig ⟨bn.⟩ **0.1** *latest-fashion* ◆ **1.1** een ~ artikel *a high-fashion article;* een ~ e branche *a fashionable trade/ business.*

modegril ⟨de⟩ **0.1** *fad* ⇒*craze, whim of fashion.*

modehuis ⟨het⟩ **0.1** *fashion house* ⇒*couturier.*

modekleding ⟨de (v.)⟩ **0.1** *fashionable clothes.*

modekleur ⟨de⟩ **0.1** *fashion(able) colour.*

modekoning ⟨de (m.)⟩ **0.1** *top fashion designer.*

modekwaal ⟨de⟩ **0.1** *fashionable complaint.*

model[1] ⟨het; ook in samenst.⟩ **0.1** [type van gebruiksvoorwerpen] *model* ⇒*type, style* **0.2** [ontwerp] *model* ⇒*design,* ⟨mbt. auto ook⟩ *mark* **0.3** [iem. die poseert] *model* ⇒*sitter* **0.4** [nabootsing] *model* ⇒*mock-up* **0.5** [schema] *model* **0.6** [juiste/ideale vorm] *model* ⇒*style* **0.7** [voor-/toonbeeld] *model* ⇒*paragon* **0.8** [iem. die als voorbeeld dient] *paragon* **0.9** [⟨schei., tech.⟩] *model substance* ◆ **1.1** het ~ v.e. overhemd *the make of a shirt;* een nieuw ~ stoel *a new type of chair* **1.7** het ~ v.d. attente huisvader *the m. of the considerate father* **2.1** schoenen van Italiaans ~ *Italian-style shoes;* een klein/ groot ~ t.v. *a small/ large type of TV;* het nieuwste ~ videorecorder *the newest/ latest m. in video recorders;* een klok v.e. prachtig ~ *a clock of a marvellous design* **2.7** je bent me een mooi/ vreemd ~ *you're a fine one (, you are); you're a queer fish* **3.3** ~ staan *sit* **3.7** ~ staan voor *serve as a m./ pattern for* **6.1** gezien het ~ is die auto v. rond 1950 *the m. of the car dates it at about/ around 1950;* **naar** Engels ~ *on/ after the English m.;* flats gebouwd **naar** één ~ *blocks of flats built to a uniform pattern;* jassen vol**gens** (het voorgeschreven) ~ *regulation coats* **6.2** een ~ **voor** een plastiek *a m. for a piece of sculpture* **6.6** ⟨mil.⟩ **buiten** ~ *non-regulation;* iemands haar **in** ~ knippen/ kammen *cut/ comb s.o.'s hair in style;* goed **in** ~ blijven *keep its/ stay in shape;* iets weer **in** (zijn) ~ brengen *reshape sth.;* die trui is nu helemaal **uit** (zijn) ~ *that jumper is now completely out of shape* **8.7** als ~ nemen voor iets *model sth. on, model o.o.s. on.*

model[2] ⟨bn., bw.⟩ **0.1** [correct] *correct* **0.2** [voorbeeldig] *model* ⇒*exemplary* ◆ **2.1** ~ gekleed/ bepakt *dressed/ packed in accordance with prescribed regulations* **3.2** zich ~ presenteren *be on one's best behaviour.*

modelactie ⟨de (v.)⟩ **0.1** [protestactie] *work-to-rule* **0.2** [goed uitgevoerde actie] *model action* ◆ **3.1** een ~ voeren *work to rule.*

modelboerderij ⟨de (v.)⟩ **0.1** *model farm.*

modelbouwen ⟨ww.⟩ **0.1** *model making.*

modelechtgenoot ⟨de (m.)⟩, **-note** ⟨de (v.)⟩ **0.1** *model husband/ wife.*

modelkamer ⟨de⟩ **0.1** [kamer met modellen] *showroom* **0.2** [kamer in een modelwoning] *showroom.*

modelkeuken ⟨de⟩ **0.1** *model kitchen.*

modelkleding ⟨de (v.)⟩ **0.1** *regulation dress.*

modelleerhoutje ⟨het⟩ ⟨amb.⟩ **0.1** *modelling* ^A*eling stick* ⇒*modelling* ^A*eling tool.*

modellenbureau ⟨het⟩ **0.1** *modelling* ^A*eling agency.*

modelleren ⟨ov.ww.⟩ **0.1** [boetseren] *model* **0.2** [in het klein voorstellen] *make a (scale) model of* ◆ **6.1** ~ **naar** *fashion after, m. on.*

modelleur ⟨de (m.)⟩ **0.1** [boetseerder] *modeller* ^A*eler* **0.2** ⟨conf.⟩ *(dress) designer.*

modelmaker ⟨de (m.)⟩ **0.1** *pattern maker.*

modelnaaister ⟨de (v.)⟩ **0.1** ≠*(dress) designer's assistant.*

---

modelschijf ⟨de⟩ **0.1** *(rotating) modelling* ^A*eling stand.*

modelspoorbaan ⟨de⟩ **0.1** *model railway.*

modelstudie ⟨de (v.)⟩ ⟨bk.⟩ **0.1** *life study.*

modeltekenen ⟨onov.ww.⟩ **0.1** *draw from a model.*

modeltheorie ⟨de (v.)⟩ **0.1** *model theory.*

modelwoning ⟨de (v.)⟩ **0.1** *show house.*

modem ⟨de (m.)⟩ ⟨com.⟩ **0.1** *modem.*

modemagazijn ⟨het⟩ **0.1** *fashion house.*

modeontwerper ⟨de (m.)⟩, **-ster** ⟨de (v.)⟩ **0.1** *fashion designer* ⇒ ↑*couturier/ couturière.*

modeplaat ⟨de⟩ **0.1** [plaat] *fashion plate* **0.2** [persoon] *fashion plate.*

modepop ⟨de⟩ **0.1** *fashion plate.*

moderaat ⟨bn.⟩ **0.1** *moderate* ⇒*temperate.*

moderamen ⟨het⟩ **0.1** [president/ leiding v.e. vergadering] *chairman/ chairwoman of a/ the meeting)* **0.2** [⟨rel.⟩] *synod(al) board* ◆ **2.2** breed ~ *enlarged s. b..*

moderantisme ⟨het⟩ **0.1** *moderatism.*

moderateur ⟨de (m.)⟩ **0.1** [bestuurder, leider] *moderator* **0.2** [mbt. een machine] *regulator* ⇒*governor.*

moderatie ⟨de (v.)⟩ **0.1** [matiging] *moderation* **0.2** [gematigdheid] *moderation* ⇒*moderateness, temperateness.*

moderato[1] ⟨het⟩ ⟨muz.⟩ **0.1** *moderato.*

moderato[2] ⟨bw.⟩ ⟨muz.⟩ **0.1** *moderato* ◆ **6.1** een passage in ~ *a m. passage.*

moderator ⟨de (m.)⟩ **0.1** [leider v.e. debating-club] *moderator* ⇒*president, chairman* **0.2** [godsdienstleraar, geestelijk adviseur] *moderator* **0.3** [voorzitter v.e. synode] *moderator* **0.4** [mbt. kernenergie] *moderator.*

modereren ⟨ov.ww.⟩ **0.1** *moderate* ⇒*subdue, tone down.*

modern

I ⟨bn.⟩ **0.1** [v.d. nieuwere tijd] *modern* ◆ **1.1** (de) ~e geschiedenis *m. history;* de ~e schrijvers *m. writers;* de ~e talen *the m. languages;* een leraar ~e talen *a teacher of m. languages;* van/ in de ~e tijd *of the m. age, in m. times* **7.1** de ~en ⟨vnl. bk.⟩ *the moderns;*

II ⟨bn., bw.⟩ **0.1** [nieuwerwets] *modern* ⇒*modernistic,* ⟨pej.⟩ *new-fangled* **0.2** [⟨rel.⟩] *modernistic* ◆ **1.1** een huis met alle ~e comfort *a house with all modern conveniences/ comforts, a house with all mod cons;* vrije liefde en al dat andere ~e gedoe *free love and all that other new-fangled stuff;* ~e ideeën *modern/ progressive ideas;* ~e ouders *modern/ progressive parents;* v.h. ~e slag *of the modern persuasion* **1.2** de ~e theologie *m. theology* **3.1** ~ denken *modern dances;* ~ denken *modern/ contemporary thought;* het huis is ~ ingericht *the house is equipped on modern/ up-to-date lines* **3.2** de protestantse leer ~ benaderen *have a m. approach to Protestant doctrine* **5.1** uitgerust met de meest ~e wapens *equipped with the latest/ most modern/ most up-to-date weapons;* de meest ~e technieken ⟨ook⟩ *state-of-the-art technology;* uiterst ~ *avant-garde, way-ahead, up-to-the-minute, ultra modern.*

moderniseren ⟨ov.ww.⟩ **0.1** *modernize* ⇒*update* ⟨boeken⟩, *bring up to date.*

modernisering ⟨de (v.)⟩ **0.1** *modernization* ⇒⟨r.k.⟩ *aggiornamento.*

modernisme ⟨het⟩ **0.1** [geest v.h. nieuwe] *modernism* **0.2** [⟨rel.⟩] *modernism.*

modernist ⟨de (m.)⟩ **0.1** *modernist.*

moderniteit ⟨de (v.)⟩ **0.1** [het modern zijn] *modernity* **0.2** [hedendaags verschijnsel] *modernity* ⇒*novelty.*

modeshow ⟨de (m.)⟩ **0.1** *fashion show* ⇒*fashion/ dress parade.*

modesnufje ⟨het⟩ **0.1** *craze* ⇒*fad, novelty* ◆ **2.1** het nieuwste ~ *the latest word/ thing.*

modest ⟨bn.⟩ **0.1** [ingetogen] *modest* **0.2** [bescheiden] *modest* ⇒*unassuming, unpretentious.*

modevak ⟨het⟩ **0.1** *fashion.*

modevakschool ⟨de⟩ **0.1** *school of fashion design/ dress design.*

modeverschijnsel ⟨het⟩ **0.1** *fad* ⇒*craze, nine days' wonder* ◆ **3.1** tot een ~ maken *set a fashion/ the trend;* een ~ zijn *be fashionable.*

modewereld ⟨de⟩ **0.1** *fashion world* ⇒⟨wereldje⟩ *scene, world of fashion.*

modewoord ⟨het⟩ **0.1** *vogue word.*

modezaak ⟨de⟩ **0.1** [aangelegenheid mbt. de mode] *matter of fashion;* ⟨ook ⟩modeverschijnsel⟩ **0.2** [winkel] *clothes shop* ⇒⟨dames⟩ *dress shop,* ⟨heren⟩ *(gentlemen's) outfitter's.*

modieus ⟨bn., bw.;-ly⟩ **0.1** *fashionable* ⇒*chic, stylish,* ⟨pej.⟩ *modish* ◆ **1.1** een modieuze dame *a lady of fashion;* een ~ persoon *a trendy (person);* de modieuze wereld *f. circles;* ⟨vero. of scherts.⟩ *bon ton* **2.1** ~ gekleed *fashionably dressed* **5.1** niet ~ *unfashionable; outmoded* ⟨gewoonte, gebruik⟩.

modificatie ⟨de (v.)⟩ **0.1** [verandering] *modification* ⇒*alteration* **0.2** [⟨biol.⟩] *modification* **0.3** [⟨schei., nat.⟩] *modification.*

modificeren ⟨ov.ww.⟩ **0.1** *modify.*

modinette ⟨de (v.)⟩ **0.1** *seamstress* ⇒*midinette.*

modulair ⟨bn.⟩ **0.1** *modular.*

modulatie ⟨de (v.)⟩ **0.1** [stembuiging] *modulation* ⇒*inflection, intonation* **0.2** [⟨muz.⟩] *modulation* **0.3** [⟨bouwk.⟩] *modulation* **0.4** [verandering van draaggolven] *modulation.*

modulator ⟨de (m.)⟩ **0.1** *modulator*.

module →**modulus**.

moduleren ⟨onov., ov.ww.⟩ **0.1** [⟨muz.⟩] *modulate* **0.2** [draaggolven veranderen] ⟨ov. ww.⟩ *modulate* **0.3** [⟨bouwk.⟩] *design according to a modular system* **0.4** [met stembuiging spreken] *modulate (one's voice)* ⇒*intone*.

modulus ⟨de (m.)⟩ **0.1** [maat(staf)] *module* **0.2** [gietvorm] *mould, cast, matrix* **0.3** [⟨wisk.⟩] *modulus* **0.4** [muntmaat] *module*.

modus ⟨de (m.)⟩ **0.1** [wijze] *mode* **0.2** [⟨taal.⟩] *mood* **0.3** [⟨jur.⟩] *term, condition, clause* **0.4** [⟨muz.⟩] *mode* ◆ **7.4** de vijfde ~ *the Lydian m.* **¶.1** een ~ vinden om met iem. om te gaan *come to terms with s.o., work out a way to deal with s.o.* **¶.¶** ~ vivendi *modus vivendi;* ~ procedendi *procedure, modus procedendi;* ~ quo *(mode of) procedure, modus;* tot een ~ vivendi komen met iets *come to terms with sth., work out a modus vivendi;* ~ operandi *modus operandi;* ~ ponens *modus ponens.*

moduul →**modulus**.

moe[1] ⟨de (v.)⟩⟨inf.⟩ **0.1** [B]*mum(my)*, [A]*mom* ◆ **1.1** pa en ~ *mum/mom and dad* **9.¶** nou ~! *well I say!, well I never!;* ⟨BE;sl.⟩ *blimey!.*

moe[2] ⟨bn.⟩ **0.1** [vermoeid] *tired* ⇒*fatigued* **0.2** [beu] *tired (of)* ⇒*weary (of)* ◆ **1.1** het moede hoofd neerleggen ⟨fig.⟩ *give up the ghost, lie down and die* **3.1** hij maakt er zich ~ mee *he tires himself out with it;* dat maakt hen ~ *it wearies them, it wears them out;* ⟨sterker⟩ *it sickens them;* hij maakt zich niet graag ~ *he doesn't like to work overmuch, he's not too fond of working;* jij wordt zo gauw ~ *you tire so easily/quickly* **3.2** zij is het leven ~ *she is weary of life;* hij werd het ~ *he got t. of it;* zij werd het luisteren ~ *she grew t. of listening;* hij wordt het praten over zijn werk nooit ~ *he never tires of talking about his work* **6.1** ~ in de benen *legweary;* ~ van het wandelen *t. with walking;* ~ van de reis/het reizen *worn out from the journey/travelling* **8.1** zo ~ als een hond *dog-tired, dead t., t. as a dog.*

moed ⟨de (m.)⟩ **0.1** [dapperheid] *courage* ⇒*valiance,* ⟨soldatenmoed⟩ *bravery,* ⟨heldenmoed⟩ *valour,* ⟨durf, lef⟩ *spunk* **0.2** [vertrouwen in wat komen gaat] *courage* ⇒*heart, spirits* ◆ **1.1** met de ~ der wanhoop *with the c. of despair* **2.1** de euvele ~ hebben om ... *have the nerve/face/audacity to* **2.2** met frisse/nieuwe ~ beginnen *begin with fresh/renewed c.;* ⟨na tegenslag ook⟩ *come up smiling;* vol goede ~ begon hij opnieuw *he started afresh/anew in good heart/spirits;* dat gaf me weer nieuwe ~ *that gave me new heart/put fresh heart into me/got me going again* **2.¶** in arren ~ e iets doen *do sth. out of desperation* **3.1** al zijn ~ bijeenrapen/verzamelen *muster up/summon up/pluck up one's c.;* daar heeft hij de ~ niet toe *he doesn't have the nerve/heart to;* zich ~ indrinken *give o.s. Dutch c.* **3.2** ⟨scherts.⟩ dat geeft de burger ~ *that's/there's a cheerful thought;* houd er de ~ maar in! *chin up!, keep your pecker up!;* hou(d) ~! *keep your spirits up!, cheer up!;* ⟨vermelijk⟩ *be of good cheer/comfort!;* iem. ~ inspreken/geven *put c./fresh heart into s.o.;* hij kreeg weer ~ *he felt confident (about it) again/had faith in it again;* de ~ niet laten zakken *bear up;* de ~ laten zakken *lose heart, get down-hearted;* ~ putten uit *take heart from, draw/derive c. from;* ~ vatten *pluck up/take c., take heart;* de ~ verliezen *lose heart/c., lose one's nerve;* ⟨fig.⟩ de ~ zonk hem in de schoenen *his heart sank into his boots, his spirits sagged/sank* **6.2** het ontneemt mij de ~ om ... *it discourages/disheartens me to ...* **6.¶** het werd hem bang te ~ e *he felt faint at heart.*

moedeloos ⟨bn., bw.;-ly⟩ **0.1** *despondent* ⇒*dispirited, down-hearted, low-spirited, dejected* ◆ **1.1** ⟨fig.⟩ een ~ gebaar *a despondent gesture* **3.1** dat stemt mij ~ *that dejects me, it makes me feel down-hearted;* het is om er ~ van te worden *it's enough to make one despair.*

moedeloosheid ⟨de (v.)⟩ **0.1** *despondency* ⇒*dejection.*

moeder ⟨de (v.)⟩⟨→sprw. 113,617⟩ **0.1** [vrouw met kinderen] *mother* **0.2** [zorgzame vrouw] *mother (figure)* **0.3** [bestuurster] *matron* **0.4** [oorsprong] *mother* **0.5** [iets dat de mensen beschermt/voedt] *mother* **0.6** [enigszins bejaarde vrouw] *mother* ◆ **1.1** ⟨fig.⟩ Moeder de Gans *Mother Goose;* hij is niet bepaald ~s mooiste *he's no oil-painting;* bij ~s pappot/op ~s schoot (blijven) zitten ⟨fig.⟩ *be/remain tied to one's m.'s apron strings;* ⟨kind.⟩ vadertje en ~tje spelen *play mothers and fathers/mummies and daddies;* ~ de vrouw *the missus/missis, the wife;* ⟨scherts.⟩ *my old Dutch, her indoors, my trouble and strife* **1.3** de ~ v.d. jeugdherberg *the m. of the youth hostel* **1.4** de ~ der sporten *the m. of sports* **1.5** Moeder Aarde *Mother Earth;* onze ~ de Heilige Kerk *our Mother Church;* Moeder Natuur *Mother Nature* **2.1** een ongehuwde ~ *an unmarried m.* **3.1** kom op, 't is je ~ niet ⟨fig.⟩ *come on, it won't bite you* ~ worden *become a m.* **3.2** ~(tje) spelen ⟨ook fig.⟩ *play/be mother* **¶.6** hoe gaat 't, ~tje? *how are things with you, dear?.*

moederband ⟨de (m.)⟩ **0.1** [verbondenheid] *maternal bond* **0.2** [⟨comp.⟩] *master tape.*

moederbedrijf ⟨het⟩ **0.1** *parent company.*

moederbij ⟨de (v.)⟩ **0.1** *queen (bee).*

moederbinding ⟨de (v.)⟩ **0.1** *mother fixation.*

moederblad ⟨het⟩ **0.1** *top copy.*

moederborst ⟨de (v.)⟩ **0.1** *mother's breast* ◆ **6.1** het kind ligt/is nog **aan** de ~ *the child is still being breast-fed/suckled.*

moederbrigade ⟨de (v.)⟩ **0.1** ≠*school crossing patrol* ⇒⟨AE ook⟩ *safety patrol.*

moedercel ⟨de (v.)⟩⟨biol.⟩ **0.1** *mother cell* ⇒*parent cell.*

moedercomplex ⟨het⟩⟨psych.⟩ **0.1** *Oedipus complex.*

moedercursus ⟨de (m.)⟩ **0.1** *antenatal classes.*

moederdag ⟨de (m.)⟩ **0.1** *Mothering Sunday* ⇒*Mother's Day.*

moederdier ⟨het⟩ **0.1** [dier] ⟨vnl. mbt. vee/pluimvee⟩ *dam* ⇒*mother animal, female parent* **0.2** [vrouw] *(overindulgent/Jewish) mother.*

moederen ⟨onov.ww.⟩ **0.1** *play mother* ⇒*act like a mother* ◆ **6.1** ~ over iem. *mother s.o..*

moederfabriek ⟨de (v.)⟩ **0.1** *parent factory.*

moederfiguur ⟨de⟩ **0.1** *mother figure.*

moedergeluk ⟨het⟩ **0.1** *joy of motherhood.*

moederhand ⟨de⟩ **0.1** *a woman's touch* ◆ **3.1** hier ontbreekt een ~ *this place needs/lacks/could do with a woman's touch.*

moederhart ⟨het⟩ **0.1** *mother's heart.*

moederhuis ⟨het⟩ **0.1** [klooster] *mother house* **0.2** [⟨r.k.⟩] zetel van bestuur] *mother house.*

moederinstinct ⟨het⟩ **0.1** *maternal instinct.*

moederkerk ⟨de⟩ **0.1** [⟨r.k.⟩] *Mother Church* **0.2** [hoofdkerk] *mother-church.*

moederklok ⟨de⟩ **0.1** *master clock.*

moederklooster ⟨het⟩⟨r.k.⟩ **0.1** *mother convent.*

moederkoek ⟨de⟩ **0.1** *placenta.*

moederkoorn ⟨het⟩ **0.1** [woekering] *ergot* ⇒*spurred rye* **0.2** [zwam] *ergot.*

moederland ⟨het⟩ **0.1** [land met overzeese bezittingen] *mother country* **0.2** [land van oorsprong] *motherland;* ⟨van geëmigreerden⟩ *old country* ◆ **6.2** zijn ouders bleven in het ~ achter *his parents stayed (behind) in the home country/at home.*

moederleed ⟨het⟩ **0.1** *a mother's grief.*

moederlief ⟨de (v.)⟩ **0.1** *dear mother* ⇒*mother/mummy dear* ◆ **3.1** daar helpt geen ~/ moedertjelief aan *there's no escaping it.*

moederlijk

I ⟨bn., bw.;-ly⟩ **0.1** [vol liefde en zorg] *motherly* **0.2** [(zoals) eigen aan een moeder] *maternal* ◆ **1.1** ~e liefde *m. love, a mother's love* **1.2** de ~e staat *motherhood, maternity;*

II ⟨bn.⟩ **0.1** [afkomstig van moeder] *maternal* ◆ **1.1** het ~ erfdeel *the m. portion.*

moederloog ⟨het, de⟩⟨schei.⟩ **0.1** [oververzadigde oplossing] *mother liquor* **0.2** [de overblijvende vloeistof] *mother liquor* ⇒*mother-water,* ⟨na zoutwinning uit zeewater⟩ *bittern.*

moederloos ⟨bn.⟩ **0.1** *motherless* ◆ **1.1** ~ kalf/veulen [A]*maverick.*

Moedermaagd ⟨de (v.)⟩ **0.1** *Virgin Mother, Holy Mother.*

moedermaatschappij ⟨de (v.)⟩ **0.1** *parent company.*

moedermavo ⟨de⟩ **0.1** ⟨*secondary education for adults, especially women*⟩.

moedermelk ⟨de⟩ **0.1** *mother's milk* ⇒*breast milk,* ⟨eerste melk⟩ *foremilk,* ⟨wet.⟩ *human milk* ◆ **3.1** de baby krijgt nog ~ *the baby is still being breast-fed* **6.1** dat heeft hij met de ~ meegekregen/ingezogen *he took it in with his mother's milk.*

moedermoord ⟨de⟩ **0.1** *matricide.*

moedermoordenaar ⟨de (m.)⟩ **0.1** *matricide.*

moedernaakt ⟨bn.⟩ **0.1** *mother-naked* ⇒*stark-naked.*

moeder-overste ⟨de (v.)⟩⟨r.k.⟩ **0.1** *Mother (superior).*

moederplant ⟨de⟩ **0.1** [plant waarvan andere afstammen] *parent (plant)* **0.2** [kamerplant] *mother-of-thousands, Aaron's beard.*

moederplicht ⟨de⟩ **0.1** *maternal duty.*

moederrecht ⟨het⟩ **0.1** *maternal right* ⇒⟨errecht⟩ *matriarchy.*

moederschap ⟨het⟩ **0.1** *motherhood* ⇒*maternity* ◆ **3.1** (iem.) op het ~ voorbereiden *train (s.o.) in mothercraft.*

moederschip ⟨het⟩ **0.1** [schip dat als basis dient] *mother ship* ⇒*carrier* **0.2** [schip dat lichters meeneemt] *barge carrier* **0.3** [ruimteschip] *mother ship.*

moederschoot ⟨de (m.)⟩ **0.1** [schoot v.e. moeder] *mother's lap* **0.2** [baarmoeder] *womb* ⇒*uterus* ◆ **6.1** ⟨fig.⟩ vanaf de ~ *from the cradle on.*

moederskant ⟨de (m.)⟩ ◆ **6.¶** van ~ *on the/one's mother's side;* ⟨van halfbroers/zusters⟩ *uterine.*

moederskind ⟨het⟩ **0.1** [sterk aan de moeder gebonden kind] *mother's child* **0.2** [onzelfstandig kind] *mother's boy* ⇒*mummy's/mamma's/namby-pamby boy.*

moedersleutel ⟨de (m.)⟩ **0.1** *master/skeleton key.*

moedersmoeder ⟨de (v.)⟩ **0.1** *maternal grandmother.*

moedersvader ⟨de (m.)⟩ **0.1** *maternal grandfather.*

moederszijde →**moederskant.**

moedertaal ⟨de⟩ **0.1** [eigen taal] *mother tongue* ⇒*native language/tongue* **0.2** [oorspronkelijke taal] *mother tongue* ◆ **8.1** iem. met Engels als ~ *a native speaker of English.*

moedertasjes ⟨zn.mv.⟩⟨plantk.⟩ **0.1** *shepherd's purse.*

moedertrots ⟨de⟩ **0.1** *maternal pride.*

moedervlek ⟨de⟩ **0.1** *birth mark* ⇒⟨moedervlekje⟩ *mole.*

moedervorm ⟨de (m.)⟩⟨druk.⟩ **0.1** *matrix.*

moederzegen ⟨de⟩ **0.1** [moederlijke zegen] *mother's blessing* **0.2** [zegen v.h. moederschap] *blessing of motherhood.*

moederziel ⟨de⟩ ◆ **5.¶** ~ alleen *all alone;* ~ alleen achterblijven *be cast away* **7.¶** ⟨AZN⟩ er was geen ~ *there wasn't a living soul.*

moederzorg ⟨de⟩ **0.1** *mother('s) care* ⇒*maternal care.*

moedig ⟨bn., bw.; -ly⟩ **0.1** *brave* ⇒*spirited, courageous, valiant,* ⟨met lef⟩ *plucky* ◆ **1.1** een ~e daad *a b. / courageous act;* ⟨ridderlijk⟩ *a gallant deed;* een ~ man ⟨ook⟩ *a man of character, a heart of oak* **3.1** zich ~ gedragen *be b.* **6.1** ~ door de drank *pot-valiant* **8.1** ~ als een leeuw *lionhearted.*

moedwil ⟨de (m.)⟩ **0.1** [boze opzet] *wilfulness* ⇒*spite,* ⟨ook jur.⟩ *malice* **0.2** [uiting van baldadigheid] *wantonness* ⇒*mischief* ◆ **3.1** zijn ~ botvieren *indulge one's malice, give rein to one's malice / spite* **3.2** ~ bedrijven / plegen *commit mischief* **6.1** ik deed het niet **met / uit** ~ *I did not do it out of malice / spite.*

moedwillig ⟨bn., bw.; -ly⟩ **0.1** [expres] *wilful* ⇒*malicious, spiteful* **0.2** [baldadig] *wanton* ⇒*mischievous* ◆ **3.1** iets ~ bederven *spoil sth. out of spite.*

moedwilligheid ⟨de (v.)⟩ **0.1** *wilfulness* ⇒*malice,* ⟨baldadigheid⟩ *wantonness, mischief.*

moeflon ⟨de (m.)⟩ **0.1** *moufflon.*

moefti ⟨de (m.)⟩ **0.1** *mufti.*

moegestreden ⟨bn.⟩ **0.1** *battle-weary.*

moeheid ⟨de (v.)⟩ **0.1** [het moe zijn] *tiredness* ⇒*weariness, fatigue, lassitude* **0.2** [mbt. de grond] *exhaustion* **0.3** [mbt. metalen] *fatigue.*

moei ⟨de (v.)⟩ ⟨lit.⟩ **0.1** ⟨ongemarkeerd⟩ *aunt.*

moeial ⟨de (m.)⟩ **0.1** *busybody* ⇒*meddler,* ⟨inf.⟩ *Nos(e)y Parker.*

moeien
I ⟨ov.ww.⟩ **0.1** [betrekken (in)] *involve (in)* ⇒*mix up (in / with)* **0.2** [op het spel zetten] *stake* ⇒*risk, venture, hazard, jeopardize* ◆ **5.2** er is een hele dag mee gemoeid *it will take / cost a whole day;* er is een groot bedrag mee gemoeid *it involves a substantial amount of money;* zijn leven is ermee gemoeid *his life is at stake / risk* **6.1** de regering werd in de zaak gemoeid *the government was asked to step in / interfere in the matter;*
II ⟨wk.ww.; zich ~⟩ **0.1** [zich bemoeien met] *concern o.s. (with), involve o.s. (in / with)* ⇒ ⟨inf.⟩ *poke / put one's nose in, stick one's oar in.*

moeilijk ⟨→sprw. 39,54, 151⟩
I ⟨bn., bw.⟩ **0.1** [problematisch] *difficult;* ⟨bw. vnl.⟩ *with difficulty* ⇒ ⟨ingewikkeld⟩ *intricate* **0.2** [zwaar] *difficult;* ⟨bw. vnl.⟩ *hard* ⇒*arduous, strenuous, laborious, heavy, trying* **0.3** [vervelend] *difficult* ⇒*tedious, tiresome, awkward, annoying* ◆ **1.1** in ~e omstandigheden verkeren *be in trouble / difficulties / dire straits* **1.2** een ~e d. labour / confinement; een ~e taak *a d. / an arduous / a heavy / trying task;* het zijn ~e tijden *these are hard / trying times* **1.3** een ~ geval *a d. / hard case;* een ~ karakter / kind *a d. character / child;* zij is een ~ persoon *she is hard to please / a (very) d. person (to please)* **2.1** een ~ begaanbare / berijdbare weg *a bad / poor road;* ~ opvoedbare kinderen *problem children* **3.1** doe niet zo ~ *don't make such a fuss;* ~ horen / spreken / lezen *have difficulty hearing / speaking / reading, hear / speak / read with difficulty;* het zichzelf ~ maken *make things d. for o.s., make it hard on o.s.* **3.2** het is ~ te geloven *it's hard to believe / almost incredible / almost beyond belief;* hij had het erg ~ met haar overlijden *he found it hard to come to terms with / to cope with her death;* het ~ hebben *be hard put to it, have a rough time, have a (hard / bad) time of it;* hij maakte het ons ~ *he made things d. for us, he gave us a hard time;* ~ te vinden *hard to find;* ⟨krijgen⟩ *hard to come by / to get;* dat zal hem ~ vallen *it won't be easy for him, it will go hard with him / be heavy-going for him* **3.3** zij deden er nogal ~ over *they made rather a fuss about it;* ⟨inf.⟩ ~ doen *be d., make difficulties over / about sth.,* make an issue / meal of sth. **6.2** dat is nog te ~ voor je *that's still too d. / complicated for you, you're not up to it yet, it's still out of your reach* **7.1** ⟨zelfst.⟩ het ~ e is, dat... *the trouble / difficulty / problem is, that ...* **7.2** het ~ste is nu achter de rug *we've broken the back of it, we've turned the (sharpest) corner now;*
II ⟨bw.⟩ **0.1** [eigenlijk onmogelijk] *hardly* ⇒*scarcely, barely, (only) just* ◆ **3.1** ik kan (toch) ~ wegblijven *I can h. stay away, can I?;* daar kan ik ~ iets over zeggen *it's hard for me to say.*

moeilijkheid ⟨de (v.)⟩ **0.1** [het moeilijk zijn] *difficulty* ⇒*trouble* **0.2** [probleem] *difficulty* ⇒*trouble, problem* ◆ **3.1** daar zit / ligt de ~ *there's the rub / catch* **3.2** daar heb ik (grote) moeilijkheden mee *I find it (very) difficult, I'm having (a lot of) trouble with it;* hij heeft moeilijkheden met zijn zoon *he's having problems with his son;* moeilijkheden maken *make difficulties, make / stir up trouble;* moeilijkheden ondervinden *experience / meet with / run up against difficulties;* om moeilijkheden vragen *be asking for trouble;* moeilijkheden zijn er om overwonnen te worden *problems are there to be overcome* **6.2** iem. in moeilijkheden brengen *get s.o. into trouble, get s.o. in a tight spot;* in moeilijkheden komen *get into trouble / hot water, get o.s. into trouble, get in a scrape / mess;* hij verkeerde / zat in moeilijkheden *he was in a scrape / fix / hole / tight corner, he was in trouble;* hij hielp me uit de moeilijkheden *he got me out of that scrape / out of trouble;* zo zijn we uit de moeilijkheden gekomen *that's how we got out of the wood(s).*

moeilijkheidsgraad ⟨de (v.)⟩ **0.1** ⟨van examen enz.⟩ *level of difficulty;* ⟨van probleem enz.⟩ *degree of complexity.*

moeite ⟨de (v.)⟩ **0.1** [last] *trouble* ⇒*difficulty,* ⟨minder sterk⟩ *bother* **0.2** [inspanning] *effort* ⇒*trouble, exertion, pains, labour, struggle* ◆ **2.2**

alle ~ is voor niets geweest *all the trouble / effort has been in vain;* het is een kleine ~ om dat ook even te doen *it's not much effort to do that as well;* vergeefse ~ *wasted effort* **3.1** hij had veel ~ met dat werk *he had a lot of difficulty / t. with that job;* hij had er geen ~ mee om zichzelf uit te nodigen *he felt no qualms about inviting himself;* ik heb ~ met zijn gedrag / uiterlijk *I find his behaviour / appearance hard to take / stomach / swallow;* ~ hebben met iem. *have problems / difficulties with s.o.;* ~ hebben om te / met plassen *have difficulty passing water;* met die jongen krijg je nog ~ *that boy will give you a lot of bother / t.* **3.2** bespaar je de ~ *(you can) save / spare yourself the trouble / bother;* er is veel ~ aan besteed *considerable effort has been put into it / expended on it, great pains have been taken with / spent upon it;* ~ doen *take pains / trouble, exert o.s.;* u hoeft geen extra ~ te doen *no need to bother, you need not bother, don't put yourself out, no need to go out of your way;* veel ~ doen *take much trouble / take pains over sth.;* zich ~ geven / getroosten om ... *go to the trouble of, put o.s. out, take the trouble, bother to;* ik had ~ mij in te houden *I had difficulty restraining myself / holding myself back, I could hardly control myself;* dat werk heeft veel ~ gekost *that job has cost / given a lot of trouble;* het is de ~ niet (waard) *it's not worth it / the effort / the bother, it's a waste of time;* ⟨iron.⟩ het is de ~! *big deal!,* ⟨ongeloof⟩ *indeed!;* het kost me ~ om *I find it hard to;* dat loont de ~ *it's worth the effort / trouble, it's worth (your / the) while;* zich veel / de grootste ~ getroosten *spare no pains, go to any / all lengths, go to / take great pains, go out of one's way, bend over backwards* **5.2** het is de ~ waard *it's worth (your / the) while;* het is de ~ waard om het te proberen *it's worth a try / trying, it's worth (your) while trying;* een inspanning die de ~ waard is *an effort worth making;* de dingen die het leven de ~ waard maken *the things that make life worth living;* het bezoek was zeer de ~ waard *it was a most rewarding visit* **6.2** dat gaat in één ~ door *(that's) no trouble at all;* met ~ de 100 (km / u) halen *barely do / reach 100 kilometres per hour;* wij vonden met veel ~ de weg terug *we only found the way back with great difficulty;* dat is voor de ~ *that's for your trouble;* dank u wel voor de ~! *thank you very much!, sorry to have troubled you!;* Frans zonder ~! *French without tears!* **7.2** doe (maar) geen ~ *don't bother / trouble, never mind;* geen ~ was hem teveel *he spared no pains / effort;* dat is me te veel ~! *I can't be bothered / troubled!.*

moeiteloos ⟨bn., bw.; -ly⟩ **0.1** *effortless* ⇒*painless, easy* ◆ **3.1** leer ~ Engels! *learn English without tears!;* het paard won de wedstrijd ~ *the horse ran away with the race.*

moeizaam ⟨bn., bw.; -ly⟩ **0.1** *laborious* ⇒*painful, toilsome,* ⟨zwaar⟩ *ponderous,* ⟨bw. ook⟩ *with difficulty* ◆ **3.1** zich ~ een weg banen (door) *make one's way with difficulty (through);* het gaat nog ~ *it's still tough going, it's still an uphill battle / struggle;* ~ sleepte hij zich voort *he dragged himself along, he slogged / plodded along heavily;* ~ vooruitkomen *advance with difficulty.*

moeke ⟨het, de (v.)⟩ **0.1** [B]*mummy;* ⟨AE⟩ *mommy, momma* ◆ **2.1** een gezellig(e) ~ *a real mum.*

moer
I ⟨de⟩ **0.1** [bevestigingsmiddel] *nut* ⇒*female screw* **0.2** [droesem] *dregs* ⇒*lees, sediment, draff,* ⟨druivenmoer⟩ *marc;*
II ⟨het⟩ **0.1** [veen(grond)] ⟨grond⟩ *peat soil,* ⟨gebied⟩ *peat bog* **0.2** [veenslik] ⟨ok als brandstof⟩ *peat;*
III ⟨de (v.)⟩ **0.1** [⟨vulg.⟩ moeder] ⟨ongemarkeerd⟩ *mother* **0.2** [moederplant] *layer* **0.3** [wijfjesdier] ⟨konijn⟩ *doe;* ⟨bijenkoningin⟩ *queen (bee)* ◆ **2.¶** ⟨inf.⟩ dat is naar de / zijn malle ~ *be afraid neither of the devil nor the deep blue sea* **6.¶** ⟨inf.⟩ iets naar zijn ~ helpen *bugger / [↑]mess sth. up;* ⟨vulg.⟩ *fuck sth. up* **7.¶** ⟨inf.⟩ dat kan me geen (ene) ~ schelen *I don't give a damn / tinker's cuss!* ⟨vulg.⟩ *fuck, [A]I don't care two bits;* ⟨inf.⟩ geen ~ ⟨geert⟩ *Fanny Adams, bugger-all;* ⟨inf.⟩ geen (ene) ~ waard zijn *not worth a tinker's cuss;* [B]*tuppenny damn;* dat gaat je geen ~ aan *that's none of your damn / bloody business;* daar schiet je geen ~ mee op *that doesn't get you anywhere / doesn't help one bit.*

moeraal ⟨de (m.)⟩ **0.1** *(European) moray.*

moeras ⟨het⟩ **0.1** [drassig land] *swamp* ⇒*marsh, morass,* ⟨veen⟩ *bog* **0.2** [⟨fig.⟩ moeilijkheid] *morass* ⇒*(quag)mire* ◆ **3.1** een ~ droogleggen *drain a marsh* **6.2** in het ~ zitten *be in a quagmire / morass;* steeds dieper in het ~ raken *get deeper and deeper into the morass;* iem. uit het ~ helpen *help s.o. out of the morass / (quag)mire.*

moerasachtig ⟨bn.⟩ **0.1** *swampy* ⇒*marshy, boggy.*

moerasdamp ⟨de (m.)⟩ **0.1** *marsh gas(es) / fume(s) / odour(s)* ⇒*miasma.*

moeraseik ⟨de (m.)⟩ **0.1** *bog oak* ⇒*swamp / pin / Spanish oak.*

moerasgas ⟨het⟩ **0.1** *methane* ⇒*marsh gas.*

moerasgebied ⟨het⟩ **0.1** *marshland, swampland* ⇒*boggy / marshy area, mire.*

moerasgrond ⟨de (m.)⟩ **0.1** *marshy / swampy / boggy soil* ⇒*marshland, swampland.*

moerashoornslak ⟨de⟩ **0.1** *viviparid.*

moeraskers ⟨de⟩ **0.1** *marsh yellow cress.*

moeraskoorts ⟨de⟩ **0.1** *marsh fever* ⇒*malaria, paludism, swamp fever.*

moerasland ⟨het⟩ **0.1** *marshland, swampland.*

moeraslucht ⟨de⟩ **0.1** *marsh fume(s) / odour(s)* ⇒*miasma.*

moerasplant ⟨de⟩ **0.1** *marsh plant.*

moerasschildpad ⟨de⟩ **0.1** *terrapin* ⇒*marsh tortoise.*

moerassig ⟨bn.⟩ **0.1** [uit moeras bestaand] *swampy* ⇒*marshy, boggy* **0.2** [drassig] *boggy* ⇒*swampy* ◆ **3.2** ∼maken/worden ⟨ook⟩ *poach.*

moerasslak ⟨de⟩ →**moerashoornslak.**

moerasvaren ⟨de⟩ **0.1** *buckler fern.*

moerasveen ⟨het⟩ **0.1** *bog fen* ⇒*peat bog.*

moerasviooltje ⟨het⟩ **0.1** *marsh violet.*

moerbalk ⟨de (m.)⟩ **0.1** *tie-beam.*

moerbei

I ⟨de⟩ **0.1** [vrucht] *mulberry;*

II ⟨de (m.)⟩ **0.1** [boom] *mulberry (tree).*

moerbeiboom ⟨de (m.)⟩ **0.1** *mulberry tree.*

moerbeistadium ⟨het⟩ **0.1** *morula.*

moerbeivlinder ⟨de (m.)⟩ **0.1** *silkworm moth.*

moerbeizij ⟨het⟩ **0.1** *natural/real silk.*

moerbes ⟨de⟩ **0.1** *mulberry.*

moerbout ⟨de (m.)⟩ **0.1** *(nutted) bolt.*

Moerdijk ⟨de (m.)⟩ ◆ **6.¶** **boven/beneden** de ∼ ≠*in the north/south of Holland/the Netherlands.*

moerdraad ⟨het⟩ **0.1** *female/internal thread, nut-thread.*

moeren ⟨ov.ww.⟩ **0.1** [kapot maken] *wreck* ⇒*bust, bugger up,* ⟨vulg.⟩ *fuck up* **0.2** [schroefmoer in hout draaien] *tap* **0.3** [moer vastdraaien] *screw on (tight)* **0.4** [planten afleggen] *layer.*

moerplaatje ⟨het⟩ **0.1** *washer (plate).*

moerschroef ⟨de⟩ **0.1** [schroef] *female screw* **0.2** [moer] *female nut.*

moersleutel ⟨de (m.)⟩ **0.1** *(nut) spanner* ⇒*tommy,* ⟨AE ook⟩ *wrench* ◆ **2.1** verstelbare ∼ *monkey wrench* ⟨ook BE⟩.

moerstaal ⟨de⟩ ⟨inf.⟩ **0.1** ⟨ongemarkeerd⟩ *mother tongue* ◆ **3.1** spreek je ∼ *speak plain English* ⟨enz.⟩.

moervos ⟨de (m.)⟩ **0.1** *vixen.*

moes

I ⟨het⟩ **0.1** [gerecht] *purée* **0.2** [mengeling] *pap, pulp* ⇒*mummy, mammie* ◆ **6.1** tot ∼ laten koken *purée, boil down, cook to a pulp;* ⟨fig.⟩ iem. tot ∼ slaan/hakken *beat s.o. to a jelly/a mummy/a pulp;*

II ⟨de (v.)⟩ **0.1** ⟨kind.⟩ moeder] ^B*mummy;* ⟨AE⟩ *momma, mommy.*

moesappel ⟨de (m.)⟩ **0.1** *cooking-apple* ⇒*cooker.*

moesgroente ⟨de (v.)⟩ **0.1** *greens, green (leafy) vegetables.*

moesgrond ⟨de (m.)⟩ **0.1** ⟨perceel⟩ *vegetable garden;* ⟨aarde⟩ *garden* ^B*mould/*^A*mold.*

moesje ⟨het⟩ **0.1** [schoonheidsstip] *beauty spot* **0.2** [stipje op stof] *polka dot* **0.3** [mama] ^B*mummy,* ^A*momma,* ^A*mommie.*

moeskruid ⟨het⟩ **0.1** *potherb* ⇒*vegetable.*

moesson ⟨de (m.)⟩ **0.1** [wind] *monsoon* **0.2** [jaargetijde] *monsoon* ◆ **2.2** droge ∼ *dry m.;* natte/kwade ∼ *wet m., rain.*

moessonregen ⟨de (m.)⟩ **0.1** *monsoon rains.*

moestuin ⟨de (m.)⟩ **0.1** *kitchen/vegetable garden.*

moet

I ⟨de⟩ **0.1** [indruk] *dent* ⇒*mark;*

II ⟨de (m.)⟩ **0.1** [noodzakelijkheid] *must* ⇒*necessity.*

moeten¹ ⟨het⟩ ◆ **2.¶** een heilig ∼ *a sacred duty, an overriding obligation, a must.*

moeten² ⟨→sprw. 192⟩

I ⟨hww.⟩ **0.1** [willen] *want* ⇒*need* **0.2** [verplicht zijn, zich verplicht voelen] *must* ⇒*have to, be obliged to,* ⟨voorwaardelijke wijs, of milder⟩ *should, ⇒ought to,* ⟨bij afspraak/bevel ook⟩ *be to* **0.3** [behoren] *should* ⇒*ought to* **0.4** [logisch onvermijdelijk/noodzakelijk zijn] *must* ⇒*have to* **0.5** [waar(schijnlijk) zijn] *must* ⇒ ⟨naar men zegt⟩ *be supposed/said/believed/reported to* **0.6** ⟨AZN⟩ behoeven] *need* ⇒ *want* ◆ **2.2** moet je dat beslist kwijt? *m. you say/write that?, do you really have to say/is it really necessary (for you) to say/write that?* **3.1** wat moet ik beginnen zonder jou? *what would I do/what am I to do without you?;* ik moet er niet aan denken wat het kost *I wouldn't like to think what it costs;* ∼ jullie niet eten? *don't you w. to eat?;* ik moet nu nog bloem hebben ⟨in winkel⟩ *all I need now is flour; and now I w. some flour, please;* and could we have some flour, please; we moest jij hebben? *who did you w. (to see/to speak to)?;* hij moest er niet veel van hebben *he did not take kindly to it;* ik moet nog zien, dat ... *I'd like to see it that ...;* hij moest en zou het hebben *he had to have it/would have it* **3.2** ik moet er niets van hebben *I don't want to know, I don't want to have anything to do with it, I want none of it;* ik moet zeggen, dat ... *I m./should say/have to say that ...;* officieren ∼ altijd in uniform zijn *officers m. wear/are to wear their uniforms at all times* **3.3** dat moet je nog eens doen (als je durft)! *(just you) do that again (if you dare)!;* daar moet op gedronken worden *that calls for a drink;* dat moet gezegd (worden) *it must be/has to be said;* moet je eens horen *listen (to this);* je moet nog eens zo laat thuis komen! *just you try coming home that late again!;* je moet mogen *I had better/best forget it;* de trein moet om vier uur vertrekken *the train is due to leave at four o'clock;* je moest eens weten ... *if only you knew ...;* dat moet jij (zelf) weten *it's up to you, it's your decision;* het moet al heel slecht weer zijn, wil hij thuis blijven *the weather's got to be pretty bad for him to stay at home/stay in;* je moet wel anglist zijn om dit te (kun-

nen) vertalen *you have to have studied English to (be able to) translate this;* ik moet morgen (weer) in Utrecht zijn *I'm due in/have (got) to be in Utrecht (again) tomorrow* **3.4** dat hij nou net op dat moment moest binnenkomen *he would (have to) walk in at that moment;* moet het nog lang duren? *how long is this going to last?, how much longer?;* ⟨fig.⟩ eraan∼ geloven *be in for it;* het moest er wel van komen *it was bound to happen, it had to happen;* kome wat komen moet *come what may;* dat moet wel een succes worden *that's bound/it can't fail to be a success;* het heeft zo ∼ zijn *it had to be/happen (like that)* **3.5** zij moet vroeger een mooi meisje geweest zijn *she m. have been a pretty girl once;* Londen moet 350 km van hier liggen *London m. be 350 kilometres away;* dat schilderij moet de koningin voorstellen *that painting's supposed to represent the Queen;* ze moet erg rijk zijn *she is said to be very rich* **4.1** ⟨inf.⟩ wat moet je? *what do you w.?, what's with you?;* ⟨inf.⟩ wat moet dat? *what does this mean?, what's all this about?, what's going on here?;* wat ∼ jullie hier? *what ar you (all) after?, what are you doing here?;* wat moest hij van jou? *what did he w. from/with you?;* wat moet dat speelgoed hier? *what are those toys doing here?* **4.2** moest (je) dat nou (doen)? *did you really have to do that?* **4.4** als het moet *if need be, if it m. be;* wat moet, dat moet *what m. be m. be* **4.5** wat moet dat voorstellen? *what's that supposed to be?* **5.1** hij moet zo nodig *it's him again, he's at it again;* het huis moet nodig eens geschilderd worden *the house wants re-painting/a lick of paint (badly)* **5.2** je moet er tóch doorheen ⟨mbt. moeilijkheden⟩ *you'll have to see it through/out anyway, you'll have to face it/the music;* moet u nog ver (gaan)? *do you still have far to go?, have you still got far to go?* **5.3** hij moet eraan! *he's in for it!, his hour has come!;* ik moet (zo) nodig *I've got to go!;* hoe ∼ we nu verder? *where do we go from here?;* alles moet weg *everything must go;* moet je nu al weg/ervandoor? *are you off already?, must you be off so soon?;* zo moet (je) het niet (doen) *that's not the way to do it, you shouldn't/mustn't do it like that;* het is gedaan zoals het moet *it has been done properly/as it s.* **5.4** die kies moet eruit *that molar has (got) to come out;* waar moet dat heen (met die drugs)? *what are things coming to/what's the world coming to (with these drugs)?;* het zal wel zo moeten (gebeuren) *that's probably how it is done/has to be done like this* **6.3** ik moet nog **naar** Antwerpen *I (still) have (got) to go to Antwerp* **6.4** **aan** een bril ∼ *need glasses* **¶.3** als het moet, dan ...if it can't be avoided, then ...;* ze moet er nodig eens even uit *she needs a day out;*

II ⟨ov.ww.⟩ ⟨inf.⟩ **0.1** [mogen, believen] *want* ⇒*need* ◆ **1.1** ik moet die man niet *I don't like that man.*

moetje ⟨het⟩ ⟨inf.⟩ **0.1** [gedwongen huwelijk] *shotgun marriage/wedding* **0.2** [kind] *7-month baby.*

moezel ⟨de (m.)⟩ **0.1** *Moselle.*

moezelwijn ⟨de (m.)⟩ **0.1** *Moselle (wine).*

mof

I ⟨de (m.)⟩ **0.1** [scheldnaam] *kraut* ⇒*Hun,* ⟨mil.⟩ *Jerry* ◆ **8.1** zwijgen als een ∼ *be silent as the grave, keep mum, have one's lips sealed;*

II ⟨de⟩ **0.1** [koker van bontwerk] *muff* **0.2** [ring voor verbinding van buizen] *(coupling) sleeve* ⇒*bush* **0.3** [verwijd uiteinde v.e. buis] *socket.*

moffel ⟨de (m.)⟩ **0.1** *muffle.*

moffelen ⟨ov.ww.⟩ **0.1** [lakken] *enamel* **0.2** [emailleren] *enamel* **0.3** [wegkapen] *snatch (away)* ⇒*snap up, grab (at), seize* **0.4** [wegstoppen] *stash (away)* ⇒*spirit/secret away* ◆ **6.4** een voorwerp **in** zijn zak ∼ *stash an object in one's pocket.*

moffellak ⟨het, de (m.)⟩ **0.1** *stoving/baking/stove enamel.*

moffeloven ⟨de (m.)⟩ **0.1** *muffle furnace.*

moffelsleutel ⟨de (m.)⟩ **0.1** *socket spanner/*^A*wrench.*

moffin ⟨de (v.)⟩ →**mof I.**

mofkoppeling ⟨de (v.)⟩ **0.1** *sleeve coupling.*

mogelijk

I ⟨bn.⟩ **0.1** [kunnende gebeuren/gedaan worden] *possible* ⇒*feasible, potential* ⟨alleen attr.⟩ **0.2** [denkbaar] *possible* ⇒*conceivable* **0.3** [eventueel] *possible* ⇒*likely* ◆ **1.2** alle ∼e middelen *all p. means;* alle ∼e soorten van ...*all p./conceivable kinds of* ... **1.3** bij ∼e moeilijkheden *in case of trouble/difficulties* **2.2** op alle ∼e manieren *in every p. way, by all manner of means, everyway* **3.1** dit alles is ons ∼ gemaakt door...*all this has been made possible for us by;* hoe is het ∼, dat je je daarin vergist hebt? *how could you possibly have been mistaken about this?;* hoe is het (gods-ter-wereld) ∼! *how on earth is it possible!* **3.2** het is ∼ dat hij wat later komt *he may come a little later* **4.1** het is ons niet ∼ *it's impossible for us, we cannot possibly ...* **5.1** zo ∼ *if possible* **5.2** het is best/heel goed ∼ dat hij het niet gezien heeft *he may very well not have seen it, it's quite/very p. that he didn't see it* **6.1** niet **voor** ∼ houden *think sth. impossible, believe sth. to be impossible* **7.1** ⟨fil.⟩ het ∼e *the possible;* ⟨zelfst.⟩ al het ∼e doen *do one's utmost/all one can/everything possible, leave no stone unturned* **¶.1** voor zover ∼ *as best one can;*

II ⟨bw.⟩ **0.1** [als kan gebeuren] *possibly* **0.2** [misschien] *possibly* ⇒ *perhaps, maybe* ◆ **5.1** zo gauw/snel ∼ *as soon as possible;* zo goed ∼ *as best one can.*

mogelijkerwijs ⟨bw.⟩ **0.1** *possibly* ⇒*perhaps, maybe*.
mogelijkheid ⟨de (v.)⟩ **0.1** [het mogelijk zijn] *possibility* ⇒*feasibility* **0.2** [iets dat mogelijk is] *possibility* ⇒*chance, opportunity,* ⟨gebeurtenis⟩ *eventuality* **0.3** [⟨mv.⟩ kans op succes] *possibilities* ⇒*prospects* ◆ **2.2** de ~ is groot dat ... *it is quite possible ..., there is every p. ...;* een twee-de/ andere ~ *an alternative* **3.1** de ~ openlaten *leave open the p. / door, let in/ admit the p.;* ik zie er de ~ nog niet van in *it's not possible at the moment* **3.2** dat behoort tot de mogelijkheden *it is within the bounds of p. / the possible;* de ~ bestaat dat ... *there is a p. ...;* er bestaat een kleine ~ dat ... *it is just possible ...;* Amsterdam biedt vele mogelijkheden *Amsterdam offers a lot of opportunities;* er doen zich verschillende mogelijkheden voor *there are various possibilities,* zij onderschat haar mogelijkheden *she underestimates herself;* voor ieder de ~ scheppen om ... *create the chance/ opportunity for everyone to ...;* ik sluit deze ~ beslist niet uit *I certainly cannot exclude this p.;* ze wees op de ~ dat ... *she suggested ...* **3.3** het land biedt grote mogelijkheden voor het toerisme *the country offers good prospects for tourism* **6.2** dat ligt binnen de mogelijkheden *that is within the bounds of p. / our* ⟨enz.⟩ *reach;* op alle mogelijkheden voorbereid zijn *be prepared for anything/ all eventualities* **6.3** een loopbaan met mogelijkheden *a career with good prospects;* nieuwe mogelijkheden voor de export *new openings/ prospects for export* **7.2** met geen ~ *not possibly, not for the life of me;* ik zie geen ~ me daarvoor vrij te maken *I cannot possibly get time off for this.*

mogen ⟨→sprw. 340⟩
I ⟨hww.⟩ **0.1** [toestemming/ recht/ vrijheid hebben] *can* ⇒*be allowed / permitted to,* ⟨teg. tijd of indirecte rede⟩ [†]*may,* ⟨met ontkenning⟩ *must,* ⟨in voorwaardelijke wijs⟩ *should, ought to,* ⟨vnl. mbt. toelating door afwezige persoon⟩ *be to* **0.2** [reden hebben, moeten] *should* ⇒*ought to* **0.3** [mbt. mogelijkheid] *may, might* **0.4** [mbt. een mogelijkheid] *should* ⇒⟨minder waarschijnlijk⟩ *were ...to* **0.5** [kunnen] ⟨zie 3.5⟩ **0.6** [mbt. een wens] ⟨zie 3.6⟩ ◆ **1.1** mag ik een kilo peren van u? *(can I have) two pounds of pears please;* mag ik uw naam even? *could/ may I have your name please?* **3.1** mag ik bedanken? *I hope you don't mind/ do you mind if I refuse/ say no;* mag Deirdre blijven spelen? *is it alright/ OK if Deirdre stays to play?,* can Deirdre stay and play?; zij mag doen wat ze wil *she is allowed/ permitted to/ she can do what/ as she likes;* je mag gaan spelen, maar je mag je nieuwe schoenen niet vuil maken *you can go out and play, but you're not to get your new shoes dirty;* er mag hier niet gerookt worden *you're not allowed/ permitted to smoke here, you may/ must not smoke here, smoking is forbidden/ not allowed/ permitted here;* hij zei dat ik ook mocht komen *he said (that) I could/ might come too;* als ik vragen mag *if you don't mind my asking;* mag ik u iets vragen? *may I ask you sth.?,* do you mind if I ask you sth.?; u mag hier even wachten *please take a seat (for a minute);* zoiets mag je niet zeggen *one doesn't say that, it isn't done to say that sort of thing;* dat mag ik niet zeggen *I'm not at liberty/ allowed to tell you;* mag het een onsje meer zijn? *do you mind/ is it alright if it's a bit more?;* mag ik zo vrij zijn? *do you mind?* **3.2** dat mag ook wel eens gezegd worden *there's no harm in saying that, too;* je had me wel eens ~ waarschuwen *you might/ could (well) have warned me;* ⟨sport; voetbal⟩ die had nooit ~ zitten *that should never have been/ ought never to have been a goal;* ik mag niet mopperen *I mustn't complain;* je mag je wel eens scheren *you could do with shaving/ a shave, you ought to/ should have a shave;* je mag van geluk spreken dat ... *count yourself lucky that ..., you can thank your (lucky) stars that ...;* je mag wel uitkijken, het is glad op straat *you'd better/ you should be careful, it's slippery out;* hij mag blij zijn dat ... *he ought to/ should be happy that ...* **3.3** wat er ook moge gebeuren *whatever happens, come what may;* hij mag dan slim zijn, sterk is hij niet *he may (well) be clever/ granted he's clever, but he isn't strong;* dat mag dan zo zijn, maar ... *that may be, but ...; that may well be so, but ...; granted, but ...;* hoe dat ook moge zijn *be that as it may* **3.4** mocht dat het geval zijn, ... *should that be the case, ...; in that case, ...; if so, ...* **3.5** je mag dit rustig van mij aannemen *you can take my word for it, take it from me;* het mocht niet baten *it was no use/ good, it didn't work;* dat ik dit nog mag meemaken! *that I should live to see this!;* je mag erop rekenen dat ... *you can rely on it/ assume that ...;* dit mag bekend verondersteld worden *this may be taken for granted;* het heeft niet zo ~ zijn *it was not to be* **3.6** moge dit jaar u veel geluk brengen ⟨alg., bv. mbt. schooljaar⟩ *I hope you will be very happy in the coming year;* ⟨nieuwjaarsgroet⟩ *Happy New Year;* lang moge hij heersen *long may he reign* **3.** zij mag gezien worden *she's a good/ great looker;* ⟨BE ook⟩ she's a bit of alright; zo mag ik het horen! *that's what I like (to hear/ see), that's the spirit;* ⟨horen ook⟩ *now you're talking;* Joost mag weten wat hij bedoelt *God/ Heaven (only/ alone) knows what he means;* dat mocht je willen *wouldn't you just like that; you'd like that, wouldn't you?;* hij mag er zijn ⟨heeft kwaliteiten⟩ *he's one to be reckoned with, he's pretty good, he's got what it takes, he's got class, he's one of the best;* ⟨is groot / flink van postuur⟩ *he's a big chap/ fellow/* ⟨vnl. AE⟩ *guy;* ⟨is knap⟩ *he's some guy/* ^*quite a hunk;* wat mag het zijn? ⟨in winkel⟩ *can I help you?;* ⟨in café⟩ *what are you having/ will you have?;* ⟨ober⟩ *what*

can I get you? **4.1** alles mag toch maar vandaag de dag *anything goes nowaday's, doesn't it?* **4.¶** het mocht wat *it doesn't mean a thing, much ado about nothing, so what!* **5.1** mag die t.v. aan? *can I put the TV on?;* mag ik alsjeblieft? *do you mind?* ⟨nadruk op 'mind'⟩; ik mag het eigenlijk niet vertellen *I'm not really supposed to tell you;* mag ik even? *do you mind?, may I?;* je mag het eens proberen *you're welcome to try it/ give it a try;* mag ik er even langs? *excuse me (please), may I just get past/ by?;* dat mag niet *that's not allowed, that's forbidden;* ⟨tegen de regels⟩ *that's against the rules;* ⟨tegen de wet⟩ *that's illegal/ against the law;* ik gebruik geen zout meer; mag niet v.d. dokter! *I'm not allowed to take salt; doctor's orders!;* ze ~ maar veel tegenwoordig *they can get away with anything nowadays* **5.¶** ik mag graag een sigaartje roken *I like/ enjoy a nice cigar* **6.1** dat mag niet van haar moeder *her mother has forbidden (her to do) that/ won't let her do that/ won't allow her to do that;* van mij mag het *it's alright by me, as far as I'm concerned it's alright, I don't mind;* van mij mag het een maand duren *I don't mind if it takes a/ another month;* ze mag geen zout gebruiken van de dokter *the doctor says she's not to have salt;* hij wou meekomen maar hij mocht niet van zijn moeder *he wanted to come along but his mother wouldn't let him* **¶.1** vandaag doe ik eens rustig aan, mag ik alsjeblieft? *I'll take it easy today if you don't mind* **¶.2** wat een mooie jas! dat mag ook wel voor dat geld *what a lovely coat! it ought to/ should be for what it cost (me)/ seeing what it cost (me);*
II ⟨ov.ww.⟩ **0.1** [sympathiek vinden] *like* ⇒*be fond of,* ⟨houden van⟩ *love* ◆ **4.1** ze ~ elkaar niet ⟨ook⟩ *there's no love lost between them* **5.1** ik mocht hem meteen al niet *I took an instant dislike to him;* ik mag hem wel *I quite/ rather l. him;* zij is een beetje arrogant, maar dat mag ik wel *she's a bit arrogant but I don't mind that/ but I l. them/ women* ⟨enz.⟩ *like that/ that way.*
mogendheid ⟨de (v.)⟩ **0.1** *power* ◆ **2.1** de grote mogendheden *the Great Powers, the Superpowers;* een maritieme ~ *a maritime p.;* vreemde mogendheden *foreign powers.*
mogol ⟨de (m.)⟩ **0.1** *Mogul* ◆ **2.1** de Groot-mogol *the Grand/ Great M..*
mohair[1] ⟨het⟩ **0.1** *mohair.*
mohair[2] ⟨bn.⟩ **0.1** *mohair.*
mohammedaan ⟨de (m.)⟩, **-se** ⟨de (v.)⟩ **0.1** *Mohammedan, Muhamma-dan.*
mohammedaans ⟨bn.⟩ **0.1** *Mohammedan, Muhammadan.*
mohammedanisme ⟨het⟩ **0.1** *Mohammedanism, Muhammadanism.*
Mohikanen ⟨zn.mv.⟩ **0.1** *Mahican(s), Mohican(s)* ◆ **1.1** de laatste der ~ ⟨fig.⟩ *the last of the Mahicans.*
moiré[1] ⟨het⟩ **0.1** ⟨ook foto.⟩ *moire* ⇒*watered silk, tabby.*
moiré[2] ⟨bn.⟩ **0.1** *moiré* ⇒*watered* ⟨stof, ihb. zijde⟩.
moireren ⟨ov.ww.⟩ **0.1** *water* ⇒*tabby.*
mok ⟨de⟩ **0.1** [beker] *mug* **0.2** [paardeziekte] *grease (heel)* ⇒*greasy heel.*
moker ⟨de (m.)⟩ **0.1** *sledgehammer* ⇒*sledge,* ⟨met twee handvaten⟩ *maul,* ⟨van hout⟩ *beetle.*
mokeren ⟨onov.ww.⟩ **0.1** [met een moker slaan] *use a sledgehammer, hammer with a sledge* ⇒*sledgehammer* **0.2** [hard slaan] *hammer.*
Mokerhei ⟨de⟩ ◆ **6.¶** iem. naar de ~ wensen *wish s.o. to the bottom of the sea/ Jericho;* loop naar de ~ *go to blazes/ hell/ Jericho.*
mokerslag ⟨de (m.)⟩ **0.1** [slag met een moker] *sledgehammer blow* **0.2** [⟨fig.⟩] *sledgehammer blow.*
mokka ⟨de (m.)⟩ **0.1** [koffie] *mocha (coffee)* **0.2** [kopje koffie] *(cup of) mocha coffee* **0.3** [crème] *cream flavoured with coffee.*
mokkaboon ⟨de⟩ **0.1** *chocolate (shaped like a coffee bean) with coffee filling.*
mokkakoffie ⟨de (m.)⟩ **0.1** *mocha coffee.*
mokkakopje ⟨het⟩ **0.1** *(small) coffee cup.*
mokkapunt ⟨de (m.)⟩ **0.1** ≠*slice of coffee cake.*
mokkataart ⟨de⟩ **0.1** ≠*coffee cake.*
mokkel ⟨het, de (v.)⟩ **0.1** [⟨inf.⟩ meisje] [B]*cracker,* [A]*Judy* ⇒⟨vnl. AE; sl.⟩ *broad, dame,* ⟨Austr.E⟩ *sheila* **0.2** [mollig kind] *chubby child/ little thing* ⇒⟨inf.; pej.⟩ *chubby chops* ◆ **2.1** een lekker(e) ~ *a nice piece of crumpet/ skirt, a c..*
mokken ⟨onov.ww.⟩ **0.1** *sulk (about/ over)* ⇒*grouch,* ⟨inf.⟩ *have got the hump* ◆ **3.1** ~d draaide hij zich om *he turned his back on us in a sulk;* zitten ~ *sit sulking.*
m.o.k.-school ⟨de⟩ **0.1** ⟨≠*school for maladjusted children*⟩.
Mokum ⟨het⟩ ⟨inf.⟩ **0.1** *Amsterdam* ◆ **¶.1** ~ en mediene *town and country.*
Mokumer ⟨de (m.)⟩, **-kumse** ⟨de (v.)⟩ ⟨inf.⟩ **0.1** *Amsterdammer* ⇒*inhabitant of Amsterdam.*
Mokums ⟨bn.⟩ ⟨inf.⟩ **0.1** *Amsterdam* ⇒*from/ of Amsterdam.*
mol
I ⟨de⟩ **0.1** [⟨muz.⟩ teken] *flat* **0.2** [⟨muz.⟩ toonaard] *minor* **0.3** [⟨schei.⟩] *mol(e)* ◆ **¶.2** een aria in a-mol *an aria in A m.;*
II ⟨de (m.)⟩ **0.1** [dier] *mole* **0.2** [⟨fig.⟩ spion] *mole* ◆ **2.1** ⟨fig.⟩ die man is echt een blinde ~ *that man is very short-sighted/ myopic* **8.1** zo blind als een ~ *as blind as a bat;* zo vet/ dik als een ~ *as fat as a pig;* slapen als een ~ *sleep like a log;*

803

III 〈het〉 **0.1** [bont] *moleskin.*

molaar 〈de〉〈med.〉 **0.1** *molar.*

molair 〈bn.〉〈schei.〉 **0.1** *molal ⇒molar.*

molariteit 〈de (v.)〉〈schei.〉 **0.1** *molarity.*

moleculair 〈bn.〉〈schei.〉 **0.1** *molecular* ◆ **1.1** ~e aantrekking *m. adhesion;* ~e biologie *m. biology;* ~e genetica *m. genetics;* ~e zeef *m. sieve.*

moleculairgewicht 〈het〉〈schei.〉 **0.1** *molecular weight.*

moleculariteit 〈de (v.)〉〈schei.〉 **0.1** *molecularity.*

molecule 〈het, de〉 **0.1** *molecule.*

moleculrooster 〈het〉 **0.1** *molecular lattice.*

moleculspectrum 〈het〉〈schei.〉 **0.1** *molecular spectrum.*

molen 〈de (m.)〉〈→sprw. 235〉 **0.1** [inrichting, gebouw] *mill ⇒windmill, watermill* **0.2** [maalinstrument] *mill* ⇒ 〈koffie〉 *grinder* **0.3** [toestel met draaiende beweging] *mill* **0.4** [〈hengelsport〉] *reel* ◆ **2.3** 〈wielrensport〉 de grote ~ draaien *be in top gear* **2.¶** de ambtelijke ~(s) *the wheels of government* **6.¶** het zit **in** de ~ *it is in the pipeline* **8.1** 〈fig.〉 draaien als een ~ *be a Vicar of Bray.*

molenaar 〈de (m.)〉 **0.1** [eigenaar v.e. molen] *miller ⇒mill-owner* **0.2** [werkman die het instrument bedient] *miller.*

molenaarsknecht 〈de (m.)〉 **0.1** *miller's man.*

molenaarster 〈de (v.)〉 **0.1** [vrouwelijke molenaar] *(female) miller* **0.2** [molenaarsvrouw] *miller's wife.*

molenas 〈de (v.)〉 **0.1** *mill axle.*

molenbaas 〈de (m.)〉 **0.1** [mbt. asfalt-/betonmolens] *mixer-driver, machinist* **0.2** [mbt. een baggermolen] *dredgeman.*

molenbord 〈het〉 **0.1** *shutter.*

molenkap 〈de〉 **0.1** *mill cap.*

molenkolk 〈de〉 **0.1** *millpond/pool.*

molenlasten 〈zn.mv.〉 **0.1** *costs of polder drainage.*

molenmeester 〈de (m.)〉 **0.1** *member of the committee responsible for the upkeep of a polder.*

molenpaard 〈het〉〈bel.〉 **0.1** *great lump* ◆ **8.¶** werken als een ~ *work like a slave.*

molenrad 〈het〉 **0.1** *mill/water wheel.*

molenroede 〈de〉 **0.1** *stock.*

molenrog 〈de (m.)〉 **0.1** *spotted ray.*

molenstander 〈de〉 **0.1** *millpost.*

molensteen 〈de (m.)〉 **0.1** *millstone* ◆ **8.1** 〈fig.〉 dat ligt me als een ~ op het hart, dat hangt me als een ~ aan/om de nek *it is a m. round my neck.*

molenstuw 〈de (m.)〉 **0.1** *milldam.*

molentje 〈het〉 **0.1** [kleine molen] *(small)(wind)mill* **0.2** [speelgoed] *windmill* ◆ **6.¶** hij loopt **met** ~s *he has bats in the belfry, he is not all there, he's a bit touched/cracked/potty/barmy.*

molentocht 〈de (m.)〉 **0.1** [hoofdsloot] *millrace ⇒millrun, millstream,* 〈BE ook〉 [B]*leat* **0.2** [recreatieve tocht] *windmill trip.*

molentrechter 〈de (m.)〉 **0.1** *(mill) hopper.*

molenvang 〈de〉 **0.1** *(mill) brake.*

molenvliegtuig 〈het〉 **0.1** *autogiro ⇒gyroplane.*

molenwiek 〈de〉 **0.1** [mbt. molen] *sail arm, wing* **0.2** [〈sport〉] *hook serve ⇒roundhouse* ◆ **6.1** 〈fig.〉 een klap **van** de ~ (gehad) hebben *have a screw loose, not be all there, be a bit touched/cracked/potty/barmy, have bats in the belfry.*

molenzeil 〈het〉 **0.1** *sail.*

molest 〈het〉 **0.1** *molestation ⇒annoyance, nuisance,* 〈verz.〉〈→molestrisico〉 ◆ **3.1** iem. ~ aandoen *molest s.o.* **6.1** vrij **van** ~ *cover not extended to war risk.*

molestatie 〈de (v.)〉 **0.1** *molestation ⇒annoyance, nuisance.*

molestclausule 〈de〉 **0.1** *clause excluding war-risk coverage.*

molesteren 〈ov.ww.〉 **0.1** [overlast aandoen] *molest ⇒annoy* **0.2** [in elkaar slaan] *beat up* 〈persoon〉; *wreck, ruin* 〈ding〉.

molestpremie 〈de (v.)〉 **0.1** *war-risk (insurance) premium.*

molestrisico 〈het, de (m.)〉 **0.1** *war risk (and/or risk of civil commotion/piracy/seizure/restraint of princes).*

molestverzekering 〈de (v.)〉 **0.1** *war-risk insurance.*

molière 〈de (m.)〉 **0.1** *lace-up.*

mollegang 〈de (m.)〉 **0.1** *mole tunnel/track.*

mollegat 〈het〉 **0.1** *mole hole.*

molleknip 〈de〉 **0.1** *mole-trap.*

mollen 〈ov.ww.〉 **0.1** [stukmaken] *wreck, ruin, bust* 〈ding〉; *beat up* 〈persoon〉; 〈doden〉 *do (s.o.) in* **0.2** [grond effenen] *level* **0.3** [voorzien van drainagegangen] *make mole drains in.*

mollerit 〈de (m.)〉 **0.1** *mole's burrow.*

molleval 〈de〉 **0.1** *mole-trap.*

mollevel 〈het〉 **0.1** *moleskin.*

mollig 〈bn.〉 **0.1** [zacht voor het gevoel] *soft* ⇒*cuddly* 〈speelgoed〉 **0.2** [mbt. personen] *plump* ⇒〈ihb. kind〉 *chubby, buxom* 〈vrouw, ihb. mbt. de borsten〉, *podgy* 〈kind〉, *rotund* ◆ **1.1** het ~ gras *lush grass* **1.2** een ~ kind/meisje *a chubby child/girl;* haar ~e vormen *her buxom figure* **3.2** de baby werd ~ *the baby plumped out/became podgy.*

molligheid 〈de (v.)〉 **0.1** *plumpness ⇒chubbiness, rotundity.*

mollusk 〈de (m.)〉〈dierk.〉 **0.1** *mollusc* [A]*usk.*

molm 〈het, de (m.)〉 **0.1** [stof van vergane stoffen]〈van hout〉 *mouldered wood;* 〈van aarde〉 *humus* **0.2** [bederf in hout] *wood rot* **0.3** [vezels van turf] *peat (dust)* **0.4** [bederf in graan] *mould, mildew.*

molmachtig 〈bn.〉 **0.1** [lijkend op molm] *peaty* **0.2** [een beetje vergaan] *mouldering,* [A]*moldy, mildewy ⇒worm-eaten.*

molmbeer 〈de (m.)〉 **0.1** *manure consisting of peat and dung.*

molmen 〈onov.ww.〉 **0.1** *rot ⇒moulder.*

molmgrond 〈de (m.)〉 **0.1** *humus.*

moloch 〈de (m.)〉 **0.1** *Moloch.*

molotowcocktail 〈de (m.)〉 **0.1** *Molotov cocktail.*

molsalade 〈de〉 **0.1** 〈salade〉 *dandelion leaf salad;* 〈blaadjes〉 *dandelion leaves.*

molsgang →mollegang.

molsgat →mollegat.

molshoop 〈de (m.)〉 **0.1** [hoopje aarde] *molehill ⇒molecast* **0.2** 〈fig.〉 nietig hoopje] *molehill* ◆ **6.1** 〈fig.〉 **van** een ~ een berg maken *make a mountain out of a molehill.*

molteken 〈het〉〈muz.〉 **0.1** *flat.*

molto 〈bw.〉〈muz.〉 **0.1** *molto* ◆ **¶.1** ~ espressivo *m. espressivo.*

molton[1] 〈het〉 **0.1** *flannel,* 〈katoen〉 *flannelette ⇒molleton,* 〈fijne kwaliteit〉 *swanskin* ◆ **3.1** met ~ gevoerd *lined with s.* **6.1** dekens **van** ~ *f. blankets.*

molton[2] 〈bn.〉 **0.1** *flannel(ette)* ⇒〈fijne kwaliteit〉 *swanskin.*

moltondeken 〈de〉 **0.1** *flannel(ette) undersheet.*

moltoonschaal 〈de〉〈muz.〉 **0.1** *minor scale.*

moltoonsoort 〈de〉〈muz.〉 **0.1** *minor key mode.*

Molukken 〈zn.mv.〉 **0.1** *Moluccas ⇒Molucca Islands.*

Moluks 〈bn.〉 **0.1** *Molucca(n).*

molybdeen 〈het〉〈schei.〉 **0.1** *molybdenum.*

mom 〈het, de〉 ◆ **6.¶** onder het ~ de weg te vragen *on/under the pretext of/pretending to ask the way;* 〈fig.〉 onder het ~ van vriendschap *under the guise/veil of friendship.*

mombakkes 〈het〉 **0.1** *mask.*

moment 〈het〉 **0.1** [ogenblik] *moment ⇒minute, instant, time* **0.2** [gebeurtenis] *moment ⇒hour* **0.3** [nat.〉] *moment* ◆ **2.1** op het allerlaatste ~ *at the (very) last moment/minute;* het beslissende/cruciale ~ *the decisive/crucial moment;* net op dit ~ *just now;* hij kan elk/ieder ~ binnenkomen *he could come in any moment/minute now/(at) any time (now);* een ingreep op het juiste ~ *a well-timed intervention;* het kritieke ~ *the critical moment* **2.2** een groot ~ voor de mensheid *a great m. for mankind* **3.1** een ~ dacht ik dat ... *for a moment I thought that ...* **6.1** 〈pregn.〉 dit is niet het ~ **om** ... *this is not the (right) moment/no time/not the (right) time to ...;* **op** dit ~ kan ik u niet helpen *I can't help you at the moment/just now;* **op** het verkeerde ~ *at the wrong moment, inopportunely, untimely;* **voor** het ~ *for the moment/the time being* **7.1** één ~, ik kom zó 〈schr.〉 *one moment please, I'm just coming;* 〈inf.〉 hang on a minute, *I'm just coming;* geen ~ aarzelen *not hesitate for a second/moment;* daar heb ik geen ~ aan gedacht *it never occurred to me;* geen ~ voor zichzelf hebben *not have a moment/minute to call one's own/to o.s.;* voor geen ~ 〈→§.1.〉 *not for a moment (did I believe that ...)* **8.1** op het ~ dat hij binnenkwam *the moment/minute he came in* **¶.1** ~! *just a moment/minute;* 〈inf.〉 *just a mo/tick/sec.*

momentaan 〈bn., bw.〉 **0.1** [tegenwoordig]〈→momenteel **0.1**〉 **0.2** [〈taal.〉] *momentaneous ⇒instantaneous, momentary.*

momenteel 〈bn., bw.〉 **0.1** [tegenwoordig]〈bw.〉 *present ⇒current,* 〈bw.〉 *at present/the moment, currently, right now,* 〈AE ook〉 *presently* **0.2** [kortstondig] *momentary ⇒short-lived.*

momentenstelling 〈de (v.)〉〈nat.〉 **0.1** *(Law of) conservation of momentum.*

momentopname 〈de〉 **0.1** [foto] *instantaneous exposure/photograph* **0.2** [〈fig.〉] *random indication/picture ⇒picture at a given moment (in time)* ◆ **1.2** zo'n proefwerk is ook maar een ~ v.d. kennis v.d. leerling *such a test can only give a random indication of the pupil's knowledge/can only indicate the pupil's knowledge at a given moment (in time).*

momentschakelaar 〈de (m.)〉 **0.1** *quick-break switch.*

momentsleutel 〈de (m.)〉 **0.1** *torque wrench.*

momentsluiter 〈de (m.)〉 **0.1** *drop shutter.*

mommelen 〈onov.ww.〉 **0.1** [mompelen] *mumble ⇒mutter* **0.2** [gonzen] *hum ⇒buzz, drone* **0.3** [moeilijk kauwen] *chew slowly and with difficulty* ⇒〈zeldz.〉 *mumble.*

mompelen 〈onov., ov.ww.〉 **0.1** [binnensmonds spreken] *mumble ⇒mutter* **0.2** [tersluiks opmerken] *mutter ⇒murmur* ◆ **6.1** in zichzelf ~ *mutter to o.s.;* **voor** zich **uit** ~ *mutter under one's breath;* mouth 〈vooral losse woorden of korte zinnen〉 **¶.2** hij mompelde al zoiets *I heard him saying sth. to that effect.*

monachaal 〈bn.〉 **0.1** *monachal ⇒monastic,* 〈pej.〉 *monkish.*

Monaco 〈het〉 **0.1** *Monaco.*

monade 〈de (v.)〉 **0.1** [〈wisk., fil.〉] *monad* **0.2** [〈biol.〉] *monad.*

monarch 〈de (m.)〉 **0.1** *monarch.*

monarchaal 〈bn., bw.〉 **0.1** [monarch aan het hoofd hebbend] *monarchic(al) ⇒monarchal* **0.2** [monarchistisch] *monarchist ⇒monarchical.*

monarchie ⟨de (v.)⟩ **0.1** [alleenheerschappij] *monarchy* **0.2** [staat(s-vorm)] *monarchy* ◆ **2.1** de erfelijke ~ *the hereditary m.* **2.2** een constitutionele ~ *a constitutional m..*

monarchist ⟨de (m.)⟩ **0.1** *monarchist* ⇒*royalist* (ihb. tijdens de Eng. burgeroorlog).

monarchistisch ⟨bn., bw.⟩ **0.1** ⟨bn.⟩ *monarchist(ic)* ⇒*royalist(ic),* ⟨bw.⟩ *like a monarchist/royalist.*

monastiek ⟨bn.⟩ **0.1** *monastic* ⇒*monachal,* ⟨pej.⟩ *monkish.*

mond ⟨de (m.)⟩ ⟨→sprw. 60,61,134,167,259,436,589⟩ **0.1** [mbt. de mens] *mouth* **0.2** [mbt. een dier] *mouth* ⇒*muzzle* **0.3** [riviermonding] *mouth* ⇒⟨monding⟩ *estuary* **0.4** [opening] *mouth* ⇒*muzzle* ⟨vuurwapen⟩, *embouchure* ⟨muziekinstrument⟩ ◆ **1.4** de ~ v.e. kanon *the muzzle/embouchure of a canon;* de ~ v.e. schaaf *the mouth of a plane;* de ~ v.e. vulkaan *the mouth of a volcano.* **2.1** ik heb het uit zijn eigen ~ *I heard it from his own lips/straight from the horse's m.;* ⟨fig.⟩ een grote ~ opzetten tegen iem., iem. een grote ~ geven *talk back at/ to s.o., answer s.o. back, give s.o. lip, sauce;* ⟨AE ook; sl.⟩ *sass s.o.;* een grote ~ hebben *be loud-mouthed;* ⟨fig.⟩ *be cheeky, give s.o. lip;* ⟨stoer doen⟩ *talk big;* hij kan zijn grote ~ niet houden *he can't keep his big m. shut;* dat is een hele ~ vol *that's quite a mouthful;* ⟨fig.⟩ met open ~ naar iets kijken *stare at sth. open-mouthed/agape/ with one's m. open;* ~ open en ogen dicht *open your m. and shut your eyes;* ⟨fig.⟩ met een scheve ~ *wry-mouthed;* zijn ~ nog vol hebben *still have one's m. full;* ⟨fig.⟩ iedereen heeft er de ~ van vol *everybody is full of it, it is on everybody's lips;* ⟨fig.⟩ ze heeft er de ~ vol van *she can talk of nothing else;* ⟨fig.⟩ zij hebben de ~ vol over ontwapening, maar …*they have a lot to say about/make a great song and dance about disarmament, but …* **3.1** doe je ~ dan open *say sth. (for goodness' sake);* dat gaat je ~ voorbij *that is not for you, you will miss out on that;* zijn ~ houden ⟨beleefd⟩ *keep quiet, hold one's tongue;* ⟨inf.⟩ *shut up;* ⟨sl.⟩ *wrap up;* zijn ~ opendoen *open one's m.;* ⟨mening geven⟩ *speak up;* ⟨fig.⟩ behoorlijk zijn ~ roeren *give one's tongue plenty of exercise, talk away;* iem. de ~ snoeren ⟨inf.⟩ *shut s.o. up; muzzle/gag s.o.;* zijn ~ staat geen ogenblik stil *he talks incessantly, his tongue is always wagging, he never stops talking;* de ~ vertrekken *distort one's m.;* ⟨fig.⟩ voorbijpraten *let one's tongue run away with one, blab, shoot one's m. off, talk out of turn* **6.1** bij ~ e van *through/from;* ⟨fig.⟩ bepaalde woorden in de ~ nemen *use/utter certain words;* ⟨fig.⟩ hij is wat los in de ~ *he has a loose tongue;* ⟨onfatsoenlijk⟩ *he has a rather coarse turn of phrase;* ⟨fig.⟩ dat woord ligt hem in de ~ bestorven *that word is always on his lips, he is always saying/using that word;* ⟨fig.⟩ ruw/grof in de ~ zijn *be rough-spoken;* ⟨fig.⟩ iem. de ~ naar de ~ praten *play up to s.o., curry favour with s.o.;* een kus op de ~ *a kiss on the m./ lips;* de vinger op de ~ leggen *put one's finger to one's lips;* ⟨fig.⟩ het viel me uit de ~ *it slipped out;* ⟨fig.⟩ iem. het eten uit de ~ kijken *watch s.o. longingly while they eat;* iets uit zijn eigen ~ sparen ⟨lett.⟩ *save some of one's food for s.o. else;* ⟨bezuinigen⟩ *go without food/stint o.s. to buy sth. for s.o. else;* ⟨als⟩ uit één ~ *with one voice, unanimously;* een dat uit haar ~! *and (that) coming from her too!;* uit zijn ~ klinkt het ongeloofwaardig *it sounds unbelievable coming from him;* het gerucht ging van ~ tot ~ *the rumour went round;* hij antwoordde wat hem voor de ~ kwam *he said the first thing that came into his head* **7.1** heb je geen ~? *haven't you got a tongue in your head?, have you lost your tongue?;* geen ~ opendoen *not/ never open one's m., keep one's lips sealed;* ⟨fig.⟩ met twee ~ en spreken *be two-faced;* zeven ~ en te voeden hebben *have seven mouths to feed* **8.1** hij heeft een ~ als een hooischuur *he's got a mouth big enough for two people* **¶.1** ⟨scherts.⟩ zijn ~ staat er gewoon naar *he never says anything else.*

mondain ⟨bn.⟩ **0.1** *fashionable* ⟨badplaats⟩ ⇒⟨vaak pej.⟩ *worldly* ◆ **1.1** ~e vrouwen *f./ sophisticated women, mondaines, women of the world.*

mondarts ⟨de (m.)⟩ **0.1** *stomatologist.*

mondbeademing →*mond-op-mondbeademing.*

mondbeschermer ⟨de (m.)⟩ ⟨sport⟩ **0.1** *gumshield* ⇒*mouthpiece.*

monddelen ⟨zn.mv.⟩ **0.1** *mouth parts.*

monddood ⟨bn.⟩ ◆ **3.¶** ~ maken *silence,* ⟨ook mbt. pers⟩ *gag.*

monddouche ⟨de (v.)⟩ **0.1** [handeling] *mouth-spray* **0.2** [apparaat] *mouth spray.*

mondeling¹ ⟨het⟩ **0.1** *oral (exam(ination))* ⇒⟨BE; mbt. universiteit ook⟩ *viva voce (examination)* ◆ **3.1** ~ doen *take one's orals;* voor het ~ zakken/slagen *fail/pass one's orals.*

mondeling² ⟨bn., bw.; -ly⟩ **0.1** *oral* ⇒*verbal* ⟨overeenkomst, contract⟩, *by word of mouth* ⟨bericht, informatie⟩ ◆ **1.1** ⟨jur.⟩ ~ bewijs *parol evidence;* ~e communicatie *vocal communication;* een ~ examen *oral (exam(ination));* ⟨BE ook; mbt. universiteit⟩ *viva (voce);* ~e overlevering *o. tradition;* ~ taalgebruik *(the) spoken language;* ⟨spreekvaardigheid⟩ *o. proficiency, fluency;* een ~e toezegging/ afspraak *a verbal agreement/ arrangement* **3.1** iem. ~ examineren *give s.o. an o. (examination);* zich met iem. ~ onderhouden *converse/ chat with s.o.;* ~ stemmen *give/ cast one's vote orally.*

mond- en klauwzeer ⟨het⟩ **0.1** *foot-and-mouth disease.*

mondgat ⟨het⟩ **0.1** *mouth orifice.*

mondharmonika ⟨de (v.)⟩ ⟨muz.⟩ **0.1** ⟨vnl. BE⟩ *mouth organ* ⇒*harmonica.*

mondharmonikaspeler ⟨de (m.)⟩ **0.1** ⟨vnl. BE⟩ *harmonica player.*

mondharp ⟨de (v.)⟩ **0.1** *Jew's/ Jews' harp.*

mondheelkunde ⟨de (v.)⟩ **0.1** *dentistry* ⇒⟨mondchirurgie⟩ *dental surgery.*

mondhoek ⟨de (m.)⟩ **0.1** *corner of the mouth.*

mondholte ⟨de (v.)⟩ **0.1** *oral cavity.*

mondhygiëne ⟨de⟩ **0.1** *oral hygiene.*

mondhygiëniste ⟨de (v.)⟩ **0.1** *dental hygienist.*

mondiaal ⟨bn., bw.⟩ **0.1** *worldwide* ⇒*global, mondial.*

mondig ⟨bn.⟩ **0.1** [meerderjarig] *of age* ⟨pred.⟩ **0.2** [in staat voor zichzelf op te komen] *mature* ⇒*independent, responsible* **0.3** [mbt. een gemeenschap] *emancipated* ⇒*mature, independent* ◆ **3.1** ⟨jur.⟩ iem. ~ verklaren *declare s.o. of age* **3.2** de PvdA wil mensen altijd ~ maken *the (Dutch) Labour Party tries to give people a say in how their lives are run/* ⟨verantwoordelijkheid geven⟩ *to make people responsible for their own lives.*

mondigheid ⟨de (v.)⟩ **0.1** [meerderjarigheid] *majority* **0.2** [zelfstandigheid, recht] *maturity* ⇒*independence, responsibility* ◆ **2.2** politieke ~ *political* ⟨bewustheid⟩ *awareness/* ⟨betrokkenheid⟩ *involvement.*

mondigheidsverklaring ⟨de (v.)⟩ **0.1** *declaration of majority.*

monding ⟨de (v.)⟩ **0.1** *mouth* ⇒*estuary* ⟨rivier⟩, *muzzle* ⟨vuurwapen⟩, *outfall* ⟨lozingspunt⟩, ⟨rivier ook⟩ *debouchement, embouchure* ◆ **1.1** de ~ v.e. kanon *the embouchure of a canon;* de ~ v.d. Theems *the Thames estuary.*

mondje ⟨het⟩ **0.1** [kleine mond] *little/ small mouth* **0.2** [mondvol] *mouthful* ⇒*taste* ⟨eten of drinken⟩, *bite, nibble* ⟨eten⟩, *drop* ⟨vloeistof⟩ ◆ **1.2** ⟨fig.⟩ een ~ Frans spreken *have a smattering of French, speak a little French* **2.1** ogen open en ~ dicht *pay attention and keep quiet;* ⟨denk erom,⟩ ~ dicht *don't breathe a word, keep mum, mum's the word;* een zuinig ~ *a wry mouth* **2.2** ⟨fig.⟩ een aardig ~ Frans spreken *have a fair smattering of French, speak quite good/ reasonable French* **3.1** ⟨fig.⟩ zijn ~ weten te roeren *have the gift of the gab;* niet op zijn ~ gevallen zijn *have a ready/ pointed wit, have a ready tongue.*

mondjesmaat¹ ⟨de⟩ ◆ **6.¶** met ~ te eten krijgen *get/ receive short commons.*

mondjesmaat² ⟨bw.⟩ **0.1** *scantily* ⇒*sparsely, in dribs and drabs, in/ by driblets* ◆ **3.1** iem. ~ bedelen *apportion s.o. poorly;* ~ inlichtingen krijgen *receive sparse information;* iets ~ toedienen/ verstrekken *distribute sth. in dribs and drabs, administer sth. in driblets.*

mondjevol ⟨het⟩ ◆ **1.¶** hij kent een ~ Frans *he has a smattering of/ knows a little French.*

mondklem ⟨de⟩ **0.1** *lockjaw.*

mondkost ⟨de (m.)⟩ **0.1** [levensmiddelen] *provisions* ⇒*victuals, food* **0.2** [proviand] ⟨→mondvoorraad⟩.

mondlijn ⟨de (v.)⟩ **0.1** *line of the mouth.*

mondmasker ⟨het⟩ **0.1** *mask.*

mondopening ⟨de (v.)⟩ **0.1** *mouth opening.*

mond-op-mondbeademing ⟨de (v.)⟩ **0.1** *mouth-to-mouth resuscitation* ⇒⟨inf.⟩ *kiss of life* ◆ **3.1** ~ toepassen *apply mouth-to-mouth resuscitation, give (s.o.) the kiss of life.*

mond-op-neusbeademing ⟨de (v.)⟩ **0.1** *mouth-to-nose resuscitation.*

mondorgel ⟨het⟩ →*mondharmonika.*

mondprop ⟨de⟩ **0.1** *gag.*

mondriet ⟨het⟩ ⟨muz.⟩ **0.1** *reed.*

mondslijmvlies ⟨het⟩ **0.1** *mucous membrane of the mouth.*

mondspiegel ⟨de (m.)⟩ **0.1** *mouth mirror.*

mondspleet ⟨de⟩ **0.1** *mouth opening.*

mondspoeling ⟨de (v.)⟩ **0.1** [het spoelen] *rinsing the mouth* **0.2** [drank] *mouthwash* ⇒⟨mouth⟩ *rinse.*

mondstuk ⟨het⟩ **0.1** [deel v.e. instrument] *mouthpiece* ⇒*embouchure* ⟨blaasinstrument⟩ **0.2** [deel v.e. pijp] *mouthpiece* ⇒*nozzle* ⟨slang⟩ **0.3** [filter] *filter* ⇒*(filter) tip* **0.4** [paardebit] *bit* **0.5** [deel v.e. kanon] *muzzle* ⇒*embouchure* ◆ **6.3** sigaretten met ~ *filter-tipped cigarettes, filter tips;* sigaretten zonder ~ *plain/ untipped cigarettes.*

mond-tot-mondreclame ⟨de⟩ **0.1** *advertisement by word of mouth, word-of-mouth advertising.*

mondvol ⟨de (m.)⟩ **0.1** *mouthful* ◆ **1.1** ⟨fig.⟩ een ~ Engels *a little/ smattering of English;* een ~ rook *a m. of smoke* **2.1** dat is een hele ~ *that is (rather) a m..*

mondvoorraad ⟨de (m.)⟩ **0.1** *provisions* ⇒*supplies,* ⟨vero.⟩ *victuals.*

mondwater ⟨het⟩ **0.1** *mouthwash.*

mondzuiverend ⟨bn.⟩ **0.1** *antiseptic (for the mouth)* ⇒*cleansing (for the mouth)* ◆ **1.1** een ~ middel *an antiseptic mouthwash.*

Monegask ⟨de (m.)⟩, **-ische** ⟨de (v.)⟩ **0.1** *Monegasque.*

monetair ⟨bn., bw.; -ly⟩ **0.1** *monetary* ⇒~ akkoord *m./ currency agreement;* ~ compenserende bedragen *m.compensatory amounts;* het Internationaal Monetair Fonds *the International Monetary Fund;* ~e handel met het buitenland *foreign exchange;* de ~e reserve *reserve currency.*

monetarisme ⟨het⟩ ⟨ec.⟩ **0.1** *monetarism.*
monetarist ⟨de (m.)⟩ ⟨ec.⟩ **0.1** *monetarist.*
monetaristisch ⟨bn.⟩ **0.1** *monetarist.*
mongolenplooi ⟨de⟩ **0.1** *epicanthus* ⇒*epicanthic fold.*
Mongolië ⟨het⟩ **0.1** *Mongolia.*
mongolisme ⟨het⟩ ⟨med.⟩ **0.1** *mongolism* ⇒ *Down's syndrome.*
mongoloïde ⟨bn.⟩ **0.1** *Mongoloid.*
mongool ⟨de (m.)⟩ **0.1** [lid v.h. gele mensenras] *Mongoloid, Mongol* **0.2** [bewoner van Mongolië] *Mongol(ian)* **0.3** [zwakzinnige] *mongol.*
Mongools ⟨bn.⟩ **0.1** *Mongolian* ◆ **1.1** de ~e Volksrepubliek *M. People's Republic.*
monisme ⟨het⟩ ⟨fil.⟩ **0.1** *monism.*
monist ⟨de (m.)⟩ **0.1** *monist.*
monistisch ⟨bn., bw.; -ally⟩ **0.1** *monistic.*
monitor ⟨de (m.)⟩ ⟨tech.⟩ **0.1** [radio-/televisieontvanger] *monitor* **0.2** [mbt. elektronische impulsen] *monitor* **0.3** [mbt. radioactieve straling] *monitor* ◆ **6.1** deze zaak wordt bewaakt met ~s *this ᴮshop/ᴬstore is guarded by closed-circuit television, closed-circuit television camera's are guarding this ᴮshop/ᴬstore* **6.2 aan** de ~ liggen *be on a heart m..*
monitorstelsel ⟨het⟩ ⟨school.⟩ **0.1** *monitorial system.*
monkelen ⟨onov.ww.⟩ **0.1** [verholen lachen] *give a half-smile* **0.2** [spottend glimlachen] *laugh mockingly/slily* ⇒*snigger, smirk.*
monnik ⟨de (m.)⟩ ⟨→sprw. 6,7, 434⟩ **0.1** *monk* ⇒*religious,* ⟨vnl. r.k. ook⟩ *friar* ◆ **2.1** een benedictijner ~ *a Benedictine* **3.1** ⟨fig.⟩ het zijn niet allen ~en, die kappen dragen; de kap maakt de ~ niet *you can't judge a book by its cover.*
monnikachtig ⟨bn., bw.⟩ **0.1** *monkish(ly).*
monnikengewaad ⟨het⟩ **0.1** *monk's/friar's habit.*
monnikenklooster ⟨het⟩ **0.1** *monastery* ⇒*friary.*
monnikenleven ⟨het⟩ **0.1** *monastic life* ⇒*monasticism,* ⟨vaak pej.⟩ *monkery.*
monnikenorde ⟨de⟩ **0.1** *monastic order.*
monnikenschrift ⟨het⟩ **0.1** *Gothic (script).*
monnikenwerk ⟨het⟩ **0.1** *drudgery, donkey work* ◆ **3.1** dat is ~ *that is wasted effort;* ~ verrichten *flog a dead horse.*
monnikschap ⟨het⟩ **0.1** *monkhood.*
monnikskap ⟨de⟩ **0.1** [gewaad v.e. een monnik] *(monk's) cowl* **0.2** [kop op een schoorsteen] *cowl* **0.3** [⟨plantk.⟩] *monkshood, aconite* ◆ **2.3** gele ~ *wolf(s)bane.*
monnikspij ⟨de⟩ **0.1** *(monk's) frock/habit* ⇒*cowl.*
monnikssteen ⟨de⟩ **0.1** *large medieval brick.*
mono ⟨bw.; ook in samenst.⟩ **0.1** *mono* ◆ **1.1** een mono-opname *a m. recording;* ⟨schr.⟩ *a monaural/monophonic recording;* een mono-platenspeler *a m. pick-up/record-player* **6.1** een uitzending **in** ~ *a m. broadcast/transmission.*
monochromatisch ⟨bn.⟩ **0.1** [éénkleurig] *monochromatic* ⇒*unicolour(ed)* **0.2** [kleurenblind] *monochromatic* **0.3** [van één golflengte] *monochromatic* ⇒*homochromatic.*
monochromatisme ⟨het⟩ **0.1** *monochromatism.*
monochromie ⟨de (v.)⟩ **0.1** *monochrome, monotint.*
monochroom ⟨bn.⟩ **0.1** *monochrome, monotint.*
monocle ⟨de (m.)⟩ **0.1** *monocle, eyeglass.*
monoclonaal ⟨bn.⟩ ⟨biol.⟩ **0.1** *monoclonal.*
monocraat ⟨de (m.)⟩ **0.1** *monocrat.*
monocratie ⟨de (m.)⟩ **0.1** *monocracy.*
monocultuur ⟨de (v.)⟩ **0.1** *monoculture.*
monocyt ⟨de⟩ ⟨biol.⟩ **0.1** *monocyte.*
monodrama ⟨het⟩ **0.1** *monodrama.*
monofaag ⟨de (m.)⟩ **0.1** *monophagous animal/insect.*
monofonematisch ⟨bn.⟩ ⟨taal.⟩ **0.1** *monophonemic.*
monoftong ⟨de⟩ ⟨taal.⟩ **0.1** *monophthong.*
monoftongering ⟨de (v.)⟩ ⟨taal.⟩ **0.1** *monophthongization.*
monogaam ⟨bn.⟩ **0.1** [v.d. aard van monogamie] *monogamous* **0.2** [in monogamie levend] *monogamous* ⇒⟨mbt. vrouw met één man ook⟩ *monandrous.*
monogamie ⟨de (v.)⟩ **0.1** [mbt. mensen] *monogamy* ⇒⟨mbt. vrouw met één man ook⟩ *monandry,* ⟨van man, mbt. geslachtsgemeenschap ook⟩ *monogyny* **0.2** [mbt. dieren] *monogamy.*
monogenese ⟨de (v.)⟩ **0.1** *monogenesis, monogeny.*
monogonie ⟨de (v.)⟩ **0.1** *monogenesis, monogeny.*
monografie ⟨de (v.)⟩ **0.1** *monograph* ⇒*study.*
monografisch ⟨bn.⟩ **0.1** *monographic.*
monogram ⟨het⟩ **0.1** [figuur van letters] *monogram* **0.2** [⟨druk.⟩] *monogram.*
monokini ⟨de (m.)⟩ **0.1** *monokini.*
monokristal ⟨het⟩ **0.1** *single crystal* ⇒*monocrystal.*
monoliet ⟨de (m.)⟩ **0.1** *monolith.*
monolietbouw ⟨de (m.)⟩ **0.1** *monolithic construction.*
monolitisch ⟨bn.⟩ **0.1** *monolithic* ◆ **1.1** ⟨fig.⟩ het ~e blok v.h. communisme *the monolithic communist bloc.*
monologue interieur ⟨de (m.)⟩ ⟨lit.⟩ **0.1** *interior monologue* ⇒*stream of consciousness.*
monoloog ⟨de (m.)⟩ **0.1** [alleenspraak] *monologue, soliloquy* **0.2** [stuk] *monologue* ◆ **3.1** een ~ houden/voeren *monologue.*

monomaan¹ ⟨de (m.)⟩ **0.1** *monomaniac.*
monomaan² ⟨bn.⟩ **0.1** *monomaniac(al).*
monomanie ⟨de (v.)⟩ **0.1** *monomania.*
monomeer¹ ⟨de (m.)⟩ ⟨schei.⟩ **0.1** *monomer.*
monomeer² ⟨bn.⟩ ⟨schei.⟩ **0.1** *monomeric.*
monomoleculair ⟨bn.⟩ **0.1** *monomolecular.*
monomorf ⟨bn.⟩ **0.1** *monomorphic, monomorphous.*
mononucleair ⟨bn.⟩ **0.1** *mononuclear* ◆ **1.1** ~e bloedlichaampjes *m. blood corpuscles.*
monoplegie ⟨de (v.)⟩ ⟨med.⟩ **0.1** *monoplegia.*
monopolie ⟨het⟩ **0.1** *monopoly;* ⟨van distributie⟩ *exclusive right(s)* ◆ **2.1** natuurlijk ~ *natural m.;* wederzijds ~ *reciprocal m.;* wettelijk ~ *legal m.* **3.1** ⟨fig.⟩ hij meent daarvan het ~ te hebben *he thinks he has/holds the m.* **6.1** een ~ **in** graan verwerven *corner the market in corn.*
monopolieheffing ⟨de (v.)⟩ **0.1** *import levy.*
monopoliehouder ⟨de (m.)⟩ **0.1** *monopolist* ⇒*one/person having a monopoly.*
monopoliën ⟨onov.ww.⟩ ⟨spel⟩ **0.1** *play Monopoly.*
monopoliepositie ⟨de (v.)⟩ **0.1** *monopoly position.*
monopolieprijs ⟨de (m.)⟩ **0.1** *monopoly price.*
monopoliestelsel ⟨het⟩ **0.1** *monopoly (system).*
monopoliseren ⟨ov.ww.⟩ **0.1** *monopolize* ⇒⟨AE ook; inf.⟩ *sew up.*
monopolisering ⟨de (v.)⟩ **0.1** *monopolization.*
monopolistisch ⟨bn., bw.; -ally⟩ **0.1** *monopolistic.*
monopoly ⟨het⟩ ⟨spel⟩ **0.1** *Monopoly.*
monorail ⟨de (m.)⟩ **0.1** *monorail* ◆ **6.1** met de ~ *by m..*
monosacharide ⟨de (v.)⟩ ⟨schei.⟩ **0.1** *monosaccharide.*
monospermie ⟨de (v.)⟩ **0.1** *monospermous/monospermal reproduction.*
monostrofisch ⟨bn.⟩ ⟨lit.⟩ **0.1** *monostrophic.*
monosyllabe ⟨de⟩ ⟨taal.⟩ **0.1** *monosyllable.*
monosyllabisch ⟨bn.⟩ ⟨taal.⟩ **0.1** *monosyllabic.*
monotheïsme ⟨het⟩ **0.1** *monotheism.*
monotheïst ⟨de (m.)⟩ **0.1** *monotheist.*
monotheïstisch ⟨bn.⟩ **0.1** *monotheistic.*
monothematisch ⟨bn.⟩ **0.1** *monothematic.*
monotonie ⟨de (v.)⟩ **0.1** [mbt. geluid] *monotony* **0.2** [gebrek aan afwisseling] *monotony.*
monotoon ⟨bn., bw.⟩ **0.1** [mbt. geluid] *monotonous* ⇒⟨bw. ook⟩ *in a monotone,* ⟨muz.⟩ *monotonal* **0.2** [zonder afwisseling] *monotonous* ⇒*unvarying,* ⟨fig.⟩ *flat* **0.3** [⟨wisk.⟩] *monotonic* ◆ **3.2** ~ spreken *speak in a monotone, drone.*
monotropie ⟨de (v.)⟩ **0.1** *monotropy.*
monovalent ⟨bn.⟩ ⟨schei.⟩ **0.1** *monovalent, univalent.*
Monroeleer ⟨de⟩ **0.1** *Monroe doctrine.*
monseigneur ⟨de (m.)⟩ **0.1** ⟨r.k.⟩ *Monsignor.*
monster ⟨het⟩ **0.1** [proefwaar] *sample, specimen;* ⟨van stof⟩ *swatch* **0.2** [angstaanjagend gedrocht] *monster* **0.3** [mens] *monster, freak (of nature), monstrosity* **0.4** [⟨in samenst.⟩ zeer groot/omvangrijk iets] *monster* ⇒*mammoth, giant, jumbo* ◆ **1.2** een ~ v.e. vrouw *a fright* **1.4** monsterpetitie *monster petition* **2.1** gratis ~ *free sample* **3.1** ~s trekken/nemen *take samples, sample* **6.1** koop **op** ~ *sale by sample* ¶**.1** ~ zonder waarde ⟨post⟩ *sample (of no commercial value);* ⟨fig.⟩ *two-a-penny.*
monsterachtig ⟨bn., bw.; -ly⟩ **0.1** [afzichtelijk] *monstrous, hideous* **0.2** [afschrikwekkend] *monstrous* ⇒*terrifying, horrifying* **0.3** [op een monster lijkend] *monstrous* ◆ **1.1** een ~ geheel *a m. whole* **1.2** ~e eigenschappen *horrifying traits* **1.3** ~e dieren *m. beasts, chimaeras* **2.1** hij is ~ lelijk *he is hideously ugly* **2.2** ~ wreed *monstrously cruel.*
monsterbedrijf ⟨het⟩ **0.1** *mammoth concern, giant enterprise.*
monsterbeurs ⟨de⟩ **0.1** *sample(s) fair.*
monsterboekje ⟨het⟩ **0.1** *muster-book.*
monsterboor ⟨de⟩ **0.1** *sampler.*
monsteren
  I ⟨onov.ww.⟩ **0.1** [⟨scheep.⟩] *sign on;*
  II ⟨ov.ww.⟩ **0.1** [keuren] *examine, inspect* ⇒⟨taxeren⟩ *assess, assay* ⟨metalen⟩, [eetwaren/wijn ook] *taste* **0.2** [tonen] *show, demonstrate* **0.3** [inspecteren] *review, inspect* **0.4** [vergelijkend nagaan/beschouwen] *compare, consider* **0.5** [⟨scheep.⟩] *muster, review* ◆ **1.1** een paard ~ *i. a horse* **1.3** de troepen ~ *r. the troops* **1.4** zij monsterde de kandidaten met een kritische blik *she assessed the candidates with a critical glance.*
monstering ⟨de (v.)⟩ **0.1** [keuring, demonstratie] *inspection* ⇒⟨paarden ook⟩ *presentation* **0.2** [inspectie] *review* **0.3** [⟨scheep.⟩] *muster* ⇒*the signing on of a crew.*
monsterkaart ⟨de⟩ **0.1** *sample card.*
monsterlijk ⟨bn., bw.; -ly⟩ **0.1** [afzichtelijk] *monstrous, hideous* **0.2** [afschrikwekkend] *monstrous, horrible* ◆ **1.1** een ~ gebouw *a monstrosity of a building;* een ~e hoed *a ghastly hat* **3.2** dat klinkt ~ *that sounds awful.*
monsterneming ⟨de (v.)⟩ **0.1** *sampling.*
monsterpartij ⟨de (v.)⟩ **0.1** *sample lot.*
monsterplaat ⟨de⟩ **0.1** *specimen.*
monsterproces ⟨het⟩ ⟨jur.⟩ **0.1** *mass/mammoth trial.*

monsterrol ⟨de⟩ ⟨scheep.⟩ **0.1** *muster-roll* ◆ **6.1** op de ~ ⟨mil.⟩ *on the strength.*

monsterscore ⟨de (m.)⟩ ⟨sport⟩ **0.1** *record score.*

monsterverbond ⟨het⟩ **0.1** [tegennatuurlijk verbond] *monstrous alliance* **0.2** [zeer groot verbond] *mammoth alliance.*

monstervergadering ⟨de (v.)⟩ **0.1** *a mass meeting.*

monsterzege ⟨de⟩ ⟨sport⟩ **0.1** *mammoth victory.*

monsterzending ⟨de (v.)⟩ **0.1** *sample assortment / shipment* ⇒*trial package.*

monsterzitting ⟨de (v.)⟩ **0.1** *a marathon session.*

monstrans ⟨de⟩ ⟨r.k.⟩ **0.1** *monstrance.*

monstrueus ⟨bn., bw.; -ly⟩ **0.1** *monstrous.*

monstrum ⟨het⟩ **0.1** *monstrosity* ⇒⟨misgeboorte⟩ *monstrum.*

monstruositeit ⟨de (v.)⟩ **0.1** [wanstaltigheid] *monstrosity* **0.2** [iets dat wanstaltig is] *monstrosity.*

montaan ⟨bn.⟩ **0.1** *montane* ⇒*mountain* ⟨attr.⟩ ◆ **2.1** montane planten *montane flora, mountain plants.*

montaanwas ⟨het, de (m.)⟩ **0.1** *montan wax* ⇒*lignite wax.*

montaanzuur ⟨het⟩ **0.1** *montanic acid.*

montage ⟨de (v.)⟩ **0.1** [het monteren] *assembly, mounting* ⇒⟨toneel⟩ *staging,* ⟨juwelen⟩ *setting* **0.2** [⟨druk.⟩⟨opplakken⟩ *mounting;* ⟨combineren van foto's en teksten⟩ *stripping (in);* ⟨concr.⟩ *paste-up* **0.3** [⟨film.⟩] *montage, editing* ◆ **1.2** een ~ van diverse knipsels *a paste-up of various cuttings.*

montageatelier ⟨het⟩ **0.1** *assembly / fitting (work)shop;* ⟨van handwerksman⟩ *asssembly atelier.*

montagebalk ⟨de (m.)⟩ ⟨tech.⟩ **0.1** *strip-lighting fixture.*

montageband ⟨de (m.)⟩ **0.1** *assembly line.*

montagebouw ⟨de (m.)⟩ **0.1** *prefabrication.*

montagefabriek ⟨de (v.)⟩ **0.1** *assembly works / plant.*

montagefoto ⟨de⟩ **0.1** [mbt. bestaande foto's] *photomontage* **0.2** [mbt. getuigenverklaringen] *Photofit (picture).*

montagehal ⟨de⟩ **0.1** *assembly shop / room / hall.*

montageleider ⟨de (m.)⟩ ⟨film.⟩ **0.1** *film editor.*

montagemeubel ⟨het⟩ **0.1** *do-it-yourself (furniture) unit.*

montagerubber ⟨het⟩ **0.1** *mounting rubber.*

montageruit ⟨de⟩ **0.1** *light box.*

montagevloer ⟨de (m.)⟩ ⟨bouwk.⟩ **0.1** [vloer in systeembouw] *prefabricated floor* **0.2** [verhoogde vloer] *raised floor.*

montagewagen ⟨de (m.)⟩ **0.1** *repair van* ⇒*repairs carriage* ⟨tram, trein⟩.

montagewoning ⟨de (v.)⟩ **0.1** *prefabricated house;* ⟨inf.⟩ *prefab.*

monter ⟨bn., bw.⟩ **0.1** *lively* ⇒*cheerful,* ⟨vnl. BE;inf.⟩ *chirpy, vivacious, buoyant* ⟨aard⟩, *sprightly / jaunty* ⟨persoon⟩ ◆ **2.1** fris en ~ *fresh and lively;* ⟨inf.⟩ *full of beans, alive and kicking* **3.1** iets ~ doen *do sth. cheerfully / jauntily / with a lively air / briskly;* ~ zijn *be in good / blithe / high / great spirits, be of good cheer / cheerful;* niet ~ zijn *be in poor / low spirits;* ⟨inf.⟩ *feel under the weather / (down) in the dumps / out of sorts.*

monteren

I ⟨ov.ww.⟩ **0.1** [in elkaar zetten] *assemble* ⇒*fix, rig (up), install, fit, set up* ⟨machine enz.⟩, *erect* ⟨huis⟩ **0.2** [aan iets bevestigen] *mount, fix, fit* ⇒*put in* ⟨in huis / auto⟩ **0.3** [mbt. een film / foto] *edit, cut* ⟨film⟩; *assemble* ⟨foto⟩ **0.4** [opmaken, in orde brengen] *fix* ⇒⟨schilderij / ets ook⟩ *mount, set, mount* ⟨sieraden⟩ ◆ **1.3** een fraai gemonteerde toneelstuk / film *a well-edited film* **5.1** eenvoudig te ~ zijn *be easy to a. / fix* **6.2** onderdelen ~ **aan / op** *m. parts on, fix / fit parts to;*

II ⟨onov.ww.⟩ **0.1** [⟨geldw.⟩] *rise* ⇒*appreciate.*

montessorionderwijs ⟨het⟩ **0.1** *Montessori (system / method of) education.*

montessorischool ⟨de⟩ **0.1** *Montessori school.*

monteur ⟨de (m.)⟩ **0.1** *mechanic* ⇒⟨automonteur⟩ *motor / garage mechanic,* ⟨electricien⟩ *electric fitter, electrician, machinist* ⟨bij fabriek⟩, *fitter* ⟨stelt machines op⟩, *assembler* ⟨zet machines in elkaar⟩, ⟨voor reparaties⟩ *serviceman,* ⟨vnl. AE ook⟩ *repairman.*

montuur ⟨het, de (v.)⟩ **0.1** *frame* ◆ **2.1** een bril met hoornen / gouden ~ *horn- / gold-rimmed glasses* **3.1** dat ~ staat je goed *that f. suits you* **6.1** een bril zonder ~ *rimless glasses / spectacles.*

monty-coat ⟨de (m.)⟩ **0.1** *duffle coat.*

monument ⟨het⟩ **0.1** [gedenkteken] *monument* ⇒*memorial* **0.2** [overblijfsel] *monument* ⇒*memorial* ◆ **1.2** de ~en van onze kunst *our artistic heritage;* het ~ van onze taal *our linguistic heritage* **2.2** het behoud van historische ~en *the preservation of historic* / [B]*ancient monuments* **3.1** een ~ oprichten *erect a monument* **6.1** een ~ ter herinnering aan de doden *a memorial to the dead;* ⟨fig.⟩ een ~ **van** dapperheid *a monument of pluck / bravery,* ⟨iron.⟩ een ~ **van** wansmaak *a monument to bad taste* **8.2** dit gebouw is als ~ erkend *this building is listed (as a historic monument), this is a listed building.*

monumentaal ⟨bn., bw.; -ly⟩ **0.1** *monumental* ◆ **1.1** ⟨iron.⟩ een monumentale dwaasheid *m. jolly, a stroke of m. jolly, a monument to foolishness;* het monumentale karakter v.d. klassieken *the m. nature of the classics;* monumentale kunst *m. art.*

monumentalisme ⟨het⟩ **0.1** *monumentalism.*

monumentenlijst ⟨de⟩ **0.1** ≠*list of national monuments and historic*

buildings, ≠*schedule of ancient monuments* ◆ **6.1** het gebouw staat **op** de ~ *the building has a preservation order on it, the building is listed (as a historic building / national monument);* op de ~ plaatsen *list* ⟨gebouw⟩; *schedule* ⟨oude monumenten⟩.

monumentenwet ⟨de⟩ **0.1** ⟨GB⟩ ≠ *Historic Buildings and Ancient Monuments Act.*

monumentenzorg ⟨de⟩ **0.1** [behoud van monumenten] *conservation / preservation of monuments and historic buildings* **0.2** [organisatie] ≠*the National Trust* ⟨ook van tuinen⟩; ≠*Historic Buildings Council / Trust.*

mooi

I ⟨bn.⟩ **0.1** [knap] *good-looking* ⇒*handsome,* [↑]*personable,* ⟨vrouw ook⟩ *pretty, beautiful, lovely* **0.2** [aangenaam voor het oog, fraai] *lovely* ⇒*beautiful, nice* **0.3** [fraai gekleed, verzorgd] *smart* ⇒*nice, fine* **0.4** [esthetisch aangenaam] *beautiful* **0.5** [uitstekend] *good* ⇒⟨heel mooi⟩ *excellent, splendid* **0.6** [aangenaam, gunstig] *good* ⇒*fair, fine, nice, handsome, substantial* ⟨bedrag⟩, *jolly, pleasant* ⟨vakantie⟩ **0.7** [leuk] *good* ⇒*nice, pleasant, funny* **0.8** ⟨iron.⟩ *onaangenaam, slecht] pretty* ⇒*fine, right, nice, precious* ◆ **1.1** een ~e meid *a lovely / pretty girl* **1.2** ~e kleren *pretty / smart clothes;* een ~e kop met haar *a fine crop of hair;* een ~ plekje (in de natuur) *a beauty / scenic spot* **1.3** in zijn ~e pak *in his Sunday best;* ⟨inf.⟩ *in his best bit and tucker* **1.4** een ~ gedicht *a charming poem* **1.5** ~e cijfers halen *get g. marks* **1.6** een ~ gebaar *a beau geste;* een ~e herfstdag *a fine / glorious autumn day;* ~e praatjes *fine / smooth / sweet /* ⟨pej.⟩ *slick talk, soft words / soap;* een ~ salaris *a handsome salary;* ik kreeg een ~(e) spel / kaart *I was dealt (out) a g. / pat hand;* een ~e stuiver bijverdienen *make a pretty penny on the side* **1.7** een ~e mop *a g. joke;* ⟨inf.⟩ *a good'un;* een ~ verhaal *a likely story* **1.8** ⟨vulg.⟩ ~e klootzak! *(a) right! / bloody prick!,* [A]*son-of-a-bitch!;* een ~e manier (van doen) is dat! *that's a fine way of carrying on!;* een ~e opvoeder zou jij zijn! *a nice / good one you'd be at bringing him / them up!;* het zal me wel een ~ plan zijn! *that will be the day!;* jullie zijn een ~ stelletje *you're a fine / pretty / right / nice pair, there's a pair of you;* ~e vrienden heb jij *that's a nice pack of friends you've got, fine friends you have* **3.2** ~ maken *beautify, embellish, pretty up;* ⟨versieren⟩ *adorn;* ⟨uiterlijk⟩ *spruce / smarten up;* er ~ uitzien *look smart;* ⟨mbt. vrouw⟩ *lovely;* er niet ~ er op worden *not retain its / one's appearance; lose one's looks* ⟨vrouw⟩; *grow worse* ⟨weer⟩; *deteriorate, go off* ⟨groente⟩ **3.3** wat ben je ~ vandaag *you're smart today, how pretty you are today, you are a picture / as pretty as a picture today;* zich ~ maken *dress up;* ⟨scherts.⟩ *beautify o.s.;* ⟨inf.⟩ *posh / smarten up, prank / spruce o.s. up, get spruced up* **3.4** iets ~ vinden *like sth., think sth. is nice / pretty* **3.6** het weer bleef ~ *the g. weather held / kept up, the weather continued fine;* dat is niet zo ~ ⟨mbt. gedrag⟩ *that's not very nice;* ⟨mbt. situatie⟩ *that's a bit of a mess, that's a fine / pretty kettle of fish;* het kon niet ~ er *it couldn't have been better;* hij stelt zich alles veel te ~ voor *all his geese are swans;* iets ~ er voorstellen dan het is *represent sth. better than it is;* het zal wel niet zo ~ zijn als het lijkt *it's not all jam / honey;* het had zo ~ kunnen zijn *oh, for the glorious might-have-beens* **3.7** het is ~ (geweest) zo! *that's enough now!, all right, that'll do!;* dat is allemaal ~ en aardig, maar ... *that is all very well / fine, but ...* **3.8** daar ben je wel even / zes weken ~ mee *it can last / take quite a while / well over six weeks* **5.6** prachtig ~ weer *glorious weather;* het is te ~ om waar te zijn *that is / sounds too g. to be true* **5.8** wel nu nog ~ er! *well, I never!; I like that!; that's the limit!* **6.1** zij is nu **op** haar ~st *she's in the bloom of her beauty, she's at the peak of her loveliness, she looks her loveliest* **6.3** er **op** zijn ~st uitzien *look one's best* **7.1** ⟨scherts.⟩ ⟨zelfst.⟩ je kijkt al het ~ eraf *don't spoil it with looking!* **7.2** dat is een ~e! ~tje! *what a beauty!;* het ~(e) is eraf *it's spoilt;* ⟨fig.⟩ *the beauty has worn off,* [↑]*the gilt is off the gingerbread;* welke vind jij het ~st? *which one do you like best?* **7.6** het ~e v.d. zaak was, dat ... *the beauty of it all was that ...* **7.7** ⟨zelfst.⟩ het ~e is, dat ... *(and) to crown (it) all ..., (and) the best part of it is that ...;* maar het ~ste komt nog *but the best / cream is still to come;* het was niet ~ meer *it wasn't even funny, it wasn't funny anymore* **7.8** ⟨iron.⟩ jij bent me ook een ~e! *you're a (nice) one / funny sort, and no mistake!* ¶**.7** dat is niet zo ~ van je *that's not very nice of you.*

II ⟨bw.⟩ **0.1** [op fijne / gunstige wijze] *well* ⇒*nicely* **0.2** [behoorlijk] *well* **0.3** [⟨ter verzekering van iets⟩] *certainly* ⇒⟨inf.⟩ *jolly well* ◆ **2.1** het vlees wordt ~ bruin *the meat is browning nicely;* ~e dikke plakken ham *nice thick slices of ham;* de lucht is ~ helder *the sky is beautiful and clear* **3.1** ~ / niet ~ vallen ⟨van jurk⟩ *hang w. / badly;* we hebben haar niet ~ behandeld *we didn't treat her fairly, we didn't do right by her;* jij hebt ~ praten *it's all very w. for you to talk;* zij is ~ geslaagd *she passed with good marks, she passed easily;* dat is ~ meegenomen *that is so much to the good / so much gained;* je hebt ~ lachen *you may w. laugh;* we zijn er ~ vanafgekomen *we're w. out of that* **3.2** hij was ~ op weg om alcoholist te worden *he was w. on the way to becoming an alcoholic* **3.3** ze heeft het ~ verknald *she's made a right / pretty muck-up / mess of it, she's messed / botched / bungled it;* hij is er toch maar ~ in geslaagd *he jolly well managed (to do it) all the same;* dat kun je wel ~ vergeten *you can jolly well forget that;* ik zit er maar ~

mee! *I'm landed/saddled with it!, that's a facer!* 5.1 ~ zo! *good!, w. done!, that's right/fine!,* ^*alright!* ¶.2 we zijn~ op tijd *we've just made it nicely;* ⟨vroeg⟩ we're *in good time* ¶.3 ~ dat ze niet wilde komen *you see she jolly well didn't want to come, trust her not to come;* ~ niet, ~ van niet! *you bet he/she/it didn't/won't!, certainly not!;* ⟨inf.⟩ *no way!.*

mooidoenerij ⟨de (v.)⟩ **0.1** ⟨mv.⟩ *airs and graces* ◆ ¶.1 best aardig als je door haar ~ heenkijkt *kind-hearted enough once you get behind her airs and graces.*

mooierd ⟨de (m.)⟩ ⟨iron.⟩ **0.1** *(nice) one* ◆ **3.1** jij bent me er ook een~! *you're a (nice) one!.*

mooiigheid ⟨de (v.)⟩ ⟨pej.⟩ **0.1** [het mooi zijn] *prettiness* ⇒*fineness* **0.2** [schone schijn] *fine appearance(s)* ⇒*finery.*

mooiklinkend ⟨bn.⟩ **0.1** *euphonious* ⇒*euphonic, tuneful* ⟨muziek⟩, *pleasant* ⟨stem⟩ ◆ **1.1** ~e praatjes *smooth/sweet/slick talk;* ⟨inf.⟩ *blarney, soft soap.*

mooimakerij ⟨de (v.)⟩ **0.1** [opschik] *finery* ⇒*frippery, frills, fallals, trappings, trimmings* **0.2** [te roooskleurige voorstelling] *rosy picture* ⇒ ⟨pol.⟩ *window-dressing* ⟨van statistieken⟩.

mooiprater ⟨de (m.)⟩, **-praatster** ⟨de (v.)⟩ **0.1** [die die dingen te gunstig voorstelt] *humbug* ⇒*smooth talker* **0.2** [vleier] *flatterer* ⇒*wheedler.*

mooipraterij ⟨de (v.)⟩ **0.1** [te gunstige voorstelling] *humbug* ⇒*smooth talk* **0.2** [vleierij] *flattery* ⇒⟨inf.⟩ *blarney, soft soap.*

moois ⟨het⟩ **0.1** *fine thing(s)* ⇒*nice opinion* ⟨denken van iem.⟩ ◆ **4.1** waar heb je dat ~ gekocht? *where did you buy such a beauty/nice one?;* ⟨iron.⟩ dat is ook wat~! *that's a pretty business!, here's a nice state of affairs!, here's a pretty/fine kettle of fish!;* trek eens wat ~ aan go and brisk/smarten/spruce yourself up ¶.1 ⟨iron.⟩ hij zal nog wat ~ beleven! *he'll catch it!;* ⟨iron.⟩ het zou me wat ~ zijn, als ... *that would be a fine thing if ....*

mooischrijverij ⟨de (v.)⟩ ⟨pej.⟩ **0.1** *finewriting* ⇒*all style and no content,* ↑*meretricious style.*

mooizitten ⟨onov.ww.⟩ **0.1** *beg* ⇒*sit up and beg.*

moor ⟨de (m.)⟩ **0.1** [bewoner van Mauretanië] *Mauretanian* **0.2** [neger] *black Moor* ⇒⟨vero.; scherts.⟩ *blackamoor* **0.3** [mohammedaan] *Moor* ◆ **8.2** hij ziet zo zwart als een ~ *he's as black as a nigger/as the ace of spades.*

moord ⟨de⟩ **0.1** [doodslag] *murder* ⇒*killing,* ⟨sluipmoord⟩ *assassination,* ⟨jur.⟩ *homicide* **0.2** [in samenst.] ⟨a⟩ *devil (of a)* ◆ **1.1** ⟨fig.⟩ ~ en brand schreeuwen *cry/scream blue m., raise a hue and cry;* daar komt~ en doodslag van *that will lead to blood and m./ ruin and damnation;* ⟨fig.⟩ het is daar~ en doodslag *they are at each other's throats there* **1.2** een moordbaan *a plum (job);* een moordfilm *a fantastic film /*^*movie;* je bent een moordgriet/moordvent *you're a devil of a/a terrific girl/fellow* **3.1** als je nu niet ophoudt, bega ik een ~ *if you don't stop now, I'll do (for) you/ I might kill you;* ik zou er een ~ voor kunnen doen *I could/am willing to commit a crime for it;* een ~ plegen/ begaan *commit m., take a life* **3.¶** ⟨vulg.⟩ stik de ~! *go to hell!, drop dead!* **6.1** de ~ **op** A. *the m. of A.;* wegens ~ veroordeeld/opgehangen worden *be condemned/hanged for m., be convicted of m..*

moordaanslag ⟨de (m.)⟩ **0.1** *attempted murder* ◆ **3.1** een ~ doen (op) *attempt to murder (s.o.)* **6.1** de ~ **op** de paus *the attempted assassination /murder of the pope.*

moordcommando ⟨het⟩ **0.1** *death squad.*

moorddadig
I ⟨bn.⟩ **0.1** [dood/verderf brengend] *murderous* ⇒*internecine* **0.2** [afschuwelijk] *abominable* ⇒*terrible* **0.3** [fantastisch] *terrific* ⇒*splendid* ◆ **1.1** een ~ gevecht *a m. fight, a massacre* **1.2** een~ lawaai *an a. noise /racket/din* **1.3** een ~ vent *a t. fellow/* ⟨vnl. AE⟩ *guy;*
II ⟨bw.⟩ **0.1** [afschuwelijk] *abominably* **0.2** [fantastisch] *terrifically* ⇒ *awfully, terribly* ◆ **2.1** het was ~ heet *it was a./ blisteringly/scorching/ sizzling hot, the heat was killing* **2.2** ~ goed *terrific, awfully good.*

moorden ⟨onov.ww.⟩ **0.1** *kill, murder* ⇒*assassinate* ⟨om politieke redenen⟩, *take a life, commit murder.*

moordenaar ⟨de (m.)⟩, **-nares** ⟨de (v.)⟩ **0.1** *murderer, murderess* ⇒*killer, assassin* ⟨om politieke redenen⟩, ⟨jur.⟩ *homicide,* ⟨wreed⟩ *butcher, slaughterer,* ⟨halsafsnijding⟩ *cutthroat.*

moordenaarshand ⟨de⟩ ⟨schr.⟩ **0.1** *the hand of an assassin* ◆ **6.1** hij viel **door** ~ *he met his death at the hands of an assassin, he was assassinated/murdered, an assassin/a murderer took his life.*

moordend ⟨bn.⟩ **0.1** *murderous* ⇒*deadly, slaughterous,* ⟨dodelijk⟩ *mortal, fatal* ◆ **1.1** ~e concurrentie *cutthroat/ruinous competition;* ~e hitte *murderous heat;* een ~ klimaat *a murderous climate;* een ~ tempo *murderous, keep up a punishing tempo/pace;* ~ vuur *murderous fire* **6.1** zo'n leven is ~ **voor** zijn gestel *such a lifestyle will destroy/ wreck/ruin his constitution/ health.*

moordkuil ⟨de (m.)⟩ **0.1** *murderers' den* ⇒*den of cutthroats.*

moordlust ⟨de (m.)⟩ **0.1** *bloodlust* ⇒*bloodthirstiness, murderousness.*

moordpartij ⟨de (v.)⟩ **0.1** *(wholesale) massacre, slaughter* ⇒*bloodbath* ⟨mensen⟩, ⟨wreed⟩ *butchery, carnage* ⟨dieren en mensen⟩.

moordtuig ⟨het⟩ **0.1** *instrument(s) of murder* ⇒*murderous weapon(s), murder weapon(s).*

moordverhaal ⟨het⟩ **0.1** *murder story.*

moordwapen ⟨het⟩ **0.1** *murder weapon.*

moordzaak ⟨de⟩ **0.1** *case of murder* ⇒⟨jur.⟩ *murder trial.*

moorkop ⟨de (m.)⟩ **0.1** [gebakje] ≠*chocolate éclair* **0.2** [paard] *black-headed horse.*

Moors ⟨bn.⟩ **0.1** *Moorish* ⇒⟨bouwk.⟩ *Moresque.*

moorzwart ⟨bn.⟩ **0.1** *nigger/pitch-black* ⇒*black as the ace of spades/as ebony.*

moos ⟨het⟩ ⟨Bargoens⟩ **0.1** *bread* ⇒⟨BE ook⟩ *lolly, rhino.*

moot ⟨de⟩ **0.1** *piece* ⇒*cut,* ⟨filet⟩ *fillet,* ⟨dun⟩ *slice* ◆ **1.1** een ~ tong/kabeljauw/schol *a fillet of sole/cod/plaice;* een ~ zalm *a salmon steak* ⟨gebakken⟩; *a slice of salmon* **6.1** iets **aan** mootjes hakken *cut/chop up sth., cut sth. to bits (and pieces);* iem. **aan** mootjes hakken *make mincemeat of s.o.;* een vis **in** moten snijden *fillet a fish, cut fish into fillets.*

mop ⟨de⟩ **0.1** [grap] *joke* ⇒*jest,* ⟨inf.⟩ *gag, wheeze, rib-tickler* **0.2** [koekje] ≠*shortcake* ⇒*shortbread* ⇒⟨met amandelsmaak⟩ *macaroon* **0.3** [metselsteen] ≠*large (moulded) brick* **0.4** [deuntje] *(popular) tune* **0.5** [meisje, vrouw] *doll, moppet* ⇒⟨vnl. BE; inf.⟩ *sweetie, chickabiddy* **0.6** [vlek] *blot* ⇒*blob* ◆ **2.1** een leuke/een goeie ~ *a prize/capital joke;* ⟨AE ook; inf.⟩ *a barker;* een schuine ~ *a blue/bawdy/dirty joke* **3.1** een ~ niet snappen *miss a joke;* ~pen tappen *crack jokes, jest, joke;* ⟨samen⟩ *swap jokes* **4.1** wat een ~!, da's ook een~! *what a joke!* **6.1** een ~ **met** een baard *a stale/well-worn joke;* ⟨inf.⟩ *a chestnut.*

mopneus ⟨de (m.)⟩ **0.1** [stompe neus] *snub nose* ⇒*pug (nose)* ⟨ook van hond⟩ **0.2** [persoon] *snub-nosed/pug-nosed person.*

moppenblaadje ⟨het⟩ **0.1** *comic.*

moppentapper ⟨de (m.)⟩, **-ster** ⟨de (v.)⟩ **0.1** *joker* ⇒*wag, humourist, comedian* ⟨in theater⟩, ⟨inf.⟩ *card.*

mopperaar ⟨de (m.)⟩, **-ster** ⟨de (v.)⟩ **0.1** *grumbler* ⇒⟨inf.⟩ *grouser, growler, crab, grump, bellyacher,* ⟨vnl. AE⟩ *grouch* ◆ **2.1** een eeuwige ~ *a compulsive grumbler.*

mopperen ⟨onov.ww.⟩ **0.1** *grumble* ⇒*grouse, grizzle,* ⟨vnl. AE ook⟩ *grouch,* ⟨inf.⟩ *bellyache* ◆ **3.1** wat zit je te ~? *what are you grumbling about?* **6.1** op iem. ~ *grumble/grouse at/about s.o.;* **over** iets ~ *grumble about/at sth.* **7.1** ik mag niet ~ *I mustn't complain/grumble/ grouch.*

mopperig ⟨bn.⟩ **0.1** *grumbling* ⇒*grumpish/grumpy, glum, sulky,* ⟨inf.⟩ *crabby* ◆ **1.1** een ~e oude man *a grumpy/cantankerous old man.*

mopperkont ⟨de (m.)⟩ →*mopperaar.*

moppertoon ⟨de (m.)⟩ **0.1** *grumbling tone of voice* ◆ **6.1** op zijn bekende ~ *in/with his usual grumpy manner.*

moppie ⟨het⟩ ⟨inf.⟩ **0.1** [wijfie] *love,* ^*honey* **0.2** [wijsje, deuntje] *tune* ◆ **3.2** een ~ fluiten *whistle a t.* **9.1** ha ~, ben je daar weer *hello l. / h., are you back?.*

moppig ⟨bn., bw.; -ly⟩ **0.1** *funny* ⇒*comical, droll.*

mopshond ⟨de (m.)⟩ **0.1** *pug(-dog).*

mopsteen ⟨de (m.)⟩ **0.1** ≠*large (moulded) brick.*

moquette[1] ⟨de (m.)⟩ **0.1** *moquette.*

moquette[2] ⟨bn.⟩ **0.1** *moquette.*

mora ◆ ¶.¶ iem. in ~ stellen *declare s.o. in default;* in ~ zijn *be in default.*

moraal ⟨de (v.)⟩ **0.1** [heersende zeden en gebruiken] *morality* ⇒*morals* **0.2** [zedenleer] *morality* ⇒*ethics* **0.3** [iemands voorstelling van goed en slecht] *morals* ⇒*moral principles* **0.4** [(zede)les] *moral* **0.5** [⟨sport⟩] *morale* ◆ **1.4** de ~ van een fabel *the m. of a fable;* dat is de ~ v.d. historie *that is the m. of history* **2.1** de losse ~ van het Franse hof *the loose morals/morality of the French court* **2.2** de christelijke ~ *Christian ethics/m.;* dubbele ~ *double moral standard* **3.4** een ~ hebben *carry/point a m.;* de ~ trekken uit een verhaal *draw the m. from a story* **3.5** hij heeft geen ~ *his m. is broken/low* **6.5** **op** ~ winnen *win by sheer force of will/by pluck/grit.*

moraalfilosofie ⟨de (v.)⟩ **0.1** *moral philosophy.*

moraaltheologie ⟨de (v.)⟩ **0.1** *moral theology.*

moraaltheorie ⟨de (v.)⟩ **0.1** *moral philosophy* ⇒*moral theory, ethics.*

moralisatie ⟨de (v.)⟩ **0.1** *moralism.*

moraliseren ⟨onov.ww.⟩ **0.1** *moralize* ⇒*sermonize, preach, point/draw a moral* ◆ **1.1** op ~de toon spreken *moralize, preach(ify), sermonize;* ⟨inf.⟩ *talk like a Dutch uncle.*

moralisme ⟨het⟩ **0.1** *moralism.*

moralist ⟨de (m.)⟩ **0.1** [zedenleraar] *moralist* **0.2** [schrijver] *moralist.*

moralistisch ⟨bn., bw.; -ally⟩ **0.1** [het moralisme betreffend] *moralistic* **0.2** [vervuld van moralisme] *moralistic* ◆ **1.2** (een heleboel) ~ gezeur *(a lot of) sermonizing/m. clap-trap.*

moraliteit ⟨de (v.)⟩ **0.1** [zedelijkheid] *morality* ⇒*(good) morals, ethic* **0.2** [⟨lit.⟩ toneelspel] *morality (play)* ⇒*moral play* **0.3** [⟨lit.⟩ stichtend verhaal] *moral tale* ⇒ *2.1* de publieke ~ *public morals.*

moraliter ⟨bw.⟩ **0.1** *morally* ◆ **2.1** dat is ~ onmogelijk *that is virtually impossible;* dat is ~ niet verantwoord *that is m. irresponsible.*

moratoir ⟨bn.⟩ ⟨jur.⟩ **0.1** *moratory.*

moratorium ⟨het⟩ **0.1** [mbt. betaling] *moratorium* ⇒*suspension* **0.2** [mbt. experimenten] *moratorium* ⇒*ban* ◆ **3.1** een ~ instellen/opheffen *declare/lift a m.* **6.2** een ~ **van** kernwapens *a m. on atomic/nuclear weapons.*

Moravisch ⟨bn.⟩ **0.1** *Moravian* ◆ **2.1** ~e broeders *M. / United Brethren, Herrnhuters.*

morbide 〈bn.〉 **0.1** *morbid* ◆ **1.1** 〈fig.〉 ~ *humor m. / sick humour*.

morbiditeit 〈de (v.)〉 **0.1** [ziekelijkheid] *morbidity* ⇒*sickliness* **0.2** [ziektecijfer] *morbidity* ⇒*sickness rate*.

mordent 〈de (m.)〉〈muz.〉 **0.1** *mordent*.

mordicus 〈bw.〉 **0.1** *adamantly* ◆ **3.1** iets~ volhouden *maintain sth. obstinately* **6.1** ergens ~ tegen zijn *be dead against sth.*.

more 〈de〉〈taal.〉 **0.1** *mora*.

moreel[1] 〈het〉 **0.1** *morale* ⇒*esprit de corps* ◆ **2.1** het slechte / goede ~ v.d. troepen *the low / high m. of the troops* **3.1** het ~ hoog houden *keep the / one's m. up, keep up m.*.

moreel[2] 〈bn., bw.; -ly〉 **0.1** [zedelijk] *moral* ⇒*ethical* **0.2** [overeenstemmend met de zedelijkheid] *moral* ◆ **1.1** ~ besef *m. sense / faculty;* de morele kant v.h. probleem *the morality / m. aspect of the problem;* een morele kwestie *a matter of ethics / principles;* een morele overwinning *a m. victory;* een morele verplichting *a m. duty;* morele verwording *m. degradation / corruption / leprosy / degeneration;* morele waarden *m. / ethical values* **2.1** ~ juist gedrag *morally correct behaviour, ethical behaviour;* ik voel me ~ verplicht het te doen *I feel (in) honour bound to do it, it is my bounden duty to do it* **3.1** iem. ~ steunen *give s.o. moral support*.

morel
  I 〈de〉 **0.1** [kers] *morello (cherry);*
  II 〈de (m.)〉 **0.1** [boom] *morello(-tree)*.

morellen(brande)wijn 〈de (m.)〉 **0.1** *cherry brandy*.

morendo 〈bw.〉〈muz.〉 **0.1** *morendo*.

morene 〈de〉 **0.1** *moraine* ⇒*drift*.

mores 〈zn.mv.〉 **0.1** *mores* ◆ **3.1** 〈fig.〉 iem. ~ leren *teach s.o.*.

morfeem 〈het〉〈taal.〉 **0.1** *morpheme* ◆ **2.1** vrij / gebonden ~ *free / bound m.*.

morfine 〈de〉 **0.1** *morphine* ⇒*morphia, narcotic* ◆ **3.1** ~ spuiten *inject o.s. with morphine, take morphine (shots)*.

morfinespuitje 〈het〉 **0.1** *morphine shot /* ↑*injection*.

morfineverslaving 〈de (v.)〉 **0.1** *morphine addiction*.

morfinisme 〈het〉 **0.1** *morphinism*.

morfinist 〈de (m.)〉 **0.1** *morphine addict* ⇒*morphinist, morphinomaniac*.

morfogenese 〈de (v.)〉 **0.1** *morphogenesis*.

morfogenetisch 〈bn.〉 **0.1** *morphogenetic*.

morfologie 〈de (v.)〉 **0.1** [〈biol.〉] *morphology* **0.2** [〈aardr.〉] *morphology* **0.3** [〈taal.〉] *morphology*.

morfologisch 〈bn., bw.; -(al)ly〉 **0.1** *morphologic(al)*.

morfoloog 〈de (m.)〉, **-loge** 〈de (v.)〉 **0.1** *morphologist*.

morfonologie 〈de (v.)〉〈taal.〉 **0.1** *morphophonology* ⇒〈vnl. AE ook〉 *morphophonemics*.

morganatisch 〈bn.〉 ◆ **1.¶** ~ huwelijk *morganatic marriage*.

morgen[1]
  I 〈de (m.)〉 **0.1** [dageraad] *morning* ⇒*daybreak, dawn* **0.2** [ochtend] *morning* **0.3** [〈fig.〉 begin] *morning* ◆ **1.3** de ~ v.h. leven *the m. of (one's) life* **2.2** de hele ~ *all m.;* de volgende ~ *the next / following m.* **2.¶** goeie ~! *goodness gracious!* **3.1** de ~ breekt aan *m. is breaking* **3.2** hij haalde de ~ niet *he didn't outlive the night* **6.1** tegen de ~ heeft het gevroren *it froze around daybreak* **6.2** gedurende / in de ~ *throughout / in the m.* **¶.2** 's morgens *in the m.,* ^*mornings;* 〈ploegendienst〉 *mornings;* 〈goede〉~! *(good) m.!;* om 8 uur 's morgens *at 8 a.m.;*
  II 〈het, de (m.)〉 [landmaat]〈vero.〉 *morgen* ⇒*(a measure of land equal to about) two acres*.

morgen[2] 〈bw.〉〈→sprw. 264,265,407,435,550,686〉 **0.1** *tomorrow* 〈ook in samenst.〉 ◆ **1.1** morgenmiddag *t. afternoon;* vandaag of ~ *one of these (fine) days* **2.1** ~ vroeg *t. morning, t. in the morning* **3.1** ja, ~ brengen *call again!, catch me!, certainly not!;* ~ kan ook nog it will do *t.;* ~ komt er weer een dag *t. is another day* **5.1** ik doe het ~ meteen *I'll do it first thing t. (morning), I'll do it first thing in the morning* **6.1** ~ over een week *t. week;* tot ~! *see you t.!, till t.!;* we hebben tot ~ de tijd *t. will do;* de dag van ~ *the morrow;* de krant van ~ *t.'s (news)paper;* vanaf ~ *taking effect t., as of / from t.*.

morgenafstand 〈de〉 〈ster.〉 **0.1** *amplitude*.

morgenappèl 〈het〉 **0.1** *morning parade / roll-call*.

morgenavond 〈bw.〉 **0.1** *tomorrow evening*.

morgengebed 〈het〉 **0.1** *morning prayers* ⇒〈Angl.〉 *Morning Prayer,* 〈r.k.〉 *Matins*.

morgenkrieken 〈het〉 **0.1** *daybreak* ⇒*crack of dawn, break of day* ◆ **6.1** bij het ~ *at break of day, at (the crack of) dawn*.

morgenland 〈het〉〈schr.〉 **0.1** *morning land* ⇒*the East / Orient* ◆ **6.1** de wijzen uit het ~ *the Wise Men of the East, the Magi, the three Wise Men*.

morgenlicht 〈het〉 **0.1** *(morning) dawn*.

morgenlucht 〈de〉 **0.1** *morning air*.

morgenmiddag 〈bw.〉 **0.1** *tomorrow afternoon*.

morgenochtend 〈bw.〉 **0.1** *tomorrow morning* ⇒*in the morning* ◆ **6.1** het kan wel tot ~ wachten *it can wait until morning* **¶.1** ~ zie je het heel anders *it will all look different in the morning*.

morgenpost 〈de〉 **0.1** *early / morning mail* ⇒〈vnl. BE ook〉 *morning post*.

morgenrood 〈het〉〈→sprw. 29〉 **0.1** *aurora* ⇒*red morning sky*.

morgenschemering 〈de (v.)〉 **0.1** *morning twilight* ⇒*dawn(ing), morning dawn / peep*.

morgenster 〈de〉 **0.1** [planeet Venus] *morning star* ⇒*daystar* **0.2** [Lucifer] *Lucifer* **0.3** [plant]〈zie 2.3〉 **0.4** [〈gesch.〉 knots] *morning star* ⇒*mace* ◆ **2.3** de blauwe ~ *salsify, oyster plant;* de gele ~ *goatsbeard, Jack-go-to-bed-at-noon*.

morgenstond 〈de (m.)〉〈→sprw. 436〉 **0.1** [ochtenduren] *early morning (hours)* **0.2** [〈fig.〉 begin] *dawn* ◆ **1.2** de ~ van het leven *the d. of life*.

morgenvroeg 〈bw.〉 **0.1** *tomorrow morning*.

morgenwacht 〈de〉〈scheep.〉 **0.1** *morning watch*.

morgenwake 〈de〉〈bijb.〉 **0.1** *morning watch*.

morgenwijding 〈de (v.)〉〈radio〉 **0.1** 〈vnl. BE〉 ≠ *Thought for the Day; early morning service*.

morgenzang 〈de (m.)〉 **0.1** *morning song*.

morgenzon 〈de (m.)〉 **0.1** *morning sun*.

Moriaan 〈de (m.)〉 **0.1** *blackamoor* ◆ **3.1** 〈fig.〉 't is de ~ gewassen *it is lost labour*.

morille 〈de〉 **0.1** *morel*.

morinelplevier 〈de (m.)〉 **0.1** *dott(e)rel*.

mormel 〈het〉 **0.1** [〈pej.〉 hond] *mutt* ⇒*tyke,* 〈bastaard〉 *mongrel* **0.2** [lelijk schepsel] *freak (of nature)* ⇒*monster* ◆ **2.1** een keffend ~tje *a yapping tyke* **2.2** een verwend ~ *a spoilt brat*.

mormoon 〈de (m.)〉 **0.1** *Mormon* ⇒〈eigen benaming〉 *Latter-day Saint*.

morning-afterpil 〈de〉 **0.1** *morning-after pill*.

morose 〈bn.〉 **0.1** [somber] *morose* ⇒*melancholy, pensive* **0.2** [gemelijk] *morose* ⇒*dyspeptic, splenetic, sullen, peevish*.

Morpheus ◆ **1.¶** in de armen van ~ *in the arms of Morpheus*.

morrelen 〈onov.ww.〉 **0.1** [peuteren] *fiddle* **0.2** [iets in 't donker doen] *fumble* ◆ **6.1** hij zat aan zijn bromfiets te ~ *he was tinkering / fiddling (around) with his moped;* 〈fig.〉 aan deze criteria kan niet gemorreld worden *these criteria cannot be tampered with* **6.2** aan een deur ~ *f. at a door*.

morren 〈onov.ww.〉 **0.1** [brommend iets zeggen] *mutter* ⇒*murmur* **0.2** [protesteren] *grumble* ⇒*complain* ◆ **3.1** ~d gehoorzamen *obey under protest / mutteringly* **6.1** ~ over *fret / grumble at* **6.2** hij hielp zonder ~ *he helped ungrudgingly / uncomplainingly / without a murmur*.

morsdoek 〈de (m.)〉 **0.1** *bib*.

morsdood 〈bn.〉 **0.1** *stone-dead* ⇒*(as) dead as a doornail* ◆ **3.1** ik schiet hem ~ *I'll shoot him dead / shoot and kill him;* hij viel ~ *he dropped down dead*.

morse 〈het〉 **0.1** *Morse (code)* ⇒*dot-and-dash code* ◆ **6.1** in ~ seinen *signal in (internatoinal) Morse (code), morse*.

morsealfabet 〈het〉 **0.1** *Morse code / alphabet*.

morsecode 〈de (m.)〉 **0.1** *Morse code*.

morselamp 〈de〉 **0.1** *Aldis lamp*.

morsen
  I 〈onov., ov.ww.〉 **0.1** [bevuilen] *(make a) mess (on / of)* ⇒*spill* 〈wijn, melk, zout〉, *slop* 〈thee, water〉 ◆ **6.1** je morst op je pak *you've spilled sth. on your suit, you're making a mess on your suit;* koffie op het kleed ~ *spill coffee on the carpet;* wijn inschenken zonder te ~ *pour wine without spilling;*
  II 〈onov.ww.〉 **0.1** [knoeien] *make a mess* ◆ **6.1** het kind zit te ~ met zijn eten *the child is messing about with its food*.

morseschrift 〈het〉 **0.1** *Morse code*.

morsesleutel 〈de (m.)〉 **0.1** *Morse key*.

Morseteken 〈het〉 **0.1** *Morse sign / letter*.

Morsetoestel 〈het〉 **0.1** *Morse apparatus*.

morsig 〈bn., bw.; -ily〉 **0.1** *dirty, messy* ⇒*grimy* 〈handen〉, *grubby* 〈handen, kleren〉 ◆ **1.1** ~e straten *d. / m. / 〈inf.〉 mucky streets;* een ~e vrouw *a m. / frowzy / slovenly woman* **3.1** ~ werken *work messily*.

morspot 〈de (m.)〉 **0.1** *messy / dumsy person / child*.

morsring 〈de (m.)〉 **0.1** *dripcatcher*.

mortaliteit 〈de (v.)〉 **0.1** [sterfelijkheid] *mortality* **0.2** [sterftecijfer] *mortality*.

mortaliteitscoëfficiënt 〈de (m.)〉 **0.1** *mortality rate* ⇒*death rate*.

mortel 〈de (m.)〉 **0.1** [metselspecie] *mortar* ⇒〈dun〉 *grout* **0.2** [steengruis] *brick / stone dust* ⇒*grit* ◆ **6.2** aan ~ vallen *become gritty, crumble;* te ~ slaan *pulverize, reduce to dust / grit;* 〈fig. ook〉 *smash to atoms / smithereens*.

mortelbak 〈de (m.)〉 **0.1** *(mortar) hod*.

mortelen
  I 〈ov.ww.〉 **0.1** [vergruizen] *reduce to dust / grit* ⇒〈fijn〉 *pulverize;*
  II 〈onov.ww.〉 **0.1** [in gruis vallen] *become gritty, crumble* ⇒〈fijn〉 *pulverize*.

mortelig 〈bn.〉 **0.1** *gritty*.

mortelkalk 〈de (m.)〉 **0.1** *lime putty*.

mortelmolen 〈de (m.)〉 **0.1** *mortar / pug mill* ⇒*mortar mixer*.

mortier 〈het, de (m.)〉 **0.1** [vuurmond] *mortar* **0.2** [vijzel] *mortar*.

mortiergranaat 〈de〉 **0.1** *mortar shell*.

mortierstamper 〈de (m.)〉 **0.1** *pestle*.

mortificatie 〈de (v.)〉〈schr.〉 **0.1** [versterving] *mortification (of the flesh)* **0.2** [vernedering] *mortification* ⇒*humiliation* **0.3** [ongeldigverklaring] *annulment* ⇒〈mbt. huwelijk〉 *nullification*.

mortificeren ⟨schr.⟩
I ⟨ov.ww.⟩ **0.1** [kastijden] *mortify* ⇒*crucify* ⟨het vlees⟩ **0.2** [teniet doen] *annul, nullify* ⇒*amortize, redeem* ⟨lening⟩;
II ⟨onov.ww.⟩ **0.1** [afsterven] *mortify* ◆ **1.1** het weefsel is gemortificeerd *the tissue has mortified.*

mortuarium ⟨het⟩ **0.1** [vertrek waar lijken bewaard worden] *mortuary* ⇒*morgue* **0.2** [rouwcentrum] *funeral home/parlour,* ^A*mortician's parlor* **0.3** [necrologium] *necrology* ⇒*obituary list.*

mos ⟨het⟩ ⟨→sprw. 549⟩ **0.1** [kleine plantjes] *moss* **0.2** [⟨mv., plantk.⟩] *moss* ◆ **3.1** er groeit ~ tussen de stenen *there's m. growing between the stones* **6.1** met ~ begroeide boomstammen *moss-grown/covered/clad tree trunks.*

mosachtig ⟨bn.⟩ **0.1** [op mos lijkend] *mosslike* **0.2** [met mos bedekt] *mossy* ⇒*moss-grown.*

mosasaurus ⟨de (m.)⟩ **0.1** *mosasaur, mosasaurus.*

mosbloempje ⟨het⟩ **0.1** *crassula.*

mosdiertje ⟨het⟩ **0.1** [⟨mv.⟩ Bryozoa] *Bryozoa* ⇒*Polyzoa* **0.2** [diertje van dat geslacht] *moss animal(cule)* ⇒⟨wet.⟩ *bryozoan.*

mosgroen ⟨bn.⟩ **0.1** *moss-green* ⇒*mossy green.*

moskee ⟨de (v.)⟩ **0.1** *mosque.*

Moskou ⟨het⟩ **0.1** *Moscow.*

Moskoviet ⟨de (m.)⟩ **0.1** *Muscovite.*

Moskovisch ⟨bn.⟩ **0.1** *Muscovite* ◆ **1.¶** ~ gebak ≠*madiera cake (with currants),* ≠*sponge-cake;* ~ gebakje ≠*queen cake,* ≠*madeleine;* ~ glas *muscovite, Muscovy glass, white mica.*

moslaag ⟨de⟩ **0.1** [laag mos] *layer of moss* **0.2** [vegetatielaag] *moss layer.*

moslem ⟨de (m.)⟩ **0.1** *Muslim, Moslem* ⇒*Muhammadan,* ⟨vero.⟩ *Mussulman* ◆ **2.1** de Zwarte Moslems *the Black Muslims.*

moslems ⟨bn.⟩ **0.1** *Muslim, Moslem* ⇒*Muhammadan.*

mosplant ⟨de⟩ **0.1** *moss plant* ⇒*cellular plant.*

mosroos ⟨de⟩ **0.1** *moss rose.*

mossel ⟨de⟩ **0.1** *mussel* ◆ **1.1** ~ noch vis *neither fish, flesh, nor good red herring* **2.1** ⟨cul.⟩ gekookte ~en *mussels au naturel;* de gewone/eetbare ~ *the common/edible m..*

mosselachtigen ⟨zn.mv.⟩ **0.1** *bivalves* ⇒⟨wet.⟩ *Lamellibranchia(ta), Bivalvia.*

mosselbank ⟨de⟩ **0.1** *mussel bed/bank/scalp.*

mosselkrabber ⟨de (m.)⟩ **0.1** [schuit] *mussel boat* ⇒*cockler* **0.2** [persoon] *mussel raker/gatherer.*

mosselkrabbetje ⟨het⟩ **0.1** *mussel crab* ⇒*pea crab.*

mosselkreeft ⟨de⟩ **0.1** *ostracod* ⇒*Ostrocada* ⟨klasse⟩.

mosselkreek ⟨de⟩ →*mosselbank.*

mosselkweker ⟨de (m.)⟩ **0.1** *mussel farmer.*

mosselman ⟨de (m.)⟩ **0.1** *cockler.*

mosselparasiet ⟨de (m.)⟩ **0.1** *mussel parasite* ⇒*(noxious kind of) copepod.*

mosselpellerij ⟨de (v.)⟩ **0.1** *mussel-processing factory.*

mosselplaat ⟨de⟩ →*mosselbank.*

mosselput ⟨de (m.)⟩ **0.1** *mussel pond.*

mosselseizoen ⟨het⟩ **0.1** *mussel season.*

mosselteelt ⟨de⟩ **0.1** *mussel culture/farming.*

mosselvangst ⟨de (v.)⟩ **0.1** *mussel fishing.*

mosselvergiftiging ⟨de (v.)⟩ **0.1** *mussel poisoning* ⇒⟨med.⟩ *mytilotoxism* ◆ **3.1** ~ hebben *be musselled.*

mosselvloot ⟨de⟩ ⟨pej.⟩ **0.1** *fleet of cockboats.*

mosselzaad ⟨het⟩ **0.1** *seed mussels.*

mosselzijde ⟨de⟩ **0.1** *byssus.*

mossig ⟨bn.⟩ **0.1** [mosachtig] *mosslike* ⇒*mossy* **0.2** [bemost] *mossy* ⇒*moss-grown/-covered/-clad.*

mosso ⟨bw.⟩ ⟨muz.⟩ **0.1** *mosso.*

most ⟨de (m.)⟩ **0.1** *must* ⇒*stum.*

mostapijt ⟨het⟩ **0.1** *mossy carpet* ⇒*carpet of moss.*

mosterd ⟨de (m.)⟩ **0.1** [plantengeslacht] *mustard* **0.2** [kruiderij] *mustard* ◆ **2.1** bruine/gele ~ *black/white m.;* wilde ~ *field/wild m., charlock* **2.2** bruine ~ *brown/English m.;* gele ~ *French/Dijon m.* **3.2** hij weet waar Abraham de ~ haalt *he knows his beans/stuff, he's been around* **6.2** ⟨fig.⟩ iem. tot ~ slaan *beat s.o. to a pulp/jelly/frazzle* **¶.2** als ~ na de maaltijd komen *come (too) late in the day.*

mosterdbad ⟨het⟩ **0.1** *mustard bath.*

mosterdgas ⟨het⟩ **0.1** *mustard gas.*

mosterdgeel ⟨bn., bw.⟩ **0.1** *mustard (yellow).*

mosterdmolen ⟨de (m.)⟩ **0.1** *mustard mill.*

mosterdolie ⟨de⟩ **0.1** *mustard-seed oil.*

mosterdpap ⟨de⟩ **0.1** *mustard poultice.*

mosterdplant ⟨de⟩ **0.1** *mustard (plant).*

mosterdpleister ⟨de⟩ **0.1** *mustard plaster* ⇒*sinapism.*

mosterdpoeder ⟨het, de (m.)⟩ **0.1** *mustard powder.*

mosterdpot ⟨de (m.)⟩ **0.1** *mustard pot.*

mosterdzaad ⟨het⟩ **0.1** [zaden] *mustard seed* **0.2** [⟨fig.⟩] *grain of mustard.*

mot
I ⟨de⟩ **0.1** [vlinder] *moth* **0.2** [larve] *(clothes) moth* **0.3** [⟨inf.⟩ ruzie] *tiff* ⇒*scrap,* ⟨vnl. AE ook⟩ *spat,* ⟨vnl. BE ook⟩ *breeze* ◆ **3.2** de ~ zit

in dat laken *that sheet has got m. (in it), that sheet is moth-eaten* **3.3** ze hebben ~ *they have fallen out with each other;* er is ~ aan de knikker *there's trouble/a spanner in the works;* zocht je soms ~? *did you want to make sth. of it?;* ~ zoeken *look for trouble, be spoiling for a fight* **6.2** door de ~ aangevreten *moth-eaten, mothy;*
II ⟨het⟩ **0.1** [turfmolm] *peat-dust* **0.2** [zaagsel] *sawdust.*

motbestrijding ⟨de (v.)⟩ **0.1** *mothproofing.*

motdistel ⟨de⟩ **0.1** *milk thistle.*

motecht ⟨bn.⟩ **0.1** *mothproof* ◆ **3.1** ~ maken *mothproof.*

motel ⟨het⟩ **0.1** *motel* ⇒⟨AE ook⟩ *motor court/hotel/inn/lodge.*

motet ⟨het⟩ **0.1** *motet.*

motgaatje ⟨het⟩ **0.1** *moth-hole.*

motie ⟨de (v.)⟩ **0.1** *motion* ⇒⟨AE ook⟩ *resolve* ◆ **1.1** ~ van afkeuring *vote/m. of censure;* een ~ van orde indienen *introduce a m. of order;* ~ van vertrouwen *vote of confidence;* ⟨ook⟩ *resolution/m. of confidence, confidence m.;* ~ van wantrouwen *vote of no-confidence;* ⟨ook⟩ *resolution/m. of no-confidence, no-confidence m.* **3.1** een ~ aannemen *pass/carry/adopt a m./resolution;* een ~ indienen *put/propose/table/introduce/move a m./resolution;* een ~ intrekken *withdraw a m.;* een ~ steunen *support a m.; second a m.* ⟨vnl. de eerste na degene die indient⟩; een ~ verwerpen *reject/defeat a m./resolution.*

motief ⟨het⟩ **0.1** [beweegreden] *motive* ⇒*cause, reason, ground,* ⟨stimulans⟩ *incentive, stimulus* **0.2** [⟨lit., bk.⟩] *motif* ⇒*theme* **0.3** [vorm, figuur] *motif, motive* ⇒*design, pattern* **0.4** [⟨muz.⟩] *motif* ⇒*figure, subject* ⟨van fuga/rondo⟩ ◆ **2.1** een heimelijk ~ *an ulterior m.;* uit onedele motieven handelen *act dishonourably, act with dishonourable motives* **4.1** op grond van welke motieven zou hij dat doen? *what motives would incite/inspire/cause him to do that?* **6.1** er is geen duidelijk ~ voor de misdaad *there is no obvious/clear m. behind/for the crime.*

motievenonderzoek ⟨het⟩ **0.1** *motivation(al) research.*

motivatie ⟨de (v.)⟩ **0.1** [het gemotiveerd-zijn] *motivation* **0.2** [⟨psych.⟩] *motivation.*

motiveren ⟨ov.ww.⟩ **0.1** [gronden aanvoeren voor] *explain* ⇒*account for, state/give one's reasons/motives for,* ⟨verdedigen⟩ *defend,* ⟨rechtvaardigen⟩ *justify* **0.2** [stimuleren] *motivate* ⇒*stimulate, incite* ◆ **1.1** een handelwijze ~ *e./account for/justify one's behaviour* **1.2** het succes motiveert mij om door te gaan *success gives me the incentive to carry on* **6.2** iem. ~ voor iets *motivate s.o. into doing sth..*

motivering ⟨de (v.)⟩ **0.1** [het motiveren/gemotiveerd-zijn] *motivation* **0.2** [datgene waarmee men iets motiveert] *motive(s), ground(s)* ◆ **1.2** de ~ v.h. vonnis *the reasons/grounds stated/given in the judg(e)ment,* ≠^B*rider to the verdict.*

motmuggje ⟨het⟩ **0.1** *(minute) moth-like fly* ⇒⟨wet.⟩ *psychodid.*

motor ⟨de (m.)⟩ **0.1** [machine] *engine* ⇒*elektromotor) motor* ⟨vnl. in samenst.⟩ **0.2** [motorfiets] *motorbike* ⇒↑*motorcycle,* ⟨sl.⟩ *chopper* **0.3** [⟨fig.⟩ drijvende kracht] *driving force* ⇒*hub, dynamo* ◆ **1.3** hij is de ~ v.d. schaakclub *he is the driving force of the chess club* **2.1** een schone/zuinige ~ *a clean/economical/low-consumption e.* **3.1** de ~ starten/afzetten *start/turn off the e./motor* **6.1** met een/twee/drie/vier ~en *single-/twin-/three-/four-engined;* op de ~ varen *use the e., motor* **6.2** op de ~ *on the/by motorbike.*

motoraandrijving ⟨de (v.)⟩ **0.1** *motor drive* ◆ **6.1** met ~ *motor-driven, motorized, powered;* satellieten zonder ~ *unpowered satellites.*

motoragent ⟨de (m.)⟩ **0.1** *police motor-cyclist* ⇒*outrider* ⟨in motorescorte⟩, ⟨vnl. AE; Austr.E⟩ *trooper.*

motorbarkas ⟨de⟩ **0.1** *motor launch.*

motorblok ⟨het⟩ **0.1** *engine block.*

motorboot ⟨de⟩ **0.1** *motorboat* ⇒*cabin cruiser,* ⟨barkas⟩ *motor launch,* ⟨vnl. AE⟩ *runabout* ⟨klein⟩.

motorbrandstof ⟨de⟩ **0.1** *motor fuel* ⇒*jet fuel* ⟨straalmotor⟩.

motorbril ⟨de (m.)⟩ **0.1** *(pair of) goggles* ◆ **7.1** twee ~len *two pairs of g..*

motorclub ⟨de⟩ **0.1** *motor(bike) club.*

motorcoureur ⟨de (m.)⟩ **0.1** *motorcycle racer* ⇒⟨motorsport⟩ *rider.*

motorcross ⟨de (m.)⟩ **0.1** *motocross* ⇒⟨BE ook⟩ *scramble, scrambling.*

motorcrosser ⟨de⟩ **0.1** *(motocross) rider/racer.*

motordumper ⟨de (m.)⟩ **0.1** *dump/tipper* ^B*lorry/*^A*truck.*

motorengel ⟨de (v.)⟩ **0.1** *pillion girl.*

motorfiets ⟨de⟩ **0.1** *motorcycle* ⇒⟨vnl. BE; inf.⟩ *motorbike,* ⟨sport⟩ *bike, machine* ◆ **1.1** ~ met zijspan *motorcycle/motorbike with sidecar, sidecar motorcycle/motorbike* **2.1** lichte ~ ⟨BE⟩ *light motorcycle/*⟨inf.⟩ *motorbike,* ^A*motorbike;* zware ~ *powerful/high-cc./large-capacity motorcycle/motorbike;* ⟨inf.⟩ *superbike.*

motorgeronk ⟨het⟩ **0.1** *drone of an engine* ⇒⟨luider⟩ *engine roar.*

motorhelm ⟨de (m.)⟩ **0.1** *crash helmet* ⇒*safety helmet.*

motorhome ⟨de⟩ **0.1** *camper* ⇒*motor home.*

motorhuis ⟨het⟩ **0.1** *engine housing/frame* ⇒⟨elektromotor⟩ *motor housing/frame.*

motoriek ⟨de (v.)⟩ **0.1** ⟨het systeem⟩ *(loco)motor system, locomotion;* ⟨de bewegingen zelf⟩ *locomotion, voluntary movements* ◆ **2.1** een gestoorde ~ *disturbances of motor system, motor dysfunction.*

motorisch
I 〈bn.〉 **0.1** [bewegend] *locomotor(y)*, *motor(ial)* ◆ **1.1** ~e kracht *locomotive force/power*, *motor power;* 〈med.〉 ~e zenuwen *motor nerves;* II 〈bn.,bw.〉 **0.1** [mbt. de motor] *motor*, *engine* **0.2** [mbt. de motoriek] *motor* ◆ **1.2** ~e afasie *motor aphasia;* een ~ gehandicapte *a disabled person, a motor disabled/handicapped person.*

motoriseren 〈ov.ww.〉 **0.1** [van motoren voorzien] *motorize* **0.2** [met motorvoertuigen uitrusten] *motorize.*

motorisering 〈de (v.)〉 **0.1** *motorization.*

motorjacht 〈het〉 **0.1** *motor yacht* ⇒*(cabin) cruiser.*

motorjas 〈de〉 **0.1** *motorcycling coat.*

motorkap 〈de〉 **0.1** ᴮ*bonnet*, ᴬ*hood* ⇒*cowling* 〈van oudere vliegtuigen〉.

motormaaier 〈de (m.)〉 **0.1** *motor mower.*

motorolie 〈de〉 **0.1** *(engine) oil.*

motorongeluk 〈het〉 **0.1** *motorcycle/bike accident.*

motorpech 〈de (m.)〉 **0.1** *engine trouble.*

motorpolitie 〈de (v.)〉 **0.1** *motorcycle police.*

motorrace 〈de (m.)〉 **0.1** *motorcycle race.*

motorrem 〈de〉 **0.1** [bij afgesloten gastoevoer] *vacuum brake* **0.2** [van motorfiets] *motorcycle brake* ⇒〈motorsport〉 *binder(s).*

motorrennen 〈zn.mv.〉 **0.1** *motorcycle race(s)/racing.*

motorrijden 〈het〉 **0.1** *motorcycling.*

motorrijder 〈de (m.)〉, **-ster** 〈de (v.)〉 **0.1** *motorcyclist* ⇒〈BE;inf.〉 *motorbike rider.*

motorrijtuig 〈het〉〈schr.〉 **0.1** *motor vehicle.*

motorrijtuigenbelasting 〈de (v.)〉 **0.1** ≠*road tax.*

motorrijwiel 〈het〉〈schr.〉 **0.1** *motorcycle.*

motorschip 〈het〉 **0.1** *motor vessel/ship.*

motorsport 〈de〉 **0.1** *motorcycle racing, m.cycling.*

motorstoring 〈de (v.)〉 **0.1** *engine trouble* ⇒*engine failure/breakdown.*

motorterreinwedstrijd 〈de (m.)〉 →*motorcross.*

motortractie 〈de (v.)〉 **0.1** *motor traction.*

motortrekker 〈de (m.)〉 **0.1** *traction engine* ⇒〈landb.〉 *tractor.*

motorvermogen 〈het〉 **0.1** *engine power.*

motorvliegtuig 〈het〉 **0.1** *power plane.*

motorvoertuig 〈het〉 **0.1** *motor vehicle, automobile.*

motorwedstrijd 〈de (m.)〉 **0.1** *motorcycle race.*

motorzeiler 〈de (m.)〉 **0.1** *motor sailer.*

motregen 〈de (m.)〉 (→sprw. 166) **0.1** *drizzle* ⇒*mizzle, misty rain,* 〈met dichte mist〉 *Scotch mist.*

motregenen 〈onp.ww.〉 **0.1** *drizzle* ◆ **1.1** het motregende een beetje *there was a slight drizzle.*

motschildluis 〈de〉 **0.1** *whitefly.*

motsen 〈ov.ww.〉 **0.1** *crop* ⇒*dock* 〈staart〉.

motteballenvloot 〈de〉 **0.1** *mothball fleet.*

mottekruid 〈het〉 **0.1** *moth mullein.*

motten 〈ww.〉〈inf.,gew.〉 **0.1** ↑*must/have to (do sth.)* ⇒*want, need* ◆ **4.1** wat mot je van me? *whadd'you want (from me)?.*

motte(n)bal 〈de (m.)〉 **0.1** *mothball* ⇒*camphor ball* ◆ **6.1** iets in de ~len doen *mothball sth., put sth. in mothballs, camphorate sth.;* 〈fig.〉 een vloot/schip in de ~len leggen *mothball a fleet/ship;* 〈fig.〉 iets uit de ~len halen *take sth. out of mothballs.*

mottenzak 〈de (m.)〉 **0.1** *mothproof bag.*

motterig 〈bn.〉 **0.1** *drizzly* ⇒*mizzly.*

mottig 〈bn.〉 **0.1** [mistig] *misty* ⇒*damp, mizzly* **0.2** [door de mot beschadigd] *moth-eaten, mothy* ⇒*mothed.*

motto 〈het〉 **0.1** *motto* ⇒*device,* 〈vnl. pol.〉 *slogan, catchword, watchword, legend* 〈op munt/medaille〉, *lemma* 〈bv. bij foto〉 ◆ **6.1** 〈fig.〉 onder het ~ van *on the pretext of, on the principle that;* brieven **onder** het ~ ...*letters marked* ...**8.1** als ~ dienen *serve as a m..*

motvrij 〈bn.,bw.〉 **0.1** *mothproof* ◆ **3.1** iets ~ bewaren *keep sth. mothproof/free of moth;* ~ maken *mothproof.*

mouche 〈de〉 **0.1** *beauty spot* ⇒*patch.*

mouilleren 〈ov.ww.〉〈taal.〉 **0.1** *palatalize.*

mouilleringstheorie 〈de (v.)〉〈taal.〉 **0.1** *palatalization theory.*

moulage 〈de (v.)〉 **0.1** *moulding.*

mouliné, moulinetgaren 〈het〉 **0.1** *stranded threads.*

mousse 〈de〉 **0.1** *mousse.*

mousseline 〈het, de〉 **0.1** 〈katoen〉 *muslin;* 〈fijn;vnl. zijde of wol〉 *mousseline.*

mousselinen 〈bn.〉 **0.1** 〈katoenen〉 *muslin;* 〈van zijde/wol〉 *mousseline.*

mousselinesaus 〈de〉 **0.1** *mousseline (sauce).*

mousseren 〈onov.ww.〉 **0.1** *sparkle* ⇒〈inf.〉 *fizz, effervesce* ◆ **1.1** ~de dranken *fizzy drinks;* ~de en niet ~de wijnen *sparkling/bubbly and still/non-sparkling wines.*

mout 〈het, de (m.)〉 **0.1** *malt.*

moutbrood 〈het〉 **0.1** *malt bread.*

mouten 〈onov.ww.〉 **0.1** *malt, make malt.*

mouter 〈de (m.)〉 **0.1** *maltster.*

mouterij 〈de (v.)〉 **0.1** [het mouten] *malting, malt-making* **0.2** [plaats] *malt-house, malting (plant).*

moutextract 〈het〉 **0.1** *malt extract.*

moutjenever 〈de (m.)〉 **0.1** *malt gin.*

moutkoffie 〈de (m.)〉 **0.1** *coffee substitute made from barley malt.*

moutkuip 〈de〉 **0.1** *malt-steep.*

moutmeel 〈het〉 **0.1** *malt flour.*

moutsuiker 〈de (m.)〉 **0.1** *malt sugar* ⇒〈schei.〉 *maltose.*

moutvloer 〈de (m.)〉 **0.1** *malt(ing)-floor.*

moutwijn 〈de (m.)〉 **0.1** *malt spirit.*

mouw 〈de〉 **0.1** [mbt. een kledingstuk] *sleeve* **0.2** [holronde bak] *trough* ⇒*hod* 〈voor bakstenen/specie〉 ◆ **2.1** ingezette ~en *set-in sleeves;* wijde/lange ~en *wide/full/long sleeves* **3.1** de ~en opstropen *roll up one's sleeves* **6.1** 〈fig.〉 iem. **aan** zijn ~ trekken *pull s.o.'s s., pull s.o. by the s.;* 〈fig.〉 ergens een ~ **aan** weten te passen *find a way round sth., find a way out, manage to do sth.;* 〈fig.〉 iem. iets **op** de ~ spelden *tell s.o. tales, gull s.o.;* 〈inf.〉 *kid s.o.;* 〈fig.〉 iets **uit** zijn ~ schudden *toss sth. off, throw/dash sth. off.*

mouwband 〈de (m.)〉 **0.1** *armband.*

mouwgat 〈het〉 **0.1** *armhole.*

mouwloos 〈bn.〉 **0.1** *sleeveless.*

mouwplank 〈de〉 **0.1** *sleeveboard.*

mouwschort 〈het, de〉 **0.1** *sleeved apron.*

mouwslab 〈de〉 **0.1** *bib with sleeves.*

mouwstreep 〈de〉〈mil.〉 **0.1** *stripe.*

mouwvest 〈het〉 **0.1** *cardigan.*

moven 〈ww.〉〈inf.〉 **0.1** *move off* ⇒*get out, beat it.*

moveren 〈ov.ww.〉〈schr.〉 **0.1** [tot iets bewegen] *move* ⇒*motivate* **0.2** [voorstellen] *move* ⇒*put forward, raise* 〈zaak, kwestie〉, *broach* 〈onderwerp〉 ◆ **1.1** om hem ~de redenen *for reasons of his own.*

moyenne 〈het〉 **0.1** *mean* ⇒*average score.*

mozaïek 〈het〉 **0.1** [ingelegde stukjes] *mosaic* **0.2** [〈fig.〉 samenstel] *mosaic* **0.3** [mbt. televisie] *mosaic* ◆ **6.1** met ~en versierd *mosaic, tesselated.*

mozaïekblokje 〈het〉 **0.1** *tessera* ⇒*tessella.*

mozaïekvloer 〈de (m.)〉 **0.1** *mosaic floor.*

mozaïekwerk 〈het〉 **0.1** *mosaic (work).*

Mozaïsch 〈bn.〉 **0.1** *Mosaic(al)* ◆ **1.1** de ~e wet *Mosaic Law.*

Mozambikaan 〈de (m.)〉, **-se** 〈de (v.)〉 **0.1** *Mozambican.*

Mozambikaans 〈bn.〉 **0.1** *Mozambican.*

Mozambique 〈het〉 **0.1** *Mozambique.*

Mozes **0.1** *Moses.*

M.P. 〈afk.〉 **0.1** [mijlpaal] *(milestone)* **0.2** [Militaire Politie] *M.P..*

Mr. 〈afk.〉 **0.1** [meester] ≠*LL.M* 〈achter de naam〉 **0.2** [monsieur] *M.* **0.3** [mister] *Mr..*

Mrs. 〈afk.〉 **0.1** [mistress] *Mrs.* **0.2** [messieurs] *MM.*

ms 〈afk.〉 **0.1** [manuscript] *MS, ms* **0.2** [motorschip] *M.V.;MS (motor ship).*

M.S. 〈afk.〉
I 〈de〉 **0.1** [multiple sclerose] *M.S.;*
II 〈het〉 **0.1** [metrieke stelsel] *(metric system).*

m.s.p.o. 〈de (v.)〉〈afk.〉 **0.1** [middelbaar sociaal-pedagogische opleiding] 〈*diploma course in social-educational work*〉 ⇒≠ᴮ*Dip. Soc. Ed..*

MTS 〈afk.〉 **0.1** [middelbare technische school] 〈*(Dutch) intermediat technical school*〉.

mud 〈het, de〉 **0.1** *hectolitre* ⇒〈inf.〉 ≠*sack* 〈aardappels, kolen〉.

mudvol 〈bn.〉 **0.1** *cramfull* ⇒*jam-packed, jam-full, chock-full.*

muesli 〈de (m.)〉 **0.1** *muesli.*

muf 〈bn.〉 **0.1** [onfris] *musty, stale* ⇒*mouldy, fusty, stuffy, fuggy* 〈kamer〉 **0.2** [saai] *stuffy* ⇒*dull* ◆ **1.1** een ~fe lucht *a stale/mouldy smell* **1.2** een ~fe boel *a dull affair, a bore, a yawn* **3.1** het ruikt hier ~ *it smells mouldy (in) here.*

muffig 〈bn.〉 **0.1** *rather/somewhat musty/stale/stuffy/fuggy.*

muffigheid 〈de (v.)〉 **0.1** [mbt. lucht] *mustiness, stuffiness* **0.2** [mbt. smaak] *mouldiness.*

mug 〈de〉 **0.1** [insekt] *mosquito* ⇒〈klein〉 *gnat, midge* **0.2** [nietig persoon] *midge, insect* ◆ **3.1** 〈fig.〉 met een kanon op een ~ schieten *crack/break a (wal)nut with a sledgehammer, take a sledgehammer to crack/break a (wal)nut* **¶1.1** 〈fig.〉 v.e. ~ een olifant maken *make a mountain (out) of a molehill.*

muggebeet 〈de (m.)〉 **0.1** [steek] *mosquito/gnat bite* **0.2** [bult] *mosquito/gnat bite.*

muggebult 〈de (m.)〉 **0.1** *mosquito bite.*

muggendoek 〈het〉 **0.1** *mosquito net(ting), gauze.*

muggengordijn 〈het, de〉 **0.1** *mosquito net/curtain.*

muggennet 〈het〉 **0.1** *mosquito net.*

muggenolie 〈de〉 **0.1** *insect lotion* ⇒*citronella.*

muggeorchis 〈de〉 **0.1** *Gymnadenia* ◆ **2.1** grote ~ *fragrant orchid.*

muggesteek 〈de (m.)〉 **0.1** *mosquito/gnat bite.*

muggeziften 〈onov.ww.〉 **0.1** *niggle* ⇒*split hairs, strain at a/every gnat,* 〈inf.〉 *nitpick, pettifog,* 〈AE;sl.〉 *kvetch.*

muggezifter 〈de (m.)〉 **0.1** *niggler* ⇒*hairsplitter, faultfinder,* 〈inf.〉 *nit-picker, pettifogger.*

muggezifterig 〈bn.〉 **0.1** *nitpicking* ⇒*niggling, hairsplitting, faultfinding, carping.*

muggezifterij ⟨de (v.)⟩ **0.1** *niggling* ⇒*hairsplitting, faultfinding,* ⟨inf.⟩ *nitpicking, pettifogging.*

mui ⟨de⟩ **0.1** *channel* ⇒*gully.*

muil
 I ⟨de (m.)⟩ **0.1** [bek] *mouth* ⇒*muzzle, jaws,* ⟨zachte snuit⟩ *chops* **0.2** [mond] *trap* ⇒*gob, gullet* ◆ **3.1** de leeuw sperde zijn~wijd open *the lion opened his jaws wide* **6.2** iem. een klap **op/voor** zijn~geven *punch s.o. in the face;*
 II ⟨de⟩ **0.1** [schoeisel] *mule* ⇒*slipper, scuff* ◆ **2.1** Zweedse~*clog.*

muilband ⟨de (m.)⟩ **0.1** *muzzle* ◆ **3.1** (fig.) iem. een~aandoen *m. / gag s.o..*

muilbanden ⟨ov.ww.⟩ **0.1** [muilkorven] *muzzle* **0.2** [de mond snoeren] *muzzle* ⇒*gag.*

muildier ⟨het⟩ **0.1** *mule.*

muilezel ⟨de (m.)⟩ **0.1** *hinny* ⇒⟨AE ook; sl.⟩ *jughead.*

muilezeldrijver ⟨de (m.)⟩ **0.1** *muleteer, mule driver,* ^*muleskinner.*

muilkorf ⟨de (m.)⟩ **0.1** *muzzle.*

muilkorven ⟨ov.ww.⟩ **0.1** [muilbanden] *muzzle* **0.2** [de mond snoeren] *muzzle* ⇒*gag.*

muilpeer ⟨de⟩ **0.1** *clout* ⇒*slap in the face.*

muiltje ⟨het⟩ **0.1** *mule* ⇒*slipper* ◆ **2.1** het glazen~van Assepoester *Cinderella's glass slipper.*

muis ⟨de⟩ **0.1** [knaagdier] *mouse* **0.2** [duimspier] *ball* **0.3** ⟨⟨mv.⟩ schimmen] *pink elephants* **0.4** [aardappel] *kidney* **0.5** [spiervlees] *round piece of silverside* **0.6** [meisje] *mouse* ◆ **1.2** de~v.d. hand *ball of the thumb / hand;* ⟨wet.⟩ *thenar (eminence)* **3.1** muizen vangen *mouse, catch mice;* ⟨fig.⟩ de~zit in de val *the rat is cornered* **8.1** zo stil als een~*quiet as a mouse.*

muisachtigen ⟨zn.mv.⟩ **0.1** ⟨wet.⟩ *Myomorpha.*

muisgrijs[1] ⟨het⟩ **0.1** *(mouse-)dun* ⇒*mouse-grey* ^*gray.*

muisgrijs[2] ⟨bn.⟩ **0.1** *dun(-coloured)* ⇒*mouse-coloured, mous(e)y.*

muisje ⟨het⟩ **0.1** [kleine muis] *little mouse* **0.2** [⟨mv.⟩ aniseed comfits* ◆ **3.1** ⟨fig.⟩ ik heb er een~van horen piepen *a little bird told me;* er komt een~aangelopen ≠*this little piggy went to market* **6.2** beschuit met~*rusk with a. c.* ¶.**1** ⟨fig.⟩ dat~zal een staartje hebben *this won't be the end of it, this won't stop here.*

muiskleurig ⟨bn.⟩ **0.1** *dun(-coloured)* ⇒*mouse-coloured, mous(e)y.*

muisstil ⟨bn.⟩ **0.1** *still/quiet as a mouse.*

muiten ⟨onov.ww.⟩ **0.1** *mutiny* ⇒*rebel* ◆ **6.1 aan** het~slaan *(rise in) mutiny;* de bemanning was **aan** het~*the crew was mutinying* ¶.**1** ~d *mutinous, rebellious.*

muiter ⟨de (m.)⟩ **0.1** *mutineer* ⇒*rebel.*

muiterij ⟨de (v.)⟩ **0.1** [rebellie] *mutiny* ⇒*rebellion* **0.2** [⟨jur.⟩] *mutiny* ◆ **3.1** er brak~uit *a mutiny broke out;* ~begon *mutiny.*

muizebeetje ⟨het⟩ **0.1** *toothful* ⟨vnl. mbt. drupje drank⟩; *smattering* ⟨mbt. kennis⟩.

muizegaatje ⟨het⟩ **0.1** *mouse hole.*

muizegerst ⟨de⟩ **0.1** *wall barley.*

muizegezichtje ⟨het⟩ **0.1** *mousy face.*

muizehaver ⟨de⟩ **0.1** *mouse poison/killer.*

muizehol ⟨het⟩ **0.1** *mouse hole.*

muizekeutel ⟨het⟩ **0.1** *mouse-droppings.*

muizen ⟨onov.ww.⟩⟨→sprw. 329,437⟩ **0.1** [muizen vangen] *mouse* ⇒ *catch mice* **0.2** [smikkelen] *tuck away/in* ⇒*dig in* ◆ **5.**¶ ⟨AZN⟩ ervandoor/eruit~*slip away/off, slope off.*

muizenest ⟨het⟩ **0.1** [nest] *mouse nest* **0.2** [muizenis] *care* ⇒*worry, bother(ation).*

muizengif ⟨het⟩ **0.1** *mouse poison/killer.*

muizenis ⟨de (v.)⟩ **0.1** *trouble* ⇒*care, worry, bother(ation)* ◆ **3.1** ~sen in het hoofd hebben *have a lot on one's mind.*

muizentarwe ⟨de⟩ **0.1** *mouse poison/killer.*

muizenvalk ⟨de (m.)⟩ **0.1** [buizerd] *buzzard* **0.2** [torenvalk] *kestrel, windhover.*

muizenvanger ⟨de (m.)⟩ **0.1** *mouser.*

muizeoor ⟨het⟩⟨plantk.⟩ **0.1** *mouse-ear hawkweed.*

muizestaart ⟨de (m.)⟩ **0.1** [staart (als) v.e. muis] *mouse tail* **0.2** [⟨plantk.⟩] *mouse tail* **0.3** [oerinsekt] *springtail;* ⟨wet.⟩ *sminthurid.*

muizetrapje ⟨het⟩ **0.1** ≠*twisted paperchain.*

muizeval ⟨de⟩ **0.1** *mousetrap.*

mul[1]
 I ⟨de (m.)⟩ **0.1** [vis] *red mullet* ⇒*surmullet;*
 II ⟨het, de⟩ **0.1** [fijne aarde] *dust* **0.2** [turfmolm] *mull* ⇒⟨grof⟩ *peat dust;*
 III ⟨het⟩ **0.1** [weefsel] *mull.*

mul[2] ⟨bn.⟩ **0.1** [rul] *loose* **0.2** [zanderig] *sandy* ◆ **1.1** ~zand *shifting sand* **1.2** een~le weg *a s. / gritty road.*

mulat ⟨de (m.)⟩, **-tin** ⟨de (v.)⟩ **0.1** *mulatto* ⇒⟨v. ook⟩ *mulatress.*

mulder ⟨de (m.)⟩ **0.1** *miller.*

mulflora ⟨de⟩ **0.1** *forest flora/annuals.*

mulgrond ⟨de (m.)⟩ **0.1** *mull* ⇒*mould,* ^*mold.*

MULO ⟨het⟩ ⟨afk.⟩ ⟨gesch.⟩ **0.1** [meer uitgebreid lager onderwijs] ⟨*advanced elementary education*⟩.

multicultureel ⟨bn.⟩ **0.1** *pluralist(ic)* ⇒*multiracial, mixed, multicultural.*

---

multidisciplinair ⟨bn.⟩ **0.1** *multidisciplinary.*

multifunctioneel ⟨bn.⟩ **0.1** *multifunctional* ◆ **1.1** een~wijkcentrum *a m. community centre.*

multilateraal ⟨bn.⟩ **0.1** *multilateral* ◆ **1.1** een multilaterale overeenkomst *a m. agreement/pact;* multilaterale strijdmacht *m. forces.*

multimediaal ⟨bn.⟩ **0.1** *multimedia.*

multimiljonair ⟨de (m.)⟩ **0.1** *multimillionaire.*

multinationaal ⟨bn.⟩ **0.1** *multinational* ◆ **1.1** multinationale concerns *multinationals.*

multipara ⟨de (v.)⟩ ⟨med.⟩ **0.1** *multipara.*

multipel[1] ⟨de (m.)⟩ **0.1** *multiple.*

multipel[2] ⟨bn.⟩ **0.1** *multiple* ◆ **1.1** ⟨com.⟩ ~e telefoons *m. telephones.*

multiple ⟨bn.⟩ **0.1** *multiple* ⇒*multiform* ◆ ¶.**1** ⟨med.⟩ ~sclerose *multiple sclerosis;* ~choice test/vraag *multiple choice test/question, multi-choice test/question.*

multiplex ⟨het⟩ **0.1** [hout] *multiply* ⇒*five-ply, plywood, bonded wood* **0.2** [⟨com.⟩] *multiplex (system).*

multiplexsysteem ⟨het⟩ **0.1** *multiplex system.*

multiplicatie ⟨de (v.)⟩ **0.1** *multiplication.*

multiplicator ⟨de (m.)⟩ **0.1** [⟨wisk.⟩] *multiplier* **0.2** [toestel om adressen te drukken] *multiplier* **0.3** [⟨foto.⟩] *multiplier* **0.4** [⟨elektr.⟩] *multiplier* **0.5** [⟨ec.⟩] *multiplier.*

multipliceren ⟨ov.ww.⟩ **0.1** *multiply.*

multiraciaal ⟨bn.⟩ **0.1** *multiracial.*

multitest ⟨de (m.)⟩ **0.1** *extensive test.*

multivariaal ⟨bn.⟩ ⟨stat.⟩ **0.1** *multivariate.*

multoblaadje ⟨het⟩ ⟨handelsmerk⟩ **0.1** *17-(23-)hole sheet.*

multomap ⟨de⟩ **0.1** *ring binder* ⇒⟨AE ook⟩ *cahier.*

mum ⟨het⟩ ⟨inf.⟩ **0.1** ◆ **6.**¶ **in** een~(van tijd) *in no time, in a jif(fy)/wink/trice, in two ticks.*

mummelen ⟨onov.ww.⟩ **0.1** [mompelen] *mumble* ⇒*mutter* **0.2** [kauwen] *mumble* ◆ **5.1** binnensmonds~*mutter under one's breath.*

mummelmond ⟨de (m.)⟩ **0.1** *toothless mouth.*

mummie ⟨de (v.)⟩ **0.1** *mummy.*

mummiekist ⟨de⟩ **0.1** *sarcophagus.*

mummificatie ⟨de (v.)⟩ **0.1** [mbt. een lijk] *mummification* **0.2** [mbt. weefsel] *mummification.*

mummificeren
 I ⟨onov.ww.⟩ **0.1** [mbt. een lijk] *mummify* **0.2** [mbt. weefsel] *mummify;*
 II ⟨ov.ww.⟩ **0.1** [mbt. een lijk] *mummify.*

München ⟨het⟩ **0.1** *Munich.*

municipaal ⟨bn.⟩ **0.1** *municipal* ⇒*civic.*

municipaliteit ⟨de (v.)⟩ **0.1** [gemeentebestuur] *municipality* **0.2** [gemeente] *municipality* **0.3** [gemeentehuis] *municipal offices.*

munitie ⟨de (v.)⟩ **0.1** *(am)munition* ⇒⟨inf.⟩ *ammo* ◆ **2.1** scherpe~*live ammunition/cartridges* **3.1** van~voorzien *munition.*

munitiedepot ⟨het⟩ **0.1** *munition depot* ⇒*arsenal, magazine,* ⟨tijdelijk⟩ *munition dump.*

munitiefabriek ⟨de (v.)⟩ **0.1** *(am)munition works/factory.*

munitiekist ⟨de⟩ **0.1** *(am)munition chest* ⇒*caisson.*

munster ⟨het⟩ **0.1** [kloosterkerk] *minster* **0.2** [domkerk] *minster.*

munsterkerk ⟨de⟩ **0.1** *minster.*

munt ⟨de⟩ **0.1** [geldstuk] *coin* **0.2** [penning voor automaten] *token* **0.3** [stempel op een munt] *mintage* **0.4** [plaats waar gemunt wordt] *mint* **0.5** [⟨plantk.⟩] *mint* ◆ **2.1** ⟨fig.⟩ iem. met gelijke~terugbetalen *pay s.o. back in his own/the same c., give as good as one gets, (re)pay s.o. in kind, serve with the same sauce;* gouden~en *gold coins;* ⟨inf.⟩ klinkende~*hard cash/money, real money;* valse~en *bad/false/base coins;* ⟨sl.⟩ *plugs* **3.1** ~en slaan *coin, mint, strike coins;* ⟨fig.⟩ ~slaan uit iets *capitalize on/make capital out of/cash in on sth.* **6.2** ~ten **voor** de koffieautomaat *tokens for the coffee-machine* **6.**¶ **in** de~van dat land *in the currency/coinage/money of that country.*

muntautomaat ⟨de (m.)⟩ **0.1** ⟨telefoon⟩ *coin-box;* ⟨wasautomaat e.d.⟩ *coin-op.*

muntbiljet ⟨het⟩ **0.1** *bank note* ◆ **6.1** ~ten **van** vijf gulden *five guilder notes.*

muntcollege ⟨het⟩ **0.1** *(supervisory board of the) Mint.*

munteenheid ⟨de (v.)⟩ **0.1** *monetary unit* ⇒*currency unit.*

munten ⟨ov.ww.⟩ **0.1** *mint* ⇒*coin, strike coins* ◆ **1.1** gemunt metaal/geld *specie* **6.**¶ ⟨fig.⟩ het **op** iem. gemunt hebben *have it in for s.o., be down on s.o., be out for s.o.'s blood;* zij hebben het **op** mijn leven gemunt *they're after my life.*

muntenkabinet ⟨het⟩ **0.1** [verzameling] *coin collection* **0.2** [bewaarplaats] *coin cabinet.*

munt- en penningkunde ⟨de (v.)⟩ **0.1** *numismatics.*

munter ⟨de (m.)⟩ **0.1** *minter* ⇒*coiner.*

munterij ⟨de (v.)⟩ **0.1** [het munten] *coinage* **0.2** [werkplaats] *mint.*

muntgas ⟨het⟩ **0.1** *slotmeter gas.*

muntgehalte ⟨het⟩ **0.1** *fineness/standard of coinage.*

muntgeld ⟨het⟩ **0.1** *coin(s)* ⇒*(ready) cash.*

munthervorming ⟨de (v.)⟩ **0.1** *currency reform.*

muntinworp ⟨de (m.)⟩ **0.1** *insertion of coins* ◆ **6.1** na~wachten tot ... *insert money and wait until ....*

muntje ⟨het⟩ **0.1** *coin* ⇒*piece*, [B]*bit*, ⟨van koper⟩ *copper*, ⟨voor automaat⟩ *token*.

muntmeester ⟨de (m.)⟩ **0.1** *Master of the Mint, mintmaster*.

muntmetaal ⟨het⟩ **0.1** *bullion*.

muntmeter ⟨de (m.)⟩ **0.1** *slot-meter*.

muntpariteit ⟨de (v.)⟩ **0.1** *mint par (rate)* ⇒*mint par of exchange, par rate (of exchange)*.

muntrecht ⟨het⟩ **0.1** *coinage/mintage right(s)* ⇒*right(s) of coinage/ mintage, privilege of a mint*.

muntslag ⟨de (m.)⟩ **0.1** [het slaan] *mintage* ⇒*coinage* **0.2** [manier van slaan] *impression*.

muntslang ⟨de⟩ ⟨geldw.⟩ **0.1** *snake*.

muntslot ⟨het⟩ **0.1** *coin-operated lock* ⇒*coin-box lock*.

muntsoort ⟨de⟩ **0.1** *currency* ⇒*valuta*.

muntsorteerder ⟨de (m.)⟩ **0.1** *coin-sorter* ⇒*coin sorting machine*.

muntspecie ⟨de (v.)⟩ **0.1** *specie* ⇒*coins*.

muntstelsel ⟨het⟩ **0.1** *monetary system* ⇒*(system of) coinage/currency*.

muntstempel
I ⟨het, de (m.)⟩ **0.1** [reliëf] *type* ⇒*stamp, impression, mintage, punch*;
II ⟨de (m.)⟩ **0.1** [matrijs] *die*.

muntstuk ⟨het⟩ **0.1** *coin*.

muntteken ⟨het⟩ **0.1** *mintage* ⇒*mintmark*.

munt(telefoon)toestel ⟨het⟩ **0.1** *pay (tele)phone* ⇒*coin-box*.

muntverzamelaar ⟨de (m.)⟩ **0.1** *coin collector* ⇒ [↑] *numismatist*.

muntvoet ⟨de (m.)⟩ **0.1** *standard (of coinage)* ⇒*monetary standard*.

muntwet ⟨de⟩ **0.1** *currency/coinage act/law* ⇒⟨mv. ook⟩ *currency regulations*.

muntwezen ⟨het⟩ **0.1** *currency/monetary system* ⇒*(system of) coinage/ currency*.

muntzijde ⟨de⟩ **0.1** *tail*.

muon ⟨het⟩ ⟨nat.⟩ **0.1** *muon*.

murmelen
I ⟨onov.ww.⟩ **0.1** [mbt. een beekje] *gurgle* ⇒*guggle, purl, babble*;
II ⟨onov., ov.ww.⟩ **0.1** [mompelen] *murmur* ⇒*mumble, mouth*.

murmureren ⟨onov.ww.⟩ **0.1** *murmur* ⇒*grumble*.

murw ⟨bn.⟩ **0.1** *tender* ⇒*soft, pulpy, mellow* ◆ **3.1** het vlees ~ maken *tenderize the meat, make the meat tender*; ⟨fig.⟩ iem. ~ maken *break s.o.'s spirit, bring s.o. to his knees*; iem. ~ slaan *beat s.o. into a pulp/ jelly, beat/knock s.o. silly/senseless*; die peer wordt ~ *that pear is going soft*.

mus ⟨de⟩ **0.1** *sparrow* ◆ **2.1** ⟨fig.⟩ iem. blij maken met een dode ~ *fob s.o. off (with sth.)* **3.1** de ~ sen vallen (v.d. hitte) v.h. dak *it's a real scorcher, it's like an oven*.

musculair ⟨bn.⟩ **0.1** *muscular*.

musculatuur ⟨de (v.)⟩ **0.1** *musculature*.

museaal ⟨bn., bw.⟩ **0.1** *museological*.

musette ⟨de⟩ **0.1** *accordion*.

museum ⟨het⟩ **0.1** *museum* ◆ **6.1** ~ voor natuurlijke historie/voor beeldende kunst *natural history museum*.

museumbeheerder ⟨de (m.)⟩ **0.1** *curator*.

museumbezoeker ⟨de (m.)⟩ **0.1** *museum-/gallery-goer*.

museumconservator ⟨de (m.)⟩ **0.1** *conservator*.

museumstuk ⟨het⟩ **0.1** [voorwerp in een museum] *museum piece* **0.2** [voorwerp dat een museumplaats waard is] *museum piece* **0.3** [⟨scherts.⟩] *museum piece*.

museumzaal ⟨de⟩ **0.1** *gallery*.

musicassette →*muziekcassette*.

musiceren ⟨onov.ww.⟩ **0.1** *make music* ◆ **¶.1** er werd daar nooit gemusiceerd *there was never any music there, they never played music there*.

musicienne ⟨de (v.)⟩ **0.1** *musician*.

musicologie ⟨de (v.)⟩ **0.1** *musicology*.

musicoloog ⟨de (m.)⟩ **0.1** *musicologist*.

musicus ⟨de (m.)⟩ **0.1** *musician*.

musivisch ⟨bn.⟩ **0.1** *mosaic*.

muskaat
I ⟨de (m.)⟩ **0.1** [wijn] *muscat* ⇒*muscatel, muscadel*, ⟨AE ook⟩ *scuppernong*;
II ⟨de⟩ **0.1** [specerij] *nutmeg*.

muskaatdruif ⟨de⟩ **0.1** *muscadine* ⇒*muscat*, ⟨AE ook⟩ *scuppernong*.

muskaatnoot ⟨de⟩ **0.1** *nutmeg (apple)*.

muskaat(note)olie ⟨de⟩ **0.1** *nutmeg oil*.

muskaatwijn ⟨de (m.)⟩ **0.1** *muscat* ⇒*muscatel, muscadel*, ⟨AE ook⟩ *scuppernong*.

muskadel ⟨de⟩ **0.1** [druif] *muscadine* ⇒*muscat*, ⟨AE ook⟩ *scuppernong* **0.2** [wijn] *muscat* ⇒*muscatel, muscadel*, ⟨AE ook⟩ *scuppernong*.

muskadelwijn ⟨de (m.)⟩ **0.1** *muscat* ⇒*muscatel, muscadel*, ⟨AE ook⟩ *scuppernong*.

musket ⟨het⟩ **0.1** [bolletjes suiker] ≠*hundreds and thousands* **0.2** [geweer] *musket* ⇒*fusil*.

musketier ⟨de (m.)⟩ ⟨gesch.⟩ **0.1** *musketeer* ⇒*fusilier, fusileer*.

muskiet ⟨de (m.)⟩ **0.1** *mosquito*.

muskietengaas ⟨het⟩ **0.1** *mosquito net(ting)*.

muskietennet ⟨het⟩ **0.1** *mosquito net*.

muskietenplaag ⟨de⟩ **0.1** *mosquito plague* ⇒*plague of mosquitos*.

muskus ⟨de (m.)⟩ **0.1** *musk*.

muskusachtig ⟨bn.⟩ **0.1** *musky*.

muskusdier ⟨het⟩ **0.1** *musk*.

muskuseend ⟨de⟩ **0.1** *musk/Muscovy duck*.

muskushert ⟨het⟩ **0.1** *musk deer*.

muskuskruid ⟨het⟩ **0.1** *moschatel*.

muskusplantje ⟨het⟩ **0.1** *musk* ⇒*monkey flower*.

muskusrat ⟨de⟩ **0.1** *muskrat* ⇒⟨vooral het bont ook⟩ *musquash*.

müsli ⟨de (m.)⟩ **0.1** *muesli*.

mussehagel ⟨de (m.)⟩ **0.1** *dust shot*.

mustang ⟨de (m.)⟩ **0.1** *mustang*.

mutabel ⟨bn.⟩ **0.1** *mutabel* ⇒*changeable, variable*.

mutabiliteit ⟨de (v.)⟩ **0.1** *mutability* ⇒*changeability, variability*.

mutageen[1] ⟨het⟩ ⟨biol.⟩ **0.1** *mutagen*.

mutageen[2] ⟨bn.⟩ ⟨biol.⟩ **0.1** *mutagenic*.

mutagen ⟨het⟩ ⟨schei.⟩ **0.1** *mutagen*.

mutant ⟨de (m.)⟩ **0.1** *mutant*.

mutatie ⟨de⟩ **0.1** [verandering v.e. gegeven] *mutation* ⇒*alteration*, ⟨comp.⟩ *transaction* **0.2** [(om)wisseling] *mutation* ⇒*turnover* ⟨van personeel⟩, ⟨verloop van personeel⟩ *wastage* **0.3** [⟨biol.⟩] *mutation* **0.4** [stemwisseling] *breaking of the voice* ◆ **1.2** veel ~ van personeel *considerable staff turnover/changes* **2.3** progressieve ~ *progressive m.* **3.1** ⟨mil.⟩ een ~ hebben *have at transfer*; ⟨comp.⟩ ~s verwerken *process transactions/transactional data* **3.3** een ~ vertonen *mutate, sport*.

mutatief ⟨het⟩ ⟨taal.⟩ **0.1** *mutative verb*.

mutatierecht ⟨het⟩ **0.1** *transfer duty*.

mutatietheorie ⟨de (v.)⟩ ⟨biol.⟩ **0.1** *mutation theory*.

mutatis mutandis ⟨bw.⟩ **0.1** *mutatis mutandis*.

muteren
I ⟨onov.ww.⟩ **0.1** [wijziging ondergaan] *mutate* **0.2** [mbt. stem] *break*;
II ⟨ov.ww.⟩ **0.1** [wijziging aanbrengen (in)] *mutate* ⇒*change, alter, modify* ⟨vorm, karakter⟩, ⟨grondig⟩ *transform*.

mu-thee ⟨de (m.)⟩ **0.1** *'mu' tea* ⟨type of herb tea⟩.

mutilatie ⟨de (v.)⟩ **0.1** *mutilation*.

mutileren ⟨ov.ww.⟩ **0.1** *mutilate* ⇒*main, mangle, disfigure, cripple*.

mutisme ⟨het⟩ **0.1** *mutism* ⟨ook psych.⟩.

muts ⟨de⟩ **0.1** [hoofddeksel] *hat* ⇒*cap, bonnet*, ⟨baret⟩ *beret* **0.2** [mbt. klederdracht] *bonnet* **0.3** [netmaag] *reticulum* ⇒*honeycomb* **0.4** [theemuts] *tea cosy* **0.5** [schoorsteenkap] *bonnet* ⇒*hood* ◆ **2.1** een wollen ~ *a woollen h.* **2.2** een Brabantse/Friese ~ *a Brabantian/Frisian bonnet* **3.1** ⟨fig.⟩ de ~ staat hem niet goed, zijn ~ staat (hem) verkeerd/verdraaid *he got out of bed on the wrong side this morning*.

mutsaard ⟨de (m.)⟩ **0.1** *faggot* ◆ **¶.¶** dat riekt naar de ~ *that smells of heresy*.

mutualisme ⟨het⟩ **0.1** [⟨ec.⟩] *mutualism* **0.2** [⟨plantk.⟩] *mutualism* ⇒*symbiosis*.

mutualiteit ⟨de (v.)⟩ **0.1** [wederkerigheid] *mutuality* ⇒*reciprocity* **0.2** [⟨AZN⟩ ziekenfonds] ≠[B]*National Health Service*, ≠ [A]*Medicare*.

mutueel ⟨bn., bw.; -ly⟩ **0.1** *mutual* ⇒*reciprocal*.

muur ⟨→sprw. 438⟩
I ⟨de (m.)⟩ **0.1** [metselwerk] *wall* **0.2** [wand] *wall* **0.3** [⟨sport⟩] *wall* ◆ **2.1** de Berlijnse Muur *The Berlin Wall*; een blinde ~ *blank w.*; de Chinese Muur *The Great Wall of China*; een dragende ~ *a supporting w.*; een gemene/gemeenschappelijke ~ *a party w.*; zo vast als een ~ *as solid/steady as a rock* **3.1** de muren komen op mij af *the walls are closing in on me*; ⟨fig.⟩ op een ~ van onbegrip stuiten *be met by a w. of complete/blank incomprehension* **3.3** een ~tje vormen/opstellen *make/line up a w.* **6.1** iem. tegen de ~ zetten *stand s.o. up against the w.*; iem. met de rug tegen de ~ zetten ⟨fig.⟩ *put s.o. up against the w.*, *corner s.o.*; ⟨fig.⟩ tussen vier muren zitten *be behind bars* **6.2** ⟨inf.⟩ uit de ~ eten, iets uit de ~ trekken *eat/get some fast food*; een schilderij van de ~ halen *unhang a painting* **¶.1** ⟨fig.⟩ de muren hebben hier oren *the walls have ears here*;
II ⟨de⟩ **0.1** [plant] *chickweed*.

muurafdekking ⟨de (v.)⟩ **0.1** *coping* ⇒*top course*.

muuranker ⟨het⟩ **0.1** *wall clamp* ⇒⟨tussen muur en vloer⟩ *(wall/beam) anchor*.

muurbloem ⟨het⟩ **0.1** *wallflower*.

muurbloempje ⟨het⟩ ⟨scherts.⟩ **0.1** *wallflower*.

muurhaak ⟨de (m.)⟩ **0.1** *wall hook*.

muurkalk ⟨de (m.)⟩ **0.1** *plaster*.

muurkanker ⟨de (m.)⟩ **0.1** *efflorescence (on walls)*.

muurkluis ⟨de⟩ **0.1** *wall safe*.

muurkrant ⟨de⟩ **0.1** *poster* ⇒*bill, placard*.

muurlamp ⟨de⟩ **0.1** *sconce, pin-up lamp*.

muurleeuwebek ⟨de (m.)⟩ **0.1** *mother-of-thousands/millions* ⇒*Kenilworth ivy, ivy-leaved toadflax*.

muurnachtegaal ⟨de (m.)⟩ **0.1** *redstart* ⇒*redtail*.

muurpeper ⟨de (m.)⟩ **0.1** *stonecrop* ⇒*wallpepper, sedum*.

muurpijler ⟨de (m.)⟩ **0.1** *pilaster*.

muurreclame ⟨de⟩ **0.1** *(wall) advertisements*.

muursafe ⟨de (m.)⟩ **0.1** *wall safe*.
muurschakelaar ⟨de (m.)⟩ **0.1** *wall-mounted switch*.
muurschildering ⟨de (v.)⟩⟨bk.⟩ **0.1** *mural* ⇒*wall painting, fresco*.
muurstut ⟨de (m.)⟩ **0.1** *buttress*.
muurvaren ⟨de⟩ **0.1** *wall rue (spleenwort)*.
muurvast ⟨bn., bw.; -ly⟩ **0.1** *firm* ⇒*solid, steady,* ⟨onbuigzaam⟩ *unyielding, unbending* ♦ **3.1** ~ komen te zitten *get completely stuck;* ⟨fig.⟩ die vooroordelen zitten er ~ in *those prejudices are deep-rooted / deeply rooted;* ⟨fig.⟩ de besprekingen zitten ~ *the talks have reached total deadlock*.
muurverf ⟨de⟩ **0.1** *masonry paint*.
muurverwarming ⟨de (v.)⟩ **0.1** *wall heating*.
muurvlakte ⟨de (v.)⟩ **0.1** *wall space*.
m.u.v. ⟨afk.⟩ **0.1** [met uitzondering van] ⟨*with the exception of*⟩.
muzak ⟨de (m.)⟩⟨iron.; pej.⟩ **0.1** *muzak* ⇒⟨BE ook⟩ *wallpaper music*.
muze ⟨de (v.)⟩ **0.1** [⟨myth.⟩] *muse* **0.2** [⟨mv.⟩ schone kunsten en wetenschappen] *(the) Muses* ⇒*(the) sacred Nine* **0.3** [inspiratie] *(the) muse* ♦ **2.2** de lichte ~ *light entertainment* **3.2** zich aan de muzen wijden *devote o.s. to the arts* **7.1** ⟨fig.⟩ de tiende ~ *film*.
muzelman ⟨de (m.)⟩⟨vero.⟩ **0.1** *Mussulman* ⇒⟨ongemarkeerd⟩ *Muslim, Moslem*.
muzenberg ⟨de (m.)⟩⟨myth.⟩ **0.1** *Mountain of the Muses* ⇒*Helicon, Parnassus*.
muziek ⟨de (v.)⟩ **0.1** [toonkunst] *music* **0.2** [voortbrengselen] *music* **0.3** [uitvoering, weergave] *music* **0.4** [bladmuziek] *music* **0.5** [musici] *musicians, music* **0.6** [samenklinkende geluiden] *music* ♦ **1.2** ~ van Mozart / v.d. Stones *m. by Mozart / the Stones* **1.3** op de maat v.d. ~ dansen / lopen *dance / walk in time to the m.* **2.1** lichte ~ *light m.* **2.2** oude ~ *early m.* **3.3** ~ maken *make m.;* ⟨in groepsverband improviseren⟩ *jam;* zal ik (wat) ~ opzetten? *shall I put some m. on?;* zet de ~ wat zachter *turn the m. down a little;* ⟨fig.⟩ daar zit ~ in *that sounds promising, that has potential;* ⟨fig.⟩ er zit ~ in dat meisje *that girl will go far* **6.1** onderwijs in de ~ *m. education / teaching* **6.3** het nieuwe jaar met ~ verwelkomen, met ~ afscheid nemen v.h. oude jaar *play the New Year in / out;* bal na, met ~ van ... *dance afterwards, music by ...;* op ~ dansen *dance to m.;* hij zong op de ~ / met de ~ mee *he sang along with the m.* **6.4** een tekst op ~ zetten *set a text / lyrics to m., score lyrics / a text* **6.5** ⟨scherts.⟩ hij is met de ~ mee *he's gone with the wind* **8.3** dat klinkt mij als ~ in de oren *it's m. to my ears*.
muziekalbum ⟨het⟩ **0.1** *music album*.
muziekautomaat ⟨de (m.)⟩ **0.1** *jukebox*.
muziekavondje ⟨het⟩ **0.1** *musical evening* ⇒^A*musicale*.
muziekbehang ⟨het⟩⟨inf.⟩ **0.1** *piped / canned background music* ⇒⟨pej.⟩ *muzak,* ⟨BE ook⟩ *wallpaper music*.
muziekbibliotheek ⟨de (v.)⟩ **0.1** [mbt. bladmuziek] *music library* **0.2** [mbt. boeken en platen] *music library*.
muziekblad ⟨het⟩ **0.1** [blad papier] *music sheet* **0.2** [tijdschrift] *music magazine*.
muziekcassette ⟨de⟩ **0.1** *musicassette*.
muziekconcours ⟨het⟩ **0.1** *music(al) competition* /^A*contest* ⟨solisten⟩; *band contest* ⟨fanfares⟩.
muziekcriticus ⟨de (m.)⟩, -ca ⟨de (v.)⟩ **0.1** *music critic*.
muziekdirecteur ⟨de (m.)⟩ **0.1** *musical director*.
muziekdoos ⟨de⟩ **0.1** *music(al) box*.
muziekdrama ⟨het⟩ **0.1** *music drama*.
muziekfestival, muziekfeest ⟨het⟩ **0.1** *festival of music* ⇒*music festival*.
muziekgezelschap ⟨het⟩ **0.1** *music society / club*.
muziekhandel ⟨de (m.)⟩ **0.1** *music shop*.
muziekinstrument ⟨het⟩ **0.1** *musical instrument* ♦ **3.1** een ~ bespelen *play a musical instrument*.
muziekje ⟨het⟩ **0.1** *bit of music* ⇒*little music* ♦ **3.1** een ~ opzetten *play a bit of music, play some / a little music*.
muziekkapel ⟨de⟩ **0.1** *band* ⇒^†*orchestra*.
muziekkenner ⟨de (m.)⟩ **0.1** *connoisseur of music*.
muziekkorps ⟨het⟩ **0.1** *band*.
muziekkritiek ⟨de (v.)⟩ **0.1** *music criticism*.
muziekkleer ⟨de⟩ **0.1** *theory of music*.
muziekleraar ⟨de (m.)⟩, -ares ⟨de (v.)⟩ **0.1** *music teacher* ⇒*teacher of music*.
muziekles ⟨de⟩ **0.1** *music lesson*.
muzieklessenaar ⟨de (m.)⟩ **0.1** *(music) desk*.
muziekliefhebber ⟨de (m.)⟩, -ster ⟨de (v.)⟩ **0.1** *music lover*.
muzieknoot ⟨de⟩ **0.1** *(musical) note*.
muzieknummer ⟨het⟩ **0.1** *musical item / number*.
muziekonderwijs ⟨het⟩ **0.1** *music education / teaching*.
muziekpapier ⟨het⟩ **0.1** *music paper*.
muziekpedagogiek ⟨de (v.)⟩ **0.1** *pedagogics of music*.
muziekschool ⟨de⟩ **0.1** *school of music*.
muziekschrift ⟨het⟩ **0.1** [notatie] *(musical) notation* **0.2** [schrift met notenbalken] *manuscript paper*.
muzieksleutel ⟨de (m.)⟩ **0.1** *clef*.
muziekstandaard ⟨de (m.)⟩ **0.1** *music stand*.
muziekstuk ⟨het⟩ **0.1** *piece of music* ⇒*composition*.

muziektent ⟨de⟩ **0.1** *bandstand*.
muziektherapie ⟨de (v.)⟩ **0.1** *music therapy*.
muziekuitvoering ⟨de (v.)⟩ **0.1** *musical performance* ⇒*concert*.
muziekvereniging ⟨de (v.)⟩ **0.1** *musical society / association*.
muziekvermogen ⟨het⟩ ⟨audio⟩ **0.1** *maximum output / volume*.
muziekwereld ⟨de⟩ **0.1** *world of music* ⇒*music scene*.
muziekwetenschap ⟨de (v.)⟩ **0.1** *musicology*.
muzikaal ⟨bn., bw.; -ly⟩ **0.1** [begaafd / gevoelig voor muziek] *musical* **0.2** [mbt. de muziek als kunst] *musical* **0.3** [de indruk makend van muziek] *musical* ⇒*melodious* ♦ **1.2** muzikale achtergrond *background music;* ~ behang ^B*wallpaper music, muzak;* een ~ gehoor hebben *have an ear for music;* geen ~ gehoor hebben *be tone-deaf;* ~ gevoel *feel for music, musicality;* zonder ~ gevoel *unmusical;* ⟨schr.⟩ muzikale vormgeving *m. form* **1.3** ⟨taal.⟩ ~ accent *melodious accent* **3.1** een stuk ~ voordragen *give a m. rendering of a piece*.
muzikaliteit ⟨de (v.)⟩ **0.1** [begaafdheid] *musicality* ⇒*musical talent, feel for music* **0.2** [indruk, gevoel] *musicality* ♦ **5.2** een taal vol ~ *a melodious language*.
muzikant ⟨de (m.)⟩ **0.1** [musicus] *musician* **0.2** [straatmuzikant] *street musician* ⇒⟨BE ook; inf.⟩ *busker* ♦ **2.2** rondtrekkende ~en *travelling musicians*.
muzisch ⟨bn.⟩ **0.1** *artistic* ♦ **1.1** ~e vorming *art education*.
mv. ⟨afk.⟩ **0.1** [meervoud] *pl.*.
mw. ⟨afk.⟩ **0.1** [mevrouw of mejuffrouw] *Ms.*.
MX-raket ⟨de⟩ **0.1** *MX missile / rocket*.
mycetes ⟨zn.mv.⟩ **0.1** *mycetes* ⇒*fungi*.
mycologie ⟨de (v.)⟩ **0.1** *mycology*.
myeline ⟨de (v.)⟩⟨biol.⟩ **0.1** *myelin*.
myelitis ⟨de (v.)⟩⟨med.⟩ **0.1** [ontsteking v.h. ruggemerg] *myelitis* **0.2** [ontsteking v.h. beenmerg] *myelitis*.
myocard ⟨het⟩⟨med.⟩ **0.1** *myocardium*.
myologie ⟨de (v.)⟩⟨med.⟩ **0.1** *myology*.
myoom ⟨het⟩⟨med.⟩ **0.1** *myoma*.
myopie ⟨de (v.)⟩ **0.1** *myopia* ⇒*short-sightedness*.
myositis ⟨de (v.)⟩⟨med.⟩ **0.1** *myositis*.
myriade ⟨de (v.)⟩ **0.1** [tienduizendtal] *myriad* **0.2** [menigte] *myriad* ⇒*swarm, sea, legion, host* ♦ **1.2** ~n insekten *a swarm / sea / m. of insects*.
mysterie ⟨het⟩ **0.1** [iets onbegrijpelijks] *mystery* ⇒*enigma, puzzle* **0.2** [⟨r.k.⟩] *mystery* **0.3** [⟨gesch.⟩] *mystery* **0.4** [⟨lit.⟩] *mystery* ⇒*thriller* ♦ **1.2** het ~ der H. Drieëenheid *the Mystery of the Holy Trinity* **2.1** John is voor mij een volslagen ~ *John is a complete m. / enigma to me* **2.2** de Droeve Mysteriën *the sorrowful mysteries* **3.1** een ~ onthullen / oplossen *solve a m.*.
mysteriespel ⟨het⟩⟨lit.⟩ **0.1** *mystery play*.
mysterieus ⟨bn., bw.; -ly⟩ **0.1** *mysterious* ⇒*enigmatic* ♦ **1.1** een ~ antwoord *an enigmatic answer;* een mysterieuze verdwijning *a m. disappearance* **3.1** het werd allemaal nog mysterieuzer *the mystery deepened, things became more and more m.*.
mysticisme ⟨het⟩ **0.1** *mysticism*.
mysticus ⟨de (m.)⟩, -ca ⟨de (v.)⟩ **0.1** *mystic*.
mystiek[1] ⟨de (v.)⟩ **0.1** [streven] *mysticism* **0.2** [leer] *mysticism*.
mystiek[2] ⟨bn.⟩ **0.1** [geheimzinnig] *mystic* ⇒*mysterious, mystical* **0.2** [⟨rel.⟩ mbt. de mystiek] *mystical* ⇒*mystic* ♦ **1.1** de ~e roos *the mystic rose* **1.2** een ~e ervaring *a mystical experience*.
mystieken ⟨zn.mv.⟩ **0.1** *mystics*.
mystiekerig ⟨bn.⟩ **0.1** *mystical*.
mystificatie ⟨de (v.)⟩ **0.1** *mystification, hoax* ⇒*deception, sham*.
mystificeren ⟨ov.ww.⟩ **0.1** *mystify*.
mythe ⟨de (m.)⟩ **0.1** [verhalende overlevering] *myth* **0.2** [persoon] *legend* **0.3** [fabeltje] *myth* **0.4** [ongefundeerde voorstelling] *myth* ♦ **3.2** iem. tot een ~ maken *make a l. of s.o., turn s.o. into a l.*.
mythevorming ⟨de (v.)⟩ **0.1** *mythologization* ⇒*creation of a legend*.
mythisch ⟨bn.⟩ **0.1** *mythic(al)*.
mythiseren ⟨ov.ww.⟩ **0.1** *mythologize* ⇒*make a legend of (s.o.), turn (s.o.) into a legend*.
mythograaf ⟨de (m.)⟩ **0.1** *mythographer*.
mythologie ⟨de (v.)⟩ **0.1** [verhalen] *mythology* **0.2** [studie] *mythology* **0.3** [boek] *book of mythology*.
mythologisch ⟨bn.⟩ **0.1** *mythological* ♦ **1.1** een ~ handboek *a guide to mythology*.
mythologiseren ⟨ov.ww.⟩ **0.1** →**mythiseren**.
mytholoog ⟨de (m.)⟩ **0.1** *mythologist*.
mythomanie ⟨de (v.)⟩ **0.1** *mythomania* ⇒↓*compulsive lying*.
mytylschool ⟨de⟩ **0.1** *school for physically handicapped children*.
myxomatose ⟨de (v.)⟩ **0.1** *myxomatosis*+*s*.
myxomyceten ⟨zn.mv.⟩⟨plantk.⟩ **0.1** *myxomycetes*.
m.z. ⟨afk.⟩ **0.1** [moet zijn] *for ... read ...* ♦ ¶.1 blz. 196, Holand, ~ : Holland *p. 196, for 'Holand' read 'Holland'*.

n

n¹ **0.1** *n* ♦ **1.1** x tot de macht ~*x to the nᵗʰ power.*

n² 〈de〉 **0.1** [teken, klank] *n, N* **0.2** [namen/woorden beginnend met n] *n, N.*

n. 〈afk.〉〈taal.〉 **0.1** [neutrum] *n.* **0.2** [nominatief] *n..*

'n 〈lidw.〉 **0.1** *a(n)* ♦ **1.1** wat is dat voor ~ ding? *what (on earth)'s that?;* 〈sport〉 met ~ Valke op het middenveld *with a (player like) Valke in midfield.*

N. 〈afk.〉 **0.1** [noord(en)] *N ⇒N..*

na¹ 〈bw.〉 **0.1** *near ⇒nearby, close (to)* ♦ **3.1** iem. te ~ komen 〈fig.〉 *offend s.o.,* 〈inf.〉 *tread on s.o.'s toes;* 〈fig.〉 ze zijn me allemaal even ~ *they're all equally dear to me* **3.¶** wat eten we ~? *what's for dessert!* 〈BE ook〉 *sweet!* 〈inf.〉 *afters?;* ik neem koffie ~ *I'll have coffee to finish with* **6.1** op een paar uitzonderingen ~ *with a few exceptions;* de **op** één ~ grootste/sterkste *the second biggest/strongest;* het is tien gulden **op** een kwartje ~ *it's ten guilders less 25 cents;* de **op** de jongste/oudste *the second youngest/oldest, the youngest/oldest but one;* de **op** één/twee ~ laatste *the second/third last, the last but one/two;* de grootste componist **op** B ~ *the greatest composer apart from/after/except for B;* het **op** drie ~ grootste bedrijf *the fourth-largest company* **6.¶ op** drie gulden ~ *all but three guilders;* allen **op** één ~ *all but one/except one;* ze weet **op** geen duizend gulden ~ wat ze per maand uitgeeft *she doesn't know to the nearest thousand guilders how much she spends (in) a month* **¶.¶** de goeden niet te ~ gesproken *with the exception of the good ones, the good ones excepted;* bij lange ~ niet *not nearly, not by a long way* 〈BE ook〉 *a long chalk/* 〈AE ook〉 *a long shot;* er ~ aan toe zijn 〈op het punt van〉 *be just about to (do it);* 〈behoefte〉 *badly need it;* er twee huizen op ~ houden *have/own two houses.*

na² 〈vz.〉〈→sprw. 513〉 **0.1** [achter] *after* **0.2** [later dan] *after* ♦ **1.1** bezoeker ~ bezoeker *visitor a./upon visitor;* de ene blunder ~ de andere maken *make one blunder a. the other/another, make blunder a./upon blunder;* een getal met drie cijfers ~ de komma *a figure with three decimals/decimal places* **1.2** ~ aankomst *a. arrival;* ~ afloop *at the end;* ~ Christus (geboorte) *a. Christ;* 〈met jaartallen〉 *A.D.;* twee maanden ~ dato *two months later/late;* minder dan een maand ~ hun huwelijk/komst/vertrek *less than a month a./within a month of their wedding/arrival/departure;* ~ verloop van tijd *in due course, eventually* **4.1** ~ elkaar *one a. the other;* ~ u! *a. you!* **7.2** ~ drie uur is de winkel gesloten *the shop closes at three, the shop closes at three.*

n.a. 〈afk.〉 **0.1** [niet aanwezig] 〈absent〉 **0.2** [non actief] 〈non-active〉.

naad 〈de (m.)〉 **0.1** [mbt. een stof] *seam* **0.2** [mbt. planken] *seam ⇒joint* **0.3** [voeg] *joint* 〈ook lassen〉; 〈lassen ook〉 *seam, weld;* 〈schedel,

wond〉 *suture* ♦ **2.1** een platte/gestikte ~ *a flat-fell s.* **2.3** een gesoldeerde ~ *a soldered joint* **3.1** de ~ gladstrijken *iron the s.;* de ~ is/raakt los *the s. has come/is coming apart;* een ~ lostornen *unpick a s.;* de ~ trekt aan de achterkant *the s. is puckering at the back* **3.2** door de droogte gaan de naden open *the seams/joints are opening up with the dry weather;* de naden werken *the seams/joints are opening up* **6.1** nylonkousen met ~ *seamed stockings;* kousen zonder ~ *seamless stockings* **6.¶** zich **uit** de ~ lopen/werken *work o.s. to death, walk one's legs off, walk/work like mad/* 〈AE ook〉 *crazy,* 〈inf.〉 *walk/work one's guts out.*

naadje 〈het〉 ♦ **¶.¶** het ~ van de kous willen weten *want to know what's what/to know all the ins and outs.*

naadlassen 〈ww.〉 **0.1** *seam weld(ing).*

naadloos 〈bn.〉 **0.1** *seamless ⇒*〈voeg ook〉 *jointless,* 〈lasnaad ook〉 *weldless* ♦ **1.1** naadloze kousen *s. stockings;* naadloze vloeren *jointless floors.*

naaf 〈de〉 **0.1** [middenstuk van een wiel] *hub* **0.2** [deel van een draaisteen] *hub* **0.3** [rand aan een wiel op rails] *flange.*

naafdop 〈de (m.)〉 **0.1** *hubcap.*

naafrem 〈de〉 **0.1** *back-pedalling brake.*

naaicursus 〈de (m.)〉 **0.1** *sewing class ⇒*〈voor modistes〉 *dressmaking class/course.*

naaidoos 〈de〉 **0.1** *sewing-box/(needle)work-box.*

naaien
   I 〈onov., ov.ww.〉 **0.1** [vervaardigen] *sew* **0.2** [neuken] *screw ⇒bonk, bang, fuck* ♦ **1.1** een jurk ~ *s. a dress* **3.1** ze zat te ~ *she was (busy) sewing* **3.2** zij lagen te ~ *they were screwing (away)/banging/bonking away* **5.1** ze naait uitstekend *she sews very well, she's an excellent needlewoman/seamstress* **6.1** met ~/op de machine ~ 〈onov. ww.〉 *use a /the sewing-machine;* 〈ov. ww.〉 *s. (sth.) on a/the sewing-machine;*
   II 〈ov.ww.〉 **0.1** [vasthechten] *sew (together);* 〈med. ook〉 *suture* **0.2** [herstellen] *sew (up)* **0.3** [benadelen] *screw* ♦ **1.1** een boek ~ *sew a book together;* een knoop aan een jas ~ *sew/stitch a button on(to) a coat;* een wond ~ *sew (up)/stitch/suture a wound* **1.2** een scheur/winkelhaak ~ *sew up a tear* **3.3** ik voel me behoorlijk door hem genaaid *I feel I really got screwed by him.*

naaigaren 〈het〉 **0.1** *sewing-thread/-cotton* ♦ **1.1** een klosje ~ *a reel of thread/cotton.*

naaigarnituur 〈het〉 **0.1** *sewing-case/-kit;* 〈BE ook; zelden〉 *housewife* 〈bv. voor militairen〉.

naaigerei 〈het〉 **0.1** *sewing-things.*

naaikransje 〈het〉 **0.1** [mbt. naaien] *sewing-circle* **0.2** [keuvelend gezelschap] *hen party;* 〈AE ook〉 *kaffeeklatsch.*

naaimachine 〈de (v.)〉 **0.1** *sewing-machine.*

naaimand 〈de〉 **0.1** *sewing basket ⇒workbasket.*

naaister 〈de (v.)〉 **0.1** *seamstress ⇒dressmaker, needlewoman.*

naaiwerk 〈het〉 **0.1** [waarmee men bezig is] *sewing ⇒needlework* **0.2** [wat bestaat in naaien] *sewing ⇒needlework* ♦ **3.2** (thuis) ~ doen *take in s..*

naakt¹ 〈het〉 **0.1** *nude (painting/model)* ♦ **3.1** ~en schilderen *paint nudes.*

naakt² 〈bn., bw.; -ly〉 **0.1** [bloot] *naked ⇒nude, bare* **0.2** [onbedekt] (muur, enz.) *bare ⇒naked, stark,* 〈schelpdier〉 *shell-less* **0.3** [onbegroeid] *bare ⇒naked, stark* **0.4** 〈fig.〉 onverbloemd] *naked ⇒bare, plain, stark, bald* ♦ **1.1** liever ~ dan namaak *nothing but the real thing* **1.2** ~e muren *bare/naked/stark walls* **1.3** ~e bomen *b. trees;* ~e rotsen *b./naked/stark cliffs* **1.4** de ~e feiten *the bare/stark/bald facts;* de ~e waarheid *the plain n. truth* **2.1** half ~ *half-naked* **3.1** loop jij altijd ~ rond? *do you always go around in the nude?/with nothing on?;* ~ slapen *sleep in the nude, sleep naked/with nothing on.*

naaktcultuur 〈de (v.)〉 **0.1** *nudism ⇒naturism.*

naaktfiguur 〈de〉 **0.1** *nude.*

naaktfoto 〈de〉 **0.1** *nude photo(graph).*

naaktfotografie 〈de (v.)〉 **0.1** *nude photography.*

naaktheid 〈de (v.)〉 **0.1** [toestand] *nudity ⇒nakedness* **0.2** [lichaam] *nakedness ⇒nudity* **0.3** [onverbloemde werkelijkheid] *nakedness* ♦ **3.2** zijn ~ bedekken *cover one's nakedness/nudity* **6.3** de misdaad/de ellende in al haar ~ *the full horror of crime/misery.*

naaktloper 〈de (m.)〉, -lopster 〈de (v.)〉 **0.1** *nudist ⇒naturist.*

naaktloperij 〈de (v.)〉 **0.1** *nudism ⇒naturism.*

naaktrecreatie 〈de (v.)〉 **0.1** ≠*nudism ⇒nude bathing/swimming.*

naaktschilder 〈de (m.)〉 **0.1** *painter of nudes.*

naaktshow 〈de (m.)〉 **0.1** *nude show.*

naaktslak 〈de〉 **0.1** *slug.*

naaktstrand 〈het〉 **0.1** *nudist/nude beach.*

naaktstudie 〈de (v.)〉 **0.1** *nude study ⇒study from the nude.*

naaktzadigen 〈zn.mv.〉〈plantk.〉 **0.1** *gymnosperms.*

naaktzwemmen 〈ww.〉 **0.1** *swim naked/in the nude;* 〈AE; inf.〉 *go skinny-dipping;* 〈als zn.〉 *nude bathing/swimming* ♦ **3.1** ~ verboden *no nudism.*

naald 〈de〉 **0.1** [stift om te naaien] *needle* **0.2** [wijzer] *needle* **0.3** [mbt. een injectiespuit] *needle* **0.4** [mbt. een platenspeler] *needle ⇒stylus* **0.5** [blad van een naaldboom] *needle* **0.6** 〈ook in samenst.〉 dun

815

staafje als gereedschap] *needle* **0.7** [gedenkteken] *needle* ♦ **1.1** ~en draad *n. and thread/cotton;* het oog van een ~ *the eye of a n.* **2.2** dode ~ *demagnetized n.* **2.6** droge ~ *dry-point* **6.1** een draad in een ~ steken *thread a n.* ¶**.1** ⟨fig.⟩⟨AZN⟩ iets verhalen van de ~ tot de draad *relate sth. from beginning to end* ¶.¶ heet van de ~ ⟨nieuws⟩ *hot off the press, up-to-the-minute, latest.*

naaldboom ⟨de (m.)⟩ **0.1** *conifer(ous tree).*
naaldbos ⟨het⟩ **0.1** *coniferous forest/* ⟨kleiner⟩ *wood.*
naaldenboekje ⟨het⟩ **0.1** [lapjes flanel] ≠*pin-cushion* **0.2** [pakje naai-naalden] *packet of needles.*
naaldenkoker ⟨de (m.)⟩ **0.1** *needle-case.*
naaldgeruis ⟨het⟩ **0.1** *surface noise.*
naaldhak ⟨de (m.)⟩ **0.1** *stiletto heel* ⇒*spike heel.*
naaldhout ⟨het⟩ **0.1** [hout van naaldbomen] *softwood* ⇒*coniferous wood, wood from conifers/coniferous trees* **0.2** [naaldbomen als gewas] *conifers* ⇒*coniferous trees, softwoods.*
naaldkant ⟨de (m.)⟩ **0.1** *needlepoint (lace)* ⇒*needle/point lace.*
naaldkunst ⟨de (v.)⟩ **0.1** [kunst] *(artistic) needlework* **0.2** [voorwerpen] *(artistic) needlework.*
naaldvakken ⟨zn.mv.⟩ **0.1** *needlework.*
naaldvis ⟨de (m.)⟩ **0.1** *needle/pipe-fish.*
naaldvormig ⟨bn.⟩ **0.1** *needle-shaped* ⇒*acicular, aciform, styloid, needle-like.*
naaldwerk ⟨het⟩ **0.1** [naaiwerk] *needlework* **0.2** [met de naald gemaakt werk] *(a piece of) needlework.*
naam ⟨de (m.)⟩⟨→sprw. 184⟩ **0.1** [mbt. het aanduiden van een categorie, individu] *name* **0.2** [familienaam] *name* **0.3** [mbt. een hoedanigheid] *name* **0.4** [roem] *name* ⇒*reputation, repute, standing* ♦ **1.1** Gods ~ niet ijdel gebruiken *not take God's n. in vain* **1.2** te goeder ~ en faam bekend staan *have/enjoy a good reputation, be in/of good/ high repute/good standing;* de ~ Jones *the n. of Jones;* iem. met ~ en toenaam noemen *mention s.o. by (his full) n.* **1.4** een man van ~ *a man of repute/standing* **2.1** je kunt het een andere ~ geven, maar het blijft diefstal *you can call it what(ever) you like, I call it what you will, (but) it's still theft;* iem. bij de ~ noemen *call a spade a spade* **2.2** een dubbele ~ *a double n.,* ⟨BE ook: naam met koppelteken⟩ *a double-barrelled n.;* de eigen ~ *one's maiden n. / unmarried n.;* ze besloot haar eigen ~ te gebruiken en niet die van haar man *she decided to use her maiden/own n. instead of her married n. / her husband's;* een valse ~ opgeven *give a false n.* **2.3** iem. lieve ~pjes geven *call s.o. sweet/pet names,* ⟨geliefden⟩ *say/whisper sweet nothings to s.o.* **2.4** een goede ~ hebben *have a good reputation/n., be in/of good repute/ standing/high repute, be well-reputed;* het kan nadelig zijn voor zijn goede ~ *it may harm his reputation;* een slechte ~ hebben *have a bad reputation/n., be in/of bad/ill repute, be ill-reputed;* daardoor heeft het beroep een slechte ~ gekregen *this has given the profession a bad n.;* het heeft hem een slechte ~ bezorgd *it has given them a bad n.;* hij heeft een uitstekende ~ op dat gebied *he has an excellent reputation/n. in that field* **2.**¶ de grote namen in het peloton *the big names among the pack* **3.1** zijn ~ eer aandoen *live up to one's reputation/n.;* een kind een ~ geven *n. a child;* het beestje/ het kind moet een ~ hebben *we mustn't mince words, let's stop beating about/*^*around the bush;* dat mag geen ~ hebben *that's not worth mentioning;* ⟨AZN⟩ het heeft geen ~ *it's a disgrace, it's outrageous;* zijn hond luistert naar de ~ Mao *his dog answers to (the n. of) Mao;* de stad Dallas waaraan de serie haar ~ ontleent *the city of Dallas from which the series took/got its n.* **3.2** een andere ~ aannemen *assume a different n.;* een ~ dragen/voeren *bear a n.;* ⟨AZN⟩ zijn ~ kunnen zetten op *be able to write (one's n.);* laat mijn ~ erbuiten *don't drag my n. in to this, leave my n. out of this;* mag ik uw ~? *may I have your n., please?;* geen namen noemen *mention/name no names, not mention/name any names;* een collega wiens ~ ik niet zal noemen *a colleague who shall be/shall remain nameless;* een proefwerk waar geen ~ op staat *an unnamed paper;* zijn ~ wordt vaak genoemd in verband met die affaire *his n. is often linked with/mentioned in connection with that business;* wat zegt nou een ~ *what's in a n.?;* zet uw ~ achter de tijd van uw keuze *write your n. against the time that suits you best;* zijn ~ ergens onder zetten *put/sign one's n. to sth.* **3.4** iemands goede ~ aantasten *discredit s.o., harm s.o.'s reputation;* iemands goede ~ bezoedelen *besmirch/tarnish/cast a slur on/blacken s.o.'s n./ reputation;* de rol waarmee hij ~ heeft gemaakt *the role that made his n.;* de ~ hebben (van) rijk te zijn *be reputed/said to be rich;* een ~ te verliezen hebben *have a reputation to lose;* hij heeft de ~ een royaal mens te zijn *he's reputed/said to be/he has a reputation of being generous;* en je ~ is gemaakt *and your n. is made/is (up) in lights;* ~ beginnen te krijgen *begin to make one's n. / mark, begin to make a n. for o.s.;* ~ maken *make one's n. / mark (with/as), make a n. for o.s. (with/as);* zijn ~ ophouden *uphold/live up to one's n. / reputation;* de goede ~ van zijn school schaden *discredit/disgrace one's school, be a discredit/a disgrace to one's school;* met zijn eerste romans verwierf hij zich een goede ~ *his first novels brought him a good reputation* **6.1** de dingen bij de ~ noemen *call a spade a spade, not mince words, stop beating about/*^*around the bush;* bekend staan

onder de ~ van *go by/under the n. of, be known as, be known by the n.;* Brian Nolan schreef onder de ~ Flann o'Brien *Brian Nolan wrote under the n. of Flann o'Brien;* vrij op ~ *no legal charges, no law costs;* de groep heeft meer dan 30 elpees op haar ~ *the group has more than 30 albums to its credit/under its belt;* een cheque uitschrijven op ~ van *make out a cheque to;* geld overmaken naar rekeningnummer ... op ~ van ...*transfer money to account no. ... in the n. of ...;* boeken op ~ van ...*enter against ,..;* aandeel op ~ *registered/nominative/nominal share* **6.2** iem. bij ~ noemen *refer to/mention s.o. by n.;* zij heeft vier boeken op haar ~ staan *she has four books to her n.;* een record op zijn ~ brengen *establish/break a record;* het huis/bedrijf staat op zijn ~ *the house/company is in his n.;* een van de uitvindingen die op zijn ~ staan *one of the inventions he is credited with;* het record staat op ~ van Coe *Coe holds the record, Coe is the record-holder, the record-holder is Coe;* een kentekenbewijs op iemands ~ stellen *make out a registration certificate in s.o.'s n.;* een giropas gesteld op ~ van X *a giro guarantee card issued in the n. of X;* postpapier op ~ *personalized stationery;* ten name van *in the n. of;* uit mijn ~ *from me, on my behalf;* zeg hem dat maar uit mijn ~ *just tell him that from me;* ik denk dat ik spreek uit ~ van allen als ik zeg ... *I think I can speak for everyone when I say ...;* iem. van ~ kennen *know s.o. by n.;* een titel voor zijn ~ hebben *have a title, be titled;* ⟨inf.⟩ *have a handle to one's n.;* de zangeres zonder ~ *the unnamed singer* **6.3** een christen in ~ *nominally a Christian, a Christian in n. only;* hij is in ~ eigenaar *he is nominally the owner/the owner in n. (only)* **6.4** een schrijver van ~ *an author of repute/distinction, a distinguished author* **6.**¶ in ~ der wet *in the n. of the law;* met name *particularly, in particular,* ↑ *notably* ¶.2 hoe is uw ~? *what's your n.?;* wat was uw/zijn ~ ook weer? *what did you say your/his/the n. was?*

naambord ⟨het⟩ **0.1** *name-plate;* ⟨houten⟩ *name-board* ♦ **1.1** de ~jes van de straten *the street name-plates/* ⟨minder duidelijk⟩ *street-signs.*
naamdag ⟨de (m.)⟩⟨r.k⟩ **0.1** *name-day* ⇒*saint's day.*
naamdicht ⟨het⟩ **0.1** ≠*acrostic.*
naamgenoot ⟨de (m.)⟩ **0.1** *namesake* ♦ **6.1** dat is een ~ van je *he's/she's your n., he's/she's/she's got the same name as you, you've (both) got the same name.*
naamgever ⟨de (m.)⟩ **0.1** *name giver* ⇒*eponym, namer, nomenclator.*
naamgeving ⟨de (v.)⟩ **0.1** [het geven van een naam] ⟨ook kind⟩ *naming* ⇒*christening* **0.2** [benoeming volgens een systeem] *nomenclature.*
naamheilige ⟨de (m.)⟩ **0.1** *name saint* ⇒*patron (saint).*
naamkaartje ⟨het⟩ **0.1** ⟨visiting-/calling-/⟩⟨van zakenmens⟩ *business) card.*
naamkunde ⟨de (v.)⟩ **0.1** *study/science of names;* ⟨schr.⟩ *onomastics.*
naamlijst ⟨de⟩ **0.1** *list of names* ⇒*register, roll* ♦ **1.1** de ~ van de kandidaten *the list of candidates' names.*
naamloos ⟨bn., bw.;-ly⟩ **0.1** [anoniem, onbekend] *anonymous* ⇒*unnamed, unknown* **0.2** [onbelangrijk] *anonymous* ⇒*nameless, obscure* **0.3** [onvoorstelbaar] *untold* ⇒*unutterable* ♦ **1.1** een naamloze brief *an a. letter;* naamloze vennootschap ^B*limited (liability) company,* ^A*incorporated company, corporation* **1.2** naamloze avonturiers *a. adventurers* **1.3** een ~lijden *untold suffering* **3.1** de grond waar ik ~ rusten zal *the ground where I shall lie unnamed.*
naamloosheid ⟨de (v.)⟩ **0.1** *anonymity.*
naamplaat ⟨de⟩ **0.1** *name-plate, door-plate;* ⟨houten⟩ *name-board;* ⟨koperen⟩ *brass-plate.*
naamstempel ⟨de (m.)⟩ **0.1** ⟨alg.⟩ *name stamp;* ⟨van handtekening⟩ *signature stamp.*
naamsverandering ⟨de (v.)⟩ **0.1** *change of name* ♦ **3.1** een ~ ondergaan *change one's name.*
naamval ⟨de (m.)⟩⟨taal.⟩ **0.1** *case* ♦ **2.1** de verbogen ~ *the oblique c.* **7.1** de derde ~ *the dative (c.);* de eerste ~ *the nominative (c.);* de tweede ~ *the genitive (c.), the possessive c.;* de vierde ~ *the accusative (c.), the object c.;* in de vierde ~ staan *be in the accusative (c.);* de vijfde ~ *the vocative (c.);* de zesde ~ *the ablative (c.).*
naamvalssuffix ⟨zn.⟩=**naamvalsuitgang.**
naamvalsuitgang ⟨de (m.)⟩ **0.1** *case ending.*
naamvalsvorm ⟨de (m.)⟩ **0.1** *case-form.*
naamwisseling ⟨de (v.)⟩ **0.1** *metonymy.*
naamwoord ⟨het⟩⟨taal.⟩ **0.1** *noun* ⇒*substantive* ⟨minder gebruikelijk⟩ ♦ **2.1** het bijvoeglijk ~ *an adjective;* een zelfstandig ~ *a n.; a substantive* ⟨minder gebruikelijk⟩*.*
naamwoordelijk ⟨bn.⟩ **0.1** *nominal* ♦ **1.1** het ~ deel van het gezegde *the subject complement;* een ~ gezegde *a n. predicate.*
naäpen ⟨ov.ww.⟩ **0.1** *ape* ⇒*mimic, take off.*
naäper ⟨de (m.)⟩, **-äapster** ⟨de (v.)⟩ **0.1** *mimic* ⇒*aper.*
naäperij ⟨de (v.)⟩ **0.1** *aping* ⇒*imitation, mimicry,* ⟨inf.⟩ *taking-off.*
naar¹ ⟨bn., bw.;-ly⟩ **0.1** [akelig] *nasty* ⇒*grim, horrible, horrid, dismal* **0.2** [ziek] *sick* ⇒*ill* **0.3** [onaangenaam] *nasty* ⇒*horrible, horrid, foul, unpleasant* ♦ **1.1** een ~ verhaal *a n. / horrible/ horrid business/tale;* ~ weer *n. weather* **1.5** aan te ~ aan rare vent *a n. customer/piece of work, a horrible/horrid/an unpleasant chap/*^*guy* **3.1** er ~ aan toe zijn *be in a bad way;* ⟨BE ook⟩ ↑ *be (feeling) poorly* **3.2** ik heb me ~ gezocht/gelopen *I've searched/walked till I'm blue in the face;* zich ~ schrikken

be startled (half) to death; ik werd er ~ van it made me (feel) s. / ill 3.3 ~ doen tegen iem. be n. / horrible/ horrid to s.o.; het smaakt ~ it tastes n. / horrid/ foul.

naar² ⟨vz.⟩ **0.1** [in de richting van] *to* ⇒*for,* at **0.2** [volgens het voorbeeld van] *from;* ⟨schr.⟩ *after* **0.3** [overeenkomstig] *(according) to* **0.4** [wat betreft, afgaande op] *from* ⇒*by, in* ◆ **1.1** ze is ~ een concert *she's out to / at a concert;* de deur ~ de garage *the door t. the garage;* hij wil ~ Engeland *he wants to go t. England;* ~ huis gaan *go home;* de trein ~ Parijs *the Paris train, the train for Paris;* ze is ~ school *she's at school;* ~ de weg vragen *ask the/ one's way;* op zoek ~ *in search of* **1.2** ~ de natuur/het leven (afgebeeld) *(painted) f. the life/ f. nature;* vrij ~ het origineel bewerkt *freely adapted f. the original* **1.3** het evangelie ~ Johannes *the Gospel according to St. John, St. John's Gospel;* ~ hartelust zingen *sing one's heart out/* ⟨inf.⟩ *one's head off;* daar is hij de man niet ~ *that's not like/ that's unlike him;* ruiken/ smaken ~ *smell/ taste of;* ~ voldoening *to one's satisfaction;* ~ wens *as one would wish/ like, well;* hij is ~ m'n zin te eigenwijs *he's too pig-headed for my liking* **1.4** ~ het uiterlijk/ de stem te oordelen *judging/ to judge by/ f. the appearance/ voice* **3.1** ~ iets grijpen/ slaan/ gooien *grasp/ strike/ throw at sth.;* hij kwam ~ haar toe *he came up t. her;* iem. vragen *ask for/ after s.o.* **3.2** handel ~ mijn woorden, niet ~ mijn daden *do as I say, not as I do;* ~ zijn vader/ moeder heten *be called/ named a. / ⟨AE* ook⟩ *for one's father/ mother* **5.1** van voren ~ achteren *from front to back;* ⟨boek⟩ *cover t. cover;* van buiten ~ binnen *inwards, from the outside in;* ~ voren/ achteren/ boven/ beneden *forwards, back-(wards), up(wards)/* ⟨trap⟩ *up(stairs), down(wards)/* ⟨trap⟩ *down-(stairs)* **5.3** de kwaliteit is er dan ook ~ *the quality's to match;* ze heeft keihard gestudeerd, de resultaten zijn er dan ook ~ *she studied really hard, and the results are in the consequence.*

naar³ ⟨vw.⟩ **0.1** *as* ◆ **3.1** ~ verluidt *a. is rumoured, according to rumour* **¶.1** ~ ik meen *I think, in my opinion/ view, to my mind/ my way of thinking, a. I see it;* ~ men zegt *according to hearsay, word has it (that), it is said (that), a. they/ people say;* ~ men wil *a. one wishes;* ~ men hoopt *it is hoped, one hopes;* ⟨minder juist⟩ *hopefully;* een oplossing die ~ men hoopt/ ik vrees/ ik meen/ verluidt …*a solution which it is hoped/ I fear/ I think/ it is rumoured, ….*

naardien ⟨vw.⟩ ⟨schr.⟩ **0.1** *since* ⇒*seeing/ considering (that), in view of the fact that.*

naargeestig ⟨bn., bw.;-ly⟩ **0.1** [akelig] *gloomy* ⇒*dismal, dreary,* ⟨plek ook⟩ *drab* **0.2** [treurig] *gloomy* ⇒*dismal, dreary,* ⟨plek ook⟩ *drab,* ⟨persoon ook; inf.⟩ *glum* ◆ **1.1** een ~ gebouw *a gloomy/ dismal/ drab / dreary building;* ~ e gedachten *gloomy/ dismal thoughts* **1.2** het was maar een ~ e bedoening *it was a pretty gloomy/ dismal/ drab/ dreary place, things were pretty gloomy/ dismal/ drab/ dreary (over) there* **3.2** ~ gestemd zijn *be in a gloomy/ dismal/ glum mood.*

naargeestigheid ⟨de (v.)⟩ **0.1** *gloom(iness), dreariness, dismalness.*

naargelang¹ ⟨bw.⟩ **0.1** *according to* ⇒*in accordance with, depending on* ◆ **1.1** al ~ de leeftijd *depending on (one's) age* **6.1** ~ van de omstandigheden *according to/ depending on circumstances.*

naargelang² ⟨vw.⟩ **0.1** *as* ◆ **¶.1** ~ men ouder wordt, ziet men dat beter in *you understand these things better as you get older.*

naarheid ⟨de (v.)⟩ **0.1** [iets naars] *(piece of) nastiness* **0.2** [het angstwekkende] *nastiness* ⇒*grimness* ◆ **1.2** de ~ van de nacht *the grimness of the night* **¶.1** je hoort niets dan ~ *all you ever hear is bad news.*

naarling ⟨de (m.)⟩ **0.1** *pain in the neck.*

naarmate ⟨vw.⟩ **0.1** *as* ◆ **3.1** ~ je meer verdient, ga je ook meer belasting betalen *the more you earn, the more tax you pay.*

naarstig ⟨bn., bw.;-ly⟩ **0.1** *diligent* ⇒*assiduous, industrious* ◆ **3.1** hij zocht er ~ naar *he made a thorough search for it.*

naarstigheid ⟨de (v.)⟩ **0.1** *diligence* ⇒*assiduity, industry.*

naarstiglijk ⟨bw.⟩ ⟨schr.; meestal iron.⟩ **0.1** *most diligently* ◆ **3.1** ~ schrijven *write m. d..*

naast¹ ⟨→sprw. 636⟩
I ⟨bn.⟩ **0.1** [dichtstbij zijnde] *near(est)* ⇒*closest, immediate* ⟨omgeving, tijd⟩, *next-door* ⟨buren⟩ **0.2** [het meest vertrouwd] *closest* **0.3** [het meest verwant] *nearest* ⇒*closest* **0.4** [kortst] *shortest* ◆ **1.1** haar ~ e buren *her next-door neighbours;* in zijn ~ e omgeving *in his immediate surroundings* **1.2** de directeur en zijn ~ e medewerkers *the director and his c. colleagues* **1.3** de ~ e bloedverwanten *the next of kin* **6.¶** ten ~ e bij *approximately, about, roughly* **7.2** ⟨zelfst.⟩ de ~ e tot iets zijn *be the (one) most entitled to sth.* **¶.2** ieder is zichzelf het ~ *charity begins at home;*
II ⟨bw.⟩ **0.1** [het dichtstbij] *nearest* ⇒*closest* **0.2** [niet het bedoelde punt treffend] *out* ⇒*off (target), wide (of the mark)* ◆ **3.1** dat ligt mij het ~ aan het hart *that is closest to my heart* **3.2** de bal ging net/ ver ~ *the ball was just/ way out;* hij schoot ~ *he shot wide, he missed, his shot was off target/ out.*

naast² ⟨vz.⟩ **0.1** [terzijde van] *next to* ⇒*beside,* ⟨buren⟩ *next door to,* ⟨niet het bedoelde punt treffend⟩ *wide of* **0.2** [op één lijn met] *alongside* ⇒*next to* ◆ **1.1** hij schoot de bal ~ het doel *he shot wide of the goal, he missed the goal;* ~ mijn huis is een tuin *there is a garden next to/ beside my house;* een oefenboek dat gebruikt

kan worden ~ een leerboek *a book of exercises that can be used together with/ in conjunction with a textbook* **1.3** ~ een gerust gemoed is gezondheid de grootste schat *health is the greatest gift after/ next to peace of mind* **1.4** ~ een drietal romans heeft hij ook poëzie geschreven *in addition to/ as well as/ besides three novels he has also written poetry* **2.4** het ontwerp is ~ praktisch ook mooi *the design is practical as well as attractive* **3.1** ~ iem. gaan zitten *sit down next to/ beside s.o.;* ~ iem. komen lopen *fall in beside/ next to/ alongside s.o.* **3.2** ~ elkaar wonen *live next door to each other, be next-door neighbours* **4.1** in de kamer ~ ons *in the room next door (to us), in the next room;* ⟨fig.⟩ zijn vrouw ~ zich weten *know one's wife is by one's side* **4.2** ~ elkaar *side by side, alongside/ next to/ beside one another;* de twee boten lagen bijna ~ elkaar *the two boats were almost level;* ⟨fig.⟩ cijfers ~ elkaar leggen *set figures side by side* **5.1** vlak ~ de kerk *right next to/ beside the church.*

naaste ⟨de (m.)⟩ **0.1** *fellow human (being)* ⇒*fellow creature/ man,* ⟨bijb.⟩ *neighbour* ◆ **3.1** zijn ~ n liefhebben *love one's neighbour.*

naasten ⟨ov.ww.⟩ **0.1** *take over* ◆ **1.1** buitenlandse bedrijven ~ *t. o. /* ⟨nationaliseren ook⟩ *nationalize foreign firms;* deze mijnen zijn door de Staat genaast *these mines have been taken over by the State/ been nationalized.*

naastenliefde ⟨de (v.)⟩ **0.1** *love of one's neighbour/ fellow-man* ⇒⟨bijb.⟩ *charity* ◆ **2.1** de christelijke ~ *Christian charity* **3.1** ~ betrachten *show charity.*

naastgelegen ⟨bn.⟩ **0.1** [aangrenzend] *adjacent* ⇒*adjoining,* ↓*next-door* **0.2** [dichtstbijzijnd] *nearest* ⇒*closest.*

naasting ⟨de (v.)⟩ **0.1** *take-over* ⇒*acquisition,* ⟨nationalisering ook⟩ *nationalization.*

naastvolgend ⟨bn.⟩ **0.1** *next* ⇒*following, subsequent.*

naatje ⟨zn.mv.⟩ ◆ **3.¶** dat is ~ (pet) *it's crummy/ a dead loss.*

nababbelen
I ⟨onov.ww.⟩ **0.1** [na afloop praten] *have a chat afterwards* ◆ **3.1** de meesten bleven nog wat ~ *most people stayed for a bit of a chat afterwards;*
II ⟨ov.ww.⟩ **0.1** [nadoen] *parrot* ⇒*repeat, imitate.*

nabauwen ⟨ov.ww.⟩ **0.1** [iemands woorden herhalen] *mimic* ⇒*imitate* **0.2** [slaafs nazeggen] *parrot.*

nabeeld ⟨het⟩ **0.1** *afterimage* ⇒*aftersensation, ocular spectrum.*

nabehandeling ⟨de (v.)⟩ **0.1** *after-care* ⇒*follow-up treatment/ care.*

nabericht ⟨het⟩ **0.1** [nawoord] *epilogue* **0.2** [naschrift] *postscript.*

nabeschouwing ⟨de (v.)⟩ **0.1** *summing-up* ⇒*recap, review,* ⟨inf.⟩ *post-mortem* ◆ **3.1** lange ~ en houden *hold long recaps/ postmortems.*

nabespreken ⟨ov.ww.⟩ **0.1** *discuss afterwards* ◆ **1.1** het proefwerk werd uitvoerig nabesproken *the paper was discussed afterwards in detail.*

nabespreking ⟨de (v.)⟩ **0.1** *(subsequent) discussion* ⇒⟨inf.⟩ *postmortem.*

nabestaande ⟨de (m.)⟩ **0.1** *(surviving) relative* ⇒⟨mv.⟩ *next of kin.*

nabestellen ⟨ov.ww.⟩ **0.1** *repeat an/ one's order for* ⇒*give a repeat order for, reorder,* ⟨foto's, enz.⟩ *have copies made of.*

nabestelling ⟨de (v.)⟩ **0.1** *reorder, repeat (order)* ⇒*back/ additional/ late/ supplementary order* ◆ **3.1** een ~ doen *put in a repeat/ late order, place/ send a further order/ reorder, repeat an order, reorder* **6.1** houd de negatieven **voor** ~ en *keep/ save the negatives for reorders/ ordering copies.*

nabetalen ⟨ov.ww.⟩ **0.1** *pay afterwards/ subsequently/ later* ⇒*make a subsequent payment/* ⟨bijbetaling⟩ *an additional payment,* ⟨te laat⟩ *pay up arrears, make an overdue payment,* ⟨niet vooruit⟩ *pay at the end of the month/ year* ⟨van huur, enz.⟩ ◆ **1.1** belastingen ~ *pay back-taxes.*

nabetaling ⟨de (v.)⟩ **0.1** *subsequent/ post-/ back-payment* ⇒⟨bijbetaling⟩ *further/ supplementary/ additional payment,* ⟨van rente, enz.⟩ *retrospective payment* ◆ **6.1** rente en huur zijn meestal verschuldigd **bij** ~ *interest and rent are usually due at the end of a stated/ an agreed upon period.*

nabeurs ⟨de⟩ **0.1** *street/ kerb* [A]*curb market* ⇒⟨inf.⟩ [B]*the Street,* [A]*the Curb.*

nabeurskoers ⟨de (m.)⟩ **0.1** *price in the after-hours dealings/ closing hours* ⇒⟨in Londen ook⟩ *Street price.*

nabewerking ⟨de (v.)⟩ **0.1** *final processing* ⇒*finishing (processes)* ◆ **3.1** een ~ ondergaan *undergo final processing;* daarna ondergaat het produkt nog enige ~ en *after that the product is subjected to various finishing processes.*

nabezorgen ⟨ov.ww.⟩ **0.1** *deliver (sth.) later.*

nabij¹ ⟨bn., bw.;-ly⟩ ⟨→sprw. 457⟩ **0.1** *close* ⇒*near* ◆ **1.1** de dood ~ zijn *be c. / near to death;* ⟨bijb.⟩ het einde is ~ *the end is nigh;* de hongerdood ~ zijn *be on the verge of/ c. / near starvation;* de meest ~ e landen *the neighbouring countries, the countries nearest/ closest to …;* de ~ e omgeving *the immediate surroundings;* het ~ e Oosten *the Near East;* je m. de wanhoop ~ zijn *be c. to despair* **3.1** zijn einde is ~ *his end is near* **6.1** iem. **van** ~ kennen *know s.o. intimately/* ⟨inf.⟩ *inside out;* iets **van** ~ meemaken *experience sth. at first hand.*

nabij² ⟨vz.⟩ **0.1** *near (to)* ⇒*close to, by* ◆ **1.1** hij woont ~ de kerk *he lives near/ by the church* **¶.1** om en ~ de duizend gulden *roughly/ around/ about 1000 guilders, sth. in/ of the order of 1000 guilders, sth. like 1000 *guilders;* hij is om en ~ de vijftig *he's around/about fifty, he's fiftyish, he's fifty or thereabouts/or so.*

nabijgelegen 〈bn.〉 **0.1** *nearby* ⇒*neighbouring* ♦ **1.1** een ~ café *a nearby /neighbouring* [B]*pub/*[A]*bar.*

nabijheid 〈de (v.)〉 **0.1** [hoedanigheid] *nearness* ⇒*closeness,* 〈schr.〉 *proximity* **0.2** [ruimte] *neighbourhood* ⇒*vicinity* ♦ **1.1** de ~ van de dood *the n./ proximity of death* **2.2** alle huizen in de onmiddellijke ~ van de fabriek *all houses in the immediate vicinity of the factory* **6.2 in** de ~ van de stad *in the n./ vicinity of the city, near the city;* kom maar niet te dicht in zijn ~ *don't get too close to him, give him a wide berth;* de dorpen **in** de ~ *the nearby/neighbouring villages, the villages nearby.*

nabijkomen 〈onov.ww.〉〈fig.〉 **0.1** [bijna bereiken] *come/get near (to)* **0.2** [bijna evenaren] *come close (to)* ♦ **1.1** dat ideaal zal ik nooit ~ *I shall never come/get anywhere near that ideal* **1.2** dat komt de betekenis nog het meest nabij *that comes closest to the meaning* **6.2** hij kwam mij in kennis nabij *he came close to me in knowledge.*

nablijven 〈onov.ww.〉 **0.1** [schoolblijven] *stay behind* ⇒*be kept in, be (kept) in detention* **0.2** [overblijven] *remain/stay (with)* **0.3** [bij een sterfgeval achterblijven] *survive* **0.4** [na afloop nog blijven] *stay/wait behind* ♦ **1.3** de nagebleven familieleden *the surviving relatives, the next of kin* **3.1** een leerling laten ~ *keep a pupil in, make a pupil stay behind, keep/put a pupil in detention;* hij moet vanmiddag ~ *he has (got) to stay behind/he is being kept in/he is (being kept) in detention this afternoon.*

nablijver 〈de (m.)〉 **0.1** *pupil kept in* ⇒*pupil in detention.*

nabloeden 〈onov.ww.〉 **0.1** [zachtjes doorbloeden] *keep bleeding* **0.2** [opnieuw bloeden] *start bleeding again* ♦ **1.1** een wond laten ~ *allow a wound to keep bleeding.*

nabloeding 〈de (v.)〉 **0.1** [het doorbloeden] *continued bleeding* **0.2** [het opnieuw gaan bloeden] *subsequent bleeding.*

nabloei 〈de (m.)〉 **0.1** [langer voortgezette bloei] *continued blooming/ blossoming/flowering* **0.2** 〈fig.〉 *decline* ⇒*declining years* ♦ **1.2** de ~ van het realistische impressionisme *the declining years of realistic impressionism.*

nabloeien 〈onov.ww.〉 **0.1** *continue blooming/blossoming/flowering.*

nabloeier 〈de (m.)〉 **0.1** [bloem, plant] *late flowerer* ⇒*remontant plant/ flower* **0.2** [navolger] *imitator.*

nablussen 〈ww.〉 **0.1** *damp down* ♦ **3.1** maar het ~ duurde tot middernacht *but it was midnight before the fire was completely extinguished;* een uur geleden is men met het ~ begonnen *an hour ago the fire was brought under control.*

nabootsen 〈ov.ww.〉 **0.1** *imitate* ⇒*copy,* 〈spottend〉 *mimic,* 〈inf.〉 *take off* ♦ **1.1** houtsoorten in verf ~ *i./ copy wood-grain in paint;* iem. ~ *i./ copy/mimic s.o., take s.o. off;* iemands stem ~ *i./ copy/mimic/take off s.o.'s voice;* de stijl van een schrijver ~ *i./ copy/mimic/take off an author's style.*

nabootser 〈de (m.)〉 **0.1** *imitator, mimic* ⇒*copycat, copyist, copier.*

nabootsing 〈de (v.)〉 **0.1** [het nabootsen] *imitation* ⇒*copying,* 〈spottend〉 *mimicry,* 〈inf.〉 *take-off* **0.2** [iets dat nagebootst is] *imitation* ⇒*copy,* 〈spottend; inf.〉 *take-off* ♦ **2.2** een getrouwe ~ *a faithful i./ copy.*

naborduren
I 〈ov.ww.〉 **0.1** [borduren] *copy (in embroidery);*
II 〈onov.ww.〉〈fig.〉 **0.1** [nabeschouwingen houden] *have/hold a postmortem* ♦ **6.1** ~ over de wedstrijd *have/hold a postmortem on the match.*

nabouw 〈de (m.)〉〈landb.〉 **0.1** *catch crop.*

nabranden 〈onov.ww.〉 **0.1** *continue burning.*

nabrander 〈de (m.)〉 **0.1** *afterburner* ♦ **¶.1** 〈fig.〉 een mop met een ~ *a joke that takes a while to sink in.*

nabrengen 〈ov.ww.〉 **0.1** *bring (along) later/afterwards* ♦ **1.1** een koffer ~ *bring a case (along) later/afterwards.*

nabronst 〈de〉 **0.1** *second (period of)* [B]*oestrus/*[A]*estrus heat* 〈van vrouwtje〉*/rut* 〈van mannetje〉.

naburig 〈bn.〉 **0.1** *neighbouring* ⇒*nearby* ♦ **1.1** het ~e dorp *the neighbouring village, the village nearby;* de ~e gemeenten *the neighbouring /nearby towns.*

nabuur 〈de (m.)〉 **0.1** [buurman] *neighbour* **0.2** [volk, land] *neighbour.*

nabuurschap 〈de (v.)〉 **0.1** *neighbourliness* ♦ **2.1** in goede ~ leven *live/ be on neighbourly terms, be good neighbours.*

nacalculatie 〈de (v.)〉 **0.1** [calculatie achteraf] *subsequent calculation/ costing* **0.2** [het opnieuw berekenen] *re-calculation.*

nachecken 〈ov.ww.〉 **0.1** *check (afterwards).*

nacht 〈de (m.)〉 (→sprw. 439) **0.1** [tijd tussen zonsondergang en zonsopkomst] *night* ⇒*night-time* **0.2** [tijd dat men slaapt] *night* **0.3** [duisternis] *night* **0.4** 〈fig.〉 het onbekende *night* **0.5** [gewijd aan, genoemd naar iem. of iets] *night* ♦ **1.1** dag en ~ *day and night, night and day;* 〈fig.〉 niet over één ~ ijs gaan *keep on the safe side, take no chances, look before one leaps;* 〈fig.〉 men gaat daarbij bepaald niet over één ~ ijs *one doesn't take chances with this;* bij ~ en ontij *at ungodly hours* **1.5** de ~ van de Poëzie *Poetry Night* **2.1** de afgelopen/ komende ~ *last night, tonight;* de hele ~ *all night (long);* dat heeft me

heel wat slapeloze ~en bezorgd *that has given me a good few sleepless nights* **2.2** iem. goede ~ wensen *wish s.o. good n.;* de hele ~ wakker liggen *lie awake all n.;* de zieke heeft een onrustige ~ gehad *the patient has had a restless n.* **2.3** de eeuwige ~ *eternal n.* **3.1** de hele ~ doorfeesten *make a night of it;* de hele ~ doorstuderen *study through the night;* toen de ~ viel *at nightfall, when night/dark(ness) fell;* het werd ~ *night/dark(ness) fell* **3.2** ik zou er nog maar eens een ~tje over slapen *I'd sleep on it (if I were you);* een ~tje over iets willen slapen *want to sleep on sth.* **3.3** het is er ~ *it's pitch-black/pitch-dark/as black as night there* **6.1** diep in de ~ *deep in/in the depths of the night;* tot diep **in** de ~ *deep into the night;* tot laat **in** de ~ *deep/well into the night;* **midden in** de ~ *in the middle of the night;* in de ~ van vrijdag op zaterdag *in the night of Friday to Saturday* **6.4** 〈schr.〉 **in** de ~ der tijden *in the depths/recesses of time* **8.1** zo lelijk als de ~ *(as) ugly as sin;* zo zwart als de ~ *(as) black as night, pitch-black* **¶.1** de ~ een dag maken *turn night into day;* 's ~s *at night;* om drie uur 's ~s *at three o'clock in the morning.*

nachtarbeid 〈de (m.)〉 **0.1** *night work.*

nachtasiel 〈het〉 **0.1** *night-shelter.*

nachtbel 〈de〉 **0.1** *night-bell.*

nachtblind 〈bn.〉 **0.1** *night-blind.*

nachtblindheid 〈de (v.)〉 **0.1** *night-blindness* ⇒〈wet.〉 *nyctalopia.*

nachtbloem 〈de〉 **0.1** [bloem] *night-flower* **0.2** [plantengeslacht] *night-blooming flower* ⇒*nocturnal flower* **0.3** [teunisbloem] *evening primrose.*

nachtboot 〈de〉 **0.1** *nightboat* ♦ **6.1** met de ~ heengaan/teruggaan *go over/back on the n., take/catch the n. over/back.*

nachtbraken 〈onov.ww.〉 **0.1** [uitgaan] *make a night of it* ⇒*stay out till the early hours* **0.2** [werken] *burn the midnight oil* ⇒*work into the early hours.*

nachtbraker 〈de (m.)〉 **0.1** [iem. die 's nachts uitgaat] *night-reveller, nightclubber* **0.2** [iem. die 's nachts (door)werkt] *night owl* ⇒*night-hawk.*

nachtbus 〈de〉 **0.1** *(late-/all-)night bus.*

nachtcafé 〈het〉 **0.1** [B]*pub/*[A]*bar that stays open at night/* 〈onwettig〉 *after hours* ⇒*night* [B]*pub/*[A]*bar.*

nachtclub 〈de〉 **0.1** *nightclub* ⇒〈inf.〉 *nightspot.*

nachtcrème 〈de〉 **0.1** *night cream/lotion.*

nachtdienst 〈de (m.)〉 **0.1** [mbt. personen] *night duty* (bv. in ziekenhuis); *night shift* (bv. in fabriek) **0.2** [mbt. openbaar vervoer] *night service* ♦ **6.1 in** de ~ zitten *be on n. d./ (the) n.s., work (on) the n.s.;* 〈inf.〉 *work nights, be on nights.*

nachtdier 〈het〉 **0.1** *nocturnal animal.*

nachtegaal 〈de (m.)〉 **0.1** [vogel] *nightingale* **0.2** [zangeres] *nightingale* ♦ **2.¶** de Hollandse ~ *the frog* **3.1** de ~ zingt/slaat *the n. sings* **8.1** zingen als een ~ *sing like a n..*

nachtegaalslag 〈de (m.)〉 **0.1** *jug(-jug)/note/song of the nightingale.*

nachtelijk 〈bn., bw.; -ly〉 **0.1** [mbt. de tijd] *nocturnal* **0.2** [mbt. de hemel] *night* **0.3** [aan de nacht eigen] *nocturnal* ⇒*of night* 〈alleen ná zn.〉 **0.4** [bij nacht plaats hebbend] *night(time)* ♦ **1.1** het ~ uur *the n. hour* **1.2** een heldere ~e hemel *a clear n. sky* **1.3** het ~ duister *the darkness of night* **1.4** een ~e aanval *a night attack;* ~ burengerucht *a nighttime disturbance;* ~ rumoer *noise at night.*

nachtevening 〈de (v.)〉 **0.1** *equinox.*

nachteveningspunt 〈het〉 **0.1** *equinoctial point.*

nachtgebed 〈het〉 **0.1** *nighttime/evening prayer.*

nachtgelegenheid 〈de (v.)〉 **0.1** *nightclub, nightspot.*

nachtgewaad 〈het〉〈schr.〉 **0.1** 〈n.-telb.〉 *night attire.*

nachtgoed 〈het〉 **0.1** *nightclothes* ⇒*nightwear.*

nachthemd 〈het〉 **0.1** *nightgown* ⇒(voor mannen ook) *nightshirt.*

nachthemel 〈de (m.)〉 **0.1** *night sky.*

nachthok 〈het〉 **0.1** [kippen] *hen-roost;* 〈andere dieren〉 *pen, night-house.*

nachthoofd 〈het〉 **0.1** *person in charge of the night shift.*

nachtjager 〈de (m.)〉 **0.1** *night fighter.*

nachtjapon 〈de (m.)〉 **0.1** *nightgown, nightdress* ⇒〈AE ook〉 *nightrobe,* 〈inf.〉 *nightie.*

nachtkaars 〈de〉 **0.1** [kaars] *nightlight* **0.2** 〈plantk.〉 *Aaron's rod, common mullein* ♦ **8.1** uitgaan als een ~ *peter/* 〈inf.〉 *fizzle out (like a damp squib).*

nachtkastje 〈het〉 **0.1** *night table/* 〈AE ook〉 *stand* ⇒*bedside table.*

nachtkijker 〈de (m.)〉 **0.1** *(pair of) night-glasses* ⇒〈telescoop〉 *night glass.*

nachtkleding 〈de (v.)〉 **0.1** 〈alg.〉 *nightclothes, night things* ⇒〈vnl. in warenhuizen〉 *nightwear, slumber-wear.*

nachtkluis 〈de〉 **0.1** *night safe.*

nachtknip 〈de〉 **0.1** *night latch* ⇒*catch* ♦ **3.1** de ~ op de deur doen *put the catch on the door, put the door on the latch.*

nachtkus 〈de〉 **0.1** *good-night kiss* ♦ **3.1** iem. een ~ geven *kiss s.o. good night, give s.o. a g.-n. k./ a kiss good night.*

nachtkwartier 〈het〉 **0.1** *night-quarters.*

nachtlampje 〈het〉 **0.1** *nightlight, nightlamp.*

nachtleger 〈het〉 **0.1** [nachtverblijf] *lodging(-place)* **0.2** [slaapplaats] *bed (for the night).*

nachtleven ⟨het⟩ 0.1 *nightlife*.
nachtlichtje ⟨het⟩ 0.1 *nightlight, nightlamp*.
nachtlogies ⟨het⟩ 0.1 *(a) night's lodging* ⇒*lodging for the night*.
nachtlucht ⟨de⟩ 0.1 *night air* ⇒⟨uitspansel, nachthemel⟩ *night sky, sky at night*.
nachtmens ⟨de (m.)⟩ 0.1 *night(-time) person*; ⟨inf.⟩ *night-bird/-owl*.
nachtmerrie ⟨de⟩ 0.1 [angstige droom] *nightmare* 0.2 [⟨fig.⟩ schrik-beeld] *nightmare* ♦ 0.3 [persoon] *horror* ♦ 3.1 van griezelfilms krijgt zij ~s *horror films give her nightmares* 3.2 de atoomdreiging is voor sommigen een ~ *the nuclear threat is a n. to some*.
nachtmis ⟨de⟩ ⟨r.k.⟩ 0.1 *midnight mass*.
nachtmode ⟨de⟩ 0.1 *slumber-wear/nightwear (fashion)*.
nachtoefening ⟨de (v.)⟩ 0.1 *night exercise*.
nachtopname ⟨de⟩ 0.1 ⟨handeling⟩ *nighttime shooting*; ⟨beeld⟩ *night scene*.
nachtorder ⟨het, de⟩ 0.1 *night order*.
nachtpauwoog ⟨de (m.)⟩ 0.1 *emperor moth*.
nachtpermissie ⟨de (v.)⟩ 0.1 [mbt. soldaten] *24-hour/48-hour* ⟨enz.⟩ *pass* 0.2 [mbt. cafés] *(licence ^Ase) extension*.
nachtpit ⟨de⟩ 0.1 [lamp(je)] *nightlight* 0.2 [nachtbraker] *night owl, nightbird*.
nachtploeg ⟨de⟩ 0.1 *night shift* ♦ 6.1 ⟨scherts.⟩ hij zit **in** de ~ *he's a burglar*.
nachtpon ⟨de (m.)⟩ 0.1 *nightdress, nightgown* ⇒⟨inf.⟩ *nightie*.
nachtportier ⟨de (m.)⟩ 0.1 *night porter*.
nachtpost ⟨de⟩ 0.1 *night mail*.
nachtredacteur ⟨de (m.)⟩ 0.1 *night editor*.
nachtrestaurant ⟨het⟩ 0.1 *all-night/24-hour restaurant/* ⟨AE ook⟩ *diner*.
nachtrust ⟨de⟩ 0.1 *night's rest* ⇒*(night's) sleep* ♦ 2.1 een goede ~ genieten *enjoy a good night's rest/night's sleep* 3.1 daar offer ik mijn ~ niet voor op *I'm not giving up my night's rest/sleep/my sleep for that*; iemands ~ verstoren *disturb s.o.'s sleep*.
nachtschade ⟨de⟩ 0.1 [plantengeslacht] *nightshade* 0.2 [plant met giftige bessen] *deadly nightshade*.
nachtschuit ⟨de⟩ ♦ 6.¶ met de ~ komen *be late*; ⟨nieuws vertellen dat iedereen al weet⟩ *bring stale news*.
nachtslot ⟨het⟩ 0.1 *double lock* ♦ 6.1 de deur **op** het ~ doen *double-lock the door*.
nachtspiegel ⟨de (m.)⟩ 0.1 *chamber-pot*.
nachtstroom ⟨de (m.)⟩ 0.1 *night-rate electricity*.
nachtstuk ⟨het⟩ 0.1 *night piece* ⇒⟨ook muz.⟩ *nocturne*.
nachttarief ⟨het⟩ 0.1 *night rate*.
nachttrein ⟨de (m.)⟩ 0.1 *night train*.
nachtuil ⟨de (m.)⟩ 0.1 [uil] *night owl* 0.2 [vlinder] *moth*.
nachtveiligheidsdienst ⟨de (m.)⟩ 0.1 *night security/watch service*.
nachtverblijf ⟨het⟩ 0.1 *night's lodging* ⇒*lodging for the night*.
nachtvergunning ⟨de (v.)⟩ 0.1 *(licence ^Ase) extension* ♦ 3.1 ~ hebben/aanvragen *have/apply for an extension*.
nachtverlichting ⟨de (v.)⟩ 0.1 *night lighting*.
nachtverpleegster ⟨de (v.)⟩ 0.1 *night nurse*.
nachtviooltje ⟨de⟩ 0.1 *dame's violet/rocket* ⟨Hesperis matronalis⟩.
nachtvliegen ⟨ww.⟩ 0.1 *fly at night*; ⟨zn.⟩ *night-flying*.
nachtvlinder ⟨de (m.)⟩ 0.1 [⟨biol.⟩] *moth* 0.2 [persoon] *night owl, nightbird*.
nachtvlucht ⟨de⟩ 0.1 *night flight* ⇒⟨schr.⟩ *nocturnal flight*, ⟨AE; inf.⟩ *red-eye flight*.
nachtvogel ⟨de (m.)⟩ 0.1 [vogel] *nightbird* ⇒⟨schr.⟩ *nocturnal bird* 0.2 [persoon] *nightbird, night owl*.
nachtvoorstelling ⟨de (v.)⟩ 0.1 *late-night performance/* ⟨film⟩ *showing* ♦ 6.1 in de ~ draait ... *the late-night film is ....*
nachtvorst ⟨de (m.)⟩ 0.1 *night frost* ⇒⟨aan de grond⟩ *groundfrost* ♦ 1.1 er is kans op ~ *there may be a n.f.*.
nachtwaak ⟨de⟩ 0.1 [wacht] *vigil* ⇒*watch* 0.2 [deel van de nacht] *watch*.
nachtwacht ⟨de⟩
    I ⟨de⟩ 0.1 [het wachthouden] *night watch* 0.2 [wachters] *night watch* ♦ 1.2 de ~ van Rembrandt *Rembrandt's 'Night Watch'*;
    II ⟨de (m.)⟩ 0.1 [nachtwaker] *night watchman*.
nachtwaker ⟨de (m.)⟩ 0.1 *night watchman*.
nachtwandeling ⟨de (v.)⟩ 0.1 *night-time walk* ⇒*walk at night*.
nachtwerk ⟨het⟩ 0.1 *nightwork* ♦ 3.1 er ~ van maken *burn the midnight oil*; dat wordt weer ~ *we're going to have to work (on) into the night/work late again*.
nachtwerker ⟨de (m.)⟩ 0.1 *nightman*.
nachtwolken ⟨zn.mv.⟩ 0.1 *nacreous clouds, mother-of-pearl clouds*.
nachtzijde ⟨de⟩ 0.1 [mbt. een planeet] *dark side* 0.2 [⟨fig.⟩ schaduwzijde] *dark side* ⇒*shad(ow)y side*, ⟨nadeel ook⟩ *drawback*.
nachtzitting ⟨de (v.)⟩ 0.1 *night-session*.
nachtzoen ⟨de (m.)⟩ 0.1 *goodnight kiss* ♦ 3.1 iem. een ~ geven *kiss s.o. goodnight, give s.o. a goodnight kiss*.
nachtzuster ⟨de (v.)⟩ 0.1 *night nurse*.
nachtzwaluw ⟨de⟩ 0.1 *nightjar, goatsucker* ⇒⟨Europese⟩ *scissors-grinder, fern-owl* ⟨Caprimulgus europaeus⟩, ⟨Amerikaanse⟩ *bullbat, nighthawk* ⟨Chordeiles minor⟩.

nacijferen ⟨ov.ww.⟩ 0.1 [uitrekenen] *work out* ⇒*calculate* 0.2 [nagaan op fouten] *check* ⇒*verify*.
nacompetitie ⟨de (v.)⟩ ⟨voetbal⟩ 0.1 *play-offs*.
nadagen ⟨zn.mv.⟩ 0.1 [ouderdom] *latter days/years* 0.2 [vervaltijd] *declining/latter days/years* ♦ 1.2 de ~ van de Gouden Eeuw *the decline/the latter/the declining years of the Golden Age* 6.1 in zijn ~ zijn *be past one's prime*; **in** de ~ van zijn carrière *in the twilight/the latter days of one's career, towards the end of one's career*.
nadat ⟨vw.⟩ 0.1 *after* ♦ ¶.1 ~ zij dit gezegd had, ging zij weg *a. she'd said/after saying that/having said that, she left*; hij kwam pas, ~ hij driemaal was geroepen *he only came a./he didn't come until he'd been called three times*; het moet gebeurd zijn, ~ ze vertrokken waren *it must have happened a. they('d) left*; maar niet eerder dan ~ ze een verklaring hadden ondertekend *but only a./but not until they had signed a statement*.
nadeel ⟨het⟩ 0.1 *disadvantage* ⇒⟨schade⟩ *damage, harm/detriment*, ⟨verlies⟩ *loss*, ⟨bezwaar⟩ *snag, drawback* ♦ 1.1 de voor- en nadelen afwegen *weigh up the pros and cons*; zo zijn voor- en nadelen hebben *be a mixed blessing, have its pros and cons* 3.1 er ~ bij hebben *do badly out of sth.*; veel ~ van iets hebben *suffer greatly as a result of sth., be greatly harmed/damaged by sth.*; het plan heeft het ~ dat het duurder is *the plan has the disadvantage/drawback that it is more expensive*; ~ van iets ondervinden *be the worse for sth.*; hij heeft er geen ~ van ondervonden *he's none the worse/he isn't any the worse for it, it's done him no harm*; al het bewijsmateriaal spreekt in hun ~ *all the evidence is against them*; iem. ~ toebrengen *do s.o. damage/harm, damage/harm s.o.*; ⟨verlies⟩ *cause s.o. (a) loss*; dat werkt alleen maar in zijn eigen ~ *that will only work against him*; er zijn ook nadelen aan verbonden *there are also snags attached to it* 5.1 het enige ~ ervan is dat het langer duurt *the only snag/drawback is that it will take (up) more time* 6.1 in het ~ zijn *be at a disadvantage*; het proces is **in** ons ~ beslist *the case went/judgement was given against us*; de beslissing viel **in** hun ~ uit *the decision went against them*; enigszins **in** het ~ zijn *be at sth. of a/be somewhat at a disadvantage*; zeer **in** het ~ zijn *be very much at a disadvantage, be at a great disadvantage*; ik zal niets **ten** nadele **van** hem zeggen *I won't say anything against him/to his detriment/discredit*; **ten** nadele **van** *to the prejudice/detriment of, at the expense of*.
nadelig ⟨bn., bw.; -ly⟩ 0.1 *adverse* ⇒*harmful, detrimental*, [1]*prejudicial, disadvantageous* ♦ 1.1 de ~e gevolgen van iets ondervinden *suffer the (a./harmful) consequences of sth.*; daar ondervinden we nu de ~e gevolgen van *now we're suffering the consequences, now our chickens are coming home to roost*; een ~ saldo *a deficit, an a. balance* 3.1 ~ uitvallen *work out badly*; dat werkt ~ op het moreel *that has an a. effect on morale* 6.1 dit is ~ **voor** de gezondheid *this is harmful to one's health*.
nadenken[1] ⟨het⟩ 0.1 *thought* ⇒*reflection* ♦ 2.1 in diep ~ verzonken *deep in t.* 6.1 na enig/lang ~ *after some t./long reflection*; dat stemt **tot** ~ *that gives you/that's food for t., that makes you think/sets you thinking*; stof **tot** ~ *food for t.*.
nadenken[2] ⟨onov.ww.⟩ 0.1 [denken] *think* ⇒*reflect (on), ponder, consider* 0.2 [nader overwegen] *think, reflect ((up)on), consider* ♦ 5.1 diep/ernstig ~ *t. deeply/seriously*; over die mogelijkheid moet ernstig worden nagedacht *this possibility needs serious/careful thought/consideration*; hoe meer ik erover nadenk *the more I t. about it*; even ~ *let me/* ⟨inf.⟩ *let's t.!*; denk eens even na *(stop and) t. for a moment* 5.2 denk eens even na wat dat betekent *just t. what that means*; als je even nadacht zou je zien dat dat niet kan *a moment's thought would tell/show you it won't work* 6.1 ik heb er niet **bij** nagedacht *I did it without thinking*; zichzelf geen tijd gunnen **om** na te denken *allow/give o.s. no time to t./reflect*; ergens goed **over** ~ *t. hard about sth.*, ⟨inf.⟩ *have a good think about sth.*; als je er goed **over** nadenkt *when you/you come to t. of it, if you t. about it*; ik moet/zal er eens **over** ~ *I've got to/I'll t. it about it*; er nog eens **over** ~ *t. again*; ⟨inf.⟩ *have another think*; we hebben er lang **over** nagedacht *we have given the matter much/considerable thought*; daar hoef ik niet lang **over** na te denken *I don't need to t. about that for much thought*; heb je er wel eens **over** nagedacht wat dat betekent? *have you ever considered/stopped to t. what that means?* 6.2 ik geloof niet dat ze er goed **over** nagedacht hebben *I don't t. they've thought it out/through (properly)*; je moet er nog maar eens goed **over** ~ *you'd better t. twice before you say yes*; daar heb ik eigenlijk nooit **over** nagedacht *I've never really thought about that/given that any/much thought/stopped to t. about that*; **over** de gevolgen denken ze nooit na *they never (stop to) t. about /consider the consequences*; **zonder** erbij na te denken/**zonder** ~ *without (so much as) thinking*.
nadenkend ⟨bn., bw.; -ly⟩ 0.1 *thoughtful* ⇒*pensive* ♦ 1.1 ~e ogen *a t./pensive look/gaze*.
nader ⟨bn., bw.⟩ ⟨→sprw. 274⟩ 0.1 [dichterbij] *closer* ⇒*nearer* 0.2 [nauwkeuriger] *closer*; ⟨gegevens⟩ *further, more detailed/specific* ♦ 1.2 hebt u nog geen ~e berichten? *don't you have any more details?*; ~e gegevens *f. details*; bij ~e kennismaking *on f./c. acquaintance*; bij ~ onderzoek *on f./c. investigation*; voor ~e toelichting zie pagina 3

for f. explanation see p. 3 , see p. 3 for details; een ~e verklaring afleggen *make a detailed statement* **2.2** uit niet ~ genoemde bron *from an unspecified source* **3.1** het huilen stond hem ~ dan het lachen *he was c. to tears than to laughter* **3.2** iets ~ aanduiden *give (f.) details of sth.*, *specify sth.;* laten we dat eens ~ bekijken *let's have/take a c. look at that;* deze vraag zal ~ bezien moeten worden *this matter will have to be examined more closely/in more detail;* je zult er wel ~ van horen *you'll hear more (about it) later;* ~ kennis maken met iem. *get to know s.o. better/more closely, get better/more closely acquainted with s.o.;* iem. ~ leren kennen *get to know s.o. better/more closely;* ~ op iets ingaan *go into details about sth.;* een ~ te bepalen plaats *a place to be determined later;* kunt u dat ~ toelichten? *could you be more explicit?* **3.¶** wij spreken elkaar nog ~ *we'll discuss this further another time* **4.2** (zelfst.) is daar al iets ~s van bekend? *is anything further known about it?* **6.1** ~ **tot** elkaar proberen te komen *try to get c. to one another;* partijen ~ **tot** elkaar proberen te brengen *try to bring parties c. together* **¶.2** prijs ~ overeen te komen *offers invited;* salaris ~ overeen te komen *salary to be negotiated.*

naderbij ⟨bw.⟩ **0.1** *closer* ⇒*nearer* ◆ **3.1** een oplossing ~ brengen *bring a solution nearer/c.;* ~ komen *come/get c./ nearer* **6.1** iets **van** ~ beschouwen *look into sth..*

naderen
I ⟨onov.ww.⟩ **0.1** [in aantocht zijn] *approach* ⇒*draw near* ◆ **1.1** het einde nadert *the end is nigh/is at hand/* ⟨minder plechtig⟩ *is near;* hij voelde zijn einde ~ *he felt the end approaching/drawing near;* het uur van de waarheid nadert *the moment of truth is at hand;*
II ⟨ov.ww.⟩ **0.1** [dichterbij iem., iets komen] *approach* ⇒*near* ◆ **1.1** het doel ~ *a./near one's goal;* wij ~ station Amersfoort *we are now approaching Amersfoort (station);* de voltooiing ~ *a./near completion* **5.1** hij is hem nu dicht genaderd *he has now drawn up close to him* **6.1 bij** het ~ van de grens *on approaching/nearing the frontier* **7.1** oma nadert de zeventig *granny is nearly/is nearing/is getting on for/* ⟨inf.⟩ *is going on seventy.*

naderend ⟨bn.⟩ **0.1** *approaching* ◆ **1.1** zij zag het ~ gevaar *she saw the a. danger;* een naderend ~ onheil *a feeling of a. doom;* een ~ onweer *an a. storm;* ~ verkeer *oncoming/a. traffic.*

naderhand ⟨bw.⟩ **0.1** *afterwards* ◆ **.1** ~ heb je er spijt van *a. you'll regret it/you wish you hadn't/you're sorry you did.*

nadering ⟨de (v.)⟩ **0.1** [het naderen] *approach* **0.2** [⟨luchtv.⟩] *approach* ◆ **2.2** rechtstreekse ~ *direct a..*

naderingswerk ⟨het⟩ **0.1** *approaches.*

nadezen ⟨bw.⟩ **0.1** *hence* ◆ **1.1** honderd jaar ~ *a hundred years h..*

nadien ⟨bw.⟩ **0.1** *after(wards)* ⇒*later* ◆ **1.1** een jaar ~ *a year later/after(wards).*

nadienen ⟨onov.ww.⟩ ⟨mil.⟩ **0.1** *serve extra-time* ◆ **1.1** hij blijft nog twee jaar ~ *he's signed on/re-enlisted for two more years.*

nadir ⟨het⟩ **0.1** *nadir.*

nadoen ⟨ov.ww.⟩ **0.1** [eveneens doen] *copy* ⇒*imitate,* ⟨pej.⟩ *ape* **0.2** [in stem, gebaren nabootsen] *imitate, copy;* ⟨spottend⟩ *make catcalls at* ◆ **1.2** de scholier deed zijn leraar na *the schoolboy mimicked/took off his teacher;* iemands stem ~ *m./i.s.o.'s voice* **4.1** ze doen elkaar allemaal na *they all c./ape each other* **¶.1** dat doe je mij niet na *you can't match/c. that!;* ik zou het hem niet graag ~ *I wouldn't like/want to c. him.*

nadoenerij ⟨de (v.)⟩ **0.1** *copying* ⇒*aping.*

nadorst ⟨de (m.)⟩ **0.1** *a dried-out feeling* ⇒*a dry throat* ◆ **6.1** een glaasje **tegen** de ~ *a hair of the dog (that bit one).*

nadreunen ⟨onov.ww.⟩ **0.1** *rumble on* ⇒*go rumbling on.*

nadruk ⟨de (m.)⟩ **0.1** [kracht, klem] *emphasis* ⇒*stress* **0.2** [klemtoon, accent] *stress* ⇒*emphasis, accent* **0.3** [het nadrukken] *reprinting* **0.4** [nagedrukt boek] *reprint* ◆ **1.3** de ~ van een werk *the r. of a work* **2.4** de Amerikaanse ~ van dit boek *the American r. of this book* **3.2** de ~ leggen op *stress, emphasize, lay (the) s./emphasis on;* ⟨fig.⟩ sterk de ~ op iets leggen *highlight sth.;* ⟨fig.⟩ te sterk de ~ leggen op *overemphasize/overstress sth.;* ⟨fig.⟩ we kunnen er niet genoeg de ~ op leggen dat ...*it cannot be emphasized/stressed enough that...*, *it cannot be sufficiently emphasized/stressed that ...;* de ~ ligt op de eerste lettergreep *the s. falls on the first syllable* **3.3** ~ verboden *copyright, all rights reserved* **6.1 met** ~ betoogde hij dat ...*he stressed/emphasized (the fact/point) that ....*

nadrukkelijk ⟨bn., bw.; -ly⟩ **0.1** *emphatic;* ⟨expliciet⟩ *express;* ⟨waarschuwing, enz.⟩ *urgent;* ⟨met een bepaalde bedoeling⟩ *pointed* ◆ **1.1** op een ~ e manier op zijn horloge kijken *look pointedly at one's watch;* tegen mijn ~ verbod in *against my express wishes* **2.1** zeer ~ aanwezig zijn *loom large, make one's presence (very much) felt* **3.1** een woord ~ uitspreken *say a word emphatically, emphasize a word;* ~ verbieden *expressly forbid;* dat is ~ verboden *this is expressly forbidden;* iets ~ verklaren *state sth. emphatically;* iem. ~ waarschuwen *warn s.o. urgently.*

nadrukken ⟨ov.ww.⟩ **0.1** [naar een voorbeeld drukken] *reprint* **0.2** [nog eens drukken] *reprint;* ⟨zonder vergunning⟩ *pirate.*

nadruppelen ⟨onov.ww.⟩ **0.1** *keep (on) dripping* ◆ **3.1** onder de bomen bleef het ~ *it kept on dripping (for a while) under the trees.*

naduiken ⟨ov.ww.⟩ **0.1** *dive (down/in) after* ◆ **1.1** een drenkeling ~ *dive down/in after/dive down/in to save a drowning person.*

naëten
I ⟨onov.ww.⟩ **0.1** [later eten] *eat later (on);*
II ⟨ov.ww.⟩ **0.1** [als dessert eten] *eat for dessert/* ⟨BE ook⟩ *for sweet/* ⟨inf.⟩ *for afters* ⇒*finish (up) with.*

nafluiten ⟨ov.ww.⟩ **0.1** [fluitend nadoen] *imitate the whistle of* **0.2** [naar een voorbijganger fluiten] *whistle at;* ⟨spottend⟩ *make catcalls at* ◆ **1.2** een meisje ~ *give a girl a wolf whistle, wolf-whistle at a girl.*

naft ⟨de (m.)⟩ ⟨AZN⟩ ⟨inf.⟩ **0.1** ≠*juice,* ^A*gas* ◆ **6.1 op** ~ rijden *run on j./g..*

nafta ⟨de (m.)⟩ **0.1** *naphtha.*

naftaleen ⟨het⟩ **0.1** *naphthalene.*

n.a.g. ⟨afk.⟩ **0.1** [niet afzonderlijk genoemd] ⟨*not mentioned separately*⟩.

nagaan ⟨ov.ww.⟩ **0.1** [na onderzoek concluderen] *work out (for o.s.)* **0.2** [zich voorstellen] *imagine* **0.3** [bespieden] *spy on* ⇒*watch* **0.4** [controleren] *check (up)* ⇒*verify* **0.5** [volgen] *go after* ◆ **1.1** de mogelijkheid ~ om het plan uit te voeren *examine the possibility of carrying out the plan* **1.3** iemands gangen ~ *follow/tail s.o.* **1.4** de zakken ~ *check one's pockets* **3.1** voorzover we kunnen ~ *as far as we can gather* **3.2** kun je ~! *just i.!;* je kunt wel ~ dat ...*you can just i. how...* **4.1** ga eens na wat dat zou kosten *work (it) out (for yourself) what that would cost* **4.2** ga maar na wat dat kost *just i. what that costs* **5.4** we zullen die zaak zorgvuldig ~ *we will look carefully into this* **8.2** als je nagaat dat ze pas 13 is *to think that she's only 13, considering she's only 13;* als je nagaat dat er toen nog geen vliegtuigen waren *if you think/considering there weren't any planes in those days* **8.4** ~ of ...*check whether...* **¶.1** dat is nu niet meer na te gaan *it's too late to check that/to find that out now* **¶.4** als iedereen even bij zichzelf nagaat hoeveel geld hij heeft uitgegeven *if everyone will just work out for himself how much money he's spent.*

nagalm ⟨de (m.)⟩ **0.1** *echo* ⇒↑*reverberation* ◆ **1.1** de ~ van een klok *the e. of a bell.*

nagalmen ⟨onov.ww.⟩ **0.1** *echo* ⇒↑*reverberate.*

nagapen ⟨ov.ww.⟩ **0.1** *gape at* ⇒*stare at,* ⟨inf.⟩ *gawp at* ◆ **6.1** iem. **met** open mond ~ *gape/gawp at s.o., stand gaping/gawping at s.o..*

nageboorte ⟨de (v.)⟩ **0.1** *afterbirth.*

nagedachtenis ⟨de (v.)⟩ **0.1** *memory* ◆ **1.1** vaders ~ in ere houden *honour father's m.* **2.1** in dierbare ~ *in loving m.;* zaliger ~ *of blessed/ happy m.* **3.1** iemands ~ bezoedelen *sully s.o.'s m.;* gewijd aan de ~ van X *dedicated to the m. of X* **6.1 ter** ~ **aan** mijn moeder *in m. of my mother;* **ter** ~ **van** X *in memoriam X.*

nagel ⟨de (m.)⟩ **0.1** [mbt. voet, hand] *nail;* ⟨van dier⟩ *claw* **0.2** [afdruk, indruk] *nail mark;* ⟨van dier⟩ *claw mark* **0.3** [spijker] *nail* **0.4** [bloemetje] *clove, unguis* **0.5** [kruidnagel] *clove* ◆ **2.1** lange/korte ~s *long/ short nails* **3.1** ⟨fig., inf.⟩ geen ~ hebben om zijn gat te krabben *be (down) on one's uppers, not have (so much as) a brass farthing;* zijn ~s knippen *cut/trim one's nails;* zijn ~s schoonmaken *clean one's nails;* de kat trekt zijn ~s in *the cat pulls/draws its claws in* **3.2** de ~s staan in zijn gezicht *there are scratch-marks on his face* **6.1 op** zijn ~s bijten *bite one's nails* **¶.3** ⟨fig.⟩ het/hij is een ~ aan mijn doodkist *it/he's a n. in my coffin.*

nagelbed ⟨het⟩ **0.1** *quick* ⇒*nail bed, matrix.*

nagelbijten ⟨ww.⟩ **0.1** *bite one's nails;* ⟨zn.⟩ *nail-biting.*

nagelbijter ⟨de (m.)⟩, **-bijtster** ⟨de (v.)⟩ **0.1** *nail-biter.*

nagelbloem ⟨de⟩ **0.1** ⟨anjelier⟩ *dianthus, gillyflower* ⟨Dianthus⟩ ⇒ ⟨bolderik⟩ *corn cockle/campion* ⟨Agrostemna githago⟩, ⟨sering⟩ *lilac* ⟨Syringa vulgaris⟩, ⟨muurbloem⟩ *wallflower* ⟨Cheiranthus cheiri⟩.

nagelborstel ⟨de (m.)⟩ **0.1** *nail brush.*

nagelen ⟨ov.ww.⟩ **0.1** *nail* ◆ **3.1** hij stond (als) aan de grond genageld *he stood as if pinned to the ground, he stood rooted to the spot;* hij zat op zijn stoel genageld *he sat riveted/nailed/glued/pinned to his chair* **6.1** Christus werd **aan** het kruis genageld *Christ was nailed to the cross;* ⟨fig.⟩ iem. **aan** de schandpaal ~ *pillory s.o..*

nagelgarnituur ⟨het⟩ **0.1** *manicure set.*

nagelkaas ⟨de⟩ **0.1** *clove cheese.*

nagelknipper ⟨de (m.)⟩ **0.1** *nail-clipper(s).*

nagelkruid ⟨het⟩ **0.1** [Geum] ⟨water⟩ *avens, geum* ⟨Geum rivale⟩; *herb bennet,* ⟨n.-telb.⟩ *bennet; wood avens* ⟨Geum urbanum⟩ **0.2** [penningkruid, rondbladige wederik, egelkruid] *moneywort* ⟨Lysimachia nummularia⟩ **2.2** groot ~ *mouse-ear hawkweed.*

nagellak ⟨het, de (m.)⟩ **0.1** *nail polish* ⇒^B*nail varnish,* ^A*nail enamel.*

nagellakken ⟨ww.⟩ **0.1** *paint one's nails.*

nagelolie ⟨de⟩ **0.1** *oil of cloves, clove oil.*

nagelriem ⟨de (m.)⟩ **0.1** *cuticle* ◆ **2.1** gescheurde ~en *frayed cuticles.*

nagelschaar ⟨de⟩ **0.1** ⟨*pair of*⟩ *nail scissors* ⇒*manicure scissors.*

nageltang ⟨de⟩ **0.1** ⟨*pair of*⟩ *pincers* ⇒*nail extractor/puller,* ⟨klein⟩ *nipper* **0.2** [mbt. het knippen van nagels] *nail clipper(s).*

nagelvast ⟨bn.⟩ **0.1** (*permanently*) *attached/fixed (to the house/property),* *as a fixture* ◆ **2.1** dat wat aard- en ~ is *the fixtures.*

nagelvijl ⟨de⟩ **0.1** ⟨*nail*⟩ *file* ⇒ ⟨kartonnen⟩ *emery board.*

nagelvlek ⟨de⟩ **0.1** *half-moon* ⇒ ↑*lunula, lunule*.
nagelvlies ⟨het⟩ **0.1** *pterygium*.
nagelvormig ⟨bn.⟩ **0.1** *nail-shaped*.
nagelwortel ⟨de (m.)⟩ **0.1** [oorsprong van nagel in vlees] *root/ base of the nail* **0.2** [wortel van nagelkruid] *root of the (herb) bennet*.
nagenieten ⟨onov.ww.⟩ **0.1** *enjoy/ relish the memory (of)* ◆ **7.1** het ~ *the post-enjoyment, the afterglow*.
nagenoeg ⟨bw.⟩ **0.1** *almost, nearly* ⇒*practically, to/ for all intents and purposes, just about, as good as* ◆ **1.1** het scheelt ~ de helft *it is a. twice as small/ cheap/ enz.* **4.1** ~ alles *nearly/ just about everything* **5.1** ik heb mijn opstel ~ af *I have pretty well/ as good as finished my essay* **7.1** de doos bevatte ~ 300 edelstenen *the box contained just about/ towards 300 gems*.
nagenoemd ⟨bn.⟩ **0.1** *mentioned below* ⇒*following,* ᴮ*undermentioned* ◆ **1.1** ~e bepalingen *the stipulations (mentioned) below*.
nagerecht ⟨het⟩ **0.1** *dessert (course)* ⇒*sweet,* ⟨inf.⟩ *afters*.
nageslacht ⟨het⟩ **0.1** [nakomelingen] *offspring* ⇒*progeny, descendants, issue* **0.2** [mensengeslacht] *future generations* ⇒*posterity, succeeding ages* ◆ **4.1** zijn ~ *his descendants* ¶.2 het ~ zal over mij oordelen *f. g. will judge me*.
nageven ⟨ov.ww.⟩ **0.1** [later geven] *conclude with, finish up with* **0.2** [van iem. vertellen] *say about/ of* ⇒⟨negatief⟩ *tax with, impute to,* ⟨positief⟩ *hand to, say for* ◆ **1.1** yoghurt met fruit ~ *conclude/ follow with yoghurt and fruit* **3.2** dat moet ik haar ~ *I have to hand it to her/ say that much for her* **8.2** men geeft hem na dat ... *it is said of him that ..., he is taxed with ...(-ing)* ¶.¶ dat zou ik hem niet nageven *I wouldn't have thought that of him*.
nagewas ⟨het⟩ **0.1** *aftergrowth* ⇒*aftercrop*.
nagisting ⟨de (v.)⟩ **0.1** *secondary fermentation* ◆ **6.1** ~ op de fles *secondary fermentation in the bottle*.
naglans ⟨de (m.)⟩ **0.1** *afterglow* ◆ **1.1** de ~ van die roemruchte tijden *the a. of those illustrious days*.
nagloeien ⟨onov.ww.⟩ **0.1** *glow (after extinction)* ⇒*smoulder* ◆ **1.1** een ~d houtblok *a glowing/ smouldering log*.
nagluren ⟨ov.ww.⟩ **0.1** *peer/ peek after* ⇒*follow with one's eyes*.
nagras ⟨het⟩ **0.1** *aftergrass* ⇒*aftermath, aftercrop, second cut* ◆ **6.1** op het ~ komen *catch/ be caught in the aftermath*.
naheffing ⟨de (v.)⟩ **0.1** *additional/ retrospective collection (of taxes)* ⇒*balance (of tax) payable, after-tax*.
naherfst ⟨de (m.)⟩ **0.1** *late autumn/* ᴬ*fall*.
nahollen ⟨onov.ww.⟩ **0.1** *run/ chase after*.
nahouden ⟨ov.ww.⟩ **0.1** [na afloop laten blijven] *keep (in)/ detain (after hours)* **0.2** [bezitten] *have, keep* ⇒*entertain, cherish, pursue* ⟨methoden⟩ ◆ **1.1** de leraar hield de hele klas na *the teacher kept the entire class in (after school)/ for detention* ¶.2 er een bepaalde levenswijze op ~ *lead a certain (type of) life;* er vreemde ideeën op ~ *h. a boyfriend on the sly;* hij houdt er vreemde ideeën op na *he has/ holds/ entertains some peculiar ideas;* er een meid/ auto op ~ *k. a maid; k./ run/ own a car;* er een eigen mening/ een uitgesproken mening op ~ *h./ hold one's own opinions/ strong/ definite opinions*.
naïef ⟨bn., bw.; -ly⟩ **0.1** [ongekunsteld] *naïve, naive, artless* ⇒*ingenuous, unaffected, unsophisticated* **0.2** [onnozel] *naïve, naive* ⇒*innocent, simple, wide-eyed* ◆ **1.1** een ~ kind *a n./ a. child;* naïeve oprechtheid *candor, ingenuousness;* naïeve schilderkunst *primitive art* **1.2** een naïeve opmerking *a n. remark* **3.2** het is erg ~ om te geloven dat ... *it is very a. to believe that ...;* zij was zo ~ om te denken dat ... *she naïvely thought that ...*.
naïeveling ⟨de (m.)⟩ **0.1** *naïve* ⇒*simpleton, innocent,* ⟨sl.⟩ *fall guy*.
naijlen
I ⟨ov.ww.⟩ **0.1** [snel nalopen] *hasten/ harry/ run after;*
II ⟨onov.ww.⟩ **0.1** [⟨tech.; ook fig.⟩] *lag*.
naijver ⟨de (m.)⟩ **0.1** *envy* ⇒*jealousy, heartburning*.
naijverig ⟨bn.⟩ ⟨schr.⟩ **0.1** [ongemarkeerd] *envious* ⇒*jealous*.
naïveteit ⟨de (v.)⟩ **0.1** *naïveté* ⇒*artlessness, ingenuousness* ◆ **2.1** kinderlijke ~ *childlike n./ artlessness*.
najaar ⟨het⟩ **0.1** *autumn;* ⟨AE ook⟩ *fall* ◆ **2.1** een nat ~ *a wet a.* **6.1** in het ~ *in (the) a..*
najaarsbeurs ⟨de⟩ **0.1** *autumn fair*.
najaarscollectie ⟨de (v.)⟩ **0.1** ᴮ*autumn/* ᴬ*fall collection*.
najaarsmode ⟨de⟩ **0.1** ᴮ*autumn/* ᴬ*fall fashion(s)*.
najaarsopruiming ⟨de (v.)⟩ **0.1** *autumn sale(s)*.
najaarsstorm ⟨de (m.)⟩ **0.1** *autumn(al) gale/ storm*.
najaarstrek ⟨de (m.)⟩ **0.1** *autumnal migration*.
najaarsweer ⟨het⟩ **0.1** *autumnal weather*.
najaarszon ⟨de⟩ **0.1** *autumn(al) sun(shine)*.
najade ⟨de (v.)⟩ ⟨myth.⟩ **0.1** *naiad* ⇒*water nymph, Oceanid*.
najagen ⟨ov.ww.⟩ **0.1** [achtervolgen] *chase* ⇒*run after, pursue, hound* **0.2** [streven naar] *go for/ after, pursue* ⇒*aim for/ at, search for* ◆ **1.1** een hert ~ *c. a deer* **1.2** een doel ~ *p. a goal;* geluk ~ *search for happiness;* het genot ~ *p. pleasure(s);* hersenschimmen ~ *chase shadows, go on a wild-goose chase;* winst ~ *aim at/ go out for profit* **4.2** hetzelfde ~ *hunt in the same pack*.
najouwen ⟨ov.ww.⟩ **0.1** *bawl/ hoot/ jeer after*.

nakaarten ⟨onov.ww.⟩ **0.1** [napraten] *have a chat afterwards* ⇒*discuss* **0.2** [terugkomen op een zaak] *be wise after the event* ⇒*discuss might-have-beens, go over old ground* **0.3** [⟨kaartspel⟩] *hold a post-mortem (analysis)*.
nakauwen ⟨onov.,onov.ww.⟩ **0.1** [herkauwen] ⟨onov.,ov.⟩ *ruminate;* ⟨onov.⟩ *chew the cud* **0.2** [telkens weer praten] ⟨onov.⟩ *keep on talking (about sth.), go over sth. time and again;* ⟨ov.⟩ *keep on about, rehash, regurgitate*.
naken ⟨onov.ww.⟩ ⟨schr.⟩ **0.1** *draw nigh/ near* ⇒(*be) approach(ing), (be) impend(ing), be imminent* ◆ **1.1** het jaar van zijn vrijlating naakt *the year of his release is drawing near;* het ~de onweer *the approaching thunderstorm*.
nakend ⟨bn.⟩ ⟨inf.⟩ **0.1** *(mother)naked* ⇒*in the nude/ the altogether/ one's birthday suit, starkers,* ↑*stark-naked*.
nakeuring ⟨de (v.)⟩ **0.1** *follow-up/ final inspection*.
nakie ⟨het⟩ ⟨inf.⟩ **0.1** *nude, (native) buff, nature's garb* ◆ **6.1** in zijn ~ staan *stand starkers/ naked (to the world), be in the altogether*.
nakijken ⟨onov.ww.⟩ **0.1** [kijken naar] *watch, follow (with one's eyes)* ⇒*look after* **0.2** [controleren, nazien] *check* ⇒*examine, run over, test, have/ take a look at* **0.3** [corrigeren] *mark* ⇒*correct* ◆ **1.1** zij keek de wegrijdende auto na *she watched the car drive off* **1.2** je moet dat document eens zorgvuldig ~ *you should take a good/ close look at that document;* je moet je opstel ~ als het af is *you should c. / run over your essay when it is finished* **1.3** de leraren moeten veel proefwerken ~ *the teachers have to m. a lot of papers/ tests* **3.1** de keeper het ~ geven *give the (goal)keeper the go-by, beat the (goal)keeper;* ⟨fig.⟩ hij had het ~ *he could whistle for it, he came off second-best* **3.2** zijn tanden laten ~ *have one's teeth looked at/ checked;* zich laten ~ *have a check-up;* je moest het maar eens ~ *you'd better make sure* **6.2** iets in de encyclopedie ~ *look up sth. in the encyclopedia* ¶.2 laat je eens ~! *you ought to have/ you need your head examined!;* ~ of de deuren en ramen dicht zijn *try/ check the doors and windows*.
naklank ⟨de (m.)⟩ **0.1** [nagalm] *echo, reverberation* ⇒*resonance* **0.2** [nawerking] *reverberation(s)* ⇒*aftermath, echo* ◆ **1.1** de ~ van een klok *the reverberations/ lingering sound of a bell*.
naklinken ⟨onov.ww.⟩ **0.1** [hoorbaar zijn] *(still) sound/ reverberate/ resound/ ring (in one's ears)* ⇒*ring after* **0.2** [blijven klinken] *reverberate* ⇒*resound, ring, echo, resonate* ◆ **1.1** een spottend gelach klonk hem na *a derisive laughter resounded in his ears/ rang after him/ lingered after him*.
nakomeling ⟨de (m.)⟩ **0.1** [nazaat] *descendant* ⇒*child, heir* **0.2** [⟨mv.⟩ nageslacht] *offspring* ⇒*progeny, descendants, issue*.
nakomelingschap ⟨de (v.)⟩ **0.1** *offspring* ⇒*progeny, descendants, issue*.
nakomen
I ⟨onov.ww.⟩ **0.1** [later komen] *come/ arrive later* ⇒*come after-(wards)/ along/ behind, follow* ◆ **1.1** uw bagage komt na *your luggage will be sent (on) after you/ arrive later;* nagekomen berichten *messages received afterwards/ later, subsequent/ late news;* ⟨krant⟩ *stop-press news;*
II ⟨ov.ww.⟩ **0.1** [zich houden aan] *observe* ⇒*comply with,* ⟨uitvoeren⟩ *perform, fulfil, keep* ⟨belofte⟩ ◆ **1.1** zijn afspraken ~ *keep one's appointments, meet one's commitments;* een belofte niet ~ *fail to keep a promise, default, welsh on a promise;* een belofte ~ ⟨ook⟩ *live up to/ redeem a promise;* zijn verplichtingen ~ *fulfil one's obligations* **5.1** bij het niet ~ van de verbintenis *in case of non-observance of the agreement;* bij het niet ~ van het bovenstaande *in case of non-compliance with the above.*
nakomertje ⟨het⟩ **0.1** *afterthought* ⇒*late arrival*.
nakoming ⟨de (v.)⟩ **0.1** *observance* ⇒*compliance, performance, fulfilment*.
nakroost ⟨het⟩ **0.1** *descendants* ⇒*offspring, progeny, issue*.
N-akte ⟨de⟩ **0.1** ⟨*certificate enabling to teach at a vocational school*⟩.
nalaten ⟨ov.ww.⟩ **0.1** [bij overlijden achterlaten] *leave (behind)* ⇒ ⟨schenken⟩ *bequeath (to), demise (to),* ⟨inf.⟩ *cut up (for)* **0.2** [werking, invloed achterlaten] *leave (behind)* **0.3** [niet doen] *refrain from (-ing)* ⇒*fail to, forbear to, omit (-ing)* **0.4** [achterwege laten] *refrain from (-ing)* ⇒*desist from (-ing), leave off (-ing), give up* **0.5** [zich onthouden van] *refrain from (-ing)* ⇒*help (-ing), resist (-ing), forbear (to)* **0.6** [verzuimen] *fail (to)* ⇒*neglect (to, -ing), forget (to)* ◆ **1.1** geen cent ~ *cut off (s.o.) (without a penny);* een fortuin ~ *leave/ cut up for a fortune;* nagelaten gedichten *posthumous poems;* vier kinderen ~ *leave (behind) four children* **1.2** zijn moedige daad liet een diepe indruk na *his bravery left a deep impression;* sporen ~ in de sneeuw *leave tracks in the snow, track the snow;* ⟨fig.⟩ diepe sporen ~ *leave deep traces/ wounds/ scars* **1.4** slechte gewoonten ~ *refrain from/ desist from/ give up bad habits* **3.5** ik kan het niet ~ u daarvoor te bedanken *I really must thank you for this;* hij kan het niet ~ een grapje te maken *he cannot resist (making) a joke, he can't help joking;* hij kan het niet ~ zijn theorieën te verkondigen *he cannot stop peddling his theories;* hij kon het amper ~ te glimlachen *he could hardly resist a smile* **4.3** we zullen niets ~ om je familie te helpen *we will do everything we can / leave no stone unturned to help your family* **5.3** iets niet ~ *not fail to do sth..*

nalatenschap ⟨de (v.)⟩ 0.1 *estate* ⇒*inheritance, heritage, legacy* ◆ 1.1 ⟨fig.⟩ deze ~ van een vorig kabinet *this legacy/inheritance of a previous administration* 2.1 dichterlijke ~ *poetic legacy;* onbeheerde ~ *e. of an intestate dying without known heir;* ⟨jur.⟩ *bona vacantia;* onverdeelde ~ *undivided e.* 3.1 een ~ beheren *administer an e.*.

nalatig ⟨bn., bw.; -ly⟩ 0.1 *negligent* ⇒*remiss, careless, slack,* ⟨in bep. geval⟩ *in default* ◆ 1.1 een ~e huurder/betaler *a defaulting/tardy tenant/debtor* 3.1 hij is altijd zo ~ *he is always so careless/n.* 6.1 ~ zijn **in** *be n./remiss in.*

nalatigheid ⟨de (v.)⟩ 0.1 *negligence* ⇒*default, carelessness, omission* ◆ 2.1 een grove ~ *a gross n./omission.*

naleven ⟨ov.ww.⟩ 0.1 *observe* ⇒*comply with* ⟨wet⟩, *fulfil* ⟨verplichtingen⟩, *live up to* ⟨belofte⟩ ◆ 1.1 de vasten ~ *o. Lent;* de voorschriften ~ *o. the regulations.*

naleveren ⟨ov.ww.⟩ 0.1 *deliver subsequently/later on* ⇒*deliver at a later date,* ⟨extra⟩ *make a further/an additional delivery of.*

nalevering ⟨de (v.)⟩ 0.1 *subsequent delivery* ⇒⟨BE⟩ *backlog,* ⟨nabestelling⟩ *repeat* ◆ 1.1 ~ van onderdelen is steeds mogelijk *additional parts can always be supplied.*

naleving ⟨de (v.)⟩ 0.1 *observance* ⇒*performance, compliance (with), fulfilment* ◆ 2.1 strikte ~ van de wet *strict o. of/compliance with the law.*

nalezen ⟨ov.ww.⟩ 0.1 [inhoud nagaan] *read through/up* ⇒*peruse, check (out), go through* 0.2 [overlezen] *read again* ⇒*proofread* ⟨manuscript⟩ 0.3 [uit/doorzoeken] *glean* ⟨korenveld⟩ ◆ 1.1 ik heb er heel wat boeken over nagelezen *I have read up/gone through a lot of books about it* 1.2 een artikel voor de tweede maal ~ *read an article (through) for the second time* 1.3 de gekamde wol ~ *pick the combed wool* 3.1 ik zal er de wet op moeten ~ *I'll have to check out the law.*

nalichten ⟨onov.ww.⟩ 0.1 *shine/glow on/after(wards)* ◆ 7.1 het ~ *the afterglow.*

nalopen ⟨ov.ww.⟩ 0.1 [achterna lopen] *walk/run after* ⇒*follow, chase, dog* 0.2 [controleren] *check* ⇒*oversee, look after, run through* ⟨een rekening, voorraden⟩ ◆ 1.1 die hond loopt zijn baas overal na *that dog follows his master everywhere;* de meisjes/vrouwen ~ *chase/run after the girls/women, womanize* 1.2 een auto helemaal ~ *give a car a complete check-up;* het personeel ~ *c. (up on)/supervise the staff;* een rekening ~ *c. a bill* 1.¶ ⟨AZN⟩ mijn horloge loopt na *my watch is slow* 3.2 ze moet hem de hele dag ~ *she has to keep an eye on him all day.*

NAM ⟨de (v.)⟩ 0.1 ⟨*Dutch Petroleum Company*⟩.

Nama ⟨de (m.)⟩ 0.1 *Nama(n).*

namaak ⟨de (m.)⟩ 0.1 *imitation* ⇒*copy, sham,* ⟨vervalst⟩ *fake, counterfeit, forgery* ◆ 2.1 ~-Japans *i. Japanese* 3.1 het is ~ *it is a fake/an i.* ¶.1 hoedt u voor ~ *beware of imitations/counterfeit(s).*

namaakbont ⟨het⟩ 0.1 *imitation/↓fake/*⟨vnl. reclametaal⟩ *fun fur.*

namaakjuwelen ⟨zn.mv.⟩ 0.1 *costume/imitation/↓fake jewellery/*⟨AE; ook⟩ *jewelry* ⇒*paste (jewels).*

namaaksel ⟨het⟩ 0.1 *imitation* ⇒*copy,* ⟨vervalsing⟩ *fake, forgery.*

namaken ⟨ov.ww.⟩ 0.1 [maken naar een model] *imitate* ⇒*copy* 0.2 [bedrieglijk nabootsen] *forge, fake, counterfeit* ◆ 1.1 een doosje ~ *copy a box* 1.2 antiek ~ *make reproductions/*⟨pej.⟩ *fakes/*⟨pej.⟩ *fake antiques;* hij heeft mijn handtekening nagemaakt *he has forged my signature* 5.1 iets nauwkeurig ~ *i./copy sth. carefully, make a detailed copy of sth.*.

name ⟨zn.mv.⟩ ◆ 6.¶ **bij** ~ noemen *call by name;* **met** ~ *especially, particularly, in particular, notably;* ze heeft je niet **met** ~ genoemd *she didn't mention your name (specifically);* drie **met** ~ genoemde personen *three (specifically) named persons, three people identified by name;* in de **met** ~ genoemde gevallen *in the cases specified;* **ten** ~ **van** mevrouw X *in the name of Mrs. X.*

namelijk ⟨bw.⟩ 0.1 [te weten] *namely* ⇒*viz., sc., to wit, that is (to say)* 0.2 [immers] *you see, as it happens/it so happens, the fact (of the matter) is, for* ◆ 3.1 hij had ~ vergeten zijn adres te vermelden *the fact is, he had forgotten to put in his address* 3.2 wij dachten ~ dat ... *you see/the fact is, we thought that ...;* ik had ~ beloofd dat ... *it so happens I had promised that ...;* u moet ~ weten dat ... *you see, ...* ¶.1 in de Verenigde Staten zijn twee Disney-parken, ~ in Californië en Florida *there are two Disney parks in the United States, one in California and one in Florida.*

namelk ⟨de (m.)⟩ 0.1 *strippings.*

nameloos ⟨bn., bw.; -ly⟩ 0.1 *indescribable* ⇒⟨ihb. van negatieve zaken⟩ *unspeakable, untold* ⟨ellende⟩, *ineffable* ◆ 2.1 hij is ~ gelukkig *he is happy beyond words.*

namenkunde →**naamkunde.**

namenregister →**naamregister.**

namens ⟨vz.⟩ 0.1 *on behalf of* ⇒*from, (speaking) for,* ⟨in opdracht van⟩ *on the part of, by order of* ◆ 1.1 ik moet u ook ~ mijn familie bedanken *I must also thank you on behalf of my family;* mede ~ mijn man *also on behalf of/speaking also for my husband.*

nameten ⟨ov.ww.⟩ 0.1 *check/verify (the measurements of)* ⇒*re-measure, measure again.*

nameting ⟨de (v.)⟩ 0.1 [het nameten] *re-measuring* 0.2 [het meten na een experiment] *measuring afterwards* ⇒*post-verification, checking* ◆ 1.2 de voor- en ~ in een experimenteel onderzoek *the measurements taken before and after an experiment.*

namiddag ⟨de (m.)⟩ 0.1 *afternoon* ◆ 2.1 een vrije ~ *a half-holiday, an a. off* 6.1 **in** de ~ *in the a., p.m.*.

nanacht ⟨de (m.)⟩ 0.1 *latter part of the night.*

naneef ⟨de (m.)⟩ 0.1 *(distant/remote) descendant.*

nanking ⟨het⟩ 0.1 *nankeen.*

nanoseconde ⟨de⟩ 0.1 *nanosecond.*

nansenpas ⟨de (m.)⟩ 0.1 *Nansen passport.*

nansoek ⟨het, de (m.)⟩ 0.1 *nainsook.*

naontsteking ⟨de (v.)⟩ 0.1 *afterburning* ⇒*retarded ignition.*

naoogst ⟨de (m.)⟩ 0.1 *after-harvest* ⇒*late harvest.*

naoorlogs ⟨bn.⟩ 0.1 *postwar* ⇒*afterwar* ◆ 1.1 ~e huizen *p. houses, houses built after the war.*

nap ⟨de (m.)⟩ ⟨dicht.⟩ 0.1 [beker] ⟨ongemarkeerd⟩ *cup* ⇒*beaker* 0.2 [kom, schotel] ⟨ongemarkeerd⟩ *(wooden) bowl* ⇒*basin, porringer.*

NAP ⟨het⟩ 0.1 ⟨*Normal Amsterdam Level*⟩.

napalm ⟨het⟩ 0.1 [natriumpalmitaat] *napalm* 0.2 [verdikte benzine] *napalm.*

napalmbom ⟨de⟩ 0.1 *napalm bomb.*

Napels ⟨het⟩ 0.1 *Naples* ◆ 3.1 ⟨fig.⟩ ~ zien en dan sterven *see Rome and (then) die.*

napijn ⟨de⟩ 0.1 [pijn achteraf] *afterpain(s)* 0.2 [⟨fig.⟩ nawee] *after-effects, aftermath* ◆ 3.2 ergens de ~ van ondervinden *feel the (after-)effects of sth.*.

napluizen ⟨ov.ww.⟩ 0.1 ⟨onderzoeken⟩ *examine closely, scrutinize;* ⟨uitzoeken⟩ *unravel, ferret out, hunt up.*

napluk ⟨de (m.)⟩ 0.1 [het plukken] *second picking; finishing* ⟨van pluimvee⟩ 0.2 [wat nageplukt is] *second picking(s), aftercrop, gleaning(s).*

napoleon ⟨de (m.)⟩ 0.1 [baardje met snor] *imperial* 0.2 [munt] *napoleon* ⇒*nap* 0.3 [⟨kaartspel⟩] *napoleon* ⇒*nap.*

Napoleontisch ⟨bn.⟩ 0.1 *Napoleonic.*

Napolitaans ⟨bn.⟩ 0.1 *Neapolitan* ⇒*Naples* ◆ 1.1 ⟨muz.⟩ de ~e school *the Neapolitan school.*

nappa[1] ⟨het⟩ 0.1 *nap(p)a (leather), sheepskin.*

nappa[2] ⟨bn.⟩ 0.1 *nap(p)a, sheepskin.*

nappale(d)er ⟨het⟩ 0.1 *nap(p)a leather, sheepskin.*

napperon ⟨de (m.)⟩ 0.1 *place-mat* ⇒*table at.*

napraten

I ⟨ov.ww.⟩ 0.1 [praten in navolging van een ander] *echo* ⇒*parrot, repeat (s.o.'s) words, say after* ◆ 1.1 dat kind praat in alles haar ouders na *that child echoes/parrots her parents in everything;*

II ⟨onov.ww.⟩ 0.1 [na afloop blijven praten] *stay/sit and/to talk* ⇒*talk over, have a chat/talk afterwards* ◆ 3.1 we hebben nog een uurtje zitten ~ *we stayed and talked (about it)/*⟨inf.⟩ *chewed the fat for another hour.*

napraterij ⟨de (v.)⟩ 0.1 *parrotry, parroting.*

napret ⟨de⟩ 0.1 *afterglow* ⇒*after fun.*

nar ⟨de (m.)⟩ 0.1 [zot] *fool, idiot, buffoon* 0.2 [⟨gesch.⟩] *jester, fool* ⇒*buffoon, clown, mountebank.*

narcis ⟨de⟩ 0.1 ⟨wit⟩ *daffodil* ⇒⟨geel⟩ *(trumpet) narcissus* ◆ 2.1 wilde ~ *wild d., Lent lily.*

narcisme ⟨het⟩ 0.1 *narcissism.*

narcissebol ⟨de (m.)⟩ 0.1 *daffodil/narcissus bulb.*

narcissus 0.1 [⟨myth.⟩] *Narcissus* 0.2 [persoon] *narcissist.*

narcistisch ⟨bn.⟩ 0.1 [van de aard van narcisme] *narcissistic* 0.2 [met ziekelijke eigenliefde] *narcissistic.*

narcoanalyse ⟨de (v.)⟩ 0.1 *narcoanalysis.*

narcose ⟨de (v.)⟩ 0.1 *narcosis, (narco)anaesthesia* ⇒⟨middel⟩ *anaesthetic* ◆ 3.1 ~ toedienen *anaesthetize, administer an anaesthetic* 6.1 iem. **onder** ~ brengen *anaesthetize s.o., put s.o. under an anaesthetic.*

narcoseapparaat ⟨het⟩ 0.1 *anaesthetic/narcotizing apparatus/mask.*

narcoseleer ⟨de⟩ 0.1 *anaesthesiology.*

narcoticabrigade ⟨de (v.)⟩ 0.1 *narcotics/drug squad* ⇒⟨inf.⟩ *narks.*

narcoticum ⟨het, de⟩ 0.1 *narcotic* ⇒⟨med.⟩ *anaesthetic,* ⟨inf.⟩ *dope.*

narcotine ⟨het, de⟩ 0.1 *narcotine.*

narcotisch ⟨bn.⟩ 0.1 [van de aard van narcose] *anaesthetic* ⇒*narcotic, drugged* 0.2 [narcose veroorzakend] *anaesthetic* ⇒*narcotic* ◆ 1.1 de ~e slaap *a narcotic/drugged sleep* 1.2 een ~ middel *an anaesthetic, a narcotic.*

narcotiseren ⟨ov.ww.⟩ 0.1 *anaesthetize* ⇒*narcotize.*

narcotiseur ⟨de (m.)⟩ 0.1 *anaesthetist.*

nardus ⟨de (m.)⟩ 0.1 [gewas] *(spike)nard* 0.2 [borstelgras] *matweed, matgrass.*

narede ⟨de⟩ 0.1 *epilogue.*

nareizen ⟨ov.ww.⟩ 0.1 *travel after* ⇒*follow (after).*

narekenen ⟨ov.ww.⟩ 0.1 [berekenen] *calculate* ⇒*compute, go into/through the figures* 0.2 [opnieuw uitrekenen] *go/run over/through (again), check* ⇒*verify* ◆ 1.2 een som ~ *go through/check a sum again* ¶.1 dat kun je op je vingers ~ *that's not hard to see/predict.*

narennen ⟨ov.ww.⟩ 0.1 *run/rush/hurry/dash after.*

narigheid ⟨de (v.)⟩ **0.1** *trouble* ⇒*misery,* ⟨schr.⟩ *woe* ◆ **3.1** iem. ~ be-zorgen *get s.o. into t., give s.o. headaches;* daar komt ~ van *that spells t., that (only) causes t.* **6.1** in de ~ zitten *be in t..*

narijden ⟨ov.ww.⟩ **0.1** [rijdend achtervolgen] *ride / drive after* ⇒*follow, chase* **0.2** [tot grotere activiteit aanzetten] *keep (s.o.) hard at it / to his work* ⇒*drive hard, check up on, exercise close control over* ◆ **5.2** je moet het personeel goed ~ *you must keep the staff hard at it.*

narijs ⟨de (m.)⟩ **0.1** *second proving.*

naroepen ⟨ov.ww.⟩ **0.1** [achterna roepen] *call after* **0.2** [najouwen] *bawl / hoot / jeer after.*

narommelen ⟨onov.ww.⟩ **0.1** [(bij onweer)] *rumble on* **0.2** [⟨inf.⟩ nog doorgaan met niet erg doelmatige bezigheden] *fiddle about / ^around afterwards, potter on.*

narratief ⟨bn., bw.; -ly⟩ **0.1** *narrative.*

narrenkap ⟨de⟩ **0.1** *fool's cap* ⇒*cap and bells.*

narrenmat ⟨het⟩ **0.1** *fool's mate.*

narrenpak ⟨het⟩ **0.1** *motley, fool's dress.*

narrenstok ⟨de (m.)⟩ **0.1** *bauble.*

narrig ⟨bn., bw.; -ly⟩ **0.1** *peevish* ⇒*morose, cross* ◆ **3.1** ~ reageren *answer / react peevishly.*

narwal ⟨de (m.)⟩ ⟨dierk.⟩ **0.1** *narwhal (whale)* ⇒*sea unicorn, unicorn fish / whale.*

nasaal¹ ⟨de⟩ ⟨taal.⟩ **0.1** *nasal (consonant / vowel).*

nasaal² ⟨bn., bw.; -ly⟩ ⟨taal.⟩ **0.1** *nasal* ◆ **1.1** een ~ geluid *a n. sound;* nasale klanken / klinkers / medeklinkers *n. (speech) sounds / vowels / consonants* **3.1** ~ spreken *speak nasally / with a n. drawl / through one's nose.*

nasaleren ⟨ov.ww.⟩ ⟨taal.⟩ **0.1** *nasalize* ◆ **1.1** een genasaleerde klinker *a nasalized vowel.*

nasalering ⟨de (v.)⟩ **0.1** *nasalization.*

naschilderen ⟨ov.ww.⟩ **0.1** *copy* ⇒*reproduce.*

nascholen
I ⟨ov.ww.⟩ **0.1** [onderwijs geven] *offer / provide continuing education / part-time courses to / for* ⇒*retrain;*
II ⟨onov.ww.⟩ **0.1** [onderwijs volgen] *take a refresher / part-time / ⟨*na het behalen van universitaire graad] *post-graduate course.*

nascholing ⟨de (v.)⟩ **0.1** *refresher / ⟨*na behalen van universitaire graad⟩ *post-graduate course(s)* ⇒*continuation education.*

nascholingscursus ⟨de (m.)⟩ **0.1** *continuing-education course* ⇒⟨voor afgestudeerde ook⟩ *post-graduate course,* ⟨herhalingscursus⟩ *refresher course.*

naschreeuwen ⟨ov.ww.⟩ **0.1** [schreeuwen naar iem. die weggaat] *cry / shout after* ⇒*bawl after* **0.2** [uitjouwen] *hoot at / after.*

naschrift ⟨het⟩ **0.1** ⟨brief⟩ *postscript;* ⟨boek⟩ *epilogue.*

naschrijven ⟨ov.ww.⟩ **0.1** [overschrijven] *copy* **0.2** [overnemen en voor eigen werk doen doorgaan] *plagiarize* ⇒⟨spieken⟩ *crib.*

naseizoen ⟨het⟩ **0.1** *late season* ⇒*end of season* ◆ **1.1** het voor- en ~ *the early and late season* **6.1** in het ~ zijn de prijzen aanmerkelijk lager *prices are substantially lower towards the end of the season.*

nasi ⟨de (m.)⟩ **0.1** *rice* ◆ **¶.1** ~ goreng *fried rice.*

nasibal ⟨de (m.)⟩ **0.1** *fried-rice ball / croquette.*

nasi rames ⟨de (m.)⟩ **0.1** *nasi rames* ⇒≠*Indonesian rice dish.*

naslaan ⟨ov.ww.⟩ **0.1** [opzoeken] *look up* ⟨woord⟩; *consult, turn up, refer to* ⟨naslagwerk⟩; ⟨bestuderen⟩ *read up* **0.2** [mbt. munten] *re-coin* ◆ **6.1** iets in een woordenboek ~ *look up sth. in a dictionary;* **om** na te slaan *for reference* **7.1** deze inhoudsopgave maakt het ~ veel gemakkelijker *this index greatly facilitates reference / retrieval.*

naslag ⟨de (m.)⟩ ⟨muz.⟩ **0.1** *termination* ⇒*grace(-note(s)).*

naslagbibliotheek ⟨de (v.)⟩ **0.1** *reference library.*

naslagwerk ⟨het⟩ **0.1** *reference book / work* ⇒*book of reference.*

nasleep ⟨de (m.)⟩ **0.1** [de gevolgen] *aftermath* ⇒*after-)effects, consequences, sequel, wake* **0.2** [gevolg, stoet] *train (of followers)* ◆ **3.1** een ernstige ~ hebben *have serious consequences;* de ~ van iets ondervinden *feel the (unpleasant) after-effects of sth.* **6.1** de oorlog met zijn ~ van ellende *the war with its a. / train / trail of misery* **6.2** op de ~ komen *follow in s.o.'s train / wake.*

nasluipen ⟨ov.ww.⟩ **0.1** *steal / sneak / slip / creep after.*

nasmaak ⟨de (m.)⟩ **0.1** *aftertaste* ⇒*tang* ◆ **2.1** een onaangename ~ *an unpleasant a.* **3.1** het heeft een bittere ~ *it leaves (one with) a bitter taste (in the mouth) / an a. of bitterness.*

nasnikken ⟨onov.ww.⟩ **0.1** *(still) sob.*

nasnorren ⟨ov.ww.⟩ **0.1** [snorrend volgen] *go buzzing after* **0.2** [⟨inf.⟩ nazoeken, nasporen] *ferret out, pry into* ⇒⟨geheimen e.d.⟩ *rummage in* ⟨zakken⟩, *fumble / ferret among* ⟨papieren⟩ ◆ **4.2** alles ~ *search everywhere / in every corner, hunt high and low (for sth.).*

nasnuffelen ⟨ov.ww.⟩ **0.1** *check / track out* ⇒*unravel, ferret out, examine closely.*

nasonoriseren ⟨ov.ww.⟩ **0.1** *post-synchronize;* ⟨inf.⟩ *dub* ⇒*provide with a soundtrack.*

naspel ⟨het⟩ **0.1** [⟨fig.⟩ epiloog] *aftermath* ⇒*epilogue, sequel, tailpiece, wake* **0.2** [⟨muz.⟩ slot van aria / lied] *postlude* ⇒*coda, epilogue* **0.3** [toneelstuk] *afterpiece* ⇒*tailpiece* **0.4** [orgelspel na dienst] *postlude* ⇒*(concluding) voluntary* **0.5** [liefdesspel] *afterplay* ◆ **1.1** het ~ van de wereldoorlog *the a. of the world war.*

naspelen ⟨ov.ww.⟩ **0.1** [spelend nadoen]⟨muz.⟩ *repeat (by ear), play (sth.) after (s.o.);* ⟨dram.⟩ *represent, play / act (out)* **0.2** [⟨kaartspel⟩] *return* ◆ **1.1** een schaakpartij uit de krant ~ *play a game of chess from the newspaper;* een stuk op het gehoor ~ *repeat / play a piece by ear* **1.2** een kleur ~ *r. a / the lead, lead the same suit.*

naspeurbaar ⟨bn.⟩ **0.1** *traceable* ⇒*detectable* ◆ **1.1** zonder enige naspeurbare reden *without any / with no ascertainable reason.*

naspeuren ⟨ov.ww.⟩ **0.1** *investigate* ⇒*explore, track out, trace* ⟨oorzaak⟩.

naspeuring ⟨de (v.)⟩ **0.1** *tracking (down), following the track of* ⟨wild⟩; ⟨opsporing, onderzoek ook⟩ *tracing, investigation, scruting* ◆ **3.1** ~ en doen naar iets *hunt sth. out;* ⟨gerechtelijk onderzoek⟩ *conduct an inquest / inquiry / investigation into sth..*

naspoelen ⟨ov.ww.⟩ **0.1** *rinse.*

nasporen ⟨ov.ww.⟩ **0.1** [het spoor volgen] *track (down / out)* ⇒*trace, trail* **0.2** [op het spoor proberen te komen] *investigate* ⇒*trace, explore, seek / find out* ◆ **1.2** de oorzaken van de oorlog / een geheim ~ *i. the causes of the war, find out a secret.*

nasporing ⟨de (v.)⟩ **0.1** *investigation* ⇒*inquiry, search,* ⟨wet.⟩ *research, study.*

naspringen ⟨ov.ww.⟩ **0.1** *jump / leap after.*

nastaren ⟨ov.ww.⟩ **0.1** *stare / gaze after.*

nastoot ⟨de (m.)⟩ ⟨biljart⟩ **0.1** ≠*final break (of the game).*

nastreven ⟨ov.ww.⟩ **0.1** [trachten te bereiken] *aim for / at* ⇒*strive for / after, aspire to, seek after, pursue* ⟨doel⟩ **0.2** [trachten te evenaren] *emulate* ⇒*try to equal, imitate* ◆ **1.1** geluk ~ *seek / strive for happiness* **1.2** grote voorgangers ~ *e. / imitate grate predecessors.*

nastromen ⟨onov.ww.⟩ **0.1** [blijven stromen] *flow / stream on* **0.2** [⟨fig.⟩ volgen] *flock / stream after.*

nasturen ⟨ov.ww.⟩ **0.1** *send after* ⇒*redirect, forward* ◆ **1.1** iemands post ~ *forward / redirect s.o.'s mail.*

nasukkelen ⟨onov.ww.⟩ **0.1** [sukkelend volgen] *trudge / plod after / behind (s.o.)* **0.2** [blijven sukkelen] *be still ailing / suffering.*

nasynchronisatie ⟨de (v.)⟩ **0.1** [het nasynchroniseren] *post-synchronization* ⇒*dubbing* **0.2** [nagesynchroniseerde film] *dubbed version.*

nasynchroniseren ⟨ov.ww.⟩ **0.1** [achteraf van geluid voorzien] *postsynchronize* ⇒*dub, provide with a soundtrack* **0.2** [in een andere taal overbrengen] *dub.*

nat¹ ⟨het⟩ **0.1** [vloeistof] *liquid* ⇒*water, moisture,* ⟨van vlees, fruit⟩ *juice,* ⟨kookvocht⟩ *liquor* **0.2** [⟨afkorting van natuurkundig⟩] *phys.* ◆ **1.1** het ~ van de bruine bonen *the liquor / liquid from (red) kidney beans;* het is allemaal één pot ~ *it's six of one and half a dozen of the other* **2.1** groenten in eigen ~ gaarkoken *boil vegetables in their own water / liquid;* het zilte ~ *the brine;* ⟨inf.⟩ *the briny* **3.1** het ~ er afgieten *drain off the liquid.*

nat² ⟨bn., bw.; -ly⟩ **0.1** [niet droog] *wet* ⇒⟨vochtig⟩ *moist, damp,* ⟨doornat⟩ *soaked, drenched* ⟨ihb. door regen⟩ **0.2** [regenachtig] *wet* ⇒*rainy* ◆ **1.1** de baby is ~ *the baby is w. / needs changing;* ⟨BE ook⟩ *has a w. nappy;* ⟨wwb.⟩ een ~ te dijk *an outer dike;* ~ te droom *w. dream;* ~ te luiers *w. nappies;* een ~ pak halen *get w. / soaked;* ⟨wwb.⟩ ~ profiel *wetted section;* ~ te smering *lubrication, protective coating of oil;* ~ te sneeuw *sleet;* het ~ te strand *the foreshore / seashore;* ⟨fig.⟩ met een ~ te vinger *roughly, speculatively;* ~ te waren *liquids* **1.2** de ~ te moesson *the rainy season, the rains;* ~ weer *rainy weather, w. day* **3.1** ~ maken *wet, moisten;* ~ worden *get w.* **3.¶** ⟨sport⟩ ~ gaan *go bust* **5.1** door en door ~ *drenched / soaked (to the skin / bone), w. through* **6.1** zijn haar was ~ van het zeewater *his hair was w. with (the) sea water* **8.1** zo ~ als een kat *as w. as a drowned rat* **¶.1** ~! *fresh / w. paint!* **¶.¶** ⟨fig.; inf.⟩ pappen en ~ houden *keep trying / at it, hold on, try'n keep the hole(s) plugged.*

nat. ⟨afk.⟩ **0.1** *phys..*

nataal ⟨bn.⟩ **0.1** *natal.*

natachtig ⟨bn.⟩ **0.1** *wettish* ⇒*damp, moist* ◆ **3.1** het goed voelt ~ aan *the material has a moist feel / is w. to the touch.*

natafelen ⟨ov.ww.⟩ **0.1** *linger at table.*

natalistisch ⟨bn., bw.⟩ **0.1** *pro-natal* ◆ **1.1** ~ e politiek *pro-natal policy / policies.*

nataliteit ⟨de (v.)⟩ **0.1** *natality* ⇒*birth rate.*

nateelt ⟨de⟩ **0.1** [mbt. de haringvangst] *late herring season* **0.2** [⟨landb.⟩] *after-crop* ⇒*succeeding crop, succession, second crop* ⟨in 't zelfde jaar⟩, *progeny* ⟨plantenveredeling⟩

natekenen ⟨ov.ww.⟩ **0.1** [naar een model (uit)tekenen] *draw* ⇒*represent, portray* ⟨persoon⟩ **0.2** [een tekening natrekken] *copy* ⇒*reproduce,* ⟨overtrekken⟩ *trace* ◆ **1.1** iem. ~ van een foto *portray / draw s.o. from a photograph.*

natellen ⟨ov.ww.⟩ **0.1** [berekenen] *count* ⇒*number,* ⟨vero.⟩ *tell* **0.2** [overtellen] *count again* ⇒*re-count, check, retell* ◆ **1.1** zijn winst ~ *c. / calculate one's profit* **1.2** zijn geld ~ *(re-)count one's money* **¶.1** ⟨fig.⟩ dat kun je op je vingers ~ *that's not hard to say / predict / see.*

nathals ⟨de (m.)⟩ ⟨scherts.⟩ **0.1** [drinkebroer] *tippler* ⇒*toper, bibber, sponge* **0.2** [iem. die veel water, thee, enz. drinkt] *thirsty fellow / character.*

natheid ⟨de (v.)⟩ **0.1** *wetness* ⇒*dampness, moistness.*

natie 〈de (v.)〉 **0.1** *nation* ⇒*country, land, state,* 〈volk ook〉 *people, race* ◆ **1.1** het roomse deel der ~ *the Roman Catholic part of the n.* / *population;* het stemgerechtigd deel der ~ *the enfranchised* / *voting part of the n.* **2.1** een handeldrijvende ~ *a merchant n.* / *state, a n. of merchants* **6.1** hij is van de ~ *he belongs to the Race, he is a Jew.*

natievlag 〈de〉〈scheep.〉 **0.1** *(national) ensign.*

natijd 〈de (m.)〉 **0.1** [mbt. de haringvangst] *late herring season* **0.2** [na-seizoen] *late season* ⇒*end of season* **0.3** [vervalperiode] *decline* ⇒*declining years.*

nationaal 〈bn., bw.;-ly〉 **0.1** [volks-] *national* ⇒*home, country's* **0.2** [staats-] *national* ⇒*public* **0.3** [mbt. een natie als geheel] *national* ⇒*nationwide,* 〈in federale staat〉 *federal, territorial* 〈leger〉 **0.4** [vaderlandslievend] *national* ⇒*nationalist(ic), patriotic* ◆ **1.2** een nationale feestdag *a n.* / *public holiday;* nationale schuld *n. debt;* de nationale vlag *the n. flag* **1.3** het ~ inkomen *the national income;* een ~ kabinet *a national government;* het ~ produkt *the national product* **1.4** nationale gevoelens *national(istic)* / *patriotic feelings.*

nationaal-socialisme 〈het〉 **0.1** [in Duitsland] *National Socialism* ⇒*Nazism* **0.2** [in andere landen] *National Socialism.*

nationaal-socialist 〈de (m.)〉 **0.1** *National Socialist* ⇒*Nazi.*

nationalisatie 〈de (v.)〉 **0.1** *nationalization.*

nationaliseren 〈ov.ww.〉 **0.1** *nationalize* ⇒*bring under public ownership.*

nationalisering 〈de (v.)〉 **0.1** *nationalization* ⇒*bringing under public ownership.*

nationalisme 〈het〉 **0.1** [vaderlandsliefde] *nationalism* ⇒*patriotism* **0.2** [streven naar nationale zelfstandigheid] *nationalism* ◆ **2.1** extreem ~ *extreme n., flag-waving, jingoism, chauvinism.*

nationalist 〈de (m.)〉 **0.1** *nationalist* ⇒*patriot.*

nationalistisch 〈bn., bw.;-ally〉 **0.1** *nationalist(ic)* ⇒*patriotic.*

nationaliteit 〈de (v.)〉 **0.1** [hoedanigheid] *nationality* ⇒〈scheep.〉 *registry, flag,* 〈herkomst〉 *extraction* **0.2** [volkskarakter] *nationality* ⇒*national character* / *identity* **0.3** [〈mv.〉 personen] *nationality* ◆ **2.1** hij is van Britse ~ *he has British n., he is a British subject* / *national;* een schip van Franse ~ *a ship of French registry* **2.3** vreemde ~ en *foreign nationalities* **3.1** zijn ~ verliezen *lose one's n.* **3.2** zijn ~ bewaren *retain one's n.* / *national character* / *identity* **7.3** een stad waar veel ~ en wonen *a city comprising many nationalities.*

nationaliteitsbeginsel 〈het〉 **0.1** [beginsel] *principle of nationality, right of self-determination* **0.2** [〈jur.〉] *passive personality principle.*

nationaliteitsbewijs 〈het〉 **0.1** *certificate of nationality* ⇒*proof of (one's) nationality,* 〈scheep.〉 *certificate of registry, national registration certificate.*

nationaliteitsgevoel 〈het〉 **0.1** *sense of nationality* ⇒*national* / *patriotic spirit* / *feeling.*

nativiteit 〈de (v.)〉 **0.1** *natality* ⇒*birth rate.*

natje 〈het〉 **0.1** *drink* ⇒〈inf.〉 *wet,* 〈bier〉 *pint* ◆ **1.1** zijn ~ en zijn droogje *one's food and d., one's creature comforts.*

natmaken 〈ov.ww.〉 **0.1** *wet* ⇒*bathe,* 〈vochtig〉 *moisten* ◆ **1.1** maak je borst maar ~! *be prepared for the worst!, now you're in for it!;* een kompres ~ *w. a bandage;* zijn lippen ~ *moisten* / *lick one's lips* **4.1** zich ~ *get wet.*

natrappen 〈onov., ov.ww.〉 **0.1** 〈onov.〉 *kick a man when he is down;* 〈ov.〉 *kick (s.o.) while he* / *she is down.*

natregenen 〈onov.ww.〉 **0.1** *get wet (with the rain)* ⇒*be* / *get drenched* / *soaked (with the rain)* ◆ **1.1** het wegdek is natgeregend *the road is wet (with rain).*

natrekken

I 〈onov.ww.〉 **0.1** [achternareizen] *follow* ⇒*travel after* / *behind;* II 〈ov.ww.〉 **0.1** [overtrekken] *trace* ⇒*copy* **0.2** [controleren] *check (out)* ⇒*verify, go through,* 〈naspeuren〉 *investigate, hunt up* ◆ **1.1** een tekening ~ *t. a drawing* **1.2** een zaak ~ *investigate a matter.*

natrekking 〈de (v.)〉 **0.1** [het overtrekken] *tracing* ⇒*copying* **0.2** [〈jur.〉] *accession* **0.3** [controle] *verification, checking* ⇒〈naspeuring〉 *investigation, (re)search* **0.4** [mbt. een lot] *extra draw.*

natrekpapier 〈het〉 **0.1** *tracing-paper.*

natrillen 〈onov.ww.〉 **0.1** *continue to* / *still vibrate* ⇒〈naschrik〉 *still shake,* 〈geluid〉 *reverberate.*

natrium 〈het〉〈schei.〉 **0.1** *sodium.*

natriumbicarbonaat 〈het〉 **0.1** *sodium bicarbonate* ⇒〈niet wet.〉 *(bicarbonate of) soda, baking soda.*

natriumbromide 〈het〉〈schei.〉 **0.1** *sodium bromide.*

natriumcarbonaat 〈het〉 **0.1** *sodium carbonate* ⇒*(sal) soda, washing-soda.*

natriumchloride 〈het〉 **0.1** *sodium chloride.*

natriumhydroxyde 〈het〉 **0.1** *sodium hydroxide* ⇒*caustic soda.*

natriumlamp 〈de〉 **0.1** *sodium (vapour) lamp* ⇒*sodium light.*

natron 〈het〉 **0.1** [soda] *soda* **0.2** [natrium] *sodium* ◆ **2.1** bijtende ~ *caustic s..*

natronzout 〈het〉 **0.1** *sodium salt.*

natspuiten 〈ov.ww.〉 **0.1** *spray* ⇒〈doornat〉 *drench by spraying.*

natten 〈ov.ww.〉 **0.1** *wet.*

nattig 〈bn.〉 **0.1** [vochtig] *damp* ⇒*moist* **0.2** [regenachtig] *damp* ⇒*moist* ◆ **1.1** de verf is nog ~ *the paint is still wet* / *moist* **1.2** ~ weer *d. weather.*

nattigheid 〈de (v.)〉 **0.1** [vochtigheid] *dampness* **0.2** [vocht] *damp* ◆ **1.1** de ~ van de grond *the d. of the earth* **3.2** 〈fig.〉 ~ voelen *smell a rat, sense that something's up, be uneasy (about sth.).*

natura 〈de (v.)〉 ◆ **6.¶** in ~ *in kind;* hulp in ~ *help in kind.*

naturalisatie 〈de (v.)〉 **0.1** *naturalization.*

naturaliseren 〈ov.ww.〉 **0.1** *naturalize* ◆ **3.1** zich laten ~ *be naturalized.*

naturalisme 〈het〉 **0.1** [〈lit.〉] *naturalism* **0.2** [〈fil.〉] *naturalism.*

naturalist 〈de (m.)〉 **0.1** *naturalist.*

naturalistisch 〈bn., bw.;-ly〉 **0.1** *naturalist(ic)* ◆ **1.1** ~e romans *naturalist novels.*

naturel[1]

I 〈de (m.)〉 **0.1** [autochtoon] *native;*

II 〈het〉 **0.1** [karakter] *nature.*

naturel[2] 〈bn.〉 **0.1** [ongekleurd, puur] *natural* **0.2** [〈muz.〉] *natural* ◆ **1.1** ~ leer *n. leather;* ~ linnen *unbleached linen.*

naturen 〈ov.ww.〉 **0.1** *stare* / *peer at.*

naturisme 〈het〉 **0.1** [beweging] *naturism* ⇒*nudism* **0.2** [levensopvatting] *natur(al)ism.*

naturist 〈de (m.)〉 **0.1** *naturist* ⇒〈lichaamscultuur ook〉 *nudist,* 〈levensopvatting ook〉 *naturalist.*

naturistencamping 〈de (v.)〉 **0.1** *nudist* / *naturist campsite.*

naturistenvereniging 〈de (v.)〉 **0.1** *nudists'* / *naturists' association* ⇒*nudist* / *naturist club.*

naturopathie 〈de (v.)〉 **0.1** *naturopathy.*

natuur 〈de (v.)〉〈→sprw. 225,440,441〉 **0.1** [wat rondom de mens is] *nature;* 〈landschap〉 *country(side), scenery* **0.2** [aangeboren geaardheid] *nature* ⇒*character* **0.3** [mens met een geaardheid] *nature* ⇒*character* **0.4** [aangeboren gestel van de mens] *nature* **0.5** [oorsprong van alle scheppende kracht] *nature* ◆ **2.1** de ~ is hier prachtig *the scenery is magnificent* / *splendid here;* wandelen in de vrije ~ *(take a) walk (out) in the country(side)* / *in the open air* **2.2** de menselijke ~ *human n.;* dat wordt een tweede ~ *that becomes second n.* **2.3** hij was geen heldhaftige ~ *he was not of a heroic n.* / *a hero by nature;* twee tegengestelde naturen *two opposite natures* / *characters* **6.1** zich één voelen met de ~ *commune with* / *feel at one with n.;* schilderen naar de ~ *paint from n.;* terug naar de ~ *back to n.;* de liefde voor de ~ *love of n.* / *the countryside* **6.2** somber zijn van ~ *nature be gloomy by n., be of a gloomy n.* **6.4** dat druist tegen de ~ in *that goes against n.* **¶.5** de ~ haar gang laten gaan *leave n. to its* / *her own devices, leave n. alone.*

natuurazijn 〈de (m.)〉 **0.1** *organic vinegar.*

natuurbad 〈het〉 **0.1** *natural (swimming-)pool* / *bathing-place.*

natuurbeheer, natuurbehoud 〈het〉 **0.1** *(nature) conservation* ⇒〈BE ook〉 *(nature) conservancy.*

natuurbeschermer 〈de (m.)〉, **-schermster** 〈de (v.)〉 **0.1** *conservationist;* 〈inf.〉 *wildlifer.*

natuurbescherming 〈de (v.)〉 **0.1** *(nature) conservation* ⇒*protection of nature,* 〈BE ook〉 *nature conservancy.*

natuurbeschermingsgebied 〈het〉 **0.1** *nature reserve* ⇒*conservation area, national park.*

natuurbeschrijving 〈de (v.)〉 **0.1** *description of nature.*

natuurbos 〈het〉 **0.1** *natural forest* / 〈kleiner〉 *wood.*

natuurbouw 〈de (m.)〉 **0.1** *(policy of) conservation.*

natuurconstante 〈de〉〈nat.〉 **0.1** *(physical) constant.*

natuurdienst 〈de (m.)〉 **0.1** *nature worship* ⇒*worship of nature.*

natuurdrift 〈de〉 **0.1** *natural urge* / *drive* / *instinct.*

natuurfilm 〈de〉 **0.1** *nature film.*

natuurfilosofie 〈de (v.)〉 **0.1** [〈fil.〉] *natural philosophy* ⇒*physical science* **0.2** [mbt. de natuurwetenschap] *philosophy of science* / *of the natural* / *physical sciences.*

natuurfilosofisch 〈bn., bw.;-ly〉 **0.1** *of natural philosophy* ⇒*of the (natural* / *physical) sciences* ◆ **1.1** de ~e faculteit *the faculty of the natural sciences* / 〈Schotland〉 *of natural philosophy.*

natuurfoto 〈de〉 **0.1** *nature picture* / *photo(graph).*

natuurgebied 〈het〉 **0.1** 〈natuurschoon〉 *scenic area;* 〈natuurleven〉 *nature reserve, wildlife area.*

natuurgeneeskunde 〈de (v.)〉 **0.1** *naturopathy* ⇒*natural medicine.*

natuurgeneeswijze 〈de〉 **0.1** *natural cure.*

natuurgenezer 〈de (m.)〉 **0.1** *natural healer* ⇒*naturopath.*

natuurgetrouw 〈bn., bw.〉 **0.1** *true to nature* / *life;* 〈attrib.〉 *true-to-nature* / *-life* ⇒*faithful (to life* / *the original),* 〈klankweergave〉 *high-fidelity* ◆ **1.1** een ~e weergave *a true-to-life rendering.*

natuurgetrouwheid 〈de (v.)〉 **0.1** *fidelity* / *trueness to life* / *nature* ⇒*faithfulness (to life* / *the original),* 〈klankweergave〉 *high-fidelity.*

natuurgevoel 〈het〉 **0.1** *feeling for nature.*

natuurgodsdienst 〈de (m.)〉 **0.1** *worship of nature* ⇒*nature worship, pantheism.*

natuurhistorisch 〈bn.〉 **0.1** *natural history* ◆ **1.1** het ~ museum *the n. h. museum, the museum of n. h..*

natuurijs 〈het〉 **0.1** *natural ice.*

natuurkenner 〈de (m.)〉 **0.1** *naturalist.*

natuurkennis 〈de (v.)〉 **0.1** *study of nature* ⇒*natural history.*

natuurkracht 〈de〉 **0.1** [elementaire kracht] *(elementary) force of nature* **0.2** [onbedwingbare kracht] *force of nature* ⇒*uncontrollable force.*

natuurkunde ⟨de (v.)⟩ **0.1** [wetenschap] *physics* **0.2** [onderwijs] *physics* **0.3** [boek] *physics (book)* ♦ **2.1** experimentele ~ *experimental* p. **3.2** vandaag heeft onze klas~ *today our class has (got) p..*

natuurkundeleraar ⟨de (m.)⟩, **-rares** ⟨de (v.)⟩ **0.1** *physics/science teacher* ⟨m.,v.⟩ ⇒⟨BE ook⟩ *physics/science master* ⟨m.⟩/*mistress* ⟨v.⟩.

natuurkundelokaal ⟨het⟩ **0.1** *physics lab* ⇒*science room.*

natuurkundig ⟨bn.⟩ **0.1** [mbt. de natuurkunde] *physical* ⇒*physics* **0.2** [volgens de wetten] *physical* ♦ **1.1** ~e aardrijkskunde *physical geography;* ~e instrumenten *physical instruments;* ~ laboratorium *physics laboratory;* ~e verschijnselen *physical phenomena.*

natuurkundige ⟨de (m.)⟩ **0.1** *physicist.*

natuurliefhebber[1] ⟨de (m.)⟩ **0.1** *nature lover, lover of nature.*

natuurlijk ⟨bn., bw.;-ly⟩ **0.1** [mbt. de natuur] *natural* **0.2** [door de natuur gevormd] *natural* **0.3** [zoals de natuur het meebrengt] *natural* **0.4** [vanzelfsprekend] *natural* **0.5** [in overeenstemming met de werkelijkheid] *true to nature/life;* ⟨attrib.⟩ *true-to-nature/-life* **0.6** [ongedwongen] *natural* **0.7** [⟨wisk.⟩] *natural* **0.8** [aangeboren] *natural* **0.9** [uit de natuur van de zaak verklaarbaar] *natural* **0.10** [⟨muz.⟩] *natural* ♦ **1.2** ~e geneesmiddelen *n. drugs;* ~e steen *n. stone;* ~e zeep *n./biodegradable soap* **1.3** ~e geboorte *n. birth;* ~e kleur *n. colour;* ⟨biol.⟩ ~ stelsel *n. classification* **1.4** het is een~e zaak *it's quite n., it's a matter of course* **1.5** tekening op ~e grootte *life-size drawing* **1.6** een ~e houding *a n. posture;* zijn taal is ~ *his language is n.* **1.7** ~e getallen *n. numbers* **1.9** een ~ kind *a n. child;* door een ~e nieuwsgierigheid gedreven *driven by n. curiosity;* ⟨jur.⟩ ~ persoon *n. person* **1.10** de ~e toonladder *the n. key/scale* **3.3** alles gaat ~ toe *everything's going naturally* **3.4** het is ~ eenvoudig te regelen *of course/naturally it can be easily arranged* **3.5** dit is ~ geschilderd *this is a life-like painting, this has been painted true to life* **9.4** maar ~! *(why,) of course!/naturally!.*

natuurlijkerwijze ⟨bw.⟩ **0.1** *naturally;* ⟨vanzelfsprekend ook⟩ *of course, as a matter of course.*

natuurlijkheid ⟨de (v.)⟩ **0.1** *naturalness* ⇒*natural quality.*

natuurmens ⟨de (m.)⟩ **0.1** [mens in zijn natuurstaat] *man in his/humans* ⟨mv.⟩ *in their natural state* **0.2** [iem. die veel van de natuur houdt] *n.-lover.*

natuurmonument ⟨het⟩ **0.1** *nature reserve.*

natuuronderwijs ⟨het⟩ **0.1** *natural science(s).*

natuuronderzoek ⟨het⟩ **0.1** *research into/investigation of natural phenomena.*

natuuronderzoeker ⟨de (m.)⟩ **0.1** *naturalist* ⇒*natural scientist.*

natuuropname ⟨de⟩ **0.1** ⟨foto.⟩ *photograph of nature;* ⟨film.⟩ *nature film.*

natuurprodukt ⟨het⟩ **0.1** *natural product* ⇒*product of nature.*

natuurramp ⟨de⟩ **0.1** *natural disaster.*

natuurrecht ⟨het⟩ **0.1** *natural law.*

natuurreservaat ⟨het⟩ **0.1** *nature reserve* ⇒*(wildlife/bird) sanctuary.*

natuurrubber ⟨de (m.)⟩ **0.1** *natural rubber* ⇒*latex.*

natuurschoon ⟨het⟩ **0.1** *natural/scenic beauty* ⇒*(beautiful) scenery* ♦ **1.1** een plekje ~ *a beauty spot.*

natuurschoonwet ⟨de⟩ **0.1** ≠*nature protection act* ⇒≠[A]*National Parks Act.*

natuurstaat ⟨de (m.)⟩ **0.1** [toestand] *natural state* **0.2** [staat van de mens] *state of nature.*

natuursteen ⟨het, de (m.)⟩ **0.1** *(natural) stone.*

natuurstudie ⟨de (v.)⟩ **0.1** *nature study* ⇒*study of nature.*

natuurtalent ⟨het⟩ **0.1** ⟨talent⟩ *gift, natural/born talent;* ⟨persoon⟩ *gifted/naturally talented person, person born with a natural/talent (for)* ♦ **3.1** zij is een ~ *she's a natural, she's got a gift (for), she was born with a gift/talent (for).*

natuurverschijnsel ⟨het⟩ **0.1** [verschijnsel] *natural phenomenon* **0.2** [wat wordt waargenomen] *natural phenomenon.*

natuurvoeding ⟨de (v.)⟩ **0.1** *organic/natural food, wholefood.*

natuurvoedingswinkel ⟨de (m.)⟩ **0.1** *organic/natural food/wholefood shop/*[A]*store.*

natuurvolk ⟨het⟩ **0.1** *primitive people/society.*

natuurvorser ⟨de (m.)⟩ **0.1** *naturalist.*

natuurwerking ⟨de (v.)⟩ **0.1** *natural causes* ⇒*act of God.*

natuurwet ⟨de⟩ **0.1** *law of nature.*

natuurwetenschap ⟨de (v.)⟩ **0.1** [wetenschap die de natuur bestudeert] *(natural) science* **0.2** [natuurkunde] *physics* ♦ **7.1** de ~pen ⟨algemeen⟩ *(natural) science;* ⟨als aparte vakken beschouwd⟩ *the (natural) sciences.*

natuurwetenschappelijk ⟨bn., bw.;-ly⟩ **0.1** [mbt. de natuurwetenschappen] *scientific* **0.2** [volgens haar methoden] *scientific* ♦ **1.1** toegepast ~ onderzoek *applied science, applied s. research* **3.2** iets ~ bewijzen *prove sth. scientifically.*

natuurwol ⟨de⟩ **0.1** *natural wool* ⇒*untreated/raw wool.*

natuurwonder ⟨het⟩ **0.1** *natural wonder* ⇒*prodigy (of nature), wonder of nature.*

natuurzij(de) ⟨de⟩ **0.1** *natural/real silk.*

nautafoon ⟨de (m.)⟩ ⟨scheep.⟩ **0.1** *nautophone.*

nautiek ⟨de (v.)⟩ **0.1** [scheepswezen] *shipping* ⇒⟨mbt. boten⟩ *boating* **0.2** [scheepvaartkunde] *(science of) navigation* ⇒⟨schr.⟩ *nautical science.*

nautisch ⟨bn.⟩ **0.1** *nautical.*

nauw[1] ⟨het⟩ **0.1** [moeilijkheid] *(tight) spot/corner* **0.2** [zeeëngte] *strait(s)* ⇒*narrows* ♦ **6.1** iem. in het ~ drijven/brengen *drive s.o. into a corner, press s.o. hard, corner s.o., put s.o. in a (tight) s./c., get s.o. in a cleft stick;* in het ~ zitten *be in a (tight) s./c., have one's back to/(up) agaist the wall, be hard pressed* **6.2** het ~ **van** Calais *the Straits of Dover.*

nauw[2]

I ⟨bn., bw.;-ly⟩ **0.1** [smal] *narrow* **0.2** [dicht aaneensluitend] *close* **0.3** [innig] *close* **0.4** [precies] *precise* ⇒*particular* **0.5** [niet wijd] *narrow* ⇒*close-fitting,* ⟨te nauw⟩ *tight* ♦ **1.1** een ~e straat *a n. street* **1.2** een ~e samenhang *a c. connection* **1.5** een broek met ~e pijpen *n./close-fitting/tight trousers/*[A]*pants;* ~e schoenen *n./close-fitting/tight shoes* **2.2** deze talen zijn ~ verwant *these languages are closely related* **2.3** ~ betrokken zijn bij een zaak *be closely involved in a matter* **3.2** ~ samenwerken *cooperate closely* **3.4** wat geld betreft kijkt hij niet zo ~ *he's not so fussy/strict when it comes to money;* het komt/steekt niet zo ~ *that doesn't really matter (all that much);* ⟨pregnant⟩ *it needn't be so (very) precise;* dat luistert ~ *that's very sensitive, that requires a delicate touch;* ⟨mbt. apparaat ook⟩ *that's very finely adjusted/very delicately tuned;* het niet zo ~ nemen *not be so (very) particular/so fussy, be somewhat casual;* het erg ~ nemen *be very particular/fussy, be a stickler (for detail);* het niet zo ~ nemen met de feiten *trifle with/play fast and loose with the facts* **3.5** kleren ~er maken *take in clothes;* ~ zitten *be close-fitting/a close fit/tight/a tight fit;*

II ⟨bw.⟩ **0.1** [nauwelijks] *hardly* ⇒*scarcely, barely.*

nauwelijks ⟨bw.⟩ **0.1** [bijna niet] *hardly* ⇒*scarcely, barely* **0.2** [juist, pas] *hardly* ⇒*scarcely, barely* ♦ **3.1** hij kon ~ lezen en schrijven *he could h./scarcely/barely read or write;* het verschil is ~ te merken *the difference is h./scarcely/barely noticeable/is negligible;* hij zei ~ iets *he h./scarcely/barely said a word/a thing/said almost nothing* **3.2** ik was ~ thuis, of ... *I'd only just got home when ..., no sooner was I home than ....*

nauwgezet ⟨bn., bw.;-ly⟩ **0.1** *painstaking* ⇒*meticulous,* ⟨gewetensvol⟩ *conscientious, scrupulous,* ⟨stipt⟩ *punctual* ♦ **3.1** overdreven ~ zijn wat stiptheid betreft *be a stickler for punctuality;* zijn plichten ~ waarnemen *carry out one's duties conscientiously/religiously/scrupulously* **5.1** overdreven ~ *overparticular, overscrupulous, over meticulous,* [↑]*punctilious.*

nauwgezetheid ⟨de (v.)⟩ **0.1** *meticulousness* ⇒⟨gewetensvol⟩ *conscientiousness, scrupulousness,* ⟨erg precies⟩ *accuracy,* ⟨stipt⟩ *punctuality* ♦ **2.1** met pijnlijke ~ *with religious exactitude;* met de uiterste ~ *meticulously, with meticulous care, with painstaking accuracy/accurateness.*

nauwheid ⟨de (v.)⟩ **0.1** [smalheid] *narrowness* ⇒⟨nauwsluitendheid⟩ *tightness,* ⟨fig.⟩ *closeness.*

nauwkeurig ⟨bn., bw.;-ly⟩ **0.1** [nauwgezet] *accurate* ⇒*precise,* ⟨zorgvuldig⟩ *careful,* ⟨oplettend⟩ *close* **0.2** [exact] *exact* ♦ **1.1** een ~ onderzoek *close/searching/thorough investigation;* een ~e weegschaal *a. scales* **3.1** hij formuleert ~ *he expresses himself/phrases/* ⟨inf.⟩ *puts things precisely;* iets ~ natellen *check sth. carefully;* ~ zijn in zijn taalgebruik *be precise in one's (use of) language* **3.2** zij stemmen ~ overeen *they agree exactly/completely* **6.1 tot op** de millimeter ~ *a. to the nearest/to (within) a millimetre;* ⟨fig.⟩ *(a.) to within a fraction of an inch.*

nauwkeurigheid ⟨de (v.)⟩ **0.1** *accuracy* ⇒*precision, exactness, exactitude* ♦ **2.1** met uiterste/de grootste ~ *with clockwork precision/extreme a..*

nauwlettend ⟨bn., bw.;-ly⟩ **0.1** *close;* ⟨plichtsgetrouw⟩ *conscientious;* ⟨zorgvuldig⟩ *careful* ♦ **3.1** ~ toezien *keep close/strict/careful watch.*

nauwlettendheid ⟨de (v.)⟩ **0.1** *accuracy* ⇒*precision, exactness* ♦ **6.1 met** ~ *closely.*

nauwnemend ⟨bn.⟩ →**nauwgezet.**

nauwsluitend ⟨bn.⟩ **0.1** [precies passend] *close-/well-fitting* ⇒⟨jurk, enz. ook⟩ *clinging,* ⟨te nauw⟩ *tight-fitting* **0.2** [mbt. de delen] *neatly-fitting* ♦ **1.1** ~e boorden *c.-/w.-f. collars* **1.2** een ~ geheel *a well-constructed/-balanced/a n.-f. whole.*

nauwte ⟨de (v.)⟩ **0.1** [het nauw zijn] *narrowness* ⇒*tightness* **0.2** [smalle doorgang] *narrow passage* ⇒⟨zeeëngte⟩ *straits,* ⟨bergengte⟩ *pass.*

nauwziend ⟨bn.⟩ →**nauwlettend.**

n.a.v. ⟨afk.⟩ **0.1** [naar aanleiding van] ⟨→**aanleiding**⟩.

navel ⟨de (m.)⟩ **0.1** [mbt. een mens/zoogdier] *navel* ⇒*umbilicus,* ⟨inf.⟩ *belly button* **0.2** [sinaasappel] *navel orange* **0.3** [mbt. planten] *hilum* **0.4** [mbt. schelpen] *umbo.*

navelappel ⟨de (m.)⟩ **0.1** *navel orange.*

navelbandje ⟨het⟩ **0.1** *bellyband* ⇒*umbilical/navel bandage.*

navelbreuk ⟨med.⟩ **0.1** *navel rupture* ⇒*umbilical hernia.*

navelkruid ⟨het⟩ **0.1** *navelwort* ⇒*(marsh) pennywort* ⟨Hydrocotyle vulgaris⟩.

navelpunt ⟨het⟩ ⟨meetkunde⟩ **0.1** *umbilicus.*

825

navelsinaasappel 〈de (m.)〉 **0.1** *navel orange*.
navelstaarder 〈de (m.)〉 **0.1** *navel-gazer* ⇒*introvert*.
navelstaarderij 〈de (v.)〉 **0.1** *navel-gazing* ⇒*introspection*.
navelstaren 〈ww.〉 **0.1** *indulgence in navel-gazing*.
navelstreek 〈de (m.)〉 **0.1** *umbilical / navel region* ⇒*region of the navel*.
navelstreng 〈de〉 **0.1** [〈med.〉] *umbilical cord* ⇒*navel string* **0.2** [〈biol.〉] *funiculus, funicle*.
navelvormig 〈bn.〉 **0.1** *umbilicate(d)* ◆ **1.1** een open ~e schelp *a perforate / u. shell*.
navenant 〈bw.〉 〈inf.〉 **0.1** *correspondingly* ⇒*proportionately, accordingly, to match* ◆ **2.1** een groot land heeft ~ grote problemen *a big country has c. big problems;* de prijzen zijn ~ hoog *the prices are c. / proportionally high*.
naverbrander 〈de (m.)〉 **0.1** *afterburner* ⇒*reheat*.
navertellen 〈ov.ww.〉 **0.1** *repeat* ⇒*retell* ◆ **5.1** 〈euf.〉 hij zal het niet ~ *he won't live to tell the tale / to repeat it*.
naverwant¹ 〈de (m.)〉 **0.1** *close relative*.
naverwant² 〈bn.〉 **0.1** *closely related* ◆ **1.1** ~e talen *(closely) related languages*.
naverwantschap 〈de (v.)〉 **0.1** *relationship*.
navet 〈de〉 〈AZN〉 ◆ **3.¶** de ~ doen *commute*.
navigabel 〈bn.〉 **0.1** *navigable*.
navigatie 〈de (v.)〉 **0.1** [scheepvaart] *navigation* **0.2** [stuurmanskunst] *navigation* **0.3** [plaatsbepaling] *navigation* ◆ **1.1** 〈gesch.〉 Akte van Navigatie *Navigation Act*.
navigatiebrug 〈de〉 **0.1** *(navigation) bridge*.
navigatiecomputer 〈de (m.)〉 **0.1** *navigation computer*.
navigatiefout 〈de〉 **0.1** *navigational error*.
navigatiehut 〈de〉 **0.1** *navigation room*.
navigatielicht 〈het〉 **0.1** *navigation / sailing light*.
navigatiesysteem 〈het〉 **0.1** *navigation system* ⇒ 〈ruim.〉 *platform*.
navigator 〈de (m.)〉 〈verkeer〉 **0.1** [bemanningslid] *navigator* **0.2** [toestel] *navigator*.
navigeren 〈onov.ww.〉 **0.1** [vakkundig besturen] *navigate* **0.2** [manoeuvreren] *navigate*.
navijlen 〈ov.ww.〉 **0.1** *file again / over* ⇒ 〈bijvijlen〉 *file off / away*.
navliegen
I 〈onov., ov.ww.〉 **0.1** [vliegende volgen] *fly after* ⇒*pursue;*
II 〈ov.ww.〉 **0.1** [haastig volgen] *hasten / fly after*.
navloeien 〈onov.ww.〉 **0.1** *have / experience (a certain amount of) (post-partum)* 〈zeldz.〉 *lochial) discharge*.
navlooien 〈ov.ww.〉 **0.1** *dig up / into* ⇒*sift (through), thoroughly investigate, root out*.
NAVO 〈de (v.)〉 〈afk.〉 **0.1** [Noordatlantische Verdragsorganisatie] *NATO*.
navoelbaar 〈bn.〉 **0.1** *understandable* ⇒〈pred.〉 *able to be shared* ◆ **1.1** navoelbare emoties *(very) u. emotions, emotions that can be shared*.
navoelen 〈ov.ww.〉 **0.1** *understand / share s.o.'s feelings*.
navolgbaar 〈bn.〉 **0.1** [het navolgen waard] *worth imitating / following* ⇒*worthy of imitation* **0.2** [nagevolgd kunnende worden] *imitable*.
navolgen 〈ov.ww.〉 **0.1** *follow* ⇒*imitate* ◆ **1.1** een dichter ~ *imitate a poet;* Jezus ~ *f. Jesus;* iemands voorbeeld ~ *f. s.o.'s example* **5.1** slaafs ~ *copy / imitate slavishly, plagiarize*.
navolgend 〈bn.〉 **0.1** *following* ◆ **1.1** de ~e personen *the f. people / below-mentioned persons*.
navolgenswaardig 〈bn., bw.〉 **0.1** *worth imitating / following* ⇒*worthy of imitation* ◆ **1.1** een ~ voorbeeld *an example worthy of imitation*.
navolger 〈de (m.)〉 **0.1** *follower* ⇒*imitator, copier*.
navolging 〈de (v.)〉 **0.1** [het handelen naar een voorbeeld] *imitation* ⇒*following* **0.2** [het werken naar voorbeeld] *imitation* ⇒*reproduction* **0.3** [produkt] *imitation* ⇒*copy, reproduction* ◆ **3.1** dat voorbeeld verdient (geen) ~ *that example is (not) worth following / imitating;* dit voorbeeld zal ongetwijfeld ~ vinden *this example will no doubt be copied* **6.1** in ~ van mijn voorganger *following / in i. of my predecessor;* ~ van de nieuwste mode *following the latest fashion*.
navorderen 〈ov.ww.〉 **0.1** *make an additional / further claim / assessment / demand* ◆ **1.1** belasting ~ *demand additional taxes, make an additional / a supplementary tax demand*.
navordering 〈de (v.)〉 **0.1** *additional / further claim / assessment / demand*.
navorsen 〈ov.ww.〉 **0.1** *investigate* ⇒*dig / inquire / search (into), sift (through)* 〈feiten〉 ◆ **1.1** de oorsprong v.e. woord ~ 〈ook〉 *research the origin of a word*.
navorser 〈de (m.)〉 〈AZN〉 **0.1** *researcher*.
navorsing 〈de (v.)〉 **0.1** *investigation (of)* ⇒*exploration (of),* 〈wet. ook〉 *research (into)*.
navraag 〈de〉 **0.1** *inquiry* ◆ **3.1** ~ doen naar *inquire / make inquiries about / into* **6.1** bij ~ bleek, dat ... *(up)on i. it appeared that ....*
navragen 〈ov.ww.〉 **0.1** *inquire (about / into)* ⇒*ask, make inquiries (about / into)* ◆ **6.1** je kunt het bij hem ~ *you can i. from him / ask him*.
navrant 〈bn., bw.〉 **0.1** *distressing* ⇒*heartrending, sad, painful* ◆ **1.1** een ~ geval *a sad case* **7.1** het ~e v.d. toestand *the d. / sad part of thing / about the situation*.
navullen 〈ov.ww.〉 **0.1** *refill*.

nawee 〈het〉 **0.1** [mbt. het lichaam] *after pain* ⇒*aftereffect* **0.2** [vervelend gevolg] *aftereffect* ⇒*aftermath* 〈van oorlog / geweld〉 ◆ **1.2** de naweeën v.d. oorlog ondervinden *suffer / put up with the aftermath of the war*.
nawegen 〈ov.ww.〉 **0.1** *reweigh* ⇒*weigh again*.
nawerk 〈het〉 **0.1** [arbeid na afloop] *clearing / tidying / finishing / closing up* **0.2** [nageboorte] *afterbirth*.
nawerken 〈onov.ww.〉 **0.1** [zijn werking doen gevoelen] *have a lasting effect / an aftereffect* **0.2** [overwerken] *work late / overtime* ⇒*stay late* ◆ **1.1** dit geneesmiddel werkt na *this medecine has a l. e. / keeps on working;* zijn invloed werkt na *his influence can still be felt / lingers on*.
nawerking 〈de (v.)〉 **0.1** *aftereffect(s)* ◆ **3.1** de ~ van iets ondervinden / gevoelen *experience / feel the a. of sth.*.
nawerpen 〈ov.ww.〉 **0.1** *throw / fling / toss after*.
nawijzen 〈ov.ww.〉 **0.1** *point at / after* ◆ **6.1** iem. met de vinger ~ *point the / a finger at s.o..*
nawinter 〈de (m.)〉 **0.1** *late winter* ⇒*latter part of (the) winter*.
nawoord 〈het〉 **0.1** *afterword* ⇒*postface, postlude, epilogue*.
nawroeten 〈ov.ww.〉 **0.1** *dig into / out* ⇒*sift (through), root out*.
nawuiven 〈ov.ww.〉 **0.1** *wave at / after*.
nazaat 〈de (m.)〉 **0.1** *descendant* ⇒*offspring* ◆ **7.1** 〈coll.〉 de nazaten *the offspring, descendants*.
nazakken 〈ov.ww.〉 **0.1** *settle* ⇒*sink*.
nazang 〈de (m.)〉 **0.1** [mbt. een godsdienstuitoefening] *closing / last / final hymn* **0.2** [mbt. een gedicht] *coda* ⇒*epilogue,* 〈van ode〉 *epode*.
Nazareeër 〈de (m.)〉 **0.1** *Nazarene, Nazarite*.
nazeggen 〈ov.ww.〉 **0.1** *repeat* ⇒*say after* ◆ **3.1** dat kan zij mij niet ~ *that's more than she can say* **4.1** zeg mij na *r. after me*.
nazeilen 〈ov.ww.〉 **0.1** *sail after*.
nazenden 〈ov.ww.〉 **0.1** [achternazenden] *send on / after* ⇒*forward, redirect* **0.2** [eerdere zending aanvullen] *send on / after* ◆ **1.1** een pakje ~ *forward a package* **¶.1** ~ s.v.p. *please forward*.
nazetten 〈ov.ww.〉 **0.1** [vervolgen] 〈→nazitten **0.1**〉 **0.2** [vastklemmen] *set (hard)* ⇒*jam, seal (up)*.
nazi 〈de (m.)〉 **0.1** *Nazi*.
na-zichtwissel 〈de (m.)〉 **0.1** *short- / long-dated bill*.
nazien 〈ov.ww.〉 **0.1** [nakijken, controleren] *look over / through* ⇒*check, correct* **0.2** [nagaan, uitzoeken] *look / follow up* ⇒*check into* **0.3** [wie / wat vertrekt nakijken] *follow with one's eyes* **0.4** 〈AZN〉 aanzien] *look at* ◆ **1.1** een motor ~ *check / look over a motor* **1.2** vertrektijden in het spoorboekje ~ *look up / check departures / departure times in the time table /* ^*schedule* **1.3** iem. ~ *watch s.o. leave, see s.o. out* **3.1** mijn rekeningen worden door een accountant nagezien 〈AZN〉 *an accountant audits my accounts, my accounts are audited by an accountant*.
nazin 〈de (m.)〉 〈taal.〉 **0.1** *apodosis*.
nazingen 〈ov.ww.〉 **0.1** *sing after* ⇒*echo* ◆ **1.1** een wijsje ~ *repeat / echo a tune*.
nazisme 〈het〉 **0.1** *Nazi(i)sm*.
nazitten 〈ov.ww.〉 **0.1** [vervolgen] *pursue* ⇒*chase, give chase to,* 〈jagen op〉 *hunt* **0.2** [achternalopen (om iemands gunst)] *pursue* ⇒*chase* **0.3** [controleren, streng nagaan] *get / keep after, chase up* ◆ **1.1** een dief ~ *p. / chase a thief* **1.2** een vrouw ~ *p. / chase a woman* **1.3** die luie jongens moet je maar flink ~ *you have to really keep after / chase up those lazy boys*.
nazoeken 〈ov.ww.〉 **0.1** [onderzoek doen] *look / follow up* ⇒*investigate, examine, (re)search* **0.2** [opzoeken] *look up* ◆ **4.1** ik heb alles nagezocht maar niets kunnen vinden *I followed up every lead but came up with nothing*.
nazomer 〈de (m.)〉 **0.1** *late summer* ⇒*latter part of (the) summer* ◆ **2.1** een warme / mooie ~ *(an) Indian summer*.
nazorg 〈de〉 **0.1** [begeleiding van patiënten] *aftercare* ⇒*follow-up (care)* **0.2** [onderhoud] *maintenance*.
nazwaaien 〈ov.ww.〉 **0.1** *wave at / after*.
nazweren 〈ov.ww.〉 **0.1** *repeat an oath (after)*.
nazwerm 〈de (m.)〉 **0.1** *afterswarm*.
N.B. 〈afk.〉 **0.1** [Nota Bene] *N.B., NB* **0.2** [noorderbreedte] *N.L..*
n-bom 〈de〉 **0.1** *neutron bomb*.
n. Chr. 〈afk.〉 **0.1** [na Christus] *A.D..*
N.C.O. 〈de (v.)〉 〈afk.〉 **0.1** [Nationale Commissie Bewustwording Ontwikkelingssamenwerking] (*National Commission for the Promotion of Awareness of Development Cooperation*).
NCRV 〈de (v.)〉 〈afk.〉 **0.1** [Nederlandse Christelijke Radio-Vereniging] '*NCRV*' (*Dutch Christian Broadcasting Corporation*).
N.C.W. 〈het〉 〈afk.〉 **0.1** [Nederlands Christelijk Werkgeversverbond] (*Netherlands Federation of Christian Employers*).
Nd. 〈afk.〉 **0.1** [〈taal.〉 Nederduits] *L.G..*
Ndl. 〈afk.〉 **0.1** [Nederlands] *Du..*
Neanderthaler 〈de (m.)〉 **0.1** *Neanderthal (man)*.
nearctisch 〈bn.〉 **0.1** *Nearctic*.
near-misser 〈de〉 **0.1** [net geen botsing] *near miss;* 〈inf.〉 *close shave / call* **0.2** [bominslag die bijna raak was] *near miss*.
neartrose 〈de (v.)〉 〈med.〉 **0.1** *nearthrosis*.

neb(be) ⟨de⟩ **0.1** [snavel] *beak* ⇒*bill*, ⟨vnl. Sch.E⟩ *beb* **0.2** [mbt. een veren pen] *nib* ⇒⟨vnl. Sch.E⟩ *beb* **0.3** [mond] *beak*.

nebulium ⟨het⟩ ⟨schei.⟩ **0.1** *nebulium*.

necessaire ⟨de (m.)⟩ **0.1** *housewife, toilet case/bag* ⟨voor mannen⟩; *toiletry bag/case* ⟨voor vrouwen⟩; *sewing kit* ⟨voor naaigerei⟩.

necessiteit ⟨de (v.)⟩ ⟨schr.⟩ **0.1** [noodzakelijkheid] *necessity* **0.2** [noodzaak] *necessity*.

necrobiose ⟨de (v.)⟩ **0.1** *necrobiosis*.

necrofiel[1] ⟨de (m.)⟩ **0.1** *necrophiliac* ⇒*necrophile*.

necrofiel[2] ⟨bn.⟩ **0.1** *necrophiliac*.

necrofilie ⟨de (v.)⟩ **0.1** *necrophilia, necrophilism*.

necrologie ⟨de (v.)⟩ **0.1** [levensbeschrijving] *obituary (notice)* ⇒*necrology* **0.2** [lijst van gestorvenen] *obituary list* ⇒*necrology*.

necrologisch ⟨bn.⟩ **0.1** *necrological*.

necrologium ⟨het⟩ **0.1** *necrology*.

necroloog ⟨de (m.)⟩ **0.1** [beschrijver] *obituarist* ⇒*necrologist* **0.2** [beschrijving] *obituary (notice)* ⇒*necrology*.

necromantie ⟨de (v.)⟩ **0.1** *necromancy*.

necropolis ⟨de⟩ **0.1** *necropolis*.

necropsie ⟨de (v.)⟩ **0.1** *necropsy* ⇒*autopsy*.

necrose ⟨de (v.)⟩ **0.1** *necrosis*.

necrotisch ⟨bn.⟩ **0.1** [door necrose aangetast] *necrotic* **0.2** [necrose betreffend] *necrotic* ♦ **1.1** ~ weefsel *n. tissue*.

necrotiseren ⟨ov.ww.⟩ **0.1** *necrotize, necrose*.

nectar ⟨de (m.)⟩ **0.1** [vocht uit de bloemen] *nectar* **0.2** [fijne drank] *nectar* **0.3** [⟨myth.⟩] *nectar*.

nectariën ⟨zn.mv.⟩ **0.1** *nectaries*.

nectarine ⟨de (v.)⟩ **0.1** [kruising tussen pruim en perzik] *nectarine* **0.2** [kruising tussen abrikoos en perzik] *nectarine*.

Ned. ⟨afk.⟩ **0.1** [Nederlands] *Du.*.

N.E.D.A.M. ⟨afk.⟩ **0.1** [Nederlandse Aannemingsmaatschappij] ⟨*Netherlands Contracting Company*⟩.

neder →**neer**.

nederdalen ⟨onov.ww.⟩ ⟨schr.⟩ **0.1** *descend* ♦ **6.1** Christus is nedergedaald ter helle *Christ descended into hell*.

Nederduits[1] ⟨het⟩ **0.1** [Noordduits] *North German* **0.2** [⟨taal.⟩] *Low German*.

Nederduits[2] ⟨bn.⟩ **0.1** [Noordduits] *North German* **0.2** [⟨taal.⟩] *Low German*.

nederig ⟨bn., bw.; -ly⟩ **0.1** [bescheiden] *humble* ⇒*modest, simple* **0.2** [mbt. personen] *humble* ⇒*modest* **0.3** [deemoedig] *humble* ⇒*meek, submissive* ♦ **1.1** mijn ~e woning *my h. home* **3.3** ~ om vergiffenis vragen *humbly beg forgiveness* **6.2** ~ van hart zijn *be h./meek of heart*.

nederigheid ⟨de (v.)⟩ **0.1** [bescheidenheid] *humbleness* ⇒*modesty, simplicity* **0.2** [mbt. personen] *humility* ⇒*humbleness, modesty* **0.3** [deemoedigheid] *humility* ⇒*meekness, submissiveness* ♦ **6.2** in alle ~ iets bekennen *confess sth. in all humility/modesty*.

nederlaag ⟨de⟩ **0.1** *defeat* ⇒⟨omverwerping⟩ *overthrow(al), overturn*, ⟨tegenslag⟩ *setback* ♦ **2.1** een verpletterende ~ *a crushing d.* **3.1** zijn ~ bekennen *admit (to)/concede d.*; een ~ lijden *suffer a d.*, *be defeated*; de vijand een ~ toebrengen *inflict (a) d. upon the enemy, defeat/rout the enemy*.

Nederland ⟨het⟩ **0.1** *the Netherlands* ⇒*Holland, the Low Countries* ♦ **1.1** het Koninkrijk der ~en the Kingdom of the N. **2.1** de verenigde ~en the United N., the Dutch Republic.

Nederlander ⟨de (m.)⟩, **-landse** ⟨de (v.)⟩ **0.1** *Dutchman* ⟨m.⟩, *Dutchwoman* ⟨v.⟩.

Nederlanderschap ⟨het⟩ **0.1** *Dutch nationality* ♦ **3.1** het ~ verliezen *lose one's D. n./one's rights as a Dutch subject/citizen*.

Nederlands[1] ⟨het⟩ **0.1** *Dutch* ♦ **2.1** het algemeen beschaafd ~ *Received/Standard D.*; gebrekkig ~ spreken *speak broken D.* **3.1** dat is geen ~ *that's not (good/proper) D.* **6.1** een boek in het ~ vertalen *translate a book into D.*.

Nederlands[2] ⟨bn.⟩ **0.1** [mbt. Nederland] *Dutch* ⇒⟨bk.⟩ *Netherlandish* **0.2** [mbt. de taal] *Dutch* ♦ **1.1** de ~e Bank *the Bank of the Netherlands*; de ~e maagd *the Maid of the Netherlands*; de ~e taal *the D. language* **1.2** de ~e letterkunde *D. literature/letters*.

Nederlands-Indië ⟨het⟩ **0.1** *Netherlands East Indies* ⇒*Dutch East Indies*.

nederlandstalig ⟨bn.⟩ **0.1** [Nederlands sprekend] *Dutch-speaking* **0.2** [in het Nederlands] *Dutch(-language)* ♦ **1.2** het ~e lied *songs in Dutch, Dutch-language songs*; de ~e top 10 *the Dutch-language top ten, the top ten Dutch(-language) records* **7.1** ⟨zelfst.⟩ de ~en *Dutch-speakers, speakers of Dutch*; ⟨zelfst.⟩ een ~e *a Dutch-speaker, a speaker of Dutch*.

nederpop ⟨de (m.)⟩ **0.1** *Dutch pop(-music)*.

Nederrijn ⟨de (m.)⟩ **0.1** *Lower Rhine*.

nederwaarts →**neerwaarts**.

nederwiet ⟨de⟩ **0.1** *Dutch(-grown)/homegrown weed/grass/cannabis*.

nederzetten ⟨wk.ww.; zich ~⟩ **0.1** [gaan zitten] *sit down* **0.2** [zich vestigen] *settle (in)*.

nederzetting ⟨de (v.)⟩ **0.1** *settlement* ⇒*post*.

nee[1] ⟨het⟩ **0.1** *no* ♦ **2.1** een onvoorwaardelijk ~ *an unconditional/definite n.* **4.1** mijn ~ staat tegenover uw ja *it is my word against yours*.

nee[2] ⟨tw.⟩ **0.1** [mbt. ontkenning] *no* **0.2** [mbt. verrassing/verontwaardiging] *really* ⇒⟨inf.⟩ *you're joking/kidding* ♦ **3.1** met ~ beantwoorden *answer in the negative*; geen ~ zeggen (op iets) *not say n. (to sth.), not rule out/exclude (sth.)*; nooit ~ zeggen *never say n., never refuse*; geen ~ kunnen zeggen *not be able to say n./refuse* **6.1** hij zei van ~ *he said n.* **7.1** ⟨euf.⟩ daar zeg ik geen ~ op/tegen *I wouldn't say n. (to that)/wouldn't refuse (such an offer), twist my arm* **9.1** ~ toch *(but) n., you don't mean it, really?; surely not; how's that possible?* **¶.1** wel ~! *(oh) n., certainly not* **¶.2** ~ (maar)! dat is prachtig *say/[B]I say, that's nice/*⟨iron.⟩ *that's a fine kettle of fish;* ~ zeg, nou nog mooier! *good lord, you don't say!, well I'm/I'll be damned, that's the limit!;* ~, nou zal ik het gedaan hebben! *r./oh I see, so now it's my fault*.

neef ⟨de (m.)⟩ **0.1** [zoon van broer/zuster] *nephew* **0.2** [zoon van oom/tante] *cousin* **0.3** [afstamming van nicht/neef] *cousin* ♦ **1.2** zij zijn ~ en nicht *they are cousins/*⟨scherts.⟩ *kissing cousins* **2.2** een volle ~ *a first/full c., a cousin-german* **2.3** een verre ~ *a distant/[A]shirt-tail c.* **¶.2** een ~ van vaders/moederszijde *a paternal/maternal c.*.

neembaar ⟨bn.⟩ **0.1** ⟨mil.⟩ *pregnable*.

neen →**nee**.

neep ⟨de⟩ **0.1** [kneep] *pinch* **0.2** [indruk van knijpen] *pinch-mark* **0.3** [⟨fig.⟩ schade] *blow* ♦ **6.1** ⟨fig.⟩ in de ~ zitten *be in a p./fix/pickle/bind*.

neepje ⟨het⟩ **0.1** [kneepje] *little pinch, tweek* **0.2** [hoeveelheid] *pinch* ♦ **1.2** een ~ zout *a p. of salt*.

neer[1] ⟨de⟩ **0.1** *whirlpool* ⇒*eddy*.

neer[2] ⟨bw.⟩ **0.1** [naar beneden] *down* **0.2** [op de grond] *down* ♦ **5.1** op en ~ *up and d.* **6.1** ter ~ (werpen) *(throw) d./on the ground*.

neerbliksemen
I ⟨ov.ww.⟩ **0.1** [naar beneden werpen] *fling/throw/cast/chuck down* **0.2** [ruw neergooien] *fling/chuck down* ⇒ [†]*throw/cast down*;
II ⟨onov.ww.⟩ **0.1** [neerstorten] *fall/crash/tumble/topple/hurtle down*.

neerbuigen
I ⟨ov.ww.⟩ **0.1** [een bocht/buiging doen maken] *bow/bend (down)* ♦ **1.1** het hoofd ~ *bow one's head;* de rand v.e. hoed wat ~ *turn/pull the brim of a hat down (slightly);*
II ⟨wk.ww.; zich ~⟩ **0.1** [knielen] *bow/kneel (down)*.

neerbuigend ⟨bn., bw.; -ly⟩ **0.1** *condescending* ⇒*patronizing* ♦ **1.1** met ~e welwillendheid *with patronizing kindness* **3.1** ~ knikken *nod condescendingly/patronizingly*.

neerbuigendheid ⟨de (v.)⟩ **0.1** *condescension*.

neerdalen ⟨onov.ww.⟩ **0.1** [zich naar beneden bewegen] *come/go down* ⇒*descend* **0.2** [vallen] *come down* ⇒*descend, drop* ♦ **1.1** het vliegtuig daalt neer *the aeroplane* [A]*airplane is coming down/making its descent/is landing* **6.1** in de groeve ~ *go down into the pit;* talrijke zegeningen dalen op de gelovigen neer *numerous blessings are showered upon the believers;* stof daalt neer op de stoelen *dust settles on the chairs* **6.2** de sluier daalde langs de hup neer *the veil reached below the hip*.

neerdaling ⟨de (v.)⟩ **0.1** *descent*.

neerdoen ⟨ov.ww.⟩ **0.1** *lower* ⇒*let/put down* ♦ **1.1** de gordijnen ~ *lower the curtains, let the curtains down;* zijn paraplu ~ *close/shut one's umbrella*.

neerdompelen ⟨ov.ww.⟩ **0.1** *plunge under* ⇒*immerse*.

neerdonderen
I ⟨onov.ww.⟩ ⟨inf.⟩ **0.1** [naar beneden vallen] *crash/hurtle down* **0.2** [als donder naar beneden komen/gaan] *thunder down* ⇒*come/go thundering down;*
II ⟨ov.ww.⟩ **0.1** [naar beneden gooien] *fling/chuck down* ⇒ [†]*throw/cast down*.

neerdrukken
I ⟨ov.ww.⟩ **0.1** [naar beneden drukken] *push/press/weigh down* **0.2** [deprimeren] *weigh/get down* ⇒*depress;*
II ⟨ov.ww.⟩ **0.1** [liggen op] *press/weigh upon*.

neerduwen ⟨ov.ww.⟩ **0.1** *push/press down*.

neerdwarrelen ⟨onov.ww.⟩ **0.1** *drift/flutter/whirl down* ♦ **1.1** de sneeuwvlokken dwarrelden neer *the snowflakes drifted/fluttered down*.

neergaan ⟨onov.ww.⟩ **0.1** [naar beneden gaan] *go down* **0.2** [teruggaan] *go back (up)* ♦ **3.1** de trap op- en ~ *go up and down the stairs;* het gaat met de zieke op en neer *the patient's condition goes up and down* **3.2** de straat op- en ~ *go up and down the street*.

neergaand ⟨bn.⟩ **0.1** *downward* ⇒*declining, descending* ♦ **1.1** een ~e bedrijfstak *a declining (branch of) industry;* ~e conjunctuur *decline, slump, recession;* in ~e lijn *downward*.

neergang ⟨de (m.)⟩ **0.1** *decline*.

neergooien ⟨ov.ww.⟩ **0.1** [naar beneden gooien] *throw/toss down* **0.2** [op de grond gooien] *throw/toss down* ⇒*dump* **0.3** [ophouden] *chuck* ⇒*dump* ♦ **1.1** de kaarten ~ *throw down the/show one's cards* **1.2** het bijltje er bij ~ *toss/throw in the towel;* zijn boeken overal ~ *dump one's books everywhere* **1.3** het werk ~ *walk out (on strike);* ⟨vnl. BE⟩ *down tools*.

neerhaal ⟨de (m.)⟩ **0.1** *downstroke* ⇒*descender.*
neerhakken ⟨ov.ww.⟩ **0.1** [door hakken doen neervallen] *chop/ cut down* ⇒*fell, hew down* **0.2** [neersabelen, doden] *chop/ cut down.*
neerhalen ⟨onov.ww.⟩ **0.1** [naar beneden halen] *take/ pull down* ⇒*lower* **0.2** [omverhalen] *pull/ take/ knock down* ⇒*raze* **0.3** [neerschieten] *take/ bring down* **0.4** [bekritiseren] *run down* ⇒*disparage, denigrate, belittle,* ⟨in de ogen van iem. anders⟩ *lessen, cheapen, degrade* **0.5** [meeslepen in het kwaad] *drag down* ◆ **1.1** de vlag *~ bring/ take down/ lower the flag;* de zeilen*~ strike the sails* **1.4** zijn vrouw*~ denigrate/ criticize/ disparage one's wife* **1.5** de jongen werd in Amsterdam neergehaald *the lad was ruined/ spoiled/ corrupted/ dragged down in Amsterdam* **6.5** *~* **tot** *reduce to the level of.*
neerhangen
  I ⟨onov.ww.⟩ **0.1** [omlaag hangen] *hang (down)* **0.2** [mbt. bloemen] *droop* **0.3** [op de grond slepen] *drag* ◆ **3.1** de armen slap langs het lichaam laten*~ let one's arms hang loosely/ dangle one's arms at one's sides;* het hoofd neer laten hangen *hang one's head;*
  II ⟨ov.ww.⟩ **0.1** [ergens ophangen] *hang up.*
neerhurken ⟨onov.ww.⟩ **0.1** *squat (down), sit on one's haunches* ⇒⟨AE ook⟩ *hunker down.*
neerkijken ⟨onov.ww.⟩ **0.1** [naar beneden kijken] *look down* **0.2** [minachten] *look down (on)* ⇒*look down one's nose (at)* ◆ **6.1** op het dal *~ look down on/ into the valley.*
neerkladden ⟨ov.ww.⟩ **0.1** [slordig schrijven] *scribble (down)* **0.2** [slordig schilderen] *slap down.*
neerklappen ⟨ov.ww.⟩ **0.1** *let/ swing/ fold down* ⇒⟨inf.⟩ *flap down.*
neerkletteren
  I ⟨onov.ww.⟩ **0.1** [neervallen] *clatter/ rattle/ beat (down)* ⟨ook regen⟩ ◆ **1.1** de hagel kletterde neer ⟨ook⟩ *the hail came clattering/ rattling/ beating down;*
  II ⟨ov.ww.⟩ **0.1** [neerslaan] *smash* ⇒*bring (crashing)/ knock down.*
neerklimmen ⟨onov.ww.⟩ **0.1** *climb down* ◆ **3.1** op- en*~ climb up and down.*
neerknallen ⟨ov.ww.⟩ ⟨inf.⟩ **0.1** *plug* ⇒⟨BE ook⟩ *pip.*
neerknielen ⟨onov.ww.⟩ **0.1** *kneel (down)* ◆ **1.1** de soldaten knielden neer om te schieten *the soldiers knelt/ kneeled to shoot* **6.1** bij iem. *~ k. over s.o.;* in gebed*~ k. in prayer.*
neerknuppelen ⟨ov.ww.⟩ **0.1** *club down, bludgeon* ⇒*cudgel,* ⟨BE ook⟩ *cosh,* ⟨Austr.E⟩ *waddy.*
neerkomen ⟨onov.ww.⟩ **0.1** [vallen, landen] *come down* ⇒*descend, fall, land* **0.2** [treffen] *fall ((up)on)* **0.3** [de bedoeling hebben] *come/ boil down (to)* ⇒*amount (to)* ◆ **1.1** waar is het vliegtuig neergekomen? *where did the aeroplane/^airplane land/ come down* **5.3** hij zei iets wat daarop neerkwam *he said sth. that amounted to/ was tantamount to that;* een berichtje dat erop neerkomt dat *... a message that means that ... / to the effect that ...* **6.1** met een geweldige smak *~ crash down, fall with a heavy thud,* come down like a ton of bricks; de vogel kwam neer op een tak *the bird alighted/ landed on a branch* **6.2** de zweepslagen kwamen hard op hem neer *the whiplashes fell heavily on him;* ⟨fig.⟩ alles komt op mij neer *it all falls on my shoulders* **6.3** dat komt op hetzelfde neer *it comes/ boils down/ amounts to the same thing;* waar het in grote lijnen op neerkomt is *... the gist of it is ..., what it boils down to is ...;* waar het op neerkomt is *... the long and the short of it is ..., it all adds up to this ....*
neerkrabbelen ⟨ov.ww.⟩ **0.1** *scribble/ jot down.*
neerkwakken ⟨inf.⟩
  I ⟨onov.ww.⟩ **0.1** [neerploffen] *plop/ plunk down;*
  II ⟨ov.ww.⟩ **0.1** [neersmijten] *fling/ slap/ bang/ chuck down* ⇒*dump,* ↑*cost/ throw down.*
neerlandicus ⟨de (m.)⟩, **-ca** ⟨de (v.)⟩ **0.1** *Dutch/ Netherlands specialist* ⇒*student of/ authority on/ expert in Dutch/ The Netherlands, Neerlandist.*
neerlandisme ⟨het⟩ **0.1** *Dutch-ism.*
neerlandistiek ⟨de (v.)⟩ **0.1** *Dutch studies* ⇒*Dutch language and literature.*
neerlaten ⟨ov.ww.⟩ **0.1** *let down* ⇒*lower, drop* ◆ **1.1** een boot*~ lower a boat;* ⟨ook⟩ loodlijn*~ drop a perpendicular;* laat de rolgordijnen maar neer *just lower/ draw the blinds.*
neerleggen
  I ⟨ov.ww.⟩ **0.1** [op iets leggen] *put/ lay/ set (down)* **0.2** [afstand doen van] *put aside* ⇒*lay down* **0.3** [met iets ophouden] *lay/ put down/ aside* **0.4** [doden] *down* **0.5** [betalen] *put/ plunk down* ⇒*deposit* **0.6** [⟨jur.⟩] *deposit* **0.7** [vastleggen] *set down* ⇒*incorporate, embody, include, contain* ◆ **1.1** het hoofd*~ lay/ put one's head down;* ⟨AZN⟩ ⟨fig.⟩ het hoofd erbij*~ resign/ reconcile o.s. to sth., put up with sth.;* de hoorn*~ hang up, replace the receiver;* ⟨euf.⟩ iem. *~ stretch/ lay s.o. out, tackle s.o.* **1.2** zijn ambt*~* ⟨ook⟩ *resign/ one's office* **1.3** het commando*~ lay down/ resign/ relinquish command;* de pen*~ put aside/ down the pen;* zijn praktijk*~ give up one's/ retire from practice;* het werk*~ stop work, knock off (work);* ⟨vnl. BE⟩ *down tools* **1.4** een olifant/ bankrover*~ d. an elephant/ a bankrobber* **1.5** ik heb tien gulden moeten*~ I had to put/ plunk down 10 guilders* **1.6** een stuk*~ ter griffie d. a document at the court registry* **6.1** ⟨fig.⟩ een bevel naast zich*~ put aside/*

---

disregard/ ignore a command **6.7** voorwaarden **in** een aantal artikelen *~ set down/ incorporate/ stipulate conditions in a number of articles;*
  II ⟨wk.ww.; zich*~*⟩ **0.1** [berusten] *resign (o.s.) (to)* ⇒*reconcile o.s., acquiesce, submit* ◆ **4.¶** zich*~ lie down* **6.1** zich*~* **bij** de feiten/ situatie *reconcile o.s. to the facts/ situation.*
neerlegging ⟨de (v.)⟩ **0.1** [het neerleggen] *laying/ putting aside/ down* ⇒*acceptance, acquiescence* **0.2** [⟨jur.⟩] *deposition* ⇒*depositing.*
neerliggen ⟨onov.ww.⟩ **0.1** *lie down.*
neerlopen ⟨onov.ww.⟩ **0.1** [naar beneden vloeien] *run down* **0.2** [benedenwaartse richting hebben] *turn down* **0.3** [teruglopen] *run down/ back* ◆ **1.2** met*~*de mondhoeken *with a mouth that turns down at the corners, with a wry mouth* **3.3** op- en*~ run up and down.*
neermaaien ⟨ov.ww.⟩ **0.1** *mow down* ⇒⟨met geschut ook⟩ *cut down,* ⟨AE; sl.⟩ *zap.*
neerpennen ⟨ov.ww.⟩ **0.1** *jot/ scribble down* ⇒*pen.*
neerplenzen ⟨ov.ww.⟩ **0.1** *pour/ bucket/ cascade down* ⇒*pour with rain* ◆ **6.1** de regen plensde in stromen neer ⟨ook⟩ *the rain was coming down in torrents/ sheets/ buckets, it was throwing/ chucking it down.*
neerpletsen ⟨onov.ww.⟩ →**neerplenzen.**
neerploffen
  I ⟨onov.ww.⟩ **0.1** [neervallen] *flop/ plump/ plop down* ⇒ ↑*sink into,* ↑*drop heavily* **0.2** [⟨schei.⟩] *precipitate* ◆ **6.1** in zijn stoel*~ flop into one's chair;*
  II ⟨ov.ww.⟩ **0.1** [neergooien] *dump/ plop (down)* **0.2** [⟨schei.⟩] *precipitate* ◆ **1.1** zij plofte haar tas neer *she plopped her bag down.*
neerpoten ⟨onov.ww.⟩ ⟨inf.⟩ **0.1** *plop/ plump down* ◆ **1.1** iem. ergens*~ plop/ plump s.o. down somewhere.*
neerrollen ⟨onov., ov.ww.⟩ **0.1** *roll down* ◆ **6.1** tranen rolden langs haar wangen neer *tears rolled/ streamed/ coursed down her cheeks.*
neersabelen ⟨ov.ww.⟩ **0.1** *put to the sword* ⇒*cut down (with a sword), sabre.*
neerschieten
  I ⟨onov.ww.⟩ **0.1** [naar beneden storten] *dash/ dart/ dive down* ⇒⟨op prooi ook⟩ *swoop down* ◆ **6.1** de arend schoot **op** de vogel neer *the eagle swooped/ dived down on the bird;*
  II ⟨ov.ww.⟩ **0.1** [fusilleren] *shoot (down)* **0.2** [neerhalen] *bring down, down* **0.3** [naar beneden zenden] *shoot down* ◆ **1.1** een gevangene*~ s. a prisoner;* een vogel in de vlucht*~ shoot down a bird in flight* **1.2** een vijandelijk vliegtuig*~ bring down an enemy aircraft* **1.3** de zon schiet haar brandende stralen neer *the sun shoots down its burning rays.*
neerschijnen ⟨onov.ww.⟩ **0.1** *shine down* ◆ **6.1** de maan scheen **op** het landschap neer *the moon shone down (up)on the landscape.*
neerschrijven ⟨ov.ww.⟩ **0.1** *write down.*
neerschuiven
  I ⟨ov.ww.⟩ **0.1** [naar beneden brengen] *shove/ push down* ◆ **1.1** het bord*~ pull the blackboard down;*
  II ⟨onov.ww.⟩ **0.1** [naar beneden gaan] *slide down* ◆ **3.1** op- en*~ slide up and down.*
neersijpelen ⟨onov.ww.⟩ **0.1** *trickle/ ooze/ seep down.*
neerslaan
  I ⟨onov.ww.⟩ **0.1** [⟨schei.⟩] *precipitate, be precipitated* **0.2** [naar beneden vallen] *fall down* ⇒*be struck down, drop down* ⟨klep⟩, *deposit* ⟨slib⟩, *settle* ⟨bezinksel⟩ ◆ **1.1** het metaal slaat neer op de elektrode *the metal precipitates/ is precipitated on the electrode* **6.2** een wolk van stof sloeg neer op het plein *a cloud of dust settled on the square;*
  II ⟨ov.ww.⟩ **0.1** [naar beneden slaan] *turn down* ⟨rand, kraag⟩ ⇒*let down, lower* ⟨klep⟩, ⟨platmaken⟩ *beat down, flatten* **0.2** [tegen de grond slaan] *strike/ knock down* ⇒*fell* **0.3** [⟨schei.⟩] *precipitate* ◆ **1.1** de regen slaat het graan neer *the rain beats/ flattens/ lays the corn;* de kraag van zijn jas*~ t. d. the collar of one's coat;* de ogen*~ cast down/ lower one's eyes;* met neergeslagen ogen *with downcast/ lowered eyes* **1.2** een opstand*~ put down/ crush/ quell/ suppress/ quash an insurrection/ a rebellion;* een tegenstander*~ knock/ strike down/ fell/* ⟨sport⟩ *floor an opponent* **3.1** iem. de ogen doen*~ stare s.o. down/ out, frown/ look down s.o., (out)face/ outfrown s.o..*
neerslachtig ⟨bn., bw.; -ly⟩ **0.1** *dejected* ⇒*depressed, depressive, low(-spirited), despondent* ◆ **1.1** een*~*e bui *a (moment/ fit of) depression;* ⟨inf.⟩ *the blues* **3.1** *~* maken *deject, depress, oppress, sadden;* hij was*~ he was down/ low-spirited/ out of spirits, he was in poor/ low spirits;* *~* worden *get depressed/ despondent/ lose one's spirits;* zich*~* voelen *feel down/* ⟨inf.⟩ *blue.*
neerslachtigheid ⟨de (v.)⟩ **0.1** *dejection* ⇒*depression, low spirits, despondency.*
neerslag ⟨de (m.)⟩ **0.1** [regen, sneeuw, hagel] *precipitation* ⇒⟨regen ook⟩ *rain, rainfall,* ⟨hagel⟩ *layer,* ⟨sneeuw ook⟩ *fall* **0.2** [⟨bezinksel⟩] *deposit* ⇒*sediment, settlings,* ⟨schei.⟩ *precipitate, precipitation* **0.3** [⟨nawerking, resultaat⟩] *reflection* ⇒*reflex, results* **0.4** [neerwaartse beweging] *downstroke* **0.5** [⟨muz.⟩] *thesis, downstroke* ◆ **1.1** de jaarlijkse hoeveelheid*~ the annual p./ rainfall* **2.1** radioactieve*~ radioactive dust, fall-out* **3.3** die gebeurtenis vond haar*~* in zijn roman *that event found its expression/ concrete shape/ was reflected/ embodied/ in his novel* **6.3** de*~* **van** zijn bezoek *the upshot of*

his visit; de wetgeving moet de ~ zijn **van** de publieke opinie *legislation should reflect/be the reflex/reflection of public opinion* **7.1** geen ~ van betekenis *no significant p..*
neerslaggebied 〈het〉 **0.1** *catchment/drainage area/basin.*
neerslagzone 〈de〉 →**neerslaggebied.**
neersmakken
 I 〈ov.ww.〉 **0.1** [op de grond werpen] *fling/slap/slam/dash/crash down* ⇒*dump;*
 II 〈onov.ww.〉 **0.1** [vallen] *crash/thud (down).*
neersmijten 〈ov.ww.〉 →**neersmakken I.**
neersteken 〈ov.ww.〉 **0.1** *stab (down), thrust down* ⇒*fell.*
neerstorten
 I 〈ov.ww.〉 **0.1** [naar beneden storten, werpen] *hurl/fling down* ⇒ 〈met veel snelheid〉 *hurtle down, dump, tip* 〈puin, afval〉 ◆ **4.1** de waterval stort zich uit de hoogte neer *the waterfall rushes/hurtles/torrents down from high up/above;*
 II 〈onov.ww.〉 **0.1** [neervallen] *crash/dash/thunder down* ⇒*crash* 〈vliegtuig〉, 〈lawine, waterval ook〉 *rush/hurtle down* ◆ **1.1** het ~ de puin *the falling/cascading rubble.*
neerstoten
 I 〈ov.ww.〉 **0.1** [naar beneden stoten] *knock/strike/push down* **0.2** [doden] *thrust down* ⇒*stab, fell;*
 II 〈onov.ww.〉 **0.1** [naar een prooi neerduiken] *plunge/dive down.*
neerstrijken
 I 〈ov.ww.〉 **0.1** [laten zakken] *lower* ⇒*strike, let down* **0.2** [platstrijken] *smooth (out/down)* ⇒*iron* ◆ **1.1** de vlag ~ *strike/lower the flag* **1.2** het haar ~ *smooth down one's hair;* de naden van een naaiwerk ~ *smooth/iron out the seams of some sewing;*
 II 〈onov.ww.〉 **0.1** [mbt. vogels] *alight* ⇒*settle (on), perch (on)* **0.2** [〈fig.〉 mbt. mensen] *descend (on)* ⇒ 〈scherts.; in groten getale〉 *invade,* 〈zich vestigen〉 *settle (on)* ◆ **6.2** ze streken neer **aan** de Rivièra *they descended on/settled on/invaded the Riviera;* **op** een terrasje/**in** een hotel ~ *descend on a terrace/hotel.*
neerstromen 〈onov.ww.〉 **0.1** *stream down* ⇒ 〈regen ook〉 *pour/gutter/bucket down* ◆ **1.1** de ~ de regen *the pouring/streaming rain.*
neerstroming 〈de (v.)〉 **0.1** *down-stream* ⇒*slip-stream.*
neerstrooien 〈ov.ww.〉 **0.1** *strew (down)* ⇒*scatter* ◆ **1.1** broodkruimels ~ *strew breadcrumbs.*
neertellen 〈ov.ww.〉 **0.1** [tellend neerleggen] *count out* **0.2** [betalen] *pay out* ⇒*lay down, hand over,* 〈inf.〉 *fork out* ◆ **1.1** hij telde het geld neer *he counted out the money* **6.2** **voor** een boek vijf tientjes ~ *p. o./fork out/*〈met tegenzin〉 *cough up fifty guilders for a book.*
neertransformeren 〈ov.ww.〉 **0.1** *step down.*
neertrappen 〈ov.ww.〉 **0.1** *trample/tread/stamp down.*
neertrekken 〈ov.ww.〉 **0.1** [omvertrekken] *pull down* ⇒*tear down* **0.2** [naar beneden trekken] *pull/draw down* **0.3** [〈fig.〉 kleineren] *disparage* ⇒*denigrate, belittle* ◆ **1.1** de muren ~ *pull/tear down the walls.*
neertuimelen 〈onov.ww.〉 **0.1** *tumble down.*
neervallen 〈onov.ww.〉 **0.1** [op de grond vallen] *fall/drop down* ⇒*come down/to the ground* **0.2** [neerhangen] *fall, hang* **0.3** [neerknielen] *fall/drop down on one's knees* ⇒*hurl/throw o.s. down* **0.4** [gaan zitten] *drop/plop/plump/sink/flop (down)* ◆ **2.1** dood ~ *fall/drop down dead* **3.4** zij liet zich in een stoel ~ *she dropped/plopped/plumped/flopped into a chair* **5.1** ik viel er haast bij neer *I was ready to drop, I nearly dropped in my tracks, I felt pegged out;* werken tot men erbij neervalt *work to exhaustion, work till you (are fit to) drop, work o.s. to death/a standstill, work one's fingers to the bone;* iem. laten lopen tot hij erbij neervalt *walk s.o. off his legs/feet/into the ground* **6.1** de regen viel in **/bij** stromen neer *rain was pelting/pouring/coming down in sheets/torrents* **6.2** een gewaad dat **in** zwierige plooien neerviel *a dress/garment that had/with a graceful/beautiful drape, a dress that was gracefully draped* **6.3** de man viel **voor** haar neer *the man threw himself down/prostrated himself at her feet.*
neervlijen 〈ov.ww.〉 **0.1** [zachtjes neerleggen] *lay down* ⇒ 〈zichzelf neervlijen〉 *lie/settle down, nestle* **0.2** [ordelijk neerleggen] *arrange neatly* ◆ **1.1** het hoofd ~ *lay down/recline one's head;* een kind in zijn bedje ~ *tuck in/up a child* **4.1** zich op het mos ~ *settle down/lie down/stretch out on the moss.*
neerwaarts 〈bn., bw.; -ly〉 **0.1** *downward* ⇒ 〈bw. ook〉 *downwards, down,* 〈bw.; schr.〉 *netherward(s),* 〈bn., bw.; bergafwaarts〉 *downhill* ◆ **1.1** een ~e beweging *a downward movement;* 〈schr.; siag〉 *downstroke;* 〈zwaai; ook fig.〉 *downswing* **3.1** ~ gericht *pointing downward(s).*
neerwerpen 〈ov.ww.〉 **0.1** [op de grond werpen] *throw down* ⇒*drop, dump,* 〈vanuit vliegtuig〉 *parachute* **0.2** [omverwerpen] *strike/knock down, knock over* ◆ **1.1** de wapens ~ *lay down arms* **4.1** 〈fig.〉 zich ~ *throw/hurl o.s. down, prostrate o.s., drop/fall down on one's knees.*
neerzakken 〈onov.ww.〉 **0.1** [naar beneden zakken] *descend* ⇒*be lowered, be let down,* 〈zich laten zakken〉 *lower o.s., let o.s. down* **0.2** [inzakken] *go/sink down, collapse.*
neerzetten 〈ov.ww.〉 **0.1** [iets ergens plaatsen] *put/lay down* ⇒*deposit, place,* 〈koffers ook〉 *set down,* 〈gebouw ook〉 *erect,* 〈zich neerzetten〉 *sit down* **0.2** 〈bk.〉] *delineate* ⇒*register* **0.3** [〈dram.〉] *create, de-*

---

pict, render ◆ **1.1** 〈sport〉 een goede prestatie/tijd ~ *register a good performance, post/record a good time;* kijk uit waar je je voeten neerzet *watch out where you put your feet (down);* zand zet zich neer op de bodem *sand is deposited/settles on the bottom* **1.3** een personage overtuigend ~ *give a convincing rendition of a character* **4.1** 〈fig.〉 hij zette zich pontificaal neer *he seated himself (ceremoniously).*
neerzien 〈onov.ww.〉 **0.1** [minachten] *look down (on s.o.)* ⇒*have/hold (s.o.) in contempt* **0.2** [naar beneden kijken] *look down.*
neerzijgen 〈onov.ww.〉 〈schr.〉 **0.1** *collapse* ⇒*sink/drop down.*
neerzinken 〈onov.ww.〉 〈schr.〉 **0.1** *sink down* ⇒*collapse, drop down* ◆ **6.1** in iemands armen ~ *sink down/collapse into s.o.'s arms.*
neerzitten 〈onov.ww.〉 **0.1** [〈schr.〉 gaan zitten] *seat o.s., take one's seat* **0.2** [zitten] *be seated, sit* ◆ **3.1** iem. doen ~ *have s.o. seated, seat s.o.*
neet 〈de〉 **0.1** *nit* ◆ **2.1** 〈fig.; inf.〉 kale ~ *baldhead,* 〈sl.〉 *baldy* **8.¶** 〈inf.〉 zo lui/dom/rijk als de neten *be lazy/stupid/rich as they come/hell.*
neetoor 〈de (m.)〉 **0.1** *grouch* ⇒*bellyacher, gripe, grumbler,* 〈kind〉 *crosspatch.*
neetorig 〈bn., bw.; -ly〉 **0.1** *peevish* ⇒*snappish, grumpy,* 〈kind〉 *grizzly.*
nefast 〈bn., bw.; -ly〉 **0.1** *pernicious* ⇒*baleful, noxious* ◆ **1.1** een ~e invloed *a baleful influence.*
nefelometer 〈de (m.)〉 〈schei.〉 **0.1** *nephelometer, nephometer.*
nefoscoop 〈de (m.)〉 〈meteo.〉 **0.1** *nephoscope.*
nefralgie 〈de (v.)〉 〈med.〉 **0.1** *nephralgia* ⇒*renal colic.*
nefrectomie 〈de (v.)〉 〈med.〉 **0.1** *nephrectomy.*
nefriet 〈het, de (m.)〉 **0.1** *nephrite* ⇒*jade.*
nefritis 〈de (v.)〉 〈med.〉 **0.1** *nephritis.*
nefrologie 〈de (v.)〉 〈med.〉 **0.1** *nephrology.*
nefrose 〈de (v.)〉 〈med.〉 **0.1** *nephrosis.*
neg 〈de〉 **0.1** [mbt. weefsels] *selvage, selvedge* ⇒*list* **0.2** [mbt. werktuigen] *(sharp/cutting) edge* **0.3** [mbt. hout, steen] *edge* ⇒*ridge* **0.4** [terugspringende kant] *reveal.*
negatie 〈de (v.)〉 **0.1** [ontkenning] *negation* ⇒*negative,* 〈tegenovergestelde〉 *opposite,* 〈tegenspraak〉 *contradiction* **0.2** [woord] *negative* **0.3** [loochening] *negation* ⇒*denial* ◆ **1.1** een ~ van zijn principes *a (flat) negation of his principles* **2.2** een dubbele ~ *a double n..*
negatief[1] 〈het〉 〈foto.〉 **0.1** [ontwikkelde plaat, film] *negative (plate/film)* **0.2** [afgedrukt beeld] *negative.*
negatief[2] 〈bn., bw.; -ly〉 **0.1** [ontkennend] *negative* **0.2** [niet positief] *negative* ⇒ 〈attr.; vnl. wisk., nat.〉 *minus* **0.3** [mbt. personen] *negative* ⇒*critical, skeptical* **0.4** [〈foto.〉] *negative* ◆ **1.2** 〈nat.〉 negatieve arbeid *n. work;* 〈nat.〉 negatieve elektriciteit *n. electricity/charge, resino-electricity;* 〈wisk.〉 een ~ getal *a n./minus (number);* negatieve kritiek *n. lens;* een ~ oordeel *a n./an unfavourable judgment, a disapproval;* negatieve pool *n. pole;* negatieve vermogensbestanddelen *liabilities;* negatieve waardering *disapproval* **1.4** een ~ beeld *a n./reverse image, a negative;* ~ proces *film processing/developing* **3.2** ~ staan *be overdrawn/in the red* **5.2** 〈nat.〉 optisch ~ *l(a)evoratory.*
negatiefdruk 〈de (m.)〉 **0.1** *negative print.*
negativisme 〈het〉 **0.1** [houding] *negativism* ⇒*scepticism* ^*skepticism* **0.2** [〈med.〉] *negativism.*
negativist 〈de (m.)〉 **0.1** *negativist.*
negativistisch 〈bn., bw.; -ly〉 **0.1** *negativistic.*
negen[1] 〈de〉 **0.1** [benaming] *nine* ◆ **2.1** een Arabische/een Romeinse ~ *an arabic/Roman n.* **3.1** één leerling kreeg een ~ *one student got a n./a first.*
negen[2]
 I 〈hoofdtelw.〉 **0.1** *nine* ◆ **1.1** de ~ muzen *the n. Muses, the Nine* **6.1** het is **bij** ~en *it's almost/getting on for n. (o'clock);* iets **in** ~en breken *break sth. into n. pieces;* **met** zijn ~en *the n. of us;* ~ **op** de tien keer *n. times out of ten* **7.1** alle ~! 〈bowling〉 *all n.!, strike!;*
 II 〈rangtelw.〉 **0.1** *nine, ninth* ◆ **1.1** hoofdstuk/bladzij ~ *chapter/page nine.*
negenbladig 〈bn.〉 〈biol.〉 **0.1** *with/having nine leaves.*
negendaags 〈bn.〉 **0.1** *nine-day* ⇒*nine days', of/lasting nine days.*
negende[1] 〈bn.〉 **0.1** *ninth* ◆ **6.1** 〈zelfst.〉 een ~ **van** iets *a/one n. of sth., a n. part of sth..*
negende[2] 〈rangtelw.〉 **0.1** *ninth* ◆ **1.1** 〈zelfst.〉 op de ~ v.d. maand *(on) the n. (of the month);* Beethovens ~ symfonie *Beethoven's n. (symphony)* **6.1** ten ~ *ninthly, in the n. place* **7.1** Lodewijk de ~ van Frankrijk *house IX/the Ninth of France.*
negendelig 〈bn.〉 **0.1** *of nine parts* ⇒ 〈zeldz.〉 *ninefold, nonuple* ◆ **1.1** een ~e (moer)sleutelset *a nine-piece* ^*spanner,* ^*wrench set;* een ~e T.V.serie *a nine-part TV series.*
negenduizend 〈hoofdtelw.〉 **0.1** *nine thousand.*
negenhoek 〈de (m.)〉 〈wisk.〉 **0.1** *nonagon, enneagon.*
negenhoekig 〈bn.〉 **0.1** *nonagon(al).*
negenhonderd 〈hoofdtelw.〉 **0.1** *nine hundred.*
negenjarig 〈bn.〉 **0.1** [negen jaar oud] *nine-year-old* **0.2** [negen jaren durend] *nine-year, of/lasting nine years, of nine years standing* ◆ **1.1** op ~e leeftijd *at nine years of age.*
negenmaal 〈bw.〉 **0.1** *nine times.*

negenmaands ⟨bn.⟩ **0.1** [negen maanden oud] *nine-month-old* **0.2** [negen maanden durend] *nine-month, of/lasting nine months, of nine months standing*.

negenoog ⟨de⟩ **0.1** [⟨med.⟩] *carbuncle* ⇒*furuncle* **0.2** [vis] *lamprey, lamper eel* ⇒⟨bonte⟩ *rock sucker*.

negenponder ⟨de (m.)⟩ **0.1** [iets van negen pond] *nine-pounder* ⇒⟨zie 0.3⟩ *ten-pounder* **0.2** [kanon] *nine-pounder* **0.3** [baby] ⟨tiendelig systeem: 1 pond 500 g⟩ *a nine-pound baby;* ⟨Brits-Amerikaans systeem: 1 pond 454 g⟩ *a ten-pound baby.*

negenproef ⟨de⟩⟨wisk.⟩ **0.1** *casting out nines.*

negenpunt ⟨het⟩⟨wisk.⟩ **0.1** *centre of a nine-point circle.*

negenpuntscirkel ⟨de (m.)⟩⟨wisk.⟩ **0.1** *nine-point circle.*

negenrest ⟨de⟩⟨wisk.⟩ **0.1** *remainder after a division by nine.*

negental ⟨het⟩ **0.1** [negen stuks] *nine (pieces, copies enz.)* **0.2** [⟨sport⟩ ploeg] *(team of) nine (players)* ◆ **6.2** honkbal wordt met ~len gespeeld *baseball has teams of nine players.*

negentallig ⟨bn.⟩ **0.1** [⟨wisk.⟩] *nonary* **0.2** [negendelig] *nine-part* ◆ **1.1** het ~ stelsel *the n. scale (of notation)* **1.2** ⟨plantk.⟩ ~ blad *n.-p. leaf, palmate leaf with nine leaflets.*

negentien
I ⟨hoofdtelw.⟩ **0.1** *nineteen* ◆ **6.1** zij waren met hun~en they were *n., there were n. of them;*
II ⟨rangtelw.⟩ **0.1** *nineteen, nineteenth* ◆ **1.1** bladzij ~ *page n..*

negentiende¹ ⟨bn.⟩ **0.1** *nineteenth.*

negentiende² ⟨rangtelw.⟩ **0.1** *nineteenth.*

negentiende-eeuwer ⟨de (m.)⟩ **0.1** *nineteenth-century man/woman.*

negentiende-eeuws ⟨bn.⟩ **0.1** *nineteenth-century* ⇒⟨attr.; vnl. AE; inf.; scherts.⟩ *horse-and-buggly,* ⟨vooral bouwk.⟩ *Victorian.*

negentienhonderd ⟨telw.⟩ **0.1** *nineteen hundred.*

negentienjarig ⟨bn.⟩ **0.1** [negentien jaar oud] *nineteen-year-old* **0.2** [negentien jaar durend] *nineteen-year, nineteen years'; of/lasting nineteen years, of nineteen years standing.*

negentig
I ⟨hoofdtelw.⟩ **0.1** *ninety* ◆ **6.1** hij was in de ~ *he was in his nineties;* met ons negentigen *the ~ of us;* een grijsaard van ~ *a nonagenarian, an old man of n./in his nineties;*
II ⟨rangtelw.⟩ **0.1** *ninety, ninetieth* ◆ **1.1** bladzij ~ *page n.* **6.1** in de winter van ~ *during the winter of '90/1890.*

negentiger¹ ⟨de (m.)⟩ **0.1** *nonagenarian, man/woman in his/her nineties, man/woman of ninety.*

negentiger² ⟨de (m.)⟩ **0.1** ⟨zie 1.1,7.1⟩ ◆ **1.1** de ~ jaren *the nineties* **7.1** ⟨zelfst.⟩ een ~ *man/woman/product … of the nineties.*

negentigjarig ⟨bn.⟩ **0.1** [negentig jaar oud] *ninety-year-old* **0.2** [negentig jaar durend] *ninety-year, ninety years', of/lasting ninety years, of ninety years standing.*

negentigste ⟨rangtelw.⟩ **0.1** *ninetieth.*

negenurig ⟨bn.⟩ **0.1** *nine-hour* ◆ **1.1** een ~e werkdag *a n.-h. workday/working day.*

negenvlak ⟨het⟩ **0.1** *enneahedron.*

negenvoud ⟨het⟩ **0.1** [negenmaal zo groot getal] *nine fold* **0.2** [door negen deelbaar getal] *multiple of nine* ◆ **6.1** in ~ kopiëren *make nine copies.*

negenvoudig
I ⟨bn.⟩ **0.1** [negenmaal zo veel, groot] *ninefold* ⇒*nine times* ◆ **1.¶** de ~ kampioen *the ninefold champion/champion nine times;*
II ⟨bw.⟩ **0.1** [zo dat er negenmaal zo veel is] *ninefold* ⇒*nine times* ◆ **3.1** ~ kopiëren *make nine copies.*

negenzijdig ⟨bn.⟩ **0.1** *nine-sided.*

neger ⟨de (m.)⟩,-in ⟨de (v.)⟩ **0.1** *(African/American) black (person)* ⟨m.,v.⟩ ⇒⟨pej.; gesch.⟩ *Negro* ⟨m.⟩, *Negress* ⟨v.⟩, ⟨bel.⟩ *nigger.*

negerbevolking ⟨de (v.)⟩ **0.1** *black community/population.*

negerbloed ⟨het⟩ **0.1** *negro/negroid blood* ◆ **3.1** ⟨pej.⟩ hij heeft wat~in zich *he has a touch of the tarbrush (in him).*

ne'geren ⟨ov.ww.⟩ **0.1** *ignore* ⇒*take no notice of,* ⟨persoon ook⟩ *give the cold shoulder/the go-by, coldshoulder,* ⟨naast zich neerleggen⟩ *disregard, brush aside* ◆ **1.1** het stopteken ~ *i. the stop signal, go through the red light;* een verordening ~ *disregard a regulation* **5.1** deze feiten worden eenvoudig genegeerd! *these facts are simply being ignored/brushed aside;* iem. straal/volkomen ~ ⟨ook⟩ *cut s.o. dead/cold* **7.1** het ~ v.e. traditie *the disregarding of a tradition.*

'negeren ⟨ov.ww.⟩ **0.1** *bully* ⇒*hector.*

Negerengels¹ ⟨het⟩ **0.1** *Sranan (Tongo)* ⇒⟨bel.⟩ *Taki-Taki.*

Negerengels² ⟨bn.⟩ **0.1** *Sranan.*

negerhaat ⟨de⟩ **0.1** *negrophobia* ⇒*racial hate, racism.*

Negerhollands¹ ⟨het⟩ **0.1** *Papiamento* ⇒*Papiamentu.*

Negerhollands² ⟨bn.⟩ **0.1** *Papiamento* ⇒*Papiamentu.*

negerij ⟨de (v.)⟩ **0.1** [afgelegen dorp] *one-eyed town* ⇒⟨AE ook⟩ *one-horse town, hicktown* **0.2** [inlands dorp] *native village.*

negering ⟨de (v.)⟩ **0.1** *ignoring, lack of notice/regard* ⇒⟨van personen ook⟩ *cutting* ◆ **2.1** met totale ~ van *with complete/a total disregard of /for, in complete/utter disregard of.*

negerkoren ⟨het⟩ **0.1** *negro corn* ⇒*Indian millet, durra, guinea corn.*

negerlied ⟨het⟩ **0.1** *negro song* ⇒⟨godsdienstig⟩ *(negro) spiritual,* ⟨ragtime⟩ *coon song.*

---

negermop ⟨de⟩ **0.1** *nigger joke.*

negerprobleem →*negervraagstuk.*

negerras ⟨het⟩ **0.1** *Negroid race.*

negerslaaf ⟨de (m.)⟩,-slavin ⟨de (v.)⟩ **0.1** *black slave* ⟨m.,v.⟩.

negerstaat ⟨de (m.)⟩ **0.1** *black state.*

negervraagstuk ⟨het⟩ **0.1** *black problem/question* ⇒*problem/question of black integration.*

negerwijk ⟨de⟩ **0.1** *black area.*

negerzanger ⟨de (m.)⟩,-es ⟨de (v.)⟩ **0.1** *black singer.*

negerzoen ⟨de (m.)⟩ **0.1** ≠*chocolate éclair.*

negge →*neg.*

negligé ⟨het⟩ **0.1** *negligee, negligé* ⇒*housecoat, dressing gown* ◆ **6.1** in ~ zijn *not be dressed, be in one's dressing gown.*

negligent ⟨bn.⟩⟨AZN⟩ **0.1** *sloppy.*

negligentie ⟨de (v.)⟩ **0.1** *negligence* ⇒*neglect.*

negligeren ⟨ov.ww.⟩ **0.1** *neglect.*

negorij →*negerij.*

negotie ⟨de (v.)⟩ **0.1** [handel] *trade* **0.2** [koopwaar] *(pedlar's) ware.*

negride ⟨bn.⟩ **0.1** *Negro* ⇒*Negroid(al)* ◆ **1.1** het ~ hoofdras *the Negroid (geographical/biological) race.*

negritisch ⟨bn.⟩ **0.1** *Negritic.*

negrito ⟨de (m.)⟩ **0.1** *Negrito.*

negrografie ⟨de (v.)⟩ **0.1** *black printing.*

negroïde ⟨bn.⟩ **0.1** *Negroid* ⇒*Negro* ◆ **1.1** ~ rassen *Negroid races.*

negroïden ⟨zn.mv.⟩ **0.1** *Negroids* ⇒*Negroes.*

negus ⟨de (m.)⟩ **0.1** [keizer] *negus* **0.2** [wijn] *negus.*

neigen
I ⟨onov.ww.⟩ **0.1** [overhellen tot een mening] *incline/be inclined (to, towards)* ⇒*tend (to, towards), lean/have a leaning (to, towards)* **0.2** [hellen] *incline* ◆ **5.1** ik neig ertoe om mee te gaan *I am inclined to go too* **6.1** ⟨pol.⟩ naar links ~d *inclining/tending to(wards) the left;* de kleur neigt naar wit *the colour verges on white;* een bang mens neigt van nature tot achterdocht *a timid person tends by nature to be suspicious;* ik neig tot die gedachte *I am inclined to think so* **6.2** de zon neigt naar de kim *the sun is sinking;*
II ⟨ov.ww.⟩ **0.1** [doen hellen] *bend* ⇒⟨ook fig.⟩ *incline.*

neiging ⟨de (v.)⟩ **0.1** *inclination* ⇒*tendency,* ⟨karaktereigenschap ook⟩ *propensity, penchant, bent,* ⟨slechte karaktereigenschap⟩ *proclivity* ◆ **2.1** fascistische/artistieke ~en *fascist/artistic leanings/tendencies;* hij toonde niet de minste ~ om … *he was not at all inclined/disposed to …;* rare/vreemde ~en hebben *have odd/strange impulses/quirks;* de prijzen vertonen een stijgende ~ *prices tend upward/show an upward tendency* **3.1** men had de ~ te laat te komen *there was a tendency to arrive late;* ik heb altijd de ~ om haar te beschermen *I always tend to protect her;* (een) ~ tonen tot/om *show an i. to, be apt/liable to, tend to;* ergens de ~ toe voelen *feel inclined to (do sth.)* **6.1** ⟨pol.⟩ een ~ naar *taste a tendency to the left;* zijn ~ om *alles maar goed te praten his i./tendency to explain away/excuse everything;* zijn natuurlijke ~ om *precies het verkeerde te doen his natural propensity for doing precisely the wrong thing;* een ~ tot klagen *a proclivity to complain;* een ~ tot wreedheid *a proclivity to(wards) cruelty;* een algemene ~ tot pessimisme *a general tendency to(wards) pessimism.*

nek ⟨de (m.)⟩ **0.1** [deel van de hals] *nape/back of the neck* **0.2** [⟨fig.⟩ voorwerp] *neck* ◆ **2.1** een dikke ~ *a swollen head;* ⟨fig.⟩ een dikke ~ hebben *be swollen-headed/cocky/puffed-up/a pompous twit;* een gespierde ~ *a muscular neck;* een stijve ~ hebben *have a stiff neck/a crick in one's neck;* ⟨fig.⟩ *be stiff-necked* **3.1** ⟨fig.⟩ dat breekt je nog eens de ~ *that will be your ruin/undoing, that will finish you (off)/be the end of you;* iem. de ~ breken over *de rommel trip over the rubbish;* iem. de ~ breken ⟨lett.⟩ *break s.o.'s neck;* ⟨fig.⟩ *break/ruin s.o.;* een kip de ~ omdraaien *wring/twist a chicken's neck;* ⟨fig.⟩ een plan de ~ omdraaien *kill/wreck a plan;* iem. de ~ omdraaien ⟨lett.⟩ *wring/screw/twist s.o.'s neck; scrag s.o.;* ⟨fig.⟩ *break/ruin s.o.;* iem. de ~ toekeren *turn one's back on/* ⟨bijb.⟩ *unto s.o.;* ⟨fig.⟩ zijn ~ uitsteken *stick one's neck out, risk one's neck* **6.1** ~ aan ~ ⟨ook fig.⟩ *neck and neck;* de hond legde zijn oren in zijn ~ *the dog laid back its ears;* met een geweer in de ~ *at the point of a gun, at gunpoint;* ⟨fig.⟩ iem. met de ~ aanzien/aankijken *give s.o. the cold shoulder, snub/coldshoulder s.o.;* ze sloeg haar armen om mijn ~ *she threw her arms around my neck;* iem. op zijn ~ geven *let s.o. have it, trounce s.o.;* ⟨fig.⟩ wat haal je je op je ~ *what are you letting yourself in for;* ⟨fig.⟩ op iemands ~ zitten *be on s.o.'s back;* met een zak aardappels op zijn ~ lopen *have a bag of potatoes on one's back;* over zijn ~ gaan *heave, puke;* ⟨fig.⟩ over zijn ~ gaan van iets/iem. *not be able to stand (the sight of) sth./s.o.;* ⟨fig.⟩ tot aan zijn ~ in de schulden/zorgen zitten *be up to one's neck/ears in debt/trouble;* ⟨fig.⟩ uit zijn ~ praten/kletsen/lullen *talk through the back of one's neck.*

nek-aan-nekrace ⟨de (m.)⟩ **0.1** *neck-and-neck race* ◆ **3.1** het was een ~ *they were running level pegging/to a photo-finish.*

nekbuil ⟨de⟩ ⟨veeartsenij⟩ **0.1** *poll evil.*

nekhaar ⟨het⟩ **0.1** *hair at the nape of the neck* ⇒*hackles* ⟨mv.⟩ ◆ **3.1** de hond zette zijn ~ overeind *the dog raised its hackles* **6.1** ⟨inf.⟩ je lult uit je nekharen *you're talking through the back of your neck/head, you're talking rot.*

nekken ⟨ov.ww.⟩ **0.1** [doden] *neck* ⇒⟨inf.⟩ *scrag, break/wring/screw/ twist s.o.'s neck* **0.2** [⟨fig.⟩] *(bring to) ruin* ⇒*undo, finish* ⟨iemand⟩, *kill, wreck* ⟨iets⟩ ◆ **1.2** deze tegenvaller nekte het bedrijf *that piece of bad luck finished the firm;* een voorstel ~ *kill/wreck/torpedo a proposal* **4.2** dat heeft hem genekt *that has broken him/been his undoing /ruined him/finished him (off).*

nekkramp ⟨de⟩ **0.1** *spotted fever* ⇒[†]*cerebrospinal meningitis/fever.*

nekrol ⟨de⟩ **0.1** ≠*neck-cushion.*

nekschot ⟨het⟩ **0.1** [schot in de nek] *shot in the back of the neck* **0.2** [genadeschot]⟨→**nekslag 0.1**⟩.

nekslag ⟨de (m.)⟩ **0.1** [genadeslag] *deathblow* ⇒*final blow* **0.2** [mbt. wild] *rabbit punch* **0.3** [⟨scheep.⟩] *Blackwall hitch* ◆ **3.1** ⟨fig.⟩ dat heeft hem de ~ gegeven *that gave him the final blow, that finished him (off)* **6.1** ⟨fig.⟩ dit was de ~ **voor/gaf** de ~ **aan** het bedrijf *that dealt the deathblow to/gave the final blow to/finished the firm.*

nekspier ⟨de⟩ **0.1** *neck/* ⟨med. ook⟩ *cervical muscle.*

nekstijfheid ⟨de (v.)⟩ **0.1** *meningitis.*

nekstuk ⟨het⟩⟨amb.⟩ **0.1** ⟨vnl. schaap, lam⟩ *scrag end.*

nekton ⟨het⟩ **0.1** *nekton.*

nekvel ⟨het⟩ **0.1** *scruff of the neck* ◆ **6.1** iem./ een hond in zijn ~ pakken *take s.o./ a dog by the scruff of the neck.*

nekveren ⟨zn.mv.⟩ **0.1** *neck-feathers* ⇒⟨van mannelijk pluimvee⟩ *hackles.*

nel ⟨de⟩⟨kaartspel⟩ **0.1** *nine of trumps* ◆ **1.1** ⟨fig.⟩ jas en~*the bare minimum.*

nelson ⟨de (m.)⟩ **0.1** *nelson* ◆ **2.1** halve/dubbele ~ *half-/full n..*

nemen ⟨ov.ww.⟩ ⟨→sprw. 173,297,604,687⟩ **0.1** [beetpakken] *take* **0.2** [in genoemde toestand brengen] *take* ⇒*put* **0.3** [in genoemde toestand laten verkeren] *take* **0.4** [het genoemde gaan doen] *take* **0.5** [het genoemde doen] *take* **0.6** [nuttigen] *have* **0.7** [zich verschaffen] *take* ⇒*get, have, take out* ⟨hypotheek, patent, abonnement⟩ **0.8** [aanvaarden] *take* **0.9** [zich bedienen van] *take* ⇒*use* **0.10** [op zijn weg passeren] *take* **0.11** [op genoemde wijze opvatten] *take* **0.12** [af-, wegnemen] *take* ⇒⟨oorlog, schaken, enz. ook⟩ *seize, capture* ◆ **1.1** een boek voor zich ~ *pick up a book;* een kind op de arm ~ *t. a baby/child in one's arms;* neem een pen en schrijf het volgende op *t. a pen and write this down;* ⟨fig.⟩ neem mijn vader nou *now, t. my father* **1.4** plaats ~ tussen/in *sit (down)/t. a seat!* [†]*seat o.s. between/in* **1.5** een foto ~ (van) *t. a photo/picture (of);* maatregelen ~ *t. steps/measures;* de moeite ~ om *t. the trouble to, go to the trouble of (…-ing), make the effort to;* ontslag ~ *resign, hand in one's notice;* rust ~ *t. have a rest;* een sprong ~ *make/t. a jump/leap;* ⟨sport⟩ een strafschop ~ *t. a penalty (kick)* **1.6** een borrel ~ *h. a drink;* een kop koffie ~ *h. a cup of coffee* **1.7** een hond ~ *get a dog;* een andere huisarts ~ *change one's doctor, go to another doctor;* we ~ later drie kinderen *we intend to have three children;* een krant ~ *take/subscribe to a newspaper;* een man/ vrouw ~ *take a husband/wife* **1.9** de bus/de tram ~ *catch/t. the/go by bus/tram;* zullen we deze keer ligstoelen ~? *shall we t. / book/reserve reclining seats this time?;* een taxi ~ *get/t. a/go by taxi;* voor dit werk moet je donne verf ~ *you need to use paint for this sort of work* **1.10** hij heeft die bocht te ruim genomen *he took that bend too wide;* een hindernis ~ ⟨ook fig.⟩ *negotiate an obstacle;* een kortere weg ~ *t. a short cut* **1.12** ⟨bijb.⟩ de Heer heeft gegeven, de Heer heeft genomen *the Lord gave, the Lord hath taken away;* iem. het leven ~ *t. s.o.'s life;* een stad ~ *t./ seize/ capture a city* **1.¶** een loopje ~ met iem. / iets *make fun of/poke fun at s.o. / sth.* **2.7** een dag vrij ~ *have/ take a day off* **2.11** iem. iets kwalijk ~ *t. sth. ill of s.o., blame s.o. for sth.;* iets niet zo nauw ~ *not bother/ fuss o.s. much about sth., go easy on sth., not t. things too seriously, not be overparticular;* iem. (niet) serieus ~ *(not) t. s.o. seriously* **3.1** ⟨fig.⟩ zich genomen voelen *feel (that) one has been had/ been taken in* **3.8** het leven bestaat uit geven en ~ *life is a question of give and t.* **4.1** men neme … *take …a take* **4.6** ik weet nog niet wat ik neem *I don't yet know what I want;* wat neem jij? *what are you having?* **4.7** welke (jas) neem je nou? *which one/which coat are you taking?* **4.8** dat neem je toch zeker niet? *you're not going to stand for that/to t. that (lying down), are you?;* dat neem ik niet! *I'm not standing for that! I'm not having that! I'm not putting up with that!;* ik neem het niet langer! *I'm not standing for/putting up with/having/taking this any longer!* **4.11** alles bij elkaar genomen *all things considered, all in all* **4.¶** hij nam haar van achteren/met geweld *he took her from behind/by force;* wat dacht je? ik neem het er maar eens van *what do you think? (of course) I'm taking things/it easy, you bet, I'm doing myself proud/I'm helping myself,* (⟨sl.⟩ *to the goodies)* **5.2** iem. (even) apart ~ *take s.o. aside* **5.5** ⟨voetb; voetbal⟩ een goed genomen vrije trap/strafschop *a well-taken free kick/penalty (kick);* ⟨sport; voetbal⟩ een bal ineens op de slof ~ *volley the ball at once;* ⟨sport; voetbal⟩ uit een snel genomen vrije trap scoren *score from a quickly-taken free kick* **5.6** neem nog wat bloemkool *have some more/help yourself to some more cauliflower;* neem nog een koekje *(do) h. another biscuit* **5.11** strict genomen *strictly (speaking)* **5.¶** iem. ertussen ~ *pull s.o.'s leg, have s.o. on* **6.1** iem. **bij** de hand ~ *t. s.o. by the hand* ⟨ook fig.⟩ **6.2 in** behandeling ~ *start treating, place under treatment;* iets **op** zich ~ *undertake (to do) sth.,* ⟨verantwoordelijkheid⟩ *t. sth.*

(up)on o.s., assume sth.; iets **ter** hand ~ *t. sth. in hand, t. sth. up;* **uit** (de) roulatie/het assortiment ~ *withdraw from circulation/stock* **6.3** iem. **in** huis ~ ⟨logeren⟩ *take s.o. in(to one's home),* ⟨als gast ontvangen⟩ *receive s.o. in one's home;* iets **tot** zich ~ *t. sth.;* **voor** zijn rekening ~ *deal with, account for, cover* **6.5** ⟨bij het fotograferen⟩ **van** opzij genomen *taken from the side, side view* **6.6** ik neem soep **voor** en ijs **na** *I'll h. soup to start with and ice-cream to finish* **6.7** iem. **in** dienst ~ *employ s.o., engage s.o., take s.o. on;* iem. **tot** man, vrouw ~ *take s.o. as one's husband/wife* **6.9** iem. **tot** voorbeeld ~ *t. s.o. as an example* **6.11** **over** het geheel genomen *all in all, (taken) as a whole;* iets **ter** harte ~ *t. sth. to heart, heed sth.* **6.12** een kind **van** school ~ *t. a child out of/away from school* **7.6** neem er nog eentje *h. another one* **8.8** iem. / iets ~ zoals hij/het is *t. s.o. / sth. as he/it is/comes;* je moet de Engelsen ~ zoals ze zijn *you must t. the English way/as they are /come* **¶.2** uit elkaar ~ *t. apart/ to pieces, strip down* **¶.11** op zijn minst genomen *at the very least, to say the least of it* **¶.¶** het er (goed) van ~ *do o.s. proud, live well.*

nemer ⟨de (m.)⟩, **neemster** ⟨de (v.)⟩⟨hand.⟩ **0.1** [iem. die iets koopt] *buyer* ⟨m., v.⟩ **0.2** [mbt. een wissel] *payee* ⟨m., v.⟩.

Nemesis 0.1 [⟨myth.⟩] *Nemesis* **0.2** [⟨fig.⟩] *nemesis.*

neming ⟨de (v.)⟩ **0.1** *seizure.*

nenia ⟨de⟩ **0.1** *dirge.*

neobarok ⟨de⟩ **0.1** *neobaroque.*

neocalvinisme ⟨het⟩ **0.1** *neo-Calvinism.*

neoclassicisme ⟨het⟩ **0.1** *neoclassicism.*

neoclassicus ⟨de (m.)⟩ **0.1** *neoclassicist.*

neoconservatisme ⟨het⟩ **0.1** *neoconservatism.*

neodarwinisme ⟨het⟩ **0.1** *Neo-Darwinism, neo-Darwinism.*

neodynium ⟨het⟩ **0.1** *neodynium.*

neofascisme ⟨het⟩ **0.1** *Neo-Fascism, neofascism.*

neofiel ⟨de (m.)⟩ **0.1** *neophyliac.*

neofiet ⟨de (m.)⟩ **0.1** [nieuwgedoopte] *neophyte* ⇒*intrant* **0.2** [⟨plantk.⟩] *neophyte* **0.3** [monnik, priester] *neophyte.*

neofiguratief ⟨bn.⟩ **0.1** *neo-figurative.*

neogeen ⟨bn.⟩ ⟨geol.⟩ **0.1** *neogene* ◆ **1.1** neogene vorming *Neogene, neogene formation.*

Neogeen ⟨het⟩ ⟨geol.⟩ **0.1** *Neogene.*

neogotiek ⟨de (v.)⟩ **0.1** *Gothic Revival* ⇒*neo/ Neo-Gothic art/ architecture.*

neografie ⟨de (v.)⟩ **0.1** *new/reformed spelling.*

neoklassiek ⟨bn.⟩ **0.1** *neoclassic(al).*

neokolonialisme ⟨het⟩ **0.1** *neocolonialism.*

Neolatijn ⟨het⟩ **0.1** *Neo-Latin* ⇒*New Latin.*

Neolit(h)icum ⟨het⟩ **0.1** *Neolithic.*

neolit(h)isch ⟨bn.⟩ **0.1** *neolithic.*

neologisch ⟨bn.⟩ **0.1** *neologistic, neological.*

neologisme ⟨het⟩ **0.1** [nieuw woord] *neology, neologism* ⇒*coinage* **0.2** [nieuwe betekenis] *neology, neologism.*

neomalthusiaans ⟨bn.⟩ **0.1** *neo-Malthusian* ◆ **1.1** ~e middelen *contraceptives.*

neomalthusianisme ⟨het⟩ **0.1** *neo-Malthusianism.*

neomist ⟨de (m.)⟩ **0.1** *neophyte.*

neon ⟨het⟩ **0.1** *neon.*

neonazisme ⟨het⟩ **0.1** *neo-Nazism.*

neonbak ⟨de (m.)⟩ **0.1** *neon fixture.*

neonbuis ⟨de⟩ **0.1** *neon lamp/light/tube* ⇒*(fluorescent) strip light, fluorescent lamp/light/tube.*

neonlamp ⟨de⟩ **0.1** *neon lamp* ⇒*neon light/tube.*

neonlicht ⟨het⟩ **0.1** *neon light.*

neonreclame ⟨de⟩ **0.1** *neon sign(s).*

neontologie ⟨de (v.)⟩ **0.1** *neontology.*

neonverlichting ⟨de (v.)⟩ **0.1** *neon lighting.*

neoplasma ⟨het⟩ ⟨med.⟩ **0.1** *neoplasm.*

neoplastisch ⟨bn.⟩ **0.1** *neoplastic.*

neoplatonisme ⟨het⟩ **0.1** *Neoplatonism, Neo-Platonism, neoplatonism.*

neopreen ⟨het⟩ **0.1** *neoprene.*

neorealisme ⟨het⟩ **0.1** *Neorealism.*

neorenaissance ⟨de⟩ **0.1** *neo-Renaissance.*

neoromantiek ⟨de (v.)⟩ **0.1** *neoromanticism.*

neoscholastiek ⟨de (v.)⟩ **0.1** *neo-scholasticism.*

neostijl ⟨de (m.)⟩ **0.1** *neo-style.*

neoteen ⟨bn.⟩ **0.1** *neotenic, neotenous, neoteinic.*

neotenie ⟨de (v.)⟩ **0.1** *neoteny, neoteinia.*

neothomisme ⟨het⟩ **0.1** *Neo-Thomism.*

Neozoïcum ⟨het⟩ ⟨geol.⟩ **0.1** *neozoic (period).*

nep ⟨de (m.)⟩⟨inf.⟩ **0.1** [bedrog, namaak] *sham* ⇒*fake* ⟨in samenst. ook⟩, ⟨afzetterij⟩ *swindle, rip-off* **0.2** [al wat waardeloos is] *junk* ⇒*garbage, rubbish,* ↓*crap* ◆ **3.1** het is allemaal ~ *it's bogus/a sham/ fake* **¶.1** wat een ~! *what a phoney business/a sham!, what a swindle/ rip-off!;* je kunt je toch geen ~ verkopen *don't let yourself be palmed off with rubbish/trash.*

Nepal ⟨het⟩ **0.1** *Nepal.*

Nepalees[1] ⟨de (m.)⟩, **-lese** ⟨de (v.)⟩ **0.1** *Nepalese, Nepali.*

Nepalees² ⟨bn.⟩ **0.1** *Nepalese, Nepali.*

nepent ⟨het, de (m.)⟩ ⟨plantk.⟩ **0.1** *nepenthe(s).*

nepotisme ⟨het⟩ **0.1** *nepotism* ⇒*favouritism.*

neppe ⟨de⟩ ⟨plantk.⟩ **0.1** *catmint* ⇒*catnip.*

neppen ⟨ov.ww.⟩ ⟨inf.⟩ **0.1** *humbug* ⇒*bamboozle, cheat, swindle, take in* ◆ **6.1** ze hebben me aardig genept **met** dit horloge *I've really been ripped off / sold a pup with this watch.*

nepper ⟨de (m.)⟩, **-ster** ⟨de (v.)⟩ **0.1** *cheat* ⇒*con man* ⟨m.⟩, *double-crosser, fraud, pseud* ⟨iem. die niet is wat hij voorgeeft⟩.

neptunisch ⟨bn.⟩ ⟨geol.⟩ **0.1** *neptunian.*

neptunisme ⟨het⟩ ⟨geol.⟩ **0.1** *neptunism.*

neptunium ⟨het⟩ ⟨schei.⟩ **0.1** *neptunium.*

Neptunus 0.1 *Neptune.*

neptunuspost ⟨de (m.)⟩ **0.1** ≠*messages in bottles.*

neptunusvork ⟨de⟩ **0.1** *trident.*

nepzaak ⟨de⟩ **0.1** [winkel] *cheap shop / ^store* **0.2** [bedrog] *swindle* ⇒ *racket* ◆ **2.2** die loterij was één grote ~ *that lottery was one big s. / racket.*

nereïde ⟨de (v.)⟩ ⟨myth.⟩ **0.1** *nereid* ⟨ook N-⟩.

nerf ⟨de⟩ **0.1** [mbt. hout] *grain(ing)* ⇒*texture* **0.2** [mbt. papier] *grain* **0.3** [mbt. leer] *grain* **0.4** [bladader] *vein* ⇒*rib, nerve* **0.5** [lijn in metaal] *grain* ◆ **2.2** papier met een fijne ~ / dat fijn van ~ is *fine g. paper* **3.1** de ~ ophalen met vernis *grain / enhance the g. with varnish.*

nergens ⟨bw.⟩ ⟨→sprw. 356⟩ **0.1** [op / in geen plaats] *nowhere* ⇒⟨vnl. AE; inf.⟩ *no place* **0.2** [niets] *nothing* ◆ **3.1** ⟨fig.⟩ als dat gebeurt, dan ben je ~ meer *if it happens, you've had it;* ⟨fig.⟩ zonder gereedschap ben je ~ *you can't get anywhere without proper tools;* zonder bril ben ik ~ *I'm lost / n. without my glasses;* hij heeft ~ vrienden *he hasn't any friends anywhere;* het kind is ~ te vinden *the child is n. to be found;* met vleierij kom je ~ *flattery will get you n.;* ik kom ~ meer *I don't go out at all these days;* dat staat ~ geschreven *that is not stated anywhere;* ⟨fig.⟩ zij ben n. **3.2** ~ aan komen! *don't touch!* **5.1** ~ anders dan n. *(else) but;* ik kon ~ naar toe *I had n. / no place to go / turn to* **5.2** dat lijkt ~ naar / op *that's a sorry / shabby / poor piece of work;* dat dient ~ toe *that serves no useful purpose, that is (of) no use, that is no good;* zij staat ~ voor *she stops / sticks at n.;* dat was ~ goed voor *that was no use / good;* je hoeft je ~ voor te schamen *you have n. to be ashamed of* **6.2** zij geeft ~ **om** ⟨is nergens aan gehecht⟩ *she doesn't care about anything;* ⟨laat zich niets gezeggen⟩ *she's a law unto herself / doesn't give a straw / damn / hoot about anything;* ik kom ~ **toe** *I can't settle (down) to anything;* ik weet ~ naar n. *about it;* ze heeft ~ eerbied **voor** n. *is sacred to her;* zich ~ **voor** schamen *have no sense of shame;* die opmerking was ~ **voor** nodig *that remark was uncalled-for / unnecessary.*

Nergenshuizen ⟨het⟩ **0.1** *Nowhere* ◆ **6.¶** meneer Zondervan uit ~ *Mr. Nobody from N..*

nering ⟨de (v.)⟩ ⟨→sprw. 109,560⟩ **0.1** [middel van bestaan] *trade* ⇒ *(small) business* **0.2** [klandizie] *trade* ⇒*business, custom* ◆ **2.2** goede ~ hebben *do a good t. / business, have plenty of custom(ers)* **3.1** ~ doen *keep a shop, run a small business* **6.1** een ~ in wijn *a business in wine, a wine business* **¶.1** de tering naar de ~ zetten *cut one's coat according to one's cloth.*

neringdoende ⟨de (m.)⟩ **0.1** *shopkeeper* ⇒*small businessman, tradesman, retailer.*

neringziek ⟨bn.⟩ **0.1** *envious / jealous (of business competitors).*

neritisch ⟨bn.⟩ ⟨geol.⟩ **0.1** *neritic* ◆ **1.1** ~ e afzettingen *n. deposits;* de ~ e zone *the n. zone.*

nero ⟨de (m.)⟩ **0.1** *caesar* ⇒*dictator, tyrant.*

nerts
I ⟨de (m.)⟩ **0.1** [dier] *mink;*
II ⟨het⟩ **0.1** [bont] *mink.*

nertsmantel ⟨de (m.)⟩ **0.1** *mink coat.*

nervaal ⟨bn.⟩ **0.1** *nervous* ⇒*nerval.*

nervatuur ⟨de (v.)⟩ ⟨biol.⟩ **0.1** *nervation* ⇒*venation.*

nerveus ⟨bn., bw.; -ly⟩ **0.1** [zenuwachtig] *nervous* ⇒*tense, high-(ly)-strung, edgy, jumpy* **0.2** [de zenuwen betreffend] *nervous* **0.3** [⟨hand.⟩] *nervous* ⇒*jumpy* ◆ **1.1** een nerveuze bedoening *a pother* ⟨onnodig opgewonden⟩; *a nerve-racking affair* ⟨nerveus makend⟩; nerveuze hoest *a n. cough* **1.2** nerveuze ziekten *n. diseases* **1.3** de markt is ~ *the market is n.* **3.1** ~ lachen *laugh nervously;* maak je niet zo ~ *relax, don't get so worked up / uptight;* iem. ~ maken *make s.o. n., give s.o. the jitters, get on s.o.'s nerves, unnerve s.o.;* van wachten word ik ~ *waiting makes me n.;* ~ zijn *be n. / tense.*

nervig ⟨bn.⟩ ⟨biol.⟩ **0.1** *veined* ⇒*ribbed, nerved.*

nervositeit ⟨de (v.)⟩ **0.1** *nervousness* ⇒*tension, nerves* ◆ **6.1 uit** ~ *out of / for sheer nervousness / nerves.*

nervus ⟨de (m.)⟩ **0.1** *nerve* ⇒*tendon,* ⟨pees⟩ *sinew.*

nes ⟨de⟩ ⟨aardr.⟩ **0.1** [landtong] *ness* ⇒*headland, cape, spit (of land)* **0.2** [buitendijks land] *wetlands, salt marches.*

nest ⟨het⟩ ⟨→sprw. 611⟩ **0.1** [mbt. vogels] *nest* ⇒ ⟨roofvogel ook⟩ *aerie, eyrie* **0.2** [mbt. andere dieren] *nest* ⇒⟨hol⟩ *den, hole, burrow* **0.3** [worp] *litter* ⇒*nest, brood* ⟨vnl. vogels, insekten⟩ **0.4** [verwaand meisje] *chit (of a girl)* ⇒⟨(little) madam, minx* **0.5** [ingewikkelde zaak]

jam ⇒*spot, fix, hole* **0.6** [bed] *bunk* ⇒^Bdoss, ^Aflop, ⟨vnl.AE⟩ *sack* **0.7** [in elkaar passende voorwerpen] *nest* **0.8** [gehucht] *hole* ⇒*dump* **0.9** [⟨fig.⟩ operatiebasis] *nest* ⇒*haunt, den, hideaway / out, retreat* **0.10** [vis] *fry* ◆ **1.3** een ~ honden *a l. of pubs;* een ~ jongen *a l.;* een ~ kuikens *a brood of chicks, a clutch* **1.7** een ~ schaaltjes / dozen *a n. of bowls / boxes, chinese boxes* **2.1** ⟨fig.⟩ dat kind komt uit een goed ~ *that child comes from a good family* **2.4** een brutaal ~ *a cheeky little madam;* 't is een klein, ondeugend ~ *she's a chit of a girl / a little madam;* een verwaand ~ *a stuck-up / snooty little madam* **2.9** vijandelijke ~ en opruimen *mop up pockets of enemy resistence, clean out enemy strongholds* **3.1** ⟨fig.⟩ zijn (eigen) ~ bevuilen *(be)foul one's own n.;* ⟨fig.⟩ een ~ je bouwen *build o.s. a n., settle down;* een ~ maken / bouwen *(build a) nest, nestle;* ~ en uithalen *go (bird('s)-)nesting* **3.6** hij dook met iedereen het ~ in *he slept around a lot / jumped into bed with everybody;* kom je ~ uit! *rise and shine!* **6.1** een ~ en zitten *be in a j. / fix / spot / hole / the soup, be up a gum tree;* zich **in** de ~ en werken *get into a j. / fix / spot / hole, catch / cop / stop a packet;* iem. **uit** de ~ en helpen *help s.o. out of a j. / fix / spot / hole* **6.6 in** zijn (luie) ~ liggen *laze in bed;* ik ga **naar** mijn ~ *I'm going to turn in / hit the sack;* ⟨AE; sl.⟩ *I'm gonna flop.*

nestbeschermer ⟨de (m.)⟩ **0.1** *nest guard / protector.*

nestblijver ⟨de (m.)⟩ **0.1** *altricial / nidicolous bird.*

nestbouw ⟨de (m.)⟩ **0.1** *nest-building* ⇒⟨biol. ook⟩ *nidification.*

nestbromelia ⟨de⟩ **0.1** *nidularium (bird's-)nest fungus.*

nestei ⟨het⟩ **0.1** *nest egg.*

nestel ⟨de (m.)⟩ **0.1** [sieraad] *aiguillette* ⇒*aglet, (tagged) shoulder-knot* **0.2** [veter] *lace.*

nesteldrift ⟨de⟩ **0.1** *nest-building / nidification instinct.*

nestelen
I ⟨onov.ww.⟩ ⟨biol.⟩ **0.1** [het nest maken] *nest* ⇒*nidify;*
II ⟨wk.ww.; zich ~⟩ **0.1** [zich ergens vestigen] *nestle* ⇒*settle, lodge, establish* ◆ **6.1** de poes nestelde zich **bij** het vuur / **tegen** haar aan *the cat curled up in front of the fire, the cat nestled / cuddled / snuggled up to her;* zij nestelde zich **in** zijn armen *she nestled in his arms;* bacteriën ~ zich in kleine wondjes *bacteria lodge in small wounds;* zich **in** een stoel / **op** de bank ~ *n. down / settle down into a chair / on the couch, curl up / ensconce o.s. / install o.s. in a chair / on the couch;* de vijand had zich **in** die plaats genesteld *the enemy had established / lodged / installed themselves in that town;* de favoriet nestelt zich **op** de tweede plaats *the favourite has settled into second place;* een dorpje, genesteld **tussen** de bomen *a village, nestling among the trees.*

nestelgaatje . ⟨het⟩ **0.1** *eyelet* ⇒*grummet,* ^Agrommet.

nesteling
I ⟨de (m.)⟩ **0.1** [vogel] *eyas;*
II ⟨de (v.)⟩ **0.1** [het nestelen] *nesting* ⇒⟨dierk. ook⟩ *nidification,* ⟨fig.⟩ *nestling, settling, lodging* ◆ **1.1** de ~ van de eicel *the implantation of the ovum.*

nesterig ⟨bn., bw.; -ly⟩ **0.1** *conceited* ⇒*stuck-up.*

nesthaar ⟨het⟩ **0.1** *first hair* ⇒*down.*

nestholte ⟨de (v.)⟩ **0.1** *nesting cavity.*

nestig ⟨bn.⟩ **0.1** [humeurig] *cross* ⇒*crabby, cranky, snappy, surly* **0.2** [verwaand] *conceited* ⇒*stuck-up* **0.3** [onbetekenend] *trivial* ⇒*vain, fatuous, inane, empty.*

nestkastje ⟨het⟩ **0.1** *nest(ing)-box* ⇒*birdbox, birdhouse.*

nestkeus ⟨de⟩ **0.1** [gelegenheid om te kiezen] *pick of the litter* **0.2** [mbt. vogels] *choice of a nesting-place* ◆ **7.1** eerste ~ hebben *have the pick of the litter.*

nestkleed ⟨het⟩ **0.1** *down* ⇒*first feathers.*

nestkorf ⟨de (m.)⟩ **0.1** *breeding-coop / -cage.*

nestkuiken ⟨het⟩ **0.1** [kuiken dat laatst uit een ei komt] *nestling* ⇒*chick* **0.2** [⟨fig.⟩ jongste kind] *nestling.*

nestor ⟨de (m.)⟩ **0.1** [oudste] *Nestor* ⇒*dean, doyen* **0.2** [eerbiedwaardige grijsaard] *Nestor* ⇒*patriarch, grand old man,* ⟨staatsman ook⟩ *elder statesman* ◆ **1.1** de ~ v.d. Kamer *the N /* ⟨BE ook⟩ *Father of the House;* de ~ van de vergadering *the N. of the meeting.*

nestparasiet ⟨de (m.)⟩ **0.1** *parasitic bird / animal.*

nestplaats ⟨de⟩ **0.1** *nesting place.*

nestschalen ⟨zn.mv.⟩ **0.1** *nest of bowls.*

nestvaren ⟨de⟩ **0.1** *bird's-nest fern.*

nestveren ⟨zn.mv.⟩ **0.1** *first feathers* ⇒*down.*

nestvervuiling ⟨de (v.)⟩ ⟨fig.⟩ **0.1** *fouling / dirtying one's own nest.*

nestvlieder ⟨de (m.)⟩ **0.1** *nidifugous / precocial bird.*

nestvogel ⟨de (m.)⟩ **0.1** *nestling.*

nestvol ⟨zn.⟩ **0.1** *nestful* ◆ **1.1** een ~ kinderen *a quiverful of children.*

nestwarmte ⟨de (v.)⟩ ⟨fig.⟩ **0.1** *family affection.*

net¹ ⟨het⟩ **0.1** [weefsel met mazen om iets te vangen] *net* ⇒⟨fig. ook⟩ *toils, trap* **0.2** [weefsel met mazen] *net* ⇒⟨stof ook⟩ *netting, mesh, string bag* ⟨voor boodschappen⟩ **0.3** [elkaar snijdende zaken] *network* ⇒*system,* ⟨communicatie ook⟩ *net, mains* ⟨elektrisch⟩ **0.4** [televisiezenders] *channel,* ^Anet ⇒⟨med.⟩ *omentum* **0.6** [spinneweb] *(cob)web* **0.7** [⟨wisk.⟩] *net* ◆ **1.3** een ~ van telefoonverbindingen / kanalen / spoorlijnen *a network of telephone connections / canals / railway lines / ^railroad tracks* **2.3** het elektrische ~ *the (electric)* *mains* **2.5** het grote~ *the greater/gastro-colic o*. **3.1** ~ten boeten *mend nets;* ~ten breien/knopen *make nets* **3.2** ⟨sport⟩ hij deed het~ bollen *he netted the ball;* een~ spannen *spread a net* **6.1** ⟨fig.⟩ **achter** het~ vissen *miss out, miss the boat/bus* **6.2** ⟨sport⟩ de bal ligt in het ~ *the ball is in the net/goal;* doe de boodschappen maar **in** het ~je *put the groceries in the string bag;* het haar **in** een~je dragen *wear one's hair in a net;* de koffer **in** het~ leggen *put the suitcase in the rack;* ⟨sport⟩ (de bal) **in** het~ slaan *net the ball;* ⟨sport⟩ de doelman viste de bal **uit** het~ *the goalkeeper fished the ball out of the net* **6.3** geschikt voor aansluiting **op** het~ *can be operated direct from the mains* **6.6** ⟨fig.⟩ iem. **in** zijn~ten verstrikken *net/(en)trap/ensnare/enmesh s.o., get s.o. into one's toils* **7.4** het eerste/tweede~ *c. one/two*.

net²

I ⟨bn.⟩ **0.1** [ordelijk] *neat* ⇒*tidy,* (goed onderhouden) *trim* **0.2** [keurig] *neat* ⇒*smart, spruce, trim* **0.3** [beschaafd] *respectable* ⇒*decent,* (vero. of iron.) *genteel* **0.4** [hygiënisch] *clean* **0.5** [ethisch zuiver] *decent* ◆ **1.1** een~te stapel *a n./tidy/straight pile;* een~te werker *a n./an accurate worker* **1.2** doe je~te pak/jurk aan *put on your good suit /dress, put on your Sunday best* **1.3** een~te buurt *a r./genteel neighbourhood;* een~te jongen *a well-behaved boy;* ~te mensen *r./decent people;* 'copuleren' is een~woord voor 'neuken' *'copulate' is a polite word for 'fuck'* **1.5** een~ meisje *a d. girl* **2.4** het is daar altijd even~ en zindelijk *that place is always c. as a whistle/spick and span/neat and tidy* **7.2** ⟨zelfst.⟩ in het~ ⟨in zijn beste kleren⟩ *in one's Sunday best, all dressed up;* iets in het~ schrijven/uitwerken *make a fair copy of sth., copy out sth.* **7.5** alles in het~te *quite d./(open and) above-board;*

II ⟨bw.⟩ **0.1** [juist] *just* ⇒*exactly, precisely* **0.2** [pas] *just* **0.3** [precies als] *just* **0.4** [netjes] *neatly* ⇒*tidily, smartly,* (gekleed), (behoorlijk) *respectably, properly* ◆ **1.3** je bent~en dominee *you're j. like/quite a preacher;* het is~ koffie *it tastes j. like coffee;* hij is~ zijn vader *he's the very/spitting image of his father* **2.1** ~ goed *serves you/him/her/ them right* **2.3** ~ echt *j. like/for all the world like the real thing* ⟨ook iron.⟩ **2.4** keurig~ gekleed *all dressed up, in one's Sunday best* **3.1** ⟨iron.⟩ dat kun je~ denken *you've got another think coming, not likely;* het gaat maar~ *it's a tight fit* ⟨doorgang⟩; zij ging~ vertrekken *she was about to leave* **3.2** ik heb dat gisteren~ schoongemaakt *I cleaned that only yesterday;* wij zijn~ thuis *we've (only) j. come home* **3.4** kun je dat niet~ter zeggen? *can't you put that more politely?* **4.1** ~iets voor hem ⟨net wat hij zoekt⟩ *j. the thing for him;* ⟨kenmerkend voor hem⟩ *j. like him, that's him all over;* ~iets duurder *marginally/a bit more expensive;* dat maakt het~iets meer bijzonder *it makes it j. that bit more special;* ~wat ik dacht *j. as I thought;* dat is~wat ik nodig heb *that's exactly what I need, that's the very thing I need, that's j. the job;* ⟨ook iron.⟩ *that's just what I need;* ⟨iron.⟩ *that's all I need;* ~wat je zegt! *j. as you say!, right you are!* **5.1** er was maar~ genoeg voor twee kopjes *there was barely enough for two cups;* maar~ rond kunnen komen *j. (manage to) make ends meet;* maar~ een voldoende halen *j. pass, scrape through, get through by the skin of one's teeth;* ~maar ook maar~ voldoende *j. but only j. enough;* dat was maar~ aan *that was a near miss/thing, that was a narrow escape/close call, that was touch and go;* ~mis *a near miss/thing;* de bal gaat~ naast *the ball has j. missed;* ik weet het nog zo~ niet *I'm not so sure;* het nog~ halen *squeak through/by;* moet dat per se~ nu? *does that have to be done right/j. now?;* ~nu jij er bent, word ik ziek *j. when you're here, I fall ill;* ik weet het~zo min als jij *your guess is as good as mine;* wij zijn~zo min tevreden *we aren't satisfied either;* ze zeurden~zo lang tot hij meeging *they nagged him into coming along, they nagged and nagged until at last he came along;* hier heb ik~zo één *here's another one j. like it;* ze is~zo goed als hij *she's every bit as good as he is;* ze hebben~zo goed een medaille verdiend *they are j. as worthy of a medal* **5.2** we waren er nog maar~, toen ... *we had hardly arrived/ hardly had we arrived when ...* **7.1** de een~zoveel geven als de ander *give one j. as much/the same amount as the other* **8.1** hij kon niets vinden, ~als mijn eigen dokter *he couldn't find anything more than my own doctor;* het is~alsof je het leuk vindt *it's (almost) as if you think it's funny* **8.3** ~of hij zo'n beste is *as if he's so great/wonderful* **9.1** dat is het hem nou~, daar zit hem nou~ de kneep *that's j. it, that's where the shoe pinches, there's the rub* **¶.1** zo is het maar~ *right you are!, j. as you say!;* dan heb ik~zo lief dat je weg gaat *in that case I'd j. as soon you left;* je moet~ doen alsof *you must pretend, you must go through the motions;* het begint~zo gezellig te worden *the fun is j. starting;* we hadden~zo goed niets kunnen doen *we might j. as well have done nothing;* ~dat beetje extra geven aan iets *j. put that extra (little) bit into sth.;* ~op dat moment/toen ze weg wou gaan *j. then/as she was leaving;* we kwamen~te laat *we came j. too late/were a fraction too late*.

netaansluiting ⟨de (v.)⟩ **0.1** *mains connection* ⇒⟨elek.⟩ *AC power supply* ◆ **3.1** zij hebben geen~ *they are not on/connected to the main*.

netaderig ⟨bn.⟩ ⟨biol.⟩ **0.1** *net-veined*.

netbal ⟨de (m.)⟩ ⟨sport⟩ **0.1** *net ball*.

netband ⟨de (m.)⟩ ⟨sport⟩ **0.1** *(net)tape*.

netbreuk ⟨de⟩ ⟨med.⟩ **0.1** *omental/epiploic rupture/hernia*.

netdraad ⟨het, de (m.)⟩ **0.1** *spider line/thread* ⇒*cobweb*.

netel ⟨de⟩ **0.1** *nettle* ◆ **6.1** ⟨fig.⟩ zich **uit** de~s redden *get out of hot water/trouble/a jam/a fix/a (tight) spot*.

netelachtigen ⟨zn.mv.⟩ **0.1** *nettles* ⇒*urticae*.

netelcel ⟨de⟩ **0.1** *nettle cell* ⇒*nematocyst*.

neteldieren ⟨zn.mv.⟩ **0.1** *coelenterata*.

neteldoek ⟨het⟩ **0.1** *muslin* ⇒*mull* ⟨fijn⟩.

netelhennep ⟨de (m.)⟩ **0.1** *hemp-nettle*.

netelig ⟨bn.⟩ **0.1** [hachelijk] *thorny* ⇒*knotty, ticklish, delicate* **0.2** [lichtgeraakt] *touchy* ⇒*thin-skinned* ◆ **1.1** een~e zaak/affaire/kwestie ⟨ook⟩ *a tricky question* **1.2** een~mens *a touchy/thin-skinned person*.

neteligheid ⟨de (v.)⟩ **0.1** [vinnigheid] *sharpness;* ⟨lichtgeraaktheid⟩ *touchiness, thin-skinnedness* **0.2** [moeilijkheid] *thorniness* ⇒*ticklishness* ⟨van zaak, situatie⟩, ⟨hachelijkheid⟩ *delicacy,* ⟨moeilijkheid⟩ *intricacy, spinosity*.

netelkoorts ⟨de⟩ **0.1** *nettle rash* ⇒*hives,* ↑*urticaria*.

netelorgaan ⟨het⟩ **0.1** *stinging/urticant organ*.

netelplanten ⟨zn.mv.⟩ **0.1** *nettles*.

netelroos ⟨de⟩ **0.1** →**netelkoorts**.

netenkam ⟨de (m.)⟩ **0.1** *fine-tooth comb*.

netenkop ⟨de (m.)⟩ **0.1** *cross-patch* ⇒*crab, grouch, grumb,* ⟨vrouw ook⟩ *shrew*.

netfilter ⟨het⟩ **0.1** *mains filter*.

netfrequentie ⟨de (v.)⟩ **0.1** *mains frequency*.

netgaren ⟨het⟩ **0.1** *netting string/thread/yarn*.

netheid ⟨de (v.)⟩ **0.1** [ordelijk] *neatness* ⇒*tidiness, cleanliness* ⟨van aard⟩, ⟨kleding ook⟩ *smartness* **0.2** [fatsoen] *decency* ⇒*respectability*.

nethemd ⟨het⟩ **0.1** *mesh/net/*ᴮ*string vest,* ᴬ*undershirt* ⇒*cellular shirt*.

netjes ⟨bn., bw.; -ly⟩ **0.1** [ordelijk] *neat* ⇒*tidy, clean,* (goed onderhouden) *trim, cleanly* ⟨van aard⟩ **0.2** [keurig] *neat* ⇒*smart* **0.3** [zoals het hoort] *decent* ⇒*respectable, proper* ◆ **3.1** dat heb je~gemaakt *you've done a n. job on that;* hou het~ *keep it clean;* zij maakte haar haar~ *she tidied her hair;* hij maakte de kast weer~ *he tidied the cupboard/*ᴬ*closet;* de kamer is~opgeruimd *the living room is shipshape/ nice and tidy;* zet ze maar weer~ terug *put them back tidily* **3.2** wat ben je~vandaag! *you're looking smart/spruce today!;* ~gekleed *all dressed up, in one's Sunday best;* ~schrijven *write neatly, write a n./ fair hand* **3.3** iem.~behandelen *treat s.o. decently/fairly;* gedraag je ~behave yourself, behave properly;* ~met twee woorden spreken *be polite;* denk erom:~thuisblijven/~eten! *remember! stay home like a good boy/girl!; remember! eat properly!* ⟨eten⟩ **5.1** vreselijk/overdreven~ *house-proud* ⟨in huis⟩ **5.3** dat is niet~ *that is not becoming/ comme il faut/done/proper; that is bad manners/form;* dat is niet zo ~van je *that is not very nice of you* **6.1** ~zijn **op** *be very careful with/ n. about* **¶.1** ~in orde *in proper trim*.

netkous ⟨de⟩ **0.1** *fishnet stocking*.

netmaag ⟨de (m.)⟩ **0.1** *reticulum* ⇒*second stomach, honeycomb (bag)*.

netnummer ⟨het⟩ **0.1** ᴮ*dialling code,* ᴬ*area code*.

netpaal ⟨de (m.)⟩ ⟨sport⟩ **0.1** *net post*.

netpositie ⟨de (v.)⟩ ⟨sport⟩ **0.1** *net position*.

netpython ⟨de (m.)⟩ **0.1** *reticulated python*.

netrechter ⟨de (m.)⟩ ⟨sport⟩ **0.1** *netcord judge*.

netruim ⟨het⟩ **0.1** *net hold*.

netschakelaar ⟨de (m.)⟩ **0.1** *mains switch*.

netschrift ⟨het⟩ **0.1** [cahier] *fair-copy book* **0.2** [de in het net geschreven kopie] *fair copy* ⇒*final draft*.

netservice ⟨de (m.)⟩ ⟨sport⟩ **0.1** *net (service)*.

netspanning ⟨de (v.)⟩ **0.1** *mains voltage*.

netstok ⟨de (m.)⟩ **0.1** *net post*.

netstroom ⟨de (m.)⟩ **0.1** *mains current* ⇒*mains supply*.

netten ⟨ov.ww.⟩ ⟨schr.⟩ **0.1** *wet* ⇒*moisten*.

nettenboeter ⟨de (m.)⟩, **-ster** ⟨de (v.)⟩ **0.1** *net-mender/repairer*.

nettenmaker ⟨de (m.)⟩, **-maakster** ⟨de (v.)⟩ **0.1** *net-maker*.

nettigheid ⟨de (v.)⟩ ⟨iron.⟩ **0.1** *neatness* ⇒*tidiness* ⟨ordelijk⟩, *decency, respectability* ⟨fatsoen⟩.

netto ⟨bn., bw.⟩ **0.1** [mbt. loon] *net* ⇒⟨BE ook⟩ *nett, after tax, clear, real,* ᴬ*neat* **0.2** [mbt. gewicht] *net* ⇒⟨BE ook⟩ *nett, real* **0.3** [mbt. winst] *net* ⇒⟨BE ook⟩ *nett, clear,* ᴬ*neat* **0.4** [waarop geen korting mogelijk is] *net* ⇒⟨BE ook⟩ *nett* ◆ **1.1** ~inkomen *after tax earnings, net(t)/real income, take-home pay;* het~maandsalaris *the net(t) after tax/take-home pay* **3.1** zij verdient f 2500,-~ *she makes f. 2,500 net(t) /clear/neat, she makes a clear/neat f. 2,500, she nets/clears f. 2,500* **3.2** het weegt~ 10 pond *it weighs ten pounds net(t)* **3.3** de opbrengst bedraagt~f 2000,- *the net(t) profit is f. 2,000, the profit is 2,000 net(t);* de actie heeft~8 miljoen opgebracht *the campaign netted/cleared 8 million;* ~uitkeren *pay/distribute net(t)*.

nettobedrag ⟨het⟩ **0.1** *net (amount)* ⇒⟨BE ook⟩ *nett amount*.

nettogewicht ⟨het⟩ **0.1** *net weight*.

nettoloon ⟨het⟩ **0.1** *net wages/salary;* ⟨inf.⟩ *take-home pay*.

netto-nettokoppeling ⟨de (v.)⟩ ⟨pol.⟩ **0.1** *index-linking of unemployment benefits*.

netto-opbrengst ⟨de (v.)⟩ **0.1** *net/* ⟨BE ook⟩ *nett proceeds* ⇒*net/* ⟨BE ook⟩ *nett profit* ⟨winst⟩, *clear/*ᴬ*neat proceeds/profit* ◆ **1.1** de~van een inzameling *the net(t) proceeds of the collection*.

nettoprijs ⟨de (m.)⟩ **0.1** *net price.*
nettosalaris ⟨het⟩ **0.1** *net salary/wages;* ⟨inf.⟩ *take-home pay.*
nettotarra ⟨de⟩ **0.1** *real/actual tare.*
nettotonnage ⟨de (v.)⟩ **0.1** *net/* ⟨BE ook⟩ *nett tonnage.*
nettowaarde ⟨de (v.)⟩ **0.1** *net value* ⇒⟨boekhouden⟩ *capital account* ⟨van bedrijf⟩ ◆ **6.1 aan** → toevoegen *gross up* ⟨vóór belasting/in-houding⟩.
nettowinst ⟨de (v.)⟩ **0.1** *net/* ⟨BE ook⟩ *nett profit* ⇒*clear/^neat profit.*
netversperring ⟨de (v.)⟩ **0.1** *(anti-submarine) nets.*
netvleugeligen ⟨zn.mv.⟩ **0.1** *Neuroptera.*
netvlies ⟨het⟩ ⟨med.⟩ **0.1** *retina.*
netvliesontsteking ⟨de (v.)⟩ **0.1** *retinitis.*
netvoeding ⟨de (v.)⟩ **0.1** *mains supply.*
netvork ⟨de⟩ ⟨vis.⟩ **0.1** *net fork.*
netvormig ⟨bn.⟩ **0.1** *reticulate(d)* ⇒*reticular, retiform, cellular* ⟨stof⟩, ⟨plantk.⟩ *clathrate.*
netwerk ⟨het⟩ **0.1** [⟨fig.⟩ mbt. handelingen, relaties] *web* **0.2** [vlecht-werk] *network* ⇒*criss-cross pattern, web,* ⟨fig. ook⟩ *system* **0.3** [in het net geschreven (school)werk] *fair copy* **0.4** [⟨wisk.⟩] *network* ◆ **6.1** een → **van** intriges *a w. of intrigue;* een → **van** ruiterpaden bedekte de heuvel *bridleways webbed the hills* **6.2** een → **van** draden/wegen *a n. of wires/roads.*

neuken
  I ⟨onov.ww.⟩ **0.1** [⟨inf.⟩ naaien] *screw* ⇒*fuck, bang, hump, lay* **0.2** [⟨vulg.⟩ hinderen] ⟨ongemarkeerd⟩ *matter* **0.3** [⟨vulg.⟩ zeuren] *give s.o. crap* ◆ **1.1** een potje → *a fuck/screw, a roll in the hay* **3.1** ze liggen met elkaar te → *they're banging/having it/pounding away, they're on the job* **5.1** zij/hij kan goed/lekker → *she/he's a good fuck/lay* **5.2** dat neukt niet *that doesn't matter a fuck/shit, I don't give a fuck/shit* **¶.3** da's geneuk *stop nagging, don't give me that crap;*
  II ⟨ov.ww.⟩ ⟨inf.⟩ **0.1** [naaien] *screw* ⇒*fuck, bang, hump.*
neukerig ⟨bn., bw.;-ly⟩ ⟨vulg.⟩ **0.1** [mbt. zaken] *shitty* ⇒*measly* **0.2** [mbt. personen] *shitty, crappy, bloody, fucking.*
neukpartij ⟨de (v.)⟩ ⟨inf.⟩ **0.1** *screw(ing)* ⇒*fuck(ing)* ◆ **2.1** een stevige → *some heavy fucking.*
neumen ⟨zn.mv.⟩ ⟨muz.⟩ **0.1** *neum(e)s.*
neuraal ⟨bn.⟩ **0.1** *neural.*
neuralgie ⟨de (v.)⟩ **0.1** *neuralgia.*
neuralgisch ⟨bn.⟩ **0.1** *neuralgic.*
neurastheen ⟨bn.⟩ ⟨psych., med.⟩ **0.1** *neurasthenic.*
neurasthenicus ⟨de (m.), -ca ⟨de (v.)⟩ **0.1** *neurasthenic.*
neurasthenie ⟨de (v.)⟩ **0.1** *neurasthenia.*
neurend ⟨bn.⟩ **0.1** ^B*down-calving* ◆ **1.1** een →e koe *a d.-c. cow, a down-calver.*
neuriën ⟨onov., ov.ww.⟩ **0.1** *hum* ◆ **1.1** een deuntje → *h. a tune.*
neuriet ⟨de (m.)⟩ ⟨med.⟩ **0.1** *axon.*
neuring ⟨de (v.)⟩ ⟨scheep.⟩ **0.1** *sling.*
neuritis ⟨de (v.)⟩ **0.1** *neuritis.*
neurobiologie ⟨de (v.)⟩ **0.1** *neurobiology.*
neurochirurg ⟨de (m.)⟩ **0.1** *neurosurgeon.*
neurochirurgie ⟨de (v.)⟩ **0.1** *neurosurgery.*
neurocybernetica ⟨de⟩ **0.1** *neurocybernetics.*
neurofysiologie ⟨de (v.)⟩ ⟨med.⟩ **0.1** *neurophysiology.*
neurologie ⟨de (v.)⟩ **0.1** *neurology* ⇒*neuroscience.*
neurologisch ⟨bn., bw.;-ly⟩ **0.1** *neurological.*
neuroloog ⟨de (m.)⟩ **0.1** *neurologist.*
neuroma ⟨het⟩ ⟨med.⟩ **0.1** *neuroma.*
neuron ⟨het⟩ ⟨med.⟩ **0.1** *neuron.*
neuronaal ⟨bn.⟩ **0.1** *neuronal* ⇒*neuronic.*
neuroot ⟨de (m.)⟩ **0.1** *neurotic* ⇒⟨inf.⟩ *psycho, maniac, lunatic, nutcase.*
neuropaat ⟨de (m.)⟩ **0.1** *neuropath.*
neuropathie ⟨de (v.)⟩ **0.1** *neuropathy.*
neuropathisch ⟨bn., bw.;-ally⟩ **0.1** [de neuropathie betreffend] *neuro-pathic* **0.2** [zenuwziek] *neuropathic.*
neuropathologie ⟨de (v.)⟩ **0.1** *neuropathology.*
neuropsychologie ⟨de (v.)⟩ **0.1** *neuropsychology.*
neurose ⟨de (v.)⟩ **0.1** *neurosis.*
neurosenleer ⟨de⟩ **0.1** *study of neuroses.*
neuroticus ⟨de (m.)⟩, **-ca** ⟨de (v.)⟩ **0.1** *neurotic.*
neurotisch ⟨bn.⟩ **0.1** *neurotic* ⇒⟨alg. ook⟩ *disturbed, deranged, unstable* ◆ **1.1** →e aandoeningen *neuroses.*
neurotiseren ⟨ov.ww.⟩ **0.1** *make neurotic.*
neurotomie ⟨de (v.)⟩ **0.1** *neurotomy.*
neurotoxine ⟨het⟩ **0.1** *neurotoxin.*
neurotransmitter ⟨de⟩ ⟨med.⟩ **0.1** *neurotransmitter.*
neus ⟨de (m.)⟩ ⟨→sprw. 324,442⟩ **0.1** [lichaamsdeel] *nose* **0.2** [zintuig] *nose* ⇒*scent,* ⟨fig. ook⟩ *flair* **0.3** [punt van een voorwerp] *nose* ⇒ ⟨balg, spuit ook⟩ *nozzle, (toe)cap, toe* ⟨schoen⟩, *nib* ⟨dakpan⟩, *heel* ⟨geweer⟩, *handle* ⟨schaaf⟩ **0.4** [mbt. wijn] *nose* ◆ **1.1** ⟨fig.⟩ het moet tussen → en lippen gebeuren *it must be done at odd moments/as we go along;* iets tussen → en lippen door vertellen *tell sth. casually/paren-thetically;* ⟨onbedoeld⟩ *let sth. slip;* het → je van de zalm ⟨fig.⟩ *the cream of the crop, the pick of the bunch, the tops, the creme de la*

creme, it, the cat's whiskers, ^Athe gnat whistle/eyebrows; the bee's knees **1.3** de → van een vliegtuig *the nose of the plane* **2.1** een frisse → halen *get a breath of fresh air;* een lange → maken *cock a snook at,* thumb one's n. at, ^Agive five fingers (to); een verstopte → *a stuff-ed(-up)/stuffy/bunged-up n.* **2.2** ⟨fig.⟩ een fijne → voor iets hebben *have a good n./have an eye for sth., flair sth. a mile off;* een fijne/ scherpe → hebben *have a good n.* **2.3** schoenen met stalen neuzen *steel capped shoes* **2.¶** dat examen is een wassen → *that exam is just a matter of form/is just for show/is just a formality* **3.1** doen alsof zijn → bloedt ⟨fig.⟩ *play/act dumb, close/shut one's eyes to sth.;* zijn → dicht-houden/dichtknijpen *hold one's n.;* dat gaat zijn → voorbij *that's not for (such as) him, he can whistle for that, he'll miss/loose that, it is lost to him;* hij haalt voor alles de → op *he's a bit sniffy;* even een frisse → gaan halen *go out for a walk/stroll;* een (lange) → krijgen *be snubbed;* ⟨fig.⟩ zijn → krult *he's pleased as punch/tickled pink;* ⟨scherts.⟩ loop je → maar achterna *just follow your n.;* zijn → ophalen *sniff, sniffle, snivel* ⟨herhaaldelijk, door verkoudheid/huilen⟩; de → voor iem./iets ophalen/optrekken *turn up one's n.* ⟨ook fig.⟩; ⟨fig.⟩ *look down one's n. at s.o./sth., sneer at s.o./sth.;* in zijn → peuteren *pick one's n.;* zijn → snuiten *blow one's n.;* zijn → overal in steken ⟨fig.⟩ *poke/stick one's n. into everything, stick one's oar into everything, pry into everything, be a Nosey Parker/busybody;* zijn → in de wind ste-ken ⟨fig.⟩ *stick one's n. in the air, be toffee-nosed;* zijn → stoten ⟨fig.⟩ *fall (flat) on one's face, get a smack in the eye/face, be sent off with a flea in one's ear;* neuzen tellen ⟨fig.⟩ *count noses/heads;* als hij zijn → buiten de deur vertoont *if he shows his n./puts his n. outside the door;* ik zal je → tussen je oren zetten *I'll spank your bottom* **3.3** ⟨scheep.⟩ het schip steekt zijn → in de wind *the ship is turning (its nose/prow) to windward/is nosing to windward/* ⟨snel⟩ *shoots up head to wind* **4.1** ⟨scherts.⟩ ja, mijn → *my eye!, come off it!* **6.1** ⟨fig.⟩ dat ga ik jou niet **aan** je → hangen *that would be telling, wouldn't you like to know;* dat kan ik **aan** zijn → niet zien *I can't tell by the look on his face what he wants;* iem. **bij** de → hebben/nemen ⟨fig.⟩ *trick s.o., have s.o. on, take s.o. in, pull s.o.'s leg;* **door** de → spreken *speak/talk through one's n., speak/talk nasally;* **door** de → roken *exhale smoke through one's n.;* ⟨fig.⟩ iets langs zijn → weg zeggen *say sth. casually/ parenthetically;* ⟨fig.⟩ overal **met** zijn → bij willen zijn *want to be in on/to know everything that's going on;* ⟨fig.⟩ **met** zijn → kijken/zoeken *look for sth. with one's eyes closed;* ⟨fig.⟩ je staat er **met** je → bovenop *you're standing right in front of it, it's staring you in the face;* ⟨fig.⟩ iem. **met** zijn → op de feiten drukken *make s.o. face the facts;* ⟨fig.⟩ **met** zijn → in de boter vallen *be in luck, come in at the right moment;* ⟨fig.⟩ **met** zijn → in de boeken zitten *be forever at/buried in/with one's n. in one's books;* wit **om** de → worden *go pale, go white, blanch, go green/white about the gills;* iem. iets **onder** zijn → wrijven ⟨fig.⟩ *rub s.o.'s n. in it/the dirt, rub it in;* **onder** zijn → *under one's (very) n., right under one's n.;* ⟨lelijk⟩ **op** zijn → kijken ⟨fig.⟩ *stand abashed, look blank;* iem. een tik **over/op** zijn → geven *punch/hit s.o. in/on the n., punch s.o.'s nose;* ⟨fig.⟩ snub s.o., rap s.o.'s knuckles; sta niet **uit** je → te ⟨fig.⟩ *don't just stand there/stand around doing nothing;* ⟨fig.⟩ het/hij komt me mijn neus **uit** *I'm fed up (to the back theeth) with it/him;* ⟨fig.⟩ iem. iets **voor** de → wegnemen/wegka-pen *take sth. from under s.o.'s n.;* ⟨fig.⟩ dat ligt vlak **voor** je → *it's right under your/under your very n., it's right in front of you, it's star-ing you in the face;* ⟨fig.⟩ plotseling **voor** iemands → staan *pop up;* ⟨fig.⟩ de deur **voor** iemands → dichtdoen *shut the door in s.o.'s face;* ⟨fig.⟩ de trein ging **voor** mijn → weg *I just missed the train;* iem. iets **voor/onder** de → houden *dangle sth. before/in front of s.o., flourish sth. in s.o.'s face, flash sth. at s.o.;* schoenen **zonder** → *shoes without caps* **6.¶** iem. iets **door** de → boren *do/diddle s.o. out of sth., cheat s.o. of sth.* **¶.1** ⟨fig.⟩ niet verder zien/kijken dan zijn → lang is *be unable to see further than (the end of) one's n., see no further than one's n..*
neusademhaling ⟨de (v.)⟩ **0.1** *nose breathing.*
neusamandel ⟨de⟩ **0.1** *adenoids.*
neusarts ⟨de⟩ ◆ **1.¶** keel-, neus- en oorarts *ear, nose and throat specialist, ENT, otorhinolaryngologist.*
neusbadje ⟨het⟩ **0.1** *nasal douche.*
neusbeen ⟨het⟩ **0.1** *nasal bone.*
neusbloeding ⟨de (v.)⟩ **0.1** *nosebleed* ⇒⟨med.⟩ *epistaxis* ◆ **3.1** ik heb een → *I have a n., my nose is bleeding.*
neuscatarre ⟨de⟩ **0.1** *nasal catarrh* ⇒*rhinitis, coryza.*
neusdoek ⟨de (m.)⟩ ⟨AZN⟩ **0.1** *handkerchief* ⇒⟨inf.⟩ *hanky.*
neusdruppels ⟨zn.mv.⟩ **0.1** *nose drops.*
neusgang ⟨de (m.)⟩ **0.1** *nasal passage.*
neusgat ⟨het⟩ **0.1** *nostril.*
neusgeluid ⟨het⟩ **0.1** *nasal sound.*
neusgezwel ⟨het⟩ **0.1** *nose tumour.*
neushaai ⟨de (m.)⟩ **0.1** *mackerel shark* ⇒*porbeagle.*
neushaar ⟨het⟩ **0.1** [beharing] *hair in the nostrils* **0.2** [één haar] *hair in the nostrils.*
neusholte ⟨de (v.)⟩ **0.1** [holte in de schedel] *nasal cavity* **0.2** [inwendige ruimte van de neus] *nasal passage.*
neushoorn ⟨de (m.)⟩ **0.1** *rhinoceros* ⇒⟨inf.⟩ *rhino.*

neushoornkever ⟨de (m.)⟩ **0.1** *rhinoceros beetle*.
neushoornvogel ⟨de (m.)⟩ **0.1** *hornbill*.
neushorzels ⟨zn.mv.⟩ **0.1** *mouthflies*.
neus-keelholte ⟨de (v.)⟩ **0.1** *nasopharynx* ⇒*rhinopharynx*.
neuskegel ⟨de (m.)⟩ **0.1** *nose cone*.
neuskijker ⟨de (m.)⟩ ⟨scheep.⟩ **0.1** *lookout (man)*.
neusklank ⟨de (m.)⟩ **0.1** *nasal sound* ⇒⟨taal.⟩ *nasal*.
neusklier ⟨de⟩ **0.1** *nasal gland*.
neusknijper ⟨de (m.)⟩ **0.1** [knijpbril] *pince-nez* **0.2** [voor paard] *barnacles* ⟨mv.⟩ ⇒*cavesson*.
neuskoepel ⟨de (m.)⟩ **0.1** *(front- / nose-) turret*.
neuskouter ⟨het⟩ **0.1** *(knife) coulter* ⇒⟨AE ook⟩ *cutter*.
neuskus ⟨de (m.)⟩ **0.1** *noserub* ⟨eskimo⟩.
neuslengte ⟨de (v.)⟩ ⟨fig.;sport⟩ **0.1** *nose* ⇒*hair('s breadth)* ◆ **1.1** winnen met een ~ verschil *win by a n. / hair* **6.1** iem. met een ~ verslaan ⟨inf.⟩ *nose s.o. out, pip s.o. at / to the post*.
neuslijn ⟨de⟩ **0.1** *nasal profile* ◆ **2.1** een gebogen ~ *an aquiline nose*.
neusoperatie ⟨de (v.)⟩ **0.1** *operation on one's nose* ⇒⟨plastische chirurgie⟩ *rhinoplasty*, ⟨AE;inf.;vaak scherts.⟩ *nose job / bob*.
neuspeuteren ⟨ww.⟩ **0.1** *pick one's nose*.
neuspoliep ⟨de⟩ **0.1** *nasal / nasopharyngeal polyp / polypus*.
neuspulker ⟨de (m.)⟩,-**pulkster** ⟨de (v.)⟩ ⟨inf.⟩ **0.1** *nosepicker*.
neusring ⟨de (m.)⟩ **0.1** *nosering* ⇒⟨rund ook⟩ *cattle leader*.
neusrug ⟨de (m.)⟩ **0.1** *bridge (of the nose)* ⇒*ridge of the nose*.
neusschelp ⟨de⟩ **0.1** *turbinal, nasal concha*.
neusslijmvlies ⟨het⟩ **0.1** *nasal (mucous) membrane, mucous membrane of the nose*.
neusspiegel ⟨de (m.)⟩ **0.1** [onbehaarde gedeelte van bovenlip] *rhinarium* **0.2** [⟨med.⟩] *rhinoscope, rhinal mirror*.
neusspraak ⟨de⟩ **0.1** *nasal speech* ⇒*twang*.
neusspuitje ⟨het⟩ **0.1** *nasal syringe*.
neusstem ⟨de⟩ **0.1** *nasal voice* ⇒*twang, snuffle* ⟨door verkoudheid / huilen⟩.
neusstuk ⟨het⟩ **0.1** *nose* ⇒*nosepiece* ⟨microscoop⟩, *nasal, nosepiece* ⟨helm⟩, *nose cone* ⟨raket⟩.
neuston ⟨de (m.)⟩ ⟨biol.⟩ **0.1** *neuston*.
neustoon ⟨de (m.)⟩ **0.1** *nasal tone*.
neustussenschot ⟨het⟩ **0.1** *(inter)nasal septum*.
neusverkouden ⟨bn.⟩ **0.1** *having / with a cold in the nose / head* ◆ **3.1** ~ zijn *have a cold in the nose / head*.
neusverkoudheid ⟨de (v.)⟩ **0.1** *cold in the nose* ⇒*head cold*, ⟨med.⟩ *nasal catarrh*.
neusvleugel ⟨de (m.)⟩ **0.1** [mbt. de neus] *nostril* **0.2** [mbt. vliegtuigen] *slat*.
neusvocht ⟨het⟩ **0.1** *mucus* ⇒*rheum*.
neuswarmertje ⟨het⟩ ⟨scherts.⟩ **0.1** *nosewarmer*.
neuswiel ⟨het⟩ **0.1** *nosewheel*.
neuswijs ⟨bn.⟩ **0.1** *cheeky, pert, cocky, saucy* ◆ **1.1** een neuswijze knaap *a cheeky / cocky kid, a wise guy*.
neuswijsheid ⟨de (v.)⟩ **0.1** *cheekiness, pertness*.
neuswortel ⟨de (m.)⟩ **0.1** *base of the nose*.
neut ⟨de (m.)⟩ **0.1** [borrel] *drop* ⇒*dram, snort(er)*, ⟨sl.⟩ *slam*, ⟨vnl. BE;sl.⟩ *snifter* **0.2** [vooruitstekend deel] *corbel, bracket* **0.3** [onderstuk van een stijl] *die* **0.4** [gleuf] *score*.
neutel ⟨de (m.)⟩ **0.1** *pipsqueak* ⇒*squirt*, ⟨jochie⟩ *kid, tot*.
neutelen ⟨onov.ww.⟩ **0.1** *dawdle* ⇒*(dilly-)dally, tarry, lag*.
neutelig ⟨bn.⟩ **0.1** *whining* ⇒*moaning*.
neutraal ⟨bn.⟩ **0.1** [onpartijdig] *neutral* ⇒*impartial* **0.2** [zonder sterke lading] *neutral* ⇒*middle-of-the-road*, ⟨pej.⟩ *colourless, indifferent, noncommittal* ⟨uitspraak⟩ **0.3** [⟨ster.⟩; schei.; nat.)] *neutral* ◆ **1.1** de neutrale mogendheden *the n. States, the Neutrals*; ~ onderwijs *non-denominational / undenominational education*; ~ terrein *n. territory* **1.2** een neutrale kleur *a neutral colour* **1.3** ⟨nat.⟩ de neutrale doorsnede / lijn *the n. line*; ⟨schei.⟩ neutrale zouten *n. salts* **3.1** ~ blijven, een neutrale houding aannemen *remain n. / impartial / uncommitted / ⟨staat⟩ non-aligned, take no side*; ⟨pej.⟩ *sit on the fence*.
neutralen ⟨zn.mv.⟩ **0.1** *neutrals*.
neutralisatie ⟨de (v.)⟩ **0.1** *neutralization*.
neutraliseren ⟨ov.ww.⟩ **0.1** [werking, invloed verhinderen, opheffen] *neutralize* ⇒*counteract, counterbalance* **0.2** [⟨schei.)] *neutralize* ⇒⟨verzadigen⟩ *saturate* **0.3** [tot neutraal gebied verklaren] *neutralize* ◆ **1.1** afvalwater ~ *treat sewage / effluent*; guerillatroepen ~ *n. guerrilla forces*; de werking van een vergif ~ *counteract the effect of a poison* **1.2** ~ de stof *counteragent; antacid* ⟨tegen (maag)zuur⟩ **4.1** elkaar ~ *cancel (each other) out*.
neutralisering ⟨de (v.)⟩ **0.1** *neutralization* ⇒*counteraction, deactivation, nullification* ◆ **1.1** de ~ van een zuur *the neutralization of an acid*.
neutralisme ⟨het⟩ **0.1** *neutralism*.
neutralist ⟨de (m.)⟩ **0.1** *neutralist*.
neutralistisch ⟨bn.⟩ **0.1** *neutralistic*.
neutraliteit ⟨de (v.)⟩ **0.1** *neutrality* ⇒*non-alignment* ⟨van staten⟩ ◆ **2.1** gewapende ~ *armed neutrality* **3.1** de ~ schenden *violate neutrality*.

neutraliteitsverklaring ⟨de (v.)⟩ **0.1** *declaration of neutrality*.
neutralizeren ⇒*neutraliseren*.
neutrino ⟨het⟩ **0.1** *neutrino*.
neutron ⟨het⟩ ⟨nat.⟩ **0.1** *neutron*.
neutronenbom ⟨de⟩ **0.1** *neutron bomb*.
neutronenbundel ⟨de (m.)⟩ **0.1** *neutron beam*.
neutronenfysica ⟨de (v.)⟩ **0.1** *neutron physics*.
neutronengranaat ⟨de⟩ **0.1** *neutron bomb / shell*.
neutronenster ⟨de⟩ **0.1** *neutron star*.
neutronenstraal ⟨de (m.)⟩ **0.1** *neutron ray*.
neutronentherapie ⟨de (v.)⟩ **0.1** *neutron therapy*.
neutronenwapen ⟨het⟩ **0.1** *neutron weapon*.
neutrum ⟨het⟩ ⟨taal.⟩ **0.1** [geslacht] *neuter* **0.2** [woord] *neuter* **0.3** [vorm] *neuter*.
neuzelen ⟨onov.ww.⟩ **0.1** [(onaangenaam) door de neus spreken] *talk / speak through one's nose* ⇒*twang* **0.2** [⟨fig.⟩ zeurderig klinken, bv. doedelzak] *twang* ⇒*thrum, whine* **0.3** [(be)snuffelen] *nose about* ⇒*poke and pry, sniff (at)* **0.4** [onzin uitkramen] *talk through one's hat* ⇒*talk nonsense*.
neuzen ⟨onov.ww.⟩ **0.1** [rondkijken] *browse* ⇒*nose around / about* **0.2** [snuffelen] *nose / ferret around / about* ◆ **3.1** zij kwam eens even ~ *she came for a quick browse around* **6.2** ~ **in** oude boeken *n. around in old books*; hij zat in mijn brieven te ~ *he was prying / snooping / ferreting into my letters*.
nevel ⟨de (m.)⟩ **0.1** [mist] *mist* ⇒⟨lichte⟩ *haze*, ⟨druppeltjes⟩ *spray*, ⟨zeedamp⟩ *scud* **0.2** [⟨fig.⟩ sluier] *veil* ⇒*shroud* **0.3** [⟨ster.⟩] *nebula* ◆ **2.2** een dichte ~ houdt de toekomst voor ons verborgen *the future is wrapped / shrouded in (a v. / shroud / cloud of) mystery* **2.3** galactische ~s *(galactic) nebulae* **6.1** de berg was in ~s gehuld *the mountain was wrapped in mist*; ⟨fig.⟩ zich in ~en hullen *shroud / wrap one's surroundings in mystery, behave mysteriously*.
nevelachtig ⟨bn.⟩ **0.1** [mistig] *hazy* ⇒*misty* **0.2** [⟨fig.⟩] *hazy* ⇒*misty, foggy, vague* ◆ **1.1** bij ~ weer *in misty weather*.
nevelapparaat ⟨het⟩ **0.1** [luchtbevochtiger] *humidifier*; ⟨met insekticide⟩ *mist blower*; ⟨met medicijn⟩ *nebulizer, vapourizer*.
nevelbank ⟨de⟩ **0.1** *pocket of mist* ⇒*bank of mist*.
nevelbeeld ⟨het⟩ **0.1** *blur* ⇒*hazy picture*.
nevelblusser ⟨de (m.)⟩ **0.1** *(spray) extinguisher*.
nevelbom ⟨de⟩ **0.1** *smoke bomb*.
nevelen
  I ⟨onp.ww.⟩ **0.1** [mistgen] *be misty* ⇒*be hazy* ◆ **4.1** het nevelt *it is m. / hazy*;
  II ⟨onov., ov.ww.⟩ ⟨landb.⟩ **0.1** [bespuiten] *spray*.
nevelfilter ⟨het, de (m.)⟩ **0.1** *smoke filter*.
nevelhypothese ⟨de (v.)⟩ **0.1** *nebular theory* ⇒*nebular hypothesis*.
nevelig ⟨bn.⟩ **0.1** [nevelachtig] *misty* ⇒*hazy* **0.2** [⟨fig.⟩ vaag] *hazy* ⇒*misty, foggy, vague* ◆ **1.1** ~ weer *m. weather* **1.2** ~e voorstellingen / begrippen *misty / h. / foggy / vague notions / concepts* **3.1** ~ worden *haze over*.
nevelkamer ⟨de⟩ **0.1** *(Wilson) cloud chamber*.
nevelkap ⟨de⟩ **0.1** *cap of mist*.
nevelmaand ⟨de (m.)⟩ **0.1** *November*.
nevelspuit ⟨de⟩ **0.1** *atomizer* ⇒*spray-gun, mist blower, nebulizer*, ⟨blusapparaat⟩ *(fire-)extinguisher*.
nevelster ⟨de⟩ **0.1** *nebulous star*.
nevelvat ⟨het⟩ **0.1** *(Wilson) cloud chamber*.
nevelvlek ⟨de⟩ **0.1** *nebula*.
nevelvormer ⟨de (m.)⟩ **0.1** *smoke producer* ⇒*nebulizer*.
nevelvorming ⟨de (v.)⟩ **0.1** *formation of mist* ⇒*formation of haze*.
nevelwolk ⟨de⟩ **0.1** *cloud of mist*.
nevenactiviteit ⟨de (v.)⟩ **0.1** *sideline*.
nevenbedrijf ⟨het⟩ **0.1** [bedrijf naast voornaamste bedrijf] *branch, subsidiary* ⇒*sideline* **0.2** [minder belangrijke tak van bestaan] *side-industry* ⇒*subsidiary trade / occupation / business* **0.3** [onderdeel van grotere tak van bedrijf] *subsidiary industry / branch* ⇒*ancillary trade / line of business* ◆ **3.2** dit is een ~ van een meer winstgevend bedrijf *this is a dependent of a more profitable industry* **6.2** de landbouw promoveerde van neven- **naar** hoofdbedrijf *from being a secondary trade, agriculture grew to the principal occupation* **7.1** dit is één van onze vele nevenbedrijven *this is one of our many subsidiaries / sidelines / branch industries*.
nevenbranche ⟨de⟩ **0.1** *sideline, subsidiary branch*.
nevendienst ⟨de (m.)⟩ **0.1** *children's service*.
neveneffect ⟨het⟩ **0.1** *side-effect*.
nevenfunctie ⟨de (v.)⟩ **0.1** *additional function / job* ⇒*additional office, sideline*, ⟨AE, inf.; BE, pej.⟩ *job on the side*.
nevengeschikt ⟨bn.⟩ ⟨taal.⟩ **0.1** *coordinate*.
nevengesteente ⟨het⟩ ⟨geol.⟩ **0.1** *country rock*.
nevenhoek ⟨de (m.)⟩ ⟨wisk.⟩ **0.1** *adjacent angle*.
neveninkomsten ⟨zn.mv.⟩ **0.1** *additional income* ⇒*extra / incidental earnings*.
nevenkamer ⟨de⟩ ⟨AZN⟩ **0.1** *side-room*.
nevenliggend ⟨bn.⟩ **0.1** *adjacent*.

nevenman ⟨de (m.)⟩ **0.1** [soldaat] *right-hand man* **0.2** [iem. die naast iem. anders zit/staat] *person next to you, neighbour.*

nevenoplossing ⟨de (v.)⟩ **0.1** *alternative solution.*

nevenschikkend ⟨bn.⟩⟨taal.⟩ **0.1** *coordinating* ⇒*coordinate* ◆ **1.1** ~ voegwoord *coordinator, coordinating/coordinate/conjunction;* ~ zinsverband *coordination.*

nevenschikking ⟨de (v.)⟩ **0.1** *coordination.*

nevensgaand ⟨bn.⟩ **0.1** *annexed* ⇒*enclosed* (in envelop).

nevenstaand ⟨bn.⟩ **0.1** *adjacent* ◆ **1.1** zie ~e figuur *see the diagram opposite.*

nevenwerkzaamheden ⟨zn.mv.⟩ **0.1** *extra duty.*

newfoundlander ⟨de (m.)⟩ **0.1** *Newfoundland (dog).*

nexus ⟨de (m.)⟩⟨vaktaal⟩ **0.1** *nexus.*

N.F.O. ⟨afk.⟩ **0.1** [Nederlandse Federatie van Onderwijsorganisaties] ⟨*Dutch Federation of Teaching Organizations*⟩ **0.2** [Noordelijk Filharmonisch Orkest] ⟨*Northern Philharmonic Orchestra*⟩ **0.3** [Noordhollands Filharmonisch Orkest] ⟨*North Holland Philharmonic Orchestra*⟩.

N.H. ⟨afk.⟩ **0.1** [Noord-Holland] ⟨*North Holland*⟩ **0.2** [Nederlands Hervormd] ⟨*Dutch Reformed*⟩.

N.H.M. ⟨de (v.)⟩⟨afk.⟩ **0.1** [Nederlandse Handelsmaatschappij] ⟨*Netherlands Trading Company*⟩.

Niagara ⟨de (m.)⟩ **0.1** *Niagara* ◆ **1.1** de ~waterval(len) *(the) N. falls.*

Nicaragua ⟨het⟩ **0.1** *Nicaragua.*

nichroom ⟨het⟩ **0.1** *nichrome.*

nicht
I ⟨de (v.)⟩ **0.1** [broeders/zustersdochter] *niece* **0.2** [ooms/tantesdochter] *cousin* **0.3** [afstammelinge van neef en nicht] *cousin* ⇒*first cousin once/twice removed* ⟨dochter/kleindochter van volle neef/ nicht⟩, *grand niece* ⟨dochter van oom/tantezegger⟩ ◆ **2.2** een volle ~a *first c.* **2.3** een verre ~*a distant cousin* **6.2** ik ben een ~ van Mary *I am one of Mary's cousins* ¶**.2** een ~ van vaders/moederszijde *a paternal/maternal c.;*
II ⟨de (m.)⟩ **0.1** [homo] *fairy* ⇒*queen,* ⟨BE; sl.; bel.⟩ *poof(ter), poove,* ⟨AE; sl.; bel.⟩ *fag(g)ot, fruit.*

nichtenbar ⟨de⟩ **0.1** *gay bar.*

nichtenkit, -tent ⟨inf.⟩ **0.1** *queer/*⟨AE ook⟩ *faggot('s) bar.*

nichtenrock ⟨de⟩⟨muz.⟩ **0.1** *glitter rock.*

nichterig ⟨bn., bw.⟩ **0.1** *fairy* ⇒⟨BE ook⟩ *poofy, pansy* ◆ **1.1** ~e types *fairies, queens;* ⟨BE ook⟩ *poofs, pansies* **3.1** ~ praten *talk like a f./ queen/*⟨BE ook⟩ *poof,* ↑*talk effeminately.*

nicotiana ⟨de⟩ **0.1** *nicotiana.*

nicotianine ⟨de⟩ **0.1** *nicotianin.*

nicotine ⟨de⟩ **0.1** *nicotine.*

nicotinearm ⟨bn.⟩ **0.1** *low in nicotine* ⇒*light.*

nicotinevergiftiging ⟨de (v.)⟩ **0.1** *nicotinism* ⇒*nicotine/tobacco poisoning.*

nicotinevlek ⟨de⟩ **0.1** *tobacco stain* ◆ **6.1** vingers met ~ken *tobacco-stained fingers.*

nicotinevrij ⟨bn.⟩ **0.1** *non-nicotine* ⇒*denicotinized.*

nicotinezuur ⟨het⟩ **0.1** *nicotinic acid* ⇒*niacin.*

nicotinezuuramide ⟨het⟩ **0.1** *nicotinamide.*

nidatio ⟨de (v.)⟩ **0.1** *implantation* ⇒*nidation.*

niëlleren ⟨onov.ww.⟩ **0.1** *niello.*

niëllo ⟨het⟩ **0.1** *niello.*

niemand ⟨onb.vnw.⟩ ⟨→sprw. 24,443-448⟩ **0.1** *no one* ⇒*nobody* ◆ **3.1** er is ~ thuis *there's no one/nobody home;* dat kan ~ zeggen *it's impossible to say/tell;* voor ~ onderdoen *be second to none* **4.1** ~ anders dan *none other than;* niets of ~ kan haar tegenhouden *wild horses couldn't stop her, there's no stopping her* **5.1** helemaal ~ *no one/nobody at all;* ~ minder dan *no less a person than, none other than;* ~ niet? *no one better?* **6.1** ~ van u *none of you* ¶**.1** ~ geeft zijn adres *no one/nobody gives his/her address.*

niemandsland ⟨het⟩ **0.1** [gebied] *no man's land* **0.2** [⟨fig.⟩ onderwerp, terrein] *no man's land* **0.3** [⟨mil.⟩] *no man's land.*

niemandsvriend ⟨de (m.)⟩ **0.1** *loner* ⇒*lone wolf, friendless person, man/ woman without friends/ties/a friend in the world.*

niemendal¹
I ⟨het⟩ **0.1** [kleinigheid] *song* ◆ **6.1** voor een ~ *heb je het it's going for a s.;*
II ⟨de (m.)⟩ **0.1** [onbeduidend persoon] *nobody* ⇒*nothing, nought, nonentity, cipher.*

niemendal² ⟨onb.vnw.⟩ **0.1** [volstrekt niets] *nothing at all* ⇒*absolutely nothing* **0.2** [iets van geen belang] *nothing* ⇒*trifle* ◆ **3.1** je hebt hier ~ te vertellen *you have no say at all here* **3.2** o, dat is ~ *oh, that's n./ a trifle* **6.**¶ ⟨AZN⟩ **van** ~ *lowborn, of obscure birth* ¶**.1** ⟨inf.⟩ niks ~ *sweet nothing.*

niemendal³ ⟨hoofdtelw.⟩ **0.1** *none at all* ◆ **3.1** ik heb er ~ *I have none at all.*

niemendalletje ⟨het⟩ **0.1** [kledingstuk] *scanty piece of clothing* ⇒*negligee* **0.2** [romannetje, toneelstuk] *light book* ⇒*light novel, bedside book/novel,* ⟨toneelstuk⟩ *light play/comedy.*

nier ⟨de⟩ **0.1** [orgaan] *kidney* **0.2** [gerecht] *kidney* ◆ **1.1** ⟨fig.⟩ in hart en

---

~en *to the backbone, heart and soul* **2.1** ⟨med.⟩ een wandelende ~ *a floating/wandering/migratory/moveable k.* **2.2** gebakken ~(tjes) *fried kidney(s)* **6.1** het aan de ~en hebben *suffer from k. trouble.*

nierbed ⟨het⟩ **0.1** *suet* ⇒⟨AE ook⟩ *leaf* ⟨ihb. bij varken⟩.

nierbekken ⟨het⟩ **0.1** *renal pelvis* ⇒*pelvis (of the kidney).*

nierbekkenontsteking ⟨de (v.)⟩ **0.1** *pyelitis;* ⟨nierbekken en nier tegelijk⟩ *pyelonephritis.*

nierbroodje ⟨het⟩ **0.1** *kidney sandwich.*

nierbuisje ⟨het⟩ **0.1** *renal (convoluted) tubule* ⇒⟨stelsel van buisjes⟩ *nephron.*

nierdialyse ⟨de (v.)⟩⟨med.⟩ **0.1** *haemodialysis* ⇒*extracorporeal dialysis.*

niergordel ⟨de (m.)⟩ **0.1** *(renal) support belt.*

niergruis ⟨het⟩ **0.1** *gravel.*

nierkanker ⟨de (m.)⟩ **0.1** *cancer of the kidney(s).*

nierkapsel ⟨het⟩ **0.1** *capsule (of the/a kidney)* ⇒*perinephrium.*

nierkelk ⟨de (m.)⟩ **0.1** *renal pelvis.*

nierkoliek ⟨de (v.)⟩ **0.1** *renal colic* ⇒*nephralgia.*

niermerg ⟨het⟩ **0.1** *renal medulla.*

nierontsteking ⟨de (v.)⟩ **0.1** *nephritis, inflammation of the kidney* ⇒*kidney infection.*

nierpapil ⟨de⟩ **0.1** *renal papilla.*

nierpatiënt ⟨de (m.)⟩ **0.1** *kidney patient* ⇒ ↑*nephritic patient.*

nierschors ⟨de⟩ **0.1** *renal cortex.*

nierslagader ⟨de⟩ **0.1** *renal artery.*

niersteen ⟨de (m.)⟩ **0.1** *kidney stone* ⇒ ↑*renal calculus* ◆ **3.1** nierstenen hebben *have kidney stones.*

nierstoot ⟨de (m.)⟩⟨sport⟩ **0.1** *kidney punch.*

nierstuk ⟨het⟩ **0.1** *loin (roast) with kidney.*

niertransplantatie ⟨de (v.)⟩⟨med.⟩ **0.1** *kidney transplant(ation).*

niervergiftiging ⟨de (v.)⟩ **0.1** *uraemia.*

niervet ⟨het⟩ **0.1** *suet.*

niervormig ⟨bn.⟩ **0.1** *kidney-shaped* ⇒ ↑*reniform* ◆ **1.1** een tafeltje met ~ blad *a k.-s. table;* ⟨biol.⟩ met ~e bladen *with reniform leaves.*

nierzand ⟨het⟩ **0.1** *urinary sand.*

nierziekte ⟨de (v.)⟩ **0.1** *kidney disease/complaint* ⇒ ↑*renal/nephritic disease/complaint.*

nies ⟨de (m.)⟩ **0.1** *sneeze.*

niesbui ⟨de⟩ **0.1** *attack/fit of sneezing, sneezing fit.*

niesgas ⟨het⟩ **0.1** *sneeze/sneezing gas* ⇒*sternutator.*

nieskruid ⟨het⟩ **0.1** *hellebore* ⇒*veratrum.*

niespoeder ⟨het, de (m.)⟩ **0.1** *sneezing powder.*

niesziekte ⟨de (v.)⟩ **0.1** *cat flu.*

niet¹
I ⟨de⟩ ⟨meestal nietje⟩ **0.1** [metalen beugeltje] *staple* ⇒⟨in boek⟩ *wire stitch* **0.2** [klinknageltje] *rivet;*
II ⟨de⟩ **0.1** [mbt. een loterij] *blank* ◆ **3.1** met een ~ uitkomen/ een ~ trekken *draw a b.* **6.1** een loterij zonder ~en *a prize with every draw;*
III ⟨het⟩ [het niet zijn] *nothingness* ◆ **6.1** dat valt in het ~ vergeleken bij ...*that pales into insignificance beside/(when) compared to/ in comparison to ...;* in het ~ verzinken bij *pale/sink/shrink into insignificance beside/(when) compared to/in comparison to, bedwarfed by;* in het ~ verdwijnen *vanish/fade into n.;* ↓*vanish into thin air.*

niet² ⟨bw.⟩ ⟨→sprw. 313,350,353⟩ **0.1** [ontkenning] *not* **0.2** [toch, immers] *not* ◆ **2.1** ~ geslaagd/gereed/authentiek, etc. *unsuccessful/unprepared/unauthentic* ⟨enz.⟩ **3.1** ik hoop van ~ *I hope n.;* ⟨inf.⟩ is 't ~ *it isn't!, oh no it's n.!;* de motor sloeg ~ aan *the engine wouldn't/failed to start;* gelieve ~ te roken *please do n. smoke, kindly refrain from smoking* **3.2** wat heb ik hen ~ dikwijls gewaarschuwd *haven't I always warned them?;* heb ik het je ~ gezegd? *didn't I tell you?, I thought I('d) told you?, how often have I told you?;* hoe vaak heb ik ~ gedacht...*how often have I thought ...* **4.1** ik ook ~ *neither/nor do I/am I/have I/* ⟨enz.⟩; waarom ~? Daarom ~! *why n.? Because (I say so)!* **5.1** ~ alleen ...,maar ook ...*n. only ... but also ...;* ik kan ~ anders dan zijn voorstel aannnemen *I cannot choose but accept his proposal;* het betaalt goed, daar ~ van *(it's) n. that it's n. well-paid, it's well-paid, that's n. the point, but;* dan ~! *(all right) then no!;* ~ eens n. even; hij keek ~ eens *he didn't even look, he did n. so much as look, he never even looked, he never so much as looked;* helemaal ~ n. at all; ⟨inf.⟩ no way; lang zo goed ~ *nowhere near as good;* ~ langer *no longer;* denk dat maar ~ *don't you believe it!;* ~ meer te helpen *past/beyond help;* volstrekt ~ *absolutely n.;* opdat het ~ weer gebeurt *lest it happen again* **5.2** ~ waar? *isn't it?, aren't they?, doesn't he?, can't we?* ⟨enz.⟩ **6.1** ik neem aan van ~ *I don't suppose so* **8.1** ~ dat ...*(it's) n. that ..., it's n. as if ..., I don't mean to say that ...;* zij is ~ te dik en ~ te dun *she is neither too fat nor too thin;* dat viel mee, of ~? *that was all right, wasn't it?, that went well enough, didn't it?* ⟨enz.⟩ ¶**.1** om te stikken vandaag, ~? *scorching today, isn't it?;* ~ op zijn gemak *ill at ease;* ze is ~ al te slim *she is none too bright.*

niet³ ⟨onb.vnw.⟩ **0.1** *nothing* ⇒*nought,* ⟨vero. of schr.⟩ *naught* ◆ **3.1** te ~ gaan *come to nothing/nought, perish; be extinguished/shattered* ⟨hoop⟩; te ~ doen *nullify, annul, cancel; set aside, override* ⟨wet, besluit⟩; *dispose of* ⟨theorie⟩; *undo* ⟨resultaat v. iets⟩; *dash, defeat*

⟨hoop⟩; *put an end to* ⟨overeenkomst⟩; verwachtingen te ~ doen *dash (s.o.'s) hopes*; een schuld te ~ doen *wipe out/cancel (out) a debt*; de prijsverhogingen te ~ doen door lagere belastingen *counterbalance the rise in prices by means of lower taxes*; op deze wijze heeft hij al mijn werk te ~ gedaan *in this way he undid all my work* **5.1** dat is ~ meer dan een suggestie *that's nothing more than/that's only a suggestion* **6.1 voor/om** ~ *for nothing*; ⟨gratis ook⟩ *gratis, free*; ⟨tevergeefs ook⟩ *in vain* ¶**.1** als ~ komt tot iet, kent iet zichzelve niet *set a beggar on horseback and he'll ride to the devil*.

niet-aanvalsverdrag ⟨het⟩ **0.1** *nonagression pact/treaty*.

niet-alcoholisch ⟨bn.⟩ **0.1** *nonalcoholic* ◆ **1.1** een ~e drank *a non-a./soft drink*; *a temperance beverage*; ⟨AE; voor kinderen⟩ *a Shirley Temple*.

niet-ambtelijk ⟨bn., bw.; -ly⟩ **0.1** *unofficial*.

nietapparaat ⟨het⟩ →**nietmachine**.

niet-bestaand ⟨bn.⟩ **0.1** *nonexistent*.

niet-commercieel ⟨bn.⟩ **0.1** *noncommercial* ⇒⟨zonder winstbejag⟩ *nonprofitmaking* ◆ **1.1** niet-commerciële projecten *noncommercial/nonprofitmaking projects*.

nieten ⟨ov.ww.⟩ **0.1** *staple* ⟨vellen papier⟩ ⇒*wire stitch* ⟨boek⟩, ⟨klinken⟩ *rivet*.

nieter ⟨de (m.)⟩ →**nietmachine**.

nietes ⟨tw.⟩ ⟨inf.⟩ **0.1** *'tisn't* ◆ ¶**.1** een ~-welles discussie *a 'tis-'tisn't argument*; het is jouw schuld! ~! welles! *it's your fault! oh no it isn't! oh yes it is!*.

niet-gebonden ⟨bn.⟩ ◆ **1.**¶ ~ landen *nonaligned countries*.

niet-geleidend ⟨bn.⟩ ⟨elek.⟩ **0.1** *nonconducting* ⇒*dielectric* ◆ **1.1** ~e stof *n. material, nonconductor*.

niet-geleider ⟨de (m.)⟩ **0.1** *nonconductor* ⇒*dielectric*.

niethamer ⟨de (m.)⟩ **0.1** *engineer's hammer*.

nietig ⟨bn.⟩ **0.1** ⟨jur.⟩ *invalid, null (and void), nugatory* **0.2** ⟨zonder waarde⟩ *insignificant* ⇒*futile, trivial, trifling, paltry*, ⟨inf.; beuzelachtig⟩ *piddling* **0.3** ⟨klein, mager⟩ *puny* ⇒*diminutive* ◆ **1.1** een ~e overeenkomst *an invalid agreement* **1.2** de mens is een ~ wezen *man is an i. creature* **1.3** een ~ ventje *a p. fellow, a (little) wisp of a fellow, a pygmy/runt, a (little) shrimp* **3.1** ~ maken *render/make null (and void), invalidate, vitiate*; iets ~ verklaren *declare invalid/null (and void), annul, nullify, void*.

nietigheid ⟨de (v.)⟩ **0.1** ⟨jur.⟩ *invalidity, nullity* **0.2** ⟨vergankelijkheid⟩ *futility* ⇒*insignificance, triviality*, ⟨ijdelheid⟩ *vanity* **0.3** ⟨onaanzienlijkheid⟩ *insignificance* **0.4** ⟨voorwerp, zaak⟩ *trifle, triviality, (mere) nothing* ◆ **1.1** op straffe van ~ *on pain of being null and void, under penalty of nullity*.

nietigverklaring ⟨de (v.)⟩ **0.1** *nullification* ⇒*annulment* ◆ **1.1** de ~ van een contract *the n. of a contract*.

niet-ingezetene ⟨de (m.)⟩ **0.1** *nonresident* ⇒*subject residing abroad*, ⟨buitenlander⟩ *foreigner*.

niet-inmenging ⟨de (v.)⟩ ⟨pol.⟩ **0.1** *non-intervention* ⇒*noninvolvement, noninterference*.

niet-inwonend ⟨bn.⟩ **0.1** *nonresident*.

niet-jood ⟨de (m.)⟩ **0.1** *non-jew(ish)* ⇒*gentile, goy*.

niet-joodverklaring ⟨de (v.)⟩ **0.1** *certificate of Aryan origin/descent*.

niet-lid ⟨het⟩ **0.1** *nonmember* ⇒⟨buitenstaander⟩ *outsider*, ⟨van vakbeweging⟩ *nonunionist, nonunion member*.

nietmachine ⟨de (v.)⟩ **0.1** ⟨voor vellen papier⟩ *stapler;* ⟨voor boeken⟩ *wire stitcher;* ⟨klinker⟩ *riveter, riveting machine*.

niet-metaal ⟨het⟩ **0.1** *nonmetal* ⇒*metalloid*.

niet-nakoming ⟨de (v.)⟩ **0.1** *nonfulfilment (of)* ⇒⟨het niet inachtnemen⟩ *nonobservance (of)*, ⟨niet inschikkelijk zijn⟩ *noncompliance (with)*, *failure to comply (with)*, ⟨ongehoorzaamheid⟩ *disobedience (of)*.

niet-officieel ⟨bn.⟩ **0.1** *unofficial*.

niet-ontvankelijk ⟨bn.⟩ **0.1** *inadmissible* ⟨vordering⟩; *nonsuited* ⟨eiser⟩ ◆ **1.1** de vordering is ~ *the action is i., no action lies* **3.1** de eiser ~ verklaren *declare the plaintiff (is) n.*; zij worden ~ verklaard in hun beroep *their appeal is disallowed, is declared i.*.

niet-overdraagbaar ⟨bn.⟩ **0.1** *nontransferable*.

niet-partijgebonden ⟨bn.⟩ **0.1** *independant* ⇒*nonpartisan, nonpartizan*.

nietpistool ⟨het⟩ **0.1** *staple-gun*.

niet-roken ⟨bw.⟩ **0.1** *nonsmoking* ◆ **1.1** een bordje ~ *a n. s. sign* **3.1** ik ga altijd ~ zitten *I always go/sit in the* [B]*nonsmoker* [A]*n. s. compartment*.

niet-rokencoupé ⟨de (m.)⟩ **0.1** *no/nonsmoking compartment* [A]*car, nonsmoker*.

niet-roker ⟨de (m.)⟩ **0.1** *nonsmoker*.

niets[1] ⟨het⟩ **0.1** *nothingness* ⇒*nothing*, ⟨leegte⟩ *void* ◆ **6.1** in het ~ staren *stare into the/thin air/at the wall;* in het ~ verdwijnen *disappear into nothingness;* uit het ~ tevoorschijn komen *appear out of nothingness*.

niets[2] ⟨bw.⟩ **0.1** *not at all* ◆ **2.1** het is ~ aangenaam *it's n. a. a. pleasant, it's not pleasant at all* **3.1** dat bevalt mij ~ *I don't like that at all/one little bit;* als het jou ~ uitmaakt *if it's no trouble/bother* **5.1** hij kwam ~ te vroeg *he came none too soon* **7.**¶ ⟨inf.⟩ ergens ~ geen zin in hebben *not feel like (doing* ⟨enz.⟩ *) sth. at all*.

niets[3] ⟨onb.vnw.⟩ ⟨→sprw. 12,114,244,398,449,450,453,594⟩ **0.1** *nothing* ⇒*not anything*, [1]*nought*, ⟨schr.⟩ *naught* ◆ **1.1** ~ nieuws *nothing new* **2.1** weet je ~ beters? *don't you know of anything better?;* ~ minder dan ...*nothing less than;* ik ben er ~ wijzer van geworden *I am none the wiser for it, I am not much wiser for it* **3.1** ze at ~ *she didn't eat anything;* zij moet ~ van hem hebben *she will have none of him, she will have nothing to do with him;* dat is ~ ⟨niet iets ergs⟩ *it/that is nothing;* ⟨geen bezwaar/moeite⟩ *not at all, don't mention it;* f 100 is ~ voor hem *100 guilders is nothing to him;* dit is ~ vergeleken bij de hoofdstad *this is (as) nothing (compared) to the capital;* het is ~ gedaan *it's no good/use;* wij zijn ~ *we are nothing, we are not religious* **5.1** mag ik een ijsje? ~ daarvan! *may I have an ice cream? No you may not!;* ik ga een motor kopen. ~ daarvan! *I'm going to buy a motorbike. You'll do no such thing/nothing of the sort;* verder ~? *is that all?* **6.1** ik heb er ~ aan *it's no good/use to me;* spelen om ~ ⟨kaarten⟩ *play for love/fun;* dat loopt op ~ uit *it'll come to nothing, nothing will come of it;* een dingetje van ~ *a worthless thing;* ~ van *van* aan/*van* waar *none of it's true, it's all untrue;* ik geloof er ~ van *I don't believe it at all, I don't believe a word of it;* van ~ opkomen *rise from nothing;* helaas is er ~ van gekomen *unfortunately nothing came of it/it came to nothing;* voor ~ ⟨gratis⟩ *for nothing, gratis, free (of charge);* ⟨inf.⟩ *for free, (free,) gratis and for nothing;* ⟨tevergeefs⟩ *for nothing, to no purpose;* voor ~ gaat de zon op *you can't expect sth. for nothing, (you get) nothing for nothing;* dat is ~ voor John *that's unlike/not like John;* dat is ~ voor mij *that's not my sort of thing, that's not in my line, that's not my cup of tea;* voor ~ respect hebben *show respect for nothing at all;* jij hebt me voor ~ laten lopen *you sent me on a fool's errand;* voor ~ en niemand bang zijn *not be afraid of anybody, be afraid of nobody* **7.1** dat maakt ~ *geen verschil that makes not the slightest bit of difference, that makes no difference at all, that makes absolutely no difference* **8.1** ~ doen dan lachen *do nothing but laugh;* dit is ~ dan opschepperij *that's nothing but boasting* ¶**.1** of het ~ was *as if it was/were nothing;* kon je iets zien? ~! *could you see anything? nothing/not a thing!;* ~ te danken *not at all, don't mention it*.

nietsbetekenend ⟨bn.⟩ **0.1** *insignificant*.

nietsdoen ⟨het⟩ **0.1** *idleness, inaction* ◆ **2.1** een zalig ~ *pleasant idleness, dolce far niente*.

nietsdoener ⟨de (m.)⟩, **-ster** ⟨de (v.)⟩ **0.1** *idler, do-nothing* ⇒*drone*, ⟨AE; gew.; inf.⟩ *no-account* ◆ **2.1** de rijke ~s *the idle rich*.

niet-sluitend ⟨bn.⟩ **0.1** *unbalanced* ◆ **1.1** ~e begroting *u. budget*.

nietsnut ⟨de (m.)⟩ **0.1** *good-for-nothing, layabaout, ne'er-do-well, wastrel,* [A]*bum*.

nietsontziend ⟨bn.⟩ **0.1** *unscrupulous, uncompromising, ruthless* ⇒⟨misdadiger⟩ *desperate*.

nietsvermoedend ⟨bn., bw.; -ly⟩ **0.1** *unsuspecting* ◆ **3.1** ~ deed ik open *I opened it unsuspectingly*.

nietswaardig ⟨bn.⟩ **0.1** *worthless, futile* ⇒*good-for-nothing* ◆ **1.1** een ~ bestaan *a futile existence*.

nietszeggend ⟨bn.⟩ **0.1** ⟨zonder betekenis⟩ *meaningless;* ⟨wezenloos⟩ *vacant, blank, expressionless;* ⟨hol, ijdel, vaak mbt. woorden/complimenten⟩ *empty, idle;* ⟨plat, vol gemeenplaatsen⟩ *platitudinous* ⇒⟨neutraal, opzettelijk vaag⟩ *noncommittal;* ⟨onbevredigend, vnl. v. excuus, antwoord⟩ *lame;* ⟨triviaal⟩ *trivial* ◆ **1.1** een ~e opmerking *a meaningless/idle/noncommittal* ⟨enz.⟩ *remark;* een ~ persoon *a nondescript person*.

niettegenstaande ⟨vz.⟩ **0.1** *notwithstanding, despite, in spite of* ◆ **1.1** ~ het feit dat ...*n. / d. / in spite of the fact that ...;* ~ mijn vergissing *n. / d. / in spite of my mistake;* ~ het slechte weer ging hij uit *n. / d. / in spite of the bad weather he went out, for all that/ although the weather was bad he went out*.

niettemin ⟨bw.⟩ **0.1** *nevertheless, nonetheless* ⇒*even so, just the same, for all that, still* ◆ **3.1** ~ is het waar dat ...*it is nevertheless true that ....*

niet-toewijzing ⟨de (v.)⟩ ◆ **1.**¶ bericht van ~ *letter of regret* **6.**¶ bij ~ *where no allotment is made*.

niet-verbindend ⟨bn.⟩ **0.1** *noncompulsory;* ⟨contract⟩ *not binding;* ⟨verordening, wet⟩ *inoperative, ineffectual*.

niet-verschijning ⟨de (v.)⟩ **0.1** *nonattendance* ⇒*failure to appear*, ⟨vnl. jur.⟩ *nonappearance, default* ◆ **6.1** ⟨jur.⟩ bij ~ *on/in default*.

niet-voldoening ⟨de (v.)⟩ **0.1** *nonpayment* ◆ **6.1** bij ~ *in case of n., in default of payment*.

nietwaar ⟨tw.⟩ ⟨inf.⟩ **0.1** *is(n't) it?, do(n't) you?, have(n't) we?* ⟨enz.⟩ ◆ ¶**.1** het is altijd wat, ~? *there's always sth., isn't there?;* jij kent zijn pa, ~? *you know his dad, don't you?;* dat is mogelijk, ~? *it's possible, isn't it?;* het is niet verplicht, ~? *we don't have to (do it), do we?, it's optional, isn't it?, it's not compulsory is it?;* er zit niks anders op, ~? *there's nothing else we can do, is there?*.

niet-zijn ⟨het⟩ **0.1** *nonexistence*.

nieuw[1] ⟨het⟩ **0.1** *new things/clothes* ◆ **6.1** zich in het ~ steken *buy (some) new things/clothes*.

nieuw[2] ⟨bn.⟩ ⟨→sprw. 57,279,453,528⟩ **0.1** [pas gemaakt] *new* ⇒*recent* **0.2** [niet gebruikt] *new* ⇒⟨ongedragen⟩ *unworn*, ⟨ongebruikt⟩ *unused* **0.3** [jong, vers] ⟨vers⟩ *fresh;* ⟨jong⟩ *young* ⇒⟨vnl. mbt. aardappelen⟩ *new* **0.4** [ander] *new* ⇒*fresh,* ⟨origineel⟩ *original,* ⟨onbekend, baanbrekend⟩ *novel,* ⟨modieus⟩ *fashionable* **0.5** [modern] *new* ⇒ *modern, up-to-date,* ⟨zeer modern⟩ *up to the minute* ◆ **1.1** een ~e mode *a n. fashion;* de ~ste ontwikkelingen *the most recent developments* **1.3** ~e groente *fresh vegetables;* ~e haring *early-season herring(s)* **1.4** ~ aangekomene *newcomer, new arrival;* een ~ begin maken *make a fresh start;* ~ bloed *new blood;* hij brak een ~e fles aan *he opened/began (on)/started (on) a new/another bottle;* er is ~e hoop op een akkoord in het dispuut *there is/are renewed hope/hopes for a settlement in the dispute;* met het ~e jaar *at (the) New Year, at the turn of the year;* een ~e kans krijgen *get a fresh chance;* de ~e maan *the new moon;* met ~e moed *with fresh/renewed courage;* de ~e preutsheid *the new prudishness;* een ~e sigaar opsteken *light (up) a new/fresh cigar;* het Nieuwe Testament *the New Testament;* een ~ voorstel *a novel suggestion;* wordt Peter de ~e voorzitter? *will Peter become the new/next chairman?;* een ~e weg inslaan *take a new course;* een ~ zusje krijgen *have a new (baby) sister* **1.8** ~e ~ste geschiedenis *modern history;* ⟨nieuwste ook; vnl. na 1945⟩ *contemporary history;* ~e technieken in gebruik nemen *adopt n./ modern techniques;* de Nieuwe Wereld *the New World* **2.3** ⟨zelfst.⟩ Hollandse ~e '*Holllandse nieuwe*' ⟨*Dutch early-season herring(s), eaten raw*⟩ **3.4** ik ben hier ~ *I'm new here/to the place* **7.1** het ~ste op het gebied van *the lastest thing in, the last word in;* ~s aanhebben *be wearing sth. new* **7.2** het ~e is eraf *it's no longer n.;* ⟨nieuwigheid, onbekendheid⟩ *the novelty has worn off* **7.4** Amerikanen worden altijd gefascineerd door het ~e *Americans are always fascinated by the/what's new/ by novelties/new things;* niets ~s onder de zon *there is nothing new under the sun;* 't ~e zit hem daarin dat ... *what's new about it is that ...;* weer wat ~! *here we go again!* **8.2** zijn kleren zijn nog als ~ *his clothes are still as good as/like n.* ¶.2 zo goed als ~ *as good as n., like/practically n.* ¶.4 ~e *new person/boy/girl* (enz.).

nieuwbakken ⟨bn.⟩ **0.1** ⟨ongemarkeerd⟩ *new* ⇒⟨vers⟩ *fresh,* ⟨pej.; nieuwlichterig⟩ *newfangled* ◆ **1.1** haar ~ echtgenoot *her newly-wed husband.*

nieuwbekeerde ⟨de (m.)⟩ **0.1** *new/recent convert* ⇒*neophyte.*

nieuwbouw ⟨de (m.)⟩ **0.1** [wijk(en)] *new estate (of houses)/^Anew (housing) development* **0.2** [het bouwen] *building of new houses* **0.3** [huis, huizen in aanbouw] *new(ly built) house/houses* ◆ **6.1** in de ~ wonen *live on a n. e./^Ad..*

nieuwbouwhuis ⟨het⟩ **0.1** *new(ly-built) house.*

nieuwbouwplan ⟨het⟩ **0.1** *new-construction project* ⇒*plan for new construction/development.*

nieuwbouwwijk ⟨de⟩ **0.1** *new housing estate/* ⟨nog te bouwen⟩ *development.*

nieuwbouwwoning ⟨de (v.)⟩ **0.1** *new(ly-built) house.*

nieuweling ⟨de (m.)⟩ **0.1** [onervaren mens] *novice, beginner* ⇒*tyro* **0.2** [pas aangekomene] *newcomer* ⇒⟨op school ook⟩ *newboy/girl/pupil,* ⟨rekruut⟩ *(raw/new) recruit, rookie,* ⟨op universiteit⟩ *freshman* ⟨m.⟩, *freshwoman* ⟨v.⟩ ◆ **6.1** een ~ in het vak *a n.* ⟨schrijver/politieman enz.⟩, *a newcomer to the business.*

nieuwemaan ⟨de⟩ **0.1** *new moon.*

nieuwerwets ⟨bn., bw.⟩ **0.1** *modern, newfashioned* ⇒⟨modieus⟩ *fashionable, stylish,* ⟨modernistisch⟩ *modernist,* ⟨pej.; nieuwlichterig⟩ *newfangled, novel* ◆ **1.1** ~e meubelen *modern furniture* **3.1** zich ~ kleden *dress in the latest fashion.*

nieuwgeboren ⟨bn.⟩ **0.1** *newborn, newly born* ◆ **7.1** de ~e *the (newborn/newly born) baby;* ⟨vertederend⟩ *the new arrival, the little stranger.*

nieuwgevormd ⟨bn.⟩ **0.1** *newly formed* ◆ **1.1** ~e woorden *neologisms, new formations.*

Nieuwgrieks ⟨het⟩ **0.1** *Modern Greek* ⇒*Romaic,* ⟨omgangstaal⟩ *demotic.*

Nieuw-Guinea ⟨het⟩ **0.1** *New Guinea.*

nieuwheid ⟨de (v.)⟩ **0.1** *newness, novelty* ⇒⟨originaliteit⟩ *originality.*

Nieuwhoogduits ⟨het⟩ **0.1** *Modern High German.*

nieuwigheid ⟨de (v.)⟩ **0.1** *novelty, innovation* ⇒*new departure* ◆ **2.1** het is een echte ~ op dit gebied *it is the latest thing in this field;* het is een echte ~ op het gebied van wasmachines *it's the latest thing/ last word in washing machines;* malle nieuwigheden *newfangled innovations* **3.1** nieuwigheden invoeren *introduce innovations.*

nieuwjaar ⟨het⟩ **0.1** [jaar dat pas is begonnen] *New Year* **0.2** [eerste dag] *New Year's Day* ⇒⟨AE⟩ *New Year's* ◆ **2.1** een gelukkig/zalig ~! *a Happy N.Y.!* **2.2** het joodse ~ *the Jewish New Year, Rosh Hashanha(h)* **3.1** iem. (gelukkig) ~ wensen *wish s.o. (a) Happy N.Y.* **3.2** ~ vieren *celebrate New Year.*

nieuwjaarsbezoek ⟨het⟩ **0.1** *New Year's visit.*

nieuwjaarsboodschap ⟨de (v.)⟩ **0.1** *New Year('s) message.*

nieuwjaarscadeau ⟨het⟩ **0.1** *New Year present.*

nieuwjaarsconcert ⟨het⟩ **0.1** *New Year('s Day) concert.*

nieuwjaarsdag ⟨de (m.)⟩ **0.1** *New Year's Day.*

nieuwjaarsfooi ⟨de⟩ **0.1** ≠^BChristmas box/^Apresent ◆ **3.1** wij moeten de vuilnismannen een ~ geven *we must give the dustbinmen a C. b..*

nieuwjaarsgeschenk ⟨het⟩ **0.1** *New Year('s) present/gift.*

nieuwjaarsgroet ⟨de (m.)⟩ **0.1** *New Year's greeting(s).*

nieuwjaarskaart ⟨de⟩ **0.1** *New Year card.*

nieuwjaarsmorgen ⟨de (m.)⟩ **0.1** *New Year's morning.*

nieuwjaarsreceptie ⟨de (v.)⟩ **0.1** *New Year reception.*

nieuwjaarsvisite ⟨de⟩ **0.1** [bezoek] *New Year('s) visit* **0.2** [bezoekers] *New Year('s) visitors.*

nieuwjaarswens ⟨de (m.)⟩ **0.1** *New Year's greeting(s).*

nieuwkomer ⟨de (m.)⟩ **0.1** [nieuweling] ⟨→nieuweling **0.2**⟩ **0.2** [iets nieuws] *novelty, innovation* ◆ ¶.2 een ~ in de top-veertig *a newcomer to the top twenty.*

nieuwkoop ⟨de (m.)⟩ **0.1** *new purchase* ⇒ ↓*new buy.*

nieuwlands ⟨bn.⟩ **0.1** *polders* ⇒*from reclaimed land* ◆ **1.1** ~e bieten *polders beet (root).*

nieuwlichter ⟨de (m.)⟩ **0.1** *modernist, innovator.*

nieuwlichterij ⟨de (v.)⟩ **0.1** *modernism.*

nieuwmodisch ⟨bn., bw.; -ly⟩ **0.1** *fashionable, stylish, newfashioned.*

Nieuwnederlands ⟨het⟩ **0.1** *Modern Dutch.*

Nieuwpoort ⟨het⟩ **0.1** *Nieuwpoort, Nieuport.*

nieuwprijs ⟨de (m.)⟩ **0.1** *price when new, original/purchase price.*

nieuws ⟨het⟩ ⟨→sprw. 451,452⟩ **0.1** [bericht(en)] *news* ⇒*word,* ⟨één bericht⟩ *piece of news,* ⟨tijding⟩ *tidings,* ⟨informatie⟩ *information,* ⟨inf.⟩ *info,* ⟨geheime inlichtingen⟩ *intelligence* **0.2** [mbt. media] *news* ◆ **2.1** ik heb goed ~ *I have (some) good n.;* het laatste ~ *the latest n.;* ⟨inf.⟩ *the latest;* heb je het laatste ~ gehoord? ⟨inf.⟩ *have you heard the latest?;* dat is oud ~ *that's stale n.;* ⟨inf.⟩ *that's ancient (history)* **2.2** buitenlands/binnenlands ~ *foreign/domestic n.;* gemengd ~ ⟨various⟩ *news items; paragraphs (in pers)* **3.1** ~ verspreidt zich snel *n. gets around/travels fast* **3.2** naar het ~ luisteren/kijken *listen to/watch the n.* **6.1** het ~ van de dag *the n. of the day;* wat is er voor ~? *what's the n.?, any n.?, anything new?* **6.2** in het ~ zijn *be in the n.* ¶.1 geen ~, goed ~ *no n. is good n.* ¶.2 het ~ van acht uur *the eight o'clock n..*

nieuwsagentschap ⟨het⟩ **0.1** *news/press agency.*

nieuwsbericht ⟨het⟩ **0.1** *news report* ⇒*news item,* ⟨in krant ook⟩ *newspaper report,* ⟨via radio/t.v. ook⟩ *news bulletin,* ⟨kort⟩ *news flash* ◆ ¶.1 de ~en *the news.*

nieuwsblad ⟨het⟩ **0.1** *newspaper* ⇒ ↓*paper.*

nieuwsbrief ⟨de (m.)⟩ **0.1** *newsletter.*

nieuwsbulletin ⟨het⟩ **0.1** *news bulletin.*

nieuwsdienst ⟨de (m.)⟩ **0.1** *news/press service* ⇒*news/press agency.*

nieuwsfilm ⟨de (m.)⟩ **0.1** *newsreel.*

nieuwsgaarder ⟨de (m.)⟩ **0.1** ≠*journalist, correspondent.*

nieuwsgaring ⟨de (v.)⟩ **0.1** *gathering/collection of news* ◆ **2.1** vrije ~ *free gathering/collection of news.*

nieuwsgierig ⟨bn., bw.; -ly⟩ **0.1** [benieuwd] *curious (about)* ⇒*inquisitive* **0.2** [⟨pej.⟩] *inquisitive* ⇒*prying,* ↓*nos(e)y* ◆ **1.2** een ~ Aagje ^BA Nosey Parker, ^Aa nosey Nelly; dat ~e kind *that i./nos(e)y child;* ik zag hun ~e ogen *I saw their prying eyes* **3.1** ik ben ~ te weten *I'm c./anxious/eager to know;* ik ben ~ of ze komt *I'm c. to know whether she'll come;* iem. ~ maken *make s.o. c. (about sth.), intrigue s.o.* **6.1** ik ben niet ~ naar de uitslag *I don't want to know the result.*

nieuwsgierige ⟨de (m.)⟩ **0.1** *inquisitive person* ⇒≠*onlooker, looker-on,* ≠*sightseer,* ⟨AE ook; ihb. zich vergapende toerist⟩ *rubber-neck.*

nieuwsgierigheid ⟨de (v.)⟩ **0.1** *curiosity* ⇒⟨pej.⟩ *inquisitiveness, nosiness* ◆ **3.1** de ~ prikkelen *arouse one's c., intrigue one* **6.1** iets vragen uit ~ *ask sth. out of/from c.;* branden van ~ *be burning with/dying of c..*

nieuwshonger ⟨de (m.)⟩ **0.1** *hunger for news.*

nieuwsjager ⟨de (m.)⟩ **0.1** *newshound* ⇒⟨vnl. AE⟩ *newshawk.*

nieuwslezer ⟨de (m.)⟩, **-es** ⟨de (v.)⟩ **0.1** *newsreader* ⇒*newscaster.*

nieuwsoverzicht ⟨het⟩ **0.1** *news summary, summarized news report* ◆ **2.1** kort ~ *wrap-up, rundown on the news.*

nieuwspraak ⟨de⟩ **0.1** *newspeak.*

nieuwstijding ⟨de (v.)⟩ **0.1** *news item/report, item of news* ⇒⟨in krant ook⟩ *newspaper report,* ⟨via radio/t.v. ook⟩ *news bulletin,* ⟨kort⟩ *news flash.*

nieuwsuitzending ⟨de (v.)⟩ **0.1** *news broadcast, newscast.*

nieuwsvoorziening ⟨de (v.)⟩ **0.1** *news service.*

nieuwswaarde ⟨de (v.)⟩ **0.1** *news value, newsworthiness* ◆ **7.1** dit heeft geen ~ *this has no news value/is not newsworthy.*

nieuwtestamentisch ⟨bn.⟩ **0.1** *New Testamentary.*

nieuwtje ⟨het⟩ **0.1** [iets nieuws] *novelty* **0.2** [bericht] *piece/item/bit of news* ⇒⟨vnl. mbt. de media⟩ *news item* **0.3** [hoedanigheid] *novelty* ⇒*newness* ◆ **3.1** de televisie was toen nog een ~ *television was still a n. then* **3.2** een ~ hebben/weten *have/know a piece/bit of news;* een ~ vertellen *tell a piece/an item/a bit of news* ¶.3 het ~ was eraf *the novelty had gone, the novelty had worn off, it had lost its novelty.*

nieuwtjesjager ⟨de (m.)⟩ **0.1** *newsmonger* ⇒⟨vnl. AE⟩ ⟨journalist⟩ *newshound, newshawk.*

nieuwvorming ⟨de (v.)⟩ **0.1** [⟨med.⟩] *neoplasm* **0.2** [⟨taal.⟩] *neologism.*

nieuwwaarde ⟨de (v.)⟩ ⟨verz.⟩ **0.1** *replacement value* ◆ **6.1** de inboedel verzekeren tegen ~ *insure the effects at their r. v..*

Nieuw-Zeeland ⟨het⟩ **0.1** *New Zealand* ⇒⟨inf.⟩ *down under.*

Nieuwzeelander ⟨de (m.)⟩, **-se** ⟨de (v.)⟩ **0.1** *New Zealander* ⇒⟨scherts.⟩ *Kiwi.*

Nieuwzeelands ⟨bn.⟩ **0.1** *New Zealand.*
nieuwzilver ⟨het⟩ **0.1** *German/ nickel silver* ⇒*argentine, tutenag.*
niewaar →**nietwaar.**
niezen ⟨onov.ww.⟩ **0.1** [mbt. de neus] *sneeze* **0.2** [mbt. een motor] *backfire.*
Niger
I ⟨de (m.)⟩ **0.1** [rivier] *Niger;*
II ⟨het⟩ **0.1** [staat] *Niger.*
Nigeria ⟨het⟩ **0.1** *Nigeria.*
Nigeriaan ⟨de (m.)⟩, **-se** ⟨de (v.)⟩ **0.1** *Nigerian.*
Nigeriaans ⟨bn.⟩ **0.1** *Nigerian* ⇒*Nigeria.*
nigritisch →**negritisch.**
nigromantie ⟨de (v.)⟩ **0.1** *necromancy* ⇒*(black) magic, the black art, sorcery.*
nihil ⟨bn.⟩ **0.1** *nil* ⇒*zero* ♦ **3.1** de ontvangsten waren ~ *the receipts were n. / zero.*
nihilisme ⟨het⟩ **0.1** [leer] *nihilism* **0.2** [⟨psych.⟩] *nihilistic delusion* ♦ **2.¶** therapeutisch ~ *(therapeutic) nihilism.*
nihilist ⟨de (m.)⟩ **0.1** *nihilist.*
nihilistisch ⟨bn., bw.⟩ **0.1** *nihilistic.*
nijd ⟨de (m.)⟩ **0.1** [jaloezie] *envy* ⇒*jealousy* **0.2** [vijandschap] *malice* ⇒ *spite, animosity, ill feeling* ♦ **1.2** haat en ~ *hatred and m.* **3.1** door ~ verteerd worden *be consumed with e.* **6.1** groen en geel worden **van** ~ over iets *be green with e. at sth..*
nijdas ⟨de (m.)⟩ **0.1** *ill-natured/ nasty/ spiteful person* ⇒ ⟨inf.⟩ *snide, sourpuss,* ⟨sl.; bel.; vnl. v. vrouw⟩ *bitch.*
nijdassen ⟨onov.ww.⟩ **0.1** *be nasty/ spiteful.*
nijdasserig ⟨bn., bw.⟩ **0.1** *ill-natured, nasty, spiteful* ⇒⟨sl.; bel.; vnl. v. vrouw⟩ *bitchy* ♦ **3.1** zij kan zo ~ doen *she can be so nasty/ spiteful/ bitchy, she can be such a bitch.*
nijdig ⟨bn., bw.; -ly⟩ **0.1** [zeer boos] *angry* ⇒*(very) cross in a temper, annoyed,* ⟨AE ook⟩ *mad, sore,* ⟨inf.⟩ *shirty* **0.2** [vinnig] *nasty, mean* ⇒*ill-natured, spiteful* **0.3** [⟨AZN⟩ driftig] *quick-/ hot-tempered* ♦ **1.1** Peter was een tikje ~ *Peter was a bit cross/ miffed* **1.2** een ~e blik *a nasty/ dirty/ black look, a scowl;* een ~ kereltje *a nasty piece of work* **3.1** iem. ~ aankijken *scowl at s.o., give s.o. a nasty/ dirty look;* iem. ~ maken *make s.o. a./ cross, anger s.o., get s.o.'s back up;* ⟨vnl. inf.⟩ *rile s.o.;* ik werd ~ *I got a./ cross, I lost my temper* **6.1** ik weet niet waarom ze zo ~ **op** me was *I don't know why she was so a./ cross with/ at me* **8.1** hij was zo ~ als een spin *he was in an awful/ a dreadful temper, he was furious, his back/ blood was up.*
nijdigheid ⟨de (v.)⟩ **0.1** *anger* ⇒*crossness, annoyance,* ⟨woede⟩ *rage* ♦ **6.1** hij verbeet zich **van** ~ *he was full of pent-up anger/ rage.*
nijgen ⟨onov.ww.⟩ **0.1** [buigen] *bow* ⇒*make a bow* **0.2** [mbt. zaken] *incline* ⇒*lean (over).*
nijging ⟨de (v.)⟩ **0.1** *bow.*
Nijl ⟨de (m.)⟩ **0.1** *Nile.*
nijlpaard ⟨het⟩ **0.1** [dier] *hippopotamus* ⇒⟨inf.⟩ *hippo* **0.2** [dierenfamilie] *hippopotamus* ♦ **8.1** briesen als een ~ *snort like a h..*
nijlreiger ⟨de (m.)⟩ **0.1** *sacred ibis.*
nijnagel ⟨de (m.)⟩ **0.1** *hangnail* ⇒*agnail.*
nijpen ⟨onov.ww.⟩ **0.1** [kwellen] *pinch* ⇒*nip* **0.2** [knellen] *pinch* ⇒ *squeeze* ♦ **3.1** de honger in grote gebieden van de wereld begint te ~ *the problem of hunger is beginning to get serious in large areas of the world* **3.2** het begint te ~ *they/ we/ he* ⟨enz.⟩ *are/ is beginning to feel the pinch, things are/ the situation is getting serious;* het voelen ~ *feel the p.* **4.2** als 't nijpt *when it comes to the p..*
nijpend ⟨bn.⟩ **0.1** *pinching, nipping, biting* ♦ **1.1** ~e armoede *dire/ grinding poverty;* ~ gebrek hebben aan *have a dire need of;* ~e honger *gnawing hunger;* een ~e kou *piercing/ biting/ bitter cold;* ⟨BE; sl.⟩ *brass-monkey weather;* een ~e kwestie *a pressing/ burning question, a burning issue;* het ~ tekort aan *the acute shortage of.*
nijper ⟨de (m.)⟩ →**nijptang.**
nijptang ⟨de⟩ **0.1** *(pair of) pincers.*
nijpverhoor ⟨het⟩ **0.1** ⟨AE; inf.⟩ *third degree* ⇒≠*grilling.*
nijver ⟨bn., bw.; -ly⟩ **0.1** *industrious* ⇒*hard-working, diligent, busy* ♦ **1.1** zij is een ~ bij *she is a busy bee.*
nijverheid ⟨de (v.)⟩ **0.1** *industry* ♦ **1.1** handel en ~ *trade and i..*
nijverheidsberoep ⟨het⟩ **0.1** *industrial job* ⇒ ⟨amb.⟩ *trade.*
nijverheidsconsulent ⟨de (m.)⟩ **0.1** *industrial consultant.*
nijverheidsonderwijs ⟨het⟩ ♦ **1.¶** huishoud- en- ≠*domestic science and technical education.*
nijverheidsraad ⟨de (m.)⟩ **0.1** *advisory council for the industry.*
nijverheidsschool ⟨de⟩ **0.1** [huishoudschool] ⟨*school for domestic science*⟩ **0.2** [technische school] *technical school.*
nijverig ⟨bn.⟩ ⟨AZN⟩ →**nijver.**
nikkel ⟨het⟩ **0.1** *nickel.*
nikkelbad ⟨het⟩ **0.1** *nickel bath.*
nikkelblik ⟨het⟩ **0.1** *nickel plate.*
nikkeldraad ⟨het⟩ **0.1** *nickel wire.*
nikkelen ⟨bn.⟩ **0.1** [van nikkel] *nickel* **0.2** [vernikkeld] *nickel-plated* ⇒ *nickelled* ^*nickeled.*
nikkelhoudend ⟨bn.⟩ **0.1** *nickeliferous.*

nikkelijzer ⟨het⟩ **0.1** *nickel iron.*
nikkelkoper ⟨het⟩ **0.1** *nickel/ German silver.*
nikkelmessing ⟨het⟩ →**nikkelkoper.**
nikkelstaal ⟨het⟩ **0.1** *nickel steel.*
nikkelzilver ⟨het⟩ **0.1** *nickel silver.*
nikker ⟨de (m.)⟩ ⟨bel.⟩ **0.1** *nigger* ⇒*darky, chocolate drop,* ⟨vnl. AE ook⟩ *coon, spade.*
niks¹ ⟨bw.⟩ ⟨inf.⟩ **0.1** *absolutely not* ♦ **1.1** ik heb ~ geen zin *I don't feel like it at all* **2.1** je hoeft ~ bang te zijn *there's absolutely no need to be frightened.*
niks² ⟨onb.vnw.⟩ ⟨inf.⟩ **0.1** [ongemarkeerd] *nothing* ⇒ ⟨AE ook⟩ *nix, zilch* ♦ **3.1** jij moet ~! *I want doesn't get;* dat wordt ~ *that won't work* **5.1** nou, ik vind het maar ~! *well I don't think much of it;* dat is niet ~ *that's not to be sneezed at, that's quite sth.* **6.1** dat is een werkje van ~ *that won't take a second/ minute* **9.1** ~ hoor! *nothing doing!* **¶.1** ~ niemendal *not one/ a thing, zilch,* ⟨AE ook⟩ *zip;* ~ te maren *no buts;* ~ aan de hand *not to worry, don't worry.*
niksen ⟨ww.⟩ ⟨inf.⟩ **0.1** *lie/ lounge/ sit around, loaf/ laze about, take it easy, twiddle one's thumbs* ⇒*do nothing* ♦ **3.1** zij zit de hele dag te ~ *she sits around/ lazes about all day.*
niksje ⟨het⟩ ⟨scherts.⟩ **0.1** *birthday suit, (the) altogether, (the) nude* ♦ **6.1** ik stond daar in mijn ~ *I stood there in my birthday suit/ the altogether, I stood there without a stitch on/ with nothing on/ stark naked;* ⟨BE ook⟩ *I stood there starkers.*
niksnut ⟨de (m.)⟩ **0.1** *good-for-nothing, layabout* ⇒*dead loss, dud* ♦ **2.1** hij is een echte ~ *he's a right good-for-nothing/ layabout, he's absolutely useless.*
nimbostratus ⟨de (m.)⟩ ⟨meteo.⟩ **0.1** *nimbostratus.*
nimbus ⟨de (m.)⟩ **0.1** [⟨bk.⟩] *nimbus* ⇒*aureole, halo, glory, gloriole, gloria* **0.2** [⟨fig.⟩ glans] *aura, halo.*
nimf ⟨de (v.)⟩ **0.1** [bekoorlijk meisje] *nymph* **0.2** [⟨myth.⟩] *nymph* **0.3** [insekt] *nymph.*
nimfomaan ⟨bn.⟩ **0.1** *nymphomaniac.*
nimfomane ⟨de (v.)⟩ **0.1** *nymphomaniac* ⇒⟨inf.⟩ *nympho.*
nimfomanie ⟨de (v.)⟩ **0.1** *nymphomania.*
nimmer ⟨bw.⟩ ⟨schr.⟩ **0.1** ⟨ongemarkeerd⟩ *never* ⇒⟨vero.⟩ *ne'er* ♦ **5.1** nog ~ was de toekomst zo duister *never has the future seemed so gloomy* **¶.1** nooit en te/ ofte ~ *nevermore, never ever.*
nimmermeer ⟨bw.⟩ ⟨schr.⟩ **0.1** *nevermore* ⇒*never (again)* ♦ **3.1** de liefde vergaat ~ *love never dies.*
n'importe **0.1** *no matter, never mind* ⇒*it doesn't matter* ♦ **¶.1** ik betaal, ~ hoe duur het is *I'll pay, however/ no matter how expensive it is.*
nimrod ⟨de (m.)⟩ **0.1** *Nimrod* ⇒*keen hunter/* ⟨te paard ook⟩ *huntsman.*
niobium ⟨het⟩ **0.1** *niobium* ⇒⟨AE ook⟩ *columbium.*
nipje ⟨het⟩ **0.1** *sip.*
Nipkowschijf ⟨de⟩ **0.1** [prijs] *Nipkow prize* ⟨*Dutch radio and television award*⟩ **0.2** [onderdeel van de televisie] *Nipkow disc.*
NIPO ⟨het⟩⟨f⟩ **0.1** ≠*M.O.R.I.* ⟨*Market Organisational Research Institute*⟩.
nippel ⟨de (m.)⟩ **0.1** [mbt. buizen] *pipe coupling, union-nut joint,* ^*nipple* **0.2** [schroefdop] *(air) valve* **0.3** [smeernippel] *nipple.*
nippen ⟨onov.ww.⟩ **0.1** *sip (at)* ⇒*nip (at)* ♦ **1.1** aan een glaasje likeur ~ *sip a (glass of) liqueur;* **van** iets ~ *sip at sth., take a sip/ nip of sth..*
nippertje ⟨het⟩ ♦ **6.¶ op** het ~ *at the (very) last moment/ second, without a second to spare, only just (in time);* ik heb de trein **op** het ~ gehaald *I only just caught/ managed to catch the train, I was only just in time to catch the train, I caught the train without a moment/ second to spare;* zij kwam net **op** het ~ *she came just in time, she came (just) in the (very) nick of time;* dat was **op** het ~ *that was a close/ near thing, that was touch and go;* ⟨mbt. ontsnapping ook⟩ *that was a narrow squeak, that was a close shave/ call;* **op** het ~ aan de dood ontsnappen *escape death by a hair's breadth/ by the skin of one's teeth;* **op** het ~ ontsnappen *have a narrow escape, escape by the skin of one's teeth, have a close shaver;* de student haalde **op** het ~ zijn examen *the student (just) scraped through (his exam) by the skin of his teeth, the student only just managed to scrape through;* hij kwam **op** het laatste ~ *he came at the (very) last (possible) moment/ minute, he cut it very fine;* hij won **op** het ~ *he only just won/ managed to win, he won by a very narrow margin/ by the narrowest of margins.*
nipt ⟨bn., bw.; -ly⟩ **0.1** ⟨vnl. mbt. ontsnapping/ overwinning⟩ *narrow* ♦ **3.1** ~ winnen *only just win, win by a short head/ by a nose/ narrowly* **¶.1** ~ op tijd zijn *be (only) just on time.*
nirvana ⟨het⟩ **0.1** [toestand van volkomen rust] *nirvana* **0.2** [⟨boeddhisme⟩] *nirvana.*
nis ⟨de⟩ **0.1** [mbt. een wand] ⟨vnl. voor beeld⟩ *niche* ⇒*recess, alcove,* ⟨neg(ge)⟩ *embrasure* **0.2** [mbt. een schoorsteen] *fire place recess* ⇒ *back hearth.*
nissenhut ⟨de⟩ **0.1** *Nissen hut.*
nitraat ⟨het⟩ ⟨schei.⟩ **0.1** *nitrate.*
nitraatmeststof ⟨de⟩ ⟨schei.⟩ **0.1** *nitrate.*
nitratatie ⟨de (v.)⟩ ⟨schei.⟩ **0.1** *nitration.*
nitreerzuur ⟨het⟩ ⟨schei.⟩ **0.1** *nitrating mixture/ liquor.*
nitreren ⟨ov.ww.⟩ **0.1** [⟨schei.⟩] *nitrate* **0.2** [(staal) verhitten] *nitrade.*

nitreus ⟨bn.⟩ ⟨schei.⟩ **0.1** *nitrous* ◆ **1.1** nitreuze gassen *nitrous gases.*
nitride ⟨het⟩ ⟨schei.⟩ **0.1** *nitride.*
nitriet ⟨het⟩ ⟨schei.⟩ **0.1** *nitrite.*
nitril ⟨het⟩ ⟨schei.⟩ **0.1** *nitrile.*
nitrobenzeen ⟨het⟩ ⟨schei.⟩ **0.1** *nitrobenzene.*
nitroglycerine ⟨de⟩ ⟨schei.⟩ **0.1** *nitroglycerin(e).*
nitrogroep ⟨de⟩ ⟨schei.⟩ **0.1** *nitro group, nitrite group / ion.*
nitroverbinding ⟨de (v.)⟩ ⟨schei.⟩ **0.1** *nitro-compound.*
niveau ⟨het⟩ **0.1** [peil] *level* ⇒*standard* **0.2** [waterspiegel] *water level* **0.3** [horizontaal vlak] *level* **0.4** [⟨meteo.⟩] *level* **0.5** [⟨geol.⟩] *layer* ⇒*stratum, level* ◆ **2.1** voetbal op hoog ~ *top-class football;* besprekingen op het hoogste ~ *discussions at the highest (possible) l., top-/ high-l. discussions;* ⟨vnl. mbt. politiek⟩ *summit talks;* de nederlandse schilderkunst bereikte zijn hoogste ~ in de 17e eeuw *Dutch painting reached its highest level / its high-water mark in the 17th century;* overleg op ministerieel ~ *consultation at ministerial l.* **2.4** bewolking in de hogere ~s *clouds in the upper / higher levels* **2.5** het sedimentaire ~ the *sedimentary layer* **3.1** afdalen tot het ~ van zijn gehoor *descend to the l. of one's audience;* ⟨scherts.⟩ het ~ daalt *the l. (of the conversation) is dropping;* het onderwijs werd op een hoger ~ gebracht *the l. of education was raised;* op gelijk ~ staan met *be on the same l. / plane as, be on a l. / par with;* het ~ van het middelbaar onderwijs verlagen *lower the l. of secondary education* **3.2** het ~ stijgt / daalt *the w. l. is rising / dropping* **6.1** ⟨pregn.⟩ een gesprek op ~ *a high-quality discussion.*
niveaukanaal ⟨het⟩ **0.1** *level canal.*
niveautest ⟨de (m.)⟩ **0.1** *placement test.*
niveauverandering ⟨de (v.)⟩ **0.1** *shift / change of sea level.*
niveauverschil ⟨het⟩ **0.1** [hoogteverschil] *difference in level / height (between)* **0.2** [verschil in ontwikkeling] *difference in level (between)* ⇒ ⟨mbt. kwaliteit ook⟩ *difference in standard (between),* ↑*imparity (between).*
niveauvlak ⟨het⟩ **0.1** *level plane.*
nivelleerder ⟨de (m.)⟩ **0.1** *leveller,* ^*leveler* ⇒⟨wwb.⟩ *grader.*
nivelleren
  I ⟨onov., ov.ww.⟩ **0.1** [mbt. inkomens] *level out;*
  II ⟨ov.ww.⟩ **0.1** [vlak maken] *level (out / off)* ⇒*grade* ⟨weg⟩ **0.2** [op een zelfde peil brengen] *level out* ⇒ ⟨naar boven⟩ *level up,* ⟨naar beneden⟩ *level down* ◆ **1.1** een vloer ~ *level a floor.*
nivellering ⟨de (v.)⟩ **0.1** *levelling* ^*leveling (out), evening out* ⇒*equalizing* ◆ **1.1** ~van inkomens *levelling of income* **2.1** geestelijke ~ *reduction to the lowest common denominator.*
nix ⟨de (m.)⟩, **-e** ⟨de (v.)⟩ **0.1** *nix* ⟨m.⟩; *nixie* ⟨v.⟩.
N.J.H.C. ⟨afk.⟩ **0.1** [Nederlandse Jeugdherbergcentrale] ⟨*Dutch Youth Hostels Association*⟩.
NKV ⟨het⟩ ⟨afk.⟩ **0.1** [Nederlands Katholiek Vakverbond] ⟨*Dutch Catholic Trade Union*⟩.
nl. ⟨afk.⟩ **0.1** [namelijk] *viz., sc..*
NL ⟨afk.⟩ **0.1** [Nederland] ⟨*The Netherlands*⟩.
n.m. ⟨afk.⟩ **0.1** [namiddag] *p.m..*
N.M. ⟨afk.⟩ **0.1** [nieuwe maan] ⟨*new moon*⟩.
N.N. ⟨afk.⟩ **0.1** [nomen nescio] ⟨*name unknown*⟩.
NNI ⟨het⟩ ⟨afk.⟩ **0.1** [Nederlands Normalisatie Instituut] ⟨*Dutch Normalization Institute*⟩.
NNO ⟨afk.⟩ **0.1** [Noordnoordoost(en)] *NNE.*
N.N.T.-onderwijs ⟨het⟩ **0.1** [onderwijs aan niet-nederlandstaligen] *education for non-Dutch-speakers.*
NNW ⟨afk.⟩ **0.1** [Noordnoordwest(en)] *NNW.*
NO ⟨afk.⟩ **0.1** [Noordoosten] *NE.*
Noach 0.1 *Noah* ◆ **1.1** de ark van ~ *Noah's ark.*
nobel ⟨bn., bw.; -ly⟩ **0.1** [edelmoedig] *noble(-minded)* ⇒*magnanimous, generous* ⟨edelmoedig, vrijgevig⟩, *fine* ⟨v. personen; alleen attr.⟩ **0.2** [edel] *noble* ⇒*aristocratic* ◆ **1.1** een ~ daad *a noble / generous deed;* een ~ karakter *a noble character* **1.2** ~e trekken *n. / aristocratic features.*
nobelheid ⟨de (v.)⟩ **0.1** *nobleness.*
nobelium ⟨het⟩ **0.1** *nobelium.*
Nobelprijs ⟨de (m.)⟩ **0.1** *Nobel prize* ◆ **6.1** de ~ voor de vrede *the Nobel Peace prize.*
Nobelprijswinnaar ⟨de (m.)⟩, **-nares** ⟨de (v.)⟩ **0.1** *Nobel Prize winner* ⇒ *winner of the / a Nobel Prize.*
nobiliteit ⟨de (v.)⟩ **0.1** *nobility* ⇒*aristocracy,* ^*peerage.*
NOBIN ⟨de (v.)⟩ ⟨afk.⟩ **0.1** [Nederlandse Organisatie voor de Bevordering van de Informatieverwerking] ⟨*Dutch Organization for the Promotion of Dataprocessing*⟩.
noblesse ⟨de (v.)⟩ **0.1** [adelstand] *noblesse, nobility* ⇒*aristocracy,* ^*peerage* **0.2** [appel] *'noblesse'* ⟨*type of apple*⟩ ◆ **¶.1** ~ oblige *noblesse oblige* ⟨ook fig.⟩.
NOC ⟨het⟩ ⟨afk.⟩ **0.1** [Nederlands Olympisch Comité] ⟨*Dutch Olympic Committee*⟩.
noch ⟨vw.⟩ **0.1** *neither, nor* ◆ **1.1** ~ de een ~ de ander *neither one thing nor the other, neither the one nor the other;* kind ~ kraai in de wereld hebben *have neither kith nor kin, be all alone in the world;* tijd ~ zin hebben *have neither the time nor the inclination.*

nochtans ⟨bw.⟩ ⟨schr.⟩ **0.1** ⟨ongemarkeerd⟩ *nevertheless, nonetheless* ⇒ *however, still, yet,* ⟨vero.⟩ *howbeit.*
noclaim-korting ⟨de (v.)⟩ ⟨verz.⟩ **0.1** *no claim(s) bonus.*
noctambule ⟨de (m.)⟩ **0.1** *noctambulist, noctambulant* ⇒*sleepwalker.*
noctuarium ⟨het⟩ **0.1** *nocturnal house.*
nocturne ⟨de⟩ **0.1** [⟨muz.⟩] *nocturne* **0.2** [⟨r.k.⟩] *nocturn.*
node¹ ⟨de (m.)⟩ ◆ **6.¶** van ~ *necessary, needed, required;* van ~ hebben *be in need of, need, require; want, lack* ⟨behoefte hebben aan⟩; van ~ zijn *be necessary / required.*
node² ⟨bw.⟩ **0.1** [gedwongen] *grudgingly, reluctantly, unwillingly* ⇒*involuntarily* **0.2** [ternauwernood] *hardly, barely, scarcely* ⇒*(only) just* ◆ **3.1** ~ geef ik mijn toestemming *r. / u. give my permission* **3.2** zij wilde ons ~ tegemoetkomen *she h. deigned / cared to meet our wishes.*
nodeloos ⟨bn., bw.; -ly⟩ **0.1** *unnecessary, needless* ⇒*gratuitous* ◆ **1.1** nodeloze drukte *fuss, commotion* **2.1** zich ~ ongerust maken *worry / work o.s. up over nothing / needlessly.*
noden ⟨ov.ww.⟩ ⟨vero.⟩ *bid* ◆ **1.1** iem. te gast ~ *i. s.o. as a guest* **6.1** dat noodt niet tot een nadere kennismaking *that's / it's not very inviting / appealing.*
nodig ⟨→sprw. 601⟩
  I ⟨bn., bw.; -ly⟩ **0.1** [noodzakelijk] *necessary, needful* ⇒*requisite* ⟨vereist, noodzakelijk⟩ ◆ **1.1** iedere leerling krijgt de ~e aandacht *each pupil receives due attention;* de ~e maatregelen treffen *take the necessary measures / steps;* dringend ~e maatregelen *much-needed measures;* iets met het ~e voorbehoud publiceren *publish sth. with all due reserve / the necessary reserves;* hij besteedde de ~e zorg aan *he took proper care over / of* **2.1** wij nemen alleen het hoogst ~e mee *we'll only take what is absolutely necessary / indispensable* **3.1** het ~ achten *see / deem / think it fit to;* hij had al zijn gezag ~ om *it required / took all his authority to;* Peter had meer tijd ~ dan Mary *it took Peter longer than Mary;* zij hadden al hun tijd ~ *they had no time to waste / spare;* ⟨iron.⟩ als ik je ~ heb, zal ik je roepen *when I want / need your advise / help, I'll call you;* ik heb u niet ~ *I don't need you; you are unwanted* ⟨overbodig⟩; ik heb uw diensten niet langer ~ *I have no further use for your services;* iets ~ hebben *need / want / require sth.;* heeft u nog iets ~? *is there anything else you need / require?, will there be anything else?;* binnen de tijd die ~ is om te ⟨with⟩ *in the time it takes to;* er is nogal wat duwen voor ~ *it takes a bit of pushing / shoving;* is het nu echt ~ dat je het achterlaat? *do you really have to leave it behind?;* ik blijf er niet langer dan absoluut ~ is *I won't stay (any) longer than necessary;* er is moed voor ~ om *it takes courage to;* ~ maken *necessitate, call for, render necessary;* de garage moet ~ hersteld worden *that garage badly wants / needs repairing;* ik moet er ~ vandoor *I must go / be off;* het huis moet ~ schoongemaakt worden *the house could do with a clean(up)* **5.1** dat is hard / dringend ~ *that is badly needed / urgently required, that is essential / imperative / vital;* zo ~ *if need be, if necessary;*
  II ⟨bw.⟩ **0.1** [dringend] *necessarily, needfully* ⇒*urgently, requisitely* ⟨vereist⟩ **0.2** ⟨iron.⟩ *simply, really* ⇒*urgently* ◆ **3.1** je moet ~ eens langskomen *you really must / should come round one day;* ⟨inf.⟩ ~ moeten *be taken / caught short;* ik moet je ~ spreken *I must speak with you, I urgently need to talk to you* **3.2** je moet hem ~ tegen je in het harnas jagen *you s. have to put / get his back up like that, haven't you;* dat moet jij ~ zeggen *(of course) you (of all people) have to say that* **5.1** hij moest zo ~ een auto kopen *he insisted on buying a car, he absolutely / simply / just had to buy a car;*
  III ⟨bn.⟩ **0.1** [gebruikelijk] *usual* ⇒*customary, habitual, accustomed* ◆ **1.1** dat brengt de ~e rompslomp met zich mee *that / it involves the u. rigmarole* **7.1** hij heeft het ~ e op *he's had a drop too much / a few too many / a skinful.*
nodigen ⟨onov., ov.ww.⟩ **0.1** ⟨onov.⟩ *request* ⇒*ask, bid,* ⟨ov.⟩ *invite, bid, ask* ◆ **3.1** zij liet zich niet ~ *she didn't have to be asked twice, she didn't want much / needed little pressing;* ⟨inf; scherts.⟩ *one didn't have to twist her arm* **4.1** zij nodigden ons bij hen uit voor de thee *they asked us round for tea / invited us to tea* **6.1** iem. **aan** de maaltijd ~ *ask s.o. to dinner;* iem. **op** een partij ~ *invite s.o. to a party.*
noedels ⟨zn.mv.⟩ **0.1** *noodles* ⇒*pasta.*
noemen ⟨ov.ww.⟩ ⟨→sprw. 360,443⟩ **0.1** [een naam / hoedanigheid geven] *call, name* ⇒*term, denominate* ⟨benoemen⟩, *christen, baptise, dub* ⟨ook een bijnaam geven⟩, *style* **0.2** [vermelden] *mention; cite; name* ⟨(op)noemen⟩ ◆ **1.1** noem jij dit een gezellige avond? *is this your idea of a pleasant evening?;* wij noemen onze dochter Mary *we're calling / we'll call our daughter Mary;* feiten ~ *state facts;* dat noem ik nou eens moed *that's what I call courage!, there's courage for you!;* hoorde ik mijn naam ~? *did I hear my name (mentioned)?* **1.2** namen ~ *n. names;* zijn zegsman ~ *n. / c. one's source* **3.1** noem je dat werken? *(do you) call that working?* **3.2** zijn inspanning mag ook genoemd worden *his efforts must not go unmentioned* **4.1** hij is wat je noemt fantastisch *this is fantastic, it is really fantastic;* die schurk noemt zich arts *that scoundrel calls himself a doctor / passes himself off as a doctor* ⟨zich uitgeven voor⟩ **5.1** iem. wiens naam ik niet zal ~ *s.o. who shall be / remain nameless* **6.1** iem. **bij** zijn voornaam ~ *call s.o. by his firstname;* een kind **naar** zijn vader ~ *name / call a child*

after his father **6.2 om** maar eens iets **te** ~ *to n. (but) a few* ⟨namen, voorbeelden⟩, *to n. only one* ⟨eén voorbeeld noemen⟩, *for instance* ¶.1 ⟨inf.⟩ het is nog niet wat je noemt *it's nothing/not much (to write home about) as yet*.

noemenswaard ⟨bn., bw.; -ly⟩ **0.1** *appreciable, considerable* ⇒*noticeable, notable, worthy of mention* ⟨allen predicatief⟩, *material* ⟨wezenlijk⟩ ◆ **1.1** een ~ verschil *a a. / c. difference*; geen ~ verschil *no a. difference* ⟨vaststellend⟩; *no change worth speaking of/the name, no difference to speak of* ⟨oordelend⟩ **3.1** het water is niet ~ gerezen *the water has not risen c./a.* **5.1** niet ~ *inappreciable* ⟨onaanzienlijk⟩; *immaterial* ⟨nauwelijks belangrijk⟩; *negligible* ⟨te verwaarlozen⟩; *nothing to speak of* ⟨nauwelijks belangerijk⟩.

noemer ⟨de (m.)⟩ **0.1** ⟨wisk.⟩ *denominator* **0.2** [nominatief] *nominative* ◆ **2.1** laagste gemeenschappelijke ~ *lowest common d.* **7.1** twee breuken onder één ~ brengen *reduce two fractions to a common/the same d.*; ⟨fig.⟩ onder één ~ brengen *lump/heap together*.

noen ⟨de (m.)⟩ ⟨schr.⟩ ⟨→sprw. 28⟩ **0.1** ⟨ongemarkeerd⟩ *noon(-day)* ⇒ *noon-tide*.

noest[1] ⟨de (m.)⟩ **0.1** *gnarl* ⇒*knot*.

noest[2] ⟨bn.⟩ **0.1** *diligent, industrious* ⇒*hard-working, dogged* ⟨gestaag, vasthoudend⟩ ◆ **1.1** ~e arbeid *industry, unremitting labour*; ~e vlijt *diligent/unremitting industry*; een ~e werker *hard worker; Trojan* ⟨noeste werker; werkpaard⟩.

noestheid ⟨de (v.)⟩ **0.1** *diligence, industry*.

noestig ⟨bn.⟩ **0.1** *gnarled, knotty, knotted* ⟨van hout, ook van handen⟩ ◆ **1.1** ~ hout *g./knotty wood*.

nog ⟨bw.⟩ **0.1** [tot op dit ogenblik] *still so far* ⇒*up to now, as yet* **0.2** [voortdurend] *still* **0.3** ⟨+vergrotende trap⟩ *even, still* ⇒*yet* **0.4** [van nu af] *from now (on), more* **0.5** [opnieuw] *again* ⇒*afresh, anew, (once) more* ◆ **1.1** is er ~ thee? *is there any tea left?* **1.5** ik gaf hem ~ tien gulden *I gave him another ten guilders/ten guilders more*; wil je ~ thee? *(would you like some) more tea?*; ~ eén woord en ik schiet *one more/ another word an'/and I'll shoot (you)* **2.1** ze is ~ jong *she's still/only young* **2.3** ~ groter *even larger, larger still*; het feest was ~ leuker dan ik verwacht had *the party was even better/nicer than I had expected* **3.1** niemand heeft dit ~ geprobeerd *no one has tried this (as) yet*; ik hoor het hem ~ zeggen *I can (still) hear him saying it* **3.¶** ga jij ~ naar dat feest? *are you still going to that party?*; ik heb hem ~ diezelfde dag gezien *I saw him that very/same day*; kom je ~? *are you coming (or not)?*; daar komt ~ bij dat *what is more, on top of that*; ik zag hem vorige week ~ *I saw him only last week/just the other week* **4.¶** verder ~ iets? *anything else?* **5.1** ik heb ~ maar één hoofdstuk gelezen *I've only read one chapter (so far/as yet)*; Mary is ~ niet beneden *Mary isn't down yet*; zelfs nu ~ *even now/yet* **5.5** ~ eens zoveel *as much/many (again)* **5.¶** het is praktisch, en bovendien ~ mooi ook *it's practical and beautiful too/what's more, it's beautiful*; hoe heb je het kunnen doen, en dan ~ wel met jouw handicap? *how on earth did you do it, (what) with your handicap?*; dat hangt er ~ maar van af *that/it all depends*; ze zijn er ~ maar net *they've only just arrived*; ~ maar een kind *a mere child*; dat wil ~ niet zeggen dat *that is not to say that*; ze ging ~ mee ook *she went/came along too!*; je zult me ~ wel eens gelijk geven *you'll agree with me yet*; ik was ~ wel bang dat je niet zou komen *and me being afraid you wouldn't turn up*; al zijn ze ~ zo behulpzaam, ik mag ze niet *even though they are (so) helpful/as helpful as they are, I (still) don't like them*; ik heb hem ~ zó gewaarschuwd *I warned him so*; al is hij ~ zo rijk... *no matter how/however rich he is/may be* **6.1 tot** ~ toe *so far, up to now* **6.¶** ~ **tot** in de twintigste eeuw *as late as the twentieth century* **7.1** ~ geen veertig *on the better side of forty*, on the *sunny/right side of forty* **7.4** ~ drie nachtjes slapen *three (more) nights (from now)* **7.5** neem ~ een koekje *have another biscuit*; neem er ~ eentje! *have another (one)!*; ~ vele jaren! *many happy returns (of the day)!* **7.¶** ~ geen maand geleden *less than/not a month ago* **¶.¶** God ~ toe! *Good Lord!, oh my God!,* [B]*coo blimey!*; en ~ verwaand ook *and conceited with it*; wat dan ~? *so what?, what's that to you?, what if it is?*.

noga ⟨de (m.)⟩ **0.1** *nougat*.

nogakraam ⟨het, de⟩ **0.1** *nougat stand/stall*.

nogal ⟨bw.⟩ **0.1** *rather* ⇒*fairly, quite, somewhat, reasonably*, ⟨inf.⟩ *pretty* ◆ **2.1** ik vind het ~ duur *I find it/think it is a bit/rather/quite expensive*; ~ lang *tallish, rather tall*; hij lijkt mij ~ pedant *he seems pretty pedantic to me* **4.1** er waren er ~ wat *there were a good few/quite a few (of them)*; ~ wat boeken *there were a good few/quite a lot of books* **5.1** dat gebeurt ~ eens *it happens quite/fairly often* **¶.1** ~ wiedes *I should (just) think so*.

nogmaals ⟨bw.⟩ **0.1** *once again/more* ⇒⟨schr.⟩ *anew* ◆ **3.1** ik zeg u ~, wees voorzichtig *once again, (I ask/bid you) be careful*.

nok ⟨de⟩ **0.1** [deel van een dak] *ridge* ⇒*crest, peak* **0.2** [balk] *ridge (pole /beam/piece/tree)* **0.3** ⟨scheep.⟩ *yardarm* ◆ **6.1** tot de ~ toe gevuld *full to bursting/the rafters, crammed (to suffocation)*; ⟨inf.⟩ *chockablock* ⟨tjokvol⟩.

nokbalk ⟨de (m.)⟩, **-bint** ⟨het⟩ **0.1** *ridge pole/tree/beam/piece* ⇒*roof tree*.

nokken ⟨onov.ww.⟩ ⟨inf.⟩ **0.1** [verdwijnen] *hop it* ⇒*scram* **0.2** [ophou-

den] *pack it in* ⇒*give it a rest, knock it off* ◆ **¶.1** ~! brulde hij *'scram!' he bellowed*.

nokkenas ⟨de⟩ **0.1** *camshaft*.

noklat ⟨de (m.)⟩ **0.1** *ridgepole*.

noklijn ⟨de⟩ **0.1** *ridge*.

nokpan ⟨de⟩ ⟨bouwk.⟩ **0.1** *ridge-tile*.

nol ⟨de⟩ **0.1** [duin] *dune* ⇒*sand-hill, hump* **0.2** [strandhoofd] *breakwater* ⇒*groyne* [A]*groin, mole* **0.3** [bult in een weiland] *hummock* ⇒*hump, knoll*.

nolens volens 0.1 *nolens volens, willy-nilly* ⇒*perforce, like it or no(t)*.

nom. ⟨afk.⟩ **0.1** [nominaal] *nom.* **0.2** [nominatief] *nom.*.

noma ⟨het⟩ ⟨med.⟩ **0.1** *noma*.

nomade ⟨de (m.)⟩ **0.1** [steppebewoner] *nomad* **0.2** [iem. met een zwervend bestaan] *nomad* ⇒*wanderer, vagabond, vagrant*.

nomadenleven ⟨het⟩ **0.1** *nomadic life/existence* ⇒*nomadism*.

nomadenvolk ⟨het⟩ **0.1** *nomad(ic) people*.

nomadisch ⟨bn.⟩ **0.1** *nomad(ic)* ⇒*migrant, migratory, itinerant, vagrant* ◆ **1.1** een ~ leven leiden *lead a nomad(ic)/an unsettled life/existence, nomadize*.

nom de plume ⟨de⟩ **0.1** *nom de plume, pen name* ⇒*pseudonym* ◆ **6.1** onder een ~ geschreven *written under a nom de plume/pseudonym*.

nomen ⟨het⟩ **0.1** [naam] *nomen* ⇒*name* **0.2** ⟨taal.⟩ naamwoord] *noun* ◆ **¶.1** ~ est omen ⟨an ominous name, the very name is ominous⟩.

nomenclator ⟨de (m.)⟩ **0.1** *nomenclature* ⇒*glossary*.

nomenclatuur ⟨de (v.)⟩ **0.1** [geheel van regels] *nomenclature* ⇒*terminology* ⟨systeem van vaktermen⟩ **0.2** [naamregister] *nomenclature*.

nominaal ⟨bn.⟩ **0.1** [in geldswaarde uitgedrukt] *nominal* **0.2** ⟨taal.⟩] *nominal* **0.3** [de naam betreffend] *nominal* ◆ **1.1** het nominale inkomen *n. income/wages, money wages*; nominale waarde *n. face/par value*; aandeel zonder nominale waarde *stock of no-par value, no-par value/no-par stock* **1.2** nominale zin *n./noun phrase*.

nominaliseren ⟨ov.ww.⟩ ⟨taal.⟩ **0.1** *nominalize*.

nominalisme ⟨het⟩ **0.1** ⟨fil.⟩ *nominalism* **0.2** [geldwaardetheorie] *nominalism*.

nominalist ⟨de⟩ **0.1** *nominalist*.

nominatie ⟨de (v.)⟩ **0.1** [benoeming] *nomination* ⇒*appointment* **0.2** [voordracht] *nomination(list)* ◆ **3.1** de ~ hebben *have the right to nominate/appoint* **6.2 op** de ~ staan (voor) *be/have been nominated/ be on the n./short list (for), be due for, be short-listed (for)*; iem. **op** de ~ plaatsen *put/place s.o.'s name on the n., nominate s.o. (for/as)*.

nominatief[1] ⟨de (m.)⟩ ⟨taal.⟩ **0.1** [naamval] *nominative* ⇒*subjective (case)* **0.2** [woord] *nominative*.

nominatief[2] ⟨bn.⟩ **0.1** *nominative* ◆ **1.1** nominatieve aandelen *n. shares*.

nomothetisch ⟨bn.⟩ **0.1** *nomothetic*.

non ⟨de (v.)⟩ **0.1** *nun, sister* ⇒*conventual, religious* ⟨kloosterlinge, non⟩ ◆ **3.1** ~ worden *become a n., enter a convent, take the veil; take vows* ⟨kloostergelofte afleggen⟩.

non-actief[1] ⟨het⟩ **0.1** *lay off,* [A]*idle* ⇒*suspension* ⟨tijdelijk⟩, ⟨mil.⟩ *deactivation* ◆ **6.1 op** ~ staan *be laid off; be nonactive* ⟨tijdelijk⟩; **op** ~ stellen *lay off,* [A]*idle; suspend* ⟨tijdelijk⟩; ⟨mil.⟩ *deactivate*.

non-actief[2] ⟨bn.⟩ **0.1** *laid off,* [A]*idle* ⇒*suspended* ⟨tijdelijk⟩, ⟨mil.⟩ *deactivated*.

non-activiteit ⟨de (v.)⟩ **0.1** *lay off* ⇒*suspension* ⟨tijdelijk⟩, ⟨mil.⟩ *deactivation*.

non-agressiepact ⟨het⟩ **0.1** *nonaggression pact/agreement/treaty*.

non-belligerent ⟨bn.⟩ **0.1** *nonbelligerent*.

nonchalance ⟨de⟩ **0.1** *nonchalance* ⇒*casualness, abandon(ment)* ⟨ongedwongenheid⟩, *indifference* ⟨onverschilligheid⟩, *laxity, carelessness* ⟨nalatigheid⟩, *insouciance* ⟨zorgeloosheid⟩.

nonchalant ⟨bn., bw.; -ly⟩ **0.1** *nonchalant* ⇒*casual, indifferent, lax, careless, perfunctory, offhand* ⟨achteloos⟩ ◆ **1.1** een ~e houding *a casual/careless /debonair manner* **3.1** zich ~ kleden *dress casually*.

non-combattant ⟨de (m.)⟩ **0.1** *noncombatant*.

non-conformisme ⟨het⟩ **0.1** [het niet meedoen] *nonconformism* ⇒*nonconformity* **0.2** [niet-anglicaans protestantisme] *Nonconformism, Nonconformity*.

non-conformist ⟨de (m.)⟩ **0.1** [iem. die zich niet conformeert] *nonconformist* ⇒*maverick* ⟨dissident⟩, *farouter* ⟨sl.; progressieveling⟩ **0.2** ⟨Eng.⟩] *Nonconformist* ⇒*sectary* ◆ **2.2** bent u anglicaans of ~? *are you church or chapel?, are you Anglican or free church?*.

non-conformistisch ⟨bn., bw.⟩ **0.1** *non-conformist*.

nondescript ⟨bn.⟩ **0.1** *nondescript* ⇒*indistinctive, indeterminate*.

none ⟨de⟩ **0.1** ⟨muz.⟩ toontrap] *ninth* **0.2** ⟨muz.⟩ interval] *ninth* **0.3** ⟨r.k.⟩] *None, Nones*.

nonet ⟨het⟩ **0.1** *nonet*.

non-ferro-metaal ⟨het⟩ **0.1** *nonferrous metal*.

non-figuratief ⟨bn.⟩ **0.1** *abstract* ◆ **1.1** non-figuratieve schilderkunst *a. painting*.

non-interventie ⟨de (v.)⟩ **0.1** *nonintervention* ⇒*noninterference*.

nonius ⟨de (m.)⟩ **0.1** *nonius* ⇒*vernier (scale)*.

nonkel ⟨de (m.)⟩ ⟨AZN⟩ **0.1** *(n)uncle*.

nonnenklooster ⟨het⟩ **0.1** *nunnery, convent*.

nonnenkoor ⟨het⟩ **0.1** [zangkoor] *nuns' choir* ⇒*choir of nuns* **0.2** [plaats in de kerk] *nuns'/conventual choir/chancel*.

nonnenschool ⟨de⟩ **0.1** *convent (school)* ⇒⟨inf.⟩ *nun school*.

nonnetje ⟨het⟩ **0.1** [jonge, kleine non] *young / little nun* **0.2** [schelpdier] *smew, smee* **0.3** [eend] *nun* **0.4** [vlinder] *nun*.

non-proliferatie ⟨de (v.)⟩ **0.1** *nonproliferation*.

non-proliferatie-verdrag ⟨het⟩ **0.1** *nonproliferation treaty*.

nonsens ⟨de (m.)⟩ **0.1** *nonsense* ⇒ ↓*rubbish*, ^↓*garbage* ◆ **3.1** ~ verkopen *talk n. /* ↓*rubbish*, ^ ↓*bullshit*.

nonsenspoëzie ⟨de (v.)⟩ **0.1** *nonsense verse / poetry* ⇒*jabberwocky*.

nonsens-verhaal ⟨het⟩ **0.1** *tall story* ⇒*nonsensical / absurd / ridiculous story*.

non-stopprogramma ⟨het⟩ **0.1** *nonstop programme*.

non-stopvlucht ⟨de⟩ **0.1** *nonstop flight*.

non-valeur
I ⟨de (m.)⟩ **0.1** [nietsnut] *dud* ⇒*nonentity, nobody, good-for-nothing;*
II ⟨de⟩ **0.1** [iets waardeloos] *dud* ⇒*nullity, worthless thing / stuff,* ⟨wisk.⟩ *cipher,* ⟨waardeloze effecten⟩ *worthless stock, valueless securities* **0.2** [oninvorderbaar tegoed] *bad / irrecoverable debt*.

non-verbaal ⟨bn., bw.; -ly⟩ **0.1** *nonverbal* ◆ **1.1** non-verbale communicatie *n. communication*.

nonvlinder ⟨de⟩ ⟨dierk.⟩ **0.1** *nun moth*.

nood ⟨de (m.)⟩ ⟨→sprw. 328,346,454-459,624⟩ **0.1** [benauwdheid, gevaar] *distress* ⇒*affliction, straits,* ⟨uiterste nood⟩ *extremity,* ⟨noodgeval⟩ *(time(s) of) emergency* **0.2** [behoefte, gebrek] *need* ⇒*want,* ⟨armoede⟩ *poverty* **0.3** [dwang van omstandigheden] *necessity* ◆ **1.1** in tijd van ~ *in time(s) of need / stress / emergency, in an emergency* **1.2** de noden van onze tijd *the stresses / needs of our time* **2.1** toen de ~ het hoogst was *when things were at their worst;* in geval van uiterste ~ *in case of extremity / dire need, as a final resort* **2.2** financiële ~ *financial stringency / straits* **2.3** hoge ~ hebben *have to go badly* **3.1** zijn ~ aan iem. klagen *pour out one's troubles to s.o., tell s.o. one's tale of woe* **3.2** de ~ verlichten *relieve distress* **3.3** door de ~ gedwongen *driven / compelled by n.* **6.1** een schip in ~ *a ship in d.;* mensen in ~ *people in affliction, needy / destitute people, people in d. / trouble;* in ~ verkerend *distressed, in d. / trouble;* in ~ verkeren / zijn *be in d. / trouble* **6.2** iem. uit de ~ helpen *come to s.o.'s rescue, help s.o. out, help s.o. in a tight corner;* van node hebben *need, require, be in need of* **6.3** uit ~ *out of n.* **7.1** geen ~! *don't / not to worry!, have no fear!* ¶**.1** in geval van ~ *in an emergency, in case of need, at a pinch / push, if need be; als de ~ aan de man komt *if the worst comes to the worst, if needs arises, in the last resort* ¶**.3** van de ~ een deugd maken *make a virtue of n..*

noodaansluiting ⟨de (v.)⟩ **0.1** *emergency / temporary connection*.

noodadres ⟨het⟩ **0.1** *address / reference in case of need*.

noodaggregaat ⟨het⟩ **0.1** *emergency / stand-by / back-up power unit*.

noodanker ⟨het⟩ **0.1** [te gebruiken in nood] *sheet / waist anchor* ⇒ ⟨geïmproviseerd⟩ *jury anchor* **0.2** [(fig.)] *sheet anchor*.

noodbrug ⟨de⟩ **0.1** *temporary bridge* ⇒⟨scheep.⟩ *jury brigde*.

nooddeur ⟨de⟩ **0.1** *emergency door / exit* ⇒*fire escape*.

nooddoop ⟨de (m.)⟩ **0.1** *lay baptism*.

nooddruft ⟨de⟩ ⟨schr.⟩ **0.1** *indigence* ⇒*destitution*.

nooddruftig ⟨bn.⟩ ⟨schr.⟩ **0.1** *indigent* ⇒*destitute, necessitous*.

noodfonds ⟨het⟩ **0.1** *emergency fund*.

noodgang ⟨de⟩ **0.1** *breakneck speed* ◆ **6.1** ze kwam met een ~ de bocht om *she tore / careered / beltered round the corner*.

noodgebied ⟨het⟩ **0.1** [noodlijdend gebied] *distressed / depressed / deprived area* **0.2** [rampgebied] *disaster / distressed area* ⇒ ⟨door overstroming⟩ *flooded area*.

noodgebouw ⟨het⟩ **0.1** *temporary / makeshift building*.

noodgedwongen ⟨bw.⟩ **0.1** *out of / from (sheer) necessity* ⇒⟨schr.⟩ *perforce* ◆ **3.1** wij moeten ~ andere maatregelen treffen *we are forced to / have no choice but to take other measures;* ⟨schr.⟩ *we must perforce take other measures*.

noodgeld ⟨het⟩ **0.1** *emergency / necessity money*.

noodgeval ⟨het⟩ **0.1** *(case of) emergency*.

noodhaven ⟨de⟩ **0.1** *harbour / port of refuge / distress* ⇒⟨fig. ook⟩ *haven of refuge*.

noodhulp ⟨de (m.)⟩ **0.1** ⟨persoon⟩ *temporary help / worker / hand;* ⟨assistentie⟩ *emergency relief / aid, help in (time of) need*.

noodinstallatie ⟨de (v.)⟩ **0.1** *emergency / back-up installation*.

noodjaar ⟨het⟩ **0.1** *year of distress / need* ⇒*disatrous year*.

noodkachel ⟨de⟩ **0.1** ⟨lett.⟩ *emergency stove* ⇒≠^B*primus stove*.

noodkering ⟨de (v.)⟩ **0.1** *emergency dam* ⇒*flood wall*.

noodkerk ⟨de⟩ **0.1** *temporary church*.

noodklok ⟨de⟩ **0.1** *alarm(-bell)* ⇒*tocsin* ◆ **3.1** de ~ luiden *sound the alarm /* ⟨fig.⟩ *the tocsin*.

noodkrediet ⟨het⟩ **0.1** *extended credit*.

noodkreet ⟨de⟩ **0.1** *cry of distress* ⇒*cry for help, S.O.S.* ◆ **3.1** een ~ slaken *give a cry of distress, cry / appeal for help*.

noodlamp ⟨de⟩ **0.1** *reserve / emergency lamp*.

noodlanding ⟨de (v.)⟩ **0.1** *forced / emergency landing* ⇒⟨buiklanding⟩ *crash landing* ◆ **3.1** de piloot trachtte een ~ op het water te maken *the pilot attempted a f.l. in the water*.

noodleiding ⟨de (v.)⟩ **0.1** *emergency piping / pipework* ⟨voor water / gas⟩; *emergency wiring / connection* ⟨voor elektriciteit⟩.

noodlijdend ⟨bn.⟩ **0.1** *destitute* ⇒*indigent, needy, poor,* ⟨onvermogend⟩ *insolvent, in distress* ◆ **1.1** ~ gebied *depressed area;* ~e kerken *distressed / needly churches, churches in distress* **1.¶** ~e fondsen / obligaties *defaulted / suspended securities / bonds;* ~e wissel *dishonoured / unpaid bill, bill in abeyance / suspense*.

noodlot ⟨het⟩ **0.1** [ongelukkig lot] *fate* **0.2** [bestemming] *destiny* ◆ **3.1** het ~ achtervolgde haar *f. hounded / pursued her;* het ~ bezweren *ward off f.* **3.2** je ontkomt niet aan je ~ *fate will catch up with you, you can't alter your d.* **8.2** hij beschouwde het als zijn ~ dat ... *he felt fated to ....*

noodlotsdrama ⟨het⟩ **0.1** *tragedy of fate / destiny*.

noodlottig ⟨bn., bw.; -ly⟩ **0.1** *fatal (to)* ⇒*disastrous (to), ill-fated, fateful* ◆ **1.1** een ~e afloop hebben *end fatally / in death;* een ~e reis / dag *an ill-fated journey / day;* een ~ toeval *a fatal coincidence / accident* **3.1** dat liep voor hem ~ af *that ended in disaster for him;* dat werd hem ~ *that proved to be / that was his undoing*.

noodlottigheid ⟨de (v.)⟩ **0.1** *fatality*.

noodluik ⟨het⟩ **0.1** *emergency exit / door* ⇒*escape hatch*.

noodmaatregel ⟨de (m.)⟩ **0.1** *emergency measure* ⇒*stopgap*.

noodmast ⟨de (m.)⟩ **0.1** *jury mast*.

noodmaterialen ⟨zn.mv.⟩ **0.1** *emergency materials*.

noodoplossing ⟨de (v.)⟩ **0.1** *temporary solution* ⇒*make-shift / stopgap solution* ◆ **3.1** ik geef toe dat dit een ~ is, maar ... *I admit this solution is less than ideal, but ....*

noodpeil ⟨het⟩ **0.1** *emergency / danger level*.

noodplan ⟨het⟩ **0.1** *disaster / emergency plan*.

noodrantsoen ⟨het⟩ **0.1** *emergency / iron ration(s)*.

noodrecht ⟨het⟩ **0.1** *necessity* ⟨niet vooruit geregeld⟩; *emergency powers / legislation* ⟨vooruit geregeld⟩.

noodrem ⟨de⟩ **0.1** *emergency / safety brake;* ⟨BE; spoorw.⟩ *communication cord* ◆ **3.1** aan de ~ trekken ⟨lett.⟩ *pull the communication cord;* ⟨fig.⟩ *take emergency measures;* ⟨sport⟩ *stop an opponent, put paid to an opponent's plan(s) / chance(s)*.

noodreparatie ⟨de (v.)⟩ **0.1** *temporary / emergency repair(s)* ⇒⟨inf.⟩ *first aid*.

noodrijm ⟨het⟩ **0.1** *forced rhyme*.

noodroer ⟨het⟩ **0.1** *jury rudder*.

noodschool ⟨de⟩ **0.1** *temporary school*.

noodsein ⟨het⟩, -signaal ⟨het⟩ **0.1** *distress signal / call* ⇒*S.O.S.* ◆ **3.1** een ~ geven *make / send up / out a d.s..*

noodsituatie ⟨de (v.)⟩ **0.1** *emergency (situation)* ⇒*difficult / precarious position, (serious) predicament*.

noodslachting ⟨de (v.)⟩ **0.1** *(emergency / forced) slaughter*.

noodsprong ⟨de (m.)⟩ **0.1** [(fig.) wanhopige poging] *desperate move / solution / measure* ⇒*last resort / resource* **0.2** [sprong om een ongeluk te voorkomen] *leap / dash for safety*.

noodstal ⟨de (m.)⟩ **0.1** *shoeing-shed* ⇒*temporary / emergency / makeshift stable*.

noodstop ⟨de (m.)⟩ **0.1** [plotselinge stop] *abrupt / sudden stop* **0.2** [(verkeer)] *emergency stop* ⇒*crash halt* ◆ **3.2** een ~ maken *make a sudden / an e.s., pull up short, stamp on the brakes*.

noodteken ⟨het⟩ **0.1** *distress signal* ⇒*S.O.S..*

noodtij ⟨het⟩ **0.1** *spring-tide*.

noodtoestand ⟨de (m.)⟩ **0.1** [toestand van nood] *emergency (situation)* ⇒*crisis,* ⟨officieel afgekondigd⟩ *state of emergency,* ⟨niet houdbaar⟩ *untenable / intolerable situation* **0.2** [(jur.)] *necessity, force majeure* ◆ **3.1** de ~ afkondigen *proclaim a state of emergency*.

noodtrap ⟨de (m.)⟩ **0.1** *fire-escape*.

nooduitgang ⟨de⟩ **0.1** *emergency exit* ⇒*fire exit,* ⟨brandtrap⟩ *fire-escape,* ⟨luik⟩ *escape hatch*.

noodvaart ⟨de⟩ **0.1** *breakneck speed* ◆ **6.1** met een ~ at b. s., *like mad / a scalded cat*.

noodverband ⟨het⟩ **0.1** [voorlopig verband] *first-aid / emergency / temporary dressing* **0.2** [voorlopige maatregel] *makeshift / emergency solution / measure* ⇒*stopgap*.

noodverblijf ⟨het⟩ **0.1** *temporary / make-shift quarters* ⇒*emergency accommodation*.

noodverkoop ⟨de (m.)⟩ **0.1** *forced / compulsory sale*.

noodverlichting ⟨de (v.)⟩ **0.1** *emergency light(ing)*.

noodvoorraad ⟨de (m.)⟩ **0.1** *emergency supply* ⇒*reserve*.

noodvoorziening ⟨de (v.)⟩ **0.1** *temporary measure / provision / arrangement* ⇒*expedient, makeshift*.

noodvulling ⟨de (v.)⟩ **0.1** *temporary filling*.

noodweer
I ⟨het⟩ **0.1** [slecht weer] *heavy weather* ⇒*storm,* ⟨inf.⟩ *rotten weather;*
II ⟨de⟩ **0.1** [zelfverdediging] *self-defence* ^A*se* ◆ **6.1** uit ~ handelen *act in s.-d..*

noodwendig ⟨bn., bw.; -ly⟩ **0.1** *necessary, inevitable;* ⟨bw. ook⟩ *of necessity, needs, perforce* ◆ **1.1** een ~ gevolg *an i. consequence* **3.1** iedereen moet ~ sterven *everyone must inevitably die*.

noodwendigheid ⟨de (v.)⟩ **0.1** *necessity, inevitability*.

noodwet ⟨de⟩ **0.1** *emergency law* ⇒⟨mbt. een specifieke wet⟩ *emergency act* ◆ ¶**.1** door middel van een ~ *by special legislation*.

noodwetgeving 〈de (v.)〉 **0.1** *emergency/special legislation.*

noodwinkel 〈de (m.)〉 **0.1** *temporary shop.*

noodwoning 〈de (v.)〉 **0.1** *temporary/emergency house/accommodation.*

noodzaak 〈de〉 **0.1** *necessity* ⇒*inevitability, need, exigency* ◆ **1.1** de ~ van geheimhouding *the need for secrecy* **2.1** dat is een absolute ~ *it's an absolute necessity, it's absolutely essential;* bittere ~ *dire necessity;* dringende ~ *urgency;* militaire ~ *military exigency/exigencies* **3.1** ik zie de ~ daarvan niet in *I don't see the need for this, I don't see why this is necessary* **6.1** iets **uit** ~ doen *do sth. out of (sheer) necessity/because one has to/under the force of circumstances;* **zonder** ~ *unnecessarily.*

noodzakelijk
I 〈bn.〉 **0.1** [onmisbaar] *necessary* ⇒*indispensable, imperative, essential, vital* **0.2** [onvermijdelijk] *necessary, inevitable* ⇒*unavoidable* ◆ **1.1** ~ deel uitmaken van *be an essential part of;* ~e levensbehoeften *necessities of life;* een ~e voorwaarde voor *a prerequisite for/of, a n. condition for* **1.2** een ~ gevolg van inflatie *an i./automatic consequence of inflation* **3.2** het ~ achten iets te doen *feel the need/feel obliged/feel it incumbent on one to do sth.* **5.1** het hoogst~e *the bare/barest essentials/necessities;*
II 〈bw.〉 **0.1** [onvermijdelijk] *necessarily, inevitably* ⇒*of necessity, automatically,* 〈schr.〉 *perforce* **0.2** [dringend] *urgently* ◆ **3.1** dit vloeit ~ uit die maatregel voort *this is an inevitable consequence of that measure;* daaruit volgt niet ~ dat *that does not necessarily mean/imply that, it does not follow as a matter of course that.*

noodzakelijkerwijs 〈bw.〉 **0.1** *necessarily, inevitably* ⇒*of necessity, needs,* 〈schr.〉 *perforce.*

noodzakelijkheid 〈de (v.)〉 **0.1** [omstandigheid] *necessity* ⇒*exigency, need* **0.2** [hoedanigheid] *necessity* ⇒*need, urgency* **0.3** [onvermijdelijke loop van zaken] *necessity, inevitability* ⇒*automatism* ◆ **2.1** een harde ~ *an absolute necessity* **2.3** een ijzeren ~ *an inescapable n..*

noodzaken 〈ov.ww.〉 **0.1** *force, oblige* ⇒*compel, impel, constrain* ◆ **3.1** ik zag me genoodzaakt in te grijpen *I was/felt forced/compelled to intervene.*

noodzender 〈de (m.)〉 **0.1** *emergency transmitter.*

nooit 〈bw.〉 (→sprw. 137,144,377,510,565) **0.1** [nimmer] *never* **0.2** [heus niet] *never* ⇒ ↓*no way* **0.3** [in geen geval] *never* ⇒*certainly/definitely,* ↓*no way* ◆ **3.1** dat is nog~ vertoond *that is unprecedented/unique there has n. been anything like it (before);* dat raad je ~ *you'll n. guess;* dat is iets om ~ te vergeten *that is unforgettable* **3.2** ik geloof ~ dat hij het gedaan heeft *I can't believe he did it;* men kan ~ weten *you never know, you never can tell* **3.3** je moet het ~ doen *you must never/certainly not do that* **5.1** bijna ~ *hardly ever;* ~ meer! *n. again!;* ~ meer huilen *no more tears* **5.3** 〈inf.〉 ~ niet *never!;* ~ ofte nimmer *absolutely not, never in (all) my life* ¶**.1** ~ van mijn leven *n. in my life;* ~ van gehoord! *n. heard of it/him;* men is ~ te oud om te leren *one is n. too old to learn* ¶**.3** 〈inf.〉 al me ~ niet *definitely not!, forget it!, no way!, not on your Nelly!, not me!;* dat ~! *anything rather than that!, never!.*

noon →**none.**

Noor 〈de (m.)〉, **-se** 〈de (v.)〉 **0.1** *Norwegian.*

noord[1] 〈de (m.)〉 **0.1** [deel van een land] *north* **0.2** [land op het noordelijk halfrond] *north* **0.3** [noordelijke gedeelte] *north* ◆ **1.2** de dialoog tussen ~ en zuid *the dialogue between n. and south, the north-south dialogue* **6.1** van ~ naar zuid reizen *travel from (the) n. to (the) south* **6.3** om de ~ varen *go n. about.*

noord[2] 〈bn., bw.〉 **0.1** 〈bn.〉 *north(erly), northern;* 〈bw.〉 *north(erly)* ◆ **3.1** ~ houden *steer north;* de wind is ~ *the wind is north.*

Noord-Afrika 〈het〉 **0.1** *North Africa.*

Noordafrikaans 〈bn.〉 **0.1** *North African.*

Noord-Amerika 〈het〉 **0.1** *North America.*

Noordamerikaans 〈bn.〉 **0.1** *North American.*

Noordatlantisch 〈bn.〉 **0.1** *North Atlantic* ◆ **1.1** het ~ bondgenootschap *the North Atlantic Treaty Organization.*

Noord-Brabant 〈het〉 **0.1** *North Brabant.*

Noordbrabants 〈bn.〉 **0.1** *North Brabant.*

noordelijk
I 〈bn.〉 **0.1** [mbt. de wind] *north(erly)* **0.2** [naar het noorden gaand] *northern* ⇒*northerly, northward* **0.3** [gelegen in/behorend tot het noorden] *northern* ⇒*northerly* **0.4** [gelegen naar het noorden] *northern* ⇒*northerly* **0.5** [eigen aan het noorden] *northern* ◆ **1.1** de wind is ~ *the wind is northerly* **1.2** een ~e koers kiezen *take/steer a northerly course* **1.3** het ~ halfrond *the northern hemisphere;* de Noordelijke IJszee *the Arctic (Ocean)* **1.4** de ~e helling van een berg *the northern/northerly slope of a mountain* **1.5** het ~ klimaat *the n./boreal climate* **2.3** meest ~ *northernmost;*
II 〈bw.〉 **0.1** [noordwaarts] *north* ⇒*northward(s), northerly* ◆ **6.1** ~ van *(to the) north of.*

noordeling 〈de (m.)〉 **0.1** [iem. uit het noorden] *northerner* **0.2** [Skandinaviër] *Northern European* ⇒*Scandinavian, northerner,* [1]*Hyperborean* **0.3** [aardappel] *'noordeling'* 〈kind of potato〉.

noorden 〈het〉 **0.1** [kompasstreek] *north* **0.2** [gebied, land] *North* ◆ **2.2** het barre/hoge ~ *the barren/frozen N., the Arctic regions* **6.1** naar het ~ *(to the) n., northward(s);* een kamer **op** het ~ *a room facing n.;* **ten** ~ **van** *(to the) n. of;* de wind komt **uit** het ~ *the wind is northerly, there's a northerly wind* **6.2** de treinen **naar** het ~ *the northbound trains.*

noordenwind 〈de (m.)〉 **0.1** *north(erly) wind* ◆ **2.1** een ijzige ~ *an icy north wind, an arctic wind.*

noorderbreedte 〈de (v.)〉 **0.1** *north latitude* ⇒*latitude north/North* ◆ **1.1** Madrid ligt op 40 graden ~ *Madrid lies in 40° north latitude/in latitude 40° north/North.*

noorderbuur 〈de (m.)〉 **0.1** *northern neighbour* ⇒*neighbour to the north* ◆ **4.1** onze noorderburen *our northern neighbours.*

noordergrens 〈de〉 **0.1** *northern border/frontier.*

noorderkeerkring 〈de〉 **0.1** *Tropic of Cancer.*

noorderkim 〈de〉 **0.1** *northern horizon.*

noorderkwartier 〈het〉 **0.1** *northern quarter/district/part, north.*

Noorderlicht 〈het〉 **0.1** *aurora borealis* ⇒*northern lights.*

noorderling 〈de (m.)〉 **0.1** *northerner.*

noorderzon 〈de〉 ◆ **6.¶ met** de ~ vertrekken *do a moonlight flit;* [1]*abscond,* ↓*skeddadle,* [B] ↓*scarper.*

noordgrens 〈de〉 **0.1** *northern border/frontier.*

Noord-Ierland 〈het〉 **0.1** *Northern Ireland* ⇒*the Province.*

Noordkaap 〈de〉 **0.1** *North/Arctic Cape.*

noordkant 〈de (m.)〉 **0.1** *north(ern) side* ◆ **6.1** aan de ~ van *on the north(ern) side of.*

noordkust 〈de〉 **0.1** *north(ern) coast.*

noordnoordoost
I 〈bn.〉 **0.1** [mbt. de wind] *north-northeast(erly)* ◆ **3.1** de wind is ~ *the wind is north-northeasterly/(coming) from the north-northeast;*
II 〈bw.〉 **0.1** [naar het noordnoordoosten] *north-northeastwards* ⇒*north-northeast(wardly/erly)* ◆ **3.1** ~ koersen *steer a north-northeasterly course.*

noordnoordoosten 〈het〉 **0.1** *north-northeast.*

noordnoordwest
I 〈bn.〉 **0.1** [mbt. de wind] *north-northwest(erly);*
II 〈bw.〉 **0.1** [naar het noordnoordwesten] *north-northwestwards* ⇒*north-northwest(wardly/erly).*

noordnoordwesten 〈het〉 **0.1** *north-northwest.*

noordoost
I 〈bn., alleen pred.〉 **0.1** [mbt. de wind] *northeast(erly)* ◆ **3.1** de wind is ~ *the wind is northeasterly/(coming) from the northeast;*
II 〈bw.〉 **0.1** [naar het noordoosten] *northeastwards* ⇒*northeast-(wardly/erly).*

noordoostelijk
I 〈bn.〉 **0.1** [mbt. de wind] *northeast(erly)* **0.2** [in de richting van het noordoosten gaand] *northeastward* ⇒*northeast(erly);*
II 〈bw.〉 **0.1** [naar het noordoosten] *northeastwards* ⇒*northeast-(wardly/erly).*

noordoosten 〈het〉 **0.1** *northeast.*

noordoostenwind 〈de (m.)〉, **-ooster** 〈de (m.)〉 **0.1** *northeaster(ly (wind)).*

noordoosterstorm 〈de (m.)〉 **0.1** *northeasterly gale* ⇒*northeaster.*

noordoostpassaat 〈de (m.)〉 **0.1** *northeast(erly) trade wind.*

Noordoostpolder 〈de (m.)〉 **0.1** *Northeast Polder.*

noordpijl 〈de (m.)〉 **0.1** *arrow indicating the north.*

noordpool 〈de (v.)〉 **0.1** [eindpunt van de aardas] *North Pole* **0.2** [land bij de noordpool] *Arctic* **0.3** [punt van de magneetnaald] *north* **0.4** [punt op aarde] *north pole* ◆ **2.4** de magnetische ~ *the magnetic n. p..*

noordpoolcirkel 〈de (m.)〉 **0.1** *Arctic Circle.*

noordpoolexpeditie 〈de (v.)〉, **-tocht** 〈de (m.)〉 **0.1** *arctic expedition.*

noordpoolgebied 〈het〉 **0.1** *arctic/polar region.*

noordpoolreis 〈de〉 **0.1** *arctic voyage.*

noordpoolreiziger 〈de (m.)〉, **-zigster** 〈de (v.)〉 **0.1** *arctic explorer.*

noordpooltocht 〈de (m.)〉 →**noordpoolexpeditie.**

noordpoolvaarder 〈de (m.)〉 **0.1** *arctic navigator.*

noordpunt
I 〈de〉 **0.1** [noordelijk punt] *north(ern) point;*
II 〈het〉 **0.1** 〈aardr.〉 *north(ern) point (of the horizon).*

noords 〈bn.〉 **0.1** [komend uit het noorden] *northerly* **0.2** [mbt. het noorden] *northern* ⇒*Nordic.*

noordster 〈de〉 **0.1** *North Star* ⇒*polar star, polestar, Polaris.*

noordtij 〈het〉 **0.1** 〈tidal wave entering the North Sea off Scotland〉.

noordwaarts
I 〈bw.〉 **0.1** [naar het noorden] *northwards* ◆ **3.1** de steven ~ richten *sail n.;*
II 〈bw.〉 **0.1** [naar het noorden gericht] *northward.*

noordwand 〈de (m.)〉 **0.1** *north(ern) wall* ⇒*north-facing wall, north face* 〈van berg〉.

noordwest
I 〈bn., alleen pred.〉 **0.1** [mbt. de wind] *northwest(erly);*
II 〈bw.〉 **0.1** [naar het noordwesten] *northwestwards* ⇒*northwest-(wardly/erly).*

noordwestelijk
I 〈bn.〉 **0.1** [mbt. de wind] *northwest(erly)* **0.2** [in de richting van het noordwesten] *northwestward* ⇒*northwest(erly);*

II ⟨bw.⟩ **0.1** [naar het noordwesten] *northwestwards* ⇒*northwest-(wardly/erly)*.
noordwesten ⟨het⟩ **0.1** *northwest*.
noordwestenwind ⟨de (m.)⟩, -**wester** ⟨de (m.)⟩ **0.1** *northwester(ly (wind))*.
noordwesterstorm ⟨de (m.)⟩ **0.1** *northwesterly gale* ⇒*northwester*.
Noordzee ⟨de⟩ **0.1** *North Sea* ⇒ ⟨vero.⟩ *German Ocean*.
noordzij ⟨de⟩ **0.1** *north(ern) side*.
Noorman ⟨de (m.)⟩ **0.1** *Norseman* ⇒*Viking*.
Noors ⟨bn.⟩ **0.1** *Norwegian*.
Noors³ ⟨bn.⟩ **0.1** *Norwegian* ⇒*Norse* ⟨sagen⟩.
Noorwegen ⟨het⟩ **0.1** *Norway*.
noot ⟨de⟩ **0.1** [boomvrucht] *nut* **0.2** [muzieknoot] *note* **0.3** [voetnoot] *(foot)note* **0.4** [eenzadige vrucht] *nut* **0.5** [kleine steenkool] *nut* ◆ **2.1** een harde ~ ⟨ook fig.⟩ *a tough/hard n.* *(to crack)* **2.2** een achtste ~ ᴮ*a quaver*, ᴬ*an eighth n.*; hele/halve noten spelen *play* ᴮ*semibreves/* ᴬ*whole notes, play* ᴮ*minims/*ᴬ*half notes*; een kwart ~ ᴮ*a crotcher*, ᴬ*a quarter n.*; ⟨vnl.AE, inf.⟩ *clinker*; ⟨fig.⟩ een vrolijke ~ *a cheerful n.*; ⟨inf.⟩ *comic/light relief* **2.3** ⟨fig.⟩ ergens een kritische ~ bij plaatsen *comment (critically) on sth.* **3.1** noten kraken *crack nuts* **3.2** noten kunnen lezen *be able to read music* **3.3** van noten voorzien *provide/supply/furnish with notes, annotate* **6.2** op noten zetten *set to music* **7.2** een tweeëndertigste ~ ᴮ*a demisemiquaver*, ᴬ*a thirty-second n.*; ⟨fig.⟩ veel noten op zijn zang hebben ⟨pretentieus zijn⟩ *be pretentious*; ⟨veeleisend zijn⟩ *be hard to please*; een zestiende ~ ᴮ*a semiquaver*, ᴬ*a sixteenth n.*.
nootdragend ⟨bn.⟩ ⟨biol.⟩ **0.1** *nuciferous*.
nootgewricht ⟨het⟩ ⟨med.⟩ **0.1** *ball(-and-socket) joint*.
nootjeskolen ⟨zn.mv.⟩, -**kool** ⟨de⟩ **0.1** *nut/chestnut coal, nuts*.
nootmuskaat ⟨de⟩ **0.1** *nutmeg*.
nootmuskaatrasp ⟨de⟩ **0.1** *nutmeg grater*.
nootolie ⟨de⟩ **0.1** *nut oil*.
nop¹ →**noppes**.
nop² ⟨de⟩ **0.1** [reliëf in textiel] *burl* **0.2** [cirkelvormig versiersel] *(polka-)dot* **0.3** [uitsteeksel] *bump* **0.4** [mbt. schoenzool] *stud* **0.5** [mbt. matras] *tuft*.
nopen
I ⟨ov.ww.⟩ **0.1** [dwingen] *impel* ⇒*compel, oblige* ◆ **3.1** zij voelde zich genoopt in te grijpen *she felt obliged/impelled/compelled to intervene;*
II ⟨onov., ov.ww.⟩ **0.1** [brengen tot] *prompt* ⇒*induce, incite* ◆ **6.1** de aansporing noopte hem tot harder werken *the encouragement prompted/induced him to work harder*.
nopens ⟨vz.⟩ ⟨schr.⟩ **0.1** *with regard/respect to* ⇒*as regards, concerning*.
nopjes ⟨het⟩ ◆ **6.¶** in zijn ~ zijn *be (as) pleased as Punch, be delighted/over the moon*.
noppenfolie ⟨het⟩ **0.1** *blister padding*.
noppenzool ⟨de⟩ **0.1** *cleated sole*.
noppes ⟨onb.vnw.⟩ ⟨inf.⟩ **0.1** *nix* ⇒ ⟨vnl.AE⟩ *zilch* ◆ **6.1** voor ~ ⟨gratis⟩ *for nothing/free/n.;* ⟨tevergeefs⟩ *for nothing/n..*
noppig ⟨bn.⟩ **0.1** [stof] *napped, nappy* ⇒*shaggy*, ⟨rubber voorwerp bv.⟩ *knobby*.
nor ⟨de⟩ ⟨inf.⟩ **0.1** *clink* ⇒*jug, slammer*, ⟨AE ook⟩ *quod*, ⟨NE ook⟩ *can* ◆ **6.1** hij zit in de ~ *he is inside/doing time, he is in clink/in jug/in the slammer/in quod/in the can;* iem. **in** de ~ stoppen *put s.o. away/behind bars*.
noradrenaline ⟨de (v.)⟩ ⟨med.⟩ **0.1** *noradrenaline*.
noren ⟨zn.mv.⟩ **0.1** *racing skates*.
noria ⟨de⟩ **0.1** *noria* ⇒*chain-pump*.
noriet ⟨het⟩ **0.1** [geneesmiddel] *norit* **0.2** [gesteente] *norite*.
norm ⟨de⟩ **0.1** *standard;* ⟨schr.⟩ *norm* ◆ **2.1** de heersende ~en *prevailing standards* **3.1** een ~ vaststellen *lay down a s.* **6.1** niet aan de ~ voldoen *not come up to the s..*
normaal¹ ⟨de (m.)⟩ **0.1** [⟨wisk.⟩] *normal* ⇒*perpendicular* **0.2** [normale waarde] *normal* ⇒*standard* **0.3** [⟨meteo.⟩] *normal* **0.4** [benzine] *regular*.
normaal²
I ⟨bn., bw.; -ly⟩ **0.1** [gewoon] *normal* ◆ **1.1** bij normale ontwikkeling *with n. development;* in normale toestand *in its n. state;* de normale weg bewandelen *follow the n. / usual course* **3.1** gedraag je, doe ~! *don't make a fool of yourself!;* ~ gesproken *generally speaking, in the n. / ordinary course of events;* ~ verlopen *go as usual;* weer ~ worden *return/get back to normal, become n. again;* niet ~ zijn *be abnormal* **¶.1** ~ ben ik al thuis om deze tijd *I am normally/usually home by this time;* het behoort tot de normale gang van zaken *it's common practice;*
II ⟨bn.⟩ **0.1** [als norm dienend] *normal* ⇒*standard* ◆ **1.1** de normale arbeidsdag *the n. / standard working day;* buiten de normale uren *out of (n.) hours*.
normaalelement ⟨het⟩ **0.1** *normal element*.
normaalfilm ⟨de (m.)⟩ **0.1** *standard-size stock*.
normaalformaat ⟨het⟩ **0.1** *standard size*.
normaalgewicht ⟨het⟩ **0.1** *standard weight*.

normaalglas ⟨het⟩ **0.1** *heat-resistant* ⇒*Pyrex* ⟨handelsmerk⟩.
normaaloplossing ⟨de (v.)⟩ ⟨schei.⟩ **0.1** *standard solution*.
normaalprofiel ⟨het⟩ ⟨tech.⟩ **0.1** *standard section*.
normaalschool ⟨de⟩ ⟨AZN⟩ **0.1** *normal school* ⟨lager onderwijs⟩; *Teachers' (Training) College* ⟨secundair onderwijs⟩.
normaalspanning ⟨de (v.)⟩ **0.1** *standard tension*.
normaalspoor ⟨het⟩ **0.1** *standard gauge/*ᴬ*gage*.
normaaltoon ⟨de (m.)⟩ **0.1** *standard pitch*.
normaalverdeling ⟨de (v.)⟩ ⟨stat.⟩ **0.1** *normal distribution*.
normaalvlak ⟨het⟩ ⟨wisk.⟩ **0.1** *standard plane*.
normalisatie ⟨de (v.)⟩ **0.1** [het normaliseren] *regulation, normalization* **0.2** [het vaststellen van een standaard] *standardization* ◆ **1.1** de ~ van de prijzen *the r. of prices* **1.2** de ~ van de verkeerstekens *the s. of traffic signs*.
normaliseren ⟨ov.ww.⟩ **0.1** [standaardiseren] *standardize* **0.2** [weer normaal maken] *normalize* ◆ **1.1** een rivier ~ *regulate a river;* de spelling van een tekst ~ *standardize the spelling in/normalize a text* **1.2** de betrekkingen tussen beide landen zijn genormaliseerd *relations between the two countries have been normalized*.
normaliteit ⟨de (v.)⟩ **0.1** [het normaal zijn] *normality* ⇒*normalcy* **0.2** [⟨schei.⟩] *normality*.
normaliter ⟨bw.⟩ **0.1** *normally* ⇒*usually, as a rule*.
Normandië ⟨het⟩ **0.1** *Normandy*.
Normandiër ⟨de (m.)⟩, -**sche** ⟨de (v.)⟩ **0.1** *Norman*.
Normandisch ⟨bn.⟩ **0.1** *Norman* ◆ **1.1** de ~e Eilanden *the Channel Islands;* de ~e kust *the Normandy coast;* ~e saus *Normande/Normandy sauce;* de ~e verovering *the N. conquest*.
normatief ⟨bn.⟩ **0.1** *normative* ⇒*prescriptive* ◆ **1.1** normatieve kosten *standard costs;* normatieve kracht *legal force*.
normbesef ⟨het⟩ **0.1** *sense of standards/values*.
normenstelsel ⟨het⟩, -**systeem** ⟨het⟩ **0.1** *code* ⇒*conventions* ⟨mv.⟩.
normeren ⟨ov.ww.⟩ **0.1** [als norm vaststellen] *establish/set as the norm/standard of* **0.2** [de norm vastleggen van] *regulate* ⇒*standardize, normalize*.
normering ⟨de (v.)⟩ **0.1** [het normeren] *standardization* **0.2** [normstelling] *standard* ◆ **2.2** een nieuwe berekening maken volgens de andere ~ *recalculate according to the other s..*
normhuurquote ⟨de⟩ ⟨fiscus⟩ **0.1** ⟨*percentage of income one is presumed to spend on rent/mortgage*⟩.
normstelling ⟨de (v.)⟩ **0.1** *norm/standard(s)*.
nors ⟨bn., bw.⟩ **0.1** *surly* ⇒*gruff, crusty, grumpy* ◆ **1.1** een ~ antwoord geven *give a curt answer;* met een ~ gezicht *with a s. / grumpy expression;* een ~ uiterlijk *a s. / sullen appearance* **3.1** iem. ~ aankijken *give s.o. a s. / grumpy/black look, look at s.o. in a s. manner;* iem. ~ behandelen *treat s.o. gruffly*.
norsheid ⟨de (v.)⟩ **0.1** *gruffness* ⇒*crustiness, grumpiness, surliness, brusqueness*.
nortonbuis ⟨de⟩ **0.1** *norton pipe*.
nortonpomp ⟨de⟩ **0.1** *norton pump*.
nortonput ⟨de⟩ **0.1** *norton well*.
NOS ⟨de⟩ ⟨afk.⟩ **0.1** [Nederlandse Omroep Stichting] ⟨*Netherlands Broadcasting Authority*⟩.
nosologie ⟨de (v.)⟩ **0.1** *nosology*.
nostalgie ⟨de (v.)⟩ **0.1** *nostalgia*.
nostalgiek, nostalgisch
I ⟨bn.⟩ **0.1** [mbt. nostalgie] *nostalgic* ◆ **1.1** een ~e mijmering *n. musing/reverie;*
II ⟨bw.⟩ **0.1** [(als) met nostalgie] *nostalgically* ◆ **3.1** het verleden ~ verbeelden *picture the past.*
N.O.T. ⟨afk.⟩ **0.1** [Nederlandse Onderwijstelevisie] ⟨*Dutch Educational Television*⟩ ⇒≠*Open University*.
nota ⟨de⟩ **0.1** [rekening] *account* ⇒*bill, invoice* **0.2** [geschrift] *memorandum* ⇒*note* **0.3** [aantekening] *note* ◆ **1.1** ~ van onkosten *expense a., bill* **1.2** ~ van wijziging *government amendment (of a bill)* **2.2** een diplomatieke ~ *a diplomatic note* **3.1** ik zal u de ~ toesturen *I shall send you the bill* **3.¶** ~ nemen van *note, take note of;* goede ~ nemen van *take due/full note of.*
notabel ⟨bn.⟩ **0.1** *notable* ◆ **1.1** de ~e ingezetenen *the prominent/leading residents/citizens*.
notabele ⟨de (m.)⟩ **0.1** *dignitary* ⇒ ⟨scherts.⟩ *worthy* ◆ **1.1** de ~n van een stad of dorp *the dignitaries of a city/town or village;* ⟨scherts.ook⟩ *the local worthies*.
nota bene 0.1 [let wel] *nota bene* ⇒*please note* **0.2** [mbt. iets dwaas/onbehoorlijks] ⟨zie **¶**.2⟩ ◆ **¶.2** ze heeft ~ alwéér een andere auto *she's got yet another new car, would you believe*.
notaboek ⟨het⟩ ⟨AZN⟩ **0.1** *notebook*.
notariaat ⟨het⟩ **0.1** [ambt van notaris] *office of notary (public)* ⇒*notaryship* **0.2** [praktijk van een notaris] *notary's practice*.
notarieel
I ⟨bn.⟩ **0.1** [mbt. een notaris] *notarial* **0.2** [mbt. akten] *notarial* ◆ **1.1** het ~ examen *notary's examination;* een notariële volmacht *power of attorney* **1.2** een notariële akte *a n. act/deed;* ~ protest *a n. / notarized protest;*

II ⟨bw.⟩ **0.1** [bij notarisakte] *notarially* ♦ **3.1** ~ bekrachtigen *notarize, acknowledge/attest as a notary (public)*; iets ~ beschrijven *draw up/execute sth. before a notary (public)*.

notaris ⟨de (m.)⟩ **0.1** *notary (public)*.

notariskantoor ⟨het⟩ **0.1** *notary('s) office*.

notarisklerk ⟨de (m.)⟩ **0.1** *notary's clerk, notary public's clerk*.

notariskosten ⟨zn.mv.⟩ **0.1** *notary fee(s)* ⇒*notarial charges*.

notarius ⟨de (m.)⟩ ⟨r.k.⟩ **0.1** *notary*.

notatie ⟨de (v.)⟩ **0.1** [het noteren] *notation* ⇒⟨manier ook⟩ *notation system* **0.2** [⟨muz.⟩] *(musical) notation*.

notawisseling ⟨de (v.)⟩ **0.1** *exchange of notes*.

noteboom ⟨de (m.)⟩ **0.1** [boom die walnoten oplevert] *walnut (tree)* **0.2** [⟨AZN⟩ hazelaar] *hazel* ⇒*hazelnut (tree)*.

notedop ⟨de (m.)⟩ **0.1** [schaal van een noot] *nutshell* **0.2** [schuitje] *cockle-shell/-boat* ⇒*cockboat* ♦ **2.2** in een lekke ~ rondzeilen *sail around in a leaky tub* **6.1** ⟨fig.⟩ de hele theorie in een ~ *the whole theory in a n., the gist of the whole theory*.

notehout ⟨het⟩ **0.1** *walnut*.

notehouten ⟨bn.⟩ **0.1** *walnut*.

notekraker ⟨de (m.)⟩ **0.1** *(pair of) nutcrackers*.

notelaar ⟨de (m.)⟩ **0.1** [boom die walnoten oplevert] *walnut (tree)* **0.2** [hazelaar] *hazel* ⇒*hazelnut (tree)* **0.3** [notehout] *walnut*.

notemuskaat →*nootmuskaat*.

noten ⟨bn.⟩ **0.1** [van notehout] *walnut* **0.2** [in die kleur geverfd] *walnut* ⇒*nutbrown*.

notenapparaat ⟨het⟩ **0.1** ↓*footnotes* ⇒*notes and glosses*.

notenbalk ⟨de (m.)⟩ ⟨muz.⟩ **0.1** *staff* ⇒*stave*.

notenbar ⟨de⟩ **0.1** *nut shop*; ⟨deel van winkel⟩ *nut section*; ⟨op markt⟩ *nut stall/stand*.

notenbrood ⟨het⟩ **0.1** *nut-bread*; ⟨één brood⟩ *nut-loaf*.

notenkaas ⟨de (m.)⟩ **0.1** *nut-cheese*.

notenmoes ⟨het⟩ **0.1** *nut-spread*.

notenpapier ⟨het⟩ **0.1** *music paper*.

notenpasta ⟨het, de (m.)⟩ **0.1** *nut-paste*.

notenschrift ⟨het⟩ **0.1** *(musical) notation* ⇒*musical notes and symbols*, ⟨op notenbalk⟩ *staff notation*.

noteolie ⟨de⟩ **0.1** [uit walnoten] *walnut oil* **0.2** [uit muskaatnoten gedistilleerd] *nutmeg oil* ⇒*myristica oil*.

noterasp ⟨de (m.)⟩ **0.1** *nutmeg grater*.

noteren
I ⟨ov.ww.⟩ **0.1** [aantekenen] *note (down), make a note of* ⇒ ↓*jot down,* ↑*record, register, enter, book* ⟨bestellingen⟩, *score* ⟨punten⟩ **0.2** [bepalen, opgeven] *quote* ♦ **1.1** een naam/telefoonnummer/adres ~ *note/jot down/make a note of a name/telephone number/address* **1.2** gisteren werden geen koersen genoteerd *there were no prices/rates quoted yesterday* **6.2** aan de beurs genoteerd zijn *be listed on the (stock) market*;
II ⟨onov.ww.⟩ **0.1** [een prijs/koers krijgen] ⟨in vaste prijslijsten opnemen⟩ *list*; ⟨op prijslijsten noteren⟩ *quote* ♦ **1.1** het pond noteert f 5,25 *the pound is listed at/quotes/is quoted/stands at f 5,25* **2.1** hoger/lager ~ *be (quoted)/stand higher/lower* **5.1** hoog genoteerd staan ⟨lett.⟩ *be high-priced*; ⟨fig.⟩ *be highly esteemed/regarded, be high in s.o.'s regard*; olie noteert onveranderd *oil is (quoted) unchanged*.

notering ⟨de (v.)⟩ **0.1** [notatie] *noting/jotting down, making a note of* ↑*recording, registering, entering* **0.2** [vermelding van de prijs/koers] ⟨vermelding in vaste prijslijst⟩ *quotation*; ⟨prijs, koers⟩ *quoted price, rate* **0.3** [prijsbepaling] *quotation* ⇒*quote* ♦ **2.2** in de officiële ~ opgenomen *quoted in the Official List/Stock Exchange List, officially quoted*.

notie ⟨de (v.)⟩ **0.1** *notion* ⇒*idea, clue, conception* ♦ **2.1** geen flauwe ~ *not the faintest notion, not a clue, no idea* **3.1** hij heeft er geen ~ van *he hasn't the faintest/slightest notion/conception*; ↓*he hasn't the foggiest/an inkling, he's got no idea*.

notificatie ⟨de (v.)⟩ **0.1** [kennisgeving] *notification* ⇒*announcement, notice* **0.2** [registreren] *registration*.

notificeren ⟨ov.ww.⟩ **0.1** [bekendmaken] *notify* ⇒*announce, give notice of* **0.2** [registreren] *register*.

notitie ⟨de (v.)⟩ **0.1** *note* ♦ **1.1** ~ën bij een veiling *particulars of sale* **2.1** enkele losse ~s *a few jottings/notes* **3.1** ~s maken *take(down)/make notes*; ⟨onsystematisch⟩ *jot down notes* **3.¶** ~ nemen van ⟨aandacht schenken aan⟩ *take notice of, pay heed/attention to*; ⟨kennis nemen van⟩ *note, take note/* ⟨schr.⟩ *cognizance of*.

notitieblok ⟨het⟩ **0.1** *notepad, memo pad* ⇒ ↓*jotter,* ⟨BE⟩ *scribbling-pad*.

notitieboekje ⟨het⟩ **0.1** *notebook* ⇒*pocket-book, memorandum-book* ↓*jotter*.

n.o.t.k. ⟨afk.⟩ **0.1** [nader overeen te komen] *(to be agreed on)*.

notoor ⟨bn.⟩ **0.1** [berucht] *notorious* ⇒⟨sterker⟩ *infamous* **0.2** [algemeen bekend] *notorious* ⇒*(well)/widely/publicly) known* ♦ **1.1** hij is een notore leugenaar *he's a n. liar*.

notoriteit ⟨de (v.)⟩ **0.1** *notoriety* ♦ **1.1** akte van ~ *act of n.*.

notulant ⟨de (m.)⟩ **0.1** *minutes secretary*.

notulen ⟨zn.mv.⟩ **0.1** *minutes* ♦ **3.1** de ~ opmaken *write/draw up the m.*; in de ~ opnemen/vermelden *record in/enter in the m., put/place*

on record; in de ~ staan/voorkomen *appear in/be recorded in the m.*; de ~ vaststellen/arresteren *confirm the m.*; de ~ werden goedgekeurd *the m. were approved*.

notulenboek ⟨het⟩ **0.1** *minute book*.

notuleren
I ⟨onov.ww.⟩ **0.1** [notulen maken] *take (the) minutes, take down the minutes* ⇒*minute*;
II ⟨ov.ww.⟩ **0.1** [in de notulen opnemen] *enter/record in the minutes* ♦ **4.1** niets ~ *take no minutes, keep no records*.

notulist ⟨de (m.)⟩ **0.1** *minutes secretary*.

nou¹ ⟨bw.⟩ ⟨inf.⟩ **0.1** [nu] ⟨ongemarkeerd⟩ *now* **0.2** [verder] ⟨ongemarkeerd⟩ *now* ♦ **3.1** ik ga ~ pitten *I'm going to have a snooze n.* **4.2** wat moeten we ~ doen? *what do we have to do n.?*.

nou² ⟨vw.⟩ ⟨inf.⟩ **0.1** *now (that)* ♦ **¶.1** ~ zij het zegt, geloof ik het *n. that she says so I believe it*.

nou³ ⟨tw.⟩ **0.1** [als aansporing/aandrang] *now* ⇒*well, ... on earth* **0.2** [mbt. verbazing/ongeloof] *well* ⇒*really, oh* **0.3** [⟨als bevestiging⟩] ⟨zie 9.3⟩ **0.4** [mbt. onzekerheid] *again* **0.5** [als toegeving] *oh (very) well* ⇒*well, I must say, never mind* **0.6** [bij meningsverschil] ⟨zie 8.6⟩ **0.7** [mbt. ongepastheid] *oh, now* ⇒*why, ... on earth, ... ever* **0.8** [mbt. voortzetting/beëindiging] *well* ⇒*beëindiging)* so, all right, ⟨voortzetting⟩ *now, right* ♦ **3.1** kom je ~? *well, are you coming?*; schiet ~ eens op! *come on, hurry up!* **3.2** men je dat ~? *do you really mean it?, are you serious?* **4.7** wie doet ~ zoiets? *who (on earth) would ever do such a thing?* **5.4** wanneer ga je ~ ook weer weg? *when did you say you were leaving again?, when were you leaving again?* **5.5** ~ ja, wat zou dat? *oh (very) well, what does it matter?*; ~ ja, erg is 't niet *never mind, it's not all that bad*; ~ ja, het zal wel teruggevonden worden *not to worry, it'll turn up (somehow)*; dat is ~ niet bepaald eenvoudig *I must say/well, that's not so easy* **5.7** waar bleef je ~? *where on earth have you been?* **8.1** en ~ jij weer *what do you say to that?, what about that?,* ↑*how do you answer that?* **8.6** ~ en? ⟨wat zou dat?⟩ *so (what?)*, ⟨cynischer⟩ *too bad!, tough luck!*; ⟨wat kan ik daaraan doen?⟩ *what can you do?* **9.2** ~ ja zeg! *(my) goodness (gracious) (me)!*; ⟨onaangename verrassing⟩ *oh no!, good grief!*; ~ moe! *really!, I golly, gee*; ⟨onaangename verrassing⟩ *oh mother/brother* **9.3** ~, en of! *you bet!, damn right!, too right!* **9.7** toe ~ alsjeblieft *(oh) please!*; ⟨sterker⟩ *come on now!, do come on!* **¶.1** ~, komt er nog wat van? *well, what/how about it?, are you going to stand there all day?* **¶.2** als je me ~! *well I'll be (darned)!, you don't say!, you're kidding!, well did you ever!*; hoe kan dat ~? *how on earth can that be?* **¶.8** ~, dat was het dan *well/so, that was that*; ~, tot ziens *well, goodbye/see you* **¶.¶** ~, ~! *there there!*.

nouveau riche ⟨de (m.)⟩ **0.1** *nouveau riche* ⇒*parvenu, upstart,* ⟨zeldz.⟩ *roturier* ♦ **¶.1** de nouveaux riches *the new(ly)-rich, the nouveaux riches*.

nouveau roman ⟨de (m.)⟩ ⟨lit.⟩ **0.1** *nouveau roman*.

nouveauté ⟨de⟩ **0.1** *novelty* ⇒*fad, in-thing, craze,* ⟨mode⟩ *the last word, the height of fashion*.

nouvelle cuisine ⟨de⟩ ⟨cul.⟩ **0.1** *'nouvelle cuisine'* ♦ **3.1** in Nederland is de ~ begrepen als: kleine porties geven *in Holland 'n. c.' means small portions*.

nouvelle vague ⟨de (v.)⟩ **0.1** *nouvelle vague* ⇒*New Wave*.

nova ⟨de (v.)⟩ **0.1** *nova*.

novatie ⟨de (v.)⟩ **0.1** *novation*.

Nova Zembla ⟨het⟩ **0.1** *Novaya Zemlya, Nova Zembla*.

noveen ⟨de⟩ ⟨r.k.⟩ **0.1** *novena*.

novelle ⟨de⟩ **0.1** [verhaal] *short story* ⇒*novella, novelette* **0.2** [wijzigingswet] *amending act/* ⟨wetsontwerp⟩ *bill*.

novellenbundel ⟨de (m.)⟩ **0.1** *collection of short stories* ⇒*short story collection*.

novellist ⟨de (m.)⟩ **0.1** *short-story writer*.

november ⟨de (m.)⟩ **0.1** *November*.

novembernummer ⟨het⟩ **0.1** *November issue/number*.

noveren ⟨ov.ww.⟩ **0.1** *novate*.

NOVIB ⟨de (v.)⟩ ⟨afk.⟩ **0.1** [Nederlandse Organisatie voor Internationale Bijstand] ⟨*Dutch organization for international assistance*⟩.

novice ⟨de (m.)⟩ **0.1** *novice*.

noviciaat ⟨het⟩ **0.1** [proeftijd] *novitiate* **0.2** [plaats, gebouw] *noviciate*.

noviet ⟨de (m.)⟩ ⟨school.⟩ **0.1** *freshman* ⟨m., v.⟩ ⇒⟨BE; sl.⟩ *fresher*.

noviteit ⟨de (v.)⟩ **0.1** *novelty* ⇒*innovation*.

novocaïne ⟨de⟩ ⟨med.⟩ **0.1** *novocaine* ⇒⟨als merknaam⟩ *Novocain* ⟨procaine hydrochloride⟩.

novum ⟨het⟩ **0.1** [nieuw iets] *something new* ⇒*new/fresh fact, new circumstance, unprecedented fact* **0.2** [⟨jur.⟩] *new fact*; ⟨in cassatie⟩ *new point of law*.

nozem ⟨de (m.)⟩ **0.1** *rowdy* ⇒*yob(bo),* ^*sleazer, greaser,* ⟨Austr.E⟩ *larrikin* ⟨op motorfiets⟩ *bikie/*^*biker*.

nr. ⟨afk.⟩ **0.1** [nummer] *no.*.

N.S. ⟨afk.⟩ **0.1** [naschrift] *P.S.*.

N.S.B. ⟨de (v.)⟩ ⟨gesch.⟩ ⟨afk.⟩ **0.1** [Nationaal-Socialistische Beweging] ⟨*(Dutch) national socialist movement*⟩.

N.T. ⟨het⟩ ⟨afk.⟩ **0.1** [Nieuwe Testament] *N.T.*.

nu¹ ⟨het⟩ **0.1** *now* ⇒*the present (moment)* ◆ **1.1** het hier en het~ *the here and n.*.
nu² ⟨bw.⟩ **0.1** [op dit ogenblik] *now* ⇒*at the moment, at present* **0.2** [tegenwoordig] *now(adays)* ⇒*these days, at present, currently,* ⟨AE ook⟩ *presently* **0.3** [op een bepaald ogenblik] *now* **0.4** [in de toekomst] *now* **0.5** [mbt. een voorafgaand woord] *now* ◆ **2.1** ~ of nooit *n. or never* **3.1** de tijd gaat ~ *in the time is starting now;* ik kan ~ niet *I can't (right / just) n., I can't (just) at present/ the moment* **3.2** dat wordt ~ algemeen aanvaard *that's the generally accepted view these days/ now-(adays)* **4.4** wat ~? *what n.?, what next?* **5.1** ~ al *already;* ~ dadelijk *right n., right/ straight away;* ~ eerst *only n., not until/ not till/ not before n.;* ~ meteen *right now, right/ straight away, this (very) minute/ moment;* ~ niet *not now;* ~ nog niet *not yet;* ik weet het ~ nog *I can still remember, even n. I remember;* hij komt ~ pas aan *he's only just arriving (n.)* **5.3** ~ en dan *n. and then, n. and again, from time to time, at times, occasionally, every so often* **6.1** tot ~ (toe) *up to n., (up) until / till n.;* **van** ~ af aan *from n. on(wards), from this moment on,* ↑*henceforth* **¶.3** ~ eens … dan weer *now … (and) now …;* one time … another time; sometimes … sometimes / (at) other times; first / now … (and) then **¶.5** Jezus ~ reisde naar Judea *now Jesus went forth unto Judaea; dit probleem* ~ *moet bij de wortels aangepakt worden now, this problem must be tackled at the roots.*
nu³ ⟨vw.⟩ **0.1** *now (that)* ◆ **¶.1** ~ ik dat weet, ben ik gerust *now (that) I know that, my mind's at rest.*
nu⁴ ⟨tw.⟩ **0.1** [als aansporing/ aandrang] *now* ⇒*well, … on earth* **0.2** [mbt. verbazing/ ongeloof] *… on earth* **0.3** [mbt. onzekerheid] *again* **0.4** [als toegeving] *(oh) well* ⇒*let's face it* **0.5** [mbt. ongepastheid] *now* ⇒*… on earth, … ever* **0.6** [mbt. voortzetting/ beëindiging] *now* ⇒*anyway, well* ◆ **4.3** wie komen er ~ precies? *who are coming again exactly?, who did you say were coming exactly?* **5.4** de mensen zijn ~ eenmaal zo *look, / well, / let's face it, that's the way people are;* ~ ja, wat dan nog? *(oh) well, so what?* **5.5** hoe kun je dat ~ doen? *how on earth can you do such a thing?; waar zat je* ~? *where on earth were you?, where were you now?* **¶.6** ~, om weer op ons onderwerp te komen *anyway, / now, / well, to get back to where we were / to our subject / to the point.*
nuance ⟨de⟩ **0.1** [fijn onderscheid] *nuance* ⇒*shade of meaning, (slight/ more delicate) distinction, differentiation, subtle distinction,* ⟨pej.⟩ *nicety* **0.2** [kleurspeling] *shade* ⇒*tint* ◆ **3.1** daarin moet je een ~ aanbrengen *you must nuance that / modify that somewhat / qualify that (somewhat).*
nuanceren ⟨ov.ww.⟩ **0.1** [fijn onderscheid aanbrengen in] *nuance* ⇒⟨onderscheiden⟩ *differentiate, make a slight / subtle distinction in,* ⟨wijzigen⟩ *modify, qualify, refine* **0.2** [schakeren] *shade* ⇒*tint.*
nuancering ⟨de (v.)⟩ **0.1** [het aanbrengen van een fijn onderscheid] *nuancing* ⇒*differentiation, making of slight / subtle distinctions, modification, qualification, refining* **0.2** [schakering] *shading* ⇒*tinting.*
nuanceverschil ⟨het⟩ **0.1** *difference in nuance* ⇒*minor difference.*
Nubiër ⟨de (m.)⟩ **0.1** *Nubian.*
nubuck ⟨het⟩ **0.1** *buckskin.*
nuchter ⟨→sprw. 133⟩
I ⟨bn.⟩ **0.1** [niets gegeten, gedronken hebbend] *fasting* ⇒*empty* ⟨maag⟩, *newborn* ⟨dier⟩ **0.2** [niet dronken] *sober* **0.3** [sober] *sober* ⇒*plain, bare* ◆ **1.1** een ~ kalf ⟨pasgeboren⟩ *a newborn / newly born calf;* ⟨jonger dan drie weken⟩ *a calf younger than three weeks;* ⟨fig.⟩ *a greenhorn / tenderfoot* **1.3** de ~e logica *simple / plain / cold logic;* de ~e waarheid *the plain / simple / bare truth* **1.¶** de ~e darm *the jejunum* **3.1** voor je ter communie gaat, moet je één uur ~ zijn *before you go to communion, you must have been fasting for an hour* **3.2** ~ worden *sober up;*
II ⟨bn., bw.; -ly⟩ **0.1** [verstandig] *sober(-minded), sensible, commonsensical* ⇒*level-headed, matter-of-fact, down-to-earth* **0.2** [onopgesmukt] *cold, harsh* ⇒⟨pej. ook⟩ *unimaginative* ◆ **1.1** een ~ mens *a sensible / commonsensical / level-headed / sober(-minded) person;* een ~e opmerking *a common sense / level-headed / down-to-earth remark;* met zijn ~e verstand *level-headedly, soberly, matter-of-factly* **1.2** de ~e werkelijkheid *cold / harsh reality* **3.1** problemen ~ bekijken *look at problems soberly in a matter-of-fact / down-to-earth way.*
nuchterheid ⟨de (v.)⟩ **0.1** [zakelijkheid] *common sense* ⇒*matter-of-factness, down-to-earthness* **0.2** [werkelijkheidszin] *sober(-minded)ness* ⇒*level-headedness,* ↑*sobriety.*
nuchterling ⟨de (m.)⟩ ⟨inf.⟩ **0.1** *sobersides.*
nucleair
I ⟨bn.⟩ **0.1** [mbt. atoomsplitsing] *nuclear* **0.2** [⟨med.⟩] *nuclear;*
II ⟨bw.⟩ **0.1** [dmv. kernenergie] *nuclear* ◆ **3.1** ~ voortgestuwde schepen *nuclear-powered ships.*
nuclearisering ⟨de (v.)⟩ **0.1** [groei van de voorraad] *nuclear proliferation* ⇒*increase in nuclear weapons / arms / stocks* **0.2** [toenemend gebruik] *nuclear proliferation* ⇒*increasing use of nuclear energy / power.*
nucleïne ⟨de (v.)⟩ **0.1** *nucleoprotein* ⇒*nuclein.*
nucleïnezuur ⟨het⟩ ⟨bioch.⟩ **0.1** *nucleic acid.*
nucleolus ⟨de (m.)⟩ **0.1** *nucleolus, nucleole.*
nucleon ⟨het⟩ **0.1** *nucleon.*

nucleonica ⟨de (v.)⟩ **0.1** *nucleonics.*
nucleoom ⟨het⟩ **0.1** *nucleome.*
nucleoproteïne ⟨de⟩ ⟨bioch.⟩ **0.1** *nucleoprotein.*
nucleoside ⟨het, de⟩ ⟨bioch.⟩ **0.1** *nucleoside.*
nucleotide ⟨het, de⟩ ⟨bioch.⟩ **0.1** *nucleotide.*
nucleus ⟨de (m.)⟩ **0.1** *nucleus.*
nuclide ⟨de (v.)⟩ **0.1** *nuclide.*
nudisme ⟨het⟩ **0.1** *nudism* ⇒⟨meer filosofisch⟩ *naturism.*
nudist ⟨de (m.)⟩ **0.1** *nudist* ⇒⟨meer filosofisch⟩ *naturist.*
nudistencamping ⟨de⟩ **0.1** *nudist / naturist campsite.*
nudistenkamp ⟨het⟩ **0.1** *nudist colony / camp.*
nudistenstrand ⟨het⟩ **0.1** *nudist / nude beach.*
nuditeit ⟨de (v.)⟩ **0.1** [naaktheid] *nudity* ⇒*nakedness* **0.2** [naakt figuur] *nude.*
nuf ⟨de (v.)⟩ **0.1** *prim / affected girl* ⇒⟨ingebeeld⟩ *conceited / haughty /* ⟨voor alles de neus optrekkend⟩ *prissy,* ⟨inf.⟩ *namby-pamby girl.*
nuffig ⟨bn., bw.; -ly⟩ **0.1** *prim / affected* ⇒⟨ingebeeld⟩ *conceited, haughty,* ⟨voor alles de neus optrekkend⟩ *prissy,* ⟨inf.⟩ *namby-pamby.*
nuffigheid ⟨de (v.)⟩ **0.1** *primness, affectation* ⇒*conceit, haughtiness, prissiness.*
nuit ⟨zn.mv.⟩ ⟨film⟩ ◆ **¶.¶** ~ américaine *day for night.*
nuk ⟨de⟩ **0.1** *mood* ⇒*whim, quirk,* ⟨schr.⟩ *caprice* ◆ **2.1** hij heeft van die vreemde ~ken *he has these strange quirks / moods, he's rather quirky / moody.*
nukkig ⟨bn., bw.; -ly⟩ **0.1** *moody* ⇒*sullen, quirky, petulant,* ⟨schr.⟩ *capricious* ◆ **1.1** een ~ antwoord *a sullen answer;* een ~ kind *a quirky / m. / sullen child;* een ~ paard *a fractious horse.*
nukkigheid ⟨de (v.)⟩ **0.1** *moodiness* ⇒*sullenness, quirkiness, petulance,* ⟨schr.⟩ *capriciousness.*
nul¹ ⟨de⟩ **0.1** [cijferteken] *nought* ⇒⟨AE en wet.⟩ *zero,* ⟨inf.⟩ *o* **0.2** [persoon] *nobody* ⇒*nonentity, nothing* ◆ **2.2** hij is een grote ~ *he's a nobody / a nothing / a (complete) nonentity* **3.1** ⟨bij het telefoneren⟩ je moet eerst een ~ draaien *first you have to dial o / nought / zero;* ⟨fig.⟩ ~ op het rekest krijgen *meet with a refusal, be refused / rebuffed, come away empty-handed, be turned down* ⟨sollicitant, enz.⟩; ⟨inf.⟩ *come away with a flea in one's ear, get the bird* **7.1** een bedrag met zes ~len *a figure with 6 noughts / zeroes (on the end).*
nul² ⟨bn.⟩ **0.1** *null* ⇒⟨pej. ook⟩ *nil* ◆ **2.1** dat is van ~ en gener waarde *it is utterly worthless, its value is nil.*
nul³ ⟨hoofdtelw.⟩ **0.1** [nihil] *nought* ⇒*nil,* ⟨AE en wet.⟩ *zero* **0.2** [mbt. een schaalverdeling] *nought;* ⟨AE en wet.⟩ *zero* **1.1** van / uit het jaar ~ *out of the ark, from the year dot /* ⟨AE; sl.⟩ *Neanderthal, mediaeval /* ^-*ieval, antediluvian;* o,2 wordt gelezen als ~ komma twee *o.2 is read as nought / zero point two;* ~ komma ~ ⟨AE; inf. ook⟩ *zilch, absolutely nothing;* het uur ~ *zero hour* **5.1** het gehalte is bijna ~ *the content is almost nil / zero* **6.2** de stemming zakte al gauw **beneden** ~ *the mood soon fell below freezing-point;* tien graden **onder** ~ *ten (degrees) below zero* ⟨ook BE⟩; ⟨fig.⟩ **onder / beneden** ~ zijn *be way under par* **¶.1** Anderlecht heeft met 2-0 gewonnen *Anderlecht won two-nil /* ^*nothing.*
nulas ⟨de⟩ **0.1** *zero axis.*
nulde ⟨rangtelw.⟩ **0.1** *zeroth* ◆ **1.1** de ~ druk *the preprint.*
nulgroei ⟨de (m.)⟩ **0.1** *zero growth* ⇒*no-growth.*
nulhypothese ⟨de (v.)⟩ ⟨stat.⟩ **0.1** *null hypothesis.*
nullijn ⟨de⟩ **0.1** [⟨ec.⟩] *neutral line* **0.2** [regeling in de loonpolitiek] ≠*income freeze* **0.3** [lijn die het nulpunt aangeeft] *zero line.*
nulliteit ⟨de (v.)⟩ **0.1** *nullity* ◆ **1.1** een ~ *a nonentity / nobody / cypher / cipher.*
nulmeridiaan ⟨de (m.)⟩ **0.1** *prime meridian.*
nulnummer ⟨het⟩ **0.1** *trial issue.*
nuloptie ⟨de (v.)⟩ **0.1** *zero option.*
nulpunt ⟨het⟩ **0.1** [mbt. een schaalverdeling] *zero (point)* **0.2** [⟨fig.⟩ punt van laagste waarde(ring)] *nil* ⇒*zero, rock bottom,* ⟨dieptepunt⟩ *nadir,* ^*zilch* ◆ **2.1** het absolute ~ *absolute zero* **3.1** de temperatuur is tot het ~ gezakt *the temperature has dropped to zero* **3.2** het moreel was tot het ~ gedaald *morale had reached a nadir / an absolute nil / an all-time low.*
nulstand ⟨de (m.)⟩ **0.1** [stand op het nul- / beginpunt] *zero* **0.2** [⟨sport⟩] *no-score draw.*
nulteken ⟨het⟩ ⟨taal.⟩ **0.1** ⟨alg.⟩ *zero;* ⟨als lidwoord⟩ *zero determiner / article.*
nultrap ⟨de (m.)⟩ ⟨taal.⟩ **0.1** *zero grade.*
nulvlak ⟨het⟩ **0.1** *datum plane / level / line.*
nulwaardig ⟨bn.⟩ **0.1** *zerovalent.*
Num. ⟨afk.⟩ **0.1** [Numeri] *Num..*
numerair ⟨zn.⟩ **0.1** *numeric(al), numeral, numerary* ◆ **1.1** de ~e waarde van munten *the denomination of coins.*
numereren ⟨ov.ww.⟩ ⟨schr.⟩ **0.1** *numerate.*
Numeri ⟨het⟩ ⟨bijb.⟩ **0.1** *Numbers.*
numeriek
I ⟨bn.⟩ **0.1** [door getallen uitgedrukt] *numerical* ⇒*numeric, numeral* ◆ **1.1** ⟨tech.⟩ ~e besturing *numerical control;* een ~e code *a numerical / numeric / numeral code;* een ~ systeem *a numerical system;* de ~e waarde *the numerical value;*

II ⟨bn.,bw.;-ly⟩ **0.1** [in aantal] *numerical* ♦ **1.1** een ~e meerderheid hebben *have/possess a majority in numbers;* ~ (ver) in de minderheid (*greatly) outnumbered;* een ~e overmacht *superiority in numbers, n. superiority* **3.1** ~ overtreffen *outnumber.*

numero ⟨het⟩ **0.1** *number.*

numeroteur ⟨de (m.)⟩ **0.1** *numbering machine.*

numerus fixus ⟨de (m.)⟩ **0.1** *numerus clausus.*

numismaat ⟨de (m.)⟩ **0.1** *numismatist.*

numismatiek ⟨de (v.)⟩ **0.1** *numismatics.*

numismatisch ⟨bn.⟩ **0.1** *numismatic(al).*

nummer ⟨het⟩ **0.1** [cijfer, getal] *number* ⇒*figure* **0.2** [persoon, zaak] *number* **0.3** [liedje] *number* ⇒*item,* ⟨bv. op grammofoonplaat⟩ *track* **0.4** [act] *act* ⇒*routine, number* **0.5** [opvallend persoon] *character* ⇒ ⟨pej.⟩ *(odd) specimen* ♦ **1.1** ik heb het ~ van die auto genoteerd *I took down the number of that car* **1.2** het ~ v. april *the April issue/n.;* een ~ van een krant/tijdschrift *a newspaper edition, a number/issue of a periodical;* een ~ op een verkoping *a lot in an auction/sale* **2.1** de winnende ~s *the winning numbers* **2.2** een oud ~ *a back copy/issue/n.;* ⟨sport⟩ het volgende ~ op het programma *the next event on the programme* **2.5** zij/hij is een mooi ~ *she's quite a character/girl, he's quite a character/lad* **3.1** een ~ draaien *dial a number;* op ~ (af)leggen /plaatsen *arrange in numerical order/numerically/by number* **3.2** in deze maatschappij is ieder mens een ~ *people are mere numbers in this society* **3.3** een ~ draaien/opzetten *play a track* **3.4** een ~ brengen *do a routine/an a.* **6.1** schrijven onder ~ *letters/write to P.O. Box number …* **6.¶** iem. **op** zijn ~ zetten *cut s.o. down to size, take s.o. down a peg or two, put s.o. in his/her place* **7.1** ~ één van de klas zijn *be top of one's class;* ik woon op ~ twaalf *I live at number twelve* **7.2** hij is ~ één van de voordracht *he is first on the list;* ~ één zijn bij een wedstrijd *be/come first in a race/competition/contest;* ~ honderd de *smallest room* **¶.2** ⟨mil.⟩ voor zijn ~ op moeten komen *have to do one's national service.*

nummerbord ⟨het⟩ **0.1** ᴮ*number/*ᴬ*license plate.*

nummeren
I ⟨ov.ww.⟩ **0.1** [van een nummer voorzien] *number* ♦ **1.1** een dossier ~ *n. a file* **5.1** doorlopend ~ *n. consecutively;*
II ⟨onov.ww.⟩ ⟨mil.⟩ **0.1** [zijn volgnummer afroepen] *number off.*

nummering ⟨de (v.)⟩ **0.1** [het nummeren] *numbering* ⇒*numeration* **0.2** [het genummerd zijn] *numeration.*

nummerpaaltje ⟨het⟩ **0.1** *numbered marker.*

nummerplaat ⟨de⟩ →**nummerbord.**

nummerschijf ⟨de⟩ **0.1** *dial.*

nummersysteem ⟨het⟩ **0.1** *number system.*

nummerteken ⟨het⟩ **0.1** *serial number.*

nummertje ⟨het⟩ **0.1** [papiertje met volgnummer] *number* ⇒*ticket* **0.2** [staaltje] *sample* **0.3** [⟨inf.⟩ geslachtsgemeenschap] *screw* ⇒*fuck, lay,* ᴬ*shti(c)k* ♦ **3.1** u moet eerst een ~ trekken *you should draw a number first* **3.2** een ~ weggeven ⟨lett.⟩ *(demonstrative v. deskundigheid)* do one's number/act/thing; ⟨fig.⟩ *throw a tantrum* **3.3** een ~ maken *screw, fuck, shag, grind.*

nuntiatuur ⟨de (v.)⟩⟨r.k.⟩ **0.1** [waardigheid] *nunciature* **0.2** [residentie] *nunciature.*

nuntius ⟨de (m.)⟩ **0.1** *nuncio* ♦ **2.1** de pauselijke ~ *(papal) nuncio.*

nurks¹ ⟨de (m.)⟩ **0.1** *sourpuss* ⇒*growler.*

nurks² ⟨bn.,bw.;-(i)ly⟩ **0.1** *gruff* ⇒*surly.*

nurksheid ⟨de (v.)⟩ **0.1** *surliness* ⇒*gruffness, peevishness.*

nut¹ ⟨het⟩ **0.1** *use(fulness)* ⇒ ⟨voordeel⟩ *benefit,* ⟨waarde⟩ *point, value,* ⟨zin⟩ *purpose* ♦ **1.1** Maatschappij tot Nut van het Algemeen ≠*Society for Public Welfare* **2.1** het economisch ~ *the economic benefit* **3.1** het heeft geen enkel ~ om …*it is useless/pointless to …, there's no use/point (-ing);* ik zie er het ~ niet van in *I don't see the good/use/point of it* **6.1** zich iets **ten** ~te maken *make good use/take advantage of sth., utilize sth.,* †*avail o.s. of sth.;* **van** veel/groot ~ zijn *be of great /much benefit/value;* mijn werk is **zonder** enig ~ geweest *my work has been in vain/wasted/useless, my work has served no purpose.*

nut² ⟨bn.⟩ **0.1** *advantageous* ⇒*profitable* ♦ **3.1** iets ~ zijn *be worth it.*

nutatie ⟨de (v.)⟩ **0.1** [beweging van een rotatieas] *nutation* **0.2** [⟨ster.⟩] *nutation* **0.3** [⟨plantk.⟩] *nutation.*

nutria
I ⟨de⟩ **0.1** [dier] *nutria* ⇒*coypu;*
II ⟨het⟩ **0.1** [pels, bont] *nutria.*

nutsbedrijf ⟨het⟩ ♦ **2.¶** openbare nutsbedrijven *public utilities,* ᴬ*public service corporations.*

nutsfactor ⟨de (m.)⟩ **0.1** *utility factor.*

nutteloos ⟨bn.,bw.;-ly⟩ **0.1** [niet dienstig] *useless* ⇒ ⟨zinloos⟩ *pointless* **0.2** [zonder resultaat] *fruitless* ⇒*profitless,* ⟨tevergeefs⟩ *futile* ♦ **1.1** een ~ resultaat *a u. result;* een nutteloze vraag *a pointless question;* ~ werk doen *plough the sands* **1.2** nutteloze pogingen *fruitless/unsuccessful/futile attempts;* ~ verzet *futile/pointless resistance* **5.2** mijn werk is volkomen ~ geweest *my work has been utterly in vain/wasted /useless, my work has served no purpose whatsoever.*

nutteloosheid ⟨de (v.)⟩ **0.1** *uselessness* ⇒*futility, fruitlessness, pointlessness.*

nuttig ⟨bn.,bw.;-ly⟩ **0.1** [dienstig] *useful* **0.2** [voordeel opleverend] *advantageous* ⇒*profitable* **0.3** [⟨tech.⟩] *efficient* ♦ **1.1** ~e belasting/last /vracht/lading *u. load;* ~e handwerken *plain sewing;* een ~ lid van de maatschappij *a u./valuable member of the community;* ⟨sport⟩ een ~e speler *a u. player;* ~ werk verrichten *do a u./good job* **1.3** het ~ effect van een machine *the efficiency of a machine* **3.1** zich ~ maken *make o.s. u.;* ~ zijn voor *be u. to, be of service to,* ⟨ten goede komen⟩ *benefit* **3.2** zijn tijd ~ besteden *make good use of one's time, put one's time to good use, use one's time well* **7.1** ⟨zelfst.⟩ het ~e met het aangename verenigen *mix/combine business with pleasure.*

nuttigen ⟨ov.ww.⟩⟨schr.⟩ **0.1** *consume* ⇒*take, partake of.*

nuttigheid ⟨de (v.)⟩ **0.1** *usefulness.*

nuttigheidscoëfficiënt ⟨de (m.)⟩ **0.1** *coefficient of efficiency* ⇒*utilization coefficient* ⟨van verlichting⟩.

nuttiging ⟨de (v.)⟩ **0.1** [⟨schr.⟩ het nuttigen] *consumption* ⇒*taking* **0.2** [⟨r.k.⟩] *Communion.*

NV ⟨de (v.)⟩ ⟨afk.⟩ **0.1** [Naamloze Vennootschap] *plc (public limited company),* ᴬ*Inc. (incorporated).*

N.V.S.H. ⟨de (v.)⟩ ⟨afk.⟩ **0.1** [Nederlandse Vereniging voor Seksuele Hervorming] ⟨*Dutch Association for Sexual Reform*⟩.

NW ⟨afk.⟩ **0.1** [noordwest(en)] *N.W..*

nylon¹
I ⟨het, de (m.)⟩ **0.1** [kunststof] *nylon* **0.2** [⟨coll.⟩ polyamide] *nylon;*
II ⟨de⟩ **0.1** [nylonkous] *nylon (stocking).*

nylon² ⟨bn.⟩ **0.1** *nylon.*

nylondraad ⟨de (m.)⟩ **0.1** *nylon thread/line.*

nylongaren ⟨het⟩ **0.1** *nylon yarn.*

nylonkous ⟨de⟩ **0.1** *nylon stocking,* ⟨inf.;mv.⟩ *nylons.*

nymfale ⟨de⟩ ⟨biol.⟩ **0.1** *nymphalid.*

nystagmus ⟨de (m.)⟩⟨med.⟩ **0.1** *nystagmus.*

NZHRM ⟨de (v.)⟩ ⟨afk.⟩ **0.1** [Noord- en Zuidhollandse Reddingsmaatschappij] ⟨*Life Boat Society of North and South Holland*⟩.

o¹ ⟨de⟩ **0.1** [letter, klank] *o, O* **0.2** [namen/woorden beginnend met o] *o, O* **0.3** [voorwerp] *ring, circle* ♦ **3.3** ~'tjes blazen *blow/make smoke-rings.*

o² ⟨tw.⟩ **0.1** [gevoelsuiting] *O, oh, ah* **0.2** [uitroep tot versterking] *O, oh* ♦ **5.2** dat is ~ zo verleidelijk *that is ever so tempting, that tempts me no end* **9.2** ~ God! *O God!; ~* ja, dat is waar ook *oh yes, that reminds me; ~* ja? *oh, really?; ~* jee! *oh dear!, dear me!; ~* wel, als... *heaven/God help you if ...* **¶.1** ~, ben jij het *oh, it's you, is it* **¶.2** ~ zo! *so that's that!, so there!.*

o. ⟨afk.⟩ **0.1** [onzijdig] *n..*

O. ⟨afk.⟩ **0.1** [oost(en)] *E..*

o.a. ⟨afk.⟩ **0.1** [onder andere(n)] ⟨⟨zaken⟩ among other things; ⟨personen⟩ among others ⇒for instance⟩ ♦ **1.1** ~ de burgemeester *the mayor among others, including the mayor;* men vindt er ~ uranium *one of its minerals/resources is uranium* **3.1** het betekent ~ *one of its meanings is;* als spreker zullen ~ optreden *speakers will include;* tegen de motie stemden ~ *among those who voted against the motion were* **6.1** een groep met ~ Kelly en Anderson *a group including Kelly and Anderson* **¶.1** ik heb het ~ nodig voor *among other things, I need it for.*

O.A.E. ⟨de (v.)⟩ ⟨afk.⟩ **0.1** [Organisatie van Afrikaanse Eenheid] *O.A.U..*

O.A.S. ⟨de (v.)⟩ **0.1** [Organisatie van Amerikaanse Staten] *OAS* **0.2** [Organisation de l'armée secrète] *OAS* ⟨*French Secret Army Organization*⟩.

oase ⟨de (v.)⟩ **0.1** *oasis* ♦ **6.1** een ~ van rust *a haven of peace, an island of calm/tranquility.*

oasis ⟨de (v.)⟩ **0.1** *oasis.*

ob. ⟨afk.⟩ **0.1** [obiit] *ob..*

obductie ⟨de (v.)⟩ **0.1** *post-mortem (examination)* ⇒*autopsy.*

obedientie ⟨de (v.)⟩ **0.1** *obedience.*

obelisk ⟨de (m.)⟩ **0.1** [zuil] *obelisk* ⇒*obelus* **0.2** [⟨wisk.⟩] *obelisk.*

o-benen ⟨zn.mv.⟩ **0.1** *bandy/bow legs* ♦ **6.1** met ~ *bandy-/bow-legged.*

ober ⟨de (m.)⟩ **0.1** *waiter* ⇒⟨eerste kelner⟩ *head waiter,* ⟨barman⟩ *barman* ♦ **¶.1** ~, mag ik de rekening *w., may/could I have the bill, please.*

obituarium ⟨het⟩ **0.1** *obituary.*

object ⟨het⟩ **0.1** [voorwerp, zaak, persoon] *object* **0.2** [⟨taal.⟩] *object* **0.3** [⟨bk.⟩] *object* ⇒*item,* ⟨onroerend goed⟩ *property* ♦ **1.1** iets tot ~ van zijn studie maken *make sth. the subject of one's studies;* het ~ van zijn woede *the o. of his anger* **2.1** een geliefkoosd ~ van menig schilder *a favourite subject of many artists* **2.2** (di-

rect) ~ *direct o.;* indirect ~ *indirect o.* **2.3** een gewild ~ bij verzamelaars *a collector's item* **2.4** voor belegging geschikte ~en *property suitable for investment;* beleggen in waardevaste ~en *invest in objects/ items of stable value.*

objectglas, -glaasje ⟨het⟩ **0.1** *slide.*

objectie ⟨de (v.)⟩ **0.1** *objection* ⇒*demur.*

objectief¹ ⟨het⟩ **0.1** *objective.*

objectief² ⟨bn., bw.; -ly⟩ **0.1** *objective* ♦ **1.1** een ~ oordeel *an o. opinion, a detached/* ⟨onpartijdig⟩ *disinterested view* **2.1** ~ vergelijkbaar *objectively comparable* **3.1** zuiver ~ bekeken *from a purely o. point of view;* een zaak ~ bekijken *examine/view sth. objectively/impartially/ disinterestedly;* we moeten ~ blijven *we must remain o. / impartial, we must be fair* **5.1** jij bent niet ~ *you are biased* **6.1** de verslaggever was niet ~ in zijn commentaar *the reporter's comment was subjective/prejudiced/influenced/coloured/biased.*

objectiefprisma ⟨het⟩ **0.1** *objective prism.*

objectiveerbaar ⟨bn.⟩ **0.1** *open to objectification.*

objectiveren ⟨ov.ww.⟩ **0.1** *objectify.*

objectivisme ⟨het⟩ **0.1** [streven] *objectivity* **0.2** [⟨fil.⟩] *objectivism.*

objectiviteit ⟨de (v.)⟩ **0.1** *objectiveness, objectivity* ⇒*impartiality* ♦ **2.1** daarbij wordt niet altijd de nodige ~ in acht genomen *that/this is not always done with the necessary objectivity* **3.1** (niet) de nodige ~ betrachten *(fail to) exercise the necessary impartiality/o.* **6.1** zijn gebrek aan ~ *his lack of o./impartiality, his bias* **¶.1** iemands ~ in twijfel trekken *question s.o.'s objectivity.*

objecttaal ⟨de⟩ ⟨logica⟩ **0.1** *object language.*

objecttafel ⟨de⟩ **0.1** *stage.*

obl. ⟨afk.⟩ **0.1** [obligatie] *deb..*

oblaat ⟨de (m.)⟩ **0.1** [lid v.e. religieuze stichting] *oblate* **0.2** [⟨jur.⟩] *offeree.*

obligaat¹ ⟨muz.⟩
   I ⟨het⟩ **0.1** [solopartij] *ob(b)ligato;*
   II ⟨de⟩ **0.1** [obligatist] *soloist.*

obligaat² ⟨bn., bw.⟩ **0.1** [verplicht] *obligatory* ⇒*requisite* **0.2** [⟨muz.⟩] *ob(b)ligato* ♦ **1.1** de obligate doedelzakspeler *the o. bagpiper;* ⟨fig.⟩ een obligate neger *a token black;* obligate toespraken *traditional speeches* **1.2** obligate partij *o. part;* obligate vioolbegeleiding *ob(b)ligato violin, violin ob(b)ligato* **2.1** ⟨med.⟩ ~ pathogeen *obligately pathogenic.*

obligaatpartij ⟨de (v.)⟩ ⟨muz.⟩ **0.1** *ob(b)ligato.*

obligaatstem ⟨de⟩ ⟨muz.⟩ **0.1** *ob(b)ligato.*

obligatie ⟨de (v.)⟩ **0.1** *bond* ⇒⟨BE ook⟩ *debenture,* ⟨AE, met vaste rente, ook⟩ *debenture (bond)* ♦ **2.1** aflosbare en onaflosbare ~s *redeemable/terminable and irredeemable bonds/debentures;* converteerbare ~s *convertible d.;* langlopende ~s *long bonds;* winstdelende/ converteerbare ~s *profit-sharing/convertible bonds/debentures* **3.1** ~s aflossen/uitloten *redeem/draw bonds/debentures; ~*s uitgeven *issue bonds/debentures* **6.1** ~s met een looptijd van één jaar *yearling bonds* **¶.1** een op naam gestelde ~ *registered debenture (bond).*

obligatiehouder ⟨de (m.)⟩ **0.1** *bondholder, debenture-holder.*

obligatielening ⟨de (v.)⟩ **0.1** *debenture stock.*

obligatiemarkt ⟨de⟩ **0.1** *bond/[B]debenture market.*

obligatieschuld ⟨de⟩ **0.1** *bonded debt.*

obligatist ⟨de (m.)⟩ ⟨muz.⟩ **0.1** *soloist.*

obligatoir ⟨bn.⟩ **0.1** *obligatory* ⇒*compulsory* ♦ **1.1** ~e reassurantie *compulsory reinsurance.*

obligeren ⟨ov.ww.⟩ **0.1** [aan zich verplichten] *oblige* **0.2** [noodzaken] *oblige* ⇒*constrain, compel.*

obligo ⟨het⟩ ⟨geldw.⟩ **0.1** *liabilities.*

obliquus ⟨bn.⟩ ♦ **¶.¶** ⟨taal.⟩ casus ~ *oblique case.*

obliteratie ⟨de (v.)⟩ **0.1** [doorhaling, vernietiging] *obliteration* ⇒*erasure* **0.2** [⟨med.⟩] *obstruction* ⇒*constipation.*

oblong ⟨bn.⟩ **0.1** *oblong* ♦ **1.1** ~ formaat *o. format.*

obovaal ⟨bn.⟩ **0.1** *obovate.*

obsceen ⟨bn.⟩ **0.1** *obscene* ♦ **1.1** een ~ gebaar maken *make an o. gesture;* obscene taal bezigen ⟨inf. ook⟩ *use dirty/foul language.*

obsceniteit ⟨de (v.)⟩ **0.1** [hoedanigheid] *obscenity* **0.2** [iets obsceens] *obscenity* ♦ **3.2** ~en uitslaan *talk obscenities.*

obscurant ⟨de (m.)⟩ **0.1** *obscurant.*

obscurantisme ⟨het⟩ **0.1** *obscurantism.*

obscuriteit ⟨de (v.)⟩ **0.1** [⟨fig.⟩ onduidelijkheid] *obscurity* **0.2** [vergetelheid] *obscurity* ⇒*oblivion* **0.3** [duisternis] *obscurity.*

obscuur ⟨bn.⟩ **0.1** [duister] *obscure* ⇒*dark* **0.2** [onbekend] *obscure* **0.3** [⟨pej.⟩] *obscure* ⇒*shady* **0.4** [⟨stud.⟩ niet actief] ⟨ongemarkeerd⟩ *inactive* **0.5** [⟨fig.⟩ onduidelijk] *obscure* ⇒*abstruse* ♦ **1.2** een ~ blaadje *an o. publication* **1.3** een ~ kroegje/mannetje *a shady pub/bar, a shady-looking customer;* een ~ zaakje *a shady/doubtful business* **1.5** ⟨jur.⟩ een obscure dagvaarding *an abstruse summons.*

obsederen ⟨ov.ww.⟩ **0.1** *obsess* ♦ **1.1** een ~de gedachte *an obsessive thought;* dat idee/die gedachte obsedeert mij *that idea/thought obsesses/haunts me* **3.1** ze raakte volkomen door hem geobsedeerd *she was completely infatuated with/by him* **6.1** geobsedeerd **door** de vrees dik te worden *obsessed with the fear of getting fat.*

obsequium 〈het〉〈r.k.〉 **0.1** *obsequiousness*.
observant 〈de (m.)〉 **0.1** [waarnemer] *observer* **0.2** [kloosterling] *Observant*.
observantie 〈de (v.)〉 **0.1** *observance*.
observatie 〈de (v.)〉 **0.1** [waarneming] *observation* ⇒*perception* **0.2** [het waargenomene] *findings* ⇒*observational/experimental data* ◆ **6.1 ter** ~ in een ziekenhuis worden opgenomen *be admitted to hospital for o..*
observatieafdeling 〈de (v.)〉 **0.1** *observation unit* ⇒〈zaal〉 *observation ward*.
observatieballon 〈de (m.)〉〈mil.〉 **0.1** *observation balloon* ⇒〈worstvormig〉 *sausage (balloon)*, 〈langwerpig〉 *kite balloon*.
observatiehuis 〈het〉 **0.1** [B]*remand home/centre, detention home*.
observatiepost 〈de (m.)〉 **0.1** *observation post*.
observatievliegtuig 〈het〉〈mil.〉 **0.1** *observation plane* ⇒*spotter (plane)*.
observator 〈de (m.)〉, **-trice** 〈de (v.)〉 **0.1** [waarnemer] *observer* **0.2** [sterrenwacht] *observer* ⇒*astronomer*.
observatorium 〈het〉 **0.1** [sterrenwacht] *observatory* **0.2** [waarnemingsplaats] *observatory*.
observeren 〈ov.ww.〉 **0.1** [gadeslaan] *observe* ⇒*watch* **0.2** [in acht nemen] *observe* ◆ **1.1** vogels ~ *o. / watch birds*.
obsessie 〈de (v.)〉 **0.1** *obsession* ⇒〈inf.〉 *hang-up* ◆ **1.1** werken is gewoon een ~ voor hem *he's obsessed by work*; 〈inf.〉 *he's a workaholic* **6.1** het is gewoon een ~ **voor** hem geworden *it has become a real/complete o. with him* ¶.**1** één van haar ~s is dat ze bang is om *...one of her hang-ups is that she is afraid to ....*
obsidiaan 〈het〉 **0.1** *obsidian*.
obsignatie 〈de (v.)〉〈jur.〉 **0.1** *attachment; arrest* 〈van schip〉 ⇒*seizure*.
obsoleet 〈bn.〉 **0.1** *obsolete*.
obstakel 〈het〉 **0.1** *obstacle* ⇒*obstruction, impediment, hindrance* ◆ **3.1** ~s nemen *negotiate obstacles*; ~s omzeilen *by-pass obstacles*; een belangrijk ~ vormen *constitute a major o.* ¶.**1** ~s uit de weg ruimen *remove obstacles from the/one's path*.
obstakellicht 〈het〉 **0.1** *warning light*.
obstetrie 〈de (v.)〉 **0.1** *obstetrics* ◆ **1.1** kliniek voor ~ en gynaecologie *an obstetric and gynaecological [A]gynecological clinic*.
obstetrisch 〈bn., bw.; -(al)ly〉 **0.1** *obstetric(al)*.
obstinaat 〈bn.〉 **0.1** *obstinate* ⇒*stubborn, persistent*, 〈schr.〉 *pertinacious*.
obstipatie 〈de (v.)〉 **0.1** *constipation* ⇒*costiveness*.
obstructie 〈de (v.)〉 **0.1** [〈sport〉] *obstruction* **0.2** [〈pol.〉] *obstruction*; 〈vnl. BE〉 *stonewalling*; 〈vnl. AE〉 *filibuster(ing)* **0.3** [〈med.〉] *obstruction* ⇒*constipation* ◆ **3.1** ~ plegen *practice o., stonewall, filibuster* **3.2** ~ voeren tegen een wetsontwerp *obstruct/block a bill*.
obstructief 〈pol.〉 **0.1** *obstructive*.
obstructionist 〈de (m.)〉 **0.1** *obstructionist* ⇒*obstructor*.
o.c. 〈afk.〉 **0.1** [opere citato] *op. cit..*
ocarina 〈de (m.)〉〈muz.〉 **0.1** *ocarina* ⇒〈AE ook; inf.〉 *sweet potato*.
occasie¹ 〈de (v.)〉〈AZN〉 **0.1** [gelegenheid] *occasion* **0.2** [〈AZN〉 koopje] *bargain* ⇒*second-hand article* ◆ **6.1 bij/per** ~ *on o., by chance* **6.2** iets **per** ~ kopen *buy sth. second-hand*.
occasie² 〈bn.〉〈AZN〉 **0.1** *second-hand* ⇒〈auto ook〉 *used*.
occasion 〈de (v.)〉 **0.1** [koopje] *bargain* **0.2** [tweedehands artikel] *second-hand article* ⇒〈auto〉 *used car*.
occasionbedrijf 〈het〉 **0.1** *used-car dealer's*.
occasioneel 〈bn., bw.; -ly〉 **0.1** [bij een bepaalde gelegenheid] *occasional* **0.2** [toevallig] *casual* ◆ **1.1** 〈taal.〉 de occasionele betekenis v.e. woord *the restricted meaning of a word (in a given context)*; in occasionele gevallen *occasionally*; ~ onderwijs *o. education/training*.
occident 〈de (m.)〉 **0.1** *Occident*.
Occident 〈de (m.)〉 **0.1** *Occident*.
occidentaal 〈bn.〉 **0.1** *Occidental*.
occlusie 〈de (v.)〉 **0.1** [〈schei., meteo.〉] *occlusion* **0.2** [〈med.〉 *occlusion* **0.3** [mbt. het gebit] *occlusion*.
occlusief¹ 〈de〉〈taal.〉 **0.1** *occlusive* ⇒*stop*.
occlusief² 〈bn.〉〈med.〉 **0.1** *occlusive* ◆ **1.1** een ~ verband *an o. dressing*.
occult 〈bn.〉 **0.1** *occult* ⇒*esoteric* ◆ **1.1** ~e wetenschappen *o. sciences* **7.1** 〈zelfst.〉 het ~e *the o. / supernatural*.
occultatie 〈de (v.)〉〈ster.〉 **0.1** *occultation*.
occultisme 〈het〉 **0.1** *occultism*.
occultist 〈de (m.)〉 **0.1** *occultist*.
occupatie 〈de (v.)〉 **0.1** [bezetting] *occupation* **0.2** [bezigheid] *occupation* ⇒*employment*.
occuperen
I 〈ov.ww.〉 **0.1** [bezetten] *occupy*.
II 〈wk.ww.; zich ~〉 **0.1** [zich bezighouden] *occupy o.s. (with)* ⇒〈met zaken ook〉 *busy o.s. (with)*;
III 〈onov.ww.〉〈jur.〉 **0.1** [optreden] *appear, act* ◆ **8.1** als procureur ~ voor *appear for, act as solicitor for*.
oceaan 〈de (m.)〉 **0.1** [zee] *ocean* **0.2** [〈fig.〉] *ocean* ⇒*sea* ◆ **2.1** de Atlantische Oceaan *the Atlantic (Ocean)*; de Indische Oceaan *the Indian Ocean*; de Stille/Grote Oceaan *the Pacific (Ocean)* **6.2** een ~ **van** licht *a sea of light*.
oceaandepressie 〈de (v.)〉〈meteo.〉 **0.1** *oceanic depression*.

oceaanfront 〈het〉〈meteo.〉 **0.1** *ocean front*.
oceaanhaven 〈de〉 **0.1** *ocean port*.
oceaanlucht 〈de〉 **0.1** *ocean air*.
oceaanreis 〈de〉 **0.1** *ocean voyage*.
oceaanreus 〈de (m.)〉 **0.1** *ocean liner*.
oceaansleper 〈de (m.)〉 **0.1** *ocean(-going) tug*.
oceaanstomer 〈de (m.)〉 **0.1** *ocean(-going) steamer*.
oceaanvlucht 〈de〉 **0.1** *transoceanic flight*.
oceaniden 〈zn.mv.〉〈myth.〉 **0.1** *Oceanid(e)s*.
Oceanië 〈het〉 **0.1** *Oceania*.
oceanisch 〈bn.〉 **0.1** *oceanic*.
Oceanisch 〈bn.〉 **0.1** *Oceanian*.
oceanograaf 〈de (m.)〉, **-grafe** 〈de (v.)〉 **0.1** *oceanographer*.
oceanografie 〈de (v.)〉 **0.1** *oceanography*.
oceanografisch 〈bn.〉 **0.1** *oceanographic(al)*.
oceanologie 〈de (v.)〉 **0.1** *oceanology* ⇒*oceanography*.
oceanoloog 〈de (m.)〉, **-loge** 〈de (v.)〉 **0.1** *oceanologist* ⇒*oceanographer*.
och¹ 〈het〉 **0.1** *oh* ◆ **2.1** een meewarig ~ *a sympathetic oh*.
och² 〈tw.〉 **0.1** [gevoelsuiting] *oh* ⇒〈vnl. dicht.〉 *o, ah* **0.2** [versterkende uitroep] *oh, ah* ◆ **3.1** ~ kom *oh, go on/get away/along with you* **9.2** ~ gut! *oh God/dear/what a shame!* ¶.**1** ~, stakker *oh, poor soul/thing*; ~, het had erger gekund *(oh) well, it could have been worse;* ~, waarom niet *oh/ah/well, why not;* ~ mevrouw, kunt u me even helpen? *oh/I say/excuse me, madam, could you just help me, please?;* ~, nou is ze gevallen *o dear, she has fallen down*.
ochlocraat 〈de (m.)〉 **0.1** *ochlocrat*.
ochlocratie 〈de (v.)〉 **0.1** *ochlocracy* ⇒*mob rule*.
ochtend 〈de (m.)〉 **0.1** [morgenstond] *dawn* ⇒*daybreak* **0.2** [de morgen] *morning* **0.3** [〈fig.〉 aanvang] *dawn(ing), morning* ⇒*beginning, opening* ◆ **1.3** de ~ v.h. leven *the m. of life* **2.1** v.d. vroege ~ tot de late avond *from early morning/the break of d. till late at night; morning, noon and night* **2.2** de hele ~ *all the m.* **6.2** vroeg **in** de ~ *early in the m.* **7.2** om 7 uur 's ~s at 7 *o'clock in the m.* ¶.**2** het was me het ~je wel *it was quite a m..*
ochtendblad 〈het〉 **0.1** [krant] *morning (news)paper* **0.2** [ochtendeditie] *morning edition* ◆ **3.1** heb je het ~ gezien? *have you seen this morning's paper (yet)?.*
ochtenddienst 〈de (m.)〉 **0.1** [godsdienstoefening] *morning service* ⇒〈Angl.〉 *Morning Prayer, matins* **0.2** [werkzaamheden] *morning duty* ◆ **3.2** ~ hebben *be on m. d. /* 〈vnl. AE〉 *mornings*.
ochtendeditie 〈de (v.)〉 **0.1** *morning edition*.
ochtendgloren 〈het〉〈schr.〉 **0.1** *daybreak* ⇒*peep/break of dawn, break of day* ◆ **6.1** bij het eerste ~ *at the first break/light of day, at the first glimmer/peep of dawn*.
ochtendgymnastiek 〈de (v.)〉 **0.1** *morning exercises*.
ochtendhoest 〈de (m.)〉 **0.1** *morning cough* ⇒〈ihb.〉 *smoker's cough*.
ochtendhumeur 〈het〉 **0.1** [early) morning mood* ◆ **3.1** een ~ hebben *feel grumpy/be moody in the morning*.
ochtendjas 〈de〉 **0.1** *dressing gown* ⇒〈voor vrouwen〉 *duster, housecoat, morning gown* 〈nogal luxueus〉.
ochtendkrant 〈de〉 **0.1** *morning (news)paper*.
ochtendkrieken 〈het〉〈schr.〉 **0.1** 〈dicht.〉 *morn* ◆ **6.1** bij het ~ *at the crack/peep/break of dawn*.
ochtendmelk 〈de〉 **0.1** *morning milk*.
ochtendmens 〈de (m.)〉 **0.1** *early bird/riser*.
ochtendnevel 〈de (m.)〉 **0.1** *(early-)morning mist*.
ochtendploeg 〈de〉 **0.1** *morning shift*.
ochtendpost 〈de〉 **0.1** *morning mail* / 〈vnl. BE ook〉 *post*.
ochtendspits 〈de〉, **-spitsuur** 〈het〉 **0.1** *morning rush (hour)*.
ochtendstond 〈de (m.)〉 **0.1** [morgenstond] *dawn* ⇒〈dicht.〉 *morn* **0.2** [〈fig.〉 aanvang] *dawn(ing), morning*.
ochtendvoer 〈het〉 **0.1** *morning feed(ing)*.
ochtendwandeling 〈de (v.)〉 **0.1** *morning walk* ⇒〈regelmatig, om fit te blijven〉 *morning constitutional*.
ochtendwijding 〈de (v.)〉 **0.1** *morning service* ⇒≠*Thought for the Day,* ≠*Reflections* ◆ **6.1** de spreker in de ~ van vandaag *is the speaker in this morning's reflections is, in 'Thought for the day' this morning's speaker is.*
ochtendziek 〈bn.〉 **0.1** *moody in the morning*.
octaaf 〈het, de〉 **0.1** [〈lit.〉] *octave, octet* **0.2** [〈muz.〉 interval] *octave* ⇒*eighth* **0.3** [〈muz.〉 toon] *octave* **0.4** [orgelregister] *octave, diapason* **0.5** [〈r.k.〉] *octave* ◆ **1.5** het ~ van Kerstmis *the o. of Christmas* ¶.**2** een ~ hoger/lager *an ô. higher/lower*.
octaan 〈het〉〈schei.〉 **0.1** *octane*.
octaangehalte 〈het〉 **0.1** *octane content* ◆ **2.1** benzine met een hoog ~ *high-octane* [B]*petrol,* [A]*gas(oline)*.
octaangetal 〈het〉 **0.1** *octane number/rating* ◆ **2.1** door benzine met een laag ~ gaat een motor pingelen *low-octane fuel causes an engine to knock/pink*.
octaanwaarde 〈de (v.)〉 →**octaangetal**.
octaëder 〈de (m.)〉〈wisk.〉 **0.1** *octahedron*.
octant 〈de (m.)〉 **0.1** [astronomisch instrument] *octant* **0.2** [sterrenbeeld] *Octant* **0.3** [schijngestalte v.d. maan] *octant* **0.4** [〈wisk.〉] *octant* ◆ **7.3** de vier ~en *the four octants*.

octavo¹ ⟨het⟩ **0.1** [boekformaat] *octavo* **0.2** [boek] *octavo* ◆ **6.1** een uitgave **in** ~ *an edition in o..*

octavo² ⟨bn.⟩ **0.1** *octavo* ◆ **1.1** tachtig bladzijden ~ *eighty o. pages.*

octavo-uitgave ⟨de⟩ **0.1** *octave edition.*

octet ⟨het⟩ **0.1** [musici] *octet(te)* **0.2** [muziekstuk] *octet(te).*

octodecimo ⟨het⟩ **0.1** *octodecimo, eighteenmo.*

octogonaal ⟨bn.⟩ **0.1** *octagonal, octangular.*

octogoon ⟨de (m.)⟩ **0.1** *octagon.*

octopus ⟨de (m.)⟩ **0.1** *octopus.*

octrooi ⟨het⟩ *patent* ◆ **3.1** ~ aangevraagd *p. applied for/pending;* ~ aanvragen *apply for a p.;* ~ verkrijgen op iets *obtain/take out a p. in respect of/covering/relating to sth., patent sth.;* ~ verlenen *grant/issue a p..*

octrooiaanvrage ⟨de (v.)⟩ **0.1** *patent application* ◆ **3.1** een ~ indienen *file/lodge a p. a..*

octrooibescherming ⟨de (v.)⟩ **0.1** *patent protection/coverage.*

octrooibrief ⟨de (m.)⟩ **0.1** [getuigschrift van uitvinding] *letters patent* **0.2** [⟨gesch.⟩ vergunning] *charter.*

octrooibureau ⟨het⟩ **0.1** *patent agency.*

octrooieren ⟨ov.ww.⟩ **0.1** *patent, take out a patent in respect of* ⇒⟨machtigen⟩ *charter* ◆ **1.1** een geoctrooieerde maatschappij *a chartered company.*

octrooigemachtigde ⟨de (m.)⟩ **0.1** *patent agent/ᴬattorney.*

octrooihouder ⟨de (m.)⟩, **-ster** ⟨de (v.)⟩ **0.1** *patentee.*

Octrooiraad ⟨de (m.)⟩ **0.1** *Patent Office.*

octrooirecht ⟨het⟩ **0.1** *patent law.*

octrooirechtelijk ⟨bn., bw.⟩ **0.1** *of/under/in patent law* ◆ **1.1** een ~e bepaling *a provision of/under/in patent law* ¶.1 ~ is dat mogelijk *that's possible in/under patent law.*

octrooiregister ⟨het⟩ **0.1** ᴮ*patent Rolls,* ᴬ*register of patents.*

octrooiwet ⟨de⟩ **0.1** *Patent Act.*

oculair¹ ⟨het⟩ **0.1** *eyepiece* ⇒*ocular.*

oculair² ⟨bn.⟩ **0.1** *ocular* ◆ **1.1** ⟨schr.⟩ ~e inspectie *ocular inspection.*

oculairlens ⟨de⟩ **0.1** [als oculair dienende lens] *eyepiece* **0.2** [lens die deel uitmaakt v.e. oculair] *eyepiece/ocular lens.*

oculatie ⟨de (v.)⟩ **0.1** *budding.*

oculeren ⟨onov., ov.ww.⟩ **0.1** *bud* ◆ **6.1** ~ met een slapend oog *bud a dormant eye;* ~ met een schietend oog *bud a shooting eye.*

oculist ⟨de (m.)⟩ **0.1** *oculist* ⇒*ophthalmologist.*

oculus ⟨de (m.)⟩ **0.1** *oculus.*

odalisk ⟨de (v.)⟩ **0.1** *odalisque, odalisk.*

ode ⟨de⟩ **0.1** *ode* ◆ **6.1** een ~ brengen **aan** iem. ⟨fig.⟩ *pay (a) tribute to/ sing the praises of s.o..*

odeon ⟨het⟩ **0.1** [⟨gesch.⟩] *odeum* **0.2** [opera-/concertgebouw] *odeum.*

odeur ⟨de (m.)⟩ **0.1** [geur, reuk] *fragrance, perfume,* ᴮ*scent* **0.2** [reukwater] *perfume,* ᴮ*scent* ⇒*(eau de) cologne.*

odieus ⟨bn., bw.;-ly⟩ **0.1** *odious, hateful* ⇒*objectionable* ⟨karakter, meningen⟩, *loathsome* ⟨vnl. lichamelijk⟩, *repugnant* ⟨reuk, smaak enz.⟩.

odium ⟨het⟩ **0.1** [haat] *odium* ⇒*detestation, hatefulness* **0.2** [stigma van gehaat zijn] *odium* ⇒*stigma* ◆ **3.2** een ~ op zich laden *incur an o.* ¶.1 ~ theologicum *o. theologicum.*

odontologie ⟨de (v.)⟩ **0.1** *odontology.*

odorant ⟨de (m.)⟩ **0.1** *odorant.*

odoriseren ⟨ov.ww.⟩ **0.1** *odorize* ⇒*scent, perfume.*

odyssee ⟨de (v.)⟩ **0.1** [tocht] *odyssee* **0.2** [epos] *Odyssee.*

oecumene ⟨de⟩ **0.1** *(o)ecumeni(cali)sm* ◆ ¶.1 de ~ *ecumenicity, Christian unity.*

oecumenisch ⟨bn.⟩ **0.1** [mbt. de algemene kerk] *(o)ecumenic(al)* **0.2** [algemeen] *(o)ecumenic(al)* ⇒*universal* ◆ **1.1** de ~e beweging *(o)ecumenism, (o)ecumenicalism, the (o)ecumenical movement;* een ~e dienst *an (o)ecumenical service;* ~e zondag *(o)ecumenical Sunday* **1.2** ⟨r.k.⟩ een ~ concilie *an (o)ecumenical council.*

oedeem ⟨het⟩ ⟨med.⟩ **0.1** *oedema.*

oedipaal ⟨bn.⟩ **0.1** *Oedipal.*

oedipuscomplex ⟨het⟩ ⟨psych.⟩ **0.1** *Oedipus (complex).*

oef¹ ⟨tw.⟩ **0.1** *ouf, oof* ◆ **2.1** een benauwd ~ *an anxious ouf.*

oef² ⟨tw.⟩ **0.1** *phew, whew.*

oefenaar ⟨de (m.)⟩, **-ster** ⟨de (v.)⟩ ⟨prot.⟩ **0.1** *lay preacher/reader.*

oefenbak ⟨de (m.)⟩ ⟨sport⟩ **0.1** *fixed tub/tank.*

oefenboek ⟨het⟩ **0.1** *workbook* ⇒*exercise book.*

oefenen
I ⟨ov.ww.⟩ **0.1** [trainen, repeteren] *train, coach* ⇒ ⟨zich bekwamen⟩ *practise, rehearse* ⟨rol⟩, ⟨exerceren⟩ *drill* **0.2** [mbt. deugd/plicht] *exercise* ◆ **1.1** zijn spieren ~ *exercise one's muscles* **1.2** geduld ~ *e. patience* **4.1** zich ~ in het zwemmen/paardrijden *practise swimming/ horse riding* **6.1** kinderen ~ **in** het lezen *t./coach children in reading;*
II ⟨onov.ww.⟩ **0.1** [trainen, repeteren] *train; practise; rehearse* ⟨rol⟩; *drill* ⟨exerceren⟩ **0.2** ⟨prot.⟩ *have religious meetings* ◆ **3.1** je moet meer ~ *you need more practice, you need to practise more* **5.1** ik heb niet veel/genoeg kunnen ~ *I haven't been able to get a lot of/enough pratice* **6.1** op de piano ~ *practise (on) the piano;* ~ **voor** een voorstelling *rehearse for a performance.*

oefengranaat ⟨de⟩ **0.1** *dummy/practice shell.*

oefening ⟨de (v.)⟩ ⟨→sprw. 460⟩ **0.1** [training] *exercise* **0.2** [opgave] *exercise, drill* **0.3** [⟨prot.⟩] *religious meeting* ◆ **1.**¶ ⟨r.k.⟩ ~ van berouw *act of contrition/penitence* **2.1** dat is een goede ~ voor je *it is good practice for you;* lichamelijke ~ *physical education/training;* militaire ~en *manoeuvres, military exercises* **2.2** ⟨sport⟩ de vrije ~ *free-standing exercises* **3.2** ~en doen op muziek *do exercises to music, do aerobics;* ~en maken *do (one's) exercises* **6.1** ~en **voor** de buikspieren *stomach exercises* **6.2** ~en **bij** de leerstof *exercises to go with/illustrate the theory.*

oefeningstherapie ⟨de (v.)⟩ **0.1** *remedial therapy.*

oefenkamp ⟨het⟩ **0.1** *training camp.*

oefenmateriaal ⟨het⟩ **0.1** *practice/exercise material(s);* ⟨bij lessen⟩ *teaching aids.*

oefenmeester ⟨de (m.)⟩ **0.1** *trainer, coach.*

oefenperk ⟨het⟩ **0.1** [plaats] *practice ring* **0.2** [⟨fig.⟩] *arena* ⇒*scene* ◆ **1.2** het ~ der deugd *the a. of virtue.*

oefenpop ⟨de⟩ **0.1** *dummy.*

oefenschema ⟨het⟩ **0.1** *training schedule.*

oefenschip ⟨het⟩ **0.1** *training ship.*

oefenschool ⟨de⟩ **0.1** [⟨fig.⟩ gelegenheid] *school* **0.2** [school] *training school.*

oefenstof ⟨de⟩ **0.1** *exercise material* ◆ **2.1** deze teksten vormen geschikte ~ *these texts are suitable e. m..*

oefenterrein ⟨het⟩ **0.1** [⟨sport⟩] *practice/training ground* **0.2** [⟨mil.⟩] *drill-ground/square.*

oefentherapeut ⟨de (m.)⟩, **-e** ⟨de (v.)⟩ **0.1** *remedial therapist.*

oefentherapie ⟨de (v.)⟩ **0.1** *remedial therapy.*

oefenvlucht ⟨de⟩ ⟨luchtv.⟩ **0.1** *practice/training flight.*

oefenwedstrijd ⟨de (m.)⟩ ⟨sport⟩ **0.1** *training/practice match* ⇒⟨atletiek, boksen⟩ *workout,* ⟨boksen⟩ *sparring-match.*

Oeganda ⟨het⟩ **0.1** *Uganda.*

Oegandees ⟨de (m.)⟩ **0.1** *Ugandan.*

oeh ⟨tw.⟩ **0.1** *phew, whew.*

oehoe¹ ⟨de (m.)⟩ **0.1** *eagle owl.*

oehoe² ⟨tw.⟩ **0.1** *hey!* ⇒*hoy!.*

oei ⟨tw.⟩ **0.1** ⟨verrassing⟩ *oops;* ⟨pijn⟩ *ouch* ◆ ¶.1 ~, bijna *oops, that was close.*

oekaze ⟨de⟩ **0.1** ⟨ook fig.⟩ *ukase.*

Oekraïne ⟨de⟩ **0.1** ◆ **7.**¶ de ~ *the Ukraine.*

oelama ⟨de (m.)⟩ **0.1** *ulema* ⇒*ulama.*

oelewapper ⟨de (m.)⟩ ⟨inf.⟩ **0.1** *nincompoop* ⇒*ninny, puddinghead, simpleton* ◆ ¶.1 wat ben jij toch een ~! *what a nincompoop/ninny/puddinghead you are!.*

oempa → **hoempa.**

oen ⟨de (m.)⟩ ⟨inf.⟩ **0.1** *blockhead* ⇒*thickhead, sap, duffer, dolt, dummy.*

oenig ⟨bn., bw.⟩ ⟨inf.⟩ **0.1** *thick* ⇒ ⟨AE ook⟩ *dumb.*

oenologie ⟨de (v.)⟩ **0.1** *oenology.*

oenoloog ⟨de (m.)⟩, **-loge** ⟨de (v.)⟩ **0.1** *oenologist.*

O. en W. ⟨het⟩ ⟨afk.⟩ **0.1** [(ministerie van) Onderwijs en Wetenschappen] ⟨*Ministry of Education and Science*⟩.

oer ⟨het⟩ **0.1** *bog (iron) ore* ⇒*limonite,* ⟨hard en ondoordringbaar⟩ *iron pan, hardpan.*

oer- **0.1** [oud, oorspronkelijk] *primal* ⇒*primitive, primordial* ⟨mens⟩, *prim(a)eval* ⟨zee, bos⟩, ⟨geol., dierk.⟩ *prehistoric* **0.2** [⟨inf.⟩ zeer] ⟨ongemarkeerd⟩ *extremely* ⇒*ultra-,* ⟨inf.⟩ *deadly* ⟨saai⟩ **0.3** [van/ met oer] of/ *with bog ore* ⇒⟨tech.⟩ *ferruginous* ◆ **1.1** de oertijd *prehistoric times, primeval age(s)* **2.2** oerkomisch *e./screamingly funny.*

o.e.r. ⟨afk.⟩ **0.1** [op/onder erewoord retour] ⟨*return(ed) on word of honour*⟩.

Oeral ⟨de (m.)⟩ **0.1** ◆ **7.**¶ de ~ *the Urals/Ural Mountains.*

oerbank ⟨de⟩ **0.1** *iron pan.*

oerbeeld ⟨het⟩ **0.1** *archetype* ⇒*exemplar.*

oerbeginsel ⟨het⟩ **0.1** *rudiment, rudimentary element.*

oerbewoner ⟨de (m.)⟩, **-woonster** ⟨de (v.)⟩ **0.1** *autochthon* ⇒≠*aborigine.*

oerbos ⟨het⟩ **0.1** *prim(a)eval forest.*

oerbron ⟨de⟩ **0.1** *fountainhead* ⇒*well-head, well-spring.*

oerconservatief ⟨bn.⟩ **0.1** *ultraconservative* ⇒*archconservative, die-hard/dyed-in-the-wool conservative.*

oerdegelijk ⟨bn.⟩ ⟨inf.⟩ **0.1** *extremely solid/sound* ⇒*old-fashioned, straitlaced* ⟨opvoeding e.d.⟩ ◆ **1.1** een ~e constructie ⟨ook⟩ *an unbreakable/a shatter-proof construction;* een meisje uit een ~e familie *a girl from an old-fashioned/a straitlaced family.*

oerdieren ⟨zn.mv.⟩ **0.1** *protozoa.*

Oerdoe ⟨het⟩ **0.1** *Urdu.*

oerdrift ⟨de⟩ **0.1** *primitive drive/urge.*

oerexplosie ⟨de⟩ **0.1** → **oerknal.**

Oergermaans ⟨het⟩ **0.1** *Proto-Germanic* ⇒*Primitive Germanic.*

oergesteente ⟨het⟩ **0.1** *igneous rock(s).*

oergezellig ⟨bn., bw.⟩ ⟨inf.⟩ **0.1** ⟨ongemarkeerd⟩ *very pleasant* ⇒*delightful* ⟨avond, feest⟩, *sociable, companionable* ⟨persoon⟩, *very cosy* ⟨woning(inrichting)⟩.

oergezond ⟨bn.⟩⟨inf.⟩ **0.1** *bursting / glowing with health* ⇒⟨ongemarkeerd⟩ *very healthy.*

oergrond ⟨de (m.)⟩ **0.1** [grond die oer bevat] *ferruginous ground* **0.2** [diepste reden] *foundation* ⇒*underlying principle.*

oerknal ⟨de (m.)⟩⟨ster., nat.⟩ **0.1** *Big Bang.*

oerkreet ⟨de (m.)⟩ →**oerschreeuw.**

oerlaag ⟨de⟩ **0.1** [laag die oer bevat] *iron pan* **0.2** [oorspronkelijke laag] *original stratum / layer.*

oermens ⟨de (m.)⟩ **0.1** [mens uit de oertijd] *primitive man* ⇒*prehistoric / primordial man* **0.2** [iem. zonder beschaving] *uncivilized person* ⇒ *barbarian* **0.3** [eerste mensensoort] *protohuman.*

oeros ⟨de (m.)⟩ **0.1** *aurochs* ⇒*urus.*

oeroud ⟨bn.⟩ **0.1** *ancient* ⇒*prehistoric, prim(a)eval* ◆ **1.1** een~e beschaving *an a. civilization;* in ~e tijden *in very a. / prehistoric times;* sinds ~e tijden *from a. times, from / since time immemorial.*

oerprincipe ⟨het⟩ **0.1** *first / basic principle.*

oersaai ⟨bn., bw.⟩ **0.1** *deadly dull* ⇒*as dull as ditchwater / dishwater, dry as dust,* ⟨stad, dorp⟩ *Dullsville* ◆ **1.1** mijn zwager is ~*my brother-in-law is deadly dull / bores me to death / tears.*

oerschreeuw ⟨de (m.)⟩ **0.1** *primal scream* ◆ ¶.1 een therapie met behulp van ~*en primal (scream) therapy, scream therapy.*

oerslecht ⟨bn., bw.⟩ **0.1** *terribly bad* ⇒⟨inf.⟩ *superbad, rotten to the core* ⟨persoon⟩.

oerstaat ⟨de (m.)⟩ **0.1** *original / primary state / condition.*

oersted ⟨de (m.)⟩⟨nat.⟩ **0.1** *oersted.*

oersterk ⟨bn.⟩⟨inf.⟩ **0.1** ⟨ongemarkeerd⟩ *exceedingly strong* ⇒⟨krachtig ook⟩ *extremely powerful / vigorous / forceful,* ⟨onverslijtbaar ook⟩ *very / highly durable* ◆ **1.1** ~e koffie ⟨ook⟩ ↓*poisonously strong coffee.*

oerstof ⟨de⟩ **0.1** *protoplasm.*

oerstom ⟨bn.⟩ **0.1** *idiotic* ⇒*moronic, hopelessly / incredibly stupid,* ⟨BE; sl.⟩ *pig-ignorant.*

oertaal ⟨de⟩ **0.1** *protolanguage* ⇒*Ursprache.*

oertekst ⟨de (m.)⟩ **0.1** *original text.*

oertijd ⟨de (m.)⟩ **0.1** *prehistoric times* ⇒*prim(a)eval age(s)* ◆ **6.1** iem. uit de ~ ⟨fig.⟩ *s.o. having prehistoric views (on sth.), a stick-in-the-mud.*

oertype ⟨het⟩ **0.1** *archetype* ⟨ook psych.⟩ ⇒*ancestor* ⟨ook plantk.⟩.

oervervelend ⟨bn., bw.⟩⟨inf.⟩ **0.1** *deadly boring / tiresome.*

oervolk ⟨het⟩ **0.1** *primitive people / society.*

oervorm ⟨de (m.)⟩ **0.1** *archetype.*

oerwoud ⟨het⟩ **0.1** [bos] *prim(a)eval forest* ⇒*virgin forest,* ⟨tropisch⟩ *jungle,* ⟨dicht.⟩ *wildwood,* ⟨AE ook⟩ *backwoods* **0.2** [⟨fig.⟩] *jungle* ⇒*chaos, hotchpotch* ◆ **1.2** een ~ van voorschriften *a j. / maze / labyrinth of regulations.*

OESO ⟨de (v.)⟩⟨afk.⟩ **0.1** [Organisatie voor Economische Samenwerking en Ontwikkeling] *O.E.C.D..*

oester ⟨de⟩ **0.1** *oyster* ◆ **2.1** eetbare ~s *(edible) oysters;* ⟨AE ook⟩ *lynnhavens* **8.1** hij leeft als een ~ *he lives like a hermit / shuts himself up / is a stay-at-home / loner;* gapen als een ~ *yawn wide;* zo gesloten als een ~ *close / mum as an o., buttoned up.*

oesterbaard ⟨de (m.)⟩ **0.1** *byssus.*

oesterbank ⟨de⟩ **0.1** *oyster bank* ⇒*(oyster) park.*

oesterbed ⟨het⟩ **0.1** *oyster bed* ⇒*(oyster) park,* ⟨kunstmatig⟩ *stew,* ⟨vero.⟩ *layer.*

oesterbroed ⟨het⟩ **0.1** *oyster brood / spat / spawn / seed.*

oestercultuur ⟨de (v.)⟩ **0.1** *oyster culture* ⇒*oyster farming* ◆ **2.1** de Zeeuwse ~ *the Zeeland o. c..*

oesterkweker ⟨de (m.)⟩ **0.1** *oyster culturist* ⇒*oyster farmer,* ⟨AE⟩ *oysterman.*

oesterkwekerij ⟨de (v.)⟩ **0.1** *oyster farm* ⇒*(oyster) park.*

oestermesje ⟨het⟩ **0.1** *oyster knife.*

oesterpan ⟨de⟩ **0.1** *oyster tile.*

oesterparel ⟨de⟩ **0.1** *(oyster) pearl* ⇒*genuine pearl.*

oesterput ⟨de (m.)⟩ **0.1** *oyster pond* ⇒*oyster tank.*

oesterschelp ⟨de (v.)⟩ **0.1** *oyster shell* ⇒⟨als kippenvoer⟩ *oystershell.*

oesterteelt ⟨de⟩ →**oestercultuur.**

oestervisser ⟨de (m.)⟩ **0.1** [visser] *oysterer* ⇒⟨AE⟩ *oysterman* **0.2** [⟨gew.⟩ scholekster] *oyster catcher.*

oestervisserij ⟨de (v.)⟩ **0.1** *oyster dredging* ⇒*oyster fishery.*

oesterzaad ⟨het⟩ **0.1** *(oyster)seed* ⇒*(oyster) spat, oyster brood.*

oesterzwam ⟨de⟩ **0.1** *oyster mushroom.*

oestrogeen¹ ⟨het⟩ **0.1** *(o)estrogen.*

oestrogeen² ⟨bn.⟩ **0.1** *(o)estrogenic.*

oestron ⟨het⟩ **0.1** *(o)estrone* ⇒*theelin.*

oestrus ⟨de (m.)⟩ **0.1** [mbt. zoogdieren] *(o)estrum, (o)estrus* ⇒*sexual heat, rut* **0.2** [mbt. vrouwen] *(o)estrus (cycle).*

O.E.T.C.-onderwijs ⟨het⟩ **0.1** *education in native language and culture* ⇒*≠mother-tongue education.*

oetlul ⟨de (m.)⟩⟨inf.⟩ **0.1** ᴮ*berk,* ᴬ*jerk* ⇒⟨vulg.⟩ *prick,* ⟨AE ook⟩ *jerk-off,* ⟨BE ook⟩ *wanker.*

oeuvre ⟨het⟩ **0.1** *oevre, works* ⇒*body of work* ◆ **1.1** het ~ van Vestdijk *the (complete) works of Vestdijk, Vestdijk's o.* **2.1** iem. een prijs toe-

kennen voor zijn gehele ~ *award s.o. a prize for his complete works;* zijn omvangrijk ~ *his vast body of work / o.* ¶.1 een ~ dat zijn weerga niet kent *a peerless / unrivalled body of work / o..*

oever ⟨de (m.)⟩ **0.1** [waterkant] *bank* ⟨van rivier / vijver / kanaal⟩; *shore* ⟨van zee / meer⟩ **0.2** [⟨fig.⟩ einde] *≠brink* ⟨zowel einde van iets als (meer) begin v.h. volgende⟩ ◆ **1.1** aan de ~ v.e. meer *on the shore(s) of a lake* **1.2** de ~ v.h. leven *the b. of death* **2.1** een steile ~ *a brink, a bluff* **6.1** aan de ~s v.d. Schelde *on the banks of the Scheldt;* **binnen** de ~s terugtreden *retreat within its banks;* de rivier is **buiten** haar ~s getreden *the river has overflowed (its banks) / flooded / is in flood.*

oeveraas ⟨het⟩ **0.1** *dayfly, mayfly.*

oeverbekleding ⟨de (v.)⟩ **0.1** *bank / shore revetment.*

oeverkruid ⟨het⟩ **0.1** *shoreweed* ⇒*plantain shoreweed.*

oeverloos ⟨bn.⟩ **0.1** [⟨fig.⟩ zonder begrenzing] *unlimited* ⇒*boundless, endless, interminable* **0.2** [zonder oevers] *shoreless* ◆ **1.1** een oeverloze discussie (voeren) *(have / hold) an endless / interminable discussion,* ⟨inf.⟩ ~ gezwets *babble,* ↓*blather.*

oeverloper ⟨de (m.)⟩ **0.1** [vogel] *common sandpiper* **0.2** [kever] *water beetle* ◆ **2.1** gevlekte ~ *spotted sandpiper,* ⟨AE ook⟩ *peetweet.*

oeverpieper ⟨de (m.)⟩⟨dierk.⟩ **0.1** *rock pipit.*

oeverplant ⟨de (m.)⟩ **0.1** *littoral plant* ⇒*waterside plant.*

oeverstaat ⟨de (m.)⟩ **0.1** *riparian state* ⇒*riverain state* ◆ **1.1** de oeverstaten v.d. Oostzee *the Baltic states.*

oevervegetatie ⟨de (v.)⟩ **0.1** ⟨zee, meer⟩ *shoreline vegetation;* ⟨rivier⟩ *riverbank vegetation.*

oeververbinding ⟨de (v.)⟩ **0.1** *cross-river / -channel connection* ◆ **2.1** een vaste ~ *a permanent cross-river / -channel connection.*

oeververdediging ⟨de (v.)⟩ **0.1** *bank revetment / protection* ⇒*facing.*

oevervoorziening ⟨de (v.)⟩ →**oeververdediging.**

oeverzwaluw ⟨de (v.)⟩ **0.1** ᴮ*sand martin* ⇒*(bank) martin.*

of ⟨vw.⟩ **0.1** [bij tegenstelling] *(either ...) or* **0.2** [verklarend] *or* **0.3** [na ontkenning of restrictie] *(hardly ...) when; (no sooner ...) than* ⇒ ⟨schr.⟩ *but* **0.4** [toegevend] *although, whether ... or (not), no matter (how / what / where* ⟨enz.⟩) **0.5** [alsof] *as if, as though* **0.6** [bij twijfel / onzekerheid] *whether, if* **0.7** [achter vraagwoorden] ⟨zie 4.7.5.7⟩ **0.8** [bij verzwegen hoofdzin] ⟨zie ¶.8⟩ **0.9** [als sterke bevestiging] *certainly* ◆ **1.1** of(wel) A ~ B *either A or B;* je krijgt ~ het een ~ het ander *you get either the one or the other* **1.2** de influenza ~ griep *influenza, or flu* **2.1** het is òf het een òf het andere *you can't have it both ways;* ze is ~ lui ~ dom, ~ allebei *she is either lazy or stupid, or both* **2.6** ik ben benieuwd ~ er (nog) wat gebeurt *I wonder if / w. there's sth. / anything (else) is going to happen* **3.3** hij doet ~ er niets gebeurd is *he acts as if nothing has happened;* hij doet ~ hij nergens van weet *he pretends he doesn't know / not to know anything about it* **3.6** ze bespraken ~ of het vakantie zouden gaan *they discussed w. they would go / w. to go on holiday;* ik vraag me af, ~ hij komen zal *I wonder w. / if he'll come;* wie weet ~ hij niet ziek is *who knows but (that / what) he may be ill* **4.1** ze zei weinig ~ niets *she spoke very little if at all* **4.7** hij weet niet, wie ~ het gedaan heeft *I don't know who did it* **5.1** niets meer ~ minder dan *...nothing more or less than ...;* ⟨schr.⟩ *nothing short of ...;* min ~ meer *more or less;* vroeg ~ laat *sooner or later, eventually* **5.3** er is geen mens, ~ *...there is no one but ...;* nauwelijks was hij thuis ~ de telefoon ging *hardly / scarcely had he come home / in when the telephone rang, no sooner had he come home than the telephone rang;* ik weet niet beter ~ *... for all I know ...;* er gebeurt niets ~ hij weet ervan *nothing happens but he knows about it;* het scheelde weinig ~ ik had hem geraakt *I just missed hitting him* **5.5** het is net ~ het regent *it looks as if it's raining* **5.7** wanneer ~ ze komt, ik weet 't niet *when she is coming I don't know* **7.1** er waren weinig ~ geen zieken *few, if any people were* ᴮ*ill /* ᴬ*sick* **7.¶** een man ~ acht *some / about eight people;* een pond ~ drie *three pounds or so;* een dag ~ tien *about ten days, ten days or so;* een dag ~ wat *a couple of / a few days, a day or two* **9.9** nou ~ ~ *c.!,* ᴬ*sure!,* ᴮ*rather!;* kom je ook? en ~! *are you coming too? c. (I am)! /* ᴬ*sure!! /* ᴮ*rather!* **¶.3** het duurde niet lang ~ hij kwam te voorschijn *it was not long before he appeared;* hij is zo gek niet ~ hij weet het *he is not such a fool but he knows that it's impossible;* het kon niet anders ~ ze is ziek *she must be ill, she can only be ill;* hij kon niets zeggen ~ iem. had er wel iets op aan te merken *he could not say a word without s.o. criticizing him / but somebody criticized* / ⟨schr.⟩ *found fault with it;* je kunt hem niet tegenkomen ~ hij heeft een andere vrouw bij zich *you cannot meet him without him having a different / new woman in tow;* hij was zo moe niet ~ hij wilde toch opblijven *he wasn't so tired but (that) he didn't want to stay up;* er gaat geen dag voorbij ~ hij bedrinkt zich *not a day goes by / passes but he gets drunk / without him getting drunk;* hij zet geen voet buiten de deur ~ het moest zijn om naar het voetballen te gaan *he never puts a foot outside / never comes out of doors unless it should be to go to a football match* **¶.4** ~ je roept en schreeuwt, ik doe toch niet open *no matter how much you scream and shout, I won't open up!;* je moet het doen, ~ je wilt of niet *you've got to do it, whether you want to or not / whether you like it or not, no matter whether you like it or not* **¶.5** (elliptisch) ~ jij nooit eens een fout maakt *as if you never make mistakes* **¶.6** ⟨elliptisch⟩ ik zal even wachten (en zien) ~ hij het doet *I'll wait and see if he does it;* de een ~ ander(e) *some, sth. / s.o. or other;* het is nog maar de vraag ~ ... *it is still a question/ doubtful w. ...;* de vraag is ~ we hem nodig hebben *the question is w. we need him;* de vraag ~ we het zullen verkopen *the question (of) w. we'll sell it;* ze weet niet ~ ze nu moet trouwen of volgend jaar *she doesn't know w. to get married now or next year;* ~ en zoja, hoe *w. or not and if so, how;* de vraag is òf hij komt *the question is if/ w. he comes at all;* hij komt altijd, ~ hij moet ziek zijn *he is bound to come / show up, unless he is ill;* en ~ je terug wou bellen *and would you / if you would phone back* ¶.8 ~ hij nog leeft? *would he still be alive?;* ~ zij nog zal komen? *would / will she be coming yet?* ¶.9 ~ ik blij ben! *am I glad!* ¶.¶ sta ~ ik schiet *stop or I'll shoot;* hou je mond ~ ik doe je wat *shut up or you'll be sorry.*

offensief¹ ⟨het⟩ **0.1** *offensive* ⇒ ⟨mil. ook⟩ *drive, push* ♦ **3.1** tot het ~ overgaan *take the o.;* ⟨mil. ook, het vuur openen⟩ *open fire* **6.1** in het ~ gaan *take/ go into the o.* ¶.1 het ~kwam tot stilstand *the o. came to a stand(still) / halted.*

offensief² ⟨bn.;-ly⟩ **0.1** *offensive.*

offer ⟨het⟩ **0.1** [wat geofferd wordt] *offering* ⇒ *sacrifice, oblation* **0.2** [opoffering] *sacrifice* ⇒ *offering, gift, donation* **0.3** [⟨r.k.⟩ brood en wijn] *oblation* **0.4** [⟨sport⟩ damschijf, schaakstuk] *sacrifice* ♦ **2.2** zware ~s eisen *take a heavy toll;* zich zware/ grote ~s getroosten *make/ submit to heavy/ great sacrifices* **3.1** een ~ brengen aan de goden *make a sacrifice to the gods* **3.2** een ~ brengen *make a s. / gift/ donation;* ~s brengen voor iets *sacrifice/ deny o.s. all pleasures/ everything for sth..*

offeraltaar ⟨het, de (m.)⟩ **0.1** *sacrificial altar.*

offerande ⟨de⟩ **0.1** [offer] *offering* ⇒ *sacrifice, offertory, gift,* ⟨bijb.⟩ *corban* **0.2** [offerplechtigheid] *offering* ⇒ *sacrifice, anaphora* **0.3** [⟨r.k.⟩ deel v.d. mis] *offertory* ⇒ *oblation* **0.4** [gebed, gezang] *offertory.*

offerblok ⟨het⟩, **offerbus** ⟨de⟩ **0.1** *offertory-box* ⇒ *collection box,* ⟨armenbus⟩ *poor/ alms box.*

offerdier ⟨het⟩ **0.1** *sacrificial animal/ beast.*

offerdood ⟨de (m.)⟩ **0.1** *sacrificial death.*

offeren ⟨ov.ww.⟩ **0.1** [als offer brengen] *sacrifice* ⇒ *offer (up), immolate* **0.2** [schenken] *sacrifice* ⇒ *make an offering (of/ for)* **0.3** [betalen] *expend* ⇒ *pay* **0.4** [wijden aan] *sacrifice (to)* ⇒ *devote (to)* **0.5** [mbt. damschijf/ schaakstuk] *sacrifice* ♦ **1.1** runderen ~s. / offer up oxen/ cattle* **6.1** ⟨fig.;scherts.⟩ (een glas) aan Bacchus ~ s. to/ worship at the shrine of Bacchus.*

offergave ⟨de⟩ **0.1** *offering* ⇒ *sacrifice, oblation.*

offergezindheid ⟨de (v.)⟩ **0.1** *spirit of sacrifice* ⇒ ⟨zelfopoffering⟩ *selflessness, liberality.*

offerkaars ⟨de⟩ **0.1** *church candle.*

offerlam ⟨het⟩ [lam] *sacrificial lamb* ⇒ *Paschal lamb* **0.2** [⟨fig.⟩ Jezus Christus] *Lamb of God.*

offerplechtigheid ⟨de (v.)⟩ **0.1** *sacrificial ceremony* ⇒ *sacrifice.*

offerschaal ⟨de⟩ **0.1** [⟨gesch.⟩ om bloed op te vangen] *patera* **0.2** [⟨r.k.⟩ mbt. de collecte] *(collection) plate.*

offersteen ⟨de (m.)⟩ **0.1** *sacrificial stone.*

offerte ⟨de⟩ **0.1** [⟨hand.⟩ ⟨geschreven⟩ *tender, quotation* **0.2** [aanbod] *offer* ⇒ *proposal* ♦ **2.1** een vrijblijvende ~ o. / tender without engagement* **3.1** (een) ~ doen (voor) *make/ submit an o. / a quotation/ a tender (for), quote for;* ~ vragen *invite offers/ tenders.*

offertecalculator ⟨de (m.)⟩ **0.1** *estimator* ⇒ *assessor,* ⟨verz.⟩ *actuary.*

offertorium ⟨het⟩ ⟨r.k.⟩ **0.1** *offertory.*

offervaardig ⟨bn.⟩ **0.1** *ready/ willing to make sacrifices* ⇒ ⟨vrijgevig⟩ *liberal.*

offervaardigheid ⟨de (v.)⟩ **0.1** *readiness/ willingness to make sacrifices* ⇒ *spirit of sacrifice,* ⟨vrijgevigheid⟩ *liberality.*

offerwijn ⟨de (m.)⟩ **0.1** *sacramental/ altar/ consecrated wine* ⇒ ⟨niet kerkelijk⟩ *libationary wine, libation.*

office ⟨het⟩ **0.1** [in hotel/ restaurant] *pantry* **0.2** [suikerwerkerij] *confectionery.*

officiaal ⟨de (m.)⟩ ⟨r.k.⟩ **0.1** *official (principal).*

officiant ⟨de (m.)⟩ **0.1** *officiant* ⇒ *officiating priest.*

officie ⟨het⟩ [ambt.] *office* **0.2** [⟨r.k.⟩ eerbewijs] *office* ⇒ ⟨voor een bep. dag/ feest⟩ *proper* ♦ **2.1** ⟨r.k.⟩ het Heilig Officie *the Holy Office, the Inquisition* **2.2** het Heilig Officie *(Holy) Mass/ Eucharist.*

officieel ⟨bn., bw.;-ly⟩ **0.1** [echt, wettig] *official* ⇒ *formal,* ⟨staat⟩ *state* **0.2** [formeel] *formal* ⇒ *ceremonious, ceremonial, white-tie* ⟨gelegenheid⟩ ♦ **1.1** een ~ blad *an o. / state publication/ paper;* een officiële feestdag *a public holiday;* ⟨door de week⟩ *a* ᴮ*bank/* ᴬ*legal holiday;* de officiële lezing v.h. gebeurde *the o. reading / version of what happened;* een officiële verklaring afleggen *make a formal declaration* **1.2** een ~ bezoek *a f. visit;* bij officiële gelegenheden *on f. occasions;* een ~ gezicht zetten *look solemn;* in ~ tenue *in ceremonial dress* **3.1** volgens nog niet ~ bevestigde berichten *according to unofficial/ unconfirmed reports;* iets ~ bevestigen *formally confirm sth.;* zijn benoeming gaat ~ in op 1 mei *his appointment becomes effective on May 1;* iets ~ meedelen/ bekend maken *announce/ declare sth. officially;* ⟨ihb. na test/ onderzoek⟩ **3.2** ~ weet zij nog van niets *she hasn't been (formally) notified yet* **5.1** zijn benoeming is nog niet ~ *his appointment has not been officially announced yet.*

officier

I ⟨de (m.)⟩ **0.1** [⟨mil.⟩] *officer* **0.2** [⟨jur.⟩] *officer* **0.3** [⟨scheep.⟩] *officer* **0.4** [mbt. een ridderorde] *knight* ♦ **1.1** ~en en onderofficieren *commissioned and non-commissioned officers* **2.1** commanderende ~ *commanding o., C.O.* **6.1** ~ bij de landmacht *army o.;* ~ van administratie ≠ *paymaster;* ~ van piket *picket o.;* ~ van de dag *o. of the day;* ⟨BE ook⟩ *orderly o.* **6.2** ~ bij de rijkspolitie *chief constable* **6.4** ~ in de orde v.d. Nederlandse Leeuw *Knight in the Order of the Dutch Lion* **7.3** eerste ~ *chief o.;*

II ⟨de (m.)⟩ ⟨Fr.⟩ **0.1** [suikerwerker] *confectioner* **0.2** [in hotel/ restaurant] *pantryman.*

officiëren ⟨onov.ww.⟩ **0.1** *officiate* ⇒ ⟨in dienst⟩ *celebrate, take the service, lead the worship.*

officiersmess ⟨de (m.)⟩ **0.1** ᴮ*officers' mess,* ᴬ*wardroom.*

officiersrang ⟨de (m.)⟩ **0.1** *officer's rank.*

officieus ⟨bn., bw.;-ly⟩ **0.1** *unofficial* ⇒ *semi-official,* ⟨bn. ook⟩ *off the record, off-the-record* ⟨voor zn.⟩, ⟨bw. ook⟩ *off the record* ♦ **1.1** een ~ wereldrecord *an u. world record* **3.1** dit is mij ~ medegedeeld/ gevraagd ⟨enz.⟩ *I have been informed/ asked* ⟨enz.⟩ *unofficially.*

officinaal ⟨bn.⟩ **0.1** *officinal* ⇒ *medicinal,* ⟨opgenomen in officiële lijst⟩ *official.*

officinalia ⟨zn.mv.⟩ **0.1** *officinalia.*

offreren ⟨ov.ww.⟩ ⟨schr.⟩ **0.1** *proffer* ⇒ ↓*offer* ♦ **1.1** iem. een sigaar ~ *proffer s.o. a cigar.*

offsetpapier ⟨het⟩ **0.1** *offset paper.*

offsetpers ⟨de⟩ **0.1** *offset press.*

ofiet ⟨het⟩ ⟨geol.⟩ **0.1** *ophite* ⇒ *serpentine stone.*

ofiologie ⟨de (v.)⟩ **0.1** *ophiology.*

ofschoon ⟨vw.⟩ **0.1** *although* ⇒ ↓*though,* ⟨schr.⟩ *albeit* ⟨elliptisch⟩, ⟨meer concessief⟩ *even though* ♦ ¶.1 ⟨elliptisch⟩ ~nog jong, is hij rijp van verstand *although still young, he has got a mature mind;* ~ hij rijk is, is hij niet gelukkig *although/* ⟨sterker⟩ *even though he is rich, he is not happy;* ~ nogal vaag, een veelbelovende theorie *a promising albeit rather vague theory.*

oftalmie ⟨de (v.)⟩ ⟨med.⟩ **0.1** *ophthalmia* ⇒ ⟨ongemarkeerd⟩ *inflammation of the eye.*

oftalmologie ⟨de (v.)⟩ ⟨med.⟩ **0.1** *ophthalmology.*

oftalmoloog ⟨de (m.)⟩, **-loge** ⟨de (v.)⟩ **0.1** *ophthalm(olog)ist.*

oftalmoscopie ⟨de (v.)⟩ **0.1** *ophthalmoscopy.*

ofte ⟨vw.⟩ ♦ **5.**¶ nooit ~ nimmer *not ever, at no time.*

of(te)wel ⟨vw.⟩ **0.1** [tegenstellend] *either ... or* **0.2** [verklarend] *or* ⇒ *that is, i.e.* ♦ **1.2** de cobra ~ brilslang *the cobra, the hooded/ spectacled snake* ¶.1 ~ jij hebt gelijk, ~ ik heb gelijk *either you are right or I am.*

ogen ⟨onov.ww.⟩ **0.1** [(goed) staan] *look nice/ good/ well* **0.2** [lijken (op)] *look like* ⇒ *take after* **0.3** [aandachtig kijken naar] *eye* ⇒ *gaze, stare, look intently, ogle* ⟨vnl. met seksuele connotatie⟩, ⟨mikken⟩ *aim (at)* **0.4** [beogen] *aim (at), have in view* ⇒ *strive for, seek after* ♦ **2.2** opa oogt nog goed/ jong *grandpa still looks good/ young* **5.1** dat jasje oogt niet *that jacket doesn't look nice / is not (very) becoming* **6.2** hij oogt naar haar moeder *he looks like her mother* **6.3** de kinderen oogden hunkerend naar de taart *the children had their eyes glued to the cake.*

ogenblik ⟨het⟩ **0.1** [zeer kort moment] *moment* ⇒ *instant, minute, second* **0.2** [tijdstip] *moment* ⇒ *time, minute* ♦ **1.1** een ~ rust *a moment's / minute's peace;* geen ~ rust/ vrij hebben ⟨rust⟩ *not have a moment for o.s.;* ⟨vrij⟩ *not have a moment to spare / a spare moment / a moment to call one's own* **2.1** een helder ~ hebben ⟨moment van inzicht⟩ *have a flash/ stroke of insight/ genius, have a brainwave;* ⟨bij zieken/ dementen⟩ *have a moment of clearheadedness/ a lucid interval;* iemands laatste ~ken *s.o.'s last minutes/ moments;* in een onbewaakt ~ *in an unguarded/ unthinking/ rash moment;* in een verloren ~ *in a spare moment* **2.2** het gunstige ~ afwachten *wait for the right moment, bide/ watch one's time;* hij kan ieder ~ aankomen *he can arrive (at) any moment/ minute/ time;* op een ongelukkig ~ binnenkomen *come in at the wrong moment* **3.1** een ~ leek het, alsof ... *for a moment/ minute/ second it seemed as if ...* **3.2** nu is het ~ gekomen *now the time has come/ the hour has struck* **6.1** in een ~ *in a moment/ an instant/ no time/ a flash;* ⟨just⟩ op dat ~ *(just) at that (very) moment/ instant* **6.2** op ieder ~ *(at) any time, always;* op het ~ dat ... *at the moment/ time when ...;* op het ~ van vertrek *at the moment of departure/ time of leaving;* ik was op dat ~ thuis *I was home at that moment/ the time, just then I was home;* op dit/ het ~ *(at) this (very)/ the (present) moment, at present, just/ right now;* tot op dit ~ *up to this moment/ now/ the present time;* wachten tot het laatste ~ *wait till the last minute / ⟨inf.⟩ till last thing;* voor het ~ *for the moment/ present/ time being* **7.1** (heeft u) een ~je? *just a moment/ minute/ second;* ⟨telefoon⟩ ↓*hang/* ↓*hold on;* ⟨inf.⟩ *just/ half a sec/ mo;* ⟨beleefd⟩ *would you mind waiting a moment?* ¶.1 dat is het werk v.e. ~ *that's just a moment's work;* ⟨inf.⟩ *it'll be done in a flash / in the twinkling of an eye/ before you can say Jack Robinson* ¶.2 de behoefte v.h. ~ *the need of the (present) moment; the immediate need.*

ogenblikkelijk

I ⟨bn.⟩ **0.1** [onmiddellijk plaatshebbend] *immediate* ⇒*instantaneous* **0.2** [op dit moment aanwezig] *immediate* **0.3** [zeer kort van duur] *momentary* ◆ **1.2** er was geen ~ gevaar *there was no i. danger* **1.3** een ~e indruk *a m. / fleeting impression;*
II ⟨bw.⟩ **0.1** [terstond] *immediately* ⇒*at once, instantly, directly, this moment / instant* ⟨+teg. tijd⟩ ◆ **3.1** ga ~ de dokter halen *go and fetch the doctor immediately / at once;* hij greep de gelegenheid ~ aan om … *he immediately / instantly seized the opportunity to ….*

ogendienaar ⟨de (m.)⟩ **0.1** ⟨slaafs⟩ *crawler;* ⟨lage vleier⟩ *toady* ⇒*lackey, flunkey, minion, sycophant.*

ogendienst ⟨de (m.)⟩ **0.1** ⟨slaafse nederigheid⟩ *obsequiousness* ⇒*cringing, crawling, truckling,* ⟨lage vleierij⟩ *ingratiation, toadyism, flunkeyism.*

ogenpotlood ⟨het⟩ **0.1** *eye pencil.*

ogenschijnlijk ⟨bn., bw.⟩ **0.1** *apparent, ostensible* ⇒*seeming, purported* ◆ **1.1** de ~e relatie tussen deze kwesties *the a. connection between these questions / matters* ¶**.1** ~ is alles rustig *at first sight /* ⟨schr.⟩ *blush / it seems as if everything is quiet, all is quiet on the surface / on the face of things;* ~ was zijn motivatie altruïstisch, maar in werkelijkheid was hij op eigen voordeel uit *at face value his motives were altruistic but deep down he was self-seeking.*

ogenschouw ◆ **6.** ¶ iets in ~ nemen ⟨overwegen⟩ *take stock of / review sth.;* ⟨bezichtigen⟩ *have a look at / view sth.;* ⟨inspecteren⟩ *inspect sth..*

ogentroost ⟨de (m.)⟩ ⟨plantk.⟩ **0.1** *Euphrasia* ⇒⟨ihb.⟩ *eyebright, euphrasy* ⟨E. officinalis⟩.

ogenzwart ⟨het⟩ **0.1** *eyeblack* ⇒*mascara.*

ogief ⟨het⟩ ⟨bouwk.⟩ **0.1** [kruisboog] *ogive* **0.2** [punt- / spitsboog] *ogive* ⇒*lancet arch.*

ogivaal ⟨bn.⟩ ⟨bouwk.⟩ **0.1** *ogival* ◆ **1.1** ogivale stijl *o. / Gothic style.*

ohaën ⟨onov.ww.⟩ ⟨euf.⟩ **0.1** *go on, gab* ⇒⟨BE ook⟩ *gas, waffle,* ⟨AE ook⟩ ↓*bullshit, shoot the breeze /* ↓ *bull* ◆ **6.1** ~ over voetballen *gas / go on / bullshit about football.*

ohm ⟨het, de (m.)⟩ **0.1** *ohm.*

ohmmeter ⟨de (m.)⟩ **0.1** *ohmmeter.*

oho ⟨tw.⟩ **0.1** *oh* ⇒⟨vrolijk, plaagziek⟩ *oho, aha.*

o.i. ⟨afk.⟩ **0.1** [onzes inziens] ⟨*in our opinion*⟩.

o.i.d. ⟨afk.⟩ **0.1** [of iets dergelijks] ⟨*or the like*⟩.

oir ⟨het⟩ ⟨schr.⟩ **0.1** *issue* ⇒*progeny.*

ojief ⟨het⟩ ⟨amb.⟩ **0.1** *ogee.*

o.k. ⟨de⟩ ⟨afk.⟩ **0.1** [operatiekamer] ⟨*operating theatre*⟩.

okapi ⟨de (m.)⟩ **0.1** *okapi.*

oké ⟨tw.⟩ **0.1** *OK, okay.*

oker ⟨de (m.)⟩ **0.1** [verf] *ochre* **0.2** [aardsoort] *ochre* **2.1** rode ~ *red o..*

okerachtig ⟨bn.⟩ **0.1** *ochr(e)ous* ^*ocherous.*

okergeel ⟨bn.⟩ **0.1** *yellow ochre.*

okido ⟨tw.⟩ **0.1** *okey-doke(y)* ⇒⟨BE ook⟩ *righto.*

okkernoot
I ⟨de (m.)⟩ **0.1** [boom] *walnut (tree);*
II ⟨de⟩ **0.1** [walnoot] *walnut.*

oksaal ⟨het⟩ **0.1** *rood loft.*

oksel ⟨de (m.)⟩ **0.1** [holte onder de arm] *armpit* **0.2** [mbt. een plant] *axil* **0.3** [okselstuk] *gusset.*

okselblad ⟨het⟩ **0.1** *axillary leaf.*

okselknol ⟨de⟩ ⟨plantk.⟩ **0.1** *axillary tuber.*

okselstandig ⟨bn.⟩ ⟨plantk.⟩ **0.1** *axillary.*

okshoofd ⟨het⟩ **0.1** [vochtmaat] *hogshead* **0.2** [vat] *hogshead.*

okt. ⟨afk.⟩ **0.1** [oktober] *Oct..*

oktober ⟨de (m.)⟩ **0.1** *October.*

oktoberrevolutie ⟨de (v.)⟩ **0.1** *October Revolution.*

O.L. ⟨afk.⟩ **0.1** [oosterlengte] ⟨*East longitude*⟩.

old finish ⟨bn.⟩ **0.1** *antique-finish* ⇒*in antique style.*

old-timer ⟨de (m.)⟩ **0.1** [ouderwets persoon] *old-fashioned person* ⇒⟨pej.⟩ *square, fuddy-duddy* **0.2** [oudgediende] *old timer /* [B]*stager / campaigner, veteran* **0.3** [auto] *Old Timer* ⇒⟨van voor 1918⟩ *veteran car.*

oleaat
I ⟨de (m.)⟩ **0.1** [tekening] *tracing, transparency;*
II ⟨het⟩ ⟨schei.⟩ *oleate.*

oleander ⟨de (m.)⟩ **0.1** *oleander.*

oleoduct ⟨de (v.)⟩ **0.1** *(oil) pipeline.*

oleografie ⟨de (v.)⟩ **0.1** [procédé] *oleography* **0.2** [reproduktie] *oleograph.*

oleum ⟨het⟩ ⟨schei.⟩ **0.1** *oleum* ⇒*fuming sulphuric* ^*furic acid.*

olfactorisch ⟨bn.⟩ **0.1** *olfactory.*

olie ⟨de⟩ ⟨→sprw. 462,463⟩ **0.1** [vloeistof] *oil* **0.2** ⟨mv.⟩ olieaandelen] *oil* ⇒*oil shares /* ^*stock* ◆ **2.1** afgewerkte ~ *waste o.;* ⟨r.k.⟩ de Heilige Olie ontvangen *receive extreme unction / the last rites, be anointed;* ruwe ~ *crude o.* **3.1** naar ~ boren *drill / bore for o.;* ~ in de wond(en) gieten *salve the wound, sooth the pain;* ~ op het vuur gooien *add fuel to the fire / flames;* de ~ verversen *change the o., do an o. change* **6.1** sla met ~ aanmaken *dress the salad with o.* **6.**¶ in de ~ zijn *be well oiled /* ⟨AE ook⟩ *juiced / in one's cups / tight* ¶**.1** ~ op de golven ⟨fig.⟩

o. on troubled waters; er is geen ~ meer in de lamp ⟨levenseinde nabij⟩ *the o. is very low in his lamp, the candle is burning itself out;* ⟨fles leeg⟩ *there's a(nother) dead marine;* ⟨beurs leeg⟩ *he's / she's* ⟨enz.⟩ *cleaned out / in low financial waters.*

olieaandeel ⟨het⟩ **0.1** *oil share;* ⟨AE; mv.⟩ *oil stock* ⇒⟨mv. ook⟩ *oil.*

olieachtig ⟨bn.⟩ **0.1** *oily* ⇒*oleaginous, unctuous.*

oliebad ⟨het⟩ **0.1** [onder- / indompeling] *oil bath* **0.2** [vat] *oil bath.*

oliebaron ⟨de (m.)⟩ **0.1** *oil baron.*

oliebestrijding ⟨de (v.)⟩ **0.1** *containment / neutralization of oil spills.*

olieboer ⟨de (m.)⟩ **0.1** [olieventer] *oilman* **0.2** [zakenman in aardolie] *oilman* ⇒*oil trader / dealer.*

oliebol ⟨de (m.)⟩ **0.1** [lekkernij] [B]*lardy cake,* ^≠*doughnut ball* **0.2** [⟨fig.⟩ sullig persoon] *noodle, fathead* ⇒*puddinghead, muttonhead.*

oliebollenkraam ⟨het, de⟩ **0.1** ≠*doughnut stall.*

olieboring ⟨de (v.)⟩ **0.1** *oil drilling / boring.*

olieboycot ⟨de (m.)⟩ **0.1** *oil boycott* ◆ **6.1** de ~ tegen Zuid-Afrika *the o. b. against South Africa.*

oliebrander ⟨de (m.)⟩ **0.1** *oil burner.*

oliebroek ⟨de⟩ **0.1** *(pair of) oilskin trousers /* ⟨AE ook⟩ *pants.*

oliebron ⟨de⟩ **0.1** [hoeveelheid olie] *source of oil* **0.2** [plaats waar olie is aangeboord] *oil well.*

oliebunker ⟨de (m.)⟩ **0.1** *oil bunker.*

oliecarter ⟨het⟩ **0.1** *oil pan* ⇒⟨auto⟩ *sump.*

olieconcern ⟨het⟩ **0.1** *oil company* ⇒*oil concern.*

oliecrisis ⟨de (m.)⟩ **0.1** *oil crisis.*

oliedoek ⟨de (m.)⟩ **0.1** *oil(ed) cloth* ⇒*oilskin.*

oliedollar ⟨de (m.)⟩ **0.1** *petrodollar.*

oliedom ⟨bn., bw.⟩ **0.1** ⟨bn.⟩*(as) dumb as an ox, (as) thick as two (short) planks;* ⟨bw.⟩ *most stupidly.*

oliedruk ⟨de (m.)⟩ **0.1** [kopieerprocédé] *oil process* **0.2** [druk in een machine(deel)] *oil pressure* **0.3** [druk om iets te laten werken] *oil pressure.*

oliedrum ⟨de (m.)⟩ **0.1** *oil drum.*

olieëmbargo ⟨het⟩ **0.1** *oil embargo.*

olie-en-azijnstelletje ⟨het⟩ **0.1** *oil-and-vinegar cruet (stand / set).*

olieëxporterend ⟨bn.⟩ **0.1** *oil / petroleum-exporting* ◆ **1.1** ~e landen *o.-e. / p.-e. / OPEC countries.*

oliefilm ⟨de (m.)⟩ **0.1** *oil film* ⇒⟨op water⟩ *oil slick.*

oliefilter ⟨het, de (m.)⟩ **0.1** *oil filter.*

oliegas ⟨het⟩ **0.1** *oil gas.*

oliegat ⟨het⟩ **0.1** *oil hole.*

oliehaard ⟨de (m.)⟩ →*oliekachel.*

oliehaven ⟨de (m.)⟩ **0.1** *oil port.*

oliehoudend ⟨bn.⟩ **0.1** *oil-bearing / -yielding* ⇒ [↑]*oleiferous,* [↑]*oleaginous* ◆ **1.1** ~ gesteente *oil(-bearing) rock;* ~e hars *oleoresin;* ~e leisteen *oil shale.*

olie-immersie ⟨de (v.)⟩ **0.1** [opvulling met olie] *oil immersion* **0.2** [objectief] *(oil)-immersion lens / objective.*

olie-industrie ⟨de (v.)⟩ **0.1** *oil / petroleum industry.*

oliejas ⟨de⟩ **0.1** *oilskin jacket / coat.*

oliekachel ⟨de (m.)⟩ **0.1** *oilstove, oil heater.*

oliekan ⟨de⟩ **0.1** *oil can.*

oliekoek ⟨de (m.)⟩ **0.1** [ronde koek] ≠[B]*lardy cake,* ≠ ^*turnover* **0.2** [raap- / lijnkoek] *oil / oilseed cake.*

oliekraan ⟨de⟩ **0.1** *oil tap* ⇒*oil cock* ◆ **3.1** de ~ dichtdraaien *cut off oil supplies.*

olielamp ⟨de⟩ **0.1** *oil lamp.*

olielampje ⟨het⟩ **0.1** *oil-pressure warning light.*

olieland ⟨het⟩ **0.1** *oil-producing country.*

olieleiding ⟨de (v.)⟩ **0.1** *oil pipe* ⇒⟨over langere afstanden⟩ *oil pipeline.*

oliemaatschappij ⟨de (v.)⟩ **0.1** *oil company.*

olieman ⟨de (m.)⟩ **0.1** [olieventer] *oilman* **0.2** [eerste stoker] *oiler* ⇒*greaser* **0.3** [zakenman] *oilman* ⇒*oil trader / dealer.*

oliemeter ⟨de (m.)⟩ **0.1** *oil gauge.*

oliemolen ⟨de (m.)⟩ **0.1** *oil mill / press.*

oliën ⟨ov.ww.⟩ **0.1** [met olie bestrijken] *oil* ⇒*lubricate,* ⟨invetten⟩ *grease, resin* ⟨hout⟩ **0.2** [⟨fig.⟩] *run smoothly* ◆ **1.1** een geoliede jas *an oilskin (coat);* de naaimachine ~ *oil the sewing machine;* geolied papier *oiled paper* **1.2** een goed geolied bedrijf *a smoothly-run firm.*

olienoot ⟨de (m.)⟩ **0.1** *ground- / oil-nut* ⇒⟨ihb.⟩ *peanut.*

oliepak ⟨het⟩ **0.1** *oilskins.*

oliepalm ⟨de (m.)⟩ **0.1** *oil palm.*

oliepapier ⟨het⟩ **0.1** *oilpaper.*

oliepeilstok ⟨de (m.)⟩ **0.1** *dipstick* ⇒*oil gauge.*

oliepijpleiding ⟨de (v.)⟩ **0.1** *oil pipeline.*

olieplak ⟨de⟩ **0.1** *oil slick.*

olieproducent ⟨de (m.)⟩ **0.1** *oil producer.*

olieproducerend ⟨bn.⟩ **0.1** *oil / petroleum-producing* ◆ **1.1** ~e landen *o.-p. / p.-p. / OPEC countries.*

olieprodukt ⟨het⟩ **0.1** *oil product.*

olieraffinaderij ⟨de (v.)⟩ **0.1** *oil refinery.*

oliescherm ⟨het⟩ **0.1** *oil-slick boom.*

oliesel ⟨het⟩ ⟨r.k.⟩ **0.1** *anointing* ⇒*extreme unction / last rites* ◆ **2.1** het

laatste/Heilig ~ toedienen *administer extreme unction/the last rites, anoint.*
oliesjeik ⟨de (m.)⟩ **0.1** *oil sheik.*
olieslager ⟨de (m.)⟩ **0.1** *oil-crusher/-presser* ⇒(oil)seed crusher.
olieslagerij ⟨de (v.)⟩ **0.1** *oil mill* ⇒oil-crusher, oil-presser.
oliespuit ⟨de⟩ **0.1** *oilcan* ⇒oiler.
oliespuiter ⟨de (m.)⟩ **0.1** *gusher.*
oliestaat ⟨de (m.)⟩ **0.1** *oil state.*
oliesteen ⟨de (m.)⟩ **0.1** *oilstone.*
oliestook ⟨de⟩ **0.1** *oil(-fired) heater/stove* ⇒⟨centrale verwarming⟩ *oil-fired boiler/(central) heating.*
oliestookinrichting ⟨de (v.)⟩ **0.1** *oil-fired (central) heating.*
olietank ⟨de (m.)⟩ **0.1** *oil (storage) tank/reservoir.*
olietanker ⟨de (m.)⟩ **0.1** *(oil) tanker* ⇒crude carrier.
olietankwagen ⟨de (m.)⟩ **0.1** *oil tanker* ⇒⟨AE ook⟩ *oil tank truck.*
olievat ⟨het⟩ **0.1** *oil barrel* ⇒⟨van metaal⟩ *oil drum.*
olieveger ⟨de (m.)⟩ ⟨scheep.⟩ **0.1** *oil-slick sweeper.*
olieveld ⟨het⟩ ⟨terrein⟩ *oilfield* **0.2** [olievlek op zee] *(oil) slick.*
olieverbruik ⟨het⟩ **0.1** *oil consumption.*
olieverf ⟨de⟩ **0.1** *oil colour(s)* ⇒oil paint, oils ◆ **6.1** portret in/met ~ *portrait in oils.*
olieverfschilderij ⟨het, de (v.)⟩ **0.1** *oil (painting)* ⇒painting in oils.
olieverwarming ⟨de (v.)⟩ **0.1** *oil-fired (central) heating.*
olievlek ⟨de⟩ **0.1** [olieveld] *(oil-)slick* ⟨op zee⟩ **0.2** [⟨fig.⟩ iets dat zich uitbreidt]⟨zie 8.2⟩ **0.3** [vlek] *oil stain* ◆ **8.2** zich als een ~ uitbreiden *spread/extend steadily/uninterruptedly.*
olievoorraden ⟨zn.mv.⟩ **0.1** *oil supplies/reserves* ◆ **3.1** ~ aanleggen *stock oil.*
oliewinning ⟨de (v.)⟩ **0.1** *extraction/recovery of oil/petroleum* ◆ **2.1** secundaire ~ *secondary recovery.*
oliezaad ⟨het⟩ **0.1** *oilseed.*
oliezuur ⟨het⟩ ⟨schei.⟩ **0.1** *oleic acid.*
olifant ⟨de (m.)⟩ **0.1** [dier] *elephant* ⇒⟨inf.⟩ *tusker* **0.2** [⟨fig.⟩ log mens] *elephant* ⇒⟨inf.⟩ *lump* ◆ **3.1** op ~en jagen *hunt elephants, go elephant-hunting* **3.2** zij is een ~ *she is elephantine* **8.1** ⟨fig.⟩ als een ~ in een porseleinkast *like a bull in a china shop* ¶.**1** ⟨fig.⟩ v.e. mug een ~ maken *make a mountain out of a molehill.*
olifantegeheugen ⟨het⟩ ⟨fig.⟩ **0.1** *memory like an elephant* ⇒elephantine *memory.*
olifantsdracht ⟨de⟩ ⟨fig.⟩ **0.1** *long pregnancy.*
olifantshuid ⟨de⟩ **0.1** *elephant hide/skin* ◆ **3.1** ⟨fig.⟩ een ~ hebben *have a thick skin, be thick-skinned, have a hide like a rhinoceros.*
olifantsmens ⟨de (m.)⟩ **0.1** *elephantiasis sufferer.*
olifantspapier ⟨het⟩ **0.1** *elephant.*
olifantstand ⟨de (m.)⟩ **0.1** *(elephant) tusk, elephant's tusk.*
olifantsziekte ⟨de (v.)⟩ **0.1** *elephantiasis.*
oligarch ⟨de (m.)⟩ **0.1** ⟨lid van oligarchie⟩ *oligarch;* ⟨voorstander van oligarchie⟩ *oligarchist.*
oligarchie ⟨de (v.)⟩ **0.1** *oligarchy.*
oligarchisch ⟨bn., bw.; -(al)ly⟩ **0.1** *oligarchic(al).*
Oligoceen ⟨het⟩ ⟨geol.⟩ **0.1** *Oligocene.*
oligofreen ⟨bn.⟩ ⟨med.⟩ **0.1** *oligophrenic.*
oligofrenie ⟨de (v.)⟩ ⟨med.⟩ **0.1** *oligophrenia.*
olijf
  I ⟨de⟩ **0.1** [vrucht] *olive;*
  II ⟨de (m.)⟩ **0.1** [boom] *olive (tree)* **0.2** [tak hiervan] *olive branch.*
olijfachtig ⟨bn.⟩ **0.1** *olive* ⇒olivaceous, olive-green ◆ **2.1** een ~e huidskleur *an olive complexion/skin.*
olijfachtigen ⟨zn.mv.⟩ ⟨plantk.⟩ **0.1** *Oleaceae.*
Olijfberg ⟨de (m.)⟩ **0.1** *Mount of Olives.*
olijfboom ⟨de (m.)⟩ **0.1** *olive (tree)* ◆ **2.1** wilde ~ *oleaster.*
olijfgroen¹ ⟨het⟩ **0.1** *olive green.*
olijfgroen² ⟨bn.⟩ **0.1** *olive-green.*
olijfkleur ⟨de⟩ **0.1** *olive (green).*
olijfolie ⟨de⟩ **0.1** *olive oil.*
olijftak ⟨de (m.)⟩ **0.1** *olive branch.*
olijk ⟨bn., bw.⟩ ⟨schr.⟩ **0.1** *roguish* ⇒arch, sly ◆ **1.1** een ~ baasje *a little rogue;* een ~ gezicht *a r. face* **3.1** ..., zei zij ~ ..., *she said with a twinkle in her eye.*
olijkerd ⟨de (m.)⟩ **0.1** *rogue.*
olijvehout ⟨het⟩ **0.1** *olive (wood).*
olim ⟨bw.⟩ ⟨schr.⟩ **0.1** ⟨ongemarkeerd⟩ *in former days* ◆ ¶.**1** in de dagen van ~ *in the days of yore, in olden days.*
olm ⟨de (m.)⟩ **0.1** *elm (tree).*
o.l.v. ⟨afk.⟩ **0.1** [onder leiding van] ⟨led by; conducted by⟩.
O.L.V. ⟨afk.⟩ **0.1** [Onze-Lieve-Vrouw] *B.V.M.* ⇒⟨Our (Blessed) Lady⟩ ◆ ¶.**1** ~ ten Hemelopneming *Our Lady of the Assumption.*
olympiade ⟨de (v.)⟩ **0.1** [⟨gesch.⟩] *Olympiad* **0.2** [⟨sport⟩] *Olympiad* ⇒ *Olympics, Olympic games.*
olympiajol ⟨de (v.)⟩ **0.1** *O-Joller.*
Olympiër ⟨de (m.)⟩ **0.1** *Olympian* ⟨ook fig.⟩.
Olympisch ⟨bn.⟩ **0.1** [van Olympia] *Olympic* **0.2** [mbt. de Olympische Spelen] *Olympic* **0.3** [(als) v.d. goden op de Olympus] *Olympian* ◆ **1.1**

de Olympische Spelen *the O. Games, the Olympics;* ⟨gesch.⟩ *the Olympian Games* **1.2** het ~ Comité *the O. (Games) Committee;* ~ dorp *O. village;* ~ goud *O. gold (medal);* ~ jaar *O. year;* een ~ record *an O. record;* het ~ vuur *the O. flame;* de ~e Winterspelen *the Winter Olympics/O. Games* **1.3** de ~e goden *the gods on/of Olympus, the Olympians;* een ~e kalmte bewaren *maintain O./superhuman calm.*
Olympus ⟨de (m.)⟩ **0.1** [berg] *Mount Olympus* **0.2** [alle Griekse goden tezamen] *Olympians.*
om¹
  I ⟨bn.⟩ **0.1** [langer] *roundabout* ⇒circuitous **0.2** [verstreken] *over* ⇒ up, finished **0.3** [van mening veranderd]⟨zie 3.3⟩ **0.4** [van richting veranderd] *turned* ◆ **1.1** een straatje/blokje ~ *round the block* **1.2** de dag wilde maar niet ~ *the day dragged on, it seemed the day would never end;* voor het jaar ~ is *before the year is out/up/has expired, within the year* **3.1** dat is minstens een kwartier ~ *that would take at least a quarter of an hour extra/longer, that's a quarter of an hour's detour;* deze weg is kilometers ~ *this route is miles/kilometers longer* **3.2** het uur/uw tijd is ~ *the hour/your time is o./up/finished;* ⟨inf.⟩ *time's up;* het weekend/de vakantie is ~ *the weekend/holiday/*^vacation *is o.* **3.3** het bestuur is ~ *the Board has come round* **3.4** de wind is ~ *the wind has turned/veered;*
  II ⟨bw.⟩ **0.1** [ergens omheen] *round,* ^around ⇒about, on ⟨kleding e.d.⟩ **0.2** [mbt. doel] *about* ◆ **2.2** ik ben daar des te gelukkiger ~ *I'm all the happier for it* **3.1** doe je mantel ~ *put your coat on;* toen zij de hoek ~ kwamen *when they came (a)round the corner* **5.2** het er ~ doen *do it on purpose* **6.1** ⟨fig.⟩ dat gaat buiten hem ~ ⟨weet hij niets van⟩ *that goes over his head;* ⟨heeft hij niets mee te maken⟩ *he's not involved in that;* ⟨raakt hem niet⟩ *it doesn't concern him* **8.1** ~ en ~ in turns, turn and turn about, every other one ¶.**2** waar gaat het ~? *what's it about?;* ⟨oneigheid ook⟩ *what's the matter?;* kom daar maar eens ~! *try finding one!* ⟨mbt. mens/ding⟩; *try finding it!* ⟨mbt. eigenschap⟩ ¶.¶. 'm ~ hebben *be sloshed/sozzled/tight/* ⟨AE ook⟩ *juiced, have had one/a few too many.*
om² ⟨vz.⟩ ⟨→sprw. 478⟩ **0.1** [rondom] *(a)round, about* **0.2** [vlak bij] *(a)round* **0.3** [omstreeks] *around, about* **0.4** [juist op het tijdstip van] *at* **0.5** [telkens na] *every* **0.6** [(in ruil) voor] *for* **0.7** [mbt. reden] *for* ⇒ on account of, because of **0.8** [mbt. doel] *to* ⇒in order to, so as to **0.9** [⟨expletief⟩] *to* ⟨+inf.⟩, of *(-ing)* ◆ **1.1** ⟨scheep.⟩ ~ de noord/zuid varen *sail northwards/southwards;* ~ de tafel zitten *sit (a)round/about the table;* een reis ~ de wereld *a voyage round the world* **1.2** ~ de hoek *(just) round the corner* **1.3** ~ een uur of negen *around nine (o'clock)* **1.4** ik zie je vanavond ~ acht uur *I'll see you tonight at eight (o'clock)* **1.5** beurt ~ beurt *in turn(s), taking turns, turn and turn about;* ~ beurten *in/by turn(s);* ~ de andere dag *e. other day, on alternate days;* ~ de twee uur *e. two hours;* ~ het andere woord vloeken *swear/curse e. other word* **1.6** werken ~ den brode *work for one's living;* ik wenste wel ~ een lief ding, dat ... *I would have given a fortune/anything in order to/that ...* **1.7** ~ deze reden *for this reason, on this account;* ~ Gods wil *for God's sake, for the love of God* **1.8** ~ de grap *for a joke/* ⟨inf.⟩ *laugh;* ~ het hardst *trying to outdo each other/one another;* het ging ~ zijn leven *it was a question/matter of life or death for him;* ~ strijd *in rivalry* **1.¶** ~ het leven komen *lose one's life, be killed;* iem. ~ het leven brengen *take s.o.'s life, kill s.o.* **3.8** niet ~ te eten *not fit to be eaten, uneatable, inedible;* met iem. ~ het hardst lopen (naar) *race s.o. (to);* ik kom ~ te eten *I'm coming to eat/for a meal;* ~ kort te gaan *to cut a long story short, to be brief, to make it brief;* ~ zo te zeggen *as you might say, as it were, so to speak;* dat is geen boek ~ te lezen *that book is not worth reading, I wouldn't read that book if I were you;* heb je zin ~ uit te gaan? *do you feel like going out?* **3.9** het is onnodig ~ hierover uit te weiden *it is unnecessary to enlarge on this, we do not need to pursue this matter further;* hij is gewoon ~ te wandelen *he is in the habit of taking a walk* **4.2** zij had haar kinderen ~ zich (heen) *she had her children around her, she was in the midst of her children* **4.6** ~ niet *for nothing, gratis, free (of charge);* ~ niets ter wereld *for nothing on earth, not for anything* **5.3** ze is al ~ en (na)bij de 60 *she is already in the neighbourhood of sixty, she's already sixty or so;* ~ en (na)bij drie jaar *approximately/roughly three years* ¶.**8** het is mij te doen ~ ... *I do it because ....*
o.m. ⟨afk.⟩ **0.1** [onder meer] *a.o., incl..*
O.M. ⟨het⟩ ⟨afk.⟩ **0.1** [Openbaar Ministerie] *p.p..*
oma ⟨de (v.)⟩ **0.1** *gran(ny), grandma* ⇒grandmother.
omafiets ⟨de⟩ ≠sit-up-and-beg type bicycle.
Oman ⟨het⟩ **0.1** *Oman.*
omarmen ⟨ov.ww.⟩ **0.1** [omhelzen] ⟨inf.⟩ *hug* ⇒embrace **0.2** [⟨fig.⟩ met graagte accepteren] *greet/accept with open arms* ◆ **1.1** ⟨lit.⟩ ~d rijm *abba rhyme scheme* **1.2** een voorstel ~ *accept a proposal with open arms* **4.1** elkaar ~ *embrace (one another).*
omarming ⟨de (v.)⟩ **0.1** *hug* ⇒embrace, ⟨sl.⟩ *clinch.*
omber
  I ⟨de⟩ **0.1** [kleurstof] *umber;*
  II ⟨het⟩ ⟨sport⟩ **0.1** [kaartspel] *ombre* ◆ **1.1** een partijtje ~ *a game/round of o.;*
  III ⟨de (m.)⟩ ⟨sport⟩ **0.1** [speler] *ombre.*

omberen ⟨onov.ww.⟩ ⟨sport⟩ **0.1** *play (at) ombre.*

omberspel ⟨het⟩ **0.1** [spelletje] *(game of) ombre* **0.2** [spel kaarten] *ombre pack.*

ombinden ⟨ov.ww.⟩ **0.1** *tie on/round* ♦ **1.1** iem. een touw~ *(tie a) rope round s.o..*

omblad ⟨het⟩ ⟨amb.⟩ **0.1** *binder.*

omblazen ⟨ov.ww.⟩ **0.1** *blow down/over.*

omboeken ⟨ov.ww.⟩ **0.1** ⟨naar andere rekening⟩ *transfer;* ⟨naar volgende bladzijde⟩ *carry over/forward.*

omboorden ⟨ov.ww.⟩ **0.1** *edge* ⇒*border, hem, trim.*

omboordsel ⟨het⟩ **0.1** [boord, rand] *edging* ⇒*border, trim(ming)* **0.2** [⟨herald.⟩] *border.*

ombouw ⟨de (m.)⟩ **0.1** *surround(s)* ⇒*housing, casing* ♦ **1.1** de~ v.e.bed *the surrounds of a bed.*

ombouwen ⟨ov.ww.⟩ **0.1** ⟨voor ander doel⟩ *convert;* ⟨moderniseren⟩ *reconstruct;* ⟨veranderen⟩ *rebuild, alter* ♦ **1.1** ⟨inf.⟩ een omgebouwde man *a man who's had a conversion job/sex change,* †*a transsexual;* een zin~ *recast a sentence* **6.1** zijn bestelauto~ **tot** kampeerwagen *c. one's van into a camper.*

ombouwset ⟨de (m.)⟩ **0.1** *conversion kit.*

ombrengen ⟨ov.ww.⟩ **0.1** [vermoorden] *kill* ⇒*murder* **0.2** [rondbrengen] *deliver* ⇒*circulate, distribute, bring round* **0.3** [mbt. tijd] *kill* ⇒*spend, pass.*

ombrometer ⟨de (m.)⟩ **0.1** *ombrometer.*

ombudsbureau ⟨het⟩ **0.1** *office of the/an ombudsperson.*

ombudsman ⟨de (m.)⟩ **0.1** *ombudsman.*

ombudsvrouw ⟨de (v.)⟩ **0.1** *ombudswoman.*

ombuigen
I ⟨onov., ov.ww.⟩ **0.1** [koers wijzigen] *reorganize, restructure* ⇒*adjust, alter, change (the direction of)* **0.2** [⟨euf.⟩] *rationalize* ⇒*economize* ♦ **1.1** het beleid moet worden omgebogen *(the) policy has to be reorganized/restructured.*
II ⟨onov.ww.⟩ **0.1** [zich buigen] *bend (over)* ⇒⟨dubbelbuigen⟩ *double up;*
III ⟨ov.ww.⟩ **0.1** [verbuigen] *bend (round/down/back)* ♦ **1.1** ijzerdraad~ *bend wire.*

ombuiging ⟨de (v.)⟩ **0.1** [het ombuigen] *bending* **0.2** [beleidswijziging] *restructuring, reorganization* ⇒*adjustment, alteration, change (of direction)* **0.3** [⟨euf.⟩] *rationalization* ⇒*economy.*

ombuigingsoperatie ⟨de (v.)⟩ ⟨euf.⟩ **0.1** *economy drive.*

omcirkelen ⟨ov.ww.⟩ **0.1** *(en)circle* ⇒*ring,* ⟨fig. ook⟩ *surround* ♦ **1.1** het juiste antwoord~ *circle/ring the correct answer;* ⟨fig.⟩ de politie omcirkelde het gebouw *the police surrounded/(en)circled the building.*

omdat ⟨vw.⟩ **0.1** [aangezien] *because, as* ⇒⟨inf.⟩ *cos* **0.2** [⟨inf.⟩ doordat] *because* ⇒⟨inf.⟩ *cos* ♦ **5.1** alleen al~ ...*simply b....,for no other reason than that ...,if only b....; juist~ ...precisely b./ for the very reason that ...* ¶**.1** zij is niet gekomen, ~ het regende *she didn't come, a. it was raining;* waarom ga je niet mee?~ ik er geen zin in heb *why don't you come along?, b. I don't feel like it* ¶**.2** dat komt, ~ ...*that comes from ....*

omdijken ⟨ov.ww.⟩ ⟨wwb.⟩ **0.1** *surround/ring with a dike, dike.*

omdijking ⟨de (v.)⟩ **0.1** [het omdijken] *surrounding with a dike* **0.2** [ringdijk] *enclosing dike.*

omdoen ⟨ov.ww.⟩ **0.1** *put on* ♦ **1.1** ⟨fig.⟩ dat deed hem de das om *that finished him (off);* de baby een luier~ *put a* [B]*nappy/*[A]*diaper on the baby, put the baby's* [B]*nappy/*[A]*diaper on;* ergens papier en een touwtje~ *put/wrap/sth. in paper and put/tie a string on it;* een riem~ *buckle on a belt;* een sjaal/das/sjerp/ketting~ *put on a scarf/tie/sash /necklace/chain;* zijn veiligheidsgordel~ *fasten one's seat/safety belt.*

omdolen ⟨onov.ww.⟩ ⟨schr.⟩ **0.1** ⟨ronddwalen⟩ ⟨ongemarkeerd⟩ *wander (about)* ⇒*roam, rove, ramble, stray* **0.2** [mbt. gedachten/aandacht] *wander, stray* ♦ **6.1** ~ in het bos *wander about in the forest/wood(s)* **6.2 in** het verleden~ *let one's thoughts s. over the past;* **in** het onzekere~ *drift in the uncertain/unknown.*

omdonderen ⟨inf.⟩
I ⟨onov.ww.⟩ **0.1** [omvallen] *crash down* ⇒*come crashing/tumbling down;*
II ⟨ov.ww.⟩ **0.1** [omgooien] *send crashing down/flying.*

omdopen ⟨ov.ww.⟩ **0.1** ⟨rel.⟩ voor een ander geloof dopen *rebaptize* **0.2** [andere naam geven] *rename* ⇒*redub* (vaak bijnaam), *rechristen* ♦ **1.2** een straat/boot~ *rename a street/boat.*

omdraaien
I ⟨onov.ww.⟩ **0.1** [een draai maken om] *turn (round/*[A]*around)* **0.2** [om zijn as draaien] *turn (round/*[A]*around)* ⇒*revolve, rotate* **0.3** [omkeren] *turn back/round/*[A]*around* ⇒⟨windijzer ook⟩ *swing round/* [A]*around* **0.4** [⟨fig.⟩ van mening veranderen] *swing/shift/switch round /*[A]*around* ♦ **1.1** de brandweerauto draaide de hoek om *the fire engine turned the corner* **8.3** ⟨fig.⟩ ~ als een blad (aan een boom) *swing over, swing (right) the other way, switch/shift (right) round* ¶**.3** ⟨fig.⟩ het hart draait me om in mijn lijf *(misselijk gevoel) my stomach is turning (over)/is churning;* (weerzin) *it turns my stomach (over);*
II ⟨ov.ww.⟩ **0.1** [van stand/richting doen veranderen] *turn (round/*

[A]*around)* ⇒*turn over* **0.2** [mbt. situaties] *reverse* ⇒*swing/shift/switch round/*[A]*around* ♦ **1.1** iemands arm~ *twist s.o's arm;* het contact-(sleuteltje)~ *turn the ignition key, turn on the ignition;* ⟨fig.⟩ zijn hand niet voor iets~ *think nothing of sth.;* zijn hoofd~ *turn one's head;* een knop/schakelaar~ *turn a knob/switch;* iem. de nek~ ⟨lett.⟩ *wring s.o.'s neck, throttle s.o.;* ⟨fig.⟩ *ruin s.o.;* ⟨fig.⟩ de radio/televisie de nek~ *switch the radio/television off;* een plaat~ *turn a record over, turn over a record* **1.2** de rollen~ ⟨lett.⟩ *switch/swap/* †*exchange roles;* ⟨fig.⟩ *reverse the roles;* de volgorde~ *reverse the order;* de zaak~ *twist/turn things round/around* **4.1** zich~ *turn/roll over (on one's side)* **6.1** ik draaide me **naar** haar om *I turned to her* ¶**.2** ⟨fig.⟩ zich~ in zijn graf/kist *turn in one's grave.*

omdragen ⟨ov.ww.⟩ **0.1** *carry around* ⇒⟨BE ook⟩ *carry round/about.*

omdrentelen ⟨onov.ww.⟩ **0.1** [rondslenteren] *saunter/stroll around/* ⟨BE ook⟩ *round/about* **0.2** [om iets heen lopen] *stroll around/* ⟨BE ook⟩ *round* ♦ **6.1 in** de stad~ *saunter/stroll around the town.*

omduikelen ⟨onov.ww.⟩ **0.1** [omvallen] *topple/tumble over* **0.2** [zich ronddraaien] *swing round/*[A]*around.*

omduwen ⟨ov.ww.⟩ **0.1** *push over* ⇒⟨ongewild⟩ *knock over.*

omdwalen ⟨onov.ww.⟩ **0.1** [mbt. gedachten/aandacht] *let one's mind/ thoughts wander/drift* **0.2** [rondzwerven] *wander around* ⇒*roam (around),* ⟨BE ook⟩ *wander round/about* ♦ **6.1** (met zijn gedachten) **in** het verleden~ *live in the past.*

omega ⟨de⟩ **0.1** *omega* ♦ **1.1** de alfa en de~ van iets *the be-all and end-all of sth.;* ⟨bijb.⟩ de Alfa en de Omega *the Alpha and the Omega.*

omelet ⟨de⟩ **0.1** *omelette;* ⟨vnl. AE⟩ *omelet.*

omen ⟨het⟩ **0.1** *omen* ⇒*portent,* ⟨schr.⟩ *augury* ♦ **2.1** een goed/gunstig/kwaad~ *a good/favourable omen, an evil/a bad omen* ¶**.1** nomen est ~ *the name says it all.*

omflikkeren ⟨inf.⟩
I ⟨onov.ww.⟩ **0.1** [omvallen] *go flying* ⇒ †*go tumbling/toppling over;*
II ⟨ov.ww.⟩ **0.1** [omwerpen] *send/knock flying* ⇒ †*send tumbling/ toppling over* ♦ **1.1** een glas bier~ *send a glass of beer flying.*

omfloerst ⟨bn.⟩ **0.1** *shrouded* ⇒*veiled, muffled* (geluid enz.) ♦ **1.1** ⟨fig.⟩ een door tranen~e blik *eyes misted with/full of/brimming over with tears;* een~ gelaat *a s./veiled face;* ⟨fig.⟩ met~e stem *in a muffled voice;* ~vaandel *draped colours.*

omgaan ⟨onov.ww.⟩ (→sprw. 290,498) **0.1** [rondgaan] *go round/* [A]*around* ⇒⟨hoek, bocht ook⟩ *turn, round* **0.2** [verstrijken] *pass (by)* **0.3** [leven met, hanteren] ⟨leven met⟩ *go about (with)* ⇒*associate (with),* ⟨hanteren⟩ *handle, manage, deal (with)* **0.4** [omvallen] *fall over* ⇒*be/get knocked over,* ⟨inf.⟩ *go over* **0.5** [van mening veranderen] *swing/switch over/round/*[A]*around* ♦ **1.1** een heel eind~ *go a long way round;* de hoek~ *turn the corner, go round the corner;* een straatje/blokje~ *(go for a) walk around the block* **1.2** de dag gaat langzaam om *the day passes (by) slowly, the day is dragging by* **1.4** straks gaan de glazen nog om *next thing the glasses will get knocked over* **4.1** er gaat weinig/niets om *there's not much/nothing going on/ doing* **6.1** ⟨fig.⟩ wat gaat er **in/bij** hem om? *what's on his mind?, what's going/running through his mind?* **6.3** wij gaan niet **met** elkaar om *we don't have a lot to do with each other, we have no contact;* zij kan goed **met** kinderen~ *she's good at handling/managing children;* ⟨inf.⟩ *she's good with children;* **met** wapens om kunnen gaan *know how to handle weapons;* **met** slecht gezelschap~ *keep bad company* ¶**.1** ⟨fig.⟩ er gaat daar heel wat om *there's a lot going on there;* ⟨druk⟩ *it's very busy there;* ⟨fig.⟩ *they do plenty of business there.*

omgaand ⟨bn., bw.⟩ ♦ **3.**¶ ~ doe ik u toekomen *...I am sending you by return (of* [B]*post* [A]*mail)* **6.**¶ **per** ~e antwoorden/berichten *answer/inform by return (of* [B]*post*[A]*mail).*

omgang ⟨de (m.)⟩ **0.1** [het omgaan met mensen] *contact* ⇒*association, companionship,* ⟨geslachtelijk⟩ *intercourse* **0.2** [⟨r.k.⟩ processie] *(religious) procession* ⇒*circumambulation, round(s)* **0.3** [trans, omloop] *gallery* **0.4** [⟨AZN⟩ optocht] *procession* ♦ **2.1** geslachtelijke~ *sexual intercourse/relations* **3.1** ~ hebben met iem. *keep company with/associate with s.o.;* ⟨verkering hebben⟩ *go out with s.o.* **6.1** aangenaam **in** de~ zijn *have a pleasant manner;* hij is gemakkelijk/lastig **in** de~ *he is easy/difficult to get on/along with.*

omgangskunde ⟨de (v.)⟩ **0.1** *personal interaction, interactive skills.*

omgangsrecht ⟨het⟩ **0.1** *(right of) parental access* ⇒*visiting rights.*

omgangsregeling ⟨de (v.)⟩ **0.1** *arrangement(s) concerning parental access.*

omgangstaal ⟨de⟩ **0.1** *colloquial language* ⇒*daily speech.*

omgangsvormen ⟨zn.mv.⟩ **0.1** *manners* ⇒*etiquette* ♦ **2.1** geen goede~ hebben *have no m., be unmannerly* **3.1** de~ in acht nemen *observe convention/etiquette/m..*

omgekeerd ⟨bn., bw.⟩ **0.1** [in tegengestelde stand] *turned round* ⇒⟨ondersteboven⟩ *upside down,* ⟨binnenstebuiten⟩ *inside out,* ⟨achterstevoren⟩ *back to front,* ⟨schr.⟩ *inverse,* ⟨wisk.⟩ *reciprocal* **0.2** [tegenovergesteld] *opposite* ⇒⟨schr.⟩ *reverse,* ⟨bw.;inf.⟩ *the other way round/*[A]*around* ♦ **1.1** ⟨bouwk.⟩ ~e boog *invert;* ~e letters *turned letters* **1.2 in** ~e volgorde/richting *in reverse order/the opposite direction;* ⟨inf.⟩ *backwards;* ⟨fig.⟩ dat is de~e wereld *the world (is) turned* *upside down* **2.1** ⟨wisk.⟩ ~ evenredig *inversely proportional (to)* **3.1** het zoutvaatje ~ houden *hold the salt-cellar upside down* **3.2** zij gedroeg zich juist ~ *she behaved in precisely the o. way / manner / fashion;* het is precies ~ *it's just the o. / the other way round* **7.1** ⟨zelfst.⟩ het ~e v.e. breuk *the reciprocal of a fraction* **7.2** ⟨zelfst.⟩ het ~e van democratisch *the reverse of democratic* ¶**.2** ~ kun je ook zeggen, dat ...*conversely / turning it round, you can also say that.*

omgekruld ⟨bn.⟩ **0.1** [in / als een krul gebogen] *curled (up / over)* ⟹⟨inf.⟩ *curly* **0.2** [⟨plantk.⟩] *revolute* ⟹*crispate* ◆ **1.1** een ~e snor *a curled / curly moustache.*

omgelegen ⟨bn.⟩ **0.1** *surrounding* ⟹*neighbouring.*

omgeschreven ⟨bn.⟩ **0.1** *circumscribed* ◆ **1.1** ⟨wisk.⟩ ~ cirkel *c. circle;* ⟨wisk.⟩ ~ veelhoek *c. polygon.*

omgespen ⟨ov.ww.⟩ **0.1** *buckle on.*

om'geven ⟨ov.ww.⟩ **0.1** [zich eromheen bevinden] *surround* ⟹*encircle, encompass* **0.2** [eromheen plaatsen] *surround* ⟹*enclose* ◆ **1.1** de stilte omgaf de kampeerders *the campers were surrounded by silence;* ⟨vrijwel⟩ geheel door land ~ *(almost) landlocked;* door de zee ~ ⟨schr. ook⟩ *seagirt* **6.2** zich ~ met weelde en luxe *surround o.s. with wealth and luxury;* zij heeft de tuin ~ met een hek *she has put a fence round the garden, she has fenced in the garden.*

'omgeven ⟨ov.ww.⟩ **0.1** *hand / pass round* ◆ **1.1** de speelkaarten ~ *deal the cards.*

omgeving ⟨de (v.)⟩ **0.1** [mbt. personen] *environment* ⟹*surroundings,* ⟨kennissen⟩ *(circle of) acquaintances,* ⟨schr.⟩ *entourage* **0.2** [omstreken] *neighbourhood* ⟹*vicinity, surrounding area / district(s),* ⟨jur.⟩ *environs* ◆ **1.2** inwoners van Amsterdam en ~ *inhabitants of Amsterdam and the surrounding area / districts / and environs* **2.2** een andere ~ zal hem goed doen *a change of scene(ry) will do him good;* een landelijke ~ *a rural setting* **6.1** in mijn ~ *among my acquaintances;* in onze dagelijkse ~ *in our daily environment* **6.2** in de ~ van Amsterdam *in the n. / vicinity of Amsterdam.*

omgevingstemperatuur ⟨de (v.)⟩ **0.1** *ambient temperature.*

omgooien ⟨ov.ww.⟩ ⟨→sprw. 583⟩ **0.1** [omverwerpen] *knock over* ⟹*overturn,* ↑*upset* **0.2** [vlug omwenden] *shift* ⟹⟨scheep.⟩ *put over* **0.3** [mbt. kleding] *throw on* ⟹*throw round o.s.* **0.4** [⟨inf.⟩ veranderen] *change round /* ^*around* ◆ **1.2** het roer ~ ⟨lett.⟩ *put the helm over, shift the helm;* ⟨fig.⟩ *change course / tack* **1.3** een stola ~ *throw on a stole* **1.4** de plannen / volgorde ~ *change the plans / order round.*

om'gorden ⟨ov.ww.⟩ **0.1** [(als) met een gordel omgeven] *gird (about)* **0.2** [⟨fig.⟩] *gird (up)* ◆ **4.2** omgordt u met moed en trouw ⟨ook scherts.⟩ *gird up your loins!* **6.1** zich ~ met een koppel *gird on a belt;* de lendenen ~ met een doek *put on a loincloth.*

'omgorden ⟨ov.ww.⟩ **0.1** *fasten on* ◆ **1.1** ⟨schr.⟩ *gird on.*

omgraven ⟨ov.ww.⟩ **0.1** *dig up* ◆ **1.1** de tuin ~ *dig up the garden.*

omgrenzen ⟨ov.ww.⟩ **0.1** [van alle kanten begrenzen] *border* ⟹*bound* **0.2** [⟨fig.⟩ de grens trekken om] *demarcate.*

omhaal ⟨de (m.)⟩ **0.1** [omslag, drukte] *fuss* ⟹*ado, ceremony* **0.2** [omslachtigheid] *expansiveness* ⟹⟨woorden⟩ *circumlocution, wordiness,* ↑*verbosity,* ↑*verbiage* **0.3** [⟨sport⟩] *overhead kick, shot on the turn* **0.4** [krul] *flourish* ◆ **1.4** krullen en omhalen *curlicues and flourishes* **3.1** ~ maken (inspanning) *make an effort, put o.s. out;* ⟨drukte⟩ *make a lot of f. (and bother), make much ado (about nothing)* **6.2** met veel ~ van woorden *in a roundabout way;* zonder (veel) ~ van woorden *without wasting words, right / straight out, pointblank.*

omhaken ⟨ov.ww.⟩ **0.1** *work around (in crochet)* ◆ **5.1** een keurig omgehaakte pannelap *a neatly worked-around kettle holder.*

omhakken ⟨ov.ww.⟩ **0.1** *chop / cut down* ⟹*fell* ◆ **1.1** een boom / bos ~ *chop / cut down a tree / forest.*

omhalen ⟨ov.ww.⟩ **0.1** [omverhalen] *bring / pull down* **0.2** [⟨sport⟩] *kick overhead, take on the turn* **0.3** [omgraven] *dig up* **0.4** [wenden] *bring round* **0.5** [⟨AZN⟩ collecteren] *collect* ◆ **1.3** de tuin ~ *dig up the garden* **1.4** een schip ~ *bring a ship('s bow) round.*

om'hangen ⟨ov.ww.⟩ **0.1** *hang* ⟹*cover* ◆ **6.1** ⟨fig.⟩ iem. met luister ~ *cover s.o. with praise.*

'omhangen
I ⟨ov.ww.⟩ **0.1** [draperen] *hang on / over / round /* ^*around* ◆ **1.1** iem. een medaille ~ *hang a medal on s.o.;*
II ⟨onov.ww.⟩ **0.1** [rondhangen] *hang around* ⟹⟨BE ook⟩ *hang about.*

omheen ⟨bw.⟩ **0.1** *round (about),* ^*around* ◆ **3.1** ergens ~ ⟨fig.⟩ *talk round sth., hedge on sth., beat about / around the bush;* ergens niet ~ kunnen ⟨ook fig.⟩ *not be able to get round / around sth.;* ⟨fig.⟩ ergens met een grote boog ~ lopen *give sth. a wide berth;* de tafel, waar de gasten ~ zaten *the table (a)round which the guests were seated.*

omheinen ⟨ov.ww.⟩ **0.1** *fence off / in* ⟹*fence round /* ^*around,* ↑*enclose* ◆ **1.1** een omheinde ruimte *a fenced-off / -in area, an enclosed area.*

omheining ⟨de (v.)⟩ **0.1** [schutting] *fence* ⟹*palings,* ↑*enclosure* **0.2** [het omheinen] *fencing(-off / -in)* ⟹ ↑*enclosure.*

omhelzen ⟨ov.ww.⟩ **0.1** [omarmen] *embrace* ⟹⟨inf.⟩ *hug* **0.2** [⟨fig.⟩ aannemen] *embrace* ⟹*espouse* **0.4** [⟨fig.⟩ omvatten] *clasp* **0.4** [⟨fig.⟩ beoefenen] *embrace* ⟹*espouse* ◆ **1.2** een inzicht / leer / godsdienst ~ *embrace / espouse a view / doctrine / religion* **1.3** hij omhelsde haar knieën *he*

clasped her knees **1.4** de deugd ~ *embrace / espouse virtue* **4.1** elkaar ~ *embrace / hug (each other)* **5.1** iem. stevig ~ *give s.o. a good / great hug.*

omhelzing ⟨de (v.)⟩ **0.1** *embrace* ⟹⟨inf.⟩ *hug,* ⟨fig.⟩ *espousal* ◆ **2.1** een innige ~ *a fond / fervent embrace.*

omhoog ⟨bw.⟩ **0.1** [in de hoogte] *up* ⟹⟨schr.⟩ *on high, aloft* **0.2** [naar boven] *up(wards)* ⟹⟨de lucht in⟩ *in(to) the air* ◆ **1.1** met de benen ~ *with one's legs up / in the air* **1.2** handen ~! *hands up!;* met het hoofd ~ *with one's head up /* ⟨trots⟩ *high;* het hoofd ~! *hold up your head!, head up!* **3.2** het raampje ~ draaien *wind the window up, wind up the window;* ~ spuiten *squirt up(wards) / into the air;* de luchtballon zweefde ~ *the balloon floated up(wards) / into the air* **6.1** naar ~ *up(wards);* van ~ *from above, down(wards);* ⟨schr.⟩ *from on high.*

omhoogdrijven
I ⟨ov.ww.⟩ **0.1** [opwaarts drijven] *drive / force up(wards)* ◆ **1.1** de prijzen ~ *force up prices, force / send prices up(wards);*
II ⟨onov.ww.⟩ **0.1** [opstijgen] *drift up(wards).*

omhoogduwen ⟨ov.ww.⟩ **0.1** *push up(wards).*

omhooggaan ⟨onov.ww.⟩ **0.1** *go up(wards)* ⟹ ↑*rise,* ⟨schr.⟩ *ascend* ◆ **1.1** de barometer gaat omhoog *the barometer is going up / is rising;* de lift is omhooggegaan *the lift /* ^*elevator has gone up;* ⟨sport⟩ de midvoor gaat omhoog *the centre forward leaps up in the air;* de prijzen gaan omhoog *prices are going up / are rising;* de temperatuur gaat de komende dagen omhoog *the temperature will go up / rise in the next few days;* de temperatuur / koorts is weer omhooggegaan *his / her* ⟨enz.⟩ *temperature has gone up / risen again;* de weg gaat omhoog *the road goes up(wards) / rises* **5.1** loodrecht / steil ~ *go up / rise vertically / steeply.*

omhooggooien ⟨ov.ww.⟩ **0.1** *throw up / into) the air.*

omhooghalen ⟨ov.ww.⟩ **0.1** *raise* ⟹*pull / bring up.*

omhooghouden ⟨ov.ww.⟩ **0.1** *hold up* ⟹⟨schr.⟩ *hold aloft / (on) high* ◆ **1.1** de arm ~ *hold up one's arm, hold one's arm up;* een vaandel / spandoek ~ *hold up a banner.*

omhoogkomen ⟨onov.ww.⟩ **0.1** [naar boven komen] *come / get up* ⟹⟨in bed⟩ *raise o.s. (up)* **0.2** [⟨fig.⟩ hogerop komen] *get on / ahead* ◆ **1.1** het koren komt omhoog *the corn is coming up;* de melk komt omhoog *the milk is going to / is about to boil over;* de zieke kan niet meer ~ *the patient can no longer raise himself / herself.*

omhooglopen ⟨onov.ww.⟩ **0.1** [naar boven lopen] *go up(wards)* ⟹*rise* **0.2** [⟨scheep.⟩ vastlopen] *go / run aground.*

omhoogschieten
I ⟨onov.ww.⟩ **0.1** [snel groeien] *shoot up* **0.2** [snel naar boven gaan] *shoot up* ⟹*(sky)rocket* ◆ **1.1** het gras schiet omhoog *the grass shoots up* **1.2** de luchtballon schoot omhoog *the balloon shot up;* de prijzen schieten omhoog *prices are shooting up / (sky)rocketing;*
II ⟨onov., ov.ww.⟩ **0.1** [schot lossen] *shoot up(wards) / into the air* ◆ **1.1** een lichtkogel ~ *shoot a flare into the air, shoot up a flare.*

omhoogslaan
I ⟨ov.ww.⟩ **0.1** [naar boven drijven] *hit up(wards) / into the air* **0.2** [naar boven richten] *throw / fling up* ◆ **1.1** hij sloeg de bal omhoog *he hit the ball up / into the air* **1.2** in ontzetting de handen ~ *throw / fling one's hands up in horror, throw / fling up one's hands in horror;*
II ⟨onov.ww.⟩ **0.1** [opwaarts gedreven worden] *pour / shoot up* ◆ **6.1** damp sloeg uit het vat omhoog *vapour rose from the vat.*

omhoogsteken
I ⟨ov.ww.⟩ **0.1** [in de hoogte steken] *put up* ⟹*raise,* ⟨inf.⟩ *stick up* **0.2** [prijzen] *praise to the skies* ◆ **1.1** hij stak de beide armen omhoog *he raised / put up both his arms;* het hoofd / de kop / kruin ~ *raise one's head;* zijn vingers ~ *raise / stick up one's fingers;*
II ⟨onov.ww.⟩ **0.1** [zich in de hoogte uitstrekken] *stick up* ◆ **1.1** de narcissen steken tien centimeter boven de grond omhoog *the daffodils rise 4 inches above the ground.*

omhoogtillen ⟨ov.ww.⟩ **0.1** *lift up* ⟹⟨fig. vnl.⟩ *raise.*

omhoogtrekken ⟨ov.ww.⟩ **0.1** *pull up(wards)* ◆ **1.1** een schip ~ ⟨uit het water⟩ *haul a ship up, haul a ship out of the water;* ⟨stroomopwaarts⟩ *haul a ship upstream* **6.1** iem. uit een kuil / het drijfzand ~ *pull s.o. (up) out of a pit / quicksand.*

omhoogvallen ⟨onov.ww.⟩ ⟨iron.⟩ **0.1** ≠*be kicked upstairs* ⟹*earn promotion through incompetence* ◆ ¶**.1** hij is omhooggevallen *his incompetence earned him promotion.*

omhoogvliegen ⟨onov.ww.⟩ **0.1** [in de hoogte vliegen] *fly up(wards) / into the air* **0.2** [naar boven gedreven worden] *shoot up* ◆ **1.2** ⟨fig.⟩ de prijzen / kijkcijfers vlogen omhoog *prices / ratings shot up.*

omhoogvoeren ⟨ov.ww.⟩ **0.1** *lead up(wards).*

omhoogwerken ⟨ov.ww.⟩ **0.1** *work up / to(wards) the top* ⟹*raise* ◆ **4.1** ⟨fig.⟩ zich ~ (vanuit) *work one's way up (from), work o.s. up in the world.*

omhoogzitten ⟨onov.ww.⟩ **0.1** [⟨scheep.⟩] *have gone / have run / be aground* ⟹*be stranded,* ⟨inf.⟩ *be high and dry* **0.2** [⟨fig.⟩ in moeilijkheden verkeren] *be in a fix / jam* ◆ **5.2** hij zit er lelijk mee omhoog *he's really stuck / in a fix / jam over that* **6.2** met iets ~ ⟨geen oplossing kunnen vinden⟩ *be stuck over / on sth.;* ⟨niet kwijt kunnen raken⟩ *be stuck with sth..*

omhouwen ⟨ov.ww.⟩ **0.1** *chop/cut down* ⇒ ↑*fell*.

omhullen ⟨ov.ww.⟩ **0.1** [aan alle kanten bedekken] *envelop* ⇒*wrap, enclose, surround* **0.2** [aan het zicht onttrekken] *veil* ⇒*shroud* ◆ **1.1** dikke nevels ~ de berg *the mountain is shrouded / wrapped / enveloped in thick mist;* een harde bast omhult de pit *the kernel is surrounded by /encased / enclosed in / by a hard husk.*

omhulsel ⟨het⟩ **0.1** *covering* ⇒*casing, envelope, shell,* ⟨zaadje⟩ *husk,* ⟨peulvrucht, graan⟩ *hull,* ⟨peulvrucht ook⟩ *pod* ◆ **2.1** ⟨lit.⟩ het stoffelijk ~ v.d. mens *man's earthly frame;* ⟨lijk ook⟩ *man's (earthly) remains.*

omineus ⟨bn.⟩ **0.1** *ominous* ⇒⟨schr.⟩ *inauspicious.*

omissie ⟨de (v.)⟩ **0.1** [verzuim] *omission* **0.2** [weglating] *omission.*

omissiedelict ⟨het⟩ ⟨jur.⟩ **0.1** *crime of omission.*

omitteren ⟨ov.ww.⟩ **0.1** [weglaten] *omit* **0.2** [verzuimen] *omit (to)* ⇒*neglect (to).*

omkantelen
I ⟨onov.ww.⟩ **0.1** [omvallen] *tip over.*
II ⟨ov.ww.⟩ **0.1** [omwentelen] *tip over.*

omkappen ⟨ov.ww.⟩ **0.1** *chop/cut down* ⇒ ↑*fell*.

omkeer →**ommekeer.**

omkeerbaar ⟨bn.⟩ **0.1** *reversible* ◆ **1.1** ⟨schei.⟩ een omkeerbare reactie *a r. reaction* **3.1** die stelling is niet ~ *that position is not convertible.*

omkeerbaarheid ⟨de (v.)⟩ **0.1** *reversibility* ⇒⟨mbt. stelling⟩ *convertibility.*

omkeerfilm ⟨de (m.)⟩⟨foto.⟩ **0.1** *reversal film.*

omkeerkoppeling ⟨de (v.)⟩ **0.1** *reversing clutch / coupling / gear.*

omkeerprisma ⟨het⟩ **0.1** *prism* ⇒⟨mbt. reflexcamera, ihb.⟩ *pentaprism.*

omkeerprocédé ⟨het⟩ **0.1** *reversal process.*

omkeerproces ⟨het⟩⟨foto.⟩ **0.1** *reversal process.*

omkeerschakelaar ⟨de (m.)⟩ **0.1** *reverse (switch)* ◆ **2.1** een draaibank met een automatische ~ *a lathe with reverse, a reserving lathe.*

omkegelen ⟨ov.ww.⟩ **0.1** *bowl over.*

omkeilen ⟨ov.ww.⟩⟨inf.⟩ **0.1** *send/knock flying.*

omkeren
I ⟨ov.ww.⟩ **0.1** [omdraaien] *turn (round/^around)* ⇒*turn* ⟨hooi, kaas enz.⟩, *invert* ⟨polariteit⟩, ⟨ook →omdraaien II⟩ **0.2** [mbt. situaties] *switch / change (round/^around)* ⇒⟨verdraaien⟩ *twist (round/ ^around),* ⟨ook →omdraaien II⟩ **0.3** [omwerken] *turn over* ◆ **1.1** ⟨muz.⟩ een akkoord ~ *invert a chord;* het hoofd ~ *turn one's head;* een kaart ~ *turn a card over, turn over a card;* ⟨wisk.⟩ de tekens ~ *reverse the signs;* zijn zakken / handtas ~ *turn out one's pockets / handbag* **1.2** de bewijslast ~ *reverse the burden of proof;* de zaak ~ *twist things (round)* **4.1** zich ~ *turn round/^around;* zodra hij zich heeft omgekeerd *as soon as he turned his back / had his back turned, no sooner had he turned his back / did he have his back turned than ...* **5.1** zich plotseling ~ *swing / whip round/^around* **6.1** ik keerde me naar haar om *I turned to her;*
II ⟨ov.ww.⟩ **0.1** [keren] *turn back* ⇒*turn round/^around,* ⟨ook →omdraaien I⟩ **0.2** [⟨fig.⟩ van mening veranderen] *swing/shift/ switch round/^around.*

omkering ⟨de (v.)⟩ **0.1** [het omkeren of omgekeerd worden] *reversal* ⇒⟨schr.⟩ *inversion* **0.2** [⟨wisk.⟩] *improper movement* ◆ **1.1** ⟨muz.⟩ ~ v.e. akkoord *chord inversion;* ~ v.d. bewijslast / v.e. stelling *reversal of the burden of proof / of a proposition;* ⟨wisk.⟩ ~ v.d. funktie *(the) inverse function.*

omkiepen →**omkieperen.**

omkieperen ⟨inf.⟩
I ⟨ov.ww.⟩ **0.1** [omgooien] *tip over;*
II ⟨onov.ww.⟩ **0.1** [omvallen] *tip/topple over.*

omkijken ⟨onov.ww.⟩ **0.1** [omzien] *look round/^around* **0.2** [aandacht besteden] *look after* ⇒*worry / bother about* ⟨meestal neg.⟩ **0.3** [uitkijken] *look round/^around* ⇒*look out* ◆ **3.1** hij keek niet op of om *he didn't even look up* **6.1** hij keek om naar iedere mooie vrouw *he looked round at every attractive woman* **6.2** hij keek naar zijn zaken / zijn boeken niet om *he didn't look after his affairs / his books;* naar iem. niet ~ *not worry / bother about s.o.;* ze hebben er maandenlang niet naar omgekeken *they've let it slide / slip for months* ¶**.2** ⟨zelfst.⟩ geen ~ hebben naar iem. / iets *leave s.o. / sth. to his / its own devices;* ⟨zelfst.⟩ je hebt er geen ~ naar *it takes / needs no looking after, it looks after itself.*

omkippen →**omkieperen.**

omklappen
I ⟨ov.ww.⟩ **0.1** [doen tuimelen] *turn / swing over / back* ◆ **1.1** een deksel / leuning ~ *swing a lid / an armrest back;*
II ⟨onov.ww.⟩ **0.1** [tuimelen] *turn / swing over / back* **0.2** [⟨inf.⟩] *tumble / topple over* ◆ **6.2** hij is met de fiets omgeklapt *he tumbled / toppled off his bike, he came a cropper off his bike.*

om'kleden ⟨ov.ww.⟩ **0.1** [formuleren] *couch* ⇒*clothe, express* **0.2** [bedekken, bekleden] *cover* ⇒⟨fig.⟩ *clothe* ◆ **5.1** de harde waarheid tactvol ~ *couch the harsh truth in tactful terms* **6.1** een met redenen omkleed voorstel *a substantiated proposal;* ieder verzoek moet met redenen omkleed zijn *all requests must be substantiated, the reason(s) for any request must be stated;* met redenen ~ *give reasons for.*

'omkleden ⟨ov.ww.⟩ **0.1** *change* ⇒*put other clothes on* ◆ **4.1** ga je maar gauw ~ *go and c. quickly, go and put some other clothes on quickly;* ik moet me nog ~ *I've still got to c.;* zich ~ *change (clothes / one's clothes).*

omkleding ⟨de (v.)⟩ **0.1** [omhulsel] (→**omhulsel**) **0.2** [het omkleden] *changing (of (one's) clothes)* ⇒⟨formulering⟩ *presentation.*

omkleedsel →**omhulsel.**

omklemmen ⟨ov.ww.⟩ **0.1** *clasp* ⇒*hug* ◆ **6.1** iem. met zijn armen ~ *clasp s.o. in one's arms, hug s.o..*

omknellen ⟨ov.ww.⟩ **0.1** *grip* ⇒*seize* ◆ **1.1** een ijzeren vuist omknelt zijn pols *his wrist is gripped / seized by an iron fist.*

omknikkeren ⟨ov.ww.⟩⟨fig.⟩ **0.1** *tip/* ⟨krachtig⟩ *bowl over.*

omknopen ⟨ov.ww.⟩ **0.1** *button on* ⇒*knot, fasten.*

omkomen ⟨onov.ww.⟩ **0.1** [sterven] *die* ⇒⟨gedood worden ook⟩ *be killed,* ⟨schr.⟩ *perish* **0.2** [om iets heen komen] *come round/^around* ⇒*turn* **0.3** [verstrijken] *pass (by)* ⇒*(come to an) end* ◆ **1.2** hij zag haar juist de hoek ~ *he saw her just (as she was) coming round / turning the corner* **1.3** ook die dag zal wel ~ *even that day will be behind us / you* ⟨enz.⟩ *eventually* **6.1** hij zag een brand / verkeersongeval ~ *d. / be killed in a fire / a road accident;* in de oorlog ~ *d. / be killed in the war;* ~ van de kou *d. of cold, freeze to death;* ~ van honger *starve to death, d. of hunger.*

omkoopbaar ⟨bn.⟩ **0.1** *bribable* ⇒*corruptible, open/* ↑*amenable to bribery / bribes,* ⟨schr.⟩ *venal.*

omkoopbaarheid ⟨de (v.)⟩ **0.1** *corruptibility* ⇒*corruptness,* ⟨schr.⟩ *venality.*

omkoopschandaal ⟨het⟩ **0.1** *bribery scandal.*

omkoopsom ⟨de⟩ **0.1** *bribe (money).*

omkopen ⟨ov.ww.⟩ **0.1** *bribe* ⇒*buy (over), corrupt,* ⟨jur.⟩ *suborn* ⟨getuige⟩, ⟨inf.⟩ *fix,* ⟨BE; inf.⟩ *nobble, get at* ◆ **1.1** ambtenaren ~ *bribe officials;* getuigen ~ *bribe / suborn / corrupt / fix / nobble / get at witnesses* **3.1** ik laat me niet ~ *I won't be bribed;* zich laten ~ *take / accept bribes / a bribe* **6.1** iem. ~ **om** tegen te stemmen *bribe s.o. to vote against* ¶**.1** ze waren allemaal omgekocht *they had all been bribed / bought (over) / fixed / got at.*

omkoper ⟨de (m.)⟩ **0.1** *person who (gives) bribes* ⇒*corrupter,* ⟨jur.⟩ *suborner* ⟨van getuige⟩, ⟨inf.⟩ *fixer,* ⟨BE; inf.⟩ *nobbler.*

omkoperij ⟨de (v.)⟩ **0.1** *bribery* ⇒*corruption,* ⟨getuige; jur.⟩ *subornation,* ⟨inf.⟩ *fixing,* ⟨BE; inf.⟩ *nobbling* ◆ **6.1** een aanklacht wegens ~ indienen tegen iem. *accuse s.o. of b. / corruption, bring a charge of b. / corruption against s.o..*

omkoping ⟨de (v.)⟩ **0.1** *bribery* ⇒*corruption,* ⟨jur.⟩ *subornation* ⟨van getuige⟩ ◆ **6.1** ⟨jur.⟩ ~ **tot** meineed *subornation of perjury.*

omkransen ⟨ov.ww.⟩⟨schr.⟩ **0.1** *wreathe (about)* ⇒*(en)garland* ◆ **1.1** witte haren omkransten zijn schedel *his head was wreathed with white hair.*

omkruipen ⟨onov.ww.⟩ **0.1** *crawl/creep by* ◆ **1.1** de uren kruipen om *the hours crawl / creep by.*

'omkrullen ⟨onov., ov.ww.⟩ **0.1** *curl (up)* ◆ **1.1** de golven krullen om ze breken *the waves comb / crest before breaking.*

om'krullen ⟨ov.ww.⟩ **0.1** *curl around.*

omkuieren ⟨onov.ww.⟩ **0.1** [een ommetje maken] *go for a stroll* **0.2** [via een omweg wandelen] *stroll / wander round/^around.*

omkukelen →**omkieperen.**

omkwakken ⟨inf.⟩
I ⟨onov.ww.⟩ **0.1** [omvallen] *crash over* ⇒*go crashing over;*
II ⟨ov.ww.⟩ **0.1** [omgooien] *send/knock flying* ⇒*send crashing over.*

omlaag ⟨bw.⟩ **0.1** [beneden] *down* ⇒*below* **0.2** [naar beneden] *down(wards)* ◆ **1.2** ⟨inf.⟩ de koppies v.d. spelers gingen ~ *all the stuffing had gone out of the players* **3.2** het financieringstekort ~ brengen *cut / bring down the financial deficit;* als de prijzen ~ gaan *if prices go down / fall;* ⟨fig.⟩ zichzelf ~ halen *run o.s. down;* het werkloosheidscijfer moet ~ *the unemployment rate must come down* **5.2** gaat deze lift omhoog of ~? ⟨inf.⟩ *going up or (going) down?* **6.1** naar ~ *down(wards);* van ~ *from below / under, up(wards).*

omlaagdrukken ⟨ov.ww.⟩ **0.1** *press down* ⇒⟨ec. ook⟩ *depress, force down.*

omlaaghalen ⟨ov.ww.⟩ **0.1** [neerhalen] *bring down* **0.2** [in waarde of aanzien doen dalen] *run down* ⇒*drag down* ⟨naam⟩ ◆ **1.2** je moet ervoor zorgen dat je je goede naam niet omlaaghaalt *you must see that you don't drag your reputation down* **4.2** zichzelf ~ *run o.s. down, belittle o.s..*

omlaaghouden ⟨ov.ww.⟩ **0.1** *keep down.*

omladen ⟨ov.ww.⟩ **0.1** [overladen] *transfer* ⇒⟨scheep. ook⟩ *tranship* **0.2** [anders laden] *reload.*

om'leggen ⟨ov.ww.⟩ **0.1** *edge* ⇒*surround, border* ◆ **6.1** de rand v.e. schotel met peterselie ~ *e. / surround a dish with parsley.*

'omleggen ⟨ov.ww.⟩ **0.1** [om iets heen leggen] *put round/^around* ⇒*put on* ⟨verband⟩ **0.2** [andersom leggen] *turn over* **0.3** [mbt. (vaar)water] *divert* ⇒*re-route* **0.4** [van ligging laten verwisselen] *change around* **0.5** [mbt. grond] *turn over* ◆ **1.1** een andere band ~ *put a new tyre ^tire on;* een knoop ~ *tie a rope round/^around (sth.);* iem. een verband ~ *put a bandage on s.o.* **1.2** een boot ~ *overturn a*

857

boat, turn a boat upside-down/keel upwards; ⟨schaken⟩ de koning ~ *resign (a/the game), concede (defeat the/a game);* een zieke ~ *turn a patient over* 1.3 een weg ~ *re-route a road* 1.4 de stapeltjes kaarten ~ *change the piles of cards around.*

omlegging ⟨de (v.)⟩ 0.1 [⟨verkeer⟩] [B]*diversion, detour* 0.2 [⟨schei.⟩] *isomerization.*

omleiden ⟨ov.ww.⟩ 0.1 *divert* ⇒*re-route, train* ⟨plant⟩ ◆ 1.1 een plant ~ *train a plant;* het verkeer ~ over A. d./*re-route traffic via A..*

omleiding ⟨de (v.)⟩ 0.1 [het omleiden] *diversion* ⇒*re-routing,* ⟨plant⟩ *training* 0.2 [⟨verkeer⟩] *(traffic) diversion* ⇒⟨vnl. AE⟩ *detour,* ⟨vervangende route⟩ *relief route.*

omliggen ⟨onov.ww.⟩ 0.1 [neerliggen] *have fallen over* ⇒⟨omgegooid zijn⟩ *have been knocked over/*[↑]*upset* 0.2 [anders gaan liggen] *change places* ⇒*change around.*

omliggend ⟨bn.⟩ 0.1 *surrounding* ◆ 1.1 de ~e dorpen *the s./neighbouring villages.*

omlijnd ⟨bn.⟩ 0.1 [gepreciseerd] *defined* ⇒*outlined* 0.2 [met een lijn omgeven] *outlined* ⇒⟨met cirkel⟩ *circled,* ⟨met vierkant⟩ *boxed* ◆ 1.1 duidelijk ~e voorstellen/ideeën *clear-cut/clearly d./well-defined proposals/ideas* 5.1 volgens een vast/scherp ~ plan *in accordance with a clear-cut/well-defined plan.*

omlijnen ⟨ov.ww.⟩ 0.1 [met een lijn omgeven] *outline* ⇒⟨met cirkel⟩ *circle,* ⟨met vierkant⟩ *box* 0.2 [verduidelijken] *define* ⇒*outline* ◆ 1.1 een advertentie ~ *circle an advertisement* 1.2 ik zou het plan iets meer ~ *I would d./outline the plan more clearly.*

omlijning ⟨de (v.)⟩ 0.1 [het omlijnen] *outlining* ⇒⟨met cirkel⟩ *circling,* ⟨met vierkant⟩ *boxing* 0.2 [precisering] *definition* ⇒*outlining.*

omlijsten ⟨ov.ww.⟩ 0.1 *frame* ◆ 6.1 ⟨schr.⟩ een gezicht omlijst met goudblond haar *a face framed by/with golden hair.*

omlijsting ⟨de (v.)⟩ 0.1 [lijst, kader] *frame* ⇒⟨fig.⟩ *setting* 0.2 [het omlijsten] *framing* ◆ 2.1 ⟨fig.⟩ met muzikale ~ v.h. trio X *with musical accompaniment by the X trio, with the X trio providing a musical touch/background.*

omloop ⟨de (m.)⟩ 0.1 [circulatie] *circulation* 0.2 [het omwentelen] *orbit* ⇒*rotation,* ⟨van beweging⟩ *gallery* 0.4 [⟨med.⟩ rotatie] whitlow 0.5 [huiduitslag] *rash* 0.6 [⟨AZN⟩ wielerwedstrijd] *cycle race* ◆ 1.1 de ~ v.h. bloed *the c. of the blood* 1.2 de ~ v.d. aarde om de zon *the orbit of the earth around the sun* 3.1 geld aan de ~ onttrekken/buiten ~ stellen *withdraw money from c.;* ⟨demoneteren⟩ *demonetize* 6.1 geld in ~ brengen *put money into c., circulate money;* vals geld in ~ brengen *pass counterfeit money;* tegenstrijdige berichten in ~ brengen *circulate/spread conflicting reports;* er is veel geld in ~ *there is plenty of money about/in c.;* er zijn heel wat geruchten over haar in ~ *there are plenty of rumours going round/*[∧]*around about her.*

omloopbaan ⟨de⟩ 0.1 *orbit.*

omloopdijk ⟨de (m.)⟩ 0.1 *enclosing dike.*

omloopsnelheid ⟨de (v.)⟩ 0.1 [⟨ec.⟩] *rate of circulation* ⇒⟨voorraad⟩ *turnover rate* 0.2 [wentelsnelheid] *speed of rotation* 0.3 [⟨ster.⟩] *orbital velocity/speed.*

omlooptijd ⟨de (m.)⟩ 0.1 [⟨ster.⟩] *revolution* 0.2 [⟨landb.⟩] *rotation time* ◆ 2.1 siderische ~ *sidereal period/r..*

omlopen
I ⟨onov.ww.⟩ 0.1 [om iets heen lopen] *walk round/*[∧]*around* 0.2 [rondlopen] *walk round/*[∧]*around* 0.3 [via een omweg lopen] *walk/go round/*[∧]*around* 0.4 [circuleren] *go round/*[∧]*around* 0.5 [om iets heen gaan] *run/go round/*[∧]*around* 0.6 [kring doorlopen] *go/move round/*[∧]*around* 0.7 [verstrijken] *pass (by/off)* 0.8 [in een andere richting wenden] *shift/turn/move round/*[∧]*around* ⇒⟨wind ook⟩ *veer round/*[∧]*around* ◆ 1.2 een straatje/een eindje ~ *walk round/around the block/for a bit* 1.3 wat hebben we een eind omgelopen! *what a long way round/around (we've had to walk!);* hij loopt liever een eind om *he'd sooner walk a long way round;* je hoeft maar een klein stukje om te lopen *you only have to go a short way round* 1.5 de gracht loopt het hele erf om *the ditch runs right round the farm* 1.6 de uurwijzer loopt eens in de twaalf uur om *the hour hand goes round once every twelve hours* 1.8 de wind is van oost naar west omgelopen *the wind has veered/shifted round from east to west* 1.¶ het hoofd loopt mij om *my head's reeling/in a whirl;* geld/geld round/going round/around in circles 5.3 zo loop je om *that's a long way round* ¶.1 ik loop wel even om *I'll go round the back;*
II ⟨ov.ww.⟩ 0.1 [omverlopen] *(run into and) knock over.*

ommatidium ⟨het⟩ ⟨dierk.⟩ 0.1 *ommatidium.*

ommegaand →**omgaand.**

ommegang ⟨de (m.)⟩ ⟨r.k.⟩ 0.1 *(religious) procession* ⇒*circumambulation, round(s).*

ommekeer ⟨de (m.)⟩ 0.1 *turn(about)* ⇒⟨180 graden⟩ *about-turn/face, U-turn, revolution, swing, reversal* ⟨in lot⟩ ◆ 2.1 een plotselinge ~ in zijn houding *a sudden change in his attitude* 3.1 een totale ~ teweegbrengen in het leven v.d. mensen *revolutionize people's lives* 6.1 de ~ in de wedstrijd *the change/turn in the competition;* de dood van haar man bracht een ~ in haar leven *the death of her husband changed her life completely.*

ommestaand →**omstaand.**

ommetje ⟨het⟩ 0.1 *stroll* ⇒*walk, turn* ◆ 3.1 een ~ maken *take a s./turn, go for a walk* 6.1 met een ~ *in a roundabout way, the long way round, taking a roundabout course/route.*

ommezien ⟨het⟩ ◆ 6.¶ in een ~ was hij terug/klaar *he was back/finished in a jiffy/the wink of an eye/no time (at all);* het was in een ~ gebeurd *it only took a moment, it was done in a minute.*

ommezijde ⟨de⟩ 0.1 *reverse (side)* ⇒*back, other side* ◆ 3.1 zie ~ *see overleaf, please turn over* 6.1 zoals aan de ~ vermeld *as indicated overleaf/on the back of this paper/form.*

ommezwaai ⟨de (m.)⟩ 0.1 *turn(a)round, revolution* ⇒⟨van richting⟩ *about-turn/*[∧]*-face, swing-round, turnabout,* ⟨van koers⟩ *reversal, U-turn* ◆ 2.1 een opmerkelijke/plotselinge ~ *a remarkable/sudden reversal;* een politieke ~ *a political U-turn* 3.1 een volledige ~ maken *make a U-turn, do an about-turn* 6.1 een ~ in het politieke beleid *a reversal in policy.*

ommuren ⟨ov.ww.⟩ 0.1 *wall (in)* ⇒*circumvallate, bulwark* ⟨bolwerk⟩, *hedge (in)* ⟨tuin⟩, ⟨vero.⟩ *mure up* ◆ 1.1 een ommuurde stad *a walled town.*

omnaaien ⟨ov.ww.⟩ 0.1 *hem.*

omnibus ⟨de⟩ 0.1 [boek] *omnibus* 0.2 [⟨gesch., verkeer⟩] *omnibus.*

omnipotent ⟨bn.⟩ 0.1 *omnipotent* ⇒*almighty, all-powerful.*

omnipotentie ⟨de (v.)⟩ 0.1 *omnipotence, omnipotency.*

omnium ⟨het, de (m.)⟩ ⟨sport⟩ 0.1 [⟨paardensport⟩] *open (horse)race* 0.2 [⟨wielersport⟩] *track contest.*

omniumverzekering ⟨de (v.)⟩ ⟨AZN⟩ 0.1 *comprehensive insurance (policy).*

omnivalent ⟨bn.⟩ 0.1 *universally valid* ⇒*omnivalent.*

omnivoor ⟨de (m.)⟩ 0.1 *omnivore.*

omnummeren ⟨ov.ww.⟩ 0.1 ⟨volgens ander systeem⟩ *renumber;* ⟨andere nummers geven⟩ *give new numbers/a new number* ◆ 1.1 het abonneebestand (b.v. telefoon) ~ *give subscribers new numbers, change the subscribers' numbers.*

omnummering ⟨de (v.)⟩ 0.1 [veranderde nummering] *new numbering* 0.2 [het omnummeren] *renumbering* ◆ 3.2 in sommige wijken heeft een ~ plaatsgevonden *the numbers have been changed in some districts.*

ompalen ⟨ov.ww.⟩ 0.1 *fence off (with stakes)* ◆ 1.1 een ompaald weiland *a fenced-off field/meadow/pasture.*

om'planten ⟨ov.ww.⟩ 0.1 *line with plants* ⇒*plant (all) round (with).*

'omplanten ⟨ov.ww.⟩ 0.1 *transplant* ⇒*replant.*

omplanting ⟨de (v.)⟩ 0.1 *circle of plants/bushes/trees (round a field/garden* ⟨enz.⟩).

omploegen ⟨ov.ww.⟩ 0.1 [met de ploeg werken] *plough* [∧]*plow* ⇒*break/turn up* 0.2 [onderploegen] *plough* [∧]*plow in under* ◆ 1.1 ⟨fig.⟩ het veld was helemaal omgeploegd door de vele slidings *the field was all ploughed/broken up by the many slides* 1.2 de stoppels moesten worden omgeploegd *the stubble had to be ploughed in.*

omplooien ⟨ov.ww.⟩ 0.1 *fold back/in pleats.*

ompoten ⟨ov.ww.⟩ 0.1 *transplant* ⇒*replant.*

ompraten ⟨ov.ww.⟩ 0.1 *persuade* ⇒*bring (a)round, talk round/over/* ⟨om iets te doen⟩ *into/* ⟨om iets niet te doen⟩ *out of, cajole* ◆ 3.1 zich laten ~ *allow o.s. to be persuaded/talked round, be brought around* ¶.1 je kunt me toch niet ~ *you can't talk me into/out of (doing) it;* als je ze kunt ~ *if you can talk them into doing it/talk them round.*

omranden ⟨ov.ww.⟩ 0.1 *rim* ⇒*border, edge* ◆ 1.1 donker omrande ogen *dark circles under the eyes;* rood omrande ogen *red-rimmed eyes, eyes red with crying.*

omrasteren ⟨ov.ww.⟩ 0.1 *fence in.*

omrastering ⟨de (v.)⟩ 0.1 [rasterwerk] *fencing* ⇒*fence(s)* 0.2 [het omrasteren] *fencing in.*

omreizen ⟨ov.ww.⟩ 0.1 [langs een omweg reizen] *make a detour* ⇒*travel by a roundabout way, take a roundabout course/route* 0.2 [rondreizen] *travel about/around* ◆ 1.1 wij moesten een heel eind ~ *we had to make a long detour.*

omrekenen ⟨ov.ww.⟩ 0.1 *convert (to)* ⇒*turn (into)* ◆ 6.1 guldens in franken ~ *c. guilders to francs.*

omrekeningsgetal ⟨het⟩ ⟨geldw.⟩ 0.1 *conversion rate.*

omrekeningskoers ⟨de (m.)⟩ ⟨geldw.⟩ 0.1 *exchange rate* ⇒*rate of exchange.*

omrekentabel ⟨de⟩ 0.1 *conversion table.*

omrijden
I ⟨onov.ww.⟩ 0.1 [langs een omweg rijden] *make a detour* ⇒*take a roundabout route/the long route/the long way round* 0.2 [om iets heen rijden] *circle* ⇒*round,* ⟨in auto⟩ *drive round/*[∧]*around,* ⟨op fiets⟩ *ride round/*[∧]*around* 0.3 [rondrijden] ⟨in auto⟩ *drive about;* ⟨op fiets⟩ *ride about* ⇒*go for a drive/ride* ◆ 1.1 we hebben een heel eind omgereden *we had a long detour* 5.1 zo rij je om *that's a detour, you're going the long way round;*
II ⟨ov.ww.⟩ 0.1 [omverrijden] *knock/run down* 0.2 [rondrijden] ⟨in auto⟩ *drive about/round/*[∧]*around;* ⟨op fiets⟩ *ride about/round/* [∧]*around* ⇒*take for a drive/spin* ◆ 1.2 zal ik de visite een eindje ~? *shall I take our guests for a drive?*

omringen ⟨ov.ww.⟩ **0.1** [aan alle kanten omgeven] *surround* ⇒*enclose, encompass, gird, encircle* **0.2** [⟨fig.⟩ voorvallen rondom iem./ iets] *surround* ⇒*beset* **0.3** [plaatsen om, omgeven] *surround* ⇒*enclose, hem in, gird, hedge* **0.4** [omsingelen] *besiege* ⇒*surround, close in (upon), encircle* ◆ **1.1** de gracht die het kasteel omringt *the moat surrounding the castle;* de fans omringden de ster *the star was surrounded by fans* **1.2** de gevaren die de jeugd in grote steden ∼ *the dangers threatening young people in large cities* **4.1** zij laat zich graag met een schare aanbidders ∼ *she loves being surrounded by a host of admirers* **6.3** zij omringden hun steden **met** wallen *they walled in their cities;* hij omringde zich **met** pracht en weelde *he surrounded himself with splendour and luxury;* iem./ iets **met** zorg ∼ *take good care of s.o./ sth..*

omringend ⟨bn.⟩ **0.1** *surrounding* ⇒*encircling, encompassing* ◆ **1.1** de ∼e gemeenten *the s./ neighbouring villages;* in vele ons∼e landen in *many of the countries around us;* ⟨meteo.⟩ de ons∼e lucht *the circumambient air.*

omroep ⟨de (m.)⟩ **0.1** [bedrijf van radio en t.v.] *broadcasting (system)* **0.2** [vereniging] *broadcasting corporation* ⇒⟨vnl. AE⟩ *(broadcasting) network.*

omroepbestel ⟨het⟩ **0.1** *broadcasting system.*

omroepbijdrage ⟨de⟩ **0.1** *TV licence fee.*

omroepen ⟨ov.ww.⟩ **0.1** [bekendmaken] *broadcast* ⇒*announce (over the radio/ on TV)* **0.2** [oproepen] *call (over the P.A./ intercom)* ⇒⟨in hotel/ club ook⟩ *page* **0.3** [⟨gesch.⟩] *cry* ⇒*announce* ◆ **1.1** de opstelling ∼ *announce the selection (over the radio)* **1.2** iemands naam laten ∼ *have s.o. paged.*

omroeper ⟨de (m.)⟩, **-ster** ⟨de (v.)⟩ **0.1** [aankondiger] *announcer* **0.2** [⟨gesch.⟩] *towncrier* ⇒*bellman* ⟨m.⟩.

omroepgids ⟨de (m.)⟩ **0.1** *radio and/ or TV guide* ⇒*programme* ^A*gram guide.*

omroepinstallatie ⟨de (v.)⟩ **0.1** *sound system* ⇒*P.A./ public-address system.*

omroepkoor ⟨het⟩ **0.1** *radio choir.*

omroepland ⟨het⟩ ⟨scherts.⟩ **0.1** *(the) world of broadcasting* ⇒⟨vnl. AE⟩ *(the) networks,* ∼*(the) media world* ◆ **6.1** het rommelt in ∼ *there is unrest in the world of broadcasting.*

omroeporganisatie ⟨de (v.)⟩ **0.1** *broadcasting corporation/ company* ⇒⟨vnl. AE⟩ *(broadcasting) network.*

omroeporkest ⟨het⟩ **0.1** *radio orchestra.*

omroepraad ⟨de (m.)⟩ **0.1** *broadcasting council.*

omroepsatelliet ⟨de (m.)⟩ **0.1** *broadcasting satellite.*

omroepster →**omroeper.**

omroepvereniging ⟨de (v.)⟩ **0.1** *broadcasting corporation* ⇒⟨vnl. AE⟩ *(broadcasting) network* ◆ **1.1** lid worden/ zijn v.e. ∼ *join/ subscribe to a b.c..*

omroepwet ⟨de⟩ **0.1** *Broadcasting/ Radio and TV Act.*

omroeren
I ⟨ov.ww.⟩ **0.1** [dooreen mengen] *stir* ⇒*churn,* ⟨schr.⟩ *agitate;*
II ⟨onov.ww.⟩ **0.1** [in iets roeren] *stir (up)* ◆ **6.1** ⟨fig.⟩ in een affaire ∼ *stir sth. up in a matter, rake things up.*

omrollen
I ⟨ov.ww.⟩ **0.1** [omwerpen] *knock down* **0.2** [omwentelen] *overturn* ⇒*push/ turn over, topple* **0.3** [oprollen] *roll up/ back* ◆ **1.2** vaten ∼ *turn over barrels* **1.3** tapijt ∼ *roll up a/ the carpet* **4.2** (zich) ∼ op zijn buik *roll over on one's belly;*
II ⟨onov.ww.⟩ **0.1** [zich rollend omdraaien] *roll over* ⇒*overturn, cant (over)* **0.2** [zittend omvallen] *fall over* ◆ **1.2** de baby rolde om *the baby rolled over* **6.¶** ∼ **van** het lachen *roll/ fall about (laughing/ with laughter).*

omruilen ⟨onov.,ov.ww.⟩ **0.1** *exchange* ⇒*trade (in), change (over/ round/ places),* ⟨inf.⟩ *swap* ◆ **6.1** kan ik dit ∼ **voor** iets anders? *can I change this in for sth. else?.*

omruiling ⟨de (v.)⟩ **0.1** *exchange* ⇒⟨inf.⟩ *swapping.*

omrukken ⟨ov.ww.⟩ **0.1** [omtrekken] *tear/ pull down* **0.2** [omdraaien] *pull round* ◆ **1.2** het stuur ∼ *pull the wheel round.*

omschakelaar ⟨de (m.)⟩ **0.1** *(changeover) switch.*

omschakelen ⟨onov.,ov.ww.⟩ **0.1** [overschakelen] *switch over* ⇒*change over* **0.2** [aanpassen] *convert* ⇒*change/ switch over (to)* ◆ **1.1** de elektrische stroom ∼ *switch over the electric current* **4.2** in zijn nieuwe baan moest hij zich helemaal ∼ *in his new job he had to readjust completely* **6.1** wij schakelen om **naar** onze verslaggever ter plaatse *we go over to our reporter on the spot* **6.2** ∼ **op** oliestook *change over to oil.*

omschakeling ⟨de (v.)⟩ **0.1** *switch* ⇒*shift, changeover, switchover, conversion.*

omschenken ⟨ov.ww.⟩ **0.1** *decant* ⇒*pour (into sth. else).*

omscheppen ⟨ov.ww.⟩ **0.1** [omroeren] *stir* ⇒*turn* ⟨bv. graan⟩ **0.2** [overscheppen] *transfer* ⇒*remove (to)* **0.3** [herscheppen] *convert* ⇒*turn, change, remodel* ◆ **6.3** de badkamer was omgeschapen **in/ tot** een doka *the bathroom had been converted/ turned into a dark room.*

omschieten
I ⟨ov.ww.⟩ **0.1** [omverschieten] *shoot down* ⇒*bowl over* **0.2** [⟨scheep.⟩] *coil the other way* ⟨touw⟩;

II ⟨onov.ww.⟩ **0.1** [om iets heen komen] *tear round* **0.2** [mbt. de wind] *veer* ⇒*shift (direction), change direction* ◆ **1.1** de hoek ∼ *tear round the corner.*

omscholen ⟨ov.ww.⟩ **0.1** *retrain* ⇒*re-educate* ◆ **4.1** waarom laat je je niet ∼? *why don't you get retrained?;* zich laten ∼ *be retrained* **6.1** hij liet zich ∼ **tot** programmeur *he was retrained to be a programmer.*

omscholing ⟨de (v.)⟩ **0.1** *retraining,* ^A*occupational resettlement* ⇒*re-education* ◆ **6.1** na ∼ kunnen veel werklozen weer in het arbeidsproces worden opgenomen *after r., many of the unemployed can rejoin the workforce.*

omscholingscursus ⟨de (m.)⟩ **0.1** *retraining course.*

omschoppen ⟨ov.ww.⟩ **0.1** *kick over.*

omschrift ⟨het⟩ **0.1** *legend* ⇒⟨munt⟩ *circumscription.*

omschrijfbaar ⟨bn.⟩ **0.1** *describable* ⇒*definable* ⟨woord, eigenschap⟩.

omschrijven ⟨ov.ww.⟩ **0.1** [in bijzonderheden beschrijven] *describe* ⇒*determine, characterize, set forth/ out,* ⟨nauwkeurig⟩ *specify, spell out* **0.2** [definiëren] *define* ⇒*specify, circumscribe, state* ◆ **1.1** een niet te ∼ gevoel *an indescribable/ indefinable feeling* **1.2** iemands rechten/ plichten ∼ *state s.o.'s rights/ duties;* een taak ∼ *specify a task;* een woord/ begrip ∼ *d. a word/ concept* **5.2** in alle boven omschreven gevallen *in all the above-mentioned cases;* een duidelijk omschreven voorstel/ opdracht *a clearly defined proposition/ assignment;* een moeilijk te ∼ begrip *a concept which is hard to d.;* iemands bevoegdheden nader ∼ *define s.o.'s powers;* een niet nader omschreven onderscheid/ begrip *an imprecisely defined/ ill-defined distinction/ notion;* dat woord heeft geen vast omschreven betekenis *this word has no clearly specified meaning.*

omschrijving ⟨de (v.)⟩ **0.1** [nadere beschrijving] *description* ⇒*paraphrase, wording* **0.2** [definitie] *definition* ⇒*specification, characterization* ◆ **1.2** de ∼en v.d. behandelde woorden *the definitions of the terms discussed* **2.1** eufemismen zijn verzachtende ∼en *euphemisms are inoffensive/ tactful paraphrases* **6.2** ter ∼ **van** ... *to define.*

omschudden ⟨ov.ww.⟩ **0.1** [schuddend ledigen] *empty* ⇒*pour out* **0.2** [door elkaar schudden] *shake* ⇒*churn,* ⟨schr.⟩ *agitate* ◆ **1.1** zijn spaarpot ∼ *e. one's money-box* **1.2** een drankje ∼ *s. a drink.*

omsingelen ⟨ov.ww.⟩ **0.1** *surround* ⇒*besiege.*

omsingeling ⟨de (v.)⟩ **0.1** [handeling] *surrounding* ⇒*encircling* ⟨door vijand⟩, *besiegement* **0.2** [dat wat omsingelt] *encirclement* ⟨door vijand⟩ ⇒*siege* ◆ **3.2** de ∼ doorbreken *break through the siege.*

omsingelingspolitiek ⟨de (v.)⟩ **0.1** *policy of encirclement.*

omslaan
I ⟨ov.ww.⟩ **0.1** [omverwerpen] *knock over* ⇒*beat down, upset* **0.2** [omvouwen] *fold over/ back* ⇒*turn down* ⟨kraag⟩, *turn up* ⟨broekspijp⟩, *turn back* ⟨mouw⟩ **0.3** [mbt. een pagina] *turn (over)* **0.4** [verdelen] *divide* ⇒*apportion* **0.5** [omdoen] *put on* ⇒*throw on/ around one, wrap o.s. up in* **0.6** [mbt. een spijker] *clinch, clench* **0.7** [mbt. een draad] ⟨AZN⟩ *yarn forward* **0.8** [⟨AZN⟩ verstuiken] *sprain* ◆ **1.5** een jas/ sjaal ∼ *put a coat/ scarf on* **4.¶** ⟨inf.⟩ 'm ∼ *drink up, finish one's drink* **5.4** de onkosten hoofdelijk ∼ *d. the costs (among the participants), go shares;*
II ⟨onov.ww.⟩ **0.1** [om iets heen gaan] *turn* ⟨hoek⟩; *round* ⟨boei/ paal⟩ **0.2** [radicaal veranderen] *change* ⇒*break* ⟨weer⟩, *swing/ veer (round)* ⟨opinie⟩, *(take a) turn* **0.3** [kantelen] *overturn* ⇒*topple, keel (over), capsize* ⟨ihb. schip⟩ **0.4** [omgebogen stand aannemen] *turn down* ◆ **1.1** hij sloeg juist de hoek om *he was just turning the corner* **1.2** de stemming sloeg om *there was a (sudden) change in the mood/ atmosphere, the mood/ atmosphere changed;* het weer slaat om *the weather is breaking;* de wind sloeg om *the wind veered round* **1.3** de boot is omgeslagen *the boat has capsized/ turned turtle* **5.2** hij is helemaal omgeslagen *he has changed completely/ made an about-turn* **6.2** zijn liefde is omgeslagen **in** haat *his love has turned to hatred* **7.2** het ∼ van de publieke opinie *the change/ reversal of public opinion* **8.2** ∼ als een blad aan een boom *make a U-turn/ complete turnabout.*

omslachtig ⟨bn.,bw.;-ly⟩ **0.1** *laborious* ⇒*time-consuming* ⟨procedure⟩, *lengthy* ⟨verhaal⟩, *wordy, long-winded* ⟨spreker⟩, *roundabout* ⟨methode⟩ ◆ **1.1** een ∼e bewerking *a time-consuming process;* een ∼e formulering *a long-winded wording;* wat een ∼ gedoe! *such rigmarole!* **3.1** iets ∼ vertellen *be long-winded about sth., drag sth. out;* ∼ werken *work in a roundabout way.*

omslag
I ⟨de (m.)⟩ **0.1** [verandering] *change* ⇒*turn, reversal, swing, break* ⟨ihb. weer⟩ **0.2** [drukte, omhaal] *fuss* ⇒*ado, to-do, ceremony* **0.3** [omhaal van woorden] *long-windedness* ⇒*wordiness, circumlocution, circumstantiality* **0.4** [verdeling] *apportionment* ⇒*assessment,* ⟨hoofdelijk⟩ *capitation* **0.5** [belasting] *apportionment* ⇒*assessment, headtax* ◆ **1.1** de ∼ v.h. weer *the break in the weather* **1.4** de ∼ v.d. kosten *the apportionment of the costs* **3.2** geen ∼ maken voor iemand *not make any f. over s.o.;* voor mij hoef je al die ∼ niet te maken *you mustn't go to all this trouble on my account* **6.1** een ∼ **in** de onderlinge verhouding *a change/ turn in their relationship* **6.2** zonder ∼ *without much ado* **6.3** zonder ∼ *without beating about the bush;*
II ⟨het, de (m.)⟩ **0.1** [rand, boord] *cuff* ⟨mouw⟩; *collar* ⟨halslijn⟩; *turnover* ⟨kous⟩; *border* ⟨metaal⟩; *turning* ⟨zoom⟩ **0.2** [kaft] *cover* ⇒

⟨los⟩ *dust-jacket* **0.3** [map] *cover* ⇒*wrapper, binder* ⟨voor jaargang van tijdschrift⟩ **0.4** [envelop] *envelope* **0.5** [kompres] *compress* ⇒ ⟨warm⟩ *fomentation, stupe,* ⟨nat⟩ *pack,* ⟨met klei e.d.⟩ *poultice* **0.6** [⟨mbt. boor⟩] *brace* ⇒*bit stock* ◆ **¶.2** een boek uit zijn~ halen *take a book out of its c..*
omslagartikel ⟨het⟩ **0.1** *cover story.*
omslagboor ⟨de⟩ **0.1** *brace and bit.*
omslagdoek ⟨de (m.)⟩ **0.1** *shawl* ⇒*kerchief, wrap.*
omslagfoto ⟨de⟩ **0.1** *cover photo(graph)* ⇒⟨boek ook⟩ *dust-jacket photo(graph).*
omslagtekening ⟨de (v.)⟩ **0.1** *cover design/drawing.*
omslagtitel ⟨de (m.)⟩ **0.1** *cover title.*
omslagverhaal ⟨het⟩ →**omslagartikel.**
omslingeren ⟨ov.ww.⟩ **0.1** *wind/twine/twist about/round/^around* ⇒ *entwine, wreathe, gird* ◆ **1.1** de bloemranken~ de pergola *the flowery vines entwined the pergola.*
omsluieren ⟨ov.ww.⟩ **0.1** [aan het oog onttrekken] *veil* ⇒*shroud* **0.2** [verhullen] *veil* ⇒*shroud, screen.*
omsluiten ⟨ov.ww.⟩ **0.1** [insluiten] *enclose* ⇒*surround, encircle, encompass* **0.2** [bevatten] *enclose* ⇒*envelop, contain, enfold* **0.3** [omklemmen] *close about* ⇒*clasp, grasp* ◆ **1.1** een omsloten ruimte *an enclosed area, an enclosure/enclave, a pale/precinct;* een klein dijkje omsluit de weide *a small dike surrounds/encloses the meadow* **1.2** het graf omsloot de kist *the grave enfolded the coffin* **6.1** het dorp is aan alle kanten **door** bergen omsloten *the village is hemmed/shut in by mountains.*
omsmeden ⟨ov.ww.⟩ **0.1** *reforge* ⇒⟨meer alg.⟩ *turn/change/beat (into)* ◆ **6.1** het ijzer **tot** zwaarden~ *r./beat the iron into swords.*
omsmelten ⟨ov.ww.⟩ **0.1** *remelt* ⇒*melt down, reduce (to).*
omsmijten ⟨ov.ww.⟩ **0.1** *knock/throw down/over* ⇒*push/bowl over.*
om'snoeren ⟨ov.ww.⟩ ⟨schr.⟩ **0.1** *gird* ⇒*entwine, wreathe.*
'omsnoeren ⟨ov.ww.⟩ **0.1** *tie/put on* ⇒*gird o.s. with, tie/wrap round/^around one.*
omspannen ⟨ov.ww.⟩ **0.1** [omvatten, ⟨ook fig.⟩] *span* ⇒*enclose, enfold, cover, contain, encompass* **0.2** [spannend omgeven] *fit/be wrapped tightly around/over* ⇒*cling to* ◆ **1.1** zijn werkterrein omspant de hele regio *his area covers the entire region* **1.2** een nauwsluitende broek ompande zijn benen *close-fitting trousers clung to his legs.*
omspelden ⟨ov.ww.⟩ **0.1** *pin on/about (o.s.)/round/^around* ◆ **1.1** een kraagje~ *pin on a collar;* de baby een luier~ *put a nappy on the baby.*
om'spelen ⟨ov.ww.⟩ ⟨sport⟩ **0.1** *swerve round/^around* ⇒*pass (by), dribble (the ball) round/^around past* ◆ **1.1** de keeper~ *pass/swerve round the goalkeeper.*
'omspelen ⟨ov.ww.⟩ ⟨biljart⟩ **0.1** *bank.*
omspinnen ⟨ov.ww.⟩ **0.1** [met draden omgeven] *spin round/^around* ⇒ *encapsulate (with threads/silk)* **0.2** [⟨fig.⟩] *encircle* ◆ **1.1** het wijfje v.d. spin omspint haar eieren *the female spider encapsulates her eggs in a cocoon.*
omspitten ⟨ov.ww.⟩ **0.1** *dig/break up* ⇒*spade, turn over* ◆ **1.1** de tuin~ *turn over/spade the garden.*
om'spoelen ⟨ov.ww.⟩ **0.1** *wash* ⇒*bathe, play round/^around, lap (at/against)* ◆ **1.1** het water omspoelde de caravan *the water was lapping against the caravan.*
'omspoelen ⟨ov.ww.⟩ **0.1** [schoonmaken] *rinse (out)* ⇒*wash out/up* **0.2** [anders spoelen] *rewind* ◆ **1.1** kopjes en glazen~ *rinse (out) cups and glasses* **1.2** een filmpje~ *r. a film.*
omspringen
  I ⟨onov.ww.⟩ **0.1** [omgaan] *deal (with)* ◆ **4.1** als je ziet hoe ze met de leerlingen~ *if you see how they treat their pupils* ⟨slecht⟩/*how they handle/manage their pupils* ⟨goed⟩ **5.1** royaal/zuinig met de boter~ *make free with/be sparing with the butter;* ruw met zijn spullen~ *handle one's things roughly;* zuinig~ met zijn geld *stretch one's budget* **6.1** slordig **met** andermans boeken~ *be careless with s.o. else's books;* royaal **met** zijn geld~ *be free with one's money;* zorgvuldig **met** een vriendschap~ *guard a friendship closely;* lichtzinnig **met** iemands genegenheid/de waarheid~ *trifle with s.o.'s affections/the truth;*~ **met** ⟨ook⟩ *handle, treat, manage, use;*
  II ⟨ov.ww.⟩ **0.1** [omverspringen] *bowl over* ⇒*upset (by jumping against), jump down.*
omstaand ⟨bn.⟩ **0.1** *back* ⇒*reverse* ◆ **3.1** zie het~e *see overleaf.*
omstander ⟨de (m.)⟩ **0.1** *bystander* ⇒⟨toeschouwer⟩ *onlooker, spectator* ◆ **7.1** de~s *the onlookers/public.*
omstandig ⟨bn., bw.;-ly⟩ **0.1** *elaborate* ⇒*detailed, minute* ◆ **1.1** een~ verslag *a detailed/an e. report* **3.1** iets~ uitleggen *elaborate/amplify/expatiate (on) sth., explain sth. in detail.*
omstandigheid ⟨de (v.)⟩ **0.1** [situatie] *circumstance* ⇒⟨mv. ook⟩ *situation, condition, state* **0.2** [uitvoerigheid] *elaborateness* ⇒*detail, minuteness* ◆ **1.1** onder druk v.d. omstandigheden *by/owing to force of circumstances, pressed by the circumstances;* een samenloop van omstandigheden *a coincidence, a contingency, a conjunction/concurrence of circumstances* **2.1** onder alle omstandigheden *whatever the circumstances, come rain or shine;* zijn financiële omstandigheden *his*

financial position, the state of his finances; in de gegeven omstandigheden *under/in the circumstances, as things are;* onder overigens gelijke omstandigheden *all other things being equal, ceteris paribus;* in gezegende omstandigheden verkeren *be enceinte;* zelfs onder de gunstigste omstandigheden *even at the best of times;* onder de huidige omstandigheden *under the present conditions, at this juncture;* wegens huiselijke omstandigheden *owing to domestic circumstances;* onder normale omstandigheden *under normal conditions, ordinarily;* behoudens onvoorziene omstandigheden *barring/subject to unforeseen circumstances;* mensen die zich in soortgelijke omstandigheden bevinden *people similarly placed/in similar circumstances;* een toevallige~ *an accident(al situation)* **3.1** indien de omstandigheden het nodig maken *if need be, if occasion calls for it;* als de omstandigheden het toelaten *conditions permitting* **6.1** **door** omstandigheden (gedwongen) *owing to (certain) circumstances;* zij bevindt zich **in** de (gelukkige)~ dat ...*she is in the fortunate position to ...;* een vrouw **in** haar omstandigheden *a woman in her condition/situation;* **in** jouw omstandigheden *in your position/situation/condition(s);* **naar** omstandigheden *under the circumstances/conditions, all things considered;* **naar** omstandigheden wel/redelijk *fine/all right, considering/under the circumstances;* **wegens** omstandigheden te koop *for sale owing to unforeseen/on account of unexpected circumstances* **6.2** **met**~ een onbeduidende zaak uitleggen *expatiate (endlessly)(up)on a trifling matter* **7.1** onder geen omstandigheden *under no condition(s), in no circumstances* **¶.1** tegen de omstandigheden opgewassen zijn *be equal to/rise to the occasion.*
om'stikken ⟨ov.ww.⟩ **0.1** *stitch all around.*
'omstikken ⟨ov.ww.⟩ **0.1** *hem (with stitches).*
omstorten
  I ⟨onov.ww.⟩ **0.1** [omvallen] *crash/tumble/fall down* ⇒*topple (over), be(come) upset;*
  II ⟨ov.ww.⟩ **0.1** [omverstoten] *upset, overturn* ⇒*throw/push down.*
omstoten ⟨ov.ww.⟩ **0.1** *upset, overturn* ⇒*push over, topple* ◆ **1.1** een kopje koffie~ *u. a cup of coffee.*
omstralen ⟨ov.ww.⟩ **0.1** *irradiate* ⇒*shine about, lighten up.*
omstreden ⟨bn.⟩ **0.1** *controversial* ⇒⟨figuur/idee ook⟩ *debatable, contentious, contested, disputed* ⟨gebied⟩ ◆ **1.1** een~ politicus *a controversial politician;* een~ punt *a controversial/moot point.*
omstreek ⟨de⟩ **0.1** *neighbourhood* ⇒*surrounding countryside, district,* ⟨mv.⟩ *environs, surroundings* ◆ **1.1** de stad Brugge en omstreken *the city of Bruges and (its) environs/surroundings.*
omstreeks¹ ⟨bw.⟩ **0.1** *about* ⇒*towards, some, in the neighbourhood of* ◆ **1.1** het salaris bedraagt~ drieduizend gulden *the salary is a./some three thousand guilders.*
omstreeks² ⟨vz.⟩ **0.1** [rond, tegen] *(round) about* ⇒*(a)round, towards, in the region/neighbourhood of* **0.2** [nabij] *near* ⇒*in the vicinity/neighbourhood/region of* ◆ **1.1**~ de middag *about noon;*~ Pasen *round about/towards Easter* **1.2** het schip zal nu~ IJsland zijn *the ship must by now be near Iceland* **¶.1**~ 1800 *about/circa 1800.*
omstrengelen ⟨ov.ww.⟩ **0.1** [omvatten] *twine/twist/wind about/round/^around* ⇒*clasp, entwine* **0.2** [omhelzen] *embrace* ⇒*entwine, hug* ◆ **1.1** de klimop omstrengelt de eik *the ivy has wound itself about the oak* **5.2** innig omstrengeld *in close embrace, closely entwined.*
omstrengeling ⟨de (v.)⟩ **0.1** *clasp* ⇒*grasp, embrace, entwinement.*
omstuiven ⟨onov.ww.⟩ **0.1** *tear/rush/run round/^around* ◆ **1.1** de hoek~ *tear round the corner.*
omstulpen ⟨ov.ww.⟩ **0.1** *turn inside out* ⇒*turn back* ◆ **1.1** het einde v.d. slang~ *turn the end of the hose inside out.*
omstuwen ⟨ov.ww.⟩ **0.1** *crowd/flock/press around* ⇒*mob, throng (around)* ◆ **6.1** omstuwd **door** betogers *mobbed by demonstrators.*
omtollen ⟨onov.ww.⟩ **0.1** *reel* ⇒*keel over, drop down, be spinning* ⟨hoofd⟩ ◆ **6.1**~ **van** de slaap *be spinning on one's feet with sleep.*
omtoveren ⟨ov.ww.⟩ **0.1** *transform* ⇒*change (magically/as if by magic), convert* ◆ **6.1** de garage **in** een studeerkamer~ *t./turn the garage into a study.*
omtrappen ⟨ov.ww.⟩ **0.1** *kick over/down.*
omtrek ⟨de (m.)⟩ **0.1** [omlijning] *outline* ⇒*contour, profile* **0.2** [⟨wisk.⟩] *perimeter* ⟨van willekeurige figuur⟩; *circumference, periphery* ⟨van cirkel⟩ **0.3** [grenslijn] *contour(s)* ⇒*outline(s), silhouette, skyline* ⟨stad⟩ **0.4** [omvang] *girth* ⟨van lichaam⟩; *circumference, extent, circuit* ⟨van stuk land e.d.⟩ **0.5** [nabijheid, omgeving] *surroundings* ⇒*vicinity, environs, surrounding district/area* ◆ **1.3** de~ken v.d. gevels *the contours/silhouette of the façades/^housefronts* **2.5** in de wijde~ *for miles around* **6.1** in~ schetsen *outline;* fraai~ *with a beautiful profile/contour* **6.4** een boom **met** een~ van 1 meter *a tree measuring one metre around, a tree with a one-metre g./circumference;* een meer **met** een~ van 10 mijl *a lake ten miles in circuit;* de~ **van** de aarde bedraagt bijna 25000 mijl *the circumference of the earth is nearly 25,000 miles* **6.5** tot op/binnen 50 kilometer in de~ *within fifty kilometres, within a fifty-kilometre radius/range;* in de~ v.h. dorp *in the vicinity of the village;* kilometers in de~ *for miles around;* hier in de~ ken ik iedereen *I know everybody round/^around here;* personen **uit** de~ *neighbours, neighbourhood people.*

omtrekken ⟨ov.ww.⟩ **0.1** [omvertrekken] *pull down* **0.2** [om iets trekken] *circumscribe* ⇒*outline, draw round/^around* **0.3** [omheen trekken] *turn, round* ⟨hoek⟩ ⇒⟨mil.⟩ *outflank, by-pass* ◆ **1.3** een ~de beweging maken *outflank, make an enveloping/outflanking movement, turn the flank (of the enemy)*.

omtreklijn ⟨de⟩ **0.1** *outline* ⇒*contour.*

omtrekshoek ⟨de (m.)⟩ ⟨wisk.⟩ **0.1** *inscribed angle.*

omtreksnelheid ⟨de (v.)⟩ **0.1** *peripheral velocity/speed.*

omtrent[1] ⟨bw.⟩ **0.1** *about* ⇒*in the neighbourhood/region of, approximately* ◆ **5.1** zo ~ *just a., thereabouts, approximately.*

omtrent[2] ⟨vz.⟩ **0.1** [kort voor/na een tijdstip] *about, (a)round* **0.2** [aangaande] *concerning* ⇒*with reference/regard/respect to, about* **0.3** [nabij] *near* ⇒*close to, around* ◆ **1.1** zij trouwden ~ dezelfde tijd *they were married (round) about the same time* **1.2** de geruchten ~ die man *the rumours c./ about that man;* niet mededeelzaam zijn ~ een zaak *be tight-lipped/very reticent about a case* **1.3** het schip was ~ Texel *the ship was n. Texel.*

omtuimelen ⟨onov.ww.⟩ **0.1** *tumble down* ⇒*keel/topple/tip/fall over.*

omturnen ⟨ov.ww.⟩ **0.1** *persuade (to change his/her mind)* ⇒*bring round/^around, win over, convert* ◆ **3.1** zich laten ~ door zijn omgeving *be brought round/^around by the people about one* **5.1** hij is helemaal omgeturnd *he has made a U-turn.*

omvallen ⟨onov.ww.⟩ **0.1** *fall over/down* ⇒*keel over, drop (down), turn over/on its side* ◆ **1.1** een omgevallen boekenkast *a walking encyclopedia;* de weg is versperd door omgevallen bomen *the road is blocked by fallen/blown-down trees;* gevaar voor ~de bomen *falling trees* **5.1** bijna ~ *totter, reel, topple* **6.1** ⟨fig.⟩ ~ van het lachen *fall about (laughing), split one's side with laughter;* ~ van de slaap *fall asleep on one's feet, be dead tired;* ~ van verbazing *be thunderstruck;* haast ~ van vermoeidheid *be dropping with tiredness/on one's last legs;* ik viel haast om **van** verbazing *you could have knocked me down with a feather.*

omvang ⟨de (m.)⟩ **0.1** [omtrek] *girth* ⇒*circumference, dimensions, bulk(iness)* **0.2** [grootte] *dimensions* ⇒*size, magnitude, scope, scale, proportions* **0.3** [uitgestrektheid, ⟨ook fig.⟩] *area* ⇒*extent* ⟨ook fig.⟩, *dimensions, scale, size* **0.4** [⟨muz.⟩] *range* ⇒*register, compass, reach* ◆ **1.1** de ~ v.e. boom *the g./ circumference of a tree* **1.2** de ~ v.e. studie/onderzoek *the scope of a study/an investigation;* de ~ v.e. letterkundig werk *the size/magnitude/scope of a work of literature;* de ~ v.d. werkloosheid *the extent of unemployment, the number of unemployed;* de ~ v.d. winst/v.h. verlies *the volume of the profits/loss(es)* **1.3** de ~ v.h. vraagstuk *the extent/scale of the problem* **2.1** door hun grote ~ *because of their bulk(iness);* haar kolossale ~ *her enormous bulk* **2.2** een reorganisatie van beperkte ~ *a limited reorganization;* een catastrofe v.e. dergelijke ~ *a catastrophe of such magnitude/proportions;* door hun geringe ~ *because of their small/diminutive size;* een ongekende ~ aannemen *grow to an unprecedented extent, take on unprecedented proportions/dimensions;* de volle ~ v.d. schade *the full extent/magnitude of the damage;* zodra dat verlies in zijn volle ~ tot hen doordringt *as soon as they fully realize the extent of their loss* **3.2** het drankmisbruik heeft nu zo'n ~ aangenomen *alcohol abuse has by now assumed such proportions* **6.1 in** ~ toenemen *expand.*

omvangen ⟨ov.ww.⟩ **0.1** *encompass* ⇒*embrace, enclose, contain, enfold.*

omvangrijk ⟨bn.⟩ **0.1** *sizeable* ⇒*bulky* ⟨boek⟩, *extensive* ⟨gebied⟩, *large* ⟨bedrag⟩, *voluminous* ⟨transactie, boek⟩, *wide* ⟨kennis⟩ ◆ **1.1** een ~e collectie schilderijen *a s./ large collection of paintings;* een ~e documentatie *an extensive/voluminous documentation;* een ~e fraude *an extensive swindle;* zijn ~e kennis *his extensive/wide knowledge;* zijn ~e oeuvre *his massive/voluminous oeuvre;* een ~ werk *a large-scale operation;* ⟨inf.⟩ a hefty job.

omvaren

I ⟨onov.ww.⟩ **0.1** [varen om/langs] *sail round/^around* ⇒*circumnavigate, round* ⟨kaap, boei⟩ **0.2** [langs een omweg varen] *sail the long way about/in a roundabout way* ⇒*make a detour* **0.3** [overal heen varen] *sail about* ◆ **1.1** wij zijn het meer omgevaren *we've sailed round the lake* **1.2** ze zijn een heel eind omgevaren *they've made a long detour;*

II ⟨ov.ww.⟩ **0.1** [omvervaren] *run/sail down/over* ◆ **1.1** een baken ~ *run over a beacon.*

omvatten ⟨ov.ww.⟩ **0.1** [omsluiten] *enclose* ⇒*gird, encircle, encompass, grasp* **0.2** [inhouden] *contain* ⇒*encompass, comprise, include, cover* ◆ **1.1** een alle partijen ~de commissie *an all-party commission;* iemands polsen ~ *grasp/take hold of s.o.'s wrists;* een de hele wereld ~de organisatie *a world-wide organization, an organization spanning the world* **4.2** een regeling die alles omvat *an overall/all-embracing settlement* **5.2** het plan omvat ook een voorstel tot reorganisatie *the plan also includes/entails a proposition for reorganization.*

omver ⟨bw.⟩ **0.1** *over, down.*

omverblazen ⟨ov.ww.⟩ **0.1** *blow down.*

omverduwen ⟨ov.ww.⟩ **0.1** *push over/down.*

omvergooien ⟨ov.ww.⟩ **0.1** [doen vallen] *knock/bowl over* ⇒*upset, overturn, topple* **0.2** [verijdelen] *upset* **0.3** [⟨fig.⟩ omverwerpen] *overthrow* ⇒*subvert, overturn, bring down, topple* ◆ **1.1** alle kegels in één keer

~ *bowl over all the skittles/ knock down all the bowling pins at once, make a strike* **1.2** iemands plannen ~ *upset s.o.'s plans, spike s.o.'s guns, put paid to s.o.'s plans* **1.3** de regering ~ *overthrow/ bring down / topple the government.*

omverhalen ⟨ov.ww.⟩ **0.1** [omhalen] *pull down* ⇒*throw down* **0.2** [overhoophalen] *turn inside out* ⇒*mess up, turn over* **0.3** [⟨fig.⟩ tenietdoen] *upset* ⇒*overthrow* ◆ **1.1** een brandend gebouw ~ *pull down a burning building* **1.3** nieuwe ontdekkingen hebben die theorie omvergehaald *new discoveries have upset/overthrown this theory/have made this theory obsolete/have knocked this theory on the head* **4.2** bij het zoeken alles ~ *turn everything inside out in one's search;* in het huis was alles omvergehaald *the house was a shambles.*

omverliggen ⟨onov.ww.⟩ **0.1** [gevallen liggen] *have been knocked down* ⇒*have fallen down, lie flat, be down* **0.2** [⟨fig.⟩] *lie flat (on its back)* ⇒*have been upset/bowled over/knocked on the head* ◆ **1.1** na die storm lagen vele bomen omver *many trees had been blown down by the storm* **1.2** zijn betoog lag door die opmerking omver *that remark completely upset his argument.*

omverlopen ⟨ov.ww.⟩ **0.1** *knock/run down/over* ⇒*bowl over, upset* ◆ **1.1** ⟨sport⟩ een horde ~ *knock over a hurdle;* een kleuter ~ *knock over a toddler* **3.1** omvergelopen worden *be knocked off one's feet* **4.1** elkaar ~ *be in each other's way;* ⟨zich verdringen⟩ *fall over each other.*

omverpraten ⟨ov.ww.⟩ **0.1** *talk (s.o.) off his/her feet* ⇒*outtalk,* ⟨AE ook; inf.⟩ *fast-talk.*

omverrennen ⟨ov.ww.⟩ **0.1** *knock down/over.*

omverrijden ⟨ov.ww.⟩ **0.1** *run/knock down/over.*

omverrukken ⟨ov.ww.⟩ **0.1** *knock down/over* ⇒*tear down.*

omverschieten ⟨ov.ww.⟩ **0.1** *shoot down.*

omverslaan ⟨ov.ww.⟩ **0.1** *knock down/over, hit over* ⇒*upend, flatten* ⟨tegenstander⟩.

omvertrekken ⟨ov.ww.⟩ **0.1** *pull over/down.*

omverwaaien ⟨onov.ww.⟩ **0.1** *blow down, be blown down.*

omverwerpen ⟨ov.ww.⟩ **0.1** [omsmijten] *knock over/down* ⇒*throw down, upset, upturn* **0.2** [⟨fig.⟩ doen vallen] *overthrow* ⇒*bring down, overturn, unhorse* ⟨regering ook⟩, *demolish* ⟨oppositie⟩, *subvert* ⟨stelsel⟩ **0.3** [weerleggen] *overthrow* ⇒*refute, overbear* ⟨argument⟩ ◆ **1.3** ⟨fig.⟩ een stelling ~ *overthrow/refute/upset a theory.*

omverwerping ⟨de (v.)⟩ **0.1** *overthrow* ⇒*overturn, upset, subversion* ⟨mbt. stelsel⟩.

omvliegen ⟨onov.ww.⟩ **0.1** [vlug gaan langs/om iets] *fly round/^around/ about* ⇒*dash/tear/race/run round/^around* **0.2** [snel voorbijgaan] *fly past/by* ⇒*rush by* ◆ **1.1** een bocht ~ *tear round a corner/bend* **1.2** de avond vloog om *the evening passed in a flash;* de tijd vloog om *the time flew by.*

omvormen ⟨ov.ww.⟩ **0.1** *transform, convert (into)* ⇒*remodel, remould ^remold, transmute (into).*

omvormer ⟨de (m.)⟩ ⟨elek.⟩ **0.1** *converter.*

omvorming ⟨de (v.)⟩ **0.1** [transformatie] *conversion, transformation* ⇒*remodelling ^eling* **0.2** [⟨wisk.⟩] *conversion.*

omvormingsregel ⟨de (m.)⟩ ⟨taal.⟩ **0.1** *transformation rule.*

omvouwen ⟨ov.ww.⟩ **0.1** [(ten dele) vouwen] *fold down/over* ⇒*turn down* ⟨bladzijde in boek⟩ **0.2** [binnenstebuiten vouwen] *fold back* ⇒*turn back* ⟨bv. laken⟩ ◆ **1.2** een blad papier ~ *(fold) double a sheet of paper.*

omwaaien

I ⟨onov.ww.⟩ **0.1** [omverwaaien] *be/get blown down/over* ⇒*blow down,* ⟨mens⟩ *be blown off one's feet* ◆ **3.1** hij kan voor mijn part ~ *he can go hang for all I care;*

II ⟨ov.ww.⟩ **0.1** [doen omvallen] *blow down.*

omwallen ⟨ov.ww.⟩ **0.1** *wall (in)* ⇒*bulwark, rampart,* [†]*circumvallate.*

omwandelen ⟨onov.ww.⟩ **0.1** [om iets heen wandelen] *walk (a)round* **0.2** [langs een omweg wandelen] *walk about* **0.3** [op zijn gemak omlopen] *stroll around/about* ◆ **1.2** een eindje ~ *go for a stroll, walk round the block, go for a walk round, take a turn.*

omwassen ⟨ov.ww.⟩ **0.1** *wash (up)* ⇒⟨fles, kan enz. ook⟩ *wash out.*

omweg ⟨de (m.)⟩ **0.1** [langere weg] *detour* ⇒*roundabout route/way* **0.2** [omhaal van woorden] *roundabout/indirect manner* ⇒⟨schr.⟩ *circumlocution* ◆ **2.1** dat is een hele ~ *that is a long way about, that takes us/ you out of our/your way* **3.1** een ~ maken *make/take a d., take a roundabout route;* u hoeft voor mij geen ~ te maken *don't let me take you out of your way* **6.1** langs een ~ ⟨fig.⟩ *indirectly, obliquely, deviously;* **langs** een ~ naar huis gaan *go home by a circuitous/roundabout route;* ⟨fig.⟩ **langs** een ~ zijn doel bereiken *attain one's end deviously/ by a roundabout way;* **langs** een ~ won hij informatie in over zijn nieuwe buurman ⟨ook⟩ *he made indirect inquiries about his new neighbour;* **met** een ~ ⟨fig.⟩ *in a roundabout way, circuitously;* maar dat is een hele ~ **voor** u *but that's quite out of your way* **6.2** ⟨fig.⟩ iem. iets **zonder** omwegen vertellen/vragen *tell/ask s.o. sth. straight out/ without beating about the bush/baldly, tell/ask s.o. sth. in plain English/terms/words/language.*

omweiden

I ⟨ov.ww.⟩ **0.1** [in een ander weiland plaatsen] *move (to another field/ pasture)* ◆ **7.1** het ~ *rational grazing/pasture;*

II ⟨onov.ww.⟩ 0.1 [overal in het rond weiden] *graze (all) around.*

omwenden ⟨ov.ww.⟩ 0.1 *turn (round)* ⇒*put about* ⟨schip⟩ ◆ 1.1 het hoofd~ *turn one's head.*

omwentelen
I ⟨onov.ww.⟩ 0.1 [om zijn as draaien] *rotate* ⇒*revolve, orbit* ⟨satelliet, hemellichaam⟩, ⟨snel⟩ *spin, gyrate;*
II ⟨ov.ww.⟩ 0.1 [rondwentelen] *rotate* ⇒*turn round* 0.2 [omkeren] *turn (round)* ◆ 1.1 een rad~ *r. a wheel;* het varken wentelde zich om in de modder *the pig was wallowing in the mud.*

omwentelingsas ⟨de⟩ 0.1 [mbt. hemellichamen] *axis of rotation* 0.2 [mbt. een omwentelingslichaam] *axis of rotation.*

omwentelingscilinder ⟨de (m.)⟩ ⟨wisk.⟩ 0.1 *cylinder of revolution.*

omwentelingsgeest ⟨de (m.)⟩ 0.1 *revolutionary spirit.*

omwentelingsgezind ⟨bn.⟩ 0.1 *revolutionary.*

omwentelingskegel ⟨de (m.)⟩ ⟨wisk.⟩ 0.1 *cone of revolution.*

omwentelingslichaam ⟨het⟩ ⟨wisk.⟩ 0.1 *solid of revolution.*

omwentelingssnelheid ⟨de (v.)⟩ 0.1 *rotational speed / velocity* ⇒*velocity / speed of rotation.*

omwentelingstijd ⟨de (m.)⟩ 0.1 *period / time of revolution / rotation.*

omwentelingsverhouding ⟨de (v.)⟩ 0.1 *gear ratio.*

omwentelingsvlak ⟨het⟩ ⟨wisk.⟩ 0.1 *surface of revolution.*

omwerken ⟨ov.ww.⟩ 0.1 [anders bewerken] *rewrite* ⇒*re-edit, redraft* ⟨wettekst, lezing e.d.⟩, *recast* ⟨zin⟩, *reword* ⟨tekst⟩, ⟨anders indelen⟩ *refashion* 0.2 [omploegen, omspitten] *turn over, dig (up)* ⇒*plough* ⟨met ploeg⟩ 0.3 [door elkaar werken] *turn over* ◆ 1.1 een gedicht~ *rewrite a poem* 1.2 de grond~ *dig the ground, turn over the soil* 1.3 graan~ om het te laten luchten *turn corn over to let it air* 6.1 een stuk tot een samenhangend geheel~ *refashion a piece to form a coherent whole* 6.2 de grond met een hak~ *work / dig the ground with a pick.*

omwerking ⟨de (v.)⟩ 0.1 [het omwerken] *rewriting* ⇒*re-editing, redrafting, rewording, refashionment* 0.2 [boek, geschrift] *new version* ⇒*rewrite* ⟨modern⟩, *recast, refashionment* 0.3 [het omploegen / omspitten] *digging, ploughing.*

omwerpen →**omgooien, omverwerpen.**

om'wikkelen ⟨ov.ww.⟩ 0.1 *wrap (round)(in)* ⇒*muffle (in)* ⟨met sjaal / dekens⟩, ⟨met dekens ook⟩ *swaddle (in), wind (with)* ⟨draad⟩ ◆ 6.1 een pak met papieren~ *wrap (up) a packet in paper, put (a) paper round a parcel;* gehakt met spek~ *wrap meatballs in bacon.*

'omwikkelen ⟨ov.ww.⟩ 0.1 *wrap / wind round / ^around* ⇒*cover* ◆ 1.1 een sjaal~ *wrap a scarf round one's neck.*

omwikkeling ⟨de (v.)⟩ 0.1 [handeling] *wrapping* ⇒*winding* 0.2 [materiaal] *wrapping* ⇒*covering, winding) coil.*

omwille van ⟨vz.⟩ ⟨schr.⟩ (→sprw. 541) 0.1 *for (the sake of)* ⇒*because of* ◆ 1.1 ~ de kinderen bleef hij bij zijn vrouw *he remained with his wife for the children's sake.*

om'winden ⟨ov.ww.⟩ 0.1 *bind (with)* ⇒*tie up (with), wrap up (with), wind (with)* ⟨draad⟩ ◆ 6.1 een pak met touw~ *tie a string round a parcel.*

'omwinden ⟨ov.ww.⟩ 0.1 *wind (a)round* ⇒*tie round, twine round, twist round, fold round* ◆ 1.1 de klossen met het omgewonden touw *the reels wound around with string.*

omwindsel ⟨het⟩ 0.1 [datgene waarmee iets omwonden is] *binding* ⇒*wrapper, bandage, envelope* 0.2 ⟨plantk.⟩ *involucre* ⇒*involucrum.*

omwippen
I ⟨ov.ww.⟩ 0.1 [laten omvallen] *toss down / over* ⇒*trip (s.o.) over / up;*
II ⟨onov.ww.⟩ 0.1 [om iets heen wippen] *pop / nip round* 0.2 [omvallen] *tip / topple over* ◆ 1.2 het tafeltje wipte om *the table toppled over.*

omwisselen
I ⟨ov.ww.⟩ 0.1 [ruilen] *exchange (for)* ⇒⟨inf.⟩ *swap, cash* ⟨in contanten⟩ ◆ 6.1 dollars~ in guldens *change / convert dollars into guilders;* munten tegen bankpapier~ *exchange coins for (bank) notes / ^bank bills;*
II ⟨onov.ww.⟩ 0.1 [van plaats wisselen] *change places* ⇒⟨inf.⟩ *swap places, change seats.*

omwoelen ⟨ov.ww.⟩ 0.1 [omwerken] *turn over / up* ⇒*dig (over), root up* ⟨door varkens⟩ 0.2 [door elkaar halen] *rumple* ⇒⟨haan ook⟩ *tousle, disorder* ◆ 1.1 een mol woelde de grond om *a mole churned the ground up;* de kippen woelden de grond om op zoek naar wurmen ⟨ook⟩ *the chickens were digging for worms* 1.2 omgewoelde / de-kens / bed *tumbled / rumpled blankets / bed;* de inhoud v.e. lade~ *rummage through / disorder the contents of a drawer.*

omwonend ⟨bn.⟩ 0.1 *neighbouring, surrounding* ◆ 1.1 de~e volken *the n. peoples, the s. nations* 7.1 de~en *the people living in the neighbourhood, the neighbours.*

omwroeten ⟨ov.ww.⟩ 0.1 [loswoelen] *root up* ⇒*uproot* ⟨gras⟩ 0.2 [zoeken naar] *grub / root around (for)* ◆ 1.2 de grond~ op zoek naar wurmen *grub for worms.*

omzadelen ⟨ov.ww.⟩ 0.1 [een ander paard zadelen] *put the saddle on (another horse)* ⇒*change saddles* 0.2 [anders zadelen] *re-saddle.*

omzagen ⟨ov.ww.⟩ 0.1 *saw down.*

omzakken ⟨onov.ww.⟩ 0.1 *fall over* ⇒*topple over.*

omzeggens ⟨bw.⟩ ⟨AZN⟩ 0.1 *so to speak* ⇒*virtually.*

om'zeilen ⟨ov.ww.⟩ 0.1 [zeilend uit de weg gaan] *sail round / ^around* 0.2 [ontwijken] *skirt* ⇒*get round, by-pass* ⟨obstakel⟩, ⟨moeilijkheden ook⟩ *sidestep, steer clear of,* ⟨inf.⟩ *scrub round* ⟨regel⟩ ◆ 1.1 een klip ~*sail round a rock* 1.2 moeilijkheden~ ⟨ook⟩ *get round / circumvent difficulties.*

'omzeilen
I ⟨onov.ww.⟩ 0.1 [om / langs iets heen zeilen] *sail round / ^around* ⇒*round* ⟨kaap⟩, *double* ⟨kaap, boei⟩ 0.2 [rondzeilen] *sail about* 0.3 [langs een omweg zeilen] *sail (a long way) about / round* ◆ 1.1 de Kaap ~ *(sail) round the Cape;*
II ⟨ov.ww.⟩ 0.1 [omver zeilen] *sail over / down.*

omzendbrief ⟨de (m.)⟩ 0.1 *circular (letter)* ⇒⟨r.k.⟩ *pastoral letter.*

omzet ⟨de (m.)⟩ 0.1 [koop en verkoop] *turnover* ⇒*trade, volume of trade / business* 0.2 [som v.d. opbrengsten] *returns* ⇒*sales, business, turnover* ◆ 1.2 dat bedrijf heeft een~ van twee miljoen per jaar *that business has sales / a turnover of two million a year* 2.1 in rogge heeft een belangrijke~ plaatsgehad *there was heavy trade / dealing in rye;* flinke / trage~ *considerable / slow trade* 2.2 een kleine winstmarge bij een hoge~ *small profits and quick r.;* een filiaal met een jaarlijkse~ van 500.000 gulden *a branch with an annual turnover of 500,000 guilders;* stijgende / dalende~ ten *increasing / decreasing sales* 3.2 een hoge~ maken *do a lot of business, achieve considerable sales;* de~ vergroten *expand business / sales, increase (volume of) sales* 6.2 wij moeten het van de~ hebben *we really depend on the volume of trade / sales.*

omzetbelasting ⟨de (v.)⟩ 0.1 *sales tax* ⇒*turnover tax.*

omzetcijfers ⟨zn.mv.⟩ 0.1 *sales figures* ⇒*trade figures, sales records.*

omzetpremie ⟨de (v.)⟩ 0.1 [korting v.e. leverancier] *discount* 0.2 [premie voor het verkopend personeel] *(sales) bonus;* ⟨per artikel⟩ *commission* ⇒*turnover premium / bonus.*

omzetprovisie ⟨de (v.)⟩ 0.1 *commission on turnover* ⇒*bank commission* ⟨rekening-courant⟩.

omzetsnelheid ⟨de (v.)⟩ 0.1 *rate of turnover / sales* ⇒*turnover.*

omzetten
I ⟨ov.ww.⟩ 0.1 [van plaats laten verwisselen] *change (position of)* ⇒*transpose* ⟨letters, woorden⟩ 0.2 [in een andere stand brengen] *turn (over)* ⇒*reverse* ⟨motor⟩, *pull (over)* ⟨hendel⟩ 0.3 [verzetten] *move, shift* 0.4 [verhandelen] *turn over* ⇒*sell* 0.5 [veranderen] *convert (into)* ⇒*turn (into), transform (into), transmute* ⟨bv. metalen in goud⟩, *realize, cash* ⟨voorraden in geld⟩ 0.6 [⟨muz.⟩ *transpose (into)* 0.7 [doorelkaar werken] *turn (over)* 0.8 [⟨schei.⟩ *convert* ◆ 1.1 woorden~ *change / invert the word order, change the position of the words, transpose words* 1.2 de wissel~ *turn / throw the switch* 1.3 kun je die vaas een eindje~? *can you s. that vase (over) a little?* 1.4 goederen~ *sell goods;* (voor) een miljoen~ *have a turnover of a million, turn over a million* 1.7 het broeiende hooi~ *turn the heating hay* 6.1 zinnen in de lijdende vorm~ *make sentences passive, passivize sentences* 6.5 ⟨fig.⟩ zijn beloften in daden~ *put one's promises into practice, implement / carry out one's promises;* een tekst~ in een andere taal *translate / render into another language;* meters in centimeters~ *convert metres into centimetres;* een tekst in fonetisch schrift~ *transcribe a text, make a (phonetic) transcription of a text;* zijn zaak in een BV~ *turn one's business into a private company;* zijn voorraden in geld~ *realize stocks;* zijn salaris~ in drank *spend one's income on drink;* zonlicht~ in elektrische energie *convert sunlight into electrical energy;* ⟨jur.⟩ een terdoodveroordeling in levenslang~ *commute a sentence from death to life imprisonment;* een pion tegen een dame~ *queen a pawn* 6.8 de suiker wordt in alcohol omgezet *the sugar is converted into alcohol;*
II ⟨onov.ww.⟩ 0.1 [snel om iets heen lopen] *go / come (running / racing) round / ^around* ◆ 1.1 daar komt zij de hoek~ *there she comes running round the corner.*

omzetting ⟨de (v.)⟩ 0.1 [verwisseling] *change* 0.2 [verplaatsing] *moving* ⇒*reversal* ⟨motor⟩ 0.3 [⟨nat., schei.⟩ transformatie] *transformation, conversion* ⇒*discharge* ⟨in elektriciteit⟩ 0.4 [overbrenging, verandering] ⟨alg.⟩ *conversion* ⇒*translation* ⟨in andere taal; ook fig.⟩, *transliteration* ⟨in ander alfabet⟩, ⟨muz.⟩ *transposition* ◆ 1.1 ~ van letters *transposition of letters;* ~ v.h. onderwerp *subject(/verb) inversion;* ~ van woorden *c. in word order, inversion (of word order)* 1.3 de~ van carbonaat *the c. of carbonate* 2.3 ⟨schei.⟩ dubbele~ *double decomposition* 6.1 ⟨sport⟩ door de vele~ en draaide Ajax niet best *Ajax was not at its best on account of the many changes in the team.*

omzettingssnelheid ⟨de (v.)⟩ ⟨schei.⟩ 0.1 *velocity of conversion.*

omzichtig ⟨bn., bw.; -ly⟩ 0.1 *cautious* ⇒*circumspect, prudent, careful, wary* ◆ 1.1 in~e bewoordingen *in guarded / diplomatic terms, tactfully* 3.1 ~ naderen *approach with caution;* ~ de deur openen *ease the door open, open the door cautiously* ¶ 1 ~ te werk gaan *tread lightly / warily / on eggs, use one's discretion, proceed with / exercise caution.*

omzichtigheid ⟨de (v.)⟩ 0.1 *caution, cautiousness* ⇒*circumspection, prudence, wariness* ◆ 2.1 met de grootste~ *with the greatest caution,* most circumspectly, very cautiously **6.1 met** ~ te werk gaan *proceed with caution, be on one's guard, be playing it safe.*

omzien ⟨onov.ww.⟩ **0.1** [omkijken] *look back* **0.2** [zorgen voor] *look (after)* **0.3** [rondzien] *look round* **0.4** [uitkijken] *look round / out* ◆ **6.1 zonder** ~ *without looking back* **6.2** ~ **naar** iem. *look after / care for s.o.; niet* naar iem. ~ ⟨ook⟩ *neglect s.o.* **6.4 naar** een baan ~ *look out / round for a job* ¶.**1** ~ in wrok *look back in anger.*

omziend ⟨bn.⟩ ⟨herald.⟩ **0.1** *regardant.*

omzitten ⟨onov.ww.⟩ **0.1** [opschuiven] *move over* **0.2** [van zitplaats veranderen] *change place(s) / seats.*

om'zomen ⟨ov.ww.⟩ **0.1** *border* ⇒*fringe, surround, rim* ⟨rond⟩ ◆ **1.1** heggen~ het park *hedges b. / rim the park* **6.1** een **met** bomen omzoomd(e) meer / vijver *a lake / pond bordered / fringed with trees.*

'omzomen ⟨ov.ww.⟩ **0.1 hem** ⇒*edge (with), border (with)* ⟨met andere stof⟩ ◆ **1.1** een zakdoek~ hem *a handkerchief* **6.1 met** zijde / kant omzoomd *edged / bordered with silk / lace.*

omzoming ⟨de (m.)⟩ **0.1** *edging* ⇒*piping* (met zoomkoord).

omzwaaien ⟨ov.ww.⟩ **0.1** [omslaan] *swing round* ⟨ook fig.⟩ **0.2** [van studierichting veranderen] *change / switch (over)* ⇒*transfer* ◆ **1.1** de bocht~ *swing round the bend* **6.2 van** Wiskunde **naar** Duits~ *switch (over) / transfer from mathematics to German* ¶.**2** Jan is omgezwaaid *John has changed subject(s) / courses.*

omzwaaier ⟨de (m.)⟩ **0.1** *person who switches courses.*

omzwachtelen ⟨ov.ww.⟩ **0.1** *bandage* ⇒*swathe, wrap, swaddle* ⟨baby⟩ ◆ **1.1** zijn arm ~ b. *one's arm.*

omzwalken ⟨onov.ww.⟩ **0.1** *wander / roam / rove about.*

omzwenken
  I ⟨onov.ww.⟩ **0.1** [omzwaaien] *wheel / swing / veer round /* ^*around* **0.2** [(fig.) omdraaien] *turn around, make a U-turn;*
  II ⟨ov.ww.⟩ **0.1** [omwenden] *turn / swing round /* ^*around.*

om'zwermen ⟨ov.ww.⟩ **0.1** *swarm about / round /* ^*around* ◆ **6.1** hij was **door** een groep fans omzwermd *he was mobbed by a group of fans, a group of fans swarmed round /* ^*around him.*

'omzwermen ⟨onov.ww.⟩ **0.1** [in zwermen vliegen] *swarm* **0.2** [in grote menigte rondlopen] *swarm.*

omzwerven ⟨onov.ww.⟩ **0.1** *wander* ⇒*ramble, rove.*

omzwerving ⟨de (v.)⟩ **0.1** *wandering* ⇒*ramble, rambling, roving, peregrination* ◆ **2.1** nachtelijke ~ *nocturnal rambles* **6.1 op** zijn ~en in de bossen *during / on his wanderings / peregrinations / rambles in the woods.*

omzwiepen ⟨onov.ww.⟩ **0.1** *keel over.*

omzwikken ⟨onov.ww.⟩ **0.1** *sprain* ⇒*twist, wrench* ◆ **1.1** zijn voet is omgezwikt *he has sprained his ankle.*

onaandachtig ⟨bn.⟩ **0.1** *inattentive* ⇒*unobservant* ⟨lezer⟩.

onaandoenlijk ⟨bn., bw.; -ly⟩ **0.1** *impassive* ⇒*stolid, stoic(al), indifferent* ◆ **1.1** een ~ gemoed *a cold nature.*

onaangebroken ⟨bn.⟩ **0.1** *unused* ⇒*unopened* ◆ **1.1** ~ flessen terugnemen *take back unopened bottles;* een nog ~ pakje sigaretten *an unopened package of cigarettes.*

onaangedaan ⟨bn.⟩ **0.1** *unmoved* ⇒*untouched* ◆ **3.1** ~ blijven *remain unmoved.*

onaangediend ⟨bn.⟩ **0.1** [onaangekondigd] *unannounced* **0.2** ⟨hand.⟩] *unannounced* ⇒*unadvertized* ◆ **3.1** ~ binnenkomen *come in / enter u..*

onaangekleed ⟨bn.⟩ **0.1** *undressed.*

onaangekondigd ⟨bn.⟩ **0.1** *unannounced* ◆ **1.1** een ~ bezoek *a surprise visit;* een ~e staking *a lightening strike;* een ~e verkeerscontrole *a spot traffic check.*

onaangemeld ⟨bn.⟩ →**onaangekondigd.**

onaangenaam ⟨bn., bw.; -ly⟩ **0.1** *unpleasant* ⇒*disagreeable, distasteful,* ⟨walgelijk⟩ *offensive,* ⟨ongewenst⟩ *objectionable* ◆ **1.1** een onaangename geur *an u. / evil / objectionable / nasty / disagreeable odour / smell;* een ~ gevoel / onaangename gedachte *an uncomfortable feeling / thought;* een ~ gezicht hebben *have an u. / a disagreeable face;* een ~ karakter *an u. / a disagreeable personality;* een onaangename smaak achterlaten *leave a bad taste (in one's mouth);* een onaangename verrassing *an u. surprise;* ~ werk *u. / distasteful work* **2.1** ~ verrast zijn *be unpleasantly surprised* **3.1** zijn bezoek had haar ~ verrast *his visit had taken her unpleasantly by surprise / had been an unwelcome surprise;* ~ klinken *sound u., not sound very nice;* iem. het leven ~ maken *make life difficult for s.o.;* ~ ruiken *smell bad / nasty* **5.1** het hele gesprek was hoogst ~ *the whole conversation was extremely u. / uncomfortable;* het zou mij niet ~ zijn als je 't toch deed *I wouldn't mind / I'd think it rather nice if you did that all the same;* ik vind dat niet ~ *I think that's rather / quite nice;* een uiterst ~ persoon ⟨ook⟩ *an obnoxious character.*

onaangenaamheid ⟨de (v.)⟩ **0.1** [onaangenaam iets] *unpleasantness* ⇒*disagreeableness* **0.2** [⟨mv.⟩ onmin] *trouble* ⇒*difficulty* ◆ **3.2** onaangenaamheden met iem. hebben / krijgen *have t. / run into t. / difficulty with s.o..*

onaangepast ⟨bn.⟩ **0.1** *maladjusted* ⇒⟨uit overtuiging⟩ *non-conformist* ◆ **1.1** ~ gedrag vertonen *show / display m. behaviour;* een ~ individu *a m. person.*

onaangepastheid ⟨de (v.)⟩ **0.1** *(social) maladjustment* ⇒*non-conformity, non-conformism.*

onaangeroerd ⟨bn.⟩ **0.1** *untouched* ⇒⟨mbt. kapitaal⟩ *intact* ⟨alleen pred.⟩ ◆ **3.1** ~ blijven ⟨ook fig.⟩ *be left u., not touch on / bring up;* iets ~ laten ⟨ook fig.⟩ *not touch on sth., leave sth. untouched;* het eten was ~ *the food was left u. / untasted.*

onaangesproken ⟨bn.⟩ **0.1** *untouched* ⇒*intact* ⟨alleen pred.⟩, *unopened* ◆ **1.1** een ~ fles *an unopened bottle.*

onaangetast ⟨bn.⟩ **0.1** [ongeschonden] *unaffected* ⇒*intact* ⟨alleen pred.⟩, *unimpaired, untouched* **0.2** [in zijn geheel] *untouched* ⇒*whole, intact* ⟨alleen pred.⟩ **0.3** [ongebruikt] *untouched* ⇒*unused* **0.4** [niet aangevreten] *unaffected* ⇒*unharmed, untouched* ◆ **1.1** haar eer bleef ~ *her honour remained intact / unimpeached;* zijn macht blijft ~ *his power remains unaffected / unimpaired / unshaken* **1.2** alle verworven rechten blijven ~ *all acquired rights remain intact* **6.4** ~ **door** de tand des tijds *unaffected by the ravages of time.*

onaangevochten ⟨bn.⟩ **0.1** *unchallenged* ⇒*undisputed.*

onaanlokkelijk ⟨bn.⟩ **0.1** *unattractive* ⇒*uninviting, unappealing* ◆ **1.1** een ~ voorstel *an unattractive proposition;* een uiterst ~ vooruitzicht *an extremely unattractive prospect* **3.1** een zaak zo ~ mogelijk voorstellen *propose sth. in the least appealing way possible.*

onaannemelijk ⟨bn.⟩ **0.1** [ongeloofwaardig] *implausible* ⇒*incredible, unbelievable* **0.2** [onaanvaardbaar] *unacceptable* ◆ **1.1** een ~e bewering *an incredible assertion* **1.2** die vredesvoorwaarden zijn ~ *the peace terms are u.* **3.1** dat klinkt nogal ~ *that's awfully hard to believe, that sounds rather implausible.*

onaanraakbaar ⟨bn.⟩ **0.1** *untouchable* ◆ **7.1** ⟨zelfst.⟩ de onaanraakbaren ⟨laagste kaste⟩ *the untouchables.*

onaansprakelijk ⟨bn.⟩ **0.1** *not liable (for).*

onaanspreekbaar ⟨bn.⟩ **0.1** *unapproachable.*

onaantastbaar ⟨bn.⟩ **0.1** [niet betwist / in bezit genomen kunnende worden] *inviolable* ⇒*unassailable, unimpeachable, sacrosanct* **0.2** [onbereikbaar voor een aanval] *unassailable* ⇒*impregnable, invulnerable* ◆ **1.1** een ~ geloof *a sacrosanct belief;* het menselijk lichaam is ~ *the human body is i.; onaantastbare rechten i. rights;* een ~ vonnis *an irreversible verdict;* een onaantastbare waarheid *an unassailable truth* **1.2** een onaantastbare positie *an u. position* **4.2** iets ~s hebben *have an unapproachable side.*

onaantastbaarheid ⟨de (v.)⟩ **0.1** [van rechten / goederen] *inviolability* ⇒*sacrosanctity* **0.2** [voor een aanval] *unassailability* ⇒*invulnerability* ◆ **1.1** de grondwet garandeert ~ v.h. menselijk lichaam *the constitution guarantees the i. of the human body.*

onaantrekkelijk ⟨bn.⟩ **0.1** *unattractive* ⇒*unprepossessing, unappealing, uninviting* ◆ **5.1** financieel ~ *financially unattractive;* ik vind haar niet ~ *I think she's not bad looking / rather attractive / not unattractive;* een niet ~e jongedame *a rather attractive young lady.*

onaanvaard ⟨jur.⟩ **0.1** *unaccepted* ⇒*renounced.*

onaanvaardbaar ⟨bn.⟩ **0.1** *unacceptable* ◆ **7.1** ⟨fig.⟩ het ~ over iets uitspreken *veto sth., declare sth. unacceptable.*

onaanvechtbaar ⟨bn.⟩ **0.1** *indisputable* ⇒*unquestionable, unassailable, unimpeachable.*

onaanzienlijk ⟨bn., bw.; -ly⟩ **0.1** [zonder aanzien] *unpretentious* ⇒*humble, modest* **0.2** [niet groot, nietig] *unpleasant* ⇒*inconsiderable* (bedrag), *inconsequential, negligible* ◆ **1.1** een ~ huis *a modest house* **1.2** een ~ mannetje *an inconsequential / insignificant little man;* in niet ~e mate *considerably* **5.2** voor een niet ~ bedrag *for a rather considerable / a not inconsiderable sum.*

onaanzienlijkheid ⟨de (v.)⟩ **0.1** [weinig aanzien hebben] *unpretentiousness* ⇒*humbleness, lack of distinction / standing* **0.2** [onbeduidendheid] *insignificance* ⇒*inconsiderableness.*

onaardig ⟨bn., bw.; -ly⟩ **0.1** [onvriendelijk] *unpleasant* ⇒*unfriendly, unkind* **0.2** [onaangenaam in de omgang] *unpleasant* ⇒*unkind* **0.3** [onplezierig] *unpleasant* ⇒*nasty* ◆ **1.1** een ~e opmerking *an unkind remark* **1.2** het zijn geen ~e mensen *they are quite nice people* **3.1** ~ zijn tegen iem. *be unpleasant to s.o.* **3.3** doe niet zo ~ tegen haar *you needn't be so / don't be so nasty to her* **5.1** dat heb je niet ~ bedacht *you've worked that out quite nicely* **5.**¶ een niet ~ huisje *a rather nice little house;* je woont hier niet ~ *you have quite a nice / pleasant place here, not a bad place you have here;* dat meisje ziet er lang niet ~ uit *that girl isn't bad-looking at all;* niet ~ *not bad, quite nice.*

onaardigheid ⟨de (v.)⟩ **0.1** [het onaardig zijn] *unpleasantness* ⇒*unfriendliness* **0.2** [onaangenaamheid] *unpleasantness.*

onachtzaam ⟨bn., bw.; -ly⟩ **0.1** *inattentive* ⇒*careless,* ⟨nalatig⟩ *inadvertent, negligent, inadvertent* ◆ **1.1** ~ gekleed gaan *be carelessly dressed;* zijn kinderen ~ opvoeden *bring one's children up badly.*

onachtzaamheid ⟨de (v.)⟩ **0.1** [achteloosheid] *carelessness* ⇒*inattention, inadvertence* **0.2** [achteloze handeling] *negligence* ⇒*neglect* ◆ **1.1** eem moment van ~ *a moment's / a moment of c.* **6.1 uit** ~ *out of c..*

onaf ⟨bn.⟩ **0.1** *unfinished* ⇒*incomplete, rough* ◆ **4.1** het heeft iets ~s *it has an u. look, there is sth. unfinished about it.*

onafbetaald ⟨bn.⟩ **0.1** *unpaid* ⇒*unsettled,* ⟨uitstaand⟩ *outstanding* ◆ **1.1** ~e schulden *unpaid / unsettled / outstanding debts.*

onafgebouwd ⟨bn.⟩ →**onafgewerkt.**

onafgebroken 〈bn.,bw.;-ly〉 **0.1** [doorlopend] *continuous* ⇒*sustained, perennial* **0.2** [voortdurend] *unbroken* ⇒*uninterrupted, continuous, sustained, unremitting* ◆ **1.1** 40 jaar ~ dienst *40 years c. service* **1.2** we hebben drie dagen ~ regen gehad *we have had three days of continuous/ unremitting rain, the rain hasn't let up for three days* **3.2** ~ waren zijn ogen op haar gevestigd *he didn't take his eyes off her for a moment, he stared fixedly at her;* ~ werken *work without interruption/ stopping.*

onafgedaan 〈bn.〉 **0.1** [onbeslist] *unsettled* ⇒*unsure, undecided* **0.2** [onvoltooid] *unsettled* ⇒*unfinished, uncompleted* **0.3** [niet afbetaald] *unsettled* ⇒*unpaid,* 〈uitstaand〉 *outstanding* ◆ **1.3** er zijn nog vele oude schulden ~ *there are still a lot of old unpaid debts* **3.1** die rechtszaak is nog ~ *the case is still undecided, there hasn't been a decision in the case yet* **3.2** dat werk ligt daar nog ~ *that work hasn't been finished/ completed yet.*

onafgehaald 〈bn.〉 **0.1** [niet afgehaald] *unstripped* **0.2** [niet opgehaald] *unclaimed* ⇒*not picked up/called for* ◆ **1.1** een ~ bed *an u. / a still made bed* **1.2** ~e goederen *u. goods;* ~e besproken plaatsen *u. tickets.*

onafgelost 〈bn.〉 **0.1** *unpaid* ⇒*unsettled, outstanding, unredeemed, unrelieved* 〈wacht〉.

onafgewend 〈bn.〉 **0.1** *fixed* ⇒*unaverted, staring* ◆ **1.1** met ~e blik *with a f. stare* **3.1** zijn ogen ~ gevestigd houden op iets/iem. *have one's eyes glued to sth./ s.o., stare fixedly at sth./ s.o..*

onafgewerkt 〈bn.〉 **0.1** *unfinished* ⇒*uncompleted, incomplete* ◆ **1.1** in ~e toestand *in an unfinished state* **3.1** iets ~ laten *leave sth. unfinished.*

onafhankelijk 〈bn.,bw.;-ly〉 **0.1** [zelfstandig] *independent (of)* **0.2** [autonoom] *independent* ⇒*autonomous* **0.3** [niet bepaald door] *irrespective* ◆ **1.1** een zeer ~e vrouw *a very i. woman* **1.2** een ~e staat *an i. state* **3.1** hij kan ~ handelen *he's a free agent;* zich ~ opstellen *take an i. position* **3.2** zich ~ verklaren *declare one's independence;* ~ worden *become i.* **5.1** zijn vrouw wil financieel ~ zijn *his wife wants to be financially i.* **6.1** zij kwamen, ~ van elkaar, tot dezelfde conclusie *they came independently to the same conclusion* **6.3** ~ **van** leeftijd of geslacht *i. of/with no regard to age or sex.*

onafhankelijkheid 〈de (v.)〉 **0.1** [zelfstandigheid] *independence* **0.2** [autonomie] *independence* ◆ **1.2** het streven naar ~ *the struggle for i.* **3.2** de ~ bewaren *keep/retain one's i.;* ~ verlenen *grant i.;* zijn ~ verliezen *lose one's i..*

onafhankelijkheidsbeweging 〈de (v.)〉 **0.1** *independence movement.*

onafhankelijkheidsdag 〈de (m.)〉 **0.1** *independence day* ⇒〈USA〉 *Fourth of July.*

onafhankelijkheidsoorlog 〈de (m.)〉 **0.1** *war of independence* ⇒〈USA〉 *Revolutionary War.*

onafhankelijkheidsstreven 〈het〉 **0.1** *struggle for/ effort(s)/ endeavour(s) to achieve independence.*

onafhankelijkheidsstrijd 〈de (m.)〉 **0.1** *struggle for independence.*

onafhankelijkheidsverklaring 〈de (v.)〉 **0.1** *declaration of independance.*

onafheid 〈de (v.)〉 **0.1** *incompleteness* ⇒(state of) incompletion.

onaflosbaar 〈bn.〉 **0.1** *irredeemable* ⇒*perpetual.*

onafscheidbaar 〈bn.,bw.;-ly〉 **0.1** *inseparable (from)* ◆ **1.1** twee ~e vrienden *two i. friends* **7.1** Oranje en Nederland zijn ~ één *Orange and Holland are i..*

onafscheidelijk 〈bn.,bw.;-ly〉 **0.1** *inseparable (from)* ◆ **1.1** zijn ~e sigaar *his perpetual cigar;* een ~e vriend *a fast friend;* met zijn ~e zonnebril *with his inevitable sunglasses* **3.1** ~ verbonden (aan)/ verenigd *be i.;* zij zijn ~ *they are i..*

onafwendbaar 〈bn.〉 **0.1** *unavoidable* ⇒*inevitable, inescapable* ◆ **1.1** een ~ gevaar *an u. danger;* een onafwendbare nederlaag *an inevitable defeat.*

onafwijsbaar 〈bn.〉 **0.1** *imperative* ◆ **1.1** een onafwijsbare eis *a demand that can't be turned down;* een ~ verzoek *a request that can't be turned down.*

onafzetbaar 〈bn.〉 **0.1** *irremovable* ⇒*not removable.*

onafzienbaar 〈bn.,bw.;-ly〉 **0.1** *immense* ⇒*vast,* 〈mbt. tijd〉 *interminable, endless* ◆ **1.1** een bron van onafzienbare ellende *a source of endless trouble;* een onafzienbare vlakte *an immense/endless plain;* een onafzienbare volksmenigte *a vast crowd;* onafzienbare weiden *endless pastures* **2.1** ~ lang/groot *interminably long, immensely big.*

onafzienbaarheid 〈de (v.)〉 **0.1** *immenseness, immensity* ⇒*vastness, endlessness, interminability.*

onager 〈de (m.)〉 **0.1** *onager.*

onalledaags 〈bn.〉 **0.1** *unusual* ◆ **1.1** ~e kleding *u. clothes;* ~e talenten *u. / special talents;* een ~e verschijning op de Nederlandse voetbalvelden *an u. figure/player in Dutch soccer.*

onaneren 〈onov.ww.〉 **0.1** *masturbate* ◆ **1.1** ~e talenten 〈BE;vulg.〉 *frig,* 〈vulg.〉 *jack/ [A]jerk off,* [B]*wank.*

onanie 〈de (v.)〉 **0.1** [zelfbevrediging] *onanism* ⇒*masturbation* **0.2** [coïtus interruptus] *onanism* ⇒〈sl.〉 *pulling out.*

onanist 〈de (m.)〉 **0.1** *masturbator* ◆ 〈vulg.〉 *wanker,* [A]*jerk-off.*

onappetijtelijk 〈bn.,bw.;-ly〉 **0.1** *unappetizing* ⇒*unsavoury, unappealing* ◆ **3.1** wat ziet dat er ~ uit! *how unappetizing that looks!.*

---

onartistiek 〈bn.〉 **0.1** [zonder kunstwaarde] *worthless* ⇒*not art* 〈alleen pred.〉 **0.2** [zonder gevoel voor kunst] *inartistic.*

onattent 〈bn.〉 **0.1** *inattentive* ⇒*inconsiderate.*

onbaatzuchtig 〈bn.,bw.;-ly〉 **0.1** *unselfish* ⇒*selfless, disinterested, altruistic* ◆ **1.1** een ~ mens *an u. person;* ~e vriendschap *a disinterested friendship* **3.1** ~ handelen *act unselfishly/altruistically.*

onbalans 〈de〉 **0.1** *imbalance* ◆ **6.1** in ~ raken *go out of balance.*

onbarmhartig 〈bn.,bw.;-ly〉 **0.1** [zonder mededogen] *merciless* ⇒*unmerciful, incompassionate* **0.2** [duchtig] *merciless* ⇒*unmerciful* **0.3** [genadeloos] *merciless* ⇒*unmerciful, cruel, ruthless* ◆ **1.2** een ~ pak slaag *a m. spanking, a thorough/sound thrashing* **1.3** ~e kritiek *m. criticism.*

onbarmhartigheid 〈de (v.)〉 **0.1** *mercilessness* ⇒*truculence, cruelty, ruthlessness.*

onbeantwoord 〈bn.〉 **0.1** *unanswered* ⇒*unreturned* ◆ **1.1** ~e liefde *unrequited love* **3.1** een groet ~ laten *not answer/return s.o.'s greeting;* een brief ~ laten *leave a letter unanswered.*

onbebouwd 〈bn.〉 **0.1** [niet bebouwd] *vacant* ⇒*unbuilt, unimproved* **0.2** [braakliggend] *untilled* ⇒*uncultivated, uncultured* ◆ **1.1** ~e terreinen *open/v. / unimproved sites* **1.2** ~e akkers *fallow fields* **3.1** een stuk land ~ laten *leave a piece of land v., not build on a piece of land.*

onbedaarlijk 〈bn.,bw.;-ly〉 **0.1** *uncontrollable* ⇒*unrestrained, irrepressible* ◆ **3.1** ~ lachen *laugh uncontrollably/irrepressibly;* hij begon ~ te lachen *he burst into uncontrollable/irrepressible laughter.*

onbedacht 〈bn.,bw.〉 **0.1** [onnadenkend] *thoughtless* ⇒*unthinking, rash, inconsiderate* **0.2** [niet verzonnen] *uninvented* ⇒*uncontrived, not made-up* ◆ **1.1** een ~ ogenblik *a moment of thoughtlessness, a rash moment* **1.2** een ~ geval *a real (life) case* **3.1** ~ grijpen naar iets *reach for sth. without thinking.*

onbedachtzaam 〈bn.,bw.;-ly〉 **0.1** *thoughtless* ⇒*(b)rash, inconsiderate* ◆ **1.1** een onbedachtzame opmerking *a t. remark* **3.1** een ~ uitgesproken wens *a rashly spoken wish* **¶1.1** ~ te werk gaan *go about sth. brashly/thoughtlessly/inconsiderately.*

onbedachtzaamheid 〈de (v.)〉 **0.1** [onnadenkendheid] *thoughtlessness* ⇒*rashness* **0.2** [onbedachtzame handeling] *thoughtlessness* ⇒*inconsideration.*

onbedeeld 〈bn.〉 **0.1** *deprived* ⇒*devoid (of), not blessed with* ◆ **6.1** niet ~ van iets *not be wanting for sth., have one's share of sth..*

onbedeesd 〈bn.,bw.;-ly〉 **0.1** *not timid* ⇒*not shy/bashful, unbashful* ◆ **3.1** zij keek ~ in 't rond *she looked around confidently.*

onbedekt 〈bn.,bw.〉 **0.1** [niet bedekt] *uncovered* ⇒*exposed* **0.2** [openlijk] *open* ◆ **3.1** een jurk die de armen ~ laat *a sleeveless dress;* iets ~ laten *leave sth. exposed/u.* **3.2** iets ~ zeggen *say sth. openly.*

onbederfelijk 〈bn.〉 **0.1** *non-perishable.*

onbediend 〈bn.〉 **0.1** *without having received the last sacraments.*

onbedoeld 〈bn.,bw.;-ly〉 **0.1** *unintentional* ⇒*inadvertent, unwitting, unthinking* ◆ **1.1** ~e gevolgen *unintended results;* een ~e woordspeling *an unintentional/inadvertent play on words* **3.1** iem. ~ kwetsen *hurt s.o. unintentionally/inadvertently.*

onbedorven 〈bn.〉 **0.1** [gaaf,fris] *unspoiled, unspoilt* ⇒*undeteriorated, undecayed, sound, untainted* **0.2** [onschuldig] *unspoiled, unspoilt* ⇒*innocent, untainted* ◆ **1.1** een ~ gebit *a good/sound/healthy set of teeth;* een ~ voedingsmiddel *unspoiled/untainted food* **1.2** een ~ kind *an innocent/unspoiled child.*

onbedreigd 〈bn.〉 **0.1** *unthreatened* ◆ **1.1** 〈sport〉 de ~e winnaar *the uncontested winner.*

onbedreven 〈bn.〉 **0.1** *unskilled (in)* ⇒*unskillful (in), lacking in skill, unversed (in), inexpert* ◆ **6.1** hij is niet geheel ~ in dat spel *he is not unversed in that game.*

onbedrieglijk 〈bn.,bw.;-ly〉 **0.1** [mbt. personen] *unerring* ⇒*infallible* **0.2** [mbt. zaken] *unmistakable* ◆ **1.2** door een ~ instinct gewaarschuwd *warned by an u. instinct;* ~e voortekenen *u. (warning) signs.*

onbedrukt 〈bn.〉 **0.1** *unprinted* ⇒*plain, blank, open* ◆ **1.1** nog ~e kaartjes *blank/plain cards;* de ~e ruimte van het blad *the u. / blank space on the page.*

onbeduidend 〈bn.〉 **0.1** [van weinig belang] *insignificant* ⇒*trifling, trivial, inconsequential* **0.2** [niet opvallend] *unremarkable* ⇒*non-descript, not striking* **0.3** [niet talrijk/uitgebreid] *insignificant* ⇒*negligible, inconsiderable, niggling* ◆ **1.1** een ~ bedrag *an insignificant/inconsiderable/a niggling amount;* een ~ persoon *an insignificant/inconsequential person, a nonentity;* een ~ vergrijp *a minor offence* **1.2** een ~ gezicht *a non-descript face* **1.3** een ~e troepenmacht *an insignificant number of troops* **3.2** er ~ uitzien *look non-descript/u.* **5.3** niet ~ *not insignificant, significant, considerable, quite a lot.*

onbeduidendheid 〈de (v.)〉 **0.1** [onbelangrijkheid] *insignificance* ⇒*triviality* **0.2** [onbelangrijke zaak] *triviality.*

onbedwingbaar 〈bn.〉 **0.1** *uncontrollable* ⇒*ungovernable, indomitable* 〈karakter〉 ◆ **1.1** een onbedwingbare hengst *an uncontrollable/ungovernable stallion;* een onbedwingbare lachlust *an uncontrollable/irrepressible desire to laugh;* een onbedwingbare vaart *an uncontrollable speed;* een onbedwingbare woede *uncontrollable anger.*

onbedwongen 〈bn.,bw.〉 **0.1** *unchecked* ⇒*unconquered, untamed.*

onbeëdigd 〈bn.〉 **0.1** [mbt. personen] *unsworn* **0.2** [mbt. verklaringen] *unsworn* ◆ **1.1** een ~e rechter *an u. judge.*

onbegaafd ⟨bn.⟩ **0.1** *untalented* ⇒*unendowed, not gifted* ◆ **5.1** niet ~ *un-talented, quite talented, not of minor talent.*

onbegaan ⟨bn.⟩ **0.1** *untrodden* ⇒*untravelled* ◆ **1.1** onbegane wegen *un-trodden paths, untravelled roads.*

onbegaanbaar ⟨bn.⟩ **0.1** *impassable* ◆ **1.1** een onbegaanbare weg *an i. road.*

onbegeerlijk ⟨bn.⟩ **0.1** *undesirable.*

onbegonnen ⟨bn.⟩ **0.1** *endless* ⇒*hopeless, impossible* ◆ **1.1** het is ~ werk *it's an e. / a hopeless task, it's like looking for a needle in a haystack.*

onbegrensbaar ⟨bn.⟩ **0.1** *illimitable.*

onbegrensd ⟨bn.⟩ **0.1** [onmetelijk, onbeperkt] *unlimited* ⇒*limitless, boundless, infinite* **0.2** [zonder zichtbare grenzen] *unlimited* ⇒*limit-less, boundless, infinite* ◆ **1.1** ~e macht *u. power;* het land v.d. ~e mogelijkheden *the land of u. / boundless opportunities;* een ~ vertrou-wen genieten *enjoy unconditional trust* **5.1** de keuzemogelijkheden zijn bijna ~ *the possibilities are almost endless.*

onbegrepen ⟨bn.⟩ **0.1** *uncomprehended* ⇒*not understood* ◆ **1.1** een ~ genie *an unrecognized/misunderstood genius.*

onbegrijpelijk ⟨bn., bw.; -ly⟩ **0.1** [niet te begrijpen] *incomprehensible, unintelligible* ⇒⟨duister ook⟩ *opaque, obscure* **0.2** [vreemd] *incom-prehensible* ⇒*inexplicable, puzzling* **0.3** [onvoorstelbaar] *incredible* ◆ **1.2** een ~e daad *an incomprehensible/inexplicable act/deed* **3.1** zich ~ uitdrukken *express o.s. unintelligibly* **7.3** ~ veel mensen *an i. num-ber of people, a huge crowd* **8.1** het is ~ dat zoiets kan gebeuren *it is i. that such a thing can happen;* het is voor mij ~ dat ze daarin heeft toe-gestemd *I simply can't imagine that/I'll never understand why she agreed to that.*

onbegrijpelijkheid ⟨de (v.)⟩ **0.1** [het niet-te-begrijpen zijn] *incompre-hensibility* ⇒*unintelligibility, opacity, obscurity* **0.2** [vreemdheid] *in-comprehensibility* ⇒*inexplicability* **0.3** [onvoorstelbaarheid] *incredi-bleness.*

onbegrip ⟨het⟩ **0.1** *incomprehension* ⇒*lack of understanding, ignorance* ◆ **2.1** wederzijds ~ *mutual incomprehension, lack of understanding on both sides* **3.1** die opvatting berust op ~ *that view/conception is born of ignorance/is based on lack of insight;* er bestaat hierover veel ~ *there's a great deal of nonsense said about this, few people (really) understand this;* zo'n opmerking getuigt van ~ *a remark like that is a sign of ignorance;* zijn plannen stuitten op ~ *his plans fell on deaf ears / ran up against a brick wall.*

onbegroeid ⟨bn.⟩ **0.1** *without plants/greenery* ⇒*bare* ◆ **1.1** een ~e gra-nietwand *a bare granite wall, a granite wall without vegetation.*

onbegroot ⟨bn.⟩ **0.1** *not budgeted-for* ⟨alleen na zn.⟩.

onbehaaglijk ⟨bn.⟩ **0.1** [ongemakkelijk] *uncomfortable* ⇒*uneasy, ill at ease* **0.2** [bedenkelijk] *disagreeable* ⇒*unpleasant* ◆ **1.1** een ~ gevoel *an uncomfortable/uneasy feeling;* ze kreeg het ~e gevoel dat ze werd gadegeslagen *she got an uncomfortable/uneasy feeling that she was being watched* **1.2** een ~e positie *an unpleasant position;* ~e toestan-den *d. / unpleasant circumstances* **3.1** zich ~ voelen *feel/be ill at ease/ uneasy.*

onbehaard ⟨bn.⟩ **0.1** *hairless* ⇒*smooth-skinned,* ⟨biol.⟩ *glabrous* ◆ **1.1** de ~e lichaamsdelen *the h. / glabrous parts of the body.*

onbehagen ⟨het⟩ **0.1** *discomfort (about)* ⇒*uneasiness (about)* ◆ **1.1** er heerst een algemeen gevoel van ~ ⟨ook⟩ *there was a general malaise* ¶**.1** uitdrukking geven aan zijn ~ *express one's d. / uneasiness.*

onbehandelbaar ⟨bn.⟩ **0.1** *untreatable.*

onbeheerd ⟨bn.⟩ **0.1** [door niemand beheerd] *abandoned* ⇒*unattended, unowned, ownerless* **0.2** [⟨jur.⟩] *unclaimed* ◆ **1.1** ~ bezit *a. property, property without an apparent owner* **1.2** ~e goederen *unclaimed goods;* een ~e nalatenschap *an u. estate* **3.1** iets ~ achterlaten *aban-don sth., leave sth. unattended;* de truck werd ~ aangetroffen *the truck was found a..*

onbeheerst ⟨bn., bw.; -ly⟩ **0.1** *uncontrolled* ⇒*ungoverned, unrestrained, undisciplined, lacking self-control* ◆ **1.1** ⟨sport⟩ een ~e charge *a vio-lent/dangerous charge;* een ~e kernreactie *an uncontrollable nuclear reaction;* zijn ~e optreden *his unrestrained behaviour* **3.1** zich ~ ge-dragen *behave outrageously;* ⟨sport⟩ ~ spelen *play dangerously/in a dangerous/violent manner.*

onbeholpen ⟨bn., bw.; -ly⟩ **0.1** [mbt. personen] *awkward, clumsy* ⇒*inept, bungling, gauche* **0.2** [mbt. zaken] *awkward* ⇒*unwieldy,* ⟨lomp⟩ *hulk-ing, crude* ◆ **1.1** een ~ mannetje *an inept little man* **3.1** zich ~ uitdruk-ken *express o.s. awkwardly/clumsily* **4.2** ⟨zelfst.⟩ iets ~s hebben *have sth. unwieldy* ¶**.1** zij doet alles even ~ *she does everything so awk-wardly/ineptly, she bungles everything.*

onbeholpenheid ⟨de (v.)⟩ **0.1** [mbt. personen] *clumsiness, awkwardness* ⇒*ineptitude, gaucheness* **0.2** [mbt. zaken] *unwieldiness. awkwardness* ⇒*crudeness.*

onbehoorlijk ⟨bn., bw.⟩ **0.1** [incorrect] *unseemly* ⇒*improper, indecent* **0.2** [mbt. een tijdstip] *unseemly* ⇒*ungodly, indecent* ◆ **1.1** ~ gedrag *u. behaviour, ungentlemanly/unsportsmanlike conduct;* ~e taal *u. / in-decent language* **1.2** het is een ~e tijd om op te bellen *it is an unseem-ly/ungodly hour to call;* op een ~e tijd thuiskomen *come home at an ungodly hour/unduly late* **3.1** hij gedraagt zich ~ *he behaves in an u. manner;* het was nogal ~ van hem om … *it was rather unbecoming/not*

very becoming of him to … **4.1** ⟨zelfst.⟩ iets ~s zeggen *say sth. un-seemly/improper.*

onbehoorlijkheid ⟨de (v.)⟩ **0.1** *impropriety* ⇒*indecency, unseemliness, indecorum.*

onbehouwen

I ⟨bn.⟩ **0.1** [grof, ongemanierd] *coarse* ⇒*crude, boorish,* ⟨nors⟩ *churlish,* ⟨log⟩ *lumbering* **0.2** [lomp van vorm/uiterlijk] *ungainly* ⇒*unwieldy, awkward, bulky* **0.3** [niet behouwen] *unhewn* ⇒*rough hewn, untrimmed* ◆ **1.1** wat een ~ lomperd! *what a (crude) lout (he is)* **1.2** een ~ meubelstuk *an unwieldy/a bulky piece of furniture* **1.3** een ~ blok marmer *an unhewn piece of marble;*

II ⟨bw.⟩ **0.1** [grof] *coarsely* ⇒*crudely, crassly, boorishly* ◆ **3.1** iets ~ zeggen *put sth. crudely.*

onbehuisd ⟨bn.⟩ **0.1** *homeless* ⇒*houseless, without a roof over one's head* ◆ **7.1** ⟨zelfst.⟩ de ~en *the homeless;* ⟨zelfst.⟩ een ~e *a homeless person.*

onbekeerd ⟨bn.⟩ **0.1** [niet bekeerd] *unconverted* ⇒*unrepentent, unregen-erate* **0.2** [mbt. het christendom] *unconverted* ⇒*unrepentent* ◆ **1.1** een ~e zondaar *an unrepentent sinner* **3.2** ~ sterven *die unsaved/outside of grace.*

onbekend ⟨bn.⟩ ⟨→sprw. 464⟩ **0.1** [niet bekend] *unknown* ⇒*unfamiliar* **0.2** [niet bezocht] *unknown* **0.3** [geen naam gemaakt hebbend] *un-known* ⇒*obscure, out-of-the-way* **0.4** [⟨wisk.⟩] *unknown* **0.5** [onwe-tend] *unacquainted (with)* ⇒*ignorant/not aware (of)* ◆ **1.1** met ~e bestemming vertrekken *leave for parts unknown/without a known destination* **1.2** ⟨fig.⟩ dan begeef ik mij op ~ terrein *then I'll be in u. territory/on u. ground/ I'm in terra incognita* **1.3** een ~ merk *an u. brand, an obscure make;* de ~e soldaat *the Unknown Soldier/Warrior* **1.4** een ~e grootheid *an u. quantity* **3.1** de schenker wenst ~ te blijven *the donor wishes to remain anonymous* **3.5** ik ben hier ~ *I'm a stranger here;* zij is hier nog ~ *she still doesn't know her way around here* **4.1** een mij ~e heer *a gentleman unknown to me/ I don't know;* dat is mij ~ *I don't know anything about this, I have no knowledge of this;* hij is mij ~ *I don't know him, he is unknown to me* **5.1** zijn ge-zicht komt me niet ~ voor *I seem to know his face/recognize him, his face rings a bell;* zij is mij volslagen ~ *she is a total stranger to me* **5.5** het zal u niet ~ zijn dat … *you are (no doubt) aware of the fact that …* **6.5** ~ zijn met de feiten/bijzonderheden *be ignorant of the facts/par-ticulars;* ~ zijn met de taal *be u. / unfamiliar with the language* **7.1** ⟨zelfst.⟩ de aantrekkingskracht van het ~e *the attraction of the un-known* **8.5** het was haar ~ of er slachtoffers waren *she did not know whether/she had no knowledge as to whether there had been any casu-alties.*

onbekende

I ⟨de (m.)⟩ **0.1** [persoon] *unknown (person)* ⇒*stranger* ◆ **2.1** de grote ~ *the great u.* **3.1** ~n hebben vannacht een inbraak gepleegd in het stadhuis *unidentified/unknown persons broke into the town hall last night;* hij is voor mij geen ~ *he's no stranger to me, I know him well* ¶**.1** de/een ~ *the/an u.;*

II ⟨de (v.)⟩ **0.1** [⟨wisk.⟩] *unknown* ◆ **7.1** een vergelijking met twee ~n *an equation with two unknowns.*

onbekendheid

I ⟨de (v.)⟩ **0.1** [het niet bekend met iets zijn] *unfamiliarity (with)* ⇒*ignorance (of)* **0.2** [het niet bekend zijn] *obscurity* ◆ **6.1** door ~ met de weg ben ik verdwaald *since I didn't know the way I got lost;* **door** zijn ~ met de problematiek *because of/due to his u. with/ignorance of the problems;*

II ⟨de (m.)⟩ **0.1** [persoon] *unknown.*

onbekleed ⟨bn.⟩ **0.1** [niet bekleed] *uncovered* ⇒*unupholstered, un-clothed* **0.2** [mbt. een ambt] *vacant* ◆ **1.1** onbeklede kabels ⟨gedeel-telijk⟩ *exposed wires;* ⟨helemaal⟩ *stripped/bare wires;* onbeklede stoelen *unupholstered chairs.*

onbeklimbaar ⟨bn.⟩ **0.1** *unclimbable* ⇒*unscalable, inaccessible.*

onbekommerd ⟨bn., bw.⟩ **0.1** *carefree* ⇒*unconcerned, worriless, insou-ciant* ◆ **3.1** ~ leven *lead a c. life.*

onbekommerdheid ⟨de (v.)⟩ **0.1** *unconcern* ⇒*insouciance, freedom from concern/care.*

onbekookt ⟨bn., bw.; -ly⟩ **0.1** *rash* ⇒*ill-considered, wild* ◆ **1.1** een ~ oordeel *a r. opinion;* ~e plannen *wild schemes;* een ~ voorstel *an ill-considered proposal.*

onbekrachtigd ⟨bn.⟩ **0.1** *unconfirmed* ⇒*uncorroborated.*

onbekrompen ⟨bn., bw.; -ly⟩ **0.1** [niet kleingeestig] *liberal* ⇒*liberal-/ broad-/open-minded* **0.2** [royaal, ruim] *liberal* ⇒*generous, open-handed* ◆ **1.1** een ~ denkwijze *a liberal/an open-minded way of thinking* **3.2** ~ leven *not deny o.s. anything, lead a life of luxury.*

onbekrompenheid ⟨de (v.)⟩ **0.1** [ruimheid van denken] *liberality, liberal-ness* ⇒*broad-/large-mindedness* **0.2** [overvloedigheid] *generosity* ⇒*liberality, liberalness, open-handedness.*

onbekwaam ⟨bn.⟩ **0.1** [incapabel] *incompetent* ⇒*incapable, inefficient* **0.2** [⟨jur.⟩] *incompetent, incapable* ⇒*ineligible, disqualified* **0.3** [be-schonken] *drunk and incapable* ⇒*incapacitated* ◆ **1.1** een ~ ambte-naar *an incompetent official* **3.2** iem. ~ verklaren om over zijn vermo-gen te beschikken *declare s.o. incompetent to handle his own affairs*

6.2 ~ **om** getuige te zijn *be incompetent to give evidence/legally unable to testify, be an ineligible witness.*

onbekwaamheid ⟨de (v.)⟩ **0.1** [ongeschiktheid] *incapacity* ⇒*incompetence, inefficiency, incapability* **0.2** [⟨jur.⟩] *incapacity* ⇒*disability, (legal) ineligibility* ◆ **3.1** ~ tonen *show incompetence.*

onbeladen ⟨bn.⟩ **0.1** *unloaded* ⇒*empty, unladen.*

onbelangrijk ⟨bn., bw.; -ly⟩ **0.1** *unimportant* ⇒*insignificant, immaterial, non-essential, inconsequent(ial), inconsiderable* ⟨mate, bedrag⟩ ◆ **3.1** dat vind ik ~ *I don't think that's important/significant/essential;* iets als ~ voorstellen *minimalize/trivialize sth.* **4.1** iets ~s *sth. trivial* **5.1** niet ~ *considerable, substantial, not insignificant;* dat is volkomen ~ *that is totally/completely u..*

onbelangrijkheid ⟨de (v.)⟩ **0.1** *insignificance, unimportance* ⇒*nothingness, triviality, inconsiderableness.*

onbelast ⟨bn., bw.⟩ **0.1** [niet belast] *unburdened, unloaded* ⇒*unencumbered, unattached, free, idle* ⟨motor⟩ **0.2** [vrij van lasten] *tax-free/-exempt* ⇒*untaxed, duty-free* ⟨mbt. invoer⟩, *unencumbered* ⟨mbt. hypotheek⟩ ◆ **1.1** een ~ *tax-free/-exempt profits;* een ~ goed an *unencumbered property* **3.1** de motor ~ laten draaien *let the engine tick over/idle;* als de motor ~ loopt *when the engine is idling.*

onbelastbaar ⟨bn.⟩ **0.1** *tax-free/-exempt* ⇒*free of/exempt from tax, untaxed* ◆ **1.1** onbelastbare bezittingen *tax-exempt/untaxed possessions;* ~ inkomen *tax-free/-exempt income.*

onbeleefd ⟨bn., bw.; -ly⟩ **0.1** *impolite* ⇒*rude, discourteous, uncivil* ◆ **1.1** een ~ antwoord *an i./a rude answer* **3.1** zit niet zo te smakken; dat is ~ *don't smack your lips so; it's rude/bad manners* **6.1** op het ~ af *to the point of rudeness;* ~ zijn *tegen* iem. *be i./rude to s.o..*

onbeleefdheid ⟨de (v.)⟩ **0.1** [gebrek aan beleefdheid] *impoliteness* ⇒ *rudeness, incivility, discourtesy* **0.2** [onbeleefde handeling/uiting] *incivility* ⇒ *(example of) impoliteness/rudeness,* ⟨belediging⟩ *insult* ◆ **3.2** iem. onbeleefdheden toevoegen *be rude to s.o..*

onbelegd ⟨bn.⟩ **0.1** *uninvested* ⇒*idle* ◆ **1.1** ~ geld *u./idle money* **1.¶** ~e broodjes *plain rolls.*

onbelegen ⟨bn.⟩ **0.1** *immature* ⟨drank⟩ ⇒*new, fresh, not matured.*

onbelemmerd ⟨bn., bw.⟩ **0.1** *unobstructed* ⇒*unhampered, unimpeded, unrestricted, free* ◆ **1.1** de ~e doorgang v.e. schip garanderen *guarantee free passage of a ship;* een ~ uitzicht hebben op de stad ⟨ook⟩ *have a clear view of the city* **6.1** ~ door beperkingen ⟨ook⟩ *unchecked* **¶.1** ~ zijn werk kunnen doen *be able to do one's work unhampered.*

onbelezen ⟨bn.⟩ **0.1** *unread* ⇒*illiterate* ◆ **5.1** niet ~ *well-read.*

onbeloond ⟨bn.⟩ **0.1** *unrewarded* ⇒*rewardless.*

onbemand ⟨bn.⟩ **0.1** *unmanned* ⇒⟨vliegtuig ook⟩ *pilotless,* ⟨trein ook⟩ *driverless* ◆ **1.1** ~e kunstmanen *u. satellites;* een nog ~ schip *an (as of yet/a still) u. ship.*

onbemerkt ⟨bn., bw.⟩ **0.1** *unobserved* ⇒*unperceived, unnoticed.*

onbemiddeld ⟨bn.⟩ **0.1** *without means* ⇒*moneyless, impecunious* ◆ **1.1** een ~e vrouw *a woman without means* **5.1** niet ~ zijn *be well off/well-to-do.*

onbemind ⟨bn.⟩ ⟨→ sprw. 464⟩ **0.1** *unloved* ⇒*unpopular* ◆ **3.1** zich ~ maken bij iem. *make o.s. unpopular with s.o..*

onbeminnelijk ⟨bn., bw.; -ly⟩ **0.1** *unamiable* ⇒*unaffable.*

onbenoembaar ⟨bn.⟩ **0.1** [mbt. personen] *ineligible* **0.2** [mbt. zaken] *indescribable.*

onbenoemd ⟨bn.⟩ **0.1** [niet benoemd] *unappointed* ⟨mbt. aanstelling⟩ **0.2** [⟨jur.⟩] *innominate* **0.3** [⟨wisk.⟩] *abstract* ◆ **3.¶** alleen jouw vader is nog ~ *so far none of the children has been named after your father* ⟨ook⟩ *je give s.o. carte blanche.*

onbenul ⟨de (m.)⟩ **0.1** *dimwit* ⇒*featherbrain, nincompoop, idiot* ◆ **1.1** wat een stuk ~! *what a d./featherbrain.*

onbenullig ⟨bn., bw.⟩ **0.1** [dom] *inane* ⇒*stupid, silly, senseless, fatuous* **0.2** [zonder inhoud] *stupid* ⇒*silly, trivial, vacuous, fatuous, insignificant* ◆ **1.1** wat een ~e vent *what a nincompoop* **1.2** een ~ antwoord *a stupid/silly/vacuous answer;* een ~ boek *an insignificant/a fatuous book* **3.1** doe niet zo ~ *you needn't be silly;* kun je dat nog ~ er doen? *how silly can you get?.*

onbenulligheid ⟨de (v.)⟩ **0.1** [domheid] *stupidity, silliness, senselessness, fatuity* **0.2** [geesteloosheid] *inanity* **0.3** [onbenullig(e) zaak/iets] *trifle* ⇒*inanity.*

onbenut ⟨bn.⟩ **0.1** *unused* ⇒*unutilized, idle* ⟨tijd⟩ ◆ **3.1** een kans ~ laten *not make the best/most of one's chances.*

onbeoordeeld ⟨bn.⟩ **0.1** *unjudged* ◆ **3.1** zijn handelwijze wil ik ~ laten *I won't pass judgement on his way of acting.*

onbepaalbaar ⟨bn., bw.; -ly⟩ **0.1** *indeterminable* ⇒*undefinable, indeterminate.*

onbepaald
I ⟨bn.⟩ **0.1** [niet begrensd] *indefinite* ⇒*unlimited* **0.2** [onbeperkt] *unlimited* **0.3** [niet precies vastgesteld] *indefinite* ⇒*uncertain, indeterminate, undetermined* **0.4** [vaag] *vague* ⇒*uncertain, indefinite, indefinable* ◆ **1.1** een benoeming voor ~e tijd *a permanent appointment,* ^a *tenure* **1.2** ~e volmacht verlenen *grant unlimited power of attorney;* ⟨fig.⟩ ¡*give s.o. carte blanche* **1.3** voor ~e tijd vertrekken *leave for an indefinite/indeterminate period of time;* iets voor ~e tijd uitstellen *postpone sth. indefinitely;* ⟨mil.⟩ met ~ verlof *on indefinite leave/furlough* **1.4** een ~ gevoel *an indefinabe feeling;* een dame van ~e leef-

tijd *a woman of uncertain/indeterminate age* **1.¶** ⟨taal.⟩ het ~ lidwoord *the indefinite article;* ⟨taal.⟩ een ~ voornaamwoord *an indefinite pronoun;* ⟨taal.⟩ de ~e wijs *the infinitive (mood);*
II ⟨bw.⟩ **0.1** [zonder een grens te bepalen] *indefinitely* **0.2** [vaag] *vaguely* ⇒*uncertainly, indefinably* ◆ **3.1** iets ~ verlengen *extend sth. indefinitely.*

onbepaaldheid ⟨de (v.)⟩ **0.1** [onbeperktheid] *indefiniteness* ⇒*indeterminateness, indeterminacy* **0.2** [vaagheid] *vagueness* ⇒*indefiniteness* ◆ **¶.¶** ⟨taal.⟩ lidwoord van ~ *indefinite article.*

onbeperkt ⟨bn., bw.; -ly⟩ **0.1** [onbelemmerd] *unrestricted* ⇒*unimpeded, unhindered, unrestrained, unqualified* **0.2** [⟨fig.⟩ onbegrensd] *unlimited* ⇒*unbounded, unrestricted, limitless* ◆ **1.1** een ~ uitzicht *a clear/an unimpeded/unhindered view* **1.2** ~e aansprakelijkheid *unlimited liability;* het aantal mogelijkheden is ~ *the number of possibilities is unlimited;* ⟨ook⟩ *the sky's the limit;* ~ van een regeling gebruik kunnen maken *be able to make unlimited use of a regulation;* ~ vertrouwen *implicit trust;* ~e volmacht *unlimited power of attorney.*

onbeplant ⟨bn.⟩ **0.1** *unplanted* ⇒*bare.*

onbeproefd ⟨bn.⟩ **0.1** [niet geprobeerd] *untried* ⇒*untasted* ⟨eten⟩ **0.2** [niet op de proef gesteld] *untested* ◆ **1.2** zijn ~e trouw *his u. allegiance/loyalty* **3.1** niets/geen middel ~ laten om ... *leave no stone unturned.*

onberaden ⟨bn., bw.; -ly⟩ **0.1** *rash, brash* ⇒*ill-advised/-considered, reckless* ◆ **1.1** een ~ beslissing *a rash decision* **3.1** zich ~ aan iets overgeven *surrender o.s. to sth. recklessly.*

onberecht ⟨bn.⟩ **0.1** [niet berecht] *not (yet) brought to court* ⇒*untried* **0.2** [⟨r.k.⟩ onbediend] *without the last sacraments* ◆ **3.2** ~ sterven *die without having partaken of/had the last sacraments.*

onbereden ⟨bn.⟩ **0.1** [mbt. rijdieren] *unbroken* ⇒*untrained* **0.2** [mbt. wegen] *unfrequented* ⇒*little ridden/frequented, untravelled* ^eled **0.3** [niet v.e. paard voorzien] *unmounted* ⇒*foot* **0.4** [onbedreven in het rijden] *inexperienced* ◆ **1.1** ~ paarden *unbroken horses* **1.2** een ~ weg *an unbeaten track* **1.4** een ~ ruiter *an i. rider;* ⟨AE ook⟩ *a dude.*

onberedeneerbaar ⟨bn.⟩ **0.1** *irrational* ◆ **1.1** een ~ gevoel *an i. feeling.*

onberedeneerd ⟨bn., bw.; -ly⟩ **0.1** *irrational* ⇒*unreasoned, unreasoning* ⟨woede, vreugde e.d.⟩ ◆ **1.1** een ~ angst *an i. fear;* een ~ oordeel *an unreasoned judgement* **3.1** ~ handelen *act without thinking.*

onbereikbaar ⟨bn.⟩ **0.1** [niet te bereiken] *inaccessible* ⇒*unreachable, unapproachable* **0.2** [door geen moeite verkrijgbaar] *unattainable* ⇒*out of/beyond reach, unachievable, unreachable* ◆ **1.1** een onbereikbare rotspunt *an i. peak* **1.2** een ~ ideaal *an unattainable ideal* **3.1** het dorp bleek ~ *the village appeared i./unreachable* **3.2** het onbereikbare najagen *aim for the unattainable, search for the pot of gold at the end of the rainbow* **6.2** dat niveau is **voor** haar ~ *that level is out of reach for her/is beyond her.*

onbereisd ⟨bn.⟩ **0.1** [zonder reiservaring] *untravelled* ^eled **0.2** [niet bezocht] *unfrequented* ⇒*little frequented* ◆ **1.2** ~e streken *u. regions* **3.1** hij is geheel ~ *he is completely u., he has never travelled anywhere.*

onberekenbaar ⟨bn., bw.; -ly⟩ **0.1** [niet berekend kunnende worden] *incalculable* ⇒*unfathomable* **0.2** [vooraf niet te bepalen] *incalculable* ⇒*inestimable* **0.3** [wisselvallig] *unpredictable* ⇒*incalculable, changeable* ◆ **1.1** onberekenbare schade *i. damage* **1.3** ~ gedrag ⟨ook⟩ *irrational behaviour;* een ~ persoon *an u. person* **5.3** hij is volkomen ~ *he is completely u..*

onberekend ⟨bn.⟩ **0.1** [niet bekwaam (voor)] *unequal (to), not up (to)* ⇒*unqualified/disqualified (for)* **0.2** [natuurlijk] *disinterested* ⇒*unselfish* ◆ **1.2** zijn ~e vriendelijkheid *his unselfish friendliness.*

onberijdbaar ⟨bn.⟩ **0.1** *impassable.*

onberijmd ⟨bn.⟩ **0.1** *unrhymed* ⇒*rhymeless* ◆ **1.1** ~e poëzie *u. poetry;* de ~e psalmen *the prose version of the psalms;* ~ verzen *blank verse.*

onberispelijk ⟨bn., bw.; -ly⟩ **0.1** *perfect* ⇒⟨kleding ook⟩ *impeccable,* ⟨zonder fouten⟩ *faultless, flawless, blameless* ⟨leven⟩, *irreproachable* ⟨gedrag⟩, *beyond reproach* ⟨persoon⟩ ◆ **1.1** de afwerking was ~ *the finish was impeccable/flawless/p.;* een brief in ~ Engels *a letter in flawless English;* een ~e vertaling *an impeccable/flawless translation* **3.1** hij gedroeg zich ~ *his behaviour was irreproachable/beyond reproach;* hij is altijd ~ gekleed *he is always impeccably dressed;* zij speelde het muziekstuk ~ *she played the piece perfectly/flawlessly.*

onberispelijkheid ⟨de (v.)⟩ **0.1** *perfection* ⇒*impeccability, faultlessness, flawlessness, blamelessness, irreproachability.*

onberispt ⟨bn.⟩ **0.1** *unreproved* ⇒*uncensured.*

onberoerd ⟨bn., bw.⟩ **0.1** [onaangedaan] *unmoved* ⇒*unaffected, untouched, unperturbed, dry-eyed* **0.2** [niet beroerd] *untouched* ⇒*unstirred, undisturbed* ◆ **1.2** het ~e watervlak *the smooth/undisturbed surface of the water.*

onbeschaafd ⟨bn., bw.⟩ **0.1** [mbt. volkeren] *uncivilized* ⇒⟨pej.⟩ *savage, barbarian* **0.2** [mbt. personen, omgangsvormen] *uncultured* ⇒*unrefined, coarse, uncouth* ⟨niet verfijnd⟩, *ill-bred, rude* ⟨ongemanierd⟩ ◆ **1.1** ~e volkeren ⟨ook⟩ *barbarians, heathens* **1.2** ~e manieren *uncivilized/rude/unpolished manners;* ~e taal *uncivilized/rude/crude/crass language.*

onbeschaafdheid ⟨de (v.)⟩ **0.1** [lompheid] *crudeness* ⇒*rudeness, uncouthness, ill-breeding, bad manners* **0.2** [lompe handeling] *crudity* ⇒ *barbarism, crudeness.*

onbeschaamd ⟨bn.,bw.;-ly⟩ **0.1** *impudent* ⇒*impertinent, insolent, shameless, brazen.*

onbeschaamdheid ⟨de (v.)⟩ **0.1** [schaamteloosheid] *impudence* ⇒*impertinence, insolence, shamelessness, brazenness* **0.2** [onbeschaamde handeling] *impertinence* ⇒*insolence, effrontery* ◆ **3.1** de ~ hebben om have the impertinence / insolence / nerve / ⟨inf.⟩ cheek to **3.2** de ~ zó ver drijven push the impertinence / insolence / effrontery so far.

onbeschadigd ⟨bn.⟩ **0.1** [mbt. zaken] *undamaged* ⇒*intact, unharmed* **0.2** [mbt. personen] *unharmed* ⇒*(safe and) sound, unhurt, unscathed* ◆ **3.1** ~ aankomen arrive undamaged / in sound condition / in one piece.

onbescheiden ⟨bn.,bw.;-ly⟩ **0.1** [niet bescheiden] *immodest* ⇒*arrogant, forward* **0.2** [nieuwsgierig] *indiscreet* ⇒*indelicate, undue* **0.3** [brutaal] *immodest* ⇒*impudent, brash, shameless, bold* ◆ **1.2** aan ~ blikken blootgesteld zijn be exposed to indiscreet looks **3.3** als het niet ~ is if it's not impertinent, if you don't mind my asking / saying so; zo ~ zijn om be so bold to …; zonder ~ te zijn without being immodest / ⟨inf.⟩ blowing my own trumpet.

onbescheidenheid ⟨de (v.)⟩ **0.1** [gebrek aan bescheidenheid] *immodesty* ⇒*arrogance, forwardness* **0.2** [onbescheiden handeling] *indiscretion* ⇒*impropriety* **0.3** [ongepaste uitlating] *indiscretion* ⇒*impertinence, tactlessness.*

onbeschermd ⟨bn.⟩ **0.1** *unprotected* ⇒*unguarded* ⟨ook tandwiel⟩, *naked, unscreened* ◆ **3.1** iem. / iets ~ achterlaten leave s.o. / sth. unprotected.

onbeschoft ⟨bn.,bw.;-ly⟩ **0.1** *rude* ⇒*ill-mannered, boorish,* ⟨brutaal ook⟩ *impudent, insolent* ◆ **1.1** een ~ persoon a r. person, a pig; ⟨ongemanierde man⟩ a boor / churl; an oaf; ~e woorden rude language; ⟨brutaal⟩ impertinences.

onbeschoftheid ⟨de (v.)⟩ **0.1** [grofheid] *rudeness* ⇒*boorishness,* ⟨brutaliteit ook⟩ *insolence, impertinence* **0.2** [onbeschofte daad / uitlating] *rudeness* ⇒*impertinence, effrontery, insolence.*

onbeschreven ⟨bn.⟩ **0.1** *blank* ⇒*virgin* ◆ **1.1** een ~ blad ⟨fig.⟩ *virgin soil, a tabula rasa* **3.1** iets ~ laten leave sth. blank.

onbeschrijfbaar
I ⟨bn.⟩ **0.1** [niet geschikt om erop te schrijven]⟨zie 3.1⟩ ◆ **3.1** dat papier is ~ this paper is not fit for writing on;
II ⟨bn.,bw.;-ly⟩ **0.1** [onbeschrijfelijk] ⟨→**onbeschrijfelijk**⟩.

onbeschrijfelijk ⟨bn.,bw.⟩ **0.1** [niet te beschrijven] *indescribable* ⇒*inexpressible, unutterable, beyond description / words* ⟨pred.⟩, ⟨pej.⟩ *unspeakable* **0.2** [alle beschrijving te boven gaand] *indescribable* ⇒*inexpressible, unutterable, beyond description / words,* ⟨pej.⟩ *unspeakable* ◆ **1.1** een ~e warboel an indescribable / unspeakable mess, a mare's nest **2.2** zij voelde zich ~ gelukkig she felt indescribably happy, she felt too happy for words; ⟨inf.⟩ she was over the moon **3.1** het is ~ it defies / is beyond description.

onbeschroomd ⟨bn.,bw.;-ly⟩ **0.1** *unabashed* ⇒*uninhibited, frank, candid* ⟨spreken⟩ ◆ **3.1** ~ voor de waarheid uitkomen speak (the truth) candidly / frankly, be frank.

onbeschut ⟨bn.⟩ **0.1** *unsheltered* ⇒*unprotected, exposed, open* ⟨tegen wind⟩ ◆ **1.1** ~ te bedrijven ⟨ec.⟩ unsheltered / unprotected firms.

onbeslagen ⟨bn.⟩ **0.1** [zonder hoefijzers] *unshod* **0.2** [zonder aanslag] *not steamed (up)* ⇒*not steamy* **0.3** [niet bemest] *unfertilized* ⇒*unmanured* ◆ **1.2** ~ ruiten clear windows ¶**.1** ⟨fig.⟩ hij kwam ~ ten ijs he hadn't done his homework.

onbeslapen ⟨bn.⟩ **0.1** *unslept (in).*

onbeslecht ⟨bn.⟩ **0.1** *undecided* ⇒*unsettled, open,* ⟨jur. ook⟩ *pending* ◆ **1.1** een ~ geding a pending lawsuit **3.1** iets ~ laten leave sth. undetermined / (in the) open / in the air.

onbeslist ⟨bn.⟩ **0.1** *undecided* ⇒*unresolved, unsettled, uncertain* ◆ **3.1** de wedstrijd eindigde ~ the match was left undecided / ended in a draw; die kwestie is nog ~ that matter is still in abeyance; nog ~ zijn hang / be in the balance.

onbesmet ⟨bn.⟩ **0.1** [onbezoedeld] *untainted* ⇒*unstained, unsullied,* ⟨vero.⟩ *untarnished, unblemished* **0.2** [niet door smetstof aangetast] *uninfected* ⇒*uncontaminated* ⟨met gif/radioactiviteit⟩ ◆ **3.1** zijn naam ~ houden keep one's name untarnished.

onbesneden ⟨bn.⟩ **0.1** ⟨bijb.⟩ *uncircumcised* **0.2** [niet besneden] *uncircumcised.*

onbespeelbaar ⟨bn.⟩ **0.1** *unplayable* ⇒⟨sportveld ook⟩ *not fit / unfit for play.*

onbespied ⟨bn.,bw.⟩ **0.1** *unobserved* ⇒*unwatched, unespied,* ⟨fig. ook⟩ *private* ⟨ogenblik⟩.

onbespoten ⟨bn.⟩ **0.1** *unsprayed* ◆ **1.1** ~ groente en fruit u. fruit and vegetables.

onbespraakt ⟨bn.⟩ **0.1** *inarticulate* ◆ **5.1** zij is lang niet ~ she's far from i..

onbesproken ⟨bn.⟩ **0.1** [onberispelijk] *irreproachable* ⇒*blameless, unblemished, unimpeachable, beyond / above reproach* **0.2** [niet behandeld] *undiscussed* **0.3** [niet gereserveerd] *unbooked* ⇒*not booked / reserved, free* ◆ **1.1** van ~ gedrag of i. / blameless / unimpeachable conduct **3.2** zo'n schandaal zal niet ~ blijven such a scandal will not go by unnoticed / is sure to set tongues wagging; iets ~ laten pass over sth., pass sth. by, leave sth. undiscussed, not touch upon sth..

onbestaanbaar ⟨bn.⟩ **0.1** [imaginair] *impossible* ⇒*theoretical,* ⟨wisk.⟩ *imaginary* **0.2** [⟨jur.⟩]⟨in rechte niet kunnen gelden⟩ *legally impossible, contrary to law, not permissible;* ⟨onverenigbaar⟩ *incompatible* **0.3** [strijdig] *incompatible (with)* ⇒*inconsistent (with), abhorrent (to)* ◆ **1.1** onbestaanbare verbindingen ⟨schei.⟩ *non-existent compounds* **6.2** ~ met zichzelf self-contradictory.

onbestaanbaarheid ⟨de (v.)⟩ **0.1** [onmogelijkheid] *impossibility* **0.2** [⟨jur.⟩] *(legal) impossibility; incompatibility* **0.3** [onverenigbaarheid (met)] *incompatibility (with)* ⇒*inconsistency, inconsistence (with).*

onbesteed ⟨bn.⟩ **0.1** *unspent* ◆ **3.1** onze tijd is niet ~ gebleven our time has not been wasted.

onbestelbaar ⟨bn.⟩ **0.1** *undeliverable* ⇒*dead* ◆ **1.1** een onbestelbare brief a dead letter; ⟨AE; inf.⟩ a nix(ie / y) **8.1** indien ~ gelieve terug te zenden aan if undeliverable / in case of non-delivery please return to.

onbestemd ⟨bn.⟩ **0.1** *vague* ⇒*indefinable, indeterminable, nameless* ◆ **1.1** ~e angsten v. / nameless fears; een ~ gevoel an indefinable feeling; een ~ verlangen a v. / an indefinable desire.

onbestendig ⟨bn.⟩ **0.1** [wisselvallig] *unsettled* ⇒*variable, unstable, unsteady,* ⟨niet duurzaam⟩ *inconstant* **0.2** [wispelturig] *inconstant* ⇒*unsteady, fickle, capricious* ◆ **1.1** het ~ geluk transitory / brittle happiness, fickle fortune; de ~e politieke situatie the unstable political situation; het weer is ~ the weather is changeable / variable **1.2** een ~ humeur a fickle temper.

onbestendigheid ⟨de (v.)⟩ **0.1** [wisselvalligheid] *instability* ⇒*variability, inconstancy* **0.2** [wispelturigheid] *inconstancy* ⇒*fickleness, capriciousness* ◆ **1.1** de ~v.h. lot the vicissitudes of fortune.

onbestorven ⟨bn.⟩ **0.1** [mbt. vlees] *(too) fresh* **0.2** [nog niet hard genoeg] *fresh* ◆ **1.1** dat vlees is nog ~ that meat is too f. yet **1.**¶ een ~ weduwe / weduwnaar a grass widow / widower.

onbestraat ⟨bn.⟩ **0.1** *unpaved.*

onbestreden ⟨bn.⟩ **0.1** *undisputed* ⇒*unchallenged, uncontested, unopposed.*

onbestuurbaar ⟨bn.⟩ **0.1** [mbt. voertuigen] *uncontrollable* ⇒*out of control, unmanageable* ⟨ook paard / schip⟩ **0.2** [niet te beheren] *ungovernable* ◆ **1.1** een onbestuurbare auto a runaway car **3.1** het schip dreef ~ rond the ship was adrift; de auto werd ~ the car got out of control.

onbesuisd ⟨bn.,bw.;-ly⟩ **0.1** *rash* ⇒*precipitate, headfirst, impetuous, helter-skelter* ◆ **1.1** ~e drift hotheaded passion; een ~ mens a rash person, a harum-scarum; ~e plannen hare-brained schemes **3.1** ~ handelen act rashly / precipitately / impetuously, run amok / amuck, take a headlong course; ~ een val inlopen run pell-mell / headfirst into a trap.

onbesuisdheid ⟨de (v.)⟩ **0.1** [onstuimigheid] *rashness* ⇒*precipitation, impetuosity* **0.2** [onbesuisde handeling / uitlating] *rash action* ⇒*impetuous action / statement, headlong course, impetuosity.*

onbetaalbaar ⟨bn.⟩ **0.1** [niet op te brengen] *unpayable* ⇒*unaffordable* **0.2** [onschatbaar] *priceless* ⇒*above / beyond / without price* **0.3** [kostelijk] *priceless* ⇒*hilarious, side-splitting* ◆ **1.2** een onbetaalbare dienst an invaluable service, a service that cannot be repaid **1.3** een onbetaalbare grap a hilarious joke, a riot, a scream **2.1** ~ hoge prijzen prohibitive prices **3.1** het leven is ~ geworden the cost of living has rocketed sky-high **5.1** die vakantie was haast ~ that holiday cost the earth.

onbetaald ⟨bn.⟩ **0.1** *unpaid (for)* ⇒⟨rekeningen / bedragen ook⟩ *outstanding, unsettled, open,* ⟨schuld ook⟩ *undischarged* ◆ **1.1** ~e arbeid unpaid work; ⟨vrijwilligerswerk⟩ voluntary work; ~e rekeningen ⟨ook⟩ accounts owing; ~ verlof leave without pay.

onbetamelijk ⟨bn.,bw.;-ly⟩ **0.1** *improper* ⇒*indecorous, unbecoming, unseemly* ◆ **1.1** een ~e daad an impropriety, a misdeed; het is ~ it's beyond / outside the pale **5.1** hij vraagt ~ veel voor dat paard he's asking an inordinate / exorbitant price for that horse.

onbetamelijkheid ⟨de (v.)⟩ **0.1** [ongepastheid] *impropriety* ⇒*indecorousness, unseemliness, solecism* **0.2** [ongepaste handeling / uitlating] *impropriety* ⇒*solecism* ◆ **3.1** de ~ hebben om have the indecency to.

onbetekenend ⟨bn.⟩ **0.1** *insignificant* ⇒*immaterial, inconsequential, trivial, petty* ◆ **1.1** een ~ bedrag a petty / paltry sum, a (mere) trifle; a negligible sum ⟨te verwaarlozen⟩; ~e mensen nonentities, nobodies, people of no importance / consequence; een ~ politicus a peanut politician; een ~ schrijver an undistinguished / a sixpenny author **5.1** niet ~ not inconsiderable.

onbeteugeld ⟨bn.⟩ **0.1** *unbridled* ⇒*unchecked, uncontrolled, uncurbed, unrestrained.*

onbetreden ⟨bn.⟩ **0.1** *untrod(den).*

onbetrouwbaar ⟨bn.⟩ **0.1** *unreliable* ⇒⟨persoon ook⟩ *untrustworthy, shady, shifty, dubious* ⟨malafide⟩ ◆ **1.1** een ~ geheugen an unreliable / a shaky memory; het ijs is nog ~ the ice isn't safe yet / is still treacherous; een ~ persoon a shady / shifty character, a fly-by-night; ⟨waar niet op gerekend kan worden⟩ a broken reed; een onbetrouwbare vriend a fair-weather / faithless / false friend.

onbetrouwbaarheid ⟨de (v.)⟩ **0.1** [feit dat / mate waarin iem. / iets onbetrouwbaar is] *unreliability* ⇒*undependableness,* ⟨persoon ook⟩ *untrustworthiness* **0.2** [⟨stat.⟩] *unreliability.*

onbetrouwbaarheidsdrempel ⟨de (m.)⟩ ⟨statistiek⟩ **0.1** *significance level.*

onbetuigd 〈bn.〉 ◆ ¶.¶ zich niet ~ laten *keep one's end up, put up a good show/fight*; 〈aan tafel〉 *do one's meal justice.*

onbetwijfelbaar 〈bn.,bw.;-ly〉 **0.1** *unquestionable* ⇒*indubitable, indisputable*, 〈bw. ook〉 *doubtless*, 〈predicatief ook〉 *beyond question/doubt.*

onbetwist 〈bn.〉 **0.1** *undisputed* ⇒*uncontested, unchallenged, unquestioned* ◆ **1.1** de ~e kampioen *the unrivalled champion* **3.1** zijn positie is niet ~ gebleven *his position has not remained undisputed/unchallenged/unquestioned.*

onbetwistbaar 〈bn.,bw.;-ly〉 **0.1** [niet te betwisten] *indisputable* ⇒*incontestable, undeniable, irrefutable, unquestionable* **0.2** [niet met recht te bestrijden] *incontestable* ⇒*irrefutable, incontrovertible* ◆ **1.2** dit huis is zijn ~ eigendom *this house is his incontestable/indisputable property* **2.1** het is ~ zeker *it is unquestionably/absolutely certain, it is beyond question/a 〈shadow of a〉 doubt* **2.2** deze stukken zijn ~ wettig *these documents are indisputably/incontestably lawful.*

onbevaarbaar 〈bn.〉 **0.1** *unnavigable.*

onbevaarbaarheid 〈de 〈v.〉〉 **0.1** *unnavigability.*

onbevallig 〈bn.,bw.;-ly〉 **0.1** *ungraceful* ⇒*graceless, inelegant, ungainly* ◆ **3.1** er niet ~ uitzien *have a certain charm.*

onbevangen 〈bn.,bw.;-ly〉 **0.1** [onbeschroomd] *uninhibited* ⇒*unrestrained*, 〈spreken ook〉 *frank, candid* **0.2** [onbevooroordeeld] *open(-minded)* ⇒*unprejudiced, unbiassed, detached* ◆ **3.2** iets ~ benaderen *approach sth. with an open mind*; ~ zijn oordeel zeggen *speak one's mind candidly/frankly.*

onbevangenheid 〈de 〈v.〉〉 **0.1** [onbeschroomdheid] *lack of inhibition* ⇒ 〈spreken ook〉 *frankness, candour* **0.2** [onbevooroordeeldheid] *open(-minded)ness* ⇒*detachment* ◆ **2.1** met grote ~ iets vertellen *tell sth. openly/frankly/candidly.*

onbevaren 〈bn.〉 **0.1** [niet bevaren] *unnavigated* **0.2** [ongeoefend] *fresh* ⇒*inexperienced, green* ◆ **1.2** nog ~ matrozen *f. sailors, lubbers.*

onbevattelijk
I 〈bn.〉 **0.1** [ondoorgrondelijk] *incomprehensible* ⇒*unfathomable, impenetrable, deep* **0.2** [traag van begrip] *uncomprehending* ⇒*obtuse, dense, thick-skulled* **0.3** [onbegrijpelijk] *incomprehensible* ⇒*unintelligible, baffling, above/over one's head* 〈alleen pred.〉;
II 〈bw.〉 **0.1** [onbegrijpelijk] *incomprehensibly, unintelligibly* ◆ **2.1** ~ groot *incredibly/staggeringly huge, more huge/bigger than one could 〈ever〉 imagine* **3.1** zich ~ uitdrukken *speak unintelligibly.*

onbeveiligd 〈bn.〉 **0.1** *unprotected* ⇒*not safeguarded* ◆ **1.1** een ~e overweg *an u.* [B]level/[A]grade crossing.

onbevestigd 〈bn.〉 **0.1** *unconfirmed* ⇒*unsupported, unsubstantiated.*

onbevlekt 〈bn.〉 **0.1** *immaculate* ⇒*unsullied*, 〈vero.〉 *unblemished, untarnished* ◆ **1.1** 〈r.k.〉 de ~e ontvangenis van Maria *The I. Conception (of the Virgin Mary).*

onbevoegd 〈bn.〉 **0.1** *unauthorized* ⇒*unqualified* 〈ook zonder diploma〉, 〈jur.〉 *incompetent* ◆ **1.1** hij is ~ om de geneeskunde uit te oefenen *he is not qualified to practice medecine*; ~ verklaren *disqualify*; zich ~ verklaren *declare o.s. incompetent* **6.1** ~ tot iets *unqualified/incompetent/unauthorized to do sth.* ¶.1 het ~ voeren v.d. titel drs. *illegal/unauthorized use of the title drs..*

onbevoegde 〈de 〈m.〉〉 **0.1** *unauthorized person* ⇒*unqualified person* 〈ook zonder diploma〉, 〈jur.〉 *incompetent (person)* ◆ ¶.1 geen toegang voor ~n *unauthorized persons are not admitted, no trespassing*; als dit in handen komt van ~ *if this finds its way/falls into unauthorized hands.*

onbevoegdverklaring 〈de 〈v.〉〉 **0.1** *declaration (by a court) that it has no jurisdiction.*

onbevolkt 〈bn.〉 **0.1** *unpopulated* ⇒*unpeopled.*

onbevooroordeeld 〈bn.,bw.〉 **0.1** *unprejudiced* ⇒*unbiassed, open-/fair-minded, impartial, detached* ◆ **3.1** niemand is geheel ~ *no one is altogether free from/without prejudice/bias*; ~ staan tegenover *have an open mind on.*

onbevooroordeeldheid 〈de 〈v.〉〉 **0.1** *open-mindedness* ⇒*freedom from prejudice/bias, impartiality, detachment.*

onbevredigd 〈bn.〉 **0.1** *unsatisfied* ⇒*unappeased, insatiate, unfulfilled* 〈wens〉 ◆ **3.1** iets ~ laten *leave sth. unsatisfied.*

onbevredigend 〈bn.〉 **0.1** *unsatisfactory* ⇒*disappointing* ◆ **1.1** een ~ excuus *a lame excuse.*

onbevreesd 〈bn.,bw.〉 **0.1** *unafraid* ⇒*fearless, dauntless, unflinching* ◆ **3.1** ~ optreden *act without fear*; ~ zijn mening zeggen *speak one's mind without fear.*

onbevrucht 〈bn.〉 **0.1** *unfertilized* ◆ **1.1** ~e eitjes *u. eggs* 〈med., eicellen〉 *ovules.*

onbewaakt 〈bn.〉 **0.1** *unguarded* ⇒*unattended, unwatched* ◆ **1.1** in een ~ ogenblik *in an unguarded/unthinking/rash moment*; een ~e overweg *an unguarded/unattended level crossing* **3.1** hij liet zijn vrachtwagen ~ achter *he left his* [B]lorry/[A]truck *unattended.*

onbeweegbaar 〈bn.〉 **0.1** *immovable* ⇒*immobile.*

onbeweeglijk 〈bn.,bw.;-ly〉 **0.1** [roerloos] *motionless* ⇒*still, immobile* **0.2** [onwrikbaar] *immovable* ⇒*immobile, fixed, stuck* **0.3** 〈(fig.) onverzettelijk〉 *immovable* ⇒*unyielding, inflexible, adamant* ◆ **1.1** een ~e blik *a fixed gaze* **3.1** ~ blijven staan *stand perfectly still, not move a muscle* **3.2** ~ maken *immobilize.*

onbeweeglijkheid 〈de 〈v.〉〉 **0.1** [roerloosheid] *immobility* ⇒*motionlessness, stillness* **0.2** [onaangedaanheid] *immovability* ⇒*impassiveness.*

onbewerkt 〈bn.〉 **0.1** [niet bewerkt] *unprocessed* ⇒*raw*, 〈leer, vlas e.d. ook〉 *undressed, rough* 〈(edel)steen〉 **0.2** [niet versierd] *unworked* ⇒*unwrought, unornamented, plain* ◆ **1.1** ~e grondstoffen *raw materials*; ~ hout *unprocessed/raw/undressed wood*; nog in ~e toestand verkeren *still be in a raw/unprocessed/unmanufactured state.*

onbewezen 〈bn.〉 **0.1** *unproved, unproven* ⇒*proofless, unsupported, unverified, unsubstantiated* ◆ **3.1** dat is nog geheel ~ *that has yet to be proved.*

onbewijsbaar 〈bn.〉 **0.1** *unprovable* ⇒ 〈theorie ook〉 *indemonstrable.*

onbewimpeld 〈bn.〉 **0.1** *forthright* ⇒*frank, candid, outspoken, straight (from the shoulder)* ◆ **3.1** ~ voor de waarheid uitkomen *speak the truth frankly/candidly, call a spade a spade.*

onbewogen 〈bn.,bw.〉 **0.1** [roerloos] *immobile* ⇒*motionless, still* **0.2** [onaangedaan] *unmoved* ⇒*immovable, impassive, unaffected, unruffled, dry-eyed* ◆ **1.2** een ~ gelaat *a stony/poker face*; een ~ gemoed *a heart of stone.*

onbewolkt 〈bn.〉 **0.1** *cloudless* ⇒*clear, unclouded.*

onbewoonbaar 〈bn.〉 **0.1** *uninhabitable* ⇒*untenantable, untenable, unfit for habitation* ◆ **3.1** een huis ~ verklaren *condemn a house, declare a house not fit to live in.*

onbewoonbaarheidsverklaring 〈de 〈v.〉〉 **0.1** *condemnation order.*

onbewoonbaarverklaring 〈de 〈v.〉〉 **0.1** *declaration of unfitness for human habitation* ⇒ ↓*condemned (housing) order.*

onbewoond 〈bn.〉 **0.1** [mbt. land/streek] *uninhabited* ⇒*unpopulated, unpeopled, unsettled* **0.2** [mbt. woning] *uninhabited* ⇒*empty, vacant, unoccupied, untenanted* ◆ **1.1** een ~ eiland *a desert island* **3.2** de tweede verdieping was ~ *the second floor was vacant.*

onbewust
I 〈bn.,bw.;-ly〉 **0.1** [niet wetend] *unconscious (of)* ⇒*unaware (of), oblivious (of/to)* **0.2** [onwillekeurig] *unconscious* ⇒*unwitting, unintentional* ◆ ¶.2 ~ iets bewerkstelligen *bring sth. about unconsciously/unwittingly/unintentionally*;
II 〈bn.〉 **0.1** [instinctief] *subconscious* ◆ **1.1** ~e aandrang *a s. urge.*

onbewuste 〈het〉 **0.1** *unconscious.*

onbewustheid 〈de 〈v.〉〉 **0.1** *unconsciousness* ⇒*obliviousness, oblivion.*

onbezaaid 〈bn.〉 **0.1** *unsown* ◆ **3.1** een akker ~ laten *leave a field u..*

onbezet 〈bn.〉 **0.1** [niet bezet] *unoccupied* ⇒*vacant, empty, free* 〈ook mensen〉, *disengaged* 〈mensen〉 **0.2** [vacant] *vacant* ⇒*unfilled* **0.3** [niet onder een bezetting staand] *unoccupied* ⇒*ungarrisoned* ◆ **1.1** een ~te stoel *an u.* / *empty* / *a vacant* / *free chair* **1.3** het ~te gebied *unoccupied territory* **3.1** geen plaats in het gebouw was ~ *not a seat in the building was vacant, the building was packed, the building was full up to the last seat* **3.2** ~ blijven 〈schr.〉 *be left in abeyance*; deze functie is nog ~ *this vacancy is still unfilled/open, this office is still v..*

onbezield 〈bn.〉 **0.1** [zonder bezieling] *uninspired* ⇒*spiritless, unanimated, dull* **0.2** [levenloos] *inanimate* ⇒*lifeless* **0.3** [mbt. de ogen] *lacklustre* ⇒*dull* ◆ **1.1** wat een ~e taal *what spiritless/uninspired language* **1.2** ik ben geen ~ stuk hout *I'm not made of wood/stone.*

onbezien 〈bn.〉 **0.1** *unseen* ⇒ 〈als een gok〉 *on spec* ◆ **3.1** hij heeft die dingen ~ gekocht *he bought those things on description*; hij heeft die aandelen ~ gekocht *he bought those shares on spec.*

onbezoedeld 〈bn.〉 **0.1** *unstained, untainted, untarnished* ⇒*unblemished, undefiled*, 〈fig.〉 *unbesmirched*, 〈enkel lett.〉 *unstriked, unpolluted*, 〈rel.;lit.〉 *unsullied* ◆ **1.1** een ~e naam *an untarnished/unblemished/untainted/unstained reputation, a good name* **3.1** ~ door het leven gaan *live/lead an impeccable/irreproachable life; live/lead a pure life* 〈ook iron.〉.

onbezoldigd 〈bn.〉 **0.1** [mbt. personen] *unpaid* ⇒*unsalaried*, 〈ere-〉 *honorary*, 〈vrijwillig〉 *voluntary* **0.2** [mbt. functies] *unpaid* ⇒*unsalaried*, 〈ere-〉 *honorary*, 〈vrijwillig〉 *voluntary* ◆ **1.1** ~ rijksveldwachter ≠[B]*a special constable*; ~ secretaris *honorary secretary*; een ~ toezichthouder *an honorary inspector* **1.2** een ~ ambt *an honorary post.*

onbezonnen 〈bn.,bw.;-ly〉 **0.1** *unthinking, rash, hasty* ⇒*thoughtless, impetuous*, [↑]*precipitate* ◆ **1.1** een ~ daad *a r./thoughtless/an impetuous action*; een ~ ijver *blind/wild enthusiasm*; dat heb ik op een ~ ogenblik gezegd *I said that in an unguarded/a r. moment*; een ~ voorstel *a r./foolhardy/mad proposal* ¶.1 ~ te werk gaan *go about sth. rashly/without reflection/without thought.*

onbezonnenheid 〈de 〈v.〉〉 **0.1** [onbedachtzaamheid] *rashness, hastiness, thoughtlessness* ⇒*impetuosity, unthinkingness, folly* **0.2** [onbezonnen handeling] *foolishness* ⇒ 〈schr.;ook mv.〉 *folly* ◆ **2.1** jeugdige ~ *youthful folly/impetuosity.*

onbezorgd
I 〈bn.,bw.〉 **0.1** [zorgeloos] *carefree* ⇒*happy-go-lucky, easy-going*, 〈onbekommerd〉 *unconcerned* ◆ **1.1** een ~e oude dag *a c. old age, an Indian summer*; een ~ leventje leiden *lead a happy-go-lucky life* **3.1** ~ genieten *enjoy o.s. without care/worry (in the world)*;
II 〈bn.〉 **0.1** [onbesteld] *undelivered* **0.2** [onverzorgd] *unprovided for.*

onbezorgdheid 〈de 〈v.〉〉 **0.1** *freedom from care* ⇒ 〈onbekommerdheid〉 *unconcern.*

onbezwaard 〈bn.〉 **0.1** [door geen bezwaren weerhouden] *without scru-*

ples 0.2 [onbezorgd] *unburdened* ⇒*clear* **0.3** [vrij van schulden] *unencumbered* ⇒*unburdened, clear,* ⟨zonder hypotheek⟩ *unmortgaged* ◆ **1.2** een ~ geweten *an u. / a clear / an easy conscience* **1.3** ~ e goederen *unencumbered / unburdened / unmortgaged goods* **2.2** vrij en ~ *free and clear / unencumbered / unburdened, footloose and fancy-free* **3.1** zich ~ voelen *feel no scruples*.

onbezweken ⟨bn.⟩ **0.1** *unyielding* ⇒*unfailing, unbending, unshaken* ⟨geloof⟩, ⟨vast⟩ *staunch* ◆ **1.1** hun ~ moed en trouw *their unflinching courage and unfailing loyalty*.

onbijbels ⟨bn.⟩ **0.1** *unbiblical* ⇒*unscriptural*.

onbillijk ⟨bn., bw.⟩ **0.1** [onredelijk] *unfair* ⇒*unreasonable* **0.2** [ongerechtvaardigd] ⟨onrechtvaardig⟩ *unfair, unjust, inequitable;* ⟨ongegrond⟩ *unjustified, unfounded, without (any) ground* ◆ **1.1** ~ e eisen *unfair / unreasonable /* ↑ *inordinate demands* **3.1** men heeft hem heel ~ behandeld *he has been treated very unfairly / unjustly / inequitably, he has been grossly wronged* **5.1** ik vind dit hoogst ~ *I think this is grossly / highly unfair*.

onbillijkheid ⟨de (v.)⟩ **0.1** [onredelijkheid] *unfairness* ⇒*unreasonableness* **0.2** [onbillijke behandeling] *unfairness* ⇒*injustice, inequity* ◆ **3.1** men zou de ~ hebben u te beschuldigen? *would they be so unreasonable as to accuse you?*

onblusbaar ⟨bn.⟩ **0.1** [niet te blussen] *inextinguishable* ⇒*unquenchable* **0.2** [niet te stillen] *unquenchable* ⇒*inextinguishable,* ⟨dicht.⟩ *quenchless* ◆ **1.2** onblusbare haat *u. / quenchless hate;* een ~ verlangen *an u. / inextinguishable / a quenchless passion*.

onbrandbaar ⟨bn.⟩ **0.1** *incombustible, non(in)flammable* ⇒ ↓*nonflam, fireproof*.

onbrandbaarheid ⟨de (v.)⟩ **0.1** *incombustibility* ⇒*fireproofness*.

onbreekbaar ⟨bn.⟩ **0.1** [niet breekbaar] *unbreakable* ⇒⟨licht ook⟩ *irrefrangible* **0.2** [onverbreekbaar] *unbreakable* ⇒⟨regel / wet ook⟩ *irrefragable, irrefrangible* ◆ **1.1** ~ glas *u. / shatterproof glass* **1.2** de onbreekbare banden v.h. huwelijk *the u. bonds of marriage*.

onbruik ⟨het⟩ **0.1** *disuse* ⇒⟨schr.⟩ *desuetude, abeyance* ◆ **6.1** in ~ raken *fall / pass into disuse, drop / go / pass out of use, go out of date; fall in(to) abeyance* ⟨gewoonte, recht⟩; dat woord is **in** ~ geraakt *this word has become obsolete / is no longer current*.

onbruikbaar ⟨bn.⟩ **0.1** *unusable* ⇒*useless, (of) no use, impracticable* ⟨methode, materiaal, weg enz.⟩, ⟨geen dienst kunnende doen⟩ *unserviceable,* ⟨onuitvoerbaar⟩ *unworkable* ◆ **3.1** ~ maken ⟨machine⟩ *render unserviceable, put out of action / order;* ⟨cheque, bankbiljet⟩ *cancel;* ⟨methode⟩ *render useless; render unfit for use* ⟨consumptiewaren⟩; ⟨saboteren⟩ *lame, spike, cripple;* die machines zijn ~ *those machines are inserviceable* ⟨versleten⟩; *those machines are useless / (of) no use / impracticable / unusable* ⟨niet geschikt voor de taak⟩; *those machines are unusable /* ⟨verouderd⟩ *obsolete*.

onbruikbaarheid ⟨de (v.)⟩ **0.1** *uselessness* ⇒⟨mensen ook⟩ *unserviceableness, unemployability,* ⟨methode / materiaal / weg enz. ook⟩ *impracticability*.

onbuigbaar ⟨bn., bw.; -ly⟩ **0.1** [niet buigbaar] *inflexible* ⇒*unbendable, inelastic, unpliable, rigid* **0.2** [koppig] *inflexible* ⇒*unbending, unyielding, steadfast, intractable, uncompromising* **0.3** [mbt. recht / wetten] *inflexible* ⇒*rigid, cast-iron, inexorable, strict* ◆ **1.2** een onbuigbare aard *an inflexible / unbending / uncompromising nature;* ⟨pej.⟩ *a stubborn / headstrong nature* **3.1** ijzer en glas zijn in koude toestand ~ *iron and glass are inflexible / unbendable when cold*.

onbuigzaam ⟨bn.⟩ **0.1** [niet buigzaam] *inflexible* ⇒*unbendable, unpliant, inelastic, rigid* **0.2** [koppig] *inflexible* ⇒*steadfast, unyielding, uncompromising, unbending, intractable,* ⟨vnl. pej.⟩ *obstinate, stubborn* ◆ **1.2** ~ smeedijzer *inflexible / unbendable cast-iron* **1.2** een kind *a headstrong / an ungovernable / intractable / a refractory child*.

onchristelijk ⟨bn., bw.⟩ **0.1** [niet christelijk] *unchristian* **0.2** [in strijd met de christelijke geest] *unchristian* **0.3** [onfatsoenlijk] *unchristian* ⇒*ungodly, unholy, outrageous, indecent* ◆ **1.3** op een ~ uur *at an ungodly / unholy / untimely hour* **3.2** hij heeft daarin zeer ~ gehandeld *that was quite u. of him*.

oncogeen ⟨bn.⟩ **0.1** *oncogenic* ⇒*oncogenous*.

oncollegiaal ⟨bn., bw.; -ly⟩ **0.1** *disloyal (to(wards) one's colleagues)* ◆ **1.1** ~ gedrag *disloyal behaviour (towards one's colleagues)*.

oncologie ⟨de (v.)⟩ **0.1** *oncology*.

oncoloog ⟨de (m.)⟩, **-loge** ⟨de (v.)⟩ ⟨med.⟩ **0.1** *oncologist*.

oncomfortabel ⟨bn.⟩ **0.1** *uncomfortable*.

oncontroleerbaar ⟨bn.⟩ **0.1** *unverifiable*.

onconventioneel ⟨bn., bw.; -ly⟩ **0.1** *unconventional* ⇒*unorthodox,* ⟨bn. ook⟩ *bohemian*.

ondank ⟨de (m.)⟩ ⟨→sprw. 465⟩ **0.1** *ingratitude* ⇒*ungratefulness* ◆ **3.1** iem. met ~ lonen / vergelden *reward s.o. with i., bite the hand that feeds one, repay kindness with i.; slechts* ~ oogsten / ontvangen *get / receive little thanks*.

ondankbaar ⟨bn., bw.⟩ **0.1** [zonder dank te tonen] *ungrateful* ⇒*unthankful, ungracious* **0.2** [de moeite niet lonend] *ungrateful* ⇒*unthankful, thankless* ◆ **1.2** een ondankbare taak *an ungrateful / unthankful / ungracious / unrewarding task*.

ondankbaarheid ⟨de (v.)⟩ **0.1** [gebrek aan erkentelijkheid] *ingratitude* ⇒*ungratefulness* **0.2** [blijk van ondank] *token of ingratitude*.

---

ondanks ⟨vz.⟩ **0.1** [niettegenstaande] *in spite of* ⇒*contrary to,* ↑*despite,* ↑*notwithstanding,* ⟨mbt. tegenstand ook⟩ *in the face / teeth of* **0.2** [tegen de wil van] *in spite of* ◆ **1.1** ~ haar inspanningen lukte het niet *for all that she tried hard, she didn't succeed;* ~ al zijn brutaliteit zal hij verliezen *for all his cheek he'll lose;* een lief meisje, ~ haar gebreken *a nice girl, with / in spite of all her faults;* hij is een lafaard ~ al zijn praatjes *he's a coward, all his big talk to the contrary;* ~ het verbod gingen zij uit *in spite of / contrary to / despite / in the face / teeth of the prohibition they went out, the prohibition notwithstanding they went out* **4.1** zijns ~ *in spite of himself*.

ondeelbaar **I** ⟨bn.⟩ **0.1** [niet deelbaar] *indivisible* **0.2** [zeer klein] *infinitesimal* ⇒*minute, minuscule* ◆ **1.1** een ~ getal *a prime number, a prime* **1.2** een ~ ogenblik *a fraction of a second, a split second;* **II** ⟨bw.⟩ **0.1** [zeer klein] *infinitesimally* ⇒*minutely* ◆ **2.1** ~ klein *i. small, infinitesimal*.

ondeelbaarheid ⟨de (v.)⟩ **0.1** *indivisibility* ⇒⟨mbt. getal ook⟩ *primeness*.

ondefinieerbaar ⟨bn.⟩ **0.1** *indefinable* ⇒*vague, nameless, intangible* ◆ **1.1** een ~ verlangen *an indefinable / a vague / an intangible longing* ¶ **.1** iets ~ s *sth. indefinable / intangible, a / that certain sth., an intangible*.

ondegelijk ⟨bn., bw.; -ly⟩ **0.1** [mbt. zaken] *unsubstantial* ⇒*flimsy, airy,* ⟨redenering ook⟩ *unsound, weak* **0.2** [mbt. personen] *superficial* ⇒*shallow, lightweight, frivolous, empty* ◆ **1.1** zijn argumenten waren ~ *his arguments were flimsy / weak / unsound / full of holes;* ~ werk leveren *turn out / in usubstantial / flimsy / bad work, make a poor job of sth.*...

ondemocratisch ⟨bn.⟩ **0.1** *undemocratic*.

ondenkbaar ⟨bn.⟩ **0.1** [niet bestaanbaar] *unthinkable* ⇒*inconceivable, unimaginable* **0.2** [onwaarschijnlijk] *unthinkable* ⇒*inconceivable* **0.3** [verbazend] *unthinkable* ⇒*unimaginable, inconceivable, unthought(-of), unheard-of* ◆ **3.2** het is niet ~ dat ... *it is not inconceivable that* ....

onder [1] ⟨bw.⟩ **0.1** [aan de benedenzijde] *below* ⇒*at the bottom, underneath* **0.2** [beneden / aan de voet van iets anders] *underneath* **0.3** [naar beneden] *under* **0.4** [⟨in elliptische uitdrukkingen⟩ ⟨zie 3.4⟩] **0.5** [beneden in huis] *downstairs* ◆ **3.3** hij sprong in het water en dook kopje ~ *he jumped into the water and ducked u.* **3.4** vandaag hoeven de schaatsen niet ~ *we don't have to put our skates on today;* de zon is nog niet ~ *the sun hasn't set / gone down yet, the sun isn't down yet;* de kinderen zaten ~ *the children were covered with it / were a mess* **3.5** ⟨scheep.⟩ de schipper is ~ *the skipper is below (deck) / under the hatches;* we wonen ~ *we live d. / on the ground /* [A]*first floor / below* **6.1** ~ **aan** de bladzijde *at the foot / bottom of the page;* ~ in de mand *at the bottom of the basket;* **van** ~ op *from the bottom (up);* iem. **van** ~ **tot** boven opnemen *look s.o. up and down;* achtste regel **van** ~ *the eighth line from the bottom* **6.2** ~ **aan** de vleugel ⟨onderkant⟩ *on the under-surface of the wing;* ⟨uiteinde⟩ *at the tip of the wing;* ~ **tegen** het dak *on the inside of the roof* **6.3** naar ~ *down, below, downwards* **6** ¶ **ten** ~ gaan *go down, come to grief, meet with disaster, fail, lose (out), be ruined;* **ten** ~ brengen *conquer, overcome, subdue, bring to ruin,* ↑*subjugate,* ↑*vanquish*.

onder [2] ⟨vz.⟩ ⟨→sprw. 158,453⟩ **0.1** [lager dan, beneden] *under* ⇒*below, underneath* **0.2** [te midden van] *among(st)* ⇒⟨dicht., schr.⟩ *amid(st)* **0.3** [in de kring van] *among(st)* **0.4** [tijdens] *during* **0.5** [ten tijde van] *under* **0.6** [vlak bij] *nearby* ⇒*in the immediate vicinity of, just outside* **0.7** [minder dan] *under* ⇒*below* **0.8** [beschermd door] *under* **0.9** [ondergeschikt aan] *under* **0.10** [verborgen door] *under* **0.11** [met gebruikmaking van] *in* **0.12** [tengevolge van] *under* **0.13** [gebonden door] *under* **0.14** [begeleid door / met] *with* ◆ **1.1** ~ een auto / trein komen / raken *be hit / be run over by a car / train;* ~ dak *indoors, inside, under cover;* ~ een vlag varen *sail under a flag;* ~ de vloer is de kelder *the cellar is under(neath) / below the floor* **1.2** ~ de mensen verkeren / zijn / komen *mix (with society), go out and about, socialize, see a lot of people;* er is onvoldoende geld ~ de mensen *there's not enough money about / circulating;* ze bleef kalm ~ alle rampzaligheden *she remained calm in the midst of all the calamities;* ~ de toejuichingen v.d. menigte *amidst the / to the applause of the crowd* **1.3** er was een hevige ruzie ~ de supporters uitgebroken *a violent fight broke out a. / between the supporters* **1.4** ~ het eten ⟨regelmatig⟩ *d. meals; d. the meal, at dinner / lunch* ⟨enz.⟩; ~ het genot v.e. glaasje sherry *over a (glass of) sherry;* ~ het schrijven *while writing;* ze zong ~ het schrobben *she sang as she scrubbed;* hij rookt nooit ~ het werk *he never smokes d. working hours* **1.5** ~ ⟨de regering van⟩ keizer Augustus *u. (the government of) emperor Augustus* **1.6** ~ ⟨iemands⟩ bereik zijn *be within (s.o.'s) reach;* ~ de kust van Engeland *off the coast of England;* een dorp ~ Leiden *a town just outside / in the immediate neighbourhood of n. Leyden;* ~ de ogen van iem. *under s.o.'s nose, under / before s.o.'s very eyes;* ⟨scheep.⟩ ~ de wal zijn / liggen *be lying inshore* **1.7** ~ het gemiddelde *below (the) / behind the average* **1.8** kinderen ~ begeleiding v.e. volwassene *children accompanied by an adult;* ~ de bescherming v.e. afdeling troepen reizen *travel u. escort of a detachment of troops;* ~ vrijgeleide vertrekken *depart u. safe conduct* **1.9** ~ curatele *in ward, u. guardianship / tutelage;* de geallieerde legers ~ generaal Eisenhower *the Allied Forces u. general Eisenhower;* ~ invloed van sterkedrank *u. the influence (of strong liquor);* ~ toezicht v.d. politie *u. police surveillance* **1.10** ~ het masker / mom / de mantel van ...*u. colour / cover / the cloak of ...;* bekend ~ de naam Jack *known by / going u. the name of Jack* **1.11** ~ de gedaante van *i. the shape of;* iets ~ woorden brengen *put sth. into words, frame sth.* **1.12** ~ hoogspanning werken *work u. high pressure / strain* **1.13** iets ~ ede beloven *swear (to) sth., promise sth.* onder oath, *make a solemn promise;* ~ voorwaarde / beding van *on condition that* **1.14** ~ begeleiding v.e. piano zingen *sing to the accompaniment of a piano;* ~ dankzegging *w. thanks;* ~ stroom staan *be (a)live / charged;* ~ tranen *w. / in tears, weeping* **3.1** hij zat ~ de prut *he was covered / coated / caked with mud;* ~ iets zitten / schuilen / steken *be behind sth., be at the bottom of sth.* **3.12** zijn werk leed ~ zijn frivole levenswijze *his work suffered by his frivolous way of life;* zij leed erg ~ het verlies *she suffered greatly from the loss* **4.3** ~ andere *a. other things;* John, ~ anderen, heeft bezwaren *John, for one, objects;* het blijft ~ ons *it's strictly between you and me / between ourselves, this must not go / get any further, this is confidential;* ~ ons gezegd (en gezwegen) *between you and me (and the doorpost), between ourselves;* diegenen ~ ons *die those a. / of us who* **4.9** hij had zeven man ~ zich *he had seven men u. him / at his command / u. his orders* **5.1** de tunnel gaat ~ de rivier door *the tunnel goes / passes u. the river* **6.1** van ~ de tafel *from under(neath) the table* **7.2** een ~ vele(n) *one among many* **7.3** ~ meer *a. others* ⟨andere mensen⟩; *among other things* ⟨andere dingen⟩ **7.7** een bedrag van ~ 100 gulden *an amount less than / u. 100 guilders;* zij is nog ~ de dertig *she's still u. thirty / a few years off thirty, she hasn't turned thirty yet;* zes graden ~ nul *six degrees below zero, minus six degrees.*

onderaan ⟨bw.⟩ **0.1** *at the bottom* ⇒ *under* ◆ **1.1** ~ op de bladzijde *at the bottom / foot of the page;* ~ de lijst staan *be at the bottom of the list, be last on the list* **3.1** de aantekeningen staan ~ *the notes are below / at the bottom / at the foot of the page;* ⟨fig.⟩ ~ staan *be (at) last, bring up the rear, take last place;* wij zaten in het amfitheater ~ *we sat in the bottom row of the amphitheatre;* ⟨fig.⟩ ~ zitten *be (at the) bottom of (the class).*

onderaanbesteding ⟨de (v.)⟩ **0.1** *subcontracting* ⇒ *subletting.*
onderaannemer ⟨de (m.)⟩ **0.1** *subcontractor.*
onderaanzicht ⟨het⟩ **0.1** *bottom view* ⇒ *view from below / underneath.*
onderaards ⟨bn.⟩ **0.1** [onder de grond] *subterranean* ⇒ *subterrestrial, subterraneous,* ⟨wet.⟩ *hypogeal, hypogeous* **0.2** [mbt. de onderwereld] *underworld* ◆ **1.1** een ~ gewelf *a subterranean vault* **1.2** het ~e rijk *the underworld.*
onderaf ⟨bw.⟩ ◆ **3.¶** van ~ beginnen *begin from the bottom (up)* **6.¶** hij heeft zich van ~ opgewerkt *he has risen from the ranks, he has worked his way up from the bottom of the ladder, he has climbed every rung of the ladder.*
onderafdeling ⟨de (v.)⟩ **0.1** *subdepartment* ⇒ *subdivision, subsection,* ⟨tak⟩ *subbranch,* ⟨vereniging ook⟩ *auxiliary.*
onderarm ⟨de (m.)⟩ **0.1** *forearm.*
onderarms ⟨bn., bw.⟩ **0.1** *underarm* ⇒ *underhand* ◆ **3.1** ~ gooien / werpen *throw underarm / underhand.*
onderbaas ⟨de (m.)⟩ **0.1** *foreman* ⇒ ⟨BE ook⟩ *chargehand,* ⟨AE ook; inf.⟩ *straw boss.*
onderbed ⟨het⟩ **0.1** [onderste v.e. stapelbed] *bottom bunk* **0.2** [bed onder de matras] *bedstead.*
onderbeen ⟨het⟩ **0.1** *leg* ⇒ ⟨voorkant⟩ *shin,* ⟨kuit⟩ *calf.*
onderbeet ⟨de (m.)⟩ **0.1** *undershot / underhung jaw.*
onderbelicht ⟨bn.⟩ ⟨foto.⟩ **0.1** *underexposed* ⇒ *undertimed.*
onderbelichten ⟨ov.ww.⟩ **0.1** [⟨foto.⟩] *underexpose* ⇒ *undertime* **0.2** [⟨fig.⟩ te weinig aandacht schenken] *shed insufficient light on* ⇒ *pay too little attention to.*
onderbelichting ⟨de (v.)⟩ ⟨foto.⟩ **0.1** *underexposure* ◆ **6.1** door ~ worden foto's donker *u. makes photographs dark.*
onderbenutting ⟨de (v.)⟩ **0.1** *waste* ⇒ *insufficient use.*
onderbesteding ⟨de (v.)⟩ **0.1** *underspending.*
onderbetalen ⟨ov.ww.⟩ **0.1** *underpay* ◆ **1.1** onderbetaald werk *underpaid work.*
onderbevelhebber ⟨de (m.)⟩ **0.1** *second in command.*
onderbevolking ⟨de (v.)⟩ **0.1** *underpopulation.*
onderbevrachten ⟨ov.ww.⟩ **0.1** *subcharter.*
onderbewust ⟨bn., bw.; -ly⟩ **0.1** *subconscious* ⇒ *unconscious.*
onderbewuste ⟨het⟩ **0.1** *subconscious, subliminal self, inner space* ◆ **2.1** het collectief ~ *the collective unconscious.*
onderbewustzijn ⟨het⟩ **0.1** *subconscious* ⇒ *unconscious, subliminal self, inner space* ◆ **6.1** in zijn ~ voortleven *live on in one's subconscious* ⟨mind / self⟩ / *at the back of one's mind.*
onderbezet ⟨bn.⟩ **0.1** *undermanned* ⇒ *short- / light-handed, understaffed* ⟨mbt. kaderpersoneel⟩.
onderbezetting ⟨de (v.)⟩ **0.1** *undermanning* ⇒ *being short- / light-handed, understaffing* ⟨mbt. kaderpersoneel⟩.
onderbibliothecaris ⟨de (m.)⟩ **0.1** *deputy librarian.*
onderbieden ⟨onov.ww.⟩ **0.1** [lager bieden dan] *underbid* **0.2** [lagere prijs vragen] *undercut* ⇒ *underprice, underquote* ⟨in offerte⟩.

onderbinden ⟨ov.ww.⟩ **0.1** *put on* ⇒ *tie / fasten on.*
onderblijven ⟨onov.ww.⟩ **0.1** *remain / stay under (water).*
onderbootsman ⟨de (m.)⟩ **0.1** *boatswain's / bosun's mate.*
onderbouw ⟨de (m.)⟩ **0.1** [pijler] *substructure* ⇒ *understructure, base,* ⟨mil., ec.⟩ *infrastructure, base* **0.2** [laagste afdeling] *lower school* ⇒ ≠ [A]*junior high (school)* **0.3** [mbt. het marxisme] *basis, foundation.*
onderbouwen ⟨ov.ww.⟩ **0.1** *build* ⇒ *found, ground, base, underpin* ◆ **1.1** die stelling was goed onderbouwd *that thesis was well-founded / on firm / solid ground;* zijn verhaal is slecht onderbouwd *his facts are shaky, his story lacks a firm / solid basis, his story is ill-founded* **5.1** een scriptie wetenschappelijk ~ *give a thesis a scientific basis / underpinning.*
onderbouwing ⟨de (v.)⟩ **0.1** *foundations* ⇒ *basis* ◆ **1.1** de ~ van zijn redenering is ijzersterk *the f. of his argument are rock-solid.*
onderbreken ⟨ov.ww.⟩ **0.1** [tijdelijk doen ophouden] *interrupt* ⇒ *break* **0.2** [storen, afbreken] *interrupt* ⇒ *cut short,* ⟨gesprek ook⟩ *break / ↓barge in (on),* ⟨sl.⟩ *horn in (on)* ◆ **1.1** de eentonigheid ~ *relieve the monotony;* een reis ~ *break one's journey, stop off / over;* de elektrische stroom ~ *i. / break the electric current;* hij onderbrak zijn werk om te kijken *he paused in his work to watch* **1.2** iemands slaap ~ *interrupt s.o.'s sleep;* een zwangerschap ~ *terminate a pregnancy* **3.2** mag ik u even ~? *may I i. you for a moment?* **6.2** onderbroken **door** toejuichingen *punctuated by cheers;* iem. **in** zijn verhaal ~ *cut s.o.'s story short.*
onderbreker ⟨de (m.)⟩ **0.1** *interrupter* ⇒ *contact breaker, make-and-break.*
onderbreking ⟨de (v.)⟩ **0.1** [het onderbreken] *interruption* **0.2** [pauze] *break* ⇒ *pause, interval, recess, intermission* ◆ **1.1** ~ van zwangerschap *termination of pregnancy* **6.1** urenlang praten **zonder** ~ *talk on (and on) for hours;* hij kan een uur hardlopen **zonder** ~ *he can run an hour at a spell / without letting up* **6.2 met** een ~ van vier dagen *with a four-day b., with a b. / interruption / interval of four days;* **na** een ~ van twee maanden *after a two-month interlude / two months respite.*
onderbrekingsbad ⟨het⟩ ⟨schei.⟩ **0.1** *neutralizing bath* ⇒ ⟨foto., ihb.⟩ *stop bath.*
onderbrengen ⟨ov.ww.⟩ **0.1** [onderkomen bezorgen] *accomodate* ⇒ ⟨een slaapplaats bezorgen⟩ *lodge, bed (down),* ⟨een woon- / werkplaats geven⟩ *house,* ⟨tijdelijk⟩ *put up* **0.2** [categoriseren] *class (with / under / in)* ⇒ *classify* ⟨onder / in⟩ *sort / subsume / categorize (under)* **0.3** [binnenhalen] *bring in* ⇒ *get in* ◆ **6.1** zijn kinderen **bij** iem. ~ *lodge one's children with s.o.;* aangenomen werk ~ **bij** een derde *sublet a contract to a third party;* een lening / verzekering ~ **bij** place *a loan / an insurance with;* goederen **in** een pakhuis ~ *store goods in a warehouse* **¶.2** het is nergens onder te brengen *it doesn't fit in anywhere, it can't be classified / ranged / subsumed / categorized / placed under a heading.*
onderbroek ⟨de⟩ **0.1** *underpants* ⇒ *briefs,* [B]*panties* ⟨dames, kinderen⟩, [B]*knickers* ⟨dames⟩, [B]*pants,* [A]*shorts* ⟨heren⟩ ◆ **2.1** lange ~ *drawers, long johns.*
onderbroekelol ⟨de (v.)⟩ **0.1** *tits-and-bums humour / comedy* ⇒ ⟨BE ook⟩ *knickers and sniggers humour / comedy.*
onderbroken ⟨bn.⟩ **0.1** *interrupted* ⇒ *broken, discontinuous.*
onderbuik ⟨de (m.)⟩ **0.1** *abdomen* ◆ **6.1** pijn **in** de ~ hebben *have abdominal pains.*
onderbuur ⟨de (m.)⟩ **0.1** *downstairs neighbour.*
onderbuurman ⟨de (m.)⟩, **-vrouw** ⟨de (v.)⟩ **0.1** *downstairs neighbour.*
onderdaan ⟨de (m.)⟩ **0.1** [persoon] *subject* ⇒ ⟨staatsburger⟩ *national, citizen* **0.2** [been] *(lower) limb* ⇒ *pin* ⟨vnl. mv.⟩, ⟨mv. ook⟩ *underpinnings, nether man / person* ◆ **2.1** Britse onderdanen in Nederland *British subjects / nationals in the Netherlands.*
onderdak ⟨het⟩ **0.1** *accommodation* ⇒ ⟨toevluchtsoord⟩ *shelter,* ⟨slaapplaats⟩ *lodging,* ⟨woon- / werkplaats⟩ *housing* ◆ **3.1** dit gebouw biedt ~ aan vijf bedrijven *this building accommodates / houses five businesses;* iem. ~ geven / verlenen *accommodate / lodge / house / shelter s.o., get s.o. a place,* ⟨tijdelijk ook⟩ *put s.o. up, fit s.o. up with a bed;* ~ hebben *have a roof over one's head;* geen ~ hebben *be homeless / roofless / shelterless, have no place to go;* ~ vinden *find a. / shelter / a lodging.*
onderdanig ⟨bn., bw.; -ly⟩ **0.1** [ondergeschikt] *subservient* ⇒ ⟨gehoorzaam⟩ *obedient,* ⟨nederig⟩ *humble,* ⟨gedwee⟩ *submissive* **0.2** [onderworpen] *obsequious* ⇒ *servile, obeisant, slavish, subservient* ◆ **1.2** een ~e brief *an obsequious letter;* uw ~e dienaar *your humble / obedient servant, yours to command* **3.1** hij ging heel ~ om een lening vragen *he went cap / hat in hand to ask for a loan;* iem. ~ zijn *be subservient to s.o., be s.o.'s minion* **3.2** ~ tegen iem. doen *be submissive / subservient to s.o., act submissively / subserviently towards s.o..*
onderdanigheid ⟨de (v.)⟩ **0.1** *submission* ⇒ *obedience,* ⟨gesch.⟩ *fealty (to),* ⟨pej.⟩ *obeisance, obsequiousness, servility, subservience* ◆ **1.1** de eed van ~ afleggen *take the oath of obedience / humility; swear fealty.*
onderdeel ⟨het⟩ **0.1** *part* ⇒ ⟨sub⟩*division,* ⟨tak⟩ *branch,* ⟨mil.⟩ *unit,* ⟨reserve-onderdeel⟩ *spare (part), component* ⟨machine, toestel⟩ ◆ **1.1** schuldig bevonden op alle onderdelen v.d. aanklacht *(found) guilty on all counts;* onderdelen v.e. machine *the parts / components of a ma-*

chine; in een ~ v.e. seconde *in a fraction of a second, in a split second* **2.1** rijst is een belangrijk ~ v.h. Aziatische voedselpakket *rice features/figures Ligurat in the Asian diet;* ⟨mil.⟩ tactisch ~ *tactical unit;* het volgend ~ van ons programma *the next item on our programme* ^A*gram* **3.1** motors en onderdelen verkopen *sell motorcycles and (spare) parts;* een ~ vormen van *form a p. of.*

onderdek ⟨het⟩ →**tussendek.**

onderdeken
I ⟨de⟩ **0.1** [deken] *underblanket;*
II ⟨de (m.)⟩ ⟨r.k.⟩ **0.1** [persoon] *subdean.*

onderdekken ⟨ov.ww.⟩ **0.1** *cover up* ◆ **1.1** de kinderen ~ *tuck the children in.*

onderdeks ⟨bw.⟩ ⟨scheep.⟩ **0.1** *below (deck(s))* ⇒*under hatches.*

onderdeur ⟨de⟩ **0.1** *hatch.*

onderdeurtje ⟨het⟩ **0.1** ⟨persoon⟩ *shorty* ⇒*squirt, half-pint, shrimp, runt.*

onderdijk ⟨de (m.)⟩ **0.1** *toe of a/the dike.*

onderdirecteur ⟨de (m.)⟩, -**trice** ⟨de (v.)⟩ **0.1** *submanager* ⇒*assistant manager,* ^A*vice-president* ◆ **1.1** ~ v.e. school *vice-principal/subprincipal of a school;* ⟨m. ook⟩ *submaster/second master/senior master of a school;* ⟨v. ook⟩ *submistress/senior mistress/second mistress of a school.*

onderdoen
I ⟨onov.ww.⟩ **0.1** [de mindere zijn] *be inferior (to)* ⇒*be surpassed (by), yield pride of place/the palm (to), be no match (for), be second (to)* ◆ **6.1** in niets **voor** iem. ~ *be inferior/yield in nothing to s.o., be in no way inferior to s.o., be able to hold one's own with s.o., be a match for s.o.;* zij doen niet **voor** elkaar onder *they are well-matched/a match for each other;* **voor** niemand ~ *be/stand/rank second to none, yield to none;* niet ~ **voor** *hold one's own with, be a match for, measure up to;* weinig **voor** iem. ~ *run s.o. close/hard/a close second, have little to learn from s.o.;* in talent niet ~ **voor** ... *be no less talented than ...;*
II ⟨ov.ww.⟩ **0.1** [onderbinden] *put on* ⇒*tie/fasten on* ◆ **1.1** een kind de schaatsen ~ *put/tie/fasten on a child's skates.*

onderdompelen ⟨ov.ww.⟩ **0.1** *immerse* ⇒*steep, submerge, plunge, dip* ◆ **1.1** ⟨scheep.⟩ het ondergedompelde gedeelte v.e. schip *the part of a ship below the waterline, the bottom of a ship;* potplanten ~ *soak/ drench pot plants* **6.1** een staafje **in** kwik ~ *i. /submerge/plunge/dip a rod in mercury.*

onderdompeling ⟨de (v.)⟩ **0.1** [het onderdompelen] *immersion* ⇒*submersion* **0.2** [keer] *immersion* ⇒*plunge, dip* ◆ **6.1** doop **door** ~ *baptism by i..*

onderdoor ⟨bw.⟩ **0.1** *under* ◆ **3.1** ⟨fig.⟩ hij ging er ~ *he went u., he went to the wall.*

onderdoorgang ⟨de (m.)⟩ **0.1** *subway* ⟨pijpen; voetgangerstunnel⟩ ⇒ *tunnel,* ⟨weg/voetgangerstunnel onder (spoor)weg⟩ *underpass.*

onderdoorspelen ⟨onov.ww.⟩ ⟨kaartspel⟩ **0.1** *finesse.*

onderdorpel ⟨de (m.)⟩ ⟨amb.⟩ **0.1** ⟨van raamkozijn⟩ *(window)sill;* ⟨van deurkozijn⟩ *doorstep;* ⟨van deur en raam⟩ *bottom rail.*

onderdruk ⟨de (m.)⟩ **0.1** [druk] *underpressure* **0.2** [bloeddruk] *diastolic pressure.*

onder'drukken ⟨ov.ww.⟩ **0.1** [tiranniseren] *oppress* ⇒*keep down/ under, grind down, hold under* **0.2** [bedwingen] *suppress* ⇒*repress, restrain, smother, stifle, put down* ⟨opstand, onvrede enz.⟩ ◆ **1.1** een volk ~ *o. a people, keep a people down, tread a people under foot, hold a people under* **1.2** een geeuw ~ *suppress/stifle/smother a yawn;* gevoelens ~ *suppress feelings, down emotions, keep emotions in check, force back emotions;* een glimlach ~ *suppress a smile;* een neiging ~ om ... *fight down/repress an impulse to;* een opstand ~ ⟨ook⟩ *suppress/crush/snuff out/stamp out/quell/repress a revolt;* pijn ~ *subdue pain;* zijn woede ~ ⟨ook⟩ *keep down/choke back/restrain/contain one's anger* **¶.2** een niet te ~ impuls *an irrepressible urge.*

'onderdrukken ⟨ov.ww.⟩ **0.1** *press down* ⇒*push down, immerse, submerge* ⟨onder water⟩.

onderdrukker ⟨de (m.)⟩ **0.1** *oppressor* ⇒*tyrant.*

onderdrukking ⟨de (v.)⟩ **0.1** [het tiranniseren] *oppression* ⇒*tyranny* **0.2** [het bedwingen] *suppression* ⇒*repression* **0.3** [tirannie] *oppression* ⇒ *tyranny* ◆ **6.3** in ~ leven *live in o., be oppressed.*

onderdrukt ⟨bn.⟩ **0.1** *suppressed* ⇒*smothered, stifled, restrained* ◆ **1.1** ~ gegiechel *suppressed/smothered/stifled giggles;* ~e woede *pent-up/ smothered rage.*

onderduikadres ⟨het⟩ **0.1** *place of hiding* ⇒*safe house.*

onderduiken ⟨onov.ww.⟩ **0.1** [zich schuil houden] *go into hiding* ⇒*go underground, go to earth/ground, submerge, lie low* **0.2** [onder water duiken] *dive (in)* ⇒*plunge, submerge, duck,* ⟨ihb. walvissen e.d.⟩ *sound.*

onderduiker ⟨de (m.)⟩, -**ster** ⟨de (v.)⟩ **0.1** *person in hiding.*

onderduwen ⟨onov.ww.⟩ **0.1** *duck (under water)* ⇒*push under.*

ondereinde ⟨het⟩ **0.1** *bottom* ⇒*lower/bottom end, foot* ◆ **1.1** het ~ v.e. muur/trap *the foot of a wall/staircase;* het ~ v.e. stok *the lower/bottom end of a stick.*

onderen ⟨bw.⟩ **0.1** [⟨+naar⟩ naar beneden] *down(wards)* ⇒⟨in huis⟩ *downstairs,* ⟨op schip⟩ *below* **0.2** [⟨+van⟩ aan de onderkant] *below* ⇒*underneath* **0.3** [⟨+van⟩ naar beneden] *from below* ⇒⟨in huis⟩ *from downstairs* ◆ **6.1** een naar ~ openhangende jas *a coat opening towards the bottom/unbuttoned at the bottom* **6.2** de mouwen lopen **van** ~ breed uit *the sleeves flare, the sleeves grow wider towards the ends;* die plant is **van** ~ kaal *that plant is bare/has no leaves underneath/at the base;* het vliegtuig was van boven wit en **van** ~ rood *the plane was white on top and red underneath* **6.3 van** ~ naar boven klimmen *climb up from below; climb from the bottom up* ⟨ook fig.⟩; het water stroomt **van** ~ het schip in *water is flooding into the ship from below;* ⟨fig.⟩ **van** ~ **af** beginnen *start from scratch/the bottom* **6.¶ van** ~! ⟨scheep.⟩ *(head(s)) below!;* ⟨bij boomhakken⟩ *timber!.*

onderfamilie ⟨de (v.)⟩ ⟨biol.⟩ **0.1** *subfamily.*

onder'gaan ⟨ov.ww.⟩ **0.1** [verduren] *undergo* ⇒*go through, experience,* ⟨iets onaangenaams ook⟩ *suffer, endure* **0.2** [voorwerp zijn van] *undergo* ⇒*go through, experience* ◆ **1.1** gevangenisstraf ~ *serve time/ one's sentence, u. emprisonment;* een operatie ~ *u. an operation, submit to the knife;* veranderingen ~ *be subjected to/suffer indignities* **1.2** dit huis heeft heel wat veranderingen ~ *this house has seen/undergone many changes* **3.1** iem. een proef laten ~ *subject/submit s.o. to a test* **¶.1** iem. iets doen ~ *subject/submit s.o. to sth., put s.o. through sth.; inflict sth. on s.o.* ⟨pijn⟩.

'ondergaan ⟨onov.ww.⟩ ⟨→sprw. 684⟩ **0.1** [naar beneden gaan] *go down* ⇒*sink,* ⟨zon ook⟩ *set* **0.2** [verzwolgen worden door] *sink (into), be submerged (in)* ⇒*subside (into)* ◆ **1.1** de ~de zon *the setting sun* **6.2** ~ in wanhoop *sink into despair.*

ondergang ⟨de (m.)⟩ **0.1** [het te gronde gaan] *ruin* ⇒*(down)fall, doom, decline, destruction* **0.2** [het naar beneden gaan] *setting* ◆ **1.1** opkomst en ~ *rise and fall;* de ~ v.h. rijk *the fall of the kingdom/empire;* de ~ v.d. Titanic *the wreck of the Titanic;* de ~ v.d. wereld *the end of the world, the crack of doom* **1.2** de ~ van de zon *the s. of the sun* **3.1** iem. naar de ~ voeren *bring s.o. to r., ruin/wreck/undo s.o., lead s.o. to his destruction;* zijn ~ tegemoetgaan *ride for a fall, head for disaster, rush to perdition/upon one's doom;* dat was zijn ~ *that was his undoing/his downfall/the r. of him;* vele diersoorten worden met de ~ bedreigd *many sorts of animals are threatened with extinction.*

ondergebit ⟨het⟩ **0.1** *bottom denture/teeth.*

ondergedeelte ⟨het⟩ **0.1** *bottom part* ⇒*lower part.*

ondergeschikt ⟨bn.⟩ **0.1** [onderdanig, afhankelijk] ⟨onderdanig⟩ *subordinate* ⇒*inferior, minor,* ⟨afhankelijk⟩ *subsidiary,* ⟨dienstbaar⟩ *subservient* **0.2** [van weinig betekenis] *minor* ⇒*secondary, subsidiary* ◆ **1.1** een ~e zin *a subordinate clause* **1.2** van ~ belang of m. /secondary /marginal importance;* een ~ punt *a m. point, a matter of detail;* een ~e rol spelen *play second fiddle, play a m. /subsidiary/secondary/subordinate part* **6.1** de ene zaak **aan** de andere ~ maken *subordinate one matter to another, make one matter subordinate/subservient to another, place one matter second to another.*

ondergeschikte ⟨de (m.)⟩ **0.1** *subordinate* ⇒⟨pej.⟩ *inferior, underling* ◆ **1.1** officieren en ~n *officers and those below.*

ondergeschiktheid ⟨de (v.)⟩ **0.1** [afhankelijkheid, ondergeschiktheid] *subordination* ⇒*subservience* **0.2** [rang, toestand] *subordination* ⇒*inferiority* **0.3** [⟨mil.⟩] *subordination.*

ondergeschoven ⟨bn.⟩ **0.1** *supposi(ti)tious* ⇒*fallacious* ◆ **1.1** een ~ kind *a s. child, a changeling;* een ~ testament *a s. will.*

ondergetekende ⟨de (m.)⟩ **0.1** [contractenaar] *undersigned* **0.2** [ik] *yours truly* ◆ **4.1** ik, ~ *I, the u.; the present writer;* wij, de ~n *we, the u.* **¶.2** wie heeft dat voor elkaar gekregen? (niemand minder dan) ~ *who managed that? none other than yours truly.*

ondergewaardeerd ⟨bn.⟩ **0.1** [te laag gewaardeerd] *undervalued* ⇒*underestimated* **0.2** [te laag in koers staand] *undervalued* ◆ **1.2** ~e valuta *u. currencies.*

ondergewicht ⟨het⟩ **0.1** *short weight* ⇒*underweight.*

ondergieten ⟨ov.ww.⟩ **0.1** *flood.*

ondergist ⟨de (m.)⟩ **0.1** ~ *brewer's yeast.*

ondergoed ⟨het⟩ **0.1** *underwear* ⇒*underclothes, underlinen,* ⟨inf.⟩ *underthings,* ⟨inf.⟩ *undies* ⟨van vrouwen⟩ ◆ **2.1** schoon ~ aantrekken *change one's underwear/underclothes/underlinen, put on clean underwear* **6.1** niet binnenkomen! ik sta in mijn ~ *don't come in!, I'm not decent!* ⟨scherts.⟩ *comme il faut.*

ondergooien ⟨ov.ww.⟩ **0.1** [met iets bedekken] *cover (with)* ⇒⟨met vloeistof⟩ *flood (with)* **0.2** [op de grond gooien] *throw down.*

onder'graven ⟨ov.ww.⟩ **0.1** [graven] *undermine* ⇒⟨door water ook⟩ *sap* **0.2** [⟨fig.⟩ ondermijnen] *undermine* ⇒*sap* ⟨gezondheid, geloof⟩, ⟨toespraak enz. ook⟩ *undercut* ◆ **1.1** de mollen hebben het gras ~ *the moles have undermined the lawn* **1.2** iemands gezag ~ *undermine s.o.'s authority.*

'ondergraven ⟨ov.ww.⟩ **0.1** *bury* ⇒*dig in.*

ondergreep ⟨de (m.)⟩ **0.1** *undergrasp.*

ondergrens ⟨de⟩ **0.1** *lower limit* ⇒*minimum.*

ondergroei ⟨de (m.)⟩ **0.1** *undergrowth* ⇒⟨vnl. AE⟩ *underbrush.*

ondergrond ⟨de (m.)⟩ **0.1** [grondslag] *base* ⇒⟨vnl. abstr.⟩ *basis, foundation, ground,* ⟨schr.⟩ *substratum* **0.2** [grond onder de oppervlaktelaag] *subsoil* ⇒*undersoil* ◆ **1.1** ⟨fig.⟩ de ~ van iemands karakter *the foundation/groundwork of s.o.'s character;* de ~ v.e. weg *the roadbed* **1.2** de ~ v.h. hoogveen *the s. of the (peat) moor/bog* **2.1** witte sterren op een blauwe ~ ⟨vlag⟩ *white stars on a blue (back)ground/field;* een stevige maaltijd als goede ~ (voor een avond stappen) *a solid meal as a good base (for an evening stroll)* **3.1** een goede ~ hebben *have a sound basis.*

ondergronds ⟨bn.⟩ **0.1** [onder de grond] *underground* ⇒*subterranean* **0.2** [heimelijk] *underground* ◆ **1.1** een ~e spoorweg *an u. / tubular railway;* ⟨metro ook⟩ *an underground,* ^A*subway;* ⟨inf.; metro⟩ *a tube, a metro;* ~e wortels *subterranean/hypogeal roots* **1.2** de ~e beweging *the u. movement* **3.2** ~ werken *work in the underground/resistance, work u..*

ondergrondse ⟨de⟩ **0.1** [metro] *underground,* ^A*subway;* ⟨inf.⟩ *tube,* ⟨vnl. mbt. Europa, ihb. Parijs⟩ *metro* **0.2** [verzetsbeweging] *underground* ⇒*resistance.*

ondergrondsploeg ⟨de⟩ ⟨landb.⟩ **0.1** *subsoiler* ⇒*subsoil plough* ^A*plow.*

onderhaar ⟨het⟩ **0.1** *undercoat, underfur.*

onderhand[1] ⟨de⟩ **0.1** *flat of the hand.*

onderhand[2] ⟨bw.⟩ **0.1** [intussen] *meanwhile* ⇒*in the meantime, by this time, by now* **0.2** [⟨AZN⟩ spoedig] *soon* ⇒*before long* ◆ **3.1** hij pakte de koffers en ~ haalde zij de auto *he packed the bags and meanwhile/in the meantime she got the car;* ik had die klus ~ drie keer zelf kunnen doen *I could have finished that job three times by now* **8.1** dat zeg je nu wel, maar ~ you may say so, *but all the while you may be thinking sth. quite different.*

onderhandelaar ⟨de (m.)⟩, **-ster** ⟨de (v.)⟩ **0.1** *negotiator* ⟨m., v.⟩; ⟨v. ook⟩ *negotiatress, negotiatrix* ⇒*negotiant* ⟨m., v.⟩ ◆ **2.1** een bekwaam ~ ⟨ook⟩ *a diplomat(ist).*

onderhandelen ⟨onov.ww.⟩ **0.1** *negotiate* ⇒(geldzaken ook) *bargain,* ⟨vrede enz. ook⟩ *treat (for),* ⟨mil.⟩ *parley* ◆ **6.1** met iem. ~ n. / *bargain/treat/parley with s.o.;* **over** iets ~ n. on sth., *bargain about/over sth.;* **over** deze zaak wordt onderhandeld *this matter is being negotiated/is under negotiation/is in (course of) negotiation, negotiations are afoot/in progress about this matter;* ~ **over** een prijs *bargain about/over/for a price;* (succesvol) n. a price; **over** de vrede ~ n. on/about peace, treat for peace.

onderhandeling ⟨de (v.)⟩ **0.1** [het onderhandelen] *negotiation* ⇒(geldzaken ook) *bargaining* **0.2** [bespreking] *negotiation* ⇒⟨mv. ook⟩ *talks* ◆ **2.1** collectieve ~en over arbeidszaken *collective bargaining* **3.2** ~en aanknopen *enter into/open (up)/establish/initiate/start negotiations;* ~en voeren *negotiate, treat, bargain, carry on negotiations* **6.1** de zaak is in ~ *the matter is being negotiated/is on the table/is under negotiation/is in (course of) negotiation, negotiations are afoot/in progress about the matter;* de partijen zijn in ~ *over vrede the parties are (engaged) in negotiations/are in treaty/are negotiating for peace.*

onderhandelingsdelegatie ⟨de (v.)⟩ **0.1** *(delegation/party of) negotiators.*

onderhandelingstafel ⟨de⟩ **0.1** *negotiation table* ◆ **6.1** om/rond de ~ gaan zitten ⟨ook fig.⟩ *sit down at/round/*^A*around the n. t..*

onderhands ⟨bn.⟩ **0.1** [heimelijk] ⟨bn.⟩ ↓*underhand(ed)* ⇒*backstairs, backdoor, hole-and-corner,* ⟨bw.⟩ *underhand, underhandedly* **0.2** [niet in het openbaar] ⟨bn.⟩ *private;* ⟨bw.⟩ *by private contract, privately* **0.3** [⟨sport⟩] *underhand* ⇒*underarm* ◆ **1.1** ~e intrige *underhand(ed) intrigues* **1.2** een ~e akte *a private instrument;* ~e koop *a private purchase* **3.1** iets ~ regelen *make hole-and-corner arrangements* **3.3** een bal ~ ingooien *throw in a ball underhand/underarm.*

onderhavig ⟨bn.⟩ **0.1** *present* ⇒in question/hand, at issue, under consideration ⟨na zn.⟩ ◆ **1.1** in het ~e geschil/geval *in the p. case, in the case before us/in question/in hand under consideration/at issue.*

onderhemd ⟨het⟩ **0.1** ⟨BE⟩*(under)vest, singlet;* ⟨vnl. AE⟩ *undershirt, T-shirt.*

onderhevig ⟨bn.⟩ **0.1** *liable (to)* ⇒*subject (to),* ⟨gevoelig voor⟩ *susceptible (to),* open to ⟨twijfels, bezwaren⟩ ◆ **6.1** dit is niet **aan** mode ~ *this is not affected by fashion;* de koers was **aan** schommelingen ~ *the rate was l. / subject to fluctuations;* **aan** twijfel ~ zijn *be open to question/doubt;* **aan** slijtage ~ zijn *be l. to wear;* **aan** bederf ~ zijn *be l. to deterioration, be perishable.*

onderhorig ⟨bn.⟩ **0.1** [ondergeschikt aan] *subordinate* **0.2** [afhankelijk] *dependent* ◆ **1.1** ~e maatschappij *subsidiary company;* een sergeant met enige ~e manschappen *a sergeant with some s. men* **1.2** Gaza, haar ~e plaatsen en haar dorpen *Gaza, its d. towns and its villages.*

onderhorige ⟨de (m.)⟩ **0.1** *subordinate* ⇒⟨vnl. jongere⟩ *junior,* ⟨pej.⟩ *inferior, underling, minion.*

onderhorigheid ⟨de (v.)⟩ **0.1** [ondergeschiktheid, afhankelijkheid] *subordination* ⇒*dependence* **0.2** [gebied] *dependency.*

onderhoud ⟨het⟩ **0.1** [verzorging, voeding] *maintenance* **0.2** [het in goede staat houden] *maintenance* ⇒*upkeep* **0.3** [kost] *maintenance* ⇒*subsistence, support, sustenance* **0.4** [gesprek] *conversation* ⇒*talk, interview, hearing* ⟨op aanvraag⟩, ⟨audiëntie⟩ *audience* ◆ **1.1** het ~ v.d. troepen *the m. of the troops* **1.2** het ~ v.d. computer *the m. of the computer;* het ~ van uw gebit *dental hygiene/health, care of one's/your teeth;* de kosten van ~ *m. costs, cost of repairs/upkeep/m.;*

goede staat van ~ *well-maintained, in a good state of/in thorough repair, in top condition;* in slechte staat van ~ verkeren *be in bad repair/in disrepair/out of repair* **2.2** groot ~ *major repairs* **2.3** zij kon in haar eigen ~ voorzien *she was self-supporting* **3.3** zijn ~ verdienen *earn one's keep* **3.4** een ~ aanvragen *ask for an appointment/interview;* een ~ hebben met iem. *gain/get a hearing with s.o., have an interview with s.o.;* iem. een ~ toestaan *grant/accord/give s.o. an interview;* hearing/ ⟨scherts., beh. voor Paus⟩ *audience* **6.2** te duur zijn in het ~ *be too expensive in m. / upkeep/to keep in repair/to keep up* **6.3** in zijn ~ voorzien *support o.s., provide for o.s., make a living, pay one's way;* voorzien in het ~ van zijn gezin *maintain/provide for/support one's family.*

onder'houden

I ⟨ov.ww.⟩ **0.1** [iets onder het oog brengen] *lecture* ⇒*have a word with, speak to,* ⟨vermanend⟩ *remonstrate/expostulate with* **0.2** [laten voortduren] *maintain* ⇒*keep up* **0.3** [naleven] *keep* ⇒*observe* **0.4** [in stand houden] *maintain* ⇒*keep up, keep in repair, keep* ⟨tuin⟩, ⟨auto ook⟩ *service* **0.5** [verzorgen] *maintain* ⇒*support, provide for, keep* **0.6** [aangenaam bezighouden] *entertain* ⇒*amuse* ◆ **1.2** betrekkingen ~ met m. / *have relations with;* een briefwisseling ~ *carry on/keep up/ m. a correspondence;* een contact/vuur ~ *keep in touch, keep up/sustain a fire;* een dienst ~ m. / *conduct/keep up/operate a service* **1.3** Gods geboden/de wet ~ k. / *observe God's commandments, abide by/obey the law* **1.4** een huis goed ~ *keep a house in good repair/in a good state of repair;* een leger ~ m. *an army;* zijn spullen ~ *keep one's things in order, take care of/attend to one's things;* zijn tuintje ~ *keep one's garden (in order), m. one's garden* **3.5** zich door zijn vrouw laten ~ *live off one's wife('s earnings)* **4.5** zichzelf ~ *support o.s.* **5.4** een goed ~ tuin *a well-kept/-tended/trim garden;* het huis was slecht ~ *the house was in bad repair/in disrepair/out of repair/in a bad state of repair* **6.1** iem. ernstig **over** iets ~ *give s.o. a stern lecture on/about sth., give s.o. a good talking to about sth., speak seriously to s.o. about sth.; remonstrate/expostulate with s.o. on sth.;*

II ⟨wk.ww.; zich ~⟩ **0.1** [spreken] *converse (with)* ⇒*talk (to).*

'onderhouden ⟨ov.ww.⟩ **0.1** *keep under* ◆ **1.1** zijn tegenstander ~ *keep one's opponent under.*

onderhoudend ⟨bn., bw.; -ly⟩ **0.1** *entertaining* ⇒*amusing* ◆ **1.1** hij is een ~ prater *he is an e. / amusing talker* **3.1** dit boek is zeer ~ geschreven ⟨ook⟩ *this book is sparklingly written;* hij is ~ ⟨ook⟩ *he is a good talker/good company.*

onderhouder ⟨de (m.)⟩ **0.1** [verzorger] *support(er)(of)* ⇒*provider (for)* **0.2** [nalever] *keeper.*

onderhoudplichtig ⟨bn.⟩ **0.1** [mbt. zaken] *liable for maintenance/upkeep* ⟨pred.⟩ ⇒*liable to maintain* **0.2** [mbt. personen] *liable for maintenance/support* ⟨pred.⟩ ⇒*liable to maintain/support.*

onderhoudsabonnement ⟨het⟩ **0.1** *maintenance subscription/contract.*

onderhoudsbeurt ⟨de⟩ **0.1** *overhaul, service* ◆ **3.1** een ~ geven *service, overhaul;* een ~ krijgen *be serviced.*

onderhoudsdienst ⟨de (m.)⟩ **0.1** *maintenance service* ⇒⟨binnen bedrijf ook⟩ *maintenance/service department.*

onderhoudsdosis ⟨de (v.)⟩ **0.1** *maintenance ration.*

onderhoudskosten ⟨zn.mv.⟩ **0.1** [mbt. personen] *(cost of) maintenance* **0.2** [mbt. zaken] *(cost of) maintenance/upkeep* ⇒*cost of repair(s)* ◆ **6.1** de ~ van patienten in een ziekenhuis *the cost/expense of containing patients in a hospital, the m. of patients in a hospital.*

onderhoudsman ⟨de (m.)⟩ **0.1** *maintenance man/worker* ⇒⟨AE ook⟩ *building engineer.*

onderhoudsmonteur ⟨de (m.)⟩ **0.1** *maintenance engineer/man* ⟨m.⟩ / *woman* ⟨v.⟩ ⇒*service engineer.*

onderhoudspersoneel ⟨het⟩ **0.1** *maintenance staff/personnel* ⇒*maintenance crew/gang.*

onderhoudsplicht ⟨de⟩ **0.1** [mbt. personen] *liability/duty of maintenance* ⟨hangende/na (echt)scheiding⟩ / *support* ⇒*liability to maintain/support* **0.2** [mbt. zaken] *liability of maintenance/upkeep* ⇒*liability to maintain/keep in (good) repair.*

onderhoudsrecht ⟨het⟩ **0.1** *right to maintenance.*

onderhoudssubsidie ⟨de (v.)⟩ **0.1** *(house) maintenance subsidy/grant.*

onderhoudstermijn ⟨de (m.)⟩ **0.1** *term of maintenance.*

onderhoudstherapie ⟨de (v.)⟩ **0.1** *maintenance therapy.*

onderhoudswerkzaamheden ⟨zn.mv.⟩ **0.1** *maintenance/service (work)* ◆ **6.1** wegens ~ gesloten *closed for maintenance/service.*

onderhout ⟨het⟩ **0.1** *undergrowth* ⇒*brush(wood), bushes.*

onderhuid ⟨de⟩ **0.1** *dermis* ⇒*true skin, derm(a),* ⟨wet.⟩ *corium, cutis.*

onderhuids ⟨bn., bw.⟩ **0.1** [onder de huid] *subcutaneous* ⇒*hypodermic* **0.2** [⟨fig.⟩] *under the skin* ⟨alleen bw.⟩ ⇒*repressed, inarticulate* ⟨onvrede⟩, *subdued* ⟨humor, spanning⟩, *buried* ⟨angst⟩ ◆ **1.1** een ~e bloeduitstorting *a s. heamorrhage, a bruise;* een ~e injectie *a hypodermic/s. injection* **1.2** ~e humor ⟨ook⟩ *shy humour.*

onderhuis ⟨het⟩ **0.1** [souterrain] *basement* ⇒[benedenhuis] ^B*ground/*^A*first floor.*

onderhuren ⟨ov.ww.⟩ **0.1** *sublease, underlease* ⇒*have the subtenancy of, have (sth.) on sublease/underlease.*

onderhuur ⟨de⟩ **0.1** *subtenancy* ⇒⟨jur.⟩ *sublease* ◆ **6.1** iets in ~ hebben *have the subtenancy of sth., have sth. on sublease;* **in** ~ afstaan aan *sublet/sublease to.*

onderhuurder 〈de (m.)〉, **-ster** 〈de (v.)〉 **0.1** *subtenant* ⇒ 〈jur.〉 *sublessee, underlessee.*

onderin[1] 〈bw.〉 **0.1** *below* ⇒*at the bottom* ◆ **3.1** enige passagiers bleven op het dek, anderen zaten ~ *some passengers remained on deck, others were b.;* kijk eens in die lade, ~ zult u een brief vinden *please look inside that drawer, at the bottom you'll find a letter.*

onderin[2] 〈vz.〉 **0.1** *at the bottom of* ◆ **¶.1** het ligt ~ die kast *it's at the bottom of that cupboard.*

onderinspecteur 〈de (m.)〉, **-trice** 〈de (v.)〉 **0.1** *assistant inspector* ⇒ 〈zeldz.〉 *underinspector.*

onderjurk 〈de〉 **0.1** *(half-)slip* ⇒*petticoat, underslip.*

onderkaak 〈de〉 **0.1** *lower jaw* ⇒〈dieren ook〉 *mandible.*

onderkam 〈de (m.)〉 **0.1** *wattle* 〈van kalkoen e.d.〉.

onderkanselier 〈de (m.)〉 **0.1** *vice-chancellor.*

onderkant 〈de (m.)〉 **0.1** *underside, bottom* ◆ **1.1** de ~ v.e. steen *the u. of a stone;* de ~ v.e. tafel *the u. of a table* **6.1** het meubel is **aan** de ~ erg beschadigd *the piece of furniture is badly damaged underneath/on the b./u..*

onderkapitalisatie 〈de (v.)〉 **0.1** *undercapitalization.*

onderkast 〈de〉 **0.1** [letters] *lower case* ⇒*lower-case letter(s), small letter(s), minuscule(s)* **0.2** [letterkast] *lower case.*

onderkastletter 〈de (m.)〉 **0.1** *lower-case letter* ⇒*minuscule.*

onderkennen 〈ov.ww.〉 **0.1** [beseffen] *recognize* ⇒*realize* **0.2** [(her)kennen] *distinguish* ⇒*discern, recognize, identify, diagnose* 〈een ziekte/fout〉 ◆ **1.2** het gevaar ~ *recognize/realize the danger;* goed en kwaad ~ *discern between good and evil* **6.2** het is moeilijk die twee **van** elkaar te ~ *the two of them are hard to tell apart/distinguish.*

onderkenning 〈de (v.)〉 **0.1** [besef] *recognition* ⇒*realization, awareness* **0.2** [(her)kenning] *distinction, discernment* ⇒*recognition, indentification, diagnosis* 〈ziekte, fout〉.

onderkies 〈de〉 **0.1** *lower molar.*

onderkin 〈de〉 **0.1** *double chin* ◆ **2.1** een dubbele ~ *(with) three chins.*

onderklasse 〈de (v.)〉 〈biol.〉 **0.1** *subclass.*

onderklauw 〈de (m.)〉 〈dierk.〉 **0.1** *pastern.*

onderkleding 〈de (v.)〉 **0.1** *underclothing* ⇒*underclothes, undergarments.*

onderkleed 〈het〉 **0.1** [vloerkleed] *underlay;* 〈van vilt〉 *underfelt* **0.2** [tafelkleed] *undercloth* **0.3** [kledingstuk] *undergarment.*

onderkleren 〈zn.mv.〉 **0.1** *underclothes* ⇒*underwear.*

onderkoeld
I 〈bn., bw.〉 **0.1** [ongeëmotioneerd] *cool* ⇒*unimpressed, uninvolved* ◆ **1.1** een ~e reactie *an unemotional/a ↓cold reaction;*
II 〈bn.〉 **0.1** [〈nat.〉] *supercooled.*

onderkoelen 〈ov.ww.〉 〈nat.〉 **0.1** *supercool.*

onderkoeling 〈de (v.)〉 〈nat.〉 **0.1** *supercooling.*

onderkok 〈de (m.)〉, **-kin** 〈de (v.)〉 **0.1** *second/assistant cook/chef.*

onder'komen 〈onov.ww.〉 〈AZN〉 **0.1** *perish* ⇒*decay, dilapidate.*

'onderkomen[1] 〈het〉 **0.1** *somewhere to go/sleep/stay* ⇒*accommodation,* 〈schuilplaats〉 *shelter* ◆ **3.1** een ~ zoeken/vinden *seek/find somewhere to go/sleep/stay.*

'onderkomen[2] 〈onov.ww.〉 **0.1** *find somewhere to go/stay/sleep* ⇒*find accommodation/shelter.*

onderkoning 〈de (m.)〉 **0.1** *viceroy.*

onderkoningschap 〈het〉 **0.1** *viceroyship* ⇒*viceroyalty.*

onderkruier 〈de (m.)〉 **0.1** *post-mill.*

onderkruipen 〈onov., ov.ww.〉 **0.1** [iem. de voet lichten/verdringen] 〈ov.ww.〉 *undercut* ⇒*supplant, interlope,* 〈door lagere prijs〉 *undersell* **0.2** [werken tijdens staking] 〈vnl. BE〉 *backleg* ⇒〈onov. ww. ook〉 *scab.*

onderkruiper 〈de (m.)〉 **0.1** [beunhaas] *interloper* ⇒*supplanter, underseller* **0.2** [werkwillige] *scab* ⇒〈vnl. BE〉 *backleg* **0.3** [persoon/zaak die zwak/klein blijft] *poor thing* ⇒*undersized person/thing,* 〈kleine persoon/zaak;inf.〉 *tiddler,* 〈kleine persoon ook;inf.〉 *ti(t)ch, shorty, squirt, shrimp,* 〈zwakke zaak;inf.〉 *weedy thing, poor effort,* 〈zwakke persoon;inf.〉 *weed* ◆ **3.3** die heesters zijn maar ~tjes *those shrubs are poor things/efforts.*

onderkruiperij 〈de (v.)〉 **0.1** *undercutting* ⇒*interloping, foul play,* 〈tegen staking〉 *backlegging, scabbing* ◆ **2.1** gemene ~en *mean/low tricks.*

onderkruipsel 〈het〉 **0.1** *ti(t)ch* ⇒*shorty, shrimp,* 〈pej.〉 *squirt,* 〈sterk pej.〉 *runt, wart,* 〈kind〉 *mite (of a child), tot.*

onderlaag 〈de〉 **0.1** [benedenlaag] *lower layer* ⇒〈onderste laag〉 *bottom layer,* 〈geol.〉 *substratum, underlay* 〈onder tapijt〉, *undercoat* 〈onder verflaag〉, *foundation* 〈onder make-up〉 **0.2** [laag/voorwerp waarop iets rust] *foundation* ⇒*basis, substratum, bed* 〈weg, machine〉 ◆ **1.1** 〈fig.〉 de ~ v.d. maatschappij *the dregs of society* **6.1** graniet op een ~ van basalt 〈ook〉 *granite underlaid with basalt.*

onderlaken 〈het〉 **0.1** *bottom sheet.*

onderlangs[1] 〈bw.〉 **0.1** *along the bottom/foot* ⇒*underneath* ◆ **5.1** zullen wij boven- of ~ gaan? *shall we take the upper/high road or the lower one?.*

onderlangs[2] 〈vz.〉 **0.1** *along the bottom/foot of* ⇒*underneath* ◆ **1.1** ~ de berg loopt een pad *there's a path along the foot of the mountain* **6.1** ~ of **bovenlangs** naar het 2e perron gaan 〈ook〉 *go up or down to the second platform.*

onderlegd 〈bn.〉 **0.1** *(well-)grounded* ⇒*practised, (well-)versed (in)* ◆ **5.1** zij is goed ~ *she's well educated* **6.1** ~ zijn in iets 〈ook〉 *be well up in sth..*

onderleggen 〈ov.ww.〉 **0.1** *(put) down* 〈tegenstander〉.

onderlegger 〈de (m.)〉 **0.1** [onderligger] *mat* 〈meestal dun〉 ⇒〈onder bord/kopje ook〉 *table-mat,* 〈onder bord ook〉 *place-mat,* 〈steun〉 *rest,* 〈plat kussen〉 *pad* **0.2** [balk] *girder* ⇒*crossbeam* **0.3** [molton deken] *underblanket.*

onderlichaam 〈het〉 **0.1** *lower part of the body.*

onderliggen 〈onov.ww.〉 **0.1** [beneden liggen] *lie below/at the bottom* **0.2** [onder iem. liggen] *be under, be worsted* 〈mbt. worsteling〉 **0.3** [voor iem. onderdoen] *be cutdown (by)* ◆ **1.1** 〈fig.〉 de ~de partij *the underdog.*

onderliggend 〈bn.〉 **0.1** *underlying* ◆ **1.1** ~e tegenstellingen *u. contrasts.*

onderligger →**onderlegger.**

onderlijf 〈het〉 **0.1** [onderlichaam] *lower part of the body* **0.2** [onderbuik] *belly* ⇒*lower abdomen.*

onderlijn 〈de〉 **0.1** [lijn aan de onderkant] *bottom/lower line* **0.2** [〈vis.〉] *trace,* △*leader.*

onderlijnen 〈ov.ww.〉 **0.1** [onderstrepen] *underline* **0.2** [benadrukken] *underline* ⇒*emphasize.*

onderling 〈bn., bw.; -ly〉 **0.1** *mutual* ⇒*between/among ourselves/themselves)* 〈enz.〉, *together* 〈alleen bw.〉 ◆ **1.1** de ~e afstand *the distance (between them* 〈enz.〉 *), the in-between distance;* met ~ goedvinden *by m. consent;* ~e strijd 〈ook〉 *infighting;* ~e tegenstellingen *internal differences;* ~ verband *correlation, interrelation;* een ~e verzekeringsmaatschappij *a m. insurance company* **2.1** ~ afhankelijk *mutually dependent, interdependent;* ~ verwisselbaar *interchangeable, mutually exchangeable;* 〈software〉 *compatible* **3.1** ~ afwijken *be mutually divergent;* ~ beraadslagen *have m. consultations, consult together;* iets ~ oplossen/regelen *solve/arrange sth. together/amongst one another;* ~ verbonden zijn *be interrelated, correlate, have sth. in common;* ~ verdeeld *divided among/between themselves, divided against itself;* ~ vergelijken *compare with each other.*

onderlinnen 〈het〉 **0.1** *underlinen.*

onderlip 〈de〉 **0.1** *lower/under lip* ◆ **2.1** een vooruitstekende ~ *a projecting lower/under lip* **3.1** de ~ laten hangen ≠*pout;* op de ~ bijten *bite one's lip;* de ~ optrekken *set one's jaw* 〈uit koppigheid/verbetenheid〉;*set one's jaw* 〈stijfheid〉.

onderlopen 〈onov.ww.〉 **0.1** *be flooded* ⇒〈land ook〉 *be submerged/inundated* ◆ **3.1** laten ~ *flood, inundate.*

onderlosser 〈de (m.)〉 **0.1** *hopper* ⇒〈schuit ook〉 *hopper barge,* 〈wagon ook〉 *hopper car.*

onderlossing 〈de (v.)〉 **0.1** *discharge through hoppers.*

onderluitenant 〈de (m.)〉 〈AZN〉 **0.1** *sublieutenant.*

ondermaans 〈bn.〉 **0.1** *sublunary* ⇒*earthly, terrestrial, of this world* 〈pred.〉 ◆ **1.1** het ~e leven *the s./terrestrial life;* de wisselvallige ~e wereld *the precarious/inconstant s. world.*

ondermaanse 〈het〉 **0.1** *sublunary/terrestrial world/life* ◆ **7.1** in dit ~ 〈ook〉 *here below.*

ondermaat 〈de〉 **0.1** *short measure/weight, undersize.*

ondermaats 〈bn.〉 **0.1** [mbt. formaat] *undersized* ⇒〈mens〉 *sawed-off,* ↓*runty* **0.2** [mbt. kwaliteit] *inferior* ⇒*substandard, inadequate, below par* 〈pred.〉 ◆ **1.1** ~e vis *u. fish* **1.2** ~e prestaties *insufficient achievements, performances that are below par.*

ondermelk 〈de〉 **0.1** *skim(med) milk.*

ondermijnen 〈ov.ww.〉 **0.1** [verzwakken] *undermine* ⇒*mine* **0.2** [mijnen leggen onder] *undermine* ⇒〈mil. ook〉 *sap,* 〈alg. ook; ondergraven〉 *burrow under,* 〈oever ook〉 *wear (away)* ◆ **1.1** ~de activiteiten *subversive/disruptive activities;* zijn geloof werd ondermijnd *his belief/faith was undermined/subverted;* iemands krachten ~ *u./sap s.o.'s strength;* iemands positie/invloed/gezag ~ *u./undercut/subvert s.o.'s position/influence/authority* **1.2** muren ~ *u. walls.*

ondermijning 〈de (v.)〉 **0.1** [het verzwakken] *undermining* ⇒〈subversie〉 *subversion* **0.2** [het ondergraven (met mijnen)] *undermining* ⇒〈mil. ook〉 *sap(ping), mine, mining.*

ondermode 〈de〉 **0.1** *lingerie fashion.*

ondernemen 〈ov.ww.〉 **0.1** [op zich nemen] *undertake* ⇒*take upon o.s., start (on)* **0.2** [speculeren] *(take a) venture* ⇒*start* ◆ **1.1** pogingen ~ *make attempts;* een grote reis *set out (up)on/set off for/start on a long journey;* stappen ~ *take steps, arrange sth., act;* gerechtelijke stappen ~ *institute/start proceedings, go to court* **4.1** we hadden net zo goed niets kunnen ~ *we might just as well have done nothing* **6.1** niets ~ **tegen** *take no action against, do nothing about, lie down under* **6.2** iets in tarwe ~ *take a venture in wheat.*

ondernemend 〈bn.〉 **0.1** *enterprising* ⇒*adventurous* 〈baby〉, *up-and-coming* 〈nieuw bedrijf〉 ◆ **1.1** een ~ man *a man of enterprise, an e. man.*

ondernemer 〈de (m.)〉, **-neemster** 〈de (v.)〉 **0.1** [〈ec.〉] *entrepreneur, em-*

ployer ⇒⟨aannemer⟩ *contractor,* ⟨exploitant⟩ *operator,* ⟨eigenaar⟩ *owner, proprietor* **0.2** [initiatiefnemer] *initiator* ⇒*instigator, moving force.*

ondernemerschap ⟨het⟩⟨ec.⟩ **0.1** *entrepreneurship.*

ondernemersinitiatief ⟨het⟩⟨ec.⟩ **0.1** *private / industrial initiative / enterprise.*

ondernemersorganisatie ⟨de (v.)⟩ **0.1** *employers' organization.*

onderneming ⟨de (v.)⟩ **0.1** [karwei] *undertaking* ⇒*enterprise, job, project,* ⟨met risico's⟩ *venture* **0.2** [bedrijf] *company* ⇒*business, enterprise, undertaking,* ⟨groot⟩ *concern* ◆ **2.1** een gevaarlijke ~ ⟨ook⟩ *an adventure;* het is een hele ~ *it's quite an u. / a job, it's no small u.;* een onbezonnen ~ *a mad project, a foolish u. / job / project.*

ondernemingsgeest ⟨de (m.)⟩ **0.1** (*spirit of*) *enterprise* ⇒ ↓*push* ◆ **6.1** iem. **zonder** ~ *an unenterprising person.*

ondernemingsklimaat ⟨het⟩ **0.1** *investment climate.*

ondernemingsraad ⟨de (m.)⟩ **0.1** *works council.*

onderofficier ⟨de (m.)⟩⟨mil.⟩ **0.1** *NCO* ⇒*non-commissioned officer,* ⟨ter zee⟩ *petty officer,* ⟨itt. officier ook⟩ *soldier.*

onderonsje ⟨het⟩ **0.1** [kring van personen] *small circle* ⇒*in-crowd,* ⟨pej.⟩ *cabal, cliquer* **0.2** [overleg] *private chat* ⇒*tête-à-tête* ◆ **2.1** een gezellig ~ *an informal chat* ⟨praatje / party⟩ *party* ⟨gelegenheid⟩.

onderontwikkeld ⟨bn.⟩ **0.1** [achtergebleven] *underdeveloped* ⇒*backward* **0.2** [⟨foto.⟩] *underdeveloped.*

onderop ⟨bw.⟩ **0.1** *at the bottom* ◆ **3.1** het ligt ~ in die stapel *it's at the bottom of /* ⟨AE⟩ *way down in that stack / hile;* ⟨fig.⟩ ~ *raken come down, be brought low* **6.1** ⟨fig.⟩ het initiatief moet **van** ~ komen *the initiative should come from below.*

onderorde ⟨de⟩⟨biol.⟩ **0.1** *suborder.*

onderpacht ⟨de⟩ **0.1** *sublease* ⇒*subtenancy, undertenancy* ◆ **6.1** iets **in** ~ *geven let sth. in sublease, sublease / sublet sth..*

onderpand ⟨het⟩ **0.1** [mbt. een schuld] *pledge* ⇒*security,* ⟨tot meerdere zekerheid, vnl. roerende zaken⟩ *collateral,* ⟨vnl. waardepapieren⟩ *deposit* **0.2** [mbt. een verbintenis / belofte] *pledge* ◆ **2.1** zakelijk ~ *collateral (security)* **3.1** ~ *geven give security / collateral, make a deposit* **6.1 in** ~ *geven / nemen give / take in p. / as collateral / as security;* **op / tegen** ~ *lenen borrow on security / against (a p. of) collateral;* hij gaf zijn boekerij **tot** ~ *he pledged his library, he gave his library in p. / as collateral.*

onderploegen ⟨ov.ww.⟩ **0.1** *plough* ^*plow back / in / down / under.*

onderproduktie ⟨de (v.)⟩ **0.1** *underproduction.*

onderpui ⟨de⟩ **0.1** *shop front.*

onderrand ⟨de (m.)⟩ **0.1** *lower / bottom edge* ⇒*lower margin* ⟨van gedrukte bladzijde⟩.

onderregenen ⟨onov.ww.⟩ **0.1** *be flooded / swamped / inundated by / with rain.*

onderricht ⟨het⟩ **0.1** *instruction* ⇒*tuition,* ⟨→ook onderwijs⟩ ◆ **3.1** ~ *geven / krijgen give / receive i. / tuition.*

onderrichten ⟨ov.ww.⟩ **0.1** [onderwijzen] *instruct* ⇒*teach,* ⟨→ook onderwijzen⟩ **0.2** [voorlichten] *instruct* ⇒*inform, enlighten* ◆ **3.2** zich laten ~ *have o.s. instructed / enlightened* **6.1** iem. ~ **in** het lezen *give s.o. reading instruction / lessons, instruct s.o. in reading.*

onderrok ⟨de (m.)⟩ **0.1** *petticoat* ⇒*half-slip.*

onderruim ⟨het⟩⟨scheep.⟩ **0.1** *lower hold.*

onderschatten ⟨ov.ww.⟩ **0.1** *underestimate* ⇒*underrate, undervalue* ◆ **1.1** een niet te ~ factor *a factor which should not be underestimated / underrated;* iem. ~ *underestimate / underrate s.o.* **5.1** je moet aardappels als vitaminebron niet ~ *don't undervalue potatoes as a source of vitamines.*

onderschatting ⟨de (v.)⟩ **0.1** *underestimate, underestimation* ⇒*underrating, undervaluation.*

onderscheid ⟨het⟩ **0.1** [verschil] *difference* ⇒*distinction, contrast* **0.2** [inzicht] *discernment* ◆ **1.2** tot de jaren des ~s komen *come to / reach the age of discretion* **3.1** een ~ maken tussen ... *distinguish ... from ... / between ..., draw / make a distinction between ...;* zij weet het ~ niet tussen A en B *she doesn't know A from B / the difference between A and B* **6.1** een ~ **zonder** ~ *a distinction without a difference, a meaningless distinction* **6.¶** **zonder** ~ *without distinction, indiscriminately, all alike;* iedereen **zonder** ~ *all and sundry.*

onderscheiden¹ ⟨bn.⟩ **0.1** [verschillend] *various* ⇒*different* **0.2** [uiteenlopend] *various* ⇒*diverse* **0.3** [een aantal] *various* ⇒*several* ◆ **1.1** de ~ kantons van Zwitserland *the v. / different cantons of Switzerland* **1.2** ~gevoelens *v. / diverse feelings* **1.3** ze heeft ~ redenen voor haar weigering *she has v. / several reasons for her refusal.*

onderscheiden²
I ⟨ov.ww.⟩ **0.1** [(af)scheiden] *distinguish* ⇒*discriminate* **0.2** [onderkennen] *discern, distinguish* **0.3** [met eer behandelen, bejegenen] *treat with distinction* **0.4** [orde / decoratie verlenen] *decorate* ◆ **1.2** voorwerpen kunnen ~ *be able to discern / distinguish / make out objects* **3.4** ~ *worden met een medaille be awarded a medal* **6.1** men onderscheidt de honden **in** verschillende rassen *dogs are distinguished into various breeds;* **van** kwaad ~ *discern good from evil, discriminate between good and evil;* ik kan geen roos **van** een tulp ~ *I cannot tell a rose from a tulip* **6.4** iem. **met** een ridderorde ~ *invest s.o. with an order* **¶.2** niet te ~ zijn van *be indistinguishable from;*

II ⟨wk.ww.; zich ~⟩ **0.1** [gekenmerkt worden] *distinguish o.s.* ⟨in gunstige zin⟩ *for /* ⟨neutraal⟩ *by* ◆ **4.1** zich ~ ⟨opvallen⟩ *stand out;* ⟨iets bereiken⟩ *make one's mark;* zich ~ door zijn moed *distinguish o.s. for courage, be remarkable / conspicuous for one's courage* **5.1** zich scherp ~ van *contrast sharply with.*

onderscheidend ⟨bn.⟩ **0.1** *distinguishing* ◆ **1.1** ~e kenmerken *d. characteristics / features.*

onderscheiding ⟨de (v.)⟩ **0.1** [decoratie] *decoration* ⇒*honour, distinction, award* **0.2** [achting] *distinction* ⇒*esteem* **0.3** [blijk / bewijs van voorkeur] *honour* ⇒*favour* **0.4** [het onderscheiden] *distinction* ◆ **1.1** lijst van ~en *honours list* **2.1** de film kreeg de hoogste ~ *the film won the highest award;* militaire ~en *military honours* **2.3** een hele ~! *quite an h.!* **3.1** een ~ verlenen / ontvangen *decorate s.o., be decorated* **6.2** iem. **met** ~ behandelen *treat s.o. with d. / esteem* **6.4** ter ~ droeg hij een pet *for ease of d. he wore a cap;* **ter** ~ **van** *as distinguished / distinct from.*

onderscheidingsdrang ⟨de (m.)⟩ **0.1** *urge to distinguish o.s..*

onderscheidingsteken ⟨het⟩ **0.1** [onderscheidend kenmerk] (*distinguishing*) *mark / badge* **0.2** [voorwerp] *decoration* ⇒*medal, badge* ◆ **1.2** de ~en v.e. orde *the insignia of an order.*

onderscheidingsvermogen ⟨het⟩ **0.1** (*power of*) *discernment* ⇒*judgment.*

onderscheppen ⟨ov.ww.⟩ **0.1** [onderweg opvangen] *intercept* ⇒*stop* **0.2** [verspreiding / doordringing beletten van] *intercept* ⇒*cut off, block* **0.3** [⟨AZN⟩ heimelijk vernemen] *be secretly informed, be told by a little bird* ◆ **1.1** brieven ~ *i. letters* **1.2** het licht ~ *i. / cut off / block the light.*

onderschepping ⟨de (v.)⟩ **0.1** *interception.*

onderscheppingsjager ⟨de (m.)⟩ **0.1** *interceptor.*

onderschikkend ⟨bn., bw.⟩ ⟨taal.⟩ **0.1** *subordinate* ◆ **1.1** ~ voegwoord *subordinating conjunction;* ~ zinsverband *subordination* **3.1** die zinnen zijn ~ verbonden *those clauses are related by subordination.*

onderschikking ⟨de (v.)⟩ ⟨taal.⟩ **0.1** *subordination, hypotaxis.*

onderschip ⟨het⟩ **0.1** *hold* ◆ **6.1** naar / in het ~ *below (decks).*

onderschoren ⟨ov.ww.⟩ **0.1** *shore up* ⇒*prop, underpin* ◆ **1.1** een verzakkend gebouw ~ *underpin a sagging building;* de zolder ~ *shore up the attic.*

onderschragen ⟨ov.ww.⟩ **0.1** [onderstutten] *support* ⇒*underpin, prop / buttress (up), uphold* **0.2** [⟨fig.⟩] *support* ⇒*prop up, buttress, underpin* ◆ **1.1** een vloer ~ *i. / underpin a floor;* ⟨onderschraging versterken⟩ *prop up / underprop a floor* **1.2** dapperheid door beleid onderschraagd *bravery buttressed by discretion.*

onderschrift ⟨het⟩ **0.1** [wat onder iets staat] ⟨bij figuur / foto / film⟩ *caption* ⇒ ⟨bij film ook⟩ *subtitle,* ⟨postscriptum⟩ *postscript* **0.2** [handtekening] *subscription* ⇒*signature.*

onderschrijden ⟨ov.ww.⟩ **0.1** *underspend* ◆ **1.1** een begroting ~ *u. a budget.*

onderschrijven ⟨ov.ww.⟩ **0.1** [zich verenigen met] *subscribe to* ⇒*endorse* **0.2** [ondertekenen] *subscribe* ⇒*sign* ◆ **1.1** een standpunt ~ *endorse / subscribe to a viewpoint* **1.2** een vonnis ~ *sign a judgement.*

onderschuifbed ⟨het⟩ **0.1** *trundle (bed).*

onderschuiven ⟨ov.ww.⟩ **0.1** *substitute (by stealth)* ⇒*plant* ◆ **1.1** vals bewijsmateriaal ~ *plant false evidence;* een ondergeschoven kind *a supposi(ti)tious child, a child foisted (on s.o.);* een testament ~ *s. / plant a will;* ondergeschoven testament *supposi(ti)tious / spurious will.*

onderschuiving ⟨de (v.)⟩ **0.1** *fraud with a child's civil status.*

ondershands ⟨bw.⟩ **0.1** [in het geheim] *secretly* ⇒*furtively, underhand* **0.2** [zonder openbaar ambtenaar] *privately,* **under a private agreement** ◆ **2.2** een ~ getekende akte *a deed executed in private* **3.1** ik heb u daarvan ~ kennis gegeven *I informed you s.;* ⟨inf.⟩ *I told you off the record* **3.2** iets ~ verkopen *sell sth. privately.*

ondersneeuwen ⟨onov.ww.⟩ **0.1** [met sneeuw overdekt worden] *be snowed under* **0.2** [⟨fig.⟩] *be overlooked* ◆ **4.1** alles is ondergesneeuwd *everything is snowed under* **¶.2** dit probleem dreigt ondergesneeuwd te raken *this problem is in danger of being overlooked.*

ondersoort ⟨de⟩ ⟨biol.⟩ **0.1** *subspecies.*

onderspannen ⟨ov.ww.⟩ ⟨wisk.⟩ **0.1** *subtend.*

onderspanning ⟨de (v.)⟩ ⟨elek.⟩ **0.1** *undervoltage, undertension.*

onderspit ⟨het⟩ ◆ **3.¶** het ~ delven *taste defeat, have / get the worst (of it);* ⟨vnl. sport⟩ *go to the wall.*

onderspitten ⟨ov.ww.⟩ **0.1** *dig in* ◆ **4.1** iets ~ *dig in sth., dig sth. into the soil.*

onderspoelen
I ⟨onov.ww.⟩ **0.1** [ondermijnd worden] *be undermined;*
II ⟨ov.ww.⟩ **0.1** [ondermijnen] *undermine* ⇒*wash away.*

onderspuiten ⟨ov.ww.⟩ **0.1** *cover* ◆ **1.1** een muur ~ *met een vochtwerend middel c. a wall with a moisture repellant;* een brandende tank ~ *met schuim c. a burning tank with foam.*

onderst ⟨bn.⟩ ⟨→sprw. 324⟩ **0.1** *bottom(most)* ⇒*lower, under(most), nether(most)* ◆ **1.1** de ~e plank *the b. shelf;* de ~e steen boven keren *leave no stone unturned, go to all lengths, put o.s. out;* al moet de ~e steen boven komen *no matter the effort / cost* **7.1** het ~e uit de kan willen hebben ≠*drain the well dry.*

onderstaan ⟨onov.ww.⟩ **0.1** *be flooded.*

onderstaand ⟨bn.⟩ **0.1** *(mentioned) below* ⇒*hereunder, following* ◆ **1.1** zie ~e afbeelding *see (the) figure b.* / *hereunder;* in aanwezigheid van ~e getuigen *in the presence of the witnesses subscribed b.* / *the subscribing witnesses;* de ~e verklaring *the statement (given) b., the following statement.*

onderstam ⟨de (m.)⟩ ⟨landb.⟩ **0.1** *rootstock.*

onderstandig ⟨bn.⟩ ⟨plantk.⟩ **0.1** *inferior.*

onderstation ⟨het⟩ **0.1** *substation.*

ondersteboven ⟨bw.⟩ **0.1** [⟨lett.⟩] *upside down* ⇒*wrong side up, topsy-turvy, overturned* **0.2** [⟨fig.⟩ van streek] *upset* ⇒⟨inf.⟩ *cut up* ◆ **3.1** ~ gooien *upturn, upset, overthrow* ⟨tafel, plan⟩; *knock down, upturn* ⟨mens⟩; ~ halen/keren *upturn;* ⟨overhoop⟩ *turn topsy-turvy/inside out;* je houdt het ~ *you have it wrong side up;* ~ liggen *lie upside down;* ~ terechtkomen ⟨ook⟩ *land face down/topsy-turvy/on one's/its head;* iets ~ zetten *put sth. upside down, upend sth.* **3.2** ik ben er niet ~ van *I'm not all that impressed;* ~ zijn van iets *be u.* / *cut up about sth..*

ondersteek ⟨de (m.)⟩ **0.1** *bedpan.*

ondersteekbekken ⟨het⟩ →**ondersteek.**

onderstel ⟨het⟩ **0.1** [deel v.e. voorwerp] *support; undercarriage* ⟨van kanon/rijtuig/auto/vliegtuig⟩; ⟨van vliegtuig ook⟩ *landing gear;* ⟨van auto ook⟩ *chassis* **0.2** [⟨scherts.⟩ benen] *pegs* ◆ **2.1** een draaibaar ~ *a swivelling* ^*eling support/u.;* ⟨BE, van spoorrijtuig⟩ *a bogie.*

onderstelde ⟨het⟩ **0.1** [het veronderstelde] *supposition* ⇒*assumption, presumption* **0.2** [axioma] *assumption.*

onderstellen ⟨ov.ww.⟩ **0.1** [als hypothese/uitgangspunt aannemen] *assume* ⇒*suppose, surmise* **0.2** [noodzakelijk aanwezig achten] *presuppose* ⇒*presume, postulate* ◆ **1.1** een ondersteld geval *a hypothetical case* **1.2** dit boek onderstelt kennis v.d. grondbeginselen *this book presupposes knowledge of the basic principles* **8.1** ondersteld, dat het waar is wat je zegt *assuming that what you say is true* ¶**.1** ~ we, dat hij komt *let's suppose he comes.*

onderstelling ⟨de (v.)⟩ **0.1** [hypothese] *assumption* ⇒*hypothesis* **0.2** [het onderstellen] *supposition* ⇒*assumption, presumption* **0.3** [gissing] *supposition* ⇒*surmise, assumption* ◆ **2.1** een gegronde ~ *a well-founded a.* / *hypothesis* **3.3** ik ga van de ~ uit, dat *I proceed on/start form the a.* / *supposition.*

ondersteunen ⟨ov.ww.⟩ **0.1** [steunen tegen instorten] *prop (up)* ⇒*support* **0.2** [vasthouden] *support* ⇒*hold (up)* **0.3** [helpen, bijstaan] *support* ⇒*back (up)* **0.4** [mbt. een voorstel/verzoek] *back (up)* ⇒*support, uphold, sustain* ⟨argumenten⟩ ◆ **1.1** een gammel bouwwerk ~ *prop up a delapidated building* **1.2** een oude man ~ *s.* / *hold an old man* **1.4** een verzoek ~ ⟨ook⟩ *fall in with a request;* een voorstel ~ ⟨ook⟩ *lend support to/second a proposition* **1.**¶ ~de disciplines *auxiliary disciplines* **5.3** iem. financieel ~ *s.* / *back (up) s.o. financially, give s.o. financial assistance.*

ondersteuning ⟨de (v.)⟩ **0.1** [het steunen] *support* **0.2** [hulp, bijstand] *support* ⇒*relief, (public) assistance,* ⟨→ook onderstand⟩ ◆ **2.2** met ~ v.d. regering *grant-aided, government-backed* ⟨bn.⟩ **2.2** geldelijke ~ *financial assistance/relief* **6.1** ⟨fig.⟩ argumenten ter ~ van een stelling *arguments in s. of a thesis.*

ondersteuningsfonds ⟨het⟩ **0.1** *relief fund* ⇒*benevolent fund,* ⟨bij staking⟩ *strike-fund.*

ondersteuningspunt ⟨het⟩ ⟨bouwk.⟩ **0.1** *point of support.*

ondersteuningstroepen ⟨zn.mv.⟩ **0.1** *support troops* ⇒*supports.*

ondersteuningsvlak ⟨het⟩ ⟨bouwk.⟩ **0.1** *bearing surface.*

onderstoppen ⟨ov.ww.⟩ **0.1** *tuck in.*

onderstrepen ⟨ov.ww.⟩ **0.1** [een streep zetten onder] *underline* ⇒*underscore* **0.2** [met nadruk uitspreken] *emphasize* ⇒*underline, accentuate, stress* ◆ **1.1** fouten ~ ⟨ook⟩ *mark mistakes.*

onderstreping ⟨de (v.)⟩ **0.1** [het onderstrepen] *underlining* ⇒*underscoring* **0.2** [onderstreepte tekst] *underlining* ⇒*underscoring* **0.3** [streep onder tekst] *underline* ⇒*underscore.*

onderstromen ⟨onov.ww.⟩ **0.1** *be flooded/submerged.*

onderstroom ⟨de (m.)⟩ **0.1** [stroming] *undercurrent* ⇒*undertow* **0.2** [⟨fig.⟩] *undercurrent* ⇒*underflow* ◆ **6.2** een ~ van steun voor de beklaagde *an undercurrent of support for the accused.*

onderstuiven ⟨onov.ww.⟩ **0.1** *be/get buried in/covered with sand* ◆ **1.1** ondergestoven geestgronden *land behind sand-dunes covered with drifting sand* **6.1** ondergestoven met meel *dusted with flour.*

onderstuk ⟨het⟩ **0.1** *base* ⇒*foot, lower part, bottom.*

onderstutten ⟨ov.ww.⟩ ⟨ook fig.⟩ **0.1** *prop up* ⇒*support, buttress.*

onderstuurd ⟨bn.⟩ **0.1** *with/having understeer.*

ondertand ⟨de⟩ **0.1** *lower tooth.*

ondertapijt ⟨het⟩ **0.1** *underlay* ⇒⟨viltpapier ook⟩ *underfelt.*

onderteelt ⟨de⟩ **0.1** *underplanting.*

ondertekenaar ⟨de (m.)⟩ **0.1** *signer* ⇒*subscriber, signatory* ◆ **1.1** de ondertekenaren v.e. verdrag *the signatories of/parties signing/parties to a treaty.*

ondertekenen ⟨ov.ww.⟩ **0.1** *sign* ⇒*subscribe* ◆ **1.1** een testament/document ~ ⟨ook⟩ *execute a will/document;* een verdrag ~*sign/become party to a treaty* **5.1** haar brief was niet ondertekend *her letter bore no signature/was unsigned* **6.1** met een kruisje ~ *sign with a cross.*

ondertekening ⟨de (v.)⟩ **0.1** [het ondertekenen/ondertekend worden] *signing* ⇒*subscribing* **0.2** [handtekening] *signature* ⇒*subsciption* ◆ **6.1** ter ~ gereedliggen *be available for signature.*

ondertitel ⟨de (m.)⟩ **0.1** [⟨t.v., film⟩] *subtitle* **0.2** [subtitel] *subtitle* **0.3** [deeltitel] *subtitle.*

ondertitelen ⟨ov.ww.⟩ **0.1** *subtitle.*

ondertiteling ⟨de (v.)⟩ **0.1** *subtitles.*

ondertoezichtstelling ⟨de (v.)⟩ ⟨jur.⟩ **0.1** ≠*placing under supervision/in custody.*

ondertoon ⟨de (m.)⟩ **0.1** [onder iets anders te horen toon] *undertone* ⇒ ⟨fig. ook⟩ *undercurrent, overtone, ring* **0.2** [⟨muz.⟩] *sub-harmonic* **0.3** [⟨hand.⟩] *undertone* ◆ **6.1** met een ~ van spijt *with a ring/overtones of regret.*

ondertroeven ⟨onov.ww.⟩ ⟨sport⟩ **0.1** *undertrump* ⇒*underruff.*

ondertrouw ⟨de (m.)⟩ **0.1** ⟨burgerlijk⟩ *issue of/(the/an) intended marriage (for public inspection);* ⟨kerkelijk⟩ *(publication of the) banns* ◆ **6.1** in ~ gaan ⟨burgerlijk⟩ *give notice of (an/the) intended marriage;* ⟨kerkelijk⟩ *take out the banns;* in ~ opnemen ⟨burgerlijk⟩ *make public the notice of/an the intended marriage;* ⟨kerkelijk⟩ *grant the banns.*

ondertrouwen

I ⟨onov.ww.⟩ **0.1** [in ondertrouw opgenomen worden] ⟨burgerlijk⟩ *give notice of one's intended marriage* ⇒*have one's marriage published,* ⟨kerkelijk⟩ *have the banns put up, take out the banns;*
II ⟨ov.ww.⟩ **0.1** [in ondertrouw verbinden] ⟨burgerlijk⟩ *make public the notice of/issue notice of an/the intended marriage of;* ⟨kerkelijk⟩ *grant the banns to, publish the banns of.*

ondertunneling ⟨de (v.)⟩ **0.1** *tunnelling* ^*eling.*

ondertussen ⟨bw.⟩ **0.1** [intussen] *meanwhile* ⇒*in the meantime,* ⟨sindsdien⟩ *since* **0.2** [met dat al] *meanwhile* ⇒*for all that, yet* ◆ **3.1** zij had ~ de kamer verlaten *m.* / *by then/in the meantime she had left the room;* ~ is hij 18 geworden *he is 18 now* ¶**.2** ~ kan ik er voor opdraaien *m. I am to take the blame/do the work/pay the piper;* maar ~! *but yet!*

onderuit ⟨bw.⟩ **0.1** [onder vandaan] *(out/away) from under* **0.2** [omver] *down* ⟨gaan⟩; *flat, over* ⟨vallen⟩ **0.3** [met de benen uitgestrekt] *sprawled, sprawling* ◆ **3.1** daar zul je niet ~ komen ⟨fig.⟩ *you won't get away with this, you won't get let off;* er nog ~ kunnen ⟨fig.⟩ *not be cornered yet, have a chance of getting away with it;* je kunt er niet ~ haar ook te vragen *you can't help inviting/cannot (help) but invite her, too;* ergens ~ proberen te komen ⟨fig.⟩ *try to get out of sth.* / ⟨manoeuvreren⟩ *to wriggle out of sth.;* ⟨onder klus⟩ *try to shirk (sth./doing sth.)* **3.3** ~ liggen in een fauteuil *sprawl in an armchair* ¶**.¶** ~! *below!.*

onderuitgaan ⟨onov.ww.⟩ ⟨inf.⟩ **0.1** [vallen] *topple over* ⇒*be knocked off one's feet/fall/drop down,* ⟨struikelen, uitglijden⟩ *trip, slip, loss one's balance/foothold,* ⟨met een smak⟩ *come a cropper* **0.2** [⟨fig.⟩] *come a cropper* ⇒*fall flat on one's face* ◆ **6.1** door de gladheid ging hij onderuit *he slipped on the icy road, he lost his balance on the slippery surface.*

onderuitglijden ⟨onov.ww.⟩ **0.1** *slip, lose one's balance* ◆ **1.1** de ladder gleed onderuit *the ladder slipped.*

onderuithalen ⟨ov.ww.⟩ **0.1** [⟨sport⟩] *tackle* ⇒*knock/bring down, floor, trip up* ⟨fig.⟩ doen afgaan] *trip up, floor* ⇒*wipe the floor with* ◆ ¶**.2** hij werd volledig onderuitgehaald *they wiped the floor with him, he was made an utter fool of.*

onderuitzakken ⟨onov.ww.⟩ **0.1** *slump in one's chair* ◆ **5.1** even lekker ~ *rest/sink back for a while.*

ondervangen ⟨ov.ww.⟩ **0.1** *overcome* ⇒*obviate, remove, clear away* ◆ **1.1** een bezwaar ~ *overcome/obviate a drawback, meet an objection;* moeilijkheden ~ *overcome/remove difficulties.*

onderverdelen ⟨ov.ww.⟩ **0.1** *(sub)divide* ⇒*classify, break down* ⟨in rubrieken⟩ ◆ **6.1** iets in rubrieken ~ *classify sth., (sub)divide, break down sth. into categories.*

onderverdeling ⟨de (v.)⟩ **0.1** [handeling] *subdivision, breakdown* **0.2** [resultaat] *subdivision* ◆ **2.1** een fijne ~ op onderwerp *a fine b. by subjects.*

onderverhuren ⟨ov.ww.⟩ **0.1** *sublet, sublease.*

onderverhuring ⟨de (v.)⟩ **0.1** *sublet, sublease.*

onderverhuurder ⟨de (m.)⟩, **-ster** ⟨de (v.)⟩ **0.1** *sublessor.*

onderverzekerd ⟨bn.⟩ **0.1** *underinsured.*

onderverzekering ⟨de (v.)⟩ **0.1** *underinsurance.*

ondervinden ⟨ov.ww.⟩ **0.1** [mbt. een gevoel] *experience* ⇒⟨positief⟩ *enjoy,* ⟨negatief⟩ *suffer, taste* **0.2** [ervaren] *experience* ⇒*taste,* ⟨doorstaan⟩ *live/go through,* ⟨bemerken, ontdekken⟩ *sense, find* **0.3** [vervangen] *meet with, encounter* ⇒*experience* ◆ **1.1** verdriet/pijn/smart ~ *suffer/experience sorrow/pain/anguish* **1.2** moeilijkheden/concurrentie ~ *be faced with/meet with difficulties/competition* **1.3** medeleven ~ bij een sterfgeval *meet with/encounter sympathy on a death* ¶**.2** ze heeft het aan den lijve ondervonden *she has found it to her cost.*

ondervinding ⟨de (v.)⟩ ⟨→sprw. 466⟩ **0.1** [het beleven van iets] *experience* **0.2** [voorval] *experience* **0.3** [ervaring] *experience* ◆ **3.1** ~ had hem dat geleerd *e. had taught him that* **6.1** iets bij ~ weten *know sth. from e.* **6.3** spreken uit ~ *speak from e..*

ondervlak 〈het〉 **0.1** *undersurface* ⇒*underside, underlying surface.*
ondervloer 〈de (m.)〉 **0.1** *subfloor* ⇒〈AE ook〉 *blind/rough floor.*
ondervoed 〈bn.〉 **0.1** *undernourished* ⇒*underfed.*
ondervoeding 〈de (v.)〉 **0.1** *undernourishment* ⇒〈met name kwalitatief〉 *malnutrition, malnourishment.*
ondervoorzitter 〈de (m.)〉 **0.1** *vice-/deputy-chairman* ⇒*vice-president,* 〈minder seksistisch〉 *vice-/deputy-chairperson.*
ondervraagde 〈de (m.)〉 **0.1** 〈bij vraaggesprek〉 *interviewee;* 〈politie〉 *person heard/questioned;* 〈bij examen〉 *examinee, testee.*
ondervragen 〈ov.ww.〉 **0.1** [verhoor doen ondergaan] *interrogate* ⇒ *question* 〈verdachte, kandidaat〉, *examine, hear* 〈getuigen〉 **0.2** [inlichtingen vragen] *question;* 〈in vraaggesprek〉 *interview.*
ondervrager 〈de (m.)〉 **0.1** [persoon] *questioner* ⇒*interviewer, interrogator* **0.2** [toestel] *interrogator.*
ondervraging 〈de (v.)〉 **0.1** *questioning* ⇒*interrogation, examination, interview.*
ondervrucht 〈de〉 〈landb.〉 **0.1** *undersown crop.*
onderwaarderen 〈ov.ww.〉 **0.1** *underrate* ⇒*underestimate,* 〈mbt. niveau/ geldelijke waarde〉 *undervalue,* 〈mbt. waardering van diensten e.d.〉 *underappreciate.*
onderwaardering 〈de (v.)〉 **0.1** *underestimation* ⇒*undervaluation* ◆ **2.1** de maatschappelijke ~ van dit werk *society's undervaluation of this work.*
onderwaterarcheologie 〈de (v.)〉 **0.1** *underwater archeology.*
onderwatercamera 〈de〉 **0.1** *underwater camera.*
onderwaterfotografie 〈de (v.)〉 **0.1** *underwater photography.*
onderwatergedeelte 〈het〉 **0.1** *submerged part* ◆ **1.1** het ~ v.e. schip *the part of the ship below the waterline.*
onderwaterklok 〈de〉 **0.1** *submarine bell.*
onderwatermicrofoon 〈de (m.)〉 **0.1** *underwater microphone.*
onderwateropname 〈de〉 **0.1** [beeld] *underwater picture* ⇒〈inf.〉 *underwater shot,* 〈geluid〉 *underwater recording.*
onderwatersport 〈de〉 **0.1** *underwater sports.*
onderwaterzetting 〈de (v.)〉 **0.1** *inundation* ⇒*flooding.*
onderweg 〈bw.〉 **0.1** [terwijl men op weg is] *on/along/by the way* ⇒*on the road,* 〈in transit, en route,〉 〈schip〉 *under way* **0.2** [nog niet aangekomen] *on one's/its way* ◆ **2.1** altijd ziek of ~ zijn *always be ailing or on the sick-list* **3.1** ~ beschadigd *damaged in transit;* ~ iets eten *eat sth. on the way;* we zijn het ~ verloren *we lost it along/ on the way* **3.2** het pakje/de brief is ~ *the parcel/letter is on its way;* de tweede baby is ~ *the second baby is on the way;* lang ~ zijn/blijven *take a long time to arrive, be a long time coming/in the pipeline* **6.1** ~ van A naar B *on the way from A to B.*
onderwereld 〈de〉 **0.1** [wereld v.d. criminelen] *underworld* **0.2** [〈myth.〉] *underworld.*
onderwereldfiguur 〈de (m.)〉 **0.1** *underworld character.*
onderwerp 〈het〉 **0.1** [zaak waarover men denkt/schrijft/spreekt] *subject(-matter)* ⇒*issue, theme* **0.2** [〈taal.〉] *subject* ◆ **1.1** het ~ van discussie *the subject of/under discussion;* het ~ v.e. gedicht *the subject-matter of a poem;* ~ van gesprek *topic/subject of conversation;* hèt ~ van gesprek/v.d. dag *the talk of the town;* dit is nog geen ~ van studie *this is not yet being studied/an object of study;* het ~ v.e. vergadering *the business of a meeting* **3.1** bij het ~ blijven *stick/keep to the subject/the point* **6.1** rangschikking **naar** ~ 〈ook〉 *topical classification;* rangschikken **naar** ~ *arrange by subject(-matter).*
onder'werpen 〈ov.ww.〉 **0.1** [onder zijn gezag brengen] *subject* ⇒*subdue, reduce* 〈stad〉 **0.2** [de beslissing opdragen aan] *submit* ⇒〈zich laten leiden door〉 *submit;* 〈toegeven〉 *yield* **0.3** [behandeling doen ondergaan] *subject* ⇒*put through* ◆ **4.1** zich ~ aan iem./ iets *submit to/ resign o.s. to s.o./sth.;* zich aan het/ Gods wil ~ *submit to the law/ God's will;* zij onderwierp zich aan mijn beslissing *she submitted/ bowed to my decision* **6.1** onderworpen zijn **aan** de wetten v.d. natuur *be governed by/obey the laws of nature* **6.2** iets ~ aan iemands goedkeuring *submit sth. for s.o.'s approval* **6.3** iets **aan** een toets ~ *put sth. to the test, test sth.;* iem. **aan** een zware test ~ *put s.o. through a severe test.*
'onderwerpen 〈ov.ww.〉 **0.1** *throw under.*
onderwerping 〈de (v.)〉 **0.1** *subjection* ⇒*submission, reduction* 〈v.e. belegerde stad〉
onderwerpszin 〈de (m.)〉 〈taal.〉 **0.1** *subject clause.*
onderwicht 〈het〉 **0.1** *short weight* ⇒*underweight.*
onderwijl 〈bw.〉 **0.1** *(in the) meantime, meanwhile* ◆ **3.1** ik zal ~ maar doorgaan *I'll just go on meanwhile/ meantime.*
onderwijs 〈het〉 **0.1** [onderricht] *education* ⇒*teaching, instruction* **0.2** [instellingen] *(the field of) education* **0.3** [ministerie] *Education* ◆ **2.1** bijzonder ~ *private e.;* 〈confessioneel〉 *denominational e.;* buitengewoon ~ *special e.;* confessioneel ~ *denominational e.;* hoger ~ *higher e.;* hoofdelijk/individueel ~ *individual teaching;* klassikaal ~ *class teaching;* lager ~ *primary/^elementary e.;* middelbaar ~ *secondary e.;* openbaar ~ *state/public e.;* voortgezet ~ *secondary e.;* 〈AZN〉 vrij ~ *private/Catholic e.* **3.1** ~ genieten *be educated in a school;* ~ geven *teach;* zij heeft maar zeven jaar ~ genoten *she had only seven years' schooling* **6.1** bij het ~ gaan *go into teaching, become a teacher;*

~ **in** informatica *instruction in information* **6.2** bij het ~ zijn *be a teacher* **6.3** zij zit **op** Onderwijs 〈als minister〉 *she is at (the Ministry of) E.;* 〈als werkneemster〉 *she works at the Ministry of E..*
onderwijsaanbod 〈het〉 **0.1** [geheel van activiteiten voor het onderwijs] *teaching activities* **0.2** [te volgen soorten onderwijs] *available courses.*
onderwijsadviescentrum 〈het〉 **0.1** *curriculum advice centre.*
onderwijsbegroting 〈de (v.)〉 **0.1** *education budget.*
onderwijsbeleid 〈het〉 〈pol.〉 **0.1** *education(al) policy.*
onderwijsbevoegdheid 〈de (v.)〉 **0.1** *teaching qualification* ⇒*qualification to teach,* 〈AE ook〉 *teacher's certificate,* 〈BE; inf.〉 *Dip. Ed.* ◆ **2.1** eerstegraads ~ *qualification to teach senior secondary pupils/^(senior) high-school students* **6.1** ~ **in** wiskunde *qualification to teach mathematics;* leraar **met** ~ *fully qualified teacher.*
onderwijsconcept 〈het〉 **0.1** *educational/teaching philosophy.*
onderwijsdeskundige 〈de (m.)〉 **0.1** *education expert, expert in education* ⇒〈vaak pej.〉 *education(al)ist.*
onderwijsgevende 〈de (m.)〉 **0.1** *teacher.*
onderwijsinrichting 〈de (v.)〉 **0.1** *educational/teaching establishment/institute.*
onderwijsinspectie 〈de (v.)〉 **0.1** *schools inspectorate.*
onderwijsinstelling 〈de (v.)〉 **0.1** →**onderwijsinrichting.**
onderwijskracht 〈de〉 **0.1** *teacher* ⇒*member of the teaching staff/profession/^faculty.*
onderwijskunde 〈de (v.)〉 **0.1** *didactics* ⇒*pedagogy, science of teaching, theory of education.*
onderwijskundig 〈bn.〉 **0.1** *education(al)* ⇒*teaching.*
onderwijskwestie 〈de (v.)〉 **0.1** *educational matter* ⇒*point of education-(al) policy* ◆ **7.1** de ~ *the conflict about public and denominational education.*
onderwijsleer 〈de〉 **0.1** *science of teaching* ⇒*didactics.*
onderwijsleerplan 〈het〉 **0.1** *curriculum.*
onderwijsmensen 〈zn.mv.〉 **0.1** *educationalists* ⇒〈ihb. leraren〉 *teachers, educators.*
onderwijsmethode 〈de (v.)〉 **0.1** [manier waarop iem. lesgeeft] *teaching method, method of teaching* **0.2** [lesmethode, cursus] *teaching method.*
onderwijsmethodiek 〈de (v.)〉 **0.1** *teaching methods* ⇒*educational methods.*
onderwijsprogramma 〈het〉 **0.1** *educational programme* ^*gram* ⇒〈op school〉 *curriculum.*
onderwijsraad 〈de (m.)〉 **0.1** ≠*Advisory Council for Education.*
onderwijstechnologie 〈de (v.)〉 **0.1** *educational technology.*
onderwijsveld 〈het〉 **0.1** *world of education* ⇒*educational sector.*
onderwijsvernieuwing 〈de (v.)〉 **0.1** *educational reform.*
onderwijsvoorrangsbeleid 〈het〉 **0.1** *policy promoting education* ⇒ *pro-educational policy.*
onderwijswet 〈de〉 **0.1** *Education Act.*
onderwijswinkel 〈de (m.)〉 **0.1** ≠*educational information centre.*
onderwijzen 〈ov.ww.〉 **0.1** *teach* ⇒*instruct,* 〈privé〉 *tutor* ◆ **1.1** 〈iron.〉 hier onderwijst men de jeugd *this is how you teach the young a lesson;* onderwijzend personeel *teaching staff/^faculty* **4.1** iem. iets ~ *instruct s.o. in sth..*
onderwijzer 〈de (m.)〉, **-es** 〈de (v.)〉 **0.1** [mbt. een school] *(school)teacher* ⇒〈BE ook〉 *schoolmaster, schoolmistress* **0.2** [leermeester] *teacher* ⇒*instructor, tutor.*
onderwijzersakte 〈de〉, **-diploma** 〈het〉 **0.1** *teacher's certificate/diploma.*
onderwijzersbaantje 〈het〉 **0.1** *teaching job* ⇒*job as a teacher.*
onderwijzersgenootschap 〈het〉 **0.1** *teachers' union/association/^faculty association.*
onderwijzerskorps 〈het〉 **0.1** *teaching staff* ⇒〈alg.〉 *teaching profession.*
onderwijzing 〈de (v.)〉 **0.1** [daad van opvoeding] *teaching* **0.2** [vermaning] *admonition.*
onderwind 〈de (m.)〉 **0.1** *surface wind.*
onderworpeling 〈de (m.)〉 〈schr.〉 **0.1** *serf* ⇒*vassal, slave, minion.*
onderworpen 〈bn.〉 **0.1** [ondergeschikt] *subordinate* **0.2** [blootstaande aan] *subject/liable (to)* ⇒*amenable (to)* **0.3** [gedwee] *submissive* ⇒*docile, obedient* ◆ **1.1** een ~ volk *a subject/s. people* **6.1** ~ aan de wetgevende vergadering *subordinate to the legislation assembly* **6.2** aan belasting/kritiek ~ *l. to taxation/criticism.*
onderworpenheid 〈de (v.)〉 **0.1** [ondergeschiktheid] *subordination* **0.2** [lijdzaamheid] *submissiveness* ⇒*docility.*
onderzeeboot 〈de〉 **0.1** *submarine.*
onderzeebootjager 〈de (m.)〉 **0.1** *(submarine) chaser, subchaser.*
onderzeeër 〈de (m.)〉 **0.1** *submarine.*
onderzees 〈bn.〉 **0.1** *undersea* ⇒*submarine, underwater* ◆ **1.1** ~e oever *submerged bank;* een ~e telegraafkabel *an undersea/underwater telegraph cable.*
onderzeil 〈het〉 〈scheep.〉 **0.1** *course.*
onder'zetten 〈ov.ww.〉 〈jur.〉 **0.1** *mortgage.*
'onderzetten 〈ov.ww.〉 **0.1** *inundate* ⇒*flood.*
onderzetter 〈de (m.)〉 **0.1** [onder een glas] *mat, coaster* **0.2** [onder hete pannen] *(table-)mat* ⇒*(teapot) stand,* 〈driepootje〉 *trivet.*
onderzij(de)(de) 〈de〉 **0.1** *underside* ⇒*underneath.*
onderzinken 〈onov.ww.〉 **0.1** [mbt. de zon] *sink* ⇒*set, dip* **0.2** [onder water zinken] *sink.*

onderzoek ⟨het⟩ **0.1** [bestudering]⟨van schip/gebouw⟩ *investigation, examination, study* ⇒*search*, ⟨gedetailleerd⟩ *scrutiny, survey, inspection* **0.2** [navorsing] *investigation, inquiry, research* ⇒⟨verkenning⟩ *exploration* **0.3** [⟨jur.⟩] *investigation; inquiry;* ⟨door politie/rechter-commissaris⟩ *inquiry* ⇒⟨door 'coroner'⟩ *inquest,* ⟨door jury⟩ *inquisition* **0.4** [⟨med.⟩] *examination* ⇒*check-up* **0.5** [beproeving, controle] *test* ⇒ *check, examination* ◆ **1.1** een commissie van ~ *a committee of inquiry, fact-finding committee* **2.1** een nauwkeurig ~ v.h. bewijsmateriaal *scrutiny of the evidence;* wetenschappelijk ~ *scientific research* **2.3** een gerechtelijk ~ instellen *open/hold a judicial inquiry* **3.2** een ~ instellen naar *inquire into, examine, investigate, make an i. into* **6.1** bij nader ~ *on closer e./inspection;* **in** ~ zijn *be under investigation/e.* **6.2 bij** ~ is gebleken dat *on inspection it appeared that, r./inspection/investigation/an inquiry has shown that;* een ~ naar de herkomst van iets *an investigation/inquiry into the origin of sth.;* **op** ~ uitgaan *(go and) inquire/investigate* **6.5** ~ **naar** de samenstelling *analysis, test; assay* ⟨van edelmetaal⟩; een ~**naar** de kwaliteit *a quality check.*

onderzoeken ⟨ov.ww.⟩ **0.1** [nauwkeurig nazien] *examine* ⇒*inspect, investigate,* ⟨doorzoeken⟩ *search,* ⟨op samenstelling⟩ *test (for), assay* **0.2** [bestuderen] *investigate, examine, inquire into* **0.3** [nagaan] *inquire into* ⇒*investigate, examine, check, probe* **0.4** [⟨med.⟩] *examine* ⇒*test, explore* ◆ **1.1** een onderzoekende blik *a searching glance* **1.2** de markt ~ *explore the market;* mogelijkheden ~ e./ *investigate/explore the possibilities* **1.3** de kwaliteit ~ *probe/check the quality* **1.4** het bloed ~ *make/carry out a blood test;* de buikholte ~ *explore the abdominal cavity* **5.3** iets nauwkeurig ~ ⟨ook⟩ *scrutinize sth., look closely into sth.* **6.1** ~ **op** *test/inspect/e. for* **8.3** ~ of zoiets haalbaar is *inquire into/investigate/e. the feasibility/viability (of sth.).*

onderzoeker ⟨de (m.)⟩, **-ster** ⟨de (v.)⟩ **0.1** *researcher, research worker/ scientist* ⇒*investigator.*

onderzoeking ⟨de (v.)⟩ ⟨schr.⟩ **0.1** *research* ⇒*investigation, study* ◆ **3.1** ~en hebben aangetoond dat ... *research has/investigations have shown/revealed that ...*

onderzoeksassistent ⟨de (m.)⟩, **-e** ⟨de (v.)⟩ **0.1** *research assistent.*

onderzoeksmethode ⟨de (v.)⟩ **0.1** *method of investigation/inquiry/research* ⟨enz.⟩, *research method.*

onderzoeksobject ⟨het⟩ **0.1** *subject of an/the investigation/inquiry* ⟨enz.⟩, *subject of research.*

onderzoeksrechter ⟨de (m.)⟩ ⟨AZN⟩ **0.1** ≠*examining magistrate.*

onderzoeksresultaat ⟨het⟩ **0.1** *results of an/the investigation/inquiry* ⟨enz.⟩, *results of research, research results.*

onderzoektafel ⟨de⟩ **0.1** *examination table/couch.*

ondeskundig ⟨bn., bw.;-ly⟩ **0.1** *incompetent* ⇒*unexpert, amateurish* ◆ **3.1** ~ gerepareerd *repaired amateurishly.*

ondeskundigheid ⟨de (v.)⟩ **0.1** *inexpertness* ⇒*lack of expertise, incompetence.*

ondeugd
I ⟨de⟩ **0.1** [slechte hoedanigheid] *vice* ⇒*defect, fault* **0.2** [guitigheid] *mischief* ⇒*wickedness* **0.3** [morele slechtheid] *vice, wickedness* ◆ **1.3** deugd en ~ *v. and virtue* ⟨sic⟩ **3.1** huichelarij is een ~ *hypocrisy is a v./fault* **3.2** de ondeugd straalde uit hun ogen *their eyes were full of m.;* **II** ⟨de (m.)⟩ **0.1** [ondeugend persoon] *scamp* ⇒*rascal.*

ondeugdelijk ⟨bn.⟩ **0.1** [niet van goede kwaliteit] *inferior* ⇒*defective, faulty,* ⟨zwak⟩ *flimsy* **0.2** [niet kunnende dienen] *unsound* ⇒ ⟨ongefundeerd⟩ *unsubstantial, invalid,* ⟨wankel⟩ *flimsy* ◆ **1.1** ~e materialen ⟨ook⟩ *faulty materials;* ~e waar i./ *defective/faulty wares* **1.2** ~e argumenten *flimsy/unsubstantial arguments;* op ~e gronden steunen *be founded/based on flimsy/unsound grounds.*

ondeugdzaam ⟨bn.⟩ **0.1** [niet deugdzaam] *unvirtuous* **0.2** [van slechte kwaliteit] *unsound* ⇒*faulty* ◆ **1.2** die stof is ~ *that material is faulty.*

ondeugend ⟨bn., bw.⟩ **0.1** [brutaal, stout] *naughty* ⇒*mischievous, wicked* **0.2** [guitig] *naughty* ⇒*mischievous, wicked* **0.3** [pikant] *naughty* ⇒*wicked* ◆ **1.3** ~e plaatjes *n. pictures* **3.2** ~ kijken *look full of mischief/wickedness.*

ondeugendheid ⟨de (v.)⟩ **0.1** [stoutheid] *naughtiness* ⇒*mischief, mischievousness* **0.2** [guitigheid] *naughtiness* ⇒*roguishness.*

ondicht ⟨het⟩ **0.1** *prose.*

ondichterlijk ⟨bn.⟩ **0.1** *unpoetic(al)* ◆ **1.1** ~ gerijmel *u. doggerel.*

ondienstig ⟨bn., bw.; -ly⟩ **0.1** *inexpedient, unuseful* ⇒*unhelpful, amiss* ⟨alleen pred.⟩ ◆ **5.1** het zou niet ~ zijn als ... *it would not be i. if ....*

ondiep[1] ⟨het⟩ ⟨schr.⟩ **0.1** *shallow(s), shoal.*

ondiep[2] ⟨bn.⟩ **0.1** [niet diep] *shallow* ⇒*superficial* ⟨wond⟩ **0.2** [niet diepgaand] *shallow* ⇒*superficial* ◆ **1.1** een ~ huis *a shallow house;* een ~e tuin *a short garden;* in ~ water varen ⟨scheep.⟩ *make foul water* **3.1** het wordt hier ~ *the water gets shallower here* **3.2** het boek is ~ qua karakterbeschrijving *the book is shallow/superficial in characterization* **7.1** ⟨zelfst.⟩ het ~e *the shallow end.*

ondiepte ⟨de (v.)⟩ **0.1** [ondiepe plaats] *shallow(s), shoal* ⇒ ⟨ihb. als hindernis⟩ *bar,* ⟨oversteekplaats⟩ *ford,* ⟨aan zee⟩ *mudflat* **0.2** [het ondiep zijn] *shallowness* ◆ **6.1** vastlopen op een ~ *stick fast/get stuck on a bar.*

ondier ⟨het⟩ **0.1** *monster* ⇒*beast, brute.*

onding ⟨het⟩ **0.1** [iets onbestaanbaars] *absurdity* **0.2** [prul] *(piece of)*

trash/junk/rubbish **0.3** [⟨inf.⟩ moeilijk hanteerbaar/ondoelmatig ding] *rotten/fiddly/useless thing* ⇒⟨sl.⟩ *pig* ◆ **3.3** dit zakmes is een ~ *this is a rotten penknife, this penknife is so fiddly (it's not true!);* deze nieuwe wet is een ~ *this new law is quite unenforceable/unmanageable/impossible to work with;* die plastic koffiebekertjes zijn ~en, vind je niet? *those plastic coffee cups are useless bloody things/are pigs, don't you agree?.*

ondiplomatiek ⟨bn.⟩ **0.1** *undiplomatic* ⇒*tactless.*

ondoelmatig ⟨bn., bw.;-ly⟩ **0.1** *inefficient* ⇒*ineffective, inappropriate* ⟨methode⟩, *unsuitable* ⟨middel⟩ ◆ **3.1** die aanpak is wel heel ~ *that's a very inefficient way of tackling it/going about it.*

ondoelmatigheid ⟨de (v.)⟩ **0.1** *inefficiency* ⇒*ineffectiveness, inappropriateness, unsuitability.*

ondoeltreffend ⟨bn., bw.;-ly⟩ **0.1** *ineffective* ⇒*ineffectual, inefficacious, inefficient.*

ondoeltreffendheid ⟨de (v.)⟩ **0.1** *ineffectiveness* ⇒*inefficiency, inefficacy.*

ondoenlijk ⟨bn.⟩ **0.1** *unfeasible* ⇒*impracticable, impossible* ◆ **3.1** het is ~ u de sfeer te laten proeven *it is impossible to give you an idea of the atmosphere.*

ondogmatisch ⟨bn.⟩ **0.1** *undogmatic* ⇒*liberal.*

ondoofbaar ⟨bn.⟩ **0.1** *unextinguishable, unquenchable.*

ondoordacht ⟨bn., bw.;-ly⟩ **0.1** *thoughtless, rash* ⇒*ill-considered* ⟨alleen bn.⟩ ◆ **1.1** een ~ antwoord *an ill-considered/a t. answer;* een ~e beslissing *a blind/r./an ill-considered decision;* zijn keuze was ~ *his choice was ill-considered* **3.1** ~ handelen *act without reflection/rashly,* ↓*rush into things.*

ondoordringbaar ⟨bn.⟩ **0.1** *impenetrable* ⇒*impermeable, impervious* ⟨voor water/stof/lucht⟩, ⟨fig.⟩ *inscrutable, unfathomable* ⟨geest, mysterie⟩ ◆ **1.1** ondoordringbare duisternis *impenetrable/inscrutable darkness;* een ~ harnas *impenetrable armour;* een jas van ondoordringbare stof *a coat made of impermeable material;* de ondoordringbare wildernis *the impenetrable wilderness* **6.1** ~ **voor** water/licht/geluid *waterproof, lightproof, soundproof.*

ondoordringbaarheid ⟨de (v.)⟩ **0.1** *impenetrability* ⇒*impermeability, imperviousness* ⟨voor water e.d.⟩.

ondoorgrond ⟨bn.⟩ **0.1** *uncomprehended* ⇒*ununderstood, unfathomed.*

ondoor-grondelijk ⟨bn.⟩ ⟨→sprw. 236⟩ **0.1** *unfathomable* ⇒*incomprehensible, impenetrable,* ⟨ihb. mbt. mensen⟩ *inscrutable* ◆ **1.1** een ~ spelletje *a deep/mysterious game.*

ondoorgrondelijkheid ⟨de (v.)⟩ **0.1** *unfathomableness* ⇒*incomprehensibility, impenetrability, inscrutability.*

ondoorlatend ⟨bn.⟩ **0.1** [niet doorlatend] *impermeable* ⇒*impervious,* ⟨voor straling⟩ *opaque* **0.2** [mbt. de grond] *impermeable* ⇒*impervious* ◆ **6.1** gewoon glas is ~ voor infrarood licht *ordinary glass is opaque to/transmits no infrared light.*

ondoorschijnend ⟨bn.⟩ **0.1** *opaque* ⇒*impervious to light.*

ondoorschijnendheid ⟨de (v.)⟩ **0.1** *opacity.*

ondoorwaadbaar ⟨bn.⟩ **0.1** *unfordable.*

ondoorzichtig ⟨bn.⟩ **0.1** [niet doorzichtig] *untransparent, non-transparent* ⇒*opaque, turbid* ⟨vloeistof⟩, *non-see-through* ⟨stof⟩ **0.2** [fig.] *obscure* ⇒*opaque, impenetrable, convoluted* ⟨schrijfstijl⟩ ◆ **1.2** ~e politiek *obscure politics* **3.1** matglas is ~, maar niet ondoorschijnend *frosted glass is non-transparent, but not opaque* **3.2** het verleden lijkt ons ~ *the past seems opaque to us.*

ondoorzichtigheid ⟨de (v.)⟩ **0.1** [⟨lett.⟩] *non-transparency* ⇒*opacity, turbidity* **0.2** [⟨fig.⟩] *obscureness* ⇒*opaqueness, opacity, impenetrability.*

ondraagbaar ⟨bn.⟩ **0.1** [niet te verdragen] *unbearable* ⇒*intolerable, unendurable, insupportable* **0.2** [niet te dragen] *unbearable* ⇒*too heavy to carry, unwearable* ⟨kleding⟩ ◆ **1.1** ondraagbare pijn *unbearable pain, pain beyond endurance* **1.2** ondraagbare lasten *unbearable burdens/loads* **3.2** deze schoenen zijn zo afgetrapt dat ze ~ zijn *these shoes are so dilapidated as to be unwearable.*

ondraaglijk ⟨bn., bw.;-ly⟩ **0.1** [niet te verdragen] *unbearable* ⇒*unendurable, intolerable* ⟨onuitstaanbaar⟩ *unbearable* ⇒*insufferable* ◆ **1.1** een ~e stank *an unbearable stench* **2.1** het was ~ warm *it was unbearably hot* **2.2** ~ trots *insufferably proud.*

ondrinkbaar ⟨bn.⟩ **0.1** *undrinkable* ⇒*foul.*

ondubbelzinnig ⟨bn., bw.;-ly⟩ **0.1** *unambiguous* ⇒*unequivocal,* ⟨duidelijk⟩ *unmistakable, explicit* ◆ **1.1** een ~e beslissing *a clean-cut/an unambiguous decision;* ~e kritiek *unequivocal/unmistakable criticism;* ~ lof *unqualified/wholehearted praise;* zich op ~e wijze uitdrukken *express o.s. in no uncertain terms, leave no room for doubt* **3.1** iets ~ laten merken *show sth. beyond mistake/quite unmistakably.*

onduidelijk ⟨bn., bw.;-ly⟩ **0.1** *indistinct* ⇒*vague,* ⟨onverklaard⟩ *obscure, unclear,* ⟨verward⟩ *muddled* ◆ **1.1** een ~e foto *a blurred picture;* de situatie is ~ *the situation is obscure/unclear;* een ~ antwoord an *i./vague symptom;* een ~ teken *an obscure sign;* een ~e vraag *a vague question* **3.1** het is me ~ *it is not clear to me;* ~ schrijven *write illegibly;* ~ spreken *speak indistinctly, mumble;* zich ~ uitdrukken *express o.s. ambiguously/vaguely.*

onduidelijkheid ⟨de (v.)⟩ **0.1** *indistinctness* ⇒*vagueness, lack of clarity,*

⟨sterker⟩ *obscurity,* ⟨onleesbaarheid⟩ *illegibility* ◆ **6.1** er bestond enige ~ **over** zijn plannen *there was some uncertainty about their plans.*

ondulatie ⟨de (v.)⟩ **0.1** [golving] *undulation* ⟹*wave* **0.2** [mbt. haar] *wave* ⟹*undulations.*

ondulatietheorie ⟨de (v.)⟩ ⟨nat.⟩ **0.1** *wave / undulatory theory.*

ondulator ⟨de (m.)⟩ **0.1** [⟨telegrafie⟩] *undulator* **0.2** [⟨elek.⟩] *inverter, inverted rectifier.*

onduldbaar ⟨bn.⟩ **0.1** *intolerable* ⟹*inadmissible, insufferable* ◆ **1.1** een onduldbare misstand *an intolerable state of affairs.*

onduleren
I ⟨onov.ww.⟩ **0.1** [golven] *undulate;*
II ⟨ov.ww.⟩ **0.1** [doen golven] *have one's hair waved / permed / set* ⟹ *crimp* ⟨ihb. met een krultang⟩.

onduline ⟨bn.⟩⟨bk., bouwk.⟩ **0.1** *wave pattern.*

onecht ⟨bn.⟩ **0.1** [onwettig] *illegitimate* ⟹*natural* **0.2** [onnatuurlijk, niet echt] *false, feigned* ⟨vriendschap⟩; *artificial, forced* **0.3** [vals] *fake(d), spurious* ⟹*counterfeit* ⟨bankbiljet⟩, *forged* ⟨munten, handschrift⟩, ⟨namaak⟩ *imitation* ◆ **1.1** een ~ kind *an i. child,* [1]*a child born out of wedlock* **1.2** ⟨wisk.⟩ een ~e breuk *an improper fraction;* ~ gedrag *artificial behaviour;* ~e vrucht/weeën *spurious fruit/labour pains* **1.3** deze postzegels zijn ~ *these stamps are fake(d) / fakes / not genuine /* ↓*phoney.*

onechtelijk ⟨bn., bw.; -ly⟩ **0.1** *illegitimate* ⟹ ⟨kind ook⟩ *born out of wedlock.*

onechtheid ⟨de (v.)⟩ **0.1** [het onecht zijn] *falseness* ⟹*spuriousness, artificiality* ⟨gedrag⟩ **0.2** [het onwettig zijn] *illegitimacy.*

oneconomisch ⟨bn., bw.; -(al)ly⟩ **0.1** [in strijd met de economie] *uneconomic(al), wasteful* **0.2** [omslachtig] *inefficient, cumbrous* ◆ **1.2** een ~ systeem *a c. / roundabout system.*

onedel ⟨bn., bw.⟩ **0.1** [gemeen, slecht]⟨bn.⟩ *ignoble, dishonourable;* ⟨bw.⟩ *ignobly, dishonourably* **0.2** [oxyderend]⟨bn.⟩ *base* ⟨metaal⟩ **0.3** [niet adellijk]⟨bn.⟩ *ignoble, common* ◆ **1.1** ~e motieven *d. intentions / motives* **1.3** van ~e afkomst *of i. / c. parentage.*

onedelmoedig ⟨bn., bw.; -ly⟩ **0.1** *ungenerous* ⟹*mean(-spirited).*

oneens ⟨bn.⟩ **0.1** *in disagreement, at variance, at odds* ◆ **3.1** ⟨fig.⟩ ik ben het met mezelf ~ *I'm in two minds (about it), I can't make up / haven't made up my mind;* het met iem. ~ zijn over iets *disagree with s.o. on / over / about / as to sth.;* ik moet het helaas met u ~ zijn *I beg to differ* **5.1** de leiding is het onderling ~ *the leadership is divided / disunited;* het openlijk ~ zijn *disagree openly, be at open variance.*

oneensgezind ⟨bn.⟩ **0.1** *disunited, divided* ⟹*at variance.*

oneer ⟨de (v.)⟩ **0.1** *dishonour, disgrace* ⟹*shame, blot, stain* ◆ **3.1** iem. ~ aandoen *bring disgrace upon s.o.;* zijn goede naam ~ aandoen *blot / discredit one's good name;* dat doet hem geen ~ aan *it is no disgrace / discredit to him;* zijn familie tot ~ strekken *be a shame / disgrace to one's family.*

oneerbaar ⟨bn., bw.; -ly⟩ **0.1** *indecent* ⟹*improper, immodest, impure* ⟨gedachten⟩ ◆ **1.1** oneerbare bedoelingen / voorstellen *improper intentions / suggestions;* oneerbare handelingen *acts of indecency, immoral acts.*

oneerbaarheid ⟨de (v.)⟩ **0.1** [onzedige daad / uiting] *(act of) indecency* ⟹ *obscenity* **0.2** [onkuisheid] *indecency* ⟹*immodesty, shamelessness.*

oneerbiedig ⟨bn., bw.; -ly⟩ **0.1** *disrespectful* ⟹*irreverent, impious* ◆ **3.1** waarmee ik niets ~s bedoel *by which I mean no disrespect;* iem. / iets ~ behandelen *treat s.o. / sth. with disrespect / irreverently;* als het niet te ~ gezegd is *if that is not putting it too irreverently, saving your presence.*

oneerbiedigheid ⟨de (v.)⟩ **0.1** *disrespect* ⟹*irreverence, impiety.*

oneerlijk ⟨bn., bw.; -ly⟩ **0.1** *dishonest* ⟹*unfair* ◆ **1.1** ~e bedoelingen *d. intentions;* ~e concurrentie *unfair competition;* met ~e middelen *by d. / unfair / foul means;* ~e praktijken *sharp practice(s)* **3.1** ~ handelen tegenover iem. *be less than honest in one's dealings with s.o.;* ~ verkregen geld *dirty / ill-gotten money;* zij was ~ behandeld *she had been badly / unfairly treated, she had been given a raw deal;* ~ zijn be d. / disingenuous.

oneerlijkheid ⟨de (v.)⟩ **0.1** *dishonesty* ⟹*unfairness,* ⟨diefstal⟩ *theft, thievery.*

oneervol ⟨bn., bw.; -ly⟩ **0.1** *dishonourable* ⟹*discreditable, ignominious, inglorious* ⟨vrede⟩ ◆ **1.1** ~ ontslag *dishonourable discharge* **3.1** iem. ~ ontslaan *discharge s.o. with ignominy, dismiss in disgrace / with dishonour; cashier s.o.* ⟨een officier⟩.

oneerzuchtig ⟨bn.⟩ **0.1** *unambitious* ⟹*unaspiring.*

oneetbaar ⟨bn.⟩ **0.1** [giftig] *inedible,* ⟨onsmakelijk ook⟩ *uneatable; not fit to eat* ⟨pred.⟩ ◆ **1.1** dit oude brood is ~ *this stale bread is not fit to eat.*

oneffen ⟨bn.⟩ **0.1** *uneven* ⟹*irregular, rough, bumpy* ⟨weg⟩ ◆ **1.1** ~ terrein *broken ground.*

oneffenheid ⟨de (v.)⟩ **0.1** [hoedanigheid] *unevenness* ⟹*roughness, irregularity, bumpiness* ⟨weg⟩ **0.2** [plaats] *bump* ⟹*unevenness* **0.3** [⟨fig.⟩ ongerechtigheid] *irregularity* ⟹*snag, problem.*

oneigenlijk ⟨bn., bw.; -ly⟩ **0.1** [onecht] *improper* ⟹*false* **0.2** [figuur-

lijk] *figurative* ⟹*metaphorical* ◆ **1.1** een ~e breuk *an i. fraction;* ⟨euf.⟩ ~ gebruik van sociale uitkeringen *i. use of social benefits* **1.2** de ~e betekenis v.e. woord *the f. / metaphorical meaning of a word.*

oneindig ⟨bn., bw.; -ly⟩ **0.1** [zonder einde] *infinite* ⟹*endless, never-ending, indefinite* **0.2** [buitengewoon groot / veel] *infinite* ⟹*endless, boundless, immeasurable* ◆ **1.1** ⟨wisk.⟩ een ~ getal *an infinite number* **1.2** met ~ geduld *with infinite / endless patience* **2.2** iets ~ mooi / goed vinden *find sth. infinitely beautiful / incredibly well-done* **3.1** ⟨foto.⟩ op ~ instellen *focus at infinity* **5.1** ⟨wisk.⟩ ~ groot / klein *infinite(ly big), infinitesimal(ly small)* **5.2** het duurde ~ lang *it took ages / forever, it went on and on* **5.4** van nul **tot** ~ *from zero to infinity* **7.1** ⟨zelfst.⟩ de Oneindige *the Everlasting;* in het ~e *ad infinitum, endlessly, indefinitely;* ⟨zelfst.⟩ het ~e *infinity* **7.2** we voelen ons ~ veel beter *we're feeling tons better;* ~ veel geld *no end of / bags of money;* er zijn ~ veel sterren *there's an infinity of stars;* er zijn nog ~ veel dingen die moeten gebeuren *there are still a hundred and one / lots of things to be taken care of;* ~ veel tijd *all the time in the world, ages, forever.*

oneindigheid ⟨de (v.)⟩ **0.1** [het oneindig zijn] *infinity* ⟹*infinitude, boundlessness* **0.2** [oneindige duur] *infinity* ⟹*endlessness* **0.3** [oneindig aantal] *infinity* ⟹*infinite / indefinite number.*

oneindigheidsteken ⟨het⟩ **0.1** *infinity sign / symbol.*

onelastisch ⟨bn.⟩ **0.1** *inelastic* ⟹ ⟨fig. ook⟩ *inflexible, rigid.*

onelegant ⟨bn., bw.; -ly⟩ **0.1** *inelegant* ⟹*ungraceful,* ⟨onhandig⟩ *awkward, clumsy.*

onengels ⟨bn.⟩ **0.1** *un-English.*

onenig ⟨bn., bw.⟩ **0.1** [niet eensgezind] *disunited, divided (on)* **0.2** [in twist] *in discord, in disagreement, at odds* ◆ **3.2** ~ leven *live in discord / conflict* **6.1** 't ~ **over** iets zijn *be divided on sth. / an issue, disagree / be in disagreement about sth..*

onenigheid ⟨de (v.)⟩ **0.1** [meningsverschil] *discord, disagreement* ⟹*argument, division, dissension* **0.2** [ruzie] *argument* ⟹*quarrel, controversy, conflict* ◆ **3.1** er ontstond ~ tussen hen *they became divided, dissension arose between them* **3.2** ~ hebben *(have a) quarrel;* ~ krijgen over iets met iem. *fall out / quarrel with s.o. over sth.;* ~ stichten *stir up / sow discord* **6.1** de ~ **over** geboorteregeling *the argument on birth control* **6.2** in ~ leven *live in discord / conflict, be at variance / at odds (with one another).*

onerkentelijk ⟨bn.⟩ **0.1** *ungrateful* ⟹*unthankful, unappreciative* ◆ **5.1** zich niet ~ betonen voor bewezen weldaden *not omit / fail to show one's gratitude for benefits received.*

onervaren ⟨bn., bw.⟩ **0.1** [zonder ervaring] *inexperienced* **0.2** [zonder levenservaring] *inexperienced* ⟹*callow, raw,* ↓*green,* ⟨bw.⟩ *naively* ◆ **1.1** een ~ rekruut *a raw recruit* **1.2** een ~ jongeman *an i. young man;* ⟨vaak scherts. ook⟩ *a callow youth* **2.1** hij is nog zeer jong en ~ ⟨ook⟩ *he is still wet behind the ears* **3.1** ~ zijn *lack experience.*

onervarenheid ⟨de (v.)⟩ **0.1** *inexperience* ⟹*lack of experience / skill / practice.*

onesthetisch ⟨bn.⟩ **0.1** *unaesthetic.*

onevangelisch ⟨bn.⟩ **0.1** *unevangelical.*

oneven ⟨bn., bw.⟩ **0.1** *odd* ⟹*uneven* ◆ **1.1** een ~ getal *an o. number;* de ~ kant v.e. straat *the side of the street with the o. numbers* **2.1** ~ gevinde bladeren *odd-pinnate leaves.*

onevenredig ⟨bn., bw.; -ly⟩ **0.1** *disproportionate* ⟹*incommensurate, out of all proportion* ◆ **1.1** het ~e verschil tussen vraag en aanbod *the disproportion between demand and supply* **6.1** ~ **aan** d. to, incommensurate with, out of all proportion to **7.1** iets ~ veel aandacht geven *give sth. (a) d. (amount of) attention.*

onevenredigheid ⟨de (v.)⟩ **0.1** [⟨concr.⟩] *disproportion* **0.2** [⟨abstr.⟩] *disproportionality* ⟹*incommensurability.*

onevenwichtig ⟨bn.⟩ **0.1** *unbalanced* ⟹*unstable* ◆ **1.1** de aandelenmarkt was ~ *the stock market was unstable;* hij maakt een ~e indruk *he makes an unbalanced impression.*

onevenwichtigheid ⟨de (v.)⟩ **0.1** *imbalance, lack of balance* ⟹*instability.*

onfatsoenlijk
I ⟨bn., bw.; -ly⟩ **0.1** [ongemanierd] *indecent, ill- / bad-mannered* ⟹ ⟨aanstootgevend⟩ *offensive,* ⟨onbetamelijk⟩ *unseemly, improper* ◆ **1.1** ~ gedrag *offensive / improper / unseemly behaviour* **3.1** ~ eten *have no table manners;* ~ spreken *speak rudely, use offensive / bad language* **5.1** hij is ~ snel vertrokken *he left in indecent haste;*
II ⟨bw.⟩ **0.1** [buitensporig] *incredibly* ⟹*fantastically, immodestly, indecently* ◆ **2.1** een ~ groot stuk kaas *an immodestly big lump of cheese;* hij is ~ rijk *he's indecently / fantastically rich.*

onfatsoenlijkheid ⟨de (v.)⟩ **0.1** [het ongemanierd zijn] *indecency* ⟹*impropriety, immodesty,* ⟨onbeleefdheid⟩ *rudeness, lack of manners* **0.2** [woord, daad] *obscenity* ⟹ ⟨woord ook⟩ *rude word.*

onfeilbaar ⟨bn., bw.; -ly⟩⟨⟶sprw. 444⟩ **0.1** [vrij van dwaling] *infallible* ⟹*unerring* **0.2** [altijd raak hebbend] *unfailing* ⟹*infallible, reliable,* ↓*sure-fire* **0.3** [onmiskenbaar] *unmistakable* ⟹*sure, certain* ◆ **1.1** de paus is ~ *the Pope is i.* **1.2** een ~ geheugen *an unerring / iron memo-

ry; ⟨psych.⟩ *total recall;* een ~ geneesmiddel *an u. remedy;* een ~ systeem *a foolproof system* **1.3** een ~ teken van drift *a sure sign of passion.*

onfeilbaarheid ⟨de (v.)⟩ **0.1** *infallibility.*
onfortuinlijk ⟨bn., bw.; -ly⟩ **0.1** *unfortunate* ⇒*unlucky, luckless.*
onfraai ⟨bn.⟩ **0.1** *unbeautiful* ⇒*unlovely, inelegant* ◆ **5.1** niet ~ *not lacking in beauty, not inelegant.*
onfrans ⟨bn.⟩ **0.1** *un-French.*
onfris ⟨bn., bw.⟩ **0.1** [niet fris/helder] *unsavoury* ⇒*dingy, stale* ⟨lucht⟩, *musty, stuffy* ⟨ruimte⟩ **0.2** [niet gezond] *unwell, indisposed, under the weather, out of sorts* **0.3** [bedenkelijk] *unsavoury, shady, dubious* ⇒ *fishy* ◆ **1.2** een ~se (gelaats)kleur *a sallow complexion* **1.3** een ~se affaire *an u. business, a s./d. affair* **3.1** er ~ uitzien *not look fresh;* ⟨mbt. personen⟩ *look u.* **3.2** zich ~ voelen *feel under the weather/out of sorts.*
ong. ⟨afk.⟩ **0.1** [ongeveer] *approx.* ⇒⟨ihb. mbt. jaartallen⟩ *c., ca.* **0.2** [ongehuwd] *unm..*
ongaarne ⟨bw.⟩ **0.1** *reluctantly, grudgingly* ⇒*unwillingly* ◆ **3.1** iets ~ doen *do sth. reluctantly/grudgingly/with the greatest reluctance, be reluctant/loth to do sth.;* iets ~ zien *view sth. with disfavour, frown upon sth., not favour the idea (that …)* **5.1** niet ~ *willingly, with relish.*
ongans ⟨bn.⟩ **0.1** [onwel] *unwell* **0.2** [mbt. varkens] *measly* **0.3** [mbt. schapen] *bilious* ◆ **3.1** zich ~ eten (aan) *stuff o.s. silly/fit to burst (with), gorge o.s. (with/on).*
ongastvrij ⟨bn.⟩ **0.1** [niet gastvrij] *inhospitable* **0.2** [karig] *cold* ⇒*chilly* **0.3** [onherbergzaam] *inhospitable* ⇒*desolate, barren* ◆ **1.2** een ~ onthaal *a cold/chilly reception* **1.3** een ~ gebied *an i./a desolate/bleak region;* ~e kusten *desolate coasts.*
ongeacht[1] ⟨bn.⟩ **0.1** *unesteemed* ⇒*unrespected* ◆ **2.1** onbekend en ~ *unfamiliar and unesteemed.*
ongeacht[2] ⟨vz.⟩ **0.1** *irrespective of* ⇒*regardless of, without regard to,* ⟨niettegenstaande⟩ *notwithstanding, despite* ◆ **1.1** ~ die belediging *notwithstanding/regardless of this insult;* ~ het land van herkomst *irrespective of/whatever the country of origin;* ~ de weersomstandigheden *in all weathers, no matter what the weather* **8.1** ~ of *(no matter) whether (… or not)* ¶**.1** ~ hoeveel het inkomen bedraagt *irrespective of income.*
ongeadresseerd ⟨bn.⟩ **0.1** *unaddressed* ⇒*without/bearing no address.*
ongeanimeerd ⟨bn., bw.; -ly⟩ **0.1** *dull* ⇒*lifeless, unanimated* ◆ een ~ debat *a lifeless debate;* ⟨hand.⟩ de markt was ~ *business was d./inactive.*
ongearticuleerd ⟨bn., bw.; -ly⟩ **0.1** *inarticulate* ◆ **3.1** ~ spreken *speak inarticulately, be i..*
ongebaand ⟨bn.⟩ **0.1** *unpaved, unbeaten, untrodden* ⟨wegen⟩; *trackless, pathless* ⟨terrein⟩ ◆ **1.1** ~e wegen/paden gaan *leave the well-trodden path/the beaten track, blaze new trails.*
ongebakken ⟨bn.⟩ **0.1** *unbaked* ⟨tegels e.d.⟩; *raw* ⟨voedsel⟩ ◆ **1.1** ~ steen *unbaked/unburnt brick.*
ongebleekt ⟨bn.⟩ **0.1** *unbleached* ⇒*unwhitened,* ⟨stoffen ook⟩ *grey* [A]*gray* ◆ **1.1** ~ katoen *unbleached cotton, calico;* ~ linnen *brown holland;* ~e wol *unbleached wool.*
ongeblust ⟨bn.⟩ **0.1** [mbt. kalk] *unslaked* **0.2** [niet geblust, (ook fig.)] *unextinguished;* ⟨fig.⟩ *unquenched* **0.3** [niet gelest/bevredigd] *unquenched, unslaked* ◆ **1.1** ~e kalk *quicklime, u. lime* **1.3** ~ verlangen *unsatisfied/unquenched/*[T]*unstilled desire.*
ongeboeid ⟨bn.⟩ **0.1** *unfettered* ⇒*unshackled,* ⟨zonder handboeien⟩ *unmanacled.*
ongeboekt ⟨bn.⟩ **0.1** *unbooked* ⇒*unentered, not booked/registered.*
ongebogen ⟨bn.⟩ **0.1** *unbent* ⇒*straight, unbowed, upright, erect* ⟨houding⟩.
ongebonden ⟨bn.⟩ **0.1** [⟨boek.⟩] *unbound* **0.2** [losbandig] *dissolute* ⇒*dissipated, profligate, loose* **0.3** [zonder verplichtingen] ⟨zonder huwelijksverplichting⟩ *unattached, without ties;* [mbt. schulden, giften] *unconditional, (with) no strings attached, without any obligation* **0.4** [mbt. haar] *loose, free* **0.5** [mbt. soep] *thin* **0.6** [⟨schei.⟩] *free* ⇒*uncombined* **0.7** [⟨taal.⟩] *free* ◆ **1.2** een ~ levenswijze *a dissolute lifestyle, a life of dissipation/profligacy* **1.3** ~ heer zoekt partner *gentleman without ties/unattached gentleman seeks partner* **1.6** waterstof in ~ toestand *f. hydrogen* **1.7** een ~ morfeem *a f. morpheme* ¶**.1** ~ stijl *prose.*
ongebondenheid ⟨de (v.)⟩ **0.1** *dissoluteness* ⇒*dissipation, profligacy, looseness, debauchery.*
ongeboren ⟨bn.⟩ **0.1** [nog niet geboren] *unborn* **0.2** [⟨fig.⟩ nog in wording] *emergent* ⇒*future, nascent, yet to come, unborn* ◆ **1.1** eerbied voor het ~ leven *respect for the u. child/life in the womb;* een ~ vrucht *an u. child, a f(o)etus* **1.2** een ~ pennevrucht *an unpenned work, a work yet to be written/as yet unwritten.*
ongebrand ⟨bn.⟩ **0.1** *unburnt* ⇒*unroasted* ⟨koffie⟩.
ongebreideld ⟨bn., bw.⟩ **0.1** *unbridled, unrestrained* ◆ **1.1** ~e fantasie *unbridled imagination;* de ~e hartstochten *unbridled passions;* ~e hebzucht *unbridled greed.*
ongebroken ⟨bn., bw.; -ly⟩ **0.1** [niet stuk] *unbroken* **0.2** [volhardend] *unremitting* **0.3** [onverbroken] *unswerving* **0.4** [niet overtroffen] *unbroken* ⇒*unbeaten* ◆ **1.2** hun verzet/motivatie was ~ *their resistance/*

motivation was u. **1.3** ~ trouw *u. loyalty* **1.4** een ~ record *an unbroken/unbeaten record.*
ongebruikelijk ⟨bn.⟩ **0.1** [bijzonder] *special* **0.2** [ongewoon] *unusual* ⇒ *unconventional, unorthodox* **0.3** [niet in gebruik] *not used* ⇒*not in use, uncommon* ◆ **1.1** dit woord heeft hier een ~e betekenis *this word has a s./an unusual meaning here* **1.2** ~ gedrag *unusual behaviour* **1.¶** ⟨wisk.⟩ een ~e breuk *an improper fraction* **6.2** het is nogal ~ voor haar *it is rather rare/exceptional/unusual for her.*
ongebruikt ⟨bn.⟩ **0.1** [niet gebruikt] *unused* ⇒*vacant* ⟨terrein⟩, *idle* ⟨kapitaal⟩ **0.2** [nieuw] *unused* ⇒*new, live* ⟨lucifers⟩ ◆ **1.1** een ~e ruimte *an u./vacant space* **3.1** iets ~ laten *make use of sth.;* geen gelegenheid ~ laten om iets te doen *neglect no/use every opportunity to do sth.;* de uren ~ laten voorbijgaan *idle one's time away;* ~ liggen *lie idle.*
ongebuild ⟨bn.⟩ **0.1** *unbolted* ◆ **1.1** ~ meel *u./whole-wheat flour, whole meal,* [B]*wheatmeal,* [A]*graham flour.*
ongebukt ⟨bn.⟩ **0.1** *unbent.*
ongebundeld ⟨bn.⟩ **0.1** *uncollected.*
ongecivliseerd ⟨bn.⟩ **0.1** [onbeschaafd] *uncivilized* ⇒*uncultured, unrefined* **0.2** [onfatsoenlijk] *uncivilized.*
ongecompliceerd ⟨bn., bw.; -ly⟩ **0.1** [niet ingewikkeld] *uncomplicated* **0.2** [mbt. de gaardheid] *uncomplicated* ◆ **1.2** ~e naturen *u. natures.*
ongeconditioneerd ⟨bn.⟩ **0.1** *unconditional.*
ongeconfirmeerd ⟨bn.⟩ **0.1** *unconfirmed* ◆ **1.1** ~ krediet *u. credit.*
ongecontroleerd ⟨bn.⟩ **0.1** [niet gecontroleerd] *unchecked* ⇒⟨cijfers/ berichten ook⟩ *unverified, unaudited* ⟨rekeningen⟩, *uninspected* ⟨kaartjes, fabrieksprodukten⟩, *unsupervised* ⟨werk⟩ **0.2** [niet onder bedwang] *uncontrolled* ◆ **1.1** ~e gegevens *unchecked/unverified information/data* **1.2** ~e bewegingen *u. movements;* in een ~ moment *in an u. moment.*
ongecoördineerd ⟨bn.⟩ **0.1** *unco-ordinated* ◆ **1.1** ~e bewegingen/acties *u. movements/actions.*
ongecorrigeerd ⟨bn.⟩ **0.1** *uncorrected* ⇒*crude* ⟨statistiek⟩, *raw* ⟨cijfers⟩.
ongedaan ⟨bn.⟩ **0.1** *undone* ◆ **3.1** dit moet liever ~ blijven *this had better remain u.;* iets ~ laten *leave sth. undone;* niets ~ laten om iets te doen *spare no effort/leave no stone unturned to do sth.;* de jury van appèl maakte zijn diskwalificatie ~ *the appeal jury overruled his disqualification;* iets ~ maken *rectify sth.* ⟨fout⟩; *cancel/annul sth.* ⟨aankoop, contract⟩; dat kun je niet meer ~ maken *you can't go back on it now, what's done can't be undone.*
ongedacht ⟨bn., bw.; -ly⟩ **0.1** *unexpected* ⇒*unthought-of, unimagined, undreamt-of* ◆ **1.1** dit biedt ~e mogelijkheden *this offers unthought-of/unimagined/unimaginable possibilities;* een ~ uitkomst *an unexpected result;* ~e wreedheid *unimagined cruelty* **3.1** hij is ~ verschenen *he has turned up unexpectedly.*
ongedateerd ⟨bn.⟩ **0.1** *undated* ◆ **1.1** een ~e druk *an u. edition* **3.1** ~ zijn *be u./without (a) date/sine datum.*
ongedeeld ⟨bn.⟩ **0.1** [niet samen met iem. hebbend] *unshared* **0.2** [in zijn geheel blijvend] *undivided* **0.3** [zuiver] *undivided* **0.4** [⟨plantk.⟩] *entire* ◆ **1.3** een ~ geluk *u. happiness.*
ongedeerd ⟨bn.⟩ **0.1** *unhurt* ⇒*uninjured, unharmed, unscathed* ◆ **3.1** er ~ afkomen *escape unhurt/uninjured/unharmed, escape injury;* bij dat ongeluk is hij ~ gebleven *he was unhurt/uninjured in that accident;* iem. ~ laten *not harm s.o., not cause s.o. any harm;* ~ terugkomen *come back whole/in one piece.*
ongedekt
I ⟨bn.⟩ **0.1** [zonder hoofddeksel] *uncovered* ⇒*hatless, without a hat* **0.2** [zonder tafellaken] *unlaid* **0.3** [niet overdekt] *uncovered* ⇒*open* ◆ **1.1** met ~ hoofd ⟨ook⟩ *bareheaded* **3.2** de tafel is nog ~ *the table is still u.;*
II ⟨bn., bw.⟩ **0.1** [⟨hand.⟩] *uncovered* ⇒*unsecured* ⟨crediteur⟩ **0.2** [⟨mil.⟩] *unguarded* **0.3** [⟨sport⟩] *uncovered, unmarked* ◆ **1.1** een ~e cheque *an uncovered cheque;* ⟨sl.⟩ *a dud cheque, a bouncer;* een ~ krediet *an unsecured/uncovered credit, a credit without security, collateral;* ~e lening *a fiduciary loan;* een ~ tekort *an uncovered deficit;* een ~e uitgifte *a fiduciary/an uncovered/a credit issue* **1.3** ⟨kaartspel⟩ ~e koning *an uncovered king;* ~ schaakstuk *an unguarded chessman;* een ~e speler *an unmarked player.*
ongedesemd ⟨bn.⟩ **0.1** *unleavened* ◆ **1.1** ~ brood *u. bread.*
ongedierte ⟨het⟩ **0.1** [mbt. insekten] *vermin* ⟨ww. vnl. mv.⟩ **0.2** [schadelijk gedierte] *vermin* ⟨ww. vnl. mv.⟩ **0.3** [⟨jacht⟩] *vermin* ⟨ww. vnl. mv.⟩ **0.4** [⟨fig.⟩ gespuis] *vermin* ⟨ww. vnl. mv.⟩ ◆ **1.4** stuk ~! ⟨vero.⟩ *varmint!, cad, bounder! beast!* **2.2** slangen en dergelijk ~ *snakes and other such v.* **3.1** ~ hebben *harbour v.;* het wemelt hier van het ~ *it's crawling with v. here/this place is vermin-ridden* **5.1** de kinderen zaten vol ~ *the children were covered in v.;* vrij van ~ *free from v..*
ongediplomeerd ⟨bn.⟩ **0.1** *unqualified* ◆ **1.1** een ~e verpleegster *an unregistered/unqualified/*[A]*a practical nurse.*
ongedisciplineerd ⟨bn.⟩ **0.1** *undisciplined.*
ongedistingeerd ⟨bn., bw.⟩ **0.1** *undistinguished.*
ongedoopt ⟨bn.⟩ **0.1** *unbaptized* ⇒⟨klok/schip ook⟩ *unchristened* ◆ **7.1** ⟨zelfst.⟩ een ~e *an unbaptized person.*

ongeduld ⟨het⟩ **0.1** *impatience* ◆ **3.1** branden van ~ *fume/burn/* ⟨schr.⟩ *be consumed with i.* **5.1** vol ~ zijn om iets te doen *be impatient to do sth.* **6.1** hij had de uitslagen **in/met** ~ afgewacht *he had awaited the results impatiently;* trappelen **van** ~ *be bursting with i.;* ⟨inf.⟩ *be raring to go.*

ongeduldig
I ⟨bn., bw.; -ly⟩ **0.1** [niet in staat langer te wachten] *impatient* ⇒*restless* ◆ **3.1** hij begon ~ te worden *he began to get i.* **6.1** ~ zijn **over/door** *chafe at/under;*
II ⟨bn.⟩ **0.1** [geen geduld hebbend] *impatient* ◆ **5.1** voor zulke werkjes is hij te ~ *he doesn't have enough patience for jobs like that.*

ongedurig ⟨bn., bw.; -ly⟩ **0.1** *restless* ⇒⟨zenuwachtig, druk⟩ *fidgety* ◆ **1.1** een ~ baasje *a fidget* **3.1** ~ heen en weer lopen *walk up and down restlessly;* wees niet zo ~! *don't fidget!, stop fidgeting!;* de menigte wordt ~ *the crowd is becoming restive.*

ongedurigheid ⟨de (v.)⟩ **0.1** *restlessness* ⇒*fidgety behaviour, fidgeting.*

ongedwongen ⟨bn., bw.⟩ **0.1** [ongekunsteld] *relaxed* ⇒*informal* **0.2** [vrijwillig] *voluntary* **0.3** [niet geforceerd] *unconstrained* ◆ **1.1** een ~ feestje *an informal party;* een ~ gesprek *an informal discussion;* een ~ houding *a r. attitude* **1.3** een ~ conclusie *an unforced/uninhibited conclusion* **2.1** vrij en ~ *free and easy* **3.1** hij sprak zeer ~ *he spoke very naturally/r. /easily* **3.2** ~ zal hij dat wel niet doen *he's not likely to do that of his own accord/free will.*

ongedwongenheid ⟨de (v.)⟩ **0.1** *informality, ease.*

ongeëvenaard
I ⟨bn.⟩ **0.1** [onovertroffen] *unequalled* ^A*aled* ⇒*unparalleled, unmatched, unrivalled* ^A*aled* ◆ **1.1** een ~ succes *an unparalleled success* **3.1** ~ zijn *have no equal, be without parallel/peerless* ¶**.1** ~ wat compositie betreft *unequalled/unrivalled for composition;*
II ⟨bw.⟩ **0.1** [onovertroffen] *superlatively* ◆ **2.1** ~ lage prijzen *unbeatably low/sacrificial prices, lowest ever prices.*

ongeflatteerd ⟨bn.⟩ **0.1** *unembellished* ◆ **1.1** een ~ portret *a truthful/straightforward/an unromanticised portrait, a portrait which does not seek to flatter;* een ~e uitslag *a down-to-earth result, a result which reflects things/facts as they (really) are (and no better);* een ~ verslag *a matter-of-fact/an u./a factual report.*

ongefrankeerd ⟨bn.⟩ **0.1** *unstamped* ⟨envelop⟩ ◆ **1.1** ~e brieven *unstamped mail* **3.1** kan ~ verzonden worden *postage free;* goederen ~ versturen *send goods carriage free.*

ongefundeerd ⟨bn.⟩ **0.1** *unfounded* ⇒*groundless* ◆ **1.1** ~e aanklacht/ argumenten *u./ groundless charge, unsubstantial arguments;* ~ optimisme *u. / groundless optimism.*

ongegeneerd ⟨bn., bw.; -ly⟩ **0.1** [zonder gêne] *unashamed, unabashed* ⇒ *impertinent, rude* **0.2** [erg, ruw] *relentless, unabashed* **0.3** [⟨AZN⟩ zonder zorgen] *carefree* ◆ **1.1** een ~ houding/vraag *an impertinent manner/question* **1.2** een ~ pak slaag *a thorough hiding,* ^B*a jolly good hiding* **3.1** ~ met de benen wijd zitten *unashamedly/brazenly sit with one's legs apart* **3.2** iem. ~ de waarheid zeggen *tell s.o. the plain truth, tell s.o. the truth to his/her face.*

ongegeneerdheid ⟨de (v.)⟩ **0.1** *lack of embarrassment.*

ongegist ⟨bn.⟩ **0.1** *unfermented* ◆ **1.1** ~e appelwijn *u. cider.*

ongeglazuurd ⟨bn.⟩ **0.1** *unglazed.*

ongegomd ⟨bn.⟩ **0.1** *ungummed.*

ongegrendeld ⟨bn.⟩ **0.1** *unbolted.*

ongegrond ⟨bn., bw.⟩ **0.1** [niet gegrond] *unfounded* ⇒*groundless, baseless* **0.2** [onbillijk] *unfair* ◆ **1.1** ~e angsten *groundless fears;* een ~ gerucht *an idle rumour;* ~e klachten *u./ baseless complaints* **3.1** het verhaal is totaal ~ *the story is completely without foundation;* iem. ~ verdenken/wantrouwen *suspect/distrust s.o. without cause/foundation/ good reason;* het protest/beroep werd ~ verklaard *the protest/appeal was disallowed;* ~ zijn *be u. / without foundation* **3.2** een ~e beschuldiging *an u./ a groundless accusation.*

ongegund ⟨bn.⟩ **0.1** *misgund*] *begrudged, envied; not awarded* ⟨contract⟩.

ongehard ⟨bn.⟩ **0.1** *unhardened* ◆ **1.1** ~ ijzer *untempered iron;* ~e soldaten *u. soldiers.*

ongehavend ⟨bn.⟩ **0.1** *unhurt* ⟨persoon⟩; *undamaged* ⟨zaak⟩.

ongehinderd ⟨bn., bw.⟩ **0.1** *unhindered* ◆ **3.1** ~ de grens overgaan *cross the frontier without hindrance/freely;* ~ werken *work without hindrance/undisturbed/u..*

ongehoord ⟨bn., bw.⟩ **0.1** [onbehoorlijk] *outrageous* ⇒*unheard-of, unprecedented* **0.2** [zonderling] *strange* **0.3** [zonder gehoord te zijn] *unheard* ◆ **1.1** ~e schaamteloosheid *outrageous/unheard-of impudence;* een ~e vraagprijs *an o. / exorbitant asking price;* een ~ zaak *an o. affair* **1.2** een ~e geschiedenis *a s. story* **2.1** ~ laat/langdradig *outrageously late/long-winded* **3.1** dat is ~ *that is o. / unheard-of* **3.3** een plaat ~ kopen *buy a record without hearing it/on sight;* ~ veroordeeld worden *be sentenced without being heard/a hearing.*

ongehoorzaam ⟨bn.⟩ **0.1** *disobedient.*

ongehoorzaamheid ⟨de (v.)⟩ **0.1** [hoedanigheid] *disobedience* **0.2** [uiting, vorm] *disobedience* ◆ **2.1** burgerlijke ~ *civil d..*

ongehuicheld ⟨bn., bw.⟩ **0.1** *unfeigned.*

ongehuwd ⟨bn.⟩ **0.1** *single* ⇒*unmarried,* ⟨vooral mbt. rel.⟩ *celibate* ◆ **1.1** een bewust ~e moeder *an unmarried/a s. mother from choice;* een ~e moeder *an unmarried mother;* de ~e staat *the s. state, celibacy;* een ~e vrouw *a s. / an unmarried woman;* ⟨BE; jur. ook⟩ *spinster* **3.1** ~ samenwonen *live together (without being married);* ⟨inf.⟩ *shack up.*

ongeïllustreerd ⟨bn.⟩ **0.1** *unillustrated.*

ongein ⟨de (m.)⟩ **0.1** *unfunny joke* ⇒⟨iets flauws⟩ *unfunny affair/business* ◆ **3.1** ~ uithalen *play an unfunny joke/prank.*

ongeïnspireerd ⟨bn.⟩ **0.1** *uninspired* ⇒*unoriginal, uninventive* ◆ **1.1** ~ spel *uninspired/mechanical/cold performance.*

ongeïnteresseerd ⟨bn., bw.; -ly⟩ **0.1** een ~ publiek *an u. / indifferent audience/readership* **3.1** ~ raken *lose interest;* ⟨inf.⟩ *turn off;* ~ toekijken *watch with indifference.*

ongeïnteresseerdheid ⟨de (v.)⟩ **0.1** *disinterest* ⇒*indifference, lack of interest, uninterestedness.*

ongekamd ⟨bn.⟩ **0.1** *uncombed, unkempt.*

ongekapt ⟨bn.⟩ **0.1** [mbt. haar] *wild, natural, undressed* **0.2** [mbt. hout] *unfelled* ◆ **3.1** zij was ~ *she hadn't had her hair done/hadn't been to the hairdresser's.*

ongekend
I ⟨bn.⟩ **0.1** [tot dusverre niet voorkomend] *unprecedented* ◆ **1.1** de koers bereikte een ~e hoogte *the exchange rate reached an u. / a record level/record height* **4.1** dat is voor hen iets ~s *that is sth. quite new for them;*
II ⟨bw.⟩ **0.1** [zeer] *unprecedentedly* ◆ **2.1** ~ lage prijzen *u. low prices;* ⟨in advertenties enz.⟩ *lowest-ever prices.*

ongekerstend ⟨bn.⟩ **0.1** *unchristianized* ⇒*not converted to Christianity.*

ongekeurd ⟨bn.⟩ **0.1** *uninspected.*

ongekleed ⟨bn.⟩ **0.1** *undressed* ◆ **3.1** hij verscheen ~ op de receptie *he came to the reception not properly dressed;* zonder jasje voelt hij zich ~ *he doesn't feel properly dressed/he feels u. without a jacket;* ~ aan het ontbijt zitten *have breakfast before dressing.*

ongekleurd ⟨bn.⟩ **0.1** [zonder kleur] *uncoloured* ⇒*colourless, undyed,* ⟨mbt. levensmiddelen⟩ *without colouring matter/agents* **0.2** [⟨biol.⟩] *colourless* ◆ **1.1** ~ leer *natural/undyed leather.*

ongeknakt ⟨bn.⟩ **0.1** *unbroken* ⟨ook fig.⟩ ◆ **3.1** ⟨fig.⟩ na al die ellende bleef hij ~ *after all his troubles he remained u., he was unscarred by all his troubles.*

ongekookt ⟨bn.⟩ **0.1** *uncooked* ⟨vlees, groente enz.⟩; *unboiled* ⟨vloeistof⟩.

ongekrenkt ⟨bn.⟩ **0.1** [nog in volle kracht] *unimpaired* **0.2** [ongedeerd] *unharmed* ⇒⟨mbt. dingen⟩ *undamaged* ◆ **1.1** ~e geestvermogens *u. (mental) faculties* **3.2** ~ blijven *survive unharmed.*

ongekreukt ⟨bn.⟩ **0.1** [zonder vouwen/rimpels] *uncreased* ⇒*unwrinkled* **0.2** [⟨fig.⟩ ongeschonden] *untarnished.*

ongekroond ⟨bn.⟩ **0.1** *uncrowned* ◆ **1.1** ~e koningen *u. kings.*

ongekruist ⟨bn.⟩ **0.1** [niet gekruist] *uncrossed* **0.2** [niet vermengd] *uncrossed* ◆ **1.1** ~e cheques ^B*u. cheques.*

ongekuist ⟨bn.⟩ **0.1** [niet fijn] *crude* **0.2** [niet gekuist] *unexpurgated* **0.3** [⟨AZN⟩ niet gereinigd] *uncleaned* ◆ **1.2** een ~e uitgave *an u. edition.*

ongekunsteld ⟨bn., bw.; -ly⟩ **0.1** *artless unaffected* ⇒*natural* ◆ **1.1** het ~e leven *the simple life* **3.1** hij sprak ~ *he spoke unaffectedly.*

ongekunsteldheid ⟨de (v.)⟩ **0.1** *artlessness, naturalness* ⇒*simplicity, unsophistication.*

ongel ⟨de⟩ **0.1** *tallow.*

ongelaagd ⟨bn.⟩ **0.1** *unstratified.*

ongeladen ⟨bn.⟩ **0.1** [niet met vracht belast] *unloaded* ⇒*unladen* **0.2** [niet met kogels gevuld] *unloaded* **0.3** [niet van elektriciteit voorzien] *uncharged* ◆ **1.1** een ~ vliegtuig *an unladen aeroplane.*

ongeld ⟨het⟩ **0.1** [onkosten] *expenses* **0.2** [opgelden] *surcharge(s).*

ongeldig ⟨bn.⟩ **0.1** *invalid* ⇒⟨jur. ook⟩ *(null and) void, null* ◆ **1.1** een ~e redenering *a fallacy, a false syllogism, a specious argument;* een ~e stem *an i. vote;* een ~ testament *an i. will* **3.1** iets ~ maken *invalidate/ nullify sth.;* zijn stembiljet ~ maken *spoil one's paper(s);* een ~ makend beletsel *a diriment impediment;* ~ verklaren *declare (to be) i. / (null and) void/invalidated/nullified;* dit kaartje wordt ~ op *this ticket expires on* **6.1** ~ **voor** de wet *void in/at law.*

ongeldigheid ⟨de (v.)⟩ **0.1** *invalidity* ⇒⟨huwelijk ook⟩ *nullity.*

ongeldig(heids)verklaring ⟨de (v.)⟩ **0.1** [wet, huwelijk] *annulment* ⟨contract, stuk⟩ *invalidation;* ⟨testament ook⟩ *nullification* ◆ **1.1** vonnis van ~ *decree of nullity.*

ongeleed ⟨bn.⟩ **0.1** [niet geleed] *unsegmented* **0.2** [⟨plantk.⟩] *unarticulated* ⇒*unjointed, unsegmented* ◆ **1.1** een ~ woord *a free word* **1.2** ongelede stengels *unarticulated/unjointed stalks.*

ongeleegd ⟨bn.⟩ **0.1** *unemptied* ◆ **3.1** zijn glas stond ~ *his glass was u..*

ongeleerd ⟨bn.⟩ **0.1** [ongeoefend] *untrained* ⇒*unschooled* **0.2** [niet onderwezen] *without schooling.*

ongelegen ⟨bn., bw.; -ly⟩ **0.1** *inconvenient* ⇒*awkward, inopportune* ◆ **1.1** op een ~ tijd komen *come at an inconvenient/awkward/inopportune time/moment* **3.1** we hopen dat we niet ~ komen *we hope we are not intruding/putting you out;* je komt nu werkelijk ~ *you really have come at an awkward moment;* komt het ~ als ...? *would it inconvenience you if ...?;* het komt mij ~ *it's inconvenient for me, it doesn't suit me;* zijn bezoek kwam ~ *his visit came at an awkward time/moment*

5.1 dat komt niet ~ *that does not come at a welcome moment, that does not suit me / you / ⟨enz.⟩ very well.*

ongelegenheid ⟨de (v.)⟩ **0.1** [het ongelegen zijn] *inconvenience* ⇒*inopportuneness* **0.2** [ongunstige toestand] *embarrassment* ⟨ook financieel⟩ ◆ **2.2** in geldelijke ~ verkeren *be in pecuniary difficulties / financially embarrassed* **6.2** iem. in ~ brengen *inconvenience s.o., put s.o. to a great inconvenience.*

ongelest ⟨bn.⟩ **0.1** *unquenched.*

ongeletterd ⟨bn.⟩ **0.1** [niet geleerd] *unlettered* **0.2** [analfabeet] *illiterate.*

ongelezen ⟨bn.⟩ **0.1** *unread* ◆ **3.1** geen boek ~ laten *leave no book u.;* dat mag je niet~ laten *you simply must read that.*

ongelijk¹ ⟨het⟩ ⟨→sprw. 9⟩ **0.1** *wrong* ◆ **3.1** op dat punt zul je toch je ~ moeten bekennen *that's a point you'll have to concede;* zijn ~ bekennen / toegeven *admit o.s. to be in the w. / in error;* ik geef je geen ~ *I don't blame you;* iem. ~ geven *put s.o. in the w.;* hij had beslist ~ *clearly he was wrong, he was obviously / manifestly wrong;* ik kon hem van zijn ~ overtuigen *I was able to persuade him (that) he was wrong* **6.1** de feiten stellen u in het ~ *the facts prove you to be / put you in the wrong;* de rechtbank stelde haar in het ~ *the court decided / ruled against her* **¶.1** op kosten van ~ *the cost to be borne by the party found to be at fault / in error.*

ongelijk² ⟨bn., bw.; -ly⟩ **0.1** [niet gelijk] *unequal;* ⟨niet gelijkend⟩ *different (from), dissimilar (from / to), incongruous* **0.2** [oneffen] *uneven* **0.3** [onregelmatig] *uneven* ◆ **1.1** een ~ huwelijk *an u. marriage;* ⟨sport⟩ ~e leggers *asymmetric bars;* ~e sokken *odd socks;* een ~e strijd *an u. / a one-sided fight;* ⟨wisk.⟩ ~e zijden / hoeken *unequal sides / angles* **1.3** van ~e kwaliteit *of u. quality;* ~ werk *patchy work* **1.¶** ⟨plantk.⟩ een ~e bladschijf *an asymmetric leaf(-blade)* **3.1** mensen ~ behandelen *not treat everyone the same, treat people differently;* het is ~ verdeeld in de wereld *there's a lot of injustice in the world;* de musici zetten ~ in the musicians did not come in together / at the same time **3.2** ⟨scherts.⟩ kijk uit, je staat ~ *look out, you're standing on my toes* **3.3** zijn hart sloeg ~ *his heart beat unevenly* **6.1** ~ aan *de ander different from the other;* een situatie niet ~ aan *de huidige a situation not unlike the present one.*

ongelijkbenig ⟨bn.⟩ ⟨wisk.⟩ **0.1** *scalene* ⟨driehoek⟩ ◆ **1.1** een ~ trapezium *asymmetric / irregular trapezium.*

ongelijkheid ⟨de (v.)⟩ **0.1** [het ongelijk zijn] ⟨niet gelijk⟩ *inequality;* ⟨niet gelijkend⟩ *difference, dissimilarity, incongruity* **0.2** [oneffenheid] *unevenness* **0.3** [ongelijkmatigheid] *unevenness* ◆ **2.1** maatschappelijke ~ *social inequality / imparity* **6.1** ~ in leeftijd *difference in lifestyle* **6.3** zijn ~ van humeur *his u. of temper.*

ongelijkmatig ⟨bn., bw.; -ly⟩ **0.1** *uneven* ⇒*unequal,* ⟨onregelmatig⟩ *irregular,* ⟨oppervlak ook⟩ *rough* ◆ **1.1** een ~ humeur *an uneven temper* **3.1** ~ werken *work erratically.*

ongelijkmatigheid ⟨de (v.)⟩ **0.1** *unevenness, inequality* ⇒*unlevelness, irregularity, roughness.*

ongelijknamig ⟨bn.⟩ **0.1** *dissimilar* ⇒*unlike* ◆ **1.1** ~e breuken *d. fractions;* twee ~e grootheden *two unlike quantities;* ~e magnetische polen *unlike magnetic poles.*

ongelijkslachtig ⟨bn.⟩ **0.1** *heterogeneous.*

ongelijksoortig ⟨bn.⟩ **0.1** *of a different kind* ◆ **1.1** ~e grootheden *unlike quantities.*

ongelijkvloers ⟨bn.⟩ **0.1** *on different levels* ◆ **1.1** ~e kruisingen *fly-over / ^overpass junctions.*

ongelijkvormig ⟨bn.⟩ **0.1** *dissimilar (in shape).*

ongelijkvormigheid ⟨de (v.)⟩ **0.1** *dissimilarity (in shape).*

ongelijkwaardig ⟨bn.⟩ **0.1** *unlike* ⇒*non-equivalent, unequal.*

ongelijkzijdig ⟨bn.⟩ **0.1** *scalene* ⟨driehoek⟩; *irregular* ◆ **1.1** ~e veelhoeken *irregular polygons.*

ongelijmd ⟨bn.⟩ **0.1** [niet vastgelijmd] *unglued* **0.2** [mbt. papier] *unsized, unpasted.*

ongelijnd ⟨bn.⟩ **0.1** *plain* ⇒*unruled.*

ongelikt ⟨bn.⟩ ◆ **1.¶** een ~e beer *an uncouth lout, a yokel, a clodhopper.*

ongelimiteerd ⟨bn., bw.⟩ **0.1** *unlimited* ⇒*limitless* ◆ **3.1** ~ over iets kunnen beschikken *have sth. at one's disposal without limitation.*

ongelinieerd ⟨bn.⟩ →**ongelijnd.**

ongelobd ⟨bn.⟩ **0.1** *unlobed* ◆ **1.1** ⟨plantk.⟩ ~e planten *acotyledonous plants.*

ongelofelijk ⟨bn., bw.; -ly⟩ **0.1** [onaannemelijk] *incredible* ⇒*unbelievable* **0.2** [buitengewoon] *incredible* ⇒*unbelievable* ◆ **1.2** een ~e klootzak *an i. bastard* **2.1** dat heeft ons ~e moeite gekost *that has cost us an i. amount of trouble* **2.2** een ~ goed boek *an incredibly good book;* ⟨inf.⟩ een ~ boek **3.1** het is bijna ~ *it is almost past belief* **¶.1** ~, maar waar *i., but true.*

ongelofelijke ⟨het⟩ **0.1** *incredible* ◆ **3.1** dat grenst aan het ~ *that verges on the i..*

ongelogen ⟨bn., bw.; -ly⟩ **0.1** [de waarheid behelzend] *honest* ⇒*actual* **0.2** [zonder twijfel] *honest* ⇒*actual,* ⟨bw. ook⟩ *without exaggeration* ◆ **3.2** het was ~ voor de honderdste maal *I'm not exaggerating, it was the hundredth time / it must have been for the hundredth time* **¶.1** u ziet er, ~, nog zo jeugdig uit *honestly / without a word of a lie, you still look so youthful.*

ongeloof ⟨het⟩ **0.1** [het niet geloven] *disbelief* ⇒⟨rel.⟩ *unbelief* **0.2** [⟨rel.⟩ omstandigheid] *unbelief* ◆ **5.1** vol ~ keek hij haar aan *he looked at her disbelievingly / incredulously.*

ongelooflijk →**ongelofelijk.**

ongeloofwaardig ⟨bn.⟩ **0.1** *incredible, implausible* ⇒⟨onbetrouwbaar⟩ *untrustworthy, unreliable* ◆ **1.1** ~e getuigen *unreliable witnesses;* een ~ verhaal *an unlikely / implausible story.*

ongeloofwaardigheid ⟨de (v.)⟩ **0.1** *incredibility* ⇒*implausibility,* ⟨van document⟩ *dubiousness,* ⟨van persoon⟩ *untrustworthiness, unreliability.*

ongelovig
I ⟨bn., bw.; -ly⟩ **0.1** [blijk gevend van ongeloof] *disbelieving* ⇒*incredulous* ◆ **1.¶** het is een ~e Thomas *he / she is a doubting Thomas;*
II ⟨bn.⟩ **0.1** [niet gelovend] *unbelieving* ◆ **3.1** hij is ~ *he is not religious / not a religious person.*

ongelovige ⟨de (m.)⟩ **0.1** *unbeliever* ⇒*nonbeliever, disbeliever.*

ongeluk ⟨het⟩ ⟨→sprw. 13,467-470⟩ **0.1** [tegenspoed] *misfortune* ⇒*bad luck, adversity* **0.2** [ongunstige toestand] *misfortune* ⇒*disaster* **0.3** [ongeval] *accident* **0.4** [verkeersongeval] *(road) accident* ◆ **1.4** een grote(re) kans op (het maken van) ~ken hebben *be (more) accident-prone* **1.¶** een stuk ~ ⟨inf.⟩ *a real pain (in the neck / ⟨sl.⟩ ass);* ⟨BE ook⟩ *a nasty piece of work* **2.3** er waren geen persoonlijke ~ken *there were no casualties, nobody was injured* **3.1** door het ~ achtervolgd worden *be dogged / pursued by m. / bad luck / adversity;* ⟨iem.⟩ ~ brengen *bring (s.o.) bad luck;* ~ brengend *unlucky;* iem. in het ~ storten *bring m. on / disaster to s.o.;* het ~ wilde dat zij ...*as bad luck would have it* ...**3.2** hij wacht op mijn ~ *he's waiting for my downfall* **3.3** een ~ begaan *aan iem. cause s.o. an injury;* ⟨vnl. BE; vaak scherts.⟩ *do s.o. a mischief;* kijk uit, er gebeuren ~ken! *look out, there'll be an a.! / accidents can happen!;* je zult nog eens een ~ krijgen als je niet voorzichtiger gaat fietsen *you'll have an a. / come to grief if you don't ride your bike more carefully;* hem is een ~ overkomen *he has had an / met with an a.;* iem. een ~ slaan *knock s.o. into the middle of next week;* een ~ zit in een klein hoekje *accidents can easily happen;* hij zou zich eens een ~ kunnen begaan *he might do sth. to himself* ⟨vnl. BE; vaak scherts.⟩ *do himself a mischief* **3.4** een ~ krijgen *have an a.;* bij een ~ omkomen *die in a r.a.* **3.¶** ik kan me een ~ eten aan drop *I can make a real pig of myself with liquorice, I can eat liquorice till it comes out of my ears;* zich een ~ lachen *split one's sides (laughing / with laughter), laugh one's head off / till one cries, double up with laughter;* ⟨inf.⟩ *fall about laughing;* iem. een ~ laten schrikken *scare the wits out of s.o.;* zich een ~ lopen *walk one's legs off;* zich een ~ schreeuwen *shout one's head off, shout o.s. hoarse;* we schrokken ons een ~ *we had a terrible fright;* zich een ~ werken *work o.s. to death* **3.¶.1** een ~ komt zelden alleen *it never rains but it pours* ⟨vnl. BE⟩ *it never rains but it pours;* zich een ~ bij *een ~ at least that was one good thing about it;* wij zijn voor het ~ geboren *we always have bad luck;* zonder ~ken aflopen *end without mishap* **6.2** tot zijn ~ *unfortunately for him* **6.3** bij / per ~ *accidentally, by a.;* dood door ~ *accidental death;* per ~ expres iets doen *do sth. accidentally on purpose;* per ~ iets verklappen *inadvertently let sth. out;* zonder ~ken *without accident* **6.4** een ~ met de fiets hebben *have a cycle a.* **¶.2** zijn ~ tegemoet gaan *ride for a fall, court disaster.*

ongelukje ⟨het⟩ **0.1** [klein ongeluk] *mishap* ⇒*(slight / little) accident* **0.2** [kind] *accident* ⇒*mistake* ◆ **3.1** ⟨euf.⟩ een ~ hebben *have a little accident* **3.2** Tim was een ~ *Tim was an a..*

ongelukkig
I ⟨bn., bw.; -ly⟩ ⟨→sprw. 544⟩ **0.1** [⟨mbt. personen⟩ ellendig] *unhappy* **0.2** [geen geluk hebbend] *unlucky* **0.3** [⟨mbt. zaken⟩ ongunstig] *unfortunate* ⇒*awkward* **0.4** [oorzaak van verdriet zijnd] *unhappy* ◆ **1.2** een ~e keus *maken an bad choice* **1.3** een ~e dag *an ill-fated day;* een ~e opmerking *an u. remark;* een ~e samenloop van omstandigheden *an u. combination of events;* een ~e verbintenis *a misalliance* **1.4** dat ~e geld ook altijd *wretched money, it's always the same;* een ~e liefde *an u. love affair* **3.2** zij was die avond zeer ~ *she was very u. / was really down on her luck that evening;* ~ zijn in de liefde *be crossed in love;* ~ zijn in het spel *be u. at cards* **3.3** ~ gekozen bewoordingen *ill-chosen words;* op een ~ gekozen tijdstip *at an awkward moment;* hij is ~ terechtgekomen en heeft zich bezeerd *he landed awkwardly and hurt himself;* het komt heel ~ uit *it's very awkward / u.;* zich ~ uitdrukken *express o.s. infelicitously* **5.1** iem. diep ~ maken *make s.o. deeply u.* **5.3** ~ genoeg *more's the pity* **7.3** het ~e v.d. toestand *is the u. part of the matter is;*
II ⟨bn.⟩ **0.1** [met een lichaamsgebrek] *handicapped.*

ongelukkige ⟨de (m.)⟩ **0.1** [rampspoedig iem.] *(poor) unfortunate* ⇒*(poor) wretch* **0.2** [gebrekkige] *handicapped person* ◆ **4.1** ik ~ *unhappy me.*

ongelukkigerwijze ⟨bw.⟩ **0.1** *unfortunately* ⇒*as bad / ill luck would have it, unhappily.*

ongeluksbode ⟨de (m.)⟩ **0.1** *bringer of bad news* ⇒⟨schr.⟩ *bearer of bad tidings.*

ongeluksdag ⟨de (m.)⟩ **0.1** [dag van tegenspoed] *unlucky day* ⟨met kleinere tegenslagen⟩; *fatal day* ⟨met verstrekkende gevolgen⟩ **0.2** [telkens terugkerende dag] *unlucky day* ◆ **8.2** vrijdag de dertiende geldt als ~ *Friday the thirteenth is considered to be an unlucky day.*

ongeluksgetal ⟨het⟩ **0.1** *unlucky mumber* ♦ **3.1** dertien is het ~ *thirteen is an unlucky number / is unlucky.*

ongeluksjaar ⟨het⟩ **0.1** *year of disaster* ⟨natuurrampen, oorlog⟩; *unlucky year* ⟨tegenslagen⟩.

ongelukskind ⟨het⟩ **0.1** [stuk ongeluk] *wretch* **0.2** [ongeluksvogel] (→**ongeluksvogel**).

ongeluksprofeet ⟨de (m.)⟩ **0.1** *prophet of doom.*

ongelukstijding ⟨de (v.)⟩ **0.1** *bad news* ⟹⟨schr.⟩ *bad / in tidings.*

ongeluksvogel ⟨de (m.)⟩⟨fig.⟩ **0.1** *unlucky person* ♦ **3.1** zij is een ~ *everything goes against her, she's always unlucky;* ⟨inf.⟩ *she's jinxed.*

ongemaakt ⟨bn.⟩ **0.1** [oprecht] *unfeigned* ⟹*genuine* **0.2** [ongekunsteld] *unaffected* ⟹*natural.*

ongemak ⟨het⟩ **0.1** [last, hinder] *discomfort* **0.2** [ongerief] *inconvenience* ⟹*discomfort* **0.3** [gebrek] *ailment* ♦ **1.2** de ~ken van de reis *the discomforts / hardships of the journey* **1.3** de ~ken v.d. ouderdom *the infirmities / ailments of old age* **3.1** veel ~ hebben van *be greatly inconvenienced by;* ~ lijden *suffer d.* **3.2** iem. ~ bezorgen *cause s.o. inconvenience, inconvenience s.o..*

ongemakkelijk ⟨bn., bw.; -ly⟩ **0.1** [last veroorzakend] *uncomfortable* **0.2** [lastig] *awkward* ⟹*uncomfortable* **0.3** [nukkig] *difficult* **0.4** [krachtig] *thorough* ♦ **1.1** een ~e houding *an u. position* **1.2** zich in een ~ parket bevinden *be in an a. position;* een ~e vraag *an a. question* **1.3** een ~ persoon *a d. person* **1.4** een ~ standje geven *give a t. / good telling-off* **3.1** ~ zitten *not sit comfortably* **3.2** zich ~ voelen *feel a. / uncomfortable* ¶**.4** er ~ van langs krijgen ⟨inf. / fig.⟩ *get it with a vengeance.*

ongemalen ⟨bn.⟩ **0.1** *unground.*

ongemanierd ⟨bn., bw.⟩ **0.1** [ongewoon] *ill-mannered;* ⟨bw.⟩ *in an ill-mannered way / fashion* ♦ **1.1** houding en toon waren plomp en ~ *attitude and tone were blunt and i.-m.* **2.1** hij is ~ lang gebleven *he stayed far too long, he outstayed his welcome.*

ongemanierdheid ⟨de (v.)⟩ **0.1** [⟨abstr.⟩] *unmannerliness, ill-breeding* **0.2** [⟨concr.⟩] *rudeness, impoliteness, incivility.*

ongemarkeerd ⟨bn.⟩⟨taal.⟩ **0.1** *unmarked.*

ongemaskerd ⟨bn.⟩ **0.1** *unmasked* ⟹⟨na zn.⟩ *without a mask.*

ongematteerd ⟨bn.⟩ **0.1** *unmatted.*

ongemeen ⟨bn., bw.; -ly⟩ **0.1** [ongewoon] *uncommon* ⟹*unusual* **0.2** [buitengewoon] *extraordinary* ⟹*uncommon* **0.3** [uitmuntend] *fine* ⟹*uncommon* ♦ **1.1** ongemene klederdrachten *uncommon / unusual costumes* **1.2** een ongemene wilskracht *e. willpower* **1.3** een ongemene geest *a f. mind.*

ongemeend ⟨bn.⟩ **0.1** *feigned.*

ongemengd ⟨bn.⟩ **0.1** [niet gemengd] *unmixed* **0.2** [zuiver] *unadulterated* ⟹*undiluted, sheer, pure* ♦ **1.2** ~ genot / geluk *unadulterated / undiluted / sheer / pure pleasure / joy.*

ongemerkt
I ⟨bn.⟩ **0.1** [zonder merkteken] *unmarked;*
II ⟨bn., bw.⟩ **0.1** [heimelijk] *unnoticed* **0.2** [onopvallend] *imperceptible* ♦ **1.2** een ~e verandering *an i. change* **3.1** denk maar niet dat je dit allemaal ~ kan doen *don't think you can do all this u.;* ~ ⟨weten te⟩ ontsnappen *(manage to) escape without being noticed* **3.2** de tijd gaat ~ voorbij *time slips away / by;* hij is ~ oud geworden *old age has crept up on him;* ze slaagde erin ~ door de linies te komen *she managed to steal through the lines;* ~ in de problemen komen *drift into difficulties;* ~ vertrekken *leave unobtrusively / inconspicuously* **5.1** ik kan die opmerking niet ~ laten voorbijgaan *I can't let that remark pass.*

ongemeubileerd ⟨bn.⟩ **0.1** *unfurnished.*

ongemoeid ⟨bn.⟩ **0.1** *undisturbed* ♦ **3.1** ik kon ~ vertrekken *I could leave without hindrance / freely;* iem. ~ laten *leave s.o. alone;* gelukkig werd het bos ~ gelaten *fortunately the wood was left as it was.*

ongemotiveerd ⟨bn., bw.⟩ **0.1** [zonder reden / aanleiding]⟨bn.⟩ *unmotivated* ⟹*motiveless* ⟨misdaad⟩, *unfounded* ⟨klacht⟩, ⟨bw.⟩ *without motivation / cause / a motive* **0.2** [zonder motieven] *ungrounded* **0.3** [zonder motivatie]⟨bn.⟩ *unmotivated;* ⟨bw.⟩ *without motivation* ♦ **1.1** een ~e aanval *an unmotivated / uncalled-for attack;* niet ~e klachten *complaints not without foundation, not unfounded complaints* **1.2** een ~ afwijzend preadvies *an u. negative recommendation;* een ~e vrees *an unfounded / unwarranted / a groundless fear.*

ongemunt ⟨bn.⟩ **0.1** *uncoined* ⟹*unminted* ♦ **1.1** ~ goud *gold bullion.*

ongenaakbaar ⟨bn.⟩ **0.1** [niet toegankelijk] *unapproachable* **0.2** [niet te naderen] *inaccessible* ♦ **1.**¶ ⟨sport⟩ zij steekt op het ogenblik in een ongenaakbare vorm *she's in a class of her own at the moment* **3.1** hij scheen ~ *he seemed u..*

ongenaakbaarheid ⟨de (v.)⟩ **0.1** *inapproachability;* ⟨van plaats ook⟩ *inaccessibility* ⟹*unapproachableness.*

ongenade ⟨de⟩ **0.1** [ongunst] *disgrace* ⟹*disfavour* **0.2** [woede] *displeasure* ♦ **6.1** in ~ vallen *fall into disgrace / disfavour;* in ~ zijn *be in disgrace / disfavour;* ik ben bij hem in ~ gevallen *I've fallen into disfavour with him;* ⟨inf.⟩ *I've got into his bad books;* op genade of ~ overgeven *surrender unconditionally, make an unconditional surrender* ¶**.2** zich de ~ v.d. baas op de hals halen *incur the boss's d..*

ongenadig ⟨bn.⟩ **0.1** [hevig] *merciless* **0.2** [onbarmhartig] *merciless* ⟹*pitiless* ♦ **1.1** hij kreeg een ~ pak voor zijn broek *he got a m. thrashing.* **1.2** een ~heer *a m. lord* **2.1** het is ~ koud *it is bitterly cold*

3.2 hij had haar illusies ~ omvergeworpen *he had mercilessly shattered her illusions.*

ongeneeslijk ⟨bn., bw.; -ly⟩ **0.1** *incurable* ♦ **1.1** een ~e achterdocht *i. suspiciousness;* ⟨fig.⟩ een ~e leugenaar *an i. liar;* een ~e ziekte *an i. illness / disease* **2.1** ~ ziek *incurably ill.*

ongenegen ⟨bn.⟩ **0.1** [ongezind] *disinclined* ⟹*unwilling* **0.2** [zonder genegenheid] *ill-disposed (towards)* ♦ **5.1** hij is daartoe niet ~ *he is not d. / unwilling to do it.*

ongeneeslijk →**ongeneeslijk.**

ongenietbaar ⟨bn.⟩ **0.1** [humeurig] *disagreeable* **0.2** [geen genot gevend] *abominable* ⟹*unenjoyable* **0.3** [niet te eten / drinken] *unpalatable* ♦ **3.1** wat ben je vanavond weer ~ *you're very d. again this evening.*

ongenodigd ⟨bn.⟩ **0.1** *uninvited.*

ongenoegen ⟨het⟩ **0.1** [ontevredenheid] *displeasure* ⟹*dissatisfaction* **0.2** [⟨schr.⟩ oneigheid] *discord* ⟹*dissension* ♦ **6.1** tot mijn grote ~ *to my great dissatisfaction* **6.2** met iem. in ~ leven *be at variance with s.o.* ¶**.1** zich iemands ~ op de hals halen *incur s.o.'s displeasure.*

ongenoeglijk ⟨bn.⟩ **0.1** *unpleasant.*

ongenoeglijkheid ⟨de (v.)⟩ **0.1** *unpleasantness.*

ongenoegzaam ⟨bn., bw.; -ly⟩ **0.1** *insufficient* ⟹*inadequate.*

ongenoegzaamheid ⟨de (v.)⟩ **0.1** *insufficiency* ⟹*inadequacy.*

ongenoemd ⟨bn.⟩ **0.1** *unnamed* ⟹*unmentioned* ⟨naam⟩.

ongenood ⟨bn.⟩ **0.1** [niet uitgenodigd] *uninvited* **0.2** [onwelkom] *unwelcome* ⟹*unwanted* ♦ **3.1** ~ binnenvallen (op een feestje) *gatecrash (a party);* zij ging ~ met ons mee *she joined us.*

ongenuanceerd ⟨bn., bw.⟩ **0.1** *over-simplified* ♦ **1.1** een ~ oordeel *an o.-s. opinion;* een ~e uitlating *a blunt remark* **3.1** ~ denken *think simplistically.*

ongenummerd ⟨bn.⟩ **0.1** *unnumbered.*

ongeoefend ⟨bn.⟩ **0.1** *untrained* ⟹*unpractised* ^A*ced,* ⟨onervaren⟩ *inexperienced (in),* ⟨ongeschoold⟩ *unskilled (in)* ♦ **1.1** een ~e hand *an unpractised hand;* ~e rekruten *raw recruits.*

ongeoefendheid ⟨de (v.)⟩ **0.1** *inexperience* ⟹*lack / want of practice / training.*

ongeoorloofd ⟨bn.⟩ **0.1** ⟨wettelijk⟩ *illegal* ⟹*illicit, unlawful,* ⟨fatsoenshalve⟩ *improper* ♦ **1.1** ⟨mil.⟩ ~e afwezigheid *absence without leave, French leave;* ~e seksuele betrekkingen *illicit sexual relations;* ~ gebruik van de noodrem *improper use of the communication cord / ^Aemergency brake / cord;* ~e middelen / methoden / praktijken *illegal / improper means / methods / practices;* ~ verzuim *negligence;* ~e wapens *illegal weapons;* op ~e wijze *illegally, illicitly, unlawfully, improperly.*

ongeopend ⟨bn.⟩ **0.1** *unopened* ♦ **1.1** een brief ~ ter zijde leggen *put a letter aside u..*

ongeordend
I ⟨bn., bw.⟩ **0.1** [niet geordend] *unordered* ⟹*disorganized* **0.2** [chaotisch] *disordered* ⟹*disorderly* ♦ **1.2** wat een ~e boel is dat hier! *what a mess it is here!;*
II ⟨bn.⟩ **0.1** [niet in een geestelijke orde opgenomen] *secular* ♦ **1.1** ~e geestelijken *s. clergy, seculars.*

ongeorganiseerd
I ⟨bn.⟩ **0.1** [ongeordend] *unorganized* ⟹*disorganized;*
II ⟨bn.⟩ **0.1** [niet bij een organisatie aangesloten] *nonunion, unorganized* ♦ **7.1** een ~e ⟨mbt. vakbond⟩ *a nonunion worker.*

ongepaard ⟨bn.⟩ **0.1** *unpaired* ⟹*odd* ⟨schoenen enz.⟩ ♦ **1.1** ~e handschoenen *odd gloves.*

ongepast ⟨bn., bw.; -ly⟩ **0.1** [onfatsoenlijk] *improper* ⟹*unseemly, unbecoming* **0.2** [nutteloos] *inappropriate* ⟹*unsuitable* **0.3** [misplaatst] *inappropriate* ⟹*unsuitable, impertinent* ⟨opmerking⟩ ♦ **1.1** zijn gedrag is voor een heer ~ *his behaviour is unbecoming for a gentleman, his behaviour ill becomes a gentleman;* ~e manieren *unseemly manners;* ~e taal ⟨ook⟩ *inappropriate language* **1.3** een ~e grap *an i. joke;* een ~e verwijt *an uncalled-for reproach* **3.3** het lijkt me niet ~ *I feel it is not i. / would not come amiss;* ~ zijn *be out of place* **6.1** ~ **voor** een vrouw / man *not fitting for a woman / man.*

ongepastheid ⟨de (v.)⟩ **0.1** [onbetamelijkheid] *impropriety* **0.2** [onbetamelijke uiting] *impropriety* **0.3** [ondoelmatigheid] *inappropriateness* ⟹*unsuitability* ♦ **3.2** ongepastheden zeggen *utter improprieties.*

ongepeild ⟨bn.⟩ **0.1** *unfathomed* ⟹*unplumbed* ♦ **1.1** de ~e oceaan *the unfathomed ocean.*

ongepeld ⟨bn.⟩ **0.1** *unshelled* ⟨noten, erwtjes⟩; *unpeeled* ⟨garnalen, eieren⟩; *unhusked* ⟨granen⟩; *brown* ⟨rijst⟩ ♦ **1.1** ~e garnalen *unpeeled shrimps;* ~e pinda's *unshelled peanuts.*

ongepermitteerd
I ⟨bn., bw.; -ly⟩ **0.1** [onbehoorlijk] *disgraceful;*
II ⟨bw.⟩ **0.1** [buitensporig] *unconscionably* ♦ **5.1** hij rookt ~ veel *he's an u. heavy smoker.*

ongeplaatst ⟨bn.⟩ **0.1** *unplaced* ♦ **1.1** ~e aandelen *unissued / uncalled shares / stock.*

ongepleisterd ⟨bn.⟩⟨bouwk.⟩ **0.1** *unplastered* ⟹*fair-faced.*

ongepolijst ⟨bn.⟩ **0.1** *unpolished* ⟹⟨ook fig.⟩ *raw* ⟨stijl⟩, *rugged* ⟨mens, manieren⟩.

ongepubliceerd ⟨bn.⟩ **0.1** *unpublished.*

ongerechtigheid ⟨de (v.)⟩ **0.1** [onrechtvaardigheid] *iniquity* **0.2** [onrechtvaardige daad] *iniquity* **0.3** [onvolkomenheid, gebrek] *flaw* ⇒ *fault, blemish* **0.4** [vervuiling] *sth. that shouldn't be there* ⇒*funny bit* ◆ **1.1** een poel van ~ *a sink of i.*, *a cesspool of vice* **3.2** ongerechtigheden begaan *commit iniquities* **3.3** er zitten nog wat ongerechtigheden in de vertaling *there are still some flaws in the translation* **3.4** er dreven wat ongerechtigheden in de soep *there were some funny bits floating in the soup*.

ongerechtvaardigd ⟨bn., bw.⟩ **0.1** *unjustified* ⇒*unwarranted* ◆ **1.1** ~e trots *false pride*; ~e twijfel *unjustified doubt* **2.1** hij was ~ grof *he was gratuitously rude* **3.1** zijn wantrouwen bleek niet ~ *his suspicion proved not unjustified / unwarranted*.

ongeredderd ⟨bn.⟩ **0.1** *messy* ⇒*chaotic* ◆ **1.1** het was een ~e boel *it was a mess*.

ongerede ⟨het⟩ ◆ **6.¶** in het ~ komen/ (ge)raken ⟨kapot⟩ *break down, go wrong*; ⟨zoek⟩ *get lost/ mislaid*; ⟨in de war⟩ *get mixed up*; **in** het ~ geraakte documenten *missing documents*.

ongeregeld
I ⟨bn., bw.⟩ **0.1** [wanordelijk] *disorderly* ⟨ook bw.⟩ ⇒⟨bn.ook⟩ *disorganized* **0.2** [onregelmatig] *irregular* **0.3** [losbandig] *free and easy* ◆ **1.1** een ~ huishouden *a disorderly / disorganized household*; een zootje ~ ⟨artikelen⟩ *a mixed bag, a job lot*; ⟨personen die anders zijn⟩ *a bunch of freaks*; ⟨bij elkaar geraapt groepje⟩ *a motley crew, a mixed bunch* **1.2** een ~e klant *a casual / chance customer*; op ~e tijden *at odd times* **1.3** een ~ leven leiden *lead a free and easy life* **1.¶** ~e goederen *miscellaneous goods* **3.2** ~ werken *work in fits and starts*;
II ⟨bn.⟩ **0.1** [⟨mil.⟩] *irregular* ◆ **1.1** een ~e troep *an i. body*; ~e troepen *i. forces / troops, irregulars*.

ongeregeldheden ⟨zn.mv.⟩ **0.1** [wanordelijkheden] *irregularities* **0.2** [handelwijze met geld] *irregularities* **0.3** [geweldpleging] *disturbances* ⇒*disorders, riots*.

ongeremd ⟨bn., bw.; -ly⟩ **0.1** [zonder remming, ongegeneerd] *unrestrained* **0.2** [vrij, ongedwongen] *uninhibited* ◆ **1.1** ~e uitbarstingen van woede *u. outbursts of anger* **¶.1** ~ uiting geven aan zijn afkeer *unrestrainedly express one's dislike*.

ongerept ⟨bn.⟩ **0.1** [in oorspronkelijke staat] *untouched* ⇒*virgin* **0.2** [⟨fig.⟩ ongeschonden] *intact* ◆ **1.1** ~e bossen *virgin forests*; de ~e natuur *unspoilt nature / scenery*; ~e sneeuw *virgin snow* **1.2** iem. van ~e naam *s.o. with an unblemished reputation*.

ongerief ⟨het⟩ **0.1** *inconvenience* ◆ **1.1** vergoeding beloven voor schade en ~ *promise compensation for damage and i.* **2.1** dat is een groot ~ *that is a great i.* **3.1** ~ hebben van de inconvenienced by; iem. veel ~ veroorzaken / bezorgen *put s.o. to / cause s.o. great i.*.

ongerieflijk ⟨bn., bw.; -ly⟩ **0.1** *inconvenient* ⇒*uncomfortable* ⟨huis⟩.
ongerieflijkheid ⟨de (v.)⟩ **0.1** *inconvenience* ⇒*discomfort*.

ongerijmd ⟨bn., bw.; -ly⟩ **0.1** *absurd* ⇒*preposterous* ◆ **1.1** men kan hem de ~ste leugens wijsmaken *he will believe the most preposterous lies* **7.1** ⟨wisk.⟩ een bewijs uit het ~e *an indirect demonstration / proof, reduction ad absurdum proof, reductio ad absurdum / impossibile*; tot in het ~e herleiden *reduce to an absurdity*.

ongerijmdheid ⟨de (v.)⟩ **0.1** [⟨abstr.⟩] *absurdity* ⇒*incongruity, illogicality* **0.2** [⟨concr.⟩] *paradox*.

ongeroerd ⟨bn.⟩ **0.1** *unmoved (by)* ⇒*impassive (to)* ◆ **3.1** hij bleef bij haar tranen ~ *he remained u. by / at her tears*.

ongerust ⟨bn., bw.; -ly⟩ **0.1** [bezorgd] *worried* ⇒*uneasy, anxious (for)* **0.2** [blijk gevend van zorg] *concerned* ⇒*worried*, ⟨bw. ook⟩ in *concern* ◆ **1.2** iem. met een ~e blik aanzien *look at s.o. with a worried expression* **3.1** ik maak me ~ over zijn gezondheid *I'm w. about his health*; zij vroegen zich ~ af of hij ooit zou betalen *they were wondering uneasily whether he would ever pay*; wees daar niet ~ over *don't worry (about that)*; ik begin zo langzamerhand ~ te worden *I'm gradually beginning to get w.*; moeder wordt altijd ~ als vader laat thuiskomt *Mom gets in a fret whenever Dad's late*.

ongerustheid ⟨de (v.)⟩ **0.1** *concern* ⇒*alarm, anxiety, uneasiness* ◆ **1.1** aanleiding tot ~ geven *give rise to c. / alarm*; er is geen reden tot ~ *there is no cause for c. / alarm*.

ongesausd ⟨bn.⟩ **0.1** [mbt. tabak] *unsauced, unflavoured, unseasoned* **0.2** [niet met saus gekleurd] *undistempered*.

ongeschikt ⟨bn., bw.; -ly⟩ **0.1** [niet geschikt] *unsuitable* ⇒*unfit* ⟨door ziekte / ongeval⟩, *unsuited* **0.2** [niet prettig in de omgang] ⟨zie 5.2⟩ ◆ **1.1** op een ~ moment *at an inconvenient / awkward moment* **2.1** lichamelijk ~ *physically unfit* **3.1** ~ maken voor *render / make unfit for*; iem. ~ verklaren *pronounce s.o. unfit*; door zijn ziekte was hij ~ geworden voor zijn werk *his illness had made him unfit for work* **5.2** hij is niet ~ *he's not a bad sort* **6.1** **voor** dat doel is de machine ~ *the machine is unsuited for that purpose*; zij is ~ **voor** die functie *she is unsuited for that job*; zo'n paard is **voor** mij ~ *a horse like that is no good for me*.

ongeschiktheid ⟨de (v.)⟩ **0.1** *unsuitability, unfitness*; ⟨onbekwaamheid⟩ *inaptitude*; ⟨invaliditeit⟩ *disability, incapacity* ◆ **2.1** lichamelijke ~ *(physical) d. / infirmity, disablement*.

ongeschoeid ⟨bn.⟩ **0.1** *unshod* ◆ **1.1** ~e karmelieten *discalced Carmelites*.

ongeschokt ⟨bn.⟩ **0.1** *unshaken* ◆ **3.1** het vertrouwen bleef ~ *my / his / ⟨enz.⟩ trust remained u.*.

ongeschonden ⟨bn.⟩ **0.1** *intact* ⇒*undamaged* ◆ **1.1** een ~ exemplaar *a perfect copy*; er was geen kopje ~ *no cup was i. / undamaged* **3.1** het geloof ~ bewaren *preserve one's faith i.*; zijn reputatie bleef ~ *his reputation remained i.*; ~ de eindstreep halen *reach the finishing line in one piece*; de administratie was ~ gebleven *the administration was preserved i.*.

ongeschoold ⟨bn.⟩ **0.1** *unskilled* ⇒*untrained* ◆ **1.1** ~e arbeid *unskilled labour*; een ~e arbeider *an unskilled labourer*; ~e werkkrachten *an unskilled workforce*.

ongeschoond ⟨bn.⟩ **0.1** *uncleaned*.

ongeschoren ⟨bn.⟩ **0.1** [niet geschoren] *unshaven* ⟨man⟩; *unshorn* ⟨schaap⟩ ⇒⟨mbt. man ook⟩ *unshaved* **0.2** [ruw] *rough* ◆ **1.2** een ~ bende *a r. bunch / crew* **2.1** ongekleed en ~ kwam hij voor de dag *he appeared undressed and unshaven / unshaved*.

ongeschreven ⟨bn.⟩ **0.1** *unwritten* ◆ **1.1** het ~ recht *common law*; een ~ wet *an u. law* **3.1** zulke romans moesten liever ~ blijven *such novels should remain u.*.

ongesigneerd ⟨bn.⟩ **0.1** *unsigned*.

ongeslachtelijk
I ⟨bn.⟩ **0.1** [zonder geslachtskenmerken] *asexual*;
II ⟨bn., bw.; -ly⟩ **0.1** [zonder bevruchting] *asexual, vegetative* ◆ **1.1** ~e voortplanting *a. / v. reproduction, parthenogenesis*; ⟨van dieren ook⟩ *monogenesis*; ⟨dmv. broedknoppen⟩ *gemmation* **3.1** zich ~ voortplanten *reproduce asexually / vegetatively*; ⟨dmv. broedknoppen⟩ *gemmate*.

ongeslagen ⟨bn.⟩ **0.1** *unbeaten* ◆ **1.1** een ~ record *an u. / unbroken record*; een ~ voetbalelftal *an u. football team*.

ongeslepen ⟨bn.⟩ **0.1** *unground* ⟨lens, glas⟩; *unsharpened* ⟨snijwerktuig⟩; *unpolished* ⟨rijst⟩; ⟨ook fig.⟩ *uncut, rough* ⟨diamant⟩.

ongesneden ⟨bn.⟩ **0.1** *uncut* ◆ **1.1** ~ brood *unsliced / nonsliced bread*.

ongesorteerd ⟨bn.⟩ **0.1** *unsorted* ⇒*unpicked, nongraded*, ⟨niet in assortimenten⟩ *unassorted, mixed*.

ongespecificeerd ⟨bn.⟩ **0.1** *unspecified* ◆ **1.1** een ~e rekening *a nonitemized bill*.

ongestadig ⟨bn.⟩ **0.1** *unsteady* ⇒*unsettled, inconstant* ⟨lot⟩ ◆ **1.1** een ~ mens *an unsteady / unsettled person*.

ongestadigheid ⟨de (v.)⟩ **0.1** *unsteadiness* ⇒*inconstancy*.

ongesteeld ⟨bn.⟩ ⟨plantk.⟩ **0.1** *stalkless* ⇒⟨bloem / blad ook⟩ *sessile*.

ongesteld ⟨bn.⟩ **0.1** [menstruerend] ⟨zie 3.1⟩ **0.2** [⟨AZN⟩ onpasselijk] *indisposed* ⇒*unwell* ◆ **3.1** zij is ~ *she has (got) her period*; ze moet ~ worden *her period is coming up*.

ongesteldheid ⟨de (v.)⟩ **0.1** [menstruatie] *(menstrual) period* **0.2** [onpasselijkheid] *indisposition* ◆ **2.2** een lichte ~ *a slight i.*.

ongestempeld ⟨bn.⟩ **0.1** *unstamped* ◆ **1.1** ~e postzegels *unfranked postage stamps, postage stamps in mint condition*.

ongestoffeerd ⟨bn.⟩ **0.1** *without furnishings, without carpets or curtains*.

ongestoord
I ⟨bn., bw.; -ly⟩ **0.1** [ongehinderd] *undisturbed* ⇒*untroubled* ◆ **3.1** hij kon ~ studeren *he was able to study undisturbed / in peace*;
II ⟨bn.⟩ **0.1** [zonder storing] *clear* ◆ **1.1** ~e ontvangst *c. reception*.

ongestort ⟨bn.⟩ ⟨geldw.⟩ **0.1** *undeposited* ⟨bedrag⟩; *uncalled* ⟨kapitaal⟩.

ongestraft ⟨bn.⟩ **0.1** [straffeloos] *unpunished* ⇒⟨bw. ook⟩ *with impunity, scot-free* **0.2** [zonder nadelige gevolgen] *unpunished* ⇒*without suffering, without (suffering) adverse effects*, ⟨bw. ook⟩ *with impunity* ◆ **3.1** ik laat mij niet ~ beledigen *I will not take insults lying down*; ~ blijven *go u., go / get off / escape scot-free* **3.2** iets ~ doen *do sth. with impunity*; ⟨inf.⟩ *get away with sth.*.

ongestreken ⟨bn.⟩ **0.1** *unironed* ⇒*unpressed*.

ongestructureerd ⟨bn.⟩ **0.1** *unstructured*.

ongestudeerd ⟨bn.⟩ **0.1** *without a university / ᴬcollege education* ⟨na zn.⟩ ◆ **3.1** zij zijn ~ *they haven't been to university / college*.

ongesubsidieerd ⟨bn.⟩ **0.1** *unsubsidized*.

ongetekend ⟨bn.⟩ **0.1** *unsigned* ⇒*anonymous* ⟨brief⟩.

ongeteld ⟨bn.⟩ **0.1** [niet geteld] *uncounted* **0.2** [ontelbaar] *countless* ⇒*innumerable*, ⟨schr.⟩ *untold, without number* ⟨na zn.⟩ ◆ **2.1** ik heb hem het geld ~ toevertrouwd *I entrusted the money to him without counting it*.

ongetemd
I ⟨bn.⟩ **0.1** [niet tam] *untamed* ⇒*wild, feral, undomesticated, unbroken* ⟨ook fig.⟩;
II ⟨bn., bw.⟩ **0.1** [ontembaar] *untamed* ⇒*untamable, wild*.

ongetemperd ⟨bn.⟩ **0.1** [mbt. licht] *undimmed* **0.2** [onbeteugeld] *unrestrained* ⇒*unbridled, uncontrolled*.

ongetroost ⟨bn.⟩ **0.1** *uncomforted* ⇒*without solace* ⟨na zn.⟩.

ongetrouwd ⟨bn.⟩ **0.1** *unmarried* ⇒*single*, ⟨schr.⟩ *unwed* ◆ **1.1** ~e jonge (werkende) vrouw *bachelor girl*; ~e man *bachelor*; ~e oom *bachelor uncle*; ~e tante *maiden aunt*; ~e vrouw ⟨vnl. pej.; ook BE; jur.⟩ *spinster* **3.1** ~ zijn / blijven *be / stay unmarried / single /* ⟨m. ook⟩ *a bachelor*.

ongetwijfeld ⟨bw.⟩ **0.1** *no doubt, without a doubt* ⇒*doubtless, undoubtedly, indubitably, certainly* ◆ **3.1** je vermoedt ~, waarover ik spreken wil *no doubt/ I daresay you can guess what I want to talk about* ¶.1 〈elliptisch,in antwoord op een vraag〉 zal hij ook van de partij zijn? *~ will he be going too? certainly/ definitely;* zij zal het ~ leuk vinden *she's sure to like it.*

ongeuit 〈bn.〉 **0.1** *unvoiced* ⇒*unexpressed, unuttered.*

ongevaarlijk 〈bn.〉 **0.1** *harmless* ⇒*safe, innocuous, not dangerous,* 〈jur.〉 *non-hazardous* ◆ **1.1** ~speelgoed *safe/ h. toys;* de ziekte is niet ~ *the disease is not without danger.*

ongeval 〈het〉 **0.1** *accident* ◆ **6.1 bij** een ~ omkomen *die/ be killed in an a.;* dood **door/ten** gevolge v.e. ~ *accidental death;* een ~ **met** dodelijke afloop *a fatal a..*

ongevallencijfer 〈het〉 **0.1** *accident rate.*

ongevallenpolis 〈de〉 **0.1** *accident policy.*

ongevallenrisico 〈het〉 **0.1** *risk of accident.*

ongevallenverzekering 〈de (v.)〉 **0.1** *accident insurance.*

ongevallenwet 〈de〉 **0.1** *Industrial Injuries* ◆ **6.1** in de ~ lopen *receive/ draw disability benefit/ a disability allowance.*

ongevallig 〈bn.〉 **0.1** *displeasing* ⇒*unpleasant, unpleasing, disagreeable* ◆ **1.1** uw bezoek was haar niet ~ *your visit did not displease her.*

ongeveer 〈bn.〉 **0.1** *about* ⇒*roughly, around,* [†]*approximately, some* 〈voor telwoord〉, 〈schr.; vnl. mbt. jaartallen〉 *circa* ◆ **3.1** het is ~ tien uur *it's about ten o'clock;* 〈inf.〉 *it's tennish;* zoiets/ dat is het ~ *that's about it, sth. like that;* dat kost~ f 20,- *it costs about/ some 20 guilders/ 20 guilders or so/ or thereabouts;* de vijand was ~ tweemaal zo sterk *the enemy was roughly/ about twice as strong* **4.1** ~ hetzelfde zijn als iets anders *be much the same as sth. else* **5.1** hier ~ moet het geweest zijn *it must have been about here* ¶.1 ~ dertig jaar oud *thirtyish.*

ongeveinsd 〈bn.,bw.;-ly〉 **0.1** *unfeigned* ⇒*genuine, sincere.*

ongeveinsdheid 〈de (v.)〉 **0.1** *sincerity* ⇒*genuineness.*

ongeverfd 〈bn.〉 **0.1** *unpainted,* 〈met kleurstof〉 *undyed.*

ongevleugeld 〈bn.〉 **0.1** *wingless* ⇒〈wet.〉 *apterous.*

ongevoeglijk 〈bn.,bw.;-ly〉 **0.1** *improper* ⇒*unbecoming, unseemly.*

ongevoelig

I 〈bn.〉 **0.1** [mbt. de zenuwen] *insensible (to)* ⇒*insensitive, dead, numb* ◆ **3.1** ~maken 〈ook〉 *deaden;* 〈wet.〉 *desensitize* **6.1** ~ **voor** de kou *insensible/ impervious to cold;*

II 〈bn.,bw.;-ly〉 **0.1** [onaangedaan] *insensitive (to)* ⇒*unfeeling, callous, indifferent (to)* ◆ **6.1** ~ **voor** kritiek *indifferent/ impervious to criticism.*

ongevoeligheid 〈de (v.)〉 **0.1** [mbt. de zenuwen] *insensibility* ⇒*insensitivity, deadness, numbness* **0.2** [onaandoenlijkheid] *insensitivity* ⇒*unfeelingness, callousness, imperviousness, indifference.*

ongevoerd 〈bn.〉 **0.1** *unlined.*

ongevormd 〈bn.〉 **0.1** [(nog) niet gevormd] *unmoulded* [^]*unmolded* ⇒*unshaped, unformed* **0.2** [zonder de secundaire geslachtskenmerken] *undeveloped* **0.3** [zonder vaste vormen] *shapeless* ⇒*formless.*

ongevraagd 〈bn.〉 **0.1** *unasked(-for)* ⇒*uninvited, uncalled,* [†]*unsolicited,* [†]*unbidden* ◆ **3.1** ~ zijn hulp aanbieden *offer uninvited/ unasked-for/ unsolicited help;* zich ~ bemoeien met... *interfere in ...;* hij deed het ~ *he did it without being asked/ unasked;* ~ komen *come uninvited/ unasked;* ~ iets vertellen *volunteer sth..*

ongewapend 〈bn.〉 **0.1** [zonder wapens] *unarmed* ⇒*weaponless* **0.2** [〈plantk.〉] *unarmed* **0.3** [zonder versterking] *unreinforced* ◆ **1.3** ~ beton *concrete* **1.**¶ met het ~ oog *with the naked eye.*

ongewassen 〈bn.〉 **0.1** *unwashed.*

ongewenst 〈bn.〉 **0.1** *unwanted* ⇒*unwished-for, undesired,* 〈gasten ook〉 *unwelcome,* 〈onwenselijk〉 *undesirable* ◆ **1.1** een ~ kind *an unwanted child;* ~persoon *undesirable (person/ element),* 〈jur.; ook scherts.〉 *persona non grata;* ~e vreemdelingen *undesirable aliens* **3.1** ik voelde mij ~ *I felt de trop.*

ongewerveld 〈bn.〉 **0.1** *invertebrate* ◆ **1.1** ~e dieren *invertebrates, i. animals/ creatures.*

ongewettigd 〈bn.〉 **0.1** 〈ongegrond〉 *groundless, unfounded, unwarranted, unjustified;* 〈onwettig〉 *illegal, illegitimate, unlawful;* 〈onbevoegd, niet gemachtigd〉 *unauthorized* ◆ **1.1** ~e eisen *unfounded/ unwarranted demands;* een ~e ingreep *an unwarranted/ unauthorised interference/ intervention.*

ongewijd 〈bn.〉 **0.1** *unconsecrated* ⇒*unblessed, unblest, unsanctified, unhallowed.*

ongewijzigd 〈bn.〉 **0.1** *unaltered* ⇒*unchanged, unamended, unmodified* ◆ **3.1** het plan bleef ~ *the plan remained unaltered/ unchanged.*

ongewild

I 〈bn.,bw.;-ly〉 **0.1** [onopzettelijk] *unintentional* ⇒*unintended,* 〈onbewust〉 *unwitting* ◆ **1.1** een ~ gevolg *an unintended result* **3.1** iem. ~ beledigen *insult s.o. unintentionally/ unwittingly;*

II 〈bn.; bw.〉 **0.1** [ongewenst] *unwanted* ⇒*unwished-for.*

ongewillig 〈bn.,bw.;-ly〉 **0.1** *unwilling* ⇒*reluctant.*

ongewis 〈bn.〉 **0.1** [onzeker] *uncertain* **0.2** [onbetrouwbaar] *unreliable* ⇒〈verraderlijk〉 *treacherous* ◆ **1.1** ~se schreden *u. steps* **1.2** de ~se baren *the treacherous waves.*

ongewisse 〈het〉 **0.1** *(state of) uncertainty* ⇒〈inf.〉 *(the) dark* ◆ **6.1** wij tasten rond in 't ~ *we're (groping) in the dark;* **in** het ~ verkeren *be in*

---

a state of uncertainty; iem. **in** het ~ laten *keep s.o. guessing/ dangling, leave s.o. in the air.*

ongewoon 〈bn.,bw.;-ly〉 **0.1** [niet gewoon aan iets] *unusual* ⇒*unaccustomed* **0.2** [in strijd met de gewoonte] *unusual* ⇒*unaccustomed, uncustomary, unhabitual* **0.3** [zoals niet vaak voorkomt] *unusual* ⇒*uncommon, unaccustomed, unfamiliar* ◆ **1.1** een ongewone ervaring *an unusual/ unaccustomed experience* **3.3** dat is ~ *that is out of the ordinary.*

ongewroken 〈bn.〉 **0.1** *unavenged* ⇒*unrevenged* ◆ **3.1** zijn dood zal niet ~ blijven *his death will not go unavenged.*

ongezadeld 〈bn.〉 **0.1** *unsaddled* ⇒*bareback(ed).*

ongezegd 〈bn.〉 **0.1** *unsaid* ◆ **3.1** woorden achteraf ~ wensen *wish one had left sth. unsaid/ hadn't said sth.;* ik wou dat ik dat ~ had gelaten *I could have bitten my tongue off* 〈mbt. pas gesproken woorden〉.

ongezegeld 〈bn.〉 **0.1** [zonder zegel] *unstamped* ⇒*stampless* **0.2** [niet dichtgelakt] *unsealed.*

ongezeglijk 〈bn.〉 **0.1** *unruly* ⇒〈BE ook〉 *unbiddable, intractable,* 〈schr.〉 *indocile.*

ongezellig 〈bn.,bw.;-ly〉 **0.1** [niet spraakzaam en vriendelijk] *unsociable* ⇒*uncompaniable* **0.2** [onbehaaglijk] *cheerless* ⇒*comfortless, uninviting* **0.3** [onprettig] *unenjoyable* ◆ **1.1** *no fun* ◆ **2.2** het is in die kamer erg koud en ~ *that room is very cold and cheerless* **3.1** wat ben je vanavond ~ *you're really unsociable/ really poor company this evening* **3.3** zulke avondjes zijn niet ~ *evenings like that are unenjoyable/ no fun/ aren't (much) fun.*

ongezelligheid 〈de (v.)〉 **0.1** [onvriendelijkheid] *unsociability* ⇒*uncompaniableness* **0.2** [onbehaaglijkheid] *cheerlessness.*

ongezet 〈bn.〉 **0.1** [niet vast bepaald] *irregular* ⇒*odd* **0.2** [niet gezet] *unset* ◆ **1.1** hij komt op~te tijden *he comes at i. / odd intervals* **1.2** ~te diamanten *u. / unmounted diamonds* **1.**¶ ~ beton *wet concrete.*

ongezien

I 〈bn.,bw.〉 **0.1** [niet opgemerkt] *unseen* ⇒*unnoticed, unobserved* **0.2** [zonder het gezien te hebben] *(sight) unseen* ◆ **3.1** het lukte hem ~ weg te komen *he managed to get/ slip away unseen/ unnoticed* **3.2** hij kocht het huis ~ *he bought the house (sight) unseen/ without having seen it;*

II 〈bn.〉 **0.1** [niet in aanzien] *unrespected* ⇒*unesteemed* ◆ **3.1** hij is in zijn nieuwe woonplaats niet ~ *he is not unrespected where he now lives.*

ongezocht

I 〈bn.〉 **0.1** [zich vanzelf voordoende] *unsought* ⇒*chance* ◆ **1.1** een ~e gelegenheid *a chance opportunity;*

II 〈bn.,bw.;-ly〉 **0.1** [ongedwongen] *unprompted* ⇒*spontaneous* ◆ **1.1** een ~e verklaring *a voluntary statement.*

ongezoet 〈bn.〉 **0.1** *unsweetened.*

ongezond

I 〈bn.,bw.;-ly〉 **0.1** [ziekelijk] *unhealthy* ⇒*sickly* **0.2** [nadelig voor de gezondheid] *unhealthy* ⇒*unwholesome,* 〈schr.〉 *insalubrious* **0.3** [nadelig voor het geestelijk welzijn] *unwholesome* ⇒*unhealthy, morbid* ◆ **1.2** ~e lucht *(an) unhealthy atmosphere* **1.3** ~e lectuur/ beïnvloeding *unwholesome/ unhealthy reading-matter/ influences;*

II 〈bn.〉 **0.1** [zwak, wankel] *unsound* ⇒*unhealthy* **0.2** [belemmerend, storend] *unhealthy* ◆ **1.1** een ~e financiële positie *an unsound/ unhealthy financial position* **1.2** ~e gezagsverhoudingen *u. hierarchical relationships.*

ongezondheid 〈de (v.)〉 **0.1** *unhealthiness* ⇒*unwholesomeness,* 〈schr.〉 *insalubrity.*

ongezouten

I 〈bn.〉 **0.1** [niet gezouten] *unsalted* ⇒*saltless, saltfree* ◆ **1.1** ~spek *green bacon;*

II 〈bn.,bw.;-ly〉 **0.1** 〈fig.〉 onomwonden] *plain* ⇒*straight, blunt, unvarnished* ◆ **1.1** ~taal *p. speaking* **3.1** iem. ~ de waarheid zeggen *tell s.o. the unvarnished/ p. truth;* 〈inf.〉 *give it to s.o. straight (from the shoulder);* 〈boos〉 *give s.o. a piece of one's mind.*

ongezuiverd 〈bn.〉 **0.1** *unpurified* ⇒〈ongeraffineerd〉 *unrefined,* 〈olie ook〉 *crude* ◆ **1.1** ~ afvalwater *raw/ untreated sewage.*

ongezuurd 〈bn.〉 **0.1** *unleavened.*

ongodsdienstig 〈bn.,bw.;-ly〉 **0.1** [niet godsdienstig] *unreligious* ⇒*non-religious, areligious* **0.2** [aan de godsdienst vijandig] *irreligious* ⇒*anti-religious* ◆ **3.1** hij is ~ opgevoed *he had an u. / a non-religious upbringing.*

ongrammaticaal 〈bn.〉 〈taal.〉 **0.1** *ungrammatical, not grammatical* ◆ **3.1** wat hij schrijft is ~ *what he writes is u. / is bad grammar.*

ongrijpbaar 〈bn.〉 **0.1** [niet te grijpen] *elusive* **0.2** [〈fig.〉] *intangible* ⇒*impalpable* ◆ **1.2** ongrijpbare faktoren *intangibles, intangible/ impalpable factors.*

ongrondwettig 〈bn.,bw.;-ly〉 **0.1** *unconstitutional.*

ongrondwettigheid 〈de (v.)〉 **0.1** *unconstitutionality.*

ongunstig 〈bn.,bw.;-ly〉 **0.1** [ongeschikt] *unfavourable* ⇒*adverse, bad, unpropitious* **0.2** [zonder winst] *unfavourable* ⇒*adverse, bad* **0.3** [slechte indruk gevend] *unprepossessing* ⇒*unfavourable* **0.4** [onwelwillend, nadelig] *adverse (to)* ⇒*unfavourable, untoward, disadvantageous* ◆ **1.1** ~ licht *unfavourable/ bad light;* op een ~ moment *at an* *unfavourable / unpropitious / a bad moment;* in een ~e positie verkeren *be in an unfavourable / adverse / a bad position / at a disadvantage* **1.2** een ~e koers an *u. / adverse / a bad rate* **1.3** iem. in een ~ daglicht stellen *put s.o. in an unfavourable / adverse / a bad light;* een ~ uiterlijk *an unprepossessing / unfavourable appearance* **1.4** in het ~ste geval *at (the) worst, if the worst comes to the worst;* ~e kritieken *a. / unfavourable criticism;* een ~e wind *an unfair wind* **2.4** iem. niet ~ gezind zijn *not be unfavourably / adversely disposed towards s.o.* **3.3** iemands gedrag ~ beoordelen *take a dim / poor view of s.o.'s conduct;* zich ~ over iem. uitlaten *make adverse / unfavourable comments about s.o.* **3.4** het lot was mij niet ~ *fate was not unkind to me.*

onguur ⟨bn.⟩ **0.1** [schrikwekkend] *sinister* ⇒*forbidding* **0.2** [ruw, gemeen] *unsavoury* ⇒*disreputable,* ⟨inf.⟩ *nasty* **0.3** [mbt. het weer] *rough* ⇒ ↑*inclement,* ⟨inf.⟩ *nasty* ◆ **1.1** een ongure gelaatsuitdrukking *a s. / forebidding expression* **1.2** een ~ type *an u. / a disreputable character;* ⟨inf.⟩ *a nasty piece of work.*

onhaalbaar ⟨bn.⟩ **0.1** *impracticable* ⇒*not feasible* ◆ **1.1** zo'n motie is ~ *such a motion is a.*

onhandelbaar ⟨bn.⟩ **0.1** [mbt. personen] *unmanageable* ⇒*unruly, intractable, fractious,* ↑*refractory* **0.2** [mbt. zaken] *unmanageable* ⇒*uncontrollable* ◆ **1.1** die jongen is bepaald ~ *that lad is decidedly unmanageable / unruly / wayward / refractory;* een ~ paard *an unmanageable / fractious horse* **1.2** een onhandelbaar schip *an unmanageable ship.*

onhandelbaarheid ⟨de (v.)⟩ **0.1** [mbt. personen] *unmanageability* ⇒*unruliness, intractability, fractiousness,* ↑*refractoriness* **0.2** [mbt. zaken] *unmanageability* ⇒*uncontrollableness.*

onhandig
I ⟨bn., bw.; -ly⟩ **0.1** [niet handig] *clumsy* ⇒*awkward, hamfisted,* ⟨BE ook; inf.⟩ *cackhanded* ◆ **1.1** ~ iem. *fumbler, butterfingers* **3.1** iets ~ aanpakken *set about sth. clumsily / awkwardly;* zij is erg ~ *she's all fingers and thumbs;*
II ⟨bn.⟩ **0.1** [onhandelbaar] *awkward* ⇒*clumsy,* ⟨te groot⟩ *unwieldy* ◆ **1.1** wat een ~ boek is dat *what an a. / a clumsy / an unwieldy book that is.*

onhandigheid ⟨de (v.)⟩ **0.1** [hoedanigheid] *clumsiness* ⇒*awkwardness, hamfistedness,* ⟨BE ook; inf.⟩ *cackhandedness,* ⟨te groot zijn⟩ *unwieldiness* **0.2** [daad] *clumsy act / remark* ⟨enz.⟩ ⇒*(piece of) clumsiness.*

onhandzaam ⟨bn.⟩ **0.1** *unhandy* ⇒*unwieldy.*

onhanteerbaar ⟨bn., bw.⟩ **0.1** *unmanageable, unwieldy.*

onharmonisch ⟨bn., bw.; -ly⟩ **0.1** *inharmonious* ⇒*disharmonious, disharmonic.*

onhartelijk ⟨bn., bw.; -ly⟩ **0.1** *uncordial* ⇒*uncongenial, cold, cool.*

onhartelijkheid ⟨de (v.)⟩ **0.1** *lack of cordiality* ⇒*uncongeniality, coldness, coolness.*

onhebbelijk
I ⟨bn., bw.⟩ **0.1** [onaangenaam] *unmannerly* ⇒*ill-mannered, rude, objectionable* ◆ **1.1** de ~e gewoonte hebben om ...*have the objectionable habit of* ... **3.1** zich ~ gedragen *behave rudely;*
II ⟨bw.⟩ **0.1** [uitzonderlijk] *dreadfully* ⇒*awfully, fearfully.*

onhebbelijkheid ⟨de (v.)⟩ **0.1** [hoedanigheid] *unmannerliness* ⇒*ill / bad manners, rudeness, objectionableness, lack of manners* **0.2** [handeling, uiting] *(piece of) rudeness.*

onheil ⟨het⟩ **0.1** *calamity* ⇒*disaster, catastrophe,* ⟨ondergang⟩ *doom,* ⟨schr.⟩ *bale* ◆ **1.1** de plaats des ~s *the scene of the calamity / disaster / catastrophe* **2.1** een gevoel van naderend ~ *a sense of doom and foreboding* **3.1** een ~ afwenden *avert a calamity;* dat brengt ~ *that will cause disaster / mischief;* ~ stichten *cause / work mischief;* zijn ~ tegemoet gaan *go to meet one's doom.*

onheilbrengend ⟨bn.⟩ **0.1** *calamitous* ⇒*disastrous.*

onheilig ⟨bn.⟩ **0.1** [niet vroom] *ungodly* **0.2** [ongewijd] *unholy* ⇒*unhallowed.*

onheilsbode ⟨de (m.)⟩ **0.1** *bringer / bearer of bad news;* ⟨schr.; ook scherts.⟩ *messenger of doom.*

onheilsdag ⟨de (m.)⟩ **0.1** *ill-fated / fatal day* ⇒*day of disaster.*

onheilspellend ⟨bn., bw.; -ly⟩ **0.1** *ominous* ⇒*sinister, baleful, dire, inauspicious* ◆ **1.1** ~e blikken *baleful looks;* een ~ voorgevoel *an o. premonition* **2.1** de lucht was ~ *donker the sky was ominously dark.*

onheilsprofeet ⟨de (m.)⟩ **0.1** *prophet of doom* ⇒*Cassandra, doomsayer.*

onherbergzaam ⟨bn., bw.; -ly⟩ **0.1** [ongastvrij] *inhospitable* ⇒*unfriendly* **0.2** [geen goed onderkomen verschaffend] *inhospitable* ⇒*barren, desert, desolate* ◆ **1.2** een ~ oord *an i. / a barren / desert / desolate place.*

onherbergzaamheid ⟨de (v.)⟩ **0.1** [ongastvrijheid] *inhospitality* ⇒*unfriendliness* **0.2** [mbt. onderkomen] *inhospitality* ⇒*barrenness, desolateness.*

onherhaalbaar ⟨bn.⟩ **0.1** *unrepeatable.*

onherkenbaar ⟨bn., bw.; -ly⟩ **0.1** *unrecognizable* ◆ **2.1** hij was ~ vermomd *he was disguised so as to be u.* **3.1** zo toegetakeld was hij ~ *he had been beaten up beyond all / out of all recognition.*

onherleidbaar ⟨bn.⟩ **0.1** *irreducible* ⇒*irreducible* ◆ **1.1** onherleidbare breuken *irreducible fractions.*

onherleidbaarheid ⟨de (v.)⟩ **0.1** *irreducibility.*

onherroepelijk ⟨bn., bw.; -ly⟩ **0.1** [niet te herroepen] *irrevocable* ⇒*irre-*

versible **0.2** [onvermijdelijk] *irrevocable* ◆ **1.1** ⟨hand.⟩ een ~ krediet *confirmed / irrevocable credit* **1.2** een ~ afscheid *an irrevocable / a final farewell* **2.2** het schip is ~ verloren *the ship is irrevocably / irretrievably lost* ¶**.2** dat is ~ de laatste keer *this is positively / quite definitely the last time, this is the very last time.*

onherroepelijkheid ⟨de (v.)⟩ **0.1** *irrevocability* ⇒*irreversibility.*

onherstelbaar ⟨bn., bw.; -ly⟩ **0.1** *irreparable* ⇒*irretrievable, irremediable* ⟨fout⟩ ◆ **1.1** een onherstelbare blunder *an irreparable blunder;* een ~ verlies lijden *suffer an irreparable / irretrievable loss* **2.1** ~ geknakt / beschadigd zijn *be irreparably broken / damaged, be broken / damaged beyond repair;* ~ verloren zijn *be irretrievably lost, be lost beyond recall.*

onheuglijk ⟨bn., bw.⟩ **0.1** *immemorial* ◆ **1.1** sinds ~e jaren / tijden *(since) time out of mind, from time i.* **2.1** dat is ~ lang geleden *that was so long ago one can't remember (it).*

onheus ⟨bn., bw.; -ly⟩ **0.1** *impolite* ⇒*discourteous, uncourteous, rude, ungracious* ◆ **1.1** een ~e behandeling ondervinden *be treated impolitely / discourteously / rudely* **3.1** iem. ~ behandelen *treat s.o. impolitely / discourteously / rudely, snub s.o.;* ⟨inf.⟩ *give s.o. the brush-off.*

onhoffelijk ⟨bn., bw.; -ly⟩ **0.1** *discourteous* ⇒*ungracious, incivil.*

onhoffelijkheid ⟨de (v.)⟩ **0.1** *discourtesy, discourteousness* ⇒*ungraciousness, incivility.*

onhollands ⟨bn.⟩ **0.1** *un-Dutch* ⇒*not Dutch* ⟨alleen pred.⟩.

onhoorbaar ⟨bn., bw.; -ly⟩ **0.1** *inaudible* ⇒*soundless* ◆ **3.1** ~ verliet hij de kamer *he left the room inaudibly / without a sound.*

onhoudbaar ⟨bn.⟩ **0.1** [ondraaglijk] *unbearable* ⇒*intolerable, insufferable* **0.2** [niet tegen te houden] *unstoppable* **0.3** [niet te verdedigen] *untenable* ⇒*indefensible* ◆ **1.1** een onhoudbare positie *an intolerable position;* een onhoudbare toestand *an u. / intolerable / insufferable situation* **1.2** ⟨sport⟩ een ~ schot *an u. shot* **1.3** een onhoudbare stelling / bewering *an u. proposition / claim.*

onhoudbaarheid ⟨de (v.)⟩ **0.1** [ondraaglijkheid] *unbearableness* ⇒*intolerableness, insufferability* **0.2** [onverdedigbaarheid] *untenability* ⇒*indefensibility.*

onhuiselijk ⟨bn.⟩ **0.1** [weinig thuis] *undomestic* **0.2** [ongezellig] *cheerless* ⇒*unhomelike* ◆ **3.1** hij is erg ~ *he's not at all domestic;* ⟨inf.⟩ *he's not a home bird* **3.2** bij haar is het nogal ~ *her place isn't very cheerful / cosy, her place is rather unhomelike;* ⟨inf.⟩ *isn't very homey.*

onhygiënisch ⟨bn., bw.; -ally⟩ **0.1** *unhygienic* ⇒*insanitary.*

oninbaar ⟨bn.⟩ **0.1** *irrecoverable* ⇒*uncollectible, frozen* ⟨geblokkeerd geld⟩ ◆ **1.1** oninbare schuld / vordering *bad debt.*

oningevuld ⟨bn.⟩ **0.1** *blank* ⇒*not filled in* ◆ **3.1** de ommezijde ~ laten *leave the other side b..*

oningewijd ⟨de (v.)⟩ **0.1** *uninitiated* ◆ **7.1** ⟨zelfst.⟩ de ~en *the u. / exoterics / outsiders.*

onintelligent ⟨bn.⟩ **0.1** *unintelligent.*

oninteressant ⟨bn.⟩ **0.1** *uninteresting.*

onirisch ⟨bn.⟩ **0.1** *oneiric.*

onjoods ⟨bn.⟩ **0.1** *un-Jewish* ⇒*not Jewish.*

onjuist ⟨bn., bw.; -ly⟩ **0.1** [onwaar] *improper* ⇒*false, untruthful, inaccurate* **0.2** [niet doelmatig / correct] *improper* **0.3** [fout, verkeerd] *incorrect* ⇒*mistaken,* ↑*erroneous* ◆ **1.1** een ~e voorstelling van zaken *a misrepresentation / a false representation of things* **1.2** een ~e handelwijze *an i. way of acting* **3.3** ~ redeneren ⟨ook⟩ *paralogize.*

onjuistheid ⟨de (v.)⟩ **0.1** [hoedanigheid] *impropriety* ⇒ ⟨fout⟩ *incorrectness, mistakenness* **0.2** [onjuist iets] *inaccuracy.*

onkel ⟨de (m.)⟩ ⟨AZN⟩ **0.1** *uncle.*

onkenbaar ⟨bn.⟩ **0.1** *unknowable* ◆ **1.1** volgens velen is God ~ *many think that God is u..*

onkerkelijk ⟨bn.⟩ **0.1** [niet confessioneel] *nondenominational* ⇒ *non-religious, unchurched* **0.2** [niet praktizerend] *non-churchgoing* ⇒ *non-practising.*

onkerkelijke ⟨de (m.)⟩ **0.1** *non-churchgoer* ⇒*non-practising Christian.*

onkerks ⟨bn.⟩ **0.1** *non-churchgoing* ⇒*non-practising.*

onkies ⟨bn., bw.; -ly⟩ **0.1** *indelicate* ⇒*indecorous, off-colour, tactless,* ⟨indiscreet⟩ *indiscreet* ◆ **1.1** die opmerking was wel heel ~ *that remark was rather indelicate / off-colour / in bad taste;* een ~e uitdrukking *an indelicate / off-colour expression.*

onkiesheid ⟨de (v.)⟩ **0.1** *indelicacy* ⇒*indecorum, tactlessness, indiscreetness.*

onkinderlijk ⟨bn., bw.⟩ **0.1** *unchildlike* ⇒ ⟨vroegrijp⟩ *precocious.*

onklaar
I ⟨bn., bw.; -ly⟩ **0.1** [onduidelijk] *obscure* ⇒*unclear, murky;*
II ⟨bn.⟩ **0.1** [troebel] *turbid* ⇒*opaque, muddy* ⟨water⟩ **0.2** [defect] *defective* ⇒*faulty, out of order* ⟨alleen pred.⟩ **0.3** [⟨scheep.⟩] *foul* ◆ **1.3** een ~ anker *a foul(ed) anchor* **3.2** iets ~ maken *put sth. out of order, inactivate sth.;* ~ worden / raken *break down.*

onknap ⟨bn.⟩ **0.1** *unhandsome* ⇒*homely, plain* ◆ **5.1** dat meisje is niet ~ *that girl is rather good-looking / has a certain beauty.*

onkosten ⟨zn. mv.⟩ **0.1** [kosten] *expense(s)* ⇒*expenditure, outlay,* ⟨voor iets bepaalds⟩ *costs* **0.2** [buitengewone kosten] *extra expense* ◆ **2.1** algemene ~ *overhead expenses / costs, overheads* **3.1** de ~ kunt u declareren *you can claim / recover your expenses;* ~ maken voor iets *go* *to expense for sth.*; ~ vergoed *(all) expenses covered* **6.2** ik heb al heel wat ~ **aan** dat horloge gehad *I've incurred a lot of extra expense with this watch.*

onkostenbegroting ⟨de (v.)⟩ **0.1** *estimate of (the) expenditures / expenses* ⇒*cost(s) estimate.*

onkostendeclaratie ⟨de (v.)⟩ **0.1** *expense claim* ◆ **3.1** een ~ indienen *submit an e. c..*

onkostenrekening ⟨de (v.)⟩ **0.1** *expense account* ⇒⟨sl.⟩ *swindle sheet.*

onkostenvergoeding ⟨de (v.)⟩ **0.1** *payment / reimbursement of expenses, allowance for expenses* ⇒⟨per mijl⟩ *mileage allowance.*

onkreukbaar ⟨bn.⟩ **0.1** [niet gekreukt kunnende worden] *uncrushable* **0.2** [⟨fig.⟩] *upright* ⇒*unimpeachable, honest, incorruptible* ◆ **1.2** onkreukbare rechtschapenheid *unimpeachable integrity.*

onkreukbaarheid ⟨de (v.)⟩ ⟨fig.⟩ **0.1** *integrity* ⇒*uprightness, unimpeachability, honesty, incorruptibility.*

onkritisch ⟨bn., bw.; -ly⟩ **0.1** *uncritical.*

onkruid ⟨het⟩ ⟨→sprw. 243, 471⟩ **0.1** [wilde planten] *weed(s)* ⇒⟨bijb.⟩ *tare(s),* ⟨zeer schadelijk⟩ *pest* **0.2** [⟨fig.⟩ tuig] *riffraff* ◆ **1.1** het ~ in het korenveld ⟨fig.⟩ *the tares in the cornfield / among the wheat* **3.1** het ~ wieden *pull out the weeds, do the weeding* **5.1** vol ~ *weedy, weed-choked.*

onkruidverdelgingsmiddel ⟨het⟩ **0.1** *weed killer* ⇒*herbicide.*

onkuis ⟨bn., bw.⟩ **0.1** [ongepast] *improper, indecent* ⇒*unseemly, unbecoming* **0.2** [onzedig] *unchaste* ⇒*lewd, impure, indecent* ◆ **1.1** ~ e taal *improper language* **1.2** ~ leven *lead an immoral life;* een ~ e vrouw *a fallen / loose woman.*

onkuisheid ⟨de (v.)⟩ **0.1** [onreinheid van zeden] *impurity* ⇒*indecency, lewdness, lechery* **0.2** [onkuise daad / voorstelling] *(act of) indecency* ⇒*impurity.*

onkunde ⟨de (v.)⟩ **0.1** [onwetendheid] *ignorance* ⇒*lack of knowledge* **0.2** [onkundigheid] *ignorance* ⇒*inexperience* ◆ **6.1** uit ~ *out of i..*

onkundig ⟨bn.⟩ **0.1** [iets niet kennend] *unaware (of)* ⇒*unacquainted (with), ignorant (of)* **0.2** [onwetend] *ignorant* ⇒*unknowing, uninformed, unenlightened* ◆ **3.1** iem. van iets ~ laten / houden *keep s.o. in the dark about sth., keep sth. from s.o.;* van iets ~ zijn / blijven *be / remain unaware / ignorant of sth., be / remain in the dark about sth.* **6.1** de regering was ~ **van** die feiten *the government was unaware of / unacquainted with these facts.*

onkwetsbaar ⟨bn., bw.; -ly⟩ **0.1** [niet te kwetsen] *invulnerable* ⇒*impassible, unassailable* ⟨positie⟩ **0.2** [ongevoelig] *insensitive* ⇒*invulnerable.*

onkwetsbaarheid ⟨de (v.)⟩ **0.1** ⟨ook fig.⟩ *invulnerability* ⇒*impassibility.*

onlangs ⟨bw.⟩ **0.1** *recently* ⇒*lately, of late, newly, the other day* ◆ **1.1** ~ op een avond / zaterdag *the other evening / Saturday* **3.1** ik heb hem ~ nog gezien *I saw him only the other day;* een ~ verschenen boek *a newly / r. published book* **5.1** zeer ~ *quite r.* **6.1** 't is dezelfde bezoeker **van** ~ *it is the same visitor who called the other day.*

onledig ⟨bn.⟩ **0.1** *occupied* ⇒*engaged, busy* ◆ **3.1** zich ~ houden met *occupy o.s. with.*

onleefbaar ⟨bn.⟩ **0.1** *intolerable.*

onleesbaar ⟨bn., bw.; -ly⟩ **0.1** [mbt. de lettertekens] *illegible* ⇒*indecipherable, unreadable* **0.2** [mbt. de inhoud] *unreadable* ◆ **3.1** ~ maken *obliterate;* ⟨met opzet⟩ *deface; black out* ⟨met inkt⟩; ~ worden *be obliterated.*

onleesbaarheid ⟨de (v.)⟩ **0.1** [mbt. de lettertekens] *illegibility* ⇒*undecipherability, unreadability* **0.2** [mbt. de inhoud] *unreadability.*

onlesbaar ⟨bn.⟩ **0.1** *unquenchable* ⇒*insatiable* ◆ **1.1** een onlesbare dorst hebben *have an u. / insatiable thirst.*

onliberaal ⟨bn., bw.; -ly⟩ **0.1** [niet liberaal] *illiberal* ⇒*anti-liberal* **0.2** [niet ruim] *illiberal* ⇒*intolerant, narrow.*

onlichamelijk ⟨bn.⟩ **0.1** *incorporeal* ⇒*immaterial, insubstantial, bodiless* ◆ **1.1** ⟨jur.⟩ ~ e zaken *incorporeal matters.*

onliterair ⟨bn.⟩ **0.1** *unliterary.*

onlogisch ⟨bn., bw.; -ly⟩ **0.1** *illogical* ⇒*inconsequent, inconsistent, incongruous* ◆ **3.1** dat is ~ *that is illogical / a non sequitur* **5.1** hij redeneert zo ~ *his line of reasoning lacks all logic* **7.1** ⟨zelfst.⟩ het ~ e van iets *the illogicality of sth..*

onloochenbaar ⟨bn.⟩ **0.1** *undeniable* ⇒*incontestable, incontrovertible* ◆ **1.1** onloochenbare bewijzen *incontestable / incontrovertible proof;* het is een ~ feit dat ... *there is no denying / gainsaying the fact that ...;* de gelijkenis is ~ *the resemblance / likeness is u. / cannot be denied.*

onlosbaar ⟨bn.⟩ ⟨geldw.⟩ **0.1** *incommutable* ⇒*irredeemable.*

onlosmakelijk ⟨bn., bw.; -ly⟩ **0.1** *inextricable* ⇒*inseparable, indissoluble, built-in* ◆ **3.1** ~ verbonden met *inextricably bound up with.*

onlust ⟨de (m.)⟩ **0.1** [⟨mv.⟩ twisten] *riots* ⇒*disturbances, disorder, trouble(s)* **0.2** [onaangenaam gevoel] *unease* ⇒*discomfort* **0.3** [het als onaangenaam ervaren] *displeasure* ⇒*distaste, aversion* **0.4** [ongerief] *discomfort* ⇒*problem(s).*

onmaatschappelijk ⟨bn., bw.⟩ **0.1** ⟨bn.⟩ *antisocial* ⇒*unsocial,* ⟨bw.⟩ *in an antisocial way.*

onmacht ⟨de⟩ **0.1** [machteloosheid] *impotence* ⇒*powerlessness, incapacity* **0.2** [bewusteloosheid] *faint(ing fit)* ⇒*swoon* ◆ **3.1** dat toonde slechts zijn ~ aan *that only demonstrated his lack of power* **6.2** in ~ vallen *faint;* in ~ liggen *be in a faint, have fainted.*

---

onmachtig ⟨bn., bw.; o. -ly⟩ **0.1** [krachteloos] *powerless (to)* ⇒*incapable of, unable to* **0.2** [machteloos] *impotent* ⇒*powerless, helpless* ◆ **3.1** ~ iets te ondernemen *unable to do anything.*

onmannelijk ⟨bn., bw.⟩ **0.1** *unmanly* ⇒*emasculate, effeminate.*

onmanoeuvreerbaar ⟨bn.⟩ **0.1** *unmanageable.*

onmatig ⟨bn., bw.; -ly⟩ **0.1** *intemperate* ⇒*immoderate, excessive, inordinate* ◆ **1.1** een ~ drinker *an intemperate / excessive drinker* **3.1** ~ drinken *drink to excess.*

onmatigheid ⟨de (v.)⟩ **0.1** *intemperance* ⇒*immoderateness, excess.*

onmededeelbaar ⟨bn.⟩ **0.1** *incommunicable.*

onmededeelzaam ⟨bn.⟩ **0.1** *incommunicative* ⇒*reticent, taciturn.*

onmeedogend ⟨bn., bw.; -ly⟩ **0.1** *pitiless* ⇒*ruthless, relentless, savage, unsparing.*

onmeetbaar
I ⟨bn., bw.; -ly⟩ **0.1** [niet te meten] *immeasurable* ◆ **1.1** een ~ klein deeltje *an immeasurably small particle;*
II ⟨bn.⟩ **0.1** [wisk.] *irrational* ⇒*surd* ◆ **1.1** een ~ getal *a surd, an i. number* **2.1** onderling ~ *incommensurable.*

onmeetbaarheid ⟨de (v.)⟩ **0.1** *immeasurability* ⇒⟨wisk.⟩ *incommensurability, irrationality.*

onmens ⟨de (m.)⟩ **0.1** *brute* ⇒*beast, monster.*

onmenselijk
I ⟨bn., bw.; -ly⟩ **0.1** [barbaars] *inhuman* ⇒*brutal, barbarous, beastly, monstrous* ◆ **3.1** hij heeft zijn vrouw ~ behandeld *he has been a monster to his wife;*
II ⟨bn.⟩ **0.1** [buitengewoon] *superhumanly* ⇒*inhumanly* ◆ **2.1** hij is ~ sterk *he has a herculean strength.*

onmenselijkheid ⟨de (v.)⟩ **0.1** *inhumanity* ⇒*brutality, barbarity.*

onmerkbaar ⟨bn.; -ly⟩ **0.1** *unnoticeable* ⇒*imperceptible, insensible* ◆ **1.1** een vrijwel ~ verschil *a minute / an all but u. difference* **3.1** ~ veranderen *change imperceptibly.*

onmetelijk
I ⟨bn.⟩ **0.1** [oneindig / zeer groot] *immense* ⇒*immeasurable, vast, infinite, untold* ◆ **1.1** hij heeft een ~ vermogen *he has an immense fortune, he is immensely rich;*
II ⟨bw.⟩ **0.1** [heel erg, buitengewoon] *immeasurably, infinitely* ◆ **2.1** ~ groot *immense, vast;* ~ klein *infinitely small, infinitesimal.*

onmetelijkheid ⟨de (v.)⟩ **0.1** *immensity* ⇒*vastness,* ⟨onmeetbaarheid⟩ *immeasurability.*

onmiddellijk ⟨bn., bw.; -ly⟩ **0.1** [dadelijk] *immediate* ⇒*instant, prompt* **0.2** [zonder tussenruimte] *immediate* ⇒*close* ⟨nabijheid⟩ **0.3** [rechtstreeks] *immediate* ⇒*direct* ◆ **1.2** de ~ e nabijheid van iets *the i. / close proximity of sth.* **1.3** ~ e waarneming *direct observation* **3.1** ik kom ~ naar Utrecht *I'm coming to Utrecht straightaway / at once* **3.2** ik liep ~ achter Pieter *I was walking immediately behind Peter* **3.3** dit volgt ~ uit het voorafgaande *this can be concluded directly from the above.*

onmin ⟨de⟩ **0.1** *discord* ⇒*dissension, feud, variance* ◆ **6.1** in ~ geraken *fall out, quarrel;* met iem. **in** ~ leven *be at odds / variance with s.o..*

onmisbaar ⟨bn., bw.; -ly⟩ **0.1** [onontbeerlijk] *indispensable* ⇒*essential, vital* **0.2** [niet kunnende uitblijven] *inevitable* ⇒*obligate* ◆ **4.1** een ~ iets *a sine qua non.*

onmisbaarheid ⟨de (v.)⟩ **0.1** *indispensability* ⇒*essentiality.*

onmiskenbaar ⟨bn., bw.; -ly⟩ **0.1** *unmistakable* ⇒*indisputable, unequivocal, distinct, undeniable* ◆ **1.1** een onmiskenbare gelijkenis *a distinct / unmistakable likeness* **3.1** hij lijkt ~ op zijn vader *he looks decidedly like his father.*

onmogelijk ⟨bn., bw.; -ly⟩ **0.1** [niet mogelijk] *impossible* ⇒⟨onuitvoerbaar⟩ *impracticable, out of the question* ⟨alleen pred.⟩ **0.2** [onuitstaanbaar] *impossible* ⇒*intolerable* **0.3** [bespottelijk] *impossible* ⇒*preposterous, ridiculous* **0.4** [zeker niet] *impossible* ◆ **1.1** een ~ verhaal *an incredible / untenable story, a fishing story* **1.2** op een ~ vroeg uur *at an unconscionably early hour;* een ~ e vent *an impossible character* **1.3** een ~ e jurk *an i. / a ridiculous dress* **3.1** ik kon het ~ horen *I couldn't possibly hear it, there was no way I could hear it;* iets ~ maken *shut the door on / to sth.;* iem. het leven ~ maken *pester the life out of s.o.;* het was ~ hem te overtuigen *he could / would not be persuaded;* het was ~ te komen *I could not possibly (have) come;* ons leven werd zo ~ *life was made impossible for us* **3.2** zich ~ maken *make o.s. impossible* **3.4** ik kan ~ langer blijven *I can't possibly stay any longer* **7.1** ⟨zelfst.⟩ het ~ e beproeven *attempt the impossible, reach for the moon / stars;* ⟨zelfst.⟩ het ~ e vragen *demand the impossible, ask for the moon.*

onmogelijkheid ⟨de (v.)⟩ **0.1** [het niet-mogelijk zijn] *impossibility* ⇒⟨onuitvoerbaarheid⟩ *impracticability* **0.2** [wat onmogelijk is] *impossibility* ◆ **3.2** dat behoort tot de onmogelijkheden *that is beyond the bounds of the possible* **6.1** in de ~ verkeren om *find it impossible / be unable to.*

onmondig ⟨bn.⟩ **0.1** [minderjarig] *under age* **0.2** [mbt. zelfbestuur] *incapable of self-government* ◆ **3.1** ~ zijn *be a minor /* ⟨jur.⟩ *an infant* **3.2** ~ houden / blijven ⟨ook⟩ *keep / remain under tutelage.*

onmondigheid ⟨de (v.)⟩ **0.1** [minderjarigheid] *minority* ⇒*nonage,* ⟨jur.⟩ *infancy* **0.2** [mbt. zelfbestuur] *tutelage.*

onmuzikaal

I ⟨bn.⟩ **0.1** [zonder gevoel voor muziek] *unmusical;*
II ⟨bn.,bw.;-ly⟩ **0.1** [niet goed klinkend] *unmusical* ⇒*harsh, discordant, grating (on the ears).*

onnadenkend ⟨bn.,bw.;-ly⟩ **0.1** *unthinking, thoughtless* ⇒*inconsiderate, unreasoning* ◆ **3.1** ~ handelen *act without thinking / inconsiderately.*

onnadenkendheid ⟨de (v.)⟩ **0.1** *thoughtlessness* ⇒*inconsideration, lack of (fore)thought.*

onnadrukkelijk ⟨bn.,bw.;-ally⟩ **0.1** *unemphatic.*

onnaspeurbaar ⟨bn.⟩ **0.1** [niet na te gaan] *untraceable* ⇒*unsearchable* **0.2** [onbegrijpelijk] *inscrutable* ⇒*mysterious, unintelligible, unfathomable, incomprehensible* ◆ **1.1** de onnaspeurbare wegen van God *God's unsearchable ways.*

onnaspeurlijk ⟨bn.⟩ →**onnaspeurbaar.**

onnatuurlijk ⟨bn.,bw.;-ly⟩ **0.1** [in strijd met de natuur] *unnatural* **0.2** [strijdig met de menselijke aard] *unnatural* **0.3** [gekunsteld] *unnatural* ⇒*artificial, affected, contrived* ◆ **1.1** een ~e dood *an u. / a violent death.*

onnatuurlijkheid ⟨de (v.)⟩ **0.1** *unnaturalness* ⇒⟨gekunsteldheid⟩ *affectation, artificiality.*

onnauwkeurig ⟨bn.,bw.;-ly⟩ **0.1** *inaccurate* ⇒*inexact, imprecise, slipshod, loose* ⟨taalgebruik⟩ ◆ **3.1** in geldzaken is hij ~ *he is not accurate in money matters.*

onnauwkeurigheid ⟨de (v.)⟩ **0.1** [het onnauwkeurig zijn] *inaccuracy* ⇒*inexactness, impreciseness* **0.2** [onnauwkeurig iets] *inaccuracy* ⇒*inexactitude* ◆ **7.2** er staan vele onnauwkeurigheden in dat boek *that book is full of inaccuracies.*

onnavolgbaar ⟨bn.,bw.;-ly⟩ **0.1** *inimitable* ⇒*matchless, unparalleled, peerless* ◆ **1.1** onnavolgbare gratie *matchless grace.*

onnederlands ⟨bn.⟩ **0.1** *un-Dutch* ⇒*not Dutch.*

onneembaar ⟨bn.,bw.;-ly⟩ **0.1** *impregnable* ⇒*invulnerable, unassailable* ◆ **1.1** de stad is ~ *the town is unassailable* **2.1** een ~ sterke vesting *an impregnable fortress.*

onnet ⟨bn.,bw.;-ly⟩ **0.1** [niet net] *untidy* ⇒*disorderly, messy* **0.2** [niet fair] *unfair* ⇒*unjust* **0.3** [niet fatsoenlijk] *improper* ⇒*indecorous, vulgar, unseemly.*

onnodig
I ⟨bn.⟩ **0.1** [overbodig] *unnecessary* ⇒*needless, superfluous, gratuitous* ◆ **1.1** ~e kosten maken *go to u. / needless expense* **3.1** iets ~ maken *make sth. superfluous* **7.1** ⟨zelfst.⟩ het ~e van iets *the needlessness of sth.* **¶.1** ~ te zeggen dat... *needless to say ...;*
II ⟨bw.⟩ **0.1** [zonder noodzaak] *needlessly* ⇒*unnecessarily, gratuitously* ◆ **3.1** ~ tijd verliezen *lose time unnecessarily, squander time* **7.1** ~ veel *an unnecessary amount, to a needless extent.*

onnoembaar ⟨bn.⟩ **0.1** [niet nader te noemen] *unnamable* ⇒*ineffable, unmentionable, unutterable* **0.2** [zeer groot] *untold* ⇒*immense.*

onnoemelijk
I ⟨bn.⟩ **0.1** [niet te verwoorden] *untold, unutterable* ⇒*ineffable, inexpressible* ◆ **1.1** ~ leed *untold misery;*
II ⟨bw.⟩ **0.1** [heel erg, buitengewoon] *immensely* ⇒*infinitely, unutterably* ◆ **2.1** atomen zijn ~ klein *atoms are infinitely / infinitesimally small* **7.1** ~ veel *immense quantities.*

onnozel ⟨bn.,bw.;-ly⟩ **0.1** [dom, idioot] *foolish* ⇒*silly, stupid, idiotic* **0.2** [onbeduidend] *trifling* ⇒*mere, paltry, measly* **0.3** [onervaren] *naïve* ⇒*simple, green,* ⟨gemakkelijk beet te nemen⟩ *gullible* ◆ **1.1** met een ~e grijnslach *with an inane grin;* een ~ hals *a Simple Simon, a sucker, a dupe* **1.2** die paar ~e centen *those few measly pennies* **3.1** zich ~ houden *play / act the fool / innocent;* ~ kijken *look sheepish;* zie ik er zo ~ uit? *what kind of fool do you take me for?, do you see any green in my eye?* **¶.1** wat ~! *how silly!.*

onnozelaar ⟨de (m.)⟩⟨AZN⟩ **0.1** *Simple Simon, idiot* ⇒*birdbrain.*

Onnozele-kinderen(-dag) ⟨de (m.)⟩ **0.1** *Holy Innocents' Day.*

onnozelheid ⟨de (v.)⟩ **0.1** [domheid] *foolishness* ⇒*stupidity, silliness, ignorance* **0.2** [onschuld] *innocence* ⇒*naïveté, simplicity, gullibility* **0.3** [uiting van onnozelheid] *foolishness* ⇒*frivolity, inanity* ◆ **3.3** zich met onnozelheden bezighouden *indulge in frivolities / inanities* **6.1** in zijn ~ bemerkte hij de valstrik niet *in his ignorance he didn't see the trap.*

onnut ⟨bn.⟩ **0.1** [niet van nut] *useless* ⇒*good-for-nothing, unprofitable* **0.2** [vergeefs] *useless* ⇒*futile, idle, vain.*

O.N.O. ⟨het⟩⟨bn.⟩ **0.1** [oostnoordoost] *ENE.*

onofficieel ⟨bn.,bw.;-ly⟩ **0.1** *unofficial* ⇒*informal,* ⟨niet voor publicatie⟩ *off-the-record.*

onomasiologie ⟨de (v.)⟩⟨taal.⟩ **0.1** *onomasiology.*

onomasticon ⟨het⟩ **0.1** *onomasticon.*

onomastiek ⟨de (v.)⟩ **0.1** *onomastics.*

onomastisch ⟨bn.⟩ **0.1** *onomastic.*

onomatopee ⟨de (v.)⟩⟨taal.⟩ **0.1** *onomatope* ⇒*onomatopoeia.*

onomatopoësis ⟨de (v.)⟩ **0.1** *onomatopoeia* ⇒*onomatopy, echoism.*

onomatopoëtisch ⟨bn.⟩ **0.1** *onomatopoe(t)ic* ⇒*echoic.*

onomkeerbaar ⟨bn.⟩ **0.1** *irreversible* ⇒*irrevocable.*

onomkoopbaar ⟨bn.⟩ **0.1** *incorruptible* ⇒*not to be bribed.*

onomkoopbaarheid ⟨de (v.)⟩ **0.1** *incorruptibility* ⇒*integrity.*

onomschreven ⟨bn.⟩ **0.1** *ill-defined* ⇒*undetermined.*

onomstotelijk ⟨bn.,bw.;-ly⟩ **0.1** *indisputable* ⇒*incontestable, established, conclusive* ⟨bewijs⟩, *incontrovertible* ⟨feit⟩ ◆ **1.1** ~e waarheden *indisputable / established truths, axioms* **3.1** dat staat ~ vast *that is beyond question / has been proved beyond the shadow of a doubt.*

onomstreden ⟨bn.⟩ **0.1** *undisputed* ⇒*unquestioned, unchallenged.*

onomwonden ⟨bn.,bw.;-ly⟩ **0.1** *frank* ⇒*plain, straight, outspoken* ◆ **3.1** iem. ~ de waarheid zeggen *be f. / plain with s.o., tell s.o. the truth in no uncertain terms.*

ononderbroken ⟨bn.,bw.;-ly⟩ **0.1** *continuous, uninterrupted* ⇒*solid* ⟨periode⟩ ◆ **3.1** de fabrieken werkten ~ *the factories were working continuously.*

onontbeerlijk ⟨bn.⟩ **0.1** *indispensible* ⇒*essential, vital.*

onontbindbaar ⟨bn.⟩ **0.1** *indissoluble.*

onontcijferbaar ⟨bn.⟩ **0.1** *undecipherable* ⇒*illegible,* ⟨fig.⟩ *hieroglyphic.*

onontginbaar ⟨bn.⟩ **0.1** *irreclaimable* ⇒*incapable of being cultivated / reclaimed.*

onontgonnen ⟨bn.⟩ **0.1** *uncultivated* ⇒*unreclaimed* ◆ **1.1** nog ~ gebied *virgin territory;* de ~ gebieden der wetenschap *the frontiers of knowledge.*

onontkoombaar ⟨bn.,bw.;-ly⟩ **0.1** *inescapable* ⇒*inevitable, ineluctable, unavoidable* ◆ **1.1** het onontkoombare lot *(the) inescapable / ineluctable fate* **3.1** dat leidt ~ tot verlies *that inevitably leads to loss(es).*

onontplofbaar ⟨bn.⟩ **0.1** *nonexplosive* ⇒*inexplosive.*

onontvankelijk ⟨bn.⟩ **0.1** *insusceptible (to)* ⇒*unamenable (to), impervious (to), inaccessible (to),* ⟨jur.⟩ *inadmissible* ◆ **3.1** ⟨jur.⟩ een eis ~ verklaren *dismiss a demand* **6.1** hij was voor overreding ~ *he was unamenable to persuasion / would not be persuaded.*

onontvankelijkheid ⟨de (v.)⟩ **0.1** *insusceptibility* ⇒*imperviousness, inaccessibility,* ⟨jur.⟩ *inadmissibility.*

onontvlambaar ⟨bn.⟩ **0.1** *non(in)flammable* ⇒⟨niet in tech. bet.⟩ *uninflammable, noncombustible, fireproof.*

onontvreemdbaar ⟨bn.⟩ **0.1** *inalienable* ◆ **1.1** een ~ recht *an i. right.*

onontwarbaar ⟨bn.⟩ **0.1** *inextricable* ⇒⟨ook fig.⟩ *involved, complex, intricate* ◆ **1.1** een onontwarbare knoop *a knot that can't be disentangled / unravelled ^eled.*

onontwijkbaar ⟨bn.⟩ **0.1** *unavoidable* ⇒*inevitable, inescapable, ineluctable.*

onontwikkeld ⟨bn.⟩ **0.1** [nog niet ontwikkeld] *undeveloped* ⇒*unformed, immature, embryonic,* ⟨schr.⟩ *inchoate* **0.2** ⟨(ec.)⟩ *un(der)developed* **0.3** [zonder ontwikkeling] *uneducated* ⇒*uncultured.*

onooglijk ⟨bn.,bw.⟩ **0.1** *unsightly* ⇒*ugly* ◆ **3.1** ~ gekleed gaan *dress without taste;* er ~ uitzien *look unsightly, not be much to look at.*

onooglijkheid ⟨de (v.)⟩ **0.1** *unsightliness* ⇒*ugliness.*

onoorbaar ⟨bn.⟩ **0.1** *improper* ⇒*unbecoming, objectionable,* ⟨ontoelaatbaar⟩ *inadmissible* ◆ **1.1** onoorbare praktijken *objectionable practices.*

onoordeelkundig ⟨bn.,bw.;-ly⟩ **0.1** *injudicious* ⟨handeling⟩; *improper* ⟨gebruik⟩ ◆ **¶.1** ~ te werk gaan *act injudiciously.*

onoorspronkelijk ⟨bn.⟩ **0.1** [niet oorspronkelijk] *unoriginal* ⇒*imitated* **0.2** [met gebrek aan oorspronkelijkheid] *unoriginal* ⇒*imitative.*

onopeisbaar ⟨bn.⟩ **0.1** *not yet due / payable* ⇒*undue, not having matured* ◆ **1.1** nog onopeisbare vorderingen *debts which have not yet matured / are not yet due.*

onopgehelderd ⟨bn.⟩ **0.1** *unsolved* ⟨misdaad⟩; *unexplained* ⟨oorzaak⟩ ◆ **3.1** die moord bleef ~ ⟨ook⟩ *that murder was never cleared up.*

onopgelost ⟨bn.⟩ **0.1** [mbt. vraagstukken] *unsolved* ⇒⟨probleem ook⟩ *outstanding, unresolved, unsettled* ⟨geschil⟩ **0.2** [in een vloeistof] *undissolved* ◆ **3.2** in water blijft deze stof ~ *this compound does not dissolve / is indissoluble in water.*

onopgemaakt ⟨bn.⟩ **0.1** *unmade* ⟨bed⟩; *not made up* ⟨gezicht⟩; *ungarnished* ⟨vaart⟩ ◆ **1.1** ⟨amb.⟩ ~ zetsel *galley / slip proof* **3.1** zij liep er nog ~ bij *she was going about without any make-up on.*

onopgemerkt ⟨bn.,bw.⟩ **0.1** *unnoticed* ⇒*unobserved, unperceived, unheeded, uncaught* ◆ **3.1** iets ~ laten *let sth. pass / go by unnoted;* niet ~ voorbij laten gaan *not let go unnoted* ⟨verjaardag⟩ / *unheeded* ⟨oproep⟩; ~ voorbijgaan *pass / go by unnoticed, escape notice; steal away* ⟨tijd⟩; ~ weggaan *leave unobserved / without being noticed.*

onopgesmukt ⟨bn.⟩ **0.1** *unadorned* ⇒*ungarnished, bald, plain* ⟨feiten⟩.

onopgevoed ⟨bn.,bw.⟩ **0.1** *uneducated* ⇒⟨slecht gemanierd⟩ *ill-bred / -mannered, rude.*

onophoudelijk ⟨bn.,bw.;-ly⟩ **0.1** *continuous* ⇒*ceaseless, incessant, unremittant, unending* ◆ **1.1** een ~e toeloop *a continuous flow (of visitors)* **3.1** hij plaagt ons ~ *he is forever teasing us;* ~ zoeken wij naar nieuwe technieken *we are ceaselessly searching for new techniques.*

onoplettend ⟨bn.⟩ **0.1** *inattentive* ⇒*inadvertent, heedless, unheeding* ◆ **1.1** een ~e leerling *an inattentive pupil.*

onoplettendheid ⟨de (v.)⟩ **0.1** *inattention* ⇒*inadvertence.*

onoplosbaar ⟨bn.⟩ **0.1** [mbt. stoffen] *insoluble* ⇒*indissoluble* **0.2** [mbt. vraagstukken] *insoluble* ⇒*insolvable, unsolvable.*

onoplosbaarheid ⟨de (v.)⟩ **0.1** [mbt. stoffen] *insolubility* ⇒*indissolubility* **0.2** [mbt. vraagstukken] *insolubility* ⇒*insolvability.*

onopmerkzaam ⟨bn.⟩ **0.1** *unobservant* ⇒*imperceptive*.

onoprecht ⟨bn.⟩ **0.1** *insincere* ⇒*disingenuous, false, dishonest* ◆ **3.1** ~ klinken *sound / ring hollow*.

onoprechtheid ⟨de (v.)⟩ **0.1** [⟨abstr.⟩] *insincerity* ⇒*disingenuousness, improbity* **0.2** [⟨concr.⟩] *lie*.

onopvallend ⟨bn., bw.; -ly⟩ **0.1** *inconspicuous* ⇒*nondescript*, ⟨niet opdringerig⟩ *unobtrusive, unpretentious, discreet* ◆ **1.1** een ~e verschijning *an i. / a nondescript figure* **3.1** iem. ~ iets toestoppen *slip s.o. sth.*; ~ (ergens) weggaan *slip / steal away (from somewhere)* ¶**.1** ~ te werk gaan *act discreetly*.

onopzegbaar ⟨bn.⟩ **0.1** *indissoluble* ⇒*indefeasible* ◆ **1.1** onopzegbare verbintenis *an indissoluble contract*.

onopzettelijk ⟨bn., bw.; -ly⟩ **0.1** *unintentional* ⇒*inadvertent, unwitting, involuntary, unintended* ◆ **1.1** een ~e toespeling *an unintended allusion* **3.1** iem. ~ beledigen *insult s.o. inadvertently / unintentionally*.

onordelijk ⟨bn., bw.⟩ **0.1** *disorderly* ⇒*disordered, unruly* ⟨gedrag⟩, *untidy* ⟨bureau⟩ ◆ **1.1** een ~e boel *a (disorderly) mess* **3.1** het gaat daar zeer ~ toe *things are very disordered there*.

onordentelijk ⟨bn., bw.⟩ **0.1** *unseemly* ⇒*indecent, improper, rude*.

onorthodox ⟨bn., bw.; -ly⟩ **0.1** *unorthodox* ⇒*heterodox*.

onoverbrugbaar ⟨bn.⟩ **0.1** *unbridgeable* ⇒*irreconcilable* ⟨tegenstelling⟩ ◆ **1.1** een onoverbrugbare kloof ⟨fig.⟩ *an u. gap*.

onoverdacht ⟨bn., bw.; -ly⟩ **0.1** *thoughtless* ⇒*inconsiderate, rash, impulsive, injudicial* ◆ **1.1** een ~e daad *an inconsiderate / a rash action*.

onoverdekt ⟨bn.⟩ **0.1** *uncovered* ⇒*open* ◆ **1.1** ~e tribune *bleacher*; ~ zwembad *outdoor (swimming) pool*.

onoverdraagbaar ⟨bn.⟩ **0.1** *nontransferable, untransferable* ⇒⟨jur.⟩ *inalienable*, ⟨schuld⟩ *unassignable*.

onovergankelijk ⟨bn., bw.; -ly⟩ ⟨taal.⟩ **0.1** *intransitive*.

onoverkomelijk ⟨bn.⟩ **0.1** *insurmountable* ⇒*insuperable, impassable* ⟨kloof, rivier, enz.⟩, *invincible* ⟨tegenstand⟩ ◆ **1.1** een ~ bezwaar *a prohibitive objection*; ~e moeilijkheden *insuperable difficulties, insurmountable problems*.

onoverlegd ⟨bn., bw.; -ly⟩ **0.1** *thoughtless* ⇒*inconsiderate, mindless, rash, impulsive*.

onovertrefbaar ⟨bn., bw.; -ly⟩ **0.1** *unsurpassable* ⇒*unbeatable* ◆ **1.1** onovertrefbare kwaliteit *unbeatable quality*.

onovertroffen ⟨bn.⟩ **0.1** *unsurpassed* ⇒*unrivalled* ^*aled, matchless, peerless* ◆ **1.1** een ~ middel *an unrivalled remedy*.

onoverwinbaar ⟨bn.⟩ **0.1** *inconquerable* ⇒*insuperable*.

onoverwinnelijk ⟨bn.⟩ **0.1** *invincible* ⇒*unconquerable, impregnable* ⟨vesting⟩.

onoverwinnelijkheid ⟨de (v.)⟩ **0.1** *invincibility* ⇒*unconquerableness, impregnability* ⟨van vesting⟩.

onoverzichtelijk ⟨bn., bw.⟩ **0.1** *complex, cluttered, obscure; poorly organized, inconveniently arranged* ⟨boek⟩ ◆ **1.1** een ~e bocht *a blind bend*; een ~e indeling *an inconvenient arrangement*.

onoverzienbaar ⟨bn.⟩ **0.1** ≠*interminable, immense* ◆ **1.1** ⟨fig.⟩ onoverzienbare gevolgen *incalculable / unpredictable consequences*.

onpaar ⟨bn.⟩ **0.1** *unpaired* ⇒*odd, single* ◆ **1.1** ~ rijm *open rhyme*.

onparighoevigen ⟨zn.mv.⟩ **0.1** *perissodactyls*.

onparlementair ⟨bn.⟩ **0.1** *unparliamentary* ◆ **1.1** een ~e uitdrukking *an u. expression*.

onpartijdig ⟨bn., bw.; -ly⟩ **0.1** *impartial* ⇒*unbiassed, even-handed, judicial, equitable* ◆ **1.1** een ~ onderzoek / oordeel *an unbiassed investigation / judgment*; een ~ rechter / rechtspraak *an impartial judge / administration of justice* **3.1** ~ blijven *remain i.*.

onpartijdigheid ⟨de (v.)⟩ **0.1** *impartiality* ⇒*even-handedness, equity*.

onpas ⟨bw.⟩ ◆ **6.**¶ te ~ komen *come at an unsuitable moment, be ill-timed*; te pas en te ~ *in and out of season, all the time*.

onpasselijk ⟨bn.⟩ **0.1** *nauseous* ⇒*sick* ◆ **3.1** ~ worden / zijn *feel n. / sick*.

onpasselijkheid ⟨de (v.)⟩ **0.1** *nausea* ⇒*sickness*.

onpedagogisch ⟨bn., bw.; -ly⟩ **0.1** *unpedagogical*.

onpeilbaar ⟨bn.⟩ **0.1** [niet te peilen] *unfathomable* ⇒*bottomless, abysmal* **0.2** [ondoorgrondelijk] *unfathomable* ⇒*impenetrable, inscrutable, mysterious* **0.3** [grenzeloos] *unlimited* ⇒*limitless, immeasurable* ◆ **1.1** een onpeilbare diepte *a bottomless pit* **1.2** zijn onpeilbare bedoelingen *his inscrutable intentions*.

onpersoonlijk ⟨bn., bw.; -ly⟩ **0.1** [zonder karakter] *impersonal* **0.2** [niet mbt. een bep. persoon] *impersonal* ⇒*collective* ⟨maatregel⟩ ◆ **1.1** een ~e stijl / smaak / taal *an i. style / taste / (use of) language* **1.2** deze opmerking is ~ *this remark is not meant personally* **1.**¶ ~e werkwoorden ⟨taal.⟩ *impersonal verbs*.

onpersoonlijkheid ⟨de (v.)⟩ **0.1** *impersonality*.

onplezierig ⟨bn., bw.; o. -ly⟩ **0.1** [onprettig] *unpleasant* ⇒*disagreeable, nasty* **0.2** [lusteloos] *unwell, out of sorts, under the weather* ⟨alleen pred.⟩ ◆ **1.1** een ~ voorval *a disagreeable incident*; 't is ~ weer vandaag *nasty weather we're having today* **3.2** hij voelt zich vandaag wat ~ *he is feeling a bit under the weather today*.

onpolitiek ⟨bn.⟩ **0.1** *impolitic(al)* ⇒*apolitical*.

onpraktisch ⟨bn., bw.⟩ **0.1** [mbt. zaken] *impractical, not practical; impracticable* ⟨plan⟩ **0.2** [mbt. personen] *impractical, not practical* ◆ **1.1** ~e maatregelen *impracticable measures* **3.1** dat is zeer ~ ingericht

that has not been arranged very practically **7.1** ⟨zelfst.⟩ het ~e van iets *the impracticality of sth.*.

onprettig ⟨bn., bw.; o. -ly⟩ **0.1** [onaangenaam] *unpleasant* ⇒*disagreeable, nasty* **0.2** [lusteloos] *unwell, out of sorts, under the weather* ⟨alleen pred.⟩ ◆ **1.1** ~e gevolgen *unpleasant consequences* **3.2** hij voelt zich ~ *he feels a bit out of sorts*.

onproduktief ⟨bn., bw.; -ly⟩ **0.1** *unproductive* ⇒*non-productive, unprolific*, ⟨fig.⟩ *barren* ◆ **1.1** een onproduktieve mijn *an unproductive / uneconomic mine*; een onproduktieve schrijver *an unproductive / unprolific writer* **3.1** zoveel arbeidskracht blijft geheel ~ *so much of the available workforce remains non-productive / unused*.

onraad ⟨het⟩ **0.1** *trouble, danger* ⇒*sth. wrong / amiss* ◆ **3.1** ~ bespeuren *scent danger*; ⟨inf.⟩ *smell a rat*; hier broeit ~ *there's t. brewing here*; er is ~ *there's sth. wrong*.

onraadzaam ⟨bn.⟩ **0.1** *inadvisable* ⇒*inexpedient*.

onrecht ⟨het⟩ **0.1** *injustice* ⇒*wrong, harm, injury* ◆ **2.1** een schreeuwend ~ *a rank injustice* **3.1** iem. ~ (aan)doen *wrong s.o., do s.o. wrong*; een ~ herstellen *right a wrong*; ~ lijden *suffer injustice*; er werd haar groot ~ aangedaan door ... *she suffered grievous wrongs at the hand of ...* **6.1** ten ~e ⟨abusievelijk⟩ *erroneously, mistakenly, wrongly*, ⟨tegen het recht⟩ *wrongfully, improperly*.

onrechtmatig ⟨bn., bw.; -ly⟩ **0.1** ⟨tegen de wet⟩ *unlawful, illegal*; ⟨ten onrechte⟩ *wrongful, unjust* ◆ **1.1** ~e daad *wrongful act*; ⟨jur.⟩ *tort*; een ~e eis *an unlawful demand* **3.1** hij heeft zich dit goed ~ toegeëigend *he has wrongfully appropriated this estate*.

onrechtmatigheid ⟨de (v.)⟩ **0.1** ⟨tegen de wet⟩ *unlawfulness, illegality*; ⟨ten onrechte⟩ *wrongfulness, unjustness*.

onrechtstreeks ⟨bn., bw.; -ly⟩ ⟨AZN⟩ **0.1** *indirect* ⇒*second-hand*.

onrechtvaardig ⟨bn., bw.; -ly⟩ ⟨→sprw. 472⟩ **0.1** *unjust* ⇒*unfair, wrong, inequitable* ◆ **3.1** ik ben ~ tegen hem geweest *I have been unfair to him, I have done him an injustice*; iem. ~ zwaar straffen *punish s.o. with undue severity* **5.1** hoogst ~ *iniquitous*.

onrechtvaardigheid ⟨de (v.)⟩ **0.1** *injustice* ⇒*wrong, unfairness, iniquity*.

onrechtzinnig ⟨bn., bw.; -ly⟩ **0.1** *heterodox* ⇒*unorthodox, heretical*.

onrechtzinnigheid ⟨de (v.)⟩ **0.1** *heterodoxy* ⇒*unorthodoxy*.

onredelijk ⟨bn., bw.; -ly⟩ **0.1** [ongegrond] *unreasonable* ⇒*groundless, absurd, unfounded* **0.2** [onbillijk] *unreasonable* ⇒*unconscionable, inequitable, unfair* ◆ **1.1** zijn ~e vrees / woede *his groundless / unfounded fear / anger* **1.2** een ~e eis *an unreasonable demand, a demand beyond all reason* **5.2** hij is niet ~ *he is not (being) unreasonable* **7.2** tot in het ~e *beyond all reason*; hij vraagt ~ veel geld voor dit huis *he is asking an inordinate / unconscionable sum of money for the house*.

onredelijkheid ⟨de (v.)⟩ **0.1** [ongegrondheid] *unreasonableness* ⇒*groundlessness, absurdity* **0.2** [onbillijkheid] *unreasonableness* ⇒*inequitableness, unfairness*.

onregeerbaar ⟨bn.⟩ **0.1** *ungovernable*.

onregelmatig ⟨bn., bw.; -ly⟩ **0.1** [zonder regelmaat] *irregular* ⇒*erratic, uneven, unsteady, ragged* ⟨vorm⟩ **0.2** [niet volgens voorschrift] *irregular* ⇒*anomalous* ◆ **1.1** ~e diensten *i. services / shifts* ⟨arbeid⟩; een ~ gebit hebben *have i. / ⟨inf.⟩ crooked teeth*; een ~e menstruatie hebben *menstruate irregularly, have i. periods*; een ~e pols(slag) *an i. pulse* **1.2** een ~ werkwoord *an i. verb* **3.1** de motor loopt ~ *the engine doesn't run smoothly*.

onregelmatigheid ⟨de (v.)⟩ **0.1** [het onregelmatig zijn] *irregularity* ⇒*anomaly, unevenness, unsteadiness, raggedness* **0.2** [fraude] *irregularity* ◆ **3.2** er zijn onregelmatigheden voorgekomen *there have been irregularities*.

onregelmatigheidstoeslag ⟨de (m.)⟩ **0.1** *bonus for unsocial hours*.

onrein ⟨bn., bw.⟩ **0.1** [⟨schr.⟩ vuil] *unclean* ⇒*maculate, tainted, besmirched, untouchable* **0.2** [zondig] *unclean* ⇒*sinful, uncleanly* **0.3** [onkuis] *impure* ⇒*unchaste, immodest, indecent* ◆ **1.2** een ~ dier *an u. animal* **1.3** ~e gedachten *impure thoughts*.

onreinheid ⟨de (v.)⟩ **0.1** [het onrein zijn] *uncleanness* **0.2** [zondigheid] *uncleanness* ⇒*sinfulness, uncleanliness* **0.3** [onkuisheid] *impurity* ⇒*immodesty, indecency*.

onrekbaar ⟨bn.⟩ **0.1** *inextensible* ⇒*inelastic, non-stretch, not extendable* ⟨pred.⟩.

onrendabel ⟨bn.⟩ **0.1** *uneconomic* ⇒*unremunerative, unrewarding*.

onrijm ⟨het⟩ **0.1** [proza] *prose* **0.2** [rijmloze poëzie] *unrhymed / rhymeless / blank verse* ◆ **1.1** rijm en ~ *poetry and prose*.

onrijp ⟨bn.⟩ **0.1** [nog niet rijp] *unripe* ⇒*immature, unseasoned* **0.2** [mbt. personen] *immature* ⇒*green, unfledged* ◆ **1.1** ~ fruit *unripe fruit*; ⟨landb.⟩ ~ hout *unseasoned wood* **1.2** het ~ oordeel v.d. jeugd *the unseasoned judgement of the young* **3.2** hij is nog erg ~ *he is still very i. / green*.

onrijpheid ⟨de (v.)⟩ **0.1** [⟨plantk.⟩] *unripeness* ⇒*immaturity* **0.2** [mbt. personen] *immaturity* ⇒*greenness*.

onroerend ⟨bn.⟩ ⟨jur.⟩ **0.1** *immovable* ⇒*real* ◆ **1.1** makelaar in ~ goed *(real-)estate agent*; ~(e) goed(eren) *i. property / goods, immovables, real estate*.

onroerendgoedbelasting ⟨de (v.)⟩ **0.1** *property tax* ⇒⟨BE ook⟩ *rates*.

onromantisch ⟨bn., bw.; -ally⟩ **0.1** *unromantic* ⇒*prosaic*.

onrust ⟨de⟩ **0.1** [beweging, drukte] *unrest* ⇒*turmoil, commotion, agitation* **0.2** [gejaagdheid] *restlessness* ⇒*agitation, disquiet* **0.3** [wieltje in een uurwerk] *balance wheel* ♦ **2.1** sociale ~ *social unrest* **3.1** ~ stoken *stir up / make trouble;* ~ zaaien *ferment trouble.*

onrustbarend ⟨bn., bw.; -ly⟩ **0.1** *alarming* ⇒*disquieting, worrisome* ♦ **1.1** een ~ verschijnsel *an a. phenomenon* **3.1** het geweld neemt ~ toe *there is an a. increase in violence.*

onrustig ⟨bn., bw.; -ly⟩ **0.1** [niet kalm] *unquiet* ⇒*agitated, turbulent, restless, troubled* ⟨slaap⟩ **0.2** [zenuwachtig] *restless* ⇒*agitated* **0.3** [voortdurend in beweging] *restless* ⇒*turbulent* ♦ **1.1** een onrustige zieke *a restless patient* **1.3** de onrustige zee *the r. sea* **3.1** ~ slapen *sleep fitfully / uneasily* **3.2** ~ heen en weer lopen *pace up and down.*

onruststoker ⟨de (m.)⟩ **0.1** *troublemaker, agitator* ⇒*firebrand.*

onrustzaaier ⟨de (m.)⟩ →**onruststoker.**

ons[1] ⟨het⟩ ⟨→sprw. 473⟩ **0.1** [gewicht] *hectogramme* ⇒≠*ounce* ⟨28 gram⟩ **0.2** [hoeveelheid] *hectogramme* ⇒*hundred grammes,* ≠*ounce* ⟨28 gram⟩ ♦ **1.2** een ~ ham *a hundred grammes of ham,* ≠*a quarter of ham* **3.1** ⟨fig.⟩ wachten tot je een ~ weegt *wait till the cows come home / till one is blue in the face.*

ons[2] ⟨→sprw. 309⟩
  I ⟨pers.vnw.⟩ **0.1** *us* ♦ **1.1** het is ~ een genoegen *(it's) o. pleasure* **3.1** de overwinning is (aan) ~ *victory is ours;* ~ kent ~ *like knows like, I've got your number* **6.1** bij ~ zijn er geen bergen *there are no mountains where we come from;* hij bevindt zich **onder** ~ *he is among u. / one of u.;* **onder** ~ gezegd *just between ourselves;* dit blijft **onder** ~ *this must remain between u.;* dat is **van** ~ *that's ours, that belongs to u.;* dat is niet **voor** ~ *that's not for (the likes of) u.;*
  II ⟨bez.vnw.⟩ **0.1** [mbt. eigendom] *our* **0.2** [mbt. het deel uitmaken van] *our* ♦ **1.1** Onze lieve Heer / Vrouw *Our Lord / Lady* **1.2** onze tijd *o. time(s)* **6.1** uw boeken en die **van** ~ *your books and ours* **7.2** de onzen *our people / party / team.*

onsamendrukbaar ⟨bn.⟩ ⟨nat.⟩ **0.1** *incompressible.*

onsamenhangend ⟨bn., bw.; -ly⟩ **0.1** *incoherent* ⇒*disconnected, disjointed, rambling* ⟨verhaal⟩, *uncorrelated* ⟨feiten⟩ ♦ **1.1** ~ geleuter *rigmarole, i. drivel* **3.1** ~ spreken *talk incoherently.*

onsamenhangendheid ⟨de (v.)⟩ **0.1** *incoherence* ⇒*disconnectedness, disjointedness.*

onschadelijk ⟨bn., bw.; -ly⟩ **0.1** *harmless* ⇒*innocuous,* ⟨niet kwaadaardig⟩ *innocent, inoffensive* ♦ **1.1** het middel is ~ *this remedy is h.* **3.1** iem. ~ maken *disarm s.o., render s.o. harmless, draw s.o.'s teeth;* ⟨doden⟩ *eliminate s.o.;* een bom ~ maken *defuse / deactivate a bomb.*

onschadelijkheid ⟨de (v.)⟩ **0.1** *harmlessness* ⇒*innocuity,* ⟨niet kwaadaardig⟩ *innocence, inoffensiveness.*

onschatbaar ⟨bn., bw.; -ly⟩ **0.1** *invaluable* ⇒*inestimable, priceless* ♦ **1.1** van onschatbare waarde / betekenis zijn *be invaluable* **7.1** het heeft hem ~ veel gekost *it has cost him an inestimable / incalculable amount of money.*

onscheidbaar ⟨bn., bw.; -ly⟩ **0.1** [niet te scheiden] *inseparable* ⇒⟨schr.⟩ *indiscerptible* **0.2** [⟨taal.⟩] *inseparable* ♦ **3.1** zij zijn ~ verbonden *they are inseparable.*

onschendbaar ⟨bn.⟩ **0.1** [onverbreekbaar] *inviolable* ⇒*indefeasible* ⟨recht⟩, *infrangible* ⟨wet⟩, *sacrosanct* **0.2** [niet ter verantwoording te roepen] *immune* ⇒*privileged* ♦ **1.1** onschendbare rechten *inviolable / indefeasible rights* **3.2** de koning is ~ *the King can do no wrong.*

onschendbaarheid ⟨de (v.)⟩ **0.1** [onverbreekbaarheid] *inviolability* ⇒*indefeasibility* ⟨recht⟩, *infrangibility* ⟨wet⟩, *sacrosanctity* **0.2** [mbt. personen] *immunity* ♦ **2.2** diplomatieke ~ *diplomatic i. / privilege;* parlementaire ~ *parliamentary i..*

onscherp ⟨bn.⟩ **0.1** *out of focus* ⇒*blurred.*

onschuld ⟨de⟩ **0.1** [schuldeloosheid] *innocence* ⇒*guiltlessness* **0.2** [argeloosheid] *innocence* **0.3** [onschuldig persoon] *innocence* ⇒*innocent* ♦ **1.2** in de ~ zijns harten *in his i.* **2.3** de beledigde ~ spelen *act the injured innocent* **3.1** zijn / iemands ~ aantonen *prove s.o.'s innocence* **3.3** de ~ belagen *threaten the innocent* **6.1** de handen **in** ~ wassen *have clean hands;* in alle ~ *in all i.* **¶3** hij ziet eruit als de ~ zelve *he looks as if butter wouldn't melt in his mouth.*

onschuldig ⟨bn.⟩ **0.1** [zonder schuld] *innocent* ⇒*guiltless* **0.2** [argeloos] *innocent* ⇒*guileless* **0.3** [niemand benadelend] *innocent* ⇒*harmless,* ⟨geen ergernis wekkend⟩ *inoffensive* **0.4** [onschadelijk] *innocent* ⇒*innocuous, harmless* ♦ **1.3** ~e genoegens *innocent / harmless fun / pleasures* **1.4** een ~ middel *a harmless remedy* **3.1** iem. ~ verklaren *clear s.o. of charges, declare s.o. innocent* **3.4** dat ziet er ~ uit *that looks innocent / harmless (enough)* **8.2** ~ als een lam / pasgeboren kind *i. as a new-born babe.*

onsmakelijk ⟨bn., bw.; -ly⟩ **0.1** [mbt. de smaak] *distasteful* ⇒*unsavoury, unappetizing, unpalatable* **0.2** [mbt. het gemoed / gevoel] *distasteful* ⇒*disagreeable, unsavoury* ♦ **1.2** ~e details *distasteful / unsavoury / lurid details;* een ~e geschiedenis *a distasteful story* **3.1** aangebrande melk is ~ *burnt milk is unpalatable* **3.2** iets ~ beschrijven *give an unsavoury / lurid description of sth.*

onsmeltbaar ⟨bn.⟩ **0.1** *not to be melted* ⇒*infusible* ⟨delfstoffen⟩.

onsolide ⟨bn., bw.; -ly⟩ **0.1** [niet stevig] *unsteady* ⇒*unstable, insubstantial* **0.2** [niet deugdzaam] *dissipated* ⇒*dissolute* ♦ **1.2** een ~ levenswij-

ze *a dissipated lifestyle* **1.¶** ~ ondernemingen *unreliable / unsound / doubtful ventures.*

onspeelbaar ⟨bn.⟩ **0.1** *unplayable* ⟨muziek⟩; *unactable* ⟨toneelstuk⟩.

onsplinterbaar ⟨bn.⟩ **0.1** *shatterproof* ♦ **1.1** ~ glas *laminated / safety glass.*

onsportief
  I ⟨bn., bw.; -ly⟩ **0.1** [niet sportief] *unsporting* ⇒*unsportsmanlike, unfair* ♦ **1.1** een onsportieve houding *an unsporting / unsportsmanlike attitude* **3.1** hij heeft zich ~ gedragen *he behaved unsportingly / unfairly / in an unsporting manner;* dat is ~ *that's unsporting / unfair;*
  II ⟨bn.⟩ **0.1** [geen sport beoefenend] *not sporty.*

onsportiviteit ⟨de (v.)⟩ **0.1** [het onsportief zijn] *unsportingness* ⇒*unfairness* **0.2** [onsportief iets] ⟨persoon⟩ *bad sport;* ⟨gedrag⟩ *piece of unsporting / unsportsmanlike behaviour.*

onstabiel ⟨bn., bw.; -ly⟩ **0.1** *unstable* ⇒*unsteady, labile, unsettled* ⟨weer⟩ ♦ **1.1** een ~e markt *an unstable market;* ⟨schei.⟩ een ~e verbinding *unstable compound.*

onstabiliteit ⟨de (v.)⟩ **0.1** *instability* ⇒*unstableness,* ⟨psych. ook⟩ *lability.*

onstandvastig ⟨bn., bw.⟩ **0.1** [veranderlijk] *unstable* ⇒*unsteady, unsettled* ⟨weer⟩ **0.2** [labiel] *unstable, unsettled, labile;* ⟨schr.⟩ *inconstant* ♦ **6.2** hij is ~ van aard *he has an unstable / a labile nature.*

onstandvastigheid ⟨de (v.)⟩ **0.1** *unstableness* ⇒*instability, lability,* ⟨schr.⟩ *inconstancy.*

onsterfelijk ⟨bn., bw.; -ly⟩ **0.1** [niet sterfelijk] *immortal* **0.2** [⟨fig.⟩ eeuwigdurend] *immortal* ⇒*undying, everlasting* **0.3** [met eeuwigdurende roem] *immortal* ♦ **1.3** ~e dichters *immortal poets / heroes* **2.2** zich ~ belachelijk maken *make an absolute fool of o.s.* **3.2** zich ~ maken *make o.s. immortal;* ~ maken *immortalize, etern(al)ize; perpetuate* ⟨naam bv.⟩ **7.1** de ~en *the immortals.*

onsterfelijkheid ⟨de (v.)⟩ **0.1** [het onsterfelijk zijn] *immortality* **0.2** [⟨fig.⟩ eeuwigdurende roem] *immortality* ♦ **1.1** de ~ v.d. ziel *the i. of the soul.*

onstichtelijk ⟨bn., bw.; -ly⟩ **0.1** *unedifying* ⇒*(morally) offensive.*

onstilbaar ⟨bn.⟩ **0.1** *insatiable* ♦ **1.1** onstilbare honger *insatiable appetite.*

onstoffelijk ⟨bn.⟩ **0.1** [niet materieel] *immaterial* ⇒*incorporeal, intangible, disembodied* **0.2** [geestelijk] *spiritual* ♦ **1.1** ~e goederen *intangible / non-material goods.*

onstoffelijkheid ⟨de (v.)⟩ **0.1** [het niet materieel zijn] *immateriality* ⇒*incorporeity, intangibility, disembodiment* **0.2** [het geestelijk zijn] *spirituality.*

onstuimig
  I ⟨bn., bw.⟩ **0.1** [hartstochtelijk] *passionate, tempestuous* ⇒*eager, impetuous* **0.2** [woest, wild] *turbulent* ⇒*tempestuous, boisterous, rambunctious* ♦ **1.1** ~e liefde *t. / p. love, grand passion;* een ~e minnaar *a t. lover;* een ~ temperament *a p. temperament* **1.2** de ~e zee *the turbulent / tempestuous sea* **3.1** zijn hart klopt ~ *his heart beats eagerly* **3.2** ~ binnenkomen *plunge / burst into the room;*
  II ⟨bn., bw.⟩ **0.1** [moeilijk in toom te houden] *unruly* ⇒*riotous,* ⟨bandeloos⟩ *wild* **0.2** [mbt. het weer] *turbulent* ⇒*tempestuous,* ⟨regen⟩ *torrential,* ⟨wind⟩ *fierce* ♦ **1.1** een ~ paard *a fiery horse.*

onstuimigheid ⟨de (v.)⟩ **0.1** [hartstochtelijkheid] *tempestuousness* ⇒*impetuosity* **0.2** [mbt. wind / zee] *tempestuousness, turbulence* ⇒*boisterousness,* ⟨mbt. wind ook⟩ *fierceness* **0.3** [het moeilijk in toom te houden zijn] *unruliness* ⇒*riotousness.*

onstuitbaar ⟨bn., bw.; -ly⟩ **0.1** *unstoppable* ⇒*irrepressible, rampant.*

onsympathiek ⟨bn., bw.; -ly⟩ **0.1** *unengaging* ⇒*uncongenial, unpleasant* ♦ **1.1** een ~ gezelschap *uncongenial company;* een ~e houding *an unengaging manner* **3.1** ik vind haar ~ *I find her unengaging.*

onsystematisch ⟨bn., bw.; -ally⟩ **0.1** *unsystematic* ⇒*unstructured, desultory* **¶.1** ~ te werk gaan *go about things unsystematically.*

ontaard
  I ⟨bn.⟩ **0.1** [bedorven] *degenerate* ⇒*corrupt* ♦ **1.1** ~e kunst *corrupt art;* een ~e vader *an unnatural father;*
  II ⟨bw.⟩ **0.1** [in hoge mate] *wickedly* ⇒*horribly* ♦ **2.1** ~ lui *w. lazy.*

ontaarden ⟨onov.ww.⟩ **0.1** [mbt. personen] *degenerate* **0.2** [mbt. zaken] *degenerate (into), deteriorate* ♦ **3.1** hoe kan iem. zo ~? *how can anyone d. to such an extent?* **3.2** doen ~ *deprave, pervert;* ⟨verliederlijken⟩ *debauch.*

ontaarding ⟨de (v.)⟩ **0.1** [het ontaarden] ⟨degeneratie⟩ *degeneration;* ⟨achteruitgang⟩ *deterioration* **0.2** [het ontaard zijn] ⟨gedegenereerdheid⟩ *degeneracy.*

ontactisch ⟨bn., bw.; -ly⟩ **0.1** *impolitic* ⇒*undiplomatic, tactless* ♦ **3.1** ~ optreden *act undiplomatically.*

ontastbaar ⟨bn.⟩ **0.1** *intangible* ⇒*impalpable.*

ontastbaarheid ⟨de (v.)⟩ **0.1** *intangibility* ⇒*impalpability.*

ontberen ⟨ov.ww.⟩ **0.1** *lack* ⇒*go / do without* ♦ **1.1** wij kunnen hierbij uw hulp niet ~ *we can't do / manage without your assistance in this matter* **3.1** iets moeten ~ *do / go without sth..*

ontbering ⟨de (v.)⟩ **0.1** [toestand] *hardship* ⇒*(de)privation* **0.2** [het ontberen] *deprivation* ♦ **1.1** de ~en v.d. poolwinter *the rigours of the arctic winter* **2.1** uitgeput door langdurige ~en *exhausted from protracted* *hardships* **3.2** ~en ondervinden *suffer d., be deprived* **6.2 van** ~ ster-ven *die from hardship/d..*

ontbieden ⟨ov.ww.⟩ **0.1** *summon* ⇒*send for,* ⟨jur.⟩ *convene* ◆ **1.1** een arts~ *send for a doctor* **6.1** iem. **bij** zich~ *send for s.o.;* ⟨schr.⟩ *sum-mon s.o. to one's presence.*

ontbijt ⟨het⟩ **0.1** [maaltijd] *breakfast* **0.2** [spijzen] *breakfast* ◆ **2.2** een licht~ *a light b.;* ⟨in hotel⟩ *a continental b.* **3.2** het~ gebruiken/klaarzetten *have/lay b.* **6.1** een kamer **met** ~ ⟨vnl. BE⟩ *bed and b./ B & B* **8.2** wat wil je als~? *what do you want/will you have for b.?.*

ontbijtbordje ⟨het⟩ **0.1** *breakfast plate.*

ontbijten ⟨onov.ww.⟩ **0.1** *(have) breakfast* ◆ **5.1** stevig/vroeg~ *have a hearty/an early breakfast;* een vlug~ *have a hasty/quick breakfast,* hurry through one's breakfast **6.1** ontbijt u **met** koffie of met thee? *do you have coffee or tea at breakfast?;* ~ **met** eieren en thee *have eggs and tea for breakfast.*

ontbijtkoek ⟨de (m.)⟩ **0.1** ≠*gingercake,* ≠*gingerbread.*

ontbijtservies ⟨het⟩ **0.1** *breakfast service/set.*

ontbijtshow ⟨de (m.)⟩ **0.1** *breakfast show.*

ontbijtspek ⟨het⟩ **0.1** ≠*bacon.*

ontbijttafel ⟨de⟩ **0.1** [tafel] *breakfast table* **0.2** [wat als ontbijt wordt op-gediend] *breakfast.*

ontbijttelevisie ⟨de (v.)⟩ **0.1** [B]*breakfast television,* [A]*early-morning/a.m. television.*

ontbindbaar ⟨bn.⟩ **0.1** *dissolvable, dissoluble* ⟨huwelijk, parlement, enz.⟩ ⇒⟨schei. ook⟩ *decomposable, separable.*

ontbinden ⟨ov.ww.⟩ **0.1** [opheffen] *dissolve* ⇒*disband* ⟨genootschap, leger⟩, ⟨rechtspersoonlijkheid ontnemen aan⟩ *disincorporate* **0.2** [⟨wisk., nat.⟩] *disintegrate, resolve* ⟨krachten⟩ **0.3** [⟨schei.⟩] *disinte-grate* ⟨gesteenten⟩*decompose* ⟨licht, lijk⟩ ◆ **1.1** ~d beding *avoid-ance clause;* een commissie ~ *disband a committee;* een huwelijk~ *dissolve a marriage;* de Kamer~ *dissolve Parliament;* de koop~ *undo the bargain;* een~de termijn *preclusive period of limitation,* term/ time of preclusion; een ~de voorwaarde *a resolutive condition* **4.1** zich~ *disband; vote itself out of office* ⟨kamer⟩ **6.2** een produkt **in** factoren~ *factorize a product, r. a product into factors.*

ontbinding ⟨de (v.)⟩ **0.1** [opheffing] *dissolution* ⇒*disbandment, rescis-sion* ⟨van contract⟩ **0.2** [⟨wisk., nat.⟩] *disintegration, resolution* **0.3** [bederf, ⟨ook fig.⟩] *decomposition* ⇒*decay, putrefaction, corruption* ⟨ook fig.⟩, *rot* ◆ **1.1** de ~ v.d. Tweede Kamer *the dissolution of Par-liament* **1.3** de ~ v.h. lichaam na de dood *the d./ corruption of the body after death;* in staat van ~ *in a state of d.;* dit zal leiden tot ~ v.d. staat *this will lead to the disintegration of the state* **3.3** tot ~ overgaan *decompose, decay, become decomposed.*

ontbindingsproces ⟨het⟩ **0.1** *(process of) decomposition/decay/putrefac-tion.*

ontbindingsrecht ⟨het⟩ **0.1** *right/power of dissolution.*

ontbindingsverzoek ⟨het⟩ **0.1** *application/suit for rescission (of contract).*

ontbladeren ⟨ov.ww.⟩ **0.1** *defoliate* ⇒*strip the leaves from/off* ◆ **1.1** grote gebieden in Vietnam zijn ontbladerd *large areas in Vietnam have been defoliated.*

ontbladeringsmiddel ⟨het⟩ **0.1** *defoliant.*

ontbloot ⟨bn.⟩ **0.1** [naakt] *bare* ⇒*nude, naked* **0.2** [verstoken] *devoid (of)* ◆ **1.1** met ontblote borsten *with bared breasts, topless;* met~ boven-lijf *stripped to the waist;* met~ hoofd *bareheaded, with uncovered head* **6.2** hij is niet~ **van** aanleg *he is not without/does not lack talent, he is not lacking in talent;* **van** alle grond~ *utterly unfounded;* het is niet **van** belang~ *it's not d. of importance;* hij is geheel~ **van** kennis op dat gebied *he is completely d. of knowledge in that field;* niet **van** middelen~ *not without means, not d. of means.*

ontbloten ⟨ov.ww.⟩ **0.1** [bloot maken] *bare* ⇒*strip, uncover,* ⟨onthul-len⟩ *expose* **0.2** [⟨geol.⟩] *denude* ◆ **1.1** zij ontblootte haar borsten *she bared her breasts;* een degen~ *unsheathe/b. a sword;* zich ontbloot-deel~ *expose one's person;* ⟨inf.⟩ *flash;* het hoofd~ *b. one's head.*

ontbloting ⟨de (v.)⟩ **0.1** [het bloot maken] *baring* ⇒⟨hoofd ook⟩ *un-covering, stripping, exposure* **0.2** [⟨geol.⟩] *denudation.*

ontboezemen ⟨ov.ww.⟩ **0.1** *unbosom* ⇒*unburden, pour out.*

ontboezeming ⟨de (v.)⟩ **0.1** *outpouring* ⇒*unburdening* ◆ **1.1** ~en van tederheid *expressions of tenderness* **3.1** zijn~ schokte de aanwezigen *his outpouring shocked those present/his audience.*

ontbolsteren ⟨ov.ww.⟩ **0.1** [ontdoen v.d. bolster] *shell* ⇒*husk, hull* **0.2** [⟨fig.;schr.⟩ beschaving bijbrengen] *polish* ⇒*refine* ◆ **1.1** een noot~ *s. a nut.*

ontbossen ⟨ov.ww.⟩ **0.1** *deforest* ⇒*dis(af)forest* ◆ **1.1** ontboste hoog-vlakten *deforested heights.*

ontbossing ⟨de (v.)⟩ **0.1** *deforestation, dis(af)forestation.*

ontbrandbaar ⟨bn.⟩ **0.1** *ignitable* ⇒*combustible,* ⟨ontvlambaar⟩ *inflam-mable,* [A]*flammable* ◆ **1.1** ontbrandbare gassen *ignitable gases.*

ontbrandbaarheid ⟨de (v.)⟩ **0.1** *ignitability* ⇒*combustibility, inflamma-bility,* [A]*flammability.*

ontbranden ⟨onov.ww.⟩ **0.1** [in brand vliegen] *ignite* ⇒*flare up,* ⟨fig.⟩ *be sparked off* **0.2** [mbt. hartstochten] *fire* ◆ **1.1** ⟨fig.⟩ de oorlog is ontbrand *war has broken out;* ⟨fig.⟩ de strijd is weer ontbrand *fight-ing has flared up again* **3.1** ⟨fig.⟩ een oorlog doen~ *spark off/start a war* **6.2 in** toorn/**in** drift~ *fly into a rage/passion.*

ontbranding ⟨de (v.)⟩ **0.1** *ignition* ⇒*combustion, inflammation, kin-dling* ◆ **2.1** spontane~ *spontaneous combustion.*

ontbrandingspunt ⟨het⟩ **0.1** *ignition point/temperature.*

ontbrandingstemperatuur ⟨de (v.)⟩ **0.1** *ignition temperature.*

ontbreken ⟨onov.ww.⟩ **0.1** [niet aanwezig zijn] *be lacking (in)* **0.2** [mbt. personen] *be absent/missing* ◆ **1.1** er ontbreekt geld *er is niet ge-noeg) there's not enough money;* ⟨er is verdwenen⟩ *there's money missing;* de~de goederen *the goods that are short;* de~de schakel *the missing link* **1.2** er~ nog enige genodigden *some of the (invited) guests are not yet present;* er ontbreekt een vierde speler *we're short of a fourth player* **3.1** dit mag in geen verzameling~ *this should be part of every collection, no collection should be without this* **6.1** het ontbreekt hem **aan** moed *he lacks courage;* waar het **aan** ontbreekt is …*what's lacking/missing is …;* het ontbreekt ons **aan** woorden om words fail us to;* het ontbrak haar niet **aan** moed *she wasn't wanting/ lacking in courage;* het zal je **aan** niets~ *you'll lack/want nothing, you shall want for nothing* **6.2** ~ **op** een vergadering *be absent from a meeting* **7.1** het~de aanvullen *supply the deficiency;* het~ van ver-standskiezen *the absence of wisdom teeth;* er ontbreekt nog veel aan *there's still much that is lacking/much to be desired* ¶**.1** dat ontbrak er nog maar aan *that was all that was needed;* het ontbrak er nog maar aan dat hij ook zijn sleutels vergeten had *all that was needed was for him to have forgotten his keys too.*

ontcijferbaar ⟨bn.⟩ **0.1** *decipherable* ⇒⟨code ook⟩ *decodable,* ⟨lees-baar⟩ *legible.*

ontcijferen ⟨ov.ww.⟩ **0.1** [met moeite lezen] *decipher* ⇒*make out* **0.2** [decoderen] *decipher* ⇒*decode, unscramble, break,* ⟨begrijpen⟩ *fig-ure out* ◆ **1.1** oude handschriften/zijn handschrift~ *d. old manu-scripts/his handwriting* **1.2** een code~ *decipher/break/unscramble a code;* een verslag~ *figure out a report.*

ontcijfering ⟨de (v.)⟩ **0.1** *deciphering, decipherment* ⇒⟨code ook⟩ *de-coding.*

ontdaan ⟨bn.⟩ **0.1** *disconcerted* ⇒*upset* ◆ **3.1** ~ kwam hij de kamer bin-nen *he came into the room all upset.*

ontdekken ⟨ov.ww.⟩ **0.1** [vinden] *discover* ⇒⟨vinden⟩ *detect,* ⟨gewaar-worden⟩ *descry,* ⟨inf.⟩ *nose out* **0.2** [vaststellen dat iets zo is] *discover* ⇒*ascertain* ◆ **1.1** een bekende~ in een menigte *pick out an acquain-tance/familiar face in a crowd;* goud~ *strike gold/it rich;* een komplot ~ *discover/uncover/lay bare a conspiracy;* de misdaad is ontdekt *the crime is out;* een nieuwe ster~ *discover a new star;* een nieuw talent~ *discover a new talent* **8.2** ik ontdekte dat … *I discovered/found that …* ¶**.1** iets bij toeval~ *hit upon/stumble across sth..*

ontdekker ⟨de (m.)⟩ **0.1** *discoverer.*

ontdekking ⟨de (v.)⟩ **0.1** [daad] *discovery* ⇒*find* **0.2** [hetgeen ontdekt is] *discovery* ◆ **3.1** hij begint tot de~ te komen dat het zo niet langer kan *he is waking up to the fact/it is beginning to dawn on him that things cannot go on like this* **3.2** een~ doen *make a d.;* deze actrice is de~ v.h. jaar *this actress is the d. of the year;* een~ zijn van iem. *be s.o.'s discovery* **6.1 op** ~ uitgaan *go on an exploratory expedition, ex-plore;* **tot** de~ komen, dat …*come to the d. that …, find that …;* de~ van Amerika *the d. of America.*

ontdekkingsreis ⟨de⟩ **0.1** *voyage of discovery, explorative/exploratory ex-pedition.*

ontdekkingsreiziger ⟨de (m.)⟩ **0.1** *explorer* ⇒*discoverer.*

ontdekkingstocht ⟨de (m.)⟩ →**ontdekkingsreis.**

ontdoen

I ⟨ov.ww.⟩ **0.1** [vrijmaken] *strip* ◆ **4.1** zich~ van kleding *remove one's clothes; disrobe* ⟨gewaad⟩ **6.1** een boek **van** het omslag~ *s. a book of its cover;* een tak **van** de schors~ *s. the bark off/from a branch;*

II ⟨wk.ww.; zich~⟩ **0.1** [v.d. hand doen] *dispose of* ⇒*discard* **0.2** [zich losmaken van] *rid/free o.s. of* ⇒*disembarrass o.s. of* ⟨vooroor-deel⟩ **0.3** [uit de weg ruimen] *dispose of, get rid of* ◆ **4.1** zich~ van ef-fecten *unload stocks* **4.3** zich~ v.e. rivaal *dispose of a rival, get a rival off one's hands.*

ontdooien

I ⟨onov.ww.⟩ **0.1** [wegdooien] *thaw* ⇒*defrost,* ⟨ontijzelen⟩ *deice,* ⟨waterleidingen ook⟩ *unfreeze,* ⟨sneeuw ook⟩ *melt* **0.2** [⟨fig.⟩] *thaw* ⇒*relax, unbend, come out of one's shell* ◆ **1.1** de grond is aan het~ *the ground is thawing out;* de rivieren~ *the rivers are melting;* het vlees ligt te~ *the meat is defrosting* **3.1** brood laten~ *thaw out the bread* **3.2** hij begint wat te~ *he's beginning to relax/thaw out/unbend /come out/loosen up a little;*

II ⟨ov.ww.⟩ **0.1** [doen wegdooien] *thaw (out)* ⇒*defrost, unfreeze* ◆ **1.1** groente~ *thaw out the vegetables;* de ijskast~ *defrost the refrige-rator.*

ontduiken ⟨ov.ww.⟩ **0.1** [zich aan iets onttrekken] *evade* ⇒*elude, dodge, circumvent* **0.2** [ontwijken] *evade* ⇒*dodge* ◆ **1.1** de belasting~ *evade (paying one's) taxes;* een bepaling proberen te~ *attempt to get round/ dodge/evade a regulation;* de wet~ *circumvent/elude the law* **1.2** hij wist de slag te~ *he managed to e./ dodge the blow.*

ontduiking ⟨de (v.)⟩ **0.1** *evasion* ⇒*elusion,* ⟨ontwijkend antwoord⟩ *cir-cumvention* ◆ **1.1** ~ van belastingen *tax evasion, evasion of taxes.*

ontechnisch ⟨bn., bw.;-ly⟩ **0.1** *untechnical*.
ontegensprekelijk ⟨bn., bw.;-ly⟩ →**ontegenzeglijk**.
ontegenzeglijk ⟨bn., bw.;-ly⟩ **0.1** *unarguable* ⇒*irrefutable, undeniable, ungainsayable* ◆ **3.1** ~ heeft hij gelijk *he's undeniably right*.
onteigenen ⟨ov.ww.⟩ **0.1** [mbt. zaken] *expropriate* ⇒*annex, impropriate* ⟨kerkeigendom⟩ **0.2** [mbt. personen] *dispossess* ⇒*evict* ⟨land, huis⟩ ◆ **1.1** grond ~ *acquire/purchase land compulsorily*; deze huizen zijn door de gemeente onteigend *these houses have been compulsorily purchased/expropriated by the council*.
onteigening ⟨de (v.)⟩ **0.1** *expropriation* ⇒*dispossession, impropriation* ⟨kerkeigendom⟩, *compulsory purchase*, ⟨jur.⟩ *alienation*.
onteigeningsrecht ⟨het⟩ ⟨jur.⟩ **0.1** *(right of) eminent domain*.
onteigeningswet ⟨de⟩ **0.1** *compulsory purchase act* ⇒[B]*Land Clauses Act*.
ontelbaar ⟨bn., bw.;-ly⟩ **0.1** *uncountable* ⇒*countless, innumerable*, ⟨onberekenbaar⟩ *incalculable* ◆ **1.1** een ~ aantal vragen *countless questions*; ontelbare malen *countless times* **7.1** ~ veel *countless*.
ontembaar ⟨bn.⟩ **0.1** *untameable* ⇒*indomitable, ungovernable*, ⟨onhandelbaar⟩ *indiscipinable*, ⟨onstuitbaar⟩ *irrepressible* ◆ **1.1** een ~ paard *an ungovernable horse*; een ontembare wilskracht *an indomitable willpower*.
onterecht ⟨bn., bw.;-ly⟩ **0.1** *undeserved* ⇒*unjust*, ⟨onbillijk⟩ *wrongful* ◆ **2.1** een ~ verwijt *an undeserved/unjust reproach*.
onteren ⟨ov.ww.⟩ **0.1** [te schande maken] *dishonour* ⇒*disgrace*, ⟨neerhalen⟩ *debase* **0.2** [schenden] *violate* ⇒*defile* **0.3** [⟨schr.⟩ verkrachten] *dishonour* ⇒*violate, ravish, defile, deflower* ⟨maagd⟩ ◆ **1.2** een tempel ~ *v. a temple*.
onterend ⟨bn.⟩ **0.1** *degrading* ⇒*disgraceful*, ⟨heiligschennend⟩ *sacrilegious* ◆ **1.1** een ~e beschuldiging *a disgraceful accusation*; een ~e straf *a degrading punishment*.
ontering ⟨de (v.)⟩ **0.1** [beroving v.d. eer] *dishonouring* ⇒*debasement* **0.2** [verkrachting] *dishonouring* ⇒*violation, ravishment, defilement, deflowering*.
onterven ⟨ov.ww.⟩ **0.1** *disinherit* ⇒*cut off* ◆ **7.1** ⟨fig.;schr.⟩ de onterfden *the disinherited*.
onterving ⟨de (v.)⟩ **0.1** *disinheritance* ⇒ ⟨zeldz.⟩ *disherison*.
ontevreden ⟨bn., bw.⟩ **0.1** [niet tevreden] *dissatisfied (with)* ⇒*discontent with, displeased (at sth. / with s.o.)* **0.2** [misnoegd] *dissatisfied* ⇒*malcontented, discontented, disaffected* ◆ **1.1** wat ben je toch een ~ mens *what a sourpuss you are* **3.1** je mag niet ~ zijn *(you) mustn't grumble* **6.1** ~ zijn met zijn positie *be discontent with one's position*; ~ zijn met de resultaten *be dissatisfied with the results*.
ontevredene ⟨de (m.)⟩ **0.1** *malcontent*.
ontevredenheid ⟨de (v.)⟩ **0.1** *dissatisfaction* ⇒*discontent*, ⟨humeurigheid⟩ *disgruntlement* ◆ **2.1** algemene ~ *general discontent* **6.1** ~ onder de arbeiders *dissatisfaction among(st) the workers*.
ontfermen ⟨wk.ww.;zich ~⟩ **0.1** [uit de nood helpen] *take pity (on)* ⇒*have mercy (on)* **0.2** [onder zijn verantwoordelijkheid nemen] *take care (of)* **0.3** [tot zich nemen] *see (to), take (good) care (of)* ◆ **6.1** zich ~ over iem. *befriend/take pity on s.o.* **6.2** kun jij je nu even over de kinderen ~ *could you take care of the children for a while now please*; Heer, ontferm U over ons *Lord, have mercy (up)on us* **6.3** zich ~ over de laatste sigaar *take care of the last cigar*.
ontferming ⟨de (v.)⟩ **0.1** *compassion* ⇒*mercy, pity*.
ontfutselen ⟨ov.ww.⟩ **0.1** *diddle* ⇒*filch, purloin*, ⟨ontlokken⟩ *worm* ◆ **1.1** iem. een geheim ~ *worm/fish a secret out of s.o.*; hij heeft mij mijn geld ontfutseld *he diddled me out of my money*.
ontgaan ⟨onov.ww.⟩ **0.1** [verloren gaan] *escape* ⇒*pass (by), miss* **0.2** [uit het geheugen doen verdwijnen] *slip, escape* **0.3** [aan het oog/oor ontsnappen] *escape, miss* ⇒*fail to notice* **0.4** [niet duidelijk zijn] *escape* ⇒*elude* ◆ **1.1** de overwinning kon ons niet meer ~ *victory was ours*; dat voordeeltje is hem ~ *that little perk passed him right by/slipped right from under his nose* **1.2** de zaak is mij ~ *the (entire) affair slipped my mind/escaped my memory* **1.4** de logica daarvan ontgaat mij *I fail to grasp/understand the logic of it, the logic of it eludes/escapes me*; de lol daarvan ontgaat mij *I fail to appreciate the fun in it* **4.3** haar ontgaat niets *she doesn't miss a thing, she's all eyes and ears* **6.3** aan iemands aandacht ~ *e. the notice of s.o.* **8.3** het kon niemand ~ dat *no-one could fail to notice that, nobody could avoid seeing that* ¶.3 wat hij net zei, is mij ~ *I missed/didn't get what he just said*.
ontgassen ⟨ov.ww.⟩ **0.1** *degas*.
ontgelden ⟨ov.ww.⟩ ◆ **3.¶** hij heeft het moeten ~ *he got it in the neck, he had to pay for it, he had to take the rap for it*.
ontgiften ⟨ov.ww.⟩ **0.1** *detoxify, detoxicate*.
ontginbaar ⟨bn.⟩ **0.1** *exploitable*.
ontginnen ⟨ov.ww.⟩ **0.1** [mbt. gronden] *reclaim* ⇒*develop*, ⟨cultiveren⟩ *cultivate* **0.2** [mbt. mijnen] *exploit* **0.3** [⟨fig.⟩] *explore* ⇒*develop* ◆ **1.3** nieuw terrein ~ *open up/break/develop new ground*.
ontginner ⟨de (m.)⟩ **0.1** *reclaimer, cultivator*.
ontginning ⟨de (v.)⟩ **0.1** [exploitatie] *exploitation* ⇒*development* **0.2** [mbt. grond] ⟨ook de grond zelf⟩ *reclamation* ⇒*development*, ⟨het ontginnen ook⟩ *cultivation* ◆ **3.2** er liggen hier uitgestrekte ~en *there are vast reclamations here, there are vast areas under development here*.

ontginningsmaatschappij ⟨de (v.)⟩ **0.1** *reclamation/development company*.
ontglazen ⟨onov.ww.⟩ ⟨tech.⟩ **0.1** *devitrify*.
ontglijden ⟨onov.ww.⟩ ⟨schr.⟩ **0.1** *slip from*.
ontglippen ⟨onov.ww.⟩ **0.1** [ontsnappen] *slip* ⇒*get away* **0.2** [ontgaan, verloren gaan voor] *slip* ⇒*escape* ◆ **1.1** de bal ontglipte hem *the ball slipped out of his hands*; het leven ontglipt hem *life is slipping away from him*; die opmerking ontglipte me *that remark slipped out*; er ontglipte een zucht aan haar borst *she gave a sigh* **3.2** zich een kans laten ~ *let an opportunity s. (away/by)* **6.1** aan iemands vingers ~ *s. through s.o.'s fingers* **6.2** aan de aandacht v.d. politie ~ *escape police notice*.
ontgloeien ⟨onov.ww.⟩ ⟨schr.⟩ **0.1** *inflame, (take) fire* ◆ **6.1** ⟨fig.⟩ in geestdrift ~ *be roused to enthusiasm*.
ontgoocheld ⟨bn.⟩ **0.1** *disillusioned*.
ontgoochelen ⟨ov.ww.⟩ **0.1** *disillusion* ⇒*disenchant*, ⟨uit de droom helpen⟩ *undeceive*.
ontgoocheling ⟨de (v.)⟩ **0.1** *disillusionment* ⇒*disenchantment*, ⟨inf.⟩ *come-down* ◆ **2.1** het zal een wrede ~ voor hem zijn *it'll be a sore disillusionment/disappointment to him, it will bring him down to earth with a bump*.
ontgraten ⟨ov.ww.⟩ **0.1** *bone* ⇒*fil(l)et*.
ontgrendelen ⟨ov.ww.⟩ **0.1** *unbolt* ⇒*unbar, unlatch*.
ontgroeien ⟨onov.ww.⟩ **0.1** *outgrow* ◆ **1.1** ⟨fig.⟩ die jongens ~ me *those boys are getting too much for me*; ⟨fig.⟩ de kinderschoenen/schoolbanken ontgroeid zijn *have left one's childhood/schooldays behind*; ⟨fig.⟩ de ouderlijke tucht ontgroeid zijn *be beyond parental authority*.
ontgroenen ⟨ov.ww.⟩ ⟨stud.⟩ **0.1** [B]*rag*, [A]*haze* ◆ **1.1** eerstejaars (studenten) ~ *r. freshers*, [A]*h. freshmen*.
ontgroening ⟨de (v.)⟩ ⟨stud.⟩ **0.1** [B]*ragging*, [A]*hazing*.
ontgronden ⟨ov.ww.⟩ **0.1** [ondergrond doen verliezen] *erode, wash away* **0.2** [afgraven] *clear*.
onthaal ⟨het⟩ **0.1** [ontvangst] *welcome* ⇒*reception* **0.2** [⟨fig.⟩ begejening] *reception* ◆ **2.1** een feestelijk/gastvrij ~ *a festive/hospitable w.* **2.2** zijn woorden vonden een goed ~ *his words were welcomed/well received* **3.1** iem. een feestelijk ~ bereiden *prepare s.o. a festive w., kill the fatted calf for s.o.*.
onthaalmoeder ⟨de (v.)⟩ →**oppasmoeder**.
onthalen ⟨ov.ww.⟩ **0.1** [ontvangen als gast] *entertain* ⇒*greet, host* **0.2** [trakteren] *treat* **0.3** [⟨fig.⟩ vergasten op] *regale, entertain* ◆ **5.1** iem. goed ~ *do s.o. well*; iem. vorstelijk ~ *entertain s.o. royally*; iem. warm ~ *give s.o. a warm welcome, give a warm reception to s.o.* **6.2** de schoolkinderen ~ op limonade *t. the schoolchildren to (fizzy) lemonade* **6.3** ⟨iron.⟩ iem. op een pak slaag ~ *treat s.o. to a sound thrashing*; gasten op een lied ~ *e. guests with a song*; iets op hoongelach ~ *pour ridicule on s.o., greet s.o. with ridicule/jeers*.
onthalzen ⟨de (v.)⟩ **0.1** *behead* ⇒[†]*decapitate*.
onthand ⟨bn.⟩ **0.1** *inconvenienced* ⇒*put out* ◆ **3.1** door het gemis van dit boek ben ik erg ~ *I'm greatly i. by the loss of this book*.
ontharden ⟨ov.ww.⟩ **0.1** *soften*.
ontharder ⟨de (m.)⟩ **0.1** *softener*.
ontharen ⟨ov.ww.⟩ **0.1** [mbt. lichaamsdelen] *depilate* ⇒*strip* ⟨honden⟩, *unhair* ⟨bont⟩ **0.2** [⟨leerbereiding⟩] *grain*.
ontharingscrème ⟨de⟩ **0.1** *depilatory (cream)*.
ontharingsmiddel ⟨het⟩ **0.1** *depilatory*.
ontharsen ⟨ov.ww.⟩ **0.1** *deresinate*.
onthechten ⟨wk.ww.;zich ~⟩ ⟨schr.⟩ **0.1** *detach, disengage* ◆ **6.1** zich van iets ~ *disengage o.s. from sth.*.
ontheemd ⟨bn.⟩ **0.1** [weg v.h. vaderland] *homeless* ⇒*rootless* **0.2** [⟨fig.⟩] *uprooted* ◆ **3.2** zich ~ voelen *feel u. / out of place*.
ontheemde ⟨de (m.)⟩ **0.1** [iem. zonder vaderland] *displaced person* **0.2** [⟨fig.⟩] *drifter*.
ontheffen ⟨ov.ww.⟩ **0.1** [ontslaan] *discharge* ⇒*dismiss, remove* **0.2** [ontzeggen] *deprive* ⇒*take away* **0.3** [vrijstellen] *release* ⇒*exempt* **0.4** [doen ontstijgen] *raise/lift above* ⇒*free, liberate from* ◆ **6.1** uit zijn functie ontheven worden *be discharged/removed from office* **6.2** iem. van zijn bevoegdheden ~ *deprive s.o. of his powers/authority*; van het bevel ontheven worden *be superseded in the command, be removed from/relieved in the command*; iem. van de ouderlijke macht/voogdij ~ *take away s.o.'s parental rights*.
ontheffing ⟨de (v.)⟩ **0.1** [vrijstelling] *exemption; release* ⟨van verplichting⟩ **0.2** [ontslag] *discharge* ⇒*dismissal* **0.3** [ontzegging] *withdrawal* ◆ **3.1** ~ krijgen/hebben van *obtain a r. from, be released from*; ~ verlenen van *dispense with* ⟨formaliteit⟩; *grant exemption from* ⟨de wet, plicht⟩; *grant discharge from* ⟨ambt⟩ **6.1** ~ van belastingplicht *tax e., immunity from taxation* **6.2** ~ uit een ambt *discharge from an office* **6.3** ~ van de ouderlijke macht/voogdij *taking away of parental rights*.
ontheiligen ⟨ov.ww.⟩ **0.1** *desecrate* ⇒*defile, violate*.
ontheiliging ⟨de (v.)⟩ **0.1** *desecration* ⇒*sacrilege, defilement, violation*.
onthoofden ⟨ov.ww.⟩ **0.1** *behead* ⇒*decapitate*.
onthoofding ⟨de (v.)⟩ **0.1** *decapitation, beheading* ⇒ ⟨zeldz.⟩ *decollation*.

onthouden
I ⟨ov.ww.⟩ **0.1** [niet vergeten] *remember* **0.2** [niet geven] *withhold* ⇒ *keep/hold back* ◆ **1.1** goed gezichten kunnen ~ *have a good memory for faces;* ik kan nooit namen ~ *I'm bad at names, I have a bad memory for names, I can never r. names* **1.2** zijn goedkeuring ~ aan *w. one's consent to;* iem. het loon ~ *withhold s.o.'s wages;* iem. zijn steun ~ *w. one's support from s.o.* **3.1** ik zal het je helpen ~ *I'll help you r. it, I'll remind you of it;* je moet goed ~ morgen naar de tandarts te gaan *make a (mental) note to go to the dentist tomorrow;* dat zal ik ~! ⟨dreigement⟩ *I won't forget this!;* ⟨bij raadgeving⟩ *I'll keep it in mind!* **5.1** een gemakkelijk/moeilijk te ~ naam *a memorable/elusive name* **¶.1** ⟨in optelsom⟩ twee opschrijven, één ~ *write down two and carry one;* onthoud dat goed! *bear/keep it in mind!, don't (you) forget!;*
II ⟨wk.ww.; zich ~⟩ **0.1** [ontzeggen] *abstain (from),* ⇒ *refrain (from), forgo, forbear* ◆ **6.1** zich **van** vlees ~ *not eat meat;* zich **van** stemming ~ *withhold one's vote, a. (from voting).*

onthouding ⟨de (v.)⟩ **0.1** [het niet-deelnemen] *abstinence, forbearance;* ⟨van drank⟩ *temperance* **0.2** [blanco stem] *abstention* **0.3** [mbt. geslachtsverkeer] *continence* ⇒ *celibacy* ◆ **2.3** periodieke ~ *rhythm method;* ⟨inf.⟩ *Russian roulette.*

onthoudingsdag ⟨de (m.)⟩ **0.1** *maigre day.*
onthoudingsverschijnselen ⟨zn.mv.⟩ **0.1** *withdrawal symptoms.*
onthullen ⟨ov.ww.⟩ **0.1** [v.h. hulsel ontdoen] *unveil* **0.2** [aan het licht doen komen] *reveal* ⇒ *disclose, divulge,* ⟨laten uitlekken⟩ *leak* ◆ **1.1** een gedenkteken ~ *u. a statue* **1.2** een ~d artikel *a revealing article;* alle details aan iem. ~ *divulge all the details to s.o.;* een geheim ~ *divulge a secret;* hij onthulde haar de waarheid *he revealed the truth to her;* de waarheid ~ *unlock the truth* **4.2** alles ~ *r. ! tell all, give it all away;* ⟨inf.⟩ *let it all hang out.*

onthulling ⟨de (v.)⟩ **0.1** [mbt. een standbeeld] *unveiling* **0.2** [openbaarmaking] *revelation* ⇒ *disclosure* **0.3** [wat bekend gemaakt wordt] *revelation* ⇒ *disclosure, divulgence* ◆ **2.3** opzienbarende ~en *startling disclosures* **3.2** ~en doen over *disclose;* ⟨inf.⟩ *blow/take/lift the lid off.*

onthutsen ⟨ov.ww.⟩ **0.1** *disconcert* ⇒ *bewilder,* ⟨verbijsteren⟩ *stagger.*
onthutst ⟨bn., bw.; -ly⟩ **0.1** *disconcerted* ⇒ *confounded, bewildered,* ⟨verbijsterd⟩ *staggered* ◆ **3.1** iem. ~ aankijken *look at s.o. in bewilderment;* ~ zijn over *be dismayed at/bewildered by.*

ontiegelijk ⟨bw.⟩ ⟨inf.⟩ **0.1** ⟨ongemarkeerd⟩ *terribly, immensely* ⇒ ⟨vnl.BE⟩ *beastly* ◆ **1.1** een ~e klootzak *a terrible bastard* **2.1** ~ knap *i. clever;* ~ rijk *filthy rich* **3.1** ~ zaniken *nag inordinately* **7.1** hij heeft ~ veel geluk *he's t. lucky.*

ontij ⟨het⟩ ◆ **1.¶** bij nacht en ~ *at dead of night.*
ontijdig ⟨bn., bw.⟩ **0.1** *untimely* ⇒ *ill-timed, unseasonable, inopportune,* ⟨vroegtijdig⟩ *premature* ◆ **1.1** een ~e bevalling *a miscarriage; a premature delivery;* een ~ bezoeker *an inopportune visitor;* ~e discussie *an ill-timed debate;* een ~e dood *an untimely/premature death;* een ~e dood sterven *die an untimely death;* tot een ~e einde komen *come to a premature end, abort;* een ~e geboorte *premature birth* **3.1** ~ bevallen *miscarry, abort.*

ontilbaar ⟨bn., bw.; -ly⟩ **0.1** *immovable, backbreaking* ◆ **2.1** ~ zwaar *backbreakingly heavy.*
ontinkten ⟨ov.ww.⟩ ⟨druk.⟩ **0.1** *de-ink.*
ontisch ⟨bn.⟩ ⟨fil.⟩ **0.1** *ontic.*
ontkalken ⟨ov.ww.⟩ **0.1** *decalcify* ⇒ *descale* ◆ **1.1** het koffiezetapparaat ~ *descale the coffee machine.*
ontkalker ⟨de (m.)⟩ **0.1** [apparaat] *decalcifier* **0.2** [chemisch preparaat] *decalcifier.*
ontkalking ⟨de (v.)⟩ **0.1** [het ontkalken] *descaling* **0.2** [med.] *decalcification.*

ontkennen
I ⟨ov.ww.⟩ **0.1** [zeggen dat iets niet (zo) is] *deny* ⇒ *disaffirm* ◆ **¶.1** het valt niet te ~, dat ... *it's not to be denied/undeniable that ...;*
II ⟨onov., ov.ww.⟩ **0.1** [niet bekennen] ⟨ov.ww.⟩ *deny* ⇒ *disclaim,* ⟨verwerpen⟩ *repudiate,* ⟨onov.ww.⟩ *plead not guilty* ◆ **1.1** zij ontkenden jouw aandeel in de zaak *they disavowed your share in the matter;* de verdachte ontkende (schuld) *the suspect pleaded not guilty* **5.1** dit kun je beter ~ *this is best denied, you had better repudiate this;* dit kun je niet meer ~ *you can't get away from this, there's no denying this any longer* **8.1** hij ontkent dat het zijn handtekening is *he doesn't acknowledge the signature* **¶.1** hij ontkende iets met de brief te maken te hebben *he disclaimed the letter, he denied any involvement in the letter.*

ontkennend
I ⟨bn., bw.; -ly⟩ **0.1** [negatief] *negative* ⇒ *negatory* ◆ **1.1** een ~ antwoord *a negative answer* **3.1** een vraag ~ beantwoorden *answer in the negative;* het antwoord is ~/ moet ~ luiden *the answer is/must be in the negative;*
II ⟨bn.⟩ **0.1** [⟨taal.⟩] *negative* ⇒ *privative* ◆ **1.1** zet die zin in de ~e vorm *put that sentence in(to) the n.* **1.¶** ~ bijwoord *n. adverb;* ~ lidwoord *n. determiner;* ~ voorvoegsel/achtervoegsel *privative prefix/suffix.*

ontkenning ⟨de (v.)⟩ **0.1** [het ontkennen] *denial* ⇒ *negation* **0.2** [ontkennende uitspraak] *denial* ◆ **1.1** ⟨taal.⟩ bijwoord van ~ *adverb of negation;* ~ v.d. feiten lost niets op *a d. of the facts won't solve anything;* ~ v.h. vaderschap *repudiation of fatherhood.*
ontkenningswoord ⟨het⟩ ⟨taal.⟩ **0.1** *negative.*
ontkerkelijking ⟨de (v.)⟩ **0.1** *secularization.*
ontkerstenen
I ⟨onov.ww.⟩ **0.1** [het geloof verliezen] *lose faith;*
II ⟨ov.ww.⟩ **0.1** [het geloof doen verliezen] *dechristianize.*
ontkerstening ⟨de (v.)⟩ **0.1** *dechristianization.*
ontketenen ⟨ov.ww.⟩ **0.1** [doen losbarsten] *let loose; unchain* ⟨krachten⟩; *unleash* ⟨energie⟩; *stir up* ⟨strijd⟩; *launch* ⟨aanval⟩ **0.2** [van zijn ketenen bevrijden] *unchain* ⇒ *unfetter,* ⟨ontboeien⟩ *unshackle* ◆ **1.1** een actie ~ *launch an action/proceedings;* de oorlog ~ *start a war;* een prijzenslag ~ *launch a price war;* het stuk ontketende een storm van protesten *the play provoked/unleashed a storm of protest* **1.2** ⟨fig.⟩ ~de driften *unfettered passions;* de misdadiger werd ontketend *the criminal was unchained.*
ontkiemen ⟨onov.ww.⟩ **0.1** [uit de kiem komen] *germinate* **0.2** [⟨fig.⟩] *germinate* ⇒ *bud* ◆ **1.1** dit zaad is niet ontkiemd *this seed has not germinated* **1.2** een ~de liefde *a budding love.*
ontkieming ⟨de (v.)⟩ ⟨plantk.⟩ **0.1** *germination* ⟨ook fig.⟩.
ontkleden ⟨ov.ww.⟩ **0.1** [uitkleden] *undress* ⇒ *unclothe* **0.2** [van iets ontdoen] *divest of* ◆ **4.1** zich ~ *undress.*
ontkleed ⟨bn.⟩ **0.1** *undressed.*
ontkleuren
I ⟨ov.ww.⟩ **0.1** [kleur-/verfstoffen verwijderen] *decolour(ize);*
II ⟨onov.ww.⟩ **0.1** [kleur verliezen] *blanch* ⇒ *lose colour, fade.*
ontkleuring ⟨de (v.)⟩ **0.1** [het verwijderen van kleur] *decolorization* ⇒ *decoloration* **0.2** [verbleking] *discolouration, discolouring, fading.*
ontkleuringsmiddel ⟨het⟩ **0.1** *decolorant.*
ontknopen ⟨ov.ww.⟩ **0.1** [losknopen] *unbutton* ⇒ *undo* **0.2** [knopen uithalen] *disentangle* ⇒ *(un)ravel* **0.3** [ophelderen] *disentangle* ⇒ *unravel* ◆ **1.2** een touw ~ *ravel a (piece of) rope* **1.3** het raadsel werd ontknoopt *the mystery got unravelled* ^*eled.*
ontknoping ⟨de (v.)⟩ **0.1** [afloop v.d. verwikkeling] *dénouement* **0.2** [deel v.e. drama/roman] *dénouement* ⇒ *anagnorisis* ◆ **2.1** een noodlottige ~ *a catastrophe;* een onverwachte ~ *an unexpected d.* **3.1** zijn ~ naderen *reach a head/climax* ⟨conflict⟩ **3.2** zijn ~ naderen *move towards a d..*
ontkolen ⟨ov.ww.⟩ **0.1** *decarbonize* ⇒ ⟨BE ook⟩ *decoke.*
ontkomen ⟨onov.ww.⟩ **0.1** [ontsnappen] *escape* ⇒ *evade, get away* **0.2** [zich onttrekken] *evade* ⇒ *get round* ◆ **1.1** (aan) de dood/vijand ~ *escape death/the enemy* **3.1** zij wisten te ~ *they managed to get away/break away/escape* **5.1** ternauwernood ~ aan *narrowly escape, have a narrow escape from, escape by the skin of one's teeth* **5.2** wij kunnen niet ~ aan de indruk, dat ... *we can't get round/avoid the impression that ...* **6.1** aan een gevaar ~ *escape a risk;* **aan** zijn schuldeisers ~ *evade one's creditors* **6.2** aan die verplichting valt niet te ~ *there's no evading/getting round that obligation;* aan verdere bezuinigingen valt niet te ~ *there's no getting away from further spending cuts* **¶.1** er is geen ~ aan *there's no getting away from it, it's got to be done, there's no escape from it.*
ontkoppelen ⟨ov.ww.⟩ **0.1** [loskoppelen] *uncouple; unleash* ⟨krachten, energie⟩; ⟨ruim.⟩ *undock* **0.2** [debrayeren] *declutch* **0.3** [⟨fig.⟩] *disconnect, unlink* ◆ **1.1** de jachthonden ~ *unleash the hounds* **7.1** het ~ v.d. sociale voorzieningen en het minimumloon *unlinking of social services and minimum wages.*
ontkoppeling ⟨de (v.)⟩ **0.1** [het ontkoppelen] *disconnection* **0.2** [⟨fig.⟩] *unlinking* ⇒ *separation* ◆ **6.2** de ~ **van** priesterambt en celibaat *seperating priesthood and celibacy.*
ontkoppelingspedaal ⟨het⟩ **0.1** *clutch.*
ontkrachten ⟨ov.ww.⟩ **0.1** *enfeeble* ⇒ *enervate, emasculate, negate* ◆ **1.1** een argument/bewijs ~ *take the edge off an argument/a piece of evidence.*
ontkrullen ⟨ov.ww.⟩ **0.1** *uncurl* ⇒ *straighten.*
ontkurken ⟨ov.ww.⟩ **0.1** *uncork, unstop(per)* ⇒ ⟨aanbreken⟩ *broach.*
ontlaadspanning ⟨de⟩ **0.1** *discharge tension.*
ontlaadtang ⟨de⟩ ⟨nat.⟩ **0.1** *discharging rod.*
ontladen
I ⟨ov.ww.⟩ **0.1** [afladen] *unload* ⇒ *offload, discharge* **0.2** [mbt. vuurwapens] *unload* ⇒ ⟨afschieten⟩ *discharge* **0.3** [mbt. elektrische lading] *discharge* ◆ **1.3** een batterij ~ *d. a battery* **4.3** er ontlaadde zich een hevig onweer boven ons *a heavy thunderstorm broke over our heads;*
II ⟨onov.ww.⟩ **0.1** [klaarkomen] *come;*
III ⟨wk.ww.; zich ~⟩ ⟨fig.⟩ **0.1** [zich bevrijden] *be released* ◆ **1.1** zijn woede ontlaadde zich *his anger was released.*
ontlader ⟨de (m.)⟩ **0.1** [⟨nat.⟩ instrument] *discharger* **0.2** [iem. die aflaadt] *unloader.*
ontlading ⟨de (v.)⟩ **0.1** [mbt. emoties] *release* **0.2** [⟨nat.⟩] *discharge* ◆ **1.2** de ~ v.e. accu *the discharging/running down of a battery* **2.2** een elektrische ~ *an electric d..*

ontladingsbuis ⟨de⟩ ⟨nat.⟩ **0.1** *discharge tube.*

ontladingsvertraging ⟨de (v.)⟩ ⟨nat.⟩ **0.1** *discharge lag.*

ontlasten
I ⟨ov.ww.⟩ **0.1** [ontdoen v.e. last] *relieve* **0.2** [⟨fig.⟩ verlichten van last] *unburden* ⇒*relieve* **0.3** [vrijstellen] *exempt* ◆ **1.2** het hart/ gemoed ~ *u. one's heart/emotions;* het programma ~ *lighten the schedule;* een drukke verkeersader ~ *relieve a busy (traffic) artery* **3.2** we moeten hem wat ~ *we've got to take some work off him/some of the weight off his shoulders* **6.1** mag ik u van dat pak ~? *may I r. you of this parcel?* **6.2** zij ontlastte hem **van** de kinderen *she took the children off his hands* **6.3** iem. **van** een taak ~ *relieve s.o. of a task;*
II ⟨wk.ww.; zich ~⟩ **0.1** [zijn behoefte doen] *open one's bowels* **0.2** [uitmonden] *discharge/flow/empty (into)* **0.3** [zich van zijn inhoud ontdoen] *discharge* ⇒*empty.*

ontlasting ⟨de (v.)⟩ **0.1** [het zich ontlasten] *defecation* ⇒*(bowel) motion* **0.2** [uitwerpselen] *faeces* ⇒*excrement, stools* **0.3** [(gedeeltelijke) vrijstelling] *(partial) exemption* **0.4** [⟨fig.⟩ verlichting van last] *relief* ◆ **1.4** de ~ v.d. telefooncentrale *the r. of the telephone-exchange* **2.1** voor een goede ~ zorgen *keep the bowels open* **2.2** weke/harde ~ *soft/hard defecation/motions* **3.1** een moeilijke ~ hebben *have a difficult bowel movement* **6.1** problemen **met** de ~ hebben *problems keeping one's bowels open.*

ontlastingsboog ⟨de (m.)⟩ ⟨bouwk.⟩ **0.1** *relieving/discharging arch.*

ontlaten
I ⟨onov.ww.⟩ **0.1** [zachter worden] *thaw* ◆ **3.1** de ruiten beginnen te ~ *the ice on the windows is beginning to melt;* de grond begint te ~ *the ground is thawing out;*
II ⟨ov.ww.⟩ ⟨tech.⟩ **0.1** [mbt. metalen] *temper.*

ontleden ⟨ov.ww.⟩ **0.1** [in delen scheiden] *anatomize* ⇒*dissect* **0.2** [de afzonderlijke delen beschouwen] *analyse* ᴬ*ze* **0.3** [analyseren] *analyse* ᴬ*ze* **0.4** [⟨schei.⟩] *analyse* ᴬ*ze* ◆ **1.1** een bloem/ dier ~ *dissect a flower / an animal;* een lijk ~ *a. a corpse* **1.2** een gedicht ~ *a. a poem;* ⟨taal.⟩ een zin ~ *a. / parse a sentence* **1.3** iemands karakter ~ *a. s.o.'s character.*

ontleder ⟨de (m.)⟩ **0.1** *analyst* ⇒*dissector,* ⟨taal.⟩ *parser.*

ontleding ⟨de (v.)⟩ **0.1** [het scheiden in delen] *anatomy* ⇒*dissection* **0.2** [het beschouwen van afzonderlijke delen] *analysis* **0.3** [analyse] *analysis* **0.4** [⟨schei.⟩] *analysis* ◆ **2.2** taalkundige/redekundige ~ ⟨ook⟩ *parsing.*

ontledingsspanning ⟨de (v.)⟩ ⟨nat.⟩ **0.1** *decomposition potential.*

ontledingstemperatuur ⟨de (v.)⟩ ⟨schei.⟩ **0.1** *decomposition temperature.*

ontleedbaar ⟨bn.⟩ **0.1** *analysable* ᴬ*zable* ⇒*decomposable.*

ontleedkamer ⟨de⟩ **0.1** *dissecting room.*

ontleedkunde ⟨de (v.)⟩ **0.1** *anatomy.*

ontleedkundig ⟨bn., bw.; -(al)ly⟩ **0.1** *anatomic(al).*

ontleedkundige ⟨de (m.)⟩ **0.1** *anatomist.*

ontleedmes ⟨het⟩ **0.1** *scalpel* ⇒*dissecting knife* ◆ **1.1** ⟨fig.⟩ het ~ v.d. kritiek *the sharp tool of criticism.*

ontleedtafel ⟨de⟩ **0.1** *dissecting table.*

ontlenen ⟨ov.ww.⟩ **0.1** [⟨+aan⟩ overnemen uit] *derive* ⇒*borrow, extract, take* **0.2** [⟨+aan⟩ te danken hebben] *take* ⇒*derive* **0.3** [⟨AZN⟩ te leen nemen] *borrow* ◆ **6.1** woorden **aan** het Engels ~ *borrow words from English;* **aan** het rapport ~ wij het volgende *we extract the following from the report;* de volgende regels zijn ontleend **aan** een stuk van Shakespeare *the following lines are taken from a play by Shakespeare;* een bericht ontleend **aan** de Volkskrant *an extract from the Volkskrant* **6.2** zijn naam ~ **aan** iem. / iets *t. one/its name from s.o. / sth.;* een recht ~ **aan** *derive a right from, found a right on.*

ontlening ⟨de (v.)⟩ **0.1** [het ontlenen] *derivation* ⇒*borrowing* **0.2** [woord, uitdrukking] *quote* ⟨van persoon⟩ ⇒*borrowing* ⟨uit andere taal⟩.

ontlokken ⟨ov.ww.⟩ **0.1** *elicit (from)* ◆ **1.1** iem. een geheim/belofte ~ *e. a secret/promise from s.o.;* hij wist de baby een glimlach te ~ *he coaxed a smile from the baby* **6.1** ⟨fig.⟩ tonen **aan** een instrument ~ *get a sound out of/draw a sound from an instrument;* de waarheid **aan** iem. ~ *e. the truth from s.o..*

ontlopen ⟨ov.ww.⟩ **0.1** [ontsnappen] *escape* ⇒*outrun* **0.2** [mijden] *avoid* **0.3** [uiteenlopen] *differ from* ◆ **1.1** ⟨fig.⟩ de dood ~ *e. death;* zijn straf ~ *e. / avoid punishment;* ⟨sl.⟩ *beat the rap, go/get off/escape scot-free* **1.2** dat is de moeilijkheden ~ *that's begging the question, that's running away from/shunting the problems at hand* **4.2** elkaar ~ *a. each other* **4.3** die twee ~ elkaar niet veel *there's not much to choose between the two, those two are much of a muchness, they don't differ much;* de prijzen ~ elkaar bijzonder weinig *prices aren't very far apart, there's not much difference between the prices.*

ontluchten ⟨ov.ww.⟩ **0.1** *ventilate* ⇒*bleed* ◆ **1.1** radiatoren ~ *bleed the radiators.*

ontluiken
I ⟨ov.ww.⟩ **0.1** [mbt. bloemen] *open;*
II ⟨onov.ww.⟩ **0.1** [zich ontsluiten] *open* **0.2** [zich ontwikkelen] *burgeon* ⇒*bud* ◆ **1.2** een ~de liefde *an awakening love;* een ~d talent *a burgeoning/budding talent* **3.2** doen ~*awaken.*

ontluisteren ⟨ov.ww.⟩ **0.1** *humiliate, tarnish.*

ontluizen ⟨ov.ww.⟩ **0.1** *delouse* ⇒*louse, debug.*

ontmaagden ⟨ov.ww.⟩ **0.1** *deflower.*

ontmaagding ⟨de (v.)⟩ **0.1** *deflowering* ⇒*defloration.*

ontmagnetiseren ⟨ov.ww.⟩ ⟨nat.⟩ **0.1** *demagnetize.*

ontmannen ⟨ov.ww.⟩ **0.1** *castrate* ⇒*emasculate, unman* ◆ **7.1** ⟨zelfst.⟩ een ontmande *a eunuch.*

ontmanning ⟨de (v.)⟩ **0.1** *castration* ⇒*emasculation, unmanning.*

ontmantelen ⟨ov.ww.⟩ **0.1** [buiten bedrijf stellen] *dismantle* ⇒*strip* **0.2** [v.d. mantel ontdoen] *dismantle* **0.3** [v.d. omwalling ontdoen] *dismantle* ◆ **1.1** kernwapens ~ *d. nuclear weapons;* een mijn/fabriek ~ *d. a mine/factory;* ⟨fig.⟩ een organisatie ~ *d. / strip an organization.*

ontmanteling ⟨de (v.)⟩ **0.1** [het buiten bedrijf stellen] *dismantlement* **0.2** [het v.d. mantel ontdoen] *dismantlement* **0.3** [mbt. een stad] *dismantlement.*

ontmaskeren ⟨ov.ww.⟩ **0.1** [v.h. masker ontdoen] *unmask* **0.2** [⟨fig.⟩] *unmask* ⇒*expose, show up* ◆ **1.2** de bedrieger werd ontmaskerd *the impostor was exposed* **8.2** hij werd ontmaskerd als een lafaard *he was shown up as a coward.*

ontmaskering ⟨de (v.)⟩ **0.1** *unmasking* ⇒⟨ook fig.⟩ *exposure.*

ontmasten ⟨ov.ww.⟩ **0.1** *dismast.*

ontmenging ⟨de (v.)⟩ **0.1** *separation* ⇒*liquation* ⟨metalen⟩, *segregation* ⟨beton⟩, *breaking* ⟨emulsie⟩.

ontmenselijken
I ⟨onov.ww.⟩ **0.1** [minder menselijk worden] *become dehumanized;*
II ⟨ov.ww.⟩ **0.1** [beroven van het menselijke] *dehumanize.*

ontmenselijking ⟨de (v.)⟩ **0.1** *dehumanization* ⇒⟨verwildering⟩ *brutalization.*

ontmijnen ⟨ov.ww.⟩ **0.1** *clear of mines* ⇒⟨mil.⟩ *delouse.*

ontmoedigen ⟨ov.ww.⟩ **0.1** *discourage* ⇒*dishearten, demoralize,* ⟨afschrikken⟩ *deter* ◆ **1.1** een ~d begin *an off-putting/a bleak/chilly/ depressing start;* ~d nieuws *cold news* **3.1** zich ontmoedigd voelen *feel down/grim* **6.1** niet ontmoedigd **door** *undaunted/undeterred/undismayed by;* we zullen ons niet laten ~ **door** ... *we won't let ... get us down, we will not quail before ..., we won't be daunted by ....*

ontmoediging ⟨de (v.)⟩ **0.1** [handeling] *discouragement* ⇒⟨afschrikking⟩ *determent* **0.2** [resultaat] *dejection* ⇒*demoralization.*

ontmoeien ⟨ww.⟩ ⟨scherts.⟩ **0.1** *loosen/soften up (the rules).*

ontmoeten ⟨ov.ww.⟩ **0.1** ⇒sprw. 238⟩ **0.1** [onvoorzien tegenkomen] *meet* ⇒*run/bump/bang into, come across* **0.2** [volgens afspraak treffen] *meet* ⇒*see* **0.3** [ondervinden] *meet with* ⇒*encounter* **0.4** [⟨wisk.⟩] *meet* ◆ **1.3** weerstand/vriendelijkheid ~ *meet with opposition/kindness* **4.1** elkaar voor het eerst ~ *m. for the first time* **5.1** iem. (toevallig / onverwacht) ~ *run/bump/bang into s.o.;* iem. vaak ~ *see s.o. often, see a good deal of s.o.;* ik hoop je hier vaker te ~ *I hope to see you more often here/more of you here* **5.2** iem. regelmatig ~ *see/meet s.o. regularly.*

ontmoeting ⟨de (v.)⟩ **0.1** [samentreffen] *meeting* ⇒*encounter* **0.2** [vijandig samentreffen] *encounter* **0.3** [⟨sport⟩] *meeting,* ᴬ*meet* ◆ **2.1** een toevallige ~ *a chance m. / encounter* **3.1** een ~ hebben met iem. *have an appointment/a m. with s.o..*

ontmoetingsavond ⟨de (m.)⟩ **0.1** *fellowship/social evening* ⇒⟨inf.⟩ *get-together.*

ontmoetingscentrum ⟨het⟩ **0.1** *meetingplace.*

ontmoetingsplaats ⟨de⟩ **0.1** *meetingplace.*

ontmoetingspunt ⟨het⟩ **0.1** *meeting point.*

ontmoetingsstoot ⟨de (m.)⟩ ⟨biljart⟩ **0.1** *clustering shot.*

ontmunten ⟨ov.ww.⟩ **0.1** *melt down.*

ontmythologiseren ⟨ov.ww.⟩ **0.1** *demythologize.*

ontmythologisering ⟨de (v.)⟩ **0.1** *demythologization.*

ontnemen ⟨ov.ww.⟩ **0.1** *take away* ⇒*deprive of, rob of* ◆ **1.1** dat heeft me alle eetlust ontnomen *it robbed me of my appetite;* iem. zijn kleine genoegens ~ *do s.o. out of his small pleasures;* iem. alle hoop ~ *take away all hope from s.o., deprive s.o. of all hope;* die opmerking ontneemt weer alle kracht aan uw argumenten *that remark deprives your arguments of all force/takes the edge off your arguments;* iem. het leven ~ *take s.o.'s life;* hij wilde hem het mes ~ *he wanted to take away the knife from him;* iem. een recht ~ *deprive s.o. of a privilege;* iem. het woord ~ *closure/* ᴬ*cloture a speaker,* put m. in s.o.; iem. de zin om verder te leren ~ *put s.o. off learning* **6.1** het bevel **aan** een officier ~ *supersede an officer in the command.*

ontneming ⟨de (v.)⟩ **0.1** *dispossession* ⟨van eigendom⟩; ⟨van kracht/ hoop/rechten ook⟩ *deprivation; divestment* ⟨van gezag⟩ ◆ **1.1** ~ van (burger)rechten/kiesrecht *disenfranchisement;* ~ van nationaliteit/ staatsburgerschap *denationalization, denaturalization.*

ontnuchteren ⟨ov.ww.⟩ **0.1** [nuchter maken] *sober up* **0.2** [⟨fig.⟩] *sober* ⇒*jolt* ◆ **1.2** een ~de aanblik/prijsstijging *an eye-opening sight/increase in price;* die koele ontvangst ontnuchterde hem *that chilly reception sobered him up* **3.2** flink ontnuchterd worden *be brought down to earth with a bump.*

ontnuchtering ⟨de (v.)⟩ **0.1** [het nuchter worden] *sobering up* **0.2** [ontgoocheling] *disillusionment* ⇒*disenchantment, jolt.*

ontoegankelijk ⟨bn.⟩ **0.1** *inaccessible* ⇒*impenetrable (to)* ⟨ook fig.⟩, ⟨fig. ook⟩ *impervious (to)* ◆ **6.1** ⟨fig.⟩ hij bleef ~ **voor** alle smeekbeden *he remained unalive/impervious to all pleas.*

ontoegefelijk ⟨bn.⟩ **0.1** *unyielding* ⇒*unbending, inflexible*.

ontoegevend ⟨bn.⟩ **0.1** *unyielding* ⇒*unbending*.

ontoelaatbaar ⟨bn.⟩ **0.1** *inadmissible* ⟨ook jur.⟩ ⇒*impermissible*.

ontoepasselijk ⟨bn.⟩ **0.1** *inapplicable* ⇒⟨ongeschikt⟩ *inapt*.

ontoereikend ⟨bn.,bw.;-ly⟩ **0.1** *inadequate* ⇒*insufficient* ♦ **3.1** het geld is daarvoor ~ *the money (for it) is lacking, there are insufficient funds;* ~ zijn *be inadequate*.

ontoereikendheid ⟨de (v.)⟩ **0.1** *inadequacy* ⇒*insufficiency, deficiency*.

ontoerekenbaar ⟨bn.⟩ **0.1** [mbt. daden] *not imputable* **0.2** [mbt. personen] *irresponsible* ⇒*not responsible*.

ontoerekenbaarheid ⟨de (v.)⟩ **0.1** *irresponsibility*.

ontoerekeningsvatbaar ⟨bn.⟩ **0.1** *irresponsible* ⇒*not responsible, of unsound mind,* ⟨jur.⟩ *non compos mentis* ♦ **3.1** hij is ~ *he cannot be held responsible for his actions;* iem. ~ verklaren *declare s.o. to be of unsound mind;* ⟨BE;inf.⟩ *have s.o. certified (insane)*.

ontoeschietelijk ⟨bn.⟩ **0.1** *irresponsive* ⇒*unobliging, standoffish*.

ontogenese ⟨de (v.)⟩ ⟨biol.⟩ **0.1** *ontogenesis* ⇒*ontogeny*.

ontogenie ⟨de (v.)⟩ **0.1** *ontogeny*.

ontologie ⟨de (v.)⟩ **0.1** *ontology*.

ontologisch ⟨bn.⟩ **0.1** *ontological* ♦ **1.1** het ~ bewijs voor het bestaan van God *the o. argument for the existence of God*.

ontologisme ⟨het⟩ ⟨fil.⟩ **0.1** *ontologism*.

ontoombaar ⟨bn.⟩ **0.1** *irrepressible* ⇒*indisciplinable, uncontrollable, ungovernable* ♦ **1.1** een ontoombare begeerte *an uncontrollable passion;* een ontoombare energie *an unbounded energy*.

ontoonbaar ⟨bn.⟩ **0.1** *unpresentable* ♦ **3.1** ~ maken *ruin, spoil;* er ~ uitzien *be not fit to be seen, look a (dreadful) sight, look a fright*.

ontpachten ⟨ov.ww.⟩ **0.1** *purchase the freehold* ⇒*enfranchise the leasehold*.

ontpitten ⟨ov.ww.⟩ **0.1** *stone* ⟨kersen,dadels enz.⟩; *gin* ⟨katoen⟩ ⇒⟨AE ook⟩ *pit* ⟨kersen,dadels enz.⟩.

ontplofbaar ⟨bn.⟩ **0.1** *explosive* ♦ **1.1** ontplofbare stoffen *explosives*.

ontploffen ⟨onov.ww.⟩ **0.1** *explode* ⇒*blow up* ♦ **1.1** het gas ontplofte *the gas exploded* **3.1** laten/doen ~ *detonate, blow up, explode* **5.1** snel ~ de explosieven *high explosives* ¶ **.1** ⟨fig.⟩ ik dacht dat hij zou ~ *I thought he'd e..*

ontploffing ⟨de (v.)⟩ **0.1** [het exploderen] *explosion* **0.2** [keer, geluid] *explosion* ⇒*bang* ♦ **1.1** iets tot ~ brengen *blow sth. up, explode sth.;set sth. off, spring sth.* ⟨bom⟩.

ontploffingsgevaar ⟨het⟩ **0.1** *risk/danger of explosion*.

ontplooien ⟨ov.ww.⟩ **0.1** [ontwikkelen] *develop* ⇒*expand, build* **0.2** [aan de dag leggen] *display* ⇒*unfold* **0.3** [uiteenvouwen] *unfurl* ⇒*unfold* ♦ **1.1** zijn talent ~ *d. one's talent* **1.2** een hoge activiteit ~ *d. great activity;* een grote macht ~ *d. a large force* **1.3** de vlag ~ *unfurl the flag* **2.1** zich geestelijk ~ *improve one's mind, broaden one's horizons* **4.1** zich ~ *open out/up, blossom, expand;* iem. de gelegenheid geven zich/ zijn talenten ten volle te ~ *offer full scope to s.o. to develop his talents* **4.3** zich ~ *unfold*.

ontplooiing ⟨de (v.)⟩ **0.1** *development (of one's personality/talents/abilities* ⟨enz.⟩) ♦ **6.1** tot ~ komen *develop, flourish*.

ontplooiingsmogelijkheid ⟨de (v.)⟩ **0.1** *scope to develop (one's personality /talents/abilities* ⟨enz.⟩) ♦ **3.1** jongeren ontplooiingsmogelijkheden bieden *offer young people scope to develop (themselves/their talents* ⟨enz.⟩).

ontpoppen ⟨wk.ww.;zich ~⟩ **0.1** [zich doen kennen] *reveal o.s. (as), turn out (to be)* **0.2** [mbt. vlinders] *emerge* ⇒*leave/break open the pupal case*.

ontraadselen ⟨ov.ww.⟩ **0.1** [oplossen] *unriddle* ⇒*riddle* **0.2** [te weten komen] *solve*.

ontraden ⟨ov.ww.⟩ **0.1** *dissuade from* ⇒*advise against* ♦ **3.1** dat moet ~ worden *this is not advisable/to be recommended* **4.1** hij heeft het mij ten sterkste ~ *he strongly advised me not to;* iem. iets ~ *advise s.o. against sth.* **8.1** zij ontried mij om dat te doen *she advised me against it, she dissuaded me from it*.

ontrafelen ⟨ov.ww.⟩ **0.1** *unravel* ⇒*disentangle* ♦ **1.1** ⟨fig.⟩ een complot ~ *u. a conspiracy;* ⟨fig.⟩ een probleem ~ *thrash out a problem*.

ontredderd ⟨bn.⟩ **0.1** [mbt. personen] *upset* ⇒*broken down, shattered* **0.2** [mbt. situaties] *desperate* ♦ **1.1** in ~e toestand *in a desperate situation, in a state of collapse*.

ontreddering ⟨de (v.)⟩ **0.1** [mbt. personen] *desperation* **0.2** [mbt. situaties] *upheaval* ⇒*disorganization, collapse*.

ontregeld ⟨bn.⟩ **0.1** *unsettled* ⇒*disordered* ♦ **3.1** ~ raken *become u./disordered*.

ontregelen ⟨ov.ww.⟩ **0.1** [werking verstoren] *disorder* ⇒*disorganize, dislocate* **0.2** [choqueren] *shock* ⇒*jolt* ♦ **1.1** iemands leven ~ *put s.o. off his stroke/stride*.

ontregeling ⟨de (v.)⟩ **0.1** *disorder* ⇒⟨verstoring⟩ *dislocation,* ⟨wanorde⟩ *disorganization,* ⟨technische storing⟩ *failure,* ⟨tech.⟩ *derangement*.

ontrieven ⟨ov.ww.⟩ **0.1** *incommode* ⇒*discommode, inconvenience* ♦ **5.1** hopelijk ontrief ik u niet *I hope I'm not putting you to any inconvenience;* als ik u niet ontrief *if you don't mind, please*.

ontroerd ⟨bn.⟩ **0.1** *moved* ⇒*affected, touched* ♦ **1.1** met ~e stem *with emotion in his voice* **5.1** diep ~ *deeply/greatly touched/m..*

ontroeren ⟨ov.ww.⟩ **0.1** *move* ⇒*touch, affect*.

ontroerend ⟨bn.⟩ **0.1** *moving* ⇒*touching, affecting,* ⟨aangrijpend⟩ *poignant,* ⟨sentimenteel⟩ *tear-jerking* ♦ **3.1** die passage was zeer ~ *that passage was very poignant*.

ontroering ⟨de (v.)⟩ **0.1** *emotion* ⇒*poignancy* ♦ **3.1** zijn ~ niet kunnen bedwingen *be unable to check/control one's e..*

ontroesten ⟨ov.ww.⟩ **0.1** *remove the rust from*.

ontrollen

I ⟨onov.ww.⟩ **0.1** [rollend komen/vallen uit] *cascade* ⇒*tumble;*

II ⟨ov.ww.⟩ **0.1** [uitrollen] *unroll* ⇒*uncoil, uncurl, open out, unwind* **0.2** [ten toon spreiden] *unroll* ⇒*unfurl* **0.3** [stelen] *pinch* ⇒*nick* ♦ **4.1** zich ~ *unroll, unwind, uncurl, open out* **4.3** iem. iets ~ *nick sth. from s.o.* **6.2** zich ~ **aan/voor** onze ogen ⟨vergezicht e.d.⟩ *unfold/open out before our eyes*.

ontromen ⟨ov.ww.⟩ **0.1** *cream* ⇒*skim*.

ontronding ⟨de (v.)⟩ ⟨taal.⟩ **0.1** *unrounding*.

ontroostbaar ⟨bn.⟩ **0.1** *inconsolable* ⇒*disconsolate, brokenhearted*.

ontrouw[1] ⟨de⟩ **0.1** [het niet trouw zijn] *disloyalty* ⇒*unfaithfulness, disaffection* **0.2** [overspel] *unfaithfulness* ⇒*infidelity* **0.3** [oneerlijkheid] *falseness* ⇒*disingenuousness, dishonesty* ♦ **¶.3** ~ aan de dag leggen *display dishonesty*.

ontrouw[2] ⟨bn.⟩ **0.1** [niet trouw] *disloyal (to)* ⇒*untrue (to), faithless, disaffected* **0.2** [overspelig] *unfaithful* **0.3** [oneerlijk] *false* ⇒*disingenuous, dishonest* ♦ **1.1** zijn woord ~ zijn *be untrue to one's word, go back on one's word* **1.2** een ~e echtgenoot *an u. husband* **3.1** iem./ iets ~ worden *be d. to s.o./sth.;* het Christendom ~ worden *abandon Christianity;* zijn vrienden ~ zijn *be disloyal/untrue to one's friends* **3.2** ~ zijn aan je man *cheat on/deceive one's husband, be unfaithful to one's husband* **3.3** ~ zijn *prove false*.

ontroven ⟨ov.ww.⟩ **0.1** [benemen] *rob* **0.2** [door roof ontnemen] *rob* **0.3** [onthouden] *deprive* ♦ **1.2** iem. zijn eer en goede naam ~ *rob s.o. of his honour and reputation*.

ontruimen ⟨ov.ww.⟩ **0.1** [verlaten] *clear* ⇒*vacate* ⟨huis⟩ **0.2** [doen verlaten] *clear* ⇒*evacuate* ♦ **1.1** vanwege brandgevaar moesten de buren hun huizen ~ *due to fire hazard the neighbours were forced to evacuate their homes;* een land ~ *vacate a country;* de voorzitter liet de publieke tribune ~ *the chairman ordered the public gallery to be cleared* **1.2** de politie moest het pand ~ *the police had to c. the building*.

ontruiming ⟨de (v.)⟩ **0.1** [het (doen) verlaten] *evacuation* **0.2** [het verlaten v.e. onroerend goed] *clearance* ⇒⟨van huis⟩ *vacation* **0.3** [het doen vertrekken v.d. bewoners] *eviction* ⇒*ejectment*.

ontruimingsbevel ⟨het⟩ **0.1** *eviction order*.

ontrukken ⟨ov.ww.⟩ **0.1** [uit de handen rukken] *snatch (away)(from)* ⇒ *tear* **0.2** [ruw wegnemen] *snatch (away)(from)* ⇒*tear, wrench (away) (from)* **0.3** [onttrekken] *snatch (away)(from)* ⇒*wrest (away)(from)* **0.4** [iem. redden van] *snatch (away)(from)* ♦ **6.2** hij is ons **door** de dood ontrukt *death snatched him from us* **6.3** iets **aan** de vergetelheid ~ *s./wrest sth. from oblivion* **6.4** iem. **aan** de dood ~ *snatch s.o. from death*.

ontschepen

I ⟨ov.ww.⟩ **0.1** [ontladen] *disembark* ⇒*debark, unship;*

II ⟨ov.ww.⟩ ⟨AZN⟩ **0.1** [aan land gaan] *disembark* ⇒*debark*.

ontscheping ⟨de (v.)⟩ **0.1** *disembarkation* ⇒*debarkation*.

ontschieten ⟨onov.ww.⟩ **0.1** [uit het geheugen verdwijnen] *slip* ⇒*elude* **0.2** [ongewild uitspreken] *escape* ⇒*slip* ♦ **1.1** zijn naam is mij ontschoten *his name has slipped/escaped me* **1.2** die opmerking ontschoot me *that remark slipped out* **3.2** iets laten ~ *blunder* **5.1** het is mij geheel ontschoten *it slipped my mind entirely, it has gone right/clean out of my head*.

ontschorsen ⟨ov.ww.⟩ **0.1** *debark* ⇒*decorticate,* ⟨ringvormig⟩ *girdle, bark* ♦ **1.1** een boom ~ *d. a tree, peel/remove/strip the bark from/off (of) a tree*.

ontsieren ⟨ov.ww.⟩ **0.1** *mar* ⇒*blot, flaw* ♦ **1.1** het gebouw ontsierde de omgeving *the building was a blot to the landscape/an eyesore;* een door platvloersheid ontsierde vertoning *a show marred by vulgarity*.

ontsiering ⟨de (v.)⟩ **0.1** *disfigurement (of)* ⇒*defacement (of), blot (on)*.

ontslaan ⟨ov.ww.⟩ **0.1** [ontslag geven] *dismiss* ⇒*discharge,* ⟨inf.⟩ *fire, sack, axe* [A]*ax* **0.2** [vrijstellen] *relieve* ⇒*release* **0.3** [aan macht/gezag onttrekken] *discharge* ⇒*release* **0.4** [uit gevangenschap loslaten] *discharge* ⇒*release* ♦ **1.1** arbeiders tijdelijk ~ *lay off workers, lay workers off, lay people off work, stand off workers;* honderden arbeiders zullen ontslagen worden *hundreds of workers will be axed/laid off/ made redundant* **3.1** ontslagen worden *be dismissed/fired/sacked, get the sack* **5.1** oneervol ~ ⟨van militairen⟩ *cashier, break, dismiss* **6.1** iem. **uit** zijn ambt ~ *relieve/remove s.o. from office, relieve s.o. of his duty;* **uit** (de militaire) dienst ~ *demobilize* **6.2** iem. ~ **van** een taak/verplichting *relieve s.o. of a task/obligation;* iem. ~ **van** rechtsvervolging *discharge a defendant;* iem. **van** een belofte ~ *release/absolve s.o. from a promise;* iem. ~ **van** een koop(contract) ~ *let s.o. off a bargain* **6.4** iem. **uit** de gevangenis ~ *release/discharge s.o. from prison* **6.¶** een patiënt ~ **uit** een ziekenhuis *discharge a patient from hospital* **¶.1** iem. op staande voet ~ *dismiss s.o. summarily, fire s.o. on the spot;* hij is ontslagen ⟨ook⟩ *he has been given notice*.

ontslag ⟨het⟩ **0.1** [beëindiging van het dienstverband] *dismissal* ⇒*discharge* **0.2** [verzoek, verklaring] *resignation* ⇒*notice* **0.3** [het vrijlaten uit iemands macht] *release* ⇒*discharge* **0.4** [vrijstelling] *exemption* ⇒ *excusal* ◆ **1.4** ~ van rechtsvervolging *discharge from (further) prosecution* **2.1** eervol ~ *honourable discharge; oneervol* ~ *the sack* **3.1** iem. zijn ~ geven *give s.o. notice, fire s.o.;* zijn ~ krijgen *be given one's cards, be dismissed;* ⟨inf.⟩ *be given/get the sack;* ik neem ~ ⟨inf. ook⟩ *I'll quit my job;* (zijn) ~ nemen *hand in one's notice/resignation, resign;* (zijn) ~ nemen bij een bedrijf *leave a firm;* (zijn) ~ nemen als lid v.h. bestuur *retire/resign from a committee;* eervol ~ verlenen aan *dismiss honourably* **3.2** het kabinet bood de koningin zijn ~ aan *the Cabinet tendered its r. to the Queen;* zijn ~ indienen *resign, hand in one's notice/r.* **3.3** eervol ~ krijgen als officier *be gazetted out of the army, be honourably discharged from service* **6.3** ~ uit de militaire dienst *discharge from service;* ~ uit een inrichting *discharge from an institution;* ~ uit de gevangenis *discharge/r. from prison* ¶ **.1** ~ op staande voet *summary dismissal.*

ontslagaanvraag ⟨de⟩ **0.1** [van werkgever] *application for a dismissal* **0.2** [van werknemer] *(letter of) resignation* ◆ **3.1** een ~ indienen *apply for a dismissal order* **3.2** een ~ indienen *resign, hand/send/give in one's resignation, submit/offer one's resignation.*

ontslagbescherming ⟨de (v.)⟩ **0.1** *employment protection.*

ontslagbrief ⟨de (m.)⟩ **0.1** [mbt. het ontslag verlenen/aanvragen] *notice* ⟨aan werknemer⟩; *(letter of) resignation* ⟨van werknemer⟩ **0.2** [mbt. ontslag uit de gevangenis] *discharge certificate.*

ontslagneming ⟨de (v.)⟩ **0.1** *resignation.*

ontslagprocedure ⟨de⟩ **0.1** [mbt. baan] *dismissal procedure* **0.2** [uit gevangenis/ziekenhuis] *discharge procedure.*

ontslagrecht ⟨het⟩ **0.1** [recht om te ontslaan] *right of dismissal* **0.2** [rechtsregels mbt. ontslag] *the law governing dismissal.*

ontslapen ⟨onov.ww.⟩ ⟨schr.⟩ **0.1** *pass away* ◆ **6.1** in God ~ zijn *rest in Christ* **7.1** ⟨zelfst.⟩ de ~e *the deceased/departed.*

ontslippen ⟨onov.ww.⟩ **0.1** [ontglijden] *slip* **0.2** [ongemerkt ontgaan] *elude* ⇒*slip away from* ◆ **1.2** die naam is mij ontslipt *the name has slipped my mind* **3.1** zij hadden de touwen aan hun handen laten ~ *they had let the rope s. from their hands.*

ontsluieren ⟨ov.ww.⟩ **0.1** [sluier wegnemen] *unveil* ⇒*unshroud, uncover* **0.2** [⟨fig.⟩] *unveil, reveal* ⇒*divulge, unlock* ◆ **1.1** het gelaat ~ *unveil one's face* **1.2** een raadsel ~ *unlock a mystery;* wie ik ben, zal misschien de toekomst ~ *as to my identity, perhaps time will tell ....*

ontsluiering ⟨de (v.)⟩ **0.1** *unveiling* ⟨ook fig.⟩ ⇒*unshrouding,* ⟨fig. ook⟩ *revealing, revelation, disclosure.*

ontsluimeren ⟨onov.ww.⟩ ⟨schr.⟩ **0.1** [in slaap vallen] *fall asleep* **0.2** [ontwaken] *awake* **0.3** [sterven] *pass away.*

ontsluiten ⟨ov.ww.⟩ **0.1** [openen] *open up* ⇒*unbolt, unlatch, unlock* ⟨deur, kast⟩ **0.2** [⟨fig.⟩ blootleggen] *open up* ⇒*unlock* ⟨geheim⟩ **0.3** [⟨planologie⟩] *open (up)* ⟨gebied⟩ **0.4** [⟨schei.⟩] *render soluble* ◆ **1.2** zijn hart ~ voor iem. *unlock/open up one's heart to s.o.* **4.1** zich ~ *open* ⟨bloem⟩ **7.4** ⟨zelfst.⟩ het ~ *the dissolution.*

ontsluiting ⟨de (v.)⟩ **0.1** [het ontsluiten] *opening up* ⇒*unlocking* **0.2** [mbt. de baarmoedermond] *dilat(at)ion* **0.3** [mbt. bodemlagen] *outcrop* ◆ **1.1** de ~ v.e. gebied *the opening up of an area* **3.2** niet genoeg ~ hebben *be insufficiently dilated.*

ontsmetten ⟨ov.ww.⟩ **0.1** *disinfect* ⇒*cleanse* ⟨wond⟩, ⟨uitroken⟩ *fumigate,* ⟨mbt. radio-activiteit⟩ *decontaminate.*

ontsmettend ⟨bn.⟩ **0.1** *disinfectant* ⇒*antiseptic* ◆ **1.1** een ~ middel *a disinfectant, an antiseptic.*

ontsmetting ⟨de (v.)⟩ **0.1** *disinfection* ⇒*decontamination,* ⟨uitroking⟩ *fumigation.*

ontsmettingsdienst ⟨de (m.)⟩ **0.1** *fumigation squad* ⇒⟨inf.⟩ *dirty squad.*

ontsmettingsmiddel ⟨het⟩ **0.1** *disinfectant* ⇒*antiseptic,* ⟨rook⟩ *fumigant.*

ontsnappen ⟨onov.ww.⟩ **0.1** [ontkomen] *escape (from)* **0.2** [mbt. gevangenschap] *escape* ⇒*get away/out* **0.3** [niet opmerken] *escape* ⇒*slip, elude* **0.4** [naar buiten dringen] *escape* **0.5** [ontschieten] *escape* ⇒*slip from* **0.6** [⟨sport⟩ een voorsprong nemen] *break away (from)* ◆ **1.4** er ontsnapt gas uit het tankje *there's gas escaping from the tank* **1.5** die opmerking is mij ontsnapt *that remark slipped from me* **3.2** iem. laten ~ *spring s.o.;* weten te ~ *make one's getaway, make good one's escape* **3.4** gas laten ~ *let off/out gas* **4.1** hij is me ontsnapt *he got away from me* **6.1** aan een controle ~ *e. inspection;* aan een gevaar ~ *e. from a danger;* aan de dood ~ *e. death, miss being killed* **6.2** er is een leeuw uit de dierentuin ontsnapt *a lion from the zoo is at large/on the loose* **6.3** aan iemands aandacht ~ *elude s.o.'s notice;* aan het oog ~ *elude the eye;* aan de aandacht ~ *escape attention/notice* **6.6** ~ uit het peloton *break away from the pack* **7.2** een ontsnapte (gevangene) *an escaper/escapee.*

ontsnapping ⟨de (v.)⟩ **0.1** *escape* ⇒*getaway* ◆ **6.1** haar ~ uit de gevangenis *her e. from prison/jailbreak.*

ontsnappingsclausule ⟨de⟩ **0.1** *escape clause.*

ontsnappingsmiddel ⟨het⟩ **0.1** [middel om te ontsnappen] *escape* **0.2** [⟨fig.⟩] *escape.*

ontsnappingsmogelijkheid ⟨de (v.)⟩ **0.1** *opportunity/chance to escape* ⇒ ⟨BE ook⟩ *let-out.*

ontsnappingspoging ⟨de (v.)⟩ **0.1** *escape attempt, attempted escape.*

ontsnappingssnelheid ⟨de (v.)⟩ **0.1** *escape velocity, velocity of escape.*

ontsnavelen ⟨ov.ww.⟩ ⟨bio-industrie⟩ **0.1** *de-beak.*

ontspannen¹ ⟨bn.⟩ **0.1** *relaxed* ⇒*easy,* ⟨sl.⟩ *laidback,* ⟨ongehaast⟩ *leisurely* ◆ **1.1** een ~ indruk maken *make a r. impression;* een ~ veer *an unwound spring* **3.1** zich ~ gedragen *have an easy manner.*

ontspannen²
I ⟨ov.ww.⟩ **0.1** [weer slap maken] *slacken* ⇒*unbend* ⟨boog⟩, *release* ⟨veer⟩, *relax* ⟨spier⟩ **0.2** [tot rust brengen] *relax* **0.3** [doen uitzetten] *expand* ⟨gas, stoom⟩ ◆ **1.1** de haan ~ *uncock the pistol* **1.2** de geest ~ *unbend one's mind* **3.2** massage is erg ~d *massage is very relaxing* **4.2** zich ~ *relax, unwind;* zich na het werk wat ~ *take some relaxation after work, unwind after work;* haar hand om mijn pols ontspande zich *she unloosened/unclenched her grip round my wrist;* probeert u zich eens helemaal te ~ *try and r. completely/let yourself go quite limp;*
II ⟨onov.ww.⟩ **0.1** [slapper worden] *relax* ⇒*slacken* **0.2** [uitzetten] *expand* ⟨gas, stoom⟩.

ontspanner ⟨de (m.)⟩ **0.1** *exposure lever.*

ontspanning ⟨de (v.)⟩ **0.1** [het minder strak (doen) worden] *unbending* ⟨boog⟩; *release* ⟨veer⟩; *relaxation* ⟨spier, geest⟩; ⟨pol.⟩ *détente* **0.2** [verpozing, afleiding] *relaxation* ⇒*recreation* ◆ **1.2** gelegenheid tot ~ *recreational facilities* **3.1** dit bracht enige ~ *this caused some relief, this eased the tension somewhat, this relieved/eased some of the tension;* die verklaring gaf ~ in de politiek *that statement led to some détente in politics* **3.2** ~ zoeken/vinden *seek/find diversion/entertainment* **6.1** de ~ tussen Oost en West *the détente between East and West.*

ontspanningsboek ⟨het⟩ →**ontspanningslectuur.**

ontspanningskraan ⟨de⟩ **0.1** *pressure(-reducing) relief valve.*

ontspanningslectuur ⟨de (v.)⟩ **0.1** *light/easy reading.*

ontspanningsoefening ⟨de (v.)⟩ ⟨sport⟩ **0.1** *relaxation exercise.*

ontspanningsoord ⟨het⟩ **0.1** (ᴮ*holiday*/ᴬ*vacation*/ᴬ*pleasure*) *resort.*

ontspanningspolitiek ⟨de (v.)⟩ **0.1** *policy of détente.*

ontsparen ⟨onov.ww.⟩ **0.1** *dissave.*

ontspiegelen ⟨ov.ww.⟩ **0.1** *eliminate reflection from* ◆ **1.1** ontspiegelde brilleglazen *non-reflecting lenses/(spectacle) glasses;* ontspiegeld glas *abraided/non-reflecting glass.*

ontspinnen ⟨wk.ww.; zich ~⟩ **0.1** *arise* ⇒*develop* ◆ **1.1** daaruit ontspon zich een langdurig gesprek *a prolonged debate ensued from this, this gave rise to a lengthy debate.*

ontsporen ⟨onov.ww.⟩ **0.1** [uit het spoor raken] *be derailed* ⇒*leave the tracks* **0.2** [⟨fig.⟩] *go off the rails* ◆ **1.1** de trein is ontspoord *the train has been derailed* **1.2** een ontspoorde jeugd *a misspent youth* **3.1** doen ~ *derail.*

ontsporing ⟨de (v.)⟩ **0.1** [het ontsporen] *derailment;* ⟨fig.⟩ *lapse* **0.2** [geval van ontsporen] *derailment;* ⟨fig.⟩ *lapse.*

ontspringen ⟨onov.ww.⟩ **0.1** [zijn oorsprong hebben] *rise* ⇒*spring/originate (from),* ⟨teruggaan tot⟩ *go back (to)* **0.2** [ontsnappen aan] *spring* ⇒*break* **0.3** [van/uit iets wegspringen] *jump away from* ◆ **1.1** de dromen waaruit zijn dichtkunst ontspringt *the dreams whence his poetry springs* **1.2** de dans ~ *have a lucky escape* **6.1** de rivier ontspringt in de bergen *the river rises in the mountains.*

ontspruiten ⟨onov.ww.⟩ **0.1** [uitspruiten] *shoot* ⇒*sprout* **0.2** [voortkomen] *originate (from).*

ontstaan¹ ⟨het⟩ **0.1** *origin* ⇒*creation* ⟨v.d. aarde⟩, *development, come into existence* ⟨v.e. bedrijf⟩, *arising* ⟨v.e. meningsverschil⟩, *development* ⟨v.e. ziekte⟩ ◆ **3.1** ~ vinden in *have one's o. in, originate in, arise/proceed from, be created by* **6.1** de beweging heeft sinds haar ~ hiervoor gepleit *the movement has advocated this from its inception on.*

ontstaan² ⟨onov.ww.⟩ **0.1** [zich vormen] *come into being* ⇒*arise* **0.2** [beginnen] *originate* ⇒*start* ◆ **1.1** het beeld ontstond onder zijn handen *the statue came into being under his hands;* de eilanden zijn ~ in de ijstijd *the islands came into being/existence during the ice age;* langzamerhand is de gewoonte ~ *the custom grew up;* daarover ontstond ontevredenheid *dissatisfaction arose over this;* we moeten kijken waar de problemen ~ *we must trace these problems back to their source, we must go to the root of these problems;* er kunnen gemakkelijk scheuren ~ *cracks may easily form;* hierdoor ~ er storingen *this causes malfunctions;* door haar vertrek ontstaat een vacature *her departure has created a vacancy;* de vereniging ontstond in de 19e eeuw *the society grew up in the nineteenth century* **1.2** de brand ontstond in de machinekamer *the fire started/originated in the engine room* **3.1** doen ~ *create* ⟨toestand, vraag⟩; *bring about* ⟨vriendschap⟩; *cause* ⟨pijn⟩; *raise* ⟨twijfel⟩; *start* ⟨brand⟩ **6.1** schade, ~ door nalatigheid *damage arising from/caused/occasioned by neglect.*

ontstaansgeschiedenis ⟨de (v.)⟩ **0.1** *genesis.*

ontstedelijking ⟨de (v.)⟩ **0.1** *depopulation of towns* ⇒*drift from the cities.*

ontsteken ⟨→sprw. 88⟩
I ⟨ov.ww.⟩ **0.1** [aansteken] *light* ⇒*kindle,* ⟨tech.⟩ *ignite* ◆ **1.1** de lichten werden ontstoken *the lights were put on;*
II ⟨onov.ww.⟩ **0.1** [⟨fig.⟩ ontvlammen] *kindle* **0.2** [geïnfecteerd raken] *be(come) inflamed* ◆ **3.1** in woede doen ~ *inflame with anger*

6.1 in drift/liefde ~ *fly into a rage, k. with love;* **in** blinde woede ~ *fly into a blind rage.*

ontsteker ⟨de (m.)⟩ **0.1** *igniter* ⇒*lighter.*

ontsteking ⟨de (v.)⟩ **0.1** [aansteking] *ignition* **0.2** [⟨med.⟩] *inflammation* **0.3** [mbt. een verbrandingsmotor] *ignition* **0.4** [⟨mil.⟩] *trip* ⇒*switch* ⟨van springlading⟩ ◆ **1.3** het regelen v.d. ~ *i. timing, spark control* **3.3** de ~ bijstellen *adjust the i. (point);* de ~ vervroegen/vertragen *advance/retard the i. (point)* ¶**.3** problemen met de ~ hebben *have problems with the i..*

ontstekingsbuis ⟨de⟩ **0.1** *fuse.*

ontstekingsmechanisme ⟨het⟩ **0.1** *igniter* ⇒*detonator* ⟨explosieven⟩, *squib* ⟨raket⟩, *firing gear/mechanism* ⟨vuurwapen⟩.

ontsteld ⟨bn., bw.⟩ **0.1** *dismayed* ⇒*confounded, aghast, startled* ◆ **1.1** een ~ gezicht *an appalling/startling sight* **3.1** ~ raken *be d.;* zij was ~ *she was appalled/d.;* nee toch, zei hij ~ *no/never, he said in dismay.*

ontstelen ⟨ov.ww.⟩ **0.1** *steal* ~ *thieve* ◆ **1.1** iem. zijn tijd ~ *take up s.o.'s time.*

ontstellen
I ⟨ov.ww.⟩ **0.1** [doen schrikken] *startle* ⇒*disconcert, alarm,* ⟨van afschuw vervullen⟩ *horrify;*
II ⟨onov.ww.⟩ **0.1** [van streek raken] *start* ◆ **6.1** zij ontstelde **bij** het horen van die naam *she started at the mention of that name.*

ontstellend
I ⟨bn.⟩ **0.1** [ontsteltenis teweegbrengend] *disconcerting* ⇒*appalling* ⟨armoede⟩, *startling* ⟨resultaat⟩, *alarming* ⟨bericht⟩;
II ⟨bn., bw.;-ly⟩ **0.1** [buitensporig] *appalling* ⇒*staggering, outrageous,* ⟨schandalig⟩ *unconscionable* ◆ **1.1** ~e nalatigheid *a. neglect* **2.1** de prijzen zijn ~ hoog *the prices are staggering;* ~ koud *terrifically cold.*

ontsteltenis ⟨de (v.)⟩ **0.1** [verwarring, beroering] *dismay* ⇒*confusion, consternation, upset* **0.2** [schrik] *dismay* ⇒*alarm,* ⟨afgrijzen⟩ *horror* ◆ **2.2** tot grote ~ van *to the utter d./horror of* **3.1** ~ teweegbrengen *create/cause confusion, throw into a state of consternation* **6.2** zij liet **van** ~ de schaal vallen *she dropped the dish in alarm.*

ontstemd ⟨bn.⟩ **0.1** [mbt. personen] *put out* ⇒*disgruntled* **0.2** [⟨muz.⟩] *untuned* ⇒*out of tune* ◆ **1.1** een ~e vader *a disgruntled father* **1.2** de piano is ~ *the piano is out of tune;* een ~e viool *an u. violin* **6.1 over** die brief was ik zeer ~ *I was very much put out over that letter.*

ontstemdheid ⟨de (v.)⟩ **0.1** *bad mood* ⇒*humeurigheid⟩, ⟨wrevel⟩ pique.*

ontstemmen
I ⟨ov.ww.⟩ **0.1** [ergeren] *put (s.o.) out* ⇒*offend, upset;*
II ⟨onov., ov.ww.⟩ ◆ **1.¶** de vochtigheid ontstemt de instrumenten *the damp makes the instruments go out of tune.*

ontstemming ⟨de (v.)⟩ **0.1** *ill/bad feeling* ⇒*resentment* ◆ **2.1** er bestond enige/grote ~ over dit plan *this plan aroused a considerable amount of bad feeling.*

ontstentenis ⟨de (v.)⟩ **0.1** [gebrek] *lack* **0.2** [afwezigheid] *absence* ⇒ ⟨jur.⟩ *nonappearance* ◆ **6.1 bij** ~ **van** wettelijke verordeningen *failing legal ordinances;* de man *the woman, or, failing her, her husband* **6.2 bij** ~ **van** de secretaris *in the a. of the secretary.*

ontstichten ⟨ov.ww.⟩ **0.1** [kwetsen]⟨zie 1.1⟩ **0.2** [ergeren] *offend* ⇒*give offence to* ◆ **1.1** iemand ~ *offend s.o.'s religious sensibilities.*

ontstijgen ⟨onov.ww.⟩ ⟨schr.⟩ **0.1** [opstijgen] *mount* ⇒*rise (up)* **0.2** [zich verheffen] *soar* ◆ **1.1** een luid gejuich ontsteeg de menigte *loud cheers mounted/rose up from the crowd.*

ontstoken ⟨bn.⟩ **0.1** *inflamed* ⇒*angry* ⟨pijnlijk, rood⟩ ◆ **1.1** een ~keel *a sore throat, a throat infection;* een ~ wond *an angry wound* **3.1** ~ raken *become i..*

ontstoppen ⟨ov.ww.⟩ **0.1** [verstopping verwijderen] *unblock* ⇒*unclog, unplug* **0.2** [v.d. stop ontdoen] *unstop(per), uncork.*

ontstopper ⟨de (m.)⟩ **0.1** [toestel] *plunger* **0.2** [ontstoppingsmiddel] ⟨→ontstoppingsmiddel⟩.

ontstoppingsmiddel ⟨het⟩ **0.1** *agent for unblocking* ⇒*caustic soda.*

ontstoppingsveer ⟨de⟩ **0.1** ⟨*plumber's*⟩ *snake.*

ontstoren ⟨ov.ww.⟩ **0.1** *suppress.*

ontstoringsapparaat ⟨het⟩ **0.1** *suppressor.*

ontstrikken ⟨ov.ww.⟩ **0.1** *untie* ⇒*unhitch* ⟨knoop⟩.

onttakelen ⟨ov.ww.⟩ **0.1** *unrig* ⇒*strip, dismantle.*

onttrekken
I ⟨ov.ww.⟩ **0.1** [afscheiden] *withdraw (from)* ⇒*extract* ⟨delfstoffen⟩, *tap* ⟨vloeistof⟩, *sap* ⟨sap van bomen⟩, ⟨laten stromen⟩ *bleed* **0.2** [buiten iemands bereik brengen] *withdraw* ⇒*take away* ◆ **6.1** benzine ~ **aan** aardgas *extract petrol from natural gas;* zuurstof **aan** de lucht ~ *take oxygen from the air;* vocht ~ **aan** *abstract moisture from* **6.2** het flatgebouw onttrok de praalwagen **aan** haar oog *the block of flats blocked her view of the pageant;* iets **aan** het zicht ~ *hide from view;*
II ⟨wk.ww.;zich ~⟩ **0.1** [van zich afschuiven] *withdraw (from)* ⇒*back out of, shirk,* ⟨inf.⟩ *duck out of* ◆ **6.1** zich ~ **aan** zijn verplichtingen *shirk/back out of one's obligations;* zich **aan** de strijd ~ *refuse battle;* zich **aan** een situatie ~ *duck out of a situation;* ik kan me niet **aan** de indruk ~ dat *I can't get away from the impression that, I find it hard to avoid the impression that.*

onttrekking ⟨de (v.)⟩ **0.1** [het onttrukken] *withdrawal (from)* ⇒⟨verwijdering⟩ *removal (from)* **0.2** [⟨schei., nat.⟩] *extraction* **0.3** [het zich onttrekken] *shrinning (from).*

onttronen ⟨ov.ww.⟩ **0.1** [v.d. troon stoten] *dethrone* ⇒*depose, unthrone* **0.2** [uit een positie verdrijven] *dethrone* ⇒*depose, oust.*

onttroning ⟨de (v.)⟩ **0.1** ⟨vnl. fig.⟩ *dethronement, dethroning* ⇒*deposition.*

onttuigen ⟨ov.ww.⟩ ⟨scheep.⟩ **0.1** *unrig* ⇒*strip, dismantle.*

ontucht ⟨de⟩ **0.1** *vice, lechery* ⇒⟨bijb.⟩ *fornication, whoredom* ◆ **1.1** huizen van ~ *houses of ill fame/repute;* poel van ~ *morass of v.* **3.1** ~ plegen *commit lechery* **6.1** ~ **met** minderjarigen *child abuse.*

ontuchtig ⟨bn., bw.;-ly⟩ **0.1** *lewd, lecherous* ⇒*lascivious, wanton* ◆ **1.1** ~e handelingen *lewd acts* **3.1** ~ leven *lead a wanton life.*

ontuchtigheid ⟨de (v.)⟩ **0.1** [onkuisheid] *lewdness* ⇒*wantonness, lasciviousness* **0.2** [handeling, uiting] *obscenity.*

ontvallen ⟨onov.ww.⟩ **0.1** [buiten iemands bereik komen] *elude* **0.2** [sterven] *pass away* **0.3** [per ongeluk geuit worden] *escape* ⇒*(let) slip* **0.4** [afvallig worden] *fall away* ◆ **1.1** ⟨fig.⟩ de moed ontviel hem *his courage oozed away, his spirits sagged* **1.2** zijn vrouw is hem vroeg ~ *he lost his wife early* **1.3** zich een opmerking laten ~ *let slip a remark;* de man liet zich een vloek ~ *the man let slip a curse, a curse slipped from the man* **1.4** al zijn vrienden ontvielen hem in zijn tegenspoed *his friends fell away from him in his time of need.*

ontvangantenne ⟨de⟩ **0.1** *(receiving) aerial.*

ontvangbewijs ⟨het⟩ **0.1** *receipt.*

ontvangcedel ⟨het, de⟩ **0.1** *warehouse warrant* ⇒*receipt, delivery note.*

ontvangdag ⟨de (m.)⟩ **0.1** [dag] *day* ⇒⟨vero.⟩ *at home* **0.2** [receptie] *reception.*

ontvangen ⟨→sprw. 675⟩
I ⟨ov.ww.⟩ **0.1** [innen, krijgen] *receive* ⇒⟨krijgen⟩ *have, collect* ⟨geld⟩, *draw* ⟨loon⟩ **0.2** [bij zich toelaten] *receive* ⇒*see* **0.3** [onthalen] *receive* ⇒*host,* ⟨hartelijk ontvangen⟩ *welcome, entertain* ◆ **1.1** de BBC is vaak slecht te ~ *the/our reception of BBC is often poor;* zodra de goederen ~ zijn *as soon as the goods are to hand;* radio Peking ~ *get Peking on the radio;* de heilige sacramenten ~ *r. the sacraments;* regelmatig zijn salaris ~ *draw one's salary regularly* **1.2** ⟨euf.⟩ deze dame ontvangt 's middags heren *this lady entertains men in the afternoon;* we kunnen hier geen mensen ~ *we can't have/entertain (any) people here* **4.1** ontvangt u mij? *are you receiving me?* **5.2** ik kan haar niet ~ *I can't see her* **5.3** het plan werd enthousiast ~ *the plan was received with open arms;* zijn gasten goed ~ *do one's guests well;* ⟨fig.⟩ zijn boek werd gunstig ontvangen *his book was well received;* iem. hartelijk/met open armen ~ *receive s.o. with open arms, make s.o. very welcome;* ⟨fig.⟩ koel ~ *give a cool reception;* de vijand warm ~ *give the enemy a warm welcome* **6.1 in** dank ~ *received with thanks* **7.1** ⟨zelfst.⟩ het ~e *the goods received;*
II ⟨onov.ww.⟩ **0.1** [bezoek afwachten] *receive* ⇒*entertain* ◆ **1.1** de barones zal vandaag niet ~ *the baroness will not r. visitors today/is not at home today.*

ontvangenis ⟨de (v.)⟩ ◆ **2.¶** ⟨r.k.⟩ Onbevlekte ~ der H. Maagd *the Immaculate Conception.*

ontvanger ⟨de (m.)⟩ **0.1** [iem. die iets krijgt] *receiver* ⇒*recipient,* ⟨geadresseerde⟩ *addressee* **0.2** [ambtenaar] *collector* **0.3** [⟨radio⟩ toestel] *receiver* ◆ **1.2** de ~ v.d. directe belastingen *tax collector, the collector of taxes;* ⟨vnl. AE⟩ *Commissioner of Inland Revenue* **6.1** kosten te betalen door de ~ *to be charged forward* ⟨goederen⟩; *reverse the call* ⟨telefoongesprek⟩.

ontvangerskantoor ⟨het⟩ **0.1** *tax collector's office.*

ontvanginstallatie ⟨de (v.)⟩ **0.1** *receiver, receiving set* ◆ **6.1** een ~ **voor** radiostraling v.d. zon *a receiver for/a set for receiving electromagnetic radiation from the sun.*

ontvangkamer ⟨de⟩ **0.1** *reception room.*

ontvangst ⟨de (v.)⟩ **0.1** [het krijgen van iets] *receipt* **0.2** [het innen van geld] *collection* **0.3** [het opvangen van signalen] *reception* **0.4** [inkomsten] *receipt* ⇒*takings* **0.5** [onthaal] *reception* **0.6** [receptie] *reception* ◆ **1.4** de ~en v.e. concert *the takings of a concert;* ~en en uitgaven *receipts and expenses* **2.5** een hartelijke/gunstige ~ *a warm/favourable r.* **3.1** de ~ bevestigen *van acknowledge the r. of* **3.5** een koele ~ krijgen *get a chilly r.* **6.1** betalen **bij/na** ~ v.d. goederen *pay on r. of goods;* applaus **in** ~ nemen *take a bow;* **in** ~ nemen *receive, accept* ⟨pakje, bloemen, prijs⟩; *draw, collect* ⟨geld⟩; *take delivery of/take up* ⟨goederen⟩; goederen niet **in** ~ willen nemen *refuse to accept/take delivery;* **na** ~ **van** uw brief *on r. of your letter;* tekenen **voor** ~ *sign for delivery* **6.3** de ~ **van** verschillende stations was slecht *the r. of various stations was poor.*

ontvangstation ⟨het⟩ **0.1** *receiving station.*

ontvangstbereik ⟨het⟩ **0.1** *receiving range.*

ontvangstbewijs ⟨het⟩ **0.1** *receipt.*

ontvangtoestel ⟨het⟩ **0.1** *receiver* ⇒*receiving set.*

ontvankelijk ⟨bn.⟩ **0.1** [vatbaar voor indrukken] *susceptible (to)* ⇒⟨opnemend⟩ *receptive (to),* ⟨beïnvloedbaar⟩ *impressionable,* ⟨meelevend⟩ *responsive (to)* **0.2** [⟨jur.⟩] *admissable* ⇒*sustainable, maintainable* ◆ **1.1** een ~e geest *an open/a receptive mind* **1.2** de eiser is ~ (in zijn vordering) *claimant / plaintiff can maintain / bring a claim;* het verweer is ~ *this is available as a defence* **3.2** een beroep ~ / niet ~ verklaren *allow / dismiss an appeal;* de vordering werd ~ verklaard *the claim was allowed / entertained / sustained / held maintainable / declared a.;* de vordering werd niet ~ verklaard *the claim was dismissed / non-suited / declared inadmissable* **5.2** niet ~ *inadmissable, unsustainable, unmaintainable;* de vordering / het beroep is niet ~ *the claim / appeal cannot be maintained / sustained;* zij is niet ~ in haar beroep *her appeal cannot be entertained / admitted / allowed / heard* **6.1** ~ **voor** goede raad *amenable / open to good advice;* ~ **voor** nieuwe ideeën *receptive / responsive to new ideas.*

ontvankelijkheid ⟨de (v.)⟩ **0.1** [het ontvankelijk zijn] *susceptibility* ⇒*receptivity, impressionability, responsiveness* **0.2** [⟨jur.⟩] *admissability* ◆ **6.1** ~ **voor** indrukken *impressionable.*

ontveinzen ⟨ov.ww.⟩ **0.1** *dissemble* ⇒*disguise, conceal,* ⟨verwerpen, verloochenen⟩ *disown* ◆ **4.1** zich iets ~ *conceal sth. from o.s.* **5.1** ik wil dit niet ~ *I have no wish to conceal the fact;* ik kan mij niet ~ dat *I am fully aware of / alive to the fact that.*

ontvellen ⟨ov.ww.⟩ **0.1** *graze* ⇒*abrade,* ⟨villen⟩ *skin, flay,* ⟨schr.⟩ *excoriate* ◆ **1.1** ik heb mijn elleboog ontveld *I grazed my elbow, I rubbed the skin off my elbow;* een ontvelde knie *a grazed knee.*

ontvelling ⟨de (v.)⟩ **0.1** [ontvelde plek] *abrasion* ⇒*graze,* ⟨schr.⟩ *excoriation* **0.2** [het ontvellen] *abrasion* ⇒*grazing,* ⟨villen⟩ *flaying.*

ontvet ⟨bn.⟩ **0.1** *degreased* ◆ **1.1** ~ te watten *cotton wool,* ^absorbent cotton.

ontvetten ⟨ov.ww.⟩ **0.1** *remove the fat from* ⇒*scour* ⟨wol⟩, *degrease* ⟨haar, vuil metaal⟩, *defat* ⟨huiden, cacao⟩, ⟨cacao ook⟩ *extract the fat from.*

ontvlambaar ⟨bn.⟩ **0.1** [licht vlam vattend] *inflammable,* ^*flammable* ⇒*ignitable* **0.2** [⟨fig.⟩] *fiery* ⇒*passionate* ◆ **1.1** een ontvlambare stof *a f. substance* **1.2** een ~ hart *a passionate heart* **5.1** dit mengsel is licht ~ *this mixture is highly i. / f.* **5.2** hij is licht ~ *he's f.*

ontvlambaarheid ⟨de (v.)⟩ **0.1** *inflammability,* ^*flammability* ⇒*ignitability.*

ontvlammen ⟨onov.ww.⟩ **0.1** [vlam vatten] *inflame* ⇒*ignite, catch fire* **0.2** [⟨fig.⟩] *inflame* ⇒*flame* ◆ **3.1** doen ~ *set alight* **3.2** doen ~ *fire, kindle* **6.2** in toorn ~ *flame / be inflamed with rage.*

ontvleesd ⟨bn.⟩ **0.1** [v.h. vlees ontdaan] *fleshless* ⇒*stripped of flesh* **0.2** [zeer vermagerd] *emaciated.*

ontvlekken ⟨ov.ww.⟩ **0.1** *remove the stains from* ⇒⟨AE ook⟩ *spot.*

ontvlekkingsmiddel ⟨het⟩ **0.1** *stain / spot remover.*

ontvlezen ⟨ov.ww.⟩ **0.1** *strip the flesh off.*

ontvlieden ⟨onov., ov.ww.⟩ ⟨schr.⟩ **0.1** [ontvluchten] *flee* **0.2** [ontwijken] *flee, shun* ◆ **1.2** de verleiding ~ *s. temptation.*

ontvliegen ⟨onov.ww.⟩ **0.1** *fly* ◆ **1.1** ⟨fig.⟩ zijn enige hoop is hem ontvlogen *his only hope has flown / evaporated.*

ontvloeien ⟨onov.ww.⟩ ⟨schr.⟩ **0.1** *flow from.*

ontvlokken ⟨ov.ww.⟩ **0.1** *disperse.*

ontvluchten ⟨onov.ww.⟩ **0.1** [ontkomen] *escape (from)* ⇒*run away from* **0.2** [wegvluchten] *flee* ⇒⟨zich terugtrekken⟩ *retreat* ◆ **1.1** het ouderlijke huis / het gevaar ~ *run away from home / danger* **1.2** een ontvluchte gevangene *a fugitive / an escaped prisoner;* de realiteit ~ *escape from reality;* de ~ de vijand *the retreating enemy.*

ontvluchting ⟨de (v.)⟩ **0.1** *flight* ⇒*escape.*

ontvoerder ⟨de (m.)⟩ **0.1** *kidnapper* ⇒*abductor.*

ontvoeren ⟨ov.ww.⟩ **0.1** *kidnap* ⇒*abduct.*

ontvoering ⟨de (v.)⟩ **0.1** *kidnapping* ⇒*abduction.*

ontvolken ⟨ov.ww.⟩ **0.1** *depopulate* ⇒*dispeople, unpeople,* ⟨fig.⟩ *empty* ◆ **1.1** ⟨fig.⟩ de scholen waren ontvolkt *the schools were emptied.*

ontvolking ⟨de (v.)⟩ **0.1** [handeling] *depopulation* **0.2** [hoedanigheid] *depopulation* ◆ **1.2** de ~ v.h. platteland *rural d..*

ontvoogden ⟨ov.ww.⟩ **0.1** [uit de voogdij ontslaan] *remove from guardianship* ⇒⟨jur.⟩ *emancipate* **0.2** [uit de overheersing losmaken] *emancipate.*

ontvoogding ⟨de (v.)⟩ **0.1** [vrijmaking] *emancipation* **0.2** [⟨jur.⟩] *emancipation.*

ontvouwen ⟨ov.ww.⟩ **0.1** [uiteenzetten] *unfold* ⇒*open* **0.2** [openvouwen] *unfurl, unroll* ◆ **1.1** iem. zijn plannen / voornemens ~ *u. / open one's plans / intentions to s.o.;* de redenen van iets ~ *u. the reasons behind sth.* **4.2** ⟨fig.⟩ een eigenaardig tafereel ontvouwde zich voor onze ogen *a remarkable picture unfolded / unrolled before our eyes;* ⟨fig.⟩ de zaak begint zich langzaam te ~ *the affair is beginning to unfold slowly.*

ontvreemden ⟨ov.ww.⟩ **0.1** *steal* ⇒*thieve,* ⟨inf.⟩ *annex,* ⟨schr.⟩ *purloin.*

ontvreemding ⟨de (v.)⟩ **0.1** *theft* ⇒*stealing,* ⟨vnl. jur.⟩ *larceny,* ⟨kruimeldiefstal⟩ *pilferage.*

ontwaarden
I ⟨ov.ww.⟩ **0.1** [van waarde beroven] *devalue* ⇒*depreciate, debase* ⟨munten⟩;
II ⟨onov.ww.⟩ **0.1** [waarde verliezen] *be devalued / depreciated /* ⟨munten⟩ *debased.*

ontwaarding ⟨de (v.)⟩ **0.1** *devaluation* ⇒*depreciation.*

ontwaken ⟨onov.ww.⟩ **0.1** [wakker worden] *awake* ⇒*(a)rouse, waken*

0.2 [⟨fig.⟩] *(a)rouse* ⇒*awaken* ◆ **1.2** zijn gevoel voor rechtvaardigheid is ontwaakt *his sense of justice is aroused;* een ~ d gevoel *a sense of awakening* **6.1** uit de slaap ~ *awake / wake up from sleep;* ⟨fig.⟩ **uit** de droom ~ *wake up to it / the fact* **7.1** ⟨zelfst.⟩ het ~ *the awakening* ⟨ook fig.⟩.

ontwaking ⟨de (v.)⟩ **0.1** *awakening* ⇒*waking (up).*

ontwapenen
I ⟨ov.ww.⟩ **0.1** [ontdoen van wapens] *disarm;*
II ⟨onov., ov.ww.⟩ **0.1** [bewapening afschaffen] *disarm* **0.2** [weerloos maken] *disarm* ◆ **1.2** een ~ de glimlach *a disarming / an endearing smile.*

ontwapening ⟨de (v.)⟩ **0.1** [het ontwapend worden] *disarming* **0.2** [afschaffing v.d. bewapening] *disarmament* ◆ **1.2** onderhandelingen over ~ *d. talks, arms talks;* voorstellen tot ~ *d. proposals* **2.2** eenzijdige / tweezijdige ~ *unilateral / bilateral d..*

ontwapeningsconferentie ⟨de (v.)⟩ **0.1** *disarmament conference.*

ontwapeningsonderhandelingen ⟨zn.mv.⟩ **0.1** *disarmament negotiations* ⇒⟨inf.⟩ *arms talks.*

ontwapeningsvoorstel ⟨het⟩ **0.1** *disarmament proposal.*

ontwapeningsvraagstuk ⟨het⟩ **0.1** *issue / question of disarmament.*

ontwaren ⟨ov.ww.⟩ ⟨schr.⟩ **0.1** [in het oog krijgen] *descry* ⇒*spy* **0.2** [gewaarworden] *descry.*

ontwarren ⟨ov.ww.⟩ **0.1** [uit elkaar halen] *disentangle* ⇒*disentwine, untwine, unravel* **0.2** [tot oplossing brengen] *disentangle* ⇒*unravel, straighten out* ◆ **1.1** ⟨fig.⟩ de knoop ~ *straighten out a tangle;* een streng garen ~ *disentangle / unravel a hank of yarn* **1.2** een lastige kwestie ~ *unravel / straighten out an awkward matter.*

ontwarring ⟨de (v.)⟩ **0.1** ⟨ook fig.⟩ *disentanglement, disentangling, unravelling* ^*-eling* ⇒*sorting out, unsnarling, unravelment.*

ontwassen ⟨bn.⟩ ⟨schr.; fig.⟩ **0.1** *outgrown.*

ontwateren ⟨ov.ww.⟩ **0.1** *drain* ⟨grond, polder⟩; *dehydrate* ⟨papier, olie⟩.

ontweien ⟨ov.ww.⟩ **0.1** *gut* ⇒*draw.*

ontwennen
I ⟨ov.ww.⟩ **0.1** [afwennen] *break / cure (s.o.'s) habit* ◆ **1.1** iem. aan een gewoonte ~ *get s.o. off / out of a habit;* een verslaafde ~ *get an addict off the drug / drink* ⟨enz.⟩;
II ⟨onov.ww.⟩ **0.1** [afraken van] *get out of the habit* ◆ **1.1** het roken ~ *get out of the habit of smoking;* het spreken van vreemde talen was zij geheel ontwend *she had got out of the habit of speaking foreign languages.*

ontwenningskliniek ⟨de (v.)⟩ **0.1** *alcohol / drug rehabilitation clinic / centre.*

ontwenningskuur ⟨de⟩ **0.1** *detoxification* ◆ **3.1** een ~ doen *undergo d.;* ⟨inf.; mbt. alcohol⟩ *dry out.*

ontwenningsverschijnselen ⟨zn.mv.⟩ ⟨med.⟩ **0.1** *withdrawal symptoms.*

ontwerkelijking ⟨de (v.)⟩ **0.1** *derealization.*

ontwerp ⟨het⟩ **0.1** [schets] *draft* ⇒*design* **0.2** [plan] *draft* ⇒*plan, project, scheme* ◆ **1.2** ~ belastingwet *finance bill;* een ~ van wet *a bill* **3.1** ~en maken voor kleding / een woonwijk *make designs for clothes / a housing estate* **7.1** een eerste ~ *a first draft.*

ontwerpcontract ⟨het⟩ **0.1** *draft contract.*

ontwerpen ⟨ov.ww.⟩ **0.1** [in schets brengen] *design* ⟨kleding, meubels, beeld, machine, gebouw⟩ ⇒*plan* ⟨stad, park, wegen, spoorlijnen⟩ **0.2** [opstellen] *devise, plan, formulate* ⟨programma, stelsel, regeling⟩; *draft, draw up, prepare* ⟨contract, document⟩ ◆ **1.2** een wet ~ *draw up / prepare a bill.*

ontwerper ⟨de (m.)⟩, **-ster** ⟨de (v.)⟩ **0.1** *designer* ⇒*planner* ◆ **1.1** de ~ v.e. wet *the author of a law* **2.1** industrieel ~ *industrial d..*

ontwerptekening ⟨de (v.)⟩ **0.1** *draft* ⇒*sketch.*

ontwijden ⟨ov.ww.⟩ **0.1** [v.d. wijding ontdoen] *desecrate* **0.2** [⟨fig.⟩ schenden] *violate, defile* ⇒*profane* ◆ **1.2** een kunstwerk ~ *profane a work of art.*

ontwijding ⟨de (v.)⟩ **0.1** *desecration, profanation* ⇒*sacrilege, defilement, violation.*

ontwijfelbaar ⟨bn., bw.; -ly⟩ **0.1** *undoubted, doubtless* ⇒⟨zeker⟩ *unfailing, unquestionable, unimpeachable* ◆ **1.1** ontwijfelbare zekerheid *unfailing certainty* **2.1** dat vind ik ~ waar *that is undoubtedly / unquestionably true in my opinion.*

ontwijken ⟨ov.ww.⟩ **0.1** [uit de weg gaan om niet te botsen] *avoid* **0.2** [uit de weg gaan om niet te ontmoeten] *avoid* ⇒*shy away from, evade* **0.4** [trachten te ontkomen] *avoid* ⇒*evade, dodge* ◆ **1.1** hij kon de boom nog net ~ *he just managed to a. the tree* **1.3** iemands blik ~ *evade s.o.'s glance;* een slag ~ *dodge a blow* **1.4** de moeilijkheid ~ *beg the question;* de strijd ~ *refuse battle;* een vraag ~ *parry a question* **4.2** na die ruzie ontweken zij elkaar *after that fight they avoided / steered clear of each other.*

ontwijkend
I ⟨bn., bw.; -ly⟩ **0.1** [indirect] *evasive* ◆ **1.1** een ~ antwoord geven ⟨ook⟩ *equivocate;* een ~e blik *an e. glance* **3.1** ~ antwoorden *answer evasively;*
II ⟨bn.⟩ **0.1** [trachtend een botsing te voorkomen] *evasive* ◆ **1.1** ~e bewegingen v.e. bokser *e. movements of a boxer.*

ontwijking ⟨de (v.)⟩ **0.1** *evasion* ⇒*avoidance, elusion*.
ontwikkelaar ⟨de (m.)⟩ ⟨foto.⟩ **0.1** *developer*.
ontwikkelbaar ⟨bn.⟩ **0.1** *developable* ◆ **1.¶** ⟨wisk.⟩ ~oppervlak *d. surface*.
ontwikkelbak ⟨de (m.)⟩ ⟨foto.⟩ **0.1** *developing tray*.
ontwikkelcentrale ⟨de⟩ ⟨foto.⟩ **0.1** *photofinishing laboratory* ⇒*film (processing) laboratory*.
ontwikkeld ⟨bn.⟩ **0.1** [volgroeid] *developed* ⇒*mature* **0.2** [geestelijk gevormd] *educated* ⇒*informed*, ⟨beschaafd⟩ *cultivated, cultured* **0.3** [mbt. volkeren] *developed* **0.4** [⟨foto.⟩] *developed* ◆ **5.1** goed~e spieren *well-developed muscles;* een vroeg~ meisje *a precocious girl* **5.2** weinig~ ⟨onbeschaafd⟩ *uncultured, uncultivated;* ⟨primitief⟩ *rude;* zij is zeer~ *she is highly e..*
ontwikkeldoos ⟨de⟩ ⟨foto.⟩ **0.1** *developing tank*.
ontwikkelen
I ⟨ov.ww.⟩ **0.1** [tot volle wasdom brengen] *develop* **0.2** [teweegbrengen, veroorzaken] *develop* ⇒ [teweegbrengen] *generate* **0.3** [ontwerpen] *develop* ⇒*work out*, ⟨uitdenken⟩ *evolve* **0.4** [kennis bijbrengen] *educate* **0.5** [⟨foto.⟩] *develop* **0.6** [ten toon spreiden] *display* ⇒*unfold* **0.7** [⟨wisk.⟩] *develop* ◆ **1.1** foto's~en afdrukken *process a film;* zijn stijlgevoel~ *d. one's sense of style* **1.2** de brand ontwikkelde grote rookwolken *the fire generated a lot of smoke;* warmte~ *generate heat* **1.3** een nieuw geneesmiddel~ *d. a new medicine;* een leermethode~ *d. a teaching method;* een theorie~ *d. a theory* **1.4** de geest~ *improve o.s. / one's mind;* ontwikkelde landen *advanced countries* **1.6** kracht~ *d. strength;* hij ontwikkelde een grote moed *he displayed great courage* **1.7** een algebraïsche vorm~ *d. an algebraic form* **4.4** zich~ *educate o.s.;*
II ⟨wk.ww.; zich~⟩ **0.1** [tot volle wasdom komen] *develop (into)* ⇒ ⟨inf.⟩ *shape up* ◆ **4.1** we zullen zien hoe de zaken zich~ *we'll see how things d. / shape up,* we'll await developments; de zaak ontwikkelt zich gunstig *the affair is shaping (up) well / favourably* **6.1** zich~ *tot d. / grow into*.
ontwikkeling ⟨de (v.)⟩ **0.1** [groei, wasdom] *development* ⇒*growth, maturation* **0.2** [het teweegbrengen] *development* ⇒*generation* **0.3** [het ontwerpen] *development* **0.4** [het kundig zijn] *education* **0.5** [⟨foto.⟩] *development* **0.6** [gebeurtenis] *development* ⇒*current* ◆ **1.1** een hoge graad van~ *a high degree of d.* **1.3** de~v.e. nieuwe raket *the d. of a new missile* **1.4** gebrek aan~ *lack of refinement* **2.4** algemene~ *general e. / knowledge;* een brede~ *a wide knowledge* **2.6** er waren steeds nieuwe~en *everything was in a state of flux;* de nieuwste / jongste~en *the latest / recent developments / trends* **3.1** een snelle~ doormaken *experience a mushroom growth;* tot~komen *develop;* er zit geen~ in de zaak *there's no movement in the affair, the affair is stagnating* **3.4** iem.~bijbrengen *educate s.o.* **6.1** een land **tot**~brengen *develop a country;* **tot** volle~komen *reach maturity, come to full bloom, attain its full d.* **6.3 in**~zijn *be in the making* ¶**.6** de~en op de wereldmarkt *currents in the world market*.
ontwikkelingsbad ⟨het⟩ ⟨foto.⟩ **0.1** *developer*.
ontwikkelingsbank ⟨de⟩ **0.1** *development bank*.
ontwikkelingsgang ⟨de (m.)⟩ **0.1** *evolution* ⇒*progress* ◆ **1.1** de~v.d. mensheid *the progress of humanity*.
ontwikkelingsgebied ⟨het⟩ **0.1** [stimuleringsgebied] *development area* **0.2** [ontwikkelingsland] *developing / underdeveloped country*.
ontwikkelingsgeschiedenis ⟨de (v.)⟩ **0.1** [geschiedenis v.e. ontwikkeling] *life history* **0.2** [leer] *ontogenesis* ⇒*ontogeny*.
ontwikkelingsgroep ⟨de⟩ **0.1** *development group*.
ontwikkelingshulp ⟨de⟩ **0.1** [hulp aan ontwikkelingslanden] *foreign / development aid* **0.2** [dienst] *Voluntary Service Overseas,* [A]*Peace Corps* ◆ **6.2** hij gaat **in** de~*he's joining the VSO*.
ontwikkelingskosten ⟨zn.mv.⟩ **0.1** *development costs*.
ontwikkelingsland ⟨het⟩ **0.1** *developing country*.
ontwikkelingsleer ⟨de⟩ **0.1** *theory of evolution*.
ontwikkelingsmaatschappij ⟨de (v.)⟩ **0.1** *development company*.
ontwikkelingsmechanica ⟨de (v.)⟩ **0.1** *developmental biology*.
ontwikkelingsniveau ⟨het⟩ **0.1** *level of development* ⇒*standard of education, educational level*.
ontwikkelingsprogramma ⟨het⟩ **0.1** *development(al) / development-aid programme* [A]*gram*.
ontwikkelingsproject ⟨het⟩ **0.1** [project ter ontwikkeling] *development project* **0.2** [⟨school.⟩ experimentele school] *experimental school (in which nursery and primary education are combined) (for age 4-12)*.
ontwikkelingspsychologie ⟨de (v.)⟩ **0.1** *developmental psychology*.
ontwikkelingsroman ⟨de (m.)⟩ ⟨lit.⟩ **0.1** *Bildungsroman*.
ontwikkelingssamenwerking ⟨de (v.)⟩ **0.1** *foreign / development aid* ⇒ ⟨dienst⟩ *Voluntary Service Overseas,* [A]*Peace Corps*.
ontwikkelingsstadium ⟨het⟩ **0.1** *developmental stage, stage of development* ⟨ook psych.⟩ ◆ **6.1** in het~*in the initial stages of development, in the embryonic stage, in infancy*.
ontwikkelingstheorie ⟨de (v.)⟩ **0.1** *theory of evolution*.
ontwikkelingstijdperk ⟨het⟩ **0.1** *period of development* ⇒*adolescence* ⟨bij mensen⟩.
ontwikkelingswerk ⟨het⟩ **0.1** [werk om iets te ontwikkelen] *development project* **0.2** [ontwikkelingshulp] *development / foreign aid*.

ontwikkelingswerker ⟨de (m.)⟩, -**ster** ⟨de (v.)⟩ **0.1** *development-aid worker* ⇒*person serving on VSO /* [A]*in the Peace Corps*.
ontwikkelpapier ⟨het⟩ **0.1** *bromide paper*.
ontwikkelproces ⟨het⟩ **0.1** *developing process*.
ontwikkelstof ⟨de⟩ **0.1** *developer*.
ontwikkeltank ⟨de (m.)⟩ **0.1** *developing tank*.
ontwoekeren ⟨ov.ww.⟩ **0.1** [mbt. grond] *wrest (away)* **0.2** [mbt. tijd] *wrest (from)* ◆ **6.1** land ontwoekerd **aan** de zee *land reclaimed / won / recovered from the sea*.
ontwormen ⟨ov.ww.⟩ **0.1** *worm*.
ontworstelen ⟨ov.ww.⟩ **0.1** *tear / wrest from* ◆ **1.1** het wapen werd hem ontworsteld *the weapon was wrested from him* **4.1** zij ontworstelde zich aan zijn greep *she struggled out of his grasp*.
ontworteld ⟨bn.⟩ **0.1** *uprooted* ◆ **3.1** in het vreemde land raakte hij geheel~*he completely lost his roots in the foreign / alien country* **7.1** ⟨zelfst.⟩ een~e *a drifter*.
ontwortelen
I ⟨ov.ww.⟩ **0.1** [uit de grond rukken] *uproot* ⇒*pull up by the roots* **0.2** [mbt. personen] *up root;*
II ⟨onov.ww.⟩ **0.1** [van de wortels losraken] ⟨ook fig.⟩ *be uprooted*.
ontwrichten ⟨ov.ww.⟩ **0.1** [uit zijn verband rukken] *disrupt* ⇒*unsettle, disorganize,* ⟨handel ook⟩ *dislocate* **0.2** [mbt. ledematen] *dislocate* ⇒*disjoint, put out* ◆ **1.1** ontwricht gezin *broken home;* onze gehele samenleving is ontwricht *our entire society is disrupted;* ~de stakingen *disruptive strikes* **1.2** hij heeft zijn been ontwricht *he has dislocated / put out his leg;* de pols is ontwricht *the wrist has been dislocated / put out* **2.1** ⟨fig.⟩ geestelijk ontwricht *unbalanced, deranged*.
ontwrichting ⟨de (v.)⟩ **0.1** [desorganisatie] *disruption* ⇒ ⟨handel / verkeer ook⟩ *dislocation* **0.2** [mbt. ledematen] *dislocation* ◆ **2.1** duurzame~v.h. huwelijk *permanent breakdown of a marriage*.
ontwringen ⟨ov.ww.⟩ **0.1** [uit de handen wringen] *wrench / wrest from* **0.2** [⟨schr.⟩ afdwingen] *wrest from, wring out of* ◆ **1.2** iem. een geheim~ *wrest a secret from / wring a secret out of s.o.* **4.1** iem. iets~ *wrench sth. from s.o.*.
ontzadelen ⟨ov.ww.⟩ **0.1** [uit het zadel lichten] *unseat* ⇒ ⟨afwerpen⟩ *throw* **0.2** [van zijn zadel ontdoen] *unsaddle*.
ontzag ⟨het⟩ **0.1** *awe* ⇒*respect* ◆ **2.1** een heilig~ *a holy fear, a healthy respect* **3.1** iem.~inboezemen; met~vervullen *inspire a. in s.o., fill s.o. with a., overawe s.o.* **5.1** vol~*full of a., awe-struck* **6.1 door**~ tot zwijgen gebracht *be awed into silence;* ~**voor** iem. hebben *be / stand in a. of s.o.;* ~**voor** iem. voelen / tonen *feel / show respect for s.o..*
ontzaglijk
I ⟨bn.⟩ **0.1** [ontzagwekkend] *awesome* ⇒*awful* **0.2** [indrukwekkend] *immense* ⇒*enormous* **0.3** [zeer groot] *tremendous* ⇒*enormous, immense, huge, vast* ⟨ruimte, massa⟩ ◆ **1.2** de~e uitgestrektheid van die sneeuwvelden *the vastness of those snowfields* **1.3** een~e blunder *a stupendous / whopping blunder;* de kinderen hadden een~e pret *the children had t. fun;*
II ⟨bw.⟩ **0.1** [in hoge mate] *awfully* ⇒*terribly, terrifically, immensely* ◆ **7.1** ~veel *an awful lot, terribly much* ¶**.1** hij ging~te keer *he kicked up a tremendous / an awful fuss*.
ontzagwekkend ⟨bn., bw.; -ly⟩ **0.1** *awe-inspiring, awesome* ⇒*formidable,* ⟨verbazingwekkend⟩ *stupendous*.
ontzegelen ⟨ov.ww.⟩ **0.1** *unseal*.
ontzeggen
I ⟨ov.ww.⟩ **0.1** [weigeren] *refuse, deny* ⇒*forbid* **0.2** [⟨jur.⟩] *dismiss, disallow* ⇒*reject* **0.3** [zeggen dat iem. iets niet heeft] *deny* ◆ **1.1** geluk in de liefde was mij ontzegd *I was denied happiness in love;* iem. (de toegang tot) het huis~*forbid s.o. (entrance to) the house, bar s.o. from the house;* de toegang tot de club werd hun ontzegd *they were barred from the club;* iem. de toegang / het recht~*deny / refuse s.o. admission / access / the right* **1.2** iem. de eis~*dismiss s.o.'s claim, find against s.o.* **5.3** talent kan men de auteur niet~ *the author is undeniably talented;*
II ⟨wk.ww.; zich~⟩ **0.1** [afzien van] *deny o.s.* ⇒*go without, sacrifice,* ⟨schr.⟩ *renounce* ◆ **1.1** zich elk genoegen~ *deny o.s. / forgo / give up / sacrifice all pleasures* **4.1** zich niets hoeven te~ *live on Easy Street, never have to go without anything* **8.1** hij ontzegde zich veel om ... *he sacrificed a lot / made many sacrifices to ....*
ontzegging ⟨de (v.)⟩ **0.1** *denial, refusal* ⇒⟨zelfverloochening⟩ *abnegation, renunciation* ◆ **1.1** ~v.d. rijbevoegdheid *disqualification from driving;* volslagen~van rust *total deprivation of rest*.
ontzenuwen ⟨ov.ww.⟩ **0.1** [afdoende weerleggen] *refute* ⇒*disprove, invalidate,* ⟨argument ook⟩ *dispose of, knock the bottom out of, rebut* ⟨beschuldiging, bewijs⟩ **0.2** [krachteloos maken] *emasculate, enervate* ◆ **1.1** hiermee is het betoog ontzenuwd *this (conclusively) invalidates / disproves ⟨enz.⟩ the argument*.
ontzenuwing ⟨de (v.)⟩ **0.1** [weerlegging] *refutation* ⇒*invalidation, rebuttal* **0.2** [verzwakking] *emasculation, enervation*.
ontzet[1] ⟨het⟩ **0.1** *relief* ⟨stad⟩; *rescue* ⟨levend wezen⟩ ◆ **1.1** het~van Leiden *the relief of Leyden*.
ontzet[2] ⟨bn.⟩ **0.1** [ontdaan] *aghast, appalled (at / by)* ⇒*horrified (at / by),*

horror-sticken **0.2** [uit het verband gerukt] *dislocated* ⇒⟨verwrongen⟩ *wrenched, contorted, sprained, buckled* ⟨metaal⟩, *out of alignment* ⟨as, wiel⟩, *out of gauge* ⟨rails⟩ ◆ **1.2** een ~te arm *a wrenched/dislocated arm;* een ~te pols/enkel *a sprained wrist/ankle* **3.1** ~ staan te kijken *stand aghast;* ~ zijn van schrik *be horror-stricken* **3.2** door de brand raakten de platen v.h. schip ~ *the fire buckled the plates of the ship* **6.1** ~ **over** ⟨ook⟩ *dismayed at/by.*

ontzetten ⟨ov.ww.⟩ **0.1** [een ambt/recht ontnemen] *deprive of* ⇒*expel, remove* ⟨ook⟩ **0.2** [bevrijden] *relieve* ⟨stad⟩; *rescue* ⟨levend wezen⟩ **0.3** [doen schrikken] *appal* ⇒*horrify,* ⟨alarmeren⟩ *startle* ◆ **6.1** de burgemeester werd **uit** zijn ambt ontzet *the mayor was expelled/removed from office;* iem. **uit** de ouderlijke macht ~ *divest of parental authority;* iem. ~ **uit** een recht ⟨ook⟩ *disfranchise s.o.;* **uit** het priesterambt ~ ⟨ook⟩ *defrock, unfrock;* iem. ~ **van** het eigendom van iets *expropriate/dispossess s.o..*

ontzettend
I ⟨bn., bw.;-(al)ly⟩ **0.1** [vreselijk] *appalling, awful* ⇒*dreadful, terrible* **0.2** [geweldig] *terrific, immense, tremendous* ◆ **1.1** een ~e ziekte *a terrible illness* **1.2** een ~e onderneming *a tremendous enterprise, a/the devil of an undertaking;* wij hadden een ~ plezier *we enjoyed ourselves immensely,* we had *terrific/tremendous fun;* een ~e zeikerd *an awful/a stupendous bore/drip/* ↓*party-pooper* **3.1** hij brulde ~ *he howled/roared dreadfully;*
II ⟨bw.⟩ **0.1** [in hoge mate] *terrifically, awfully, tremendously, frightfully* ◆ **2.1** een ~ grote wagen *a whacking/whopping big car* **3.1** ~ bedankt *thanks awfully;* het regende ~ *there was terrible rain;* het spijt me ~ *I'm terribly/awfully sorry* **7.1** ~ veel bloemen *an awful lot of flowers.*

ontzetter ⟨de (m.)⟩ **0.1** *reliever* ⇒⟨bevrijder⟩ *liberator,* ⟨redder⟩ *rescuer.*

ontzetting ⟨de (v.)⟩ **0.1** [ontwrichting] *dislocation* **0.2** [ontneming v.e. ambt/recht] *deprivation* ⇒*dispossession* ⟨eigendom, recht⟩, *removal, expulsion* ⟨ambt⟩ **0.3** [bevrijding] *relief* ⟨stad⟩; *rescue* ⟨levend wezen⟩ **0.4** [schrik] *horror* ⇒*dismay,* ⟨(doods)angst⟩ *dread* ◆ **3.4** ~ teweegbrengen *cause dread* **5.4** vol ~, met ~ *vervuld filled with dismay/h.* **6.2** ~ **uit** een recht *disfranchisement;* ~ **uit** voogdij *rescue* **6.4** ze vernam het nieuws **met** ~ *she was appalled at the news;* iem. **met** ~ vervullen *fill/strike s.o. with dismay, appal s.o.;* **tot** onze ~ *to our dismay/h..*

ontzettingsleger ⟨het⟩ **0.1** *relief/rescue force.*

ontzield ⟨bn.⟩ **0.1** *lifeless.*

ontzielen ⟨ov.ww.⟩ ⟨fig.⟩ **0.1** *devitalize* ⇒*enervate.*

ontzien ⟨ov.ww.⟩ **0.1** [sparen] *spare* ⇒*save, consider,* ⟨tegemoetkomen⟩ *humour* **0.2** [(in ontk. zinnen) opzien tegen] *have no scruples, not hestitate to* ◆ **1.1** iem. ~ *spare s.o.;* ⟨zich inhouden⟩ *pull one's punches;* geen kosten/geen moeite ~ *spare no costs, save no trouble;* hij moest beide partijen ~ *he had to humour both parties* **4.1** niets of niemand ~ *show no mercy, go to any lengths to;* hij ontziet niets *he stops/sticks at nothing, nothing is sacred to him;* vader moet zich wat ~ *father should be a little more careful of himself.*

ontzilten
I ⟨ov.ww.⟩ **0.1** [van zout ontdoen] *desalinate* ⇒*desalt, desalinize;*
II ⟨onov.ww.⟩ **0.1** [zout verliezen] *freshen.*

ontzilting ⟨de (v.)⟩ **0.1** *desalination* ⇒*desalinization.*

ontzind ⟨bn.⟩ **0.1** *senseless* ⇒*demented, mad.*

ontzinken ⟨onov.ww.⟩ **0.1** [verloren gaan] *give way* ⇒*fail, sink* **0.2** [slinken] *shrink* ◆ **1.1** de moed ontzonk haar geheel en al *her courage failed her completely.*

ontzouten ⟨ov.ww.⟩ **0.1** *desalinate* ⇒*desalt, freshen.*

ontzuilen
I ⟨onov.ww.⟩ **0.1** [de verzuiling kwijtraken] ⟨zie 1.1⟩ ◆ **1.1** Nederland ontzuilt *traditional religious and socio-political barriers in the Netherlands are breaking down/are being removed;*
II ⟨ov.ww.⟩ **0.1** [de verzuiling opheffen] *remove traditional religious and socio-political barriers.*

ontzuren ⟨ov.ww.⟩ **0.1** *deacidify.*

ontzwavelen ⟨ov.ww.⟩ **0.1** *desulphurize.*

onuitblusbaar ⟨bn.⟩ **0.1** *inextinguishable, unquenchable* ◆ **1.1** een onuitblusbare liefde *an u. passion, an undying love.*

onuitgegeven ⟨bn.⟩ **0.1** [niet in druk verschenen] *unpublished* **0.2** [niet voor betaling gebruikt] *unspent* ⇒*unexpended.*

onuitgemaakt ⟨bn.⟩ **0.1** *unsettled* ⇒*undetermined, undecided, indeterminate* ◆ **3.1** de kwestie bleef nog ~ *the issue was still undecided;* het is nog ~ *it's still an open question.*

onuitgesproken ⟨bn.⟩ **0.1** *unspoken, unuttered* ⇒⟨impliciet⟩ *implicit, implied, tacit* ◆ **1.1** ~ verdriet *wordless grief;* ~ wensen/verlangens *unspoken wishes/desires* **3.1** zolang het vonnis nog ~ bleef *as long as the sentence had not yet been pronounced;* ~ blijven *be left unsaid.*

onuitgevoerd ⟨bn.⟩ **0.1** *unexecuted;* ⟨niet opgevoerd⟩ *unacted* ◆ **3.1** het bevel/het plan bleef ~ *the order/plan remained unexecuted.*

onuitgewerkt ⟨bn.⟩ **0.1** *sketchy, rudimentary* ◆ **1.1** een ~e schets *a r. sketch.*

onuitgezocht ⟨bn.⟩ **0.1** *unpicked, unsorted.*

---

onuitputbaar ⟨bn.⟩ **0.1** *inexhaustible* ⇒*untiring* ◆ **3.1** haar lachlust scheen ~ *her mirth seemed i..*

onuitputtelijk ⟨bn., bw.;-ly⟩ **0.1** [onberperkt, zonder einde] *inexhaustible* ⇒*unfailing* **0.2** [onvermoeibaar] *inexhaustible* ⇒*indefatigable, tireless* ◆ **1.1** een ~e bron/voorraad *an i. source/supply;* ⟨fig.⟩ een ~ geduld *saintly/unfailing patience;* ⟨fig.⟩ een ~ onderwerp *an i. subject* **3.2** hij is ~ *he is indefatigable* **5.1** ~ groot/veel *infinitely/indefinitely large/many;* niet ~ *exhaustible, finite.*

onuitroeibaar ⟨bn.⟩ **0.1** *ineradicable* ⇒*indestructible* ⟨onkruid⟩.

onuitspreekbaar
I ⟨bn.⟩ **0.1** [niet uit te spreken] *unpronounceable;*
II ⟨bn., bw.;-ly⟩ **0.1** [niet te verwoorden] *unutterable* ⇒*unspeakable, ineffable.*

onuitsprekelijk ⟨bn., bw.;-ly⟩ **0.1** *unspeakable, unutterable* ⇒*ineffable, inexpressible* ◆ **1.1** een ~ geluk *an unspeakable happiness* **2.1** ~ zeg *unspeakable, unmentionable;* ~ leuk/vervelend *too funny/boring for words, funny/boring beyond words/expression.*

onuitstaanbaar ⟨bn., bw.;-ly⟩ **0.1** *unbearable, insufferable* ⇒*intolerable, insupportable,* ⟨ergerlijk⟩ *exasperating* ◆ **2.1** ~ vervelend *boring beyond endurance* **3.1** hij is werkelijk ~ ⟨ook⟩ *he's a real pain (in the neck);* die kerel vind ik ~ *I can't bear (the sight of) that guy.*

onuitvoerbaar ⟨bn.⟩ **0.1** *impracticable, unfeasible* ⇒⟨plan ook⟩ *inoperable, unworkable, unplayable* ⟨muziek⟩ ◆ **1.1** een ~ besluit *a decision that cannot be carried out* **3.1** het is ~, it won't work, it can't be done.

onuitvoerbaarheid ⟨de (v.)⟩ **0.1** *impracticability, unfeasibility* ⇒*unworkability.*

onuitwisbaar ⟨bn.⟩ **0.1** ⟨ook fig.⟩ *indelible* ⇒*ineffaceable, ineradicable* ◆ **1.1** ⟨comp.⟩ ~ geheugen *read-only storage;* een onuitwisbare indruk *an ineradicable/unforgettable impression;* onuitwisbare inkt *indelible ink;* onuitwisbare schande *ineffaceable/ineradicable shame* **3.1** dat is ~ in zijn geheugen geprent *it's stamped indelibly on his memory.*

onvaderlands(lievend) ⟨bn., bw.;-ally⟩ **0.1** *unpatriotic* ◆ **1.1** men verweet hem zijn ~ gedrag *his u. attitude was held against him.*

onvast
I ⟨bn., bw.;-ly⟩ **0.1** [wankel] *unsteady* ⇒*unsettled, unstable* **0.2** [licht] *light* ⇒*unsound, fitful* **0.3** [onzeker] *unsteady* ⇒*insecure, uncertain,* ⟨weifelend⟩ *irresolute* ◆ **1.1** de beurs was ~ *the Exchange was unsettled/unstable;* ~e gang *unsteady gait* **1.3** met ~e hand *with an unsteady hand;* ~e schreden *unsteady/uncertain (foot)steps* **3.1** ~ op de schaatsen staan *wobble on one's skates;* ~ op de benen staan *be unsteady on one's feet, stand on wobbly legs;*
II ⟨bn.⟩ **0.1** [week] *infirm* ⇒*soft.*

onvastheid ⟨de (v.)⟩ **0.1** [weekheid] *softness* **0.2** [het wankel zijn] *unsteadiness, instability* **0.3** [onzekerheid] *insecurity* ⇒*uncertainly.*

onvatbaar ⟨bn.⟩ **0.1** [immuun] *immune (to)* ⇒*resistant (to)* **0.2** [niet ontvankelijk] *insusceptible* ⇒*impervious/insensible (to), unamenable* **0.3** [niet te grijpen] *elusive* ⇒*elusory,* ⟨ondoorgrondelijk⟩ *impalpable* ◆ **6.2** die booswicht is ~ *voor* verbetering *that scoundrel is incapable of correction/incorrigible;* ~ **voor** rede *impervious/insensible to reason.*

onvatbaarheid ⟨de (v.)⟩ **0.1** [mbt. besmetting] *immunity* ⇒*resistance* **0.2** [niet-ontvankelijkheid] *insusceptibility* ⇒*imperviousness* **0.3** [ongrijpbaarheid] *elusiveness.*

onveilig ⟨bn., bw.;-ly⟩ **0.1** [niet veilig] *unsafe* ⇒*dangerous,* ⟨hachelijk⟩ *precarious* **0.2** [mbt. wegen/buurten] *unsafe* ⇒*dangerous,* ⟨inf.⟩ *unhealthy, rough* ◆ **1.1** een ~ sein *danger signal, signal of danger* **3.1** zich ~ voelen *feel insecure* **3.2** ⟨fig.⟩ de buurt ~ maken *knock about/prowl around the district* **6.1** het seinlicht stond **op** ~ *the signal stood at danger;* (het sein) **op** ~ zetten *put/place (the signal) at danger.*

onveiligheid ⟨de (v.)⟩ **0.1** *insecurity* ⇒*danger, dangerousness* ◆ **1.1** een gevoel van ~ *a sense/feeling of i..*

onveranderbaar ⟨bn.⟩ **0.1** *unchangeable* ⇒*unalterable,* ⟨niet terug te draaien⟩ *irreversible.*

onveranderd ⟨bn.⟩ **0.1** *unchanged* ⇒*unaltered,* ⟨onaangetast⟩ *unaffected* ◆ **3.1** deze paragraaf kan ~ blijven *this section can stay/remain as it is.*

onveranderlijk
I ⟨bn.⟩ **0.1** [constant] *unchanging* ⇒*changeless, constant, unvarying* ◆ **1.1** een ~e grootheid *a constant, an invariable;* de ~e natuurwetten *the immutable laws of nature;*
II ⟨bw.⟩ **0.1** [steeds, almaar] *invariably* ⇒*unvaryingly* ◆ **2.1** het weer bleef ~ mooi *the weather remained i. beautiful* ¶ **1.1** ze doet ~ de verkeerde keus *she i. makes/she never fails to make the wrong choice.*

onverantwoord ⟨bn., bw.;-ly⟩ **0.1** [niet te verantwoorden] *irresponsible* ⇒*unwarranted, unjustified* **0.2** [niet verklaard] *unaccounted for* ⟨pred.⟩ ◆ **3.1** ik vind dat ~ *I find it totally i..*

onverantwoordelijk ⟨bn., bw.;-ly⟩ **0.1** [niet te verantwoorden] *irresponsible* ⇒⟨niet te verdedigen⟩ *unjustifiable, inexcusable, unwarrantable* **0.2** [niet verantwoordelijk/aansprakelijk] *irresponsible* ⇒*unaccountable* ◆ **1.1** ~ gedrag *irresponsible behaviour;* een daad van ~e roekeloosheid *an act of wanton carelessness* **3.1** dat is ~ *that is unjustifiable;* ~ hard rijden *drive recklessly fast* **6.2** ~ **voor** *unaccountable/not responsible for.*

onverantwoordelijkheid ⟨de (v.)⟩ **0.1** [onvergefelijkheid] *inexcusableness* ⇒*unjustifiableness, unwarrantableness* **0.2** [niet-aansprakelijkheid] *irresponsibility* ⇒*unaccountability*.

onverbeterbaar ⟨bn.⟩ **0.1** [onherstelbaar] *irredeemable* ⇒*irreclaimable* **0.2** [mbt. personen] *incorrigible* ⇒*inveterate*.

onverbeterd ⟨bn.⟩ **0.1** *uncorrected* ⇒*unimproved, unrectified* ⟨fout⟩, *unremedied* ⟨gebrek⟩.

onverbeterlijk
I ⟨bn.⟩ **0.1** [niet voor verbetering vatbaar] *incorrigible* ⇒⟨verstokt⟩ *inveterate*, ⟨schr.⟩ *obdurate* **0.2** [niet overtroffen kunnende worden] *unsurpassable* ⇒*inimitable* **0.3** [onherstelbaar] *irredeemable* ◆ **1.1** een~e alcoholist *an incurable alcoholic;* een~geval *a hard case;* een ~e optimist *an incorrigible optimist* **1.3** een~kwaad *an i. evil* **3.1** hij is~*he is beyond hope/past redemption/past praying for;*
II ⟨bw.⟩ **0.1** [zó dat het niet beter kan] *incomparably* ⇒*without compare* ◆ **3.1** de stof die hij~behandelde *the matter which he discussed i..*

onverbeterlijkheid ⟨de (v.)⟩ **0.1** *incorrigibility* ⇒⟨verstoktheid⟩ *inveteracy,* ⟨schr.⟩ *obduracy.*

onverbiddelijk
I ⟨bn., bw.⟩ **0.1** [onvermurwbaar] *unrelenting* ⇒*implacable, inexorable* **0.2** [onweerspreekbaar] *untempered* ⇒*grim* ◆ **1.2** ~e logica *grim logic* **2.1** ~ streng *implacably/inexorably harsh* **3.1** iem.~afwijzen *reject s.o. relentlessly;* ~doorgaan met *press ahead with;* daarin is hij ~*he is u. in that respect;*
II ⟨bw.⟩ **0.1** [onvermijdelijk] *unrelenting* ⇒*inevitable* ◆ **3.1** en daarop volgt dan~dezelfde reactie *and that unrelentingly provokes the same reaction.*

onverbiddelijkheid ⟨de (v.)⟩ **0.1** *relentlessness* ⇒*implacability, inexorability.*

onverbindend ⟨bn.⟩ **0.1** *not binding, non-binding* ⇒⟨niet van kracht⟩ *inoperative* ◆ **1.1** een~e verordening *a non-binding regulation* **3.1** iets~verklaren *void/invalid/non-binding.*

onverbloemd
I ⟨bn.⟩ **0.1** [oprecht] *frank, outspoken* **0.2** [niet te mooi voorgesteld] *plain* ⇒*sober naked, unvarnished* ◆ **1.1** ~e deugden *unfeigned virtues* **1.2** de~e waarheid *the p. / unvarnished truth;* de~e werkelijkheid *sober/plain reality;*
II ⟨bw.⟩ **0.1** [zonder er doekjes om te winden] *in plain terms* ◆ **3.1** (iem.)~de waarheid zeggen *tell (s.o.) what's what in no uncertain terms, call a spade a spade.*

onverbogen ⟨bn.⟩ **0.1** [⟨taal.⟩] *uninflected* **0.2** [niet van vorm veranderd] *straight.*

onverbrandbaar ⟨bn.⟩ **0.1** *incombustible.*

onverbreekbaar ⟨bn.⟩ **0.1** *unbreakable* ⇒*infrangible* ⟨wet⟩.

onverbrekelijk
I ⟨bn.⟩ **0.1** [onverbreekbaar] *unbreakable* ⇒⟨schr.⟩ *indissoluble* ◆ **1.1** door een~e band verbonden *bound by an indissoluble tie;* de~e echt *the indissoluble bonds of matrimony;*
II ⟨bw.⟩ **0.1** [op niet te verbreken wijze] *indissolubly* ⇒*inseparably* ◆ **2.1** hij verklaarde zich~gehouden aan zijn beloften *he declared himself indissolubly bound by his promises;* zij waren~met elkaar verbonden *their lives were inextricably entwined;* ~verbonden zijn met *be indissolubly connected with, go hand in hand with.*

onverbuigbaar ⟨bn.⟩ ⟨taal.⟩ **0.1** *indeclinable.*

onverdacht ⟨bn.⟩ **0.1** *unsuspected* ⇒*unimpeachable* ⟨getuige, bron⟩ ◆ **1.1** zijn getuigenis is~*his evidence is above suspicion;* van~e zijde hoorde ik het *I had it on unimpeachable authority.*

onverdedigbaar ⟨bn.⟩ **0.1** *indefensible* ⇒*inexcusable, unjustifiable, untenable* ⟨stelling⟩.

onverdeelbaar ⟨bn.⟩ **0.1** *indivisible* ⇒⟨jur.⟩ *impartible.*

onverdeeld
I ⟨bn.⟩ **0.1** [niet verdeeld] *undivided* ◆ **1.1** een~e boedel *an u. / undistributed estate;* ~e winst *u. / undistributed profit;*
II ⟨bn., bw.; -ly⟩ **0.1** [volledig] *undivided* ⇒*absolute, complete, unqualified* ◆ **1.1** met~e aandacht *with undivided attention;* ⟨iron.⟩ het was geen~genoegen *it was no unqualified pleasure;* ~e steun *all-out support;* een~succes *an unqualified success* **2.1** de ontvangst was~gunstig *the reception was wholly/entirely/altogether favourable* **3.1** hij wijdde zich~aan zijn betrekking *he devoted himself whole-heartedly to his job.*

onverdelgbaar ⟨bn.⟩ **0.1** *indestructible* ⇒*inexterminable, inextirpable.*

onverderfelijk ⟨bn.⟩ **0.1** *imperishable.*

onverdiend ⟨bn., bw.; -ly⟩ **0.1** *undeserved* ⟨lof, straf⟩ ⇒⟨onrechtvaardig⟩ *unrighteous, unworthy* ◆ **1.1** een~e straf *an undeserved punishment* **5.1** zij is de laan uitgestuurd, en niet~*she has been sacked, and rightly so/not without reason.*

onverdienstelijk ⟨bn., bw.; -ly⟩ **0.1** *undeserving* ◆ **5.1** een niet~schilder *a painter of some distinction* **5.¶** niet~*not without merit* **7.1** hij is geen~tennisser *he's not a bad/quite a reasonable tennis player.*

onverdorven ⟨bn.⟩ **0.1** *unspoiled* ⇒*incorrupt,* ⟨mens ook⟩ *unsullied, pure.*

onverdraaglijk ⟨bn., bw.; -ly⟩ **0.1** *unbearable, intolerable, insupportable,*

insufferable ⇒*unendurable* ◆ **2.1** het was~heet *it was unbearably/unendurably hot.*

onverdraagzaam ⟨bn.⟩ **0.1** *intolerant (towards)* ⇒⟨sterker⟩ *bigoted* ◆ **6.1** hij is~**tegen/jegens** andersdenkenden *he's i. towards people of different beliefs.*

onverdraagzaamheid ⟨de (v.)⟩ **0.1** *intolerance* ⇒⟨sterker⟩ *bigotry.*

onverdroten ⟨bn., bw.; -ly⟩ **0.1** *unwearying, indefatigable* ⇒⟨onverschrokken⟩ *dauntless, undaunted* ◆ **1.1** met~ijver *with u. / unremitting/unflagging zeal* **3.1** ~werken aan iets *plod/hammer away at sth..*

onverdund ⟨bn.⟩ **0.1** *undiluted* ⇒*unwatered, straight* ⟨drank⟩, ⟨geconcentreerd⟩ *concentrated* ◆ **1.1** een~mengsel *an undiluted/a concentrated mixture;* ~e wijn *unwatered wine* **3.1** gebruik het mengsel~*use mixture undiluted, do not dilute mixture.*

onverenigbaar ⟨bn.⟩ **0.1** *unforgivable (with)* ⇒⟨niet te rijmen⟩ *incongruous (with/to), irreconcilable,* ⟨in strijd met⟩ *inconsistent* ◆ **1.1** deze beide betrekkingen zijn~*these two posts are incompatible/cannot be combined* **3.1** ~zijn ⟨ook⟩ *be poles/worlds apart/asunder* **6.1** ~met de goede smaak/gewone omgangsvormen *incompatible with good taste/everyday manners;* ~zijn **met** ⟨ook⟩ *go against, clash with.*

onverenigbaarheid ⟨de (v.)⟩ **0.1** *incompatibility* ⇒*incongruity, irreconcilability, inconsistency, contrariety.*

onverflauwd ⟨bn.⟩ **0.1** *undiminished* ⇒*unabated* ⟨energie⟩, *unflagging* ⟨toewijding⟩, *unremitting* ⟨zorg⟩.

onvergankelijk ⟨bn.⟩ **0.1** [niet voorbijgaand] *everlasting* ⇒*undying, deathless, immortal* **0.2** [niet vergaand] *imperishable* ⇒*indestructible, incorruptible* ◆ **1.1** ~e roem verlenen *immortalize* **1.2** ~metaal *incorruptible/rust-proof metal.*

onvergankelijkheid ⟨de (v.)⟩ **0.1** [permanentheid] *immortality* ⇒*everlastingness* **0.2** [het niet vergaan] *imperishability* ⇒*indestructibility, incorruptibility.*

onvergeeflijk ⟨bn., bw.; -ly⟩ **0.1** *unforgivable* ⇒*unpardonable, inexcusable* ◆ **1.1** een~e fout *an unforgivable mistake.*

onvergelijkbaar ⟨bn., bw.; -ly⟩ **0.1** *incomparable* ⇒⟨onderling⟩ *incommensurable, not to be compared* ⟨alleen pred.⟩ ◆ **1.1** onvergelijkbare zaken/grootheden *disparates, incommensurables.*

onvergelijkelijk ⟨bn., bw.; -ly⟩ **0.1** *incomparable* ⇒*beyond compare, matchless, unrivalled* ^A*aled, unparalleled* ◆ **1.1** een~talent *an i. / a matchless talent;* ~e zaak/persoon *nonpareil* **2.1** dit gedicht is~mooi *this poem is beautiful beyond compare.*

onvergetelijk ⟨bn., bw.; -ly⟩ **0.1** *unforgettable* ⇒*never-to-be-forgotten,* ⟨zwakker⟩ *memorable* ◆ **2.1** ~mooi was zij *her beauty was u..*

onverhaalbaar ⟨bn.⟩ **0.1** *irrecoverable.*

onverhard ⟨bn.⟩ **0.1** ^B*unmetalled,* ^A*unimproved,* ^A*unpaved* ◆ **1.1** ~e wegen *unmetalled/unimproved/* ⟨AE ook⟩ *dirt roads.*

onverheeld ⟨bn., bw.; -ly⟩ **0.1** *undisguised* ⇒*unconcealed.*

onverhinderd ⟨bn., bw.; -ly⟩ **0.1** *unimpeded* ⇒*unhindered, unhampered,* ⟨van kwalijke ontwikkeling⟩ *unchecked.*

onverhoeds ⟨bn., bw.; -ly⟩ **0.1** *unexpected* ⇒*sudden, surprise* ⟨alleen attr.⟩, ⟨inf.⟩ *sneak* ⟨aanval⟩ ◆ **3.1** iem. ~overvallen *take the enemy by surprise, launch a surprise attack on the enemy.*

onverholen
I ⟨bn.⟩ **0.1** [openlijk] *unconcealed* ⇒*undisguised, open, candid* ⟨mening⟩, *barefaced* ⟨minachting⟩ ◆ **1.1** ~bewondering *unconcealed admiration;* een min of meer~gemeenheid *a more or less open act of cruelty;* ~vreugde *visible pleasure;*
II ⟨bw.⟩ **0.1** [ronduit] *openly* ⇒*candidly, undisguisedly, straight (from the shoulder)* ◆ **3.1** ~zijn afkeer te kennen geven *show one's antipathy o..*

onverhoopt
I ⟨bw.⟩ [tegen hoop/verwachting in] *which God/Heaven forbid* ⇒*in the unlikely event of* ◆ **3.1** mocht u~een ongeluk overkomen ...*if you should meet with an accident, which Heaven forbid, ...;* mocht zij ~weigeren/aftreden ⟨ook⟩ *in the unlikely event of her refusing/her resignation;*
II ⟨bn.⟩ **0.1** [onverwacht en aangenaam] *unhoped-/unlooked-/unwished-for* ⇒*unexpected, unforeseen.*

onverhoord ⟨bn.⟩ **0.1** *unanswered* ⇒*unheard* ◆ **3.1** ~blijven *remain unanswered.*

onverjaarbaar ⟨bn.⟩ ⟨jur.⟩ **0.1** *imprescriptible* ⇒⟨USA ook⟩ *not subject to/not extinguished by a statute of limitation, not liable to become statute-barred.*

onverkiesbaar ⟨bn.⟩ **0.1** [niet gekozen kunnende worden] *ineligible* **0.2** [niet verkozen zullende worden] *with no chance of being elected* ◆ **1.2** op een onverkiesbare plaats staan *be unlikely to be elected.*

onverkiesbaarheid ⟨de (v.)⟩ **0.1** [onmogelijkheid] *ineligibility* **0.2** [onwaarschijnlijkheid] *little chance of being elected.*

onverkieslijk ⟨bn.⟩ **0.1** *undesirable.*

onverklaarbaar ⟨bn., bw.; -ly⟩ **0.1** *inexplicable* ⇒⟨zonder duidelijke oorzaak⟩ *unaccountable, insolvable* ⟨mysterie⟩ ◆ **1.1** overvallen door een onverklaarbare angst *be seized with/overcome by a strange/*

↓*an inexplicable fear;* op onverklaarbare wijze *unaccountably,myste-riously* **3.1** het is voor mij (volkomen) ~ *I (just) don't understand;* ⟨inf.⟩ *it beats me!.*

onverklaarbaarheid ⟨de (v.)⟩ **0.1** [het onverklaarbaar zijn] *inexplicabil-ity* ⇒*inexplicableness, unaccountability* ⟨van oorzaak⟩ **0.2** [iets on-verklaarbaars] *inexplicable fact.*

onverklaard ⟨bn.⟩ **0.1** *unexplained* ⇒*unaccounted for, obscure, mysteri-ous.*

onverkleinbaar ⟨bn.⟩ ⟨wisk.⟩ **0.1** *irreducible.*

onverkocht ⟨bn.⟩ **0.1** *unsold* ♦ **3.¶** ~ blijven *remain on hand/u.* **8.¶** mits ~ *subject to being/if u..*

onverkoopbaar ⟨bn.⟩ **0.1** *unsaleable* ⇒*unmerchantable,* ⟨waar geen vraag naar is⟩ *unmarketable* ♦ **1.1** het produkt was ~ ⟨ook⟩ *the arti-cle was a drug on the market;* onverkoopbare voorraad *dead stock.*

onverkort ⟨bn.,bw.⟩ **0.1** [in zijn geheel] *unabridged* ⟨vnl. boek⟩; ⟨niet afgekort⟩ *unabbreviated;* ⟨boek,film,opera enz.⟩ *uncut,full-length* **0.2** [onaangetast] *unimpaired, uncurtailed* ♦ **3.1** een artikel ~ publice-ren *publish an article unabridged/uncut/infull/* ⟨wijzend op (te) lange inhoud⟩ *in extenso;* iem. ~ de waarheid zeggen *tell s.o. the naked truth;* ⟨inf.⟩ *give it to s.o. straight* **3.2** haar rechten blijven ~ *her rights remain unimpaired/uncurtailed;* iem. ~ in zijn functie handha-ven *retain s.o.'s full/unreduced/unlimited services;* zijn eisen ~ hand-haven *insist on one's full demands, refuse to compromise, make no concessions, stand one's ground.*

onverkrijgbaar ⟨bn.⟩ **0.1** *unobtainable* ⇒*unprocurable, not to be had.*

onverkwikkelijk ⟨bn.⟩ **0.1** *nasty* ⇒*unpalatable, indecorous, sordid, unsa-voury* ⟨onderwerp⟩ ♦ **1.1** een ~e geschiedenis *a sordid affair;* een ~e zaak *a n. business.*

onverlaat ⟨de (m.)⟩ **0.1** *miscreant* ⇒*reprobate* ♦ **2.1** jeugdige onverla-ten *youthful miscreants.*

onverlet ⟨bn.⟩ **0.1** [onbelemmerd] *unimpeded* ⇒*unobstructed, inhin-dered, unhampered* **0.2** [ongedeerd] *unharmed* ⇒*uninjured, un-scathed, intact* ⟨recht⟩.

onverlicht ⟨bn.⟩ **0.1** [niet verlicht] *unlit* ⇒*unlighted, lightless, lampless, dark* **0.2** [⟨fig.⟩] *unenlightened* ⇒*benighted, dark* ♦ **1.1** een ~e zaal *an unlit hall* **1.2** de ~e middeleeuwen *the Dark Ages.*

onvermeld ⟨bn.⟩ **0.1** *unmentioned* ⇒⟨in archief⟩ *unrecorded, ignored* ♦ **3.1** zijn naam mag niet ~ blijven *his name must not go (by) unrecord-ed;* iets ~ laten *not mention sth., ignore sth., leave sth. out;* ik denk dat dit niet ~ mag blijven ⟨ook⟩ *I think this must be pointed out/I ought to mention this.*

onvermengd ⟨bn.⟩ **0.1** *unmixed, pure* ⇒*unadulterated,* ⟨overdund⟩ *un-diluted* ⟨drank⟩, *unalloyed* ⟨metaal⟩ ♦ **1.1** ~e alcohol ⟨ook⟩ *raw spirit;* ⟨fig.⟩ een ~ geluk/genot *an unalloyed/a sheer/pure joy/pleas-ure.*

onvermijdbaar ⟨bn.⟩ **0.1** *unavoidable* ⇒*inevitable, inescapable* ♦ **1.1** on-vermijdbare kwelling *inescapable torture;* een verdere verlaging v.d. uitkeringen is ~ *a further reduction in (social) benefits is u..*

onvermijdelijk

I ⟨bn.⟩ **0.1** [onvermijdbaar] *inevitable* ⇒*inescapable,* ⟨schr.⟩ *ineluctable* ♦ **1.1** ~e fouten *unavoidable mistakes* **7.1** ⟨zelfst.⟩ zich in het ~e schikken *accept/resign o.s. to/bow to the inevitable;*

II ⟨bw.⟩ **0.1** [zeker] *inevitably* ⇒*inescapably* ♦ **2.1** dat loopt ~ fout *this is bound to go wrong.*

onvermijdelijkheid ⟨de (v.)⟩ **0.1** *inevitability* ⇒*inescapability, unavoida-bility.*

onverminderd[1] ⟨bn.,bw.;-ly⟩ **0.1** *undiminished* ⇒*unabated* ⟨storm, ijver⟩, *unrelenting* ⟨iets onaangenaams⟩ ♦ **3.1** ~ voortduren *continu-ue unabated/without abatement* **¶.1** ~ van kracht blijven *remain in full force* ⟨contract⟩.

onverminderd[2] ⟨vz.⟩ **0.1** *without prejudice to* ♦ **1.1** ~ het bepaalde in ar-tikel 637 *without prejudice to the provisions in Section 637;* ~ zijn recht op ... *without prejudice to his right to ....*

onvermoed ⟨bn.⟩ **0.1** *unsuspected* ⇒*unexpected, unthought-of* ♦ **1.1** ~e tegenstand *unexpected resistance.*

onvermoeibaar ⟨bn.⟩ **0.1** *indefatigable* ⇒*tireless, inexhaustible* ♦ **1.1** een ~ iemand *a dynamo;* met onvermoeibare ijver studeren *study with unflagging zeal/energy;* onvermoeibare kracht *indefatigable/inex-haustible strength* **3.1** hij is echt ~ ⟨ook⟩ *he's a real dynamo;* hij liep ~ heen en weer *he shuttled back and forth tirelessly.*

onvermoeibaarheid ⟨de (v.)⟩ **0.1** *tirelessness* ⇒*indefatigability.*

onvermoeid ⟨bn.,bw.;-ly⟩ **0.1** *tireless* ⇒*unwearied, unflagging.*

onvermogen ⟨het⟩ **0.1** [onmacht] *impotence, powerlessness* ⇒*incapacity, inability* ⟨om iets te doen⟩ **0.2** [⟨geldw.⟩] ⟨tot betalen⟩ *insolvency, inability to pay* ♦ **1.1** zichzelf een brevet van ~ geven *show one's in-competence/o.s. incompetent, disqualify o.s.* **1.2** bewijs van ~ *≠legal aid certificate;* in staat van ~ *insolvent.*

onvermogend ⟨bn.⟩ **0.1** ⟨tot betalen⟩ *insolvent;* ⟨behoeftig⟩ *indigent, impecunious.*

onvermurwbaar ⟨bn.⟩ **0.1** *unrelenting* ⇒*inexorable, implacable, un-yielding* ♦ **3.1** ~ blijven ⟨ook⟩ *not relent (about/over);* hij was ~ ⟨ook⟩ *he wouldn't budge.*

onvermurwbaarheid ⟨de (v.)⟩ **0.1** *relentlessness* ⇒*inexorability, impla-cability, obduracy, obdurateness.*

onvernietigbaar ⟨bn.⟩ **0.1** *indestructible* ⇒⟨door vuur/scheikundige ontleding⟩ *inconsumable.*

onverpakt ⟨bn.,bw.⟩ **0.1** *unpackaged* ⇒*loose* ⟨spijkers,zaad⟩, ⟨in papier, bv. zeep⟩ *unwrapped, bulk* ⟨lading⟩, ⟨bw.⟩ *loose, in bulk* ⟨verscheepte lading⟩.

onverplicht ⟨bn.⟩ **0.1** ⟨vrijwillig⟩ *voluntary;* ⟨naar keuze⟩ *optional; not obligatory/compulsory* ⟨pred.⟩.

onverricht ⟨bn.⟩ **0.1** *undone* ⟨laten⟩ ♦ **1.1** ~er zake terugkeren *return empty-handed, have nothing to show for one's pains.*

onversaagd ⟨bn.,bw.;-ly⟩ **0.1** *undaunted* ⇒*dauntless, undismayed,* ⟨als karaktertrek⟩ *fearless, intrepid* ♦ **3.1** ~ strijden *fight fearlessly;* zij trokken ~ verder *nothing daunted, they moved on;* de vijand ~ in de ogen zien *face the enemy unflinchingly.*

onversaagdheid ⟨de (v.)⟩ **0.1** *dauntlessness* ⇒*undauntedness, fearless-ness, intrepidity.*

onverschillig[1]

I ⟨bn.⟩ **0.1** [geen verschil uitmakend] *inmaterial* **0.2** [met weinig be-langstelling] *indifferent (to)* ⇒*uninterested, disinterested, uncon-cerned, detached, cool,* ⟨pej. ook⟩ *cold* **0.3** [waaruit weinig belang-stelling blijkt] *indifferent* ⇒*uninterested, disinterested, unconcerned, detached, cool,* ⟨pej. ook⟩ *cold* ♦ **1.1** ⟨nat.⟩ ~ evenwicht *neutral equi-librium* **1.2** een ~ persoon *an i./unconcerned person* **1.3** hij zat daar met een ~ gezicht *he sat there looking completely indifferent/uncon-cerned, he sat there with an air/a look of indifference/unconcern, he sat there looking as if he couldn't/didn't care less* **1.¶** een ~ aantal *an arbitrary/random number* **3.1** dat is mij ~ *that's i. to me, that's a mat-ter of indifference to me, that's all the same to me, I don't care one way or another/the other* **3.2** ~ zijn voor iem. *be i. to s.o.* **5.2** zij is me to-taal ~ *I'm completely i. to her, she's nothing to me, I don't care about her one way or the other* **6.2** ~ voor de consequenties *regardless of the consequences;* hij is ~ voor *lof/kritiek he is i./* ⟨sterker⟩ *immune to praise/criticism;* ⟨inf.⟩ *praise/criticism leaves him cold;*

II ⟨bw.⟩ **0.1** [op een wijze waaruit weinig belangstelling spreekt] *in-differently* ⇒*uninterestedly, disinterestedly, unconcernedly, detached-ly, coolly,* ⟨pej. ook⟩ *coldly* ♦ **3.1** iem. ~ antwoorden *answer s.o. i./ detachedly/coolly/drily, answer s.o. with indifference;* iem. ~ behan-delen *treat s.o. with indifference/coolly/offhandedly* **8.¶** ~ of jij het krijgt of ik *regardless/irrespective of/no matter whether you or I get(s) it.*

onverschillig[2] ⟨vz.⟩ **0.1** *regardless/irrespective of, no matter* ♦ **4.1** ~ wel-ke v.d. twee *regardless/irrespective of/no matter which of the two/ them;* ~ wie/wat/waar/wanneer *regardless/irrespective of/no matter who/what/where/when* **¶.1** iedereen, ~ wat zijn achtergronden zijn *everyone, regardless/irrespective of his background, everyone, no matter what his background (is).*

onverschilligheid ⟨de (v.)⟩ **0.1** *indifference* ⇒*unconcern, detachment,* ⟨sterker⟩ *apathy* ♦ **3.1** ~ voorwenden *feign i./unconcern.*

onverschrokken ⟨bn.,bw.;-ly⟩ **0.1** *fearless* ⇒*undaunted, unflinching, intrepid* ⟨karakter⟩ ♦ **1.1** een ~ volk van zeerovers *a nation of f.pi-rates* **3.1** ~ de vijand tegemoet gaan *move fearlessly towards the enemy;* ~ het gevaar onder ogen zien *face the danger unflinchingly.*

onverschrokkenheid ⟨de (v.)⟩ **0.1** *fearlessness* ⇒*undauntedness, daut-lessness, intrepidity.*

onverslapt ⟨bn.⟩ **0.1** *unflagging* ⟨aandacht, belangstelling, ijver⟩ ⇒ ⟨ijver ook⟩ *unremitting.*

onverslijtbaar ⟨bn.⟩ **0.1** *indestructible* ⇒*imperishable, everlasting, dur-able, wearproof.*

onversneden ⟨bn.⟩ **0.1** *unadulterated* ⇒*undiluted, neat* ⟨drank⟩.

onverstaanbaar ⟨bn.,bw.;-ly⟩ **0.1** *unintelligible* ⇒*gepraat;* ⟨mbt. per-soon;slecht articulerend⟩ *inarticulate;* ⟨zacht sprekend⟩ *inaudible.*

onverstaanbaarheid ⟨de (v.)⟩ **0.1** *unintelligibility* ⇒*inarticulateness, inaudibility.*

onverstand

I ⟨het⟩ **0.1** [domheid] *stupidity* ⇒*idiocy* **0.2** [dwaasheid] *foolishness* ⇒*unwisdom, folly* ♦ **3.2** het ~ hebben, te ... *be foolish enough to ...;*

II ⟨de (m.)⟩ **0.1** [dwaas persoon] *fool* ⇒*nitwit, ass, num(b)skull, sim-pleton* ♦ **¶.1** wat een ~ ben jij! *you're such a f..*

onverstandig ⟨bn.,bw.;-ly⟩ **0.1** *foolish* ⇒*unwise, injudicious, ill-ad-vised, inexpedient* ⟨handeling⟩ ♦ **1.1** ~e goedhartigheid *injudicious kindheartedness;* een ~ mens *a f. person* **3.1** zij was zo ~ te zeggen *she was f. enough to say;* het zou ~ zijn te ⟨ook⟩ *it would be bad policy to;* het zou niet ~ zijn om ⟨ook⟩ *it would not be a bad idea to* **7.1** ⟨zelfst.⟩ het ~e daarvan *the foolishness of this.*

onverstoorbaar ⟨bn.,bw.;-ly⟩ **0.1** [niet afgebroken kunnende worden] *imperturbable* ⇒*undisturbed, unruffled* **0.2** [mbt. personen] *imper-turbable* ⇒*imperturbed, phlegmatic, stolid,* ⟨inf. ook⟩ *unflappable* ♦ **1.1** zij bleef een ~ humeur *she's quite i./imperturbable;* onverstoorbare rust *undisturbed quiet* **3.2** hij rookte ~ door *he carried on smoking re-gardless.*

onverstoorbaarheid ⟨de (v.)⟩ **0.1** *imperturbability* ⇒*impassiveness, sto-lidity,* ⟨inf. ook⟩ *unflappability.*

onverstoord ⟨bn.⟩ ⟨AZN⟩ **0.1** *unperturbed, unruffled* ⟨kalmte⟩; *undis-turbed* ⟨slaap,stilte⟩; *unshadowed* ⟨geluk⟩.

onvertaalbaar ⟨bn.⟩ **0.1** *untranslatable*.
onvertaald ⟨bn.⟩ **0.1** *untranslated*.
onverteerbaar ⟨bn.,bw.;-ly⟩ **0.1** *indigestible* (ook fig.) ⇒⟨lett. ook⟩ *stodgy* ◆ **1.1** onverteerbare bestanddelen van voedsel/vezels *roughage;* ⟨fig.⟩ ik vind zijn opmerkingen ~ *I find his remarks hard to take;* ⟨fig.⟩ iets een onverteerbare zaak vinden *find sth. unacceptable* **2.1** een ~ grote hoeveelheid *an i. quantity*.
onverteerd ⟨bn.⟩ **0.1** *undigested* ⇒⟨fig. ook⟩ *unassimilated*.
onvertogen ⟨bn.⟩ **0.1** *indecent* ⇒*indelicate, improper, unseemly* ◆ **1.1** nooit heb ik een ~ woord van hem gehoord *I've never heard him use/say an indelicate/improper word;* er is geen ~ woord gevallen *the whole thing was handled extremely delicately, there was no bad feeling, not a cross word was spoken*.
onvervaard ⟨bn.⟩ **0.1** *fearless* ⇒*dauntless, undismayed, unflinching, resolute* ◆ **3.1** ~ de toekomst tegemoet gaan *face the future undismayed/fearlessly;* ~ trokken zij verder *nothing daunted, they moved on*.
onvervalst ⟨bn.⟩ **0.1** *pure* ⇒*unalloyed, unadulterated, broad* ⟨accent, dialect⟩ ◆ **1.1** ~ pacifisme *pacifism p. and simple, unalloyed pacifism*.
onvervangbaar ⟨bn.⟩ **0.1** *irreplaceable*.
onvervoerbaar ⟨bn.⟩ **0.1** *untransportable*.
onvervreemdbaar ⟨bn., bw.;-ly⟩ **0.1** *inalienable* ⇒⟨recht ook⟩ *indefeasible, inherent* ◆ **1.1** een ~ erfgoed *an entailed/a fee-tail estate, an entail* **3.1** een nalatenschap ~ verklaren *entail an estate*.
onvervreemdbaarheid ⟨de (v.)⟩ ⟨jur.⟩ **0.1** *inalienability* ⇒⟨recht ook⟩ *indefeasibility, non-transferability* ⟨erfgoed⟩.
onvervulbaar ⟨bn.⟩ **0.1** ⟨abstr.⟩ *unrealizable, unattainable, unfulfillable* ◆ **1.1** onvervulbare vacatures *vacancies that cannot be filled;* onvervulbare wensen/beloften *unattainable desires, unfulfillable promises* **3.1** een lege plaats, die ~ blijft *an empty place which cannot be filled*.
onvervuld ⟨bn.⟩ **0.1** [mbt. ambt] *vacant* ⇒*unoccupied* **0.2** [mbt. eis/voorwaarde/wens] *unfulfilled* **0.3** [mbt. formaliteiten] *unperformed*.
onverwacht ⟨bn., bw.;-ly⟩ **0.1** *unexpected* ⇒*unforeseen, unlooked-for, surprise* ⟨alleen attr.⟩, *sudden* ◆ **2.1** een grote opkomst *an unexpectedly large attendance* **3.1** ~ aankomen *arrive unexpectedly;* dat soort dingen gebeurt altijd ~ *that sort of thing always happens when you least/don't expect it;* ~ komen/gebeuren *come without notice* ⟨ziekte e.d.⟩; zijn ontslag kwam heel ~ *his resignation came as a bolt from the blue/right out of the blue;* ~ bij iem. langskomen *visit s.o. unannounced/unexpectedly, pay s.o. a surprise visit*.
onverwachts
I ⟨bn.⟩ **0.1** [plotseling] *unexpected* ⇒*sudden, surprise* ⟨alleen attr.⟩;
II ⟨bw.⟩ **0.1** [onvoorziens] *unexpectedly* ⇒*suddenly, like a bolt from the blue* ◆ **3.1** het bevel kwam niet ~ *the order did not come as a surprise/had been expected;* hij werd ~ overgeplaatst *he was transferred unexpectedly*.
onverwarmd ⟨bn.⟩ **0.1** *unheated* ⇒*unwarmed*.
onverwijld ⟨bn., bw.⟩ **0.1** ⟨bn.⟩ *immediate* ⇒*instantaneous,* ⟨bw.⟩ *immediately, straightaway, without delay, forthwith* ◆ **1.1** ~e immediate assistance;* een ~ vertrek *an immediate departure* **3.1** dit moet ~ gedaan worden *this should be done forthwith, no time should be lost in doing this*.
onverwisselbaar ⟨bn.⟩ **0.1** *unexchangeable* ⇒*incommutable,* ⟨tech.⟩ *non-interchangeable* ⟨onderdelen⟩, ⟨geldw.⟩ *inconvertible* ⟨geldsoorten⟩.
onverwoestbaar ⟨bn.⟩ **0.1** *indestructible* ⇒*everlasting,* ⟨stof/tapijt ook⟩ *tough, durable, invincible* ⟨optimisme⟩, *irrepressible* ⟨humeur⟩ ◆ **1.1** ~ optimisme ⟨ook⟩ *Micawberism;* de onverwoestbare schoonheid v.d. natuur *the everlasting beauty of nature;* met ~ zelfvertrouwen *with unflagging self-confidence*.
onverwoestbaarheid ⟨de (v.)⟩ **0.1** *indestructibility* ⇒*toughness, durability, invincibility, irrepressibility*.
onverzadigbaar ⟨bn.⟩ **0.1** *insatiable* ⇒*insatiate,* ⟨fig. ook⟩ *inexhaustible*.
onverzadigd ⟨bn.⟩ **0.1** [hongerig] *insatiate(d)* ⇒*unsatisfied* **0.2** [⟨nat.⟩] *unsaturated* ◆ **1.¶** ⟨schei.⟩ ~e verbindingen/vetzuren *unsaturated compounds/fatty acids* **2.¶** enkelvoudig ~ *monounsaturated;* meervoudig ~ *polyunsaturated* **3.1** ~ van tafel opstaan *rise from the table insatiated/unsatisfied*.
onverzegeld ⟨bn.⟩ **0.1** *unsealed* ⇒⟨envelop ook⟩ *open*.
onverzekerd ⟨bn.⟩ **0.1** *uninsured* ⇒*uncovered (by insurance)*.
onverzettelijk ⟨bn., bw.;-ly⟩ **0.1** *indomitable* ⇒*uncompromising, intransigent, immovable,* ⟨pej.⟩ *stubborn, obstinate* ◆ **1.1** een ~ iem. *a die-hard;* een ~e wil *an indomitable will* **3.1** hij bleef ~ *he remained unyielding;* ~ aan iets vasthouden *hold on/stick to sth. obstinately*.
onverzettelijkheid ⟨de (v.)⟩ **0.1** *indomitability* ⇒*inflexibility, intransigence, immovability,* ⟨pej.⟩ *stubbornness, obstinacy*.
onverzoenlijk ⟨bn., bw.;-ly⟩ **0.1** *irreconcilable* ⟨tegenstanders⟩; *implacable* ⟨haat⟩; *unconciliatory* ⟨houding⟩; *uncompromising* ⟨politiek⟩ ◆ **1.1** een ~e houding aannemen, een ~ standpunt innemen *take up an uncompromising/unconciliatory attitude/position;* een ~ iemand *a die-hard, s.o. who refuses to give in;* een ~ tegenstander *an irreconcilable/implacable enemy* **3.1** iem. ~ haten *have an implacable hatred for s.o.*.

onverzorgd ⟨bn.⟩ **0.1** [zonder verzorger] *unattended* ⇒*unprovided for, untended, neglected* **0.2** [slordig, niet verzorgd] ⟨slordig⟩ *careless, untidy;* ⟨niet verzorgd⟩ *uncared-for, unkempt* ◆ **1.1** hij laat een ~e weduwe achter *he leaves a widow unprovided for* **1.2** een ~e baard *an untrimmed/untidy beard;* ~e handen *rough/uncared-for hands;* een ~e stijl *a careless/an unpolished style;* een ~e tuin *an untended garden* **3.2** hij ziet er ~ uit *he has a dishevelled/uncared-for look*.
onverzwakt ⟨bn.⟩ **0.1** *unabated* ⟨storm⟩; *unimpaired* ⟨kracht⟩; *unbroken* ⟨geestkracht⟩; *unremitting, unflagging* ⟨toewijding⟩; *unshaken* ⟨vertrouwen⟩.
onvindbaar ⟨bn.⟩ **0.1** *untraceable* ⇒*unfindable, not to be found*.
onvoeglijk, onvoegzaam ⟨bn.,bw.;-ly⟩ ⟨schr.⟩ **0.1** *indelicate* ⇒*improper, unbefitting, unbecoming, unseemly*.
onvoelbaar ⟨bn.⟩ **0.1** *impalpable, intangible*.
onvoldaan ⟨bn.⟩ **0.1** [onbetaald] *unpaid* ⇒*unsettled, undischarged, outstanding* ⟨schuld⟩ **0.2** [onbevredigd] *unsatisfied* ⇒*dissatisfied, discontented* **0.3** [van onvoldaanheid getuigend] *dissatisfied* ⇒*discontented* ◆ **1.1** die schuld is nog ~ *that debt is still outstanding/not settled* **1.3** een onvoldane blik *a dissatisfied look* **3.2** wij zetten ~ de reis voort *dissatisfied, we continued our journey*.
onvoldaanheid ⟨de (v.)⟩ **0.1** *dissatisfaction*.
onvoldoend ⟨bn.,bw.;-ly⟩ **0.1** *insufficient* ⇒*unsatisfactory, deficient,* ⟨ontoereikend⟩ *inadequate* ◆ **1.1** hij kreeg een ~ cijfer voor Duits *he got an unsatisfactory mark in German, he failed his German;* een ~e hoeveelheid *an insufficient amount;* de kwaliteit is ~e *the quality is unsatisfactory* **3.1** een vraag ~e beantwoorden *fail to give an adequate answer to a question;* ~e betaald *underpaid;* ~e bevonden worden ⟨ook⟩ *be found wanting;* ~e ontwikkeld *underdeveloped;* ~e presteren *underachieve;* ~e zijn *fail to come up to the mark, fall short, be below standard*.
onvoldoende ⟨de⟩ **0.1** *unsatisfactory mark, fail* ◆ **3.1** een ~ halen *fail (an exam/a test)* **7.1** hij had twee ~s *he got two unsatisfactory marks*.
onvoldragen ⟨bn.⟩ **0.1** [niet voldragen] *premature* ⇒*not carried to term* **0.2** [nog niet rijp] *immature* ⇒*unripe, unseasoned* ◆ **1.1** een ~ kind/vrucht *a foetus not carried to term* **1.2** ⟨fig.⟩ een ~ kunstenaar *an i./a fledgling artist*.
onvolgroeid ⟨bn.⟩ **0.1** [⟨biol.⟩ niet uitgegroeid] *stunted* **0.2** ⟨fig.⟩ onvolwassen, onrijp] *immature* ⇒*unripe*.
onvolkomen ⟨bn.⟩ **0.1** *imperfect* ⇒*incomplete, defective, flawed*.
onvolkomenheid ⟨de (v.)⟩ **0.1** [ontoereikendheid] *incompleteness, inadequacy* ⇒*deficiency, insufficiency* **0.2** [onvolmaaktheid] *imperfection* ⇒*defect, fault, blemish, flaw*.
onvolledig ⟨bn.,bw.;-ly⟩ **0.1** *incomplete* ⇒*unfinished, deficient, inexhaustive* ⟨lijst⟩ ◆ **1.1** een ~e dienstbetrekking *part-time employment;* een ~ gezin *a one-parent family;* ~e werkgelegenheid *underemployment;* ⟨taal.⟩ een ~ werkwoord *a defective verb;* ⟨taal.⟩ een ~e zin *an elliptical sentence*.
onvolledigheid ⟨de (v.)⟩ **0.1** [het onvolledig zijn] *incompleteness* ⇒*incompletion* **0.2** [gaping, leemte] *hiatus* ⇒*lacuna*.
onvolmaakt ⟨bn.⟩ **0.1** [niet zonder gebreken] *imperfect* ⇒*defective, flawed, blemished* **0.2** [onvolledig] *incomplete* ⇒*inadequate, unfinished, deficient*.
onvolmaaktheid ⟨de (v.)⟩ **0.1** *imperfection* ⇒*defectiveness*.
onvolprezen ⟨bn.⟩ ⟨schr.⟩ **0.1** *unsurpassed* ⇒*that/who cannot be praised enough*.
onvoltooid ⟨bn.⟩ **0.1** *unfinished* ⇒*uncompleted, incomplete, abortive* ⟨poging⟩ ◆ **1.1** ~ verleden tijd *simple past (tense), imperfect (tense),* ⟨taal.⟩ ~e tijden *imperfect tenses*.
onvolwaardig ⟨bn.⟩ **0.1** [niet de volle waarde hebbend] *imperfect* ⇒*incomplete* **0.2** [mbt. personen] ⟨lichamelijk⟩ *handicapped, disabled;* ⟨geestelijk⟩ *deficient, defective* ◆ **1.2** ~e arbeidskrachten *partially disabled/handicapped employees* **2.2** geestelijk ~ *mentally deficient/defective* **6.2** ⟨zelfst.⟩ arbeid voor ~en *employment for the disabled*.
onvolwaardigheid ⟨de (v.)⟩ **0.1** ⟨lichamelijk⟩ *disablement, disability;* ⟨geestelijk⟩ *deficiency* ◆ **2.1** geestelijke ~ *mental deficiency;* lichamelijke ~ *(physical) disablement/disability*.
onvolwassen ⟨bn.⟩ **0.1** [in geestelijke zin] *immature* ⇒*adolescent, juvenile, puerile* **0.2** [⟨jur.⟩ *under age* ⟨alleen pred.⟩ **0.3** [onvolgroeid] *immature* ⇒*unripe* ⟨vrucht⟩, *juvenile* ⟨dier⟩, *half-/not fully grown* ◆ **3.1** zich ~ gedragen *not act one's age, show i./adolescent/juvenile behaviour;* ~ reageren *react in a puerile way* **7.1** ⟨zelfst.⟩ de ~en *the adolescent*.
onvolwassenheid ⟨de (v.)⟩ **0.1** *immaturity* ⇒*juvenility,* ⟨vnl. jur.⟩ *nonage, puerility*.
onvoorbereid ⟨bn.,bw.⟩ **0.1** ⟨bn.⟩ *unprepared* ⇒*unrehearsed, impromptu, extempore* ⟨toespraak⟩, ⟨bw.⟩ *unaware(s), by surprise, on the spur of the moment, off the cuff* ⟨spreken⟩ ◆ **2.1** geheel ~ ⟨ook⟩ *without any preparation* **3.1** deze gebeurtenis heeft ons ~ getroffen *this event caught us unawares/took us by surprise;* ~ spreken *extemporize, speak extempore/off the cuff/off the top of one's head*.
onvoordelig ⟨bn.,bw.;-ly⟩ **0.1** *unprofitable* ⇒*uneconomic, unfavourable* ◆ **3.1** een ~ uitgevallen foto *an unflattering photo;* ~ uit zijn *pay too much/too high a price* **5.1** niet ~ spelen *play with a fair amount of success*.

onvoordeligheid ⟨de (v.)⟩ ⟨hand.⟩ **0.1** *unprofitableness*.
onvoorspelbaar ⟨bn.,bw.;-ly⟩ **0.1** *unpredictable* ⇒*unforeseeable, erratic* ◆ **1.1** onvoorspelbare reacties *unpredictable reactions*.
onvoorstelbaar
I ⟨bn.⟩ **0.1** [ondenkbaar] *inconceivable* ⇒*unimaginable, unthinkable, undreamed-of* ◆ **1.1** ~ leed *i. suffering* **3.1** het is ~! *it's i., I can't/ don't believe it!*;
II ⟨bw.⟩ **0.1** [in ondenkbare mate] *inconceivably* ⇒*incredibly, beyond belief, to an inconceivable/undreamed-of extent*.
onvoorwaardelijk ⟨bn.,bw.;-ly⟩ **0.1** *unconditional* ⇒*implicit, unquestioning* ⟨geloof⟩, *absolute* ⟨gezag, verbod⟩, *unqualified* ⟨steun⟩ ◆ **1.1** ~e gehoorzaamheid ⟨ook⟩ *unquestioning obedience;* ~e overgave/toestemming *unconditional surrender, unqualified permission;* ⟨jur.⟩ ~e straf *non-suspended/unconditional sentence* **3.1** dat geldt niet ~ *that requires some qualification, that is subject to certain conditions;* zich ~ overgeven *surrender unconditionally*.
onvoorzichtig ⟨bn.,bw.;-ly⟩ **0.1** *careless* ⇒[†]*imprudent, incautious, unguarded* ⟨opmerking⟩, ⟨sterker⟩ *reckless* ◆ **1.1** een ~e uitdrukking *an imprudent/unguarded expression* **3.1** je hebt zeer ~ gehandeld *you have acted most imprudently;* ~ rijden ⟨ook⟩ *drive without due care*.
onvoorzichtigheid ⟨de (v.)⟩ **0.1** [hoedanigheid] *carelessness* ⇒[†]*imprudence,* ⟨sterker⟩ *recklessness, lack of caution* **0.2** [handeling] *carelessness* ⇒[†]*imprudent action/step,* ⟨verbaal⟩ *indiscretion*.
onvoorzien ⟨bn.,bw.⟩ **0.1** [niet vooruit te berekenen] ⟨bn.⟩ *unforeseen* ⇒*unanticipated, unlooked-for, accidental,* ⟨bw.⟩ *in an unforeseen/ unanticipated way, accidentally* **0.2** [plotseling] ⟨bn.⟩ *sudden, unexpected* ⇒*surprise,* ⟨bw.⟩ *suddenly, unexpectedly* ◆ **1.1** behoudens ~e omstandigheden *if nothing untoward occurs, barring unforeseen/exceptional circumstances, all being well;* wegens ~e omstandigheden *owing to circumstances beyond our control;* ~e uitgaven *incidental expenditure/outgoings, incidentals, contingencies* **3.2** het bericht van zijn dood kwam ~ *the news of his death came unexpected(ly)/out of the blue*.
onvoorziens ⟨bw.⟩ **0.1** *unexpectedly* ⇒*suddenly, without preparation*.
onvrede ⟨de⟩ **0.1** [ontevredenheid] *dissatisfaction (with)* ⇒*discontent(ment), unease, unrest* **0.2** [onenigheid] *discord* ⇒*dissension, strife* ◆ **2.1** politieke ~ *political unrest, disaffection (with the political system)* **6.1** er heerst ~ over de werksituatie *there's dissatisfaction with the working conditions* **6.2** in ~ leven met *be at loggerheads/variance with*.
onvriendelijk ⟨bn.,bw.⟩ **0.1** ⟨bn.⟩ *unfriendly, hostile, discourteous* ⟨daad⟩, ⟨persoon ook⟩ *unkind; chilly* ⟨toon⟩; *unpleasant, nasty* ⟨gedrag⟩; ⟨bw.⟩ *in an unfriendly/unkind/chilly way/tone, discourteously* ◆ **1.1** een ~ woord *an unfriendly/a hostile word;* ⟨schr.⟩ *an asperity* **3.1** iem. ~ aankijken *give s.o. an unfriendly look;* ~ antwoorden *answer coldly/with an ill grace;* dat is heel ~ van hem *that is most unkind of him;* ~ zijn tegen iem. *be unfriendly to s.o.*
onvriendelijkheid ⟨de (v.)⟩ **0.1** *unfriendliness, hostility, discourteousness* ⇒*unkindness, ungraciousness, uncomplimentariness, unpleasantness* ◆ **8.1** iets als een ~ opvatten *take sth. unkindly*.
onvriendschappelijk ⟨bn.,bw.⟩ **0.1** ⟨bn.⟩ *unfriendly* ⇒*unamiable, unamicable,* ⟨bw.⟩ *in an unfriendly way, unamiably, unamicably*.
onvrij ⟨bn.⟩ **0.1** [niet vrij] *unfree* ⇒*inhibited, constrained, bound* **0.2** [mbt. plaatsen] *lacking privacy* **0.3** [mbt. goederen] *dutiable, excisable* **0.4** [horig] *unfree, unenfranchised* ◆ **1.2** een ~e kust *a coast lacking privacy* **1.4** ~e boeren *serfs* **6.1** wij voelden ons ~ in onze bewegingen *we felt constrained in our movements*.
onvrijheid ⟨de (v.)⟩ **0.1** *lack/want of freedom* ⇒⟨in privésfeer⟩ *lack of privacy*.
onvrijwillig ⟨bn.,bw.;-ly⟩ **0.1** *involuntary* ⇒*forced, compulsory, obligatory, mandatory,* ⟨bw.ook⟩ *under coercion/constraint/compulsion* ◆ **1.1** een ~ bad *a ducking;* ~e verkoping *involuntary/forced sale;* ~e werkloosheid *forced unemployment*.
onvrolijk ⟨bn.,bw.⟩ **0.1** *disagreeable* ⇒*unfreindly*.
onvrouwelijk ⟨bn.,bw.⟩ **0.1** ⟨bn.⟩ *unfeminine* ⇒*unwomanly,* ⟨bw.⟩ *in an unfeminine/unwomanly way* ◆ **3.1** ~ gekleed gaan *wear unfeminine clothes*.
onvrouwelijkheid ⟨de (v.)⟩ **0.1** *unfeminineness* ⇒*unwomanliness, lack of femininity*.
onvruchtbaar ⟨bn.⟩ **0.1** [weinig/geen vruchten voortbrengend] *unfruitful* ⇒*arid, poor, barren* ⟨land⟩, *waste, fruitless* **0.2** [mbt. voortplanting] *infertile* ⇒*sterile, barren* ⟨dier, vrouw⟩ **0.3** [⟨fig.⟩ ijdel] *fruitless* ⇒*unprofitable, unfruitful, vain* ◆ **1.1** ⟨fig.⟩ een ~ schrijver *an unfruitful/unproductive writer* **1.3** een onvruchtbare discussie *a f./an unprofitable discussion* **3.1** pogingen ~ maken *frustrate/lay waste efforts* **3.2** ~ maken *sterilize; lay waste* ⟨land⟩.
onvruchtbaarheid ⟨de (v.)⟩ **0.1** [weinig vrucht voortbrengend] *infertility* ⇒*aridity, poverty, barrenness, infecundity* **0.2** [mbt. voortplanting] *infertility* ⇒*sterility,* ⟨van vrouw of wijfjesdier ook⟩ *barrenness* **0.3** [⟨fig.⟩ van poging of discussie] *fruitlessness* ⇒*unprofitableness, vanity, futility*.
onwaar ⟨bn.⟩ **0.1** [niet waar] *untrue* ⇒*false, untruthful* **0.2** [niet oprecht] *false* ⇒*insincere, dishonest, disingenuous* **0.3** [onjuiste voorstelling

gevend] *false* ⇒*deceptive, unreal* ◆ **1.1** een ~ verhaal *a concoction/ fabrication* **1.2** zijn geestdrift is ~ *his enthusiasm is insincere* **2.1** waar of ~? *true or false?* **3.2** ~ klinken *sound/ring hollow/insincere*.
onwaarachtig ⟨bn.,bw.;-ly⟩ **0.1** [niet echt] *untruthful* ⇒*false,* ⟨schr.⟩ *unveracious* **0.2** [niet oprecht] *insincere* ⇒*dishonest, deceitful, disingenuous, hypocritical* ◆ **3.2** zich ~ gedragen *act disingenuously*.
onwaarachtigheid ⟨de (v.)⟩ **0.1** [onechtheid] *untruthfulness* ⇒*falseness,* ⟨schr.⟩ *inveracity* **0.2** [onoprechtheid] *insincerity* ⇒*dishonesty, hypocrisy*.
onwaarde ⟨de (v.)⟩ **0.1** *worthlessness* ⇒*valuelessness,* ⟨jur.⟩ *voidness* ◆ **3.¶** van ~ verklaren ⟨jur.⟩ *declare null and void* ⟨beslag⟩; ⟨bij verkiezingen⟩ *disallow* ⟨stemmen⟩.
onwaardeerbaar ⟨bn.⟩ **0.1** *invaluable* ⇒*incomparable, matchless*.
onwaardig
I ⟨bn.⟩ **0.1** [niet waard zijnde] *unworthy (of)* ⇒*undeserving, unbefitting* ◆ **1.1** gedrag een heer ~ *ungentlemanly conduct;* een koning ~ *unworthy of/unbefitting a king;* ~ optreden/gedrag ⟨ook⟩ *levity* **3.1** zich ~ gedragen *behave/act unworthily;*
II ⟨bn.,bw.⟩ **0.1** [verachtelijk] *unworthy* ⇒*worthless, ignoble, undignified, base* ◆ **1.1** een ~e behandeling *an unworthy treatment;* een ~ schouwspel *an undignified spectacle*.
onwaardigheid ⟨de (v.)⟩ **0.1** [mbt. persoon] *unworthiness* ⇒*baseness, ignobility* **0.2** [mbt. gedrag] *shamefulness*.
onwaarheid ⟨de (v.)⟩ **0.1** [iets onwaars] *lie* ⇒*falsehood, untruth,* ⟨euf.⟩ *inaccuracy* **0.2** [het niet waar zijn] *falsity* ⇒*falseness, untruthfulness* ◆ **3.1** ~ spreken *tell a lie;* zijn boek wemelt van onwaarheden *his book is riddled with inaccuracies* **3.2** de ~ aantonen van *disprove;* ⟨wet.⟩ *falsify* **6.2** de waarheid of ~ van hetgeen de profeet beweert *the truthfulness or untruthfulness/falsehood of the prophet's statements*.
onwaarneembaar ⟨bn.,bw.;-ly⟩ **0.1** *imperceptible* ⇒*indiscernible, unobservable, inappreciable* ◆ **2.1** een ~ klein verschil *an indiscernible/infinitesimal/a negligible difference*.
onwaarschijnlijk
I ⟨bn.⟩ **0.1** [niet waarschijnlijk] *improbable, unlikely* ⇒*far-fetched, implausible* **0.2** [niet te verwachten] *unlikely* ⇒*improbable* **0.3** [niet bestaanbaar geacht] *unlikely* ⇒*improbable, doubtful, strange* ◆ **1.1** een ~ verhaal *an u./improbable story* **1.2** in het ~e geval dat Jan wint *in the u. event of John('s) winning/that John wins* **5.2** het is hoogst ~ dat *it is most/highly u. that, it is against all probability that ...;* ik acht het niet ~ dat *I consider it not u. that ...;*
II ⟨bw.⟩ **0.1** [onvoorstelbaar] *incredibly* ⇒*unbelievably*.
onwaarschijnlijkheid ⟨de (v.)⟩ **0.1** [het onwaarschijnlijk zijn] *improbability* ⇒*implausibility, unlikelihood* **0.2** [iets onwaarschijnlijks] *improbability* ⇒*implausibility, unlikelihood*.
onwankelbaar ⟨bn.,bw.;-ly⟩ **0.1** *unshak(e)able* ⇒⟨geloof ook⟩ *firm, steadfast, unfaltering, unwavering, unswerving* ⟨toewijding, trouw⟩ ◆ **1.1** onwankelbare liefde *unfaltering love* **2.1** hij is ~ trouw *he is unfalteringly loyal, his loyalty is unfaltering/does not falter/never falters*.
onwankelbaarheid ⟨de (v.)⟩ **0.1** *unshak(e)ableness* ⇒*firmness, steadfastness, unwaveringness*.
onweer ⟨het⟩ **0.1** *thunderstorm* ◆ **1.1** een regenbui met ~ *a thundery shower, a thundershower* **2.1** een tropisch ~ *a tropical (thunder)storm, an arched squall;* een zomers ~ *a summer storm;* zwaar/ hevig ~ *a heavy/severe thunderstorm* **3.1** het ~ komt opzetten/trekt af/barst los/drijft over *the (thunder)storm approaches/abates/bursts / blows over;* we krijgen ~ *we're going to have a (thunder)storm* **6.1** er zit ~ in de lucht *there's a storm brewing* **¶.1** er is ~ aan de lucht *there's sth. brewing, there's sth. in the air;* ⟨fig.⟩ zijn gezicht stond op ~ *his face spelled trouble*.
onweerachtig ⟨bn.⟩ **0.1** *thundery* ◆ **3.1** het is erg ~ *there's a lot of thunder in the air*.
onweerlegbaar ⟨bn.,bw.;-ly⟩ **0.1** *irrefutable* ⇒*undeniable, incontestable, incontrovertible, positive* ⟨bewijs⟩ ◆ **1.1** een ~ argument *an airtight/a watertight argument;* ~ bewijs *absolute/positive proof;* onweerlegbare gegevens/feiten *hard/definite data/facts* **3.1** iets ~ aantonen/bewijzen *show/prove sth. beyond doubt*.
onweersachtig ⟨bn.⟩ **0.1** *thundery*.
onweersbeestje ⟨het⟩ **0.1** *midge* ⇒⟨eigenlijk⟩ *thrips*.
onweersbui ⟨de⟩ **0.1** *thunderstorm* ⇒*thundery shower*.
onweerslucht ⟨de⟩ **0.1** *thundery sky*.
onweersprekelijk ⟨bn.⟩ **0.1** *indisputable, irrefutable*.
onweersproken ⟨bn.⟩ **0.1** *uncontradicted* ⇒*uncontested, undenied, unchallenged* ⟨bewering⟩ ◆ **3.1** zo'n bewering mag niet ~ blijven *we cannot let such an allegation pass unchallenged;* ~ laten *let pass*.
onweerstaanbaar ⟨bn.,bw.;-ly⟩ **0.1** *irresistible* ⇒*compelling* ⟨boek, muziek⟩, *fascinating* ⟨persoon, kunstwerk⟩ ◆ **1.1** dit meisje is ~ *this girl is i./fascinating* **2.1** zij kan ~ beminnelijk zijn *she can be i./irresistibly amiable*.
onweerstaanbaarheid ⟨de (v.)⟩ **0.1** *irresistibility, irresistibleness*.
onweersvlaag ⟨de⟩ **0.1** *(sudden) thunderstorm*.
onweerswolk ⟨de⟩ **0.1** *thunder-cloud, stormcloud* ◆ **3.1** ⟨fig.⟩ de ~en pakten zich samen boven Europa/het Midden-Oosten *stormclouds were gathering over Europe/the Middle East*.

onwel ⟨bn.⟩ **0.1** *unwell, ill* ⇒*indisposed,* ⟨vnl. BE⟩ *poorly, off-colour* ◆ **3.1** zich ~ voelen *feel poorly / queer / a bit off-colour;* ~ zijn / worden *be indisposed, become u..*

onwelgevallig ⟨bn.⟩ **0.1** *displeasing* ⇒*disagreeable, unacceptable, unwelcome* ◆ **3.1** zijn bezoek zou mij nu niet ~ zijn *a visit from him would not be unwelcome now.*

onwelkom ⟨bn.⟩ **0.1** [niet welkom] *unwelcome* ⇒*unwanted* ⟨geschenk⟩ **0.2** [onaangenaam] *unwelcome* ⇒*disagreeable, unacceptable, displeasing* ◆ **1.1** ~e gasten *unwelcome / uninvited / self-invited guests* **1.2** ~e uitgaven *unwelcome expenses* **3.2** een beetje steun / een glas bier zou niet ~ zijn ⟨ook⟩ *a little support / a glass of beer wouldn't come amiss;* zo'n oplossing zou haar niet ~ zijn *she'd welcome such a solution.*

onwellevend ⟨bn., bw.; -ly⟩ **0.1** *discourteous, impolite* ⟨handeling⟩; *ill-bred, ill-mannered, rude* ⟨persoon⟩ ◆ **1.1** ~e bezoekers *ill-mannered visitors* **3.1** zich ~ gedragen *behave discourteously / rudely / in an ill-mannered way.*

onwellevendheid ⟨de (v.)⟩ **0.1** [het onwellevend zijn] *discourteousness* ⇒*impoliteness, rudeness, ill-breeding* **0.2** [onwellevende daad / handelwijze] *discourtesy* ⇒*impoliteness.*

onwelluidend ⟨bn., bw.; -ly⟩ **0.1** *inharmonious* ⇒*harsh, discordant, grating (on the ears), cacophonous.*

onwelriekend ⟨bn.⟩ ⟨schr.⟩ **0.1** *malodorous, evil-smelling* ◆ **1.1** ~e adem ⟨med.⟩ *halitosis;* ⟨ongemarkeerd⟩ *bad breath.*

onwelvoeglijk ⟨bn., bw.; -ly⟩ ⟨schr.⟩ **0.1** *unbecoming* ⇒*indecent, indecorous, improper, indelicate* ◆ **1.1** ~e gedrag *indecorous behaviour;* ~e taal *indecent / indelicate language.*

onwelvoeglijkheid ⟨de (v.)⟩ **0.1** [het onwelvoeglijk zijn] *indecency* ⇒*impropriety, unseemliness, indecorousness* **0.2** [onwelvoeglijke uiting of daad] *indecency* ⇒*impropriety,* ⟨mbt. gedrag⟩ *indecorum, misconduct.*

onwelwillend ⟨bn., bw.; -(al)ly⟩ **0.1** *disobliging, unkind; uncharitable* ⟨houding⟩; *unsympathetic (towards)* ◆ **3.1** ~ staan tegenover *be unsympathetic / unfavourable towards.*

onwelwillendheid ⟨de (v.)⟩ **0.1** *disobligingness* ⇒ ⟨onvriendelijkheid⟩ *unkindness, uncharitableness.*

onwennig ⟨bn., bw.⟩ **0.1** ⟨bn.⟩ *unaccustomed; ill at ease* ⟨alleen pred.⟩; *uncomfortable;* ⟨bw.⟩ *ill at ease, uncomfortable* ◆ **3.1** zij staat er nog wat ~ tegenover *she has not quite got used to the idea;* hij voelt zich nog ~ in zijn nieuwe omgeving *he still feels ill at ease in his new surroundings;* het was allemaal nog wat ~ *I / he / she* ⟨enz.⟩ *had not quite got used to it;* de kinderen zijn nog wat ~ *the children have not quite settled down yet.*

onwennigheid ⟨de (v.)⟩ **0.1** *strangeness* ⇒*unaccustomedness, not being used to sth..*

onwenselijk ⟨bn., bw.; -ly⟩ **0.1** *undesirable* ⇒*inexpedient, unwelcome, inconvenient* ◆ **7.1** ⟨iets⟩ het ~e van iets *the undesirability of sth..*

onweren ⟨onp.ww.⟩ **0.1** *thunder* ◆ **3.1** ik hoor het in de verte – *I can hear thunder in the distance* ¶**.1** het onweerde / heeft geonweerd *there was / has been a thunderstorm.*

onwerkbaar ⟨bn.⟩ **0.1** *unworkable* ⇒⟨pred. ook⟩ *impossible to work in* ⟨omgeving, situatie⟩ / *on* ⟨tijd⟩ ◆ **1.1** onwerkbare dagen *days when / on which no work can be done;* ⟨bouwk.⟩ *idle days;* onwerkbare omstandigheden *impossible working conditions;* een onwerkbare situatie ⟨ook⟩ *an impossible situation.*

onwerkelijk ⟨bn.⟩ **0.1** *unreal* ⇒*insubstantial, imaginary, visionary, aerial.*

onwerkzaam ⟨bn.⟩ **0.1** [persoon] *idle* ⇒*inactive* **0.2** [middel] ⟨ook med.⟩ *ineffective* ⇒*inefficacious.*

onwerkzaamheid ⟨de (v.)⟩ **0.1** [mbt. persoon] *idleness* ⇒*inactivity, inactiveness* **0.2** [mbt. middel] ⟨ook med.⟩ *ineffectiveness* ⇒*inefficacy.*

onwetend ⟨bn.⟩ **0.1** [geen kennis bezittend] *ignorant* ⇒*uninformed, untaught,* ⟨schr.⟩ *benighted* ⟨volk⟩ **0.2** [onbewust] *unaware* ⇒*unknowing, unwitting* ◆ **1.1** het ~e kind *the i. / innocent child* **3.1** iem. ~ houden *keep s.o. in the dark;* iem. ~ laten van iets *leave s.o. ignorant of sth. / in the dark about sth..*

onwetendheid ⟨de (v.)⟩ **0.1** [onbekendheid met iem / iets] *ignorance* ⇒*lack of information* **0.2** [onkunde] *ignorance* ⇒*lack of knowledge / skill* ◆ **6.1** hij heeft dat in zijn ~ gedaan *he did that in all his i.;* in zalige ~ *in blissful i.;* uit / door ~ *in / out of / through / from i..*

onwetenschappelijk ⟨bn., bw.; -ily⟩ **0.1** *unscientific* ⇒*unacademic, unscholarly* ◆ **1.1** een zeer ~e aanpak *a most unscientific / unacademic approach.*

onwetenschappelijkheid ⟨de (v.)⟩ **0.1** [mbt. methode] *unscientific approach / method* **0.2** [mbt. persoon] *unscholarliness.*

onwetmatig ⟨bn., bw.⟩ ⟨jur.⟩ **0.1** *illegal* ⇒*contrary to written law* ◆ **1.1** een ~e daad *an i. act.*

onwettelijk ⟨bn., bw.; -ly⟩ ⟨AZN⟩ **0.1** *illegal* ⇒*unlawful, illicit, unauthorized (by law), illegitimate.*

onwettig
I ⟨bn.⟩ **0.1** [mbt. kinderen] *illegitimate* ⇒*born out of wedlock* ⟨alleen pred.⟩, *love-begotten* ◆ **1.1** een ~ kind ⟨ook⟩ *a love child;*
II ⟨bn., bw.; -ly⟩ **0.1** [niet wettig] ⟨strijdig met de wet⟩ *illegal;* ⟨ver-

boden⟩ *illicit;* ⟨niet gesanctioneerd⟩ *unlawful, unauthorized (by law), illegitimate;* ⟨bw. ook; inf.⟩ *on the sly* ◆ **1.1** een ~ huwelijk *an unlawful marriage* **2.1** ~ verkregen goed *unlawfully obtained goods* **3.1** ~ handelen *act unlawfully / without authorization / against the law.*

onwettigheid ⟨de (v.)⟩ **0.1** [het onwettig zijn] *illegality, unlawfulness* ⇒*illicitness,* ⟨mbt. kind⟩ *illegitimacy* **0.2** [onwettige handeling] *breach / violation of the law.*

onwezenlijk ⟨bn.⟩ **0.1** [onwerkelijk] *unreal* ⇒*ethereal, aerial, unsubstantial, shadowy* **0.2** [niet bestaand] *unreal* ⇒*imaginary, illusory* ◆ **1.1** een ~e figuur *a shadowy / ethereal figure.*

onwijs
I ⟨bn., bw.; -ly⟩ **0.1** [dwaas] *foolish* ⇒*unwise, silly* ◆ **3.1** doe niet zo ~ *don't be (so) silly / foolish.*
II ⟨bw.⟩ **0.1** [in extreme mate] *awfully* ⇒*fabulously, terrifically,* ⟨vnl. BE ook⟩ *ever so* ◆ **2.1** ⟨inf.⟩ ~ gaaf *terrific, amazing, far out, out of this world* **5.1** ze zat ~ hard te lachen *she was laughing her head off;* ⟨inf.⟩ ~ hard werken ⟨ook⟩ *work like mad / crazy;* ⟨AE ook⟩ *work one's butt off;* ⟨inf.⟩ het deed ~ veel pijn ⟨ook⟩ *it hurt like crazy / sth. awful.*

onwijsheid ⟨de (v.)⟩ **0.1** [dwaasheid] *foolishness* ⇒*folly, unwiseness, irrationality* **0.2** [dwaze uiting, idee of daad] *folly* ⇒*stupidity.*

onwil ⟨de (m.)⟩ **0.1** *unwillingness* ⇒*obstinacy, disinclination* ◆ **3.1** het was geen ~ van haar *it was not that / as if she was unwilling.*

onwillekeurig
I ⟨bn.⟩ **0.1** [niet opzettelijk] *involuntary* ⇒*automatic* ⟨spiertrekking⟩, *unconscious, instinctive, spontaneous* ◆ **1.1** ~e samentrekking *crispation, involuntary* ⟨muscle⟩ *spasm, spasmodic contraction;*
II ⟨bw.⟩ **0.1** [zonder erg] *inadvertently* ⇒*unconsciously, instinctively, in spite of o.s., willy-nilly* ◆ **3.1** met de ogen knipperen gebeurt meestal ~ *blinking (one's eyes) is mostly automatic / instinctive;* ~ geloof je dat dan niet *you tend to disbelieve / disregard it, you instinctively refuse to believe it;* ~ moest hij lachen *he had to laugh in spite of himself, he couldn't help laughing.*

onwillens ⟨bw.⟩ **0.1** *unwillingly* ⇒*unintentionally, in spite of o.s.* ◆ **5.1** willens of ~ *willy-nilly.*

onwillig ⟨bn., bw.; -ly⟩ ⟨→sprw. 286⟩ **0.1** *unwilling* ⇒⟨weerspannig⟩ *recalcitrant, obstinate, obstreperous,* ⟨met tegenzin⟩ *reluctant, grudging,* ⟨bw.⟩ *with (a) bad / ill grace* ◆ **1.1** ~e betalers *u. / tardy / reluctant payers;* ~e getuigen *hostile witnesses;* een ~ paard *a fractious horse.*

onwilligheid ⟨de (v.)⟩ **0.1** *unwillingness* ⇒⟨weerspannigheid⟩ *recalcitrance, obstinacy,* ⟨met tegenzin⟩ *reluctance.*

onwoord ⟨het⟩ **0.1** *non-word, non-existent word.*

onwraakbaar ⟨bn.⟩ **0.1** [⟨jur.⟩] *unchallengeable* ⟨rechter, getuige⟩ **0.2** [onweerlegbaar] *indisputable* ⇒*incontestable, unchallengeable,* ⟨bewijs / conclusie ook⟩ *irrefutable, incontrovertible.*

onwrikbaar
I ⟨bn.⟩ **0.1** [⟨fig.⟩ zeer vast] *firm* ⟨standpunt⟩; *unshak(e)able* ⟨overtuiging⟩; *cut-and-dried* ⟨opvattingen⟩; *unswerving, uncompromising* **0.2** [niet verwrikt kunnende worden] *immovable* ⇒*steady (as a rock), firm, stable, rigid* ◆ **1.1** een ~ geloof *an unshak(e)able belief;* onwrikbare trouw *unswerving loyalty;* onwrikbare vastberadenheid *grim determination;*
II ⟨bn., bw.; -ly⟩ **0.1** [onomstotelijk] *irrefutable* ⇒*incontestable, incontrovertible, indisputable* ◆ **1.1** onwrikbare bewijzen *conclusive evidence* **3.1** dit staat ~ vast *this has been proved beyond doubt.*

onwrikbaarheid ⟨de (v.)⟩ **0.1** [onomstotelijkheid] *irrefutability* ⇒*incontestability, incontrovertibility, indisputability* **0.2** [onwankelbaarheid] *unshak(e)ability* ⇒*firmness, steadfastness* **0.3** [onbeweegbaarheid] *immovability.*

onyx
I ⟨het⟩ **0.1** [gesteente] *onyx;*
II ⟨de (m.)⟩ **0.1** [steen] *onyx.*

onz. ⟨taal.⟩ ⟨afk.⟩ **0.1** [onzijdig] *n..*

onzacht ⟨bn., bw.; -ly⟩ **0.1** *rough* ⇒*hard, sharp, rude, none too soft / gentle* ⟨pred.⟩ ◆ **1.1** hij werd op ~e wijze uit zijn illusies gewekt *his illusions were rudely shaken, he was rudely disenchanted* ¶**.1** ~ in aanraking komen met *come into violent / sharp contact with, get a nasty blow from.*

onzakelijk ⟨bn., bw.⟩ **0.1** [niet zakelijk] ⟨bn.⟩ *unbusinesslike* ⇒*unpractical,* ⟨bw.⟩ *in an unbusinesslike manner* **0.2** [irrelevant] ⟨bn.⟩ *irrelevant* ⇒*trivial, unrelated, not to the point / purpose, immaterial,* ⟨bw.⟩ *irrelevantly, immaterially* ◆ **1.2** ~e opmerkingen *irrelevant / trivial remarks.*

onzakelijkheid ⟨de (v.)⟩ **0.1** *unbusinesslike manner.*

onzalig ⟨bn., bw.; -ly⟩ **0.1** [diep ongelukkig] *miserable* ⇒*wretched, lamentable* **0.2** [ellende meebrengend] *unlucky* ⇒*evil, ill-fated, inauspicious, misbegotten* ◆ **1.1** zijn ~e nagedachtenis *his wretched / unlamented memory* **1.2** wie kwam er op die ~e gedachte? *whose silly* ⟨iron.⟩ *bright idea was it?;* een ~ idee *a silly / foolish idea;* in een ~ ogenblik *in an evil / unlucky hour;* ~e plannen *misbegotten / disastrous plans / schemes.*

onzedelijk ⟨bn., bw.; -ly⟩ **0.1** [onkuis] *indecent* ⇒*obscene, lewd* ⟨boek, afbeelding⟩, *immodest, improper* ⟨kleding⟩ **0.2** [immoreel] *immoral* ⇒*objectionable, unjust, unfair.*

onzedelijkheid ⟨de (v.)⟩ **0.1** [hoedanigheid] *immorality* ⇒*indecency, lewdness, immodesty* **0.2** [handeling, uiting] *indecency* ⇒*obscenity,* ⟨handeling ook⟩ *vice, immoral act.*

onzedig ⟨bn., bw.;-ly⟩ **0.1** [niet ingetogen] *free, loose, immodest* **0.2** [tegen de goede zeden] *immoral* ⇒*indecent* ⟨kleding⟩, *obscene* ⟨taal⟩.

onzedigheid ⟨de (v.)⟩ **0.1** *immorality* ⇒*indecency, obscenity,* ⟨van gedrag ook⟩ *looseness, immodesty.*

onzeewaardig ⟨bn.⟩ **0.1** *unseaworthy* ◆ **1.1** een ~ schip *an u. / a condemned ship.*

onzegbaar ⟨bn., bw.;-ly⟩ **0.1** *unspeakable* ⇒*unutterable, untold, ineffable, beyond words* ⟨pred.⟩, *indescribable.*

onzeker ⟨bn., bw.;-ly⟩ **0.1** [mbt. personen] *insecure* ⇒*uncertain, unsure, indecisive, vacillating* **0.2** [twijfelachtig] *doubtful* ⇒*uncertain, indefinite, problematic* **0.3** [onvast] *unsteady* ⇒*insecure, unsure, unsafe, shaky, wobbly* **0.4** [wisselvallig] *fitful* ⇒*capricious, unsettled, insecure, untrustworthy* **0.5** [niet vaststaand] *uncertain* ⇒*unsure, disputable* ⟨feit⟩, *precarious* ⟨positie⟩ ◆ **1.3** een ~ e hand *a shaky / unsteady hand;* haar stem was nog ~ *her voice was still unsteady / shaky* **1.5** het aantal gewonden is nog ~ *the number of injured has not yet been established / is not yet known;* een ~ e factor *an unknown quantity* **7.5** in het ~e verkeren *be in suspense / in the dark / uncertain;* het zekere voor het ~e nemen *make sure, rather be safe than sorry;* de wachtenden in het ~e laten *keep those waiting in suspense;* iets in het ~e laten *keep sth. in the dark.*

onzekerheid ⟨de (v.)⟩ **0.1** [onvastheid] *unsteadiness* ⇒*shakiness, instability, insecurity* **0.2** [twijfel] *uncertainty* ⇒*doubt, suspense* **0.3** [wat onzeker is] *uncertainty* ⇒*insecurity, contingency, question* ◆ **2.2** kwellende / martelende ~ *agonies of doubt / suspense;* de voortdurende ~ over iets *the unremitting suspense / nagging doubt(s) about sth.* **3.2** er heerst nog grote ~ over *it's still a big if;* in ~ laten / verkeren *keep / be in a state of suspense / in the dark* **3.3** zijn plannen bevatten te veel onzekerheden ⟨ook⟩ *his plans depend on too many ifs / contain too many imponderables.*

onzelfstandig ⟨bn.⟩ **0.1** *dependent (on others)* ⇒⟨pred. ook⟩ *lacking in independence, unable to stand on one's own two feet, heteronomous* ◆ **1.1** ⟨taal.⟩ ~ achtervoegsel *bound suffix;* ⟨jur.⟩ ~e verbintenis *additional / subordinate / accessory / collateral obligation / contract / agreement.*

onzelfzuchtig ⟨bn., bw.;-ly⟩ **0.1** *unselfish* ⇒*selfless, altruistic,* ⟨grootmoedig⟩ *magnanimous* ◆ **3.1** ~ handelen / oordelen *act / judge unselfishly / magnanimously.*

onzelfzuchtigheid ⟨de (v.)⟩ **0.1** *unselfishness* ⇒*selflessness, altruism.*

Onze-Lieve-Heer ⟨de (m.)⟩ **0.1** [God] *Our Lord, the Lord (God)* **0.2** [Christus] *Our Lord (Jesus Christ).*

onze-lieve-heersbeestje ⟨het⟩ **0.1** [kever] *ladybird,* ^A*ladybird* **0.2** [insektenfamilie] *ladybird,* ^A*ladybug* ⇒⟨wet.⟩ *coccinellid.*

Onze-Lieve-Vrouw ⟨de (v.)⟩ **0.1** [Maria] *Our Lady* **0.2** [beeld] *madonna.*

onze-lieve-vrouwebedstro ⟨het⟩ ⟨plantk.⟩ **0.1** [welriekende plant] *sweet woodruff* **0.2** [echt walstro, wilde tijm] ⟨walstro⟩ *Lady's bedstraw;* ⟨tijm⟩ *wild thyme.*

onzent ⟨schr.⟩ ◆ **6.¶ te(n)** ~ ⟨ongemarkeerd⟩ ⟨huis⟩ *at our house / office;* ⟨stad⟩ *in our town / this place;* ⟨land⟩ *in this country / world.*

onzenthalve ⟨bw.⟩ ⟨schr.⟩ **0.1** ⟨ongemarkeerd⟩ *as far as we are concerned, for our sake, on our part.*

onzentwege ⟨schr.⟩ ◆ **6.¶** hij heeft van ~ een gelukwens ontvangen ⟨ongemarkeerd⟩ *he has been sent a congratulation on our behalf / from us.*

onzerzijds ⟨bw.⟩ **0.1** *on our part, from us.*

onzevader ⟨het⟩ **0.1** *Lord's Prayer* ⇒*Paternoster* ◆ **3.1** het ~ bidden *say the Lord's Prayer / Paternoster.*

onzichtbaar ⟨bn.⟩ **0.1** [niet zichtbaar] *invisible* ⇒*unseen, indiscernible, imperceptible,* ⟨verborgen⟩ *latent* **0.2** [niet meer te onderscheiden] *indiscernible* ⇒*blotted out, blind, fine-drawn* ⟨naden⟩ ◆ **3.1** ⟨scherts.⟩ hij bleef de hele dag ~ *he stayed out of sight all day, he kept a low profile all day* **3.2** de nevel maakte de koeien ~ *the mist blotted out the cows;* een scheur ~ stoppen *mend a tear invisibly, blindstitch a tear.*

onzichtbaarheid ⟨de (v.)⟩ **0.1** *invisibility* ⇒*invisibleness, imperceptibility.*

onzienlijk ⟨bn.⟩ **0.1** *invisible* ⇒*unseen* ◆ **1.1** de ~e wereld *the spirit world, the world of the unseen* **7.1** de Onzienlijke *the Invisible / Unseen.*

onzijdig ⟨bn.⟩ **0.1** [neutraal] *neutral* **0.2** [van een neutrale mogendheid] *neutral* **0.3** [onbevooroordeeld] *neutral* ⇒*unprejudiced, impartial, unbiased, disinterested* **0.4** ⟨taal.⟩ *neuter* **0.5** ⟨plantk.⟩ *neuter* **0.6** ⟨schei.⟩ *neutral* ◆ **1.1** een ~e mogendheid *a n. power* **3.1** zich ~ houden *remain n..*

onzijdigheid ⟨de (v.)⟩ **0.1** *neutrality.*

onzin ⟨de (m.)⟩ **0.1** [nonsens] *nonsense* ⇒*drivel, humbug,* ⟨vnl. BE⟩ *rubbish,* ⟨AE;inf.⟩ *bull,* ⟨AE;sl.⟩ *crap* **0.2** [domme daad] *nonsense* ⇒*folly* ◆ **2.1** wat een grote ~! *what utter n.!;* ⟨BE;inf.⟩ *what a load of rubbish!;* ⟨BE;sl.⟩ *what a load of old cobblers!;* ⟨AE;sl.⟩ *what a lot*

of crap!, what a crock!; klinkklare ~ *plain / utter n.;* ⟨inf.⟩ *a lot of boloney !* ^A*baloney* **3.1** ~ uitslaan / verkopen / uitkramen *talk n. / garbage / drivel;* ⟨vnl. BE⟩ *talk rubbish / rot* **3.2** dat zou ~ zijn *that would be (sheer) folly ¶.¶* ~! *n.!;* ⟨vnl. BE⟩ *rubbish!, rot!;* ⟨AE;inf.⟩ *hogwash!, bull!.*

onzindelijk ⟨bn., bw.⟩ **0.1** [niet zindelijk] *untrained* ⇒*not toilet / ⟨inf.⟩ potty trained, un-house-trained / -broken* ⟨hond⟩ **0.2** [vuil] *unclean* ⇒*grimy, grubby, dirty* **0.3** [⟨fig.⟩] ⟨onethisch⟩ *objectionable, offensive, unhealthy;* ⟨verward⟩ *muddled, unclear* ◆ **1.2** ~e kleren *dirty clothes* **1.3** een ~(e) gedachte / argument *an impure thought / argument* **3.3** ~ denken *objectionable / offensive ideas / thinking.*

onzindelijkheid ⟨de (v.)⟩ **0.1** [hoedanigheid] *uncleanliness* ⇒*dirtiness* **0.2** [onzindelijk iets] *unclean / dirty thing.*

onzinkbaar ⟨bn.⟩ **0.1** *insubmersible, insubmergible* ⇒*unsinkable* ⟨schip⟩.

onzinnelijk ⟨bn.⟩ **0.1** *immaterial* ⇒*transcendent, imperceptible, unperceivable, intangible* ◆ **1.1** de ~e God *the transcendent God.*

onzinnig ⟨bn.⟩ **0.1** [dwaas] *absurd* ⇒*senseless, nonsensical* ⟨gepraat⟩, *inept* ⟨opmerking⟩ **0.2** [buitensporig] *senseless* ⇒*absurd, outrageous,* ⟨bw. ook⟩ *exceedingly* ◆ **1.1** een ~ antwoord *a nonsensical / an inept answer;* een ~e onderneming *a senseless enterprise / undertaking, a wild-goose chase* **2.2** dat wordt ~ duur *that's going to be absurdly / ridiculously / impossibly expensive.*

onzinnigheid ⟨de (v.)⟩ **0.1** *absurdity, absurdness* ⇒*stupidity, senselessness* ⟨mbt. daad⟩, *nonsensicalness* ⟨mbt. gepraat⟩.

onzorgvuldig ⟨bn., bw.⟩ **0.1** *careless* ⇒*negligent, inaccurate, sloppy, slipshod* ◆ **1.1** een ~e behandeling *(a) negligent / slapdash / casual / cavalier treatment* **3.1** in alles is hij even ~ *he is c. about everything.*

onzuiver
I ⟨bn.⟩ **0.1** [niet zuiver] *impure* **0.2** [nog niet gezuiverd] *unpurified, not purified* ⇒*crude* ⟨olie⟩ **0.3** [bruto] *gross* ◆ **1.1** ⟨fig.⟩ een ~ beeld *a false picture;* ~ water *i. / undrinkable / unpurified water* **1.3** het ~ inkomen *the g. income;*
II ⟨bn., bw.;-ly⟩ **0.1** [afwijkend] *inaccurate* ⇒*incorrect, imperfect, out of tune / line,* ⟨statistiek⟩ *biased* **0.2** [onorthodox] *unsound* ⇒*faulty, false, unorthodox, unauthorized* ⟨leer, godsdienst⟩ ◆ **1.1** ~ rijm *imperfect rhyme;* een ~ schot *an inaccurate shot* **1.2** een ~ redenering *faulty reasoning* **3.1** ~ zingen *sing out of tune, sing off / out of key* ¶**.2** ~ in de leer *unsound in the faith, heterodox.*

onzuiverheid ⟨de (v.)⟩ **0.1** [hoedanigheid] *impurity* ⇒*inaccuracy, heterodoxy* ⟨geloof⟩ **0.2** [iets onzuivers] *impurity* ⇒*inaccuracy.*

O.O. ⟨afk.⟩ **0.1** [onderofficier] *N.C.O..*

oöcyt ⟨de (m.)⟩ **0.1** [eicel] *oocyte* ⇒⟨vrouwelijke gametocyt⟩ *oocyte.*

ooft ⟨het⟩ ⟨schr.⟩ **0.1** *fruit.*

ooftboom ⟨de⟩ ⟨schr.⟩ **0.1** *fruit tree.*

ooftteelt ⟨de⟩ **0.1** *fruit-growing;* ⟨wet.⟩ *pomology.*

oog ⟨het⟩ ⟨→sprw. 461,474-478,530, 532⟩ **0.1** [gezichtsorgaan, ⟨ook fig.⟩] *eye* **0.2** [mbt. de iris] *eye* **0.3** [ooglid, omgeving van het oog] *eye* **0.4** [blik] *look* ⇒*gaze, glance, eye* **0.5** [gezichtskring, ⟨ook fig.⟩] *view* ⇒*eye, sight* **0.6** [opening] *eye* **0.7** [mbt. kledingstukken] *eye(let)* **0.8** [⟨spel⟩] *dot* ⇒*spot, point, pip* **0.9** [druppel vet] *globule* ⇒*circle* **0.10** [⟨plantk.⟩] *eye* **0.11** [mbt. pauwen / vlinders] *eye* ⇒*eyelike spot* **0.12** [⟨meteo.⟩] *eye* ◆ **1.6** het ~ v.d. naald *the e. of the needle, the needle's e.* **1.7** dat heeft haken en ogen *that's troublesome / sticky / nettlish* **1.10** de ogen van aardappels *the eyes of potatoes* **2.1** ⟨fig.⟩ met andere ogen bekijken *see in a different light;* met het blote ~ with *the naked e.;* ⟨fig.⟩ dan kun je het met je eigen ogen zien *then you can see for yourself;* goede ogen hebben *have good eyes / eyesight;* een lui ~, met een lui ~ *a lazy / wandering e., amblyopia; amblyopic;* een uitpuilend ~ *a protruding / bulging e.* **2.2** met droge ogen *with dry eyes* **2.3** een blauw ~ *a black e.;* ⟨inf.⟩ *a shiner;* ⟨fig.⟩ hij zette grote ogen op *his eyes nearly popped out of his head / came out on stalks;* een ~ voor iets hebben *be fully alive to sth.* **2.4** ⟨fig.⟩ het boze ~ *the evil eye;* met een half ~ iets zien ⟨fig.⟩ *cast a glance at sth.;* met een scheef ~ kijken naar *look askance at;* schele ogen maken / geven ⟨fig.⟩ *make (s.o.) green with envy;* ⟨lett.⟩ *squint;* met schele ogen aanzien ⟨fig.⟩ *view with jealous e. / jealousy / envy* **2.8** ⟨fig.⟩ hoge ogen gooien *have / stand an excellent chance* **2.¶** een elektronisch ~ *an electronic eye, a photoelectric cell* **3.1** zijn ogen bederven *ruin one's eyes;* zijn ogen geloven / vertrouwen *trust one's eyes;* hij had alleen ~ voor haar *he only had eyes for her;* heb jij geen ogen? *haven't you got eyes in your head?;* ogen hebben van voren en van achteren *have eyes in the back of one's head;* ~ hebben voor ⟨fig.⟩ *have an e. for, be a judge of;* ⟨fig.⟩ geen ~ hebben voor *be blind to / heedless of, have no time for;* ogen in zijn rug hebben *have eyes in / at the back of one's head / neck;* zijn ogen uitkijken (aan iets) *stare one's eyes out (on sth.), feast one's eyes (on sth.),* have one's eyes popping; met schele ogen maken *s.o. jealous / green with envy;* zich de ogen uitwrijven *rub one's eyes;* één en al ~ zijn *be all eyes* **3.3** geen ~ dichtdoen *not sleep a wink, not get a wink of sleep;* dat heeft mij de ogen geopend *that opened my eyes, has an eye-opener for me;* zij maakte haar ogen op *she made up her eyes / put on eye make-up /* ⟨inf.⟩ *her eyes;* ⟨fig.⟩ iem. de ogen openen *open s.o.'s eyes;* ⟨schr.⟩ *undeceive s.o.;* de ogen openen / sluiten *open / close* *one's eyes;* de ogen openhouden 〈ook fig.〉 *keep one's eyes open;* de ogen sluiten *close one's eyes for the last time, pass away, go to sleep;* de ogen sluiten voor iets *close one's eyes to sth., wink/connive at sth.* **3.4** ~ hebben voor *have an eye for;* zij kon haar ogen niet van hem afhouden *she couldn't take/keep her eyes off him;* zijn ogen laten gaan over *run/cast one's eye over* **3.5** zo ver het ~ reikt *as far as the eye can see/reach;* voor het ~ verborgen/aan het ~ onttrokken *hidden/concealed from v./sight* **3.¶** 〈fig.〉 iem. de ogen verblinden *blind s.o. (to sth.)* **6.1 aan** één ~ blind *blind in one e.;* 〈fig.〉 **door** iemands ogen zien *see sth. through s.o. else's eyes;* iem. het licht **in** de ogen niet gunnen *begrudge s.o. the time/light of day, refuse to make the slightest concession to s.o.;* iem. iets **onder** vier ogen zeggen *say sth. to s.o. in private;* **onder** vier ogen 〈ook〉 *face to face;* 〈fig.〉 goed **uit** zijn ogen kijken *keep one's eyes open/peeled/skinned;* ik kan niet meer **uit** mijn ogen zien (van vermoeidheid) *I can't keep my eyes open (any more);* 〈fig.〉 kun je niet **uit** je ogen kijken? *can't you look where you're going?;* hij kan haast niet meer **uit** zijn ogen kijken *he can hardly see straight;* 〈fig.〉 de volgende keer moet je maar beter **uit** je ogen kijken *look out (properly)/use your eyes next time;* **voor** iemands ogen *in front of s.o.'s eyes;* geen hand voor ogen kunnen zien *not be able to see one's hand in front of one's face;* groen en geel **voor** de ogen worden *see spots (before one's eyes)* **6.3 met** de ogen knipperen *blink (one's eyes)* **6.4 met** de ogen verslinden *devour with one's eyes;* een gevaar **onder** ogen zien *look danger straight in the eye, face (up to) danger;* 〈fig.〉 iets **onder** ogen hebben *have sth. in front of one, be looking at sth.;* 〈fig.〉 iem. iets **onder** ogen brengen *bring/call sth. to s.o.'s attention;* **onder** het waakzame ~ van *under the watchful eye of;* 〈fig.〉 ik durf hem niet **onder** de ogen te komen *I dare not look him in the face;* 〈fig.〉 kom mij nooit meer **onder** de ogen *do not let me see/catch sight of you again;* 〈fig.〉 ik heb het nooit **onder** ogen gehad *I have never set eyes on it;* **op** het ~ outwardly, *on the face of it;* het ~ **op** iets/iem. hebben 〈fig.〉 〈gadeslaan〉 *watch sth./s.o.;* 〈denken aan〉 *have sth./s.o. in mind, be thinking of s.o. (in particular), have one's e. on sth./s.o.;* 〈nastreven〉 *set one's sight on/aim at sth.;* 〈bedoelen〉 *refer to;* zo **op** het ~ *on the face of it, so it appears/seems;* iets/iem. **op** het ~ hebben *have sth./s.o. in mind, have one's eye on sth.;* 〈fig.〉 iets **voor** ogen houden *keep/bear sth. in mind, have one's mind on sth.;* 〈fig.〉 hun toekomst stond hem helder voor ogen *he had a clear vision of the/their future;* wat mij **voor** ogen staat *what I have in mind* **6.5** in het ~ houden 〈voortdurend gadeslaan〉 *keep one's/an eye on;* 〈niet vergeten〉 *keep/bear in mind;* **in** het ~ lopen *strike the eye, attract attention;* **in** het ~ vallen/springen *strike/catch the eye, stand out, be obvious/conspicuous/salient;* **in** het ~ krijgen *catch sight of, spot;* uit mijn ogen! *get out of my sight!;* **uit** het ~ raken *disappear from sight;* iets **uit** het ~ verliezen *lose sight/track of;* iem. **uit** het ~ verliezen *lose sight/〈contact〉 touch with s.o.* **6.6** 〈fig.〉 **door** het ~ v.d. naald kruipen *have a narrow escape, escape by the skin of one's teeth* **6.¶** in hun ogen betekent hij niet veel *he doesn't amount to much in their eyes;* ~ **in** staan met *be confronted by, encounter, come face to face with;* ~ **in** ~ *face to face;* 〈inf.〉 *eyeball to eyeball;* **in** mijn ogen *in my opinion/view;* 〈inf.〉 *in my book;* **met** het ~ op *with a view/an eye to;* 〈wegens〉 *in view/consideration of* **7.8** hij wierp/gooide zes ogen *he threw sixes* **¶.1** zijn ogen de kost geven *take it all in, feast one's eyes (on);* zijn ogen zijn groter dan zijn buik/maag *his eyes are bigger than his belly/stomach;* 〈fig.〉 het ~ wil ook wat *appearances also count;* zijn ogen in zijn zak hebben *not use one's eyes, be blind;* 〈fig.〉 zich de ogen uit het hoofd schamen *be embarrassed to death/be terribly/deeply ashamed* **¶.2** 〈fig.〉 zijn ogen schoten vuur *his eyes were blazing* **¶.4** zijn ~ viel op haar *his eye fell on her.*

oogappel 〈de (m.)〉 **0.1** [lieveling] *apple of one's eye* **0.2** [regenboogvlies] *iris* **0.3** [oogbol, het uitwendige oog] *eyeball* **0.4** [pupil] *pupil* **1.1** hij was zijn moeders ~ *he was the apple of his mother's eye.*
oogarts 〈de (m.)〉 **0.1** *ophthalmologist, ophthalmist* ⇒〈vero.〉 *oculist, eye doctor.*
oogbadje 〈het〉 **0.1** *eye cup* ⇒〈BE ook〉 *eye-bath.*
oogbol 〈de (m.)〉 **0.1** *eyeball.*
oogcontact 〈het〉 **0.1** *eye contact.*
oogdruppels 〈zn.mv.〉 **0.1** *eye drops.*
oogenting 〈de (v.)〉〈landb.〉 **0.1** *bud grafting* ⇒*budding.*
ooggetuige 〈de (m.)〉 **0.1** *eyewitness* ◆ **3.1** ~ van iets zijn *be an e. to/of sth..*
ooggetuigeverslag 〈het〉 **0.1** *eyewitness report/account* ⇒〈scherts.〉 *blow-by-blow account,* 〈sport〉 *running commentary, live coverage.*
oogglas 〈het〉 **0.1** *eye glass* ⇒〈in kijker ook〉 *ocular.*
ooghaar 〈het, de (m.)〉 **0.1** *(eye)lash* ⇒*cilium.*
oogheelkunde 〈de (v.)〉 **0.1** *ophthalmology.*
oogheelkundig 〈bn.〉 **0.1** *ophthalmic* ◆ **1.1** ~e kliniek *eye clinic.*
oogheelkundige 〈de (m.)〉 **0.1** *ophthalmologist, ophthalmist* ⇒〈vero.〉 *oculist.*
ooghoek 〈de (m.)〉 **0.1** *corner of the eye* ⇒*canthus* ◆ **6.1** een monocle **in** de ~ zetten *screw/put a monocle in one's eye;* naar iem. kijken **vanuit** zijn ~ *look at s.o. out of the corner of one's eye.*

oogholte 〈de (v.)〉 **0.1** *eye socket* ⇒〈inf.〉 *eyehole,* ^eyepit, 〈tech.〉 *orbit.*
ooghoogte 〈de (v.)〉 **0.1** *eye level* ◆ **6.1 op** ~ *at e.l..*
oogje 〈het〉 **0.1** [klein oog] *little eye* ⇒*eyelet* **0.2** [blik] *glance* ⇒*look, peep* ◆ **3.1** een ~ dichtknijpen/dichtdoen *close/shut one's eyes (to);* 〈fig. ook〉 *look the other way, stretch a point;* een ~ knippen *wink* **3.2** iem. ~s geven *make eyes at s.o.;* 〈inf., van vrouw〉 *flutter one's eyelashes at s.o.;* 〈met seksuele bedoelingen〉 *ogle s.o.;* een ~ wagen aan *glance at, take a look at, peep at* **3.¶** een ~ hebben op *have one's eye on;* have designs on/〈BE ook〉 *fancy* 〈man, vrouw〉; een ~ houden op *keep an eye on* **6.2** 〈fig.〉 een ~ **in** het zeil houden *keep a look-out.*
oogjesgoed 〈het〉 **0.1** *diaper* ⇒*bird's-eye.*
oogkamer 〈de〉 **0.1** *chamber of the eye.*
oogkas →oogholte.
oogklep 〈de〉 **0.1** *blinker* ⇒*blinder* ◆ **3.1** ~pen voor hebben *be blind to, be blinkered* **6.1 met** ~pen lopen *have blinkers on.*
ooglap 〈de (m.)〉 **0.1** *(eye) patch.*
ooglens 〈de〉 **0.1** [van het oog] *lens* **0.2** [in een oculair] *lens.*
ooglid 〈het〉 **0.1** *(eye)lid* ◆ **2.1** de oogleden worden zwaar *one's eyelids get/become heavy;* met zware oogleden *with heavy lids, heavy-lidded* **3.1** de oogleden openen/sluiten *open/shut/close one's eyes;* de oogleden opheffen *lift/raise one's eyelids.*
ooglijk 〈bn.〉 **0.1** *attractive* ⇒*pleasing/appealing to the eye, sightly* ◆ **3.1** er nogal ~ uitzien *look quite a./appealing.*
oogluikend 〈bw.〉 **0.1** 〈zie 3.1〉 ◆ **3.1** ~ toegelaten worden *be winked at;* iets ~ toelaten/toestaan/dulden *turn a blind eye to/feign ignorance of sth..*
oogluiking 〈de (v.)〉 **0.1** *connivance.*
oogmeetkunde 〈de (v.)〉 **0.1** *optometry.*
oogmerk 〈het〉 **0.1** *view* ⇒*end, intent(ion), object(ive), aim* ◆ **2.1** een misdadig ~ *a criminal purpose* **6.1 met** het ~ om *with a view to, with the object/intention/aim of.*
oogmeting 〈de (v.)〉 **0.1** *eye test.*
oogonderzoek 〈het〉 **0.1** *eye test/examination* ⇒*eye sight test* ◆ **3.1** een ~ ondergaan *have one's eyes tested.*
oogontsteking 〈de (v.)〉 **0.1** *inflammation of the eye* ⇒*ophthalmia, ophthalmitis.*
oogoperatie 〈de (v.)〉 **0.1** *eye operation.*
oogopslag 〈de (m.)〉 **0.1** *glance* ⇒*look, glimpse* ◆ **6.1** bij de eerste ~ *at first glance;* **met** een (enkele)/met één ~ *at a (single/one) glance.*
oogprothese 〈de (v.)〉 **0.1** *prosthetic/artificial/glass eye.*
oogpunt 〈het〉 **0.1** *viewpoint* ⇒*point of view, standpoint, angle* ◆ **2.1** uit economisch ~ *from an economic point of view;* vanuit militair/politiek ~ *militarily/politically speaking* **6.1** uit het ~ van *from the v./standpoint/point of view of;* uit een ~ van *from a(n) … v./standpoint/point of view;* iets doen **uit** een ~ van doelmatigheid *do sth. for reasons of efficiency.*
oogrok 〈de (m.)〉 **0.1** *sclera* ⇒*sclerotic.*
oogschaduw 〈de〉 **0.1** *eyeshadow.*
oogschelp 〈de (m.)〉 **0.1** *eye-cup.*
oogscherm 〈het〉 **0.1** *eyeshade.*
oogschroef 〈de〉 **0.1** *(screw) eye.*
oogspiegel 〈de (m.)〉 **0.1** *ophthalmoscope.*
oogspier 〈de〉 **0.1** *eye muscle.*
oogst 〈de (m.)〉 **0.1** [het inzamelen] *harvesting* ⇒*reaping* **0.2** [gewas] *harvest* ⇒*vintage* 〈wijn〉, *crop, yield* **0.3** [〈fig.〉 opbrengst] *harvest* ⇒*output, yield* ◆ **2.2** een overvloedige ~ *a bumper crop, a glut* **3.2** de ~ binnenhalen *bring/get/gather in/reap the h./crops, h.;* een rijke ~ opleveren/geven *yield/bear a rich h.* **6.3** een ~ **aan** nieuwe verzen *a rich h. of new poetry* **7.2** tweede ~ 〈AE ook〉 *rowen; aftermath.*
oogsten 〈ov.ww.〉 〈→sprw. 661, 671〉 **0.1** [oogst binnenhalen] *harvest* ⇒〈vero.〉 *reap, pick* 〈fruit〉; *gather* **0.2** [〈fig.〉 verwerven] *reap* ⇒*earn, win, get* ◆ **1.1** vlas ~ *get/bring in/reap/harvest (the) flax* **1.2** de dank ~ van *earn the gratitude of;* dank/lof/bijval ~. *win thanks/praise/approval;* succes ~ *r./score a success.*
oogster 〈de (m.)〉 **0.1** *reaper, harvester* 〈van graan〉; *picker* 〈van aardappelen/fruit/hop〉.
oogstfeest 〈het〉 **0.1** *harvest-home (festival)/harvest-festival.*
oogsthulp 〈de〉 **0.1** [hulp bij de oogst] *harvest(ing) hands/labourers* ⇒*seasonal worker* **0.2** [arbeidsbemiddeling] *harvesting agency* ⇒*seasonal employment service.*
oogstjaar 〈het〉 **0.1** *crop/harvest year* ◆ **2.1** een geweldig/record ~ *a bumper/record crop/harvest year;* een goed/slecht ~ *a good/bad year (for crops)/harvest.*
oogstlied 〈het〉 **0.1** *harvest song* ⇒〈BE ook〉 *harvest home.*
oogstmaand 〈de〉 **0.1** *harvest(ing) month.*
oogstmachine 〈de (v.)〉 **0.1** *harvester* ⇒*harvesting machine, reaper.*
oogstmijt 〈de〉 **0.1** *harvest bug/mite.*
oogstrijp 〈bn.〉 **0.1** *ripe/ready (for harvesting/picking* 〈enz.〉).
oogsttijd 〈de (m.)〉 **0.1** *harvest(ing) time.*
oogstverlof 〈het〉 **0.1** *harvesting leave* ⇒*leave (from military duty) to help with harvesting.*
oogstweer 〈het〉 **0.1** *harvest(ing) weather* ◆ **2.1** goed/slecht ~ hebben *have good/bad h. w..*

oogtand ⟨de (m.)⟩ **0.1** *eyetooth* ⇒*canine (tooth)*.

oogtransplantatie ⟨de (v.)⟩ **0.1** *eye transplant(ation)*.

oogverblindend
I ⟨bn.⟩ **0.1** [de ogen verblindend] *blinding*, *dazzling* ◆ **1.1** ~ licht *b. / d. light;*
II ⟨bn., bw.; -ly⟩ **0.1** [schitterend] *dazzling* ◆ **1.1** ~e pracht/luister *d. splendour;* een ~e schoonheid *a raving beauty, a knockout* **2.**¶ ~ mooi *dazzlingly beautiful, ravishing;* ~ snel *as fast as lightning;* ⟨inf.⟩ *like greased lightning.*

oogverblinding ⟨de (v.)⟩ ⟨AZN⟩ **0.1** *swindle* ⇒*trickery, hoax,* ⟨sl.⟩ *rip-off.*

oogvlek ⟨de (m.)⟩ ⟨biol.⟩ **0.1** [primitief gezichtsorgaan] *eyespot* **0.2** [oogvormige vlek, bv. op bloem/vlinder] *eye(spot).*

oogvlies ⟨het⟩ **0.1** *eye membrane/tunic.*

oogvocht ⟨het⟩ **0.1** *aqueous humour.*

oogwater ⟨het⟩ **0.1** *eye lotion, eyewash;* ⟨med.⟩ *collyrium.*

oogwenk ⟨de (m.)⟩ **0.1** [ogenblik] *moment* ⇒*instant, twinkling (of an eye)* **0.2** [snelle blik] *glance* ⇒*glimpse* ◆ **3.2** iem. een ~ geven *nod/glance/look at s.o. (knowingly)* **6.1** in een ~ was hij terug *he was back in an instant/a twinkling (of the eye)/* ⟨inf.⟩ *flash.*

oogwimper ⟨de⟩ **0.1** *(eye)lash.*

oogwit ⟨het⟩ **0.1** *white of the eye.*

oogzak ⟨de (m.)⟩ **0.1** *bag under the eye.*

oogzalf ⟨de⟩ **0.1** *eye cream/ointment/salve.*

oogzenuw ⟨de (m.)⟩ **0.1** *optic nerve.*

oogziekte ⟨de (v.)⟩ **0.1** *eye illness/disease/disorder, illness/disease/disorder of the eye* ⇒⟨inf.⟩ *eye trouble.*

ooi ⟨de (v.)⟩ **0.1** *ewe.*

ooievaar ⟨de (m.)⟩ **0.1** *stork* ◆ **3.**¶ de ~ heeft het gebracht *the s. brought it, it was found under a cabbage leaf/* ⟨vnl. BE⟩ *gooseberry bush,* the doctor brought it in a little black bag; de ~ verwachten *have a bun in the oven, be in the family way* **8.1** benen als een ~ *spindly legs;* eten als een ~ *eat like a bird.*

ooievaarsbek ⟨de (m.)⟩ **0.1** *crane's/stork's bill* ⇒*(wild) geranium,* ⟨gevlekt⟩ *alumroot.*

ooievaarsbloem ⟨de⟩ **0.1** *yellow flag.*

ooievaarsnest ⟨het⟩ **0.1** *stork's nest.*

ooievaarsvogels ⟨zn.mv.⟩ **0.1** *Ciconiidae.*

ooievaartje ⟨het⟩ **0.1** [kleine ooievaar] *small/little stork* **0.2** [diploma/insigne van een kraamverpleegster] *'ooievaartje'* ⟨*diploma/insignia of a midwife*⟩.

ooilam ⟨het⟩ **0.1** [wijfjeslam] *ewe lamb* **0.2** [enig dierbaar bezit]⟨bijb.⟩ *ewe lamb.*

ooit ⟨bw.⟩ **0.1** *ever* ⇒*at any time, once* ◆ **1.1** Jan, die ~ een vriend van me was *John, who was once a friend of mine* **3.1** ben je daar ~ geweest? *have you e. been there?;* het hoogste punt ~ bereikt *an all-time high;* het is vroeger ~ voor een edelman gebouwd *it was at some time built for a nobleman;* hij is ~ nog voetballer geweest *he used to play soccer;* mocht ik ~ in Londen komen, dan …*should I (e.) come to London, then …;* we zien elkaar ~ wel eens weer *we'll meet again one day* ¶**.1** groter dan ~ tevoren *bigger than e. (before)* ¶**.1** wel heb je ~! *well I never/I (do) declare!, (well) whatever next!, well, of all things!.*

ook ⟨bw.⟩ **0.1** [bovendien] *moreover* ⇒*also, too* **0.2** [evenzo, evenzeer] *also* ⇒*too* **0.3** [zelfs] *even* **0.4** [als versterking] *anyhow* ⇒*anyway, whatever, however* **0.5** [dienovereenkomstig] *thus* ⇒*therefore* **0.6** [misschien] *maybe* ⇒*perhaps, by any chance* **0.7** [in wenszinnen/uitroepen] *again* ⇒*too* ◆ **1.1** zijn er ~ brieven? *are there any letters?* **1.2** ~ een mop! ⟨sarcastisch⟩ *very funny!;* ⟨verbazing⟩ *no kidding!;* ⟨iron.⟩ dat is ~ een standpunt *what an interesting idea, I think you've got sth. there* **1.3** ~ Jan had het niet geweten *e. John didn't know* **1.7** dat gezanik ~ *all that fuss (too);* ~ een vraag! *what a (silly) question!, how dumb can you be!* **2.4** hoe jong ik ~ ben …*as young as I may be/am* **3.1** wat hij zegt gebeurt ~ *whatever he says goes;* An was ~ van de partij *Ann came along too* **3.2** morgen kan ~ nog *tomorrow will do, it will do tomorrow, tomorrow will be all right too* **3.4** hoe je het ~ draait (of keert) *however you turn it, whichever way you look at it;* jij zegt ~ maar alles, wat je voor de mond komt *you say whatever comes/pops into your head* **3.6** heb je haar ~ voorbij zien gaan? *did you see/have you seen her go by/pass by any chance?;* kun je me ~ zeggen waar hij woont? *could you tell me where he lives, (please)?* **4.1** mag ik ~ eens wat zeggen? *may I get a word in/say sth. too?;* 'ik heb mijn geld verloren.' 'jij ~ al?' ik ~!' *'I lost my money.' 'join the club!'/ 'makes two of us!'/'you too?! so have I'* **4.2** ik hou van tennis en hij ~ *I like tennis and so does he;* 'prettig weekend'. 'jij ~' *'have a nice weekend.' 'same to you/and you too';* 'Je bent een stommeling'. 'Jij ~' 'You're an idiot.' 'So are you/You too! You're another'* **4.4** repareer het hoe dan ~ *fix it anyway;* hoe het ~ zij, laten we nu maar gaan *let's go now anyway; anyway, let's go now;* hoe dan ~ *be that as it may, anyhow, in any case;* wat er ~ gebeurt …*whatever happens, come what may;* wat je ~ doet, maak eerst je examen af *whatever you do, finish your exams/school first;* heb je je sjaal of handschoen of wat je ~ kwijt was gevonden? *have you found your scarf or glove or whatever it was you had lost?;* wie (dan) ~ *whoever;* ze is net zo mooi als

wie dan ~ *she's as pretty as any(one)/the best of them;* wie hij ~ mag zijn *whoever he may be* **4.7** alles, maar dan ~ alles! *every little/blessed thing, absolutely everything; everything, but everything!* **5.1** ik ben er ~ nog *I'm here too, what about me?, don't forget me!;* weg! en gauw ~! *get out of here! now!, come on! off with you!;* hij kookte, en heel goed ~ *he did the cooking and very well for that matter;* het is mooi, en bovendien nog goedkoop ~ *it is beautiful and cheap as well/to boot/into the bargain;* misschien doet hij het, misschien ~ niet *maybe he'll do it and then again maybe he won't;* hij heeft niet gewacht, en ik trouwens ~ niet *he didn't wait and neither/nor did I;* ze was niet ziek en ze leek ~ niet ongelukkig *she wasn't ill/sick and she didn't look all that unhappy either;* moet ik dat nu ~ nog beleven? *do I have to put up with this too?;* zij liep, en snel ~ *she ran and/but fast;* zo vreselijk moeilijk is het nu ~ weer niet *it's not all that difficult (after all);* dat hebben we ~ weer gehad *so much for that, that's over and done with* **5.2** ik ben ~ maar een mens *I'm only human;* opa praatte ~ zo grandpa used to talk the same way/like that* **5.4** ik heb zijn hulp aangenomen, ~ al is die vrijwel niets waard *I have accepted his help, such as it is;* hoe graag hij ~ was gegaan *as much as he would have liked to go/have gone;* hoe zeer zij zich ~ inspande *as hard as she tried* **5.5** hij is dan ~ gestraft *and therefore/thus/so he's been/was punished* **5.7** (dat is) maar goed ~! *and a good thing too!;* jij hebt ~ nooit tijd! *you never have any time!;* en nog verwaand ~! *and conceited too!;* hoe heet hij ~ weer? *what was his name a.?* **7.1** ze lust geen appels, en ~ geen sinaasappels *she doesn't like apples (n)or oranges, she likes neither apples nor oranges* **8.1** niet alleen …, maar ~ …*not only …, but also …* **8.3** ~ al is hij niet rijk *e. though he's not rich* ¶**.2** mij ~ goed! *I don't care, it's all right with me, suits me;* dat is ~ wat mooi! ⟨iron.⟩ *that's a fine thing!, that's a bit much!;* dat is waar ~! *that's true, of course!; oh, that's/you're right!;* ⟨bij het plots te binnen schieten⟩ *oh, I almost forgot!;* zo denk ik er ~ over *those are my feelings exactly, I feel the same way about it;* 'je hebt geblunderd.' 'ja, maar jij ~!' *'you blundered.' 'yes, but so did you'.*

ööliet ⟨mijnw.⟩
I ⟨het⟩ **0.1** [kalkgesteente] *oolite, oolith.*
II ⟨de (m.)⟩ **0.1** [stuk kalksteen] *oolite, oolith.*

öölogie ⟨de (v.)⟩ **0.1** *oology.*

oom ⟨de (m.)⟩ **0.1** [famililid] *uncle* ⟨vaak U-⟩ **0.2** [⟨scherts.⟩] *uncle* ⇒*old man, mister* ◆ **1.2** ~ agent *Mr. Policeman* **2.**¶ een hoge ~ *a big-wig, a big gun/cheese/wheel, a V.I.P.* ¶**.**¶ ome Jan *uncle, pawnbroker;* voor de omes komen *take an (oral) exam.*

oomzegger ⟨de (m.)⟩, **-ster** ⟨de (v.)⟩ **0.1** *nephew* ⟨m.⟩; *niece* ⟨v.⟩.

ööplasma ⟨het⟩ **0.1** *ooplasm.*

oor ⟨het⟩ ⟨~sprw. 438,504⟩ **0.1** [gehoororgaan] *ear* **0.2** [oorschelp] *ear* **0.3** [voorwerp] *handle* ⇒*ear* **0.4** [ezelsoor] *(dog/dog's) ear* ◆ **2.1** ⟨fig.⟩ met een half ~ meeluisteren *listen with only one e./with half an ear, doze, be half there;* ⟨fig.⟩ met open oren luisteren *be all ears, listen eagerly/attentively;* ⟨fig.⟩ een open ~ hebben voor iets *have a ready e. for sth.* **2.2** met hangende oren *crestfallen;* met rode oren/ ~tjes in iets lezen *be glued to one's book/magazine* ⟨enz.⟩ **3.1** ⟨fig.⟩ iem. de oren van het hoofd eten *eat s.o. out of house and home;* dat gaat het ene ~ in, het andere uit *it goes in (at) one e. and out (at) the other;* ⟨fig.⟩ zijn oren (niet) geloven *not believe one's ears;* zij had er dadelijk oren naar *she fell in with the idea;* ik heb er wel oren naar *I rather like the idea;* ⟨fig.⟩ geen oren hebben *turn a deaf e. (to), not hear of;* ⟨fig.⟩ het ~ hebben/bezitten van iem. *have s.o.'s e.;* hij heeft er geen oren naar *he wouldn't hear of it;* ⟨fig.⟩ het ~ lenen (aan) *lend an e. to;* ⟨fig.⟩ het ~ neigen naar *lend an e./open one's ears to;* de oren sluiten voor *close one's ears/be deaf to;* het ~ strelen *be a delight to the ears;* ⟨fig.⟩ zijn ~ te luisteren leggen *put one's e. to the ground;* ⟨fig.⟩ een en al ~ zijn *be all ears* **3.2** zij laat zich geen ~ aannaaien *she's nobody's fool;* de oren laten hangen *hang one's head;* de oren spitsen (ook fig.) *prick up one's ears;* ⟨fig.⟩ iem. de oren wassen *give s.o. a piece of one's mind;* zijn oren zullen tuiten *his ears must be burning/tingling* **3.**¶ iem./een ~ aannaaien *deceive/hoodwink/fool s.o., take s.o. for a ride, take s.o. in;* ⟨AZN⟩ iem. de oren afzagen *bore s.o. to tears* **6.1** hij is doof *aan* een ~ *he is deaf in one e.;* iem. iets **in** het ~ fluisteren *whisper sth. in s.o.'s e.;* iem. iets in het ~ bijten *whisper sth. angrily into s.o.'s e., spit sth. in(to) s.o.'s e.;* ⟨fig.⟩ slechts **met** één ~ luisteren *listen with only one e./with half an e., listen half-heartedly;* ⟨fig.⟩ dat komt hem **ter** ore *that has come to his attention/ears* **6.2** iem. **aan** de oren malen *pester s.o.* ⟨met vragen⟩; *bore s.o. to tears/death/drive s.o. crazy with one's complaining;* ⟨fig.⟩ hij hangt hem alles **aan** het ~ *she tells him everything;* iem. **aan** de oren trekken *pull s.o.'s ear(s);* zich **achter** de oren krabben *scratch one's head;* nat **achter** de oren (ook fig.) *wet behind the ears;* ze bloosde tot **achter** haar oren *she blushed to the roots of her hair;* gaatjes **in** de oren hebben *have pierced ears;* ⟨fig.⟩ iets **in** het ~/ de oren knopen *take note of sth., get sth. into one's head;* ⟨fig.⟩ een ~ van de zaak te klapperen *be flabbergasted, have one's eyes bulge;* een klap/draai **om** de oren krijgen *have one's ears boxed, get a box on the ears;* ⟨fig.⟩ elkaar **om** de oren slaan *heap abuse on/fling abuse at one another;* de kogels vlogen hen **om** de oren *the bullets whizzed past/around their* *ears;* zijn pet staat **op** een ~ *his hat is crooked / cocked / over one e.;* **op** één ~ liggen *be stretched /* ⟨inf.⟩ *flaked out, be in dreamland / dead to the world;* ⟨fig.⟩ **tot over** de oren in het werk zitten *be up to one's ears / neck / eyeballs in work;* ⟨fig.⟩ **tot over** de oren verliefd zijn *be head over heels in love* **6.**¶ hij heeft ze **achter** de oren *he is unreliable, you can't count on him;* een snee **in** het ~ hebben *be smashed / plastered / blotto* ¶.¶ op een ~ na gevild zijn *be on the home stretch / last lap, be almost done / finished.*

oorarts ⟨de (m.)⟩ **0.1** *otologist* ⇒*aurist, ear doctor* ◆ **1.1** keel-, neus- en ~ *ear, nose and throat doctor.*

oorbaar ⟨bn.⟩ **0.1** *seemly* ⇒*fitting, proper, becoming, decent* ◆ **3.1** het was ~ geweest, als ... *it would have been fitting if ....*

oorbel ⟨de⟩ **0.1** *earring.*

oorbiecht ⟨de (m.)⟩ ⟨r.k.⟩ **0.1** *auricular confession.*

oord
I ⟨het⟩ **0.1** [plek] *region* ⇒*place, province, resort* ⟨vakantie⟩ **0.2** [verblijf] *residence* ⇒*home* ◆ **2.1** een onherbergzaam ~ *an inhospitable place* **2.2** ⟨fig.⟩ een beter ~ *a better place;* ⟨fig.⟩ hij is naar betere ~en *he has gone to a better place / his reward / sleep, he has passed away* **6.1 van** ~ **tot** ~ *from town to town, everywhere* **6.2** hier in dit ~ *(here) in this dump(y place) / hole;*
II ⟨het⟩ **0.1** [muntstuk] ≠*farthing* ◆ ¶.1 ⟨fig.⟩ woorden zijn geen ~en *those are just words, you can't get very far on just words, words won't pay the rent.*

oordeel ⟨het⟩ **0.1** [uitspraak] *judg(e)ment* ⇒*verdict, sentence* **0.2** [mening] *opinion* ⇒*judg(e)ment* **0.3** [inzicht] *judg(e)ment* ⇒*good sense, wisdom* ◆ **1.1** de dag des ~s *J. Day, the Last J.;* ⟨bijb.⟩ het ~ Gods *J. of the Lord* **2.1** uw ~ is hard *your j. / verdict is severe / hard;* het laatste ~ *the Last J.* **2.3** een helder / gezond ~ *clear / sound j.* **3.1** een ~ vellen (over iem.) *pass j. (on s.o.)* **3.2** een ~ geven *give / express an o.;* zich een ~ vormen (over iem.) *form an o. (about s.o.), sum (s.o.) up* **6.2** mag ik dat aan uw ~ overlaten? *can / may I leave that to your discretion?;* **naar** mijn ~ *in my o. / judgement, to my mind;* **van** ~ zijn dat *be of the o. that* **6.3 met** ~ te werk gaan *go about sth. sensibly* **8.**¶ een leven als een ~ *a pandemonium, noise enough to raise the dead;* er ontstond een leven als een ~ *all hell broke loose.*

oordeelkundig ⟨bn., bw.; -ly⟩ **0.1** *judicious* ⇒*wise* ◆ ¶.1 ~ te werk gaan *deal with / go about sth. judiciously / with discernment.*

oordeelsdag ⟨de (m.)⟩ **0.1** *Judg(e)ment Day, the Last Judg(e)ment, Doomsday.*

oordeelsvorming ⟨de (v.)⟩ **0.1** *(formation of a) judg(e)ment.*

oordelen ⟨→sprw. 479⟩
I ⟨ov.ww.⟩ **0.1** [achten] *judge* ⇒*deem* ◆ **1.1** hij oordeelde die maatregel niet toepasbaar *he judged / deemed that measure inapplicable* **8.1** ik oordeel dat ... *in my opinion / judgement;*
II ⟨onov.ww.⟩ **0.1** [rechtspreken] *judge* ⇒*decide, pass judgement,* ⟨veroordelen⟩ *sentence* **0.2** [tot een gevolgtrekking komen] *judge* ⇒*make up one's mind* ◆ **1.1** hier kan alleen de rechter ~ *this is up to the judge to determine / decide, only the court can make a judgement on this* **4.2** oordeel zelf maar *j. for yourself* **6.2** je oordeelt over onbekende zaken *you're passing judgement on sth. you don't know anything about;* daar kan ik niet **over** ~ *that is sth. I can't pass judgement on, I'm not a good judge of that, I can't express an opinion on that;* **naar** ~ **to** j. *by / from, judging by / from;* naar zijn uiterlijk **te** ~ *to look at him, by the look of him, judging from his appearance.*

oordopje ⟨het⟩ **0.1** *earplug.*

oordruppels ⟨zn.mv.⟩ **0.1** *eardrops.*

oorgetuige ⟨de (m.)⟩ **0.1** *aural witness.*

oorhanger ⟨de (m.)⟩ **0.1** *dangly / dangling earring, eardrop.*

oorheelkunde ⟨de (v.)⟩ **0.1** *otology.*

oorheelkundig ⟨bn.⟩ **0.1** *otological.*

oorheelkundige ⟨de (m.)⟩ **0.1** *otologist.*

oorijzer ⟨het⟩ **0.1** *head / cap brooch.*

oorklep ⟨de⟩ **0.1** *ear flap.*

oorklier ⟨de⟩ **0.1** *ceruminous gland.*

oorknop ⟨de (m.)⟩ **0.1** *ear-stud* ⇒*earring.*

oorkonde ⟨de⟩ **0.1** [schriftelijke getuigenis] *document* ⇒*record, charter, deed, instrument* **0.2** [opdracht bij een geschenk] *certificate (of appreciation)* ◆ **2.1** notariële ~ *notarial records;* stenen ~n *gravestones.*

oorkondenboek ⟨het⟩ **0.1** *chartulary / cartulary* ⇒*register of documents and records, roll-book.*

oorkondentaal ⟨de⟩ **0.1** *chancery language* ⇒*officialese.*

oorkussen ⟨het⟩ ⟨→sprw. 385⟩ **0.1** *pillow.*

oorlam ⟨het, de (m.)⟩ **0.1** [borrel] *shot* ⇒*drink* **0.2** [rantsoen jenever] *ration / allowance of gin* ◆ **3.2** ⟨scheep.⟩ een extra ~ schenken *splice the main brace.*

oorlel ⟨de⟩ **0.1** *earlobe* ⇒*earflap.*

oorlog ⟨de (m.)⟩ ⟨→sprw. 480,600⟩ **0.1** [strijd] *war* **0.2** [⟨fig.⟩ vijandschap] *war* **0.3** [concurrentiestrijd] *war* ◆ **2.1** koude ~ *cold w.* **3.1** het is ~ *there's a war on;* te ~ verklaren aan *declare w. (up)on;* ~ voeren *carry on / wage w.;* het wordt ~ *it will be / this is w.* **6.1 met** ~ dreigen *threaten w.;* ~ **op** leven en dood *w. to the death / finish;* op voet **van** ~ *on a w. footing;* in staat **van** ~ *in a state of w.;* **vóór / na** de ~ ⟨attr.⟩

ook⟩ *pre- / post-w.* **6.2 in** ~ met iem. leven *carry on w. / live in (a state of) w. / be at w. with s.o..*

oorlogje ⟨het⟩ ◆ **3.**¶ ~ spelen *play war.*

oorlogsbedrijf ⟨het⟩ **0.1** *conduct of war.*

oorlogsbeelden ⟨het⟩ **0.1** *war pictures, pictures of the war* ◆ **6.1** er volgen nu ~ **uit** Irak *we have received these pictures / this report of the war in Iraq.*

oorlogsbegraafplaats ⟨de⟩ **0.1** *war / military cemetery.*

oorlogsbodem ⟨de (m.)⟩ **0.1** *warship* ⇒*warcraft.*

oorlogsbuit ⟨de (m.)⟩ **0.1** *war booty* ⇒*spoils of war.*

oorlogscorrespondent ⟨de (m.)⟩ **0.1** *war correspondent.*

oorlogsdag ⟨de (m.)⟩ **0.1** [dag van een oorlog] *day of the war* **0.2** [⟨mv.⟩ oorlogstijd] *wartime* ◆ **7.1** op de vijfde ~ *on the fifth day of the war.*

oorlogsdocumentatie ⟨de (v.)⟩ **0.1** *war documents / records* ⟨verzameling⟩; *war documenting / documentation* ⟨het verzamelen⟩.

oorlogsdreiging ⟨de (v.)⟩ **0.1** *threat of war.*

oorlogseconomie ⟨de (v.)⟩ **0.1** *war(time) economy.*

oorlogsfilm ⟨de (m.)⟩ **0.1** *war film.*

oorlogsgevaar ⟨het⟩ **0.1** [oorlogsdreiging] *danger / risk of war* ⇒*war risk* **0.2** [gevaar v.d. oorlog] *danger of war.*

oorlogsgeweld ⟨het⟩ **0.1** *force of arms, acts of war.*

oorlogsgezind ⟨bn.⟩ **0.1** *warlike* ⇒*war-minded, bellicose, belligerent, hostile* ◆ **1.1** de ~e partij *the warring / hostile party.*

oorlogsgod ⟨de (m.)⟩, **-godin** ⟨de (v.)⟩ **0.1** *war god* ⟨m.⟩ / *goddess* ⟨v.⟩ ⇒*god* ⟨m.⟩ / *goddess* ⟨v.⟩ *of war.*

oorlogsgraf ⟨het⟩ **0.1** *war grave.*

oorlogshaard ⟨de (m.)⟩ **0.1** *flash-point* ⇒*hotbed of unrest.*

oorlogshandeling ⟨de (v.)⟩ **0.1** ⟨oorlogvoering⟩ *act of war* ⇒⟨mv. ook⟩ *hostilities,* ⟨algemene bezigheid⟩ *wartime activity.*

oorlogshaven ⟨de⟩ **0.1** *naval / military port.*

oorlogsheld ⟨de (m.)⟩, **-heldin** ⟨de (v.)⟩ **0.1** *war hero* ⟨m.⟩ / *heroine* ⟨v.⟩.

oorlogsindustrie ⟨de (v.)⟩ **0.1** *war industry.*

oorlogsinvalide ⟨de (m.)⟩ **0.1** *disabled veteran* ⇒*war invalid / cripple.*

oorlogsjaar ⟨het⟩ **0.1** *war year* ⇒*year of the war.*

oorlogskans ⟨de⟩ **0.1** [krijgskans] *chance(s) / fortune of war* **0.2** [kans op oorlog] *chance / possibility of war.*

oorlogskas ⟨de⟩ **0.1** *war chest.*

oorlogskind ⟨het⟩ **0.1** *war baby.*

oorlogskreet ⟨de (m.)⟩ **0.1** *battle / war cry* ⇒*war whoop* ⟨van Indianen⟩.

oorlogslasten ⟨zn.mv.⟩ **0.1** *war taxes.*

oorlogslening ⟨de (v.)⟩ **0.1** *war loan.*

oorlogsmateriaal ⟨het⟩ **0.1** *materieel, matériel* ⇒*ordnance.*

oorlogsmisdaad ⟨de⟩ **0.1** *war crime.*

oorlogsmisdadiger ⟨de (m.)⟩, **-misdadigster** ⟨de (v.)⟩ **0.1** *war criminal* ◆ **8.1** als ~ terecht staan *stand trial as a w. c..*

oorlogsmoe ⟨bn.⟩ **0.1** *battle / war-weary.*

oorlogsmonument ⟨het⟩ **0.1** *war monument / memorial.*

oorlogspad ⟨het⟩ ◆ **6.**¶ op het ~ zijn / gaan *be / go on the warpath.*

oorlogspartij ⟨de (v.)⟩ **0.1** [oorlogvoerende macht] *warring / hostile / belligerent party* **0.2** [partij die oorlog voorstaat] *party in favour of war, pro-war / bellicose party.*

oorlogspensioen ⟨het⟩ **0.1** *war pension.*

oorlogsprodukt ⟨het⟩ **0.1** *product of the war.*

oorlogsproduktie ⟨de (v.)⟩ **0.1** *war production.*

oorlogspropaganda ⟨de⟩ **0.1** *war propaganda.*

oorlogspsychose ⟨de (v.)⟩ **0.1** *war psychosis* ⇒*combat / battle fatigue* ⟨van soldaten⟩.

oorlogsrecht ⟨het⟩ **0.1** *law of war* ⇒*war / martial law.*

oorlogsroman ⟨de (m.)⟩ **0.1** *war novel.*

oorlogsschade ⟨de⟩ **0.1** *war damage.*

oorlogsschadevergoeding ⟨de (v.)⟩ **0.1** *war-damage compensation* ⇒*war indemnity,* ⟨mv. ook⟩ *reparations.*

oorlogsschatting ⟨de (v.)⟩ **0.1** *war contribution.*

oorlogsschip ⟨het⟩ **0.1** *warship* ⇒*warcraft.*

oorlogsschuld ⟨de⟩ **0.1** *war debt.*

oorlogsslachtoffer ⟨het⟩ **0.1** [iem. die tijdens een oorlog gedood is] *war casualty / victim* **0.2** [iem. die door oorlogshandelingen blijvend invalide is geworden] *(war) casualty / victim.*

oorlogssterkte ⟨de (v.)⟩ **0.1** *war / fighting strength* ◆ **6.1** op ~ *at f. s..*

oorlogsstrafrecht ⟨het⟩ **0.1** *martial law.*

oorlogstijd ⟨de (m.)⟩ **0.1** *time(s) of war* ⇒*wartime.*

oorlogstoestand ⟨de (m.)⟩ **0.1** [toestand dat er oorlog is] *state of war* ⇒*wartime* **0.2** [toestand waarin een land verkeert] *state of war* ⇒*wartime conditions,* ⟨state of⟩ *martial law.*

oorlogstoneel ⟨het⟩ **0.1** *theatre of war.*

oorlogstribunaal ⟨het⟩ **0.1** *war crimes tribunal.*

oorlogstuig ⟨het⟩ **0.1** *armaments, arms.*

oorlogsverklaring ⟨de (v.)⟩ **0.1** *declaration of war* ◆ **3.1** dat is een ~ *that means / is war.*

oorlogsverleden ⟨het⟩ **0.1** *war years / past.*

oorlogsveteraan ⟨de (m.)⟩ **0.1** *(war) veteran.*

oorlogsvlieger ⟨de (m.)⟩ **0.1** *war pilot.*

oorlogsvloot ⟨de⟩ **0.1** *navy* ⇒*war fleet, armada.*

oorlogsweduwe ⟨de (v.)⟩ **0.1** *war widow.*

oorlogswees ⟨de (m.)⟩ **0.1** *war orphan.*

oorlogswet ⟨de⟩ **0.1** [wet mbt. de oorlogvoerende partijen] *war law* **0.2** [wet in tijd van oorlog] *war(time)/ martial law.*

oorlogswinst ⟨de (v.)⟩ **0.1** *war profit(s)/ profiteering.*

oorlogszuchtig ⟨bn., bw.⟩ **0.1** *warlike* ⇒*hawkish, bellicose, belligerent* ◆ **1.1** een ~e stemming *a war/ hawkish/ bellicose/ belligerent mood;* een ~e vorst *a war-minded/ war hungry/ belligerent/ bellicose ruler.*

oorlogvoerend ⟨bn.⟩ **0.1** *belligerent* ⇒*warring* ◆ **1.1** de ~e mogendheden *the b./ warring powers, the belligerents.*

oorlogvoering ⟨de (v.)⟩ **0.1** *conduct of (the) war* ⇒*waging of war, warfare.*

oormerk ⟨het⟩ **0.1** *earmark.*

oormerken ⟨ov.ww.⟩ **0.1** [van een oormerk voorzien] *earmark* **0.2** [een bestemming verbinden aan] *earmark.*

oorontsteking ⟨de (v.)⟩ **0.1** *inflammation of the ear* ⇒*otitis.*

oorpijn ⟨de⟩ **0.1** *earache* ⇒*otalgia.*

oorprop ⟨de⟩ ⟨med.⟩ **0.1** *hump of earwax.*

oorring ⟨de (m.)⟩ **0.1** *earring.*

oorrob ⟨de⟩ **0.1** *eared seal.*

oorschelp ⟨de⟩ **0.1** *auricle* ⇒*pinna (ear), earflap/ lap* ⟨van bep. dieren⟩.

oorsmeer ⟨het⟩ **0.1** *ear wax* ⇒*cerumen.*

oorspecialist ⟨de (m.)⟩ **0.1** *ear specialist* ⇒ [†]*aurist,* [†]*otologist,* ⟨neus-, keel- en oorspecialist⟩ *ear, nose and throat specialist,* ⟨med.⟩ *oto(rhino)laryngologist.*

oorspeekselklier ⟨de⟩ **0.1** *parotid gland.*

oorspiegel ⟨de (m.)⟩ **0.1** *otoscope.*

oorspier ⟨de⟩ **0.1** *auricular muscle, auricularis.*

oorspr. ⟨afk.⟩ **0.1** [oorspronkelijk] *orig..*

oorsprong ⟨de (m.)⟩ **0.1** [begin] *origin* ⇒*source, inception* **0.2** [diepere oorzaak] *origin* ⇒*source, root* **0.3** [origine] *origin(s)* **0.4** [⟨wisk.⟩] *origin* ◆ **1.1** de ~ van de Rijn *the source of the Rhine* **1.2** de ~ van een twist *the o./ source of an argument* **1.3** de ~ v.e. woord *the origin/ etymology of a word* **3.2** zijn ~ in iets vinden *be a result of sth., result from sth.* **3.3** zijn ~ hebben in *originate in/ from, have one's origins in;* het vindt zijn ~ in de Romeinse tijd *it has its origins/ originated in the Roman period, its origins date back to/ date from Roman times, it originates from/ can be traced back to Roman times* **6.3** van ~ *originally.*

oorspronkelijk

I ⟨bn.⟩ **0.1** [het begin uitmakend van] *original* **0.2** [niet van anderen overgenomen] *original* **0.3** [geen anderen navolgend] *original* ⇒*innovative, inventive, unorthodox, novel* **0.4** [iem. eigen] *original* ⇒*initial* ◆ **1.1** de ~e eigenaar *the o./ first owner;* in zijn ~e staat herstellen *restore to its o. state;* de ~e tekst *the o. text* **1.2** beide boeken waren ~ *the two books were written independently from one another;* ~e denkbeelden *innovative ideas* **1.3** een ~e geest *a seminal/ an o. mind;* een ~ kunstenaar *an o./ innovative artist* **1.4** hij overwon zijn ~e verlegenheid *he overcame his initial shyness;*

II ⟨bw.⟩ **0.1** [in het begin] *originally* ⇒*initially* **0.2** [zonder voorbeeld] *original* ◆ **3.1** de kleur was ~ grijs *the colour was o. gray* **3.2** die dichter schrijft zeer ~ *that poet writes very original/ unorthodox verse/ poetry* ¶**.1** wie is er ~ op dat idee gekomen? *who first came up with that idea?, who thought of that first?;* ⟨verontwaardigd⟩ *who thought of that/ whose idea was that in the first place?.*

oorspronkelijkheid ⟨de (v.)⟩ **0.1** *originality.*

oorsteen ⟨de (m.)⟩ **0.1** *otolith, statolith,* [^]*ear stone.*

oorsuizing ⟨de (v.)⟩ **0.1** *ringing/ whistling/ buzzing in the/ one's ear(s)* ⇒ *tinnitus.*

oortelefoon ⟨de (m.)⟩ **0.1** *headphones* ⇒*headset, earphones,* ⟨AE; inf.⟩ *cans.*

oortje ⟨het⟩ **0.1** ≠*farthing* ◆ **2.1** hij kijkt of hij zijn laatste ~ versnoept heeft *he looks sheepish* **5.1** geen ~ waard *not worth a fig/* [^]*dime* **6.¶** hij ligt daar **voor** een ~ thuis *he has no say in the matter* ¶.¶ dat kan mij geen ~ schelen *I don't give a rap/ rip/ hoot/ two hoots/ fig.*

ooruil ⟨de (m.)⟩ **0.1** *long-eared owl.*

oorveeg ⟨de⟩ **0.1** *box/ cuff on the ear(s)* ◆ **3.1** iem. een ~ geven *box s.o.'s ears;* een ~ krijgen *get one's ears boxed/ a box on the ears.*

oorverdovend ⟨bn., bw.⟩ **0.1** *deafening* ◆ **1.1** een ~ lawaai *a d. noise.*

oorvijg ⟨de⟩ **0.1** *box/ cuff on the ear(s).*

oorvlies ⟨het⟩ **0.1** *eardrum* ⇒*tympanic membrane, tympanum.*

oorwarmer ⟨de (m.)⟩ **0.1** *earmuff* ⇒*earwarmer.*

oorwurm ⟨de (m.)⟩ **0.1** *earwig* ◆ **8.1** een gezicht zetten als een ~ *pull/ make a long/ wry face.*

oorzaak ⟨de (v.)⟩ (→sprw. 481) **0.1** *cause* ⇒*origin, source, root* ◆ **1.1** God is de ~ van alle dingen *God is the origin/ source of everything/ is the prime mover;* ~ en gevolg *c. and effect;* hij was de ~ van dat ongeluk *he was the c. of that accident* **2.1** kleine oorzaken hebben soms grote gevolgen *from tiny acorns mighty oaks may grow; door onbekende ~ by/ through unknown causes* **3.1** dit vindt zijn ~ in de crisis *this has its root in/ is caused by/ is due to the crisis* **8.1** dit was de ~ dat de prijzen stegen *this caused the rise in prices/ prices to rise, this was why prices went up/ rose.*

oorzakelijk ⟨bn.⟩ **0.1** *causal* ◆ **1.1** ~ verband *c. connection, causality.*

oorzakelijkheid ⟨de (v.)⟩ **0.1** *causality* ⇒*causation.*

oorziekte ⟨de (v.)⟩ **0.1** *ear illness/ disease/ disorder, illness/ disease/ disorder of the ear* ⇒ ⟨inf.⟩ *ear trouble.*

oost [1] (→sprw. 482)

I ⟨het, de⟩ **0.1** [het oosten] *east* ◆ **6.1** om de ~ varen *sail e./ eastward, be eastbound;*

II ⟨de; met hoofdletter⟩ **0.1** [deel v.d. wereld] *East* ⇒*Orient* **0.2** [⟨gesch.⟩ Nederlands-Indië] *Netherlands/ Dutch East Indies* ◆ **1.1** betrekkingen tussen ~ en West *relations between (the) E. and (the) West, East-West relations.*

oost [2]

I ⟨bn.⟩ **0.1** [uit het oosten] *east* ◆ **3.1** de wind is ~ *the wind is easterly/ (coming) from/ out of the e., it's an e. wind;*

II ⟨bw.⟩ **0.1** [in oostelijke richting] *east(erly).*

oostblok ⟨het⟩ **0.1** *East(ern) bloc.*

oostblokland ⟨het⟩ ⟨pol.⟩ **0.1** *Warsaw Pact country* ⇒ ⟨inf.⟩ *country behind the Iron Curtain, East(ern) bloc country* ◆ ¶.1 de ~en *the Warsaw Pact (countries), the East(ern) bloc.*

Oostduits ⟨bn.⟩ **0.1** *East German.*

Oostduitser ⟨de (m.)⟩, **-se** ⟨de (v.)⟩ **0.1** *East German.*

Oost-Duitsland ⟨het⟩ **0.1** *East Germany* ⇒ (officieel) *German Democratic Republic,* ⟨afk.⟩ *GDR.*

oostelijk ⟨bn., bw.⟩ **0.1** [in het oosten gelegen] *eastern* **0.2** [gericht naar het oosten] *easterly* ⇒*eastward* **0.3** [uit het oosten waaiend] *east(erly)* ◆ **1.1** de ~e provincies *the e. provinces* **1.2** een ~e koers *an easterly course;* in ~e richting *in an easterly direction, eastward* **1.3** een ~e wind *an e. wind.*

oosten ⟨het⟩ **0.1** [kompasstreek] *east* **0.2** [deel v.e. plaats/ land/ horizon] *east* **0.3** [deel v.d. wereld] *East* ◆ **2.3** het Nabije ~ *the Near E.;* het Verre ~ *the Far E.* **6.1** een huis dat op het ~ ligt *a house that faces/ facing e.;* ten ~ **van** (*to the*) *e. of* **6.2** in het ~ begon het te dagen *the sun rose/ it began to get light in the e.;* het ~ **van** Amerika is het dichtst bevolkt *Eastern America/ the east coast/ the eastern side of America is the most densely populated.*

Oostende ⟨het⟩ **0.1** *Ostend.*

Oostenrijk ⟨het⟩ **0.1** *Austria.*

Oostenrijker ⟨de (m.)⟩, **-rijkse** ⟨de (v.)⟩ **0.1** *Austrian.*

Oostenrijks ⟨bn.⟩ **0.1** *Austrian.*

oostenwind ⟨de (m.)⟩ **0.1** *east wind* ⇒*easterly.*

oosterburen ⟨zn.mv.⟩ **0.1** *eastern neighbours, neighbours to the east.*

oosterlengte ⟨de (v.)⟩ **0.1** *eastern longitude.*

oosterling ⟨de (m.)⟩ **0.1** *Oriental.*

oosters ⟨bn.⟩ **0.1** *oriental* ⇒*eastern* ◆ **1.1** ~e gastvrijheid *o. hospitality;* de ~e kerk *the Eastern Church.*

oostfront ⟨het⟩ **0.1** *east(ern) front.*

oostganger ⟨de (m.)⟩ ⟨inf.⟩ **0.1** *colonial (soldier).*

Oostgermaans ⟨bn.⟩ **0.1** *East Germanic* ◆ **1.1** ~e talen *East Germanic languages.*

Oostgoot ⟨de (m.)⟩ **0.1** *Ostrogoth.*

Oostgotisch ⟨bn.⟩ **0.1** *Ostrogothic.*

oostgrens ⟨de⟩ **0.1** *eastern border/ frontier.*

Oostindiëvaarder ⟨de (m.)⟩ **0.1** [schip] *East Indiaman* **0.2** [persoon] *East Indiaman.*

Oostindisch

I ⟨bn.⟩ **0.1** [(als) van Oost-Indië] *East Indian* ◆ **1.¶** ~e inkt *Indian ink;* ~e kers *Indian cress;*

II ⟨bw.⟩ ◆ **2.¶** zich ~ doof houden/ ~ doof zijn *pretend not to hear, play deaf.*

oostkust ⟨de⟩ **0.1** *east(ern) coast.*

oostmoesson ⟨de (m.)⟩ **0.1** [wind] *(north)east monsoon* ⇒*monsoon from the (north)east* **0.2** [tijd] *monsoon season.*

oostnoordoost [1] ⟨het⟩ **0.1** *east-northeast.*

oostnoordoost [2]

I ⟨bn.⟩ **0.1** [mbt. de wind] *east-northeast;*

II ⟨bw.⟩ **0.1** [in die richting] *east-northeast.*

oostnoordoosten ⟨het⟩ **0.1** *east-northeast.*

oostpassaat ⟨de (m.)⟩ **0.1** *northeast trade wind.*

oostpolitiek ⟨de (v.)⟩ **0.1** *Ostpolitik.*

oostpunt ⟨het⟩ **0.1** *eastern point.*

Oostromeins ⟨bn.⟩ **0.1** *eastern* ⇒*byzantine.*

oostwaarts ⟨bw.⟩ **0.1** *eastward* ⇒ ⟨scheep.⟩ *eastabout.*

Oost-West-vraagstuk ⟨het⟩ **0.1** *East-West problem.*

Oostzee ⟨de⟩ **0.1** *Baltic (Sea).*

Oostzeehaven ⟨de⟩ **0.1** *Baltic port.*

oostzijde ⟨de⟩ **0.1** *east side* ◆ **6.1** aan de ~ *on the east side.*

oostzuidoost [1] ⟨het⟩ **0.1** *east-southeast.*

oostzuidoost [2]

I ⟨bn.⟩ **0.1** [mbt. de wind] *east-southeast;*

II ⟨bw.⟩ **0.1** [in die richting] *east-southeast.*

oostzuidoosten ⟨het⟩ **0.1** *east-southeast.*

oot ⟨de⟩ ⟨plantk.⟩ **0.1** *wild oat* ⇒*wild oat grass.*

ootje ⟨het⟩ **0.1** ◆ **6.¶** in het ~ knikkeren *play/ shoot marbles (using one marble in a circle as the target);* iem. in het ~ nemen *take s.o. for a ride, pull s.o.'s leg;* ⟨inf.⟩ *take the mickey/* ⟨vulg.⟩ *piss out of s.o..*

ootmoed ⟨de (m.)⟩ **0.1** *humility* ⇒*meekness, submission.*

ootmoedig ⟨bn., bw.; -ly⟩ **0.1** *humble* ⇒*meek, submissive* ◆ **3.1** hij boog ~ *he bowed humbly* **6.1** ~ **van** hart *meek of heart.*

o.o.v. ⟨afk.⟩ **0.1** [onvoorziene omstandigheden voorbehouden] ⟨*barring unforeseen circumstances*⟩.

op¹

I ⟨bw.⟩ **0.1** [omhoog] *up* **0.2** [mbt. een plaats/toestand] *up* ◆ **1.1** hij vloog de helling ~ *he flew up the slope;* trap ~ en trap af *up and down the stairs* **3.1** ⟨fig.⟩ tegen iem. ~ kunnen *be able to handle s.o.;* ik moet ~ *I must get up; I have to/must get on the stage/go before the public;* hij stak zijn paraplu ~ *he put up his umbrella/his umbrella up* **3.2** zij had een nieuwe hoed ~ *she had a new hat on/was wearing a new hat* **3.¶** het kan niet ~! *it doesn't seem to stop!, there's no end to it!;* vraag maar ~! *ask/fire away!;* hij werkt tegen de beste ~ *he was as good as the best of them* **5.1** ~ en af *up and down;* ⟨fig.⟩ het gaat met hem ~ en neer *it's up and down with him;* de straat ~ en neer lopen *walk up and down the street* **6.1** ~ **naar** de 2000 leden *on to 2,000 members* **¶.1** zij komt van onderen ~ *she has worked her way up (from the bottom)* **¶.2** ~ en top zijn vader *the spitting image of his father, his father to a hair/tee* **¶.¶** het is er~ of eronder *it is sink or swim/all or nothing/a matter of life or death;* met alles er~ en eraan *with all the trimmings;*

II ⟨bn.⟩ **0.1** [mbt. een toestand] *used up* ⇒*gone, finished, over* ◆ **3.1** ik ben ~ ⟨uitgeput⟩ *I'm done/all in/worn out/beat/shot/dead;* ⟨uit bed⟩ *I'm up/astir;* ⟨platzak⟩ *I'm (flat) broke;* het geld is ~ *the money has run out;* die jas is ~ *this jacket has had it/is worn out;* mijn geduld is ~ *my patience has run out, I'm at the end of my patience;* de voorraad is ~ *the supplies are gone/used up/have run out, we/they are out of stock;* ~ is ~ *when it's gone* hij is ~ van de zenuwen *his nerves are gone/shot* **3.¶** ~ geweest zijn *to have taken one's exams.*

op² ⟨vz.⟩ **0.1** [mbt. een plaatselijke betrekking] *in* ⇒*on, at* **0.2** [mbt. een verhouding] *in* ⇒*to* **0.3** [mbt. een onmiddellijke nabijheid] *in* ⇒*on, at* **0.4** [mbt. een richting] *on* ⇒*at* **0.5** [tegen] *for* **0.6** [mbt. de plaats waar de beweging eindigt] *to* **0.7** [mbt. een tijdstip] *on* ⇒*at, in* **0.8** [mbt. de wijze waarop] *on* ⇒*at, in* **0.9** [mbt. het doel] *for* ◆ **1.1** ~ bed liggen *lie in bed;* ~ een bus/vrachtwagen/motor rijden *drive a bus/ᴮlorry/ᴬtruck/ride a motorcycle;* ~ de begane grond *on the ground/ᴬfirst floor;* ~ de Herengracht wonen *live on the Herengracht;* ~ de hoek *at/on the corner;* de winkel ~ de hoek *the corner shop;* het is acht uur ~ mijn horloge *it is 8 o'clock by my watch, I make it 8 o'clock;* het was erg koud, ze zaten ~ de kachel *it was very cold; they sat close to/right next to the stove;* ~ kantoor *at/in the office;* ~ de preekstoel *in the pulpit;* ~ school *at/in school;* ~ straat *on/in the street;* ~ de wind liggen *be headed into the wind;* heb je geld ~ zak? *have you got money on you/in your pocket?;* ~ zee *at sea* **1.2** één dokter ~ 500 inwoners *one doctor to 500 inhabitants;* hij bezat niets ~ een oude mantel *na he had nothing but/apart from/besides/aside from an old coat;* ~ de tiende plaats *in tenth place* ⟨wedstrijd⟩; *in the tenth place, tenthly* **1.3** keer ~ keer *time after time, time and again, over and over;* ~ komst zijn *be in the offing/on the way/coming* **1.4** ~ de vlucht gaan *flee, take to one's heels;* een raam ~ het zuiden *a window on/facing the south, a south-facing window* **1.6** ⟨fig.⟩ ~ zijn eigen terrein *in his own field* **1.7** van de ene dag ~ de andere *from one day to the next;* ~ klaarlichte dag *in broad daylight;* ~ een goeie dag *one (fine) day;* ~ één of andere dag *one day or another;* later ~ de dag *later in the day;* getrouwd ~ donderdag *married on Thursday;* ~ den duur *in the long term/run, at long last;* ~ het eind *at the end;* ~ negenjarige leeftijd *at nine (years of age);* ~ maandag *(on) Monday;* ~ een maandag *on a/one Monday;* ~ dit moment *at this moment, right now;* ~ ditzelfde ogenblik *at this very moment;* ~ het punt staan ... *be (just) about to/be ready to ...;* ~ slag *on the spot;* ~ vakantie *on holiday/ᴬvacation;* ~ zicht *on approval* **1.8** een duel ~ de degen *a duel of swords;* zij kookt ~ gas *she cooks with gas, she has a gas cooker;* ~ goed geluk *randomly, haphazardly, on the off-chance;* ~ zijn gemak *comfortably, in that way;* ~ haar eigen manier *in her own manner/way* **1.9** ~ forel vissen *fish for trout;* ~ geld uit zijn *be out for, be after money, be money hungry/money-minded* **1.¶** ~ mijn bevel *at/on my command;* ~ zijn knieën vallen *fall to one's knees;* ~ voorwaarde dat *with/on the condition that, provided that;* ~ zekere voorwaarden *on/with certain conditions;* ~ een wenk van de leraar *at a signal/sign from the teacher;* van vader ~ zoon *from father to son* **3.3** ~ springen staan *be ready to jump (out the window)/off the building;* ⟨fig.⟩ *to be about to explode* **3.4** afkomen ~ iem. *approach s.o. (menacingly)* **3.5** de pik hebben ~ iem. *have it in for s.o.* **3.¶** dansen ~ de muziek *dance to the music;* ~ het tumult kwamen de agenten toegelopen *when they heard the noise the police(-men) came running;* ~ een instrument spelen *play an instrument* **4.1** dicht ~ elkaar *close/huddled together* **4.2** ~ jou na iedereen *everyone else (but you)* **4.¶** ~ zich(zelf) *in itself* **6.6 tot** ~ zekere hoogte *up to a (certain) point, to a certain extent* **6.7 tot** ~ vandaag *right up until today* **7.1** de grote wijzer staat ~ tien *the big hand is on/at ten* **7.2** de auto loopt 1 ~ 8 *the car does 8 km to the litre;* één ~ de duizend *one in/one out of a thousand;* één ~ de vier huwelijken *one out of four*

marriages; drie ~ zeven *three out of (every) seven* **¶.2** ~ Beethoven na de grootste *the greatest after Beethoven;* allen ~ één na *all but/bar(ring) one;* ~ één na de laatste *the next-to-last/all but last/last but one/penultimate;* de ~ zeven na grootste industrie *the eighth largest industry;* de hele familie ~ één zoon na *the whole family except/bar(ring) one son* **¶.7** ~ zijn vroegst *at the earliest* **¶.8** ~ zijn Frans *in the French way/manner;* ~ zijn minst *at (the very) least;* ~ zijn elfendertigst *at a slug's/snail's pace;* ~ verre na niet *not by a long shot;* ~ zijn snelst *at the quickest.*

op. ⟨Lat.⟩⟨afk.⟩ **0.1** *op..*

opa ⟨de (m.)⟩ **0.1** [grootvader] *grandpa* ⇒*grand(d)ad, gramps* **0.2** [oude man] *grandpa* ⇒*grand(d)ad, gramps* ◆ **2.2** een ouwe ~ *an old grandpa.*

opaak ⟨bn.⟩ **0.1** *opaque.*

opaal

I ⟨het⟩ **0.1** [mineraal] *opal* **0.2** [kleur] *opal;*

II ⟨de (m.)⟩ **0.1** [steen] *opal.*

opaalachtig ⟨bn.⟩ **0.1** *opalescent* ⇒*opaline.*

opaalblauw ⟨bn.⟩ **0.1** *opal blue.*

opaalglas ⟨het⟩ **0.1** *opal glass* ⇒*opaline, milk glass.*

opaciteit ⟨de (v.)⟩ **0.1** *opacity.*

opbakken ⟨ov.ww.⟩ **0.1** [opnieuw bakken] *bake/fry again* **0.2** [door bakken opmaken] *bake/fry (up)* ◆ **1.1** opgebakken aardappels *refried/twice fried potatoes.*

opbaren ⟨ov.ww.⟩ **0.1** *place on a/the bier* ◆ **3.1** opgebaard liggen *lie in state.*

opbellen ⟨onov., ov.ww.⟩ **0.1** *call (up)* ⇒*ring (up), phone (up)* ◆ **3.1** mag ik even ~? *may I use the phone?/make a call?;* zou je 's willen ~? *would you like to ring up/phone?;* ik zal je nog wel even ~ *I'll give you a call/ring, I'll call/ring/phone you* **6.1** er werd **voor** hem opgebeld *there was a (phone) call for him.*

opbergen ⟨ov.ww.⟩ **0.1** [wegbergen] *put/stow away* ⇒*store,* ⟨documenten e.d.⟩ *fik (away)* **0.2** ⟨hand.⟩ *store* ⇒*(ware)house* ◆ **1.1** de boeken/het speelgoed ~ *put the books/toys away;* geld ~ *put/stash money away/aside* **5.1** iets veilig ~ *put sth. (away) in a safe place, hide sth. away;* waardevolle voorwerpen veilig ~ *secure valuables* **¶.1** (in een map) ~ *file (away).*

opbergmap ⟨de⟩ **0.1** *file (folder)* ⇒*folder.*

opbergplaats ⟨de⟩, **-ruimte** ⟨de (v.)⟩ **0.1** *storage (area/room)* ⇒*vault* ⟨ondergronds⟩.

opbergsysteem ⟨het⟩ **0.1** *filing system.*

opbeuren

I ⟨ov.ww.⟩ **0.1** [optillen] *lift/tilt up* ◆ **1.1** het hoofd ~ *lift one's head up, raise one's head;*

II ⟨onov., ov.ww.⟩ **0.1** [opvrolijken] *cheer up* ⇒*encourage, hearten* ◆ **1.1** dat goede nieuws zal hem ~ *that good news will cheer him up* **4.1** dat beurt op *that's encouraging.*

opbeurend ⟨bn.⟩ **0.1** *cheering* ⇒*comforting, consoling* ◆ **1.1** ~e woorden *comforting words.*

opbeuring ⟨de (v.)⟩ **0.1** [bemoediging] *comfort* ⇒*encouragement, cheer* **0.2** [het opbeuren] *lifting up.*

opbiechten ⟨ov.ww.⟩ **0.1** *confess* ⇒*unburden (o.s.), own up,* ⟨inf.⟩ *cough up* ◆ **1.1** kattekwaad ~ *own up to mischief* **4.1** alles eerlijk ~ *make a clean breast of it;* ik moet u iets ~ *I have to/must confess sth. to you.*

opbieden ⟨onov.ww.⟩ **0.1** *bid (up)* ◆ **6.1** hij bood op **met** tien gulden *he raised the bid by 10 guilders;* **tegen** iem. ~ *bid against s.o..*

opbinden ⟨ov.ww.⟩ **0.1** [naar boven omslaan] *tie up* **0.2** [aan iets vastbinden] *tie up/to* **0.3** [vastbinden] *tie up* **0.4** [samenbinden] *tie/bind (up)* ◆ **1.1** het haar ~ *do one's hair up* **1.2** rozen ~ *tie up roses* **1.3** schaatsen ~ *lace/tie up one's skates* **1.4** de borsten ~ *bind one's breasts;* koren ~ *tie/bind up sheaves, sheaf.*

opblaasbaar ⟨bn.⟩ **0.1** *inflatable* ◆ **1.1** opblaasbare meubelen *i. furniture;* een ~ vlot *an i. raft.*

opblaasboot ⟨de⟩ **0.1** *inflatable boat.*

opblaaspop ⟨de⟩ **0.1** *inflatable (rubber) doll.*

opblazen ⟨ov.ww.⟩ **0.1** [doen ontploffen] *blow up* **0.2** [doen opzwellen] *inflate* **0.3** [overdrijven] *blow up* ⇒*inflate, exaggerate* ◆ **1.1** ⟨fig.⟩ luidsprekers ~ *blow (up) the loudspeakers* **5.3** iets geweldig ~ *blow sth. up out of all proportion(s).*

opbleken

I ⟨onov.ww.⟩ **0.1** [bleker worden] *bleach* ⇒*lighten, whiten* ◆ **1.1** die verf bleekt nog op *that paint will lighten up;*

II ⟨ov.ww.⟩ **0.1** [bleker maken] *bleach* ⇒*whiten* ◆ **1.1** de was ~ *b. the wash.*

opblijven ⟨onov.ww.⟩ **0.1** *stay up* ◆ **1.1** wij zijn de hele nacht opgebleven *we stayed up the whole night/all night.*

opblinken ⟨ov.ww.⟩⟨AZN⟩ **0.1** *polish (up)* ⇒*shine.*

opbloei ⟨de (m.)⟩ **0.1** *flourishing* ⇒*prosperity, regeneration, renascence,* ⟨ec. ook⟩ *revival* ◆ **6.1 tot** ~ komen *flourish, prosper.*

opbloeien ⟨onov.ww.⟩ **0.1** [gaan bloeien] *bloom* **0.2** [toenemen in bloei] *flourish* ⇒*prosper, regenerate, revive.*

opbod ⟨het⟩ **0.1** [hoger bod] *raised/higher bid* **0.2** [het opbieden] *raising* *the bid* ⇒*bidding up* / *higher* ◆ **6.2** iets **bij** ~ verkopen *sell sth. by auction*.

opboeien
I ⟨ov.ww.⟩ **0.1** [⟨scheep.⟩] *raise the gunwales* / *gunnels;*
II ⟨wk.ww.;zich~⟩ **0.1** [⟨AZN⟩ zich boos maken] *get o.s. worked up.*

opboksen ⟨onov.ww.⟩ **0.1** *compete* ◆ **6.1** ~ **tegen** iem. / iets *compete against s.o.* / *sth.;* we moeten ~ **tegen** de beste ploegen van Europa *we have to compete against* / *we're in competition with the best teams in Europe;* niet **tegen** iem. kunnen ~ *be no competition for s.o..*

opbollen ⟨onov.ww.⟩ **0.1** *puff up* / *out* ⇒*bulge out, bag* ◆ **1.1** de zeilen bolden op door de wind *the sails billowed in the wind.*

opbomen ⟨ov.ww.⟩ **0.1** *punt* / *pole* / *quant (up* / *upstream).*

opboren ⟨ov.ww.⟩ **0.1** [opening wijder maken] *ream* ⇒*drill* / *bore out,* extend **0.2** [openboren] *drill* / *bore out* **0.3** [naar boven brengen] *drill* / *bore out* ◆ **1.1** een gat ~ *r.* / *drill a hole.*

opborrelen ⟨onov.ww.⟩ **0.1** *bubble up* ◆ **1.1** al die gedachten en herinneringen borrelden weer in hem op *all those thoughts and memories came to the surface;* water borrelt uit de grond op *water bubbles* / *gurgles up out of the ground* **3.1** komen ~ *bob up.*

opborstelen ⟨ov.ww.⟩ **0.1** [omhoog borstelen] *brush up* **0.2** [schoonmaken] *brush* / *scrub (clean)* ◆ **1.1** het haar ~ *brush one's hair up* **1.2** een tapijt/zijn hoed ~ *brush a carpet* / *one's hat.*

opbouw ⟨de (m.)⟩ **0.1** [totstandkoming] *construction* ⇒*building (up),* erection **0.2** [bevordering] *advancement* ⇒*furthering, forwarding* **0.3** [⟨schei.⟩] *synthesis* ⇒*anabolism* **0.4** [⟨scheep.⟩] *superstructure* **0.5** [structuur] *structure* ⇒*make up, composition, constitution* ⟨bodemprofiel⟩ ◆ **1.5** ⟨taal.⟩ de ~ van een zin *the s. of a sentence* **2.5** de evenwichtige ~ van een betoog/compositie *the balanced s. of an argument* / *composition* **6.1** het huis was nog **in** ~ *the house was still under c.* **6.2 tot** ~ van kunsten en wetenschappen *for the a. of the arts and sciences.*

opbouwdrank ⟨de (m.)⟩ **0.1** *tonicum* ⇒*tonic.*

opbouwen ⟨ov.ww.⟩ **0.1** *build* / *set up* ⇒*construct, compose* ◆ **1.1** ⟨fig.⟩ ⟨sport⟩ een aanval ~ *set up an attack;* een nieuw bestaan ~ *build a new life (for o.s.);* de kermis ~ *set up the carnival* / *fair;* ⟨fig.⟩ een klantenkring ~ *build up a clientele;* ⟨fig.⟩ een onderneming van de grond af ~ *set a project up from scratch;* ⟨fig.⟩ zijn pensioen ~ *build up a pension;* ⟨fig.⟩ een reputatie ~ *build* / *acquire one's reputation, establish a reputation for o.s.;* ⟨fig.⟩ een vermogen ~ *build (up)* / *amass a fortune* **6.1** het weefsel is **uit** cellen opgebouwd *tissue is made up* / *composed of cells.*

opbouwend ⟨bn.⟩ **0.1** *constructive* ⇒*positive* ◆ **1.1** ~e kritiek *c. criticism.*

opbouworgaan ⟨het⟩ **0.1** *development(al) agency.*

opbouwwerk ⟨het⟩ **0.1** *community work.*

opbouwwerker ⟨de (m.)⟩, -**werkster** ⟨de (v.)⟩ **0.1** *community worker.*

opbranden
I ⟨onov.ww.⟩ **0.1** [geheel verbranden] *burn up* / *down* ◆ **1.1** is die kaars nu al opgebrand? *has the candle burned up already?;*
II ⟨ov.ww.⟩ **0.1** [verbruiken] *burn up* **0.2** [op iets aanbrengen] *brand* ◆ **1.1** wij zullen het hout maar ~ *we might as well burn up all the wood* **1.2** het merk is opgebrand *the brand is on, it's branded.*

opbreken
I ⟨ov.ww.⟩ **0.1** [uit elkaar nemen] *break up* ⇒*take down* / *apart* **0.2** [openbreken] *break* / *tear up* ⇒*dig up* ◆ **1.1** ⟨fig.⟩ het beleg ~ *raise* / *end the siege;* ⟨fig.⟩ het kamp ~ *break* / *strike camp;* de tenten ~ *take down* / *strike the tents* **1.2** de straat ~ *dig* / *break up the street;*
II ⟨onov.ww.⟩ **0.1** [weggaan] *leave* **0.2** [naar boven komen] *back* / *come up* **0.3** [openbarsten] *break* / *burst open* ◆ **3.1** laten we ~ *let's go* / *make tracks* ¶.2 ⟨fig.⟩ dat zal hem zuur ~ *he'll regret that.*

opbrengen ⟨ov.ww.⟩ **0.1** [opleveren] *bring in* ⇒*yield, realize* **0.2** [als gevangene ergens heen brengen] *run* / *bring* / *take in* **0.3** [betalen] *produce* ⇒*come up with* **0.4** [in staat zijn tot] *get* / *work up* ⇒*summon* **0.5** [naar boven brengen] *bring* / *carry up* **0.6** [⟨sport⟩] *bring* / *take out* **0.7** [grootbrengen] *bring up* ⇒*raise* **0.8** [bedekken met] *apply* ⇒*put on* ◆ **1.1** dit boek zal een goede prijs ~ *this book will command* / *attract a good price* **1.3** belasting ~ *produce the taxes* **1.4** begrip/belangstelling ~ voor *have an understanding for* / *an interest in;* enthousiasme ~ *work up enthusiasm;* hij kon de moed niet meer ~ *he couldn't get up* / *summon the courage anymore* **1.8** oogschaduw ~ *a.* / *put on eye shadow;* verf dik/dun ~ *a. a thick* / *thin coat of paint* **5.3** dat kan ik niet ~ *I can't produce* / *manage that* **7.1** die zaak brengt niet veel op *that business doesn't bring in much.*

opbrenging ⟨de (v.)⟩ **0.1** [v.e. schip] *seizure* ⇒*bringing into port* / *in* ⟨in haven⟩ **0.2** [v.e. overtreder naar een politiebureau] *bringing in.*

opbrengst ⟨de (v.)⟩ **0.1** [rendement] *yield* ⇒*proceeds, profit, take* **0.2** [het opbrengen] *bringing up* ⇒*producing* **0.3** [oogst] *yield* ⇒*produce, crop* ◆ **1.1** hij moet leven van de ~ van zijn pen *he has to live from his pen* / *writing* **1.3** de ~ van een boomgaard *the y.* / *produce* / *crop from* / *of an orchard* **2.3** deze bonen geven een goede / rijke / schamele ~ *these beans y. a good* / *heavy* / *light crop, this bean is a good* / *heavy* / *light cropper* **3.1** de gehele ~ bedroeg ƒ 1000,- *the entire proceeds amounted to 1000 guilders.*

---

opbruisend ⟨bn.⟩ **0.1** *effervescent* ⇒*sparkling,* ⟨fig.⟩ *ebullient.*

opbruising ⟨de (v.)⟩ **0.1** ⟨ook fig.⟩ *effervescence* ⇒⟨fig.⟩ *ebullition* ⟨van haat/woede⟩.

opcenten ⟨zn.mv.⟩ **0.1** *surcharge* ⇒*surtax, addition, percentage* ◆ **1.1** veiling met ~ *auction with a surcharge* / *percentage* / *lot money* **3.1** ~ heffen *levy a surcharge* / *surtax* **6.1** verkoping **zonder** ~ *public sale without surcharges* / *additional charges* / *fees.*

op.cit. ⟨Lat.⟩ ⟨afk.⟩ **0.1** *op.cit..*

opdagen ⟨onov.ww.⟩ **0.1** *turn* / *show up* ⇒*come along* ◆ **3.1** eindelijk kwam er iem. ~ *finally s.o. turned* / *showed up.*

opdat ⟨vw.⟩ **0.1** *so that* ⇒*in order that* ◆ ¶.1 ~ ze niet zouden denken ~ *lest they (should) think;* ~ het niet vergeten worde *lest it be forgotten.*

opdelen ⟨ov.ww.⟩ **0.1** *divide* / *split up, subdivide* ◆ **1.1** eigendom (in kleine stukken) ~ *subdivide* / *comminute property.*

opdelven ⟨ov.ww.⟩ **0.1** [opgraven] *dig up* / *out* ⇒*extract* **0.2** [⟨fig.⟩] *dig up* ⇒*ferret out, hunt* ◆ **1.1** konijnen ~ *ferret out* / *hunt rabbits;* schatten ~ *dig up treasures* **1.2** hij is nu bezig een potlood uit zijn zak op te delven *now he is trying to fish a pencil out of his pocket.*

opdienen ⟨onov., ov.ww.⟩ ⟨→sprw. 542⟩ **0.1** *serve* / *dish up* ◆ **1.1** het eten ~ *serve* / *dish up dinner* ¶.1 er is opgediend *dinner is served.*

opdiepen ⟨ov.ww.⟩ **0.1** [naar boven brengen] *dig up* **0.2** [opsporen] *dig up* ⇒*ferret out, hunt* **0.3** [uitdiepen] *dig out* ⇒*deepen* ◆ **1.2** waar heb je die plaat opgediept? *where did you dig up that record?* **1.3** ⟨druk.⟩ een gravure ~ *bite an engraving;* ⟨bk.⟩ schaduwen ~ *deepen* / *intensify shadows;* een sloot ~ *dig out a ditch.*

opdirken
I ⟨ov.ww.⟩ **0.1** [optuigen] *dress* / *doll* / *jazz* / *spruce* / *tart up* ⇒*primp, tit(t)ivate* **0.2** [⟨scheep.⟩] *hoist* ◆ **3.1** hij ziet er echt opgedirkt uit *he is all dolled up;*
II ⟨wk.ww.;zich~⟩ ⟨inf., scherts.⟩ **0.1** [zich optutten] *doll* / *jazz* / *tart up* ⇒*make o.s. beautiful.*

opdissen ⟨ov.ww.⟩ **0.1** [⟨fig.⟩ voorschotelen] *serve* / *dish up* **0.2** [opdienen] *serve* / *dish up* ◆ **1.1** steeds dezelfde verhalen ~ *keep dishing up the same old stories* **1.2** het eten werd opgedist *dinner is being dished up* / *put on the table* ¶.2 zij dissen daar goed op *they serve a good meal there, the food they dish up there isn't bad.*

opdoeken
I ⟨ov.ww.⟩ **0.1** [opheffen] *shut down* ⇒*do away with, give up* **0.2** [samenvouwen] *fold* / *gather up* ⇒*furl* ⟨zeil⟩ ◆ **1.1** we hebben de vereniging opgedoekt *we have shut down the club;* hij doekt zijn zaak op *he has shut down* / *given up* / *rolled up the business;*
II ⟨onov.ww.⟩ ⟨inf.⟩ **0.1** [ophoepelen] *take off* ⇒*disappear, make o.s. scarce* ◆ **3.1** je kunt wel ~ *why don't you get lost.*

opdoemen ⟨onov.ww.⟩ **0.1** [zichtbaar worden, ⟨ook fig.⟩] *appear* ⇒*emerge* **0.2** [zich duidelijker vertonen] *loom (up* / *ahead)* ◆ **1.2** het land doemt op *land appeared* / *loomed up* **6.1** een **schip** dat aan de horizon opdoemde *a ship that loomed up* / *on the horizon.*

opdoen
I ⟨ov.ww.⟩ **0.1** [verwerven] *gain* ⇒*acquire, get* **0.2** [oplopen] *catch* ⇒*contract* **0.3** [trachten te verkrijgen] *pick up* ⇒*get* **0.4** [op de kop tikken] *acquire* ⇒*find, get* **0.5** [opdienen] *serve* / *dish up* **0.6** [op iets zetten] *put on* **0.7** [aanvegen] *sweep* / *clean* / *pick up* **0.8** [naar boven brengen] *carry* / *bring up* **0.9** [opmaken] *finish* / *polish off* ⇒*do up* **0.10** [vernemen] *learn* ⇒*hear, understand* **0.11** [aanbrengen] *apply* ⇒*put on* **0.12** [rechtop, overeind zetten] *set* / *stand* / *put up* / *straight* / *on end* ◆ **1.1** nieuwe energie ~ *become re-energized, get one's second breath;* ervaring ~ *gain experience, cut one's teeth on;* inspiratie ~ *gain inspiration;* kennis ~ *gain acquaintance, acquire knowledge* **1.2** een verkoudheid ~ *catch* / *contract a cold* **1.3** orders ~ *pick up* / *get orders* **1.4** een schrijfmachine ~ *dig out* / *up a typewriter* **1.6** doe je muts op *put your hat on* **1.8** stro ~ *put the straw up* **1.10** nieuws ~ *l.* / *hear news* **1.11** parfum/poeder ~ *a.* / *put on perfume* / *powder* **1.12** zijn kraag ~ *turn one's collar up* ¶.10 waar heb je dat opgedaan? *where did you hear* / *l. that?, where did you get that from?;*
II ⟨wk.ww.;zich~⟩ ⟨schr.⟩ **0.1** [zich vertonen] *arise* ⇒*present o.s., occur, turn* / *show up, offer o.s..*

opdoffen
I ⟨ov.ww.⟩ **0.1** [oppoetsen] *polish* / *clean (up)* ⇒*buff* **0.2** [poffen] *puff up* ◆ **1.2** opgedofte mouwen *puffed* / *puffy sleeves;*
II ⟨wk.ww.;zich~⟩ **0.1** [zich optutten] *doll* / *jazz* / *spruce up.*

opdoffer ⟨de (m.)⟩ **0.1** *punch* ⇒*sock, belt, clip, biff* ◆ **3.1** iem. een ~ geven *p.s.o. (up), floor s.o., belt* / *clip s.o.;* een ~ krijgen *get punched (up)* / *belted* / *clipped, get one's face punched in, take a sock on the jaw.*

opdokken ⟨ov.ww.⟩ **0.1** *stump* / *cough* / *pay up* ⇒*fork* / *shell out, plank down* / *out* / *up.*

opdonder ⟨de (m.)⟩ **0.1** [vuistslag] *punch* ⇒*sock, belt, clip, biff* **0.2** [⟨fig.⟩ tegenslag] *setback* ⇒*bit* / *piece* / *stroke of bad luck, blow* **0.3** [klein persoon] *(little) squirt* ◆ **2.2** hij heeft een flinke ~ gehad/gekregen *he has taken some punishment* **3.1** iem. een ~ geven/verkopen *p.s.o. (up), belt* / *clip* / *deck s.o.;* iem. een paar ~s verkopen *knock s.o. around, beat* / *punch s.o. up.*

opdonderen ⟨onov.ww.⟩ ⟨vulg.⟩ **0.1** *go to hell* ⇒*buzz* / *piss* / *bugger* / *fuck off* ◆ **3.1** hij kan voor mijn part ~ *he can go to hell for all I care* ¶.1 donder op! *go to hell!, take off!, get the hell out of here!.*

opdooi ⟨de (m.)⟩ **0.1** *(surface) thaw*.

opdouwen ⟨ov.ww.⟩ ⟨inf.⟩ **0.1** *push / shove / stuff up*.

opdraaien
  I ⟨onov.ww.⟩ ◆ **5.**¶ ik wil hier niet voor ~ *I don't want to take responsibility / the rap for this* **6.**¶ ~ **voor** iets *be stuck / saddled / landed with sth.*; **voor** al het werk ~ *be stuck / saddled / landed with all the work;* **voor** de kosten ~ *foot the bill,* [A]*pick up;* iem. **voor** iets laten ~ *land / saddle s.o. with sth., let s.o. in for sth.;*
  II ⟨ov.ww.⟩ **0.1** [omhoog draaien] *turn up* **0.2** [opwinden] *wind up* **0.3** [op iets bevestigen] *fasten on* ◆ **1.1** de lamp ~ *turn up the lamp, turn the lamp up* **1.2** een horloge ~ *wind (up) a watch*.

opdracht ⟨de⟩ **0.1** [taak] *assignment* ⇒*task, order, commission* **0.2** [toewijding aan God] *devotion* **0.3** [het aanbieden van een eerbewijs] *present* ⇒*symbol / token of esteem, dedication* **0.4** [bewoordingen van toewijding] *dedication* ⇒*inscription* **0.5** [⟨jur.⟩] *presentation* ⇒*transference* ◆ **2.1** per staande ~ *by standing order* **3.1** iem. een ~ geven tot de bouw v.e. herenhuis *commission s.o. to build a large house;* ik heb de garage de ~ gegeven de accu te vervangen *I asked the garage to change the battery;* ik heb ~ niemand binnen te laten *I have been ordered / my orders are not to let anyone in(side);* we kregen ~ om ... *we were ordered to;* een ~ krijgen / uitvoeren *receive / carry out an order / a.;* iem. met een ~ belasten *commission s.o., charge s.o. with a job / task;* zich van een ~ kwijten *take care of / carry out an a.* **6.1 in** ~ **van** *on / under the authority of, by order of;* ik heb **in** ~ **van** de regering *by government order;* ik heb geen ~ **om** reserveonderdelen te kopen *my job doesn't include buying spare parts;* **per** ~ betaald worden *be paid by standing order* **6.4** een ~ **voor** iem. in een boek zetten *inscribe a book for s.o., write a dedication in a book for s.o..*

opdrachtgever ⟨de (m.)⟩ **0.1** *client, customer* ⇒⟨jur. en hand.⟩ *principal, patron* ⟨van kunstenaar⟩ ◆ **6.1** de gemeente is de ~ **van** het standbeeld *the local authority has commissioned the statue.*

opdragen ⟨ov.ww.⟩ **0.1** [naar boven dragen] *carry up(stairs)* **0.2** [aanbieden] *offer* **0.3** [toewijden] *dedicate* ⇒*devote, celebrate* ⟨mis⟩ **0.4** [gelasten] *charge* ⇒*commission, instruct, direct* **0.5** [aanbieden als eerbewijs] *dedicate* **0.6** [dragen tot het versleten is] *wear out* ◆ **1.2** het voorzitterschap ~ aan iem. *o. the chair(manship) to s.o.* **1.3** een kerk ~ aan Petrus Canisius *dedicate a church to Petrus Canisius;* ⟨r.k.⟩ de mis ~ *celebrate mass* **1.4** iem. de zorg voor de kinderen ~ *have s.o. in charge of the children, assign s.o. to take care of the children, charge s.o. with the children* **1.5** een boek ~ aan iem. *a. book to s.o..*

opdraven
  I ⟨onov.ww.⟩ **0.1** [draven langs] *run up* **0.2** [komen op verzoek, bevel] *present o.s.* ⇒*appear, put in an appearance* **0.3** [een richting inslaan] *trot up / towards / to* ◆ **1.1** de trap ~ *run up the stairs* **3.2** de zieke liet zijn arts vaak opdraven *the patient frequently sent for the doctor;*
  II ⟨ov.ww.⟩ **0.1** [laten voordraven] *trot out* ◆ **1.1** een paard ~ *trot out a horse.*

opdreunen ⟨ov.ww.⟩ **0.1** *rattle off* ⇒*reel / run off, drone* ◆ **1.1** een vers / zijn les ~ *rattle off / reel off / run off / grind out a verse / one's lesson, drone / gabble a verse.*

opdrijven
  I ⟨onov.ww.⟩ **0.1** [naar boven gaan] *rise* **0.2** [drijven] *drift / float (ashore);*
  II ⟨ov.ww.⟩ **0.1** [drijven] *drive* **0.2** [laten stijgen] *force up* ⇒*push / screw / drive / jack up* **0.3** [opjagen] *start* ⇒*rouse, put up,* ⟨vogels ook⟩ *flush* ◆ **1.1** het vee ~ *d. / round up / herd the cattle* **1.2** de eisen voor een examen ~ *raise the standard for an exam, force / tighten up requirements;* de koopsom de prijzen ~ *force / push / screw / drive / jack up the purchase-price(s);* die maatregel zal de prijzen ~ *that measure will send prices up / higher / soaring, that measure will boost / inflate prices;* het tempo ~ *force the pace, put on speed* **5.2** kunstmatig ~ *inflate.*

opdrijver ⟨de (m.)⟩ **0.1** *by-bidder* ⟨op veilingen⟩.

opdrijving ⟨de (v.)⟩ **0.1** *forcing up* ⇒*screwing / driving / pushing up, inflation* ⟨prijzen⟩.

opdringen
  I ⟨onov.ww.⟩ **0.1** [naar voren dringen] *push forward* ⇒*press / crowd forward, press / push on* ⟨verder⟩ ◆ **1.1** de menigte is ver opgedrongen *the crowd has pushed far forward;* de ~de menigte *the pushing / surging crowd* **6.1** de geallieerden drongen op **naar** Arnhem *the Allied Forces pressed / pushed on(ward) / forward to Arnhem;*
  II ⟨ov.ww.⟩ **0.1** [opdrijven] *drive* ⇒*urge, herd* **0.3** [opleggen] *force (on / upon)* ⇒*thrust (on / upon),* ⟨raad / mening ook⟩ *intrude / impose (on / upon)* ◆ **1.2** iem. een drankje ~ *press / urge a drink on s.o.;* eten ~ *press food on, press with food;* iem. zijn overtuiging ~ *force / thrust / press / impose / urge one's conviction (up) on s.o.* **4.2** dat werd ons opgedrongen *that was forced / thrust / imposed / foisted on us, that was crammed / forced / rammed / stuffed / shoved / thrust down our throats;*
  III ⟨wk.ww.; zich~⟩ **0.1** [mbt. gedachten] *force o.s. (on)* ⇒*thrust / urge / obtrude o.s. (on / upon)* **0.2** [mbt. personen] *force o.s. (on / upon)* ⇒*foist / impose o.s. / one's company (on / upon), thrust o.s. into the*

company *(of) / o.s. (on / upon)* ◆ **3.2** ik wil me niet ~ *I don't want to intrude* **6.1** de vergelijking met zijn vader dringt zich **aan** ons op *the comparison with his father forces / thrusts / urges itself upon us* **6.2** hij heeft zich **aan** haar opgedrongen *he threw himself at her, he forced / foisted / imposed his company / himself (up) on her, he thrust himself into her company; he scraped acquaintance with her* ⟨stuurde het op een kennismaking aan⟩.

opdringerig ⟨bn., bw.; -ly⟩ **0.1** *obtrusive* ⇒*intrusive,* ⟨persoon ook⟩ *pushing, pushy, importunate* ⟨verkoper⟩ ◆ **1.1** ~e reclameboodschappen *insistent advertising* **3.1** zich ~ tegenover een vrouw gedragen *come on too strong with a woman;* het staat zo ~ *it looks so o. / aggressive;* ~ zijn / worden *obtrude.*

opdringerigheid ⟨de (v.)⟩ **0.1** *obtrusiveness* ⇒*officiousness, intrusiveness* ⟨van buur⟩ *, pushiness, importunity.*

opdrinken ⟨ov.ww.⟩ **0.1** [tot zich nemen] *drink (up)* ⇒*finish* **0.2** [leegdrinken] *drink (up)* ⇒*finish, empty* **0.3** [opmaken] *drink one's way through* ◆ **1.1** drink je melk op *drink (up) / finish your milk* **1.2** een fles ~ *drink (up) / finish (off) / empty a bottle* **1.3** zijn laatste cent heeft hij opgedronken *he spent his last penny on drink* ¶**.2** in één teug ~ *toss off / down.*

opdrogen
  I ⟨onov.ww.⟩ **0.1** [droog worden] *dry (up)* ⇒⟨rivier, bron, fig. ook⟩ *run dry,* ⟨med.⟩ *resolve* ◆ **1.1** haar bronnen van informatie droogden op *her sources of information dried up / ran dry;* de straten drogen al op *the streets are already drying;*
  II ⟨ov.ww.⟩ [droogmaken] *dry* ◆ **1.1** een ~d middel *a siccative;* zijn tranen ~ *d. one's tears / eyes;* ⟨fig.⟩ iemands tranen ~ *d. s.o.'s tears.*

opdrogend ⟨bn.⟩ **0.1** *siccative* ◆ **1.1** ~ middel ⟨schei.⟩ *desiccant, siccative* ⟨in verf en sommige medicijnen⟩.

opdruk ⟨de (m.)⟩ **0.1** [wat op iets gedrukt is] *(im)print* **0.2** [postzegel] *overprint* ⇒*surcharge* ⟨met hoger bedrag⟩ ◆ **2.2** heb je de nieuwe ~ken al? *have you already got the new overprints?* **3.1** van een ~ voorzien *overprint, surcharge* **6.1** een T-shirt **met** ~ *a printed T-shirt* **6.2** een postzegel **met** ~ *an o., an overprinted / surcharged stamp.*

opdrukken ⟨ov.ww.⟩ **0.1** [dmv. een stempel aanbrengen] *(im)print on(to)* ⇒*impress on(to), stamp on(to)* ⟨met stempel⟩, *overprint* ⟨postzegel⟩ **0.2** [in een richting drukken] *push up* ⇒*press up* **0.3** [door drukken op iets brengen] *push on(to)* ⇒*press on(to)* ◆ **1.1** fluweel met opgedrukte figuren *patterned velvet;* een merk / zegel ~ *mark* ⟨merk⟩*; impress a seal on* ⟨zegel⟩; ⟨fig.⟩ zij werd het stempel van herrieschopper opgedrukt *they were soon branded hooligans* **1.3** iem. een lauwerkrans ~ *laurel s.o.* **4.2** ⟨sport⟩ zich ~ *do* [B]*press-ups /* [A]*pushups.*

opduikelen ⟨ov.ww.⟩ ⟨inf.⟩ **0.1** *dig up* ⇒*ferret out, unearth, fish up / out* ⟨uit tas / zak⟩.

opduiken
  I ⟨onov.ww.⟩ **0.1** [boven water komen] *surface* ⇒*rise / come to the surface* **0.2** [verschijnen] *turn up* ⇒*pop up* **0.3** [zich voordoen] *crop up* ⇒*arise* ◆ **1.3** nieuwe bezwaren doken op *new problems cropped up / arose* **5.2** weer ~ *reappear, turn / pop up again;*
  II ⟨ov.ww.⟩ **0.1** [naar boven brengen] *bring to the surface* ⇒*dive for* **0.2** [opduikelen] *dig up* ⇒*ferret out, unearth, fish up / out* ⟨uit tas / zak⟩.

opduvel ⟨de (m.)⟩ ⟨inf.⟩ **0.1** *wallop* ⇒*belt, sock, biff, punch* ◆ **3.1** iem. een ~ geven *wallop / belt / sock / biff / punch s.o., land /* [↑]*fetch s.o. a blow;* een ~ krijgen *get walloped / punched, take a beating.*

opduvelen ⟨onov.ww.⟩ ⟨inf.⟩ **0.1** *get lost* ⇒*clear off, buzz off,* [B]*hop it* ◆ ¶**.1** duvel op! *get lost!, clear off!, buzz off!,* [B]*hop it!.*

opduwen ⟨ov.ww.⟩ **0.1** [omhoog doen gaan] *push up* ⇒*press up* **0.2** [voor zich uit duwen] *push* ◆ **1.1** het luik ~ *push / press up the hatch;* iem. de trap ~ *push s.o. up the stairs* **1.2** een handkar ~ *p. a handcart.*

opduwer ⟨de (m.)⟩ **0.1** [persoon] *pushy person* **0.2** [schip] *pusher tug.*

opdwarrelen ⟨onov.ww.⟩ **0.1** *whirl up* ⇒*upwhirl* ◆ **3.1** doen ~ *whirl up, upwhirl, blow up* **5.1** de hoog ~de stofwolken *the high upwhirling clouds of dust.*

opdweilen ⟨ov.ww.⟩ **0.1** [dweilend wegnemen] *mop up* ⇒*sop up, wipe up, swab up* **0.2** [schoonmaken] *mop* ⇒*swab* ⟨dek van schip⟩ ◆ **1.1** het gemorste water ~ *mop / sop / wipe / swab up the spilt water* **1.2** de vloer ~ *m. the floor.*

opeen ⟨bw.⟩ **0.1** [op elkaar] *together* ⇒*on top of each other* ⟨de een op de ander⟩ **0.2** [tegen elkaar] *together* ◆ **5.2** dicht ~ *close t..*

opeendrijven ⟨ov.ww.⟩ **0.1** *round up* ⇒*herd together.*

opeendringen
  I ⟨onov.ww.⟩ **0.1** [dicht op elkaar staan gaan] *crowd together* ⇒*squash together, squeeze together* ◆ **1.1** de menigte drong opeen *the crowd squeezed together / squashed up, the company crowded together;*
  II ⟨ov.ww.⟩ **0.1** [dicht op elkaar in drukken] *crowd together* ⇒*squash / squeeze / cram / pack together* ◆ **1.1** de menigte werd opeengedrongen *the crowd was squashed / squeezed / crammed / packed together, the multitude was crowded together.*

opeenhopen ⟨ov.ww.⟩ **0.1** *pile (up)* ⇒*heap up / together,* ⟨verzamelen ook⟩ *amass, accumulate, gather* ◆ **1.1** steenkolen ~ *pile (up) / heap up* *coal* **4.1** zich ~ *pile up, accumulate, amass; gather, crowd together* ⟨mensen⟩.

opeenhoping ⟨de (v.)⟩ **0.1** [het (zich) opeenhopen] *accumulation* ⇒ *pile-up, buildup* **0.2** [het opeengehoopte] *accumulation* ⇒ *pile, heap* ◆ **1.1** een ~ van het verkeer *a buildup of traffic, a traffic congestion;* ~ van werkzaamheden *the a. / pile-up of work* **1.2** een ~ van delfstoffen/ gemeenplaatsen *a mineral deposit* ⟨delfstoffen⟩; *a heap of platitudes.*

opeenklemmen ⟨ov.ww.⟩ **0.1** *clamp together* ⇒ *set* ⟨tanden⟩.

opeenpakken
I ⟨ov.ww.⟩ **0.1** [dicht op elkaar pakken] *pack (together)* ⇒ *squash/ squeeze/ cram together* ◆ **3.1** zij zaten als haringen opeengepakt *they were packed (in/ together) like sardines (in a tin);*
II ⟨onov.ww.⟩ **0.1** [samenpakken] *pack (together)* ⇒ *mass* ⟨wolken, mensen⟩, *crowd/ squeeze together* ⟨mensen⟩ ◆ **1.1** wolken pakten opeen *clouds massed.*

opeens ⟨bw.⟩ **0.1** *suddenly* ⇒ *all at once, all of a sudden* ◆ **3.1** waar kom jij ~ vandaan? *where did you come from all of a sudden?.*

opeenstapelen ⟨ov.ww.⟩ **0.1** *pile up* ⇒ *stack up,* ⟨fig. ook⟩ *build up, accumulate* ◆ **1.1** balen wol/ kisten ~ *pile bales of wool, p. / stack up crates* **4.1** ⟨fig.⟩ rampen en ongelukken stapelen zich opeen in die familie *disaster and misfortune dog that family.*

opeenstapeling ⟨de (v.)⟩ **0.1** [het opeenstapelen] *accumulation* ⇒ *pile-up, buildup* **0.2** ⟨lit.⟩ *epizeuxis* **0.3** [wat opeengestapeld is] *accumulation* ⇒ *pile, stack* ◆ **1.3** een ~ van rampen/ misslagen *an a. / a succession of calamities/ blunders.*

opeenvolgen ⟨onov.ww.⟩ **0.1** *follow each other* ⇒ *succeed each other* ◆ **5.1** die kinderen volgen kort opeen *those children come one after the other, they had those children quickly.*

opeenvolgend ⟨bn.⟩ **0.1** *successive* ⇒ *consecutive* ⟨onafgebroken⟩ ◆ **1.1** drie ~e dagen *three consecutive days* **5.1** de snel ~e gebeurtenissen *the quick succession of events.*

opeenvolging ⟨de (v.)⟩ **0.1** [het opeenvolgen] *succession* **0.2** [lange reeks] *succession* ⇒ *sequence, series, order* ⟨volgorde⟩ ◆ **1.2** het was een ~ van feesten *it was a succession of parties* **2.1** in snelle ~ *in quick s..*

opeisbaar ⟨bn.⟩ **0.1** *claimable* ⇒ *due, payable, demandable, withdrawable* ⟨spaartegoed⟩ ◆ **3.1** ~ worden *fall due, mature* **5.1** dadelijk/ onmiddellijk ~ *on/ at call.*

opeisen ⟨ov.ww.⟩ **0.1** *claim* ⇒ *demand, requisition* ⟨beslagnemen in oorlog⟩ ◆ **1.1** de aandacht ~ *c. / challenge/ demand/ compel attention;* alle aandacht voor zich ~ *monopolize the attention;* te leen gegeven geld ~ *call in/ c. a loan* ¶**.1** ~ dmv. dwang/ intimidatie *extort.*

opeising ⟨de (v.)⟩ **0.1** *claim* ⇒ *demand.*

open ⟨bn., bw.; -ly⟩ **0.1** [niet dicht] *open* ⇒ ⟨deur ook⟩ *ajar* **0.2** [toegankelijk] *open* **0.3** [onbedekt] *open* **0.4** [niet gevuld] *open* **0.5** ⟨geldw., hand.⟩ *open* **0.6** [niet bezet] *open* ⇒ *vacant, free* **0.7** [met openingen] *open* **0.8** ⟨fonetiek⟩ *open* ⇒ *free* **0.9** [niet op slot] *open* ⇒ *unlocked* ◆ **1.1** met ~ dak *with an o. roof;* de deur staat ~ *the door is o. / ajar;* een ~ envelop *an unsealed envelope;* ~ gevangenis/ inrichting *prison without bars, o. prison* ⟨gevangenis⟩; *o. institution;* ~ haard *o. hearth;* ~ haven *o. harbour;* de kraan is ~ *the tap/ ^Afaucet is (turned) on;* in de ~ lucht *in the open (air);* met ~ mond luisteren *listen open-mouthed/ with o. mouth;* ze stonden met ~ mond *they stood agape;* met ~ ogen *with o. eyes, with one's eyes o.;* een ~ o. town; het ~ veld *the o. field;* tot hoe laat zijn de winkels ~? *what time do the shops close?;* een ~ wond *a o. wound* **1.2** ~ dag *o. day;* ~ huwelijk *free marriage;* ~ kampioenschap *open (championship);* ~ schoolsysteem *o. schoolsystem;* ~ tafel houden *keep o. house;* de ~ universiteit *the Open University* **1.3** ⟨fig.⟩ met ~ armen ontvangen *receive with o. arms;* een ~ gezicht an *o. face;* een ~ hals *an o. neck;* een ~ regel *a blank line;* ~ water *o. water* **1.4** een ~ graf *an o. grave;* een ~ plek in het bos *a clearing in the woods* **1.5** een ~ krediet *an o. / a blank credit;* een ~ markt *an o. market;* ~ NV *a public company;* een ~ polis *an o. / a floating policy;* een ~ rekening *an o. / unpaid/ outstanding/ unsettled account* **1.6** een ~ plaats/ betrekking *a vacancy* **1.7** een ~ hek *an openwork gate* **1.8** een ~ klinker *an o. vowel* ¶**.1** ~ been *a crural ulcer;* een ~ brief *an o. letter;* een ~ discussie *an o. discussion;* film/ boek met een ~ einde *an open-ended book/ film;* een ~ geest *an o. mind;* ~ overleg *o. negotiations;* een ~ vraag *an o. / debatable question;* in ~ zee *on the high seas* **2.1** het kan ~ en dicht *it opens and shuts* **2.3** ~ en bloot *openly, for all (the world) to see, in broad daylight, in full view; with the lid off* ⟨gruwelen⟩ **3.1** hij kreeg de doos meteen ~ *he had the box o. in an instant/ a jiffy* **3.2** mijn huis is altijd voor jou ~ *my door will always be o. to you* **3.6** deze plaats is nog ~ *this place is still free/ vacant* **3.**¶ ik zal heel ~ met je zijn *I'll be frank/ o. / straightforward with you* **6.2** ~ tot zes uur *o. till six o'clock.*

Openb. ⟨afk.⟩ ⟨bijb.⟩ **0.1** [Openbaringen] *Rev..*

openbaar ⟨bn., bw.; -ly⟩ **0.1** [algemeen bekend] *public* **0.2** [duidelijk] *obvious* ⇒ *clear, in the open* **0.3** [openlijk] *public* ⇒ *open* **0.4** [voor iedereen toegankelijk] *public* ⇒ *open* **0.5** [het gehele volk betreffend] *public* **0.6** [van de overheid uitgaande] *public* ◆ **1.3** openbare kritiek *p. / open criticism* **1.4** een openbare gelegenheid *a p. place,* ↑*a place*

of p. resort; een openbare les *an inaugural lecture;* openbare toiletten *p. conveniences/ lavatories/ toilets;* openbare veiligheid *p. safety;* openbare vergadering *a p. assembly, an open meeting;* openbare verkoping *p. auction;* de openbare weg *the p. highway* **1.5** de openbare mening *p. opinion;* verstoring v.d. openbare orde *breach of the peace, disorderly conduct, p. nuisance, violation of civil order;* de openbare orde verstoren *disturb/ breach the peace, disturb p. order* **1.6** een ~ ambt *a p. office;* openbare gezondheidszorg *socialized medicine;* openbare instelling *p. institution;* ~ lichaam *p. corporation;* de openbare macht *p. authorities;* het ~ ministerie *the Public Prosecutor, Counsel for the Prosecution, Prosecution Counsel;* een openbare school *a state school,* ^Aa *p. school;* openbare lagere school ^Bprimary school, ^Aelementary school;* openbare schuld *national debt;* ⟨ec.⟩ openbare sector *p. sector;* openbare werken *p. works* **3.1** iets ~ maken *make sth. p. / known, bring sth. into the open, divulge/ disclose/ publish sth.;* zijn mening ~ maken *state/ voice one's opinions,* ↑*give p. utterance/ expression to one's opinions;* het feit werd ~ *the fact became known* **7.3** ⟨zelfst.⟩ in het ~ *in p., publicly;* een cursus spreken in het ~ *a course in p. speaking.*

openbaarheid ⟨de (v.)⟩ **0.1** [het algemeen bekend zijn] *publicity* **0.2** [het toegankelijk zijn] *public nature* ◆ **1.2** de ~ van de zittingen *the public nature of the court sessions* **3.1** iets aan de ~ prijsgeven *expose sth. to p., drag sth. to light/ the light of day;* ⟨inf.⟩ *take the lid off;* ~ aan iets geven *give p. to sth., make sth. public/ known, bring sth. into the open, divulge/ disclose/ publish sth.;* de ~ zoeken *seek p. / the limelight* **6.1** in de ~ treden *step into the limelight.*

openbaarmaking ⟨de (v.)⟩ **0.1** *publication* ⇒ *disclosure,* ⟨pej.⟩ *exposure, promulgation* ⟨vonnis⟩.

openbaren
I ⟨ov.ww.⟩ **0.1** [aan het licht brengen] *reveal* ⇒ *disclose, divulge, make known,* ⟨pej.⟩ *expose* **0.2** ⟨theol.⟩ *reveal* ◆ **1.1** een geheim ~ *r. / disclose/ divulge/ impart a secret;*
II ⟨wk.ww.; zich ~⟩ **0.1** [waarneembaar worden] *manifest o.s.* ⇒ *declare o.s.* **0.2** [aan het licht komen] *manifest* ⇒ *reveal, become known.*

openbaring ⟨de (v.)⟩ **0.1** [het openbaarmaken] *disclosure* ⇒ *divulgence,* ⟨pej.⟩ *exposure* **0.2** [wat geopenbaard wordt] *revelation* ⇒ *epiphany* ⟨van Christus aan de drie koningen; van goddelijk wezen⟩ ◆ **1.1** de Openbaring van Johannes *the Revelation of St. John, the Apocalypse* **2.1** de christelijke ~ *the Christian Revelation* **3.**¶ dat was voor mij een ~ *that was a revelation/ an eye-opener to me, that opened my eyes.*

openbaringsleer ⟨de (v.)⟩ **0.1** *doctrine of (divine) revelation.*

openbarsten ⟨onov.ww.⟩ **0.1** *burst open.*

openblijven ⟨onov.ww.⟩ **0.1** [geopend blijven] *remain open* ⇒ *stay open* **0.2** [niet vervuld worden] *remain open* ⇒ *remain vacant/ in abeyance* **0.3** [niet beantwoord worden] *remain open* ⇒ *remain unanswered, remain a matter of debate.*

openbreken
I ⟨onov.ww.⟩ **0.1** [opengaan] *break open* ⇒ *burst open, break* ⟨gezwel⟩;
II ⟨ov.ww.⟩ **0.1** [met geweld openen] *break (open)* ⇒ *burst open, force open, prize (open), pry open* **0.2** [wijzigingen aanbrengen in] ⟨zie 1.2⟩ ◆ **1.1** breek mij de bek niet open *don't make me say this, you don't want to know;* een kist ~ *break/ prize/ pry open a case;* een kluis ~ *crack a safe;* een slot ~ *break/ force a lock, prize/ pry open a lock* **1.2** een grondwet/ c.a.o. ~ *lay the Constitution/ collective labour agreement on the table.*

openbuigen ⟨ov.ww.⟩ **0.1** *bend open.*

opendeurdag ⟨de (m.)⟩ **0.1** *open house.*

opendeurpolitiek ⟨de (v.)⟩ **0.1** *open-door policy* ⇒ *policy of the open door.*

opendoen ⟨→ sprw. 190⟩
I ⟨onov.ww.⟩ **0.1** [iem. binnenlaten] *open the door* ⇒ *answer the door/ bell/ ring* ⟨na bellen, kloppen⟩, *open up* ⟨alleen gebiedende wijs⟩ ◆ **5.1** na 10 uur wordt hier niet meer opengedaan *the door isn't answered here after ten, the door/ gate isn't opened here after ten;* er werd niet opengedaan *there was no answer.*
II ⟨ov.ww.⟩ **0.1** [openen] *open* ⇒ ⟨van slot halen ook⟩ *unlock* ◆ **1.1** een deur/ boek/ zakmes ~ *o. a door/ book/ pocket knife;* hij deed geen mond open *he didn't o. his mouth, he didn't say/ utter a word.*

opendraaien
I ⟨ov.ww.⟩ **0.1** [openen] *open* ⇒ *turn on* ⟨kraan⟩, *unscrew* ⟨deksel, dop⟩ ◆ **1.1** een blik ~ *o. a* ^Btin/ ^Acan;* een hek/ gaskraan ~ *o. a gate* ⟨hek⟩; *turn on the gas* ⟨gaskraan⟩; met een sleutel het slot ~ *unlock;*
II ⟨onov.ww.⟩ **0.1** [zich draaiend openen] *open* ◆ **1.1** ~de deur *hinged door.*

openduwen ⟨ov.ww.⟩ **0.1** *push/ thrust open.*

openen
I ⟨onov.ww.⟩ **0.1** [beginnen] *open* ⇒ *commence, begin,* ⟨journalistiek⟩ *lead, lead off* ⟨persoon⟩ **0.2** [opengaan] *open* ⇒ *start/ begin business* ◆ **1.1** het congres opent met een beschouwing over... *the conference opened with a lecture on* **6.1** ⟨kaartspel⟩ met schoppen ~ *lead spades* **6.2** wij ~ om 3 uur *we o. / start/ begin business at three (o'clock);*

II ⟨ov.ww.⟩ **0.1** [openmaken] *open* ⇒*turn on* ⟨kraan⟩, *unscrew* ⟨deksel, dop⟩, ⟨fles ook⟩ *uncork* **0.2** [een opening maken] *open* **0.3** [openstellen] *open (up)* **0.4** [beginnen, in bedrijf brengen] *open* ⇒*start*, ⟨onderhandelingen ook⟩ *initiate* ◆ **1.1** aanhalingstekens ~/ sluiten *quote, unquote;* de armen ~ *o. one's arms;* een brief ~ *a. a letter;* die deuren ~ *op de achtertuin those doors o. onto the back garden;* een inschrijving ~ *o. a subscription (list);* iem. een krediet ~ *give s.o. credit, o. a credit* **1.2** een ader ~ *o. a vein* **1.3** een nieuw afzetgebied ~ *o. up a new area to trade;* de jacht ~ *o. the hunt* **1.4** de aanval ~ *lead the attack;* het bal ~ *o. the ball;* onderhandelingen ~ *enter into/initiate/ o. negotiations;* een rekening ~ bij een bank *o. an account at/with a bank;* de Staten-Generaal ~ *o. the States-General;* een vergadering ~ *o. a meeting, call a meeting to order;* ⟨mil.⟩ het vuur ~ *o. fire;* het winkelcentrum werd voor het publiek geopend *the shopping centre was opened to the public* **5.4** feestelijk/plechtig ~ *inaugurate.*

opener ⟨de (m.)⟩ **0.1** *opener.*

opengaan ⟨onov.ww.⟩ **0.1** [zich openen] *open* ⇒⟨bloemknop ook⟩ *burst (open)* **0.2** [opengedaan worden] *open* ⇒*come open* ⟨na moeite⟩ ◆ **1.1** de deur gaat naar binnen/buiten open *the door opens inwards/outwards* **1.2** de brug gaat open *the bridge is opening.*

opengewerkt ⟨bn.⟩ **0.1** [met openingen] *open* **0.2** [mbt. technische tekeningen] *cut-away, exploded view* ◆ **1.1** ~e kousen/trappen *o. stockings/staircases.*

opengooien ⟨ov.ww.⟩ **0.1** *throw open* ⇒*fling open* ◆ **1.1** hij gooide de deur open *he threw/flung open the door;* zijn jas ~ *throw open one's coat.*

openhakken ⟨ov.ww.⟩ **0.1** *break open* ⇒⟨van deur ook⟩ *break down.*

openhalen ⟨ov.ww.⟩ **0.1** *tear* ⇒⟨lichaam ook⟩ *scrape,* ⟨vnl. BE⟩ *ladder* ⟨kousen e.d.⟩ ◆ **6.1** ik heb mijn jas opengehaald **aan** een spijker *I tore my coat on a nail;* zijn hand **aan** een speld ~ *t. / scrape one's hand on a pin.*

open-hartchirurgie ⟨de⟩ **0.1** *open-heart surgery.*

openhartig ⟨bn., bw.; -ly⟩ **0.1** *frank* ⇒*candid,* ⟨oprecht⟩ *straightforward,* ⟨onomwonden⟩ *outspoken,* ⟨persoon ook⟩ *open(-hearted)* ◆ **1.1** een ~ gesprek *a heart-to-heart (talk), a straight talk;* een ~ portret v.h. Nederlandse volk *a(n) unvarnished/candid picture of the Dutch (people)* **3.1** hij is al te ~ *he is blunt/too outspoken;* ~ spreken/antwoorden *speak/answer plainly/frankly/candidly, lay it on the line, come out into the open;* ze was die avond erg ~ *she was in a communicative/expansive mood that night, she really opened up that night;* ~ zijn tegen iem. *be f. / open/plain/straight/candid with s.o..*

openhartigheid ⟨de (v.)⟩ **0.1** *frankness* ⇒*candour, unreserve, open-heartedness.*

open-hartoperatie ⟨de (v.)⟩ **0.1** *open-heart operation.*

openheid ⟨de (v.)⟩ **0.1** *openness* ⇒*sincerity* ◆ **6.1** in alle ~ *in all candour.*

openhouden ⟨ov.ww.⟩ **0.1** [zorgen dat iets niet dichtgaat] *keep open* **0.2** [vrij houden] *keep open* ⇒*save, reserve* ◆ **1.1** een bergpas ~ *keep a mountain pass open/clear(ed);* de deur voor iem. ~ *hold the door (open) for s.o.;* ⟨ook fig.⟩ *keep one's eyes open;* ⟨fig. ook⟩ keep one's eyes ᴮskinned/ᴬpeeled;* hij kon zijn ogen niet ~ *his eyelids were becoming heavy, his eyes were beginning to draw straws* **1.2** een betrekking ~ *keep a job open, save/reserve a job;* een plaats (je) voor iem. ~ *save a place for s.o., keep a place (warm) for s.o..*

open-huisfeest ⟨het⟩ **0.1** *open house* ⇒⟨BE ook⟩ *at-home.*

opening ⟨de (v.)⟩ **0.1** [het openen] *opening* ⇒⟨fles ook⟩ *uncorking,* ⟨schroefdop ook⟩ *unscrewing* **0.2** [het voor het eerst openstellen] *opening* ⇒⟨plechtig⟩ *inauguration* **0.3** [gat] *opening* ⇒*gap, break, hole,* ⟨spleet⟩ *aperture* **0.4** [het beginnen] *opening* ⇒*beginning, commencement* **0.5** ⟨sport⟩ *opening* ◆ **1.1** de ~ v.h. jachtseizoen *the o. of the hunting season;* de ~ v.h. testament *the reading of a will* **1.3** de ~ v.e. tas *the mouth of a bag* **1.4** de ~ v.e. krant *the lead (story)/main feature/front-page story of a newspaper* **1.¶** van zaken geven *lay bare/disclose the state of (one's) affairs* **3.4** ~en doen *make overtures* **3.5** ⟨voetbal⟩ een ~ op rechts creëren *open up play down the right* **3.¶** ik zie geen enkele ~ in deze situatie *I see no o. in this situation.*

openingsbalans ⟨de⟩ ⟨hand.⟩ **0.1** *opening balance.*

openingsbod ⟨het⟩ **0.1** *opening bid.*

openingsgebed ⟨het⟩ **0.1** *invocation.*

openingskoers ⟨de (m.)⟩ **0.1** *opening price/rate.*

openingsnotering ⟨de⟩ **0.1** *opening quotation.*

openingsplechtigheid ⟨de (v.)⟩ **0.1** *opening ceremony, inauguration.*

openingsrede ⟨de⟩ **0.1** *opening speech* ⇒*opening address,* ⟨plechtig ook⟩ *inaugural speech/address,* ⟨bij begin vergadering ook⟩ *introductory speech* ◆ **3.1** een ~ houden *give/deliver the opening/inaugural address/speech.*

openingstijd ⟨de (m.)⟩ **0.1** [mbt. een zaak/openbaar gebouw] *opening hours, hours of opening* ⇒⟨van kantoor/winkel ook⟩ *business hours, hours of business* **0.2** ⟨sport⟩ *time for the opening round/lap* ◆ **3.2** zijn ~ was 39,9 *he opened in 39.9* **6.1** gedurende/tijdens de ~ *during opening/business hours.*

openingstoespraak ⟨de⟩ **0.1** *opening speech/address.*

openingswedstrijd ⟨de (m.)⟩ **0.1** *opening/first-round match.*

openingswoord ⟨het⟩ **0.1** *opening word(s)* ⇒*speech of introduction, introductory speech* ◆ **3.1** een ~ werd gesproken door de directeur *the manager gave an opening speech/spoke a few words at the opening.*

openingszet ⟨de (m.)⟩ **0.1** *opening (move).*

openknijpen ⟨ov.ww.⟩ **0.1** *squeeze open.*

openknippen ⟨ov.ww.⟩ **0.1** *cut open.*

openkrabben ⟨ov.ww.⟩ **0.1** [laten opengaan] *scratch open* ⇒⟨dier ook⟩ *claw open* **0.2** [een gat maken in] *scratch open* ⇒⟨dier ook⟩ *claw open* **0.3** [verwonden] *scratch open* ⇒⟨dier bij mens ook⟩ *claw open* ◆ **1.1** hij krabde de deur open *he scratched the door open* **1.2** de hond krabde de grond open *the dog scratched up the ground, the dog made a hole in the ground* **1.3** iemands arm ~ *s. / claw s.o.'s arm open.*

openlaten ⟨ov.ww.⟩ **0.1** [geopend laten] *leave open* ⇒*leave on/running* ⟨kraan⟩ **0.2** [vrijlaten] *leave open* ⇒⟨baan ook⟩ *leave vacant/in abeyance* **0.3** [niet invullen] *leave blank* ◆ **1.1** laat de deur maar open (just) *leave the door open* **1.2** een doorgang ~ *leave a passage (open);* de mogelijkheid ~ om *leave the possibility open of/leave the door open to/let in the possibility of (-ing);* telkens één regel ~ *write on alternate lines, skip lines;* een ruimte ~ *leave room;* de weg tot misbruik ~ *leave the door open to/let in abuse.*

openleggen ⟨ov.ww.⟩ **0.1** [geopend neerleggen] *lay open* ⇒*open* **0.2** [blootleggen] *lay open* ⇒(lay) *bare, uncover, open up* ⟨(vak)gebied, markt⟩ **0.3** [⟨fig.⟩] *lay open* ⇒*lay bare, bring into the open, disclose,* ⟨jur.⟩ *exhibit* ◆ **1.1** een boek ~ *lay a book open, open a book;* een kaart ~ *turn up a card, lay a card face up* **1.2** een beperut ~ ⟨lett.⟩ *open a cesspool;* ⟨fig.⟩ *open a can of worms, take the lid off;* een nieuwe markt ~ *open up/tap a new market* **1.3** een plan ~ *lay a plan open/bare, disclose a plan, bring a plan into the open;* de zaak ~ *lay the whole thing open/bare, bring the entire affair into the open;* ⟨iets slechts/gruwelijks⟩ *take the lid off.*

openliggen ⟨onov.ww.⟩ **0.1** [geopend liggen] *lie open* **0.2** [onbeschut liggen] *lie open* ⇒*be exposed* **0.3** [zichtbaar zijn] *lie open* ⇒*be exposed* ◆ **1.¶** de wereld ligt voor je open *the world is/lies before you/is your oyster* **6.2** ~ **voor** de wind *lie open/be exposed to the wind.*

openlijk ⟨bn., bw.; -ly⟩ **0.1** [openbaar, onverholen] *open* ⇒*overt, public* **0.2** [in het openbaar] *public* ◆ **1.1** haar ~ e bedoeling *her avowed intention;* ~ e geweldpleging *open/overt (use of) violence;* ⟨jur.⟩ *assault and battery;* hij was ~ lid v.d. verboden organisatie *he was an open member of the outlawed organisation;* ~ verzet plegen *offer overt resistance* **3.1** ~ beledigen *affront;* ~ voor iets uitkomen *avow sth., come out with sth.;* iem. ~ de waarheid zeggen *tell s.o. the truth to his face, be open/frank with s.o.* **3.2** iets ~ verkondigen *declare sth. in public.*

openlopen ⟨ov.ww.⟩ **0.1** [stuklopen] *walk to bits/tatters/rags* ⟨schoenen⟩; ⟨zie 1.1⟩ **0.2** [openen] *break down* ⇒*burst (open)* ◆ **1.1** zijn voeten ~ *walk until one's feet are sore, walk one's feet off.*

openluchtbad ⟨het⟩ **0.1** *open-air swimming pool* ⇒⟨BE ook⟩ *lido.*

openluchtbijeenkomst ⟨de (v.)⟩ **0.1** *open-air meeting.*

openluchtmis ⟨de⟩ **0.1** *open-air/outdoor mass.*

openluchtmuseum ⟨het⟩ **0.1** *open-air museum* ⇒*historical village, folk museum.*

openluchtrecreatie ⟨de (v.)⟩ **0.1** *outdoor recreation.*

openluchtschool ⟨de⟩ **0.1** *open-air school.*

openluchtspel ⟨het⟩ **0.1** *open-air performance* ⇒*outdoor performance.*

openluchttheater ⟨het⟩ **0.1** *open-air theatre* ⇒⟨AE ook⟩ *straw-hat theater.*

openluchtvoorstelling ⟨de (v.)⟩ **0.1** *open-air performance.*

openluchtzwembad ⟨het⟩ **0.1** *open-air swimming pool* ⇒⟨BE ook⟩ *lido.*

openmaken ⟨ov.ww.⟩ **0.1** *open (up)* ⇒⟨fles ook⟩ *uncork,* ⟨schroefdop ook⟩ *unscrew,* ⟨wat op slot is ook⟩ *unlock* ◆ **1.1** een brief ~ *o. / slit (open) a letter;* een koffer ~ *o. / met rits ook⟩ *unzip* ⟨met riem ook⟩ *unbuckle a suitcase.*

openpeuteren ⟨ov.ww.⟩ **0.1** *work open* ⇒*wiggle open.*

openpikken ⟨ov.ww.⟩ **0.1** *peck open* ◆ **1.1** de vogel pikte het ei open *the bird pecked the egg open;* ⟨van binnen uit⟩ *the bird pecked its way out/hatched out.*

openprikken ⟨ov.ww.⟩ **0.1** *prick* ⇒*pierce, puncture* ◆ **1.1** een blaar ~ *prick a blister.*

openrijten ⟨ov.ww.⟩ **0.1** *rip (open)* ⇒*tear (open),* ⟨huid/vlees ook⟩ *lacerate* ◆ **1.1** de buik ~ *disembowel;* oude wonden ~ ⟨ook fig.⟩ *(re)open / tear open old sores/wounds* **7.1** het ~ *laceration.*

openrukken ⟨ov.ww.⟩ **0.1** *jerk open* ⇒*wrench open, yank open,* ⟨stuktrekkend⟩ *tear open* ◆ **1.1** de deur ~ *jerk/wrench the door open.*

openscheuren

I ⟨ov.ww.⟩ **0.1** [openen] *tear open* ⇒*rip open, slit* ◆ **1.1** een brief/naad ~ *tear/rip a letter/seam open;* een gordijn ~ *jerk/wrench/yank a curtain open;*

II ⟨onov.ww.⟩ **0.1** [opengaan] *tear open* ⇒*rip open.*

openschieten ⟨onov.ww.⟩ **0.1** *fly open* ⇒*spring open, burst open.*

openschoppen ⟨ov.ww.⟩ **0.1** *kick open.*

openschuiven

I ⟨ov.ww.⟩ **0.1** [openen] *push open* ⇒*slide open, push/lift up* ⟨verticaal schuifraam⟩, *draw back* ⟨gordijn⟩;

II ⟨onov.ww.⟩ **0.1** [opengaan] *slide open* ⇒*open* ◆ **1.1** de gordijnen schoven open *the curtains slid open/opened/were drawn back.*

openslaan
I ⟨onov.ww.⟩ **0.1** [opengaan] *fly open* ⇒*burst open,* ⟨met een klap⟩ *bang/slam open* **0.2** [openvallen] *open* ⇒⟨krant ook⟩ *open out, unfold* ◆ **1.1** door de wind sloegen de deuren open *the wind blew the doors open, the doors blew/flew open in the wind* **1.2** het boek slaat gemakkelijk open *the book opens easily;*
II ⟨ov.ww.⟩ **0.1** [openleggen] *open* **0.2** [met een slag openen] *knock open* ◆ **1.1** een bed ~ *throw back/turn back/turn down the covers;* een boek/krant ~ *o. a book, o. (out)/unfold a newspaper* **1.2** een kist ~ *knock a crate open.*

openslaand ⟨bn.⟩ **0.1** *folding* ◆ **1.1** ~e deuren *f./casement doors;* ⟨naar tuin/terras⟩ *French windows/^doors;* een ~ raam *a casement (window), a French sash.*

opensmijten ⟨ov.ww.⟩ **0.1** *fling open.*

opensnijden ⟨ov.ww.⟩ **0.1** [snijdend openen] *cut open* ⇒*cut* ⟨boek⟩, *slit (open)* ⟨envelop⟩, *split* ⟨haring⟩ **0.2** [door snijden een opening maken] *cut open* ⇒*open up* ⟨patiënt⟩, ⟨met lancet⟩ *lance.*

openspalken ⟨ov.ww.⟩ **0.1** [mbt. de ogen] *dilate* ⇒*open wide* **0.2** [al spalkend openen] ⟨openen⟩ *force open;* ⟨openhouden⟩ *jam open.*

opensperren ⟨ov.ww.⟩ **0.1** *open wide* ◆ **1.1** hij sperde zijn mond open *he opened his mouth wide;* met opengesperde ogen *wide-eyed, with dilated eyes* **4.1** zijn neusgaten sperden zich open *his nostrils dilated/flared.*

opensplijten
I ⟨ov.ww.⟩ **0.1** [een opening maken in] *split (open);*
II ⟨onov.ww.⟩ **0.1** [opengaan] *split (open).*

openspringen ⟨onov.ww.⟩ **0.1** *burst open* ⇒*spring open* ◆ **1.1** de deur sprong open *the door burst/flew/sprang open;* de huid/lippen zijn opengesprongen *the skin is/lips are chapped/cracked* **6.1** de bloemknoppen staan **op** ~ *the buds are about to burst open.*

openstaan ⟨onov.ww.⟩ **0.1** [niet dicht zijn] *be open* ⇒⟨niet op slot ook⟩ *be unlocked,* ⟨niet vastgemaakt ook⟩ *undone, unfastened* **0.2** [mbt. een rekening] *be open* ⇒*be outstanding/unpaid/unsettled* **0.3** [vrij zijn] *be open* ⇒*be vacant/free,* ⟨baan ook⟩ *be in abeyance* ◆ **1.1** je gulp staat open *your fly is/* ⟨BE ook⟩ *flies are undone;* mijn huis staat altijd voor jou open *my door will always be o. to/for you, you have the run/freedom of my house;* de kraan staat open *the* ^B*tap/*^A*faucet is (turned) on/is running;* er stond mij geen andere weg open *I had no alternative/choice;* er stonden haar twee wegen open *there were two courses open to her* **1.3** een ~de betrekking *a vacancy, an opening* **6.1** ⟨fig.⟩ ~ **voor** kritiek *be open to criticism;* ⟨fig.⟩ niet ~ **voor** iets *be refractory to sth., refuse to consider sth..*

openstellen ⟨ov.ww.⟩ **0.1** *open* ⇒*throw open* ◆ **1.1** ⟨fig.⟩ zijn geest ~ voor andere opvattingen *o. one's mind to other views;* ⟨fig.⟩ de gelegenheid tot iets ~ *afford the opportunity to do sth.;* de handel ~ *throw trade open;* ik stel mijn huis voor je open *you have the run/freedom of my house;* de intekening/inschrijving ~ *invite tenders/subscriptions* ⟨offertes⟩; een natuurreservaat voor het publiek ~ *o. a nature reserve/throw a nature reserve open to the public.*

openstelling ⟨de ⟨v.⟩⟩ **0.1** *opening.*

openstoten ⟨ov.ww.⟩ **0.1** *push open* ◆ **1.1** een wond ~ *cut a wound.*

op-en-top ⟨bw.⟩ **0.1** *every inch* ⇒*all over, out and out* ◆ **3.1** hij is ~ een heer *he is every inch/out and out a gentleman/a gentleman all over/a thorough gentleman.*

opentrappen ⟨ov.ww.⟩ **0.1** *kick open.*

opentrekken ⟨ov.ww.⟩ **0.1** [openen] *pull open* ⇒*open, draw (back/apart)* ⟨gordijn⟩ **0.2** [doen opengaan] *bring to a head* ◆ **1.1** ⟨inf.⟩ een grote bek/zijn scheur ~ *open one's big mouth/one's trap;* ⟨iron.⟩ een blik vormingswerkers ~ *pull some social workers out of a hat, raise a couple of social workers;* een fles ~ *open/uncork a bottle;* een la ~ *pull a drawer open, open a drawer;* alle registers ~ *pull all the stops out;* ⟨vero.⟩ de voordeur ~ *pull open the front door.*

openvallen
I ⟨onov.ww.⟩ **0.1** [zich openen] *fall open* ⇒*drop open* **0.2** [vacant raken] *fail vacant* ⇒*become vacant* ◆ **1.1** zijn mond viel open van verbazing *his mouth fell/dropped open with surprise, his jaw dropped with surprise, he stood open-mouthed/agape with surprise* **1.2** een ~de betrekking *a vacancy, an opening;*
II ⟨ov.ww.⟩ **0.1** [verwonden] *cut* ⇒*scrape* ◆ **1.1** die jongen heeft zijn knie opengevallen *that boy cut/scraped his knee falling/when he fell.*

openvijzen ⟨ov.ww.⟩ ⟨AZN⟩ **0.1** *unscrew.*

openvliegen ⟨onov.ww.⟩ **0.1** *fly open* ⇒*burst open, spring open* ◆ **1.1** de deur vloog open *the door flew/burst open.*

openvouwen ⟨ov.ww.⟩ **0.1** *unfold* ⇒*open (out)* ◆ **6.1** de krant **op** de sportpagina ~ *open the newspaper at the sports page.*

openwaaien ⟨onov.ww., ov.ww.⟩ **0.1** ⟨onov.ww.⟩ *be blown open;* ⟨ov.ww.⟩ *blow open.*

openwerken ⟨ov.ww.⟩ **0.1** [open weten te krijgen] *work open* ⇒*pry open, manage to open* **0.2** [het binnenste laten zien] *open out, cut away* ⇒⟨tech. ook⟩ *explode,* ⟨handwerken⟩ *hemstitch, ornament with openwork* ◆ **1.2** opengewerkte kousen *openwork stockings;* een

---

opengewerkt gordijn *an open weave/a net curtain;* een opengewerkt model *an opened out model;* ⟨doorsnee⟩ *a cross section model;* ⟨tech.⟩ *an exploded(-view) model.*

openzetten ⟨ov.ww.⟩ **0.1** [zo zetten dat iets open is] *open* ⇒*turn on* ⟨kraan⟩ **0.2** [openstellen] *open* ⇒*throw open* ◆ **1.1** een deur ~ *o. a door;* ⟨fig.⟩ de deur (wijd) ~ voor misbruik *o./throw the door open to abuse* **6.2** zijn huis **voor** iem./iets ~ *o. one's doors to s.o./sth.;* ⟨voor iem. ook⟩ *give s.o. the freedom/run of one's house.*

opera ⟨de (m.)⟩ **0.1** [gezongen toneelspel] *opera* **0.2** [gebouw] *opera (house)* **0.3** [gezelschap] *opera (company)* ◆ **6.1** van/mbt. de ~ *operatic* **¶.1** ~ buffa, opéra comique *comic o., opéra bouffe, opera buffa.*

operabel ⟨bn.⟩ ⟨med.⟩ **0.1** *operable.*

operabezoeker ⟨de (m.)⟩ **0.1** *opera goer.*

operacomponist ⟨de (m.)⟩ **0.1** *opera(tic) composer* ⇒*composer of opera.*

operagezelschap ⟨het⟩ **0.1** *opera* ⇒*opera(tic) company.*

operakijker ⟨de (m.)⟩ **0.1** *opera glass(es).*

operakoor ⟨het⟩ **0.1** *chorus.*

operatekst ⟨de (m.)⟩ **0.1** *libretto.*

operateur ⟨de (m.)⟩ **0.1** [⟨comp.⟩] *operator* **0.2** [iem. die filmapparatuur bedient] *operator* ⇒*projectionist* **0.3** [iem. die opnamen maakt] ≠*photographer, cameraman* **0.4** ⟨chirurg⟩ *operator* ⇒*operating surgeon.*

operatie ⟨de (v.)⟩ **0.1** [⟨med.⟩] *operation* ⇒*surgery* **0.2** [handeling] *operation* **0.3** [⟨hand.⟩] *operation* ⇒*transaction* **0.4** [⟨mil.⟩] *operation* ◆ **3.1** een grote/kleine ~ ondergaan *undergo major/minor surgery/a major/minor o.;* een ~ verrichten *perform an o..*

operatiebasis ⟨de (v.)⟩ ⟨mil.⟩ **0.1** [lijn] *base (of operations)* ⇒*base-line* **0.2** [mbt. een plaats/streek] *base (of operations)* ⇒*operational base/headquarters* ◆ **4.2** onze ~ *the base of our operations.*

operatiebroeder ⟨de (m.)⟩ **0.1** *surgical nurse* ⇒⟨BE ook⟩ *theatre nurse.*

operatief ⟨bn., bw.; -ly⟩ **0.1** *surgical* ⇒*operative* ◆ **3.1** ~ ingrijpen *operate, perform surgery.*

operatiekamer ⟨de⟩ **0.1** *operating room* ⇒⟨BE ook⟩ *(operating) theatre,* ⟨AE ook⟩ *surgery.*

operatiemicroscoop ⟨de (m.)⟩ **0.1** *surgical microscope.*

operatiepatiënt ⟨de (m.)⟩, -e ⟨de (v.)⟩ **0.1** *patient (to be operated on).*

operatieschort ⟨het⟩ **0.1** *(surgeon's) gown.*

operatietafel ⟨de⟩ **0.1** *operating table.*

operatiezuster ⟨de (v.)⟩ **0.1** *surgical nurse* ⇒⟨BE ook⟩ *theatre nurse/sister.*

operationaliseren ⟨ov.ww.⟩ **0.1** *put into operation* ⇒*make work, put into practice, make operational.*

operationeel ⟨bn.⟩ **0.1** [hanteerbaar] *operational* ⇒⟨niet vóór zn.⟩ *ready for operation/use, standing by,* ⟨machine ook⟩ *in running/working order/condition* **0.2** [⟨mil.⟩] *operational* ⇒⟨niet vóór zn.⟩ *ready for operation, standing by* ◆ **1.2** ballistische raketten voor ~ gebruik *ballistic missiles for o. use* **1.¶** operationele research ^B*o. /* ^A*operation(s) research.*

operator ⟨de (m.)⟩ **0.1** [persoon] *operator* **0.2** [⟨wisk., logica⟩] *operator.*

operazanger ⟨de (m.)⟩, -es ⟨de (v.)⟩ **0.1** *opera singer* ⇒*operatic singer.*

opereren ⟨onov., ov.ww.⟩ **0.1** [te werk gaan, werken met] ⟨te werk gaan⟩ *work;* ⟨werken met⟩ *use* ⇒*make use of, employ* **0.2** [⟨med.⟩] *operate* ⇒⟨onov.ww. ook⟩ *perform surgery/an operation* **0.3** [⟨mil.⟩] *operate* **0.4** [⟨geldw.⟩] *operate* ◆ **1.2** iem./iets ~ *o. on/perform surgery/an operation on s.o./sth.* **5.2** het kan niet geopereerd worden *it is not operable* **6.1** met iem./iets ~ *u. make use of/employ s.o./sth.* **6.2** zij is geopereerd **aan** de longen *she has had an operation on/of the lungs;* geopereerd worden **aan** de blindedarm *have an operation/be operated for appendicitis* **¶.1** achter de schermen ~ *use backstairs influence, work behind the scenes.*

operette ⟨de (v.)⟩ **0.1** *light opera* ⇒*operetta, musical comedy.*

operettefiguur ⟨de⟩ **0.1** [figuur uit een operette] *character from an operetta* ⇒*character from a musical comedy* **0.2** [weinig betekenend figuur] *figure of fun* ⇒*comic figure, everybody's fool.*

operment ⟨het⟩ **0.1** *orpiment* ⇒⟨als kleurstof ook⟩ *king's yellow.*

opeten ⟨ov.ww.⟩ **0.1** [verorberen] *eat (up)* ⇒*finish* **0.2** [verkwisten] *eat (up)* ⇒*consume* **0.3** [verteren, ⟨ook fig.⟩] *eat (up/away)* ⇒*consume* ◆ **1.1** ⟨fig.⟩ zijn eigen huis ~ *sell up,* ≠*liquidate* **1.2** zijn kapitaal ~ *eat up/consume one's capital* **1.3** ⟨fig.⟩ de nijd eet zijn hart op *he's eating his heart out with envy, he is eaten up with/consumed with envy* **¶.1** ~ met huid en haar *eat all up, eat whole;* ⟨fig.⟩ dat kind is om op te eten *that child is scrumptious/adorable/a little darling/a living doll;* ⟨fig.⟩ hij zal je niet ~ *he won't eat you.*

opflakkeren ⟨onov.ww.⟩ **0.1** →**opflikkeren** 0.2,0.3.

opfleuren
I ⟨onov.ww.⟩ **0.1** [weer levenslustig worden] *cheer up* ⇒*brighten/lighten (up),* ⟨inf.⟩ *buck/perk up;*
II ⟨ov.ww.⟩ **0.1** [fleurig maken] *cheer up* ⇒*brighten (up),* ⟨persoon/stemming ook⟩ *liven (up),* ⟨inf.⟩ *buck up* ◆ **1.1** die regen zal het groen wel ~ *this rain will freshen (up) the plants/garden/greenery;* ⟨fig.⟩ een kamer wat ~ *cheer/brighten up a room.*

opflikker ⟨de (m.)⟩ ⟨vulg.⟩ **0.1** *biff* ⇒*wallop, sock* ◆ **3.1** iem. een ~ geven/verkopen *give s.o. a b./wallop/sock.*

opflikkeren ⟨onov.ww.⟩ **0.1** [⟨vulg.⟩ opdonderen] *bugger off* ⇒*piss / fuck off, go blow*, ⟨BE ook⟩ *naff off* **0.2** [opvlammen] *flare up* ⇒ *flicker* ⟨kaars⟩ **0.3** (⟨fig.⟩ kortstondig opleven] *flicker* ⟨hoop⟩; *flare / flash up* ⟨onrust, gevechten⟩ ◆ **1.2** het vuur flikkerde hoog op *the fire flared up high* **3.1** hij kan ~ *he can bugger / piss / fuck off, he can go blow / shove it / naff off.*

opfokken ⟨ov.ww.⟩ **0.1** [grootbrengen] *breed* ⇒*rear, raise* **0.2** [opvoeren] *soup up* **0.3** [opjutten] *work up* ⇒*whip / stir up* ◆ **3.3** laat je niet zo ~ *don't get so worked up / into such a flap.*

opfrissen

I ⟨onov.ww.⟩ **0.1** [fris worden] *freshen (up)* ◆ **1.1** de lucht is na het onweer helemaal opgefrist *the air is completely refreshed after the (thunder)storm* ¶**.1** ⟨iron.⟩ daar zal hij van ~ *that will make him sit up;*

II ⟨ov.ww.⟩ **0.1** [weer fris maken] *freshen (up)* ⇒*refresh* ⟨ook fig.⟩ ◆ **1.1** ⟨fig.⟩ zijn Engels ~ *brush up / refurbish one's English;* ⟨fig.⟩ iemands geheugen ~ *freshen up / refresh / revive / touch up / jig / jog s.o.'s memory, give s.o.'s memory a jog / jig;* de herinnering aan iets ~ *revive the memory of sth.* **4.1** zich ~ *freshen up,* ^*wash up.*

opfrissertje ⟨het⟩ **0.1** *refresher* ⇒*pick-me-up, cordial.*

opfrissing ⟨de (v.)⟩ **0.1** [het opfrissen] *refresher* ⇒*brushup, jog* **0.2** [iets dat opfrist] *refreshment* ◆ **3.1** iem. een ~ geven *dress s.o. down, take s.o. to task; reprimand /* ⟨sterker⟩ *upbraid s.o..*

opgaaf→**opgave.**

opgaan ⟨onov.ww.⟩ ⟨→sprw. 449⟩ **0.1** [stijgen] *go up* ⇒⟨trap / heuvel ook⟩ *climb,* ↑*ascend, mount* **0.2** [mbt. de zon] *come up* ⇒*rise* **0.3** [zich begeven naar] *go* **0.4** [examen afleggen] *sit (for)* ⇒*present o.s. (for)* **0.5** [opgegeten / opgedronken worden] *go, be finished* ⇒ ⟨opgegeten ook⟩ *be eaten up,* ⟨opgedronken ook⟩ *be drunk (up)* **0.6** [juist zijn] *hold good / true / water* ⇒*be (altogether) true, apply* **0.7** [in beslag genomen worden] *be wrapped up (in)* ⇒*be bound up (in), be absorbed / engrossed in, lose o.s. in* **0.8** [mbt. delingen] *terminate* **0.9** [in elkaar overgaan] *merge (into)* ⇒*be swallowed up (in), be lost (in)* ◆ **1.1** het doek ging op *the curtain went up / rose;* er ging een gemompel op in de zaal *a murmur arose in the hall / room;* het getij gaat op en af *the tide rises and falls / ebbs and flows;* ⟨fig.⟩ er gaan stemmen op *you hear it, it is said;* de trap ~ *go up / climb / mount / ascend the stairs* **1.2** ⟨fig.⟩ mij gaat een licht op *it's dawning on me;* ⟨bij het zien / horen van iets⟩ *that rings a bell; I see (it all)* **1.3** de barricaden ~ *man / mount the barricades;* de verkeerde kant ~ *go wrong / astray, stray, go to the bad; take the wrong direction* ⟨gesprek⟩; *dezelfde kant ~ go the same way;* de straat ~ ⟨lett.⟩ *step into the street / road;* ⟨fig.⟩ *take to the streets* **1.5** de taart was helemaal opgegaan *the cake had / was all gone;* die wijn gaat vanavond nog wel op *that wine will be finished / gone before the end of the evening, we'll finish that wine this evening* **1.6** die stelling / vergelijking gaat niet op *that hypothesis / comparison does not hold (good / true / water); that is a false analogy* ⟨vergelijking⟩ **3.1** het op- en neergaan *going up and down* ⟨zuigers⟩; *the fluctuations, the rise and fall* ⟨prijzen⟩; *the heaving* ⟨boezem⟩ **5.6** dat gaat niet altijd op *that does not always follow / hold / true* **6.3** als het die kant opgaat met de maatschappij dan ... *if society is tending that way, if that is the way society is going ...* **6.4** ~ **voor** een examen *go in for / sit (for) / present o.s. for an exam* **6.5** al zijn geld is opgegaan **aan** de inrichting v.h. huis *all his money went on decorating the house* **6.6** zo'n uitvlucht / dat gaat niet op **bij** mij *that excuse won't wash / work with me, I'm not going to let you get out of it like that;* dit gaat niet op **voor** arme mensen / alle prijzen *this doesn't apply to / is not true of / for poor people / all prices* **6.7** zij gaan op **in** hun werk / de muziek *they are wrapped up / bound up / caught up / absorbed / engrossed in their work / music;* helemaal ~ **in** zichzelf / zijn gezin / vrouw *be wrapped up in o.s. / one's family / wife;* helemaal ~ **in** be / get totally absorbed by / in; **in** zijn onderwerp ~ *be full of / enter fully into one's subject* **6.9** in de menigte ~ *be lost in / be swallowed up /* ⟨moedwillig⟩ *lose o.s. in / disappear into the crowd;* beide teams zijn **in** elkaar opgegaan *the two teams have merged / combined / joined forces;* deze partij is opgegaan **in** de latere (...) *this party was absorbed / taken over by the later (one);* doen ~ **in** merge in **6.**¶ **in** vlammen ~ *go up in flames;* **in** vlammen / rook doen ~ ⟨ook fig.⟩ *send up in flames / smoke.*

opgaand ⟨bn.⟩ **0.1** [opkomend] *rising* **0.2** [opwaarts gericht] *rising* ⇒*ascending, upward* **0.3** [klimmend] *rising* ⇒*ascending, climbing* **0.4** [⟨wisk.⟩] *terminating* ◆ **1.1** de ~ zon *the r. sun* **1.2** ~ bomen *timber (trees);* ~ hout *timber;* ⟨fig.⟩ in ~e lijn *(going) in the right direction, improving;* ~e lijnen *ascending lines;* ⟨herald.⟩ in ~e linie *in ascending line* **1.3** ~e naargaande prijzen *fluctuating / see-saw(ing) prices;* een ~e weg *a r. / an ascending road* **1.**¶ ~ metselwerk *aboveground masonry.*

opgang ⟨de (m.)⟩ **0.1** [mbt. de zon] *(sun)rise* **0.2** [trap] *staircase* ⇒*stairs* ◆ **2.2** kamer met vrije ~ *room with separate access* **3.**¶ de compact disk maakt een geweldige ~ *the compact disc is all the rage / wildly successful;* hij maakt ~ *his star is rising;* ~ maken ⟨succes hebben⟩ *be / score a hit, rise, be in the ascendant;* ⟨in de mode raken⟩ *catch on, take (on); take root* ⟨idee, taalgebruik⟩; geen ~ maken *(be a) flop, fall flat;* veel / grote ~ maken *be / score a great / smash hit, be a smash, create a furor(e), be a tremendous success;* ⟨BE ook⟩ *set the Thames on fire.*

opgave ⟨de⟩ **0.1** [vermelding] *statement* ⇒*report,* ⟨gedetailleerd⟩ *specification* **0.2** [opsomming] *statement* ⇒⟨lijst⟩ *list, table,* ⟨belasting, statistiek⟩ *return(s), specification* **0.3** [vraagstuk] *question* ⇒⟨oefening⟩ *exercise, problem,* ⟨opdracht⟩ *assignment* **0.4** [taak] *task* ⇒*job, assignment* **0.5** [⟨sport⟩ het opgeven] *giving up / in* ⇒⟨ihb. boksen⟩ *throwing in the towel / the sponge,* ⟨schaken⟩ *resignation* ◆ **1.1** ~ voor de belasting *tax return(s)* **2.1** verkeerde ~ *misstatement;* ⟨belasting⟩ *false / fraudulent returns* **2.3** schriftelijke ~n *written assignments, paper* **2.4** het is een hele ~ *it is quite a t. / quite a job / a tall order;* wij staan hier voor een moeilijke ~ *we are faced with a difficult problem / t.* **3.1** ~ doen van iets *make / give a s. of sth., state / mention sth., make mention of sth.* **6.1 met** ~ van redenen *stating / giving one's reasons / grounds (for doing so);* **zonder** ~ van redenen *without reason given.*

opgeblazen ⟨bn.⟩ **0.1** [gezwollen] *puffy* ⇒*bloated, swollen,* ⟨door lucht in darmen⟩ *flatulent, gassy, windy* **0.2** [verwaand] *puffed up / swollen with pride* ⇒*bloated, overblown, conceited* ◆ **1.1** een ~ gevoel *flatulence, gas, wind;* een ~ maag / buik *a flatulent / inflated stomach / belly;* ⟨fig.⟩ een ~ stijl *a bombastic / inflated / flatulent /* ⟨inf.⟩ *windy style, flatulence;* ~ wangen *p. / swollen / bloated cheeks;* ⟨fig.⟩ een ~ zaak / affaire *sth. / an affair blown up / magnified out of all proportion* **1.2** een ~ kikker *a stuffed shirt, an old wind-bag, a pompous ass.*

opgebruiken ⟨ov.ww.⟩ **0.1** *use up* ⇒*finish (up), consume,* ⟨voortijdig⟩ *exhaust* ◆ **1.1** de voorraad is opgebruikt *the stock / supply is exhausted;* een half opgebruikte voorraad hout *a half-used supply of wood.*

opgefokt ⟨bn., bw.⟩ ⟨inf.⟩ **0.1** *worked up* ⇒*wrought / het up* ◆ **3.1** doe niet zo ~ *calm down.*

opgehoopt ⟨bn.⟩ **0.1** *piled up* ⇒*heaped up, accumulated.*

opgeilen ⟨ov.ww.⟩ ⟨vulg.⟩ **0.1** *turn on* ⇒↑*get going, make hot (for)* ◆ **6.1** zich ~ **aan** *be turned on by.*

opgeklopt ⟨bn.⟩ **0.1** *exaggerated* ⇒*inflated* ◆ **1.1** ~e verhalen *tall stories.*

opgekropt ⟨bn.⟩ **0.1** *pent-up* ⇒*bottled up, contained, restrained* ◆ **1.1** ~ verdriet / verlangen, ~e woede *pent-up / bottled up / contained / restrained grief / desire / rage.*

opgelaten ⟨bn.⟩ **0.1** *embarrassed* ⇒*awkward, ill at ease* ◆ **3.1** zich ~ voelen *feel e. / awkward;* zich verschrikkelijk ~ voelen *wish the ground would swallow one up, feel like nothing on earth* **6.1 met** iets ~ zijn *be landed with sth., be left holding the baby.*

opgeld ⟨het⟩ **0.1** [marge voor de veilinghouder] *mark-up* **0.2** [waarde v.e. munt] *agio* ⇒*premium* ◆ **3.**¶ ~ doen *be at a premium, catch on, take (on); take root* ⟨idee, taalgebruik⟩.

opgelegd ⟨bn., bw.; -ly⟩ **0.1** *overlay* ⇒⟨gefineerd⟩ *veneered* ◆ **1.1** ~ eiken *oak veneer;* ~ glas *overlaid glass;* ~e meubelen *veneered furniture;* ~e vloer *parquet floor* **1.**¶ een ~e kans *the chance of a lifetime;* ⟨sport⟩ dat is ~ *pandoer* ⟨zeker te winnen⟩ *it's a walk-over /* ⟨BE ook⟩ *a (dead) cert /* ⟨bridge ook⟩ *a laydown;* ⟨doorgestoken kaart⟩ *that's fixed / a fix.*

opgelucht ⟨bn.⟩ **0.1** *relieved* ◆ **3.1** ~ ademhalen *heave a sigh of relief.*

opgemaakt ⟨bn.⟩ **0.1** [van make-up voorzien] *made up* **0.2** [⟨druk.⟩] *made up* ⇒*laid out* **0.3** [gerangschikt] *made up* ⇒*laid out, arranged* ◆ **1.1** een ~e acteur *a made-up actor, an actor wearing make-up;* een ~ gezicht *a made-up face* **1.2** ~e pagina's *made-up / laid-out pages;* ~e proef *page proof* **1.3** een ~ bed *a made (up) bed;* een sierlijk ~ bloemstuk *an elegantly made up / arranged bouquet;* ~e schotel *made dish* **5.1** (te) zwaar ~ *heavily made up;* ⟨inf.⟩ *plastered with make-up.*

opgeprikt ⟨bn.⟩ **0.1** *(all) dressed / dolled up* ⇒*dolled up to the nines* ◆ **3.1** er ~ bij zitten *sit there like a stuffed / tailor's dummy / sth. of the Christmas tree.*

opgepropt ⟨bn., bw.⟩ **0.1** *crammed* ⇒*packed,* ⟨volgepropt⟩ *stuffed* ⟨doos, zak⟩ ◆ **1.1** de ~e kerkers *the crowded dungeons* **5.1** het was er ~ vol *it was packed (to the doors).*

opgeruimd

I ⟨bn., bw.; -ly⟩ **0.1** [vrolijk] *cheerful* ⇒*bright, good-humoured, in high / good spirits, lighthearted* ◆ **3.1** ~ zingen *sing cheerfully* ¶**.1** ~ van aard *good-humoured;*

II ⟨bn.⟩ **0.1** [netjes] *tidy* ⇒*neat* ◆ ¶**.1** ~ staat netjes *good riddance (to bad rubbish).*

opgeruimdheid ⟨de (v.)⟩ **0.1** *cheerfulness* ⇒*brightness, good humour, high / good spirits, lightheartedness.*

opgescheept ⟨bn.⟩ ◆ **6.**¶ **met** iem. / iets ~ zijn / zitten *be stuck / saddled with s.o. / sth., have s.o. / sth. on one's hands.*

opgeschoten ⟨bn.⟩ **0.1** *lanky* ⇒*overgrown, leggy* ◆ **1.**¶ een ~ jongen *a beanpole, a lanky / an overgrown / a leggy youth.*

opgeschroefd ⟨bn.⟩ **0.1** ⟨gezwollen⟩ *bombastic* ⇒*fustian, inflated,* ⟨geforceerd⟩ *forced* ◆ **1.1** zijn luidruchtigheid was wat ~ *his noisiness was somewhat forced;* ~e taal / stijl *b. / fustian / inflated language / style; pretentious style;* ~e verwachtingen *inflated hopes.*

opgesmukt ⟨bn.⟩ **0.1** [opgesierd] *gaudy* ⇒*garish, showy* **0.2** [niet natuurlijk] *affected* ⇒*artificial, phoney* ◆ **1.1** een ~e rede *a windy / bombastic / high-flown speech;* een ~e stijl *a high-flown / florid / an embellished / elaborate style.*

opgetogen ⟨bn.⟩ **0.1** *elated* ⇒*delighted, enraptured, ecstatic* ◆ **1.1** de kinderen waren ~ *the children were in raptures / over the moon* **3.1** ~ raken *go into raptures;* ~ zijn over *be delighted / as pleased as Punch with / at* **6.1** ~ **van** vreugde/ **van** blijdschap *beside o.s. with joy / happiness.*

opgetogenheid 〈de (v.)〉 **0.1** *elation* ⇒*rapture, ecstacy,* 〈sterker〉 *exultation.*

opgeven
I 〈ov.ww.〉 **0.1** [prijsgeven] *give up* ⇒*abandon,* 〈plan/evenement ook〉 *drop,* 〈gewoonte ook; vnl. AE〉 *quit, throw up* 〈baan〉 **0.2** [opnoemen] *give* ⇒*state, mention, report,* 〈belasting, statistiek〉 *return* **0.3** [opdragen] *give* ⇒*set, assign, ask, propound* 〈raadsel〉 **0.4** [aanmelden] *enter* **0.5** [braken] *bring up, spit* ⇒ 〈braken ook〉 *vomit,* 〈hoestend ook〉 *hawk / cough up, expectorate* **0.6** [overgeven] *give (up)* ⇒*hand over, surrender, yield (up)* ◆ **1.1** zijn aanspraak op de troon ~ *abdicate, renounce one's claim to the throne;* zijn baan ~ *resign / * 〈AE ook〉 *quit (one's job);* de hoop niet ~ *not give up / abandon hope;* alle hoop ~ *give up / abandon all hope, despair;* de moed ~ *lose heart;* de moed / hoop nog niet opgegeven hebben *live in hope(s);* zijn staatsburgerschap / nationaliteit ~ *expatriate / denaturalize o.s.;* renounce one's citizenship, give up one's nationality; zijn studie ~ *give up / abandon /* 〈inf.〉 *chuck up /* 〈inf.〉 *throw up one's studies, drop out;* zijn vooroordelen ~ *give up one's prejudices;* een zieke ~ *give up a patient* **1.2** een adreswijziging ~ *give notice of a change of address;* zijn inkomsten ~ *declare / return one's income to the tax inspector /* 〈GB〉 *(Inland) Revenue /* 〈USA〉 *I.R.S.;* een valse naam ~ g. *a false name;* zou u uw naam willen ~ *would you mind leaving your name?;* een prijs ~ *voor give / state / quote / submit a price for* **1.3** een bestelling ~ *make / send in an order;* een opgegeven boek *a set / prescribed book / text, a textbook;* elkaar raadseltjes ~ *ask each other riddles;* sommen ~ g. / *get sums;* een telegram ~ *send / dictate a telegram* **1.5** bloed / slijm ~ *bring up / s. blood, bring up / s. / discharge / cough up phlegm* **1.6** geef op je geld! *hand over your money!* **3.1** het roken moeten ~ *have to give up / leave off, quit smoking* **4.1** alles ~ *give it all up, give up /* 〈inf.〉 *chuck up / abandon everything;* het ~ *give up / in; throw in the towel / the sponge* 〈ook boksen〉; 〈AE; sl.〉 *poop out;* 〈schaken〉 *resign;* geef je het op? *(do you) give up?* **4.2** hij moest ~ hoeveel werkbladen hij nog had *he had to return the number of work sheets in his possession* **4.4** zich ~ als lid *enrol, enter one's name / apply for membership;* veel mensen hebben zich al opgegeven (voor ...) bij mevrouw N.N. *many people have given their names to Mrs. N.N. (for / as ...)* **5.1** (het) niet ~ *not give in / up, hang on;* 〈inf.〉 *hang (on) in there;* niet willen ~ *refuse to give in / up, hang on by the eyeballs / eyebrows / eyelashes;* je moet nooit / niet te gauw ~ *never say die* **5.2** zijn leeftijd / inkomsten) verkeerd / te hoog / te laag ~ *misstate one's age, overstate / understate one's income* **6.4** zich ~ **voor** een cursus / examen *enrol / ^enroll / sign up for a course, e. / put in for an exam* **8.2** als reden ~ g. / *state as one's reason;* iem. als referentie ~ *give s.o. as a reference, use s.o.'s name;* 30.000 als zijn inkomen ~ *give one's income as 30,000* **8.4** als vermist ~ *report (as) missing;*
II 〈onov.ww.〉 **0.1** [roemen] 〈zie **5.1**〉 ◆ **5.1** hoog ~ van ... *sing the praises of, speak highly of, make much of; boast of, vaunt* 〈opschreppen〉; daar heb je die machine waarvan zo hoog werd opgegeven *there's that boasted / much advertised machine.*

opgewassen 〈bn.〉 **0.1** *equal (to)* ⇒ 〈tegen zaak ook〉 *up (to),* 〈tegen aanval / moeilijkheid ook〉 *proof against* ◆ **6.1** tegen iem. ~ zijn *be e. to s.o., be a match for s.o., be able to hold one's own;* 〈fig.〉 het leger bleek niet ~ **tegen** zijn taak *the army proved (to be) unequal to its task;* **tegen** de situatie ~ zijn *be able to cope / capable of dealing with the situation, be e. / rise to the occasion, have the situation in hand;* ergens niet **tegen** ~ zijn 〈ook〉 *be unable to cope / deal with sth.;* **tegen** elkaar ~ zijn *be well-matched;* zich **tegen** de moeilijkheden ~ tonen *rise to / prove o.s.e. to the occasion / emergency / crisis;* hij bleek niet ~ **tegen** die taak *the task proved beyond him / too much for him;* overal **tegen** ~ zijn *be able to cope with anything, be e. to any occasion;* hij was niet **tegen** haar ~ *he was no match for her.*

opgewekt 〈bn., bw.〉 bet. o. -ly〉 **0.1** [vrolijk] *cheerful, cheery* ⇒*bright, good-humoured, in good / high spirits, lighthearted* **0.2** [〈hand.〉] *lively* ⇒*brisk, active* ◆ **1.1** er heerste een ~e stemming *there was a(n) (general) air of cheerfulness, the mood was cheerful* **1.2** in rundvee was de handel ~er *the trade in cattle was livelier / brisker / more active* **3.1** hij is altijd heel ~ *he is always in the best of spirits / bright and breezy;* zich ~ voelen *feel buoyant / jolly, be in good spirits;* hij werd steeds ~er *his spirits rose / he perked up (more and more).*

opgewektheid 〈de (v.)〉 **0.1** *cheerfulness* ⇒*brightness, good humour, good / high spirits, lightheartedness.*

opgewonden
I 〈bn., bw. / beh. o., -ly〉 **0.1** [geestdriftig] *excited* **0.2** [driftig] *heated* ⇒*frenzied, passionate,* 〈van aard〉 *quick- / hot-tempered* **0.3** [zenuwachtig] *agitated* ⇒*(all) agog, in a fluster / flurry / flutter* ◆ **1.1** een ~ geroezemoes klonk op uit de menigte *the crowd buzzed with excitement, there was a stir of excitement in the crowd;* ~ gilletjes *shrieks / squeals of excitement* **1.2** een ~ standje *a hothead, a ball of fire;* 〈vnl. vrouwen〉 *a spitfire* **3.1** hij was nogal gauw ~ *he was rather excitable;* ~ zijn / raken *be / get wound up, be in / get in(to) a flap / stew;*

〈inf.〉 *go bananas, get all steamed up* **6.3** ~ **door** het nieuws *all agog / atwitter with the news;*
II 〈bn.〉 **0.1** [mbt. uurwerken] *wound (up).*

opgezet 〈bn.〉 **0.1** [gezwollen] *swollen* ⇒*bloated* **0.2** [mbt. dode dieren] *bloated* ◆ **1.1** een ~ te buik *a swollen / inflated stomach / belly;* een ~ gevoel hebben *feel full / bloated;* een ~ gezicht *a s. / bloated / puffy face;* ~ te klieren hebben *have s. glands.*

opgezwollen 〈bn.〉 **0.1** *swollen* ⇒*turgid,* 〈onaangenaam〉 *bloated,* 〈biol.〉 *ventricose* ◆ **1.1** een ~ lijk in het water *a bloated (dead) body in the water;* een ~ vinger *a s. finger.*

opgieten 〈ov.ww.〉 **0.1** *pour on / over* ◆ **1.1** 〈met begripsverwisseling〉 de koffie / thee ~ *brew (up) / make the coffee / tea.*

opgooi 〈de (m.)〉 〈sport〉 **0.1** *toss* ⇒*toss-up.*

opgooien 〈ov.ww.〉 **0.1** [omhooggooien] *throw up* ⇒*toss up* **0.2** [kruis of munt gooien] *toss (up)* ◆ **1.1** 〈fig.〉 een balletje (van / over iets) ~ *put / throw out feelers, make a tentative suggestion (about sth.), bring sth. up;* een bal / muntstuk ~ *throw / toss up a ball, toss / flip / spin a coin;* 〈sport〉 een kaart / aas ~ *play a card / an ace* **5.2** laten we erom ~ *let's toss for it, (I'll) toss you for it* **8.2** laten we ~ om te bepalen wie er uit moet *let's toss (a coin) up to see who's out.*

opgraven 〈ov.ww.〉 **0.1** *dig up* ⇒*unearth,* 〈archeologie〉 *excavate, exhume, disinter* 〈lijk〉 ◆ **1.1** kostbaar aardewerk ~ *unearth / dig up /* 〈toevallig〉 *turn up valuable pottery;* opgegraven voorwerpen *diggings.*

opgraving 〈de (v.)〉 **0.1** [het opgraven] *digging* ⇒ 〈archeologisch ook〉 *excavation, exhumation, disinterment* 〈lijk〉 **0.2** [plaats] *excavation, dig* ⇒*(archaeological) site* ◆ **3.1** opgravingen vonden plaats in ... *excavations were carried out in ....*

opgroeien 〈onov.ww.〉 **0.1** *grow (up)* ◆ **1.1** ~de jeugd *adolescents, teenagers;* ~de kinderen hebben vitamines nodig *growing children need vitamins* **6.1** opgegroeid in weelde *nursed in luxury;* **met** iem. ~ *grow up with s.o.;* **met** iets opgegroeid zijn *have grown up with sth., have sucked sth. in with one's mother's milk;* ~ **tot** iets *grow (up) into sth. / to be sth.* ¶**.1** 〈fig.〉 voor galg en rad ~ *run wild.*

ophaal 〈de (m.)〉 **0.1** [opgaande haal] *upstroke* ⇒*hair stroke* **0.2** [gedeelte v.e. letter] *upstroke* ⇒*hairline, hair stroke.*

ophaalbrug 〈de〉 **0.1** *lift bridge* ⇒*drawbridge.*

ophaaldienst 〈de (m.)〉 **0.1** *collecting service* ⇒*collection service* ◆ **1.1** de ~ van huisvuil *the rubbish / refuse /* ^*garbage collection (service).*

ophaalgordijn 〈het, de〉 **0.1** *blind* ⇒ 〈AE ook〉 *(window) shade.*

ophakken 〈onov.ww.〉 **0.1** *brag* ⇒*boast, bluff, swank, swagger.*

ophalen
I 〈ov.ww.〉 **0.1** [omhooghalen] *raise* ⇒*draw / pull up, hoist* 〈vlag, zeil〉, *haul in / home* 〈visnet, anker〉, 〈anker ook〉 *lift, weigh* **0.2** [afhalen] *collect* ⇒*fetch, pick up, come round for* **0.3** [in herinnering brengen] *bring up / back* ⇒*call up, recall* **0.4** [inzamelen] *collect* **0.5** [opbeteren] *brush up (on)* ⇒*polish / rub up* **0.6** [opfrissen] *revive* ⇒ 〈opvallender maken〉 *bring out* **0.7** [openhalen] *tear, rip* ⇒ 〈lichaam ook〉 *lay open, scrape,* 〈vnl. BE〉 *ladder* 〈kousen e.d.〉 ◆ **1.1** het anker ~ r. the / weigh (the) anchor, haul the anchor home; de ladder in een kous ~ *stop / mend a ladder / run in a stocking;* het lijk werd opgehaald uit de Rijn *the body was recovered from the Rhine;* de neus ~ *shiff;* een rolgordijn ~ r. / *wind up the blind /* ^*shade;* de schouders ~ *shrug (one's shoulders), give a shrug (of the shoulders);* een snoek ~ *reel in a pike;* een steek ~ *pick up a stitch;* de wenkbrauwen ~ r. *one's eyebrows* **1.2** vuilnis ~ *collect refuse / rubbish,* ^*garbage* **1.3** de herinnering ~ **aan** ... *bring back ...;* herinneringen ~ aan / uit de goede oude tijd *reminisce /* 〈pej.〉 *dredge up memories about the good old days;* het verleden weer ~ *hark back to the past* **1.4** contributie ~ c. *subscriptions;* geld ~ c. *money;* de proefwerken ~ c. *up the test papers* **1.5** rapportcijfers ~ *improve on one's (report) marks* **1.6** een kleur ~ *touch up / r. / bring out a colour;* een schilderij ~ *touch up a painting* **1.7** zijn broek ~ aan een spijker *t. one's trousers on a nail* **3.2** kom je me vanavond ~? *are you coming round for me tonight?;* iem. iets laten ~ *send s.o. out / round for sth. / to c. sth.* **3.4** kinderen naar een feestje brengen en ~ *ferry children to and from a party* **5.3** haal dat nou niet weer op *don't (let's) go over that again, don't drag that up all over again* **5.5** hij heeft (het) aardig opgehaald *he has made a fine recovery / a (great) come-back, he's come right / fought his way back;* verwaarloosde vakken weer ~ *catch up on neglected subjects* ¶**.1** hij haalde op en had een snoek aan de haak *he pulled in / struck and had a pike on the hook;*
II 〈onov.ww.〉 **0.1** [vooruitgaan, beter worden] *recover* ⇒*recuperate, get better, improve* ◆ **5.1** in de zomer haalt hij altijd weer op *he always rallies in the summer.*

ophanden ◆ **3.**¶ wat is er ~? *what's going on?;* ~ zijn *be imminent /* 〈close〉 *at hand / (im)pending / approaching /* 〈inf.〉 *just around the corner;* de ~ zijnde gebeurtenissen *the coming events, the things to come.*

ophangen
I 〈onov.ww.〉 **0.1** [telefoongesprek beëindigen] *hang up* ⇒ 〈BE ook〉 *ring off;*
II 〈ov.ww.〉 **0.1** [in de hoogte hangen] *hang (up)* ⇒ 〈mededeling

ook⟩ *post*, ⟨van plafond⟩ *suspend* **0.2** [ter dood brengen] **hang** ⇒ ⟨inf.⟩ *string up* **0.3** [⟨fig.⟩ vastpinnen] *pin down* ⇒*nail down* ◆ **1.1** een briefje ~*pin up a notice/note*; een schilderij ~ *hang a painting*; de uitslagen v.h. examen worden opgehangen *the results of the exam are posted/put up*; de was ~ *hang (out) the wash(ing)* **1.¶** een raar verhaal ~*spin a yarn, pitch a yarn/tale/story*; ⟨opscheppen⟩ *shoot a line* **3.2** opgehangen worden *be hanged*; ⟨inf.⟩ *swing* **4.2** zich ~ (aan een balk) *hang o.s. (from a rafter)* **6.1** ~ **aan** de muur/het plafond/een spijker *h. on the wall, suspend from the ceiling, nail up*; ⟨fig.⟩ aan die ene ontdekking hing hij een hele theorie op *he hung an entire theory on that one/sole discovery* **6.3** iem. ~ **aan** een uitspraak *hold s.o. to a statement, keep s.o. to his word, pin s.o. down (to a statement), make s.o. answer for his words.*

ophanging ⟨de (v.)⟩ **0.1** [het v.h. leven beroven] *hanging* **0.2** [wijze van ophangen] *suspension* ◆ **1.2** de ~ v.d. wielen v.e. auto *the (wheel) s. of a car.*

ophangpunt ⟨het⟩ **0.1** *point of suspension.*

opharken ⟨ov.ww.⟩ **0.1** [bijeenharken] *rake up/together* **0.2** [aanharken] *rake.*

ophebben ⟨ov.ww.⟩ **0.1** [als hoofddeksel dragen] *wear, have on (one's head)* **0.2** [geconsumeerd hebben] *have finished* ⇒⟨maaltijd ook⟩ *have had, have eaten* ⟨gegeten⟩, *have drunk* ⟨gedronken⟩ **0.3** [ingenomen zijn] ⟨zie 5.3,6.3⟩ **0.4** [tot taak gekregen hebben] *have (got)* ⇒ *have been given/set, have to do* **0.5** [opgestoken hebben] *have (put) up* ⇒*have turned up* ⟨kraag⟩ ◆ **1.2** een borrel ~ *have had a drink/drop* **1.4** welke les hebben we op voor morgen? *what (lesson) have we got/been given/set/assigned for tomorrow?* **1.5** oogkleppen ~ *wear blinkers*; een paraplu/de kraag van zijn jas ~ *have an umbrella/one's collar up* **4.2** wat ~ *have had a drop too much/(quite) a bit* **5.3** het ergens niet mee ~ *not much like/fancy sth., not care for sth., not take kindly to sth.* **6.3** veel ~ **met** iem. ⟨respect hebben voor⟩ *think much/the world/highly of s.o.*; ⟨graag mogen⟩ *be taken with/fond of s.o.*; veel ~ **met** iets *like sth., have a great liking for sth., be fond of sth.*; niet veel **met** iem. ~ *think little of s.o., not think much of s.o., not care much for s.o.*; niet veel ~ **met** de nieuwe methodes *not hold with the new methods, regard the new methods with disfavour* **7.2** te veel/er al een paar ~ *have had a drop too much, have had a few, have had one too many.*

ophef ⟨de (m.)⟩ **0.1** *fuss* ⇒*ado, to-do, noise, song (and dance)* ◆ **3.1** maak er niet zo'n ~ van/over *don't make such a thing of it/a f. / song (and dance) about it* ~; ~ maken over/van iets *kick up/make a f. about sth.*; niets om er zo'n ~ over te maken *not worth making such a song (and dance) about, nothing to write home about* **6.1** met ~ *with a great deal of f., with a flourish of trumpets*; iets **met** veel ~ aankondigen *make a song and dance about sth., trumpet sth., noise sth. abroad/about/around*; **zonder** veel ~ *without much ado.*

opheffen ⟨ov.ww.⟩ **0.1** [optillen] *raise* ⇒*lift, elevate* **0.2** [opwaarts richten] *raise* ⇒*lift* **0.3** [tenietdoen] *cancel (out)* ⇒*neutralize, counterbalance* **0.4** [doen ophouden] *remove* ⇒*discontinue* ⟨dienst, zaak, cursus⟩, ⟨afschaffen⟩ *abolish* **0.5** [zedelijk verheffen] *raise* ⇒*elevate* ◆ **1.1** de hand ~ tegen *r. one's/lift a hand to/against* **1.2** de armen ~ *throw/lift up one's arms*; met opgeheven handen *with uplifted/upraised hands*; het hoofd ~ *r. / lift one's head*; met opgeheven hoofd *with (one's) head up/erect/held high in the air*; de ogen ~ tot *lift up/r. one's eyes to* **1.3** het effect ~ van iets *counteract sth.*; het onderscheid werd opgeheven *the distinction was removed*; een verbod ~*lift/remove/withdraw a ban* **1.4** de blokkade ~ *raise/lift/remove the blockade*; de club werd na een paar maanden opgeheven *the club was disbanded/discontinued after a couple of months*; een embargo/sancties ~*lift/raise/remove an embargo/sanctions*; een faillissement ~*annul/rescind a bankruptcy*; de handelsbelemmeringen ~*decontrol trade*; kloosters ~*suppress/close monasteries*; een maatschappij ~*liquidate/dissolve a company*; een spaarrekening ~*close a savings account*; de staking werd opgeheven *the strike was terminated/declared off*; de twijfel rond een zaak ~*remove/settle doubts about a matter*; een veerdienst ~*discontinue/withdraw a ferry service*; een zaak ~*close (down)/discontinue/wind up a business*; de zitting ~*adjourn (the session)*; ⟨rechtbank⟩ *rise* **1.5** de voordelen worden door de nadelen opgeheven *the advantages are outweighed/cancelled out by the disadvantages* **5.4** geleidelijk ~*phase out.*

opheffing ⟨de (v.)⟩ **0.1** [afschaffing] *removal* ⇒*discontinuance* ⟨dienst, zaak, cursus⟩, *adjournment* ⟨zitting⟩, *raising, lifting* ⟨embargo, sanctie⟩, *abolition* ⟨wet, maatregel⟩ **0.2** [liquidatie] *closing (down)* ⇒*discontinuance, shutdown, dissolution, liquidation* **0.3** [⟨r.k.⟩] *elevation* **0.4** [⟨geol.⟩] *upheaval* **0.5** [zedelijke verheffing] *elevation* ⇒*raising, lifting (up)* ◆ **1.1** de ~ v.h. faillissement *the annulment of the bankruptcy*; de ~ v.e. invoerrecht *the lifting/removal of import duties*; ~ van (de) prijsbeheersing *decontrol of prices*; de ~ van storingen *the elimination of interference* **6.2** uitverkoop wegens ~ *closing-down/winding-up sale, close-out.*

opheffingsuitverkoop ⟨de (m.)⟩ **0.1** [B]*closing-down sale*, [A]*close-out*, [A]*going-out-of-business sale.*

ophelderen

I ⟨onov.ww.⟩ **0.1** [weer helder worden] *clear (up)* ⇒*brighten (up)* ◆ **1.1** ⟨fig.⟩ haar gezicht helderde op *her face cleared/brightened;*

II ⟨ov.ww.⟩ **0.1** [toelichten] *clear up* ⇒*explain, clarify, elucidate* ◆ **1.1** een misverstand ~ *clear up a misunderstanding*; onduidelijkheden ~ *clarify/elucidate ambiguities.*

opheldering ⟨de (v.)⟩ **0.1** [het weer helder worden] *clearing (up)* ⇒ *brightening (up)* **0.2** [het verduidelijken] *clarification* ⇒*elucidation, enlightenment, illumination* **0.3** [toelichting] *explanation* ⇒*account* ◆ **3.3** ~ verschaffen *explain, clarify, elucidate*; zich ~ verschaffen over iets *clear one's mind about sth., get sth. clear in one's mind*; iem. ~ vragen *demand an e. from s.o., call s.o. to account (for …)* **6.2** ter ~ *in explanation*; **ter** ~ iets zeggen *elucidate, expand (on)*; dit kan **tot** ~ dienen *this may shed some light on the matter.*

ophemelen ⟨ov.ww.⟩ **0.1** *extol* ⇒*praise to the skies, crack/build up, boost* ◆ **1.1** die film wordt ontzettend opgehemeld door iedereen *that film is extolled/praised to the skies by everyone* **4.1** iem. ~ *heap praise an s.o., sing s.o.'s praises*; zichzelf ~ *sing one's own praises, blow one's own trumpet.*

ophijsen ⟨ov.ww.⟩ **0.1** *pull up* ⇒*hoist (up), raise* ⟨vlag, zeil⟩, ⟨vlag ook⟩ *run up, haul in/home* ⟨netten, anker⟩ ◆ **1.1** het anker ~ ⟨ook⟩ *weigh (the) anchor*; zijn broek ~ *hitch/pull up one's trousers/[A]pants.*

ophikken ⟨ov.ww.⟩ →**ophoesten 0.2.**

ophitsen ⟨ov.ww.⟩ **0.1** [aanvuren] *egg on* ⇒*bait, goad, provoke* **0.2** [opruien] *incite* ⇒*stir up, instigate, provoke* ◆ **1.1** een hond ~ *tease/bait/provoke a dog, set a dog on*; iem. ~ *get s.o.'s hackles up, raise s.o.'s hackles* **1.2** de gemoederen ~ *add oil to the fire, pour oil on the flames*; een ~ de redevoering *an inflammatory/a savage/a provocative/an incendiary speech* **6.2** het volk **tegen** de regering ~ *stir up/incite the people against the government*; de mensen **tegen** elkaar ~ *set people at one anothers throats;* ~ **tot** wraak *incite/instigate/provoke to revenge, stir up to revenge.*

ophitser ⟨de (m.)⟩ **0.1** *instigator* ⇒*agitator, troublemaker, firebrand,* ⟨vnl. gesch.⟩ *incendiary.*

ophoepelen ⟨onov.ww.⟩ ⟨inf.⟩ **0.1** *get lost* ⇒*clear/[B]push/buzz off,* ⟨BE ook⟩ *hop it* ◆ **3.1** hij kan wel ~ *he can take a running jump/go to hell/blazes* **¶.1** ik wou dat ie ophoepelde *I wish he'd get lost/loose*; hoepel op!, opgehoepeld! ⟨ook⟩ *go fly a kite!, go jump in the lake!, beat it!.*

ophoesten ⟨ov.ww.⟩ **0.1** [door hoesten opgeven] *cough out/up* ⇒*hawk up* **0.2** [produceren] *turn out* ⇒*cough up* ⟨geld, geheim⟩ ◆ **1.1** bloed/slijm ~ *cough out/up/hawk up blood/phlegm(s)* **3.2** een computer gegevens laten ~ *make/have a computer spew/turn out data*; zoveel geld kan ik niet ~ *I can't cough up that kind of money.*

ophogen ⟨ov.ww.⟩ **0.1** [verhogen] *raise* ⇒*heighten,* ⟨op gewenst niveau⟩ *level up* **0.2** [verlevendigen] *raise* ⇒*heighten(e)* ◆ **1.1** een voetpad/weg *causeway, raised footpath/road* **1.2** een schilderij/tekening ~ *brighten up a painting/drawing* **6.1** met zandzakken ~*sandbag.*

ophoging ⟨de (v.)⟩ **0.1** [het ophogen] *raising* ⇒*heightening* **0.2** [plaats] *embankment, bank* ⇒*elevation, hill(ock).*

ophopen

I ⟨ov.ww.⟩ **0.1** [stapelen] *pile (up)* ⇒*heap up/together,* ⟨verzamelen ook⟩ *amass, accumulate, gather;*

II ⟨wk.ww.; zich⟩ **0.1** [aangroeien] *pile up* ⇒*accumulate, build/mount up* ◆ **1.1** de opgehoopte menigte *the surging mass*; de opgehoopte problemen *the mounting problems*; de sneew heeft zich opgehoopt *the snow has banked up/collected*; de opgehoopte voorraden *the accumulated stores* **4.1** de moeilijkheden/voorraden hopen zich op *the problems/stores are piling/mounting up.*

ophoping ⟨de (v.)⟩ **0.1** [het ophopen] *accumulation* ⇒*pile-up, buildup* **0.2** [stapel] *accumulation* ⇒*pile, heap, mountain* ◆ **1.2** een ~ van bloed *an engorgement*; een ~ van werk/problemen *an a. / a pile-up/buildup of work/problems.*

ophoren ⟨onov.ww.⟩ ◆ **6.¶** daar zal hij **van** ~ *that will be news/a surprise to him/will make him sit up.*

ophouden

I ⟨onov.ww.⟩ **0.1** [eindigen] *stop (-ing)* ⇒*leave off (-ing), quit (-ing)* ⟨niet doorgaan met; AE ook⟩, ⟨(come to an) end* ◆ **1.1** het blad is opgehouden te verschijnen *the magazine has been discontinued*; maar daar houdt de overeenkomst op *but here the similarity ends*; het recht op een uitkering houdt op bij …*the right to a benefit ceases/comes to an end with/at …*; de straat hield daar op *the street came to an end/ended there* **3.1** (plotseling) doen ~ *(cause to) break off* **4.1** dan houdt alles op *then there's nothing more to be said/there's no point in going on*; na de middag houden wij op *we stop work/knock off after lunch* **5.1** ermee ~ ⟨zaak⟩ *sell out, shut up shop*; steeds even ~ *keep stopping*; niet halverwege ~ *go the whole hog*; als je niet ophoudt (met klieren) krijg je een mep *if you don't stop (it/fooling around), I'll sock you one*; plotseling ~ *break off, screech to a halt, stop short*; waar ben je opgehouden? *where did you leave off?* **6.1** ~ **met** plagen *s. / leave off/quit teasing*; voor goed ~ **met** roken *quit smoking for good/once and for all*; ze hield maar niet op **met** huilen *she (just) went on and on crying, she cried and cried, she cried endlessly, she never stopped crying*; hij kon niet ~ **met** gokken/roken *he couldn't give up/*

stop/quit gambling/smoking; het is opgehouden **met** regenen *it has stopped raining, the rain has stopped;* even ~ **met** werken/praten *pause (in one's work/speech);* ~ **te** werken/**met** werken ⟨na werkdag⟩ *s. work, knock off, call it a day;* ⟨voorgoed⟩ *retire, hang up one's boots;* ~ **te** bestaan *cease to exist; disappear, vanish, die out* ⟨woord gewoonte⟩; **zonder** ~ *without stopping continuously, continually, perpetually, ceaselessly;* hij pest haar **zonder** ~ ⟨ook⟩ *he never stops teasing/nagging her;* hij heeft tien uur **zonder** ~ gewerkt *he worked ten hours at a stretch* ¶.**1** niet van ~ weten *not know when to s.;* hou op! *s. it!, cut it out!, lay off!;* laten we erover ~ *let's leave it at that;* als hij eenmaal begint weet hij niet van ~ *once he gets going there's no stopping him;*

II ⟨ov.ww.⟩ **0.1** [omhooghouden] *hold up* ⇒*keep up* **0.2** [verdedigen] *keep up* ⇒*maintain, uphold* **0.3** [openhouden] *hold open* **0.4** [tegenhouden] *hold (up)* **0.5** [mbt. veilingen] *hold over* ⟨tot volgende veiling⟩; *withdraw* **0.6** [beletten verder te gaan] *hold up* ⇒*delay,* ⟨persoon ook⟩ *keep, detain* **0.7** [op het hoofd houden] *keep on* ◆ **1.1** een streng wol ~ *hold a skein of wool* **1.2** zijn eer ~ *uphold one's honour;* de prijzen ~ *maintain prices;* zijn reputatie ~ *live up to/uphold one's reputation;* de schijn ~ *keep up appearances, go through the motions;* zijn stand ~ *keep up with the Joneses, maintain one's status* **1.3** hou die zak eens op *hold that bag open, will you?* **1.4** een plas ~ *hold one's water* **1.5** een huis ~ *withdraw a house* **1.6** iem. niet langer ~ *not take up/waste any more of s.o.'s time, not keep s.o. any longer;* door mist/noodweer/tegenwind opgehouden *fogbound; stormbound, weather-bound; windbound;* het schip werd opgehouden *the ship was detained;* het verkeer ~ *hold up/delay traffic;* dat houdt de zaak/het werk alleen maar op *that just/only slows things down* **1.7** zijn hoed ~ *keep one's hat on* **4.6** ik houd je toch niet op, hè? *I'm not keeping you, am I?* **5.6** dat karweitje zal me niet al te lang ~ *that job won't hold me up for long/take (up) too much (of my) time* ¶.**6** ik werd opgehouden *I was/got caught up/delayed/held up/detained;*

III ⟨wk.ww.; zich ~⟩ **0.1** [verblijven] *stay* ⇒*stop* ⟨onderweg⟩, ⟨rondhangen⟩ *hang about/around, loiter* **0.2** [zich bezighouden met] *be concerned (with)* ⇒*busy o.s. (with),* ⟨+ontkenning⟩ *be bothered (with)* ◆ **4.1** men weet niet waar zij zich nu ~ *their (present) whereabouts are unknown* **5.1** zich verdacht ~ (bij …) *loiter with intent (around/about …)* **5.2** daar kunnen we ons niet mee ~ *we cannot be bothered with such things* **6.1** zich ~ **bij** het huis/de deur *hang/loiter/linger around/about the house/door;* zich in verdachte kringen ~ *move in dubious circles;* zich altijd ~ **in** *haunt* **6.2** iem heb houd ik mij niet op *I have nothing to do with him;* zich niet **met** politiek ~ *not be concerned with politics;* zich altijd ~ **met** *haunt, go about with.*

opiaat ⟨het⟩ ⟨far.⟩ **0.1** *opiate.*
opinie ⟨de (v.)⟩ **0.1** *opinion* ⇒*view* ◆ **1.1** de ~ v.e. buitenstaander *an outside o.* **2.1** volgens de algemene ~ *according to general consensus, by general consent;* de publieke ~ *public o. / feeling, the grassroots o., the climate of o.* **3.1** mijn ~ is dat …*it is my o. / I am of the o. that …* **5.1** wat is uw ~ hierover? *what is your o. / what do you think of this?* **6.1** hier **heeft** hij nog geen ~ **over** *he has not made up his mind about this yet;* **naar** mijn ~ *in my o. / view, to my mind/ (way of) thinking;* **van** ~ zijn *be of the o. (that), opine;* **volgens** de ~ **van** *in the o. of.*
opinieblad ⟨het⟩ **0.1** *newsmagazine* ⇒*weekly.*
opinieonderzoek ⟨het⟩ **0.1** *(public) opinion poll* ⇒*poll* ◆ **3.1** ~ doen *canvass people's opinion(s), hold/conduct a(n opinion) poll.*
opiniepagina ⟨de (v.)⟩ **0.1** ≠*'readers' opinions'* ⇒*correspondence columns/page.*
opiniepeiling ⟨de (v.)⟩ **0.1** *(opinion) poll* ◆ **1.1** uitslag(en) van ~ (en) *poll result/ratings/returns* **3.1** (een) ~ (en) houden (over) *pole/canvass (on), take a sounding on.*
opinievorming ⟨de (v.)⟩ **0.1** ⟨zie 3.1⟩ ◆ **3.1** de media beïnvloeden de ~ *the media influence public opinion;* de ~ bevorderen *help (one/the public) to form an opinion, raise public opinion.*
opistografisch ⟨bn.⟩ ⟨druk.⟩ **0.1** *opisthographic(al).*
opium ⟨het, de (m.)⟩ **0.1** *opium* ⇒*poppy,* ⟨sl.⟩ *tar, Chinese tobacco* ◆ **3.1** ~ kauwen/roken/schuiven/smokkelen *chew/smoke/smuggle o.* **6.1 met** ~ vermengen *opiate* ¶.**1** godsdienst is ~ voor het volk *religion is the o. of the people.*
opiumballetje ⟨het⟩ **0.1** *opium pellet* ⇒⟨sl.⟩ *pill.*
opiumhandel ⟨de (m.)⟩ **0.1** *opium traffic/trade.*
opiumkit ⟨de⟩ **0.1** *opium den/dive* ⇒⟨sl.⟩ *joint.*
opiumpijp ⟨de⟩ **0.1** *opium pipe* ⇒⟨AE; sl.⟩ *gong.*
opiumschuiver ⟨de (m.)⟩ **0.1** *opium smoker.*
opiumtinctuur ⟨de⟩ **0.1** *tincture of opium* ⇒*laudanum.*
opiumwet ⟨de⟩ **0.1** *opium act.*
opjagen ⟨ov.ww.⟩ **0.1** [tot spoed aanzetten] *hurry, rush* ⇒⟨aansporen⟩ *bustle,* ⟨bespoedigen⟩ *speed (up)* **0.2** [fig.) opdrijven, opvoeren] *drive* ⇒*boost,* ^A*kite* ⟨prijzen⟩ **0.3** [op de vlucht jagen] *rout* ⇒⟨jacht⟩ *raise, rouse, put up, start* **0.4** [opzetten, prikkelbaar maken] *rattle* ⇒⟨niet met rust laten⟩ *hound,* ⟨belagen⟩ *hunt* **0.5** [⟨AZN⟩ gewassen snel doen groeien] *force* **0.6** [doen opstijgen] *raise, blow up* ◆ **1.2** prijzen ~ *boost*/^A*kite prices;* ⟨op veiling⟩ *run up prices, force up the bidding;* het tempo ~ *speed up/raise the pace* **1.3** de vijand ~ *rout the*

enemy; wild ~ *put/beat up game* **1.4** een opgejaagd gevoel hebben *feel hunted* **1.6** de wind jaagt het stof op *the wind raises/blows up the dust* **3.1** ik wil niet zo opgejaagd worden *I won't be prodded/pushed around/rushed like that.*
opjager ⟨de (m.)⟩ **0.1** [⟨jacht.⟩](⟨man⟩) *driver, beater;* ⟨hond⟩ *hunter* **0.2** [mbt. veiling] *by-bidder* ⇒⟨AE⟩ *runner-up* **0.3** [⟨tech.⟩] *booster.*
opjuinen ⟨ov.ww.⟩ ⟨inf.⟩ **0.1** *give (s.o.) the jitters* ⇒*needle, whip up* ◆ **4.1** zichzelf ~ *work o.s. up, vex o.s..*
opjutten ⟨ov.ww.⟩ ⟨inf.⟩ **0.1** *needle* ⇒*give (s.o.) the jitters, whip up* ◆ **3.1** laat je niet ~ *keep your cool, don't let it/them/* ⟨enz.⟩ *get at you/ get your back up/get you down* **6.1** ~ *tot goad/provoke to.*
opkal(e)fateren ⟨ov.ww.⟩ ⟨inf.⟩ **0.1** *patch (up)* ⇒*doctor (up),* ⟨sl.⟩ *zing up, duff* ◆ **1.1** een zieke ~ *patch up a sick person* **4.1** zich ~ *do/perk o.s. up, preen o.s., put on one's glad rags.*
opkalken ⟨ov.ww.⟩ **0.1** [opschrijven met krijt] *chalk (up)* **0.2** [schrijven] *jot down.*
opkamer ⟨de⟩ **0.1** *upstairs room.*
opkammen ⟨ov.ww.⟩ **0.1** [in de hoogte kammen] *comb up* **0.2** [overdreven prijzen] *crack up* ⇒*boost, praise sky high* ◆ **1.1** het haar ~ *comb up one's hair* **1.2** dat boek hoeft niet zo opgekamd te worden *no need to crack that book up like that;* iem. ~ *crack s.o. up, praise s.o. to the skies.*
opkijken ⟨onov.ww.⟩ **0.1** [naar omhoog kijken] *look up* **0.2** [opzien] *look up (to), think much/the world (of)* **0.3** [verrast worden] *sit up, wonder* ⇒*be surprised* ◆ **1.1** even de andere kant ~ *look the other way, turn a blind eye* **5.3** ik zou maar niet vreemd ~ als …*I shouldn't wonder/be surprised if …* **6.1** zonder op of om te kijken *without looking up, oblivious to* **6.2** ~ **tegen** iem. *look up to s.o.* **6.3** daar kijk ik **van** op *I'm surprised, I'd never have thought it, I never expected it* **6.**¶ ~ **tegen** iets *not look forward to sth.* ¶.**3** daar zul je van ~ *you'll be surprised, you're in for a surprise.*
opkikkeren
I ⟨onov.ww.⟩ **0.1** [opfleuren] *perk up* ⇒*lighten up* ◆ ¶.**1** daar zal je **van** ~ *it'll pick you up/do you good;*
II ⟨ov.ww.⟩ **0.1** [opmonteren] *cheer/brighten/buoy/buck/pep/perk up* ◆ **1.1** een glas wijn zal je ~ *a glass of wine will refresh you/do you good* **3.1** voel je je weer wat opgekikkerd na je middagdutje? *feeling a bit refreshed/better after your nap?*
opkikkertje ⟨het⟩ **0.1** [stimulans] *boost* ⇒*fillip,* ⟨inf.⟩ *shot in the arm* **0.2** [borrel] *bracer* ⇒*stiffener,* ⟨inf.⟩ *pick-me-up, reviver* ◆ **3.1** hij heeft wel een ~ nodig *he could do with a bit of a fillip/a bit of cheering up* **3.2** een ~ nemen *take a b..*
opklapbaar ⟨bn.⟩ **0.1** *swing-back* ⟨deksel⟩; *folding* ⟨armleuning, bed, stoel, tafel⟩ *foldaway* ⟨bed⟩; *tip-up* ⟨klapstoel⟩; *hinged* ⟨venster⟩.
opklapbed ⟨het⟩ **0.1** *wall bed* ⇒^A*door bed,* ^A*recess bed.*
opklappen ⟨ov.ww.⟩ **0.1** *fold up; tip up* ⟨leuning, klapstoeltje⟩.
opklaren
I ⟨onov.ww.⟩ **0.1** [helderder worden] ⟨ook fig.⟩ *brighten/clear up* ◆ **1.1** ⟨fig.⟩ zijn gezicht klaarde op *his face brightened/lit up;* de lucht klaart op *the sky's clearing up;* ⟨fig.⟩ de situatie klaart enigszins op *the situation is brightening/clearing/looking up a little;*
II ⟨ov.ww.⟩ **0.1** [helderder maken] *brighten up* ⇒⟨ook fig.⟩ *clarify, clear up, resolve* ◆ **1.1** witte wijn met eiwit ~ *clarify white wine with egg white.*
opklaring ⟨de (v.)⟩ **0.1** [het helderder worden] *clarification* **0.2** [het helderder maken] *clarification* **0.3** [tijd dat het helderder wordt] *bright/sunny spells/periods* ◆ **5.3** tijdelijk ~ en *sunny intervals* ¶.**3** hier en daar ~ en *bright spells/periods in places.*
opklauteren ⟨onov.ww.⟩ **0.1** *clamber up* ◆ **6.1 tegen** een muur ~ *clamber up/scale a wall.*
opklimmen ⟨onov.ww.⟩ **0.1** [naar boven klimmen] *climb* ⇒*mount, scale* **0.2** [mbt. een rang/salaris] *rise* ⇒*ascend, move up* ◆ **1.1** een berg ~ *c. a mountain* **5.2** geleidelijk in moeilijkheid ~ d *graduated in difficulty, progressively more difficult* **6.1** ~ **tegen** een muur *climb up/scale a wall* **6.2** ~ in rang *move up, be promoted;* ~ **in** salaris *get a rise;* op eigen kracht ~ *pull o.s. up by one's own bootstraps/bootlaces;* de dollar is opgeklommen **tot** een waarde van …*the dollar has increased to/has risen to/has reached a value of …;* ~ **van** loopjongen **tot** afdelingchef *r. from messenger boy to head of department;* **van** onderen **af** ~/**van uit** (het) niets ~ *r. from the ranks.*
opklimmend ⟨bn.⟩ **0.1** *ascendant, ascendent, progressive* ◆ **1.1** oefeningen/sommen met een ~ e moeilijkheidsgraad *graded/graduated exercises/sums;* ⟨wisk.⟩ een ~ e reeks *an ascending series.*
opklimming ⟨de (v.)⟩ **0.1** [het omhoog klimmen] *climbing* ⇒*ascent* **0.2** [mbt. een rang/salaris] *rise* ⇒*promotion, advancement,* ⟨in moeilijkheid⟩ *graduation, grading.*
opkloppen ⟨ov.ww.⟩ **0.1** [doen opzetten] ⟨cul.⟩ *beat up; fluff out/up, puff up* ⟨kussen⟩ **0.2** [overdrijven] *exaggerate* ⇒*blow up* ◆ **1.1** slagroom ~ *whisk (up) cream* **1.2** een verhaal ~ ⟨ook⟩ *lay it on (thick)* **2.2** opgeklopte verhalen *tall stories.*
opknabbelen ⟨ov.ww.⟩ **0.1** *crunch* ⟨biscuits, nootjes⟩; *munch* ⟨vruchten⟩; *nibble (at)* ⟨chocolade⟩.
opknapbeurt ⟨de⟩ **0.1** *redecoration* ⇒*facelift, touchup* ◆ **3.1** een kamer een ~ geven *give a room a facelift, do up a room.*

opknappen

I 〈onov.ww.〉 **0.1** [beter worden] *pick up* ⇒*revive, recover,* 〈uiterlijk〉 *improve* ♦ **1.1** het weer is opgeknapt *the weather has brightened up* **5.1** hij zal er erg van ~ *it'll set him right / do him all the good in the world;* weer helemaal opgeknapt *a / one hundred percent, right as rain;* 〈inf.〉 *fine and dandy (again)* **6.1** die kast zal ~ *van* een nieuw verfje *that cupboard could do with a lick of paint;* ben je opgeknapt *van* die week vakantie? *are you feeling better for your week away?, did that week off do you any good?;*

II 〈ov.ww.〉 **0.1** [reinigen] *tidy up* ⇒*do up, redecorate* 〈kamer〉, *refurbish, do up* 〈huis〉, 〈restaureren〉 *restore* 〈oud(e) huis / stoel〉, 〈goed schoonmaken〉 *clean up* **0.2** [ten uitvoer brengen] *fix* ⇒*carry out* **0.3** [gevangenisstraf uitzitten] *do (time /* 〈inf.〉 *porridge)* **0.4** [opzadelen] *shunt / fob off onto* ♦ **1.1** de keuken / kamer ~ *do up the kitchen / room;* de kinderen ~ *spruce / tidy up the children* **1.2** het vuile werk moeten ~ *be made a cat's-paw / cats-paw of, be given the dirty jobs;* het vervelende werk door iem. anders laten ~ *fob off the boring work onto s.o. else, get s.o. else to do the boring work;* een zaakje ~ *take care of / see to / deal with a job* **1.3** hij heeft drie jaar opgeknapt in Scheveningen *he did three years in Scheveningen* **3.1** een huis laten ~ *have a house refurbished / done up;* opgeknapt worden 〈ook〉 *get a new look;* het dak moet nodig eens opgeknapt worden *the roof needs fixing / repairing* **5.2** dat zal / kan zij zelf wel ~ *she'll take care of it herself, leave it to her, she can cope* **6.1** er valt heel wat *aan* op te knappen *it wants a good deal doing to it* **6.4** iem. ~ *met* een rotklusje *land s.o. with a rotten chore* ¶**.2** het op zijn eentje ~ *go it alone, tackle sth. alone;*

III 〈wk.ww.; zich ~〉 **0.1** [zich opfrissen] *tidy / clean / fresh / smarten o.s. up.*

opknopen 〈ov.ww.〉 **0.1** [ophangen] *string up* ⇒*gibbet, halter, noose* **0.2** [opbinden] *tie up* ♦ **1.1** zich ~ *hang o.s..*

opkoken 〈ov.ww.〉 **0.1** [aan de kook brengen] *boil up, bring to the boil* **0.2** [opnieuw koken] *reboil* ♦ **1.1** suikerstroop ~ *boil up molasses* **1.2** de melk even ~ *reheat the milk (a bit).*

opkomen 〈onov.ww.〉 〈→sprw. 260〉 **0.1** [omhoog komen] *come up* 〈gewas, enz.〉 ⇒*rise* 〈deeg, getij〉, *come in* 〈getij〉, 〈opstaan〉 *get up* **0.2** [boven de horizon komen] *rise* ⇒*come up, ascend* **0.3** [in gedachte komen] *occur* ⇒*strike, come across,* 〈weer opkomen〉 *recur* **0.4** [beginnen te ontstaan] *come on* 〈koorts, licht, storm〉 ⇒*set in* 〈koorts〉, *rise* 〈wind〉, *(a)rise* 〈steden〉 **0.5** [in zwang komen] *spring / come up* ⇒*come into vogue* **0.6** 〈(dram.〉 *enter* ⇒*come on (stage)* **0.7** [zich ergens begeven] 〈opdagen〉 *turn / show up;* 〈opgaan〉 *go (in) to* **0.8** [zich verzetten tegen] *fight / stand up (against)* ⇒*resist, oppose* **0.9** [verdedigen] *fight (for)* ⇒*stand up (for), assert, maintain, stick up* in de bres springen〉 **0.10** [ontkiemen] *come / spring / shoot up* **0.11** [〈AZN〉 zich kandidaat stellen] *run / come up (for)* **0.12** [opraken] *run out* ♦ **1.1** het deeg komt goed op *the dough rises well;* de koppeling laten ~ *let in the clutch;* de vloed komt op *the tide is rising / coming in* **1.3** de gedachten kwam bij haar op dat *the thought occurred to her / came to her mind;* een gevoel van onbehagen kwam langzaam maar zeker bij hem op *an uneasy feeling stole upon him / gradually came over him;* de herinnering aan … kwam weer bij hem op *the memory of … returned to him / came back to him;* bij wie is dit idee / vermoeden het eerst opgekomen? *who first came up with this idea / suspicion?* **1.4** de mist komt op *the fog's setting / coming in / coming up;* de pokken komen mooi op *the vaccine has taken well / beautifully;* er komt een storm op *there's a storm coming / gathering;* ik voel een verkoudheid ~ / de koorts weer ~ *I can feel a cold coming on / the fever coming on again;* 〈koorts〉 *my temperature's going up again* **1.5** de wikkelrokken verdwenen even snel als zij opkwamen *the wrap-around skirts were here one day and gone the next* **1.6** Macbeth komt op *e. Macbeth* **1.7** het erf ~ *walk / come into the yard;* veel kiezers / sollicitanten waren niet opgekomen *a great many voters / applicants (had) failed to appear;* er waren slechts vijf leden opgekomen ~ *all reservists have been called out / must report;* de rivier / de trap ~ *come up the river / stairs* **1.12** het eten zal best ~, die paar aardappels komen nog wel op *we'll be able to get through / manage the food, those few potatoes will find their way, we'll manage those few potatoes* **1.**¶ de hem opgekomen nalatenschap *the inheritance falling to him* **3.**¶ laat ze maar ~ *let them (all) come* **4.10** er is nog niets opgekomen *nothing has come up yet* **5.3** plotseling in de gedachten ~ *flash through one's mind, occur suddenly* **5.4** plotseling ~ *flare, flash* **5.10** spontaan / vanzelf ~ 〈ook fig.〉 *crop up;* 〈plantk. ook〉 *volunteer* **6.1** 〈fig.〉 *van* onderen af / *uit* (het) niet(s) ~ *rise from the ranks, start at the bottom of the ladder, work o.s. up from the bottom* **6.3** het komt niet *bij* hem op *it doesn't o. to him, he would never think of it, it won't cross / enter his mind, he would never dream of it;* zo iets zou nooit *bij* hem ~ *he would never think of doing such a thing;* dat kwam pas later *bij* mij op *it only occurred to me later, it struck me / occurred to me as an afterthought;* het eerste wat *bij* je opkomt *the first thing that comes into your mind* **6.4** eventuele vragen, die ~ *bij* het lezen v.d. tekst *any questions, suggesting themselves / occurring while reading the text;* *uit* het niets ~ *come out of nowhere;* ~ *uit* *emerge from / out of* **6.7** in

grote getale ~ *come up / turn up in large numbers;* ik kon niet *tegen* de berg ~ *I couldn't manage / make it over the mountain;* ze konden niet *tegen* de wind ~ *they could not make headway against the wind* **6.8** *tegen* die uitleg van mijn woorden moet ik ~ *I must protest against the interpretation / slant put on my words* **6.9** ~ *voor* de rechten v.d. mens *assert human rights;* ~ *voor* *assert, maintain, stand up for, make a stand for; champion* 〈een goede zaak〉; 〈inf.〉 *take up the cudgels for;* *voor* zichzelf ~ *stand up for o.s., assert o.s.;* steeds *voor* elkaar ~ *cling / stick together* **8.3** als vanzelf ~ *suggest itself / themselves, o. naturally* **8.4** 〈inf.〉 dat komt op als poepen / kakken *that comes (right) out of the blue* ¶**.7** 〈mil.〉 voor zijn nummer ~ *be called up* ¶**.**¶ kom op, we gaan *come on, let's go;* kom maar op als je durft! *come on if you dare.*

opkomst 〈de (v.)〉 **0.1** [mbt. de zon / maan] *rise* ⇒*ascension* **0.2** [aantal verschenen mensen] *attendance* ⇒〈ook bij verkiezingen〉 *turnout* **0.3** [mbt. het toneel] *entrance, entry* **0.4** [mbt. een gewas] *emergence* ⇒*appearance, (initial) development* **0.5** [〈fig.〉 vooruitgang] *rise* ⇒*rising, boom, ascent* **0.6** [beginstadium] *origin, infancy* ⇒〈ontstaan〉 *origination* **0.7** [〈mil.〉] *call-up* ⇒*enlistment, mobilisation* ♦ **1.5** ~ en ondergang *rise and fall* **2.2** een grote / goede ~ *a large / good turnout at the elections;* een slechte ~ *a poor turnout;* trouwe ~ is gewenst *regular a. is urgently requested* **3.6** die zaak is nog in ~ *that company is still in its i.* **6.5** een stad in ~ *a city in the making;* in ~ *coming, under development, emergent, developing;* in ~ zijn *boom, be developing* ¶**.5** hij / de zware industrie heeft zijn ~ te danken aan *he / heavy industry owes his / its rise / ascendancy to.*

opkomstplicht 〈de〉 **0.1** *compulsory attendance.*

opkoop 〈de (m.)〉 **0.1** *buying up* ⇒*(complete) purchase.*

opkopen 〈ov.ww.〉 **0.1** *buy up* ⇒〈inf.〉 *clean out* 〈voorraad〉, 〈gesch.〉 *forestall* ♦ **1.1** de hele graanoogst ~ *buy up / purchase the entire grain harvest;* oud ijzer ~ *buy up scrap iron.*

opkoper 〈de (m.)〉 **0.1** [koopman in oude spullen] *junk dealer* ⇒〈voddenman〉 *rag-and-bone man* **0.2** [iem. die opkoopt] *wholesale buyer* ♦ **1.2** ~ van oude schepen *ship-breaker.*

opkrabbelen

I 〈onov.ww.〉 **0.1** [met moeite opstaan] *struggle / scramble up / to one's feet;* 〈fig.; opknappen〉 *pick up, recover* **0.2** [met moeite opklimmen] *clamber* ♦ **6.2** tegen de duinen ~ *clamber up the dunes;*

II 〈ov.ww.〉 **0.1** [haastig opschrijven] *jot / scribble (down).*

opkrassen 〈onov.ww.〉 〈inf.〉 **0.1** *beat it, buzz off, make o.s. scarce;* 〈sl.〉 *scram;* 〈sterven〉 *snuf it, kick the bucket.*

opkrikken 〈ov.ww.〉 **0.1** [met een krik omhoogbrengen] *jack up* **0.2** [〈fig.〉 opvijzelen] *jazz / tart / hype / pep up* ♦ **1.1** 〈en auto ~ *jack up a car* **1.2** het moreel ~ *boost morale;* het ~ van minderwaardige wijnen *the hyping up of inferior wines.*

opkroppen 〈ov.ww.〉 **0.1** *bottle up* ⇒*pen up, hold back, suppress* ♦ **1.1** zijn tranen ~ *fight back / hold back / stifle one's tears;* zijn verdriet / een belediging ~ *store / nurse one's grief / an insult;* zijn woede ~ *bottle up one's anger* **6.1** alles in zichzelf ~ *bottle everything up, keep things to / locked up inside o.s..*

opkruien

I 〈ov.ww.〉 **0.1** [ophopen] *stack / pile up* **0.2** [opwaarts brengen] *wheel up;*

II 〈onov.ww.〉 **0.1** [zich ophopen] *drift* 〈ijs〉.

opkruipen 〈onov.ww.〉 **0.1** [naar boven kruipen] *creep / crawl up; ride / work up* 〈kleding〉 **0.2** [mbt. rails] *creep* ♦ **1.1** het zweet kruipt jou niet tegen je rug op *mind you don't overwork yourself.*

opkruisen 〈onov.ww.〉 〈scheep.〉 **0.1** *tack* ⇒*beat up / about, crisscross.*

opkrullen

I 〈onov.ww.〉 **0.1** [krullend omhooggaan] *curl (up);*

II 〈ov.ww.〉 **0.1** [doen krullen] *curl.*

opkuisen 〈ov.ww.〉 〈AZN〉 **0.1** *clean / tidy (up).*

opkweken 〈ov.ww.〉 **0.1** *raise* ⇒*grow, cultivate* 〈planten〉, *rear, raise, breed* 〈dieren〉, 〈mbt. geestelijke zaken〉 *cultivate, educate.*

oplaag →**oplage.**

oplaagcijfer 〈het〉 **0.1** *circulation figure(s)* 〈kranten〉; *print numbers* 〈boeken, tijdschriften〉.

oplaaien 〈onov.ww.〉 **0.1** [omhoogstijgen] *flare / flame / blaze up* 〈haat〉; *break out* 〈gevechten〉 **0.2** [gaan branden] *flare / blaze up, leap, burn up* ♦ **1.1** 〈fig.〉 de ~ der hartstochten *blazing / mounting passions;* het vuur laaide helder op *the fire flared / blazed up brightly* **1.2** het stro laait op *the straw's burning up / blazing* **3.1** 〈fig.〉 haatgevoelens weer doen ~ *regenerate hatred* **3.2** doen ~ *kindle, spark / set off* **5.1** hoog ~d *conflagrant, towering* 〈vuur〉.

opladen 〈ov.ww.〉 **0.1** [op iets laden] *pile / heap up* **0.2** [bevrachten] *load (up)* **0.3** [elektrisch laden] *charge* ♦ **1.1** 〈AZN〉 iem. ~ *seat s.o.* **1.2** de bagage ~ *pile / stack up the luggage;* een wagen ~ *load (up) a truck* **1.3** een accu ~ *c. a battery* **4.3** 〈fig.〉 zich ~ *get up steam, wind / pep o.s. up* **5.3** weer ~ *recharge.*

oplader 〈de (m.)〉 **0.1** *charger.*

oplading 〈de (v.)〉 **0.1** [het opladen] *loading* **0.2** [mbt. motoren] *charging.*

oplage 〈de〉 **0.1** *edition* ⇒*issue, print,* 〈druk〉 *impression,* 〈van krant〉 *circulation* ♦ **2.1** beperkte ~ *limited e.;* een blad met een grote ~ *a* *paper with a wide circulation, a widely circulating paper* **3.1** de ~ van het boek bedroeg 1000 exemplaren *1000 copies of the book were printed.*

oplappen 〈ov.ww.〉 **0.1** [herstellen] *patch up* ⇒*cobble up* 〈auto〉, 〈opkalefateren〉 *doctor up*, 〈slecht herstellen〉 *botch/bodge up* **0.2** [verstellen] *patch up* ◆ **1.1** een soldaat/een in elkaar geslagen iem. weer wat ~ *patch up a soldier/s.o. who's been beaten/smashed up* **1.2** een oude broek/een paar oude schoenen ~ *patch up/mend a pair of old trousers/an old pair of shoes.*

oplaten 〈ov.ww.〉 **0.1** [gelegenheid geven op te stijgen] *fly* 〈vlieger〉; *release* 〈vogel〉; *launch* 〈ballon, zweefvliegtuig〉 **0.2** [door trekken omhoog laten gaan] *hoist* ⇒*raise* ◆ **1.2** het scherm van het toneel werd opgelaten *the curtain went up.*

oplawaai 〈de (m.)〉 〈inf.〉 **0.1** *wallop* ⇒*crack, cuff, pasting,* 〈AE ook〉 *clonk, lollop* ◆ **3.1** iem. een ~ geven *bash/wallop/cuff s.o..*

oplazer 〈de (m.)〉 〈inf.〉 **0.1** *clout* ⇒*bash, swipe,* 〈fig.; bv. financieel〉 *knock* ◆ **3.1** iem. een ~ geven/verkopen *bash s.o., send s.o. for six;* 〈fig.〉 een ~ krijgen *take a knock, be set back.*

oplazeren 〈onov.ww.〉 〈inf.〉 **0.1** *bugger/sod/piss off, beat it* ◆ **3.1** hij kan ~ voor mijn part *he can stuff it/rot for all I care* ¶**.1** lazer op! *piss off!.*

opleggen 〈ov.ww.〉 **0.1** [opdragen] *enforce, charge, impose* 〈straf, belasting, boete〉 **0.2** [opstapelen] *pile/heap up* **0.3** [opslaan] *store; warehouse* 〈vnl. meubelen〉 **0.4** [〈scheep.〉] *lay up* **0.5** [〈druk.〉] *put in the/ to press, print* **0.6** [op iets plaatsen] *put on* **0.7** [fineren] *veneer* **0.8** [inmaken] *preserve* ⇒*bottle, pot,* ᴬ*can,* 〈in azijn〉 *pickle* ◆ **1.1** belastingen ~ *impose taxes (on), tax;* iem./ zichzelf beperkingen ~ *tie/peg s.o. / o.s. down, cramp s.o.'s/ one's style;* een boete ~ *impose/levy/inflict a fine, mulct (in);* iem. geheimhouding ~ *enjoin secrecy on s.o., swear s.o. for secrecy;* regels/ wetten ~ *enforce/impose/lay down rules/ laws;* iem. een rijverbod ~ *disqualify s.o. from driving, impose a driving disqualification on s.o.;* een straf ~ *inflict/lay a penalty (up)on, impose a punishment on, administer a punishment to;* een taak ~ *impose/set a task;* zichzelf een moeilijke taak ~ *set s.o. a difficult task;* zijn wil ~ aan *impose one's will on, will, bend to one's will;* iem. het zwijgen ~ *silence s.o., put/reduce s.o. to silence, stop s.o.'s mouth* ↓*shut s.o. up;* iem. met een blik het zwijgen ~ *frown s.o. into silence, silence s.o. with one's look* **1.3** voorraad ~ *lay in/on a supply* **1.5** een oplage/ 1000 exemplaren ~ *put an edition/ 1000 copies to press, have an edition/ 1000 copies printed* **1.6** een nieuwe band ~ *put on a new tyre;* 〈binnenband〉 *tube a tyre;* 〈rel.〉 de handen ~ *lay hands on (s.o.);* opgelegde scharnieren *surface-mounted hinges;* een zadel ~ *put on a saddle, saddle* **3.4** opgelegd worden/zijn *be laid up* **4.1** iem. iets ~ *impose sth. on s.o..*

oplegger 〈de (m.)〉 **0.1** [volgwagen] *semitrailer* ⇒*trailer* **0.2** [schip] *laid up vessel* ◆ **6.1** truck met ~ *articulated vehicle/lorry/* ᴬ*truck.*

oplegging 〈de (v.)〉 **0.1** [het opleggen] *imposition* 〈→opleggen〉 **0.2** [〈bouwk.〉] *support* ⇒*seating, bearing* ◆ **1.1** 〈rel.〉 ~ v.d. handen *imposition, laying on of hands.*

oplegsel 〈het〉 **0.1** [strook aan kleren] *trimming* ⇒*edging* **0.2** [fineer] *veneer.*

opleiden 〈ov.ww.〉 **0.1** [onderrichten] *educate* ⇒*school, instruct, train,* 〈(privé)les geven〉 *tutor,* 〈trainen〉 *coach* **0.2** [〈AZN〉 mbt. gevangenen] *run in* **0.3** [omhoog/in bep. richting voeren] *carry/lead up* ◆ **1.3** bomen tegen een muur ~ *train trees against a wall;* zij leidde hem het pad op *she led him up the path* **6.1** in de praktijk opgeleid *with a practical training, apprenticed;* **tot** advocaat opgeleid *trained to be/as a lawyer;* opgeleid **tot/in** *schooled in;* iem. **voor** iets ~ *train s.o. for sth..*

opleider 〈de (m.)〉 **0.1** *instructor, trainer* ⇒*coach, tutor.*

opleiding 〈de (v.)〉 **0.1** [het opgeleid worden] *education* ⇒〈scholing〉 *schooling, training, instruction* **0.2** [instituut] *institute; (training) college* 〈bv. lerarenopleiding〉; 〈school voor speciale opleidingen〉 *academy* ◆ **1.2** het hoofd van de ~ *the head of the college* **2.1** een vierjarige ~ *a four year training;* een wetenschappelijke ~ *(an) academic/ university e.* **3.1** de ~ die hij (daar) gehad heeft *the training he's had/ received (there);* een ~ volgen/ krijgen *receive training, train* **6.1** ~ in de praktijk *training on the job, practical training, apprenticeship;* **in** ~ zijn *be under instruction, be in/ under training;* zij volgt een ~ **voor** secretaresse/ advocate *she's doing a secretarial/ law course;* **zonder** ~ *without e./ training, untrained.*

opleidingscentrum 〈het〉 **0.1** *training centre.*
opleidingskamp 〈het〉 **0.1** *training camp.*
opleidingsschip 〈het〉 **0.1** *training-ship.*
opleidingsschool 〈de〉 **0.1** *training school/college.*
opleidingstijd 〈de (m.)〉 **0.1** [duur van een opleiding] *training period* ⇒ *apprenticeship, duration of education/ training* 〈enz.〉 **0.2** [tijd waarin iem. een opleiding volgt] *training period* ⇒*apprenticeship, period of education/ training* 〈enz.〉.

oplepelen 〈ov.ww.〉 **0.1** [opeten] *spoon up* **0.2** [opscheppen, opdienen] *serve* ⇒*ladle (out), dish up, spoon out* ◆ **1.2** 〈fig.〉 parate kennis ~ op een examen *dish out/spout/serve up ready knowledge at an exam.*

opletten 〈onov.ww.〉 **0.1** [goed toezien] *attend, take care* **0.2** [aandachtig luisteren] *pay attention, listen carefully/closely* ◆ **4.1** let op waar je loopt *look where you're going;* let op wat er nu gebeurt *note/ mark*

what happens now **5.1** let maar eens op *mark my words, you mark me, wait and see;* let toch eens op *do pay attention;* goed ~ *watch carefully, keep one's eyes open, be attentive* **5.2** niet ~ 〈ook〉 *nod;* 〈AE; inf.〉 *dope off* ¶**.2** oplet!, let op! *mind!, attention please!, take care!;* 〈inf.〉 *ten-shun!, tention!.*

oplettend 〈bn., bw.; -ly〉 **0.1** [opmerkzaam] *observant, observing* ⇒*perceiving, perceptive,* 〈waakzaam〉 *watchful* **0.2** [aandachtig luisterend] *attentive* ⇒*advertent* ◆ **1.1** een ~ toeschouwer *an observant spectator* **1.2** een ~e leerling *an attentive pupil* **3.1** zij sloeg hem ~ gade *she watched/ eyed him carefully/ closely.*

oplettendheid 〈de (v.)〉 **0.1** *attention* ⇒*attentiveness, advertentness, concentration,* 〈opmerkzaamheid〉 *perceptivity* ◆ **1.2** met grote ~ aanhoren *listen very carefully to s.o.;* 〈inf.〉 *hang on s.o.'s lips.*

opleven 〈onov.ww.〉 **0.1** *revive* ⇒*look up, recover* ◆ **1.1** het weer ~de fascisme *resurgent fascism;* de handel leefde op *trade revived;* de natuur begint weer wat op te leven *nature is beginning to revive again* **3.1** doen ~ *revive, pep up;* 〈nieuw leven inblazen〉 *rally;* 〈opmonteren〉 *smarten up.*

opleveren 〈ov.ww.〉 **0.1** [afleveren] *deliver up* ⇒*surrender* **0.2** [opbrengen] *yield* ⇒*bring (in),* 〈inf.〉 *notch (up)* **0.3** [voortbrengen] *produce* ⇒*give, provide* ◆ **1.2** wat levert dat baantje op? *what does/how much does the job pay?;* dit bedrag levert een rente op van …*this sum yields/returns/produces/brings in an interest of …;* dit zijn de eerste guldens die het mij heeft opgeleverd *these are the first guilders it (ever) got/made me;* een tekort/ nadelig saldo ~ *leave/show a deficit;* die transactie levert verlies/ winst op *that transaction yields a loss/ profit;* voordeel ~ y. profit;* iem. geen enkel voordeel ~ *avail s.o. nothing* **1.3** levert dat enig bezwaar op? *is that any objection?;* het heeft me niets dan ellende opgeleverd *it caused/ brought me nothing but misery;* gevaar ~ *cause/ present danger;* geen problemen ~ *present/ pose no problems* **1.1** het project werd kant en klaar opgeleverd *it was a turnkey project, the project was served on a platter* **1.3** het gewenste resultaat ~ *produce the desired result;* het leverde een prachtig schouwspel op *it presented a beautiful scene;* het heeft hem veel vijanden opgeleverd *it has made him many enemies* **4.2** het zal je niets ~ als je dat doet *it won't gain you anything if you do/ to do such a thing;* wat levert het mij op? *what's in it for me?, what's it worth for/ to me?* **4.3** het onderzoek leverde niets op *the study/ research did not yield any results;* niets ~d *barren, sterile, fruitless, unprofitable, unproductive;* een niets ~de discussie *a fruitless/ barren discussion* **5.1** tijdig ~ *deliver on time* **5.2** niets/ weinig ~ *be unprofitable;* die boerderij/ het schrijven van boeken levert weinig op *that farm/ writing (books) doesn't bring much in* **5.3** niets/ geen resultaat ~ *be abortive/ fruitless, produce/ bring no results, fail, yield nothing, get (s.o.) nowhere;* die maatregel heeft nog weinig of niets opgeleverd *little or nothing has yet resulted from that measure, that measure has had little or no effect up to now* **7.2** dit werk levert f20,- per uur op *this job brings in 20 guilders per hour* ¶**.2** deze koe levert flink wat/ wel 150 kilo op *this cow will kill well/ at 150 kilos.*

oplevering 〈de (v.)〉 **0.1** *delivery;* 〈mbt. gebouw〉 *completion* ◆ **2.1** bij te late ~ *in case of non-completion within the stipulated time* **6.1** bij (de) ~ *on (the) delivery, on completion.*

opleveringsdatum 〈de (m.)〉 **0.1** *completion date.*

opleveringstermijn 〈de (m.)〉 **0.1** *delivery time;* 〈mbt. gebouw〉 *completion time.*

opleving 〈de (v.)〉 **0.1** *revival;* 〈herstel, ook ec.〉 *recovery;* 〈ec.〉 *upturn, pickup;* 〈verbetering〉 *improvement* ◆ **2.1** een lichte ~ van de handel *a slight pickup/recovery in trade;* er is een lichte ~ merkbaar in de handel in …*the trade in …shows some (signs of) revival/ recovery, there's a slight improvement in the trade in …;* een plotselinge ~ *an upsurge.*

oplezen 〈ov.ww.〉 **0.1** *read (out)* ⇒*call (out/off)* ◆ **1.1** een lijst met namen ~ *call off/ out a list of names* **7.1** het ~ van de tekst *the reading of the text.*

oplichten
I 〈onov.ww.〉 **0.1** [lichter worden, 〈ook fig.〉] *light(en)* ⇒*kindle, brighten, illuminate* **0.2** [licht beginnen te geven] *be fluorescent* ◆ **1.1** die verf zal nog wel wat ~ *that paint will brighten a little yet;*
II 〈ov.ww.〉 **0.1** [optillen] *lift (up)* ⇒*raise, take/ pick up* **0.2** [geld] goed afhandig maken] *swindle, cheat* ⇒*con* 〈bedriegen〉, 〈dubbel spel spelen〉 *double-cross,* 〈teveel in rekening brengen〉 *overcharge,* 〈afzetten〉 *rip off* **0.3** [lichter maken] *brighten up* ⇒*lighten up, make lighter* ◆ **1.1** een tip van de sluier ~ *afford a glance behind the scenes, give a hint/ foretaste* **1.2** iem. ~ voor 2 ton *s./ trick s.o. out of 200,000 guilders.*

oplichter 〈de (m.)〉, **-lichtster** 〈de (v.)〉 **0.1** *swindler* ⇒*crook, racketeer, con(fidence) (wo)man, impostor* 〈bedrieger〉 *fiddler* 〈knoeier〉.

oplichterij 〈de (v.)〉 **0.1** *swindle* ⇒〈inf.〉 *con(-trick), rip-off* 〈afzetterij〉, *fraud* 〈zwendel〉 *racket* 〈bedriegerij〉.

oplichtersbende 〈de〉 **0.1** *gang of swindlers/* 〈inf. ook〉 *con men.*

oplichterspraktijk 〈de〉 **0.1** *fraudulent/ sharp practice* ⇒*imposture.*

oplichting 〈de (v.)〉 **0.1** [het optillen] *lifting (up)* **0.2** [oplichterij] *fraud* ⇒〈inf.〉 *con(-trick), rip-off* 〈afzetterij〉, *fraud* 〈zwendel〉, *racket* 〈bedriegerij〉 ◆ **6.2** beschuldigd **van** ~ *charged with fraud.*

oplikken ⟨ov.ww.⟩ **0.1** *lick/ lap up*.
oploeven ⟨onov.ww.⟩ **0.1** *luff (up)*.
oploop ⟨de (m.)⟩ **0.1** *crowd* ⇒*gathering, concourse, assembly, squash* ⟨enorme oploop, drukte⟩, *stir, riot* ⟨relletje⟩.

oplopen
I ⟨onov.ww.⟩ **0.1** [naar boven lopen] *go/ run/ walk up* **0.2** [toenemen] *increase* ⇒*mount, rise* ⟨ook van koorts⟩, *improve* ⟨ook van markt⟩ **0.3** [op weg gaan] *walk on/ along* **0.4** [naar boven gaan] *climb* ⇒*ascend, rise, mount, slope up* ⟨schuin naar boven gaan⟩ **0.5** [veel opheb-ben met] *feel strongly (about)* **0.6** [botsen op] *bump/ run into* **0.7** [stij-gen, rijzen] *rise* ⇒*mount* ♦ **1.1** de trap ~ *run/ go/ walk up the stairs* **1.2** de aandelen Unilever liepen 7 punten op *Unilever shares rose/ advanced/ moved/ marked up/ gained 7 points;* de temperatuur loopt lekker op *the temperature's running up/ rising nicely* **1.3** de straat ~ *walk/ come into the street* **1.4** de straat loopt op *the street rises/ climbs* **3.2** de spanning laten ~ ⟨fig.⟩ *raise the temperature, increase the ten-sion;* een rekening laten ~ *run up a bill/ an account* **5.2** al die kleine bedragen bij elkaar, dat loopt flink op *all those small sums put togeth-er, it mounts up* **5.3** samen (een eindje) ~ *walk some/ part of the way together* **5.5** hoog ~ met *feel strongly/ have strong feelings about* **6.1** tegen de dijk ~ *r. up the dike* **6.2** het kan ~ tot ettelijke miljoenen/ een paar maanden *it may run/ amount to several millions/ a few months* **6.6** tegen iem. ~ *b. into s.o.;* tegen een mooi huis/ goede baan ~ ⟨fig.⟩ *run into a nice house/ good job* **6.¶** ⟨scheep.⟩ tegen de wind (laten) ~ *broach to the wind;*
II ⟨ov.ww.⟩ **0.1** [opdoen] *catch, get* ⇒*contract, sustain* ⟨letsel, scha-de⟩, *incur* ⟨schade, boete⟩ **0.2** [⟨scheep.⟩ inhalen] *overtake* ♦ **1.1** achterstand ~ *get behind (hand), fall behind;* een pak slaag ~ *come in for a thrashing, get a beating;* zijn auto heeft heel wat schade opgelo-pen *his car has taken a hammering/* ⟨inf.⟩ *bashing;* schade/ een verlies ~ *sustain/ suffer/ receive damage/ a loss;* een verkoudheid ~ *catch a cold;* een opgelopen vertraging van een uur *an hour's delay;* verwon-dingen ~ *suffer/ sustain injuries;* een ernstige ziekte ~ *contract a seri-ous disease* **1.2** het ~ de schip *the passing/ overtaking vessel*.

'oplopend ⟨bn.⟩ **0.1** [schuin naar boven gaand] *rising* ⇒*sloping (up-wards), steep* ⟨scherp oplopend⟩ **0.2** [toenemend, vermeerderend] *increasing* ⇒*mounting, rising* ♦ **1.1** een ~e helling *an ascent, a rise;* een ~ podium *a raked/ r./ ascending stage;* ~ terrein *r. ground, acclivi-ty* ⟨opwaartse helling⟩; een ~e weg *a rise, a road uphill* **1.2** ~e kosten *mounting costs;* een hoog ~e ruzie *a screaming/ blinding row;* ⟨inf.⟩ a right old row **5.1** steil ~ *steep, r./ climbing steeply*.

op'lopend ⟨bn.⟩ **0.1** *hot-/ short-/ quick-tempered* ⇒*passionate, irascible* ⟨snel kwaad te krijgen⟩, *explosive* ⟨opvliegend⟩.
oploper ⟨de (m.)⟩ **0.1** [ijsbreker] ⟨*kind of ice breaker*⟩ **0.2** [inhalend schip] *passing/ overtaking vessel*.
oplosbaar ⟨bn.⟩ **0.1** [opgelost kunnende worden] *soluble* ⇒*dissoluble, dissolvable* ⟨oplosbaar, ontbindbaar⟩ **0.2** [op te helderen] *solvable* ⇒ *soluble* ♦ **1.1** moeilijk oplosbare stoffen *insoluble substances* **1.2** dat raadsel is niet ~ *that puzzle is not solvable, there's no solution to this puzzle* **3.1** ~ maken *solubilize* **3.2** ~ zijn *be solvable/ soluble* **5.1** goed / makkelijk ~ ⟨schei.⟩ *lycophilic* **6.1** in water ~ *water-soluble*.
oplosbaarheid ⟨de (v.)⟩ **0.1** [het oplosbaar zijn] *(dis)solubility* ⇒ *(dis)solvability* **0.2** [⟨nat.⟩] *solubility*.
oploskoffie ⟨de (m.)⟩ **0.1** *instant cofee*.
oplosmiddel ⟨het⟩ **0.1** *solvent* ⇒*thinner* ⟨voor verf⟩, ⟨med.⟩ *resolutive* ⟨oplossend middel⟩ ♦ **6.1** een ~ voor vetten *a s. for fatty substances, a detergent*.

oplossen
I ⟨onov.ww.⟩ **0.1** [in een vloeistof opgaan] *dissolve;*
II ⟨onov.ww., wk.ww.; zich ~⟩ **0.1** [verdwijnen] *dissolve* ⇒*melt* ♦ **1.1** de mist loste zich op *the fog dispersed/ dissolved;* die vlekken los-sen op als sneeuw voor de zon *those stains will vanish in no time;*
III ⟨ov.ww.⟩ **0.1** [het gevraagde uit de gegevens afleiden] *solve* ⇒*de-duce* **0.2** [tot een bevredigend einde brengen] *(re)solve* ⇒*settle* **0.3** [schikken, regelen] *(re)solve* **0.4** [⟨schei.,med.⟩] *dissolve* **0.5** [⟨van op-tische instrumenten⟩ scheiden] *resolve* ♦ **1.1** een wiskundig vraag-stuk/ een puzzel/ een raadsel ~ *s. a mathematical problem/ puzzle/ riddle* **1.2** ⟨muz.⟩ een dissonant ~ *resolve a discord;* dit zou het pro-bleem moeten ~ *this should settle/ solve the problem; this ought to do the trick* ⟨van klein probleempje⟩ **1.4** een opgeloste stof *a solution;* in opgeloste vorm *in solution* **4.2** dat probleem lost zich vanzelf op *that problem will (re)solve/ deal with itself* **5.3** afdoende ~ *solve conclu-sively;* niet opgelost *unresolved, not disposed of; pending/ in abeyance* ⟨van rechtszaak⟩ **5.3** iets ~ door met elkaar te praten *talk/ work sth. out, settle sth. by discussion; find a negotiated solution* ⟨onderhande-len⟩ **¶.3** dat lost niets op *that won't solve anything/ do any good/ help matters at all;*
IV ⟨wk.ww.; zich ~⟩ **0.1** [zich opsplitsen] *resolve* ♦ **6.1** zich ~ in de grote menigte *melt into/ merge/ get lost/ vanish in the crowd*.
oplossend ⟨bn.⟩ **0.1** *(dis)solvent* ⇒⟨vnl. med.⟩ *resolutive, resolvent* ♦ **1.1** ~e middelen *solvents;* ⟨med.⟩ *resolutives, resolutives;* het ~ vermogen *resolution*.
oplossing ⟨de (v.)⟩ **0.1** [⟨schei., nat.⟩] *solution* **0.2** [antwoord] *solution*

⇒*answer* **0.3** [bijlegging] *solution* ⇒*settlement* **0.4** [beëindiging, uit-weg] *(re)solution* ⇒⟨muz.⟩ *resolution, option* ⟨uitweg, keuze⟩, *key* ⟨uitweg⟩, *way out* ⟨uitweg⟩ ♦ **1.2** de ~ van een raadsel *the s. to a riddle* **1.3** de ~ van een geschil *the settlement of a quarrel* **1.4** de ~ van je problemen *the solution/ answer to your problems* **2.1** een verdunde ~ *dilution;* een verzadigde ~ *a saturated s.* **2.4** een slimme ~ *an ingeni-ous solution/ answer, quite a find/ clever way out;* een tijdelijke ~ *a temporary/ makeshift solution* **3.4** dat is de ~ *that's it/ the answer!;* een ~ vinden voor *find a solution to/ way out for, resolve;* een ~ zoeken voor *look for/ try and find a solution/ way out for* **6.4** tot een ~ komen *reach/ come to a solution; thrash out a solution* ⟨na lang overleg⟩.
oplossingscoëfficiënt ⟨de (m.)⟩ **0.1** *(coefficient of) solubility*.
oplossingsteken ⟨het⟩ ⟨muz.⟩ **0.1** *natural sign*.
oploswarmte ⟨de (v.)⟩ **0.1** *heat of solution*.
opluchten ⟨onov., ov.ww.⟩ **0.1** *relieve* ♦ **1.1** een opgelucht gevoel *a feel-ing of relief;* iem. ~ *relieve s.o./ s.o.'s mind* **3.1** opgelucht weer adem-halen *draw a breath of relief;* het zal me ~ als dat examen achter de rug is *I'll be relieved when that exam's over and done with, it'll be quite a relief when that exam's over* **6.1** opgelucht over je veilige aankomst *relieved at your safe arrival* **¶.1** dat lucht op! *what a relief!*.
opluchting ⟨de (v.)⟩ **0.1** *relief* ⇒*ease* ⟨verlichting⟩, *mercy* ⟨zegen⟩ ♦ **1.1** een zucht van ~ geven *breathe a sigh of r., sigh from sheer r., draw a breath of r.* **2.1** het was een hele ~ voor hem *it was quite a r./ load off his mind, it greatly relieved him* **6.1** tot mijn grote ~ *to my great/ much to my r.*.
opluisteren ⟨ov.ww.⟩ **0.1** *grace* ⇒*adorn, add lustre to* ♦ **1.1** een feest ~ *g./ add lustre to a party*.
opluistering ⟨de (v.)⟩ **0.1** *adornment* ♦ **6.1** ter ~ dienen/ strekken *serve to add lustre to/ for the ornamentation of*.
opm. ⟨afk.⟩ **0.1** [opmerking] *obs.*.
opmaak ⟨de (m.)⟩ **0.1** [⟨druk.⟩] *layout* ⇒*setout, mock-up,* ⟨boek.⟩ *im-position* **0.2** [make-up] *make-up* **0.3** [versiering, schikking] *embellish-ment* ⟨versiering⟩; *trimming* ⟨garnering⟩ ♦ **1.1** de ~ v.e. krant *the l. of a newspaper* **1.3** de ~ v.e. koude schotel *the trimming/ garnishing of a cold dish* **3.1** de ~ verzorgen van *provide the l./ do the mock-up for/ of*.
opmaakredacteur ⟨de (m.)⟩, **-trice** ⟨de (v.)⟩ ⟨druk.⟩ **0.1** *lay-out editor*.
opmaaktafel ⟨de⟩ ⟨druk.⟩ **0.1** *imposing stone/ table*.
opmaat ⟨de⟩ **0.1** [⟨muz.⟩] *upbeat* ⇒*anacrusis* **0.2** [eerste begin] *over-ture(s)*.

opmaken
I ⟨ov.ww.⟩ **0.1** [opgebruiken] *finish (up)* ⟨eten⟩; *spend, use up* ⟨geld⟩; *run through* ⟨erdoorheen jagen⟩ **0.2** [in orde brengen] *do/ make/ get up* ⇒*trim, dress* **0.3** [make-up aanbrengen op] *make up* ⇒*do one's face* **0.4** [uitrekenen] *make out* ⇒*calculate,* ⟨hand.⟩ *balance* ⟨sluitend maken⟩ **0.5** [samenstellen] *draw up* ⇒*make out, lay down* **0.6** [⟨druk.⟩] *lay out* ⇒*make up* **0.7** [concluderen] *gather* ⇒*conclude, infer* ♦ **1.1** al zijn geld ~ *exhaust/ run through/ spend all one's money* **1.2** het bed ~ *m. (up) the bed;* het haar ~ *do one's hair;* taarten ~ *dress / finish cakes;* vleesschotels ~ *trim/ garnish meat dishes* **1.4** de kas/ de rekening ~ *make out/* ⟨inf.⟩ *tot up the balance/ bill* **1.5** de balans ~ *weigh the pros and cons, take stock;* een horoscoop ~ *read/ provide a horoscope;* de inventaris ~ (van), een lijst ~ van *take stock (of), list;* een proces-verbaal ~ (over) *make a report (on);* de statuten/ een akte / een contract ~ *draw up the articles/ a deed/ a contract* **1.6** pagina's ~ *lay out/ make up pages* **3.5** aldus opgemaakt en getekend *made/ drawn up and signed* **4.1** alles ~ *finish the lot/ everything, run out* **4.3** zich ~ *make o.s. up, do one's face;* zich overmatig ~ *overdo the make-up* **5.7** moet ik daaruit ~ dat ... *do I/ am I to understand that ..., do I gather/ conclude from it that ...;* ik kan er niets uit ~ *I can't make anything of this* **6.7** ik had uit haar woorden opgemaakt dat ... *I un-derstood her to say/ from her words that ..., her words had led me to believe that ...;* dat is niet duidelijk op te maken uit wat hier staat *it isn't clear/ can't be readily deduced from what it says here* **¶.5** in duplo / triplo ~ *complete in duplicate/ triplicate;*
II ⟨wk.ww.; zich ~⟩ **0.1** [zich gereedmaken] *prepare, get ready* ⇒*set forth/ out* ♦ **6.1** zich ~ om te vertrekken *p. to leave/ for departure;* zich ~ om ertegenaan te gaan *brace o.s. (for the clash/ confrontation);* zich ~ voor de strijd *prepare for battle*.
opmaker ⟨de (m.)⟩, **opmaakster** ⟨de (v.)⟩ **0.1** [⟨druk.⟩] *make-up/ layout man/ woman* **0.2** [verkwister] *squanderer* ⇒*spendthrift*.
opmalen ⟨ov.ww.⟩ **0.1** *pump up*.
opmarcheren ⟨onov.ww.⟩ **0.1** [⟨mil.⟩] *march* **0.2** [ophoepelen] *be/ buzz/ take off* ♦ **1.1** ~ tegen/ naar *march on/ against* **¶.2** opgemarcheerd! *scram!, beat it!*.
opmars ⟨de⟩ **0.1** *march, advance* ⟨ook fig.⟩ ⇒*push* ⟨offensief⟩ ♦ **6.1** ⟨fig.⟩ in ~ zijn *be growing/ coming on/ on the up and up;* de ~ naar *the march on/ to, the advance towards*.
opmerkelijk ⟨bn., bw.; -ly⟩ **0.1** *striking* ⇒*remarkable, notable, singular* ⟨vreemd⟩, *conspicuous* ⟨opvallend⟩ ♦ **1.1** het is een ~ iem./ iets *that's a stunning person/ stunner, it's a remarkable/ striking thing/ fact;* een ~ verschijnsel *a remarkable/ striking phenomenon* **2.1** de baro-meter staat ~ laag *the barometer is strikingly/ remarkably low* **4.1** iets

~s doen *set the world on fire; shake the world* ⟨schokken/ verbazen⟩
7.1 het enige ~e aan hem/ aan dat gebouw *the only striking thing
about him/ that building.*

opmerken ⟨ov.ww.⟩ **0.1** [gadeslaan] *observe* ⇒*mark* ⟨letten op⟩, *note*
⟨bespeuren⟩ **0.2** [bemerken] *note, notice* ⇒*discern, perceive* **0.3** [de
aandacht vestigen op] *note, notice* **0.4** [een opmerking maken] *observe, remark* ⇒*state* ◆ **3.2** opgemerkt worden *be noted, not pass unnoticed* **3.3** opgemerkt dient te worden, dat... *it should be mentioned/
noticed/ noted that;* iem. iets doen ~ *draw s.o.'s attention to sth., point
sth. out to s.o.* **4.4** mag ik misschien even iets ~? *may I make an observation?, may I hazard a remark?* **5.2** niet ~ *not notice, miss, fail to notice;* niet opgemerkt worden *pass unnoticed* **5.4** terloops ~ *throw in,
interject, mention in passing* **6.2** het is **door** niemand opgemerkt
*no-one noticed it, it slipped everybody's notice, it went completely un-
noticed* **6.4** heeft iem. nog iets op te merken **over** ... *are there any further remarks/ observations on ..., has anyone any further observations
on ...* **8.4** ik zou willen ~ dat ... *I should/ would like to mention/ state/
remark that ...;* allereerst zou ik willen ~ dat ... *first of all I should like
to say that ...; I submit that ...* ⟨in betoog⟩; hij merkte heel attent op
dat ... *he observed very considerately that ....*

opmerkenswaard(ig) ⟨bn.⟩ ⟨schr.⟩ **0.1** *noteworthy.*

opmerker ⟨de (m.)⟩, **-merkster** ⟨de (v.)⟩ **0.1** *observer* ⇒*contributor* ⟨in
discussie/ onderhandeling enz.⟩.

opmerking ⟨de (v.)⟩ **0.1** [uiting] *remark, observation* ⇒*comment* ⟨be-
merking⟩, *commentary* ⟨commentaar⟩ **0.2** [scherpe waarneming] *observation* ◆ **1.1** heeft iem. nog op- of aanmerkingen? *(are there) any
comments, (anybody)?* **2.1** hou je brutale ~en voor je *keep a civil
tongue in your head, keep your impertinencies to yourself;* een domme
~ *a silly r., a blunder;* een hatelijke ~ *a nasty/ snide r., a barb* ⟨steek⟩;
a jeer ⟨schimpscheut⟩; *a pin-prick* ⟨steek⟩; een nietszeggende ~ *a
triviality, a nothing, a purposeless r.;* dat was een rake ~ *that was a
shrewd r., that r. went home;* een terloopse ~ *a casual r., an aside* **3.1**
hij kreeg veel ~en (naar zijn hoofd) over zijn pet *his cap drew/ elicit-
ed/ excited a lot of comment;* ~en/ een ~ maken over *make a remark/
pass comment on;* een geestige ~ maken *make/ pass a witty r.;* kritische ~en maken over/ plaatsen bij iets *make a critical comment on
sth., criticize sth.;* een rake ~ maken *make a very relevant comment,
hit the nail on the head;* voorzien van zijn ~en *with his comments;* zich
een ~ veroorloven over *take the liberty of commenting on* **8.1** de ~
maken dat ... *observe/ remark that ...* **¶.1** zijn gedrag/ kleding geeft
aanleiding tot allerlei ~en *his behaviour/ dress evokes/ causes all sorts
/ kinds of comments;* een ~ mbt. de gang van zaken *a comment on the
procedure(s).*

opmerkingsgave ⟨de⟩ **0.1** *power(s)/ faculty/ gift of observation* ◆ **3.1** een
scherpe ~ hebben *have a keen eye/ perceptive mind.*

opmerkzaam ⟨bn., bw.; -ly⟩ **0.1** *attentive* ⇒*observant, perceptive* ⟨oplet-
tend⟩, *discerning* ⟨scherpzinnig⟩, *intent* ⟨geconcentreerd⟩ ◆ **1.1** op-
merkzame lezers *a./ thoughtful readers* **3.1** iets ~ gadeslaan *observe/
watch sth. attentively/ intently;* iem. op iets ~ maken *draw s.o.'s attention to sth., point sth. out to s.o., bring sth. to s.o.'s notice; warn s.o. of
sth.* ⟨waarschuwen⟩; ~ zijn *be observant/ mindful* **6.1** ~ worden **op**
have one's attention drawn to, notice.

opmerkzaamheid ⟨de (v.)⟩ **0.1** *attentiveness* ⇒*concentration* ⟨gecon-
centreerdheid⟩, *perceptivity* ⟨oplettendheid⟩, *percipience* ⟨scherpzin-
nigheid⟩ ◆ **3.1** iemands ~ vestigen op *draw s.o.'s attention to, bring
sth. to s.o.'s notice.*

opmeten ⟨ov.ww.⟩ **0.1** *measure* ⇒⟨landmeetk.⟩ *survey* ◆ **1.1** ⟨bouwk.⟩
een huis ~ *survey a house;* land ~ *survey land;* een schip ~ *m. a ship.*

opmeting ⟨de (v.)⟩ **0.1** *measurement* ⇒⟨landmeetk.⟩ *survey* ◆ **3.1** ~en
doen *make/ take measurements; make a survey* **6.1** ~en doen **voor** een
nieuwe weg *(carry out a) survey for a new road.*

opmetselen ⟨ov.ww.⟩ **0.1** [optrekken] *run up* **0.2** [op elkaar metselen]
build up ◆ **1.1** een muur 5 m hoog ~ *run up a 5 m. wall* **1.2** die steen
metselt vlug op *that brick builds (up) fast.*

opmieter ⟨de⟩ **0.1** *wallop* ⇒*whack, bash, thump, swipe.*

opmieteren ⟨onov.ww.⟩ ⟨inf.⟩ **0.1** *sod/ bugger off* ◆ **¶.1** mieter op! *sod/
bugger off!, scram!, beat it!.*

opmonteren ⟨onov.ww.⟩ **0.1** *cheer up* ⇒*brighten/ liven/ buoy up* ◆
5.1 daardoor monterde hij weer wat op *that cheered him up/ raised
his spirits/ revived him.*

opnaaien ⟨ov.ww.⟩ **0.1** [op iets vastnaaien] *sew on* ⇒*tuck/ gather in* ⟨in-
nemen⟩ **0.2** [opjutten] *needle* ◆ **1.1** opgenaaide zak *patch-pocket* **3.2**
laat je toch niet zo ~ *keep your hair/ shirt/ wool on, don't let them take
the micky.*

opnaaisel ⟨het⟩ **0.1** *tuck.*

opname ⟨de⟩ **0.1** [⟨in een ziekenhuis⟩] *admission* ⇒*reception, hospitalization* **0.2** [⟨foto., film⟩] *shot;* ⟨film.⟩ *shooting, take* **0.3** [registratie
van geluid] *recording* **0.4** [plaatsing] *insertion* ⇒*entry* **0.5** [⟨land-
meetk.⟩] *survey* ◆ **3.2** de ~ stoppen *cut* **6.1** ~ **in** het ziekenhuis/ een
inrichting *a. into hospital* **6.3** ik heb een ~ van zijn optreden *I've got a
r. of his show;* er zijn twee ~n **van** deze symfonie *there are two record-
ings of this symphony* **¶.3** stilte, ~! *silence, r.!.*

opnameleider ⟨de (m.)⟩ **0.1** *director.*

opnamelicht ⟨het⟩ **0.1** *cue/ recording light.*

opnamestudio ⟨de (m.)⟩ **0.1** ⟨voor geluidsopnamen⟩ *recording studio;*
⟨voor filmopnamen⟩ *film studio;* ⟨geluiddicht⟩ *sound stage.*

opnametechniek ⟨de (v.)⟩ **0.1** *visual/ sound recording technique.*

opneembuis ⟨de⟩⟨televisie⟩ **0.1** *camera tube.*

opneemsnelheid ⟨de (v.)⟩ **0.1** *dictation speed.*

opnemen ⟨ov.ww.⟩ **0.1** [optillen] *lift (up)* ⇒⟨vnl. fig.⟩ *take/ gather/ pick/
tuck up* **0.2** [op zich nemen] *take on* ⇒*accept* **0.3** [weer opvatten] *resume* **0.4** [laten afschrijven] *withdraw* ⇒*take up/ out, draw from/ out*
0.5 [beoordelen] *take* ⇒*interpret* **0.6** [opvatten] *take* **0.7** [waarnemen]
observe ⇒*take in* **0.8** [nauwkeurig opmeten] *measure (up)* ⇒*survey*
⟨land⟩, *tape* **0.9** [vastleggen] *record* ⇒⟨film.⟩ *shoot* **0.10** [weghalen]
take/ pull/ tear up **0.11** [grootte/ waarde bepalen] *measure* ⇒*take* **0.12**
[noteren] *take down* ⇒*note* **0.13** [een plaats geven] *admit* ⇒*introduce,
include, enter, bring in* **0.14** [ergens deel van doen uitmaken] *admit* ⇒
receive, accept **0.15** [in de geest laten doordringen] *take in* ⇒*drink
(in), absorb, assimilate* **0.16** [gehoor geven] *answer* **0.17** [opvegen]
mop/ wipe up **0.18** [absorberen] *absorb* **0.19** [verteren] *digest* ⇒*take
(in)* **0.20** [innemen, verkorten] ⟨van jurk⟩ *take in/ up* ◆ **1.1** de pen/
de wapens ~ *take up the pen/ arms;* gevallen steken ~ *take/ pick up
dropped stitches;* het vloerkleed ~ *take up the carpet* **1.2** zijn verdediging ~ *take on one's defence* **1.3** de draad weer ~ ⟨van ...⟩ *pick up/ r.
the thread (of ...);* het gesprek weer ~ *r. the conversation;* zijn oude
gewoontes weer ~ *revert to type* **1.4** f200,- ~ w./ take out f200,-;* een
snipperdag ~ *take the/ a day off* **1.7** de situatie ~ *weigh up/ ponder the
situation* **1.9** een concert ~ *r. a concert;* een film ~ *shoot a film;* een
plaat ~ *make a record;* opgenomen programma *recording* **1.10** een
vloer/ de straat ~ *take up a floor/ the road* **1.11** de gasmeter/ het gas ~
read the (gas)meter; de maat ~ *take the measurement, measure;* schade
~ *take stock of the damage;* de stemmen ~ *count/ collect the votes;* de
temperatuur ~ *take the temperature;* de tijd ~ (van) *time a person;* de
voorraad ~ *take stock, inspect/ check the stock(s) (on hand)* **1.12** de
bestelling komen ~ *take/ call for orders;* een dictaat/ brief ~ *take
(down) a dictation/ letter;* ⟨sport⟩ de tijd ~ *clock the time* **1.13** een naslagwerk waarin de laatste gegevens zijn opgenomen *a reference
book/ work incorporating latest data/ in which the latest data are included;* vluchtelingen ~ *receive refugees;* nieuwe woorden ~ in een
woordenboek *enter new words in a dictionary* **1.16** de telefoon ~ *pick
/ take up the telephone; answer the telephone* ⟨als er gebeld wordt⟩
1.18 deze spons neemt veel water op *this sponge takes up a lot of
water/ is very absorbent* **1.19** voedsel ~ d. *food* **1.¶** contact met iem. ~
get in touch/ into contact with s.o. **3.13** laten ~ in een ziekenhuis *hospitalize* **5.5** iets (te) gemakkelijk ~ *be (too) casual about sth., trifle
with sth.;* iets goed ~ *take sth. well, be sweet about sth.;* hoe zou hij het
~? *how would he take/ respond to it?;* iets heavy ~ *make heavy
weather of sth., take sth. badly/ seriously;* een plagerij sportief ~ *join
in the laughter/ ragging/ bantering;* iets verkeerd ~ *take sth. amiss, take
sth. the wrong way* **5.6** zij nam haar taak ernstig op *she took her task
seriously* **5.7** iets goed ~ *take a good look at/ stock of sth.;* iem. nauwkeurig ~ *observe/ regard/ look at s.o. closely, take s.o. in carefully;*
iem. onderzoekend ~ *scrutinize s.o.;* scherp/ wantrouwend ~ *eye
sharply/ keenly/ suspiciously* **5.13** iets niet ~ *leave out, omit;* weer ~ *resume* ⟨werk⟩; *reassume* ⟨taak⟩; *re-enter* ⟨weer invoeren⟩ **5.15** hij
neemt alles heel snel/ gemakkelijk op *he's very receptive/ quick on the
uptake, he's a quick learner* **6.4** niet alles ~ van zijn rekening *under-
draw one's account, leave a balance* **6.9** op de band ~ *tape, record;* op
de video ~ *(video-)record* **6.12** in de stukken/ notulen ~ *enter in the
documents/ minutes* **6.13** een clausule **in** een contract ~ *insert a clause
in a contract;* een clausule die niet in mijn contract was opgenomen *a
clause that was not put/ built into my contract;* in het ziekenhuis opgenomen worden *be admitted to hospital, check into a hospital, go into/
to hospital;* in een begroting ~ *include in a budget;* ~ in een catalogus
put in a catalogue; in het werkschema ~ *put into/ include in the roster/
duty list;* namen **in** een lijst ~ *include names on a list, take down names
on a list, list the names;* ~ **onder** de rubriek ... / in een rubriek *include
under the heading/ in a column/ an article;* ~ **op** de balans/ in de boeken *enter/ include/ incorporate/ insert in the balance, enter in the
books* **6.14** opgenomen worden in iets *be assimilated into/ with sth.;*
hij werd door de doop in de kerk opgenomen *he was baptized into the
church;* opgenomen in een groep *caught up in a circle/ set of people*
⟨neg.⟩; *adopted by a set of people;* in de E.E.G. ~ *accept into the
E.E.C.* **6.15** iets goed **in** zich ~ *absorb sth., take sth. in;* toen hij het
hele verhaal/ alle stof **in** zich opgenomen had *when he had absorbed/
digested/ taken in the whole story/ the whole matter* **6.17** met een spons
~ *sponge* (up) **6.¶** ze zullen die zaak ~ **met** het bestuur *they'll take this
matter up with the management;* het **tegen** iem./ iets ~ *make/ take a
stand against sth./ s.o., make an issue of sth. against s.o.;* hij kan het
tegen iedereen ~ *he can hold his own against anyone, he's a match for
anyone;* het **tegen** anderen moeten ~ *have to compete against others;*
het **voor** iem./ iets ~ *take up the cudgels for s.o./ sth., make a stand
for s.o./ sth., speak/ stick up for s.o./ sth., speak in defence of s.o./
sth.* **8.14** als pleegkind ~, ~ in het gezin *foster, take into the family;*
iem. als lid in een club ~ *admit/ receive/ induct s.o. as a member of a*

club; als compagnon in een zaak ~ *admit/take into partnership, take/ admit as a partner* ¶.7 zij nam hem op van top tot teen *she looked him up and down* ¶.16 er wordt niet opgenomen *there's no answer/reply.*

opnemer ⟨de (m.)⟩ **0.1** [⟨tech.⟩] *recorder, recording instrument* ⟨opna-meapparaat⟩ ⇒*pickup* ⟨grammofoon⟩ **0.2** [van kas] *checker* **0.3** [van gasmeter enz.] *reader* **0.4** [⟨sport, ind.⟩ van tijd] *timekeeper* **0.5** [landmeter] *surveyor.*

opneming ⟨de (v.)⟩ **0.1** [het opnemen/opgenomen worden] *absorption* ⇒*assimilation* **0.2** [mbt. geld] *withdrawal* **0.3** [mbt. voedsel] *intake* ⇒ *ingestion* **0.4** [het opmeten] *measurement* ⇒⟨landmeetk.⟩ *survey* **0.5** [tellen v.d. stemmen] *count* **0.6** [mbt. ziekenhuis/inrichting] *admission* ⇒*reception, commitment* ⟨inrichting⟩ **0.7** [mbt. temperatuur/ aantallen] *reading* ◆ **6.1** goed salaris met ~ **in** het pensioenfonds *good salary with superannuation.*

opnemingsvermogen ⟨het⟩ **0.1** [⟨psych.⟩ van leerling] *receptivity* ⇒*susceptivity, receptive faculty* **0.2** [⟨hand.⟩ van markt] *market capacity* **0.3** [van spons/papieren handdoek enz.] *absorbency.*

opneuker ⟨de (m.)⟩ ⟨vulg.⟩ **0.1** [klap] *fucking/bloody great bash/thump* **0.2** [mens met praatjes] *loudmouth.*

opnieuw ⟨bw.⟩ **0.1** [nog eens] *(once) again* ⇒*once more* **0.2** [van voren af] *(once) again* ⇒*once more* ◆ **3.1** met frisse moed ~ beginnen *come up smiling;* iem. ~ benoemen *reappoint s.o.;* de prijzen stijgen ~ *prices are increasing (once) again;* ~ te voorschijn komen/beweren/ uitzenden/opbouwen/doen *reappear/reassert/rebroadcast/reconstruct/redo* **3.2** nu moet ik weer helemaal ~ beginnen *now I'm back to square one, I've got to go back to the drawing-board, I've got to start all over (again), I'm back where I started* **5.1** telkens/steeds ~ *again and again, time and again, time and time again, over and over (again)* **5.2** helemaal ~ *again from the bottom up/from scratch.*

opnoemen ⟨ov.ww.⟩ **0.1** *name* ⇒*call (out),* ⟨opsommen⟩ *enumerate, number* ◆ **1.1** de maanden v.h. jaar ~ *name the months of the year* **6.1** teveel **om** op te noemen *too much/many to mention* ¶.1 appels, peren, pruimen en noem maar op *apples, pears, plums, you name it;* één voor één/punt voor punt ~ *enumerate, name one by one, particularize.*

opnoeming ⟨de (v.)⟩ **0.1** *enumeration.*

opoe ⟨de (v.)⟩ **0.1** [grootmoeder] *gran(ny)* ⇒*granma* **0.2** [oude vrouw] *granny* **0.3** [menstruatie] *the curse* ◆ **3.3** ~ op bezoek hebben *have the curse; come (a)round* ⟨na overtijd te zijn geweest⟩ **3.**¶ maak dat je ~ maar wijs! *tell that to the marines!.*

opoefiets ⟨de⟩ **0.1** *(lady's) sit-up-and-beg bicycle/* ⟨inf.⟩ *bike.*

opofferen ⟨ov.ww.⟩ **0.1** [afstaan voor een doel] *sacrifice* ⇒*give, spend* **0.2** [aan God opdragen] *offer* ◆ **3.1** je hoeft niet zo ~d te doen *you don't need to be so self-denying/self-effacing;* ⟨inf.⟩ *don't come the martyr on me* **4.1** oké, ik offer me wel weer op *all right, I'll sacrifice myself;* zich ~ voor het vaderland *give one's life for one's country* **5.1** iem./iets genadeloos ~ *throw s.o./sth. to the wolves.*

opoffering ⟨de (v.)⟩ **0.1** *sacrifice* ⇒⟨fig.⟩ *expense* ⟨moeite⟩ ◆ **2.1** dat is een hele ~ voor hem *it's quite a s. for him, that's asking a lot of him* **3.1** zich grote ~en getroosten *go to great lenghts/expense, make great sacrifices* **6.1** met ~ **van** at the s. of.

opofferingsgezind ⟨bn.⟩ **0.1** *self-sacrificing* ⇒*self-denying, self-effacing.*

opofferingsslag ⟨de (m.)⟩ **0.1** *sacrifice (hit).*

oponthoud ⟨het⟩ **0.1** [verblijf] *stay* ⇒⟨fig.⟩ *sojourn,* ⟨reisonderbreking, kort verblijf⟩ *stopover* **0.2** [vertraging] *stop(page), delay* ⇒ ↓*holdup* ◆ **1.1** zijn plaats van ~ *his whereabouts* **2.1** gedwongen ~ *enforced stay, detention* **3.2** ~ hebben *be delayed* **6.1** een ~ van drie dagen in IJsland op doorreis naar Amerika *a three-day stopover in Iceland on the way to America* **6.2** reis **zonder** ~ *journey without stop-(page)s/holdups.*

opossum
I ⟨de (m.)⟩ **0.1** [dier] *opossum;*
II ⟨het⟩ **0.1** [bont] *opossum.*

opossummuis ⟨de⟩ **0.1** *opossum mouse.*

opp. ⟨afk.⟩ **0.1** [oppervlakte] *sur..*

oppakken ⟨ov.ww.⟩ **0.1** [opnemen] *take/pick/lift up* **0.2** [in hechtenis nemen] *run in* ⇒*pick up* **0.3** [opstapelen] *heap/pile up* ◆ **1.1** de draad weer ~ ⟨fig.⟩ *take/pick up/resume the thread;* de telefoon ~ *pick/take up/answer the telephone* **3.2** opgepakt worden *get booked/run in/ picked up* **5.1** snel ~ *snatch up, grab.*

oppas ⟨de (m.); o. ook v.⟩ **0.1** [verzorging] *care* ⇒*attention* **0.2** [persoon] *baby-sitter* ⇒*baby-sitting, sit-in* ⟨van zieken⟩ ◆ **8.2** student biedt zich aan als ~ *student seeks work as b.-s..*

oppascentrale ⟨de (v.)⟩ **0.1** *baby-minding/-sitting service* ⇒*child-minding service.*

oppasmoeder ⟨de (v.)⟩ **0.1** ≠*baby sitter/* ⟨BE ook⟩ *minder* ⇒*mother who babysits other people's children.*

oppassen
I ⟨onov.ww.⟩ **0.1** [uitkijken] *look out* ⇒*mind, be careful, take care* **0.2** [babysitten] *baby-sit* **0.3** [acht geven] *pay attention* ⇒*take care* **0.4** [mbt. geslachtsgemeenschap] *be careful* ⇒*take precautions* ◆ **1.1** pas op, een auto! *look out, a car!* **1.3** een ~d iem. *a careful/responsible person* **3.1** laat ze maar ~ *they had better beware/be careful* **3.3** ~d

worden *steady, settle down* **5.3** goed ~ *pay close attention* **6.1** ~ **voor** *look out for, be on one's guard against, mind;* pas op **voor** zakkenrollers *beware of pickpockets* **8.1** pas op dat je niet te ver gaat *take care/ be sure not to go too far/overshoot yourself;* pas vooral op, dat je de baby niet wakker maakt *whatever you do, don't wake up (the) baby;* ze mogen wel ~ dat ...*they had better see/look to it that ...;* je moet ~ dat je niet achterraakt *mind you don't get behind;* ze zal wel ~ dat ze het niet weer doet *she'll be careful not to do it again, she'll know better (now) than to do it again* ¶.1 hij paste wel op niemand te verraden *he was careful not to betray anyone;*
II ⟨ov.ww.⟩ **0.1** [verzorgen] *take care of* ⇒*nurse, tend* **0.2** [proberen of iets past] *try on* ◆ **1.2** een hoed ~ *try a hat on.*

oppasser ⟨de (m.)⟩ **0.1** [toezichthouder] *caretaker* ⇒*minder, watcher* **0.2** [verzorger van dieren] *keeper* **0.3** [mil.] ᴮ*batman* ᴬ*orderly.*

oppassing ⟨de (v.)⟩ **0.1** [verzorging] *attendance* ⇒*care* **0.2** [verpleging] *nursing.*

oppeppen ⟨ov.ww.⟩ ⟨inf.⟩ **0.1** *pep (up)* ⇒*zip/tone up, pick up* ⟨nieuwe energie geven⟩ ◆ **1.1** een oud stuk wat nieuwe dialogen ~ *zip up an old play with new dialogues* **4.1** zich(zelf) ~ ⟨voor⟩ *nerve o.s. for.*

oppepper ⟨de⟩ **0.1** *boost, lift* ⇒⟨AE;sl.⟩ *pepper-upper* ◆ **3.1** het ongeïnspireerd spelende elftal kon best een ~ gebruiken *the team, which was playing an uninspired game, could have done with a bit of livening up.*

oppeppertje ⟨het⟩ **0.1** *pick-me-up* ⇒*boost.*

opper ⟨de (m.)⟩ **0.1** [hoop gemaaid gras] *cock* **0.2** [⟨mil.⟩] *sergeant-major* **0.3** [opperman] *chief* **0.4** [⟨AZN⟩ hoop] *stack* **0.5** [windstille plaats] *lee* ◆ **6.1** in ~s zetten *put in cocks.*

opperarm ⟨de (m.)⟩ **0.1** *upper arm.*

opperarmbeen ⟨het⟩ ⟨anatomie⟩ **0.1** *humerus.*

opperbest ⟨bn., bw.;-ly⟩ **0.1** *splendid, excellent* ⇒*capital,* ⟨schertsend⟩ *spiffing, spiffy* ◆ **1.1** een ~ humeur *in high spirits, perky* **3.1** hij weet het ~ *his knowledge on the matter is excellent.*

opperbestand ⟨het⟩ **0.1** *upper growth* ⇒*branches.*

opperbestuur ⟨het⟩ **0.1** *general management/direction* ⟨onderneming⟩; *supreme government* ⟨overheid⟩.

opperbevel ⟨het⟩ **0.1** *supreme/high command* ◆ **1.1** het ~ van de vloot *supreme command of the naval forces* **3.1** het ~ voeren *be in supreme command.*

opperbevelhebber ⟨de (m.)⟩ ⟨mil.⟩ **0.1** *commander-in-chief* ⇒*supreme commander* ◆ **3.1** tot ~ benoemen *appoint commander-in-chief, put in supreme command.*

oppercommando ⟨het⟩ **0.1** *supreme/high command.*

opperdek ⟨het⟩ ⟨scheep.⟩ **0.1** *upper/main deck.*

opperen
I ⟨ov.ww.⟩ **0.1** [te berde brengen] *put forward, propose* ⇒*suggest, advance, raise* [bezwaren], ⟨ongevraagd⟩ *volunteer* **0.2** [mbt. hooi] *pile /heap up;* ⟨vero.⟩ *cock, rick, put in cocks/ricks* ◆ **1.1** zij opperden daartegen het bezwaar dat *their objection (to that) was that;* bezwaren /twijfel ~ *raise objections/doubts, express doubts;* het idee/de mogelijkheid ~ om ...*suggest the idea/possibility of (doing sth.);* een plan/ een denkbeeld ~ *suggest/put forward/propose a plan/an idea;*
II ⟨onov.ww.⟩ **0.1** [als opperman werken] *work as a bricklayer's assistant/labourer* ⇒⟨vero.⟩ *be a hodman.*

oppergerechtshof ⟨het⟩ **0.1** ᴮ*Supreme Court of Judicature,* ᴬ*Supreme Court.*

oppergezag ⟨het⟩ **0.1** *supreme/sovereign authority* ◆ **3.1** het ~ voeren *rule supreme.*

opperheer ⟨de (m.)⟩ **0.1** *sovereign* ⇒*overlord, suzerain.*

Opperheer ⟨de (m.)⟩⟨rel.⟩ **0.1** *(the) All-highest* ⇒*(the) Most High.*

opperheerschappij ⟨de (v.)⟩ **0.1** [in de staat] *sovereignty* ⇒⟨schr.⟩ *paramouncy, overlordship, supreme rule/power/authority* **0.2** [tegenover andere staten] *empire* ⇒*domination.*

opperherder ⟨de (m.)⟩⟨rel.⟩ **0.1** [Jezus Christus] *Good Shepherd* **0.2** [paus] *Supreme Pastor.*

opperhoofd ⟨het⟩ **0.1** *chief* ⇒*chieftain.*

opperhuid ⟨de⟩ **0.1** [⟨biol.⟩] *epidermis* ⇒⟨beschermlaag over epidermis⟩ *cuticle, scarfskin* **0.2** [⟨plantk.⟩] *epidermis* ⇒⟨harde buitenlaag over epidermis⟩ *cuticle, scarfskin.*

opperkamerheer ⟨de (m.)⟩ **0.1** *Lord Chamberlain (of the Household).*

opperkleed ⟨het⟩ **0.1** *outergarment* ⇒⟨mbt. ridders⟩ *surcoat,* ⟨middeleeuws⟩ *gaberdine.*

oppermacht ⟨de⟩ **0.1** *supreme power/authority* ⇒*supremacy, sovereignty.*

oppermachtig ⟨bn., bw.;-ly⟩ **0.1** *supreme* ⇒*sovereign* ◆ **1.1** een ~ gebieder *a supreme ruler* **3.1** ~ regeren *rule/reign supreme.*

opperman ⟨de (m.)⟩ **0.1** *bricklayer's assistant/labourer* ⇒⟨vero.⟩ *hodman, hod carrier.*

opperofficier ⟨de (m.)⟩⟨mil.⟩ **0.1** *general officer.*

opperpriester ⟨de (m.)⟩ **0.1** [mbt. de joodse godsdienst] *high priest* **0.2** [⟨r.k.⟩ paus] *(supreme) pontiff* **0.3** [in het oude Griekenland] *hierophant.*

opperrabbijn ⟨de (m.)⟩ **0.1** *Chief Rabbi.*

opperrabbinaat ⟨het⟩ **0.1** [waardigheid] *chief rabbinate* **0.2** [ambtsgebied] *chief rabbinate.*

opperrechter ⟨de (m.)⟩ **0.1** [Lord Chief Justice, [A]Supreme Court Judge.

oppersen ⟨ov.ww.⟩ **0.1** [door persen opknappen] *press* **0.2** [omhoog persen] *force up* ♦ **1.1** zijn broek laten ~ *have one's trousers pressed / creased;* ik heb mijn jas laten ~ *I have my coat pressed.*

opperst ⟨bn.⟩ **0.1** [hoogst gelegen] *uppermost* ⇒*highest, top* **0.2** [boven allen gaande] *supreme* ⇒*superior* **0.3** [hoogst] *supreme* ⇒*complete* ♦ **1.1** de ~e laag *the top / u. layer* **1.2** de ~e macht *(the) highest / supreme power;* de ~e sovjet *the Supreme Soviet* **1.3** het ~ genot *complete / maximum enjoyment / pleasure;* ~e verwarring *complete / utter confusion;* de ~e wijsheid *s. wisdom.*

opperstalmeester ⟨de (m.)⟩ **0.1** *equerry.*

oppertoezicht ⟨het⟩ **0.1** *supreme control.*

oppervlak ⟨het⟩ **0.1** [bovenste vlak] *surface, face* **0.2** [buitenvlakken van een lichaam] *surface, face* ⇒⟨geometrisch lichaam ook⟩ *side* **0.3** [grootte in m²] *(surface) area* ♦ **1.1** het spiegelend ~ van een meer *reflecting s. of a lake* **2.1** met een glad ~ *with a smooth s.* **3.1** het ~ vernieuwen van ⟨mbt. een weg⟩ *resurface.*

oppervlakkig ⟨bn., bw.;-ly⟩ **0.1** [niet diep] *superficial* ⇒*shallow* **0.2** [⟨fig.⟩] *superficial* ⟨persoon, gelijkenis⟩ ⇒*shallow* ⟨persoon⟩ ♦ **1.1** een ~e wond *a surface / superficial wound* **1.2** ~e kennis *superficial knowledge;* bij ~e lezing / beschouwing *at a cursory reading / glance* **3.2** (zo) ~ beschouwd *at a glance, at first sight;* iem. ~ kennen *have a nodding acquaintance with s.o. / know s.o. slightly;* ~ schoongemaakt *cleaned up after a fashion / given a lick and a promise.*

oppervlakkigheid ⟨de (v.)⟩ **0.1** [eigenschap] *superficiality* ⇒*shallowness* **0.2** [uiting] *superficiality* ♦ **1.1** de ~ van onze tijd *the superficiality of our time / our / the day.*

oppervlakte ⟨de (v.)⟩ **0.1** [bovenste vlakte] *surface, face* **0.2** [oppervlak van het water] *surface* **0.3** [buitenvlakken van een lichaam] *surface (area)* **0.4** [grootte in m²] *(surface) area* ♦ **1.4** de ~ v.e. polder *the (surface) area of a polder* **2.4** een uitgestrekte ~ *an expanse* **3.4** de ~ van iets berekenen *calculate / compute the (s.) a. of sth.* **6.1** ⟨fig.⟩ niet **aan** de ~ blijven *get below the s.;* **aan** de ~ komen *come to the s.; crop out* ⟨gesteenten⟩; ⟨fig.⟩ **aan** de ~ blijven *be / stay superficial, not go deep;* **naar / aan** de ~ brengen / krijgen ⟨ook fig.⟩ *bring to the s., raise;* ⟨fig.⟩ *bring sth. out* **6.1, 6.2** weer **aan** de ~ komen *come to the s., resurface* **6.2 aan** de ~ komen om adem te halen *come up for air / to breathe.*

oppervlaktebehandeling ⟨de (v.)⟩ **0.1** *surface treatment, surfacing.*

oppervlaktedichtheid ⟨de (v.)⟩ **0.1** *surface density.*

oppervlaktedruk ⟨de (m.)⟩ **0.1** *surface pressure.*

oppervlakte-integraal ⟨de⟩ **0.1** *surface integral.*

oppervlaktemaat ⟨de⟩ **0.1** *square / area measure.*

oppervlaktespanning ⟨de (v.)⟩ ⟨nat.⟩ **0.1** *surface tension.*

oppervlaktestructuur ⟨de (v.)⟩ **0.1** [structuur aan de oppervlakte] *surface structure* **0.2** [⟨taal.⟩] *surface structure.*

oppervlaktetemperatuur ⟨de (v.)⟩ **0.1** *surface temperature.*

oppervlaktevissen ⟨de (m.)⟩ **0.1** *pelagic fish.*

oppervlaktewater ⟨het⟩ **0.1** *surface water.*

Opper-Volta ⟨het⟩ **0.1** *Upper Volta* ⇒⟨sinds 1985⟩ *Burkina Faso.*

opperwachtmeester ⟨de (m.)⟩ **0.1** *sergeant major of cavalry.*

opperwezen ⟨het⟩ **0.1** *supreme being* ⇒*godhead, divinity.*

oppeuzelen ⟨ov.ww.⟩ **0.1** *munch, nibble* ♦ **5.1** iets lekker ~ *eat sth. greedily / with relish,* [↑]*savour sth..*

oppiepen ⟨ov.ww.⟩ ⟨inf.⟩ **0.1** [oproepen] *bleep* **0.2** [krokant maken door opwarming in de oven] *crispen / freshen up* ♦ **1.1** een chirurg ~ voor een spoedoperatie *b. a surgeon for an emergency operation.*

oppijpen
I ⟨ov.ww.⟩ **0.1** [opblazen] *blow up* ⇒*exaggerate;*
II ⟨onov.ww.⟩ **0.1** [opspelen] *quarrel* ⇒*bicker, wrangle.*

oppikken ⟨ov.ww.⟩ **0.1** [meenemen] *pick up* ⇒*collect* **0.2** [aan boord nemen] *pick up* **0.3** [onthouden, leren] *pick up* ⇒*get (the hang of), catch on* **0.4** [met de snavel opnemen] *pick / peck at* **0.5** [vastprikken] *spear* ⇒*pick up* ♦ **1.1** de politie pikte de dief op *the police picked up / brought in the thief;* een lifter ~ *give a lift to a hitchhiker* **1.2** schipbreukelingen ~ *p. u. survivors (of / from a shipwreck)* **1.3** waar heb je die rare gewoonte opgepikt? *where did you pick up / get that strange habit?* **3** zij laat zich in bars ~ *(she) gets (herself) picked up in pubs* **6.3** iets **uit** een gesprek ~ *pick sth. up / catch / gather sth. from a conversation* ¶**.1** ik pik je bij het station op *I will pick you up at the station.*

opplakken ⟨ov.ww.⟩ **0.1** [op iets plakken] *stick (on)* ⇒*glue / paste (on), affix* **0.2** [⟨fig.⟩] *stick* ♦ **1.1** stickers ~ *s. on stickers* **1.2** dat is maar een opgeplakt etiket *that is only a label;* iets / iem. een etiket ~ *stick a label on sth. / s.o., label / pigeonhole sth. / s.o..*

oppoetsen ⟨ov.ww.⟩ **0.1** [opknappen] *polish (up)* ⇒*rub up,* ⟨schr.⟩ *furbish / burnish (up)* **0.2** [⟨fig.⟩ verfraaien] *brush up* ⇒*rub up, (re)furbish* ♦ **1.1** ⟨fig.⟩ zijn Frans ~ *brush up (on) one's French* **1.2** een oud plan een beetje ~ *brush up / refurbish an old plan* **4.1** zich ~ *spruce / smarten up, dress up,* [B]*brush up.*

oppoken ⟨ov.ww.⟩ **0.1** *poke / stoke up* ⇒*stir up.*

oppompen ⟨ov.ww.⟩ **0.1** [volpompen met lucht] *pump / blow up* ⇒*inflate* **0.2** [in de hoogte pompen] *pump (up)* ⟨vloeistof⟩ ⇒*raise* **0.3** [op ho-

gere spanning brengen] *raise the pressure* ♦ **1.1** zijn fiets ~ *p. u. one's bike;* een fietsband / een voetbal / een luchtbed ~ *pump a tyre /* [A]*tire, blow up a football, inflate an airbed* **1.2** water ~ *p. (u.) water* **1.3** een vloeistof oppompen tot 300 atmosfeer druk *r. the pressure of a fluid to 300 atmospheres.*

opponeerbaar ⟨bn.⟩ **0.1** *opposable.*

opponens ⟨de (m.)⟩ **0.1** *'opponens'* ⟨title used to address the opponent ⟨→*opponent 0,2*⟩ *at the conferral of a doctor's degree*⟩.

opponent ⟨de (m.)⟩ **0.1** [tegenpartij] *opponent* ⇒*opposer,* ⟨inf.⟩ *opposition* **0.2** [mbt. een promotie] *opponent* ♦ **8.1, 8.2** als ~ optreden *oppose, act as o..*

opponeren
I ⟨onov.ww.⟩ **0.1** [zich verzetten tegen] *oppose (to)* ⇒*be in opposition (to)* **0.2** [stellingen trachten omver te stoten] ⟨in een formele discussie⟩ *oppose* ⇒⟨jur.⟩ *demur;*
II ⟨ov.ww.⟩ **0.1** [tegenover iets anders plaatsen] *oppose.*

opporren ⟨ov.ww.⟩ **0.1** [oppoken] *stir up* ⇒*poke up* ⟨vuur⟩, *rouse* **0.2** ⟨fig.⟩ aanzetten] *prod* ⇒*push, rouse* ♦ **6.2** iem. **tot** iets ~ *prod / goad s.o. into doing / on to do sth..*

opportunisme ⟨het⟩ **0.1** *opportunism* ⇒⟨pol.⟩ *expediency.*

opportunist ⟨de (m.)⟩ **0.1** *opportunist.*

opportunistisch ⟨bn., bw.;-ally⟩ **0.1** *opportunistic* ⇒*opportunist* ⟨alleen bn.⟩, *expedient, pragmatic* ♦ **1.1** dat ~ gedoe *that opportunist(ic) way of doing things / carrying on* **3.1** ~ handelen *act expediently.*

opportuniteit ⟨de (v.)⟩ **0.1** *opportunity* ♦ **1.1** om redenen van ~ *for opportunist reasons, for the sake of expediency.*

opportuniteitsbeginsel ⟨het⟩ ⟨jur.⟩ **0.1** *principle of discretionary powers.*

opportuun ⟨bn.⟩ **0.1** *opportune* ⇒*expedient* ♦ **3.1** zo'n stap zou tegenwoordig niet ~ zijn *such a step / move would not be expedient nowadays.*

opposant ⟨de (m.)⟩ **0.1** [iem. die oppositie voert] *opponent* **0.2** [⟨jur.⟩] *appellant.*

oppositie ⟨de (v.)⟩ **0.1** [tegenstand] *opposition* **0.2** [⟨pol.⟩] *opposition;* ⟨BE ook⟩ *Her Majesty's opposition* **0.3** [⟨jur.⟩ verzet tegen verstekvonnis] *opposition, objection* ⇒*appeal* **0.4** ⟨ster.⟩ *opposition* ♦ **3.1** ~ voeren *oppose, be in o.* **6.1** in de ~ in *o.* **6.2** in de ~ zitten / zijn *be in o.;* in de ~ gaan *go into o..*

oppositieleider ⟨de (m.)⟩, **-leidster** ⟨de (v.)⟩ ⟨pol.⟩ **0.1** *opposition leader, leader of the opposition.*

oppositielicht ⟨het⟩ ⟨ster.⟩ **0.1** *counterglow.*

oppositiepartij ⟨de (v.)⟩ ⟨pol.⟩ **0.1** *opposition (party).*

oppositioneel ⟨bn.⟩ **0.1** *oppositional.*

oppotten ⟨ov.ww.⟩ **0.1** [sparen] *hoard (up)* **0.2** [⟨landb.⟩] *pot.*

oppressie ⟨de (v.)⟩ **0.1** [onderdrukking] *oppression* **0.2** [druk] *oppression* ⇒⟨van een emotie⟩ *pressure.*

opprikken ⟨ov.ww.⟩ **0.1** *pin / hang up* ⇒*fork, spear (up)* ⟨etenswaren⟩, *set up* ⟨insekten⟩, *prick* ♦ **1.1** een bericht ~ *put / pin / hang up a notice;* stukjes kaas ~ *spear pieces of cheese;* een vlinder / insect ~ *set up / pin (up) a butterfly / an insect* **1.¶** opgeprikte dames *ladies done up to the nines / dressed up like a dog's dinner,* ⟨overdreven⟩ *overdressed ladies.*

opproppen ⟨ov.ww.⟩ **0.1** [volstoppen] *stuff / cram (full)* **0.2** [opkroppen] *bottle up, keep under / a tight rein on* ⟨gevoelens⟩ ♦ **1.1** opgepropte kamers *rooms stuffed / crammed full* **1.2** zijn verdriet ~ *bottle up one's sorrow.*

oprakelen ⟨ov.ww.⟩ **0.1** [mbt. vuur] *rake up* ⇒*stoke / poke / stir up* **0.2** [⟨fig.⟩] *rake up* ⇒*drag / stir up* ♦ **1.2** een oude twist ~ *drag / rake up an old quarrel, open old wounds, resurrect old disagreements.*

opraken ⟨onov.ww.⟩ **0.1** [benzine, geld, voorraden] *run out / down / short* ⇒*be / get / run low, (geld ook) give out,* (voorraden ook) *become depleted / exhausted* **0.2** [⟨fig.⟩ geduld] *give out* ⇒*snap.*

oprapen ⟨ov.ww.⟩ **0.1** [van de grond opnemen] *pick up* ⇒*gather, glean* ⟨koren⟩ **0.2** [⟨fig.⟩ mbt. woorden / denkbeelden] *pick up* ⇒*adopt* **0.3** [mbt. breien] *pick up* ⟨een steek⟩ ♦ **1.2** een opgeraapt idee *a second-hand idea* **6.1** uit de goot / van de straat opgeraapt *picked up out of the gutter / from the street;* ze liggen **voor** het ~ *they grow on trees, they're all over the place* ¶**.1** ⟨fig.⟩ dat is het ~ niet waard *it's not worth a second glance / the trouble of picking it up;* ze hebben het daar voor het ~ *they have got it for the asking / made.*

oprecht ⟨bn., bw.;-ly⟩ **0.1** [welgemeend] *sincere* ⇒*genuine, true, heartfelt* **0.2** [rechtschapen] *sincere* ⇒*honest, candid, fair-minded* ♦ **2.1** ik ben u ~ dankbaar *I am truly / sincerely grateful / heartily thankful to you* **3.1** ~ hopen *sincerely hope, trust, hope to goodness;* het klonk ~ wat ze zei *what she said rang true;* ~ meeleven *heartfelt sympathy;* ~ spreken *speak truly.*

oprechtheid ⟨de (v.)⟩ **0.1** [rechtschapenheid] *sincerity* ⇒*uprightness* **0.2** [ongeveinsdheid] *sincerity* ⇒*candour* ♦ **6.1** in alle ~ in all s..

opredderen ⟨ov.ww.⟩ **0.1** *clean up* ⇒*tidy (up), clear up, straighten (up), put straight.*

oprekken ⟨ov.ww.⟩ **0.1** *stretch* ⇒*draw* ⟨ijzerdraad⟩ ♦ **1.1** schoenen laten ~ *have one's shoes stretched.*

oprennen ⟨onov.ww.⟩ **0.1** [in een bepaalde richting] *run (onto etc.)* **0.2** [omhoog] *run up* ♦ **1.1** hij rende het veld op *he ran onto the field* **1.2** de trap ~ *run upstairs / up the stairs / steps.*

oprichten
I ⟨ov.ww.⟩ **0.1** [vestigen, stichten] *set up, establish* ⇒*start* ⟨zaak, club⟩, *found* ⟨vereniging⟩ **0.2** [overeind zetten] *raise (up), set up (right)* **0.3** [doen verrijzen] *erect* ⇒*put up* ♦ **1.2** zijn hoofd ~ *lift up one's head* **1.1** een onderneming ~ *establish / incorporate a company;* een partij ~ *found / set up a party* **1.3** een standbeeld ~ voor *erect / put up a statue to;*
II ⟨wk.ww.; zich ~⟩ **0.1** [zich verheffen] *raise o.s. (up)* ⇒⟨opstaan⟩ *rise (to one's feet)*, ⟨opzitten⟩ *sit up*, ⟨rechtstaan of zitten⟩ *straighten up* ♦ **4.1** zich ~ in bed *sit up in bed;* zich in zijn volle lengte ~ *draw o.s. up to one's full height.*

oprichter ⟨de (m.)⟩, **-richtster** ⟨de (v.)⟩ **0.1** *founder.*
oprichtersaandeel, -bewijs ⟨het⟩ ⟨ec.⟩ **0.1** *founder's share.*
oprichting ⟨de (v.)⟩ **0.1** [het stichten] *the foundation* ⇒⟨mbt. een zaak⟩ *establishment,* ⟨mbt. een vereniging⟩ *formation* ⟨bij het bouwen⟩ *the erection* ⇒*raising* ♦ **1.1** akte van ~ *charter;* de ~ van een toneelschool *foundation / establishment of a drama school* **1.2** de ~ van een monument *erection / raising of a monument* **6.1** een onderneming **in** ~ *a company in formation.*
oprichtingskapitaal ⟨het⟩ ⟨ec.⟩ **0.1** *initial capital / stock.*
oprichtingskosten ⟨de (mv.)⟩ **0.1** ⟨van een onderneming⟩ *preliminary flotation;* ⟨van een club / vereniging⟩ *preliminary initial expenses.*
oprichtingsvergadering ⟨de (v.)⟩ **0.1** *inaugural meeting.*

oprijden
I ⟨onov.ww.⟩ **0.1** [naar boven rijden] *ride up* ⟨paard, fiets⟩; *drive up* ⟨auto⟩ **0.2** [voortrijden] *ride along* ⟨paard, fiets⟩; *drive along* ⟨auto⟩ ♦ **1.2** een oprijlaan ~ *turn into a drive;* het trottoir ~ *mount the pavement* **6.2** tegen iem. / iets ~ *drive / crash into / collide with s.o. / sth.;*
II ⟨ov.ww.⟩ **0.1** [verslijten] *drive (a car) into the ground / till it falls apart* ♦ **1.1** ik rijd deze auto helemaal op *I shall drive this car into the ground / till it falls apart.*

oprijg ⟨de (m.)⟩ **0.1** *tuck* ♦ **3.1** een ~ in een rok leggen *take / put a tuck in a skirt.*
oprijlaan ⟨de⟩ **0.1** *drive.*
oprijzen ⟨onov.ww.⟩ **0.1** [omhoogrijzen] *rise* ⇒*tower* **0.2** [opstaan] *rise* ⇒*get / stand up* **0.3** [ontstaan] *arise* ⇒*come up, emerge, surface* **0.4** [zich voordoen] *arise* ⇒*come up* ♦ **1.3** herinneringen rezen op in mijn geest *memories came back to me* **1.4** hier rezen nieuwe moeilijkheden op *new difficulties arose here* **5.1** hoog ~d boven de rest *towering over / above the rest* **6.1** uit de golven ~d *rising / emergent from the waves.*

oprispen
I ⟨onov.ww.⟩ **0.1** [gassen door de keel lozen] *belch* ⇒⟨van bepaalde etenswaren⟩ *repeat,* ⟨inf.⟩ *burp;*
II ⟨ov.ww.⟩ **0.1** [uit de maag spuwen] *bring up / back* ⇒*throw up* **0.2** [⟨pej.⟩ uitspreken] *come up / out with sth..*
oprisping ⟨de (v.)⟩ **0.1** [het oprispen] *belch;* ⟨inf.⟩ *burp* **0.2** [keer dat men oprispt] *belch;* ⟨inf.⟩ *burp* **0.3** [ontboezeming] *outpouring* ♦ **2.2** zure ~en hebben *have acid indigestion* **3.2** van uien krijg ik vaak ~en *onions often repeat on me.*

oprit ⟨de (m.)⟩ **0.1** [van een garage] *drive* ⇒*access* **0.2** [van een autoweg] *approach / slip road* **0.3** [hellend oplopende weg] *access, ramp.*
oproeien ⟨onov.ww.⟩ **0.1** [roeien] *row (against)* ⟨wind, stroom⟩ **0.2** [roeiend zich begeven in] *row (onto, up enz.)* **0.3** [⟨sport⟩ zich naar de start begeven] *row (up) to the start* ♦ **1.2** wij roeiden het meer op / de kreek op *we rowed onto the lake / up the creek* **6.1** tegen de stroom ~ *swim / row against the stream / upstream, stem the tide.*
oproep ⟨de (m.)⟩ **0.1** [opwekking] *call* ⇒*appeal* **0.2** [gebod om ergens te verschijnen] *call* ⇒⟨verzoek om contact⟩ *(incoming) call* ♦ **1.3** ~en van de ANWB-alarmcentrale *emergency calls by the A.A.* **2.3** een telefonische ~ *a telephone call* **3.1** een ~ doen tot het volk *(make an) appeal to the people / nation* **6.2** een ~ voor militaire dienst *a draft / call up (for military service);* een ~ voor een sollicitatie / een vergadering *notice of an interview, summons / call to a meeting* ¶.1 aan de ~ gehoor geven *obey the summons / c..*
oproepbaar ⟨bn.⟩ **0.1** *callable* ♦ **5.1** telefonisch ~ *on call.*
oproepen ⟨ov.ww.⟩ **0.1** [ontbieden] *summon* ⇒*call (up)* **0.2** [aansporen] *call on, incite* ⇒⟨schr.⟩ *exhort* **0.3** [om contact verzoeken] *call (up)* **0.4** [in de geest tevoorschijn roepen] *call up* ⇒*evoke, conjure up* **0.5** [uitlokken, opwerpen] *ask for* ⟨problemen⟩; *raise* ⟨vragen⟩ ♦ **1.1** een getuige ~ *call (up) a witness;* sollicitanten ~ (voor een gesprek) *call applicants for / to an interview;* iem. ~ per zoemer / pieper *buzz / bleep s.o.* **1.3** geesten ~ *c. u. / evoke / conjure up spirits / devils* **1.4** associaties ~ aan *call forth associations;* beelden / herinneringen ~ *c. u. / evoke images / memories* **1.5** dat bericht roept enige vragen bij mij op *that piece of news raises several questions in my mind* **5.3** weer ~ *repeat a call* **6.1** ~ tot het gebed *call to prayer;* iem. ~ voor een examen *call (up) s.o. for an exam / for examination;* opgeroepen voor militaire dienst *conscripted / drafted into the army* **6.2** de bevolking ~ tot verzet *call on / incite the population to resist;* ze werden tot staking opgeroepen *they were called out on / onto strike* **7.1** de opgeroepene *person summoned* **7.3** de opgeroepene *person called* **8.1** als getuige ~ *call as a / to witness / call (s.o.) to testify.*

oproeping ⟨de (v.)⟩ **0.1** [het aflezen van namen] *roll / name call* **0.2** [het ontbieden / ontboden worden] *summons, call* **0.3** [geschrift *(writ of)* summons* ♦ **3.3** een ~ ontvangen *receive a summons* **6.2** ~ van verdachten / van dienstplichtigen *(the) summoning of suspects;* ⟨AE⟩ *the draft for / drafting of men of military age;* ⟨BE⟩ *call up to military service* **6.3** niet verschijnen op de ~ *not obey the summons.*
oproepingskaart ⟨de⟩ **0.1** [voor stembureau] *polling card; notification;* ⟨AE; voor dienstplichtigen⟩ *draft card.*
oproepingssignaal ⟨het⟩ ⟨telefoon⟩ **0.1** [B]*ringing tone,* [A]*beep (tone / signal).*
oproer ⟨het⟩ **0.1** [opstand] *revolt* ⇒⟨kleinschalig⟩ *riot,* ⟨tegen de regering⟩ *insurrection, insurgence* **0.2** [heftige beroering] *tumult* ♦ **3.1** ~ maken / verwekken / kraaien *break out in / raise revolt* **6.1** in ~ brengen *cause to revolt / rebel;* in ~ komen *revolt, rebel* **6.2** de hele natuur was in ~ *all (of) nature was in chaos.*
oproerig ⟨bn., bw.; -ly⟩ **0.1** *rebellious* ⇒*riotous,* ⟨tegen de regering⟩ *insurgent, insurrectionary* ♦ **1.1** ~e geschriften *seditious writings;* een ~ volk *a rebellious / insurrectiony nation / people.*
oproerigheid ⟨de (v.)⟩ **0.1** *rebelliousness* ⇒*insurgency, seditiousness, turbulence.*
oproerkraaier ⟨de (m.)⟩ **0.1** *agitator* ⇒*insurgent, rioter, ringleader* ⟨aanstoker van oproer⟩.
oproerling ⟨de (m.)⟩ **0.1** ⟨revolutionair⟩ *rebel, revolutionary;* ⟨relschopper⟩ *rioter;* ⟨muiter⟩ *mutineer* ⇒⟨revolutionair ook⟩ *insurgent.*
oproerpolitie ⟨de (v.)⟩ **0.1** *riot police.*
oproerstoker ⟨de (m.)⟩ →**oproerkraaier.**
oproken ⟨ov.ww.⟩ **0.1** [rokende verbruiken] *smoke* **0.2** [ten einde toe roken] *smoke* ⇒*finish* ♦ **1.1** hij heeft die avond drie sigaren opgerookt *he smoked three cigars that night;* ⟨fig.⟩ zijn zakgeld ~ *spend one's pocketmoney on cigarettes / ⟨inf.⟩ smokes* **1.2** eerst mijn shagje ~ *let me finish my cig first.*
oprolbaar ⟨bn.⟩ **0.1** *rollable.*
oprollen
I ⟨onov.ww.⟩ **0.1** [voortrollen] *roll* **0.2** [tot een rol ineenrollen] *roll / curl up* ♦ **4.2** zich ~ *curl (o.s.) up, huddle;*
II ⟨ov.ww.⟩ **0.1** [omhoogrollen] *roll up* **0.2** [in elkaar rollen] *roll / curl up* ⇒*coil up* ⟨touw⟩, *wind* **0.3** [arresteren] *round up* **0.4** [⟨mil.⟩] *roll up* ♦ **1.2** een opgerolde paraplu *a furled / rolled umbrella* **1.3** een bende ~ *round up a gang.*
oprotpremie ⟨de (v.)⟩ ⟨inf., bel.⟩ **0.1** [bij voortijdig opgeven van een baan] *severance pay* ⇒*early retirement benefit,* ⟨inf.⟩ *golden handshake* **0.2** [bij vrijwillige terugkeer naar het vaderland] *repatriation bonus.*
oprotten ⟨onov.ww.⟩ ⟨vulg.⟩ **0.1** *piss / sod / bugger / fuck off.*
opruien ⟨ov.ww.⟩ **0.1** *incite* ⇒*agitate, provoke* ⟨uitdagen, ophitsen⟩, *subvert* ⟨opstandig maken⟩ ♦ **1.1** ~de pamfletten *seditious / subverting pamphlets;* het volk ~ *i. / stir up the people / masses;* ~de woorden *fighting / inflammatory words, incendiary speech* **6.1** ~ tot een strafbaar feit *i. to a criminal offence.*
opruiend ⟨bn.⟩ **0.1** *inflammatory* ⇒⟨subversief⟩ *subversive, seditious,* ⟨demagogisch⟩ *demagogic(al),* ⟨sterk pej.⟩ *rabble-rousing* ♦ **1.1** ~e woorden *i. words.*
opruier ⟨de (m.)⟩ **0.1** *instigator* ⇒*inciter,* ⟨pol.⟩ *agitator.*
opruiing ⟨de (v.)⟩ **0.1** *instigation (to)* ⇒*incitement (to),* ⟨pol.⟩ *agitation, sedition* ⟨tegen de staat⟩.
opruimen ⟨ov.ww.⟩ **0.1** [opbergen, netjes maken] *clean / clear (out)* ⇒*tidy / clear (up), clear / tidy / put away* ⟨opbergen⟩ **0.2** [uitverkopen] *sell up / out* ⇒*clear, remainder* ⟨boeken⟩ **0.3** [⟨techn.⟩ mbt. gaten] *ream* ♦ **1.1** zijn bureau ~ *put one's desk straight, tidy one's desk;* een kamer ~ *tidy / clear up a room;* mijnen ~ *clear mines;* de rommel ~ *clear / tidy away the mess;* de tafel ~ *clear the table* **3.1** opgeruimd staat netjes *good riddance (to bad rubbish)* **5.1** volledig ~ *make a clean sweep* **6.2** ~ tegen lage prijzen *clear (out) / sell off at low prices.*
opruiming ⟨de (v.)⟩ **0.1** *clearance* ⇒⟨winkel⟩ *(clearance) sale, clearout* ⟨schoonmaakbeurt⟩ ♦ **2.1** totale ~ *closing-down sale;* ⟨AE ook⟩ *close-out* **3.1** ~ houden (onder) *clean up* **5.1** ~ van achterbuurten *slum clearance.*
opruimingsprijs ⟨de (m.)⟩ **0.1** *clearance / sale price.*
opruimingsuitverkoop ⟨de (m.)⟩ **0.1** *(stock-)clearance sale* ⇒*stock clearance.*
opruimwoede ⟨de⟩ **0.1** *tidying mania.*
oprukken ⟨onov.ww.⟩ **0.1** *march* ⇒*advance, move up* ♦ **6.1** naar een stad ~ *march on a town;* tegen de vijand ~ *march / move / advance against the enemy.*
opschakelen ⟨onov., ov.ww.⟩ **0.1** *change up.*
opscharrelen ⟨ov.ww.⟩ **0.1** ~ up *dig up / out, rout / ferret / hunt / grub out, eke out* ⟨een mager kostje bij elkaar scharrelen⟩.
opschenken ⟨ov.ww.⟩ **0.1** [water opgieten] *pour (on)* **0.2** [leegschenken] *pour.*
opschepen ⟨ov.ww.⟩ **0.1** *saddle / land with* ⇒*foist / palm off on* ♦ **6.1** iem. met iets ~. *land s.o. with sth., foist / palm sth. off on s.o., thrust / plant sth. on s.o.;* met iets opgescheept zitten *be landed / stuck with sth., be left holding the baby;* met iem. opgescheept zitten *have s.o. on one's hands, be stuck with s.o..*

opscheplepel ⟨de (m.)⟩ **0.1** *tablespoon* ⇒*server, serving spoon, ladle* ⟨soeplepel⟩.

opscheppen
I ⟨ov.ww.⟩ **0.1** [iets van de grond opnemen] *shovel (up)* **0.2** [eten op borden scheppen] *dish up* ⇒*serve/spoon out, ladle out* ⟨soep⟩ ◆ **3.2** mag ik je nog eens~? *may I give you/will you have another helping?* **7.1** ⟨fig.⟩ het geld voor het~ hebben *have money for the asking/picking, be rolling in it/money;*
II ⟨onov.ww.⟩ **0.1** [pochen] *brag, boast* ⇒*bluster* ⟨snoeven⟩, *show off* ⟨uitsloven⟩, *act up* ⟨drukte maken⟩.

opschepper ⟨de (m.)⟩, **-ster** ⟨de (v.)⟩ **0.1** [bluffer, -ster] *boaster, braggart* ⇒*swank(er)* ⟨snoever⟩ **0.2** [iem. die eten opschept] *server* ◆ **3.1** hij is zo'n~ *he's such a lah-di-dah/show-off, he's a terrible swank.*

opschepperig ⟨bn., bw.; -ly⟩ **0.1** *boastful* ⇒*overweening,* ⟨inf.⟩ *swanky, blusterous, blustery* ⟨brallerig⟩ ◆ **1.1** een~ heertje *a blusterous fool* **3.1** hij kan zo~ doen *he can be/act so lah-di-dah, he can act so overweeningly.*

opschepperij ⟨de (v.)⟩ **0.1** *bragging* ⇒*bluster* ⟨gebral⟩, *swank* ⟨snoeverij⟩, *self-display, exhibitionism, show* ⟨vertoon⟩.

opscheren
I ⟨onov.ww.⟩ **0.1** [scheren tegen de loop v.d. haren in] *shave up(ward);*
II ⟨ov.ww.⟩ **0.1** [opsnoeien] *trim* ⟨heg⟩ **0.2** [met geschoren touwwerk ophijsen] *hoist.*

opscherpen ⟨ov.ww.⟩ **0.1** [mbt. het snijvlak] *sharpen (up)* ⇒*whet* **0.2** [mbt. de smaak] *liven up, put some taste into* ◆ **1.¶** iemands geheugen ~*refresh s.o.'s memory;* het verstand~ *sharpen/concentrate the mind.*

opschieten
I ⟨onov.ww.⟩ **0.1** [voortmaken] *hurry up* ⇒*push on/ahead* **0.2** [vorderen] *get on* ⇒*make progress/headway, progress* **0.3** [overweg kunnen] *get on/along* **0.4** [opgroeien] *spring/shoot up* ⇒*sprout* ◆ **1.1** de tijd begint op te schieten *time is running out/growing short* **5.1** het plan schiet niet op *the plan is hanging fire/has got stuck* **5.2** flink~ *be well away, make good progress/headway* **6.2** goed~ **met** zijn werk *get on (well) with one's work, have one's work (well) in hand, make good progress with one's work* **6.3** ze kunnen goed **met** elkaar~ *they hit it off well, they are on very good terms, they get on very well (together)* **¶.1** schiet eens op! *(come on and) hurry up!, come along!, get going!, shake a leg!* **¶.2** wat schiet ik daar nou mee op? *what good will it do me?, what use is it to me?, how can it help me/matters (now)?;* ik schiet helemaal niet op *I'm not getting anywhere/any further, I'm not making any progress/headway at all;*
II ⟨ov.ww.⟩ **0.1** [oplaten] *fire* ⇒*send off/up* **0.2** [omhoog werpen] *throw up* **0.3** [mbt. touwwerk] *coil* ⇒*fake* **0.4** [mbt. films] *shoot* ◆ **1.2** stenen/zand~ *throw up stones/sand* **1.4** drie filmpjes~ *take three films.*

opschik ⟨de (m.)⟩ **0.1** *adornment* ⇒*decoration, embellishment,* ⟨iron.⟩ *finery, trappings, fal(-de)-lals* ◆ **2.1** goedkope~ *frou-frou* ⟨kleren⟩; *frippery, trinkets, tinsel.*

opschikken
I ⟨onov.ww.⟩ **0.1** [opschuiven] *move up/over* ⇒ ⟨inf.⟩ *shift/shove up* ◆ **1.1** wilt u een stukje~ *could you move up a little please, could you make a little room please;*
II ⟨ov.ww.⟩ **0.1** [in orde brengen] *arrange* **0.2** [versieren] *adorn* ⇒ *decorate, embellish, deck (out)* ◆ **1.1** hij schikte de kussens op *he arranged the cushions* **4.2** zij schikken zich op *they're decking themselves out, they're beautifying themselves,* ⟨inf.⟩ *they're dolling themselves up.*

opschilderen ⟨ov.ww.⟩ **0.1** *touch up* ⇒*repaint* ◆ **4.1** ⟨inf.⟩ zichzelf~ *make o.s. up, do one's face, put on one's face.*

opschoeien ⟨ov.ww.⟩ **0.1** *raise.*

opschonen ⟨ov.ww.⟩ **0.1** *clear (out)* ⇒*clean(se)* ◆ **1.1** een computerbestand~ *clear a computer file.*

opschoppen ⟨ov.ww.⟩ **0.1** *kick up* ◆ **1.1** een bal hoog~ *kick a ball up high.*

opschorten ⟨ov.ww.⟩ **0.1** [uitstellen] *defer* ⟨ontmoeting, oordeel⟩; *adjourn* ⟨vergadering⟩; *suspend* ⟨wetsontwerp, vonnis, oordeel⟩; *postpone* ⟨oordeel, uitvoering⟩; *hang/hold up* ⟨werkplan, oordeel⟩ **0.2** [opgorden] *tuck up* ◆ **1.1** een kort geding~ *defer a lawsuit;* zijn oordeel~ *suspend/defer/postpone one's judgement;* ~d veto *suspensive veto;* een vonnis~ *suspend judgement, stay a sentence* **1.2** een rok~ *tuck up a skirt.*

opschorting ⟨de (v.)⟩ **0.1** *postponement, deferment, suspension; adjournment* ⟨v.e. vergadering⟩; *reprieve, stay (of execution)* ⟨uitvoering v.d. doodstraf⟩.

opschransen ⟨ov.ww.⟩ **0.1** *gobble* ⇒*guzzle, hog/wolf (down), scoff.*

opschrift ⟨het⟩ **0.1** [wat op iets geschreven is] *legend, inscription* ⟨munt, gebouw, deur, standbeeld⟩; *lettering* ⟨deur, vliegtuig⟩; *superscription* ⟨pakket, fles⟩ **0.2** [mbt. boeken, geschriften] *headline* ⟨boven krantebericht⟩; *heading* ⟨tekst, kop⟩; *caption* ⟨illustratie⟩; *direction* ⟨adres⟩ ◆ **1.1** ~van een munt *legend on a coin* **1.2** het~ van een boek *the title of a book;* de~en van de hoofdstukken *the headings of the chapters* **6.1** een bordje **met** het~ 'te koop' *a notice saying 'for sale'.*

opschrijfboekje ⟨het⟩ **0.1** *notebook* ⇒*jotter, pocket book, memo pad* ⟨notitieblok⟩.

opschrijven ⟨ov.ww.⟩ **0.1** *write/take/put/note/jot down* ◆ **1.1** zijn uitgaven~ *jot/put down one's expenses* **4.1** schrijf mij maar op voor 25 gulden *put me/my name down for 25 guilders* **¶.1** ⟨fig.⟩ ten dode opgeschreven staan *be doomed/marked for death;* ⟨inf.⟩ *be done for;* zeven~en twee onthouden *dot seven, carry two;* schrijf het maar voor mij op *charge it to/put it on my account;* ⟨inf.⟩ *chalk it up please.*

opschrikken
I ⟨onov.ww.⟩ **0.1** [van schrik opspringen] *start* ⇒*startle, jump* ◆ **3.1** een gerucht deed haar~ *she was startled by a noise, she started at a noise* **6.1** **uit** zijn slaap~ *start out of one's sleep;*
II ⟨ov.ww.⟩ **0.1** [laten opspringen] *startle* ◆ **1.1** wild~ *start/raise game.*

opschroeven ⟨ov.ww.⟩ **0.1** [schroevend naar boven bewegen] *screw up* **0.2** [iets opdrijven] *force/drive up* ⇒*inflate,* ⟨inf.⟩ *bump up* **0.3** [opkloppen] *force/drive up* ⇒*raise, inflate* **0.4** [iets vastmaken op] *screw on/down* ◆ **1.2** de belastingen~ *force up taxes* **1.3** opgeschroefde vrolijkheid *forced gaiety;* iemands werk~ *laud s.o.'s work to the skies;* ⟨inf.⟩ *hype s.o.'s work.*

opschrokken ⟨ov.ww.⟩ **0.1** *gobble up* ⇒*guzzle,* ⟨inf.⟩ *wolf/hog (down).*

opschudden ⟨ov.ww.⟩ **0.1** [weer zacht maken] *shake up* ⇒*fluff/plump up, fluff out* **0.2** [wakker schudden] *shake (up)* ◆ **1.1** de kussens~ *shake/plump/fluff up the pillows* **6.2** ze werd opgeschud **uit** haar dromen *she was shaken out of her dreams.*

opschudding ⟨de (v.)⟩ **0.1** *upheaval* ⇒*disturbance, tumult, commotion, turmoil, uproar* ◆ **2.1** een grote~ *a great upheaval/commotion* **3.1** ~ veroorzaken *cause/create/make a stir/sensation, make the feathers fly, put the cat among the pigeons* **6.1** alles was **in**~ *there was general turmoil, everything was in an uproar;* **in**~ brengen *stir up/throw into a commotion.*

opschuiven
I ⟨onov.ww.⟩ **0.1** [opschikken om plaats te maken] *move up/over* ⇒ ⟨inf.⟩ *shift/shove up* **0.2** [mbt. gebeurtenissen, verplaatst worden] *shift* ◆ **1.1** hij is drie plaatsen opgeschoven *he moved up three places* **4.1** schuif wat op *move over/up* **6.1** naar~ *move up (to) the left;* Wales schuift op **naar** de tweede plaats *Wales move(s) up (in)to second (place);*
II ⟨ov.ww.⟩ **0.1** [in een richting schuiven] *shift* ⇒*push up* ⟨naar boven schuiven⟩ **0.2** [uitstellen] *put off* ◆ **1.1** schuif die boeken eens op *shift those books, will you?* **1.2** een oordeel~ *put off/defer judgement.*

opschuren ⟨ov.ww.⟩ **0.1** [door schuren verslijten] *wear down/away* **0.2** [door schuren opknappen] *scour* **0.3** [door schuren wonden] *chafe* ⇒*scrape, graze* **0.4** [⟨tech.⟩] *regrind* ⇒*decarbonize* ⟨cilinders van auto⟩, ⟨inf. ook⟩ *decoke* **0.5** [opbergen] *store.*

opschutten ⟨ov.ww.⟩ **0.1** [naar een hoger pand schutten] *raise through the/a lock* **0.2** [water tegenhouden] *dam (up)* ◆ **1.1** een schip~ *raise a ship through the lock(s).*

opsieren ⟨ov.ww.⟩ **0.1** [verfraaien] *adorn* ⇒*embellish, beautify* **0.2** [te mooi voorstellen] *embroider* ⇒*puff (up), glamorize, romanticize* ◆ **1.2** een verhaal~ *e. a story* **4.1** zich~ *dress up, deck o.s. out/up.*

opsiering ⟨de (v.)⟩ **0.1** *decoration, adornment* ⇒ ⟨ook fig.⟩ *embellishment,* ⟨fig.⟩ *embroidery* ⟨van verhaal⟩.

opsjorren ⟨ov.ww.⟩ **0.1** *tug/drag up.*

opsjouwen
I ⟨ov.ww.⟩ **0.1** [sjouwend omhoogdragen] *tug/drag up;*
II ⟨onov.ww.⟩ **0.1** [moeizaam opklimmen] *toil up* ⇒*drag o.s. up* ◆ **1.1** de trap~ *toil up/drag o.s. up the stairs.*

opslaan
I ⟨ov.ww.⟩ **0.1** [bergen] *lay up* ⇒*store* **0.2** [omhoog slaan] *hit up* ⇒ *serve* ⟨serveren⟩ **0.3** [mbt. de ogen] *lift* ⇒*raise* **0.4** [een tarief verhogen] *put up* ⇒*raise, increase* **0.5** [neerzetten] *pitch* ⇒*put up* **0.6** [⟨comp.⟩] *input* ⇒*file* **0.7** [openslaan] *turn up* ◆ **1.1** goederen in entrepot~ *place goods in bond;* piano laten~ *put one's piano into store/storage;* voorraden~ *lay in stocks, lay up stores, stock up;* wijn~ *store/put down wine* **1.2** een bal~ *hit a ball up; serve a ball* ⟨serveren⟩; de kraag~ *turn up one's collar;* de mouwen~ *roll/tuck up one's sleeves* **1.3** de ogen~ *l./raise one's eyes* **1.5** een kamp~ *pitch a camp* **1.7** een adres~ *turn/look up an address;* bladzijde 44~ *turn up/to page 44* **6.4** de lonen **met** 5%~ *raise/increase wages by 5%* **6.6** iets **in** het geheugen~ *file sth. in the memory, input a file;*
II ⟨onov.ww.⟩ **0.1** [duurder worden] *go up* ⇒*increase, rise* **0.2** [scharnierend omhooggaan] *lift/swing up* **0.3** [oprijzen] *rise* ⇒*advance* ◆ **1.1** margarine is 3 cent opgeslagen *margarine has gone up three cents;* de prijzen slaan op *prices are rising/going up* **1.2** een~d luik *a lifting shutter* **1.3** de stenen slaan op bij dooiweer *the stones lift in the thaw.*

opslag ⟨de (m.)⟩ **0.1** [mbt. een geldsom] *rise* ⇒ ⟨AE; vnl. mbt. loon⟩ *raise* **0.2** [⟨sport⟩] *serve, service* ⟨service⟩ ⇒*ball* ⟨worp⟩ **0.3** [het opslaan van goederen] *storage* **0.4** [plaats] *depot* **0.5** [⟨muz.⟩] *upbeat* ⇒ *anacrusis* **0.6** [gewas] ⟨mv.⟩ *wildshoots* **0.7** [het opstijgen van vocht] *rising damp* ◆ **1.1** een~ van 20 gulden per week *a f20-a-week pay in-*

crease, a rise / ^*raise of f20 a week* **3.1** ~ krijgen *get* / *receive* / *obtain a rise* **6.1** iets **bij** ~ verkopen *sell by auction*.

opslagbedrijf ⟨het⟩ **0.1** *storage* / *warehousing firm*.

opslagcapaciteit ⟨de (v.)⟩ **0.1** *storage capacity*.

opslaggelden ⟨zn.mv.⟩ →**opslagkosten**.

opslagkosten ⟨zn.mv.⟩ **0.1** *storage (charges)* ⇒*warehouse* / *warehousing charges*, ⟨mbt. voorraadtank⟩ *tankage*.

opslagloods ⟨de⟩ **0.1** *transit shed* / *warehouse* / *store (house)*.

opslagplaats ⟨de⟩ **0.1** *warehouse* ⇒*(storage) depot*, *store* ⟨graan, munitie⟩, *depository* ⟨goederen⟩, *entrepôt* ⟨pakhuis⟩.

opslagrente ⟨de⟩ ⟨geldw.⟩ **0.1** *surcharge*.

opslagruimte ⟨de (v.)⟩ **0.1** *storage space* / *accommodation* / *room*.

opslagtank ⟨de (m.)⟩ **0.1** *storage tank*.

opslagterrein ⟨het⟩ **0.1** *storage yard* ⇒*stock yard* ⟨van aannemer, sloper⟩.

opslepen ⟨ov.ww.⟩ **0.1** [naar boven slepen] *drag* / *haul up* **0.2** [stroomopwaarts slepen] *tow up* **0.3** [naar de garage slepen] *tow*.

opsleuren ⟨ov.ww.⟩ **0.1** *drag up* ♦ **1.1** iem. de trap ~ *drag s.o. up the stairs*.

opslibben ⟨onov.ww.⟩ **0.1** [mbt. gronden onder water] *rise by accretion* **0.2** [mbt. het water] *silt up* ♦ **1.1** de grond slibde op *the level of the ground rose by accretion*.

opslobberen ⟨ov.ww.⟩ **0.1** *lap up*.

opslokken ⟨ov.ww.⟩ **0.1** *swallow up* / *down* ⇒*gobble* / *gulp down*, *absorb*, *eat up* ♦ **1.1** dit slokte mijn hele winst op *it swallowed* / *ate up* / *absorbed my entire profits*.

opslorpen ⟨ov.ww.⟩ **0.1** [opdrinken] *lap up* **0.2** [absorberen] *soak in* / *up* ⇒*absorb* **0.3** [⟨fig.⟩ in beslag nemen] *absorb* ⇒*swamp, take over* ♦ **1.1** zijn thee / een eitje ~ *lap (up) one's tea, suck up an egg* **1.2** licht ~ *absorb light* **1.3** haar werk slorpt haar helemaal op *her job swamps her* / *takes over her life, she is absorbed in her job*.

opslorping ⟨de (v.)⟩ **0.1** *absorption* ⇒*assimilation* ♦ **1.1** ~ van kleine zaken door grote *the absorption of small businesses into* / *by big ones*.

opsluiten

I ⟨ov.ww.⟩ **0.1** [achter slot en grendel zetten] *shut up* ⇒*lock up, confine* ⟨gevangenen⟩, *put* / *place under restraint* ⟨psychiatrische patiënten⟩, *cage* ⟨dier⟩, *pound* ⟨in asiel, kennel⟩ **0.2** [vervat zijn] *imply* ♦ **1.2** de daarin opgesloten toestemming *the implied* / *implicit approval* **3.1** opgesloten in zijn kamertje zitten *be cooped* / *boxed up in one's room* **3.2** opgesloten liggen in iets *be implied in sth.* **6.1** iem. ~ in een kamer *lock* / *shut s.o. up in a room, confine s.o. to a room*; ~ in een cel *put in a cell*;

II ⟨wk.ww.; zich ~⟩ **0.1** [zich afzonderen] *shut o.s. in* ⇒*coop* / *lock o.s. up* **0.2** [⟨fig.⟩] *turn in on o.s.* ⇒*withdraw* ♦ **4.1** zich in zijn kamer ~ *shut o.s. in one's room, take to one's room* **6.2** zich ~ **in** een koppig stilzwijgen *withdraw in obstinate silence*;

III ⟨onov.ww.⟩ **0.1** [⟨mil.⟩] *close (up)(the ranks)*.

opsluiting ⟨de (v.)⟩ **0.1** *confinement* ⇒*detention, imprisonment, interment* ⟨van gevangenen⟩, *restraint* ⟨van psychiatrische patiënten⟩ ♦ **2.1** eenzame ~ *solitary c.*.

opslurpen →**opslorpen**.

opslurping →**opslorping**.

opsmuk ⟨de (m.)⟩ **0.1** *finery* ⇒*gaudery, plumage* ⟨overdadige kleding⟩, *frills* ⟨franje⟩ ♦ **6.1** zonder ~ *unadorned, plain*; vertel ons het verhaal **zonder** ~ *tell us the story without the trimmings, give us the story straight* / *without the frills* / *trappings*.

opsmukken ⟨ov.ww.⟩ **0.1** [opsieren, mooi maken] *adorn* ⇒*embellish, deck* / *trick out*, ⟨inf.⟩ *beautify, tart up* **0.2** [⟨fig.⟩] *embroider* ⇒*blow up, embellish* ♦ **1.1** opgesmukte vrouwen *painted* / *tarted up women* **1.2** zijn stijl ~ *varnish* / *decorate one's style*; een verhaal ~ *embroider* / *blow up* / *embellish a story* **4.1** zich ~ *doll* / *pretty* / *get* / *tart o.s. up*.

opsmullen ⟨ov.ww.⟩ **0.1** *eat with relish*.

opsnijden

I ⟨onov.ww.⟩ **0.1** [grootspreken] *brag* ⇒*boast, swagger*, ⟨inf.⟩ *swank, talk big* ♦ **6.1** ~ over *boast* / *brag* / *swagger* / *swank about*;

II ⟨ov.ww.⟩ **0.1** [snijden tot alles op is] *cut up* **0.2** [voorsnijden] *carve* ♦ **1.1** een brood ~ *cut* / *slice up a loaf (of bread)*.

opsnijder ⟨de (m.)⟩ **0.1** *braggart* ⇒*boaster, swank*, ⟨BE ook⟩ *swanker*.

opsnij(d)erig ⟨bn.⟩ **0.1** *bragging* ⇒*boastful*, ⟨inf.⟩ *swanky*.

opsnijderij ⟨de (v.)⟩ **0.1** *brag(ging)* ⇒*boasting, swagger*, ⟨inf.⟩ *swank*.

opsnoepen ⟨ov.ww.⟩ **0.1** *eat up* ♦ **1.1** al zijn geld ~ *use up* / *spend all one's money on sweets*; ⟨fig.⟩ *squander all one's money*, ⟨BE; inf.⟩ *blue all one's money*.

opsnorren, -snuffelen ⟨ov.ww.⟩ ⟨inf.⟩ **0.1** *ferret* / *rake* / *hunt out* ⇒*dig up*, *unearth* ⟨geheim, oud verhaal⟩.

opsnuiven ⟨ov.ww.⟩ **0.1** *sniff (up)* ⇒*whiff, snuff, inhale* ⟨geneesmiddel, rook⟩, *snort* ⟨cocaïne⟩ ♦ **1.1** de geur van iets ~ *inhale* / *breathe in the perfume* / *odour of sth.*; water ~ *inhale* / *breathe in water*.

opsodemieter ⟨de (m.)⟩ ⟨inf.⟩ **0.1** *wallop* ⇒*sock*.

opsodemieteren ⟨onov.ww.⟩ ⟨inf.⟩ **0.1** *piss* / *fuck* / *eff off* ⇒ ⟨vulg.; BE ook⟩ *bugger* / *sod off*.

opsommen ⟨ov.ww.⟩ **0.1** *enumerate* ⇒*list, recount, recite* ♦ **1.1** een ~ de beschrijving *an enumerative description*; de feiten ~ *list the facts*; alle grieven ~ *list* / *recite all one's grievances*.

opsomming ⟨de (v.)⟩ **0.1** *enumeration* ⇒*list, recital*, ⟨inf.⟩ *run-down* ♦ **2.1** een droge ~ *a bare* / *dry e.* / *catalogue*.

opsouperen ⟨ov.ww.⟩ **0.1** *squander* ⇒*spend, use up*.

opspannen

I ⟨onov.ww.⟩ **0.1** [door spannen uitzetten] *distend* ⇒*swell, puff up, expand* ♦ **1.1** een opgespannen buik hebben *have a distended stomach*;

II ⟨ov.ww.⟩ **0.1** [spannen] *tighten* ⟨koord, draad⟩; *stretch* ⟨doek⟩; *mount* ⟨schilderij⟩; ⟨amb., ind.⟩ *fix, clamp* ♦ **1.1** een boog ~ *bend a bow*; snaren ~ *string an instrument*.

opsparen ⟨ov.ww.⟩ **0.1** [bij elkaar sparen] *save up* ⇒*lay* / *put by*, ⟨oppotten⟩ *hoard (up)* **0.2** [bewaren] *save up* ⇒*accumulate* ♦ **1.1** opgespaard geld *savings*; dat kind heeft een tientje opgespaard *that child has saved up ten guilders* **1.2** opgespaarde rancune *accumulated rancour*.

opspatten ⟨onov.ww.⟩ **0.1** *spurt* ⇒*splash*.

opspelden ⟨ov.ww.⟩ **0.1** [vastspelden] *pin up* / *on* **0.2** [met spelden hoger vaststeken] *pin up*.

opspelen

I ⟨onov.ww.⟩ **0.1** [razen] *bluster* ⇒*kick up a row* / *fuss, cut up rough, let fly, raise the devil* **0.2** [⟨kaartspel⟩ beginnen te spelen] *lead, play first* ♦ **1.1** ⟨fig.⟩ mijn maag speelt op *my stomach is playing* / *churning up* **5.1** flink ~ *kick up a row* **6.1** tegen iem. ~ *let fly at s.o.*;

II ⟨ov.ww.⟩ **0.1** ⟨kaartspel⟩ uitspelen] *play* **0.2** [spelend in de hoogte gooien] *toss* / *throw up* ♦ **1.1** een troefkaart ~ *play a trump*.

opspeuren ⟨ov.ww.⟩ **0.1** *track, trace*.

opsplitsen ⟨ov.ww.⟩ **0.1** *split* / *break up (into)* ⇒ ↑*subdivide (into)*.

opsplitsing ⟨de (v.)⟩ **0.1** *splitting up* ⇒*division* ⟨in groepen⟩.

opspoelen ⟨ov.ww.⟩ **0.1** *wind onto a spool* / *reel* ⟨enz.⟩ ⇒*spool (up)*, ⟨vnl. mbt. vissen⟩ *reel in*.

opsporen ⟨ov.ww.⟩ **0.1** [vinden] *track, trace* ⇒*detect* ⟨fout, lek⟩, *track* / *hunt down* ⟨misdadiger⟩, *search* / *prospect for* ⟨delfstoffen⟩ **0.2** [⟨jacht⟩] *track down* ⇒*hunt down* / *up* ♦ **1.1** de fout in een berekening ~ *locate* / *find out the mistake in a calculation*; een misdadiger ~ *trace* / *track down* / *hunt down a criminal*; vermisten ~ *trace* / *locate missing persons*.

opsporing ⟨de (v.)⟩ **0.1** ⟨vnl. mbt. mensen⟩ *location, tracing* ⇒ ⟨inf.⟩ *hunt*, ⟨mbt. delfstoffen⟩ *exploration, prospecting* ♦ **3.1** ~ van deze misdadiger wordt verzocht *this criminal is wanted by the police, the police are anxious to trace this criminal*.

opsporingsambtenaar ⟨de (m.)⟩ **0.1** ⟨(criminal) investigator* ⇒*detective*.

opsporingsbericht ⟨het⟩ **0.1** ⟨op aanplakbiljet; mbt. misdadiger⟩ *wanted notice*, ⟨mbt. vermist persoon⟩ *missing person* / *'missing' notice*; ⟨radio, t.v.⟩ *request for information (regarding the whereabouts of ...)*.

opsporingsdienst ⟨de (m.)⟩ **0.1** ⟨in het algemeen⟩ *investigation service* / *department*; ⟨bij politie⟩ ^B*Criminal Investigation Department, C.I.D.*, ^A*Federal Bureau of Investigation, F.B.I.*.

opsporingsonderzoek ⟨het⟩ **0.1** *(criminal) investigation*.

opsporingsvergunning ⟨de (v.)⟩ **0.1** *prospecting concession*.

opsporingswerk ⟨het⟩ **0.1** [v.d. politie bij een misdaad] *(criminal) investigation(s)* **0.2** [⟨mijnw.⟩] *prospecting, exploration* ⟨vnl. voor olie en gas⟩.

opspraak ⟨de (v.)⟩ **0.1** *discredit* ⇒*scandal* ♦ **3.1** ~ verwekken *cause people to talk* **6.1** hij is **in** ~ gebracht *he has got himself talked about*; **in** ~ komen *get o.s. talked about, become the talk of the town*.

opspringen ⟨onov.ww.⟩ **0.1** [in de hoogte springen] *jump* / *leap* / *spring* / *start up* ⇒ ⟨rechtveren⟩ *spring* / *jump* / *start to one's feet, bounce* ⟨bal⟩ **0.2** [op iets springen] *jump on* ♦ **1.1** zijn hart sprong op van vreugde *his heart leapt for joy*; de hond sprong op *the dog jumped* / *leapt up* **2.1** verschrikt ~ *start up* **6.1** ⟨fig.⟩ **naar** iets ~ *jump at* / *be dying for* / *itch for sth.*; ~ **van** vreugde *leap* / *jump for joy*.

opspuiten

I ⟨onov.ww.⟩ **0.1** [spuitend naar boven komen] *spout (up)* ⇒*squirt* / *spurt up*;

II ⟨ov.ww.⟩ **0.1** [in de hoogte spuiten] *spout (up)* **0.2** [vloeiend opzeggen] *spout, reel off* **0.3** [iets op iets spuiten] *spray on* ⟨verf⟩; *squirt on* ⟨room⟩; *raise* ⟨terrein⟩ ♦ **1.2** jaartallen ~ *reel off dates*.

opspuitterrein ⟨het⟩ **0.1** ⟨*building terrain to be raised with a sand-in-water slurry*⟩.

opspuwen ⟨ov.ww.⟩ ⟨schr.⟩ **0.1** *expectorate* ♦ **1.1** bloed ~ *e. blood*.

opstaan ⟨onov.ww.⟩ ⟨→sprw. 582⟩ **0.1** [gaan staan] *stand up* ⇒ ⟨schr.⟩ *rise, get up, get* / *rise to one's feet, get on one's feet* **0.2** [het bed verlaten] *get up* ⇒*be up*, ⟨schr.⟩ *rise* **0.3** [op het vuur staan] *be on* ⇒ ⟨eten ook⟩ *be cooking* **0.4** [uit het graf verrijzen] *rise* ⇒ ⟨schr.⟩ *arise* **0.5** [in opstand komen] *rise (against)* ⇒*rebel* / *revolt (against)* **0.6** [zich vertonen, opkomen] *arise* ⇒*surface, appear* ♦ **1.3** het eten staat op *the food is on* / *cooking* **3.1** met vallen en ~ *with ups and downs* **3.4** de doden doen ~ *raise the dead* **5.1** plotseling ~ *start* / *spring* / *jump up, start* / *spring* / *jump to one's feet* **5.2** vroeg ~ *en* vroeg naar bed gaan *be early to bed, early to rise*; hij staat altijd vroeg op *he's an early riser* / *bird, he's always up early* **6.1** **van** tafel ~ *rise from table, get up from the table*; ~ **voor** iem. *stand up for s.o., offer one's seat to s.o.* **6.4** ~ **uit** de dood *r. from the dead* / *grave, r. again* **¶.2** ⟨fig.⟩ dan moet je toch vroeger ~ *you'll have to look lively;* voor dag en dauw ~ *rise with the lark / the sun.*

opstaand 〈bn.〉 **0.1** [overeind staand] *standing* 〈panelen〉; *upright* 〈zijde, houding〉; *raised* 〈rand〉; *erect* 〈staart, veer, oren〉 **0.2** [〈biol.)] *fastigiate(d)* ◆ **1.1** stijlen zijn ~e balken *posts are upright beams;* een ~e kraag *a stand- / turned-up collar;* ~e oren *erect ears, prick-ears;* een snor met ~e punten *a handlebar moustache.*

opstaander 〈de (m.)〉, **-ster** 〈de (v.)〉 **0.1** *riser* ◆ **2.1** hij is een vroege / late ~ *he is an early / a late r..*

opstal 〈de (m.)〉 **0.1** *buildings* ⇒*erections, structures* ◆ **1.1** grond met ~len *messuage, land with the buildings erected on it* **1.**¶ recht van ~ *building and planting rights.*

opstalverzekering 〈de (v.)〉 **0.1** *building insurance* ⇒〈privé〉 *house / home insurance.*

opstand 〈de (m.)〉 **0.1** [oproer] *(up)rising* ⇒*revolt, rebellion, insurrection* **0.2** [bij gebouw horende inrichting] *fittings and fixtures* **0.3** [〈bouwk.)] *(vertical) elevation* **0.4** [schot] *upright partition* **0.5** [〈bosb.)] *stand* ◆ **6.1** in ~ komen tegen *rise / revolt / rebel against, rise in revolt / rebellion against;* 〈fig. ook〉 *rise up in arms against;* 〈fig., walgen van〉 *revolt from / at;* zijn hele wezen komt ertegen **in** ~ *he opposes it with his whole being;* zij kwam **in** ~ tegen de wreedheden *she was revolted by these cruelties, she revolted at / against / from these cruelties.*

opstandeling 〈de (m.)〉 **0.1** *rebel* ⇒*insurgent, insurrectionary, insurrectionist.*

opstandig 〈bn.〉 **0.1** [in opstand zijnd] *rebellious* ⇒*mutinous,* 〈attr.〉 *insurgent, rebel, insurrectionary, defiant* **0.2** [weerspannig] *rebellious* ⇒*insubordinate, fractious, recalcitrant, cantankerous* ◆ **1.1** ~e strijdkrachten *rebel / insurgent forces;* het ~e volk *the rebellious / mutinous / insurgent population* **3.2** zij is nogal ~ van aard *she has a rebellious nature.*

opstandigheid 〈de (v.)〉 **0.1** [verzet tegen het gezag] *rebellion* ⇒*insurgency, revolt, defiance* **0.2** [weerspannigheid] *rebelliousness* ⇒*insubordination, recalcitrance, refractoriness.*

opstanding 〈de (v.)〉 〈prot.〉 **0.1** *resurrection* ◆ **1.1** de ~ van Christus *the r. / Resurrection of Christ* **6.1** 〈fig.〉 ~ *uit* de zonde *spiritual rebirth.*

opstap 〈de (m.)〉 **0.1** *step* ⇒〈v.e. voertuig ook〉 *footboard,* 〈overstap〉 *stile* ◆ **3.1** struikel niet over het ~je *don't stumble over the step, mind the step* **6.1** 〈fig.〉 een aardig ~je **naar** het directeurschap *a useful leg up to the director's seat.*

opstapelen
I 〈ov.ww.〉 **0.1** [stapels maken van] *pile / heap up* ⇒*stack (up)* 〈borden, waren, hooi〉, *bank up* 〈aarde〉, 〈vergaren〉 *amass, accumulate* ◆ **1.1** stenen ~ *pile / stack up bricks;*
II 〈wk.ww.; zich ~〉 **0.1** [tot een stapel aangroeien] *pile up* ⇒*accumulate, mount up, bank up* 〈sneeuw〉 *amass* 〈wolken〉 ◆ **1.1** de moeilijkheden / de bewijzen stapelen zich op *the difficulties are / evidence is piling up / mounting up / accumulating.*

opstapeling 〈de (v.)〉 **0.1** [het zich opstapelen] *piling / heaping up* ⇒*accumulation, amassing* **0.2** [voorraad] *piled up / stacked goods* ⇒*stock.*

opstappen 〈onov.ww.〉 **0.1** [vertrekken] *go away, move on* ⇒*get along,* 〈inf.〉 *be / push off* **0.2** [op iets stappen] *get on;* 〈fiets ook〉 *mount* **0.3** [stappend omhoog gaan] *go / walk up* ⇒*ascend* **0.4** [sterven] *pop off* ⇒ *kick the bucket,* 〈BE ook〉 *peg out* ◆ **1.3** de trap / de stoep ~ *go / walk up the stairs / step* **3.1** ik moet eens ~ *I must be off / be getting along / get going / be moving on / be on my way.*

opstarten 〈ov.ww.〉 **0.1** [in beweging zetten] *start up* **0.2** [bedrijfsklaar maken] *start up.*

opsteekkladder 〈de〉 **0.1** *extension / extending ladder.*

opsteken
I 〈onov.ww.〉 **0.1** [in kracht toenemen] *rise, get up* ⇒〈plotseling〉 *spring up* **0.2** [〈scheep.)] *haul, come to* ◆ **1.1** de wind steekt op *the wind is getting up / rising;*
II 〈ov.ww.〉 **0.1** [omhoogbrengen] *put up* ⇒*hold up, stick up, lift (up), raise* **0.2** [hijsen] *put up* ⇒*pull up, hoist* 〈zeilen, vlag〉 **0.3** [wijzer worden] *learn* ⇒*pick up* 〈ideeën, taal, gewoonte〉 **0.4** [aansteken] *light* ⇒〈van sigaar, sigaret ook〉 *light up* **0.5** [mbt. haar] *put / do / gather / pin up* **0.6** [vat aanslaan] *broach* **0.7** [opstoken] *incite / instigate (to)* ⇒*put up / set on / stir up (to sth.)* ◆ **1.1** de handen ~ *put / hold / lift one's hands up, raise one's hands;* hooi ~ *pitch hay;* 〈fig.〉 de kop ~ *surface;* 〈inf.〉 *crop / show / bob up;* de oren ~ *prick up one's ears;* een vinger ~ *hold up / raise a finger;* 〈vermanend ook〉 *wag one's finger (at s.o.)* **1.2** een paraplu ~ *put up an umbrella;* met opgestoken zeilen 〈lett.〉 *with hoisted sails;* 〈fig.〉 *keyed / strung / wound / worked up* **1.**¶ de degen ~ *put up / return / sheathe a sabre* **6.3** zij hebben er niet veel **van** opgestoken *they have not taken much of it in, they cut none the wiser for it* **7.1** stemmen door het ~ van handen *vote by a show of hands.*

opsteker 〈de (m.)〉 **0.1** [mbt. bloemenveilingen] ≠*porter* **0.2** [hooivork] *pitchfork* ⇒〈hengelsport〉 ≠*bite* **0.4** [〈meestal -tje〉 meevaller] *windfall* ⇒*piece of (good) luck,* 〈sl.〉 *gravy,* 〈AE; sl.〉 *cherry pie.*

opstel 〈het〉 **0.1** [ontwerp, schets] *essay, paper* ⇒*article* **0.2** [〈school.)] *(school) essay, composition,* 〈vnl. AE〉 *paper* ⇒〈AE ook〉 *theme* ◆

2.2 een vrij ~ *a free c.* **3.2** een ~ maken over *write / do an essay / a paper on;* 〈AE ook〉 *compose a theme on.*

opstellen
I 〈ov.ww.〉 **0.1** [een plaats geven] *put up / set up / erect* 〈materiaal〉; *post, station (s.o.), place (sth., s.o.);* 〈in formatie〉 *arrange, dispose, line up; deploy* 〈leger, wapens〉 **0.2** [ontwerpen] *draw up* ⇒*frame, formulate, draft* 〈vnl. van voorlopige versie〉 ◆ **1.1** fotoapparatuur ~ *set / put up photographic equipment;* een kanon ~ *mount a gun, place a gun in position;* een leger ~ *dispose / deploy / line up / draw up an army / troops;* raketten ~ *deploy missiles;* 〈wisk.〉 een vergelijking ~ *form an equation* **1.2** een motie ~ *draw up / frame a motion;* een plan ~ *draw up a plan;* een redevoering ~ *write / compose / draft a speech;* een theorie ~ *frame / formulate a theory* **3.1** 〈sport〉 opgesteld staan *be lined up;*
II 〈wk.ww.; zich ~〉 **0.1** [een plaats innemen] *take up a position* ⇒〈in een formatie〉 *form, line up, station / post o.s.* **0.2** [houding aannemen] *take up a position (on), adopt an attitude (towards);* 〈zich voordoen〉 *pose (as)* ◆ **2.1** zich verdekt ~ *take up a concealed position* **2.2** zich gereserveerd ~ *adopt a reserved attitude;* zich keihard ~ *take a hard line* **4.1** zich ergens ~ *station / post o.s. somewhere.*

opsteller 〈de (m.)〉 **0.1** [ontwerper, schrijver] *draughtsman* ⇒*drafter,* 〈ontwerper〉 *author, framer* **0.2** [〈AZN〉 redacteur] *editor* **0.3** [〈AZN〉 lager staatsbeambte] *junior clerk (at a ministry)* ◆ **1.1** de ~ van een rekest / een reglement *the author of a request / regulation.*

opstelling 〈de (v.)〉 **0.1** [plaatsing] *placing* ⇒*erection, setting / putting up* 〈materiaal〉, *deployment* 〈wapens〉, *set-up* 〈camera's, microfoons〉, 〈arrangement〉 *position, arrangement* **0.2** [standpuntbepaling] *position* ⇒*attitude* **0.3** [〈mil.)] *deployment* ⇒*position, formation, order, line-up* **0.4** [〈sport〉] *line-up* **0.5** [mbt. een geschrift] *drawing up* ⇒ *framing, drafting.*

opstellingshoek 〈de (m.)〉 **0.1** *angle.*

opstijgen 〈onov.ww.〉 **0.1** [omhoogstijgen] *ascend, rise* ⇒〈klimmen ook〉 *go up,* 〈luchtv.〉 *take off,* 〈luchtv., ruim.〉 *lift off* **0.2** [te paard stijgen] *mount* ⇒*take horse* ◆ **1.1** de ballon steeg op *the balloon rose / ascended / took off;* 〈fig.〉 gejuich steeg op *cheers went up / rose;* het vliegtuig steeg op *the plane took off* **¶.2** ~! *to horse!, boot and saddle!.*

opstijgend 〈bn.〉 〈biol.〉 ◆ **1.**¶ ~e stengels *ascending stems.*

opstijging 〈de (v.)〉 **0.1** *ascent, rise* ⇒*take-off* 〈vliegtuig〉, *ascent* 〈ballon〉.

opstijven
I 〈onov.ww.〉 **0.1** [v.d. wind] *stiffen;*
II 〈ov.ww.〉 **0.1** [met stijfsel] *starch.*

opstikken 〈ov.ww.〉 **0.1** *stitch on* ◆ **1.1** opgestikte zakken *stitched-on pockets.*

opstoken 〈ov.ww.〉 **0.1** [sterker doen branden] *poke / stir (up)* ⇒*stoke (up),* 〈aanblazen〉 *blow up, make up* 〈vuur, kachel〉 **0.2** [verstoken] *burn up* **0.3** [ophitsen] *incite / instigate (to)* ⇒*put up / set on / stir up (to sth.)* **0.4** [〈AZN〉 voorzeggen] *prompt* ◆ **6.3** tegen elkaar ~ *set against each other, set by the ears;* een kind tegen zijn ouders ~ *set / turn a child against its parents.*

opstoker 〈de (m.)〉 **0.1** *instigator, inciter* 〈tot een laakbare actie〉; 〈pol.〉 *agitator.*

opstokerij 〈de (v.)〉 **0.1** *instigation, incitement* 〈tot een laakbare actie〉; 〈pol.〉 *agitation.*

opstomen 〈onov.ww.〉 〈scheep.〉 **0.1** *steam / sail (to)* ⇒*sail / steam up* 〈een rivier〉 ◆ **6.1** naar R. ~ *steam / sail to R..*

opstommelen 〈onov.ww.〉 **0.1** *stumble up* 〈een trap〉.

opstoot 〈de (m.)〉 〈boksen〉 **0.1** *uppercut.*

opstootje 〈het〉 **0.1** *disturbance* ⇒*(street) row, disorder.*

opstoppen
I 〈ov.ww.〉 **0.1** [opvullen] *fill (up)* ⇒*pad* 〈kleren〉, *stuff* 〈dieren〉 **0.2** [stuiten] [dichten] *stop (up)* ⇒〈verstoppen〉 *block / choke up, obstruct, congest* ◆ **1.1** een pijp ~ *fill a pipe;* een vogel ~ *stuff a bird* **1.2** het verkeer ~ *block up / obstruct / congest the traffic;*
II 〈ov.ww.〉 **0.1** [verstopping veroorzaken] *constipate* ◆ **1.1** kaneel stopt op *cinnamon causes constipation / has a constipating effect.*

opstopper 〈de (m.)〉 〈inf.〉 **0.1** *wallop* ⇒*clout, slap, smack, punch* ◆ **3.1** iem. een ~ geven / verkopen *throw / land / deal s.o. a blow, let s.o. have it, sock s.o..*

opstopping 〈de (v.)〉 **0.1** *stoppage, blockage* ⇒〈verkeer〉 *(traffic) block / jam, congestion, buildup.*

opstormen 〈onov.ww.〉 **0.1** *dash / rush / race up* ◆ **1.1** de trap ~ *dash / tear / race / bound up the stairs.*

opstoten 〈ov.ww.〉 **0.1** [omhoogstoten] *push up* **0.2** [〈jacht〉] *drive out (of hiding).*

opstoter 〈de (m.)〉 **0.1** [in een piano] *jack* **0.2** [〈inf.〉 oud paard, knol] *screw* ⇒*nag, jade, hack* **0.3** [duivelstoejager] *stooge, dogsbody, drudge.*

opstoven 〈ov.ww.〉 **0.1** *stew.*

opstreek 〈de〉 〈muz.〉 **0.1** *up-bow* ⇒*upstroke.*

opstrijken 〈ov.ww.〉 **0.1** [omhoogstrijken] 〈zie **1.1**〉 **0.2** [ontvangen] *pocket* ⇒*rake in, scoop in / up, gather in* **0.3** [strijken] *iron (out)* ⇒*pass an iron over sth.* ◆ **1.1** zijn mouwen ~ *roll / turn up / back one's sleev-*

es; zijn snor ~ *whirl up / wax one's moustache* **1.2** het geld ~ *rake in the money;* de winst ~ *net / clear / reap the profits* **1.¶** met opgestreken zeilen naar iem. toekomen *approach s.o. in an angry / excited manner.*

opstrijkmes 〈het〉 **0.1** *palette knife.*

opstropen 〈ov.ww.〉 **0.1** *roll / turn up* ◆ **1.1** zijn broek ~ *roll up one's trousers;* met opgestroopte mouwen *with rolled-up sleeves;* de mouwen ~ 〈lett.〉 *tuck / roll / turn up one's sleeves, roll / turn up / back one's sleeves;* 〈fig.〉 *put one's shoulder to the wheel.*

opstuiten 〈onov.ww.〉 **0.1** *spring / jump up.*

opstuiven 〈onov.ww.〉 **0.1** [stuivend omhoogvliegen] *fly up* **0.2** [omhoogstuiven] *bank up* ⇒*drift* **0.3** [driftig omhoogsnellen] *dash / tear up* **0.4** [driftig worden] *flare / flame out / up, fire up* ⇒*fly into a temper,* 〈inf.〉 *fly off the handle* ◆ **6.3** ~ tegen iem. *flare out / up at s.o., let fly at s.o..*

opsturen 〈ov.ww.〉 **0.1** *send* ⇒*post, mail* ◆ **1.1** brieven ~ *post / mail letters.*

opstutten 〈ov.ww.〉 **0.1** *shore / buttress up* ⇒*support.*

opstuwen 〈ov.ww.〉 **0.1** [opwaarts stuwen] *push up* **0.2** [door een waterkering tegenhouden] *dam up* ⇒*impound.*

opstuwing 〈de (v.)〉 **0.1** [opwaartse druk] *pushing up* ⇒*upward pressure* **0.2** [het door een waterkering tegenhouden] *damming up* ⇒*impoundage, impoundment.*

optakelen 〈ov.ww.〉 **0.1** [met takels ophijsen] *hoist up* **0.2** [optuigen] *deck out, trim* ⇒*rig (up)* 〈vnl. schip〉, *harness* 〈paard〉 **0.3** [smakeloos optooien] *doll / tart up.*

optanden 〈ov.ww.〉 **0.1** *tooth.*

optant 〈de (m.)〉 **0.1** 〈 hand.〉 *optant* **0.2** [mbt. een nationaliteit] *optant.*

optassen 〈ov.ww.〉 **0.1** *pile / heap up* ⇒*stack (up)* 〈borden, waren, hooi〉.

optater 〈de (m.)〉 **0.1** *wallop* ⇒*clout, slap, smack* 〈in het gezicht / oog〉, *punch* 〈op de neus, in de ribben〉 ◆ **3.1** iem. een ~ geven *give s.o. a clout, clout / sock / biff s.o..*

optatief¹ 〈de (m.)〉 〈taal.〉 **0.1** *optative.*

optatief² 〈bn.〉 **0.1** *optative.*

optekenen 〈ov.ww.〉 **0.1** [te boek stellen] *write / note / take down* ⇒*make a note of,* 〈te boek stellen〉 *chronicle, record* **0.2** [registreren] *register, record* ⇒*enter (in a book),* 〈spel〉 *keep the score of* ◆ **6.1** iets uit de volksmond ~ *record sth. from oral tradition.*

optekening 〈de (v.)〉 **0.1** [het opschrijven] *writing / noting / taking down* ⇒*recording* 〈notulen, gegevens〉 **0.2** [in een kasboek] *entry* ⇒*entering.*

optelfout 〈de〉 **0.1** *mistake / error in addition / counting up* ◆ **3.1** een ~ maken *make an error in addition / counting up.*

optellen 〈ov.ww.〉 **0.1** [bijeentellen] *add (up)* ⇒*count / tally up, total / tot up* 〈reeks getallen, bedragen〉 **0.2** [achter elkaar opnoemen] *enumerate* ⇒*recount, recite, sum / count up* 〈voordelen, feiten〉 ◆ **1.1** twee getallen ~ *add / count up two numbers;* rekeningen ~ *total / tot up accounts* **¶.1** iets bij iets anders ~ *add sth. to sth. else.*

optelling 〈de (v.)〉 **0.1** [het optellen] *addition* **0.2** [optelsom] *(addition) sum* ⇒*footing* 〈van cijferkolom〉.

optelmachine 〈de (v.)〉 **0.1** *adding-machine* ⇒*calculating machine, totalizer, calculator, comptometer.*

optelsom 〈de〉 **0.1** [bewerking] *addition* **0.2** [som, resultaat] *(addition) sum* ⇒*footing* 〈van cijferkolom〉.

optelteken 〈het〉 **0.1** *plus sign.*

op'teren 〈onov.ww.〉 **0.1** *opt* ⇒*choose* ◆ **6.1** ~ voor *o. for, choose, decide in favour of.*

'opteren 〈ov.ww.〉 **0.1** *use up* ⇒ 〈geld ook〉 *spend,* 〈goederen ook〉 *consume* ◆ **1.1** de gehele voorraad was opgeteerd *the whole stock was used up / exhausted.*

optica 〈de (v.)〉 **0.1** [leer] *optics* **0.2** [leerboek] *textbook on optics.*

opticien 〈de (m.)〉 **0.1** [brillenmaker] *optician* **0.2** [instrumentenmaker] *optician.*

opticus 〈de (m.)〉 **0.1** *opticist.*

optie 〈de (v.)〉 **0.1** [(recht van) voorkeur] *option* 〈ook geldw., hand.〉 ⇒ *choice, alternative,* 〈AE; geldw. ook〉 *privilege* **0.2** [optreden **0.3** [eis] *claim* **0.4** 〈jur.〉 *option* ◆ **6.1** iets in ~ hebben *have an o. on sth.;* een ~ nemen op een huis *take an o. on a house;* een ~ op een huis hebben *have an o. on / have (the) first refusal of a house;* recht van ~ *the optional right;* 〈van huis ook〉 *(the) first refusal.*

optiebeurs 〈de〉 **0.1** *options market.*

optiebewijs 〈het〉 **0.1** *option (contract).*

optiehaven 〈de〉 **0.1** *option port.*

optiek 〈de (v.)〉 **0.1** [visie] *point of view* ⇒*angle, slant* **0.2** [uitrusting] *optics* 〈mv.〉 **0.3** [eigenschappen] *optical properties* **0.4** [optica] *optics* 〈enk.〉 ◆ **6.1** vanuit deze ~ *from this point of view / this angle.*

optiekoop 〈de (m.)〉 〈hand.〉 **0.1** *call conversion* ◆ **3.1** een ~ afsluiten *take up a call (option), use an option to make a purchase.*

optierecht 〈het〉 **0.1** *option.*

optietermijn 〈de (m.)〉 **0.1** *term of an option.*

optieverkoop 〈de (m.)〉 〈hand.〉 **0.1** *put conversion* ◆ **3.1** een ~ afsluiten *take up a put option, use an option to make a sale.*

optillen 〈ov.ww.〉 **0.1** *lift (up)* ⇒*raise, take up* ◆ **1.1** een kast ~ *lift (up) a cupboard / ^closet;* til je voet eens op *just lift / raise your foot, will you.*

---

optimaal 〈bn., bw.; -ly〉 **0.1** *optimal* ⇒〈bn., attr. ook〉 *optimum* ◆ **1.1** de optimale werking *the optimal / optimum effect / action.*

optimaliseren 〈ov.ww.〉 **0.1** *optimize.*

optimisme 〈het〉 **0.1** [neiging] *optimism* **0.2** [stemming] *optimism* ⇒*sanguinity* **0.3** [〈fil.〉] *optimism* ◆ **2.2** gematigd ~ *qualified / moderate o.* **¶.2** geen reden tot ~ zien *see no reason for o..*

optimist 〈de (m.)〉 **0.1** *optimist.*

optimistisch 〈bn., bw.; -(al)ly〉 **0.1** *optimistic(al)* ⇒*sanguine* ◆ **3.1** de zaak ~ bekijken *take an optimistic / a hopeful / rosy view of the matter, look at the matter optimistically;* ik ben daarover niet ~ *I am not optimistic / sanguine about it;* ~ gestemd zijn *be in an optimistic / a sanguine mood, look on / at the bright side (of things).*

optimum 〈het〉 **0.1** *optimum.*

optioneel 〈bn.〉 **0.1** *optional* ⇒*elective.*

optisch 〈bn.〉 **0.1** [mbt. de wijze waarop iets zich voordoet] *optic(al)* ⇒ *visual* **0.2** [mbt. lichtstralen] *optic(al)* ◆ **1.1** ~ bedrog *optical illusion, trompe l'oeil;* ~e verschijnselen in de atmosfeer *optical / visual phenomena in the atmosphere* **1.2** ~e instrumenten *optical instruments, optics;* het ~ lezen *optical character reading.*

optocht 〈de (m.)〉 **0.1** [stoet] *procession* ⇒*parade,* 〈historische〉 *pageant,* 〈manifestatie〉 *march,* 〈van paarden / auto's〉 *cavalcade,* 〈van auto's〉 *motorcade* **0.2** [het gezamenlijk optrekken] *procession* ◆ **3.1** een ~ houden *hold a procession / parade / march, parade, march* **6.2** in ~ lopen *go / walk in p.;* 〈inf.〉 *process.*

optomen 〈ov.ww.〉 **0.1** *bridle.*

optometer 〈de (m.)〉 **0.1** *optometer.*

optometrie 〈de (v.)〉 **0.1** *optometry.*

optooien 〈ov.ww.〉 **0.1** *deck (out), trim* ⇒*bedeck, adorn, decorate,* 〈pej.〉 *bedizen.*

optornen 〈onov.ww.〉 **0.1** [met moeite ergens tegenin gaan] *battle (with)* ⇒*struggle (against)* **0.2** [mbt. schepen] *be brought up by her anchor* ◆ **6.1** tegen de wind ~ *b. with / struggle against the wind;* 〈scheep.〉 *beat up (against the wind);* tegen moeilijkheden ~ *b. with / struggle against difficulties;* tegen de publieke opinie ~ *go against public opinion.*

optotype 〈het〉 **0.1** *optotype.*

optransformeren 〈ov.ww.〉 **0.1** *step up.*

optrede 〈de〉 **0.1** [opstap] *step* ⇒〈van voertuig ook〉 *footboard* **0.2** [podium] *dais* ⇒*estrade* **0.3** [hoogte van een traptrede] *rise.*

optreden¹ 〈het〉 **0.1** [handelwijze] 〈mil., politie enz.〉 *action;* 〈handelswijze〉 *way of acting, behaviour;* 〈houding〉 *attitude, manner;* 〈voorkomen〉 *bearing, demeanour* **0.2** [uitvoering] *appearance* ⇒*performance,* 〈voorstelling〉 *show* ◆ **1.1** het ~ van de politie *(the) police action, the action of the police / taken by the police;* het ~ van dit verschijnsel *the occurrence of this phenomenon* **2.1** zijn brutaal ~ *his impertinent / insolent behaviour / conduct* **6.1** zijn minachtend ~ jegens zijn vader *his disdainful attitude / behaviour towards his father* **7.2** hun eerste ~ *their first a., their debut.*

optreden² 〈onov.ww.〉 **0.1** [op het toneel verschijnen] *appear, make one's appearance* ⇒〈opkomen ook〉 *enter, go / come on, perform* 〈vnl. in clubs〉 **0.2** [een functie vervullen] *act (as)* ⇒*serve (as),* 〈vals〉 *pretend (to be)* **0.3** [zich voordoen] *appear, occur* **0.4** [handelen] *act* ⇒*taken action, proceed* ◆ **1.2** de ~de burgemeester *the acting* 〈plaatsvervangende〉 / *incoming* 〈opvolgende〉 *mayor;* de predikant trad gisteren op *the minister took the pulpit yesterday* **1.3** bij deze ziekte treden vaak complicaties op *with this illness complications often arise / develop;* eindelijk trad er een verbetering op *improvement set in at last* **2.4** gewapend ~ tegen *take armed action against* **3.4** handelend ~ *a., take action* **5.4** streng ~ *take firm / severe action / measures* **6.1** in een film ~ *appear / play / figure / feature in a film;* in de hoofdrol ~ *a. in a leading rôle, play the lead* **6.4** met kracht ~ *a. forcefully;* ~ tegen iem. *take action against s.o., a. against s.o., deal with s.o.;* in rechte ~ tegen *take legal action against, proceed judicially / in law against* **8.2** ~ als bemiddelaar *a. as mediator, mediate;* als gastheer ~ *a. as / the host, play host, host;* 〈jur.〉 als verdediger ~ *appear for the defendant, defend* **¶.1** voor de eerste maal ~ *make one's debut / first appearance.*

optrekje 〈het〉 **0.1** *pied-à-terre* ⇒〈buitenverblijfje〉 *(holiday) cottage.*

optrekken

I 〈onov.ww.〉 **0.1** [zich begeven] *go, move* **0.2** [mbt. auto's] *accelerate* **0.3** [〈mil.〉] *march, advance* **0.4** [zich bezighouden met] 〈zorgen voor〉 *be busy (with), take care (of);* 〈omgaan met〉 *tag along (with) / hang around (with)* **0.5** [omhoog stijgen] *rise* ⇒*lift* ◆ **1.1** hij trok dezelfde kant op *he went in the same direction* **1.5** de mist trekt op *the fog is lifting / clearing away / dissipating, the fog is rising;* de vochtigheid trekt op uit de grond *the damp rises from the ground* **5.2** snel ~ *a. quickly / rapidly, gather speed fast* **5.4** samen ~ *hang / go around together* **6.4** ~ met de patiënten *spend a lot of time on the patients;* **II** 〈ov.ww.〉 **0.1** [naar boven trekken] *pull / haul up* ⇒*raise,* 〈hijsen〉 *hoist (up)* **0.2** [opbouwen] *put up* ⇒*build (up), erect, elevate, raise* 〈ook hoger opbouwen〉, 〈vlug en hoog〉 *run up, set up* 〈barrière〉 **0.3** [verhogen] *raise* ⇒*increase* ◆ **1.1** een balken ~ *lift one's legs;* zijn broek ~ *pull / hitch up one's trousers;* met opgetrokken knieën *with one's knees pulled up / raised;* zijn lippen ~ *curl one's lips;* zijn neus ~ voor iets / iem. 〈fig.〉 *turn up one's nose / sniff at s.o. / sth.;* zijn schouders ~ *hunch one's shoulders;* de wenkbrauwen ~ *raise/lift/arch one's eyebrows* **1.2** een muur ~ *put up/erect a wall* **1.3** de lonen ~ *r. wages* **1.¶** de wacht ~ *mount guard, go on duty;* **III** ⟨wk.ww.;zich ~⟩ **0.1** [steun vinden] *lean on* ◆ **6.1** zich **aan** iem. ~ *strongly rely/lean on s.o..*

optrekkingsvermogen ⟨het⟩ **0.1** *acceleration (power/capacity).*

optrekladder ⟨de (m.)⟩ **0.1** *extension ladder.*

optroeven ⟨onov.ww.⟩ **0.1** *play trumps.*

optrommelen ⟨ov.ww.⟩ **0.1** *drum up* ⇒⟨met moeite⟩ *rake up* ◆ **1.1** de kiezers ~ *drum up the voters.*

optuigen ⟨ov.ww.⟩ **0.1** [versieren] *deck (out), trim* ⇒*bedeck, adorn, decorate* **0.2** [⟨scheep.⟩] *rig (up)* **0.3** [mbt. een rijdier] *harness* ⇒*tackle,* ⟨met sjabrak⟩ *caparison* **0.4** [mbt. personen] *dress up* ⇒⟨overdreven /smakeloos⟩ *doll/tart up.*

optutten ⟨ov.ww.⟩ **0.1** *doll/tart up* ◆ **4.1** zich ~ *doll/tart o.s. up.*

opulent ⟨bn.⟩ **0.1** *opulent* ⇒*wealthy.*

opulentie ⟨de (v.)⟩ **0.1** *opulence* ⇒*opulency.*

opus ⟨het⟩ **0.1** [⟨muz.⟩] *opus* **0.2** [werk] *opus* ◆ **¶.2** magnum ~ *magnum o..*

opvallen ⟨onov.ww.⟩ **0.1** *strike* ⇒*be conspicuous, catch the eye, attract attention/notice, arrest the attention* ◆ **4.1** het is mij opgevallen dat *I have noticed/it has struck me that* **5.1** haar gebrek valt bijna niet op *her handicap is barely/hardly noticeable* **6.1** ~ *door* zijn kleding *attract attention because of/on account of one's dress;* ~ *door* zijn moed *be notable for one's courage* **¶.1** wat het meest opvalt ... *what strikes one most ....*

opvallend ⟨bn., bw.;-ly⟩ **0.1** *striking* ⇒*conspicuous, marked, notable, noticeable, eye-catching* ◆ **1.1** een ~ *contrast* a s. / *blatant/graphic/ marked contrast;* een ~ *gebrek aan kennis* van a *remarkable/blatant lack of knowledge about;* een ~ *jurk* a s. *dress;* het meest ~c *kenmerk the most* s. / *salient/outstanding feature/characteristic* **2.1** zij zag ~ *bleek she looked noticeably/remarkably pale* **3.1** ~ *gekleed gaan dress conspicuously, be showily dressed* **5.1** weinig ~ *inconspicuous, unobtrusive.*

opvang ⟨de (m.)⟩ **0.1** *relief* ⇒*rescue operations, emergency measures* ◆ **6.1** ~ *voor kijkers* na een emotioneel t.v.-programma *special telephone numbers for viewers after an emotional TV programme.*

opvangcentrum ⟨het⟩ **0.1** [noodverblijf voor daklozen] *reception centre* ⇒*refugee centre* ⟨voor vluchtelingen⟩, *shelter/centre for the homeless* ⟨voor daklozen⟩ **0.2** [instelling voor hulpverlening] *crisis centre.*

opvangen ⟨ov.ww.⟩ **0.1** [in zijn val, vlucht vangen] *catch* ⇒*receive* **0.2** [horen] *overhear* ⇒*pick up, catch* **0.3** [helpen] *take care of* ⇒*receive* ⟨vluchtelingen⟩ **0.4** [met een instrument waarnemen] *catch* ⇒*pick up, receive* **0.5** [in iets verzamelen] *catch* ⇒*receive, collect* **0.6** [teniet doen] *absorb* ⟨trilling, schok⟩; *intercept* ⟨klap⟩; *meet* ⟨aanval, verlies⟩; *cushion* ⟨klap, botsing⟩; ⟨compenseren⟩ *set off* ◆ **1.1** een bal ~ *c. a ball;* de hond ving het stuk brood op *the dog snapped up/caught the piece of bread;* een klap ~ ⟨incasseren⟩ *receive a blow* **1.2** flarden van een gesprek ~ *pick up/o. scraps of conversation, catch a few words of a conversation;* het geluid dat ik opving *the sound that caught my ear* **1.3** de kinderen ~ als ze uit school komen *take care of/ look after the children after school* **1.4** een radiosignaal ~ *pick up/c. / receive a radio signal* **1.5** regenwater ~ *catch/collect rainwater* **1.6** een klap ~ ⟨ondervangen⟩ *intercept/cushion/break a blow;* een verliespost ~ *set off/meet/counterbalance a loss* **1.¶** een blik van iem. ~ *catch/meet* s.o.'s *eyes* **¶.3** haar vrienden hebben haar na dat ongeluk goed opgevangen *her friends took good care of her after that accident.*

opvanghuis ⟨het⟩ **0.1** *reception/relief centre.*

opvaren ⟨ov.ww.⟩ **0.1** [verder varen] *sail/proceed to* **0.2** [ten hemel varen] *ascend (to heaven)* ◆ **1.1** een rivier ~ *sail up/go up/ascend/* ⟨met stoomboot ook⟩ *steam up a river* **6.1** tegen de stroom ~ *sail against the current;* ⟨fig.⟩ *swim against the tide.*

opvarende ⟨de (m.)⟩ **0.1** *person on board* ⇒⟨passagier ook⟩ *passenger,* ⟨bemanningslid ook⟩ *crew member* ◆ **3.1** al de ~n zijn verdronken *all those/persons on board were drowned, all passengers and crew were drowned.*

opvatten ⟨ov.ww.⟩ **0.1** [oppakken] *take up* ⇒*pick up* **0.2** [beschouwen] *take* ⇒*understand, conceive, interpret* **0.3** [zich toeleggen op] *take up* **0.4** [gaan koesteren] *conceive* ⇒*take* ◆ **1.1** de draad van het verhaal weer ~ *take up/pick up/resume the thread of the story/narrative;* de pen ~ *take up one's pen* **1.2** zijn taak ernstig ~ *t. one's task seriously;* een woord ~ in de goede zin *interpret/t. a word in the positive sense* **1.3** de studie weer ~ *resume one's studies,* [A]*go back to school, take up one's studies/* [A]*school (again)* **1.4** haat ~ tegen iem. *c. a hatred for s.o., c. / take an intense dislike to s.o.;* liefde ~ voor *c. a passion for, fall in love with;* het plan ~ om *c. a plan to, set out to* **5.1** het gesprek weer ~ *resume the conversation, take up the conversation again* **5.2** een opmerking letterlijk ~ *t. a remark literally;* iets licht ~ *think little of/make light of sth.;* iets verkeerd ~ ⟨fout opvatten⟩ *misunderstand/ misinterpret/misconceive/misconstrue sth.* ⟨kwalijk nemen⟩ *t. sth. amiss/in bad part/ill* **5.3** het werk weer ~ *return to/resume work, take up work again* **8.2** iets als een grapje ~ *t. / treat sth. as a joke.*

opvatting ⟨de (v.)⟩ **0.1** [het beschouwen] *view, outlook* **0.2** [mening]

view ⇒*notion, opinion, belief, idea* **0.3** [uitleg] *conception, interpretation, understanding* ◆ **1.2** dat is een verschil van ~ *that is a difference of opinion* **2.1** een bekrompen ~ *a narrow(-minded) outlook/view;* ik vind dat een verstandige ~ *that seems to me a sensible way of looking at/taking it* **2.2** zijn politieke ~en *his political views/beliefs* **2.3** een verkeerde ~ hebben over iets *have a misconception about sth.* **6.1** ruim van ~ zijn *be broad-minded, have broad(-minded) views* **6.2** naar mijn ~ *in my opinion/view.*

opvegen ⟨ov.ww.⟩ **0.1** [bijeenvegen] *sweep up* **0.2** [reinigen] *sweep (up/ out)* ◆ **1.1** het vuil ~ *sweep up the dirt* **1.2** een kamer ~ *s. (out) a room.*

opveren ⟨onov.ww.⟩ **0.1** *jump/leap/start/spring up* ⇒⟨rechtveren⟩ *spring/jump/start to one's feet.*

opvieren ⟨ov.ww.⟩ ⟨scheep.⟩ **0.1** *slacken away/off.*

opvijlen ⟨ov.ww.⟩ **0.1** *file* ◆ **1.1** zagen ~ *f. (the teeth of) saws.*

opvijzelen ⟨ov.ww.⟩ **0.1** [sterker/beter maken] *boost* ⇒*jack up/puff* ⟨prijzen op veiling⟩, ⟨overmatig prijzen⟩ *crack/cry up, puff* **0.2** [met vijzels opwinden] *jack (up), lever up* ◆ **1.1** het moreel weer ~ *b. the morale, give the morale a new boost.*

opvissen ⟨ov.ww.⟩ **0.1** [uit het water halen] *dredge up* ⇒⟨inf.⟩ *fish out/ up* **0.2** [⟨fig.⟩ te voorschijn brengen] *fish out/up, dig up* ⟨iets⟩; *find/ hunt out* ⟨iem.⟩ ◆ **1.1** een lijk uit de rivier ~ *dredge up/recover a body from the river* **1.2** een kwartje uit zijn vestzak ~ *fish out/fish up/ dig up a quarter from one's pocket.*

opvlammen ⟨onov.ww.⟩ **0.1** [met opstijgende vlam branden] *flame/ flare/blaze up* **0.2** [feller beginnen te branden] *flame/flare/blaze up* ◆ **5.1** hoog ~ *flame high;* ⟨fig.⟩ opnieuw ~ *flare/flame up, be rekindled.*

opvliegen ⟨onov.ww.⟩ **0.1** [omhoogvliegen] *fly up* **0.2** [vlug opstaan] *spring/jump/start to one's feet* **0.3** [driftig worden] *flare/flame out/up, fire up* ⇒*fly into a temper,* ⟨inf.⟩ *fly off the handle, lose one's hair, explode* ◆ **¶.¶** hij mag voor mijn part ~ *he can go to blazes (as fas as I am concerned).*

opvliegend ⟨bn.⟩ **0.1** *short-/quick-/hot-tempered, hotheaded* ⇒*peppery, irascible.*

opvliegendheid ⟨de (v.)⟩ **0.1** *short-quick-hot-temperedness* ⇒*hotheadedness, irascibility.*

opvlieger ⟨de⟩ **0.1** *flush* ⇒⟨inf.⟩ *hot flush/* ⟨vnl. AE⟩ *flash,* ⟨med.⟩ *congestion.*

opvlieging ⟨de (v.)⟩ ⟨med.⟩ **0.1** *congestion (in the face)* ⇒*flush,* ⟨inf.⟩ *hot flush/* ⟨vnl. AE⟩ *flash* ◆ **3.1** ~en hebben *have hot flushes.*

opvoedbaar ⟨bn.⟩ **0.1** *educable* ⇒*educatable, trainable* ◆ **2.1** moeilijk opvoedbare kinderen *problem/difficult/ineducable children.*

opvoeden ⟨ov.ww.⟩ **0.1** [vormen] *bring up* ⟨kinderen⟩ ⇒*raise, rear, breed* **0.2** [grootbrengen] *bring up* ⇒*educate, nurture* ◆ **1.1** de ~de waarde van boeken *the educational/educative/instructive value of books* **5.1** goed/slecht opgevoed *well-/ill-bred, nicely/well/badly brought up* **6.1** iem. **tot** iets ~ *bring s.o. up to sth..*

opvoeder ⟨de (m.)⟩, **-voedster** ⟨de (v.)⟩ **0.1** *educator* ⇒*tutor, governess* ⟨v.⟩.

opvoeding ⟨de (v.)⟩ **0.1** [het vormen] *upbringing* ⇒*raising, rearing* **0.2** [vorming] *upbringing* ⇒*education, breeding* ◆ **1.1** lichamelijke ~ *physical education/training;* ⟨afk.⟩ *P.E., P.T.;* seksuele ~ *sex education;* een strenge ~ *a strict u.* **3.2** een ~ krijgen/genieten *receive/enjoy an education* **¶.1** de zorg voor iemands ~ hebben *be in charge of s.o.'s u..*

opvoedingsgesticht ⟨het⟩ **0.1** [B]*approved school,* [A]*reformatory* ⇒⟨voor de oudere jeugd⟩ [B]*Borstal.*

opvoedkunde ⟨de (v.)⟩ **0.1** [leer] *education* ⇒⟨schr.⟩ *pedagogy* **0.2** [les] *education.*

opvoedkundig ⟨bn., bw.;-ly⟩ **0.1** *educational* ⇒*educative, instructive,* ⟨schr.⟩ *pedagogic(al)* ◆ **1.1** uit een ~ oogpunt beschouwd *seen from an educational angle/point of view.*

opvoedkundige ⟨de (m.)⟩ **0.1** *education(al)ist* ⇒*educator, pedagogue,* ⟨AE ook⟩ *pedagog.*

opvoegen ⟨ov.ww.⟩ **0.1** *(re)point.*

opvoeren ⟨ov.ww.⟩ **0.1** [kracht/omvang doen toenemen] *increase* ⇒ *raise, boost, step/speed up, accelerate* ⟨de gang van iets⟩ **0.2** [mbt. de prijs] *increase* ⇒*raise, push up,* ⟨inf.⟩ *up* **0.3** [ten tonele brengen] *perform* ⇒*put on, present, stage* **0.4** [mbt. belastingen] *claim* ⇒*enter, put down* **0.5** [mbt. voedsel] *feed* ◆ **1.1** een motor ~ *tune up an engine;* het peil ~ *raise the standard;* de produktie ~ *step up production;* de snelheid ~ *raise/step up the pace;* het tempo ~ *raise the tempo* **1.2** de veel te hoog opgevoerde lonen *the greatly inflated wages;* de lonen ~ *i. / lift wages* **1.3** de momenteel opgevoerde toneelstukken *the plays on/running at the moment* **1.4** een vakantie ~ als zakenreis *c. / put down/enter a holiday as a business trip* **6.5** het brood is opgevoerd **aan** de eenden *the bread has been fed to the ducks.*

opvoering ⟨de (v.)⟩ **0.1** [het spelen van een toneelstuk] *production* ⇒ *staging, presentation* **0.2** [keer, gelegenheid] *performance* **0.3** [het verhogen, vergroten] *increase* ⇒*rise, acceleration* ⟨van snelheid⟩.

opvolgen ⟨ov.ww.⟩ **0.1** [volgen] *follow up* **0.2** [mbt. een ambt, de kroon] *succeed* **0.3** [nakomen] *follow up* ⇒*act (up)on, observe, comply with* ⟨regels⟩, *obey* ⟨geboden⟩ ◆ **1.3** iemands advies ~ *follow/act (up)on/*

take s.o.'s advice; een bevel ~ *obey an order* **4.1** de gebeurtenissen volgen elkaar snel op *the events happen in quick/rapid succession.*

opvolger ⟨de (m.)⟩, **-volgster** ⟨de (v.)⟩ **0.1** [die iem. in een ambt opvolgt] *successor* **0.2** [⟨wisk.⟩] *successor* ⇒*following number* ◆ **8.1** als ~ van *in succession to.*

opvolging ⟨de (v.)⟩ **0.1** [het op elkaar volgen] *succession, sequence* **0.2** [mbt. een ambt/de kroon] *succession* **0.3** [het naleven] *pursuit (of)* ⇒ *observance (of), compliance (with)* ⟨regels⟩, *obedience (to)* ⟨geboden⟩ ◆ **1.1** een snelle ~ van indrukken *a rapid succession/sequence of impressions.*

opvolging(s)kwestie ⟨de (v.)⟩ **0.1** *question of succession.*

opvolgingsrecht ⟨het⟩ **0.1** [bij een ambt of koningschap] *right of succession* **0.2** [⟨jur.⟩ erfrecht] *remainder* ⇒*primogeniture* ⟨v.d. oudste zoon⟩, *ultimogeniture* ⟨v.d. jongste zoon⟩, *reversion, survivorship* ⟨bij overleven⟩.

opvorderbaar ⟨bn.⟩ **0.1** *payable* ⇒*due, owing* ◆ **5.1** de schuld is onmiddellijk ~ *the debt is (re)payable on demand/without notice.*

opvorderen ⟨ov.ww.⟩ **0.1** *claim, demand* ⇒*call in* ⟨schulden⟩.

opvouwbaar ⟨bn.⟩ **0.1** *folding* ⇒⟨attr.⟩ *fold-up/-away, collapsible* ⟨doos, boot⟩.

opvouwen ⟨ov.ww.⟩ **0.1** *fold up* ⇒⟨om op te bergen⟩ *fold away* ◆ **1.1** een servet/de krant ~ *fold up a napkin/the newspaper.*

opvragen ⟨ov.ww.⟩ **0.1** *claim* ⇒*ask for,* ⟨terugvragen⟩ *reclaim, ask for (sth.) back, withdraw* ⟨geld v.e. rekening⟩ ◆ **1.1** zijn bagage ~ *reclaim one's luggage;* een boek ~ *ask for a book back;* geld uit de spaarbank ~ *withdraw money from the savings bank;* een hypotheek ~ *recall a mortgage;* schulden ~ *call in debts.*

opvreten

I ⟨ov.ww.⟩ **0.1** [opeten] *eat up, devour* ◆ **6.1** ⟨fig.⟩ iem. met de ogen ~ *ogle at s.o., eye s.o. greedily/hungrily;* een schat met de ogen ~ *feast one's eyes upon a treasure* ¶**.1** ⟨fig.⟩ opgevreten worden van de zenuwen *be a nervous wreck/bundle of nerves;*

II ⟨wk.ww.; zich ~⟩ **0.1** [vergaan van] *chafe* ⇒*be consumed, fret* ◆ **6.1** zich ~ van spijt *chafe with regret;* zich ~ van ergernis *fret with anger/annoyance;* zich ~ van verdriet *be consumed/eat one's heart out with sorrow.*

opvriezen ⟨onov.ww.⟩ **0.1** [gaan vriezen] *freeze up* ⇒*ice up* ⟨met een laag ijs⟩ **0.2** [omhoog komen] *lift by frost* **0.3** [stukvriezen] *be damaged by frost* ◆ **1.2** het ~ van het wegdek *lifting of the road surface by frost.*

opvrijen ⟨ov.ww.⟩ **0.1** [prikkelen] *get (s.o.) going* ⇒*excite, arouse, titillate* **0.2** [het hof maken] *court* ⇒⟨schr.⟩ *woo,* ⟨met praatjes⟩ *chat up* **0.3** [flemen] *butter up* ◆ **1.2** een meisje ~ *(go) court(ing) a girl;* ⟨praatjes maken⟩ *chat up a girl.*

opvrolijken ⟨ov.ww.⟩ **0.1** *cheer (s.o.) up* ⇒*perk (s.o.) up, brighten (s.o./sth.) up, give (s.o.) a lift,* ⟨inf.⟩ *buck (s.o.) up* ◆ een zieke ~ *cheer a sick person up* **6.1** een kamer met bloemen ~ *brighten up a room with flowers.*

opvullen ⟨ov.ww.⟩ **0.1** [geheel vullen] *fill up* **0.2** [volstoppen] *stuff* ⇒*fill,* ⟨om een beschermend kussen te maken⟩ *pad* **0.3** [opzetten] *stuff* **0.4** [⟨druk.⟩] *space out* ◆ **1.1** een leemte ~ *fill a gap;* een les/verhaal ~ *pad out a lesson/story* **1.2** een kussen met veren ~ *stuff a cushion with feathers.*

opvulling ⟨de (v.)⟩ **0.1** [het opvullen] *filling* ⇒⟨bouwk.⟩ *infilling, stuffing* ⟨kussen, matras, stoel⟩, *padding* ⟨kleren⟩ **0.2** [⟨concr.⟩] ⟨→opvulsel⟩.

opvulsel ⟨het⟩ **0.1** *filler, filling* ⇒⟨tech. ook⟩ *filling material, packing,* ⟨bouwk.⟩ *infill, stuffing* ⟨kussen, matras, stoel⟩, *pad(ding), wad(ding)* ⟨kleren, schoeisel⟩.

opwaaien

I ⟨onov.ww.⟩ **0.1** [in de hoogte gedreven worden] *(get) blow(n) up* ⇒⟨zachtjes⟩ *waft up* **0.2** [mbt. water] *be/get whipped up* **0.3** [mbt. een verwensing] *fly into a rage/off the handle* ⇒⟨sl.⟩ *do one's nut* ◆ **1.1** ⟨fig.⟩ stof doen ~ *kick up dust* **6.1** ~ in de wind *get blown up by the wind, blow about in the wind;*

II ⟨ov.ww.⟩ **0.1** [omhoogdrijven] *blow up* ⇒*lift, raise* **0.2** [mbt. water] *whip up* ◆ **1.2** een ~de wind ≠*a gusting/gusty wind.*

opwaarderen ⟨ov.ww.⟩ **0.1** *revalue* ⇒*upgrade, uprate.*

opwaardering ⟨de (v.)⟩ **0.1** *revaluation* ⇒*upgrading, uprating.*

opwaarts ⟨bn., bw.; -ly⟩ **0.1** [omhoog] *upward* ⇒⟨bw. ook⟩ *upwards* **0.2** [hemelwaarts] *upward* ⇒⟨bw. ook⟩ *upwards* **0.3** [tegen de hoogte op] *upward* ⇒⟨bw. ook⟩ *upwards* ◆ **1.1** ~e druk *upward pressure, upthrust;* ⟨als hoedanigheid v.e. vloeistof⟩ *buoyancy* **3.1** de ogen ~ slaan *cast one's eyes upwards.*

opwachten ⟨ov.ww.⟩ **0.1** [wachten tot iem. komt] *wait for* ⇒⟨schr.⟩ *await* **0.2** [met vijandige bedoelingen iemands komst afwachten] *lie in wait for* ⇒⟨opwachten en onderscheppen⟩ *waylay* ◆ **3.1** de gidsen stonden ons op te wachten *the guides were waiting for us* **3.2** drie kerels stonden hem op te wachten *three fellows were waiting/on the lookout/lying in wait for him.*

opwachting ⟨de (v.)⟩ **0.1** *respects* ⇒*call* ◆ **3.1** zijn ~ bij iem. maken *pay one's respects to s.o., pay a call on s.o.;* ⟨schr.⟩ *wait (up)on s.o..*

opwandelen ⟨onov.ww.⟩ **0.1** [verder wandelen] *walk on* ⇒*stroll on* **0.2**

[naar boven wandelen] *walk up* ⇒*stroll up* ◆ **1.1** een eindje ~ *go for a stroll/walk* ¶**.1** ik zal maar vast ~ *I'll walk on a bit.*

opwarmen

I ⟨ov.ww.⟩ **0.1** [opnieuw warm maken] *warm/heat up* ⇒*reheat* **0.2** [⟨fig.⟩ oprakelen] *drag out/up* ⇒*bring up again, rake up, revive, come out with (sth.) again* **0.3** [aansporen] *entice* ⇒⟨aanzetten⟩ *incite, inspire, induce* **0.4** [geil maken] *turn on* ◆ **1.1** eten ~ *warm/heat up food;* opgewarmde kost ⟨fig.⟩ *a rehash;* ⟨lett.; inf.⟩ *left-overs;*

II ⟨onov.ww.⟩ **0.1** [op temperatuur komen] *warm/heat up* **0.2** [⟨sport⟩] *warm up* ⇒*limber up.*

opwarmertje ⟨het⟩ ⟨sport⟩ **0.1** *warm-up* ⇒*warming-/limbering-up exercise.*

opwarming ⟨het⟩ **0.1** [⟨concr.⟩] *heating/warming up* ⟨ook v.e. motor⟩; ⟨van spijzen ook⟩ *reheating; warm-up* ⟨v.e. motor of v.d. spieren⟩ **0.2** [het enthousiasmeren] *rousing, firing with enthusiasm* **0.3** [v.e. onderwerp] *rehashing* **0.4** [het erotisch prikkelen] *turning on* ⇒*titillation, arousal.*

opwarm(ings)oefening ⟨de (v.)⟩ **0.1** *warming-/limbering-up exercise.*

opwarmingstijd ⟨de (m.)⟩ **0.1** *warm(ing)-up time.*

opwassen ⟨onov.ww.⟩ **0.1** *sprout/shoot up* ⇒*grow,* ⟨schr.⟩ *burgeon* ◆ **1.1** het welig ~d boompje *the burgeoning/flourishing sapling* **6.1** ⟨fig.⟩ tegen iem. opgewassen zijn *be a match for s.o., be able to hold one's own against s.o., be s.o.'s equal;* ⟨fig.⟩ tegen iets opgewassen zijn *be up to/equal to sth./ be able to cope with sth..*

opwegen

I ⟨onov.ww.⟩ **0.1** [gelijk zijn aan] ⟨zie 6.1⟩ **0.2** [er niet voor onderdoen] *be equal (to)* ⇒⟨goedmaken⟩ *make up (for), compensate (for)* ◆ **6.1** ~ tegen ⟨counter⟩balance, offset, cancel/even/equal out, countervail **6.2** zij wegen precies tegen elkaar op ⟨mbt. personen⟩ *they are a perfect match for one another, they are evenly matched;* dat weegt niet op **tegen** dat *that counts for little/nothing compared to, that makes no odds against, that is outweighed by;* zij weegt niet **tegen** jou op *she is no match for you, she is not your equal;*

II ⟨ov.ww.⟩ **0.1** [de weegschaal doen overslaan] *tip the scale(s)/balance.*

opwekdynamo ⟨de (m.)⟩ ⟨tech.⟩ **0.1** *exciter.*

opwekken ⟨ov.ww.⟩ **0.1** [wakker maken] *wake up* ⇒*waken, arouse* **0.2** [doen ontstaan] *arouse* ⇒*create, cause, excite, stir, rouse* ⟨belangstelling, gevoelens⟩, *spark off* ⟨rellen, enthousiasme⟩, *raise* ⟨twijfel, hoop⟩ **0.3** [mbt. energie] *generate* ⇒*create* **0.4** [weer levend maken] *revive* ⇒*resuscitate, reawaken* **0.5** [aansporen] *incite* ⇒*urge (on), stimulate, induce* **0.6** [opvrolijken] *cheer up* ⇒*brighten/perk up,* ⟨inf.⟩ *buck up* ◆ **1.2** argwaan ~ *a suspicion;* de eetlust ~ *whet (s.o.'s) appetite;* herinneringen ~ *stir (up) memories;* woede ~ *provoke anger/rage;* ⟨inf.⟩ *raise (s.o.'s) hackles* **1.3** elektriciteit ~ *g. electricity* **1.5** iem. ~ deel te nemen *urge s.o. to take part* **6.4** iem. uit de dood ~ *raise s.o. from the dead* **6.5** ~ tot een grotere prestatie *urge on to greater achievements.*

opwekkend ⟨bn., bw.; -ly⟩ **0.1** [aangenaam stemmend] *cheerful* ⇒*bright, jolly, cheery,* ⟨opbeurend⟩ *cheering, heartening* **0.2** [aanmoedigend] *stimulating, exciting* ⇒*exhilarating* ⟨discussie enz.⟩, *rousing* ⟨atmosfeer⟩, *challenging* ⟨werk⟩, ⟨spannend⟩ *thrilling* **0.3** [⟨med.⟩] ⟨bn.; attr.⟩ *tonic* ◆ **1.1** een ~ klimaat *an invigorating/bracing climate;* ~e muziek *cheerful/jolly/cheery music;* ~ nieuws *cheerful/heartening/encouraging news* **1.2** ~e gesprekken *s./exhilarating/rousing discussions* **1.3** ~ middel *tonic, stimulant;* ⟨inf.⟩ *pick-me-up.*

opwekking ⟨de (v.)⟩ **0.1** [het doen ontwaken] *raising* ⇒*resuscitation* **0.2** [het doen ontstaan] *generation* **0.3** [het bemoedigen] *encouragement* ⇒*cheering/brightening up, enlivenment* **0.4** [aansporing] *encouragement* ⇒*spur, incitement, inducement* **0.5** [⟨rel.⟩] *revival* ◆ **1.1** de ~ van Lazarus *the raising of Lazarus.*

opwekkingsstroom ⟨de (m.)⟩ **0.1** *exciting current.*

opwellen

I ⟨onov.ww.⟩ **0.1** [opborrelen] *well up* ⇒*rise,* ⟨fig. ook⟩ *surge (up)* ◆ **1.1** ⟨fig.⟩ ~de driften *surging passions;* ~de tranen *rising/gathering tears;* tranen welden in zijn ogen op *tears welled up in his eyes;* woede welde in hem op *anger welled up inside him, rage surged within him;*

II ⟨ov.ww.⟩ **0.1** [even opkoken] *bring to the boil.*

opwelling ⟨de (v.)⟩ **0.1** [opborreling] *rise* ⇒*rising (up), welling (up),* ⟨fig. ook⟩ *(up)surge* **0.2** [plotselinge gemoedsgesteldheid] *fit* ⇒*burst* **0.3** [aandrift tot handelen] *impulse* ⇒⟨neiging⟩ *inclination* **0.4** [dat wat in het gemoed opkomt] *impulse* ⇒*instinct* ◆ **1.2** in een plotselinge ~ van haat *in a sudden burst/f. of hatred* **6.2** in een ~ van drift *in a f. of temper/pique* **6.3** in de eerste ~ *on first impulse;* in een ~ iets doen *do sth. on impulse/on the spur of the moment* **7.4** zijn eerste ~ was *his first impulse/instinct was.*

opwelving ⟨de (v.)⟩ **0.1** [welving naar boven] *arching* **0.2** [⟨geol.⟩] *bulge.*

opwerken

I ⟨ov.ww.⟩ **0.1** [naar boven brengen] *raise, lift* ⇒*work up* **0.2** [hoog doen opkomen] *emboss, raise* **0.3** [bewerken] *refurbish* ⇒*do up, smarten up, touch up* ⟨met verf/potlood⟩ ◆ **1.3** gebruikte splijtstofelementen ~ *reprocess/recycle used/spent nuclear fuel elements;* een oude tafel ~ *do up/r. an old table;* een tekening ~ *touch up a drawing;*

II ⟨wk.ww.; zich ~⟩ **0.1** [vooruitkomen] *work one's way up* ⇒*climb the ladder* ◆ **6.1** zich ~ **tot** filiaalhouder *work one's way up to be branch manager;*
III ⟨onov.ww.⟩ **0.1** [naar boven gedreven worden] *rise* ⇒*come up* **0.2** [mbt. vaartuigen] *work one's way* ◆ **1.1** de grond werkt op *the ground is rising.*

opwerking ⟨de (v.)⟩ ⟨nat.⟩ **0.1** *breeder conversion* ⇒*reprocessing, recycling.*

opwerkingsfabriek ⟨de (v.)⟩ **0.1** *breeder conversion plant / reactor* ⇒*reprocessing plant.*

opwerpen
I ⟨ov.ww.⟩ **0.1** [omhoog werpen] *throw up* ⇒*toss (up)* **0.2** [opperen] *raise* ⟨vraag, bezwaar⟩ ⇒*throw in* ⟨opmerking⟩ **0.3** [doen verrijzen] *raise, erect* ⇒*put up* ◆ **1.1** een muntstuk ~ *toss a coin* **1.2** een vraag ~ *r. / put forward a question* **1.3** een barricade ~ *e. / r. / put up a barrier / barricade;*
II ⟨wk.ww.; zich ~⟩ **0.1** [zich maken tot] *appoint* ◆ **6.1** zich ~ **tot** *appoint o.s.;* zich ~ **tot** aanvoerder *appoint / make o.s. captain* **8.1** zich ~ als *set o.s. up as;* zich ~ als expert *set o.s. up as an expert;* hij heeft zichzelf opgeworpen als leider *he is a self-appointed leader.*

opwerping ⟨de (v.)⟩ **0.1** ⟨opmerking⟩ *remark, point;* ⟨bezwaar⟩ *objection.*

opwikkelspoel ⟨de⟩ **0.1** *take-up spool / reel.*

opwinden
I ⟨ov.ww.⟩ **0.1** [de veer spannen] *wind up* **0.2** [tot een kluwen, rol maken] *wind* **0.3** [in een geestdriftige stemming brengen] *excite* ⇒*wind / key / tense up,* ⟨met angst⟩ *agitate* **0.4** [omhoogbrengen] *wind up* ⇒*reel in / up, winch up* **0.5** [geil maken] *arouse* ⇒*excite, titillate, thrill, turn on* ◆ **1.4** een anker ~ *wind up / haul up / in / winch up an anchor* **4.3** zich ~ *get excited, get worked / keyed / wound / tensed up,* ⟨met angst⟩ *get agitated / ⟨inf.⟩ het up* **5.1** te strak ~ *overwind;*
II ⟨wk.ww.; zich ~⟩ **0.1** [kwaad worden] *get enraged / incensed* ⇒*fume,* ⟨inf.⟩ *get hot under the collar,* ⟨sl.⟩ *do one's nut* ◆ **6.1** zich ~ **over** iem. / iets *get enraged / ⟨inf.⟩ mad with s.o. / sth.*

opwindend ⟨bn.⟩ **0.1** [spannend] *exciting* ⇒*thrilling, stimulating* **0.2** [prikkelend] *sexy* ⇒*provocative, erotic, suggestive, titillating* ◆ **1.1** een ~e gebeurtenis *an e. event;* een ~ persoon *a stimulating / fascinating person* **1.2** een ~de dans *an erotic / a suggestive dance* **3.1** het was heel ~ *it was quite a thrill.*

opwinding ⟨de (v.)⟩ **0.1** *excitement* ⇒⟨spanning⟩ *tension,* ⟨angstige⟩ *agitation,* ⟨seksuele⟩ *titillation* ◆ **2.1** er heerste grote ~ *there was an air of great e.;* voor de nodige ~ zorgen *cause quite a stir* **6.1** van ~ wist zij niet, wat zij deed *in her e. she did not know what she was doing.*

opwindspoel ⟨de⟩ **0.1** *winding-on spool / reel.*

opwippen
I ⟨onov.ww.⟩ **0.1** [wippend omhooggaan] *lift / rise up* ⇒*flip / bob up,* ⟨mbt. een kleed / klep⟩ *flap up,* ⟨mbt. een persoon⟩ *spring / jump up* **0.2** [omhooggericht zijn] *turn up;*
II ⟨ov.ww.⟩ **0.1** [omhoog doen gaan] *tip up* ⇒*tilt up.*

opwrijven ⟨ov.ww.⟩ **0.1** *polish (up)* ⇒*rub (up / over)* ◆ **1.1** zijn schoenen ~ *polish / rub up one's shoes;* een tafel / een kast ~ *polish a table / a cupboard.*

opwroeten ⟨ov.ww.⟩ **0.1** [loswroeten] *grub up* ⇒*root / scrap / borrow up* **0.2** [opgraven] *dig up* ⇒*unearth.*

opzadelen ⟨ov.ww.⟩ **0.1** [mbt. rijdieren] *saddle (up)* **0.2** [mbt. personen] *saddle* ⇒*burden,* ⟨BE; inf.⟩ *lumber.*

opzeg ⟨de (m.)⟩ ⟨AZN⟩ **0.1** [opzegging] *cancellation* ⇒*termination, resignation* ⟨van een betrekking⟩ **0.2** [termijn] *notice* ◆ **3.1** zijn ~ doen *resign;* ⟨inf.⟩ *quit;* ⟨op termijn⟩ *give / hand in (one's) notice;* iem. ~ doen *give s.o. notice (to quit);* zijn ~ krijgen *be dismissed,* ⟨inf.⟩ *get sacked / fired, get one's cards.*

opzegbaar ⟨bn.⟩ **0.1** *redeemable* ⟨lening⟩; *terminable* ⟨contract⟩ ◆ **1.1** ~ kapitaal *capital r. / withdrawable on demand / at notice, instantly accessible capital;* een opzegbare verbintenis *a t. contract.*

opzegbaarheid ⟨de (v.)⟩ **0.1** *terminability, terminableness* ⟨v.e. contract of verdrag⟩; *redeemability* ⟨v.e. lening⟩.

opzeggen ⟨ov.ww.⟩ **0.1** [doen ophouden] *cancel* ⇒*terminate, resign* ⟨betrekking, lidmaatschap⟩, ⟨opzegtermijn⟩ *give notice,* ⟨herroepen⟩ *revoke* **0.2** [voordragen] *read out* ⇒*recite* ⟨gedicht, les⟩ ◆ **1.1** zijn abonnement ~ *c. one's subscription;* ⟨voor bus of trein⟩ *give up one's season ticket;* zijn betrekking ~ *resign from one's job, resign one's post;* een contract ~ *terminate a contract;* de huur ~ *c. / terminate a tenancy;* ⟨van de kant v.e. eigenaar⟩ *give notice (to leave / quit);* ⟨van de kant v.e. huurder⟩ *give notice (of leaving / moving / removal);* een hypotheek ~ *liquidate / terminate a mortgage;* de krant ~ *stop (having) / discontinue / c. the paper;* zijn lidmaatschap ~ *resign one's membership;* de secretaresse gaat ~ *the secretary is going to give / hand in her notice;* een verdrag ~ *revoke / annul a treaty;* zijn vertrouwen in iem. ~ *abandon one's trust / confidence in s.o.;* een werknemer ~ *give an employee notice, serve notice on an employee* **1.3** ~ say one's prayers; zijn les ~ *recite / go through one's lesson* **6.1** **met** drie maanden ~ *give three months' notice;* **tot** ~s toe *until notice of cancellation / termination, until further notice.*

opzegging ⟨de (v.)⟩ **0.1** [het opzeggen] *cancellation* ⇒*termination, notice* **0.2** [opzegtermijn] *cancellation* ⇒*termination, resignation* ⟨van een betrekking / een lidmaatschap⟩, ⟨op termijn⟩ *notice* ◆ **1.1** ~ v.d. huur *c. / termination of tenancy;* ⟨door eigenaar⟩ *notice (to leave / quit);* ⟨door huurder⟩ *notice (of leaving / moving / removal)* **6.2** met drie maanden ~ *at three months' notice;* deposito's **met** ~ *deposits with instant access;* **zonder** ~ opvorderbaar *payable on demand.*

opzeg(gings)clausule ⟨de⟩ **0.1** *cancellation clause* ⟨v.e. verzekering⟩.

opzeggingsdatum ⟨de (m.)⟩ **0.1** *date of giving notice* ⟨v.e. contract⟩.

opzeg(gings)termijn ⟨de (m.)⟩ **0.1** *(period / term of) notice* ◆ **2.1** een behoorlijke ~ in acht nemen *give due n.* **6.1** met een ~ **van** drie maanden *subject to three months' n..*

opzeilen ⟨onov.ww.⟩ **0.1** [opvaren] *sail up* **0.2** [verder zeilen] *sail on / up* ◆ **1.1** een rivier ~ *sail up a river* **3.2** komen ~ *come sailing up.*

opzenden ⟨ov.ww.⟩ **0.1** [verzenden] *send* ⇒*despatch, dispatch* **0.2** [⟨scheep.⟩] *send ashore* **0.3** [nazenden] *send on* ⇒*forward* **0.4** [naar boven zenden] *send up* ◆ **1.4** gebeden ~ *offer up prayers* ¶.3 ~ s.v.p. *please forward.*

opzet
I ⟨de (m.)⟩ **0.1** [organisatie] ⟨organisatie⟩ *planning, organization;* ⟨plan⟩ *scheme, idea;* ⟨ontwerp⟩ *lay-out, design, plan;* ⟨structuur, toestand⟩ *set-up* **0.2** [beoogde doel] *intention, aim* ⇒*purpose* ◆ **2.1** de organisatorische ~ *the organizational set-up* **3.2** de ~ was ... *the a. / i. / idea was ...* **6.2** met de ~ te doden *with intent to kill;*
II ⟨het⟩ **0.1** [bedoeling] *intention* ⇒*purpose, aim, intent* ◆ **2.1** boos ~ *evil intent, malice aforethought* **6.1** met ~ *on purpose, deliberately, intentionally, by design;* **zonder** ~ *not on purpose, accidentally, unintentionally* ¶.1 meent de politie dat er ~ in het spel is? *do the police suspect foul play?.*

opzetje ⟨het⟩ **0.1** [ruwe schets] *rough copy* **0.2** [zetje] *leg up.*

opzetkarton ⟨het⟩ **0.1** *(cardboard) mount.*

opzetsteek ⟨de (m.)⟩ **0.1** *cast(ing)-on stitch.*

opzetstuk ⟨het⟩ **0.1** *end- / top-piece.*

opzettelijk ⟨bn., bw.; -(al)ly⟩ **0.1** [met voorbedachten rade] *deliberate* ⇒*intentional,* ⟨bw.⟩ *on purpose,* ⟨moedwillig⟩ *wilful,* ⟨weloverwogen⟩ *studied* **0.2** [speciaal] *specific* ⇒*special,* ⟨bw. ook⟩ *especially* ◆ **1.1** een ~e belediging *a calculated insult;* een ~e leugen *a d. lie;* zijn ~e onverschilligheid *his studied / d. indifference* **2.1** toevallig of ~ *accidentally or on purpose, by chance or by intent* **3.1** iem. ~ beledigen *deliberately insult s.o.* **3.2** hij kwam er ~ voor over *he came over (e)specially for it.*

opzetten
I ⟨onov.ww.⟩ **0.1** [aanzwellen] *swell (up)* ⇒*bulge,* ⟨schr.⟩ *distend,* ⟨in kracht toenemen⟩ *gain strength* **0.2** [komen aanzetten] *blow up, arise* ⟨storm⟩; *gather* ⟨nevel, wolken⟩; *rise* ⟨tij, koorts⟩; *close in* ⟨mist⟩; *set in* ⟨regen⟩; *come on* ⟨ziekte⟩ ◆ **1.1** de wind zet op *the wind is getting up* **1.2** de vloed komt ~ *the tide is coming in* **3.2** de mist komt ~ *fog is setting in;* er komt een storm ~ *there is a storm blowing up / brewing;* zij kwamen in groten getale ~ *they turned / showed up in great / large numbers / in force / in strength;*
II ⟨ov.ww.⟩ **0.1** [overeind zetten] *put up* ⇒*erect, raise,* ⟨verticaal zetten⟩ *stand* ⟨sth. / s.o.⟩ *up* **0.2** [op het hoofd zetten] *put on* **0.3** [op het vuur zetten] *put on* **0.4** [op touw zetten] *set up* ⇒*start (off)* **0.5** [mbt. dode dieren] *stuff* **0.6** [opstoken] *incite* ⇒*urge on* **0.7** [wagen] *stake* ⇒*venture, hazard,* ⟨bij loting⟩ *put in,* ⟨bij wedden⟩ *put on* **0.8** [op iets plaatsen] *put on* ◆ **1.1** zijn kraag ~ *turn up / raise one's collar;* een paraplu ~ *raise / put up / open up an umbrella;* zijn stekels ~ ⟨fig.⟩ *get shirty / tetchy; put one's claws out;* een tent ~ *pitch / put up / erect a tent;* een tol ~ *set a top spinning;* eenden kunnen hun veren ~ *ducks can ruffle (up) their feathers* **1.2** een bril ~ *op. (a pair of) glasses / spectacles;* zijn hoed ~ *put one's hat on;* ⟨schr.⟩ *don one's hat* **1.3** theewater ~ *put some water on for tea, put the kettle on (for tea)* **1.4** een opgezet exemplaar *a mounted / stuffed specimen;* een val ~ *lay / set a trap;* een zaak ~ *set up in business, set up shop* **1.8** een nieuwe band / plaat ~ *put another tape / record on* **1.**¶ de bajonetten ~ *fix bayonets;* grote ogen ~ *stare wide-eyed, goggle;* sterke ~ *cast on;* een barse stem ~ *adopt a gruff tone* **5.4** de campagne was verkeerd opgezet *the campaign was badly planned / badly arranged / ill-conceived* **6.6** iem. ~ **tegen** iem. / iets *set s.o. against s.o. / sth.;* mensen **tegen** elkaar ~ *set / pit people against each other.*

opzetter ⟨de (m.)⟩ **0.1** [iem. die iets rechtop / omhoog plaatst] ⟨iem. die iets rechtop zet⟩ *setter-up;* ⟨iem. die iets omhoog brengt⟩ *raiser, erector* **0.2** [mbt. dode dieren] *taxidermist* ⇒⟨inf.⟩ *stuffer* **0.3** [hout van een steiger] *pole* **0.4** [sparhout] *rafter* **0.5** [opstaande stijl] *upright, post* ⇒*stanchion, prop, support* **0.6** [verlengstuk van een heipaal] *end- / top-piece* ◆ **1.1** de ~s van de kegels *the setters-up of the pins.*

opzetting ⟨de (v.)⟩ **0.1** [het overeind zetten] *setting up* **0.2** [het oprijzen van water] *rising* **0.3** [zwelling] *swelling (up)* ⇒⟨schr.⟩ *distension.*

opzicht ⟨het⟩ **0.1** [betrekking, aspect] *respect* ⇒⟨aspect⟩ *aspect* **0.2** [toezicht] *supervision* ⇒*superintendence, oversight* **0.3** [⟨r.k.⟩ vrees voor] *awe* ⇒*fear, dread* ◆ **2.1** in ieder ~ / in alle ~en *in every respect, in all respects;* in politiek ~ *from a political viewpoint;* in zeker ~ *in a way, in some respects* **2.3** uit menselijk ~ *for fear of what people will* *think, for the sake of appearances* **6.1 in** dit ~ *in this respect;* **ten** opzichte **van** ⟨in relatie tot, in vergelijking met⟩ *compared/in relation to;* ⟨schr.⟩ *vis-à-vis, apropos;* ⟨jegens, rekening houdend met⟩ *in respect of, with respect/regard to, as regards* **6.2 onder** het ~ **van** iem. staan *be under s.o.'s supervision/eye* **7.1** in geen enkel ~ *in no way, not in any sense/respect* **¶.1** te mijnen ~ e *as far as I am concerned, as for me.*

opzichter ⟨de (m.)⟩ **0.1** [met opzicht belast iem.] *supervisor* ⇒ *overseer* ⟨van werken⟩, *superintendent* **0.2** [beambte mbt. de bouw(werken)] *inspector* ⇒ ⟨op bouwterrein⟩ *(site) foreman, site engineer* ◆ **6.2** ~ **bij** Openbare Werken ≠ *i. of public buildings;* ⟨mbt. aanbouw⟩ *clerk of (the) works.*

opzichtig ⟨bn., bw.; -ly⟩ **0.1** *showy* ⇒ *flamboyant,* ⟨inf.⟩ *flash(y), garish, gaudy, loud* ⟨kleur⟩, *blatant* ⟨daad⟩ ◆ **1.1** ~ e kleren *s. / ostentatious clothes;* ⟨schr.⟩ *tawdry dress;* ⟨inf.⟩ *flashy gear;* een ~ e overtreding *a blatant offence;* ⟨sport⟩ *a blatant foul* **3.1** ~ gekleed zijn *be overdressed, be garishly dressed.*

opzichtigheid ⟨de (v.)⟩ **0.1** *showiness, flamboyance* ⇒ *flashiness* ⟨van kleding⟩, ⟨van kleuren ook⟩ *garishness, gaudiness, loudness, blatancy* ⟨van daad⟩.

opzichzelfstaand ⟨bn.⟩ **0.1** *isolated* ⇒ *individual,* ⟨afzonderlijk⟩ *separate,* ⟨mbt. gebeurtenissen; inf.⟩ *one-off* ◆ **1.1** een ~ geval *an isolated instance, an individual case;* een ~ huis *a detached house* **4.1** iets ~ s *sth. separate,* ⟨inf.⟩ *sth. else.*

opzien[1] ⟨het⟩ **0.1** [het opkijken] *looking up* **0.2** [verbazing] ⟨met lidw.⟩ *stir* ⇒ *fuss,* ⟨verbazing⟩ *amazement,* ⟨onder het publiek⟩ *sensation* ◆ **3.2** ⟨veel⟩ ~ baren/wekken/maken *cause (quite) a stir/fuss;* ⟨ook⟩ *raise eyebrows.*

opzien[2] ⟨onov.ww.⟩ **0.1** [opkijken] *look up* **0.2** [⟨+tegen⟩ vrezen] *not be able to face, hang back from, shrink from, be shy of, shy at* **0.3** [⟨+tegen⟩ bewonderen] *look up to* ⇒ *admire, respect,* [†revere] ◆ **6.1** ~ **naar** *look up at;* ⟨fig.⟩ daar zullen ze **van** ~ *that'll make them sit up (and take notice)/open their eyes, they're in for a surprise,* ⟨inf.⟩ *that will shake them* **6.2** niet **tegen** vuile methoden ~ *not scruple to make use of/have no scruples about/not shrink from underhand methods;* niet **tegen** een rit v.e. dag ~ *think nothing of/not mind/not be afraid of a day's ride;* ik zie er **tegen** op *I don't like the idea of it, I can't face it;* ik zie er **tegen** op om het te moeten doen *I am reluctant to do it, I don't like the idea of doing it/having to do it* **6.3** hoog **tegen** iem. ~ *think a lot/highly of s.o., have a high opinion of s.o.;* ⟨sterker⟩ *think the world of s.o.* **8.2** ergens als (tegen) een berg tegen ~ *dread sth., shudder to think of sth.*

opzienbarend ⟨bn.⟩ **0.1** *sensational* ⇒ *spectacular, startling, stunning,* ⟨inf.⟩ *staggering,* ⟨wonderlijk⟩ *amazing* ◆ **1.1** een ~ e uitspraak doen *give an amazing judg(e)ment/decision, make a sensational/an amazing statement;* een ~ e verschijning *a stunning appearance/figure.*

opziener ⟨de (m.)⟩ **0.1** *supervisor, inspector.*

opzij ⟨bw.⟩ **0.1** [uit de weg] *aside* ⇒ *out of the way* **0.2** [aan de zijde] *at/on one side* ◆ **1.1** zijn hoofd een beetje ~ *his head tilted slightly, his head slightly to one side* **3.1** voor niemand ~ gaan ⟨fig.⟩ *not take second best place to anyone;* geld ~ leggen *put money by/away/aside* **3.2** een sabel ~ dragen *carry a sabre at/by one's side* **5.1** ~ (daar)! *mind your backs!, gangway!* **6.1** een huis ~ **van** de weg *a house away from/set back from/off the road;* ~ **van** het gebouw *at the side of the building* **6.2** een foto **van** ~ nemen *take a sideways-on/profile photograph, take a side view.*

opzijgaan ⟨onov.ww.⟩ **0.1** *give way to, make way for* ⇒ *go to one side, turn aside, skew* ◆ **6.1 voor** niemand ~ *make way for no man, yield/give way to no one.*

opzijleggen ⟨ov.ww.⟩ **0.1** *put/set aside* ⇒ *pigeon-hole, shelve, lay by* ⟨vnl. geld⟩ ◆ **4.1** iets ~ ⟨ook fig.⟩ *put/set sth. aside, lay sth. by, put sth. away/save/keep sth. for a rainy day.*

opzijzetten ⟨ov.ww.⟩ **0.1** *put/set aside* ⇒ *lay away* ⟨goederen⟩, ⟨fig.⟩ *table, discard, scrap* ⟨voorstel, plan⟩ ◆ **1.1** alle conventies ~ *set aside all conventions, be unconventional;* ⟨fig.⟩ de wet ~ *override the law* **4.1** ⟨fig.⟩ dit even opzijgezet *this has been tabled/scrapped (for the time being);* iets ~ *set/put sth. aside, lay sth. away.*

opzitten

I ⟨onov.ww.⟩ **0.1** [overeind zitten] *sit up(right)* **0.2** [mbt. honden] *sit up (and beg)* **0.3** [opblijven] *sit up* ⇒ *stay up* **0.4** [op zijn] *be up* **0.5** [te paard stijgen] *mount* ◆ **3.2** ⟨fig.⟩ iem. doen ~ *bring s.o. to heel* **6.2** ⟨fig.⟩ ~ **voor** iem. *wait on s.o., be at s.o.'s back and call, hang on s.o.'s coat-tails* **6.3 bij** een zieke ~ *sit up with a patient* **¶.2** ⟨fig.⟩ ~ en pootjes geven *mind one's p's and q's, put on one's best behaviour* **¶.5** ~! *to horse!* **¶.¶** er zit niets anders op dan... *there is nothing for it but ..., there is no alternative/other option than ...;* het zit erop *it is all over, that's that/it;* er zal wat voor je ~ *you will be (in) for it, you haven't heard the end of it (yet);* hij heeft er vijf jaar ~ *he has done five years, he's got five years under his belt;* hij heeft er 20 jaar tropen ~ *he's been in the tropics twenty years, he's had 20 years in the tropics, he's got 20 years in the tropics under his belt;* ik heb het er ~ *I've finished it/got it out the way;* de vrachtrijder had er 700 mijl ~ *the lorry driver had clocked up 700 miles/had 700 miles on the clock;*

II ⟨ov.ww.⟩ **0.1** [omhoog doen gaan] *push/work up.*

opzoeken ⟨ov.ww.⟩ **0.1** [opsporen] *look up* ⇒ *find, turn up* ⟨bladzijde⟩ **0.2** [trachten te ontmoeten] *seek out* ⇒ *look out for* **0.3** [bezoeken] *look up* ⇒ *call on, visit* **0.4** [als verblijfplaats kiezen] *seek out* **0.5** [⟨jacht⟩] *retrieve* **0.6** [oprapen] *pick up* ◆ **1.1** een adres ~ *turn up an address;* woorden in een woordenboek ~ *look up words in a dictionary* **1.2** ⟨sport⟩ de tegenstander ~ *run at one's opponent;* de vijand ~ *seek out/hunt the enemy* **1.4** het bed ~ *go to bed;* de schaduw ~ *seek out the shade* **3.3** je moet me eens komen ~ *you must look me up/come and see/call on me some time* **6.1** iets ~ **in** een woordenboek ⟨ook⟩ *refer to a dictionary for sth.*

opzouten ⟨ov.ww.⟩ **0.1** [in het zout leggen] *salt* ⇒ *pickle* ⟨in vloeistof⟩ **0.2** [⟨fig.⟩ bewaren] *keep in store* ◆ **3.1** ⟨fig.⟩ dat kun je wel ~ *you can forget about that for the time being;* ⟨fig.⟩ dan kun je je wel ~ *you can wait till the cows come home, you can sit and stew.*

opzuigen ⟨ov.ww.⟩ **0.1** [zuigend naar boven trekken] *suck up* ⇒ ⟨met stofzuiger⟩ *hoover/vacuum up* **0.2** [absorberen] *soak up* ⇒ *absorb* **0.3** [zuigend opmaken] *suck (away at)* ◆ **1.1** limonade door een rietje ~ *suck a soft drink through a straw* **1.2** elk woord ~ *take in/lap up every word* **1.3** een zuurstok ~ *s. (away at) a stick of rock/^candy.*

opzuipen ⟨ov.ww.⟩ ⟨vulg.⟩ **0.1** [opdrinken] *swill* ⇒ *guzzle* **0.2** [mbt. geld] *spend/squander/throw away on drink/booze* ⇒ *booze away.*

opzuiveren ⟨ov.ww.⟩ **0.1** *trim* ⇒ *level off, make true, clean up* ◆ **1.1** gaten ~ *trim/clean up holes.*

opzwellen ⟨onov.ww.⟩ **0.1** [uitzetten] *swell (up/out)* ⇒ *bulge,* ⟨schr.⟩ *distend, billow, balloon* ⟨v.e. zeil/kleren⟩, *bloat* ⟨door te veel eten⟩ **0.2** [rijzen] *swell* ⇒ *rise* ◆ **1.1** een opgezwollen buik *a swollen/bloated belly/stomach;* een opgezwollen enkel *a swollen ankle;* zijn gezicht zwelt op *his face is swelling up* **1.2** het water/de rivier zwelt op *the water/the river is swelling/rising* **3.1** doen ~ *puff out/up;* ⟨schr.⟩ *distend* **6.1** ~ **van** trots *s. with pride;* ~ **van** boosheid *fill with anger;* opgezwollen **van** trots ⟨ook⟩ *puffed up with pride.*

opzwelling ⟨de (v.)⟩ **0.1** [het opzwellen] *swelling* ⇒ ⟨schr.⟩ *distension* **0.2** [gezwollen plaats] *swelling* ⇒ ⟨schr.⟩ *(in)tumescence.*

opzwepen ⟨ov.ww.⟩ **0.1** [voortdrijven] *whip on* ⇒ *lash on, whip up* **0.2** [⟨fig.⟩] *whip up* ⇒ *stir up, inflame* **0.3** [in de hoogte jagen] *whip up* ◆ **1.2** de hartstochten/de volkswoede ~ *whip/stir up passions/popular anger* **1.3** de storm zweepte de golven op *the storm whipped up the waves.*

opzwieper ⟨de (m.)⟩ **0.1** *wallop, clout* ⇒ *thump, whack, whop* ◆ **3.1** een ~ krijgen *get a wallop/clout/thump, get walloped/clouted/thumped.*

opzwoegen ⟨onov.ww.⟩ **0.1** *struggle up* ⇒ *toil/labour up* ◆ **1.1** de trap ~ *struggle/labour up the stairs* **6.1 tegen** de wind ~ *struggle/battle against the wind.*

o.r. ⟨de (m.)⟩ ⟨afk.⟩ **0.1** [ondernemingsraad] ⟨works council⟩.

oraal ⟨bn., bw.; -ly⟩ **0.1** [de mond betreffend] *oral* **0.2** [door de mond] *oral* **0.3** [mondeling] *oral, verbal* ◆ **1.1** ⟨psych.⟩ orale fase *o. phase;* orale seks *o. sex* **1.2** orale toediening van een geneesmiddel *o. administration of a medecine* **1.3** orale overdracht *o. / v. communication.*

orakel ⟨het⟩ **0.1** [godsspraak] *oracle* **0.2** [plaats] *oracle* **0.3** [persoon naar wie men luistert] *oracle* ⇒ *medium, mystic* **0.4** [onomstotelijke waarheid] ⟨zonder lidw.; geen mv.⟩ *gospel.*

orakelachtig ⟨bn., bw.; -(al)ly⟩ **0.1** *oracular* ⇒ *Delphic, mystic(al),* ⟨voorspellend⟩ *prophetic* ◆ **1.1** een ~ antwoord *an o. response, a mystical/Delphic answer* **3.1** ~ spreken *speak in mystical terms;* ⟨voorspellend⟩ *speak prophetically.*

orakelen

I ⟨onov.ww.⟩ **0.1** [als een orakel spreken] *prognosticate, pontificate;* **II** ⟨ov.ww.⟩ **0.1** [voorspellen] *prognosticate* ⇒ *prophesy, predict* **0.2** [⟨scherts.⟩] *pontificate about/on* ◆ **¶.2** wat orakel je weer *what are you pontificating on now?, are you pontificating again?.*

orakelspreuk ⟨de⟩ **0.1** *oracular/Delphic saying/utterance.*

orakeltaal ⟨de⟩ **0.1** [door een orakel verkondigde taal] *oracular language* **0.2** [gewichtig schijnende uitspraken] *pontification* ⇒ ⟨mv.⟩ *pronouncements* **0.3** [geheimzinnige taal] *mystical/cryptic utterances.*

oraliteit ⟨de (v.)⟩ **0.1** *being in the oral phase.*

orangeade ⟨de⟩ **0.1** *orange squash* ⇒ ⟨gazeuze⟩ *orangeade.*

orangisme ⟨het⟩ ⟨gesch.⟩ **0.1** *Orang(e)ism.*

orangist ⟨de (m.)⟩ **0.1** [aanhanger van het Oranjehuis] *Orang(e)ist* **0.2** [⟨gesch.⟩ mbt. de Belgische Omwenteling] *Orang(e)ist* **0.3** [mbt. politieke partij in Ulster] *Orangeman* ⇒ ⟨inf.⟩ *Orange boy.*

orang-oetan ⟨de (m.)⟩ **0.1** *orang-utan* ⇒ *orang-outang,* ⟨inf.⟩ *wild man (of the woods).*

oranje[1]

I ⟨het⟩ **0.1** [kleur] *orange* ⇒ ⟨mbt. verkeerslicht⟩ *amber* **0.2** [versiersel van die kleur] *orange bow/favour/ornament* ◆ **3.2** ~ dragen *be dressed in orange, wear orange favours;* **II** ⟨de (m.)⟩ **0.1** [boom] *orange* **0.2** [vrucht] *orange.*

oranje[2] ⟨bn.⟩ **0.1** *orange* ⇒ ⟨mbt. verkeerslicht⟩ *amber* ◆ **3.1** het verkeerslicht sprong op ~ *the traffic light changed to amber.*

Oranje

I ⟨de (m.)⟩ **0.1** [lid van het Koninklijk Huis] *member of the House of Orange* ◆ **¶.1** de ~ s *the family of Orange;*

II ⟨het⟩ **0.1** [vorstenhuis] *(the house of) Orange* **0.2** [⟨sport⟩] *the Dutch team* ⇒*Holland* ◆ **¶.1** ~ *boven! Orange for ever!, long live Orange!.*

oranjeachtig ⟨bn.⟩ **0.1** *orange-like;* ⟨plantk.⟩ *aurantiaceous.*

oranjeappel ⟨de (m.)⟩ **0.1** [vrucht van de oranjeboom] *orange* **0.2** [⟨inf.⟩ sinaasappel] *orange.*

oranjebitter
   I ⟨het, de (m.)⟩ **0.1** [sterkedrank] *orange bitters;*
   II ⟨de (m.)⟩ **0.1** [glas sterkedrank] *orange bitters.*

oranjebloesem ⟨de (m.)⟩ **0.1** *orange blossom.*

oranjeboom ⟨de (m.)⟩ **0.1** [citrus communis] *orange-tree* **0.2** [⟨inf.⟩ sinaasappelboom] *orange-tree.*

oranjebruin ⟨het⟩ **0.1** *tawny* ⇒⟨herald.⟩ *tenné, tenne.*

oranjecomité ⟨het⟩ **0.1** *⟨committee organizing celebrations in honour of a member of the House of Orange⟩.*

oranjegeel ⟨bn.⟩ **0.1** *orange-yellow* ⇒*saffron.*

Oranjegezind ⟨bn.⟩ **0.1** *Orang(e)ist.*

oranjehemd ⟨het⟩ ⟨sport⟩ **0.1** [oranjekleurig shirt] *orange shirt/jersey* **0.2** [⟨mv.⟩] *orange shirts/jerseys.*

Oranjehuis ⟨het⟩ **0.1** *House of Orange.*

oranjeklant ⟨de (m.)⟩ **0.1** *Orang(e)ist.*

oranjekleur ⟨de⟩ **0.1** [kleur] *orange colour* **0.2** [oranjevlag] *orange colours/flag* ◆ **2.2** wapperende ~en *fluttering o. c..*

oranjekleurig ⟨bn.⟩ **0.1** *orange.*

oranjemarmelade ⟨de⟩ **0.1** *orange marmalade.*

Oranje-Nassau 0.1 *Orange Nassau.*

Oranjepartij ⟨de (v.)⟩ ⟨gesch.⟩ **0.1** *Orange party.*

oranjeploeg ⟨de⟩ ⟨sport⟩ **0.1** *Dutch team.*

oranjerie ⟨de (v.)⟩ **0.1** *orangery.*

oranjerood ⟨bn.⟩ **0.1** *orange-red* ⇒*carroty* ⟨haar⟩.

oranjesnippers ⟨zn.mv.⟩ **0.1** *(chopped) candied orange peel.*

Oranjevlag ⟨de⟩ **0.1** *flag of Orange* ⇒*orange colours.*

Oranjevorst ⟨de (m.)⟩, **-vorstin** ⟨de (v.)⟩ **0.1** ⟨m.⟩ *Prince/king/* ⟨v.⟩ *Princess/queen (of the House) of Orange.*

Oranje-Vrijstaat ⟨de (m.)⟩ **0.1** *Orange Free State.*

orante ⟨de (v.)⟩ **0.1** *orant.*

oratie ⟨de (v.)⟩ **0.1** [redevoering] *oration* ⇒*declamation,* ↓*speech, lecture,* ⟨hoogdravend⟩ *peroration* **0.2** [⟨r.k.⟩] *orison* ◆ **1.1** de ~ van prof. X *Prof. X's inaugural lecture* **3.1** een ~ houden *deliver an o..*

oratio pro domo ⟨de (v.)⟩ **0.1** ≠*argument on one's own behalf, comment in one's own favour.*

orator ⟨de (m.)⟩ **0.1** *orator.*

oratorisch ⟨bn., bw.;-ly⟩ **0.1** *oratorical* ⇒*rhetorical* ◆ **1.1** hij heeft een groot ~ talent *he has great talent as an orator;* ~e wendingen *o. / rhetorical phrases.*

oratorium ⟨het⟩ **0.1** [⟨muz.⟩] *oratorio* **0.2** [⟨r.k.⟩] *oratory.*

orbitaal ⟨bn.⟩ **0.1** *orbital.*

orchidee ⟨de⟩ **0.1** [bloem] *orchid* **0.2** [plant] *orchid.*

orchideeënkweker ⟨de (m.)⟩ **0.1** *orchid grower* ⇒⟨AE ook⟩ *orchidist.*

orchis ⟨de⟩ **0.1** *orchis.*

orde ⟨de⟩ **0.1** [regelmatige plaatsing] *order* **0.2** [geregelde toestand, rust] *order* ⇒⟨discipline ook⟩ *discipline* **0.3** [vastgestelde opeenvolging] *order* **0.4** [vereniging van personen] *order* **0.5** [klasse] *order* ⇒*class* **0.6** [⟨biol.⟩] *order* **0.7** [⟨bouwk.⟩] *order (of architecture)* **0.8** [⟨r.k.⟩] *order (of priesthood)* **0.9** [onderscheiding] *order* ◆ **1.3** tot de ~ van de dag overgaan *proceed/pass to the o. of the day;* ⟨fig.⟩ aan de ~ van de dag zijn *be of the o. of the day* **1.4** ~ der advocaten/juristen *Bar;* de ~ van de Benedictijnen *the Benedictine order* **1.6** de naam van deze ~ van vissen *the ordinal name of these fishes* **2.1** in goede ~ ontvangen *duly received;* voor de goede ~ wijs ik u erop dat ... *for the record, I would like to point out to you/remind you that ...* **2.2** de gevestigde ~ *the establishment;* de openbare ~ *public o.;* verstoring v.d. openbare ~ *disturbance of the peace, disorderly conduct, violation of civil order* **2.5** dat is van lagere ~ *that is of a lower o.* **2.7** de Dorische ~ *the Doric order (of architecture)* **3.1** ~ brengen/scheppen in de chaos *make/produce o. out of chaos* **3.2** de ~ bewaren/handhaven *keep/preserve/maintain o.;* de ~ herstellen *restore o.;* zij kan goed ~ houden in de klas *she is a good disciplinarian, she has good control over/of her class, she is good at keeping o. / discipline in her class;* de ~ verstoren *disturb public o. / the peace;* ~ moet er zijn! *we need more law and o.!* **3.9** iem. een ~ verlenen *invest s.o. with an o. / decoration, decorate s.o.* **6.1** z'n kleren in ~ brengen *straighten out one's clothes, adjust one's dress;* in ~ bevinden *find (to be) in o. / correct;* na de verhuizing waren zij snel weer op ~ *they quickly got things straight/got settled in after their move;* alles op ~ leggen *arrange everything in (the) proper o.* **6.2** ik ben weer in ~ *I'm all right again, I'm fine again;* dat maak ik wel in ~ *I'll fix it/put it right/straighten it out;* dat komt (wel) in ~ *⟨ik zorg ervoor⟩ I'll see to it;* ⟨het komt wel goed⟩ *it will turn out all right/OK, it will straighten itself out, it's sure to turn out all right/OK/for the best;* in ~! *all right!, fine!;* ⟨BE ook⟩ *righto, rightyho;* er is iets niet in ~ met ... *there's sth. wrong/not quite right with ...;* hij is (niet) goed/helemaal in ~ *he is (not) very well, he is (not) in good health/the best of health;* het toestel is (niet) in ~ *there is nothing/sth.*

wrong with the appliance, the appliance is (not) in running/working o.; is alles weer in ~ tussen jullie? *is everything all right/OK between you two again?;* een defect weer in ~ brengen *repair/rectify a fault, put a fault right;* formuleren in ~ brengen *make out/complete forms;* alles is keurig/piekfijn/tiptop in ~ *everything is shipshape/in apple-pie o. / perfect* **6.3** iets aan de ~ stellen/brengen *raise a matter/question, bring sth. up;* ⟨discuteren⟩ *consider a matter/question;* aan de ~ zijn *be under discussion;* aan de ~ komen *come up (for discussion);* een punt weer aan de ~ stellen *re-open/revive a matter/subject/question;* dat is niet aan/buiten de ~ *that is out of o. / not in o.;* ⟨fig.⟩ iem. tot de ~ roepen *call s.o. to o., bring s.o. into line;* tot de ~! *order!* **6.4** ⟨r.k.⟩ uit de ~ stoten *unfrock* **6.5** in de ~ van grootte *of that o. (of magnitude)* **¶.2** ~ op zaken stellen *put/set things right;* ⟨mbt. eigen zaken⟩ *put one's affairs in order,* ⟨inf.⟩ *put/set one's house in order, get one's act together.*

ordebewaarder ⟨de (m.)⟩ **0.1** *steward* ⟨bij een vergadering⟩; *attendant* ⟨in een publieke zaal⟩; *warden* ⟨v.e. tehuis⟩.

ordebroeder ⟨de (m.)⟩ **0.1** *monk* ⇒⟨bedelmonnik⟩ *friar.*

ordedienst ⟨de (m.)⟩ **0.1** *(body of) officials responsible for order* ◆ **1.1** hoofd v.d. ~ *senior steward, marshall, head of the militia.*

ordegetal ⟨het⟩ ⟨wisk.⟩ **0.1** *ordinal number.*

ordeketen ⟨de⟩ **0.1** *chain/collar (of an order).*

ordekleed ⟨het⟩ ⟨r.k.⟩ **0.1** *habit.*

ordekruis ⟨het⟩ ⟨r.k.⟩ **0.1** *monastic cross.*

ordelievend ⟨bn.⟩ **0.1** *law-abiding* ⇒*civilized, well-organized/-ordered, orderly.*

ordelievendheid ⟨de (v.)⟩ **0.1** *love of order* ⇒*orderliness.*

ordelijk ⟨bn., bw.;-ly⟩ **0.1** [gerangschikt] *neat* ⇒*tidy,* ⟨bn. en bw.⟩ *orderly* **0.2** [geregeld] ⟨bn. en bw.⟩ *orderly* ⇒⟨bn.⟩ *well-organized/-ordered,* ⟨bw.⟩ *in orderly fashion, in good order* **0.3** [netjes] *tidy* ⇒*neat,* ⟨bn. en bw.⟩ *orderly,* ⟨mbt. plaatsen⟩ *shipshape* ◆ **1.1** de ~e rijen boeken *the n. rows of books* **1.2** een ~ mens *a well-organized person;* de demonstratie kent een ~ verloop *the demonstration is passing off in an orderly fashion* **1.3** een ~ huishouden *a t. / an orderly household;* het is een ~ mens *he/she is a t. person* **3.2** alles gaat er ~ toe *everything is running smoothly/is well-organized there;* ~ werken *work in orderly fashion/methodically.*

ordelijkheid ⟨de (v.)⟩ **0.1** [het op orde zijn] *orderliness* ⇒*tidiness, neatness* **0.2** [geregeldheid] *orderliness* ⇒*respectability* **0.3** [netheid] *tidiness* ⇒*neatness, orderliness.*

ordelint ⟨het⟩ **0.1** *ribbon (of an order)* ⇒*cordon.*

ordeloos ⟨bn., bw.;-(al)ly⟩ **0.1** [zonder systeem] ⟨bn.⟩ *disorganized* ⇒*haphazard, shapeless* **0.2** [ongeregeld] ⟨bn.⟩ *disorganized* ⇒⟨bn. en bw.⟩ *disorderly, chaotic, confused* **0.3** [slordig] *untidy* ⇒⟨bn. en bw.⟩ *disorderly,* ⟨mbt. personen; bn.; ook⟩ *unkempt.*

ordeloosheid ⟨de (v.)⟩ **0.1** [wanorde] ⟨onoverzichtelijkheid⟩ *confusion, disorder* ⇒*disarrangement, disarray,* ⟨in de maatschappij⟩ *anarchy,* ⟨totale wanorde⟩ *chaos* **0.2** [wanordelijkheid] *disorderliness* ⇒*untidiness* **0.3** [bandeloosheid] *unruliness* **0.4** [ongeregeldheid] *irregularity* ⇒*disorder.*

ordenen ⟨ov.ww.⟩ **0.1** [rangschikken] *arrange* ⇒*sort (out), organize, put /set in order* **0.2** [regelen] *arrange* ⇒*organize, manage, order, dispose* **0.3** [netjes opknappen] *tidy* ⇒⟨rel.⟩ *ordain* ◆ **1.1** aantekeningen ~ *sort out notes;* zijn gedachten ~ *collect/compose one's thoughts;* gegevens ~ *sort/classify/arrange data* **1.2** geordende economie *regulated/planned economy;* de wet ordent het openbare leven *the law orders public life;* zijn zaken ~ *a. / organize/manage one's affairs* **5.2** goed geordende samenleving *well-ordered society.*

ordening ⟨de (v.)⟩ **0.1** [regelmatige schikking, plaatsing] *arrangement* ⇒*organization, disposition* **0.2** [het regelen volgens voorschriften] *regulation* ⇒*structuring, planning, government* **0.3** [het geordend-zijn] *order* ⇒*structure, constitution* **0.4** [⟨rel.⟩] *ordination* ◆ **1.3** de ~ van de maatschappij *the social o.* **2.2** ruimtelijke ~ *town and country/environmental planning.*

ordentelijk ⟨bn., bw.;-ly⟩ **0.1** [fatsoenlijk, behoorlijk] *respectable* ⇒*decent,* ⟨wellevend⟩ *civil,* ⟨behoorlijk⟩ *proper* **0.2** [billijk] *reasonable, fair* ◆ **1.1** een ~ mens *a r. person;* ⟨inf.⟩ *a decent sort* **1.2** een ~e prijs *a f. / r. price* **3.1** zich ~ gedragen *behave civilly.*

ordentelijkheid ⟨de (v.)⟩ **0.1** [fatsoen, betamelijkheid] *decency* ⇒*respectability, propriety, seemliness, correctness* **0.2** [billijkheid] *fairness* ⇒*justness* **0.3** [schappelijkheid v.e. prijs] *reasonableness* ⇒*moderateness.*

ordeproblemen ⟨zn.mv.⟩ **0.1** *discipline problems* ◆ **3.1** ~ hebben *have d. p. / a discipline problem (in a class* ⟨enz.⟩ *), have difficulty keeping order (in a class* ⟨enz.⟩ *).*

order ⟨het, de⟩ **0.1** [bevel] *order* ⇒*instruction, command* **0.2** [bestelling] *order* **0.3** [⟨hand.⟩ gemachtigde] *endorsee* ◆ **2.1** uitstellen tot nader ~ *cancel till/await further instructions/orders* **2.2** doorlopende ~ *standing o.* **3.1** ~ geven om ... *give the o. to* **3.2** een ~ annuleren *cancel an o.;* een ~ plaatsen *book an o.;* een ~ plaatsen bij ... *place an o. with* **6.1** op ~ *van by o. of;* tot uw ~s *at your service/command;* nog iets van uw orders? *do you require anything else?, anything else I can do for you?* **6.2** volgens uw ~ *as per your o.* **6.3** aan de ~ van *to the* *order of;* cheque **aan** eigen ~ *cheque made out/payable to self;* cheque **aan** ~ *cheque to order;* **aan** de heer Smith of ~ *to Mr. Smith or order.*

orderbevestiging ⟨de (v.)⟩⟨hand.⟩ **0.1** *confirmation of (an/the) order.*

orderboek ⟨het⟩⟨hand.⟩ **0.1** *order book.*

orderbrief ⟨de (m.)⟩ **0.1** (*written*) *order* ⇒⟨vnl. BE⟩ *order-form/-sheet,* indent ⟨formulier⟩.

orderbriefje ⟨het⟩⟨hand.⟩ **0.1** *promissory note* ⇒*note of hand.*

orderecht ⟨het⟩ **0.1** *monasticism* ⇒*monastic principles/vows, covenant/ set of vows of a religious order.*

ordernummer ⟨het⟩ **0.1** *order number.*

orderpapier ⟨het⟩⟨hand.⟩ **0.1** *warrant* ⇒*pledge, security.*

orderportefeuille ⟨de (m.)⟩ **0.1** [⟨concr.⟩] *order book/file* **0.2** [⟨abstr.⟩] *orders on/in hand, backlog of orders.*

ordesbroeder →**ordebroeder.**

orde(s)geestelijke ⟨de (m.)⟩⟨r.k.⟩ **0.1** *regular* ◆ **7.1** de ~n *the regular clergy.*

ordesrecht →**orderecht.**

ordeteken ⟨het⟩ **0.1** *badge* ⇒⟨penning⟩ *medal,* ⟨mv. ook⟩ *insignia,* ⟨lintje⟩ *stripe,* ⟨mil.⟩ *pip.*

ordeverstoorder ⟨de (m.)⟩ **0.1** ⟨jur.⟩ *disturber of the peace* ⇒*hooligan,* ⟨inf.⟩ *rowdy.*

ordeverstoring ⟨de (v.)⟩ **0.1** *disturbance* ⇒⟨jur.⟩ *disturbance/breach of the peace,* ⟨het plegen van ordeverstoring⟩ *rowdyism, hooliganism.*

ordinaal ⟨bn.⟩ **0.1** *ordinal* ◆ **1.1** ~e getal *o. number.*

ordinaat ⟨de⟩⟨wisk.⟩ **0.1** *ordinate.*

ordinair
I ⟨bn., bw.; -ly⟩ **0.1** [onbeschaafd, niet fijn] *common, vulgar* ⇒⟨grof⟩ *coarse, crude,* ⟨inferieur ook⟩ *cheap, shoddy* **0.2** [alledaags] *common, ordinary* ⇒*normal, mundane, average* ◆ **1.1** ~e mensen *common folk;* een ~ voorkomen hebben *have a common/cheap appearance* **1.2** ~e blikschade *just/only dented, merely a few dents;*
II ⟨bn.⟩ **0.1** [⟨hand.⟩] *ordinary.*

ordinalia ⟨zn.mv.⟩ **0.1** *ordinals.*

ordinantie ⟨de (v.)⟩ **0.1** [verordening] *ordinance* ⇒*regulation, order* **0.2** [ontwerp] *ordinance* ⇒*design.*

ordinariaat ⟨het⟩ **0.1** [⟨r.k.⟩ bestuursorgaan] *ordinariate* **0.2** [⟨r.k.⟩ ambt(sgebied)] *ordinariate* **0.3** [gewoon hoogleraarschap] *professorate* ⇒*professorship.*

ordinarium ⟨het⟩ **0.1** [⟨geldw.⟩] *cash flow* **0.2** [⟨r.k.⟩] *ordinary.*

ordinarius ⟨de (m.)⟩ **0.1** [gewoon hoogleraar] (*full*) *professor* **0.2** [⟨r.k.⟩] *ordinary.*

ordineren ⟨ov.ww.⟩⟨r.k.⟩ **0.1** *ordain.*

ordner ⟨de (m.)⟩ **0.1** (*document*) *file.*

ordonnans ⟨de (m.)⟩⟨mil.⟩ **0.1** *orderly.*

ordonnantie ⟨de (v.)⟩ **0.1** [verordening] *ordinance, decree, order* **0.2** [bevelschrift] *warrant* ⇒*writ, distress, warrant* ⟨belasting⟩ **0.3** [regelmatige rangschikking bij kunstwerken en gebouwen] *ordonnance* **0.4** [betaling] *order (for)* ⇒*warrant (for).*

ordonneren ⟨ov.ww.⟩ **0.1** *ordain* ⇒*decree.*

öre ⟨de⟩⟨geldw.⟩ **0.1** *öre.*

oregano ⟨de⟩ **0.1** *oregano.*

oreren ⟨onov.ww.⟩ **0.1** [redevoering houden] *deliver a speech* ⇒*lecture* **0.2** [⟨scherts.⟩] *orate* ⇒⟨vaak pej.⟩ *declaim, hold forth, harangue,* ⟨inf.⟩ *speechify, spout (out)* ◆ **6.2** hij oreerde **over** de deugden v.e. klassieke opleiding *he held forth/he spouted (out)/preached about the merits of a classical education.*

orgaan ⟨het⟩ **0.1** [⟨biol.⟩] *organ* **0.2** [spreekbuis, vertolker] *organ* ⇒ *mouthpiece, vehicle, medium,* ⟨persoon⟩ *representative, spokesman* **0.3** [instrument, werktuig] *organ* ⇒*instrument* ◆ **1.3** de organen v.d. Staat *the organs of state* **2.3** een ambtelijk ~ *an official body.*

orgaandonor ⟨de (m.)⟩ **0.1** *organ donor.*

orgaanholte ⟨de (v.)⟩⟨anatomie⟩ **0.1** *ventricle.*

orgaanpreparaat ⟨het⟩⟨med.⟩ **0.1** *organic extract.*

orgaantransplantatie ⟨de (v.)⟩ **0.1** *organ transplant(ation).*

organdie ⟨de (v.)⟩ **0.1** *organdie* ^A*dy.*

organel ⟨het⟩⟨biol.⟩ **0.1** *organelle, organella.*

organiek ⟨bn.⟩ **0.1** *organic* ◆ **1.1** ~e wet *an o. law.*

organisatie ⟨de (v.)⟩ **0.1** [het organiseren] *organization* ⇒*arrangement* **0.2** [het georganiseerd zijn, de wijze] *organization* ⇒*arrangement, system,* ⟨inf.⟩ *set-up* **0.3** [vereniging] *organization* ⇒*society, association,* ⟨inf.⟩ *outfit* ◆ **2.2** een gebrekkige ~ *a flawed system/set-up;* rechterlijke ~ *judicial system.*

organisatiedeskundige ⟨de (m.)⟩ **0.1** *organization expert* ⇒*management consultant.*

organisatiepsychologie ⟨de (v.)⟩ **0.1** *organizational psychology.*

organisatievermogen ⟨het⟩ **0.1** *organizational skill/ability/abilities, capacity/aptitude for organizing.*

organisatievorm ⟨de (m.)⟩ **0.1** *organizational form* ⇒*form of organization, type of business* (v.e. firma).

organisator ⟨de (m.)⟩ **0.1** [persoon] *organizer* ⇒*arranger* **0.2** [stof] *organizer, inductor.*

organisatorisch ⟨bn., bw.; -(al)ly⟩ **0.1** *organizational* ◆ **1.1** iemands ~e kracht *s.o.'s o. talent, s.o.'s powers of organization;* uit een ~ oogpunt

beschouwd *from an o. point of view;* zijn ~e talenten ⟨ook⟩ *his organizing talents.*

organisch ⟨bn., bw.⟩ **0.1** [⟨biol.⟩] *organic* **0.2** [bewerktuigd] *organic* ⇒ *organized* **0.3** [⟨schei.⟩] *organic* **0.4** [⟨landb.⟩] *organic* ◆ **1.3** ~e chemie *o. chemistry;* ~e stof *o. matter* **1.4** ~e landbouw/mest *o. cultivation/fertilizer.*

organisch-biologisch ⟨bn.⟩ **0.1** *organic* ◆ **1.1** ~e landbouw *o. farming.*

organiseren ⟨ov.ww.⟩ **0.1** [regelen] *organize* ⇒*arrange* **0.2** [op touw zetten] *organize* ⇒*fix/*⟨inf.⟩ *frit up, stage, lay on* ⟨een tractatie⟩, *put on* **0.3** [inpikken] *nick, pinch* ⇒*filch* ◆ **1.1** het verzet ~ *o. the resistance* **1.2** een bokswedstrijd ~ *stage a boxing match;* een feestje ~ *lay on a party;* een tentoonstelling ~ *mount/stage an exhibition;* een uitje ~ *lay on/o. an outing* **1.3** ergens een fles drank ~ *nick/filch a bottle of drink from somewhere* **3.1** goed kunnen ~ *be good at organizing (things)* **4.1** zich ~ *get organized.*

organisme ⟨het⟩ **0.1** [⟨biol.⟩] *organism* **0.2** [samenstel van onderdelen] *organism* ◆ **2.1** het dierlijk/menselijk ~ *the animal/human o.* **2.2** taal is een levend ~ *language is a living o..*

organist ⟨de (m.)⟩ **0.1** *organist* ⇒*organ player.*

organogram ⟨het⟩ **0.1** [schematisch overzicht] *organization chart* **0.2** [⟨biol.⟩] *organography.*

organologie ⟨de (v.)⟩ **0.1** *organology.*

organotherapie ⟨de (v.)⟩ **0.1** *organotherapy.*

orgasme ⟨het⟩ **0.1** *orgasm* ⇒*climax* ◆ **3.1** een ~ krijgen *have an o..*

orgastisch ⟨bn.⟩ **0.1** *orgasmic* ⇒*orgastic.*

orgel ⟨het⟩⟨muz.⟩ **0.1** [muziekinstrument] (*pipe*) *organ* **0.2** [galerij in een kerk] *organ loft* **0.3** [harmonium] *organ* ⇒*harmonium, reed organ* **0.4** [draaiorgel] *organ* ⇒*barrel organ* ◆ **2.3** een elektrisch ~ *an electric o.* **3.1** (het) ~ trappen *blow/work the bellows of an o.* **3.4** een ~ draaien *grind an o.* **6.2** hij zat op het ~ *he was sitting in the o. l..*

orgelbespeling ⟨de (v.)⟩ **0.1** *organ playing* ⇒*organ recital* ⟨concert⟩.

orgelboek ⟨het⟩ **0.1** [muziekboek] *organ score* **0.2** [geponste kaarten] *≠piano roll.*

orgelbouwer, -fabrikant ⟨de (m.)⟩ **0.1** *organ builder/manufacturer.*

orgelconcert ⟨het⟩ **0.1** [concert] *organ recital* **0.2** [compositie] *organ sonata* ⟨solo⟩*/concerto* ⟨begeleid⟩.

orgeldraaier ⟨de (m.)⟩ **0.1** [bespeler van een draaiorgel] *organ grinder* **0.2** [mbt. havenarbeiders] *winchman.*

orgelkast ⟨de⟩ **0.1** *organ-case.*

orgelkoor ⟨het⟩ **0.1** *organ loft/gallery.*

orgelman ⟨de (m.)⟩ **0.1** *organ grinder.*

orgelmuziek ⟨de (v.)⟩ **0.1** [orgelspel] *organ music* **0.2** [muziekstuk] *organ music.*

orgelpijp ⟨de⟩ **0.1** [pijp van een orgel] *organ-pipe* **0.2** [⟨geol.⟩] *organ-pipe.*

orgelpunt ⟨het, de⟩ **0.1** [vastgehouden grondtoon] *pedal (point)* ⇒*organ point* **0.2** [punt boven een muzieknoot] *pause* ⇒*fermata* **0.3** [⟨AZN⟩ hoogtepunt] *peak, summit.*

orgelregister ⟨het⟩ **0.1** [orgelpijpen] *organ-stop* **0.2** [mechaniek] *organ-stop.*

orgelspel ⟨het⟩ **0.1** [orgelmuziek] *organ music* **0.2** [het spelen op een orgel] *organ-playing* ⇒*organing.*

orgeltrapper, -treder ⟨de (m.)⟩ **0.1** *organ/bellows blower.*

orgiastisch ⟨bn., bw.; -ly⟩ **0.1** *frenzied* ⇒*frenetic,* ⟨losbandig⟩ *orgiastic, saturnalian.*

orgie ⟨de (v.)⟩ **0.1** [drinkgelag] *orgy* ⇒*revelry,* (*drunken*) *revelling* ^A*eling* **0.2** [⟨gesch.⟩] *orgy* **0.3** [overdadige weelde] *riot* ◆ **1.3** een ~ van kleuren *a r. of colour;* een ~ van licht *a blaze of light.*

Oriënt ⟨het, de (m.)⟩ **0.1** *Orient* ⇒*East.*

oriëntaal ⟨bn.⟩ **0.1** *oriental* ⇒*eastern, of the East.*

oriëntaals ⟨bn.⟩ **0.1** *oriental* ⇒*eastern.*

oriëntalisme ⟨het⟩ **0.1** *orientalism* ⟨ook O-⟩.

oriëntalist ⟨de (m.)⟩ **0.1** *orientalist* ⟨ook O-⟩.

oriëntalistiek ⟨de (v.)⟩ **0.1** *orientalistics* ⟨ook O-⟩.

oriëntatie ⟨de (v.)⟩ **0.1** [in-, voorlichting] *orientation* ⇒*information, guidance, reference* **0.2** [het zich oriënteren] *orientation* ⇒*familiarization* **0.3** [bepaling van de hemelstreek] *orientation* ⇒⟨mv.⟩ *bearings* **0.4** [het georiënteerd zijn] *orientation* **0.5** [⟨bouwk.⟩] *orientation* ◆ **3.3** zijn ~ kwijtraken *lose one's bearings* **6.1** ik zend dit te uwer ~ *I send this for your guidance/reference/information.*

oriëntatiebezoek ⟨het⟩ **0.1** *fact-finding mission/visit/trip* ⟨enz.⟩.

oriëntatieloop ⟨de (m.)⟩ **0.1** *orienteering* ⟨geen lidw. of mv.⟩.

oriëntatiepunt ⟨het⟩ **0.1** [in een landschap] *landmark* **0.2** [⟨fig.⟩] *reference point* ⇒*point of reference.*

oriëntatiereis ⟨de⟩ **0.1** *familiarizationtrip/journey* ⇒*fact-finding mission /trip,* ⟨mil.⟩ *reconnaissance.*

oriëntatievermogen →**oriënteringsvermogen.**

oriënteren ⟨ov.ww.⟩ **0.1** [richten volgens het kompas] *orient(ate)* ⇒*give bearings* **0.2** [richten] *orientate* ⇒*direct (towards), gear to* **0.3** [inzicht geven] *familiarize (with)* ⇒*fill in, acquaint* ◆ **1.3** een ~d gesprek *an exploratory talk;* een ~de cursus *a familiarization course;* een ~de inleiding *an explanatory introduction;* een ~d onderzoek *an exploratory examination* **3.1** ik kan me niet meer ~ *I've lost my bearings* **4.1** zich

~ *find/get one's bearings* **4.3** zich ~ in de literatuur *acquaint/familiarize oneself with (the) literature, get acquainted/familiar with (the) literature* **5.2** internationaal georiënteerd zijn *be international in scope;* 〈mbt. personen, maatschappijen〉 *be international in outlook;* links georiënteerde leden *left-wing/leftist members;* politiek georiënteerd *politically orient(at)ed;* 〈mbt. personen〉 *politically minded, have a political bent* **5.3** een algemeen ~d boek *an introductory guide, a general introduction* **6.2** onze handel is geheel **op** Frankrijk georiënteerd *our trade is completely orient(at)ed towards France, our trade is totally directed towards/geared to France.*

oriënteringsvermogen 〈het〉 **0.1** *sense of direction.*

originaliteit 〈de (v.)〉 **0.1** [oorspronkelijkheid] *originality* **0.2** [nieuwheid] *originality* ⇒*novelty, freshness* **0.3** [eigenaardigheid] *originality* ⇒*singularity* ♦ **3.2** zijn ~ bewaren/handhaven *retain/preserve one's o..*

origine 〈de (v.)〉 **0.1** *origin* ♦ **2.1** zij zijn van Franse ~ *they are of French o.;* 〈mbt. personen ook〉 *they are of French extraction* **6.1** in ~ *originally, initially;* land **van** ~ *country of o..*

origineel¹ 〈het〉 **0.1** *original* ⇒〈voorbeeldblad〉 *master copy, top copy* 〈tikwerk〉 ♦ **6.1** een boek in het ~ lezen *read a book in the o..*

origineel² 〈bn., bw.;-ly〉 **0.1** [oorspronkelijk] *original* ⇒〈nieuw〉 *fresh, novel, new* **0.2** [uit iem. zelf voortkomend] *original* **0.3** [apart] *original* ⇒*strange, peculiar* ♦ **1.1** de originele uitgave *the o. edition* **1.2** originele denkbeelden *o. ideas.*

Orion 〈de (m.)〉〈ster.〉 **0.1** *Orion* ♦ **1.1** Gordel van ~ *Orion's belt.*

orka 〈de (m.)〉 **0.1** *orc(a)* ⇒*grampus, killer whale.*

orkaan 〈de (m.)〉 **0.1** *hurricane* ♦ **1.1** 〈fig.〉 een ~ van toejuichingen *a tumultuous/a storm of applause.*

orkaankracht 〈de〉 **0.1** *hurricane force.*

orkest 〈het〉 **0.1** [musici] *orchestra* ⇒〈vnl. mbt. blaas- en slaginstrumenten〉 *band* **0.2** [orkestbak] *(orchestra) pit* **0.3** [instrumenten] *orchestra* ♦ **1.3** een ~ van strijkinstrumenten *a string orchestra* 〈groot〉; *a string band* 〈kleiner〉.

orkestbak 〈de (m.)〉 **0.1** *orchestra pit* ⇒↓*pit.*

orkestbegeleiding 〈de (v.)〉 **0.1** *orchestral accompaniment.*

orkestleider, -meester 〈de (m.)〉 **0.1** *conductor* ⇒〈AE ook〉 *concert master.*

orkestmuziek 〈de (v.)〉 **0.1** *orchestral music.*

orkestpartituur 〈de (v.)〉 **0.1** *orchestral score.*

orkestraal 〈bn.〉 **0.1** *orchestral.*

orkestratie 〈de (v.)〉 **0.1** [het schrijven, bewerken] *orchestration* **0.2** [bewerking] *orchestration.*

orkestreren 〈ov.ww.〉 **0.1** *orchestrate.*

orkeststuk 〈het〉 **0.1** *orchestral piece (of music).*

orlon 〈het〉 **0.1** *Orlon.*

ornaat 〈het〉 **0.1** *robes of office, regalia* ⇒*panoply,* 〈rel.〉 *(official) vestment(s)* ♦ **2.1** het bisschoppelijk ~ *the episcopal robes/vestments;* de burgemeester in vol ~ *the mayor in full regalia;* 〈scherts.〉 in vol ~ *in best bib and tucker, dressed (up) to the nines.*

ornament 〈het〉 **0.1** [versiersel] *ornament* ⇒*decoration, embellishment, adornment* **0.2** [decoratieve versiering] *ornament* ⇒*decoration, embellishment, adornment,* 〈eten ook〉 *garnish(ing)* **0.3** [〈muz.〉] 〈vaak mv.〉 *ornament(s).*

ornamentalisme 〈het〉 **0.1** *ornamentalism.*

ornamentatie 〈de (v.)〉 **0.1** *ornamentation.*

ornamenteel 〈bn.〉 **0.1** *ornamental* ⇒*decorative, fancy* ♦ **1.1** de ornamentele kunst *decorative art.*

ornamenteren 〈ov.ww.〉 **0.1** *ornament* ⇒*decorate, embellish, adorn,* 〈eten ook〉 *garnish.*

ornamentiek 〈de (v.)〉 **0.1** *ornamentation* ⇒*decorative art.*

ornement →*ornament.*

ornithografie 〈de (v.)〉 **0.1** *ornithography.*

ornithologie 〈de (v.)〉 **0.1** *ornithology.*

ornithologisch 〈bn.〉 **0.1** *ornithologic(al)* ⇒*ornithic, avian, avine.*

ornitholoog 〈de (m.)〉, -**loge** 〈de (v.)〉 **0.1** *ornithologist.*

orogenese 〈de (v.)〉〈geol.〉 **0.1** *orogenesis* ⇒*orogeny.*

orografie, orologie 〈de (v.)〉〈geol.〉 **0.1** *or(e)ography* ⇒*orology.*

orseille 〈de (v.)〉 **0.1** *orchil, archil* ⇒*cudbear.*

orthese 〈de (v.)〉〈med.〉 **0.1** *orthesis.*

orthocefaal 〈bn.〉 **0.1** *orthocephalic* ⇒*orthocephalous.*

orthodidactiek 〈de (v.)〉 **0.1** *remedial teaching.*

orthodontie 〈de (v.)〉〈med.〉 **0.1** *orthodontia* ⇒*orthodontics.*

orthodontist 〈de (m.)〉 **0.1** *orthodontist.*

orthodox 〈bn.〉 **0.1** [rechtzinnig, -gelovig] *orthodox* ⇒*conventional, conservative,* 〈schr.〉 *canonic* **0.2** [van, volgens de leer van de oosterse kerk] *Orthodox* ♦ **1.1** de ~e opvatting *the o. view* **1.2** de ~e kerk *the O. church* **2.1** hij is streng ~ *he is strictly o.* **6.1** ~ **in** het geloof *of o. religion, o. in religion.*

orthodoxe 〈de (m.)〉 **0.1** [rechtzinnige] *orthodox (person/type/believer)* ⇒*Establishment type,* 〈bel.〉 *fossil* **0.2** [aanhanger van de Orthodoxe kerk] *Orthodox, member of the Orthodox church.*

orthodoxie 〈de (v.)〉 **0.1** *orthodoxy.*

orthogenese, orthogenesis 〈de (v.)〉〈biol.〉 **0.1** *orthogenesis.*

orthogonaal 〈bn.〉 **0.1** *orthogonal* ⇒*right-angled, rectangular.*

orthografie 〈de (v.)〉 **0.1** [spelkunst] *orthography* **0.2** [aanvaarde spelling] *orthography* ⇒*spelling.*

orthografisch 〈bn., bw.;-(al)ly〉 **0.1** *orthographic(al).*

orthopedagogie 〈de (v.)〉 **0.1** *remedial education.*

orthopedagoog 〈de (m.)〉, -**goge** 〈de (v.)〉 **0.1** *remedial educationalist.*

orthopedie 〈de (v.)〉 **0.1** *orthop(a)edics* ⇒*orthop(a)edy.*

orthopedisch 〈bn.〉 **0.1** *orthop(a)edic* ♦ **1.1** ~ instituut *o. institute;* ~ schoenmaker *maker of o. footwear.*

orthopedist 〈de (m.)〉 **0.1** *orthop(a)edist.*

orthopeed 〈de (m.)〉 **0.1** *orthop(a)edist.*

ortolaan 〈de (m.)〉〈dierk.〉 **0.1** *ortolan (bunting).*

Orwelliaans 〈bn.〉 **0.1** *Orwellian.*

os 〈de (m.)〉 **0.1** [gecastreerde stier] *bullock, ox* ⇒〈voor de slacht〉 *beef* **0.2** [dommerik] *dolt, blockhead* ♦ **2.1** jonge ~ 〈ihb. voor de slacht ook〉 *steer* **3.1** 〈fig.〉 de ossen achter de ploeg spannen *put the cart before the horse* **8.1** slapen als een ~ *sleep like a log;* 〈fig.〉 zo dom als een ~ *as thick as a post/plank.*

O.S. 〈afk.〉 **0.1** [Olympische Spelen] 〈*Olympic Games*〉 **0.2** [Oude Stijl] *O.S..*

oscar 〈de (m.)〉 **0.1** *Oscar.*

oscillatie 〈de (v.)〉 **0.1** *oscillation* ⇒*vibration.*

oscillator 〈de (m.)〉 **0.1** [toestel om trillingen op te wekken] *oscillator* **0.2** [inrichting in een radiozender] *oscillator.*

oscilleren 〈onov.ww.〉 **0.1** *oscillate* ⇒*vibrate* ♦ **1.1** ~de machine/cilinder *oscillating engine/cylinder* **3.1** doen ~ *oscillate.*

oscillograaf 〈de (m.)〉 **0.1** *oscillograph.*

oscillogram 〈het〉 **0.1** *oscillogram.*

oscilloscoop 〈de (m.)〉 **0.1** *oscilloscope.*

Osmaan 〈de (m.)〉 **0.1** *Ottoman.*

Osmaans 〈bn.〉 **0.1** *Ottoman* ⇒*Othman, Osmanli.*

osmium 〈het〉 **0.1** *osmium.*

osmose 〈de (v.)〉 **0.1** *osmosis* ⇒*osmose.*

osmotisch 〈bn.〉 **0.1** *osmotic* ♦ **1.1** ~e druk *o. pressure.*

ossebloed 〈het〉 **0.1** [bloed v.e. os] *ox-blood* **0.2** [wijnrode kleur] *claret.*

ossedrijver 〈de (m.)〉 **0.1** [persoon] *bullock-team driver* ⇒〈Austr.E〉 *bullocky* **0.2** [〈ster.〉] *Boötes, Herdsman* ⇒*Ploughman, Ox-driver.*

ossehaas 〈de (m.)〉 **0.1** *tenderloin* ⇒*fillet/undercut (of sirloin).*

ossekar 〈de (v.)〉 **0.1** *ox-cart.*

osse(n)pikker 〈de (m.)〉〈dierk.〉 **0.1** *oxpecker, tick bird.*

osseoog 〈het〉 **0.1** [oog v.e. os] *ox-eye* **0.2** [ziekelijke vergroting van het oog] *buphthalmos, buphthalmia.*

ossestaart 〈de (m.)〉 **0.1** *oxtail.*

ossestaartsoep 〈de (v.)〉 **0.1** *oxtail soup.*

ossetong 〈de〉 **0.1** [〈cul.〉] *ox-tongue* **0.2** [〈plantk.〉] *ox-tongue.*

ossevlees 〈het〉 **0.1** *beef.*

ossewagen 〈de (m.)〉 **0.1** *ox-cart/-wagon/* 〈vnl. BE ook〉 *-waggon.*

ossobucco 〈de (m.)〉 **0.1** *osso bucco.*

ostensief 〈bn.〉 **0.1** [vertoonbaar] *demonstrable* **0.2** [aanschouwelijk] *demonstrative* ⇒*ostensive* **0.3** [zonneklaar] *obvious* ⇒*patent, manifest* ♦ **1.2** ostensieve methode *d. method.*

ostentatief 〈bn., bw.;-ly〉 **0.1** *ostentatious* ⇒〈inf.〉 *flashy, specious,* ↓*showy,* 〈bn.〉 *showmanlike* ♦ **1.1** op ostentatieve wijze *in an o. way* **3.1** (zich) ~ uitdossen/gedragen *dress ostentatiously/show off, flaunt o.s.;* hij verliet ~ de zaal *he made a (big) show of leaving the hall.*

osteologie 〈de (v.)〉 **0.1** *osteology.*

osteopathie 〈de (v.)〉 **0.1** [geneeswijze] *osteopathy* **0.2** [beenderziekte] *osteopathy.*

osteoporose 〈de (v.)〉〈med.〉 **0.1** *osteoporosis.*

osteosynthesemateriaal 〈het〉〈med.〉 **0.1** *osteosynthetic material.*

ostinato¹ 〈het〉〈muz.〉 **0.1** *ostinato.*

ostinato² 〈bw.〉〈muz.〉 **0.1** *ostinato* ♦ **¶.1** basso ~ *basso ostinato, ground (bass).*

ostracisme 〈het〉 **0.1** [〈gesch.〉] *ostracism* **0.2** [het afweren van iets of iem.] *ostracism.*

O.T. 〈afk.〉 **0.1** [Oude Testament] *O.T..*

otium 〈het〉 **0.1** *idleness* ⇒〈rust〉 *leisure, ease.*

otoliet 〈de (m.)〉 **0.1** *otolith.*

otologie 〈de (v.)〉〈med.〉 **0.1** *otology.*

otoloog 〈de (m.)〉〈med.〉 **0.1** *otologist.*

o.t.t. 〈afk.〉 **0.1** [onvoltooid tegenwoordige tijd] *pres..*

otter 〈de (m.)〉 **0.1** [dier] *otter* **0.2** [persoon] *dimwit, dope* ♦ **8.1** slapen als een ~ *sleep like a log/top.*

otterbont 〈het〉 **0.1** *otter (fur).*

otteren 〈onov.ww.〉 **0.1** *struggle, labour* ⇒*toil* ♦ **3.1** iem. laten ~ *let s.o. stew, leave s.o. to stew; leave s.o. be, let s.o. muddle on/through.*

ottoman 〈het〉 **0.1** *ottoman.*

ottomane 〈de (v.)〉 **0.1** *ottoman.*

o(u)blie 〈de (v.)〉 **0.1** *rolled wafer.*

o(u)blieijzer 〈het〉 **0.1** *wafer iron.*

ouboilig 〈bn.〉 **0.1** *droll, corny* ⇒*pathetic, awful* 〈grappen ook〉 ♦ **1.1** een ~e stijl *a d. style* **3.1** doe nie zo ~ *I wish you'd stop telling those awful/pathetic jokes of yours.*

oud¹ 〈het〉 **0.1** *the old year* ⇒〈oudejaarsavond〉 *New Year's Eve* ♦ **1.¶**

~ en jong *young and old;* ~ en nieuw vieren *see in the New Year;* ⟨Sch.E⟩ *celebrate Hogmanay.*

oud² ⟨bn.⟩ (→sprw. 48,73,75,282,289,316-318,362,483,484,524,528, 610) **0.1** [genoemde leeftijd hebbend] *old* **0.2** [bejaard] *old* ⇒*aged,* ⟨op leeftijd⟩ *elderly* **0.3** [reeds lang bestaand] *old* ⇒*ancient, long-standing* ⟨situatie⟩, ⟨oudbakken⟩ *stale,* ⟨mbt. eetwaren; predikatief gebruikt⟩ *off* **0.4** [vergevorderd] *old* ⇒*advanced* **0.5** [zich weer vertonend] *old* ⇒*former* **0.6** [uit vroeger tijd afkomstig] *ancient* ⇒*antique,* ⟨vero010udend⟩ *outdated, archaic* **0.7** [⟨fig.⟩ ouderwets] *old(-fashioned)* ⇒*old-time, old(e)-world(e)* **0.8** [mbt. de klassieke oudheid] *ancient* **0.9** [mbt. vroegere relaties] *old, long-standing* **0.10** [voormalig] *ex-, former* ⇒*old* ◆ **1.1** ongeveer/zo'n veertig jaar ~ *fortyish;* vijftien jaar ~, ~ vijftien jaar *fifteen years o.* / *of age, aged fifteen;* nog geen 50 jaar ~ ⟨ook⟩ *still on the right side of fifty;* hij werd 100 jaar ~ / heel ~ *he lived to (be) a hundred* / *to a ripe o. age;* dat kind is zes weken ~ *that child is six weeks o.;* de ~ste zoon *the elder* ⟨van 2⟩ / *oldest son* ⟨van meer dan 2⟩; haar ~ere zusje *her elder* / *big sister* **1.2** de ~ e dag *o. age;* mijn ~ e heer *my o. man;* de ~ e Jansen *Jansen senior;* een ~ e vrijster *an o. maid* **1.3** ~ste bediende *senior assistent;* ⟨op kantoor⟩ *senior clerk;* een ~ e bekende/vriend *an old pal/mate/chum/buddy;* een ~ e broek *old trousers, an old pair of trousers;* een zeer ~ e familie *a(n) very old/ancient familie, a family with a long history/tradition/pedigree;* een ~ e firma *an old established firm;* een ~ e getrouwe *a stalwart, an old faithful;* ~ ijzer *scrap iron;* ~ e kaas *mature/ripe cheese;* een ~ e mop *a corny joke;* dat is ~ nieuws *that is stale news/old hat/ stuff;* ~ papier *waste paper;* ~ e rechten *ancient rights;* ~ e rommel *junk;* ~ ste vennoot *senior partner;* de ~ ste vriendschappen *the longest-standing/most long-standing friendships* **1.4** het ~ e jaar *the o. year* **1.5** hij ging zijn ~ e gang *he carried/went on as before/in the same o. way, he did the same thing, he went on ploughing the same furrow,* ⟨schr.⟩ ~ er gewoonte *as usual, out of habit;* zijn ~ e gewoontes weer opnemen *go back to o. habits/to one's o. ways, get up to one's o. tricks again, revert to type;* zijn ~ e kwaal *his o. illness/complaint;* het ~ e liedje *the same o. story/tune;* op de ~ e voet voortgaan *carry on in the same o. way* **1.6** ~ nummer ⟨van tijdschrift⟩ *back issue/number;* de ~ e tijd *the old(en) days;* een ~ e uitdrukking *an old/outdated expression* **1.7** het goeie, ouwe Engeland *merry/merrie England;* ouwe lul/ zak *old fog(e)y/boy/codger/geezer, fossil;* de goeie ~ e tijd *the good old days* **1.8** de ~ e talen *the ancient/classical languages* **1.9** ~ e vrienden en kennissen *o.* / *l.-s. friends and acquaintances* **1.10** ~ e legerkleding *ex-army clothing* **1.¶** wat een ~ wijf *what an old gasbag/woman* **3.1** hoe ~ ben je? *how o. are you?, what is your age?;* ze weten niet/ze vragen hoe ~ je bent *they don't know/they're asking how o. you are/ your age;* hij is in een week tijd vele jaren ~ er geworden *he has aged a lot/put on several years in a week;* ~ er maken *age, put years on;* zo ~ uitzien als men is *look one's age;* er ~ uitzien voor zijn leeftijd, er ~ er uitzien dan men is *look older than one's age, be getting on in years;* hij wordt een dagje ~ er *he is getting on a bit, he is getting long in the tooth;* maar hij ziet er ~ er/niet zo ~ uit *but he looks older/does not look so o., but he is older/not so o. in appearance;* luister naar de raad van mensen die ~ er en wijzer zijn dan jij *listen to the advice of your elders and betters;* hier moet je twaalf jaar of ~ er voor zijn *you have to be twelve or more/upwards of twelve/twelve plus for this;* zij zijn even ~ *they are the same age* **3.2** die jurk maakt je ~ *that dress dates you/is too old for you;* ~ maken *age;* zich ~ voelen *feel one's age;* ~ worden *grow o., age;* niet ~ worden *not grow to (an) o. age, not make o. bones;* hij wordt ~ *he is getting o.;* in die familie wordt iedereen ~ *everyone in that family lives to be o.* **3.3** deze melk/vis ruikt ~ *this milk/fish smells off* **4.1** hoe ~ er hoe gekker *there's no fool like an o. fool;* hoe ~ schat je mij? *what age would you put me down as/take me for?* **5.1** ~ genoeg zijn om ... *be o. enough to ...;* ze is te ~ om met poppen te spelen ⟨ook⟩ *she is past playing with dolls* **5.2** nogal ~ *oldish* **6.1** op zijn ~ st dertig *thirty at most/at the oldest;* ~ van jaren *getting on (in years)* **6.3** ~ er in dienstjaren *senior* **8.1** ik ben twee keer zo ~ als hij/hem *I am twice as o. as him/he is, I am twice his age;* jij bent ~ er dan ik ⟨ook⟩ *you are my senior, you are senior to me;* hij is vier jaar ~ er dan ik *he is four years older than me/my senior /senior to me, he is my senior by four years;* even ~ zijn als ... *be as o. as ...* **8.3** zo ~ als de weg naar Kralingen/Rome *as old as the hills* **¶.1** kinderen van zes jaar en ~ er *children from six years up/ on, children over six* **¶.2** men is nooit te ~ om te leren *you are never too o. to learn.*

oudachtig ⟨bn.⟩ **0.1** [oud schijnend] *oldish* **0.2** [enigszins oud] *elderly.*

oudadellijk ⟨bn.⟩ **0.1** [niet attr.] *of ancient pedigree/nobility* ⇒⟨attr.⟩ *patrician, old aristocratic.*

oudbakken ⟨bn.⟩ **0.1** [droog] *stale* **0.2** [afgedankt] *stale* ⇒*trite, corny, old* ⟨film, grap⟩ ◆ **1.1** ~ brood *s. bread* **1.2** dat is ~ kost *that is old hat.*

oud-bisschoppelijk ⟨bn.⟩ **0.1** *Old Catholic.*

oudblauw¹ ⟨het⟩ **0.1** [kleur] *Delft blue* ⇒*old blue, china blue, blue passé* **0.2** [porselein] *antique blue china, blue china antiques.*

oudblauw² ⟨bn.⟩ **0.1** *Delft blue* ⇒*old blue.*

oudchristelijk ⟨bn.⟩ **0.1** *early Christian.*

oudedagsreserve ⟨de⟩ ⟨fiscus⟩ **0.1** *private pension allowance for self-employed.*

oudedagvoorziening ⟨de (v.)⟩ **0.1** *provision for old age* ⇒⟨pensioenvoorziening⟩ *pension scheme.*

oudeheer ⟨de (m.)⟩ ⟨inf.⟩ **0.1** *old man* ⇒*old fellow/boy/chap.*

oudejaar ⟨het⟩ **0.1** *New Year's Eve* ⇒⟨Sch.E⟩ *Hogmanay.*

oudejaarsavond ⟨de (m.)⟩ **0.1** *New Year's Eve* ⇒⟨mbt. Schotland⟩ *Hogmanay.*

oudejaarsdag ⟨de (m.)⟩ **0.1** *New Year's Eve* ⇒⟨mbt. Schotland⟩ *Hogmanay.*

oudejaarsnacht ⟨de (m.)⟩ **0.1** *New Year's Eve* ⇒⟨mbt. Schotland⟩ *Hogmanay.*

oudejaarsstudent →**ouderejaars.**

oudelui ⟨zn.mv.⟩ ⟨inf.⟩ **0.1** *(old) folks/people* ⇒⟨AE;sl.⟩ *fossils.*

oudemannenhuis ⟨het⟩ ⟨gesch.⟩ **0.1** *old men's home.*

oudemannenkwaal ⟨de⟩ **0.1** *old man's complaint/ailment.*

Oudengels ⟨het⟩ ⟨taal.⟩ **0.1** *Old English, Anglo-Saxon.*

ouder ⟨de (m.)⟩ **0.1** *parent* ◆ **1.1** respect voor de ~s *respect for one's parents, filial piety* **2.1** kind van onbekende ~s *child of unknown parentage* **4.1** mijn ~s *my parents,* ⟨inf.⟩ *my folks* **6.1** van ~ tot ~ *from generation to generation.*

ouderavond ⟨de (m.)⟩ **0.1** *parents' evening.*

oudercommissie ⟨de (v.)⟩ **0.1** *parents' committee.*

ouderdag ⟨de (m.)⟩ **0.1** *parents' day.*

ouderdom ⟨de (m.)⟩ ⟨→sprw. 485⟩ **0.1** [tijd van bestaan] *age* **0.2** [hoge leeftijd] *(old) age* **0.3** [personen] ⟨mv.⟩ *old folk/people;* ⟨AE ook⟩ *old folks* **0.4** [langdurig bestaan] *age* ◆ **3.1** de ~ van fossielen bepalen *determine the a. of fossils* **3.2** de (zeer) hoge ~ bereiken van 98 jaar *reach the ripe o. a. of 98* **6.2** verzwakt door ~ *frail with a.;* in de gezegende/ aanvallige ~ van ... *at the ripe old age/tender age of ...;* van ~ sterven *die of o. a.;* zijn rug was krom van ~ *his back was bent/bowed with a.* **6.4** aangetast door ~ *stricken/afflicted with a..*

ouderdomskwaal ⟨de⟩ **0.1** *old person's/old people's/geriatric complaint/ sickness/illness/disease* ⇒*affliction/infirmity/condition of old age.*

ouderdomspensioen ⟨het⟩ **0.1** *old-age pension* ⇒*retirement pension/ benefit.*

ouderdomsrente ⟨de⟩ ⟨gesch.⟩ **0.1** *old-age pension* ⇒*retirement pension/ benefit.*

ouderdomsuitkering ⟨de (v.)⟩ **0.1** *old-age pension (payment)* ◆ **3.1** een wekelijkse ~ ontvangen *receive a weekly pension.*

ouderdomsverschijnsel ⟨het⟩ **0.1** *sign/symptom of old age.*

ouderdomsverzekering ⟨de (v.)⟩ **0.1** *pension(s) insurance* ⇒*contributory pension scheme.*

ouderdomsvlek ⟨de⟩ **0.1** ⟨med.⟩ *lentigo senilis* ⇒⟨verschijnsel⟩ *hyperpigmentation.*

ouderdomswet ⟨de⟩ **0.1** *pensions act* ◆ **2.1** algemene ~ *general p. a..*

ouderejaars ⟨de (m.)⟩ **0.1** *older/senior student* ⇒⟨na eerste graad⟩ *(post)graduate (student).*

ouderen ⟨zn.mv.⟩ **0.1** *older ones;* ⟨mensen op leeftijd⟩ *elderly people, the elderly, geriatrics.*

ouderhart ⟨het⟩ **0.1** *parental affection/love.*

ouderhuis ⟨het⟩ **0.1** *parental/family home.*

ouderliefde ⟨de (v.)⟩ **0.1** ⟨liefde van ouders⟩ *parental love;* ⟨liefde voor ouders⟩ *filial love.*

ouderlijk ⟨bn.⟩ **0.1** *parental* ◆ **1.1** ~ gezag *p. authority;* het ~ huis *the p. home;* het ~ huis verlaten *leave home;* de ~ e macht *p. authority;* uit de ~ e macht ontzetten *deprive of p. rights* ⟨mbt. ouder⟩; *make a ward of court* ⟨mbt. kind⟩.

ouderling ⟨de (m.)⟩ **0.1** [⟨prot.⟩]⟨Angl.⟩ *churchwarden* ⇒⟨presbyteriaanse⟩ *elder, presbyter,* ⟨in andere Prot. kerken⟩ *deacon* **0.2** [voorganger bij de eerste christenen] *elder* ◆ **1.1** het college van ~en *the elders and deacons, the consistory.*

ouderloos ⟨bn.⟩ **0.1** *parentless* ⇒⟨verweesd⟩ *orphaned* ◆ **1.1** een ~ kind ⟨wees⟩ *an orphaned child;* ⟨kind te vondeling gelegd⟩ *an abandoned child.*

ouderpaar ⟨het⟩ **0.1** *parents.*

ouderparticipatie ⟨de (v.)⟩ **0.1** *parental participation.*

ouderplicht ⟨de⟩ **0.1** *parental duty* ◆ **3.1** zijn ~en vergeten *forget one's parental duties.*

ouderraad ⟨de (m.)⟩ **0.1** *parents' council.*

ouderschap ⟨het⟩ **0.1** *parenthood.*

ouderschapsverlof ⟨het⟩ **0.1** [zwangerschapsverlof] *maternity/confinement leave* **0.2** [werkverlof om meer tijd te kunnen besteden aan opgroeiende kinderen] *parental/maternity/paternity leave.*

oudervereniging ⟨de (v.)⟩ **0.1** *parents' association* ⇒⟨met deelneming van leerkrachten⟩ *parent-teacher association.*

oudervreugde ⟨de (v.)⟩ **0.1** *joy(s) of parenthood.*

ouderwets ⟨bn., bw.⟩ **0.1** [niet meer in gebruik/in de mode] *old-fashioned* ⇒*old-time,* ⟨ook aantrekkelijk⟩ *quaint,* ⟨BE;scherts.⟩ *old(e)-world(e),* ⟨vero010udend⟩ *outmoded* **0.2** [flink] *(good) old-fashioned* ⇒*right old, proper* ◆ **1.1** ~ e denkbeelden *old-fashioned/outmoded/passé ideas;* een ~ geval/gevaarte *an old crock;* een ~ iem. ⟨inf.;pej.⟩ *an old fog(e)y/fuddy-duddy;* ~ e klederdracht *old-fash-*

ioned / traditional costume **1.2** een heerlijke, ~e huisvrouw *a fine, thoroughgoing housewife, a true housewife of the old school;* een ~ pak slaag *a good old-fashioned hiding* **2.1** een ~ kleine huiskamer *a little old-fashioned / quaint little living room* **3.1** ~ worden *go out of fashion / date* **3.2** ik ben weer eens ~ wezen stappen *I went (out) on another good old binge / spree* **5.1** ze is hopeloos ~ ⟨ook⟩ *she is way out of fashion.*

oudewijvenknoop ⟨de (m.)⟩ **0.1** *granny knot.*

oudewijvenpraat ⟨de (m.)⟩ ⟨inf.⟩ **0.1** *old wives' tales* ⇒*women's gossip.*

Oudfrans ⟨het⟩ ⟨taal.⟩ **0.1** *Old French.*

oudgast ⟨de (m.)⟩ **0.1** [niet-Indiër] ≠*old colonial* **0.2** [conservatief] *stick-in-the-mud, fossil.*

oudgediende ⟨de (m.)⟩ **0.1** [oud-soldaat] *ex-serviceman* **0.2** [ervaren persoon] *old hand, veteran* ⇒*old-timer / -stager / -campaigner* ◆ **6.2** een ~ in de politiek *an old hand at politics, a veteran politician.*

oud-gereformeerd ⟨bn.⟩ **0.1** *old Reformed.*

Oudgermaans ⟨het⟩ ⟨taal.⟩ **0.1** *Primitive / Common / Proto-Germanic* ◆ **1.1** ~ letterteken *rune.*

Oudgrieks[1] ⟨het⟩ ⟨taal.⟩ **0.1** *ancient Greek.*

Oudgrieks[2] ⟨bn.⟩ **0.1** [mbt. de taal] *ancient Greek* **0.2** [(zoals) bij de oude Grieken] *ancient Greek.*

oudheid ⟨de (v.)⟩ **0.1** [het oud-zijn] *antiquity* **0.2** [het verre verleden] *antiquity* ⇒*ancient times, times / days of yore* **0.3** [voorwerp] ⟨vnl. mv.⟩ *antiquity* ◆ **1.3** een verzameling van oudheden *a collection of antiquities* **2.2** dit gebruik stamt uit de grijze ~ *this practice dates from time immemorial / dates back in the mists of antiquity;* de klassieke ~ *classical antiquity* **6.2** uit de ~ *(from) ancient (times);* schrijver *uit* de klassieke ~ *writer from the ancient classics;* de grootste geesten *uit* de ~ *the greatest spirits of antiquity* **7.2** de ~ *antiquity, ancient times, times / days of yore.*

oudheidkamer →**oudheidskamer.**

oudheidkenner ⟨de (m.)⟩ **0.1** *antiquarian* ⇒*arch(a)eologist, antiquary.*

oudheidkunde ⟨de (v.)⟩ **0.1** *arch(a)eology.*

oudheidkundig ⟨bn.⟩ **0.1** *arch(a)eological* ⇒*antiquarian* ◆ **1.1** ~ museum *museum of antiquities;* ~e studies *arch(a)eological studies.*

oudheidkundige ⟨de (m.)⟩ **0.1** *arch(a)eologist* ⇒*antiquarian, antiquary.*

oudheidskamer ⟨de⟩ **0.1** *antiquities' room.*

oudhollands ⟨bn.⟩ **0.1** *old Dutch* ◆ **1.1** ~ papier *old Dutch paper;* ~e tuin *Dutch garden.*

Oudhoogduits ⟨het⟩ ⟨taal.⟩ **0.1** *Old High German.*

oudjaar →**oudejaar.**

oudje ⟨het⟩ **0.1** [oud persoon] *old person* ⇒⟨m.⟩ *old chap / fellow / boy / bloke,* ⟨v.⟩ *old dear / girl,* ⟨inf.⟩ *old'un, old thing* **0.2** [bejaarde verwant] ⟨vader, echtgenoot⟩ *old man;* ⟨moeder⟩ *old lady / woman;* ⟨echtgenote⟩ *old woman / Dutch* **0.3** [versleten voorwerp] *antique, museum-piece, crock* ⇒⟨inf.⟩ *oldie* ◆ **2.2** de beide ~s *the old couple;* twee onafscheidelijke ~s ⟨mbt. een echtpaar; vnl. BE⟩ *Darby and Joan* **3.3** die grap van jou, dat is al een ouwetje *that joke of yours is a bit ancient / long in the tooth / corny, isn't it?* **4.3** zie je die auto, wat een ~! *look at that car, it's a real (old) crock.*

oud-katholiek[1] ⟨de (m.)⟩ **0.1** *Old Catholic.*

oud-katholiek[2] ⟨bn.⟩ **0.1** *Old Catholic.*

oud-leerling ⟨de (m.)⟩, -e ⟨de (v.)⟩ **0.1** *former pupil* ⇒*ex-pupil,* ⟨BE ook⟩ *old boy* ⟨m.⟩ */ girl* ⟨v.⟩*,* ⟨vnl. AE⟩ *alumnus* ⟨m.⟩*, alumna* ⟨v.⟩*.*

oudmodisch ⟨bn., bw.; -ly⟩ **0.1** *outmoded,* ⟨bn.⟩ *old-fashioned* ⇒⟨bn.; schr.⟩ *passé.*

Oudnederlands[1] ⟨het⟩ **0.1** *Old Dutch.*

Oudnederlands[2] ⟨bn.⟩ **0.1** [mbt. de taal] *Old Dutch* **0.2** [mbt. de bewoners] *old Dutch.*

Oudnoors ⟨het⟩ ⟨taal.⟩ **0.1** *Old Norse.*

oudoom ⟨de (m.)⟩ **0.1** *great-uncle.*

oudovergrootmoeder ⟨de (v.)⟩ **0.1** *great-great-grandmother.*

oudovergrootvader ⟨de (m.)⟩ **0.1** *great-great-grandfather.*

oudroest ⟨het⟩ **0.1** *scrap (iron / metal)* ⇒*old iron* ◆ **6.1** voor ~ verkopen *sell for scrap.*

oudromeins ⟨bn.⟩ **0.1** *ancient Roman.*

oudroze ⟨o.ww.⟩ **0.1** *old rose* ◆ **7.1** het ~ *old rose.*

ouds →**vanouds.**

Oudsaksisch ⟨het⟩ ⟨taal.⟩ **0.1** *Old Saxon.*

oudsher [bw.] ◆ **6.¶** van ~ *of old, from way back;* ⟨schr.⟩ *from time(s) immemorial;* zij waren van ~ landbouwers *they were farmers of old / from way back / from times immemorial;* van ~ bekend *known from time immemorial.*

oudste ⟨de (m.)⟩ **0.1** [eerstgeborene] *oldest, eldest* ⇒⟨schr.⟩ *firstborn* **0.2** [iem. met de hoogste ouderdom in rang] *(most) senior* **0.3** [leider] *person in charge / responsible* ⇒*spokesman, foreman, leader* ◆ **1.3** ⟨bijb.⟩ de ~ van Israël *the firstborn of Israel;* de ~ v.d. studentenflat *the senior student / student in charge of the (student) flat* **3.1** wie is de ~, jij of je broer? *who is the elder, you or your brother?* **4.1** mijn ~ *my e.* **6.2** de ~ in anciënniteit *the most senior-ranking* **¶**.1 de ~n moeten de wijsten zijn *the o. should be the wisest.*

oud-strijder ⟨de (m.)⟩ **0.1** *war veteran* ⇒⟨inf.⟩ *old campaigner / warhorse.*

oudtante ⟨de (v.)⟩ **0.1** *great-aunt.*

oudtestamenticus ⟨de (m.)⟩ **0.1** *Old Testament scholar / specialist.*

oudtestamentisch ⟨bn.⟩ **0.1** *Old Testament.*

oudtijds ⟨bw.⟩ **0.1** *in olden times / days.*

oudvaderlands ⟨bn.⟩ **0.1** *traditional* ⇒*ancient / early national* ◆ **1.1** ~e gebruiken *t. / ancient / early national customs;* ~ burgerlijk recht *ancient civil right.*

oudwijf ⟨het⟩ **0.1** [oude vrouw] *old woman* ⇒⟨pej.⟩ *old (rat-)bag / hag / frump* **0.2** [zeurpiet] *old gossip / gasbag / windbag / prattler* **0.3** [oudewijvenknoop] *granny knot.*

out ⟨bn.⟩ ⟨sport⟩ **0.1** [uitgespeeld] *out* **0.2** [buiten de lijn] *out* ⇒*off,* ⟨mbt. tennis ook⟩ *away* ◆ **3.1** batsman is ~ *the batsman is out;* een batsman ~ maken *take a wicket, dismiss a batsman, bowl / catch / stump / run out a batsman;* er zijn twee honkballers ~ *there are two baseball-players out;* vier batsmen zijn ~ *there are four men out / wickets down* **3.2** de bal is ~ *the ball is out / off* **5.1** winnen met drie batsmen niet ~ *win by two wickets.*

outillage ⟨de (v.)⟩ **0.1** *equipment, apparatus* ⇒⟨werktuigen⟩ *machinery, plant* ◆ **1.1** de ~ v.e. haven *the machinery / e. of a port.*

outilleren ⟨ov.ww.⟩ **0.1** *equip* ⇒*fit out, tool up* ⟨een fabriek⟩ ◆ **1.1** een goed geoutilleerd laboratorium *a well-equipped / -appointed laboratory.*

outlook ⟨de⟩ **0.1** [verschijningsvorm] *appearance, outlook* **0.2** [toekomstperspectief] *outlook.*

output ⟨de⟩ **0.1** *output* ◆ **8.1** als ~ leveren *output.*

outsider ⟨de⟩ **0.1** [niet ingewijde] *outsider* **0.2** ⟨sport⟩ *outsider* ⇒⟨van onbekende sterkte⟩ *dark horse* **0.3** ⟨hand.⟩ *outsider.*

ouverture ⟨de (v.)⟩ **0.1** ⟨muz.⟩ *overture* ⇒*prelude* **0.2** [inleiding] *prelude, introduction* **0.3** [inleidend voorstel] *preliminary* ⇒*opening suggestion, opener,* ⟨inf.⟩ *opening shot.*

ouvreuse ⟨de (v.)⟩ **0.1** *usherette.*

ouwe ⟨de (m.)⟩ ⟨inf.⟩ **0.1** [baas] *chief, boss* ⇒⟨sl.⟩ *guv(ner), old man* **0.2** [⟨scheep.⟩ kapitein] *captain, skipper* ⇒⟨inf.⟩ *cap('n), skip* **0.3** [vader] *old man* ⇒*old chap / fellow / boy* **0.4** [oude jenever] *malted geneva / Hollands (gin)* ◆ **2.¶** ⟨inf.⟩ een gouwe ~ *a golden old'un / oldie* **¶**.1 wat is er, ~? *what's up mate / guv / squire?.*

ouweheer ⟨de (m.)⟩ ⟨inf.⟩ **0.1** *old man* ⇒*old chap / fellow / boy.*

ouwehoer ⟨de (v.)⟩ ⟨inf.⟩ **0.1** *bullshitter, gasbag, windbag, bore.*

ouwehoeren ⟨onov.ww.⟩ ⟨inf.⟩ **0.1** *go on* ⇒⟨BE; ook⟩ *waffle (on), gas, natter,* ⟨AE ook⟩ ↓*bullshit,* ⟨sl.⟩ *(yackety-)ya(c)k.*

ouwejongens-krentenbrood ⟨het⟩ ⟨inf.⟩ **0.1** *jobs for the boys* ⇒⟨BE ook⟩ *old-boy network,* ↑*nepotism.*

ouwel ⟨de (m.)⟩ **0.1** [baksel] *wafer* **0.2** ⟨r.k.⟩ *wafer* **0.3** [zegel als sluiting van brieven] *wafer* ◆ **6.3** met een ~ dichtplakken *(seal with a) wafer.*

ouwelijk ⟨bn., bw.; -(al)ly⟩ **0.1** *oldish;* ⟨bn.⟩ *elderly* ⇒*geriatric* ◆ **1.1** ~e neigingen *e. tastes* **3.1** zij kleedt zich ~ *she dresses in e. fashion;* hij ziet er ~ uit *he looks o..*

ovaal[1] ⟨het⟩ **0.1** [gesloten vlakke kromme lijn] *oval* ⇒*ellipse* **0.2** [wat een ovale vorm heeft] *oval* ⇒*ellipse.*

ovaal[2] ⟨bn.⟩ **0.1** *oval* ⇒*elliptical,* ⟨eivormig⟩ *ovate* ◆ **1.1** een ~ medaillon *an oval medallion.*

ovariaal ⟨bn.⟩ ⟨med.⟩ **0.1** *ovarian.*

ovariotomie ⟨de (v.)⟩ ⟨med.⟩ **0.1** *ovariectomy, oophorectomy* ⇒*ovariotomy.*

ovarium ⟨het⟩ **0.1** ⟨med.⟩ *ovary* **0.2** ⟨plantk.⟩ *ovary.*

ovatie ⟨de (v.)⟩ **0.1** [toejuiching, feestelijke ontvangst] *ovation* ⇒⟨vnl. mv.⟩ *plaudit* **0.2** ⟨Rom. gesch.⟩ *ovation* ◆ **2.1** een staande ~ *a standing o.* **3.1** iem. een ~ brengen *give s.o. an o.;* staande ~s oogsten *receive a standing o.;* ⟨fig.⟩ *bring the house down.*

ovationeel ⟨bn., bw.; -ly⟩ **0.1** *thunderous, tumultuous* ◆ **1.1** een ~ applaus *thunderous / tumultuous applause.*

oven ⟨de (m.)⟩ **0.1** *oven* ⇒⟨voor kalk / baksteen⟩ *kiln,* ⟨smeltoven⟩ *furnace* ◆ **6.1** iets in de ~ zetten *put sth. in the o.;* aardewerk bakken in een ~ *fire pottery in an o. / a kiln;* ik doe het vlees meestal in de ~ *I usually do the meat in the o.;* ⟨van graan⟩ in een ~ drogen *kiln-dry;* ⟨fig.⟩ tegen een ~ gapen ⟨vergeefse moeite doen⟩ *bang one's head against a brick wall;* ⟨vergeefs praten⟩ *talk in a vacuum;* dit brood komt vers uit de ~ *this bread is fresh from / straight out of the o.;* iets uit de ~ halen *take sth. out of the o.* **¶**.1 ⟨fig.⟩ 't is hier een ~ *it is like an o. in here.*

ovenkrabber ⟨de (m.)⟩ **0.1** *oven-rake* ⇒*fire-hook / -rake.*

ovenpaal ⟨de (m.)⟩ **0.1** *peel, baker's shovel.*

ovenplaat ⟨de⟩ **0.1** *baking tray.*

ovenschaal ⟨de⟩ **0.1** *baking dish, casserole.*

ovenschotel ⟨de (m.)⟩ **0.1** *oven dish.*

ovenvast ⟨bn.⟩ **0.1** *heat-resistant, oven-proof* ◆ **1.1** ~ aardewerk *ovenware, h.-r. / o.-p. crockery.*

ovenvenster ⟨het⟩ **0.1** *oven window.*

ovenvers ⟨bn.⟩ **0.1** *oven-fresh.*

ovenwant ⟨de⟩ **0.1** *oven glove.*

over[1]

I ⟨bn.⟩ **0.1** [voorbij] *over* ⇒*past, finished* ◆ **3.1** het onweer is ~ *the* thunderstorm has passed/is o.; de pijn is al ~ the pain has gone; dat is ~ that is done with/finished; ~ was de pret the party was o., that was an end of the fun; zijn je moeilijkheden ~? are your troubles at an end? ¶.1 ~, jouw beurt right, your go; o. to you;

II ⟨bw.⟩ **0.1** [van de ene plaats naar de andere] across, over **0.2** [op een andere plaats] across, over **0.3** [resterend] left, over ⇒remaining **0.4** [boven de maat] spare ⇒surplus ◆ **1.1** zij wandelden nog eens de markt ~ they walked a. the market-place once more/again **1.2** ⟨mil.⟩ ~ geweer! slope arms!; nog voor hij het zag, was zij de straat ~ before he noticed, she was a. the street **2.2** ⟨verkeer⟩ klaar, ~! cross now! **3.1** met het vliegtuig ben je in een paar uur ~ you get/are a. in a few hours by (aero)plane; men liep ~ en weer there was a lot of toing and froing **3.2** morgen gaan we ~ we are moving tomorrow; deze leerling is ~ this pupil has moved up; mijn tante is gisteren ~ geweest my aunt was o. yesterday; zij zijn ~ uit Canada they are o. from Canada **3.3** zij heeft nog wat tijd/geld ~ she has still got some time/money l.; er is 10 gulden ~ there are 10 guilders l., we are still 10 guilders to the good; er is hier nog ruimte ~ there is still room l. here/some spare room here; als er genoeg tijd ~ is if there is enough time l./in hand; het is ~ van gisteren that is l. over from yesterday; er zijn slechts een paar exemplaren van ~ there are only a few of it l./remaining **3.¶** ⟨AZN⟩ daar kan ik niet van ~ I'm flabbergasted/astounded **5.1** ~ en weer back and forth, to and fro; ⟨van weerskanten⟩ from both sides; elkaar ~ en weer verwijten maken keep passing the blame (onto one another), keep blaming one another **5.2** recht ~ woont haar vriend her friend lives (right) opposite **5.4** redenen/voorbeelden te ~ plenty of/abundant/ample reasons/examples ¶.2 ⟨com.⟩ ~! over (to you)!.

over² ⟨vz.⟩ **0.1** [boven] over, above **0.2** [op, langs] across, over **0.3** [mbt. het bedekken v.e. oppervlak] over, across **0.4** [wat betreft] about ⇒ over, concerning, on **0.5** [via] by way of, via ⇒over ⟨de radio, de telefoon⟩ **0.6** [gedurende] over **0.7** [wegens] about ⇒over, on account/because of **0.8** [boven/langs iets heen] over ⇒across **0.9** [aan de andere kant van] across, over **0.10** [na verloop van] after, in **0.11** [meer/verder dan] over, past **0.12** [mbt. een relatie v.e. meerdere tot mindere] over **0.13** [in de richting van] toward(s) **0.14** [tegenover] opposite ◆ **1.1** zij boog zich ~ het ledikantje she bent o. the cot **1.2** ~ de grond kruipen crawl o. the ground; een koude rilling liep ~ haar rug a cold shiver ran down her spine; ~ straat lopen walk i/a. the street; ⟨oversteken⟩ cross (over) the street; tranen stroomden haar ~ de wangen tears rolled down her cheeks **1.3** een mantel ~ haar jurk a coat o./on top of her dress; ~ de hele lengte all along, for/along the whole length; werk verdelen ~ de mensen share out work among the people; hij trok de muts ~ zijn oren he pulled his hat (down) o. his ears; dwars ~ het pad right a. the path; een kleed ~ de tafel leggen/spreiden lay/spread/put a cloth o./on the table; haar speelgoed lag verspreid ~ de vloer her toys lay scattered o./a./about the floor; ~ de hele wereld all o. the world **1.4** geruchten ~ zijn dood rumours of his death; een film ~ Gandhi a film a. Gandhi; de winst ~ het vierde kwartaal the profit over the fourth quarter; ~ smaak valt niet te twisten there is no accounting for tastes; ~ deze zaak heb ik niets te zeggen on this matter I have nothing to say/no comment **1.5** ~ een brug lopen walk over a bridge; ~ land en ~ zee by land and (by) sea; zij communiceren ~ de mobilofoon they communicate by mobile telephone; ~ Nijmegen naar Zwolle she drove to Zwolle via Nijmegen; ~ de post by post; ik heb het ~ de radio gehoord I heard it on the radio; een brug ~ de rivier a bridge over/across the river **1.6** iets bespreken ~ een glas wijn discuss sth. o. a glass of wine; ~ een periode van …o. a period of … **1.7** voldaan ~ de afloop satisfied with the outcome; verdriet ~ een gebeurtenis sorrow at/about an event; rente ~ een kapitaal interest on capital **1.8** een voet ~ de drempel zetten put a foot o. the threshold; ~ de grens komen get o. the border; ~ een hindernis springen jump (o.)/take a hurdle **1.9** hij werkt ~ de grens he works a. the border; ~ de heuvels o. l beyond the hills **1.10** ~ een dag of tien ben ik terug I shall be back in about ten days(' time); ~ 200 jaar in 200 years' time, 200 years hence; we beginnen ~ twee minuten we are starting in two minutes(' time); zaterdag ~ een week a week on Saturday, (on) Saturday week; ~ een week in a week('s time), a week from now/hence; morgen ~ een week a week tomorrow, tomorrow week **1.11** hij kwam lang ~ tijd thuis he came home long p. his time/the proper time; zij is twee maanden ~ tijd ⟨ook fig.⟩ she is two months overdue; hij is al ver ~ de zeventig he is already well o./p. seventy; hij is ~ de zeventig ⟨ook⟩ he has turned seventy/is on the wrong side of seventy **1.13** ⟨scheep.⟩ ~ stuurboord of bakboord to starboard or port **1.14** zij wonen schuin ~ het stadhuis they live diagonally o. the town hall **1.¶** ~ het algemeen in general, generally **2.7** verheugd ~ delighted at/with **3.4** oordelen/nadenken ~ judge/consider **3.7** ~ iets/iem. inzitten be worried/anxious about sth./s.o.; zich ~ iets opwinden ~ get het/worked up about **3.8** vallen ~ iets/iem. ⟨fig.⟩ take exception to sth./s.o. **3.12** beschikken ~ have at one's disposal; gebieden ~ have command o./control of; heersen ~ rule (o.). **4.2** met de benen ~ elkaar (geslagen) with legs crossed, with crossed legs **4.3** iets raadselachtigs ~ zich hebben have sth. puzzling/mysterious about one; zij heeft iets innemends ~ zich she has got sth. charming/fetching about her **6.11 tot** ~ zijn knieën in de mod-

---

der zakken sink (down) p. one's knees in mud; **tot** ~ zijn oren in de problemen zitten be up to one's neck/eyeballs in trouble **7.11** hij is ~ de twee meter (lang) he is o. two metres (tall); de thermometer staat ~ de veertig the thermometer is above forty/reading over forty; het is ~ vieren it is p./after four; het is kwart ~ vijf it is a quarter p. five; een man van ~ de zeventig (jaar oud) a man of o. seventy (years old) **¶.1** het oog ~ iets laten gaan cast one's eye o. sth. **¶.4** zijn gedachten ~ iets laten gaan turn sth. over in one's mind, think about sth.; het woord voeren ~ iets hold forth on sth., speak about sth.; iem. ~ iets zessen it is just after/gone six; het is vijf ~ half zes it is twenty-five to six **¶.12** de baas ~ iem. spelen boss s.o. (about), lord it over s.o..

overaccentuering ⟨de (v.)⟩ **0.1** over-emphasis.

overactief ⟨bn.⟩ **0.1** hyperactive.

overafkoeling ⟨de (v.)⟩ ⟨nat.⟩ **0.1** supercooling.

overal¹ ⟶overall.

overal² ⟨het⟩ ⟨scheep.⟩ **0.1** reveille ⇒⟨inf.⟩ wakey-wakey (shake a leg) ◆ **2.¶** klaar~! attention!, 'shun! **3.1** ~ houden keep (s.o.) on nightwatch/night duty; ~ maken/roepen sound the r..

overal³ ⟨bw.⟩ ⟨⟶sprw. 271⟩ **0.1** [op alle plaatsen] everywhere ⇒⟨om 't even waar⟩ anywhere, ⟨AE ook⟩ anyplace, ⟨inf.⟩ all over the place, ⟨in een gebouw; enz.⟩ all over the shop **0.2** ⟨(+voorz.)⟩ alles] everything ◆ **2.1** ~ aanwezig ubiquitous, omnipresent; ~ bekend widely/universally known; het is ~ even dun it is just as thin all over/throughout; ~ gangbaar widely used; ~ tegenwoordig ubiquitous, everywhere in evidence, pervasive **3.1** ik heb ~ jeuk I am itching all over; ze is ~ geweest she has been around/all over (the place); zijn speelgoed lag ~ in het rond his toys were lying about o./all over the place/⟨inf.⟩ all over the shop; ze mochten ~ in huis komen they had/were given the run of the house; met mijn mini kan ik ~ parkeren with my mini I can park anywhere; iets ~ rondbazuinen shout sth. out from the rooftops/so that everyone can hear it, ⟨schr.⟩ blaze sth. abroad; men vindt dit lang niet ~ this is hardly/scarcely found anywhere, you hardly/scarcely find this anywhere; that is by no means universal; iem. ~ volgen follow s.o. about/around (e.l wherever he/she goes); ~ tegelijk zijn be here, there and e.; ~ zoeken look e., look far and near/wide, search all over/high and low **5.1** ~ heen gaan go all over the place; ~ waar wherever **6.1** ~ **in** het land all over the country, nationwide; **van** ~ from e.l all over the place/all parts left, right and centre **6.2** zich ~ **aan** ergeren get cross/find fault with e.; ~ **in** geïnteresseerd zijn ⟨inf.⟩ be into e.; hij is ~ lid **van** he is a member of/he belongs to e.; ⟨fig.⟩ he's into e.; zij weet ~ van she knows about e.; is a walking encyclop(a)edia **¶.2** ~ munt uit slaan ⟨geld verdienen aan⟩ make money out of e./anything; ⟨zijn voordeel ermee doen⟩ cash in on e./anything.

overall ⟨de (m.)⟩ **0.1** overalls ⇒boiler suit.

overbeet ⟨de (m.)⟩ **0.1** overbite, vertical overlap ◆ **6.1** met ~ overshot.

overbejaging ⟨de (v.)⟩ **0.1** overhunting.

overbekend ⟨bn.⟩ **0.1** very well-known ⇒widely/universally known, of wide repute/renown, ⟨pej.⟩ notorious ◆ **1.1** die naam is ~ that name is a household word **8.1** mevr. N., ~ als schrijfster Mrs. N, of literary fame/of wide renown as a writer.

overbeladen ⟨bn.⟩ **0.1** overburdened, overloaded ⇒weighed down.

overbelast ⟨bn.⟩ **0.1** overloaded, overburdened ⇒⟨mbt. systeem/belastingen⟩ overtaxed, ⟨mbt. een voertuig ook⟩ overladen ◆ **1.1** de telefooncentrale is ~ the telephone exchange is overloaded/overburdened; ~e zenuwen frayed nerves **6.1** ~ **met** werk ⟨ook⟩ snowed under/swamped with work.

overbelasten ⟨ov.ww.⟩ **0.1** overload ⇒overburden, weigh down ⟨met een vracht; ook fig.⟩, ⟨te veel eisen van; ook mbt. belastingen⟩ overtax ◆ **1.1** zijn geheugen ~ overload/overburden/clog one's memory; de motor ~ overtax/overwork the engine; ⟨inf.⟩ thrash the engine.

overbelasting ⟨de (v.)⟩ **0.1** [het overbelasten] ⟨tech.⟩ overloading ⇒ overburdening, overtaxing, overworking ⟨van mensen/machines enz.⟩, ⟨v.e. mens ook⟩ straining **0.2** [te grote last of belasting] ⟨tech.⟩ overload; ⟨kortsluiting; inf.⟩ fuse; ⟨geestelijk/lichamelijk⟩ stress, strain; ⟨geestelijk ook⟩ tension.

overbeleefd ⟨bn., bw.; -ly⟩ **0.1** overpolite, obsequious ⇒⟨overgedienstig⟩ officious.

overbelichten ⟨ov.ww.⟩ **0.1** [⟨foto.⟩] overexpose **0.2** [⟨fig.⟩] overplay ⇒ overdo, make too much of, concentrate too much on ◆ **1.2** de rol van iem. ~ overplay the role of s.o..

overbelichting ⟨de (v.)⟩ ⟨foto.⟩ **0.1** overexposure.

overbemesting ⟨de (v.)⟩ ⟨landb.⟩ **0.1** topdressing.

overbeschaafd ⟨bn., bw.⟩ **0.1** ⟨bn.⟩ overcivilized, overrefined ⇒too sophisticated, ⟨bw.⟩ in an overcivilized/overrefined way.

overbesteding ⟨de (v.)⟩ **0.1** overspending.

overbevissing ⟨de (v.)⟩ **0.1** overfishing.

overbevolking ⟨de (v.)⟩ **0.1** ⟨land, streek⟩ overpopulation ⇒⟨buurt⟩ overcrowding.

overbevolkt ⟨bn.⟩ **0.1** ⟨land, streek⟩ overpopulated ⇒⟨buurt⟩ overcrowded.

overbezet ⟨bn.⟩ **0.1** overcrowded ◆ **1.1** mijn agenda is al ~ my programme ^Agram is/I am already overbooked; ⟨sport⟩ een ~te agenda van wedstrijden a crowded/overloaded fixture-list; ~te trams/klassen o. trams/classrooms **6.1** ~ **met** personeel overstaffed.

overbezetting ⟨de (v.)⟩ **0.1** *overcrowding* ◆ **1.1** ~ van personeel *over-staffing.*

overbezorgd ⟨bn.⟩ **0.1** *overanxious* ⇒*over-concerned.*

overbieden ⟨ov.ww.⟩ **0.1** [hoger bieden] *outbid* ⇒*overbid, top* **0.2** [⟨kaartsp.⟩] *outbid* ⇒*overbid, top,* ⟨ihb. bridge⟩ *overcall* ◆ **1.1** een handelaar~ bij een veiling *outbid a dealer at an auction.*

overblijflokaal ⟨het⟩ **0.1** ⟨mbt. lunchpakket⟩ *room in which children eat their packed lunch;* ⟨mbt. warm eten⟩ *dining room.*

overblijfsel ⟨het⟩ **0.1** [datgene wat overgebleven is] *relic* ⟨v.h. verleden⟩ ⇒⟨restant⟩ *remnant,* ⟨mv.⟩ *remains,* ⟨wat overgeleverd is⟩ *survival,* ⟨residu⟩ *residue* **0.2** [afval, restant]⟨mv.⟩ *remains* ⇒⟨vnl. mbt. eten;mv.⟩ *left-overs, remnant* ⟨v.e. stof⟩*,remainder, residue* **0.3** [spoor] *trace* ⇒*remnant, vestige* ◆ **1.1** ~en v.d. heiligen *relics of the Saints* **1.2** ~s v.h. middagmaal *left-overs from lunch* **1.3** een ~ v.e. mythe *traces/vestiges/a remnant of a myth* **6.1** een ~ uit die tijd *a relic /survival from that time.*

overblijven ⟨onov.ww.⟩ **0.1** [blijven bestaan, resteren] *be left, remain* ⇒*survive* **0.2** [ongetrouwd blijven] *be left on the shelf* **0.3** [nog te doen] *be left (over)* ⇒*remain* **0.4** [niet naar huis gaan] *stay (behind)* ⇒⟨voor middagmaal op school;BE⟩ *stay for school dinners,* ⟨inf.⟩ *stop (behind)* **0.5** [schoolblijven als straf] *be in detention* ⇒*be kept in (school)* **0.6** [logeren] *stay* ⇒⟨inf.⟩ *stop* **0.7** [mbt. planten] *be (a) perennial(s)* ◆ **1.1** alleen de aardappelen zijn overgebleven *only the potatoes are left;* de overgebleven stukken stof *the left-over scraps, the oddments, the odds and ends;* de overgebleven wol/ stof *the left-over wool/material, the scraps of wool/material* **1.3** alle avonden blijft er werk over *there is work left over/unfinished every evening* **1.4** tijdens de middagpauze blijven de leerlingen over *the pupils stay behind/at school during the lunch break;* nog een trein ~*stay till the next train* **1.6** hij bleef een nacht over *he stayed a night, he stayed/stopped for a night* **3.5** een leerling moest ~ *a pupil had to stay in (detention)/was kept in* **4.1** zijn voorstel werd gewijzigd en gewijzigd tot er niets van overbleef *his proposal was chopped and changed until there was nothing left;* van al mijn goede voornemens blijft zo niets over *all my good intentions come to nothing now* **4.3** er bleef ons niets anders over dan...*there was nothing else we could do but ..., there was nothing for it but ...* **5.1** van al zijn beschuldigingen bleef weinig over *all his accusations turned out to be of little substance* ¶.**3** blijft ter discussie over: zijn opvolging *still to be discussed is/one matter remains (for discussion): his succession, remains for discussion: his succession.*

overblijvend ⟨bn.⟩ **0.1** *remaining* ⇒*left-over,* ⟨schr.⟩ *residual,* ⟨overig⟩ *extra, spare* ◆ **1.1** het ~e bedrag *the balance;* de ~e man moest blijven zitten *the odd man out/the extra man had to remain seated* **1.**¶ ⟨biol.⟩ ~e planten *perennial plants, perennials* **7.1** ⟨zelfst.⟩ de ~en *the survivors, the bereaved;* ⟨zelfst.⟩ het ~e *the remainder, the rest;* ⟨mbt. een hoeveelheid⟩ *the balance.*

overblijver ⟨de (m.)⟩ **0.1** *school-luncher, half-boarder, s.o. who stays to school dinners* ◆ **3.1** de ~s houden ᴮ*be on dinner duty,* ᴬ*be in charge of the lunchroom.*

overbloezen ⟨onov.ww.⟩ **0.1** *wear as a blouson* ⇒*blouse.*

overbluffen ⟨ov.ww.⟩ **0.1** [tot zwijgen brengen] *confound* ⇒⟨inf.,vnl. BE⟩ *come it over/with s.o.,* ⟨stroef⟩ *browbeat* **0.2** [verwarren] *overcome, daze* ⇒*dazzle, dumbfound, flabbergast, astound* ◆ **3.1** laat u door hem niet ~ *don't let him come it over/with you;* overbluft zijn ⟨ook⟩ *be taken aback;* ⟨AE ook⟩ *be snowed* **6.1** iem. ~ **door** zijn redenering *floored by his argument;* iem. ~ **met** zijn autoriteit *confound s.o. with one's authority, flaunt one's authority over s.o..*

overbodig ⟨bn., bw.;-ly⟩ **0.1** *superfluous* ⇒*redundant,* ⟨niet nodig⟩ *un-necessary,* ⟨overtollig;bn.;ook⟩ *surplus,* ⟨nodeloos⟩ *needless* ◆ **1.1** ~e ballast ⟨fig.⟩ *surplus/unnecessary gear/baggage, (sth./things) surplus to requirements;* ⟨wat afgedaan heeft⟩ *dead wood;* commentaar is ~ *no comment needed/required;* ~e uitgaven *needless expenses* **2.1** ~ grote inspanningen *unnecessarily big efforts* **3.1** ~ maken *make/render superfluous/redundant;* ~ te zeggen *needless to say;* het is bijna~ om te zeggen dat ...*it hardly needs saying that ....*

overbodigheid ⟨de (v.)⟩ **0.1** [iets overbodigs] *unwanted extra/item* **0.2** [het overbodig zijn] *superfluity, redundancy.*

overboeken ⟨ov.ww.⟩ ⟨hand.⟩ **0.1** *transfer.*

overboeking ⟨de (v.)⟩ ⟨hand.⟩ **0.1** *transfer (into/to).*

overboord ⟨bw.⟩ **0.1** *overboard* ◆ **1.1** man~! *man o.!;* ⟨fig.⟩ dat/er is geen man ~ *it's not the end of the world* **3.1** alle plannen gingen ~ *all the plans went by the board;* ⟨fig.⟩ de studie ~ gooien *throw up/forget about/pack in the study;* ⟨sl.⟩ *chuck in/up the study;* ⟨BE;sl.⟩ *jack in the study;* ⟨fig.⟩ alle voorzichtigheid ~ gooien *throw/cast all caution to the wind(s);* ~ gooien *throw o., ditch, jettison;* ~ slaan/vallen *go/ fall o.;* ⟨door water of wind⟩ *get swept o.;* een lijk ~ zetten *lower a body o.;* ⟨hele ceremonie⟩ *bury s.o. at sea.*

overbrengen ⟨ov.ww.⟩ **0.1** [verplaatsen] *take/bring/carry (across/over)* ⇒⟨verplaatsen⟩ *move, transfer, transplant,* ⟨vervoeren⟩ *transport* **0.2** [meedelen] *convey* ⇒*communicate,* ↓*get/put across/over,* ↑*import,* ⟨vermelden⟩ *report* **0.3** [verklikken] *tell, pass on* ⇒*repeat,* ⟨inf.⟩ *blab, leak* **0.4** [bedrag overboeken] *carry (over/forward)* ⇒⟨overboeken⟩ *transfer* **0.5** [overdragen] *pass (on)* ⇒*carry* **0.6** [voortplanten]

transmit ⇒*conduct* **0.7** [vertalen] *render, translate* ⇒*put, turn (into),* ⟨wisk.;muz.⟩ *transpose* ◆ **1.1** een gevangene ~ *transfer/move a prisoner;* een kantoor v.e. plaats naar een andere ~ *transfer/move an office from one place to another* **1.2** zijn bedoeling aan het publiek ~ *get /put one's meaning over/across to the public;* boodschappen ~ *convey /deliver/carry/communicate messages;* iemands groeten ~ *convey s.o.'s greetings;* een verzoek ~ aan *hand in/submit/deliver a request to* **1.5** ratten brengen deze ziekte over *rats carry this disease;* een door ratten overgebrachte ziekte *a disease carried/passed/borne by rats, a rat-borne disease* **5.2** zijn woorden zijn verkeerd overgebracht *his words have been misreported/misquoted* **6.1** iem. ~ naar het ziekenhuis *take s.o. to hospital;* meubelen **naar** het nieuwe huis ~ *take/bring /carry/move/transport furniture to the new house* **6.4** ~ **naar** volgend boekjaar *carry over/forward to next year's accounts* **6.5** iets op iem. ~ *pass sth. on to s.o.* **6.6** de kracht v.d. motor **naar** de wielen ~ *transmit the power of the engine to the wheels* **6.7** een Frans gedicht in het Nederlands ~ *render a French poem into Dutch;* in code ~ *put into code, encode, encipher, codify;* in gewoon schrift ~ *transcribe into longhand;* in de landstaal ~ *put/render into the vernacular,* ⟨schr.⟩ *vernacularize.*

overbrenger ⟨de (m.)⟩ **0.1** [tussenpersoon] *bearer* ⟨van brieven en berichten⟩; ⟨van berichten ook⟩ *communicator* **0.2** [⟨med.⟩ van ziekten] *carrier* ⟨mensen/dieren/planten⟩; *vector* ⟨ihb. insekten⟩ **0.3** [⟨pej.⟩ van 'verhaaltjes' over anderen] *telltale.*

overbrenging ⟨de (v.)⟩ **0.1** [het overbrengen] *conveyance* ⇒⟨verplaatsing⟩ *transfer, removal, transposition,* ⟨vervoer;ook⟩ *carriage,* ⟨transference⟩ **0.2** [middel] *transmission* ⇒*drive* ◆ **6.1** zijn ~ **naar** een andere gevangenis *his transfer/removal to another prison.*

overbrieven ⟨ov.ww.⟩ **0.1** [verklikken] *tell, pass on* ⇒⟨inf.⟩ *blab, leak* **0.2** [per brief meedelen] *report/communicate by letter* ◆ **¶.1** 't ~ ⟨inf.⟩ *blab, let the cat out of the bag, spill the beans.*

overbruggen ⟨ov.ww.⟩ **0.1** [een brug bouwen over] *bridge* ⇒*span* **0.2** [⟨fig.⟩] *bridge* ⇒*reconcile, narrow* ⟨een kloof/verschil⟩, ⟨mbt. tijd⟩ *tide over* ◆ **1.1** een rivier ~ *b. a river* **1.2** een kloof ~ *b./ narrow a gap;* met wat geleend geld een periode van armoede ~ *tide over a period of hardship with some borrowed money;* een verschil in opvatting ~ *overcome a difference of opinion* **5.2** een niet te ~ meningsverschil *an unbridgeable difference of opinion/gap.*

overbrugging ⟨de (v.)⟩ **0.1** [het overbruggen] *bridging* **0.2** [wat dient om te overbruggen] *bridging (of)* ⇒*bridge (over)* ◆ **6.2** ⟨fig.⟩ **ter** ~ in *reconciliation, as a bridge;* ⟨mbt. tijd⟩ *to tide (one) over.*

overbruggingsperiode ⟨de (v.)⟩ **0.1** *interim (period).*

overbruggingsregeling ⟨de (v.)⟩ **0.1** [tijdelijke regeling] *temporary/transitional arrangement* **0.2** [bij uitkering v.h. loon] *transitional payments scheme.*

overbruggingstoelage ⟨de⟩ **0.1** *price-compensation/special allowance* ⇒ *transitional benefit/pay(ment).*

overbuur ⟨de (m.)⟩ **0.1** *neighbour opposite, opposite neighbour.*

overbuurman ⟨de (m.)⟩,-**vrouw** ⟨de (v.)⟩ **0.1** *neighbour opposite, opposite neighbour* ⇒⟨the⟩ *man/woman across the street.*

overcapaciteit ⟨de (v.)⟩ **0.1** *overcapacity.*

overcompensatie ⟨de (v.)⟩ **0.1** [te ruime compensatie] *overcompensation* ⇒⟨wet.⟩ *hypercompensation* **0.2** [⟨psych.⟩] *overcompensation.*

overcompenseren ⟨ov.ww.⟩ **0.1** [te sterk compenseren] *overcompensate* ⇒⟨wet.⟩ *hypercompensate* **0.2** [⟨psych.⟩] *overcompensate.*

overcompleet ⟨bn.⟩ **0.1** *surplus (to requirements)* ⇒*extra,* ⟨overdadig⟩ *excessive,* ⟨pred. ook⟩ *over the limit, in excess* ◆ **1.1** een overcomplete set schroevendraaiers *an excessive/ extravagant set of screwdrivers* **3.1** ben ik hier ~? ⟨gezegd tot paartje ook⟩ *am I playing gooseberry?;* ik schijn hier ~ ≠*I know where/ when I'm not wanted.*

overconcentratie ⟨de (v.)⟩ **0.1** *over-concentration* ⇒*excess.*

overconsumptie ⟨de (v.)⟩ ⟨ec.⟩ **0.1** *over consumption.*

overdaad ⟨de⟩ ⟨→sprw. 486⟩ **0.1** [overmatig gebruik] *excess* ⇒*surfeit* **0.2** [het teveel van/mbt. iets] *profusion* ⇒*superabundance,* ⟨mbt. planten ook⟩ *exuberance* **0.3** [verkwisting] *extravagance* ⇒*wastefulness* ◆ **3.1** ~ schaadt *you can have too much of a good thing,* ↑*there is danger in e.* **6.2** ~ **van** bloemen *p. of flowers* **6.3** in ~ leven *live in luxury/in opulence/lavishly.*

overdadig ⟨bn., bw.;-ly⟩ **0.1** [te weelderig/verkwistend] *excessive* ⇒ *profuse,* ⟨verkwistend⟩ *extravagant, lavish, wasteful,* ⟨bw.⟩ *to excess,* ⟨mbt. planten ook⟩ *exuberant* **0.2** [mbt. voedsel en drank] *lavish* ⇒*sumptuous* ◆ **1.1** ~ gebruik *excessive use, overuse;* ⟨r.k.⟩ ~e goede werken *works of supererogation* **1.2** ~e maaltijd *a lavish meal;* ⟨inf.⟩ *a slap-up meal;* ⟨sl.⟩ *a blow-out* **3.1** ~ eten/drinken *eat/drink to excess;* ~ geld uitgeven *spend money extravagantly/like water.*

overdag ⟨bw.⟩ **0.1** *by day* ⇒*in/during the daytime, during the day* ◆ **3.1** ~ het licht aanhebben *have the light on in the daytime/ during the day;* ~ werken *work by day/during the daytime;* ⟨itt. 's nachts⟩ *work days/ day shifts.*

overdekken ⟨ov.ww.⟩ **0.1** [een dak aanbrengen] *cover* ⇒*cover/roof (in/ over)* **0.2** [geheel bedekken] *cover* ⇒⟨met een dekkleed, deklaag⟩ *cover over,* ⟨om te verbergen⟩ *cover up* ◆ **6.2** ⟨fig.⟩ **met** schande overdekt *covered in shame;* overdekt zijn **met** *be covered in/ with;*

⟨dicht ook⟩ *be thick with;* overdekt **met** littekens *covered/seamed with scars.*

overdekking ⟨de (v.)⟩ **0.1** [het overdekken] *covering* ⇒⟨met een dak⟩ *roofing (in)* **0.2** [dak] *cover* ⇒*roof.*

overdekt ⟨bn.⟩ **0.1** *covered* ♦ **1.1** ~e markt *a market hall;* een~e passage *a c. passageway;* ⟨met winkels⟩ *an arcade, a mall;* een~e tribune *a c. grandstand;* een~zwembad *an indoor swimming-pool.*

overdelen ⟨ov.ww.⟩ **0.1** *re-deal, deal again.*

overdenken ⟨ov.ww.⟩ **0.1** *consider, think over* ⇒*contemplate, reflect on, ponder on (sth.)/(sth.) over, turn over in one's mind* ♦ **1.1** zijn fouten ~*think over one's mistakes;* ik heb uw voorstel goed overdacht *I have seriously considered your suggestion;* een goed overdacht(e) zet/plan *a well thought-out move/scheme;* zit je je zonden te ~? *a penny for your thoughts!* **5.1** opnieuw ~ *rethink, reconsider;* alles eens rustig ~ *think/mull things over;* uw voorstel is het ~waard *your suggestion is well worth thinking about/considering.*

overdenking ⟨de (v.)⟩ **0.1** [het overdenken] *consideration, thought* ⇒ *contemplation, reflection* **0.2** [het overdachte] *consideration, thought* ⇒*reflection* ♦ **2.2** diepgaande ~en *profound considerations, penetrating thoughts* **6.1** na ampele ~ *after full/thorough/due consideration;* iets **ter** ~ geven *present/submit sth. for consideration;* stof **tot** ~ geven *give food for thought.*

overdoen ⟨ov.ww.⟩ **0.1** [nog eens doen] *do again* ⇒*repeat, redo* **0.2** [verkopen] *sell (off)* ⇒⟨schr.⟩ *vend,* ⟨transfer⟩ *make over,* ⟨v.d. hand doen⟩ *dispose of* **0.3** [van het ene in het andere doen] *transfer* ♦ **1.1** een examen ~ [B]*resit an examination,* [A]*take an exam again,* [A]*do an exam over;* als ik mijn leven/schooltijd kon ~ *if I could have my life/schooldays over again, if I could relive my life/schooldays* **1.2** zijn zaken ~ *sell up one's business/one's affairs* **5.1** ⟨fig.⟩ iets (nog eens) dunnetjes ~ *have a repeat performance, have another try/go (at sth.)* **6.2** zijn meubels **aan** een vriend ~ *sell (off) one's furniture to a friend* **6.3** doe de rijst **in** een andere pan *over tip/t. the rice into another pan.*

overdonderen ⟨ov.ww.⟩ **0.1** *overwhelm* ⇒*confound, dumbfound, stupefy* ♦ **1.1** een ~d succes *an overwhelming success;* ⟨inf.⟩ *a smash hit* **3.1** overdonderd keek hij toe *he looked on in confusion/perplexed/in stupefaction* **6.1** hij overdonderde hem **met** een stortvloed van woorden *he overwhelmed him with a torrent of words, he drowned him in a torrent/deluge of words, he deluged him with words.*

overdosering ⟨de (v.)⟩ **0.1** *overdosing.*

overdosis ⟨de (v.)⟩ **0.1** *overdose* ♦ **1.1** een ~ heroïne *an o. of heroin, a heroin o.* **6.1** sterven **aan** een ~ *die from an o.*

overdraagbaar ⟨bn.⟩ **0.1** [overgedragen kunnende worden] *transferable* ⇒*movable* **0.2** [⟨med.⟩] *contagious, infectious* ⇒*transmittable, transmissible* ♦ **1.1** een overdraagbare stem *a transferable vote* **2.1** ⟨jur.⟩ beperkt ~ *entailed* **5.2** seksueel overdraagbare ziekten *sexually transmittable diseases.*

overdracht ⟨de⟩ **0.1** [het overdragen] *transfer, handing over* ⇒*assignment,* ⟨mbt. eigendommen⟩ *conveyance,* ⟨overdraging;schr.⟩ *transference,* ⟨overdraging;mbt. eigendommen⟩ *conveyancing,* ⟨van bevoegdheden⟩ *devolution* **0.2** [mbt. een waardigheid] *conferment, bestowal* **0.3** [mbt. taalgebruik] *metaphor* ♦ **1.1** akte van ~ *deed of conveyance/assignment;* de ~ van een huis *the conveyance of a house;* ⟨het overdragingswerk⟩ *the conveyancing of a house* **3.1** de ~ zal plaatsvinden op ... *the sale will be completed on ....*

overdrachtelijk ⟨bn.,bw.;-ly⟩ **0.1** *metaphorical* ⇒*figurative* ♦ **1.1** de ~e betekenis van een woord *the m. sense of a word.*

overdrachtsakte ⟨de⟩ ⟨jur.⟩ **0.1** *transfer act.*

overdrachtsbelasting ⟨de (v.)⟩ **0.1** *stamp duty,* ⟨AE ook⟩ *transfer tax.*

overdrachtsinkomen ⟨het⟩ **0.1** *unearned income.*

overdrachtskosten ⟨de (m.)⟩ **0.1** *conveyancing fees/costs.*

overdragen ⟨ov.ww.⟩ **0.1** [overbrengen] *carry/take (across/over), move* ⇒*transfer, shift,* ⟨vervoeren⟩ *convey, transport* **0.2** [doen overgaan] *transfer* ⇒*hand/pass on, transmit* ⟨ziekte, gevoelens⟩ **0.3** [overboeken] *transfer* **0.4** [overgeven] *hand over* ⇒*pass on, assign, delegate* ⟨belangen, krachten⟩, *devolve* ⟨macht⟩ ♦ **1.4** zijn ambt ~ *turn over one's office;* zijn belangen ~ *hand over/delegate one's interests;* zijn bevoegdheden ~ *hand over/devolve one's powers;* het ~ van rechten (aan) *assignment of rights (to), conferment of rights (on)* **6.2** kennis **aan** anderen ~ *hand on/pass on knowledge to others* **6.4** iem. ~ **aan** de politie *hand s.o. over to the police, hand s.o. over/deliver s.o. into the custody of the police/into police custody,* ⟨inf.⟩ *turn s.o. in/over to the police;* de eigendom van iets ~ **aan** *transfer ownership of sth. to;* een schuldvordering ~ **aan** *pass on a claim to.*

overdreven ⟨bn.,bw.;-ly⟩ **0.1** *exaggerated* ⇒⟨sterk⟩ *overexaggerated,* ⟨te ver gaand;bn.⟩ *overdone,* ⟨mbt. taal;bn.⟩ *overstated,* ⟨overmatig⟩ *excessive, inordinate* ♦ **1.1** ~ aandacht schenken aan iem./iets *fuss over s.o./sth., make a fuss of/over/about s.o./sth.;* men moet daaraan geen ~ gewicht hechten *one must not attach too much/overmuch importance to that;* ~ ijver *overenthusiasm, overkeenness, overzealousness;* ~ prijzen *exorbitant prices* **2.1** het is niet ~ mooi weer *it is not wonderfully/fantastically nice weather;* ~ precies *overprecise, too particular, overfussy;* ~ vriendelijk zijn/doen *be/act overfriendly, be friendly to a fault;* ~ zuinig *too cost-conscious, overcareful with*

money **3.1** hij doet/is wel wat~ *he lays it on a bit thick, he goes a bit over the top;* dat is sterk ~ *that is highly exaggerated, that is way out of proportion;* ⟨inf.⟩ *that's a bit thick/over the top;* het is (niet) ~ om *it is (not) an exaggeration to ..., it is (not) going too far to;* dat klinkt nogal ~ ⟨inf.⟩ *that sounds a bit tall;* iem. ~ prijzen *overpraise s.o., praise s.o. extravagantly.*

over'drijven ⟨onov.,ov.ww.⟩ **0.1** [geen maat houden] *overdo (it/sth.)* ⇒ *take/carry/push (it/sth.) too far/beyond the limit, go too far (with sth.),* ⟨onov.;inf.⟩ *go over the top* **0.2** [de grenzen v.d. waarheid overschrijden] *exaggerate* ⇒⟨sterk⟩ *overexaggerate,* ⟨mbt. taal;ov. ook⟩ *overstate, overelaborate,* ⟨onov.;inf.⟩ *stretch it/things* ♦ **1.2** problemen ~ *magnify/inflate problems* **5.1** je moet (het) niet ~ *you mustn't overdo it/things;* niet ~ *not get carried away, keep within limits/within reason/in proportion* **5.2** overdrijf niet zo *don't exaggerate;* ⟨inf.⟩ *don't lay it on so thick, don't pile it on;* hij overdrijf niet als ... *it is no/not an exaggeration to ..., I'm not exaggerating when ...;* sterk/flink ~ *highly/greatly exaggerate, blow up out of all proportion.*

'overdrijven ⟨onov.ww.⟩ **0.1** [voorbijtrekken, ⟨ook fig.⟩] *blow/pass over* ⇒*float/drift over/across* ⟨wolk,rook⟩, ⟨snel⟩ *scud* ⟨wolken⟩ **0.2** [naar de overzijde drijven] *float/drift across* ♦ **1.1** het onweer is overgedreven *the thunderstorm has blown over;* ~de wolkenvelden *drifting banks of clouds, banks of cloud drifting/passing over.*

overdrijver ⟨de (m.)⟩ **0.1** *exaggerator.*

overdrijving ⟨de (v.)⟩ **0.1** [het overdrijven] ⟨het te ver gaan⟩ *overdoing things, excess,* ⟨het de waarheid te buiten gaan⟩ *exaggeration;* ⟨mbt. taal ook⟩ *overstatement;* ⟨inf.⟩ *hype* **0.2** [iets dat overdreven is] ⟨iets dat te ver gaat⟩ *excess;* ⟨iets de waarheid te buiten gaands⟩ *exaggeration* ⇒⟨mbt. taal ook⟩ *overstatement,* ⟨inf.⟩ *hype* ♦ **3.2** ~en schaden altijd *excesses are always damaging, it is always harmful to overdo things* **6.1** ze hadden, **zonder** ~, letterlijk alles verloren *they had, without exaggerating, lost literally everything.*

overdruk ⟨de (m.)⟩ **0.1** [afdruk] *offprint* ⇒*(separate/printed) copy* **0.2** [het overbrengen van een beeld] *copying* ⇒*transfer* **0.3** [wat over iets is gedrukt] *overprint* ⇒*surcharge* **0.4** [postzegel] *overprinted/surcharged stamp* **0.5** [⟨nat.⟩] *ovr pressure* ♦ **3.1** een~(je) maken van ⟨ook⟩ *offprint (sth.)* **3.5** de ~ wegnemen uit *depressurize.*

overdrukken ⟨ov.ww.⟩ **0.1** [opnieuw drukken] *reprint* ⇒*reproduce* **0.2** [op iets anders overbrengen] *overprint* **0.3** [meer drukken] *overprint (sth.)* ⇒*print* ⟨een aantal⟩ *extra, overprint* ⟨een aantal⟩ ♦ **1.1** een artikel ~ *reprint an article* **1.3** honderd exemplaren ~ *print a hundred copies extra.*

overdubben ⟨ov.ww.⟩ **0.1** *dub.*

overduidelijk ⟨bn.,bw.⟩ **0.1** *patently obvious* ⇒*abundantly clear, evident, manifest* ♦ **3.1** het is ~ ⟨ook⟩ *it is only too obvious;* de oplossing is ~ *the solution is staring you in the face* ¶.**1** iem. ~ te kennen geven dat ...*tell s.o. in no uncertain terms.*

overdwars

I ⟨bw.⟩ **0.1** [in dwarsrichting] *crosswise, crossways* ⇒*transversely, across* ⟨v.d. ene kant naar de andere⟩ ♦ **3.1** iem. ~ aankijken *look askance at s.o.;* ~ gesneden *cut across, crosscut;* het is 3 meter ~ *it is 3 metres across;* de boot lag ~ in de rivier *the boat lay broadside on in the river;* het papier ~ nemen *take the paper transversely;*

II ⟨bn.⟩ **0.1** [in dwarsrichting geplaatst] *crosswise* ⇒*tra(ns)verse, sideways* **0.2** [in dwarsrichting bewegend/verlopend] *crosswise* ⇒*tra(ns)verse, sideways* ♦ **1.1** ~e schotten *cross-panelling/neling* **1.2** een ~e doorsnede *cross-section.*

overeen ⟨bw.⟩ **0.1** [op hetzelfde] *to the same thing* **0.2** [over/op elkaar] *crossed* ♦ **1.2** de armen ~ *arms c.* **3.1** dat komt ~ uit *that comes (down)/amounts to the same thing.*

overeenbrengen ⟨ov.ww.⟩ **0.1** *reconcile, square with* ⇒*tie in, match (up), harmonize* ♦ **6.1** iets niet **met** zijn geweten kunnen ~ *not be able to square/reconcile sth. with one's conscience;* dit is niet **met** zijn vorige verklaring overeen te brengen *this does not tie in/this is not consistent with his previous stat square/reconcile sth. with one's conscience;* dit is niet **met** zijn vorige verklaring overeen te brengen *this does not tie in/this is not consistent with his previous statement;* is dat overeen te brengen **met** ...? *does that tie in/agree with ...?, is that consistent with ...?.*

overeenkomen

I ⟨onov.ww.⟩ **0.1** [corresponderen] *correspond (to)* ⇒*match, tally/tie in (with), fit* **0.2** [mbt. mensen, geen conflict hebben] *agree (with)* ⇒ *accord (with), be in agreement/accordance (with), concur (with)* **0.3** [bij elkaar passen] *suit (one another)* ⇒*match, go (well together), fit in (with one another), agree (with one another)* **0.4** [identiek zijn] *be similar (to)* ⇒*correspond (with/to)* ♦ **1.1** hun verklaringen komen niet overeen *their statements conflict/disagree* **1.4** een ~d geval *a similar case* **5.1** niet~d (met) *unrelated (to)* **5.2** niet ~ ⟨ook⟩ *disagree (about sth.)* **5.3** die kleuren komen niet overeen *those colours do not go together/match* **5.4** niet ~ *be dissimilar* **6.1** ~ **met** de beschrijving *conform to/fit/match the description;* de uitslag komt overeen **met** mijn verwachtingen *the result is in line with my expectations;* ~ **met** de feiten *be consistent with the facts;* zijn verslag komt niet overeen **met** het mijne *his account disagrees with/to mine;* de theorie komt **met** de feiten overeen *the theory accords/fits in with the facts;* **met** het monster ~ ⟨van partij goederen⟩ *be up to/as per sample;* het aanbod komt goed overeen met de vraag *the supply is well matched to the demand;* is er iets in Engeland dat overeenkomt **met** het Nederlandse ...? *is there anything in England corresponding/equivalent to the Dutch ...?* **6.2 in** alles met elkaar ~ *agree with one another on everything, be in common agreement* **6.3** dat kwam overeen **met** zijn aard *that was in (keeping with his) character;* doen ~ **met** *tie in/square/reconcile/ match up/harmonize* **with 6.4** dit komt overeen **met** een geval in ... *this is similar/this corresponds to/resembles/parallels a case in ...;* geheel ~ **met** *fully correspond to/with, correspond exactly to/with;* zijn keuze komt overeen **met** de mijne *his choice is similar to mine;* het kwam geheel overeen **met** het origineel *it was identical to the original;* **II** ⟨ov.ww.⟩ **0.1** [het eens worden over] *agree (on), arrange ⇒fix, come to terms on/about, settle on* ◆ **1.1** de overeengekomen prijs/ plaats/voorwaarden *the agreed price/place/conditions, the price/ place/conditions agreed on;* een salaris ~ *agree on/come to terms over a salary;* een verkoopprijs ~ *agree (on) a price* **5.1** tenzij anders is overeengekomen *unless otherwise agreed;* op een nog nader overeen te komen datum *on a date still to be agreed on/arranged;* betaling/ prijs nader overeen te komen *payment/price to be negotiated/agreed on/arranged/by arrangement;* zoals overeengekomen *as agreed/ar-ranged* **6.1** iets **met** iem. ~ *arrange sth. with s.o., arrange with s.o. about sth., come to terms with s.o., agree (up)on sth. with s.o.* **8.1** er werd overeengekomen dat ... *it was arranged that ....*

overeenkomend ⟨bn.⟩ **0.1** [analoog] *identical* ⟨gelijk zijnde⟩ ⇒⟨ana-loog⟩ *equivalent, analogous, cognate corresponding, correspondent* **0.2** [op elkaar gelijkend] *similar* ⇒⟨bij elkaar passend⟩ *matching, harmonious, consonant* ◆ **1.1** ~e verklaringen/belangen *identical statements/interests* **1.2** ~e kleuren/karakters *similar/matching colours/characters* **6.2** ~ **met** *similar to, matching/harmonious/conso-nant with.*

overeenkomst ⟨de (v.)⟩ **0.1** [gelijkenis] *similarity ⇒resemblance, like-ness,* ⟨betrekkelijk⟩ *correspondence, analogy* **0.2** [gelijkheid] *identi-ty, match ⇒sameness, equality* **0.3** [harmonie] *conformity, agreement ⇒accord(ance), concordance,* ⟨schr.⟩ *unison, harmony* **0.4** [afspraak] *agreement ⇒deal, bargain* ◆ **1.1** punten van ~ tussen twee zaken *points of agreement/of s./in common between two matters, common ground between two matters;* veel punten van ~ met elkaar hebben *have many points in common* **2.1** er is geen enkele/niet de minste ~ *there is no s. what(so)ever/not the slightest s.* **2.4** een algemene/col-lectieve ~ *a blanket a.;* een eenzijdige ~ *a one-sided a.;* een schriftelij-ke ~ *a written a.;* een stilzwijgende ~ *a tacit a.;* tweezijdige ~ *bilateral/ mutual a.* **3.1** ~ vertonen/hebben met ... *show s./have a s. to, resem-ble, bear a resemblance/a likeness to* **3.4** een ~ aangaan/treffen/slui-ten met iem. *make/enter into an a. with s.o., make/strike a deal with s.o.* **6.3 in** ~ **met** zijn behoeften *in accordance with his needs;* hande-len **in** ~ **met** *act in accordance with/according to* **6.4 in** ~ **met** hem *in a. with him;* **tot** een ~ komen met iem. *come to/reach/arrive at an a. with s.o.;* **volgens** ~ *as per a., as agreed.*

overeenkomstig¹ ⟨bn., bw.;-ly⟩ **0.1** [gelijkenis vertonend] *similar, cor-responding ⇒equivalent, analogous,* ⟨bw.⟩ *by analogy* **0.2** [niet strij-dig] *consonant, harmonious ⇒consistent,* ⟨bw.⟩ *accordingly* ◆ **1.1** een ~ geval *a similar case/instance;* ⟨meetk.⟩ ~e hoeken *corresponding angles;* in de ~e maand v.h. afgelopen jaar *in the corresponding/equi-valent month last year;* ~e visies *similar/corresponding views* **3.1** ~ stijgen ⟨van prijzen⟩ *rise correspondingly/in sympathy* **6.2** dit beleid is ~ **met** het regeerakkoord *this policy is consistent with the parlia-mentary agreement.*

overeenkomstig² ⟨vz.⟩ **0.1** *in accordance with, according to ⇒in line/ keeping with, appropriate to, consistent with* ◆ **1.1** ~ de instructies *as per/†pursuant to instructions;* handelen ~ zijn principes *act according to one's principles;* ~ de verwachtingen *in line with expectations;* ~ uw wens *according to your wish/in compliance with your wish;* ~ de wet *in accordance/in keeping with the law.*

overeenstemmen ⟨onov.ww.⟩ →**overeenkomen I.**

overeenstemmend ⟨bn.⟩ **0.1** [eensluidend] *identical ⇒*⟨gelijkwaardig⟩ *equivalent,* ⟨logisch⟩ *consistent* **0.2** [gelijkvormig] *concordant, harmo-nious ⇒consonant,* ⟨gelijkenis vertonend⟩ *similar,* ⟨van karakter⟩ *compatible* ◆ **1.1** ~e verklaringen *i. statements* **1.2** ~e karakters *simi-lar characters;* ⟨bij elkaar passend⟩ *well-matched/compatible charac-ters.*

overeenstemming ⟨de (v.)⟩ **0.1** [harmonie] *harmony ⇒conformity, agreement, accord(ance), concordance, consonance, unison* **0.2** [eens-gezindheid] *agreement ⇒understanding, accord, concurrence,* ⟨een-stemmigheid ook⟩ *consensus (of opinion)* **0.3** [gelijkheid] *similarity ⇒*⟨volkomen⟩ *identity, match,* ⟨betrekkelijk⟩ *correspondence,* ⟨in karakter⟩ *compatibility* **0.4** [⟨taal.⟩ congruentie] *concord ⇒agree-ment* ◆ **2.1** volledige ~ *total conformity, complete agreement* **2.2** stil-zwijgende ~ *tacit agreement/understanding* **3.2** op hoofdpunten alge-hele ~ bereiken *reach total agreement on the main points* **6.1 in** ~ **met** zijn principes handelen *act according to one's principles;* zaken met elk. **in** ~ brengen *bring matters into line/conformity with one another,*

harmonize/reconcile matters; **in** ~ **met** *in accordance/keeping/char-acter/harmony/line with, according to, consistent with;* **in** ~ brengen met *bring into line/conformity with, match/align to/with, harmonize/ reconcile with;* **in** ~ zijn met *be in line/agreement/accordance/keep-ing/fashion/conformity/rapport/tune/step, of a piece with, fit/tie in with, be consistent/consonant/congruous with;* niet **in** ~ met *out of line/keeping/h./tune with, inconsistent/in disagreement/discordant with;* leven **in** ~ met zijn geloof *live according to one's beliefs;* woor-den met daden **in** ~ brengen *match words to actions/suit the word to the action;* volledig **in** ~ *in perfect agreement/h.;* die beschrijving is niet **in** ~ met de feiten *the description is not consistent with/true to the facts, the description does not fit the facts;* het is **in** ~ met de tijdgeest *it is in tune/fashion with the spirit of the times, it is consistent with/fits/ reflects the day and age;* **in** ~ met de regels zijn ⟨mbt. handelingen⟩ *be within the rules;* ⟨inf.⟩ *be in the book;* niet **in** ~ met zijn karakter *out of character;* **in** ~ met de stijl/aard van ...*in character with ...;* over iets **tot** ~ komen *come to terms/an agreement/an understanding on/about sth.* **6.2 tot** (een) ~ komen/geraken *come to/make terms, come to/reach an agreement/understanding;* **tot** (een) ~ brengen *bring to terms/agreement* **6.3** ~ in smaak *s. in taste;* ~ in karakter *s. in character, compatibility of characters;* ~ **tussen** stijl en inhoud *harmo-ny/match between style and content;* ⟨mbt. verhouding⟩ *correspon-dence between style and content* **6.4** ~ **van** de tijden *agreement/c. of tenses.*

overeind ⟨bw.⟩ **0.1** [rechtop] *upright* ⇒⟨staande op uiteinde⟩ *on end, end up* **0.2** [niet omver] *standing* **0.3** [op stelten] *in turmoil/uproar, up in arms* ◆ **3.1** ~ gaan staan *stand up (straight), rise to one's feet), get up/get to one's feet;* ~ komen ⟨v.e. verkeerde houding⟩ *right o.s.;* ⟨v.e. kromme houding⟩ *straighten o.s.;* ⟨plotseling⟩ *pop up;* ⟨fig.⟩ zijn haren gingen ~ staan *his hair stood on end;* ~ staan *stand up(right)/up straight;* ⟨op uiteinde⟩ *stand on end;* iets ~ zetten *stand sth. up(right);* ⟨op uiteinde⟩ *stand sth. on end, upend sth.;* de oren ~ zetten *cock/prick up one's ears;* ~ zitten *sit up/upright/up straight* **3.2** van zijn argumenten bleef niets ~ *his arguments did not hold/ stand up;* de oude toren bleef ~ in de storm *the old tower remained s./ kept up in the storm;* ~ blijven *keep upright;* ⟨mbt. personen ook⟩ *keep one's footing/feet;* ⟨fig.⟩ iem./een bedrijf weer ~ helpen *put/get s.o. back on his feet/a business back on its feet;* ⟨fig.⟩ een bedrijf ~ houden *hold onto/stick to a theory, keep up a position, stick to one's guns;* ⟨fig.⟩ de staat probeerde dat bedrijf ~ te houden *the govern-ment tried to bail out that company;* ⟨fig.⟩ dat houdt hem (in z'n onge-luk) ~ *that keeps him on his feet/going (in his misfortune);* weer ~ ko-men/krabbelen *pick o.s. up (again), find one's feet (again), regain/re-cover one's footing, scramble/struggle to one's feet;* ⟨fig.⟩ dat pro-bleem blijft recht ~ staan *that problem won't/refuses to lie down/still stares us in the face;* hij vloog ~ *he sprang up(right)* **3.3** de hele buurt stond ~ *the whole neighbourhood was up in arms/agog.*

overenten ⟨ov.ww.⟩ **0.1** [op iets anders enten] *graft (onto)* **0.2** [materiaal voortkweken] *transplant ⇒transfer (to)* ◆ **1.2** tumoren ~ *transplant tumours.*

overerfelijk ⟨bn.⟩ **0.1** *hereditary ⇒inheritable,* ⟨besmettelijk⟩ *commu-nicable, infectious, contagious, transmissible, transmittable* ◆ **1.1** ⟨inf.⟩ ~e ziekte *a communable/an infectious/a contagious/a transmissible/a transmittable disease.*

overerfelijkheid ⟨de (v.)⟩ **0.1** [van menselijke eigenschappen] *(in)heri-tability ⇒(in)heritableness* **0.2** [v.e. ziekte] *hereditariness ⇒transmis-sibleness.*

overerven

I ⟨onov.ww.⟩ **0.1** [door erfenis op iem. overgaan] *pass (down), be handed down ⇒descend* ◆ **6.1** een stuk land dat **van** vader **op** zoon overerft *a piece of land which passes (down)/is handed down/de-scends from father to son;*

II ⟨ov.ww.⟩ **0.1** [van ouders meekrijgen] *inherit ⇒succeed to* ⟨land, een titel⟩ ◆ **6.1** die kalmte heeft zij **van** haar vader overgeërfd *she has inherited that poise/composure from her father.*

overeten ⟨wk.ww.;zich ~⟩ **0.1** *overeat ⇒stuff,* †*eat to repletion.*

overgaan ⟨onov.ww.⟩ **0.1** [over iets heen gaan] ⟨ov. ook⟩ *move over/ across ⇒go over, cross (over),* ⟨te voet⟩ *walk across* **0.2** [gaan van de ene plaats naar de andere] *move (over) ⇒go over, shift* **0.3** [van eige-naar veranderen] *transfer, pass* **0.4** [overlopen] *transfer ⇒switch, change (over), go over,* ⟨naar een andere partij/staat⟩ *defect* **0.5** [be-vorderd worden] *move up ⇒step up, advance* **0.6** [veranderen in] *change, convert ⇒turn, shade (off)* ⟨van kleuren⟩, *fade (into)* ⟨duister-nis⟩ **0.7** [beginnen met, gaan beginnen] ⟨beginnen met⟩ *move/pass/ go on to, proceed to, turn to;* ⟨gaan gebruiken⟩ *convert (to), change (over)(to), switch (over)(to), go over to* **0.8** [voorbijgaan] *pass (over/ away)* ⟨van gevoelens ook⟩ *pass/wear off,* ⟨van weer ook⟩ *pass by, blow over* **0.9** [in een andere stand gebracht worden] *switch (over)* ⟨wissels⟩; ⟨in werking gebracht worden⟩ *be activated, go; ring* ⟨v.e. bel⟩ **1.0** [een grens overschrijden] ⟨ov. ook⟩ *cross (over)* ◆ **1.1** de bal gaat over (het doel) *the ball goes over (the goal);* de brug ~ *move/ go over/cross (over) the bridge* **1.2** de lading gaat over *the load is shifting* **1.8** de pijn/zijn ergernis zal wel ~ *the pain/his annoyance will* *wear off*/*pass off*/*pass away;* die regenbui zal wel ~ *that shower of rain will blow over*/*pass over*/*pass by;* het schandaal zal wel ~ *the scandal will blow over*/*blow itself out* **1.9** de haan van een pistool gaat over *a pistol is cocked;* de telefoon/de bel gaat over *the telephone*/*the bell is ringing* **3.5** ze mag ~ *she can move up* **6.3** ~ **in** andere handen *pass into other*/*change hands, change ownership;* van vader **op** zoon ~ *pass (down)*/*be handed down*/*descend from father to son* **6.4** ~ **naar** een andere partij *switch*/*change*/*go over to another party, change sides, cross the floor;* ~ **tot** een andere religie *switch*/*change*/*go over to another religion, change one's religion, embrace*/*convert to another religion* **6.5** van de vierde **naar** de vijfde klas ~ *m. u. from the fourth to the fifth form* **6.6** de kleuren gingen in elkaar over *the colours shaded*/*blended*/*merged into one another;* ~ **van** vaste **in** vloeibare vorm *turn from solid into liquid form* **6.7 op** een andere versnelling ~ *change gear;* **op** een ander merk ~ *switch*/*go over to another brand;* **op** stookolie/gas ~ *convert*/*change (over)*/*switch (over)*/*go over to oil*/*gas;* ~ **tot** de orde van de dag *move on to*/*pass on to*/*proceed to*/*turn to the order of the day;* **tot** stemmen ~ *proceed to*/*take a vote;* **tot** de aanval ~ *take the offensive, (begin to) attack;* **tot** arrestatie ~ *start making arrests;* ~ **tot** de aanschaf van/het gebruik van ...*start buying*/*using, decide to buy*/*use;* ~ **tot** strenge maatregelen *(decide to) take firm steps*/*a hard line;* **tot** handelen ~ *proceed to action, start to take action;* opnieuw **tot** de aanval ~ *return to the attack;* er zal **tot** vervolging worden overgegaan *proceedings will be taken*/*instituted;* **tot** daden ~ *go into*/*move into*/*take action;* **van** het ene **op** het andere onderwerp ~ *switch (about) from one subject to the other*/*another* **¶.2** wij gaan vandaag over *we are moving house today.*

overgaar ⟨bn.⟩ **0.1** *overcooked* ⇒ ⟨vlees⟩ *overdone.*

overgang ⟨de (m.)⟩ **0.1** [het oversteken/vertrekken] *crossing* ⇒ ⟨schr.⟩ *transition,* ⟨voortbeweging⟩ *passage,* ⟨van hemellichaam⟩ *transit* **0.2** [plaats, punt] *crossing* **0.3** [tussenvorm] *stepping stone* ⇒ *link, connection,* ⟨kruising⟩ *hybrid* **0.4** [verandering, wisseling] *transition, change-(over)* ⇒ *conversion, switch(over),* ⟨naar andere staat/partij⟩ *defection,* ⟨muz.⟩ *modulation* **0.5** [menopauze] *change of life* ⇒ *menopause,* ⟨med.⟩ *climacteric* **0.6** [bevordering] *promotion* **0.7** [passage in een redevoering] *transition* ♦ **1.1** recht van ~ *right of way;* ⟨jur.⟩ *easement* **1.2** spoorwegovergang, grensovergang *level crossing, border crossing* **3.3** de ~ vormen tussen/naar ...*be the stepping stone*/*link between*/*to* ...**6.4** een vloeiende ~ **tussen** twee scenes *a smooth change(over) between two scenes;* de ~ **van** warm **naar** koud *the change*/*transition from warm to cold;* de ~ **van** vaste stof **in** vloeibare stof *the transition from solid (in)to liquid (state)* **6.5** in de ~ zijn *be at the change of life* **6.6** drie onvoldoendes **bij** de ~ *three unsatisfactories in the end-of-year report;* de ~ **naar** de eredivisie *promotion to the first division, the move*/*step up to the first division.*

overgangsbepaling ⟨de (v.)⟩ **0.1** *transitional*/*temporary provision (of a law).*

overgangsfase ⟨de⟩ **0.1** *transitional*/*interim*/*intermediate phase*/*stage.*

overgangsjaren ⟨zn.mv.⟩ **0.1** [overgangsleeftijd] *change of life* ⇒ *menopause,* ⟨med.⟩ *climacteric* **0.2** [overgangsperiode] *transition(al) period, transitional years, years of transition* ♦ **6.1** moeder is in de ~ *mother is at the change of life.*

overgangsklimaat ⟨het⟩ **0.1** *intermediate climate.*

overgangsleeftijd ⟨de (m.)⟩ **0.1** [leeftijd van de overgangsjaren] *change of life* ⇒ *menopausal age,* ⟨med.⟩ *climacteric* **0.2** [puberteitsjaren] *puberty.*

overgangsmaatregel ⟨de (m.)⟩ **0.1** *interim*/*transitional*/*temporary measure.*

overgangsperiode ⟨de (v.)⟩, **-tijdperk** ⟨het⟩ **0.1** *transition(al) period* ⇒ *period of transition.*

overgangspunt ⟨het⟩ **0.1** [eind- en beginpunt] *crossroads* ⇒ *turning point, watershed* **0.2** [⟨nat., schei.⟩] *critical point*/*temperature.*

overgangsrapport ⟨het⟩ **0.1** *summer*/*final term report, end-of-year report.*

overgangsrecht ⟨het⟩ **0.1** [mbt. nieuwe wettelijke regeling] *interim*/*transitional provisions (in the law)* **0.2** [recht van passage] *right of way* ⇒ ⟨jur.⟩ *easement* **0.3** [belasting bij erfenis van vast goed] *estate duty.*

overgangsregeling ⟨de (v.)⟩ **0.1** *transitional arrangement.*

overgangsverschijnsel ⟨het⟩ **0.1** *menopausal symptom*/*feature.*

overgangsvorm ⟨de (m.)⟩ **0.1** *intermediate*/*transitional form* ⇒ ⟨kruising⟩ *hybrid.*

overgangsweerstand ⟨de (m.)⟩ ⟨elek.⟩ **0.1** *contact resistance.*

overgankelijk ⟨bn.⟩ ⟨taal.⟩ **0.1** *transitive* ♦ **1.1** ~ werkwoord *t. verb.*

overgave ⟨de⟩ **0.1** [capitulatie] *surrender* ⇒ ⟨het zich gewonnen geven⟩ *submission, capitulation,* ⟨het overgeven van iets⟩ *delivery,* ⟨verlating⟩ *abandonment* **0.2** [onderwerping] *surrender* ⇒ *submission* **0.3** [toewijding] *dedication, devotion* ⇒ *abandon(ment)* **0.4** [overdracht] *transfer, hand over* ⇒ ⟨van goederen⟩ *delivery,* ⟨jur.; land, rechten⟩ *cession* ♦ **2.2** een volkomen ~ aan Gods wil *a complete submission*/*surrender to God's will* **2.3** zich met volledige ~ toeleggen op go into (sth.) *with complete*/*total abandon,* ⟨inf.⟩ *tug away at;* zijn volledige ~ aan zijn werk ⟨ook⟩ *his complete self-abandonment to his work* **6.1** **tot** ~ dwingen *force to surrender*/*into submission, bring to s.o.'s*

---

knees **6.3** zij deden het **met** ~ *they did it dedicatedly, they devoted all their energies to it.*

overgecultiveerd ⟨bn., bw.; -ly⟩ **0.1** *oversophisticated, overrefined* ⇒ *overnice,* ⟨pej.; inf.⟩ *la(h)-di-da(h),* ⟨schrijfstijl⟩ *stilted,* ⟨schrijfstijl⟩ ↑ *alembicated.*

overgedienstig ⟨bn., bw.; -ly⟩ **0.1** *officious* ⇒ ⟨kruiperig⟩ *obsequious, overpolite,* ⟨hinderlijk⟩ *meddlesome, obtrusive.*

overgehaald ⟨bn.⟩ ⟨fig.⟩ **0.1** *absolute, (out)right* ⇒ *thorough(going), out-and-out, downright, utter* ♦ **1.1** driedubbel ~ e idioot die je bent *a. / right*/*perfect*/*utter fool*/*idiot that you are;* een driedubbel ~ e leugenaar *a double-dyed liar;* een dubbel ~ e schurk *an a. / a thorough*/*an unmitigated scoundrel, a downright*/*out-and-out*/*consummate rogue*/*cad.*

overgelukkig ⟨bn., bw.; -ly⟩ **0.1** *blissfully happy* ⇒ *rapturously*/*very*/*extremely*/*most happy,* ⟨inf.⟩ *over the moon, enraptured* ♦ **1.1** de jonggehuwden zijn ~ *the young marrieds are b. h. / over the moon* **3.1** iem. ~ maken *make s.o. very happy;* zij was ~ toen zij het goede nieuws hoorde ⟨ook⟩ *she went into raptures at the news;* de bruid zag er ~ uit *the bride looked absolutely radiant.*

overgeven

I ⟨ov.ww.⟩ **0.1** [aan iem. anders geven] *hand over, deliver* **0.2** [verder geven] *pass on*/*over* ⇒ ⟨aan een vijand⟩ *surrender, deliver (up),* ⟨verlaten⟩ *abandon* **0.3** [toevertrouwen] *leave, entrust* ⇒ *give (sth.) over*/*up* ♦ **1.2** hij gaf de kroon over aan zijn opvolger *he passed the crown on to his heir*/*successor;* het wachtwoord ~ *pass on the password;* een advocaat de zaak ~ *pass*/*hand the matter over to a lawyer* **6.2** een vesting ~ **aan** de vijand *surrender*/*deliver a fortress to the enemy* **6.3** iets ~ **in** Gods handen *give sth. up into God's hands, leave*/*entrust sth. to God;* zich ~ **in** Gods handen *give o.s. up into God's hands;*

II ⟨wk.ww.; zich ~⟩ **0.1** [capituleren] *surrender* ⇒ *submit, yield, capitulate,* ↑ *succumb to one's enemy* **0.2** [zich wijden aan] *dedicate, devote* **0.3** [verslaafd raken aan] *abandon (o.s. to)* ⇒ *take (to), resort (to), throw (o.s.) over (to), give (o.s.) (over*/*up) to), addict o.s. to* ♦ **6.2** zich **aan** dagdromen ~ *lose o.s. in daydreams*/*daydreaming;* zich **aan** de wetenschap ~ *dedicate*/*devote*/*addict o.s. to science;* zich **aan** verdriet ~ ⟨ook⟩ *give way to sorrow;* aan de liefde ~ *dedicate*/*devote o.s. to love* **6.3** zich **aan** de drank ~ *abandon o.s. / give o.s. (up) to drink, throw*/*give o.s. over to drink, take to drinking;*

III ⟨onov., ov.ww.⟩ **0.1** [kaartspel] *deal (out) again;*

IV ⟨onov.ww.⟩ **0.1** [braken] *be sick, vomit* ⇒ ⟨inf.⟩ *throw*/*bring up, puke, sick (up),* ⟨BE; sl.⟩ *cat,* ⟨vnl. AE; sl.⟩ *upchuck,* ⟨AE; sl.⟩ *barf* ♦ **3.1** hij moet/gaat ~ *he is going to be sick.*

overgevoelig ⟨bn., bw.; -ly⟩ **0.1** [abnormaal gevoelig] *hypersensitive, oversensitive* ⇒ *allergic, overdelicate, extremely susceptible* **0.2** [al te vatbaar voor indrukken] *overimpressionable* ⇒ ⟨fijngevoelig⟩ *highly strung, uptight, overstrung* **0.3** [sentimenteel] *sentimental, emotional.*

overgevoeligheidsreactie ⟨de (v.)⟩ **0.1** *allergic reaction.*

overgewicht ⟨het⟩ **0.1** *overweight* ⇒ *extra (weight), obesity.*

over'gieten ⟨ov.ww.⟩ **0.1** [geheel bedekken] *bathe* ⟨licht⟩; ⟨fig.⟩ *cover, lavish* **0.2** [gietend bedekken] *pour over* ⇒ *dowse, douse, shower,* ⟨besprenkelen⟩ *sprinkle,* ⟨schr.⟩ *imbue* ♦ **6.1** met een vloed van licht overgoten *bathed in light, caught in a flood of light, floodlit, suffused with light;* **met** zon overgoten *bathed in sunshine;* ⟨bn.⟩ *sunlit, sun-drenched*/*-soaked*/*-baked* **6.2** vruchten **met** wijn ~ *pour wine over fruit, douse fruit with wine;* ⟨fig.⟩ **met**/**van** hetzelfde nat/sop overgoten zijn *be tarred with the same brush*/*stick, be cast in the same mould, be of the same stable, be birds of a feather.*

'overgieten ⟨ov.ww.⟩ **0.1** [in iets anders gieten] *pour (into)* **0.2** [opnieuw gieten] *recast* **0.3** [doen overlopen] *fill to overflowing* ⇒ ⟨morsen⟩ *spill* ♦ **1.2** ⟨fig.⟩ een wet in een nieuwere vorm ~ *recast a law (in a newer form)* **6.1** wijn uit de fles **in** een karaf ~ *pour*/*decant wine from the bottle into a carafe*/*decanter, decant wine.*

overgooien

I ⟨onov., ov.ww.⟩ **0.1** [over iets heen gooien] *throw (sth.) over (sth.)* ⇒ *toss over,* ⟨inf.⟩ *chuck*/*bung over* **0.2** [opnieuw gooien] *throw again* ⇒ *toss again,* ⟨inf.⟩ *chuck*/*bung again* ♦ **1.1** de aanvaller gooide (de bal) over *the attacker threw the ball over* **6.1** de meisjes waren **aan** het ~ *the girls were having a throw-*/*toss-about*/*around*/*throwing around the ball between them;*

II ⟨ov.ww.⟩ **0.1** [al gooiend spreiden over] *throw (sth.) over (sth.)* **0.2** [in een richting gooien/omzetten] *throw* ⟨hefboom, schakelaar⟩ ⇒ ⟨schakelaar ook⟩ *switch, change* ⟨wissel⟩ ♦ **1.2** een wissel ~ *change (a set of) points.*

overgooier ⟨de (m.)⟩ **0.1** *jumper* ⇒ *pinafore dress*/*skirt.*

overgordijn ⟨het⟩ **0.1** *(long*/*heavy*/*lined) curtain.*

overgroeien ⟨ov.ww.⟩ **0.1** *overgrow* ⇒ *grow over*/*across.*

overgroot ⟨bn.⟩ **0.1** [buitengewoon groot] *vast* ⇒ *huge, enormous* **0.2** [verreweg het grootst] *major* ⇒ *main* ♦ **1.1** in overgrote haast *with undue haste, posthaste, (in a) helter skelter (fashion);* de nieuwe grondwet is met overgrote meerderheid aangenomen *the new constitution was adopted by a vast*/*an overwhelming majority* **1.2** het overgrote deel van de bevolking *the major part*/*vast*/*great majority of the population.*

overgrootmoeder ⟨de (v.)⟩ **0.1** *great-grandmother.*
overgrootvader ⟨de (m.)⟩ **0.1** *great-grandfather.*
overhaast ⟨bn., bw.; -ly⟩ **0.1** *rash* ⇒*hurried, (over)hasty,* ⟨schr.⟩ *precipitate, in (great) haste, in a great hurry, headlong,* ⟨chaotisch⟩ *(in a) helter skelter (fashion)* ◆ **1.1** een ~ besluit *a r. / hasty / hurried / snap / premature decision;* iem. dwingen een ~ besluit te nemen *rush s.o. into making a decision;* ~e conclusies trekken *jump to conclusions;* geen ~e stappen *no r. / ill-advised steps;* een ~ plan ⟨ook⟩ *a half-cocked / hare-brained scheme;* met ~e stap *at a (very) brisk pace* **3.1** de reorganisatie is ~ gebeurd *the reorganization has been done in too much haste / too hastily / in too much of a hurry;* ~ vertrekken / vluchten *leave / flee in great haste / posthaste;* ⟨inf.⟩ *do a guy / scram / bunk* ¶**.1** ~ te werk gaan *rush (into) a job / sth.;* zich ~ in een huwelijk storten *rush into a marriage.*
overhaasten ⟨ov.ww.⟩ **0.1** *rush* ⇒*hurry* ◆ **1.1** een persoon ~ *r. a person;* een zaak ~ *r. a matter* **4.1** niets ~ *not r. anything;* zich (niet) ~ *(not) r. o.s. / hurry.*
overhaastig ⟨bn., bw.; -ly⟩ **0.1** ⟨→overhaast⟩ ◆ **3.1** ~ antwoorden / handelen *answer / act hurriedly;* hij is wat ~ *he is a bit rash / brash / hotheaded / impetuous.*
overhaasting ⟨de (v.)⟩ **0.1** *rush, hurry* ⇒*rashness, overhaste,* ⟨schr.⟩ *precipitation* ◆ **6.1** met ~ te werk gaan *rush (into) a job / sth.;* **zonder** ~ *unhurriedly.*
overhalen
I ⟨ov.ww.⟩ **0.1** [overreden] *persuade* ⇒*talk (s.o.) into (sth.), talk / bring (s.o.) round, prevail upon (s.o.)* **0.2** [naar de andere kant halen] *bring / fetch / ferry over / across* **0.3** [trekken aan] *pull (on)* ⇒ *cock* ⟨haan⟩, *change* ⟨wissel⟩ **0.4** [⟨schei.⟩] *distil* **0.5** [overtrekken] *trace (over)* ◆ **1.2** een pontje zal ons ~ *a small ferry will take us across;* een steek ~ *pass a stitch over* **1.3** een hendel ~ *p. a handle / lever;* de trekker ~ *p. the trigger* **3.1** kan je hem ~? *can you persuade him / talk him into it / talk him round over him with him over?;* zich laten ~ *be persuaded / talked round / prevailed upon* **6.1** iem. **tot** iets ~ *talk / entice / fast-talk / jolly / palaver / seduce s.o. into doing sth.* ¶**.1** iem. (ertoe) ~ iets / iets niet te doen *talk s.o. into / out of doing sth., persuade s.o. to do sth. / against doing sth.;*
II ⟨onov.ww.⟩ **0.1** [⟨scheep.⟩] *list.*
overhand[1] ⟨de⟩ **0.1** *upper hand* ⇒*advantage, lead, mastery* ◆ **3.1** de ~ hebben *have the upper hand, be on top;* de ~ hebben op iem. *have the better of s.o., have the whip hand / edge on s.o., have a lead over s.o.;* die mening heeft thans de ~ *that opinion now prevails;* de ~ krijgen in iets *get / gain the upper hand in / at sth., get on top in sth.;* de ~ krijgen / nemen *get / gain the upper hand, get on top;* ⟨inf.⟩ *get the drop on (s.o.).*
overhand[2] ⟨bw.⟩ ⟨AZN⟩ **0.1** [beurtelings] *in turn, alternately* **0.2** [steeds meer] *increasingly.*
overhandigen ⟨ov.ww.⟩ ⟨schr.⟩ **0.1** [ongemarkeerd] *hand (over)* ⇒*present, deliver* ◆ **1.1** een brief ~ *hand over / deliver a letter;* een prijs ~ *present a prize* **4.1** iem. iets ~ *hand s.o. sth., hand sth. over to s.o., present / deliver sth. to s.o..*
overhands ⟨bn., bw.⟩ **0.1** *overhand* ⇒⟨naaisteek; festonsteek⟩ *overcast,* ⟨worp⟩ *overarm* ◆ **1.1** ⟨scheep.⟩ een ~e knoop *an overhand knot;* met een ~e steek *with an overhand / overcast stitch;* ⟨met rolzoom⟩ *with a whipstitch;* een ~e worp *an overhand / overarm throw / pitch* **3.1** ~ naaien *sew overhand / overcast;* ⟨fijnere steek⟩ *oversew;* ⟨met rolzoom⟩ *whip;* ~ werpen / gooien *throw / pitch overhand;* ⟨cricket⟩ *bowl.*
overhangen
I ⟨onov.ww.⟩ **0.1** [over iets hangen] *hang over, overhang* **0.2** [schuin vooroverhangen] *lean (over / forward)* ◆ **1.1** ~d geboomte *overhanging trees* **1.2** die muur hangt over *that wall is leaning over;*
II ⟨ov.ww.⟩ **0.1** [boven het vuur hangen] *hang over.*
overhead ⟨de (m.)⟩ **0.1** *overheads.*
overheadkosten ⟨zn.mv.⟩ **0.1** *overhead cost* ⇒*overhead expenses / charges, overheads, fixed costs.*
overheadsheet ⟨de⟩ **0.1** *overhead sheet, transparency.*
overhebben
I ⟨ov.ww.⟩ **0.1** [beschikbaar stellen] *have / spare (sth., time) for (s.o. / sth.)* ⇒*be prepared / willing to give (sth. for s.o. / sth.),* ⟨kunnen missen⟩ *not begrudge (s.o. sth.)* **0.2** [meer hebben dan nodig is] *have over / left / (to) spare* ⇒*have (a) surplus* ◆ **1.1** daar heb ik geen geld voor over *I am not prepared / willing to spend any money on that / give any money for that, I cannot spare money for that, I don't wish to / I won't spend anything on that / give anything for that;* hij had zijn leven over voor de vrijheid *he was prepared to give his life for freedom* **1.2** geen geld meer ~ *have no more money left;* ik heb geen kamer meer over *I have not got any more spare rooms / rooms spare* **4.1** voor hem heb ik alles over *I will do anything for him, I wouldn't begrudge him anything;* ik zou er alles voor ~ *I would (be prepared / willing to) do / give anything for it* **6.1** er geen moeite voor ~ *not (be willing / prepared to) go to / take any trouble over it;* een / geen goed woord **voor** iem. ~ *have a / not have a good word for s.o.* ¶**.1** ik heb er heel wat voor over *I am prepared / willing to give a good / great deal for it, I*

have a good / great deal of time for it; dat heb ik er wel voor over *I don't mind it, it is worth it, I don't begrudge it;* dat heb ik er niet voor over *it isn't worth it;*
II ⟨onov.ww.⟩ ~ **5.**¶ het heeft niet over *it is just about all right, it will just about do, it is only so-so, it is nothing special, it is no better than it should be.*
overheen ⟨bw.⟩ **0.1** [over iets uitgespreid] *over* ⇒*across* **0.2** [uitstekend] *over* **0.3** [boven over iets heen] *over* ⇒*across, on top (of)* **0.4** [langs de oppervlakte] *across, over* **0.5** [verder dan een grens] *past* ⇒*beyond* ◆ **1.1** een tafel met een kleed er ~ *a table with a cloth over it* **3.2** zijn benen hingen daar ~ *his legs were hanging over that* **3.3** ⟨fig.⟩ daar ben ik gelukkig ~ *fortunately I have got over that;* zij gooide de bal er ~ *she threw the ball over it;* ⟨fig.⟩ daar groeit hij wel ~ *he will grow out of it;* ⟨fig.⟩ over die tegenslag / dat verdriet is hij nooit heen gekomen *he never got over that / that blow / that sorrow;* er / ergens ~ stappen *step over it / sth.;* ⟨fig.⟩ *pass / skip over it / sth., overlook it / sth.;* ⟨fig.⟩ zich ergens ~ zetten *get the better of / on top of sth., overcome / surmount sth., get over it* **3.4** er een doek / dweil ~ halen *run / wipe a cloth / mop over it;* hij liep er snel ~ *he walked quickly across / over it* **3.5** er geen tijd ~ laten gaan *lose no time over it;* twee jaar zijn er ~ gegaan *it is two years past, two years have gone by* **3.**¶ er eens (goed) ~ gaan ⟨pak slaag⟩ *give s.o. a (good) going over / lathering, lay it across s.o., sock it to s.o.;* ⟨vulg.⟩ *give a woman a (good) bang, stuff a woman;* ergens ~ lezen *miss / overlook sth., read past sth.;* ergens licht ~ lopen *make light of sth., take sth. in one's stride;* ergens ~ praten *change the subject, skip over a subject.*
overheerlijk ⟨bn., bw.; -ly⟩ **0.1** ⟨mbt. eten⟩ *absolutely delicious;* ⟨mbt. het weer⟩ *heavenly, glorious* ⇒*divine, exquisite,* ↑*delectable* ◆ **1.1** wat een ~ weer! *what heavenly / glorious weather* **3.1** dat smaakt ~ *that tastes absolutely delicious;* ⟨inf.⟩ *that tastes scrumptious / yummie.*
overheersen
I ⟨ov.ww.⟩ **0.1** [heersen over] *rule over* ⇒ ⟨vero.⟩ *hold sway over;*
II ⟨onov., ov.ww.⟩ **0.1** [domineren] *dominate* ⇒ ⟨onov.ww.⟩ *prevail, predominate,* ⟨de baas spelen over⟩ *domineer over, lord it over* ◆ **1.1** een ~de factor *a dominating factor;* zijn (alles) ~de hartstocht was zijn tuin *his garden was his ruling passion;* de ~de invloed van de technologie *the (pre)dominant / preponderant influence of technology;* een ~de kleur *a predominant / preponderant colour;* een ~de moeder *a dominating / domineering mother;* de smaak van knoflook overheerst te veel *the taste of garlic is too powerful / prevalent.*
overheersend ⟨bn.⟩ **0.1** *(pre)dominant, (pre)dominating,* ⟨invloed, factor, positie, rol⟩ *preponderant,* ⟨mening⟩ *prevalent, prevailing.*
overheerser ⟨de (m.)⟩ **0.1** *oppressor* ⇒*ruler,* ⟨dwingeland⟩ *dictator, tyrant* ◆ **2.1** de vreemde ~ *the foreign oppressors.*
overheersing ⟨de (v.)⟩ **0.1** [onderdrukking] *rule* ⇒⟨onderdrukking⟩ *oppression,* ⟨dwingelandij⟩ *dictatorship, tyranny* **0.2** [overvleugeling] *dominance* ⇒⟨overvleugeling⟩ *predominance, prevalence* **0.3** [het heersen] *domination* ◆ **2.1** het land leed onder vreemde ~ *the country suffered under foreign rule / oppression* **6.2** de ~ **van** een bepaalde richting *the (pre)dominance of a particular trend / school (of thought).*
overheid ⟨de (v.)⟩ **0.1** [lichaam] *government* ⇒*authorities* **0.2** [college] *authority* ⇒⟨mbt. een stad⟩ *council, corporation,* ⟨inf.; scherts.⟩ *the powers that be* ◆ **2.1** de geestelijke ~ *the religious / ecclesiastical authorities;* de lagere / burgerlijke ~ *local / civil g., the local / civil authorities;* de wettige overheden *the lawful g.* **2.2** de plaatselijke ~ *the local authorities* **6.1** mijn vader was in dienst **bij** de ~ *my father was in g. service / in the civil service / in public service.*
overheidsambt ⟨het⟩ **0.1** *government office.*
overheidsapparaat ⟨het⟩ **0.1** *machinery / apparatus of government.*
overheidsbedrijf ⟨het⟩ **0.1** *public / state enterprise* ⇒⟨nutsbedrijf⟩ *a public utility company.*
overheidsbemoeiing ⟨de (v.)⟩ **0.1** *government interference / intervention* ◆ **2.1** de zich steeds uitbreidende ~ *progressive / creeping government interference / intervention.*
overheidsdienaar ⟨de (m.)⟩ **0.1** *public officer / servant* ⇒*government official.*
overheidsdienst ⟨de (m.)⟩ **0.1** *government / public / the civil service* ◆ **6.1** in overheidsdienst zijn *be in government / public / the civil service, be a government / public / state employee, be a civil servant.*
overheidsgelden ⟨zn.mv.⟩ **0.1** *public money / funds* ◆ **1.1** misbruik van ~ *misuse of public money / funds.*
overheidsinstelling ⟨de (v.)⟩ **0.1** *government institution / agency.*
overheidsorgaan ⟨het⟩ **0.1** *public / government body.*
overheidspersoneel ⟨het⟩ **0.1** *public officers / servants* ⇒*government officials.*
overheidssubsidie ⟨het, de (v.)⟩ **0.1** *government subsidy / grant, state aid / grant* ⇒⟨op onderwijsgebied⟩ *grant-in-aid.*
overheidstoezicht ⟨het⟩ **0.1** *government / public / state control.*
overheidsuitgave ⟨de⟩ **0.1** [publikatie] *government / official publication* **0.2** [mv.] bestedingen] *government / public / state spending.*
overheidsvoorlichting ⟨de (v.)⟩ **0.1** *government / public information.*
overheidswege ~ **6.**¶ van ~ *by the government / the authorities / the state, officially.*

overhellen ⟨onov.ww.⟩ **0.1** [overhangen] *lean (over)* ⇒*tilt (over)*, *cant over*, ↑*incline*, ⟨schip/vliegtuig/auto ook⟩ *heel over*, ⟨schip ook⟩ *list*, ⟨vliegtuig ook, opzettelijk⟩ *bank* **0.2** [⟨fig.⟩] *incline* ⇒*tend, gravitate* ◆ **1.1** de muur helt enigszins over *the wall is leaning (over) a bit;* het schip helt over naar bakboord *the ship lists to port* **3.1** doen~*tilt (over), cant over*, ↑*incline, make heel over, cause to list, bank;* gaan~ ⟨van auto/vliegtuig⟩ *heel over;* ⟨schip ook⟩ *take on a list* **6.2** naar het kwade~*incline/tend/gravitate towards evil;* **tot** een andere mening/ andere partij~*incline to a different opinion/party.*

overhellend ⟨bn.⟩ **0.1** [hellend] *leaning* ⇒*tilting, inclining* **0.2** [neigend] *inclining.*

overhemd ⟨het⟩ **0.1** *shirt* ⇒⟨met stijf/geplooid front⟩ *dress-shirt.*

overhemdblouse ⟨de (v.)⟩ **0.1** *shirt;* ⟨AE ook⟩ *shirtwaist.*

overhemdknoop ⟨de (m.)⟩ **0.1** *shirt/front stud* ⇒*shirt button.*

overhevelen ⟨ov.ww.⟩ **0.1** [⟨fig.⟩ overbrengen] *transfer* **0.2** [in een ander vat overbrengen] *siphon over* ⇒⟨benzine/enz.⟩ *siphon off* ◆ **1.1** geld~naar een ander rekeningnummer *t. money to another account* **6.1** iets naar de privésector/**naar** de collectieve sector~*t. sth. to the private/public sector.*

overheveling ⟨de (v.)⟩ **0.1** ⟨tech., fig.⟩ *siphoning, syphoning* ⇒*transfer* ⟨van winsten⟩.

overhoeks ⟨bn., bw.; -ly⟩ **0.1** *diagonal* ◆ **1.1** de~e lengte *the d. length* **3.1** ~ gemeten is het zes meter *it's six metres (when) measured diagonally.*

overhoop ⟨bn.⟩ **0.1** *in a mess* ⇒*upside down, in a jumble*, ⟨inf.⟩ *topsy-turvy, higgledy-piggledy* ◆ **3.¶** ⟨inf.⟩ met iem.~ raken *fall out with s.o..*

overhoopgooien ⟨ov.ww.⟩ **0.1** *turn upside down/inside out/over* ⇒*throw into confusion* ◆ **4.1** alles~*turn everything/the place upside down/inside out/over, throw everything/the place into confusion.*

overhoophalen ⟨ov.ww.⟩ **0.1** [dooreengooien] *turn upside down/inside out/over;* ⟨doorwoelen⟩ *rummage/root through/in* **0.2** [⟨fig.⟩] *mix up* ◆ **1.1** mijn flat werd overhoopgehaald *my flat was turned over/torn apart;* hij had zijn hele kamer overhoopgehaald *he'd turned his whole room upside down/inside out/over;* de dief had iedere kast overhoopgehaald *the burglar had rifled/been through/gone through/turned out every cupboard;* iem. heeft mijn spullen overhoopgehaald *someone's been through/been rooting/rummaging in/through/among my things.*

overhoopliggen ⟨onov.ww.⟩ **0.1** [dooreen liggen] *be in a mess/in a jumble/* ⟨inf.⟩ *topsy-turvy/higgledy-piggledy* **0.2** [onenigheid hebben met] *be at loggerheads/at odds (with)* ◆ **1.1** ⟨fig.⟩ heel haar leven lag overhoop *her whole life was (in) a mess* **4.1** alles in de kamer lag overhoop *the room was (in) a complete mess/jumble* **6.2** ⟨scherts.⟩ hij lag overhoop met de strandstoel *he had a fight/a disagreement with the deck-chair;* met de politie~ *be in trouble with the police;* ze liggen altijd met elkaar overhoop *they're always at loggerheads/odds (with one another).*

overhooplopen ⟨ov.ww.⟩ **0.1** *(run into and) knock over/down.*

overhoopschieten ⟨ov.ww.⟩ **0.1** *shoot (down)* ⟨persoon⟩; *shoot up* ⟨plek⟩ ◆ **1.1** hij heeft de bar overhoopgeschoten *he shot up the saloon.*

overhoopsmijten ⟨ov.ww.⟩ →**overhoopgooien.**

overhoopsteken ⟨ov.ww.⟩ **0.1** *stab (to death).*

overhoren ⟨ov.ww.⟩ **0.1** [het geleerde controleren] *test* **0.2** [een toets afnemen] *test;* ⟨mondeling ook⟩ *hear* ◆ **1.1** de lessen schriftelijk~*set a written test (on the lessons).*

overhoring ⟨de (v.)⟩ **0.1** ⟨mondeling⟩ *(oral) test* ⇒ **2.1** schriftelijke~ *written test.*

overhouden
I ⟨ov.ww.⟩ **0.1** [nog over hebben] *have left* ⇒*still have, be left with* **0.2** [door de winter heen in leven houden] *keep* ◆ **1.1** hij heeft er wel een depressie aan overgehouden *it did leave him depressed/in a state of depression, he came out of it depressed/in a state of depression;* ik hield nog geld over *I still had some money left;* ergens een leuke herinnering aan~*still have/be left with good/pleasant memories of sth.* **1.2** appelen de winter~ *keep apples through the winter* **7.1** hij heeft er 10 gulden aan overgehouden *he made 10 guilders out of it(/o guilders' profit (out of it);*
II ⟨onov.ww.⟩ ◆ **5.¶** dat houdt niet over *it's only (just) adequate, it's no better than it should be.*

overhuiven ⟨ov.ww.⟩ **0.1** ⟨ook fig.⟩ *hood (over)* ⇒*canopy.*

overhuiving ⟨de (v.)⟩ **0.1** [het overhuiven] *hooding-over* **0.2** [baldakijn] *canopy* ⇒*awning.*

overig ⟨bn.⟩ **0.1** *remaining* ⇒*other* ◆ **1.1** de~e dagen *the remaining/other days;* de~e medicamenten *the remaining/other medicines, the rest of the medicines;* de~e mensen *the remaining/other people* **6.1** ⟨zelfst.⟩ **voor** het~e *for the rest, otherwise* **7.1** het~e van zijn dagen *the rest of his life/* ⟨schr.⟩ *days, his remaining days;* zijn glimlach maakt al het~goed *his smile makes up for the rest/for everything else/is his saving grace;* het~e *the rest, the remainder,* ⟨hand.⟩ *the balance.*

overigens ⟨bw.⟩ **0.1** [trouwens] *anyway* ⇒*for that matter, though* **0.2** [voor het overige] *for the rest* ⇒*otherwise, apart from that* ◆ **¶.1** het

kan mij~weinig schelen *anyway, I couldn't care less;* onder~gelijke omstandigheden *all other things being equal,* ⟨schr.⟩ *ceteris paribus;* een~mooie zet *an otherwise excellent move* **¶.2** hij is wat driftig, maar~is hij een goed mens *he has a bit of a temper, but otherwise/apart from that/for the rest he's a good person.*

overijld ⟨bn., bw.; -ly⟩ **0.1** *(too) hasty, (over)hasty* ⇒*rash, hurried,* ↑*precipitate* ◆ **1.1** een~besluit *a hasty/rash/an overhasty decision;* zijn~vertrek ⟨ook⟩ *his headlong departure* **¶.1** ~te werk gaan *set about things too hastily.*

overijlen ⟨wk.ww.; zich~⟩ **0.1** *act hastily/rashly* ⇒*rush things.*

overijling ⟨de (v.)⟩ **0.1** [het zich al te zeer haasten] *(undue) haste* **0.2** [te grote haast] *hurry* ⇒*haste* ◆ **2.1** in een vlaag van jeugdige~*in a burst of youthful enthusiasm* **6.1** in/met~*in haste.*

overijverig ⟨bn., bw.; -ly⟩ **0.1** *overzealous* ⇒*overkeen.*

overinvestering ⟨de (v.)⟩ **0.1** *overinvestment.*

overjarig ⟨bn.⟩ **0.1** [meer dan een jaar oud] *more than/over one year old* ⟨alleen ná zn. en pred.⟩ **0.2** [mbt. planten] *perennial* **0.3** (⟨iron.⟩ mbt. personen] *overgrown;* ⟨verouderd⟩ *ageing, surviving* **0.4** [achterstallig] *in arrears* ⟨alleen ná zn. en pred.⟩ ◆ **1.1** ~e wijn *wine that is more than one year old* **1.3** een~e puber *an overgrown teenager;* een~e rocker *an ageing/a surviving rocker* **1.4** ~e pacht *rent in arrears.*

overjas ⟨de⟩ **0.1** *overcoat.*

overkant ⟨de (m.)⟩ **0.1** *other/opposite/far side* ◆ **1.1** de~van het veld *the other/opposite/far(ther) side/end of the field* **6.1** aan de~van de rivier *across the/on the other/opposite/far side of the river;* zij woont **aan** de~*she lives across/over the street, she lives opposite;* ⟨bij kamerleden⟩ hij zetelt **aan** de~*he's in the other House;* aan de~van de weg *across/over/on the other/opposite/far side of the road/street;* iem. **naar** de~brengen *get/take/bring s.o. across;* gooi de bal **naar** de~*throw the ball over;* **naar** de~zwemmen *swim across/over;* het meisje **van** de~*the girl (from) across/over the street.*

overkapitalisatie ⟨de (v.)⟩ **0.1** *overcapitalization.*

overkappen ⟨ov.ww.⟩ **0.1** *cover/roof in/over* ◆ **1.1** een huis/een terrein /een tribune~*cover/roof in/over a house/a site/the stands.*

overkapping ⟨de (v.)⟩ **0.1** [kapconstructie] *covering* ⇒*roof* **0.2** [het overkappen] *covering-/roofing-in/-over* ◆ **2.1** een stalen/glazen/betonnen~*a steel/glass/concrete covering/roof.*

over'kijken ⟨ov.ww.⟩ **0.1** *see/look over* ◆ **1.1** van deze hoogte kan men de hele vlakte~*from this height you can see/look over the whole plain.*

'overkijken
I ⟨ov.ww.⟩ **0.1** [nog eens bekijken] *look over* ◆ **1.1** zijn les~*look over one's lesson;*
II ⟨onov.ww.⟩ **0.1** [over iets heen kijken] *look over.*

overklassen ⟨ov.ww.⟩ ⟨sport⟩ **0.1** *outclass* ◆ **1.1** in het eerste kwartier overklasten ze onze ploeg *they out-classed our team in the first 15 minutes.*

overkleed ⟨het⟩ **0.1** [kleed dat op een ander ligt] *over-carpet,* ⟨tafel⟩ *over-cloth* **0.2** [kledingstuk] *over-garment.*

overkoepelen ⟨ov.ww.⟩ **0.1** [met een koepel overdekken] *cover/roof over/in* ⇒*dome* **0.2** [⟨fig.⟩] *coordinate.*

overkoepelend ⟨bn., bw.⟩ **0.1** [⟨fig.⟩] *coordinating* **0.2** [overdekkend] *covering* ◆ **1.1** de~e organisatie *the coordinating/umbrella organization.*

overkoken ⟨onov.ww.⟩ **0.1** [bij het koken overlopen] *boil over* **0.2** [driftig worden] *boil over* ◆ **1.1** de melk kookt over *your shirt is (hanging) out;* het water kookt over *the water/the kettle is boiling over* **5.2** gauw~*be quick to boil over, have a short fuse.*

overkomelijk ⟨bn.⟩ **0.1** *surmountable* ◆ **1.1** die moeilijkheden/die bezwaren zijn~*those difficulties/objections can be overcome/are s..*

over'komen ⟨onov.ww.⟩ **0.1** *happen to* ⇒*come over* ⟨van gevoelens⟩ ◆ **3.1** dat kan de beste~*that could/can/may happen to the best of us* **4.1** zoiets kan alleen haar~*that could only happen to her,* ⟨pej. ook⟩ *trust her to have sth. like that happen (to her);* zorg ervoor dat je niets overkomt *keep out of harm's way, mind nothing happens to you/you don't come to any harm;* wat overkomt jou? *what's come over you?, what's got into you?;* wees gerust, er zal me niets~*don't worry, nothing will happen to me/I won't come to any harm;* dat zal me niet meer~*this isn't going to happen again;* ik wist niet wat mij overkwam *I didn't know what was happening to me* **¶.1** dat moet mij weer~! *trust my luck!, just my luck!, it had to be me!;* als me iets overkomt …*if anything should happen/happens to me ….*

'overkomen ⟨onov.ww.⟩ **0.1** [over iets heen komen] *get/come over* **0.2** [⟨fig.⟩ begrepen worden] *come/get across* **0.3** [van elders komen] *come over* **0.4** [⟨fig.⟩ ontvangen worden] *come over/through* ◆ **1.1** er komt net een vliegtuig over *there's a plane just coming over* **1.2** zijn boodschap kwam niet goed over *his message didn't get/come across;* zijn grappen kwamen niet goed over bij het publiek *his jokes fell flat (with the audience)* **1.4** het programma via de satelliet kwam duidelijk over *the satellite broadcast came over/through clearly* **6.3** ze is hiervoor speciaal **uit** Amerika overgekomen *she's come over from America specially for this.*

overkomst ⟨de (v.)⟩ **0.1** *coming (over)* ◆ **3.1** ~dringend gewenst/verzocht *your presence urgently required/requested.*

overkraging ⟨de (v.)⟩ **0.1** *corbelling*.

overkreditering ⟨de (v.)⟩ ⟨geldw.⟩ **0.1** *exceeding on overdraft facilities*.

overkruisen ⟨ov.ww.⟩ **0.1** *cross*.

overlaat ⟨de (m.)⟩ ⟨wwb.⟩ **0.1** [lager deel van een dijk] *overflow (dam)*, *spillway*, *overfall* **0.2** [verlaagd deel van een stuw] *waste weir*, *tumbling bay*.

'overladen ⟨ov.ww.⟩ **0.1** *transfer* ⇒ ⟨trein, schip ook⟩ *transship*.

over'laden¹ ⟨bn.⟩ **0.1** *overloaded* ⇒*overburdened* ◆ **1.1** ~ pracht *excessive/* ⟨te versierd⟩ *over-ornate splendour;* een ~ programma *an over-crowded programme*.

over'laden² ⟨ov.ww.⟩ **0.1** [te zwaar beladen] *overload* **0.2** [overstelpen] *shower* ⇒*heap on/upon* ◆ **1.1** een wagen ~ *overload a car* **1.2** iem. ~ *break s.o.'s back* **4.2** zich (de maag) ~ *overeat, gorge o.s.* **6.2** hij werd ~ met werk *he was overloaded with work;* ~ met referenties ⟨ook⟩ *pad out with references;* ze werd met complimenten ~ *she was showered with compliments;* ~ met eerbewijzen/geschenken/lof *shower with honours/gifts/praise, heap honours/gifts/praise (up)on;* ~ met roem *cover in/crown with glory*.

overladenheid ⟨de (v.)⟩ **0.1** *ornateness*.

'overlading ⟨de (v.)⟩ **0.1** *transfer;* ⟨in ander schip of voertuig ook⟩ *tran(s)shipment*.

over'lading ⟨de (v.)⟩ **0.1** *surfeit* ⟨v.d. maag⟩; ⟨het te zwaar beladen⟩ *overburdening, overloading*.

overladingshaven, overlaadhaven ⟨de⟩ **0.1** *tran(s)shipment/tran(s)shipping port* ⇒*port of tran(s)shipment*.

overlang ⟨bw.⟩ **0.1** *long ago* ⇒*a long time ago*.

overlangs ⟨bn., bw.⟩ **0.1** *lengthwise* ⇒*lengthways* ⟨alleen bw.⟩, ⟨wet.⟩ *longitudinal* ◆ **1.1** een ~e doorsnede *a lengthwise/longitudinal (cross-)section* **3.1** iets ~ doorsnijden *cut sth. lengthwise/lengthways/longitudinally*.

overlap ⟨de (m.)⟩ **0.1** *overlap(ping)*.

overlappen ⟨ov.ww.⟩ **0.1** *overlap* ◆ **4.1** die foto's ~ elkaar *those photos o.;* die uitzendingen ~ elkaar *those broadcasts/programmes o.*.

overlapping →**overlap**.

overlast ⟨de (m.)⟩ **0.1** *inconvenience* ⇒*nuisance, trouble, annoyance* ◆ **3.1** iem. ~ aandoen/bezorgen *cause s.o. inconvenience/a nuisance, inconvenience s.o.;* ~ ondervinden van iets *be inconvenienced by sth., find sth. a nuisance*.

overlaten ⟨ov.ww.⟩ **0.1** [laten zorgen voor] *leave* **0.2** [achterlaten] *leave (over)* **0.3** [over iets laten gaan] *let (go) over* **0.4** [afstaan] *hand over* ⇒*pass on* ◆ **1.2** geen eten ~ *leave no food (over);* geen twijfel ~ *leave no doubt* **4.1** je kunt (aan) hem niets ~ *you can't leave anything to him/leave him to do anything* **6.1** de beslissing ~ aan iem. *leave the decision to s.o.;* zij is overgelaten aan zichzelf/haar eigen lot *she has been left to her own devices/abandoned to her fate;* laat dat maar aan mij over! *just leave that to me!;* er is niets aan het toeval overgelaten *nothing has been left to chance;* zijn hond aan de zorg van een buurman ~ *leave one's dog with a/in the care of a neighbour* **6.4** zijn bezit ~ aan zijn kinderen *leave one's possessions to one's children* **¶.2** veel/niets te wensen ~ *leave much/nothing to be desired*.

overlating ⟨de (v.)⟩ ⟨scheep.⟩ **0.1** *abandonment*.

overleden ⟨bn.⟩ **0.1** *dead;* ⟨schr.; jur.⟩ *deceased*.

overledene ⟨de (m.)⟩ **0.1** *dead man/woman/person;* ⟨schr.; jur.⟩ *deceased*.

overleg ⟨het⟩ **0.1** [het nadenken] *thought* ⇒*consideration* **0.2** [beraadslaging] *consultation* ⇒*deliberation* **0.3** [verstandig beleid] *judgement* ⇒*discretion* ◆ **2.2** centraal ~ *top-level consultations* **3.2** ~ plegen over een kwestie *consult/confer/* ¹*deliberate on a matter* **3.3** de behandeling van deze zaak eist ~ *this matter needs to be handled/treated with judgement/discretion* **6.1** iets in onderling ~ afspreken *decide sth. in consultation, do sth. by mutual arrangement/agreement;* iets met ~ doen *do sth. in a considered/thoughtful way;* na enig ~ *after some thought/consideration;* na rijp ~ *on/after careful* ⟨schr.⟩ *mature consideration;* zonder enig ~ *without a moment's thought, without stopping to think/consider, without thinking* **6.2** in ~ met *in consultation with;* in ~ treden met *enter into consultation with, consult/confer/deliberate with*.

overlegeconomie ⟨de (v.)⟩ **0.1** *collective bargaining economy* ⇒*corporative economy*.

over'leggen ⟨onov., ov.ww.⟩ **0.1** [bij zichzelf overwegen] *consider* ⇒*debate (with o.s.)* **0.2** [beraadslagen] *consult* ⇒*confer, deliberate* ◆ **1.1** ik moet de zaak nog eens rijpelijk ~ *I must give the matter some further careful thought* **1.2** de politici wilden de hele dag ~ *the politicians wanted to consult/confer all day* **5.2** iets samen ~ *consult/confer on/about sth.* **6.2** iets met iem. ~ *consult (with) s.o./confer with s.o. on/about sth.* **¶.1** hij overlegt wat hem te doen staat *he's considering what he has to do*.

'overleggen ⟨ov.ww.⟩ **0.1** [laten zien] *produce* ⇒*submit, hand in* **0.2** [terzijde leggen] *put aside/by* ⇒*lay up/by* ◆ **1.1** ⟨jur.⟩ de bewijsstukken ~ *produce/submit the evidence;* iets ~ *produce/submit/hand in documents* **1.2** iets ~ voor de oude dag *put sth. aside/by/lay sth. up/by for one's old age* **1.¶** het roer ~ *shift the helm*.

over'legging ⟨de (v.)⟩ **0.1** [beraadslaging] *consultation* ⇒*deliberation*

0.2 [overweging] *thought* ⇒*consideration* **0.3** [het overwogene] *consideration*.

'overlegging ⟨de (v.)⟩ **0.1** *production* ⇒*submission, handing-in* ◆ **6.1** na ~ van de stukken *on submission of the documents*.

overlegorgaan ⟨het⟩ **0.1** *consultative/deliberative body*.

overlegsituatie ⟨de (v.)⟩ **0.1** *climate suitable for/allowing of consultation*.

overlegstructuur ⟨de (v.)⟩ **0.1** *consultative structure*.

overleven ⟨ov.ww.⟩ **0.1** [langer leven dan] *survive* ⇒*outlive* **0.2** [blijven leven na] *survive* ⇒*live through* ◆ **1.1** die grijsaard heeft al zijn kinderen overleefd *that old man has survived/outlived all his children;* ⟨pej.⟩ overleefde opvattingen *outdated views;* zijn roem ~ *outlive one's fame* **1.2** een ramp/een ongeluk/een aanslag ~ *s./live through a disaster/an accident/an attack;* hij zal dat smartelijk verlies niet ~ *he will not s. such a painful loss* **4.1** zichzelf ~ *outlive its usefulness, live beyond its usefulness* **¶.2** ⟨sport⟩ ⟨fig.⟩ de eerste ronde ~ *s. the first round*.

overlevende ⟨de (m.)⟩ **0.1** [wie na iemands dood nog in leven is] *survivor* **0.2** [wie het er levend afgebracht heeft] *survivor* ◆ **7.2** er zijn slechts vijf ~n *there are only five survivors*.

overleveren ⟨ov.ww.⟩ **0.1** [overgeven] *hand over* ⇒*turn over/in, deliver* **0.2** [doorgeven] *hand down* ⇒*pass down* ◆ **1.1** een verdachte ~ *hand over/turn in a suspect* **1.2** overgeleverde gebruiken *customs that have been handed down (from father to son), traditional customs* **6.1** iem. ~ aan de politie *hand s.o. over/turn s.o. over/in to the police;* geheel aan iem. overgeleverd zijn *be entirely at s.o.'s mercy/in s.o.'s hands;* ⟨fig.⟩ overgeleverd zijn aan *be at the mercy of/in the hands of;* overgeleverd aan de goedheid/genade van *left to the tender mercies of;* dit lied is ons overgeleverd uit de 14e eeuw *this song has come down to us from the 14th century* **6.2** door de eeuwen overgeleverd *handed/passed down through the ages*.

overlevering ⟨de (v.)⟩ **0.1** [traditie] *tradition* **0.2** [het overgeleverde verhaal] *tradition* ◆ **2.1** via mondelinge ~ *via oral t.;* schriftelijke ~ *written t.* **6.1** bij ~ *according to t., traditionally* **¶.2** de ~ zegt ons dat/wil dat ... *t. has it that ....*

overleveringsplan ⟨het⟩ **0.1** *survival plan*.

overlevering ⟨de (v.)⟩ **0.1** *survival* ⇒*survivorship*.

overlevingskans ⟨de⟩ **0.1** *chance of survival* ⇒*survival probability*.

overlezen ⟨ov.ww.⟩ **0.1** [opnieuw lezen] *re-read* ⇒*read again* **0.2** [doorlezen] *read over/through* ◆ **1.1** dat stuk moet je nog eens ~ *you should/must re-read that piece/read that piece again* **1.2** een artikel vluchtig ~ *glance over/through/skim (over/through) an article*.

overligdag ⟨de (v.)⟩ **0.1** *day of demurrage*.

overliggeld ⟨het⟩ ⟨scheep.⟩ **0.1** *demurrage*.

overlijden¹ ⟨het⟩ **0.1** *death;* ⟨schr.; jur.⟩ *decease*.

overlijden² ⟨onov.ww.⟩ **0.1** *die;* ⟨euf.⟩ *pass away/on*.

overlijdensakte ⟨de⟩ **0.1** *death certificate*.

overlijdensbericht ⟨het⟩ **0.1** *death announcement, obituary notice* ◆ **¶.1** de ~en (in een krant) *the obituaries;* ⟨inf.⟩ *the deaths*.

overlijdensdatum ⟨de (m.)⟩ **0.1** *date of death*.

overlijdensverzekering ⟨de (v.)⟩ **0.1** *life insurance/* ⟨BE ook⟩ *assurance*.

overloop ⟨de (m.)⟩ **0.1** [bovenportaal van de trap] *landing* **0.2** [bevolkingstrek] *overspill* **0.3** [het overstromen] *overflow* ⇒*flood(ing)* **0.4** [overlooppijp] *overflow (pipe)* **0.5** ⟨lit.⟩ *enjamb(e)ment* **0.6** ⟨comp.⟩ *overflow* ◆ **1.3** ~ van de dijken *breaching of the dikes* **6.1** op de ~ *on the l..*

overloopbeveiliging ⟨de (v.)⟩ **0.1** *overflow prevention/safeguard (device)*.

overloopgemeente ⟨de (v.)⟩ **0.1** *overspill/satellite town*.

overlooppijp ⟨de⟩ **0.1** *overflow (pipe)*.

over'lopen ⟨ov.ww.⟩ **0.1** *drop in (on s.o.) frequently* ⇒*call (too) often*.

'overlopen ⟨→sprw. 136⟩

I ⟨onov.ww.⟩ **0.1** [over iets heen lopen] *walk/go over/across* **0.2** [over iets heen stromen] *flow/run over/across* **0.3** [naar een andere partij gaan] *go over* ⇒*defect,* ⟨uit leger⟩ *desert* **0.4** [overstromen] *overflow* ⇒*run over* **0.5** ⟨+van⟩ overdreven tonen] *brim over* ⇒*bubble (over)* **0.6** [naar de randgemeenten trekken] *move out* ◆ **1.1** ik zag hem de brug ~ *I saw him walking over/across the bridge* **1.2** het water loopt de straat over *the water is running/flowing over/across the street* **1.4** de emmer liep over *the bucket overflowed/ran over* **6.3** ~ naar de vijand *go over/desert/defect to the enemy* **6.5** ~ van ijver/van enthousiasme *be brimming/bubbling (over) with ardour/enthusiasm;*

II ⟨onov., ov.ww.⟩ **0.1** [opnieuw lopen] *re-run* ◆ **1.1** de wedstrijd moet worden overgelopen *the race has to/must be re-run*.

overloper ⟨de (m.)⟩ **0.1** *defector* ⇒*turncoat*.

overluid ⟨bn., bw.;-ly⟩ **0.1** ⟨al te luid⟩ *too loud* ⇒*over-loud,* ⟨zeer luid⟩ *out loud, aloud* ◆ **1.1** met ~e stem *with too loud a voice/an over-loud voice* **3.1** men begon ~ te mopperen *people started grumbling out loud/aloud*.

overluiden ⟨ov.ww.⟩ **0.1** *ring a knell, toll the bell (for s.o.)*.

overmaat ⟨de⟩ **0.1** [vollere maat dan nodig is] *over-measure* **0.2** ⟨fig.⟩ het teveel] *excess* ◆ **6.2** een ~ aan details geven *provide an e. of detail /excessive detail(s);* tot ~ van ramp *to make matters worse, to add to* *our/their* ⟨enz.⟩ *troubles/misfortune;* ⟨inf.⟩ *to top it all, on top of everything, to crown everything.*

overmacht ⟨de⟩ **0.1** [grotere macht] *superior strength/power* ⇒*supremacy, dominance* **0.2** [groter aantal] *superior numbers/strength/forces* **0.3** [⟨jur.;hand.⟩] *circumstances beyond one's control;* ⟨jur., hand.⟩ *force majeure,Act of God* ◆ **1.1** de ~ van Amerika *America's dominance/supremacy* **1.3** een geval van ~ *circumstances beyond one's control, (a case of) force majeure, an Act of God* **2.2** tegenover een geweldige ~ staan *face fearful odds;* grote ~ *heavy odds* **3.1** de ~ hebben *have supremacy, be dominant* **3.2** voor de ~ bezwijken *yield to superior numbers.*

overmachtig ⟨bn., bw.;-ly⟩ **0.1** [zeer machtig]⟨zeer machtig⟩ *very/all powerful;* ⟨al te machtig⟩ *too powerful, over-powerful* **0.2** [de overmacht hebbend] *dominant.*

overmaken ⟨ov.ww.⟩ **0.1** [mbt. een bedrag] *transfer* ⇒*make over, pay in, remit* **0.2** [opnieuw maken] *re-do* ⇒*do again* ◆ **6.1** het salaris op een rekening ~ *pay the salary into/make the salary over/transfer the salary to an account.*

overmaking ⟨de (v.)⟩ **0.1** *remittance* ⇒*credit transfer, transfer of funds* ⟨per bank⟩, *giro transfer* ⟨per giro⟩, *transmission* ⟨van goud/gelden naar een ander land⟩.

overmannen ⟨ov.ww.⟩ **0.1** *overcome* ⇒*overpower, overwhelm, overmaster* ◆ **1.1** door angst overmand *fear-stricken, overmastered/overcome/overpowered by fear;* door droefheid overmand *overcome by/plunged into sadness;* hij werd door zijn emoties overmand *his emotions got the better of him, he was overcome/overpowered by his emotions;* door koorts overmand *stricken with fever, fever-stricken;* door leed/verdriet overmand *overcome/overwhelmed by/with/plunged into grief;* eindelijk overmande hem de slaap *eventually he was overcome by sleep* ¶.1 overmand worden *be overcome.*

over'matig ⟨bn., bw.;-ly⟩ **0.1** *excessive* ⇒*undue,* ⟨in samenstellingen vaak⟩ *over-* ◆ **1.1** ~ drankgebruik *e. drinking, alcoholic excess, alcohol abuse;* door ~ gebruik van tabak/alcohol *from e. indulgence in tabacco/alcohol;* ~e koude en hitte *e. cold and heat* **2.1** hij is niet ~ ijverig *he is not unduly/excessively hard-working, he does not over-exert himself* **3.1** ~ eten/drinken van *eat/drink ... to excess;* ⟨schr.⟩ *surfeit on/with;* zich ~ inspannen *over-exert o.s.;* ⟨inf.⟩ *kill o.s..*

'overmatig ⟨bn.⟩⟨muz.⟩ **0.1** *augmented* ◆ **1.1** ~e drieklank *a. triad;* ~ interval *a. interval.*

overmeesteren ⟨ov.ww.⟩ **0.1** *overpower* ⇒*overcome, overwhelm, overmaster* ◆ **3.1** ⟨fig.⟩ zich door zijn hartstochten laten ~ *be carried by one's emotions/passions, let one's passions get the better of one;* ⟨fig.⟩ door drift overmeesterd worden *be carried away by anger, let (one's) anger get the better of one.*

overmoed ⟨de (m.)⟩ **0.1** [roekeloosheid] *over-confidence/recklessness* **0.2** [drieste stemming] *over-confidence* ◆ **1.1** de ~ van de jeugd *the exuberance/over-confidence/recklessness of youth* **6.2** in zijn ~ *in his over-confidence.*

overmoedig ⟨bn., bw.;-ly⟩ **0.1** *over-confident* ⇒*reckless.*

overmorgen ⟨bw.⟩ **0.1** *the day after tomorrow* ◆ **5.1** morgen of ~ *some time or other* **6.1** dat duurt van hier tot ~ *that'll take from now till the middle of next week.*

overmouw ⟨de⟩ **0.1** *oversleeve* ⇒*sleevelet.*

overnaads ⟨bn.⟩ **0.1** *clinker-built* ◆ **1.1** een ~e boot *a c.-b. boat;* buitenmuren van ~e planken *weatherboarding,* ^Aclapboard.

overnachten ⟨onov.ww.⟩ **0.1** *stay/spend/sleep the night* ⇒*stay (over),* ⟨onderweg⟩ *stop the night, stop off.*

overnachting ⟨de (v.)⟩ **0.1** [het overnachten] *stay* ⇒*staying (over), staying/spending/sleeping the night,* ⟨onderweg⟩ *stopping the night, stopping off* **0.2** [keer dat men overnacht] *night* ◆ **1.2** het aantal ~en *the number of nights (spent/slept)* **6.1** ~ met ontbijt ^Bbed and breakfast, ^Aeuropean plan.

overname ⟨de⟩ **0.1** [koop] *purchase* ⇒*buying, take-/taking-over* **0.2** [ontlening] *borrowing* **0.3** [overeenkomst] *underwriting agreement* ◆ **6.1** ter ~ gevraagd *wanted;* ter ~ aangeboden *for sale.*

overneigen ⟨onov.ww.⟩ **0.1** [overhellen] *lean (over)* ⇒*tilt (over), cant over, incline* **0.2** [tot iets neigen] *incline* ⇒*tend, gravitate.*

overnemen ⟨ov.ww.⟩ **0.1** [in ontvangst nemen] *receive* **0.2** [op zich nemen] *take (over)* ⇒ ↑*assume* **0.3** [navolgen] *adopt* ⇒*take up* **0.4** [kopen] *take over* ⇒*buy, purchase* **0.5** [ontlenen] *borrow* ⇒*adopt, take-over* **0.6** [relayeren] *relay* ◆ **1.2** je mag mijn baantje ~ *you can take (over) my job;* de leiding ~ ⟨rangschikking⟩ *take over the lead/direction* ⟨bedrijf enz.⟩; de macht ~ *take/assume power;* het stuur een tijdje ~ *take a turn at the wheel, take the wheel for a spell/while;* de taak van iem. anders ~ *take over the job from s.o. else, step into s.o. else's shoes;* de wacht ~ *take over the watch* **1.3** de gewoonten van een land ~ *a. / take on the customs of a country;* een idee ~ *borrow/adopt an idea;* een voorstel ~ *a. / take up a proposal* **1.4** een zaak ~ *take over a business;* een zaak in zijn geheel ~ *buy out a business* **1.5** een citaat ~ uit een boek *b. / take a quotation from a book;* woord voor woord ~ *reproduce word for word/verbatim* **1.6** een televisie-zending ~ *r. a television broadcast.*

overnieuw ⟨bw.⟩ ⟨inf.⟩ **0.1** *(all) over again* ⇒*again* ◆ **3.1** ~ beginnen *start again/(all) over again.*

overontwikkeling ⟨de (v.)⟩ **0.1** *overdevelopment.*

overoud ⟨bn.⟩ **0.1** [zeer oud] *very old* ⇒*age-old, ancient* **0.2** [lang geleden] *ancient* ◆ **1.1** een ~ geslacht *a very old/an age-old/an ancient line* **1.2** in ~e tijden *in ancient times.*

overoudgrootmoeder ⟨de (v.)⟩ **0.1** *great-great-grandmother.*

overoudgrootvader ⟨de (m.)⟩ **0.1** *great-great-grandfather.*

overpad ⟨het⟩ **0.1** *footpath* ◆ **1.1** het recht van ~ hebben *have (a/the) right of way.*

overpeinzen ⟨ov.ww.⟩ **0.1** *ponder (on/over)* ⇒*meditate (on/over), muse (on/over), contemplate, reflect on* ◆ **1.1** hij zit zijn zonden te ~ *he's in a brown study.*

overpeinzing ⟨de (v.)⟩ **0.1** [het overpeinzen] *pondering* ⇒*meditation, musing, contemplation, reflection* **0.2** [hetgeen overdacht wordt] *reflection* ⇒*musing, pondering* ◆ **2.1** in stille ~ *in silent meditation/contemplation* **2.2** vrome ~en *pious reflections.*

overpennen ⟨ov.ww.⟩ ⟨inf.⟩ **0.1** *copy (out),* ↑*transcribe;* ⟨op school⟩ *crib, copy.*

overplaatsen ⟨ov.ww.⟩ **0.1** [naar een andere plaats overbrengen] *transfer* ⇒*(re)move* **0.2** [andere standplaats geven] *transfer; post* ◆ **1.2** een militair ~ *post a soldier (to)* **2.2** iem. tijdelijk ~ *naar second s.o.to.*

overplaatsing ⟨de (v.)⟩ **0.1** *transfer* ⇒*move, removal,* ⟨mil.⟩ *posting* ◆ **2.1** tijdelijke ~ *secondment* **3.1** ~ naar Den Haag aanvragen *apply for a transfer to the Hague.*

overplanten ⟨ov.ww.⟩ **0.1** [verplanten] *transplant* **0.2** [⟨med.⟩] *transplant* ⇒*graft* ◆ **6.1** ⟨fig.⟩ de Griekse beschaving werd naar Italië overgeplant *Greek civilization was transplanted to Italy.*

overplanting ⟨de (v.)⟩ **0.1** [van planten] *transplanting* ⇒*transplantation* **0.2** [⟨med.⟩] *transplantation* ⇒*graft(ing).*

overpompen ⟨ov.ww.⟩ **0.1** *pump over/across* ⇒*transfer by pump(ing).*

overpoten ⟨ov.ww.⟩ **0.1** *transplant.*

overpotten ⟨ov.ww.⟩ **0.1** *re-pot.*

overprikkelen ⟨ov.ww.⟩ **0.1** *over-excite* ⇒*over-stimulate* ◆ **1.1** overprikkelde hersenen *overwrought/over-excited brain;* overprikkelde zenuwen *overstrung nerves.*

overproduktie ⟨de (v.)⟩ **0.1** *over-production.*

overreden ⟨ov.ww.⟩ **0.1** *prevail (up) on,* ⟨inf.⟩ *talk round, talk into (sth.)* ◆ **1.1** de agent kon hem ~ de aanklacht in te trekken *the policeman prevailed on him to/persuaded him to withdraw his charge* **3.1** ik kon hem ~ om dadelijk te komen *I was able to argue/talk him into coming/persuade him to come at once;* zich laten ~ *(let o.s.) be persuaded;* iem. weten te ~ *manage to persuade s.o.* **6.1** zij was niet **te** ~ *she was not to be persuaded, nothing could persuade her (to)* ¶.1 iem. ~ mee te doen *persuade s.o. to take/talk s.o. into taking part.*

overredend ⟨bn.⟩ **0.1** *persuasive* ⇒*convincing.*

overreding ⟨de (v.)⟩ **0.1** *persuasion.*

overredingskracht ⟨de⟩ **0.1** *power(s) of persuasion* ⇒*persuasive power(s)/qualities, persuasiveness* ◆ **2.1** een verkoper met grote ~ *a high-pressure salesman.*

overredingskunst ⟨de (v.)⟩ **0.1** *act of persuasion* ⇒*persuasiveness, rhetoric, salesmanship.*

overreedbaar ⟨bn.⟩ **0.1** *persuadable* ⇒*persuasible.*

overreiken ⟨ov.ww.⟩ **0.1** *pass, hand over.*

over'rijden ⟨ov.ww.⟩ **0.1** *run over* ⇒*knock down* ◆ ¶.1 hij is door de bus overreden *he was run over/knocked down by the bus.*

'overrijden
I ⟨onov.ww.⟩ **0.1** [over iets heen rijden] *drive/* ⟨op fiets/paard⟩ *ride over* ◆ **1.1** de brug ~ *drive/ride over the bridge;*
II ⟨onov.ww.⟩ **0.1** [nog eens afleggen] *re-run* ◆ **1.1** de 500 meter ~ *r.-r. the 500 metres;*
III ⟨ov.ww.⟩ **0.1** [naar elders vervoeren] ⟨naar elders⟩ *transport;* ⟨naar de overkant⟩ *drive over/across* ◆ **1.1** hij had de vracht het hele terrein overgereden *he had driven the load right across the ground.*

overrijp ⟨bn.⟩ **0.1** *overripe.*

overrompelen ⟨ov.ww.⟩ **0.1** [overvallen] *(take by) surprise* ⇒*catch napping* **0.2** ⟨fig.⟩ verrassen] *(take by) surprise* ⇒*take/catch off guard/unawares, catch napping* ◆ **1.2** met dat voorstel overrompelt hij de vergadering *he sprung that proposal on the meeting, he took the meeting by surprise/took/caught the meeting unawares with that proposal* **3.2** hij laat zich niet vlug ~ *he's not one to be rushed into things* **4.2** iem. thuis ~ *drop in on s.o. unannounced* **5.2** hij was volkomen overrompeld *he was taken completely by surprise/taken/caught completely off guard/unawares.*

overrompeling ⟨de (v.)⟩ **0.1** *surprise* ⇒ ⟨overval⟩ *surprise attack* ◆ **6.1** bij ~ *by surprise.*

overrulen ⟨ov.ww.⟩ **0.1** [⟨sport⟩] *outplay* ⇒*overwhelm* **0.2** [mbt. macht] *overrule* ◆ **1.1** het team werd volledig overruled *the team was completely outplayed/outclassed* **1.2** de minister overrulede de kamer *the minister overruled the house.*

overschaduwen ⟨ov.ww.⟩ **0.1** [met schaduw bedekken] *shade* ⇒*over-*

shadow **0.2** [⟨fig.⟩ overtreffen] *overshadow* ⇒*put in the shade, outshine*, ↑*eclipse* **0.3** [⟨bijb.⟩ beschermen] *overshadow* ◆ **1.1** het overschaduwde terras *the shaded terrace* **1.3** de macht der Allerhoogsten zal u ~ *the power of the Highest shall o. thee* **4.2** iem. ~ *overshadow/ outshine s.o., put s.o. in the shade, eclipse s.o..*

overschakelen ⟨onov.ww.⟩ **0.1** [een andere verbinding bewerkstelligen] *switch over* **0.2** [in een andere versnelling brengen] *change (up/down)* **0.3** [⟨fig.⟩ overstappen] *switch/change/go over* ⇒*convert* ◆ **6.1** ~ **naar** het concertgebouw in Antwerpen *go over to the Concert Hall in Antwerp;* ~ **van** BBC 1 naar BBC 2 *switch over from BBC 1 to BBC 2* **6.2** naar de tweede versnelling ~ *change into second (gear)* **6.3** ~ **op** olie *switch over/change over/go over/convert to oil;* **op** de vijfdaagse werkweek ~ *go on/over a five-day week.*

overschakeling ⟨de (v.)⟩ **0.1** *switchover* ⇒*changeover.*

overschatten ⟨ov.ww.⟩ **0.1** *overestimate* ⇒*overrate* ◆ **1.1** een overschatte auteur *an overrated author;* van niet te ~ belang *of incalculable/ inestimable importance, the importance of which cannot be overestimated/overrated;* men moet de betekenis daarvan niet ~ *one should not overrate its significance;* zijn krachten ~ *overestimate one's abilities, bite off more than one can chew* **4.1** ik heb u overschat *I overestimated/overrated you, I expected more of you;* zich(zelf) ~ *overestimate/overrate o.s.* **5.1** zijn invloed is enorm overschat *his influence has been greatly/enormously overrated.*

overschatting ⟨de (v.)⟩ **0.1** *overestimation* ⇒*overvaluation* ⟨door taxateur⟩, *overrating* ⟨van belang of invloed⟩.

overschenken ⟨ov.ww.⟩ **0.1** *transfer* ⇒ ↑*decant.*

overschepen ⟨ov.ww.⟩ **0.1** *trans(s)hip* ⇒*transfer.*

overscheppen ⟨ov.ww.⟩ **0.1** *ladle* ⇒*scoop.*

over'schieten ⟨ov.ww.⟩ **0.1** *(re)cover* ⇒*put a cover on.*

'overschieten
I ⟨onov.ww.⟩ **0.1** [over zijn] *be left (over)* ⇒*be over*, ↑*remain* **0.2** [snel over iets heen gaan] *dash over/across* ◆ **1.1** overgeschoten brokken *left-over scraps,* ⟨inf.⟩ *left-overs* **1.2** ⟨scheep.⟩ de ballast schiet over *the ballast shifts;* het kind was plotseling de weg overgeschoten *the child had suddenly dashed (out) across the road* **6.1** wat schiet er **voor** mij over? *what do I get out of it?* ¶.**1** zij is overgeschoten *she's on the shelf;* er schoot mij niets anders over dan ... *there was nothing left to me but ... / nothing left for me to do but ...;*
II ⟨onov.ww.⟩ **0.1** [over iets heen schieten] *shoot over* **0.2** [schietpoging overdoen] *shoot again* ◆ **1.1** de middenvoor schoot (de bal) hoog over *the centre-forward shot (the ball) way over.*

over'schilderen ⟨ov.ww.⟩ **0.1** *paint over* ⇒*overpaint,* ⟨inscriptie enz.⟩ *paint out.*

'overschilderen ⟨ov.ww.⟩ **0.1** *repaint.*

overschoen ⟨de (m.)⟩ **0.1** *overshoe* ⇒*galosh.*

overscholing ⟨de (v.)⟩ **0.1** *overtraining* ⇒*overeducation.*

overschort ⟨het⟩ **0.1** *(over-)apron;* ⟨vero.⟩ *pinafore.*

overschot ⟨het⟩ **0.1** [rest] *remainder;* ⟨niet meer te gebruiken rest⟩ *remains, residue;* ⟨kleine rest⟩ *remnant(s);* ⟨geld ook⟩ *balance* **0.2** [wat te veel is] *surplus* ◆ **1.1** het ~ van de maaltijd *the remains of the meal* **2.1** het stoffelijk ~ *the (mortal) remains, the body* **6.2** een overschot **aan** geld *a s. of money.*

overschreeuwen ⟨ov.ww.⟩ **0.1** [door geschreeuw overstemmen] *shout down* ⇒*drown* **0.2** [zo schreeuwen dat men gehoord wordt] *shout through* ◆ **1.1** ⟨fig.⟩ hij probeerde zijn angst te ~ *he tried to drown his fear* **1.2** een zaal ~ *make oneself heard (above the noise) in a hall* **4.1** zich ~ *overstrain one's voice.*

overschrijden ⟨ov.ww.⟩ **0.1** [over (iets) heen gaan] *step over/across* ⇒*cross* **0.2** [te boven gaan] *exceed* ⇒*go beyond, overstep,* ⟨schr.⟩ *transgress* ◆ **1.1** de drempel ~ *cross the threshold* **1.2** de begroting ~ *e. the budget;* zijn bevoegdheden ~ *e. one's authority;* dit overschrijdt alle grenzen *this exceeds all bounds/goes beyond all limits;* de maximumsnelheid ~ *e. the speed limit;* de maximumsnelheid niet ~ *keep within the speed limit.*

overschrijding ⟨de (v.)⟩ **0.1** [het stappen over iets] *crossing* ⟨v.e. drempel⟩ **0.2** [⟨fig.⟩] *exceeding* ⇒⟨van perken/bevoegdheid ook⟩ *overstepping,* ⟨van begroting ook⟩ *overrunning.*

'overschrijven
I ⟨onov., ov.ww.⟩ **0.1** [(een tekst) overnemen] *copy,* ⟨pej.;inf.⟩ *crib;*
II ⟨ov.ww.⟩ **0.1** [naar een andere post overbrengen] *transfer* ⇒*make over,* ⟨schr.⟩ *remit* **0.2** [op andermans naam zetten] *put in (s.o.'s) name* **0.3** [nog eens schrijven] *copy (out)* ⇒*write (out) again,* ⟨vnl. mbt. stenografie/verschillend alfabet enz.⟩ *transcribe* ◆ **1.1** een bedrag ~ *transfer an amount* **6.2** op zijn partner ~ *put the business in one's partner's name* **6.3** iets in 't net ~ *copy sth. out neatly, make a fair copy of sth..*

over'schrijven ⟨ov.ww.⟩ ⟨comp.⟩ **0.1** *overwrite.*

overschrijving ⟨de (v.)⟩ **0.1** [het overboeken] *transfer;* ⟨schr.⟩ *remittance* **0.2** [het op een andere naam zetten] *putting in s.o. (else)'s name;* ⟨sport⟩ *transfer* **0.3** [bedrag] *remittance* ◆ **6.2** ⟨sport⟩ ~ aanvragen **naar** een andere vereniging *ask for a transfer (to another team).*

overseinen ⟨ov.ww.⟩ **0.1** *transmit* ⇒*signal across/over/through,* ⟨per telegraaf⟩ *telegraph, cable.*

oversekst ⟨bn.⟩ **0.1** *oversexed* ⇒*randy,* ⟨geil;sl.⟩ *horny (as hell)* ◆ **3.1** hij is ~ *he is o. / randy; he is horny (as hell).*

overslaan
I ⟨onov.ww.⟩ **0.1** [op een ander voorwerp overgaan] *jump (over); be infectious/* ⟨inf.⟩ *catching* ⟨ziekte⟩ **0.2** [plotseling overgaan in een andere toestand] *swing over/round/*^*around* **0.3** [mbt. de stem] *break* ⇒ *crack* **0.4** [doorslaan, ⟨ook fig.⟩] ⟨ook fig.⟩ *dip* ⇒*tip (over)* **0.5** [omvallen] *fall over* ⇒*turn over* **0.6** [over iets heen vallen] *fall/drop (down) over* ◆ **1.1** roodvonk slaat over *scarlet fever is infectious/ catching* **1.3** met ~ de stem *a catch in one's voice;* zijn stem sloeg over *his voice broke* **1.5** de golven slaan over *the waves break* **1.6** een ~ de kraag *a turned-down collar* **3.4** de balans naar de andere kant doen ~ *tip the scales/balance* **6.1** de vlammen sloegen over **op** de hooiberg *the flames spread to the haystack* **6.2** hij sloeg over **van** het ene uiterste **naar** het andere *he swung (round/*^*around)/rushed from one extreme to the other;*
II ⟨ov.ww.⟩ **0.1** [vergeten, verzuimen] *miss (out)* ⇒*skip, leave out,* ↑*omit* **0.2** [over iets heen nemen] *turn/fold down/over* **0.3** [overladen] *transfer* ⇒*trans(s)hip* **0.4** [v.e. opdruk voorzien] *overstrike* ⟨munten⟩ ◆ **1.1** één beurt ~ *miss one turn;* een bladzijde ~ *skip a page;* geen voorstelling ~ *never miss a performance;* je hebt een woord overgeslagen *you've missed a word (out)/missed out a word/ left out a word* **1.2** de kraag ~ *turn/fold down the collar* **6.1** hij werd overgeslagen **bij** het voorstellen *he was missed out/passed over during the introductions.*

overslag ⟨de (m.)⟩ **0.1** [wat over iets anders heen zit] *flap* ⟨enveloppe, boekomslag⟩; *overlap* ⟨pannen, jas, hemd⟩; *turnover* ⟨rand, omslag⟩ **0.2** [berekening] *estimate* **0.3** [mbt. goederen] *transfer* ⇒*trans(s)hipment* **0.4** [het omslaan] *flip-over* **0.5** ⟨⟨bridge⟩⟩ *overtrick* ◆ **1.1** bij mannen zit de ~ aan de linkerkant *men's clothes button/do up on the right* **1.3** de ~ van graan *the trans(s)hipment of grain* **6.2** bij ~ *as an e.;* een ~ **van** de kosten *an e. of the costs* **6.3** in ~ werken *trans(s)hip (from one vessel to another).*

overslagbedrijf ⟨het⟩ **0.1** *tran(s)shipment company* ⇒*terminal.*

overslaghaven ⟨de⟩ **0.1** *port of tran(s)shipment* ⇒*container port.*

overslagrok ⟨de (m.)⟩ **0.1** *wrap(a)round skirt.*

overspannen¹ ⟨bn.⟩ **0.1** [te sterk gespannen] *overstrained* ⇒*overtense(d),* ⟨bouwk.⟩ *overtensioned* **0.2** [overwerkt] *overstrained* ⇒ *overwrought, overanxious* ◆ **1.1** ~ denkbeelden *wild/far-fetched ideas;* ~ verwachtingen koesteren *have unrealistic expectations;* ~ zenuwen hebben *have overstrained nerves* **3.2** hij is erg ~ *he's suffering from severe (over)strain, he's under great strain.*

overspannen² ⟨ov.ww.⟩ **0.1** [overwelven] *span* **0.2** [te sterk spannen] ⟨ook fig.⟩] *overstrain* ⟨ook fig.⟩ ⇒*bend* ⟨boog, enz.⟩ ◆ **1.1** de brug overspant een brede rivier *the bridge spans a wide river* **1.2** een boog ~ *overbend a bow* **4.2** zich ~ *overstrain o.s., drive o.s. too far.*

overspanning ⟨de (v.)⟩ **0.1** [het overspannen] *spanning* **0.2** [afstand tussen twee steunpunten] *span* **0.3** [kap] *span* **0.4** [het al te sterk spannen] *overstraining* **0.5** [het overmatig inspannen] *overreaching* ⇒ *overstretching (o.s.)* **0.6** [ziekelijke toestand] *(over)strain* ⇒*nervous exhaustion* **1.7** [mbt. de arbeidsmarkt] *tightness* ⇒*tight labour market, labour shortage.*

oversparen ⟨ov.ww.⟩ **0.1** *save up* ⇒*put by/aside, lay up.*

overspatten ⟨onov.ww.⟩ **0.1** *splash over.*

overspecialisatie ⟨de (v.)⟩ **0.1** *overspecialization.*

overspel ⟨het⟩ **0.1** *adultery* ◆ **3.1** iem. op ~ betrappen *catch s.o. in (the act of) a.;* ~ plegen (met) *commit a. (with)* **6.1** uit ~ geboren *born out of a..*

over'spelen ⟨ov.ww.⟩ **0.1** [⟨dram.,sport⟩ ver overtreffen in het spel] *outplay* **0.2** [⟨muz.⟩ door zijn spel onhoorbaar maken] *drown* ⟨ook⟩ **0.3** [overbieden] *overplay* ⇒*overbid* ◆ **1.3** zijn hand (kaarten)/kaart ~ *overplay one's hand.*

'overspelen ⟨onov., ov.ww.⟩ **0.1** [opnieuw spelen] *replay* **0.2** [⟨sport⟩] *play on (to)* ◆ **1.1** de wedstrijd moest overgespeeld worden *the match had to be replayed, a replay was necessary.*

overspelig
I ⟨bn.⟩ **0.1** [schuldig aan overspel] *adulterous* ⇒*unfaithful* **0.2** [mbt. overspel] *adulterous* **0.3** [uit overspel geboren] *born out of adultery* ◆ **1.1** ~e man/vrouw *adulterer, adulteress* **1.2** ~e gedachten zijn ook zondig *even a. thoughts are sinful;*
II ⟨bw.⟩ **0.1** [in overspel] *adulterously.*

overspoelen ⟨ov.ww.⟩ **0.1** *wash over* ⇒*flood (across), swamp,* ↑*deluge,* ↑*inundate* ⟨ook fig.⟩, ⟨fig.⟩ *overrun* ◆ **1.1** ⟨fig.⟩ vijanden overspoelden het land *enemies overran the country;* ⟨fig.⟩ de markt wordt overspoeld door buitenlandse produkten *the market is flooded with foreign products;* golven overspoelden het strand *waves washed over the beach* **3.1** ⟨fig.⟩ overspoeld worden door uitnodigingen *be swamped/ deluged/flooded with invitations.*

overspringen
I ⟨onov.ww.⟩ **0.1** [over iets heen springen] *jump over* ⇒*leap over* **0.2** [van het een op het andere springen] *jump over* ⇒*leap over* **0.3** [mbt. gevels] *jut out* ⇒*project,* ⌊*stick out* ◆ **1.2** ⟨fig.⟩ hij sprong op een ander onderwerp over *he leapt onto another subject;* ~ de vonken *short circuiting;*

II ⟨ov.ww.⟩ **0.1** [overslaan] *miss* ⇒*pass over, leave out* ◆ **1.1** een klas ~ *m. a class;* dit boek springt opeens tien pagina's over *there are suddenly ten pages missing in this book;*
III ⟨onov., ov.ww.⟩ **0.1** [⟨sport⟩] *re-jump* ⇒*jump again.*

over'spuiten ⟨ov.ww.⟩ **0.1** *spray.*

'overspuiten ⟨ov.ww.⟩ **0.1** *respray.*

overstaan¹ ⟨het⟩ ◆ **6.¶** ten ~ van een notaris *in the presence of/before a lawyer.*

overstaan² ⟨onov.ww.⟩ **0.1** *be left over.*

overstaand ⟨bn.⟩ ⟨wisk.⟩ ◆ **1.¶** een ~e hoek *an opposite angle;* ~e hoeken *opposite angles;* ~e zijde *opposite side.*

overstag ⟨bw.⟩ ⟨scheep.⟩ ◆ **3.¶** ~ gaan *tack;* ⟨fig.⟩ *change one's tack;* ⟨fig.⟩ ~ gaan voor *go overboard for/about;* ⟨scheep.⟩ weigeren ~ te gaan *refuse to change tack;* ⟨fig.⟩ iem. ~ helpen *trip s.o. (up/over);* ⟨fig.⟩ iem. ~ werpen *talk s.o. round.*

overstap ⟨de (m.)⟩ **0.1** [het stappen van het een op/in het andere] *change* ⇒*transfer* **0.2** [⟨fig.⟩ overgang naar nieuwe baan] *changeover* ⇒*switchover* **0.3** [het over iets heen stappen] *stepping over* **0.4** [⟨fig.⟩ emigratie] *crossing* ⇒⟨lange afstand⟩ *passage,* ⟨naar nieuw leven⟩ *change, step* **0.5** [verhoging] *stile* ◆ **1.1** met recht van ~ binnen één uur na afstempeling *change of bus* ⟨enz.⟩ */ transfer allowed up to 1 hour after ticket is stamped* **2.2** dat was een hele ~ *that was quite a step* **3.2** de ~ wagen *risk the change* **6.2** de ~ naar het bedrijfsleven maken *make the change-over/switch-over to industry.*

overstapje ⟨het⟩ **0.1** [overstapkaartje] *ticket that allows change of bus* ⟨enz.⟩ */ transfer* **0.2** [⟨sport⟩] *feint.*

overstapkaartje ⟨het⟩ →**overstapje 0.1.**

overstappen ⟨onov.ww.⟩ **0.1** [over iets heen stappen] *step over* ⇒*step across, cross* **0.2** [mbt. een reisgelegenheid] *change* ⇒*transfer* **0.3** [van het een op/in het andere stappen, ⟨ook fig.⟩] *change over* ⇒*switch/move over* ◆ **1.1** de drempel ~ *cross the threshold* **5.2** reizigers voor Amsterdam hier ~ *c. here for Amsterdam* **6.2** ~ in de trein naar Groningen *c. to the Groningen train;* na drie keer ~ waren we er we got there after three changes; ~ op een boot/bus 18 *c. to a boat/to the number 18 bus;* van de trein op de metro ~ *c./transfer from the train to the underground/*Btube/Asubway; zonder ~ *direct, without change* **6.3** ⟨fig.⟩ de spreker stapte over naar het volgende onderwerp *the speaker moved on to the next topic;* ⟨fig.⟩ de accountant stapte over naar het bedrijfleven *the accountant switched/moved (over) to industry.*

overstapstation ⟨het⟩ **0.1** *interchange (station)* ⇒*transfer.*

overste ⟨de (m.)⟩ **0.1** [⟨mil.⟩] *lieutenant-colonel* **0.2** [hoofd v.e. geestelijke vereniging] *(father/mother) superior* ⇒*prior* ⟨m.⟩, *prioress* ⟨v.⟩ **0.3** [⟨bijb.⟩ hoofd] *ruler.*

oversteek ⟨de (m.)⟩ **0.1** [het varen/vliegen naar een andere plaats aan de overkant] *crossing* **0.2** [deel van een bouwwerk] *overhang* ⇒*projection,* ⟨dak ook⟩ *eaves* ⟨mv.⟩ **0.3** [⟨AZN⟩ pont] *ferry* ◆ **2.1** de grote ~ maken ≠*cross the ocean(s)* **6.1** de ~ van New York naar Kaapstad *the c. from New York to Cape Town.*

oversteekplaats ⟨de⟩ **0.1** *crossing(-place)* ⇒[voor voetgangers ook] *pedestrian/* ⟨BE ook⟩ *zebra crossing* ◆ **1.1** ~ van wild *crossing-place for game.*

oversteeksel ⟨het⟩ **0.1** *overhang* ⇒*projection.*

overstek ⟨het⟩ **0.1** [uitbouwsel] *overhang* ⇒*projection,* ⟨dak ook⟩ *eaves* ⟨mv.⟩ **0.2** [naar voren springend gedeelte van lijstwerk/treden] *projection.*

oversteken
I ⟨onov.ww.⟩ **0.1** [een weg/een water overgaan] *cross (over)* ⇒*go/come across/over* **0.2** [ruilen] *exchange* ⇒↓*swap* **0.3** [over iets uitsteken] *project* ⇒*overhang* ◆ **1.1** de straat ~ *cross the street* **3.1** iem. helpen ~ *help s.o. across/see s.o. across (the street)* **5.1** snel/haastig ~ *hurry/rush/dash/dart across/over* **5.2** [⟨fig.⟩ een equal exchange] **6.1** hij is in Calais overgestoken *he crossed at/from Calais;* (het Kanaal) ~ naar Engeland *cross (the Channel) to Britain;* per vlot ~ *cross over by raft;*
II ⟨ov.ww.⟩ **0.1** [mbt. wijn] *transfer (to another cask).*

overstelpen ⟨ov.ww.⟩ **0.1** [in grote hoeveelheid komen over] *shower* ⇒*swamp, deluge, snow under, heap, inundate* **0.2** [overvallen en overmannen] *overcome* ⇒*overwhelm* ◆ **6.2** overstelpt door zoveel geluk *overwhelmed/overcome with happiness* **6.1** hij werd overstelpt met vragen/aanvragen/opdrachten *he was swamped/deluged/snowed under/inundated with questions/applications/orders;* hij werd overstelpt met verwijten *accusations were heaped on him;* de winnaar werd overstelpt met geschenken/uitnodigingen *the winner was showered with gifts/invitations;* overstelpt met werk *snowed under by/up to one's neck in work, worked off one's feet;* iem. ~ met overdreven vriendelijkheid *kill s.o. with kindness;* ~ met kennis/feiten *blind with science;* iem. ~ met kussen *smother s.o. with kisses.*

overstelpend ⟨bn.⟩ *overwhelming* ◆ **1.1** een ~e drukte *an o. crowd;* een ~e stroom van nieuwigheidjes *a deluge of new fads.*

over'stemmen ⟨ov.ww.⟩ **0.1** [meer geluid maken] *drown (out)* ⇒[overschreeuwen] *shout down* **0.2** [door meerderheid van stemmen verslaan] *outvote* **0.3** [de overhand nemen] *overcome* ◆ **1.1** hij kon het

lawaai niet ~ *he couldn't make himself heard through the noise;* een spreker ~ *shout a speaker down;* het orkest overstemde de zanger *the orchestra drowned (out) the singer* **6.1** iem. met gehoest ~ *drown s.o. out by coughing.*

'overstemmen ⟨onov.ww.⟩ **0.1** *vote again* ◆ **3.1** er moest overgestemd worden *we/they* ⟨enz.⟩ *had to vote again, a second vote/ballot had to be held.*

oversterfte ⟨de (v.)⟩ **0.1** *excess mortality.*

overstijgen ⟨ov.ww.⟩ ⟨fig.⟩ **0.1** *go beyond* ⇒*exceed, be more than, (sur)pass, transcend* ◆ **1.1** dat oversteeg mijn bevattingsvermogen *that was more than I could grasp, that passed my understanding;* dat overstijgt mijn krachten/middelen *that's beyond my strength/means, that's more than I can manage/afford.*

over'storten ⟨ov.ww.⟩ **0.1** *cover (with)* ⇒*tip sth. on to.*

'overstorten
I ⟨onov.ww.⟩ **0.1** [overlopen] *run over* ⇒*overflow;*
II ⟨ov.ww.⟩ **0.1** [vloeistof naar ander vat] *pour over* ⇒*transfer* **0.2** [gireren] *transfer.*

overstralen ⟨ov.ww.⟩ **0.1** [meer glans/straling geven dan de ander] *outshine* **0.2** [⟨fig.⟩] *outshine* **0.3** [geheel bestralen] *shine over* ◆ **1.2** zijn roem overstraalde die van zijn collega verre *his fame far outshone that of his colleague.*

over'stromen ⟨ov.ww.⟩ **0.1** [onder water zetten] *flood* ⇒*inundate, submerge* ⟨zandbank, enz.⟩ **0.2** [⟨fig.⟩] *flood* ⇒*swamp, shower, deluge, inundate* ◆ **1.2** de markt ~ met *f. the market with;* de supporters overstroomden het veld *the fans streamed on to the pitch* **3.1** overstroomd zijn *be flooded, be under water* **6.2** met eerbewijzen overstroomd worden *be showered/heaped with honours.*

'overstromen ⟨onov.ww.⟩ **0.1** [over iets heen stromen] *flow over* ⇒*run over, flood* **0.2** [overlopen] *overflow* ⇒*run/flow over* **0.3** [(+van) vol zijn van] *overflow* ⇒*brim, run/flow over* **0.4** [naar een andere plaats stromen] *flow across* ⇒*run across/over* ◆ **1.1** het water stroomde de dijk over *the water flooded over the dike* **1.2** de emmer stroomde over *the bucket overflowed* **6.3** de markt stroomt over van de nieuwsgierigen *the market is overcrowded with onlookers;* hij stroomt over van ideeën *he's brimming with ideas, he's brimful(l) of ideas* **6.4** het water v.h. riviertje stroomt over in het bassin *the water from the stream flows/runs across to the pool.*

overstroming ⟨de (v.)⟩ **0.1** [geval van overstromen] *flood* **0.2** [het overstromen] *flood(ing)* **0.3** [⟨fig.⟩ het zich massaal verspreiden over iets] *flooding* ⇒*inundation* **0.4** [⟨fig.⟩ geval van massale verspreiding] *flood* ⇒*spate, outpouring* ◆ **1.3** de ~ v.e. continent *the inundation of a continent* **2.4** een ware ~ van Japanse toeristen *a veritable f. of Japanese tourists.*

overstromingsgevaar ⟨het⟩ **0.1** *danger of flooding.*

overstromingsramp ⟨de⟩ **0.1** *flood disaster.*

oversturen ⟨ov.ww.⟩ **0.1** *send* ⇒*dispatch, forward, remit* ⟨geld⟩, *transmit* ⟨boodschap⟩.

overstuur¹ ⟨het⟩ **0.1** *oversteering.*

overstuur² ⟨bn., bw.⟩ **0.1** [in de war] *upset* ⇒⟨persoon ook⟩ *shaken(-up),* in a state, ⟨zaak ook⟩ *out of order,* in a mess **0.2** [⟨scheep.⟩ achteruit] *astern* ◆ **3.1** mijn maag is/mijn darmen zijn ~ *my stomach is/my bowels are u.;* ⟨maag ook⟩ *I've got a stomach u./ an u. stomach;* de zaak raakt ~ *the business is getting into a mess;* ze was er ~ van *it upset her/shook her (up), she was u./ shaken by it/in a state about it;* ~ zijn/raken *be/get u., be shaken(-up), be in/get in(to) a state* **3.2** ~ drijven/varen *drift/sail a.;* ~ liggen *lie off course* **5.1** helemaal ~ *completely shaken.*

overstuurd ⟨bn.⟩ ◆ **3.¶** die auto is ~ *that car oversteers.*

overtappen ⟨ov.ww.⟩ **0.1** *rack* ⟨bier, wijn⟩.

over'tekenen ⟨ov.ww.⟩ **0.1** *over-subscribe* ◆ **1.1** de lening is ver overtekend *the loan is well over-subscribed.*

'overtekenen ⟨ov.ww.⟩ **0.1** [opnieuw tekenen] *re-draw* ⇒*draw again* **0.2** [natekenen] *copy* **0.3** [over iets heen tekenen] *trace* ⇒*draw over.*

overtellen ⟨ov.ww.⟩ **0.1** [opnieuw tellen] *re-count* ⇒*count again* **0.2** [boven het vereiste tellen] ⟨zie 1.2⟩ ◆ **1.2** je hebt je verteld, ik tel een paar gulden over *you must have miscounted, I make it a few guilders more* **¶.1** na een paar keer ~ *after several re-counts.*

overtijdsbehandeling ⟨de (v.)⟩ **0.1** *(suction) curettage.*

overtijgen ⟨onov.ww.⟩ ⟨schr.⟩ **0.1** *traverse* ◆ **1.1** zij togen de Alpen over *they traversed the Alps.*

overtikken ⟨ov.ww.⟩ **0.1** [uittypen] *type (out)* **0.2** [opnieuw tikken] *re-type* ⇒*type again.*

overtillen ⟨wk.ww.; zich ~⟩ **0.1** *lift too much.*

overtimmeren ⟨ov.ww.⟩ **0.1** *roof/cover over.*

overtip ⟨de (m.)⟩ **0.1** *lavish/handsome/princely tip.*

overtocht ⟨de (m.)⟩ **0.1** [het trekken over iets heen] *crossing* **0.2** [reis over zee] *crossing* ⇒⟨lange afstand⟩ *voyage, passage* **0.3** [de prijs, kosten] *crossing* ⇒*voyage, passage* ◆ **3.3** de ~ alleen al kost kapitalen *the c. alone costs a fortune;* zijn ~ verdienen met werken, werken voor de ~ *work one's passage* **6.1** de ~ over de Alpen *the c. of the Alps* **6.2** de ~ naar Amerika *the c./ voyage to America.*

overtollig

I ⟨bn., bw.⟩ **0.1** [meer dan nodig is] *surplus* ⇒*excess, superfluous* **0.2** [overbodig] *superfluous* ⇒*wasted,* ⟨in BE vaak mbt. personeel⟩ *redundant* ◆ **1.1** ~e goederen *s. goods;* ~ personeel aanhouden *keep on superfluous personnel;* ~ vet *excess fat;* het ~e water *the excess water* **1.2** ~e moeite/woorden *wasted effort/words;*
II ⟨bw.⟩ **0.1** [bovenmatig] *excessively* ⇒*to excess* ◆ **3.1** ~ eten en drinken *eat and drink to excess.*

overtolligheid ⟨de (v.)⟩ **0.1** [het overbodig zijn] *superfluousness; redundancy* ⟨in BE vaak mbt. personeel⟩ **0.2** [wat te veel is] *surplus* ⇒*excess,* ↑*superfluity.*

overtoom ⟨de (m.)⟩ **0.1** *portage* ⇒*carry.*

overtraind ⟨bn.⟩ **0.1** *overtrained.*

overtreden ⟨ov.ww.⟩ **0.1** *break* ⇒*violate, infringe, contravene,* ↑*transgress* ◆ **1.1** hij heeft mijn gebod ~ *he has ignored/gone against my orders;* het reglement/de spelregels ~ *break/violate/contravene the regulations/the rules of the game;* hij heeft de wet ~ *he has broken the law.*

overtreder ⟨de (m.)⟩ **0.1** *offender* ⇒*wrongdoer, infringer, contravener,* ↑*transgressor.*

overtreding ⟨de (v.)⟩ **0.1** [het overtreden v.e. gebod] *breach (of the rules* ⟨enz.⟩*)* ⇒*violation, infringement, contravention,* ↑*transgression* **0.2** [misstap] *error* **0.3** ⟨jur.⟩ *offence* ^*se* ⇒*misdemeanour* ◆ **1.1** ~ v.d. spelregels/de wet *breaking the rules of the game/the law* **2.2** een zware/grove ~ *a serious/gross e.* **2.3** een strafbare/lichte ~ *a penal/minor o.* **3.2** een ~ begaan tegenover een tegenspeler *foul an opponent* **3.3** een ~ maken/begaan *commit an o.* **6.1** in ~ zijn *be in breach of the law, commit an offence;* niet in ~ zijn *be within the law* **6.3** zich schuldig maken aan een ~ *van* de warenwet *be guilty of an o. against/of breaking the Commodities Law.*

overtreffen ⟨ov.ww.⟩ **0.1** *exceed* ⇒*surpass, excel, outstrip* ◆ **1.1** een eerdere prestatie ~ *improve on an earlier performance;* elke verwachting/raming ~ *exceed/surpass all expectations/estimates* **4.1** allen/alles ~ *stand supreme;* alles ~ *de superlative, supreme;* hij heeft zichzelf overtroffen *he has excelled himself* **5.1** een niet te ~ kwaliteit *unbeatable quality* **6.1** de tegenstander ~ in vaardigheid/kracht *outstrip one's opponent in skill/strength;* iem. in schoonheid ~ *surpass s.o. in beauty;* ze proberen elkaar in alles te ~ *they try to outdo each other in everything/beat each other at everything;* in aantal ~ *outnumber;* in grootte/kwaliteit ~ *exceed/surpass in size/quality* **¶.1** dat is niet meer te ~ *that cannot be surpassed.*

overtreffend ⟨bn.⟩ ◆ **1.¶** ⟨taal.⟩ ~e trap *superlative.*

overtrek ⟨het, de (m.)⟩ **0.1** *cover* ⇒*case.*

over'trekken
I ⟨onov.ww.⟩ **0.1** [⟨AZN⟩ betrekken] *cloud over;*
II ⟨ov.ww.⟩ **0.1** [bekleden] *cover* ⇒ ⟨meubelen ook⟩ *upholster* **0.2** [overdrijven] *exaggerate* ⇒*blow up (out of proportion)* **0.3** [mbt. een vliegtuig] *stall* **0.4** [overdisponeren] *overdraw* ◆ **1.4** een overtrokken rekening *an overdrawn account* **3.3** (in een) overtrokken (vlucht) raken *stall* **5.1** opnieuw ~ *recover, re-upholster* **5.2** die hele zaak is flink overtrokken *the whole business has been greatly exaggerated/blown up out of all proportion* **6.1** een stoel ~ met leer *cover/upholster a chair with leather;* met leer overtrokken *leather-upholstered.*

'overtrekken
I ⟨onov.ww.⟩ **0.1** [over iets heen gaan] *go across* ⇒*cross, pass (over)* **0.2** [voorbijdrijven] *pass (over)* ◆ **1.2** de bui trekt over *the storm is passing (over);* ~ de wolkenvelden *passing clouds;*
II ⟨ov.ww.⟩ **0.1** [overtekenen] *trace* ◆ **1.1** een tekening ~ *t. a drawing* **6.1** met inkt ~ *t. in ink.*

overtrekpapier ⟨het⟩ **0.1** *tracing-paper.*

over'troeven ⟨ov.ww.⟩ **0.1** [zich de meerdere tonen] *outdo* ⇒*go one better than, score off* **0.2** [⟨kaartspel⟩] *overtrump.*

'overtroeven ⟨onov.ww.⟩ ⟨kaartspel⟩ **0.1** *overtrump.*

overtrouwen
I ⟨onov.ww.⟩ **0.1** [opnieuw trouwen] *re-marry* ⇒*marry again;*
II ⟨ov.ww.⟩ **0.1** [nog eens in de echt verbinden] *re-marry* ⇒*marry again.*

overtuigd
I ⟨bn., bw.; -ly⟩ **0.1** [uit/met vaste overtuiging] *confirmed* ⇒*convinced* ◆ **1.1** een ~ socialist/aanhanger van het socialisme *a confirmed socialist/believer in socialism* **3.1** ~ kiezen voor *choose with conviction/plump for;*
II ⟨bn.⟩ **0.1** [vast van mening dat iets zo is] *convinced* ◆ **5.1** wees ervan ~, dat ... *you can be sure/you can take it from me that ...;* hij was ervan ~ te zullen slagen *he was confident/sure of success/he would succeed* **6.1** hij is ~ van zijn gelijk *he is c. he is (in the) right;* ik ben er (vast/heilig) *van* ~ dat *I'm (absolutely) c. that ...;* hij raakte er steeds meer *van* ~ dat ... *he grew more and more c. that ...;* vast ~ blijven *van* geloof/iets/dat ... *hold firm(ly) to one's belief/sth./the idea that ....*

overtuigen
I ⟨onov., ov.ww.⟩ **0.1** [laten inzien dat iets waar is] *convince* ⇒*persuade* ◆ **1.1** dat verhaal overtuigde hem *the story convinced him* **3.1** hij laat zich niet gemakkelijk ~ *he's not easy to c.;* zich laten ~ door *let*

o.s. be convinced/persuaded by **5.1** hij is niet te ~ *he can't be convinced* **6.1** iem. *van* iets ~ *c. /persuade s.o. of sth.* **8.1** iem. ~ dat het onzin is/dat je onschuldig bent *convince s.o. that it's nonsense/that you're innocent* **¶.1** hij weet niet te ~ *he's not convincing;*
II ⟨wk.ww.; zich ~⟩ **0.1** [zich vergewissen] *satisfy o.s.* ⇒*persuade o.s.* ◆ **6.1** ik wil mij er met eigen ogen *van* ~ *I want to see it with my own eyes.*

overtuigend ⟨bn., bw.; -ly⟩ **0.1** *convincing;* ⟨argument, reden ook⟩ *cogent;* ⟨argument ook⟩ *persuasive;* ⟨bewijs ook⟩ *conclusive* ◆ **1.1** met ~e argumenten/bewijzen aankomen *produce convincing/cogent/forcible/persuasive/stringent arguments; produce convincing/conclusive evidence;* een ~ debuut *a strong/forceful début* **3.1** ~ spreken *speak convincingly/persuasively/impressively* **5.1** niet ~ *unconvincing;* ⟨argument ook⟩ *weak;* niet erg ~ *lame* ⟨excuus, verhaal⟩*;shaky* ⟨redenering⟩*;* hij komt niet ~ genoeg over *he's not convincing enough;* hij brengt het zeer ~ *he's very convincing.*

overtuiging ⟨de (v.)⟩ **0.1** [vaststaande mening] *conviction* ⇒*belief, persuasion* **0.2** [het laten inzien dat iets waar is] *persuasion* **0.3** [het hebben v.e. vaste mening] *conviction* ⇒*belief* **0.4** [zelfverzekerdheid] *conviction* ◆ **1.¶** stuk *van* ~ *(damning/convicting) piece of evidence, evidence of the crime* **2.1** het is mijn eerlijke/diepe/heilige ~, dat ... *it is my honest/profound/firm c. / belief that ...; godsdienstige* ~ *religious persuasion/beliefs, faith, creed;* zijn politieke ~ *one's politics, one's political convictions/creed/opinions* **3.1** de ~ toegedaan zijn, dat ... *hold the c. that, be convinced that, believe that ...;* als zijn ~ uitspreken *express/state/declare one's c. / belief;* van ~ veranderen ⟨inf. ook⟩ *change one's spots;* zijn ~ verloochenen *compromise one's convictions* **3.2** zijn woorden missen alle ~ *his words lack all c. / are utterly unconvincing* **3.4** hij mist de ~ om ... *he lacks the c. to ...* **6.1** in de ~ dat *convinced/believing that ..., in the c. / belief that ...; naar* ~ in *our firm belief;* **volgens** mijn vaste ~ *in my firm belief* **6.2** hij bleek niet vatbaar **voor** ~ *he proved not to be open to conviction/p., he proved impervious to argument* **6.3** tot de ~ gekomen zijn dat *be convinced that;* **uit** ~ spreken *speak from c.;* **uit** ~ communist zijn *be a convinced communist* **6.4** vol/**met** ~ *with conviction, convincingly;* iets **zonder** ~ doen *do sth. without much c. / half-heartedly* **7.4** er zit geen ~ in zijn spel *he plays/acts without c.* **¶.3** zijn ~ geweld aandoen *do violence to one's convictions/beliefs.*

overtuigingskracht ⟨de⟩ **0.1** *persuasiveness* ⇒*power of persuasion, force* ⟨van woorden⟩*, cogency* ⟨van argument⟩*.*

overtypen ⟨ov.ww.⟩ **0.1** ⟨opnieuw⟩ *retype; type out* ⟨klad⟩*.*

overuur ⟨het⟩ **0.1** [overwerk] ~ *extra hour,* ⟨mv. vnl.⟩ *overtime* ◆ **3.1** overuren maken *do/be on/work overtime;* de overuren (dubbel) uitbetaald krijgen *be paid (double for) overtime.*

overvaart ⟨de⟩ **0.1** [het overvaren] *crossing* ⇒*passage* **0.2** [overtocht] *crossing* ⇒*passage* **0.3** [plaats] *crossing* ⇒*ferry.*

overval ⟨de (m.)⟩ **0.1** [onverhoedse aanval] ⟨alg.⟩ *surprise attack* ⇒ ⟨politie ook⟩ *raid;* ⟨beroving⟩ *hold-up,* ⟨met vuurwapens⟩ *stick-up* **0.2** [van hangslot] *hasp* ◆ **3.1** een ~ plegen *carry out a raid;* een ~ op een bank/trein plegen *rob/raid a bank, hold up a train;* een ~ uitvoeren op een gokhol *carry out a (police) raid on a gamblers' den* **6.1** ⟨fig.⟩ een ~ **op** een bedrijf *a raid on a company.*

overvalcommando ⟨het⟩ **0.1** *police assault squad.*

over'vallen ⟨ov.ww.⟩ **0.1** [onverhoeds aanvallen] *raid* ⇒*make a raid on,* ⟨vooral beroven⟩ *hold up, assault* ⟨persoon⟩*, surprise* ⟨vijand⟩ **0.2** [verrassen] *surprise* ⇒*catch/unawares, take by surprise, overtake* ⟨storm, ongeluk⟩ ◆ **1.1** de guerilla's overvielen het gehucht ⟨ook⟩ *the guerilla's descended (up)on the hamlet;* de vijand overviel ons *the enemy assaulted us/took us by surprise/ambushed us;* een zaak ~ r. / *hold up* ⟨sl.⟩ *do a shop* **1.2** door moedeloosheid ~ *overcome with/by despair;* hij werd door slaap ~ *he was overcome by sleep;* zijn verzoek overviel mij *his request took me by surprise/took me unawares* **3.2** ~ worden *be caught on the hop/off one's guard* **6.2** door het duister/de nacht ~ *overtaken by darkness;* hij werd door twijfel ~ *he was beset/besieged/assailed by doubt(s);* ~ worden *door* noodweer/een onweer / de regen *be caught in a storm/the rain;* zij werd ~ door duizeligheid/angst *she was seized with dizziness/fear, dizziness/fear came over her;* hij overviel haar met een aanzoek *he sprang a proposal on her.*

'overvallen ⟨onov.ww.⟩ **0.1** [over (iets) heen vallen] *fall over (sth.)* ⇒*fall / drop on the other side* **0.2** [mbt. sloten] *drop over* ◆ **1.1** er zijn appels overgevallen *some apples have fallen on the other side (of the fence).*

overvaller ⟨de (m.)⟩**, -ster** ⟨de (v.)⟩ **0.1** *raider* ⇒*attacker.*

overvalwagen ⟨de (m.)⟩ **0.1** ≠*police (assault) van.*

over'varen ⟨ov.ww.⟩ **0.1** *run down.*

'overvaren
I ⟨onov.ww.⟩ **0.1** [naar de overkant varen] *cross (over)* ⇒*sail across;*
II ⟨ov.ww.⟩ **0.1** [met een vaartuig overzetten] *ferry* ⇒*take/put across* ◆ **1.1** iem. de rivier ~ *take/put s.o. across the river, ferry s.o. over the river.*

oververhit ⟨bn.⟩ **0.1** [te zeer verhit] *overheated* **0.2** [⟨fig.⟩] *overheated* ⇒*overburdened, overcharged* **0.3** [⟨nat., ind.⟩ extra verhit] *superheated* ◆ **1.2** de ~te economie *the overcharged economy* **1.3** ~te stoom *superheated steam* **3.1** ~ worden *overheat, get overheated* **3.2** de gemoederen raakten ~ *feelings ran high.*

** oververhitten** ⟨ov.ww.⟩ **0.1** [te zeer verhitten] *overheat* **0.2** [⟨nat.,ind.⟩ extra verhitten] *superheat.*

oververmoeid ⟨bn.⟩ **0.1** *overtired* ⇒*overfatigued, exhausted, run down.*

oververmoeidheid ⟨de (v.)⟩ **0.1** *overtiredness* ⇒*overfatigue, exhaustion,* ⟨inf.,geestelijk⟩ *brain fag.*

oververtegenwoordiging ⟨de (v.)⟩ **0.1** *overrepresentation.*

oververtellen ⟨ov.ww.⟩ **0.1** [aan een ander vertellen] *repeat* ⇒*pass on, tell (to)* **0.2** [opnieuw vertellen] *repeat* ⇒*tell again.*

oververven ⟨ov.ww.⟩ **0.1** *paint over* ⇒*paint again, repaint, redye* ⟨stof, haar⟩, ⟨onzichtbaar maken⟩ *paint out.*

oververzadigd ⟨bn.⟩ **0.1** [te veel geconsumeerd hebbend] *surfeited* ⇒*satiated,* ↓*gorged, overfull* **0.2** [⟨nat.⟩] *supersaturated* ◆ **1.2** ~e stoom *s. steam* **3.1** ⟨fig.⟩ de audiovisuele markt raakt ~ *the audiovisual market is reaching the/its saturation point* **6.1** ~ **van/met** *surfeited/gorged with.*

oververzadiging ⟨de (v.)⟩ **0.1** [te grote bevrediging] *surfeit* ⇒*satiety, satiation,* ↓*glut* **0.2** [⟨nat.⟩] *supersaturation.*

oververzekering ⟨de (v.)⟩ **0.1** *overinsurance.*

overvet ⟨bn.⟩ **0.1** *too fat* ◆ ⟨met teveel vet bereid⟩ *too greasy, lardy* ⟨varken⟩,*superfatted* ⟨zeep⟩.

overvleugelen ⟨ov.ww.⟩ **0.1** [overtreffen] *outstrip* ⇒*eclipse, outshine, surpass* **0.2** [⟨mil.⟩] *outflank.*

overvliegen
I ⟨onov.ww.⟩ **0.1** [over iets heen vliegen]*fly over* ⇒ ⟨BE;formatievliegen⟩ *fly past* **0.2** [⟨fig.⟩]*fly over* ⇒*shoot over,* ⟨rennen⟩ *bolt/dash /tear over* ◆ **1.1** Lindbergh vloog het eerst de oceaan over *Lindbergh was the first pilot to cross the ocean* **1.2** het kind vloog de weg over *the child dashed across the street;*
II ⟨ov.ww.⟩ **0.1** [vliegend overbrengen] *fly over.*

overvloed ⟨de (m.)⟩ **0.1** *abundance* ⇒*plenty, superabundance, plenitude, profusion* ◆ **1.1** in tijden van ~ *in times of plenty* **2.1** al te grote/ overdreven ~ *overabundance* **6.1** een ~ **aan** details *a profusion of detail(s), a wealth of detail;* mensen gezocht met een ~ **aan** geld en tijd/ met geld en tijd *a ~ people wanted with money and time to spare;* een ~ **aan** geld *money galore;* in ~ *in plenty/(super)a./profusion;* in ~ leven/baden *live in a./plenty;* er zijn kandidaten in ~ *there's no shortage of candidates;* in ~ voorkomen/groeien *abound;* aanwijzingen in ~ *ample evidence;* maïs *a(n)(super)a./*⟨te veel⟩ *a glut of* ^B*maize/*^A*corn;* ~ hebben **van** iets, iets in ~ hebben *abound in/with sth., be thick with sth., have sth. in a.* **6.¶** misschien ten ~e herinneren wij u eraan dat … *we would like to remind you - perhaps unnecessarily - that …;* ten ~e zij gemeld dat werknemers van het bedrijf van deelname zijn uitgesloten *needless to say, employees of the firm are excluded from the competition.*

overvloedig
I ⟨bn.⟩ **0.1** [in overvloed voorhanden] *abundant* ⇒*plentiful, copious, profuse,* ⟨niet afgemeten⟩ *liberal* ◆ **1.1** een ~ maaltijd *a copious meal;* een ~e oogst *an a./a bountiful/plentiful/*↓*bumper crop;* een ~e voorraad drank *a liberal supply of drinks* **5.1** zeer/al te ~ (zijn) *(be) superabundant/overabundant;*
II ⟨bw.⟩ **0.1** [in ruime mate] *abundantly* ⇒*plentifully, profusely, copiously,* ⟨niet afgemeten⟩ *liberally* ◆ **2.1** ~ aanwezig zijn *abound* **3.1** iem. ~ te drinken geven *give s.o. plenty to drink.*

overvloeien ⟨onov.ww.⟩ ⟨→sprw. 258⟩ **0.1** [overlopen] *overflow* ⇒*run over* **0.2** [⟨+van⟩ vol zijn van] *overflow (with)* ⇒*abound/superabound (in/with), be thick (with), brim (with)* ⟨dankbaarheid, tranen⟩ **0.3** [harmonisch overgaan in] *flow (over)* ⇒*grade, fade* ⟨beelden⟩ ◆ **3.3** kleuren in elkaar laten ~ *grade/run the colours into one another;* het ene beeld in het andere laten ~ *fade one image into another* **6.2** ~ **van** vriendelijkheid *o. with friendliness,* ⟨bijb.⟩ een land, ~d **van** melk en honing *a land flowing with milk and honey;* ~ **van** enthousiasme *bubble (over) with enthusiasm;* ~ **van** energie *be brimful of/abound in energy* **6.3** in elkaar ~d *melting into one another.*

overvloeier ⟨de (m.)⟩ **0.1** ⟨film⟩ *dissolve.*

overvoeden ⟨ov.ww.⟩ **0.1** *overfeed* ⇒*surfeit,* ⟨volproppen⟩ *sate.*

over'voeren ⟨ov.ww.⟩ **0.1** [te veel voer geven] *overfeed* **0.2** [te veel aanvoeren naar] *glut* ⇒*overstock, oversupply, surfeit* ◆ **1.2** de markt was overvoerd van dat artikel *the market was glutted with that article, there was a glut of that article on the market* **3.2** het slagersvak is overvoerd *the butcher's trade is overcrowded* **6.2** ~ **met/van** g. / *overstock/ oversupply with.*

'overvoeren ⟨ov.ww.⟩ **0.1** *take over/across* ⇒*bring over,* ⟨voertuig⟩ *carry over* ◆ **1.1** hij voerde ons de bergen over *he took/brought/led/ guided us over the mountains;* onze tocht voerde ons over land en zee *our journey took us over land and sea;* hij voerde ons de rivier over *he took/brought/ferried us across the river.*

overvol ⟨bn.⟩ **0.1** *overfull* ⇒⟨met mensen ook⟩ *overcrowded, packed, stuffed* ◆ **1.1** een ~le agenda *an overfull agenda, a schedule which is too tight/busy;* een ~le bus ⟨inf. ook⟩ *a bus chockfull of/ chock-a-block with people;* een ~ gemoed *a heart brimming with emotion;* ~le straten *congested streets, streets filled to overflowing;* een ~le zaal *an overcrowded/a packed house* **6.1** een kamer ~ **met/van** mensen *a room overcrowded/packed with people;* ~ **van** nutteloze feiten *stuffed with useless facts.*

overvracht ⟨de⟩ **0.1** [teveel vracht] *excess baggage* ⇒*excess luggage* **0.2** [kosten voor teveel vracht] *excess baggage charge* **0.3** [kosten voor het overbrengen van goederen] *freight* ⇒⟨te land ook⟩ *carriage.*

overvragen ⟨onov.,ov.ww.⟩ **0.1** *overcharge* ⇒*ask too much.*

overvreten ⟨wk.ww.;zich~⟩ **0.1** *stuff/gorge o.s., make a pig of o.s..*

overvriendelijk ⟨bn.,bw.⟩ **0.1** ⟨alleen bn.⟩ *overfriendly* ⇒*overkind* ◆ **3.1** hij deed alles~ *he did everything in an overfriendly manner* **6.1** U bent ~ **voor** mij *you are too kind.*

overwaaien ⟨onov.ww.⟩ **0.1** [door de wind overgevoerd worden] *blow over* **0.2** [⟨fig.⟩ van elders komen] ⟨zie 3.2,6.2⟩ **0.3** [door de wind verdreven worden] *blow over* **0.4** [⟨fig.⟩ overgaan] *blow over* ⇒*pass, subside* ◆ **1.3** de bui zal wel ~ *the shower will b. o.* **1.4** zijn kwade bui zal wel ~ *his angry mood will b. o./pass/subside* **3.2** hij kwam ~ *he came over, he dropped/popped in* **6.2** nieuwtjes **uit** Engeland overgewaaid *bits of news from across the Channel.*

overwaard ⟨bn.⟩ **0.1** *well worth* ◆ **3.1** die stad is een bezoek ~ *that town is w. w./more than worth a visit.*

overwaarde ⟨de (v.)⟩ **0.1** *surplus value* ◆ **2.1** voor een lening moet er voldoende ~ aanwezig zijn *for a loan there must be sufficient cover on hand* **6.1** een voldoende ~ **aan** draagkracht *a sufficient margin of carrying capacity.*

overwaarderen ⟨ov.ww.⟩ **0.1** *overvalue* ⇒⟨fig.ook⟩ *overrate,* ⟨in geschriften;ook mbt. eigendommen⟩ *write up.*

overwaardering ⟨de (v.)⟩ **0.1** *overvaluation, overvaluing* ⇒⟨fig.ook⟩ *overrating,* ⟨in geschrifte;ook mbt. eigendommen⟩ *write-up.*

overwandelen ⟨onov.ww.⟩ **0.1** *walk over* ⇒⟨oversteken⟩ *walk across* ◆ **1.1** ik ben de gracht overgewandeld *I walked along the canal.*

overweg[1] ⟨de (m.)⟩ **0.1** ^B*level/*^A*grade crossing* ◆ **2.1** een met slagbomen beveiligde ~ *a gated l./g.c.;* een bewaakte ~ *a guarded/manned l./g.c.;* een onbewaakte ~ *an unguarded l./g.c.* **6.1** een ~ **met** halve slagbomen *a half-barrier l./g.c.*

overweg[2] ⟨bw.⟩ ◆ **3.¶** zij kan overal mee ~ *she can turn her hand to anything, everything comes easy to her;* met een nieuwe machine ~ kunnen *know how to handle/manage a new machine, have got the hang of a new machine;* ⟨scherts.⟩ ermee ~ kunnen *be a good trencherman* ⟨eten⟩;*hold one's liquor well* ⟨drinken⟩;goed met elkaar ~ kunnen *get along well, get on/hit it off (together);* niet met auto's ~ kunnen *be no good with cars.*

overwegbeveiliging ⟨de (v.)⟩ **0.1** *safety installations at* ^B*level/*^A*grade crossings.*

overwegboom ⟨de (m.)⟩ **0.1** ^B*level/*^A*grade crossing barrier/gate.*

over'wegen
I ⟨ov.ww.⟩ **0.1** [overdenken] *consider* ⇒*weigh (up), think over/out, ponder, contemplate* ◆ **1.1** zij ~de de mogelijkheid nog om …*they are still considering the possibility of …(ing);* de nadelen/risico's ~ *count the costs;* de voor- en nadelen ~ *weigh the pros and cons* **2.1** het ~ waard *worth considering/consideration* **3.1** wij ~ een nieuwe auto te kopen/de aankoop van een nieuwe auto *we are contemplating/thinking about/thinking of/considering buying a new car/the purchase of a new car* **4.1** alles ~de doe ik er beter aan om …*all things considered I had better* … **5.1** ernstig overwogen worden *be under serious consideration;* ik heb mijn antwoord goed overwogen *I have given careful thought/consideration to my response;* een goed overwogen oplossing *a carefully thought-out solution;* iets goed/grondig ~ *turn sth. over in one's mind, mull sth. over;* het nog eens goed ~ *reconsider (the matter), think twice;* ⟨afzien van⟩ *think better of it* **8.1** ⟨jur.⟩ ~de, dat …*considering that …, whereas …, having regard to the fact that …;*
II ⟨onov.ww.⟩ **0.1** [gewichtiger zijn dan het genoemde] *predominate* ⇒*preponderate, prevail* ◆ **1.1** zij werd verscheurd door woede en angst, maar uiteindelijk overwoog de angst *she was torn between anger and fear, but in the end fear prevailed;* de gedachte aan het kind overwoog *the thought of the child prevailed.*

'overwegen
I ⟨ov.ww.⟩ **0.1** [opnieuw wegen] *weigh again* ⇒*reweigh;*
II ⟨onov.ww.⟩ **0.1** [te veel wegen] *be overweight* **0.2** [overwicht geven] *give overweight.*

overwegend
I ⟨bn.⟩ **0.1** [doorslaggevend] *paramount* **0.2** [⟨fig.⟩ zwaarder wegend] *preponderant* ⇒*preponderating, dominant* ◆ **1.1** dat is van ~ belang *that is p./all-important, that is p./the utmost importance;* dat zijn ~e redenen *those are strong/weighty reasons;*
II ⟨bw.⟩ **0.1** [hoofdzakelijk] *predominantly* ⇒*mainly, principally, for the most part, in the main* ◆ **2.1** de Polen zijn ~ katholiek *the Polish people are for the most part/predominantly Catholics* **3.1** we hebben ~ zon gehad *we had sunny weather for the most part.*

overweging ⟨de (v.)⟩ **0.1** [het overwegen] *consideration* ⇒*thought, pondering* **0.2** [overpeinzing] *consideration* ⇒*thought, reflection, contemplation* **0.3** [grond] *consideration* ⇒*ground, reason* ◆ **1.1** ~ v.d. feiten *factual c.;* dat vormt geen punt van ~ ⟨wordt niet overwogen⟩ *that is not being considered,* ⟨onbelangrijk⟩ *that is immaterial/is no object/ is no c.;* tijd is geen punt van ~ *time is no c./object* **2.1** na ample ~ *after careful/full c.* **2.2** godvruchtige ~ *devout contemplation/medita-*

tion, devotions ⟨mv.⟩ **2.3** tactische ~en *tactical considerations/ grounds* **3.1** uw voorstel verdient ernstige ~ *your proposal merits/ deserves serious c.* **3.3** de ~en die hiertoe geleid hebben *the grounds on which this has been done, the considerations which have led to this* **6.1** bij nadere ~ *on second thoughts, upon further reflection;* iets **in** ~ nemen *consider sth., give sth. one's c.;* iem. iets **in** ~ geven *give s.o. sth. to consider/think about;* niet **in** ~ nemen *not look at;* bereid zijn een aanbod **in** ~ te nemen *be open to an offer, be willing to consider an offer;* iets **in** ~ hebben *have sth. under c., consider/be thinking about sth.;* het is nog **in** ~ (bij de gemeente) *it/the matter is still being considered (by the local council), it is still under c. /* ⟨inf.⟩ *on the table (at the local council);* opnieuw **in** ~ nemen *reconsider, give further c. to;* **in** ~ nemend *respecting, taking into c., allowing for (the fact);* hij gaf me de volgende raad **ter** ~ *he submitted the following advice to my c.* **6.3 uit** financiële/godsdienstige ~en *on financial/religious grounds, for financial/religious reasons;* **uit** ~ dat *in c. of the fact that, considering that.*

overwegwachter ⟨de (m.)⟩ **0.1** [superscript]B[/superscript]*level/*[superscript]A[/superscript]*grade crossing keeper.*

overweldigen ⟨ov.ww.⟩ **0.1** [met geweld overmeesteren] *overpower* ⇒ ⟨land, vrouw ook⟩ *conquer, usurp* ⟨positie, bezit⟩ **0.2** [⟨fig.⟩ te machtig worden] *overwhelm* ⇒*overcome, overmaster, overpower* ◆ **1.2** zij werd overweldigd door een plotselinge behoefte aan slaap *she was overcome by a sudden need to sleep, a sudden need to sleep came over her;* door ontroering overweldigd *overwhelmed/overcome by one's emotions;* door paniek overweldigd worden *be panic-stricken /-struck;* overweldigd door verdriet *heartbroken.*

overweldigend

I ⟨bn.⟩ **0.1** [meeslepend] *overwhelming* ⇒*overpowering* ◆ **1.1** een ~ indruk op iem. maken *make an overwhelming impression on s.o.;* ⟨inf.⟩ *bowl s.o. over, knock s.o. for six;* met een ~e meerderheid *with /by an overwhelming majority;* een ~e meerderheid halen *win a landslide victory;* ⟨in een kiesdistrict⟩ *sweep a* [superscript]B[/superscript]*constituency/*[superscript]A[/superscript]*an electoral district;* een ~e stank *an overpowering stench;* een ~ succes *a tremendous/an overwhelming/a ↓smashing success;*

II ⟨bw.⟩ **0.1** [ontzaglijk] *overwhelmingly* ⇒*tremendously, breathtakingly, extremely* ◆ **2.1** ~ mooi *breathtakingly beautiful; stunning* ⟨vrouw⟩.

overweldiger ⟨de (m.)⟩ **0.1** *conqueror* ⇒*captor,* ⟨van troon⟩ *usurper.*

overweldiging ⟨de (v.)⟩ **0.1** *conquest* ⇒*overpowering, overwhelming, usurpation.*

overwelfd ⟨bn.⟩ **0.1** *vaulted* ⇒*arched, arcaded* ◆ **1.1** een ~e galerij *an arcade;* een ~e ingang *an archway* **6.1** ~ **door** *arched over with.*

overwelfsel ⟨het⟩ **0.1** *vault(ing).*

overwelven ⟨ov.ww.⟩ **0.1** [met een gewelf overdekken] *vault* **0.2** [zich uitstrekken boven] *arch over* ⇒*overarch* ◆ **1.2** ⟨schr.⟩ zijn door zware wenkbrauwen overwelfde ogen *his eyes, under thick eyebrows.*

overwelving ⟨de (v.)⟩ **0.1** [het overwelven] *vaulting* **0.2** [hetgeen de welving vormt] *vault(ing).*

overwerk ⟨het⟩ **0.1** *overtime (work)* ⇒*extra work* ◆ **3.1** wie wil er wat ~ doen *who is willing to put in/do some o.* **6.1** er flink wat bijverdienen **door/met** ~ *earn a tidy sum extra (by) working o., earn a good amount in o.;* ~ **van/door** jongeren *o. employment of minors.*

over'werken ⟨wk.ww.; zich ~⟩ **0.1** *overwork (o.s.)* ⇒*overlabour, drive o.s.* ◆ **5.1** overwerk je niet *don't drive/push yourself too hard, don't overwork.*

'overwerken

I ⟨onov.ww.⟩ **0.1** [langer werken dan bepaald was] *work overtime* ⇒ *be on/put in/do overtime, work after hours* ◆ **1.1** een uurtje ~ *work/ do/put in an hour's overtime* **3.1** al het personeel laten ~ *put the entire staff on overtime;* ik moet vanavond ~ *I have to work late tonight* **6.1** wat hij met ~ verdient *his overtime money;*

II ⟨ov.ww.⟩ **0.1** [mbt. metselwerk] *corbel.*

overwerkt ⟨bn.⟩ **0.1** *overworked* ⇒*overstrained,* ⟨uitgeput⟩ *jaded* ◆ **3.1** als je zo doorgaat, raak je nog ~ *if you go on like this, you'll overwork yourself/you'll get overworked;* ⟨iron.⟩ zijn hersentjes raken zeker niet ~ *his brain certainly doesn't work overtime.*

overwerktoeslag ⟨de (m.)⟩ **0.1** *overtime allowance* ⇒*≠time and a half, double-time.*

overwerkuur ⟨het⟩ **0.1** *overtime hour* ⇒*extra hour,* ⟨mv. vnl.⟩ *overtime.*

overwerkverbod ⟨het⟩ **0.1** *overtime ban* ⇒*ban on overtime (working).*

overwerkvergunning ⟨de (v.)⟩ **0.1** [toestemming] *overtime order* ⇒*permission for overtime* **0.2** [document] *permit for overtime working/an extension of hours.*

overwicht ⟨het⟩ **0.1** [grotere invloed] *ascendancy* ⇒*preponderance, predominance, prevalence,* ⟨gezag⟩ *authority* **0.2** [wat meer weegt dan vastgesteld is] *overweight* ⇒*surplus weight* ◆ **2.1** militair ~ *military preponderance;* een natuurlijk ~ op zijn leerlingen *a natural authority over one's pupils;* nucleair ~ *nuclear superiority* **3.1** ⟨het⟩ ~ hebben op *have the ascendancy over, preponderate over; outbalance* ⟨ene zaak over andere⟩; ~ hebben op iem. *have authority/influence over s.o.,* hold sway over s.o.; een numeriek ~ hebben *outnumber, have numerical superiority/preponderance;* hij heeft geen ~ *he lacks authority;* ~ krijgen *gain ascendancy (over)* **6.1** een ~ **van** mannen **over** vrouwen *a preponderance of men over women.*

overwinnaar ⟨de (m.)⟩, **-nares** ⟨de (v.)⟩ **0.1** *victor* ⇒*winner,* ⟨veroveraar⟩ *conqueror,* ⟨v., zeldz.⟩ *victress* ◆ **8.1** als ~ uit de strijd komen *emerge v. of the battle/victorious,* ⟨inf.⟩ *come out on top.*

over'winnen ⟨→sprw. 176⟩

I ⟨ov.ww.⟩ **0.1** [de zege behalen over] *defeat* ⇒*overcome, vanquish, conquer* **0.2** [bedwingen] *conquer* ⇒*overcome* **0.3** [te boven komen] *conquer* ⇒*overcome, surmount, get over* ◆ **1.1** iem. ~ in een wedstrijd *beat/defeat s.o. in a game;* het ~de leger *the victorious/triumphant army;* iemands tegenstand ~ *met overreding/dwepen⟩ win s.o. over;* ⟨met geweld⟩ *break s.o.'s resistance* **1.2** de slaap ~ *overcome sleep;* je zult je trots moeten ~ *you'll have to pocket your pride* **1.3** moeilijkheden ~ *overcome/surmount/get over/* ⟨sterker⟩ *triumph over difficulties;* zijn schroom ~ *get over/overcome one's bashfulness/scruples* **4.1** zichzelf ~ *get the better of one's weakness- (es), exercise self-discipline/willpower* **5.1** iem. gemakkelijk ~ *beat s.o. easily;* niet te ~ moeilijkheden *insurmountable/unconquerable difficulties;*

II ⟨onov.ww.⟩ **0.1** [meester blijven] *conquer* ⇒*overcome, win, triumph* ◆ **3.1** ik kwam, zag en overwon *I came, I saw, I conquered* **5.1** gemakkelijk ~ ⟨inf.⟩ *win hands down.*

'overwinnen ⟨ov.ww.⟩ **0.1** *≠put by/aside* ◆ **1.1** hij heeft wel duizend gulden overgewonnen *he has put by as much as a thousand guilders.*

overwinning ⟨de (v.)⟩ **0.1** [het overwinnen] *victory* ⇒*conquest* **0.2** [gelegenheid dat men overwint] *victory* ⇒*conquest, triumph,* ⟨sport ook⟩ *win, first* **0.3** [mbt. zichzelf] ⟨zie 3.3⟩ ◆ **2.2** een gemakkelijke ~ *an easy v.;* ⟨inf.⟩ *a walk-over;* een verpletterende ~ *a landslide v., an overwhelming v., a sweeping v.;* ⟨sport⟩ een welverdiende ~ *a well-deserved first* **3.1** de ~ behalen (op) *gain the v. (over), carry/win/ gain the day, bear/carry off the palm;* ze hadden de ~ bijna te pakken *it was a near-win;* iem. net van de ~ afhouden *edge s.o. out;* de ~ vieren *celebrate the v., put the flags out* **3.2** een ~ behalen *win/score a v., win, triumph;* een reeks ~en behalen *hit a winning streak* **3.3** het heeft mij zo ~ gekost daar weer naar toe te gaan *I really had to force myself/it cost me an effort to make myself go back there* **6.1** de ~ is **aan** ons *v. is ours, the day is ours;* **ter** ~ **van** uw bezwaren stel ik het volgende voor *to overcome your objections I suggest the following* **6.2** een ~ **op** punten *a v. / win on points;* ~ **op** een tegenstander *defeat of an opponent.*

overwinningsfeest ⟨het⟩ **0.1** *victory celebration(s).*

overwinningsroes ⟨de (m.)⟩ **0.1** *flush of victory* ◆ **6.1** in een ~ *in the first flush of victory;* zij waren in een ~ *they were flushed with victory.*

overwinningsteken ⟨het⟩ **0.1** [trofee] *trophy* **0.2** [V-teken] *V sign.*

overwinst ⟨de (v.)⟩ **0.1** [nettowinst na aftrek van belastingen e.d.] ⟨ec.⟩ *supernormal profit(s);* ⟨hand.⟩ *surplus profit* **0.2** [te grote winst] *excess profit(s).*

overwinteraar ⟨de (m.)⟩, **-ster** ⟨de (v.)⟩ **0.1** *hibernator.*

overwinteren ⟨onov.ww.⟩ **0.1** [gedurende de winter ergens blijven] *(over)winter* ⇒*hibernate* **0.2** [de winter overleven] *hibernate* ◆ **1.2** ~ koren *winter corn* **3.1** laten ~ *winter.*

overwintering ⟨de (v.)⟩ **0.1** *(over)wintering* ⇒*hibernation.*

overwippen ⟨onov.ww.⟩ **0.1** [een kort bezoek afleggen] *hop over* ⇒*pop/ dash/nip/run over* **0.2** [over iets heen springen] *hop over* ◆ **6.1** even ~ **naar** de buren *pop over to the neighbours;* even ~ **naar** de overkant *nip/dash over/across the road.*

overwoekeren ⟨ov.ww.⟩ **0.1** *overgrow* ⇒*overrun* ◆ **1.1** ⟨fig.⟩ een door het Frans overwoekerde taal *a language overrun by French* **6.1** overwoekerd worden **door** onkruid *run to weeds, become overgrown with weeds;* overwoekerd **met** onkruid *weed grown.*

overwonnen ⟨ov.ww.⟩ **0.1** *superseded* ⇒*discarded, outmoded, exploded* ⟨theorie⟩ ◆ **1.1** dat zijn ~ begrippen *those notions have been s., those notions are outmoded;* een tot dusver niet ~ vooroordeel *a prejudice still prevalent today.*

overzee ⟨bw.⟩ **0.1** *overseas* ⇒*oversea* ◆ **1.1** Nederland ~ *Holland overseas, Holland beyond the sea(s)* **6.1** hij komt **van/gaat naar** ~ *he comes from/goes overseas.*

overzees ⟨bn.⟩ **0.1** *overseas* ⇒*oversea, transmarine* ◆ **1.1** in de ~e gebieden *overseas;* ~e gebiedsdelen *overseas/transmarine territories;* ~e handel *overseas/seaborne trade/commerce;* ~e produkten ⟨ook⟩ *products from overseas.*

over'zeilen ⟨ov.ww.⟩ **0.1** *run down.*

'overzeilen

I ⟨onov., ov.ww.⟩ **0.1** [opnieuw zeilen] *sail (over) again;*

II ⟨onov.ww.⟩ **0.1** [naar de overkant zeilen] *sail over* ⇒*sail across* **0.2** [⟨fig.⟩] *sail over* ⇒*fly over* ◆ **1.1** een rivier ~ *sail across a river* **1.2** een frisbee zeilde de muur over *a frisbee came sailing over the wall.*

overzenden ⟨ov.ww.⟩ **0.1** [naar elders sturen] *send* ⇒*transmit, dispatch, forward* ⟨goederen⟩, *remit* ⟨betaling⟩ **0.2** [over iets heen zenden] *send over* ⇒*send across* ◆ **1.2** er zijn specialisten het Kanaal overgezonden *specialists have been sent over the Channel.*

overzetten

I ⟨ov.ww.⟩ **0.1** [naar de andere kant brengen] *take across/over* ⇒*put across/over,* ⟨met veer⟩ *ferry (across/over)* **0.2** [opnieuw zetten] *reset* **0.3** [verplaatsen] *transfer* **0.4** [vertalen] *translate* ⇒*render,* ⟨tolk-

953

ook⟩ *interpret*, ⟨in ander schrift⟩ *transliterate, transcribe* **0.5** [mbt. telefoon] *transfer* ⇒*switch over/through* ◆ **1.1** iem. de grens~ *deport s.o., conduct s.o. to the frontier* **1.2** edelstenen~ *r. gems;* ⟨druk.⟩ een pagina~ *r. a page* **1.3** de lading in lichters~ *t. the cargo to lighters* **6.4** ~ **in** *t. / render into;* ~ **uit** *t. from* **6.5** ik zal je **op** mijn secretaresse~ *I'll t. you/switch you over/through to my secretary;*
II ⟨onov., ov.ww.⟩ **0.1** [een nieuwe zet doen] *make another move (with).*

overzetting ⟨de (v.)⟩ **0.1** [het vertalen] *translation* ⇒⟨van tolk ook⟩ *interpretation,* ⟨naar ander schrift⟩ *transliteration, transcription* **0.2** [vertaling] *translation* ⇒*rendering, version,* ⟨naar ander schrift⟩ *transliteration, transcription* **0.3** [⟨jur.⟩] *assignment* ⇒*delegation* ⟨schulden⟩.

overzetveer ⟨het⟩ **0.1** *ferry(boat).*

overzicht ⟨het⟩ **0.1** [het overzien] *survey* ⇒*view* **0.2** [samenvatting] *survey* ⇒*(over)view, outline, summary,* ⟨van wat voorafging ook⟩ *review* ◆ **1.2** een~ v.d. stand van zaken/de politieke toestand *a r. of the state of affairs/the political situation* **2.2** een beknopt/kort~ *a(n) (brief) outline/(concise) summary/sketch/rundown;* een financieel~ *a financial statement;* financieel~ ⟨krantekop⟩ *City news/market reports;* een globaal/algemeen~ geven *present/give an overall picture/a general s. / an overview;* een kort~ v.h. voorafgaande *a brief account/review of preceding events;* een kort~ geven van ⟨ook⟩ *summarize, outline* **3.1** ⟨sport⟩ ~ hebben/houden *read the game (well);* zich een~ vormen *gain/acquire a s. / an overview* **6.1** hij heeft een~ **over** het hele bedrijf *he surveys the entire business;* ~ **vanuit** de lucht *bird's-eye view* **7.1** ik heb geen enkel~ meer *I have lost all track of the situation.*

overzichtelijk ⟨bn., bw.⟩ **0.1** *conveniently arranged* ⇒*neatly arranged, well-organized, orderly,* ⟨te overzien⟩ *surveyable* ◆ **1.1** een~e handleiding *an easy-reference manual;* een~ indeling *a convenient arrangement* **5.1** de toestand is niet erg~ *it is difficult to gain a clear view of/to survey the situation, the situation is somewhat obscure.*

overzichtelijkheid ⟨de (v.)⟩ **0.1** *clear/convenient arrangement/organization* ⇒*surveyability* ◆ **¶.1** ter wille v.d. ~ *for easy reference, for convenience of comparison, for purposes of review;* de ~ laat veel te wensen over *the arrangement/organization (of the material) leaves much to be desired/* ↓*is poor.*

overzichtsfoto ⟨de (m.)⟩ **0.1** *general view.*

overzichtskaart ⟨de⟩ **0.1** *general/outline/simplified map.*

overzichtstentoonstelling ⟨de (v.)⟩ **0.1** *special exhibition.*

over'zien ⟨ov.ww.⟩ **0.1** [in zijn geheel bezien] *survey* ⇒*take a view of,* ⟨van boven af⟩ *overlook, command (a view of), review* ⟨wat voorafging⟩ **0.2** [nazien] *look over* ⇒*check, examine* ◆ **1.1** de afgelopen decennia~ *look back over the past few decades;* als dat gebeurt, is de ellende niet te~ *if that happens, all hell will be loose/there'll be the devil to pay;* de gevolgen zijn niet te~ *the consequences are incalculable;* onze situatie~ *take stock of our situation;* dit vakgebied is niet meer te~ *it is no longer possible to have an overall view of this field of knowledge* **1.2** de begroting nog eens~ *look the budget over, give the budget a lookover* **3.1** om de toestand beter te kunnen~ *in order to gain a better view of the situation* **4.1** met één oogopslag alles~ *take in /size up/sum up everything at a glance* **6.1** een groepje van vijftien is nog **te**~ *one can still keep track of a group of fifteen;* het is moeilijk de Amerikaanse geschiedenis in zijn geheel **te**~ *it is difficult to gain a comprehensive view of the entire history of America.*

'overzien ⟨ov.ww.⟩ **0.1** *look over* ⇒*check, examine.*

overzienbaar ⟨bn.⟩ **0.1** *surveyable* ⇒*calculable* ⟨kosten, gevolgen⟩ ◆ **3.1** de schade is nog~ ⟨letterlijk⟩ *the damage can still be estimated;* ⟨fig.⟩ *things are not beyond repair/mending.*

overzij ⟨bw.⟩ **0.1** *sideways* ⇒*to one side* ◆ **3.1** ⟨scheep.⟩ ~ halen *keel (over), cant, careen;* het schip helde~ *the ship keeled over;* het schip lag~ *the ship lay on her beam-ends;* ~ van zijn stoel vallen *he fell off his chair sideways.*

overzijde ⟨de⟩ **0.1** *other side* ⇒*opposite/far(ther) side* ◆ **6.1** ⟨fig.⟩ **aan** de~v.h. graf *beyond the grave;* **aan** de ~ van het gebouw *opposite the building,* ^A*across from the building;* **aan** de~**van** de oceaan *across the ocean;* de huizen **aan** de~ *the houses opposite;* **aan** de~v.d. grens *beyond the border;* iem. **naar** de~ brengen *take s.o. across.*

overzwemmen
I ⟨onov.ww.⟩ **0.1** [zwemmend overtrekken] *swim (across)* ◆ **1.1** het Kanaal~ *s. the Channel* **3.1** zijn paard de rivier laten~ *swim one's horse across the river;*
II ⟨onov., ov.ww.⟩ **0.1** [opnieuw zwemmend afleggen] *swim (over) again.*

ovidisch ⟨bn.⟩ **0.1** *Ovidian* ◆ **1.1** ~e verzen *O. poems.*

Ovidius 0.1 *Ovid.*

ovipaar ⟨bn.⟩ ⟨dierk.⟩ **0.1** *oviparous.*

ovulatie ⟨de (v.)⟩ **0.1** *ovulation.*

ovulatiepijn ⟨de⟩ **0.1** *ovulation pain.*

ovuleren ⟨onov.ww.⟩ **0.1** *ovulate.*

o.v.v. ⟨afk.⟩ **0.1** [onder vermelding van] ⟨*stating, mentioning*⟩.

o.w. ⟨afk.⟩ **0.1** [onder wie/welke] ⟨*including, among whom/which*⟩.

O.W. ⟨zn.mv.⟩ ⟨afk.⟩ **0.1** [Openbare Werken] ⟨*Public Works*⟩.

oxaalzuur[1] ⟨het⟩ **0.1** *oxalic acid.*

oxaalzuur[2] ⟨bn.⟩ **0.1** *oxalic* ◆ **1.1** oxaalzure ester *o. ester.*

oxalaat ⟨het⟩ ⟨schei.⟩ **0.1** *oxalate.*

oxydans ⟨het⟩ →**oxydatiemiddel.**

oxydatie ⟨de (v.)⟩ **0.1** *oxidation.*

oxydatief ⟨bn.⟩ **0.1** *oxidative.*

oxydatiemiddel ⟨het⟩ ⟨schei.⟩ **0.1** *oxidant* ⇒*oxidizing agent, oxidizer* ⟨ihb. voor de brandstof in een raketmotor⟩.

oxyde ⟨het⟩ **0.1** *oxide.*

oxyderen
I ⟨ov.ww.⟩ **0.1** [zuurstofverbinding doen ontstaan] *oxidize;*
II ⟨onov.ww.⟩ **0.1** [zich met zuurstof verbinden] *oxidize.*

oxymoron ⟨het⟩ ⟨lit.⟩ **0.1** *oxymoron.*

oxytocine ⟨de (v.)⟩ ⟨med.⟩ **0.1** *oxytocin.*

O.Z.O. ⟨afk.⟩ **0.1** [oostzuidoost] *E.S.E..*

ozon ⟨het, de (m.)⟩ **0.1** *ozone.*

ozonapparaat, -toestel ⟨het⟩ →**ozonizator.**

ozonhoudend ⟨bn.⟩ **0.1** *ozonic, ozonous.*

ozoniseren ⟨ov.ww.⟩ **0.1** *ozonize.*

ozonizator ⟨de (m.)⟩ **0.1** *ozonizer.*

ozonlaag ⟨de⟩ **0.1** *ozone layer* ⇒*ozonosphere.*

ozonlamp ⟨de⟩ **0.1** *ozonizer.*

ozonlucht ⟨de⟩ **0.1** [geur van ozon] *(smell of) ozone* **0.2** [ozonhoudende lucht] *ozone.*

ozonometer ⟨de (m.)⟩ **0.1** *ozonometer.*

ozonrijk ⟨bn.⟩ **0.1** *ozonic.*

ozonsfeer ⟨de⟩ **0.1** *ozonsphere* ⇒*ozone layer.*

p ⟨de⟩ **0.1** [letter, klank] *p,P* **0.2** [namen/woorden beginnend met een p] *p,P* ◆ **3.¶** hij heeft de ∼ (erover) in *he's in a hell of a mood/temper (about it), he is put out (by it),* [B]*he has got/it has given him the pip/hump* **6.1** het is een raadsheer **met** een∼ *he's full of empty talk, he's a windbag* **6.¶** de ∼ **aan** iem. hebben *hate s.o. like poison/* ⟨inf.⟩ *s.o.'s guts;* **in** de ∼ zitten ⟨in moeilijkheden⟩ *be in trouble/a fix/a hole/a jam;* ⟨bezorgd⟩ *be worried sick.*

p. ⟨afk.⟩ **0.1** [pagina] *p.* **0.2** [piano] *p..*

P 0.1 [⟨verkeer⟩ parkeerplaats] *P* **0.2** [Romeins cijfer] *P.*

P. ⟨afk.⟩ **0.1** [⟨Lat.⟩ papa] *P.* **0.2** [⟨bouwk.⟩ peil] ⟨*datum*⟩ **0.3** [⟨op auto's⟩ Portugal] *P* **0.4** [⟨Lat.⟩ pater] *P..*

pa ⟨de (m.)⟩ **0.1** *dad* ⇒*pa,* ⟨AE ook⟩ *pop* ◆ **1.1** haar∼ en ma *her* [B]*mum/* [A]*mom and d.;* ⟨AE⟩ *her pop and mom, her pa and ma, her folks* **4.1** zijn∼ trapte er niet in *his old man wouldn't buy it* **9.1** ⟨fig.⟩ ja, ∼ *yes, Sir.*

p.a. ⟨afk.⟩ **0.1** [per adres] *c/o* **0.2** [post annum] ⟨*post annum*⟩.

P.A. ⟨de (v.)⟩ ⟨afk.⟩ **0.1** [Pedagogische Academie] ⟨*teacher(s') training college*⟩.

paadje ⟨het⟩ **0.1** *path* ⇒*track,* ⟨door wildernis⟩ *trail.*

paaien

I ⟨ov.ww.⟩ **0.1** [tevredenstellen] *placate* ⇒*appease, fob off, humour* ◆ **1.1** zijn geweten ∼ *salve one's conscience, give a sop to one's conscience* **6.1** hij liet zich **door** mooie woorden ∼ *he was appeased/placated by fair words, he allowed himself to be fobbed off with fair words;* iem. **met** loze beloften ∼ *fob s.o. off with false promises, hold out false promises to s.o.;* iem. **met** een beloning ∼ *dangle a reward in front of/before s.o.;*

II ⟨onov.ww.⟩ **0.1** [paren] ⟨kuit schieten⟩ *spawn;* ⟨paren⟩ *mate.*

paal ⟨de (m.)⟩ **0.1** [langwerpig voorwerp] *post* ⇒*stake, pole,* ⟨heipaal⟩ *pile* **0.2** [⟨sport⟩ doelpaal] *post* ⇒*goalpost* **0.3** [merkteken] *post* ⇒ *stake,* ⟨fig.⟩ *pale* **0.4** [⟨vulg.⟩ stijve penis] *hard(-on)* **0.5** [⟨herald.⟩] *pale* **0.6** [ovenschop] *peel* ◆ **1.3** ⟨fig.⟩ ∼ en perk stellen aan iets *put a check on sth., put sth. down;* ⟨inf.⟩ *put the lid on sth.* **2.1** ⟨verkeer⟩ een betonnen ∼tje [B]*a concrete bollard* **3.1** een ∼ inslaan/inheien *drive/sink in a post/stake/pile* **6.1** ⟨fig.⟩ een huis **aan** de ∼ slaan *put a house up for sale;* **in** een ∼ klimmen *climb a pole* **6.2** hij schoot **tegen/ op** de ∼ *he hit the p.* **6.¶** **voor** ∼ staan *look a fool, look foolish/stupid;* iem. **voor** ∼ zetten *make s.o. look foolish/a fool* **7.1** de eerste ∼ slaan ≠*lay the foundation stone* **7.2** de eerste/tweede ∼ *the near/far p.* **8.1** ⟨fig.⟩ dat staat als een ∼ boven water *there can be no two ways about it* **¶.3** ⟨fig.⟩ de palen te buiten gaan *be beyond the pale, go too far.*

paalbeschoeiing ⟨de (v.)⟩ **0.1** *pilefacing.*

paalbewoner ⟨de (m.)⟩ **0.1** *lake dweller.*

paaldorp ⟨het⟩ **0.1** *pile village* ⇒*lake village/settlement.*

paalfundering ⟨de (v.)⟩ **0.1** *pile foundation(s)* ⇒*foundation(s) of piles.*

paalgording ⟨de (v.)⟩ **0.1** *starling.*

paalhoofd ⟨het⟩ **0.1** *groyne.*

paalstand ⟨de (m.)⟩ **0.1** *protective position (of the bittern).*

paalsteek ⟨de (m.)⟩ ⟨scheep.⟩ **0.1** *bowline knot.*

paalvast ⟨bn.⟩ **0.1** [zeer vast] *firm as a rock* ⇒*rock-solid* **0.2** [⟨fig.⟩] *rock-solid* ⇒⟨onbetwistbaar⟩ *indisputable, deep-rooted* ⟨overtuiging, gewoonte⟩.

paalwerk ⟨het⟩ **0.1** *palings* ⇒*palisade(s).*

paalwoning ⟨de (v.)⟩ **0.1** [⟨gesch.⟩] *pile dwelling* ⇒*dwelling on stilts* **0.2** [mbt. moderne architectuur] *'paalwoning'* ⟨*cube-shaped house on concrete pillars*⟩.

paalworm ⟨de (m.)⟩ **0.1** *ship-worm* ⇒*pileworm, teredo.*

paalzitten ⟨ww.⟩ **0.1** *pole-squatting* ◆ **1.1** het wereldrecord ∼ *the world record (pole-)squat.*

paander ⟨de (m.)⟩ **0.1** ⟨*shopping*⟩ *basket.*

paap ⟨de (m.)⟩ ⟨bel.⟩ **0.1** [rooms-katholiek] *papist* ⇒⟨sl.⟩ *mick* **0.2** [r.k. geestelijke] *papist.*

paaps ⟨bn.⟩ ⟨bel.⟩ **0.1** *papistic(al)* ⇒*popish.*

paapsgezind ⟨bn.⟩ ⟨pej.⟩ **0.1** *papistic(al)* ⇒*popish.*

paar[1] ⟨het⟩ **0.1** [tweetal bij elkaar horende zaken] *pair* ⇒*couple* **0.2** [levenspartners] *couple* **0.3** [enkele stuks] *(a) few* ⇒*(a) couple of* ◆ **1.1** ik heb maar één ∼ handen *I've only got one p. of hands* **1.3** ik ga een ∼ dagen weg *I'm going away for a couple of/a few days/for a day or two;* in een ∼ woorden *in a couple of/a few words* **2.2** het gouden ∼ *the couple celebrating their golden wedding anniversary;* het jonge ∼ *the young (married) c.* **3.2** zij vormen een mooi ∼ *they make a lovely c.* **7.1** twee ∼ sokken *two pairs of socks* **7.3** een ∼ keer ⟨ook⟩ *once or twice, now and then* **¶.3** zo weet ik er nog wel een ∼ *tell that to the marines.*

paar[2] ⟨bn.⟩ **0.1** *even* ◆ **2.1** ∼ of onpaar *e. or odd.*

paard ⟨het⟩ ⟨→sprw. 316,477,487-494⟩ **0.1** [dier] *horse* **0.2** [afbeelding] *horse* **0.3** [⟨sport⟩ gymnastiektoestel] *(vaulting) horse* **0.4** [schraag] *horse* ⇒*trestle* **0.5** [stoel van leidekkers] *roof trestle* **0.6** [schaakstuk] *knight* **0.7** [⟨scheep.⟩ touw] *horse* ⇒*footrope* ◆ **1.1** ⟨fig.⟩ man en∼ noemen *tell all/everything, give all the details* **1.2** ⟨fig.⟩ het ∼ van Troje binnenhalen *bring in the Trojan Horse, accept a Grecian gift* **2.1** het beste ∼ van stal vergeten ⟨fig.⟩ *forget the best of the bunch;* ⟨fig.⟩ een blind ∼ zou er geen schade doen *there was hardly a stick of furniture in the room;* een schichtig ∼ *a shyer;* een snel ∼ *a courser, a clipper, a pelter;* op het verkeerde ∼ wedden ⟨fig.⟩ *back the wrong h.* **2.2** een houten ∼ *a rocking h.* **3.1** een ∼ inspannen *harness/hitch a h. to a cart;* het ∼ achter de wagen spannen ⟨te laat komen⟩ *come the day after the fair;* ⟨iets verkeerd aanpakken⟩ *make things difficult for o.s., make a mess of sth.;* ⟨onlogisch denken⟩ *put the cart before the h.* **6.1** met ∼ en bespannen *h.-drawn;* met een ∼ over een hindernis springen *leap/jump a h. over a hurdle;* **op** zijn ∼ springen *vault onto one's h./into the saddle;* ⟨fig.⟩ **op** twee ∼en wedden *have two strings/ a second string/more than one string to one's bow;* ⟨fig.⟩ je moet niet te veel **op** één ∼ wedden/alles **op** één ∼ zetten *don't put all your eggs in one basket;* **over** het ∼ getild zijn *be swollen-headed, be puffed up;* hoog **te** ∼ zitten ⟨fig.⟩ *be on a high horse;* iem. **te** helpen ⟨fig.⟩ *give s.o. a leg up;* **te** ∼ zitten *be on a horseback;* **te** ∼ stijgen *mount, get on one's h.;* **te** ∼! *to h.!, boot and saddle!;* politie **te** ∼ *mounted police;* van zijn ∼ vallen ⟨fig.⟩ *come a cropper* **8.1** werken als een ∼ *work like a h./slave/dog/Trojan;* zo sterk als een ∼ *as strong as a h./an ox;* honger hebben als een ∼ *feel one could eat a h..*

paardebek ⟨de (m.)⟩ **0.1** *horse's mouth.*

paardebeslag ⟨het⟩ **0.1** *horseshoes.*

paardebiefstuk ⟨de (m.)⟩ **0.1** *horse steak.*

paardebloedzuiger ⟨de (m.)⟩ **0.1** *horseleech.*

paardebloem ⟨de⟩ **0.1** *dandelion.*

paardeborstel ⟨de (m.)⟩ **0.1** *horse-brush* ⇒*dandy-brush.*

paardebreedte ⟨de (v.)⟩ ⟨meteo.⟩ **0.1** *horse latitudes.*

paardedek ⟨het⟩ **0.1** *horse blanket* ⇒*horsecloth, body-cloth.*

paardedeken ⟨de⟩ **0.1** *(horse) blanket.*

paardedistel ⟨de⟩ **0.1** *thistle.*

paardegebit ⟨het⟩ **0.1** [gebit v.e. paard] *horse's teeth* **0.2** [mbt. personen] *buck/protruding teeth.*

paardehaar ⟨het⟩ **0.1** [haar van paarden] *horsehair* **0.2** [weefsel] *haircloth* ⇒*horsehair.*

paardehoef ⟨de (m.)⟩ **0.1** [hoef v.e. paard] *horse's hoof* **0.2** [plant] *coltsfoot.*

paardehorzel ⟨de⟩ **0.1** *horse botfly.*

paardekastanje

I ⟨de (m.)⟩ **0.1** [boom] *horse chestnut;*

II ⟨de⟩ **0.1** [vrucht] *horse chestnut* ⇒*conker.*

paardeknecht ⟨de (m.)⟩ **0.1** *groom.*

paardekop ⟨de (m.)⟩ **0.1** *horse's head* ◆ **¶.¶** er was anderhalve man en een ∼ *there were two men and a dog, there was a mere handful of people/a thin audience/a poor turnout.*

paardekracht ⟨de⟩ **0.1** [maat] *horsepower* **0.2** [kracht, v.e. paard] *horsepower* ♦ **3.2** om dat te verzetten, mag je wel ~ hebben *to move that you would need the strength of a horse* **4.1** hoeveel ~ heeft die motor? *what is the h. of that engine?*.

paardeleer ⟨het⟩ **0.1** *horsehide* ⇒*horse-leather*.

paardelucht ⟨de⟩ **0.1** *smell of horses* ⇒⟨inf.⟩ *horsy smell*.

paardelul ⟨de (m.)⟩ **0.1** [lul v.e. paard] *horse's prick* **0.2** [klootzak] *prick* ⇒⟨BE ook⟩ *wanker*, ⟨AE ook⟩ *jerk*, ↓*ass(hole)*.

paardemaag ⟨de⟩ **0.1** *horse's stomach* ♦ **3.1** ⟨fig.⟩ hij heeft een ~ *he eats like a horse*.

paardemiddel ⟨het⟩ **0.1** [sterk werkend middel] *rough remedy* ⇒*kill or cure remedy* **0.2** [wanhoopsmiddel] *rough remedy* ⇒*kill or cure remedy* **0.3** [geneesmiddel voor paarden] *horse-drench*.

paardendressuur ⟨de (v.)⟩ **0.1** *horse-training/breaking*.

paardenfokkerij ⟨de (v.)⟩ **0.1** [handeling] *horse-breeding* **0.2** [plaats] *stud-farm*.

paardenkoers ⟨de⟩ **0.1** *horse race*.

paardenkoper ⟨de (m.)⟩ **0.1** *horse-dealer* ⇒⟨horse⟩ *coper*.

paardenliefhebber ⟨de (m.)⟩ **0.1** *horse lover* ⇒*lover of horses*.

paardenmarkt ⟨de⟩ **0.1** *horse-fair*.

paardenrennen ⟨zn.mv.⟩ **0.1** *horseraces*.

paardenslachterij ⟨de (v.)⟩ **0.1** [handeling] *horse-slaughtering* **0.2** [plaats] *horse-slaughterer's yard* ⇒⟨BE ook⟩ *knacker's yard*.

paardenslager ⟨de (m.)⟩ **0.1** *horse(meat) butcher*.

paardenstamboek ⟨het⟩ **0.1** *studbook*.

paardenstoeterij ⟨de (v.)⟩ **0.1** *stud farm*.

paardeoog ⟨het⟩ **0.1** [⟨AZN⟩ spiegelei] *fried egg* **0.2** [oog v.e. paard] *horse's eye*.

paarderas ⟨het⟩ **0.1** *breed of horses*.

paarderookvlees ⟨het⟩ **0.1** *smoked horsemeat* ⟨*eaten as cold cut*⟩.

paardesport ⟨de⟩ **0.1** *equestrian sport(s)* ⇒*equestrianism*, ⟨rennen⟩ *horseracing*, ⟨rijden⟩ *horse(back) riding*.

paardesprong ⟨de (m.)⟩ **0.1** [⟨schaaksport⟩] *knight's move* **0.2** [sprong v.e. paard] *jump*.

paardestaart ⟨de (m.)⟩ **0.1** [staart v.e. paard] *horsetail* **0.2** [haardracht] *ponytail* **0.3** [⟨plantk.⟩] *horsetail*.

paardestal ⟨de (m.)⟩ **0.1** *stable* ♦ **3.1** het lijkt hier wel een ~ *this place looks like a pigsty*.

paardetram ⟨de (m.)⟩ ⟨gesch.⟩ **0.1** *horsetram*, [^A]*horsecar*.

paardetuig ⟨het⟩ **0.1** *harness* ⇒*tack*.

paardevijg ⟨de⟩ **0.1** ⟨mv.⟩ *horse-droppings/dung/manure*.

paardevlees ⟨het⟩ **0.1** *horseflesh, horsemeat* ♦ **3.1** ⟨fig.⟩ ~ gegeten hebben *be fidgety/restless*.

paardevoet ⟨de (m.)⟩ **0.1** [voet v.e. paard] *horse's foot* ⇒*horse's hoof* **0.2** [horrelvoet] *clubfoot* ⇒⟨med.⟩ *talipes equinus* **0.3** [iem. met een horrelvoet] *clubfoot* **0.4** [duivel] *devil* ⇒*demon, fiend* ♦ **6.1** zorgen dat men uit de ~ en komt *get (o.s.) out of harm's way*.

paardezeik ⟨de (m.)⟩ **0.1** [urine v.e. paard] *horse piss* **0.2** [⟨inf.⟩ slecht bier] *horse piss*.

paardezweep ⟨de⟩ **0.1** *horsewhip* ♦ **6.1** met de ~ afranselen *horsewhip*.

paardjerijden ⟨onov.ww.⟩ ⟨kind.⟩ **0.1** [op de knie rijden] *ride on s.o.'s knee* **0.2** [paardrijden] *ride (horseback)*.

paardmens ⟨de (m.)⟩ ⟨myth.⟩ **0.1** *centaur*.

paardrift ⟨de⟩ **0.1** *mating urge* ⇒*heat, oestrum*, ⟨van m. hert/ram enz.⟩ *rut*.

paardrijden ⟨onov.ww.⟩ **0.1** *ride (horseback)* ♦ **3.1** hij ging ~ *he went for a ride* **6.1** hij zit op ~ *he takes riding lessons*.

paardrijder ⟨de (m.)⟩, **-ster** ⟨de (v.)⟩ **0.1** *horseman, horsewoman* ⇒*rider*.

paardspringen ⟨ww.⟩ ⟨turnen⟩ **0.1** *vaulting (exercises)*.

paardsprong ⟨de (m.)⟩ ⟨turnen⟩ **0.1** *vault*.

paardvoltigeren ⟨ww.⟩ ⟨turnen⟩ **0.1** *pommel-horse vaulting/exercises*.

paarlemoer →*parelmoer*.

paarlen ⟨bn.⟩ **0.1** *pearl* ⇒*pearly, pearled* ♦ **1.1** een ~ halssnoer *a pearl necklace, pearls*.

paars ⟨bn.⟩ **0.1** *purple* ♦ **1.1** een ~e neus *a p. nose* **3.1** hij loopt ~ aan van woede *he's growing p. with rage*, *he's going black in the face with rage* **7.1** ⟨zelfst.⟩ ze was in het ~ *she was dressed in p.*.

paarsachtig ⟨bn.⟩ **0.1** *purplish*.

paarsblauw ⟨bn.⟩ **0.1** *violet*.

paarsgewijs ⟨bn., bw.⟩ **0.1** *in pairs* ♦ **3.1** ~ rangschikken *pair (off)*.

paarsrood ⟨bn.⟩ **0.1** *purple* ⇒*claret-coloured*.

paartijd ⟨de (m.)⟩ **0.1** *mating season* ⇒⟨van m. hert/ram enz.⟩ *rut*.

paartje ⟨het⟩ **0.1** *couple* ⇒*pair* ♦ **2.1** een pas getrouwd ~ *a newly wed c., newly-weds;* een vrijend ~ *a courting c.*.

paarvorming ⟨de (v.)⟩ **0.1** *pairing (off)*.

Paasavond ⟨de (m.)⟩ **0.1** [avond voor Pasen] *Easter Saturday evening* **0.2** [dag voor Pasen] *Easter Saturday* ⇒*Easter even*.

paasbest ⟨bn., bw.⟩ **0.1** *Sunday best* ♦ **1.1** zijn ~ kleren aantrekken *put on one's S. b.* **6.1** ⟨zelfst.⟩ op zijn ~ zijn *be all dressed up, be in one's S. b.*.

paasbiecht ⟨de⟩ ⟨r.k.⟩ **0.1** *Easter confession*.

paasbloem ⟨de⟩ **0.1** *Easter flower* ⇒⟨narcis⟩ *daffodil*, ⟨sleutelbloem⟩ *primrose*, ⟨madeliefje⟩ *daisy*.

---

paasbrood ⟨het⟩ **0.1** [krentenbrood] ≠[^B]*simnel cake*, ≠ [^A]*raisin bread* **0.2** [matse] *Passover bread* ⇒*Passover cake, matzo*.

paascommunie ⟨de (v.)⟩ ⟨r.k.⟩ **0.1** *Easter Communion*.

paasdag ⟨de (m.)⟩ **0.1** *Easter Day* ♦ **7.1** Eerste Paasdag *Easter Sunday;* Tweede Paasdag *Easter Monday*.

paasdienst ⟨de (m.)⟩ **0.1** *Easter service*.

paasdrukte ⟨de (v.)⟩ **0.1** *Easter rush*.

paasei ⟨het⟩ **0.1** [ei van chocolade/suiker] *Easter egg* **0.2** [versierd kippeëi] *Easter egg* ⇒*decorated egg* ♦ **3.2** ~eren verven *paint Easter eggs*.

paasfeest ⟨het⟩ **0.1** [Pasen] *Easter* **0.2** [Pascha] *paschal feast* ⇒*Passover*, ⟨jud.⟩ *Pesa(c)h*.

paasgebruik ⟨het⟩ **0.1** *Easter custom*.

paashaas ⟨de (m.)⟩ **0.1** [haas die paaseieren brengt] *Easter bunny/rabbit* **0.2** [haas van chocolade/suiker] *chocolate Easter bunny/rabbit*.

paaskaars ⟨de⟩ ⟨r.k.⟩ **0.1** *Easter candle* ⇒*paschal candle*.

paaslam ⟨het⟩ **0.1** [op Pasen geslacht lam] *paschal lamb* ⇒*Passover*, ⟨jud.⟩ *Pesa(c)h* **0.2** [Christus] *Paschal Lamb* **0.3** [als zinnebeeld] *Paschal Lamb* **0.4** [omstreeks Pasen geboren lam] *Easter lamb*.

paaslied ⟨het⟩ **0.1** [kerkgezang] *Easter/Paschal hymn/chant* **0.2** [lied mbt. het paasfeest] *Easter song/carol*.

paasmaal ⟨het⟩ **0.1** [joodse avondmaaltijd] *Seder* **0.2** [maal zoals men op Pasen nuttigt] *(Dutch) Easter breakfast (with boiled eggs and raisin bread)*.

Paasmaandag ⟨de (m.)⟩ **0.1** *Easter Monday*.

paasmandje ⟨het⟩ **0.1** *Easter basket*.

paasnacht ⟨de (m.)⟩ **0.1** *Easter Saturday night*.

paasreces ⟨het⟩ **0.1** *Easter recess* ♦ **6.1** op ~ gaan *rise for the E. r., rise/adjourn for Easter*.

paasspel ⟨het⟩ ⟨lit.⟩ **0.1** ≠*passion play* ⇒≠*mystery play*.

paastijd ⟨de (m.)⟩ **0.1** [tijd v.h. paasfeest] ≠*Holy Week*, ≠*Passiontide* **0.2** [periode van Pasen t/m Pinksteren] *Eastertide, Eastertime*.

paasvakantie ⟨de (v.)⟩ **0.1** *Easter holidays/*[^A]*vacation*.

paasvuur ⟨het⟩ **0.1** *Easter bonfire*.

paaswake ⟨de (v.)⟩ ⟨r.k.⟩ **0.1** *Easter vigil*.

Paaszaterdag ⟨de (m.)⟩ **0.1** *Holy Saturday* ⇒*Easter Saturday*.

Paaszondag ⟨de (m.)⟩ **0.1** *Easter Sunday, Easter Day*.

P.A.B.O. ⟨de (v.)⟩ ⟨afk.⟩ **0.1** [pedagogische academie voor het basisonderwijs] ⟨*Teacher Training College (for Primary Education)*⟩.

pacen ⟨onov., ov.ww.⟩ ⟨sport⟩ **0.1** *pace*.

pachometer ⟨de (m.)⟩ **0.1** *pachymeter*.

pacht ⟨de⟩ **0.1** [huurovereenkomst] *lease* **0.2** [pachttermijn] *lease, tenancy* **0.3** [pachtgeld] *rent* ♦ **3.1** de ~ aanvaarden *lease, take (on a) l.* **3.2** de ~ is verstreken *the l. has expired* **3.3** de ~ betalen *pay the r.* **6.1** in ~ nemen *lease, take on l.;* iets in ~ geven *let sth. out on l.;* ⟨fig.⟩ hij doet alsof hij de wijsheid in ~ heeft *you'd think he had a monopoly on wisdom/he could see through a millstone;* in ~ hebben *have/hold on l., hold a l. of* **6.3** vrij van ~ *free of r.*.

pachtakte ⟨de (v.)⟩ **0.1** *lease*.

pachtbesluit ⟨het⟩ **0.1** *Agricultural Holdings Decree*.

pachtboer ⟨de (m.)⟩ **0.1** *tenant/leasehold farmer* ⇒⟨jur.⟩ *termor, termer*.

pachtboerderij ⟨de (v.)⟩ **0.1** *leasehold (farm)* ⇒*tenant farm*.

pachtceel ⟨de⟩ **0.1** *lease*.

pachtcontract ⟨het⟩ **0.1** [overeenkomst] *lease* **0.2** [akte] *lease*.

pachten ⟨ov.ww.⟩ **0.1** [huren] *lease* ⇒*rent, tenant* **0.2** [mbt. inningen/gebruiksrechten] *farm* ♦ **1.1** een hoeve ~ *l. a homestead;* een wei/viswater ~ *rent/l. a meadow/fishing water* **1.2** de ~ v.e. landgoed ~ *farm the hunting/fishing on an estate* **6.1** iets voor vijf jaar ~ *take on lease for five years/a five year lease*.

pachter ⟨de (m.)⟩, **-ster** ⟨de (v.)⟩ **0.1** *leaseholder* ⇒*lessee*, ⟨van boerderij ook⟩ *tenant (farmer)*, ⟨van jacht/visserij ook⟩ *game tenant*, ⟨van belastingen⟩ *farmer*, ⟨jur.⟩ *termor, termer*.

pachtgebied ⟨het⟩ ⟨volkenrecht⟩ **0.1** *leased territory*.

pachtgeld ⟨het⟩ **0.1** *rent* ⇒*rental*.

pachtgrond ⟨de (m.)⟩ **0.1** *leasehold;* ⟨jur.⟩ *tenement*.

pachthoeve ⟨de (m.)⟩ **0.1** [verhuurde/verpachte hoeve] *leasehold/tenant farm* **0.2** [⟨AZN⟩ grote hoeve] *farmstead, homestead*.

pachtovereenkomst ⟨de (v.)⟩ **0.1** *lease*.

pachtsom ⟨de⟩ **0.1** *rent* ⇒*rental*.

pachtstelsel ⟨het⟩ **0.1** *tenure* ⇒*landlordism* ⟨ook pej.⟩.

pachttermijn ⟨de (m.)⟩ **0.1** *(length/duration/period of a/the) lease* ⇒*tenancy, term*.

pachtvoorwaarde ⟨de (v.)⟩ **0.1** *tenure*.

pachtvrij ⟨bn.⟩ **0.1** *free of rent* ♦ **1.1** ~ goed *freehold*.

pachtwet ⟨de⟩ **0.1** *Agricultural Holdings Act*.

pachyderm ⟨de (m.)⟩ **0.1** [dikhuidige] *pachyderm* **0.2** [⟨fig.⟩ mens] *pachyderm* ⇒*thick-skinned person, s.o. with the hide of a rhinoceros*.

pacificatie ⟨de (v.)⟩ **0.1** *pacification* ♦ **1.1** ⟨gesch.⟩ de ~ van Gent *the Pacification of Ghent*.

pacificeren ⟨onov., ov.ww.⟩ **0.1** *pacify*.

pacifiëren ⟨onov., ov.ww.⟩ **0.1** *pacify*.

pacifisme ⟨het⟩ **0.1** *pacifism*.

pacifist ⟨de (m.)⟩, **-e** ⟨de (v.)⟩ **0.1** *pacifist.*

pacifistisch ⟨bn., bw.; -ally⟩ **0.1** *pacifist(ic)* ◆ **1.1** de Pacifistisch-Socialistische Partij *the Pacifist-Socialist Party.*

pact ⟨het⟩ **0.1** [overeenkomst] *pact* ⇒*agreement* **0.2** [verdrag] *pact* ⇒ *treaty* ◆ **1.2** de landen v.h. Pact van Warschau *the Warsaw Pact countries* **2.2** Noordatlantisch Pact *North Atlantic Treaty* **6.1** een ~ met de duivel *a p. with the devil.*

pad
I ⟨het⟩ **0.1** [smalle weg] *path* ⇒*pathway,* ⟨van tuin ook⟩ *walk,* ⟨niet aangelegd⟩ *track,* ⟨openbaar pad door veld, enz.⟩ *public footpath,* ⟨spoor⟩ *trail,* ⟨in kerk / schouwburg enz.⟩ *gangway, aisle* **0.2** [levensweg] *path, way* ◆ **1.2** het ~ v.d. zonde *the p. / w. of sin / vice, the road to perdition / hell* **2.1** ⟨fig.⟩ de minder bekende ~en v.d. Duitse letterkunde *the byways of German literature;* ⟨fig.⟩ daarmee begeef je je op een glibberig ~ *you'll be (moving) on slippery ground (then);* platgetreden ~en bewandelen ⟨fig.⟩ *walk the beaten path / tracks* **2.2** iem. op het rechte ~ houden *keep s.o. on the rails / to the straight and narrow p.;* iem. op het slechte ~ brengen *lead s.o. astray;* ⟨zedeloos maken⟩ *debauch s.o.;* hij is op het slechte / criminele ~ *he has taken to crime;* het verkeerde ~ opgaan *go astray / wrong / to the bad, take up / get into bad ways* **3.1** zich een ~ banen *make one's way;* ⟨fig.⟩ het ~ effenen voor iem. *clear / smooth the path for s.o.;* een ~ volgen *follow a path, keep to a path* **3.2** iemands ~ kruisen *cross s.o.'s path, cross the p. of s.o.;* als zoiets je ~ kruist *if (sth. like) that should come / fall on your w. / cross your p.* **6.1** alles verwoesten wat men op zijn ~ tegenkomt *destroy everything on one's way* **6.¶** op ~ gaan *set off, get started;* zij is altijd op ~ *she's always on the go / hop;*'s nachts op ~ gaan ⟨van dief e.d.⟩ *operate at night;* vroeg op ~ gaan *make an early start;* je bent nog laat op ~ *you're out late;*
II ⟨de⟩ **0.1** [⟨dierk.⟩ *toad* **0.2** [plaatje op een wagen⟩ *spring support* ◆ **8.1** zo dik als een ~ *as fat as a pig;* opzwellen als een ~ *swell like a t..*

paddel →**peddel.**

paddelen ⟨onov. ww.⟩ **0.1** *paddle.*

paddenest ⟨het⟩ **0.1** *toad's / toads' nest.*

paddestoel ⟨de (m.)⟩ **0.1** [zwam] ⟨alg.⟩ *fungus;* ⟨ihb. giftig⟩ *toadstool;* ⟨eetbaar⟩ *mushroom* **0.2** [wegwijzer] ≠*signpost* ⇒*road marker* **0.3** [wolk] *mushroom (cloud)* ◆ **2.1** giftige en eetbare ~en *poisonous and edible fungi, toadstools and mushrooms* **3.1** ~en gaan zoeken *mushroom, go mushrooming* **8.1** als ~en uit de grond schieten / verrijzen *mushroom, shoot up like mushrooms.*

paddestoelwolk ⟨de⟩ **0.1** *mushroom cloud.*

paddevergif ⟨het⟩ **0.1** *bufotoxin.*

padie ⟨de (m.)⟩ **0.1** *paddy.*

padvinder ⟨de (m.)⟩, **-ster** ⟨de (v.)⟩ **0.1** *boy scout, girl* [B]*guide* / [A]*scout.*

padvinderij ⟨de (v.)⟩ **0.1** *Scout scouting* ⇒*Association* ◆ **6.1** bij de ~ zijn / gaan ⟨~ zitten *be a scout, be with the scouts.*

padvindersbelofte ⟨de (v.)⟩ **0.1** *(Boy) Scout('s) pledge.*

padvindersbeweging ⟨de (v.)⟩ **0.1** *Scout Association* ⇒*scouting.*

padvindersgroet ⟨de (v.)⟩ **0.1** *(boy) scout salute / greeting.*

paean ⟨de (m.)⟩ **0.1** *paean.*

paella ⟨de⟩ **0.1** *paella.*

paf¹ ⟨de (m.)⟩ **0.1** *bang, boom* ◆ **3.1** heb je die ~ gehoord? *did you hear that bang?.*

paf² ⟨bn.⟩ **0.1** *baffled, confounded, stunned* ◆ **3.1** iem. ~ doen staan *make s.o. gasp, take s.o.'s breath away, stagger s.o.;* ik sta ~ *it beats / knocks me, I'm s. / bowled over;* ik stond gewoon ~ *it (just) took my breath away, it knocked the wind out of me.*

paf³ ⟨tw.⟩ **0.1** *bang* ◆ **¶.1** ⟨kind.⟩ ~! jij bent dood! *b. ! you're dead!.*

paffen ⟨onov. ww.⟩ **0.1** [roken] *puff* **0.2** [schieten] *pop,* [A]*plink* **0.3** [paf laten horen] *pop* ◆ **1.3** de geweren ~ *the guns are popping* **3.1** ze zitten daar stevig te ~ *they're puffing away in there* **¶.2** ze ~ er maar op los *they're popping away.*

pafferig ⟨bn.⟩ **0.1** *doughy, bloated* ⟨gezicht⟩; *puffy, flabby* ⟨lichaam⟩ ◆ **3.1** er ~ uitzien *look bloated.*

pafzak ⟨de (m.)⟩ **0.1** *Fats(o).*

pag. ⟨afk.⟩ **0.1** [pagina] *p..*

pagaai ⟨de (m.)⟩ **0.1** *paddle.*

pagaaien ⟨onov. ww.⟩ **0.1** *paddle.*

pagadder ⟨de (m.)⟩ ⟨AZN⟩ **0.1** [kwajongen] *brat* ⇒*urchin* **0.2** [klein kind] *toddler.*

paganisme ⟨het⟩ **0.1** *paganism, pagandom, heathendom.*

paganist ⟨de (m.)⟩ **0.1** *heathen, pagan.*

page ⟨de (m.)⟩ **0.1** [dienaar v.e. ridder] *page* **0.2** [kind dat bij feesten dienst doet] *page (boy)* **0.3** [vlinder] *hairstreak.*

pagekopje ⟨het⟩ **0.1** *page boy* ⇒*bob.*

pagina ⟨de⟩ **0.1** [bladzijde] *page* **0.2** [⟨druk.⟩] *page* ◆ **2.1** de financiële ~ *the financial pages;* ⟨BE; mbt. Londense City⟩ *the City pages;* een uitvouwbare ~ *a pullout* **3.1** enkele ~'s aan iets wijden *devote a few pages to sth.* **6.2** in ~'s opmaken *page (up);* een tekst over een hele ~ *a full-page text* **7.1** ~ 2 en 3 *pages 2 and 3.*

paginagroot ⟨bn., bw.⟩ **0.1** *full-page.*

paginagrootte ⟨de (v.)⟩ **0.1** *page size.*

paginatitel ⟨de (m.)⟩ **0.1** *page head(ing).*

paginatuur ⟨de (v.)⟩ **0.1** *pagination.*

pagineren ⟨onov., ov. ww.⟩ **0.1** *page, paginate* ⇒*number.*

paginering ⟨de (v.)⟩ **0.1** [het pagineren] *pagination* **0.2** [cijfers] *pagination* ⇒*page numbers / numbering* ◆ **¶.2** de ~ klopt niet *the pagination is all wrong.*

pagode ⟨de (v.)⟩ **0.1** [tempel] *pagoda* **0.2** [afgodsbeeld] *pagod.*

paille ⟨bn.⟩ **0.1** *straw colour(ed)* ◆ **1.1** een ~ japon *a straw coloured dress.*

paillette ⟨de⟩ **0.1** *sequin, spangle* ◆ **6.1** de jurk was met ~n versierd *the dress was spangled / trimmed with spangles.*

pair ⟨de (m.)⟩ ⟨gesch.⟩ **0.1** *peer.*

pais ⟨de⟩ ◆ **1.¶** alles is weer ~ en vree *peace reigns once more;* ⟨na ruzie⟩ *the dust has settled.*

pak ⟨→sprw. 495⟩
I ⟨het⟩ **0.1** [verpakking] *pack(age);* ⟨pakje⟩ *packet;* ⟨pakketje⟩ *parcel;* ⟨pakketje⟩ *parcel;* ⟨kartonnen doos⟩ *carton* **0.2** [kostuum] *suit* ⇒*costume* **0.3** [bij elkaar gebonden geheel] ⟨baal⟩ *bale;* ⟨partij⟩ *batch;* ⟨bundel, pakket⟩ *bundle;* ⟨stapeltje⟩ *packet* **0.4** [laag, vracht] *pack* **0.5** [hoeveelheid slagen] *beating, thrashing, hiding, whacking, licking* **0.6** [⟨wielersport⟩] *pack* ⇒(*main) bunch, peloton* **0.7** [zorg] *load, weight, burden* **0.8** [bagage] *bag* ◆ **1.1** een ~ koekjes *a packet of biscuits;* een ~ melk / vermicelli *a carton of milk / pack of noodles;* een ~ suiker / meel / koffie *a pack of sugar / flour / coffee* **1.3** het is een ~ geld *it's quite a packet;* een ~ kleren *a s. of clothes;* een ~ oud papier *a batch / bundle of wastepaper* **1.4** een ~ sneeuw *a layer / drift / fall of snow;* er lag een dik ~ sneeuw *the snow lay thick everywhere;* ⟨AZN⟩ ⟨fig.⟩ die jongen is één ~ zenuwen *that boy is a bundle of nerves* **1.5** iem. een ~ rammel / slaag geven *dust s.o. off, give s.o. a beating;* een ~ slaag / rammel krijgen *get a whacking, take a beating / thrashing / licking* **1.8** met ~ en zak vertrekken *pack up / off, clear out b. and baggage* **2.2** zijn beste ~ *his (Sunday) best / Sunday suit, his best bib and tucker;* een nat ~ halen *get drenched / a drenching, get a wetting* **2.5** ⟨inf.⟩ iem. een ongenadig ~ op zijn donder geven *beat the living daylights out of s.o.* **3.2** iem. in het ~ steken *clothe s.o.;* ⟨bedriegen⟩ *take s.o. for a ride, pull the wool over s.o.'s eyes;* een ~ laten maken *have a s. made (to measure)* **3.8** ⟨AZN⟩ zijn ~ maken ⟨zijn koffers pakken⟩ *pack one's suitcases;* ⟨sterven⟩ *kick the bucket, pop off* **6.2** hij zit goed in het ~ *he dresses smartly* **6.5** ⟨inf.⟩ iem. een ~ op zijn donder / sodemieter geven *beat / knock the hell / ↓shit out of s.o., whale the tar out of s.o.;* moet je een ~ voor je billen / broek? *(do you) want to get your trousers dusted / have your bottom warmed?* **6.¶** bij de ~ken neerzitten *throw in the towel, take it lying down;* je moet niet bij de ~ken neerzitten *never say die* **¶.1** dat is een ~ van mijn hart *that is / takes a load / weight off my mind, that's a great relief* **¶.3** het was weer van hetzelfde laken een ~ *it was the same thing all over again;*
II ⟨de⟩ **0.1** [inpakken] *packing.*

pakbon ⟨de (m.)⟩ **0.1** *packer's number.*

pakezel ⟨de (m.)⟩ **0.1** [lastdier] *pack mule* ⇒*beast of burden* **0.2** [⟨fig.⟩] *dogsbody.*

pakgaren ⟨het⟩ **0.1** *packthread.*

pakgoed ⟨het⟩ **0.1** *packed / packaged goods / freight.*

pakhuis ⟨het⟩ **0.1** *warehouse, storehouse, entrepôt;* ⟨magazijn⟩ *repository* ◆ **2.¶** zich voelen als een kat in een vreemd ~ *feel out of place* **5.1** het is hier net een ~ *the place is a jumble / mess, it looks like a rummage sale here.*

pakijs ⟨het⟩ **0.1** *pack (ice).*

Pakistaan ⟨de (m.)⟩, **-se** ⟨de (v.)⟩ **0.1** *Pakistani.*

Pakistaans ⟨bn.⟩ **0.1** *Pakistan(i)* ⇒*of / from Pakistan.*

Pakistan ⟨het⟩ **0.1** *Pakistan.*

pakje ⟨het⟩ ⟨→sprw. 496⟩ **0.1** [cadeautje] *parcel* ⇒*present* **0.2** [postpakket] *package;* ⟨vnl. BE⟩ *parcel* **0.3** [kleine verpakking] *packet* ⇒ ⟨mbt. papier, geld⟩ *wad* **0.4** [sigaretten] ⟨ook shag⟩ *packet;* ⟨AE⟩ *package, pack* **0.5** [dameskostuum] *ensemble;* ⟨tweedelig⟩ *two-piece* ◆ **1.3** een ~ boter *a p. of butter;* een ~ heroïne / marihuana *a lid of heroin / marihuana* **3.1** zal ik er een ~ van maken? *shall I do / make it up (for you)?;* ~s meebrengen *bring presents* **3.2** er is een ~ bezorgd *there's been a p. delivered* **3.4** twee ~s per dag roken *smoke two packets a day.*

pakjesavond ⟨de (m.)⟩ **0.1** *'pakjesavond'* ⟨*evening of 5 December, on which presents are given (within the family)*⟩ ◆ **3.1** aan ~ doen *celebrate 'p.'.*

pakjesdrager ⟨de (m.)⟩ **0.1** *carrier.*

pakjessoep ⟨de (v.)⟩ **0.1** *packet soup.*

pakkage ⟨de (v.)⟩ **0.1** *luggage,* [A]*baggage.*

pakkans ⟨de⟩ **0.1** *chance / risk of arrest / being caught.*

pakken
I ⟨ov. ww.⟩ **0.1** [tevoorschijn halen] *get, take, fetch* **0.2** [vastnemen] *catch, grasp* ⇒*grab,* ⟨grijpen⟩ *seize* **0.3** [betrappen] *catch* ⇒*round up* ⟨misdadiger⟩ **0.4** [inpakken] *pack* ⇒*do / wrap up* ⟨cadeautje⟩ **0.5** [gebruik maken van] *take* **0.6** [mbt. drank] *have* **0.7** [bevangen zijn door] *catch, get* **0.8** [benadelen] *get* ⇒⟨inf.⟩ *have* **0.9** [proppen] *compress* **0.10** [seksueel gebruiken] *have* ⇒⟨AE ook; sl.⟩ *jump* **0.11** [be-

grijpen] *catch, grasp, get (the hang of)* **0.12** [⟨AZN⟩ stelen] *nick* **0.13** [mishandelen] *do (s.o.) over* ◆ **1.1** even mijn agenda~ *(just) let me get my diary;* kun jij dat boek~? ⟨erbij kunnen⟩ *could you reach for that book?;* een extra kopje~ *fetch an extra cup;* schone lakens uit de kast ~ *get clean sheets from the cupboard;* een pen~ *get a pen;* pak een stoel *grab a chair;* ⟨inf.⟩ *take the load off your feet* **1.2** een kind (eens lekker)~ ⟨knuffelen⟩ *hug / cuddle a child;* zij kan nog net het touw~ *she can just about reach the rope* **1.3** de daders zijn nooit gepakt *the offenders were never caught* **1.4** zijn boeltje bij elkaar~ *p. up bag and baggage, p. one's bags, pack;* ⟨fig.⟩ hij kan zijn boeltje / koffers wel~ *he can / might as well (just) p. it in (now);* haring~ *p. herring;* zijn koffers~ *p. (one's suitcases)* **1.5** we~ de volgende afslag *we'll t. the next exit* ⟨op snelweg⟩ / *turn(ing)* ⟨op gewone weg⟩; zullen we de auto / fiets / trein~? *shall we t. the car / bicycle / train?* **1.6** een borrel~ *h. a drink* **1.8** de zwaksten / minima worden altijd gepakt *the weakest / minimum wage earners always g. it* **1.11** ik kon de zin van zijn betoog niet~ *I couldn't grasp the meaning of his argument* **1.¶** zijn biezen~ *clear out, pack (one's bags)* **4.2** dan moet je mij~ *(try and) c. me if you dare;* pak ze! *go for them!, give it to them!;* ⟨tegen hond⟩ *get them!* **4.8** mij pak je niet meer *catch me again;* mij~ ze niet meer *they won't catch me again* **4.13** ⟨voetbal⟩ iem. vies / smerig~ *tackle s.o. badly* **6.2** iem. **bij** armen en benen~ (en wegslepen) *frog-march s.o.;* hij pakte haar **bij** de arm *he grabbed her arm;* ⟨fig.⟩ proberen iem. **te** ~ te krijgen *try to get hold of s.o.;* iets **te** ~ krijgen *lay hold of sth., lay one's hands on sth.;* ⟨fig.⟩ iem. **te** ~ nemen *have a go at s.o., take the mickey out of s.o., take s.o. in;* ⟨fig.⟩ ik heb hem **te** ~ ⟨telefoon⟩ *I've got him;* ⟨fig.⟩ de slag **te** ~ krijgen / hebben *get the feel / hang of sth., get a grip on sth.;* nou heb ik je **te** ~ *got you!;* ⟨jacht⟩ *soho!;* de verkeerde **te** ~ hebben *get the wrong sow by the ear, get hold of the wrong person;* als ik hem **te** ~ krijg *if I c. him / lay hands on him;* een dief **te** ~ krijgen *get hold of a thief* **6.3** iem. ~ **op** fraude / verboden wapenbezit *get s.o. on fraud / illegal possession of arms* **6.4** iets **in** papier ~ *wrap sth. up in paper, paper sth.* **6.7** een kou **te** ~ hebben *have a cold;* het lelijk **te** ~ hebben ⟨erg verkouden / ziek zijn⟩ *be in a bad way;* ⟨erg verliefd zijn⟩ *be lovesick;* als hij het **te** ~ had *when the fit was on him (for sth.)* **6.8** iem. **op** iets~ *get s.o. on sth.;* iem. **op** een eerder gedane uitspraak~ *g. / catch s.o. on a previous statement* **6.13** ze hebben me flink / goed **te** ~ gehad ⟨onder handen / bij de neus nemen⟩ *they really had me (there);* ⟨bij de neus nemen ook⟩ *they really made me look silly* **¶.2** pak me dan, als je kan! *c. me if you can!;* pak ze van je eigen leeftijd *tackle your own age* **¶.8** aan alle kanten gepakt worden *g. it on all sides / all around* **¶.9** op elkaar gepakt in de bus staan *be squashed / crushed / packed together in the bus;* als haringen in een ton gepakt zitten *packed like sardines;* de mensen stonden dicht op elkaar gepakt *the people were packed together;*

II ⟨onov., ov.ww.⟩ **0.1** [boeien] *grip, hold, fetch* ◆ **1.1** dat boek pakt van begin tot eind *that book grips you from first to last;* het betoog pakte de toehoorders *the speech held the audience;*

III ⟨onov.ww.⟩ **0.1** [een contact bewerkstelligen] *hold, grip* ⟨anker, rem⟩; *bite* ⟨sleutel, wiel⟩; *take* ⟨verf⟩ **0.2** [zich laten samenvoegen] *bind* ⇒ ⟨klonteren⟩ *ball* **0.3** [koffers inpakken] *pack (up)* ◆ **1.2** de sneeuw pakt *the snow is packing* **3.3** we moeten straks nog~ *we've got to do our packing still.*

pakkend ⟨bn.⟩ **0.1** *catching, catchy* ⟨liedje⟩; *fascinating, appealing, fetching* ⟨stijl⟩; *arresting* ⟨krantekop⟩; *ripping* ⟨verhaal / boek⟩; *catching, attractive* ⟨reclame⟩ ◆ **1.1** een~e finale *a gripping finale;* een~e kop ⟨ook⟩ *a screamer;* een~e titel *a catchy / an arresting title.*

pakker ⟨de (m.)⟩, **-ster** ⟨de (v.)⟩ **0.1** *packer.*

pakkerd ⟨de (m.)⟩ ⟨inf.⟩ **0.1** *hug and kiss, (big) hug* ⇒*smacking kiss* ◆ **2.1** een dikke / stevige~ *give s.o. a great big hug / kiss;* een lekkere~ *a good hug* **3.1** iem. een~ geven *give s.o. a hug and a kiss.*

pakkerij ⟨de (v.)⟩ **0.1** [plaats] *packing department* **0.2** [handeling] *packing.*

pakket ⟨het⟩ **0.1** [(post)pakje] *parcel* **0.2** [⟨vaak in samenst.⟩ set] *pack* ⇒⟨gereedschap⟩ *kit,* ⟨fig.⟩ *package* ◆ **1.2** ⟨fig.⟩ een~maatregelen / eisen *a package / set of measures / demands;* een schoonmaakpakket *a cleaning kit.*

pakketboot ⟨de⟩ **0.1** *packet (boat).*

pakketpost ⟨de⟩ **0.1** [afdeling] *parcel post office / department* **0.2** [kleine postpakketten] *parcel post.*

pakketposttarief ⟨het⟩ **0.1** *parcel rate* ⇒⟨AE ook⟩ *third-class.*

pakketvaart ⟨de⟩ **0.1** *packet (boat) service.*

pakkie-an ⟨inf.⟩ ◆ **5.¶** dat is niet mijn / zijn~ *that's not my / his department.*

pakking ⟨de (v.)⟩ **0.1** [materiaal voor hermetische afsluiting] *gasket, packing* **0.2** [inpakprocédé] *packing* **0.3** [kosmetische crème] *(face) pack* ◆ **2.1** een lekkende~ *a leaking g.* **3.1** de~vernieuwen *replace the g. / p..*

pakkingbus ⟨de⟩ **0.1** *stuffing box* ⇒*packing box.*

pakkingring ⟨de (m.)⟩ **0.1** *gasket ring, packing ring, grummet.*

pakkist ⟨de⟩ **0.1** *packing case* ⇒*box, crate.*

pakkosten ⟨zn.mv.⟩ **0.1** *packing charges / costs / expenses* ⇒*cost of packing.*

---

paklaag ⟨de⟩ **0.1** *subbase* ⇒⟨van weg ook⟩ *bottoming* ◆ **1.1** een~van puin onder wegen *a gravel s. course.*

paklijst ⟨de⟩ **0.1** *packing list* ⇒*list of contents, inventory.*

paklinnen ⟨het⟩ **0.1** *packing cloth* ⇒*packing sheet.*

pakmateriaal ⟨het⟩ **0.1** *packing / packaging material(s).*

pakpaard ⟨het⟩ **0.1** *packhorse.*

pakpapier ⟨het⟩ **0.1** *packing / wrapping / brown paper.*

pakriem ⟨de⟩ **0.1** *(luggage / baggage) strap.*

pakschuit ⟨de⟩ **0.1** *barge.*

paksneeuw ⟨de⟩ **0.1** *close- / hard-packed snow.*

pakstro ⟨het⟩ **0.1** [opvullingsmateriaal bij verpakking] *packing straw* ⇒*excelsior* **0.2** [geperst stro] *packed / compressed straw.*

paktafel ⟨de⟩ **0.1** *packing table / counter.*

paktouw ⟨het⟩ **0.1** *packing / binder twine.*

pakweg ⟨bw.⟩ **0.1** *roughly* ⇒*approximately, more or less, say, about, around* ◆ **3.1** zo'n reis kost~ 1800 gulden *a trip like that would cost r. 1800 guilders* **7.1** ik denk dat er~vijftig auto's per dag verongelukken *I think that about fifty cars are wrecked every day;* om~zeven uur *say around seven o'clock.*

pakzadel ⟨het, de (m.)⟩ **0.1** *packsaddle.*

pal¹ ⟨de (m.)⟩ **0.1** ⟨vergrendeling⟩ *catch;* ⟨klink⟩ *click;* ⟨scheep.⟩ *pawl, pall, paul;* ⟨van vuurwerk⟩ *pallet, pawl;* ⟨van geweer⟩ *trigger; stop(per)* ◆ **1.1** de~v.e. slot *the catch of a lock.*

pal² ⟨bw.⟩ **0.1** [loodrecht, frontaal] *directly* ⇒*due, dead, right* **0.2** [onmiddellijk] *straight* ⇒*immediately* **0.3** [op zeer korte afstand] *directly* ⇒*smack* **0.4** [onbeweeglijk] *firmly* ⇒*immovably* **0.5** [bestendig] *solidly* ◆ **3.4**~(blijven) staan *stop dead;* ⟨fig.⟩~staan in het gevaar *hold one's ground in danger;* ⟨fig.⟩~staan voor iets *make a firm stand for sth., stand firm for sth.;* ⟨fig.⟩~staan achter iem. *line up behind s.o., be solidly behind s.o.;* iets~zetten *pawl sth.* **3.5** de wind waait~uit het westen *the wind is due / dead west* **5.1** we hadden de wind~tegen *the wind was right in our teeth* **6.1** hij kreeg de bal~**in** zijn gezicht *the ball hit him flush on the face;* de wind staat~**op** het raam *the wind blows right on the window;* de kamer ligt~**op** het zuiden *the room is dead south;* hij liep~**tegen** mij aan / op *he ran smack into me* **6.2**~**voor** de pauze *right before the break / interval* **6.3** er~**boven / onder / naast** *d. above / under / next to;* hij ging~**voor** mij / mijn neus staan *he went and stood d. in front of me* **6.4** ⟨fig.⟩~**tegen** iets zijn *be dead against sth..*

paladijn ⟨de (m.)⟩ **0.1** [toegewijd aanhanger] *paladin* **0.2** [⟨gesch.⟩ ridder] *paladin.*

palankijn ⟨de (m.)⟩ **0.1** *palanquin, palankeen.*

palataal¹ ⟨de⟩ **0.1** *palatal.*

palataal² ⟨bn.⟩ **0.1** *palatal* ◆ **1.1** palatale articulatie *p. articulation;* een palatale klank *a p. sound.*

palatalisatie, palatalisering ⟨de (v.)⟩ ⟨taal.⟩ **0.1** *palatalization.*

Palatijns ⟨bn.⟩ **0.1** *Palatine.*

palatum ⟨het⟩ ⟨biol.⟩ **0.1** *palate.*

palaveren ⟨onov.ww.⟩ **0.1** *palaver* ⇒*gabble,* ⟨inf.⟩ *spout.*

palavers ⟨zn.mv.⟩ ⟨inf.⟩ **0.1** *palaver* ⇒⟨scherts.⟩ *powwow.*

paleis ⟨het⟩ **0.1** [woning v.e. vorst] *palace* ⇒⟨hof⟩ *court* **0.2** [groot openbaar gebouw] *hall* ◆ **1.2** het~van justitie *the Hall of Justice* **2.1** het koninklijk~*the royal p.* **3.1** ⟨fig.⟩ zijn huis is een~*his house is a p.;* ⟨fig.⟩ het is niet bepaald een~ᴮ*it's not Buckingham Palace, is it; it's not exactly the lap of luxury* **6.1** iem. **ten** paleize ontvangen *receive s.o. at court.*

paleisrevolutie ⟨de (v.)⟩ **0.1** *palace revolution* ⟨ook fig.⟩.

paleiswacht

    I ⟨de⟩ **0.1** [korps] *household troops;*

    II ⟨de (m.)⟩ **0.1** [bewaker] *palace guard.*

paleiszaal ⟨de⟩ **0.1** *palace room.*

palen

    I ⟨onov.ww.⟩ **0.1** [grenzen aan] *abut (on)* ⇒*adjoin* **0.2** [⟨vulg.⟩ neuken] *ram* ⇒*fuck;*

    II ⟨ov.ww.⟩ **0.1** [als een paal in de grond zetten] *sink.*

Paleoceen ⟨het⟩ ⟨geol.⟩ **0.1** *Palaeocene.*

Paleogeen ⟨het⟩ ⟨geol.⟩ **0.1** *Palaeogene.*

paleograaf ⟨de (m.)⟩ **0.1** *palaeographer.*

paleografie ⟨de (v.)⟩ **0.1** *palaeography.*

Paleolithicum ⟨het⟩ ⟨geol.⟩ **0.1** *Palaeolithic.*

paleolithisch ⟨bn.⟩ ⟨geol.⟩ **0.1** *palaeolithic.*

paleologie ⟨de (v.)⟩ **0.1** *palaeology.*

paleomagnetisme ⟨het⟩ **0.1** *palaeomagnetism.*

paleontografie ⟨de (v.)⟩ **0.1** *palaeontography.*

paleontologie ⟨de (v.)⟩ **0.1** *palaeontology.*

paleontoloog ⟨de (m.)⟩ **0.1** *palaeontologist.*

paleotypen ⟨zn.mv.⟩ **0.1** *incunabula* ⇒*cradle books, fifteeners.*

paleozoën ⟨zn.mv.⟩ **0.1** *ancient / fossil / prehistoric animals.*

Paleozoïcum ⟨het⟩ ⟨geol.⟩ **0.1** *Palaeozoic.*

Palestijn ⟨de (m.)⟩, **-se** ⟨de (v.)⟩ **0.1** *Palestinian.*

Palestijns ⟨bn.⟩ **0.1** *Palestinian* ⇒*Palestine* ◆ **1.1**~e bevrijdingsorganisatie *Palestine Liberation Organization.*

Palestina ⟨het⟩ **0.1** *Palestine.*

palet ⟨het⟩ **0.1** [schildersgereedschap] *palette, pallet* **0.2** [kleurmenging] *palette* ◆ **2.2** het Delftse ~ *the p. of the Delft school (of painting)* **3.1** het ~ opvatten ⟨fig.⟩ *take up painting.*

paletmes ⟨het⟩ **0.1** *palette/pallet knife.*

palfrenier ⟨de (m.)⟩ **0.1** *groom.*

palimpsest ⟨de (m.)⟩ **0.1** *palimpsest.*

palimpsestie ⟨de (v.)⟩ **0.1** ⟨*attribution of an idea/phrase to the person from whom it was first heard*⟩.

palindroom ⟨het⟩ **0.1** *palindrome.*

paling ⟨de (m.)⟩ **0.1** [aal] *eel* **0.2** [voedsel] *eels* ◆ **2.1** een jonge ~ *an elver* **2.2** gerookte ~ *smoked eel(s);* gestoofde ~ *stewed e., eel stew* **6.2** ⟨AZN⟩ ~ in het groen *stewed e. in chervil sauce;* ~ in gelei *jellied e..*

palingboer ⟨de (m.)⟩ **0.1** *eel seller.*

palingenese ⟨de (v.)⟩ **0.1** [wedergeboorte] *palingenesis* **0.2** [⟨biol.⟩] *palingenesis.*

palingenetisch ⟨bn., bw.; -ally⟩ **0.1** *palingenetic.*

palingpop ⟨de (m.)⟩ ⟨inf.⟩ **0.1** ⟨*pop music by groups from the village of Volendam*⟩.

palingtrek ⟨de (m.)⟩ **0.1** [trek van palingen naar zee] *eel migration* **0.2** [periode] *eel migration period.*

palingtrekken ⟨ww.⟩ ⟨gesch.⟩ **0.1** *eel-heading* ⟨*entertainment in which the aim was to pull the head off a live eel tied to a post*⟩.

palingvangst ⟨de (v.)⟩ **0.1** *eel catch.*

palingworst ⟨de⟩ **0.1** *sausage with smoked-bacon bits.*

palinodie ⟨de (v.)⟩ **0.1** *palinode.*

palissade ⟨de (v.)⟩ **0.1** *palisade, stockade* ⇒⟨omheining⟩ *paling.*

palissaderen ⟨ov.ww.⟩ **0.1** *palisade, stockade* ⇒⟨omheinen⟩ *pale.*

palissadering ⟨de (v.)⟩ **0.1** [paalhindernis] *palisade, stockade* **0.2** [het palissaderen] *palisading.*

palissander ⟨het⟩ **0.1** *rosewood* ⇒*palisander.*

palissanderhout ⟨het⟩ **0.1** *rosewood* ⇒*palisander.*

paljas ⟨de (m.)⟩ **0.1** *buffoon, clown.*

palla ⟨de⟩ ⟨r.k.⟩ **0.1** *pall, palla.*

pallet ⟨de (m.)⟩ **0.1** *pallet (board).*

palliatief¹ ⟨het⟩ **0.1** [⟨med.⟩] *palliative* ⇒*painkiller, lenitive* **0.2** [lapmiddel] *palliative.*

palliatief² ⟨bn.⟩ ⟨med.⟩ **0.1** *palliative* ⇒*lenitive, analgesic* ◆ **1.1** palliatieve bestraling *p. radiation.*

pallium ⟨het⟩ **0.1** [⟨r.k.⟩] *pallium* ⇒*superhumeral* **0.2** [⟨med.⟩] *pallium* ⇒*cerebral cortex, mantle* **0.3** [⟨gesch.⟩ mantel] *pallium.*

palliumwolk ⟨de⟩ ⟨meteo.⟩ **0.1** *pallium.*

palm ⟨de (m.)⟩ **0.1** [tropische boom] *palm* **0.2** [mbt. de hand] *palm* **0.3** [tak/blad v.e. palm] *palm* **0.4** [buksboom] *box tree* ◆ **3.3** de ~ wegdragen ⟨fig.⟩ *bear/carry off the p..*

palmachtig ⟨bn.⟩ **0.1** *palmaceous* ⇒*palmy, palmlike* ◆ **1.1** ~e gewassen *palmaceous plants.*

palmares ⟨de⟩ ⟨AZN⟩ **0.1** ⟨school.⟩ *list of (school) prizewinner, ≠honour roll;* ⟨sport⟩ *record (of achievement).*

palmblad ⟨het⟩ **0.1** *palm (leaf);* ⟨van buksboom⟩ *box(wood) sprig.*

palmboom ⟨de (m.)⟩ **0.1** [boom] *palm* **0.2** [heester] *box tree.*

palmen ⟨ov.ww.⟩ **0.1** *haul (up)/hoist up (hand over hand).*

palmet ⟨de⟩ **0.1** [⟨landb.⟩] *palm-shaped espalier* **0.2** [ornament] *palmette.*

palmgewelf ⟨het⟩ **0.1** *fan vault(ing).*

palmhout ⟨het⟩ **0.1** *boxwood.*

palmine ⟨de⟩ **0.1** *coconut butter/oil.*

palmitine ⟨het, de⟩ **0.1** *(tri)palmitin.*

palmitinezuur ⟨het⟩ **0.1** *palmitic acid.*

palmlelie ⟨de⟩ **0.1** *yucca (palm).*

palmmerg ⟨het⟩ **0.1** *pith of the sago palm.*

palmolie ⟨de⟩ **0.1** *palm oil.*

palmpaas ⟨de (m.)⟩ ⟨folk.⟩ **0.1** '*palmpaas*' ⟨*stick decorated with palm branches and sweets, carried by children on the morning of Palm Sunday*⟩.

Palmpasen ⟨de (m.)⟩ **0.1** *Palm Sunday.*

palmpit ⟨de⟩ **0.1** *palm kernel/nut.*

palmpittenolie ⟨de⟩ **0.1** *palm kernel oil.*

palmprocessie ⟨de (v.)⟩ ⟨r.k.⟩ **0.1** *Palm Sunday procession.*

palmslag ⟨de (m.)⟩ **0.1** ⟨zie 6.1⟩ ◆ **6.1** bij ~ verkopen *conclude a sale by slapping hands.*

palmstruik ⟨de (m.)⟩ **0.1** *box (tree).*

palmtak ⟨de (m.)⟩ **0.1** [⟨r.k.⟩] *palm* **0.2** [⟨gesch.⟩] *palm.*

palmwijding ⟨de (v.)⟩ ⟨r.k.⟩ **0.1** *blessing of the palms.*

palmwijn ⟨de (m.)⟩ **0.1** *palm wine* ⇒*toddy,* ⟨AE; inf.⟩ *tod.*

Palmzondag ⟨de (m.)⟩ **0.1** *Palm Sunday.*

palpabel ⟨bn.⟩ **0.1** [⟨med.⟩] *palpable* **0.2** [zeer duidelijk] *palpable* ⇒*tangible, obvious* ◆ **1.2** een ~ bewijs *p. proof.*

palpatie ⟨de (v.)⟩ ⟨med.⟩ **0.1** *palpation.*

palperen ⟨ov.ww.⟩ **0.1** *palpate.*

palpitatie ⟨de (v.)⟩ **0.1** *palpitation.*

palpiteren ⟨onov.ww.⟩ **0.1** *palpitate.*

palrad ⟨het⟩ **0.1** *ratchet (wheel).*

paltrokmolen ⟨de (m.)⟩ **0.1** *post-mill.*

palts ⟨de (m.)⟩ ⟨gesch.⟩ **0.1** *palace.*

Palts ⟨de (m.)⟩ ◆ **7.¶** de ~ *the Palatinate.*

paltsgraaf ⟨de (m.)⟩, **-gravin** ⟨de (v.)⟩ ⟨gesch.⟩ **0.1** *count/countess palatine* ⇒*palsgrave, palsgravine.*

paludisme ⟨het⟩ **0.1** *malaria* ⇒*marsh fever.*

palurk ⟨de (m.)⟩ **0.1** *prole* ⇒*pleb.*

palynologie ⟨de (v.)⟩ **0.1** *palynology* ⇒*pollen analysis.*

pamflet ⟨het⟩ **0.1** *pamphlet* ⇒⟨vlugschrift⟩ *broadsheet, broadside,* ^*flyer* ◆ **3.1** ~ten schrijven (en publiceren) *pamphleteer.*

pamfletschrijver ⟨de (m.)⟩, **-schrijfster** ⟨de (v.)⟩ **0.1** *pamphleteer.*

pamflettist ⟨de (m.)⟩ **0.1** *pamphleteer.*

pampa ⟨de⟩ **0.1** *pampas.*

pampagras ⟨het⟩ **0.1** *pampas grass.*

pampus ◆ **6.¶** voor ~ liggen *be dead to the world, be out cold/out for the count;* ⟨dronken ook⟩ *be paralytic.*

pan ⟨de⟩ **0.1** [keukengerei] *pan* **0.2** [dakbedekking] *(pan)tile* **0.3** [⟨inf.⟩ puinhoop] *muddle* ⇒*mess, tip* **0.4** [duinvallei] *pan* ⇒*hollow, dip* **0.5** [⟨tech.⟩] ⟨mbt. geweer⟩ *pan* ◆ **1.1** een ~ aardappelen *a panful of potatoes;* potten en ~nen *pots and pans;* een ~ soep *a pot of soup* **2.3** het is daar een gezellige ~ *the place is a delightful muddle/a cheerful/friendly chaos* **3.3** het was een ~ in de klas *it was bedlam/pandemonium in the classroom* **4.3** wat een ~! *what a shambles!* **5.1** ⟨fig.⟩ de ~ uit rijzen/vliegen/springen *soar, snowball, rocket; race up* ⟨kosten⟩ **6.1** zit er nog wat in de ~? *anything left?;* ⟨fig.⟩ dat swingt de ~ uit *that's really far out;* ⟨fig.⟩ iem. een veeg/lik uit de ~ geven *have a go/dig/swipe at s.o.;* het deksel van de ~ halen/nemen *take the lid off the p.* **6.2** met ~nen gedekt *tiled,* ⟨fig.⟩ hij is weer even onder de ~nen ⟨huis⟩ *he's got a roof over his head, he's all right for a while, he's been taken care of;* ⟨werk⟩ *he's found/got sth. for now/the time being* **6.¶** in de ~ hakken *cut to ribbons/pieces, make mincemeat of, knock into a cocked hat, clobber, wipe out.*

panacee ⟨de (v.)⟩ **0.1** [middel tegen alle kwalen] *panacea* ⇒*cure-all, universal remedy* **0.2** [oplossing voor alle problemen] *panacea* ⇒*cure-all, universal remedy.*

panache ⟨de⟩ **0.1** *panache.*

panama ⟨de (m.)⟩ **0.1** *panama (hat).*

Panama ⟨het⟩ **0.1** *Panama.*

panamahoed ⟨de (m.)⟩ **0.1** *panama hat.*

Panamakanaal ⟨het⟩ **0.1** *Panama Canal.*

Panamees ⟨de (m.)⟩, **-mese** ⟨de (v.)⟩ **0.1** *Panamanian.*

panamerikaans ⟨bn.⟩ **0.1** *Pan-American.*

panamerikanisme ⟨het⟩ **0.1** *Pan-Americanism.*

panarabisch ⟨bn.⟩ **0.1** *Pan-Arab(ic).*

panarabisme ⟨het⟩ **0.1** *Pan-Arabism.*

panbrood ⟨het⟩ **0.1** *pan-baked loaf;* ⟨BE ook⟩ *tin.*

panchromatisch ⟨bn.⟩ ⟨foto.⟩ **0.1** *panchromatic* ◆ **1.1** ~e platen/films *p. plates/films.*

pancratium ⟨het⟩ **0.1** *pancratium.*

pancreas ⟨het, de (m.)⟩ ⟨med.⟩ **0.1** *pancreas.*

pand
I ⟨het⟩ **0.1** [huis] *premises* ⇒*property, building, house* **0.2** [onderpand] *pawn* ⇒*pledge, security, surety, guarantee* **0.3** [⟨jur.⟩] *pledge* **0.4** [afdeling] *section* ⇒*reach* ⟨rivier⟩ ◆ **2.1** belendende ~en *adjoining/adjacent premises;* een fraai gelegen ~ *beautifully situated premises, a beautifully situated property* **6.1** in hetzelfde ~ *on the same premises* **6.3** in ~ nemen *take in p./pawn;* in ~ geven *pledge, pawn* **8.2** iem. iets als/tot ~ geven *give sth. in pledge/as a pledge/security to s.o.;*
II ⟨het, de (m.)⟩ **0.1** [deel v.e. kledingstuk] *piece* ⇒*panel* **0.2** [slip v.e. jas] *panel* ⇒*tail* ⟨rokkostuum⟩, *skirt* ⟨damesmantel⟩.

panda ⟨de (m.)⟩ **0.1** *panda.*

pandbelener ⟨de (m.)⟩ **0.1** *pledger.*

pandbeslag ⟨het⟩ ⟨jur.⟩ **0.1** *distraint, distrainment* ⇒*distress, ≠seizure.*

pandbewijs ⟨het⟩ **0.1** *pawn ticket.*

pandbrief ⟨de (m.)⟩ **0.1** *mortgage bond.*

pandecten ⟨zn.mv.⟩ ⟨jur.⟩ **0.1** *pandects.*

pandemie ⟨de (v.)⟩ **0.1** *pandemic.*

pandemisch ⟨bn.⟩ **0.1** *pandemic.*

pandemonium ⟨het⟩ **0.1** [⟨fig.⟩ lawaai] *pandemonium* ⇒*unholy racket,* ⟨tumult⟩ *uproar,* ⟨chaos⟩ *chaos* **0.2** [⟨gesch.⟩ tempel] *pand(a)emonium* **0.3** [boze geesten] *pandemonium.*

panden ⟨ov.ww.⟩ **0.1** [belenen] *pawn, pledge* **0.2** [⟨jur.⟩] *distrain.*

pandgever ⟨de (m.)⟩ **0.1** *pledger;* ⟨jur.⟩ *pledg(e)or.*

pandgeving ⟨de (v.)⟩ **0.1** *giving a pledge,* ^*chattel mortgage.*

pandgoed ⟨het⟩ **0.1** *pledged/pawned goods* ⇒*securities,* ⟨jur.⟩ *escrow.*

pandhof ⟨de (m.)⟩ **0.1** *quadrangle* ⇒*court(yard).*

pandhouder ⟨de (m.)⟩ **0.1** *pledgee, pawnee.*

panding ⟨de (v.)⟩ ⟨jur.⟩ **0.1** *distress* ⇒*distraint, seizure.*

pandit ⟨de (m.)⟩ **0.1** *pundit.*

pandjesbaas ⟨de (m.)⟩ **0.1** *pawnbroker.*

pandjeshuis ⟨het⟩ **0.1** *pawnshop* ⇒⟨inf.⟩ *hockshop,* ⟨BE ook; sl.⟩ *popshop.*

pandjesjas ⟨de⟩ **0.1** *tailcoat* ⇒⟨inf.⟩ *tails* ◆ **3.1** een ~ aanhebben/aantrekken *be in/put on tails.*

pandnemer ⟨de (m.)⟩ **0.1** *pledgee, pawnee.*

pandoer ⟨het, de (m.)⟩ **0.1** ⟨*card game in which the player who calls 'pandoer' has to make all the tricks*⟩ ◆ **2.¶** dat is opgelegd ~ *it's a foregone conclusion/bound to happen/a sure thing/* ⟨BE ook⟩ *a dead cert;* ⟨doorgestoken kaart⟩ *it's a put-up job.*

pandoeren ⟨onov.ww.⟩ **0.1** *play 'pandoer'* ⟨→pandoer⟩.

pandoering ⟨de (v.)⟩ ⟨AZN⟩ **0.1** *thrashing, whacking* ⇒*flogging* ◆ **3.1** iem. een ~ geven *dust/trim s.o.'s jacket, give s.o. a whacking/thrashing/licking.*

Pandora ⟨de (v.)⟩ **0.1** *Pandora* ◆ **1.1** doos van ~ *P.'s box.*

pandovereenkomst ⟨de (v.)⟩ **0.1** *contract of pledge.*

pandrecht ⟨het⟩ **0.1** *right of distraint/lien (on).*

pandschuld ⟨de⟩ **0.1** *secured debt* ⇒ ⟨bij hypotheek⟩ *mortgage/hypothecary debt.*

pandverbeuren ⟨ww.⟩ **0.1** *(game of) forfeits.*

paneel ⟨het⟩ **0.1** [vlak binnen een omlijsting] *panel, pane* **0.2** [blad waarop men schildert] *panel* **0.3** [schilderstuk op hout] *panel* ⇒ ⟨vleugel van triptiek, paneel⟩ *volet* **0.4** [tafel met schakelaars] *panel* ⇒*board.*

paneeldeur ⟨de⟩ **0.1** *panelled* ^A*eled door.*

paneelraam ⟨het⟩ **0.1** *panelled* ^A*eled window.*

paneelradiator ⟨de (m.)⟩ **0.1** *panel radiator.*

paneelschilder ⟨de (m.)⟩ **0.1** *panel painter.*

paneelwerk ⟨het⟩ **0.1** *panelling* ^A*eling* ⇒*wainscoting.*

paneermeel ⟨het⟩ **0.1** *breadcrumbs.*

panel ⟨het⟩ **0.1** [forum] *panel* **0.2** [⟨verz.⟩] *panel* ⇒*consortium* **0.3** [bedieningspaneel] *(instrument) panel/board.*

panellid ⟨het⟩ **0.1** *panel member* ⇒*member of a/the panel,* ⟨vnl. in quiz e.d.⟩ *panellist* ^A*elist.*

paneren ⟨ov.ww.⟩ **0.1** *bread(crumb)* ⇒*coat with breadcrumbs.*

paneuropees ⟨bn.⟩ **0.1** *Pan-European.*

panfluit ⟨de⟩ **0.1** *panpipe(s)* ⇒*Pan's pipe(s), syrinx.*

pang[1] ⟨de (m.)⟩ ⟨inf.⟩ **0.1** *smack* ⇒*slap, whack* ◆ **6.1** hij kreeg een ~ in zijn gezicht *he got a slap in the face.*

pang[2] ⟨tw.⟩ **0.1** *pow* ⇒*bang.*

pangermanisme ⟨het⟩ **0.1** *Pan-Germanism.*

pangram ⟨het⟩ **0.1** *pangram.*

panharing ⟨de (m.)⟩ **0.1** *white/fresh herring.*

panhellenisme ⟨het⟩ ⟨gesch.⟩ **0.1** *Pan-Hellenism.*

paniek ⟨de (v.)⟩ **0.1** *panic* ⇒*alarm, scare,* ⟨gevoel⟩ *terror* ◆ **3.1** er ontstond ~ *(a) p. broke out;* ⟨scherts.⟩ toen ze dat hoorden was er ~ in de tent *when they heard that it was p. stations all round;* ~ zaaien *spread p./alarm, throw (s.o.) into (a) p., start a scare* **6.1** in ~ raken *panic, get into a/be seized by p.;* in ~ vluchten *run away in terror, flee in a p./panic-stricken* **7.1** geen ~! *don't panic.*

paniekachtig ⟨bn.⟩ **0.1** [als bij paniek] *panic-stricken/struck* **0.2** [als iem. in paniek] *panic-stricken/struck.*

paniekbestendig ⟨bn.⟩ ⟨scherts.⟩ **0.1** *panic-proof/-resistant.*

paniekerig ⟨bn., bw.⟩ **0.1** ⟨bn.⟩ *panicky, panic-stricken/struck* ⇒*terror-stricken/struck, frantic,* ⟨bw.⟩ *in (a) panic, frantically* ◆ **3.1** doe niet zo ~ *steady on, don't be so panicky/get so frantic;* ~ reageren *panic (in reaction to).*

paniekhek ⟨het⟩ **0.1** *crush barrier* ⟨op grote tribunes⟩.

panieklichten ⟨zn.mv.⟩ ⟨inf.⟩ **0.1** [1] *warning lights.*

paniekreactie ⟨de (v.)⟩ **0.1** *panic/alarm reaction.*

panieksluiting ⟨de (v.)⟩ **0.1** *emergency lock.*

paniekstemming ⟨de (v.)⟩ **0.1** *feeling/sense of panic/alarm.*

paniekvoetbal ⟨het⟩ **0.1** [paniekerig voetbalspel] *panicky play* **0.2** [paniekerig gedrag] *panic measure(s)/behaviour* ◆ **3.2** ~ spelen *be panicking.*

paniekzaaier ⟨de (m.)⟩, **-ster** ⟨de (v.)⟩ **0.1** *panic-monger, alarmist* ⇒*scaremonger.*

panisch ⟨bn., bw.⟩ **0.1** ⟨bn.⟩ *panic* ⇒*frantic,* ⟨bw.⟩ *in (a) panic, frantically* ◆ **1.1** een ~e angst hebben voor iets/om iets te doen *be terrified of sth./of doing sth.;* een ~e reactie a *p./frantic reaction;* een ~e schrik hebben *be terrified/petrified, panic, be terror-stricken* **3.1** ~ reageren *react by panicking, panic.*

panislamisme ⟨het⟩ **0.1** *Pan-Islamism.*

panklaar ⟨bn.⟩ **0.1** [gereed voor de pan] *ready to cook* **0.2** [⟨fig.⟩] *ready-made* ◆ **1.1** panklare groenten *ready-to-cook vegetables* **1.2** een panklare oplossing *an instant solution* ¶.**2** ⟨sport⟩ de bal ~ voor iem. neerleggen *give/serve s.o. the ball on a plate.*

panlat ⟨de⟩ **0.1** *tile lath.*

panlikken ⟨onov.ww.⟩ **0.1** [vleien] *butter (s.o.) up* ⇒*toady (to s.o.), fawn (on s.o.), wheedle* **0.2** [klaplopen] *sponge (on/off s.o.).*

panlikker →**pannelikker.**

panne ⟨de⟩ **0.1** *breakdown* ◆ **3.1** ~ hebben *have a b./engine trouble.*

pannebier ⟨het⟩ **0.1** ⟨*drink or financial bonus given to building workers when the building has been completed*⟩.

pannebrood →**panbrood.**

pannedeksel ⟨het⟩ **0.1** *pan lid.*

pannegreep ⟨de (m.)⟩ **0.1** *detachable pan-handle.*

pannekoek ⟨de (m.)⟩ ⟨→sprw. 156⟩ **0.1** [ronde koek] *pancake* **0.2** [grote baret] ≠*beret* **0.3** [koeiedrek] *cow pat.*

pannekoekmes ⟨het⟩ **0.1** *spatula* ⇒*slice.*

pannelap ⟨de (m.)⟩ **0.1** *oven cloth* ⇒⟨AE ook; inf.⟩ *pan-lifter, potholder,* ⟨want⟩ *oven glove/mitt.*

pannelikker ⟨de (m.)⟩ **0.1** *scraper.*

pannenbakker ⟨de (m.)⟩ **0.1** *tiler* ⇒*tile maker.*

pannenbakkerij ⟨de (v.)⟩ **0.1** *tile works.*

pannendak ⟨het⟩ **0.1** *tiled roof.*

pannendekker ⟨de (m.)⟩ **0.1** *tiler.*

pannenplank ⟨de⟩ **0.1** *pan shelf.*

pannenset ⟨de (m.)⟩ **0.1** *set of (pots and) pans.*

pannespons ⟨de⟩ **0.1** *scourer, scouring pad* ⇒*wire wool.*

panopticum ⟨het⟩ **0.1** *waxworks* ⇒*wax show.*

panorama ⟨het⟩ **0.1** [vergezicht] *panorama* ⇒*panoramic view, prospect,* ⟨in samenst. ook⟩ *-scape* **0.2** [schilderstuk] *cyclorama* ⇒*panorama* **0.3** [gebouw] *cyclorama* ⇒*panorama* **0.4** [kaart met vergezicht] *panorama.*

panoramagram ⟨het⟩ **0.1** *panoramic sketch/reproduction.*

panoramakijker ⟨de (m.)⟩ **0.1** *panoramic sight.*

panoramisch ⟨bn.⟩ **0.1** *panoramic* ⇒⟨uitzicht ook⟩ *bird's-eye, cycloramic* ◆ **1.1** een ~e voorruit v.e. auto a ^B*wraparound windscreen/* ^A*wraparound windshield.*

panorthodox ⟨bn.⟩ **0.1** *panorthodox.*

pansfluit →**panfluit.**

panslavisme ⟨het⟩ **0.1** *Pan-Slavism.*

panspermie ⟨de (v.)⟩ ⟨biol.⟩ **0.1** *panspermia* ⇒*panspermatism.*

pantagruellesk ⟨bn.⟩ **0.1** *Pantagruelian.*

pantalon ⟨de (m.)⟩ **0.1** *(pair of) trousers/* ^A*pants* ⇒⟨voor sport en vrijetijd⟩ *(pair of) slacks,* ⟨vero. of scherts.⟩ *(pair of) pantaloons* ◆ **7.1** twee ~s *two pair(s) of t..*

panter ⟨de (m.)⟩ **0.1** *panther* ⇒⟨ihb. Afrikaanse⟩ *leopard* ◆ **2.1** zwarte ~ *black p.;* ⟨lid van militante negerbeweging in U.S.A.⟩ *Black Panther.*

panterkat ⟨de⟩ **0.1** *tiger cat.*

pantervel ⟨het⟩ **0.1** ⟨als kleding⟩ *leopard-skin* ⇒⟨anders ook⟩ *panther skin.*

pantheïsme ⟨het⟩ **0.1** *pantheism.*

pantheïst ⟨de (m.)⟩, **-e** ⟨de (v.)⟩ **0.1** *pantheist.*

pantheïstisch ⟨bn., bw.; -(al)ly⟩ **0.1** *pantheist(ic(al)).*

pantheon ⟨het⟩ **0.1** [eregebouw] *pantheon* **0.2** [⟨Rom. gesch.⟩] *pantheon* ◆ **2.1** ⟨fig.⟩ letterkundig ~ *p. of letters.*

pantoffel ⟨de (m.)⟩ **0.1** *(carpet) slipper* ⇒⟨muiltje ook⟩ *mule* ◆ **2.1** leren ~s *leather slippers* **6.1** ⟨fig.⟩ hij zit onder de ~ *he is henpecked/tied to his wife's apron strings;* op ~s *in slippers.*

pantoffeldiertje ⟨het⟩ **0.1** *slipper animalcule* ⇒*paramecium.*

pantoffelheld ⟨de (m.)⟩ **0.1** [man onder de plak] *henpecked husband* **0.2** [bangerd] *faint-heart* ⇒*craven, milksop,* ⟨vnl. BE ook⟩ *funk,* ⟨AE ook⟩ *milquetoast.*

pantoffelparade ⟨de (v.)⟩ **0.1** *promenade, promenading* ⇒*parading.*

pantoffelplant ⟨de⟩ **0.1** *slipperwort* ⇒*calceolaria.*

pantoffelslak ⟨de (m.)⟩ **0.1** *slipper shell/limpet* ⇒*boat shell.*

pantoffeltje ⟨het⟩ **0.1** [kleine pantoffel] *slipperette* ⇒⟨muiltje⟩ *mule* **0.2** [⟨plantk.⟩] ⟨→**pantoffelplant**⟩.

pantograaf ⟨de (m.)⟩ **0.1** [werktuig] *pantograph* ⇒*diagraph* **0.2** [stroomafnemer] *pantograph.*

pantometer ⟨de (m.)⟩ **0.1** *pantometer.*

pantomime ⟨de (m.)⟩ **0.1** [mbt. het toneel] *(panto)mime* ⇒⟨gesch.⟩ *dumb show,* ⟨folk.⟩ *mummery* **0.2** [gebarenspel] *(panto)mime* ⇒*dumb show* ◆ **3.1** een ~ opvoeren *(panto)mime, perform in (panto)mime, give a show in mime.*

pantomimespeler ⟨de (m.)⟩, **-speelster** ⟨de (v.)⟩ **0.1** *mime (artist)* ⇒*mummer, mute.*

pantomimiek ⟨de (v.)⟩ **0.1** *(panto)mime.*

pantomimisch ⟨bn.⟩ **0.1** *mimed, in mime* ⇒*pantomimic* ◆ **1.1** een ~ ballet a *pantomime/pantomimic ballet.*

pantoscoop ⟨de (m.)⟩ **0.1** *(pair of) pantoscopic glasses* ⇒*(pair of) bifocals/bifocal glasses.*

pantry ⟨de⟩ ⟨scheep., luchtv.⟩ **0.1** *galley* ⇒*kitchen(ette).*

pantser ⟨het⟩ **0.1** [stalen bescherming] *(plate) armour* ⇒*armour-plating* **0.2** [⟨dierk.⟩] *armature* ⇒*armour, cuirass, carapace, mail, shell* ⟨van schildpad/schaaldier⟩ **0.3** [harnas] *(suit of) armour* ⇒⟨ihb. bovenlichaam⟩ *cuirass.*

pantserauto ⟨de (m.)⟩ **0.1** *armoured car.*

pantserdek ⟨het⟩ **0.1** *armoured deck.*

pantserdier ⟨het⟩ **0.1** *armadillo.*

pantserdivisie ⟨de (v.)⟩ **0.1** *armoured division* ⇒*panzer division* ⟨mbt. het Duitse leger in de 2e Wereld Oorlog⟩.

pantseren ⟨ov.ww.⟩ **0.1** [versterken] *armour(-plate)* ⇒*plate, mail, steel* **0.2** [⟨fig.⟩ wapenen] *steel (to/for/against)* ⇒*harden (to/against)* ◆ **1.1** een gepantserde trein *an armoured/armour-clad train* **4.2** zich ~ tegen overgevoeligheid *guard against oversensitiveness.*

pantserglas ⟨het⟩ **0.1** *bullet-proof glass.*

pantsergordel ⟨de (m.)⟩ **0.1** *armour belt.*

pantsergranaat ⟨de (m.)⟩ **0.1** *armour-piercing shell.*

pantsering ⟨de (v.)⟩ **0.1** [het pantseren/gepantserd zijn] *armour(ing)*, *(armour-)plating* ⇒*mailing, steeling*, ⟨van kabel⟩ *cable-armouring, armour of a cable* **0.2** [pantserplaten] *armour-plating*.

pantserkoepel ⟨de (m.)⟩ **0.1** *(gun) turret* ⇒⟨oorlogsschip ook⟩ *(armoured) cupola*.

pantserplaat ⟨de⟩ **0.1** *armour plate*.

pantserschip ⟨het⟩ **0.1** *armoured ship/vessel* ⇒*ironclad/armour-clad ship/vessel, ironsides*.

pantserstaal ⟨het⟩ **0.1** *armour plate*.

pantsertrein ⟨de (m.)⟩ **0.1** *armoured train*.

pantservoertuig ⟨het⟩ →*pantserwagen*.

pantservuist ⟨de⟩ **0.1** *anti-tank shell*.

pantserwagen ⟨de (m.)⟩ **0.1** *armoured car* ⇒*armoured vehicle*, ⟨gesch.⟩ *panzer*, ⟨mv. ook⟩ *armour*.

panty ⟨de (m.)⟩ **0.1** [B](pair of)(stocking) tights;⟨AE en Austr.E⟩ *panty-hose* ◆ **7.1** drie panties *three pairs of tights; three pair(s) of pantyhose*.

pantykous ⟨de⟩ **0.1** *nylon knee-socks* ⇒[B]pop sock.

panvis ⟨de (m.)⟩ **0.1** *frying fish* ⇒*fryer, frier, fried fish*.

PAO ⟨het⟩ ⟨afk.⟩ **0.1** [post-academiaal onderwijs] ⟨*postgraduate education*⟩.

pap
I ⟨de⟩ **0.1** [halfvloeibaar voedsel] *porridge* ⇒*gruel, mash*, ⟨voor zieken en zuigelingen⟩ *pap*, ⟨AE; maispap⟩ *samp, mush* **0.2** [als geneesmiddel] *poultice* ⇒*cataplasm, dressing* **0.3** [stijfsel] *size* ⇒*sizing*, ⟨behangplaksel⟩ *paste*, ⟨voor textiel ook⟩ *dressing* **0.4** [slijk] *slush* ◆ **3.1** ik lust er wel ~ van *this is meat and drink to me* **6.1** een vinger in de ~ hebben *have a finger in the pie;* ⟨fig.⟩ hij verdient het zout in de ~ niet *he earns a (mere) pittance/peanuts;* **tot** ~ koken *boil to mash/to a pulp* **7.¶** geen ~ meer kunnen zeggen ⟨vermoeid⟩ *be (dead) beat/bushed*, ⟨BE ook; inf.⟩ *be whacked/fagged (out);* ⟨veel gegeten hebben⟩ *be full up/to the brim/to bursting;*
II ⟨de (m.)⟩ ⟨kind.⟩ **0.1** [papa] *dad(dy)* ⇒⟨AE ook⟩ *pop*.

papa ⟨de (m.)⟩ **0.1** *papa* ⇒*dad(dy)*, ⟨vnl. AE; inf.⟩ *pappy*, ⟨AE; inf.⟩ *pop(pa)*, ⟨vero.⟩ *papa*.

papaal ⟨bn.⟩ **0.1** *papal*.

papaja
I ⟨de (m.)⟩ **0.1** [boom] *papaya* ⇒*pawpaw, papaw;*
II ⟨de⟩ **0.1** [vrucht] *papaya* ⇒*pawpaw, papaw*.

papalisme ⟨het⟩ **0.1** *papalism*.

papaver ⟨de⟩ **0.1** *poppy* ⇒⟨plantk.⟩ *Papaver*.

papaverachtig ⟨bn.⟩ ◆ **1.¶** ~e planten *papaveraceous plants*.

papaverbol ⟨de (m.)⟩ **0.1** *poppyhead* ⇒*poppy-capsule*.

papaverine ⟨het, de⟩ **0.1** *papaverine*.

papavermelk ⟨zn. mv.⟩ **0.1** *poppy juice* ⇒*mecomium*.

papaverolie ⟨de⟩ **0.1** *poppy-oil* ⇒*poppy-seed oil*.

papaverrood ⟨bn.⟩ **0.1** *poppy(-red)* ⇒*ponceau*.

papaverzaad ⟨het⟩ **0.1** *poppy seed*.

papaverzuur ⟨het⟩ **0.1** *meconic acid*.

papegaai ⟨de (m.)⟩ **0.1** [vogel] *parrot* ⇒⟨klein⟩ *lorikeet, lory*, ⟨vero.⟩ *popinjay* **0.2** [⟨fig.⟩ persoon] *parrot* **0.3** [houten vogel om op te schieten] *popinjay* **0.4** [handvat boven een bed] *(hand)grip* ◆ **3.1** een ~ leren spreken *teach a parrot to talk* **3.3** ⟨fig.⟩ de ~ geschoten hebben ⟨fig.⟩ *have scored/made a hit*.

papegaaiduiker ⟨de (m.)⟩ **0.1** *puffin* ⇒*sea parrot* ◆ **2.1** gekuifde ~ *tufted p.*.

papegaaiebek ⟨de (m.)⟩ **0.1** *parrot's bill/beak* ⇒*parrot-like bill/beak*.

papegaaiekooi ⟨de⟩ **0.1** *parrot cage*.

papegaaiekruid ⟨het⟩ **0.1** *pigweed*.

papegaaien ⟨ww.⟩ **0.1** *parrot* ⇒*echo, ditto*.

papegaaieschommel ⟨de⟩ **0.1** *parrot's perch*.

papegaaieziekte ⟨de (v.)⟩ **0.1** *psittacosis* ⇒*parrot disease/fever*.

papegaaistok ⟨de⟩ ⟨scheep.⟩ **0.1** *outrigger*.

papendom ⟨het⟩ ⟨bel.⟩ **0.1** [geestelijkheid] *black-coats* **0.2** [denk- en handelwijze] *popery* ⇒*papistry*, ⟨vnl. op pol. gebied⟩ *priestcraft*.

papenhater ⟨de (m.)⟩, -**haatster** ⟨de (v.)⟩ **0.1** *antipapist* ⇒*anti-Catholic*.

papenvreter ⟨de (m.)⟩, -**vreetster** ⟨de (v.)⟩ **0.1** *(rabid) antipapist* ⇒*anti-Catholic*.

paperassen ⟨zn. mv.⟩ **0.1** *papers* ⇒*paper work*, ⟨BE ook; sl.⟩ *bumf, bumph* ◆ **1.1** een stapel ~ *a pile of p.; a load of bumf/bumph* **3.1** ik zal u de ~ zenden *I'll send you the p.*.

papeterie ⟨de (v.)⟩ **0.1** [voorwerpen] *stationary* **0.2** [winkel] *stationer('s) (shop)*.

Papiamento, Papiaments ⟨het⟩ **0.1** *Papiamento*.

Papiaments ⟨het⟩ **0.1** *Papiamento*.

papier ⟨het⟩ **0.1** [beschrijfbaar materiaal] *paper* **0.2** [vel] *(piece/sheet of) paper* **0.3** [geldswaardig biljet] *paper* ⇒*stock, bond* **0.4** [officieel bewijsstuk] ⟨vnl. mv.⟩ *paper* ⇒*document* ◆ **1.1** pen en ~ hanteren *put/set pen to p., use pen and p., take up one's pen;* een riem/vel/stuk ~ a *ream/sheet/bit of p.* **2.1** ⟨fig.⟩ het ~ is geduldig *anything may be put on p.;* gelinieerd ~ *ruled/lined p.;* schoon ~ *blank/clean/virgin p.* **2.2** gezegeld ~ *stamp p.* **2.3** kort/lang ~ *short(-dated/-term)/long(-dated/-term) p., short/longs, short/long bonds;* ⟨AZN⟩ in slechte ~en zitten *be in trouble, be in a tight spot, be in a lit of a spot;* solide ~en

sound papers **2.4** ⟨fig.⟩ goede ~en hebben *have good testimonials/certificates/credentials* **3.1** iets aan het (witte) ~ toevertrouwen *commit sth. to p. / writing* **3.3** zijn ~en rijzen/dalen *his stock is rising/going up, his stock is falling/going down* **3.4** de douane controleerde haar ~en *the Customs checked her papers* **6.1** zijn gedachten op ~ zetten *put one's thoughts down on p. / in writing;* **op** ~ klopt het perfect *it fits/adds up/works perfectly on p.;* **op** ~ zitten er 30 kinderen in de klas *on paper/officially, there are 30 children in the class;* **van** ~ spreken *speak from notes* **6.3** het loopt aardig **in** de ~ *(soon) mounts up* **¶.3** ~ aan toonder *bearer p.;* ⟨AE ook⟩ *commercial p.*.

papierafval ⟨het, de (m.)⟩ **0.1** *wastepaper*.

papierbak ⟨de (m.)⟩ **0.1** *wastepaper bin/basket* ⇒⟨vnl. AE⟩ *wastebasket*, ⟨op straat⟩ *litter bin*.

papierbinder ⟨de (m.)⟩ **0.1** *paperclip*.

papierboom ⟨de (m.)⟩ **0.1** *paper tree* ⇒*paper mulberry*.

papierbrij ⟨de (m.)⟩ **0.1** ⟨fig.⟩ grote hoeveelheid paperassen] *mass of paper(work)* **0.2** [grondstof voor papier] *pulp*.

papieren ⟨bn.⟩ **0.1** [van papier] *paper* **0.2** [niet werkelijk] *paper* **0.3** [als van papier] *papery* ⇒*paperlike* ◆ **1.1** ~ geld *p. money*, [B](bank) notes, [A]bills; ~ servetten *p. napkins;* ⟨BE ook⟩ *p. serviettes;* ~ zakdoekjes *tissues, p. handkerchieves/hankies, kleenex(es)* **1.2** een ~ lid *a p. member, a member on paper/in name only;* ~ maatregelen *p. measures* **1.3** de ~ vleugeltjes v.d. vlinder *the paper-thin/tissue-like/gossamer wings of the butterfly* **1.¶** een ~ tijger *a p. tiger*.

papierfabricage ⟨de (v.)⟩ **0.1** *paper-making/manufacture*.

papierfabriek ⟨de (v.)⟩ **0.1** *paper factory/mill*.

papierformaat ⟨het⟩ **0.1** *size of paper, paper size*.

papiergeld ⟨het⟩ **0.1** *paper money* ⇒*paper currency, soft money,* [B](bank) notes, [A]bills, ⟨AE; inf.⟩ *folding money* ◆ **6.1** f 100,- **in** ~ *100 guilders in notes/* [A]bills.

papiergoud ⟨het⟩ ⟨geldw.⟩ **0.1** *paper gold*.

papierhandel ⟨de (m.)⟩ **0.1** [handel in papier] *paper-trade* ⇒*paper business*, ⟨mbt. schrijfbehoeften⟩ *stationery trade* **0.2** [winkel] *stationer('s)(shop)* **0.3** [effectenhandel] *stockbroking* ⇒*stockjobbing, stockjobbery*.

papierklem ⟨de⟩ **0.1** *bulldog (clip)* ⇒*paper fastener*.

papierknipsel ⟨het⟩ **0.1** *decoupage*.

papierlinnen ⟨het⟩ **0.1** *paper cuffs/shirt fronts* ⟨enz.⟩.

papier-maché[1] ⟨het⟩ **0.1** *papier-mâché*.

papier-maché[2] ⟨bn.⟩ **0.1** *papier-mâché*.

papiermachine ⟨de (v.)⟩ **0.1** *paper-making machine*.

papiermand ⟨de⟩ **0.1** *wastepaper basket;* ⟨vnl. AE⟩ *wastebasket* ⇒*litter basket*.

papiermerk ⟨het⟩ **0.1** *watermark*.

papiermolen ⟨de (m.)⟩ **0.1** *paper mill* ◆ **6.1** naar de ~ sturen ⟨fig.⟩ *put (straight) in the wastepaper bin, put through the shredder, send to be pulped, treat as scrap paper*.

papierplant ⟨de⟩ **0.1** *papyrus* ⇒*paper plant/reed/rush*.

papierriet ⟨het⟩ **0.1** *papyrus* ⇒*paper reed/rush/plant*.

papierrol ⟨de⟩ **0.1** *roll of paper* ⇒⟨druk.⟩ *web*.

papiersnijder ⟨de (m.)⟩ **0.1** [mes] *paperknife* **0.2** [tafelmodel] *paper cutter* **0.3** [grote machine] *guillotine* **0.4** [artiest] *paper-cutting artist*.

papiersnipper ⟨de⟩ **0.1** *scrap/snip(pet) of paper*.

papierstrook ⟨de⟩ **0.1** *strip of paper* ⇒⟨ponsband⟩ *paper tape*.

papiertje ⟨het⟩ **0.1** [stukje papier] *bit/piece of paper* ⇒*scrap of paper*, ⟨van snoepje⟩ *wrapper* **0.2** [blaadje met een notitie] *piece of paper* ⇒*note*, ⟨inf.⟩ *scribble* ◆ **2.1** dat is een aardig ~ voor die kamer *that's a nice paper for that room* **6.1** een cadeautje **in** een ~ pakken *wrap up a present*.

papiertouw ⟨het⟩ **0.1** *twisted paper*.

papierwinkel ⟨de (m.)⟩ **0.1** [massa papier] *mass of paperwork* **0.2** [winkel] *stationer's (shop)*.

papierwol ⟨de⟩ **0.1** *paper shavings*.

papil ⟨de⟩ **0.1** *papilla*.

papillair ⟨bn.⟩ **0.1** *papillary* ⇒*papillate, papillose*.

papillot ⟨de⟩ **0.1** [mbt. het krullen van haar] *curler* ⇒*curl paper* **0.2** [mbt. vlees] *papillote* ◆ **3.1** ~ten leggen/zetten *put one's hair in (curl) papers* **6.1** met ~ten *in het haar with one's hair in papers*.

papisme ⟨het⟩ ⟨pej.⟩ **0.1** [pausdom, katholicisme] *papistry* ⇒*papery, papism* **0.2** [pausgezindheid] [↑]*ultramontanism*.

papist ⟨de (m.)⟩ ⟨gesch.⟩ **0.1** *papist*.

papje ⟨het⟩ **0.1** *poultice* ⇒*dressing, cataplasm, application* ◆ **1.1** een ~ van gips *a plaster application/dressing* **3.1** een ~ leggen op een zweer *poultice/dress a sore/an ulcer, put a p. / dressing/cataplasm on a sore/ an ulcer*.

papkind ⟨het⟩ **0.1** *pap-fed child* ⇒⟨zwakkeling⟩ *milksop, sissy*.

paplam ⟨het⟩ **0.1** *bottle-fed lamb*.

paplepel ⟨de (m.)⟩ ◆ **6.¶** ⟨fig.⟩ dat is hem met de ~ ingegeven *he learned it at his mother's knee, he took it in with his mother's milk*.

Papoea ⟨de (m.)⟩ ⟨gesch.⟩ **0.1** *Papuan*.

Papoeaas ⟨bn.⟩ **0.1** *Papuan* ◆ **1.1** de Papoease bevolking *the P. population/people, the Papuans*.

Papoea Nieuw Guinea ⟨het⟩ **0.1** *Papua New Guinea*.

pappen
I ⟨ov.ww.⟩ **0.1** [met een papje bestrijden] *dress* ⇒⟨med.⟩ *poultice*, ⟨met lijmachtige vloeistof⟩ *size* ◆ **1.1** papier ~ *size paper*; roggebroden ~ *baste rye bread with batter*; stoffen ~ *d. textiles / fabrics* **3.1** ~ en nathouden ⟨fig., scherts.⟩ *stick / sweat it out, keep at it, never say die*; II ⟨onov.ww.⟩ **0.1** [tot pap worden] *pulp* ⇒*become pulpy / pappy / mushy*.

pappenheimer ⟨de m.⟩ ◆ **3.¶** hij kent zijn ~s *he knows his people / customers, he knows who he's dealing with*.

papperig ⟨bn.⟩ **0.1** [week als pap] *mushy* ⇒*pappy, pulpy, squashy* **0.2** [dik] *puffy* ⇒*flabby, blubbery* ◆ **1.1** de aardappelen zijn ~ *the potatoes are m. / pulpy* **1.2** een ~e kop *a p. / flabby / blubbery face*.

pappie ⟨de m.⟩ ⟨kind.⟩ **0.1** *daddy* ⇒*dad*, ⟨AE ook⟩ *pappy*.

pappig ⟨bn.⟩ **0.1** [week als pap] *mushy* ⇒*pasty, pulpy, squashy* **0.2** [ongezond dik] *puffy* ⇒*bloated* ◆ **1.1** de grond is erg ~ *the ground / soil is very m.* **3.2** er ~ uitzien *look puffy*; ⟨inf.⟩ *look puffed up*.

pappot ⟨de m.⟩ **0.1** *porridge-pot* ◆ **1.1** bij moeders ~ blijven ≠*be tied to one's mother's apron strings*.

paprika ⟨de⟩ **0.1** [plant] *paprika* ⇒*(sweet) pepper, capsicum* **0.2** [vrucht] *paprika* ⇒*(sweet) pepper, capsicum*, ⟨groen, onrijp⟩ *green pepper*, ⟨rood⟩ *red pepper* **0.3** [specerij] *paprika*.

paprikapoeder ⟨het⟩ **0.1** *paprika*.

paps ⟨de m.⟩ ⟨kind.⟩ **0.1** *dad* ⇒*daddy*, ⟨AE ook⟩ *pappy*.

papschool ⟨de⟩ ⟨AZN⟩ **0.1** *nursery school* ⇒*kindergarten*, ⟨BE ook⟩ *infant school*.

papyrologie ⟨de v.⟩ **0.1** *papyrology*.

papyroloog ⟨de m.⟩ **0.1** *papyrologist*.

papyrus ⟨de m.⟩ **0.1** [riet] *papyrus* ⇒*paper plant / reed / rush* **0.2** [papier] *papyrus* **0.3** [tekst] *papyrus*.

papyrusrol ⟨de⟩ **0.1** *papyrus*.

papzak ⟨de m.⟩ **0.1** *potbelly* ⇒⟨aanspreekvorm⟩ *fatty*, ⟨aanspreekvorm; sl.⟩ *fatso*, ⟨kort en dik⟩ *roly-poly, podge*.

par. ⟨afk.⟩ **0.1** [paragraaf] *section*.

para ⟨de m.⟩ **0.1** [parachutist] *para* **0.2** [munt] *para*.

paraaf ⟨de m.⟩ **0.1** *initials* ◆ **3.1** een ~ zetten *put one's i., initial*.

paraat ⟨bn.⟩ **0.1** *ready* ⇒*prepared, set* ◆ **1.1** parate kennis *r. knowledge* **1.¶** ⟨jur.⟩ parate executie *summary execution* **3.1** troepen ~ houden *have / hold / keep troops standing by / on standby / at the ready;* ~ staan *be r. / prepared, stand to / by;* ~ zitten *be (all) r. / set*.

paraattas ⟨de v.⟩ ⟨foto.⟩ **0.1** *camera case*.

parabel ⟨de⟩ **0.1** *parable*.

parabellum ⟨de m.⟩ **0.1** *semiautomatic pistol*.

parabolisch ⟨bn., bw.; -(al)ly⟩ **0.1** [(met de vorm) v.e. parabool] *parabolic* **0.2** [mbt. een gelijkenis] *parabolic(al)* ◆ **1.1** ~e snelheid ⟨ster., ruim.⟩ *p. velocity;* een ~e spiegel *a p. mirror*.

paraboloïde ⟨de v.⟩ ⟨wisk.⟩ **0.1** *paraboloid*.

parabool ⟨de⟩ ⟨wisk.⟩ **0.1** *parabola*.

paraboolantenne ⟨de⟩ **0.1** [B]*parabolic aerial*, [A]*parabola* ⇒⟨inf.⟩ *dish*.

paracentese ⟨de v.⟩ ⟨med.⟩ **0.1** *paracentesis*.

paracentrisch ⟨bn.⟩ **0.1** *paracentric*.

paracentrum ⟨het⟩ **0.1** *parachutists' training centre*.

parachronisme ⟨het⟩ **0.1** *parachronism*.

parachute ⟨de m.⟩ **0.1** *parachute* ⇒⟨inf.⟩ *chute*, ⟨kleine of remparachute⟩ *drogue*.

parachutefakkel ⟨de⟩ **0.1** *(parachute) flare*.

parachuteren ⟨ov.ww.⟩ **0.1** [aan een parachute neerlaten] *parachute* ⇒⟨inf.⟩ *chute, (air)drop* ⟨voedsel, goederen⟩ **0.2** [⟨pol.⟩] *appoint unexpectedly* ⇒≠*catapult*.

parachutespringen ⟨ww.⟩ **0.1** *do parachuting*.

parachutesprong ⟨de m.⟩ **0.1** *parachute jump*.

parachutetroepen ⟨zn.mv.⟩ **0.1** *parachute troops* ⇒*paratroop(er)s*, ⟨inf.⟩ *paras*.

parachutist ⟨de m.⟩, -e ⟨de v.⟩ **0.1** *parachutist* ⇒⟨inf.⟩ *chutist*, ⟨ihb. mil.⟩ *para*.

paraclub ⟨de⟩ **0.1** *parachuting club*.

paracommando ⟨het⟩ ⟨mil.⟩ **0.1** *para(chutists') commando*.

parade ⟨de v.⟩ **0.1** [het paraderen] *parade* ⇒*promenade* **0.2** [wapenschouwing] *parade* ⇒⟨military⟩ *review*, ⟨in groot tenue⟩ *dress parade*, ⟨defilé⟩ *march-past* **0.3** [⟨sport⟩] *parade* ⇒*parry* **0.4** [optocht met muziek] *parade* ◆ **2.1** grote ~ en klein garnizoen ⟨fig.⟩ *more show than substance* **3.1** ⟨fig.⟩ alleen maar om ~ te maken *all for show, only to show off* **3.2** (een) ~ afnemen *take the salute;* (een) ~ houden *hold a review, review, parade*.

parademars ⟨de⟩ **0.1** [wijze van marcheren] *parade march* **0.2** [muziek] *march*.

paradentaal ⟨bn.⟩ ⟨med.⟩ **0.1** *periodontal*.

paradentose ⟨de v.⟩ ⟨med.⟩ **0.1** *periodontosis*.

paradepaard ⟨het⟩ **0.1** [iem. / iets waarmee men pronkt] *showpiece* **0.2** [paard] *parade horse* ◆ **1.1** dit produkt is het ~ van onze firma *this product is the s. of our firm*.

paradepas ⟨de m.⟩ **0.1** *parade step* ⇒*goose step* ◆ **6.1** in de ~ lopen *walk / march in p. s., goose-step, do the goose step*.

paradeplaats ⟨de⟩ **0.1** *parade (ground)*.

---

paraderen ⟨onov.ww.⟩ **0.1** [parade houden] *parade* **0.2** [pronken] *parade* ⇒*swagger, flaunt, show off*, ⟨AE ook; inf.⟩ *sashay* ◆ **1.1** de matrozen paradeerden in het want *the sailors manned the shrouds* **6.2** zij liep te ~ met haar nieuwe jas *she was parading / flaunting / showing off her new coat*.

paradetenue ⟨het⟩ **0.1** *review order*.

paradigma ⟨het⟩ **0.1** [voorbeeld] *paradigm* **0.2** [⟨taal.⟩] *paradigm*.

paradigmatiek ⟨de v.⟩ **0.1** *study / knowledge of paradigms*.

paradigmatisch ⟨bn.⟩ **0.1** *paradigmatic*.

paradijs ⟨het⟩ **0.1** [⟨bijb.⟩] *Paradise* ⇒*paradise* **0.2** [de hemel] *Paradise* ⇒*paradise* **0.3** [lusthof] *paradise* ⇒*Elysium, Eden, lotus land* ◆ **2.1** het aardse ~ *the Garden of Eden* **2.3** Italië is voor haar een waar ~ *Italy is a real p. to her*.

paradijsappel ⟨de m.⟩ **0.1** *paradise apple*.

paradijselijk ⟨bn., bw.; -(al)ly⟩ **0.1** *paradisiacal* ⇒*paradisiac, paradisaical* ◆ **1.1** ~e onschuld *blissful ignorance;* een ~oord *a heavenly spot*.

paradijskostuum ⟨het⟩ ◆ **6.¶** in ~ *in one's birthday suit, in nature's garb*.

paradijsverhaal ⟨het⟩ **0.1** *story of man's fall / of the Fall*.

paradijsvogel ⟨de m.⟩ **0.1** *bird of paradise* ⇒⟨Australische⟩ *riflebird, rifleman (bird)*.

paradox ⟨de m.⟩ **0.1** *paradox*.

paradoxaal ⟨bn., bw.; -ly⟩ **0.1** *paradoxical* ◆ **1.1** paradoxale formuleringen *p. statements* **3.1** het klinkt ~ *it sounds p. / (like) a paradox*.

paradoxie ⟨de v.⟩ **0.1** *paradoxy* ⇒*paradoxicality, paradoxicalness* ◆ **1.1** de ~ v.e. geval *the p. of a case*.

paraferen ⟨ov.ww.⟩ **0.1** *initial*.

parafernalia ⟨zn.mv.⟩ **0.1** [bij iem. / iets horende zaken] *paraphernalia* ⇒*accoutrements* **0.2** [gedoe] *fuss and bother*.

paraffine ⟨de⟩ **0.1** *paraffin wax* ⇒*paraffin, (petroleum) wax*.

paraffinekaars ⟨de⟩ **0.1** *wax candle*.

paraffine-olie ⟨de⟩ **0.1** [⟨med.⟩ laxatief] *liquid paraffin, medicinal / [A]mineral oil* **0.2** [kerosine] *paraffin (oil)* ⇒⟨vnl. AE⟩ *kerosene* **0.3** [grondstof voor bep. smeermiddelen en cosmetica] *white oil*.

paraffinepapier ⟨het⟩ **0.1** *wax(ed) paper*.

parafonie ⟨de v.⟩ **0.1** *paraphonia*.

parafrase ⟨de v.⟩ **0.1** [omschrijving] *paraphrase* ⇒*restatement* **0.2** [⟨muz.⟩] *paraphrase* ◆ **3.1** een ~ geven (van) *give a p. (of), paraphrase*.

parafraseren ⟨ov.ww.⟩ **0.1** *paraphrase* ⇒*restate*.

parafrasie ⟨de v.⟩ **0.1** *paraphrasia* ⇒*paraphasia*.

parafysica ⟨de v.⟩ **0.1** *paraphysics*.

paragenese ⟨de v.⟩ ⟨geol.⟩ **0.1** *paragenesis*.

paragnosie ⟨de v.⟩ **0.1** *extrasensory perception* ⇒⟨afk.⟩ *ESP, cryptaesthesia*.

paragnost ⟨de m.⟩ **0.1** *psychic* ⇒*medium, clairvoyant*.

paragnostisch ⟨bn., bw.; -(al)ly⟩ **0.1** *psychic(al)* ◆ **1.1** ~e dromen *psychic dreams*.

paragoge ⟨de⟩ ⟨taal.⟩ **0.1** *paragoge* ⇒*paragogue*.

paragogisch ⟨bn.⟩ ⟨taal.⟩ **0.1** *paragogic(al)*.

paragraaf ⟨de m.⟩ **0.1** [teken] *paragraph* ⟨¶⟩ ⇒*section (mark)* ⟨§⟩ **0.2** [onderdeel] *section* ◆ **6.2** in paragrafen verdelen *divide into sections*.

paragraafteken ⟨het⟩ **0.1** *section (mark)* ⟨§⟩.

paragraferen ⟨ov.ww.⟩ **0.1** *divide into sections*.

Paraguay ⟨het⟩ **0.1** *Paraguay*.

Paraguayaan ⟨de m.⟩, -se ⟨de v.⟩ **0.1** *Paraguayan*.

paraisseren ⟨onov.ww.⟩ **0.1** [bij een notaris verschijnen] *appear* **0.2** [vermeld worden] *appear* ⇒*figure, stand*.

paraleipsis ⟨de v.⟩ ⟨lit.⟩ **0.1** *paral(e)ipsis*.

paralexie ⟨de v.⟩ **0.1** *paralexia*.

parallactisch ⟨bn.⟩ **0.1** *parallactic* ◆ **1.1** de ~e driehoek *the p. triangle;* ~e hoek *p. angle*.

parallax ⟨de m.⟩ **0.1** *parallax* ◆ **2.1** jaarlijkse ~ *annual / heliocentric p.*.

parallel[1] ⟨de⟩ **0.1** [⟨wisk.⟩] *parallel* **0.2** [⟨aardr.⟩] *parallel (of altitude)* **0.3** [vergelijking] *parallel* ⇒*analogy* ◆ **1.3** een ~ trekken / maken tussen ... / met ... *draw a p. between* **3.3** deze ~ kan nog verder doorgetrokken worden *this analogy can be carried further*.

parallel[2] ⟨bn., bw.; -ly⟩ **0.1** [evenwijdig] *parallel (to / with)* **0.2** [vergelijkbaar] *parallel (to)* ⇒*analogous (to / with)* **0.3** [mbt. stroomcircuits] *parallel* ⇒*shunted* ◆ **1.1** ~loop met iets *run p. to / with sth.;* ~le toonsoorten *p. keys* **1.2** een ~le ontwikkeling *a p. / an analogous development* **1.3** een ~le schakeling *a p. connection, a parallel, a shunt (connection)* **3.1** stralen / telescopen ~ maken *collimate beams / telescopes* **3.2** ~schakelen *shunt;* die lampen zijn ~ geschakeld *those lamps are connected in parallel* **6.1** die wegen / lijnen lopen ~ aan / met elkaar *those roads / lines run p. to / with each other / parallel each other*.

parallelbeweging ⟨de v.⟩ **0.1** *parallel motion*.

parallelcirkel ⟨de m.⟩ **0.1** *almucantar* ⇒*parallel of altitude*.

paralleldoorsnede ⟨de⟩ **0.1** *parallel section*.

parallelimport ⟨de m.⟩ ◆ **1.¶** de ~ van geneesmiddelen ≠*unofficial / undercover drug imports*.

parallelklas ⟨de v.⟩ **0.1** *parallel class*.

parallellepipedum ⟨het⟩ **0.1** *parallelepiped.*
parallellie ⟨de (v.)⟩ **0.1** *parallelism.*
parallellisatie ⟨de (v.)⟩⟨ec.⟩ **0.1** *diversification.*
parallellisme ⟨het⟩ **0.1** [het evenwijdig lopen] *parallelism* **0.2** [verhouding] *parallelism* **0.3** [stijlfiguur] *parallelism.*
parallellogram ⟨het⟩⟨wisk.⟩ **0.1** *parallellogram* ◆ **2.1** scheefhoekig~ *rhomboid.*
parallelprojectie ⟨de (v.)⟩⟨wisk.⟩ **0.1** *parallel projection.*
parallelschakeling ⟨de (v.)⟩⟨elektrotechniek⟩ **0.1** *parallel connection* ⇒ *shunt.*
parallelweg ⟨de (m.)⟩ **0.1** *parallel road* ⇒⟨ventweg⟩ ᴮ*service road,* ᴮ*by-lane,* ᴬ*frontage road.*
paralogie ⟨de (v.)⟩ **0.1** *paralogism* ⇒⟨zeldz.⟩ *paralogy.*
paralogisme ⟨het⟩ **0.1** *paralogism.*
paralympisch ⟨bn.⟩ ◆ **1.¶** de ~e Spelen *the Paralympic Games, the Paralympics.*
paralyse ⟨de (v.)⟩ **0.1** *paralysis* ⇒*palsy* ◆ **2.1** progressieve ~ *(general) paresis;* spastische ~ *spastic paralysis.*
paralyseren ⟨ov.ww.⟩ **0.1** *paralyse* ᴬ*yze* ⇒⟨vero. of med.⟩ *palsy.*
paralysie ⟨de (v.)⟩ **0.1** *paralysis* ⇒*palsy.*
paralytisch ⟨bn.⟩ **0.1** [verlamd] *paralytic* **0.2** [aanleg voor beroerte hebbend] *paralytic.*
paramagnetisch ⟨bn.⟩⟨nat.⟩ **0.1** *paramagnetic.*
paramagnetisme ⟨het⟩ **0.1** *paramagnetism.*
paramedisch ⟨bn.⟩ **0.1** *paramedical.*
parament ⟨het⟩ **0.1** [belegsel als versiering] *parament* **0.2** [⟨r.k.⟩] *parament* ◆ **1.2** de ~en v.h. altaar *the altar paraments.*
parameter ⟨de (m.)⟩ **0.1** [lijn] *parameter* **0.2** [⟨comp.⟩] *parameter* **0.3** [kenmerkende grootheid] *parameter.*
parametrisch ⟨bn.⟩ **0.1** *parametric.*
paramilitair ⟨bn.⟩ **0.1** *paramilitary* ◆ **1.1** de ~e formaties *the p. formations.*
paramnesie ⟨de (v.)⟩ **0.1** *paramnesia* ⇒*déjà vu.*
paranimf ⟨de (m.)⟩ **0.1** ⟨*person who accompanies and assists s.o. who presents his/her thesis*⟩.
paranoia ⟨de (v.)⟩ **0.1** *paranoia.*
paranoicus ⟨de (m.)⟩ **0.1** *paranoiac* ⇒*paranoid.*
paranoïde ⟨bn.⟩ **0.1** *paranoid* ⇒*paranoiac* ◆ **1.1** ~ personen *paranoids, paranoiacs.*
paranoot ⟨de⟩ **0.1** *Brazil nut.*
paranormaal ⟨bn.,bw.;-ly⟩ **0.1** *paranormal* ⇒*psychic(al)* ◆ **1.1** paranormale verschijnselen *paranormal/psychic(al) phenomena;* ⟨verz.n.⟩ *psi* **2.1** zij is ~ begaafd *she is paranormally gifted.*
paraplu ⟨de (m.)⟩ **0.1** [regenscherm] *umbrella* ⇒⟨BE ook;inf.⟩ *brolly,* ⟨scherts.;grote,slordige⟩ *gamp* **0.2** [⟨fig.⟩ bescherming] *umbrella* ◆ **2.1** een opvouwbare ~ *a folding u., a telescopic u.* **3.1** een ~ opsteken/ opzetten *put up an u.* **¶.¶** ⟨inf.⟩ aju ~! ≠ᴮ*ta-ta, cheerio.*
parapluantenne ⟨de⟩⟨com.⟩ **0.1** *umbrella aerial/*⟨AE vnl.⟩ *antenna.*
paraplubak ⟨de (m.)⟩ **0.1** *umbrella stand.*
parapluplant ⟨de (m.)⟩ **0.1** *umbrella plant.*
paraplustandaard →**paraplubak.**
parapsychologie ⟨de (v.)⟩ **0.1** *parapsychology* ⇒*psychic research.*
parapsychologisch ⟨bn.,bw.;-ly⟩ **0.1** *parapsychological.*
parapsycholoog ⟨de (m.)⟩,**-loge** ⟨de (v.)⟩ **0.1** *parapsychologist.*
para-sailing ⟨de⟩ **0.1** *parasailing* ⇒*parakiting.*
parasiet ⟨de (m.)⟩ **0.1** [klaploper] *parasite* ⇒*sponge(r), leech,* ⟨AE ook; sl.⟩ *freeloader, schnorrer* **0.2** [⟨biol.⟩] *parasite* ⇒*inquiline, guest (organism)* ◆ **1.1** de ~en v.d. maatschappij *the parasites/sponge(r)s/ leeches of society* **8.2** als ~ leven op een plant/dier *be a p. on a plant/ an animal.*
parasietendrager ⟨de (m.)⟩ **0.1** [organisme] *host (organism)* **0.2** [bacillendrager] *carrier* ⇒*vector.*
parasietplant ⟨de⟩ **0.1** *parasitic plant, parasite.*
parasitair ⟨bn.,bw.;-(al)ly⟩ **0.1** *parasitic(al)* ◆ **1.1** ~e planten *parasitic plants;* ~e trilling *parasitic oscillation;* ~e ziekte *parasitic disease.*
parasiteren ⟨onov.ww.⟩ **0.1** *parasitize* ⇒*infest,* ⟨fig.⟩ *sponge (on/off),* ⟨vnl.schr.;fig.⟩ *batten (on),* ⟨AE ook;sl.;fig.⟩ *freeload* ◆ **6.1** hij parasiteert op zijn makkers *he sponges on/off his friends.*
parasitisch ⟨bn.,bw.;-(al)ly⟩ **0.1** *parasitic(al)* ◆ **1.1** ~e planten/dieren *parasitic plants/organisms.*
parasitisme ⟨het⟩ **0.1** *parasitism* ⇒*antibiosis.*
parasitologie ⟨de (v.)⟩ **0.1** *parasitology.*
parasitoloog ⟨de (m.)⟩,**-loge** ⟨de (v.)⟩ **0.1** *parasitologist.*
parasol ⟨de (m.)⟩ **0.1** [op een steel staand zonnescherm] *sunshade* ⇒ *parasol, umbrella* **0.2** [draagbaar zonnescherm] *sunshade* ⇒*parasol, umbrella.*
parasport ⟨de⟩ **0.1** *sport parachuting* ⇒*skydiving, parachute jumping.*
parastataal ⟨bn.⟩⟨AZN⟩ **0.1** *semi-governmental* ◆ **1.1** parastatale instelling *s.-g. institution/body.*
parasympathisch ⟨bn.⟩⟨taal.⟩ **0.1** *parasympathetic* ◆ **1.1** ~ zenuwstelsel *p. (nervous) system.*
parasynthetisch ⟨bn.⟩⟨taal.⟩ **0.1** *parasynthetic.*
parataal ⟨de⟩ **0.1** *paralanguage.*

parataxis ⟨de (v.)⟩⟨taal.⟩ **0.1** *parataxis.*
parathion ⟨het⟩ **0.1** *parathion.*
paratroepen ⟨zn.mv.⟩ **0.1** *paratroops* ⇒*paratroopers, parachute troops,* ⟨inf.⟩ *paras.*
paratroeper ⟨de (m.)⟩ **0.1** *paratrooper* ⇒⟨mv. ook⟩ *paratroops.*
paratuberculose ⟨de (v.)⟩ **0.1** *paratuberculosis* ⇒*Johne's disease.*
paratyfus ⟨de (m.)⟩ **0.1** *paratyphoid (fever).*
paravaan ⟨de⟩⟨scheep.⟩ **0.1** *paravane* ⇒*otter.*
paraverbinding ⟨de (v.)⟩⟨schei.⟩ **0.1** *para compound.*
parcours ⟨het⟩ **0.1** *track* ◆ **2.1** een foutloos ~ *a clear round.*
pardoes ⟨bw.⟩ **0.1** *plump* ⇒*bang, slap, flop,* ⟨AE ook;inf.⟩ *spang* ◆ **3.1** iem. ~ tegen het lijf lopen, ~ tegen iem. aanlopen *run p./bang/ smack into s.o.;* hij sprong ~ in het water *he jumped p./flop/slap into the water.*
pardon¹ ⟨het⟩ **0.1** [vergiffenis] *pardon* ⇒*forgiveness* **0.2** [⟨jur.⟩] *pardon* ◆ **2.2** generaal~ *amnesty, general p.* **3.1** geen ~ geven *give no quarter;* geen ~ hebben met *have no mercy on, show no mercy to;* geen ~ kennen *be relentless/implacable;* ~ vragen *beg p., ask forgiveness* **3.2** iem. ~ verlenen *extend (a) p. to s.o., pardon s.o.* **6.1** zonder ~ *without mercy, mercilessly.*
pardon² ⟨tw.⟩ **0.1** *pardon (me)* ⇒*I beg your pardon, excuse me, (so) sorry, I'm sorry,* ⟨inf.⟩ *beg pardon* ◆ **¶.1** ~, mag ik even passeren? *would you excuse me, please?, may I get/come by, please?;* stond ik op uw tenen? ~! *sorry, did I step on your toe?;* ~? *(I) beg (your) pardon?, pardon (me)?;* ⟨BE ook⟩ *sorry?;* ⟨AE ook⟩ *excuse me?.*
pardonnabel ⟨bn.⟩ **0.1** *pardonable.*
pardonneren ⟨ov.ww.⟩ **0.1** *pardon* ⇒*excuse, forgive.*
pareerbreuk ⟨de⟩⟨med.⟩ **0.1** *Monteggia's fracture.*
parel ⟨de⟩ **0.1** [sieraad] *pearl* ⇒⟨volmaakt⟩ *orient,* ⟨onregelmatige vorm⟩ *baroque (pearl),* ⟨AE ook;sl.⟩ *tear* **0.2** [iets van bijzondere waarde] *pearl* ⇒*jewel, gem, treasure,* ⟨Austr.E;sl.⟩ *screamer* **0.3** [wat op een parel lijkt] *pearl* ⇒*bead* ◆ **1.3** ~s van zweet stonden op zijn hoofd *beads of sweat covered his brow* **2.1** een gekweekte ~ *a cul-ture(d)/cultivated p.;* valse/onechte ~s *false/imitation/artificial pearls* **3.1** ⟨fig.⟩ ~s voor de zwijnen gooien *cast pearls before swine;* met ~s versieren *set with pearls, pearl;* ~s vissen *fish/dredge for pearls, pearl, go pearling* **6.1** ⟨fig.⟩ de schoonste ~ **aan** zijn kroon *the finest jewel in his crown* **6.2** ze is een ~ **van** een vrouw *she is a p. among women/a jewel/treasure of a woman.*
parelachtig ⟨bn.,bw.⟩ **0.1** *pearly* ⇒*pearled, pearl-like.*
parelbank ⟨de⟩ **0.1** *pearl fishery* ⇒*pearl-oyster bank/bed/park, pearl farm.*
parelduiker ⟨de (m.)⟩ **0.1** *pearl diver* ⇒*pearler.*
parelen
I ⟨onov.ww.⟩ **0.1** [zich vertonen in de vorm v.e. parel] *pearl* ⇒*bead* **0.2** [borrelen] *sparkle* ⇒*bubble* ◆ **1.1** het zweet parelde op haar voorhoofd *her forehead was beaded with sweat* **1.2** deze wijn parelt mooi *this wine sparkles beautifully* **1.¶** een ~de lach *a rippling laugh;* **II** ⟨ov.ww.⟩ **0.1** [parelvormig ornament aanbrengen] *pearl* ⇒*bead* **0.2** [parelvorm geven] *pearl* ◆ **1.1** deze lepels moeten gepareld worden *these spoons should be pearled/ beaded* **1.2** geparelde thee *pearled tea.*
parelgerst ⟨de⟩ **0.1** *pearl barley.*
parelglans ⟨de (m.)⟩ **0.1** *orient* ⇒*pearly lustre.*
parelgort →**parelgerst.**
parelgrijs¹ ⟨het⟩ **0.1** *pearl grey* ᴬ*gray* ⇒*pearl.*
parelgrijs² ⟨bn.⟩ **0.1** *pearl-grey* ᴬ*gray* ⇒*pearly* ◆ **1.1** ~ haar *steel-grey/ steely hair.*
parelhoen ⟨het⟩ **0.1** *guinea fowl* ⇒*pintado (petrel)* ◆ **1.1** vrouwtje v.h. ~ *guinea hen.*
parelkroon ⟨de⟩ **0.1** *crown of pearls.*
parelkwekerij ⟨de (v.)⟩ **0.1** [handeling] *pearl(-oyster) farming* ⇒ *pearl(-oyster) cultivation* **0.2** [bedrijf] *pearl farm.*
parelmoer ⟨het⟩ **0.1** [schelpbekleedsel] *mother-of-pearl* **0.2** [kleur, glans] *(mother-of-)pearl.*
parelmoeren ⟨bn.⟩ **0.1** *(mother-of-)pearl* ◆ **1.1** ~ knopen *p. buttons.*
parelmos ⟨het⟩ **0.1** *car(r)ag(h)een* ⇒*Irish moss, pearl moss.*
parelmossel ⟨de⟩ **0.1** *pearl mussel.*
pareloester ⟨de⟩ **0.1** *pearl oyster* ⇒*pearl shell.*
parelrand ⟨de (m.)⟩ **0.1** [rand van parels] *pearled edge* ⇒*pearl-studded edge* **0.2** [rand met parelvormige versiering] *beaded edge* ◆ **1.1** de ~ v.e. kroon *the pearled/pearl-studded edge of a crown* **6.2** lepels **met** een ~ *bead-edged spoons.*
parelscherm ⟨het⟩ **0.1** *beaded screen.*
parelsnoer ⟨het⟩ **0.1** *pearl chain* ⇒*strand/string of pearls.*
parelspeld ⟨de⟩ **0.1** *pearl(ed) pin.*
parelvisser ⟨de (m.)⟩ **0.1** *pearl fisher/diver* ⇒*pearler.*
parelvisserij ⟨de (v.)⟩ **0.1** [handeling] *pearling* ⇒*pearl fishing/diving* **0.2** [bedrijf] *pearl farm* ⇒*pearl fishery, pearl industry.*
parelvormig ⟨bn.⟩ **0.1** *pearl-shaped* ⇒*pearl(y).*
parelwit¹ ⟨het⟩ **0.1** *pearl powder/white.*
parelwit² ⟨bn.⟩ **0.1** *pearly (white)* ◆ **1.1** haar ~te tanden *her pearly (white) teeth.*

parelzaad ⟨het⟩ ⟨plantk.⟩ **0.1** *alkanet* ⇒*gromwell, puccoon*.

parement →**parament**.

paren
I ⟨onov.ww.⟩ **0.1** [zich tot voortplanting verenigen] *mate (with)* ⇒ *couple (with), copulate*, ⟨van honden⟩ *pair*, ⟨van m. vogel⟩ *tread*, ⟨ihb. van m. paard⟩ *cover* ◆ **3.1** doen ~ *mate (with)*;
II ⟨ov.ww.⟩ **0.1** [bijeenvoegen] *pair (off/up)* **0.2** [huwen] *couple (with)* ⇒*pair off (with), wed (to)* **0.3** [⟨fig.⟩] *combine (with)* ⇒*couple (with), unite (with)* ◆ **1.1** nylonkousen ~ *p. nylons* **3.3** gepaard gaan met *be attended by, attend, go (together / hand in hand) with, be coupled with* **6.3** moed **aan** voorzichtigheid ~ *combine / couple / unite courage with prudence*.

parenchijm ⟨het⟩ **0.1** *parenchyma*.

parentage ⟨de (v.)⟩ **0.1** *parentage*.

parenthese ⟨de (v.)⟩ **0.1** [⟨taal.⟩] *parenthesis* **0.2** [haakje] *parenthesis* **0.3** [⟨wisk.⟩] *parenthesis* ◆ **6.1** bij ~ *in p.* **6.2** in ~ zetten *place in parentheses*.

pareren ⟨onov.,ov.ww.⟩ **0.1** [⟨schermsport⟩] *parry* **0.2** [(een aanval) afwenden] *parry* ⇒*ward off*, ⟨vero.⟩ *foil, field* ⟨vraag⟩ **0.3** [⟨paardensport⟩] *bring to a halt* ◆ **6.2 met** een kwinkslag ~ *p. with a quip*.

parese ⟨de (v.)⟩ ⟨med.⟩ **0.1** *paresis*.

paretisch ⟨bn.⟩ ⟨med.⟩ **0.1** *paretic*.

par excellence 0.1 *par excellence*.

parfait ⟨het⟩ **0.1** *parfait*.

parfait amour ⟨de (m.)⟩ **0.1** *parfait amour*.

parforce ⟨bw.⟩ **0.1** *at all costs/any cost* ◆ **3.1** hij wil ~ de deur uit *he is dead set on going out*.

parfum ⟨het, de (m.)⟩ **0.1** [reukwater] *perfume* ⇒⟨vnl. BE ook⟩ *scent* **0.2** [doordringende geur] *perfume* ⇒*fragrance, smell, scent* **0.3** [kenmerkende geur] *smell* ⇒*scent, perfume, fragrance*.

parfumcomponist ⟨de (m.)⟩ **0.1** *perfum(i)er*.

parfumeren ⟨ov.ww.⟩ **0.1** *scent* ⇒*perfume* ◆ **1.1** papier/linnengoed~*s. / perfume paper/linen* **4.1** zich ~ *s. / perfume o.s.* **5.1** licht geparfumeerd *lightly scented/perfumed*.

parfumerie ⟨de (v.)⟩ **0.1** [winkel] *perfumery* **0.2** [reukwerken, stoffen] *perfumery* **0.3** [het maken en verhandelen] *perfumery*.

parfumflesje ⟨het⟩ **0.1** *perfume* / ⟨BE ook⟩ *scent bottle*.

parhelisch ⟨bn.⟩ **0.1** *parhelic, parheliacal* ◆ **1.1** ~e ring *parhelic circle/ring*.

parhelium ⟨het⟩ ⟨ster.⟩ **0.1** *parhelion* ⇒ ↓*mock sun, sun dog*.

pari¹ ⟨het⟩ ⟨geldw.⟩ **0.1** *par* ⇒*parity* ◆ **6.1 boven** ~ kopen/verkopen *buy/sell above par/at a premium*; **onder/beneden** ~ kopen/verkopen *buy/sell below par/at a discount* ¶**.1** de fondsen staan à ~ *the securities are at par*.

pari² ⟨bw.⟩ ⟨geldw.⟩ **0.1** *par* ◆ **3.1** de wissel staat ~ *the bill of exchange is/stands at par* ¶**.1** de lening wordt u gegeven a ~ *the loan is issued to you at par/face value*.

paria ⟨de (m.)⟩ **0.1** [verworpeling] *pariah* ⇒*outcast* **0.2** [in India] *pariah* ⇒*outcaste, untouchable*.

pariahond ⟨de (m.)⟩ **0.1** *pariah dog* ⇒*pyedog*.

pariëtaal ⟨bn.⟩ ⟨biol.⟩ **0.1** *parietal* ◆ **1.1** pariëtale hersenkwab *p. lobe*.

parig ⟨bn.⟩ ⟨lit.⟩ **0.1** *two-line* ⇒*distichal*.

Parijs¹ ⟨het⟩ **0.1** *Paris*.

Parijs² ⟨bn.⟩ **0.1** *Parisian* ⇒*Paris* ◆ **1.1** ~ groen *Paris green*; ~e mode *Paris fashion*; ~e wafels *cream-filled wafers/waffles* **1.¶** ~e aardappeltjes *fried (new) potatoes*; ~ blauw *Prussian blue*; ~e kalk *plaster of Paris, gesso*.

Parijzenaar ⟨de (m.)⟩ **0.1** *Parisian*.

parikoers ⟨de⟩ ⟨geldw.⟩ **0.1** *par rate*.

paring ⟨de (v.)⟩ **0.1** [geslachtsdaad] *mating* ⇒*coupling, copulation* **0.2** [het in paren bijeenbrengen] *pairing* ◆ **1.2** de ~ v.d. rijders voor een schaatswedstrijd *the p. of entrants/competitors for a skating match*.

paringsdaad ⟨de (v.)⟩ **0.1** *copulation* ⇒*coitus, coition*.

paringsdans ⟨de (m.)⟩ **0.1** *courtship display*.

parisappel ⟨de⟩ **0.1** *apple of discord* ⇒*bone of contention*.

Parisch ⟨bn.⟩ **0.1** *Parian* ◆ **1.1** ~ marmer *P. marble*; ~ porselein *P. (ware)*.

Parisienne ⟨de (v.)⟩ **0.1** *Parisian* ⇒*Parisienne*.

paritair ⟨bn., bw.⟩ **0.1** *having equal representation* ⇒*on equal terms, on an equal footing* ◆ **1.1** ~e bedrijfscommissies/comités *joint industrial committees* **3.1** ~ vertegenwoordigd *equally/jointly represented*.

pariteit ⟨de (v.)⟩ **0.1** [gelijkheid] *parity* **0.2** [⟨jur.⟩] *parity* ⇒*equality* **0.3** [⟨geldw.⟩ vaste waardeverhouding] *parity* ⇒*par* **0.4** [⟨geldw.⟩ waardeovereenkomst] *parity* ⇒*par (value)*.

pariteitentabel ⟨de⟩, **-tafel** ⟨de⟩ ⟨geldw.⟩ **0.1** *parity table*.

park ⟨het⟩ **0.1** [(grote) openbare tuin] *park* ⇒*pleasure-ground, garden(s)* **0.2** [terrein rond een kasteel] *park* ⇒ ⟨rondom gebouw⟩ *grounds* **0.3** [materieel] ⟨vervoermiddelen⟩ *fleet*; ⟨materieel, machines⟩ *plant* **0.4** [woongebied met veel groen] *(suburban) housing estate* ◆ **1.1** wijken zonder een stukje ~ *areas without (anything like) a park / a bit/stretch of green* **3.1** een ~ aanleggen *lay out a park*.

parka ⟨de (m.)⟩ **0.1** [anorak] *anorak* ⇒*parka* **0.2** [winddicht jak] *anorak* ⇒*parka*.

parkaanleg ⟨de (m.)⟩ **0.1** *park-making, laying out a park*.

parkarchitect ⟨de (m.)⟩ **0.1** *landscape architect/gardener*.

parkeerautomaat ⟨de (m.)⟩ **0.1** (ᴮ*car park*/ᴬ*parking lot) ticket machine/dispenser*.

parkeerbaan ⟨de⟩ ⟨ruim.⟩ **0.1** *parking orbit*.

parkeerbeugel ⟨de (m.)⟩ **0.1** *wheel clamp*.

parkeerbiljet ⟨het⟩ **0.1** ᴮ*car park*/ᴬ*parking lot ticket*.

parkeerboete ⟨de⟩ **0.1** *parking fine*.

parkeerbon ⟨de (m.)⟩ **0.1** *parking ticket* ⇒⟨vnl. AE ook⟩ *tag*.

parkeer-en-reis ⟨spoorw.⟩ **0.1** *park-and-ride*.

parkeergarage ⟨de (v.)⟩ **0.1** ᴮ*(multi-storey/underground) car park*, ᴬ*(multi-story/underground) parking garage* ⇒*multi-storey* ᴬ*ry*.

parkeergeld ⟨het⟩ **0.1** *parking fee*.

parkeergelegenheid ⟨de (v.)⟩ **0.1** *parking facilities* ⇒*parking space/accomodation*.

parkeerhaven ⟨de⟩ **0.1** ᴮ*lay-by*, ᴬ*turnout*.

parkeerhoes ⟨de⟩ **0.1** *car cover/tarpaulin*.

parkeerklem ⟨de⟩ **0.1** *wheel clamp*.

parkeerlicht ⟨het⟩ **0.1** *parking light* ⇒⟨AE ook⟩ *dimmer* ⟨vaak mv.⟩.

parkeermeester ⟨de (m.)⟩ ⟨luchtv.⟩ **0.1** *batsman*.

parkeermeter ⟨de (m.)⟩ **0.1** *parking meter*.

parkeerontheffing ⟨de (v.)⟩ **0.1** *(special) parking licence* ᴬ*se*.

parkeerplaats ⟨de⟩ **0.1** ᴮ*car park*, ᴬ*parking lot* ⇒*parking place/space*.

parkeerpolitie ⟨de (v.)⟩ **0.1** ᴮ*traffic wardens*, ᴬ*traffic police (department)* / ⟨inf.⟩ *cops*.

parkeerprobleem ⟨het⟩ **0.1** *parking problem*.

parkeerruimte ⟨de (v.)⟩ **0.1** *parking space* ⇒*parking place*.

parkeerschijf ⟨de⟩ **0.1** *(parking) disc*.

parkeerstrook ⟨de (v.)⟩ **0.1** *parking lane* ⇒⟨AE ook⟩ *pull-off*.

parkeerstudie ⟨de (v.)⟩ **0.1** ⟨*course followed temporarily until a place becomes available on the course of one's first choice*⟩.

parkeertegel ⟨de (m.)⟩ **0.1** *(bicycle-)parking tile*.

parkeerterrein ⟨het⟩ **0.1** ᴮ*car park*, ᴬ*parking lot* ⇒⟨AE ook; bij service-station op autoweg⟩ *plaza*.

parkeervak ⟨het⟩ **0.1** *(parking) bay*.

parkeerverbod ⟨het⟩ **0.1** *parking prohibition* ⇒⟨opschrift⟩ *No Parking* ◆ **3.1** hier geldt een ~ *this is a no-parking zone, parking is prohibited here*.

parkeervergunning ⟨de (v.)⟩ **0.1** *parking licence* ᴬ*se*.

parkeerwachter ⟨de (m.)⟩ **0.1** ᴮ*car-park attendant*, ᴬ*parking lot attendant*; ⟨mbt. parkeerpolitie⟩ ᴮ*traffic warden*; ⟨BE; inf. ook⟩ *metermaid* ⟨v.⟩.

parkeerwekker ⟨de (m.)⟩ **0.1** *parking alarm clock*.

parkeerzone ⟨de⟩ **0.1** *(disc) parking zone* ⇒*disc zone*.

parkeren
I ⟨onov., ov.ww.⟩ **0.1** [mbt. voertuigen] *park* ⇒⟨naar de kant rijden (en stoppen)⟩ *pull in/off*/ ⟨AE ook⟩ *over* ◆ **1.1** de auto ~ *park the car* **2.1** dubbel ~ *double-park* **6.1** in file ~ *park in line*; verboden **te** ~ *no parking, parking prohibited*;
II ⟨ov.ww.⟩ **0.1** [⟨mil.⟩] *park* ◆ **1.1** vuurmonden ~ *p. guns*.

parket ⟨het⟩ **0.1** [bureau v.d. vertegenwoordigers v.h. Openbaar Ministerie] *office of the public prosecutor* **0.2** [het Openbaar Ministerie] *public prosecutor* **0.3** [zitplaats in schouwburg en bioscoop] *seat(s) between stalls and pit*, ᴬ*parquet* **0.4** [parketvloer] *parquet (floor)* **0.5** [plaats op de beurs voor makelaars] *official trading area* ◆ **2.¶** in een lastig ~ zitten *be in an awkward predicament*; ⟨inf.⟩ *be in a (real) fix/in a sad/sorry pickle/in a tight corner/spot*; iem. in een moeilijk ~ brengen *put s.o. in(to) an awkward position, get/put s.o. into a scrape*; ⟨vnl. BE ook⟩ *show s.o. up*; ⟨AE ook; inf.⟩ *get s.o. up a stump*.

parketteren ⟨onov.ww.⟩ **0.1** *parquet*.

parketvloer ⟨de (m.)⟩ →**parket 0.4**.

parketwacht ⟨de⟩ **0.1** *court police/officers*.

parketwachter ⟨de (m.)⟩ **0.1** *court officer*.

parketwrijver ⟨de (m.)⟩ **0.1** *floor polisher*.

parkhek ⟨het⟩ **0.1** *park gate*.

parkiet ⟨de (m.)⟩ **0.1** *parakeet* ⇒*par(r)oquet* ◆ **2.1** de gewone ~ *budgerigar*; ⟨inf.⟩ *budgie* **7.1** 't zijn net twee ~en *they are inseparable, they are as thick as thieves*.

parkietenzaad ⟨het⟩ **0.1** *parakeet seed*.

parking ⟨de (v.)⟩ ⟨AZN⟩ **0.1** [het parkeren] *parking* **0.2** [parkeerplaats] *parking place* ⇒ᴮ*car park*, ᴬ*parking lot*.

parklandschap ⟨het⟩ **0.1** *parkland*.

parkwachter ⟨de (m.)⟩ **0.1** *park keeper*.

parlando¹ ⟨het⟩ **0.1** *parlando passage*.

parlando² ⟨bw.⟩ ⟨muz.⟩ **0.1** *parlando* ⇒*parlante*.

parlement ⟨het⟩ **0.1** *parliament* ◆ **2.1** het Europees ~ *the European Parliament*; het Nederlandse ~ *the Dutch p.* **6.1 in** het ~ *in p.*.

parlementair¹ ⟨de (m.)⟩ **0.1** [onderhandelaar] *parliamentary* ⇒*parlementaire, bearer of the flag of truce/white flag, parleyer* **0.2** [⟨AZN⟩ parlementariër] ⟨→**parlementariër**⟩.

parlementair²
I ⟨bn.⟩ **0.1** [mbt. een onderhandelaar] *parliamentary* ⇒*of the bearer*

of the flag of truce/white flag **0.2** [mbt. een parlement] *parliamentary* ◆ **1.1** de ~e vlag *the flag of truce, the white flag* **1.2** ~e handelingen *p. proceedings;* het ~e stelsel *the p. system;* de ~e welsprekendheid *p. eloquence;*
II ⟨bn., bw.; -ly⟩ **0.1** [beleefd] *parliamentary* ⇒*civil, decorous* ◆ **1.1** de ~e vormen in acht nemen *observe p./civil forms* **3.1** zich ~ uitdrukken *express o.s. in a p. way/in p./civil/decorous language/words.*

parlementariër ⟨de (m.)⟩ **0.1** *member of (a) parliament* ⇒⟨afgevaardigde⟩ *representative,* ⟨GB; inf.⟩ *MP* ◆ **2.1** een ervaren ~ *a parliamentarian.*

parlementarisme ⟨het⟩ **0.1** [regeringsstelsel met volksvertegenwoordiging] *parliamentary government* ⇒*parliamentar(ian)ism* **0.2** [regeringsstelsel waarbij het staatshoofd de ministers benoemt] *parliamentary government* ⇒*parliamentar(ian)ism.*

parlementeren ⟨onov.ww.⟩ **0.1** [onderhandelen als parlementair] *parley* **0.2** [redekavelen] *debate.*

parlementsgebouw ⟨het⟩ **0.1** *parliament building.*

parlementslid ⟨het⟩ **0.1** *member of (a) parliament.*

parlementsmeerderheid ⟨de (v.)⟩ **0.1** *parliamentary majority.*

parlementsverkiezing ⟨de (v.)⟩ **0.1** *parliamentary election* ⇒⟨BE ook⟩ *general election.*

parlementszitting ⟨de (v.)⟩ **0.1** *(parliamentary) session.*

parlevinken ⟨onov.ww.⟩ **0.1** [kleinhandel drijven] *peddle* **0.2** [praten] *chat* ⇒⟨vreemd praten; sl.⟩ *parleyvoo.*

parlevinker ⟨de (m.)⟩ **0.1** [kleinhandelaar te water] *pedlar* [A]*ped(d)ler* **0.2** [schuit] *bumboat.*

parmant →**parmantig.**

parmantig ⟨bn., bw.; -ly⟩ **0.1** *jaunty* ⇒*perky, pert,* ⟨ihb. van kleine mannen⟩ *dapper* ◆ **1.1** een ~ heertje *a j./dapper little (gentle)man;* een ~ hoedje *a j./pert little hat* **3.1** ~ ging het kleine kereltje eropaf *the little fellow walked jauntily/perkily/pertly/dapperly up to it;* ~ stappen *step jauntily, swagger, strut;* ⟨AE ook; inf.⟩ *sashay.*

parmezaans ⟨bn.⟩ ◆ **1.¶** ~e kaas *Parmesan (cheese).*

Parnassus ⟨de (m.)⟩ **0.1** *Parnassus.*

Parnastaal ⟨de⟩ **0.1** *high style* ⇒*Parnassian language.*

parochiaal ⟨bn.⟩ **0.1** [mbt. een parochie] *parochial* **0.2** [overdreven zorgzaam] *parochial* ◆ **1.1** het ~ kerkbestuur *the parish council;* ⟨BE ook; Angl. ook⟩ *the vestry, the parochial church council, the churchwardens;* een parochiale school *a p. school* **1.2** de overheid moet waken voor parochiale neigingen *the government/public authorities should guard against a tendency towards parochialism.*

parochiaan ⟨de (m.)⟩ **0.1** *parishioner.*

parochie ⟨de (v.)⟩ **0.1** [⟨r.k.⟩] *parish* **0.2** [⟨prot.⟩] *parish* ⇒⟨BE ook; Angl.; onafhankelijk⟩ *peculiar* ◆ **2.1** voor eigen ~ preken ⟨fig.⟩ *preach to the converted.*

parochieel ⟨bn.⟩ **0.1** *parochial.*

parochiehuis ⟨het⟩ **0.1** *parish hall.*

parochiekerk ⟨de⟩ **0.1** *parish church.*

parochiepriester ⟨de (m.)⟩ **0.1** *parish priest* ⇒*parson.*

parochieschool ⟨de⟩ **0.1** *parochial school* ⇒*parish school.*

parodie ⟨de (v.)⟩ **0.1** *parody (of/on)* ⇒⟨ongewenst⟩ *travesty (of),* ⟨korte act⟩ *skit (on),* ⟨inf.⟩ *spoof (on),* ⟨BE ook; inf.⟩ *send-up (of)* ◆ **6.1** die film is een ~ **op** de hedendaagse samenleving *that* [B]*film/*[A]*movie is a p./send-up of modern society.*

parodiëren ⟨ov.ww.⟩ **0.1** *parody* ⇒⟨ongewenst⟩ *travesty,* ⟨inf.; van personen⟩ *spoof, take off,* ⟨BE ook; inf.⟩ *send up.*

parodist ⟨de (m.)⟩ **0.1** *parodist.*

parodistisch ⟨bn., bw.; -(al)ly⟩ **0.1** *parodic(al).*

parodontaal ⟨bn.⟩ **0.1** *periodontal.*

parodontitis ⟨de (m.)⟩⟨med.⟩ **0.1** *periodontitis.*

parodontium ⟨het⟩⟨med.⟩ **0.1** *periodontium* ⇒*pericementum.*

parodontologie ⟨de (v.)⟩ **0.1** *periodontics.*

parodontose ⟨de (v.)⟩⟨med.⟩ **0.1** *periodontosis.*

paroniem[1] ⟨het⟩⟨taal.⟩ **0.1** *paronym.*

paroniem[2] ⟨bn.⟩ **0.1** *paronymic, paronymous.*

paronomasia ⟨de (v.)⟩ **0.1** *paronomasia.*

parool ⟨het⟩ **0.1** [leus] *watchword* ⇒*slogan, motto* **0.2** [⟨mil.⟩] *password* ⇒*parole, (sign and) countersign* ◆ **3.1** opletten is het ~ *pay attention is the w./motto* **3.2** het ~ geven/ontvangen *give/get the word.*

paroxismaal ⟨bn.⟩ **0.1** *paroxysmal, paroxysmic.*

paroxisme ⟨het⟩ **0.1** [⟨med.⟩] *paroxism* **0.2** [aanval van sterke emotie] *paroxism.*

pars ⟨de⟩ **0.1** *part* ◆ **¶.1** partes posteriores *posterior(s), rump;* ⟨van dieren ook⟩ *hindquarters* **¶.¶** ~ pro toto ⟨lit.⟩ *synecdoche.*

parsec ⟨de (m.)⟩⟨ster.⟩ **0.1** *parsec.*

parsisme ⟨het⟩ **0.1** *Parseeism* ⇒⟨AE ook⟩ *Parsi(i)sm.*

part
I ⟨de⟩ **0.1** [⟨AZN⟩ list] *trick* ◆ **3.¶** mijn geheugen speelt mij ~en *my memory is playing me false/is playing tricks on me;* iem. ~en spelen *play tricks on s.o.;*
II ⟨het⟩ **0.1** [deel v.e. geheel] *part* **0.2** [aandeel] *share* ⇒*portion* ◆ **1.¶** ~ noch deel hebben aan iets *have nothing to do with sth., be a*

stranger to sth., have no share in sth. **3.2** ieder krijgt zijn ~ *everyone gets his s./portion* **6.1** appels in ~en snijden *cut apples in pieces;* ⟨in vier delen⟩ *quarter apples* **6.¶** voor mijn ~ *for all I care, as far as I'm concerned, for my part, speaking for myself;*
III ⟨het, de⟩ **0.1** [deel v.e. touw/lijn] *end.*

parterre ⟨het, de (m.)⟩ **0.1** [begane grond] *ground floor* ⇒⟨AE ook⟩ *first floor* **0.2** [deel v.e. schouwburg/bioscoop] [B]*pit,* [A]*parquet circle,* [A]*parterre* ◆ **3.2** ~ zitten *have a seat/sit in the pit* ⟨enz.⟩.

parterrebouw ⟨de (m.)⟩ **0.1** *one-storey* [A]*ry building, bungalow (design).*

parthenogenese ⟨de (v.)⟩ **0.1** [⟨biol.⟩] *parthenogenesis* **0.2** [⟨theol.⟩] *parthenogenesis.*

participant ⟨de (m.)⟩ **0.1** *participant, participator* ⇒*associate, partner,* ⟨aandeelhouder⟩ *shareholder,* [A]*stockholder* ◆ **6.1** de ~en in de zaak *the associater in a business.*

participatie ⟨de (v.)⟩ **0.1** [deelneming] *participation* **0.2** [⟨soc.⟩] *participation.*

participatiebewijs ⟨het⟩⟨hand.⟩ **0.1** *participating preference share.*

participatieonderwijs ⟨het⟩ **0.1** [B]*day release (course).*

participatiestelsel ⟨het⟩ **0.1** *profit sharing.*

participeren ⟨onov.ww.⟩ **0.1** *participate (in), take part (in)* ◆ **1.1** ~ de observatie *participant observation.*

participium ⟨het⟩⟨taal.⟩ **0.1** *participle* ◆ **¶.1** ~ praesentis *present p., -ing p.;* ~ perfectum *past p., -ed p..*

particularisme ⟨het⟩ **0.1** [het stellen van particulier belang boven het algemene] *particularism* **0.2** [neiging om te zeer op te gaan in eng plaatselijke belangen] *sectionalism* **0.3** [streven naar een zo groot mogelijke onafhankelijkheid] *particularism.*

particularist ⟨de (m.)⟩ **0.1** *particularist* ⇒*sectionalist.*

particularistisch ⟨bn., bw.; -ally⟩ **0.1** *particularistic* ⇒*sectional.*

particulariteit ⟨de (v.)⟩ **0.1** *particularity* ⇒*characteristic, feature, peculiarity.*

particulier[1] ⟨de (m.)⟩, **-e** ⟨de (v.)⟩ **0.1** [iem. zonder publiek ambt] *private individual/person* **0.2** [privé persoon] *private individual/person* ◆ **1.2** auto's van ~en *private cars* **6.2** bij ~en een kamer huren *rent a room in a private house;* bij ~en verblijven *stay with private families;* de beurs is niet **voor** ~en *the stock exchange is closed to members of the general public.*

particulier[2] ⟨bn.⟩ **0.1** [privé, persoonlijk] *private* ⇒*personal* **0.2** [niet v.d. overheid uitgaand] *private* ◆ **1.1** een ~e audiëntie *a private/personal audience;* ~ bezit *private property;* ~ correspondent *special correspondent;* het ~ initiatief *private initiative/enterprise;* iemands ~e mening *s.o.'s private/personal opinion;* zijn ~e secretaris *his private/personal secretary;* ~e voertuigen *private(ly-owned) vehicles;* iemands ~e zaken *s.o.'s private/personal affairs* **1.2** ~ eigendom(s-recht) *(right of) p. property;* ~e ondernemingen *p. enterprise;* een ~e school *a p. school;* ⟨ec.⟩ de ~e sector *the p. sector;* een ~ ziekenhuis *a p. hospital* **3.2** zich ~ verzekeren *insure o.s. privately, take out a p. insurance.*

partieel ⟨bn., bw.; -ly⟩ **0.1** *partial* ◆ **1.1** partiële leerplicht *compulsory part-time education.*

partij ⟨de (v.)⟩ **0.1** [mbt. strijdende personen] *party* ⇒*side* **0.2** [⟨pol.⟩] *party* **0.3** [mbt. personen die een overeenkomst aangaan] *(contracting) party* **0.4** [onbepaalde hoeveelheid] *set* ⇒*bunch,* ⟨mbt. goederen⟩ *batch, lot,* ⟨zending⟩ *consignment, shipment* **0.5** [⟨muz.⟩] *part* **0.6** [spel] *game* **0.7** [feest] *party* **0.8** [huwelijkspartner] *match* **0.9** [handeling, gebeurtenis] *bout* ⇒*bit* **0.10** [onderdeel van iets] *section* ◆ **2.1** ⟨jur.⟩ de aangeklaagde ~ *the defendant, the defending p.;* ⟨jur.⟩ de eisende/klagende ~ *the plaintiff;* de strijdende ~en *the warring parties;* ⟨jur.⟩ de belligerents **2.2** de communistische ~ *the communist p.* **2.6** een gewonnen ~ *a win* **2.8** een goede ~ *a good/desirable m.;* ⟨inf.⟩ *a catch* **2.10** de lichte ~en in het schilderij *the lighter sections of the painting* **2.¶** de wijste ~ kiezen *take the wisest course* **3.1** beide ~en horen *hear both sides;* X is ~ in dat conflict *X is a p. to this conflict;* ~ kiezen *take sides;* ~ kiezen tegen iem. *side against s.o.;* ~ kiezen voor de Amerikanen *side with the Americans, take the American('s) side/the side of the Americans;* geen ~ kiezen *not take sides, stay neutral;* ⟨pej.⟩ *sit on the fence, hedge one's bets;* ⟨jur.⟩ zich ~ stellen *go to court, take s.o. to court;* ⟨fig.⟩ ~ zijn in een conflict *be involved in/* [↑]*p. to a conflict* **3.2** naar een andere ~ overlopen *go/move over/across/* ⟨pej.⟩ *defect to another p.* **3.3** de ~en komen overeen dat … *the (contracting) parties agree/have agreed that …* **3.5** zijn ~(tje) meeblazen *pull one's weight* **3.6** hoe staat de ~? *how's the g. going?, what's the state of the g.?, what's the score?* **3.7** een ~tje geven *have/hold/give/* [↓]*throw a p.* **3.9** een ~tje vechten *a bout (of fighting)* **3.¶** goed/slecht ~ geven *give a good/poor account of o.s.* **6.2** boven de ~en staan *be impartial/above p.* **6.4** bij/in ~en verkopen *sell in lots;* in grote ~en aankopen *purchase in bulk* **6.¶** van de ~ zijn *join in (on/with sth.), be in on sth.* **7.5** tweede ~ *second p., secondo.*

partijapparaat ⟨het⟩ **0.1** *party machine/apparatus.*

partijbelang ⟨het⟩ **0.1** *party interest(s)* ◆ **3.1** de ~en eisen het *the interests of the party require it* **6.1** uit ~ in the interest of the party, from party considerations.*

partijbeleid ⟨het⟩ **0.1** *party policy/line.*

partijbenoeming ⟨de (v.)⟩ **0.1** *partisan appointment*.
partijbestuur ⟨het⟩ **0.1** *party executive (committee)* ⇒*party leaders*.
partijbijeenkomst ⟨de (v.)⟩ **0.1** *party meeting*.
partijblad ⟨het⟩ **0.1** *party (news)paper*.
partijbons ⟨de (m.)⟩ **0.1** *party boss / bigwig* ⇒⟨AE ook; sl.⟩ *honcho*.
partijcongres ⟨het⟩ **0.1** *party congress* ⇒⟨GB⟩ *party conference*, ⟨USA⟩ *party convention*.
partijconvent ⟨het⟩ **0.1** *party convention*, ⟨vnl. AE⟩ *party caucus*.
partijdag ⟨de (m.)⟩ **0.1** *party rally / conference / convention / assembly*.
partijdig ⟨bn., bw.⟩ **0.1** *bias(s)ed* ⇒*prejudiced, partisan, partial, one-sided,* ⟨jur.⟩ *ex parte* ◆ **1.1** een ~ oordeel *a b. / partisan opinion* **3.1** de commissie is ~ samengesteld *the committee is packed;* ~ zijn/ te werk gaan *show partiality, be b.*.
partijdigheid ⟨de (v.)⟩ **0.1** *bias* ⇒*partiality, prejudice, partisanship, one-sidedness*.
partijdiscipline ⟨de (v.)⟩ **0.1** *party discipline*.
partijenstelsel ⟨het⟩ **0.1** *party system*.
partijfunctionaris ⟨de (m.)⟩ ⟨pol.⟩ **0.1** *party official*.
partijganger ⟨de (m.)⟩ **0.1** *party man / supporter / follower* ◆ **2.1** trouwe ~ *(party) stalwart / ᴬregular*.
partijgebonden ⟨bn.⟩ **0.1** *belonging / attached to a (particular) / the party* ⟨alleen na zn.⟩ ◆ **5.1** niet ~ *independent*.
partijgeest ⟨de (m.)⟩ **0.1** *party / partisan spirit* ⇒*partisanship*.
partijgenoot ⟨de (m.)⟩ **0.1** *fellow party member* ⇒*political associate / friend*.
partijgoed ⟨het⟩ **0.1** *batch (of …)*.
partijkabinet ⟨het⟩ **0.1** *single-party government*.
partijkader ⟨het⟩ ⟨pol.⟩ **0.1** *senior party members* ⇒*party officials*.
partijkrant ⟨de⟩ **0.1** *party newspaper*.
partijleider ⟨de (m.)⟩, **-ster** ⟨de (v.)⟩ **0.1** *party leader* ◆ **8.1** optreden als ~ *lead a party*.
partijleiding ⟨de (v.)⟩ **0.1** [bestuur] *party leadership* ⇒*party leaders* **0.2** [wijze van leiden] *party leadership*.
partijleus ⟨de⟩ **0.1** *(party) slogan / catchword*.
partijlid ⟨het⟩ **0.1** *party member* ◆ **2.1** een actief ~ *an active member of the party, a party activist*.
partijlidmaatschap ⟨het⟩ **0.1** *party membership*.
partijlijn ⟨de (v.)⟩ **0.1** *party line* ◆ **3.1** de ~ volgen, handelen volgens de ~ *toe / follow the p. l.*.
partijloos ⟨bn.⟩ **0.1** [waarin geen partijen bestaan] *non-party* **0.2** [niet tot een partij behorend] *non-party / -partisan, independent* ◆ **1.2** partijloze politici *free-floating politicians* **7.2** ⟨zelfst.⟩ de partijlozen *the Independents*.
partijorgaan ⟨het⟩ **0.1** *party organ*.
partijorganisatie ⟨de (v.)⟩ **0.1** [inrichting v.e. partij] *party organization* ⇒*party machine / machinery / apparatus* **0.2** [georganiseerde partij] *party organization*.
partijoverwinning ⟨de (v.)⟩ **0.1** *party victory / triumph*.
partijpolitiek¹ ⟨de (v.)⟩ **0.1** [politiek v.e. partij] *party policy / line* **0.2** [politiek gebaseerd op partijbelang] *party politics*.
partijpolitiek² ⟨bn.⟩ **0.1** *party political* ◆ **1.1** ~e inzichten *party political insights / views*.
partijprogramma ⟨het⟩ **0.1** *party manifesto*.
partijraad ⟨de (m.)⟩ ⟨pol.⟩ **0.1** *party council*.
partijruzie ⟨de (v.)⟩ **0.1** *party strife / squabble(s)* ⇒*faction*.
partijschap ⟨de (v.)⟩ **0.1** [partijdigheid] *partisanship* ⇒*bias, prejudice* **0.2** [verdeeldheid] *faction* ⇒*political dissension / conflict(s) / discord* **0.3** [partij van gelijkgezinden] *faction* ◆ **3.1** door ~ gedreven *spurred by partisanship*.
partijstandpunt ⟨het⟩ **0.1** *party point of view* ◆ **3.1** het ~ aanhangen *go with one's party, toe the party line*.
partijstrijd ⟨de (m.)⟩ **0.1** *political strife / conflicts*.
partijtop ⟨de (m.)⟩ **0.1** *party leadership*.
partijvoorzitter ⟨de (m.)⟩ **0.1** *party chairman*.
partijwezen ⟨het⟩ **0.1** *party system*.
partikel ⟨het⟩ **0.1** ⟨⟨taal.⟩⟩ *particle* **0.2** [deeltje] *particle*.
parti-pris ⟨de (m.)⟩ **0.1** *parti pris* ⇒*prejudice, bias, preconceived idea / view* ◆ **6.1** een ~ tegen iem. hebben *to be prejudiced against s.o.*.
partitief ⟨bn.⟩ ⟨taal.⟩ ◆ **1.¶** partitieve genitief *partitive genitive*.
partituur ⟨de (v.)⟩ ⟨muz.⟩ **0.1** *score* ⇒*scoring* ◆ **2.1** enkelvoudige / ingekorte / samengestelde / volledige ~ *open / short / close / full score* **6.1** in een ~ *in score*.
partituurlezen ⟨ww.⟩ ⟨muz.⟩ **0.1** *read a score*.
partituurspel ⟨het⟩ ⟨muz.⟩ **0.1** *playing from the score*.
partizaan ⟨de (m.)⟩ **0.1** *partisan* ⇒*guerrilla fighter, irregular* ⟨vnl. mv.⟩, *franc tireur* ⟨vnl. Frankrijk⟩.
partje ⟨het⟩ **0.1** *segment, section* ⟨citrusvrucht⟩ *; finger, toy soldier* ⟨boterham⟩ ◆ **6.1** in ~s verdelen *section, divide up into segments; cut into fingers / toy soldiers*.
partner ⟨de (m.)⟩ **0.1** [deelgenoot] *partner* ⇒*companion, associate*, ⟨vnl. BE ook; inf.⟩ *mate*, ⟨vnl. AE ook; inf.⟩ *buddy, partner* **0.2** [mbt. een relatie] *partner* **0.3** [compagnon] *partner* ⇒*associate, co-partner*

0.4 [medespeler] *partner* **0.5** [dansgenoot] *partner* ◆ **2.1** de sociale ~s ≠*government, management and trade unions* **3.2** ~s zijn ⟨ook⟩ *be in partnership;* een ~ zoeken *be looking for a p.* **3.4, 3.5** iedereen had een ~ gevonden *everyone had partnered off with s.o.* **6.2, 6.3** tot ~ hebben *to be partnered / accompanied / escorted by* **6.4** de ~ zijn van *be partners with*.
partnerruil ⟨de (m.)⟩ **0.1** *partner-swapping* ⇒*wife-swapping* ⟨vrouw⟩ ◆ **3.1** aan ~ doen *swap partners*.
partnership ⟨het⟩ **0.1** *(co-)partnership* ⇒*workers' collective*.
partus ⟨de (m.)⟩ **0.1** *parturition*.
partuur ⟨de (v.)⟩ **0.1** [gelijke] *match, equal* **0.2** [partij bij een wedstrijd / verbintenis] *party* ⇒*partner* **0.3** [geschikte partij] *match* ◆ **3.1** iemands ~ zijn *to be a m. for* **6.1** hij is geen ~ **voor** jou *he is no m. for you*.
party ⟨de (v.)⟩ **0.1** *party* ⇒⟨BE ook; inf.⟩ *do* ◆ **3.1** een ~ geven *give / hold / throw a p.*.
paruur ⟨de⟩ **0.1** *parure, apparel*.
parvenu ⟨de (m.)⟩ **0.1** *parvenu* ⇒*upstart*, ⟨vaak mv.⟩ *nouveau riche*.
pas¹
    I ⟨de (m.)⟩ **0.1** [stap] *step, pace* ⇒⟨manier van lopen⟩ *gait* **0.2** [paspoort] *passport* **0.3** ⟨mil.⟩ *pass* ⇒*permit* **0.4** [doorgang in het gebergte] *pass* ⇒*defile,* ⟨nauwe doorvaart⟩ *narrows* **0.5** [mbt. een kledingstuk] *yoke* **0.6** [pasje, ⟨vnl. in samenst.⟩] *step* ◆ **2.1** een flinke / veerkrachtige ~ *a smart s. / gait, brisk / buoyant s. / gait;* grote ~sen maken / nemen *stride* **3.1** iem. de ~ afsnijden *cut / head s.o. off;* ⟨fig.⟩ *spike s.o.'s guns;* verschrikt een ~ achteruit doen *step back(wards);* er (flink / stevig) de ~ in houden *to go at / keep up a good round / brisk p.;* de ~ inhouden *check one's s.;* een kreet deed mij de ~ inhouden *a cry brought me up short / stopped me dead in my tracks;* er flink de ~ inzetten *set out at a brisk p., step out;* de ~ markeren, ~ op de plaats maken ⟨ook fig.⟩ *mark time;* zijn ~ versnellen *quicken / smarten up one's s., mend one's p.* **3.2** een ~ aanvragen / laten verlengen *apply for a p. / get one's p. extended* **6.1** in de ~ lopen / blijven (met) ⟨mil.⟩ *be in s. (with) / keep s. (with);* ⟨fig. ook⟩ *be / stay in line (with), keep up (with);* in gewone ~ *in quick time;* mars in gewone ~ *quick march;* in de ~ doen lopen ⟨paard⟩ *pace;* met ferme ~ *at a good round p.;* uit de ~ raken / lopen *fall / be out of s. / line* **6.2** zonder ~ reizen *travel without a p.* **7.1** twee ~ten van hier *just a few steps away, just round the corner, within spitting distance* **¶.6** pas-65 + senior citizen's pass;
    II ⟨het⟩ **0.1** [gunstige gelegenheid] ⟨zie 6.1⟩ **0.2** [waterpas] *spirit level* ◆ **3.¶** het past ~ it is right and proper, circumstances allow; het geeft geen ~ voor een heer om …*it does not become a gentleman to … / it is not becoming / not proper for a gentleman to …, a gentleman has no business doing …* **6.1** te ~ en te onpas praat men daarover *people talk about it in and out of season;* iets te ~ brengen *bring sth. up / turn the conversation towards sth. (at the right moment);* aan / bij / in iets te ~ komen *be concerned, enter into the matter, crop up, interfere;* jouw gedrag komt hier niet te ~ *your conduct is unbecoming / inappropriate / is out of order here;* iemands naam te ~ en te onpas noemen *bandy s.o.'s name about;* gezien de sterke concurrentie, zal ik er wel niet aan te ~ komen *the competition being so strong, I suppose I won't get a look-in;* het komt niet in zijn kraam te ~ *it does not suit his purpose / book;* tja, het kwam zo in het gesprek te ~ *well, it just cropped up in the course of the conversation;* als het zo te ~ komt, dan …*on occasion …, if required …;* het leger moest er aan te ~ komen *the army had to step in / intervene;* er moest een tweede sleepboot aan te ~ komen om …*a second tug had to be called in to …;* dezelfde regels die te ~ komen bij …*the same rules that apply to …;* zodra Rusland er bij te ~ komt, haakt hij af *as soon as Russia crops up / enters into it, he dries up;* daar komt wat meer ervaring bij te ~ *that requires a bit more experience;* er komt meer bij te ~ dan …*there's more to it than …;* goed te / van ~ komen *come in handy / useful;* van ~ (just) in time, at the right moment, in the nick of time; juist van ~ komen, te ~ komen *be (very) opportune;* dat komt uitstekend van ~ *that's just what the doctor ordered;* hulp die precies / juist van ~ komt *aid that comes in the nick of time, timely help;* het komt nu niet erg van ~ *it is inconvenient / not very convenient / does not suit me now;* zijn cursus zelfverdediging kwam hem nu goed van ~ *his self-defence classes stood him in good stead;* die opmerking komt nu niet van ~ / te ~ *that remark is quite out of place / inopportune;* uitermate / uitstekend van ~ komen *be particularly opportune, suit s.o. down to the ground;* dat smoesje is hem goed van ~ gekomen *that excuse served him well;* het kwam net (helemaal) van ~ *it was just the thing / ↓ the ticket / what we needed / what the doctor ordered;* zo'n sterk iem. als jij komt net van ~ *a strong person like yourself comes as a godsend now / as if you had been sent for;* juist van ~ komen *always come in handy, never go amiss* **7.¶** dat geeft geen ~ *that is unbecoming / unseemly*.
pas²
    I ⟨bn., bw.⟩ **0.1** [juist zo groot als het zijn moet] *fit* **0.2** [waterpas] *level* ◆ **3.1** een ~ gemaakt stelsel / systeem *a tailor-made system;* dat is precies ~ *that is an exact f. / fits to a T;* werktuigdelen ~ maken / ~ slijpen *grind parts of a tool (to fit), make parts of a tool fit (together);* ~ maken ⟨ook⟩ *true up* **3.2** die drempel is (nog) niet ~ *that threshold is not l. yet;*

II ⟨bw.⟩ **0.1** [zojuist, zoëven] *(only) just* ⇒*recently, not long ago, the other day, lately* **0.2** [niet meer dan] *only, just* **0.3** [niet eerder dan] *only* ⇒*not until* **0.4** [in nog hogere mate] *really* ♦ **1.2** het is~ een begin *it's o. a beginning;* het is~ een jaar geleden *it's o. a year ago, it's o. / barely a year since it happened* **1.4** dat is~ een vent *he's (what I call) a real man;* dit is ~ whisky *this is what I call whisky* / ⟨AE/IE⟩ *whiskey, this is sth. like whisky* **2.1** ik ben~ klaar *I have only just finished* **3.1** ~ aangekomen gasten *new arrivals;* hij begint~ *he's j. beginning / starting (out);* je bent~ begonnen, en nu al klaar? *you have only just started and you are finished already?;* pas gearriveerd/ontdekt/ gemaaid ⟨enz.⟩ *new-come/-found/-mown* ⟨enz.⟩; ~ geplukt *freshly picked;* een~ getrouwd stel *a newly-wed couple, newly-weds;* ~ geverfd *wet paint;* hij is ~ aangekomen *he has j. arrived;* is ze~ teruggekeerd? *has she just come back?;* ~ van school komen *come straight / fresh from school;* het ~ ontvangen geld *the money j. received* **3.2** hij is ~ vijftig (jaar) *he's o. fifty* **3.3** ~ geschoren *freshly shaven;* ⟨glad⟩ *clean-shaven* **3.4** dat is ~ leven! *this is the life!;* dat is ~ hard werken! *now, that's what I call/my idea of hard work!* **5.1** ik heb ~ nog een brief van haar gekregen *I received a letter from her only recently;* ik werk hier nog maar ~ *I'm new to the job;* zo ~ *only a minute ago, just now* **5.3** dan ~, nu ~ *o. then, o. now;* ~toen vertelde hij het mij *only at that point did he tell me, it was only then that he told me* **5.4** dat is ~ lekker *that's really delicious* ¶**.3** ~ toen hij weg was, begreep ik ... *it was o. after he had left that I understood ..., o. after/not until he left did I understand ...;* ~ geleden/een paar dagen terug zag ik hem nog *I saw him not long ago/o. recently/o. the other day, it's only been a few days since I (last) saw him.*

pas³ ⟨tw.⟩ **0.1** [mbt. een spelonderbreking] *barley, pax, fainits, truce* **0.2** [⟨kaartspel⟩] *pass;* ⟨bridge⟩ *no bid.*

pasar ⟨de (m.)⟩ **0.1** *bazaar* ♦ **.1** ~ malam *Indonesian fair/market/b..*

Pascha ⟨het⟩ **0.1** [feest] *Pesa(c)h* ⇒*Passover, Feast of the Unleavened Bread,* ⟨vero.⟩ *Pasch* **0.2** [paaslam] *Pascal Lamb.*

pascontrole ⟨de⟩ **0.1** [het nazien v.d. passen] *passport control* **0.2** [plaats] *immigration* **0.3** [ambtenaren] *customs (and excise) officers* ⇒ *immigration officers.*

pasdame ⟨de (v.)⟩ **0.1** *model.*

pas de deux ⟨de⟩ **0.1** *pas de deux.*

Pasen ⟨het⟩ **0.1** *Easter* ⇒⟨paaszondag⟩ *Eastern Day/Sunday* ♦ **1.1** als ~ en Pinksteren op één dag vallen *never in a month of Sundays* **2.1** Beloken ~ *Low Sunday* **3.1** ⟨r.k.⟩ zijn~ houden *take the Sacrament at Easter.*

pasfoto ⟨de (m.)⟩ **0.1** *passport photo(graph)* ♦ **3.1** een ~ laten maken *have a p. p. taken.*

pasganger ⟨de (m.)⟩ **0.1** *pacer, ambler.*

pasgeboren ⟨bn.⟩ **0.1** *newborn* ⇒*newly born* ♦ **1.1** zo onschuldig als een ~ kind *as innocent as a newborn babe.*

pasgeborene ⟨de (m.)⟩ **0.1** *newborn child/baby* ⇒*reonate, new arrival.*

pasgeld ⟨het⟩ →*pasmunt* **0.1.**

pasgetrouwd ⟨bn.⟩ **0.1** *newly married* ♦ **1.1** ~ stel *young marrieds, newly-weds.*

pashokje ⟨het⟩ **0.1** *fitting cubicle* ⇒*fitting room.*

pashouder ⟨de (m.)⟩, **-ster** ⟨de (v.)⟩ **0.1** *passport holder;* [toegangsbewijs] *pass holder.*

pasja ⟨de (m.)⟩ **0.1** *pasha, pacha.*

pasje ⟨het⟩ **0.1** [stapje] *step* **0.2** [legitimatiebewijs] *pass* ⇒*identity/I.D. card* ♦ **2.1** korte ~s maken *take short steps;* met onvaste ~s lopen *totter* **3.2** zijn ~ tonen *show one's I.D. (card)* **6.2** een ~ voor vrij reizen *free travel pass.*

pasjeswet ⟨de⟩ **0.1** *Pass Law.*

paskamer ⟨de⟩ **0.1** *fitting/trying-on room.*

pasklaar ⟨bn.⟩ **0.1** [zo gereed gemaakt dat het geheel past] *(made) to measure* ⇒*fitted* ⟨kleed⟩, ⟨fig.⟩ *ready-made* **0.2** [gereed om gepast te worden] *ready for trying on* ♦ **1.1** ⟨fig.⟩ pasklare antwoorden *pat/ ready-made/cut-and-dried answers;* ⟨fig.⟩ pasklare oplossingen *pat/ ready-made/cut-and-dried solutions* **1.2** in pasklare onderdelen *in prefabricated/parts* **3.1** ~ gemaakt ⟨kleren⟩ *tailor-made;* ⟨auto⟩ *custom-built;* iets ~ maken voor ⟨ook fig.⟩ *adapt/adjust/fashion/tailor sth. to.*

paskwil ⟨het⟩ **0.1** [iets belachelijks] *farce* ⇒*mockery* **0.2** [grap] *joke* **0.3** [schotschrift] *pasquinade, pasquil* ⇒*lampoon,* ⟨kort⟩ *squib* ♦ **1.1** een ~ v.e. vent *good-for-nothing* **3.1** ergens een ~ van maken *pasquinade, make a mockery of, put to ridicule.*

paslood ⟨het⟩ **0.1** *(lead) line, plumb, plummet.*

pasmunt ⟨de⟩ **0.1** [wisselgeld] *(small) change* **0.2** [muntstuk van geringe waarde] *fractional currency, subsidiary coin.*

paso doble ⟨de⟩ ⟨dansk.⟩ **0.1** *paso doble.*

paspooortnummer ⟨het⟩ **0.1** *passport number.*

paspoort ⟨het⟩ **0.1** [identiteitsbewijs] *passport* **0.2** [⟨mil.⟩] *pass* ⇒⟨BE ook; mil.⟩ *ticket* ♦ **2.1** een ~ geven/verlopen ~ *a valid/an expired p.* **3.1** een ~ aanvragen *apply for a p.;* ~ laten verlengen *extend one's passport;* zijn ~ tonen *show one's p.;* iemands ~ vragen *ask for s.o.'s passport* **3.2** zijn ~ krijgen *get one's cards.*

paspoortcontrole ⟨de⟩ **0.1** *passport control.*

paspoorthuwelijk ⟨het⟩ **0.1** *marriage of convenience (to acquire Dutch* ⟨enz.⟩ *nationality).*

paspop ⟨de⟩ **0.1** *tailor's dummy* ⇒*mannequin.*

pasporteren ⟨ov.ww.⟩ ⟨mil.⟩ **0.1** *discharge.*

pass ⟨de (m.)⟩ ⟨sport⟩ **0.1** *pass* ♦ **3.1** een goede ~ geven *make a good p.;* een ~ naar voren geven *a forward p..*

passaat ⟨de (m.)⟩, **passaatwind** ⟨de (m.)⟩ **0.1** *trade wind* ⇒⟨vnl. mv. ook⟩ *trades.*

passaatgordel ⟨de (m.)⟩ **0.1** *trade wind belt.*

passabel ⟨bn., bw.;-ly⟩ **0.1** [passeerbaar] *passable* ⇒*traversable, negotiable, practicable* ⟨weg⟩, *fordable* ⟨rivier⟩ **0.2** [draaglijk] *passable* ⇒ *tolerable* ♦ **3.1** moerassen ~ maken *make marshes passable.*

passacaglia ⟨de⟩ ⟨muz.⟩ **0.1** *passacaglia.*

passage ⟨de (v.)⟩ **0.1** [gedeelte v.e. geschrift] *passage* ⇒*extract, excerpt,* ⟨vnl. uit Bijbel⟩ *pericope* **0.2** [het passeren] *passage* ⇒*transit* **0.3** [doorgang] *passage* ⇒*traverse,* ⟨bergen⟩ *pass* **0.4** [overtocht] *passage* ⇒*crossing* **0.5** [overdekte winkelstraat] *arcade* **0.6** [⟨ster.⟩] *transit* **0.7** [⟨muz.⟩] *passage* ♦ **2.1** een ingelaste ~ *an interpolated passage* **3.3** de ~ versperren *block the passage* **3.4** (een) ~ boeken (naar) *book a p. (to)* **6.1** een ~ uit een gedicht voorlezen *read an extract from a poem* **7.2** er is weinig ~ hier *there is not much traffic here.*

passagebiljet ⟨het⟩ **0.1** *(air/ boat) ticket.*

passagebureau ⟨het⟩ →*passagekantoor.*

passagegeld ⟨het⟩ **0.1** [geld om te mogen passeren] *toll* **0.2** [geld voor de overtocht] *fare.*

passagekantoor ⟨het⟩ **0.1** *booking office.*

passagekoers ⟨de (m.)⟩ **0.1** *making-up price.*

passagier ⟨de (m.)⟩ **0.1** *passenger* ⇒⟨taxi⟩ *fare* ♦ **2.1** een blinde ~ *a stowaway;* een blinde ~ hebben ⟨fig.⟩ *have a bun in the oven* **3.1** ~s opzoeken/opsnorren ⟨taxichauffeur⟩ *ply for hire.*

passagieren ⟨onov.ww.⟩ ⟨scheep.⟩ **0.1** *go on shore leave* ♦ **1.1** ~d matroos *liberty man, sailor at liberty* ¶**.1** zonder permissie ~ *take French leave.*

passagiersaccommodatie ⟨de (v.)⟩ **0.1** *passenger accommodation* ♦ **6.1** een vrachtschip met ~ *a freighter with p. a..*

passagiersboot ⟨de (m.)⟩ **0.1** *passenger boat.*

passagiersdienst ⟨de (m.)⟩ **0.1** *passenger service.*

passagiershut ⟨de (v.)⟩ **0.1** *passenger's stateroom.*

passagierslijst ⟨de⟩ **0.1** *passenger list* ⇒*manifest, waybill.*

passagiersschip ⟨het⟩ **0.1** *passenger ship* ⇒⟨luxury⟩ *liner.*

passagierstrap ⟨de (m.)⟩ **0.1** *companionway.*

passagierstrein ⟨de (m.)⟩ **0.1** *passenger train.*

passagiersverblijf ⟨het⟩ **0.1** *saloon.*

passagiersvervoer ⟨het⟩ **0.1** *passenger transport* ⇒*transport/carriage of passengers.*

passagiersvliegtuig ⟨het⟩ **0.1** *airliner* ⇒*aircraft* ⟨ook verz.n.⟩, ⟨inf.⟩ *plane.*

passagiersvlucht ⟨de⟩ **0.1** *passenger flight.*

passant¹ ⟨de (m.)⟩ **0.1** [voorbijganger] *passer-by* **0.2** [doortrekkend reiziger] *transient* **0.3** [lusje voor riem] *loop.*

passant² ⟨bw.⟩ ♦ ¶**.¶** en ~ *en passant, in passing, by the way, incidentally.*

passantenhuis ⟨het⟩ **0.1** [mbt. reizigers] *hospice* **0.2** [mbt. gevangenen] *detention centre.*

passé ⟨bn.⟩ **0.1** *passé* ⇒*outmoded.*

passé défini ⟨de (m.)⟩ **0.1** *past definite.*

passeerslag ⟨de (m.)⟩ ⟨sport⟩ **0.1** *passing shot.*

passelijk ⟨bn., bw.;-ly⟩ **0.1** *passable* ⇒*reasonable, fair.*

passement ⟨het⟩ **0.1** *passementerie* ⇒*trimming(s),* ⟨zijde, wol⟩ *braid, rouleau* ♦ **6.1** met ~ omzomen/versieren *gimp.*

passen ⟨sprw. 503,527,673⟩
I ⟨onov.ww.⟩ **0.1** [nauwkeurig sluiten] *fit* **0.2** [(+bij) overeenstemmen] *fit* ⇒*match (with), suit, go/harmonize with* **0.3** [op zijn plaats zijn] *belong* ⇒⟨sociaal⟩ *become, befit* **0.4** [toepasselijk zijn] *fit* ⇒*apply to, pertain to, go for* **0.5** [schikken] *suit* ⇒*be convenient/suitable* **0.6** [(+op) letten (op), (ervoor) waken] *look after, take care of* **0.7** [⟨kaartspel⟩] *pass* ♦ **1.1** de broek past niet *the trousers don't f.* **1.3** zoals (het) een dame past *as befits a lady* **1.4** met een wreedheid die een beul zou ~ *with a cruelty befitting an executioner* **3.1** ze komen morgen ~ *they're coming for a fitting tomorrow;* ik moet wel vier keer komen ~ *I had to go for no less than four fittings* **5.1** het past precies *it fits like a glove;* deze broek past je precies/goed/slecht *these trousers are an exact/a good/bad fit* **5.2** dit past er goed/slecht bij *this is a good/bad match;* ik zoek iets dat hierbij past *I'm looking for sth. to match/go with this* **5.3** die kast zou goed in mijn keuken ~ *that cupboard would go well in my kitchen;* ~ be not quite the thing; het past niet in mijn plannen *it doesn't suit my plans;* het past niet om ... *it is not proper to ...;* het past je slecht/niet dit te doen *it ill befits/does not become you to do this* **5.4** daar past ik voor *(you can) count me out;* ⟨fig.⟩ ik pas er wel voor hem geld te geven *you won't catch me giving him any money* **6.1** de deksel past maar net op deze pan *the lid only just fits this pan;* deze sleutel past op de meeste sloten *this key fits most locks* **6.2** die tas past niet bij die jas *that bag doesn't match*

that coat; **bij** elkaar ~ match, agree; de bloes en de rok ~ prachtig/ slecht **bij** elkaar the blouse and skirt match beautifully / go very well together, the blouse and skirt clash / do not match; ze ~ goed/slecht **bij** elkaar they are well / ill-matched; **bij** het geheel ~ f. into the picture; dat past **bij** zijn stijl that's just his style, that's typical of him; in kleur ~ **bij** je rok maak your skirt in colour; helemaal niet ~ **bij** die rijke lui not belong among those rich people; slecht ~ **bij** f. in badly / ill with; die naam paste goed **bij** haar that name suited her **6.3** die taal past niet **in** de mond van kinderen children shouldn't use that kind of language; hij past niet **in** deze omgeving he doesn't fit in here **6.4** dat past **op** hem that fits him **6.6 op** de kleintjes ~ ⟨fig.⟩ penny-pinch, be penny-wise; **op** zijn tellen ~ ⟨fig.⟩ watch one's p's and q's, watch one's step; ⟨fig.⟩ **op** zijn woorden ~ mind what one says; ⟨netjes praten⟩ mind one's language; **op** de kinderen ~ look after the children; **op** de winkel ~, **op** de zaak ~ mind the shop, look after / keep an eye on the business; **op** de bel/deur ~ answer the door; er goed **op** ~, goed **op** iets ~ take good care of, keep an eye on; pas **op** het afstapje/je hoofd watch / mind the step, mind your head; ze zijn oud en wijs genoeg om **op** zichzelf te kunnen ~ they are old enough to take care of themselves **8.5** ⟨AZN⟩ als het past if it's convenient ¶**.7** ik pas! pass!; **II** ⟨ov.ww.⟩ **0.1** [nauwkeurig meten] fit **0.2** [precies genoeg betalen] pay with the exact money **0.3** [juist plaatsen] fit **0.4** [kijken of het goed zit] try on, fit ◆ **1.2** met gepast geld betalen s.v.p. ⟨bus⟩ exact fare please; ⟨automaat⟩ no change given **1.3** ergens een mouw aan weten te ~ ⟨fig.⟩ come up with sth. / the right answer **1.4** een nieuwe jurk ~ try on a new dress **3.1** ~ en meten turn this way and that; ⟨fig.⟩ met veel ~ en meten kwamen we eruit after turning this way and that we finally came up with a solution; met wat ~ en meten komen we wel rond with some juggling we'll manage **4.2** hebt u het niet gepast? haven't you got the right/exact money? **6.3** iets in/aan elkaar ~ f. in/ together.

passend ⟨bn., bw.; -ly⟩ **0.1** [geschikt] suitable (for), appropriate **0.2** [gepast] proper ⇒becoming, appropriate **0.3** [zo dat het op/in iets past] fitting ◆ **1.1** een ~ argument an appropriate argument; een goed ~e bijnaam voor jou a most appropriate nickname for you; niet bij elkaar ~e sokken/partners odd socks, incompatible partners; ~ werk suitable work; geen ~ werk hebben have unsuitable employment **1.2** een ~ gebruik maken van make p. use of **1.3** een goed ~e kurk a well-fitting cork **3.3** iets ~ maken make sth. fitting **4.1** kunt u iets ~s vinden bij deze das, iets ~s zoeken bij deze das can you match / find sth. to match this tie?; het is moeilijk iets ~s bij deze kleur te vinden this colour is hard to match **5.1** een broek met een daarbij ~e jas trousers with a coat to match / matching coat **5.3** niet ~ badly f.; niet ~ kledingstuk ill-fitting garment, misfit; precies ~ ⟨kledingstuk⟩ perfectly f. **6.1** goed/slecht bij elkaar ~ ill-/ well-matched / assorted; een goed bij elkaar ~ paar/stel a good match; niet ~ bij unsuited for; in **bij** de gelegenheid ~e kleding in clothes suitable for / suited to the occasion **6.2** niet ~ zijn voor be unbecoming for.

passe-partout ⟨het, de (m.)⟩ **0.1** [loper] passe-partout ⇒pass key, master / skeleton key **0.2** [lijst] passe-partout **0.3** [doorlopende toegangskaart] go-as-you-please ticket ⇒ ⟨toverspreuk⟩ open sesame.

passer ⟨de (m.)⟩ **0.1** (pair of) compasses, compass ◆ **2.1** een rechte/een kromme/een ongelijkbenige ~ a pair of straight/ curved/unequal compasses **6.1** met ~ en liniaal tekenen do mechanical / technical drawing, work by rule and compass.

passerdoos ⟨de⟩ **0.1** box of compasses.

passeren
I ⟨onov., ov.ww.⟩ **0.1** [voorbijgaan] pass ⇒overtake ◆ **1.1** de auto passeerde (de fietser) the car overtook (the cyclist); de auto's ⟨inhalen⟩ overtaking cars; ⟨voorbijkomen⟩ passing cars; ⟨fig.⟩ de minst gepasseerde doelman the goalkeeper with the cleanest sheet of the season / competition; een huis ~ p. (by) a house **3.1** mag ik (u) even ~? would you excuse me, please?, may I get / come by, please? **4.1** elkaar ~ p. one another, cross;
II ⟨onov.ww.⟩ **0.1** [(+voor) doorgaan voor] be regarded (as) ⇒be considered (to be), ⟨zonder het te zijn⟩ pass (for) **0.2** [voorvallen] pass **0.3** [slagen] pass ◆ **3.2** dat mag ik niet laten ~ I can't let that p.; een paar foutjes laten ~ p. over a few mistakes **6.1** hij passeert voor een zeer braaf man he is considered to be a very respectable man;
III ⟨ov.ww.⟩ **0.1** [door/overtrekken] ⟨door⟩ pass through; ⟨over⟩ cross **0.2** [overslaan] pass over **0.3** [mbt. een tijdruimte] pass ⇒while away, kill **0.4** [zijn goedkeuring hechten aan] execute ◆ **1.1** de douane ~ go through (the) customs; de grens/een brug ~ c. the border / a bridge; het schip passeerde het Suezkanaal the ship passed through the Suez Canal; ⟨fig.⟩ de vijftig gepasseerd zijn have turned fifty, be on the wrong side of fifty; ⟨fig.⟩ net/allang de vijftig gepasseerd zijn be in one's early / late fifties **1.3** om de tijd te ~ to while away the time **3.2** zich gepasseerd voelen feel passed over **6.4** gepasseerd voor notaris N. executed before / in the presence of the notary-public N. **7.1** ⟨fig.⟩ de 3000 ~ pass the 3000 mark.

passie ⟨de (v.)⟩ ⟨→sprw. 619⟩ **0.1** [het lijden van Christus] Passion **0.2** [hartstocht] passion (for) ⇒ardour, ⟨voor een zaak⟩ zeal / enthusiasm (for) ◆ **3.1** de ~ preken preach on the P. of Christ **3.2** de ~ aanwakke-

ren fan the flame; een alles overheersende ~ an all-consuming p. **6.2** een ~ voor schaken a p. for chess.

passiebloem ⟨de⟩ **0.1** passion flower ◆ **2.1** de blauwe ~ the blue passion flower.

passief¹ ⟨het⟩ **0.1** [⟨jur.⟩] liabilities **0.2** [⟨taal.⟩] passive ◆ **1.1** het actief en ~ v.e. balans the assets and l. of a balance sheet.

passief²
I ⟨bn., bw.; -ly⟩ **0.1** [lijdelijk] passive **0.2** [niet handelend] passive ◆ **1.1** passieve tegenstand p. resistance **1.2** passieve kennis v.e. taal ⟨tgov. actief⟩ p. knowledge of a language; ~ kiesrecht right / title to stand as a candidate, eligibility **3.2** iets ~ moeten afwachten be forced to await events;
II ⟨bn.⟩ **0.1** [⟨schei.⟩] passive **0.2** [⟨hand.⟩] adverse **0.3** [⟨taal.⟩] passive ◆ **1.2** passieve handelsbalans a. / unfavourable balance of trade **1.3** de passieve vorm the p. (voice) **3.1** ~ maken passivate **3.3** ~ maken/worden make / become p..

passiemuziek ⟨de (v.)⟩ **0.1** passion music.

passiespel ⟨het⟩ **0.1** passion play.

passietijd ⟨de (m.)⟩ **0.1** Passiontide.

passievrucht ⟨de⟩ **0.1** passion fruit.

passieweek ⟨de⟩ **0.1** Passion Week.

Passiezondag ⟨de (m.)⟩ **0.1** Passion Sunday.

passim ⟨bw.⟩ **0.1** passim.

passing ⟨de (v.)⟩ **0.1** ⟨tech.⟩ **0.1** fit.

passioneren ⟨wk.ww.; zich ~⟩ **0.1** ⟨schr.⟩ passion.

passivisme ⟨het⟩ **0.1** passivism.

passivist ⟨de (m.)⟩ **0.1** passivist.

passiviteit ⟨de (v.)⟩ **0.1** [lijdelijkheid] passivity **0.2** [⟨schei.⟩] passivity.

passivum ⟨het⟩ **0.1** [⟨taal.⟩] passive **0.2** [⟨mv.⟩ lasten, schulden] liabilities.

passpiegel ⟨de (m.)⟩ **0.1** full-lenght mirror.

passus ⟨de (m.)⟩ **0.1** passage.

pasta ⟨het, de (m.)⟩ **0.1** [mengsel] paste **0.2** [deegwaar] pasta ◆ **3.1** ~ maken van make a p. of.

pastei ⟨de⟩ ⟨→sprw. 94⟩ **0.1** pasty ⇒pie, ⟨ragoût⟩ vol-au-vent ◆ **6.¶** ⟨druk.⟩ alles is in ~ gevallen everything has fallen into pie; ⟨druk.⟩ in ~ doen vallen pie ^Api.

pasteibakker ⟨de (m.)⟩ **0.1** pastrycook.

pasteideeg ⟨het⟩ **0.1** pastry.

pasteikorst ⟨de⟩ **0.1** pie crust ⇒(pastry) shell.

pasteitje ⟨het⟩ **0.1** patty, pattie ⇒pastry, ⟨mincemeat vulling⟩ mince pie.

pastel ⟨het⟩ **0.1** [droge kleurstof] pastel, pastille **0.2** [stift] pastel, pastille **0.3** [tekening, schilderij] pastel.

pastelkleur ⟨de⟩ **0.1** pastel colour.

pastelschilder ⟨de (m.)⟩ **0.1** pastel(l)ist.

pastelschilderen ⟨ww.⟩ **0.1** paint in pastels.

pastelstift ⟨de⟩ **0.1** pastel, pastelle.

pasteltekenaar ⟨de (m.)⟩ **0.1** pastel(l)ist.

pasteltekening ⟨de (v.)⟩ **0.1** pastel.

pasteltint ⟨de⟩ **0.1** pastel shade ⇒tint, undertint.

pasteur ⟨de (m.)⟩ **0.1** pasteurizer ⇒scalder.

pasteurisatie ⟨de (v.)⟩ **0.1** pasteurization.

pasteuriseren ⟨ov.ww.⟩ **0.1** pasteurize ⇒scald ⟨ihb. melk⟩.

pastiche ⟨de (m.)⟩ **0.1** pastiche ⇒pasticcio.

pastille ⟨de⟩ **0.1** pastille ⇒troche.

pastinaak ⟨de⟩ **0.1** [plant] parsnip **0.2** [wortel] parsnip.

pastis ⟨de (m.)⟩ **0.1** pastis.

pastoor ⟨de (m.)⟩ **0.1** (parish) priest ⇒ ⟨mil.⟩ padre ◆ **1.1** ~ Boekel Father Boekel; de ~ z'n hemd ⟨fig.⟩ skin on the milk; de ~ v.d. Lievevrouwekerk the priest of the Church of Our Lady **3.1** ⟨fig.⟩ de ~ zegent zichzelf eerst everyone looks after number one **6.1** naar de ~ gaan ⟨fig.⟩ take the plunge ¶**.1** Meneer Pastoor Father, Padre.

pastor ⟨de (m.)⟩ **0.1** pastor ⇒ ⟨prot.⟩ minister, ⟨r.k.⟩ priest.

pastoraal¹
I ⟨het⟩ **0.1** [werk v.e. geestelijke] pastoral work;
II ⟨de (v.)⟩ **0.1** [theologie] pastoral theology.

pastoraal² ⟨bn., bw.; -ly⟩ **0.1** [mbt. een geestelijk leidsman] pastoral **0.2** [mbt. het pastoraat] pastoral **0.3** [mbt. het landleven] pastoral ⇒bucolic, rural, rustic ◆ **1.1** ⟨bijb.⟩ pastorale brieven p. epistles; ~ medewerker church worker, pastor's / minister's assistent; pastorale theologie p. theology **1.2** de pastorale goederen glebe **1.3** pastorale poëzie p. poetry; pastorale stijl ⟨ook⟩ pastoralism.

pastoraat ⟨het⟩ **0.1** [zielzorg] pastoral care **0.2** [pastoorschap] priesthood.

pastorale ⟨de⟩ **0.1** [herderslied] pastoral (song) **0.2** [⟨muz.⟩] pastoral (song / piece) ⇒pastorale **0.3** [⟨lit.⟩] pastoral (poem / play).

pastorie ⟨de (v.)⟩ **0.1** [woning] ⟨prot.⟩ parsonage ⇒ ⟨Angl.⟩ rectory, vicarage, ⟨r.k.⟩ presbytery **0.2** [pastoorsplaats] pastorate.

pastorieland ⟨het⟩ **0.1** glebe (land).

pastorij ⟨de (v.)⟩ ⟨AZN⟩ **0.1** presbytery.

pasvorm ⟨de (m.)⟩ **0.1** fit.

pat¹
I ⟨de⟩ **0.1** [korte strook aan een kledingstuk] tab **0.2** [⟨mil.⟩] patch ⇒ tab;

II ⟨het⟩ **0.1** [⟨schaken⟩] *stalemate.*
pat² ⟨bn.⟩ **0.1** *stalemate* ♦ **3.1** ~ zetten *stalemate.*
patat ⟨de⟩ **0.1** [frites] *chips,* ᴬ*(French) fries* **0.2** [⟨AZN⟩ sul] *dolt* ⇒ *dunce, simpleton,* ᴮ*duffer, idiot* ♦ **1.1** een zakje ~ *a bag/an order of c. / (French) fries* **6.1** twee ~ met (mayonaise) en een zonder *two bags/ orders of c. / fries,* ≠*one with ketchup and one without.*
patates frites ⟨zn.mv.⟩ →**patat**.
patatje ⟨het⟩ ⟨inf.⟩ **0.1** *(portion of)* ᴮ*chips,*/ᴬ*(French) fries.*
patatkraam ⟨het, de⟩ **0.1** ≠ᴮ*fish and chips stand,* ≠ ᴬ*hot dog stand.*
patatsnijder ⟨de (m.)⟩ **0.1** *potato/chip*/ᴬ*French fry cutter.*
patattent ⟨de⟩ ⟨inf.⟩ **0.1** ⟨BE⟩ *chip shop,* ↓*chippy;* ⟨AE⟩ ≠*burgerbar.*
patchoeli ⟨de⟩ **0.1** *patchouli.*
patchwork ⟨het⟩ **0.1** *patchwork* ♦ **1.1** een ~ dekbed *a p. / crazy quilt.*
pâté ⟨de (m.)⟩ **0.1** [pastei] *pâté* ⇒*liver paste* **0.2** [gerecht] *pâté* ♦ **¶.1** ~ de foie gras *p. de foie gras.*
pateeke ⟨het⟩ ⟨AZN⟩ **0.1** *pastry.*
pateel ⟨het⟩ ⟨AZN⟩ **0.1** *platter.*
pateen ⟨de⟩ ⟨r.k.⟩ **0.1** *paten* ⇒*patin(e).*
patent¹ ⟨het⟩ **0.1** *patent* ♦ **3.1** ~ aangevraagd *p. applied for/pending;* ~ aanvragen *apply for a p.;* ~ verlenen aan *grant/issue a p. to* **6.1** een ~ op iets nemen *take out a p. on/for sth., patent sth..*
patent² ⟨bn., bw.⟩ **0.1** *first-rate* ⇒*great,* ⟨AE ook⟩ *swell, dandy* ♦ **1.1** een ~ e kerel *a f.-r. / terrific fellow* **3.1** hij ziet er ~ uit *he looks great.*
patentaanvrage ⟨de⟩ **0.1** *patent application.*
patentbloem ⟨de⟩ →**patentmeel**.
patentbureau ⟨het⟩ **0.1** *patent office.*
patenteren ⟨ov.ww.⟩ **0.1** [octrooi nemen] *patent* ⇒*take out a patent (on/for), register* **0.2** [octrooi verlenen, ⟨ook fig.⟩] *(grant a) patent* ♦ **1.2** een gepatenteerde leugenaar *a patent liar.*
patentgeneesmiddel ⟨het⟩ **0.1** *patent medecine.*
patenthouder ⟨de (m.)⟩, -**ster** ⟨de (v.)⟩ **0.1** *patentee* ⇒*patent holder.*
patentlog ⟨de⟩ **0.1** *patent log* ⇒*taffrail log.*
patentmeel ⟨het⟩ **0.1** *patent flour.*
patentnemer ⟨de (m.)⟩ **0.1** *patentee.*
patentrecht ⟨het⟩ **0.1** *patent right.*
patentsluiting ⟨de (v.)⟩ **0.1** *patent lock/fastening* ⇒ ⟨fles⟩ *patent stopper.*
patentsteek ⟨de (m.)⟩ **0.1** *modified rib (stitch).*
patentwet ⟨de⟩ **0.1** *Patents Act* ⇒*patent law.*
pater ⟨de (m.)⟩ **0.1** *father* ♦ **2.¶** ⟨AZN⟩ zwarte ~s *blackberries* **¶.¶** ~ familias *paterfamilias, head of a/the family/household;* ~ patriae *father of the nation/country.*
paternalisme ⟨het⟩ **0.1** *paternalism.*
paternalistisch ⟨bn., bw.; -ally⟩ **0.1** *paternalistic.*
paternoster
I ⟨het⟩ **0.1** [⟨r.k.⟩ gebed] *paternoster* ⇒*Our Father, Lord's Prayer* ♦ **3.1** een ~ bidden *say a p. / an Our Father;*
II ⟨de (m.)⟩ **0.1** [⟨r.k.⟩ rozenkrans] *rosary* ⇒*paternoster* **0.2** [⟨bouwk.⟩] *chaplet* **0.3** [⟨vis.⟩] *paternoster (line)* **0.4** [⟨mv.⟩ ⟨inf.⟩, handboeien] ᴮ*darbies;* ⟨AE⟩ *cuffs, bracelets* ♦ **3.4** iem. de ~s aandoen *fix the d. on s.o., slap the cuffs on s.o..*
paternosterlift ⟨de (m.)⟩ **0.1** *paternoster* ⇒*continuous lift.*
patersbier ⟨het⟩ **0.1** *best beer.*
patersvaatje ⟨het⟩ **0.1** *the best cask of wine/beer* ♦ **6.1** uit het ~ tappen *serve the best wine/beer.*
pathefoon ⟨de (m.)⟩ **0.1** *gramophone* ⇒*phonograph.*
pathetisch ⟨bn., bw.; -(al)ly⟩ **0.1** *pathetic(al)* ⇒*moving, stirring, touching, poignant* ♦ **1.1** ~ acteur *melodramatic actor;* ~ gedoe/gedrag (pej.) *soap opera, sob stuff;* met ~ e stem *ring zij …with a voice full of emotion/with a quivering voice she cried out …;* een ~ verhaal *a moving story;* ⟨pej.⟩ *a sob story.*
pathisch ⟨bn.⟩ **0.1** *pathologic(al).*
pathogeen ⟨bn.⟩ **0.1** *pathogen(et)ic* ♦ **1.1** pathogene bacteriën *p. bacteria.*
pathogenese ⟨de (v.)⟩ **0.1** [het ontstaan v.e. ziekte] *pathogenesis, pathogeny* **0.2** [leer] *pathology.*
pathogenetisch ⟨bn.⟩ **0.1** *pathogen(et)ic.*
pathogenie ⟨de (v.)⟩ →**pathologie**.
pathognostisch ⟨bn.⟩ **0.1** *pathognomonic.*
pathologie ⟨de (v.)⟩ **0.1** *pathology* ♦ **2.1** algemene ~ *general p..*
pathologisch ⟨bn., bw.; -(al)ly⟩ **0.1** [mbt. de ziektenleer] *pathologic(al)* **0.2** [ziekelijk] *pathologic(al)* ⇒*morbid* ♦ **1.1** ~ e anatomie *pathological anatomy;* ~ laboratorium *pathological laboratory;* ⟨afdeling in ziekenhuis⟩ *pathology;* ⟨inf.⟩ *path lab.*
patholoog ⟨de (m.)⟩ **0.1** *pathologist.*
patholoog-anatoom ⟨de (m.)⟩ **0.1** *pathologist.*
pathopsychologie ⟨de (v.)⟩ **0.1** *pathopsychology.*
pathos ⟨het⟩ **0.1** [bezieling] *pathos* **0.2** [hoogdravendheid] *melodrama* ♦ **2.2** vals ~ *bathos;* vol vals ~ *bathetic* **6.2** met ~ (uit)spreken *express o.s. melodramatically.*
patience ⟨het⟩ **0.1** ⟨vnl. BE⟩ *patience,* ᴬ*solitaire* ♦ **3.1** ~ spelen *play p./s..*
patiënt ⟨de (m.)⟩, -**e** ⟨de (v.)⟩ **0.1** *patient* ♦ **2.1** een lastige ~ *a difficult*

p.; de particuliere ~en v.e. arts *a doctor's private patients;* volgende ~! *next (p.)!;* ⟨fig.⟩ *who's next?* **3.1** zijn ~en bezoeken *do one's rounds;* de ~ moet het bed houden *the p. is confined to bed(rest);* ~ zijn van dokter N. ⟨ook⟩ *be under Dr. N's care* **8.1** als ~ in dit ziekenhuis heb je niet te klagen *patients in this hospital have nothing to complain about, as a p. in this hospital (you can't complain).*
patiëntenadministratie ⟨de (v.)⟩ **0.1** *patients administration.*
patientenbijsluiter ⟨de (m.)⟩ **0.1** *information/instruction leaflet, instructions (for use).*
patiëntendemonstratie ⟨de (v.)⟩ ⟨med.⟩ **0.1** *clinical demonstration.*
patiëntenknaak ⟨de⟩ ⟨inf.⟩ **0.1** ⟨ongemarkeerd⟩ *prescription charge.*
patiëntenstop ⟨de (m.)⟩ **0.1** ⟨zie 3.1⟩ ♦ **3.1** een ~ afkondigen *announce that no new patients can be admitted/accepted.*
patiëntenvereniging ⟨de (v.)⟩ **0.1** *patients' association, association of patients.*
patina ⟨het⟩ **0.1** [edelroest] *patina* ⇒*patine* **0.2** [kenteken van ouderdom] *patina* ⇒*patine.*
patineren ⟨ov.ww.⟩ **0.1** *patine.*
patio ⟨de (m.)⟩ **0.1** *patio.*
patiobungalow ⟨de (m.)⟩ **0.1** *patio bungalow.*
patiowoning ⟨de (v.)⟩ **0.1** *house/*⟨één verdieping ook⟩ *bungalow with a patio.*
patisserie ⟨de (v.)⟩ **0.1** [banketbakkerij] *pastry shop* ⇒*fancy bakery* **0.2** [gebakjes] *pastry* ⇒*cakes.*
patjakker ⟨de (m.)⟩ **0.1** *scoundrel.*
patjepeeër ⟨de (m.)⟩ **0.1** *boor.*
patois ⟨het⟩ **0.1** [dialect] *patois* ⇒*dialect* **0.2** [zonderling taaltje] *patois* ⇒*jargon.*
patria ⟨het⟩ **0.1** *fatherland* ⇒*homeland, mother country* ♦ **6.1** in ~ *at home* **¶.1** pro ~ *pro patria.*
patriarch ⟨de (m.)⟩ **0.1** [aartsvader] *patriarch* **0.2** [bisschop in de Oosterse Kerk] *patriarch* **0.3** [⟨r.k.⟩] *patriarch* **0.4** [grijsaard] *patriarch.*
patriarchaal ⟨bn., bw.; -ly⟩ **0.1** [waarbij de vaderfiguur overheerst] *patriarchal* **0.2** [mbt. een patriarch] *patriarchal* ♦ **1.1** een patriarchale samenleving *a p. society, a patriarchy* **1.2** patriarchale basiliek *p. basilica* **1.¶** ⟨herald.⟩ ~ kruis *p. cross.*
patriarchaat ⟨het⟩ **0.1** [waardigheid] *patriarchate* **0.2** [gebied] *patriarchate* **0.3** [rechtstoestand] *patriarchy.*
patriciaat ⟨het⟩ **0.1** [de aristocratie] *patriciate* ⇒*nobility, aristocracy* **0.2** [rang/titel van patriciër] *patriciate.*
patriciër ⟨de (m.)⟩ **0.1** [voornaam persoon] *patrician* **0.2** [⟨gesch.⟩] *patrician* ⇒*aristocrat.*
patriciërshuis ⟨het⟩ **0.1** ≠*mansion.*
patricisch ⟨bn.⟩ **0.1** [mbt. de patriciërs] *patrician* **0.2** [aanzienlijk] *patrician* ⇒*aristocratic.*
patrijs
I ⟨de⟩ **0.1** [vogel] *partidge* **0.2** [⟨mv.⟩ vogelfamilie] *partridge* **0.3** [patrijshond] *spaniel* ♦ **1.1** een koppel patrijzen *a brace of partridges* **2.1** jonge ~ *p. chick* **2.3** een Drentse ~ *an English setter;*
II ⟨de (m.)⟩ **0.1** [⟨druk.⟩] *patrix.*
patrijshond ⟨de (m.)⟩ →**patrijs 0.3.**
patrijspoort ⟨de⟩ ⟨scheep.⟩ **0.1** *porthole.*
patrijzejacht ⟨het⟩ **0.1** *partridge hunt(ing)* ♦ **1.1** het begin v.d. ~ *the beginning of partridge hunting season.*
patrilineaal ⟨bn.⟩ **0.1** *patrilineal* ♦ **1.1** patrilineale erfopvolging *p. succession.*
patrilokaal ⟨bn.⟩ **0.1** *patrilocal.*
patrimoniaal ⟨bn.⟩ **0.1** *patrimonial.*
patrimonie ⟨het⟩ →**patrimonium**.
patrimonium ⟨het⟩ **0.1** *patrimony* ♦ **¶.1** ~ Petri the *p. of Peter.*
patriot ⟨de (m.)⟩ **0.1** [vaderlandslievend persoon] *patriot* **0.2** [⟨gesch.⟩] *Patriot* **0.3** [mbt. de Belgische onafhankelijkheid] *Patriot.*
patriottentijd ⟨de (m.)⟩ **0.1** *Patriot period.*
patriottisch ⟨bn.⟩ **0.1** [vaderlandslievend] *patriotic* **0.2** [mbt. de patriotten] *patriotic.*
patriottisme ⟨het⟩ **0.1** *patriotism.*
patrologie ⟨de (v.)⟩ ⟨vnl. r.k.⟩, **patristiek** ⟨de (v.)⟩ ⟨vnl. prot.⟩ **0.1** [kennis van de kerkvaders] *patrology* ⇒*patristics* **0.2** [⟨lit.⟩] *patrology* ⇒ *patristics.*
patronaat ⟨het⟩ **0.1** [mbt. een kerk] *patronage* **0.2** [beschermer/patroon zijn] *patronage* ⇒*patronizing* **0.3** [bescherming v.e. heilige] *patronage* **0.4** [⟨r.k.⟩ jongerenvereniging] *catholic youth group* **0.5** [⟨AZN⟩ de werkgevers] *employers* ⇒*management* ♦ **6.3** de nieuwe kerk staat onder het ~ van Sint-Petrus *the new church is under the p. of St. Peter/ has St. Peter as patron (saint).*
patronage ⟨de (v.)⟩ ⟨AZN⟩ **0.1** *catholic youth group.*
patroneren ⟨ov.ww.⟩ →**patroniseren 0.1.**
patrones ⟨de (v.)⟩ **0.1** [beschermheilige] *patron (saint)* **0.2** [beschermvrouw] *patron(ess).*
patroniem ⟨het⟩ **0.1** *patronymic.*
patroniseren ⟨ov.ww.⟩ **0.1** [beschermen] *patronize* **0.2** [bevoogden] *patronize.*
patronymicum ⟨het⟩ →**patroniem**.

patroon
I ⟨de (m.)⟩ **0.1** [beschermer v.e. persoon] *patron* **0.2** [beschermheer v.e. instelling] *patron* **0.3** [beschermheilige] *patron (saint)* **0.4** [voorvechter] *champion* **0.5** [iem. met het recht van voordracht] *patron* **0.6** [baas] *employer* ⇒*chief, boss;*
II ⟨de⟩ **0.1** [mbt. wapen] *cartridge* **0.2** [mbt. vulpen] *cartridge* **0.3** [zekering] *fuse* ◆ **2.1** een losse ~ *a blank (c.);* een scherpe ~ *a live c.* **3.1** al zijn patronen verschieten ⟨ook fig.⟩ *use up all one's ammunition;*
III ⟨het⟩ **0.1** [model, voorbeeld] *pattern* **0.2** [decoratieve tekening] *pattern* ⇒*design* **0.3** [⟨fig.⟩ ⟨vaak in samenst.⟩] *pattern* ⇒*model, style* ◆ **1.1** een ~ voor een broek *a p. for a pair of trousers /^pants* **2.1** verstelbaar ~ *delineator* **2.2** telkens terugkerend ~ *repeat(ed) p.* **2.3** volgens een vast ~ *according to an established p.* **3.3** leefpatroon *lifestyle;* een ~ vormen *(form a) pattern* **6.2** met een ~*patterned, figured;* met een ~tje op de enkel *clocked at / with a clock on / at the ankle.*
patroonband ⟨de (m.)⟩ **0.1** *cartridge clip.*
patroongordel ⟨de (m.)⟩ **0.1** *cartridge belt* ⇒⟨over schouder⟩ *bandoleer.*
patroonheilige ⟨de (m.)⟩⟨r.k.⟩ **0.1** *patron saint* ◆ **1.1** ~v.e. kerk *titular (saint).*
patroonherkenning ⟨de (v.)⟩⟨comp.⟩ **0.1** *pattern recognition.*
patroonhouder ⟨de (m.)⟩ **0.1** *(cartridge) clip.*
patroonhuls ⟨de⟩ **0.1** *cartridge (case)* ⇒*cartouche.*
patroonpapier ⟨het⟩ **0.1** *cartridge paper.*
patroonsfeest ⟨het⟩⟨r.k.⟩ **0.1** *patron saint's day.*
patroontas ⟨de⟩ **0.1** *cartridge box.*
patroontekenen ⟨het⟩ **0.1** *pattern design / drawing.*
patrouille ⟨de⟩ **0.1** [verkenning] *patrol* ⇒*reconnaissance, reconnaitre* **0.2** [troepenafdeling] *patrol* **0.3** [groep padvinders] *patrol* **0.4** [aanhang] *gang* ◆ **3.1** de ~ doen *be on p.* **6.1** op ~ *gaan go on p..*
patrouille-auto ⟨de (m.)⟩ **0.1** *patrol / police /* ⟨BE⟩ *panda car.*
patrouilleleider ⟨de (m.)⟩ **0.1** *patrol leader.*
patrouilleren ⟨onov.ww.⟩ **0.1** [op patrouille zijn/ gaan] *patrol* **0.2** [mbt. oorlogsvaartuigen] *patrol* ⇒*cruise* ◆ **1.1** een ~de agent *a patrolling policeman, a policeman on the beat* **6.1** ~ in een bepaalde buurt *p. a certain area.*
patrouillevaartuig ⟨het⟩ **0.1** *patrol boat.*
pats[1] ⟨de (m.)⟩ **0.1** *blow, bang* ⇒⟨met vlakke hand⟩ *slap, smack* ◆ **3.1** iem. een ~ geven *deal / land s.o. a blow.*
pats[2] ⟨tw.⟩ **0.1** *wham* ⇒*whack, smack, bang* ◆ **¶.1** ~! daar kreeg hij een draai om zijn oren! *wham! he really got his ears boxed;* ⟨inf.⟩ ~ boem *hey presto, wham bam.*
patsen ⟨onov.ww.⟩ **0.1** [smijten] *throw about* **0.2** [met een pats neerkomen] *smack* ⇒*whack, slap* ◆ **6.1** met geld ~ *throw one's money about* **6.2** sneeuwballen patsten **tegen** de schutting *snowballs smacked against the fence.*
patser ⟨de (m.)⟩ **0.1** [dikdoener] *show-off* ⇒≠*macho* **0.2** [schurk] *nasty piece of work* ⇒*bully boy, thug.*
patserig ⟨bn., bw.; -ly⟩ **0.1** *show-off* ⇒≠*macho* ◆ **3.1** zich~ gedragen *show off, throw one's money around /* ⟨BE ook⟩ *about.*
patstelling ⟨de (v.)⟩ **0.1** [⟨schaakspel⟩] *stalemate* **0.2** [⟨fig.⟩] *stalemate* ⇒*deadlock, impasse.*
pauk ⟨de⟩ **0.1** *kettledrum* ⇒*timpano.*
pauken ⟨onov.ww.⟩ **0.1** *play the kettledrums.*
paukenist ⟨de (m.)⟩, **pauk(e)slager** ⟨de (m.)⟩ **0.1** *kettledrummer* ⇒*timpanist.*
Paulinisch ⟨bn.⟩ **0.1** *Pauline* ◆ **1.1** de ~e manier van denken *Paulinism.*
Paulus 0.1 *Paul.*
paumelle ⟨de (m.)⟩ **0.1** *split hinge.*
pauper ⟨de (m.)⟩ **0.1** *pauper.*
pauperisme ⟨het⟩ **0.1** *pauperism, pauperdom.*
paus ⟨de (m.)⟩ **0.1** *pope* ◆ **1.1** het gezag v.d. ~ *the authority of the P.;* terugkeren tot het gezag v.d. ~ *return to the obedience of Rome;* ⟨fig.⟩ wij kunnen niet allen ~ van Rome zijn *we cannot all rule the roost* **2.¶** zwarte ~ *Black Pope* **3.1** ⟨fig.⟩ in Rome geweest zijn en de ~ niet gezien hebben ≠*miss out on an important event/ attraction* **¶.1** ⟨fig.⟩ roomser zijn dan de ~ *have a holier-than-thou attitude.*
pausbezoek ⟨het⟩ **0.1** *papal visit.*
pausdom ⟨het⟩ **0.1** [waardigheid] *papacy* **0.2** [regeringstijd] *papacy, popedom* **0.3** [de r.k. kerk] *popedom.*
pauselijk ⟨bn.⟩ **0.1** [mbt. de paus] *papal, pontifical* **0.2** [v.d. paus afkomstig] *papal* ◆ **1.1** ~ gebied *papal territory;* ~ gezag *papacy, papal authority;* de ~e kleuren *papal colours;* ~e kroon *triple crown;* de ~e stoel *the Vatican;* ~e waardigheid *papacy* **1.2** ~e banvloek *p. ban;* ~e bul/ encycliek *p. bull/ encyclic(al), encyclic(al) letter;* ~e toestemming om uit te treden *indult to forshake the priesthood;* de ~e zegen *p. blessing.*
pausgezind ⟨bn.⟩ **0.1** *papalist* ◆ **3.1** ~ maken *papalize* **7.1** ⟨zelfst.⟩ een ~e *a papalist.*
pauskeuze ⟨de⟩ **0.1** *papal election.*
pausmobiel ⟨de (m.)⟩ **0.1** *Popemobile.*
pausschap ⟨het⟩ **0.1** [waardigheid] *papacy* **0.2** [regering] *papacy.*
pauw ⟨de (m.)⟩, **pauwin** ⟨de (v.); alleen in o.1⟩ **0.1** [vogel] *peacock* ⇒⟨v.

---

ook⟩ *peahen* **0.2** [staart] *peacock's fan* ◆ **2.1** ⟨herald.⟩ pronkende~ *peacock in his pride* **3.1** de ~ zet zijn staart op *the peacock is displaying its fan* **8.1** zo trots als een ~ *as proud as a peacock;* ⟨fig.⟩ rondlopen/ stappen als een ~ *peacock, strut about / around / round, swagger about / in / out.*
pauwblauw ⟨bn.⟩ **0.1** *peacock blue.*
pauweoog ⟨het⟩ **0.1** [vlekken op de staart v.e. pauw] *peacock eye* **0.2** [oog v.e. pauw] *peacock's eye* **0.3** [vlinder] *peacock butterfly.*
pauwestaart ⟨de (m.)⟩ **0.1** →**pauw 0.2.**
pauwetroon ⟨de (m.)⟩ **0.1** *Peacock Throne.*
pauweveer ⟨de⟩ **0.1** *peacock('s) feather.*
pauwoog → **pauweoog.**
pauwstaart ⟨de (m.)⟩ **0.1** *fantail.*
pauze ⟨de⟩ **0.1** [rustpoos] *interval* ⇒*pause, break, intermission,* ⟨sport⟩ *(half)-time,* ⟨AE ook⟩ *recess* **0.2** [⟨muz.⟩] *rest* ◆ **2.2** generale ~ *general pause* **3.1** een kwartier ~ houden *have a fifteen-minute break;* een ~ inlassen *introduce an extra break;* een ~ van tien minuten nemen *have a ten-minute break;* ⟨inf.⟩ take ten **6.1** in de ~ *weggaan,* **na** de ~ niet meer terugkomen ⟨bij theatervoorstelling⟩ *leave / walk out during the interval;* **in / tijdens** de ~ *in / during the interval.*
pauzeconcert ⟨het⟩ **0.1** *lunch-time concert.*
pauzefilm ⟨de (m.)⟩ **0.1** *lunch-time film.*
pauzeren ⟨onov.ww.⟩ **0.1** *pause* ⇒*rest, break, take / have a rest / break* ◆ **1.1** vijf minuten ~ *p. for five minutes* **5.1** event(jes) ~ *take a short break;* ⟨inf.⟩ *take five.*
pauzeteken ⟨het⟩ **0.1** [rustteken] *rest* **0.2** [mbt. een radioprogramma] *interval signal.*
pauzetoets ⟨de (m.)⟩ **0.1** *pause button / key.*
pavane ⟨de⟩ **0.1** [dans] *pavan(e)* **0.2** [muziek] *pavan(e).*
paviljoen ⟨het⟩ **0.1** [bijgebouw] *pavilion* ⇒*outbuilding* **0.2** [tuin/ zomerhuisje] *pavilion* **0.3** [buitencafé] *café* ⇒*kiosk* **0.4** [vooruitspringend gedeelte v.e. gevel] *pavilion* **0.5** [deel v.e. briljant] *pavilion.*
paviljoenhouder ⟨de (m.)⟩, **-ster** ⟨de (v.)⟩ **0.1** *kiosk / café manager.*
pavoiseren ⟨ov.ww.⟩ **0.1** *flag* ⇒⟨scheep.⟩ *dress* ◆ **1.1** gepavoiseerde schepen *dressed ships.*
pax ⟨de (v.)⟩ **0.1** *pax* ◆ **¶.1** ~ vobiscum! *p. vobiscum.*
p.c. ⟨afk.⟩ **0.1** [par couvert] ⟨*a cover*⟩ **0.2** [pour condoléance] ⟨*with sympathy*⟩.
PCB ⟨schei.⟩ ⟨afk.⟩ **0.1** [polychloorbifenyl] *PCB* ⟨*polychlorobiphenyl*⟩ ◆ **3.1** er worden steeds vaker ~'s in de bodem ontdekt *PCB's are being discovered more and more frequently in the soil.*
pct. ⟨afk.⟩ **0.1** [percent] *p.c.* ⇒⟨AE ook⟩ *pct..*
pd. ⟨afk.⟩ **0.1** [pond] *lb..*
p.d. ⟨afk.⟩ **0.1** [per dag] *p.d..*
P.D. ⟨afk.⟩ **0.1** [Pro Deo] ⟨*for nothing*⟩.
p.e. ⟨afk.⟩ **0.1** [par exemple] *e.g..*
peanuts ⟨tw.⟩⟨inf.⟩ **0.1** *peanuts* ◆ **¶.¶** ~! *twaddle!, rubbish!.*
peau de pêche ⟨het, de⟩ **0.1** *suede (cloth).*
peauter ⟨het⟩ **0.1** *pewter.*
pecannoot ⟨de⟩ **0.1** *pecan.*
peccothee ⟨de (m.)⟩ **0.1** *pekoe.*
pech ⟨de (m.)⟩ **0.1** [tegenspoed] *bad / hard / tough luck* ⇒*contretemps, dead man's hand* **0.2** [panne] *breakdown* ⇒*trouble* ◆ **3.1** ~ gehad *hard / tough luck, hard cheese;* hij had ~, het huis was al verkocht *he was out of luck, the house had already been sold;* dat soort ~ heb ik nou altijd *just my luck;* ~ hebben *be down on one's luck, be out of luck;* steeds (maar weer) ~ hebben *be going through a bad patch, be having a spell of bad luck* **4.1** wat een ~ *what bad / rotten luck* **6.1** dat is ~ **voor** hem *that is hard/ tough luck on him* **6.2** ~ **met** de auto *trouble with the car;* een auto **met** ~ *a broken-down car.*
pechlamp ⟨de⟩ **0.1** *breakdown lamp;* ⟨voor richtingaanwijzers⟩ *hazard lights.*
pechvogel ⟨de (m.)⟩ **0.1** *unlucky person* ◆ **2.1** hij is een echte ~ *bad luck always pursues him, he's dogged by bad luck.*
pectine ⟨het, de⟩ **0.1** *pectin.*
pectinezuur ⟨het⟩ **0.1** *pectic acid.*
pectoraal[1] ⟨het⟩ **0.1** *pectoral.*
pectoraal[2] ⟨bn.⟩ **0.1** *pectoral.*
pectorale ⟨het⟩ **0.1** [borstversiering] *pectoral* **0.2** [⟨r.k.⟩ borstkruis] *pectoral cross.*
pectose ⟨de (v.)⟩ **0.1** *protopectin.*
pecunia ⟨de⟩ **0.1** *pecunia* ◆ **¶.1** ~ non olet *p. non olet, money's not to be despised.*
pecuniair ⟨bn., bw.; -ly⟩ **0.1** *pecuniary.*
pedaal ⟨het, de (m.)⟩ **0.1** [met de voet bediende hefboom] *treadle* **0.2** [mbt. een muziekinstrument] *pedal* **0.3** [trapper] *pedal* ◆ **2.2** linker/ rechter ~ ⟨van piano⟩ *soft pedal, sustaining / loud pedal* **6.3** op de pedalen gaan staan ⟨ook fig.⟩ *step on it.*
pedaalas ⟨de⟩ **0.1** *pedal tin / spindle.*
pedaalemmer ⟨de (m.)⟩ **0.1** *pedal bin.*
pedaalharp ⟨de⟩⟨muz.⟩ **0.1** *pedal harp.*
pedagogie(k) ⟨de (v.)⟩ **0.1** *(theory of) education, educational theory/ science* ⇒⟨vaktaal⟩ *pedagogy, pedagogics* ◆ **3.1** ~ studeren *study educational theory / pedagogics.*

pedagogisch ⟨bn.,bw.;-(al)ly⟩ **0.1** [opvoedkundig] *pedagogic(al)* **0.2** [opvoedend] *educational* ◆ **1.1** ~e academie *teacher(s') trainingcollege* **2.1** dat is ~ niet verantwoord *that is unwise from an educational point of view* ¶.1 ~ te werk gaan *go about things in an educationally responsible fashion*.

pedagoog ⟨de (m.)⟩, **-oge** ⟨de (v.)⟩ **0.1** [opvoedkundige] *education-(al)ist, educator* **0.2** [onderwijzer] *educator* ⇒ ⟨AE ook⟩ *pedagogue*.

pedaleren ⟨onov.ww.⟩ **0.1** *pedal*.

pedaleur ⟨de (m.)⟩ **0.1** *(racing) cyclist*.

pedant ⟨bn.,bw.;-(al)ly⟩ **0.1** *pedantic* ⇒ ⟨belerend⟩ *didactic*, ⟨zelfvoldaan⟩ *priggish*, ⟨wijsneus⟩ *smartalecky*, ⟨vnl. AE; jong, arrogant⟩ *sophomoric* ◆ **1.1** een ~e kwast *a prig/swellhead/smart aleck/* ᴬ*smarty-pants;* zijn ~e zelfgenoegzaamheid *his pedantic smugness/complacency* **3.1** hij deed zo ~ *he was so pedantic/really playing the pedant*.

pedanterie ⟨de (v.)⟩ **0.1** *pedantry* ⇒ ⟨belerend⟩ *didacticism*, ⟨zelfvoldaan⟩ *priggery, priggism*.

pedanterik ⟨de (m.)⟩ ⟨inf.⟩ **0.1** *pedant* ⇒ *prig*.

peddel ⟨de (m.)⟩ **0.1** *paddle*.

peddelaar ⟨de (m.)⟩ **0.1** [mbt.fiets] *pedaller* **0.2** [mbt. kano] *paddler*.

peddelen
I ⟨onov.ww.⟩ **0.1** [fietsen] *pedal* **0.2** [roeien, kanoën] *paddle* ◆ **6.1** wij zijn **naar** Wassenaar gepeddeld *we pedalled up/down to Wassenaar;*
II ⟨ov.ww.⟩ **0.1** [fietsend afleggen] *pedal* ◆ **1.1** hij peddelde drie rondjes binnen een uur *he pedalled three laps within an hour*.

pedel ⟨de (m.)⟩ **0.1** *registrar* ⇒ ⟨BE ook⟩ *beadle*.

pedellenkamer ⟨de⟩ **0.1** *registrar's office* ⇒ ⟨BE ook⟩ *beadle's office*.

pederast ⟨de (m.)⟩ **0.1** *p(a)ederast*.

pederastie ⟨de (v.)⟩ **0.1** *p(a)ederasty*.

pederastisch ⟨bn.⟩ **0.1** *p(a)ederastic*.

pediater ⟨de (m.)⟩ **0.1** *paediatrician*.

pediatrie ⟨de (v.)⟩ **0.1** *paediatrics*.

pedicure
I ⟨de (m.)⟩ **0.1** [voetenverzorger] *pedicure, chiropodist;*
II ⟨de⟩ **0.1** [voetverzorging] *pedicure, chiropody*.

pedicuren ⟨onov., ov.ww.⟩ **0.1** *pedicure*.

pedo ⟨de (m.)⟩ ⟨verk.⟩ **0.1** *p(a)ederast, paedophile*.

pedocentrisme ⟨het⟩ **0.1** *child-centred approach*.

pedofiel¹ ⟨de (m.)⟩ **0.1** *paedophile*.

pedofiel² ⟨bn.⟩ **0.1** *paedophile*.

pedofilie ⟨de (v.)⟩ **0.1** *paedophilia*.

pedogenesis ⟨de (v.)⟩ **0.1** *p(a)edogenesis*.

pedologie ⟨de (v.)⟩ **0.1** [bodemkunde] *pedology* **0.2** [⟨psych.⟩] *paedology*.

pedologisch ⟨bn.,bw.;-ly⟩ **0.1** *paedological* ◆ **3.1** ~ juist handelen *act correctly from a p. point of view*.

pedoloog ⟨de (m.)⟩, **-loge** ⟨de (v.)⟩ **0.1** [bodemkundige] *pedologist, soil scientist* **0.2** [⟨psych.⟩] *paedologist*.

pedometer ⟨de (m.)⟩ **0.1** *pedometer* ⇒ *speedometer*.

pedotherapie ⟨de (v.)⟩ **0.1** *paedotherapy*.

pee ⟨de⟩ ⟨inf.⟩ ◆ **3.**¶ ⟨ergens⟩ de ~ (over) inhebben *be annoyed about sth.*.

peekoffie ⟨de (m.)⟩ **0.1** *chicory*.

peen ⟨de⟩ **0.1** *carrot* ◆ **2.1** grove ~ *carrot;* witte ~ *parsnip*.

peenhaar ⟨het⟩ **0.1** *straw hair*.

peentje ⟨het⟩ **0.1** *(baby) carrot* ◆ **3.**¶ ~s zweten *be in a cold sweat*.

peer
I ⟨de⟩ **0.1** [vrucht] *pear* **0.2** [stomp] *blow* ⇒ *thump*, ⟨sl.⟩ *sock* **0.3** [voorwerp] *bulb* ◆ **2.3** een elektrische ~ *an electric b.* **2.**¶ daar zaten we met de gebakken peren *we were left holding the baby;* iem. met de gebakken peren laten zitten *leave s.o. holding the baby;*
II ⟨Eng.⟩ **0.1** [lid v.d. Engelse adel] *peer;*
III ⟨de (m.)⟩ **0.1** [boom] *pear (tree)* **0.2** [⟨inf.⟩ kerel] *chap, bloke*, ⟨vnl. AE⟩ *guy* ◆ **2.2** een geschikte ~ *a good guy*.

peerdrops ⟨zn.mv.⟩ **0.1** *pear drops*.

peerlijsterbes ⟨de⟩ **0.1** [boom] *service (tree), serviceberry, Juneberry* **0.2** [vrucht] *service-berry*.

peervormig ⟨bn.⟩ **0.1** *pear-shaped*.

pees ⟨de⟩ **0.1** [deel v.e. spier] *tendon* ⇒ *sinew, thew*, ⟨anatomie⟩ *leader* **0.2** [bullepees] *pizzle* **0.3** [snoer] *string* ◆ **2.1** een verrekte ~ *a pulled t.* **7.3** ⟨fig.⟩ hij heeft twee pezen/meer dan één ~ op zijn boog *he has two strings/more than one s. to his bow*.

peesachtig ⟨bn.⟩ **0.1** *tendinous*.

peeshamer ⟨de (m.)⟩ **0.1** *plexor* ⇒ *plessor, percussor*.

peeskamertje ⟨het⟩ **0.1** *crib*.

peesknoop ⟨de (m.)⟩ **0.1** *ganglion*.

peesschede ⟨de⟩ ⟨med.⟩ **0.1** *tendon sheath* ⇒ ¹*synovial sheath*, ⟨med.⟩ *vagina tendinis* ◆ **1.1** ontsteking v.d. ~ *inflammation of the tendon/synovial sheath;* ⟨med.⟩ *vaginitis, tenosynovitis*.

peet ⟨de (m.)⟩ **0.1** *godparent* ⇒ *godmother, godfather* ◆ **3.1** ~ zijn (van), ~ staan (over) *stand sponsor to, be godparent to/for*.

peetdochter ⟨de (v.)⟩ **0.1** *goddaughter*.

peetoom ⟨de (m.)⟩ **0.1** *godfather* ⇒ *sponsor*.

peetschap ⟨het⟩ **0.1** *sponsorship*.

peettante ⟨de (v.)⟩ **0.1** *godmother* ⇒ *sponsor*.

peetvader ⟨de (m.)⟩ **0.1** [doopvader] *godfather* **0.2** [geestelijke vader] *spiritual father*.

peetzoon ⟨de (m.)⟩ **0.1** *godson*.

peg ⟨de (m.)⟩ **0.1** *pin*.

Pegasus ⟨de (m.)⟩ ⟨myth.⟩ **0.1** *Pegasus* ◆ **6.1** ⟨fig.⟩ op zijn ~ stijgen *ride on P.*.

pegel ⟨de (m.)⟩ **0.1** [ijskegel] *icicle* **0.2** [gulden] *guilder* ⇒ ⟨mv.⟩ *dough* **0.3** [⟨sport⟩ hard schot] ¹*hard kick* ◆ **2.3** ⟨inf.⟩ een flinke ~ in de benen hebben ¹*kick hard*.

pegulanten ⟨zn.mv.⟩ ⟨inf.⟩ **0.1** *dough* ⇒ ⟨BE ook⟩ *rhino, lolly, bread*, ⟨vnl. AE ook;sl.⟩ *mazuma, mezuma*.

peignoir ⟨de (m.)⟩ **0.1** *dressing gown* ⇒ *housecoat*.

peil ⟨het⟩ **0.1** [niveau] *level, standard* **0.2** [bepaalde stand] *mark, level* **0.3** [hoogtemerk] *mark* **0.4** [maat] *gauge* **0.5** [gehalte] *level* ◆ **1.2** het ~ van de lonen van 1982 *the wage l. of 1982* **2.1** de welvaart/het onderwijs op een hoger ~ brengen *raise the s. of prosperity/education;* een hoog ~ van beschaving *a high l. of civilization;* in 1973 bereikten de olieprijzen hun laagste ~ *oil prices bottomed out in 1973;* het debat stond op een laag ~ / op een hoog ~ *the debate was on a low/high l.* **2.3** zijn hoogste ~ bereiken *reach its high-water m.;* beneden/boven Normaal Amsterdams Peil *below/above Amsterdam ordnance datum /zero* **3.1** het ~ v.d. conversatie daalde *the l. of conversation dropped;* de leraren klagen dat het ~ zakt *teachers are complaining that standards are falling* **3.4** er is geen ~ op te trekken *there is no telling/knowing what will happen/he'll do next;* op hem is geen ~ te trekken *he is quite unpredictable, there's no telling what he'll do next* **6.1** het onderwijs staat er **op** een hoog ~ *their s. of education is high;* **op** een laag ~ belanden *sink to a low l.;* **op** hetzelfde ~ brengen *bring to the same l.* **6.2** dat is **beneden** ~ *that is below the m.;* haar gedrag is **beneden** alle ~ *her behaviour is disgraceful by any standard;* de stemming was **beneden** ~ *the atmosphere was depressed/at zero, spirits were low;* **op** ~ malen *drain to usual l.;* **op** ~ brengen *bring up to (the required) standard;* zijn conditie **op** ~ brengen/houden *condition o.s., whip o.s. into shape, keep fit/in shape;* voorraad/investeringen **op** ~ houden *keep stocks/investments up* **6.3** het water staat **beneden/boven/onder** ~ *the water is below/above/under the usual level*.

peilantenne ⟨de⟩ **0.1** *(radio) direction finder antenna*.

peilapparaat ⟨het⟩ ⟨radio⟩ **0.1** *direction finder*.

peildatum ⟨de (m.)⟩ **0.1** *set day, reference date* ◆ **8.1** als ~ voor de kinderbijslag geldt de eerste dag v.h. kwartaal *the child benefit is calculated from the first day of the quarter*.

peilen ⟨ov.ww.⟩ **0.1** [hoogte/diepte bepalen] *sound* ⟨zee, vijver, haven⟩; *fathom* ⟨diepte van water⟩; *gauge* ⟨inhoud van vat⟩ **0.2** [plaats bepalen] *take bearings* ⟨land; ook luchtv.⟩ **0.3** [alcoholgehalte vaststellen] *gauge* **0.4** [⟨fig.⟩] *search* ⟨hart⟩; *plumb* ⟨ellende, onwetendheid⟩; *gauge* ⟨karakter⟩; *sound (out)* ⟨gevoelens, meningen⟩; *probe* ⟨emoties, motieven⟩ ◆ **1.1** de diepte v.e. kanaal ~ *sound the depth of a canal* **1.2** een radiostation ~ *locate a radio station with a direction finder;* een vuurtoren ~ *take one's bearings from a lighthouse* **1.3** jenever ~ *g. Dutch gin* **1.4** iemands bedoelingen ~ *probe s.o.'s intentions* **5.4** ⟨fig.⟩ hij is moeilijk te ~ *he is difficult to fathom, it's difficult to get to the bottom of him;* hun leed is niet te ~ *their sufferings are abysmal/impossible to fathom*.

peilglas ⟨het⟩ **0.1** [glas waarmee men peilt] *(water) gauge* **0.2** [buis om de waterstand waar te nemen] *gauge glass*.

peiling ⟨de (v.)⟩ **0.1** [hoogte-/dieptebepaling] *sounding* **0.2** [plaatsbepaling] *bearing* **0.3** [vaststelling v.h. alcoholgehalte] *gauge* ◆ **3.1** ~en verrichten *take soundings* **3.2** ~en verrichten *take bearings* **6.2** ⟨fig.⟩ iem./iets in de ~ hebben/krijgen *be/latch on to s.o./sth.;* ⟨fig.⟩ ik heb je wel in de ~ *(don't worry) I've got you sized up/I've got your measure*.

peillood ⟨het⟩ **0.1** *plumb/lead line, sounding lead*.

peilloos
I ⟨bn.⟩ **0.1** [⟨fig.⟩ zeer groot] *unfathomable, fathomless* **0.2** [onpeilbaar] *unfathomable, fathomless* ◆ **1.1** peilloze ellende *u./fathomless misery* **1.2** de peilloze diepte v.d. zee *the plumbless depths of the sea;*
II ⟨bw.⟩ **0.1** [onmetelijk] *unfathomably, fathomlessly* ◆ **2.1** ~ diep *u./fathomlessly deep*.

peilraam ⟨het⟩ **0.1** *(radio) direction finder antenna*.

peilschaal ⟨de⟩ **0.1** *tide gauge, water-level gauge* ◆ **2.1** een zelfregistrerende ~ *a self-registering gauge*.

peilsignaal ⟨het⟩ **0.1** *(oil/petrol* ⟨enz.⟩) *warning light*.

peilstift ⟨de (m.)⟩ **0.1** *sound*.

peilstok ⟨de (m.)⟩ **0.1** ⟨in water⟩ *sounding rod;* ⟨wijn⟩ *gauging-rod/-rule;* ⟨auto⟩ *dipstick*.

peinzen
I ⟨onov.ww.⟩ **0.1** [⟨+over⟩ denken] *think about* ⇒ *contemplate, consider, reflect on* **0.2** [diep nadenken] *ponder on/over* ⇒ *meditate, muse on, pore over, ruminate about/of/on/over, brood on* **0.3** [⟨+op⟩ zinnen op] *puzzle over* ◆ **3.2** iem. ~d aanstaren *stare at s.o. pensively;* peinzend stond hij daar *he stood there sunk into deep thought* **5.1** hij

peinst er niet over *he won't even contemplate/consider it* **6.1** hij peinst zich suf **over** een oplossing *he's beating his brains trying to find a solution* **6.3** men peinst **op** nieuwe middelen *people are pondering new remedies;*
II ⟨ov.ww.⟩⟨AZN⟩ **0.1** [een mening hebben] *think, believe.*

peis →**pais.**

pejoratief¹ ⟨de (m.)⟩ **0.1** *pejorative.*

pejoratief² ⟨bn.⟩ **0.1** *pejorative* ◆ **1.1** pejoratieve benamingen *p. appellations.*

pek ⟨het, de (m.)⟩⟨→sprw. 498⟩ **0.1** *pitch.*

pekblende ⟨de⟩ **0.1** *pitchblende.*

pekdraad
I ⟨het, de (m.)⟩ **0.1** [garen] *wax(ed) end;*
II ⟨de (m.)⟩ **0.1** [stuk draad] *wax(ed) end.*

pekel ⟨de (m.)⟩ **0.1** [oplossing van zout in water] *brine* **0.2** [⟨fig.⟩ onaangename toestand] *pickle* **0.3** [strooizout] *salt* ◆ **3.3** ~strooien *salt* **6.1** vlees in de ~ leggen *salt/pickle meat;* ⟨fig.⟩ het vlees (goed) **onder** de ~ houden *keep o.s. well-pickled* **6.2** in de ~ zitten *be in a p., in hot water, in a scrape.*

pekelbad ⟨het⟩ **0.1** *pickle/brine bath.*

pekelen
I ⟨onov.ww.⟩ **0.1** [tot pekel worden] *turn into brine;* ⟨zout⟩ *dissolve* **0.2** [met zout doortrokken worden] *get salty, be steeped/soaked in brine* **0.3** [de wegen pekelen] *grit;*
II ⟨ov.ww.⟩ **0.1** [in de pekel zetten] *pickle* **0.2** [in een bijtende vloeistof leggen] *pickle* **0.3** [met strooizout bedekken] *salt* ◆ **1.3** bij ijzel worden de wegen gepekeld *the roads are salted when covered with glazed frost.*

pekelharing ⟨de (m.)⟩ **0.1** *salt(ed) herring.*

pekelnat ⟨het⟩ **0.1** *brine, pickle.*

pekelschade ⟨de⟩ **0.1** *salt corrosion.*

pekelspek ⟨het⟩ **0.1** *salted bacon.*

pekelvlees ⟨het⟩ **0.1** *salted meat* ⇒⟨rundvlees⟩ *bully beef, salt horse* ◆ **1.1** een broodje (met) ~ *pickled meat roll.*

pekelwagen ⟨de (m.)⟩ **0.1** *gritter.*

pekelworst ⟨de⟩ **0.1** *pickled sausage.*

pekelzonde ⟨de⟩ **0.1** [kleine zonde] *peccadille* **0.2** [oude zonde] *old sin.*

pekinees ⟨de (m.)⟩ **0.1** *pekinese.*

pekingeend ⟨de (m.)⟩ **0.1** *pekin duck.*

Pekingmens ⟨de (m.)⟩ **0.1** *Peking man* ⇒*Sinanthropus.*

pekken ⟨ov.ww.⟩ **0.1** *pitch.*

pekkig ⟨bn.⟩ **0.1** *tacky.*

pekkwast ⟨de (m.)⟩ **0.1** *tar brush.*

peklepel ⟨de (m.)⟩ **0.1** *paying-ladle.*

pekoven ⟨de (m.)⟩ **0.1** *pitch-boilery.*

pekpleister ⟨de⟩ **0.1** *ichthyol.*

peksteen ⟨het⟩⟨geol.⟩ **0.1** *pitchstone.*

pektoorts ⟨de⟩ **0.1** *link.*

pekzalf ⟨de⟩ **0.1** *basilicon (ointment), resincerate.*

pel
I ⟨de⟩ **0.1** [dop]⟨van fruit⟩ *peel, rind;* ⟨van ei⟩ *shell;* ⟨van peulvrucht⟩ *pod* **0.2** [⟨AZN⟩ schilfer] *flake* **0.3** [pelhoen]⟨→**pelhoen**⟩;
II ⟨de (m.)⟩ **0.1** [het pellen] *peeling.*

pelagiaan ⟨de (m.)⟩ **0.1** *Pelagian.*

Pelagiaans ⟨bn.⟩ **0.1** *Pelagian.*

pelagisch ⟨bn.⟩ **0.1** *pelagic* ◆ **1.1** ~e afzettingen *p. formations;* ~e fauna *p. fauna.*

pelargonium ⟨de⟩ **0.1** *pelargonium* ⇒*geranium.*

pêle-mêle¹ ⟨het⟩ **0.1** ⟨frame for holding several photographs⟩.

pêle-mêle² ⟨bw.⟩ **0.1** *pell-mell.*

pelerine ⟨de (v.)⟩ **0.1** [schoudermanteltje] *pelerine* ⇒*cape,* ⟨bont⟩ *tippet* **0.2** [brede kraag] *bertha.*

pelgrim ⟨de (m.)⟩ **0.1** [bedevaartganger] *pilgrim* ⇒⟨gesch.⟩ *palmer,* ⟨naar Mekka⟩ *hadji, haj(j)i* **0.2** [valk] *peregrine (falcon)* ◆ **6.1** ~s naar Mekka *hadjis, hajjis.*

pelgrimage ⟨de (v.)⟩ **0.1** *pilgrimage.*

pelgrimeren ⟨onov.ww.⟩ **0.1** *pilgrimage.*

pelgrimshaven ⟨de (v.)⟩ **0.1** *pilgrim's port.*

pelgrimshoed ⟨de (m.)⟩ **0.1** *pilgrim's hood.*

pelgrimskleed ⟨het⟩ **0.1** *pilgrim's garb.*

pelgrimsreis ⟨de (v.)⟩ **0.1** *pilgrimage.*

pelgrimsschelp ⟨de (m.)⟩ **0.1** *pilgrim scallop* ⇒*pilgrim's (scallop) shell.*

pelgrimsstaf ⟨de (m.)⟩ **0.1** *pilgrim's staff.*

pelgrimstocht ⟨de (m.)⟩ **0.1** *pilgrimage* ⇒⟨naar Mekka⟩ *hadj, haj(j)* ◆ **3.1** een ~ ondernemen *pilgrimage, pilgrimize, pilgrim* **6.1** op ~ gaan *make a/go on p..*

pelikaan ⟨de (m.)⟩ **0.1** *pelican.*

pelikaanachtigen ⟨zn.mv.⟩ **0.1** *Pelicaniformes.*

pellagra ⟨de⟩ **0.1** *pellagra.*

pellagreus ⟨bn.⟩ **0.1** *pellagrous* ◆ **1.1** pellagreuze uitslag *p. rash.*

pellen¹ ⟨het⟩ **0.1** *huckaback huck.*

pellen²
I ⟨onov.ww.⟩ **0.1** [v.d. schil losgaan] *peel* ⇒*flake,* ⟨afbladderen⟩

---

scale ◆ **1.1** gekookte aardappelen ~ *gemakkelijk boiled potatoes p. easily;*
II ⟨ov.ww.⟩ **0.1** [v.d. pel ontdoen] *peel* ⇒*skin, blanch* ⟨amandelen⟩, *husk, hull* ⟨rijst⟩, *shell,* ⟨vnl. AE⟩ *shuck* ⟨erwten, noten⟩, *decorticate* ⟨schors⟩ **0.2** [mbt. de keelamandelen] *take out* ◆ **1.1** ongepelde garnalen *unpeeled shrimps;* gepelde en ongepelde pinda's *shelled and unshelled peanuts;* ⟨ongepeld ook⟩ *peanuts in the shell.*

peller ⟨de (m.)⟩, **-ster** ⟨de (v.)⟩ **0.1** [iem. die pelt]⟨ei, fruit, groente⟩ *peeler;* ⟨noten⟩ *sheller;* ⟨rijst, granen⟩ *husker* **0.2** [slagersknecht] ≠*butcher's assistant/apprentice.*

pellerij ⟨de (v.)⟩ **0.1** [bedrijfstak] *peeling/shelling/husking industry* **0.2** [fabriek] *peeling/shelling/husking mill* **0.3** [het pellen] *peeling, shelling, husking.*

pelleterie ⟨de (v.)⟩ **0.1** [pelswerk] *furriery, peltry* **0.2** [bontwinkel] *furriery.*

pelletiseren ⟨ov.ww.⟩ **0.1** *pellet, pelletize.*

pellets ⟨zn.mv.⟩ **0.1** [bolletjes ijzererts] *pellets* **0.2** [⟨geol.⟩] *pellets.*

pelliculair ⟨bn.⟩⟨biol.⟩ **0.1** *pellicular.*

pelmolen ⟨de (m.)⟩ **0.1** *hulling mill.*

Peloponnesisch ⟨bn.⟩ **0.1** *Peloponnesian* ◆ **1.1** ~e Oorlog *P. War.*

pelorie ⟨de (v.)⟩⟨plantk.⟩ **0.1** *peloria.*

pelorisch ⟨bn.⟩⟨plantk.⟩ **0.1** *peloric.*

pelote ⟨het⟩⟨sport⟩ **0.1** *pelota.*

peloton ⟨het⟩ **0.1** [⟨mil.⟩] *platoon* **0.2** [⟨sport⟩] *pack* ⇒*(main)bunch, peloton* ◆ **2.2** in een gesloten ~ finishen *finish in a closed p.* **3.2** zich uit het ~ losmaken *escape from the p..*

pelotonscommandant ⟨de (m.)⟩ **0.1** *platoon commander.*

pelotonsgewijs ⟨bw.⟩⟨mil.⟩ **0.1** *in platoon formation.*

pels ⟨de (m.)⟩ **0.1** [vacht] *fleece* ⇒*fur* **0.2** [kledingstuk] *fur* ◆ **6.¶** iem. een luis in de ~ zetten *do the dirty on s.o..*

pelsbij ⟨de⟩ **0.1** [metselbij] *mason bee* **0.2** [sachembij] *potted flower bee.*

pelsdier ⟨het⟩ **0.1** *furned animal* ⇒*furbearer* ◆ **1.1** de jacht op ~en *hunting for furs, trapping.*

pelser ⟨de (m.)⟩ **0.1** [vis] *pilchard* **0.2** [toestel] *pile drawer.*

pelshandel ⟨de (m.)⟩ **0.1** *fur trade.*

pelshandelaar ⟨de (m.)⟩ **0.1** *furrier.*

pelsjacht ⟨de⟩ **0.1** *fur hunt, trapping.*

pelsjager ⟨de (m.)⟩ **0.1** *trapper.*

pelsjas ⟨de⟩ **0.1** *fur (coat).*

pelskever ⟨de (m.)⟩ **0.1** *fur beetle.*

pelskraag ⟨de (m.)⟩ **0.1** *fur collar.*

pelsmantel ⟨de (m.)⟩ **0.1** *fur (cloak).*

pelsmot ⟨de⟩ **0.1** *fur moth.*

pelsmuts ⟨de⟩ **0.1** *fur cap/hat* ⇒⟨huzaren⟩ *busby.*

pelsrob ⟨de (m.)⟩ **0.1** *fur seal.*

pelswerk ⟨het⟩ **0.1** *furriery, peltry.*

pelswerker ⟨de (m.)⟩, **-ster** ⟨de (v.)⟩ **0.1** *furrier.*

pelterij ⟨de (v.)⟩ **0.1** *furs* ⇒*peltry, furriery.*

pelure ⟨de⟩⟨druk.⟩ **0.1** *onionskin.*

peluw ⟨de⟩ **0.1** [langwerpig kussen] *bolster* **0.2** [hoofdkussen] *pillow.*

pelvimeter ⟨de (m.)⟩ **0.1** *pelvimeter.*

pelvimetrie ⟨de (v.)⟩ **0.1** *pelvimetry.*

pelvis ⟨het⟩⟨med., biol.⟩ **0.1** *pelvis.*

pemmikan ⟨het⟩ **0.1** *pemmican.*

pen ⟨de⟩⟨→sprw. 497⟩ **0.1** [schrijfinstrument] *pen* ⇒⟨vero.⟩ *quill* **0.2** [metalen plaatje met gespleten punt] *nib* **0.3** [veer] *feather* **0.4** [houten nagel] *peg* ⇒*plug* **0.5** [metalen stift] *pin* ⇒⟨breipen⟩ *needle* **0.6** [wasknijper] *(wash/laundry) peg* ◆ **1.1** even ~ en papier pakken *get/grab a pen(cil) and paper* **2.1** ⟨fig.⟩ een scherpe/bitse ~ *a sharp/acerbic p.;* een welversneden ~ hebben *have an eloquent style* **2.4** een blinde ~ *a stub tenon* **3.1** ⟨fig.⟩ zijn ~ in vergif dopen *dip one's p. in poison, have a poisonous p.;* de ~ door iets halen *cross sth. out;* de ~ neerleggen *put down one's p., give up writing;* zijn ~ scherpen *sharpen one's p.;* van de ~ leven *live by one's p.;* de ~ voeren/hanteren *wield the/one's p.;* ⟨fig.;scherts.⟩ in de ~ klimmen *put p. to paper;* ⟨fig.⟩ in de ~ blijven *never get down on paper, stay in one's head;* ⟨fig.⟩ het is/zit in de ~ *it's still in the planning/thinking stage;* een uitzicht dat met geen ~ te beschrijven is *a view no p. can describe;* het is met geen ~ te beschrijven *there are no words to express it, it is beyond/it defies description, no p. can describe it;* naar de ~ grijpen *snatch up one's p., rush to the typewriter;* de **op** papier zetten *put p. to paper;* het was hem **uit** de ~ gevloeid *it simply flowed out of his p.* **¶.1** veel ~nen in beweging brengen *create a stir.*

penaal ⟨bn.⟩ **0.1** *penal.*

penaliteit ⟨de (v.)⟩ **0.1** *penalty.*

penalty ⟨de (m.)⟩⟨sport⟩ **0.1** *penalty (kick/shot)* ◆ **3.1** een ~ benutten *score from a penalty;* een ~ nemen *take a penalty;* een wedstrijd beslissen door het nemen van ~'s *decide a match on penalties;* een ~ stoppen *stop a p.;* een ~ toekennen *award/give a penalty to;* een ~ versieren *force a penalty.*

penaltystip ⟨de⟩⟨sport⟩ **0.1** *penalty spot.*

penant ⟨het⟩⟨bouwk.⟩ **0.1** [steunpilaar] *pier* **0.2** [metselwerk in een gevel] *pier.*

penantkastje ⟨het⟩ **0.1** *pier cupboard.*
penantspiegel ⟨de (m.)⟩ **0.1** *pier-glass.*
penanttafel ⟨de⟩ **0.1** *pier/console table.*
penarie ⟨de (v.)⟩ ⟨inf.⟩ ◆ **6.¶ in** de ~ zitten *be in a(n awful/a terrible) fix/mess/hole/bind.*
penaten ⟨zn.mv.⟩ **0.1** *penates* ⇒*household gods* ◆ **3.1** ⟨fig.⟩ zijn ~ opzoeken *return to one's own hearth.*
penbankhamer ⟨de (m.)⟩ ⟨amb.⟩ **0.1** *tack hammer.*
Penclub ⟨de⟩ **0.1** *PEN* ◆ **1.1** lid zijn v.d. ~ *be a member of P..*
pendant ⟨het, de (m.)⟩ **0.1** *counterpart* ⇒*companion piece, opposite number, pendant* ◆ **2.1** de Deense~v.d. ANS *the Danish counterpart of the ANS* **3.1** een~ vinden in iem./ iets *find one's counterpart in s.o./sth..*
pendel ⟨de (m.)⟩ **0.1** [elektrische hanglamp] *hanging lamp* **0.2** [het pendelen] *commuting* ⇒*shuttling* **0.3** [het pendelverkeer] *shuttle* ◆ **2.3** de inkomende ~ bedraagt 350 man, de uitgaande 300 *the incoming s. carries 350 people, the outgoing (one) 300.*
pendelaar ⟨de (m.)⟩ **0.1** *commuter.*
pendelbus ⟨de⟩ **0.1** *shuttle bus service.*
pendeldienst ⟨de (m.)⟩ **0.1** *shuttle service* ◆ **3.1** een ~ onderhouden *maintain a s. s..*
pendeldiplomatie ⟨de (v.)⟩ **0.1** *shuttle diplomacy.*
pendelen ⟨onov.ww.⟩ **0.1** [heen en weer reizen] *commute* **0.2** [pendeldienst rijden] *shuttle* ◆ **6.1** ~ **tussen** kantoor en huis *c. between home and office.*
pendeloplegging ⟨de (v.)⟩ **0.1** *hinged support.*
pendeloque ⟨de⟩ **0.1** [hanger van edelgesteente] *pendant* **0.2** [diamant] *pendeloque.*
pendelraket ⟨de⟩ **0.1** *space shuttle.*
pendelverkeer ⟨het⟩ **0.1** [verkeer dat eerst heen, dan terug gaat] *shuttle* **0.2** [verkeer van pendelaars] *commuter traffic.*
pendelzaag ⟨de⟩ **0.1** *pendulum saw.*
pendentief ⟨het⟩ ⟨bouwk.⟩ **0.1** *pendant, pendent.*
pendule ⟨de⟩ **0.1** *(mantel) clock.*
pene ◆ **6.¶ op** ~ **van** *on pain of.*
pen-en-gatverbinding ⟨het⟩ **0.1** *mortise and tenon joint.*
peneplain ⟨de (m.)⟩ ⟨geomorfologie⟩ **0.1** *peneplain, peneplane.*
penetrabiliteit ⟨de (v.)⟩ **0.1** *penetrability.*
penetrant ⟨bn., bw.;-ly⟩ **0.1** *penetrating* ⇒*penetrant, piercing* ◆ **1.1** een ~e geur verspreiden *spread a sharp odour;* een ~e koude *a penetrating/piercing cold.*
penetrantie ⟨de (v.)⟩ **0.1** *penetrativeness* ⇒*penetrating quality.*
penetratie ⟨de (v.)⟩ **0.1** *penetration.*
penetreren
I ⟨onov.ww.⟩ **0.1** [⟨+in⟩ binnendringen (in)] *penetrate (into)* ◆ **6.1** ~ in vijandelijk gebied *p. into enemy territory;*
II ⟨ov.ww.⟩ **0.1** [doordringen met] *penetrate.*
pengat ⟨het⟩ ⟨amb.⟩ **0.1** *mortise.*
penhamer ⟨de (m.)⟩ ⟨amb.⟩ **0.1** *straight-/cross peen hammer.*
penhouder ⟨de (m.)⟩ **0.1** *penholder.*
penhoudergreep ⟨de (m.)⟩ ⟨sport⟩ **0.1** *penhold grip.*
penibel ⟨bn.⟩ **0.1** *painful* ⇒*awkward, sticky* ◆ **1.1** in een~e toestand verkeren *find o.s. in an awkward situation.*
penicilline ⟨de⟩ ⟨med.⟩ **0.1** *penicillin.*
penicillinekuur ⟨de⟩ **0.1** *course of penicillin.*
penis ⟨de (m.)⟩ **0.1** *penis.*
peniskoker ⟨de (m.)⟩ **0.1** *penis gourd.*
penisnijd ⟨de (m.)⟩ **0.1** *penis envy.*
penitent ⟨de (m.)⟩ **0.1** *penitent* ◆ **1.1** broeders~en *penitents, penitentials.*
penitentiair ⟨bn.⟩ **0.1** *penitentiary* ◆ **1.1** een ~e inrichting *a penitentiary;* ⟨inf.⟩ *a pen;* ~ recht *p. regulations.*
penitentiarie ⟨de (v.)⟩ ⟨r.k.⟩ **0.1** *penitentiary.*
penitentiaris ⟨de (m.)⟩ **0.1** [hoofd v.d. penitentiarie] *Grand Penitentiary* **0.2** [kanunnik] *penitentiary.*
penitentie ⟨de (v.)⟩ **0.1** [boetedoening] *penance* **0.2** [in de biecht opgelegde straf] *penance* **0.3** [⟨fig.⟩] *ordeal* ⇒*trial* ◆ **3.1** ~ doen *do p.* **3.2** drie Onze Vaders ~ krijgen *get three Our Fathers as p.* **3.3** 't is een ~ als je zo lang moet wachten *it is an o. to have to wait so long.*
pennekunst ⟨de (v.)⟩ **0.1** *calligraphy.*
pennelikker ⟨de⟩ ⟨bel.⟩ **0.1** *pen-pusher.*
pennemes ⟨het⟩ **0.1** [mesje om pennen te versnijden] *penknife* **0.2** [mesje in een zakknipmes] *penknife* ⇒*pocketknife.*
pennen
I ⟨ov.ww.⟩ **0.1** [vastmaken met pennen] [met metalen pennen⟩ *pin;* ⟨met houten pennen⟩ *peg* **0.2** [mbt. varkens] *ring* **0.3** [⟨schaaksport⟩] *pin;*
II ⟨onov., ov.ww.⟩ **0.1** [schrijven] *scribble* ⇒*write, pen* ◆ **3.1** ik heb de hele avond zitten ~ *I scribbled all evening (long).*
pennebak ⟨de⟩ **0.1** *pen tray.*
pennenkoker ⟨de (m.)⟩ **0.1** *pencil box* ⇒*pen carrier/case.*
penner ⟨de (m.)⟩, **-ster** ⟨de (v.)⟩ **0.1** *scribbler.*
penneschacht ⟨de⟩ **0.1** *quill.*

pennestok ⟨de (m.)⟩ ⟨AZN⟩ **0.1** *pen holder.*
pennestreek ⟨de⟩ **0.1** *penstroke* ⇒*stroke/dash of the pen* ◆ **6.1 met** één ~ *with one stroke of the pen.*
pennestrijd ⟨de (m.)⟩ **0.1** *controversy* ⇒*paper war(fare)* ◆ **3.1** een ~ voeren ⟨ook⟩ *polemize.*
pennevrucht ⟨de⟩ **0.1** *product of one's pen* ◆ **2.1** zijn jongste ~ *the latest product of his pen.*
penning
I ⟨de (m.)⟩ **0.1** [oude munt] [B]*farthing* ⇒*penny* **0.2** [geld(stuk)] *penny* **0.3** [metalen plaatje] *token* ⟨ook voor automaten⟩ ⇒⟨medaille⟩ *medal(lion)*, ⟨van politieagenten⟩ *badge* ◆ **2.2** gerede~en *ready money, cash (on hand);* iets tot de laatste ~ voldoen *pay back every last p., pay sth. off to the very last p.;* de verschuldigde~en *the amount due* **6.2 op** de ~ zijn *be very tight (with money)* **7.2** de tiende ~ *the tenth p., a tenth;*
II ⟨de (v.)⟩ **0.1** [⟨schaaksport⟩] *'penning'* ⟨position of being pinned⟩ ◆ **3.1** zwart kon de ~ niet opheffen *black could not unpin himself.*
penningkabinet ⟨het⟩ **0.1** [verzameling] *numismatic/coin collection* **0.2** [kamer] *(coin and) medal room.*
penningkruid ⟨het⟩ ⟨plantk.⟩ **0.1** [wederik] *moneywort* **0.2** [judaspenning] *honesty* ⇒*satin flower.*
penningkunde ⟨de (v.)⟩ **0.1** *numismatics* ⇒*numismatology.*
penningkundig
I ⟨bn.;-ally⟩ **0.1** [mbt. de penningkunde] *numismatic;*
II ⟨bn.⟩ **0.1** [ervaren in de penningkunde] *experienced in numismatics.*
penningkunst ⟨de (v.)⟩ **0.1** *numismatic art.*
penningmeester ⟨de (m.)⟩, **-es** ⟨de (v.)⟩ **0.1** *treasurer* ⇒*chamberlain, bursar, comptroller.*
penningmeesterschap ⟨het⟩ **0.1** *treasurership.*
penningplaat ⟨de⟩ **0.1** *medallion, plaque.*
penningske ⟨het⟩ **0.1** *mite* ⇒*pittance* ◆ **3.1** zijn ~ offeren *offer one's/a mite* **¶.1** ⟨bijb.⟩ het ~ der weduwe *the widow's mite.*
penningsnijder ⟨de (m.)⟩, **-ster** ⟨de (v.)⟩ **0.1** *medal(lion) engraver.*
penningsteen ⟨de (m.)⟩ ⟨geol.⟩ **0.1** *nummulite.*
pennoen ⟨het⟩ **0.1** *banner.*
penologie ⟨de (v.)⟩ **0.1** *p(o)enology.*
penologisch ⟨bn.⟩ **0.1** *penological.*
penopauze ⟨de⟩ ⟨scherts.⟩ **0.1** *male menopause.*
penoze ⟨de⟩ **0.1** *underworld* ⇒*world of crime.*
penozejongens ⟨zn.mv.⟩ **0.1** *jailbirds* ⇒*thugs, hooligans, hoodlums, rough characters.*
pens ⟨de⟩ **0.1** [maag v.e. herkauwer] *paunch* ⇒*rumen* **0.2** [⟨inf.⟩ buik] *paunch* ⇒*belly, gut* **0.3** [darmen, ingewanden] *tripe* **0.4** [⟨AZN⟩ bloedworst] *black pudding* ◆ **1.3** een kilo ~ *a kilo (of) t.* **2.2** een dikke ~ hebben *have a p./gut/fat belly;* zijn ~ vol eten *eat one's belly full.*
penschrijver ⟨de (m.)⟩ **0.1** *recording meter.*
pensee
I ⟨de⟩ **0.1** [viooltje] *violet, wild pansy, heartsease, love-in-idleness,* [A]*Johnny-jump-up* **0.2** [gebak] ≠*almond (filled) pastry;*
II ⟨het⟩ **0.1** [kleur] *violet.*
penseel ⟨het⟩ **0.1** *(paint) brush* ⇒⟨vero.⟩ *pencil* ◆ **3.1** het ~ neerleggen *put/lay down one's brush, give up painting;* het ~ voeren *wield a (paint) brush.*
penseelbehandeling →**penseelvoering.**
penseelschimmel ⟨de (m.)⟩ ⟨biol.⟩ **0.1** *penicillium* ⇒*blue mould/mold.*
penseelschrijver ⟨de (m.)⟩, **-schrijfster** ⟨de (v.)⟩ **0.1** *sign painter/artist.*
penseelstreek ⟨de⟩ **0.1** *brushstroke* ⇒*stroke/touch of the brush* ◆ **2.1** met korte penseelstreken schilderen *paint with short brushstrokes.*
penseeltekening ⟨de (v.)⟩ **0.1** *pen and ink drawing.*
penseelvoering ⟨de (v.)⟩ **0.1** *brush technique* ◆ **2.1** een lichte ~ hebben *have a light b. t..*
penseelvormig ⟨bn.⟩ **0.1** [met de vorm v.e. penseel] *brushlike* **0.2** [⟨plantk.⟩] *penicillate.*
penseetaart ⟨de⟩ **0.1** ≠*almond pastry.*
penselen ⟨ov.ww.⟩ **0.1** [met penseel beschilderen] *paint* ⇒⟨amb., vero.⟩ *pencil* **0.2** [bevochtigen] *paint* ◆ **1.2** de keel/de huig ~ *p. the throat/uvula* **5.1** dat is meesterlijk gepenseeld *that is painted in a masterly way/manner.*
pensief ⟨bn.⟩ **0.1** *pensive* ⇒*reflective, thoughtful.*
pensioen ⟨de (m.)⟩ **0.1** *pension* ⇒*retirement (pay),* ⟨bedrijfspensioenfonds ook⟩ *superannuation* ◆ **1.1** zijn recht op ~ behouden *retain one's p./superannuation rights* **3.1** ~ aanvragen *apply for a/one's pension;* zijn ~ afkopen *convert one's p./superannuation;* ~ genieten *have retired;* ~ krijgen *receive/get/draw a p./* [A]*retirement (pay);* een ~ toekennen/verlenen aan iem. *grant s.o. a p.;* aan deze betrekking is geen ~ verbonden *there are no retirement benefits/is no p. connected with this job/position* **6.1 met** ~ gaan *retire (on a p.), go into retirement;* vervroegd **met** ~ gaan *take early retirement, retire early;* iem. **met** ~ sturen ⟨ook⟩ *pension s.o. off;* ⟨fig.;inf.⟩ *put s.o. out to pasture/grass;* hij is al jaren **met** ~ *he has been retired for years;* **op** ~ gesteld worden *be retired;* een betrekking die recht geeft **op** een ~ *a position with p./superannuation rights;* uitzicht **op** een ~ hebben *be entitled to*

a p.; niet **voor** ~ in aanmerking komen *not be eligible/ qualified for a p. / for superannuation.*

pensioenaanspraak ⟨de⟩ **0.1** *pension claim* ⇒*retirement/superannuation rights, claim(s)/rights to a pension/to retirement (pay)* ◆ **3.1** pensioenaanspraken afkopen *convert one's superannuation/pension;* ~ (niet) doen gelden *(not) claim one's pension;* in dat geval gaan de pensioenaanspraken verloren *in that case one loses/forfeits one's claim/right(s) to superannuation/a pension;* ~ hebben *be entitled to a pension/to retirement benefits.*

pensioenbijdrage ⟨de⟩ **0.1** *pension contributions* ⇒*superannuation contributions.*

pensioenbreuk ⟨de (m.)⟩ **0.1** *break in pension contributions* ⟨wegens werkloosheid e.d.⟩; *non-transferability of pension rights* ⟨wegens verandering van baan⟩.

pensioenfonds ⟨het⟩ **0.1** *pension fund* ⇒*retirement fund* ◆ **2.1** Algemeen Burgerlijk Pensioenfonds ≠*(Dutch) State Employees' Pension Scheme* **6.1** opgenomen worden in het ~ van het bedrijf *join a company's pension scheme.*

pensioengerechtigd ⟨bn.⟩ **0.1** *pensionable* ⇒*superannuable* ◆ **1.1** de ~e leeftijd bereiken *reach p. / retirement/ retiring age* **3.1** hij is ~ *he is of p. age.*

pensioengrondslag ⟨de (m.)⟩ **0.1** *pensionable salary.*

pensioenkas ⟨de⟩ **0.1** *pension fund.*

pensioenkorting ⟨de (v.)⟩ **0.1** *pension deductions* ⇒*deductions for superannuation.*

pensioenopbouw ⟨de (m.)⟩ **0.1** *pension build-up.*

pensioenpremie ⟨de (v.)⟩ **0.1** *pension contributions* ⇒*superannuation contributions.*

pensioenraad ⟨de (m.)⟩ **0.1** [raad van beheer] *board of directors of a pension/retirement fund* **0.2** [met de administratie belast college] *pensions/superannuation board.*

pensioenrechten ⟨zn.mv.⟩ **0.1** *pension rights/entitlement.*

pensioenregeling ⟨de (v.)⟩ **0.1** *pension scheme/plan* ⇒*superannuation scheme.*

pensioenreserve ⟨de⟩ **0.1** *pension reserve (fund).*

pensioentrekkend ⟨bn.⟩ **0.1** *pensioned* ⇒*drawing/ receiving a pension* ◆ **1.1** een ~e weduwe *a woman with a widow's pension.*

pensioenuitkering ⟨de (v.)⟩ **0.1** [betaling] *payment of pensions* **0.2** [bedrag] *pension, retirement pay, superannuation.*

pensioenverhaal ⟨het⟩ →*pensioenkorting.*

pensioenverzekering ⟨de (v.)⟩ **0.1** *pension scheme* ◆ **3.1** hebt u een ~? *are you in a pension fund?.*

pensioenvoorzieningen ⟨zn.mv.⟩ **0.1** *pension/superannuation scheme.*

pensioenwet ⟨de⟩ **0.1** *pensions law/* ⟨mbt. GB, USA ook⟩ *act.*

pension ⟨het⟩ **0.1** [kosthuis] *guest house* ⇒*boarding house,* ⟨niet in Engelstalige landen⟩ *pension* **0.2** [kostgeld] *lodging* ⇒*bed and board, board* **0.3** [kost en inwoning] *lodging* ⇒*bed and board, boarding* **0.4** [kamerverhuurbedrijf] ≠*hostel* **0.5** [mbt. huisdieren] *kennel* ◆ **2.3** half ~ *half board;* vol ~ [B]*full board,* [A]*American plan* **3.1** zij houdt tegenwoordig een ~ *she is running a boarding house these days* **3.2** het ~ is f 57 per dag *board is 57 guilders a day* **6.3** ergens in ~ zijn *lodge/board somewhere, be a lodger/ boarder somewhere;* ⟨niet in Engelstalige landen⟩ *live in a pension* **6.5** de hond in een ~ doen *put the dog in a k..*

pensionaat ⟨het⟩ **0.1** *boarding school.*

pensionair ⟨de (m.)⟩ **0.1** [leerling op een kostschool] *boarder* **0.2** [iem. die een jaargeld ontvangt] *pensioner* ⇒*pensionary.*

pensionaris ⟨de (m.)⟩ ⟨gesch.⟩ **0.1** [stadsadvocaat] *Pensionary* **0.2** [president v.d. Bataafse Republiek] *Pensionary* ◆ **1.2** de ~ Schimmelpenninck *P. Schimmelpenninck.*

pensionboerderij ⟨de (v.)⟩ **0.1** *'pensionboerderij'* ⟨farm that takes in overnight guests⟩.

pensioneren ⟨ov.ww.⟩ **0.1** *pension (off)* ⇒*superannuate, retire* ◆ ¶**.1** hij is vorige week gepensioneerd *he retired last week, he was pensioned off last week.*

pensionering ⟨de (v.)⟩ **0.1** *pension* ⇒*retirement, superannuation* ◆ **6.1** bij zijn ~ *when he retired.*

pensiongast ⟨de (m.)⟩ **0.1** *boarder* ⇒*lodger, guest.*

pensionhouder ⟨de (m.)⟩ **0.1** *landlord.*

pensionhoudster ⟨de (v.)⟩ **0.1** *landlady.*

pensionprijs ⟨de (m.)⟩ **0.1** *board(ing) terms.*

pensum ⟨het⟩ **0.1** [taak] *assignment* ⇒*(set) task* **0.2** [strafwerk] *punishment.*

pentaan ⟨het⟩ **0.1** *pentane.*

pentaëder ⟨de (m.)⟩ **0.1** *pentahedron.*

pentafonium ⟨het⟩ **0.1** *five-part piece.*

pentafoon ⟨de (m.)⟩ **0.1** *pentachord.*

pentagonaal ⟨bn.⟩ **0.1** *pentagonal* ◆ **1.1** een ~ getal *a p. number.*

pentagoon ⟨de (m.)⟩ **0.1** *pentagon.*

pentagram ⟨het⟩ **0.1** *pentagram* ⇒*pentangle.*

pentakel ⟨de (m.)⟩ **0.1** *pentacle.*

pentameter ⟨de (m.)⟩ **0.1** *pentameter.*

pentarchie ⟨de (v.)⟩ **0.1** *pentarchy.*

Pentateuch ⟨de (m.)⟩ **0.1** *Pentateuch.*

pentatlon ⟨het⟩ **0.1** *pentathlon.*

pentatoniek ⟨de (v.)⟩ **0.1** *pentatonic scale.*

pentatonisch ⟨bn.⟩ **0.1** *pentatonic.*

pentekenaar ⟨de (m.)⟩ **0.1** *pen draughtsman* ⇒*black-and-white artist.*

pentekening ⟨de (v.)⟩ **0.1** *pen (and ink) drawing.*

penthode ⟨de (v.)⟩ **0.1** *penthode valve.*

pentose ⟨de (v.)⟩ **0.1** *pentose.*

penultima ⟨de⟩ **0.1** *penult(ima).*

penurie ⟨de (v.)⟩ →*penarie.*

penvoerder ⟨de (m.)⟩ **0.1** [hij die schrijft] *(ghost) writer, author* **0.2** [secretaris] *secretary.*

penwortel ⟨de (m.)⟩ **0.1** [onvertakte wortel] *tap root* **0.2** [hoofdwortel v.e. boom] *tap root.*

pep ⟨de (m.)⟩ **0.1** [pit] *pep* ⇒*zip, effervescence, energy, life* **0.2** [pepmiddel] *pep pills* ⇒ ↓*upper,* ⟨sl.⟩ *benny,* ⟨wet.⟩ *amphetamine* ◆ ¶**.1** de ~ is eruit ⟨geen fut/energie⟩ *it's dead, it's lost its oomph/zip;* ⟨geen koolzuur⟩ *it's gone flat.*

peper ⟨de (m.)⟩ **0.1** [specerij] *pepper* **0.2** [plant] *pepper* **0.3** [peperkorrel] *pepper(corn)* ◆ **1.1** een snufje ~ *a dash of p.;* ~ en zout *salt and p.* **2.2** Spaanse ~ *hot p., chil(l)i (p.),* [A]*jalapeño (p.)* **3.1** ⟨fig.⟩ dat ruikt naar ~ *that costs a bomb/ an arm and a leg/a packet/the earth* **8.1** ⟨inf.⟩ zo heet als ~ *as randy/* ⟨AE ook⟩ *horny as a goat* ¶**.1** ⟨fig.⟩ iem. ~ in zijn gat stoppen [†]*give s.o. a kick up the arse/* [A]*ass;* ⟨AE ook⟩ *put a cracker under s.o.'s ass.*

peperachtigen ⟨zn.mv.⟩ **0.1** *peppers.*

peperbes ⟨de⟩ **0.1** *pepper berry.*

peperboom ⟨de (m.)⟩ **0.1** *pepper (tree).*

peperboompje ⟨het⟩ **0.1** *mezereon* ⇒⟨geslacht⟩ *daphne* ◆ **2.1** zwart ~ *spurge laurel.*

peperbus ⟨de⟩ **0.1** [bus voor peper] *pepper pot/mill* **0.2** [toren] *pepper box* **0.3** [reclamezuil] *advertising column.*

peperduur ⟨bn.⟩ **0.1** *very expensive* ⇒*high-priced, pricey* ◆ **3.1** alles is er ~ *everything there is prohibitively expensive, the prices there are very steep;* iets ~ verkopen *sell sth. at an exorbitant price.*

peperen ⟨ov.ww.⟩ **0.1** *pepper* ◆ **1.1** ⟨fig.⟩ een gepeperde rekening *a steep bill* **3.1** ⟨fig.⟩ ik zal het hem gepeperd toedienen *I'll give him a piece of my mind/ what for, I'm going to (really) dish it out to him* **5.1** flink gepeperd *highly seasoned, hot, spicy;* het eten is te sterk gepeperd *the food is too peppery/hot/spicy.*

peper- en zoutkleur ⟨de⟩ **0.1** *salt-and-pepper colour.*

peper-en-zoutkleurig ⟨bn.⟩ **0.1** *salt-and-pepper* ⇒⟨van haar ook⟩ *grizzled.*

peper-en-zoutstel ⟨het⟩ **0.1** *salt and pepper pots* ⇒*saltcellar and pepper pot/mill.*

peperig ⟨bn.⟩ **0.1** *peppery.*

peperine ⟨de⟩ **0.1** *peperino.*

peperkoek ⟨de (m.)⟩ **0.1** [zoete koek] ≠*gingerbread* ⇒*gingercake* **0.2** [⟨AZN⟩ ontbijtkoek] ≠*gingerbread* ⇒*gingercake* ◆ **8.1** dat smaakt als ~ *that's very good, that tastes wonderful.*

peperkorrel ⟨de (m.)⟩ **0.1** *peppercorn.*

pepermolen ⟨de (m.)⟩ **0.1** *pepper mill.*

pepermunt ⟨de⟩ **0.1** [snoepje] *peppermint* **0.2** [snoepgoed] *peppermints* **0.3** [plant] *peppermint* ◆ **1.2** een rolletje ~ *a roll/packet of p..*

pepermuntachtig ⟨bn.⟩ **0.1** *pepperminty* ⇒*peppermint-like* ◆ **1.1** een ~e smaak *a peppermint taste.*

pepermuntolie ⟨de⟩ **0.1** *peppermint oil* ⇒*oil of peppermint.*

pepermuntsmaak ⟨de (m.)⟩ **0.1** *peppermint taste.*

pepermuntspiritus ⟨de (m.)⟩ **0.1** *peppermint spirit.*

pepermuntstok ⟨de (m.)⟩ **0.1** *peppermint stick.*

pepermuntstroop ⟨de⟩ ⟨med.⟩ **0.1** *menthol cough syrup.*

pepermuntsuiker ⟨de (m.)⟩ **0.1** *peppermint sugar.*

pepermuntthee ⟨de (m.)⟩ **0.1** *peppermint tea.*

pepermuntwater ⟨het⟩ **0.1** *peppermint water.*

pepernoot ⟨de⟩ **0.1** ≠*spice/ginger(bread) nut* ◆ **3.1** pepernoten strooien / rapen *toss/pick up spice nuts.*

peperolie ⟨de⟩ **0.1** *pepper oil.*

peperoni ⟨de⟩ **0.1** *pickled chil(l)i.*

peperplant ⟨de⟩ **0.1** *pepper (plant).*

pepersaus ⟨de⟩ **0.1** *pepper sauce.*

pepersteak ⟨de (m.)⟩ ⟨cul.⟩ **0.1** *peppered steak* ⇒ [†]*steak au poivre.*

peperstruik ⟨de (m.)⟩ **0.1** *pepper (plant).*

pepertuin ⟨de (m.)⟩ **0.1** *pepper plantation.*

pepervaatje ⟨het⟩ **0.1** *pepper pot/mill.*

pepervreter ⟨de (m.)⟩ **0.1** [vogel] *toucan* **0.2** [⟨ster.⟩] *Tucana.*

peperwortel ⟨de (m.)⟩ **0.1** *horseradish.*

pepita ⟨het⟩ **0.1** [ruitjesdessin] *(diamond) check* **0.2** [stof] *checked fabric* ⇒*checks.*

pépite ⟨de⟩ **0.1** *gold nugget* ⇒*nugget of gold.*

peplos ⟨de (m.)⟩ **0.1** *peplum.*

pepmiddel ⟨het⟩ **0.1** *pep pill* ⇒ ↓*upper,* ⟨sl.⟩ *benny,* ⟨wet.⟩ *amphetamine.*

peppel ⟨de (m.)⟩ ⟨schr.⟩ **0.1** *poplar.*

peppelen ⟨bn.⟩ **0.1** *poplar(wood)* ◆ **1.1** ~ klompen *clogs made from p..*
peppil ⟨de⟩ **0.1** *pep pill* ⇒*upper*, ⟨sl.⟩ *benny*, ↑*amphetamine* ◆ **3.1** ~len slikken *pop a p. p. / upper / benny.*
pepsase ⟨de (v.)⟩ ⟨schei.⟩ **0.1** *pepsin(e).*
pepsine ⟨het, de⟩ ⟨schei.⟩ **0.1** *pepsin(e).*
peptisch ⟨bn.⟩ **0.1** *peptic.*
pepton ⟨het⟩ **0.1** *peptone.*
per ⟨vz.⟩ **0.1** [door, via] *by* **0.2** [voor, bij, in] *per* ⇒*a, by* **0.3** [met ingang van] *as of* ◆ **1.1** iets ~ post verzenden *send sth. through the* ⟨vnl. BE⟩ *post/ mail, mail sth., send sth. by mail/ through the mail* **1.2** iets ~ kilo verkopen *sell sth. by the kilo;* het aantal inwoners ~ vierkante kilometer *the number of inhabitants p. square kilometer;* ~ paar verkopen *sell in pairs;* ze kosten 3 gulden ~ stuk *they cost 3 guilders apiece/ each;* ~ uur betaald worden *be paid by the hour;* hij verreist ƒ40,- ~ week *he spends 40 guilders a week on travel* **1.¶** ~ adres *care of, c/o* **¶.3** de nieuwe tarieven worden ~ 1 februari van kracht *the new rates will go into effect on February 1 / will be effective as of February 1.*
per acquit 0.1 *received.*
perceel ⟨het⟩ **0.1** [pand] *property* **0.2** [stuk land] *lot* ⇒*plot, parcel, piece, section* **0.3** [gedeelte] *lot* ⇒*parcel* **0.4** [deel v.e. water] *section* ◆ **1.2** een ~ bouwland *a parcel of arable / farm land* **2.2** een ruim voor ~ ⟨voor huis/pand⟩ *a large l.;* ⟨bouwland⟩ *a large parcel* **6.2** het land wordt verhuurd in percelen *the land is rented in sections / parcels* **6.3** een werk in percelen aanbesteden *parcel out work.*
perceelsgewijs
I ⟨bn.⟩ **0.1** [per perceel geschiedend] *according to lots* ◆ **1.1** de perceelsgewijze ligger van gemeenten the [B]*land registry / *[A]*plot records of a county;*
II ⟨bw.⟩ **0.1** [aan/bij percelen] *in / by lots.*
percent ⟨het⟩ **0.1** [aantal per honderd] *percent* **0.2** [wat men voor elke honderd gulden ontvangt] *percentage* ◆ **2.2** tegen hoge ~en geld uitlenen *lend money at a high interest rate* **3.2** ~en krijgen *get a p. / cut* **6.1** tien ~ van duizend *ten p. of a thousand* **7.1** het ziekteverzuim is gemiddeld vier ~ *absenteeism due to illness averages four p.;* hij verdiende op die partij maar vijf ~ *he only made five p. on that deal / transaction.*
percentage ⟨het⟩ **0.1** [bedrag] *percentage* **0.2** [hoeveelheid] *percentage* ⇒*proportion* ◆ **1.1** het ~ rente *the (p.) rate of interest* **1.2** het ~ ongevallen met dodelijke afloop *the percentage of fatal accidents* **2.1** een bepaald ~ v.d. omzet *a certain p. of the turnover;* een vast ~ *a fixed p.* **3.1** de schrijver krijgt een ~ v.d. verkochte exemplaren *the author receives royalties / a royalty on the copies sold* **6.1** een ~ van de recettes/ verkochte exemplaren *a p. on the receipts/ the sold copies, a royalty (of …).*
percentielscore ⟨de (m.)⟩ **0.1** *(per)centile score.*
percentsgewijs
I ⟨bn.⟩ **0.1** [in percenten uitgedrukt] *percentagewise* ⇒*in terms of percentage* ◆ **1.1** de percentsgewijze daling *the drop in percentage;*
II ⟨bw.⟩ **0.1** [in percenten] *proportionately* ◆ **3.1** ~ bijdragen in *make pro rata contributions to;* de winsten zijn ~ uitgedrukt *the profits are expressed in percentages.*
percentteken ⟨het⟩ **0.1** *percent(age) sign,* %.
percentvoet ⟨de (m.)⟩ **0.1** *rate* ◆ **6.1** tegen een ~ van 11% *at a r. of 11%.*
perceptibel ⟨bn.⟩ ⟨schr.⟩ **0.1** *perceptible* ⇒*tangible, palpable.*
perceptie ⟨de (v.)⟩ **0.1** [waarneming] *perception* ⇒*perceptiveness, perceptivity* **0.2** [resultaat v.h. waarnemen] *perception.*
perceptiekosten ⟨zn.mv.⟩ **0.1** *cost of collection.*
perceptievermogen ⟨het⟩ **0.1** *perception* ⇒*perceptivity, perceptiveness.*
perchloorzuur ⟨het⟩ **0.1** *perchloric acid.*
percipiëren ⟨ov.ww.⟩ **0.1** *perceive.*
percolator ⟨de (m.)⟩ **0.1** *percolator* ◆ **6.1** koffie zetten met een ~ *make coffee in a p..*
percoleren ⟨ov.ww.⟩ **0.1** *percolate* ⇒⟨inf.⟩ *perk* ◆ **1.1** koffie ~ *percolate / perk coffee.*
percussie ⟨de (v.)⟩ **0.1** [⟨muz.⟩ slagwerk] *percussion* ⇒⟨sectie van orkest ook⟩ *percussion section* **0.2** [⟨muz.⟩ register] *percussion* **0.3** [slag, botsing] *percussion* **0.4** [⟨med.⟩] *percussion.*
percussiedopje ⟨het⟩ **0.1** *percussion cap, primer.*
percussiegranaat ⟨de⟩ **0.1** *percussion shell.*
percussiehamer ⟨de (m.)⟩ ⟨med.⟩ **0.1** *plexor* ⇒*plessor, percussor.*
percussionist ⟨de (m.)⟩ **0.1** *percussionist, percussion player* ⇒*drummer.*
percutaan ⟨bn., bw.;-ly⟩ ⟨med.⟩ **0.1** *percutaneous.*
percuteren ⟨ov.ww.⟩ ⟨med.⟩ **0.1** *percuss* ⇒⟨ongemarkeerd⟩ *tap.*
percuteur ⟨de (m.)⟩ ⟨mil.⟩ **0.1** *firing pin* ⇒*striker.*
perdendo ⟨bw.⟩ ⟨muz.⟩ **0.1** *perdendo.*
père ⟨de (m.)⟩ **0.1** *father.*
pereat ⟨het⟩ **3.¶** iem. een ~ brengen *curse s.o..*
perebloesem ⟨de (m.)⟩ **0.1** *pear blossom.*
pereboom ⟨de (m.)⟩ **0.1** *pear (tree).*
pereboomhout ⟨het⟩ **0.1** *pearwood.*
peredrups →**peerdrops.**
perehout ⟨het⟩ **0.1** *pearwood.*
perelaar ⟨de (m.)⟩ ⟨AZN⟩ **0.1** *pear (tree).*

peremptoir
I ⟨bn., bw.;-ly⟩ **0.1** [afdoend] *absolute, final;*
II ⟨bn.⟩ **0.1** [⟨jur.⟩] *peremptory* ◆ **1.1** ~e exceptie *plea in bar;* ⟨vero.⟩ *p. plea;* ~e termijn *p. time limit.*
perenjaar ⟨het⟩ **0.1** *year for pears* ◆ **2.1** het is een goed ~ *it is a good year for pears.*
perennerend ⟨bn.⟩ ⟨wet.⟩ **0.1** *perennial* ◆ **1.1** ~e planten *p. plants, perennials.*
perenstroop ⟨de⟩ **0.1** *pear syrup.*
perenwijn ⟨de (m.)⟩ **0.1** *perry.*
peresap ⟨het⟩ **0.1** *pear juice.*
perevuur ⟨het⟩ **0.1** *fire blight.*
perf. ⟨taal.⟩ ⟨afk.⟩ **0.1** [perfectum] *perf..*
perfect
I ⟨bn., bw.;-ly⟩ **0.1** [volmaakt] *perfect* ⇒*flawless, faultless, first-rate/ -class*, ↑*consummate* ◆ **1.1** hij gaf een ~e imitatie van Thatcher *he did a p. / flawless/ first-rate imitation of Thatcher;* ⟨inf.⟩ *he got Thatcher to a T;* ~e kaarten hebben *have a p. / flawless hand;* in ~e staat ⟨munten, machines, horloges, gereedschap, auto's, toestellen enz.⟩ *in mint condition;* ⟨huis⟩ *in p. condition;* de schoonheid in ~e vorm *the perfection of beauty* **1.¶** een ~ getal *a p. number* **3.1** zij danst ~ *she dances divinely/ flawlessly/ faultlessly, she is a first-rate dancer;* het huis is ~ ingericht *the house is furnished to perfection / like a showpiece;* iets ~ kennen *know sth. perfectly;* ⟨inf.⟩ *know/ have sth. (off) pat;* een gedicht ~ uit het hoofd opzeggen *recite a poem perfectly from memory;* ⟨inf.⟩ *recite a poem off pat;* hij speelde het stuk ~ *he played the piece perfectly,* he gave a *faultless/ flawless/ perfect/ first class rendering of the piece;* die snor staat hem ~ *the moustache suits him perfectly / to perfection* **¶.1** alles is ~ in orde *everything is p. / is in p. condition/ is tip-top;* ⟨inf.⟩ *everything is shipshape and Bristol fashion;* ~ in orde zijn *be in p. condition;* ⟨auto, machine enz. ook⟩ *be in p. working/ running order;* ⟨mbt. gezondheid ook⟩ *be as right as rain/ ninepence;*
II ⟨bn.⟩ **0.1** [voltooid] *perfect, complete* ◆ **3.1** een transactie ~ maken *perfect/ conclude a transaction.*
perfectibilisme ⟨het⟩ ⟨schr.⟩ **0.1** *perfectibilism* ⇒⟨ongemarkeerd⟩ *perfectionism.*
perfectibiliteit ⟨de (v.)⟩ ⟨schr.⟩ **0.1** *perfectibility, perfectability.*
perfectie ⟨de (v.)⟩ **0.1** [volkomenheid] *perfection* ⇒*flawlessness* **0.2** [voortreffelijkheid] *perfection* ⇒*excellence, virtuosity* ◆ **6.1** iets (tot) in de ~ kennen *know sth. perfectly / to p. / pat;* ⟨inf.⟩ *have sth. off pat;* iets tot in de ~ leren *learn sth. to p.* **6.2** overtuigd van zijn eigen ~ *convinced of one's own p. / that one is perfect.*
perfectief ⟨bn.⟩ **0.1** [tot volmaking brengend] *perfective* **0.2** [⟨taal.⟩] *perfective* ◆ **1.2** perfectieve werkwoorden *p. verbs.*
perfectioneren ⟨ov.ww.⟩ **0.1** *perfect* ⇒*bring to perfection,* ⟨inf.⟩ *get down to a fine art/ perfection, refine, improve (on)* ◆ **1.1** machines ~ *p. machines;* zijn stijl ~ *p. / improve one's style, bring one's style to perfection.*
perfectionisme ⟨het⟩ **0.1** [het streven naar volmaaktheid] *perfectionism* **0.2** [⟨rel.⟩] *perfectionism.*
perfectionist ⟨de (m.)⟩, **-e** ⟨de (v.)⟩ **0.1** [iem. die naar perfectie streeft] *perfectionist* ⇒*stickler for perfection* **0.2** [aanhanger v.h. perfectionisme] *perfectionist.*
perfectionistisch ⟨bn.⟩ **0.1** *perfectionist.*
perfectum ⟨het⟩ ⟨taal.⟩ **0.1** *perfect.*
perfide ⟨bn., bw.;-ly⟩ **0.1** *perfidious* ⇒*treacherous, deceitful* ◆ **1.1** het ~ Albion *p. Albion.*
perfidie ⟨de (v.)⟩ ⟨schr.⟩ **0.1** *perfidy* ⇒*treachery, perfidiousness.*
perforateur →**perforator.**
perforatie ⟨de (v.)⟩ **0.1** [opening] *perforation* **0.2** [het perforeren/ geperforeerd worden] *perforation* ◆ **1.2** ~ van de maagwand *p. of the duodenal wall* **6.1** langs de ~ afscheuren ⟨van postzegels enz.⟩ *tear off at/ along the p. / perforated line.*
perforatielijn ⟨de (v.)⟩ **0.1** *perforation* ◆ **6.1** met ~en *perforated;* de ~ tussen twee postzegels *the perforations between two stamps.*
perforator ⟨de (m.)⟩ **0.1** *perforator* ⇒*punch.*
perforeren
I ⟨ov.ww.⟩ **0.1** [doorboren] *perforate* ⇒*pierce, puncture, punch holes in,* ⟨inf.⟩ *hole* ⟨papier⟩ **0.2** [⟨schei.⟩] *extract exhaustively* ◆ **1.1** een gezwel ~ *perforate / lance a tumour;* een geperforeerde maagzweer *a perforated stomach ulcer;* geperforeerd papier *perforated paper;* geperforeerde / niet geperforeerde postzegels *perforated / imperforate stamps;* een geperforeerde rand *a perforated edge;*
II ⟨onov.ww.⟩ **0.1** [doorbreken] *perforate.*
performen ⟨ww.⟩ **0.1** *perform.*
pergola ⟨de⟩ **0.1** [wandelgang] *pergola* **0.2** [balk] *architrave* ⇒*epistyle.*
peri ⟨de (v.)⟩ **0.1** *peri.*
pericambium ⟨het⟩ ⟨plantk.⟩ **0.1** *pericambium, pericycle.*
pericard ⟨het⟩ ⟨med.⟩ **0.1** *pericardium.*
periculeus ⟨bn., bw.;-ly⟩ ⟨schr.⟩ **0.1** *perilous, periculous.*
pericykel →**pericambium.**
periderm ⟨de⟩ ⟨plantk.⟩ **0.1** *periderm.*

peridot ⟨het, de (m.)⟩ **0.1** ***peridot(e)*** ⇒*chrysolite.*
perifeer ⟨bn.⟩ **0.1** ***peripheral, peripheric*** ⇒ ↓*outlying, marginal* ◆ **1.1** ⟨comp.⟩ perifere apparatuur *peripheral equipment;* perifere neuronen *peripheral neurons, nerve endings;* het perifere zenuwstelsel *the peripheral nervous system.*
periferie ⟨de (v.)⟩ **0.1** [buitenkant, ⟨ook fig.⟩] ***periphery*** ⇒*perimeter, circumference, confines,* ↓*edge,* ↓*border* **0.2** [⟨wisk.⟩] ***periphery*** ⇒*perimeter* ◆ **1.1** de ~ v.h. bewustzijn *the periphery of consciousness* **6.1** **aan** de ~ v.d. stad *on the periphery /* ↓*outskirts /* ↓*fringes /* ↓*edge of the town.*
periferisch ⟨bn.⟩ **0.1** ***peripheral, periferic.***
perifrase ⟨de (v.)⟩ **0.1** ***periphrase, periphrasis*** ⇒ ⟨pej.⟩ *circumlocution.*
perifrastisch ⟨bn., bw.; -ally⟩ **0.1** ***periphrastic*** ⇒ ⟨pej.⟩ *circumlocutory.*
perigeum ⟨het⟩ ⟨ster.⟩ **0.1** ***perigee.***
periglaciaal ⟨bn.⟩ **0.1** ***periglacial.***
perigynisch ⟨bn.⟩ ⟨plantk.⟩ **0.1** ***perigynous.***
perihelium ⟨het⟩ ⟨ster.⟩ **0.1** ***perihelion.***
perikelen ⟨zn.mv.⟩ **0.1** ⟨gevaren⟩ ***perils;*** ⟨wederwaardigheden⟩ ***vicissitudes*** ⇒ ⟨wederwaardigheden ook⟩ *adventures,* ⟨inf.⟩ *ups and downs* ◆ **2.1** zijn amoureuze ~ *his amorous v. / adventures, the ups and downs in his love life.*
perikoop ⟨de⟩ **0.1** ***pericope.***
periluna ⟨de⟩ ⟨ruim.⟩ **0.1** ***perilune*** ⇒*pericynthion.*
perimeter ⟨de (m.)⟩ **0.1** [⟨wisk.⟩] ***perimeter*** ⇒*periphery, circumference* **0.2** [instrument] ***perimeter.***
perimetrie ⟨de (v.)⟩ **0.1** ***perimetry.***
perinataal ⟨bn.⟩ **0.1** ***perinatal*** ◆ **1.1** perinatale sterfte *p. mortality.*
perineum ⟨de (m.)⟩ ⟨med.⟩ **0.1** ***perin(a)eum.***
periode ⟨de (v.)⟩ **0.1** [tijdvak] ***period*** ⇒*time,* ⟨fase⟩ *phase,* ⟨episode⟩ *episode, chapter* **0.2** [kringloop] ***period*** ⇒*cycle* **0.3** [⟨wisk.⟩] ***period*** **0.4** [volzin] ***period*** ⇒*sentence* **0.5** [⟨schei.⟩] ***period*** **0.6** [⟨muz.⟩] ***period*** ⇒ *sentence* ◆ **1.1** een ~ van bezinning *a period of reflection* **2.1** een korte ~ van strenge vorst *a cold snap / spell;* een roemrijke / donkere ~ in onze geschiedenis *a glorious / dark period / chapter / episode in our history;* veilige ~ ⟨mbt. periodieke onthouding⟩ *safe period;* uit een vroege / late ~ *of (a / an) early / late date* **5.1** een ~ waarin alles tegen zit ⟨inf.⟩ *a bad patch, a run of bad luck* **6.1** **in** ~s onderverdelen *(sub)divide into periods / phases;* **in** een ~ van vijf jaar *in a period / space of five years;* een ~ **van** mooi weer *a spell of fine weather, a fine spell;* verkozen **voor** een ~ **van** twee jaar *elected for a term of two years / a two-year term (of office).*
periodebouw ⟨de (m.)⟩ ⟨stijlleer⟩ **0.1** ***construction of a period.***
periodekampioen ⟨de (m.)⟩ ⟨sport⟩ **0.1** ***period champion(s).***
periodiciteit ⟨de (v.)⟩ **0.1** [periodieke terugkeer] ***periodicity*** **0.2** [het gebonden zijn aan perioden] ***periodicity.***
periodiek[1] ⟨het, de (v.)⟩ **0.1** [uitgave, tijdschrift] ***periodical*** ⇒ ⟨jaarlijks ook⟩ *annual,* ⟨maandelijks ook⟩ *monthly,* ⟨wekelijks ook⟩ *weekly,* ⟨driemaandelijks ook⟩ *quarterly* **0.2** [salarisverhoging] ***increment*** ⇒ *increase.*
periodiek[2]
I ⟨bn., bw.; -(al)ly⟩ **0.1** [regelmatig terugkerend] ***periodic(al)*** ⇒*recurrent, intermittent, cyclic* ◆ **1.1** ~e betalingen *periodic payments / instalments;* ~e beweging *periodic motion;* aan ~e onthouding doen *use the rhythm method;* ~e pijn ⟨euf.⟩ *period pains;* ~e trillingen *periodic vibrations;* ~e uitkeringen *periodical payments, payment in instalments;* ~e verhogingen ⟨van salaris⟩ *increments, salary increases;* ~e winden *periodic winds* **3.1** ~ aftreden *retire in / by rotation;* het komt ~ terug *it happens periodically / intermittently, it recurs at (certain) intervals;* ~ terugkerende ziekten *recurrent illnesses;*
II ⟨bn.⟩ **0.1** [⟨wisk.⟩] ***periodic(al)*** **0.2** [⟨schei.⟩] ***periodic(al)*** ◆ **1.1** ~e functie *periodic function* **1.2** het ~ systeem *the periodic table / system.*
periodiseren ⟨ov.ww.⟩ **0.1** ***divide into periods, phase.***
periodisering ⟨de (v.)⟩ **0.1** ***periodization.***
perioptica ⟨de (v.)⟩ **0.1** ***perioptics.***
periost ⟨het⟩ ⟨biol.⟩ **0.1** ***periosteum.***
peripateticus ⟨de (m.)⟩, **-ca** ⟨de (v.)⟩ **0.1** ***Peripatetic*** ⇒*Aristotelian.*
peripatetisch ⟨bn.⟩ **0.1** ***Peripatetic*** ⇒*Aristotelian* ◆ **1.1** de ~e school *the P. / Aristotelian school.*
peripetie ⟨de (v.)⟩ **0.1** ***peripet(e)ia.***
peripteros ⟨de (m.)⟩ **0.1** ***peripteros, periptery.***
periscoop ⟨de (m.)⟩ **0.1** ***periscope*** ⇒ ⟨inf.⟩ *scope.*
periscoopdiepte ⟨de (v.)⟩ **0.1** ***periscope depth.***
periscopisch ⟨bn.⟩ **0.1** [holbol] ***periscopic*** **0.2** [met ruim gezichtsveld] ***periscopic*** ◆ **1.1** een ~e lens *a p. lens.*
perisperm ⟨het⟩ ⟨plantk.⟩ **0.1** ***perisperm.***
peristaltiek ⟨de (v.)⟩ **0.1** ***peristalsis*** ⇒*vermiculation.*
peristaltisch ⟨bn.⟩ **0.1** ***peristaltic*** ◆ **1.1** ~e beweging *peristalsis, vermiculation.*
peristerium ⟨het⟩ **0.1** ***peristerium.***
peristilium →**peristyle.**
peristyle ⟨het⟩ **0.1** [zuilengang] ***peristyle*** **0.2** [door een zuilengang omsloten ruimte] ***peristyle.***
peritoneaal ⟨bn.⟩ ⟨med.⟩ **0.1** ***peritoneal.***
peritoneum ⟨het⟩ ⟨med.⟩ **0.1** ***peritoneum.***
peritonitis ⟨de (v.)⟩ ⟨med.⟩ **0.1** ***peritonitis.***
perk ⟨het⟩ **0.1** [vlak in een tuin] ***bed*** ⇒ ⟨voor bloemen ook⟩ *flowerbed* **0.2** [⟨fig.⟩ begrenzing] ***bound, limit*** **0.3** [afgebakende ruimte] ***court*** ⇒ ⟨vnl. BE⟩ *pitch* ◆ **6.1** een ~ **met** viooltjes *a b. of violets* **6.2** zijn verbeelding **binnen** de ~en houden *keep one's imagination within bounds / limits;* ⟨inf.⟩ *not let one's imagination run wild / riot;* zijn gewicht **binnen** de ~en houden *keep one's weight down;* **binnen** de ~en v.d. wet blijven *keep / remain / stay within the (bounds of the) law / on the right side of the law* ¶**.2** alle ~en te buiten gaan *exceed / go beyond / overstep all bounds / limits, go beyond / outside the pale;* dat gaat alle ~en te buiten ⟨ook⟩ *that's the limit.*
perkaline ⟨het, de⟩ **0.1** ***percaline.***
perkament ⟨het⟩ **0.1** [bewerkte huid] ***parchment*** ⇒ ⟨velijn⟩ *vellum,* ⟨van lage kwaliteit voor kaft van boek⟩ *for(r)el,* ⟨van schaap ook⟩ *sheepskin* **0.2** [papier] ***parchment*** ⇒ ⟨velijnpapier⟩ *vellum* **0.3** [stuk perkament (bet. o.1)] ***parchment*** ⇒ ⟨velijn⟩ *vellum, membrane* ◆ **6.1** een handschrift **op** ~ *a manuscript written on p., a p. (manuscript).*
perkamentachtig ⟨bn., bw.⟩ **0.1** ***parchment-like, parchmenty*** ⇒ ↑*pergameneous.*
perkamenten ⟨bn.⟩ **0.1** [van perkament] ***parchment*** **0.2** [perkamentachtig] ***parchment-like, parchmenty*** ⇒ ↑*pergameneous.*
perkamenteren ⟨ov.ww.⟩ **0.1** [perkamentachtig maken] ***parchmentize*** **0.2** [appreteren] ***dress*** ⇒*finish, size.*
perkamentpapier ⟨het⟩ **0.1** ***parchment*** ⇒ ⟨velijnpapier⟩ *vellum.*
perkamentrol ⟨de⟩ **0.1** ***scroll (of parchment)*** ⇒*roll (of parchment).*
perkeloos ⟨bn.⟩ ⟨schr.⟩ **0.1** ⟨ongemarkeerd⟩ ***boundless, unbounded*** ⇒ *limitless.*
perkoen →**perkoenpaal.**
perkoenpaal ⟨de (m.)⟩ **0.1** ***(pine / oak) pile (for dike protection).***
perliet ⟨het⟩ **0.1** [vulkanisch glas] ***pe(a)rlite*** **0.2** [⟨metallurgie⟩] ***pearlite.***
perlitisch ⟨bn.⟩ **0.1** ***pearlitic.***
Perm ⟨het⟩ **0.1** ***Permian.***
permafrost ⟨de (m.)⟩ **0.1** ***permafrost*** ⇒*pergelisol.*
permanent[1] ⟨het, de (m.)⟩ **0.1** ***permanent (wave)*** ⇒ ⟨inf.⟩ *perm* ◆ **3.1** een ~ laten zetten *have one's hair permed, have a perm.*
permanent[2]
I ⟨bn.⟩ **0.1** [voortdurend] ***permanent*** ⇒*perpetual, everlasting, continuing* **0.2** [duurzaam] ***permanent*** ⇒*enduring, lasting* ⟨vrede, gevaar⟩, *standing* ⟨commissie, tentoonstelling⟩ **0.3** [niet veranderend] ***permanent*** ⇒*stable* ◆ **1.1** ~e educatie *continuous / permanent education;* het Permanent Hof van Internationale Justitie *the Permanent Court of Arbitration, the Hague Tribunal, the World Court* **1.3** een ~ gas *a p. gas;* ~e kleuren *fast colours* **3.1** zich ~ verklaren *declare o.s. in p. session;* haar ~ zeuren *her perpetual nagging;*
II ⟨bw.⟩ **0.1** [voortdurend] ***permanently*** ⇒*perpetually, all the time* **0.2** [duurzaam] ***permanently*** ◆ **3.1** de radio staat daar ~ aan *they have the radio on permanently / all the time* **3.2** zich ergens ~ vestigen *settle somewhere p..*
permanenten ⟨ov.ww.⟩ **0.1** ***give a permanent wave*** ⇒ ⟨inf.⟩ *perm* ◆ **3.1** ik moet mijn haar laten ~ *I must have my hair permed, I must have a perm.*
permanentie ⟨de (v.)⟩ **0.1** [het permanent zijn] ***permanence*** ⇒*permanency* **0.2** [⟨wisk.⟩] ***permanence.***
permanganaat ⟨het⟩ **0.1** ***permanganate.***
permeabel ⟨bn.⟩ **0.1** ***permeable*** ⇒*passable, penetrable, pervious.*
permeabiliteit ⟨de (v.)⟩ **0.1** [mbt. een membraan] ***permeability*** **0.2** [mbt. magnetisme] ***(magnetic) permeability.***
permeatie ⟨de (v.)⟩ **0.1** ***permeation*** ⇒*pervasion.*
permis ⟨het⟩ **0.1** ***permit*** ⇒*warrant, licence.*
permissie ⟨de (v.)⟩ **0.1** ***permission (to)*** ⇒*leave (to), licence (to),* ⟨inf.⟩ *(my / his* ⟨enz.⟩*) say-so* ◆ **3.1** ~ geven / hebben / vragen *give / have / ask p.;* ik heb zijn ~ om u te vertellen dat *I have his p. / leave / licence to tell you that;* ik heb zijn ~ (al) *I (already) have his p. / say-so;* hij kreeg ~ om te vertrekken / voor zijn vertrek *he got / was given p. to leave, he was allowed to leave* **6.1** **met** ~ *if you will permit / allow me (to say so), by / with your leave;* **met** ~, maar ik ben het niet met u eens ↑*I beg (leave) to disagree; excuse me, but I do not agree with you.*
permissiebiljet ⟨het⟩ **0.1** ***permit.***
permitteren ⟨ov.ww.⟩ **0.1** ***permit*** ⇒*give / grant permission, allow,* ↓*let* ◆ **1.1** zich de luxe ~ van *p. / allow o.s. the luxury of, indulge in the luxury of;* zich de vrijheid ~ (om) *take the liberty (of)* **3.1** ik kan me niet ~ dat te doen ⟨het is niet verantwoord⟩ *I can't p. / allow myself to do that;* ⟨het is mij te duur⟩ *I can't afford to do that;* ik kan me geen auto ~ *I can't afford a car;* ⟨inf.⟩ *I don't run to a car;* zich alles kunnen ~ *be allowed to do anything;* ⟨inf.⟩ *get away with murder* **4.1** zich iets ~ *p. / allow o.s. to do sth., allow o.s. / take the liberty of doing sth.* **5.1** dat is niet gepermitteerd *that is not permitted / allowed, that is forbidden.*
permutatie ⟨de (v.)⟩ **0.1** [⟨wisk.⟩ verschikking van elementen] ***permutation*** **0.2** [verwisseling] ***labour / staff turnover*** ⇒*staff changes,* ⟨overplaatsing⟩ *transference* ◆ **6.2** er is veel ~ **onder** de postambtenaren *there is a great labour turnover among the post office officials;* ⟨overplaatsing⟩ *post office officials are frequently transferred.*

permutator ⟨de (m.)⟩ **0.1** *permutator.*
pernambukhout ⟨het⟩ **0.1** *Pernambuco/Brazil wood.*
pernicieus ⟨bn., bw.⟩ ⟨schr.⟩ **0.1** *pernicious* ◆ **1.1** pernicieuze anemie *p. anemia;* pernicieuze theorieën *p. / noxious theories* **6.1** ~ voor de gezondheid *p. / detrimental to the health.*
peronisme ⟨het⟩ **0.1** *Peronism(o).*
peronist ⟨de (m.)⟩, **-e** ⟨de (v.)⟩ ⟨pol.⟩ **0.1** *Peronist(a)* ⟨m., v.⟩.
peroperatief ⟨bn., bw.⟩ ⟨med.⟩ **0.1** *during the operation.*
peroratie ⟨de (v.)⟩ **0.1** *peroration.*
peroreren ⟨onov.ww.⟩ **0.1** [peroratie uitspreken] *perorate* **0.2** [doorredeneren] *perorate.*
peroxydase ⟨de⟩ ⟨bioch.⟩ **0.1** *peroxidase.*
peroxyde ⟨het⟩ **0.1** *peroxide.*
perpendiculair[1] ⟨de⟩ **0.1** *perpendicular* ⇒*vertical.*
perpendiculair[2] ⟨bn., bw.; -ly⟩ **0.1** *perpendicular* ⇒*vertical, upright.*
perpendiculariseren ⟨ov.ww.⟩ **0.1** *make perpendicular* ⇒*make vertical* ◆ **4.1** ⟨scherts.⟩ zich ~ ⟨ongemarkeerd⟩ *stand up, (a)rise.*
perpetueel ⟨bn., bw.⟩ ⟨schr.⟩ **0.1** *perpetual* ⇒*everlasting, eternal, unceasing, perennial!* ◆ **1.1** perpetuele schuld *p. / irredeemable debt.*
perpetueren ⟨ov.ww.⟩ **0.1** [doen aanhouden] *perpetuate* **0.2** [rekken] *protract, prolong* ⇒⟨inf.⟩ *spin/drag/draw out.*
perpetuum mobile ⟨het⟩ **0.1** [werktuig] *perpetual motion machine* **0.2** [⟨fig.⟩ het onmogelijke] *perpetual motion machine* **0.3** [druk persoon] *perpetual motion machine* ⇒*dynamo* **0.4** [⟨muz.⟩] *perpetuum mobile, moto perpetuo.*
perplex ⟨bn.⟩ **0.1** *perplexed* ⇒*baffled, taken aback, nonplussed,* ⟨inf.⟩ *flabbergasted* ◆ **3.1** iem. ~ doen staan *perplex/astonish/stump s.o.;* ⟨inf.⟩ *take s.o.'s breath away, knock s.o. cold/out/sideways;* ik sta er gewoon ~ van it perplexes me, I'm baffled/flabbergasted by it; ik was ~ ⟨ook⟩ *it took my breath (clean) away, you could have knocked me down with a feather.*
perplexiteit ⟨de (v.)⟩ **0.1** *perplexity* ⇒*bewilderment, bafflement.*
perron ⟨het⟩ **0.1** [B]*platform* ⇒⟨AE; ook⟩ *gate* ◆ **7.1** ~ vier *p. four.*
perronkaartje ⟨het⟩ **0.1** *platform ticket.*
perronlift ⟨de (m.)⟩ **0.1** *platform lift.*
perronwagen ⟨de (m.)⟩ **0.1** *electric truck/cart.*
pers
 I ⟨de⟩ **0.1** [journalisten] *press* **0.2** [dagbladen en tijdschriften] *press* ⇒⟨de grote Londense kranten ook⟩ *Fleet Street* **0.3** [werktuig waarin iets geperst kan worden] *press* **0.4** [drukpers] *(printing) press* ◆ **2.2** de schrijvende ~ *the p.;* een slechte/een goede ~ krijgen *have/get/receive/be given a bad/good p.* **6.2** in de ~ terechtkomen *get into the (news)papers* **6.4** het boek is ter ~e *the book is in (the) p. / at the printer's;* ter ~e leggen *put to bed;* ter ~e gaan *go to p. / bed;* bij het ter ~e gaan *at the time of going to p.;* dat boek komt vers van de ~ *that book is hot from/off the p. / is just out* ¶ **.1** de ~ te woord staan *talk to the p.;* de ~, the (news)papers; ⟨scherts.⟩ *the fourth estate;* ⟨de Londense pers⟩ *Fleet Street;*
 II ⟨de (m.)⟩ **0.1** [tapijt] *Persian carpet/rug.*
pers. ⟨afk.⟩ **0.1** [persoonlijk] *pers..*
Pers ⟨de (m.)⟩, **Perzische** ⟨de (v.)⟩ **0.1** *Persian.*
persafdeling ⟨de (v.)⟩ **0.1** *press/publicity department.*
persagent ⟨de (m.)⟩, **-e** ⟨de (v.)⟩ **0.1** *press agent.*
persagentschap ⟨het⟩ **0.1** *press/news agency.*
persattaché ⟨de (m.)⟩ **0.1** *press attaché.*
persbaar ⟨bn.⟩ **0.1** *pressable* ⇒*compressible.*
persbaggermolen ⟨de⟩ **0.1** *press dredger.*
persbericht ⟨het⟩ **0.1** [bericht via de media] *press/newspaper report* ⇒⟨v.e. persagentschap⟩ *flimsy* **0.2** [bericht aan de pers] *(press) release/communiqué.*
persbijeenkomst ⟨de (v.)⟩ **0.1** ⟨persconferentie⟩ *press/news conference, meeting with the press;* ⟨van vertegenwoordigers v.d. pers⟩ *press meeting.*
persboom ⟨de (m.)⟩ **0.1** *press.*
persbreidel ⟨de (m.)⟩ **0.1** *gag on the press.*
persbuis ⟨de⟩ **0.1** *delivery pipe.*
persbureau ⟨het⟩ **0.1** *news/press agency* ⇒*press bureau.*
perscampagne ⟨de⟩ **0.1** *press campaign.*
perscensuur ⟨de (v.)⟩ **0.1** *press censorship, censorship of the press.*
perscentrum ⟨het⟩ **0.1** *press centre.*
perschef ⟨de (m.)⟩ **0.1** *press officer/secretary* ⇒*public relations officer,* ⟨inf.⟩ *press chief, PR man.*
perscommentaar ⟨het, de (m.)⟩ **0.1** *press comment.*
perscommuniqué ⟨het⟩ **0.1** *(press) communiqué/release/handout* ◆ **3.1** een ~ uitgeven *issue a (press) communiqué/release.*
persconferentie ⟨de (v.)⟩ **0.1** *press/news conference* ◆ **3.1** een ~ beleggen *hold a p. / n. c..*
persdelict ⟨het⟩ **0.1** *offence against the press code.*
persdienst ⟨de (m.)⟩ **0.1** *press/news/publicity service* ⇒⟨afdeling ook⟩ *press/publicity department.*
persdruk ⟨de (m.)⟩ **0.1** *pressure.*
per se ⟨bw.⟩ **0.1** [absoluut] *at any price, at all costs, by any means* ⇒*absolutely,* ⟨inf.⟩ *by hook or by crook* **0.2** [onvermijdelijk] *necessarily* ⇒

of necessity **0.3** [stellig] *definitely, certainly* ⇒⟨inf.⟩ *for sure/certain* **0.4** [op zichzelf] *per se* ⇒*in itself, as such* ◆ **3.1** hij wilde haar ~ zien *he wanted to see her at any price/all costs/by any means/by hook or by crook, he was set on seeing her;* iets ~ willen *want sth. at any price/all costs* **3.3** hij heeft het ~ gedaan *he d. / c. did it, he did it for certain/sure* **5.2** dat hoeft niet ~ het geval te zijn *that is not n. the case* ¶ **.1** moet je nou ~ herrie maken? *do you (absolutely) have to/must you make trouble?* ¶ **.4** ~ is dat voorstel best aanvaardbaar *that suggestion per se/in itself/as such is quite acceptable.*
persecuteren ⟨ov.ww.⟩ ⟨schr.⟩ **0.1** *persecute.*
persecutie ⟨de (v.)⟩ ⟨schr.⟩ **0.1** *persecution.*
Perseiden ⟨zn.mv.⟩ **0.1** *Perseids.*
persen
 I ⟨onov., ov.ww.⟩ **0.1** [samendrukken] *press* ⇒*compress, crush* ◆ **1.1** een broek ~ *p. a pair of trousers;* hooi tot balen ~ *compress hay into bales, bale hay;* geperste houtvezels *compressed woodfibre;* naden ~ *p. seams;* geperst papier *pressed paper;* geperst staal *pressed steel* **5.1** je moet harder ~ *you must p. harder;*
 II ⟨ov.ww.⟩ **0.1** [door drukken vervaardigen] *press* ⇒⟨stempelen⟩ *stamp (out)* **0.2** [door drukken uit iets halen] *press (out)* ⇒*squeeze (out)* **0.3** [door drukken verplaatsen] *press* ⇒*squeeze, push* ◆ **1.1** grammofoonplaten ~ *p. gramophone records;* voorwerpen uit kunststof ~ *p. objects out of plastic;* vouwen in een broek ~ *p. (creases in)/crease a pair of trousers* **1.2** olie ~ *p. oil (out of sth.);* sap uit een citroen ~ *squeeze (juice out of) a lemon;* wijn ~ *p. / crush grapes;* ⟨met de voeten⟩ *tread grapes* **6.2** ⟨fig.⟩ een bekentenis uit iem. ~ *squeeze/winkle/force a confession out of s.o.* **6.3** gas/vloeistof door leidingen ~ *p. gas/liquid through pipes;* zich door een nauwe doorgang ~ *squeeze (o.s.) through a narrow gap;* iem. in een keurslijf ~ *squeeze s.o. into a straitjacket;* ⟨fig.⟩ iets in een keurslijf ~ *straitjacket sth., force sth. into a straitjacket;* zich tegen iem. aan ~ *press (o.s.) against s.o.;*
 III ⟨onov.ww.⟩ **0.1** [kind uitdrijven] *push* **0.2** [dringen] *push* ⇒*force one's way (through)* **0.3** [ontlasting uitdrijven] *strain.*
perser ⟨de (m.)⟩ **0.1** [persoon] *presser* **0.2** [vormer van machinale stenen] *press.*
perserij ⟨de (v.)⟩ **0.1** *press-room* ⇒*press-house, press-shed.*
perseveratie ⟨de (v.)⟩ **0.1** [volharding] *perseverance* ⇒*persistence, persistency, tenacity* **0.2** [⟨med.⟩] *perseveration* **0.3** [⟨schr.⟩ obsessie] *perseveration.*
persevereren ⟨onov.ww.⟩ ⟨schr.⟩ **0.1** *persevere (at/in/with)* ⇒*persist (in/with).*
persfilter ⟨het, de (m.)⟩ **0.1** *pressure filter.*
persfoto ⟨de⟩ **0.1** *press/newspaper photo(graph).*
persfotograaf ⟨de (m.)⟩ **0.1** *press/news(paper) photographer* ⇒*photojournalist, cameraman.*
persgas ⟨het⟩ **0.1** *high-pressure gas, pressurized gas.*
persgeheim ⟨het⟩ **0.1** *(a journalist's) professional secret.*
persgesprek ⟨het⟩ **0.1** *(newspaper/press) interview.*
persgist ⟨de (m.)⟩ **0.1** *compressed yeast.*
persglas ⟨het⟩ **0.1** *pressed glass.*
pershoning ⟨de (v.)⟩ **0.1** *pressed honey.*
pershooi ⟨het⟩ **0.1** *baled hay.*
persiaan ⟨het⟩ ⟨ind.⟩ **0.1** *astrakhan.*
persianer[1] ⟨het⟩ **0.1** [dier] *(Russian) karakul lamb* **0.2** [bont] *astrakhan* ⇒⟨van Bukhara⟩ *bokhara.*
persianer[2] ⟨bn.⟩ **0.1** *astrakhan* ⇒⟨van Bukhara⟩ *bokhara.*
persico ⟨de (m.)⟩ **0.1** *persico(t)* ⇒*(crème de) noyau.*
persienne ⟨de⟩ ⟨meestal mv.⟩ **0.1** *persienne* ⇒*Venetian blind.*
persiflage ⟨de (v.)⟩ **0.1** *caricature* ⇒⟨luchtig⟩ *persiflage.*
persifleren ⟨ov.ww.⟩ **0.1** *caricature* ⇒⟨luchtig⟩ *persiflate.*
persimoen
 I ⟨de (m.)⟩ **0.1** [boom] *persimmon* **0.2** [vrucht] *persimmon;*
 II ⟨het⟩ **0.1** [hout] *ebony.*
persing ⟨de (v.)⟩ **0.1** [het persen/geperst worden] *compression* **0.2** [mbt. grammofoonplaten] *pressing* **0.3** [drukking van gassen/vloeistoffen] *compression* ⇒⟨druk⟩ *pressure* **0.4** [kramp in het lichaam] *colic.*
persistent ⟨bn.⟩ **0.1** *persistent* ⟨ook negatief⟩ ⇒⟨volhardend⟩ *perseverant, tenacious.*
persistentie ⟨de (v.)⟩ **0.1** *persistence* ⇒*persistency* ⟨ook negatief⟩, ⟨volharding⟩ *perseverance, tenacity.*
persisteren ⟨onov.ww.⟩ **0.1** *persist (in)* ⟨ook negatief⟩ ⇒⟨volharden⟩ *persevere (in)* ◆ **6.1** ~ bij de genomen conclusie *persist in/with an opinion; stick to one's guns* ⟨bij tegenspraak⟩; in/bij iets ~ *persist in (doing) sth., persevere with sth..*
persjongens ⟨zn.mv.⟩ **0.1** *the boys* ⟨BE ook⟩ *lads from the press.*
perskaart ⟨de (v.)⟩ **0.1** *press card/pass.*
perskamer ⟨de⟩ **0.1** *press room.*
persklaar ⟨bn.⟩ **0.1** *ready for (the) press* ◆ **1.1** die kopij is nog niet ~ *the copy is not yet ready for the press* **3.1** iets ~ maken *prepare sth. for the press, subedit/* ⟨inf.⟩ *sub/proofread sth.;* ⟨typografisch⟩ *style sth..*
persklep ⟨de⟩ **0.1** *delivery valve.*

perskracht ⟨de⟩ **0.1** *compressional force* ⇒*force of compression.*

perslucht ⟨de⟩ **0.1** *compressed air.*

persluchtmachine ⟨de (v.)⟩ **0.1** *pneumatic / compressed-air apparatus / equipment.*

persmachine ⟨de (v.)⟩ **0.1** *press* ⇒⟨hooi-/stro- enz. pakmachine⟩ *baler, baling machine.*

persman ⟨de (m.)⟩ **0.1** *pressman,* [B]*newspaperman,* [A]*newsman* ⇒↑*journalist, reporter.*

persmatrijs ⟨de⟩ **0.1** *press mould* [A]*mold.*

persmerk ⟨het⟩ **0.1** *imprint* ⇒*impression.*

persmolen ⟨de (m.)⟩ **0.1** *hydraulic dredge.*

persmuskiet ⟨de (m.)⟩⟨bel.⟩ **0.1** *press hound.*

personage ⟨het, de (v.)⟩ **0.1** [persoon] *person* ⇒⟨eminent/belangrijk persoon⟩ *personality, (public) figure,* ⟨inf.⟩ *individual* **0.2** [⟨dram.⟩] *personage* ⇒*role, character,* ⟨mv. ook⟩ *dramatis personae* **0.3** [⟨lit.⟩] *personage* ⇒*character, figure,* ⟨mv. ook⟩ *dramatis personae* ◆ **2.1** geheimzinnige ~s *secretive persons / people;* een vreemd ~ *a strange person;* ⟨inf.⟩ *a weird type / character* **2.2** sprekende en stomme ~s *speaking and silent roles.*

personalia ⟨zn.mv.⟩ **0.1** [persoonlijke bijzonderheden] *personal particulars / details* ⇒*personalia* **0.2** [mededelingen omtrent personen]⟨rubriek in krant⟩ *personal column;* ⟨als opschrift⟩ *personal* ◆ **1.2** de rubriek '~' ⟨in krant⟩ *the personal column;* ⟨inf.; iron. mbt. doodsberichten, oproepen aan vermiste personen e.d.⟩ *agony column* **3.1** zijn ~ opgeven *give one's (personal) particulars.*

personalisatie ⟨de (v.)⟩ **0.1** *personalization.*

personalisme ⟨het⟩ **0.1** *personalism.*

personalistisch ⟨bn.⟩ **0.1** [mbt. de persoonlijkheid] *personalistic* ⇒*personal, individual* **0.2** [mbt. het personalisme] *personalist* ⇒*personalistic* ◆ **1.1** ~e psychologie *personalistic psychology* **1.2** de ~e richting in de politiek ≠*personality cult in politics.*

personaliteit ⟨de (v.)⟩ **0.1** *personality.*

personaliteitsbeginsel ⟨het⟩⟨jur.⟩ **0.1** *personality principle, principle of personality (of law).*

persona non grata ⟨de (m.)⟩ **0.1** *persona non grata* ◆ **6.1** tot ~ verklaren *declare s.o. persona non grata.*

personeel[1] ⟨het⟩ **0.1** *personnel, staff* ⇒⟨werknemers ook⟩ *employees, work force,* ⟨bemanning ook⟩ *crew,* ⟨fabrieksarbeiders ook⟩ *(factory) hands* ◆ **1.1** tien man ~ *a s. of ten;* wij hebben een groot tekort aan ~ *we are badly understaffed / undermanned, we are very short-staffed* **2.1** administratief ~ *administrative s., white-collar workers, clerks;* bedienend ~ *attendants;* het dienstdoend ~ *the p. / s.* ⟨enz.⟩ *on duty;* het hogere/lagere ~ *the senior / junior p. / s.* ⟨enz.⟩; leidinggevend ~ *managerial / executive s.;* onderwijzend ~ *teaching s., teachers* **3.1** ~ aangeboden *situations / appointments wanted;* extra ~ aannemen *take on / engage extra / additional p. / s.;* ~ gevraagd *p. / s. wanted, vacancies;* ⟨opschrift⟩ *situations vacant;* te veel ~ hebben *be overstaffed / overmanned.*

personeel[2] ⟨bn.⟩ **0.1** [bestaande uit een of meer personen] *personal* **0.2** [mbt. iemands persoon] *personal* ◆ **1.1** personele hulpmiddelen *personnel;* personele unie *p. union* **1.2** personele belangen *p. interests;* personele belasting *capital levy, wealth tax.*

personeelchef ⟨de (m.)⟩ **0.1** *personnel manager.*

personeelsaankoop ⟨de (m.)⟩ **0.1** *staff purchase.*

personeelsbeleid ⟨het⟩ **0.1** *personnel management* ⇒*personnel / staff policy,* ⟨personeelsvoorziening⟩ *staffing / employment policy.*

personeelsbestand ⟨het⟩ **0.1** *number of workers / staff (employed), number of employees* ⇒⟨verz.n.⟩ *work force, personnel.*

personeelsbezetting ⟨de (v.)⟩ **0.1** *work force* ⇒*number of personnel / employees / persons employed, manpower.*

personeelsblad ⟨het⟩ **0.1** *staff magazine.*

personeelschef ⟨het⟩ **0.1** *personnel manager.*

personeelsformatie ⟨de (v.)⟩ **0.1** *establishment.*

personeelsfunctionaris ⟨de (m.)⟩ **0.1** *personnel officer.*

personeelslid ⟨het⟩ **0.1** *staff member, member of (the) staff.*

personeelsorgaan ⟨het⟩ **0.1** *staff magazine.*

personeelsregister ⟨het⟩ **0.1** *personnel / staff files / register.*

personeelsstop ⟨de (m.)⟩ **0.1** *freeze on the recruitment of staff / personnel* ◆ **3.1** er is een ~ bij Philips ⟨ook⟩ *Philips are not taking on (new / any new) personnel / staff.*

personeelsvereniging ⟨de (v.)⟩ **0.1** *staff association.*

personeelsvoorziening ⟨de (v.)⟩ **0.1** [voorziening ten bate v.h. personeel]⟨mv.⟩ *staff facilities* **0.2** [voorziening met personeel] *staffing.*

personeelswerk ⟨het⟩ **0.1** *personnel administration / management.*

personeelszaken ⟨de⟩ **0.1** aangelegenheden mbt. het personeel] *personnel / staff matters / business* **0.2** [afdeling] *personnel department* ⇒⟨inf.⟩ *personnel.*

personenauto ⟨de (m.)⟩ **0.1** *passenger car.*

personenlift ⟨de (m.)⟩ **0.1** *passenger lift.*

personenrecht ⟨het⟩⟨jur.⟩ **0.1** *law of persons* ⇒*jus personarum.*

personenregister ⟨het⟩ **0.1** [van genoemde of voorkomende personen] *index of persons / personal names* **0.2** [met gegevens over bep. personen] *personal register / records.*

personentarief ⟨het⟩ **0.1** *(passenger) fare(s).*

personentrein ⟨de (m.)⟩ **0.1** *passenger train.*

personenverkeer ⟨het⟩ **0.1** *passenger travel.*

personenvervoer ⟨het⟩ **0.1** [het vervoeren van personen] *transport / conveyance of passengers* **0.2** [aantal vervoerde personen] *passenger traffic.*

personenverzekering ⟨de (v.)⟩ **0.1** *personal insurance.*

personenwagen ⟨de (m.)⟩ **0.1** *passenger car.*

personificatie ⟨de (v.)⟩ **0.1** [⟨lit.⟩] *personification* ⇒↑*prosopop(o)eia* **0.2** [persoon in wie iets belichaamd is] *personification* ◆ **1.2** hij is een ~ v.d. ijdelheid *he is the p. / embodiment / epitome of vanity, he is vanity personified / incarnate / itself.*

personifiëren ⟨ov.ww.⟩ **0.1** *personify.*

persoon ⟨de (m.)⟩ **0.1** [individu] *person* ⇒*individual,* ⟨mv. ook⟩ *people* **0.2** [⟨jur.⟩ persoon] *person* **0.3** [personage] *role, character, figure* ⇒⟨mv. ook⟩ *dramatis personae* **0.4** [klasse v.h. pers.vnw.] *person* **0.5** [werkwoordsvorm] *person* ◆ **2.1** aanzienlijke personen *prominent / distinguished /* ⟨august persons, persons of distinction;* een algemeen bekend ~ *a public figure; a celebrity* ⟨vnl. uit amusementswereld⟩; een gevaarlijk ~ *a dangerous p.;* ⟨inf.⟩ *a bad lot;* de juiste ~ *the right person / man / woman;* een moeilijk ~ *a difficult person;* ⟨inf.⟩ *an awkward customer, (s)he's hard to please;* vorstelijke personen *(persons of) royalty, royal persons* **2.2** natuurlijk ~ *natural p.* **2.3** stomme personen *silent roles* **2.**¶ de duivel in eigen ~ *the devil in person himself / incarnate;* ik sprak Peter in eigen ~ *I spoke to Peter himself / in person;* ze kwam in (hoogst)eigen ~ *she came personally / in person* **4.**¶ gaat het over mijn ~ of over mijn werkzaamheden? *has it to do with me personally or with my work?* **6.1** een zanger en een danser in één ~ verenigd *a singer and dancer in one / (all) rolled into one;* de kosten bedragen tien gulden **per** ~ *the cost is ten guilders per person / head, the cost is ten guilders each / a piece / a head;* één **per** ~ *one each / a piece, one a / per head;* ⟨dit recept is⟩ **voor** vier personen *(this recipe) serves four* **6.**¶ hij is de gierigheid **in** ~ *he is the personification / embodiment / epitome of meanness, he is meanness personified / incarnate / itself;* in ~ *in the person of;* **met** zijn ~ verlegen zijn *be self-conscious / bashful;* klein **van** ~ *short, small (in stature)* **7.1** een tafel voor één ~ *a table for one, a single table;* dit is genoeg voor vier personen *this is enough for four (persons);* ⟨inf.⟩ *this'll do (for) four;* ons gezin bestaat uit vijf personen ⟨ook⟩ *we're a family of five / five in the family* **7.5** het werkwoord staat in de eerste / tweede / derde ~ enkelvoud *the verb is in the first / second / third p. singular.*

persoonkilometer ⟨de (m.)⟩ **0.1** *passenger kilometre.*

persoonlijk

I ⟨bn.⟩ **0.1** [mbt. een bep. persoon] *personal* **0.2** [in persoon verricht] *personal* **0.3** [met een eigen karakter] *personal* ⇒⟨individueel⟩ *individual,* ⟨eigenaardig⟩ *idiosyncratic, peculiar* ◆ **1.1** ~e aangelegenheden *p. / private affairs / matters;* een ~e belediging *a p. insult;* ~e bezittingen *p. effects / property / belongings;* ⟨jur., scherts⟩. *goods and chattels;* deze brief is ~ *this letter is p. / private / confidential;* in ~ eigendom *in severalty;* een ~ element *a p. / subjective element;* zorg voor het ~ element in je artikel *get some human interest / the human element / touch into your article;* ~e fout *human error;* ⟨wet.⟩ *p. equation;* ⟨sport⟩ *p. foul;* de ~e levenssfeer *(one's) private life;* mijn ~e mening *my (own) p. opinion;* ~e ongelukken *casualties;* om ~e redenen *for p. / private reasons, for reasons of one's own;* ~e schulden *private debts;* op/⟨AZN⟩ ten ~e titel *in a private / p. capacity;* een ~e vriend *v.d.* president *a p. friend of the president;* berusten op ~e waarneming *be based on personal observation* **1.2** ~ gesprek ⟨per telefoon⟩ *p. / person-to-person call;* een ~ onderhoud *a p. talk, a person-to-person talk* **1.3** een ~e stijl *a p. / an individual / idiosyncratic style;* een ~ tintje *a personal touch* **1.**¶ ⟨taal.⟩ ~e voornaamwoorden *personal pronouns* **2.1** strikt ~ ⟨op brief⟩ *strictly p., confidential, private (and confidential);* ⟨op abonnement, toegangsbewijs enz.⟩ *not transferable, (strictly) non-transferable* **3.1** deze opmerking is niet ~ bedoeld *this remark is not meant to be p., I / they* ⟨enz.⟩ *don't mean to be / get p.;* laten we niet ~ worden *let's not get / become p.;*

II ⟨bw.⟩ **0.1** [niet door een ander] *personally* **0.2** [van aangezicht tot aangezicht] *personally* **0.3** [ten opzichte van zichzelf] *personally* ◆ **2.3** ~ aansprakelijk zijn *be p. liable* **3.1** alle brieven ~ beantwoorden *answer all letters p. / in person* **3.2** iem. ~ kennen *I know him p.* **3.3** ik trek me dat ~ aan *I take that p.;* ⟨inf.⟩ *that has touched me on the raw* **3.**¶ ~ vind ik hem een kwal *personally, I think he's a pain (in the neck / ⟨vulg.⟩ arse)* **4.**¶ ik ~ zou het nooit doen *I personally / myself would never do it.*

persoonlijkheid ⟨de (v.)⟩ **0.1** [iem. met een zeer persoonlijk karakter] *personality* **0.2** [eigenschappen en karaktertrekken] *personality* ⇒*character* **0.3** [belediging] *personal remark* ⇒*insult* **0.4** [persoon] *person* ⇒*character,* ⟨bekend iem.⟩ *public figure,* ⟨beroemd iem.⟩ *celebrity* ◆ **2.1** een grote ~ *a great p.* **2.2** een gespleten ~ *a split p.;* een innemende ~ *a charming / winning p.;* een sterke ~ *a strong p. / character* **2.4** een onaangename ~ *an unpleasant p. / character* **3.1** zij is een ~ *she's got (a lot of) p., she's a real p..*

persoonlijkheidscultus ⟨de (m.)⟩ **0.1** *personality cult* ◆ **6.1** de ~ rond(om) Ceaucescu *the p. c. around / surrounding Ceauçescu.*

persoonlijkheidsleer ⟨de⟩ **0.1** *theory of personality.*
persoonlijkheidstest ⟨de (m.)⟩ **0.1** *personality test.*
persoonsafhankelijk ⟨bn.⟩ **0.1** *personal, individual.*
persoonsbeschrijving ⟨de (v.)⟩ **0.1** [signalement] *personal description, description of a person* **0.2** [prosopografie] *profile* ⇒ ↑*prosopography* ♦ **3.2** een ~ door de politie uitgegeven ⟨ook⟩ *police description.*
persoonsbewijs ⟨het⟩ **0.1** *identity card* ⇒ ↓*ID-card,* ⟨inf.⟩ *ID,* ⟨paspoort⟩ *passport.*
persoonsgebonden ⟨bn.⟩ **0.1** *personal* ⇒*individual* ♦ **1.1** een sterk ~ oordeel *a highly p. judgement.*
persoonskaart ⟨de⟩ **0.1** *personal index card* ♦ **3.1** ik kan uw ~ niet vinden *I can't find your card.*
persoonsnaam ⟨de (m.)⟩ **0.1** *(personal) name* ⇒*Christian/first/given name.*
persoonsnummer ⟨het⟩ **0.1** *personal registration number.*
persoonsregister ⟨het⟩ **0.1** *register of births, marriages and deaths/* ^A*burials.*
persoonsverbeelding ⟨de (v.)⟩ ⟨lit.⟩ **0.1** *personification* ⇒ ↑*prosopop(o)eia.*
persoonsverheerlijking ⟨de (v.)⟩ **0.1** *glorification of a/s.o.'s* ⟨enz.⟩ *personality* ⇒⟨persoonlijkheidscultus⟩ *personality cult.*
persoonsverwisseling ⟨de (v.)⟩ **0.1** *(case of) mistaken identity.*
persoonsvorm ⟨de (m.)⟩ ⟨taal.⟩ **0.1** *finite form, finite verb* ♦ **1.1** de ~ v.h. werkwoord *the finite form (of a verb), the finite verb.*
persoontje ⟨het⟩ **0.1** *(little/poor) person* ♦ **4.1** mijn ~ *my poor/humble/little self, yours truly, poor little me;* het gaat niet om mijn ~ *it's not me I'm worried about/that's the chief concern;* het was toch maar weer mijn ~ dat alles heeft opgeknapt *once again I had to fix everything up all by my ((poor) little) self; who had to fix everything up again? yours truly/poor little me/my poor self/* ⟨inf.⟩ *muggins of course!.*
persorgaan ⟨het⟩ **0.1** *newspaper, periodical* ⇒⟨inf.⟩ *daily, weekly (paper/magazine* ⟨enz.⟩*).*
persoverzicht ⟨het⟩ **0.1** *press review, review of the press/(news)papers* ♦ **6.1** en nu het ~ **van** vandaag ⟨op radio/t.v.⟩ *here is the review of today's papers, here's today's p. r..*
perspectief[1]
  I ⟨de⟩ **0.1** [doorzichtkunde] *perspective* **0.2** [wijze waarop voorwerpen zich vertonen] *perspective* ♦ **3.2** er zit geen ~ in die tekening *that drawing is not in p., that drawing is out of p.* **6.1 in** ~ tekenen *draw in p.* **6.2** iets **in** ~ brengen *bring sth. into p.;*
  II ⟨het⟩ **0.1** [vooruitzicht] *perspective* ⇒*vista, prospect, possibility* **0.2** [context] *perspective* ⇒*context* **0.3** [standpunt] *perspective* ⇒*point of view, viewpoint/standpoint* **0.4** [panorama] *prospect;* ⟨in de verte⟩ *vista* ♦ **2.2** iets in breder ~ zien *look at/see sth. in a wider p. / context;* de zaken in het juiste ~ zien *look at/see things in their/the right/true/proper p. / context;* die informatie brengt de zaak in een nieuw ~ *that information puts/sheds a new light on the matter/puts the matter in a new p. / light* **3.1** nieuwe perspectieven openen *open up new perspectives/vistas/possibilities/prospects;* daar zit ~ in *it has/holds prospects /certain possibilities* **3.2** nieuwe perspectieven openen *put a new p. on sth., see sth. in a new light/p., look at/see sth. from a new/different angle* **6.1** zonder ~ *without prospects* **6.2** u moet dat zien **in** het ~ v.d. jongste ontwikkelingen *you have to see that in the context/light of the most recent developments* **6.3** iets **uit** een ander ~ beschouwen *look at /see sth. from a different p. / point of view/viewpoint/standpoint/ angle, see sth. in a different light* **7.1** een baan waar geen ~ in zit *a job with no prospects/* ⟨inf.⟩ *a dead-end job.*
perspectief[2] ⟨bn.⟩ ⟨wisk.⟩ **0.1** *perspective.*
perspectieftekening ⟨de (v.)⟩ **0.1** *perspective drawing.*
perspectivisch ⟨bn., bw.; -ly⟩ **0.1** *perspective* ⇒*perspectival.*
perspectiviteit ⟨de (v.)⟩ ⟨wisk.⟩ **0.1** *perspectivity.*
perspenning ⟨de (m.)⟩ **0.1** *press badge* ⇒*press card.*
perspex[1] ⟨het⟩ **0.1** *perspex.*
perspex[2] ⟨bn.⟩ **0.1** *perspex.*
perspicaciteit ⟨de (v.)⟩ **0.1** *perspicacity* ⇒*perspicuity, clear-/quick-/sharp-sightedness.*
perspiratie ⟨de (v.)⟩ **0.1** *perspiration, transpiration.*
perspireren ⟨onov.ww.⟩ **0.1** [uitwasemen] *perspire, transpire* **0.2** [doorsijpelen] *transpire* ⇒⟨uitlekken⟩ *leak.*
persplank ⟨de⟩ ⟨kleermakerij⟩ **0.1** *ironing board* ⇒*press board.*
perspomp ⟨de⟩ **0.1** *force/forcing pump, compressor.*
persprijs ⟨de (m.)⟩ **0.1** *press award.*
persraad ⟨de (m.)⟩ **0.1** *Press Council.*
persrecensie ⟨de (v.)⟩ **0.1** *press review* ⇒*criticism.*
persrevisie ⟨de (v.)⟩ ⟨druk.⟩ **0.1** *press proof.*
perssinaasappel ⟨de (m.)⟩ **0.1** *juice orange.*
persslang ⟨de⟩ **0.1** *delivery hose* ⇒*fire-hose.*
perstelegram ⟨het⟩ **0.1** *press telegram/cable.*
perstribune ⟨de⟩ **0.1** *press/reporters' gallery.*
persuaderen ⟨ov.ww.⟩ ⟨schr.⟩ **0.1** [overtuigen]⟨ongemarkeerd⟩ *convince* **0.2** [brengen tot] *induce* ⇒⟨ongemarkeerd⟩ *persuade.*
persuasie ⟨de (v.)⟩ ⟨schr.⟩ **0.1** ⟨ongemarkeerd⟩ *persuasion.*
persuasief ⟨bn.⟩ **0.1** *persuasive.*

persvoer ⟨het⟩ **0.1** *(en)silage.*
persvoorlichter ⟨de (m.)⟩ **0.1** *press officer, public relations officer.*
persvoorlichting ⟨de (v.)⟩ **0.1** *press briefing.*
persvoorstelling ⟨de (m.)⟩ **0.1** *press showing.*
persvorm ⟨de (m.)⟩ **0.1** *mould* ^A*mold.*
persvrijheid ⟨de (v.)⟩ **0.1** *freedom of the press* ♦ **1.1** aantasting v.d. ~ *violation of the freedom of the press.*
persweeën ⟨zn.mv.⟩ **0.1** *contractions.*
perswet ⟨de⟩ **0.1** *press law.*
perswetenschap ⟨de (v.)⟩ **0.1** *journalism.*
perszaken ⟨zn.mv.⟩ **0.1** *press matters/affairs.*
perte ⟨de (v.)⟩ ⟨hand.⟩ **0.1** *actual loss* ⇒*loss of value.*
pertinent
  I ⟨bn., bw.; -(al)ly⟩ **0.1** [onbetwistbaar] *definite* ⇒*absolute, positive* **0.2** [nadrukkelijk] *emphatic* ⇒*positive* ♦ **1.1** ~e nonsens/leugens *absolute/utter nonsense/lies* **1.2** een ~e verklaring *a categorical statement* **2.1** het is ~ zeker dat *it's positively sure/certain that* **3.1** hij heeft ~ gelogen *he definitely lied, he told a downright lie;* ik weet het ~ (zeker) *I am positive, I am absolutely sure/dead certain* **3.2** ~ volhouden *maintain categorically/emphatically;* zij weigerde ~ *she refused categorically/point-blank;*
  II ⟨bn.⟩ ⟨jur.⟩ **0.1** [ter zake dienend] *pertinent, relevant.*
pertinentie ⟨de (v.)⟩ **0.1** *pertinence, pertinency, relevance, relevancy* ♦ **1.1** de ~ van zijn verklaring *the p. / r. of his statement.*
perturbatie ⟨de (v.)⟩ **0.1** *perturbation* ⇒*disturbance,* ⟨verwarring, opschudding⟩ *upheaval.*
Peru ⟨het⟩ **0.1** *Peru.*
Peruaan ⟨de (m.)⟩, **-se** ⟨de (v.)⟩ **0.1** *Peruvian.*
perubalsem ⟨de⟩ **0.1** *balsam of Peru, peru(vian) balsam.*
pervers ⟨bn., bw.; -ily⟩ **0.1** *perverse, perverted* ⇒*degenerate,* ⟨abnormaal, tegennatuurlijk⟩ *unnatural,* ⟨inf.⟩ *kinky* ⟨sexueel afwijkend⟩ ♦ **1.1** ~ gedrag *perverse/degenerate behaviour;* ~e neigingen/verlangens *unnatural tendencies/desires;* een ~ persoon *a pervert/degenerate/kink.*
perversie ⟨de (v.)⟩ **0.1** [het pervers zijn] *perversion* ⇒*degeneration* **0.2** [perversiteit] *perversity* ⇒*degeneracy, perverseness.*
perversiteit ⟨de (v.)⟩ **0.1** [verdorvenheid] *perversion* ⇒*degeneration* **0.2** [vorm, uiting] *perversity* ⇒*degeneracy, perverseness* ♦ **2.2** seksuele ~en *sexual perversities.*
perverteren ⟨ov.ww.⟩ **0.1** *pervert* ⇒*vitiate, warp, corrupt.*
Perzië ⟨het⟩ **0.1** *Persia.*
perzik
  I ⟨de⟩ **0.1** [vrucht] *peach;*
  II ⟨de⟩ **0.1** [boom] *peach (tree).*
perzikachtig ⟨bn.⟩ **0.1** *peachy* ⇒*peach-like.*
perzikboom ⟨de (m.)⟩ **0.1** *peach (tree).*
perzikhuid ⟨de⟩ **0.1** *soft/peachy/creamy skin* ♦ **6.1** een meisje **met** een ~je *all peaches and cream.*
perzikkleurig ⟨bn.⟩ **0.1** *peach-coloured* ⇒*peach(y).*
perzikkruid ⟨het⟩ **0.1** *red shank, persicaria, lady's-thumb.*
perzikpalm ⟨de (m.)⟩ **0.1** *peach palm.*
perzikpruim ⟨de⟩ **0.1** *nectarine.*
perzikwangen ⟨zn.mv.⟩ **0.1** *soft/peachy/creamy cheeks.*
Perzisch ⟨bn.⟩ **0.1** *Persian* ♦ **1.1** ~e Golf/kat *P. Gulf/cat;* ~ tapijt *P. rug/carpet.*
Pesach ⟨het⟩ **0.1** *Pesa(c)h* ⇒*Passover.*
pesante ⟨bw.⟩ ⟨muz.⟩ **0.1** *pesante.*
peseta ⟨de (m.)⟩ ⟨geldw.⟩ **0.1** *peseta.*
peso ⟨de (m.)⟩ ⟨geldw.⟩ **0.1** *peso.*
pessarium ⟨het⟩ ⟨med.⟩ **0.1** [voorbehoedmiddel] *diaphragm* ⇒*(Dutch) cap, pessary* **0.2** [ring tegen verzakking v.d. baarmoeder] *pessary.*
pessimisme ⟨het⟩ **0.1** [sombere verwachting] *pessimism* **0.2** [⟨fil.⟩] *pessimism* ♦ **6.1** er is geen reden **tot** ~ *(there's) no need for p..*
pessimist ⟨de (m.)⟩ **0.1** [zwartkijker] *pessimist* ⇒⟨inf.⟩ *gloom, worrywart* **0.2** [⟨fil.⟩] *pessimist.*
pessimistisch ⟨bn., bw.; -(al)ly⟩ **0.1** [somber] *pessimistic(al)* ⇒*gloomy* **0.2** [⟨fil.⟩] *pessimistic(al)* ♦ **1.1** ~e denkbeelden *p. / sombre views;* een ~e kijk hebben op iets *take a p. / black view of sth., look on the dark side of sth.* **3.1** ~ gestemd zijn *be in a p. mood;* zij heeft zich daarover ~ uitgelaten *she was rather p. about it, she spoke about it rather pessimistically.*
pest ⟨de⟩ **0.1** [ziekte] *(bubonic) plague* ⇒*pestilence* **0.2** [⟨fig.⟩] *pest, bane* ⇒*curse, blight* **0.3** [⟨inf.⟩ moeilijkheid] *(zie 3.3)* **0.4** [⟨inf.⟩ ⟨in samenst.⟩ klein] *miserable* **0.5** [⟨inf.⟩ ⟨in samenst.⟩, vervelend] *rotten* ♦ **1.4** wat een pestbootje! *what a m. little tub!;* een (klein) pesthuisje *a poky/m. little place* **1.5** een pesthekel hebben/krijgen aan *have/take a scunner against/at/to;* wat een pestherrie! *what a r. noise!* **3.1** ⟨inf.⟩ je kan de ~ krijgen *you can stick/stuff it/get knotted/stuffed* **3.3** ⟨inf.⟩ dat is nou juist de ~! *that's the awful/rotten thing about it!* **3.¶** ⟨inf.⟩ de ~ in hebben/krijgen ⟨s.t.⟩ *be get peed off/* ^B*pissed off/* ^B*choked* **6.2** zure regen is de ~ **voor** onze bossen *acid rain is the b. of our forests;* ⟨inf.⟩ asperine is de ~ **voor** je maag *asperine plays havoc with your stomach/does your stomach in* **6.¶** ⟨inf.⟩ de ~ **aan** iets heb-

ben *hate sth. like poison;* ⟨ongemarkeerd⟩ *loathe/detest sth.;* ⟨inf.⟩ de ~ **aan** iem. hebben *hate s.o.'s guts, have one's knife in s.o.;* ⟨inf.⟩ de ~ **over** iets inhebben *be in a pet about sth., be peed off with sth.* **7.¶** ⟨inf.⟩ ik zie geen ~ *I can't see a bloody/blessed thing;* ik vind er geen ~ **aan** *I don't give a fart for it;* ik snap er geen ~ van *I can't get the bloody hang of it* **8.1** ⟨inf.⟩ zo smerig/gemeen/brutaal als de ~ zijn *be as dirty/mean/cheeky as hell;* iem. mijden als de ~ *avoid s.o. like the plague* **¶.¶** het stinkt als de ~ *it stinks hell/death/to high heaven.*

pestachtig ⟨bn.⟩ **0.1** *pestilent(ial)* ⇒*pestiferous.*
pestbacil ⟨de (m.)⟩ **0.1** *plague bacterium* ⇒*Pasteurella.*
pestbacterie ⟨de (v.)⟩ **0.1** *plague bacterium* ⇒*Pasteurella.* **7.**
pestblaar ⟨de⟩ **0.1** *plague spot.*
pestblad ⟨het⟩ ⟨plantk.⟩ **0.1** *butterbur.*
pestbui ⟨de⟩ ⟨inf.⟩ **0.1** *rotten mood/temper* ⇒*black mood, the blues* ◆ **6.1 in** een ~ zijn *be in a rotten temper, have the blues/*[B]*hump.*
pestbuil ⟨de⟩ **0.1** [etterbuil bij pestlijders] *plague spot* **0.2** [⟨inf.⟩ persoon] *pest, plague, terror.*
pesten
I ⟨onov., ov.ww.⟩ **0.1** [plagen] ⟨inf.⟩ *pester* ⇒*plague,* ⟨tangen⟩ *needle,* ⟨sarren⟩ *badger, bait* ◆ **1.1** een leraar ~ *rag a teacher;* ⟨fig.⟩ ga je moeder ~ *go fly a kite/boil your head, buzz off* **3.1** hij zit mij altijd te ~ *he's always pestering/needling me* **4.1** elkaar ~ *nag each other* **6.1** zij pest hem **met** zijn grote neus *she rags/chivvies/teases him about his big nose;* ze doet he alleen maar **om** je te ~ *she's only doing it out of/from spite to tease you;*
II ⟨onov.ww.⟩ **0.1** [⟨kaartspel⟩] *play beggar-my/thy-neighbour.*
pestepidemie ⟨de (v.)⟩ **0.1** *pestilence* ⇒*plague epidemic.*
pesterig ⟨bn., bw.; -ly⟩ **0.1** *sly* ⇒*nasty* ◆ **1.1** een ~ lachje *a nasty/s. little laugh, a sneer* **3.1** doe niet zo ~! *don't be such a bastard/rotter/pig!.*
pesterij ⟨de (v.)⟩ **0.1** *harassment* ⇒*pestering, needling, badgering, baiting* ◆ **2.1** geniepige ~tjes *sly harassments.*
pestgeval ⟨het⟩ **0.1** [geval van pest] *plague case* **0.2** [⟨fig.⟩ onaangenaam geval] *rotten affair.*
pestgezwel ⟨het⟩ **0.1** *plague spot.*
pesthaard ⟨de (m.)⟩ **0.1** *plague spot* ⇒*source of (the) plague.*
pesthumeur ⟨het⟩ ⟨inf.⟩ **0.1** *lousy/rotten mood/temper.*
pesticide ⟨het⟩ **0.1** *pesticide* ⇒*biocide.*
pestilent ⟨bn.⟩ **0.1** *pestilent(ial)* ⇒*pestiferous, pernicious.*
pestilentie ⟨de (v.)⟩ **0.1** *pestilence.*
pestkerel ⟨het⟩ ⟨inf.⟩ **0.1** *swine, turd* ⇒ ⟨sterk⟩ *bastard, shit,* ⟨zeer sterk⟩ *cunt.*
pestkoorts ⟨de⟩ **0.1** [koorts] *plague fever* **0.2** [pestziekte] *pestilence.*
pestkop ⟨de (m.)⟩ **0.1** *pest, tormentor, bully* ◆ **2.1** hij is een echte ~ *he's a real p./holy terror;* je bent een vervelende ~ *you're a nuisance and a p..*
pestkruid ⟨het⟩ **0.1** *butterbur.*
pestlijder ⟨de (m.)⟩, **-ster** ⟨de (v.)⟩ **0.1** *plague victim/sufferer.*
pestlucht ⟨de⟩ **0.1** [⟨inf.⟩ stank] *stench* ⇒*stink,* ⟨BE ook; sl.⟩ *pong* **0.2** [met peststof besmette lucht] *pestilential air.*
pestpokken ⟨zn.mv.⟩ **0.1** *black smallpox* ◆ **3.¶** ⟨inf.⟩ krijg de ~ *drop dead, go to hell;* ⟨inf.⟩ zich de ~ werken *work one's fingers to the bone/o.s. to death* **¶.¶** ⟨inf.⟩ 't is ~ weer *it's bloody awful weather.*
peststreek ⟨de⟩ **0.1** *rotten/lousy/beastly trick.*
pestvent ⟨de (m.)⟩ **0.1** *bastard* ⇒*son of a bitch,* ⟨vulg.⟩ *asshole.*
pestvogel ⟨de (m.)⟩ **0.1** *waxwing, waxbird.*
pestwijf ⟨het⟩ **0.1** *cow* ⇒*bitch.*
pet¹ ⟨de⟩ **0.1** [hoofddeksel] *cap* ⇒ ⟨sl.⟩ *lid* **0.2** [⟨fig.⟩ hersens] *upstairs* ◆ **2.¶** geen hoge ~ op hebben van *not think much of, have a low opinion of* **3.1** zijn ~ afnemen voor ⟨fig.⟩ *take off one's hat to;* daar neem ik mijn ~ je voor af ⟨fig.⟩ *I take my hat off to that* **5.1** ~ je af (voor die prestatie)! *hats off!* **6.1** ⟨fig.⟩ wat heb ik nou **aan** mijn ~ hangen? *now what?, what on earth's going on?;* ⟨fig.⟩ gooi maar **in** mijn ~ *ask me another one, search me;* Jan met de ~ ⟨fig.⟩ *the common man, the man in the street, Jack;* ⟨pej.⟩ hoi polloi; **met** de ~ naar iets gooien *(niet veel doen) lie down on the job,* [B]*muck around/about;* ⟨gissen⟩ *have a wild guess at sth./a shot in the dark;* **met** de ~ rondgaan ⟨fig.⟩ *pass the hat round;* het is huilen **met** de ~ op *(hopeloos mis) it's enough to make you cry;* ⟨slecht⟩ *it's a wash-out* **6.2** dat gaat **boven** mijn ~ *that does me, that is a cut above me, that is beyond me/over my head;* ik kan er **met** mijn ~ niet bij *it beats me* **7.1** ik zit hier met twee ~ten ⟨fig.⟩ *I am wearing two hats here.*
pet² ⟨bn.⟩ ⟨inf.⟩ **0.1** *bum* ⇒*rubbishy, trashy* ◆ **1.1** wat een petdeau! *what a bum/miserable present!;* ~ weer *rotten/beastly weather* **3.1** dat is zwaar ~ *that's bloody awful;* ik vind het (maar) ~ *I think it's a (real) bummer.*
petekind ⟨het⟩ **0.1** *godchild.*
petemoei ⟨de (v.)⟩ ⟨vero.⟩ **0.1** *godmother.*
peter ⟨de (m.)⟩ **0.1** *godfather.*
peterschap ⟨het⟩ **0.1** *godparenthood* ◆ **3.1** het ~ aanvaarden *take on/accept g., agree to be (a) godparent.*
peterselie ⟨de⟩ **0.1** *parsley.*
peterseliesaus ⟨de⟩ **0.1** *parsley sauce.*

petieterig ⟨bn., bw.; -ly⟩ **0.1** *tiny* ⇒ ⟨vnl. kind., scherts.⟩ *teeny(-weeny),* ⟨kind.⟩ *itty bitty* ◆ **1.1** een ~ kindje *a little bitty child;* een ~ stukje *a tiny little bit, a mere morsel/snippet* **2.1** ~ klein *diminutive.*
petillant ⟨bn.⟩ ⟨schr.⟩ **0.1** [parelend] *sparkling;* ⟨wijn ook⟩ *petil(l)ant* **0.2** [⟨fig.⟩] *sparkling.*
petilleren ⟨onov.ww.⟩ ⟨schr.⟩ **0.1** [fonkelen] *sparkle* **0.2** [⟨fig.⟩] *sparkle.*
petit-four ⟨de (m.)⟩ **0.1** *petit four.*
petitie ⟨de (v.)⟩ **0.1** *petition* ◆ **3.1** iem. een ~ aanbieden/overhandigen *put up a p. to s.o., present a p. to s.o.;* een ~ indienen *petition* **6.1** een ~ **aan** de koningin *an address to the Queen;* ze verzochten de regering **bij** ~ de gevangenen vrij te laten *they petitioned the government to release the prisoners.*
petitierecht ⟨het⟩ **0.1** *right of petition.*
petitionaris ⟨de (m.)⟩ **0.1** *petitioner.*
petitioneren
I ⟨onov.ww.⟩ **0.1** [verzoekschrift indienen] *petition* ◆ **6.1** de vereniging heeft gepetitioneerd **om** een wet te wijzigen *the society petitioned for a change in the law;*
II ⟨ov.ww.⟩ **0.1** [bij petitie verzoeken] *petition* ◆ **1.1** hervormingen ~ *petition (for) reforms.*
petitionering ⟨de (v.)⟩ **0.1** *petitioning.*
petitionnement ⟨het⟩ **0.1** [het indienen v.e. petitie] *petitioning* **0.2** [petitie] *petition.*
petitio principii ⟨de (v.)⟩ **0.1** *petitio principii.*
petitoir¹ ⟨het⟩ ⟨jur.⟩ **0.1** *petitory action.*
petitoir² ⟨bn.⟩ ⟨jur.⟩ **0.1** *petitory* ◆ **6.1** geding **ten** ~e *p. action.*
petoet ⟨de (m.)⟩ ⟨inf.; Bargoens⟩ **0.1** ⟨sl.⟩ *stir, clink* ⇒ ⟨BE ook; sl.⟩ *porridge, nick,* ⟨AE ook; sl.⟩ *caboose,* ⟨BE ook; sl.; mil.⟩ *glasshouse,* ⟨AE ook; sl.; mil.⟩ *brig* ◆ **6.1 in** de ~ zitten/stoppen *be/put in the s./c..*
petomaan ⟨de (m.)⟩ **0.1** ↓*farter.*
petrarkisme ⟨het⟩ **0.1** *petrarchianism, petrarchism.*
petrefact ⟨het⟩ **0.1** *petrifaction.*
petrificatie ⟨de (v.)⟩ **0.1** *petrifaction* ⇒*petrification.*
petrificeren ⟨onov.ww.⟩ **0.1** *petrify.*
petrischaal ⟨de⟩ **0.1** *Petri dish.*
petrissage ⟨de (v.)⟩ **0.1** *petrissage.*
petrochemicaliën ⟨zn.mv.⟩ **0.1** *petrochemicals.*
petrochemie ⟨de (v.)⟩ **0.1** [⟨schei.⟩] *petrochemistry* **0.2** [chemische technologie] *petrochemistry.*
petrochemisch ⟨bn., bw.; -ly⟩ **0.1** *petrochemical* ◆ **1.1** de ~e industrie *p. industry.*
petrogenese ⟨de (v.)⟩ **0.1** *petrogenesis.*
petrografie ⟨de (v.)⟩ **0.1** *petrography.*
petrografisch ⟨bn.⟩ **0.1** *petrographic* ◆ **1.1** ~e kaarten *p. charts.*
petroleum ⟨de (m.)⟩ **0.1** [licht ontvlambaar vloeistofmengsel] *paraffin (oil)* ⇒ ⟨vnl. AE⟩ *kerosene* **0.2** [aardolie] *petroleum* ⇒*mineral/rock oil,* ⟨oneig.⟩ *oil* **0.3** [exploitatie van aardoliebronnen] *petroleum* ⇒*oil* ◆ **1.1** een blik ~ *a tin/*[A]*can of p. (oil)* **2.2** geraffineerde ~ *refined p.;* gezuiverde ~ *purified p.;* ruwe ~ *crude (oil), crude p.* **3.2** ~ aanboren *strike oil* **6.3** hij zit **in** de ~ *he's in p./oil/the oil business.*
petroleumblik ⟨het⟩ **0.1** *paraffin(-oil) tin/*[A]*can.*
petroleumbron ⟨de⟩ **0.1** *oil well.*
petroleumcokes ⟨de⟩ **0.1** *petroleum coke.*
petroleumdamp ⟨de (m.)⟩ **0.1** [damp van petroleum] *paraffin/oil/*[A]*kerosene vapour* **0.2** [petroleumlucht] *paraffin/oil/*[A]*kerosene fumes.*
petroleumgas ⟨het⟩ **0.1** *petroleum gas* ◆ **2.1** vloeibaar ~ ⟨LPG⟩ *liquid p.g..*
petroleumhaven ⟨de⟩ **0.1** [haven] *oil port/docks* **0.2** [havenplaats] *oil port.*
petroleumhoudend ⟨bn.⟩ **0.1** *petroleum bearing, petroliferous, petrolific* ◆ **1.1** ~e aardlagen/gesteenten *petroliferous strata/rocks.*
petroleumindustrie ⟨de (v.)⟩ **0.1** *oil/petroleum industry.*
petroleumkachel ⟨de⟩ **0.1** *paraffin/*[A]*kerosene stove* ⇒*oil heater.*
petroleumkan ⟨de⟩ **0.1** *paraffin(-oil) tin/*[A]*can.*
petroleumlaag ⟨de⟩ **0.1** *petroliferous stratum.*
petroleumlamp ⟨de⟩ **0.1** [B]*paraffin/*[A]*kerosene lamp.*
petroleumlichtje ⟨het⟩ **0.1** *oil/paraffin light.*
petroleumlucht ⟨de⟩ **0.1** *paraffin/oil/*[A]*kerosene fumes.*
petroleummaatschappij ⟨de (v.)⟩ **0.1** *oil-company.*
petroleummarkt ⟨de⟩ **0.1** *oil market.*
petroleumopslag ⟨de (m.)⟩ **0.1** *oil/petroleum storage.*
petroleumprodukt ⟨het⟩ **0.1** *oil/petroleum product.*
petroleumstel ⟨het⟩ **0.1** *oil cooker/stove.*
petroleumtank ⟨de (m.)⟩ **0.1** *oil/petroleum tank.*
petroleumtanker ⟨de (m.)⟩, **-tankschip** ⟨het⟩ **0.1** *oiler, oil tanker.*
petroleumvat ⟨het⟩ **0.1** *oil drum.*
petroleumveld ⟨het⟩ **0.1** *oil field.*
petroleumvergasser ⟨de (m.)⟩ **0.1** *paraffin stove/burner.*
petrolie ⟨de⟩ ⟨inf.⟩ **0.1** *oil.*
petrologie ⟨de (v.)⟩ **0.1** *petrology.*
petroloog ⟨de (m.)⟩ **0.1** *petrologist.*
pets ⟨de (m.)⟩ **0.1** *cuff* ⇒ ⟨klap⟩ *smack,* ⟨mep⟩ *slap, whack* ◆ **3.1** iem. een ~ om de oren geven *cuff s.o., box s.o. on the ears.*

petsen ⟨onov.ww.⟩ **0.1** *slap* ⇒*whack* ◆ **6.1 in** het water ~ *splash in(to) the water.*

petto ◆ **6.¶** iets (voor iem.) **in** ~ hebben *have sth. in store / up one's sleeve (for s.o.);* iets **in** ~ houden *keep sth. in store, keep sth. back, have sth. up one's sleeve;* voor iem. een straf **in** ~ houden *have a punishment in store for s.o.;* wat zal de dag van morgen voor ons **in** ~ hebben? *we don't know what lies ahead of us, we wonder what the future has in store for us, we don't know what's waiting for us (around the corner).*

petunia ⟨de⟩ **0.1** *petunia.*

peuk ⟨de (m.)⟩ **0.1** [eindje sigaar / sigaret] *butt, stub* ⇒⟨sl.⟩ *dog-end, fag end* **0.2** [sigaret] *fag* ⇒⟨sl.⟩ *drag,* ⟨BE; sl.⟩ *burn* ◆ **3.1** een ~ uitdrukken *stub out a b.* **3.2** heb je een ~ voor me? *got a f. for me?;* zullen we even een ~ je roken? *shall we have a f. / cig?*

peul ⟨de⟩ **0.1** [schil van peulvruchten] *pod* ⇒*capsule* **0.2** [doosvrucht] *pod* ⇒*legume.*

peulen ⟨ov.ww.⟩ **0.1** *pod.*

peulerwt ⟨de⟩ **0.1** *edible-podded pea* ⇒*sugar pea.*

peuleschil ⟨de⟩ **0.1** [kleinigheid] *trifle, piece of cake, five-finger exercise;* ⟨vulg.⟩ *piece of piss* **0.2** [schil v.e. peul] *(pea) pod* ◆ **3.1** dat is maar een ~(letje) voor hem ⟨mbt. bedrag⟩ *that's nothing / that's only peanuts / a fleabite / a bagatelle to him;* ⟨mbt. karwei⟩ *he can do it standing on his head;* dat is maar een ~ vergeleken bij *that's a piece of cake / mere trifle / a bagatelle compared to* **7.1** het is waarachtig geen ~ ⟨mbt. bedrag⟩ *it's no fleabite / trifle;* ⟨mbt. karwei⟩ *it's no mean feat / small job.*

peultje ⟨het⟩ **0.1** *sugar / podded pea* ◆ **3.1** ⟨fig.⟩ je moet je eigen ~ s doppen *you've got to fend for yourself;* ⟨fig.⟩ lust je / moet je nog ~ s? *over to you, anything else?.*

peulvrucht ⟨de⟩ **0.1** [vrucht] *legume* **0.2** [erwten, bonen] *pulse* **0.3** [kruiden, heesters] *leguminous plant* ◆ **1.2** een koopman in zaden en ~ en *a dealer in seeds and pulses* **3.3** ~ en verbouwen *grow / cultivate leguminous plants.*

peur ⟨de⟩ **0.1** *bobber.*

peurder ⟨de (m.)⟩ **0.1** *bobber.*

peuren
I ⟨ov.ww.⟩ **0.1** [bemachtigen] *worm* ⇒⟨uitvlooien⟩ *ferret* **0.2** [met de peur vangen] *sniggle* ◆ **1.2** paling ~ *s. for eels* **6.1** ergens gegevens **uit** weten te ~ *find a way to worm information from / ferret out information;*
II ⟨onov.ww.⟩ **0.1** [met de peur vissen] *bob, sniggle* **0.2** [⟨inf.⟩ wroeten] *ferret* ⇒⟨wroeten⟩ *rout* ◆ **6.2 in** zijn neus ~ *pick one's nose.*

peurstok ⟨de (m.)⟩ **0.1** *sniggling stick / rod.*

peurworm ⟨de (m.)⟩ **0.1** *lob(worm)* ⇒*lug(worm).*

peut ⟨de (m.)⟩ **0.1** [petroleum] ↑*oil,* ↑*petrol* **0.2** [terpentine] *turps* ⇒↑*turpentine,* ↑*white spirit,* ↑*thinner* **0.3** [klap] ⟨por⟩ *dig;* ⟨mep, klap⟩ *whack, wallop* ◆ **3.3** iem. een ~ verkopen *give s.o. a wallop / whack s.o..*

peuter ⟨de (m.)⟩ **0.1** [kind van 2-4 jaar] *pre-schooler* **0.2** [klein kind] *toddler, tot* ⇒⟨sl.⟩ *nipper,* ⟨rakkertje⟩ *elf* **0.3** [klein persoon] *shrimp, worm* **0.4** [klap] *biff* ⇒*wallop* **0.5** [pijpekrabber] *pipe scraper* ◆ **2.2** een klein ~ tje *a tiny tot* **6.1** een dagverblijf **voor** ~ s ⟨vnl. BE⟩ *crèche; playgroup,* (^day) *nursery* **6.3** een ~ **van** een vent *a mite of a man.*

peuteraar ⟨de (m.)⟩ **0.1** ↓*nit-picker.*

peutercrèche ⟨de⟩ **0.1** ⟨vnl. BE⟩ *crèche;* (^day) *nursery.*

peuteren ⟨onov.ww.⟩ **0.1** [wroeten] *pick* ⇒*rout* **0.2** [morrelen] *fumble* **0.3** [prutsen] *niggle, piddle, fiddle* ◆ **6.1 in** zijn neus ~ *p. one's nose;* **in** zijn tanden ~ *p. one's teeth;* ⟨fig.⟩ informatie **uit** iem. ~ *winkle information out of s.o.;* een spijker **uit** een band ~ ⟨vnl. BE⟩ *prise a nail out of a tyre* **6.2 aan** zijn veters ~ *f. with one's shoe laces;* een touw **uit** de knoop ~ *unpick a knot in a rope* **6.3 aan** een verhaal / gedicht ~ *tamper with a story / poem.*

peuterig ⟨bn., bw.; -ly⟩ **0.1** [klein] *tiny, diminutive* **0.2** [prutserig] ⟨krakkemikkig⟩ *ramshackle;* ⟨lukraak⟩ *slapdash* ◆ **1.1** ~ schrift *cramped handwriting;* ~ werk *finicky / fiddling work* **3.1** ~ schrijven *have a cramped hand* **3.2** het is allemaal een ~ in elkaar gezet *it's all been a bit botched together.*

peuterklas ⟨de⟩ **0.1** *nursery (school)* ◆ **6.1** jij moet maar terug naar de ~ *stop acting like a baby, we'll have to send you back to the nursery;* ze zit al **op** de ~ *she's already at n.s..*

peuterleidster ⟨de (v.)⟩ **0.1** *nursery school / kindergarten teacher.*

peuterspeelzaal ⟨de⟩ **0.1** *playgroup.*

peuterwerk ⟨het⟩ **0.1** [priegelwerk] *finicky work* **0.2** [prutswerk] *botched-up job* **0.3** [werk in peuterspeelzaal] *work with toddlers.*

peuzelaar ⟨de (m.)⟩, **-ster** ⟨de (v.)⟩ **0.1** *nibbler, muncher.*

peuzelen ⟨onov.ww.⟩ **0.1** *nibble, munch* ⇒⟨treuzelen, met kleine hapjes eten⟩ *pick / peck at* ◆ **6.1** de kinderen zaten lekker te ~ **aan** hun boterhammen *the children were munching away at their sandwiches.*

pezen ⟨onov.ww.⟩ ⟨inf.⟩ **0.1** [hard rijden] *zoom* ⇒*speed* **0.2** [hard werken] *slave* ⇒⟨sl.⟩ *graft* **0.3** [prostitutie bedrijven] *turn a trick,* ^*hustle* **0.4** [neuken] *screw* ⇒*fuck, grind* ◆ **6.1** we moeten ~ **om** op tijd te komen *we've got to race to be on time* **6.2** ik heb behoorlijk gepeesd **voor** dat examen *I really sweated / slaved over that exam* **6.¶** ergens **op** ~ *be after sth., have an eye on sth..*

pezerik ⟨de (m.)⟩ **0.1** *pizzle.*

pezig ⟨bn.⟩ **0.1** [met krachtige pezen] *sinewy, stringy, thewed* ⇒*tendinous* **0.2** [taai] *wiry* ⇒*stringy, tough* ◆ **1.1** een ~ e pols *a sinewy wrist* **1.2** ~ smeedijzer *w. wrought iron;* een ~ stukje vlees *a tough piece of meat.*

pf ⟨tw.⟩ **0.1** [om warmte te uiten] *phew* **0.2** [als blijk van minachting] *pshaw, pooh* ⇒*yah* **0.3** [om vermoeidheid te uiten] *ooph, phew* ◆ **¶.1** ~! wat een hitte *p.! it's hot / the heat!* **¶.2** bang? ~! voor hem zeker! *scared? of him? pooh!* **¶.3** ~! ik kan niet meer *p.! I'm fagged / exhausted /* ⟨inf.⟩ *buggered!.*

p.f. ⟨afk.⟩ **0.1** [pour féliciter] ⟨to congratulate⟩.

pfeiffer ⟨de⟩ ⟨med.⟩ ⟨verk.⟩ **0.1** [ziekte van Pfeiffer] *glandular fever;* ⟨AE vnl.⟩ *mono, (infectious) mononucleosis* ⇒⟨inf.⟩ *kissing disease.*

P.G. ⟨afk.⟩ **0.1** [procureur-generaal] *A.G..*

p-groep ⟨de⟩ ⟨school.⟩ **0.1** *practical-stream (at a technical school).*

philodendron ⟨de (m.)⟩ **0.1** *philodendron.*

pH-meter ⟨de (m.)⟩ **0.1** *pH meter.*

pH-waarde ⟨de (v.)⟩ **0.1** *pH value.*

phylum ⟨het⟩ ⟨dierk.⟩ **0.1** *phylum.*

pi ⟨de (m.)⟩ **0.1** [Griekse letter] *pi* **0.2** [⟨wisk.⟩] *pi.*

piae memoriae 0.1 *of blessed memory.*

pianino ⟨de⟩ **0.1** *upright (piano)* ⇒⟨klein⟩ *pianino, cottage piano.*

pianissimo¹ ⟨het⟩ ⟨muz.⟩ **0.1** *pianissimo.*

pianissimo² ⟨bw.⟩ ⟨muz.⟩ **0.1** *pianissimo.*

pianist ⟨de (m.)⟩, **-e** ⟨de (v.)⟩ **0.1** *pianist, piano player.*

pianistiek ⟨de (v.)⟩ **0.1** *pianism.*

pianistisch ⟨bn.⟩ **0.1** *pianistic.*

piano¹
I ⟨de⟩ **0.1** [muziekinstrument] *piano* ◆ **2.1** een gewone / rechtopstaande ~ *an upright p.;* een valse ~ *an out of tune / untuned p.* **3.1** (goed) ~ kunnen spelen *play the p. well, be a good p. player;* ~ leren spelen *learn (how) to play the p.;* ~ studeren *study the p.;* van ~ houden *like the p,, be fond of the p.* **6.1** zich **aan** de ~ zetten *place o.s. at the p.;* **op** de ~ oefenen *practise the p.;* **op** de ~ pingelen *tinkle / hammer away at the p.;* ⟨scherts.⟩ *tickle the ivories;* een compositie **voor** ~ *a p. piece / composition, a composition for the p.;*
II ⟨het⟩ **0.1** [passage] *piano.*

piano² ⟨bw.⟩ **0.1** [⟨muz.⟩] *piano* **0.2** [⟨inf.⟩ rustig] *easy, slow* ◆ **3.2** het een beetje ~ aan doen *take it e., relax.*

pianobop ⟨de⟩ **0.1** *piano (be)bop.*

pianoconcert ⟨het⟩ **0.1** [uitvoering] *piano recital / performance* **0.2** [muziekstuk] *piano concerto* ◆ **3.1** een ~ geven *give a p.r..*

pianohand ⟨de⟩ **0.1** *piano hand.*

pianokruk ⟨de⟩ **0.1** *piano stool, music-stool.*

pianokwartet ⟨het⟩ **0.1** *piano quartet.*

pianola ⟨de⟩ **0.1** *pianola, piano player, player piano.*

pianoleraar ⟨de (m.)⟩, **-lerares** ⟨de (v.)⟩ **0.1** *piano teacher.*

pianoles ⟨de⟩ **0.1** *piano lesson.*

pianomuziek ⟨de (v.)⟩ **0.1** [muziek] *piano music* **0.2** [muziekstukken] *piano music.*

piano-orgel ⟨het⟩ **0.1** *piano organ, street piano.*

pianospel ⟨het⟩ **0.1** *piano playing* ⇒*piano music.*

pianospelen ⟨ww.⟩ **0.1** *playing the piano.*

pianostemmer ⟨de (m.)⟩ **0.1** *piano tuner.*

pianotrio ⟨het⟩ **0.1** *piano trio.*

pianovirtuoos ⟨de (m.)⟩ **0.1** *piano virtuoso.*

pianovoordracht ⟨de⟩ **0.1** *piano recital.*

pias ⟨de (m.)⟩ **0.1** [paljas] *clown, buffoon, fool* ⇒⟨grappenmaker⟩ *droll,* ⟨dram.⟩ *pantaloon* ⟨uit de Commedia dell'Arte⟩ **0.2** [trekpop] *jumping jack* ◆ **2.1** een rare ~ *a silly c. / f.* **3.1** de ~ uithangen *play the c. / b., fool around.*

piasserij ⟨de (v.)⟩ **0.1** *buffoonery, clowning.*

piassig ⟨bn., bw.; -ly⟩ **0.1** *clownish, buffoonish* ⇒*foolish.*

piaster ⟨de (m.)⟩ **0.1** *piastre* ⇒⟨in Turkije ook⟩ *kurus.*

pica ⟨de⟩ ⟨druk.⟩ **0.1** *pica.*

picador ⟨de (m.)⟩ **0.1** *picador.*

picaresk ⟨bn.⟩ **0.1** *picaresque* ◆ **1.1** ~ e romans *p. novels.*

picaro ⟨de (m.)⟩ **0.1** *picaroon.*

piccalilly ⟨de⟩ **0.1** *piccalilli.*

piccolo ⟨de (m.)⟩ **0.1** [hoteljongen] *bell-boy, page (boy),* ⟨inf.⟩ *buttons,* ^*bellhop* **0.2** [fluit] *piccolo* ⇒*octave flute.*

piccolofluit ⟨de⟩ **0.1** *piccolo.*

piccoloïst ⟨de (m.)⟩, **-e** ⟨de (v.)⟩ **0.1** *piccolo (player).*

picknick ⟨de (m.)⟩ **0.1** *picnic* ⇒⟨feestmaal⟩ *junket,* ⟨bakfeest⟩ ^*bake.*

picknicken ⟨onov.ww.⟩ **0.1** *picnic* ⇒*junket* ◆ **3.1** zullen we gaan ~ *shall we go for a p.?.*

picknickmand ⟨de⟩ **0.1** *picnic hamper / basket* ⇒*tea basket.*

pick-up ⟨de (m.)⟩ **0.1** [grammofoon] *record player* ⇒⟨AE ook⟩ *phonograph,* ⟨draaitafel⟩ *record deck, turntable* **0.2** [vrachtauto] *pickup (truck)* ⇒^*panel truck.*

pick-up-aansluiting ⟨de (v.)⟩ **0.1** *record player / phono socket / connection* ⇒*turntable connection.*

pick-uppers ⟨zn.mv.⟩ ⟨landb.⟩ **0.1** *(pick-up) baler.*

picobello ⟨bn., bw.;-ly⟩ **0.1** *splendid, outstanding* ♦ **3.1** er ~ uitzien ⟨mbt. kleding⟩ *be dressed up to the nines;* ⟨mbt. gezondheid⟩ *be in mint condition;* de verzorging was ~! *the service was first class / A-1!;* alles was ~ geregeld *everything had been arranged up to the knocker.*

picot ⟨de (m.)⟩ **0.1** [uitstekend oogje als versiering] *picot* **0.2** [soortgelijk gekarteld band] *picot* ♦ **6.2** met ~ afzetten *picot.*

picrinezuur ⟨het⟩ **0.1** *picric acid.*

pictografie ⟨de (v.)⟩ **0.1** *pictography* ⇒*picture writing.*

pictografisch ⟨bn.⟩ **0.1** *pictographic* ♦ **1.1** ~schrift *p. script.*

pictogram ⟨het⟩ **0.1** *pictogram, pictograph.*

picturaal ⟨bn.⟩ **0.1** [mbt. schilderkunst] *pictorial* **0.2** [schilderachtig] *pictorial* ⇒*picturesque* ♦ **7.2** ⟨zelfst.⟩ het picturale in zijn stijl *the pictorialness / pictorial element in his style.*

picture ⟨de⟩ ♦ **6.¶ in** de ~ komen *come to the fore;* **in** de ~ zijn / staan *be in the limelight / public eye.*

pidgin ⟨het⟩ **0.1** *pidgin.*

pièce de résistance ⟨de (v.)⟩ **0.1** *pièce de résistance.*

piechem ⟨de (m.)⟩ **0.1** *geezer* ♦ **2.1** een rare ~ *a queer bird / customer / fish.*

pied-à-terre ⟨het⟩ **0.1** [buitenhuisje] *pied-à-terre* **0.2** [tijdelijk verblijf] *pied-à-terre.*

piëdestal ⟨het, de (m.)⟩ **0.1** *pedestal.*

pief[1] ⟨de (m.)⟩ ⟨inf.⟩ **0.1** *type, sort* ♦ **2.1** een goeie / aardige ~ *a good / kind old s.;* een hoge ~ *a nob, a big / real cheese;* ⟨inf.; vaak iron.⟩ *a bigwig;* een rijke ~ ⟨sl.⟩ *a goldfinch;* ⟨AE; inf.⟩ *a fat cat;* een vreemde ~ *a queer bird / customer / fish;* ⟨AE; sl.⟩ *a cue ball / screwball.*

pief[2] ⟨tw.⟩ ⟨kind.⟩ ♦ **¶.¶** ~ paf poef *bang, bang!.*

piefje ⟨het⟩ ⟨inf.⟩ **0.1** *bit* ⇒*piece* ♦ **7.1** veel ~s *a lot of bits (and pieces) / odds and ends.*

piek

I ⟨de (m.)⟩ ⟨inf.⟩ **0.1** [gulden] ≠*quid* ⟨Eng. pond⟩; ≠*buck* ⟨Am. / Austr. dollar⟩ ♦ **7.1** ik krijg nog vijf ~ van je *you (still) owe me five q.;*

II ⟨de⟩ **0.1** [hoogtepunt] *peak, summit* ⇒⟨top⟩ *height,* ⟨zwaartepunt⟩ *brunt,* ⟨climax⟩ *pinnacle,* ⟨hoogtepunt⟩ *zenith* **0.2** [plukje haar] *wisp* **0.3** [bergtop] *peak, summit* ⇒⟨(berg)top, spits, piek⟩ *pinnacle* **0.4** [kerstversiering] *top* **0.5** ⟨scheep.⟩ *peak* **0.6** [houweel] ⟨pikhouweel⟩ *pick(axe),* ⟨houweel⟩ *mattock* **0.7** ⟨gesch.⟩ *pike* ♦ **1.2** een ~ haar *a w. of hair* **6.1** een ~ **in** de kijkcijfers *a peak in the ratings;* de jaarlijkse ~ in de verkoop *the annual sales peak.*

pieken ⟨onov.ww.⟩ **0.1** [van haar] *be straggly, be / hang in rats' tails* **0.2** [⟨sport⟩] *peak* ♦ **1.1** ~d haar *straggly hair* **1.2** de atleten moeten op de Olympische Spelen ~ *the athletes have to (reach their) p. at the Olympic games.*

piekenier ⟨de (m.)⟩ ⟨gesch.⟩ **0.1** *pikeman.*

piekeraar ⟨de (m.)⟩, **-ster** ⟨de (v.)⟩ **0.1** [iem. die tobt] *worrier, brooder* ⇒*puzzle-head / -pate* **0.2** [iem. die ingespannen denkt] *ponderer* ♦ **2.1** hij is een eeuwige ~ *he's an eternal w. / b..*

piekeren ⟨onov.ww.⟩ **0.1** [tobben] *worry, brood* ⇒*trouble, sweat* **0.2** [ingespannen denken] *cogitate* ⇒*ponder, ruminate* ♦ **3.1** ik loop al weken te ~ *I've been worrying / fretting for weeks;* je moet niet zo ~ *don't w. / fret, don't give it too much thought;* hij zit daar maar te ~ *he just sits there brooding* **5.1** waar zit je toch over te ~? *what's on your mind?, what's eating / troubling you?* **5.2** daar moet ik eens goed over ~ *I've got to give it some (serious / deep) thought, I've got to ponder it a while;* ik piekerde er niet over om het te doen! *I wouldn't even dream / think of it / consider it;* ik piekerde er niet over *I'm not having any;* zich suf ~ *worry o.s. sick* **6.1** ~ over iets *fret / w. / be troubled about sth..*

piekerig ⟨bn.⟩ **0.1** *spiky* ⇒*wispy* ♦ **1.1** ~ haar *s. hair.*

piekfijn ⟨bn., bw.⟩ **0.1** [keurig] *nobby, posh* ⟨alleen bn.⟩; *smart, natty, spiffy, spiffing;* ⟨sl.⟩ *spicy* **0.2** [erg goed] *A-1, first-class, spic-and-span* ⟨alleen bn.⟩; ⟨bw.⟩ *in good / tip-top order* ♦ **1.1** een ~e meneer *a posh gentleman, a nob / swell / gent* **3.1** zich ~ kleden *dress smartly / nattily;* ze zag er ~ uit *she was dressed to kill / tip-top / (up) to the nines* **3.2** hij heeft dat karweitje ~ gedaan *he has done an A-1 / a first-class job;* alles is ~ in orde *everything's in good / tip-top order, everything's Bristol fashion;* de reis was ~ verzorgd *the trip had been taken care of marvellously.*

piekhaar ⟨het⟩ **0.1** *spiky hair.*

pieklast ⟨de (m.)⟩ **0.1** *peak demand / load.*

pieklastturbine ⟨de (v.)⟩ **0.1** *supplementary turbine.*

piekpijp ⟨de⟩ ⟨inf.⟩ **0.1** *coin / savings tube (for guilders).*

piekuur ⟨het⟩ **0.1** *peak hour;* ⟨verkeer⟩ *rush hour.*

piekvermogen ⟨het⟩ **0.1** *peak capacity.*

piel ⟨de (m.)⟩ **0.1** ⟨kind.⟩ *penis willy, willie* **0.2** [jonge eend] *duckling* ♦ **3.¶** de ~ zijn *be in for it, have had it* **¶.¶** ~e! ~e! *quack! quack!.*

pielen ⟨inf.⟩

I ⟨onov.ww.⟩ **0.1** [priegelen] *piddle, fiddle* ⇒⟨vulg.⟩ *piss about* **0.2** [⟨sport⟩] *dribble* ♦ **6.1** zit niet **aan** de kachel te ~ *stop fiddling / pissing about with the heater;* hij zit maar **met** lucifers te ~ *he's piddling / mucking about with the matches, (that's all)* **6.2** een beetje **met** de bal ~ *d. with the ball;*

II ⟨ov.ww.⟩ **0.1** [een sigaret rollen] *roll.*

pielepoot ⟨de (m.)⟩ ⟨inf.; pej.⟩ **0.1** [homo] *queer* ⇒*fag(got), pansy / nancy (boy)* **0.2** [slungel] *gawk* ⇒⟨oen⟩ *berk.*

piemel ⟨de (m.)⟩ ⟨inf.⟩ **0.1** *peter* ⇒⟨AE ook; sl.⟩ *pecker,* ⟨vulg.⟩ *prick, John Thomas* ♦ **2.1** een klein ~tje *a little willie.*

piemelaar ⟨de (m.)⟩ **0.1** [iem. die priegelt] *piddler* **0.2** [⟨kind.⟩ iem. die urineert] *peeer.*

piemelen ⟨onov.ww.⟩ **0.1** [priegelen] *piddle* ⇒*piss about* **0.2** [⟨kind.⟩] *pee, wee (wee)* ♦ **3.2** ik moet ~ *I've got to p. / wee / do wee wee.*

piemelnaakt ⟨bn.⟩ ⟨inf.⟩ **0.1** *stark naked* ⇒⟨AE ook; sl.⟩ *buck naked* ♦ **3.1** ~ rondlopeen *walk around stark naked / ⟨scherts.⟩ in the altogether / ⟨scherts.⟩ one's birthday suit.*

pienter ⟨bn.⟩ **0.1** *bright* ⇒⟨scherp⟩ *sharp,* ⟨slim⟩ *shrewd, keen* ⟨verstand⟩, ⟨vaak pej.⟩ *clever* ♦ **1.1** een ~ antwoord *an intelligent answer;* een ~ kereltje *a big little* ⟨vnl. AE⟩ *chap /* ⟨vnl. AE⟩ *guy;* ~e oogjes *sharp / shrewd eyes* **2.1** ze is heel ~ *she's (very) quick-witted / b., she knows a thing or two* **3.1** voor die baan moet je ~ zijn *you've got to be clever / smart to get / for that job.*

piep[1] ⟨bn.⟩ **0.1** *very young* ♦ **3.1** ze is niet meer zo ~ *she's no (spring) chicken.*

piep[2] ⟨tw.⟩ **0.1** *squeak* ⟨muizen⟩; *chirrup, chirp, tweet, peep, cheep* ⟨vogels⟩.

piepa ⟨de (m.)⟩ ⟨scherts.; kind.⟩ **0.1** *dada.*

piepappel ⟨de (m.)⟩ **0.1** *baked apple.*

piepbeest, -dier ⟨het⟩ **0.1** *squeaky toy.*

piepel ⟨de (m.)⟩, **piepeltje** ⟨het⟩ **0.1** *mug* ⇒*sucker, soft touch.*

piepen

I ⟨onov.ww.⟩ **0.1** [hoog geluid geven] *squeak* ⟨muizen⟩; *peep, cheep, chirrup, tweet* ⟨vogels⟩; *creak* ⟨scharnieren, deuren⟩; *shriek* ⟨remmen⟩; *wheeze* ⟨adem⟩; *pipe* ⟨schril stemgeluid⟩ **0.2** [zacht spreken] *squeak* **0.3** [klagend geluid geven] *whine* **0.4** [even zich vertonen] *pop (up / in)* **0.5** [loeren] *peek, peep* ♦ **1.1** een ~de ademhaling *wheezy breathing;* een ~de pomp *a wheezy pump;* met ~de stem *in a peeping voice* **5.3** ⟨fig.⟩ dan zal hij wel anders ~ *he'll change his tune yet;* hij piept gauw *it doesn't take much to make him squeal* **6.3** ~ **van** angst *squeal with fear* **6.4** je trui piept **onder** je jas *uit your jumper's sticking from under your coat* **6.5** door een sleutelgat ~ *peep through a keyhole* **¶.1** ⟨fig.⟩ daar heb ik een muisje van horen ~ *a little bird told me;*

II ⟨ov.ww.⟩ **0.1** [zacht zeggen] *squeak* **0.2** [klagend zeggen] *whine* ⇒*moan* **0.3** [pakken] *catch* **0.4** [poffen] *roast* **1.3** ⟨Bargoens⟩ een ezeltje ~ *dip into the till / cashbox* **4.¶** het is gepiept *it's fixed, it's been seen to* **8.2** hij piepte dat hij het niet expres had gedaan *he whined that he hadn't done it on purpose* **¶.¶** hij piepte 'm *he popped off.*

pieper ⟨de (m.)⟩ **0.1** [iem. die gauw klaagt] *whiner, moaner* **0.2** [portofoon] *bleeper* **0.3** [⟨inf.⟩ aardappel] *spud* ⇒*tater* **0.4** [iem. die / iets dat piept] *squeaker, squealer* **0.5** [geslacht van vogels] *pipit, titlark, titling* **0.6** [(lok)fluitje] *whistle* **0.7** [⟨mil.⟩ scherpe patroon] ≠*fizzer, whizzer* ♦ **3.3** ~s jassen *bash spuds.*

pieperig ⟨bn., bw.;-ly⟩ **0.1** *squeaky, squeaking* ♦ **1.1** een ~ stemmetje *a squeaky little / peeping little voice* **3.1** hij spreekt altijd zo ~ *he always speaks in this squeaky voice.*

piepjong ⟨bn.⟩ **0.1** *very young* ⇒⟨na zn.⟩ *just out of the cradle* ♦ **1.1** een ~ kereltje ⟨ook⟩ *a mere stripling; a slip of a lad,* ⟨BE; sl.⟩ *just a sprog;* een ~ luitenantje *a little lieutenant just out of the cradle* **3.1** ⟨euf.⟩ niet (zo) ~ meer zijn *be no (spring) chicken, be out of one's swaddling bands.*

piepklein ⟨bn.⟩ **0.1** *teeny, teeny-weeny, teensy, weeny, tiny* ♦ **1.1** een ~ eilandje *a pocket-size(d) island;* een ~ mannetje *a tiny little man, a midget;* een ~ tuintje *a pocket-handkerchief garden;* een ~ vlekje *a teeny-weeny spot.*

piepkuiken ⟨het⟩ **0.1** [kuiken] *spring chicken* ⇒*peeper* **0.2** [groentje] *little / young kid, youngster;* ⟨meisje⟩ *(young) chick.*

piepplastic, -schuim ⟨het⟩ ⟨inf.⟩ **0.1** *polystyrene foam.*

piepstem ⟨de⟩ **0.1** *squeaky voice* ♦ **6.1** met een ~metje *in a peeping / squeaking / piping voice.*

pieptoon ⟨de (m.)⟩ **0.1** *bleep.*

piepzak ⟨de (m.)⟩ ⟨inf.⟩ ♦ **6.¶ in** z'n ~ zitten ⟨vnl. BE⟩ *be in a (blue) funk; have the wind up.*

pier ⟨de (m.)⟩ **0.1** [worm] *worm* ⇒*brandling,* ⟨aardworm⟩ *angleworm, earthworm* **0.2** [havendam] *jetty, mole* **0.3** [wandelhoofd in zee] *pier* **0.4** [mbt. luchthaven] *pier* ♦ **1.2** de kop v.d. ~ *j. / pier head* **2.¶** ⟨inf.⟩ een dooie ~ *a dull / dry old stick;* hij is altijd de kwaaie ~ *he always gets blamed / the blame, he's always the scapegoat* **6.1** ⟨inf.; fig.⟩ hij is **voor** de ~ en *he's done for* **6.¶** ⟨inf.⟩ iem. **bij** de ~ nemen *take the mickey out of s.o.* **8.¶** zo dood als een ~ *dead as a doornail / dodo / as mutton.*

pieremachochel

I ⟨de (m.)⟩ **0.1** [roeibootje] [1]*rowing-boat,* [A]*rowboat* **0.2** [raar kereltje] *weirdie, weirdo;*

II ⟨de (v.)⟩ **0.1** [logge vrouw] *battleship;* ⟨AE; inf.⟩ *barrel.*

pierement ⟨het⟩ **0.1** *(barrel) organ.*

pieren ⟨onov.ww.⟩ **0.1** [pieren zoeken] *worm* **0.2** [vis vangen] *worm-fishing.*

pierenbad ⟨het⟩ **0.1** [deel v.e. zwembassin] *paddling pool* **0.2** [opblaasbaar badje] *paddling pool.*

pierewaaien ⟨onov.ww.⟩ **0.1** [aan de zwier gaan] *have one's/a fling/a spree, lark about/around, live it up* **0.2** [losbandig leven] *run wild* ◆ **3.1** gaan ~ *go on the razzle, have one's fling, go out on the town.*

pierewaaier ⟨de (m.)⟩ **0.1** *reveller* ^*eler* ⇒⟨losbol⟩ *rip.*

pierewiet[1] ⟨de (m.)⟩⟨inf.⟩ **0.1** *a bit of a lad* ◆ **2.¶** in zijn blote ~ *in his birthday suit.*

pierewiet[2] ⟨bn.⟩⟨inf.⟩ **0.1** *gone.*

Pierlala ⟨de (m.)⟩ **0.1** *the (grim) reaper* ◆ **1.1** eruit zien als de dood van ~ *look like death/a ghost* **2.¶** wat een rare pierlala *what a queer customer/bird/fish.*

pierrot ⟨de (m.)⟩, **-rette** ⟨de (v.)⟩ **0.1** [figuur] *pierrot, pierrette* **0.2** [kostuum] *pierrot costume.*

pies ⟨de (m.)⟩⟨inf.⟩ **0.1** *pee, wee* ◆ **1.1** poep en~ ⟨vulg.⟩ *crap and piss* **3.1** een ~ doen *pee, wee, do/have a wee.*

piesbak ⟨de (m.)⟩⟨inf.⟩ **0.1** ⟨ong.⟩ *urinal* ⇒*pisser.*

piesen ⟨inf.⟩
I ⟨onov.ww.⟩ **0.1** [plassen] *wee, pee* ⇒⟨vulg.⟩ *piss* ◆ **3.1** ik moet even ~ *I've got to pee/go for a pee/* ⟨vulg.⟩ *piss* **6.1** buiten het potje ~ ⟨overspel plegen⟩ *have a bit on the side;* ⟨iets ongeoorloofds doen⟩ *be a naughty boy/girl;* **in** één pot(je) ~ *be in it together, be in collusion/cahoots, be in league with one another;* hij heeft in zijn broek gepiest *he peed/* †*wet his pants;* (zo lekker) of er een engeltje **op** je tong piest ≠*it tickles your tastebuds;*
II ⟨onp.ww.⟩ **0.1** [zachtjes regenen] *drizzle* ◆ **¶.1** het piest v.d. lucht *it's drizzling down.*

piesje ⟨het⟩⟨kind.⟩ **0.1** *wee* ◆ **3.1** een ~ doen *do wee-wee.*

piespot ⟨de (m.)⟩ **0.1** [po] *chamber pot* ⇒⟨vulg.⟩ *piss pot* **0.2** [⟨inf.⟩ knorrig mens] ↑*grumbler;* ⟨sl.⟩ *grumbleguts* ◆ **2.2** je bent maar een moeilijke ~ *you're a real nerd/grouser.*

piespotje ⟨het⟩⟨plantk.⟩ **0.1** [grasklokje] *harebell* **0.2** [haagwinde] *bellbine* **0.3** [akkerhoornbloem] *(field)mouse-ear chickweed.*

piet ⟨de (m.)⟩ **0.1** [⟨inf.⟩ persoon] *geezer, feller, chap* **0.2** [expert]⟨sl.⟩ *nob, brass hat;* ⟨inf.⟩ *high up;* ⟨BE;inf.⟩ *topman;* ⟨inf.;vaak iron.⟩ *bigwig* **0.3** [⟨inf.⟩ kanarie] ↑*canary* ⇒≠*budgie* **0.4** [neet, luis] *nit;* ⟨inf.⟩ *dick* **0.5** [⟨AZN,inf.⟩ penis] *dick;* ⟨vulg.⟩ *prick;* ⟨AE;sl.⟩ *pecker* ◆ **2.1** een dooie ~ *a dull/dry old stick;* hij lijkt een hele ~ *he seems quite a real swell;* hij vindt zichzelf een hele ~ *he really fancies himself, he thinks he's really s.o.;* ik voel me weer een hele ~ *I feel (like) a new man;* een hoge ~ *a great card;* de hoge ~ en in Den Haag *the high-ups in The Hague;* een saaie ~ *a dull dog, a bit of a bore* **2.¶** ⟨kaartspel⟩ de zwarte ~ *the Old Maid;* ⟨fig.⟩ iem. de zwarte ~ toespelen *leave s.o. to carry the can/hold the baby/bag;* ⟨fig.⟩ met de zwarte ~ blijven zitten *be left holding the baby/carrying the can* **6.2** hij is een (hele) ~ in wiskunde *he's a real whizz in maths* **8.4** ⟨inf.⟩ zo flauw zijn als de ~en *be tasteless as muck;* als de ~en bij zijn *move in like a flash/like (greased) lightning;* het stinkt als de ~en *it stinks to high heaven.*

Piet ⟨de (m.)⟩ **0.1** *Pete* ◆ **1.1** Jan, ~ en Klaas *Tom, Dick and Harry;* voor ~ Snot staan *look like a fool/lemon, cut a poor/sorry figure;* er voor ~ Snot bijzitten *sit there like a dummy/fool/lemon;* iets voor ~ Snot doen *waste one's time doing sth.; ≠piddle about for nothing, bugger around* **2.1** zwarte ~ *Black Peter.*

piëta ⟨de⟩ **0.1** *Pietà.*

piëteit ⟨de (v.)⟩ **0.1** [nagedachtenis] *piety* ⇒*reverence* **0.2** [vroomheid] *piety* ⇒*piousness* ◆ **6.1** uit ~ iets doen/laten *do/refrain from sth. out of reverence.*

pietepeuterig ⟨bn.,bw.;-ly⟩⟨inf.⟩ **0.1** [overdreven precies] *finical, finicky* ⇒⟨nauwgezet⟩ *meticulous,* ⟨pietluttig⟩ *niggling,* ⟨AE ook⟩ *picky* **0.2** [erg klein] *minute, diminutive* ◆ **1.2** ~ schrift *microscopic handwriting;* ~e schroefjes *fiddling little screws* **2.2** ~ klein *microscopic(al)* **5.1** zij is vreselijk ~ *she's terribly finicky/precise.*

pieterig ⟨bn.,bw.;-ly⟩ **0.1** [mbt. mensen] *scrawny* **0.2** [klein] *minute, diminutive* ◆ **1.1** een ~ ventje *a shrimp of a man* **1.2** een ~ stukje vlees *a tiny bit/morsel of meat* **2.2** ~ klein *microscopic(al)* **3.1** er ~ uitzien *look peaked* **3.2** ~ schrijven *have a microscopic hand.*

pieterman ⟨de (m.)⟩ **0.1** [vis] *weever* **0.2** [⟨inf.⟩ gulden] ≠*quid* ⟨Eng. pond⟩; ≠*buck* ⟨Am./Austr. dollar⟩ **0.3** [knecht van Sinterklaas] *Black Peter* ◆ **2.1** grote ~ *greater weever, sting-bull;* kleine ~ *lesser weever, sting-fish.*

pieterselie → **peterselie.**

piëtisme ⟨het⟩ **0.1** [richting in het protestantisme] *pietism* **0.2** [vroomheid] *pietism* ⇒*piousness.*

piëtist ⟨de (m.)⟩ **0.1** [aanhanger v.h. piëtisme] *pietist* **0.2** [⟨pej.⟩ overdreven vrome] *pietist* ⇒⟨vrouw⟩ *church-hen.*

piëtisterij ⟨de (v.)⟩⟨pej.⟩ **0.1** *pietism.*

piëtistisch ⟨bn.⟩ **0.1** *pietistic(al).*

pietje ⟨het⟩ **0.1** [kanariepiet] ⟨vnl. BE⟩ *dick(e)y(bird)* **0.2** [luis] *louse* ⇒⟨AE ook;sl.⟩ *cootie,* ⟨neet⟩ *nit* ◆ **3.2** dat kind had ~s *that child had cooties/nits.*

Pietje ⟨het⟩ **0.1** *little Pete* ◆ **¶.1** ~ de Dood *the (grim) reaper;* een ~ Precies zijn *be a* ^B*fusspot/*^A*fussbudget.*

pietjesneuker ⟨de (m.)⟩⟨inf.⟩ **0.1** *nit-picker* ⇒*hair-splitter, niggler, quibbler.*

pietlut ⟨de⟩ **0.1** *niggler* ⇒⟨BE ook;inf.⟩ *fusspot,* ⟨AE ook;inf.⟩ *fussbudget,* ⟨oudere man⟩ *crock.*

pietluttig ⟨bn.,bw.;-ly⟩ **0.1** *niggling* ⇒*petty, fussy, meticulous,* ⟨BE ook;inf.;pej.⟩ *potty,* ⟨vnl. AE ook;inf.⟩ *picky* ◆ **1.1** een ~e kerel *a fussy/choosy fellow;* ~e politiek *parish-pump politics.*

pietluttigheid ⟨de (v.)⟩ **0.1** *pettiness* ⇒*fussiness, meticulousness.*

pietsje ⟨het⟩⟨inf.⟩ **0.1** *little bit* ⇒*trifle, touch,* ⟨AE ook⟩ *tad.*

pieus ⟨bn.,bw.;-ly⟩ **0.1** *pious* ◆ **1.1** een pieuze gift ⟨uit godvruchtigheid⟩ *a religious donation;* ⟨uit liefdadigheid⟩ *a charitable donation;* ⟨als legaat⟩ *a religious/charitable endowment;* pieuze instellingen *charities, charitable institutions.*

piezelig ⟨bn.,bw.⟩ **0.1** *itsy-bitsy* ⇒*itty-bitty, teeny, teen(s)y-ween(s)y* ◆ **1.1** een ~ stukje *an itsy-bitsy* ⟨enz.⟩ *piece, a scrap, a morsel* **2.1** dat is ~ klein *that is itsy-bitsy* ⟨enz.⟩.

piëzochemie ⟨de (v.)⟩ **0.1** *piezochemistry.*

piëzo-elektriciteit ⟨de (v.)⟩⟨nat.⟩ **0.1** *piezoelectricity* ⇒*piezoelectric effect.*

piëzo-elektrisch ⟨bn.,bw.;-ally⟩ **0.1** *piezoelectric.*

piëzometer ⟨de (m.)⟩⟨nat.⟩ **0.1** *piezometer.*

pigment ⟨het⟩ **0.1** [⟨biol.⟩] *pigment* **0.2** [⟨bk.⟩] *pigment* ⇒*dye, colour.*

pigmentatie ⟨de (v.)⟩ **0.1** *pigmentation.*

pigmentbacterie ⟨de (v.)⟩ **0.1** *pigment-(forming) bacterium.*

pigmentcel ⟨de (v.)⟩ **0.1** *pigment cell.*

pigmentdruk ⟨de (m.)⟩ **0.1** [kopieermethode] *pigment/carbon process* **0.2** [verkregen beeld] *carbon transfer.*

pigmenteren ⟨ov.ww.⟩ **0.1** *pigment.*

pigmentpapier ⟨het⟩ **0.1** *panchromatic paper.*

pigmentvlek ⟨de⟩ **0.1** *birthmark* ⇒*mole, naevus.*

pigmentvreter ⟨de (m.)⟩⟨inf.;pej.⟩ **0.1** ⟨ongemarkeerd⟩ *hater of blacks/coloureds* ⇒⟨euf.⟩ *racist,* ⟨mbt. negers;schr.⟩ *negrophobe,* ⟨kweller van Aziaten;BE;sl.⟩ *Pati-basher.*

pij ⟨de⟩ **0.1** *(monk's) habit* ⇒*frock* ◆ **3.1** de ~ aannemen *take the h..*

pijjekker ⟨de (m.)⟩ **0.1** *pea jacket/coat* ⇒*pilot coat.*

pijl ⟨de (m.)⟩ ⟨→sprw. 403⟩ **0.1** [projectiel] *arrow* ⇒*bolt* ⟨van kruisboog⟩, ⟨sport ook⟩ *dart,* ⟨fig.⟩ *shaft* **0.2** [teken voor de richting] *arrow* **0.3** [vuurpijl] *rocket* **0.4** [⟨wisk.⟩] *sagitta* ◆ **1.1** ⟨fig.⟩ door de ~ van Amor getroffen *be hit by Cupid's arrows;* gewapend met ~ en boog *armed with bow and a.* **2.1** ⟨fig.⟩ nog andere ~ en in zijn koker hebben *have more strings to one's bow, have an a. / a shaft left in one's quiver;* een giftige ~ *a poisoned a.* **3.1** al zijn ~ en verschoten hebben ⟨fig.⟩ *have fired one's last shot, have come to the end of one's tether, have shot one's last bolt* **3.2** volg de ~ en *follow the arrows/signs* **8.1** zo recht als een ~ *(as) straight as an a.;* als een ~ uit de boog *swift as an a.;* als een ~ uit een boog ervandoor gaan *go off like a shot, run off like a scalded cat.*

pijlbundel ⟨de (m.)⟩ **0.1** *sheaf (of arrows)* ⇒*bundle of arrows,* ⟨mv.⟩ *clustered shafts.*

pijler ⟨de (m.)⟩ **0.1** [steunpilaar] *pillar* ⇒*column, stilt, pile* **0.2** [steunpunt v.e. brug] *pier* ⇒*pile* **0.3** [⟨fig.⟩] *pillar* ⇒*mainstay, cornerstone* ◆ **1.3** de ~s v.d. welvaart *the pillars of prosperity.*

pijlerbrug ⟨de⟩ **0.1** *arch bridge.*

pijlerdam ⟨de (m.)⟩⟨wwb.⟩ **0.1** *multiple buttress dam.*

pijlerfundering ⟨de (v.)⟩ **0.1** *pillar foundations.*

pijlgewicht ⟨het⟩ **0.1** *nest of weights.*

pijlgif ⟨het⟩ **0.1** *arrow poison* ⇒⟨Indiaans⟩ *curare, antiar* ⟨van oepasboom⟩.

pijlhout ⟨het⟩ **0.1** [hout v.e. pijl] *arrow shaft* **0.2** [hout om pijlen van te maken] *wood suitable for making arrows* ◆ **¶.2** ⟨fig.⟩ alle hout is geen ~ *not every reed will make a pipe.*

pijlinktvis ⟨de (m.)⟩ **0.1** *squid* ⇒*sea arrow.*

pijlkoker ⟨de (m.)⟩ **0.1** *quiver.*

pijlkruid ⟨het⟩ **0.1** *arrowhead.*

pijlnaad ⟨de (m.)⟩⟨med.⟩ **0.1** *sagittal suture.*

pijlpunt ⟨de (m.)⟩ **0.1** *arrowhead* ⇒⟨heraldiek⟩ *pile.*

pijlriet ⟨het⟩ **0.1** *giant reed.*

pijlschacht ⟨de (m.)⟩ **0.1** *arrow shaft.*

pijlsnel ⟨bn.,bw.;-ly⟩ **0.1** *(as) swift as an arrow* ⇒*like an arrow,* ⟨inf.⟩ *jet-propelled* ◆ **1.1** in ~le vaart kwam hij aanrijden *he came tearing along the road, he was driving like a madman* **3.1** ~ van start gaan *shoot/dash off/away.*

pijlstaart ⟨de (m.)⟩ **0.1** [staart in de vorm v.e. pijl] ⟨dierk.⟩ *arrow-tipped/-like tail* **0.2** [schaap] ⟨variet. of sheep kept on the island of Texel⟩ **0.3** [staartmees] *long-tailed tit.*

pijlstaarteend ⟨de (m.)⟩ **0.1** *pin-tail* ⇒*sprigtail.*

pijlstaartrog ⟨de (m.)⟩ **0.1** *sting-ray* ⇒⟨AE,Austr.E ook⟩ *stingaree.*

pijlstaartvlinder ⟨de (m.)⟩ **0.1** *hawk-moth* ⇒*sphingid,* ⟨vln. AE ook⟩ *hummingbird/sphinx moth.*

pijlsteen ⟨de (m.)⟩ **0.1** *belemnite.*

pijlstelling ⟨de (v.)⟩⟨luchtv.⟩ **0.1** *sweepback.*

pijlstormvogel ⟨de (m.)⟩ **0.1** *shearwater* ⇒*mallemuck.*

pijltje ⟨het⟩ **0.1** [kleine pijl] *dart* **0.2** [gewas] *blade* ⇒*sprout* ◆ **3.1** ~s gooien *play darts;* ⟨BE ook;inf.⟩ *play arrows;* volg de ~s *follow the arrows/signs.*

pijlvergif→**pijlgif**.

pijlvormig ⟨bn.⟩ **0.1** [met de vorm v.e. pijl] *arrow-shaped* ⇒*arrowy* **0.2** [⟨plantk.⟩] *sagittate* ⇒*sagittiform* ◆ **1.2** ~e bladeren *sagittate/sagittiform leaves*.

pijlworm ⟨de (m.)⟩ **0.1** *arrowworm* ⇒*chaetognath*.

pijlwortel ⟨de (m.)⟩ **0.1** [penwortel] *tap root* **0.2** [plant] *arrowroot*.

pijn
I ⟨de⟩ **0.1** [lichamelijk lijden] *pain* ⇒⟨aanhoudend⟩ *ache* **0.2** [verdriet] *pain* ⇒*distress* **0.3** [moeite] *pains* ⇒*effort* ◆ **1.3** geen centje ~ *no trouble/problem at all;* met veel ~ en moeite iets gedaan krijgen *get sth. accomplished with a great deal of trouble/a great effort* **2.1** helse ~ en uitstaan *suffer agonies/hell, be on the rack, groan with p.;* een stekende ~ *a stabbing/sharp p.;* ik heb vreselijke ~ in mijn voeten *my feet are killing me* **3.1** (en) of het ~ deed *did that hurt!;* het deed me ~ om het te zeggen *it hurt me to (have to) say it;* iem. ~ doen *hurt s.o., give s.o. pain;* zoiets kan goed ~ doen *that can hurt like anything;* ⟨scherts.⟩ die kleur doet ~ aan mijn ogen *that colour hurts my eyes/is blinding;* ik heb overal ~ *I'm sore/I hurt all over;* erge/ geen ~ hebben *be in great/severe p., have no more p.;* hij heeft geen ~ meer *his p. passed off;* ⟨hij is dood⟩ *he has been put out of his misery;* een medicijn om de ~ te stillen *a medicine/drug to alleviate/dull/ deaden/numb the p.* **3.2** iem. ~ doen *pain/hurt s.o., cause/give s.o. pain;* ⟨fig.⟩ de ~ moet eerlijk verdeeld worden *we must all share the burden* **6.1** ~ in de buik hebben *have a stomachache, have p. in one's stomach;* ⟨scherts.⟩ ~ in zijn portemonnaie hebben *be short of cash/hard up/penniless;* ~ in de keel hebben *have a sore throat;* ⟨fig.⟩ van die muziek krijg ik ~ in mijn buik *that music makes my stomach ache/gives me stomachache;* helpen **tegen** de ~ *lessen/help the p.;* gek /vertrokken/het uitschreeuwen **van** de ~ *frantic/drawn/cry out with p.;*
II ⟨de (m.)⟩ **0.1** [pijnboom] *pine(-tree)*.

pijnappel ⟨de (m.)⟩ **0.1** *pine cone*.

pijnappelklier ⟨de⟩⟨med.⟩ **0.1** *pineal gland* ⇒*pineal body,* ⟨med.⟩ *epiphysis (cerebri)*.

pijnbaan ⟨de (m.)⟩ **0.1** *pain tract*.

pijnbank ⟨de⟩ **0.1** *rack* ◆ **6.1** iem. op de ~ leggen *put s.o. on the r.;* ⟨fig.⟩ op de ~ zitten *be on the r.*.

pijnboom ⟨de (m.)⟩ **0.1** *pine(-tree)*.

pijndrempel ⟨de (m.)⟩⟨med.⟩ **0.1** *pain threshold* ◆ **2.1** een lage ~ hebben *have a low p. t.* **3.1** de ~ overschrijden *cross/exceed the p. t.*.

pijnen ⟨ov.ww.⟩ **0.1** *press out* ⇒*extract* ◆ **1.1** gepijnde honing *pressed/ brown honey*.

pijngrens ⟨de⟩ **0.1** *pain threshold/level* ◆ **3.1** de ~ ligt bij een geluidssterkte van ongeveer 140 dB *noise becomes painful at about 140 dB*.

pijngroep ⟨de⟩ **0.1** *pain-relief group*.

pijnhout ⟨het⟩ **0.1** *pine (wood)*.

pijnigen ⟨ov.ww.⟩ **0.1** [martelen] *torture* **0.2** [pijn aandoen] *torment* ⇒*hurt, torture* **0.3** [kwellen] *torment* ⇒*crucify, torture,* ⟨fig.⟩ *persecute, martyr* ◆ **1.2** door de koude gepijnigd worden *be pinched/perished/* ⟨vero.⟩ *starved with cold;* de ogen ~ *strain one's eyes* **1.3** zijn geheugen ~ *rack one's memory;* zijn geweten pijnigt hem *his conscience is bothering him, he is feeling conscience-stricken/guilty;* zijn hersens ~ *beat/cudgel/rack one's brains (about)*.

pijniger ⟨de (m.)⟩ **0.1** *torturer* ⇒*tormentor/ter*.

pijniging ⟨de (v.)⟩ **0.1** *torture*.

pijnlijk
I ⟨bn.⟩ **0.1** [pijn veroorzakend] *painful* ⇒*aching, grievous, smarting* **0.2** [zeer doend] *painful* ⇒*sore, aching, excruciating, grievous* **0.3** [pijn lijdend] *suffering* **0.4** [blijk gevend van pijn] *pained* **0.5** [krenkend] *hurtful* ⇒*awkward, embarrassing, uncomfortable* **0.6** [gekwetst] *pained* ⇒*distressed, hurt* **0.7** [precair] *painful* ⇒*awkward, embarrassing,* ⟨inf.⟩ *sticky, ticklish, tricky* **0.8** [uiterst zorgvuldig] *painstaking* ⇒*scrupulous, meticulous* ◆ **1.1** een ~ verlies lijden *suffer a sad loss/bereavement;* hij deed me op ~ e wijze aan zijn vader denken *he reminded me painfully of his father;* een ~ wond/operatie *a p. wound/operation* **1.2** een ~ e rug *a p./sore/an aching back* **1.4** een ~ gezicht zetten *look p./hurt, make a twisted/contorted face;* een ~ e glimlach *a twisted/wry smile* **1.5** een ~ e ervaring *a painful/an embarrassing experience, an ordeal;* een ~ e opmerking *an embarrassing/unpleasant remark* **1.6** hij had een ~ e uitdrukking op zijn gezicht *he had a p./distressed expression/look on his face* **1.7** een ~ moment *an awkward/embarrassing moment;* er viel een ~ e stilte *there was an uncomfortable silence, an awkward pause ensued* **1.8** met ~ e zorg *with p./scrupulous/meticulous care* **3.2** ~ aanvoelen *be hurt, be sore p.;*
II ⟨bw.⟩ **0.1** [zodat pijn veroorzaakt wordt] *painfully* ⇒*grievously, excruciatingly, sorely* **0.2** [moeizaam] *awkwardly* ⇒*uncomfortably, embarrassingly* **0.3** [zodat verdriet veroorzaakt wordt] *painfully* ⇒*poignantly, sorely* **0.4** [als iem. die verdriet heeft] *as if pained* **0.5** [op uiterst zorgvuldige wijze] *painstakingly* ⇒*scrupulously, meticulously* **0.6** [moeizaam] *painfully* ⇒*with great pains/difficulty* ◆ **2.5** ~ precies *painstakingly, scrupulously, meticulously* **3.1** ~ getroffen zijn *be pained;* iem. ~ treffen *pain/hurt s.o.* **3.2** ~ lopen *be footsore* **3.3** iem. ~ krenken *offend/hurt s.o. painfully/sorely/deeply* **3.4** ~ glimlachen

smile wryly **3.6** een ~ bijeengeschraapt fortuin *a fortune p. scraped together/scraped together with great pains*.

pijnloos
I ⟨bn.⟩ **0.1** [geen pijn veroorzakend] *painless* ⇒⟨med.⟩ *indolent* ⟨tumor⟩ **0.2** [gevoelloos] *insensitive to pain* ⇒*numb* ◆ **1.1** de pijnloze dood *euthanasia;* een pijnloze operatie/bevalling *a p. operation/delivery* **3.2** de zieke is ~ *the patient is insensitive to pain/numb, the patient does not feel pain;*
II ⟨bw.⟩ **0.1** [zonder pijn te veroorzaken] *painlessly* **0.2** [zonder pijn te voelen] *painlessly* ◆ **3.1** een dier ~ afmaken *put an animal to sleep/ out of its misery;* een kies ~ trekken *extract/pull out a tooth/molar p./ under anaesthesia* **3.2** ~ bevallen *give birth in twilight sleep*.

pijnprikkel ⟨de (m.)⟩ **0.1** *pain stimulus*.

pijnpunt ⟨het⟩ **0.1** [plaats waar pijn gevoeld wordt] *painful area* ⇒*site of pain* **0.2** [⟨fig.⟩] *difficulty* ⇒*obstacle*.

pijnscheut ⟨de (m.)⟩ **0.1** *stab (of pain)* ⇒*pang, twinge, shooting/lancinating pain*.

pijnstillend ⟨bn.⟩ **0.1** *soothing* ⇒*mitigating, palliative,* ⟨med.⟩ *analgesic, anodyne* ◆ **3.1** ~ werken *have a s./mitigating/alleviating/palliative effect*.

pijnstiller ⟨de (m.)⟩ **0.1** *painkiller* ⇒*palliative,* ⟨med.⟩ *analgesic, anodyne*.

pijnwoud ⟨het⟩ **0.1** *pine forest* ⇒*pinery* ⟨ihb. voor houtaankap⟩, ⟨aangelegd, ook voor wet. doeleinden⟩ *pinetum*.

pijp ⟨de⟩ **0.1** [buis] *pipe* ⇒*tube, funnel* ⟨van schip⟩, *nozzle, nose* ⟨van brandslang⟩ **0.2** [broekspijp] *leg* **0.3** [rookgerei] *pipe* **0.4** [buis aan een orgel] *pipe* **0.5** [stang, staafje] *stick* **0.6** [vat] *pipe* **0.7** [gang v.e. hol] *pipe* **0.8** [⟨med.⟩] *long bone* ◆ **1.1** de ~ v.e. sleutel *the shank of a key;* een stuk(je) ~ *a length of p./tube* **1.3** een ~ tabak *a fill (of tabacco), a pipeful* **1.5** een ~ drop/kaneel *a s. of liquorice/cinnamon;* een ~ je krijt *a piece of chalk* **1.6** een ~ madera *a p. of Madeira* **2.2** een broek met lange/korte ~ en *a pair of trousers/shorts* **2.3** een Goudse ~ *a clay p.;* ⟨BE ook; inf.⟩ *a churchwarden;* ⟨fig.⟩ een lelijke/zware ~ roken *come to grief;* een stenen ~ *a clay p.;* een Turkse ~ *a hookah(!)/narghile* **3.3** aan een ~ trekken *pull at/on a p.;* ⟨fig.⟩ de ~ aan Maarten geven *(niet meer willen meedoen) opt out;* ⟨vnl.BE⟩ *contract out;* ⟨AE;sl.⟩ *crap out;* ⟨inf.⟩ *go phut;* ⟨sterven⟩ *peg out;* een ~ stoppen *fill a p.;* ⟨schr.⟩ *charge a p.;* ⟨vulg.⟩ zijn ~ uitkloppen *knock it off, get off* **5.¶** ⟨inf.⟩ de ~ uit zijn *have turned up one's toes* **6.1** de vlam **in** de ~ houden *keep the pot boiling*.

pijpaarde ⟨de⟩ **0.1** *pipe clay* ⇒⟨AE ook;kaolien⟩ *ball clay* ◆ **2.1** rode/ witte ~ *pipe stone, terra alba*.

pijpachtig ⟨bn.⟩ **0.1** *pipelike* ⇒*pipy, tubular* ◆ **1.1** ~e knotszwam *club fungus*.

pijpbeen ⟨het⟩ **0.1** *long bone*.

pijpbloem ⟨de⟩ **0.1** *birthwort*.

pijpbloemig ⟨bn.⟩ **0.1** *tubuliflorous* ◆ **1.1** ~e gewassen *t. plants*.

pijpdrop ⟨het, de⟩ **0.1** *stick liquorice* ^*licorice*.

pijpedop ⟨de (m.)⟩ **0.1** *lid of a pipe(-bowl)*.

pijpekop ⟨de (m.)⟩ **0.1** *pipe-bowl*.

pijpekrul ⟨de⟩ **0.1** *corkscrew curl*.

pijpen ⟨onov., ov.ww.⟩ **0.1** [⟨vulg.⟩ afzuigen] *blow* ⇒*suck off* **0.2** [⟨vero.⟩ fluiten] *pipe* ⇒*whistle* ◆ **1.1** een man ~ do a blow-job on/b. a man **3.1** gepijpt worden *be blown/sucked (off)* **6.2** ⟨fig.;zelfst.⟩ naar iemands ~ dansen *dance attendance (up)on s.o., do s.o.'s bidding, dance to s.o.'s piping*.

pijpenbakker ⟨de (m.)⟩ **0.1** *pipe-maker*.

pijpenbord ⟨het⟩ ⟨muz.⟩ **0.1** *upper board*.

pijpenfabriek ⟨de (v.)⟩ **0.1** *pipe factory*.

pijpenla ⟨de⟩ **0.1** [⟨fig.⟩] *long narrow room* **0.2** [lade voor pijpen] *pipe drawer* ◆ **6.1** een ~ van een keuken *a long narrow kitchen*.

pijpenplank ⟨de⟩ **0.1** [mbt. tabakspijpen] *pipe shelf* **0.2** [⟨muz.⟩] ⟨→pijpenbord⟩.

pijpenrek ⟨het⟩ **0.1** *pipe rack*.

pijperager ⟨de (m.)⟩ **0.1** *pipe cleaner*.

pijpesteel ⟨de (m.)⟩ **0.1** *stem of a pipe* ◆ **3.1** ⟨fig.⟩ het regent pijpestelen *it's raining cats and dogs/good and hard, it's coming down in buckets;* ⟨sl.⟩ *it's pissing (down)*.

pijpestopper ⟨de (m.)⟩ **0.1** *tobacco stopper*.

pijpfitter ⟨de (m.)⟩ **0.1** *pipefitter*.

pijpfitting ⟨de (m.)⟩ **0.1** *pipefitting*.

pijpgezwel ⟨het⟩ **0.1** *fistula* ⇒*sinus*.

pijpje ⟨het⟩ **0.1** [kleine pijp] ⟨scherts.⟩ *nosewarmer* ⟨om te roken⟩; ⟨korte buis⟩ *tubule* **0.2** [bierflesje] *small beer-bottle* ◆ **3.2** wil je een ~ of een halve liter? *do you want a small beer or a pint?*.

pijpje lak ⟨het⟩ **0.1** *gesneria*.

pijpkaneel ⟨het, de (m.)⟩ **0.1** *(whole) cinnamon* ⇒*stick (of) cinnamon*.

pijpkraag ⟨de (m.)⟩ ⟨gesch.⟩ **0.1** *partlet*.

pijpkraal ⟨de⟩ **0.1** *bugle(bead)*.

pijpkruid ⟨het⟩ **0.1** *wild chervil*.

pijpleiding ⟨de (v.)⟩ **0.1** *piping* ⇒⟨over grote afstand⟩ *pipeline* ◆ **3.1** een ~ leggen *lay (down) a pipeline*.

pijplijn ⟨de⟩ **0.1** *pipeline* ◆ **6.1** ⟨fig.⟩ dat zit **in** de ~ *that's in the p.*.

pijpmanchet ⟨de⟩ **0.1** *pipe-collar/-socket* ⇒⟨van rubber⟩ *sealing-ring.*

pijporgel ⟨het⟩ **0.1** *pipe organ.*

pijpplooi ⟨de⟩ **0.1** *quilling* ⇒*flute.*

pijpriet ⟨het⟩ **0.1** *reed.*

pijproker ⟨de (m.)⟩, **-rookster** ⟨de (v.)⟩ **0.1** *pipe smoker.*

pijpschoonmaker ⟨de (m.)⟩ **0.1** *pipe cleaner.*

pijpsleutel ⟨de (m.)⟩ **0.1** [⟨amb.⟩] [B]*barrel spanner* ⇒[B]*socket/box span-ner,* [A]*barrel/socket/box wrench* **0.2** [deursleutel met holle stang] *pipe key.*

pijpslot ⟨het⟩ **0.1** ≠*lock with pipe key.*

pijpsnijder ⟨de (m.)⟩ ⟨amb.⟩ **0.1** *pipe cutter.*

pijptabak ⟨de (m.)⟩ **0.1** *pipe-tobacco* ⇒*smoking-mixture.*

pijpvormig ⟨bn.⟩ **0.1** *tubular* ⇒*tubiform, tubulated, tubulous.*

pik
  I ⟨de⟩ **0.1** [⟨inf.⟩ penis] ⟨sl.⟩ *prick, cock, dick,* [A]*middle leg* **0.2** [pik-houweel] *pick* ⇒*pickaxe* [A]*ax, hack,* ⟨mijnw.⟩ *gad* **0.3** [kleine zeis] *(reaping) hook* ◆ **2.1** een stijve ~ ⟨sl.⟩ *a hard-on/pole/rod* **6.1** ⟨fig.⟩ op zijn ~ getrapt *huffy, huffed, miffed, ruffled;*
  II ⟨de (m.)⟩ **0.1** [wrok] *pique* ⇒*peeve* **0.2** [⟨inf.⟩ vent] *guy* ⇒⟨vnl. BE⟩ *chap, bloke* **0.3** [stoot, prik] *peck* ⇒*prick* **0.4** [wondje] *peck* ⇒ *prick* ◆ **2.2** een vervelend ~kie *a bore, a nuisance, a pain in the neck;* ⟨inf.⟩ *a pill* **3.¶** ⟨AZN⟩ ~à~ zijn *be at loggerheads/odds/variance (with)* **6.1** de ~ op iem. hebben *have it in for s.o., take a pique against s.o.;* ⟨inf.⟩ *be down on s.o., (have) take(n) a scunner to s.o.;*
  III ⟨het, de (m.)⟩ **0.1** [pek] *pitch.*

pikant ⟨bn.⟩ **0.1** [de smaak prikkelend] *piquant* ⇒*pungent, savoury, highly seasoned* **0.2** [de zinnen prikkelend] *piquant* ⇒*racy, spicy, salty* ⟨verhaal, humor⟩, ⟨vnl. BE ook; inf.⟩ *fruity* ⟨verhaal, humor⟩ **0.3** [scherp, beledigend] *sharp* ⇒*caustic, biting* **0.4** [vijandig, hatelijk] *spiteful* ⇒*envious* ◆ **1.1** een ~e saus *a piquant/spicy/highly seasoned /sharp/hot sauce;* een ~e smaak *(a) savour, (a) relish;* ⟨AE ook⟩ *a nip* **1.2** ~e bijzonderheden *gam(e)y/risqué/juicy details;* ~e lectuur *erotica, naughty reading (matter);* ~ ondergoed *sexy/naughty under-wear* **2.2** het was tamelijk ~ wat hij zei *what he said was rather risqué/ spicy/salty/juicy* **4.2** dit geeft er iets ~s aan *this gives/adds (a) spice/ zest/relish/savour to it* **7.2** het ~e v.d. situatie was *the piquancy of the situation was.*

pikanterie ⟨de (v.)⟩ **0.1** [gewaagdheid] *piquancy* **0.2** [hatelijkheid] ⟨fig.⟩ *cut* ⇒*rub, dig (at)* **0.3** [bitsheid] *asperity* ⇒*sharpness, acrimony, snap-piness.*

pikantig ⟨bn.⟩ **0.1** *more or less piquant.*

pikbroek ⟨de (m.)⟩ ⟨inf.⟩ **0.1** *shellback* ⇒*jack(-tar).*

pikdonker[1] ⟨het⟩ **0.1** *pitch-darkness* ⇒*inky darkness.*

pikdonker[2] ⟨bn.⟩ **0.1** *pitch-dark/-black* ⇒*as dark/black as pitch* ◆ **1.1** een ~e nacht *a p.-d./-b. night* **3.1** het was ~ *it was p.-d./as dark as pitch.*

pikdraad →**pekdraad.**

pikeersel ⟨het⟩ ⟨druk.⟩ **0.1** *overlay.*

pikeren ⟨ov.ww.⟩ **0.1** [beledigen] *pique* ⇒*nettle, irritate* **0.2** [larderen] *lard* **0.3** [aanstrepen] *tick (off)* **0.4** [verplanten] *pick out/off.*

piket
  I ⟨de (m.)⟩ **0.1** [rondhout] *picket* **0.2** [⟨wwb.⟩] *picket;*
  II ⟨het⟩ **0.1** [⟨mil.⟩] *picket* **0.2** [kaartspel] *pi(c)quet* ◆ **6.1** officier van ~ *p. officer.*

pikethamer ⟨de (m.)⟩ **0.1** *mallet.*

piketpaal ⟨de (m.)⟩ **0.1** [⟨wwb.⟩] *picket* **0.2** [haring] *tent peg/pin.*

piketspel ⟨het⟩ ⟨sport⟩ **0.1** [kaartspel] *pi(c)quet* **0.2** [stel kaarten] *pi(c)quet pack.*

piketten ⟨onov.ww.⟩ ⟨sport⟩ **0.1** *play (at) pi(c)quet.*

piketteren ⟨onov.ww.⟩ **0.1** *picket.*

pikettering ⟨de (v.)⟩ **0.1** [het piketteren] *picketing* **0.2** [gezamenlijke pi-ketten] *pickets* ⇒*picketing, picket fence.*

pikeur ⟨de (m.)⟩ **0.1** [rijmeester] *riding-master* ⇒⟨temmer⟩ *rough-rider, horse-breaker,* ⟨in circus⟩ *ringmaster* **0.2** [iem. die goed kan paardrijden] *horseman* ⇒⟨vnl. BE ook; inf.⟩ *crack (horseman)* **0.3** [opzichter] ⟨mbt. rijknechts⟩ *head groom.*

pikeurtje ⟨het⟩ ⟨mil.⟩ **0.1** *officer's staff/baton.*

pikhaak ⟨de (m.)⟩ **0.1** [haak] *hook* **0.2** [⟨landb.⟩] *reaping hook.*

pikhamer ⟨de (m.)⟩ **0.1** *pick hammer.*

pikheet ⟨het, de (m.)⟩ ⟨scheep.⟩ **0.1** *hot coffee.*

pikhouweel ⟨het⟩ **0.1** *pickaxe* [A]*ax* ⇒*pick, gad.*

pikkedonker →**pikdonker.**

pikkel ⟨de (m.)⟩ **0.1** [⟨AZN⟩ poot v.e. meubel] *leg* **0.2** [mengsel voor het pikkelen] *pickle* ⇒*brine.*

pikkelen
  I ⟨onov.ww.⟩ ⟨AZN⟩ **0.1** [hinken] *limp* **0.2** [vlug lopen] *run;*
  II ⟨ov.ww.⟩ **0.1** [⟨leerlooierij⟩] *pickle* ⇒*brine.*

pikken
  I ⟨ov.ww.⟩ **0.1** [⟨inf.⟩ stelen] *lift* ⇒*pinch, hook,* ⟨vnl. BE ook; inf.⟩ *nick,* ⟨AE ook; sl.⟩ *clip* **0.2** [⟨inf.⟩ kiezen, nemen] *bag* **0.3** [⟨inf.⟩ ac-cepteren] *take* ⇒*put up with,* ⟨inf.; vaak met ontkenning⟩ *wear, swal-low* **0.4** [maaien] *cut down* **0.5** [pekken] *pitch* ◆ **1.1** zij heeft dat geld gepikt *she stole that money;* ⟨sl.⟩ *she sneaked/ripped/copped that*

money **1.2** ⟨fig.⟩ een bioscoopje ~ *go to the* [B]*pictures/*[A]*movies;* ik pik die moorkop *I b. that cream poff* **4.3** pik jij dat allemaal maar? *do you just put up with all that?;* we ~ het niet langer *we won't wear/t./put up with/swallow it any longer* **6.2** iem. uit de menigte ~ *spot s.o./pick s.o. out in/among the crowd;*
  II ⟨onov., ov.ww.⟩ **0.1** [met de snavel slaan of happen] *peck* **0.2** [hap-jes nemen] *pick* ⇒*peck (at)* ⟨vogels en fig. mensen⟩ **0.3** [prikken] *prick* ⇒*pick (from)* ◆ **1.2** gerst uit de schotel ~ *peck/pick (grains of) barley from the dish;* een graantje ~ ⟨inf.⟩ *take a nip* **1.3** een aardap-pel uit de schaal ~ *pick a potato from the dish* **6.1** ⟨fig.⟩ zich in zijn kuif gepikt voelen *feel huffed/miffed/ruffled/nettled;* de vogel pikt tegen de ruit *the bird is pecking at the windowpane* **6.2** de mus pikt van de appel *the sparrow is pecking (away) at the apple;* de kippen ~ van het graan *the hens are pecking the corn* **6.3** zich met een speld ~ *prick o.s. on a pin;*
  III ⟨onov.ww.⟩ **0.1** [kleven] *be sticky* ⇒⟨mbt. niet-droge verf⟩ *be tacky* ◆ **1.1** die stoelen ~ *those chairs ar sticky/(still) tacky.*

pikker ⟨de (m.)⟩ **0.1** [pikhaak, prikstok] *pricker* **0.2** [⟨inf.⟩ zakkenrol-ler] *pickpocket, purse-snatcher* ⇒*filcher, pilferer,* ⟨sl.⟩ *sneak-thief* **0.3** [iem. die met de pik maait] *reaper.*

pikkerig ⟨bn.⟩ **0.1** [kleverig] *tacky* **0.2** [geneigd tot pikken] *thievish* ⇒ ⟨inf.⟩ *light-fingered.*

pikketanis ⟨de (m.)⟩ ⟨inf.⟩ **0.1** *sip* ⇒*dram,* ⟨vnl. BE⟩ *tot,* ⟨AE ook⟩ *slug.*

pikorde ⟨de⟩ **0.1** *pecking order.*

pikzwart ⟨bn.⟩ **0.1** *pitch-black* ⇒*(as) black as pitch, coal-black, pitchy* ◆ **1.1** ~ haar *raven-black hair.*

pil
  I ⟨de (m.)⟩ **0.1** [geneesmiddel] *pill* ⇒*tablet* **0.2** [anticonceptiepil] *(the) pill* **0.3** [boek] *tome* **0.4** [boterham] *hunk/chunk of bread* ⇒⟨vnl. BE; sl.⟩ *doorstep* **0.5** [⟨inf.⟩ schop] *whack* ◆ **2.1** het is een bittere ~ voor hem ⟨fig.⟩ *it is a bitter p. for him to swallow* **2.3** wat een whopper ~ *what a t.;* ⟨inf.⟩ *what a whopper/whacker of a book* **2.4** snij voor mij maar een lekkere dikke ~ *cut me a nice, fat hunk/chunk/doorstep* **3.1** veel ~len slikken *swallow pills by the dozen/a lot of pills, be a pillhead;* ⟨fig.⟩ de ~ vergulden *sugar(coat)/sweeten/gild the p.* **3.2** de ~ slikken *be on /take/use the p.* **6.1** een ~letje voor de hoofdpijn *a p. against the head-ache* **6.3** een ~ van een rapport *a bulky/hefty report;* ⟨inf.⟩ *a whop-ping/whacking (fat) report* **6.5** hij gaf een ~ tegen de bal *he whacked the ball;*
  II ⟨de (m.)⟩ **0.1** [⟨inf.⟩ dokter] *quack* ⇒ ↓*pill roller/pusher* **0.2** [bol-letje in textiel] *pill* **0.3** [zaadje] *pelleted seed.*

pilaar ⟨de (m.)⟩ **0.1** *pillar* ⇒*column, post,* ⟨klein⟩ *pillaret.*

pilaarbijter ⟨de (m.)⟩ **0.1** *hypocrite* ⇒⟨vnl. fanatieke puritein⟩ *canter.*

pilaarheilige ⟨de (m.)⟩ **0.1** *stylite* ⇒*pillarist.*

pilaarvoet ⟨de (m.)⟩ **0.1** *base/foot (of a column)* ⇒*pedestal.*

pilaster ⟨de (m.)⟩ **0.1** [platte zuil] *pilaster* **0.2** [hoofdstijl v.e. trapleu-ning] *newel (post).*

Pilatus ⟨de (m.)⟩ ◆ **3.¶** iem. van Pontius naar ~ sturen *drive s.o. from pillar to post.*

pilau ⟨het⟩ **0.1** *pilaf(f).*

pilcontrole ⟨de⟩ **0.1** *pill check-up.*

pileren ⟨ov.ww.⟩ **0.1** *pellet(ize).*

pillen ⟨onov.ww.⟩ **0.1** [mbt. textiel] *pill* **0.2** [⟨inf.⟩ de pil gebruiken] *be on/take the pill.*

pillendeeg ⟨het⟩ **0.1** *pill mixture.*

pillendoos ⟨de⟩ **0.1** *pillbox.*

pillendraaier ⟨de (m.)⟩ **0.1** [⟨scherts.⟩ apotheker] *pill peddler/pusher/ roller* **0.2** [scarabee] *dung beetle* ⇒*scarab, cockchafer.*

pillenfles ⟨de⟩ **0.1** *pill bottle.*

pillenslikker ⟨de (m.)⟩, **-ster** ⟨de (v.)⟩ **0.1** *pillhead.*

pilo[1] ⟨het⟩ **0.1** *fustian* ⇒*(heavy) corduroy.*

pilo[2] ⟨bn.⟩ **0.1** *fustian* ⇒*corduroy.*

piloot ⟨de (m.)⟩ **0.1** [vlieger] *pilot* ⇒*flier, flyer,* ⟨ihb. bij de luchtmacht⟩ *airman* **0.2** [jekker] *pea jacket* ⇒*pea coat, pilot jacket* ◆ **2.1** automati-sche ~ *automatic p.,* ⟨verkeer⟩ *autopilot, gyropilot* **7.1** tweede ~ *co-pilot, relief p.;* ⟨AE; sl.⟩ *meter-reader.*

pilotage ⟨de (v.)⟩ **0.1** *foundation of piles.*

pilotenhulp ⟨de⟩ ⟨gesch.⟩ **0.1** ⟨*Dutch underground organization aiding allied pilots shot down over occupied territory during World War II*⟩.

pilot-studie ⟨de (v.)⟩ **0.1** *pilot study.*

pils
  I ⟨het, de (m.)⟩ **0.1** [bier] *(Pils(e)ner) beer* ⇒*lager* ◆ **1.1** een glas/ flesje ~ *a (glass/pint/bottle of) b./lager;* een kleintje ~ ⟨vnl. BE⟩ ≠*a half-pint;*
  II ⟨de (m.)⟩ **0.1** [glas bier] *(glass/pint of) lager* ⇒ ⟨inf.⟩ *beer, pint,* ⟨BE ook; inf.⟩ *pinta* ◆ **3.1** een ~je pakken *grab a beer/l.* **7.1** twee ~ graag *two lagers/beers/pints, please.*

pilsener ⟨het, de (m.)⟩ **0.1** *pils(e)ner* ⇒*lager.*

pilvaren ⟨de⟩ **0.1** *pillwort.*

piment ⟨het⟩ **0.1** *allspice* ⇒*pim(i)ento, Jamaica pepper.*

pimentboom ⟨de (m.)⟩ **0.1** *pimento* ⇒*bay rum tree, bayberry.*

pimentolie ⟨de⟩ **0.1** *pimento oil.*

pimentsaus ⟨de⟩ **0.1** *pimento sauce* ⇒*sauce of allspice.*
pi-meson ⟨het⟩ ⟨nat.⟩ **0.1** *pimeson, pion.*
pimpel ⟨de (m.)⟩ **0.1** [⟨inf.⟩ het pimpelen] *tippling* **0.2** [pimpelmees] *blue tit* ⇒⟨BE ook⟩ *tomtit* **0.3** [⟨inf.⟩ zwak persoon] ⟨vnl.BE⟩ *crock* ♦ **6.1** aan de ~ zijn *go t. l. boozing.*
pimpelaar ⟨de (m.)⟩, **-ster** ⟨de (v.)⟩ ⟨inf.⟩ **0.1** *tippler* ⇒*boozer, toper.*
pimpelen ⟨onov.ww.⟩ ⟨inf.⟩ **0.1** *tipple* ⇒*booze, tope.*
pimpelmees ⟨de⟩ **0.1** *blue tit* ⇒⟨BE ook⟩ *tomtit.*
pimpelpaars ⟨bn.⟩ **0.1** *(lirid) purple* ♦ **6.1** hij is ~ van de kou *he is blue with cold.*
pimpernel ⟨de⟩ **0.1** [plantengeslacht Pimpinella] *burnet (saxifrage)* **0.2** [geslacht v.d. rozenfamilie] *burnet* **0.3** [aardappel] *'pimpernel'* ⟨*type of potato*⟩ ♦ **2.2** grote ~ *(great) b.;* kleine ~ *(salad) b., b. bloodwort.*
pimpernelroos ⟨de⟩ **0.1** *burnet/Scotch rose.*
pimpernoot ⟨de⟩ **0.1** [pistache] *pistachio* **0.2** [plantengeslacht] *bladdernut.*
pin ⟨de⟩ **0.1** [klein staafje] *peg, pin* ⇒*plug,* ⟨as⟩ *spindle,* ⟨uitsteeksel⟩ *jag* **0.2** [knijper] *clip* ⇒⟨praam⟩ *barnacle* **0.3** [vinnige vrouw] *scold* ⇒*shrew, bitch, vixen* **0.4** [gierig mens] *niggard* ⇒*penny pincher, skinflint* ♦ **1.1** een ~ en gat verbinding *a mortise and tenon joint* **2.4** gierige ~ *niggardly shrew* **3.2** iem. de ~ op de neus zetten ⟨flink aanpakken⟩ *take s.o. to task, scold s.o.;* ⟨inf.⟩ *tick s.o. off;* ⟨onder druk zetten⟩ *put pressure on s.o., put s.o. under pressure;* ⟨inf.⟩ *put the screw(s) on/to s.o.* **6.1** met een ~ doorsteken *peg, pin.*
pinacotheek ⟨de (v.)⟩ **0.1** *pinacotheca.*
pinakel ⟨de (m.)⟩ **0.1** *pinnacle.*
pinangnoot ⟨de⟩ **0.1** *betel/areca nut.*
pinangpalm ⟨de (m.)⟩ **0.1** *betel palm.*
pi'nas ⟨het⟩ **0.1** *piña cloth.*
'pinas ⟨de⟩ **0.1** *pinned shaft.*
pince-nez ⟨de (m.)⟩ **0.1** *pince-nez.*
pinceren ⟨onov., ov.ww.⟩ **0.1** [knijpen] *pinch* ⇒*nip* **0.2** [met een pincet aanpakken] *handle/pick up with tweezers* **0.3** [tokkelen] *pluck* ⇒*play pizzicato* **0.4** ⟨landb.⟩ *nip (off), pinch (out)* ⇒*clip.*
pincet ⟨het, de (m.)⟩ **0.1** *(pair of) tweezers* ♦ **7.1** twee ~ ten *two pairs of tweezers.*
pinda ⟨de⟩ **0.1** [apenoot] *peanut* ⇒*earthnut,* ⟨BE ook⟩ *groundnut, monkey nut* **0.2** [plant] *peanut* ⇒*earthnut,* ⟨BE ook⟩ *groundnut, monkey nut.*
pindakaas ⟨de (m.)⟩ **0.1** *peanut butter.*
pindanootje ⟨het⟩ **0.1** *peanut* ⇒⟨BE ook⟩ *monkey nut, groundnut.*
pindarotsje ⟨het⟩ **0.1** *peanut brittle.*
pineaal ⟨bn.⟩ ⟨med.⟩ **0.1** *pineal.*
pineut ⟨de (m.)⟩ **0.1** *dupe* ⇒⟨sl.⟩ *chicken, mug* ♦ **3.1** de ~ / het ~ je zijn *be the dupe;* ⟨BE ook⟩ *be for it.*
ping[1] ⟨de (m.)⟩ **0.1** [geluid] *ping* **0.2** ⟨inf.⟩ geld] *cash* ⇒*shekels,* ⟨sl.⟩ *tin* **0.3** ⟨hand.⟩ *stroke on the gong.*
ping[2] ⟨tw.⟩ **0.1** *ding* ⇒*ting-a-ling, ping.*
pingel ⟨de⟩ **0.1** ⟨inf.; sport⟩ *[penalty (kick)* **0.2** [het pingelen v.e. motor] *pinking,* [A]*pinging.*
pingelaar ⟨de (m.)⟩, **-ster** ⟨de (v.)⟩ **0.1** ⟨voetbal⟩ *player who hangs on to/holds on to/hogs the ball (too long)* ⇒*selfish player* **0.2** [afdinger] *haggler* ⇒*chafferer.*
pingelen ⟨onov.ww.⟩ **0.1** [afdingen] *haggle (over/about)* ⇒*chaffer, bargain, barter,* ⟨inf.⟩ *dicker (over)* **0.2** [geluid mbt. auto's] *pink,* [A]*ping* **0.3** [mbt. voetbal] *hog the ball* **0.4** [mbt. snaarinstrumenten] *strum* ⇒*thrum* ♦ **1.2** de motor pingelt *the engine is pinking/pinging.*
pingping ⟨de (m.)⟩ ⟨inf.⟩ **0.1** *cash* ⇒*shekels,* ⟨sl.⟩ *tin, bread,* ⟨BE;sl.⟩ *lolly.*
pingpong ⟨het⟩ **0.1** *ping-pong* ⇒[†] *table tennis.*
pingpongen ⟨onov.ww.⟩ **0.1** *play ping-pong.*
pinguïn ⟨de (m.)⟩ **0.1** *penguin.*
pink ⟨de (m.)⟩ **0.1** [vinger] *little finger* ⇒*fourth finger,* ⟨Sch.E;AE ook⟩ *pinkie* **0.2** [deel v.e. handschoen] *little finger* ⇒*fourth finger* **0.3** [kalf] *yearling* **0.4** [vaartuig] *pink* ♦ **3.1** ⟨fig.⟩ geeft men hem een ~, dan neemt hij de hele hand *give him an inch and he'll take a yard/ mile;* ⟨fig.⟩ daar zou ik mijn ~ wel voor willen geven *I'd give my ears/ right arm for it* **6.¶** bij de ~ en zijn *be all there/wide awake, have no flies on one.*
pinkelen ⟨onov.ww.⟩ **0.1** *twinkle* ⇒*sparkle.*
pinkelhoutje ⟨het⟩ ⟨sport⟩ **0.1** *(tip) cat.*
pinken
I ⟨ov.ww.⟩ **0.1** [wegnemen] *wink* ⇒*blink* ♦ **6.1** een traan uit het oog ~ *blink a tear away/out of one's eye;*
II ⟨onov.ww.⟩ **0.1** [elkaar aan de gebogen pinken vasthouden] *link little fingers* **0.2** [met de ogen knipperen] *blink* ⇒⟨één oog⟩ *wink* **0.3** [flikkeren] *twinkle* ⇒*flicker, wink.*
pinkhaar ⟨het⟩ **0.1** *eyelash(es).*
pinkleer ⟨het⟩ **0.1** *calfskin.*
pinkmuis ⟨de⟩ **0.1** *ball/mount of the little finger.*
pinkogen ⟨onov.ww.⟩ **0.1** [met de ogen knippen] *blink* ⇒⟨één oog⟩ *wink* **0.2** [de ogen half sluiten] *blink* ⇒*squint.*
pinkring ⟨de (m.)⟩ **0.1** *little finger ring* ⇒*ring for/on the little finger.*

Pinkster ⟨de (m.)⟩ **0.1** *whitsun;* ⟨vnl. AE⟩ *Pentecost* ♦ **7.1** ~ drie *Whit-tuesday;* ~ één *Whitsunday;* ~ twee *Whitmonday.*
pinksteranjelier ⟨de⟩ **0.1** *garden pink.*
Pinksteravond ⟨de (m.)⟩ **0.1** *Whitsaturday* ⇒*the eve of Whitsun.*
pinksterbeweging ⟨de (v.)⟩ **0.1** *Pentecostal movement.*
pinksterbloem ⟨de⟩ **0.1** [veldkers] *lady('s)-smock* ⇒*cuckooflower* **0.2** [⟨inf.⟩ gele lis] *yellow flag/iris* **0.3** [⟨inf.⟩ koekoeksbloem] ⟨Melandrium⟩ *campion;* ⟨Lychnis⟩ *ragged robin.*
pinksterdag ⟨de (m.)⟩ **0.1** *Whitsunday, Whitmonday* ♦ **6.1** met de ~ en *at Whitsun(tide)* **7.1** eerste ~ *Whit(sunday);* ⟨vnl. AE⟩ *Pentecost;* tweede ~ *Whitmonday.*
Pinksterdinsdag ⟨de (m.)⟩ **0.1** *Whit Tuesday.*
Pinksteren ⟨de (m.)⟩ **0.1** *Whitsun(tide);* ⟨vnl. AE⟩ *Pentecost* ♦ **1.1** ⟨fig.; vulg.⟩ ~ en Pasen laten zien [†] *show your/one's all* **6.1** de zaterdag voor ~ *Whitsaturday.*
pinksterfeest ⟨het⟩ **0.1** *(feast of) Whitsun; Pentecost* ⟨ook jud.⟩ ⇒⟨jud. ook⟩ *Festival of Weeks, Shabuoth.*
pinkstergebruik ⟨het⟩ **0.1** *Whitsun customs.*
pinkstergemeente ⟨de (v.)⟩ **0.1** *Pentecostal church.*
Pinkstermaandag ⟨de (m.)⟩ **0.1** *Whitmonday.*
pinksterroos ⟨de⟩ **0.1** *peony.*
pinkstertijd ⟨de (m.)⟩ **0.1** *Whitsun(tide).*
pinkstervakantie ⟨de (v.)⟩ **0.1** *Whitsun holiday* ⇒⟨inf.⟩ *Whit(sun).*
pinkstervuur ⟨het⟩ **0.1** ⟨bijb.⟩ *tongues of fire* **0.2** ⟨fig.⟩ heilige geestdrift] *holy zeal* **0.3** [vreugdevuur met Pinksteren] *bonfire at Whitsun(tide)* ⇒*Whitsun bonfire.*
pinksterweek ⟨de⟩ **0.1** *Whit(sun) week.*
Pinksterweekeinde ⟨het⟩ **0.1** *Whit Weekend.*
pinksterweide ⟨de⟩ **0.1** ⟨*green/meadow where a Whitsun bonfire is lit*⟩.
Pinksterzaterdag ⟨de⟩ **0.1** *Whit Saturday.*
Pinksterzondag ⟨de (m.)⟩ **0.1** *Whitsunday;* ⟨vnl. AE⟩ *Pentecost.*
pinkstier ⟨de (m.)⟩ **0.1** *yearling bullcalf.*
pinkvaars ⟨de (v.)⟩ **0.1** *yearling calf* ⇒*heifer.*
pinkzout ⟨het⟩ **0.1** *pink salt.*
pinmos ⟨het⟩ **0.1** *haircap moss.*
pinnen ⟨ov.ww.⟩ **0.1** [van pinnen voorzien] *peg* ⇒*pin* **0.2** [met een pin doorboren] *peg* ⇒*pin* ♦ **1.1** een muur ~ met glasscherven *top a wall with splintered glass.*
pinnig ⟨bn., bw.;-ly⟩ **0.1** [vinnig] *tart* ⇒*biting, cutting, sharp, snappish* ⟨persoon⟩ **0.2** [zuinig] *niggardly* ⇒*stingy, mean, tight(-fisted).*
pinoline ⟨de⟩ **0.1** *pinolin(e)* ⇒*rosin spirit.*
pinot ⟨de (m.)⟩ **0.1** *pinot.*
pinsbek ⟨het⟩ **0.1** *pinchbeck.*
pinscher ⟨de (m.)⟩ **0.1** *Doberman (pinscher).*
pint ⟨de⟩ **0.1** [glas bier] *pint* ⇒*beer* **0.2** [vochtmaat] *pint* **0.3** [kan] *pint pot/jug* ♦ **3.1** een ~ pakken *have a pint/beer.*
pioen ⟨de⟩ **0.1** [plant] *peony* **0.2** [bloem] *peony* ♦ **8.1** een kleur krijgen/ blozen als een ~ *blush as red as a rose/p., blush scarlet.*
pioenachtigen ⟨zn.mv.⟩ **0.1** *Paeonia.*
pioenroos ⟨de⟩ **0.1** *peony.*
pion
I ⟨de (m.)⟩ **0.1** [⟨spel⟩] *counter* ⇒*piece* **0.2** [⟨schaken⟩] *pawn;*
II ⟨het⟩ **0.1** [⟨nat.⟩] *pion* ⇒*pi meson.*
pionier ⟨de (m.)⟩ **0.1** [iem. die onbekend land verkent] *pioneer* ⇒⟨USA;gesch.⟩ *frontiersman,* ⟨doorgewinterde pionier in Alaska; AE;inf.⟩ *sourdough* **0.2** [⟨fig.⟩] *pioneer* ⇒*pathfinder, trailblazer* **0.3** [⟨mil.⟩] *pioneer* ⇒*engineer,* ⟨BE ook;inf.⟩ *sapper.*
pionieren ⟨onov.ww.⟩ **0.1** [als pionier werkzaam] *pioneer* **0.2** [⟨fig.⟩] *pioneer* **0.3** [⟨mil.⟩] *pioneer.*
pioniersgeest ⟨de (m.)⟩ **0.1** *pioneer(ing) spirit.*
pionierster ⟨de (v.)⟩ **0.1** [vrouwelijke pionier] *(woman) pioneer* **0.2** [padvindster] *senior* [B]*(Girl) Guide/*[A]*Girl Scout* ⇒⟨BE ook⟩ *Ranger (Guide).*
pionierswerk ⟨het⟩ **0.1** [werk v.e. pionier] *pioneer work* **0.2** [⟨fig.⟩] *pioneering work* ⇒*pathfinding, trailblazing* ♦ **3.2** ~ verrichten *break new/fresh ground, blaze a trail, be in the vanguard.*
pioniervegetatie ⟨de (v.)⟩ **0.1** *pioneer vegetation.*
pip ⟨de⟩ **0.1** *roup* ♦ **3.1** ⟨fig.⟩ krijg de ~! *damn you!, a curse/plague on you!;* ⟨inf.⟩ *drop dead!* **6.1** met de ~ *roupy.*
pipa ⟨de⟩ **0.1** [dierk.] *pipa* ⇒*Surinam toad* **0.2** [⟨scherts.⟩] ⟨BE;sl.; aanspreekvorm⟩ *governor* ⇒*guv('nor),* ⟨BE;sl.⟩ *pa, pater,* ⟨AE;inf.; vaak aanspreekvorm⟩ *pappa.*
piperine ⟨de⟩ **0.1** *piperine.*
pipet ⟨het, de⟩ **0.1** *pipette* ⇒*dropglass.*
pipetteren
I ⟨ov.ww.⟩ **0.1** [met een pipet overbrengen] *pipette;*
II ⟨onov.ww.⟩ **0.1** [v.e. pipet gebruik maken] *use a pipette.*
pipowagen ⟨de (m.)⟩ ⟨inf.⟩ **0.1** ⟨ongemarkeerd⟩ *caravan.*
pippeling ⟨de (m.)⟩ **0.1** *pippin.*
pips ⟨bn.⟩ **0.1** *washed out* ⇒*pale,* ⟨vnl. BE ook⟩ *off colour,* ⟨sl.⟩ *peaky* ♦ **3.1** er ~ uitzien *look washed out/pale/off colour.*
piqué[1]
I ⟨het⟩ **0.1** [stof] *piqué;*

II ⟨de (m.)⟩ **0.1** [⟨biljart⟩] *piqué*.
piqué² ⟨bn.⟩ **0.1** *piqué*.
piqueren ⟨onov.,ov.ww.⟩ ⟨biljart⟩ **0.1** *make a piqué shot*.
piraat ⟨de (m.)⟩ **0.1** [zeerover] *pirate* ⇒*sea wolf*, ⟨gesch.⟩ *buccaneer*, ⟨zeldzaam⟩ *rover* **0.2** [illegale zender] *pirate (radio/TV) station* **0.3** [⟨fig.⟩] *pirate* ⇒*swashbuckler*.
piramidaal ⟨bn.,bw.;-(al)ly⟩ **0.1** [in de vorm v.e. piramide] *pyramidal* ⇒*pyramidic(al)* **0.2** [⟨fig.⟩ enorm] *monumental* ⇒*colossal, enormous* ◆ **1.1** piramidale zeeën *pyramidal waves* **1.¶** ⟨wisk.⟩ ~ getal *pyramidal number*.
piramide ⟨de (v.)⟩ **0.1** [Egyptisch grafmonument] *pyramid* **0.2** [bouwwerk] *pyramid* **0.3** [op elkaar gestapelde voorwerpen] *pyramid* **0.4** [⟨wisk.⟩] *pyramid* ◆ **2.4** een afgeknotte ~ *a frust(r)um, a truncated p.*.
piramidebaan ⟨de⟩ ⟨med.⟩ **0.1** *pyramidal system channels* ⇒*pyramidal tract*.
piramideboom ⟨de (m.)⟩ **0.1** *pyramid-shaped tree*.
piramidebouw ⟨de (m.)⟩ **0.1** *pyramidal construction*.
piramidecel ⟨de⟩ ⟨med.⟩ **0.1** *pyramidal cell*.
piramidetekst ⟨de (m.)⟩ **0.1** *pyramid text*.
piramidevormig ⟨bn.⟩ **0.1** *pyramidic(al)/pyramidal* ⇒*pyramid-shaped*.
piranha ⟨de⟩ **0.1** *piranha*.
pirateneditie ⟨de (v.)⟩ **0.1** *pirated edition* ⇒*spurious edition, piratical edition*.
piratennest ⟨het⟩ **0.1** *pirates' nest*.
piratenschip ⟨het⟩ **0.1** [etherpiraat] *pirate radio ship* **0.2** [zeeroverschip] *pirate ship*.
piratenzender ⟨de (m.)⟩ **0.1** *pirate (radio station)*.
piraterij ⟨de (v.)⟩ **0.1** *piracy* ◆ **2.1** ⟨fig.⟩ literaire ~ *literary p.*.
pirouette ⟨de⟩ **0.1** [⟨dansk.⟩] *pirouette* ⇒⟨ijsdansen⟩ *spin* **0.2** [mbt. vliegtuigen] *pirouette* ⇒*vertical flick spin* **0.3** [⟨dressuurrijden⟩] *pirouette*.
pirouetteren ⟨onov.ww.⟩ **0.1** *pirouette* ⇒*execute a pirouette*.
pis ⟨de (m.)⟩ ⟨inf.⟩ **0.1** *piss* ⇒↑*pee* ◆ **3.1** ~lozen *take a piss/slash/leak/ pee*; het stinkt hier naar ~ *it stinks of p. (in) here*.
pis-aller ⟨het, de (m.)⟩ **0.1** *pis aller* ⇒*makeshift, last resort, last expedient,* ↑*dernier ressort* ◆ **1.¶** au ~ *in the last resort, as a last resort* **¶.1** *resource, in the worst-case scenario*.
pisang
  I ⟨de⟩ **0.1** [vrucht] *banana* ⇒*plantain* ◆ **3.1** ⟨fig.⟩ de ~ zijn *be left holding the baby* **¶.1** ~ goreng *fried banana;*
  II ⟨de (m.)⟩ **0.1** [persoon] *type* **0.2** [boom] *banana(-tree); plantain(-tree)* ◆ **2.1** hoge ~s *big wigs/shots, top brass;* een rare ~ *a queer fish/customer/duck, an oddity;* ⟨AE;sl.⟩ *an oddball*.
pisangboom ⟨de (m.)⟩ **0.1** *banana-tree* ⇒*plantain-tree*.
pisangplanten ⟨zn.mv.⟩ **0.1** *banana-plants* ⇒*plantains*.
pisangvreter ⟨de (m.)⟩ **0.1** *plantain-eater* ⇒*t(o)uraco, turacou, turakoo*.
pisbak ⟨de (m.)⟩ **0.1** *bog, john* ⇒⟨sl.⟩ *dike, dyke*.
pisbroek ⟨de⟩ ⟨inf.⟩ **0.1** [ondergeplaste broek] *wet pants/nappy/^diaper* **0.2** [kind dat nog in zijn broek plast] *nappy-wetter*.
pisbuis ⟨de (v.)⟩ **0.1** *urethra*.
pisbuisvernauwing ⟨de (v.)⟩ **0.1** *urethral stricture* ⇒*narrowing of urethra*.
piscicultuur ⟨de (v.)⟩ **0.1** *pisciculture*.
piscine ⟨de (v.)⟩ **0.1** [visvijver] *piscina* ⇒*artificial fish pond/lake* **0.2** [waterbassin] *piscine* ⇒⟨vnl. Romeins bad⟩ *piscina, baths, pool*.
pisébouw ⟨de (m.)⟩ **0.1** *pisé de terre (construction)* ⇒*cob construction, rammed-earth construction*.
pisglas ⟨het⟩, **pisfles** ⟨de⟩ **0.1** *urinal*.
pishoek ⟨de (m.)⟩ ⟨inf.⟩ **0.1** [waterplaats] *piss place* **0.2** [⟨fig.⟩ smerige plaats] *dump, filthy hole* ⇒*sty*.
piske ⟨het⟩ ⟨AZN⟩ **0.1** *pee* ⇒ ⟨kind.⟩ *wee(-wee), piddle*.
pislozing ⟨de (v.)⟩ **0.1** *pissing* ⇒*urination, discharge of urine*, ⟨med.⟩ *micturition*.
pisnijdig ⟨bn.,bw.⟩ ⟨inf.⟩ **0.1** *hopping mad* ⇒*livid*, ⟨sl.⟩ *red-assed, infuriated*, ⟨vnl. AE⟩ *pissed(-off)* ◆ **3.1** iem. ~ maken *push/send s.o. up the wall, get s.o.'s dander up, make s.o. hopping mad, make s.o.'s blood boil* **6.1** ~ op iem. zijn *be mad/pissed-off at s.o.*.
pispaal ⟨de (m.)⟩ **0.1** *target* ⇒*butt, mark*, ⟨bespot⟩ *laughing-stock*, ⟨AE;sl.⟩ *fall guy, sitting duck*.
pispot ⟨de (m.)⟩ **0.1** *piss-pot* ◆ **¶.1** ⟨fig.,scherts.⟩ het is kwart over de rand van de ~ *it is a freckle past a hair;* ⟨in antwoord op 'what's the time'⟩ *half past nine (time to hang your washing on the line)*.
pissebed ⟨de⟩ **0.1** [schaaldiertje] *wood louse* ⇒⟨vnl. AE⟩ *pill bug, sow bug* **0.2** [⟨mv.⟩ orde van ringkreeften] *isopods* **0.3** [iem. die in bed plast] *bed-wetter*.
pissebloem ⟨de⟩ **0.1** *dandelion*.
pissen ⟨inf.⟩⟨→sprw. 499⟩
  I ⟨onov.ww.⟩ **0.1** [plassen] *piss* ⇒⟨sl.⟩ *take a leak/slash* ◆ **6.1** tegen iem. (aan) ~ *take the mick(e)y/piss out of s.o.* **¶.1** ⟨fig.⟩ mijn boek is ~ *my book has gone for a walk;*
  II ⟨ov.ww.⟩ **0.1** [met de urine lozen] *piss* ◆ **1.1** bloed ~ *p. blood;*
  III ⟨onp.ww.⟩ **0.1** [regenen]⟨flink⟩ *piss (down);* ⟨zacht⟩ *piddle* ⇒ *drizzle*.

pisser¹ ⟨de (m.)⟩ ⟨inf.⟩ **0.1** [penis] *prick* ⇒⟨sl.⟩ *tool*, ⟨kind.⟩ *willie* **0.2** [persoon] *pisser* ◆ **5.1** met de ~ omhoog liggen ⟨fig.⟩ *turn up one's shoes, push up daisies;* ⟨sl.⟩ *be a stiff*.
pisser² ⟨bn.⟩ ⟨inf.⟩ **0.1** *gone* ⇒*out the window, disappeared* ◆ **3.1** die pen ben ik ~ *my pen has disappeared/gone for a walk, I've lost my pen*.
pisserig ⟨bn.⟩ ⟨inf.⟩ **0.1** [veel moeten pissen] *weak-bladdered* **0.2** [chagrijnig] *pissed-off* ⇒⟨AE ook⟩ *pissed, shirty, sullen, cross, waspish* ◆ **1.2** een ~ antwoord *a shirty/waspish answer* **3.1** wat is dat kind ~ vandaag *that child doesn't half need to pee today*.
pissig ⟨bn.,bw.⟩ **0.1** *pissed off* ⇒⟨AE ook⟩ *pissed*.
pissoir ⟨het, de (m.)⟩ **0.1** *pissoir, urinal*.
pissuiker ⟨de (m.)⟩ **0.1** *sugar in the urine* ⇒*glucose in the urine*.
pistache ⟨de⟩ **0.1** [groene amandel] *pistachio (nut)* **0.2** [knalbonbon] *bonbon* ⇒*cracker*.
pistacheboom ⟨de (m.)⟩ **0.1** [groene-amandelboom] *pistachio* **0.2** [geslacht Staphylea] *bladdernut*.
pistachegroen ⟨bn.⟩ **0.1** *pistachio (green)* ◆ **7.1** het ~ *pistachio (green)*.
piste ⟨de⟩ **0.1** [deel v.e. circus] *ring* ⇒⟨sl.⟩ *(the) tan* **0.2** [⟨wielersport⟩] *track* **0.3** [⟨skisport⟩] *piste* ⇒*slope* ◆ **6.3** ~ voor beginners *nursery slope*.
pistier ⟨de (m.)⟩ **0.1** *track (racing) cyclist*.
pistolengoud ⟨het⟩ ⟨gesch.⟩ **0.1** *gold out of which pistole(t)s were minted*.
pistolet ⟨de (m.)⟩ **0.1** [tekenmal] *(French) curve* **0.2** [broodje] ≠*(bread) roll* ⇒*bap*.
piston ⟨de (m.)⟩ **0.1** [blaasinstrument] *cornet(-à-pistons)* **0.2** [ventiel v.e. blaasinstrument] *valve* **0.3** [zuiger] *piston* **0.4** [⟨AZN⟩ slaghoedje] *cap* ◆ **6.1** op de ~ spelen *play the cornet*.
pistonist ⟨de (m.)⟩ **0.1** *cornettist*.
pistonpen ⟨de (m.)⟩ **0.1** *wrist pin* ⇒ ⟨in automotor⟩ *gudgeon pin*.
pistool ⟨het⟩ **0.1** [handvuurwapen] *pistol* ⇒*hand-gun*, ⟨sl.⟩ *heater*, ^*belly gun*, ⟨van groot kaliber⟩ *der(r)inger*, ⟨scherts.⟩ *peashooter* **0.2** [⟨in samenst.⟩ gereedschap] *gun* ◆ **1.2** nietpistool *staple-gun* **3.1** hij heeft misschien een ~ *he might carry a pistol* **6.1** met het ~ schieten *let off/ fire a pistol/gun, shoot with a pistol, pistol;* ⟨fig.⟩ met het ~ op de borst iets vragen *manoeuvre/an offer he can't refuse;* ⟨fig.⟩ laat je niet met het ~ op de borst dwingen tot instemming *don't let yourself be bulldozed into agreeing;* iem. het ~ op de borst zetten *put a pistol to s.o.'s chest/head*.
pistoolgreep ⟨de⟩ **0.1** *pistol-grip*.
pistoolholster ⟨de (m.)⟩ **0.1** *pistol-holster*.
pistoolmitrailleur ⟨de (m.)⟩ **0.1** *submachine gun;* ⟨inf.⟩ *Tommy gun;* ⟨sl.⟩ *tommy*.
pistoolschot ⟨het⟩ **0.1** *pistol-shot*.
pistooltje ⟨het⟩ **0.1** [nachtvlinder] *gamma moth* ⇒*silver Y moth* **0.2** [speelgoedpistool] *toy pistol*.
pit
  I ⟨de⟩ **0.1** [zaadkorrel] *seed* ⇒*pip* ⟨van kers, appel, sinaasappel enz.⟩ **0.2** [steen in het vruchtvlees] *stone* ⇒⟨vnl. AE⟩ *pit* **0.3** [binnenste v.e. noot] *kernel* **0.4** [katoendraad in lamp/kaars] *wick* **0.5** [brander] *burner* ◆ **3.1,3.2** van de ~ten ontdoen *stone* **3.4** de ~ opdraaien *turn the light/lamp up* **6.1,6.2** met ~ ⟨bv. mandarijn, olijf⟩ *with seeds /pips/stones* **6.1,6.2 zonder** ~ ⟨bv. mandarijn, olijf⟩ *seedless* ⟨druif⟩; *pipless* ⟨mandarijn⟩; *pitted/stoneless* ⟨olijf⟩ **6.¶** ⟨toneel⟩ op de ~ leunen *rely on the prompter* **7.5** een gasstel met twee ~ten *a gas-cooker with two rings;*
  II ⟨het, de⟩ **0.1** [energie] *pith* ⇒*spirit, sting, zip*, ⟨inf.⟩ *oomph, body* ⟨in wijn⟩ **0.2** [merg van hout] *pith* ⇒⟨plantk.⟩ *pith parenchyma* ◆ **3.1** wat meer ~ geven *aan iets pep sth. up, give/add zest to sth.;* er zit ~ in die meid *she's a girl with backbone/guts/spirit, she's a plucky/ spunky girl;* er zit geen ~ in zijn toespraak, het was een toespraak zonder ~ *his speech lacks punch, it was a speech with no snap/zap* er is ~ in het *5.1* vol ~ zitten *be full of beans, have fire in one's belly* **6.1** een man/ iem. met ~ *a man of mettle/marrow* **7.1** die knaap heeft geen ~ *that fellow has no spunk/guts/spirit;*
  III ⟨de (m.)⟩ **0.1** ⟨auto- en motorsport⟩ **0.1** [post langs de racebaan] *pit*.
pitgaren ⟨het⟩ **0.1** *wick-yarn*.
pithecanthropus erectus ⟨de (m.)⟩ **0.1** *pithecanthropus erectus* ⇒*pithecanthrope, Java man*.
pithouder ⟨de (m.)⟩ **0.1** *wickholder*.
pitje ⟨het⟩ **0.1** *low flame* ◆ **2.¶** op een laag ~ staan ⟨ook fig.⟩ *simmer, be simmering;* ⟨fig.⟩ *tick over;* iets op een laag/klein ~ zetten ⟨ook fig.⟩ *keep sth. simmering (over a low flame/heat);* ⟨fig.⟩ *put sth. on the backburner, give sth. a low profile*.
pitloos ⟨bn.⟩ **0.1** [zonder pit] *pipless* ⇒*stoneless* ⟨perzik, olijf⟩, *seedless* ⟨druif⟩ **0.2** [zonder energie] *pithless* ⇒*spineless, pepless, feckless*.
pitotbuis ⟨de (v.)⟩ **0.1** *Pitot tube*.
pitriet ⟨het⟩ **0.1** *pulp cane*.
pitrus ⟨het, de (m.)⟩ ⟨plantk.⟩ **0.1** *soft rush*.
pitspoes ⟨de (v.)⟩ ⟨sport;scherts.⟩ **0.1** *groupie*.
pitstop ⟨de (m.)⟩ ⟨autosport⟩ **0.1** *pit stop* ◆ **3.1** een ~ maken *make a p. s.*.
pitten

I ⟨onov.ww.⟩ **0.1** [⟨inf.⟩ slapen] *doss* ⇒*shake down, kip, have a kip, bunk* **0.2** [⟨toneel⟩] *rely on the prompter, need prompting* ◆ **3.1** blijven ~ ⟨sl.⟩ *crash;* gaan~*flop, kip (down), hit the hay/sack, sack out, conk off* **6.1 in** de open lucht~ *kip out* ¶**.1** ⟨fig.⟩ hij loopt te~ *he's (walking/ going around) in a daze/ doze;*
II ⟨ov.ww.⟩ **0.1** [pitten verwijderen uit] *stone* ⇒⟨vnl. AE⟩ *pit* ◆ **1.1** aardappels~ *take the eyes out of potatoes;* kersen~ *stone cherries.*

pittig ⟨bn.,bw.;-ly⟩ **0.1** [energiek] *racy* ⇒*pithy* ⟨stijl, mens⟩, *crisp* ⟨stem⟩, *snappy* ⟨verhaal⟩ **0.2** [⟨fig.⟩ erg] *stiff* ⇒*steep* ⟨prijs, rekening⟩ **0.3** [kruidig] *racy* ⇒*spicy, pungent, strong,* ⟨hartig⟩ *salty,* ⟨scherp⟩ *hot, full-bodied* ⟨wijn⟩ **0.4** [⟨fig.⟩ geestig] *pithy* ⇒*snappy* ⟨uitdrukking⟩, *punchy* **0.5** [aardig] *plucky* ⇒*spirited,* ↑*mettlesome* ◆ **1.1** een~e gelaatsuitdrukking *a lively expression (on one's face)* **1.2** een~e discussie *a meaty discussion;*~e eisen *stiff demands;* een~e klus *a stiff/ tough job;* een~e rekening *a steep/ salted bill* **1.3** ~e soep *tasty soup;*~e tabak *full-flavoured/ strong tobacco* **1.5** een~ meisje *a p./ spirited girl* **3.1** die auto trekt~ *op that car pulls away with a punch* **3.3** ~e gekruid *fiery, spicy* **3.4** iets~ verwoorden *put sth. pithily/ neatly/ crisply.*

pittoresk ⟨bn., bw.⟩ **0.1** *picturesque* ⇒*scenic* ⟨route⟩.

pitvis ⟨de (m.)⟩ **0.1** [vis] *(common) dragonet* **0.2** [⟨mv.⟩ vissenfamilie] *dragonets.*

pitvrucht ⟨de⟩ **0.1** *pome.*

piu ⟨bw.⟩ ⟨muz.⟩ **0.1** *più* ◆ ¶**.1** ~ allegro *p. allegro.*

pivoteren ⟨onov.ww.⟩ **0.1** [ronddraaien] *pivot* ⇒*gyrate, spin (round)* **0.2** [⟨basketbal⟩] *pivot.*

pizza ⟨de⟩ **0.1** *pizza.*

pizzeria ⟨de⟩ **0.1** *pizzeria* ⇒⟨AE ook⟩ *pizza parlor.*

pizzicato¹ ⟨het⟩ ⟨muz.⟩ **0.1** *pizzicato* ⇒*pizzicato section/ passage.*

pizzicato² ⟨bw.⟩ ⟨muz.⟩ **0.1** *pizzicato.*

p.j. ⟨afk.⟩ **0.1** [per jaar] *p.a..*

pk ⟨de⟩ ⟨afk.⟩ **0.1** [paardekracht] *h.p..*

pl. ⟨afk.⟩ **0.1** [plaats] *pl.* **0.2** [pluralis] *pl..*

plaag ⟨de⟩ **0.1** [⟨vnl. in samenst.⟩ explosieve toename van organismen] *plague* ⇒*infestation* **0.2** [onheil] *plague* ⇒*pest, nuisance, scourge, curse* **0.3** [ziekte] *plague* ⇒*pestilence* ◆ **1.1** een rattenplaag *p. of rats* **2.2** een ware~ zijn voor iem. *be a thorn in s.o.'s flesh* **6.1** van een ~ bevrijden *disinfest* **6.2 tot** een~ worden *become a pest/ nuisance* **6.3** de koeien zijn **aan** de~ gestorven *the cows have died of a plague* **7.2** de tien plagen van Egypte *the ten plagues of Egypt.*

plaagal ⟨de (m.)⟩ **0.1** *teaser* ⇒*pest.*

plaaggeest ⟨de (m.)⟩ **0.1** [treiteraar] *tease(r)* ⇒*puck, mischief, tormentor, bully* **0.2** [demon] *cacod(a)emon* ◆ **2.1** een~e *a holy terror.*

plaagstoot ⟨de (m.)⟩ **0.1** *playful/ teasing blow* ⇒*(provocerende opmerking) dig (at)* ◆ **3.1** een~ uitdelen *deal a teasing blow;* ⟨fig.⟩~jes uitdelen *make (sly) digs at s.o..*

plaagziek ⟨bn.⟩ **0.1** *(given to) teasing* ◆ **1.1** zij was in een~e bui *she was in a teasing mood.*

plaagzucht ⟨de⟩ **0.1** *love of teasing.*

plaat ⟨de⟩ **0.1** [plat/dun stuk] *plate* ⟨ook in accu, kunstgebit⟩ ⇒*sheet* ⟨van dun glas/metaal⟩, *slab* ⟨van marmer/steen/beton⟩, ⟨gedenkplaat⟩ *tablet,* ⟨wijzerplaat⟩ *dial* **0.2** [grammofoonplaat] *record* ⇒ ↓*disc* **0.3** [prent] *plate* ⇒*print, picture* **0.4** [⟨plaatdrukkerij⟩] *plate* ⟨uit koper⟩ *copperplate* **0.5** [gravure] *plate* ⇒*print, engraving* **0.6** [⟨sport⟩] *chainring* ⇒*chainwheel* **0.7** [kookplaat, ovenplaat] ⟨kookplaat⟩ *hotplate;* ⟨ovenplaat⟩ *baking sheet* **0.8** [plaatbrood] *loaf baked on sheet* **0.9** [zandbank] *shallow(s)* ⇒*shoal* **0.10** [dikke plank] *board* **0.11** [⟨plantk.⟩] *limb* **0.12** [⟨sport⟩] *plate* ◆ **1.1** een~ fineer *a sheet of veneer* **2.1** een glazen~ *a sheet of glass;* een marmeren~ *a slab of marble;* een stalen~ *a steel p., a sheet of steel* **2.2** een gouden~ *a golden disc* **2.¶** iets op de gevoelige~ vastleggen *take a snap(shot)* **3.2** een~ draaien/opzetten *play/put on a r.;* ⟨iron.⟩ deze~ heb ik eerder / al vaker gehoord *you're harping on the same string, I've heard all this before;* een~ maken/ opnemen *make/ record a record, cut a disc;* een ~ uitbrengen *release a r., bring out a r.* **3.4** een~ snijden *cut/ engrave a p.* **3.¶** de~ poetsen *clear out/ off, beat it, sling one's hook* **6.2 op** de ~ zetten *record* **6.3** een boek met platen *a book with plates, an illustrated book* **6.4 op** een~ graveren *engrave on a p.* ¶**.1** ik heb een~ in mijn been *I have a metal p. in my leg* ¶**.2** een drieëndertig toeren~ *a thirty-three.*

plaatbatterij ⟨de (v.)⟩ **0.1** *plate/*^*B battery.*

plaatborstel ⟨de (m.)⟩ **0.1** *laminated brush.*

plaatbrood ⟨het⟩ **0.1** *loaf baked on sheet.*

plaatcondensator ⟨de (m.)⟩ **0.1** *plate capacitor/ condenser.*

plaatdruk ⟨de (m.)⟩ **0.1** [handeling] *(copper)plate printing* **0.2** [resultaat] *(copper)plate* ⇒*print.*

plaatdrukker ⟨de (m.)⟩, **-ster** ⟨de (v.)⟩ **0.1** *plate printer.*

plaatdrukkerij ⟨de (v.)⟩ **0.1** [werkplaats] *plate printing works* **0.2** [kunst] *(copper)plate printing.*

plaatfilter ⟨het, de (m.)⟩ **0.1** *plate filter.*

plaatglas ⟨het⟩ **0.1** *plate glass.*

plaatgraveur ⟨de (m.)⟩ **0.1** *engraver.*

plaathandel ⟨de (m.)⟩ **0.1** *gallery specializing in prints and engravings.*

plaatijzer ⟨het⟩ **0.1** *sheet iron* ⇒*iron sheet(ing).*

plaatijzeren ⟨bn.⟩ **0.1** *sheet-iron.*

plaatje ⟨het⟩ **0.1** [kleine plaat] *plate* ⇒⟨hout, glas⟩ *sheet,* ⟨marmer⟩ *slab,* ⟨aan sleutel enz.⟩ *tag,* ⟨om nek⟩ *identity disc* **0.2** [gedeeltelijk kunstgebit] *(dental) plate* **0.3** [single] *single* ⇒⟨enkel nummer van elpee⟩ *track* **0.4** [foto] *snapshot* ⇒*snap* **0.5** [schilfertje] *flake* **0.6** [beeld ⟨ook in samenst.⟩] *outline* **0.7** [⟨kaarten⟩] ^B*court card* ^A*face card* ⇒*picture card* **0.8** [illustratie] *picture* **0.9** [⟨fig.⟩ er aantrekkelijk uitzien iem./ iets] *picture* **0.10** [⟨plantk.⟩] *gill* ◆ **1.6** inkomensplaatje *outline of incomes* **3.4** ~s schieten *take photos* **3.6** het~ invullen *fill in the outline* **3.9** de bruid was een~ *the bride was a p.* ¶**.8** het is net een~ *it's a p..*

plaatjesalbum ⟨het⟩ **0.1** *album for picture cards.*

plaatkiel ⟨de⟩ **0.1** *plate keel.*

plaatkieuwigen ⟨zn.mv.⟩ **0.1** *lamellibranchia(ta).*

plaatklauw ⟨de⟩ **0.1** ⟨→plaathaak⟩.

plaatklok ⟨de⟩ ⟨muz.⟩ **0.1** *bell plates* ⇒*orchestral chimes.*

plaatkoek ⟨de (m.)⟩ **0.1** ≠*drop scone* ⇒*griddle cake.*

plaatkoper ⟨het⟩ **0.1** ⟨rood koper⟩ *sheet copper, copper sheet(ing);* ⟨geel koper⟩ *sheet brass, brass sheet(ing).*

plaatlood ⟨het⟩ **0.1** *sheet lead* ⇒*lead sheet(ing).*

plaatmal ⟨de (m.)⟩ **0.1** *thickness gauge* ^*gage.*

plaatmetaal ⟨het⟩ **0.1** *sheet metal.*

plaatopname ⟨de⟩ **0.1** *(gramophone) recording.*

plaatpapier ⟨het⟩ **0.1** *plate paper.*

plaatpers ⟨de⟩ **0.1** *plate press.*

plaatradiator ⟨de (m.)⟩ **0.1** *panel radiator.*

plaats ⟨de⟩ ⟨→sprw. 574,666⟩ **0.1** [punt/gebied op aarde/ in de ruimte] *place* ⇒*point, location* **0.2** [plek op een oppervlak] *place* ⇒*spot* **0.3** [punt waar iem./ iets zich bevindt] *place* ⇒*position, spot, site* ⟨vnl. van gebouw⟩ **0.4** [ingenomen/nodige ruimte] *room* ⇒*space,* ⟨zitplaats⟩ *seat* **0.5** [juiste plek/ ruimte] *place* ⇒*position* **0.6** [stad] *town* ⇒⟨dorp⟩ *village* **0.7** [zit/staan/ligplaats] *place* ⇒⟨zitplaats ook⟩ *seat,* ⟨ligplaats ook⟩ *berth* **0.8** [⟨ter aanduiding v.d. rangorde⟩] *place* ⇒*position* **0.9** [functie] *place* ⇒*position, situation, post, job* **0.10** [open stuk grond] *yard* ⇒⟨binnenhof⟩ *court(yard), quadrangle* ⟨bv. van universiteitsgebouwen, scholen⟩, ⟨achterplaats⟩ *back yard* **0.11** [plein] *square* ⇒⟨markt⟩ *marketplace, market square* **0.12** [passage in een boek] *place* ⇒*passage* **0.13** [landgoed] *place in the country* ⇒ *country seat* ◆ **1.1** de~ van aankomst/ vertrek *the point of arrival/ departure;* de~ van bestemming *the destination;* de~ en datum *the time and place;* ⟨inf.⟩ *the when and where;* de~ van handeling *the scene of the action;* de~ v.d. misdaad *the scene of the crime* **2.2** op een ondiepe ~ vastlopen *run aground in the shallows* **2.4** een grote/ belangrijke~ innemen ⟨op een begroting, in een theorie e.d.⟩ *occupy a major/ an important place (in), figure largely (in)* **2.5** ik ben even naar een zekere~ *I'm just going to spend a penny* **2.6** een grote~ *a large t.;* een klein~je *a small place/ village;* Wijk bij Duurstede is een heel mooi(e)~(je) *Wijk bij Duurstede is a lovely (little) place* **2.7** een vaste ~ *one's own p./ seat* **2.8** een bijzondere~ innemen ⟨in iemands hart, op een bepaald gebied⟩ *have a special place (in)* **2.9** de juiste man op de juiste~ *the right man in the right place, the right man for the job;* een vacante~ *a vacancy, a vacant situation/ post* **2.¶** ⟨wisk.⟩ meetkundige~ *locus* **3.1** een~ afspreken *decide on/ arrange a place* **3.3** de ~ bepalen van iets *locate sth., determine the position of sth.;* zijn ⟨eigen⟩ ~ bepalen *fix one's position;* iets een andere~ geven *put sth. in a different place, move sth.* **3.4** zijn~ afstaan voor *give up/* ↑*yield one's place to;*~ bieden aan ⟨30 mensen⟩ *accommodate/ provide accommodation for (30 people); hold/ take (30 people);* ⟨om te slapen⟩ *sleep (30 people);* ⟨om te zitten⟩ *seat (30 people);* dit autootje biedt~ aan/ voor vijf personen *this car seats four (people);* de~ innemen van ⟨de moeder/ een ander produkt⟩ *take the place of (the mother/ another product);* (een)~ inruimen voor *make r. for s.o.;* ⟨inf.⟩ *find a slot for s.o.;* is hier nog~ ⟨in boot, bioscoop⟩ ⟨in trein/ bioscoop enz.⟩ *is there a seat free?;* ⟨op boot⟩ *is there a berth free?;* er is geen~ meer ⟨in auto, trein⟩ *it's/ they're/ we're full (up);*~ maken (voor iem.) *make room/space (for s.o.);*~ maken voor iets anders/de nieuwe mode *make way for/ give way to sth. different/ the new fashion;* een ~ openlaten *keep a space (free) (for);* zich een~ veroveren als *establish o.s. as;*~ vinden voor meer meubels *find r./ space for more furniture, fit in more furniture;* ergens nog een~(je) vinden (voor nog meer boeken) *fit in/* ⟨inf.⟩ *squeeze in (some more books) somewhere;* het boek vond/ kreeg een~(je) tussen de andere rommel *the book found/ was given a place amongst the other junk* **3.5** zijn~ gevonden hebben, eindelijk op zijn~ zijn *be settled, have found one's niche;* het is hier de~ niet om over dat onderwerp uit te weiden *this is not the (time or) place to enlarge on that topic;* een disco is geen~ voor oude heren *a disco is no place for old gentlemen;* de~ krijgen die hen toekomt *get their rightful place;* zijn~ niet weten *not know one's place* **3.7** een~ bespreken *book/ reserve a seat/ berth/ p.;* ⟨op boot⟩ *book a passage;* zijn~ innemen, op zijn~ gaan zitten *take one's p./ seat, sit down;* we konden geen~(en) meer krijgen *there weren't any seats left;* neemt u a.u.b.~ *please take your seats, please sit down;*~ nemen achter het stuur *get into the driver's seat, get behind the wheel;* een ~ vrijhouden/bewaren voor iem. *keep a seat/p. (free) for s.o.* **3.8** een prominente ~ geven aan *give prominence to;* ⟨inf.⟩ *make a feature of;* hij heeft zijn ~ onder de groten der mensheid *he is one of the world's great men;* dezelfde ~ innemen als *take the same place as;* de eerste ~ overgeven/afstaan aan *yield pride of place to* **3.9** iemands ~ innemen *take s.o.'s place;* ⟨tijdelijk ook⟩ *stand in for s.o.;* ⟨permanent ook⟩ *take over from s.o., step into s.o.'s shoes;* er komt een ~ vrij bij de gemeente *there's going to be a vacancy at the town hall* **3.12** een ~ aanhalen *cite a passage* **4.3** op deze ~ *in this place, on this spot, here* **5.4** er is ~ genoeg (voor iedereen) *there is enough r./space (for everybody), there is plenty/* ⟨inf.⟩ *bags of r. (for everybody)* **6.1** een ~je **onder** de zon *a place in the sun;* je kunt niet **op** twee ~en tegelijk zijn *one can't be in two places at once;* **op** precies dezelfde ~ *in the very same place, in exactly the same place;* **op** verschillende ~en *in various places;* ⟨in boek⟩ *passim;* **ter** ~e aankomen *arrive (at one's destination), reach one's destination* **6.2 op** die ~ doet het pijn *this/that is where it hurts* **6.3 op** de ~ rust *(stand) at ease;* ⟨fig.⟩ **op** de ~ dood blijven *be killed on the spot/instantly/outright;* iets weer **op** zijn ~ zetten/leggen *put sth. back in its place, replace sth.;* iets **op** zijn ~ laten *leave sth. alone, not disturb sth.;* alles was nog **op** zijn ~ *everything was still in (its) place, nothing was out of place;* de vaas stond niet **op** haar ~ *the vase had been moved;* **op** zijn ~ blijven *remain in one's place, keep one's seat;* ⟨inf.⟩ *stay put;* gebouwd **op** de ~ v.h. oude Wyers *built on the site of the old Wyers building;* om het **op** zijn ~ te houden *to keep it in (its) place;* **ter** ~e *on the spot;* onze verslaggever **ter** ~e *our reporter/man on the spot, our on-the-spot reporter;* een onderzoek **ter** ~e uitvoeren *carry out an on-site inspection;* indien niet **ter** ~e verkrijgbaar *if not obtainable locally;* de brandweer was binnen 5 minuten **ter** ~e *the fire brigade was on the scene within five minutes;* **van** ~ veranderen *change one's place/position;* hij was niet **van** zijn ~ te krijgen *he wouldn't move/budge;* ik kan het niet **van** zijn ~ krijgen *I cannot shift/move it;* niets was **van** zijn ~ geweest *nothing had been moved/disturbed;* **van** zijn ~ raken/gaan *be dislodged, be put out of (one's) position* **6.5** zich ergens **op** z'n ~ voelen *feel at home/feel one belongs somewhere;* iets **op** z'n ~ zetten *put sth. in its proper place;* **op** uw ~en! klaar, af *on your marks, get set, go; ready, steady, go;* iem. **op** z'n ~ zetten *put s.o. in his place;* ⟨sport⟩ een ~ **op** het middenveld *a position in mid-field;* zich **op** zijn ~ gaan voelen *begin to feel at home, settle in;* niet **op** zijn ~ zijn ⟨van opmerking, strafwerk e.d.⟩ *be out of place, be uncalled for;* **op** zijn ~ zijn ⟨v.e. bloemetje, een verontschuldiging e.d.⟩ *be called for/in order;* ik heb het gevoel hier **op** mijn ~ te zijn *I feel at home here, I feel I belong here;* hij is hier niet **op** zijn ~ *he is out of place here/a round peg in a square hole;* ik kreeg het bureau toch **op** zijn ~/**op** de ~ waar ik het hebben wilde *I managed to get the desk into place;* zo'n bank is in elke kamer **op** haar ~ *that sort of couch would look well/would not be out of place in any room* **6.6 in** een ~(je) aan de Vecht wonen *live in a village on the Vecht;* hier **ter** ~e *in our town/village* **6.7** het aantal ~en **in** een auto *the number of seats in a car;* terug **naar** zijn ~ gaan *go back to one's p./seat;* iem. **naar** zijn ~ brengen *show s.o. to his seat/berth;* het duurde lang voor alle bezoekers **op** hun ~(en) zaten *it took a long time to get all the visitors seated;* zij zat **op** mijn ~ *she was in my p./seat, she had taken my p./seat;* **op** iemands ~ gaan zitten *take/* ⟨inf.⟩ *pinch s.o.'s seat;* **tot** de laatste ~ bezet *filled to capacity;* **van** ~ ruilen *change one's seat/berth;* hij zat er uren zonder **van** zijn ~ te komen *he sat there for hours without moving/stirring from the spot;* **van** zijn ~ opstaan *get/stand up from one's seat* **6.8 in** de eerste ~ ... en **in** de tweede ~ *in the first place ... and in the second place, for one thing ... and for another (thing);* het is **in** de eerste ~ een commercieel produkt *it is primarily a commercial product, it is a commercial product before all else, it is nothing if not a commercial product;* **in/op** de eerste ~ *in the first place, firstly, first of all, first and foremost;* **in/op** de laatste ~ *in (the) last place, lastly;* zijn gezin komt voor hem **op** de eerste ~ *his family takes first place (for him), his family is his first priority;* ⟨sport⟩ **op** de eerste/tweede/derde ~ eindigen *be (placed) first/second/third* **6.¶** voor iets/iem. **in** de ~ komen *replace sth./s.o.;* **in** ~ **van** zelf te komen, stuurde hij een briefje *instead of coming himself he sent a note;* ⟨inf.⟩ **in** ~ dat hij nu zelf kwam *instead of coming himself;* **in** jouw ~ deed ik het *if I were you/if I were in your position I'd do it;* ik zou niet graag **in** zijn ~ zijn *I'd rather not be in his shoes;* **in** de ~ stellen van *put in the place of, substitute for;* stel je(zelf) **in** mijn ~ *put yourself in my place/position;* **in** iemands ~ antwoorden *reply for s.o.;* als ze dat niet lusten, geef ze dan erwten **in** de ~ *if they don't like that, give them peas instead;* er een nieuwe voor **in** de ~ geven/leggen *replace with a new one, substitute a new one* **7.4** er is geen ~ om te staan *there is no r./space to stand;* ⟨in bus/trein⟩ *there is no standing-room;* we hebben geen ~ voor zoveel logés *we don't have (enough) r. for so many guests, we can't put up/sleep/accommodate so many guests;* deze tafel neemt veel ~ *in this table takes up a lot of r./space* **7.8** de eerste ~ innemen, op de eerste ~ staan *take first place, rank first, take pride of place;* dat komt (pas) op de tweede ~ *that is of secondary importance, that is only a secondary consideration.*

plaatsbegever ⟨de (m.)⟩ ⟨prot.⟩ **0.1** ***collator.***

plaatsbekledend ⟨bn.⟩ **0.1** ***vicarious.***

plaatsbekleder ⟨de (m.)⟩ **0.1** ⟨alg.⟩ ***deputy, substitute;*** ⟨de paus⟩ ***Vicar of Christ.***

plaatsbekleding ⟨de (v.)⟩ **0.1** ⟨alg.⟩ ***deputizing, substitution;*** ⟨mbt. Christus⟩ ***vicarious suffering.***

plaatsbepaling ⟨de (v.)⟩ **0.1** ***orientation*** ⟨ook fig.⟩ ⇒*location.*

plaatsbeschrijvend ⟨bn.⟩ **0.1** ***topographical.***

plaatsbeschrijving ⟨de (v.)⟩ **0.1** [topografie] ***topography*** **0.2** [beschrijving v.e. plaats] ***topography.***

plaatsbespreking ⟨de (v.)⟩ **0.1** ***(advance) booking*** ⇒*booking (in advance), reservation* ◆ **5.1** (gelegenheid tot) ~ dagelijks van 9 tot 5 *the box-office is open from 9 to 5 daily.*

plaatsbesprekingsbureau ⟨het⟩ **0.1** ***ticket agency.***

plaatsbewijs, plaatsbiljet ⟨het⟩ **0.1** ***ticket.***

plaatschaar ⟨de⟩ **0.1** ***snips*** ◆ **7.1** twee plaatscharen *two pairs of s..*

plaatschade ⟨de⟩ **0.1** ***bodywork damage.***

plaatschalmketting ⟨de⟩ **0.1** ***block chain.***

plaatschuif ⟨de⟩ **0.1** ***bolt.***

plaatscommandant ⟨de (m.)⟩ **0.1** ⟨politie⟩ ***commander;*** ⟨vesting⟩ ***commandant.***

plaatsdeur ⟨de⟩ **0.1** ≠***back door*** ⇒⟨naar tuin⟩ *garden door.*

plaatselijk
I ⟨bn.⟩ **0.1** [mbt. een plaats] ***local*** **0.2** [beperkt tot een plaats] ***local*** ⇒ ⟨med. ook⟩ *topical* **0.3** [van/eigen aan een woonplaats] ***local*** ◆ **1.1** een ~ onderzoek *a l. inquiry/investigation;* tien uur ~e tijd *ten o'clock l. time* **1.2** een ~ onweer *a l. thunderstorm;* een ~e verdoving *a l. anaesthetic;* ⟨med. ook⟩ *a topical anaesthetic;* ⟨inf.⟩ *a local* **1.3** het ~ bestuur *the l. authority;* ~e bevolking *l. population;* ⟨inf.⟩ *locals;* ~(e) gezegde/uitdrukking *l./regional expression, localism, regionalism;* ~e keuze ⟨mbt. verkoop van alcohol⟩ *l. option/veto;* ~(e) nieuwtje/dominee/dokter/café *l. news/minister/doctor/pub;* ⟨BE; inf.; café ook⟩ *local;* hij heeft een baan bij de ~e overheid *he has a job in l. government;* ~e verordeningen *l. by(e)laws;*
II ⟨bw.⟩ **0.1** [ter plaatse] ***locally*** ⇒*on the spot* **0.2** [op enkele plaatsen] ***in some places*** **0.3** [met beperking tot een plaats] ***locally*** ◆ **1.2** ~ regen *rain in (some) places* **2.1** hij is ~ bekend als een hartelijk man *he is known l. as a jovial person* **3.1** iets ~ onderzoeken *investigate sth. on the spot* **3.3** iem. ~ verdoven *give s.o. a local anaesthetic.*

plaatselijkheid ⟨de (v.)⟩ **0.1** ***localization.***

plaatsen
I ⟨ov.ww.⟩ **0.1** [een plaats geven aan, zetten, stellen] ***place*** ⇒*put, position, situate,* ⟨gebouw ook⟩ *site, put/set up, erect* ⟨machine⟩ **0.2** [⟨sport⟩ mbt. een bal] ***place (the ball)*** **0.3** [mbt. geld] ***invest*** **0.4** [in dienst nemen] ***give employment to*** ⇒*take (on),* ⟨aan betrekking helpen⟩ *place, find a place/position for* **0.5** [een standplaats toewijzen] ***give a place (to)*** **0.6** [⟨sport⟩ klasseren] ***rank*** ⇒⟨tennis⟩ *seed* ◆ **1.1** een advertentie ~ *put/* ↑*insert an advert in the paper;* een artikel ~ ⟨in krant⟩ *print a(n) story/article;* een deur ~ *put in/hang a door;* zijn handtekening ~ (onder ...) *put one's signature (to ...), sign;* een hek rond de tuin ~ *put a fence round the garden;* een opmerking ~ *put in/make a remark;* een telefoon/kachel/nieuwe geiser ~ *put in/install a telephone/stove/new geyser* **1.4** enkele schoolverlaters kunnen ~ *be able to take on/give employment to a few school-leavers* **1.¶** een lening ~ *place a loan;* de gehele lening is geplaatst *the loan has been fully taken up;* een order ~ voor twee onderzeeërs bij N. *place an order for two submarines with N., order two submarines from N.* **3.1** iets (niet) kunnen ~ ⟨ook fig.⟩ *(not) be able to place sth.;* ⟨fig.⟩ iem. niet kunnen ~ *not be able to place s.o.;* ⟨fig.⟩ zich voor moeilijkheden geplaatst zien *find o.s. faced with difficulties;* de ernstige moeilijkheden waarvoor wij ons geplaatst zien *the serious difficulties facing/confronting us, the serious difficulties with which we are faced/confronted* **5.1** maatschappelijk hoger geplaatsten *social superiors* **5.2** je moet beter leren ~ *you have to learn to place the ball better* **6.1 bij** elkaar ~ *put/place next to one another;* als schildwacht **bij** de deur ~ *position a sentry at the door;* hij is **boven** ons geplaatst *he is superior to us, he is our superior;* **bovenaan** de lijst ~ *put at the head/top of the list;* **in** een inrichting ~ *put in an institution;* ↑*institutionalize;* iem. **in** een stoel bij de kachel ~ *seat s.o. next to the stove;* **in** welke tijd plaats jij Erasmus? *when would you place Erasmus?;* iets ~ **in/op/boven** iets *put sth. in/on/above sth.;* een kantoorgebouw **naast** een kerk ~ *situate/site an office-block next to a church;* ze hebben een kanjer v.e. blokkendoos **naast** die mooie oude kerk geplaatst *they've (gone and) put an enormous great office-block next to that lovely old church;* **naast** elkaar ~ *put/place next to one another;* ↑*juxtapose;* **op** de agenda ~ *put/place on the agenda;* zich **op** de voorgrond ~ *put o.s. in the limelight;* zich **op** de achtergrond ~ *keep in the background;* een naam/iem. **op** een lijst ~ *put a name/s.o. on a list, include a name/s.o. in a list;* de ladder **tegen** het schuurtje ~ *lean/prop the ladder against the shed;* een komma **tussen** twee woorden ~ *insert a comma between two words;* **uit** elkaar ~ *separate;* de bal **voor** het doel ~ *feed the ball* **6.5** hij is voor medicijnen **in** Utrecht geplaatst *he has got a place to do/study medicine in Utrecht* **8.6** als eerste/tweede/derde geplaatst worden *be*

ranked first/second/third ¶.5 ⟨stud.⟩ ben je geplaatst? *have you got a place/been accepted?, did you get in?;*
II ⟨wk.ww.;zich~⟩ **0.1** [⟨sport⟩] *qualify (for)* ◆ **6.1** zich ~ **voor** de finale *q. for the final.*

plaatsgebonden ⟨bn.⟩ **0.1** *restricted/tied to a particular area* ⟹⟨vnl.mbt. ziektes⟩ *endemic* ◆ **1.1** deze gewoonte is zeer ~ *this custom is very much r. to this area/indigenous to these people.*

plaatsgebrek ⟨het⟩ **0.1** *lack of space/room.*

plaatsgeheugen ⟨het⟩ **0.1** *memory for places.*

plaatsgeld ⟨het⟩ **0.1** [staangeld] *rent* ⟹⟨markt⟩ *stallage,* ⟨camping⟩ *site charge/fee* **0.2** [⟨r.k.⟩ bijdrage aan onderhoud en stookkosten van kerk] *pew rent* ⟹*pewage.*

plaatsgesteldheid ⟨de (m.)⟩ **0.1** *local conditions.*

plaatsgrijpen, plaatshebben ⟨onov.ww.⟩ **0.1** *take place* ⟹*happen.*

plaatshert ⟨het⟩⟨jacht⟩ **0.1** *≠dominant stag.*

plaatsing ⟨de (v.)⟩ **0.1** [op de juiste plaats zetten] *placing* ⟹*placement, positioning* **0.2** [het opnemen in de krant] *placement* ⟹*insertion* **0.3** [⟨sport⟩ klassering] *ranking* **0.4** [⟨sport⟩ kwalificatie] *qualification* ◆ **1.1** ~ v.e. kapitaaltje *investment of a sum of money* **6.1** ~ **in** een inrichting *placement in an institution;* ~ **op** de lijst *inclusion in the list;* de ~ **van** een wasautomaat/gasfornuis *the installation/connection of a washing-machine/gas-cooker;* de ~ **van** kruisraketten *the deployment of Cruise Missiles.*

plaatsingsbesluit ⟨het⟩ **0.1** *decision about deployment* ⟨mbt. kernwapens⟩.

plaatsingsbureau ⟨het⟩ **0.1** *employment agency/office.*

plaatsingscommissie ⟨de (v.)⟩ **0.1** *≠selection committee (for an academic institution).*

plaatsingskosten ⟨zn.mv.⟩ **0.1** *installation costs.*

plaatsingsmogelijkheid ⟨de (v.)⟩ **0.1** *opening, placement opportunity* ◆ **6.1** ~en **voor** jonge academici *openings for recent graduates.*

plaatskaart ⟨de⟩ **0.1** *ticket.*

plaatskaartenbureau ⟨het⟩ **0.1** [station] *ticket/* ⟨BE⟩ *booking office* **0.2** [schouwburg enz.] *box/ticket office.*

plaatsnaam ⟨de (m.)⟩ **0.1** *place-name* ⟹*toponym.*

plaatsnaamkunde ⟨de (v.)⟩ →**plaatsnaamstudie.**

plaatsnaamstudie ⟨de (v.)⟩ **0.1** *study of place-names* ⟹*toponymy.*

plaatsnijden ⟨ww.⟩ **0.1** *engraving.*

plaatsnijder ⟨de (m.)⟩ **0.1** *engraver.*

plaatsnijkunst ⟨de (v.)⟩ **0.1** *engraving.*

plaatsopneming ⟨de (v.)⟩⟨jur.⟩ **0.1** *official visit to the scene of the crime.*

plaatspanning ⟨de (v.)⟩⟨tech.⟩ **0.1** *anode voltage/potential, plate voltage.*

plaatspanningsapparaat ⟨het⟩⟨tech.⟩ **0.1** [voedingsapparaat voor de plaatspanning] *power supply unit* **0.2** [voedingsapparaat voor gelijkspanning] *power supply unit.*

plaatspasser ⟨de (m.)⟩⟨scheep.⟩ **0.1** *station pointer.*

plaatsruimte ⟨de (v.)⟩ **0.1** *room, space* ⟹⟨zitplaatsen⟩ *seating,* ⟨logies, onderdak⟩ *accommodation* ◆ **3.1** ~ bieden voor/aan *have/provide r. / space/accommodation/seating for;* ⟨huisvesten, herbergen⟩ *accommodate;* ⟨mbt. zitplaatsen⟩ *seat* **6.1** gebrek **aan** ~ *lack of space/r.;* advertentiekosten worden naar ~ berekend *the cost of advertisements is worked out according to space.*

plaatsschouwing →**plaatsopneming.**

plaatstaal ⟨het⟩ **0.1** *sheet steel, steel plate, steel sheet(ing).*

plaatstalen ⟨bn.⟩ **0.1** *sheet steel, steelplate.*

plaatstrap ⟨de (m.)⟩⟨sport⟩ **0.1** *place kick* ⟹*placement (kick).*

plaatstrip ⟨de (m.)⟩ **0.1** *steel strip, strip of sheet steel.*

plaatstroom ⟨de (m.)⟩⟨tech.⟩ **0.1** *anode/plate current.*

plaatsverandering ⟨de (v.)⟩ **0.1** *change of place.*

plaatsverlies ⟨het⟩⟨geldw.⟩ **0.1** *cost of collection, collecting charges.*

plaatsverschil ⟨het⟩ **0.1** *difference in place.*

plaatsvervangend ⟨bn.⟩ **0.1** ⟨alg.⟩ *substitute, replacement* ⟹*deputy* ⟨met volmacht⟩, ⟨waarnemend; bv. burgemeester, voorzitter⟩ *acting,* ⟨leraar⟩ *supply,* ⟨surrogaat⟩ *surrogate, temporary* ⟨tijdelijk⟩ ◆ **1.1** ~ hoofd *acting head;* ~e leden v.d. commissie *deputy/acting members of the committee;* ~e schaamte *vicarious shame, ≠righteous indignation.*

plaatsvervanger ⟨de (m.)⟩,-**vervangster** ⟨de (v.)⟩ **0.1** ⟨alg.⟩ *substitute, replacement* ⟹*deputy* ⟨met volmacht⟩, ⟨van dokter/geestelijke⟩ *locum tenens,* ⟨inf.⟩ *locum,* ⟨doublure, ook fig.⟩ *understudy,* ⟨van bisschop⟩ *surrogate,* ⟨van predikant⟩ *supply,* ⟨vicaris⟩ *vicar,* ⟨vertegenwoordiger⟩ *representative* ⟨alle m., v.⟩ ◆ **8.1** als ~ optreden (voor ...) *substitute (for ...);* ⟨inf.⟩ *sub (for);* ⟨met volmacht⟩ *deputize (for);* ⟨dram.⟩ *understudy (s.o.);* als ~ van *as s.o.'s substitute/deputy* ⟨enz.⟩, *in s.o.'s place;* iem. als ~ aanstellen *deputize s.o., appoint s.o. to be/as one's deputy.*

plaatsvervanging ⟨de (v.)⟩ **0.1** *substitution, replacement* ⟹ ⟨vertegenwoordiging⟩ *representation,* ⟨van arts⟩ *locum tenency.*

plaatsvervulling ⟨de (v.)⟩ **0.1** [vervanging] ⟨alg.⟩ *substitution (for)* ⟹ ⟨vertegenwoordiging⟩ *representation* **0.2** [representatie mbt. erfrecht] *representation, substitution* ◆ **6.2** bij ~ optreden (voor ...) *take by representation.*

plaatsvinden ⟨onov.ww.⟩ **0.1** *take place* ⟹*happen, be, occur* ◆ **1.1** wan-

neer zal het huwelijk/de première ~? *when is the marriage/premiere (taking place)?;* het onderzoek vindt plaats in het laboratorium van dr.F. *the experiment is taking place in Dr.F.'s laboratory* **3.1** het kan elk ogenblik ~ *it can happen (at) any moment;* ⟨het wordt verwacht⟩ *it is due at any moment* **5.1** gelijktijdig ~ *take place at the same time/ simultaneously.*

plaatsweddenschap ⟨de (v.)⟩ **0.1** *each way bet.*

plaatswissel ⟨de (m.)⟩⟨geldw.⟩ **0.1** *local bill.*

plaatszin ⟨de (m.)⟩ **0.1** *sense of direction* ⟹*locality.*

plaattang ⟨de⟩ **0.1** *(pair of) pliers.*

plaatvorm ⟨de (m.)⟩ **0.1** *sheet form* ◆ **6.1** ijzer **in** ~ *iron in s. f., iron in the form of sheets, sheet iron.*

plaatwals ⟨de⟩ **0.1** *rolling mill.*

plaatwerk ⟨het⟩ **0.1** [tot een boek verenigde platen] *book of plates/reproductions* **0.2** [boekwerk] *illustrated book/work, picture book* ⟹ ⟨vaak pej./scherts.;salontafelboek⟩ *coffee-table book* **0.3** [van plaatijzer gemaakt iets] *(piece of) sheet iron work* ⟹*(piece of) sheet metal work.*

plaatwerker ⟨de (m.)⟩,-**werkster** ⟨de (v.)⟩ **0.1** *sheet metal worker* ⟹ ⟨carrosseriehersteller⟩ [B]*panel beater,* [A]*body repairman.*

plaatwerkerij ⟨de (v.)⟩ **0.1** ⟨bedrijf⟩ *sheet metal works/* ⟨afdeling⟩ *workshop.*

plaatzaag ⟨de⟩ **0.1** ⟨voor hout⟩ *hand/rip/panel saw;* ⟨voor metaal⟩ *sheet saw.*

plaatzink ⟨het⟩ **0.1** *sheet zinc, zinc sheet(ing).*

plaatzwam ⟨de⟩ **0.1** *agaric* ⟹*gill fungus.*

placebo ⟨de⟩ **0.1** *placebo.*

placebo-effect ⟨het⟩ **0.1** *placebo effect.*

placement ⟨het⟩ **0.1** *seating arrangement* ⟹*placing of guests/people* ⟨enz.⟩ *at (the) table.*

placenta ⟨de⟩ **0.1** [⟨med.⟩] *placenta* ⟹⟨ongemarkeerd⟩ *afterbirth* **0.2** [⟨biol.⟩] *placenta.*

placet ⟨het⟩⟨gesch.⟩ **0.1** *placet* ◆ **1.¶** recht van ~ *right of exequatur.*

pladijs ⟨de (m.)⟩⟨AZN⟩ **0.1** *plaice.*

plafond ⟨het⟩ **0.1** [zoldering] *ceiling* **0.2** [⟨fig.⟩ maximum] *ceiling* ⟹ *maximum, (upper) limit* **0.3** [⟨luchtv.⟩] *ceiling* ◆ **2.1** geluiddempend/ zwevend ~ *acoustic/false c.;* met een laag ~ *with a low c., lowceilinged* **3.1** ergens een ~ inzetten, van een ~ voorzien *put in a c.* **3.2** zijn ~ bereiken *reach the c. / maximum/ (upper) limit* **6.1** er hangen spinnewebben **aan** het ~ *there are cobwebs hanging from the c.* **6.2** **aan/ tegen** zijn ~ zitten *have reached a c. / maximum/ (upper) limit;* **door** het ~ gaan *go through the roof.*

plafondbetimmering ⟨de (v.)⟩⟨amb.⟩ **0.1** *panelling* [A]*eling* ⟹*panelled* [A]*eled ceiling.*

plafondhaak ⟨de (m.)⟩ **0.1** *ceiling hook.*

plafondhanger ⟨de (m.)⟩ **0.1** *ceiling joist.*

plafondlamp ⟨de⟩ **0.1** [hanglamp] *hanging lamp* **0.2** [plafonnière] *ceiling lamp/light.*

plafondlat ⟨de⟩ **0.1** *ceiling lath.*

plafondlicht ⟨het⟩ →**plafondlamp 0.2.**

plafondmortel ⟨de (m.)⟩ **0.1** *ceiling plaster.*

plafondnagel ⟨de (m.)⟩ **0.1** *ceiling nail.*

plafondproefvlucht ⟨de⟩ **0.1** *ceiling test flight.*

plafondschroot ⟨de (m.)⟩ →**plafondlat.**

plafondstelsel ⟨het⟩⟨ec.⟩ **0.1** *ceiling on issue of banknotes.*

plafondventilator ⟨de (m.)⟩ **0.1** *ceiling fan.*

plafonneerder ⟨de (m.)⟩ **0.1** *plasterer.*

plafonneersel ⟨het⟩ **0.1** *plaster.*

plafonneren ⟨ov.ww.⟩ **0.1** *provide with a ceiling;* ⟨AZN; bepleisteren⟩ *plaster* ◆ **1.1** alle kamers zijn geplafonneerd *all the rooms have (been) provided with) ceilings, all the rooms have had ceilings put in, all the rooms have been plastered.*

plafonnering ⟨de (v.)⟩ **0.1** [het aanbrengen van een plafond] *installation of a ceiling* **0.2** [plafond] *ceiling* **0.3** [stukadoorsel] *plastering.*

plafonneur ⟨de (m.)⟩ →**plafonneerder.**

plafonnière ⟨de⟩ →**plafondlamp 0.2.**

plag ⟨de⟩ **0.1** *sod (of turf/grass/peat);* ⟨graszode⟩ *turf* ◆ **3.1** ~gen leggen *lay turf, turf a field/garden* ⟨enz.⟩; ~gen maaien/(af)steken ⟨mbt. graszoden⟩ *cut sods/turf;* ⟨mbt. heidezoden⟩ *cut peat.*

plagaal ⟨bn.⟩⟨muz.⟩ **0.1** *plagal* ◆ **1.1** ~slot/~e cadens *p. close/cadence.*

plagen
I ⟨onov.,ov.ww.⟩ **0.1** [proberen boos te maken] *tease* ⟹*chaff,* ⟨inf.⟩ *kid, take the mickey (out of s.o.), pull s.o.'s leg* ◆ **4.1** hij plaagt je maar een beetje *he's just teasing (you)* **5.1** hij plaagt graag *he's fond of teasing, he delights/takes a delight in teasing* **6.1** iem. **met** iets ~ *tease/kid s.o. about sth., pull s.o.'s leg about sth.;* hij deed het alleen maar **om** je te ~ *he only did it to tease you, he only did it as a joke/for fun;* niet **tegen** ~ kunnen *not be able to take a bit of teasing;*
II ⟨ov.ww.⟩ **0.1** [hinderen, kwellen] *vex, torment, pester, annoy, worry, bother, plague, trouble* ◆ **1.1** ik word geplaagd door de gedachte dat ... *I'm worried/tormented/troubled by the thought that ...;* door muggen/kiespijn geplaagd worden *be tormented/plagued by mosquitoes/*

toothache; door schuldgevoel geplaagd worden *have pangs of conscience, be troubled by one's conscience, have an uneasy conscience* **4.1** zijn geweten plaagt hem *his conscience pricks him* **¶.1** mag ik u even ~? *can I bother/trouble you for a moment?, do you mind if I bother/disturb/trouble you for a moment?, please excuse my disturbing/troubling/bothering you (but ...).*

plager ⟨de (m.)⟩, **plaagster** ⟨de (v.)⟩ **0.1** *tease(r), prankster.*

plagerig ⟨bn., bw.; -ly⟩ **0.1** [plaagziek] *(fond of) teasing* ⇒⟨ergerlijk⟩ *vexatious* **0.2** [blijk gevend van neiging tot plagen] *teasing* ♦ **1.2** ~e opmerkingen *t. remarks* **3.1** hij is ~ van aard *he is fond of teasing, he delights/takes a delight in teasing;* ~ lachen *laugh teasingly.*

plagerij ⟨de (v.)⟩ **0.1** [het plagen] *teasing* ⇒*banter(ing), ribbing,* ⟨inf.⟩ *kidding, mickey-taking* **0.2** [wat men iem. al plagend aandoet] *(bit of) teasing* ⇒⟨mv. ook⟩ *banter* ♦ **1.1** mikpunt van ~ *figure of fun* **2.2** onschuldige ~ en *innocent teasing/banter* **3.1** ~ sportief opnemen *take t. like a good sport* **3.2** niet tegen een ~ tje kunnen *not be able to take a bit of teasing.*

plaggegrond ⟨de (m.)⟩ **0.1** [heidegrond] *peat bog/marsh, bogland* **0.2** [plaggenveld] *peat bog/marsh, bogland.*

plaggen ⟨onov., ov.ww.⟩ **0.1** ⟨mbt. graszoden⟩ *cut sods (of turf/grass)/ turf;* ⟨mbt. heidezoden⟩ *cut peat.*

plaggenhut ⟨de⟩ **0.1** *sod/turf hut, hut made of sods (of earth).*

plaggenmaaier ⟨de (m.)⟩, **-maaister** ⟨de (v.)⟩ →**plaggensteker.**

plaggensnijder ⟨de (m.)⟩ **0.1** *turf cutter.*

plaggensteker ⟨de (m.)⟩ **0.1** [maaier] *turf cutter* **0.2** [schop] *turf(ing) spade, turf cutter.*

plaggenveld ⟨het⟩ **0.1** *peat moor.*

plagiaat ⟨het⟩ **0.1** [handeling] *plagiarism* ⇒*piracy* **0.2** [wat overgenomen wordt] *plagiarism* ♦ **3.1** ~ plegen ⟨→plagiëren I⟩.

plagiaris ⟨de (m.)⟩, **plagiator** ⟨de (m.)⟩ **0.1** *plagiarist, plagiarizer* ⇒*pirate.*

plagiëren

I ⟨onov.ww.⟩ **0.1** [plagiaat bedrijven] *plagiarize, commit plagiarism* ⇒ *pirate,* ⟨inf.⟩ *crib, pinch, steal;*

II ⟨ov.ww.⟩ **0.1** [als plagiaat overnemen] *plagiarize (from)* ⇒⟨inf.⟩ *crib (from), pinch (from), steal (from), lift (from),* ⟨vnl. AE; inf.⟩ *rip off from.*

plaid ⟨de (m.)⟩ **0.1** *(tartan) travelling rug* ♦ **3.1** een ~ omslaan *wrap a travelling rug (a)round one's knees.*

plaisanterie ⟨de (v.)⟩ **0.1** *plaisanterie.*

plak ⟨de⟩ **0.1** [schijf] *slice* ⟨ham, koek, brood enz.⟩ ⇒*rasher* ⟨bacon⟩ **0.2** [medaille] ⟨ongemarkeerd⟩ *medal* **0.3** [tandaanslag] *(dental) plaque* **0.4** [⟨gesch.; school.⟩ strafinstrument] *ferule, ferula* ⇒≠*cane, ≠strap* ♦ **1.1** een ~ je cake *a s. of cake;* een ~ chocolade *a bar/slab of chocolate;* een ~ modder *a lump/clod of mud;* een ~ je worst *a s. of (continental) sausage* **2.1** alleen een heel dun ~ je a.u.b. *just a sliver, please* **6.1** iets in ~ ken snijden *slice sth.* **6.4 met** de ~ geven *give the ferule/ferula; ≠cane, ≠strap* **6.¶ onder** de ~ zitten *be henpecked;* iem. **onder** de ~ houden *keep s.o. under one's thumb, keep a tight hold over s.o.;* ⟨mbt. echtgenoot ook⟩ *henpeck s.o.;* ze **onder** de ~ hebben *have them under one's thumb;* **onder** de ~ van (de) priesters/van de kerk *priest-/church-ridden.*

plakadres ⟨het⟩ **0.1** *gummed/adhesive address label.*

plakalbum ⟨het⟩ →**plakboek.**

plakband ⟨het⟩ **0.1** ⟨van kunststof⟩ *sticky/adhesive tape, sellotape;* ⟨van papier⟩ *gummed paper* ⇒⟨van kunststof ook⟩ *Scotch tape* ♦ **1.1** een rolletje ~ *a roll of sticky/adhesive/Scotch tape, a roll of sellotape* **6.1 met** ~ vastplakken/maken *stick/fix sth. with sticky/adhesive/Scotch tape/sellotape, tape sth..*

plakboek ⟨het⟩ **0.1** *scrapbook.*

plakbord ⟨het⟩ **0.1** [bord voor de mortel] *hawk* **0.2** [bord met bekendmakingen] [B]*notice/*[A]*bulletin board* ⇒⟨vnl. AE⟩ *billboard.*

plakbrief ⟨de (m.)⟩ ⟨AZN⟩ **0.1** *poster* ⇒*bill, placard.*

plaket ⟨de⟩ **0.1** [plaat als versiering] *plaque(tte)* **0.2** [medaille] *plaque.*

plakhaak ⟨de (m.)⟩ **0.1** *adhesive hook.*

plakhamer ⟨de (m.)⟩ **0.1** *plasterer's hammer.*

plakijzer ⟨de (m.)⟩ **0.1** *plasterer's trowel.*

plakkaart ⟨de⟩ **0.1** *stamp card.*

plakkaat ⟨het⟩ **0.1** [aanplakbiljet] *placard* ⇒*poster, bill* **0.2** [⟨gesch.⟩] *edict, proclamation, decree* **0.3** [vlek, klodder] *blob, blotch, clod;* ⟨poep⟩ *turd* **0.4** [mbt. ballet] *splits* ♦ **1.3** een ~ inkt *an inkblot, a blot (of ink);* een ~ koeiemest *a cow pat;* een ~ paardepoep *horse turd, lump of horse manure* **3.2** een ~ afkondigen *issue an edict/a proclamation/decree* **6.2 bij** ~ verboden *forbidden by decree;* de plakkaten **tegen** de ketterij *the edicts against heresy.*

plakkaatboek ⟨het⟩ ⟨gesch.⟩ **0.1** *book of edicts/proclamations.*

plakkaatschrijver ⟨de (m.)⟩ **0.1** *poster pen.*

plakkaatverf ⟨de⟩ **0.1** *poster paint/colour* ⇒*gouache.*

plakken

I ⟨onov.ww.⟩ **0.1** [kleven] *stick* **0.2** [houden nadat met lijm bestreken is] *stick* ⇒ [↑]*adhere* **0.3** [aan/op iets vast blijven zitten] *stick (to)* ⇒ *cling (to),* [↑]*adhere* to **0.4** [lang ergens blijven] *stick/hang around* ⇒ *stay* **0.5** [dicht achter een voorligger blijven] *tailgate* ♦ **1.1** die lijm

plakt niet *that glue won't s.* **1.2** dat papier/die postzegel wil niet ~ *that paper/stamp won't s.* **3.4** ergens blijven ~ *stick/hang around somewhere;* ⟨té lang blijven⟩ *outstay one's welcome* **3.¶** blijven ~ ⟨op school⟩ *have to repeat a/the year* **5.1** de sneeuw plakt goed *the snow is holding* **5.4** hij blijft altijd te lang ~ *he always hangs around too long, he never knows when to go (away)* **6.3** ⟨fig.⟩ blijf niet zo **aan** mij ~ *don't hang around me like that;* ⟨inf.; fig.⟩ die twee ~ ontzettend **aan** elkaar *those two are inseparable;*

II ⟨ov.ww.⟩ **0.1** [met lijm bevestigen] *stick (to/on), glue (to/on)* ⇒ *gum (to/on)* ⟨met gom⟩*, paste (to/on)*⟨met plaksel⟩, [↑]*affix (to)* **0.2** [door plakken vervaardigen] *stick (together), glue (together)* ⇒*gum (together)* ⟨met gom⟩*, paste (together)*⟨met plaksel⟩ **0.3** [door plakken herstellen] *stick, glue* **0.4** [platslaan] *flatten* ♦ **1.1** een etiketje op iem. ~ *s. a label on s.o.;* zegels ~ *collect trading stamps* **1.2** zakjes ~ ⟨ook fig.⟩ *sew mailbags* **1.3** een band ~ ⟨fiets⟩ *repair a puncture* **1.¶** graszoden ~ *lay sods (of grass)/turf* **6.1** een foto **in** een album ~ *s./glue/gum/paste a photo in(to) an album;* behang **op** de muur ~ *hang wallpaper;* een postzegel ~ **op** een brief *s. a stamp on a letter, stamp a letter;* een poster **op** een plaat *board ~ mount a poster on a board;* ⟨fig.⟩ met zijn haar glad **tegen** zijn hoofd geplakt *with one's hair plastered down* **6.¶** iem. **tegen** de muur/het behang ~ *give s.o. a going-over.*

plakker ⟨de (m.)⟩ **0.1** [iem. die iets aanplakt] *billsticker/-poster/-man* **0.2** [iem. die ergens lang blijft] *sticker* ⇒*lingerer* **0.3** [sticker] *sticker* ⇒*poster* **0.4** [⟨dierk.⟩] *gipsy moth* ♦ **2.1** een wilde ~ *an unauthorised bill-sticker.*

plakkerig ⟨bn.⟩ **0.1** [kleverig] *sticky* ⇒*tacky,* ⟨van lijm⟩ *gluey* **0.2** [als aan elkaar geplakt] *sticky* **0.3** [geneigd om lang te blijven] *tardy* ♦ **1.1** ⟨fig.⟩ een ~ stel *an inseparable pair;* ⟨fig.⟩ een ~ type *≠a hanger-on;* ~ weer *sticky/humid weather* **1.2** ~ haar *s. hair.*

plakkertje ⟨het⟩ **0.1** ⟨mbt. postzegelverzamelingen⟩ *(adhesive) hinge.*

plakletter ⟨de⟩ **0.1** *adhesive letter.*

plakmiddel ⟨het⟩ **0.1** *adhesive* ⇒⟨lijm⟩ *glue,* ⟨plaksel⟩ *(adhesive) paste.*

plakmortel ⟨de (m.)⟩ **0.1** *plaster.*

plakpapier ⟨het⟩ **0.1** [om op iets te plakken] *adhesive/sticky paper* **0.2** [om iets op te plakken] *collage paper.*

plakpers ⟨de⟩ ⟨foto.⟩ **0.1** *splicer* ⇒⟨met viewer⟩ *editor.*

plakpil ⟨de⟩ ⟨med.⟩ **0.1** *transdermal drug.*

plakplaatje ⟨het⟩ **0.1** *transfer* ⇒*sticker.*

plakplastic ⟨het⟩ **0.1** *adhesive plastic.*

plakpleister ⟨de⟩ **0.1** *plaster* ⇒⟨stuk van rol pleister⟩ *piece of sticking plaster.*

plakprentje →**plakplaatje.**

plaksel ⟨het⟩ **0.1** [lijm] *adhesive* ⇒*glue,* ⟨stijfsel(pap)⟩ *(adhesive) paste* **0.2** [datgene wat geplakt is] *things glued/pasted together.*

plakspaan ⟨de (m.)⟩ **0.1** *plasterer's trowel, float, laying-on trowel, finishing trowel* ⇒*flooring/concreting trowel* ⟨voor vloer⟩.

plakspul ⟨het⟩ →**plaksel.**

plaksteen ⟨de (m.)⟩ **0.1** *cladding brick(s).*

plakster ⟨de (v.)⟩ **0.1** [vrouw die plakt] *billsticker/-poster* **0.2** [vrouw die lang blijft] *sticker* ⇒*lingerer.*

plakstijfsel ⟨het, de (m.)⟩ **0.1** *(adhesive) paste.*

plaktafel ⟨de⟩ **0.1** *pasting table.*

plakwerk ⟨het⟩ **0.1** [het plakken] *sticking, glueing* ⇒⟨met stijfsel(pap)⟩ *pasting* **0.2** [bekleding van de taluds] *rammed earthwork* ♦ **1.1** het boek was het resultaat van wat knip- en ~ *the book was a (bit of a) scissors/cut and paste job* **6.1** de kinderen waren **met** ~ bezig *≠the children were sticking pictures.*

plakzegel ⟨de (m.)⟩ **0.1** *revenue/receipt stamp.*

plakzode ⟨de⟩ **0.1** *facing sod.*

plamuren ⟨onov., ov.ww.⟩ **0.1** *fill* ⇒*ground.*

plamuur ⟨de⟩ **0.1** *filler* ♦ **1.1** ⟨scherts.⟩ een laag ~ op het gezicht *a layer of paint on one's face.*

plamuurmes ⟨het⟩ **0.1** *filling-knife.*

plamuursel →**plamuur.**

plamuurwerk ⟨het⟩ **0.1** [handeling] *filling* **0.2** [resultaat] *filling.*

plan ⟨het⟩ **0.1** [wijze waarop men te werk wil gaan] *plan* ⇒*scheme, project, strategy, blueprint* **0.2** [voornemen] *plan* ⇒*scheme, intention, design, project* **0.3** [ontwerp, ⟨ook in samenst.⟩] *plan* ⇒*scheme, design* **0.4** [niveau] *plane, level* **0.5** [perspectiefverdeling] ⟨voorgrond⟩ *foreground;* ⟨achtergrond⟩ *background* **0.6** [plattegrond] *plan* ⇒⟨van stad ook⟩ *map,* ⟨van gebouw ook⟩ *ground/floor plan* ♦ **1.3** een streekplan *a regional p.* **2.2** boze ~nen hebben *met have designs against/on;* grote ~nen hebben *have ambitious/big plans/ideas* **2.3** het centraal economisch ~ *the national economic plan;* ⟨voor communistische partij⟩ *the central-economic plan* **2.4** iets op een hoger ~ trachten te brengen *attempt to put sth. on a higher p./l., attempt to raise the l. of sth.* **3.1** een ~ maken/ontwerpen (voor ...) *draw up a plan for sth., plan sth.;* het ~ voorleggen om. het ~ opperen om *put forward the plan to, propose (..ing);* een ~ op papier zetten *put a plan on paper* **3.2** een ~ beramen/maken *devise a plan;* het ~ bestaat (om) *it is intended (to)/proposed (to);* iemands ~nen dwarsbomen/verijdelen *upset/foil/frustrate s.o.'s plans;* je ~netje gaat niet door *your plan* *is not on;* heb je ~nen voor vanavond? *have you anything on/are you doing anything this evening?;* geen ~nen hebben (om) *have no plans (to), have no intention (of doing sth.);* het ~ hebben (om), ~nen hebben (om) *plan (to), have plans (to);* dat ~ is gewoon zelfmoord/lukt zeker *that is a suicidal/sure-fire plan;* ~nen maken voor (de vakantie/een feestje) *make arrangements (for the holidays/a party);* het ~ opvatten (om) *plan (to), intend (to), propose (to);* een ~ smeden (tegen), ~nen smeden/maken (tegen) *scheme (against), plot (against);* onze ~nen staan vast/staan nog niet vast *our (holiday) plans are made/still up in the air;* een ~ uitvoeren *carry out a plan, put a plan into effect* 3.6 een ~ maken/tekenen van (een gebouw/stad) *draw a plan of (a building/town)* 3.¶ ⟨AZN⟩ zijn ~ trekken *manage well, be resourceful, get on well* 6.1 wat ben je van ~? *what are you going/intending to do?;* ⟨inf.⟩ *what are you up to?, what's your game?;* **volgens** de ~nen verlopen *go according to plan/schedule;* **volgens** hetzelfde ~ verlopen *proceed on the same lines;* **volgens** ~ moet het volgende week af *according to schedule it's supposed to be finished next week;* **zonder** een vast ~/**zonder** ~ *without a set plan, set to work haphazardly* 6.2 **met** het ~ rondlopen om ...*plan/intend to, be thinking of (doing sth.);* iets **van** ~ zijn *be going to do sth., intend/propose doing/to do sth., have sth. in mind;* iets niet **van** ~ zijn *not be going to do sth., have no intention of doing sth.;* we waren net **van** ~ om ...*we were just about/going to ...;* ik ben vast **van** ~ te gaan *I firmly/fully intend to go;* plotseling besefte ik wat hij **van** ~ was *I suddenly realized what he had in mind/what he was up to/what his (little) game was;* ik ben **van** ~ morgen te vertrekken *I mean to leave/intend leaving tomorrow;* **van** ~ veranderen *change one's plan/mind;* ik was al een tijdje **van** ~ langs te komen *I've been meaning to come round;* er bestaan ~nen **voor** een verdere uitbreiding *there are plans for a further expansion, a further expansion is planned* 6.5 ⟨fig.⟩ **naar** het tweede ~ verwijzen *push into the background;* ⟨zelf meer aandacht trekken dan iem. anders⟩ *upstage;* **op** het tweede ~ zien we ...*in the background we can see ...;* **op** het tweede ~ staan ⟨fig.⟩ *be in the background* 7.5 ⟨fig.⟩ een musicus v.h. tweede ~ *a second-rate musician.*

planariën ⟨zn.mv.⟩ **0.1** *planarian* ⇒*turbellaria.*

planbord ⟨het⟩ **0.1** *planning board.*

planbureau ⟨het⟩ **0.1** *planning office* ◆ **2.1** het Centraal Planbureau *the Central Planning Bureau.*

planchet ⟨het⟩ **0.1** [smalle plaat] *(narrow) shelf* **0.2** [borstplankje aan werktuigen] *breastplate* **0.3** [⟨landmeetk.⟩] *plane table* ◆ **6.3** met een ~ opmeten *plane table.*

planchette ⟨de⟩ **0.1** *planchette.*

planconcaaf ⟨bn.⟩ **0.1** (lens ook) *planoconcave.*

planconvex ⟨bn.⟩ **0.1** *planoconvex.*

plan de campagne ⟨het⟩ **0.1** [opgemaakt plan] *plan of action* **0.2** [⟨mil.⟩] *plan of campaign/battle.*

planeconomie ⟨de (v.)⟩ **0.1** [geleide economie] *planned economy* **0.2** [economische ordening] *statism.*

planeerder ⟨de (m.)⟩ **0.1** [arbeider] *planisher* **0.2** [iem. in glijvlucht] *glider.*

planeerhamer ⟨de (m.)⟩ **0.1** *planishing hammer.*

planeet ⟨de⟩ **0.1** [⟨ster.⟩] *planet* **0.2** [⟨astrol.⟩] *planet* ⇒⟨ster⟩ *star* ◆ **2.1** ⟨scherts.⟩ hij komt van een andere ~ *he's from a different p.;* grote planeten *major planets;* kleine planeten *planetoids, asteroids* **2.2** onder een ongelukkige ~ geboren zijn *have been born under an unlucky star* **3.2** iem. zijn ~ trekken/lezen *cast s.o.'s horoscope* **7.1** de eerste vier planeten v.h. zonnestelsel *the terrestrial planets.*

planeetbaan ⟨de (m.)⟩ **0.1** *orbit (of a planet).*

planeetboek ⟨het⟩ **0.1** *planet book.*

planeetjaar ⟨het⟩ **0.1** *period.*

planeetkundige ⟨de (m.)⟩ **0.1** ⟨astroloog⟩ *horoscoper, astrologist* ⇒ ⟨sterrenkundige⟩ *astronomist.*

planeetnevel ⟨de (m.)⟩ **0.1** *planetary nebula.*

planeetrad ⟨het⟩ **0.1** *planet wheel.*

planeetroerder ⟨de (m.)⟩ **0.1** *mixer with planetary motion.*

planeetstand ⟨de (m.)⟩ **0.1** *position of the planet(s).*

planeettandwiel →**planeetwiel.**

planeetwachter ⟨de (m.)⟩⟨schr.⟩ **0.1** ⟨ongemarkeerd⟩ *moon.*

planeetwiel ⟨het⟩ **0.1** *planet wheel.*

planen ⟨ov.ww.⟩ **0.1** [vlak maken] *flatten* **0.2** [⟨ind.⟩] *plane.*

planeren
I ⟨onov.ww.⟩ **0.1** [mbt. zeiljachten] *plane* **0.2** [mbt. vliegtuigen] *glide* **0.3** [⟨AZN⟩ mbt. auto's] *aquaplane;*
II ⟨ov.ww.⟩ **0.1** [gladmaken] [metaal] *planish;* [hout] *plane* ◆ **1.1** papier ~ *size paper.*

planetair ⟨bn.⟩ **0.1** *planetary* ◆ **1.¶** ~e tandwielen *planetary gear.*

planetarium ⟨het⟩ **0.1** [toestel] *planetarium* ⇒*orrery* **0.2** [gebouw] *planetarium* **0.3** [lijst van planeten] *lists of planets.*

planetebaan →**planeetbaan.**

planetenloop ⟨de (m.)⟩ **0.1** *planetary motion.*

planetenstelsel ⟨het⟩ **0.1** *planetary system.*

planetentafel ⟨de⟩ **0.1** *table/chart of the position of the planets.*

planetoïde ⟨de (v.)⟩ **0.1** *planetoid* ⇒*asteroid.*

planhuishouding →**planeconomie.**

planiglobe →**planisfeer.**

planigrafie ⟨de (v.)⟩⟨med.⟩ **0.1** *planigraphy.*

planimeter ⟨de (m.)⟩ **0.1** *planimeter.*

planimetreren ⟨onov., ov.ww.⟩ **0.1** *measure with a planimeter.*

planimetrie ⟨de (v.)⟩ **0.1** [vlakke meetkunde] *planimetry* **0.2** [het bepalen van de oppervlakte] *planimetry.*

planindeling ⟨de (v.)⟩ **0.1** *planning.*

planisfeer ⟨de⟩ **0.1** *planisphere.*

plank ⟨de⟩ **0.1** [plat stuk hout] ⟨zware plank⟩ *plank;* ⟨dunne plank⟩ *board* ⇒⟨legplank, boekenplank enz.⟩ *shelf* **0.2** [⟨mv.⟩ toneel] *(the) stage, (the) boards* ◆ **2.1** ⟨fig.⟩ dat is van de bovenste ~ *that is first-rate/second to none/topnotch* **3.1** ⟨fig.⟩ een ~ voor het hoofd/de kop hebben *be brazenfaced;* de ~ misslaan *be way off, be off target, be wide of the mark* **6.1** een boom aan ~en zagen *cut up/saw a tree into planks;* met ~en beschieten/betimmeren *board;* met ~en dichttimmeren/spijkeren *board up;* ⟨fig.⟩ brood op de ~ brengen *make a living, earn one's daily bread;* ⟨van film, boek⟩ op de ~ blijven liggen *be shelved* ⟨ook van plannen⟩;**tussen** vier ~en liggen *be dead and buried* **6.2 op** de ~en komen *appear on (the) stage/the boards;* dat stuk blijft lang **op** de ~en *that production has been on for a long time;* al dertig jaar **op** de ~en staan *have been on the stage for thirty years;* een (toneel)stuk **op** de ~en brengen *put on/stage/produce a play;* een gevoelige freule Julie **op** de ~en zetten ⟨actrice⟩ *be a fine/sensitive Miss Julie* **6.¶** met het gas **op** de ~ *with one's foot down, at full/top speed* **8.1** zo stijf als een ~ *as stiff as a board/poker.*

planken ⟨bn.⟩ **0.1** *plank, made of* ⟨dikke⟩ *planks/* ⟨dunne⟩ *boards* ⇒ ≠*wooden* ◆ **1.1** een ~ stellage *a wooden stage.*

plankenbeschot ⟨het⟩ **0.1** *boarding* ⇒⟨lambrizering⟩ *wainscot(ting).*

plankenkast ⟨de⟩ **0.1** *linen cupboard.*

plankenkoorts ⟨de⟩ **0.1** *stage fright.*

plankenloods ⟨de⟩ **0.1** [loods van planken] *wooden shed* **0.2** [opslagplaats] *timber shed.*

plankenvloer ⟨de (m.)⟩ **0.1** *wooden floor.*

plankenvrees →**plankenkoorts.**

plankenweg ⟨de (m.)⟩⟨mil.⟩ **0.1** *duckboard (path).*

plankerig ⟨bn.⟩ **0.1** [plat] *board-like* **0.2** [stijf] *wooden* ⇒*stiff* ◆ **1.1** een ~ figuur *a figure like a board/as flat as a board* **3.2** die broek staat zo ~ *that pair of trousers looks so stiff.*

planket ⟨het⟩ **0.1** [veldtafeltje] *plane table* **0.2** [plankenvloer] *wooden floor* **0.3** [schutting] *wooden fence.*

planketsel →**plankenbeschot.**

plankgas[1] ⟨het⟩ **0.1** ≠*full throttle* ◆ **3.1** ~ geven *put one's foot down, step on it/the gas;* ⟨met⟩ ~ rijden *drive flat out/at full speed/with one's foot down/at full throttle.*

plankgas[2] ⟨bw.⟩ **0.1** *flat out, (at) full throttle, at full speed* ◆ **3.1** hij scheurde ~ weg *he took off at full throttle/with a screech of brakes.*

plankhard ⟨bn.⟩ **0.1** *as hard as a board.*

plankier ⟨het⟩ **0.1** [bevloering met planken] *planking* ⇒⟨stellage⟩ *platform* **0.2** [steiger] *landing stage* ⇒*pier, jetty* **0.3** [⟨AZN⟩ trottoir] [B]*pavement,* [A]*sidewalk.*

plankruimte ⟨de (v.)⟩ **0.1** *shelf* [B]*room* [A]*space.*

plankschaatsen ⟨ww.⟩ **0.1** *skateboarding.*

plankton ⟨het⟩ **0.1** *plankton* ◆ **2.1** dierlijk ~ *zooplankton.*

planktonnet ⟨het⟩ **0.1** *plankton net.*

plankwerk ⟨het⟩ **0.1** *planking.*

plankzeilen ⟨ww.⟩ **0.1** *windsurfing.*

planloos ⟨bn., bw.; -ly⟩ **0.1** *planless* ⇒⟨pej.⟩ *haphazard.*

planmatig ⟨bn., bw.; -(al)ly⟩ **0.1** [systematisch] *systematic;* ⟨methodisch⟩ *methodical;* ⟨naar verwachting⟩ *according to plan* ◆ **3.1** ~ verlopen *go (exactly) according to plan.*

planmatigheid ⟨de (v.)⟩ **0.1** *method* ⇒*orderliness, system* ◆ **3.1** zijn optreden vertoont ~ *there's m. in his actions.*

plannen ⟨ov.ww.⟩ **0.1** *plan* ◆ **1.1** de gemeente plant hier drie flats *the council has plans to build three blocks of flats here;* de volgende vergadering is gepland op 3 december *the next meeting is planned for 3rd December* **5.1** alles zorgvuldig ~ *p. (out)/think out everything carefully* **8.1** we hadden gepland dat er meer mensen zouden komen *we had planned on more people (coming).*

plannensmeder ⟨de (m.)⟩, **-smeedster** ⟨de (v.)⟩ **0.1** *planner* ⇒*schemer, designer.*

planner ⟨de (m.)⟩ **0.1** *planner.*

planning ⟨de (v.)⟩ **0.1** [systematische regeling] *plan* ⇒*planning* **0.2** [het plannen] *planning* ◆ **1.2** de ~ van de werkzaamheden *the p. of activities* **2.1** gesloten ~ *closed planning;* open ~ *open planning* **6.1** dat zit in de ~ *that's been planned for, that's part of the plan;* **volgens** de ~ wordt het huis over twee maanden opgeleverd *according to (the) plan the house will be ready in two months;* **volgens** (de) ~ verlopen *go according to (the) plan.*

plano ⟨de (m.)⟩ **0.1** *broadsheet* ◆ **6.¶** een uitgave **in** ~ *a b. edition.*

planoculair ⟨het⟩ **0.1** *compensating eyepiece.*

planografie ⟨de (v.)⟩ **0.1** *planography* ⇒*surface printing.*

planologie ⟨de (v.)⟩ **0.1** *(town and country) planning* ⇒*urban and rural planning.*

planologisch ⟨bn., bw.⟩ **0.1** *planning* ◆ **1.1** de ∼e dienst *the p. department.*

planoloog ⟨de (m.)⟩ **0.1** *(town and country) planner* ⇒*urban and rural planner.*

planometer ⟨de (m.)⟩ **0.1** *planometer.*

plano-uitleg ⟨de (m.)⟩ **0.1** *unfolded sheet(s).*

planpapier ⟨het⟩ **0.1** *tracing paper.*

planparallel ⟨bn.⟩ **0.1** *plane-parallel* ◆ **1.1** ∼le platen *p.-p. sheets of glass.*

planprocedure ⟨de⟩ **0.1** *planned procedure.*

planschade ⟨de⟩ **0.1** *damage due to / caused by planning.*

plansysteem ⟨het⟩ **0.1** *(economic) plan(ning) system.*

plant ⟨de⟩ **0.1** *plant* ◆ **1.1** ∼en en dieren, ⟨verz.n.⟩ ∼en dier *flora and fauna;* ∼en van de koude grond *outdoor / bedding plants* **2.1** altijdgroene ∼en *evergreen plants, evergreens;* een bloeiende ∼a *flowering p.,* a *bloomer;* een/twee/driejarige ∼*annual, biennial, triennial;* langzaam/vlug groeiende ∼en *slow- / fast-growing plants, slow / fast growers;* een teer∼je (ook fig.) *a delicate flower;* vaste / overblijvende ∼en *perennials;* een vleesetende ∼a *carnivorous p.* **3.1** de ∼en water geven *water the plants;* ∼en opkweken *raise / cultivate plants.*

plantaarde ⟨de⟩ **0.1** *garden soil / mould / ^mold.*

plantaardig ⟨bn.⟩ **0.1** *vegetable* ⇒*plant* ◆ **1.1** ∼e delfstoffen *minerals of v. origin;* ∼ geneesmiddel *galenical / botanical drug / medicine;* ∼ leven *plant life;* ∼e margarine / boter *vegetable(-based) margarine;* zuiver ∼e olie *pure v. oil;* ∼ voedsel *v. / vegetarian;* ⟨strikt vegetarisch⟩ *vegan diet.*

plantage ⟨de (v.)⟩ **0.1** *plantation.*

plantagerubber ⟨de (m.)⟩ **0.1** *plantation rubber.*

plantbed ⟨het⟩ **0.1** *seed-bed / -plot.*

plantboor ⟨de⟩ **0.1** *dibb(l)er* ⇒*dibble* ◆ **6.1** poten / planten met een ∼ *dibble.*

planteafdruk ⟨de (m.)⟩ **0.1** *impression of a plant.*

plantebestaan ⟨het⟩ **0.1** *vegetable existence* ◆ **3.1** de in coma geraakte patiënt leidde een ∼ *the comatose patient had become a (mere) vegetable / ⟨inf.⟩ cabbage;* je leidt daar een ∼*all you do there is vegetate.*

planteboter ⟨de⟩ **0.1** *vegetable(-based) margarine, vegetable butter.*

plantecel ⟨de⟩ **0.1** *plant cell.*

plantedeel ⟨het⟩ **0.1** [onderdeel v.e. plant] *part of a plant* **0.2** [v.e. plant genomen gedeelte] *part of / from a plant.*

planteëiwit ⟨het⟩ **0.1** *vegetable protein.*

plantegeur ⟨de (m.)⟩ **0.1** *smell / ↑scent / ↑odour of a plant.*

plantegif ⟨het⟩ **0.1** *vegetable poison.*

plantehaar
 I ⟨het, de (m.)⟩ **0.1** [haarvormig aanhangsel] *trichome;*
 II ⟨het⟩ **0.1** [plantaardige vezels] *vegetable fibre(s).*

plante-ivoor ⟨het⟩ **0.1** *vegetable ivory.*

plantekleurstof ⟨de⟩ **0.1** *vegetable colouring matter* ⇒*vegetable colour.*

planteleven ⟨het⟩ **0.1** [het leven v.d. planten] *plant life* **0.2** [leven zonder emoties] *vegetable existence* ⇒*vegetation* **0.3** [vegetatie] *vegetation* ◆ **3.2** een ∼ leiden *vegetate, lead a vegetable existence.*

plantelijm ⟨de (m.)⟩ **0.1** *vegetable gum / glue.*

planteluis ⟨de⟩ **0.1** *plant-louse.*

plantemelk ⟨de⟩ **0.1** ⟨vnl. mbt. rubber⟩ *latex;* ⟨algemeen⟩ *milky sap.*

planten ⟨ov.ww.⟩ **0.1** [poten] *plant* **0.2** [iets overeind in de grond zetten] *plant* **0.3** [stevig vastzetten] *plant* **0.4** [uitplanten] *plant out* **0.5** [kweken] *plant* ⇒*grow, cultivate* ◆ **1.1** een boom / aardappelen / een haag ∼ *p. a tree / potatoes / a hedge* **1.3** de benen stevig naast elkaar ∼ *p. one's legs firmly on the ground;* zijn voet tussen de deur ∼ *p. one's foot in the door(way)* **1.5** koffie / rijst ∼ *p. coffee / rice;* oesters ∼ *breed oysters* **6.2** een stok / vlag in de grond ∼ *p. a stick / flag in the ground* **6.3** zich voor de spiegel ∼ *plant o.s. in front of the mirror* **6.4** op bedden ∼ *bed (out), plant out.*

plantenaam →**plantnaam.**

plantenaardrijkskunde ⟨de (v.)⟩ **0.1** *geobotany.*

plantenalbum ⟨het⟩ **0.1** [herbarium] *botanical / plant album* **0.2** [boek met afbeeldingen] *botanical / plant album.*

plantenatlas ⟨de (m.)⟩ **0.1** *botanical / plant atlas.*

plantenbak ⟨de (m.)⟩ **0.1** *flower box.*

plantenbed ⟨het⟩ **0.1** *plant-bed* ⇒*flowerbed.*

plantenbeschrijving ⟨de (v.)⟩ **0.1** *phytography* ⇒*descriptive botany.*

plantenboek ⟨het⟩ **0.1** *botanical / plant album.*

plantenbus ⟨de (m.)⟩ **0.1** *botanical case.*

plantenecologie ⟨de (v.)⟩ **0.1** *plant ecology.*

plantenetend ⟨bn.⟩ **0.1** *herbivorous* ⇒*plant-eating,* ⟨veganistisch⟩ *vegan* ◆ **1.1** ∼e dieren *herbivores, h. / plant-eating animals.*

planteneter ⟨de (m.)⟩ **0.1** [herbivoor] *herbivore* **0.2** [⟨scherts.⟩ vegetariër] *rabbit food eater* ◆ **3.2** het is een ∼ *he / she eats rabbit food.*

plantenextract ⟨het⟩ **0.1** *vegetable extract.*

plantenfamilie ⟨de (v.)⟩ **0.1** *family of plants.*

plantenfysiologie ⟨de (v.)⟩ **0.1** *plant physiology* ⇒*physiology of plants.*

plantenfysiologisch ⟨bn.⟩ **0.1** *plant physiology* ◆ **1.1** laboratorium voor ∼ onderzoek *laboratory for research into p. p..*

plantengemeenschap ⟨de (v.)⟩ **0.1** *plant community.*

plantengeografie →**plantenaardrijkskunde.**

plantengeslacht ⟨het⟩ **0.1** *genus of plants* ⇒*botanical genus.*

plantengordel ⟨de (m.)⟩ **0.1** *zone / belt of vegetation.*

plantengroei ⟨de (m.)⟩ **0.1** [de groei van planten] *plant growth* **0.2** [het ergens voorkomen van planten] *plant growth* ⇒*growth of plants* **0.3** [vegetatie] *vegetation* ⇒*growth (of plants / vegetation)* ◆ **2.3** een weelderige ∼a *luxuriant v.* **3.1** kunstmest bevordert de ∼ *artificial fertilizer promotes plants growth.*

plantenkalender ⟨de (m.)⟩ **0.1** *plant / botanical calendar.*

plantenkas ⟨de⟩ **0.1** *greenhouse;* ⟨voor tere planten⟩ *conservatory;* ⟨verwarmd⟩ *hothouse.*

plantenkenner ⟨de (m.)⟩, **-ster** ⟨de (v.)⟩ **0.1** *botanist.*

plantenkleed ⟨het⟩ **0.1** *carpet of plants / vegetation.*

plantenkweker ⟨de (m.)⟩, **-kweekster** ⟨de (v.)⟩ **0.1** [beroepsmatig] *nurseryman* ⟨m.⟩, *nurserywoman* ⟨v.⟩; ⟨algemeen⟩ *plant-breeder* ⟨m., v.⟩.

plantenkwekerij ⟨de (v.)⟩ **0.1** [plaats] *nursery(-garden)* **0.2** [handeling] *plant-breeding* ⇒*cultivation of plants.*

plantenleer ⟨de⟩ **0.1** *botany.*

plantenmest ⟨de (m.)⟩ **0.1** [van vergane planten] *compost* **0.2** [geschikt voor planten] *(plant) fertilizer.*

plantenmorfologie ⟨de (v.)⟩ **0.1** *plant morphology* ⇒*morphology of plants, phytomorphology.*

plantenrijk ⟨het⟩ **0.1** *vegetable kingdom* ⇒*plant world.*

plantensociologie ⟨de (v.)⟩ **0.1** *phytosociology* ⇒*plant sociology.*

plante(n)spuit ⟨de (m.)⟩ **0.1** *plant spray.*

plantenstelsel ⟨het⟩ **0.1** *(plant) taxonomy.*

plantensystematiek ⟨de (v.)⟩ **0.1** *plant taxonomy.*

plantenteelt ⟨de⟩ **0.1** *plant-breeding* ⇒*cultivation of plants.*

plantentuin ⟨de (m.)⟩ **0.1** *botanical garden(s).*

plantenveredeling ⟨de (v.)⟩ **0.1** *plant improvement / selection.*

plantenvoeding ⟨de (v.)⟩ **0.1** *vegetable / vegetarian;* ⟨strikt vegetarisch⟩ *vegan diet.*

plantenwereld ⟨de⟩ **0.1** *plant world* ⇒*vegetable kingdom.*

plantenolie ⟨de⟩ **0.1** *vegetable oil.*

planter ⟨de (m.)⟩ **0.1** [eigenaar v.e. plantage] *planter* **0.2** [hij die plant] *planter* **0.3** [pootaardappel] *seed-potato.*

planterij ⟨de (v.)⟩ **0.1** [handeling] *planting* **0.2** [plaats] *plantation* ⇒ *nursery.*

plantesap ⟨het⟩ **0.1** *sap (of a plant)* ⇒*juice of a plant.*

planteslaap ⟨de (m.)⟩ **0.1** *nyctinasty.*

planteslijm ⟨het⟩ **0.1** *mucilage.*

plantesoort ⟨de⟩ **0.1** [soort van planten] *sort / kind / type of plant* **0.2** [⟨plantk.⟩] *botanical / plant species* ⇒*species of plant(s).*

plantesteen ⟨de (m.)⟩ **0.1** *petrified plant;* ⟨fossiel⟩ *fossilized plant, plant fossil.*

plantestek ⟨de (m.)⟩ **0.1** *plant cutting* ⇒*cutting of / from a plant.*

plantevezel ⟨de⟩ **0.1** *vegetable fibre.*

plantevezelstof ⟨de⟩ **0.1** *gluten.*

plantevirologie ⟨de (v.)⟩ **0.1** *plant virology* ⇒*virology of plants, phytovirology.*

plantevlo ⟨de⟩ **0.1** *podura.*

plantevoedsel ⟨het⟩ **0.1** *plant food, fertilizer.*

plantevorm ⟨de (m.)⟩ **0.1** *shape / form of plants.*

plantewas ⟨het⟩ **0.1** *vegetable wax.*

planteziekte ⟨de (v.)⟩ **0.1** *plant disease* ⇒*disease of plants.*

planteziektenkunde ⟨de (v.)⟩ **0.1** *phytopathology.*

planteziektenkundig ⟨bn.⟩ **0.1** *phytopathological.*

plantezijde ⟨de⟩ **0.1** *vegetable silk.*

plantezout ⟨het⟩ **0.1** *vegetable salt.*

plantezuur ⟨het⟩ **0.1** *vegetable acid.*

plantgewas ⟨het⟩ **0.1** *plant.*

plantgoed ⟨het⟩ **0.1** [aardappelen] *seed-potatoes;* ⟨jonge planten⟩ *young plants;* ⟨oesters⟩ *young oysters.*

planting ⟨de (v.)⟩ **0.1** [manier waarop iets geplaatst is] *position(ing);* ⟨neus enz. ook⟩ *set;* ⟨haar⟩ *growth* **0.2** [het planten] *planting* **0.3** [plantsel] *planting.*

plantkaart ⟨de⟩ **0.1** [mbt. jaarlijkse beplanting] *planting map / ⟨kleiner⟩ diagram* **0.2** [schets met plantverband] *planting diagram.*

plantklaar ⟨bn.⟩ **0.1** *ready for planting* ◆ **3.1** een veld ∼ maken *make a field ready / prepare a field for planting.*

plantkuil ⟨de (m.)⟩ **0.1** *hole / hollow for planting.*

plantkunde ⟨de (v.)⟩ **0.1** *botany* ◆ **2.1** beschrijvende ∼ *phytography, descriptive b..*

plantkundig ⟨bn.⟩ **0.1** *botanical.*

plantkundige ⟨de⟩ **0.1** *botanist.*

plantlijn ⟨de⟩ **0.1** *planting line.*

plantluis →**planteluis.**

plantmachine ⟨de (v.)⟩ **0.1** *planter.*

plantnaam ⟨de (m.)⟩ **0.1** *plant name* ⇒*name of a / the plant.*

plantschop ⟨de⟩ **0.1** *trowel.*

plantseizoen ⟨het⟩ **0.1** *planting-season.*

plantsel ⟨het⟩ **0.1** *planting*.
plantsoen ⟨het⟩ **0.1** [openbare tuin] *public garden(s)* ⇒*park* **0.2** [gekweekte jonge bomen/heesters] *shrubbery* ◆ **2.2** *jong~s*..
plantsoenaanleg ⟨de (m.)⟩ **0.1** *laying-out of public gardens/parks*.
plantsoenendienst ⟨de (m.)⟩ **0.1** ≠*Parks (and Public Gardens) Department* ◆ **1.1** hoofd/directeur v.d. ~ *Parks Superintendent*.
plantwijdte ⟨de (v.)⟩ **0.1** *plant(ing) distance*.
plantzaad ⟨het⟩ **0.1** [zaad van planten] *planting-seed* **0.2** [plantgoed] ⟨→**plantgoed**⟩.
plaque ⟨de⟩ **0.1** [decoratie] *plaque* **0.2** [plaat voor wandversiering] *plaque* **0.3** [tandaanslag] *plaque*.
plaquette ⟨de⟩ **0.1** *plaque(tte)* ⇒⟨steen, enz. ook⟩ *tablet*.
plas ⟨de (m.)⟩ **0.1** [kuil met regenwater] *puddle* ⇒*pool* **0.2** [natte plek] *pool* ⇒*puddle* **0.3** [urine] *water* ⇒⟨inf.⟩ *pee, piddle*, ⟨kind.⟩ *wee(-wee)*, ⟨AE ook⟩ *w(h)iz* **0.4** [poel] *pool* ⇒*pond*, ⟨groter⟩ *lake*, *sheet of water* **0.5** [grote hoeveelheid vocht] *bucketful* ◆ **1.2** een~ melk opdweilen *mop up a pool/puddle of milk* **1.5** zo'n~ limonade kan ik niet op *I can't down all that much lemonade* **2.3** ⟨med.⟩ gewassen ~ *midstream portion/urine* **2.¶** [de grote/ de zilte ~ *the briny*; ⟨BE ook, mbt. de Atlantische Oceaan⟩ *the (herring) pond* **3.3** een ~(je) doen/moeten (have to) go to the loo/spend a penny, ⟨have to⟩ go for /have a pee, ↓(have to) take a piss/^leak; ⟨kind.⟩(have to) do a wee(-wee)/do number one; een~ inleveren *hand in a sample (of one's water)*; ⟨scherts.⟩ een~(je) plegen ⟨→een~(je) doen; ook⟩ *answer a call of nature, pay a call*.
plasma ⟨het⟩ **0.1** [basisvloeistof v.h. bloed] *plasma* **0.2** [inhoud van een cel] *plasm(a)* ⇒*protoplasm* **0.3** [⟨nat.⟩ gasmassa] *plasma*.
plasmabank ⟨de⟩ **0.1** *plasma bank*.
plasmabol ⟨de (m.)⟩ **0.1** *fire-ball*.
plasmacel ⟨de⟩ **0.1** *plasma cell* ⇒*plasmacyte*.
plasmafysica ⟨de (v.)⟩⟨nat.⟩ **0.1** *plasma physics*.
plasmamembraan ⟨het, de⟩ **0.1** *plasma membrane*.
plasmide ⟨het⟩⟨bioch.⟩ **0.1** *plasmid*.
plasmodium ⟨het⟩ **0.1** [hoeveelheid protoplasma] *plasmodium* **0.2** [ontwikkelingsstadium van slijmzwammen] *plasmodium* **0.3** [eencellig dier] *plasmodium*.
plasmolen ⟨de (m.)⟩ **0.1** ≠*water-mill*.
plasmolyse ⟨de (v.)⟩ **0.1** *plasmolysis*.
plaspauze ⟨de⟩⟨inf.⟩ **0.1** *toilet break, natural break*.
plaspil ⟨de⟩⟨med.⟩ **0.1** †*diuretic (pill)*.
plasregen ⟨de (m.)⟩ **0.1** *torrential/drenching/pelting/driving rain*; ⟨plensbui⟩ *downpour* ◆ **2.1** zware ~s *torrential rain*/⟨aardr.⟩ *rains, heavy downpours, cloudbursts, sheets of rain*.
plasregenen ⟨onp.ww.⟩ **0.1** *pour/pelt down* ⇒*rain in torrents/rain buckets, come pouring down, come down in torrents/sheets*, ⟨inf.⟩ *rain cats and dogs/stair rods*.
plassen
I ⟨onov.ww.⟩ **0.1** [urineren] *go to the loo* ⇒*spend a penny, go*, ⟨have a⟩ *pee/piddle, ^take a leak*, ⟨kind.⟩ *wee(-wee)*, ⟨AE ook⟩ *take/go for a w(h)iz* **0.2** [spelend knoeien] *splash* ⇒*spill, splatter* **0.3** [in een vloeistof slaan/bewegen] *splash* **0.4** [waden] *slosh* ⇒*squelch* **0.5** [gutsen] *gush* **0.6** [klateren] *splatter* ⇒*splash* ◆ **1.5** de melk plaste op de grond *the milk spattered*/↓*splashed onto the ground* **1.6** een~de regen *splashing rain* **3.1** ik moet nodig~ *I really must go to the loo/spend a penny, I need to go badly; I badly need to (have a) pee* **6.1** in bed~ *wet the bed* **6.2** met water ~ *splash water* **6.4** door de modder~ *squelch through the mud*;
II ⟨ov.ww.⟩ **0.1** [in plassen uitstorten] *splash* ⇒*splatter* **0.2** [met de urine lozen] *pass* ⇒⟨kind.⟩ *do a pee* ◆ **1.1** water op de trap ~ *splash water on the stairs* **1.2** bloed ~*p. blood (in one's urine)*;
III ⟨onp.ww.⟩ **0.1** [stortregenen] ⟨→**plasregenen**⟩.
plasser ⟨de (m.)⟩ **0.1** *cock* ⇒⟨kind.⟩ *willie, penie*.
plasserij ⟨de (v.)⟩ **0.1** *splashing* ⇒*splattering, sploshing*.
plassertje ⟨het⟩⟨kind.⟩ **0.1** *willie*.
plastic[1] ⟨het⟩ **0.1** *plastic* ◆ **2.1** hard ~ *hard p.* **2.1** een bloempot van ~ *a p. flower-pot*.
plastic[2] ⟨bn.⟩ **0.1** [gemaakt van plastic] *plastic* **0.2** [onnatuurlijk, kunstmatig] *plastic* ◆ **1.2** een ~ glimlach *a p. smile*; ⟨scherts.⟩ we kregen zo'n ~ maaltijd in het vliegtuig *they gave us one of those p. meals on the plane*.
plasticbom ⟨de⟩ **0.1** *plastic bomb/explosive* ◆ **3.1** een ~ gebruiken *use a plastic bomb, use plastic explosive*.
plasticine ⟨de⟩ **0.1** *plasticine*.
plasticiteit ⟨de (v.)⟩ **0.1** [vervormbaarheid] *plasticity* **0.2** [⟨bk.⟩] *plasticity* ⇒*plastic quality/qualities* **0.3** [⟨lit.⟩] *expressiveness*.
plasticlijm ⟨de (m.)⟩ **0.1** *(a) plastic adhesive, plastic cement*.
plastiek
I ⟨de (v.)⟩ **0.1** [beeldhouwkunst] *plastic art(s)* ⇒⟨boetseerkunst⟩ *modelling* ^*eling*, ⟨beeldhouwkunst⟩ *sculpture* **0.2** [voorwerp van plastische kunst] ⟨boetseren⟩ *model*; ⟨beeldhouwen⟩ *sculpture* **0.3** [plastisch effect in de schilderkunst] *plasticity* ⇒*plastic quality/qualities* **0.4** [⟨lit.⟩] *expressiveness* ⇒*graphic quality* **0.5** [gebaren en expressies bij het spreken] *(physical) expressiveness* **0.6** [⟨med.⟩] *plastic*

surgery ◆ **3.2** een ~ maken *model*, ⟨beeldhouwkunst⟩ *sculpture*, ⟨inf.⟩ *sculpt*;
II ⟨het⟩ **0.1** [⟨AZN⟩ plastic] *plastic*.
plastieken[1] ⟨bn.⟩⟨AZN⟩ **0.1** *plastic*.
plastieken[2] ⟨ov.ww.⟩ **0.1** *plasticize*.
plastificeren ⟨ov.ww.⟩ **0.1** [overtrekken met plastic] *plasticize* **0.2** [kneedbaar maken] *make mouldable* ^*moldable* ⇒*plasticize*.
plastiline ⟨de⟩ **0.1** *plasticine*.
plastisch
I ⟨bn.⟩ **0.1** [vormgevend] *plastic* ⇒*expressive* **0.2** [kneedbaar] *plastic* ⇒*mouldable, shap(e)able* **0.3** [weefselvormend] *plastic* ⇒*tissue-forming* ◆ **1.1** ~ chirurg *plastic surgeon*; ~e chirurgie *plastic surgery*, ⟨med.⟩ *anaplasty*, ⟨van borst ook⟩ *mammoplasty*; ~e kunsten *plastic arts, modelling* ^*eling, sculpture*; het ~ vermogen van de kunstenaar *the expressive abilities of the artist*;
II ⟨bn., bw.; -(al)ly⟩ **0.1** [⟨bk.⟩] *plastic* **0.2** [⟨lit.⟩] *expressive* ⇒*graphic* ◆ **1.2** ~e termen *e. / graphic terms* **3.2** zich ~ uitdrukken *express o.s. graphically*.
plastron ⟨het, de (m.)⟩ **0.1** [⟨schermsport⟩] *plastron* **0.2** [los front] *(false) shirt-front* ⇒⟨inf.⟩ *dicky* **0.3** [front van een overhemd] *starched shirt-front* **0.4** [voorstuk van een japon] *plastron* **0.5** [buikschild van schildpadden] *plastron* **0.6** [⟨AZN⟩ das] *tie*.
plasvijver ⟨de (m.)⟩ **0.1** *paddling-pool/pond*.
plaswekker ⟨de (m.)⟩ **0.1** *pad and buzzer*.
plat[1] ⟨het⟩ **0.1** [taal] *dialect* ⇒⟨vulgair taalgebruik⟩ *coarse language* **0.2** [plat dak] *terrace (roof)* ⇒*sun roof*, ^*sun-deck* **0.3** [vlakke zijde] *flat* **0.4** [plateau, vlak land] ⟨onderzees⟩ *shelf*; ⟨alg.⟩ *plateau* ◆ **1.3** het ~ van de hand *the f. of one's hand* **2.4** het continentaal ~ *the continental s.*; ⟨wielersport⟩ *vals~ hidden/disguised gradient*.
plat[2]
I ⟨bn.⟩ **0.1** [zich in de breedte uitstrekkend] *flat* ⇒*flattened* **0.2** [ondiep] *flat* ⇒*shallow* **0.3** [niet hoog] *flat* ⇒*low* **0.4** [niet rond] *flat* **0.5** [horizontaal] *flat* **0.6** [stil door staking] †*at a standstill* ⇒ †*paralysed* **0.7** [⟨druk.⟩] *run-on* **0.8** [⟨AZN⟩ week] *soft* **0.9** [⟨AZN⟩ slap] *flat* ◆ **1.1** een ~ dak *a flat roof*, ⟨terras⟩ *a terrace (roof), a sun roof*; met de ~te hand *with the flat of one's hand*; de ~te kant ⟨van hand/zwaard⟩ *the flat*; een ~ vlak *a flat/plane surface* **1.3** schoenen met een ~te hak *flat-heeled shoes*; ⟨inf.⟩ *flatties*; ⟨AE ook⟩ *flats*; een ~te hoed *a f./ low hat* **1.4** een ~te knoop *a reef knot* **1.5** een ~te duik *bellyflop*; de patiënt moet twee weken ~ *the patient must stay (f.) on his/her back for two weeks*; de zaal ~ krijgen ⟨overdonderen⟩ *carry the/one's audience with one*; ⟨aan het lachen brengen⟩ *bring the house down, have/leave them rolling in the aisles* **1.7** ~ zetsel *run-on type/matter* **1.9** ~ bier *f. beer* **3.5** ⟨inf.⟩ ~ op zijn bek gaan *fall f. on one's face*; ⟨fig.⟩ ~ gaan voor iem./ iets ⟨→**platgaan**⟩; het huis gaat ~ *the house is coming down/is going to be knocked/pulled down*; ⟨fig.⟩ iem. ~ krijgen *talk s.o. round, talk rings around s.o.*; ~ worden *flatten (out)*; ~ter worden *flatten (out), grow/get flatter* **3.6** de haven gaat morgen ~ *tomorrow the port will be at a standstill/will be paralysed/strikebound* **3.7** ~ zetten *run on* **8.4** zij is zo ~ als een dubbeltje *she's as f. as a pancake/an ironing-board/* ^*board*;
II ⟨bn., bw.; -ly, beh. o.⟩ **0.1** [dialectisch] *broad* **0.2** [vulgair] *coarse* ⇒*crude, gross* **0.3** [laag-bij-de-gronds] *crude* ⇒*mean, low, plain*, ⟨inf.⟩ *base* ◆ **1.2** ~te humor *coarse/crude humour*; ~te taal *coarse/crude/ gross language*; een ~te uitdrukking *a coarse expression, a (piece of) vulgarity* **1.3** ~ egoïsme *plain selfishness* **2.1** ~ Utrechts *b. Utrecht (dialect)* **3.1** ~ praten *speak/talk b. (dialect)* **3.2** ~ uitgedrukt *to put it crudely/coarsely*, †*in vulgar parlance*;
III ⟨bw.⟩ **0.1** [⟨AZN⟩ volkomen] *dead* ◆ **5.1** ik ben er ~ voor *I'm all in favour/all for it*.
plataan
I ⟨de (m.)⟩ **0.1** [boom] *plane(-tree)* ⇒⟨AE ook⟩ *sycamore* ◆ **2.1** westerse ~ *buttonball, button tree*;
II ⟨het⟩ **0.1** [hout] *plane(-wood)* ⇒⟨AE ook⟩ *sycamore(-wood)*.
plataanachtigen ⟨zn.mv.⟩ **0.1** *Platanaceae*.
plataf ⟨bw.⟩ **0.1** *flatly* ⇒*outright, point-blank* ◆ **3.1** hij heeft het ~ geweigerd *he refused point-blank/outright, he f. refused*.
platbodem ⟨de (m.)⟩⟨scheep.⟩ **0.1** *flatboat, flat-bottomed boat*.
platbol ⟨de (m.)⟩ **0.1** *planoconvex* ◆ **1.1** ~le lenzen *p. lenses*.
platboomd ⟨bn.⟩ **0.1** *flat-bottomed* ◆ **1.1** een ~ vaartuig *a f.-b. vessel*.
platbranden ⟨ov.ww.⟩ **0.1** *burn to the ground* ⇒*burn down*.
platbuikig ⟨bn.⟩ **0.1** *flat-bellied*.
platdraad ⟨het, de (m.)⟩ **0.1** *flat wire*.
platdrukken ⟨ov.ww.⟩ **0.1** *flatten* ⇒*crush, squash* ◆ **1.1** een platgedrukte hoed *a crushed/squashed hat* **4.1** iem. tegen de muur ~ *f. / crush s.o. against the wall*.
platduits ⟨het⟩ **0.1** *Low German*.
plat du jour ⟨de (m.)⟩ **0.1** *dish of the day* ⇒⟨in titels ook⟩ *today's special*, †*plat du jour*.
plateau ⟨het⟩ **0.1** [bord waarop iets uitgestald wordt] *dish* ⇒ †*platter*, †*plateau* **0.2** [dienblad] *tray* ⇒ †*platter*, †*plateau* **0.3** [hoogvlakte] *plateau* ⇒*table(land)*, ⟨met steile wanden⟩ *mesa* **0.4** [wandversiering] *plaque* ⇒*plateau*.

plateaulift ⟨de (m.)⟩ **0.1** *platform lift/*^A*elevator.*
plateauzool ⟨de⟩ **0.1** *platform sole* ♦ **6.1** schoenen met plateauzolen *platform-soled shoes, (shoes with) platform soles.*
platebon ⟨de (m.)⟩ **0.1** ^B*record token/voucher,* ^A*gift certificate (for a recordstore).*
plateel ⟨het⟩ **0.1** *delft(ware).*
plateelbakker ⟨de (m.)⟩ **0.1** *delft(ware) potter.*
plateelbakkerij ⟨de (v.)⟩ **0.1** [handeling] *making of delft(ware)* **0.2** [fabriek] *delft(ware) factory.*
plateelgoed ⟨het⟩ **0.1** *delft(ware).*
plateeloven ⟨de (m.)⟩ **0.1** *delft(ware) kiln.*
plateelschilder ⟨de (m.)⟩, **-res** ⟨de (v.)⟩ **0.1** *delft(ware) painter/artist.*
plateelwerk ⟨het⟩ **0.1** *delft(ware).*
platehoes ⟨de⟩ **0.1** *(record-)sleeve, (record-)cover,* ^A*jacket.*
platenalbum ⟨het⟩ **0.1** [album met illustraties] *illustrated album* ⇒*album (illustrated) with prints* **0.2** [mbt. grammofoonplaten] *record album.*
platenatlas ⟨de (m.)⟩ **0.1** *collection of prints.*
platenbijbel ⟨de (m.)⟩ **0.1** *illustrated bible.*
platenboek ⟨het⟩ **0.1** *illustrated book* ⇒⟨alleen foto's of platen bevattend⟩ *book of photographs/plates,* ⟨voor kinderen⟩ *picture book.*
platenboer ⟨de (m.)⟩ ⟨scherts.⟩ **0.1** *record shop/*^A*store.*
platenbons ⟨de (m.)⟩ **0.1** *bigwig/big shot/potentate in the record industry/business.*
platencontract ⟨het⟩ **0.1** *recording contract.*
platenhandelaar ⟨de (m.)⟩ **0.1** *record dealer.*
platenindustrie ⟨de⟩ **0.1** *record(ing) industry* ⇒⟨sl.; het popmuziekcircuit⟩ *Tin Pan Alley.*
platenkoffer ⟨de (m.)⟩ **0.1** *record-case.*
platenlabel ⟨het⟩ **0.1** *record label* ♦ **6.1** die opname is uitgebracht op/onder het~X *that recording was put out on the X label.*
platenmaatschappij ⟨de (v.)⟩ **0.1** *record(ing) company.*
platenmarkt ⟨de⟩ **0.1** *record market.*
platenreiniger ⟨de (m.)⟩ **0.1** *record cleaner* ⇒⟨vloeistof ook⟩ *record cleaning fluid.*
platenrek ⟨het⟩ **0.1** *record-rack.*
platenschaar ⟨de⟩ **0.1** *metal/tinplate shears.*
platenspeler ⟨de (m.)⟩ **0.1** *record-player* ⇒⟨AE ook⟩ *phonograph,* ⟨BE ook; vero.⟩ *gramophone.*
platenwisselaar ⟨de (m.)⟩ **0.1** *record-changer.*
platenzaak ⟨de⟩ **0.1** *record shop.*
platform ⟨het⟩ **0.1** [verhoging] *platform* ⇒*rostrum* **0.2** [⟨fig.⟩ overleggorgaan] *platform* **0.3** [mbt. vliegvelden] *apron* ♦ **2.1** een rollend~*a moving p.* **2.2** het groene~*the environmental p.* **6.1** ⟨sport⟩ op het~ staan *stand on the rostrum* **8.1** het symposium gebruiken als~om zijn ideeën te verkondigen *use the symposium as a p. for one's ideas.*
platgaan ⟨onov.ww.⟩ ⟨inf.⟩ **0.1** [gaan slapen] *hit the sack/hay, turn in* **0.2** [onder de indruk raken] *fall for (sth.), be bowled over by (s.o.)* **0.3** [zich aan een man overgeven] *lie back (and think of England);* ^A*put out, drop them* ♦ **1.2** de zaal ging plat ⟨mbt. lachen⟩ *the audience was doubled up (with laughter)/in fits (of laughter).*
platgat ⟨het⟩ **0.1** *ship with a flat stern* ⇒*flat-sterned ship.*
platglas ⟨het⟩ **0.1** *Dutch light.*
platgoed ⟨het⟩ ⟨vis.⟩ **0.1** *flatfish.*
platgooien ⟨ov.ww.⟩ **0.1** [dmv. een bombardement vernietigen] *flatten* **0.2** [door staking stilleggen] *close/shut down.*
platgroeiend ⟨bn.⟩ **0.1** *low-growing/-spreading/*⟨vertakt⟩ *-branching.*
platheid ⟨de (v.)⟩ **0.1** [trivialiteit] *banality, coarseness* ⇒*crudity, grossness, vulgarity* **0.2** [platte uitdrukking] *platitude* ⇒*commonplace, vulgarity* **0.3** [het vlak zijn] *flatness* ♦ **3.2** houd die platheden maar voor je *spare me your platitudes.*
plathoef ⟨de (m.)⟩ **0.1** [hoef] *flat hoof* **0.2** [paard] *flat-hoofed horse.*
plathol ⟨bn.⟩ **0.1** *planoconcave* ♦ **1.1** ~le lenzen *p. lenses.*
platijzer ⟨het⟩ ⟨amb.⟩ **0.1** *flat iron* ⇒*flat bars* ⟨mv.⟩.
platina[1] ⟨het⟩ **0.1** *platinum.*
platina[2] ⟨bn.⟩ **0.1** *platinum* ♦ **1.1** een~ring *a p. ring* **1.¶** ~bruiloft *p. wedding;* ~plaat *p. disc.*
platina-asbest ⟨het⟩ **0.1** *platinum asbestos.*
platinablik ⟨het⟩ **0.1** *platinum plate.*
platinablond ⟨bn.⟩ **0.1** *platinum blond/*⟨v. ook⟩ *blonde.*
platinadraad
   I ⟨het, de (m.)⟩ **0.1** [tot draad getrokken platina] *platinum wire;*
   II ⟨de (m.)⟩ **0.1** [een stuk draad] *platinum wire.*
platinaerts ⟨het⟩ **0.1** *platinum ore.*
platinahaar ⟨het⟩ **0.1** *platinum blond/*⟨v. ook⟩ *blonde hair.*
platinahoudend ⟨bn.⟩ **0.1** *platinum-bearing* ⇒*platinous, platiniferous.*
platinakleurig ⟨bn.⟩ **0.1** *platinum(-coloured).*
platinakoper ⟨het⟩ **0.1** *platinum copper.*
platinametalen ⟨zn.mv.⟩ ⟨schei.⟩ **0.1** *platinum metals.*
platinaspons
   I ⟨het⟩ **0.1** [zeer fijn verdeeld platina] *platinum sponge;*
   II ⟨de⟩ **0.1** [een stukje] *platinum sponge.*
platinazwart ⟨het⟩, **platinamoor** ⟨het⟩ **0.1** *platinum black.*

platineren ⟨ov.ww.⟩ **0.1** *platinize.*
plating ⟨de (v.)⟩ **0.1** *sheet-piling.*
platinotypie ⟨de (v.)⟩ **0.1** *platinotype.*
platitude ⟨de (v.)⟩ **0.1** *platitude* ♦ **3.1** een~gebruiken/bezigen *come out with a p..*
platje ⟨het⟩ ⟨inf.⟩ **0.1** *crab.*
platkloppen ⟨ov.ww.⟩ **0.1** *beat/*⟨zachter⟩ *pat flat/down.*
platkop ⟨de (m.)⟩ **0.1** [slang] *common hog-nose snake* ⇒*flathead* **0.2** [spijker, schroef] *flat-head(ed) nail/screw* **0.3** ⟨fig.⟩ iem. met een plat hoofd] *flat-head* **0.4** [straatkei] ≠*cobble(-stone)* **0.5** [boom] *flat-topped tree.*
platleggen ⟨ov.ww.⟩ **0.1** [vlak neerleggen] *lay flat;* ⟨omvergooien ook⟩ *knock flat* **0.2** [stilleggen door te staken] *bring to a standstill* ⇒*paralyse* ♦ **1.1** de tegenstander~⟨bv. door een tackle⟩ *knock one's opponent flat, lay one's opponent out flat, send one's opponent sprawling* **1.2** een bedrijf/het werk/de boel~*bring a firm/work/the place to a standstill.*
platliggen ⟨onov.ww.⟩ **0.1** [omverliggen] *be/lie flat (out)* **0.2** [ziek te bed liggen] *be/lie (flat) on one's back* **0.3** [stil liggen door een staking] *be at a standstill* ⇒*be paralysed/strikebound/(completely) shut down.*
platlood ⟨het⟩ **0.1** *sheet-lead.*
platlopen ⟨ov.ww.⟩ **0.1** *tread/trample down/flat* ♦ **1.1** ⟨fig.⟩ de deur bij iem. ~ *always be at/knocking on s.o.'s door, wear out s.o.'s doorstep;* het gras~*tread/trample the grass down/flat.*
platluis ⟨de⟩ **0.1** [luis] *crab-louse;* ⟨med.⟩ *public louse* **0.2** [⟨fig.⟩ persoon] ↑*pauper.*
platmaken ⟨ov.ww.⟩ **0.1** [pletten] *flatten (out)* ⇒*squash (flat), crush* **0.2** [⟨inf., Barg.⟩ omkopen] *grease (s.o.'s) palm;* ⟨BE ook⟩ *nobble, get at.*
platonisch ⟨bn., bw.; -ally⟩ **0.1** *platonic* ♦ **1.¶** ~jaar *p. year;* ~e liefde *p. love;* allemaal uiterst~e wensen *all purely academic (wishes)* **3.1** ~redeneren ⟨ook⟩ *Platonize.*
platpersen ⟨ov.ww.⟩ **0.1** [⟨tech.⟩] *press (flat)* **0.2** [mbt. kleding] *press.*
platribbig ⟨bn.⟩ ⟨biol.⟩ **0.1** *flat-ribbed.*
platrond ⟨bn.⟩ **0.1** *flattened oval.*
platschaaf ⟨de⟩ **0.1** *smoothing-plane.*
platschelp ⟨de⟩ **0.1** *sunset shell, tellin.*
platscheren ⟨ov.ww.⟩ **0.1** [door scheren effen maken] *shave smooth* ⇒*close shave* **0.2** [door snoeien gelijk maken] *prune level.*
platschieten ⟨ov.ww.⟩ **0.1** *shoot to rubble/pieces* ⇒*flatten.*
platslaan ⟨ov.ww.⟩ **0.1** [pletten] *beat flat/down* ⇒*flatten* **0.2** [⟨inf.⟩ aframselen] *beat to a pulp/a jelly* ♦ **1.1** het platgeslagen graan ⟨door onweer/hagel⟩ *the beaten-down/flattened corn.*
platspuiten ⟨ov.ww.⟩ ⟨inf.⟩ **0.1** *put s.o. to sleep, put/knock s.o. out* ♦ **1.1** een patient~*knock a patient out with sedatives.*
platstaart ⟨de (m.)⟩ **0.1** *laticaudine sea snake.*
platsteekborduursel ⟨het⟩ **0.1** *satin-stitch embroidery.*
platster ⟨de (m.)⟩ **0.1** ^A*Archaster.*
platstrijken ⟨ov.ww.⟩ **0.1** ⟨mbt. kleding⟩ *iron flat/smooth* ⇒*press,* ⟨mbt. haar⟩ *smooth (flat/down), pat down.*
platstuk ⟨het⟩ **0.1** *strip of wood* ⇒*lath.*
platteband ⟨de (m.)⟩ ⟨bouwk.⟩ **0.1** *platband.*
plattebuiskachel ⟨de⟩ **0.1** ≠*range.*
platteerwerk ⟨het⟩ **0.1** *plated work/ware.*
plattegrond ⟨de (m.)⟩ **0.1** [kaart] *(street) map* ⇒*(street) plan* **0.2** [grondtekening] *(ground) plan, floor plan;* ⟨AE ook; mbt. een terrein⟩ *plat* ♦ **3.1, 3.2** een~maken/tekenen van *draw a plan;* ⟨AE ook; mbt. een terrein⟩ *plat.*
platteland ⟨het⟩ **0.1** *country(side)* ♦ **2.1** het Engelse~*the English countryside, rural England* **6.1** op het~gaan wonen *go and live in the country;* op het~wonen *live in the country;* van het~komen *be/come from the country.*
plattelander ⟨de (m.)⟩ →*plattelandsbewoner.*
plattelands ⟨bn.⟩ **0.1** *rural* ⇒*country.*
plattelandsbevolking ⟨de (v.)⟩ **0.1** *rural/country population* ⇒*peasantry.*
plattelandsbewoner ⟨de (m.)⟩ **0.1** *countryman* ⟨m.⟩; *countrywoman* ⟨v.⟩; *country dweller* ⇒*person from the country, rural resident, countryfolk/-people* ⟨mv.⟩, ⟨pej.⟩ *provincial.*
plattelandsgemeente ⟨de (v.)⟩ **0.1** *country/rural town/village/district* ⇒⟨mbt. EEG ook⟩ *country/rural commune.*
plattelandskern ⟨de⟩ **0.1** *regional centre.*
plattelandsschool ⟨de⟩ **0.1** *country/rural school.*
plattelandsvrouw ⟨de (v.)⟩ **0.1** *countrywoman.*
platten ⟨ov.ww.⟩ **0.1** *flatten (out).*
platteren ⟨ov.ww.⟩ **0.1** *(metal-)plate* ♦ **1.1** aan twee zijden geplat(t)eerd zilver *silver-plated on both sides* **6.1** koper met goud~*gold-plate copper.*
platting ⟨de⟩ ⟨scheep.⟩ **0.1** *sennit.*
plattrappen ⟨ov.ww.⟩ →*plattreden.*
plattreden ⟨ov.ww.⟩ **0.1** *tread/trample down (flat)* ♦ **1.1** platgetreden paden/wegen *worn/well-trodden paths.*
platvierkant ⟨het⟩ ⟨bouwk.⟩ **0.1** *abacus.*
platvink ⟨de (m.)⟩ **0.1** [⟨inf.⟩ portemonnaie] ↑*wallet,* ^A*bill-fold* **0.2** [zakfles] *hip-flask.*

platvis 〈de (m.)〉 **0.1** [vis] *flatfish* **0.2** [〈mv.〉 vissenfamilie] *flatfish* 〈mv.〉; 〈wet.〉 *heterosomata*.

platvleugeligen 〈zn.mv.〉 **0.1** *lacewings, Planipennia*.

platvloers 〈bn.〉 **0.1** *banal, coarse* ⇒*crude, gross, vulgar*.

platvloersheid 〈de (v.)〉 **0.1** *coarseness, vulgarity*.

platvoet 〈de (m.)〉 **0.1** [voet zonder welving v.d. voetholte] *flat foot* **0.2** [〈fig.〉 persoon] *flatfoot(ed person)* **0.3** [〈scheep.〉] *dogwatch* ♦ **3.1** ~en hebben *have flat feet, be flat-footed*.

platvoeten 〈onov.ww.〉 **0.1** *pace back and forth/up and down, cool one's heels*.

platvoetig 〈bn.〉 **0.1** *flat-footed*.

platvoetwacht 〈de〉〈scheep.〉 **0.1** *dogwatch*.

platvoetzool 〈de〉 **0.1** *arch support*.

platvol 〈bn.〉 〈amb.〉 ♦ **3.**¶ ~ voegen *flat pointing*.

platwalsen 〈ov.ww.〉 **0.1** [(iem.) overbluffen] *flatten, steamroller, bulldoze* **0.2** [pletten] *flatten* ⇒*steamroller*.

platweg 〈bw.〉 **0.1** [op de man af] *bluntly, straight out* ⇒*point blank* **0.2** [in gewone woorden] *plainly* ⇒*bluntly, in plain words, straightforwardly* ♦ **3.1** ~ vroeg hij het mij *he asked me straight out/point blank/bluntly*.

platwerk 〈het〉 **0.1** *run-on type/matter*.

platworm 〈de (m.)〉 **0.1** *flatworm*.

platzak 〈bn.〉 **0.1** *(flat/ 〈BE ook〉 stony) broke* ⇒*(vnl. na spel) (flat) bust, cleaned out* ♦ **3.1** door al het gokken is hij nu ~ *all that gambling has cleaned him out/left him broke/bust* **3.**¶ ~ thuiskomen *come home (flat/stony) broke/bust*.

platzee 〈de〉 **0.1** *shallow sea/waters*.

plausibel 〈bn.〉 **0.1** *plausible* ♦ **3.1** zoiets klinkt niet erg ~ *that (sort of thing) doesn't sound/isn't very p.*.

plausibiliteit 〈de (v.)〉 **0.1** *plausibility*.

plavei 〈de (m.)〉 →**plaveisteen**.

plaveien 〈ov.ww.〉 **0.1** *pave*.

plaveisel 〈het〉 **0.1** *paving, pavement*.

plaveiselcelcarcinoom 〈het〉〈med.〉 **0.1** *squamous-cell carcinome/cancer*.

plaveisteen 〈de (m.)〉 **0.1** *paving stone*.

plavuis 〈de (m.)〉 **0.1** *(floor) tile;* 〈stenen〉 *flag(stone)* ♦ **3.1** we hebben plavuizen in de kamer en op de gang *we've got a tiled floor in the sitting-room and the corridor*.

playback¹ 〈het, de (m.)〉 **0.1** *miming;* 〈inf.〉 *lip-sync(h)*.

playback² 〈bn.〉 **0.1** *in mime* ⇒*miming,* 〈inf.〉 *lip-sync(h)* ♦ **3.1** ~ zingen 〈→playbacken〉.

playbacken 〈onov.ww.〉 **0.1** *mime (to one's own/another person's voice)* ⇒*lip-sync(h)*.

playboy 〈de (m.)〉 **0.1** [bemiddelde genotzuchtige man] *playboy* **0.2** [closetrolhouder] 〈→pleeboy〉.

plebejer 〈de (m.)〉 **0.1** [iem. zonder opvoeding] *plebeian;* 〈inf.〉 *pleb* **0.2** [〈gesch.〉] *plebeian*.

plebejisch
I 〈bn.〉 **0.1** [〈gesch.〉] *plebeian* **0.2** [〈pej.〉] *plebeian* ♦ **1.2** hij is van ~e afkomst *his origins are p.;*
II 〈bn., bw.〉 **0.1** [onbeschaafd] *plebeian*.

plebisciet 〈het〉 **0.1** *plebiscite* ⇒*referendum, popular vote* ♦ **3.1** een ~ houden *hold a plebiscite* **6.1** een ~ houden *over* iets *put sth. to a plebiscite*.

plebs
I 〈het〉 **0.1** [gepeupel] *plebs* 〈meestal mv.〉 ⇒*rabble, riff raff;*
II 〈de (v.)〉 **0.1** [〈gesch.〉] *plebs*.

plecht 〈de〉〈scheep.〉 **0.1** [verhoogd voordek] *fo'c'sle* ⇒*forecastle* **0.2** [dek op het voorste/achterste gedeelte] *forward deck* ⇒〈voorste gedeelte〉 *foredeck,* 〈achterste gedeelte〉 *after deck*.

plechtanker 〈het〉 **0.1** [zwaar anker op de plecht] *sheet anchor* **0.2** [〈fig.〉 toeverlaat] *sheet anchor* ⇒*resort* ♦ **2.2** het laatste ~ *the last resort* **3.1** het ~ uitwerpen *throw out the s. a.*.

plechtig 〈bn., bw.; -ly〉 **0.1** [statig] *solemn* ⇒*ceremonious, stately* **0.2** [in de vereiste vorm] *solemn* **0.3** [ernstig, stemmig] *solemn* **0.4** [serieus] *solemn* ♦ **1.1** een ~e inhuldiging *a solemn inauguration;* ~e (gezongen) mis *solemn mass;* de ~e opening (v.h. jaar/een gebouw) *the inauguration (of the year/a building)* **1.2** een ~e eed *a s. / formal oath;* ~e verklaring *s. declaration, vow, pledge* **1.3** ~e taal *s. language;* met een ~e uitdrukking op hun gezicht *with s. looks on their faces, solemn-faced* **3.2, 3.4** (iets) ~ beloofd hebben *be under a vow (to do sth.)* **3.2, 3.4** ~ beloven (te …) *solemnly promise (to), vow (to), pledge (to);* 〈inf.〉 *cross one's heart* **3.3** het koor zong ~ *the choir sang with solemnity* **3.4** iem. iets ~ verzekeren *assure s.o. solemnly of sth.*.

plechtigheid 〈de (v.)〉 **0.1** [ceremonie] *ceremony;* 〈rel.〉 *rite* **0.2** [staatsie] *ceremony* ⇒*ceremoniousness* **0.3** [stemmigheid] *solemnity* ♦ **2.1** kerkelijke plechtigheden *ecclesiastical rites;* een officiële ~ *an official function/c.* **2.2** hij werd met militaire ~begraven *he was buried with military ceremony/honours* **3.1** een ~ bijwonen *attend a c.*.

plechtiglijk 〈bw.〉〈schr.〉 **0.1** [met alle statsie] *solemnly* ⇒*ceremoniously* **0.2** [in de vereiste vorm] *with all due ceremony/solemnity*.

plechtstatig 〈bn., bw.; -ly〉 **0.1** *solemn* ⇒*ceremonious, stately* ♦ **3.1** ~ trad hij de kamer binnen *he entered the room solemnly*.

plechtstatigheid 〈de (v.)〉 **0.1** *stateliness, majesty* ⇒*solemnity*.

plectrum 〈het〉 **0.1** *plectrum;* 〈inf.〉 *pick*.

plee 〈de (m.)〉〈inf.〉 **0.1** *loo* ⇒*bog, lav,* [A]*john,* [A]*can* ♦ **6.1** naar de ~ moeten *have to go to the loo/john;* op de ~ zitten *be in the loo/john*.

pleeborstel 〈de (m.)〉 **0.1** [〈inf.〉 WC-borstel] *loo-brush,* [B]*bog-brush,* [A]*loo* **0.2** [〈bel.〉 iem. met zeer korte hoofdharen] *shorn sheep, brush head*.

pleeboy 〈de (m.)〉 **0.1** *toilet roll stand/holder*.

pleefiguur 〈het〉〈inf.〉 ♦ **3.**¶ een ~ slaan ≠*look (like) a complete (and utter) twit/berk,* [A]*look like a horse's ass*.

pleegbroer 〈de (m.)〉 **0.1** *foster brother*.

pleegcontract 〈het〉 **0.1** *fostering agreement*.

pleegdochter 〈de (v.)〉 **0.1** *foster daughter*.

pleeggezin 〈het〉 **0.1** *foster home*.

pleegkind 〈het〉 **0.1** *foster child* ♦ **8.1** (iem.) als ~ opnemen *foster (s.o.)*.

pleegmoeder 〈de (v.)〉 **0.1** *foster mother*.

pleegouders 〈zn.mv.〉 **0.1** *foster parents*.

pleegvader 〈de (m.)〉 **0.1** *foster father*.

pleegvoogdij 〈de (v.)〉 **0.1** *custodianship*.

pleegzoon 〈de (m.)〉 **0.1** *foster son*.

pleegzuster 〈de (v.)〉 **0.1** *foster sister*.

pleepapier 〈het〉〈inf.〉 **0.1** 〈ongemarkeerd〉 *toilet paper* ⇒[B]*loo paper*.

pleerol 〈de〉〈inf.〉 **0.1** 〈ongemarkeerd〉 *toilet roll* ⇒[B]*loo roll*.

pleet 〈het〉 **0.1** *plate* ⇒*plated ware*.

pleetwerk 〈het〉 **0.1** *plate* ⇒*plated ware*.

pleetzilver 〈het〉 **0.1** *silver plate*.

plegen
I 〈onov.ww.〉 **0.1** [mbt. personen] *be in the habit of* **0.2** [mbt. zaken] *tend* ♦ **3.1** hij pleegt elke week naar de stad te rijden *he is in the habit of driving to town every week;* hij pleegt uren achtereen te tekenen *he will spend hours drawing* **3.2** die klok pleegt achter te lopen *that clock tends to be slow/is usually slow;* hier placht een opschrift te staan *there used to be an inscription here;*
II 〈ov.ww.〉 **0.1** [iets ongeoorloofds) bedrijven] *commit* ⇒*perpetrate* **0.2** [doen, verrichten] *do* ⇒*perform* ♦ **1.1** bedrog ~ *cheat, deceive, practise fraud;* een moord ~ *c. (a) murder;* overspel ~ *c. adultery;* een overval ~ (op) *make a raid (on);* verzet ~ *offer resistance* **1.2** abortus ~ *have an abortion; perform an abortion* 〈bij iem.〉; overleg ~ *consult, take counsel;* 〈scherts.〉 een plasje ~ *spend a penny, see a man about a horse;* een telefoontje ~ *make a phone call*.

pleger 〈de (m.)〉, **pleegster** 〈de (v.)〉 〈jur.〉 **0.1** *perpetrator* ♦ **1.1** een ~ van doodslag *a homicide*.

pleidooi 〈het〉 **0.1** [verdedigingsbetoog] *plea* ⇒*defence* [A]*se* **0.2** [pleitrede v.e. advocaat] *(counsel's) speech/argument, oral pleading, address (to the court)* ⇒*defence* [A]*se* 〈van verdediger〉 **0.3** [deel v.e. proces] *oral pleadings* ♦ **2.1** een warm ~ *a passionate p.* **3.1** een ~ houden voor …*make a p. for/in favour of, argue in favour of, hold a brief for;* een ~ houden voor oorlog als middel om …*preach war as a means of …;* een krachtig ~ houden voor …*argue strongly in favour of;* een ~ houden tegen iets *argue/speak against sth.* **3.2** het ~ werd gehouden door N.N. *N.N. argued the case* **3.3** de ~en openen *address the court first, plead first*.

plein 〈het〉 **0.1** [open ruimte] *square* ⇒*plaza,* [B]*circus* 〈rond〉, *green* ⇒〈met gras begroeid, in dorp〉 **0.2** [verkeersvrije ruimte] *square* ⇒ [B]*circus* 〈rond〉 **0.3** [verkeersplein, circuit] *interchange* ⇒[B]*roundabout,* [A]*(traffic) circle,* [A]*rotary* **0.4** [grote binnenplaats] *courtyard* ⇒*quadrangle, schoolyard* 〈school〉 ♦ **6.1** op/aan het ~ *in the s.*.

plein-air¹ 〈het〉 **0.1** *plein air*.

plein-air² 〈bn., bw.〉 **0.1** *plein air*.

pleiner 〈de (m.)〉 **0.1** *'pleiner'* 〈(in 1960's) person who took part in the events at and near Leidseplein in Amsterdam〉.

plein-pouvoir 〈het, de (m.)〉 **0.1** *plenary authority* ⇒*full authority* ♦ **3.1** ~ hebben *have plenary/full authorithy, be fully authorized*.

pleinvrees 〈de〉 **0.1** *agoraphobia*.

pleiotropie 〈de (v.)〉〈biol.〉 **0.1** *pleiotropy*.

pleister
I 〈de〉 **0.1** [hechtpleister] *(sticking) plaster* ⇒[A]*bandaid* ♦ **1.1** een rolletje ~ *a roll of sticking plaster* **6.1** een ~ op de wonde 〈fig.〉 *salve/balm for one's wounded feelings, an opiate to grief;* een ~ op de wonde doen/plakken *apply a p. / bandaid to the wound;* 〈fig.〉 een ~ op de wonde leggen *soften the blow;*
II 〈het〉 **0.1** [kalkmengsel] *plaster* ⇒*parget, stucco* **0.2** [gips in poedervorm] *plaster (of Paris)* **0.3** [gipsbrij] *(gypsum) plaster* **0.4** [〈bk.〉 mengsel van marmer en gips] *plaster* ♦ **6.4** iets in ~ gieten *cast sth. in p.*.

pleisteraar 〈de (m.)〉〈amb.〉 **0.1** *plasterer*.

pleisterachtig 〈bn.〉 **0.1** *plastery*.

pleisterafgietsel 〈het〉 **0.1** *plaster cast*.

pleisteren¹ 〈bn.〉 **0.1** *plaster*.

pleisteren²
I 〈ov.ww.〉 **0.1** [met gips bestrijken] *plaster* ⇒*parget, stucco* **0.2** [pleisters leggen op] *put a plaster/*[A]*bandaid on* ♦ **1.**¶ 〈bijb.〉 gepleisterde graven *whited sepulchres* **5.1** ruw ~ *roughcast,* [B]*harl;*

II ⟨onov.ww.⟩ ⟨schr.⟩ 0.1 [reis onderbreken om te eten] *stop for refreshment* ⇒*break one's journey,* [A]*lay over* 0.2 [stilhouden] *stop* ⇒ *pause.*

pleistergewelf ⟨het⟩ ⟨bouwk.⟩ 0.1 [gewelf van pleisterwerk] *plastered vault* 0.2 [gestukadoord plafond] *plastered ceiling.*

pleistergroeve ⟨de⟩ 0.1 *gypsum quarry.*

pleistering ⟨de (v.)⟩ ⟨amb.⟩ 0.1 [handeling] *plastering* ⇒*parget(t)ing, stuccoing* 0.2 [resultaat] *plastering* ⇒*parget(t)ing, stucco(work).*

pleisterkalk ⟨de (m.)⟩ 0.1 [gips in poedervorm] *plaster of Paris* 0.2 [kalkmengsel] *plaster* ⇒*parget, stucco, gypsum plaster* ◆ 2.2 ruwe ~ *roughcast,* [A]*spatterdash* 3.2 een nieuwe laag ~ aanbrengen op een muur *replaster a wall.*

pleisterlaag ⟨de⟩ 0.1 *coat of plaster* ◆ 2.1 laatste ~ *set, setting/skim coat* 7.1 eerste ~ *rough coat, render.*

pleistermortel ⟨de (m.)⟩ 0.1 *plaster* ⇒*parget, stucco.*

pleisterplaats ⟨de⟩ 0.1 [waar men een reis onderbreekt] *stopping place* ⇒*road house, halfway house,* [B]*pull-in* 0.2 [waar men enige tijd vertoeft] *stopping place* ⇒*port of call.*

pleisterrekverband ⟨het⟩ 0.1 *extension bandage.*

pleisterspaan ⟨de⟩ 0.1 *(plastering) trowel.*

pleisterspatel ⟨de (m.)⟩ 0.1 *(plastering) spatula.*

pleisterspecie ⟨de (v.)⟩ 0.1 *plaster* ⇒*parget, stucco.*

pleistersteen
I ⟨het, de (m.)⟩ 0.1 [delfstof] *plaster stone* ⇒*gypsum;*
II ⟨de (m.)⟩ 0.1 [stuk delfstof] *piece of plaster stone/gypsum.*

pleistertroffel ⟨de (m.)⟩ 0.1 *(plastering) trowel.*

pleisterwerk ⟨het⟩ 0.1 [bepleistering] *plasterwork* ⇒*plaster(ing), parget(ting), stucco* 0.2 [karwei] *plastering* ⇒*parget(t)ing* 0.3 [⟨bk.⟩] *plaster cast* ◆ 2.1 vers ~ *raw plaster.*

pleisterwerker ⟨de (m.)⟩, **-ster** ⟨de (v.)⟩ 0.1 [stukadoor] *plasterer* 0.2 [iem. die pleisterafgietsels maakt] *maker of plaster casts.*

Pleistoceen →**Plistoceen**

pleit ⟨het⟩ 0.1 [rechtsgeding] *(law)suit* ⇒*action* 0.2 [geschil] *dispute, argument* 0.3 [pleidooi] *oral pleadings* ◆ 3.1 het ~ winnen *gain one's suit, be successful in one's action* 3.2 het ~ beslechten *decide the a.;* het ~ is beslecht/beslist *the race is run, that is settled;* het ~ winnen *carry/win the day, win the battle, win the a..*

pleitbezorger ⟨de (m.)⟩, **-ster** ⟨de (v.)⟩ ⟨fig.⟩ 0.1 *advocate* ⇒*champion, supporter, defender* ◆ 3.1 als ~ optreden voor *argue in favour of, hold a brief for* 6.1 ~ voor iets zijn *be a(n) a./champion/supporter/defender of sth..*

pleite ⟨bn.⟩ ⟨inf.⟩ ◆ 3.¶ ~ gaan *push/shove/clear off, push along;* ⟨AE; sl.⟩ *pull one's freight;* ⟨vnl. BE; sl.⟩ *do a bunk* ⟨snel⟩; dat boek is ~ *that book is nowhere to be found, that book has disappeared/vanished into thin air.*

pleiten
I ⟨onov.ww.⟩ 0.1 [in een rechtsgeding] *plead* 0.2 [⟨fig.⟩] *plead* ⇒*argue* ◆ 5.2 vele feiten ~ ertegen *many facts militate/tell/speak against it;* alles pleit ervoor om het te doen *there is everything in favour of doing it* 6.1 in een zaak ~ p. *s.o.'s cause, conduct a case, argue a case (before the court);* voor iem. ~ p. in s.o.'s defence [A]*se* 6.2 zijn leeftijd zal in zijn nadeel/voordeel ~ *his age will count in his favour/against him;* zij pleitte voor een intensievere samenwerking *she argued for/in favour of/made out a case for/advocated a more intensive cooperation;* dat pleit voor hem *that is to his credit, that does him credit;* bij iem. voor iets/iem. ~ p. with s.o. for s.o./sth.; alles pleit voor onze versie v.h. verhaal *everything argues/is in favour of our version of the story;* dit pleit niet erg voor hun theorie/zijn intelligentie *this does not say much for their theory/his intelligence* ¶.1 pro deo ~ *act/appear/p. free of charge/without fee;*
II ⟨ov.ww.⟩ 0.1 [bepleiten] *plead* 0.2 [ter verdediging aanvoeren] *plead* ◆ 1.1 nietigheid v.h. raadsbesluit ~ p. *the nullity of the council's/board's resolution* 1.2 verzachtende omstandigheden ~ p. *extenuating/mitigating circumstances* 4.¶ ⟨inf.⟩ hem ~ *push/shove/clear off, push along;* ⟨AE; sl.⟩ *pull one's freight;* ⟨vnl. BE; sl.⟩ *do a bunk* ⟨snel⟩.

pleiter ⟨de (m.)⟩, **pleitster** ⟨de (v.)⟩ 0.1 [advocaat] *counsel* ⇒[B]*barrister,* [A]*counsel(l)or(-at-law),* [A]*attorney* 0.2 [iem. die iets voorstaat] *advocate* ⇒*champion, supporter, defender* 0.3 [iem. die een rechtsgeding voert] *litigant* ⇒*plaintiff, suitor.*

pleitkunst ⟨de (v.)⟩ 0.1 ~ *oratory* ⇒*eloquence, rhetoric.*

pleitnota ⟨de⟩ 0.1 *memorandum of oral pleading.*

pleitrede ⟨de⟩ 0.1 *(counsel's) speech/argument, oral pleading, address (to the court)* ⇒*defence* [A]*se* (van verdediger).

pleitzaak ⟨de⟩ 0.1 *lawsuit.*

Plejade ⟨de (v.)⟩ 0.1 [⟨lit.⟩] *Pleiad* 0.2 [⟨ster.⟩] *Pleiad.*

plek ⟨de⟩ 0.1 [deel v.h. oppervlak dat anders is dan de rest] *spot* ⇒*patch, place* 0.2 [plaats] *spot* ⇒*place, site* 0.3 [punt waar iem. zich bevindt] *place, spot* 0.4 [bestemde/geschikte plaats] *place* ⇒*niche, slot* ⟨juiste plaats⟩ 0.5 [⟨sport⟩] *place* ◆ 2.1 blauwe ~ken op de arm *bruises on one's arm;* een gevoelige/zere ~ *a tender s., a sore point;* een kale ~ in de bekleding *a threadbare patch/place on the upholstery;* een natte ~ *a wet patch;* ⟨fig.⟩ iemands zwakke ~ vinden/raken

find s.o.'s weak/vulnerable s.; de zwakke ~ in zijn redenering the weak point/the flaw in his argument 2.2 een apart ~je in iemands hart innemen *have a special place in s.o.'s heart;* een mooie ~ *a beautiful spot, a lovely place;* een verborgen ~je *a hideout/hideaway;* ⟨inf.⟩ *a hid(e)y-hole* 2.3 een veilige ~ *a safe p., a nook* 2.4 een geliefde ~ voor de jeugd *a favourite haunt of the young* 3.4 z'n ~ gevonden hebben *have found one's niche* 5.1 de appels zaten vol (rotte) ~ken/~jes *the apples were full of specks;* haar gezicht zat vol ~ken *her face was covered with spots;* her face was blotchy ⟨na huilen⟩ 6.3 zij nam hem ter ~ke onder handen *she took him to task on the s.* 7.5 eindigen op de vierde ~ *come in/finish fourth.*

plekkerig ⟨bn.⟩ 0.1 *patchy* ⇒*spotty, blotchy* ⟨gezicht, na huilen⟩, *blemished, specked* ⟨vrucht⟩.

plempen ⟨ov.ww.⟩ 0.1 *fill up* ⇒*fill in.*

plenair ⟨bn.⟩ 0.1 *plenary* ⇒*full.*

plengen ⟨ov.ww.⟩ ⟨schr.⟩ 0.1 [ongemarkeerd] *pour (out)* ⇒*shed* ⟨tranen, bloed⟩ ◆ 1.1 bloed ~ *shed blood;* tranen ~ *shed tears, weep;* wijn ~ *pour out/offer wine as a libation.*

plengfeest ⟨het⟩ 0.1 *libation ceremony.*

plenging ⟨de (v.)⟩ ⟨schr.⟩ 0.1 *libation.*

plengoffer ⟨het⟩ 0.1 *libation* ⇒*drink offering* ◆ 3.1 een ~ brengen *pour (out) a l., make l..*

plens ⟨de (m.)⟩ 0.1 *splash* ⇒*gush,* ⟨inf.⟩ *splosh* ◆ 1.1 ik kreeg een ~ water over mijn schoenen *I got a splash/splosh of water over my shoes.*

plensbui ⟨de⟩ 0.1 *downpour* ⇒*drencher, soaker.*

plensregen ⟨de (m.)⟩ 0.1 *pouring rain* ⇒*downpour.*

plensregenen ⟨onp.ww.⟩ 0.1 *pour* ⇒*rain cats and dogs,* ⟨BE; inf.⟩ *bucket (down).*

plenty ⟨bn.⟩ 0.1 *plenty of* ⇒*ample, lots of, more than enough, to spare* ⟨na zn.⟩ ◆ 1.1 hij heeft ~ tijd en geld *he has plenty/lots of time and money, he has time and money to spare.*

plenum ⟨het⟩ 0.1 *plenum* ⇒*full/plenary assembly/meeting.*

plenzen
I ⟨onov.ww.⟩ 0.1 [gutsen] *pour* ⇒*gush,* ⟨BE; inf.⟩ *bucket (down)* ◆ 6.1 de regen plensde uit de hemel *the rain came pouring down/came bucketing down/came down in buckets;*
II ⟨ov.ww.⟩ 0.1 [uitstorten] *gush* ⇒*splash* ◆ 6.1 water in zijn gezicht ~ *splash water in one's face;*
III ⟨onp.ww.⟩ 0.1 [hard regenen] *pour* ⇒*rain cats and dogs,* [B]*bucket (down)* ◆ 4.1 het plensde de hele dag v.d. regen *it poured all day, it bucketed down all day.*

pleochroïsme ⟨het⟩ ⟨nat.⟩ 0.1 *pleochroism.*

pleomorfisme ⟨het⟩ ⟨biol.⟩ 0.1 *pleomorphism.*

pleonasme ⟨het⟩ 0.1 *pleonasm.*

pleonastisch ⟨bn.⟩ 0.1 *pleonastic.*

plessimeter ⟨de (m.)⟩ ⟨med.⟩ 0.1 *pleximeter.*

pletbaar ⟨bn.⟩ 0.1 *malleable.*

pleten ⟨bn.⟩ 0.1 *(silver-)plated.*

plethamer ⟨de (m.)⟩ 0.1 *flatting hammer* ⇒*flattening hammer.*

plet(h)ora ⟨de (v.)⟩ 0.1 *plethora.*

pletmolen ⟨de (m.)⟩ 0.1 *rolling mill* ⇒*flatting mill.*

pletrol ⟨de (v.)⟩ 0.1 *flatting roller.*

plets ⟨tw.⟩ 0.1 *whack* ⇒*wham.*

pletten
I ⟨ov.ww.⟩ 0.1 [verbrijzelen] *crush* ⇒*pulverize* 0.2 [platmaken] *flatten* ⇒*roll* ⟨metaal⟩, *crush* ⟨oliezaad⟩, *squash* ⟨fruit, mens in menigte⟩;
II ⟨onov.ww.⟩ 0.1 [plat worden] *flatten* ⇒*crush* ⟨fluweel⟩.

pletter[1] 0.1 [geheel stuk, morsdood] ⟨zie 6.1⟩ 0.2 [verschrikkelijk] ⟨zie 6.2⟩ ◆ 6.1 de vaas viel te ~ *the vase smashed to pieces/smither(een)s;* hij viel van het dak te ~ *he fell to his death from the roof;* hij heeft zich te ~ gereden *he crashed to his death;* te ~ slaan tegen de rotsen *be dashed against the rocks;* een nieuwe auto te ~ rijden *tegen een boom smash/crash a new car into a tree* 6.2 zich te ~ vervelen *he bored stiff/to death/to tears;* zich te ~ schrikken *be frightened to death/scared out of one's wits, jump out of one's skin;* hij eet zich te ~ *he stuffs himself, he eats himself to death;* zich te ~ werken *work one's ass off, work o.s. to death.*

pletter[2] ⟨de (m.)⟩ 0.1 [machine] *flatter* ⇒*roller, crusher* ⟨zaad⟩ 0.2 [persoon] *flatter* ⇒*roller.*

pletterij ⟨de (v.)⟩ 0.1 *rolling mill* ⇒*flatting mill, crushing mill* ⟨zaad⟩.

pleura ⟨de⟩ 0.1 *pleura.*

pleuraholte ⟨de⟩ 0.1 *pleural cavity.*

pleuren ⟨ov.ww.⟩ ⟨inf.⟩ 0.1 *chuck* ⇒*fling, sling* ◆ 6.1 hij pleurde zijn rommel in de kast *he chucked his junk in the closet* ¶.1 pleur op *bugger/piss/eff/naff off.*

pleuris ⟨het, de⟩ 0.1 [ongemarkeerd] *pleurisy* ⇒*pleuritis* ◆ 3.1 ⟨fig.⟩ krijg het/de ~ *go to hell,* [B]*get stuffed* 3.¶ ⟨inf.⟩ de ~ breekt uit *the shit hits the fan;* ⟨inf.⟩ ik schrok me het/de ~ *I was frightened to death/scared out of my wits, I jumped out of my skin.*

pleurislijder ⟨de (m.)⟩, **-ster** ⟨de (v.)⟩ 0.1 [⟨bel.⟩ ellendeling] *shit* ⇒*bastard, son of a bitch,* [A]*(mother)fucker* ⟨man⟩, *bitch* ⟨vrouw⟩ 0.2 [iem. met pleuritis] *pleuritic.*

pleuritis 〈het, de (v.)〉〈med.〉 **0.1** *pleurisy* ⇒*pleuritis*.
pleuritisch 〈bn.〉 **0.1** *pleuritic*.
pleuropneumonie 〈de (v.)〉〈med.〉 **0.1** *pleuropneumonia*.
pleurotomie 〈de (v.)〉〈med.〉 **0.1** *pleurotomy*.
plevier →*pluvier*.
plexiglas 〈het〉 **0.1** *perspex* ⇒*plexiglass*.
plexus 〈de (m.)〉〈med.〉 **0.1** *plexus*.
plezant 〈bn., bw.; -ly〉(AZN) **0.1** [aangenaam] *pleasant* ⇒*agreeable, nice, pleasing* **0.2** [vrolijk] *cheerful* ⇒*jolly, gay, merry* ◆ **6.1** het is hier ~ **om** te wonen *this is a pleasant/nice place to live*.
plezier 〈het〉 **0.1** [genoegen, pret] *pleasure* ⇒*fun, joy, delight, amusement* **0.2** [gevoel van welbehagen] *pleasure* ⇒*satisfaction, enjoyment, gratification* **0.3** [seksueel genot] *pleasure* ⇒*satisfaction* ◆ **2.1** voor haar eigen~ *for her own amusement* **2.2** met alle~ *with p., gladly* **3.1** doe me een~ *en houd je mond do me a favour and shut up, I'd thank you to shut your mouth;* iem. een~ doen *do s.o. a favour, oblige s.o.;* ~ hebben om/over iem./ iets *laugh at s.o./ sth., be amused at s.o./ sth.;* hebben jullie~ gehad? *did you enjoy yourselves? / have a good time? / have fun?;* ~ maken/ hebben *have fun/ a ball, enjoy o.s.;* iemands~ vergallen *spoil s.o.'s fun;* iem. veel~ wensen met iem./ iets 〈ook iron.〉 *wish s.o. joy of s.o./ sth.* **3.2** veel~ aan iets beleven *derive great p. from/ take great p. in sth., delight in sth.;* 〈inf.〉 *get a kick out of sth.;* dat doet me~ *I am glad of it;* 〈mbt. bericht ook〉 *I am pleased to hear that;* het doet me~ u te zien *I'm pleased/glad to see you;* ~ in zijn werk hebben *take p. in/enjoy one's work;* hij zal er veel/lang~ van hebben 〈bv. een goed mes, een duur jack〉 *he'll get a great deal of use out of it;* ~ krijgen in iets *take (a fancy) to sth.;* ~ vinden in *take (a) p. in* **5.1** veel~ ermee! 〈ook iron.〉 *you're welcome to it!, much good may it do you!;* nergens~ in hebben *take no p. in anything* **6.1** hij zou je **met** (het grootste)~ je nek omdraaien *he would cheerfully wring your neck, he would love to wring your neck;* **met** alle~ van de wereld *only too gladly;* ik ben hier **voor** mijn~, niet voor zaken *I'm here for p., not business;* **voor** je~ spelen *play for love* **6.2** zijn~ **in** het avondje uit was weg *the night out had lost all its p. for him;* **met**~ iets doen *do sth. with p./ relish/gusto;* ik heb hier altijd **met**~ gewerkt *I have always enjoyed working here;* je mag **met** alle~ nog een week blijven *you are welcome to stay another week, I'd be only too glad to have you another week;* ik wil je **met** (alle)~ helpen *I'll be (only too) glad/happy to help;* het kindje kraaide **van**~ *the child crowed with joy;* ik zit hier niet **voor** mijn~! *I'm not here for fun (and games)/for the fun of it!;* doe het **voor** haar~ *do it to please/oblige her* **6.3** een meisje van~ *a fille de joie;* 〈AE; sl.〉 *a joygirl;* een huis **van**~ *a brothel;* 〈AE; sl.〉 *a joyhouse* **7.1** veel~! *have fun/ a good time! enjoy yourself!*.
plezierboot 〈de〉 **0.1** [voor toeristische rondvaart] *pleasure boat* **0.2** [plezierjacht] *pleasure boat* ⇒*pleasure yacht*.
plezieren 〈ov.ww.〉 **0.1** *oblige* ⇒*please* ◆ **5.1** daar zou je me erg mee~ *you'd be doing me a great favour;* als ik je ermee kan~ *if that's what makes you happy* **6.1** iem. **met** iets~ *oblige s.o. with sth.*.
plezierig 〈bn., bw.; -ly〉 **0.1** [genoeglijk] *pleasant* ⇒*agreeable, delightful, nice, pleasing* **0.2** [sympathiek] *pleasant* ⇒*agreeable, nice, affable, congenial* ◆ **1.1** een~ e dag *a pleasant/nice day;* een~ e tijding *good/ pleasant news* **3.1** we hebben~ gepraat *we had a pleasant/nice conversation;* iets~ vinden *enjoy sth., delight in sth., derive pleasure from sth.* **5.1** dat is niet zo~ *that is not so nice.*
plezierjacht 〈het〉 **0.1** *pleasure yacht*.
pleziermaker 〈de (m.)〉 **0.1** *merrymaker* ⇒*pleasure-seeker, partygoer, reveller.*
plezierreis 〈de〉 **0.1** *(pleasure) trip* ⇒*outing, excursion, jaunt, cruise* 〈op boot〉.
pleziertje 〈het〉 **0.1** *pleasure* ⇒*amusement, entertainment* ◆ **3.1** hij houdt alleen maar van~ s *he lives for p., he only likes fun and games;* onbenullige~ s najagen *pursue vain/frivolous pleasures* **7.1** naar de tandarts gaan is geen~ *going to the dentist is no joke/picnic*.
pleziertocht 〈de (m.)〉 **0.1** *(pleasure) trip* ⇒*outing, excursion, jaunt,* 〈op zee ook〉 *cruise.*
pleziervaart 〈de〉 **0.1** *cruise* ⇒*(pleasure) trip.*
pleziervaartuig 〈het〉 **0.1** [voor zijn genoegen] *pleasure craft* ⇒*pleasure boat/yacht* **0.2** [voor toeristische vaartochten] *pleasure craft/ boat.*
plicht 〈de〉 **0.1** *duty* ⇒*obligation* ◆ **2.1** een aangename~ *a pleasant d.;* hiermee vervullen wij de droevige~ ... *it is our sad d. (to ...);* dure/ heilige~ *bounden/ solemn/ sacred d.* **3.1** zich aan zijn~ onttrekken *flinch from/shirk one's d.;* meer dan zijn~ doen *go beyond one's d./ the call of d.;* zijn~ doen/ vervullen *do one's d./ part, discharge/ perform one's d.;* het is niet meer dan je~ 〈om ...〉 *you are in bound (to ...);* iem. op zijn~ en wijzen *teach s.o. his d.;* de~ roept *d. calls (me);* de jury van zijn~ en ontslaan *discharge the jury;* zijn~ verzaken *neglect one's d.* **6.1** zijn~ **jegens/tegenover** zijn ouders vervullen *do one's d. to/by one's parents, do the right thing by one's parents;* iets **tot** zijn~ rekenen *consider/deem sth. one's d., make it one's d. (to ...), make it a point/matter of d. (to ...);* zich **van** een~ kwijten *do one's d., discharge/perform one's d..*
plichtenleer 〈de〉 **0.1** *ethics.*

plichtmatig 〈bn., bw.; -ly〉 **0.1** *perfunctory* ◆ **1.1** een~ bezoekje *a duty/ p. visit* **3.1** iets~ doen *do sth. perfunctorily.*
plichtpleging 〈de (v.)〉 **0.1** *ceremony* ◆ **3.1** maak geen~ en *don't stand on c.* **6.1** zonder~ (en) *unceremonious(ly), without c.* **7.1** met veel~ en *with considerable c..*
plichtsbesef 〈het〉 **0.1** *sense of duty* ◆ **6.1** uit~ handelen *act from a sense of duty.*
plichtsbetrachting 〈de (v.)〉 **0.1** *devotion to duty* ⇒*attention to duty, discharge of one's duty* 〈vervulling〉.
plichtsgetrouw 〈bn., bw.; -ly〉 **0.1** *dutiful* ⇒*conscientious.*
plichtsgevoel 〈het〉 **0.1** *sense of duty.*
plichtshalve 〈bw.〉 **0.1** *as in duty bound* ⇒*in the line of duty.*
plichtsvervulling 〈de (v.)〉 **0.1** *fulfilment of/ discharge of/attendance to one's duty.*
plichtsverzaker 〈de (m.)〉 **0.1** *shirk(er).*
plichtsverzuim 〈het〉 **0.1** *neglect of duty* ⇒*evasion/ dereliction of duty, delinquency* ◆ **6.1** zich **aan**~ schuldig maken *neglect one's duty, be neglectful in the discharge of one's duty, commit a breach of duty.*
plichtvergeten 〈bn.〉 **0.1** *undutiful* ⇒*derelict/ delinquent (in one's d.).*
plint 〈de〉〈bouwk.〉 **0.1** [vloerlijst] [B]*skirting-board* ⇒[B]*skirting,* [A]*baseboard,* [A]*mopboard* **0.2** [onderste deel v.e. zuil] *plinth* ⇒*socle* **0.3** [stuk aan de voet v.e. gebouw] *plinth (course).*
plioceen 〈bn.〉〈geol.〉 **0.1** *Pliocene.*
Plioceen 〈het〉〈geol.〉 **0.1** *Pliocene.*
plissé 〈het〉 **0.1** *plissé.*
plisseerinrichting 〈de (v.)〉 **0.1** *pleating workshop.*
plisseermachine 〈de (v.)〉 **0.1** *pleater.*
plisseren 〈ov.ww.〉 **0.1** *pleat* ◆ **¶.1** geplisseerd *(accordion-)pleated.*
plissérok 〈de (m.)〉 **0.1** *(accordion-)pleated skirt.*
plistoceen 〈bn.〉〈geol.〉 **0.1** *Pleistocene.*
Plistoceen 〈het〉〈geol.〉 **0.1** *Pleistocene.*
plm. 〈afk.〉 **0.1** [plusminus] *ca.* ⇒*approx..*
ploeg 〈de〉 **0.1** [groep bij elkaar behorende personen] *gang* ⇒*party, crew, team, squad, shift* 〈in ploegendienst〉 **0.2** [〈sport〉] *team* ⇒*crew* 〈roeisport〉 **0.3** [landbouwwerktuig] *plough;* 〈AE vnl.〉 *plow* **0.4** [rimpel] *furrow* ⇒*wrinkle* **0.5** [messing] *tongue* **0.6** [ploegschaaf] *plough;* 〈AE vnl.〉 *plow* ⇒*match/rabbet plane, jointer* ◆ **1.1** een nieuwe~ kandidaten 〈bij examen〉 *a new batch of candidates* **2.1** ze waren met een hele~ *there was quite a crowd, there were quite a lot of them* **2.3** roterende~ *rotary p.* **3.2** onze~ heeft gewonnen *our t./ side won* **6.1** in~ en werken *work (in) shifts/relays;* zij werken in~ en *they work in shifts* **6.3** 〈fig.〉 de handen aan de~ slaan *put/set one's hand to the p., get going/ to work!* 〈inf.〉 *cracking;* de ossen **achter** de~ spannen *go about it the wrong way;* de boer **achter** de~ *the farmer at the p.;* **achter** de~ lopen *hold/drive the p.* **7.1** met drie/ vier~ en werken *work three / four shifts, work on a three-/four-shift system.*
ploegbaas 〈de (m.)〉, **-bazin** 〈de (v.)〉 **0.1** *overseer* ⇒*foreman* 〈m.〉, *forewoman* 〈v.〉, *headman,* [B]*ganger,* [B]*gaffer.*
ploegbalk →*ploegboom.*
ploegbeen →*ploegschaarbeen.*
ploegbeitel 〈de (m.)〉 **0.1** *plough/* 〈AE vnl.〉 *plow blade/ iron.*
ploegboom 〈de (m.)〉 **0.1** *plough-/* 〈AE vnl.〉 *plow-beam* ⇒*share-beam.*
ploegdrijver 〈de (m.)〉〈landb.〉 **0.1** *ploughboy;* 〈AE vnl.〉 *plowboy.*
ploegen
I 〈onov., ov.ww.〉 **0.1** [met de ploeg omwerken] *plough;* 〈AE vnl.〉 *plow* ⇒*furrow* ◆ **1.1** een akker/het land~ *p. a field/the land;* 〈fig.〉 het strand/de rotsen~ *p. the sand/air, labour in vain;* 〈fig.; schr.〉 de zee~ *p. the waves* **5.1** diep~ *trench-p.;*
II 〈ov.ww.〉 **0.1** [omwoelen] *plough up;* 〈AE vnl.〉 *plow up* **0.2** [amb.] aan elkaar bevestigen] *match* ⇒*join;*
III 〈onov.ww.〉 **0.1** [moeizaam vooruitkomen] *plough;* 〈AE vnl.〉 *plow* ⇒*plod* ◆ **6.1** door het mulle zand~ *plough/plod through the soft sand.*
ploegendienst 〈de (m.)〉 **0.1** *shift work* ◆ **6.1** in~ werken *work (in) shifts, be on shift work.*
ploegenklassement 〈het〉〈sport〉 **0.1** *team placing.*
ploegenstelsel 〈het〉 **0.1** *shift system* ⇒*relay system.*
ploegentijdrit 〈de (m.)〉〈sport〉 **0.1** *team time-trial.*
ploegenwedstrijd 〈de (m.)〉〈sport〉 **0.1** *team race.*
ploeger 〈de (m.)〉 **0.1** [persoon] *plougher;* 〈AE vnl.〉 *plower* ⇒*ploughman,* 〈AE vnl.〉 *plowman* **0.2** [schaafmachine] *(power) planer.*
ploeggang 〈de (m.)〉 **0.1** ⇒*furrow.*
ploeggeest 〈de (m.)〉 **0.1** *team spirit.*
ploegijzer 〈het〉 **0.1** [ploegschaar] *ploughshare;* 〈AE vnl.〉 *plowshare* **0.2** [kouter] *coulter;* 〈AE vnl.〉 *colter* **0.3** [beitel] *bolster.*
ploegkouter 〈het〉 **0.1** *coulter;* 〈AE vnl.〉 *colter.*
ploegland 〈het〉 **0.1** *plough-land;* 〈AE vnl.〉 *plow-land* ⇒*arable land.*
ploegleider 〈de (m.)〉〈sport〉 **0.1** *team manager;* 〈aanvoerder〉 *captain.*
ploegloon 〈het〉 **0.1** *ploughman's/* 〈AE vnl.〉 *plowman's wages.*
ploegmaat →*ploegmakker.*
ploegmachine 〈de (v.)〉 **0.1** [motorploeg] *ploughing machine/* 〈AE vnl.〉 *plowing machine* **0.2** [schaaf] *power planer.*
ploegmakker 〈de (m.)〉 **0.1** *team-mate.*

ploegpaard ⟨het⟩ **0.1** [paard voor de ploeg] *plough-horse* **0.2** [⟨fig.⟩ persoon]⟨zie 8.1⟩ ♦ **8.1** hij werkt als een ~ *work like a horse/slave/dog/ Trojan.*

ploegschaaf ⟨de⟩ ⟨amb.⟩ **0.1** *plough;* ⟨AE vnl.⟩ *plow* ⇒*match/rabbet plane, jointer.*

ploegschaar ⟨de⟩ **0.1** *(plough)share;* ⟨AE vnl.⟩*(plow)share.*

ploegschaarbeen ⟨het⟩ ⟨med.⟩ **0.1** *vomer* ⇒*ploughshare/*⟨AE vnl.⟩ *plowshare bone.*

ploegsgewijs ⟨bw.⟩ **0.1** *in groups* ⇒*in gangs* ⟨werkploegen⟩, *in teams* ⟨sportploegen⟩, *in batches* ⟨examenkandidaten⟩.

ploegsport ⟨de⟩ **0.1** *teamsport.*

ploegstaart ⟨de (m.)⟩ **0.1** *plough-/*⟨AE vnl.⟩ *plow-tail* ⇒*plough-/*⟨AE vnl.⟩ *plow-handle.*

ploegverband ⟨het⟩ ⟨sport⟩ ♦ **6.¶ in** ~ *as a team.*

ploegvoor ⟨de⟩ **0.1** *furrow.*

ploert ⟨de (m.)⟩ **0.1** [schoft] *cad* ⇒*scab, blackguard, miscreant, rotter* **0.2** [patser] *big spender* ♦ **2.¶** de koperen ~ *the burning sun, Phoebus.*

ploertachtig ⟨bn., bw.;-ly⟩ **0.1** *caddish* ⇒*scabby, villainous.*

ploertendoder ⟨de (m.)⟩ **0.1** *bludgeon* ⇒[B]*life preserver,* [B]*cosh,* [A]*blackjack.*

ploertenstreek ⟨de⟩ **0.1** *dirty trick* ⇒*scabby trick.*

ploerterig ⟨bn., bw.;-ly⟩ **0.1** *caddish* ⇒*scabby, villainous.*

ploerterigheid ⟨de (v.)⟩ **0.1** *coarseness* ⇒*rudeness.*

ploeteraar ⟨de (m.)⟩, **-ster** ⟨de (v.)⟩ **0.1** *plodder* ⇒*slogger, grub(ber),* ⟨pej.⟩ *drudge.*

ploeteren ⟨onov.ww.⟩ **0.1** [zwoegen] *plod (away)* ⇒*slog,* ⟨inf.⟩ *plug (away), beaver away,* ⟨pej.⟩ *drudge* **0.2** [rondspetteren] *splash* ⇒*dabble, splatter* ♦ **3.2** hij heeft zijn hele leven al (hard) moeten ~ *he has kept his nose to the grindstone* **5.1** hij ploeterde voort over de weg *he plodded along the road* **6.2** ergens **aan/aan** een vertaling zitten ~ *slave/slog away at sth./a translation;* **door** de sneeuw/modder ~ *trudge/slog through the snow/mud;* ergens **op/op** Engels ~ *fag/plug/ grind/peg/sweat away at sth./English.*

plof¹ ⟨de (m.)⟩ **0.1** [geluid v.e. vallend lichaam] *thud* ⇒*flop, bang, flump, whump* **0.2** [geluid v.e. ontsnappend gas] *pop* ⇒*plop, bang* ♦ **6.1** hij ging met een ~ in zijn stoel zitten *he flumped/flopped down in his chair.*

plof² ⟨tw.⟩ **0.1** [mbt. val] *flop* ⇒*flump, whump, bang* **0.2** [mbt. ontsnappend gas] *pop* ⇒*plop, bang* ♦ **¶.1** ~, daar lag hij ineens! *bang/flump/ whump, there he lay all of a sudden!.*

ploffen

I ⟨onov.ww.⟩ **0.1** [dof geluid maken door te vallen] *thud* ⇒*flop, bang, flump, whump* **0.2** [geluid van ontsnappend gas geven] *pop* ⇒*plop, bang* **0.3** [ontploffen] *pop* ⇒*bang* **0.4** [⟨inf.⟩ zich laten vallen] *flop* ⇒*flump* ♦ **1.2** een ~de motor *a backfiring engine* **3.3** iemands ballon laten ~ *p./burst s.o.'s balloon* **5.3** ik heb zoveel gegeten, ik plof bijna *I've eaten so much I'm fit to burst* **6.1 in** het water ~ *fall plop into the water;* **op** de grond ~ *t./flop/whump to the ground* **6.3** ⟨fig.⟩ **van** woede ~ *explode/burst with rage* **6.4 in** een stoel ~ *flop/ flump into a chair;* **in** (zijn) bed ~ *tumble into bed;*

II ⟨ov.ww.⟩ **0.1** [⟨inf.⟩ neergooien] *dump* ⇒*chuck, drop* ♦ **1.1** z'n schoenen in een hoek ~ *dump/chuck one's shoes in a corner.*

plofklank ⟨de (m.)⟩, **ploffer** ⟨de (m.)⟩ ⟨taal.⟩ **0.1** *plosive.*

plok ⟨de (m.)⟩ **0.1** [handvol] *bundle* ⇒*bunch, clump, tuft* ⟨gras, haar⟩ **0.2** [plokgeld] *premium.*

plokgeld ⟨het⟩ **0.1** *premium.*

plokworst ⟨de⟩ **0.1** *smoked pork sausage* ⟩.

plombe ⟨de⟩ **0.1** [stukje lood met zegel] *seal* **0.2** [⟨tandheelkunde⟩] *filling.*

plombeerlood ⟨het⟩ **0.1** *lead seal.*

plombeersel ⟨het⟩ **0.1** *filling* ⇒[B]*stopping.*

plombeerstempel ⟨de (m.)⟩ **0.1** *die.*

plombeertang ⟨de⟩ **0.1** *sealing pliers* ♦ **7.1** twee ~en *two pairs of sealing pliers.*

plomberen ⟨ov.ww.⟩ **0.1** [met lood verzegelen] *seal with lead* ⇒*affix a lead seal to* **0.2** [⟨tandheelkunde⟩] *fill* ⇒[B]*stop.*

plombière ⟨de⟩ **0.1** ≠*sundae.*

plomp¹

I ⟨de (m.)⟩ **0.1** [geluid v.e. vallend lichaam] *thud* ⇒*flop, plop, whump, plonk* **0.2** [scheut vloeistof] *splash* ⇒*dash, splosh* **0.3** [sloot] *ditch;*

II ⟨de⟩ **0.1** [⟨plantk.⟩] *waterlily.*

plomp² ⟨bn., bw.;-ly⟩ **0.1** [log] *plump, squat* ⟨mensen⟩; *cumbersome, unwieldy, ponderous* ⟨zaken⟩ **0.2** [onbeschaafd] *blunt* ⇒*rude, coarse, clumsy, gauche* ♦ **1.1** ~e meubelen *unwieldy/cumbersome furniture* **1.2** een ~e kerel *a rude/b. fellow, a boor/clodhopper;* ~e scherts *coarse/rude pleasantry/joking* **6.1** ~ **van** gestalte *squat, stubby.*

plomp³ ⟨tw.⟩ **0.1** *plonk* ⟨op de grond⟩; *splash* ⟨in water⟩ ♦ **¶.1** daar viel hij, ~, in het water *down he went, (with a) splash, into the water.*

plompeblad ⟨het⟩ **0.1** *waterlily leaf (motif).*

plompen

I ⟨onov.ww.⟩ **0.1** [met een dof geluid in het water terechtkomen] *flop, splash;*

II ⟨ov.ww.⟩ **0.1** [in het water gooien] *splash.*

plomperd ⟨de (m.)⟩ **0.1** *clumsy/blunt fellow.*

plompheid ⟨de (v.)⟩ **0.1** [logheid] *plumpness, squatness* ⟨mensen⟩; *unwieldiness, cumbersomeness* **0.2** [ongemanierdheid] *rudeness* ⇒*bluntness, gaucheness, clumsiness, coarseness* **0.3** [uiting van ongemanierdheid] *blunder, gaucheness.*

plompverloren ⟨bw.⟩ **0.1** *bluntly* ♦ **3.1** hij sloeg het aanbod ~ af *he b. refused the offer.*

plompweg ⟨bw.⟩ **0.1** *bluntly, rudely* ♦ **3.1** ~ binnenvallen in iemands kamer *blunder into s.o.'s room.*

plons¹ ⟨de (m.)⟩ **0.1** [geluid] *splash, sp(l)atter* **0.2** [hoeveelheid vocht] *splash* ♦ **3.1** een ~ geven *make a splash.*

plons² ⟨tw.⟩ **0.1** *splash* ⇒*plop* ♦ **¶.1** ~! daar viel de steen in het water *s.! went the stone into the water.*

plonzen

I ⟨onov.ww.⟩ **0.1** [met een plons in het water terechtkomen] *splash* ⇒*plunge* **0.2** [zich met een plons bewegen] *splash* ⇒*splatter,* ⟨schr.⟩ *plash;*

II ⟨ov.ww.⟩ **0.1** [in het water gooien] *splash* ⇒*plunge.*

plooi ⟨de⟩ **0.1** [rimpel in weefsel] *pleat* ⇒*fold,* ⟨ingenaaid ook⟩ *tuck, crease* ⟨in broek⟩ **0.2** [model] ⟨zie 6.2⟩ **0.3** [rimpel] *wrinkle, line* (in gezicht); *fold, crease; gyrus, vallecula, convolution* (in hersenen) **0.4** [kreuk] *crease, pucker* ⇒*wrinkle, ruck* **0.5** [⟨geol.⟩] *fold* ⇒(naar boven) *anticline,* (naar beneden) *syncline* ♦ **1.1** de ~en v.e. gordijn *the folds/pleats in a curtain;* de ~en v.e. rok *the pleats in a dress* **2.1** dubbele ~ *box p.;* met een keurige ~ in zijn broek *with neatly creased/pressed trousers* **3.4** de ~en gladstrijken ⟨fig.⟩ *iron out differences/problems, straighten things out* **6.2** ⟨fig.⟩ zijn gezicht **in** de ~ zetten *compose/straighten one's face;* ⟨fig.⟩ nooit **uit** de ~ raken *never unbend.*

plooibaar ⟨bn.⟩ **0.1** [⟨fig.⟩] *pliable, flexible* ⇒*pliant, malleable, yielding* **0.2** [⟨lett.⟩] *pliable* ⇒*flexible, supple.*

plooibaarheid ⟨de (v.)⟩ **0.1** ⟨ook fig.⟩ *pliability* ⇒*pliancy, suppleness, flexibility, malleability.*

plooidal ⟨het⟩ ⟨geol.⟩ **0.1** *synclinal valley.*

plooien

I ⟨ov.ww.⟩ **0.1** [plooien maken] *fold, pleat* ⇒*crease, gather (up)* ⟨jurk⟩ **0.2** [mbt. het gezicht] *wrinkle, pucker, crease* **0.3** [schikken] *adapt* ⇒*yield, compromise,* ⟨regelen⟩ *arrange* **0.4** [⟨AZN⟩ vouwen] *fold* **0.5** [⟨AZN⟩ buigen] *bend* ♦ **1.2** zijn gezicht plooide zich *he puckered his face* **4.3** zich ~ (naar iemands wensen) *yield (to s.o.'s wishes)* **5.3** iets zo ~ dat iedereen tevreden is *arrange sth. so that everyone is satisfied* **6.2** zijn mond **tot** een grimas ~ *twist one's mouth into a grimace* **6.3** de theorie **naar** de feiten ~ *adapt the theory to fit the facts;*

II ⟨onov.ww.⟩ **0.1** [in rimpels getrokken worden] *wrinkle, crease, crinkle* ⇒*corrugate* **0.2** [in plooien neerhangen] *hang/lie in pleats/ folds, be folded* ♦ **1.1** zijn gezicht plooide tot een lach *his face crinkled into a smile.*

plooiijzer ⟨de (m.)⟩ **0.1** *bending machine, bender.*

plooiing ⟨de (v.)⟩ **0.1** [mbt. stof] *folds, pleats* ⇒(metaal, plastic) *corrugation* **0.2** [regeling] *adapting, compromising* ⇒*arranging* **0.3** [⟨geol.⟩] *folding.*

plooiingsgebergte, plooigebergte ⟨het⟩ **0.1** *fold mountains.*

plooikies ⟨de (m.)⟩ **0.1** ⟨wet.⟩ *lophodont molar.*

plooikraag ⟨de (m.)⟩ **0.1** *ruff, pleated collar.*

plooimug ⟨de⟩ **0.1** *false crane fly.*

plooirand →**plooisel.**

plooirok ⟨de (m.)⟩ **0.1** *pleated skirt.*

plooischaar ⟨de⟩ **0.1** *goffer.*

plooisel ⟨het⟩ **0.1** *frill(s), pleating.*

plooivast ⟨bn.⟩ **0.1** *permanently pleated.*

plooiwesp ⟨de (m.)⟩ **0.1** *wasp* ⇒⟨wet.⟩ *vespid.*

plootwol ⟨de⟩ **0.1** *skin wool.*

plop ⟨de⟩ ⟨inf.⟩ **0.1** *plop.*

plopper

I ⟨de⟩ ⟨inf.⟩ **0.1** [gootsteenontstopper] *plunger;*

II ⟨de (m.)⟩ ⟨bel.⟩ **0.1** [kleurling] *wog* ⇒*fuzzywuzzy.*

plots

I ⟨bw.⟩ **0.1** [plotseling] *suddenly, all of a sudden* ⇒*unexpectedly, abruptly;*

II ⟨bn.⟩ ⟨AZN⟩ **0.1** [plotseling] *sudden, unexpected* ⇒*surprising, abrupt.*

plotseling

I ⟨bn.⟩ **0.1** [onverwacht] *sudden* ⇒*unexpected, surprising, abrupt* ♦ **1.1** een ~e dood *a sudden death* **7.1** het ~e van iets *the suddenness of sth.;*

II ⟨bw.⟩ **0.1** [onverwachts] *suddenly* ⇒*unexpectedly, abruptly* ♦ **2.1** ~ beroemd worden *leap into fame, become an overnight celebrity* **3.1** ~ ontstaan *spring into existence, arise suddenly;* een ~ stijgende drift *a sudden passion/rage;* ~ stilhouden *stop short/abruptly, come to a dead halt/stop;* zich ~ voordoen *crop up.*

plotsklaps ⟨bw.⟩ ⟨scherts.⟩ **0.1** *all of a sudden* ⇒*all at once, unexpectedly, suddenly.*

plotten ⟨ov.ww.⟩ **0.1** [plaats bepalen dmv. coördinaten] *plot* **0.2** [grafiek laten tekenen door een tekenmachine] *plot (by machine)*.
plu ⟨de (m.)⟩ ⟨inf.⟩ **0.1** ᴮ*brolly*, ᴮ*gamp*, ^*bumbershoot* ⇒ ↑*umbrella*.
pluche¹ ⟨het, de (m.)⟩ **0.1** *plush* ◆ **2.1** wollen ~ *Utrecht velvet*.
pluche² ⟨bn.⟩ **0.1** *plush*.
plug ⟨de⟩ **0.1** [pijpje voor een schroef] *plug* ⇒*dowel*, *peg* **0.2** [stekker] *plug* **0.3** [schroefbout] *screw plug*.
plugfitting ⟨de (m.)⟩ ⟨tech.⟩ **0.1** *lamp socker plug*.
pluggen ⟨ov.ww.⟩ **0.1** [van een plug voorzien] *plug* ⇒*stop(per)*, *spile* **0.2** [mbt. grammofoonplaten e.d.] *plug* ⇒*promote*.
plugger ⟨de (m.)⟩ **0.1** ⟨*record*/*music*/⟨*enz.*⟩⟩ *plugger*/*promotor*.
plugkraan ⟨de⟩ **0.1** *plug*/*stop cock*.
pluim ⟨de⟩ **0.1** [grote veer] *plume*, *feather* **0.2** [compliment] *pat on the back* ⇒*plume*, *praise*, *compliment* **0.3** [donsveer] *down (feather)* **0.4** [toef] *plume* ⇒*crest*, ⟨klein⟩ *tuft*, *wisp* **0.5** [kwast] *tassel* **0.6** [pluimstaart] *plume* ⇒*bush*(*y tail*), ⟨klein⟩ *scut* **0.7** ⟨inf.⟩ [schaamhaar] *bush* **0.8** [bloeiwijze] *panicle* ◆ **1.4** ⟨fig.⟩ een ~ van rook *a p. of smoke* **1.8** de ~en v.d. kastanje *the candles of the chestnut* **3.2** iem. een ~ geven *pat s.o. on the back* **3.3** ⟨fig.⟩ geen ~ van de mond kunnen blazen *be as weak as a kitten* **6.1** een hoed met ~en *a plumed hat*; ⟨fig.⟩ iem. een ~ op de hoed steken *pat s.o. on the back*; ⟨fig.⟩ dat is een ~ op je hoed *that's a feather in your cap* **8.3** zo licht als een ~ *as light as a feather*/*as down*.
pluimage ⟨de (v.)⟩ **0.1** *plumage* ⇒*feathers* ◆ **2.1** vogels van diverse ~ ⟨fig.⟩ *birds of different feathers, all sorts and conditions of people*.
pluimasperge ⟨de⟩ **0.1** *asparagus fern*.
pluimbal ⟨de (m.)⟩ **0.1** *shuttlecock*.
pluimen ⟨ov.ww.⟩ **0.1** [plukken] *pluck* ⇒ ↑*deplume* **0.2** [van zijn geld beroven] *plunder* ⇒*strip (bare)*, *pluck*.
pluimgierst ⟨de⟩ **0.1** *millet*.
pluimgras ⟨het⟩ **0.1** [beemdgras] *annual meadowgrass*/*bluegrass* **0.2** [grassen met pluimvormige bloeiwijze] *paniculate grass*.
pluimig ⟨bn.⟩ **0.1** [op een pluim lijkend] *plumy* ⇒*feathery* **0.2** [donzig] *downy*.
pluimontlading ⟨de (v.)⟩ ⟨nat.⟩ **0.1** *brush discharge*.
pluimpje ⟨het⟩ **0.1** [kleine pluim] *wisp* ⇒*tuft*, *plumelet* **0.2** [projectiel] *dart*.
pluimriet ⟨het⟩ **0.1** *purple smallreed*.
pluimstaart ⟨de (m.)⟩ **0.1** *bushy tail plume*.
pluimstrijken ⟨onov.ww.⟩ **0.1** *toady* ⇒*fawn, lackey, wheedle*, ^*apple-polish*.
pluimstrijker ⟨de (m.)⟩ **0.1** *toady* ⇒*lickspittle, lackey, sycophant*.
pluimstrijkerij ⟨de (v.)⟩ **0.1** *toadyism* ⇒*sycophancy* ◆ **6.1** met veel ~en *with a good deal of bowing and scraping*.
pluimvee ⟨het⟩ **0.1** *poultry* ◆ **2.1** klein ~ *barn-door fowl*.
pluimveeconsulent ⟨de (m.)⟩ **0.1** *poultry inspector*.
pluimveedag ⟨de (m.)⟩ **0.1** *poultry fair*.
pluimveehouder ⟨de (m.)⟩ **0.1** *poultry-keeper*/*farmer*, *poultryman*.
pluimveehouderij ⟨de (v.)⟩ **0.1** [bedrijf] *poultry farm* **0.2** [het houden van pluimvee] *poultry farming*.
pluimveestapel ⟨de (m.)⟩ **0.1** *poultry stock*.
pluimveeteelt ⟨de⟩ **0.1** *poultry-breeding*/*-rearing*/*-raising*.
pluimveetentoonstelling ⟨de (v.)⟩ **0.1** *poultry show*.
pluimwit ⟨het⟩ **0.1** *very fine talc(um) powder*/*talc*.
pluimzegge ⟨de⟩ **0.1** *panicled sedge*.
pluis¹
  I ⟨de⟩ **0.1** [vezeltje] *bit*/*piece of fluff* ⇒ ⟨op pluizende trui⟩ *pill* ◆ **3.1** ~jes van de grond oprapen *pick up (bits of) fluff from the floor*;
  II ⟨het⟩ **0.1** [vlokjes] *fluff* ⇒*flue, fuzz*, ⟨AE ook⟩ *lint* **0.2** [vlossige zijde] *floss* **0.3** [uitgerafeld touw] *oakum*.
pluis² ⟨bn.⟩ ◆ **5.**¶ het is daar niet ~ *there's sth. fishy there, strange things are happening there*; hij is niet ~ *he's a bit funny*/*not to be trusted*.
pluisachtig ⟨bn.⟩ **0.1** *fluffy* ⇒*fuzzy*.
pluishaar ⟨het⟩ **0.1** *fuzzy*/*frizzy hair*.
pluizen
  I ⟨onov.ww.⟩ **0.1** [pluizen afgeven] *give off fluff* ⇒⟨AE ook⟩ *lint*, ⟨op trui⟩ *pill* **0.2** [iets nazoeken] *search* ⇒*ferret, sift* ◆ **1.1** die stof pluist erg *this material gives off a lot of fluff* **6.2** in een boek ~ *sift through a book*;
  II ⟨ov.ww.⟩ **0.1** [tot pluizen trekken] *fluff* ⇒*pick* ◆ **1.1** touw ~ *pick oakum*.
pluizer ⟨de (m.)⟩ **0.1** *fluffer* ⇒ ⟨fig.⟩ *ferreter*.
pluizerig ⟨bn.⟩ **0.1** [pluisachtig] *fluffy* **0.2** [pluizen gevend] *giving off fluff*.
pluizerij ⟨de (v.)⟩ **0.1** ⟨lett.⟩ *fluffing, picking*; ⟨fig.⟩ *searching, ferreting*; ⟨haarkloverij⟩ *hair-splitting*; ⌞*nitpicking* ◆ **2.1** theologische ~en *theological hairsplitting*.
pluizig ⟨bn.⟩ **0.1** [vol pluizen] *fluffy* ⇒*fuzzy, flocky, bushy*, ⟨AE ook⟩ *linty* **0.2** [op pluizen lijkend] *fluffy* ⇒⟨wet.⟩ *floccose, flocculate*.
pluk ⟨de (m.)⟩ **0.1** [bosje] *tuft* ⇒*wisp, knot* **0.2** [het plukken] *pick(ing)* ⇒*gathering, plucking, harvest, clipping* ⟨haar⟩ **0.3** [oogst] *crop, pickings* **0.4** [(grote) hoeveelheid] *bunch, pile* **0.5** [zware taak] *tough job, heavy going* ◆ **1.1** een ~ haar/tabak/watten *a t.*/*knot*/*wisp of hair, a*

plug of tobacco, a ball of cotton wool **1.4** die erfenis bracht hem een flinke ~ geld *the inheritance brought him a p. of money* **2.3** een boomgaard in volle ~ *an orchard in full fruit* **2.5** hij heeft er een hele ~ aan *it's heavy going for him* **7.2** bonen v.d. eerste ~ *beans from the first pick(ing)*/*crop*.
plukappel ⟨de (m.)⟩ **0.1** ⟨geplukt⟩ *apple off the tree*; ⟨te plukken⟩ *apple on the tree*.
plukbaar ⟨bn.⟩ **0.1** *pickable* ⇒*harvestable, ready to pick*/*harvest*.
plukgeld ⇒*plokgeld*.
plukharen ⟨onov.ww.⟩ ⟨ook fig.⟩ **0.1** *tussle, scuffle, brawl, scrimmage*.
plukken ⟨→sprw. 169,338,500⟩
  I ⟨ov.ww.⟩ **0.1** [oogsten] *pick* ⇒*pluck, harvest, gather, crop* **0.2** [veren uittrekken] *pluck* ⇒ ↑*deplume* **0.3** [beroven] *plunder* ⇒*rob, pluck, fleece, strip* **0.4** [grijpen] *pick* ⇒*pluck, seize* ◆ **1.1** bessen/peren/margrieten ~ *pick*/*gather berries, pick*/*harvest pears, pick*/*gather (ox-eye) daisies*; ⟨fig.⟩ haar bloempje is geplukt *she's lost her cherry, she's no longer a virgin*; ⟨fig.⟩ pluk de dag *live for the moment, carpe diem*; ⟨fig.⟩ de vruchten van iets ~ *reap the harvest*/*benefits of sth.* **1.2** een kip ~ *p. a chicken* **1.4** de doelman plukte de bal uit de lucht *the goalkeeper plucked the ball from the air* **2.3** kaal ~ *clear out, strip bare*;
  II ⟨onov.ww.⟩ **0.1** [trekken] *pull* ⇒*tug, pluck, pick (at), twang* ⟨aan snaren⟩ ◆ **6.1** aan iemands kleren ~ *pluck at s.o.'s clothes*; ⟨om aandacht⟩ *tug at s.o.'s sleeve*; aan een boterham ~ *pick at a sandwich*.
plukker ⟨de (m.)⟩ **0.1** *picker, gatherer* ⇒*reaper*.
plukloon ⟨het⟩ **0.1** *picker's wage*.
plukrijp ⟨bn.⟩ **0.1** *ripe*/*ready for picking*.
pluksel ⟨het⟩ **0.1** [wat geplukt is] *pick* ⇒*harvest, crop* **0.2** [tot draden uitgehaald linnen/katoen] *lint*.
pluktijd ⟨de (m.)⟩ **0.1** *picking season* ⇒*harvest (time)*.
plukvers ⟨bn.⟩ **0.1** *freshly picked* ⇒*garden-fresh*.
plumbago ⟨het⟩ ⟨plantk.⟩ **0.1** *plumbago, leadwort*.
plumeau ⟨de (m.)⟩ **0.1** *feather duster*.
plumpudding ⟨de (m.)⟩ **0.1** *plum pudding* ⇒⟨bij kerstdiner⟩ *Christmas pudding*, ⟨BE; kleine ook⟩ *college pudding*.
plunderaar ⟨de (m.)⟩ **0.1** *plunderer, looter* ⇒*pillager, predator*, ⟨rover⟩ *robber* ◆ **3.1** op ~s zal zonder waarschuwing geschoten worden *persons engaging in plundering*/*looting*/*looters will be shot on sight*.
plunderen ⟨ov.ww.⟩ **0.1** [stelen, beroven] *plunder, loot* ⇒*pillage, sack* **0.2** [leegroven] *plunder* ⇒*pillage, raid, ransack, rifle* ⟨iemands zakken, geldlade⟩ ◆ **1.1** ~de groepen *predatory*/*marauding bands*; een aantal ~de soldaten *a number of soldiers engaged in plundering*/*looting*; een stad ~ *sack a town* **1.2** de spreeuwen ~ de kerseboom *the starlings are stripping*/*raiding the cherry tree*; de koelkast ~ *raid the fridge*; ⟨fig.⟩ een schrijver ~ *pillage the works of a writer* **3.1** ~d ronddtrekken *be*/*go on the rampage*.
plundering ⟨de (v.)⟩ **0.1** *plundering, looting* ⇒*pillaging, sack*.
plundertocht ⟨de (m.)⟩ **0.1** *foray, (predatory) raid, marauding expedition*.
plunderzucht ⟨de⟩ **0.1** *rapacity*.
plunje ⟨de⟩ **0.1** [kleren] *togs, duds, things, get-up* ⇒*outfit* **0.2** [bagage] *kit* ⇒*gear, things* ◆ **2.1** zijn oude ~ *his old clobber*/*get-up*; zijn zondagse ~ *his Sunday best*; ⟨inf.⟩ *his best bib and tucker*; ⟨sl.⟩ *his glad rags*.
plunjer ⟨de (m.)⟩ **0.1** *plunger*.
plunjezak ⟨de (m.)⟩ **0.1** *kit bag* ⇒*duffle bag*, ⟨bij marine ook⟩ *ditty bag*.
pluralis ⟨de (m.)⟩ ⟨taal.⟩ **0.1** *plural* ◆ **6.1** in de ~ krijgt het woord een s *this word takes an 's' in the p.* ¶.**1** vorsten gebruiken de ~ *majestatis rulers use the royal we*; plurale tantum *plural form only*; de ~ *modestiae editorial we*.
pluraliseren ⟨ov.ww.⟩ **0.1** *pluralize*.
pluralisme ⟨het⟩ **0.1** *pluralism*.
pluralistisch ⟨bn., bw.⟩ **0.1** *pluralist(ic)*.
pluralisvorm ⟨de (m.)⟩ ⟨taal.⟩ **0.1** *plural*.
pluraliteit ⟨de (v.)⟩ **0.1** *plurality*.
pluriform ⟨bn.⟩ **0.1** *multiform*.
pluriformiteit ⟨de (v.)⟩ **0.1** *multiformity* ◆ **6.1** de ~ in de kerk *religious*/*ecclesiastical m.*.
pluritonaliteit ⟨de (v.)⟩ ⟨muz.⟩ **0.1** *polytonality*.
plurk ⟨de (m.)⟩ ⟨inf.⟩ **0.1** ᴮ*berk*, ^*jerk*.
plus¹ ⟨het, de (m.)⟩ **0.1** [het teken+] *plus (sign)* **0.2** [overschot] *surplus* **0.3** [gunstig element] *plus (point)* **0.4** [pluspool] *plus (pole)* ⇒*positive (pole)* ◆ **3.1** je hebt de ~ vergeten *you've forgotten the p. (sign)* **6.2** er is een ~ van ƒ5.000,- *there is a s. of 5000 guilders* **7.1** een acht ~ an eight p. **8.3** dat feit is als een ~ te beschouwen *that fact can be seen as a plus (point)* ¶.**3** er zijn minnen, maar ook ~sen *there are plus points as well as minuses*/*minus points*.
plus² ⟨bw.⟩ **0.1** [positief] *plus* **0.2** [met minimaal de aangeduide waarde] *plus* ⇒*over-* ◆ **7.1** ~ 15 graden C *plus 15° C, 15 degrees centigrade* **7.2** ⟨van kaas⟩ veertig ~ *forty-plus*; vijfenzestig ~ *over-65* ¶.**1** ~a *plus a*.
plus³ ⟨vz.⟩ **0.1** [⟨wisk.⟩] *plus* ⇒*and* **0.2** [vermeerderd met] *plus* ◆ **1.2** 60 gulden ~ BTW *60 guilders p. V.A.T.*; ~ onkosten *p. costs*; het bedrag ~ rente *is* ƒ150,- *the sum with interest is 150 guilders* **7.1** a ~ b *a p. b*; twee ~ drie is vijf *two p.*/*and three is five*.

plusfour ⟨de (m.)⟩ **0.1** *plus fours* ⇒*knickerbockers* ◆ ¶.1 een~ *a pair of p.f.*.

plusminus ⟨bw.⟩ **0.1** *approximately, about, some* ◆ **7.1** ~ tienduizend gulden *approximately/about/some ten thousand guilders*.

plusminusteken ⟨het⟩ **0.1** *approximation sign*.

pluspool ⟨de (m.)⟩ **0.1** *plus pole* ⇒*positive (pole), plus*.

pluspunt ⟨het⟩ **0.1** [punt in het voordeel] *plus(-point), point in one's favour* ⇒*asset, advantage,* ⟨hand.⟩ *selling point* ⟨ihb. belangrijkste pluspunt van artikel⟩ **0.2** [een punt extra] *plus (point)* ◆ **3.1** ervaring is bij sollicitaties een~ *experience is a plus(-point)/an asset/an advantage/a point in one's favour when applying for a job*.

plussen ⟨onov.ww.⟩ **0.1** *puzzle (over sth.)* ⇒*puzzle one's head (about sth.)* ◆ **3.1** ~en minnen *weigh (up) the pros and cons, puzzle/worry one's head*.

plusteken ⟨het⟩ **0.1** ⟨wiskunde⟩ *plus (sign), addition sign;* ⟨electriciteit⟩ *plus (sign), positive sign*.

plutocraat ⟨de (m.)⟩ **0.1** [aanhanger van de plutocratie] *plutocrat* **0.2** [rijkaard] *plutocrat* ⇒*≠capitalist*.

plutocratie ⟨de (v.)⟩ **0.1** [kapitalisme] *plutocracy* ⇒*plutarchy, ≠capitalism* **0.2** [personen] *plutocracy* ⇒*plutarchy, ≠capitalists*.

plutocratisch ⟨bn., bw.;-(al)ly⟩ **0.1** *plutocratic(al)* ◆ **1.1** een~e regering *a p. government*.

plutonisch ⟨bn.⟩ ⟨geol.⟩ ◆ **1**.¶ ~e gesteenten *plutonic rocks, plutons*.

plutonisme ⟨het⟩ **0.1** *plutonism, plutonic theory*.

plutonist ⟨de (m.)⟩ **0.1** *Plutonist* ⇒*vulcanist*.

plutonium ⟨het⟩ ⟨schei.⟩ **0.1** *plutonium*.

plutoon ⟨het⟩ ⟨geol.⟩ **0.1** *pluton*.

pluviaal ⟨bn.⟩ **0.1** *pluvial* ⇒*pluvious, pluviose* ◆ **1.1** ⟨geol.⟩ pluviale periode *pluvial*.

pluviale ⟨de⟩ ⟨r.k.⟩ **0.1** *pluvial* ⇒*cope*.

pluvier ⟨de (m.)⟩ **0.1** *plover*.

pluvierachtigen ⟨zn.mv.⟩ **0.1** *plovers*.

pluviograaf ⟨de (m.)⟩ **0.1** *pluviograph*.

pluviometer ⟨de (m.)⟩ **0.1** *pluviometer* ⇒*rain gauge*.

Pluvius ⟨de (m.)⟩ ⟨myth.⟩ **0.1** *Jupiter Pluvius*.

p.m. ⟨afk.⟩ **0.1** [pro memoria] *pro memoria* **0.2** [piae memoriae] *p.m., PM* **0.3** [plus minus] *≠ca., p.m., PM* **0.4** [pro mille] *p.m., PM* **0.5** [per maand] *p.m., PM* **0.6** [post meridiem] *p.m., PM* **0.7** [per meter] ⟨per metre⟩.

P.M.S. ⟨het⟩ ⟨afk.;med.⟩ **0.1** [premenstrueel syndroom] *P.M.T.* ⇒ *pre-menstrual tension*.

pnd ⟨de (v.)⟩ ⟨afk.⟩ **0.1** [postnatale depressie] *(PND) postnatal depression*.

pneu ⟨de⟩ ⟨med.;inf.⟩ **0.1** [↑*pneumothorax*.

pneuma ⟨het⟩ ⟨theol.⟩ **0.1** *pneuma*.

pneumaciteit ⟨de (v.)⟩ **0.1** *pneumaticity*.

pneumatiek ⟨de (v.)⟩ **0.1** ⟨muz.⟩] *wind supply* **0.2** [techniek] *pneumatics*.

pneumatisch ⟨bn., bw.;-(al)ly⟩ **0.1** [werkend met luchtdruk] *pneumatic(al)* ⇒*air* **0.2** [mbt. de pneumatiek] *pneumatic(al)* ◆ **1.1** ~e boor *p./air drill;* ⟨bouwk.⟩ ~e fundering *p. foundations;* ~e hamer *p./air hammer; jackhammer* ⟨handhamerboor⟩; ~e pomp *p. pump;* ~ transport *p. dispatch*.

pneumatofoor ⟨de (m.)⟩ **0.1** ⟨plantk.⟩ *pneumatophore* ⇒*pneumatode* **0.2** ⟨dierk.⟩ *pneumatophore/cyst*.

pneumatologie ⟨de (v.)⟩ ⟨theol.⟩ **0.1** *pneumatology*.

pneumatolyse ⟨de (v.)⟩ ⟨geol.⟩ **0.1** *pneumatolysis*.

pneumatometer ⟨de (m.)⟩ **0.1** *pneumatometer*.

pneumococcus ⟨de (v.)⟩ **0.1** *pneumococcus*.

pneumonie ⟨de (v.)⟩ ⟨med.⟩ **0.1** *pneumonia* ⇒*pneumonitis*.

pneumothorax ⟨de (m.)⟩ ⟨med.⟩ **0.1** *pneumothorax*.

po ⟨de (m.)⟩ **0.1** *chamber (pot)* ⇒⟨BE;inf.;vnl. kind.⟩ *po(tty)*.

p.o. ⟨afk.⟩ **0.1** [per order] ⟨signed in his/her absence by⟩ **0.2** [per omgaande] ⟨by return (of post)⟩ **0.3** [periodieke onthouding] ⟨the calendar method (of birth control)⟩.

pochen
I ⟨onov.ww.⟩ **0.1** [opscheppen] *boast, brag* ⇒*swank, crow* ◆ **6.1** ~ op zijn geld/familie *boast/brag of/about one's money/family, swank about one's money/family;*
II ⟨ov.ww.⟩ **0.1** [met ophef zeggen] *boast, brag* ⇒*crow* ◆ **8.1** hij pochte dat hij het beter kon *he boasted/bragged that he could do it better*.

pocher ⟨de (m.)⟩ **0.1** *boaster, braggart*.

pocheren ⟨ov.ww.⟩ **0.1** *poach* ⇒⟨AE ook⟩ *shirr*.

pocherig ⟨bn., bw.⟩ **0.1** *boastful, bragging*.

pocherigheid ⟨de (v.)⟩ **0.1** *boastfulness* ⇒*bragging, braggadocio*.

pocherij ⟨de (v.)⟩ **0.1** *boasting, bragging*.

pochet ⟨de⟩ **0.1** *dress/breast-pocket handkerchief*.

pochhans →*pocher*.

pocket →*pocketboek*.

pocketboek ⟨het⟩ **0.1** *paperback* ⇒⟨AE ook⟩ *pocket book* ◆ **8.1** als~ verkrijgbaar *available in paperback/as a paperback*.

pocketcamera ⟨de⟩ **0.1** *pocket camera*.

pocketuitgave ⟨de⟩ **0.1** *pocket edition*.

poco ⟨bw.⟩ ⟨muz.⟩ **0.1** *poco*.

podagra ⟨het⟩ ⟨med.⟩ **0.1** *podagra* ⇒*gout*.

podagreus ⟨bn.⟩ **0.1** *podagral, podagric(al), podagrous* ⇒*gouty*.

podagrist ⟨de (m.)⟩ **0.1** *podagra patient/sufferer, sufferer from podagra*.

poddomme ⟨tw.⟩ **0.1** *gosh, golly, heck;* ⟨vnl. AE⟩ *gee, jeeze*.

podium ⟨het⟩ **0.1** [gedeelte v.h. toneel] *apron, forestage, proscenium* **0.2** [platform, verhoging] *platform* ⇒*dais,* ⟨voor spreker/dirigent⟩ *rostrum, podium,* ⟨smal, voor modeshows enz.⟩ *catwalk* **0.3** [erepodium] *stand*.

podologie ⟨de (v.)⟩ **0.1** *podology*.

podometer ⟨de (m.)⟩ **0.1** *pedometer*.

podorie ⟨tw.⟩ **0.1** *gosh, golly, heck;* ⟨vnl. AE⟩ *gee, jeeze*.

podsol ⟨het⟩ **0.1** *podzol (soil)*.

podsoleren ⟨onov.ww.⟩ **0.1** *podzolize/podsolize*.

podsolgrond ⟨de (m.)⟩ **0.1** *podzol (soil)*.

poe ⟨tw.⟩ **0.1** *phew, whew, wow* ◆ ¶.1 ~, wat zie jij er piekfijn uit *whew/wow, you look smart*.

poedel ⟨de (m.)⟩ **0.1** [hondje] *poodle* **0.2** [smeris] *cop(per)* ⇒⟨BE ook⟩ *bobby,* ⟨Cockney sl.⟩ *rozzer* **0.3** [⟨sport⟩] *miss* ⇒⟨BE;sl.⟩ *boss*.

poedelen
I ⟨onov.ww.⟩ **0.1** [in water spetteren] *splash about/around (in the water)* **0.2** [⟨sport⟩] *miss* ⇒⟨BE;sl.⟩ *boss;*
II ⟨ov.ww.⟩ **0.1** [baden] *bath, wash* ◆ **4.1** zich~ *have a (bit of a) wash/a catlick*.

poedelnaakt ⟨bn.⟩ **0.1** *stark naked* ⇒*in one's birthday suit, with nothing on, without a stitch on*.

poedelprijs ⟨de (m.)⟩ **0.1** [⟨sport⟩] *booby/consolation prize* ⇒⟨BE ook⟩ *wooden spoon* **0.2** [kleine gratificatie] *pittance* ◆ **3.2** ik kreeg een~ *I got a mere tip*.

poeder
I ⟨het, de (m.)⟩ **0.1** [in gruis uiteengevallen stof] *powder* ⇒⟨fijn⟩ *pounce* ⟨bv. houtskool om figuur over te brengen⟩, ⟨door verpulvering ontstaan ook⟩ ↑*triturate* **0.2** [toiletartikel] *powder* ⇒⟨voor baby⟩ *baby powder,* ⟨gezichtspoeder⟩ *face powder* ◆ **2.1** fijn/grof~ *fine/coarse powder* **3.2** ~ op de billetjes van een baby strooien *powder a baby's bottom* **6.1** ⟨fig.⟩ in de poeier vallen/liggen *shatter, be/lie shattered;* tot ~ malen *powder, grind/reduce to (a) powder, pulverize, crush;* ⟨tech.⟩ *triturate;*
II ⟨de⟩ **0.1** [geneesmiddel] *powder* ◆ **1.1** een doosje~s *a box of powders*.

poederblusser ⟨de (m.)⟩ **0.1** *powder extinguisher, dry-chemical extinguisher*.

poederchocolade ⟨de (m.)⟩ **0.1** *chocolate/cocoa (powder)*.

poederdons ⟨het, de (m.)⟩ **0.1** *powder puff*.

poederdoos ⟨de⟩ **0.1** [doosje voor toiletpoeder] *(powder) compact* **0.2** [doos voor geneespoeders] *box of powders*.

poederen ⟨ov.ww.⟩ **0.1** [met poeder bestrooien] *powder* ⇒⟨tekening overbrengen, met puimsteen papier beschrijfbaar maken⟩ *pounce* **0.2** [fijnwrijven] *powder* ⇒*pulverize, grind/reduce to a powder,* ⟨tech.⟩ *triturate* **0.3** [met sneeuw inwrijven] *rub snow in s.o.'s face/hair* ⟨enz.⟩ ◆ **4.1** zich (het gezicht) ~ *powder one's face/nose/cheecks* ⟨enz.⟩.

poederig →*poeierig*.

poederkalk ⟨de (m.)⟩ **0.1** *powdered lime*.

poederkoffie ⟨de (m.)⟩ **0.1** *instant coffee*.

poederkwast ⟨de (m.)⟩ **0.1** *powder brush*.

poedermelk ⟨de⟩ **0.1** *dried/powdered milk* ⇒⟨(plantaardig) koffiemelkpoeder⟩ *coffee creamer/lightener/whitener*.

poedermetallurgie ⟨de (v.)⟩ **0.1** *powder metallurgy*.

poedersneeuw ⟨de⟩ **0.1** *powder/powdery snow* ⇒⟨inf.;vnl. bergsport⟩ *powder*.

poedersuiker ⟨de (m.)⟩ **0.1** *powdered/castor/soft sugar* ⇒⟨BE ook⟩ *icing sugar*.

poederverf ⟨de⟩ **0.1** *powder paint*.

poedervorm ⟨de (m.)⟩ **0.1** *powder(ed) form*.

poedervormig ⟨bn.⟩ **0.1** *powdery* ⇒⟨na verpulvering⟩ *powdered*.

poëem ⟨het⟩ ⟨iron.⟩ **0.1** ⟨ongemarkeerd⟩ *poem*.

poëet ⟨de (m.)⟩ ⟨iron.⟩ **0.1** ⟨ongemarkeerd⟩ *poet*.

poef[1] ⟨de (m.)⟩ **0.1** [geluid] *paf, pow* ⇒*bang* **0.2** [zitkussen] *pouf*.

poef[2] ⟨de (m.)⟩ **0.1** *paf, pow* ⇒*bang*.

poeha ⟨het, de (m.)⟩ **0.1** *hoo-ha* ⇒*fuss, to-do, how-d'ye-do* ◆ **3.1** ~maken *make a (lot of/great) hoo-ha/fuss/to-do/how-d'ye-do* **6.1** met veel~ *with a lot of/a great hoo-ha/fuss/how-d'ye-do*.

poehamaker ⟨de (m.)⟩ **0.1** *fuss(-pot)* ⇒*braggant, swank(pot)*.

poeier[1] ⟨de⟩ ⟨inf.⟩ **0.1** *whack, bang, thump* ⇒*clout,* [B]*fourpenny one* ◆ **3.1** ⟨sport⟩ een~ tegen de bal geven *whack the ball;* iem. een~ geven /verkopen *give s.o. a whack/bang/thump, whack/bang/thump s.o..*

poeier[2] →*poeder*.

poeieren[1] →*poederen*.

poeieren[2] ⟨ov.ww.⟩ ⟨inf.;sport⟩ **0.1** *hammer* ◆ **1.1** de spits poeierde (de bal) op de lat *the striker hammered the ball against the bar*.

poeierig ⟨bn.⟩ **0.1** [vol poeder] *powdery* **0.2** [op poeder lijkend] *powdery* ◆ **1.2** ~e sneeuw *powder(y) snow*.

poekelen ⟨onov.ww.⟩ ⟨Barg.⟩ **0.1** *chatter* ⇒*yak*.

poel ⟨de (m.)⟩ **0.1** *pool* ⇒*puddle* ⟨op straat⟩, ⟨modder⟩ *pool of mud, wallow* ⟨voor buffels/varkens enz.⟩, ⟨moeras⟩ *morass, quagmire,* ⟨fig. ook⟩ *cesspool, cesspit, sink* ◆ **1.1** ⟨fig.⟩ een~van ellende *the depths of misery/wretchedness;* ⟨fig.⟩ een~van ongerechtigheid *a sink/cesspool/cesspit of vice;* ⟨fig.⟩ zich in een~van onreinheid wentelen *wallow in a cesspit/cesspool of impurity;* ⟨fig.⟩ een~van verderf/ontucht/zonde *a morass/cesspit/cesspool of vice*.

poele ⟨tw.⟩ **0.1** *duck(y)-duck(y)-duck(y)*.

poelen ⟨onov.ww.⟩ **0.1** [door water plassen] *paddle (through), splash (through)* **0.2** [baden] *paddle*.

poelepetaat ⟨de (m.)⟩ **0.1** *guinea fowl/hen* ⇒*pintaolo*.

poelet ⟨het, de (m.)⟩ **0.1** *soup meat*.

poelgrond ⟨de (m.)⟩ **0.1** *water meadow* ⇒*wetlands*.

poelier ⟨de (m.)⟩ **0.1** *poultryman* ⇒⟨BE ook⟩ *poulterer*.

poelslak ⟨de⟩ **0.1** *pond/water snail*.

poelsnip ⟨de⟩ **0.1** *great snipe*.

poelvis ⟨de (m.)⟩ **0.1** *gudgeon*.

poema ⟨de (m.)⟩ **0.1** *puma* ⇒*cougar, mountain lion*.

poëma ⟨het⟩ ⟨lit.⟩ **0.1** *poem*.

poen ⟨inf.⟩
I ⟨het, de (m.)⟩ **0.1** [geld] *dough, bread* ⇒*cash, brass, loot*, [B]*lolly*, [B]*rhino* ◆ **1.1** een dot/een hoop~ *a load of d. / bread/brass* **6.1 om** de ~ is het al te doen *money makes the world go round;* barsten **van** de ~ *be lousy with d. / bread/cash;*
II ⟨de (m.)⟩ **0.1** [patser] *flash Harry*, [B]*wide boy*, [B]*spiv*, [A]*hot shot*.

poenaal →**penaal**.

poenaliteit →**penaliteit**.

poenerig →**poenig**.

poenig ⟨bn., bw.⟩ **0.1** *flash(y)* ⇒[B]*spivvy* ◆ **1.1** een~e vent *a flash Harry*, [B]*a wide boy*, [B]*a spiv*, [A]*a hot shot* **3.1** wat ziet hij er~ uit *doesn't he look flashy*.

poenitent →**penitent**.

poenitentiaris →**penitentiaris**.

poep ⟨inf.⟩
I ⟨de (m.)⟩ **0.1** [uitwerpselen] *crap* ⇒⟨vulg.⟩ *shit,* ⟨kind⟩ *poop, doody, caca,* ⟨van hond ook⟩ ⟨dog-⟩*dirt,* ↓*dog-shit* **0.2** [wind] *fart* ◆ **1.¶** een (flinke) ~ geld ↑*a (whole) load/heap of money* **3.2** een~je laten vliegen *let out a f.;* ⟨fig.⟩ iem.~ie laten ruiken *show s.o. a thing/trick or two, give s.o. sth. to think about* **6.1 in** (de) ~ trappen *step/walk in (the) dog-shit!* ↑*in a dog's mess;*
II ⟨de⟩ ⟨AZN⟩ **0.1** [achterste] [B]*arse*, [A]*ass* ⇒⟨BE ook⟩ ↑*bum,* ⟨AE ook⟩ ↑*fanny* ◆ **6.1 op** zijn~ krijgen *get/be spanked*.

poepdoos ⟨de⟩ ⟨scherts.⟩ **0.1** *bog, bucket* ⇒⟨vulg.⟩ *shithouse,* [A]*crapper*.

poepen ⟨onov.ww.⟩ **0.1** [ontlasten] *have a crap/shit* ⇒*crap, shit* ◆ **3.1** ⟨fig.⟩ ga nou gauw~! *piss/sod/fuck off!* **6.1 in** zijn broek~ ⟨fig.⟩ *be crapping/shitting o.s.;* ⟨vulg. ook⟩ *have brown trousers, be doing it in one's pants*.

poeper ⟨de (m.)⟩ ⟨inf.⟩ **0.1** [achterste] [B]*arse*, [A]*ass* ⇒⟨BE ook⟩ ↑*bum,* ⟨AE ook⟩ ↑*fanny* **0.2** [persoon] *asshole, shit, prick* ◆ **2.2** moet je die bleke ~ zien! *look at that silly/stupid asshole/shit/prick* **3.1** ⟨fig.⟩ zijn ~ dichtknijpen *snuff it, croak, pop off* **6.1** het kind is **op** zijn~ gevallen *the child has fallen on his bum*.

poeperij ⟨de (v.)⟩ ⟨inf.⟩ **0.1** [the] *runs/trots/shits* ◆ **6.1 aan** de ~ zijn *have the runs/trots/(liquid quick) shits;* ⟨wegens vreemd/slecht voedsel tijdens vakantie ook⟩ *have gutrot/Montezuma's revenge*.

poepgas ⟨het⟩ ⟨scherts.⟩ **0.1** *shit-gas*.

poer ⟨de⟩ **0.1** *bob*.

poerem ⟨de (m.)⟩ **0.1** *row, racket* ⇒*hubbub, hullabal(l)oo* ◆ **3.1** veel~ hebben/maken *make a row/racket/hullabal(l)oo*.

poeren ⟨onov.ww.⟩ **0.1** *bob (for eels)*.

poerim →**purim**.

poes ⟨sprw. 615⟩
I ⟨de⟩ **0.1** [kat] *puss* ⇒⟨vnl. kind.⟩ *pussy(cat),* ⟨BE;sl.⟩ *mog(gie)* **0.2** ⟨[inf.] knappe griet⟩ *puss(ycat)* ⇒[B]*bird* **0.3** ⟨[inf.] vagina⟩ *pussy* **0.4** [troetelnaam] *sweetie, sugar, ducks, duckie, lovey* **0.5** [halskraag van bont] *(fur)tippet* ⇒⟨scherts.⟩ *(dead) cat/rat* ◆ **1.2** een mooie~ *a nice bit/piece of stuff/skirt* **2.1** een jong~je *a kitten,* ⟨vnl. kind.⟩ *a kitty* **5.¶** mis~! *wrong!* **6.1** ⟨fig.⟩ hij is **voor** de~ *he is a goner, it's all up with him;* ⟨fig.⟩ dat is niet **voor** de~ *that's no children's game/kid's stuff/picnic, that's not to be sneezed at* **8.1** zo mooi als~ met iets zijn *be as pleased as a dog with two tails about sth.* **¶.1** poes! poes! *puss, puss, puss!, pss, pss, pss!;*
II ⟨het, de⟩ **0.1** [uitslag van kalk] *efflorescence* **0.2** [vochtuitslag] *mouldiness* ⇒*mustiness*.

poeshaver ⟨de⟩ **0.1** *Tartarian oat(s)*.

poesje ⟨het⟩ ⟨inf.⟩ **0.1** *pousse-café* ⇒*chasse*.

poesjenel ⟨de (m.)⟩ ⟨AZN⟩ **0.1** *Punch(inello)*.

poeslief ⟨bn., bw.;-ly⟩ **0.1** *suave, bland, smooth* ⇒*honeyed* ⟨woorden⟩, *sugary* ⟨woorden, glimlach⟩, *silky* ⟨glimlach, toon, manieren⟩ ◆ **3.1** ~ doen *be suave/smooth;* o, ze is zo~ voor hem *oh, she's all smiles with him;* iets~ vragen *purr a question, ask sth. in silky/the silkiest tones*.

---

poesmooi ⟨bn.⟩ **0.1** ⟨zie 3.1⟩ ◆ **3.1** zich~ maken *doll o.s. up, dress o.s. up to the nines*.

poespas ⟨de (m.)⟩ **0.1** [omhaal] *hoo-ha* ⇒*fuss, to-do* **0.2** [mengelmoes] *hotch-potch, hodge-podge* ⇒*mess, mishmash* **0.3** [brabbeltaal] *gibberish* ⇒*gobbledygook, double Dutch* ◆ **3.1** laat die~ maar achterwege *stop making such a/all that fuss (about it), forget all the fuss, stop/quit fussing (about); no ceremony, please*.

poessiealbum ⟨het⟩ **0.1** *album (of verses)*.

poesta ⟨de⟩ **0.1** *puszta* ⇒*(Hungarian) steppe*.

poestaburger ⟨de (m.)⟩ **0.1** ≠*Hungarian-style hamburger*.

poet ⟨de⟩ ⟨Barg.⟩ **0.1** [buit] *loot* ⇒*swag* **0.2** [kleine diefstal] ⟨ongemarkeerd⟩ *petty theft* ◆ **2.1** de~is binnen *we've got the l. / swag;* we hebben een flinke~ gejat *we got away with/pinched a load of l. / swag* **3.1** de~ verdelen *share (out)/divide (up) the l. / swag* **3.2** ~jes maken *pilfer, be light-fingered*.

poëtaster ⟨de (m.)⟩ **0.1** *poetaster* ⇒*versifier, doggered poet*.

poëtica ⟨de (v.)⟩ ⟨lit.⟩ **0.1** [opvattingen] *poetics* **0.2** [leerboek] *poetics*.

poëticaal ⟨bn.⟩ ⟨lit.⟩ **0.1** *poetical*.

poëtiek →**poëtica**.

poëtisch ⟨bn., bw.;-(al)ly⟩ **0.1** [dichterlijk] *poetic(al)* **0.2** [mooi] *poetic* ⇒*poetical* **0.3** [van, in poëzie] *poetic* ⇒*verse, in verse* ◆ **1.1** een~e bui/stemming *a poetic fit/mood;* een~e uitdrukking *a poetic expression* **1.2** een~e gedachte/aanblik *a poetic thought/sight* **1.3** een~e bewerking *a p. version, a version in verse;* de Poëtische Edda *the Elder/Poetic Edda* **3.2** wat zeg je dat ~! *what a poetic way of putting it!, how poetic!*.

poëtiseren ⟨ov.ww.⟩ **0.1** *poet(ic)ize*.

poets ⟨de⟩ **0.1** *trick* ⇒(*practical*) *joke, prank, hoax* ◆ **3.¶** iem. een lelijke~ bakken *play a mean/shabby/dirty/nasty t. on s.o., play s.o. a mean/shabby/dirty/nasty t.;* iem. een~ spelen/bakken *play a t. / hoax/(practical) joke on s.o.* **5.¶** ⟨AZN⟩ ~ wederom *tit for tat.*

poetsbeurt ⟨de⟩ **0.1** ⟨auto, schoenen⟩ *polish, shine;* ⟨ook koper etc.⟩ *rub(-up);* ⟨bv. vloer⟩ *scour(ing)*.

poetsdoek ⟨de (m.)⟩ **0.1** *cleaning cloth/rag* ⇒⟨om te polijsten⟩ *polishing cloth/rag, (yellow) duster,* [A]*dust cloth* ⟨stofdoek⟩, *floorcloth* ⟨dweil⟩.

poetsdoos ⟨de⟩ **0.1** *box with cleaning materials*.

poetsen ⟨ov.ww.⟩ **0.1** [schoonmaken] *clean* ⇒*polish* ⟨polijsten⟩, ⟨mil.; blancoën⟩ *blanco* **0.2** [reinigen van huidparasieten] *groom (o.s.)* ⇒⟨vogel⟩ *preen (o.s.)* ◆ **1.1** een geweer~ *c. a gun;* schoenen~ *c. / polish/shine/brush shoes;* zijn tanden~ *c. / brush/do one's teeth* **1.¶** de plaat~ *beat it, clear off, bolt*.

poetser ⟨de (m.)⟩ **0.1** [iem. die poetst] *cleaner* ⇒⟨iem. die polijst⟩ *polisher,* ⟨schoenen⟩ *shoeblack,* ⟨BE; in hotel⟩ *boots* **0.2** [arbeider die gewalste blokken controleert] *fettler* **0.3** ⟨[bk.]⟩ *retoucher* ⟨van foto's⟩.

poetsgarnaal ⟨de (m.)⟩ **0.1** *cleaner shrimp*.

poetsgerei ⟨het⟩, **-goed** ⟨het⟩ **0.1** *cleaning things* ⇒⟨om te polijsten⟩ *polishing things,* ⟨voor schoenen ook⟩ *shoe-cleaning/-polishing things*.

poetskatoen ⟨het⟩ **0.1** *cotton waste* ⇒*waste cotton* ◆ **1.1** een dot~ *a bit of cotton waste*.

poetslap ⟨de (m.)⟩ **0.1** *cleaning cloth/rag* ⇒⟨om te polijsten⟩ *polishing cloth/rag, floorcloth* ⟨dweil⟩.

poetsmiddel ⟨het⟩ **0.1** *cleaner* ⇒⟨om te polijsten⟩ *polish,* ⟨mil.⟩ *blanco* ⟨om te witten⟩.

poetsolie ⟨de⟩ **0.1** *cleaning oil*.

poetspoeder ⟨het⟩ **0.1** *polishing/plate-powder*.

poetspommade ⟨de⟩ **0.1** *polish(ing compound/paste)* ⇒⟨voor metalen ook⟩ *metal polish*.

poetssymbiose ⟨de (v.)⟩ **0.1** *cleaning symbiosis*.

poetsvis ⟨de (m.)⟩ **0.1** *cleaner fish*.

poetsvrouw ⟨de (v.)⟩ **0.1** *scrubwoman, cleaning woman;* ⟨BE⟩ *char(woman)*.

poezel ⟨bn.⟩ →**poezelig**.

poezelig ⟨b.n.⟩ **0.1** *plump* ⇒*chubby* ◆ **1.1** ~e armpjes *p. arms;* een~ meisje *a p. / chubby/cuddly girl*.

poezeluik ⟨het⟩ **0.1** *cat door*.

poëzie ⟨de (v.)⟩ **0.1** [dichtkunst] *poetry* **0.2** [dichterlijke bekoring] *poetry* **0.3** [gedichten] *poetry* ⇒*verse* **0.4** [dichtmaat] *poetry* ⇒*verse* ◆ **1.2** de~van een landschap/van het leven *the p. of a landscape/of life* **2.1** lyrische/epische/didactische~ *lyric/epic/didactic p.* **2.3** visuele~ *concrete p.* **6.4** de weergave van een gevoel **in** ~ *the expression of a feeling in p. / verse*.

poëziealbum ⟨het⟩ **0.1** *album (of verses)*.

poëzieavond ⟨de (m.)⟩ **0.1** *poetry evening* ⇒*poetry reading*.

poëzieleer ⟨de⟩ **0.1** *poetics*.

poezig ⟨bn., bw.⟩ **0.1** *kittenish*.

pof[1]
I ⟨de⟩ **0.1** [plooi] *puff* ◆ **6.1** ~fen **aan** de mouwen *puffs in the sleeves* **6.¶ op** de ⟨op krediet⟩ ⟨BE⟩ *on tick, on credit, on one's name;* **op** de ~ kopen *buy on tick;* hij doet altijd alles **op** de ~ ⟨op goed geluk⟩ *he's the happy-go-lucky type;*

II ⟨de (m.)⟩ **0.1** [doffe klap] *paf, pow* ⇒*bang, thud, thump, bump.*

pof² ⟨tw.⟩ **0.1** *paf, pow* ⇒*bang, thud, thump.*

pofbroek ⟨de⟩ **0.1** *knickerbockers* ⇒*plus fours,* ⟨gesch.⟩ *trunk-hose.*

poffen
I ⟨onov.ww.⟩ **0.1** [schieten] *pop* **0.2** [ploffen] *plop (down), flop (down)* ⇒*plump (down)* ♦ **6.2** zij pofte op de grond *she plopped / flopped down on the ground;*
II ⟨ov.ww.⟩ **0.1** [in as verhitten] *roast* ⇒⟨maïs op hete plaat ook⟩ ⟨AE⟩ *pop* **0.2** [met een doffe slag laten vallen] *plop (down)* ⇒*plump (down)* **0.3** [zo naaien dat het bol staat] *puff* ⇒*bunch up* ♦ **1.1** maïs / kastanjes / aardappelen ~ *r. corn-on-the-cob / chestnuts / potatoes* **1.3** mouwen ~ *p. sleeves;*
III ⟨onov., ov.ww.⟩ **0.1** [op krediet kopen] *buy on* ᴮ*tick* / ᴬ*credit* **0.2** [op krediet leveren] ᴮ*sell on tick,* ᴬ*give credit* ♦ **1.2** levensmiddelen ~ *sell food on tick.*

poffertje ⟨het⟩ **0.1** *'poffertje'* ⟨kind of tiny pancake⟩.

poffertjeskraam ⟨het, de⟩ **0.1** *'poffertjes' stand / stall.*

poffertjespan ⟨de⟩ **0.1** *'poffertjes' griddle.*

pofklant ⟨de (m.)⟩ **0.1** *credit customer.*

pofmaïs ⟨de (m.)⟩ **0.1** *popcorn.*

pofmouw ⟨de⟩ **0.1** *puff(ed) sleeve.*

pogen ⟨onov.ww.⟩ ⟨schr.⟩ **0.1** *endeavour, attempt, seek* ⇒*make an effort* ♦ **3.1** de dief poogde te ontsnappen *the thief endeavoured / attempted / sought to escape.*

poging ⟨de (v.)⟩ **0.1** *attempt* ⇒*try, bid,* ⟨met krachtinspanning⟩ *effort,* ⟨schr.⟩ *endeavour,* ⟨inf.⟩ *crack, go, shot* ♦ **2.1** een goede ~ doen *make a good a. / try, have a good crack / shot;* een ijdele / vergeefse ~ *a vain / futile a.;* een laatste wanhopige ~ *a final desperate / last-ditch a.;* een mislukte ~ *an abortive a.;* een uiterste / verwoede / nieuwe / mislukte ~ doen om *make a final / frantic / fresh / an insuccessful a. to;* een zwakke ~ *a feeble a.* **3.1** een ~ doen tot inbraak *make a. to break in, attempt to break in;* een ~ doen om te ontsnappen *attempt to escape;* een ~ doen om het record te verbeteren *make an a. on the record, try to break the record;* een ~ zien mislukken *be defeated in an a.;* een ~ wagen *have a try / go / shot at sth., try one's luck* **6.1** bij zijn derde ~ heeft de atleet de limiet gehaald *the athlete reached / made the qualifying time at his third a.;* ~ **tot** moord *attempted murder.*

pogrom ⟨de (m.)⟩ **0.1** *pogrom.*

poikilotherm ⟨bn.⟩ ⟨dierk.⟩ **0.1** *poikilothermal / thermic* ♦ **1.1** ~ dier *poikilotherm.*

point ⟨het⟩ **0.1** [punt] *point* **0.2** [borduursteek] *stitch* ♦ **¶.1** ~ d'honneur *p. of honour;* ⟨muz.⟩ ~ d'orgue *organ-point, pedal(-point);* ⟨muz.⟩ ~ sur tête *staccato (dot);* ⟨muz.⟩ ~ allongé *portato (mark / dash);* ⟨cul.⟩ à ~ *done (to a turn)* **¶.2** petit / gros ~ *petit / gros point.*

pointe ⟨de⟩ **0.1** [clou] *point* **0.2** [strekking] *point* ♦ **3.1** hij heeft de ~ niet begrepen *he missed the p..*

pointeren ⟨ov.ww.⟩ **0.1** [aantekenen] *check (off)* ⟨op een lijst⟩ **0.2** [⟨mil.⟩ richten] *aim* ⇒*lay aim* **0.3** [⟨kaartspel⟩] *punt.*

pointeur ⟨de (m.)⟩ ⟨mil.⟩ **0.1** [richter] *gunner* ⇒⟨BE; marine⟩ *gunlayer* **0.2** [richtinstrument] *(gun)sight* ⇒*sights.*

pointillé ⟨het⟩ **0.1** [schilderij] *pointillist painting* **0.2** [punteermethode] *pointillism* ⇒*stippling.*

pointilleren ⟨onov., ov.ww.⟩ **0.1** *paint in the pointillist style.*

pointillisme ⟨het⟩ **0.1** *pointillism* ⇒*divisionism.*

pointillist ⟨de (m.)⟩ **0.1** *pointillist* ⇒*stippler.*

point of sale ⟨de⟩ ♦ **¶.¶** ~ reclame *point-of-sale advertising.*

poise ⟨de (v.)⟩ **0.1** *poise.*

pok ⟨de⟩ **0.1** [zweertje] *pock* **0.2** [litteken] *vaccination mark* ⇒*pock mark* **0.3** [⟨mv.⟩ ziekte] *smallpox* ⇒⟨med.⟩ *variola* ♦ **2.3** valse ~ken *chicken pox;* witte ~ken *alastrim* **3.3** door de ~ken geschonden *ravaged by s.; pockmarked* ⟨pokdalig⟩; de ~ken hebben *have (the) s.;* krijg de ~ken! *drop dead!;* ⟨BE ook⟩ *get knotted!;* de ~ken krijgen *get / catch (the) s.;* iem. tegen de ~ken inenten *vaccinate s.o. against s.* **3.¶** ⟨inf.⟩ zich de ~ken schrikken *be frightened to death;* ⟨inf.⟩ zich de ~ken werken *work o.s. to death, slave (away), kill o.s.* **6.3** inenting tegen de ~ken *s. vaccination.*

pokachtig ⟨bn.⟩ **0.1** [als pokken] *poxy* **0.2** [mbt. schapen] *scabby* ♦ **1.1** een ~e uitslag *a rash.*

pokdalig ⟨bn.⟩ **0.1** *pockmarked* ⇒*pocked,* ⟨med.⟩ *variolous* ♦ **1.1** een ~ gezicht *a pockmarked face.*

poken ⟨onov.ww.⟩ **0.1** *poke* ♦ **6.1** in het vuur ~ *p. / stir the fire.*

poker ⟨het⟩ **0.1** *poker* ♦ **1.1** een spelletje ~ *a hand / game of p..*

pokerbeker ⟨de (m.)⟩ **0.1** *dice cup.*

pokeren ⟨onov.ww.⟩ **0.1** *play poker.*

pokergezicht ⟨het⟩ **0.1** *poker-face* ♦ **6.1** met een ~ *pokerfaced;* hij antwoordde **met** een ~ *he gave a pokerfaced / deadpan answer, he answered deadpan.*

pokerpiste ⟨de⟩ **0.1** *dice board.*

pokerstenen ⟨zn.mv.⟩ **0.1** *poker dice.*

pokhout ⟨het⟩ **0.1** *lignum vitae* ⇒*pockwood, guaiac(um), lignum sanctum.*

pokkenbriefje ⟨het⟩ **0.1** *vaccination certificate.*

pokkenepidemie ⟨de (v.)⟩ **0.1** *smallpox epidemic.*

pokkeneruptie ⟨de (v.)⟩ **0.1** *smallpox lesions / eruption.*

pokkenlijder ⟨de (m.)⟩ **0.1** [iem. die de pokken heeft] *smallpox patient* **0.2** [rotzak] *bastard* ♦ **2.2** wat ben je toch een vuile ~! *you dirty b.!.*

pokkenprik ⟨de (m.)⟩ **0.1** *smallpox vaccination / injection /* ⟨inf.⟩ *jab.*

pokkenweer ⟨het⟩ ⟨inf.⟩ **0.1** *filthy / foul / nasty / lousy weather.*

pokkenwerk ⟨het⟩ ⟨inf.⟩ **0.1** *nasty / foul work.*

pokkig ⟨bn.⟩ **0.1** [aangetast door pokken] *pocky* ⇒*pockmarked* **0.2** [lijkend op pokken] *pocky.*

pokput ⟨de (m.)⟩ **0.1** *pockmark* ⇒*pock, pit.*

poksteen
I ⟨het, de (m.)⟩ **0.1** [opvulling in gesteente] *spherulite* **0.2** [varioliet] *variolite;*
II ⟨de (m.)⟩ **0.1** [stuk varioliet] *piece of variolite.*

pokstof ⟨de⟩ **0.1** *vaccine.*

pokziekte ⟨de (v.)⟩ ⟨med.⟩ **0.1** *smallpox* ⇒⟨med.⟩ *variola.*

pol ⟨de (m.)⟩ **0.1** [klomp planten] *clump* ⇒⟨van gras⟩ *tussock* **0.2** [eilandje] *islet* **0.3** [⟨AZN⟩ handje] ≠*paw* ♦ **1.1** een ~ gras *a c. / tussock of grass.*

polair
I ⟨bn.⟩ **0.1** [met polen] *polar* ⇒⟨schei.⟩ *dipolar* **0.2** [bij de aardpolen] *polar* ♦ **1.1** ~e binding tussen atomen *p. bond / linkage between atoms;* een ~ coördinatenstelsel *p. coordinates* **1.2** ⟨meteo.⟩ ~e lucht *p. air;* ⟨meteo.⟩ ~ punt *p. front;*
II ⟨bn., bw.⟩ **0.1** [naar twee kanten gericht] *polar* ♦ **1.1** ~e krachten *p. forces;* ~ molecuul *dipole* **3.1** ~ gericht *polarized.*

polak ⟨de (m.)⟩ **0.1** ⟨bel.⟩ *polack.*

polakker ⟨de (m.)⟩ **0.1** *polacre* ⇒*polacca.*

polarimeter ⟨de (m.)⟩ **0.1** *polarimeter.*

polarisatie ⟨de (v.)⟩ **0.1** [⟨nat.⟩] *polarization* **0.2** [⟨pol.⟩] *polarization* **0.3** [⟨psych.⟩] *polarization.*

polarisatiebril ⟨de (m.)⟩ **0.1** *(pair of) Polaroid / polarized (sun)glasses* ⇒⟨inf.⟩ *Polaroids.*

polarisatiefilter ⟨het, de (m.)⟩ **0.1** *polarization filter.*

polarisatiehoek ⟨de (m.)⟩ **0.1** *polarizing angle.*

polarisatiemicroscoop ⟨de (m.)⟩ **0.1** *polarizing microscope.*

polarisatiespanning ⟨de (v.)⟩ **0.1** *polarization voltage.*

polarisatiestroom ⟨de (m.)⟩ **0.1** *polarization current.*

polarisatievlak ⟨het⟩ **0.1** *plane of polarization.*

polarisator ⟨de (m.)⟩ **0.1** *polarizer.*

polariscoop ⟨de (m.)⟩ **0.1** *polariscope.*

polariseren ⟨ov.ww.⟩ **0.1** [mbt. personen] *polarize* **0.2** [mbt. trillingen] *polarize* **0.3** [⟨elektriciteit⟩] *polarize.*

polarisraket ⟨het⟩ ⟨mil.⟩ **0.1** *Polaris (missile).*

polariteit ⟨de (v.)⟩ **0.1** [hoedanigheid van polen] *polarity* **0.2** [hoedanigheid van polair zijn] *polarity* ♦ **2.1** magnetische / elektrische ~ *magnetic / electrical p..*

polarografie ⟨de (v.)⟩ **0.1** *polarography.*

polaroid ⟨de (m.)⟩ **0.1** *polaroid.*

polaroidcamera ⟨de⟩ **0.1** *Polaroid (camera).*

polder ⟨de (m.)⟩ **0.1** [door dijken omgeven stuk land] *polder* **0.2** [landstreek] *polder* **0.3** [waterschap] *polder.*

polderbelasting ⟨de (v.)⟩ **0.1** *polder tax.*

polderbemaling ⟨de (v.)⟩ **0.1** *polder drainage.*

polderbestuur ⟨het⟩ **0.1** [bestuurscollege] *polder board / authority / committee* **0.2** [het besturen] *polder administration / management.*

polderblindheid ⟨de (v.)⟩ ⟨verkeer⟩ **0.1** *reduced alertness / drowsiness / boredom (on long, straight roads).*

polderboezem ⟨de (m.)⟩ **0.1** *polder reservoir.*

polderdijk ⟨de (m.)⟩ **0.1** *polder dike* ⇒*polder embankment.*

poldereffect ⟨het⟩ **0.1** *polder effect* ⟨failure to see objects due to monotony of polder driving⟩.

poldergast ⟨de (m.)⟩ **0.1** *polder labourer* ⇒*polderboy / man.*

polderjongen ⟨de (m.)⟩ **0.1** [dijkwerker] *polderlabourer* ⇒*polderboy / man* **0.2** [stoere werkman] *work-horse* ⇒ᴮ*navvy.*

polderkoorts ⟨de⟩ **0.1** *marsh fever* ⇒*malaria.*

polderland ⟨het⟩ **0.1** *polder / reclaimed land.*

polderlandschap ⟨het⟩ **0.1** *polder landscape.*

polderlasten ⟨de (m.)⟩ **0.1** *polder duties / levis.*

poldermeester ⟨de (m.)⟩ **0.1** *polder master.*

poldermolen ⟨de (m.)⟩ **0.1** *(polder) draining-mill.*

polderpeil ⟨het⟩ **0.1** *polder datums* ⟨mv. datums⟩, *polder water level.*

polderschouw ⟨de (v.)⟩ **0.1** *polder inspection.*

polderstoel ⟨de (m.)⟩ **0.1** →*polderbestuur.*

polderwater ⟨het⟩ **0.1** *polder water.*

polderwerk ⟨het⟩ **0.1** [aanlegwerk] ≠*land reclamation* **0.2** [bouwsel in een polder] *polder construction.*

poleerboor ⟨de⟩ ⟨mil.⟩ **0.1** *reamer.*

poleerrood ⟨het⟩ **0.1** *(jeweller's* ᴬ*eler's) rouge.*

polei ⟨de⟩ **0.1** *pennyroyal* ⟨mentha pulegium⟩.

polemiek ⟨de (v.)⟩ **0.1** [twistgeschrijf] *polemic* ⇒*controversy* **0.2** [verdediging v.e. kerkleer] *polemics* ♦ **3.1** een ~ voeren *engage / be engaged in a p. / controversy, carry on a controversy.*

polemisch ⟨bn.⟩ **0.1** *polemic(al)* ⇒*controversial* ♦ **1.1** ~e geschriften *polemical writings.*

polemiseren ⟨onov.ww.⟩ **0.1** *engage/be engaged in a polemic/controversy* ⇒*carry on a controversy, polemize* ◆ **6.1 met** iem. ~ *engage/be engaged in a polemic/controversy with s.o..*

polemist ⟨de (m.)⟩ **0.1** *polemicist, polemist* ⇒*polemic, controversialist.*

polemologie ⟨de (v.)⟩ **0.1** *polemology* ⇒*war studies.*

polemologisch ⟨bn.⟩ **0.1** *polemological.*

polemoloog ⟨de (m.)⟩ **0.1** *polemologist.*

Polen ⟨het⟩ **0.1** *Poland.*

polenta ⟨de⟩ **0.1** [maïsmeel] *polenta* ⇒*cornmeal* **0.2** [gerecht] *polenta.*

polentameel ⟨het⟩ **0.1** *polenta* ⇒*cornmeal.*

poleren ⟨ov.ww.⟩ **0.1** [polijsten] *polish (up)* ⇒⟨met polijststaal ook⟩ *burnish,* ⟨mbt. metaal ook⟩ *planish,* ⟨met schuurpapier ook⟩ *sand-(paper),* ⟨met polijstschijf ook⟩ *buff (up)* **0.2** [uitboren] *smooth-bore, fine-bore* **0.3** [opwrijven] *polish (up)* ⇒*rub up, shine, put a shine on.*

poli ⟨de (v.)⟩ **0.1** *outpatients'.*

polichinel ⟨de (m.)⟩ **0.1** *Punch(inello).*

poliep ⟨de⟩ **0.1** [neteldier] *polyp* ⇒*polypite* **0.2** [⟨med.⟩] *polyp* ⇒*polypus.*

poliepachtig ⟨bn.⟩ **0.1** ≠*deep-/thick-piled.*

polig ⟨bn.⟩ **0.1** ≠*deep-/thick-piled.*

polijstaarde ⟨de⟩ **0.1** *rotten-stone* ⟨kiezelkalksteen⟩ ⇒*polishing slate* ⟨diatomiet⟩,*pumice* ⟨puimsteen⟩, *tripoli (powder).*

polijsten ⟨ov.ww.⟩ **0.1** [glad maken] *polish (up)* ⇒⟨met polijststaal ook⟩ *burnish,* ⟨mbt. metaal ook⟩ *planish,* ⟨met schuurpapier ook⟩ *sand(paper),* ⟨met polijstschijf ook⟩ *buff (up)* **0.2** [⟨fig.⟩] *polish* ⇒*refine, burnish* **0.3** [uitboren] *smooth-bore, fine-bore* ◆ **1.2** zijn stijl~*p./refine one's style* **1.3** een geweerloop~*smooth-bore a riffle-barrel* **6.2** er valt **aan** die jongen nog heel wat te ~ *the boy still has a lot of rough edges that need smoothing off.*

polijster ⟨de (m.)⟩ **0.1** ⟨alg.⟩ *polisher* ⇒*burnisher, glazer* ⟨van leer⟩, *sander* ⟨van hout, metaal⟩.

polijstglas ⟨het⟩ **0.1** *polished glass.*

polijstkalk ⟨de (m.)⟩, **-krijt** ⟨het⟩ **0.1** *Paris white, whiting.*

polijstkop ⟨de (m.)⟩ **0.1** *polishing attachment.*

polijstpapier ⟨het⟩ **0.1** *polishing paper* ⇒*emery/finishing paper, fine sandpaper/glasspaper.*

polijstpoeder ⟨het, de (m.)⟩ **0.1** *polishing powder.*

polijstrood ⟨het⟩ **0.1** *(jeweller's ^Aeler's) rouge.*

polijstschijf ⟨de⟩ **0.1** *buffing/polishing disc/wheel.*

polijststel ⟨het⟩ **0.1** *polishings* ⟨mv.⟩.

polijststaal ⟨het⟩ **0.1** [gladde stift] *scraper* **0.2** [hard staal] *polishing steel.*

polijststeen ⟨de (m.)⟩ **0.1** *polishing stone* ⇒*Flanders/Bath brick.*

polijsttrommel ⟨de (m.)⟩ **0.1** *tumbling barrel/box* ⇒*tumbler, rumble(r), rattler, scouring barrel.*

polikliniek ⟨de (v.)⟩ **0.1** *outpatient(s') clinic* ⇒*policlinic outpatients' department* ⟨poliklinische afdeling⟩ *tandheelkundige ~ dental clinic* **3.1** ~ houden *take a clinic/an outpatients' clinic.*

poliklinisch ⟨bn., bw.⟩ **0.1** ⟨zie I.1,3.1⟩ ◆ **1.1** ~e behandeling *treatment in an outpatients' department;* ~e patiënt *outpatient* **3.1** ~ bevallen *have a baby in a policlinic.*

polio ⟨de⟩ ⟨med.⟩ **0.1** *polio.*

poliomyelitis ⟨de (v.)⟩ ⟨med.⟩ **0.1** *poliomyelitis* ⇒*infantile paralysis.*

poliopatiënt ⟨de (m.)⟩ **0.1** *polio patient.*

poliovaccin ⟨het⟩ ⟨med.⟩ **0.1** *polio vaccine.*

poliovirus ⟨het⟩ **0.1** *poliovirus.*

polis ⟨de⟩ **0.1** *(insurance) policy* ◆ **2.1** een all-risk ~ *all risk(s) policy;* hij heeft een all-risk ~ *he's got an all risk(s) policy, he's got comprehensive insurance;* een getaxeerde ~ *a valued policy;* een nog lopende ~ *a current policy;* een premievrije ~ *a paid-up (i.) p.;* voorlopige ~ *cover note* **3.1** een ~ afkopen *surrender a(n insurance) policy;* een ~ ondertekenen *underwrite a policy;* een ~ sluiten *take out a(n insurance) policy* **6.1** een ~ **met/zonder** aandeel in de winst *a profit-sharing/non-profit-sharing (i.) p..*

polisbedrag ⟨het⟩ **0.1** *amount of the policy.*

polishouder ⟨de (m.)⟩ **0.1** *policy-holder.*

poliskosten ⟨zn.mv.⟩ **0.1** *(insurance) policy fee(s).*

polismantel ⟨de (m.)⟩ ⟨verz.⟩ **0.1** *endorsement.*

polisvoorwaarden ⟨de (v.)⟩ **0.1** *terms/conditions of a(n insurance) policy.*

poliswaarde ⟨de (v.)⟩ **0.1** *surrender value.*

politbureau ⟨het⟩ **0.1** *politburo.*

politiair ⟨bn., bw.⟩ **0.1** *police* ◆ **1.1** ~ optreden *a p. action.*

politicaster ⟨de (m.)⟩ **0.1** *politicaster.*

politicologie ⟨de (v.)⟩ **0.1** *political science* ⇒*politics.*

politicoloog ⟨de (m.)⟩ **0.1** *political scientist.*

politicus ⟨de (m.)⟩, **-ca** ⟨de (v.)⟩ **0.1** [staatsman/-vrouw] *politician* ⇒*statesman* ⟨m.⟩, *stateswoman* ⟨v.⟩ **0.2** [handig persoon] ⟨vnl. pej.⟩ *politician.*

politie
I ⟨de (v.)⟩ **0.1** [overheidsdienst] *police (force)* ⇒*constabulary,* ⟨AE ook⟩ *rangers,* ⟨bereden motorpolitie⟩ *troopers,* ⟨inf.⟩ *(the) law, (the) cops* ◆ **1.1** een bureau van ~ *a police station;* ⟨vnl. AE ook⟩ *station* house; commissaris/inspecteur/agent van ~ *police commissioner/inspector/officer;* ⟨agent ook⟩ *policeman* **2.1** bereden ~ *mounted police;* ⟨AE ook⟩ *troopers;* geheime ~ *secret police;* militaire ~ *military police* **3.1** de ~ op iem. afsturen *put the police onto s.o.;* de ~ halen/waarschuwen *call/inform the police; go to the police;* goed dat er ~ is! *I think the police are wonderful!;* iem. overdragen/uitleveren aan de ~ *hand s.o. over to the police, give s.o. into police custody* **6.1** bij de ~ zijn *be in the police (force), be a policeman/police officer;*
II ⟨de (m.)⟩ ⟨inf.⟩ **0.1** [agent] *cop(per).*

politieacademie ⟨de (v.)⟩ **0.1** *^Bpolice ^Bcollege/^Aacademy.*

politieafzetting ⟨de (v.)⟩ **→politiekordon.**

politieagent ⟨de (m.)⟩ **0.1** *police officer, policeman* ⇒⟨BE;schr.⟩ *police constable* ⟨van laagste rang⟩, ⟨AE ook⟩ *patrolman, trooper* ⟨bereden van motorpolitie⟩, ⟨inf.⟩ *cop(per)* ◆ **2.1** de gewone ~ ⟨BE;inf. ook⟩ *the ordinary copper (on the beat);* vrouwelijke ~ *policewoman;* ⟨AE ook⟩ *patrolwoman;* ⟨BE;schr.⟩ *woman police constable* ⟨van laagste rang⟩.

politie-apparaat ⟨het⟩ **0.1** ≠*police organization* ⇒≠*police force,* ⟨zeldz.⟩ *police apparatus.*

politieauto ⟨de (m.)⟩ **0.1** *police/patrol car* ⇒⟨AE;inf.⟩ *cop car, black and white.*

politiebericht ⟨het⟩ **0.1** *police message* ⇒⟨waarschuwing ook⟩ *police warning.*

politiebescherming ⟨de (v.)⟩ **0.1** *police protection.*

politiebevel ⟨het⟩ **0.1** *police order* ⇒⟨AE;inf.⟩ *floater* ⟨om een stad te verlaten⟩.

politiebewaking ⟨de (v.)⟩ **0.1** *police protection* ⇒*police guard* ◆ **6.1** iem./iets **onder** ~ stellen *put s.o./sth. under police protection/police guard.*

politieblad ⟨het⟩ **0.1** *police newsletter/weekly/monthly* ⇒⟨BE ook⟩ *police gazette.*

politieboot ⟨de⟩ **0.1** *police launch.*

politiebureau ⟨het⟩ **0.1** *police station* ⇒⟨AE ook⟩ *station house,* ⟨hoofdbureau⟩ *police headquarters* ◆ **6.1** iem. **naar** het ~ brengen ⟨arresteren⟩ *take s.o. to the (p.) s.;* ⟨inf.⟩ *run s.o. in.*

politiebusje ⟨het⟩ **0.1** ⟨alg.⟩ *police/patrol van* **0.2** [arrestantenwagen] *^Bpolice/patrol van, ^Apatrol/paddy wagon* ⇒⟨inf.⟩ *Black Maria.*

politiedienst ⟨de (m.)⟩ ◆ **3.¶** Unifil troepen verrichten ~ in het gebied *Unifil troops are policing the area.*

politieel →politioneel.

politiefilm ⟨de (m.)⟩ **0.1** *cop film/^Amovie.*

politiegeleide ⟨de (m.)⟩ **0.1** *police escort* ◆ **6.1 onder** ~ *with a p. e., escorted by the police.*

politiegreep ⟨de (m.)⟩ **0.1** *wrist/police hold.*

politiehond ⟨de (m.)⟩ **0.1** *police dog.*

politie-inval ⟨de (m.)⟩ **0.1** *police raid* ⇒⟨sl.⟩ *bust.*

politiek¹ ⟨de (v.)⟩ **0.1** [staatkunde] *politics* **0.2** [beleid] *policy* **0.3** [tactiek] *policy* ⇒*tactics* **0.4** [politici] *politicians* ◆ **2.2** financiële/binnenlandse/buitenlandse~*financial/internal/foreign p.;* een harde~volgen *take a tough line* **2.3** een verstandige ~ *a sensible p.* **3.1** zich bezighouden met~*concern o.s. with/take an interest in p.* **6.1 aan** ~ doen *be involved in p.;* **in** de~zitten *be in p., be a politician;* **in** de~gaan *go into p., enter political life/p.;* **uit** de~gaan *pull out of/leave p./political life* **6.4** de schuld ligt **bij** de~*the p. are at fault.*

politiek² ⟨bn., bw.;-ly⟩ **0.1** [mbt. het parlement en regering] *political* **0.2** [mbt. het staatkundig beleid] *political* **0.3** [tactisch] *politic* ⇒*diplomatic, tactical* ◆ **1.1** een~e loopbaan *a p. career;* de~e partijen *the p. parties;* de~e wereld *the world of politics, p. life* **1.2** ~e gevangene *p. prisoner* **2.1** politiek-economisch *political-economical* **2.2** ~ geëngageerd/bewust *politically engaged/aware* **3.3** iets~aanleggen/behandelen *set about/deal with sth. diplomatically;* het is niet erg~om dat te doen *it's bad policy to do that;* ~ niet goed *a not good policy/it would not be p. to do that.*

politiekaart ⟨de⟩ **0.1** *police identity card.*

politiekapel ⟨de⟩ **0.1** *police band.*

politiekeling ⟨de (m.)⟩ **0.1** *politician.*

politiekordon ⟨het⟩ **0.1** *police cordon* ◆ **3.1** het ~ doorbreken *break (through) the p. c.;* een ~ leggen om *put/throw a p. c. around.*

politiekorps ⟨het⟩ **0.1** *police (force)* ⇒⟨BE⟩ *constabulary.*

politiemacht ⟨de⟩ **0.1** [politiekorps] *police force* **0.2** [macht v.d. politie] *police authority/power(s)* **0.3** [groot aantal agenten] *body of police* ⇒*police presence* ◆ **2.3** er was een grote ~ op de been *the police were present in force;* een sterke ~ *a strong police presence.*

politieman ⟨de (m.)⟩ **0.1** *policeman* ⇒*police officer,* ⟨BE;schr.⟩ *police constable* ⟨van laagste rang⟩, ⟨AE ook⟩ *patrolman,* ⟨bereden van motorpolitie⟩ *trooper,* ⟨inf.⟩ *cop(per).*

politieonderzoek ⟨het⟩ **0.1** *police inquiry/investigation.*

politieoptreden ⟨het⟩ **0.1** [actie] *police action* **0.2** [gedrag] *conduct of the police.*

politieovertreding ⟨de (v.)⟩ **0.1** *breach of a ^Bby(e)-law/^Alocal ordinance* ⇒⟨met verstoring van openbare orde⟩ *breach of the peace.*

politiepaard ⟨het⟩ **0.1** *police horse.*

politiepatrouille ⟨de⟩ **0.1** *police patrol.*

politiepenning ⟨de (m.)⟩ **0.1** *police badge* ⇒⟨BE vnl.⟩ *police identification disk.*

politiepet ⟨de⟩ **0.1** *policeman's cap*.

politiepost ⟨de (m.)⟩ **0.1** *policeman on (guard) duty* ◆ **6.1** de ~en **voor** de ambassade *the police(men) on duty in front of the embassy*.

politierapport ⟨het⟩ **0.1** *police report*.

politierecht ⟨het⟩ **0.1** *police powers* ⇒⟨GB⟩ *power(s) to make by(e)-laws*.

politierechtbank ⟨de⟩ **0.1** *magistrates' court* ⇒⟨AE ook⟩ *police court*.

politierechter ⟨de (m.)⟩ **0.1** *magistrate* ⇒*Justice of the Peace*, ⟨BE ook⟩ *stipendiary (magistrate)*, ⟨AE ook⟩ *police court judge* ◆ **3.1** voor de ~ verschijnen *appear before the m., appear in the m.'s / police court*.

politiereglement ⟨het⟩ **0.1** *police regulations*.

politieruiter ⟨de (m.)⟩ **0.1** *mounted policeman* ⇒⟨AE ook⟩ *trooper*.

politieserie ⟨de⟩ ⟨t.v.⟩ **0.1** *crime / police series*.

politiespion ⟨de (m.)⟩ **0.1** *police spy* ⇒*informer*, ⟨inf.⟩ *stool pigeon*, ⟨BE;sl.⟩ *(copper's) nark*.

politiestaat ⟨de (m.)⟩ **0.1** *police state*.

politietoezicht ⟨het⟩ **0.1** *police supervision* ◆ **3.1** ~ uitoefenen op een autoweg/ de zee *police a* ᴮ*motorway /* ᴬ*highway / the sea*.

politietroepen ⟨zn.mv.⟩ **0.1** *military police, MP*.

politieverordening ⟨de (v.)⟩ **0.1** ᴮ*by(e)-law,* ᴬ*local ordinance*.

politievoorschrift ⟨het⟩ **0.1** ᴮ*by(e)-law,* ᴬ*local ordinance*.

politiewacht ⟨de⟩ **0.1** [bewaking door politie] *police guard* **0.2** [bewaking door militairen] *military guard*.

politiewet ⟨de⟩ **0.1** ≠*law for the maintenance of public order* ⇒⟨GB⟩ *Public Order Act*.

politiewezen ⟨het⟩ **0.1** *police*.

politiezaak ⟨de⟩ **0.1** *police matter / case* ⇒*matter / case for the police* ◆ **3.1** ergens een ~ van maken *take sth. to the police, go to the police about sth.*.

politioneel ⟨bn., bw.⟩ **0.1** *police* ◆ **1.1** de politionele actie van de VN in Korea *the p. action of the UN in Korea;* ~ gestraften *petty offenders, persons convicted of non-indictable offences* ᴬ*ses*.

politiseren
I ⟨ov.ww.⟩ **0.1** [tot een politieke zaak maken] *politicize;*
II ⟨onov.ww.⟩ **0.1** [over staatszaken redeneren] *talk politics* ⇒*politicize*.

politisering ⟨de (v.)⟩ **0.1** *politicizing* ⇒*politicization*.

politoer
I ⟨de⟩ **0.1** [glans] *polish, shine* **0.2** [beschaafdheid] *polish;*
II ⟨het, de (m.)⟩ **0.1** [schellakoplossing] *French polish*.

politoeren ⟨ov.ww.⟩ **0.1** [glad maken] *French-polish* **0.2** [opknappen] *polish up*.

polka ⟨de⟩ **0.1** *polka* ◆ **3.1** de ~ dansen *dance the p., polka*.

polkahaar ⟨het⟩ **0.1** ≠*pageboy*.

polka-mazurka ⟨de (m.)⟩ **0.1** *polka mazurka*.

pollak ⟨de (m.)⟩ **0.1** *pollack, pollock* ⇒*coal-fish, coley*, ⟨Sch.E⟩ *lythe*, ⟨BE⟩ *saithe*.

pollen ⟨het⟩ ⟨biol.⟩ **0.1** *pollen*.

pollenanalyse ⟨de (v.)⟩ **0.1** *pollen analysis* ⇒*palynology*.

pollenkoorts ⟨de⟩ **0.1** *hay fever* ⇒⟨med.⟩ *pollinosis*.

pollepel ⟨de (m.)⟩ **0.1** [houten lepel om te roeren] *wooden spoon* **0.2** [soeplepel] *ladle* ◆ **1.2** een ~ puree *a l. of mashed potatoes* **6.1** hij heeft ~s van handen *he's got hands like other people's feet; he's got great big mitts / maulers / paws*.

pollinosis ⟨de⟩ ⟨med.⟩ **0.1** *pollinosis*.

pollutie ⟨de (v.)⟩ **0.1** [vervuiling] *pollution* **0.2** [zaadlozing] *nocturnal emission*.

polo ⟨het⟩ **0.1** ⟨sport⟩ balspel] *polo* **0.2** ⟨sport⟩ waterpolo] *water polo* **0.3** [kledingstuk] *sports shirt* ⇒*tennis shirt*.

poloën ⟨onov.ww.⟩ **0.1** *play polo*.

polohemd ⟨het⟩ **0.1** *sports shirt* ⇒*tennis shirt*.

polonaise ⟨de (m.)⟩ **0.1** [optocht] *conga* **0.2** [dans, muziek(stuk)] *polonaise* ◆ **3.1** een ~ houden *do the c.* **7.¶** aan mijn lijf geen ~ *I'm not having any(, thanks); not on your life, forget it*.

polonium ⟨het⟩ ⟨schei.⟩ **0.1** *polonium*.

poloshirt →**polohemd**.

polospeler ⟨de (m.)⟩ **0.1** *polo player* ⇒*poloist*.

pols ⟨de (m.)⟩ **0.1** [handgewricht] *wrist* **0.2** [polsader] *radial artery* **0.3** [polsslag] *pulse* ⇒⟨snelheid ook⟩ *pulse rate* **0.4** [polsstok] ⟨→**polsstok**⟩ **0.5** [karnpols] *churn-staff* ⇒*churn-dash(er)* ◆ **2.1** ⟨fig.⟩ iets uit de losse ~ doen *do sth. off the cuff;* ⟨sterker⟩ *do sth. with one's eyes closed / with one's hands tied behind one's back* **2.3** een zwakke/ regelmatige ~ hebben *have a weak / regular pulse* **3.2** zich de ~ en doorsnijden *slash / cut one's wrists* **3.3** iem. de ~ voelen *feel / take s.o.'s pulse;* ⟨fig. ook⟩ *sound s.o. out (on / about sth.)* **6.1** de vinger **aan** de ~ houden ⟨fig.⟩ *keep one's finger on the pulse* **¶.4** ⟨fig.⟩ men moet niet verder (willen) springen dan zijn ~ lang is *(niet te veel uitgeven) one should live within one's means, one should cut one's coat according to one's cloth;* ⟨niet te veel hooi op zijn vork nemen⟩ *you should not bite off more than you can chew*.

polsader ⟨de⟩ **0.1** *radial artery*.

polsband ⟨de (m.)⟩ **0.1** *wristlet* ⇒⟨van horloge ook⟩ *bracelet, wristband*, ⟨zweetband(je) ook⟩ *sweatband*.

polsbeschermer ⟨de (m.)⟩ **0.1** *wrist-guard* ⇒*bracer* ⟨ihb. van boogschutter / schermer⟩.

polsbeweging ⟨de (v.)⟩ **0.1** *movement of the wrist* ⇒*wrist action / work* ◆ **2.1** een snelle ~ *a flick of the wrist* **6.1** met een ~ slaan/ gooien *hit / throw from the wrist*.

polsdik ⟨bn.⟩ **0.1** *as thick as one's / your wrist*.

polsdruk ⟨de (m.)⟩ **0.1** *pulse pressure*.

polsen ⟨ov.ww.⟩ **0.1** *sound out, feel / take (s.o.'s) pulse* ⇒⟨om iets te bereiken⟩ *approach* ⇒*approach s.o., make an approach to (s.o.)* ◆ **6.1** iem. (voorzichtig) ~ **over / omtrent** iets *(cautiously) sound s.o. (out) on / about sth.;* iem. (voorzichtig) **voor** een eventuele kandidatuur ~ *(cautiously) approach s.o. / make an (a cautious) approach to s.o. with a view to his accepting a candidacy*.

polsgewricht ⟨het⟩ **0.1** *wrist (joint)*.

polshorloge ⟨het⟩ **0.1** *wrist-watch*.

polsmouw ⟨de⟩ **0.1** *bishop sleeve*.

polsslag ⟨de (m.)⟩ **0.1** [manier waarop de pols slaat] *pulse* ⇒⟨snelheid v.d. pols ook⟩ *pulse rate* **0.2** [⟨fig.⟩ bedrijvigheid] *pulse* ⇒*heartbeat* **0.3** [slag v.d. pols] *pulse, pulse(beat)* ⇒*pulsation* **0.4** [slag vanuit de polsen] *wrist shot* ◆ **1.1** een onregelmatige ~ *an irregular pulse (rate)* **1.2** ver van de ~ der beschaving *far from the throb of civilization;* de ~ v.d. industrie *the p. of industry* **2.1** zijn ~ is hoog *his pulse (rate) is high* **3.3** de ~en tellen *count the pulses*.

polsslagader ⟨de⟩ **0.1** *radial artery*.

polsstilstand ⟨de (m.)⟩ **0.1** *arrest of pulse*.

polsstok ⟨de (m.)⟩ **0.1** *(jumping-)pole* ⇒⟨om over sloten te springen⟩ *fenpole*.

polsstokhoogspringen ⟨ww.⟩ ⟨sport⟩ **0.1** *pole vault*.

polsstokspringen ⟨ww.⟩ ⟨sport⟩ **0.1** [hoogspringen] *pole vault* **0.2** [verspringen] *horizontal pole vault*.

polsstokspringer ⟨de (m.)⟩ **0.1** *pole-vaulter*.

polsstokverspringen ⟨ww.⟩ →**polsstokspringen 0.2**.

polstasje ⟨het⟩ **0.1** *(man's) handbag /* ᴬ*purse*.

polstelevisie ⟨de (v.)⟩ **0.1** *wrist television*.

polswijdte ⟨de (v.)⟩ **0.1** *length around wrist* ⇒*cuff width*.

poltergeist ⟨de (m.)⟩ **0.1** *poltergeist*.

polyamide ⟨het⟩ ⟨schei.⟩ **0.1** *polyamide*.

polyandrie ⟨de (v.)⟩ **0.1** [verbintenis v.e. vrouw met meer mannen] *polyandry* **0.2** [⟨plantk.⟩] *polyandry*.

polyanthisch ⟨bn.⟩ **0.1** *polyanthous*.

polyarchie ⟨de (v.)⟩ **0.1** *polyarchy*.

polychromatisch ⟨bn.⟩ →**polychroom**.

polychromeren ⟨ov.ww.⟩ **0.1** *paint in polychrome* ⇒*polychrome*.

polychromie ⟨de (v.)⟩ **0.1** *polychromy*.

polychromografie ⟨de (v.)⟩ **0.1** [veelkleurendruk] *multi-colour printing* **0.2** [plaat] *multi-colour print*.

polychroom ⟨bn.⟩ **0.1** *polychrome* ⇒*polychromic, polychromous,* ↓*multi-coloured*.

polycratie ⟨de (v.)⟩ **0.1** *polyarchy*.

polycyclisch ⟨bn.⟩ ⟨schei.⟩ **0.1** *polycyclic*.

polyeder ⟨de (m.)⟩ ⟨wisk.⟩ **0.1** *polyhedron*.

polyedrisch ⟨bn.⟩ **0.1** *polyhedral*.

polyester ⟨de (m.)⟩ ⟨schei.⟩ **0.1** *polyester*.

polyether ⟨de (v.)⟩ **0.1** [soort kunststof] *polyether* **0.2** [⟨pregn.⟩ schuimrubber, schuimplastic] *polyether* ⇒*foam rubber / plastic*.

polyfaag ⟨de (m.)⟩ **0.1** ⟨⟨biol.⟩⟩ *polyphagous organism* **0.2** ⟨med.⟩] *polyphage*.

polyfagie ⟨de (v.)⟩ ⟨med.⟩ **0.1** *polyphagia* ⇒*polyphagy*.

polyfonie ⟨de (v.)⟩ **0.1** [⟨muz.⟩] *polyphony* **0.2** [meervoudige betekenis in spijkerschrift] *polyphony*.

polyfoon ⟨bn., bw.; -ally⟩ ⟨muz.⟩ **0.1** *polyphonic* ⇒*polyphonous*.

polyform ⟨bn.⟩ **0.1** *multiform*.

polyfyletisch ⟨bn., bw.; -ally⟩ **0.1** *polyphyletic, polygenetic*.

polygaam ⟨bn.⟩ **0.1** [met meer dan één partner] *polygamous* ⇒*polygamic* **0.2** [⟨plantk.⟩] *polygamous* ⇒*polygamic, heterogamous*.

polygamie ⟨de (v.)⟩ **0.1** *polygamy*.

polygeen ⟨bn.⟩ **0.1** *polygenetic* ◆ **1.1** ⟨geol.⟩ ~ conglomeraat *p. conglomerate*.

polygenese ⟨de (v.)⟩ **0.1** *polygenesis*.

polygenisme ⟨het⟩ **0.1** *polygenism*.

polyglot[1] ⟨de (m.)⟩ **0.1** *polyglot* ⇒*linguist*.

polyglot[2] ⟨de⟩ **0.1** [tekst in verschillende talen] *polyglot* **0.2** [woordenboek] *polyglot / multilingual dictionary*.

polyglottisch ⟨bn.⟩ **0.1** *polyglot* ⇒*polyglottic, polyglottal, multilingual*.

polygonaal ⟨bn.⟩ **0.1** *polygonal*.

polygoon ⟨de (m.)⟩ ⟨wisk.⟩ **0.1** *polygon*.

polygraaf ⟨de (m.)⟩ **0.1** [veelschrijver] *polygraph* ⇒*prolific writer* **0.2** [tekenschijf] *polygraph*.

polygyn ⟨bn.⟩ **0.1** *polygynous* ◆ **1.1** ~ huwelijk *p. marriage*.

polygynie ⟨de (v.)⟩ **0.1** *polygymy*.

polyinterpretabel ⟨bn.⟩ **0.1** *open to several / many interpretations*.

polyinterpretabiliteit ⟨de (v.)⟩ **0.1** *openness to several / many interpretations*.

polymeer[1] ⟨het⟩ ⟨schei.⟩ **0.1** *polymer.*

polymeer[2] ⟨bn.⟩ **0.1** *polymeric* ◆ **1.1** ⟨erfelijkheidsleer⟩ polymere factoren *p. factors*; polymere ionen *p. ions.*

polymerie ⟨de (v.)⟩ **0.1** [⟨schei.⟩] *polymerism* **0.2** [⟨erfelijkheidsleer⟩] *polymerism.*

polymerisatie ⟨de (v.)⟩ ⟨schei.⟩ **0.1** *polymerization.*

polymeriseren ⟨ww.⟩ **0.1** *polymerize.*

polymeter ⟨de (m.)⟩ **0.1** *polymeter.*

polymetrie ⟨de (v.)⟩ **0.1** *polymetry.*

polymorf ⟨bn.⟩ **0.1** *polymorphous/phic.*

polymorfie ⟨de (v.)⟩ **0.1** *polymorphism* ⇒*polymorphy.*

Polynesisch ⟨bn.⟩ **0.1** *Polynesian.*

polyploïdie ⟨de (v.)⟩ **0.1** *polyploidy.*

polyptiek ⟨de (v.)⟩ **0.1** *polyptych.*

polyritmiek ⟨de (v.)⟩ **0.1** *polyrhythm.*

polysaccharide ⟨de⟩ **0.1** *polysaccharide.*

polysemantisch ⟨bn.⟩ ⟨taal.⟩ **0.1** *polysemous, polysemic.*

polysemie ⟨de (v.)⟩ **0.1** *polysemy.*

polystyreen ⟨het⟩ **0.1** *polystyrene.*

polysyllabisch ⟨bn.⟩ **0.1** *polysyllabic* ◆ **1.1** een ~ woord *a polysyllable.*

polysyndeton ⟨het⟩ ⟨taal.⟩ **0.1** *polysyndeton.*

polysynt(h)etisch ⟨bn.⟩ ⟨taal.⟩ **0.1** *polysynthetic(al).*

polytechnisch ⟨bn.⟩ **0.1** *technological* ⇒*polytechnic* ⟨school⟩.

polytheen[1] ⟨het⟩ ⟨schei.⟩ **0.1** *polythene.*

polytheen[2] ⟨bn.⟩ **0.1** *polythene.*

polytheïsme ⟨het⟩ **0.1** *polytheism.*

polytheïst ⟨de (m.)⟩ **0.1** *polytheist.*

polytheïstisch ⟨bn.⟩ **0.1** *polytheistic(al).*

polytonaliteit ⟨de (v.)⟩ ⟨muz.⟩ **0.1** *polytonality.*

polyurethaanschuim ⟨het⟩ **0.1** *polyurethane foam.*

polyvalent ⟨bn.⟩ **0.1** *polyvalent.*

polyvinyl ⟨zn.mv.⟩ ⟨schei.⟩ **0.1** *polyvinyl.*

polyvinylacetaat ⟨het⟩ **0.1** *polyvinyl acetate.*

polyvinylalcohol ⟨de (m.)⟩ **0.1** *polyvinyl alcohol.*

polyvinylchloride ⟨het⟩ **0.1** *polyvinyl chloride.*

pomerans ⟨de⟩ **0.1** [knopje op de biljartkeu] *(cue) tip* ⇒*leather* **0.2** [dopje op een schermdegen] *button* **0.3** [vrucht] *Seville/sour/bitter orange* **0.4** [drankje] *orange bitters.*

pommade ⟨de⟩ **0.1** [haarcrème] *pomade* ⇒*pomatum* **0.2** [huidcrème] *salve* ⇒*cream* **0.3** [poetsmiddel] *cream polish* ◆ **6.2** ~ voor de lippen *lipsalve, lipbalm.*

Pommeren ⟨het⟩ **0.1** *Pomerania.*

pomologie ⟨de (v.)⟩ **0.1** *pomology.*

pomp
I ⟨de⟩ **0.1** [werktuig dat vloeistoffen, gassen verplaatst] *pump* **0.2** [benzinepomp] *petrol/*[A]*gas(oline) pump* ⇒⟨benzinestation⟩ *filling station* **0.3** [pompslag] *pump, stroke* ◆ **2.1** de ~ is lens/onklaar *the p. is dry/is out of order* **6.1** water **uit** de ~ *water from the p.* **6.2** tanken **aan** de ~ *fill up at the petrol/gasoline pump* **6.¶** loop **naar** de ~! *go and be hanged!*; ⟨sl.⟩ *go soak your head!*;

II ⟨de (m.)⟩ ⟨amb.⟩ **0.1** [verandering aan confectiewerk] *alteration.*

pompadoer ⟨de (m.)⟩ **0.1** *pompadour.*

pompaf ⟨bw.⟩ ⟨AZN⟩ ⟨inf.⟩ **0.1** *dead/dog tired,(dead) beat* ⇒⟨AE ook⟩ *bushed.*

pomparm ⟨de (m.)⟩ **0.1** *pump handle.*

pompbediende ⟨de (m.)⟩ **0.1** *pump attendant.*

pompbuis ⟨de⟩ **0.1** *pump barrel.*

pompelmoes ⟨de⟩ **0.1** [vrucht] *grapefruit* ⇒⟨vnl. AE⟩ *pomelo* **0.2** [boom] *grapefruit (tree).*

pompen ⟨→sprw. 501⟩
I ⟨onov.ww.⟩ **0.1** [pomp doen werken] *pump* **0.2** [op en neer bewegen] *pump* **0.3** [⟨vulg.⟩ neuken] *hump* **0.4** [mbt. confectiewerk] *alter* ◆ **3.2** ~d remmen *p. the brakes* **8.1** ⟨fig.⟩ 't is ~ of verzuipen *it is sink or swim*;

II ⟨ov.ww.⟩ **0.1** [verplaatsen d.m.v. een pomp] *pump* ◆ **1.1** water uit een schip ~ *p. water out of a ship*; een emmer water ~ *fill a bucket with water from the pump* **6.1** ⟨fig.⟩ geld ~ **in** een industrie *pour/p. money into an industry*;

III ⟨onov., ov.ww.⟩ **0.1** [blokken] *cram* ⇒*swot (on)* ◆ **3.1** ze zit al wekenlang haar Franse werkwoorden erin te ~ *she has been cramming/swotting on French verbs for weeks.*

pompernikkel ⟨de (m.)⟩ **0.1** *pumpernickel.*

pompeus ⟨bn., bw.; -ly⟩ **0.1** [gezwollen] *pompous* **0.2** [luisterrijk] *ceremonious* ◆ **1.1** een pompeuze stijl *a p. style* **1.2** pompeuze feesten *c. festivities* **3.2** ~ gekleed *dressed c..*

pompgemaal ⟨het⟩ **0.1** *pumping-engine.*

pomphouder ⟨de (m.)⟩ **0.1** *petrol/*[A]*gasoline station proprietor* ⇒*petrol/*[A]*gasoline pump holder.*

pompier ⟨de (m.)⟩ **0.1** [⟨AZN⟩ brandweerman] *fireman* **0.2** [mbt. confectiewerk] *jobbing tailor* ⇒*alteration hand.*

pompinrichting ⟨de (v.)⟩ **0.1** [apparaat] *pumping device/unit* **0.2** [installatie] *pumping plant/station.*

pompoen ⟨de (m.)⟩ **0.1** [kalebas] *pumpkin* ⇒*gourd* **0.2** [komkommerachtige vrucht] *pumpkin* ⇒*gourd* **0.3** [plant] *pumpkin.*

pompon ⟨de (m.)⟩ **0.1** *pompon* ⇒*pom-pom.*

pompondahlia ⟨de (m.)⟩ **0.1** *pompon/pom-pom (dahlia).*

pomposo ⟨bw.⟩ ⟨muz.⟩ **0.1** *pomposo.*

pompschroevedraaier ⟨de (m.)⟩ **0.1** *pump screwdriver.*

pompslag ⟨de (m.)⟩ **0.1** [beweging] *stroke* ⇒*pump* **0.2** [verplaatste hoeveelheid] *piston displacement.*

pompspanjolet ⟨de⟩ **0.1** *espagnolette.*

pompstang ⟨de⟩ **0.1** *pump rod.*

pompstation ⟨het⟩ **0.1** [tankstation] *filling/service station* ⇒[B]*petrol station,* [A]*gas station* **0.2** [gebouw waar water opgepompt wordt] *pumping-station.*

pompsteen ⟨de (m.)⟩ ⟨AZN⟩ **0.1** *(kitchen-)sink.*

pompstok ⟨de (m.)⟩ **0.1** *pump rod* ◆ **8.1** ⟨fig.⟩ hij weet van pomp noch ~ *he doesn't know the first thing about anything.*

pompwater ⟨het⟩ **0.1** *pump water.*

pompzuiger ⟨de (m.)⟩ **0.1** *pump piston.*

pon ⟨de (m.)⟩ **0.1** *nightie.*

ponceau[1] ⟨het⟩ **0.1** [rode kleur] *ponceau* ⇒*poppy (red)* **0.2** [groep kleurstoffen] *ponceau.*

ponceau[2] ⟨bn.⟩ **0.1** *ponceau* ⇒*poppy (red).*

poncho ⟨de (m.)⟩ **0.1** *poncho.*

pond ⟨het⟩ ⟨→sprw. 473⟩ **0.1** [gewichtseenheid] *pound* **0.2** [hoeveelheid] *pound* **0.3** [munteenheid] *pound* ◆ **1.2** een ~ suiker *a p. of sugar* **2.3** de waarde van het Britse ~ *the value of sterling* **2.¶** het volle ~ moeten betalen *have to pay the full price*; het volle ~ krijgen/eisen *have/exact one's p. of flesh*; het volle ~ geven *pull one's weight* **6.1** een kaas/granaat/ ⟨enz.⟩ **van** twintig ~ *a twenty-pounder* **6.2** vier gulden **per** ~ *four guilders per/a p.* **6.3** bloem wordt **per** ~ verkocht *flour is sold by the p.*; in bankbiljetten **van** één/tien ~ *in one-/ten-p. notes* **7.1** ⟨fig.⟩ ik voel me honderd ~ lichter *that's a load off my chest/mind* **¶.3** ~ sterling *p. sterling.*

ponder ⟨de (m.)⟩ **0.1** *steelyard.*

pondspondsgewijs ⟨bw.⟩ **0.1** *proportionally* ⇒*pro rata.*

pondteken ⟨het⟩ **0.1** *pound sign/symbol.*

ponem ⟨het⟩ ⟨Barg.⟩ **0.1** [gezicht] *mug* **0.2** [neus] *snout* ⇒*conk.*

poneren ⟨ov.ww.⟩ **0.1** *postulate* ⇒*advance, posit* ◆ **1.1** een stelling ~ *advance a thesis.*

pongézijde ⟨de⟩ **0.1** *pongee.*

ponjaard ⟨de (m.)⟩ ⟨gesch.⟩ **0.1** *poniard* ⇒*dagger.*

pons ⟨de (m.)⟩ **0.1** *punch.*

ponsband ⟨de⟩ **0.1** *paper/punch(ed) tape.*

ponsen ⟨ov.ww.⟩ **0.1** [mbt. ponskaarten, -banden] *(key)punch* **0.2** [mbt. metaal] *punch.*

ponsfout ⟨de⟩ **0.1** *punching error.*

ponsgat ⟨het⟩ **0.1** *punch* ⇒*punch(ed) hole.*

ponskaart ⟨de⟩ **0.1** *punch(ed) card* ◆ **6.1** opslag **op** ~en *storage on punch(ed) cards.*

ponsmachine ⟨de (v.)⟩ **0.1** [toestel waarmee men kaarten ponst] *card punch* **0.2** [toestel dat gegevens verwerkt] *(punch) card reader* **0.3** [toestel waarmee men metaal ponst] *punch.*

ponsoen ⟨de (m.)⟩ **0.1** [stempel met lettervorm] *punch* ⇒*patrix* **0.2** [keurstempel] *punch* **0.3** [graveer]stift] *(engraver's) point.*

ponsstrook ⟨de⟩ **0.1** *paper/punch(ed) tape.*

ponstypist ⟨de (m.)⟩, -e ⟨de (v.)⟩ **0.1** *card punch operator.*

pont ⟨de (v.)⟩ **0.1** *ferry(-boat)* ◆ **6.1** zich **met** een ~je laten overzetten *take the f. across.*

pontbrug ⟨de⟩ **0.1** *ferry ramp.*

ponteneur ⟨de (m.)⟩ ⟨inf.⟩ ◆ **6.¶ op** zijn ~ staan *stand on one's dignity.*

pontgeld ⟨het⟩ **0.1** *ferriage, ferryage* ⇒*fare.*

ponticello ⟨de (m.)⟩ **0.1** *ponticello.*

pontifex ⟨de (m.)⟩ **0.1** ⟨Rom. gesch.⟩ *pontifex* **0.2** [paus] *pontifex* ⇒*pontiff.*

pontificaal[1] ⟨het⟩ **0.1** [staatsiegewaad] *pontificals* ⇒*pontificalia* **0.2** [boek] *pontifical* ◆ **6.1** in ~ zijn *be in full feather/full regalia.*

pontificaal[2] ⟨bn., bw.; -ly⟩ **0.1** [plechtig] *pontifical* **0.2** [bisschoppelijk] *pontifical* ⇒*episcopal* ◆ **1.2** een pontificale mis *a p. mass* **3.1** ergens ~ op visite gaan/zitten *visit s.o. with full ceremony.*

pontificaat ⟨het⟩ **0.1** *pontificate.*

pontificeren ⟨onov.ww.⟩ **0.1** [liturgische handelingen verrichten] *pontificate* **0.2** [groot gezag veinzen] *pontificate.*

ponton ⟨de (m.)⟩ **0.1** *pontoon.*

pontonbrug ⟨de⟩ **0.1** [militaire brug] *pontoon bridge* ⇒*floating bridge* **0.2** [brug als toegang naar een ponton] *pontoon bridge.*

pontonnier ⟨de (m.)⟩ **0.1** *pontoneer, pontonier.*

pontontrein ⟨de (m.)⟩ **0.1** *bridge train.*

pontveer ⟨het⟩ **0.1** [plaats] *ferry* **0.2** [dienst] *ferry* ⇒*ferriage.*

pontwachter ⟨de (m.)⟩ **0.1** *ferryman.*

pony
I ⟨de (m.)⟩ **0.1** [klein soort paard] *pony*;
II ⟨het, de (m.)⟩ **0.1** [haar] *fringe* ⇒*bang* ◆ **3.1** zij draagt een ~ *she wears her hair in a f..*

ponybaan ⟨de⟩ **0.1** *place for pony-rides.*

ponyhaar ⟨het⟩ →*pony.*

ponywagen ⟨de (m.)⟩ **0.1** *pony cart* ⇒*pony and trap.*

pooien ⟨onov.,ov.ww.⟩ **0.1** *booze.*

pooier ⟨de (m.)⟩ **0.1** [souteneur] *pimp* **0.2** [patser, ploert] *cad* ⇒⟨sl.⟩ *wide boy.*

pook ⟨de⟩ **0.1** [bij kachel] *poker* **0.2** [versnellingshendel] *(gear)stick* ⇒ *gearlever.*

pool ⟨de⟩ **0.1** [uiteinde van een as] *pole* ⇒⟨van aarde ook⟩ *geographical pole* **0.2** [poolstreek] *pole* **0.3** [uiteinde van een magneet] *pole* **0.4** [uiteinde van een batterij] *pole* **0.5** ⟨⟨fig.⟩ tegenpool] *pole* **0.6** [haren van stoffen] *pile* ◆ **2.3** gelijknamige polen stoten elkaar af *like poles repel;* ongelijknamige polen trekken elkaar aan *unlike poles attract* **2.4** de positieve en negatieve ~ *the positive and negative poles* **2.6** met driedubbele ~ *three-pile* **3.6** ~ inweven *thrum* **6.2** van ~ tot ~ *from p. to p..*

Pool ⟨de (m.)⟩, **-se** ⟨de (v.)⟩ **0.1** *Pole* ⇒*Polish man* ⟨m.⟩ / *woman* ⟨v.⟩.

poolas ⟨de⟩ **0.1** [⟨wisk.⟩] *polar axis* **0.2** [mbt. een equatoriaalkijker] *polar axis.*

poolbeer ⟨de (m.)⟩ **0.1** *polar bear.*

poolcirkel ⟨de (m.)⟩ **0.1** *polar circle.*

poolcoördinaten ⟨de (m.)⟩ ⟨wisk.⟩ **0.1** *polar coordinates.*

poolen
I ⟨ov.ww.⟩ **0.1** [in één pot doen] *pool* ◆ **1.1** de winsten ~ *p. the winnings;*
II ⟨onov.ww.⟩ **0.1** [carpoolen] *carpool.*

poolexpeditie ⟨de (v.)⟩ **0.1** *polar expedition.*

poolfront ⟨het⟩ ⟨meteo.⟩ **0.1** *polar front.*

poolgebied ⟨het⟩ **0.1** *polar region* ⇒*frigid zone.*

poolhond ⟨de (m.)⟩ **0.1** *husky.*

poolijs ⟨het⟩ **0.1** *polar ice.*

poolkap ⟨de⟩ **0.1** *polar cap.*

poolketting ⟨de⟩ **0.1** *warp-pile.*

poolklem ⟨de⟩ ⟨tech.⟩ **0.1** *terminal.*

poolkring ⟨de (m.)⟩ **0.1** [poolcirkel] *polar circle* **0.2** [land binnen een poolcirkel] *polar region* ⇒*frigid zone.*

poolkromme ⟨de⟩ ⟨wisk.⟩ **0.1** *polar curve.*

poollicht ⟨het⟩ **0.1** ⟨mv.⟩ *polar lights* ⇒*aurora polaris, aurora borealis* ⟨Noordpool⟩, *aurora australis* ⟨Zuidpool⟩ ◆ **1.1** de stralen v.h. ~ *auroral streamers.*

poollucht ⟨de⟩ **0.1** *polar air.*

poolnacht ⟨de (m.)⟩ **0.1** *polar night* ⇒*arctic / antarctic night.*

poolplaats ⟨de⟩ ⟨school.⟩ **0.1** *supply (teaching) post.*

poolreiziger ⟨de (m.)⟩ **0.1** *polar explorer* ⇒*arctic / antarctic explorer.*

poolroute ⟨de⟩ **0.1** *polar route.*

Pools[1] ⟨het⟩ **0.1** *Polish.*

Pools[2] ⟨bn.⟩ **0.1** *Polish* ◆ **1.1** ~e (haar)vlecht *plica* **1.¶** ~e landdag *noisy affair, bear garden, hurly-burly.*

poolsafstand ⟨de (m.)⟩ **0.1** [loodlijn] *polar distance* **0.2** [afstand tussen ster en pool] *polar distance.*

poolschip ⟨het⟩ **0.1** *polar exploration ship.*

poolschoen ⟨de (m.)⟩ ⟨tech.⟩ **0.1** *pole shoe.*

poolschommeling ⟨de (v.)⟩ ⟨geol.⟩ **0.1** *polar nutation, (movement of) nutation.*

poolshoogte ⟨de (v.)⟩ **0.1** *latitude* ⇒*altitude of the pole* ◆ **3.1** ~ nemen ⟨scheep.⟩ *take one's bearings;* ⟨fig.⟩ *size up the situation, see how the land lies.*

poolspanning ⟨de (v.)⟩ ⟨tech.⟩ **0.1** *terminal voltage.*

poolstation ⟨het⟩ **0.1** *polar station.*

poolster ⟨de⟩ **0.1** [⟨ster.⟩] *(the) Pole Star, Polaris, (the) North Star* **0.2** [⟨fig.⟩ gids] *lodestar* ⇒*pole star.*

poolstreek ⟨de⟩ **0.1** *polar region.*

poolstroom ⟨de (m.)⟩ ⟨meteo.⟩ **0.1** *polar stream.*

poolvast ⟨bn.⟩ **0.1** *strong- / well-piled.*

poolvos ⟨de (m.)⟩ **0.1** *arctic fox.*

poolweefsel ⟨het⟩ **0.1** *pile.*

poolwind ⟨de (m.)⟩ ⟨meteo.⟩ **0.1** *polar wind.*

poolwisseling ⟨de (v.)⟩ ⟨tech.⟩ **0.1** *pole-changing, pole reversal.*

poolzee ⟨de⟩ **0.1** *polar sea.*

poon ⟨de (m.)⟩ **0.1** [vis] *gurnard* **0.2** [⟨mv.⟩ vissenfamilie] *gurnard* ◆ **2.1** de grauwe ~ *the grey* [A]*gray g.;* de grote ~ *the sapphirine g.;* ⟨BE ook⟩ *the tubfish;* de kleine ~ *the grey g.;* de rode ~ *the sapphirine g..*

poort ⟨de⟩ **0.1** [(boogvormige) doorgang] *gate* ⇒*gateway,* [overwelfd ook⟩ *archway,* ⟨poortje ook⟩ *wicket(-door / -gate)* **0.2** [voorwerp met een boogvorm] *gate* **0.3** [toegangsdeur, -hek] *gate* **0.4** [nauwe doorgang] *alley(way)* **0.5** [doorgang tussen bergen] *pass* **0.6** [⟨scheep.⟩] *port(hole)* ◆ **1.1** ⟨fig.⟩ de ~en der hel / der eeuwigheid *the gates of hell / eternity;* de ~ van de stad *the city gates* **1.2** de ~jes van het croquetspel *the hoops in (the game of) croquet* **3.3** de ~en sluiten ⟨fig.⟩ *close down* **6.1** ⟨fig.⟩ de ~ tot succes *the gateway to success.*

poortader ⟨de⟩ ⟨biol.⟩ **0.1** *portal vein.*

poortdeksel ⟨het⟩ **0.1** *deadlight.*

poorter ⟨de (m.)⟩ ⟨gesch.⟩ **0.1** *burgher* ⇒⟨GB⟩ *burgess.*

poorterrecht ⟨het⟩ ⟨gesch.⟩ **0.1** *burghership.*

poorterschap ⟨het⟩ ⟨gesch.⟩ **0.1** [het burger zijn] *burghership* **0.2** [burgerrecht] *burghership.*

---

poortklok ⟨de⟩ **0.1** *gate bell.*

poortwachter ⟨de (m.)⟩ **0.1** *gatekeeper.*

poos ⟨de⟩ **0.1** *while* ⇒*time* ◆ **2.1** dat duurde een hele ~ *that lasted quite a long time;* een hele ~ *a good w.* **3.1** ze wandelden een ~(je) langs het water *they walked along the water for a w.* **6.1** bij pozen *from time to time, at intervals;* voor een ~ ⟨ook⟩ *for a season.*

poot
I ⟨de (m.)⟩ **0.1** [ledemaat van een dier] *paw* ⇒*foot, leg,* ⟨van haas, vos, enz. ook⟩ *pad* **0.2** [steunsel voor een voorwerp] *leg* **0.3** [⟨inf.⟩ been, voet van een mens] [†]*leg* **0.4** [⟨inf.⟩ hand] *paw* **0.5** [⟨inf.⟩ handdruk] *fist* **0.6** [⟨inf.⟩ handschrift] *fist* ⇒*scrawl* **0.7** [⟨inf.⟩ handtekening] [B]*fist,* [A]*John Hancock* **0.8** [afdruk] *pad* **0.9** [neerhaal van een letter] *leg* **0.10** [⟨inf.⟩ mannelijke homosexueel] *gay* ⇒*queer* ◆ **1.2** de poten van een kast *the legs of a cupboard* **1.¶** op ~ en bril *the arms of a pair of glasses* **2.1** ⟨fig.⟩ op zijn achterste poten gaan staan *flare up;* ⟨fig.⟩ een kip op hoge poten *a long-legged girl / woman;* ⟨fig.⟩ op hoge poten *in high dudgeon;* de voorste / achterste poten *the forelegs / hind legs* **2.3** een manke ~ *a lame / game l.;* ⟨fig.⟩ zijn ~ stijf houden *stand firm / fast* **2.6** een lelijke ~ schrijven *scrawl* **3.1** mijn hond gaf me een ~ *my dog gave me a paw;* geef eens een ~! *shake!* **3.2** ⟨fig.⟩ de poten onder het kabinet wegzagen *rock the foundations of the cabinet* **3.3** ⟨fig.⟩ geen ~ hebben om te op te staan *not have a l. to stand on;* geen ~ meer kunnen verzetten *be unable to put one foot in front of the other;* ⟨fig.⟩ iem. een ~ uitdraaien *screw / fleece s.o.;* ⟨fig.⟩ geen ~ meer buiten de deur / bij iem. over de vloer zetten *never go outside, never put a foot in s.o.'s house* **3.4** ⟨fig.⟩ zijn poten thuishouden *keep one's paws off;* geen ~ uitsteken *not lift a finger;* ⟨niet werken⟩ *not do a stroke of work* **3.5** iem. een ~ geven *give s.o. a paw* **3.7** zijn ~ zetten *put one's f. / J. H.* **5.1** met zijn poten omhoog liggen ⟨fig.⟩ *be lying dead on one's back* **6.1** op zijn poten terechtkomen ⟨ook fig.⟩ *fall / land on one's feet;* die hond staat laag op de poten *that dog is low-set* **6.2** ⟨fig.⟩ iets op poten zetten *set up / start / launch sth.;* een tafel op één ~ / op vier poten *a one- / four-legged table* **6.¶** op zijn ~ spelen *stand on one's hind legs;* een brief op poten schrijven *write a stiff letter;* ⟨inf.⟩ van de ~ zijn *be gay* **¶.3** geen ~ aan de grond krijgen *be nowhere, have no chance of success;*
II ⟨de⟩ **0.1** [stekje] *shoot* ⇒*slip, layer.*

pootaan ⟨bw.⟩ ◆ **3.¶** ~ spelen *work hard, slog away.*

pootaardappel ⟨de (m.)⟩ **0.1** *seed-potato.*

pootafstand ⟨de (m.)⟩ **0.1** *planting distance.*

pootgat ⟨het⟩ **0.1** *planting hole.*

pootgoed ⟨het⟩ **0.1** ⟨mv.⟩ *seeds* ⇒*seed-potatoes / onions /* ⟨enz.⟩ ⟨planten⟩, *fry* ⟨vissen⟩ *seed-oysters* ⟨oesters⟩.

poothout ⟨het⟩ **0.1** *(wooden) dibble* ⇒⟨vnl. BE⟩ *dibber.*

pootijzer ⟨het⟩ **0.1** *(metal / iron) dibble* ⇒⟨vnl. BE⟩ *dibber.*

pootje ⟨het⟩ (→sprw. 326) **0.1** [kleine poot] *little paw* **0.2** [podagra] *gout* ◆ **2.1** ⟨fig.⟩ met hangende ~s terugkeren *come back with one's tail between one's legs* **3.1** ⟨fig.⟩ opzitten en ~s geven *fetch and carry;* ⟨fig.⟩ mijn pen heeft ~s gekregen *my pen has been stolen / has got legs;* iem. ~ lappen / haken ⟨ook fig.⟩ *trip s.o. up* **6.1** ⟨fig.⟩ alles zal op zijn ~s terecht komen *things will straighten themselves out;* ⟨fig.⟩ alles kwam op zijn ~s terecht *everything fell out well.*

pootjebaden ⟨ww.⟩ **0.1** *paddle.*

pootlijn ⟨de⟩ **0.1** *planting line.*

pootmachine ⟨de (v.)⟩ **0.1** *planting machine.*

pootui ⟨de (m.)⟩ **0.1** *seed-onion.*

pootvijver ⟨de (m.)⟩ **0.1** *nursery (pond)* ⇒*fish-rearing pond.*

pootvis ⟨de (m.)⟩ **0.1** *fry* ◆ **0.1** ~ uitzetten *plant / set out f..*

pop ⟨de⟩ **0.1** [speelgoed] *doll* **0.2** [marionet] *puppet* **0.3** [nabootsing van een mens] *dummy* ⇒⟨kaartspel⟩ [B]*court / picture card,* [A]*face card* **0.4** [meisje, vrouw] *doll* **0.5** [⟨inf.⟩ gulden] ⟨ongemarkeerd⟩ *guilder* **0.6** [insekt] *pupa* ⇒*chrysalis, chrysalid, nymph* **0.7** [vogelwijfje] *hen(-bird)* ◆ **2.3** zij is net een aangeklede ~ *she looks like a dressed-up doll* **3.1** een sprekende ~ *a talking d.* **6.3** ⟨kaartspel⟩ hand zonder ~pen *carte blanche* **¶.2** ⟨fig.⟩ de ~pen aan het dansen brengen / maken *make the dust / sparks fly;* ⟨fig.⟩ toen had je de ~pen aan het dansen *then the fat was in the fire, then there was the devil to pay* **¶.3** daar heb je de ~pen al aan het dansen *here we go, now we're in for it, that's torn it, that's put the cat among the pigeons.*

popachtig ⟨bn.⟩ **0.1** *doll-like* ◆ **1.1** een ~ gezichtje *a baby face.*

popartiest ⟨de (m.)⟩ **0.1** *pop artist.*

popblad ⟨het⟩ **0.1** *pop magazine /* ⟨in krantvorm⟩ *(news)paper.*

popconcert ⟨het⟩ **0.1** *rock / pop concert.*

popcultuur ⟨de (v.)⟩ **0.1** *pop culture.*

pope ⟨de (m.)⟩ **0.1** *pope.*

popelen ⟨onov.ww.⟩ **0.1** [snel kloppen] *throb* **0.2** [in spanning zijn] *quiver* ◆ **1.1** mijn hart popelde van vreugde *my heart leaped for joy;* de spanning deed mijn hart ~ *the tension set my heart a-flutter* **3.2** staan te ~ om te komen *be bursting to come;* zij zat te ~ van ongeduld *she could not bear to wait;* zitten te ~ om weg te mogen *be in a hurry to leave / itching to go.*

popeline[1] ⟨het, de (m.)⟩ **0.1** *poplin.*

popeline[2] ⟨bn.⟩ **0.1** *poplin.*

popfeest ⟨het⟩ **0.1** *pop/rock festival*.
popfestival ⟨het⟩ **0.1** *pop/rock festival*.
popgebeuren ⟨het⟩ **0.1** *rock scene/events*.
popgroep ⟨de⟩ **0.1** *pop/rock group* ⇒*rock band*.
popi ⟨bn.⟩ ⟨inf.⟩ **0.1** ↑*popular*.
popidool ⟨het⟩ **0.1** *pop idol*.
poplin →**popeline**.
popminnend ⟨bn.⟩ **0.1** *rock loving* ◆ **1.1** ~ *Nederland rock music lovers in Holland*.
popmusicus ⟨de (m.)⟩ **0.1** *rock/pop musician*.
popmuziek ⟨de (v.)⟩ **0.1** *rock/pop music*.
popnagel ⟨de (m.)⟩ **0.1** *blind rivet*.
pop-opera ⟨de (m.)⟩ **0.1** *pop opera*.
poppedeintje ⟨het⟩ **0.1** [poppetje] *doll;* ⟨kind. ook⟩ *dolly* **0.2** [popachtig kind] *poppet*.
poppegezicht ⟨het⟩ **0.1** *doll's face* ⇒*baby face*.
poppekleren ⟨zn.mv.⟩ **0.1** *doll's clothes*.
poppelepee ⟨tw.⟩ **0.1** ⟨uitroep van verbazing⟩ *well, I never!* ◆ ¶**.1** hé, ~ *well, I never!;* ⟨BE;sl.⟩ *blimey!.*
poppen ⟨ov.ww.⟩ **0.1** *pop-rivet*.
poppendokter ⟨de (m.)⟩ ⟨kind.⟩ **0.1** *mender of dolls*.
poppenfilm ⟨de (m.)⟩ **0.1** *puppet* [B]*film/*[A]*movie*.
poppenhuis ⟨het⟩ **0.1** [speelgoed] *doll's/dolls' house;* ⟨AE vnl.⟩ *dollhouse* ⇒*toy house* **0.2** [klein huisje] *toy house*.
poppenkast ⟨de⟩ **0.1** [kast voor poppenspel] *puppet theatre* **0.2** [poppenspel] *puppet show* ⇒*Punch-and-Judy show* **0.3** [overdreven vertoning] *idle/mere show* ⇒*puppetry* ◆ **3.2** ~ spelen *present/put on/perform a puppet show* ⟨theater⟩;*play Punch and Judy* ⟨Jan Klaasen⟩ **4.3** wat een ~! *what puppetry!, merely show!.*
poppenkasterij ⟨de (v.)⟩ **0.1** *puppetry* ⇒*mummery*.
poppenkastpop ⟨de⟩ **0.1** *puppet;* ⟨handpop⟩ *glove puppet*.
poppenkraam ⟨het,de⟩ **0.1** [kraam waar men poppen verkoopt] *stall where dolls are sold* **0.2** [speelgoed] *doll's/dolls' house;* ⟨AE vnl.⟩ *dollhouse* ⇒*toy house* **0.3** [pietepeuterig werk] *delicate work*.
poppenmoedertje ⟨het⟩ **0.1** *doll's* [B]*mummy/*[A]*mommy*.
poppenspel ⟨het⟩ **0.1** [poppentheater, ook fig.)] *puppet show* **0.2** [opvoering door poppen] *puppet play*.
poppenspeler ⟨de (m.)⟩ **0.1** *puppeteer* ⇒*puppet player*.
poppentheater ⟨het⟩ **0.1** [voorstelling] *puppet show* **0.2** [poppenspeler(s) met poppen] *puppet theatre*.
popperig ⟨bn.⟩ **0.1** *doll-like* ⇒*pretty-pretty,* ⟨BE ook⟩ *twee* ◆ **1.1** een ~ tuintje/huisje *a pocket-handkerchief garden/doll's house* **3.1** dat staat zo ~ *that looks so twee*.
poppeservies ⟨het⟩ **0.1** *doll's tea set/service*.
poppetje ⟨het⟩ **0.1** [kleine pop] *little doll* ⇒*dolly* **0.2** [kleine menselijke figuur] *little figure* ⇒*figurine,* ⟨van porselein ook⟩ *china doll,* ⟨gemberkoek⟩ *gingerbread man/woman* **0.3** [tere vrouw] *doll* **0.4** [oogpupillen] *pupil* ◆ **2.1** Chinees/Japans ~ *magot* **3.2** een ~ tekenen *doodle, draw figures.*
poppewagen ⟨de (m.)⟩ **0.1** *doll's* [B]*pram/*[A]*baby carriage*.
poppig ⟨bn.⟩ →**popperig**.
popstadium ⟨het⟩ **0.1** *pupal stage*.
popstation ⟨het⟩ ⟨radio⟩ **0.1** *pop (radio) station*.
popster ⟨de (m.)⟩ **0.1** *pop/rock star*.
poptang ⟨de⟩ **0.1** *riveter, riveting hammer*.
populair
    I ⟨bn.⟩ **0.1** [geliefd] *popular* ◆ **3.1** die methode is vlug ~ geworden *that method soon caught on/became p.;* hij probeerde zich tevergeefs ~ te maken *he tried in vain to be p.;* videoclips zijn erg ~ *videoclips are very p./all the rage* **6.1** hij is niet ~ bij de jeugd *he is unpopular with young people;*
    II ⟨bn.,bw.;-ly⟩ **0.1** [algemeen begrijpelijk] *popular* **0.2** [gemeenzaam] *popular* ◆ **1.1** ~e voordrachten *p. lectures* **3.1** een onderwerp ~ behandelen *treat a subject in a p. way;* iets ~ maken *popularize sth.* **3.2** ~ doen tegen iem. *be familiar with s.o., act familiarly with s.o.* **3.3** populair uitgedrukt *as they say.*
populair-wetenschappelijk ⟨bn.,bw.⟩ **0.1** ⟨bn.⟩ *non-specialist;* ⟨bw.⟩ *in a non-specialist way* ◆ **1.1** ~e lectuur *n.-s. literature*.
popularisatie ⟨de (v.)⟩ **0.1** *popularization*.
populariseren ⟨ov.ww.⟩ **0.1** *popularize*.
populariteit ⟨de (m.)⟩ **0.1** *popularity* ⇒*public favour* ◆ **1.1** de ~ v.d. popmuziek *the popularity of pop music*.
populariteitspoll ⟨de (m.)⟩ **0.1** *popularity poll*.
populatie ⟨de (v.)⟩ **0.1** [bevolking] *population* **0.2** [⟨statistiek⟩] *population* **0.3** [⟨biol.⟩] *population* **0.4** [erfelijkheidsleer] *population*.
populier ⟨de (m.)⟩ **0.1** *poplar* ◆ **2.1** Italiaanse ~ *Lombardy p.;* witte ~ *white p., abele;* zwarte ~ *black p..*
populisme ⟨het⟩ **0.1** *populism*.
populist ⟨de (m.)⟩ **0.1** [leider van het volk] *populist* **0.2** [voorstander van het populisme] *populist*.
populistisch ⟨bn.,bw.⟩ **0.1** ⟨bn.⟩ *populist(ic);* ⟨bw.⟩ *like a populist;* ⟨zeldz.⟩ *populistically*.
popwereld ⟨de⟩ **0.1** *world of pop music* ⇒*pop world*.

popzanger ⟨de (m.)⟩, **-es** ⟨de (v.)⟩ **0.1** *pop/rock singer* ⟨m., v.⟩.
popzender ⟨de (m.)⟩ **0.1** *pop/rock (radio) station*.
por ⟨de (m.)⟩ **0.1** *thrust* ⇒*dig, poke, prod,* ⟨met mes⟩ *stab* ◆ **3.1** iem. een ~ geven *give s.o. a dig/poke, dig/poke s.o.* **6.1** een ~ in de zij *a poke/dig in the ribs*.
porem →**porum**.
poreus ⟨bn.⟩ **0.1** *porous* ◆ **1.1** een poreuze pot *a p. (flower-)pot*.
porfier ⟨het⟩ **0.1** *porphyry* ◆ **2.1** ⟨geol.⟩ groene ~ *verd(e) antique*.
porfierisch ⟨bn.⟩ **0.1** *porphyritic* ◆ **1.1** ~ gesteente *p. rock*.
porie ⟨de (v.)⟩ **0.1** [opening in de huid] *pore* **0.2** [opening in vaste stoffen] *pore*.
porno ⟨de (v.)⟩ **0.1** ⟨verkorting⟩ pornografie] *porn(o)* **0.2** [zinnenprikkelend werk] *porn(o)* ◆ **3.2** een ~ draaien *show a p./blue film* ¶**.1** soft ~ *soft p.;* hard(e) ~ *hard (-core) p., hard core*.
pornobioscoop ⟨de (m.)⟩ **0.1** *porno(graphic)* [B]*cinema/*[A]*movie theater*.
pornoblad ⟨het⟩ **0.1** *sex/porno(graphic)/* ⟨BE ook⟩ *porn/* ⟨AE ook⟩ *skin magazine*.
pornoboekje →**pornoblad**.
pornocratie ⟨de (v.)⟩ **0.1** *pornocracy*.
pornofilm ⟨de (m.)⟩ **0.1** *sex/porno(graphic)/blue/* ⟨BE ook⟩ *porn film/* ⟨AE ook⟩ *movie* ⇒⟨AE;sl.⟩ *skinflick*.
pornograaf ⟨de (m.)⟩ **0.1** *pornographer*.
pornografie ⟨de (v.)⟩ **0.1** [(het maken van) zinnenprikkelend werk] *pornography* **0.2** [zinnenprikkelend werk] *pornography*.
pornografisch ⟨bn., bw.;-ally⟩ **0.1** *pornographic*.
pornoshow ⟨de (m.)⟩ **0.1** *porno(graphic)/sex/* ⟨BE ook⟩ *porn show*.
pornotheek ⟨de (v.)⟩ **0.1** *collection/set of porno(graphic)/blue/sex/* ⟨BE ook⟩ *porn films/* ⟨AE ook⟩ *movies*.
porositeit ⟨de (v.)⟩ **0.1** *porosity*.
porren
    I ⟨ov.ww.⟩ **0.1** [aansporen] *prod* ⇒*push* **0.2** [duwen] *prod* ⇒↑*dig, poke,* ⟨met mes⟩ *stab,* ⟨met stok ook⟩ *punch* ◆ **2.2** iem. wakker ~ *prod/poke s.o. awake* **6.2** iem. in de zij ~ *dig/poke s.o. in the ribs* **6.**¶ ergens wel voor te ~ zijn *not take much persuading;*
    II ⟨onov.ww.⟩ **0.1** [poken] *poke* ⇒*stir* ◆ **6.1** in het vuur/in de kachel ~ *poke/stir the fire*.
porselein ⟨het⟩ **0.1** [geglazuurd aardewerk] *china(ware)* ⇒*porcelain* **0.2** [voorwerpen] *china(ware)* ⇒*porcelain(s)* ◆ **2.1** Chelsea ~ *Chelsea ware;* Chinees ~ *Chinese porcelain, china;* Japans ~ *Japan ware, Japanese porcelain;* Parisch ~ *Parian ware;* Saksisch/Meissner ~ *Dresden china, Meissen (china/ware)* **6.1** een kop en schotel van ~ *a china/porcelain cup and saucer* **8.1** zij is zo teer als ~ *she is as delicate as porcelain*.
porseleinaarde ⟨de⟩ **0.1** *china/porcelain clay* ⇒*kaolin(e)*.
porseleinachtig ⟨bn.⟩ **0.1** *porcel(l)an(e)ous*.
porseleinblauw ⟨het⟩ **0.1** *porcelain blue*.
porseleinen ⟨bn.⟩ **0.1** [van porselein] *china* ⇒*porcelain* **0.2** [teer] *delicate* ⇒*fragile* ◆ **1.1** een ~ vaas *a c./porcelain vase* **1.2** een ~ ventje *a d. little fellow*.
porseleinkast ⟨de⟩ ⟨→sprw. 617⟩ **0.1** *china cabinet* ◆ **6.1** als een olifant in een ~ *like a bull in a china shop*.
porseleinlak ⟨het, de (m.)⟩ ⟨schilderkunst⟩ **0.1** *white porcelain solution*.
porseleinschelp ⟨de (v.)⟩ **0.1** *porcelain shell* ⇒*cowrie/ry*.
porseleinwinkel ⟨de (m.)⟩ **0.1** *china shop* ◆ **6.1** als een olifant in een ~ *like a bull in a c.s..*
port
    I ⟨het, de (m.)⟩ **0.1** [bestelkosten] *postage* **0.2** [strafport] *surcharge* ◆ **3.1** ~ betaald *postage paid;* het te betalen ~ *postage due;*
    II ⟨de (m.)⟩ **0.1** [portwijn] *port(-wine)* **0.2** [glas portwijn] *glass of port* ◆ **2.1** belegen/goede oude ~ *fine crusted port;* rode/witte ~ *ruby/tawny port.*
portaal ⟨de (m.)⟩ **0.1** [grote deurnis] *porch* ⇒*hall,* ⟨kerk ook⟩ *portal* **0.2** [brede gang] *landing* **0.3** [poortvormige constructie] *portal* ⇒*ga(u)ntry*.
portaalkraan ⟨de (m.)⟩ **0.1** *portal/gantry crane*.
portando →**portato**.
portatief¹ ⟨het⟩ ⟨muz.⟩ **0.1** *portative organ*.
portatief² ⟨bn.⟩ **0.1** *portable*.
portato ⟨bw.⟩ ⟨muz.⟩ **0.1** *portato*.
portee ⟨de (v.)⟩ **0.1** [strekking] *purport* ⇒*import, drift* **0.2** [draagwijdte van een vuurwapen] *range* ◆ **1.1** een zaak niet begrijpen *not understand/grasp the import/drift of a matter*.
portefeuille ⟨de (m.)⟩ **0.1** [mapje voor geld] *wallet;* ⟨AE ook⟩ *billfold* **0.2** [map voor papieren] *portfolio* ⇒⟨voor tijdschriften⟩ *reading-case* **0.3** [tak van dienst] *portfolio* ◆ **1.3** de ~ van Onderwijs en Wetenschappen *the Education and Science p.* **3.3** de ~ aanvaarden *accept the p./office;* de ~ neerleggen *surrender one's p., resign/go out of office* **6.2** aandelen in ~ hebben *have shares in p., have uncalled/reserve shares;* bankbiljetten in ~ *unissued/unemployed notes;* wissels in ~ *bills in case/hand;* wissels in ~ houden *retain bills in p./case;* aandelen in ~ *unissued shares, shares in p.* **6.3** minister zonder ~ *minister without p..*
portefeuillekwestie ⟨de (v.)⟩ ⟨pol.⟩ ◆ **3.**¶ een ~ maken van iets *make*

the matter a question of confidence; de ~ stellen *ask for a vote of confidence.*

portefeuillewisseling ⟨de (v.)⟩ ⟨pol.⟩ **0.1** *Cabinet reshuffle.*

portemonnaie, portemonnee ⟨de (m.)⟩ **0.1** [beurs] *purse* **0.2** [geldmiddelen] *purse* ⇒*means, resources, funds* ◆ **1.1** ⟨fig.⟩ dat is een aanslag op mijn ~ *that is making inroads upon my budget/purse* **2.1** ⟨fig.⟩ wie heeft hier de dikste ~? *who has (got) the longest/heaviest purse here?;* ⟨fig.⟩ amusement voor elke ~ *entertainment to suit everybody's purse* **3.1** ⟨fig.⟩ mijn ~ zal het wel voelen *I will suffer in my pocket* **6.1** ⟨fig.⟩ pijn in zijn ~ hebben *be broke* **6.2 van** iemands ~ leven *live at s.o.'s expense.*

portglas ⟨het⟩ **0.1** *port glass.*

portie ⟨de (v.)⟩ **0.1** [aandeel] *share* ⇒*portion, part* **0.2** [hoeveelheid, gedeelte] *portion* ⇒⟨fig. ook⟩ *dose,* ⟨aan tafel⟩ *helping* **0.3** [taak] *share* ⇒*assignment* ◆ **1.2** een enorme ~ mosselen *an enormous helping of mussels;* drie ~s ijs *three servings of ice-cream, three ices* **2.1** de legitieme ~ *the legal/legitimate portion* **2.2** hun dagelijkse ~ rijst *their daily allowance of rice;* met een flinke ~ geluk *with a considerable amount of good luck;* een grote/flinke ~ geduld *a good deal/hell of a lot of patience* **3.1** ⟨fig.⟩ geef mijn ~ maar aan Fikkie *(you can) count me out;* ⟨AE;sl.⟩ *that is shit for the birds;* ⟨fig.⟩ zijn ~ wel gehad hebben *have had one's full share;* ⟨fig.⟩ iem. zijn ~ geven *give s.o. a belt/ a thick ear, give s.o. a ticking off* **3.3** zijn ~ gedaan hebben *have done one's s.* **6.2** iets **in** gelijke ~s verdelen *divide sth. into equal portions* **7.2** een tweede ~ *a second helping.*

portiek ⟨het, de (v.)⟩ **0.1** ⟨uitgebouwd⟩ *porch;* ⟨ingebouwd⟩ *doorway* ⇒⟨met zuilen⟩ *portico.*

portiekwoning ⟨de (v.)⟩ **0.1** [woning met portiek] *house with a porch* **0.2** [complex woningen met één portiek] *block of flats with an entrance hall.*

portier
I ⟨de (m.)⟩ **0.1** [bediende] *doorkeeper, gatekeeper* ⇒⟨van hotel, winkel, bank, enz.⟩ *porter* ◆ **2.1** vrouwelijke ~ *female porter;*
II ⟨het⟩ **0.1** [deur] *door.*

portière ⟨de⟩ **0.1** *portière.*

portierraampje ⟨het⟩ **0.1** *car window* ◆ **3.1** het ~ opendraaien/laten zakken *open/let down/wind down the (car) window.*

portiershokje ⟨het⟩ →**portiersloge.**

portiersloge ⟨de⟩ **0.1** *(porter's) lodge.*

portierswoning ⟨de (v.)⟩ **0.1** *(porter's) lodge* ⇒*gatehouse.*

portlandcement ⟨het, de (m.)⟩ **0.1** *Portland cement.*

porto ⟨het, de (m.)⟩ **0.1** *postage.*

portofoon ⟨de (m.)⟩ ⟨com.⟩ **0.1** *walkie/ky-talkie/ky.*

portokosten ⟨zn.mv.⟩ **0.1** *postage/postal charges/expenses.*

portret ⟨het⟩ **0.1** [beeltenis] *portrait* ⇒⟨foto ook⟩ *photo(graph)* **0.2** [persoonsbeschrijving] *portrait* ⇒*portrayal, picture* ◆ **1.2** ~ten van de Nederlandse letterkunde *sketches of Dutch literature* **2.1** een goed/slecht ~ *a good/bad likeness;* een sprekend ~ *a telling likeness/portrait* **2.¶** een lastig/vervelend ~ *a difficult piece of goods, a tedious wretch* **3.1** zijn ~ laten maken *have one's portrait made/painted, have one's photograph taken;* een ~ schilderen *paint/do a portrait.*

portretfotografie ⟨de (v.)⟩ **0.1** *portrait photography.*

portretgalerij ⟨de (v.)⟩ **0.1** [zaal met portretten] *portrait gallery* **0.2** [reeks portretten] *portrait gallery/collection.*

portretkunst ⟨de (v.)⟩ **0.1** *portraiture.*

portretschilder ⟨de (m.)⟩ **0.1** *portrait-painter* ⇒*portraitist.*

portretstudie ⟨de (v.)⟩ **0.1** *portrait-study.*

portrettekenaar ⟨de (m.)⟩ **0.1** *portraitist.*

portretteren ⟨ov.ww.⟩ **0.1** [iem. afbeelden] *portray* ⇒*paint s.o.'s portrait* **0.2** [iem. beschrijven] *portray* ⇒*depict* ◆ **3.1** zich laten ~ *have one's portrait made, sit for one's portrait.*

Portugees[1] ⟨de (m.)⟩, **-gese** ⟨de (v.)⟩ **0.1** *Portuguese.*

Portugees[2] ⟨het⟩ **0.1** *Portuguese.*

Portugees[3] ⟨bn.⟩ **0.1** *Portuguese* ◆ **1.1** ~ laurier *Portugal laurel;* ~ lied *fado, P. folk song;* ~ oorlogsschip *P. man-of-war.*

portuur ⟨het, de (m.)⟩ **0.1** *match, equal* ◆ **7.1** ze is geen ~ voor jou *she is no m. for you.*

portvrij ⟨bn.⟩ **0.1** *post-paid* ⇒*postage free, post-free* ◆ **1.1** ~e brief *franked letter* **3.1** ~ versturen *frank;* ~ zijn *be exempt from postage.*

portwijn ⟨de (m.)⟩ →**port II.**

portzegel ⟨het⟩ **0.1** *(postage) due stamp.*

porum ⟨de (m.)⟩ ⟨inf.⟩ **0.1** *mug* ⇒*mush, kisser, dial* ◆ **7.¶** dat is echt geen ~! *it's a bloody awful sight!.*

pos ⟨de (m.)⟩ **0.1** *ruff.*

pose ⟨de (v.)⟩ **0.1** [lichaamshouding] *pose* ⇒*posture, attitude* **0.2** [gemaakte manier van doen] *pose* ◆ **2.1** een ~ aannemen *pose, assume a pose.*

poseren ⟨onov.ww.⟩ **0.1** [model staan] *pose* ⇒*sit* **0.2** [gekunsteld doen] *pose* ⇒*attitudinize, strike an attitude* ◆ **6.1** voor een portret ~ *p./sit for a portrait;* voor een schilder ~ *p. for/sit to a painter* **6.2** als/voor expert ~ *p./give o.s. out as an expert.*

poseur ⟨de (m.)⟩ **0.1** *poseur* ⇒*poser, posturer.*

positie ⟨de (v.)⟩ **0.1** [stand van het lichaam] *position* ⇒*posture, attitude*

0.2 [innerlijke houding] *position* ⇒*attitude* **0.3** [plaats, ligging] *position* **0.4** [toestand] *position* ⇒*situation* **0.5** [vaste betrekking] *position* ⇒*post* **0.6** [maatschappelijke rang, rol] *(social) position* ⇒*status,* (*social*) *rank* **0.7** [⟨muz.⟩] *position* **0.8** [⟨mil.⟩] *position* ◆ **1.6** de ~ van de vrouw *the social p. of women* **2.3** in een gunstige ~ *in a favourable p.;* in/niet in de juiste ~ *in/out of the true;* de renner zat in leidende ~ *the cyclist had taken lead* **2.4** een hachelijke/benarde ~ *a predicament;* ⟨inf.⟩ *a fix;* onze materiële ~ is verbeterd *our material conditions have improved;* in een moeilijke/scheve ~ verkeren/komen *find o.s. in a difficult p./situation;* een ~ *a predicament;* zijn ~ was daar onhoudbaar geworden *his situation there had become untenable* **2.5** een vaste ~ hebben *hold a fixed position* **2.6** een hoge ~ *a high position/rank (in society);* de hoogste ~ bekleden *hold/occupy the highest p.* **3.2** in een conflict ~ nemen/kiezen *take one's stand in a conflict* **3.3** zijn ~ bepalen *define one's p.;* de ~ bepalen/vaststellen van iets *locate/spot sth.;* ~ kiezen/innemen *choose/take up a p.* **3.6** zijn ~ verbeteren *strengthen one's hand* **3.8** de ~ aannemen *come to attention* **6.2** zijn ~ **tegenover** het leven *his attitude towards life* **6.4** (van een vrouw) **in** ~ zijn *be pregnant/in the family way;* zich **in** iemands ~ verplaatsen *put o.s. in s.o.'s p./shoes;* **in** jouw ~ zou ik ...*in your p./if I were you I should ...;* ik ben/bevind mij niet **in** de ~ dat ik dat kan *I am not in a p. to do this* **6.5** een ~ **bij** het Rijk *a government post* **6.8** in de ~ staan *stand at/to attention* **7.1** ⟨dansk.⟩ de eerste/tweede/derde/vierde ~ *the first/second/third/fourth position* **7.7** een akkoord in de tweede ~ pakken *play in the second p..*

positiebepaling ⟨de (v.)⟩ **0.1** *location* ⇒*position-finding,* ⟨kruispeiling⟩ *dead reckoning.*

'**positief** ⟨de (m.)⟩ ⟨taal.⟩ **0.1** *positive (degree).*

posi'tief[1] ⟨het⟩ **0.1** [⟨foto.⟩] *positive* **0.2** [⟨muz.⟩] *positive (organ).*

posi'tief[2] ⟨bn., bw.;-ly⟩ **0.1** [bevestigend] *positive* ⇒*affirmative* **0.2** [opbouwend] *positive* ⇒*favourable* **0.3** [overtuigd] *positive* ⇒*self-assured* **0.4** [stellig] *positive* ⇒*definite* **0.5** [niet negatief] *positive* ◆ **1.1** een ~ antwoord *an affirmative answer;* een (bijkomend) ~ element *a plus;* een positieve reactie/uitslag *a p. reaction/result* **1.2** positieve discriminatie *p. discrimination;* positieve kritiek *constructive criticism* **1.4** een positieve waarheid *a p./decided truth* **1.5** ⟨foto.⟩ ~ beeld *p. image;* ⟨wisk.⟩ een ~ getal *a p. number;* een positieve handelsbalans *a favourable balance of trade/trade balance;* ⟨nat.⟩ positieve plaat *plus plate;* ⟨nat.⟩ positieve pool *p. pole, anode* **1.¶** ~ recht *positive law;* positieve wijsbegeerte *positive philosophy* **2.5** ⟨nat.⟩ ~ geladen *positively charged, electropositive* **2.¶** ~ christelijke beginselen *positively christian principles* **3.1** een vraag ~ beantwoorden *answer a question affirmatively/in the affirmative* **3.2** iets ~ bekijken/benaderen *consider/approach sth. positively;* ~ staan tegenover iets *be favourable to sth.* **3.3** hij zei dat ~ *he said that positively* **6.3** ~ **in** zijn beweringen *p. in his assertions.*

positiejurk ⟨de⟩ **0.1** *maternity dress.*

positiekleding ⟨de (v.)⟩ **0.1** *maternity clothes.*

positieoorlog ⟨de (m.)⟩ **0.1** *stationary/positional war(fare).*

positiespel ⟨het⟩ ⟨sport⟩ **0.1** [mbt. balsporten] *positional play* **0.2** [mbt. schaken] *positional play.*

positieven ⟨zn.mv.⟩ ◆ **3.¶** zijn ~ bij elkaar hebben *have one's wits about one;* zijn ~ bij elkaar houden *keep one's wits head about one;* ⟨bij gevaar⟩ *keep one's nerve, keep cool;* zijn ~ kwijtraken *lose one's head;* ⟨bij gevaar⟩ *lose one's nerve* **6.¶** weer **bij** zijn ~ komen *come round/to, come to one's senses;* goed **bij** zijn ~ zijn *be all there, have one's head screwed on the right way;* niet goed **bij** zijn ~ zijn *not be all there, have a screw loose, be not quite right in the head.*

positieverbetering ⟨de (v.)⟩ **0.1** *improvement in one's (social) position* ◆ **3.1** hij streeft naar ~ *he is seeking advancement/promotion.*

positioneel ⟨bn.⟩ **0.1** *positional.*

positivisme ⟨het⟩ ⟨fil.⟩ **0.1** *positivism.*

positivist ⟨de (m.)⟩ **0.1** *positivist.*

positivistisch ⟨bn., bw.;-ally⟩ **0.1** *positivistic.*

posit(r)on ⟨het⟩ **0.1** *positron* ⇒*positive electron.*

posologie ⟨de (v.)⟩ **0.1** *posology.*

possessie ⟨de (v.)⟩ **0.1** *possession* ⇒⟨bezitting⟩ *property.*

possessief[1] ⟨het⟩ ⟨taal.⟩ **0.1** *possessive.*

possessief[2] ⟨bn.⟩ ⟨taal.⟩ **0.1** *possessive* ◆ **1.1** possessieve genitief *p. case;* ~ pronomen *p. pronoun.*

possessoir ⟨bn.⟩ ⟨jur.⟩ **0.1** *possessory* ◆ **1.1** ~e rechtsvordering *p. claim/action.*

post[1]
I ⟨de⟩ **0.1** [instelling] *post office* **0.2** [poststukken] *post;* ⟨AE vnl.⟩ *mail* **0.3** [postkantoor, brievenbus] *post* ⇒⟨kantoor⟩ *post office,* ⟨bus⟩ ⟨vnl. BE⟩ *letterbox,* ^*mailbox* **0.4** [postbestelling] *post;* ⟨AE vnl.⟩ *mail* **0.5** [postadres] *postal/mailing address* **0.6** [vis] *ruff* ◆ **1.1** ~, telegraaf en telefoon *post, telegraphy and telephone, The Post Office, post and telecommunications* **2.2** aangetekende ~ *registered mail/ p.;* binnenkomende ~ *incoming p./m.;* uitgaande ~ *outgoing/outward p./m.* **2.4** met dezelfde ~ sturen wij u een catalogus *we'll send you a catalogue by this/(the) same p.;* per gewone ~ verzenden *send by surface mail;* per kerende ~ *by return of p./m.* **3.2** de ~ is er nog

niet *the p.* / *m. isn't in yet* / *hasn't come yet* **6.1** ambtenaar **bij** de ~ *post office clerk* ⟨aan loket⟩; *P.O. officer;* verzending **over** de ~ *dispatch through the post;* vervoer **per** ~ *carriage per post;* goederen franco **per** ~ zenden *send goods carriage free* / *paid* **6.2** het stuk is **bij** de ~ zoek geraakt / verloren gegaan *the item got lost in the p.* / *m.* **6.3** een brief **op** de ~ doen *post* / *mail a letter, put a letter in the post, take a letter to the post, send a letter off* **6.4** iets met de ~ krijgen *get* / *receive sth. through the p.* / ⟨AE vnl.⟩ *mails;* pakjes **met** / **over** de ~ / **per** ~ verzenden *send parcels through the* / *by p.;* ~ **over** land *overland mail* / *p.* **7.4** met de eerste ~ *by the first delivery* / *p.;*
II ⟨het⟩ **0.1** [briefpapier] *writing paper* **0.2** [papierformaat] *post;*
III ⟨de (m.)⟩ **0.1** [postbode] ᴮ*postman,* ᴬ*mailman* **0.2** [raam-, deurstijl] *post* ⇒*jamb* **0.3** [mbt. boekhouding, begroting] *item* ⟨op rekening / stuklijst⟩ ⇒*entry* ⟨boekhouding⟩ **0.4** [mbt. wacht] *post* ⇒*station* **0.5** [betrekking] *post* ⇒*position* **0.6** [⟨mil.⟩ positie] *post* **0.7** [stakers die werkwilligen het werk verhinderen] *picket* ◆ **1.3** er worden grote ~en bauxiet besteld *large parcels of bauxite are on order;* een ~ van inkomsten *an income entry;* de ~ salarissen *the salary bill* / *outlay* **2.3** uitstaande ~en *debts* **2.4** een vooruitgeschoven ~ *a detached p.* **3.3** een ~ boeken *make an entry;* een ~ opvoeren *enter* / *list* / *book an i.;* ⟨gedetailleerd⟩ *specify* / *detail* / *itemize an entry;* ergens een ~ voor uittrekken *set aside* / *allocate money* / *funds for sth.* **3.4** ~en uitzetten *post sentries;* ~ vatten *take one's stand, take up one's station, station* / *post o.s.;* zijn ~ niet verlaten *stick to one's p.;* zijn ~ verlaten *abandon* / *desert one's p.* **3.5** een ~ bekleden *hold* / *occupy a place* / *post* / *position* **3.7** de stakers zetten ~ en uit *the strikers are posting pickets* **6.4** naar zijn ~ gaan *take up one's p.;* op zijn ~ blijven / zijn *do one's duty.*
post² ⟨vz.⟩ **0.1** *post* ◆ **¶.1** ~ *factum after the event.*
postaal ⟨bn., bw.; -ly⟩ **0.1** *postal* ◆ **3.1** een pakje ~ verzenden *send a parcel through the post.*
postabonnement ⟨het⟩ **0.1** *postal* / *airmail subscription.*
postacademiaal ⟨bn.⟩ **0.1** ≠*postgraduate.*
postadres ⟨het⟩ **0.1** [adres op poststukken] *address* **0.2** [adres waarop iem. post ontvangt] *postal* / *mailing address.*
postagentschap ⟨het⟩ **0.1** ᴮ*sub post office.*
postauto ⟨de (m.)⟩ **0.1** *mail* ᴮ*van* / *carrier* / ᴬ*truck* ⇒*post-office* / *postal* ᴮ*van* / ᴬ*truck.*
postband ⟨de (m.)⟩ **0.1** *wrapper.*
postbank ⟨de (m.)⟩ ⟨geldw.⟩ **0.1** *(Dutch) Post Office Bank* ⇒ ⟨GB⟩ ≠*Girobank.*
postbeambte ⟨de⟩ **0.1** *post-office* / *postal employee* / *worker.*
postbestelling ⟨de (v.)⟩ **0.1** ᴮ*postal* / ᴬ*mail delivery* ⇒*delivery of the* ᴮ*post* / ᴬ*mail.*
postbewijs ⟨het⟩ **0.1** ᴮ*postal order, P.O.,* ᴬ*(postal) money order;* ⟨Austr.E⟩ *postal note.*
postblad ⟨het⟩ **0.1** *lettercard.*
postbode ⟨de (m.)⟩ **0.1** ᴮ*postman,* ᴬ*mailman, mail carrier.*
postboot ⟨de⟩ **0.1** *mail* / *(boat)* ⇒*postboat.*
postbus ⟨de⟩ **0.1** ⟨schr.⟩ *postoffice box* ⇒ ⟨inf.⟩ *P.O. Box.*
postbusnummer ⟨het⟩ **0.1** *P.O. box (number).*
postcheque ⟨de (m.)⟩ **0.1** *giro cheque.*
postcheque-en-girodienst ⟨de (m.)⟩ **0.1** ⟨GB⟩ *National Giro Bank.*
postcode ⟨de (m.)⟩ **0.1** ⟨BE ook⟩ *postcode,* ⟨AE ook⟩ *ZIP code* ◆ **3.1** de ~ vermelden ⟨BE⟩ *use the postcode (on);* ⟨AE⟩ *zip-code (a letter).*
postcodeboek ⟨het⟩ **0.1** ᴮ*postcode* / ᴬ*zip code directory* / *book.*
postcommunie ⟨de (v.)⟩ ⟨r.k.⟩ **0.1** *post-communion.*
postconcentratiekampsyndroom ⟨het⟩ **0.1** *concentration-camp syndrome.*
postdateren ⟨ov.ww.⟩ **0.1** [geschrift op later datum zetten] *postdate* **0.2** [gebeurtenis op later datum stellen] *postdate.*
postdatum ⟨de (m.)⟩ **0.1** *posting date* ⇒*date of posting.*
postdienst ⟨de (m.)⟩ **0.1** [dienst voor postvervoer] *postal service* **0.2** [de posterijen] *postal service.*
postdirecteur ⟨de (m.)⟩ **0.1** *postmaster* ⟨m.⟩, *postmistress* ⟨v.⟩.
postdistrict ⟨het⟩ **0.1** *postal district.*
postdoctoraal ⟨bn.⟩ **0.1** ≠*postgraduate.*
postduif ⟨de⟩ **0.1** *carrier* / *homing pigeon.*
postduivenvereniging ⟨de (v.)⟩ **0.1** *pigeon fanciers' association.*
postelein ⟨de (m.)⟩ **0.1** *purslane.*
posten
I ⟨ov.ww.⟩ **0.1** [naar de post brengen] ᴮ*post,* ᴬ*mail* ⇒*send off* **0.2** [bewaken] *picket* ◆ **1.2** bij een bedrijf ~ *picket a works;*
II ⟨onov.ww.⟩ **0.1** [op wacht staan] *stand guard* **0.2** [werkwilligen het werk beletten] *picket* ◆ **6.2** ~ bij de kolenmijnen *picket the coal mines.*
poster ⟨de (m.)⟩ **0.1** [affiche] *poster* **0.2** [iem. die bij werkstakingen post] *picket(er)* ◆ **1.2** een groep ~s *a picket line.*
posteren ⟨ov.ww.⟩ **0.1** *post* ⇒ ⟨plaatsen, stationeren⟩ *station, plant* ⟨spion⟩ ◆ **1.1** gevechtstroepen ~ *station combat forces;* een schildwacht ~ bij *post a sentry near* / *at;* ⟨schr.⟩ *sentinel a guard* / *a sentry at* **4.1** zich ~ *station o.s., take up one's station* / *position.*
poste-restante ⟨bw.⟩ **0.1** ᴮ*poste restante,* ᴬ*general delivery; to be (left*

---

until) called for ◆ **1.1** ~ Hoofdpostkantoor Brighton *c.o.* / *care of main Post Office, Brighton* **3.1** we zenden het u ~ *we'll send it to you poste restante.*
posterformaat ⟨het⟩ **0.1** *poster format* / *size* ◆ **6.1** een foto op ~ *a poster-size photo.*
posterieur ⟨bn.⟩ **0.1** *posterior* ⇒*subsequent, later.*
posterijen ⟨zn.mv.⟩ **0.1** *Post Office.*
posteriori ⟨bw.⟩ ◆ **¶.¶** a ~ *a posteriori.*
posterioriteit ⟨de (v.)⟩ **0.1** *posteriority.*
posteriteit ⟨de (v.)⟩ **0.1** *posterity.*
postexistentie ⟨de (v.)⟩ ⟨theol.⟩ **0.1** *postexistence.*
postformulier ⟨het⟩ **0.1** *post office form.*
postfrontaal ⟨bn.⟩ ⟨meteo.⟩ **0.1** *postfrontal.*
postgiro ⟨de (m.)⟩ **0.1** *(Post Office) giro.*
postgirorekening ⟨de (v.)⟩ **0.1** *giro bank account.*
postglaciaal ⟨bn.⟩ **0.1** *postglacial.*
posthoorn ⟨de (m.)⟩ ⟨gesch.⟩ **0.1** *posthorn.*
postiche¹ ⟨de (m.)⟩ **0.1** *postiche* ⇒*hairpiece.*
postiche² ⟨bn.⟩ **0.1** *postiche* ⇒*sham, fake.*
postiljon ⟨de (m.)⟩ ⟨gesch.⟩ **0.1** *postil(l)ion* ⇒*postboy.*
postille ⟨de⟩ **0.1** *postil.*
postincunabel ⟨de (m.)⟩ **0.1** *postincunable.*
postindustrieel ⟨bn.⟩ **0.1** *post-industrial.*
postjectie ⟨de (v.)⟩ ⟨taal.⟩ **0.1** *postjection,* ≠*tag.*
postkaart ⟨de⟩ **0.1** *postcard* ⇒ ⟨AE ook⟩ *postal (card).*
postkamer ⟨de⟩ **0.1** *post room.*
postkandidaat ⟨de (m.)⟩ ⟨stud.⟩ **0.1** ≠*postgraduate,* ᴬ*graduate.*
postkandidaats¹ ⟨het⟩ ⟨stud.⟩ **0.1** ≠*postgraduate* / ᴬ*graduate studies.*
postkandidaats² ⟨bn.⟩ ⟨stud.⟩ **0.1** ≠*postgraduate,* ᴬ*graduate.*
postkantoor ⟨het⟩ **0.1** *post office* ◆ **1.1** directrice *v.e.* ~ *postmaster;* directrice *v.e.* ~ *postmistress.*
postkarretje ⟨het⟩ **0.1** *mail cart* / *trolley.*
postkoets ⟨de⟩ ⟨gesch.⟩ **0.1** *stage-coach* ⇒*post chaise.*
postkoloniaal ⟨bn.⟩ **0.1** *post-colonial.*
postkwitantie ⟨de (v.)⟩ **0.1** ᴮ*postal (collection),* ᴬ*money order;* ⟨Austr.E⟩ *postal note.*
postloket ⟨het⟩ **0.1** *post office window.*
postludium ⟨het⟩ ⟨muz.⟩ **0.1** [mbt. koraalgezang] *postlude* **0.2** [mbt. het uitgaan van de kerk] *postlude.*
postmandaat ⟨het⟩ ⟨AZN⟩ **0.1** *postal (money) order.*
postmerk ⟨het⟩ **0.1** *postmark* ◆ **1.1** datum ~ *as p..*
postmortaal ⟨bn.⟩ **0.1** *post-mortem* ◆ **1.1** ~ onderzoek *post-mortem examination.*
postnataal ⟨bn.⟩ **0.1** *postnatal* ◆ **1.1** postnatale depressie *postnatal depression.*
postnumerando ⟨bw.⟩ ⟨geldw.⟩ **0.1** *at the end of each period.*
postnummer ⟨het⟩ **0.1** *postal code* ⇒ ⟨BE ook⟩ *postcode,* ⟨AE ook⟩ *ZIP-code* ◆ **3.1** het ~ vermelden / zetten op een brief ⟨BE⟩ *use the postcode on* / ⟨AE⟩ *zip-code a letter.*
postorder ⟨de (m.)⟩ **0.1** *mail order* ◆ **6.1** per ~ bestellen / laten komen *send away* / *off for, send for.*
postorderbedrijf ⟨het⟩ **0.1** *mail-order firm.*
postpaard ⟨het⟩ ⟨bel.⟩ **0.1** *dragon* ◆ **8.¶** hijgen als een ~ *wheeze like a grampus.*
postpak ⟨het⟩ **0.1** ⟨*cardboard box for sending by post*⟩.
postpakket ⟨het⟩ **0.1** *parcel* ⇒*parcel-post package* ◆ **8.1** als ~ verzenden *send by parcel post.*
postpakketformulier ⟨het⟩ **0.1** ⟨*address label for parcels*⟩.
postpapier ⟨het⟩ **0.1** *writing paper, notepaper* ◆ **1.1** ~ en enveloppen *stationery* **6.1** ~ met briefhoofd *headed writing paper.*
postpositie ⟨de (v.)⟩ ⟨taal.⟩ **0.1** *postposition.*
postreclame ⟨de⟩ **0.1** *direct mail advertising.*
postrekening ⟨de (v.)⟩ **0.1** *giro bank account.*
postrevolutionair ⟨bn.⟩ **0.1** *postrevolution* ⇒*anterevolutionary.*
postrijtuig ⟨het⟩ ⟨spoorw.⟩ **0.1** *mailvan.*
postscriptum ⟨het⟩ **0.1** *postscript* ◆ **6.1** het ~ bij een brief *the postscript to* / *of a letter.*
postsecundair ⟨bn.⟩ ◆ **1.¶** ~ onderwijs *further secondary education.*
postspaarbank ⟨de⟩ **0.1** *postoffice savings bank.*
postspaarbankboekje ⟨het⟩ **0.1** ⟨BE⟩ *post-office* / *deposit savings-bank book.*
poststempel
I ⟨het, de (m.)⟩ **0.1** [postmerk] *postmark* ◆ **6.1** een brief met ~ Londen *a letter postmarked London;*
II ⟨de (m.)⟩ **0.1** [voorwerp om post mee te stempelen] *date stamp.*
poststuk ⟨het⟩ **0.1** *postal item* ◆ **2.1** onbestelbaar ~ *undeliverable parcel* **¶.1** ~ken *postal matter.*
posttarief ⟨het⟩ **0.1** *postage* ⇒*postal rates* ◆ **3.1** de posttarieven verhogen *put up the postal charges* / *rates* / *tariffs.*
posttas ⟨de⟩ **0.1** ᴮ*postbag,* ᴬ*mailbag.*
posttraumatisch ⟨bn.⟩ **0.1** *posttraumatic.*
posttrein ⟨de (m.)⟩ **0.1** *mail train* ⇒ ⟨AE ook⟩ *postal train, mail carrier.*
postulaat ⟨het⟩ **0.1** [⟨fil.⟩] *postulate* **0.2** [⟨wisk.⟩ axioma] *postulate* ⇒

axiom 0.3 [⟨wisk.⟩ grondconstructie] *postulate* 0.4 [hypothese] *postulate* 0.5 [⟨r.k.⟩] *postulancy*.

postulant ⟨de (m.)⟩ 0.1 [⟨r.k.⟩] *postulant* 0.2 [sollicitant] *applicant* ⇒ *candidate*.

postulator ⟨de (m.)⟩⟨r.k.⟩ 0.1 *postulator*.

postuleren
I ⟨ov.ww.⟩ 0.1 [zonder bewijs aannemen] *postulate* ⇒⟨schr.⟩ *posit*; II ⟨onov.ww.⟩ 0.1 [solliciteren] *apply* 0.2 [⟨r.k.⟩] *postulate*.

postunie ⟨de (v.)⟩ 0.1 *Postal Union*.

postuniversitair ⟨bn.⟩ 0.1 ≠*postgraduate*.

postuum ⟨bn., bw.; -ly⟩ 0.1 *posthumous* ♦ 1.1 postume invloed *p. influence; dead hand; ~ werk p. work*.

postuur ⟨het⟩ 0.1 [gestalte] *figure* ⇒*shape*, ⟨(lichaams)bouw⟩ *build*, ⟨(lichaams)lengte⟩ *stature* 0.2 [houding] *posture* ⇒⟨vnl. BE⟩ *deportment*, ⟨houding, voorkomen⟩ *bearing* ♦ 2.1 een slank ~ *a slim/slender f.* 6.1 klein van ~ *of small stature;* ⟨met gedrongen postuur⟩ *compactly built* 6.2 zich in ~ stellen *get o.s. in position;* met zijn ~ verlegen *not know what to do with o.s., be embarrassed*.

postvak ⟨het⟩ 0.1 *pigeon hole*.

postvatten ⟨onov.ww.⟩ 0.1 *take root* ⇒*settle (in)*, ⟨→ook post⟩.

postverbinding ⟨de (v.)⟩ 0.1 *postal communication* ♦ 2.1 overzeese ~en *overseas postal communication*.

postverkeer ⟨het⟩ 0.1 *postal/mail traffic*.

postvervoer ⟨het⟩ 0.1 *mail carriage/transport*.

postverzending ⟨de (v.)⟩ 0.1 *postal/mail dispatch*.

postvliegtuig ⟨het⟩ 0.1 *mail plane*.

postvlucht ⟨de⟩ 0.1 *mail flight*.

postvoorschrift ⟨het⟩ 0.1 *postal regulation*.

postwagen ⟨de⟩ 0.1 [wagen die post vervoert] *mail van* ⇒*P.O./postal/post van* 0.2 [⟨spoorw.⟩] ᴮ*mail coach,* ᴬ*mail car*.

postwet ⟨de⟩ 0.1 *Post Office/P.O. Act*.

postwezen ⟨het⟩ 0.1 *postal system*.

postwissel ⟨de (m.)⟩ 0.1 [formulier om per post geld te verzenden] *postal/money order* 0.2 [verzonden bedrag] *postal/money order* ♦ 2.1 een binnenlandse/internationale ~ *inland/international money order* 3.1 een ~ uitbetalen *pay out a money order;* een ~ verzilveren *cash a money order* 6.1 per ~ betalen *pay by postal order*.

postwisselformulier ⟨het⟩ 0.1 *money-order/*⟨BE ook⟩ *postal order form*.

postzak ⟨de (m.)⟩ 0.1 *mailbag* ⇒⟨vnl. BE⟩ *postbag*.

postzegel ⟨de (m.)⟩ 0.1 [frankeerzegel] *stamp* 0.2 [⟨inf.⟩ gezicht] *clock* ⇒*face,* ⟨vnl. BE⟩ *conk, dial,* ⟨smoel⟩ *gob* ♦ 2.2 een rare ~ trekken *pull a face* 3.1 voor drie gulden aan ~s bijplakken *stamp an excess amount of three guilders;* voor drie gulden aan ~s bijsluiten *enclose three guilders in stamps;* doe er maar een ~ van *10* pence op *stick a 10 pence stamp on, please;* een ~ op een brief plakken *stamp an envelope;* ~s verzamelen *collect stamps;* er zat een ~ van *10 p* op *it had a 10 p stamp on it* 3.2 jij moet je ~ eens houden! *shut your trap!/face/gob!/*⟨BE ook⟩ *mouth!, shut/belt/wrap up!;* je had dat ~ van hem moeten zien *you should've seen his clock/conk/dial*.

postzegelalbum ⟨het⟩ 0.1 *stamp album*.

postzegelautomaat ⟨de (m.)⟩ 0.1 *stamp(-vending) machine*.

postzegelbeurs ⟨de (m.)⟩ 0.1 *stamp exchange*.

postzegelbevochtiger ⟨de (m.)⟩ 0.1 *stamp damper/sponge*.

postzegelboekje ⟨het⟩ 0.1 *stamp book(let)* ⇒*book of stamps*.

postzegelcatalogus ⟨de (m.)⟩ 0.1 *stamp catalogue*.

postzegelhandel ⟨de (m.)⟩ 0.1 *philatelic trade*.

postzegelhandelaar ⟨de (m.)⟩ 0.1 *stamp dealer*.

postzegelkunde ⟨de (v.)⟩ 0.1 *philately*.

postzegelstaatje ⟨het⟩ 0.1 ⟨*small country that sells attractive postage stamps in order to obtain foreign currency*⟩.

postzegelverzamelaar ⟨de (m.)⟩ 0.1 *stamp collector* ⇒*philatelist*.

postzegelverzameling ⟨de (v.)⟩ 0.1 *stamp collection*.

postzending ⟨de (v.)⟩ 0.1 *postal matter*.

pot ⟨→sprw. 502⟩
I ⟨de (m.)⟩ ⟨ook →potje⟩ 0.1 [vaatwerk om iets in te bewaren] *pot* ⟨aardewerk⟩ ⇒*jar* ⟨glas⟩ 0.2 [po] *pot* ⇒*chamber pot, po,* ⟨inf.⟩ *jerry,* ⟨voor kinderen⟩ *potty* 0.3 [kookpot] *pot* ⇒*saucepan* 0.4 [trekpot] *pot* 0.5 [bloempot] *pot* ⇒*flower pot* 0.6 [bakje voor de inzet] *kitty* 0.7 [inzet] *kitty* ⇒*pool* ⟨bij gokken⟩ 0.8 [spaarpot] *moneybox* 0.9 [marihuana] *pot* 0.10 [⟨mil.;inf.⟩ gevangenis] ⟨vnl. BE⟩ *glasshouse* 0.11 [holte waarin een as draait] *shaft-bearing bush* 0.12 [onderdeel v.e. slot] *barrel* 0.13 [doel] *goal* 0.14 [⟨AZN⟩ glas] *jar* ♦ 1.1 een ~ augurken *a jar of gherkins;* een ~ jam *a jar of jam* 1.3 ~ten en pannen *pots and pans* 1.4 een ~ koffie *a p. of coffee* 1.¶ dat is één ~ nat *it's Tweedledum and Tweedledee/much of a muchness;* ⟨mbt. personen⟩ they're birds of a feather, they're all tarred with the same brush; ⟨AE ook⟩ *it's all of a stripe* 2.1 ⟨AZN;fig.⟩ de gebroken ~ten betalen *pay the piper;* ⟨AZN;fig.⟩ met de gebroken ~ten zitten *be left holding the baby/bag;* een glazen ~ *a glass jar;* een Keulse ~ *a Cologne p.* 2.3 de gewone ~ *plain cooking* 3.2 eten wat de ~ schaft *eat what's cooked/going, take potluck* 3.6 de ~ spekken *raise the stakes* 3.7 de ~ winnen *take the k.;* ⟨bij poker⟩ *hit the jackpot* 3.8 de ~ verteren *spend one's winnings* 3.9 ~ roken *smoke/*ᴬ*do p.* 3.14 ~ten gaan pakken *go on the*

spree; een ~ pakken *have a j. / one* 5.2 hij kan (me) de ~ op *fuck/blow him, up his* 6.1 ⟨AZN;fig.⟩ rond de ~ draaien *beat about/around the bush* 6.2 in één ~ pissen/kakken ⟨fig.⟩ ᵗ*be hand in glove;* naast de ~ pissen ⟨ongeoorloofd⟩ *do a naughty;* ⟨overspel⟩ *sleep around;* op de ~ moeten *have to go (potty);* een kind op de ~ zetten *put a child on the potty* 6.3 ⟨fig.⟩ het is daar de dood in de ~ *the place is quiet as a grave;* voor de ~ zorgen *do the cooking* 6.6 geld in de ~ inzetten *put money in the k.;* al de winst gaat in de ~ *all the winnings return to the k.* 6.8 iets betalen uit de gemeenschappelijke ~ *pay sth. out of the kitty* 6.10 in de ~ zitten *be in the g.* 6.13 voor de ~ blijven hangen *hang around the g.* 6.14 tussen ~ en pint *over a glass/pint of beer* 6.¶ ~ voor meneer *one for you, mister* 8.3 zij is zo dicht als een ~ *she's like an oyster, her lips are sealed;*
II ⟨de (v.)⟩ 0.1 [lesbienne] *dike, dyke, pot* ⇒*butch* ⟨manwijf⟩, ⟨neutraal⟩ *gay*.

potaarde ⟨de⟩ 0.1 *potting compost (soil)* ⇒*compost*.

potas ⟨de⟩ 0.1 *potash*.

pot-au-feu ⟨de (m.)⟩ ⟨cul.⟩ 0.1 *pot-au-feu*.

potcultuur ⟨de (v.)⟩ 0.1 *pot culture/growing*.

potdeksel ⟨het⟩ 0.1 [deksel van een pot] *pot lid* 0.2 [betimmering] *gunwale*.

potdicht ⟨bn.⟩ 0.1 *tight* ⇒*locked, sealed,* ᴬ*socked in* ⟨vliegveld⟩ ♦ 3.1 zij houden alles ~ *they keep everything shut t. / sealed up;* de deur is ~ *the door is shut t.;* ⟨fig.⟩ hij is ~ *he's like an oyster/silent as the grave/ as tight-lipped as a clam, his lips are sealed*.

potdoof ⟨bn.⟩ 0.1 *(as) deaf as a post* ⟨alleen na zn.⟩ ⇒*stone-deaf*.

potdorie ⟨tw.⟩ 0.1 *dash it!* ⇒*darned!*.

potelen ⟨onov., ov.ww.⟩ ⟨AZN⟩ ⟨inf.⟩ 0.1 *paw* ⇒*finger* ♦ 6.1 ~ aan een tijdschrift *paw (at) a magazine*.

poteling ⟨de (m.)⟩ 0.1 [fors iem.] *strapping man/woman* 0.2 [plant] *seedling* 0.3 [vis] *fry* ⇒*breeding fish*.

poten
I ⟨ov.ww.⟩ 0.1 [in de grond steken] *plant* ⇒⟨met een plantboor poten⟩ *dibble,* ⟨zaaien, planten⟩ *set,* ⟨zaaien, uitzetten⟩ *put in* 0.2 [neerzetten] *plant* ⇒⟨stevig neerpoten⟩ *clap down,* ⟨neerpoten, kallen⟩ *clonk* 0.3 [visbroedsel uitzetten] *plant* ♦ 1.1 aardappelen/bonen ~ *set/put in/p. potatoes/beans;* bomen ~ *p. trees* 1.3 vis ~ in vijvers *stock a pond with fish* 6.2 iem. in een stoel ~ *plant s.o. in a chair;*
II ⟨onov.ww.⟩⟨kind.⟩ 0.1 [uitmaken wie mag beginnen] *dip*.

potenrammer ⟨de (m.)⟩ ⟨inf.⟩ 0.1 *queer-basher*.

potent ⟨bn.⟩ 0.1 *potent* ⇒*virile*.

potentaat ⟨de (m.)⟩ 0.1 [iem. die zich laat gelden] *potentate* ⇒*despot, tyrant* 0.2 [machthebber] *potentate* ⇒*ruler* ♦ 2.1 hij is een echte ~ *he's a real tyrant, he rules the roost, he's cock of the walk;* een klein ~je *a lordling* 2.¶ 't is een rare ~ *it's a queer fish/an odd bloke*.

potentiaal ⟨de (m.)⟩ ⟨nat.⟩ 0.1 *potential*.

potentiaalbarrière ⟨de (v.)⟩⟨elek.⟩ 0.1 *potential barrier*.

potentiaaleenheid ⟨de (v.)⟩ ⟨nat.⟩ 0.1 *potential unity*.

potentiaalfunctie ⟨de (v.)⟩⟨wisk., nat.⟩ 0.1 *potential function*.

potentiaalsprong ⟨de (m.)⟩ ⟨nat.⟩ 0.1 *potential jump*.

potentiaalstroom ⟨de (m.)⟩ ⟨nat.⟩ 0.1 *potential flow*.

potentiaalverschil ⟨het⟩ ⟨elek.⟩ 0.1 *potential difference*.

potentialis ⟨de⟩ ⟨taal.⟩ 0.1 *potential (mood)*.

potentialiteit ⟨de (v.)⟩ 0.1 *potentiality*.

potentie ⟨de (v.)⟩ 0.1 [macht] *potence* ⇒*potency,* ⟨macht⟩ *power,* ⟨kracht⟩ *strength,* ⟨macht, kracht⟩ *force,* ⟨macht, sterkte⟩ *might* 0.2 [seksueel vermogen] *(sexual) potency* ⇒*virility*.

potentieel¹ ⟨het⟩ 0.1 ⟨aanleg, talent⟩ *capacity*.

potentieel² ⟨bn., bw.; -ly⟩ 0.1 [als mogelijkheid aanwezig] *potential* ⇒ ⟨mogelijk, eventueel⟩ *possible, likely* 0.2 [in aanleg] *latent* ⇒*potential, dormant* ♦ 1.1 ⟨nat.⟩ potentiële energie *potential energy;* potentiële klant *potential/prospective customer;* ⟨inf.⟩ *prospect;* potentiële koper *prospective/would-be buyer;* de groep potentiële kopers van een nieuw produkt *the p. market for a new product* 1.2 een ~ crimineel *a potential criminal*.

potentiometer ⟨de (m.)⟩ 0.1 [spanningsdeler] *potentiometer* ⇒*voltage divider* 0.2 [instrument om potentiaalverschillen te meten] *potentiometer*.

poter ⟨de (m.)⟩ 0.1 [iem. die poot] *planter* 0.2 [aardappel] *seed-potato*.

poterne ⟨de⟩ ⟨gesch.⟩ 0.1 *postern*.

poterteelt ⟨de⟩ 0.1 *seed-potato cultivation*.

potgeld ⟨het⟩ 0.1 *nest egg* ⇒*savings*.

potgewas ⟨het⟩ 0.1 *pot plant*.

potgrond ⟨de (v.)⟩ 0.1 *potting compost (soil)* ⇒*compost*.

pothoed ⟨de (m.)⟩ 0.1 ᴮ*bowler/*ᴬ*derby (hat)*.

potig ⟨bn.⟩ 0.1 *burly* ⇒⟨kloek, fors⟩ *hefty,* ⟨stevig⟩ *stalwart,* ⟨flink⟩ *strapping,* ⟨stevig gebouwd, stevig⟩ *sturdy, husky* ♦ 1.1 een ~e kerel *a b. / strong-limbed fellow;* een ~ wijf *a strapping girl*.

potjandorie ⟨tw.⟩ 0.1 *gosh* ⇒*golly,* ⟨BE ook⟩ *Gordon Bennett,* ⟨AE ook⟩ *gee*.

potje ⟨het⟩ ⟨→sprw. 340, 503, 504⟩ 0.1 [kleine pot] *(little) pot* ⇒⟨cul.⟩ *terrine,* ⟨aarden potje/pannetje⟩ *pipkin* 0.2 [partijtje] *game* 0.3 [opzijgelegd geld] *nest egg* ⇒*savings, (slush) fund* ♦ 1.1 een ~ bier drinken *have a (jar of) beer;* een ~ crème *a jar of cream* 3.1 〈fig.〉 bij iem. een ~ kunnen breken *be in s.o.'s good books, be high on s.o.'s list;* 〈fig.〉 hij kan daar wel een ~ breken *he can't do anything wrong there;* 〈AZN;fig.〉 het ~ gedekt houden/laten *hush up;* zijn eigen ~ koken 〈fig.〉 *fend for o.s., look after o.s.* 3.2 〈iron.〉 ik zal me daar een ~ gaan zitten huilen *you won't catch me crying, there's no way you'll catch me crying;* een ~ gaan vrijen *start necking;* 〈vulg.〉 een ~ gaan neuken *start screwing/fucking;* een ~ kaarten/biljarten *play a g. of cards/billiards* 3.¶ er een ~ van maken *mess/muck things up* 6.1 〈fig.〉 ik heb nog wel een ~ **op** het vuur staan *I've got a few cards up my sleeve, I'm not finished/through yet* 6.3 uit welk ~ heb je dat betaald? *how did you pay for that?.*

potjeslatijn 〈het〉 0.1 [keukenlatijn] *dog Latin* 0.2 [onbegrijpelijke taal] *gibberish* ⇒*mumbo jumbo.*

potkaas 〈de (m.)〉 0.1 *pot cheese.*

potkachel 〈de〉 0.1 *round iron stove.*

potkijker →**pottekijker.**

potlam 〈het〉 0.1 *cade lamb.*

potloden 〈ov.ww.〉 0.1 *blacklead.*

potlood 〈het〉 (→sprw. 429) 0.1 [schrijfstift] *pencil* 0.2 [grafiet] *black-lead, graphite* ⇒〈mijnw.〉 *plumbago* 0.3 [〈inf.〉 penis] *dick* ⇒*willy,* 〈sl.〉 *prick,* 〈AE;vulg.〉 *pencil* ◆ 1.1 papier en ~ *p. and paper* 2.1 〈fig.〉 het rode ~ hanteren *blue-pencil* 6.1 een punt **aan** een ~ slijpen *sharpen a p.;* **met** ~ tekenen *pencil (in), draw in p.;* een **met** ~ geschreven opstel *an essay in p..*

potloodgum 〈het〉 0.1 *pencil eraser/rubber,* 〈BE ook〉 *rubber.*

potloodhouder 〈de (m.)〉 0.1 [houder voor potloden] *pencil holder* 0.2 [vulpotlood] *propelling/automatic pencil.*

potloodpasser 〈de (m.)〉 0.1 *pencil compass.*

potloodschets 〈de〉 0.1 *pencil sketch/outline.*

potloodslijper 〈de (m.)〉 0.1 *pencil sharpener.*

potloodslijpmachine 〈de (v.)〉 0.1 *pencil sharpener.*

potloodstift 〈de (m.)〉 0.1 *lead.*

potloodstompje 〈het〉 0.1 *pencil stump.*

potloodstreep 〈de〉 0.1 *pencil line/mark, line in pencil.*

potloodtekening 〈de (v.)〉 0.1 *pencil drawing.*

potloodventer 〈de (m.)〉 0.1 〈inf.;scherts.〉 0.1 *flasher.*

potmeter →**potentiometer.**

potplant 〈de〉 0.1 *pot plant* ⇒*potted plant.*

potpourri 〈het, de (m.)〉 〈muz.〉 0.1 *potpourri* ⇒*medley.*

pots 〈de〉 〈AZN〉 0.1 *cap.*

potscherf 〈de〉 0.1 *potsherd* ⇒*potshard, crock, sherd, shard.*

potsenmaker 〈de (m.)〉 0.1 *clown* ⇒*buffoon.*

potsenmakerij 〈de (v.)〉 0.1 *clownery* ⇒*buffoonery.*

potsierlijk 〈bn., bw.;-ly〉 0.1 *clownish* ⇒*ludicrous, ridiculous,* 〈absurd, belachelijk〉 *grotesque* ◆ 3.1 er ~ uitzien *look grotesque/absurd.*

potstal 〈de (m.)〉 0.1 *deep litter house.*

pottekijker 〈de (m.)〉 0.1 [toeschouwer] *prier, pryer* ⇒〈loerder〉 *peeper, Peeping Tom* 0.2 [keukenpiet] *busybody* ⇒*Nosey Parker* 0.3 [lamp] *cooker light/lamp* ◆ 3.1 bij dit werk kan ik geen ~s gebruiken *I can do without supervision while I'm doing this (work).*

potten 〈ov.ww.〉 0.1 [opsparen] *hoard* ⇒〈hamsteren〉 *stash (away),* 〈oppotten〉 *salt away* 0.2 [in potten doen] *pot* ⇒*tub* 〈in kuip〉 ◆ 1.1 guldens ~ h. *guilders* 3.2 stekken ~ *p. cuttings.*

pottenbakken 〈ww.〉 0.1 [pottery(-making)] ⇒*ceramics* ◆ 1.1 een cursus ~ volgen *take a pottery course, learn how to throw pots.*

pottenbakker 〈de (m.)〉, **-bakster** 〈de (v.)〉 〈amb.〉 0.1 *potter.*

pottenbakkerij 〈de (v.)〉 0.1 [werkplaats] *pottery* 0.2 [bedrijf] *pottery.*

pottenbakkersklei 〈de〉 0.1 *potter's clay* ⇒*argil.*

pottenbakkerskunst 〈de (v.)〉 0.1 *ceramics* ⇒*potter's art.*

pottenbakkersoven 〈de (m.)〉 0.1 *kiln.*

pottenbakkersschijf 〈de〉 0.1 *potter's wheel.*

pottenbakkerswiel 〈het〉 →**pottenbakkersschijf.**

pottencultuur 〈de (v.)〉 〈inf.〉 0.1 *gay women's/lesbian scene.*

potter 〈de (m.)〉 0.1 *miser.*

potteus 〈bn., bw.;-ly〉 〈inf.〉 0.1 *gay* ⇒*lesbian, butch* 〈manachtig〉 ◆ 1.1 een ~ uiterlijk/gevoel *a lesbian/g. stance.*

potver 〈tw.〉 0.1 *darn* ⇒*dash, shoot.*

potverdikk(i)e 〈tw.〉 0.1 *darn, dash it.*

potverdomme →**potverdikkie.**

potverdorie →**potverdikkie.**

potverdriedubbeltjes →**potjandorie.**

potverteerder 〈de (m.)〉 0.1 *squanderer* ⇒*spendthrift.*

potverteren 〈ww.〉 0.1 *squander.*

potvis 〈de (m.)〉 0.1 *sperm whale.*

potvisolie 〈de〉 0.1 *sperm oil.*

poujadisme 〈het〉 〈gesch.〉 0.1 *poujadism.*

poujadistisch 〈bn.〉 〈hist.〉 0.1 *poujadist.*

poularde 〈de〉 0.1 *poulard(e).*

poule 〈de〉 0.1 〈(sport) groep deelnemers〉 *group* 0.2 [spel om een inzet] *pool* ◆ 3.1 zijn ~ winnen *be first in one's g.* 3.2 ~ spelen *play p.* 6.1 de deelnemers **in** ~s indelen *divide the entries into groups.*

poulet 〈het, de (m.)〉 0.1 [poelet (stukjes soepvlees)] *(chopped) stewing meat* 0.2 [〈cul.〉 kip] *chicken.*

pourriture 〈de (v.)〉 ◆ ¶.¶ ~ noble *noble rot.*

poursuite 〈de〉 〈sport〉 0.1 *pursuit.*

pousse-café 〈de (m.)〉 0.1 *pousse-café* ⇒*chasse.*

pousseren 〈ov.ww.〉 0.1 [vooruithelpen] *push* ⇒*advertise* 0.2 [aan de man brengen] *push* ⇒*promote,* 〈inf.〉 *plug,* 〈op touw zetten〉 *launch* ◆ 1.1 een vriendje ~ *help a pal along/forward* 1.2 een nieuw artikel ~ *promote a new article* 4.1 zichzelf ~ *advertise/push o.s..*

pover 〈bn., bw.;-ly〉 0.1 *poor* ⇒*meagre, miserable, puny, flimsy,* 〈mbt. kleren ook〉 *shabby* ◆ 1.1 een ~ bestaan *a miserable existence;* een ~ figuur slaan *cut a poor/sorry figure;* ~e kleren *shabby clothes;* een ~ resultaat *a poor result* 3.1 ~ afsteken bij *compare poorly with;* ~ presteren *do poorly/indifferently, not come up to scratch.*

poverheid 〈de (v.)〉 0.1 *poorness* ⇒*shabbiness, meagreness.*

povertjes 〈bn., bw.;-ly〉 0.1 *poor* ⇒*indifferent, meagre, shabby, miserable* ◆ 3.1 het ~ hebben *live poorly;* het is ~ met hem gesteld *he's scraping/scratching a living;* zij speelt maar ~ *she's a p./an indifferent player;* zij was ~ gekleed *she was shabbily dressed.*

pozen 〈onov.ww.〉 〈schr.〉 0.1 [pauzeren] *pause* ⇒*halt* 0.2 [verpozen] *pause* ⇒*linger* ◆ 6.1 zonder ~ *unceasing(ly), without pausing/a break, ceaseless(ly).*

pp 〈afk.〉 〈muz.〉 0.1 [pianissimo] *pp..*

p.p. 〈afk.〉 0.1 [per persoon] 〈*per person*〉 0.2 [per post] 〈*by post*〉 0.3 [per procuratie] *p.p..*

p.p.p.d. 〈afk.〉 0.1 [per persoon per dag] 〈*per person per day*〉.

P.P.S. 〈het〉 〈afk.〉 0.1 [post-postscriptum] *P.P.S..*

pr. 〈afk.〉 0.1 [priester] *pr.* 0.2 [protestant] *Prot..*

p.r. 〈afk.〉 0.1 [public relations] *PR* 0.2 [poste restante] 〈[B]*poste restante,* [A]*general delivery*〉 0.3 [partnerruil] 〈*partner swapping*〉.

Praag 〈het〉 0.1 *Prague.*

Praags 〈bn.〉 0.1 *Prague* ◆ 1.1 〈gesch.〉 de ~e lente *the P. Spring.*

praaien 〈ov.ww.〉 0.1 〈〈scheep.〉〉 *hail* ⇒*speak* 〈van voorbijgaand schip〉 0.2 [aanklampen] *accost* ⇒*buttonhole.*

praal 〈de〉 0.1 *splendour* ⇒*pomp, magnificence,* 〈praal(vertoning)〉 *pageantry,* 〈luister〉 *glory* ◆ 1.1 met pracht en ~ *with pomp and circumstance* 2.1 uiterlijke ~ *outward show/trappings.*

praalbed 〈het〉 0.1 *bed of state* ◆ 6.1 op een ~ opgebaard liggen *lie in state.*

praalgraf 〈het〉 0.1 *mausoleum* ⇒*tomb.*

praalhans 〈de (m.)〉 0.1 *braggart* ⇒*strutter, swaggerer, bighead.*

praalvertoon 〈het〉 0.1 *pageantry* ⇒*pomp, ostentation, splendour* ◆ 6.1 onder veel ~ *with pomp and show/circumstance.*

praalwagen 〈de (m.)〉 0.1 *float* 〈optocht〉.

praalziek 〈bn.〉 0.1 *ostentatious* ⇒*showy, pretentious, florid, flashy.*

praalzucht 〈de〉 0.1 *ostentation* ⇒*show.*

praam 〈de〉 0.1 [vaartuig] *pra(a)m* ⇒*flat(boat)* 0.2 [neusknijper] 〈meestal mv.〉 *barnacle.*

praat 〈de〉 0.1 [het spreken] *talk* ⇒〈inf.〉 *jaw* 〈geklets〉 0.2 [taal] *talk* ⇒*speech* ◆ 2.2 gekke/zotte ~ *foolish/silly t.;* wat is dat nu voor malle ~ *what sort of silly talk is that;* vuile ~ uitslaan *talk dirt(y)* 3.1 veel ~(s) hebben *be all talk;* veel te veel ~(s) hebben *be (much) too forward, be too big for one's boots;* niet zoveel ~(s) meer hebben *sing another/a different song, change one's tune* 6.1 met iem. **aan** de ~ raken *get talking to s.o., get into conversation with s.o.;* iem. **aan** de ~ houden 〈fig.〉 *keep s.o. hanging on, hold/keep s.o. in play;* iem. **aan** de ~ krijgen *get s.o. talking/to talk, draw s.o. (out), start s.o. up;* ~(s) **voor** zes hebben *crow one's head off* 6.¶ een motor/auto **aan** de ~ krijgen *get a car to start.*

praatavond 〈de (m.)〉 0.1 *discussion evening.*

praatgraag[1] 〈de〉 0.1 *chatterbox.*

praatgraag[2] 〈bn.〉 0.1 *talkative* ⇒*garrulous, chatty.*

praatgroep 〈de〉 0.1 *conversation group,* 〈AE ook〉 *rap group* ◆ 3.1 een ~ starten *start a c. g..*

praatje 〈het〉 (→sprw. 506) 0.1 [gesprek] *chat* ⇒*talk* 0.2 [woorden] *talk* ⇒*speech* 0.3 [gerucht] *gossip* ⇒*rumour,* 〈roddel〉 *tale,* 〈praatjes〉 *talk* 0.4 [causerie] *talk* 0.5 [〈mv.〉 kapsones] *airs* ◆ 2.1 maar nu een ander ~ *but now for sth. else* 2.2 iem. met een mooi ~ de kamer uit krijgen *coax/cajole s.o. out of the room;* je moet al die mooie ~s niet geloven *you mustn't believe all the sweet t.;* iem. met mooie ~s afschepen *put s.o. off with fair speeches;* met mooie ~s iets van iem. gedaan zien te krijgen *wheedle sth. out of s.o.;* met mooie ~s een man/vrouw proberen te versieren *chat a man/woman up* 2.3 er gaan vreemde ~s over haar *there are (all sorts of) strange rumours about her* 2.4 na een inleidend ~ v.d. voorzitter *after an introduction by the chairman* 3.1 een ~ beginnen met iem. *strike up a conversation with s.o.;* met iem. een ~ maken *have a c. with s.o.;* kom eens een ~ maken *come round/drop in/by for a c. one of these days* 3.2 hou je ~s maar voor je! *none of your lip!, shut your big mouth!;* ~s verkopen/ophangen *talk big* 〈opscheppen〉; *talk bunkum* 〈zwetsen〉; *gossip* 〈roddelen〉 3.3 het ~ gaat, dat ... *rumour has it that ..., it is rumoured that ...;* dat zou maar ~s geven *that would only set people talking/give rise to g.;* hoe is dat ~ in de wereld gekomen? *what has caused this g.?;* het ~ rondstrooien dat ... *spread the g.* / *rumour that ...;* stoor je maar niet aan die ~s *don't upset yourself about those tales* **3.4** een ~ houden op een studiedag *give a talk at a conference* **3.5** had je nog ~s? *any more of your lip?;* ~s hebben *have airs;* ~s krijgen *get airs* / *stuck up* **6.1 om** een ~ verlegen zijn *be hard up for a c.* / talk **6.3** aanleiding geven **tot** ~s *give rise to g.* / *rumours* **6.4** een ~ **voor** de radio *a radio talk* **6.**¶ een ~ **voor** de vaak *idle gossip* / *talk* **7.5** denk erom! geen ~s! *remember now! no back chat!.*

praatjesmaker 〈de (m.)〉 **0.1** [opschepper] *boaster, braggart* ⇒*bigmouth* **0.2** [zwetser] *windbag, gasbag* **0.3** [roddelaar] *gossip* ⇒*gossipmonger,* 〈kwaadspreker〉 *backbiter.*

praatlustig 〈bn.〉 **0.1** *talkative* ⇒*chatty.*

praatpaal 〈de (m.)〉 **0.1** [paal naast een snelweg] *emergency telephone* **0.2** [〈fig.〉 persoon] *confidant* 〈m.〉*, confidante* 〈v.〉.

praatprogramma 〈het〉〈radio, t.v.〉 **0.1** *talk* / *chat programme* ^*gram* / 〈t.v. ook〉 *show.*

praatshow 〈de (m.)〉〈t.v.〉 **0.1** *talk* / *chat show.*

praatstoel 〈de (m.)〉 ◆ **6.**¶ hij zit weer **op** zijn ~ *he's on again.*

praatstuk 〈het〉 **0.1** [discussiestuk] *working paper* **0.2** [toneelstuk, t.v.-spel] *play dealing with issues.*

praatvaar 〈de (m.)〉 **0.1** *babbler.*

praatziek 〈bn.〉 **0.1** *chatty* ⇒*gabby, wordy, garrulous,* 〈roddelziek〉 *gossipy.*

praatzucht 〈de〉 **0.1** *talkativeness* ⇒*garrulity.*

pracht 〈de〉 **0.1** [schoonheid] *magnificence, splendour* ⇒*beauty, grandeur, majesty* 〈grootsheid〉 **0.2** [〈fig.〉 juweel] *beauty* ⇒*gem, treasure* ◆ **1.1** de ~ van de natuur *the beauty* / *s. of nature;* met veel ~ en praal *with great pomp and circumstance* **6.2** een ~ **van** een huis *a gem of a house;* een ~ **van** een doelpunt *a prize goal;* een ~ **van** een verkoudheid hebben *have a whopper of a* / *stinking cold.*

prachtband 〈de (m.)〉 **0.1** *luxury* / *de luxe volume* / *binding* ◆ **6.1** drie novellen in één ~ *three short stories in one luxury volume* / *binding.*

prachtexemplaar 〈het〉 **0.1** *beauty* ⇒*peach,* 〈schoonheid〉 *stunner,* 〈pronkstuk〉 *showpiece,* 〈kanjer〉 *whopper* ◆ **4.1** wat een ~! *what a stunner!* 〈vrouw〉; *what a showpiece!* 〈pronkstuk〉 **6.1** je hebt een ~ **van** een man *you've got a gem of a husband.*

prachtig 〈bn., bw.; -ly〉 **0.1** [kostbaar ingericht / versierd] *splendid, magnificent* ⇒*superb, grand, gorgeous* **0.2** [van grote esthetische waarde] *exquisite* ⇒*beautiful, wonderful, fine* **0.3** [bijzonder goed] *fine* ⇒*superior, excellent* **0.4** [bijzonder geschikt] *superlative* ⇒*supreme, outstanding, marvellous* ◆ **1.1** een ~e zaal *a m. room* **1.2** een ~ schilderstuk *an e. painting;* een ~e stem *a wonderful voice;* een ~e vrouw *a stunner* / (*good*) *looker* / *peach* **1.3** een ~ voorbeeld *a prize example* **1.4** een ~e gelegenheid *a marvellous opportunity;* dat is toch een ~e oplossing *but that's a marvellous solution* **2.2** een ~ geïllustreerd boek *a beautifully illustrated book* **3.2** Engelsen vinden zoiets ~ *English people really go for that sort of thing* **3.4** dat komt ~ uit *that's very convenient, that's just marvellous;* 〈iron.〉 hij vindt het ~ *he's thrilled to bits about it* ¶.4 ~! *excellent!, superb!, capital!, well done!.*

prachtkans 〈de〉 **0.1** *splendid* / *golden opportunity* ⇒〈sl.〉 *swell chance.*

prachtkerel 〈de (m.)〉 **0.1** *a fine man* ⇒〈inf.〉 *a great guy.*

prachtkever 〈de (m.)〉 **0.1** *buprestid.*

prachtkleed 〈het〉 **0.1** [verenkleed van vogels] *plumage* **0.2** [gewaad] *sumptuous gown.*

prachtkleur 〈de〉 **0.1** *splendid colour.*

prachtlievend 〈bn.〉 **0.1** *splendour-loving* ⇒〈opzichtig〉 *ostentatious.*

prachtmeid 〈de (v.)〉 **0.1** *fantastic* / *gorgeous woman* / *girl* ◆ **4.1** wat een ~ *what a peach* / *honey* / *great gal* / (*spanking*) *fine woman* / *girl.*

prachtschot 〈het〉〈voetbal〉 *great shot.*

prachtstuk 〈het〉 **0.1** *beauty, gem* ⇒*peach.*

prachtuitgave 〈de〉 **0.1** *de luxe edition.*

prachtvink 〈de〉 **0.1** *waxbill.*

prachtwerk 〈het〉 **0.1** [prachtig werkstuk] *fine* / *first rate* / *superb piece of work* **0.2** [boek in prachtband] *de luxe edition.*

prachtwolfsmelk 〈de〉 **0.1** *poinsettia.*

practicant 〈de (m.)〉 **0.1** [iem. die aan een practicum deelneemt] *student doing lab work* / *a lab* **0.2** [iem. die zich in de praktijk bekwaamt] *trainee.*

practicum 〈het〉 **0.1** [praktisch werk] *practical* ⇒*lab*(*oratory*) **0.2** [handleiding] *lab manual* ◆ **2.1** het scheikundig ~ *the chemistry lab* **3.1** ik heb vanmiddag ~ *I've got a p.* / *lab this afternoon.*

practicus 〈de (m.)〉, **-ca** 〈de (v.)〉 **0.1** [iem. die doelmatig werkt] *a practical man* / *woman* **0.2** [iem. die in de praktijk toepast wat de theorie leert] *practician* 〈m., v.〉〈niet theoretisch〉.

prae 〈het, de (m.)〉 **0.1** [voorkeur] *preference;* 〈voorrang〉 *priority;* 〈voordeel〉 *advantage* ◆ **3.1** een ~ hebben *have the preference.*

praeputium 〈het〉〈med.〉 **0.1** *prepuce* ⇒*foreskin.*

praes. 〈afk.〉 **0.1** [praesens] *pres.* **0.2** [praesente] (*in the presence of*).

praeses 〈de (m.)〉 **0.1** *president* ◆ **1.1** de ~ van de studentenvereniging *the p. of the students' union.*

praeteritio 〈de〉 **0.1** *paral(e)ipsis* ⇒*preterition.*

praetermissie 〈de (v.)〉 **0.1** *paral(e)ipsis* ⇒*preterition.*

pragmaticus 〈de (m.)〉, **-ca** 〈de (v.)〉 **0.1** [iem. die pragmatisch is] *pragmatist* 〈m., v.〉 **0.2** [〈fil.〉 pragmatist] *pragmatist* 〈m., v.〉.

---

pragmatiek¹ 〈de (v.)〉〈taal.〉 **0.1** *pragmatics.*

pragmatiek² 〈bn.〉〈taal.〉 **0.1** *pragmatic(al)* ◆ **1.**¶ 〈gesch.〉 ~e sanctie *pragmatic sanction.*

pragmatisch
I 〈bn., bw.; -(al)ly〉 **0.1** [op nut, bruikbaarheid gericht] *pragmatic(al)* ⇒*practical* ◆ ¶.1 ~ te werk gaan *proceed pragmatically;*
II 〈bn.〉 **0.1** [〈fil.〉 pragmatistisch] *pragmatic(al).*

pragmatisme 〈het〉〈fil.〉 **0.1** *pragmatism.*

pragmatist 〈de (m.)〉〈fil.〉 **0.1** *pragmatist.*

pragmatistisch 〈bn.〉〈fil.〉 **0.1** *pragmatic(al).*

prairiebrand 〈de (m.)〉 **0.1** *prairie fire.*

prairiehond 〈de (m.)〉 **0.1** *prairie dog.*

prairie-Indiaan 〈de (m.)〉 **0.1** *plains Indian.*

prairiepaard 〈het〉 **0.1** *mustang.*

prairiewolf 〈de (m.)〉 **0.1** *prairie wolf* ⇒*coyote.*

prak 〈de (m.)〉 **0.1** *mash* ⇒*mush* ◆ **3.1** van zijn eten een ~ je maken *mash up one's food* **6.**¶ 〈inf.〉 een auto **in** de ~ rijden *smash* (*up*) *a car.*

prakken 〈ov.ww.〉 **0.1** *mash.*

prakkizeren 〈inf.〉
I 〈onov.ww.〉 **0.1** [denken] *muse* ⇒*reflect, think* **0.2** [piekeren] *brood* ⇒*worry, ponder, puzzle* ◆ **3.2** hij loopt de hele dag te ~ *he's brooding all the time* **5.1** ik prakkizeer er niet over *I won't even consider* / *think of it* **5.2** zich suf ~ *puzzle one's head over* / *about sth., worry o.s. sick;*
II 〈ov.ww.〉 **0.1** [bedenken] *devise* ⇒*think up* **0.2** [met overleg tot stand brengen] *contrive* ⇒*think out* ◆ ¶.1 je kunt het zo gek niet ~, of hij doet het *there's nothing he won't do.*

Prakrit 〈het〉 **0.1** *Prakrit.*

praktijk 〈de〉 **0.1** [toepassing] *practice* ⇒〈ervaring〉 *experience* **0.2** [beroepswerkzaamheid] *practice* **0.3** [gewoonte] *practice* ⇒*custom* **0.4** [〈mv.〉 sluwe daden] *practices* ⇒〈sluwe streken〉 *wiles* **0.5** [clientèle] *practice* ⇒*clientele, clientage* ◆ **1.1** een man van de ~ *a practical man* **2.2** een drukke / kleine ~ hebben *have a large* / *small p.* **2.3** de parlementaire ~en *parliamentary practices* **2.4** duistere ~en *dark practices;* gemene / kwalijke ~en *malpractices, objectionable practices* **2.5** een particuliere ~ *a private p.* **3.1** de ~ is anders *the* (*actual*) *p. is different, in p. it is different;* de ~ zal moeten uitwijzen of het een goed plan is *we'll have to see what the plan will be worth on the ground;* 〈fig.〉 *the proof of the pudding is in the eating* **3.2** een eigen ~ beginnen *start a p. of one's own;* zijn ~ neerleggen *retire from p.;* een ~ uitoefenen *practise* **3.5** zijn ~ overdoen *sell one's p.* **6.1** iets **aan** de ~ toetsen *test* / *field-test sth., test sth. by practical experience;* iets **in** ~ brengen *put sth. into p., apply* / *implement sth.;* **in** de ~ in p., in real terms; **in** de ~ is dat niet altijd mogelijk *in actual p. it isn't always possible* / *feasible;* dat moet je **in** de ~ leren *you'll have to learn that in p.* / *on the job;* een geval **uit** de ~ *a real-life case;* de ~ **van** het lesgeven *the p. of teaching* **6.2** ~ **aan** huis *p. at home* **6.5** een huisarts **zonder** ~ *a non-practising G.P..*

praktijkervaring 〈de (v.)〉 **0.1** *practical experience* ◆ **3.1** hij heeft veel ~ *he has had a lot of p. e.;* ~ opdoen *gain p. e..*

praktijkexamen 〈het〉 **0.1** *practical exam.*

praktijkgericht 〈bn.〉 **0.1** *practically-oriented* ⇒*practice-based.*

praktijkjaar 〈het〉 **0.1** *practical year.*

praktijkkennis 〈de (v.)〉 **0.1** *practical knowledge* ⇒*know-how, working knowledge.*

praktijkles 〈de〉 **0.1** *practical lesson.*

praktijklokaal 〈het〉 **0.1** *practical training* / *instruction room* ⇒*lab*(*oratory*).

praktijkman 〈de (m.)〉 **0.1** *man with practical experience* / *knowledge* / *know-how* ◆ **2.1** een echte ~ *s.o. who really knows the practical end* (*of things*), *a doer* (*rather than a thinker*).

praktijkonderzoek 〈het〉 **0.1** *practical research.*

praktijkruimte 〈de (v.)〉 **0.1** *surgery* 〈v.e. dokter〉.

praktijkscholing 〈de (v.)〉 **0.1** *practical training.*

praktijkschool 〈de〉 **0.1** *training centre* / *college.*

praktijkstage 〈de〉 **0.1** *in-service training* ⇒*practical* / *applied* / *hands-on training period,* 〈AE ook〉 *internship period* 〈van arts in opleiding〉.

praktikabel 〈het〉〈dram.〉 **0.1** *practicable scenery.*

praktisch
I 〈bn., bw.; -ly〉 **0.1** [mbt. de praktijk] *practical* **0.2** [mbt. het dagelijkse leven] *practical* **0.3** [handig] *practical* ⇒*handy, useful* **0.4** [nuchter] *practical* ⇒*realistic, hard-headed* 〈van zakenmensen〉 *businesslike* 〈zakelijk〉, *pragmatic(al)* ◆ **1.1** ~e kennis *working knowledge;* heeft dat onderzoek ook enig ~ nut? *does that research serve any p. purpose?* **1.2** iets van ~e waarde *sth. of p. value* **2.1** dat is ~ moeilijk uitvoerbaar *that's hardly workable* / *unpracticable* **3.1** ~ gesproken *practically speaking* **3.3** een zaak ~ aanpakken *be very p. about a matter;* een huis ~ inrichten *fit out a house practically;* hij is niet erg ~ aangelegd *he isn't very p., he's rather unpractical* **3.4** het gaat allemaal zo ~ bij hem *it's all so down-to-earth* / *matter-of-fact with him;*
II 〈bw.〉 **0.1** [bijna] *practically* ⇒*almost, as good as, virtually* ◆ **2.1** de was is ~ droog *the laundry's as good as dry;* dat is ~ onbetaalbaar *it*

costs the earth / a fortune; dat is ~ onmogelijk *that's virtually impossible* **3.1** dat komt ~ op hetzelfde neer *that's pretty much the same thing* **4.1** ~ iedereen / niemand was aanwezig *virtually everybody / nobody was there* **5.1** ~ nooit *hardly ever* ¶**.1** dat is ~ voor niks *that's a steal / for next to nothing.*

praktizeren ⟨onov.ww.⟩ **0.1** [praktijk uitoefenen] *practise*, ⟨AE ook⟩ *practice* **0.2** [kerkelijke plichten vervullen] *practise*, ⟨AE ook⟩ *practice* ◆ **1.1** een ~d geneesheer *medical practitioner* **1.2** een ~d katholiek *a practising catholic* **5.1** hij praktizeert niet meer *he's no longer in practice, he no longer practices.*

pralen ⟨onov.ww.⟩ **0.1** [pronken] *flaunt* ⇒*glory, peacock, parade* **0.2** [⟨schr.⟩ schitteren] *scintillate* ⇒*twinkle, shimmer, sparkle* ◆ **6.1** met zijn geleerdheid ~ *f. / parade one's knowledge.*

praline ⟨de (v.)⟩ **0.1** [bepaald soort bonbon] *chocolate truffle* **0.2** [⟨alg.⟩ bonbon] *chocolate.*

pralltriller ⟨de (m.)⟩ ⟨muz.⟩ **0.1** *pralltriller* ⇒*inverted / upper mordent.*

pram ⟨de⟩ ⟨inf.⟩ **0.1** [vnl. mv.] *boob* ⇒*knocker, tit(ty)*, ⟨BE; sl.⟩ *bristol*, ⟨AE ook⟩ *bub.*

pramen ⟨ov.ww.⟩ **0.1** [de praam opzetten] *put barnacles on* **0.2** [⟨AZN⟩ aansporen] *prod* ⇒*edge on.*

prang ⟨de⟩ **0.1** [⟨gesch.⟩] *fetter* ⇒*chain* **0.2** [⟨AZN⟩ neusknijper] ⟨meestal mv.⟩ *barnacle* **0.3** [⟨vero.⟩ kwelling] *agony* ⇒*torment, torture* ◆ **3.2** iem. de ~ op de neus zetten ⟨doen zwijgen⟩ *gag / silence s.o.;* ⟨in bedwang houden⟩ *curb s.o..*

prangen ⟨ov.ww.⟩ ⟨schr.⟩ **0.1** [drukken] *press* **0.2** [benauwen] *oppress* ◆ **1.2** het geprangde gemoed *the oppressed spirit;* een ~de kwestie *a pressing question* **5.1** tegen elkaar aan geprangd *pressed (up) against one another.*

pranger ⟨de (m.)⟩ **0.1** [neusknijper voor paarden en stieren] *barnacle* **0.2** [klemhaak] *holdfast.*

prangijzer ⟨het⟩ **0.1** [ijzeren boei] *fetter* ⇒*chain* **0.2** [neusknijper] ⟨meestal mv.⟩ *barnacle.*

prat ⟨bn., bw.; -ly⟩ **0.1** *proud* ◆ **3.1** ~ gaan op zijn geboorte *be p. of / take pride in one's birth;* ⟨opscheppen⟩ *boast about / of / brag about one's birth;* ze ging ~ op haar scherpzinnigheid *she prided herself in / gloried in her wit;* de ploeg ging er ~ op de wedstrijd te hebben gewonnen *the team was p. of having won the match;* ⟨opscheppen⟩ *the team boasted about / of having won the match;* ~ zijn op zijn geld *take pride in / be p. of one's money;* ⟨opscheppen⟩ *boast about / of / brag about one's money.*

praten ⟨onov.ww.⟩ **0.1** [iets zeggen] *talk* ⇒*speak* **0.2** [gesprek voeren] *talk* ⇒*speak* **0.3** [door praten ertoe brengen] *talk* **0.4** [kletsen, roddelen] *talk* ◆ **1.4** trek je er niets van aan: de mensen ~ toch wel *don't worry, people will talk* **1.2.3** iem. doof ~ *talk s.o.'s head off* **3.1** blijven ~ *keep (on) talking;* als je hem hoort ~ ...*to hear him t. / speak...;* hij kon niet meer ~ *he couldn't speak / t. any more;* iem. laten ~ *let s.o. talk* **3.2** men moet kunnen ~ en breien *you need to be able to t. and work at the same time;* zij stonden samen te ~ *they were talking (together) / were having a talk;* daarover valt met hem te ~ *you can t. to / come to an agreement with him about that;* er valt met hem te ~ *you can t. to him; he'll listen to reason;* daarover valt te ~ *that's a matter for discussion;* er valt niet met hem te ~ *there's no (way of) talking to him, he won't listen to reason* **4.4** hij praat maar wat *he's only talking (for the sake of it)* **5.1** straks zul je wel anders ~ *you'll change your tune in a moment;* praat me er niet van *don't t. to me of that, enough of that;* hier is ƒ100 en we ~ er niet meer over *here's 100 guilders and let's forget it / let's leave it at that;* eromheen ~ *t. round sth. / around the subject, beat about / ^around the bush;* je hebt goed / mooi / gemakkelijk ~ *it's easy / it's all right for you to t.;* ik heb lang met hem gepraat *I've had a long talk with him;* langs elkaar heen ~ *t. at cross-purposes, misunderstand each other;* langs iem. heen ~ *t. across s.o.;* zij praat niet veel ⟨ook⟩ *she's not very talkative / not a great talker / not (much) given to talk(ing);* zachter ~ *lower one's voice* **5.4** de hele stad / iedereen praat erover *it's the talk of the town, everyone's talking about it;* te veel ~ *t. too much, let one's tongue run away with one, t. the hind legs off a donkey;* er wordt veel gepraat over raketten *there's a lot of talk about missiles* **6.1** iem. **aan** het ~ krijgen *get s.o. talking / to t.;* iem. **aan** het ~ brengen ⟨overhalen⟩ *get s.o. talking / to talk,* ⟨stof tot gesprek geven⟩ *set s.o. talking;* **aan** het ~ raken over iets *get talking about sth.;* **door** de neus ~ *t. / speak through one's / the nose;* iem. **naar** de mond ~ *play up to s.o.;* geen zin hebben **om** te ~ *not be in a talking / talkative mood; in the mood for talk(ing);* ergens niet meer **over** willen ~ *not want to t. about sth. any more / any more about sth.;* hij kwam **over** Shakespeare ~ *he came to t. about / ⟨college, enz. ook⟩ on Shakespeare;* hij heeft **tegen** de politie gepraat *he has talked (to the police)* **6.2 met** iem. kunnen ~ *be able to t. to s.o.;* **met** iem. zullen ~ *be going to t. / speak to s.o.;* praat er maar **met** niemand over *don't breathe a word (of this) (to anyone), not a word to anyone;* **over** koetjes en kalfjes ~ *t. about this and that / nothing in particular / the weather;* **over** het vak ~ *t. shop;* **over** literatuur ~ *t. (about) literature;* laten we over iets anders ~ *let's change the subject, let's t. about sth. else* **6.3** een programma **aan** elkaar ~ *t. a programme ^gram together;* ⟨fig.⟩ iem. **in** een hoek ~ *talk s.o. into a corner;* ⟨fig.⟩ iem. iets **uit** het hoofd ~ *talk*

s.o. out of sth. **6.4** er wordt over hen gepraat *there's talk about them, people are talking about them* **8.1** ~ als Brugman *t. nineteen to the dozen / the hind leg(s) off a donkey* ¶**.1** er maar op los ~ *t. at random / wildly.*

prater ⟨de (m.)⟩, **praatster** ⟨de (v.)⟩ **0.1** *talker* ⟨m., v.⟩ ⇒*conversationalist* ◆ **2.1** een gezellige ~ *a good t. / ¹ conversationalist;* hij is geen grote ~ *he isn't much of a t., he doesn't say much, he hasn't (got) much to say for himself, he's not much of a conversationalist;* een onderhoudende ~ *a good conversationalist;* een vervelende ~ *a bore;* hij is een vlotte ~ *he is a good t.;* ⟨inf.⟩ *he's got the gift of the gab.*

praterig ⟨bn.⟩ **0.1** *talkative* ⇒*chatty.*

pratikeren ⟨onov.ww.⟩ ⟨AZN⟩ **0.1** [praktijk uitoefenen] *practise* **0.2** [godsdienstige plichten vervullen] *practise one's religion, be a practising catholic / protestant* ⟨enz.⟩.

prauw ⟨de⟩ **0.1** *proa, pra(h)n* ⇒⟨met twee masten⟩ *pirigue.*

praxinoscoop ⟨de (m.)⟩ ⟨gesch.⟩ **0.1** *daguerreotype camera.*

praxis ⟨de (v.)⟩ **0.1** *praxis* ⇒*practice.*

preadamiet ⟨het⟩ **0.1** *preadamite.*

preadvies ⟨het⟩ **0.1** *preliminary report / advice.*

preadviseren ⟨onov.ww.⟩ **0.1** *make a preliminary report, give (some) preliminary advice.*

prealabel ⟨bn.⟩ **0.1** *preliminary* ◆ **1.1** een ~e voorwaarde *a p. condition.*

preambule ⟨de⟩ **0.1** [inleiding] *preamble* **0.2** ⟨mv.⟩ omhaal] *verbiage* **0.3** [⟨muz.⟩] *prelude.*

pre-anesthesie ⟨de (v.)⟩ **0.1** *premedication* ⇒⟨inf.⟩ *premed.*

prebende ⟨de⟩ **0.1** [geestelijke titel waaraan inkomsten verbonden zijn] *prebendaryship* **0.2** [⟨gesch.⟩ rente] *prebend* ⇒*benefice*, ⟨BE ook⟩ *living.*

precair ⟨bn., bw.; -ly⟩ **0.1** [hachelijk] *precarious* ⇒*delicate,* ↓*touchy* **0.2** [⟨jur.⟩] *precarious* ◆ **1.1** een ~e situatie *a p. / delicate / touchy / dangerous / awkward situation;* de ~e toestand van een patiënt *the critical condition of the patient* **1.2** een ~e vergunning *a revocable licence* ^se **3.1** de situatie werd ~ *the situation became p. / delicate / touchy.*

Precambrium ⟨het⟩ ⟨geol.⟩ **0.1** *(the) Precambrian.*

precario¹ ⟨het⟩ **0.1** [recht zolang de eigenaar het duldt] *possession / tenancy at will* ⇒*precarious possession* **0.2** [recht mbt. openbare grond] ≠*encroachment;* ⟨the right to have projections over public land, such as balconies and shop signs, which are permitted 'on sufferance'⟩ **0.3** [belasting] (→**precariobelasting**⟩.

precario² ⟨bw.⟩ ⟨jur.⟩ **0.1** *at will, at / on sufferance* ⇒*precario, during the pleasure of another, nomine alieno, subject to the rights of others.*

precariobelasting ⟨de (v.)⟩ **0.1** ≠*sufferance tax; charge levied locally on projections over public land.*

precariorechten ⟨zn.mv.⟩ **0.1** ≠*sufferance dues; charges levied locally on projections over public land.*

precautie ⟨de (v.)⟩ **0.1** *precaution.*

precedent ⟨het⟩ **0.1** *precedent* ⇒⟨jur. ook⟩ *leading case, authority* ◆ **3.1** wij willen geen ~ scheppen *we do not want to establish / create / set (up) / lay down / furnish a p.* **6.1** zonder ~ *without p., unprecedented.*

precedentie ⟨de (v.)⟩ **0.1** *precedence* ⇒*precedency.*

precederen ⟨onov.ww.⟩ **0.1** *precede* ⇒⟨de voorrang hebben ook⟩ *have / take precedence (over).*

precessie ⟨de (v.)⟩ **0.1** *precession* ◆ **1.1** ⟨astrol.⟩ ~ v.d. nachteveningspunten *p. of the equinoxes* **2.1** lunisolaire ~ *lunisolar p..*

precies¹

I ⟨bn., bw.; -ly⟩ **0.1** [juist] *precise* ⇒*exact, just,* ⟨accuraat⟩ *accurate,* ⟨specifiek⟩ *specific* **0.2** [nauwgezet] *precise* ⇒*meticulous, punctilious, painstaking,* ⟨voorzichtig⟩ *careful* ◆ **1.1** in precieze bewoordingen *in precise terms / wording;* ~ een kilometer *one kilometer precisely / exactly;* de precieze tijd en plaats *the precise / exact time and place;* hij is ~ zijn vader *he is just like his father, he is his father to the life;* ⟨inf.⟩ *he is his father all over, he is the (very / spitting) image of his father, he is the (dead) spit of his father;* zij is ~ de vrouw die we zoeken *she's the very woman we're looking for, she's the very woman / just the right woman for the job* **1.2** ⟨fig.⟩ hij is een Pietje Precies *he's a fusspot / ⟨AE ook⟩ fussbudget; he's a stickler for detail / a finicky one* **2.1** ~ goed *exactly right;* ⟨inf.⟩ *dead / spot on;* helemaal ~ weet ik het niet *I don't know exactly;* dat is ~ hetzelfde / ~ eender *that is precisely / exactly the same (thing), that is one and the same (thing), that is the (very) same thing;* ~ hetzelfde boek *the very same book, exactly / just the same book* **3.1** iets ~ begrijpen *understand sth. perfectly;* hij doet zijn werk heel ~ *he does his work with great precision;* zo is het ~ *that's exactly / just it, just so;* ⟨inf.⟩ *(you're / he's* ⟨enz.⟩ *) dead right;* dit vest past ~ *this waistcoat fits nicely /* ⟨inf.⟩ *to a T / like a glove;* iets ~ weten *know sth. perfectly;* om ~ te zijn *to be precise / exact* **4.1** waar heb je het ~ verloren? *where exactly did you lose it?;* ~ zo'n auto *just such a car* **5.1** hij wilde het heel ~ weten *he wanted to know (it) in the greatest detail;* hoe heeft hij het ~ gedaan? *how exactly / just how did he do it?* **5.2** overdreven ~ *overprecise;* ⟨inf.⟩ *finicky* **6.1** ~ **in** het midden *in the middle;* ⟨inf.⟩ *dead / smack / bang in the middle, fair and square in the middle;* hij kreeg de bal ~ **in** zijn gezicht *he got the ball right! /* ⟨inf.⟩ *bang / smack in his face;* ~ **om** twaalf uur *at twelve (o'clock) exactly / sharp / on the dot, at exactly twelve o'clock, on the* *stroke of twelve;* ~ **op** tijd *right on time/to the minute;* ⟨inf.⟩ *bang on time, on the dot;* hij kwam ~ **op** het juiste moment *he came just at the right moment;* ~ **tegenover** *directly/right opposite* **6.2** zij is zeer ~ **op** haar auto *she's most/very particular about her car, she's very careful with her car* **7.1** zijn tijd was 13 minuten ~ ⟨bij wedloop⟩ *his time was 13 minutes dead;* ~ drie jaar geleden *exactly/precisely three years ago, three years ago to the (very) day;* het zijn er ~ tien *there are precisely/exactly ten of them* **7.2** ⟨hist.⟩ de preciezen *the 'strict' (Calvinists)* **8.1** hij loopt ~ (zo)als een aap *he walks just like an ape* ¶**.1** ~ wat ik wou zeggen *just what I wanted to say, my sentiments exactly/precisely;* ~ wat ik nodig heb *precisely/exactly/just what I need;* ⟨inf.⟩ *just the thing/job/ticket;*

II ⟨bw.⟩ **0.1** [⟨+niet⟩ bepaald] *exactly* **0.2** [zojuist] *just (a minute/moment ago)* ⇒*(only) a moment/minute ago* ◆ **2.1** hij is niet ~ handig *he is not e. (what one would call) handy, he's hardly what one would call handy* **3.2** zij is ~ vertrokken *she has j. left, she left just/only a moment/minute ago.*

precies[2] ⟨tw.⟩ **0.1** *precisely* ⇒*exactly, quite/just so* ◆ ¶**.1** ~! dat ben ik met je eens *precisely/exactly! I agree with you.*

preciesheid ⟨de (v.)⟩ **0.1** *precision* ⇒*accuracy.*

precieus ⟨bn.⟩⟨pej.⟩ **0.1** *precious* ⇒*affected.*

preciosa ⟨zn.mv.⟩ **0.1** *valuables* ⇒⟨juwelen⟩ [B]*jewellery* [A]*jewelry.*

precipitaat ⟨het⟩⟨schei.⟩ **0.1** *precipitate.*

precipitatie ⟨de (v.)⟩⟨schei.⟩ **0.1** *precipitation.*

precipitato ⟨bw.⟩⟨muz.⟩ **0.1** *precipitato.*

precipiteren ⟨ov.ww.⟩⟨schei.⟩ **0.1** *precipitate.*

preciseren ⟨ov.ww.⟩ **0.1** *specify* ⇒*be specific/precise/explicit, state precisely* ◆ **1.1** zijn mening/bedoeling ~ *specify/define one's opinion/intention* **5.1** kunt u dat nader ~? *could you be more specific/exact/precise/explicit?, could you state that more precisely/in more detail?*

precisering ⟨de (v.)⟩ **0.1** *specification* ◆ **1.1** een ~ van zijn bedoelingen *a more precise statement of one's intentions.*

precisie ⟨de (v.)⟩ **0.1** *precision* ⇒*accuracy* ◆ **2.1** dodelijke ~ *deadly accuracy;* met grote ~ *with great p., very precisely.*

precisieapparaat ⟨het⟩ **0.1** *precision apparatus/instrument.*

precisie-instrument ⟨het⟩ **0.1** [instrument met grote maatnauwkeurigheid vervaardigd] *precision instrument* **0.2** [instrument voor nauwkeurige verrichtingen] *precision instrument.*

precisiemeter ⟨de (m.)⟩ **0.1** *precision gauge/*[A]*gage.*

precisieuurwerk ⟨het⟩ **0.1** *precision timepiece.*

precisiewerk ⟨het⟩ **0.1** *precision work* ◆ **3.1** horloges repareren is een ~ *je repairing watches is p. w..*

preconisatie ⟨de (v.)⟩⟨r.k.⟩ **0.1** *preconization.*

preconiseren ⟨ov.ww.⟩ **0.1** [loven] *preconize* **0.2** [⟨r.k.⟩ bevoegd verklaren] *preconize* **0.3** [⟨r.k.⟩ kerkelijke benoemingen bekrachtigen] *preconize.*

precursor ⟨de (m.)⟩ **0.1** *precursor* ⇒*forerunner.*

predatie ⟨de (v.)⟩⟨ecologie⟩ **0.1** *predation.*

predator ⟨de (m.)⟩⟨biol.⟩ **0.1** *predator.*

predestinatie ⟨de (v.)⟩⟨theol.⟩ **0.1** *predestination* ⇒*preordination, foreordination.*

predestinatieleer ⟨de⟩ **0.1** *doctrine of predestination.*

predestineren ⟨ov.ww.⟩ **0.1** [⟨theol.⟩] *predestine* ⇒*predestinate, preordain, foreordain* **0.2** [van te voren bestemmen] *predestine* ⇒*predestinate, preordain, foreordain.*

predeterminatie ⟨de (v.)⟩ **0.1** [⟨biol.⟩] *predetermination* **0.2** [⟨theol.⟩] *predetermination.*

prediceren ⟨ov.ww.⟩ **0.1** *predict* ⇒*forecast,* ⟨schr.⟩ *foretell,* ⟨bijb. ook⟩ *prophesy.*

predictortest ⟨de (m.)⟩ **0.1** *pregnancy test.*

predikaat ⟨het⟩ **0.1** [⟨logica⟩] *predicate* **0.2** [benaming] *designation* **0.3** [⟨taal.⟩] *predicate* **0.4** [titel] *predicate* ⇒*title* ◆ **3.2** het ~ 'cum laude' krijgen bij een examen *receive the designation 'cum laude' in an examination;* het ~ 'Koninklijke' krijgen *receive the designation 'Royal'.*

predikaatsadjectief ⟨het⟩ **0.1** *predicate/predicative adjective.*

predikaatsnomen ⟨het⟩ **0.1** *predicate nominal.*

predikaatswoord ⟨het⟩ **0.1** [predikatieve bepaling] *predicate modifier* **0.2** [woord als predikaat gebruikt] *predicate.*

predikambt ⟨het⟩ **0.1** *ministry* ⇒*pastorate.*

predikant ⟨de (m.)⟩ **0.1** [⟨prot.⟩] *clergyman, pastor; vicar, rector, parson* ⟨Anglicaanse kerk⟩; *minister (of religion)* ⟨in GB. vnl. in presbyteriaanse en non-conformistische kerken⟩; *chaplain* **0.2** [⟨r.k.⟩] ⟨huisgeestelijke, ook op school/universiteit; vloot/legerpredikant⟩ ◆ *preacher* ◆ **3.¶** ~ worden ⟨ook⟩ *take holy orders;* ~ zijn ⟨ook⟩ *be in holy orders.*

predikantsplaats ⟨de⟩ **0.1** *living, benefice* ⇒*rectorate, vicarage.*

predikantswoning ⟨de (v.)⟩ **0.1** *clergyman's house* ⇒*vicarage, rectory, parsonage,* ⟨vnl. Sch.E⟩ *manse.*

predikatie ⟨de (v.)⟩ **0.1** [vermanende toespraak] *sermon* ⇒*homily, lecture* **0.2** [preek] *sermon* ◆ **3.2** de ~ houden *preach/give a s., preach.*

predikatief ⟨bn., bw.;-ly⟩⟨taal.⟩ **0.1** *predicative* ◆ **1.1** een predikatieve bepaling *a complement* **3.1** een ~ gebruikt bijvoeglijk naamwoord *predicative (adjective);* dit bijvoeglijk naamwoord is hier ~ gebruikt *this adjective is here used predicatively.*

predikbeurt ⟨de⟩ **0.1** *preaching engagement* ⇒⟨inf.⟩ *turn to preach* ◆ **3.1** een ~ vervullen *preach, fulfil a p. e..*

prediken
I ⟨onov.ww.⟩ **0.1** [Gods woord verkondigen] *preach (the Word (of God)/Gospel)* ◆ **6.1** over iets ~ *preach on/about sth.;*
II ⟨ov.ww.⟩ **0.1** [met aandrang verkondigen] *preach* ◆ **1.1** het Evangelie/het christendom ~ *p. the Gospel/Christianity;* de klassenstrijd/de deugd ~ *p. class struggle/virtue.*

prediker ⟨de (m.)⟩ **0.1** [iem. die predikt] *preacher* **0.2** [predikant] *clergyman, pastor; vicar, rector, parson* ⟨Anglicaanse kerk⟩; *minister (of religion)* ⟨in GB. vnl. in presbyteriaanse en non-conformistische kerken⟩ **0.3** [⟨met hoofdl.⟩ bijbelboek] *Ecclesiastes.*

predikheer ⟨de (m.)⟩⟨r.k.⟩ **0.1** *Dominican (friar)* ⇒*Black Friar,* ⟨mv. ook⟩ *Order of Preachers, Friars Preachers.*

prediking ⟨de (v.)⟩ **0.1** [het prediken] *preaching* **0.2** [het preken] *preaching.*

predisponeren ⟨ov.ww.⟩ **0.1** [geschikt maken] *predispose (to)* **0.2** [⟨med.⟩] *predispose (to).*

predispositie ⟨de (v.)⟩ **0.1** *predisposition.*

predkandidaats ⟨bn.⟩⟨stud.⟩ **0.1** ≠*undergraduate.*

prednison ⟨het, de⟩⟨med.⟩ **0.1** *prednisone.*

predominant ⟨bn.⟩ **0.1** *predominant* ⇒*dominant.*

predominantie ⟨de (v.)⟩ **0.1** *predominance* ⇒*domination.*

predomineren ⟨onov.ww.⟩ **0.1** *predominate* ⇒*dominate.*

pree ⟨de⟩⟨AZN⟩ **0.1** [zakgeld] *pocket money* **0.2** [loon] *pay* **0.3** [betaaldag] *payday.*

preek ⟨de⟩ **0.1** [leerrede] *sermon* ⇒*homily (on)* **0.2** [vermaning] *sermon* ⇒*homily, lecture (on)* ◆ **1.1** een bundel preken *a collection of sermons* **2.1** een stichtelijke ~ *an edifying s./homily;* een vurige ~ *a fiery s.* **2.2** die hele ~ hoeft er niet bij *I don't need/you can leave out the s.* **3.1** een ~ maken/houden *preach/give/deliver a s., preach* **3.2** een ~ afsteken tegen *give s.o. a lecture/s. on, lecture (s.o.) on;* ⟨fikse uitbrander geven⟩ *read (s.o.) the Riot Act;* ik heb weer een ~ te horen gekregen! *I've had (to listen to) another s./homily/lecture, I've been lectured to again.*

preekbeurt →**predikbeurt.**

preekheer →**predikheer.**

preekstijl ⟨de (m.)⟩ **0.1** *style of preaching* ⇒*pulpit style.*

preekstoel ⟨de (m.)⟩⟨→sprw. 282⟩ **0.1** *pulpit* ◆ **6.1** op de ~ staan *be in the p.;* iets van de ~ afkondigen *announce sth. from the p..*

preektoon ⟨de (m.)⟩ **0.1** [zalvende toon] *sermonizing tone* ⇒⟨inf.⟩ *preachy tone* **0.2** [toon waarop wordt gepreekt] *pulpit tone/style.*

preektrant ⟨de (m.)⟩ **0.1** *style/manner of preaching* ⇒*pulpit style.*

preekverbod ⟨het⟩ **0.1** ⟨zie 3.1⟩ ◆ **3.1** hij kreeg een ~ opgelegd *he was forbidden to preach.*

preëminentie ⟨de (v.)⟩ **0.1** [voortreffelijkheid boven anderen] *preeminence* **0.2** [bevoorrechte positie] *preeminent/privileged position* ⇒⟨vero.⟩ *preeminence.*

preëxistentie ⟨de (v.)⟩ **0.1** [bestaan vooraf] *preexistence* **0.2** [⟨theol.⟩] *preexistence.*

prefabricatie ⟨de (v.)⟩ **0.1** *prefabrication.*

prefabriceren ⟨ov.ww.⟩ **0.1** *prefabricate* ◆ **1.1** geprefabriceerde huizen *prefabricated houses;* ⟨inf.⟩ *prefabs;* ⟨fig.⟩ een geprefabriceerde ontmoeting *an engineered meeting.*

prefatie ⟨de (v.)⟩⟨r.k.⟩ **0.1** *preface.*

prefect ⟨de (m.)⟩ **0.1** [⟨Rom. gesch.⟩] *prefect* **0.2** [hoofd van een departement] *prefect* **0.3** [⟨Belg.⟩ hoofd van een school] ≠*headmaster* **0.4** [⟨r.k.⟩] *prefect.*

prefectuur ⟨de (v.)⟩ **0.1** [⟨Rom. gesch.⟩] *prefecture* **0.2** [departement van een prefect] *prefecture* **0.3** [bureau van een prefect] *prefecture.*

preferabel ⟨bn.⟩ **0.1** *preferable (to).*

preferent ⟨bn.⟩ **0.1** [bevoorrecht] *preferred, preferential* **0.2** [verkieslijker] *preferable* ◆ **1.1** ~e aandelen [B]*preference shares,* [A]*p. stocks,* ⟨AE ook⟩ *preferred;* ~e crediteuren *secured/preferential,* [A]*preferred creditors.*

preferentie ⟨de (v.)⟩ **0.1** [voorrang] *preference* ⇒*(right of) priority, (right of) precedence,* ⟨eerste recht op iets⟩ *first claim (to)* **0.2** [voorkeur] *preference* ◆ **3.1** ~ hebben boven *take/have preference/priority over;* zijn ~ laten gelden *exercise one's preferential rights* **3.2** ik heb een ~ voor Duitse wijnen *I have a p. for German wines;* ~ hebben boven *be preferred to.*

prefereren ⟨ov.ww.⟩ **0.1** *prefer* ⇒*favour* ◆ **6.1** iets ~ boven *p. sth. to;* dit is te ~ boven dat *this is preferable to that.*

prefigeren ⟨ov.ww.⟩⟨taal.⟩ **0.1** *prefix.*

prefigering ⟨de (v.)⟩⟨taal.⟩ **0.1** *prefixion.*

prefiguratie ⟨de (v.)⟩ **0.1** *prefiguration* ⇒*foreshadowing,* ⟨schr.⟩ *adumbration.*

prefigureren ⟨ov.ww.⟩ **0.1** *prefigure* ⇒*foreshadow,* ⟨schr.⟩ *adumbrate.*

prefix ⟨het⟩⟨taal.⟩ **0.1** *prefix.*

prefrontaal ⟨bn.⟩⟨meteo.⟩ **0.1** *prefrontal.*

preglaciaal[1] ⟨het⟩ **0.1** *preglacial period.*

preglaciaal[2] ⟨bn.⟩ **0.1** *preglacial.*

pregnant ⟨bn., bw.;-ly⟩ **0.1** [⟨taal.⟩] *pregnant* **0.2** [scherp geformuleerd] *terse* ⇒*succinct.*

prehistoricus ⟨de (m.)⟩, **-ca** ⟨de (v.)⟩ **0.1** *prehistorian.*
prehistorie ⟨de (v.)⟩ **0.1** [periode] *prehistory* **0.2** [tak van wetenschap] *prehistory.*
prehistorisch ⟨bn.⟩ **0.1** [mbt. de prehistorie] *prehistoric* **0.2** [⟨scherts.⟩] *prehistoric* ⇒*ancient* ◆ **1.1** ~e vondsten *p. finds* **1.2** een ~ vervoermiddel *a p. vehicle, an old bone-shaker.*
prei ⟨de⟩ **0.1** *leek.*
preibed ⟨het⟩ **0.1** *leek bed.*
preibol ⟨de (m.)⟩ **0.1** *leek bulb.*
prejudicie ⟨de (v.)⟩ **0.1** *prejudice* ◆ **6.1** zonder ~ *without p..*
prejudicieel ⟨bn.⟩ **0.1** *preliminary* ⇒*pre-judicial* ◆ **1.1** ⟨jur.⟩ ~ geschil *preliminary dispute;* ⟨jur.⟩ prejudiciële uitspraak *preliminary ruling.*
prejudiciëren ⟨onov.ww.⟩ **0.1** *prejudice* ⇒*prejudge, affect prejudicially* ◆ **6.1** ⟨jur.⟩ de bediening in kort geding prejudicieert niet op de hoofdzaak *the decision in summary proceedings does not affect/ prejudice/ prejudge the main issue.*
prekandidaats ⟨bn.⟩⟨stud.⟩ **0.1** ≠*undergraduate studies.*
preken (→sprw. 619)
I ⟨onov.ww.⟩ **0.1** [Gods woord verkondigen] *preach* ⇒*deliver/ preach a sermon* **0.2** [zedenpreek houden] *preach* ⇒*sermonize, moralize, hold forth* ◆ **6.1** ⟨fig.⟩ voor stoelen en banken/ voor dove oren ~ *p. to empty pews/ deaf ears;* ⟨fig.⟩ voor eigen parochie ~ *preach to the converted* **6.2** ~ tegen iem. *p. to/ at s.o.; give s.o. a sermon, lecture/ sermonize s.o.;*
II ⟨ov.ww.⟩ **0.1** [fanatiek verkondigen] *preach* ⇒*proclaim* ◆ **1.1** het Evangelie ~ *preach/ proclaim the Gospel;* het verzet ~ *preach revolt/ rebellion.*
prekerig ⟨bn., bw.; -ly⟩ ⟨pej.⟩ **0.1** *moralizing* ⇒ ↓*preachy,* ↑*sermonical.*
preklinisch ⟨bn.⟩ **0.1** *preclinical.*
prelaat ⟨de (m.)⟩⟨r.k.⟩ **0.1** *prelate.*
prelaatschap ⟨het⟩ **0.1** *prelateship* ⇒*prelacy.*
prelatuur ⟨de (v.)⟩ **0.1** [waardigheid, ambt] *prelacy* ⇒*prelature* **0.2** [(rechts)gebied] *prelacy* ⇒*prelature, prelatic benefice/ bishopric.*
prelegaat ⟨het⟩⟨jur.⟩ **0.1** *prelegacy* ⇒*preference legacy.*
preliminair ⟨bn.⟩ **0.1** *preliminary* ⇒*introductory, preparatory* ◆ **1.1** ~e besprekingen *preliminary talks/ discussions, preliminaries.*
prelude ⟨de (v.)⟩ **0.1** [muzikaal voorspel] *prelude* **0.2** [instrumentaal muziekstuk] *prelude* **0.3** [⟨fig.⟩ aanloop] *prelude* **6.3** de ~ tot de Tweede Wereldoorlog *the p. to the Second World War.*
preluderen ⟨onov.ww.⟩ **0.1** [⟨muz.⟩] *play a prelude* **0.2** [⟨fig.; + op⟩] *serve as/ be a prelude (to)* ⇒*lead up to, usher in, foreshadow, prelude* ◆ **3.1** het orgel begon te ~ *the organ began/ started to play a prelude* **6.2** in haar inleiding preludeerde zij op de eigenlijke discussie *her introduction served as a prelude to the discussion proper.*
preludium →prelude.
prematuriteit ⟨de (v.)⟩ **0.1** [voorbarigheid] *prematurity* ⇒*prematureness* **0.2** [voortijdige geboorte] *premature birth/ delivery* ◆ **1.1** ⟨jur.⟩ de ~ v.d. vordering *the premature nature of the claim.*
prematuur ⟨bn.⟩ **0.1** [voorbarig] *premature* **0.2** [te vroeg geboren] *premature* ◆ **1.1** ik vind die beslissing ~ *I believe that decision is p..*
premedicatie ⟨de (v.)⟩ **0.1** *premedication.*
premediceren ⟨onov.ww.⟩⟨med.⟩ **0.1** *premedicate.*
premeditatie ⟨de (v.)⟩ ⟨pej.⟩ **0.1** *premeditation.*
premenstrueel ⟨bn.⟩⟨med.⟩ ◆ **1.¶** ~ syndroom *premenstrual syndrome/ tension.*
premie ⟨de (v.)⟩ **0.1** [beloning] *premium* ⇒*bonus, bounty, gratuity,* ⟨mil.; inkwartieringspremie⟩ *billet-money,* ⟨hand.⟩ *(exchange) premium, stock discount* **0.2** [uitgelote extra prijs] *bonus (prize)* ⇒*premium* **0.3** [geschenk] *(free) gift* ⇒*bonus/ premium/ free offer* **0.4** [mbt. verzekeringen] *premium* ⇒⟨vnl. mbt. sociale verzekering⟩ *(insurance) contribution* **0.5** [subsidiebedrag] *subsidy* **0.6** [(mbt.) premieafgave] *premium* ◆ **1.1** vracht plus 8% ~ ⟨scheep.⟩ *freight plus 8 per cent primage* **1.5** ~ A-woning *'premie A-woning'* ⟨owner-occupied house built with government subsidy⟩ **2.4** de sociale ~s *the* [B]*social insurance/ security/* [A]*FICA/ Federal Insurance contributions* **3.1** de regering keert een ~ uit voor elke gedode rat *the Government gives a bounty for every rat killed;* een ~ stellen op *put a p. on;* een ~ uitkeren *pay a p.* **3.4** ~ betalen *pay a p./ contribution* **3.6** ~ te leveren/ ontvangen *call/ put o.;* ⟨combinatie⟩ *straddle* **6.1** een ~ tot aanmoediging *an incentive bonus, p. pay.*
premieaandeel ⟨het⟩ **0.1** *premium/ bonus share.*
premieaffaire ⟨de (v.)⟩ **0.1** (⟨[B]*share/* [A]*stock⟩ option.*
premiebetaling ⟨de (v.)⟩ **0.1** *payment of the premium(s)* ◆ **6.1** een pensioenregeling zonder ~ *a non-contributory pension scheme.*
premiebouw ⟨de (v.)⟩ **0.1** ≠*subsidized (private) housing (scheme).*
premiecontract ⟨het⟩ **0.1** *option contract* ◆ **3.1** een ~ afsluiten *buy an option.*
premiedruk ⟨de (m.)⟩ **0.1** *(total) social security contributions.*
premiegrens ⟨de⟩ **0.1** *threshold for social security contributions.*
premiehandel ⟨de⟩ **0.1** *option dealing)/ business.*
premieheffing ⟨de (v.)⟩ **0.1** *collection of* [B]*national insurance/* [A]*FICA/ Federal Insurance contributions.*
premiehuurwoning ⟨de (v.)⟩ **0.1** ≠[B]*council house,* [A]*public housing.*

premie-inkomen ⟨het⟩⟨fiscus⟩ **0.1** *taxed income.*
premiejager ⟨de (m.)⟩ **0.1** [⟨geldw.⟩] [B]*stag,* [A]*premium hunter* **0.2** [⟨gesch.⟩] *bounty hunter.*
premiekeuring ⟨de (v.)⟩⟨veeteelt⟩ **0.1** *(cattle/ horse etc.) show.*
premieklasse ⟨de (v.)⟩ **0.1** [B]*national/* [A]*federal insurance contribution class/ rating;* ⟨AE ook⟩ *FICA level.*
premiekoopwoning ⟨de (v.)⟩ **0.1** ≠*state-subsidized private house.*
premiekorting ⟨de (v.)⟩⟨verz.⟩ **0.1** *reduction on the premium* ⇒⟨auto⟩ *no-claim(s) bonus.*
premielening ⟨de (v.)⟩ **0.1** *lottery loan, premium (bond) loan.*
premieloon ⟨het⟩ **0.1** [arbeidsloon met prestatietoeslag] *incentive pay/ wage* ⇒*premium pay/ bonus/ wage* **0.2** [loongedeelte waarover premie wordt berekend] *'premieloon'* ⟨income assessable to the national insurance scheme⟩.
premielot ⟨het⟩ **0.1** *lottery/* ⟨BE⟩ *premium bond.*
premieobligatie ⟨de (v.)⟩ **0.1** *lottery bond* ⇒⟨GB⟩ *Premium (Savings) Bond.*
premiepercentage ⟨het⟩ **0.1** *percentage/ rate of premium.*
premieplichtig ⟨bn.⟩ **0.1** *(legally) bound to pay (national insurance/* [A]*FICA/ Federal Insurance) contributions, liable to take part in the national/* [A]*federal insurance scheme* ◆ **1.1** ~e inkomens *incomes assessable to the* [B]*national/* [A]*federal insurance scheme.*
premier ⟨de (m.)⟩ **0.1** *prime minister* ⇒*premier* ◆ **¶.¶** jeune ~ *juvenile lead, jeune premier;* de rol van jeune ~ spelen *play the juvenile lead.*
première ⟨de⟩ **0.1** *premiere, première* ⇒⟨mbt. toneel, musical ook⟩ *first / opening performance/ night* ◆ **6.1** in ~ gaan *open, premiere;* het stuk ging in Londen in ~ *the play had its p./ opened/ was first performed in London.*
premièrebezoeker ⟨de (m.)⟩ **0.1** *first-nighter.*
premieregeling ⟨de (v.)⟩ **0.1** [mbt. spaarpremies] *premium savings scheme* **0.2** [mbt. bouwsubsidies] *(house-)building grants/ subsidies scheme.*
premiereserve ⟨de⟩ **0.1** *premium reserve.*
premier-risqueverzekering ⟨de (v.)⟩ **0.1** *first loss insurance.*
premierschap ⟨het⟩ **0.1** *premiership* ⇒*prime ministership, office of Prime Minister.*
premiespaarplan ⟨het⟩ **0.1** *premium savings scheme.*
premiestelsel ⟨het⟩ **0.1** [manier van verzekeren] *premium system* **0.2** [stelsel met aanmoedigingspremies] *incentive (pay/ wage) scheme/ system;* ⟨vnl. AE⟩ *premium system* ⇒*bonus system,* ⟨exportbevordering⟩ *bounty system.*
premietabel ⟨de⟩ **0.1** *table of premiums.*
premieverhoging ⟨de (v.)⟩ **0.1** *increase/ rise/* ⟨AE ook⟩ *raise in the premium (rate).*
premieverlaging ⟨de (v.)⟩ **0.1** *reduction in the premium (rate).*
premieverzekering ⟨de (v.)⟩ **0.1** *premium insurance.*
premievrij ⟨bn.⟩ **0.1** *free of premium(s)* ◆ **1.1** ~ pensioen *non-contributory pension;* een ~e polis *a paid-up policy.*
premiewoning ⟨de (v.)⟩ **0.1** *subsidized (private) house/ flat/* ⟨schr.⟩ *dwelling.*
premisse ⟨de (v.)⟩ **0.1** [⟨fil.⟩] *premise* **0.2** [vooropgezette stelling] *premise* ◆ **3.2** van de ~ uitgaan, dat ... *start from the p. that ....*
premium ⟨de (m.)⟩ **0.1** *free gift.*
premolaar ⟨de (m.)⟩ **0.1** *premolar* ⇒*bicuspid.*
premonstratenzer¹ ⟨de (m.)⟩ **0.1** *Premonstratensian* ⇒*Norbertine,* ⟨GB ook⟩ *White Canon.*
premonstratenzer² ⟨bn.⟩ **0.1** *Premonstratensian.*
prenataal ⟨bn.⟩ **0.1** ⟨vnl. BE⟩ *antenatal;* ⟨vnl. AE⟩ *prenatal* ◆ **1.1** prenatale ziekten/ zorg *a./ p. disorders/ care.*
prent ⟨de⟩ **0.1** [gedrukte afbeelding] *print* ⇒*picture, illustration, engraving,* ⟨satirisch⟩ *cartoon* **0.2** [truttige vrouw] *prude* **0.3** [⟨inf.⟩ bankbiljet] *banknote,* [A]*bill* **0.4** [⟨inf.⟩ bekeuring] *ticket* **0.5** [wildspoor] *track* ⇒*trace, trail,* ⟨vnl. Ind.E⟩ *pug (mark)* ◆ **2.3** een gele~ ≠*a 25 guilder note* **3.1** ~en verzamelen *collect prints* **3.4** een ~ krijgen *get a ticket,* fig.) **6.1** een boek met ~en *an illustrated book, a picture book* **6.¶** in ~ *in print.*
prentbriefkaart ⟨de⟩ **0.1** *(picture) postcard* ⇒⟨AE ook⟩ *postal card.*
prenten ⟨ov.ww.⟩ **0.1** [in/ op een stof persen] *impress* ⇒*imprint,* ⟨gaufreren⟩ *emboss* **0.2** [bekeuren] *slap a ticket (on s.o.)* ⇒ ↑*fine* ◆ **6.1** ⟨fig.⟩ zich iets in het geheugen ~ *impress sth. on/ fix sth. in one's mind / memory, make a mental note of sth.;* ⟨fig.⟩ in iemands hart geprent staan *be fixed in/ engraved/ stamped/ impressed on s.o.'s mind/ heart;* ⟨fig.⟩ prent dat goed in je hoofd *get that firmly into your head.*
prentenatlas ⟨de⟩ **0.1** *atlas of historical prints.*
prentenbijbel ⟨de (m.)⟩ **0.1** *illustrated/ pictorial bible.*
prentenboek ⟨het⟩ **0.1** *picture book* ⇒*pictorial book* ◆ **1.¶** het duivels~ *the devil's (picture) book.*
prentenkabinet ⟨het⟩ **0.1** [prentenverzameling] *print collection/ gallery* **0.2** [instelling met grafische werken] *print room* ◆ **1.2** directeur v.h. ~ *keeper of the prints.*
prentkaart →prentbriefkaart.
prentkunst ⟨de (v.)⟩ **0.1** *printing* ⇒⟨etsen⟩ *engraving, etching.*
prenumerando ⟨bw.⟩ **0.1** *(payable) in advance* ⇒*before a given date, before delivery.*

prenumeratie ⟨de (v.)⟩ **0.1** *prepayment* ⇒*payment in advance, advance payment.*

prenumereren ⟨ov.ww.⟩ **0.1** *prepay* ⇒*pay (for) in advance.*

preoccupatie ⟨de (v.)⟩ **0.1** *preoccupation* ◆ **3.1** een ~ hebben met iets *have a p. with sth., be preoccupied with sth..*

preoccuperen ⟨ov.ww.⟩ **0.1** *preoccupy* ◆ **6.1** gepreoccupeerd worden **door** iets *be preoccupied with sth., have sth. on one's mind.*

preparaat ⟨het⟩ **0.1** [⟨far.; schei.⟩] *preparation* **0.2** [⟨med.⟩]⟨microscopie⟩(*microscopic*) *section;* ⟨op glasplaatje ook⟩(*microscopic*) *slide, specimen.*

preparateur ⟨de (m.)⟩ **0.1** [⟨med.⟩] *prosector* **0.2** [dierenopzetter] *taxidermist.*

preparatie ⟨de (v.)⟩ **0.1** [voorbereiding] *preparation* **0.2** [bewerking] *preparation* ⇒*dressing* ⟨weefsel, leer⟩ **0.3** [⟨med.⟩] *preparation* ⇒*mounting* **0.4** [het opzetten] *stuffing* ◆ **3.1** ~s maken om te vertrekken *prepare to leave.*

preparatoir ⟨bn.⟩ ⟨jur.⟩ **0.1** *preliminary* ◆ **1.1** een ~ vonnis *a p. ruling / judgment.*

prepareerglaasje ⟨het⟩ **0.1** *mount.*

prepareermicroscoop ⟨de (m.)⟩ **0.1** *dissecting microscope.*

prepareren ⟨ov.ww.⟩ **0.1** [voorbereiden] *prepare* **0.2** [klaarmaken] *prepare* ⇒*dress* ⟨ihb. gevogelte en vis⟩ **0.3** [bewerken] *prepare* ⇒*dress* ⟨weefsel, leer⟩ **0.4** [opzetten] *stuff* **0.5** [⟨med.⟩] *dissect* ⇒*mount* ◆ **1.3** leer ~ *dress / curry leather;* watten ~ *p. cotton wool / ^absorbent cotton* **4.1** zich ~ (voor/op) *p. (for), get ready (for);* ⟨voor examen ook⟩ *study (for), revise (for)* **6.1** iem. ~ **voor/op** een examen *prepare s.o. for an examination.*

preponderant ⟨bn.⟩ **0.1** *preponderant* ◆ **1.1** ~e belangen *p. interests.*

preponderantie ⟨de (v.)⟩ **0.1** *preponderance.*

prepositie ⟨de (v.)⟩ ⟨taal.⟩ **0.1** *preposition.*

prepositioneel ⟨bn., bw.; -ly⟩ **0.1** *prepositional* ◆ **3.1** een ~ gebruikt bijwoord *a p. adverb, an adverb used as a preposition.*

prepuberteit ⟨de (v.)⟩ **0.1** *prepuberty* ⇒*prepubescence.*

prerafaëliet ⟨de (m.)⟩ **0.1** *Pre-Raphaelite.*

prerafaëlitisch ⟨bn.⟩ **0.1** *Pre-Raphaelite.*

prerogatief ⟨het⟩ **0.1** *prerogative* ◆ **1.1** het ~ v.d. kroon *(the) Royal Prerogative.*

pres. ⟨afk.⟩ **0.1** [president] *Pres..*

presbyopie ⟨de (v.)⟩ **0.1** *presbyopia.*

presbyter ⟨de (m.)⟩ ⟨rel.⟩ **0.1** [presbyteriaans ouderling] *presbyter* ⇒*elder* **0.2** [⟨gesch.⟩] *presbyter* ⇒*elder.*

presbyteriaan ⟨de (m.)⟩ **0.1** *Presbyterian.*

presbyteriaans ⟨bn.⟩ **0.1** *Presbyterian.*

presbyterianisme ⟨het⟩ **0.1** *Presbyterianism.*

presbyterium ⟨het⟩ **0.1** [priestercollege] *presbytery* **0.2** [priesterkoor] *presbytery.*

prescriberen ⟨ov.ww.⟩ **0.1** [voorschrijven] *prescribe* **0.2** [⟨jur.⟩] *prescribe.*

prescriptie ⟨de (v.)⟩ **0.1** [voorschrift] *prescription* **0.2** [verjaring] *prescription.*

prescriptief ⟨bn.⟩ **0.1** *prescriptive* ◆ **1.1** prescriptieve grammatica *p. grammar.*

prescriptivisme ⟨het⟩ **0.1** *prescriptivism.*

préséance ⟨de (v.)⟩ **0.1** *precedence.*

présence ⟨de (v.)⟩ ◆ **¶.1** acte de ~ geven *put in an appearance,* ⟨inf.⟩ *show one's face.*

presenning ⟨de⟩ ⟨scheep.⟩ **0.1** *tarpaulin* ⇒*canvas, weather cloth.*

presens ⟨het⟩ ⟨taal.⟩ **0.1** *present (tense)* ◆ **¶.1** het ~ historicum *the historic(al) present.*

present¹ ⟨het⟩ **0.1** *present* ⇒*gift* ◆ **3.1** iem. iets ~ geven *give s.o. sth. as a p., make s.o. a p. of sth.;* ik heb het niet ~ gekregen ⟨fig.⟩ *I didn't get it for nothing;* die kun je wel (van me) ~ krijgen *I can do without it / him* ⟨enz.⟩, *you can keep it / him* ⟨enz.⟩.

present² ⟨bn.⟩ **0.1** [aanwezig] *present* ⇒⟨op vergadering, officiële functie zijn, (dienst)post ook⟩ *in attendance* **0.2** [bij zinnen] *alert* ⇒*lucid, clear-headed, in one's right senses,* ⟨inf.⟩ *all there, with it* ◆ **3.1** ze waren allemaal ~ *they were all p. / there / in attendance* **3.2** ze is nu weer helemaal ~ *she's now fully a. again* **5.1** hij is weer ~ *he is back again* **¶.1** ~! *p.!, here!.*

presentabel ⟨bn.⟩ **0.1** *presentable* ⇒*respectable, fit to be seen* ◆ **3.1** nu ben je tenminste weer ~ *now you look a bit p. (again), now you're at least fit to be seen (again);* er ~ uitzien *be p. / fit to be seen* **5.1** mevrouw was nog niet ~ *the lady of the house wasn't yet fit to be seen.*

presentatie ⟨de (v.)⟩ **0.1** [het voorstellen] *presentation* ⇒*introduction* **0.2** [manier waarop iets gebracht wordt] *presentation* **0.3** [gastheerschap] ⟨zie 3.3⟩ **0.4** [het aanbieden] *presentation* **0.5** [ambtsvoordracht] *presentation* ◆ **1.1** de ~ v.e. nieuw tijdschrift *the p. / introduction of a new magazine* **1.2** de ~ van dat werkstuk is goed *the p. of this paper is good* **1.4** de ~ v.e. wissel *the p. of a bill of exchange* **3.3** de ~ is in handen van X *the programme is presented / introduced / hosted by X;* ⟨BE ook⟩ *your compere is X* **6.1** de ~ van iem. **aan** het hof *the p. of s.o. at court;* ⟨debuut⟩ *s.o.'s debut at court.*

presentatietechnicus ⟨de (m.)⟩ ⟨com.⟩ **0.1** *presentation operator / technician.*

presentator ⟨de (m.)⟩ **0.1** *presenter* ⟨van nieuws, actualiteiten⟩; *host* ⟨m.⟩, *hostess* ⟨v.⟩ ⟨van lichte programma's⟩; ⟨BE, m.⟩ *compere* ⟨van amusementsprogramma's enz.⟩; *anchor man,* ⟨BE ook⟩ *link man* ⟨coördinerende presentator in studio⟩; ⟨in circus, m.⟩ *ringmaster.*

presenteerblad ⟨het⟩ **0.1** *tray* ⇒*waiter, server, salver* ⟨vnl. zilver⟩ ◆ **6.1** de baan werd hem **op** een ~ aangeboden *the job was handed to him / he was handed the job on a plate.*

presenteren ⟨ov.ww.⟩ **0.1** [voorstellen] *present* ⇒*introduce* **0.2** [aanbieden] *present* ⇒⟨mbt. gebruiksartikelen, etenswaren enz.⟩ *offer,* ⟨ter beoordeling ook⟩ *submit,* ⟨schr.⟩ *proffer* **0.3** [doen voorkomen] *pass off (as)* **0.4** [als presentator optreden bij/van] *present* ⇒*host,* ⟨BE ook⟩ *compere* ⟨amusementsprogramma's enz.⟩ **0.5** [⟨mil.⟩] *present* **0.6** [mbt. anker] *drop* ◆ **1.1** de troepen ~ bij een parade *p. the troops at a parade;* een vriend(in) ~ *p. / introduce a friend* **1.2** iem. de rekening ~ *saddle s.o. with the bill;* ⟨fig.⟩ *saddle s.o. with the responsibility;* ⟨fig.⟩ de rekening gepresenteerd krijgen *be faced with the consequences;* ⟨sl.⟩ *carry the can;* iem. een stoel / zijn arm / een drankje / sigaar / gebakje ~ *offer s.o. a chair / one's arm / a drink / cigar / cake;* wijn / sigaren / gebak ~ *offer / hand / bring round (the) wine / cigars / cakes* **1.5** presenteer geweer! *p. arms!* **8.3** iets als antiek ~ *pass sth. off as an antique.*

presentexemplaar ⟨het⟩ **0.1** *complimentary copy* ⇒*free copy,* ⟨proefexemplaar⟩ *specimen copy,* ⟨als geschenk bij speciale gelegenheid, vaak mooi ingebonden of door auteur gesigneerd⟩ *presentation copy* ◆ **3.1** een ~ aanvragen / toesturen / verstrekken *ask for / send / provide a c.c.;* v.d. Engelse van Dale kunnen geen presentexemplaren verstrekt worden *we regret that van Dale do not provide / furnish complimentary copies.*

presentie ⟨de (v.)⟩ **0.1** *presence* ◆ **6.1** in ~ **van** *in the p. of.*

presentiegeld ⟨het⟩ **0.1** *attendance fee / money* ⇒*fee for attendance* ◆ **3.1** ~ opstrijken *pocket the a. f..*

presentieklok ⟨de⟩ **0.1** *time clock.*

presentielijst ⟨de⟩ **0.1** *attendance list, (attendance) roll, roll of attendance* ⇒*attendance book, (attendance) register* ⟨vnl. op school⟩, ⟨monsterrol⟩ *muster* ◆ **3.1** de ~ checken *check the register / roll;* ⟨hardop ook⟩ *call the register / roll;* een ~ tekenen / laten rondgaan *sign / circulate a / the attendance list.*

presentje ⟨het⟩ **0.1** *little present / gift* ⇒⟨als dank ook⟩ *bread and butter present, hostess gift.*

preservatief¹ ⟨het⟩ **0.1** ⟨in het algemeen⟩ *preservative* ⇒⟨anticonceptiemiddel⟩ *contraceptive* ⟨ook condom⟩, ⟨condoom⟩ *condom, (protective) sheath,* ⟨sl.⟩ *rubber,* ⟨BE ook⟩ *johnnie.*

preservatief² ⟨bn.⟩ **0.1** ⟨in het algemeen⟩ *preservative, preventative* ⇒*protective* ⟨ook voor anticonceptie⟩, ⟨voor anticonceptie ook⟩ *contraceptive.*

preserveren ⟨ov.ww.⟩ **0.1** *preserve.*

president ⟨de (m.)⟩ **0.1** [voorzitter] *president* ⇒*chairman* ⟨m., v.⟩, *chairwoman* ⟨v.⟩, ⟨van jury⟩ *foreman,* ⟨van rechtbank ook⟩ *presiding judge* **0.2** [staatshoofd] *President* ◆ **1.1** de ~ v.d. Bank van Engeland *the Governor of the Bank of England;* mijnheer / mevrouw de ~! *Mr. / Madam Chairman!* **1.2** mijnheer / mevrouw de ~! *Mr. / Madam President!.*

president-commissaris ⟨de (m.)⟩ **0.1** *chairman of the board (of directors).*

president-curator ⟨de (m.)⟩ **0.1** *chairman of the (board of) curators.*

president-directeur ⟨de (m.)⟩ **0.1** *chairman of the board.*

presidentieel ⟨bn.⟩ **0.1** *presidential* ◆ **1.1** het presidentiële paleis *the p. palace;* een presidentiële rede *a p. speech, a speech by the president.*

presidentschap ⟨het⟩ **0.1** [ambt] *presidency, presidentship* ⇒⟨van voorzitter ook⟩ *chairmanship* **0.2** [termijn] *presidency, presidentship* ⇒⟨van voorzitter ook⟩ *chairmanship* ◆ **1.1** de strijd om het ~ *the battle / struggle / fight for the presidency.*

presidentskandidaat ⟨de (m.)⟩ **0.1** *presidential candidate.*

presidentsverkiezing ⟨de (v.)⟩ **0.1** *presidential election.*

presideren ⟨onov., ov.ww.⟩ **0.1** *preside (at / over)* ⇒*be in / take the chair* ◆ **1.1** in vergadering ~ *chair a meeting, take the chair at a meeting.*

presidiaal ⟨bn.⟩ **0.1** *presidential* ⇒*presidial* ◆ **1.1** ⟨jur.⟩ met ~ verlof *by leave of the President (of the court);* ⟨jur.⟩ ~ vonnis *judgment in summary proceedings.*

presidium ⟨het⟩ **0.1** [college van voorzitters] *presidium* ⟨vnl. in communistische landen⟩ **0.2** [voorzitterschap] *presidency, presidentship* ⇒*chairmanship* ◆ **1.1** het Presidium v.d. Opperste Sovjet *the Presidium of the Supreme Soviet* **6.2** onder ~ **van** *under the chairmanship of.*

preskop ⟨de (m.)⟩ **0.1** *brawn.*

pressant ⟨bn.⟩ ⟨schr.⟩ **0.1** *pressing* ⇒*urgent.*

pressen ⟨ov.ww.⟩ **0.1** [dwingen] *press* ⇒*put pressure on* **0.2** [⟨schr.⟩ persen] *press* ◆ **6.1** iem. **tot** iets ~ *press(urize) / urge s.o. to do sth., put pressure on s.o. to do sth., press s.o. into doing sth.;* ⟨zeuren⟩ ⟨inf.⟩ *be (on) at s.o. to do sth..*

presse-papier ⟨de (m.)⟩ **0.1** *paperweight.*

presseren

I ⟨onov.ww.⟩ **0.1** [direct ingrijpen vereisen] *be urgent* ⇒*press* ◆ **5.1** het presseert niet *it's not urgent / pressing;* ↓*there's no hurry;*

II ⟨ov.ww.⟩ **0.1** [tot spoed manen] *press* ⇒⟨tot haast aanzetten, overhaasten⟩ *hurry*.

pressie ⟨de (v.)⟩ **0.1** *pressure* ◆ **3.1** ~ op iem. uitoefenen *put/exert p. (up)on s.o., bring p. to bear (up)on s.o., put s.o. under p., pressurize s.o.;* ⟨inf.⟩ *twist s.o.'s arm* **6.1** iets **onder** ~ doen *do sth. under p..*

pressiegroep ⟨de⟩ **0.1** *pressure group* ⇒*lobby*, ⟨BE, in politieke partij/ parlement⟩ *ginger group.*

pressiemiddel ⟨het⟩ **0.1** *means of putting pressure on* ⇒⟨dwangmaatregel; vaak pej.⟩ *coercive measure, means of coercion,* ⟨inf.⟩ *lever.*

pressievoetbal ⟨het⟩ **0.1** *offensive soccer/* ⟨BE ook⟩ *football.*

prestant ⟨de (m.)⟩ ⟨muz.⟩ **0.1** *display/face/front pipes* ⇒⟨mbt. orgels in de Duitse stijl ook⟩ *prestant,* ⟨mbt. orgels in de Franse stijl ook⟩ *montre.*

prestatie ⟨de (v.)⟩ **0.1** [het presteren] *performance* **0.2** [dat wat men presteert] *performance* ⇒*achievement, feat, accomplishment,* ⟨(helden)daad, toer⟩ *exploit,* ⟨opbrengst, vermogen, capaciteit ook⟩ *output* ◆ **1.2** de ~s v.e. auto *a car's p.* **2.2** een hele ~ *quite a p. / an achievement;* een prachtige ~ *a splendid p.* **3.2** een ~ leveren *achieve sth., perform/* ↓*do well;* een geweldige ~ leveren *put up/turn in a fantastic/tremendous/monumental p., perform/* ↓*do very well;* iem. naar zijn ~s beoordelen *judge s.o. by his p. / achievements* **6.2** zijn ~s **op** school *his school/academic record.*

prestatiebeloning ⟨de (v.)⟩ →*prestatieloon.*

prestatiedrang ⟨de (m.)⟩ **0.1** *competitive spirit, need to perform/achieve.*

prestatiedwang ⟨de (m.)⟩ **0.1** *pressure to perform/achieve* ⇒*pushing, competitive spirit.*

prestatiegericht ⟨bn.⟩ **0.1** *achievement-oriented* ◆ **1.1** het ~e karakter van de moderne samenleving *the competitive nature of modern society.*

prestatieloon ⟨het⟩ **0.1** *merit pay.*

prestatieloop ⟨de (m.)⟩ ⟨sport⟩ **0.1** ≠*serious/competitive race.*

prestatiemaatschappij ⟨de (v.)⟩ **0.1** *achievement-oriented society.*

prestatiemoraal ⟨de⟩ **0.1** *performance/achievement mentality, competitive spirit.*

prestatierit ⟨de (m.)⟩ ⟨sport⟩ **0.1** *reliability test.*

prestatiesubsidie ⟨het, de (v.)⟩ **0.1** *performance(-based) grant.*

prestatievermogen ⟨het⟩ ⟨tech.⟩ **0.1** *(operating) capacity* ⇒*power, efficiency.*

presteren ⟨onov., ov.ww.⟩ **0.1** [prestaties leveren] *achieve* ⇒*perform, succeed, manage* **0.2** [jur.] *comply (with), fulfil an obligation* ◆ **1.1** het gepresteerde werk *the work achieved* **4.1** hij heeft het gepresteerd om ... *he (actually) managed to/succeeded in ... (-ing)* **5.1** meer/ beter ~ (dan verwacht) *overperform, overachieve, do more/better (than expected);* onvoldoende ~ *underperform, underachieve,* be unsatisfactory; slecht ~ *perform poorly/badly, make a bad/poor showing;* hij heeft nooit veel gepresteerd *he's never been up to much/never done much;* die ambtenaar presteert weinig *that official/civil servant is inefficient/doesn't produce much.*

prestige ⟨het⟩ **0.1** *prestige* ⇒*status,* ⟨vnl. BE⟩ *kudos,* ⟨invloed⟩ *influence* ◆ **3.1** ~ hebben *possess/enjoy/have p., be prestigious;* ~ hebben / genieten bij *enjoy p. with/among(st);* haar ~ heeft zwaar geleden, het is een grote deuk in haar ~ geweest *it's done a lot of damage to/ it's been a great blow to her p.;* om zijn geschonden ~ te herstellen *to repair one's damaged p., to make up for one's loss of face;* aan ~ inboeten *lose p., suffer a loss of p. / face;* zijn ~ ophouden/bewaren *uphold/ maintain one's p., save (one's) face;* zijn ~ verliezen *lose one's p., suffer a loss of p., lose face.*

prestigekwestie ⟨de (v.)⟩ **0.1** *question/matter of prestige* ◆ **3.1** ergens een ~ van maken *make sth. a matter of prestige.*

prestige-object ⟨het⟩ **0.1** *prestige object* ⇒*status symbol.*

prestigeverlies ⟨het⟩ **0.1** *loss of prestige/face* ◆ **3.1** iem. ~ toebrengen *humble s.o..*

prestigieus ⟨bn.⟩ **0.1** *prestigious.*

prestissimo ⟨bw.⟩ ⟨muz.⟩ **0.1** *prestissimo.*

presto¹ ⟨het⟩ ⟨muz.⟩ **0.1** *presto.*

presto² ⟨bw.⟩ ⟨muz.⟩ **0.1** *presto.*

presumeren ⟨ov.ww.⟩ **0.1** *presume* ⇒*suppose, assume.*

presumptie ⟨de (v.)⟩ **0.1** [veronderstelling] *presumption* ⇒*supposition, assumption* **0.2** [verdenking] *suspicion* ◆ **6.2** ~ op iem. hebben *have one's suspicions about s.o., suspect s.o..*

presumptief ⟨bn.⟩ **0.1** *presumed* ⇒*assumed,* ⟨ook jur.⟩ *presumptive* ◆ **1.1** de presumptieve dader *the presumed culprit.*

presuppositie ⟨de (v.)⟩ **0.1** [vooronderstelling] *presupposition* **0.2** [⟨taal.⟩] *presupposing.*

pret ⟨de⟩ **0.1** [uitbundig plezier] *fun* ⇒ ↑*amusement, merriment, hilarity* **0.2** [genoegen] *fun* ⇒ ↑*pleasure, enjoyment* **0.3** [vermaak] *fun* ⇒ ↑*entertainment* ◆ **2.1** hij had de grootste ~ *he had great f. / a great time;* ⟨inf.⟩ *he had a hell/whale of a time* **2.3** dat was dolle/dikke ~ *it was great/glorious f. / a scream/a riot* **3.1** hij bederft de ~ weer *he's spoiling the f. again, he's being a wet blanket/killjoy/spoilsport again;* ik wil de ~ niet bederven, maar ... *I don't want to spoil the f., but ...;* ~ hebben over iets *be amused at sth., find sth. amusing, be amused to see* ⟨enz.⟩ *sth.;* ~ hebben *have f., have a good/great time, enjoy o.s.;*

⟨AE; inf.⟩ *have a ball;* dat mag de ~ niet drukken ⟨ook fig.⟩ *never mind, no matter;* ~ maken *have f., have a good/great time, enjoy o.s.* **3.2** daar kun je nog veel ~ aan beleven/van hebben *that's a lot of f., you'll enjoy that* ⟨ook iron.⟩ **3.3** toen begon de ~ *then the (real) f. started;* ⟨iron.⟩ ik gun hem/haar die ~ *I hope he/she enjoys it* **6.1** delen in de ~ *share (in) the f.;* tot onze grote ~ *much to our amusement;* schateren **van** de ~ *roar with delight* **6.2** ergens ~ in hebben *take pleasure in sth., enjoy sth.;* iets **voor** de ~ doen *do sth. for fun* **6.3** (het is) uit **met** de ~! *the fun's over.*

prêt-à-porter ⟨het⟩ **0.1** *ready-to-wear.*

pretendent ⟨de (m.)⟩ **0.1** [iem. die aanspraak op iets maakt] *pretender* ⇒*claimant* **0.2** [minnaar] *suitor* ◆ **6.1** een ~ **naar** de kroon *a p. to the throne.*

pretenderen ⟨ov.ww.⟩ **0.1** [voorgeven] *profess (to be)* ⇒*make out,* ⟨doen alsof⟩ *pretend (to be)* **0.2** [⟨jur.⟩] *lay claim/assert a claim to* ⇒*pretend to* ⟨vnl. mbt. titel/troon⟩ ◆ **3.1** hij pretendeert alwetend te zijn *he professes to be/makes out he is omniscient.*

pretentie ⟨de (v.)⟩ ⟨pej.⟩ **0.1** *pretension* ⇒*presumption, pretence ^se* ◆ **3.1** ik heb niet de ~ op dit gebied deskundig te zijn *I make no pretension(s) to expert knowledge/I don't pretend to be an expert in this field;* ~s hebben *be pretentious, be above o.s.;* ⟨inf.⟩ *be too big for one's boots;* zij heeft de ~ ooit nog eens in Carré te zullen spelen *she has the presumption to think that she'll play in Carré one/some day* **5.1** een man vol ~ *a man full of pretensions, a pretentious man;* ⟨BE; inf.⟩ *a pseud* **6.1** barsten **van** ~ *be full of presumption/pretension(s);* ⟨fig.⟩ een gebouw **zonder** ~s *a building without pretension(s), an unpretentious building;* **zonder** enige ~ *(utterly) devoid of all pretension(s), utterly without pretension(s).*

pretentieloos ⟨bn.⟩ **0.1** [zonder pretenties] *unpretentious* ⇒*without pretension(s), unassuming, modest* **0.2** [mbt. zaken] *unpretentious* ⇒*homely, simple* ◆ **1.2** ~ amusement *u. / simple amusement.*

pretentieus ⟨bn., bw.; -ly⟩ **0.1** *pretentious* ⇒⟨gewichtig, opgeblazen⟩ *pompous,* ⟨inf.⟩ *highfalutin(g)* ◆ **1.1** een ~ boekwerk *a pretentious work;* een pretentieuze kwast *a pretentious squirt, a pseud;* een pretentieuze stijl ⟨van iem.⟩ *a highfalutin manner;* ⟨van iets⟩ *a pretentious style.*

preteritum ⟨het⟩ ⟨taal.⟩ **0.1** *preterite ^rit (tense)* ⇒*imperfect (tense), past tense.*

pretext ⟨het⟩ **0.1** *pretext* ⇒*excuse* ◆ **6.1** onder ~ (van) *on the p. of.*

pretexteren ⟨ov.ww.⟩ **0.1** *give as a pretext.*

pretfabriek ⟨de (v.)⟩ ⟨scherts.⟩ **0.1** *fun factory.*

pretje ⟨het⟩ **0.1** *bit of fun* ⇒(bit of a) *lark* ◆ **3.1** hij houdt wel van een ~ *he likes a bit of fun/a lark* **7.1** dat is geen ~ *that's no picnic.*

pretmaker ⟨de (m.)⟩ **0.1** *merrymaker* ⇒*joker.*

pretmakerij ⟨de (v.)⟩ **0.1** *merrymaking* ⇒*revelry, jollification, fun and games.*

pretogen ⟨zn.mv.⟩ **0.1** ≠*twinkling eyes.*

pretor ⟨de (m.)⟩ **0.1** [⟨Rom. gesch.⟩ magistraat] *praetor* **0.2** [⟨Rom. gesch.⟩ landvoogd] *praetor.*

pretoriaan ⟨de (m.)⟩ ⟨gesch.⟩ **0.1** *praetorian* ◆ **¶.1** de pretorianen ⟨de Pretoriaanse Garde⟩ *the Praetorian Guard.*

pretorium ⟨het⟩ ⟨Rom. gesch.⟩ **0.1** [verblijf van een veldheer] *praetorium* **0.2** [hoofdkwartier] *praetorium.*

pretpakket ⟨het⟩ ⟨inf.; iron.; school.⟩ **0.1** *fun combination of examination subjects.*

pretpark ⟨het⟩ **0.1** *amusement park* ⇒⟨BE ook⟩ *fun-fair.*

prettig ⟨bn., bw.; -ly⟩ **0.1** [aangenaam] *pleasant* ⇒*nice, enjoyable, pleasurable, pleasing* **0.2** [gemakkelijk] *nice* ⇒*agreeable, easy* ◆ **1.1** een ~e bijkomstigheid *a pleasant circumstance;* een ~ dag *a pleasant/ nice/enjoyable day;* ~ e feestdagen! *Merry Christmas (and a Happy New Year)!, the compliments of the season;* een ~ mens *a pleasant/ nice/congenial person;* ik vind het geen ~ vooruitzicht/idee *I don't relish the prospect/idea, I don't think it's a very nice idea;* ~ weekend! *have a pleasant/nice/enjoyable/good weekend;* hij vindt het ~ werk *he finds the work pleasant, he enjoys/likes the work* **3.1** het is ~ te horen dat ... *it is pleasant/nice/gratifying to hear that ...;* ~ kennis met u te maken *pleased to meet you, how do you do;* iets (niet) ~ vinden *(not) find sth. pleasant, (not) enjoy/like sth.;* ~ om te lezen *be easy to get on with* **3.2** deze krant leest ~ *this paper is agreeable/nice/pleasant to read;* dit lettertype leest ~ *this type is easy to read;* deze schoenen lopen ~ *these shoes are comfortable;* deze pen schrijft ~ *this pen writes nicely;* deze stoelen zitten ~ *these chairs are comfortable* **5.1** het is niet allemaal even ~ *it's not all (a bed of) roses* **¶.1** het is ~ zaken doen met die mensen *it is a pleasure to do business with those people, they are pleasant/nice people to deal with.*

preuts ⟨bn., bw.; -ly⟩ **0.1** *prudish* ⇒*prim (and proper), prissy, strait-laced, narrow-minded* ◆ **1.1** een ~e tante *a prude, a Mrs. Grundy* **3.1** zich ~ aanstellen *be prudish;* ~ antwoorden *answer primly;* doe niet zo ~ *don't be so prudish/prim and proper;* ze is (nogal) ~ *she is (a bit) prudish, she is (a bit of) a prude.*

preutsheid ⟨de (v.)⟩ **0.1** *prudery, prudishness* ⇒*primness.*

prevalent ⟨bn.⟩ **0.1** *prevalent* ⇒*prevailing.*

prevaleren
I ⟨onov.ww.⟩ **0.1** [de overhand hebbend] *prevail* ⟹*(pre)dominate* ◆ **3.1** iets laten~ *let sth. prevail* **6.1** haar belangen~ **boven** de mijne *her interests prevail over mine / are given preference to mine;*
II ⟨wk.ww.; zich~⟩ **0.1** [gebruik maken] *avail (o.s. of)* ⟹*make use (of)* ◆ **6.1** zich~ **van** een bevoegdheid / **van** een aanbod *avail o.s. of a qualification / an offer.*

prevelement ⟨het⟩ ⟨inf.⟩ **0.1** *talk* ⟹ ↑*speech.*

prevelen ⟨onov., ov.ww.⟩ **0.1** *murmur, mumble* ⟹ ⟨mompelen⟩ *mutter* ⟨vaak mbt. iets wat een ander niet mag horen⟩ ◆ **1.1** gebeden~ *murmur / mumble prayers* **5.1** stil~d in zichzelf *quietly mumbling / muttering to o.s..*

prevenïeren ⟨ov.ww.⟩ **0.1** [voorkomen] *prevent* **0.2** [waarschuwen] *warn (about / against).*

preventie ⟨de (v.)⟩ **0.1** *prevention.*

preventief ⟨bn., bw.; -ly⟩ **0.1** [ter verhindering] *preven(ta)tive* ⟹*precautionary* **0.2** [⟨jur.⟩ voorlopig] ⟨zie 1.2,3.2⟩ ◆ **1.1** een preventieve aanval *a pre-emptive attack / strike;* preventieve behandeling *preven(ta)tive treatment, prophylaxis;* preventieve geneeskunde *preventive medicine;* een preventieve maatregel *a preven(ta)tive / precautionary measure* **1.2** preventieve hechtenis *detention on remand, detention pending / awaiting trial* **3.1** ⟨jur.⟩ de strafwet werkt~ *criminal legislation has a preven(ta)tive effect* **3.2** iem.~ zetten *remand s.o. in custody, keep / hold s.o. on remand.*

priapisme ⟨het⟩ ⟨med.⟩ **0.1** *priapism.*

prieel ⟨het⟩ **0.1** *summer house* ⟹*arbour, bower.*

priegelen ⟨onov.ww.⟩ **0.1** *do fine / delicate / detailed / fiddly (needle)work.*

priegelig ⟨bn.⟩ **0.1** *fine* ⟹*delicate, detailed, fiddly.*

priegelschrift ⟨het⟩ **0.1** *very fine writing.*

priegelwerk ⟨het⟩ **0.1** *close / delicate / fiddly work.*

priem ⟨de (m.)⟩ **0.1** *awl, bodkin* ⟹*bradawl, piercer, punch(eon).*

priemen ⟨onov., ov.ww.⟩ **0.1** [doorboren] *pierce* **0.2** [⟨fig.⟩ pijnigen] *stab* ⟹*sting* ◆ **1.1** een~de blik *a piercing look.*

priemgetal ⟨het⟩ ⟨wisk.⟩ **0.1** *prime (number)* ◆ **2.1** relatieve~len *co-prime numbers, relatively prime numbers.*

priemkruid ⟨het⟩ **0.1** [⟨Subularia aquatica⟩] *awlwort* **0.2** [⟨Genista tinctoria⟩] *dyer's greenweed.*

priemvormig ⟨bn.⟩ **0.1** [met de vorm van een priem] *awl-shaped* **0.2** [⟨plantk.⟩] *subulate, attenuate.*

priester ⟨de (m.)⟩ **0.1** [⟨r.k.⟩] *priest* ⟹⟨die de mis opdraagt⟩ *celebrant* **0.2** [dienaar in een eredienst] *priest* ◆ **3.2**~ worden *take (holy) orders, enter the Church / priesthood;*~ zijn *be in (holy) orders* **6.1** iem. tot~ wijden *ordain s.o. priest.*

priesterambt ⟨het⟩ **0.1** *priesthood* ⟹*priestly office, sacerdocy* ◆ **3.1** het~ bekleden *be in (holy) orders;* het~ ontnemen *defrock, unpriest* **6.1** geen respect **voor** het~ *no respect for the frock / cloth.*

priester-arbeider ⟨de (m.)⟩ **0.1** *worker priest.*

priesterboord ⟨het, de (m.)⟩ **0.1** *clerical collar* ⟹⟨inf.⟩ *dog collar.*

priesterdom ⟨het⟩ **0.1** [staat, waardigheid] *priesthood* **0.2** [de priesters] *priesthood* ⟹*clergy,* ⟨fig.; met bepalend lidwoord⟩ *cloth.*

priesteres ⟨de (v.)⟩ **0.1** *priestess* ◆ **1.1**~ van Apollo te Delphi *pythoness;* ⟨fig.⟩~ van Venus *prostitute, fille de joie;* ⟨AE; sl.⟩ *pavement princess.*

priesterfeest ⟨het⟩ **0.1** *celebration of anniversary of the ordination* ◆ **2.1** hij viert zijn zilveren~ *he celebrates the 25th anniversary of his ordination.*

priestergewaad ⟨het⟩ **0.1** *canonicals* ⟹*(sacerdotal) vestment, clerical / priest's garb.*

priesterheerschappij ⟨de (v.)⟩ **0.1** *hierocracy* ⟹ ⟨pej.⟩ *sacerdotalism,* ⟨scherts.⟩ *sacerdotage.*

priesterhuwelijk ⟨het⟩ **0.1** *clerical marriage.*

priesterjubileum ⟨het⟩ **0.1** (⟨25-jarig⟩ *silver* / ⟨50-jarig⟩ *golden) anniversary of the ordination.*

priesterkoor ⟨het⟩ ⟨r.k.⟩ **0.1** *sanctuary* ⟹*presbytery.*

priesterlijk ⟨bn., bw.; -(al)ly⟩ **0.1** [mbt. een priester] *priestly* ⟹*sacerdotal, hieratic(al)* **0.2** [gewijd] *priestly* ⟹*priestlike* ◆ **1.1**~e sieraden *p. / sacerdotal ornaments;* de~e stand / staat *the p. office, the priesthood.*

priesteropleiding ⟨de (v.)⟩ **0.1** *seminary* ◆ **3.1** hij volgt de~ *he is a s. student / seminarist /* ⟨AE ook⟩ *seminarian / training to be a priest / for the priesthood.*

priesterschap ⟨het⟩ **0.1** *priesthood* ⟹*priestly office.*

priesterstudent ⟨de (m.)⟩ **0.1** *seminarist* ⟹ ⟨AE ook⟩ *seminarian.*

priesterwijding ⟨de (v.)⟩ **0.1** *ordination* ◆ **3.1** de~ ontvangen *be ordained, receive holy orders.*

priesterzegen ⟨de (m.)⟩ **0.1** *priestly blessing.*

prietpraat ⟨de (m.)⟩ **0.1** *twaddle* ⟹*hot air, humbug, claptrap, poppycock.*

prijken ⟨onov.ww.⟩ **0.1** *shine* ⟹*be displayed, figure,* ⟨prijken in / op⟩ *grace, adorn* ◆ **1.1** in zijn knoopsgat prijkte een witte anjer *he sported a white carnation in his buttonhole;* haar naam prijkte bovenaan op de lijst *her name figured at the top of the list* **6.1** de velden~ **met** bloemen *the fields are gay with flowers.*

prijs (→sprw. 507)

I ⟨de (m.)⟩ **0.1** [betaald bedrag] *price* ⟹⟨voor vervoer⟩ *fare,* ⟨volgens tarief berekend⟩ *charge* **0.2** [prijskaartje] *price (tag)* ⟹*price ticket* **0.3** [wat men wint] *prize* **0.4** [beloning voor een prestatie] *prize* ⟹*award,* ⟨sports⟩ *trophy* **0.5** [uitgeloofde beloning] *reward* ⟹*prize* ◆ **1.1** ⟨fig.⟩ de~ van de roem *the p. of fame* **2.1** de thans geldende~ *the current / prevailing p.;* een vaste~ *a fixed / set p.;* ⟨vast tarief⟩ *a flat fare;* voor een zachte~ / voor een klein~je *at a bargain / cheap p.;* ⟨sl.⟩ *for peanuts* **3.1** de prijzen bederven *spoil the trade / market, undersell;* de~ bepalen *op fix the p. at;* een hoge~ maken *fetch / bring in / make / yield a high p.;* de winkeliers maken hoge prijzen *the shopkeepers realize / get / obtain high prices;* een~ noemen *quote / name / state a p.* **3.2** het~je hangt er nog aan *it has still got the price on* **3.3** op dit lot is een~ gevallen *this number has come up for a prize;* een~ uitloven *put up a p.;* ⟨fig.⟩ de~ wegdragen *bear away the palm* **3.5** een~ op iemands hoofd stellen *set / put a price on s.o.'s head* **5.3** altijd raak! altijd~! *everyone's a winner!;* ⟨fig.⟩ *success guaranteed!, you can't go wrong!* **6.1** dat is nogal / stevig **aan** de~ *that is a bit steep / rather costly;* **bij** de~ inbegrepen *included (in the price);* hoog / laag in~ *dear, cheap (at the price);* high- / low-priced, expensive / inexpensive; de benzine is **in**~ gestegen / gedaald [B]*petrol* / [A]*gas has gone up / down,* [B]*petrol* / [A]*gas is up / down in price;* **onder** / **beneden** de~ verkopen *undersell, sell below the market;* **tegen** de~ **van** *at the p. of;* ⟨fig.⟩ **tot** elke~ *at any p. / cost, at all costs;* ⟨fig.⟩ **voor** geen~ *not at any p., not for (all) the world, not on your life;* **voor** een retourtje [B]*the return fare,* [A]*the fare for a round trip / journey* **6.3** in de prijzen vallen *come into the prizes;* hij viel niet **in** de prijzen *he drew a blank;* **met** de eerste~ gaan strijken *carry off first prize* **6.**¶ op~ stellen *appreciate / prize sth., lay / put / set great store by / on;* ⟨inf.⟩ *rate sth.* **7.1** voor geen~ zou ik me in die jurk vertonen *I wouldn't be seen dead in that dress* **7.3** de eerste / tweede / derde~ in de loterij *the first / second / third p. in the lottery* ¶**.3** een~ in de wacht slepen *bear away / off / capture a p.;*
II ⟨de⟩ **0.1** [buit] *prize* ◆ **3.1** een schip~ maken *make p. of / seize / capture a vessel.*

prijsaanpassing ⟨de (v.)⟩ **0.1** *price adjustment.*

prijsaanvraag ⟨de⟩ **0.1** *inquiry, enquiry* ◆ **3.1**~ doen voor *invite quotations for, send inquiries for.*

prijsafbraak ⟨de⟩ **0.1** *price-cutting* ⟹*undercutting, underselling.*

prijsafslag ⟨de (m.)⟩ **0.1** *price reduction* / ⟨inf.⟩ *cut.*

prijsafspraak ⟨de⟩ **0.1** *price-fixing* ⟹*price agreement.*

prijsbederf ⟨het⟩ **0.1** *price-cutting* ⟹*undercutting, underselling, dumping.*

prijsbeheersing ⟨de (v.)⟩ **0.1** *price control;* ⟨AE ook⟩ *price administration* ◆ **3.1** de~ afschaffen *remove price controls, decontrol prices.*

prijsbeleid ⟨het⟩ **0.1** *price(s) policy.*

prijsbepaling ⟨de (v.)⟩ **0.1** [het vaststellen van de prijs] *price-fixing* **0.2** [trekking van een loterij] *draw.*

prijsberekening ⟨de (v.)⟩ **0.1** *calculation of price.*

prijsbeschikking ⟨de (v.)⟩ **0.1** *price control decree.*

prijsbeweging ⟨de (v.)⟩ **0.1** *price fluctuation, movement of prices* ◆ **2.1** de dalende / stijgende~ *the downward / upward trend of prices.*

prijsbewust ⟨bn.⟩ **0.1** *cost-conscious* ⟹*price-conscious* ◆ **1.1**~e verbruikers *c.-c. consumers.*

prijsbinding ⟨de (v.)⟩ **0.1** *price maintenance* ⟹*price fixing* ◆ **2.1** verticale~ *resale price maintenance.*

prijsbreker ⟨de (m.)⟩ **0.1** *undercutter* ⟹*underseller, price-cutter, spoil-trade.*

prijscompensatie ⟨de (v.)⟩ **0.1** *indexation, index-linking* ◆ **3.1** de~ inleveren *waive i..*

prijsconditie ⟨de (v.)⟩ ⟨hand.⟩ **0.1** *terms of delivery.*

prijscontrole ⟨de⟩ **0.1** *price monitoring.*

prijscourant ⟨de (v.)⟩ **0.1** *price-list.*

prijsdaling ⟨de (v.)⟩ **0.1** *fall / drop / decrease in price* ◆ **2.1** een scherpe / forse~ *a slump / a sharp fall / drop in price(s).*

prijselijk ⟨bn., bw.; -ly⟩ **0.1** *praiseworthy* ⟹*laudable, commendable.*

prijsfactor ⟨de (m.)⟩ **0.1** *price factor.*

prijsfluctuatie ⟨de (v.)⟩ **0.1** *price fluctuation.*

prijsgeld ⟨het⟩ **0.1** *prize money.*

prijsgeven ⟨ov.ww.⟩ **0.1** *give up* ⟹*abandon, consign, commit, relinquish* ◆ **1.1** geheimen~ *betray / divulge / yield up secrets;* zijn leven~ *g. up / lay down one's life;* terrein~ *concede ground;* zijn voorwaarden~ *drop one's terms / conditions;* zijn vrijheid~ *sacrifice / give up one's freedom* **6.1** een stad **aan** de vijand~ *yield / surrender a city to the enemy;* iets **aan** de vergetelheid~ *consign / relegate sth. to oblivion;* **aan** de vlammen~ *commit / consign to the flames;*~ **aan** wind en golven *leave at the mercy of / abandon to the wind and the waves.*

prijsgrens ⟨de⟩ ⟨ec.⟩ **0.1** *price limit.*

prijsherstel ⟨het⟩ **0.1** *price recovery / rally.*

prijshoudend ⟨bn.⟩ **0.1** *steady* ◆ **3.1** rundvee was~ *cattle was steady.*

prijsindex ⟨de (m.)⟩ **0.1** *price index* ⟹*cost-of-living index* ⟨voor de gezinsconsumptie⟩.

prijsindexcijfer ⟨het⟩ **0.1** *price-index figure.*

prijskaartje ⟨het⟩ **0.1** *price tag* ⟹*price tab / ticket* ◆ **3.1** aan deze regeringsmaatregel hangt geen~ *there's no price tag on this government measure.*

prijskamp ⟨de (m.)⟩ ⟨AZN⟩ **0.1** [⟨school.⟩ proefwerk] *test* ⇒*exam(ination)* **0.2** [⟨sport⟩ wedstrijd] *match* ⇒*competition* **0.3** [⟨sport⟩ prijsvraag] *contest.*
prijskartel ⟨het⟩ **0.1** *price-ring.*
prijsklasse ⟨de (v.)⟩ **0.1** *price range / bracket* ◆ **2.1** uit de duurdere ~ *in the upper p. r. / b.;* ⟨vnl. BE⟩ *up-market;* ⟨sl.⟩ *ritzy;* goederen in de lagere ~ *lower-priced goods / merchandise* **4.1** wagens van dezelfde ~ *cars in the same p. r. / b..*
prijskraker ⟨de (m.)⟩ **0.1** *price-cutter.*
prijslijk →**prijselijk.**
prijslijst ⟨de⟩ **0.1** *price-list* ⇒*schedule, tariff.*
prijsmaatregel ⟨de (m.)⟩ **0.1** *price control measure.*
prijsmechanisme ⟨het⟩ **0.1** *price mechanism.*
prijsniveau ⟨het⟩ **0.1** *price level* ⇒*price range / bracket.*
prijsnotering ⟨de (v.)⟩ **0.1** *(price) quotation.*
prijsontwikkeling ⟨de (v.)⟩ **0.1** *price movement(s)* ⇒*movement(s) in price(s).*
prijsopdrijving ⟨de (v.)⟩ **0.1** *forcing / pushing up of prices.*
prijsopgave ⟨de⟩ **0.1** (kostenbegroting) *estimate;* ⟨offerte⟩ *quotation, bid, offer, tender* ◆ **3.1** ~ doen / verstrekken *submit / make a quotation / an estimate, quote (prices / a price) (for), tender for;* ~ gevraagd van *tenders / bids / offers invited for.*
prijspeil ⟨het⟩ **0.1** *price level* ⇒ (allerlaagste prijspeil) *rock bottom.*
prijspolitiek ⟨de (v.)⟩ **0.1** *price(s) policy.*
prijsrecht ⟨het⟩ ⟨jur.;scheep.⟩ **0.1** *prize law* ◆ **3.1** het ~ uitoefenen *exercise the right of capture.*
prijsregeling ⟨de (v.)⟩ **0.1** *price control.*
prijsschieten ⟨ww.⟩ **0.1** [schieten om een prijs] *shoot for a prize* **0.2** [veel scoren] *score easily, have a field day.*
prijsschommeling ⟨de (v.)⟩ **0.1** *price fluctuation* ⇒*fluctuation in price(s).*
prijsspiraal ⟨de⟩ **0.1** *(wage-)price spiral.*
prijsstabilisatie ⟨de (v.)⟩ ⟨ec.⟩ **0.1** *price stabilization.*
prijsstelling ⟨de (v.)⟩ **0.1** *price fixing, fixed price* ◆ **2.1** dat automerk heeft een gunstige ~ *that make of car is reasonably priced.*
prijsstijging ⟨de (v.)⟩ **0.1** *rise / increase in prices, price-rise.*
prijsstop ⟨de (m.)⟩ **0.1** *price-freeze.*
prijssyndicaat ⟨het⟩ **0.1** *price-ring.*
prijstheorie ⟨de (v.)⟩ ⟨ec.⟩ **0.1** *price theory.*
prijsuitreiking ⟨de (v.)⟩ **0.1** ⟨alg.⟩ *distribution of prizes, prize distribution* ⇒ ⟨ceremonie⟩ *prize-giving (ceremony)* ⟨ook op school en van literaire prijzen enz.⟩ ◆ **1.1** de dag v.d. ~ *prize day;* ⟨BE ook⟩ *speech day* ⟨op school.⟩
prijsvechter ⟨de (m.)⟩ **0.1** *prize fighter* ⇒ ⟨prijzenjager⟩ *pothunter.*
prijsvergelijking ⟨de (v.)⟩ **0.1** *price comparison.*
prijsverhoging ⟨de (v.)⟩ **0.1** *price increase* ⇒*rise /* ⟨AE ook⟩ *raise in (the) price,* ⟨inf.⟩ *markup.*
prijsverlaging ⟨de (v.)⟩ **0.1** *price reduction / cut* ⇒*reduction in (the) price,* ⟨inf.⟩ *markdown.*
prijsverloop ⟨het⟩ **0.1** *trend in prices* ⇒*price trend / movements.*
prijsverschil ⟨het⟩ **0.1** *difference in price.*
prijsversluiering ⟨de (v.)⟩ **0.1** *misleading pricing.*
prijsvoordeel ⟨het⟩ **0.1** *price advantage.*
prijsvoorschrift ⟨het⟩ **0.1** *price regulation.*
prijsvorming ⟨de (v.)⟩ ⟨ec.⟩ **0.1** *price-making (process / forces)* ◆ **2.1** vrije ~ *free play of p.-m. forces.*
prijsvraag ⟨de⟩ **0.1** *competition* ⇒*(prize) contest* ◆ **3.1** een ~ uitschrijven *hold a competition.*
prijswijziging ⟨de (v.)⟩ **0.1** *price change, change in price(s)* ◆ **3.1** ~ voorbehouden *price(s) not binding / subject to change.*
prijswinnaar ⟨de (m.)⟩, **-winnares** ⟨de (v.)⟩ **0.1** *prizewinner.*
prijszetting ⟨de (v.)⟩ **0.1** *price-fixing.*
prijzen ⟨→sprw. 105,278,657⟩
I ⟨ov.ww.⟩ **0.1** [schatten, achten] *prize* ⇒*deem, call* **0.2** [loven] *praise* ⇒*commend,* ↑*extol, laud* **0.3** [eer bewijzen] *praise* ⇒*glorify* ◆ **1.2** een veelgeprezen boek *a highly-praised / well-received book* **1.3** Gods naam ~ *p. / glorify God's (holy) name* **4.1** zich gelukkig ~ met *call / consider / count o.s. lucky / fortunate that;* ⟨inf.⟩ *thank one's lucky stars / the gods for* **5.2** ik kan hem niet genoeg ~ *I p. him too highly / speak too highly of him;* iem. hemelhoog / de hemel in ~ ⟨fig.⟩ *p. / extol s.o. to the skies;* hierom werden zij hoog geprezen *this won them the highest praise, they were warmly commended because of this;* iem. het graf in ~ ⟨fig.⟩ *overpraise s.o.* **6.2** iets in iem. ~ *praise sth. in s.o.;*
II ⟨ov.ww.⟩ **0.1** [van een prijs voorzien] *price* ⇒ ⟨met prijsje / prijskaartje ook⟩ *ticket, mark, label,* ⟨in catalogus ook⟩ *list* ◆ **1.1** de goederen in de etalage behoren altijd te zijn geprijsd *goods in the window should always be marked / priced* **4.¶** zich uit de markt ~ *price o.s. out of the market* **5.1** hoger ~ mark up; koper is nu laag geprijsd *copper is now at a low price / is low in price now;* te laag ~ *underprice;* vele artikelen zijn tijdelijk lager geprijsd *many articles have been temporarily marked down.*
prijzencontrole ⟨de⟩ **0.1** *price monitoring.*
prijzengeld ⟨het⟩ **0.1** *prize money* ⇒*purse, stakes.*

prijzenhof ⟨het⟩ ⟨jur.;scheep.⟩ **0.1** *prize court.*
prijzenkast ⟨de⟩ **0.1** *trophy-cabinet.*
prijzenoorlog ⟨de (m.)⟩ **0.1** *price war.*
prijzenslag ⟨de (m.)⟩ **0.1** *price war.*
prijzenswaard ⟨bn.⟩ **0.1** *praiseworthy* ⇒*laudable, commendable, worthy of praise.*
prijzenswaardig ⟨bn.⟩ **0.1** *praiseworthy* ⇒*laudable, commendable* ◆ **1.1** ~e hoffelijkheid *laudable courtesy;* iets met ~e voortvarendheid aanpakken *tackle sth. with commendable energy.*
prijzig ⟨bn.⟩ **0.1** *expensive* ⇒*high-priced, dear,* ⟨inf.⟩ *pric(e)y.*
prik
I ⟨de (m.)⟩ **0.1** [steek] *prick* ⇒*prod* **0.2** [injectie] *injection* ⇒*shot, hypodermic,* ⟨BE;inf.⟩ *jab* **0.3** [opening] *puncture* **0.4** [limonade] *pop* ⇒*fizz* ◆ **1.3** zijn arm zit vol ~ken van heroïneinjecties *his arm is full of / covered with (puncture) marks from heroin injections* **1.4** een fles / glas ~ *a bottle / glass of p. / fizz* **2.¶** dat is vaste ~ *that happens all the time;* ⟨zeker⟩ *that's certain;* ⟨BE;inf.⟩ *that's a (dead) cert* **3.2** een ~ krijgen / halen *have / get / go for an i. / a shot / jab* **6.1** een ~ met een speld *a pin-prick* **6.4** bronwater *met / zonder ~ fizzy / still mineral water* **6.¶** iets voor een ~ (je) kopen *buy sth. on the cheap / for a song / at a bargain;*
II ⟨de⟩ **0.1** [puntig voorwerp] *pricker.*
prikactie ⟨de (v.)⟩ **0.1** *lightning strike.*
prikbord ⟨het⟩ **0.1** [B]*notice /* [A]*bulletin board.*
prikje ⟨het⟩ ◆ **3.¶** iets voor een ~ kopen *buy sth. for a song / for next to / practically nothing /* ⟨inf.⟩ *dirt cheap.*
prikkaart ⟨de⟩ **0.1** *time card.*
prikkel ⟨de (m.)⟩ **0.1** [prikkeling] *tingling* **0.2** [⟨biol.⟩] *stimulus* **0.3** [stok] *goad* **0.4** [aansporing] *incentive* ⇒*stimulant, stimulus,* ⟨fig.⟩ *spur, goad* **0.5** [doorn] *prickle* ⇒*thorn* ◆ **1.4** de ~s v.d. eerzucht *the spur of ambition* **3.4** dit gaf mij een ~ om aan te pakken *this gave me an i. / spurred / goaded me on / stimulated me to start working / to set to* **6.1** ~s in mijn arm *tingling in my arm* **6.2** reageren **op** ~s *react to stimuli.*
prikkelbaar ⟨bn.⟩ **0.1** [lichtgeraakt] *irritable* ⇒*touchy, testy, prickly,* ⟨op kinderachtige manier⟩ *petulant* **0.2** [⟨biol.⟩] *sensitive (to stimulation)* ◆ **1.1** een ~ mens *a sensitive / choleric / excitable / irascible / thin-skinned person* **1.2** prikkelbare meeldraden *sensitive stamens / stamina;* prikkelbare weefsels *sensitive tissue* **3.1** uiterst ~ zijn *be very hot- / quick-tempered, be highly / very combustible.*
prikkelbaarheid ⟨de (v.)⟩ **0.1** *irritability* ⇒*irascibility, testiness, touchiness, petulance.*
prikkelband ⟨de (m.)⟩ **0.1** *spiked collar.*
prikkeldraad ⟨het, de (m.)⟩ **0.1** *barbed wire* ⇒ ⟨AE ook⟩ *barbwire* ◆ **3.¶** ⟨kind.⟩ ~ maken *give a Chinese burn* **6.1** achter ~ zitten *be behind b. w.;* iets *met* ~ afzetten *close / fence off / enclose sth. with b. w.;* er stond een hek *van* ~ omheen *it was surrounded by / enclosed by / fenced around with b. w..*
prikkeldraadversperring ⟨de (v.)⟩ **0.1** *barbed wire /* ⟨AE ook⟩ *barbwire fencing / enclosure / fence / barrier* ⇒ *(barbed wire) entanglement* ⟨ihb. mil.⟩ ◆ **3.1** een ~ aanbrengen *install / erect / set up barbed wire fencing.*
prikkeldrempel ⟨de (m.)⟩ **0.1** *stimulus threshold.*
prikkelen
I ⟨ov.ww.⟩ **0.1** [prikken] *prick* ⇒*sting* (van brandnetels) **0.2** [ergeren] *irritate* ⇒*nettle, vex, provoke* **0.3** [aansporen] *stimulate* ⇒*incite, goad, stir, prick* **0.4** [een fysiologische reactie opwekken] *stimulate* ⇒ ⟨onaangenaam⟩ *irritate,* ⟨eetlust⟩ *whet* ◆ **1.1** ~de gassen *pungent gases;* een ~de saus *a spicy / hot sauce* **1.2** ~de opmerkingen maken *make provoking remarks* **1.3** iemands eetlust ~ *whet s.o.'s appetite;* de geslachtsdrift ~d *aphrodisiac;* de interesse ~ *arouse interest, motivate;* ~de lectuur *salacious literature;* iemands nieuwsgierigheid ~ *whet / rouse s.o.'s curiosity;* de verbeelding ~ *stir / stimulate the imagination;* de zinnen ~ *s. /* ⟨seksueel ook⟩ *titillate the senses* **1.4** de zenuwen / de zintuigen ~ *irritate the nerves, s. the senses* **3.2** hij raakte enigszins geprikkeld *he became rather irritated, he grew somewhat edgy* **6.2** iem. **tot** het uiterste ~ *provoke s.o. to the utmost* **6.3** iem. ~ **tot** harder werken *stimulate / encourage s.o. to work harder;* ~ **tot** een weerwoord *provoke a reply;*
II ⟨onov.ww.⟩ **0.1** [prikkelend gevoel geven] *prickle, tingle* ⇒*sting* ⟨bv. door brandnetel⟩ ◆ **1.1** mijn been prikkelt *my leg is tingling.*
prikkelgeleiding ⟨de (v.)⟩ **0.1** *stimulus conduction.*
prikkelhoest ⟨de (m.)⟩ **0.1** *tickling cough.*
prikkelhoogte ⟨de (v.)⟩ **0.1** *stimulation / stimulus level.*
prikkeling ⟨de (v.)⟩ **0.1** [het opwekken van een reactie] *stimulation* ⇒*irritation, stirring* **0.2** [gewaarwording] *tingling* ⇒*sting, irritation* **0.3** [sensatie] *thrill* ⇒*titillation* ⟨ook seksueel⟩, *excitation* ◆ **1.1** ~ van de eerzucht *stirring of ambition;* de ~ van een zenuw *the irritation of a nerve* **1.3** een ~ van genot *a thrill of pleasure* **6.2** een ~ **in** de keel *a tickle in the throat, a throat irritation.*
prikkellectuur ⟨de (v.)⟩ **0.1** *salacious / titillating literature / books* ⇒*saucy books.*
prikkelpop ⟨de⟩ **0.1** *pin-up.*

prikkeltherapie ⟨de (v.)⟩ ⟨med.⟩ 0.1 *stimulation therapy*.

prikken

I ⟨ov.ww.⟩ 0.1 [steken] *prick* ⇒⟨met vork ook⟩ *prod, pierce, jab* 0.2 [vasthechten] *stick (to)* ⇒*affix (to)* 0.3 [injectie geven] *inject* 0.4 [vaststellen] *set* ⇒*fix* ♦ 1.1 het gaatjes ~ in de oren is pijnloos *ear piercing is painless* 1.3 een kleuter~ *i. / inoculate / vaccinate a child;* ⟨BE; inf.⟩ *give a child a jab* 1.4 een datum~ *s. / fix a date* 4.3 ⟨fig.⟩ dat/ die opmerking prikt wel *that's a cutting remark* 5.1 lek~ *puncture* 6.1 zich **aan** iets~ *prick o.s. on/ with sth.;* gaatjes **in** een stuk karton~ *prick/ pierce holes in a piece of cardboard;* zich met een naald **in** een vinger ~ *prick one's finger on a needle;* met een vork **in/naar** iets~ *prick/ prod (at) sth. with a fork* 6.2 met punaises een poster **op** de muur~ *s. / affix a poster to the wall with drawing pins/ ^thumbtacks, pin a poster to the wall;*

II ⟨onov.ww.⟩ 0.1 [tussenbeide komen] *intervene* 0.2 [prikklok bedienen] *clock in/ out* ⇒⟨AE ook⟩ *punch* 0.3 [prikkende gewaarwording voelen/ veroorzaken] *sting* ⇒*smart, tingle, prick* ♦ 6.3 de rook prikt in mijn ogen *the smoke is making my eyes sting/ smart.*

prikker ⟨de (m.)⟩ 0.1 [persoon] *pricker* 0.2 [prikstok] *pricker* 0.3 [borrelprikker] *cocktail stick* 0.4 [tandestoker] *toothpick* 0.5 [doorn] *prickle* ⇒*briar* ♦ 5.5 die struik zit vol ~s *that brush is full of prickles.*

prikkie →**prikje.**

prikklok ⟨de⟩ 0.1 *time clock.*

priklimonade ⟨de (v.)⟩ 0.1 *pop;* ⟨AE ook⟩ *soda pop.*

prikpil ⟨de⟩ 0.1 *contraceptive injection.*

prikslee ⟨de⟩ 0.1 *sledge moved by prickers.*

prikstaking ⟨de (v.)⟩ 0.1 *selective strike action.*

prikstok ⟨de (m.)⟩ 0.1 *pricker* ⇒*goad, prick.*

priktol ⟨de (m.)⟩ 0.1 *peg top.*

prikvissen ⟨zn.mv.⟩ 0.1 *lampreys, lamper eels.*

prikwater ⟨het⟩ ⟨kind.⟩ 0.1 *fizzy water.*

pril ⟨bn.⟩ 0.1 *early* ⇒⟨leeftijd ook⟩ *tender, fresh, young* ♦ 1.1 het ~le begin van de ... *the very beginning of the ...;* een ~ geluk *budding happiness;* in de ~le jeugd *in early/ earliest youth;* vanaf zijn ~le/ ~ste jeugd *from his early/ earliest youth/ a tender age;* in de ~le morgen ⟨schr.⟩ *in the fresh of the morning; in the early morning.*

prima[1] ⟨de⟩ 0.1 [eerste wissel] *first of exchange* 0.2 [eerste kwaliteit] *prime/ top quality.*

prima[2]

I ⟨bn., bw.;-ly⟩ 0.1 [uitstekend] *excellent* ⇒*great, terrific, fine,* ⟨AE; inf.⟩ *neat* ♦ 1.1 ~ aandeel/ belegging *blue chip, blue-chip/ gilt-edged stocks/ investment(s);* in ~ conditie *in fine fettle/ feather, in good shape / nick, in tip-top form;* een ~ huisvrouw *a gem of a housewife;* in een ~ humeur *in an excellent mood, in high spirits;* die koffie is ~ *the coffee is e.;* een ~ leraar *a fine/ great teacher;* een ~ mop *a prize joke;* in ~ staat *in e. condition;* een ~ vent/ jongen [B] *a nice chap,* [A] *a neat guy;* een ~ wijnjaar *a banner year for wines;* een ~ wijntje ⟨vnl. winkeltaal⟩ *a choice wine* 3.1 dat heb je ~ gedaan *you did that very well;* ik stel het ~, ik maak het ~ *I am all right, I'm doing fine;* ik vind het ~ *it's fine/ all right with me;*

II ⟨bn.⟩ 0.1 [eerste] *prime, prima* ♦ 1.1 ~ ballerina *prima ballerina;* (van) ~ kwaliteit *prime/ top quality* ¶.1 a ~ vista *at first sight, prima facie.*

prima[3] ⟨tw.⟩ 0.1 *great* ⇒*terrific, super* ♦ ¶.1 ~! zo zie ik het graag *great! that's the way I like (to see) it.*

primaat

I ⟨de (m.)⟩ 0.1 [paus] *pontiff* 0.2 [aartsbisschop] *primate, Primate* 0.3 [⟨vnl. mv.⟩ zoogdier] *primate;*

II ⟨het⟩ 0.1 [oppergezag] *primacy.*

primaatschap ⟨het⟩ 0.1 *primacy* ⇒*primateship.*

prima-ballerina ⟨de (v.)⟩ 0.1 *prima ballerina* ⇒*leading dancer* ⟨v.⟩.

prima-donna ⟨de (v.)⟩ 0.1 [zangeres] *prima donna* 0.2 [favoriet] *prima donna* ⇒*diva.*

primage ⟨de (v.)⟩ 0.1 *primage.*

primair

I ⟨bn., bw.;-ly⟩ 0.1 [eerst ontstaan] *primary* ⇒*initial, first, primitive, original* 0.2 [eerste plaats innemend] *primary* ⇒*principal, essential, chief* ♦ 1.1 ⟨psych.⟩ ~e functie *primary function;* ⟨ec.⟩ de ~e sector *the primary sector;* het ~e tijdperk *the primary period* 1.2 van ~ belang *of primary/ prime/ paramount importance;* ~e (levens)behoeften *primary necessities (of life);* ⟨jur.⟩ ~e vordering/ tenlastelegging *principal claim/ charge;* ~e wegen *main roads* 3.1 ~ reageren *react directly* 3.2 iets~ stellen *give priority/ precedence/ primary importance to sth.* ¶.2 hem werd ~ moord ten laste gelegd *the main charge against him was one of murder;*

II ⟨bn.⟩ 0.1 [niet herleidbaar] *primary* ⇒*prime* 0.2 [⟨schei.⟩] *primary* 0.3 [elementair] *primary* ⇒*basic, elementary, fundamental* 0.4 [⟨elek.⟩] *primary* ♦ 1.1 ~e getallen *prime numbers;* ~e kleuren *primary colours* 1.2 ~ koolstofatoom *p. carbon atom* 1.3 ~e begrippen *first notions;* ~ onderwijs *p. education* 1.4 ~e winding *p. coil.*

prime ⟨de⟩ 0.1 [grondtoon] *prime* 0.2 [eenklank] *prime* ⇒*unison* 0.3 [interval] *prime.*

primeren

I ⟨onov.ww.⟩ 0.1 [de eerste zijn] *take/ assume precedence* 0.2 [overheersen] *prevail* ⇒*predominate* ♦ 6.1 ~ **over/aan** *outweigh, take precedence/ priority over;*

II ⟨ov.ww.⟩ 0.1 [bekronen] *award first prize to.*

primeur ⟨de⟩ 0.1 [eerste openbaarmaking] *sth. new* ⇒*scoop* ⟨voor krant⟩ 0.2 [⟨vnl. mv.⟩ eersteling] *firstling* ⇒⟨vnl. aardappelen; mv.⟩ *earlies,* ⟨wijn⟩ *nouveau, primeur* ♦ 3.1 de ~ van een opera hebben ⟨opvoeren⟩ *stage an opera for the first time;* ⟨bijwonen⟩ *attend the opening night of an opera.*

primipara ⟨de (v.)⟩ ⟨med.⟩ 0.1 *primipara.*

primitief[1] ⟨de (m.)⟩ 0.1 [mens] *primitive* 0.2 [schilder] *primitive.*

primitief[2]

I ⟨bn., bw.;-ly⟩ 0.1 [onontwikkeld] *primitive* ⇒*elemental* 0.2 [gebrekkig] *primitive* ⇒*makeshift* ⟨vnl. tijdelijk⟩, *rudimentary, crude* ♦ 1.1 primitieve gevoelens *elemental emotions;* primitieve gewoontes/ stammen *p. customs/ tribes;* de primitieve mens *p. / early man;* primitieve volken *p. peoples;* het leven in zijn meest primitieve vorm *life in its most p. form* 1.2 primitieve hulpmiddelen *p. / makeshift aids/ tools* 3.2 het ging er heel ~ toe *it was very rough and ready there;*

II ⟨bn.⟩ 0.1 [⟨bk.⟩] *primitive* 0.2 [primair] *primitive* ⇒*primary* ♦ 1.1 een ~ schilderij/ werk *a primitive;* de primitieve schilders *the p. painters* 1.2 primitieve spierbundels *primary muscles.*

primitieveling ⟨de (m.)⟩ 0.1 *Neanderthal, caveman* ⇒*barbarian, troglodyte.*

primitiviteit ⟨de (v.)⟩ 0.1 [⟨soc.⟩ onontwikkeldheid] *primitiveness* ⇒⟨gedrag⟩ *primitivism* 0.2 [gebrekkigheid] *primitiveness* ⇒*crudeness.*

primo ⟨bw.⟩ 0.1 [ten eerste] *firstly* ⇒*in the first place, primo* 0.2 [op de eerste dag van de maand] *first* ♦ 1.2 ~ mei *the f. of May;* ⟨vnl. AE⟩ *May f..*

primogenituur ⟨de (v.)⟩ 0.1 *primogeniture.*

primordiaal ⟨bn.⟩ 0.1 [oorspronkelijk] *primordial* 0.2 [fundamenteel] *primordial* ⇒*primary, prime.*

primordialiteit ⟨de (v.)⟩ ⟨AZN⟩ 0.1 *primordiality.*

primula ⟨de⟩ 0.1 *primula* ⇒*primrose* ♦ ¶.1 ~ veris *primrose, primula veris.*

primus ⟨de (m.)⟩ 0.1 [de eerste] *primus* ⇒⟨school ook⟩ *captain, first* 0.2 [kooktoestel] *primus (stove)* ⟨merknaam⟩ 0.3 [⟨prot.⟩] *primus* ♦ ¶.1 de ~ inter pares *the p. inter pares;* ⟨1 the first among equals;* als leraar een ~ inter pares *a teacher among teachers.*

principaal[1] ⟨de (m.)⟩ 0.1 [superieur] *principal* 0.2 [volmachtgever] *principal.*

principaal[2] ⟨bn.⟩ 0.1 *principal* ⇒*main, chief* ♦ 1.1 ⟨jur.⟩ ~ appel/ beroep *appeal on the merits/ on the main issue;* principale fouten *serious/ grievous errors;* de principale punten van een verdrag *the p. points of a contract/ treaty* 6.1 ⟨jur.⟩ ten principale *on the merits/ main issue;* ⟨jur.⟩ verdediging **ten** principale *main defence;* ⟨jur.⟩ de zaak **ten** principale *the merits, the main issue;* ⟨jur.⟩ behandeling **ten** principale *regular/ definitive proceedings.*

principe ⟨het⟩ 0.1 [grondoorzaak] *principle* ⇒*law, theory* 0.2 [grondstelling] *principle* ⇒*basis* 0.3 [stelregel] *principle* ♦ 1.1 het ~ van de magneet *the p. of the magnet* 2.1 algemeen ~ *universal p.* 2.2 de marxistische ~s *the principles of Marxism* 2.3 godsdienstige ~s *religious principles;* een man met hoogstaande ~s *a man of high principles* 3.3 zijn ~s overboord gooien *throw one's principles overboard/ to the wind, jettison one's principles;* zich houden aan/ trouw blijven aan zijn ~s *stick to/ live up to/ adhere to/ remain faithful to one's principles* 6.1 volgens de modernste ~s gebouwd *built on (the most) modern lines/ according to the most modern principles* 6.2 in ~ ben ik ertegen *in p. / basically/ essentially I am against it* 6.3 het is **tegen** mijn ~ *it's against my principles;* **uit** ~ *on p., as a matter of p..*

principebesluit ⟨het⟩ 0.1 ≠*basic decision/ resolution.*

principeschema ⟨het⟩ 0.1 *schematic diagram.*

principieel ⟨bn., bw.;-ly⟩ 0.1 [mbt. een grondslag] *fundamental* ⇒*essential, basic,* ⟨bw.⟩ *in principle* 0.2 [volgens/ mbt. een stelling/ overtuiging] ⟨bn.⟩ *done/ said* ⟨enz.⟩ *on principle, of principle;* ⟨bw.⟩ *on principle* ♦ 1.1 principiële beslissing *f. decision;* een ~ onderscheid *a f. difference;* een principiële vraag *a f. question* 1.2 principiële bezwaren hebben tegen iets *have objections of principle to sth.;* een ~ dienstweigeraar/ tegenstander *a conscientious objector (to military service);* op principiële gronden, om principiële redenen *for reasons of principle, on principle;* een ~ man, hij is zeer ~ *a man of principle, he is very principled* 2.1 ~ eens worden *fundamentally/ basically agree, agree in principle.*

prins ⟨de (m.)⟩ 0.1 [koningszoon] *prince* 0.2 [vorst] *prince* 0.3 [prins-gemaal] *prince* 0.4 [⟨fig.⟩ eerste in een categorie] *prince* ♦ 1.1 ~ en van den bloede *princes of the blood;* ⟨fig.⟩ hij is de ~ van mijn dromen *he is my Prince Charming* 1.2 de ~ van Oranje *the Prince of Orange* 1.3 ~ der Nederlanden *Prince of the Netherlands* 1.¶ ~ Carnaval en zijn Raad van Elf ≠*Prince Carnival and his Council of Eleven* 3.¶ het is of je de ~ te gast moet krijgen *you look as though you're receiving royalty* 6.¶ **van** de ~ geen kwaad weten *be as innocent as a new-born babe, butter wouldn't melt in his mouth* 8.2 ⟨fig.⟩ een leven als een ~ *the life of Riley* 8.4 hij leeft er van als een ~ *he lives like a p..*

prins-bisschop ⟨de (m.)⟩ **0.1** *prince bishop*.
prinsdom ⟨het⟩ **0.1** *principality*.
prinselijk
  I ⟨bn.⟩ **0.1** [mbt. een prins] *princely* ♦ **1.1** het ~ paar *the p. couple*;
  II ⟨bn., bw.⟩ **0.1** [weelderig] ⟨bn.⟩ *princely*; ⟨bw.⟩ *in a princely way/ fashion, regally* ♦ **1.1** een ~ fortuin/leven *a princely fortune/ life* **3.1** hij zat weer ~ achterover in zijn stoel *he was leaning back regally in his chair again*.
prinsenhof ⟨het⟩ **0.1** *prince's residence/court* ⇒*residence/court of the prince*.
prinsenleven ⟨het⟩ **0.1** *life of Riley* ♦ **3.1** een ~ leiden *have/live the life of R., live like a prince*.
prinses ⟨de (v.)⟩ **0.1** [koningsdochter] *princess* **0.2** [vrouw van een prins] *princess* **0.3** [eerste in een categorie] *princess* ♦ **1.1** ~ van den bloede *p. of the blood*.
prinsessenboon ⟨het⟩ **0.1** *French bean* ⇒*green bean*.
prins-gemaal ⟨de (m.)⟩ **0.1** *prince consort*.
prinsgezind ⟨bn.⟩ ⟨gesch.⟩ **0.1** *Orangeist* ⟨siding with the Prince of Orange in the Dutch revolt against Spanish rule⟩.
prinsheerlijk ⟨bw.⟩ **0.1** *as proud as a lord* ⇒*lordly majestic, princely* ♦ **3.1** hij zat ~ in zijn grote stoel te lezen *he sat in state in his big chair, reading*.
prinsjesdag ⟨de (m.)⟩ **0.1** ≠*day of the Queen's/King's speech*.
prinsmetaal ⟨het⟩ **0.1** *prince's/Prince Rupert's metal*.
prins-regent ⟨de (m.)⟩ **0.1** *Prince Regent*.
print ⟨de (m.)⟩ **0.1** [⟨foto.⟩] *print* **0.2** [⟨comp.⟩] *print-out*.
printen ⟨ov.ww.⟩ **0.1** *print*.
printer ⟨de (m.)⟩ **0.1** [⟨foto.⟩] *printer* **0.2** [⟨comp.⟩] *printer*.
prior ⟨de (m.)⟩ **0.1** *prior*.
prioraat ⟨het⟩ **0.1** *priorate* ⇒*priorship*.
priores ⟨de (v.)⟩ **0.1** *prioress*.
priori ⟨bw.⟩ ♦ **¶.1** a ~ *a priori*; zo a ~ kan men dat niet beoordelen *one cannot make an a priori judgement on that*; a ~ kennis *transcendental cognition*.
priorij ⟨de (v.)⟩ **0.1** [klooster] *priory* **0.2** [kerk bij het klooster] *priory*.
prioriteit ⟨de (v.)⟩ **0.1** [voorrang] *priority* ⇒*precedence* **0.2** [wat voorrang krijgt] *priority* **0.3** [⟨hand.⟩] *preference* ⇒*priority* ♦ **3.1** ~ genieten *take priority*; ~ verlenen aan een kwestie *give priority to a question* **3.2** zij hebben andere ~ en *they have other priorities*; zijn ~ en liggen op een geheel ander vlak *his priorities are on quite a different level*; ~ en stellen *establish priorities*; ⟨ook fig.⟩ *get one's priorities right*.
prioriteitsaandeel ⟨het⟩ **0.1** *preference share/stock* ⇒*priority share*.
prioriteitslening ⟨de (v.)⟩ **0.1** *preference loan*.
prioriteitsobligatie ⟨de (v.)⟩ **0.1** *preference bond*.
prioriteitsrecht ⟨het⟩ **0.1** *right of/to priority/preference* ⇒*preferment, right-of-way*.
prioriteitsschuld ⟨de⟩ **0.1** *priority debt*.
prioriteitsvraag ⟨de⟩ **0.1** *question of priority*.
priorschap ⟨het⟩ **0.1** *priorate* ⇒*priorship*.
prise ⟨de (v.)⟩ ⟨AZN⟩ **0.1** [stopcontact] ᴮ*(power) point*, ᴬ*outlet* **0.2** [snuifje] *snuff*.
prisma ⟨het⟩ **0.1** [⟨wisk.⟩] *prism* **0.2** [⟨nat.⟩] *prism*.
prismabeeld ⟨het⟩ **0.1** *spectrum*.
prismakijker ⟨de (m.)⟩ **0.1** *prism binoculars*.
prismatisch ⟨bn.⟩ **0.1** [met de vorm van een prisma] *prismatic* **0.2** [door een prisma gevormd] *prismatic* ♦ **1.2** de ~ e kleuren *p. colours*.
prismoïde ⟨het, de (v.)⟩ **0.1** *prismoid*.
privaat¹ ⟨het⟩ ⟨schr.⟩ **0.1** ⟨ongemarkeerd⟩ *toilet, lavatory*.
privaat² ⟨bn.⟩ ⟨AZN⟩ **0.1** *private* ⇒*personal* ♦ **1.1** het ~ belang *private interest*; ~ domein *private domain/grounds/property*; private personen *private persons*.
privaatdocent ⟨de (m.)⟩ **0.1** *unsalaried university lecturer*.
privaatles ⟨de (v.)⟩ **0.1** *private lesson/* ⟨n.-telb.⟩ *tuition* ♦ **3.1** ~ hebben *take private lessons*; ⟨universitair⟩ *receive tutorials, be tutored*.
privaatonderwijs ⟨het⟩ **0.1** *(private) tuition* ⇒*coaching*.
privaatrecht ⟨het⟩ **0.1** *private law* ♦ **2.1** internationaal ~ *private international law*.
privaatrechtelijk ⟨bn., bw.⟩ **0.1** *pertaining to private law, private law* ♦ **1.1** ~ e overeenkomsten/verbintenissen *private contracts/obligations*; een ~ e regeling *a private law arrangement*; een overtreding in de ~ e sfeer/op ~ gebied *a private wrong*.
privacy ⟨de (v.)⟩ **0.1** *privacy* ⇒*seclusion* ♦ **3.1** je hebt hier/er geen enkele ~ *there's no p. here, this (place) is/it's like living in a goldfish bowl*; zij is zeer op haar ~ gesteld *(her) p. is very dear to her, she is a very private person*.
privatief¹ ⟨het⟩ ⟨taal.⟩ **0.1** *privative*.
privatief² ⟨bn.⟩ **0.1** [⟨taal.⟩] *privative* **0.2** [anderen uitsluitend] *private* ♦ **1.2** privatieve jacht *p. hunt(ing)*.
privatiseren ⟨onov., ov.ww.⟩ **0.1** *privatize* ⇒*denationalize*.
privatisering ⟨de (v.)⟩ **0.1** *privatization*.
privé ⟨bn., bw.; -ly⟩ ⟨vaak in samenst.⟩ **0.1** *private* ⇒*confidential, personal* ♦ **1.1** privé-aangelegenheid *private matter*; dat is voor meneer

N. ~ *that is for Mr. N. in his private capacity* **3.1** ik zou je graag even ~ willen spreken *I'd like to talk to you privately/in private for a minute* **6.1** de auto v.d. zaak voor ~ gebruiken *use a company car for private purposes* **¶.1** ⟨als deuropschrift⟩ ~ *private*.
privéadres ⟨het⟩ **0.1** *home/private address*.
privébezit ⟨het⟩ **0.1** *private property*.
privécollectie ⟨de (v.)⟩ **0.1** *private collection*.
privédetective ⟨de (m.)⟩ **0.1** *private detective* ⇒⟨inf.⟩ *private eye/investigator*, ⟨AE ook⟩ *operative*.
privégebruik ⟨het⟩ **0.1** *personal/private use*.
privégesprek ⟨het⟩ **0.1** *private/confidential conversation* ⇒*tête-à-tête*, ⟨via telefoon⟩ *personal call*.
privékantoor ⟨het⟩ **0.1** *private office* ⇒*back/inner office*.
privékliniek ⟨de (v.)⟩ **0.1** ⟨BE⟩ *clinic, nursing home*.
privéles ⟨de⟩ **0.1** *private lesson/instruction/tuition* ♦ **3.1** ~ geven aan *tutor, coach*.
privé-leven ⟨het⟩ **0.1** *private life*.
privésecretaris ⟨de (m.)⟩, **-resse** ⟨de (v.)⟩ **0.1** *private/personal secretary*.
privésector ⟨de (m.)⟩ **0.1** *private sector* ♦ **6.1** overheveling naar de ~ *privatization*.
privésfeer ⟨de⟩ ♦ **6.¶** uitgaven in de ~ *personal expenditure, private expenditures/outgoings*.
privévertrek ⟨het⟩ **0.1** *private room*.
privilege ⟨het⟩ **0.1** [voorrecht] *privilege* **0.2** [mbt. schuldeisers] *preference* **0.3** [⟨gesch.⟩ recht van overheidsgezag] *privilege* **0.4** [⟨gesch.⟩ oorkonde] *charter* ⇒*writ*.
privilegiëren ⟨ov.ww.⟩ **0.1** *privilege* ♦ **1.1** geprivilegieerde schulden *preferred debts*; de geprivilegieerde standen *the privileged classes*.
privérekening ⟨de (v.)⟩ **0.1** *personal account*.
prk. ⟨afk.⟩ **0.1** [post(giro)rekening] ⟨giro account⟩.
PR-man ⟨de (m.)⟩ **0.1** *PR-man* ⇒*public relations officer*.
pro¹ ⟨het⟩ **0.1** *pro* ♦ **1.1** het ~ en het contra horen *hear the pros and cons/the arguments for and against*.
pro² ⟨bn.⟩ ⟨ook in samenst.⟩ **0.1** *pro(-)* ♦ **1.1** de argumenten ~ ... ⟨ook⟩ *the case for ...* **2.1** pro-Amerikaans *p.-American*; pro-communistisch *p.-communist*; alle argumenten ~ en contra bekijken *consider all the pros and cons/arguments p. and con*; wedders ~ en contra *layers and backers* **3.1** ik ben ~ *I'm for*.
pro³ ⟨vz.⟩ ♦ **1.¶** ~ memorie *as a reminder, provisional(ly), as a memo* **¶.¶** ~ domo *in one's own interest*; ~ patria *pro patria*; ~ rata *pro rata*; ~ saldo *on balance*.
probaat ⟨bn., bw.⟩ **0.1** *effective, efficacious* ⇒*excellent, (ap)proved, tried* ♦ **1.1** een ~ middel *a sovereign remedy* **6.1** dat is ~ tegen verkoudheid *that is efficacious against colds*.
probabilisme ⟨het⟩ **0.1** [⟨fil.⟩] *probabilism* **0.2** [⟨rel.⟩] *probabilism*.
probabilistisch ⟨bn., bw.; -ally⟩ ⟨fil., rel.⟩ **0.1** *probabilistic*.
probatie ⟨de (v.)⟩ ⟨AZN⟩ **0.1** *trial* ⇒*test*.
probeersel ⟨het⟩ **0.1** *experiment* ⇒*tryout, rough* ⟨tekst, tekening⟩ ♦ **3.1** 't is maar een ~ *it is just a tryout/a rough*.
proberen ⟨ov.ww.⟩ **0.1** [proef nemen met/van] *try* ⇒*test, try out* ⟨iets nieuws⟩, *taste, sample* ⟨wijnen enz.⟩ **0.2** [pogen] *try* ⇒*attempt*, ⟨schr.⟩ *endeavour*, ⟨inf.⟩ *have a try/go (at)* **0.3** [wagen] *try* ⇒⟨BE; inf.⟩ *try on (with)* **0.4** [onderzoeken] *assay* ♦ **1.1** de achterdeur ~ *try the back door*; een (nieuwe) auto ~ *try out a (new) car, take a (new) car for a (trial) run, test-drive a new car*; probeert u dit merk/deze wijn eens *try (out)/taste this brand/wine* **1.2** probeer het eens een keer/een paar keer *give it a try*; ⟨sl.⟩ *give it a whirl/a whirl or two*; het onmogelijke ~ *attempt the impossible, put a quart into a pint pot, square the circle* **1.4** goud/zilver ~ *a. gold/silver* **3.2** probeer het af te maken/wat rust te nemen *try and finish it/get some rest*; dat hoef je niet eens te ~ *you needn't bother/don't bother (trying that)*; het is te ~ *you* ⟨enz.⟩ *can always try*; *it's worth trying*; laat hem ook eens ~ *let him try/try his hand/his luck too*; ~ op te vallen *try to grab the limelight, show off*; probeer je te beheersen *pull yourself together*; wat probeert hij te bereiken? *what is he driving at?*; iem. ~ te doden *make an attempt on s.o.'s life*; iets ~ te doen *have a go/try/stab/shot/bash/ crack at sth., have a (good) shot/bang/ sth.*; iets ~ te krijgen *make a play for sth., be after/out for sth.*; ⟨inf.⟩ *have a shy at sth.*; ik wil het wel eens ~ *I don't mind trying/giving it a try/having a go* **3.3** je moet niet ~ dergelijke grappen hier uit te halen *don't try/it's no use trying your/those games/tricks on me/here* **4.1** het in het onderwijs/als postbode ~ *try teaching/being a postman*; iets op verschillende manieren ~ *try sth. in different/various ways* **4.2** alles ~ ⟨ook⟩ *leave no stone unturned*; het met slijmen/vleierij ~ (bij iem.) *try flattery (upon s.o.)*; ⟨sl.⟩ *try to butter up to s.o./butter s.o. up*; het eens ~ ⟨voor het eerst meedoen ook⟩ *get one's feet wet*; eens wat anders ~ *try sth. else*; ⟨BE; inf.⟩ *ring the chances*; hij wilde niet komen, wat ik ook probeerde *try as I might, he would not come* **4.3** ja, probeer het eens! *don't (you) (dare) try it!/try it on (with me)!*; als hij zoiets probeert, dan ... *if he tries any of those games, (then) ...* **5.1** probeer het eerst eens *try it out first* **5.2** het nog eens ~ *have another try*; ⟨geb. w. ook⟩ *come along/on*; opnieuw ~ *try again/once more* **6.1** ⟨mbt. vraag⟩ probeer het eens bij de buren *try the neighbours*; (het met) iem. ~ *give s.o. a*

trial/ tryout; het **met** water en zeep ~ *try soap and water;* hier hebt u er een **om** te ~ *take this for test/ on trial; try this and see* **6.3 met** mij moet je dat niet ~ *no use trying it on with me!;* (sl.) *don't you come it/ that sort of nonsense with me!* **¶.1** alles één keer ~ *try anything once* **¶.2** probeer het eens te worden met elk. *try and reach/ come to an agreement.*

probleem (het) **0.1** [moeilijkheid] *problem* ⇒*difficulty, trouble,* ↓*snag,* (vraagstuk ook) *issue, question,* (inf.) *headache, poser* **0.2** [vraagstuk ter oplossing] *problem* ◆ **2.1** een moeilijk ~ *a difficult/ real problem;* (inf.) *a tough nut/ one (to crack);* een nijpend ~ *a pressing problem/ difficulty* **3.1** problemen geven *cause problems/ difficulty, make/ cause trouble;* problemen met iem. hebben *have problems/ difficulty/ difficulties/ trouble with s.o.;* het is een ~ *it's a problem/ poser/ neadache;* een ~ maken van iets *make a problem (out) of sth., make difficulties about sth., cause trouble about sth.;* alles ging goed totdat er een ~ (pje) opdook *everything was going well until we/ he* (enz.) *hit a snag;* een ~ stellen *set/ pose a problem* **6.1 in** de problemen zitten *be in difficulty/ difficulties/ trouble;* (inf.) *be in deep/ hot water;* in de problemen raken *get/ run into difficulty/ difficulties/ trouble, run into problems;* (inf.) *get into trouble/ hot water/ deep water;* zwaar **in** de problemen zitten *be in great difficulty, be up to one's neck in difficulties/ trouble, be in (very) deep/ hot water;* **met** een ~ zitten *have a problem, have problems, be having difficulties, be in trouble/ difficulty / difficulties/ stuck/ in a fix;* het ~ **met** hem is dat ... *the trouble with him is that ...* **7.1** ergens geen ~ van maken *not make a problem of/ about sth., not make difficulties/ cause trouble about sth.;* geen ~! *no problem!;* (inf.) *no bother/ sweat!;* het zou geen ~ moeten zijn *it shouldn't be (much of) a problem/ difficult, you/ he* (enz.) *shouldn't have any difficulty/ trouble* **¶.1** een ~pje *a bit of a problem, a spot of trouble/ bother, a (bit of a) snag.*

probleemdrinker (de (m.)), **-drinkster** (de (v.)) **0.1** *s.o. with a drink problem* ⇒*alcoholic.*

probleemgebied (het) **0.1** *depressed area* ⇒*trouble spot.*

probleemgeval (het) **0.1** *problematical case* ⇒*problem.*

probleemgezin (het) **0.1** *problem family.*

probleemkind (het) **0.1** *problem child.*

probleemloos (bn., bw.) **0.1** *uncomplicated* ⇒*smooth, trouble-free,* (wisk.) *trivial* ◆ **3.1** alles verliep ~ *things went very smoothly/ without a hitch.*

probleemstelling (de (v.)) **0.1** *definition/ formulation of a problem* ◆ **2.1** de ~ is juist *the problem has been correctly defined/ formulated/ stated.*

probleemstuk (het) **0.1** *problem play.*

problematiek¹ →**problematisch.**

problematiek² (de (v.)) **0.1** *problem(s)* ⇒*issue, problematic nature.*

problematisch (bn.) **0.1** [een probleem vormend] *problematic(al)* **0.2** [twijfelachtig] *problematic(al)* ⇒*questionable, doubtful.*

proc. (afk.) **0.1** [procureur] (≠*solicitor,* ᴬ*attorney.*

procédé (het) **0.1** *process* ⇒*technique, treatment* ◆ **6.1** volgens een bepaald ~ gemaakt *processed in a certain way, made by a certain p.;* (tech.) een nieuw ~ **voor** de bereiding van ... *a new p. / technique for the manufacture of* ....

procederen (onw.ww.) **0.1** [proces voeren] *litigate* ⇒*take legal action/ proceed (against),* (strafrecht) *prosecute* **0.2** [handelen] *proceed* ◆ **1.1** ~de partij *litigant, litigating/ contending party* **3.1** gaan ~ *go to law, institute (legal) proceedings, bring an action/ take legal action (against)* **6.1** ~ **over** *litigate about.*

procedure (de) **0.1** [handel-, werkwijze] *procedure* ⇒*method, line* **0.2** [procesvoering] *procedure* **0.3** [proces] *(law)suit* ⇒*action, legal proceedings/ procedure* ◆ **2.1** volgens de gebruikelijke ~ *according to the regular procedure/ routine;* een goede/ correcte ~ *good practice, a correct procedure;* volgens een nieuwe ~ te werk gaan/ lesgeven *work/ teach according to a new method;* standaard ~ (ook) *common form;* de voorgeschreven ~ *the order, the regular procedure* **2.3** strafrechtelijke/ civiele ~ *criminal/ civil suit/ proceedings* **3.1** een sollicitatie ~ volgen *follow the (normal) procedure(s) of application* **3.3** een ~ tegen iem. aanspannen *go to law/ start a legal procedure/ legal proceedings against s.o..*

procedureel (bn.) **0.1** *procedural* ⇒(jur.) *adjective* (wet).

procedurefout (de) **0.1** *procedural mistake, mistake in procedure.*

procedurekwestie (de (v.)) **0.1** *matter of procedure* ⇒*point of order.*

procent (het) **0.1** *per cent, percent* ◆ **6.1** voor honderd ~ *one hundred p. c. / p.* **7.1** honderd ~ zeker *a hundred p. c. / p. / dead certain/ sure;* honderd ~ zeker zijn (van iets) *be positive (of sth.);* ik voel me weer honderd ~ (de oude) *I feel in perfect health/ perfectly fit/ (as) fit as a fiddle again;* tien ~ korting *ten p. c. / p. off/ discount/ reduction;* tien ~ kans dat ... *one chance in ten that ...;* er is vijftig ~ kans (dat) *it's fifty-fifty/ even chances (that).*

procentueel (bn.) **0.1** *in terms of percentage.*

proces (het) **0.1** (jur.) *(law)suit* ⇒(mbt. strafrecht) *trial, action, legal proceedings* **0.2** [ontwikkelingsgang] *process* ◆ **1.1** zonder vorm van ~ *summarily, without trial* **1.2** het ~ van ontbinding *the p. of decomposition;* een ~ van vernieuwing *a p. of renewal/ renovation/ reform*

2.2 een chemisch ~ *a chemical p.* **3.1** iem. een ~ aandoen *sue s.o., take s.o. to court, have/ take the law on s.o.;* een ~ aanspannen/ winnen/ verliezen *take/ institute (legal) proceedings, go to law/ win/ lose the action/ suit/ proceedings;* er zal wel weer een ~ van komen *it will probably come to a court case again;* met een ~ dreigen *threaten legal action / litigation;* zij verloren het ~ *they lost the action/ suit/ case, the case went/ came out/ was given/ was decided against them;* een ~ voeren (mbt. advocaat) *conduct an action/ a case;* een ~ voorkomen *prevent litigation* **6.1** in een ~ gewikkeld zijn *be involved/ engaged in a lawsuit;* een ~ **over** de zaak beginnen *take the matter to court.*

procesbesturing (de (v.)) **0.1** *production management.*

procesbewaking, procesbeheersing (de (v.)) **0.1** *process control.*

procesgang (de (m.)) **0.1** *progress of a (production) process.*

procesindustrie (de (v.)) **0.1** *processing industry.*

proceskosten (zn.mv.) **0.1** (legal) *costs* ◆ **1.1** hij werd veroordeeld tot betaling van de ~ *he was condemned/ ordered to pay c., he had c. given against him.*

procesoperator (de (m.)) **0.1** *operator.*

procesorde (de) **0.1** (order/ rules of) *procedure* ⇒*course of the proceedings* ◆ **2.1** summiere ~ *summary proceedings.*

procesrecht (het) **0.1** *procedural law* ◆ **2.1** militair/ burgerlijk ~ *law of military/ civil procedure.*

processie (de (v.)) (→sprw. 355) **0.1** [kerkelijke omgang] *procession* **0.2** [(fig.) stoet] *procession* ⇒*parade* ◆ **2.2** het was een hele ~ *it was quite a parade/ procession* **3.1** een ~ houden *hold a p.* **6.1** het Mariabeeld **in** ~ ronddragen *carry the image of the Virgin Mary in p.;* **in** ~ gaan *process.*

processieboek (het) **0.1** *processional.*

processierups (de) **0.1** *processionary caterpillar* (Cnethocampa processionea).

processievlinder (de (m.)) **0.1** *processionary moth* (Thaumatopoea/ Cnethocampa Processionea).

processimulator (de (m.)) **0.1** *process simulator.*

processtuk (het) **0.1** *record* ⇒*document relating to/ bearing on a/ the case, case file.*

processueel (bn.) **0.1** *relating to a trial/ lawsuit* ◆ **1.1** processuele handelingen *proceedings.*

proces-verbaal (het) **0.1** [bekeuring] *charge* ⇒(dagvaarding) *summons,* (inf.) *ticket, booking* **0.2** [schriftelijk vastgelegd proces] *record* ⇒*minutes, (official) report, procès-verbal* ◆ **1.2** ~ v.d. discussie *minutes of the discussion;* het ~ van de terechtzitting *the minutes/ procès-verbal of the session* **3.1** een ~ aan zijn broek krijgen *be booked, get a ticket;* ~ opmaken v.d. overtreding *report/ make a report of an offence;* ~ opmaken tegen iem. *take s.o's name (and address), book s.o.;* een ~ uitschrijven voor iem. *serve s.o. (with) a s., serve a s. on s.o.* **3.2** ~ opmaken van de getuigenverklaring *take down (notes of) the deposition/ testimony/ evidence.*

procesvoerend (bn.) **0.1** *litigant* ◆ **1.1** ~e partij *litigant, party.*

procesvoering (de (v.)) **0.1** *conduct (of a case).*

procesziek (bn.) **0.1** *sue-happy* ⇒*litigious.*

proclamatie (de (v.)) **0.1** *proclamation* ⇒*declaration* ◆ **6.1** bij ~ *by p..*

proclameren (ov.ww.) **0.1** *proclaim* ⇒*make a proclamation, call* (staking) ◆ **1.1** de republiek ~ *p. the republic* **6.1** iem. **tot** keizer ~ *proclaim s.o. emperor.*

proclisis (de (v.)) (taal.) **0.1** *procliticization.*

proclitisch (bn.) **0.1** *proclitic.*

procreatie (de (v.)) **0.1** *procreation.*

procrustesbed (het) **0.1** *Procrustean bed.*

proctologie (de (v.)) **0.1** *proctology.*

procuratie (de (v.)) **0.1** [volmacht] *procuration* ⇒*power of attorney, attorneyship* **0.2** [bewijsstuk van een volmacht] *power/ letter/ warrant of attorney* ⇒*procuration* ◆ **2.1** gemeenschappelijke ~ *joint procuration* **3.1** ~ hebben bij iem. / bij een firma *hold s.o.'s/ a firm's procuration* **6.1** per ~ handelen *act by/ per procuration/ per procurationem/ per pro./ p.p..*

procuratiehouder (de (m.)) **0.1** *deputy manager* ⇒*confidential clerk, attorney,* (zeldz.) *procurator* ◆ **3.1** ~ worden *be granted power of attorney.*

procurator (de (m.)) **0.1** [(Rom. gesch.)] *procurator* **0.2** [(r.k.) administrateur] *procurator* **0.3** [(r.k.) vertegenwoordiger v.d. bisschoppen] *procurator.*

procureur (de (m.)) (jur.) **0.1** ≠*solicitor,* ᴬ*attorney* ◆ **1.1** (België) ~ des Konings ≠*public prosecutor, counsel for the prosecution.*

procureur-generaal (de (m.)) (jur.) **0.1** *Procurator-General;* ≠*Attorney General* (GB, USA).

procureurschap (het) **0.1** ≠ᴮ*solicitorship,* ᴬ*attorneyship.*

pro Deo 0.1 *free (of charge)* ⇒*gratis* ◆ **1.1** een pro Deo-advocaat *legal aid counsel,* ᴬ*a public defender* **3.1** ~ optreden *give a free/ charity performance;* ~ procederen *take action with legal aid.*

pro-deozaak (de) **0.1** *case for the* ᴮ*legal aid counsel/* ᴬ*public defender.*

prodigieus (bn.) (sch.) **0.1** *prodigious.*

producent (de (m.)) **0.1** *producer* ⇒(vaak in samenst.) *maker.*

producentenmarkt (de) **0.1** *seller's market.*

produceren ⟨ov.ww.⟩ **0.1** [voortbrengen] *produce* ⇒*make, manufacture, turn out*, ⟨in grote hoeveelheden⟩ *churn out, put out* ⟨vermogen⟩, *generate* ⟨warmte, elektriciteit, stoom⟩ **0.2** [financieren] *produce* **0.3** [⟨jur.⟩ overleggen] *produce* ◆ **1.1** deze fabriek produceert 24.000 flessen per dag *this factory turns out/produces/churns out 24.000 bottles a day;* een vreselijk lawaai ~ *make an awful noise* **1.2** een plaat/ een film ~ *p. a record/a film* **1.3** stukken ~ *p. documents* **5.1** machinaal ~ *machine p.;* massaal ~ *mass-produce* **7.1** meer ~ dan *overproduce;* minder ~ dan normaal *underproduce;* de laatste jaren heeft deze schrijver weinig meer geproduceerd *in the last few years this author has not turned out/produced much.*

produkt ⟨het⟩ **0.1** [voortbrengsel] *product* ⇒*production,* ⟨handelsprodukt ook⟩ *commodity* **0.2** [⟨wisk.⟩] *product* **0.3** [totale waarde van de produktie] *product* **0.4** [⟨jur.⟩ voorgelegd stuk] *exhibit* ◆ **1.1** de ~en van een land *the products of/*⟨landb., veeteelt ook⟩ *produce* ⟨enk.⟩ *of a country, the national output* **2.1** agrarische ~en *agricultural produce* ⟨enk.⟩ */produce;* een binnenlands ~ *a domestic product;* een chemisch ~ *a chemical (product);* ⟨vnl. mbt. agrarische produkten⟩ Frans ~ *produce of France;* letterkundige ~en *literary productions* **2.3** het bruto nationaal ~ *the gross national product;* ⟨afk.⟩ *the G.N.P.* **3.1** een ~ op de markt brengen *introduce/market/launch a product.*

produktaansprakelijkheid ⟨de (v.)⟩ ⟨verz.⟩ **0.1** *manufacturer's/product liability.*

produktdifferentiatie ⟨de (v.)⟩ **0.1** *product differentiation.*

produktie ⟨de (v.)⟩ **0.1** [vervaardiging] *production* ⇒*manufacture* **0.2** [wat geproduceerd is] *production* ⇒⟨opbrengst⟩ *output, yield,* ⟨agrarisch ook⟩ *produce* **0.3** [(mbt. film, enz.) financiering] *production* **0.4** [⟨jur.⟩] *exhibit* **0.5** [voortbrenging mbt. fysica, fysiologie] *production* ◆ **1.4** de ~ van een koopakte *the production of a deed of sale* **1.5** de ~ van maagzuur *the secretion of gastric acid* **2.2** een Amerikaanse ~ *an American p.;* ⟨uit Hollywood⟩ *a Hollywood p.* **2.3** een vrije ~ *a free/ independent p.* **3.1** de ~ opvoeren *step/speed up p.* **3.1** de ~ vergroten *increase p.* **6.1** iets in ~ nemen/brengen *take/bring sth. into p.;* ⟨ontsluiten⟩ *bring in* ⟨oliebron/-veld⟩; de ~ nemen *stop/discontinue producing/the production of;* ⟨geleidelijk⟩ *phase out/down the production of.*

produktieafdeling ⟨de (v.)⟩ **0.1** *production department.*

produktieapparaat ⟨het⟩ **0.1** *production machinery* ⇒*production apparatus.*

produktiebeperking ⟨de (v.)⟩ **0.1** *restriction of production.*

produktiecapaciteit ⟨de (v.)⟩ **0.1** *productive capacity.*

produktiechef ⟨de (m.)⟩, **-cheffin** ⟨de (v.)⟩ **0.1** *production manager* ⟨m.⟩ */manageress* ⟨v.⟩.

produktiecijfer ⟨het⟩ **0.1** *production/output figure(s).*

produktiecode ⟨de (m.)⟩ **0.1** *product code.*

produktiedier ⟨het⟩ ⟨veeteelt⟩ **0.1** *high yield animal.*

produktie-eenheid ⟨de (v.)⟩ **0.1** *production unit* ⇒*unit of output/production.*

produktief ⟨bn.⟩ **0.1** [winstgevend] *productive* ⇒*remunerative, fruitful* **0.2** [mbt. de maatschappelijke voortbrenging] *productive* **0.3** [veel voortbrengend] *productive* ⇒*prolific, fruitful, fertile* **0.4** [⟨taal.⟩] *productive* ◆ **1.2** produktieve arbeid *p. labour;* het produktieve deel van de bevolking *the p. sector of the population* **1.3** een ~ dagje *a good day's work;* een ~ schrijver *a prolific writer* **1.4** een ~ voorvoegsel *a p. prefix* **3.1** een olieveld ~ maken *make an oilfield p.* */pay;* zijn tijd/ kennis ~ maken *turn one's knowledge to account/advantage.*

produktiefactor ⟨de (m.)⟩ **0.1** *production factor.*

produktiegoederen ⟨zn.mv.⟩ **0.1** *producer/production goods.*

produktiehuishouding ⟨de (v.)⟩ **0.1** *production economy.*

produktieketen ⟨de⟩ **0.1** *production chain.*

produktiekosten ⟨zn.mv.⟩ **0.1** *cost(s) of production, production/manufacturing cost(s).*

produktieleider ⟨de (m.)⟩ **0.1** ⟨ind.⟩ *production manager;* ⟨dram., film., t.v.⟩ *producer.*

produktieleiding ⟨de (v.)⟩ **0.1** *production management.*

produktielijn ⟨de⟩ **0.1** *production line.*

produktiemaatschappij ⟨de (v.)⟩ **0.1** ⟨ec.;pej.⟩ *production society* **0.2** [mbt. films] *film production company.*

produktiemiddel ⟨het⟩ **0.1** *means of production.*

produktiemodel ⟨het⟩ **0.1** *production model* ⇒*prototype.*

produktieoverschot ⟨het⟩ **0.1** *production surplus.*

produktiepeil ⟨het⟩ **0.1** *production/output level, level of production.*

produktiepremie ⟨de (v.)⟩ **0.1** *production bonus.*

produktieproces ⟨het⟩ **0.1** *production process* ⇒*manufacture.*

produktierobot ⟨de (m.)⟩ ⟨tech.⟩ **0.1** *production robot.*

produktieschema ⟨het⟩ **0.1** *production schedule.*

produktieslag ⟨de (m.)⟩ **0.1** *production drive.*

produktiesnelheid ⟨de (v.)⟩ **0.1** *production/output rate.*

produktietijd ⟨de (v.)⟩ **0.1** *production/lead time.*

produktievereniging ⟨de (v.)⟩ **0.1** *production co-operative.*

produktieverhoging ⟨de (v.)⟩ **0.1** *production increase* ⇒*increased output.*

produktievermindering ⟨de (v.)⟩ **0.1** ⟨gewild⟩ *production slow-down, re-*

duction of/in (the) production/output; ⟨ongewild⟩ *drop/fall in production, production drop/decrease.*

produktievermogen ⟨het⟩ **0.1** *productive capacity/power* ⇒*capacity, productivity,* ⟨machine⟩ *potential output.*

produktievoorbereiding ⟨de (v.)⟩ **0.1** *production/process planning.*

produktinformatie ⟨de (v.)⟩ **0.1** *information about a product.*

produktiviteit ⟨de (v.)⟩ **0.1** [vruchtbaarheid] *productivity* ⇒*productiveness, fertility* **0.2** [⟨ec.⟩] *productivity* ⇒*productive capacity.*

produktiviteitscentrum ⟨het⟩ **0.1** *productivity centre.*

produktschap ⟨het⟩ **0.1** ≠*Commodity Board* ◆ **6.1** ~ voor pluimvee en eieren/zuivel *C. B. for Poultry and Eggs/Dairy Products.*

produktverbetering ⟨de (v.)⟩ **0.1** *improvement of a product* ⇒*product improvement.*

proef ⟨de⟩ **0.1** [onderzoek naar deugdelijkheid] *test* ⇒*examination* **0.2** [⟨wisk.⟩] *test* **0.3** [examen] *test* ⇒*examination* **0.4** [beproeving] *test* ⇒ *trial* **0.5** [experiment] *test* ⇒*experiment* **0.6** [proebeersel] *test* ⇒*try, trial, probation* **0.7** [bewijs] *test* ⇒*proof* **0.8** [⟨druk.⟩] *proof* **0.9** [eerste afdruk van fotografische plaat] *proof* **0.10** [monster] *sample* ⇒*try, taste, specimen* **0.11** [smaakvermogen] *taste* **0.12** [keurmerk] *hallmark* ◆ **1.10** ~ je cacao/thee *a taste of cocoa/tea;* proeven van prachtige poëzie *examples of fine poetry* **2.5** ⟨biol., psych.⟩ vergelijkende ~ *control experiment* **2.8** gecorrigeerde ~ *clean p.;* ongecorrigeerde ~ *foul/rough copy* **3.1** aan een zware ~ onderwerpen *subject to a severe t./trial, apply a severe t. to;* de ~ doorstaan *stand the t.;* proeven nemen met *try (out), test* ⟨nieuw vliegtuig⟩ **3.2** de ~ maken op *prove* **3.5** proeven nemen *perform/carry out/conduct experiments/tests, experiment;* proeven nemen met *experiment with* ⟨nieuw materiaal⟩; proeven nemen/doen op *experiment on, carry out tests on* **3.7** een ~ van bekwaamheid afleggen *sit/do a t. of competence, prove one's competence* **3.8** een ~ maken van ⟨van boek⟩ *proof;* proeven trekken *pull proofs* **3.10** ~ je nemen van eigengestookte jenever *sample, try some home-distilled geneva/Hollands gin* **6.2** de ~ op de som nemen ⟨fig.⟩ *test sth., put sth. to the t./proof, try (out) sth., prove sth.;* dat is de ~ op de som *that settles it* **6.4** iemands geduld op de ~ stellen *test/try s.o.'s patience;* op de ~ stellen *put to the test/proof, prove, try* ⟨s.o.'s⟩ *mettle;* zwaar op de ~ stellen *tax* ⟨geduld, kracht⟩; op de ~ gesteld worden *be on trial/on one's mettle;* zijn krachten te zeer/veel op de ~ stellen *overtax one's strength;* stel je geluk niet te veel op de ~ *don't push your luck* **6.6** iets een week op ~ krijgen *get/have sth. for a week on trial/on a week's trial;* persoon op ~, op ~ aangenomen employé *probationer;* op ~ *probationary, on probation;* iets op ~ nemen/ kopen *take/buy sth. on trial;* iem. op ~ aannemen *appoint s.o. for a trial period/on approval/on probation;* bij wijze van ~ *by way of trial;* voor/op ~ optreden/laten optreden *audition.*

proefabonnement ⟨het⟩ **0.1** *trial subscription.*

proefaflevering ⟨het⟩ **0.1** *trial issue.*

proefbaan ⟨de⟩ **0.1** *(test-)circuit.*

proefbalans ⟨de⟩ ⟨hand.⟩ **0.1** *trial balance.*

proefballon ⟨de (m.)⟩ ⟨meteo.⟩ **0.1** *pilot/trial balloon* ◆ **1.1** bij wijze van ~ ⟨fig.⟩ *tentatively* **3.1** een ~(netje) oplaten ⟨fig.⟩ *fly a kite, make a tentative suggestion, put out a feeler.*

proefbedrijf ⟨het⟩ ⟨landb.⟩ **0.1** *experimental farm.*

proefbelasting ⟨de (v.)⟩ ⟨tech.⟩ **0.1** [onderzoek naar het draagvermogen] *test load* **0.2** [gewicht van de belasting] *test load.*

proefbestelling ⟨de (v.)⟩ **0.1** *trial order.*

proefblad ⟨het⟩ **0.1** *proof* ⇒*galley (proof).*

proefboerderij ⟨de (v.)⟩ **0.1** *experimental farm.*

proefboren ⟨ww.⟩ **0.1** *exploratory drilling* ⇒*test drilling,* ⟨speculatief⟩ *wildcat drilling, wildcatting.*

proefboring ⟨de (v.)⟩ **0.1** *exploratory drilling* ⇒*test drilling,* ⟨speculatief⟩ *wildcat drilling, wildcatting* ◆ **3.1** ~en doen *carry out e. d.;* een ~ doen *sink a test shaft.*

proefbuisje ⟨het⟩ **0.1** *test tube* ⇒⟨met voetstuk⟩ *test glass.*

proefdier ⟨het⟩ **0.1** *experimental animal* ⇒*laboratory animal.*

proefdraaien ⟨ww.⟩ **0.1** [mbt. machines] *trial/test run* ⇒*do a trial run* **0.2** [⟨film.⟩] *test shoot* ◆ **1.1** ⟨fig.⟩ een team laten ~ *do a dry run with a team* **3.1** machines/een schip laten ~ *submit machines to running tests/a ship to a trial run* **7.1** bij het ~ werd duidelijk wat er nog mis was *the trial run showed clearly what was still wrong.*

proefdruk ⟨de (m.)⟩ **0.1** *proof.*

proefexemplaar ⟨het⟩ **0.1** *trial offer* ⇒*sample (copy), specimen (copy).*

proeffabriek ⟨de (v.)⟩ **0.1** *pilot plant* ⇒*semi-commercial plant.*

proefgetal ⟨het⟩ ⟨wisk.⟩ **0.1** *excess of nine(s)* ⟨bij negenproef⟩ */of elevens* ⟨bij elfproef⟩.

proefgewicht ⟨het⟩ **0.1** *standard weight.*

proefglas ⟨het⟩ **0.1** [vat bij onderzoek van vloeistoffen] *test glass* **0.2** [buis voor de waterhoogte] *gauge glass.*

proefhoudend ⟨bn.⟩ **0.1** *genuine* ⇒*proof* ◆ **3.1** ~ blijken *stand the test.*

proefhuwelijk ⟨het⟩ **0.1** *trial/companionate marriage.*

proefinstallatie ⟨de (v.)⟩ **0.1** *trial/pilot/experimental/test plant/installation.*

proefjaar ⟨het⟩ **0.1** *probationary year* ⇒*year on/of probation/trial/approval.*

proefkonijn ⟨het⟩ **0.1** [⟨fig.⟩] *guinea pig* **0.2** [konijn als proefdier] *laboratory/experimental rabbit* ◆ **8.1** als~ dienen *serve/be used as a g. p.*.

proeflapje ⟨het⟩ **0.1** *needlework sampler.*

proefles ⟨de⟩ **0.1** [les ter kennismaking] *trial lesson* ⇒*sample lesson* **0.2** [les als proeve van zijn kunnen] *test lesson.*

proefletter ⟨de⟩ **0.1** *test type.*

proeflezen ⟨ww.⟩ **0.1** *proofing* ⇒*proofreading.*

proeflezer ⟨de (m.)⟩ **0.1** *proofreader.*

proeflokaal ⟨het⟩ **0.1** *public house* ⇒*bar.*

proefmodel ⟨het⟩ **0.1** *pilot model, prototype* ⇒*mock-up* ◆ **1.1** een~ van de bestuurderscabine voor opleidingsdoeleinden *a mock-up of the driver's cabin for training purposes.*

proefmonster ⟨het⟩ **0.1** *(testing) sample* ⇒⟨ook voor experimenten⟩ *specimen.*

proefnaald ⟨de⟩ **0.1** ⟨mbt. goud/zilver⟩ *touch needle.*

proefneming ⟨de (v.)⟩ **0.1** *testing* ⇒*experimentation* ◆ **2.1** nucleaire ~en *nuclear t.* **3.1** ~en doen *test, experiment, carry out/conduct tests/ experimentation.*

proefnummer ⟨het⟩ **0.1** [proefaflevering] *specimen copy* **0.2** [nulnummer] *trial issue* ◆ **3.1** een~ aanvragen *send for a sample issue.*

proefobject ⟨het⟩ **0.1** *(experimental) subject* ◆ **2.1** iets uitproberen/testen op een onbelangrijk ~ ⟨ook scherts.⟩ *try sth. on the dog.*

proefondervindelijk ⟨bn., bw.; -ly⟩ **0.1** [door proefneming] *experimental* ⇒*by experiment/experience* **0.2** [uit/volgens ondervinding] *experiential* ⇒*by experience* **0.3** [op proefneming gegrond] *experimental* ⇒*empirical* ◆ **1.3** ~e methode *trial-and-error;* de ~e natuurkunde/ wijsbegeerte *experimental physics; empirical philosophy* **3.1** dit is~ bewezen *this has been proved by experiment/borne out by experience;* ~ vaststellen *establish by experiment/experience.*

proefopname ⟨de⟩ **0.1** ⟨alg.⟩ *trial/dry run;* ⟨muz.⟩ *demonstration tape/ record,* ⟨inf.⟩ *demo;* ⟨van acteur⟩ *screen test.*

proeforder ⟨de⟩ ⟨hand.⟩ **0.1** *trial/sample order.*

proefpark ⟨het⟩ ⟨tech.⟩ **0.1** *testing ground(s).*

proefperiode ⟨de (v.)⟩ **0.1** *trial period* ⇒⟨ook mbt. baan⟩ *probationary period, probation* ◆ **6.1** iem. voor een~ aannemen *take s.o. on trial/ for a t. p..*

proefpersoon ⟨de (m.)⟩ **0.1** *(experimental/test) subject* ⇒*testee.*

proefplaat ⟨de⟩ **0.1** [resultaat van de eerste afdruk] *proof* **0.2** [plaat ter beproeving] *test plate.*

proefproces ⟨het⟩ **0.1** *test case.*

proefproject ⟨het⟩ **0.1** *pilot project.*

proefrit ⟨de (m.)⟩ **0.1** ⟨vnl. mbt. auto⟩ *test drive* ⇒⟨mbt. trein, enz.⟩ *trial run* ◆ **3.1** een~ maken met de auto *test-drive the car.*

proefschrift ⟨het⟩ **0.1** ⟨*doctoral/Ph.D.*⟩ *thesis* ⇒*dissertation* ◆ **3.1** een~ verdedigen *defend a t.* **6.1** een~ over ...a t./ dissertation on/concerning ....

proefstadium ⟨het⟩ **0.1** *experimental stage* ◆ **6.1** nog in een~ verkeren *be still at the e. s..*

proefstation ⟨het⟩ ⟨landb.⟩ **0.1** *testing/research station* ⇒*experimental station.*

proefstemming ⟨de (v.)⟩ **0.1** *test poll/ballot, trial vote* ⇒⟨AE ook⟩ *straw vote.*

proefstomen ⟨onov.ww.⟩ **0.1** ⟨scheep.⟩ *make/carry out a trial (run/trip/ cruise);* ⟨fig.⟩ *undergo a trial (period).*

proefstrook ⟨de⟩ **0.1** [stuk weg] *test strip* **0.2** [⟨druk.⟩] *galley proof* **0.3** [⟨foto.⟩] *test strip* ⇒*contact prints.*

proefstuk ⟨het⟩ **0.1** [ter beproeving] *test piece, sample, specimen* **0.2** [van bekwaamheid] *specimen/sample (of work)* ⇒⟨gilde⟩ *masterpiece.*

proefterrein ⟨het⟩ **0.1** ⟨ook fig.⟩ *proving ground* ⇒⟨voor wapens⟩ *testing ground/range,* ⟨voor raketten⟩ *rocket range.*

proeftijd ⟨de (m.)⟩ **0.1** [voorlopige dienstbetrekking] *probation* ⇒*probationary/trial period,* ⟨in klooster⟩ *novitiate* **0.2** [⟨jur.⟩] *probation* **0.3** [⟨fig.⟩ het aardse leven] *time of trial* ◆ **1.1** na voltooiing van zijn ~ werd hij voor vast aangesteld *on completing his probationary period, he was appointed to a permanent position* **6.1** hij werd al in de ~ ontslagen *he was sacked while still on probation;* iem. aannemen met een~ van *appoint s.o. on six months' probation* **6.2** voorwaardelijk veroordeeld met een~ van twee jaar *a suspended sentence with two years' p.;* tijdens zijn ~ *while on p./ approval, during his probationary period.*

proeftuin ⟨de (m.)⟩ **0.1** *experimental garden/field/plot.*

proefuitzending ⟨de (v.)⟩ **0.1** *trial/experimental broadcast/transmission.*

proefvaart ⟨de⟩ **0.1** *trial run/trip/cruise* ⇒*acceptance/sea trials.*

proefvak ⟨het⟩ *test strip* ⇒*test/trial section.*

proefvel ⟨het⟩ **0.1** *proof sheet.*

proefveld ⟨het⟩ **0.1** *trial/experimental field* ⇒*test plot.*

proefverlof ⟨het⟩ **0.1** *probationary release.*

proefvertaling ⟨de (v.)⟩ **0.1** [mbt. school] *translation test* **0.2** [voor een uitgever] *sample/test translation.*

proefvlieger ⟨de (m.)⟩ **0.1** *test pilot.*

proefvlucht ⟨de⟩ **0.1** *test flight* ◆ **3.1** ~en/ een~ maken (met/in) *test-fly.*

proefwerk ⟨het⟩ **0.1** *test (paper);* ⟨van vakman;→proefstuk o.2⟩ ◆ **3.1** een~ opgeven *set a test.*

proefzending ⟨de (v.)⟩ **0.1** *trial shipment/consignment.*

proestbui ⟨de⟩ **0.1** *a fit of laughter/giggles.*

proesten ⟨onov.ww.⟩ **0.1** [niezen] *sneeze* **0.2** [snuivend blazen] *snort* ⇒*splutter, sputter* **0.3** [in lachen uitbarsten] *snort* ⇒*splutter* ◆ **3.2** hoestend en ~d weer boven water komen *come to the surface gasping and spluttering* **6.3** ~ van het lachen *snort/explode with laughter, be in fits /knots.*

proestlach ⟨de (m.)⟩ **0.1** *horselaugh.*

proeven

I ⟨onov., ov.ww.⟩ **0.1** [met de smaakzin keuren] *taste* ⇒*try, sample, test* **0.2** [leren kennen] *taste* ⇒*try, sample, experience* ◆ **1.1** wijn~ *taste wine* **1.2** de sfeer ~ *sample the atmosphere* **6.1** van het eten ~ *try some of the food* **6.2** ~ van het succes *have a taste of success;*
II ⟨ov.ww.⟩ **0.1** [een smaak gewaarworden] *taste* **0.2** [bemerken, bespeuren] *sense* ⇒*smell, taste* ◆ **1.2** in jouw woorden proef ik enige aarzeling *I sense some hesitation in your words* **5.1** hij heeft er nauwelijks iets van geproefd *he scarcely touched it* **6.2** daar kun je de aristocraat uit ~ *you can smell the aristocrat in him.*

proever ⟨de (m.)⟩ **0.1** *taster.*

prof ⟨de (m.)⟩ **0.1** [professor] *prof* **0.2** [professional] *pro* ◆ **3.2** ~ worden *become a p., turn professional.*

prof. ⟨de (m.)⟩ ⟨afk.⟩ **0.1** [professor] *Prof..*

profaan ⟨bn.⟩ **0.1** [werelds] *profane* ⇒*secular* **0.2** [oningewijd] *profane* **0.3** [ontheiligend] *profane* ⇒*sacrilegious, ungodly* ◆ **1.1** profane schrijvers *secular writers* **1.2** iets behoeden voor profane blikken *guard sth. from p. eyes* **3.3** dat klinkt ~ *that sounds p..*

profanatie ⟨de (v.)⟩ **0.1** *profanation* ⇒*sacrilege, defilement, desecration.*

profaneren ⟨ov.ww.⟩ **0.1** *profane* ⇒*defile, desecrate.*

profbokser ⟨de (m.)⟩ **0.1** *professional boxer* ⇒*ringman.*

profclub ⟨de⟩ ⟨sport⟩ **0.1** *professional club.*

profeet ⟨de (m.)⟩ **-fetes** ⟨de (v.)⟩ ⟨→sprw. 508⟩ **0.1** [godsgezant(e)] *prophet* ⟨m.⟩, *prophetess* ⟨v.⟩ ⇒*oracle* ⟨m., v.⟩ **0.2** [ziener(es)] *prophet* ⟨m.⟩, *prophetess* ⟨v.⟩ ⇒*oracle, soothsayer, seer* ⟨m., v.⟩ **2.2** ⟨bijb.⟩ de Profeten, de grote/kleine Profeten *the Prophets, the major /minor Prophets* ¶**.1** ⟨fig.⟩ hij is een~ die brood eet *he's a false p..*

profes ⟨de⟩ ⟨r.k.⟩ **0.1** *professed monk/nun.*

professen ⟨r.k.⟩

I ⟨onov.ww.⟩ **0.1** [geloften afleggen] *profess* ⇒*make one's profession;*
II ⟨ov.ww.⟩ **0.1** [geloften doen afleggen] *profess.*

professie ⟨de (v.)⟩ **0.1** [⟨r.k.⟩ aflegging van de kloostergeloften] *profession* **0.2** [ambt] *profession* ⇒*trade* **0.3** [openbare belijdenis] *profession* ⇒*confession* ◆ **6.2** bakker van ~ *a baker by p..*

professionaliseren ⟨onov.ww.⟩ **0.1** [professioneler aanpakken] *professionalize* **0.2** [een beroep maken van] *professionalize* ◆ **1.1** het vrijwilligerswerk ~ *p. voluntary work.*

professionalisering ⟨de (v.)⟩ **0.1** [het professioneler aanpakken] *professionalization* **0.2** [het tot beroep maken] *professionalization* ◆ **6.1** de ~ binnen de atletiek *p. of athletics.*

professionalisme ⟨het⟩ **0.1** *professionalism* ⇒*professional sport.*

professioneel

I ⟨bn.⟩ **0.1** [van beroep] *professional* **0.2** [eigen aan een beroep] *professional* ◆ **1.1** een~ politicus *a p. politician, a politician by profession* **1.2** professionele kwaliteiten *p. qualities;*
II ⟨bn., bw.; -ly⟩ **0.1** [efficiënt, bekwaam] *professional* ◆ **1.1** ⟨sport⟩ een professionele overtreding *a p. foul* **3.1** iets ~ aanpakken *be p. about sth., approach/tackle sth. in a p. way.*

professor ⟨de (m.)⟩ **0.1** [hoogleraar] *professor* **0.2** [⟨AZN⟩ leraar] *teacher* ⇒ **2.1** een verstrooide ~ ⟨ook fig.⟩ *an absent-minded p.* **6.1** ~ in de natuurkunde *a p. of physics;* benoemen tot ~ in de filosofie *appoint to the Chair of Philosophy, appoint p. of philosophy.*

professoraal ⟨bn., bw.; -ly⟩ **0.1** [mbt. het hoogleraarsambt] *professorial* **0.2** [⟨fig.⟩ geleerd] *professorial* ⇒*learned, didactic* ◆ **1.1** de professorale waardigheid *the p. dignity/rank/office* **3.2** ⟨pej.⟩ wat klinkt dat ~ *that sounds rather pedantic.*

professoraat ⟨het⟩ **0.1** [ambt] *professorship* ⇒*professorate* **0.2** [tijd] *professorship* ⇒*professorate* ◆ **3.1** een~ aanvaarden ⟨ook⟩ *accept a chair.*

profeteren ⟨onov., ov.ww.⟩ **0.1** [voorspellen] *prophesy* ⇒*foretell* **0.2** [namens God verkondigen] *prophesy.*

profetie ⟨de (v.)⟩ **0.1** [het profeteren] *prophecy* **0.2** [voorspelling] *prophecy* **0.3** [godsspraak] *prophecy* ◆ **1.1** de gave van de ~ *the gift of p.* **3.2** zijn ~ is uitgekomen *his p. has come true.*

profetisch

I ⟨bn.⟩ **0.1** [van een profeet] *prophetic* **0.2** [bezwerend] *prophetic* ◆ **1.1** de ~e boeken *the p. books;* ⟨bijbel ook⟩ *the prophets* **1.2** op ~e toon *in a p. tone/voice;*
II ⟨bn., bw.; -ally⟩ **0.1** [voorspellend] *prophetic* ◆ **1.1** met ~ blik voorzien *foresee with prophetic vision/a prophetic eye.*

proficiat[1] ⟨o.⟩ **0.1** *congratulations* ⟨mv.⟩ ⇒*best wishes* ⟨mv.⟩ ◆ **2.1** een hartelijk ~ *hearty congratulations.*

proficiat[2] ⟨tw.⟩ **0.1** *congratulations* ◆ **6.1** ~ met je verjaardag *c. on your birthday, many happy returns (of the day).*

profiel ⟨het⟩ **0.1** [zijaanzicht] *profile* ⇒*side-view, contour* ⟨belijning⟩ **0.2** [verticale doorsnede] *profile* ⇒*vertical section, contour* **0.3** [profielschets] *profile* **0.4** [uitwendige structuur] *surface relief* ⇒ ⟨~groef⟩ *sipe,* ⟨loopvlak⟩ *tread,* ⟨fig. ook⟩ *relief, contour* **0.5** [⟨bouwk.⟩] ⟨grondwerk⟩ ^B*profile,* ^A*batterboard;* ⟨profielbalk e.d.⟩ *section;* ⟨van hout, pleisterwerk⟩ *moulding* ^A*molding* ◆ **1.2** het ~ van dijken/wegen *the p. of dikes/roads* **1.3** ~ van een nieuwe directeur *p. of a new manager* **2.1** een Grieks ~ *a Grecian p.* **2.2** staal met een gewalst ~ *formed sections* **3.3** een ~ schetsen/opstellen *sketch/prepare a p.* **3.4** ergens ~ in aanbrengen *cut mould/a profile/relief into sth.;* ⟨fig.⟩ de vertolking krijgt geen ~ *the performance fails to acquire relief* **6.1** in ~ *in p.* **6.4** er zit geen ~ meer **op** deze band *the tread on this tyre has worn off.*

profieldraad ⟨het⟩ **0.1** *section wire.*

profielfrees ⟨de⟩ **0.1** ⟨onderdeel van⟩ *form tool;* ⟨~machine⟩ *profiling machine.*

profielschets ⟨de⟩ **0.1** *profile.*

profielstaal ⟨het⟩ **0.1** *steel sections* ⇒*sectional steel.*

profieltekening ⟨de (v.)⟩ **0.1** [portret] *profile (drawing)* ⇒*side-view* **0.2** [dwarsdoorsnede] *longitudinal profile* ⇒ ⟨omtrek⟩ *contour.*

profielzool ⟨de⟩ **0.1** *grip sole, sole with a tread.*

profijt ⟨het⟩ **0.1** [voordeel] *profit* ⇒*gain, benefit* **0.2** [opbrengst] *profit* ⇒*gain* **0.3** [nut] *benefit* ⇒*advantage* ◆ **2.3** voor algemeen ~ *for the b. of all, for everyone's b.* **3.1** ergens ~ van trekken *profit by/gain by/benefit from sth.,* turn sth. to advantage; van dit werk valt geen ~ te trekken *there's no p. to be made from this work;* ergens zo veel mogelijk ~ van trekken *make the most of sth.* **6.1** tot ~ **van** *for the benefit of.*

profijtbeginsel ⟨het⟩ **0.1** *principle of consumer-paid services, direct benefit principle.*

profijtelijk ⟨bn., bw.;-ly⟩ **0.1** [winstgevend] *profitable* ⇒*gainful, remunerative* **0.2** [⟨AZN⟩ zuinig] *economical.*

profil ◆ **¶-¶** en ~ *in profile.*

profileren ⟨ov.ww.⟩ **0.1** [het eigen karakter doen uitkomen van] *characterize* ⇒*make known* **0.2** [profiel aanbrengen] *profile* ⇒*mould,* ^A*mold, surface, form* **0.3** [⟨bouwk.⟩] *set up profiles/* ^A*batterboards* ◆ **1.2** geprofileerde leuningen *moulded banisters;* geprofileerde steen *surfaced stone* **4.1** zich ~ *stress one's distinctive features.*

profilering ⟨de (v.)⟩ **0.1** [mbt. het eigen karakter] *stressing the distinctive features* **0.2** [het aanbrengen van profiel] *profiling* ⇒*moulding* ^A*molding, forming* **0.3** [⟨bouwk.⟩] *setting up (of) profiles/* ^A*batterboards.*

profitabel ⟨bn., bw.;-ly⟩ **0.1** *profitable* ⇒*lucrative, gainful.*

profiteren ⟨onov.ww.⟩ **0.1** *profit (from/by)* ⇒*take advantage (of),* turn (sth.) to advantage; ⟨ook pej.⟩ *exploit,* ⟨financieel⟩ *cash in (on sth.)* ◆ **6.1** van de gelegenheid ~ (om) *take advantage of the opportunity to;* **van** het mooie weer ~ *take advantage of the fine weather;* ~ van een voordelige aanbieding *take advantage of a cheap offer;* ⟨pej.⟩ **van** iem. ~ *take advantage of s.o., exploit s.o.;* zij wilde **van** twee dingen tegelijk ~ *she wanted to have it both ways;* zoveel mogelijk ~ **van** *make the most of;* hij profiteerde er het meest **van** ⟨ook⟩ *he gained most by/from it.*

profiteur ⟨de (m.)⟩ ⟨pej.⟩ **0.1** *profiteer.*

profploeg ⟨de⟩ **0.1** *pro(fessional) team.*

profrenner ⟨de (m.)⟩ **0.1** *pro racing cyclist.*

profspeler ⟨de (m.)⟩, -speelster ⟨de (v.)⟩ **0.1** *pro(fessional).*

profstal ⟨de (m.)⟩ ⟨sport⟩ **0.1** *professional stable, team of professionals.*

profteam ⟨het⟩ ⟨sport⟩ **0.1** *professional team.*

profvoetbal ⟨het⟩ **0.1** *pro(fessional) soccer/* ⟨BE ook⟩ *football.*

profvoetballer ⟨de (m.)⟩ **0.1** *pro soccer/* ⟨BE ook⟩ *football player.*

profylactisch ⟨bn., bw.;-ally⟩ **0.1** *prophylactic* ⇒*preventive* ◆ **1.1** ~e middelen ⟨ook⟩ *prophylactics, preventives.*

profylaxe ⟨de (v.)⟩ **0.1** *prophylaxis* ◆ **6.1** de ~ **tegen** de tuberculose *the prevention of tuberculosis.*

progestageen ⟨het⟩ **0.1** *progestogen, progestin.*

progestatief ⟨bn.⟩ **0.1** *progestational.*

progestativum ⟨het⟩ ⟨med.⟩ **0.1** *progesterone.*

progesteron ⟨het⟩ **0.1** *progesterone.*

prognat(h)ie ⟨de (v.)⟩ **0.1** *prognathism, prognathy.*

prognose ⟨de (v.)⟩ **0.1** [voorspelling] *prognosis* ⇒*prognostication* ⟨vaak mv.⟩, *forecast* **0.2** [⟨med.⟩] *prognosis* ◆ **2.2** een gunstige/ongunstige (infauste) ~ *a favourable/unfavourable p.* **3.1** een ~ opmaken/stellen/doen voor de komende vijf jaar *prepare/formulate/make a forecast/forecasts/prognostications for the next five years, prognosticate five years ahead* **6.1** zijn ~ **voor** de wedstrijd luidt ... *his forecast for the match is ....*

prognostica ⟨de (v.)⟩ **0.1** *futurology* ⇒*prognostication.*

prognosticum ⟨het⟩ **0.1** *prognostic* ⇒*omen, foreboding.*

prognostiek ⟨de (v.)⟩ **0.1** [kunde van het stellen van een prognose] *prognostication* ⇒*the art/science of prediction* **0.2** [⟨med.⟩] *prognosis.*

prognostisch
I ⟨bn.⟩ **0.1** [mbt. de prognose] *concerning/in prognosis;*
II ⟨bw.⟩ **0.1** [wat de prognose betreft] *as regards (the) prognosis.*

program ⟨het⟩ **0.1** *programme* ^A*gram* ⇒⟨politiek⟩ *platform.*

programcollege ⟨het⟩ **0.1** ≠*policy-based council.*

programma ⟨het⟩ **0.1** [indeling, opbouw] *programme* ^A*gram* **0.2** [geschrift dat die indeling vermeldt] *programme* ^A*gram* **0.3** [t.v.-, radiouitzending] *programme* ^A*gram* ⇒*broadcast* **0.4** [werkzaamheden voor een bepaalde tijd] *programme* ^A*gram* ⇒*project, schedule* **0.5** [⟨pol.⟩] *programme* ^A*gram* ⇒*platform* **0.6** [⟨comp.⟩] *program* **0.7** [gegevens voor een uit te voeren werk] *programme* ^A*gram* ⇒⟨BE; bouwk.⟩ *bill of quantities* ◆ **1.1** het ~ van een cursus/een concert/een georganiseerde reis *the syllabus of a course, the p./* ^A*bill of a concert, the schedule/p. of an organized trip* **1.2** een fraai uitgevoerd ~ *a well executed/performed p.* **1.5** een punt v.h. ~ *a plank in the platform* **2.2** een uitvoerig ~ *an extensive/detailed p.* **2.3** een informatief ~ *an informative/information p.* **2.4** wij hebben vandaag een druk(bezet) ~ *we have a heavy/busy programme/schedule today* **3.1** het hele ~ afwerken *go/get through the whole p.* **6.1** een wijziging in het ~ *a change in the p.;* iets **op** het ~ zetten *include sth. in the p./schedule* **6.4** dat staat niet **op** ons ~ ⟨ook fig.⟩ *that's not on our programme/not programmed/not scheduled;* wat staat er **op** het ~? *what's on the programme/schedule/bill?.*

programmablad ⟨het⟩ **0.1** [mbt. voorstellingen] *programme* ^A*gram* **0.2** [mbt. radio en t.v.] ≠*programme guide* ⇒⟨BBC⟩ *Radio Times,* ⟨ITV⟩ *TV Times,* ^A*TV Guide.*

programmaboekje ⟨het⟩ **0.1** *programme/* ^A*program.*

programmaleider ⟨de (m.)⟩ **0.1** ⟨radio en t.v.⟩ *programme* ^A*gram director* ⇒⟨presentator van spelprogramma e.d.⟩ *master of ceremonies,* ⟨inf.⟩ *emcee.*

programmamaker ⟨de (m.)⟩ ⟨com.⟩ **0.1** *programme/* ^A*program maker/writer, producer.*

programmamuziek ⟨de (v.)⟩ **0.1** *programme* ^A*gram music.*

programmapunt ⟨het⟩ **0.1** ⟨pol.⟩ *plank in the/a platform.*

programmaschijf ⟨de⟩ ⟨comp.⟩ **0.1** *program disk.*

programmatisch ⟨bn.⟩ **0.1** *programme/* ^A*amed.*

programmatuur ⟨de (v.)⟩ **0.1** *software* ⇒*programs* ⟨mv.⟩.

programmaverklaring ⟨de (v.)⟩ **0.1** *declaration/announcement of the (party) platform.*

programmaverkoper ⟨de (m.)⟩, -koopster ⟨de (v.)⟩ **0.1** *programme* ^A*gram seller* ⟨m.,v.⟩.

programmawijziging ⟨de (v.)⟩ **0.1** *programme* ^A*gram change, change in the programme* ^A*gram.*

programmeerbaar ⟨bn.⟩ **0.1** *programmable.*

programmeerfout ⟨de; -⟩ **0.1** *programming error.*

programmeertaal ⟨de (v.)⟩ ⟨comp.⟩ **0.1** *computer language* ◆ **2.1** hogere/lagere ~ *high-level/low-level language.*

programmeren
I ⟨onov., ov.ww.⟩ **0.1** [⟨comp.⟩] *program* ◆ **1.1** deze gegevens zijn niet te ~ *these data are/this data is not programmable;*
II ⟨ov.ww.⟩ **0.1** [programma opstellen] *programme* ^A*gram* ⇒*schedule, bill, plan* ◆ **1.1** de avond is als volgt geprogrammeerd *the evening is scheduled to run/is planned as follows, the evening's programme* ^A*gram is as follows;* geprogrammeerd onderwijs *programmed/planned learning;* de uitzending is/staat geprogrammeerd voor woensdag *the broadcast is programmed/scheduled/billed for Wednesday, the programme is to be broadcast on Wednesday*

programmering ⟨de (v.)⟩ **0.1** [radio, t.v.] *programming* ^A*graming* **0.2** [⟨comp.⟩] *programming* ^A*graming.*

programmeur ⟨de (m.)⟩, -meuse ⟨de (v.)⟩ ⟨comp.⟩ **0.1** *programmer* ^A*gramer* ⟨m.,v.⟩.

progressie ⟨de (v.)⟩ **0.1** [vooruitgang] *progress* ⇒*headway, advance* **0.2** [evenredige stijging] *progression* ⇒*graduation* **0.3** [⟨muz.⟩] *progression.*

progressief ⟨bn., bw.;-ly⟩ **0.1** [⟨pol.⟩] *progressive* ⇒*advanced* **0.2** [evenredig stijgend] *progressive* ⇒*graduated* **0.3** [in rechte lijn voortgaand] *progressive* ◆ **1.1** progressieve ideeën *p. ideas;* de progressieve partijen *the p. parties;* een ~ standpunt *an advanced/a p. view* **1.2** het tarief van de inkomstenbelasting is sterk ~ *the income tax rates are steeply graduated* **1.3** ⟨taal.⟩ progressieve assimilatie *p. assimilation;* progressieve paralyse *general paresis* **3.1** ~ stemmen *vote progressive/for the progressives* **3.2** de belasting wordt ~ geheven *the tax rates are p./graduated.*

progressieveling ⟨de (m.)⟩ **0.1** *liberal, progressive* ⇒⟨nog sterker⟩ *leftist, left-winger.*

progressiviteit ⟨de (v.)⟩ **0.1** [⟨pol.⟩] *progressiveness* **0.2** [mbt. tarieven, belastingen] *progressiveness.*

prohibitie ⟨de (v.)⟩ **0.1** [invoerverbod] *import ban* **0.2** [alcoholverbod] *prohibition.*

prohibitief ⟨bn.⟩ **0.1** *prohibitive* ◆ **1.1** ~ stelsel ⟨~prohibitiestelsel⟩; prohibitieve tarieven *protective/prohibitionist/p. tariffs.*

prohibitiestelsel ⟨het⟩ **0.1** *protection* ⇒*protectionism, protective system.*

prohibitionist ⟨de (m.)⟩ **0.1** [voorstander van hoge invoerrechten] *protectionist* **0.2** [voorstander van het alcoholverbod] *prohibitionist.*

project ⟨het⟩ **0.1** [wat men wil uitvoeren] *project* ⇒*scheme* **0.2** [ontwerp voor een onderneming] *plan* ⇒*project* **0.3** [studieonderwerp] *project*

◆ **1.1** iem. aanstellen voor de duur van een ~ *appoint s.o. for the duration of a p.* **3.1** aan een ~ meedoen *participate in a p.* **6.1** er loopt momenteel een ~ **voor** volwasseneneducatie *there's a p. / scheme for adult education on now.*

projectbureau ⟨het⟩ →**projectontwikkelaar.**

projecteren ⟨ov.ww.⟩ **0.1** [optisch reproduceren op een scherm] *project* **0.2** [⟨tekenkunst⟩] *project* **0.3** [⟨psych.⟩] *project* **0.4** [in ontwerp voorzien] *project* ⇒*plan, schedule.*

projectgroep ⟨de⟩ **0.1** *project group.*

projectie ⟨de (v.)⟩ **0.1** [het optisch projecteren] *projection* **0.2** [⟨tekenkunst⟩] *projection* **0.3** [⟨psych.⟩] *projection* **0.4** [ontwerp] *projection* ◆ **2.2** ⟨tech.⟩ orthografische ~ *orthographic p.* ¶.**1** Mercators ~ *Mercator's p..*

projectiedoek ⟨het⟩ **0.1** *(projection) screen.*

projectief ⟨bn.⟩ **0.1** [⟨wisk.⟩] *projective* **0.2** [⟨psych.⟩] *projective* ◆ **1.1** projectieve meetkunde *p. geometry* **1.2** een ~ element ⟨ook⟩ *an element of projection.*

projectiel ⟨het⟩ **0.1** [uit een vuurwapen afgeschoten voorwerp] *missile* ⇒*projectile* **0.2** [toegeworpen voorwerp] *missile* ⇒*projectile* ◆ **2.2** een geleid ~ *a guided m.* **6.2** iem. met ~en bekogelen *pelt s.o. with missiles / projectiles.*

projectielamp ⟨de⟩ **0.1** *projection lamp.*

projectieleer ⟨de⟩ **0.1** [mbt. de tekenkunst] *projection theory* **0.2** [⟨psych.⟩] *theory of projection.*

projectiescherm ⟨het⟩ **0.1** *(projection) screen.*

projectietafel ⟨de⟩ **0.1** *projector table / stand.*

projectietekenen ⟨ww.⟩ **0.1** *projection drawing.*

projectietekening ⟨de (v.)⟩ **0.1** *projection.*

projectietoestel ⟨het⟩ **0.1** *projector.*

projectievlak ⟨het⟩ **0.1** *plane of projection.*

projectingenieur ⟨de (m.)⟩ **0.1** *project engineer.*

projectleider ⟨de (m.)⟩, **-leidster** ⟨de (v.)⟩ **0.1** *project manager* ⟨m., v.⟩.

projectmanager ⟨de (m.)⟩ **0.1** *project manager.*

projectmatig ⟨bn.⟩ **0.1** *thematic;* ⟨na zn.⟩ *by making projects.*

projectonderwijs ⟨het⟩ **0.1** *project learning.*

projectontwikkelaar ⟨de (m.)⟩ **0.1** *property /* ^*real estate developer.*

projectontwikkeling ⟨de (v.)⟩ **0.1** [exploitatie van bouwprojecten] *property /* ^*real estate development* **0.2** [het opzetten van nieuwe ondernemingen] *project planning / development.*

projector ⟨de (m.)⟩ **0.1** [projectietoestel] *projector* **0.2** [⟨wisk.⟩] *projector.*

projectresearch ⟨de (m.)⟩ **0.1** *project research.*

prolaps ⟨de (m.)⟩ ⟨med.⟩ **0.1** *prolapse.*

proleet ⟨de (m.)⟩ ⟨pej.⟩ **0.1** *plebeian.*

prolegomena ⟨zn.mv.⟩ **0.1** *prolegomena.*

prolepse ⟨de (v.)⟩ ⟨fil.⟩ **0.1** *prolepsis.*

prolepsis ⟨de (v.)⟩ **0.1** [⟨taal.⟩] *prolepsis* **0.2** [retorische figuur] *prolepsis.*

proleptisch ⟨bn., bw.⟩ **0.1** *proleptic.*

proletariaat ⟨het⟩ **0.1** *proletariat* ⇒⟨BE; inf.⟩ *proles* ⟨mv.⟩ ◆ **1.1** de dictatuur van het ~ *the dictatorship of the proletariat* **2.1** het intellectuele ~ *the intellectual proletariat.*

proletariër ⟨de (m.)⟩ **0.1** *proletarian* ⇒⟨BE; inf.⟩ *prole.*

proletarisch ⟨bn., bw.; -ly⟩ **0.1** *proletarian* ◆ **3.1** ~ winkelen *liberate goods from shops.*

proletariseren

I ⟨onov.ww.⟩ **0.1** [proletariër worden] *proletarianize;*
II ⟨ov.ww.⟩ **0.1** [proletariër maken] *proletarianize.*

proletarisering ⟨de (v.)⟩ **0.1** *proletarianizing.*

proletig ⟨bn., bw.; -ly⟩ **0.1** *common* ⇒*plebeian.*

proliferatie ⟨de (v.)⟩ **0.1** [vermenigvuldiging] *proliferation* **0.2** [⟨med.⟩] *proliferation* **0.3** [verbreiding] *proliferation* ◆ **1.3** de ~ van kernwapens *the p. of nuclear weapons.*

prolongabel ⟨bn.⟩ **0.1** *extendable / extendible* ⇒*renewable* ⟨contract⟩.

prolongatie ⟨de (v.)⟩ **0.1** [verlenging van een tijdsduur] *prolongation* ⇒ *extension,* ⟨film⟩ *continuation,* ⟨contract e.d.⟩ *renewal* **0.2** [⟨geldw.⟩] *continuation* ⇒*carrying over* **0.3** [⟨hand.⟩] ⟨transactie⟩ *monthly loan on negotiable securities / on margin;* ⟨ook type effectenhandel⟩ ^*contango business* ◆ **6.3** effecten **in** ~ nemen / geven *lend / borrow on stock / margin;* **op** ~ kopen *buy on margin;* ⟨Londense beurs⟩ *buy against a contango.*

prolongatiepremie ⟨de (v.)⟩ **0.1** *contango.*

prolongatierente ⟨de⟩ **0.1** [London] *contango* **0.2** [Amsterdam] *interest on monthly loans.*

prolongatiesysteem ⟨het⟩ **0.1** *carrying over* ⇒≠*margin system,* ⟨Londense beurs⟩ ≠*contango business.*

prolongeren ⟨ov.ww.⟩ **0.1** [de duur verlengen] *prolong* ⇒*extend, continue,* ⟨contract e.d. ook⟩ *renew* **0.2** [vervaltermijn verlengen] *continue* ⇒*carry over,* ⟨Londense beurs⟩ *contango (an / one's account)* **0.3** [op prolongatievoorwaarden belenen] *give (stock) as collateral for monthly loans* ◆ **1.1** een film ~ *continue a film.*

proloog ⟨de (m.)⟩ **0.1** [voorrede] *prologue* **0.2** [⟨dram.⟩] *prologue* **0.3** [⟨fig.⟩ voorspel] *prologue.*

---

pro memorie ⟨bw.⟩ **0.1** *as a reminder.*

promenade ⟨de (v.)⟩ **0.1** [wandelweg] *promenade* ⇒⟨AE ook⟩ *walkway,* ⟨aan zee ook⟩ *sea front* **0.2** [winkelstraat] *shopping precinct* ⇒ ⟨AE ook⟩ *shopping mall.*

promenadeconcert ⟨het⟩ **0.1** ^B*promenade concert* ⇒⟨inf.⟩ ^B *prom.*

promenadedek ⟨het⟩ **0.1** *promenade deck.*

promesse ⟨de (v.)⟩ **0.1** [belofte tot betaling van een geldsom] *promissory note* ⇒*note of hand* **0.2** [belofte tot terugbetaling van een lening] *written promise (to repay)* ⇒*IOU* ◆ **3.1** een ~ afgeven *make out a p.n..*

promessedisconto ⟨het⟩ **0.1** *discount rate for promissory notes.*

promessekrediet ⟨het⟩ **0.1** *industrial overdrafts on the security of promissory notes.*

promethium ⟨het⟩ **0.1** *promethium.*

promillage ⟨het⟩ **0.1** [aantal pro mille] *permillage* **0.2** [⟨pregn.⟩ alcoholpromillage] *alcohol permillage.*

prominent ⟨bn.⟩ **0.1** *prominent* ◆ **1.1** een ~e figuur *a p. figure;* iets een ~e plaats geven *give sth. a p. place / position* **7.1** de ~en uit de filmwereld *the most p. people in the filmworld.*

promiscue ⟨bn., bw.; -ly⟩ **0.1** [vrije seksuele omgang hebbend] *promiscuous* **0.2** [door elkaar voorkomend] *promiscuous* ◆ **1.1** een ~ levenswijze *a p. life, p. habits* **3.2** je kunt die woorden niet ~ gebruiken *you cannot use those words indiscriminately.*

promiscuïteit ⟨de (v.)⟩ **0.1** [vrij seksueel verkeer] *promiscuity* **0.2** [maatschappijtoestand] *promiscuousness* ⇒*promiscuity.*

promissoir ⟨bn.⟩ ◆ **1.**¶ ⟨jur.⟩ ~e eed *promissory oath.*

promittent ⟨de (m.)⟩ **0.1** *promisor.*

promo ⟨de⟩ ⟨film, t.v.⟩ **0.1** *promotion(al) film.*

promoten ⟨ov.ww.⟩ **0.1** *promote* ⇒*push,* ⟨ihb. via een massamedium⟩ *plug* ⟨bv. plaat, boek, film⟩ ◆ **1.1** een nieuw produkt ~ *promote a new product* **4.1** zichzelf ~ *promote o.s..*

promotie ⟨de (v.)⟩ **0.1** [mbt. loopbaan] *promotion* ⇒*rise, advancement* **0.2** [⟨sport⟩] *promotion* **0.3** [verkrijging van de doctorale graad] ≠*taking one's Ph.D. / doctoral degree* **0.4** [bevordering van de verkoop] *promotion* ◆ **1.1** kans op ~ *p. prospects* ⟨mv.⟩ **3.1** ~ maken *get p. / a rise* **3.3** aan zijn ~werken ≠*study / work for one's Ph.D..*

promotiedag ⟨de (m.)⟩ **0.1** *degree day* ⇒⟨AE ook⟩ *commencement.*

promotiediner ⟨het⟩ **0.1** *graduation dinner.*

promotiefeest ⟨het⟩ **0.1** ≠*graduation party.*

promotiefilm ⟨de (m.)⟩ ⟨film, t.v.⟩ **0.1** *promotion(al) film.*

promotiejager ⟨de (m.)⟩, **-jaagster** ⟨de (v.)⟩ **0.1** *careerist* ⟨m., v.⟩ ⇒ ⟨BE; jonge mensen⟩ *young aspiring professional* ⟨m., v.⟩, ⟨AE; jonge mensen⟩ *young urban professional, young upward mobile professional* ⟨m., v.⟩.

promotiekans ⟨de⟩ **0.1** *chance of promotion / advancement,* ⟨mv.⟩ *promotional opportunities* ◆ **3.1** hij heeft ~en *he has promotion prospects.*

promotieklasse ⟨de⟩ ⟨sport⟩ **0.1** *promotion division.*

promotie-onderzoek ⟨het⟩ **0.1** *doctoral research.*

promotieplechtigheid ⟨de (v.)⟩ **0.1** *graduation ceremony* ⇒⟨BE; mil. academie⟩ *passing-out ceremony.*

promotieverlof ⟨het⟩ **0.1** *sabbatical / study leave to work on a Ph.D..*

promotievooruitzichten ⟨zn.mv.⟩ **0.1** *prospects of / for advancement / promotion.*

promotiewedstrijd ⟨de (m.)⟩ ⟨sport⟩ **0.1** *promotion match.*

promoting ⟨de⟩ **0.1** *promotion* ⇒*pushing.*

promotioneel ⟨bn.⟩ **0.1** *promotional.*

promotor ⟨de (m.)⟩ **0.1** [hoogleraar] ≠*tutor / supervisor (of a Ph.D. student)* **0.2** [organisator] *promoter* **0.3** [⟨sport⟩] *manager* **0.4** [⟨schei.⟩] *promoter* **0.5** [voorstander] *promoter.*

promovendus ⟨de (m.)⟩ **0.1** *doctoral / Ph.D. student.*

promoveren

I ⟨onov.ww.⟩ **0.1** [graad van doctor verwerven] *take one's doctoral degree / one's Ph.D.* **0.2** [⟨sport⟩] *be promoted* ⇒*go up* ◆ **6.1** hij is gepromoveerd **op** een onderzoek naar ... *he obtained his doctorate with a thesis / dissertation on ...* **6.2** ~ **naar** de eredivisie *be promoted to the premier division, go up into the premier division;*
II ⟨ov.ww.⟩ **0.1** [doctorstitel verlenen] *admit s.o. to the degree of doctor of philosophy* ◆ **1.1** iem. ~ **tot** doctor in de sociologie / de rechtsgeleerdheid *admit s.o. to the degree of doctor of philosophy in the faculty of sociology / law.*

prompt

I ⟨bw.⟩ **0.1** [als onmiddellijke reactie] *promptly* ⇒*at once, on the spot, immediately* ◆ **3.1** ~ antwoorden / betalen *reply / pay p.;* zij vroeg ~ haar ontslag *she gave her notice on the spot, she handed in her notice straightaway;*
II ⟨bn., bw.; -ly⟩ **0.1** [snel] *prompt* ⇒*speedy* **0.2** [stipt] *punctual* ⇒ *prompt* ◆ **1.1** een ~ antwoord *a p. / ready / speedy answer / reply / response;* een ~e bediening *quick service;* een ~e betaling *p. payment* **1.2** een ~e betaler *a prompt payer* **2.1** deze artikelen zijn ~ leverbaar *these articles are available for immediate delivery* ¶.**2** ~ op tijd *(right) on time, promptly, punctually.*

promptheid ⟨de (v.)⟩ **0.1** [vlotheid] *promptness, promptitude* **0.2** [stiptheid] *punctuality* ⇒*promptness.*

pronk ⟨de (m.)⟩ **0.1** [praal, luister] *splendour* ⇒*display*, ⟨pej.⟩ *ostentation*, *gaudiness* **0.2** [opschik] *finery* ⇒*glitter* ♦ **6.1** te ~ stellen *(put on) display*; te ~ staan/zitten *stand/sit in s.*; ⟨te kijk⟩ *be on display*.

pronkappel ⟨de (m.)⟩ **0.1** *gourd* ⇒*pumpkin*.

pronkboon ⟨de⟩ **0.1** *scarlet runner*.

pronken ⟨onov.ww.⟩ **0.1** [pralen] *flaunt (o.s./ sth.)* ⇒*display (o.s./ sth.)*, *show (sth.) off*, ⟨lopen te pronken⟩ *prance*, *strut* **0.2** [schitteren] *glitter* ⇒*dazzle* ♦ **1.1** de pauw pronkt *the peacock is in his/its pride* **3.1** ze liep te ~ met haar hoge hakken *she was sporting her high heels*; zij loopt graag te ~ met haar zoon *she likes to show off her son* **6.1** met mooie kleren ~ *make a show/parade/display of fine clothes*; ⟨fig.⟩ met andermans veren ~ *show off in borrowed plumes*; een pauw pronkt met zijn veren *a peacock displays/shows off its feathers*.

pronker[1] ⟨de (m.)⟩ →**pronkboon**.

pronker[2] ⟨de (m.)⟩, **pronkster** ⟨de (v.)⟩ **0.1** *fop* ⟨m.⟩; *show-off* ⟨v.⟩ ⇒ *dandy*, *peacock* ⟨m.⟩.

pronkerig ⟨bn., bw.; -ly⟩ **0.1** *gaudy* ⇒*ostentatious*, *showy*, *glittering*.

pronkerij ⟨de (v.)⟩ **0.1** [het pronken] *ostentation* ⇒*display* **0.2** [tooisel] *finery*.

pronkerwt ⟨de⟩ **0.1** *sweet pea*.

pronkgewaad ⟨het⟩ **0.1** *gaudy attire* ⇒*royal purple*.

pronkjuweel ⟨het⟩ **0.1** [kostbaar kleinood] *gaud* ⇒*jewel* **0.2** [⟨fig.⟩] *gem* ⇒*jewel*.

pronkkamer ⟨de⟩ **0.1** *best room*.

pronkkast ⟨de⟩ **0.1** *(display) cabinet*.

pronksieraad ⟨het⟩ **0.1** [voorwerp] *gem* ⇒*showpiece* **0.2** [zaak, persoon] *showpiece* ⇒*gem*.

pronkstuk ⟨het⟩ **0.1** [stuk waarmee men pronkt] *showpiece* ⇒*pièce de resistance*, *collector's item* **0.2** [⟨fig.⟩] *showpiece*.

pronkvogel ⟨de (m.)⟩ **0.1** *great crested grebe*.

pronkziek ⟨bn.⟩ **0.1** *ostentatious* ⇒*showy*.

pronkzucht ⟨de⟩ **0.1** *ostentation* ⇒*showiness*.

pronkzuchtig →**pronkziek**.

pronomen ⟨het⟩ ⟨taal.⟩ **0.1** *pronoun*.

pronominaal ⟨bn., bw.; -ly⟩ **0.1** *pronominal*.

prononceren →**geprononceerd**.

pront ⟨bn., bw.; -ly⟩ **0.1** *lively* ♦ **1.1** een ~e meid *a l. girl*.

prooi ⟨de⟩ **0.1** [buit] *prey* ⇒*game*, ⟨jacht⟩ *quarry* **0.2** [slachtoffer] *prey* ⇒*victim* ♦ **1.2** het huis was een ~ van de vlammen *the house fell p. to the fire* **2.2** een gemakkelijke ~ *an easy p.* **6.2** aan wanhoop/aan wroeging ten ~ zijn *be p. to/a victim of despair/remorse*, *be overcome with/by despair/remorse*; ten ~ vallen aan *fall/become p. to*, *fall victim to*.

prooidier ⟨het⟩ **0.1** *prey* ⇒*quarry*, *game*.

proosdij ⟨de (v.)⟩ **0.1** [waardigheid, gebied] *deanery* **0.2** [woning] *deanery*.

proost[1] ⟨de (m.)⟩ ⟨r.k.⟩ **0.1** *dean*.

proost[2] ⟨tw.⟩ **0.1** *here's to you*, *cheers* ⇒⟨vnl. BE; inf.⟩ *cheerio*, ⟨AE; inf.⟩ *here's mud in your eye*.

proosten ⟨onov.ww.⟩ **0.1** *toast* ⇒*raise glasses*.

prop ⟨de⟩ **0.1** [bal van samendrukbaar materiaal] *ball*; ⟨watten e.d.⟩ *wad* **0.2** [kort, dik persoon] *pudge* ⇒*dumpy person/woman/man* **0.3** [stop, plug] *plug* ⇒⟨stop⟩ *stopper*, ⟨in vat⟩ *bung* ♦ **1.1** een ~je haar *a b. of hair*; een ~ papier *a b. of paper*; een ~ watten *a wad of cottonwool/*[^]*absorbent cotton* **3.1** ⟨fig.⟩ een ~ in de keel hebben *have a lump in one's throat*; iem. een ~ in de mond stoppen *gag a person* **6.1** met ~pen gooien *shoot with pellets*, *pelt* **6.**¶ met iets op de ~pen komen *volunteer with sth.*; zij durfde er niet mee op de ~pen te komen *she didn't dare to come out with it*; met een aanbod op de ~pen komen *come forward/up with an offer*; met nieuwe ideeën op de ~pen komen *come up with new ideas*.

prop. ⟨afk.⟩ **0.1** [proponent] ⟨ordinand ⇒⟨Presbyteraan⟩ *licentiate*⟩ **0.2** [propaedeutisch] ⟨*first year* ⇒*propaedeutic*⟩.

propaan ⟨het⟩ **0.1** [koolwaterstof] *propane* **0.2** [gasmengsel] *propane gas*.

propaedeuse ⟨de (v.)⟩ **0.1** *foundation course* ⇒⟨vnl. fil.⟩ *propaedeutic(s)*.

propaedeutisch ⟨bn.⟩ **0.1** *preliminary* ⇒*introductory*, ⟨vnl. fil.⟩ *propaedeutic* ♦ **1.1** het ~ examen *the first year examination*.

propaganda ⟨de⟩ **0.1** *propaganda* ♦ **2.1** keiharde ~ *uncompromising p.*; politieke ~ *political p.* **3.1** ~ voor iets maken *carry on/make p. for sth.*, *propagandize sth.*; ~ maken voor eigen land *sell one's country abroad* **6.1** ~ voor woningisolatie *(the) promotion of home/housing insulation* ¶.**1** dat is je reinste ~! *this is pure p..*

propagandacampagne ⟨de⟩ **0.1** *propaganda campaign*.

propagandafilm ⟨de (m.)⟩ **0.1** *propaganda film*.

propagandamateriaal ⟨het⟩ **0.1** *propaganda (material)*.

propagandist ⟨de (m.)⟩ **0.1** *propagandist* ⇒⟨in geschrift⟩ *pamphleteer*.

propagandistisch ⟨bn., bw.⟩ **0.1** *propagandist(ic)* ♦ **1.1** ~ materiaal *propaganda (material)* **3.1** ~ optreden *propaganda activity*.

propagatie ⟨de (v.)⟩ **0.1** [voortplanting] *propagation* **0.2** [⟨schei.⟩] *propagation*.

propageren ⟨ov.ww.⟩ **0.1** *propagate* ♦ **1.1** meningen/ideeën ~ *p. opinions/ideas*.

---

pro patria 0.1 *pro patria*.

propeen ⟨het⟩ **0.1** *propylene* ⇒*propene*.

propeller ⟨de (m.)⟩ **0.1** *(screw) propeller* ⇒*air screw*.

propellerblad ⟨het⟩ **0.1** *propellor blade*.

propellervliegtuig ⟨het⟩ **0.1** *propeller aircraft/aeroplane* ⇒⟨inf.⟩ *prop..*

proper ⟨bn.⟩ **0.1** [verzorgd] *neat* ⇒*tidy*, *spruce* **0.2** [schoon] *clean* ⇒ ⟨mbt. personen⟩ *cleanly* **0.3** [⟨AZN⟩ ondubbelzinnig] *clean* ♦ **1.1** een ~ huisje *a n. cottage* **1.2** ~e toiletten *clean lavatories*.

properheid ⟨de (v.)⟩ **0.1** *cleanliness* ⇒*neatness* ♦ **4.1** ze is de ~ zelve *she is cleanliness itself*.

propertjes ⟨bw.⟩ **0.1** *neatly* ⇒*tidily*, *sprucely*, *cleanly*.

propionaat ⟨het⟩ ⟨schei.⟩ **0.1** *propionate*.

propionzuur ⟨het⟩ ⟨schei.⟩ **0.1** *propionic acid*.

propjes ⟨het⟩ ⟨inf., stud.⟩ **0.1** *first year exam* ♦ **3.1** zijn ~ doen *take one's first year exams*.

proponent ⟨de (m.)⟩ ⟨rel.⟩ **0.1** *ordinand* ⇒ ⟨Presbyteriaan⟩ *licentiate*.

proponeren ⟨ov.ww.⟩ **0.1** *propound*.

proportie ⟨de (v.)⟩ **0.1** [verhouding van afmetingen] *proportion* **0.2** [juiste verhouding] *proportion* ⇒*relation* **0.3** [afmeting] *proportion* ⇒ *dimension* ♦ **1.1** de ~s van een gebouw *the proportions of a building* **2.3** de zaak had enorme ~s aangenomen *the matter had assumed vast proportions/dimensions*; ⟨fig.⟩ iets tot zijn juiste/ware ~s terugbrengen *reduce sth. to its proper proportions*, *cut sth. down to size* **6.1** naar ~ *proportionately*, *comparatively*, *relatively*; het geheel is mooi van ~s *the whole is well proportioned* **6.2** ⟨fig.⟩ dit is buiten alle ~s *this is out of all p.*; de prijs staat in geen enkele ~ tot de waarde *the price is in/bears no p./relation to/is out of (all) p. to the value*; iets in (de juiste) ~(s) zien *keep sth. in proportion/perspective*; oog voor ~ hebben *have a good eye*; ⟨fig.⟩ *have a sense of proportion*.

proportionaliteit ⟨de (v.)⟩ **0.1** *proportionality*.

proportioneel ⟨bn., bw.; -ly⟩ **0.1** *proportional* ♦ **1.1** ⟨ec.⟩ proportionele kosten *p. cost*; ⟨tech.⟩ proportionele staaf *p. test bar*; proportionele vertegenwoordiging *p. representation*.

proportioneren ⟨ov.ww.⟩ **0.1** *proportion* ♦ **5.**¶ hij is goed geproportioneerd *he is well proportioned* **6.1** zijn krachten waren niet aan zijn wil geproportioneerd *the spirit was willing (but the flesh was weak)*.

propositie ⟨de (v.)⟩ **0.1** [voorstel] *proposition* ⇒*proposal*, ⟨motie⟩ *motion* **0.2** [⟨lit.⟩] *proposition* **0.3** [⟨wisk.⟩] *proposition* ♦ **3.1** een ~ doen *make a proposal/proposition*, *propose sth.*; ⟨in vergadering⟩ *move that ....*

propositielogica ⟨de⟩ **0.1** *propositional calculus*.

proppen ⟨ov.ww.⟩ **0.1** [ineenduwen] *shove* ⇒*stuff*, *cram*, *pack* **0.2** [naar binnen slokken] *cram* ⇒*shovel*, *stuff* ♦ **1.2** zijn eten naar binnen ~ *stuff/cram/shovel food into one's mouth*; *stuff o.s. with food* **6.1** de postbode propte het pakje door de brievenbus *the postman shoved/ stuffed the parcel through the letter box*; iedereen werd in één auto gepropt *everyone was squeezed/crammed/packed into one car*; alles in een klein tasje ~ *shove/cram/stuff/squeeze/bung everything into a small bag*; papieren in een bureau ~ *shove/stuff papers into a desk*; zijn spullen in een rugzak ~ *stuff a knapsack with one's belongings*.

propperig ⟨bn.⟩ **0.1** *podgy* ⇒*pudgy*, *dumpy*.

proppeschieter ⟨de (m.)⟩ **0.1** [speelgoed] *popgun* ⇒*peashooter* **0.2** [geweer] *popgun* ⇒*heater*.

propriëteit ⟨de (v.)⟩ ⟨schr.⟩ **0.1** [eigendom] ⟨ongemarkeerd⟩ *property* **0.2** [eigenaardigheid] ⟨ongemarkeerd⟩ *property*.

proprioceptie ⟨de (v.)⟩ ⟨med.⟩ **0.1** *proprioception*.

proprioceptief ⟨bn.⟩ **0.1** *proprioceptive*.

propter hoc 0.1 *propter hoc*.

propvol ⟨bn.⟩ **0.1** *full to the brim/to bursting* ⇒*chockfull*, *choc-a-block*, *crammed*, ⟨vol mensen ook⟩ *packed (tight)*, *overcrowded* ♦ **1.1** een ~le bus *a packed/an overcrowded bus*; een ~le kamer *a packed/crowded room*, *a room filled to bursting/to overflowing*; de trein was ~ *the train was chockfull* **3.1** het was ~ ⟨ook⟩ *it was a tight squeeze*; ~ zitten *be stuffed full*, *be full to bursting*.

propvorming ⟨de (v.)⟩ **0.1** *clotting* ⇒*coagulation*.

propyleeën ⟨zn.mv.⟩ **0.1** *propylaea*; ⟨enk.⟩ *propylaeum*.

propyleen →**propeen**.

pro rato ⟨bw.⟩ **0.1** *pro rata* ⇒*proportionately*.

prorector ⟨de (m.)⟩, **-rectrix** ⟨de (v.)⟩ **0.1** *pro-rector* ⟨m., v.⟩ ⇒*assistant principal* ⟨m., v.⟩.

prorogatie ⟨de (v.)⟩ **0.1** [uitstel] *prorogation* **0.2** [⟨jur.⟩] *prorogation*.

proscenium ⟨het⟩ **0.1** *proscenium*.

proscriptie ⟨de (v.)⟩ ⟨gesch.⟩ **0.1** *proscription* ⇒*banishment*.

prosecretaris ⟨de (m.)⟩ **0.1** *pro-secretary* ⇒*assistant/deputy secretary*.

prosector ⟨de (m.)⟩ **0.1** *anatomist* ⇒*prosector*.

prosecutie ⟨de (v.)⟩ **0.1** *persecution*.

proseliet ⟨de (m.)⟩ **0.1** *proselyte*.

prosenchym ⟨het⟩ ⟨plantk.⟩ **0.1** *prosenchyma*.

prosit ⟨tw.⟩ **0.1** *here's to you* ⇒*your health*.

prosodie ⟨de (v.)⟩ **0.1** *prosody*.

prosodisch ⟨bn., bw.; -ally⟩ **0.1** *prosodic*.

prosopografie ⟨de (v.)⟩ **0.1** *prosopography*.

prosopopoeia ⟨de (v.)⟩ ⟨dram.⟩ **0.1** *prosopopoeia*.

prospect 〈het〉 **0.1** *prospect* ⇒*vista*.
prospecteren 〈onov., ov.ww.〉 **0.1** *prospect*.
prospectie 〈de (v.)〉 **0.1** *prospecting*.
prospectief 〈bn.〉 **0.1** *prospective* ◆ **1.1** alleen de mens bezit een ~ vermogen *only humans possess a p. faculty*.
prospector 〈de (m.)〉 **0.1** *prospector*.
prospectus 〈het, de (m.)〉 **0.1** *prospectus*.
prospereren 〈onov.ww.〉 **0.1** *prosper* ⇒*thrive*.
prosperiteit 〈de (v.)〉 **0.1** *prosperity*.
prostaat 〈de (m.)〉 〈med.〉 **0.1** *prostate (gland)*.
prostaatkanker 〈de (m.)〉 **0.1** *prostate cancer, cancer of the prostate*.
prostaatvergroting 〈de (v.)〉 **0.1** *prostate enlargement*.
prosternatie 〈de (v.)〉 **0.1** *prostration*.
prosterneren 〈wk.ww.; zich ~〉 〈schr.〉 **0.1** [knielen] *prostrate* **0.2** [〈fig.〉] *prostrate*.
prostituant 〈de (m.)〉 **0.1** *(prostitute's) customer / client*; 〈AE; sl.〉 *john*.
prostituée 〈de (v.)〉 **0.1** *prostitute*.
prostitueren
   I 〈wk.ww.; zich ~〉 **0.1** [zich aan prostitutie overgeven] *prostitute*;
   II 〈ov.ww.〉 **0.1** [〈fig.〉] *prostitute* ◆ **1.1** zijn naam ~ *p. one's name* **4.1** zichzelf ~ *prostitute o.s..*
prostitutie 〈de (v.)〉 **0.1** *prostitution* ◆ **2.1** geheime en openbare ~ *clandestine and licensed / controlled p..*
prot. 〈afk.〉 **0.1** [protestant] *Prot..*
protactinium 〈het〉 **0.1** *protactinium*.
protagonist 〈de (m.)〉 **0.1** [hoofdrolspeler] *protagonist* 〈m., v.〉 ⇒*leading actor* 〈m.〉 / *actress* 〈v.〉 / *lady* 〈v.〉 **0.2** [voorvechter] *protagonist* ⇒ *champion (of a party), advocate (of a system)*.
protamine 〈het〉 **0.1** *protamine*.
protease 〈de (v.)〉 **0.1** *protease*.
protectie 〈de (v.)〉 **0.1** [bescherming] *protection* **0.2** [voorspraak] *patronage* ⇒*favour*, *protection* **0.3** [beschermende rechten] *protection* ◆ **3.2** ~ verlenen *show favour (to), favour (s.o.), use one's influence (for s.o.), patronize (s.o.)* ¶**.2** een post krijgen dankzij ~ *obtain a position by / through patronage / favour*.
protectionisme 〈het〉 **0.1** *protectionism*.
protectionist 〈de (m.)〉 **0.1** *protectionist*.
protectionistisch 〈bn., bw.〉 **0.1** *protectionist* ◆ **3.1** zich ~ gedragen *take p. measures / a p. attitude*.
protector[1] 〈de (m.)〉, **-trice** 〈de (v.)〉 **0.1** [beschermer] *protector* 〈m.〉; *protectress* 〈v.〉 **0.2** [〈gesch.〉 rijksvoogd] *protector* 〈m.〉; *protectress* 〈v.〉 ⇒〈Cromwell〉 *(Lord) Protector*.
protector[2] 〈de (m.)〉 〈sport〉 **0.1** *protector*.
protectoraat 〈het〉 **0.1** [volkenrechtelijke verhouding] *protectorate* **0.2** [functie van protector] *protectorate* **0.3** [land waarover een ander land heerst] *protectorate* ◆ **2.1** onder Engels ~ *under English rule*.
protégé 〈de (m.)〉, **-gée** 〈de (v.)〉 **0.1** *protégé* 〈m.〉; *protégée* 〈v.〉 ⇒ 〈voor wie men verantwoordelijk is〉 *charge* 〈m., v.〉.
protegeren 〈ov.ww.〉 **0.1** [beschermen] *protect* ⇒*guard* **0.2** [vooruithelpen] *patronize* ⇒*favour*.
proteïne 〈het, de〉 **0.1** [eiwitstof] *protein* **0.2** [〈mv.〉 de eiwitstoffen] *protein* 〈enk.〉.
proteïnurie 〈de (v.)〉 〈med.〉 **0.1** *proteinuria, albumenuria*.
proteolyse 〈de (v.)〉 **0.1** *proteolysis*.
proteolytisch 〈bn.〉 **0.1** *proteolytic*.
proteose 〈de (v.)〉 **0.1** *proteose*.
proterandrie 〈de (v.)〉 〈plantk.〉 **0.1** *protandry*.
proterogynie 〈de (v.)〉 〈plantk.〉 **0.1** *protogyny*.
protest 〈het〉 **0.1** [verzet in woorden] *protest* **0.2** [andere uiting van verzet] *protest* **0.3** [kritiek op de maatschappij] *protest* **0.4** [〈hand.〉 verklaring] *protest* ⇒〈kennisgeving van protest〉 *notice of dishonour* **0.5** [〈hand.〉 akte] *protest* ⇒*deed of protest* ◆ **1.2** een storm van ~ *a storm of p.* **1.5** de kosten van ~ *the p. charges* **2.2** stil ~ *unvoiced / silent p.* **2.3** er was openlijk ~ tegen de plaatsing van raketten *there was a public outcry against the deployment of missiles* **3.1** ~ aantekenen tegen *enter / lodge / make a p. against, raise an objection against* **6.1** onder ~ tekende hij *he signed under p.*; ~ **uit** ~ (tegen) *in p. (against)*; **zonder** ~ laten gebeuren *let go unchallenged / without p. / without demur* **6.4** ~ **wegens** niet-betaling *p. for non-payment* ¶**.1** zijn stem verheffen bij wijze van ~ *speak out / raise one's voice in p..*
protestactie 〈de (v.)〉 **0.1** *protest action*.
protestakte 〈de〉 〈hand.〉 **0.1** *(deed of) protest*.
protestant[1] 〈de (m.)〉 **0.1** [hervormde] *Protestant* ⇒〈BE; niet-Anglicaan〉 *Dissenter, Nonconformist* **0.2** [〈gesch.〉] *Protestant* ◆ **3.1** ze zijn ~ *they are Protestants*; 〈in Wales〉 *they are chapel*; ~ zijn *be (a) P..*
protestant[2] 〈bn.〉 **0.1** *Protestant* ⇒〈≠gereformeerd〉 *Reformed* ◆ **1.1** ~e christenen *P. Christians*.
protestantisme 〈het〉 **0.1** [geloofsleer] *Protestantism* **0.2** [aanhang] *Protestantism* ⇒*(the) Protestant Churches* ◆ ¶.¶ het ~ *P..*
protestants
   I 〈bn.〉 **0.1** [van een protestant] *Protestant* ⇒〈BE; niet-Anglicaans〉

dissenting, Nonconformist **0.2** [het geloof belijdend] *Protestant* ◆ **1.1** het ~e geloof *the P. faith*; de ~e kerken *the P. churches*; 〈BE; niet-Anglicaans〉 *the Nonconformist Churches*;
   II 〈bn., bw.〉 **0.1** [in overeenstemming met de leer] *Protestant* ◆ **1.1** het ~ karakter van de bevolking *the P. character of the population* **3.1** dat is niet ~ geredeneerd *this line of thought does not accord with P. principles*.
protestbeweging 〈de (v.)〉 **0.1** *protest movement*.
protestbrief 〈de (m.)〉 **0.1** *letter of protest*.
protestdag 〈de (m.)〉 **0.1** *day of protest*.
protesteerder 〈de (m.)〉 **0.1** *protester*.
protesteren
   I 〈onov.ww.〉 **0.1** [verzet uiten] *protest* ◆ **3.1** 〈fig.〉 zijn maag begon te ~ *his stomach began to p. (violently)* **5.1** het kind protesteerde luidkeels 〈ook〉 *the child screamed in protest*; er werd nauwelijks / luid geprotesteerd *there were hardly any / loud protests*; schriftelijk ~ *make a written protest* **6.1** 〈sport〉 ~ **bij** de jury *lodge an objection with the jury*; krachtig **tegen iets** ~ *p. strongly / vigorously against sth.*; 〈krachtig ook〉 *raise a strong protest*; door middel van acties **tegen** iets ~ *organize protest actions against sth.*; bij iem. **tegen** iets ~ *p. against sth. to s.o.*; luid ~ **tegen** een nieuwe maatregel 〈ook〉 *cry out / vociferate against a new measure*; **zonder** ~ *without protest / demur*;
   II 〈onov., ov.ww.〉 **0.1** [〈hand.〉] *protest* ◆ **3.1** een wissel laten ~ *p. a bill, have a bill protested*.
protesthouding 〈de (v.)〉 **0.1** *defiant attitude*.
protestmars 〈de〉 **0.1** *protest march* ◆ **3.1** deelnemen aan een ~ *take part in a p. m., march in protest*.
protestnota 〈de〉 **0.1** *protest note*.
protestregister 〈het〉 **0.1** *register of protests / of bills protested*.
proteststaking 〈de (v.)〉 **0.1** *protest strike*.
protestvergadering 〈de (v.)〉 **0.1** *protest meeting*.
protestwissel 〈de (m.)〉 **0.1** *protestable bill*.
protestzanger 〈de (m.)〉 **0.1** *protest singer*.
proteus 〈de (m.)〉 **0.1** [veranderlijk mens] *Proteus* **0.2** [salamander] *proteus* ⇒*olm* **0.3** [bacterie] *proteus*.
prothallium 〈de (v.)〉 〈plantk.〉 **0.1** *prothallium*.
prothese 〈de (v.)〉 **0.1** *prosthesis* ⇒*prothesis*, 〈gebit〉 *dentures, false teeth*, 〈alg.〉 *replacement* ◆ **2.1** 〈mbt. gebit〉 een gedeeltelijke / volledige ~ *a partial / complete set of dentures / false teeth* **3.1** een ~ aanbrengen *fit a prosthesis*; 〈mbt. gebit〉 een ~ plaatsen *fit a set of dentures / false teeth*.
prothesis 〈de (v.)〉 〈taal.〉 **0.1** *prothesis* ⇒*prosthesis*.
prothetisch 〈bn.〉 **0.1** [mbt. protheses] *prosthetic* ⇒*prothetic* **0.2** [van de aard van prothesis] *prothetic* ⇒*prosthetic* ◆ **1.1** ~e geneeskunde *prosthetics*; ~e tandheelkunde *prosthodontics* **1.2** een ~e lettergreep *a prothetic syllable*.
protisten 〈zn.mv.〉 〈biol.〉 **0.1** *Protista*.
protium 〈het〉 〈schei.〉 **0.1** *protium*.
protocanoniek 〈bn.〉 **0.1** *protocanonical*.
protocol 〈het〉 **0.1** [voorschriften in diplomatiek verkeer] *protocol* ⇒ 〈ruimer〉 *ceremony* **0.2** [verslag] 〈vnl. BE〉 *record*; 〈vnl. AE〉 *protocol* **0.3** [boek met akten] *protocol* **0.4** [archief van een notaris] *protocol* **0.5** [boek met de minuten van een conferentie] *protocol* ◆ **1.1** chef van het ~ *chief / head of p.*; ≠*Master of Ceremonies* **3.1** het ~ doorbreken *break the rules of p.*; van het ~ afwijken *depart from p.* **3.2** een ~ opmaken / bijhouden v.e. examen *draw up / keep a r. / protocol of an examination* **6.1** volgens het ~ verlopen *proceed / go according to p..*
protocollair 〈bn.〉 **0.1** *required by / according to protocol* ⇒*ceremonial, formal* ◆ **1.1** ~e voorbereidingen *ceremonial / formal preparations*.
protocolleren 〈ov.ww.〉 **0.1** *protocol* ⇒*record*.
protogynie →**proterogynie**.
protohistoricus 〈de (m.)〉, **-ca** 〈de (v.)〉 **0.1** *protohistorian* 〈m.; v.〉.
protohistorie 〈de (v.)〉 **0.1** *protohistory*.
proton 〈het〉 〈nat.〉 **0.1** *proton*.
protonisch 〈bn.〉 〈taal.〉 **0.1** *pretonic* ◆ **1.1** in ~e positie *in p. position*; een ~e syllabe *a p. syllable*.
protonotarius 〈de (m.)〉 〈r.k.〉 **0.1** *protonotary* ⇒*Protonotary Apostolic(al)*.
protopatisch 〈bn.〉 〈med.〉 **0.1** *protopathic*.
protoplasma 〈het〉 〈biol.〉 **0.1** *protoplasm*.
protoplast 〈de (m.)〉 〈biol.〉 **0.1** *protoplast*.
prototype 〈het〉 **0.1** [oorspronkelijk model] *prototype* **0.2** [voorafbeelding] *prototype* **0.3** [karakteristiek voorbeeld] *prototype* ◆ **1.1** het ~ van een nieuwe serie vliegtuigen *the p. of a new series of aeroplanes* **1.2** een oud-testamentisch ~ van / voor Christus *an Old-Testament p. / prefiguration of Christ* **1.3** hij is het ~ van een succesvol manager *he is the p. / model of a successful manager*.
prototypisch 〈bn.〉 **0.1** *prototypic(al)* ⇒*prototypal*.
protozo →**protozoön**.
protozoair 〈bn.〉 **0.1** ¶.¶ ~e ziekte *protozoiasis*.
protozoïsch 〈bn.〉 **0.1** *protozoic* ◆ **1.1** ~e vormingen *p. formations*.
protozoön 〈het〉 〈biol.〉 **0.1** *protozoon, protozoan*.
protsen 〈onov.ww.〉 **0.1** *act big* ◆ **6.1** met zijn geld ~ *show off with one's money*.

protser ⟨de (m.)⟩ **0.1** *bigmouth* ⇒*show-off*.
protserig ⟨bn., bw.⟩ **0.1** *flash* ⇒*gaudy*, ⟨opzichtig⟩ *loud* ◆ **1.1** een ~e auto *a flash car* **3.1** ~ doen *act big*.
protserij ⟨de (v.)⟩ **0.1** *acting big*.
protsig →protserig.
protten ⟨onov.ww.⟩ ⟨AZN⟩ **0.1** [winden laten] *fart* **0.2** [pruilen] *sulk*.
protuberans →protuberantie.
protuberantie ⟨de (v.)⟩ **0.1** [⟨ster.⟩] *(solar) prominence* **0.2** [⟨med.⟩] *protuberance*.
prouveren ⟨onov.ww.⟩ ⟨schr.⟩ **0.1** *testify* ◆ **6.1** ~ voor iem./ iets *t. in favour of s.o./ sth.*.
Provençaals[1] ⟨het⟩ **0.1** *Provençal*.
Provençaals[2] ⟨bn.⟩ **0.1** *Provençal* ◆ **1.1** ~e kruiden *mixed herbs* **6.1** champignons op z'n ~ *mushrooms Provençale*.
proveniëren ⟨onov.ww.⟩ ⟨schr.⟩ **0.1** *proceed (from)*.
provenu ⟨het⟩ **0.1** *proceeds* ⟨mv.⟩ ◆ **1.1** het ~ van de coupons *the p. of the bonds*.
proverbiaal ⟨bn., bw.;-ly⟩ **0.1** *proverbial*.
proviand ⟨het, de (m.)⟩ **0.1** *provisions* ⟨mv.⟩ ⇒*victuals* ⟨mv.⟩ ◆ **3.1** ~ inslaan *stock (up) provisions, victual;* ~ meenemen *take p./ food;* een leger van ~ voorzien *purvey for/ victual/ provision an army;* voor ~ zorgen *supply p.*.
provianderen ⟨ov.ww.⟩ **0.1** *provision* ⇒*victual*.
proviandering ⟨de (v.)⟩ **0.1** *provisioning* ⇒*victualling*.
proviandmeester ⟨de (m.)⟩ **0.1** *provisioner*.
proviandschip ⟨het⟩ **0.1** *victualler* ⇒*provision ship*.
proviandwagen ⟨de (m.)⟩ **0.1** *victualling vehicle*.
providentie ⟨de (v.)⟩ **0.1** *Providence*.
providentieel ⟨bn., bw.;-ly⟩ **0.1** *providential*.
provinciaal[1] ⟨de (m.)⟩ **0.1** [bewoner van het platteland] *provincial* **0.2** [⟨pej.⟩ bekrompen persoon] *provincial* **0.3** [⟨r.k.⟩] *provincial* ◆ **4.2** daar heb je weer zo'n ~tje *there's another country cousin*.
provinciaal[2] ⟨bn., bw.;-ly⟩ **0.1** [van een provincie] *provincial* **0.2** [kleinburgerlijk] *provincial* ⇒*parochial* ◆ **1.1** het ~ bestuur *the p. government;* ≠*county council,* [A]*county board;* de Provinciale Planologische Dienst *the Provincial Planning Service/ Board;* op ~ niveau *at (a/the) p. level;* Provinciale Staten *Provincial States;* een provinciale weg ≠*a secondary road* **1.2** een ~ accent/ uiterlijk *a p. accent/ appearance;* provinciale opvattingen *p./ parochial views, a p. outlook*.
provincialaat ⟨het⟩ ⟨r.k.⟩ **0.1** *provincialate*.
provincialisme ⟨het⟩ **0.1** [gewestelijke uitdrukking] *provincialism* ⇒*localism* **0.2** [voorliefde voor de eigen provincie] *provincialism* ⇒*regionalism* **0.3** [⟨pej.⟩ bekrompenheid, kleinburgerlijkheid] *provincialism* ⇒*parochialism*.
provincialist ⟨de (m.)⟩ **0.1** *provincialist* ⇒*regionalist*.
provincialistisch ⟨bn., bw.;-ly⟩ **0.1** *provincial*.
provincie ⟨de (v.)⟩ **0.1** [gewest] *province* ⇒*region,* ⟨BE en AE⟩ ≠*county* **0.2** [provinciale overheid] *Province* ⇒[B]≠*County Council,* [A]*County Board* **0.3** [gebied van een kerkelijke indeling] *province* **0.4** [het platteland] *provinces* ⟨mv.⟩ ⇒*country* ◆ **1.1** de ~ Utrecht *the Province of Utrecht* **3.2** de ~ wil niet meewerken ⟨ook⟩ *the Provincial/ local authorities are unwilling to cooperate* **6.4** optreden in de ~ *perform in/ tour the country;* uit de ~ komen *be of provincial origin/ extraction, be country-bred;* iem. uit de ~ *a person from the p./ country* **7.1** ⟨gesch.⟩ de Zeven Provinciën *the Seven United Provinces*.
provinciefonds ⟨het⟩ **0.1** ⟨*Fund For Local Financing (at provincial level)*⟩.
provinciehoofdstad ⟨de⟩ **0.1** *provincial capital* ⇒*county seat*.
provinciehuis ⟨het⟩ **0.1** *provicial government building* ⇒≠*County Hall,* [A]*Statehouse*.
provincieplaats ⟨de⟩ **0.1** *provincial town* ⇒*country town/ village*.
provincieroos ⟨de⟩ **0.1** [vleeskleurige roos] *Provence rose* **0.2** [honderdbladige roos] *cabbage rose* ⇒*Provence rose*.
provinciestad ⟨de⟩ **0.1** *provincial town* ⇒*country town*.
provisie ⟨de (v.)⟩ **0.1** [percentsgewijs berekend loon] *commission* ⇒ ⟨bank⟩ *procuration,* ⟨makelaar⟩ *brokerage* **0.2** [tijdelijke maatregel] ⟨rechtsmiddel⟩ *(legal) remedy, appeal;* ⟨voorlopige beschikking⟩ *interlocutory injunction/ judgment/ order;* ⟨eis⟩ *application for interlocutory/ interim relief* **0.3** [voorraad] *provisions* ⟨mv.⟩ ⇒*victuals* ⟨mv.⟩ **0.4** [⟨AZN⟩ voorschot op het honorarium] *retaining fee* ◆ **3.1** ~ berekenen *charge (a) c./ procuration/ brokerage;* ~ krijgen van iets *get a commission on sth.* **6.2** bij ~ ⟨voorlopig⟩ *provisionally;* vonnis uitvoerbaar bij ~ *immediately enforceable judgment*.
provisiebasis ⟨de (v.)⟩ ◆ **1.¶** op ~ werken *work on commission*.
provisiebedrag ⟨het⟩ **0.1** *(amount of) commission*.
provisiekamer ⟨de⟩ **0.1** *pantry* ⇒*larder,* ⟨BE ook⟩ *still-room*.
provisiekast ⟨de⟩ **0.1** *pantry* ⇒*larder*.
provisiekelder ⟨de (m.)⟩ **0.1** *storage cellar*.
provisioneel ⟨bn., bw.;-ly⟩ **0.1** *provisional* ⇒*temporary,* ⟨jur.⟩ *interlocutory, interim* ◆ **1.1** een provisionele vordering *an application for interlocutory/ interim relief*.
provisoir →provisioneel.

provisor ⟨de (m.)⟩ **0.1** [⟨r.k.⟩ geestelijk verzorger] *provisor* ⇒*guardian* **0.2** [apotheker] *manager of a* [B]*chemist's shop/* [A]*pharmacy/* [A]*drugstore*.
provisoraat ⟨het⟩ ⟨r.k.⟩ **0.1** *office of a provisor/ guardian*.
provisorisch ⟨bn., bw.;-ly⟩ **0.1** *provisional* ⇒ ⟨tijdelijk⟩ *temporary,* ⟨à l'improviste⟩ *ex tempore* ◆ **1.1** ~e maatregelen *p./ temporary measures;* een ~e reparatie ⟨ook⟩ *a makeshift repair* **3.1** iets ~ repareren *repair sth. provisionally/ temporarily*.
provisorium ⟨het⟩ **0.1** *temporary arrangement/ building*.
provitamine ⟨het, de⟩ **0.1** *provitamin*.
provo ⟨de (m.)⟩ **0.1** *Provo*.
provocant ⟨bn., bw.;-ly⟩ **0.1** *provocative*.
provocateur ⟨de (m.)⟩ **0.1** *agent provocateur* ⇒≠*agitator*.
provocatie ⟨de (v.)⟩ **0.1** *provocation* ◆ **3.1** wij zijn niet ingegaan op de ~s *we have ignored the provocations*.
provoceren ⟨onov., ov.ww.⟩ **0.1** [uitdagen] *provoke* **0.2** [uitlokken] *provoke* ⇒*incite* ◆ **1.1** je moet mensen niet ~ *you shouldn't p. people* **3.2** je moet je niet laten ~ *don't let yourself be provoked;* ⟨sport⟩ hij liep duidelijk te ~ *he was clearly provoking* **6.2** iem. ~ tot geweld *p./ incite s.o. to violence*.
provocerend ⟨bn., bw.;-ly⟩ **0.1** *provocative* ⇒*provoking* ◆ **1.1** door het ~ optreden van de politie *because of police provocation;* ~e uitlatingen *provocative remarks* **3.1** ~ optreden *be provocative, look for trouble* **8.1** de aanwezigheid van een grote politiemacht werd als ~ ervaren *a large police presence was considered provoking*.
provoost
I ⟨de⟩ **0.1** [soldatengevangenis] *(punishment) cell(s), detention room* ⇒ ⟨BE;sl.⟩ *glasshouse* **0.2** [militaire straf] *close arrest;*
II ⟨de (m.)⟩ ⟨gesch.⟩ **0.1** [persoon] *provost marshal/ sergeant*.
Prov. St. ⟨afk.⟩ **0.1** [Provinciale Staten] ⟨*Provincial States*⟩; ⟨GB⟩ ⟨≠*County Council*⟩.
proximaal ⟨bn.⟩ **0.1** *proximal*.
proximiteit ⟨de (v.)⟩ **0.1** [nabijheid] *proximity* **0.2** [verwantschap] *proximity of blood*.
proza ⟨het⟩ **0.1** [stijl] *prose* **0.2** [wat geschreven is] *prose* **0.3** [het alledaagse] *prose* ◆ **1.3** het ~ v.h. leven *the p. of existence* **2.1** sprankelend/ krachtig ~ *sparkling/ robust p.* **2.2** bloemrijk ~ *flowery/ florid/* ⟨pej.⟩ *purple p.* **6.1** in ~ *in p.*.
prozabewerking ⟨de (v.)⟩ **0.1** *prose version* ⇒*prose adaptation*.
prozabundel ⟨de (m.)⟩ **0.1** *prose collection, collection/ book of prose*.
prozagedicht ⟨het⟩ **0.1** *prose poem*.
prozaïsch ⟨bn., bw.;-ally⟩ **0.1** *prosaic* ◆ **1.1** een ~e levensbeschouwing *a p. view of life;* een ~ mens *a p./ an unimaginative person, a prosaist* **3.1** iets ~ opvatten *take a p. view of sth.*.
prozaïst ⟨de (m.)⟩ **0.1** *prosaist* ⇒*prose-writer*.
prozaroman ⟨de (m.)⟩ ⟨lit.⟩ **0.1** *prose romance*.
prozaschrijver ⟨de (m.)⟩ **0.1** *prose-writer* ⇒*prosaist*.
prozastijl ⟨de (m.)⟩ **0.1** *prose style*.
prozastuk(je) ⟨het⟩ **0.1** *piece of prose* ⇒*prose passage* ◆ **2.1** licht ~ *pastel*.
pr. st. ⟨afk.⟩ **0.1** [prima staat] *v.g.c.*.
prude ⟨bn.⟩ ⟨schr.⟩ **0.1** ⟨ongemarkeerd⟩ *prudish* ⇒*priggish, prim*.
prudent ⟨bn., bw.;-ly⟩ **0.1** *prudent* ⇒*wise,* ⟨voorzichtig⟩ *circumspect, discreet* ◆ **3.1** iets ~ achten *consider sth. p./ wise;* hij achtte het niet ~ *he thought it unwise/ imprudent*.
prudentie ⟨de (v.)⟩ **0.1** *prudence* ⇒*wisdom, discretion, circumspection* ◆ **1.1** aan de ~ van de rechter overgelaten *left for the judge to decide/ to the discretion of the judge* **3.1** iets aan iemands ~ overlaten *leave sth. to s.o.'s judgement*.
pruderie ⟨de (v.)⟩ ⟨schr.⟩ **0.1** ⟨ongemarkeerd⟩ *prudery* ⇒*priggishness, prudishness, primness*.
pruik ⟨de⟩ **0.1** [vals haar] *wig* ⇒*toupee* ⟨herenpruik⟩, *peruke, periwig* ⟨vnl. voor mannen, 17e, 18e eeuw⟩ **0.2** [verwarde haardos] *shock of hair* ⇒*mop of hair* ⟨wild⟩ ◆ **2.1** korte ~ *bob w.;* lange ~*full-bottomed w.;* zijn ~ staat scheef ⟨fig.⟩ *he's out of sorts/ down in the dumps* **3.1** een ~ dragen *wear a w.;* zijn ~ op-/ afzetten *put on/ take off one's w.* **3.2** je mag je ~ wel eens laten knippen *it's about time you had your hair cut*.
pruikdrager ⟨de (m.)⟩ **0.1** *wig-wearer*.
pruikebol ⟨de (m.)⟩ **0.1** [hoofd om pruiken op te maken] *wig block* **0.2** [hoofd met verward haar] *mop(head)*.
pruikeboom ⟨de (m.)⟩ **0.1** *smoke-tree* ⇒*Venetian sumac*.
pruikekop ⟨de (m.)⟩ **0.1** *wig block*.
pruikenmaker ⟨de (m.)⟩ **0.1** *wigmaker*.
pruikentijd ⟨de (m.)⟩ **0.1** ≠*Regency period*.
pruikerig ⟨bn.⟩ ⟨pej.⟩ **0.1** *(old-)fogyish* ⇒*fusty, musty,* ⟨AE;inf.⟩ *horse-and-buggy*.
pruikgewei ⟨het⟩ **0.1** ⟨*a pathological growth on antler caused by an injury to the male genitalia*⟩.
pruikzwam ⟨de⟩ **0.1** *hedgehog mushroom/ fungus*.
pruilen ⟨onov.ww.⟩ **0.1** [mokken] *pout* ⇒*sulk, mope* **0.2** [zeuren] *whine* ⇒*whimper* ◆ **6.2** zonder ~ *without grumbling*.
pruiler ⟨de (m.)⟩ **0.1** *pouter* ⇒*sulker, sulky person, mope*.

pruilerig ⟨bn., bw.; -ly⟩ **0.1** *sulky* ⇒*petulant, sullen.*
pruillip ⟨de⟩ **0.1** *pout* ◆ **3.1** een~je trekken *pout.*
pruilmond ⟨de (m.)⟩ **0.1** *pout.*
pruilstem ⟨de⟩ **0.1** *whine* ⇒*whining voice* ◆ **6.1** met een~*in a w. / whining voice.*
pruim
  I ⟨de⟩ **0.1** [vrucht] *plum* ⇒*prune* ⟨gedroogd⟩ **0.2** [pluk tabak] *quid* ⇒*plug, chew, fig, wad* **0.3** [⟨vulg.⟩ vrouwelijk schaamdeel] *twat* ⇒*cunt, quim* ◆ **1.2** een~tabak *a q. / plug / wad of tobacco;*
  II ⟨de (m.)⟩ **0.1** [boom] *plum(-tree).*
pruimebomehout →**pruimehout.**
pruimeboom ⟨de (m.)⟩ **0.1** *plum(-tree).*
pruimedant ⟨de⟩ **0.1** *prune.*
pruimehout ⟨het⟩ **0.1** *plum(-tree) wood.*
pruimehouten ⟨bn.⟩ **0.1** *made of plum(-tree) wood.*
pruimelaar ⟨de (m.)⟩⟨AZN⟩ →**pruimeboom.**
pruimemondje ⟨het⟩ **0.1** *pursed lips* ◆ **3.1** een~trekken *purse one's lips.*
pruimen
  I ⟨onov., ov.ww.⟩ **0.1** [tabak kauwen] *chew tobacco* **0.2** [schransen] *gormandize* ⇒*feed, stuff / gorge o.s., tuck in* ◆ **3.2** kijk hem daar eens zitten~*just look at him stuffing / gorging himself, he seems to be having a good feed over there;*
  II ⟨ov.ww.⟩ ⟨inf.⟩ **0.1** [accepteren] *swallow* ⇒*stick* ◆ **1.1** ik kan die vent niet~*I can't stick that fellow* **3.1** het eten is niet te~*the food is disgusting;* de koffie is niet te~*the coffee is undrinkable.*
pruimenboomgaard ⟨de (m.)⟩ **0.1** *plum-orchard.*
pruimenjam ⟨de⟩ **0.1** *plum jam.*
pruimenmoes ⟨het⟩ **0.1** *plum puree* ⇒*stewed plums.*
pruimentaart ⟨de⟩ **0.1** *plum pie* ⇒⟨BE; indien van boven open⟩ *plum tart.*
pruimentijd ⟨de (m.)⟩ **0.1** *plum season* ◆ **6.1** ⟨fig.⟩ tot in de~*see you sometime.*
pruimer ⟨de (m.)⟩ **0.1** *tobacco-chewer.*
pruimesap ⟨het⟩ **0.1** [aftreksel van pruimen] *plum / prune juice* **0.2** [speeksel] *tobacco juice.*
pruimtabak ⟨de (m.)⟩ **0.1** *chewing-tobacco* ◆ **1.1** een rol~*a roll of tobacco.*
Pruis ⟨de (m.)⟩, **-ische** ⟨de (v.)⟩ **0.1** *Prussian.*
Pruisen ⟨het⟩ **0.1** *Prussia.*
Pruisisch ⟨bn., bw.⟩ **0.1** *Prussian* ◆ **2.¶** ~blauw *Prussian blue;* ~zuur *prussic acid* **3.1** het ging er~toe *the place was a madhouse.*
prul ⟨het⟩ **0.1** [papiertje] *(piece of) waste paper* **0.2** [waardeloos voorwerp] *(piece of) trash* ⇒*(piece of) rubbish / junk* **0.3** [nietswaardig persoon] *nonentity* ⇒*zero, nobody, cipher, dud* **0.4** [kind] *dear* ⇒*darling* ◆ **2.2** geld uitgeven aan allerlei~*spend money on all sorts of t. / rubbish / odds and ends* **2.4** mijn lieve, kleine~*my dear / sweet little thing* **3.2** zijn~len bij elkaar zoeken *gather up one's bits and pieces* **6.2** een~van boek *a trashy book;* een~van een auto *a jalopy,* ᴮa *crock* ⟨oud⟩; een~van een krant *a rubbishy newspaper* **6.3** een~van een vent *a nonentity / zero / nobody / cipher / dud.*
prulachtig ⟨bn., bw.; -ly⟩ **0.1** *insignificant* ⇒*puny, slight, trifling,* ⟨AE ook⟩ *dinky.*
prulboek ⟨het⟩ **0.1** *trashy book.*
pruldichter ⟨de (m.)⟩, **-es** ⟨de (v.)⟩ **0.1** *poetaster* ⇒*versifier, rhymester.*
prulding ⟨het⟩ **0.1** *(piece of) trash* ⇒*(piece of) rubbish / junk,* ⟨meestal mv.⟩ *(k)nick(k)nack, gimcrack* ⟨kitsch⟩.
prullaria ⟨zn.mv.⟩ **0.1** *(k)nick(k)nacks* ⇒*(k)nick(k)nackery, gimcracks, gewgaws, odds and ends* ◆ **5.1** een kamer vol~*a room full of knickknacks.*
prulleboel ⟨de (m.)⟩ **0.1** *trash* ⇒*rubbish, (shoddy / trashy) stuff, gimcrackery, trumpery.*
prullenbak ⟨de (m.)⟩ **0.1** *waste-paper basket;* ⟨vnl. AE⟩ *waste-basket.*
prullenkraam ⟨het, de⟩ **0.1** *odds and ends* ⇒*(k)nick(k)nacks, gimcracks, gewgaws.*
prullenmand ⟨de⟩ **0.1** *waste-paper basket;* ⟨vnl. AE⟩ *waste-basket* ◆ **3.1** tot de~veroordelen *consign to the w.-p. b.* **5.1** dat gaat rechtstreeks de~in *that is going straight into the w.-p. b.* **6.1** ⟨scherts.⟩ dat opstel is goed **voor** de~*you may as well throw that essay away.*
prullerig ⟨bn., bw.⟩ →**prullig.**
prullerij ⟨de (v.)⟩ →**prullenkraam.**
prulletje ⟨het⟩ **0.1** [kleine prul] *(piece of) trash* ⇒*(piece of) rubbish / junk* **0.2** [ding zonder waarde] ⟨meestal mv.⟩ *(k)nick(k)nack* ⇒*gimcrack, gewgaw, trinket* ⟨sieraad⟩ ◆ **3.2** zij heeft veel~s op haar kamer *she's got a lot of knickknacks in her room.*
prullig ⟨bn., bw.; -ly⟩ **0.1** *shoddy* ⇒*trashy, junky* ◆ **1.1** ~e vaasjes / boeken *trashy / junky vases / books* **3.1** dat is~gemaakt *that is shoddily made.*
prulschrijver ⟨de (m.)⟩ **0.1** *grub-street hack.*
prulwerk ⟨het⟩ **0.1** ⟨→**prutswerk** 0.1⟩.
prune ⟨bn.⟩ **0.1** *maroon* ◆ **1.1** een~japon *a m. dress* **7.1** ⟨zelfst.⟩ het~*m..*
prunel ⟨de⟩ **0.1** *prunello / nelle.*

prunus ⟨de (m.)⟩ **0.1** *prunus* ⇒*Japanese (flowering) cherry.*
prurigo ⟨de⟩ **0.1** *prurigo.*
prut¹ ⟨de⟩ **0.1** [modder] *mud* ⇒*mire, ooze, sludge* **0.2** [koffiedik] *grounds* **0.3** [eenpansgerecht] *mash* ⇒*stew, hash,* ⟨AE ook⟩ *mulligan* ◆ **1.3** ik maak wel rijst met~*I'll make rice and hash / stew / mulligan* **6.1** in de~blijven steken *get stuck in the mud / mire.*
prut² ⟨bn., bw.; -ly⟩ **0.1** *rotten* ⇒*sorry, crummy,* ↓*lousy* ◆ **3.1** het was weer eens~vandaag *today was another off-day, today was no good at all.*
prut³ ⟨tw.⟩ ⟨inf.⟩ **0.1** *here's mud in your eye!, here's how!.*
prutboel ⟨de⟩ **0.1** *mess.*
prutlip ⟨de⟩ **0.1** *pout* ⇒*pouting / hanging lip.*
prutsding ⟨het⟩ **0.1** *piece of trash* ⇒*piece of rubbish / junk,* ⟨meestal mv.⟩ *(k)nick(k)nack, gimcrack* ⟨kitsch⟩.
prutsen
  I ⟨onov.ww.⟩ **0.1** [klungelen] *mess about / around* ⇒*potter / tinker about / around* **0.2** [knutselen] *mess about / around* ⇒*tinker, potter* ◆ **6.2 aan** iets~*m. about / around with sth., tinker with sth.;* hij prutst graag **aan** zijn auto *he likes tinkering with his car;* je moet niet zelf **aan** je t.v. gaan zitten~*you shouldn't tamper with your TV-set yourself* **6.¶ aan** zijn nagels zitten~*play with one's nails* **¶.1** wat zit je toch te~! *what's all this messing about?;*
  II ⟨ov.ww.⟩ **0.1** [door knutselen in een toestand brengen]⟨zie **6.1, ¶.1**⟩ ◆ **6.1** ik zal die zin er nog ergens **tussen** proberen te~*I'll try to work that sentence in somewhere* **¶.1** zijn bromfiets had hij zelf in elkaar geprutst *he had put together his motorbike himself;* heb je dat zelf in elkaar geprutst? *did you rig / fix that yourself?.*
prutser ⟨de (m.)⟩ **0.1** [knoeier] *botcher* ⇒*bungler, blunderer, incompetent* **0.2** [knutselaar] *tinkerer* ⇒*dabbler, potterer.*
prutserig ⟨bn., bw.; -ly⟩ **0.1** *shoddy* ⇒*trashy, junky, flimsy* ◆ **1.1** een~mechaniekje *a flimsy mechanism;* een~werk *a botch(-up)* **¶.1** dat is~in elkaar gezet *that's a piece of s. workmanship.*
prutserij ⟨de (v.)⟩ **0.1** [het prutsen] *messing about* ⇒*tinkering, pottering* ⟨knutselen⟩, *botching, bungling* ⟨slecht werken⟩ **0.2** [waardeloos voorwerp] *piece of trash* ⇒*piece of rubbish / junk, (k)nick(k)nack(ery), gimcrack(ery)* ⟨kitsch⟩.
prutswerk ⟨het⟩ **0.1** [knoeiwerk] *botch(-up)* ⇒*bungle, shoddy work* **0.2** [knutselwerk] *trifling work.*
pruttelaar ⟨de (m.)⟩, **-ster** ⟨de (v.)⟩ **0.1** *grumbler* ⇒*grouch, grouser.*
pruttelarij ⟨de (v.)⟩ **0.1** *grumbling* ⇒*grousing.*
pruttelen
  I ⟨onov.ww.⟩ **0.1** [zachtjes koken] *simmer* ⇒*bubble, perk, percolate* ⟨koffie⟩ ◆ **3.1** de stoofpot een uur laten~*s. the stew / let the stew s. for an hour;*
  II ⟨onov., ov.ww.⟩ **0.1** [morren] *grumble* ⇒*grouse* ◆ **4.1** wat heeft hij te~? *what is he grumbling about?.*
pruttelig ⟨bn., bw.⟩ **0.1** *grumbling* ⇒*grouchy, grumpy, cantankerous.*
prutten ⟨onov.ww.⟩ **0.1** [pruttelen] ⟨→**pruttelen**⟩ **0.2** [sputteren] *sp(l)utter.*
ps. ⟨afk.⟩ **0.1** [psalm] *Ps., Psa..*
P.S. ⟨afk.⟩ **0.1** [postscriptum] *P.S., p.s..*
psalm ⟨de (m.)⟩ **0.1** *psalm.*
psalmberijming ⟨de (v.)⟩ **0.1** ⟨*rhymed version of the psalms*⟩.
psalmboek ⟨het⟩ **0.1** [boek met op muziek gezette psalmen] *psalm-book* ⇒*psalter* **0.2** [boek met oudtestamentische psalmen] *psalm-book* ⇒*psalter.*
psalmbord ⟨het⟩ **0.1** *psalm board.*
psalmbundel ⟨de (m.)⟩ **0.1** *psalm-book* ⇒*psalter.*
psalmdichter ⟨de (m.)⟩ **0.1** *psalmist.*
psalmeren ⟨onov.ww.⟩ **0.1** *psalm.*
psalmgezang ⟨het⟩ **0.1** [het zingen van psalmen] *psalm-singing* ⇒*psalmody* **0.2** [gezongen psalm] *psalm.*
psalmist →**psalmdichter.**
psalmlied ⟨het⟩ **0.1** *psalm.*
psalmodie ⟨de (v.)⟩ **0.1** *psalmody.*
psalmodiëren ⟨onov., ov.ww.⟩ **0.1** [⟨r.k.⟩ psalmen zingen] *psalmodize* ⇒*chant* **0.2** [⟨fig.⟩ voordragen] *chant* ⇒*intone.*
psalmodisch ⟨bn., bw.; -ally⟩ **0.1** *psalmodic.*
psalmvers ⟨het⟩ **0.1** *psalm-verse.*
psalmzingen ⟨ww.⟩ **0.1** *psalm-singing.*
psalmzinger ⟨de (m.)⟩ **0.1** *psalm-singer* ⇒*psalmodist.*
psalter ⟨het⟩ **0.1** [harp] *psaltery* **0.2** [boek met vertaalde psalmen] *psalter* ⇒*psalm-book* **0.3** [het Boek der Psalmen] *Psalter* ⇒*(Book of) Psalms.*
psalterium ⟨het⟩ **0.1** [⟨muz.⟩] *psaltery* **0.2** [psalmboek] *psalter, psalm-book.*
psefologie ⟨de (v.)⟩ **0.1** *psephology.*
pseud. ⟨afk.⟩ **0.1** [pseudoniem] *pseud..*
pseudepigraaf ⟨de (m.)⟩ **0.1** *pseudepigraph.*
pseudoarchaïsch ⟨bn.⟩ ⟨vnl. bk.⟩ **0.1** *pseudoarchaic.*
pseudologie ⟨de (v.)⟩ ⟨psych.⟩ **0.1** [neiging] *pseudology* **0.2** [uiting] *pseudology.*

pseudomorf ⟨bn.⟩ **0.1** *pseudomorphic.*
pseudomorfose ⟨de (v.)⟩ **0.1** [⟨geol.⟩] *pseudomorphism* **0.2** [⟨gesch.⟩] *pseudomorphism.*
pseudoniem ⟨het⟩ **0.1** *pseudonym* ⇒*alias,* ⟨auteur ook⟩ *pen name* ◆ **6.1** **onder** een ∼ schrijven *write under a pseudonym/pen name.*
pseudonimiteit ⟨de (v.)⟩ **0.1** *pseudonymity.*
pseudoscoop ⟨de (m.)⟩ **0.1** *pseudoscope.*
pseudo-vogelpest ⟨de⟩ **0.1** *Newcastle disease.*
psittacosis ⟨de (v.)⟩ **0.1** *psittacosis* ⇒*parrot disease.*
psoriasis ⟨de (v.)⟩⟨med.⟩ **0.1** *psoriasis.*
pst ⟨tw.⟩ **0.1** [om aandacht te trekken] *ps(s)t* **0.2** [om te kennen te geven dat iets wegvliegt] *whoosh* ⇒*swoosh, whizz* ◆ **¶.1** ∼! kom eens hier! *p.!, come here!* **¶.2** ∼! daar ging hij *whoosh/swoosh! off he went!.*
p. st. ⟨afk.⟩ **0.1** [per stuk] *ea..*
P.S.U. ⟨de (v.)⟩⟨afk.⟩ **0.1** [persoonlijke standaarduitrusting] ⟨*army issue* ⇒*kit*⟩.
psychagogie ⟨de (v.)⟩ **0.1** *psychagogy.*
psychasthenie ⟨de (v.)⟩⟨med.⟩ **0.1** *psychasthenia.*
psychasthenisch ⟨bn.⟩ **0.1** *psychastenic.*
psyche ⟨de⟩ **0.1** [⟨psych.⟩] *psyche* ⇒*mind* **0.2** [innerlijk] *psyche* ⇒*mind, soul, spirit* **0.3** [⟨rel.⟩] *psyche* ⇒*soul, spirit* ◆ **2.1** de mannelijke/vrouwelijke ∼ *the male/female p..*
psychedelicum ⟨het⟩ **0.1** *psychedelic (drug).*
psychedelisch ⟨bn.⟩ **0.1** *psychedelic* ◆ **1.1** een ∼e ervaring *a p. experience;* ∼e kunst/kleuren *p. art/colours;* ∼e muziek *p. music;* ∼e stoffen *p. drugs.*
psychiater ⟨de (m.)⟩ **0.1** *psychiatrist* ⇒⟨vero.⟩ *alienist,* ⟨inf.⟩ *headshrinker, shrink* ◆ **6.1** je moet naar een ∼ *you want to see a p.;* ⟨inf.⟩ *you need to have your head examined/read.*
psychiatrie ⟨de (v.)⟩ **0.1** *psychiatry* ⇒⟨vero.⟩ *alienism* ◆ **2.1** algemene ∼ *general p.;* gerechtelijke of forensische ∼ *forensic p.;* sociale ∼ *social p.;* speciale of toegepaste ∼ *general p..*
psychiatrisch ⟨bn.⟩ **0.1** [mbt. de psychiatrie] *psychiatric* ⇒*mental* **0.2** [van een psychiater] *psychiatric* ◆ **1.1** een ∼ centrum *p. institute/centre;* een ∼e inrichting *a p. institute/home, a mental home/hospital;* een kliniek *p./mental clinic;* ⟨afdeling in ziekenhuis⟩ *p. ward* **1.2** volgens het ∼ rapport *according to the psychiatrist's report* **3.1** ∼ behandeld worden *undergo p. treatment, be in p. care.*
psychisch ⟨bn., bw.; -ly⟩ **0.1** [mentaal] *psychological* ⇒*emotional, mental, psychic* **0.2** [⟨psych.⟩] *psychological* ⇒*mental* ◆ **1.1** onder een enorme ∼e druk staan *be under great/emotional/psychological pressure, have a great deal of emotional/psychological pressure on one;* dat is een ∼e kwestie *that is a psychological matter;* het ∼e leven *the mental life* **1.2** een ∼e aandoening *a mental illness, a p. disorder;* ∼e angst *anxiety* **2.2** ∼ geremd *inhibited;* ∼ gestoord *emotionally/mentally disturbed* **3.1** dat is ∼, niet lichamelijk *that is psychological, not physical;* ergens ∼ niet tegen opgewassen zijn *be mentally/psychologically unable to cope with sth.;* zich ∼ voorbereiden (op) ⟨ook⟩ *psych(e) o.s. up (for);* ⟨iron.⟩ het zal wel weer ∼ zijn *it's probably all in the mind again.*
psychoanalepticum ⟨het⟩ **0.1** [stemmingverbeterend middel] *psychoanaleptic* **0.2** [pepmiddel] *psychoanaleptic.*
psychoanalyse ⟨de (v.)⟩ **0.1** *psychoanalysis* ◆ **3.1** aan een ∼ onderwerpen *(psycho)analyse* ^ze **6.1** in ∼ zijn *be in/under p., undergo (psycho)analysis.*
psychoanalyticus ⟨de (m.)⟩ **0.1** *(psycho)analyst.*
psychoanalytisch ⟨bn., bw.; -(al)ly⟩ **0.1** *psychoanalytic(al)* ◆ **1.1** de ∼e methode *the psychoanalytic method* **3.1** trachten iets ∼ te verklaren *try to find a psychoanalytic explanation for sth..*
psychobiografie ⟨de (v.)⟩ **0.1** *psychobiography* ⇒*psychoanalytical biography.*
psychobiologie ⟨de (v.)⟩ **0.1** *psychobiology.*
psychochirurgie ⟨de (v.)⟩⟨med.⟩ **0.1** *psychosurgery.*
psychodiagnostiek ⟨de (v.)⟩ **0.1** *psychodiagnostics* ⇒*psychodiagnosis.*
psychodrama ⟨het⟩ **0.1** *psychodrama.*
psychodynamiek ⟨de (v.)⟩ **0.1** *psychodynamics.*
psychodynamisch ⟨bn.⟩ **0.1** *psychodynamic* ◆ **1.1** de ∼e benadering *the p. approach.*
psychodyslepticum ⟨het⟩ **0.1** *psychodysleptic.*
psychofarmacologie ⟨de (v.)⟩ **0.1** *psychopharmacology.*
psychofarmacon ⟨het⟩ **0.1** *psychopharmacologic/psychiatric drug* ⇒*psychopharmaceutical, psychoactive drug.*
psychofysica ⟨de (v.)⟩ **0.1** *psychophysics.*
psychofysiologie ⟨de (v.)⟩ **0.1** *psychophysiology.*
psychofysisch ⟨bn.⟩ **0.1** *psychophysical.*
psychogeen ⟨bn.⟩ **0.1** *psychogenic* ◆ **1.1** psychogene lichamelijke verschijnselen *p. (physical) symptoms, psychosomatic symptoms.*
psychogenese ⟨de (v.)⟩⟨med.⟩ **0.1** [het aandeel van psychologische processen bij het ontstaan van lichamelijke aandoeningen] *psychogenesis* **0.2** [de ontwikkeling van de psyche en de psychische functie] *psychogenesis.*
psychograaf ⟨de (m.)⟩ **0.1** *psychograph.*
psychografie ⟨de (v.)⟩ **0.1** *psychography.*

psychografisch ⟨bn.⟩ **0.1** *psychographic.*
psychogram ⟨het⟩ **0.1** *psychogram, psychograph* ⇒*profile.*
psychohygiëne ⟨de⟩ **0.1** *mental welfare/hygiene.*
psychohygiënisch ⟨bn.⟩ **0.1** *concerned with/concerning/of mental welfare/hygiene.*
psychokinese ⟨de (v.)⟩ **0.1** *psychokinesis.*
psycholatrie ⟨de (v.)⟩ **0.1** *psycholatry* ⇒*ancestor worship.*
psycholinguïst ⟨de (m.)⟩ **0.1** *psycholinguist.*
psycholinguïstiek ⟨de (v.)⟩ **0.1** *psycholinguistics.*
psychologie ⟨de (v.)⟩ **0.1** [wetenschap] *psychology* **0.2** [zielkundige ontleding] *psychology* **0.3** [psychische verschijnselen in een groep] *psychology* ◆ **1.2** de ∼ v.h. onderbewuste *depth p.;* de ∼ van een roman *the p. of a novel* **1.3** de ∼ van de massa *the p. of the masses, mob p.* **2.1** analytische ∼ *analytic p.;* de fysiologische ∼ *psychophysiology;* de moderne/experimentele/sociale ∼ *modern/experimental/social p.;* Instituut voor Toegepaste Psychologie *Institute of Applied Psychology* **3.1** ∼ studeren *read/study p.;* ⟨inf.⟩ *do p.* **6.1** uit de ∼ kennen we het begrip … *in p. we have the concept of ….*
psychologisch ⟨bn., bw.; -ly⟩ **0.1** [mbt. de psychologie] *psychological* **0.2** [tactisch] *psychology* ⇒*tactful, diplomatic* ◆ **1.1** een ∼e barrière *a p. block;* ⟨sport⟩ ∼e begeleiding krijgen *be given p. coaching;* ∼e methoden *p. methods;* kandidaten moeten bereid zijn zich aan een ∼ onderzoek te onderwerpen *candidates must be prepared to undergo a p. examination/test;* uit ∼ onderzoek is komen vast te staan dat *p. research has revealed that;* de ∼e roman *the p. novel;* een ∼e toets *a p. test;* een ∼e verklaring voor iets zoeken *look for a p. explanation for sth.;* ⟨inf.⟩ *psychologize about sth.* **3.2** hij pakt de zaak niet erg ∼ aan *he's not going about things/the matter very tactfully.*
psychologiseren ⟨onov., ov.ww.⟩ **0.1** ⟨onov. ww.⟩ *psychologize;* ⟨ov.ww.⟩ *explain/approach psychologically.*
psychologisme ⟨het⟩ **0.1** *psychologism.*
psycholoog ⟨de (m.)⟩, **-loge** ⟨de (v.)⟩ **0.1** [beoefenaar van de psychologie] *psychologist* **0.2** [iem. met veel mensenkennis] *psychologist* ◆ **2.1** een klinisch ∼ *a clinical p., a clinician.*
psycholyticum ⟨het⟩ **0.1** *psychedelic* ⇒*psychodysleptic, psycholitic.*
psycholytisch ⟨bn.⟩ **0.1** [psychoanalytisch] *psychoanalytic* **0.2** [psychedelisch] *psychedelic.*
psychometrie ⟨de (v.)⟩ **0.1** [onderzoek van geestelijke processen] *psychometrics* ⇒*psychometry* **0.2** [psychoscopie] *psychometry.*
psychometrist ⟨de (m.)⟩ **0.1** *psychometrician, psychometrist.*
psychomotoor ⟨bn.⟩⟨biol.⟩ **0.1** *psychomotor.*
psychomotoriek ⟨de (v.)⟩ **0.1** *psychomotility* ⇒*psychomotion.*
psychomotorisch ⟨bn.⟩ **0.1** *psychomotor* ◆ **2.1** hij is ∼ gestoord *he has a psychomotor disturbance.*
psychoneurose ⟨de (v.)⟩ **0.1** *psychoneurosis.*
psychonomie ⟨de (v.)⟩ **0.1** *psychonomics.*
psychoot ⟨de (m.)⟩ **0.1** *psychotic.*
psychopaat ⟨de (m.)⟩ **0.1** *psychopath.*
psychopathie ⟨de (v.)⟩ **0.1** *psychopathy.*
psychopathisch ⟨bn.⟩ **0.1** *psychopathic.*
psychopathologie ⟨de (v.)⟩ **0.1** *psychopathology.*
psychopathologisch ⟨bn., bw.; -ly⟩ **0.1** *psychopathological.*
psychoscopie ⟨de (v.)⟩ **0.1** *psychometry.*
psychoscopist ⟨de (m.)⟩ **0.1** *psychometer, psychometrist* ⇒*clairvoyant, psychic medium.*
psychose ⟨de (v.)⟩ **0.1** *psychosis.*
psychosociaal ⟨bn.⟩ **0.1** *psychosocial.*
psychosomatiek ⟨de (v.)⟩ **0.1** *psychosomatics* ⇒*psychosomatic treatment.*
psychosomatisch ⟨bn., bw.; -ally⟩ **0.1** *psychosomatic* ◆ **1.1** de ∼e geneeskunde *p. medicine;* ∼e klachten *p. complaints/disorders.*
psychosomatose ⟨de (v.)⟩ **0.1** *psychosomatic disorder.*
psychotechnicus ⟨de (m.)⟩ **0.1** *psychotechnician.*
psychotechniek ⟨de (v.)⟩ **0.1** *psychotechnics, psychotechnology* ⇒*psychodiagnostics.*
psychotechnisch ⟨bn., bw.; -ly⟩ **0.1** *psychotechnical* ◆ **3.1** iem. ∼ onderzoeken *put s.o. through p./psychological tests.*
psychotherapeut ⟨de (m.)⟩ **0.1** *psychotherapist.*
psychotherapeutisch ⟨bn., bw.; -ally⟩ **0.1** *psychotherapeutic.*
psychotherapie ⟨de (v.)⟩ **0.1** *psychotherapy* ⇒(leer) *psychotherapeutics.*
psychotisch ⟨bn.⟩ **0.1** *psychotic* ◆ **1.1** ∼e afwijkingen *p. disorders;* ∼e depressie *p. depression.*
psychotogeen[1] ⟨het⟩ **0.1** *psychotogen.*
psychotogeen[2] ⟨bn.⟩ **0.1** *psychotogenic, psychotogenetic.*
psychotrauma ⟨het⟩ **0.1** *psychic trauma.*
psychotroop ⟨bn.⟩ **0.1** *psychotropic* ◆ **1.1** psychotrope stoffen *p. drugs;* psychotrope werking *p. effect.*
psychrofiel ⟨bn.⟩ **0.1** *psychrophilic* ◆ **1.1** ∼e bacteriën *p. bacteria.*
psychrometer ⟨de (m.)⟩ **0.1** *psychrometer* ⇒*wet-and-dry-bulb thermometer.*
p.t. ⟨afk.⟩ **0.1** [pro tempore] *p.t..*
ptolemeïsch ⟨bn.⟩ **0.1** *Ptolemaic* ◆ **1.1** het ∼ gesternte *the P. system.*

ptomaïne 〈het, de〉 **0.1** *ptomain(e)*.
PTT 〈de〉 **0.1** [B]*P.O.*, [A]*U.S.P.O.* ⇒〈mbt. telecommunicatie〉 [B]*BT* ◆ **1.1** de centrale directie v.d. ~ *the Post Office Board* **6.1 bij** de ~ werken *work for the Post Office*.
ptyalase 〈de〉 **0.1** *ptyalin*.
puber 〈de (m.)〉 **0.1** *adolescent* ◆ **1.1** stelletje ~s! *bunch of kids!*, *when are you/they going to grow up!*.
puberaal 〈bn., bw.; -ly〉 **0.1** *adolescent* ⇒*juvenile*, 〈ihb. med.〉 *pubertal* ◆ **1.1** ~ gedrag *a./juvenile behaviour* **3.1** ~ reageren *react immaturely/childishly/in a juvenile fashion*.
puberteit 〈de (v.)〉 **0.1** *puberty* ⇒*pubescence, adolescence* ◆ **1.1** het begin v.d. ~ *the onset of puberty* **2.1** de vroege ~ *the first signs of puberty, early puberty* **6.1 in** de ~ zijn *be going through one's adolescence, be at a difficult age, have reached puberty*.
puberteitscrisis 〈de (v.)〉 **0.1** *pubertal crisis*.
puberteitsfase 〈de (v.)〉 **0.1** *age of puberty* ⇒*adolescent phase*.
puberteitsjaren 〈zn. mv.〉 **0.1** *(years/age/time of) puberty* ⇒*pubescence, adolescence*, 〈inf.〉 *teens*.
pubes 〈zn. mv.〉 **0.1** *pubes*.
pubescent 〈bn.〉 **0.1** [rijpend] *pubescent* **0.2** [〈plantk.〉 behaard] *pubescent* ⇒〈fijn behaard〉 *puberulent*.
pubescentie 〈de (v.)〉〈plantk.〉 **0.1** *pubescence*.
pubis 〈de〉 **0.1** *pubis*.
publicatieplicht 〈de〉 **0.1** *duty to publish* ◆ **3.1** universiteitsdocenten hebben een ~ 〈inf. ook〉 *academics must publish or perish*.
publiceren
　I 〈onov., ov. ww.〉 **0.1** [uitgeven] *publish* ⇒*have published* ◆ **1.1** een roman/artikelen/verzen ~ *p. a novel/articles/poems* **3.1** je moet tegenwoordig wel ~ *it is either p. or perish these days* **5.1** hij publiceert veel *he appears in print a great deal, he has many publications (to his name)*;
　II 〈ov. ww.〉 **0.1** [afkondigen] *publish* ⇒*make public, make generally known*.
publicist 〈de (m.)〉 **0.1** *publicist* ⇒*(political) commentator, writer (on current affairs), journalist*.
publicistiek 〈de (v.)〉 **0.1** [media] *(mass) media* **0.2** [publiciteitsleer] *(study of) mass communications* ⇒*journalism*.
publicitair 〈bn., bw.〉 **0.1** [mbt. reclame] *advertising* **0.2** [mbt. publiciteitsmedia] *publicity* ⇒*mass communication(s)*.
publiciteit 〈de (v.)〉 **0.1** [openbaarheid] *publicity* **0.2** [aandacht van de media] *publicity* ◆ **3.1** ~ aan iets geven *give sth. publicity, advertise sth., make sth. public, publicize sth.* **3.2** ~ krijgen *attract attention, get p.;* dat levert ~ op *it attracts p.;* zij schuwt de ~ niet *she's not p.-shy;* ~ zoeken *court/seek p.* **6.1** iets in de ~ brengen *bring sth. to public notice/attention;* graag midden **in** de ~ staan *like to be the centre of attention/in the limelight;* iets **uit** de ~ (proberen te) houden *(try to) keep sth. under wraps/out of the news/out of the public eye, (try to) hush sth. up* **6.2 in** de ~ staan *get p., be in the limelight/the public eye*.
publiciteitsafdeling 〈de (v.)〉 **0.1** *public relations department, advertising department*.
publiciteitsgeil 〈bn.〉〈inf.〉 **0.1** *hot/intent on publicity*.
publiciteitsman 〈de (m.)〉 **0.1** *press/publicity agent* ⇒*publicist*, 〈bij reclamebureau〉 *media man*.
publiciteitsmedium 〈het〉 **0.1** *mass/publicity medium*.
publiciteitsorgaan 〈het〉 **0.1** *mass/publicity medium*.
publiciteitsschuw 〈bn.〉 **0.1** *publicity-shy* ◆ **3.1** hij is ~ 〈ook〉 *he shuns all publicity, he is a bit/somewhat of a recluse*.
publiciteitsstunt 〈de〉 **0.1** *publicity stunt*.
publiciteitswaarde 〈de (v.)〉 **0.1** *publicity value*.
publiek[1] 〈het〉 **0.1** [bezoekers] *public* ⇒〈sport〉 *crowd, spectators*, 〈film, toneel〉 *audience*, 〈boek, krant〉 *readership*, 〈klanten〉 *clientele*, 〈museum〉 *visitors* **0.2** [de massa] *(general) public* ◆ **1.1** naar de gunst v.h. ~ dingen *bid for the p.'s favour;* 2.000 man ~ *2,000 spectators, a gate of 2,000* **1.2** Jan Publiek *the common man, the man in the street* **2.1** het betere ~ 〈klanten〉 *the carriage trade, the better class of customer;* een breed ~ proberen te bereiken *try to cater for a broad p.;* het is hier een nogal gemengd ~ *we get a pretty mixed crowd/ ↓bag here;* voor een groot ~ optreden/spelen *perform before/speak to a large audience;* die twee scholen hebben een verschillend ~ *those two schools have pupils from different backgrounds* **2.2** aantrekkelijk worden voor een steeds breder ~ *appeal to an increasing/an ever wider p., have increasing popular appeal;* het grote ~ *the general p., the p. at large, the millions* **3.1** veel ~ trekken *attract/draw a good crowd/a great deal of popular interest, be well attended* **6.1 op** het ~ spelen *play to the gallery/* [A]*grandstand;* iem. **uit** het ~ *someone in the audience/crowd, one of the people/those present* **6.2** toegankelijk **voor** 〈het〉 ~ *open to/on show to the (general) p.*.
publiek[2]
　I 〈bn., bw.; -ly〉 **0.1** [algemeen bekend] *public* **0.2** [voor iedereen bestemd] *public* ◆ **1.1** er was veel ~e belangstelling *there was a good crowd/attendance (at), it was well attended;* onder enorme ~e belangstelling *before/in the presence of a large crowd/audience;* een ~ geheim *an open secret;* een ~ schandaal *a p. scandal* **1.2** ~e gebouwen *p.*

---

buildings; de vergadering is niet ~ *the meeting is not open to the public /will be held in private;* een ~e vrouw *a woman of the streets, a prostitute* **3.1** iets ~ maken *make sth. p./known;* 〈aankondigen〉 *announce/publish sth.;* iem. ~ te schande maken *disgrace s.o. in p.;* ~ worden *become p. knowledge, get around /abroad, be bruited about* **3.2** iets ~ verkopen *sell sth. by p. auction, sell sth. publicly* **6.1** 〈zelfst.〉 **in** het ~ optreden *appear/perform/ speak in p.;*
　II 〈bn.〉 **0.1** [algemeen] *public* ⇒*general* **0.2** [van de overheid] *public* ◆ **1.1** de ~e opinie *p. opinion;* een ~ persoon *a p. figure;* 〈jur.〉 het ~ recht *p. law;* de ~e zaak *the p. interest;* een ~e zaak *a p. matter/affair* **1.2** de ~e sector *the p. sector;* ~e werken *p. works*.
publiekelijk 〈bw.〉 **0.1** *publicly* ⇒*in public, openly* ◆ **3.1** ~ verklaren dat 〈ook〉 *go on record as saying that* ¶**.1** hij werd ~ voor schut gezet *he was made to look a fool in public*.
publiekgericht 〈bn.〉 **0.1** *aimed at an audience*.
publiekrechtelijk 〈zn. mv.〉 **0.1** *public, statutory* ⇒*in/pertaining to public law* ◆ **1.1** ~e bedrijfsorganisatie *s. industrial organization;* een ~ lichaam/orgaan *a p. corporation, a p./s. body/authority* **3.1** dat is ~ geregeld *that is regulated by public law*.
publieksfilm 〈de (m.)〉 **0.1** *popular film/* 〈AE ook〉 *movie*.
publieksprijs 〈de (v.)〉 **0.1** *prize awarded by the public* ⇒*public award*.
publieksspeler 〈de (m.)〉 **0.1** *showman* ⇒*crowd-pleaser*.
publiekstrekker 〈de (m.)〉 **0.1** *crowd puller, (good) draw* ⇒〈mbt. theater /concert enz. ook〉 *(good) box-office draw*, 〈mbt. film/toneelstuk ook〉 *box-office success/hit*, 〈persoon; AE〉 *steerer, stuntman*.
publikatie 〈de (v.)〉 **0.1** [het uitgeven] *publication* ⇒*publishing, issue* **0.2** [uitgegeven werk] *publication* **0.3** [openbaarmaking] *publication* ⇒*publishing, issue* **0.4** [papier met aankondiging] *publication* ⇒*notice, announcement, proclamation* ◆ **2.2** diverse ~s van zijn hand *several / various of his works/publications* **3.1** ~ is verboden *not for publication;* tot ~ overgaan *go into print* **3.3** niet voor ~ bestemd *off the record* **3.4** een ~ aanplakken *put/post up a notice/announcement* ¶**.3** niet geschikt voor ~ *not suitable/fit for publication*.
publikatiebord 〈het〉 **0.1** 〈voor berichten〉 *notice board;* 〈voor reclame〉 [B]*hoarding*, [A]*billboard*.
puddelen 〈ov. ww.〉 **0.1** *puddle*.
puddeloven 〈de (m.)〉 **0.1** *puddling furnace* ⇒*reverberating furnace/ kiln, reverbatory*.
pudding 〈de (m.)〉 **0.1** *pudding;* 〈BE; inf.〉 *pud;* 〈op basis van melk〉 *milk pudding; blancmange* ◆ **8.1** 〈fig.〉 als een ~ in elkaar zakken *collapse like a jelly/into a heap, crumple (up)*.
puddingbroodje 〈het〉 **0.1** *custard bun*.
puddinglepel 〈de〉 **0.1** *tablespoon*.
puddingpoeder 〈het, de (m.)〉 **0.1** *blancmange/* 〈voor soort vla〉 *custard powder*.
puddingsaus 〈de〉 **0.1** *(sweet/dessert) sauce, topping*.
puddingvorm 〈de (m.)〉 **0.1** *pudding/jelly mould* [A]*mold*.
puddingzak 〈de〉〈scheep.〉 **0.1** *fender*.
pudenda 〈zn. mv.〉 **0.1** *pudenda*.
pudeur 〈de〉〈schr.〉 **0.1** *pudency* ⇒*modesty, shame*.
pudiciteit 〈de (v.)〉 **0.1** *modesty* ⇒〈kuisheid〉 *chastity*, 〈eerbaarheid〉 *virtue*.
pudiek 〈bn., bw.; -ly〉〈schr.〉 **0.1** *modest* ⇒〈kuis〉 *chaste, pure*, 〈eerbaar〉 *virtuous, proper*.
pueblo 〈de〉 **0.1** *pueblo*.
pueriel 〈bn., bw.; -ly〉 **0.1** [kinderlijk] *puerile* ⇒*childlike, childish* **0.2** [kinderachtig] *puerile* ⇒*immature, childish* ◆ **1.1** een ~e vreugde *a childlike happiness*.
puerilisme 〈het〉 **0.1** *puerilism*.
pueriliteit 〈de (v.)〉 **0.1** [kinderachtigheid] *puerility* ⇒*immaturity, childishness* **0.2** [uiting van kinderachtigheid] *puerility*.
puf[1] 〈de〉 **0.1** [vis] *undersized fish* **0.2** [fut] *(get up and) go, energy* ⇒*drive, push* ◆ **3.2** ik heb geen ~ meer *I don't have any go left, I'm out of puff* ¶**.2** er zit geen ~ meer in hem *there's no go/drive/push left in him;* ergens de ~ niet meer voor hebben *not feel like (doing) sth. anymore, not have the energy left for (doing) sth., be not up to sth. anymore*.
puf[2] 〈tw.〉 **0.1** *puff*.
puffen 〈onov. ww.〉 **0.1** [blazen van de warmte] *pant* ⇒*puff, gasp, blow* **0.2** [paffen] *puff* **0.3** [tuffen] *chug, puff* ◆ **1.3** een ~de motorboot *a chugging motorboat* **6.1** het is hier **om** te ~ *I'm/we're baking/sweltering/roasting (in) here;* ~ **van** de warmte *pant with the heat*.
pufferig 〈bn.〉 **0.1** *close, sultry* ⇒*oppressive* ◆ **1.1** ~ weer *s./c./oppressive weather*.
pufheet 〈bn.〉 **0.1** *sweltering (hot)*.
pugilist 〈de (m.)〉 **0.1** *pugilist* ⇒*boxer*, 〈sl.〉 *pug*.
pugilistiek 〈de (v.)〉 **0.1** *pugilism* ⇒*boxing*.
pui 〈de〉 **0.1** [gevel] *(lower) front/facade;* 〈van winkel〉 *shopfront* **0.2** [bordes] *(flight of) steps*.
puibalk 〈de (m.)〉〈bouwk.〉 **0.1** *lintel*.
puik[1] 〈het〉〈verz. n.〉 **0.1** *pick (of the bunch)* ⇒*cream of the cream* ◆ **1.1** het ~ van de bevolking *the cream/pick/* 〈schr.〉 *flower of the nation;* ↑*the elite*.

puik² ⟨bn., bw.⟩ **0.1** [van goede kwaliteit] *choice* ⟨eten⟩ ⇒*prime, top quality* **0.2** [voortreffelijk] *great* ⇒*excellent, topnotch, first-rate* ◆ **1.1** ~e haring *best c. herring* **1.2** een ~e demonstratie van haar kunnen *a fine display of her abilities* **3.2** met mij gaat het ~ *I'm just fine, I'm in the pink (of condition/health);* er ~ uitzien *look g.;* ⟨van een vrouw⟩ *look wonderful/ᴮsmashing.*

puikbest ⟨bn., bw.⟩ **0.1** *tiptop, A1, prize, first-rate* ◆ **1.1** ~e aardappelen *first-rate/class A potatoes.*

puikje ⟨het⟩ **0.1** *pick, cream* ◆ **1.1** het is het ~ van de markt *it's the p. of the market.*

puikjuweel ⟨het⟩ **0.1** [kostbaar kleinood] *jewel, gem* **0.2** [⟨fig.⟩] *pearl* ⇒ *jewel, ornament.*

puikstuk ⟨het⟩ **0.1** [beste stuk] *prize piece;* ⟨van een verzameling⟩ *showpiece* **0.2** [uitnemend produkt] *quality piece.*

puilen ⟨onov.ww.⟩ **0.1** *bulge* ⇒*protrude* ◆ **1.1** zijn broekzakken puilden uit van het losse geld *his pockets were bulging with cash* **6.1** de ogen puilden **uit** zijn hoofd *his eyes came out on stalks, his eyes were popping.*

puiloog
  I ⟨het⟩ **0.1** [uitpuilend oog] *bulging eye* ◆ **3.1** (grote) puilogen opzetten *look pop-/goggle-eyed, goggle;*
  II ⟨de (m.)⟩ **0.1** [persoon] *pop-/goggle-eyed person.*

puim
  I ⟨de (m.)⟩ **0.1** [stukje puimsteen] *pumice;*
  II ⟨het⟩ **0.1** [puimsteen] *pumice.*

puimbeton ⟨het⟩ **0.1** *pumice concrete.*

puimen ⟨ov.ww.⟩ **0.1** *pumice.*

puimsteen
  I ⟨de (m.)⟩ **0.1** [stukje puimsteen] *pumice (stone);*
  II ⟨het, de (m.)⟩ **0.1** [lava] *pumice (stone).*

puin
  I ⟨het⟩ **0.1** [vergruizelde steen] *rubble, rubbish, debris* ⇒ ⟨op een berg⟩ *scree,* ⟨van bouwwerken⟩ *ruins* **0.2** [⟨fig.⟩] onbruikbaar materiaal] *rubble, rubbish* **0.3** [fijne brokjes diamant] *bo(a)rt* ◆ **3.1** ~ ruimen ⟨fig.⟩ *pick up the pieces, sort sth. out;* ⟨lett.⟩ *clear up the debris/ rubble;* ~ storten *tip/dump rubbish;* het ~ weghalen *remove/clear the rubbish/rubble* **6.1 in** ~ leggen *lay in ruins, reduce to ruins;* **in** ~ liggen *lie/be in ruins;* ⟨fig.⟩ *be in bits, be smashed (up/to bits/to smithereens);* **in** ~ vallen *go to (rack and) ruin, crumble to ruins, collapse (into a heap of rubble);* een weg **met** ~ ophogen *raise a road with a layer of rubble;* **onder** het ~ bedolven *buried under the rubble;* een stad **tot** ~ schieten *reduce a town to rubble, flatten/rubble a town* ¶**.1** verboden ~ te storten *no dumping* ¶**.2** er zit een hoop ~ bij/onder de sollicitanten *there's a lot of trash among the applicants;*
  II ⟨de⟩ ◆ **6.**¶ ⟨inf.⟩ hij heeft zijn brommer **in** de ~ gereden *he has smashed up his moped.*

puinachtig ⟨bn.⟩ **0.1** *rubbly* ◆ **1.1** ~e grond *r. soil.*

puinbak ⟨de (m.)⟩ **0.1** *rubble container.*

puinbed ⟨het⟩ **0.1** *rubble bed.*

puinbestrating ⟨de (v.)⟩ **0.1** *rubble paving.*

puinbeton ⟨het⟩ **0.1** *rubble concrete.*

puinbrok ⟨het⟩ **0.1** *lump of rubble.*

puindrainering ⟨de (m.)⟩ **0.1** *rubble/French drain.*

puinfundering ⟨de (v.)⟩ **0.1** *rubble foundation (layer).*

puingesteente ⟨het⟩ ⟨geol.⟩ **0.1** *rubble (stone).*

puinhoop ⟨de (m.)⟩ **0.1** [bouwval] *heap of rubble/rubbish* ⇒⟨inf.⟩ *dump, ruins* **0.2** [⟨fig.⟩ rotzooi] *mess* ⇒*debris* ◆ **2.2** ⟨scherts.⟩ een georganiseerde ~ *an organized chaos, a method in the madness* **3.2** jij hebt er een ~ van gemaakt *you have made a m. of it, you have messed /mucked it up, you have botched it (up), you have made a botch of it* **4.2** wat een ~! *what a m.!* **6.1** bij de puinhopen neerzitten *sit down among the ruins;* **op** de puinhopen v.d. oude stad werd een nieuwe gebouwd *a new city was built on the ruins of the old (one)* **6.2 op** de puinhopen van hun geluk *on the ruins of their happiness.*

puinkar ⟨de⟩ **0.1** *rubble cart/* ⟨met motor⟩ *truck.*

puinkegel ⟨de (m.)⟩ **0.1** *scree;* ⟨geol.⟩ *talus.*

puinklomp ⟨de (m.)⟩ **0.1** *lump of rubble.*

puinlaag ⟨de⟩ **0.1** [laag puin] *layer of rubble* **0.2** [puinfundering] *rubble foundation (layer).*

puinruimer ⟨de (m.)⟩, **-ruimster** ⟨de (v.)⟩ **0.1** *person who clears up the rubbish/rubble/mess* ⇒⟨fig., in bedrijf, organisatie ook⟩ ≠*troubleshooter* ◆ **3.1** ⟨fig.⟩ als ~ fungeren *be the one left to pick up the pieces.*

puinsleuf ⟨de⟩ **0.1** *rubble-filled channel.*

puinwal ⟨de (m.)⟩ **0.1** *coral reef.*

puinweg ⟨de (m.)⟩ **0.1** *rubble road.*

puissance ⟨de (v.)⟩ ⟨paardesport⟩ **0.1** *puissance.*

puist ⟨de⟩ **0.1** [zweer] *pustule, carbuncle* **0.2** [pukkel] *pimple, spot* ⇒ *whelk* ◆ **1.1** een kwaadaardige ~ *a malignant p.* **3.2** ~jes uitknijpen *squeeze spots* **5.1** ~ lachen *split one's sides laughing, laugh o.s. sick, hold/split one's sides* **5.2** zijn gezicht zit vol ~en *his face is covered with acne/all spotty, he is pimply faced.*

puistachtig ⟨bn.⟩ **0.1** *pimply* ⇒*spotty* ◆ **1.1** een ~e zwelling *a p. swelling.*

puisteen ⟨de (m.)⟩ **0.1** *facing brick.*

puistekop ⟨de (m.)⟩ **0.1** [⟨bel.⟩ iem. met een gezicht vol puisten] *pimple-face, spotty (face)* **0.2** [⟨vulg.⟩ ellendeling] *swine, rotter.*

puisterig ⟨bn.⟩ **0.1** *pimply, spotty.*

puistig ⟨bn.⟩ **0.1** *pimply, spotty;* ⟨gevlekt⟩ *blotchy.*

puistmijt ⟨de⟩ **0.1** *(itch)mite.*

puitaal ⟨de (m.)⟩ **0.1** *(eel)pout.*

puk ⟨de (m.)⟩ **0.1** [klein kind] *mite;* ⟨heel klein⟩ *tiny tot* **0.2** [⟨bel.⟩ klein persoon] *shrimp, midget* **0.3** [hond] *pug (dog)* ◆ **2.2** wou zo'n kleine ~ als jij tegen me vechten? *did you think a s. like you could take me on?, who do you think you're trying to fight, you m.?.*

pukkel ⟨de (m.)⟩ **0.1** [puistje] *pimple, spot* ⇒*whelk* **0.2** [schoudertas] ⟨school.⟩ *satchel* ⇒*(small) shoulder bag,* ⟨mil.⟩ *barracks bag.*

pukkelig ⟨bn.⟩ **0.1** [met pukkels] *pimply, spotty* **0.2** [gedisponeerd om pukkels te krijgen] *pimply, spotty.*

pukkie ⟨het⟩ **0.1** *kiddie.*

pul ⟨de⟩ **0.1** [bierkan] *tankard, mug* **0.2** [vaas] *vase* ◆ **1.1** een ~ bier *a t. of beer* **2.2** Delftse ~len *delft(ware) vases.*

pulken ⟨onov.ww.⟩ **0.1** *pick* ⇒*fiddle* ◆ **6.1** zij pulkt **aan** haar trui *she is picking at her jumper;* zit niet zo **in** je neus te ~ *stop picking your nose.*

pull ⟨de (m.)⟩ **0.1** *pullover* ⇒*slipover, sweater,* ⟨vnl. BE⟩ *jumper.*

pulli ⟨de⟩ **0.1** *pullover.*

pulmonaal ⟨bn.⟩ **0.1** *pulmonary* ⇒*pulmonic.*

pulmonair →*pulmonaal.*

pulmonologie ⟨de (v.)⟩ **0.1** *pulmonology.*

pulp ⟨de (m.)⟩ **0.1** [papachtige brij] *pulp* **0.2** [houtpap] *(wood) pulp* ⇒*pulpwood* **0.3** [⟨fig., pej.⟩ mbt. boeken, films] *pulp* ⇒*junk (roading)* **0.4** [⟨mijnw.⟩] *pulp* ◆ **6.1** tot ~ geslagen *beaten to a p., pulped.*

pulpblad ⟨het⟩ ⟨inf.⟩ **0.1** *rag* ⇒↑*tabloid,* ⟨AE ook⟩ *pulp.*

pulppers ⟨de⟩ **0.1** *pulper.*

puls ⟨de (m.)⟩ **0.1** *pulse* ⇒*impulse.*

pulsar ⟨de (m.)⟩ **0.1** *pulsar.*

pulsatie ⟨de (v.)⟩ **0.1** [⟨med.⟩] *pulsation, pulse* ⇒*beat,* ⟨sterk⟩ *throb* **0.2** [⟨nat.⟩] *pulse.*

pulsatief ⟨bn.⟩ ⟨med.⟩ **0.1** *pulsatile, pulsative* ⇒*beating,* ⟨sterk⟩ *throbbing* ◆ **1.1** pulsatieve pijnen *throbbing pains.*

pulscode ⟨de (m.)⟩ **0.1** *pulse code (modulation).*

pulseren ⟨onov.ww.⟩ **0.1** [⟨med.⟩ kloppen] *pulsate* ⇒*beat,* ⟨sterk⟩ *throb,* ⟨snel⟩ *palpitate* **0.2** [⟨fig.⟩] *pulsate, pulse* **0.3** [mbt. elektriciteit] *pulsate* **0.4** [⟨ster.⟩] *pulsate* ◆ **1.3** ~de stroom/spanning *pulsating current/voltage;* ~d veld *pulsating field* **1.4** een ~de ster *a pulsating star.*

pulsimeter ⟨de (m.)⟩ **0.1** *pulsimeter.*

pulsometer ⟨de (m.)⟩ ⟨nat.⟩ **0.1** *pulsometer.*

pulsteller ⟨de (m.)⟩ **0.1** [⟨elek.⟩] *pulse counter* **0.2** [⟨kernfysica⟩] *scaler* ◆ **2.2** decimale/binaire ~ *decade/binary s..*

pulver ⟨het⟩ ⟨schr.⟩ **0.1** [poeder] ⟨ongemarkeerd⟩ *powder* **0.2** [fijn stof] ⟨ongemarkeerd⟩ *powder* ⇒*dust* **0.3** [buskruit] ⟨ongemarkeerd⟩ *gunpowder* ◆ **6.1** iets tot ~ stampen in een vijzel *pound/pestle sth. (to p.) in a mortar.*

pulverachtig ⟨bn.⟩ **0.1** *powdery.*

pulverdamp ⟨de (m.)⟩ ⟨schr.⟩ **0.1** ⟨ongemarkeerd⟩ *powder-smoke.*

pulveren ⟨onov.ww.⟩ **0.1** *turn (in)to powder/dust* ⇒*crumble* ◆ **3.1** die steen begint te ~ *that stone is beginning to crumble (away).*

pulverig ⟨bn.⟩ **0.1** *powdery* ⇒*friable.*

pulverisatie ⟨de (v.)⟩ **0.1** *pulverization.*

pulverisator ⟨de (m.)⟩ **0.1** *spray gun, sprayer.*

pulveriseren ⟨ov.ww.⟩ **0.1** *pulverize* ⇒*reduce/pound/grind/crush to (a) power, pound (up).*

pummel ⟨de (m.)⟩ **0.1** *lout, caf, boor, clodhopper;* ⟨vnl. AE⟩ *galoot.*

pummelachtig ⟨bn., bw.;-ly⟩ **0.1** *loutish, boorish, cafish.*

pumpschoen ⟨de (m.)⟩ **0.1** ᴮ*court (shoe),* ᴬ*pump.*

punaise ⟨de (v.)⟩ **0.1** ᴮ*drawing pin,* ᴬ*thumbtack,* ᴬ*pushpin.*

punchglas ⟨het⟩ **0.1** *punch glass.*

punchgrog ⟨de (m.)⟩ **0.1** *punch.*

punchlepel ⟨de (m.)⟩ **0.1** *punch ladle.*

puncteren ⟨onov., ov.ww.⟩ **0.1** [van punten voorzien] *punctuate* **0.2** [⟨med.⟩] *puncture.*

punctie ⟨de (v.)⟩ ⟨med.⟩ **0.1** *puncture* ◆ **2.1** lumbale ~ *lumbar p.* **3.1** een ~ verrichten/uitvoeren *perform a p..*

punctualiteit ⟨de (v.)⟩ **0.1** *punctuality.*

punctuatie ⟨de (v.)⟩ **0.1** *punctuation.*

punctueel ⟨bn., bw.;-ly⟩ **0.1** *punctual.*

punctuur ⟨de (v.)⟩ **0.1** [⟨med.⟩] *puncture* **0.2** [⟨schr.⟩ lek] ⟨ongemarkeerd⟩ *puncture.*

Punisch ⟨bn.⟩ **0.1** *Punic* ◆ **1.1** de drie ~e oorlogen *the three P. Wars;* ⟨fig.⟩ ~e trouw *P. faith.*

punk¹ ⟨de (m.)⟩ **0.1** [punkbeweging] *punk* **0.2** [punker] *punk.*

punk² ⟨de (m.)⟩ **0.1** ⟨ook in samenst.⟩ *punk* ◆ **1.1** punkmuziek *punk, p. rock* **3.1** zij ziet er ~ uit *she looks like a p..*

punker ⟨de (m.)⟩ **0.1** *punk* ⇒*punk rocker.*

punkie ⟨de (m.)⟩ ⟨inf.⟩ **0.1** *punk.*

punkkapsel ⟨het⟩ **0.1** *punk hair style* ⇒⟨van man ook⟩ *punk haircut,* ⟨inf; van vrouw⟩ *punk hairdo.*

punniken ⟨onov.ww.⟩ **0.1** [frunniken] *pick (at), fiddle (with)* **0.2** [breien op een garenklosje] *knit on a spoolknitter.*

punt

I ⟨het, de⟩ **0.1** [leesteken] ⟨aan eind van zin⟩ *full stop,* ^*period;* ⟨decimaalpunt ook⟩ *decimal(point); dot* **0.2** [⟨muz.⟩] *dot* **0.3** [waarde-eenheid] *point* **0.4** [waarderingscijfer] *mark* ⇒*score* **0.5** [⟨druk.⟩] *point* ◆ **1.1** ~en en strepen *dots and dashes* **2.1** de dubbele ~ *the colon* **2.3** ⟨sport⟩ beide ~en behalen *gain two points* **2.4** een goed ~ halen *get a good m. / score* **3.1** ergens een ~ achter zetten ⟨fig.⟩ *put a stop to / make an end of sth.;* ⟨mbt. werk⟩ *call it a day* **3.3** hoeveel ~en hebben jullie? *what's your score?;* ⟨sport⟩ ~en scoren / maken *score points;* ⟨inf.⟩ *chalk up points* (ook fig.); ~en sparen, inleveren ≠*collect / hand in* (trading) *stamps* **5.1** ~, uit! *that's an end to it!, and that's final!* **6.1** op ~en verslaan *beat on points, outpoint* **6.3** hij werd verslagen **met** drie ~en *he was beaten / he lost by three points;* ⟨sport⟩ op ~en winnen *win on points* **7.3** ⟨beurswezen⟩ de aandelen X. zijn drie ~en gestegen *X shares have gone up three points;* zij had de meeste ~en *she had the highest number of / most points / marks;* ⟨inf.⟩ *she was top scorer;* ⟨op school⟩ *she was top (of the class);* hij is twee ~en vooruitgegaan *he has gone up (by) two marks, his m. has gone up by two points;*

II ⟨het⟩ **0.1** [plaats] *point* ⇒*place, position,* ⟨stand / gezichtspunt⟩ *stand / viewpoint, point of view* **0.2** [⟨wisk.⟩] *point* **0.3** [moment] *point* ⇒*moment* **0.4** [onderdeel] *point* ⇒⟨van programma, agenda ook⟩ *item,* ⟨van aanklacht ook⟩ *count,* ⟨artikel ook⟩ *article,* ⟨kwestie, onderwerp ook⟩ *matter, question, issue* **0.5** [zaak van gewicht] *point* ⇒⟨probleem⟩ *problem,* ⟨geschilpunt⟩ *issue* ◆ **1.3** ~ van verzadiging *saturation p.* **1.4** de ~en van behandeling *the items on the agenda / to be dealt with;* een ~ van discussie *a p. under discussion / at issue, a moot p.;* een ~ van overeenkomst *a (p. of) similarity;* een ~ van overweging vormen *be a consideration;* tijd is geen ~ van overweging *time is (of) no matter / consideration / doesn't matter* **2.1** het dode ~ ⟨van machine⟩ *dead point / centre;* we zijn op het dode ~ gekomen *we've reached stalemate / deadlock / an impasse;* wanneer de zon haar hoogste ~ bereikt heeft *when the sun has reached its zenith / highest point;* het hoogste ~ van de berg *the summit / top / peak of the mountain;* het laagste ~ bereiken *reach / touch (rock) bottom;* één van de mooiste ~en van ons land *one of the most beautiful places / spots in the country, one of our country's beauty spots* **2.3** dit is een geschikt ~ om het verhaal te onderbreken *this is a suitable p. / moment to interrupt the story;* het kritieke ~ *the critical p. / moment* **2.4** een belangrijk ~ is ... *an important p. / consideration is ...;* een bepaald ~ ter sprake brengen *bring up / discuss a certain (moot) p.;* men was het op geen enkel ~ eens *there was no agreement on any p., there was absolutely no agreement;* het hoogste ~ bereiken *reach the highest point / the top;* dat is niet zijn sterke ~ *that is not his strong p., that is not his forte / strength;* een teer ~ aanroeren *touch a sore p.;* een teer / een netelig ~ *a delicate / sore / ticklish / tricky p., a bone of contention;* zijn zwakke ~ *his weak p. / weakness / Achilles' heel;* zijn zwakke ~ is (ook) *the trouble with him is* **3.5** ergens een ~ van maken *make an issue of sth., make a fuss about sth.;* ⟨inf.⟩ *make a song and dance about sth.* **4.1** het ~ van waaruit men een zaak beschouwt *the standpoint / viewpoint / point of view from which one looks at a matter* **6.1** alle krachten **in / op** één ~ concentreren *concentrate all one's forces on a single point* **6.3** hij stond **op** het ~ van vertrek / (om) te vertrekken *he was on the p. / verge of leaving, he was (just) about to leave;* hij was / stond **op** het ~ **om** alles te verliezen *he was on the verge of losing / about to lose everything;* **op** het ~ ~ staan in tranen uit te barsten *be near to tears, be on the verge of (bursting into) tears* **6.4** tot **in** de ~jes verzorgd ⟨uitstekend gekleed⟩ *spick and span, up to the nines, beautifully groomed;* ⟨zeer goed georganiseerd⟩ *in perfect / apple-pie order, shipshape (and Bristol) (fashion);* iets tot **in** de ~jes kennen *know sth. inside-out, know the ins and outs of sth., know sth. perfectly / to perfection / off pat;* iets tot **in** de ~jes vertellen *tell sth. in (the greatest) detail / right down to the last detail;* **op** dat ~ is hij zeer gevoelig *he's very sensitive on that p., that's a sore p. with him;* een ~ **op** het programma van deze partij *a plank in this party's platform;* **op** het ~ **van** *in the matter of, on the subject of, as regards;* schuldig bevonden **op** alle ~en *be found guilty on all counts;* **op** alle ~en *all along the line;* juist **op** elk ~ *correct in every particular;* een zaak ~ **voor** ~ nagaan *check a matter p. by p. / item per item* **7.5** geen ~! *no problem!* **¶.4** het ~ waar het op aankomt, is ... *the p. / thing that really matters is ..., the point at issue is ...;*

III ⟨de (m.)⟩ **0.1** [puntig uiteinde] *point* ⇒⟨vnl. van lichaamsdelen⟩ *tip,* ⟨van dak, anker, berg⟩ *peak,* ⟨hoek⟩ *corner, angle* **0.2** [spits toelopend gedeelte] *point* ⇒⟨hoek⟩ *corner, angle, tip* **0.3** [puntig gesneden part] ⟨ook van kaas⟩ *wedge, (wedge-shaped) piece* ⇒⟨van grote taart⟩ *slice* **0.4** [mbt. diamanten] *point* ◆ **1.1** ⟨fig.⟩ ik zie aan het ~je van je neus dat je jokt *I can see / tell from your face you're lying, the lie's written all over your face;* wij voeren om de ~ van Afrika heen *we sailed round the tip of Africa;* de ~ van een speld / van een mes *the point / tip of a pin / knife;* stoot niet tegen de ~ van de tafel *mind the*

corner of the table; het ligt op het ~je van mijn tong *it's on the tip of my tongue* **1.2** de ~ v.e. baard *the p. / peak of a beard;* de ~ van de handdoek *the corner of a towel;* ~ v.e. pen *pen-nib, nib of a pen;* de ~ van een potlood *the tip of a pencil;* ~ v.e. schoen *toe(cap) of a shoe;* de ~ van de toren ⟨allerhoogste punt⟩ *the tip of the tower;* ⟨spits⟩ *the turret* **2.2** dooie ~en uit het haar knippen *trim split ends;* de ijzeren ~en v.e. hek *the iron spikes of a railing;* een boord met scherpe ~en *a collar with pointed wings* **3.2** ⟨fig.⟩ ergens een ~ aan kletsen *put a good / bold face on sth.;* daar kunt u nog een ~je aan zuigen *you could learn sth. from that, you could hardly better that* **3.3** een ~ aan een potlood slijpen *sharpen a pencil* **3.¶** ⟨inf.⟩ een ~ zetten *screw, fuck* **6.1** een vierkant **op** ~ zijn ~ geplaatst *a cube placed on its corner / tip* **6.2** hij zat **op** de ~, het ~je van zijn stoel *he was poised on the edge of his chair, he was all attention.*

puntachtig ⟨bn.⟩ **0.1** *pointed* ⇒⟨inf.⟩ *pointy.*

puntasperge ⟨de⟩ **0.1** *asparagus tip.*

puntbaard ⟨de (m.)⟩ **0.1** *pointed beard* ◆ **2.1** korte ~ *Vandyke beard, goatee.*

puntbeitel ⟨de (m.)⟩ **0.1** *pointed chisel.*

puntbeschermer ⟨de (m.)⟩ **0.1** *cap.*

puntbol ⟨de (m.)⟩ ⟨wisk.⟩ **0.1** *point sphere, null sphere.*

puntboog ⟨de (m.)⟩ **0.1** *pointed arch* ⇒*Gothic arch.*

puntboor ⟨de⟩ **0.1** *flat drill.*

puntboord ⟨het, de (m.)⟩ **0.1** *wing collar.*

puntbron ⟨de⟩ ⟨ster.⟩ **0.1** *radio star.*

puntbroodje ⟨het⟩ **0.1** ≠*roll.*

puntbuik ⟨de (m.)⟩ **0.1** *potbelly.*

puntcirkel ⟨de (m.)⟩ ⟨wisk.⟩ **0.1** *point / null circle.*

puntcoördinaten ⟨zn.mv.⟩ ⟨wisk.⟩ **0.1** *point co-ordinates.*

puntdak ⟨het⟩ **0.1** [dak met twee schuine zijkanten] *gable(d) roof* ⇒ *saddle(back) roof, peaked roof* **0.2** [kegel-, piramidevormig dak] *pyramidal roof.*

puntdeur ⟨de⟩ **0.1** *mitre gate.*

puntdicht ⟨het⟩ **0.1** *epigram.*

puntdichter ⟨de (m.)⟩, -es ⟨de (v.)⟩ **0.1** *epigrammatist* (m., v.).

puntdoek ⟨de (m.)⟩ **0.1** *shawl* ⇒*neckerchief, scarf.*

puntdraad ⟨het⟩ **0.1** *barbed wire,* ^*barbwire.*

punteerkunst ⟨de (v.)⟩ ⟨bk.⟩ **0.1** *stipple (engraving).*

punteermanier ⟨de⟩ ⟨bk.⟩ **0.1** *stipple (engraving).*

punteermethode ⟨de (v.)⟩ ⟨bk.⟩ **0.1** *stipple (engraving).*

punteernaald ⟨de⟩ **0.1** *stipple* ⇒*stipple graver.*

punteerstaaf ⟨de⟩ ⟨bk.⟩ **0.1** *punty, pontil.*

punteerwerk ⟨het⟩ ⟨bk.⟩ **0.1** *stipple* ⇒⟨tekening⟩ *stippled drawing,* ⟨gravure⟩ *stippled engraving.*

punten ⟨ov.ww.⟩ **0.1** [een punt maken aan] *sharpen, point* **0.2** [de punten afnemen van] *trim* **0.3** [punten slaan] *punch* ◆ **1.1** een paal ~ *s. a stake;* een potlood ~ *s. a pencil* **3.2** zijn baard laten ~ *have one's beard trimmed.*

puntenberekening ⟨de (v.)⟩ **0.1** *scoring.*

puntendeling ⟨de (v.)⟩ ⟨sport⟩ **0.1** *draw.*

puntenklassement ⟨het⟩ ⟨wielrennen⟩ **0.1** *points classification, classification by points.*

puntenlijst ⟨de⟩ **0.1** ⟨bij spel⟩ *scorecard, scoresheet;* ⟨op school⟩ *report.*

puntenmaat ⟨de⟩ ⟨druk.⟩ **0.1** *point system.*

puntenruimte ⟨de (v.)⟩ ⟨wisk.⟩ **0.1** *point space.*

puntenschaal ⟨de⟩ **0.1** *point scale, scale of points.*

puntenstelsel ⟨het⟩ **0.1** *point system* ◆ **2.1** het typografisch ~ *the typographical p.s..*

puntensysteem ⟨het⟩ **0.1** *point system, system of points, scoring system.*

puntental ⟨het⟩ **0.1** *number of points* ⇒*score* ◆ **6.1** hij was tweede **in** ~ *he had the second highest score / number of points.*

puntentelling ⟨de (v.)⟩ **0.1** *scoring* ◆ **3.1** de ~ bijhouden *keep (the) score.*

puntentotaal ⟨het⟩ **0.1** *total number of points* ⇒*score* ◆ **2.1** ze haalde een hoog ~ *she scored high.*

puntenwaarde ⟨de (v.)⟩ **0.1** *score.*

punter ⟨de (m.)⟩ **0.1** [open vaartuig] *punt* **0.2** [⟨sport⟩] *toe-kick / -shot.*

pun'teren[1] ⟨onov., ov.ww.⟩ **0.1** [⟨muz.⟩] ⟨achter noot⟩ *dot;* ⟨boven noot⟩ *mark (as) staccato* **0.2** [⟨bk.⟩] *stipple* ⇒*dot.*

'**punteren**[2] ⟨onov.ww., ov.ww.⟩ **0.1** [varen, vervoeren] *punt* **0.2** [⟨sport⟩] *toe-end* (ov.).

punterman ⟨de (m.)⟩ **0.1** *punter.*

puntertocht ⟨de (m.)⟩ **0.1** *punting trip.*

punteslijper ⟨de (m.)⟩ **0.1** *(pencil) sharpener.*

puntgaaf ⟨bn., bw.; -ly⟩ **0.1** [volkomen gaaf] *perfect* ⇒*in mint / perfect condition, flawless* **0.2** [⟨inf.⟩ geweldig] *perfect, flawless* ⇒*fantastic, superb* ◆ **1.1** een ~ exemplaar *a p. / flawless example, an example in mint / perfect condition.*

puntgevel ⟨de (m.)⟩ **0.1** *gable (end)* ◆ **6.1** huis **met** ~s *gabled house.*

puntgewelf ⟨het⟩ ⟨bouwk.⟩ **0.1** *groin(ed) vault, cross vault(ing).*

punthaak ⟨de (m.)⟩ **0.1** ⟨leesteken⟩ *(angle / pointed) bracket.*

punthals ⟨de (m.)⟩ **0.1** *V-neck.*

punthamer ⟨de (m.)⟩ **0.1** *boucharde.*

punthelm ⟨de (m.)⟩ **0.1** *spiked helmet* ⟹*basinet*.
punthoed ⟨de (m.)⟩ **0.1** [steek] *cocked hat* ⟹*tricorne* **0.2** [hoed die in een punt toeloopt] *pointed hat* ⟹⟨met zeer hoge spitse punt⟩ *steeple-crowned hat*.
punthoofd ⟨het⟩ ◆ **3.¶** ik krijg er een een ~ van *it is driving me mad/ crazy/up the wall;* ↓*it is driving me nuts/* ⟨BE ook⟩ *bonkers/round the bend*.
puntig ⟨bn., bw.;-ly⟩ **0.1** [stekend] *sharp* **0.2** [spits] *pointed, sharp* ⟹ ⟨getand, kartelig⟩ *jagged,* ⟨mbt. handschrift⟩ *spiky* **0.3** [kort en bondig] *pointed, sharp* ⟹*to the point, terse* **0.4** [snedig] *sharp* ◆ **1.1** ⟨fig.⟩ haar ~e geest *her s./ quick mind;* ~e uitsteeksels *s. points* **1.2** ~e bladeren *p. leaves;* ⟨plantk.⟩ *attenuate/ acuminate leaves;* ~e rotsen *jagged rocks* **1.3** een ~ gezegde *a p. saying* **1.4** een ~e opmerking *a s./ neat/ an apt remark* **3.2** iets ~ bijsnijden *point/ put a point on/ sharpen sth.* **3.4** iets ~ formuleren *put sth. sharply, hit the nail on the head*.
puntigheid ⟨de (v.)⟩ **0.1** [spitsvormigheid] *pointedness, sharpness* ⟹ *spikiness* **0.2** [beknoptheid] *sharpness* ⟹*terseness, conciseness* **0.3** [raakheid] *sharpness* ⟹*aptness*.
puntijzer ⟨het⟩ ⟨amb.⟩ **0.1** [steenbeitel] *pointed chisel* **0.2** [groefbeitel voor hout] *gouge*.
puntje ⟨het⟩ **0.1** [kleine punt] *(small/ little) point* ⟹*tip, dot,* ⟨→punt,ook voor idiomatische verbindingen⟩ **0.2** [broodje] ≠*roll* **0.3** [vlek, stip] *dot* ⟹⟨ook op lichaam⟩ *spot, speck* ◆ **2.3** zwarte ~s in het gezicht ⟨meeëters⟩ *blackheads on the face* **3.1** de ~s op de i zetten *dot the i's and cross the t's, mind one's p's and q's* **3.¶** ⟨fig.⟩ als ~ bij paaltje komt *when it comes to the crunch, when all is said and done, when you get down to the nitty-gritty (of the matter)* **¶.1** ~, ~, ~ *dot, dot, dot*.
puntkaart ⟨de⟩ **0.1** *number(ed) card*.
puntkap ⟨de⟩ **0.1** *cowl*.
puntkin ⟨de⟩ **0.1** *pointed chin*.
puntkomma ⟨het, de⟩ **0.1** *semicolon*.
puntkraag ⟨de (m.)⟩ **0.1** *pointed collar* ⟹⟨gesch.⟩ *Vandyke (collar)*.
puntlassen ⟨onov., ov.ww.⟩ **0.1** *spot weld*.
puntlijn ⟨de⟩ **0.1** *dotted line*.
puntlipneushoorn ⟨de (m.)⟩ **0.1** *black rhinoceros*.
puntlood ⟨het⟩ **0.1** *plumb bob*.
puntmassa ⟨de⟩ **0.1** *point mass*.
puntmotief ⟨het⟩ **0.1** *dotted pattern/ design*.
puntmutatie ⟨de (v.)⟩ ⟨biol.⟩ **0.1** *point/ gene mutation*.
puntmuts ⟨de⟩ **0.1** ⟨ook van kabouters⟩ *pointed cap/ hat* ⟹⟨skimuts⟩ *ski cap*.
puntneus ⟨de (m.)⟩ **0.1** *pointed nose*.
puntoog ⟨het⟩ **0.1** *ocellus* ◆ **6.1** met puntogen *ocellate(d)*.
puntschaaf ⟨de⟩ **0.1** *side rebate plane*.
puntschoen ⟨de (m.)⟩ **0.1** [schoen met spitse neus] *pointed shoe* ⟹⟨sl.⟩ *winkle-picker* **0.2** [⟨gesch.⟩ *crakow(e)*.
puntschop ⟨de⟩ **0.1** *(pointed) shovel*.
puntschrijver ⟨de (m.)⟩ **0.1** *dotted-line recorder*.
puntsgewijs ⟨bn., bw.⟩ **0.1** *point by point* ⟹*step by step*.
puntstelsel ⟨het⟩ **0.1** [⟨wisk.⟩] *scatter diagram, scattergram* **0.2** [⟨druk.⟩] *point system*.
puntstijl ⟨de (m.)⟩ ⟨bouwk.⟩ **0.1** *king post*.
puntstok ⟨de (m.)⟩ **0.1** *pointed stick*.
puntstoot ⟨de (m.)⟩ ⟨med.⟩ **0.1** *ictus*.
puntstuk ⟨het⟩ **0.1** *frog*.
punttest ⟨de⟩ **0.1** *test of visual attentiveness*.
punttoren ⟨de (m.)⟩ **0.1** [van kerk] *steeple* ⟹*pointed tower*.
puntverzameling ⟨de (v.)⟩ ⟨wisk.⟩ **0.1** *point set, set of points*.
puntvijl ⟨de⟩ **0.1** [puntig toelopende vijl] *pointed file* **0.2** [vijl om de punten aan te scherpen] *saw file*.
puntvormig ⟨bn., bw.;-ly⟩ **0.1** *pointed* ⟹*tapered*.
puntzak ⟨de (m.)⟩ **0.1** ⟨vnl. voor snoep⟩ *cornet* ⟹*cone*.
pupil
  I ⟨de⟩ **0.1** [mbt. het oog] *pupil* **0.2** [mbt. optische instrumenten] *pupil;*
  II ⟨de (m.)⟩ **0.1** [pleegkind] *pupil* ⟹*ward* **0.2** [leerling] *pupil* ⟹*student* **0.3** [⟨sport⟩] ≠*junior*.
pupilreflex ⟨de (m.)⟩ **0.1** *pupillary reflex*.
pupilverwijder ⟨de (m.)⟩ ⟨med.⟩ **0.1** [oogspiertje] *dilator pupillae muscle* **0.2** [oogdruppels] *mydriatic (drug)*.
puree ⟨de (v.)⟩ **0.1** *puree* ⟹ ↓*mash,* ⟨aardappels⟩ *mashed potatoes,* ⟨moes⟩ *pulp,* ⟨tomaten ook⟩ *paste* ◆ **6.1** tot ~ maken *puree, mash,* ⟨vnl. AE ook⟩ *rice; pulp* **6.¶** in de ~ zitten *be in hot water/ a soup/ a mess/ a tight corner/ hot water;* ⟨vulg.⟩ *be up shit creek (without a paddle)*.
pureestamper ⟨de (m.)⟩ **0.1** ⟨machinaal⟩ *blender;* ⟨AE ook⟩ *ricer;* ⟨met de hand⟩ *masher*.
puren ⟨ov.ww.⟩ ⟨schr.⟩ **0.1** [zuigen] *gather (in/ up)* ⟹*suck, draw* **0.2** [⟨fig.⟩ putten] *draw* ◆ **6.1** de bijen ~ de honing uit de bloemen *the bees g./ suck/ draw honey from the flowers* **6.2** wijsheid uit iets ~ *d. wisdom from sth.*.
pureren ⟨ov.ww.⟩ **0.1** *puree* ⟹ ↓*mash,* ⟨vnl. AE ook⟩ *rice, pulp*.
purgans ⟨het⟩ **0.1** *laxative* ⟹*purgative, purge,* ⟨sterk⟩ *cathartic*.

purgatie ⟨de (v.)⟩ **0.1** *purgation, purging, purge* ⟹⟨sterk⟩ *catharsis*.
purgatief¹ ⟨het⟩ **0.1** *laxative* ⟹*purgative, purge,* ⟨sterk⟩ *cathartic*.
purgatief² ⟨bn.⟩ **0.1** *laxative* ⟹*purgative,* ⟨sterk⟩ *cathartic*.
purgatorium ⟨het⟩ **0.1** *purgatory*.
purge ⟨de⟩ ⟨AZN⟩ **0.1** *laxative* ⟹*purgative, purge,* ⟨sterk⟩ *cathartic*.
purgeerdrank ⟨de (m.)⟩ **0.1** *laxative (drink)* ⟹*purgative/* ⟨sterk⟩ *cathartic (drink)*.
purgeerkruid ⟨het⟩ **0.1** *laxative herb* ⟹*purgative herb*.
purgeermiddel ⟨het⟩ **0.1** *laxative* ⟹*purgative, purge,* ⟨sterk⟩ *cathartic*.
purgeerolie ⟨de⟩ **0.1** *castor/ ricinus oil*.
purgeervlas ⟨het⟩ **0.1** *purging/ fairy flax*.
purgeren ⟨onov., ov.ww.⟩ **0.1** ⟨zuiveren⟩ *purge (of/ from);* ⟨purgeermiddel innemen⟩ *take a laxative/ purgative/ purge* ◆ **1.1** een ~d middel a *laxative/ purgative/ purge/* ⟨sterk⟩ *cathartic*.
purificatie ⟨de (v.)⟩ **0.1** *purification*.
purificatorium ⟨het⟩ ⟨r.k.⟩ **0.1** *puricator*.
purificeren ⟨ov.ww.⟩ ⟨r.k.⟩ **0.1** *purify*.
purifiëren ⟨ov.ww.⟩ **0.1** *purify* ⟹*cleanse*.
purim ⟨het⟩ **0.1** *row, racket, hubbub* ⟹⟨vnl. van stemmen⟩ *hullabaloo* ◆ **3.1** ~ maken *kick up/ make a row/ racket/ hullabaloo*.
Purim ⟨het⟩ **0.1** *Purim*.
purine ⟨het, de⟩ ⟨schei.⟩ **0.1** *purine*.
purinebase ⟨de (v.)⟩ ⟨bioch.⟩ **0.1** *purine (base)*.
purisme ⟨het⟩ **0.1** [taalzuivering] *purism* **0.2** [vertaald vreemd woord] *purism* **0.3** [⟨bk.⟩] *purism* **0.4** [streven naar het volstrekte] *purism* ⟹ *perfectionism*.
purist ⟨de (m.)⟩ **0.1** *purist*.
puristerij ⟨de (v.)⟩ ⟨pej.⟩ **0.1** *purism*.
puristisch ⟨bn., bw.;-ly⟩ **0.1** *puristic(al)*.
puritanisme ⟨het⟩ **0.1** *Puritanism* ◆ **2.1** het calvinistisch ~ *Calvinist(ic) P.*.
puritein ⟨de (m.)⟩ **0.1** [streng protestant] *puritan* **0.2** [protestant in Engeland] *Puritan* ⟹⟨ten tijde van Cromwell ook⟩ *Roundhead*.
puriteins ⟨bn., bw.;puritannically⟩ **0.1** [volgens de leer van de puriteinen] ⟨vaak P-⟩ *puritan(ic(al))* **0.2** [zich houdend aan streng zedelijke normen] *puritan(ic(al))*.
purper¹ ⟨het⟩ **0.1** [verfstof] *purple* **0.2** [kleur] *purple* **0.3** [⟨r.k.⟩] *purple* ◆ **3.3** het ~ ontvangen *be raised to the p.*.
purper² ⟨bn.⟩ **0.1** *purple*.
purperachtig ⟨bn.⟩ **0.1** *purplish, purply*.
purperblauw¹ ⟨het⟩ **0.1** [kleur] *violet* ⟹*purplish blue* **0.2** [kleurstof] *violet*.
purperblauw² ⟨bn.⟩ **0.1** *violet* ⟹*purplish blue*.
purperbloem ⟨de⟩ **0.1** ⟨papierbloem⟩ *xeranthemum*.
purperbrons ⟨het⟩ **0.1** *copper bronze*.
purperen ⟨bn.⟩ **0.1** *purple*.
purperhoen ⟨het⟩ **0.1** *purple gallinule, sultana (bird)*.
purperhout ⟨het⟩ **0.1** *purpleheart, purple wood*.
purperkleed ⟨het⟩ **0.1** *purple dress*.
purperkleurig ⟨bn.⟩ **0.1** *purple(-coloured)*.
purperklier ⟨de⟩ **0.1** *adrectal gland*.
purperkoet ⟨de (m.)⟩ **0.1** *purple gallinule, sultana (bird)*.
purperreiger ⟨de (m.)⟩ **0.1** *purple heron*.
purperrood¹ ⟨het⟩ **0.1** *purplish red* ⟹*crimson*.
purperrood² ⟨bn.⟩ **0.1** *purplish red* ⟹*crimson* ◆ **1.1** purperrode lippen *crimson lips* **6.1** ~ van woede worden *become/ go purple/ crimson with rage, become/ go black/ blue in the face with rage*.
purperslak ⟨de⟩ **0.1** *murex, purpura*.
purperverf ⟨de⟩ **0.1** *purple(-coloured) paint*.
purperwilg ⟨de (m.)⟩ **0.1** *purple willow/ osier*.
purperzuur ⟨het⟩ **0.1** *purpuric acid*.
purpura ⟨de⟩ ⟨med.⟩ **0.1** *purpura*.
purpurine ⟨de⟩ **0.1** *purpurin*.
pur sang¹ ⟨de (m.)⟩ **0.1** *thoroughbred, purebred*.
pur sang² ⟨bn.⟩ **0.1** [⟨fig.⟩ op en top] †*pur sang; utter, complete* ⟹ ⟨vaak pej.⟩ ↓*, out-and-out, downright, thoroughgoing* **0.2** [volbloed] *thoroughbred, purebred* ◆ **1.1** hij is een amateur ~ *he is an amateur p. s., he is an out-and-out/ a downright/ an utter amateur;* een ~ romanticus *he is a romantic p. s., he is an out-and-out/ a thoroughgoing romantic*.
purulent ⟨bn.⟩ ⟨med.⟩ **0.1** *purulent*.
purulentie ⟨de (v.)⟩ **0.1** *purulence*.
pus ⟨het, de (m.)⟩ **0.1** *pus* ⟹ †*suppuration,* ⟨med.⟩ *purulence*.
push ⟨de (m.)⟩ **0.1** *push* ⟹*get-up-and-go, drive* ◆ **7.1** er zit geen ~ in hem *he's got no/ he lacks p./ get-up-and-go/ drive;* hij heeft geen ~ meer *he's lost his p.;* ⟨scherts.⟩ *his get-up-and-go got up and went*.
pushen
  I ⟨ov.ww.⟩ **0.1** [opporren] *push (on)* ⟹*urge/ drive (on)* **0.2** [promoten] *push* ⟹*back* ◆ **1.1** je moet die jongen een beetje ~, dan doet hij het wel *you have to p. the boy a bit/ give the boy a bit of a push, then he'll do it* **1.2** iem. ~ voor een baan *p./ back s.o. for a job;*
  II ⟨onov.ww.⟩ **0.1** [drugs verkopen] *push* ⟹*peddle* **0.2** [⟨sport⟩] *push*.
pussen ⟨onov.ww.⟩ **0.1** *fester* ⟹ †*suppurate*.

pustel ⟨de⟩ **0.1** *pustule* ⇒*spot, pimple.*

put ⟨de (m.)⟩ ⟨→sprw. 323,373⟩ **0.1** [waterput] *well* **0.2** [afvoerput] *drain* **0.3** [kuil] *pit, hole* **0.4** [boorput] *well* ⇒ ⟨aardolie ook⟩ *oil well,* ⟨aardgas ook⟩ *(natural) gas well* **0.5** [bouwput] *pit, excavation* **0.6** [mbt. ganzenbord] *well* ◆ **2.1** (fig.) dat is een bodemloze ~ *it's a bottomless pit* **2.¶** geld in een bodemloze ~ gooien *pour/throw money down the drain* **3.1** een ~ graven/slaan *sink/dig a w.* **3.2** het ~je schoonmaken *clean out the d.* **3.3** een ~ graven, dempen *dig/fill in a p./h.* **3.4** een ~ boren *drill/sink/bore a w., drill for oil* **6.1** (fig.) heel erg **in** de ~ zitten *be down(-hearted), be down in the dumps, be in the doldrums, feel low;* ⟨fig.⟩ iem. **uit** de ~ halen *cheer/brighten/buck s.o. up* **6.3** ~ten **in** de weg *(pot)holes in the road;* ~jes **in** aardappelen *eyes in potatoes;* ~jes **in** de wangen *(cheek) dimples, dimpled cheeks;* **in** het ~je mikken ⟨bij knikkeren⟩ *aim at the hole.*

putatief ⟨bn.⟩ ⟨jur.⟩ **0.1** *putative* ◆ **1.1** het putatieve huwelijk *p. marriage;* putatieve noodweer *p. self-defence/necessity.*

putbalk ⟨de (m.)⟩ **0.1** *well-beam.*

putboor ⟨de⟩ **0.1** *sinking auger.*

putdeksel ⟨het⟩ **0.1** ⟨over waterput⟩ *well cover, lid of a/the well;* ⟨over rioolput⟩ *manhole cover.*

putemmer ⟨de (m.)⟩ **0.1** *(water/well) bucket.*

putgalg ⟨de⟩ **0.1** *sweep.*

putgas ⟨het⟩ **0.1** *natural gas.*

puthaak ⟨de (m.)⟩ **0.1** *well hook* ◆ **6.1** (pej.;fig.) zij zijn **over** de ~ getrouwd *they are living in sin/(just) living together;* †*theirs is a common-law marriage.*

putje ⟨het⟩ ◆ **¶.¶** als ~ bij paaltje komt *when it comes to the point/push, when push comes to shove.*

putjesschepper ⟨de (m.)⟩ ⟨iron.⟩ **0.1** *(general) dogsbody* ⇒⟨m.;pej.⟩ *tea-boy* ◆ **¶.1** èn, wat wil je later worden? ~ op zee! *what do you want to be when you grow up? none of your business!/I'm going to be an amateur brain surgeon.*

putketting ⟨de⟩ **0.1** *bucket chain.*

putkrans ⟨de (m.)⟩ **0.1** *shaft of well.*

putoptie ⟨de (v.)⟩ ⟨ec.⟩ **0.1** *put option* ⇒*put.*

putrad ⟨het⟩ **0.1** *roller/beam (of a windlass).*

putrand ⟨de (m.)⟩ **0.1** *rand van een put] *wellhead* **0.2** [bekleding van een rioolput] *drain cover.*

putrefactie ⟨de (v.)⟩ **0.1** *putrefaction* ⇒*rot, decay.*

puts ⟨de⟩ **0.1** [scheepsemmer] *bucket, pail* **0.2** [putemmer] *(water/well) bucket.*

putsch ⟨de (m.)⟩ **0.1** *putsch* ⇒*coup (d'état).*

putsteen ⟨de (m.)⟩ **0.1** *compass/radial brick.*

putten
   I ⟨ov.ww.⟩ **0.1** [halen uit] *draw (from/on)* **0.2** [uit een put ophalen] *draw (water) from a well* ◆ **1.1** moed ~ *take/d./gain courage from* **6.1** uit iets ~ *d. proof from sth.;* hij putte troost uit haar woorden *he drew/took/comfort from her words;* **uit** de bronnen zelf ~ *d. on/go back to the sources (themselves);* ik heb geen reserves waar ik **uit** kan ~ *I have no reserves to d. on/fall back on;*
   II ⟨onov.ww.⟩ **0.1** [(golfsport)] *putt.*

puttenfundering ⟨de (v.)⟩ **0.1** *well foundations.*

puttenzuiger ⟨de (m.)⟩ **0.1** *suction tanker* ⇒⟨voor straatkolken;BE ook⟩ *drain lorry.*

putter ⟨de (m.)⟩ **0.1** [vink] *goldfinch* **0.2** [iem. die water put] *(water) drawer* **0.3** [putbaas] *boss, foreman* ⇒*gaffer, gang boss* **0.4** [drinkebroer] *boozer* **0.5** [golfstok] *putter.*

putti →**putto**.

puttig ⟨bn.⟩ **0.1** *pitted* ⇒*honeycombed.*

puttingwant ⟨het⟩ ⟨scheep.⟩ **0.1** *futtock shroud.*

putto ⟨de (m.)⟩ ⟨kunstgesch.⟩ **0.1** *putto* ⇒*amoretto, amorino, cherub, cupid.*

puttouw ⟨het⟩ **0.1** *well rope.*

putwater ⟨het⟩ **0.1** *well water.*

putzwengel ⟨de (m.)⟩ **0.1** *(well) sweep.*

puur
   I ⟨bn.⟩ **0.1** [onvermengd] *pure* ⇒⟨mbt. drank ook⟩ *neat, straight,* ⟨mbt. metalen ook⟩ *solid* **0.2** [ongerept] *pure* ⇒*virgin(al),* ⟨schr.⟩ *unsullied* ◆ **1.1** pure chocola *plain chocolate;* ~ goud *p./solid gold;* een whisky ~ graag *a (straight/neat) whisky, please; a (glass of) whisky please, no soda, no ice!;*
   II ⟨bn., bw.;-ly⟩ **0.1** [zuiver en alleen] *pure* ⇒*absolute, sheer, mere, perfect* **0.2** [geheel en al] *pure* ⇒*absolute, sheer, utter, perfect* ◆ **1.1** pure nonsens *pure/utter/absolute/sheer nonsense;* pure vreugde *pure/unmitigated/sheer joy;* dat is de pure waarheid *that's the absolute/honest/perfect truth* **1.2** het was ~ toeval dat ik hem zag *it was pure chance that I saw him* **2.2** hij is ~ slecht *he is utterly/out-and-out evil, he is evil through and through* **3.1** ze deed het ~ om hem te plagen *she did it purely/solely/merely to tease him;* dat is ~ liefhebberij *that's purely a hobby.*

puurte ⟨de (v.)⟩ ⟨schr.⟩ **0.1** *purity.*

puzzel ⟨de (m.)⟩ **0.1** [raadsel] *puzzle* ⇒⟨kruiswoordpuzzel ook⟩ *crossword (puzzle),* ⟨legpuzzel ook⟩ *jigsaw(puzzle)* **0.2** [(fig.)] *puzzle* ⇒*enigma, riddle, brainteaser, braintwister.*

puzzelaar ⟨de (m.)⟩, **-ster** ⟨de (v.)⟩ **0.1** *puzzler.*

puzzelboekje ⟨het⟩ **0.1** *book of (crossword) puzzles* ⇒*crossword book.*

puzzelen ⟨onov.ww.⟩ **0.1** [puzzels oplossen] *solve/do (crossword/jigsaw/* ⟨enz.⟩ *puzzles* **0.2** [piekeren] *puzzle (over)* ◆ **6.2** over iets zitten te ~ *sit puzzling over sth..*

puzzelkubus ⟨de (m.)⟩ **0.1** *Rubik's cube.*

puzzelrit ⟨de (m.)⟩ **0.1** *treasure hunt (rally)* ⇒⟨per auto ook⟩ *car treasure hunt,* ⟨per fiets ook⟩ *bicycle treasure hunt.*

puzzeltheek ⟨de (v.)⟩ **0.1** *jigsaw department (of a public library).*

puzzeltocht ⟨de (m.)⟩ **0.1** *treasure hunt* ⇒⟨per auto/fiets ook⟩ *treasure rally,* ⟨per auto ook⟩ *car treasure hunt,* ⟨per fiets ook⟩ *bicycle treasure hunt.*

puzzelvraag ⟨de⟩ **0.1** *crossword clue/question.*

puzzelwoord ⟨het⟩ **0.1** *crossword.*

puzzelwoordenboek ⟨het⟩ **0.1** *crossword dictionary.*

puzzle →**puzzel**.

puzzolaan ⟨het⟩ **0.1** [vulkanische aarde] *pozzuolana, pozzolana* **0.2** [natuurcement] *pozzuolana, pozzolana.*

pvc ⟨het⟩ **0.1** *PVC.*

pvc-buis ⟨de⟩ **0.1** *PVC pipe.*

PvdA ⟨de (v.)⟩ ⟨afk.⟩ **0.1** [Partij van de Arbeid] ⟨*(Dutch) Labour Party*⟩.

PVV ⟨de (v.)⟩ ⟨afk.⟩ ⟨AZN⟩ **0.1** [Partij voor Vrijheid en Vooruitgang] ⟨*the Liberals*⟩.

p.w. ⟨afk.⟩ **0.1** [per week] ⟨*per week, weekly*⟩.

PW ⟨afk.⟩
   I ⟨de (m.)⟩ **0.1** [Provinciale Waterstaat] ⟨*Provincial Department of Transport and Public Works*⟩;
   II ⟨m.mv.⟩ **0.1** [Publieke Werken] *PW(D).*

pycnicus ⟨de (m.)⟩, **-ca** ⟨de (v.)⟩ **0.1** *endomorph* ⇒*pyknic/pycnic.*

pycnisch ⟨bn.⟩ **0.1** *pyknic/pycnic, endomorphic* ◆ **1.1** het ~e type *the pyknic/endomorphic type.*

pyelitis ⟨de (v.)⟩ ⟨med.⟩ **0.1** *pyelitis.*

pyemie ⟨de (v.)⟩ ⟨med.⟩ **0.1** *pyaemia.*

pygmee ⟨de (m.)⟩ **0.1** [tot een dwergvolk behorend persoon] *pygmy* **0.2** [⟨fig.;pej.⟩] *pygmy* ⇒*dwarf, shrimp, runt.*

pyjama ⟨de (m.)⟩ **0.1** *pyjamas* [A]*pajamas* ◆ **7.1** twee ~s *two pairs of p..*

pyjamabroek ⟨de⟩ **0.1** [B]*pyjama trousers,* [A]*pajama bottoms.*

pyjamajasje ⟨het⟩ **0.1** [B]*pyjama jacket,* [A]*pajama top.*

pyknometer ⟨de (m.)⟩ **0.1** *pycnometer.*

pylades ⟨de (m.)⟩ **0.1** *fidus Achates* ⇒ ↓*blood brother,* ↓≠*Sancho Panza.*

pylon ⟨de (m.)⟩ ⟨verkeer⟩ **0.1** *(traffic) cone.*

pyloon ⟨de (m.)⟩ **0.1** [toren van Egyptische tempels] *pylon* **0.2** [hoogspanningsmast] *pylon.*

pylorus ⟨de (m.)⟩ ⟨med.⟩ **0.1** *pylorus.*

Pyrenees ⟨bn.⟩ **0.1** *Pyrenean* ◆ **1.¶** het ~e schiereiland *the Iberian Peninsula.*

pyrexglas ⟨het⟩ **0.1** *Pyrex.*

pyridine ⟨de⟩ **0.1** *pyridine.*

pyridoxine ⟨het⟩ **0.1** *pyrodoxine* ⇒≠*vitamin B6.*

pyriet ⟨het⟩ **0.1** *(iron) pyrites* ⇒*pyrite,* (inf.) *fool's gold.*

pyrimidinebase ⟨de (v.)⟩ ⟨bioch.⟩ **0.1** *pyramidine (base).*

pyrocondensatie ⟨de (v.)⟩ ⟨schei.⟩ **0.1** *pyrocondensation.*

pyro-elektriciteit ⟨de (v.)⟩ **0.1** *pyroelectricity.*

pyrofobie ⟨de (v.)⟩ **0.1** *pyrophobia.*

pyrofoor[1] ⟨de (m.)⟩ **0.1** *pyrophorus.*

pyrofoor[2] ⟨bn.⟩ **0.1** *pyrophoric, pyrophorous.*

pyrofosfaat ⟨het⟩ ⟨schei.⟩ **0.1** *pyrophosphate* ⇒*diphosphate.*

pyrofosforzuur ⟨het⟩ ⟨schei.⟩ **0.1** *pyrophosphoric acid.*

pyrogallol ⟨het⟩ ⟨schei.⟩ **0.1** *pyrogallol, pyrogallic acid.*

pyrogeen[1] ⟨het⟩ **0.1** *pyrogen.*

pyrogeen[2] ⟨bn.⟩ ⟨med.⟩ **0.1** [koortsverwekkend] *pyrogenic, pyrogenous* **0.2** [door koorts ontstaan] *pyrogenic, pyrogenous.*

pyrogenese ⟨de (v.)⟩ **0.1** *pyrogenesis.*

pyroklastisch ⟨bn.⟩ ⟨geol.⟩ **0.1** *pyroclastic.*

pyrolyse ⟨de (v.)⟩ **0.1** *pyrolysis.*

pyromaan[1] ⟨de (m.)⟩ **0.1** [ziekelijk brandstichter] *pyromaniac* ⇒*arsonist, incendiary,* ↓*fire-raiser,* (inf.) *firebug* **0.2** [(scherts.)] *pyromaniac* ⇒ (inf.) *firebug.*

pyromaan[2] ⟨bn.⟩ **0.1** *pyromaniac(al).*

pyromanie ⟨de (v.)⟩ **0.1** *pyromania.*

pyrometer ⟨de (m.)⟩ **0.1** *pyrometer.*

pyrometrie ⟨de (v.)⟩ **0.1** *pyrometry.*

pyroscoop ⟨de (m.)⟩ **0.1** *(optical) pyrometer.*

pyrosfeer ⟨de⟩ ⟨geol.⟩ **0.1** *pyrosphere.*

pyrosis ⟨de (v.)⟩ ⟨med.⟩ **0.1** *pyrosis* ⇒⟨ongemarkeerd⟩ *heartburn.*

pyrotechnicus ⟨de (m.)⟩ **0.1** *pyrotechnist* ⇒*pyrotechnician.*

pyrotechniek ⟨de (v.)⟩ **0.1** [vuurwerkindustrie] *pyrotechnics* **0.2** [kunst om vuurwerk te maken] *pyrotechnics* **0.3** [toepassing van hoge temperaturen] *pyrotechny.*

pyrotechnisch ⟨bn., bw.;-ly⟩ **0.1** *pyrotechnic(al).*

pyrozwavelzuur ⟨het⟩ ⟨schei.⟩ **0.1** *pyrosulphuric/disulphuric acid.*

pyrronisme 〈het〉〈fil.〉 **0.1** *pyrrhonism* ⇒*scepticism*.
pyrrusoverwinning 〈de (v.)〉 **0.1** *pyrrhic victory*.
Pythagoras 0.1 *Pythagoras* ◆ **1.1** stelling van ~ *Pythagorean theorem*.
pythagorisch 〈bn.〉〈wisk.〉 **0.1** *pythagorean* ◆ **1.1** ~e getallen *Pythagorean numbers*.
pythisch 〈bn.〉〈myth.〉 **0.1** *pythian, pythic* ◆ **1.1** het ~ orakel *the oracle of / at Delphi, the Delphic oracle*.
python 〈de (m.)〉 **0.1** *python* ◆ **2.1** Amerikaanse ~ *anaconda*.
pyxis 〈de (v.)〉〈r.k.〉 **0.1** *pyx, pix*.

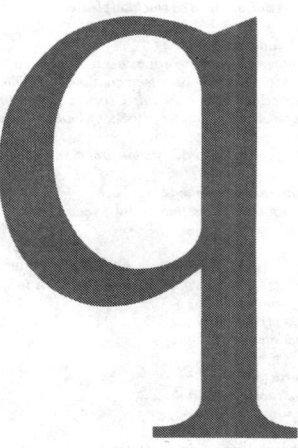

q 〈de〉 **0.1** [letter, klank] *q* **0.2** [namen / woorden beginnend met q] *q, Q*.
q.e. 〈afk.〉 **0.1** [quod est] *q.e.* ⇒*i.e.*.
q.e.d. 〈afk.〉 **0.1** [quod erat demonstrandum] *Q.E.D.*.
q.l. 〈afk.〉 **0.1** [quantum libet] *Q.L.* ⇒*q.l.*.
q.p(l). 〈afk.〉 **0.1** [quantum placet] *Q.P.* ⇒*q.p(l).*.
q.q. 〈afk.〉 **0.1** [qualitate qua] 〈*officially, by / in virtue of one's office, ex officio*〉.
qua 〈vz.〉 **0.1** *qua* ⇒*as for / to, in the matter of* ◆ **1.1** ~ prijs vind ik het wel redelijk *q. / as for / as to price I find it reasonable, as far as the price goes I find it reasonable*.
quadrafonie 〈de (v.)〉 **0.1** *quadraphonics, quadrophonics* ⇒*quadraphony, quadrophony*.
quadrafonisch 〈bn., bw.; -ally〉 **0.1** *quadraphonic, quadrophonic*.
Quadragesima 〈de (m.)〉 **0.1** [zesde zondag voor Pasen] *Quadragesima (Sunday)* **0.2** [veertigdaagse vasten] *Lent* ⇒〈vero.〉 *Quadragesima*.
quadrangulair 〈bn.〉 **0.1** *quadrangular* ⇒*tetragonal*.
quadriga 〈de〉 **0.1** *quadriga*.
quadriljoen 〈hoofdtelw.〉 **0.1** B*quadrillion*, A*septillion*.
quadrille
   I 〈de〉 **0.1** [dans] *quadrille* **0.2** [dressuurproef] *quadrille* ⇒*carrousel* ◆ **3.1** een ~ dansen *dance a q., quadrille;*
   II 〈het〉 **0.1** [spel] *quadrille*.
quadrilleren 〈onov.ww.〉 **0.1** [dansen] *quadrille* ⇒*dance a quadrille* **0.2** [spelen] *play quadrille*.
quadrivium 〈het〉 **0.1** *quadrivium*.
quadroon →*quarterone*.
quadrupeden 〈zn.mv.〉 **0.1** *quadrupeds*.
quadrupel 〈bn.〉 **0.1** *quadruple* ◆ **1.1** de Quadruple Alliantie *the Quadruple Alliance*.
quaestor 〈de (m.)〉 **0.1** [penningmeester] *treasurer* **0.2** [〈Rom. gesch.〉] *quaestor*.
quaestrix 〈de (v.)〉〈stud.〉 **0.1** *(woman) treasurer*.
quaestuur 〈de (v.)〉 **0.1** [ambt, waardigheid] *quaestorship* **0.2** [diensttijd] *quaestorship*.
qualitate qua 0.1 *officially, by / in virtue of one's office, ex offico*.
quant 〈het〉〈nat.〉 **0.1** *quantum*.
quantabestek 〈het〉 **0.1** *bill of quantities*.
quant à moi 0.1 *as for me, for my part, for myself, I for one* ◆ **3.¶** zijn ~ bewaren *keep one's poise*.
quantité négligeable 〈de (v.)〉 **0.1** [hoeveelheid] *negligible quantity* **0.2** [persoon] *negligible quantity*.
quantor 〈de (m.)〉〈wisk.〉 **0.1** *quantifier*.

quantum ⟨het⟩ **0.1** [hoeveelheid] *quantum* ⇒*amount, quantity,* ⟨aandeel⟩ *share, portion* **0.2** [quant] *quantum* ⇒*quant.*
quantumbaan ⟨de⟩ **0.1** *quantum orbit/path.*
quantumchemie ⟨de (v.)⟩ **0.1** *quantum chemistry.*
quantumelektronica ⟨de (v.)⟩ **0.1** *quantum electronics.*
quantumfysica ⟨de (v.)⟩ **0.1** *quantum physics.*
quantumkorting ⟨de (v.)⟩ **0.1** *quantity rebate* ⇒*reduction of price on purchase of large quantity of goods.*
quantum libet 0.1 *at pleasure/will, as much as you like/please/want/will.*
quantummechanica ⟨de (v.)⟩ ⟨nat.⟩ **0.1** *quantum mechanics.*
quantum placet 0.1 *at pleasure/will, as much as you like/please/want/will.*
quantumtheorie ⟨de (v.)⟩ **0.1** *quantum theory.*
quarantaine ⟨de⟩ **0.1** *quarantine* ◆ **3.1** de ~ wordt morgen opgeheven *the q. will be lifted tomorrow* **6.1** iem. in ~ plaatsen *quarantine/isolate s.o., put/place s.o. in q.;* het schip ligt **in** ~ *the ship is/lies in q.;* **in** ~ in q.; **in** ~ gehouden worden *be put in q.;* **zonder** ~ toelaten *admit to free pratique.*
quarantaine-inrichting ⟨de (v.)⟩ **0.1** *quarantine station, isolation hospital/ward* ⇒*lazaretto.*
quarantaineplaats ⟨de⟩ **0.1** *quarantine (ground).*
quarantainevlag ⟨de⟩ **0.1** *quarantine/yellow flag* ⇒⟨inf.⟩ *yellow jack/Jack, sick flag.*
quark ⟨de (m.)⟩ **0.1** *quark.*
quartair ⟨bn.⟩ **0.1** *quaternary* ⇒⟨geol.⟩ *Quaternary* ◆ **1.1** de ~e sector *the public/government sector;* ⟨geol.⟩ de oudere/jongere ~e vorming *the early/late Quaternary formation.*
Quartair ⟨het⟩ ⟨geol.⟩ **0.1** *(the) Quaternary.*
quarterone ⟨de (m.)⟩ **0.1** *quadroon.*
quarto¹ →**kwarto.**
quarto² ⟨bw.⟩ **0.1** *(in the) fourth (place).*
quartole ⟨de⟩ ⟨muz.⟩ **0.1** *quadruplet* ⇒*quartole.*
quasar ⟨de (m.)⟩ **0.1** *quasar* ⇒*quasi-stellar object.*
quasi
I ⟨bw.⟩ **0.1** [zogenaamd] *quasi(-)* ⇒*seemingly, as if* ◆ **2.1** ~ verrast *quasi/as if surprised* **3.1** hij kwam ~ iets lenen *he pretended to come and borrow sth., he came on the pretext of borrowing sth.;* ~ slapend hoorde ze alles *seemingly asleep she heard everything* ¶**.1** hij doet ~ alsof *he pretends/makes believe/feigns to;*
II ⟨bn.⟩ **0.1** [pseudo-] *quasi(-)* ⇒*pseudo-, seeming, mock* ◆ **1.1** de kinderen praatten een soort ~ chinees *the children were speaking some kind of quasi-Chinese;* een ~ contract *a q. contract;* een ~ intellectueel *a pseudo-intellectual.*
quaternair¹ ⟨de (m.)⟩ ⟨wisk.⟩ **0.1** *quaternary.*
quaternair² ⟨bn.⟩ ⟨schei.⟩ **0.1** *quaternary* ◆ **1.1** een ~ koolstofatoom *a q. carbon atom.*
quaternion ⟨het⟩ ⟨wisk.⟩ **0.1** *quaternion.*
quatertemper ⟨de (m.)⟩ ⟨r.k.⟩ **0.1** *Ember day.*
quatre-mains¹ ⟨het⟩ **0.1** *(piano) duet* ⇒*composition for four hands* ◆ **3.1** een ~ spelen *play a d..*
quatre-mains² ⟨bn.⟩ **0.1** *for four hands* ◆ ¶**.1** à ~ *for four hands.*
quatsch ⟨de (m.)⟩ **0.1** *nonsense, rubbish* ⇒⟨AE;inf.⟩ *baloney* ◆ ¶**.1** ach, ~! *n./baloney!.*
quattrocentist ⟨de (m.)⟩ **0.1** *quattrocentist.*
quattrocento ⟨het⟩ **0.1** *quattrocento.*
Queen-Anne-stijl ⟨de (m.)⟩ **0.1** *Queen Anne (style).*
queeste ⟨de (v.)⟩ ⟨dicht.; gesch.⟩ **0.1** *quest.*
querulant ⟨de (m.)⟩ **0.1** [iem. die zich steeds beklaagt] *complainer* ⇒*grumbler, moaner, querulous person* **0.2** [ruziezoeker] *quarrelmonger* ⇒*troublemaker, quarreller.*
querulantisme ⟨het⟩ **0.1** *querulousness* ⇒*peevishness.*
queruleren ⟨onov.ww.⟩ **0.1** *complain* ⇒*grumble, find fault, grouse.*
questionnaire ⟨de (m.)⟩ **0.1** *questionnaire.*
queue ⟨de⟩ **0.1** [rij personen] ᴮ*queue,* ᴬ*line* **0.2** [kussentje, stof om de lendenen] *bustle* **0.3** [laatste mensen in een optocht] *tail* ⇒*end, rear* **0.4** [staart(vlecht)] *queue* ⇒*tail* ◆ **3.1** ~ maken/een ~ vormen ᴮ*queue up,* ᴬ*line up, stand in a q./in l.* **6.1** in de ~ staan *wait/stand in a q./in l..*
quiche ⟨de⟩ ⟨cul.⟩ **0.1** *quiche* ◆ ¶**.1** ~ Lorraine *q. Lorraine.*
quidam ⟨de (m.)⟩ **0.1** *weirdie, weirdo* ⇒⟨vnl. BE⟩ *odd/queer fish,* ⟨AE ook⟩ *weird guy.*
quiëscentie ⟨de (v.)⟩ **0.1** *quiescence.*
quiëtisme ⟨het⟩ **0.1** *quietism.*
quiëtist ⟨de (m.)⟩ **0.1** *quietist.*
quiëtistisch ⟨bn.⟩ **0.1** *quietist(ic).*
quieto ⟨bw.⟩ ⟨muz.⟩ **0.1** *quieto.*
quine ⟨de⟩ **0.1** [mbt. het dobbelen] *two fives* **0.2** [mbt. de getallenloterij] *five in a row* **0.3** [mbt. het lottospel] *five in a row.*
Quinquagesima ⟨de (m.)⟩ **0.1** *Quinquagesima (Sunday).*
quinquennium ⟨het⟩ **0.1** *quinquennium, quinquenniad.*
quinto ⟨bw.⟩ **0.1** *(in the) fifth (place).*
quintool ⟨de⟩ ⟨muz.⟩ **0.1** *quintuplet* ⇒*quintole.*
Quirinaal ⟨het⟩ **0.1** *Quirinal.*

quisling ⟨de (m.)⟩ **0.1** *quisling* ⇒*collaborator.*
quitte ⟨bn.⟩ **0.1** *quits* ⇒*even, square* ◆ **2.1** ~ of dubbel (spelen) *double or q.* ⟨ook fig.⟩ **3.1** ~ spelen *break even;* je geeft haar een mep terug en dan staan jullie ~ ⟨ook⟩ *you hit her back and call it q.;* ~ zijn met *be q./even/square with;* wij zijn/staan ~ *we are q./even/square* ⟨ook fig.⟩.
qui-vive ⟨het⟩ ◆ **6.¶** op zijn ~ zijn *be on the qui vive/the alert;* niet **op** zijn ~ zijn *be off one's guard.*
quizleider ⟨de (m.)⟩ **0.1** *quizmaster, questionmaster.*
quod absurdum 0.1 *which would be absurd.*
quodlibet ⟨het⟩ **0.1** [⟨gesch.⟩] *quodlibet* **0.2** [woordspeling] *double entendre* ⇒*pun* **0.3** [⟨muz.⟩] *quodlibet* ⇒*medley, potpourri.*
quorum ⟨het⟩ **0.1** *quorum.*
quota ⟨de⟩ **0.1** [aandeel in de onkosten/lasten] *quota* ⇒*share* **0.2** [aandeel uit een winst] *quota* ⇒*share* **0.3** [aandeel aan grondstoffen] *quota.*
quotatie ⟨de (v.)⟩ **0.1** [citaat] *quotation* ⇒⟨inf.⟩ *quote* **0.2** [quotisatie] *assignment/fixing of quotas.*
quote ⟨de⟩ **0.1** [aandeel] *quota* ⇒*share* **0.2** [citaat] *quotation* ⇒⟨inf.⟩ *quote.*
quoteren ⟨ov.ww.⟩ **0.1** *assign quotas (to).*
quotiënt ⟨het⟩ **0.1** *quotient.*
quotisatie ⟨de (v.)⟩ **0.1** *assignment/fixing of quotas.*
quotum ⟨het⟩ **0.1** [mbt. winst/verlies] *quota* ⇒*quotum, share* **0.2** [mbt. belasting] *assessment.*
qwerty-klavier ⟨het⟩ **0.1** *qwerty-keyboard.*

r

r ⟨de⟩ **0.1** [letter, klank] *r, R* **0.2** [namen/woorden beginnend met r] *r, R* ◆ **3.1** hij kan de ~ niet zeggen *he burrs his r's.*

r. ⟨afk.⟩ **0.1** [rechts] *r.* **0.2** [radius] *r.* **0.3** [resultante] ⟨*resultant*⟩.

R ⟨afk.⟩ **0.1** [Réaumur] *R* **0.2** [röntgen] *r.*.

ra¹ ⟨de⟩ ⟨scheep.⟩ **0.1** *yard.*

ra² ⟨tw.⟩ ◆ ¶.¶ ~, ~, wat is dit? *guess (what)?;* ~, ~, wie is dit? *guess who?.*

raad ⟨de (m.)⟩ ⟨→sprw. 509,510⟩ **0.1** [uitweg] ⟨zie voorbeelden⟩ **0.2** [advies] *advice* ⇒ ↑*counsel* **0.3** [adviserend college] *council* ⇒*board* ◆ **1.2** iem. met ~ en daad bijstaan *advise and assist s.o.* **1.3** ~ van advies *advisory c.;* Raad van Arbeid *Labour Council;* ~ van beheer *board of management;* Raad van Beroep *Board of Appeal;* ⟨gesch.⟩ de Raad van Beroerten *the Council of Troubles;* de ~ van bestuur/ van commissarissen *the board (of directors/management);* hij is lid v.d. ~ *he's a c. member/a councillor on the c.;* de Raad van State *the Council of State;* ~ van toezicht *supervisory board* **2.2** goede ~ komt altijd gelegen *good a. never comes amiss;* verkeerde/slechte ~ geven *give bad/poor a., misadvise* **2.3** de Hoge Raad *the Supreme Court (of the Netherlands)* **2.**¶ met voorbedachten rade *premeditately;* ⟨jur.⟩ *with premeditation, with malice aforethought* **3.1** hij weet overal ~ op *he's never at a loss, he is a man of resources, he always finds a way;* hij weet wel ~ met zijn geld *he knows what to do with his money;* geen ~ weten met iets *not know what to do with/* (probleem) *how to cope with/how to handle sth.;* met zijn figuur geen ~ weten *squirm with embarrassment, not know what to do about/with one's figure;* geen ~ weten van verdriet *be mad with grief* **3.2** iem. ~ geven *advise/counsel s.o., give s.o. advice/counsel;* luister naar mijn ~ *take my a.;* iem. om ~ vragen, iemands ~ inwinnen *ask/seek s.o.'s advice, ask/seek advice from s.o., obtain s.o.'s advice, obtain advice from s.o.;* een ~ (op)volgen *follow (a piece of) a.* **6.2** bij iem. te rade gaan *consult s.o.;* **volgens** iemands ~ doen/handelen *act/go by/on s.o.'s a.* **7.1** ik weet me geen ~ *I don't know which way to turn, I'm at an utter loss* **7.3** de Raad van Elf *the Carnival Council* ¶.**1** ten einde ~ zijn *finally;* ten einde ~ zijn *be at one's wits' end/at a complete loss (what to do).*

raadgevend ⟨bn.⟩ **0.1** *advisory* ⇒*consultative, consultatory* ◆ **1.1** een ~ ingenieur *a consulting engineer, an engineering consultant;* een ~ ingenieursbureau *a consulting engineering firm;* een ~ lichaam *an a. body, a consultative committee;* een ~e stem in een vergadering *an a. vote in a meeting.*

raadgever ⟨de (m.)⟩, **-geefster** ⟨de (v.)⟩ **0.1** *advisor* ⇒*counsellor* ^A*elor,* ⟨professioneel⟩ *consultant* ◆ **2.1** (fig.) angst is een slechte ~ *fear is a bad counsellor.*

raadgeving ⟨de (v.)⟩ **0.1** [het geven van raad] *advising* **0.2** [advies] *suggestion* ⇒*advice, counsel* ◆ **3.2** hij luisterde niet naar de ~ en van zijn vrienden *he did not listen to his friends' advice/suggestions* **6.1** iem. met ~ dienen *advise s.o., give s.o. advice* ¶.**2** iemands ~ en ter harte nemen *take s.o.'s advice.*

raadhuis ⟨het⟩ **0.1** *town hall* ⇒*city hall,* ⟨vnl. BE ook⟩ *town house.*

raadkamer ⟨de⟩ **0.1** [vertrek] *(judge's) chambers* **0.2** [zitting] *hearing in chambers* **0.3** [rechterlijk college] *court sitting in chambers* ◆ **6.2** behandeling in ~ *(of legal business) in chambers; hearing in chambers.*

raadpensionaris ⟨de (m.)⟩ ⟨gesch.⟩ **0.1** [rechtskundig adviseur van Holland] *Grand Pensionary* **0.2** [in Bataafse Republiek] *Grand Pensionary.*

raadplegen ⟨ov.ww.⟩ **0.1** [inlichtingen inwinnen bij] *consult* ⇒*refer to, turn to* **0.2** [om advies vragen] *consult* ⇒*confer with, see,* ^A*advise with,* ^A*consult with* ◆ **1.1** zijn aantekeningen ~ *c./refer to/turn to one's notes;* de bronnen ~ *c./refer to the sources;* zijn horloge ~ *c. one's watch;* een woordenboek ~ *c./refer to a dictionary* **1.2** deskundigen ~ *call in experts;* een dokter ~ *consult (with)/see a doctor* **1.**¶ het volk/de kiezers ~ *go to the country* **6.2** iem. over iets ~ *consult (with)/advise (with) s.o. about sth..*

raadpleging ⟨de (v.)⟩ **0.1** *reference* ⇒*consultation* ◆ **6.1** ter ~ *for r.;* ~ van secundaire bronnen *r. to/consultation of secondary sources.*

raadsbesluit ⟨het⟩ **0.1** [van gemeenteraad] *decision (of the council)* ⇒*decree/enactment/ordinance (of the council)* **0.2** [na beraad genomen] *decision* ⇒*decree, ordinance* ◆ **1.2** de ~ en van God *God's decrees/ordinances, the dispensations of Providence* **6.1** bij ~ vastgesteld *decreed/enacted/ordained by the council.*

raadscommissie ⟨de (v.)⟩ **0.1** *council committee* ⇒*committee of councillors.*

raadsel ⟨het⟩ **0.1** [spelletje] *riddle* ⇒⟨inf.⟩ *brainteaser, braintwister* **0.2** [mysterie, geheim] *mystery* ⇒*enigma, puzzle, riddle* ◆ **3.1** een ~ opgeven *ask/set a r.;* elkaar ~ s opgeven *play at riddles, play a guessing game;* een ~ oplossen *answer/solve a r.* **3.2** zich in ~ en hullen *cloak/veil/wrap o.s. in m.;* het is mij een ~ hoe dat zo gekomen is *it's a puzzle/m. to me how that could have happened;* ⟨inf.⟩ *it beats me how that could have happened* **6.2** in ~ en spreken *talk/speak in riddles;* **voor** een ~ staan *be mystified/puzzled/baffled,* ^A*be behind the eight ball;* ⟨inf.⟩ *be stumped.*

raadselachtig ⟨bn., bw.; -ly⟩ **0.1** *mysterious* ⇒*enigmatic, puzzling, unfathomable, inscrutable* ⟨persoon, handeling⟩ ◆ **1.1** een ~e figuur *a m./enigmatic/unfathomable/inscrutable figure,* ^B*a deep one* **3.1** ~ spreken *speak in riddles/enigmatically/cryptically/elliptically.*

raadselboek ⟨het⟩ **0.1** *book of riddles.*

raadselhoekje ⟨het⟩ **0.1** *puzzle column/corner.*

raadselrubriek ⟨de (v.)⟩ **0.1** *puzzle column/corner.*

raadsfractie ⟨de (v.)⟩ **0.1** *council group(ing)/faction/alliance.*

raadsheer ⟨de (m.)⟩ **0.1** [lid van een raad] *councillor,* ⟨AE sp. ook⟩ *councilor* ⇒⟨gerechtshof⟩ *justice* **0.2** [schaakstuk] *bishop* **0.3** [duif] *jacobin.*

raadskelder ⟨de (m.)⟩ **0.1** ≠*tavern (in townhall cellar)* ⇒*brasserie, bar.*

raadslid ⟨het⟩ **0.1** *councillor,* ⟨AE sp. ook⟩ *councilor* ⇒*town/city councillor,* ⟨vnl. AE⟩ ⟨m.⟩ *councilman,* ⟨v.⟩ *councilwoman* ◆ **6.1** tot ~ gekozen worden *be elected to the council.*

raadsman ⟨de (m.)⟩, **-vrouw** ⟨de (v.)⟩ **0.1** [adviseur, -seuse] *adviser* ⇒*counsellor,* ⟨AE sp. ook⟩ *counselor, mentor* **0.2** [advocaat, -cate] *legal adviser* ⇒*lawyer, counsel,* ^B*solicitor,* ^A*counselor (-at-law)* ◆ **1.1** de raadslieden van de kroon ^B*the Privy Councillors;* ⟨coll.⟩ *the Privy Council* **2.1** een geestelijk ~ *a spiritual director;* een humanistisch ~ *a humanistic counsellor;* een sociaal ~ *a welfare officer* **6.2** zich laten bijstaan **door** zijn ~ *be assisted by one's legal adviser.*

raadsnotulen ⟨zn.mv.⟩ **0.1** *council minutes.*

raadsvergadering ⟨de (v.)⟩ **0.1** *council meeting* ⇒*meeting of the (town/city) council.*

raadsverkiezing ⟨de (v.)⟩ **0.1** *municipal election* ⇒*local election.*

raadsverslag ⟨het⟩ **0.1** *(town/city) council report* ⇒*report of the proceedings of the council.*

raadsvrouw →raadsman.

raadszaal →raadzaal.

raadszetel ⟨de (m.)⟩ **0.1** *seat on the (town/city) council.*

raadszitting ⟨de (v.)⟩ **0.1** *sitting of the (town/city) council* ⇒*session of the (town/city) council* ◆ ¶.**1** ~ met gesloten deuren *a session of the council in camera.*

raadzaal ⟨de⟩ **0.1** *council chamber.*

raadzaam ⟨bn.⟩ **0.1** *advisable* ⇒*expedient, wise, well-advised* ◆ **3.1** het is niet ~ daarheen te gaan *it is inadvisable/unwise/ill-advised to go there;* iets ~ vinden/oordelen *consider/judge/deem sth. a./expedient;* het zou ~ zijn eerst contact met ze op te nemen *it would be as well/you would be well-advised to contact them first.*

raadzaamheid ⟨de (v.)⟩ **0.1** *advisability* ⇒*expediency.*

raaf ⟨de (v.)⟩ **0.1** *raven* ◆ **2.1** (fig.) het is een witte ~ *it is a rara avis/rarity* **8.1** zo zwart als een ~ *raven (black);* stelen als een ~/als de raven *steal like a magpie.*

raafachtigen ⟨zn.mv.⟩ **0.1** *Corvidae* ⇒*corvine birds.*

raafeend ⟨de⟩ **0.1** *scoter (duck).*
raafvogel ⟨de (m.)⟩ **0.1** *corvine bird.*
raagbol, ragebol ⟨de (m.)⟩ **0.1** [borstel] *ceiling mop* ⇒*pope's/Turk's-head* **0.2** [haardos] *mop(head).*
raai
  I ⟨de (m.)⟩ **0.1** [⟨plantk.⟩] *hemp-nettle;*
  II ⟨de⟩⟨wwb.⟩ **0.1** [richtingslijn] *line of direction* **0.2** [greppel] ≠*ditch/trench.*
raaigras ⟨het⟩ **0.1** [grassoort van het geslacht Lolium] *rye-grass* ⇒*darnel* **0.2** [Frans raaigras] *tall/false oat grass, tall meadow oat.*
raailijn ⟨de⟩ **0.1** *crossline.*
raaiwerk ⟨het⟩ **0.1** *marker, beacon.*
raak ⟨bn., bw.⟩ **0.1** [het doel treffend] *home* **0.2** [pijnlijk aankomend] *home* ⇒*telling* **0.3** [scherp geformuleerd] *telling* ⇒*pointed, poignant, pungent, ad rem* **0.4** [geslaagd in de gelijkenis] *true to life* ⇒*true to nature* ◆ **1.2** rake klappen uitdelen *deal telling blows, hit h.* **1.3** een ~ antwoord *a snappy answer, a telling retort;* rake woorden *t. / pointed/pungent/pertinent words* **1.4** dat is een rake tekening van Thatcher *that drawing is the very/spitting image of Thatcher* **3.1** ~ schieten *hit the mark;* ~ slaan *hit/strike h.;* ieder schot was ~ *every shot went h.* **3.2** die klap was ~ *that blow went/came h.;* die opmerking was ~ *that remark went h. / struck h. / hit the mark, that was a h. thrust* **3.3** iem. ~ typeren *give a pointed description of s.o.;* die was ~, zeg! *bull's-eye!, that was a nasty one!, touché!, bingo!* **5.1** da's altijd ~ *you can't go wrong;* het was bijna ~ *it was a near miss;* ⟨iron.⟩ het is weer ~ *they're at it again* ⟨ze doen het weer⟩; *here we go again* ⟨het begint weer⟩ **5.¶** maar ~ *at random, randomly;* maar ~ slaan *lay about one indiscriminately, hit right and left;* maar ~ lopen *wander about aimlessly* **6.4** ~ van kleur *just the right colour* **¶.3** ~ uit de hoek komen *register a hit* **¶.¶** klets maar ~ *talk away, say what you like;* vraag maar ~ *ask away, shoot.*
raakcirkel ⟨de (m.)⟩ **0.1** *tangent circle.*
raakheid ⟨de (v.)⟩ **0.1** *likeness.*
raakkoorde ⟨de⟩⟨wisk.⟩ **0.1** *tangent chord* ⇒*chord between two tangents.*
raakkromme ⟨de⟩⟨wisk.⟩ **0.1** *tangent curve.*
raaklijn ⟨de⟩⟨wisk.⟩ **0.1** *tangent (line).*
raaklijnenvierhoek ⟨de (m.)⟩⟨wisk.⟩ **0.1** *tangent quadrangle.*
raakpunt ⟨het⟩ **0.1** [⟨wisk.⟩] *point of contact* ⇒*point of tangency* ⟨2 cirkels⟩ **0.2** [punt van overeenkomst] *point of contact* ⇒*common interest/ground* ◆ **3.2** ze hebben geen enkel ~ *they have absolutely nothing in common.*
raakvlak ⟨het⟩ **0.1** [⟨wisk.⟩] *tangent plane* **0.2** [vlak van overeenkomst] *interface* ⇒*common ground, overlapping* ◆ **3.2** de taalkunde heeft ~ken met andere disciplines *linguistics has much ground in common with other disciplines* **6.2** zijn onderzoek beweegt zich op het ~ *tussen* de taalkunde en de wiskunde *his research is on the i. between linguistics and mathematics.*
raam ⟨het⟩ **0.1** [glasruit met lijst] *window* ⇒*casement, sash* ⟨bewegend deel schuifraam⟩ **0.2** [lijst(werk)] *frame* **0.3** [spanraam] *frame* ⇒*tenter* ⟨voor het spannen van textiel na het weven⟩ **0.4** [kader, strekking] *framework* ⇒*scope* ◆ **1.2** het ~ v.e. deur *the doorframe* **1.3** het ~ v.e. weeftoestel *the f. of a loom;* het ~ v.e. zaag *the f. of a saw* **2.1** dubbele ramen *storm windows, double glazing;* Franse ramen *French windows;* wij slapen met open ramen *we sleep with the windows open* **3.1** het ~pje omlaag draaien *wind down the car w.* **6.1 achter** het ~ zitten ⟨als prostituée⟩ *be on the game;* **voor** het ~ zitten *sit at by the w.;* er hing een briefje **voor** het ~ *there was a notice in the w.* **6.4** een schrijver behandelen **in** het ~ van zijn tijd *discuss a writer within the f. / against the background of his period;* ramen **met** glas in lood *leaded lights.*
raamadvertentie ⟨de (v.)⟩ **0.1** *window card.*
raamakkoord ⟨het⟩ **0.1** *framework/general/outline/skeleton agreement.*
raamantenne ⟨de⟩ **0.1** *frame aerial* ⇒*loop aerial.*
raambeslag ⟨het⟩ **0.1** *ironwork.*
raambiljet ⟨het⟩ **0.1** *window bill* ⇒*placard.*
raamgewicht ⟨het⟩ **0.1** *sash weight.*
raamhandvat ⟨het⟩ **0.1** *window handle.*
raamhor ⟨de⟩ **0.1** *screen window.*
raamhout ⟨het⟩ **0.1** [hout om ramen te maken] *frame wood* **0.2** [omlijsting van een deur] *frame.*
raamijzer ⟨het⟩ **0.1** [staaf om ramen te maken] *iron/metal window-bar* **0.2** [omlijsting van een raam] *metal window frame/casement.*
raamkant ⟨de (m.)⟩ **0.1** *side of the window(s).*
raamkit ⟨het⟩ **0.1** *window lute.*
raamknop ⟨de (m.)⟩ **0.1** *window knob.*
raamkoord ⟨het, de⟩ **0.1** *sash cord* ⇒*sash line.*
raamkozijn ⟨het⟩ **0.1** *window frame* ⇒*window-ledge, windowsill* ⟨vensterbank⟩.
raamluik ⟨het⟩ **0.1** *(window) shutter.*
raamopening ⟨de (v.)⟩ **0.1** *window opening.*
raampen ⟨de⟩ **0.1** *sash pin/catch.*
raamplan ⟨het⟩ **0.1** *general/outline plan* ◆ **6.1** ⟨school.⟩ het ~ **voor** gemeentelijke basisscholen in Enschede *the general plan for local authority primary schools in Enschede.*
raampost ⟨de (m.)⟩ **0.1** *window jamb* ⇒*mullion* ⟨tussen twee ruiten⟩, *window stile* ⟨van auto⟩.
raamprostitutie ⟨de (v.)⟩ **0.1** *window prostitution.*
raamsluiting ⟨de (v.)⟩ **0.1** *(window) latch.*
raamspant ⟨het⟩ **0.1** ⟨scheep.⟩ *web frame.*
raamsponning ⟨de⟩ **0.1** *sash rabbet.*
raamstijl ⟨de (m.)⟩ **0.1** *window jamb* ⇒*mullion* ⟨tussen twee ruiten⟩, *window stile* ⟨van auto⟩.
raamstok ⟨de (m.)⟩ **0.1** *window pole.*
raamthermometer ⟨de (m.)⟩ **0.1** *window thermometer.*
raamventilator ⟨de (m.)⟩ **0.1** *window ventilator* ⇒*window fan* ⟨elektrisch⟩.
raamvertelling ⟨de (v.)⟩ **0.1** *frame story/tale.*
raamwerk ⟨het⟩ **0.1** [raam] *casing* **0.2** [draagconstructie] *frame(work)* ⇒*chassis, skeleton* **0.3** [lijstwerk] *frame(work)* ⇒*cadre* **0.4** [concept] *framework* ⇒*outline* ◆ **1.4** het ~ van haar scriptie is af *the outline of her thesis is finished.*
raamwet ⟨de⟩ **0.1** *basic/framework/outline/skeleton law* ⇒*legislative framework.*
raap
  I ⟨de⟩ **0.1** [kool] *turnip* **0.2** [koolraap] *turnip* ⇒*swede/^rutabaga* ⟨Brassica napobrassica⟩, *rape* ⟨Brassica napus⟩ **0.3** [⟨mv.⟩ gerecht] *turnips* **0.4** [⟨inf.⟩ hoofd] ⟨zie 6.4, ¶.4⟩ **0.5** [⟨inf.⟩ lichaam] ⟨zie 6.5⟩ **0.6** [⟨inf.⟩ horloge] *turnip* ◆ **2.3** de rapen zijn gaar *the fat is in the fire* **6.4** recht **voor** zijn ~ *straight from the shoulder, without mincing matters, in plain terms* **6.5** iem. **bij** zijn ~ nemen *collar s.o., pounce on s.o.;* ze hebben hem **voor** zijn ~ geschoten ≠*they bumped him off* **8.2** blozen als een ⟨geschilde⟩ ~ *look ashen/pale; look pasty/wan/washed-out/sallow* ⟨ziek, onuitgeslapen⟩ **¶.4** zich **voor** zijn ~ schieten *blow one's brains out;*
  II ⟨de⟩ **0.1** [opgeraapt fruit] *windfalls.*
raapachtig ⟨bn.⟩ **0.1** *turnip-like* ⇒*turnipy* ◆ **1.1** een ~e smaak *a turnipy taste;* een ~e wortel *a turnip-like root.*
raapbord ⟨het⟩ ⟨amb.⟩ **0.1** *hawk.*
raapknol ⟨de (m.)⟩ **0.1** *turnip* ⇒*swede, ^rutabaga* ⟨Brassica napobrassica⟩, *kohlrabi* ⟨koolraap, kohlrabi⟩.
raapkool ⟨de⟩ **0.1** *kohlrabi* ⇒*turnip cabbage.*
raappolie ⟨de⟩ **0.1** *rape oil* ⇒*colza-oil, cole-seed oil.*
raapselderij ⟨de (m.)⟩ **0.1** *celeriac.*
raapstelen ⟨zn.mv.⟩ **0.1** *turnip tops/greens.*
raapveld ⟨het⟩ **0.1** *turnip field* ⇒⟨klein⟩ *turnip patch.*
raapwerk ⟨het⟩ ⟨amb.⟩ **0.1** *roughcasting.*
raapzaad ⟨het⟩ **0.1** [oliezaad] *rapeseed* ⇒*oilseed* **0.2** [koolzaad] *rapeseed* ⇒*cole-seed* **0.3** [gewas van 0.1] *rape(seed)* ⇒*colza* **0.4** [gewas van 0.2] *cole-seed* ⇒*rapeseed.*
raar ⟨➔sprw. 267,328,556⟩
  I ⟨bn.⟩ **0.1** [merkwaardig] *odd* ⇒*funny, queer, strange, peculiar* **0.2** [niet goed wijs] *queer (in the head)* ⇒*funny, odd, touched, cracked* **0.3** [draaierig] *queer* ⇒*giddy, dizzy, queasy, funny* ◆ **1.1** een ~ geval *an oddity;* het is een rare kerel *he's a funny/peculiar sort of fellow, he's an o. bird,* ^*he's an oddball;* wat een ~ mens! *what a character!;* een rare snuiter *an o. bird, a queer fish, a weirdo/ie, a crank,* ^*an oddball* **3.2** zeg, ben je ~? *what are you, nuts or sth.?* **3.3** ik word zo ~ *I feel queer/giddy/dizzy/queasy/funny* **7.1** ⟨zelfst.⟩ een rare *an o. bird, a queer fish, a weirdo/ie, a crank,* ^*an oddball;*
  II ⟨bw.⟩ **0.1** [vreemd] *oddly* ⇒*strangely* ◆ **3.1** doe niet zo ~! *do stop that nonsense!;* wat zeg je dat ~! *what a funny way to say that!;* daar zul je ~ van opkijken *you'll be surprised, that will make you sit up.*
raasdonder ⟨de (m.)⟩ ⟨inf.⟩ **0.1** [ongemarkeerd] *marrowfat (pea)* ⇒*marrow (pea).*
raaskallen ⟨onov.ww.⟩ **0.1** *rave* ⇒*talk gibberish/rot, drivel* ◆ **3.1** lig nu niet te ~ *come off it!* **4.1** je raaskalt *you're talking through your hat.*
raaskallerij ⟨de (v.)⟩ **0.1** *raving(s)* ⇒*gibberish, drivel,* ⟨sl.⟩ *rot.*
raat ⟨de⟩ **0.1** [honingraat] *(honey)comb* **0.2** [cellenbouwsel bij wespen] *comb.*
raathoning ⟨de (m.)⟩ **0.1** *comb honey* ⇒*honey in/on the comb.*
raatvormig ⟨bn.⟩ **0.1** ⟨zie 1.1⟩ ◆ **1.1** ~ patroon *honeycomb (pattern/design).*
rabarber ⟨de⟩ **0.1** [gewas] *rhubarb* **0.2** [gerecht] *rhubarb* **0.3** [wortel] *rhubarb.*
rabarbermoes ⟨het⟩ **0.1** *stewed rhubarb.*
rabarbersteel ⟨de (m.)⟩ **0.1** *rhubarb stalk* ⇒*stick of rhubarb* ⟨om rauw te eten⟩.
rabat ⟨het⟩ **0.1** [korting] *discount* ⇒*rebate, reduction* **0.2** [sponning] *rabbet* ⇒*groove* **0.3** [valletje] *valance/ence* **0.4** [kweekbed] *seedbed* **0.5** [rand langs een gebouw] *plinth* **0.6** [zoom] *hem* ◆ **6.1** kopen **met** ~ *be allowed a d., buy at a d.* **7.1** met 10% ~ *at a d. of 10% , less 10% trade d..*
rabatdelen ⟨zn.mv.⟩ **0.1** *tongue-and-groove planking.*
rabatten ⟨onov., ov.ww.⟩ ⟨bouwk.⟩ **0.1** [sponningen schaven] *rabbet* **0.2** [planken verbinden] *rabbet* ⇒*match* **0.3** [een plank schuin bijschaven] *bevel* **0.4** [planken over elkaar leggen] *shiplap.*

rabatteren ⟨onov., ov.ww.⟩ ⟨bouwk.⟩ **0.1** *rabbet*.
rabatwerk ⟨het⟩ ⟨bouwk.⟩ **0.1** *rabbeting*.
rabauw ⟨de (m.)⟩ **0.1** [schurk] *rough* ⇒*thug, ruffian, rowdy, bully* **0.2** [winterappel] *russet*.
rabbi ⟨de (m.)⟩ **0.1** *rabbi*.
rabbijn ⟨de (m.)⟩ **0.1** *rabbi*.
rabbijns ⟨bn.⟩ **0.1** *rabbinic(al)*.
rabbinaal ⟨bn.⟩ **0.1** *rabbinic(al)*.
rabbinaat ⟨het⟩ **0.1** [functie] *rabbinate* **0.2** [ambtsgebied] *rabbinate* **0.3** [alle rabbijnen van een ressort] *rabbinate* **0.4** [kantoor] *rabbinate*.
rabbinisme ⟨het⟩ **0.1** *rabbinism*.
rabdologie ⟨de (v.)⟩ **0.1** *rhabdology*.
rabdomant ⟨de (m.)⟩ **0.1** *rhabdomancer* ⇒*dowser, water diviner*.
rabdomantie ⟨de (v.)⟩ **0.1** *rhabdomancy* ⇒*dowsing, divining*.
rabelaisiaans ⟨bn., bw.⟩ **0.1** *Rabelaisian*.
rabiaat ⟨bn., bw.; -ly⟩ **0.1** *rabid* ⇒*raving, furious, fuming, wild*.
rabies ⟨de (v.)⟩ **0.1** *rabies*.
racaille ⟨het⟩ **0.1** *rabble* ⇒*canaille, hoi polloi, riffraff*.
raccordement ⟨het⟩ **0.1** *siding (track)*.
raccorderen ⟨ov.ww.⟩ **0.1** *connect*.
raccroc ⟨de (m.)⟩ ⟨sport⟩ **0.1** *fluke, lucky shot/stroke*.
race ⟨de (m.)⟩ **0.1** *race* ◆ **6.1** nog in de ~ zijn *still be in the running*; ⟨fig.⟩ de ~ **naar** de top *the rat r.*; een ~ **tegen** de klok *a r. against time*; **uit** de ~ zijn *be out of the running*; uit de ~ genomen worden *be scratched* **6.¶** ⟨inf.⟩ **aan** de ~ zijn *have the runs*.
raceauto ⟨de (m.)⟩ **0.1** *racing car* ⇒*racer*, ^*speedster*.
racebaan ⟨de⟩ **0.1** [racecircuit] *(race)track* ⇒ ⟨auto's ook⟩ *circuit*, ⟨motoren/auto's ook⟩ *speedway*, ⟨paarden ook⟩ *racecourse, turf* **0.2** [speelgoed] *(race)track* ⇒*circuit*.
raceboot ⟨de⟩ **0.1** *speedboat*.
racecircuit ⟨het⟩ **0.1** *(race)track* ⇒*circuit, speedway*, ^*raceway* ⟨dragsters⟩, *dirt-track* ⟨crossmotoren⟩.
racefiets ⟨de⟩ **0.1** *racing bicycle/bike* ⇒*racer*.
racekak ⟨de (m.)⟩ ⟨inf.⟩ **0.1** *(the) trots/runs* ⇒ ⟨AE ook⟩ *(the) touristas* ⟨op vakantie⟩.
racemisch ⟨bn.⟩ ⟨schei.⟩ **0.1** *racemic*.
racen ⟨onov.ww.⟩ **0.1** [aan een race deelnemen] *race* ⇒*run (a race)* **0.2** [zich haasten] *race* ⇒*rush, hurry, run, speed* ◆ **3.1** stoppen met ~ *give up racing* **5.2** we hoeven niet zo te ~ *there's no need to rush* **7.1** de meeste roeiers komen nooit toe aan het echte ~ *most oarsmen never get as far as actual racing* **¶.1** de trap op ~ *race/rush up the stairs*.
racepaard ⟨het⟩ **0.1** *racehorse*.
racestuur ⟨het⟩ **0.1** *racing handlebars*.
racewagen ⟨de (m.)⟩ **0.1** *racing car* ⇒*racer*, ^*speedster*.
rachel ⟨de (m.)⟩ **0.1** *batten*.
rachelen ⟨ov.ww.⟩ ⟨amb.⟩ **0.1** *batten (down)*.
rachitis ⟨de (v.)⟩ ⟨med.⟩ **0.1** *rachitis* ⇒*rickets*.
rachitisch ⟨bn.⟩ **0.1** *rachitic* ⇒*rickety*.
rachter →*rachel*.
raciaal ⟨bn.⟩ **0.1** *racial* ⇒*ethnic*.
racisme ⟨het⟩ **0.1** [rassendiscriminatie] *racism* ⇒*racism* **0.2** [rassenleer] *racism* ⇒*racialism*.
racist ⟨de (m.)⟩ **0.1** *racist* ⇒*racialist, (white) supremacist*.
racistisch ⟨bn., bw.⟩ **0.1** *racist* ⇒*racialist(ic), (white) supremacist*.
racletten ⟨onov.ww.⟩ **0.1** *have a râclette*.
rad¹ (→sprw. 511)
I ⟨het⟩ **0.1** [wiel onder een voertuig] *wheel* **0.2** [(tand)wiel] *(cog)wheel* **0.3** [vuurwerk] *Catherine wheel* **0.4** [strafwerktuig] *wheel* **0.5** [kring] *ring* ⇒*corona, halo* ◆ **1.2** het ~ van avontuur ⟨fig.⟩ *the wheel of Fortune* **1.4** zij groeit op voor galg en ~ *she'll come to a bad end* **3.2** ⟨fig.⟩ iem. een ~ voor (de) ogen draaien *throw dust in s.o.'s eyes, pull the wool over s.o.'s eyes* **6.4** ⟨fig.⟩ iem. **op** het ~ leggen *put s.o. on the rack/through the mill*; ⟨sl.⟩ *give s.o. the works* **7.1** ⟨fig.⟩ het vijfde ~ aan de wagen *the odd man out*;
II ⟨de (m.)⟩ **0.1** [eenheid van energie] *rad*.
rad² ⟨bn., bw.; -ly⟩ **0.1** [snel] *quick* ⇒*fast, speedy* **0.2** [vaardig] *quick* ⇒*swift, nimble* **0.3** [mbt. iemands woorden] *quick* ⇒*glib, fluent, voluble* ◆ **1.2** haar ~de vingers *her swift/nimble fingers* **3.2** alles gaat hem ~ *af he can turn his hand to anything* **3.3** ze praat verschrikkelijk ~ *she talks nineteen to the dozen* **6.1** ze werd steeds ~der in haar bewegingen *her movements became quicker and quicker* **6.3** ~ **van** tong *glib, voluble, smooth-tongued*; ~ **van** tong zijn *have the gift of the gab, have a glib tongue, have kissed the Blarney stone*.
radar ⟨de (m.)⟩ **0.1** *radar* ◆ **6.1** onder de ~ vliegen *fly under the r.*.
radarantenne ⟨de⟩ **0.1** *scanner*.
radarcontrole ⟨de⟩ **0.1** *radar trap/check*.
radarecho ⟨de (m.)⟩ **0.1** *radar echo*.
radarinstallatie ⟨de (v.)⟩ **0.1** *radar installation/unit*.
radarkoepel ⟨de (m.)⟩ **0.1** *radome*.
radarscherm ⟨het⟩ **0.1** *radar screen*.
radarsnelheidsmeter ⟨de (m.)⟩ **0.1** *speed trap* ⇒*radar trap*.
radarstation ⟨het⟩ **0.1** *radar station*.
radartoren ⟨de (m.)⟩ **0.1** *radar pedestal/mast*.

radarverklikker ⟨de (m.)⟩ **0.1** *radar (trap) detector*.
radarvliegtuig ⟨het⟩ **0.1** *early-warning aircraft*.
radarwaarnemer ⟨de (m.)⟩ **0.1** *radar operator/man*.
radbraken ⟨ov.ww.⟩ **0.1** [doodmartelen] *break on the wheel* **0.2** [verknoeien] *abuse* ⇒*murder* ◆ **1.2** het Frans ~ *murder the French language* **3.1** ⟨fig.⟩ wij kwamen geradbraakt uit de wagen *we got out of the car exhausted*.
raddraaier ⟨de (m.)⟩ **0.1** *ringleader* ⇒*instigator, firebrand, troublemaker, agitator*.
radeermesje ⟨het⟩ **0.1** *erasing knife* ⇒*eraser*.
radeernaald ⟨de⟩ **0.1** *burin*.
radeerpenseel ⟨het⟩ **0.1** *erasing brush* ⇒*eraser*.
radeerpotlood ⟨het⟩ **0.1** *erasing pencil* ⇒*eraser*.
radeerstift ⟨de⟩ **0.1** *erasing pencil* ⇒*eraser*.
radeloos ⟨bn.⟩ **0.1** *desperate* ⇒*distracted, distraught, at one's wits' end* ◆ **3.1** iem. ~ maken *drive s.o. to distraction*; het is om ~ van te worden *it is maddening* **6.1** ~ **van** angst *distraught with fear*.
radeloosheid ⟨de (v.)⟩ **0.1** *desperation* ⇒*despair, distraction*.
raden (→sprw. 512)
I ⟨ov.ww.⟩ **0.1** [vermoeden] *guess* **0.2** [adviseren] *advise* ⇒*recommend* ◆ **3.1** dat laat zich ~ *that goes without saying* **4.2** dat is je geraden *you'd better*; het is je geraden om op tijd te komen *you'd better be on time* **5.1** je raadt het toch niet *you'll never guess*;
II ⟨onov., ov.ww.⟩ **0.1** [gissen] *guess* ◆ **5.1** raad eens wie daar komt *g. who's coming*; goed geraden! *you've guessed/hit/got it*; mis/fout ~ *g. wrong* **6.1** naar iets ~ *g. (at) sth.*; je moet hier overal maar naar ~ *everything is left to guesswork here* **7.1** je mag driemaal ~ *wie het gedaan heeft you'll never g. who did it* **¶.1** hij raadde maar in het wilde weg *he was making wild guesses*.
radencommunisme ⟨het⟩ **0.1** *soviet(-style) communism*.
radenrepubliek ⟨de (v.)⟩ **0.1** *soviet(-style) republic*.
radenwet ⟨de⟩ **0.1** ≠*Law on Labour and Insurance Councils*.
raderbaar ⟨de⟩, **-brancard** ⟨de (m.)⟩ **0.1** *wheeled stretcher*; ⟨AE ook⟩ *cot*.
raderboot ⟨de⟩ **0.1** *paddle steamer* ⇒*paddler, paddle wheeler*.
raderdiertje ⟨het⟩ **0.1** *wheel animal(cule)/bearer* ⇒*rotifer*.
ra'deren¹ ⟨ov.ww.⟩ **0.1** [graveren] *engrave* ⇒*etch* **0.2** [wegkrabben] *erase* ⇒ ⟨met gummi ook⟩ *rub out*, ⟨met mesje ook⟩ *scratch off*.
'raderen² ⟨onov., ov.ww.⟩ **0.1** *trace*.
raderkast ⟨de⟩ ⟨scheep.⟩ **0.1** *paddle box*.
raderorgaan ⟨het⟩ **0.1** *ciliated disc, wheel organ*.
radertje ⟨het⟩ **0.1** *cog(wheel)* ◆ **2.1** een klein ~ in het geheel zijn *be just a cog in the machine*.
raderwerk ⟨het⟩ **0.1** [op elkaar werkende raderen] *wheels* ⇒*gear(s)*, ⟨radertjes⟩ *cogwheels* **0.2** [organisatie] *wheels* ⇒*organization* ◆ **1.1** het ~ van een horloge *the cogs/cogwheels of a watch* **1.2** het ~ van de staat *the w. of state*.
raderwieltje ⟨het⟩ **0.1** *tracing wheel*.
radheid ⟨de (v.)⟩ **0.1** [mbt. handelen] *swiftness* ⇒*promptness, quickness, promptitude* **0.2** [mbt. spreken] *volubility* ⇒*glibness, readiness*.
radiaal¹ ⟨de (m.)⟩ ⟨wisk.⟩ **0.1** *radian*.
radiaal² ⟨bn.⟩ **0.1** *radial*.
radiaalband ⟨de (m.)⟩ **0.1** *radial* (^B*tyre*/^*tire*) ◆ **3.1** ~en laten monteren *have radials/radial tyres fitted*.
radiair ⟨bn.⟩ **0.1** *radial*.
radial ⟨de (m.)⟩ **0.1** *radian*.
radiant ⟨de (m.)⟩ ⟨ster.⟩ **0.1** *radiant*.
radiateur ⟨de (m.)⟩ **0.1** *radiator* ◆ **1.1** de dop van de ~ afschroeven *unscrew the r. cap* **3.1** de ~ bijvullen *top up the r.*.
radiatie ⟨de (v.)⟩ **0.1** [(uit)straling] *radiation* **0.2** [doorhaling] *erasure*.
radiatiegordel ⟨de (m.)⟩ **0.1** *radiation belt*.
radiatiepunt ⟨het⟩ **0.1** *radiant*.
radiator ⟨de (m.)⟩ **0.1** [verwarmingselement] *radiator* **0.2** [radiateur] *radiator*.
radiatorenverf ⟨de⟩ **0.1** *radiator paint*.
radiatorfolie ⟨het⟩ **0.1** *insulating foil*.
radicaal¹
I ⟨de (m.)⟩ **0.1** [iem. die de consequenties van een zienswijze aanvaardt] *consistent person* ⇒*person who abides by/* ⟨inf.⟩ *sticks to his/her principles/ideas/policies* **0.2** [⟨pol.⟩] *radical* ◆ **2.2** een gematigd ~ *a moderate r.* **¶.2** de Politieke Partij Radicalen *the (Dutch) Radical (Political) Party*;
II ⟨het⟩ **0.1** [bewijs van een bevoegdheid] *qualification* ⇒*certificate, entitlement* **0.2** [⟨wisk.⟩] *radical* **2.¶** ⟨schei.⟩ vrij ~ *free radical*.
radicaal²
I ⟨bn.⟩ **0.1** [diep ingrijpend] *radical* ⇒*drastic, thoroughgoing, sweeping, extreme* **0.2** [strevend naar ingrijpende hervormingen] *radical* **0.3** [⟨taal.⟩] *radical* ⇒*root-based* ◆ **1.1** een radicale breuk *a clean break*; een ~ geneesmiddel *a r./drastic drug* **1.2** een radicale partij *a r. party* **1.3** radicale talen *radical/root-based languages* **2.2** ~ links *the r. left* **3.2** ~ worden ⟨ook⟩ *radicalize*;
II ⟨bw.⟩ **0.1** [volkomen, totaal] *radically* ⇒*fundamentally, thorough-*

ly, totally ◆ **2.1** ~ verschillend *r.* / *fundamentally* / *thoroughly* / *totally different* **3.1** iets ~ veranderen ⟨ook⟩ *revolutionize sth.*.

radicaliseren ⟨onov.ww.⟩ **0.1** *radicalize.*

radicalisering ⟨de (v.)⟩ **0.1** *radicalization.*

radicalisme ⟨het⟩ **0.1** [neiging om in principes te volharden] *radicalism* **0.2** [het streven van radicalen] *radicalism.*

radicaliteit ⟨de (v.)⟩ **0.1** *radicalness* ⇒ *radical nature* / *quality.*

radiësthesie ⟨de (v.)⟩ **0.1** *dowsing* ⇒ *(water) divining.*

radiësthesist ⟨de (m.)⟩ **0.1** *dowser* ⇒ *(water) diviner.*

radijs ⟨de⟩ **0.1** [wortel] *radish* **0.2** [gewas] *radish* ◆ **1.1** een bosje ~ *a bunch of radishes* **3.2** ~ zaaien *sow* / *plant radishes.*

radijszaad ⟨het⟩ **0.1** *radish seed.*

radio ⟨de (m.)⟩ **0.1** [ontvangtoestel] *radio (set)* **0.2** [instelling] *radio* ⇒ *broadcasting organization* **0.3** [uitzending] *radio* ⇒ *broadcast* **0.4** [draadloze telecommunicatie] *radio* ⇒ *broadcasting* ◆ **1.2** Radio Nederland Wereldomroep *the Dutch Radio World Service* **1.3** bekend van ~ en televisie *of r. and television fame* **2.1** een draagbare ~ *a portable r. (set);* een kapotte ~ *a broken r. (set)* **3.1** de ~ aanzetten / laten spelen *switch* / *turn* / *put on the r.;* de ~ staat aan *the r. is on;* de ~ uitzetten *switch* / *turn* / *put off the r.* **3.3** ~ maken *make a (r.) broadcast* **6.2** hij is bij de ~ *he works for the r.* **6.3** een bericht via de ~ verspreiden *send out* / *broadcast a message on* / *over the r.* **6.4** via de ~ besturen *r.-control.*

radioactief ⟨bn.⟩ **0.1** [door kernsplitsing straling uitstotend] *radioactive* **0.2** [dmv. radioactieve stoffen] *radioactive* **0.3** [met radioactieve bestanddelen] *radioactive* ◆ **1.1** radioactieve elementen *r. elements, radioelements;* ~ koolstof *radiocarbon;* ~ verval *r. decay* **1.2** een ~ geneesmiddel *a r. medicament* / *drug, a radiopharmaceutical;* radioactieve therapie *radiation therapy, radiotherapy, radium treatment* **1.3** ~ afval *r.* / *nuclear waste;* radioactieve neerslag *r. fallout* **3.2** een stof ~ merken ⟨ook⟩ *tag a substance* **5.3** de lucht was sterk ~ *the atmosphere was highly r.*.

radioactiviteit ⟨de (v.)⟩ **0.1** *radioactivity.*

radioamateur ⟨de (m.)⟩ **0.1** *radio amateur* ⇒ ⟨inf.⟩ *ham.*

radioantenne ⟨de⟩ **0.1** *radio aerial* / *antenna.*

radioastronomie ⟨de (v.)⟩ **0.1** *radio astronomy.*

radiobaken ⟨het⟩ **0.1** *radio beacon.*

radiobericht ⟨het⟩ **0.1** *radio message* ⇒ *message on the radio.*

radiobestel ⟨het⟩ **0.1** *radio (broadcasting organization).*

radiobesturing ⟨de (v.)⟩ **0.1** *radio control* ◆ **6.1** met ~ *radio controlled.*

radiobiologie ⟨de (v.)⟩ **0.1** *radiobiology.*

radiobiologisch ⟨bn., bw.;-ly⟩ **0.1** *radiobiological.*

radiobode → **radiogids.**

radiobouwdoos ⟨de⟩ **0.1** *radio construction kit.*

radiobron ⟨de⟩ **0.1** *radio source.*

radiobuis ⟨de (v.)⟩ **0.1** *radio tube.*

radiocarboonmethode ⟨de (v.)⟩ **0.1** *(radio)carbon dating* ⇒ *carbon-14 dating.*

radiocassetterecorder ⟨de (m.)⟩ **0.1** *radio-cassette-player.*

radiocentrale ⟨de⟩ **0.1** *radio relay.*

radiochemie ⟨de (v.)⟩ **0.1** *radiochemistry* ⇒ *nuclear chemistry.*

radiocommentator ⟨de (m.)⟩ **0.1** *(radio) commentator.*

radiocontact ⟨het⟩ **0.1** *radio contact* / *communication* ◆ **3.1** het ~ werd verbroken *radio contact was lost* / *broken.*

radiocontroledienst ⟨de (m.)⟩ **0.1** *(pirate) radio detection service.*

radiodistributie ⟨de (v.)⟩ **0.1** *rediffusion (of radio programmes).*

radiofarmacon ⟨het⟩ **0.1** *radiopharmaceutical.*

radiofrequentie ⟨de (v.)⟩ **0.1** *radio frequency.*

radiogeen ⟨bn.⟩ **0.1** *radiogenic.*

radiogids ⟨de⟩ **0.1** *radio guide* ⇒ *Radio Times.*

radiogolf ⟨de⟩ **0.1** *radio wave.*

radiograferen ⟨ov.ww.⟩ **0.1** *X-ray.*

radiografie ⟨de (v.)⟩ **0.1** [het fotografisch opnemen] *radiography* ⇒ *X-raying* **0.2** [verkregen beeld] *X-ray (picture)* ⇒ ↑ *radiograph.*

radiografisch ⟨bn., bw.;-ally⟩ **0.1** [met röntgenstralen] *radiographic* ⇒ *with X-rays* **0.2** [met radiogolven] *radio(-)* ◆ **1.2** ~ e plaatsbepaling *radiolocation, radar* **3.2** het vliegtuigje werd ~ bestuurd *the model plane was radio controlled.*

radiogram ⟨het⟩ **0.1** [radiotelegram] *radiotelegram;* ⟨AE ook⟩ *radiogram* **0.2** [röntgenfoto] (→ **radiografie 0.2**).

radiohandelaar ⟨de (m.)⟩ **0.1** *radio dealer.*

radiohut, -kamer ⟨de⟩ **0.1** *radio room.*

radio-isotoop ⟨de (v.)⟩ **0.1** *radioisotope.*

radiojournaal ⟨het⟩ **0.1** *radio news (programme).*

radiokompas ⟨het⟩ **0.1** *radio compass.*

radiokoolstofdatering ⟨de (v.)⟩ → **radiocarboonmethode.**

radiolamp ⟨de⟩ → **radiobuis.**

radiolariën ⟨zn.mv.⟩ **0.1** *radiolarians.*

radiolezing ⟨de (v.)⟩ **0.1** *radio lecture* ⇒ *lecture on the radio.*

radiologie ⟨de (v.)⟩ **0.1** [wetenschap] *radiology* **0.2** [⟨med.⟩] *radiology.*

radiologisch ⟨bn., bw.;-ly⟩ **0.1** *radiological* ◆ **1.1** ~ laborant *⟨of⟩ radiology assistant;* ~ onderzoek *r. research.*

radioloog ⟨de (m.)⟩ **0.1** [wetenschapper] *radiologist* **0.2** [arts] *radiologist.*

radiolyse ⟨de (v.)⟩ **0.1** *radiolysis.*

radiomast ⟨de (m.)⟩ **0.1** *radio mast* ⇒ *radio pylon.*

radiometer ⟨de (m.)⟩ **0.1** *radiometer.*

radiomeubel ⟨het⟩ **0.1** *radio-cabinet.*

radiomuziek ⟨de (v.)⟩ **0.1** *radio music.*

radionieuwsdienst ⟨de (m.)⟩ **0.1** [dienst die het radionieuws verzorgt] *radio news department* / *service* **0.2** [nieuwsuitzending] *radio news (broadcast).*

radionuclide ⟨de (v.)⟩ **0.1** *radionuclide.*

radio-omroep ⟨de (m.)⟩ **0.1** [instelling] *radio (broadcasting) service* ⇒ *radio broadcasting company* / *corporation* **0.2** [het uitzenden van berichten] *(radio) broadcasting.*

radio-omroeper ⟨de (m.)⟩, **-roepster** ⟨de (v.)⟩ **0.1** *radio announcer* / ⟨v. ook⟩ *announceress* ⇒ *radio broadcaster.*

radio-ontvangst ⟨de (v.)⟩ **0.1** *radio reception.*

radio-orkest ⟨het⟩ **0.1** *radio orchestra.*

radiopathologie ⟨de (v.)⟩ **0.1** *radiopathology.*

radiopeiler ⟨de (m.)⟩ **0.1** *(radio) direction finder.*

radiopeiling ⟨de (v.)⟩ **0.1** *(radio) direction finding.*

radiopositie ⟨de (v.)⟩ **0.1** *radio position.*

radiopraatje ⟨het⟩ **0.1** *radio chat.*

radioprogramma ⟨het⟩ **0.1** [programma van uitzendingen] *radio [B]programme* / [A]*gram* **0.2** [uitzending] *radio [B]programme [A]gram* / *broadcast.*

radiorede ⟨de⟩ **0.1** *broadcast(ed)* / *radio speech.*

radioreportage ⟨de (v.)⟩ **0.1** *radio report* / *commentary (on)* / *coverage (of).*

radioreporter ⟨de (m.)⟩ **0.1** *radio reporter* / *commentator.*

radioschip ⟨het⟩ **0.1** *broadcasting ship.*

radioscoop ⟨de (m.)⟩ **0.1** *radioscope* ⇒ *fluoroscope.*

radioscopie ⟨de (v.)⟩ **0.1** *radioscopy* ⇒ *fluoroscopy.*

radioscopisch ⟨bn., bw.;-ally⟩ **0.1** *radioscopic* ⇒ *fluoroscopic.*

radiosignaal ⟨het⟩ **0.1** *radio signal.*

radiosonde ⟨de⟩ ⟨meteo.⟩ **0.1** *radiosonde.*

radiospelletje ⟨het⟩ **0.1** *radio quiz (game).*

radiostation ⟨het⟩ **0.1** *radio* / *broadcasting station.*

radiostilte ⟨de (v.)⟩ **0.1** *radio silence.*

radiostoring ⟨de (v.)⟩ **0.1** *(radio) interference;* ⟨opzettelijk⟩ *jamming.*

radiostraling ⟨de (v.)⟩ **0.1** *radiations of radio frequency.*

radiotechniek ⟨de (v.)⟩ **0.1** *radio technology.*

radiotelefonie ⟨de (v.)⟩ **0.1** *radiotelephony.*

radiotelefonisch ⟨bn., bw.⟩ **0.1** *radio;* ⟨bw.⟩ *by radio* / *radio(tele)phone.*

radiotelefoon ⟨de (m.)⟩ **0.1** *radio(tele)phone.*

radiotelegraaf ⟨de (m.)⟩ **0.1** *radio* / *wireless telegraph.*

radiotelegrafie ⟨de (v.)⟩ **0.1** *radio* / *wireless telegraphy.*

radiotelegrafisch ⟨bn., bw.⟩ **0.1** ⟨bn.⟩ *radiotelegraphic;* ⟨bw.⟩ *by radio telegraph.*

radiotelegrafist ⟨de (m.)⟩ **0.1** *radio operator.*

radiotelegram ⟨het⟩ **0.1** *radiotelegram* ⇒ ⟨AE ook⟩ *radiogram.*

radiotelescoop ⟨de (m.)⟩ **0.1** *radio telescope.*

radiotherapie ⟨de (v.)⟩ **0.1** *radio therapy* ⇒ *radiation* / *radium therapy.*

radiotoestel ⟨het⟩ **0.1** *radio (set).*

radio-uitzending ⟨de (v.)⟩ **0.1** *radio broadcast* / *transmission.*

radioverbinding ⟨de (v.)⟩ **0.1** *radio communication* / *contact* ◆ **3.1** ~ krijgen met *establish radio communication* / *contact with.*

radioverslag ⟨het⟩ **0.1** *radio report* / ⟨van sportwedstrijd enz.⟩ *commentary.*

radiowekker ⟨de (m.)⟩ **0.1** *radio alarm(-clock).*

radiozender ⟨de (m.)⟩ **0.1** *radio transmitter.*

radiozendinstallatie ⟨de (v.)⟩ **0.1** *radio-transmission equipment.*

radiozendontvanger ⟨de (m.)⟩ **0.1** *(radio) transceiver.*

radium ⟨het⟩ ⟨schei.⟩ **0.1** [chemisch element] *radium* **0.2** [⟨inf.⟩ lichtgevende stof] *radium* ⇒ *luminous paint* ◆ **6.2** een horloge met ~ *a watch with r. dial.*

radiumhoudend ⟨bn.⟩ **0.1** *radium-bearing* ⟨erts⟩ ◆ **3.1** ~ zijn *contain radium.*

radiumstraal ⟨de (m.)⟩ **0.1** *radium ray.*

radiumtherapie ⟨de (v.)⟩ **0.1** *radium therapy* ⇒ *radiotherapy, radiation therapy.*

radiumzout ⟨het⟩ **0.1** *radium salt.*

radius ⟨de (m.)⟩ **0.1** *radius* ◆ **1.1** ⟨wisk.⟩ ~ vector *r. vector* **2.1** binnen zekere ~ *within a certain r.*.

radix ⟨de⟩ ⟨wisk.⟩ **0.1** *radix.*

radja ⟨de (m.)⟩ **0.1** *raja(h).*

radkrans ⟨de (m.)⟩ **0.1** *wheel rim* / *flange.*

radon ⟨het⟩ ⟨schei.⟩ **0.1** *radon.*

radslag ⟨de (m.)⟩ **0.1** *cartwheel* ◆ **3.1** (een) ~ (en) maken *turn a cartwheel* / *cartwheels, cartwheel.*

radstand ⟨de (m.)⟩ **0.1** *wheelbase.*

radvormig ⟨bn.⟩ **0.1** *wheel-shaped* ⇒ ⟨plantk.⟩ *rotate* ◆ **1.1** ⟨biol.⟩ ~ e bloemkroon *rotate corolla.*

R.A.F. ⟨de⟩ ⟨afk.⟩ **0.1** [Royal Air Force] *RAF* **0.2** [Rote Armee Faktion] *RAF.*

rafel ⟨de⟩ **0.1** *frayed* / *loose end* ◆ **3.1** de ~ s hangen erbij *it is falling apart.*

rafelen
I ⟨onov.ww.⟩ **0.1** [het losraken van draden] *fray* ◆ **1.1** dat goed rafelt erg *that material frays badly;* een gerafeld vloerkleed *a frayed carpet;*
II ⟨ov.ww.⟩ **0.1** [draden uitpluizen] *unravel* ⇒*unpick.*

rafelig ⟨bn.⟩ **0.1** *frayed* ⇒*threadbare* ◆ **1.1** een oude ~e broek *a f. / threadbare old pair of trousers /^pants* **3.1** ~ worden *fray, grow/get f. / threadbare.*

raffelen ⟨onov.ww.⟩ **0.1** *gabble* ◆ **3.1** een verhaal al ~d afmaken *g. out a story.*

raffia ⟨het, de (m.)⟩ **0.1** *raffia.*

raffinaderij ⟨de (v.)⟩ **0.1** *refinery.*

raffinadeur ⟨de (m.)⟩ **0.1** *refiner.*

raffinage ⟨de (v.)⟩ **0.1** *refining.*

raffinement ⟨het⟩ **0.1** [verfijndheid] *refinement* **0.2** [geraffineerdheid] *subtlety* ⇒*calculation* ◆ **6.2** met het ~ van een mondaine vrouw *with (all) the s. / calculation of a woman of the world.*

raffineren ⟨ov.ww.⟩ **0.1** *refine.*

rafter ⟨de (m.)⟩ **0.1** *batten.*

rag ⟨het⟩ **0.1** *cobweb(s)* ⇒⟨zeer fijn⟩ *gossamer* ◆ **8.1** het is zo fijn als ~ *it's as fine / light / thin as gossamer.*

ragdun ⟨bn., bw.⟩ **0.1** *(as) thin as tissue-paper / gossamer, hair-fine* ⇒ *flimsy.*

rage ⟨de⟩ **0.1** *craze* ⇒*mania, rage* ◆ **2.1** de nieuwste ~ *the latest c.;* het is een ware ~ aan het worden *it's getting to be / it's becoming all the rage* **6.1** de ~ van het antiek verzamelen *the c. / mania for collecting antiques.*

ragen ⟨onov., ov.ww.⟩ **0.1** *sweep* ⇒*dust.*

ragfijn ⟨bn.⟩ **0.1** *as light / fine / thin as gossamer* ⇒*gossamer(-thin),* ⟨fig.⟩ *subtle* ◆ **1.1** ~e onderscheidingen *subtle / fine /* ⟨pej.⟩ *tortuous distinctions;* ⟨fig.⟩ een ~ spel *a subtle game.*

raggen ⟨onov.ww.⟩ **0.1** ⟨persoon⟩ *swing* ⇒⟨lopen, rijden⟩ *charge back and forth / to and fro* ◆ **3.1** zit niet zo op die stoel te ~! *stop messing about on that chair!* **3.¶** in de tent naast ons lagen ze elke nacht te ~ *in the tent next to us they were banging away / were at it every night* **6.1 op** een brommer ~ *charge / zoom up and down on a moped.*

raglanmouw ⟨de⟩ **0.1** *raglan sleeve.*

ragoût ⟨de (m.)⟩ **0.1** ⟨gerecht⟩ *ragout* ⇒ ↓*stew* **0.2** [mengelmoes] *hotchpotch* ⇒⟨vnl. AE⟩ *hodgepodge* ◆ **6.1** ~ van rundvlees *beef r. / stew.*

rail ⟨de⟩ **0.1** [spoorstaaf] *rail* **0.2** [spoorweg] *rail(way)* ⇒*^road)* **0.3** [richel om iets langs te schuiven] *rail* ◆ **6.1** ⟨fig.⟩ iets / iem. weer **op** de ~s zetten *put sth. / s.o. back on the rails;* ⟨fig.⟩ eindelijk staat het project **op** de ~s *at last we've got the project going;* de trein / tram liep **uit** de ~s *the train / tram (was) derailed, the train / tram came off / left / jumped the rails* **6.2** vervoer **per** ~ *r. transport, transport by r. /* ⟨BE ook⟩ *railway /* ⟨AE ook⟩ *railroad.*

railleren ⟨onov.ww.⟩ **0.1** *banter, chaff* ◆ **1.1** een ~d woord *a bantering word* **6.1** ~ **met** iets *poke fun at / make fun of sth..*

railtransport ⟨het⟩ **0.1** *rail transport* ⇒*transport by rail /* ⟨BE ook⟩ *railway /* ⟨AE ook⟩ *railroad.*

railvervoer →**railtransport.**

railvoertuig ⟨het⟩ **0.1** *track vehicle.*

raio ⟨de (m.)⟩ **0.1** *trainee judge / magistrate.*

raison ⟨de (v.)⟩ ◆ **¶.** à ~ van ... *on payment of ...;* ~ d'être *raison d'être.*

raisonnabel ⟨bn., bw.; -ly⟩ **0.1** [geleid door de rede] *rational* **0.2** [billijk, rechtvaardig] *reasonable* ⇒*sensible* ◆ **3.1** ~ denken *think rationally* **5.2** hij is heel ~ *he's very r..*

raisonneren ⟨onov.ww.⟩ **0.1** *reason* ⇒*argue.*

rak ⟨het⟩ **0.1** [gedeelte van een vaarwater] *reach* **0.2** [⟨zeilsport⟩] *stretch* **0.3** [borgstrop van een ra aan de mast] *truss* ◆ **6.2** een ~ **in** de wind ⟨lett.⟩ *an upwind s.;* ⟨fig.⟩ *a set-back, a blow.*

rakel ⟨de (m.)⟩ ⟨druk.⟩ **0.1** *doctor (blade)* ⇒*squeegee.*

rakelen ⟨onov., ov.ww.⟩ **0.1** *rake* ◆ **¶.1** iets uit de as ~ *r. up sth.,* ⟨fig.⟩ *r. sth. up.*

rakelings ⟨bw.⟩ **0.1** *closely* ⇒*narrowly* ◆ **3.1** de bal ging ~ **over** *the ball just missed, the ball missed by inches;* de steen ging ~ **langs** zijn hoofd *the stone narrowly missed his head, the stone (nearly) grazed his head;* hij liep mij ~ voorbij *he brushed past me;* het vliegtuig scheerde ~ **over** de boomtoppen *the plane just cleared the trees, the plane skimmed (over) the treetops.*

raken
I ⟨ov.ww.⟩ **0.1** [treffen] *hit* **0.2** [beroeren] *affect, hit* **0.3** [betreffen] *touch (on)* ⇒*affect, concern* **0.4** [aanraken] *touch* ◆ **1.1** hij kon geen bal ~ *he never hit the ball;* zijn tegenstander hard ~ *h. one's opponent hard* **1.3** dat raakt kant noch wal *that's neither here nor there;* dat raakt de kern v.d. zaak *that goes to the heart of the matter* **1.4** de auto raakte heel even het paaltje *the car grazed the post;* die cirkels ~ elkaar *these circles t. / meet* **3.1** hij sloeg hem waar hij hem kon ~ *he hit him where he could* **4.2** dat raakt me totaal niet *that leaves me cold* **4.¶** 'm ~ ⟨eten⟩ *stuff o.s.,* ⟨drinken⟩ *knock it back, put a few back* **5.2** iem. gevoelig ~ *hit s.o. hard,* ⟨inf.⟩ *hit s.o. where it hurts* **¶.3** zaken die ons ten zeerste ~ *things that concern us very closely;*
II ⟨onov.ww.⟩ **0.1** [geraken (tot), worden] *get* ⇒*become, grow, go,*
turn **0.2** [aanraken] *touch* **0.3** [⟨+aan⟩ krijgen] *get (hold of)* ⇒*come by* ◆ **2.1** gewond ~ *get wounded;* lek ~ *develop / spring a leak, start leaking;* slaags ~ *come to blows / grips; come close* ⟨met vijand⟩; verkikkerd ~ **op** *take a shine to, be potty about;* ⟨zaak ook⟩ *get keen on;* zoek ~ *get mislaid / lost, vanish, disappear;* zwanger ~ ⟨o.s.⟩ *pregnant* **3.1** betrokken ~ **bij / in** *get / become involved in;* bevriend ~ **met** *become friends / friendly with;* gewend ~ **aan** *get used to;* zij ~ er niet over uitgepraat *they never tire of / can't stop talking about it;* ergens in verzeild ~ *get mixed up in sth.* **5.1** achterop ~ *get / fall behind;* ergens doorheen ~ *run / get short of* ⟨helemaal doorheen⟩ *run out of sth.;* onklaar ~ *break down, go out of action;* **op** ~ *run out;* vast ~ (**in**) *get stuck (in)* **5.2** daar mag je niet aan ~ *you mustn't t. that* **5.¶** iets kwijt ~ *lose / mislay sth.* **6.1 aan** de drank ~ *start to drink, start drinking (heavily);* ⟨inf.⟩ *hit the bottle;* **aan** lager wal ~ *come down to the world, end on one's uppers;* **aan** de praat ~ *get talking / chatting;* **buiten** westen ~ ⟨bewusteloos⟩ *lose consciousness;* ⟨dronken⟩ *get tanked up / pie-eyed;* **buiten** zichzelf / **buiten** zinnen ~ ⟨gek⟩ *lose one's mind / senses,* ⟨enthousiast, kwaad⟩ *get beside o.s.;* **buiten** adem ~ *get out of breath;* **door** zijn geld ~ *go / get through one's money, run short / out of money;* **van** iets **in** vervoering ~ *go into raptures / ecstasies about sth.;* **uit** de mode ~ *go out of fashion;* **uit** zijn humeur ~ *get in(to) a bad mood / temper, grow bad-tempered;* de satelliet is **uit** zijn baan geraakt *the satellite has gone off course;* ⟨sport⟩ **uit** vorm ~ *lose one's form;* **van** zijn stuk ~ *get confused / flustered / upset;* **van** de wijs ~ *get out of tune;* ⟨fig.⟩ *get upset, lose one's marbles;* **van** de weg ~ *go off the road* **6.3** hoe **aan** geld te ~? *how to come by / get (hold of) some money?.*

raket ⟨de⟩ **0.1** [projectiel] *missile* ⇒*rocket* **0.2** [vuurpijl] *rocket* **0.3** [raketbom] *rocket* ⇒*missile* **0.4** [plantesoort] *hedge mustard* ◆ **2.1** geleide ~ten *guided missiles;* intercontinentale ~ten *intercontinental missiles* **3.1** een ~ lanceren *launch a missile / rocket.*

raketaandrijving ⟨de (v.)⟩ **0.1** *rocket propulsion / drive* ◆ **6.1** met ~ *rocket-propelled.*

raketafweer ⟨de (m.)⟩ **0.1** *anti-missile defence ^se.*

raketbasis ⟨de (v.)⟩ **0.1** *missile / rocket base.*

raketbom ⟨de⟩ **0.1** *rocket* ⇒*missile.*

raketgeleerde ⟨de (m.)⟩ **0.1** *missile / rocket expert.*

raketinstallatie ⟨de (v.)⟩ **0.1** *missile / rocket installation.*

raketmotor ⟨de (m.)⟩ **0.1** *rocket engine / motor.*

raketschip ⟨het⟩ **0.1** *rocket-ship.*

rakettrap ⟨de (m.)⟩ **0.1** *rocket / missile stage* ⇒*stage of a / the rocket / missile.*

raketvliegtuig ⟨het⟩ **0.1** *rocket(-propelled) plane.*

raketwerper ⟨de (m.)⟩ **0.1** *rocket launcher.*

rakker ⟨de (m.)⟩ **0.1** [deugniet] *rascal* ⇒*scamp, rogue* **0.2** [kerel, vent] *guy* ⇒⟨BE ook⟩ *bloke* **0.3** ⟨gesch.⟩] *helper* ◆ **1.2** de schout en zijn ~s ≠*the sheriff and his helpers* **2.2** ouwe ~! *(you) old rascal!;* een rechtse ~ *a right-winger /* ⟨AE ook; inf.⟩ *mossback;* hij is een rooie ~ *he's a leftist /* ⟨AE ook⟩ *lefty /* ⟨AE ook⟩ *liberal;* een taaie ~ *a tough guy* **6.1** een ~ **van** een jongen *a little rascal.*

ral ⟨de (m.)⟩ ⟨dierk.⟩ **0.1** *rail* ⇒*runner.*

rallentando ⟨bw.⟩ ⟨muz.⟩ **0.1** *rallentando.*

ralreiger ⟨de (m.)⟩ **0.1** *squacco (heron).*

ralvogels ⟨zn.mv.⟩ **0.1** *Rallidae* ⇒*crakes.*

ram ⟨de (m.)⟩ **0.1** [schaap] *ram* **0.2** [konijn] *buck* **0.3** ⟨met hoofdl.⟩ sterrenbeeld] *Aries* ⇒*the Ram* **0.4** [iem. met dit sterrenbeeld] *Aries* **0.5** [stormram] *(battering-)ram* ◆ **2.¶** hydraulische ~ *hydraulic ram* **3.1** hij is aan een (kwade) ~ gekoppeld *he's got a tiger by the tail* **3.¶** ⟨inf.⟩ iem. een ~ **voor** zijn kop geven *wallop / thump s.o. over the head.*

ramadan ⟨de (m.)⟩ **0.1** *Ramadan.*

ramadanfeest ⟨het⟩ **0.1** *the Feast of Ramadan.*

ramaneffect ⟨het⟩ ⟨nat.⟩ **0.1** *Raman effect.*

rambam ⟨het, de (m.)⟩ ⟨inf.⟩ ◆ **3.¶** krijg de / het ~ *go to blazes / hell!;* zich het ~ werken *work flat out, work one's head off.*

ramblers ⟨zn.mv.⟩ ⟨plantk.⟩ **0.1** *ramblers* ⇒*rambler / rambling roses.*

ramee ⟨de (m.)⟩ **0.1** *ramie, ramee.*

ramen ⟨ov.ww.⟩ **0.1** *estimate* ⇒*assess* ◆ **5.1** te hoog / te laag ~ *over / underestimate* **5.2** de schade werd **op** *f* 1500,- geraamd *the damage was estimated at 1500 guilders.*

ramificatie ⟨de (v.)⟩ **0.1** *ramification.*

raming ⟨de (v.)⟩ **0.1** *estimate* ⇒*assessment* ◆ **2.1** een te hoge / te lage ~ *an over / underestimate* **3.1** een ~ maken **van** *make an e. of.*

ramlam ⟨het⟩ **0.1** *male lamb.*

rammei ⟨de⟩ **0.1** *battering-ram.*

rammeien ⟨onov., ov.ww.⟩ **0.1** *batter* ◆ **¶.¶** door elkaar ~ *throw in a jumble / higgledy-piggledy.*

rammel ⟨de (m.)⟩ **0.1** [rammelaar] *rattle* **0.2** [slaag] *beating* **0.3** [klokkenspel] *chimes* ⟨mv.⟩ **0.4** [mond] *trap* **0.5** [kletsmeier] *chatterbox* ◆ **1.2** een pak ~ *a b.* **3.2** ~ geven / krijgen *give / get a b.* **3.4** hou je ~! *shut your face / trap!.*

rammelaar ⟨de (m.)⟩ **0.1** [speelgoed] *rattle* **0.2** [konijn, haas] *buck.*

rammelen
I ⟨onov.ww.⟩ **0.1** [klepperen, ratelen] *rattle* ⇒⟨borden, bestek ook⟩

clatter, clank, clink **0.2** [rijden met een klapperend geluid] *rattle* ⇒ *clatter* **0.3** [onsamenhangend in elkaar zitten] *be ramshackle/shaky/ unsound, lack cohesion* **0.4** [knorren van de honger] *rumble* **0.5** [babbelen] *chatter* **0.6** [paren] *mate* ♦ **1.1** een ~de collectebus *a rattling/ clinking collection-box;* de wekker rammelt *the alarm-clock jangles* **1.2** een ~d autootje *a rattling car,* 〈int.〉 *a rattletrap* **1.3** dit banenplan rammelt aan alle kanten *this employment plan is totally unsound/ very shaky;* dit rapport rammelt *this report lacks cohesion* **3.6** de konijnen beginnen te ~ in februari *rabbits start mating in February* **6.1 aan** de deur ~ *rattle the door;* 〈fig.〉 **met** de sabel ~ *rattle the sabre;* vader rammelde **met** de borden *father was clattering the dishes;* **met** z'n sleutels ~ *clink one's keys;* **op** de piano ~ *hammer away at/ hammer on the piano* **6.4** ik rammelde **van** de honger *my stomach was rumbling with hunger, I was starving/ I was faint with hunger;* **II** 〈ov.ww.〉 **0.1** [schudden] *shake* ♦ **1.1** een kind door elkaar ~ *give a child a shaking.*

rammeling 〈de (v.)〉 **0.1** *beating.*

rammelkar 〈de〉 **0.1** *rattletrap* ⇒ 〈auto ook〉 *jalopy,* 〈AE ook〉 *old crock,* 〈AE ook〉 *junker.*

rammelkast 〈de〉 **0.1** [ontstemde piano] [†] *ramshackle old piano* **0.2** [oude auto] *rattletrap* ⇒*jalopy,* 〈BE ook〉 *old crock,* 〈AE ook〉 *junker.*

rammelschijf 〈de〉 **0.1** *snatch pulley.*

rammeltijd 〈de (m.)〉 **0.1** *mating season.*

rammen 〈ov.ww.〉 **0.1** [beuken, stoten] *ram* ⇒*bash in/ down* **0.2** [aanvaren] *ram* **0.3** [aanrijden] *ram, bump (into)* **0.4** [neuken] *screw* ♦ **1.1** de deur~ *bash the door down* **1.2** een duikboot~ *r. a submarine;* de auto ramde een muur/lichtmast *the car bumped a stone wall/ into a light pole* **4.1** 〈fig.〉 iem. in elkaar ~ *beat s.o. up* **6.1** 〈fig.〉 **op** een piano ~ *hammer/ bash away on a piano* **¶.¶** 〈inf.〉 dat zit geramd 〈voor elkaar〉 *that's tied up nicely.*

rammenas 〈de〉 **0.1** *winter radish.*

ramoneur 〈de (m.)〉 **0.1** *go-devil, soot blower.*

ramp 〈de〉 **0.1** *disaster* ⇒*calamity, catastrophe* ♦ **2.1** een nationale ~ *a national d.* **3.1** door een onherstelbare ~ getroffen worden *be overtaken by irremediable catastrophe;* hij is een ~ achter het stuur *he's a menace at the wheel* **6.1** een ~ **voor** het milieu *an environmental d.* **7.1** dat is geen ~ *that's not a d.;* ik zou het geen ~ vinden als hij niet kwam *it wouldn't be a d. if he didn't come* **¶.¶** tot overmaat van ~ *to make matters worse,* [↑] *to add to the misfortune,* 〈inf.〉 *to top/ crown everything/ it all.*

rampen(bestrijdings)plan 〈het〉 **0.1** *contingency plan* ⇒*crash pro- gramme* [A]*gram.*

rampendienst 〈de (m.)〉 **0.1** *emergency service.*

rampenfilm 〈de (m.)〉 **0.1** *disaster film/* [A]*movie.*

rampenfonds 〈het〉 **0.1** *disaster (relief) fund.*

rampetampen 〈onov.ww.〉 〈inf.〉 **0.1** *bang* ⇒*screw.*

rampgebied 〈het〉 **0.1** *disaster area.*

rampjaar 〈het〉 **0.1** *year of disaster/ calamity.*

rampmare 〈de〉 〈schr.〉 **0.1** *evil tidings.*

rampspoed 〈de (m.)〉 **0.1** [tegenslag] *misfortune* ⇒*adversity, tribulation(s),* 〈schr.〉 *woe(s)* **0.2** [onheil] *disaster* ⇒*calamity, catastrophe* ♦ **3.1** ~ ondervinden *suffer m., meet with adversity* **3.2** door ~ getroffen *overtaken by d..*

rampspoedig 〈bn., bw.; -ly〉 **0.1** *disastrous* ⇒*catastrophic, fateful, calamitous* ♦ **1.1** wat een ~ jaar! *what a d. year!* **3.1** hij is ~ aan zijn eind gekomen *he came to a d. / terrible end.*

rampzalig 〈bn., bw.; -ly〉 **0.1** *disastrous* ⇒*catastrophic, fateful, calamitous* ♦ **1.1** een ~ besluit *a d. / catastrophic decision;* een ~e dag *a terrible/ an ill-fated day;* een ~ huwelijk *a d. / an ill-fated marriage;* een ~ voorval *a d. / catastrophic event.*

rampzalige 〈de (v.)〉 **0.1** *(poor) wretch.*

rampzaligheid 〈de (v.)〉 **0.1** [rampzalig voorval] *disaster* ⇒*catastrophe, calamity* **0.2** [ellende] *misery* ⇒*wretchedness* ♦ **2.2** de eeuwige ~ *eternal damnation.*

ramshoorn 〈de (m.)〉 **0.1** [hoorn van een ram] *ram's horn* **0.2** [muziekinstrument] *shofar* ⇒*shophar,* 〈bijb.〉 *ram's horn.*

ramsj 〈de m.)〉 **0.1** [ongeregeld goed] *irregulars; junk* ⇒*rubbish* **0.2** [ongeregelde handel] ≠*irregulars trade* ♦ **6.2** een boek in de ~ gooien *remainder a book;* het boek is in de ~ verkrijgbaar *the book has been remaindered.*

ramsjen 〈onov.ww., ov.ww.〉 〈inf.〉 **0.1** [ongeregeld goed goedkoop opkopen] *buy up (junk) cheaply, buy up irregulars* **0.2** [tegen afbraakprijzen verkopen] *sell off (junk)/ irregulars* ⇒*remainder.*

ramskop 〈de (m.)〉 **0.1** *ram's head.*

ramsneus 〈de (m.)〉 **0.1** *muzzle.*

ramsteven 〈de (m.)〉 〈scheep.〉 **0.1** *ram* ⇒*beak.*

ramsvacht 〈de〉 **0.1** *ram's fleece.*

rancho 〈de (m.)〉 **0.1** *ranch(o).*

rancune 〈de (v.)〉 **0.1** *rancour* ⇒*ill-will,* 〈inf.〉 *hard feelings* ♦ **3.1** ~ blijven koesteren tegen iem. *bear s.o. a grudge, bear a grudge towards s.o.* **¶.1** sans ~ *no hard feelings.*

rancuneus 〈bn., bw.; -ly〉 **0.1** *vindictive* ⇒*spiteful, rancorous.*

rand 〈de (m.)〉 **0.1** [(gedeelte langs de) grens/omtrek] *edge* ⇒*border,*

rim, brim, margin **0.2** [versiering] *border* ⇒*edge* **0.3** [omlijsting] *frame, rim* **0.4** [mbt. een holte/ diepte] *edge* ⇒*brink, (b)rim,* 〈fig. ook〉 *verge* **0.5** [〈in samenst.〉 marginaal] *marginal* 〈bn.〉 ⇒*peripheral* 〈bn.〉 **0.6** [Zuidafrikaanse munt] *rand* **0.7** [ziekte bij slaplanten] *marginal blight/ spot* ♦ **1.1** de ~ v.e. bord/ schaal *the rim of a plate/ dish* **1.3** de ~ v.e. spiegel *the f. of a mirror* **1.5** randverschijnsel *m./ peripheral phenomenon* **2.1** een opstaande ~ *a raised e.,* 〈tech. ook〉 *a flange;* ogen met rode ~en *red-rimmed eyes;* een slappe ~ v.e. hoed *a soft brim of a hat;* een ~ v.d. samenleving *the fringes of society;* een brief met een zwarte ~ *a black-edged letter* **2.2** een gekartelde ~ *a milled edge* (van munt) **2.3** een bril met gouden ~en *gold-rimmed spectacles* **2.¶** zwarte ~en onder zijn nagels hebben *have dirt/ black under one's fingernails* **3.6** het kost 10 ~ *it costs 10 rand* **6.1 aan** de ~ v.h. bos/ de woestijn *on the e. / margin of the forest/ the desert;* **aan** de ~ v.d. stad *on the outskirts of the town;* **aan** de ~ v.d. samenleving *on the fringes of society;* een munt met inscriptie **in** de ~ *a coin with an inscription along the e.;* een witte ~ **om** een foto *a white e. / border round a photo* **6.2** een ~ **langs** het tafelkleed *a b. on the tablecloth* **6.3** hij tuurde **over** de ~ van zijn bril *he peered over the top of his glasses* **6.4 aan** de ~ v.d. afgrond *on the brink/ e. of the precipice;* 〈fig.〉 **aan** de ~ v.h. graf (staan) *(stand) with one foot in the grave;* 〈fig.〉 **op** de ~ van de chaos/ de ondergang *on the verge/ brink of chaos/ ruin;* **over** de ~ lopen *overflow, flow/ run over the brim;* **tot** de ~ gevuld *filled to the brim, brim-full* **6.¶** een ~ **in** het bad *a tide-mark on the bath.*

randaarding 〈de (v.)〉 〈elek.〉 **0.1** *earth/* [A]*ground connection* ♦ **6.1** een stekker **met** ~ *a plug with e. c..*

randapparatuur 〈de (v.)〉 **0.1** *peripheral equipment* ⇒*peripherals.*

randbloem 〈de〉 〈plantk.〉 **0.1** *floret of the ray.*

randboom 〈de (m.)〉 **0.1** *peripheral tree.*

randdeel 〈het〉 **0.1** *scale unit* ⇒*division of the dial.*

randeffect 〈het〉 **0.1** *edge effect.*

randen
I 〈ov.ww.〉 **0.1** [van een rand voorzien] *edge* ⇒ (munt) *inscribe/ decorate the edge of* ♦ **1.1** metaal ~ *e. metal;*
II 〈onov.ww.〉 **0.1** [mbt. slaplanten] *be affected by marginal blight/ spot.*

randerigheid 〈de (v.)〉 **0.1** *marginal blight/ spot* ♦ **6.1** ~ **bij** kropsla *m. b. of lettuce.*

randfiguur 〈de〉 **0.1** *fringe/ background/ minor figure* ⇒*onlooker* ♦ **1.1** de randfiguren v.e. politieke partij *the periphery of a political party.*

randfunctie 〈de (v.)〉 **0.1** *subordinate/ minor job.*

randgeaard 〈bn.〉 **0.1** *earth-/* [A]*ground-connected.*

randgebergte 〈het〉 **0.1** *surrounding mountain range* ⇒*border (of) mountains.*

randgebeuren 〈het〉 **0.1** *marginal/ peripheral events* ⇒*fringe events,* 〈inf.〉 *sideshow.*

randgebied 〈het〉 **0.1** [grensgebied] *boundary area* ⇒ (van stad) *outskirts, outlying district,* 〈mbt. t.v.-ontvangst〉 *fringe area* **0.2** [〈fig.〉] *marginal/ peripheral area.*

randgemeente 〈de (v.)〉 **0.1** *suburb, satellite.*

randgewest 〈het〉 **0.1** *border region.*

randgroep 〈de〉 **0.1** [mbt. bestaansminimum] *subsistence-level group* **0.2** [mbt. de samenleving] *fringe group.*

randgroepjongere 〈de〉 **0.1** *young/ teenage drop-out.*

randharig 〈bn.〉 〈biol.〉 **0.1** *ciliate(d).*

randhoek 〈de (m.)〉 〈nat.〉 **0.1** *angle of contact.*

randing 〈de (v.)〉 **0.1** [het randen] *edging* ⇒ (munt) *inscribing/ decoration of the edge* **0.2** [rand] (→*rand*).

randinzinking 〈de (v.)〉 〈geol.〉 **0.1** *rim syncline.*

randje 〈het〉 **0.1** *edge* ⇒*border, rim,* 〈fig.〉 *verge, brink* ♦ **1.1** vlees met een ~ vet *meat with a rim of fat* **2.1** het uiterste ~ *the very edge* **2.¶** een rood kabinet met een wit ~ *a Labour cabinet with a smattering of Christian Democrats* **3.1** een ~ haken aan een kleed *crochet a border onto a (table)cloth* **6.¶ op** het ~ (af) *(very) close, on the borderline;* dat was **op** het ~ *that was close/ a close shave/ touch and go/ on the borderline.*

randjesbloem 〈de〉 **0.1** *arabis.*

randkerkelijk 〈bn.〉 **0.1** ≠*non-practising* [A]*cing.*

randkerkelijke 〈de (m.)〉 **0.1** ≠*non-practising* [A]*cing member of a/ the church.*

randkerkelijkheid 〈de (v.)〉 **0.1** ≠*non-practising* [A]*cing membership of a/ the church.*

randlettering 〈de (v.)〉 **0.1** *circumscription, legend* ⇒*edge-inscription.*

randmeer 〈het〉 〈alg.〉 **0.1** *border lake;* 〈mbt.〉 *lake between former coast and empoldered land.*

randmerengebied 〈het〉 **0.1** 〈mbt. Nederland〉 *lake area between former coast and empoldered land.*

randnulpunt 〈het〉 **0.1** *(main) zero.*

randomiseren 〈ov.ww.〉 〈statistiek〉 **0.1** *randomize.*

randpion 〈de (m.)〉 〈schaken〉 **0.1** *rook's pawn.*

randprobleem 〈het〉 **0.1** *marginal problem* ⇒*incidental/ peripheral problem.*

randprofiel 〈het〉 **0.1** [profiel van een rand] *edge profile* **0.2** [geprofileerde rand] *moulded edge.*

randprovincie ⟨de (v.)⟩ **0.1** *border province*.
randschijf ⟨de⟩ ⟨damsport⟩ **0.1** *edge draught(sman)* / ^*checker*.
randschrift ⟨het⟩ **0.1** *circumscription, legend* ⇒*edge inscription*.
randspanning ⟨de (v.)⟩ **0.1** *rim strain, edge stress*.
randstaaf ⟨de⟩ **0.1** [staaf langs een kapconstructie] *bar* / *rod of a flange* ⇒*chord member* **0.2** [staaf langs een vakwerk] *bar* / *rod of a flange*.
randstaat ⟨de (m.)⟩ **0.1** *border state*.
randstad ⟨de⟩ ◆ **1.¶** de ~ Holland *the Randstad, the cities* / *built-up area* / *conurbation* / *urban agglomeration of Western Holland*.
randstedelijk ⟨bn.⟩ **0.1** *of* / *in the Randstad* ⇒*of* / *in the cities* / *built-up area* / *conurbation of Western Holland*.
randstoring ⟨de (v.)⟩ ⟨meteo.⟩ **0.1** *secondary depression*.
randtegel ⟨de (m.)⟩ **0.1** *border tile*.
randtekening ⟨de (v.)⟩ **0.1** *marginal drawing* ⇒*drawing in the margin*.
randtrog ⟨de (m.)⟩ **0.1** *offshore deep, peripheral deep*.
randveld ⟨het⟩ **0.1** [dammen] *edge square*; ⟨schaken⟩ *square on the rook file*.
randverschijnsel ⟨het⟩ **0.1** *marginal* / *peripheral phenomenon*.
randversiering ⟨de (v.)⟩ **0.1** *decorative* / *ornamental border* / *edge* / *edging*.
randvoorwaarde ⟨de (v.)⟩ **0.1** [essentiële voorwaarde] *pre-* / *prior-* / *limiting condition* **0.2** [(nat.)] *boundary condition*.
randwaarde ⟨de (v.)⟩ ⟨wisk.⟩ **0.1** *marginal value*.
randwal ⟨de (m.)⟩ **0.1** *rimrock*.
randweg ⟨de (m.)⟩ **0.1** *ring-road* ⇒⟨AE ook⟩ *belt highway, beltway*.
randwerk ⟨het⟩ **0.1** [het afwerken van de rand van munten] *milling* **0.2** [randschrift] *circumscription, legend* ◆ **2.2** ingezonken / verheven ~ op munten *engraved* / *embossed legends on coins*.
randzee ⟨de⟩ **0.1** *epicontinental sea* ⇒*shelf-sea*.
rang¹ ⟨de (m.)⟩ **0.1** [positie in een hiërarchie] *rank* ⇒*grade, position* **0.2** [groep plaatsen] *circle* **0.3** [maatschappelijke positie] *rank* ◆ **1.1** de ~ van majoor hebben *hold the r. of major* **1.3** mensen van alle ~en en standen *people from all walks of life* / *of every station in life* **2.1** tot dezelfde ~ behoren als *rank level* / *equal with*; een zoveelste ~s bandje *a tenth-rate tape* **3.1** een ~ bekleden *hold a r.* / *position* **3.3** ~ en stand vergeten *ignore* / *put aside r.* **5.1** een ~ hoger dan zijn superior, one r. above him **6.1** terugzetten in ~ *demote*; in ~ opklimmen *rise in r.*; zij staat in ~ boven / beneden hem *she ranks above* / *below him,* ⟨boven ook⟩ *she outranks him*; in ~ volgen op *be next in r. to*; bevorderd worden tot de ~ van *be promoted to (the r. of)*; een officier met de ~ van *a officer with the grade of* **6.2** we zaten op de tweede ~ *we were in the upper c.*; zij wil voor een dubbeltje op de eerste ~ zitten ⟨fig.⟩ *she wants sth. for nothing*.
rang² ⟨tw.⟩ **0.1** *wham* ◆ **¶.1** ~! weer een ruk aan de bel *wham! another pull at the bell*.
rangcijfer ⟨het⟩ **0.1** *number*.
rangcorrelatiecoëfficiënt ⟨de (m.)⟩ ⟨stat.⟩ **0.1** *rank-correlation coefficient*.
rangeerder ⟨de (m.)⟩ **0.1** [spoorwegbeambte] *shunter,* ^*switchman* **0.2** [rangeerloc] *shunter,* ^*switch engine*.
rangeeremplacement ⟨het⟩ →**rangeerterrein**.
rangeerheuvel ⟨de (m.)⟩ **0.1** *hump,* ^*classification yard*.
rangeerlijn ⟨de⟩ **0.1** *siding* ⇒*sidetrack,* ⟨AE ook⟩ *spurtrack*.
rangeerlocomotief ⟨de⟩ **0.1** *shunting-engine* ⇒*shunter*.
rangeermeester ⟨de (m.)⟩ **0.1** *yardmaster*.
rangeerspoor ⟨het⟩ →**rangeerlijn**.
rangeerterrein ⟨het⟩ **0.1** *shunting-* / *marshalling yard,* ^*switchyard*.
rangeren ⟨onov., ov.ww.⟩ **0.1** *shunt,* ^*switch* ◆ **1.1** een trein op een zijspoor ~ *s. a train into a siding, sidetrack a train*.
ranggetal ⟨het⟩ **0.1** *ordinal (number* / *numeral)*.
ranglijst ⟨de⟩ **0.1** *(priority) list, list (of candidates)*; ⟨sport ook⟩ *(league) table* ◆ **5.1** bovenaan de ~ staan *be at the top* / *head of the list* **6.1** de club staat tweede **op** de ~ *the club is second in the table*; hij is uitstekend geplaatst op de ~ *he has an excellent ranking, he is well-ranked*; hij staat hoog **op** de ~ *he ranks high on the list*.
rangnummer ⟨het⟩ **0.1** *number*.
rangorde ⟨de⟩ **0.1** *order* ⇒*order of rank(ing)* / *merit* / *precedence* / *priority* ◆ **6.1** we hebben de onderzochte stoffen **in** ~ geplaatst *we have listed the materials tested in order of merit*.
rangregeling ⟨de (v.)⟩ **0.1** [vaststelling van een rangorde] *ranking* ⇒*ordering, determination of the order of precedence* **0.2** [⟨jur.⟩] *settlement of priorities* ⇒*ranking* [het stuk zelf] *list of admitted claims*.
rangschikken ⟨ov.ww.⟩ **0.1** [classificeren] *classify* ⇒*order, range, group, class, file* **0.2** [ordenen] *order* ⇒*arrange, put in order, compose* ◆ **1.1** feiten / cijfers ~ *order* / *classify facts* / *numbers* **1.2** hij had zijn spullen keurig gerangschikt *he had his things perfectly arranged* **5.2** alfabetisch ~ *alphabetize, arrange* / *place in alphabetical order* **6.1** dieren **in** klassen ~ *classify animals, group animals in classes*; we ~ hem **onder** de lastposten *we class* / *count* / *range him among the troublemakers;* **onder** een rubriek ~ *class* / *place* / *include under a heading;* deze dieren worden **onder** de vissen gerangschikt *these animals are classed among* / *included in the fishes* **6.2** boeken **naar** het formaat / onderwerp ~ *arrange books in order of size* / *according to subject*.
rangschikkend ⟨bn.⟩ ⟨taal.⟩ ◆ **1.¶** ~ telwoord *ordinal*.

rangschikking ⟨de (v.)⟩ **0.1** [classificatie] *classification* ⇒*grouping, catalogue* **0.2** [plaatsing in een (volg)orde] *arrangement* ⇒*order, hierarchy* **0.3** [⟨jur.⟩] *settlement of priorities* ⇒*ranking, marshalling* ◆ **6.3** privilege stelt men vast na ~ **tussen** schuldeisers *priorities are established after ranking* / *marshalling the creditors in bankruptcy*.
rangteken ⟨het⟩ **0.1** *insignia (of rank)*.
rangtelwoord ⟨het⟩ **0.1** *ordinal (number)*.
rangverhoging ⟨de (v.)⟩ **0.1** *rise* / *improvement* in *rank* ⇒*promotion, advancement, preferment*.
ranja ⟨de (m.)⟩ **0.1** *orange squash* ⇒*orangeade*.
rank¹ ⟨de⟩ **0.1** [uitloop van een plant] ⟨hechtorgaan⟩ *tendril* ⇒⟨rankende stengel⟩ *vine* **0.2** [scheut] *shoot* ⇒⟨uitloper, bv. aardbeien⟩ *runner, stolon* **0.3** [siermotief] *trail*.
rank² ⟨bn.⟩ **0.1** [tenger] *slender* ⇒*slim, svelte* **0.2** [wankel] *unstable* ⇒⟨van schip⟩ *crank, walty* ◆ **1.1** een ~e hals *a slender* / *swan's neck* **3.2** die boot was nogal ~ *the boat was rather u.* / *crank* **6.1** ~ van gestalte *of slim stature*.
ranken
I ⟨onov.ww.⟩ **0.1** [ranken vormen] *climb* ⇒*twine,* ⟨uitlopers vormen⟩ *trail* ◆ **1.1** een ~de wingerd *a climbing* / *twining vine* / *creeper*;
II ⟨ov.ww.⟩ **0.1** [ontdoen van ranken] ⟨mbt. ranken⟩ *remove tendrils*; ⟨mbt. uitlopers⟩ *remove runners*.
rankenfries ⟨het⟩ **0.1** *foliaged* / *foliated frieze*.
rankenornament ⟨het⟩ **0.1** *trail* ⇒*foliated ornament*.
rankgebouwd ⟨bn.⟩ **0.1** [mbt. schepen] *slender* **0.2** [slank] *slender* ⇒*slim, svelte, lithe*.
rankheid ⟨de (v.)⟩ **0.1** [tengerheid] *slenderness* ⇒*slimness* **0.2** [instabiliteit] *instability* ⇒⟨van schip⟩ *crankiness*.
rankpotigen ⟨zn.mv.⟩ **0.1** *cirripedes* ⇒⟨wet.⟩ *cirripedia*.
rankversiering ⟨de (v.)⟩ **0.1** *decoration of trails*.
ranonkel ⟨de⟩ **0.1** [sierbloem] *turban buttercup* ⇒*Persian buttercup* **0.2** [waterplant] *water-crowfoot*.
ranonkelachtig ⟨bn.⟩ ◆ **7.¶** de ~en *the buttercup family, the ranunculaceae*.
rans →**ranzig**.
ransel ⟨de (m.)⟩ **0.1** [knapsack] ⇒*backpack,* ⟨rugzak⟩ *rucksack,* ⟨van scholier⟩ *satchel* ◆ **1.¶** een pak ~ *a (sound) drubbing* / *thrashing;* een flink pak ~ krijgen / geven *get* / *give a good hiding* / *thrashing* **3.1** zijn ~ pakken *pack one's k.* / *bag;* ⟨fig., vertrekken⟩ *pack one's bags;* ⟨fig., eten⟩ *stuff o.s.*.
ranselen ⟨onov., ov.ww.⟩ **0.1** *flog* ⇒*thrash, whip, belt, whack* ◆ **2.1** iem. bijna dood ~ *flog s.o. (to) within an inch of his life* **5.1** hij ranselt er maar op los *he just keeps whacking away;* bij iem. de gehoorzaamheid erin / opstandigheid eruit ~ *thrash* / *flog obedience into s.o.* / *rebelliousness out of s.o.*.
ranseling ⟨de (v.)⟩ **0.1** *flogging* ⇒*thrashing, hiding, drubbing*.
ranstijd ⟨de (m.)⟩ **0.1** *rut* ⟨van mannetje⟩ *: heat, oestrus* ⟨van vrouwtje⟩ *:*.
ransuil ⟨de (m.)⟩ **0.1** *long-eared owl*.
rantsoen ⟨het⟩ **0.1** *ration* ⇒*allowance, dietary* ◆ **1.1** een ~ boter / koffie / rum *r.* / *allowance of butter* / *coffee* / *rum* **3.1** ~en verstrekken *serve out* / *issue rations* **6.1** hij is op ~ gesteld *he has been rationed* / *put on (short) rations;* **op** ~ staan *be on short rations* / *allowance;* **op** half ~ staan *be on half rations*.
rantsoenbeweiding ⟨de (v.)⟩ ⟨veeteelt⟩ **0.1** *strip grazing*.
rantsoenbon ⟨de (m.)⟩ **0.1** *ration coupon*.
rantsoeneren ⟨ov.ww.⟩ **0.1** [op rantsoen zetten] *ration* ⇒*put on rations* **0.2** [verdelen in rantsoenen] *ration* ⇒*allot in rations* ◆ **1.2** licht / brood ~ *r. light* / *bread*.
rantsoenering ⟨de (v.)⟩ **0.1** *rationing*.
ranzig ⟨bn.⟩ **0.1** *rancid* ⇒*sour, rank* ◆ **1.1** zij verdroeg de ~e vetsmaak niet *she couldn't bear the rancid, greasy taste* **3.1** ~ ruiken *have a rancid smell* / *odour;* ~ worden *turn* / *go rancid*.
ranzigheid ⟨de (v.)⟩ **0.1** *rancidness, rancidity*.
rap¹ ⟨het⟩ ◆ **1.¶** Jan Rap en zijn maat *the rabble* / *riff-raff* / *scum*.
rap² ⟨bn., bw.; -ly⟩ **0.1** [vlug] *quick* ⇒*swift, fast, speedy* **0.2** [kwiek] *nimble* ⇒*agile, lively* ◆ **3.1** iets ~ doen *do sth. quickly* / *swiftly* **¶.2** ~ ter been zijn *be swift-footed*.
rapaille ⟨het⟩ [collectief] **0.1** *rabble* ⇒*riff-raff, scum*.
rapé ⟨de (m.)⟩ **0.1** *rappee*.
rapen ⟨ov.ww.⟩ **0.1** [oppakken] *pick up* **0.2** [verzamelen] *gather, collect* **0.3** [vatten] *catch* **0.4** [bepleisteren] *rough-cast* ◆ **1.1** snippers / prullen / schelpen ~ *pick up snippets of paper* / *waste paper* / *shells* **1.2** kievitseieren ~ *c. plover's eggs;* daar viel weinig roem te ~ ⟨fig.⟩ *there was little fame to be earned there* **1.3** een kou ~ *c. a cold* **1.4** een muur ~ *rough-cast a wall* **3.2** ⟨fig.⟩ hij doet niets anders dan ~ en schrapen *he's nothing but a money-grubber* **6.1** zij raapte een papiertje **van** de grond *she picked up a piece of paper from the ground*.
raper ⟨de (m.)⟩, **raapster** ⟨de (v.)⟩ **0.1** *plasterer, roughcaster*.
rapheid ⟨de (v.)⟩ **0.1** *swiftness* ⇒*speed, quickness, agility*.
rapier ⟨het⟩ **0.1** *rapier* ⇒*small-sword*.
rappel ⟨het⟩ **0.1** [aanmaning] *reminder* **0.2** [terugroeping] *recall* ◆ **1.2** brieven van ~ *letters of r.*.

rappelleren ⟨ov.ww.⟩ **0.1** [herinneren] *remember* ⇒*recall,* ⟨manen⟩ *remind* **0.2** [terugroepen] *recall* ◆ **4.1** hij rappelleerde het zich niet precies meer *he couldn't remember exactly.*

rapport ⟨het⟩ **0.1** [verslag] *report* ⇒*record, survey, despatch* ⟨ihb. mil. en dipl.⟩ **0.2** [⟨school.⟩] *(school) report* **0.3** [⟨mil.⟩ melding van een overtreding] *report* **0.4** [⟨mil.⟩ zitting van een commandant] *report* **0.5** [contact tussen hypnotiseur en medium] *rapport* **0.6** [mbt. stoffen/ papier met een patroon] *repeat* ◆ **1.1** een ~ v.d. Rekenkamer *a report by the Auditor General* **3.1** een ~ indienen *submit/present/send in a report;* ~ van iets maken *report sth.;* ~ uitbrengen/opmaken (over) *produce/make a report (on), report (on)* **3.3** de soldaat kreeg een ~ aan zijn broek *the soldier was put on r.* **6.2** een onvoldoende **op** zijn ~ krijgen *get a poor/low mark on one's r.* **6.4** hij moest zich **op** het ~ melden *he had to report to/appear before the commanding officer.*

rapportage ⟨de (v.)⟩ **0.1** *report(ing)* ⇒*despatches, communications, reportage.*

rapportboekje ⟨het⟩ **0.1** *report book.*

rapportcijfer ⟨het⟩ **0.1** *report mark* ⇒*(term) result* ◆ **3.1** het ~ uitrekenen *calculate the r. m..*

rapporteren ⟨ov.ww.⟩ **0.1** [melden] *report* ⇒*record, notify,* ⟨door journalist⟩ *cover* **0.2** [verslag uitbrengen] *report* **0.3** [⟨mil.⟩ aanbrengen] *(put on) report* **0.4** [posten overbrengen] *post* **0.5** [een patroon herhalen] *repeat* ◆ **1.2** uit R. worden twee gevallen van waterpokken gerapporteerd *two cases of chicken-pox have been reported in R.* **6.2** de commissie moet voor 1 juni **aan** de minister ~ *the committee has to report to the minister before June 1st.*

rapporteur[1] ⟨de (m.)⟩, **rapportrice** ⟨de (v.)⟩ **0.1** *rapporteur* ⇒*reporter, monitor, observer.*

rapporteur[2] ⟨de (m.)⟩ ⟨wisk.⟩ **0.1** *protractor.*

rapsode ⟨de (m.)⟩ **0.1** *rhapsodist.*

rapsodie ⟨de (v.)⟩ **0.1** [fantasie op een volksmelodie] *rhapsody* **0.2** [gedicht] *rhapsody* ⇒*medley.*

rapsodisch ⟨bn.⟩ **0.1** [op de wijze van een rapsodie] *rhapsodic* **0.2** [tot een onsamenhangend geheel verenigd] *thrown together* ⇒*jumbled, rhapsodic.*

rapte ⟨de (v.)⟩ ⟨AZN⟩ ◆ **6.¶** in de ~ *in a hurry.*

rara ⟨tw.⟩ ◆ **¶.¶** ~, wat is dat? *guess what this is;* ~, wie ben ik? *guess who.*

rara avis ⟨de (m.)⟩ **0.1** *rare bird* ⇒*rara avis.*

rarefactie ⟨de (v.)⟩ ⟨nat.⟩ **0.1** *rarefaction.*

rarig ⟨bn.⟩ **0.1** *funny* ⇒*curious, odd, strange* ◆ **3.1** 't zag er wel wat ~ uit *it did look a bit f..*

rarigheid ⟨de (v.)⟩ **0.1** *oddity* ⇒*strange/funny/curious/odd thing* ◆ **2.1** hij doet de laatste tijd allerlei rarigheden *he's been doing/been up to all kinds of odd things lately.*

rariteit ⟨de (v.)⟩ **0.1** [zeldzaam (kunst)voorwerp] *curio(sity)* ⇒*rarity, objet d'art* **0.2** [merkwaardigheid] *strangeness* ⇒*oddness, curiosity* ◆ **6.1** een handeltje in ~ *an antique shop.*

rariteitenkabinet ⟨het⟩ **0.1** *collection of curiosities/knick-knacks.*

rariteitenkamer →**rariteitenkabinet.**

ras[1]

I ⟨het⟩ **0.1** [groep met dezelfde erfelijke eigenschappen] *race* ⟨mensen⟩ ⇒*stock* ⟨mensen, dieren⟩, *breed* ⟨dieren⟩, *strain* ⟨planten, bacteriën⟩, *variety* ⟨planten⟩ **0.2** [bevolkingsgroep] *race* ⇒*breed, line* **0.3** [categorie van levende wezens] *race* ⇒*species* **0.4** [dier met zuivere teeltkenmerken] *purebred* ⇒*pedigree* ◆ **1.2** een ~ van zeevaarders en pioniers *a r. / breed of seafarers and pioneers* **2.1** de zogenaamde suprematie v.h. blanke ~ *the so-called/supposed supremacy of the white r.;* van edel ~ *highbred;* gekruist ~ *cross-breed;* van gemengd ~ *half-breed, half-caste;* het Noordse ~ *the Nordic stock/r.;* dieren van zuiver ~ *purebred animals* **2.2** ⟨fig.⟩ zij is v.e. goed ~ *she is/comes of (a) good stock* **2.3** het menselijk ~ *the human r.;*

II ⟨de (m.)⟩ **0.1** [Ethiopische titel] *Ras.*

ras[2] ⟨bn., bw.⟩ **0.1** ⟨bn.⟩ *swift* ⇒*rapid, quick,* ⟨bw.⟩ *soon, rapidly, swiftly, quickly* ◆ **1.1** met ~se schreden *swiftly, rapidly;* met ~se schreden naderen *make great strides/progress* **3.1** hij was al ~ verdwenen *he was soon gone.*

rasartiest ⟨de (m.)⟩ **0.1** *born artist* ◆ **3.1** hij is een ~ *he is a born performer.*

raschip ⟨het⟩ **0.1** *square-rigger* ⇒*square-rigged ship.*

rasdier ⟨het⟩ **0.1** *purebred/pedigree(d) animal.*

rasecht ⟨bn.⟩ **0.1** [van zuiver ras] *purebred* ⇒*pedigree(d), full-blooded, true to type* **0.2** [geboren] *(true) born* ⇒*true-blue, pure, real* ◆ **1.1** een ~e Arabier *a purebred Arab horse;* ~e fokdieren *pedigree breeding-stock* **1.2** een ~e leugenaar *an arch liar, a b. / compulsive liar;* het zijn ~e zeelui *they're b. sailors* **5.1** niet ~ *underbred.*

rasegoïst ⟨de (m.)⟩ **0.1** *arch egoist* ⇒*total/thorough/complete egoist* ◆ **3.1** het is een ~ *he's selfish to the core.*

raseren ⟨ov.ww.⟩ **0.1** *level* ⇒*raze/rase (to the ground)* ◆ **1.1** een terrein ~ *l. a site.*

rashond ⟨de (m.)⟩ **0.1** *pedigree/purebred dog.*

raskenmerk ⟨het⟩ **0.1** *racial characteristic/trait.*

rasp ⟨de⟩ **0.1** [keukengereedschap] *grater* ⟨kaas, nootmuskaat⟩; *shred-*

der ⟨groenten⟩ **0.2** [vijl] *rasp* ⇒*rasp-out file* ◆ **8.2** een stem als een ~ *a rasp(ing voice).*

raspaard ⟨het⟩ **0.1** *thoroughbred* ⇒*purebred/pedigree/full-blooded horse.*

raspaardje ⟨het⟩ **0.1** ⟨fig.⟩ *thoroughbred.*

raspen

I ⟨onov.ww.⟩ **0.1** [rauw stemgeluid voortbrengen] *rasp;*

II ⟨ov.ww.⟩ **0.1** [met een rasp fijn wrijven] *grate; shred* ⟨groenten⟩ **0.2** [afvijlen] *rasp* ⇒*abrade* ◆ **1.1** kaas ~ *g. cheese* **1.2** een stuk metaal ~ *r. a piece of metal.*

rasperig ⟨bn., bw.; inf.⟩ **0.1** *raspy* ⇒*bristly, rasping, grating* ⟨geluid⟩ ◆ **1.1** een ~e kin *a bristly/raspy chin;* ⟨fig.⟩ een ~ stemgeluid *a rasping/grating voice.*

rasphuis ⟨het⟩ **0.1** *rasp house* ⇒*bridewell, gaol.*

raspig →**rasperig.**

rasploert ⟨de (m.)⟩ **0.1** *complete/utter bastard.*

raspmolen ⟨de (m.)⟩ **0.1** *shredding mill.*

rasproleet ⟨de (m.)⟩ **0.1** *complete/utter lout* ⇒*complete guttersnipe.*

raspvijl ⟨de⟩ **0.1** *rasp, rasp-cut file.*

rassehaat ⟨de (m.)⟩ **0.1** *racial hatred* ⇒*racism.*

rassejustitie ⟨de (v.)⟩ **0.1** *racially biased application of the law.*

rassendiscriminatie ⟨de (v.)⟩ **0.1** *racial discrimination.*

rassengelijkheid ⟨de (v.)⟩ **0.1** *racial equality/integration.*

rassenkunde ⟨de (v.)⟩ **0.1** *ethnology* ⇒*ethnography.*

rassenkundig ⟨bn.⟩ **0.1** *ethnologic(al)* ⇒*ethnographic(al)* ◆ **1.1** ~ onderzoek *ethnological/ethnographical research/studies.*

rassenkwestie ⟨de (v.)⟩ **0.1** *race/racial problem* ⇒*colour problem.*

rassenleer ⟨de⟩ **0.1** *racial doctrine.*

rassenmoord ⟨de⟩ **0.1** *genocide.*

rassenonderscheid ⟨het⟩ **0.1** *racial distinction(s).*

rassenonderzoek ⟨het⟩ **0.1** [mbt. mensenrassen] *ethnology* **0.2** [mbt. landbouwgewassen] *variety testing.*

rassenongelijkheid ⟨de (v.)⟩ **0.1** *racial inequality.*

rassenonlusten ⟨zn.mv.⟩ **0.1** *race/racial riot(s).*

rassenpolitiek ⟨de (v.)⟩ **0.1** *race/racial policy.*

rassenprobleem →**rassenkwestie.**

rassenrelletjes ⟨zn.mv.⟩ →**rassenonlusten.**

rassenscheiding ⟨de (v.)⟩ **0.1** *racial segregation* ⇒*apartheid* ◆ **1.1** opheffing van ~ *desegregation.*

rassenstrijd ⟨de (m.)⟩ **0.1** *racial conflict/struggle.*

rassentheorie ⟨de (v.)⟩ **0.1** *racial theory.*

rassenvermenging ⟨de (v.)⟩ **0.1** *miscegenation* ⇒*mixture of races.*

rassenvraagstuk →**rassenkwestie.**

rassewaan ⟨de (m.)⟩ **0.1** *racism* ⇒*racialism.*

rasta ⟨de⟩ **0.1** [beweging] *Rastafarianism* **0.2** [aanhanger ervan] *Rasta(farian).*

Rastafari ⟨de (m.)⟩ **0.1** *Rastafarian.*

raster

I ⟨de (m.)⟩ **0.1** [hekwerk] *fence* ⇒*lattice, trellis* **0.2** [lat] *lath* ◆ **6.1** een ovaal gazon met ~ omgeven *an oval fenced lawn;*

II ⟨het, de (m.)⟩ **0.1** [netwerk van punten of lijnen] *screen* **0.2** [lijnenstelsel op het televisiescherm] *raster.*

rasterbeeld ⟨het⟩ **0.1** *screen* ⇒*frame, field.*

rastercliché ⟨het⟩ **0.1** *screen (punting) block* ⇒*screen negative.*

rasterdiepdruk ⟨de (m.)⟩ **0.1** *rotogravure* ⇒*intaglio printing.*

rasterdraad

I ⟨de (m.)⟩ **0.1** [voorwerpsnaam] *fencing wire;*

II ⟨het⟩ **0.1** [stofnaam] *fencing wire.*

rasterdruk ⟨de (m.)⟩ **0.1** *screen printing* ⇒*half-tone printing.*

rasterelektronenmicroscoop ⟨de (m.)⟩ **0.1** *scanning electron microscope.*

rasteren ⟨onov.ww.⟩ **0.1** *print in halftone.*

rastering ⟨de (v.)⟩ **0.1** [het rasteren] *halftone printing* **0.2** [het afrasteren] *fencing* **0.3** [hekwerk] *fencing* ⇒*railing.*

rasterwerk ⟨het⟩ **0.1** [omheining] *fencing* **0.2** [rooster] *lattice(work)* ⇒*grille* ⟨van metaal⟩.

rasuur ⟨de (v.)⟩ **0.1** *erasure.*

rasvee ⟨het⟩ **0.1** *pure-bred cattle* ⇒*pedigree/thoroughbred cattle.*

rasverbetering ⟨de (v.)⟩, **-veredeling** ⟨de (v.)⟩ **0.1** *eugenics* ⇒*race culture, stirpiculture,* ⟨van dieren/gewassen⟩ *breeding,* ⟨van vee ook⟩ *grading-up.*

rasveredelend ⟨bn.⟩ **0.1** *eugenic.*

rasvereniging ⟨de (v.)⟩ **0.1** *breeders' association.*

rasvoetballer ⟨de (m.)⟩ **0.1** *born footballer.*

raszuiver ⟨bn.⟩ **0.1** *racially pure* ⇒*pure-blooded,* ⟨van dieren⟩ *pure-bred,* ⟨van paarden⟩ *thoroughbred,* ⟨van gewassen⟩ *pure* ◆ **3.1** zich ~ voortplanten *breed true* **5.1** niet ~ *not true to type.*

raszuiverheid ⟨de (v.)⟩ ⟨van mensen⟩ *racial purity;* ⟨van dieren⟩ *pure breeding;* ⟨vnl. van paarden⟩ *full bloodedness; trueness to type.*

rat ⟨de⟩ **0.1** *rat* ◆ **2.1** bruine ~ *brown/sewer r.;* een kale ~ *a starveling;* ⟨fig.⟩ een ouwe ~ / rot *an old hand* **3.1** ~ten vangen, op ~ten jagen *rat, go ratting* **6.1** door ~ten verbreide pest *plague spread by rats;* ⟨fig.⟩ hij zat als een ~ **in** de val *he was caught out;* **van** de ~ten besnuffeld *stark mad* **8.1** zo kaal als een ~ *as poor as a church mouse* **¶.1**

⟨fig.⟩ de ~ten verlaten het zinkende schip *the rats are leaving the sinking ship.*

rata ⟨de⟩ **0.1** *proportion* ◆ **6.1 naar** ~ (van) *in p. (to);* **naar** ~ bijdragen *contribute pro rata, make a pro rata contribution* ¶.**1** pro ~ *pro rata.*

rataplan¹ ⟨de (m.)⟩⟨fig.⟩ **0.1** ⟨zie 2.1⟩ ◆ **2.1** de hele ~ *the whole caboodle / lot.*

rataplan² ⟨tw.⟩ **0.1** *rataplan* ⇒*rub-a-dub.*

ratatouille ⟨de (v.)⟩ **0.1** [groentegerecht] *ratatouille* **0.2** [allegaartje] *hotchpotch,* ^*hodgepodge* ⇒*medley.*

ratel ⟨de (m.)⟩ **0.1** [het geratel] *rattle* **0.2** [⟨inf.⟩ mond] *trap* **0.3** [babbelaar] *rattle* **0.4** [instrument] *rattle* **0.5** [orgaan bij een ratelslang] *rattle* **0.6** [plantengeslacht] *(yellow) rattle* ◆ **3.2** hou je ~! *keep your t. shut!;* haar ~ stond niet stil *she kept rattling on* **3.3** een echte ~ zijn *be a regular r..*

ratelaar ⟨de (m.)⟩ **0.1** [babbelaar] *rattle(r)* **0.2** [boom] *trembling poplar* ⇒*aspen* **0.3** [plantengeslacht] *(yellow) rattle* **0.4** [zwaluw] *nightjar.*

ratelboor ⟨de⟩ **0.1** *ratchet drill.*

ratelen ⟨onov.ww.⟩ **0.1** [serie korte geluiden voortbrengen] *rattle* ⇒*clack* **0.2** [mbt. de donder] *rattle* ⇒*rumble, roll* **0.3** [met een ratel geluid voortbrengen] *rattle* **0.4** [mbt. boombladeren] *rustle* **0.5** [mbt. slaginstrumenten] *rattle* **0.6** [kwebbelen] *rattle* ⇒*chatter* ◆ **1.1** de trein ratelde voorbij *the train rattled along / past;* de wekker ratelt *the alarm clock is jangling* **3.6** ze hield niet op met ~ *she kept rattling on* **6.1** het ~ van schrijfmachines *the rattling / clacking of typewriters.*

ratelkous ⟨de⟩ **0.1** *rattle(r)* ⇒*chatterbox.*

ratelpopulier ⟨de (m.)⟩ **0.1** *trembling poplar* ⇒*aspen.*

ratelschroevedraaier ⟨de (m.)⟩ **0.1** *ratchet screwdriver.*

ratelslang ⟨de⟩ **0.1** *rattlesnake* ⇒^*rattler.*

ratificatie ⟨de (v.)⟩ **0.1** [bekrachtiging van een overeenkomst] *ratification* **0.2** [akte, document] *ratification.*

ratificeren ⟨ov.ww.⟩ **0.1** *ratify* ◆ **1.1** een verdrag ~ *r. a treaty.*

ratiné¹ ⟨het⟩ **0.1** *ratiné.*

ratiné² ⟨bn.⟩ **0.1** *(made of) ratiné* ◆ **1.1** een ~ winterjas *a r. (winter-)overcoat.*

ratio ◆ ~ *pro rata, in proportion.*

ratio ⟨de (v.)⟩ **0.1** [rede(lijkheid)] *reason* **0.2** [evenredige verhouding] *ratio* ⇒*proportion, rate* **0.3** [beweegreden] *rationale.*

rationaal →**rationeel.**

rationalisatie ⟨de (v.)⟩ **0.1** [rationele benadering] *rationalization* **0.2** [⟨psych.⟩] *rationalization* **0.3** [⟨ec.⟩] *rationalization.*

rationaliseren ⟨ov.ww.⟩ **0.1** [efficiënt maken] *rationalize* **0.2** [rationeel benaderen] *rationalize* **0.3** [beredeneren van emoties] *rationalize* ◆ **1.1** het produktieproces ~ *r. the production process* **1.2** problemen ~ *r. problems* **6.3** het ~ **van** afwijkend gedrag *the rationalizing of deviant behaviour.*

rationalisering ⟨de (v.)⟩ →**rationalisatie.**

rationalisme ⟨het⟩ **0.1** [denkrichting] *rationalism* ⇒*intellectualism* **0.2** [verstandelijkheid] *rationality.*

rationalist ⟨de (m.)⟩ **0.1** [aanhanger van het rationalisme] *rationalist* ⇒*intellectualist* **0.2** [iem. die redelijk denkt] *rationalist.*

rationalistisch ⟨bn., bw.; -(al)ly⟩ **0.1** [gericht op het redelijke] *rational* **0.2** [mbt. het rationalisme] *rationalistic.*

rationaliteit ⟨de (v.)⟩ **0.1** *rationality.*

rationeel
  I ⟨bn., bw.; -ly⟩ **0.1** [verstandelijk] *rational* **0.2** [doordacht] *rational* ◆ **1.2** een rationele arbeidsverdeling *a r. division of labour* **3.1** ~ ingesteld zijn *be rational-minded.*
  II ⟨bn.⟩ **0.1** [⟨wisk.⟩] *rational* ◆ **1.1** rationele getallen *r. numbers.*

ratjetoe ⟨het, de (m.)⟩ **0.1** [mengelmoes] *hotchpotch,* ^*hodgepodge* ⇒*mishmash, medley* **0.2** [maaltijd] *hotchpotch,* ^*hodgepodge.*

rato ◆ **¶ naar** ~ *pro rata, in proportion.*

rats¹ ⟨de⟩ ⟨inf.⟩ ◆ **6.¶** in de ~ zitten (over) *be in a (blue) funk / a stew (about);* **uit** de ~ helpen *help out.*

rats³ ⟨tw.⟩ **0.1** *rip* [scheurend]; *crack* [brekend] ◆ **¶.1** ~, daar ging het vel papier doormidden *rip! the paper tore down the middle.*

ratsen ⟨ov.ww.⟩ ⟨inf.⟩ **0.1** *pinch.*

rattehol ⟨het⟩ **0.1** *rat's hole* ⇒*rat hole.*

rattekop ⟨de (m.)⟩ **0.1** [kapsel] *urchin cut* **0.2** [kop van een rat] *rat's head.*

rattenbestrijding ⟨de (v.)⟩ **0.1** *rat* / ⟨euf.⟩ *rodent control.*

rattenest ⟨het⟩ **0.1** *rat's nest.*

rattengif ⟨het⟩ **0.1** *rat poison* ⇒*raticide.*

rattenkoning ⟨de (m.)⟩ **0.1** [nest jonge ratten] ⟨nest of young rats with tangled tails⟩ **0.2** [onontwarbare kluwen] *tangle.*

rattenkruid ⟨het⟩ **0.1** *arsenic.*

rattenkruit ⟨het⟩ **0.1** *rat-poison* ⇒*ratsbane.*

rattenplaag ⟨de⟩ **0.1** *rat problem / infestation;* ⟨heel erg⟩ *plague of rats.*

rattenvanger ⟨de (m.)⟩ **0.1** [iem. die ratten vangt] *ratcatcher / exterminator* **0.2** [verleider] *rabble-rouser* **0.3** [hond / kat die ratten vangt] *ratter* ◆ **1.1** de ~ van Hamelen *the Pied Piper of Hamelin.*

rattenvergif →**rattengif.**

rattestaart ⟨de (m.)⟩ **0.1** [staart van een rat] *rat's tail* **0.2** [vijl] *rattail (file)* **0.3** [dunne / korte / gladde staart] *rattail* ◆ **6.3** paard **met** een ~ *rattail.* .

ratteval ⟨de⟩ **0.1** *rat trap.*

ratuur ⟨de (v.)⟩ **0.1** *erasure.*

rauw ⟨→sprw. 294⟩
  I ⟨bn.⟩ **0.1** [mbt. spijzen] *raw* ⇒*uncooked* **0.2** [mbt. lichaamsdelen] *raw* ⇒*sore* **0.3** [mbt. de keel] *raw* ⇒*sore* ◆ **1.1** ~e biefstuk *r. steak;* ~e melk *r. / unpasteurized milk* **1.2** een ~e plek *a chafed sore* **1.3** mijn keel is ~ *I have a sore throat, my throat is r. / sore* **3.1** ik lust hem rauw *I let him do his worst;*
  II ⟨bn., bw.; -ly⟩ **0.1** [mbt. geluiden] *raucous* ⇒*harsh* **0.2** [mbt. personen / hun uitingen / daden] *rough* ⇒*tough, hard-boiled* ◆ **1.2** het ~e leven *life in the r.;* de ~e waarheid *the stark truth* **3.1** hij praatte ~ *he talked raucously* **3.2** dat viel ~ op mijn dak *that was an unexpected blow..*

rauwheid ⟨de (v.)⟩ **0.1** *rawness* ⇒⟨ook fig.⟩ *crudity / crudeness, raucousness, harshness* ⟨van geluid⟩ .

rauwig ⟨bn.⟩ **0.1** *raucous* ⇒*harsh, hoarse.*

rauwkost ⟨de (m.)⟩ **0.1** *uncooked / raw food* ⇒*raw vegetables.*

rauwkostmolen ⟨de (m.)⟩ **0.1** *food mill.*

rauwkostslaatje ⟨het⟩ **0.1** *vegetable salad* ⇒*raw vegetables, crudités* ⟨Fr.⟩, *coleslaw* ⟨vnl. kool⟩ .

rauzen ⟨onov.ww.⟩ ⟨inf.⟩ **0.1** [lawaai schoppen] *kick up a row / fuss / stink* **0.2** [vechten] *scrap* **0.3** [woest rijden] *scorch,* ^*blind* **0.4** [ruw spelen] *have a rough-and-tumble.*

ravage ⟨de (v.)⟩ ⟨inf.⟩ **0.1** [verwoesting] *ravage(s)* ⇒*havoc* **0.2** [puinhoop] *debris* ⇒*havoc, ruin* ◆ **3.1** die hevige storm heeft een ~ aangericht *that violent storm has wreaked havoc* **3.2** de ~ opruimen *clear away the d..*

ravegekras ⟨het⟩ **0.1** *croaking (of ravens).*

ravezwart ⟨bn.⟩ **0.1** *raven (black)* ◆ **1.1** met ~e haren *raven-haired;* ~e lokken *r. curls.*

ravigotesaus ⟨de⟩ **0.1** *ravigote.*

ravijn ⟨het⟩ **0.1** [afgrond] *ravine* ⇒*gorge* **0.2** [holle weg] *ravine.*

ravioli ⟨de (m.)⟩ **0.1** *ravioli.*

ravissant ⟨bn., bw.; -ly⟩ **0.1** *ravishing* ◆ **1.1** een ~e vrouw *a witch.*

ravotten ⟨onov.ww.⟩ **0.1** *romp* ⇒⟨inf.⟩ *horse about / around* ◆ **6.1** ~ met iem. *horse around with s.o..*

rawlplug ⟨de⟩ **0.1** *rawlplug.*

rayon
  I ⟨het⟩ **0.1** [mbt. handel] *district* ⇒*area, territory* ⟨van verkoper⟩ **0.2** [afdeling] *department* **0.3** [mbt. een instelling van algemeen nut] *(catchment) area* ⇒*district, circuit* ◆ **6.1** een district tot zijn ~ hebben *work a d.;*
  II ⟨het, de (m.)⟩ **0.1** [kunstzijde] *rayon.*

rayonchef ⟨de (m.)⟩, **-hoofd** ⟨het⟩ **0.1** *area supervisor.*

rayondirecteur ⟨de (m.)⟩ **0.1** ⟨winkel⟩ *department* / ⟨bibliotheek enz.⟩ *section manager.*

razeil ⟨het⟩ ⟨scheep.⟩ **0.1** *square sail* ◆ **6.1** met ~en *ship- / square-rigged.*

razen ⟨onov.ww.⟩ **0.1** [tekeergaan] *rage* ⇒*thunder, storm, rave, raise hell* **0.2** [mbt. water in een ketel] *sing* **0.3** [snel voortbewegen] *race* ⇒*tear, rush, hurl, sweep* ◆ **1.1** een ~de Roeland *a madman, a maniac* **3.1** hij blijft maar ~ en tieren *he goes on ranting and raving* **6.1** ~ tegen *rage at* **6.3** de auto's ~ over de snelweg *the cars are racing along the motorway.*

razend
  I ⟨bn., bw.; -(al)ly⟩ **0.1** [woedend] *furious* ⇒*raging, hopping mad* **0.2** [mateloos] *terrific* ⇒*huge, mad, terrible* ◆ **1.2** een ~e honger *a roaring appetite;* in ~ tempo *at breakneck speed;* een ~ verlangen *an aching / a mad desire* **2.2** hij heeft het ~ druk *he's up to his neck in work;* ~ snel, in ~e vaart *at a terrific pace, at breakneck speed;* ~ verliefd *madly in love* **3.1** iem. ~ maken *infuriate s.o.;* ~ vloog hij op *he flared up in a white rage;* ~ worden ⟨ook⟩ *fly off the handle;* dat is om ~ van te worden *it's enough to drive you mad* **6.1** ~ zijn **om / over** iets *be furious at / about sth.;* ~ zijn **op** iem. *be furious with / hopping mad at s.o.* **7.1** als een ~e tekeergaan *rave like a madman* **7.2** dat kost ~ veel geld / tijd *it costs no end of money / time, that will cost a huge amount of money / time;*
  II ⟨bn.⟩ **0.1** [krankzinnig] *raving* ⇒*lunatic, mad, maniacal* **0.2** [mbt. honden] *rabid* ⇒*mad.*

razendsnel ⟨bn., bw.⟩ **0.1** *super-fast* ⇒*high-speed, double-quick, lightning* ⟨attr.⟩, ⟨inf.⟩ *lightning* ⟨alleen bn.⟩ ◆ **3.1** ~ antwoorden ⟨ook⟩ *toss off the answers;* hij deed dat ~ *he did that quick as lightning / quick as a flash / like a blue streak;* ~ rijden *drive like lightning, go like a bomb, scorch off.*

razernij ⟨de (v.)⟩ **0.1** [woede] *frenzy* ⇒*rage* **0.2** [wild optreden] *fury* ⇒*riot* **0.3** [krankzinnigheid] *madness* ⇒*insanity, lunacy* **0.4** [hondsdolheid] *rabies* ◆ **2.1** in blinde ~ *in a blind rage* **6.1** iem. **tot** ~ brengen *infuriate s.o., drive s.o. to distraction* **6.2** een aanval **van** ~ *a fit of madness, a tantrum.*

razzia ⟨de⟩ **0.1** *raid* ⇒*round-up, razzia* ◆ **3.1** een ~ houden (in de havenbuurt) *raid (the harbour district)* **6.1** bij een ~ opgepakt worden *be caught in a raid;* een ~ **op** onderduikers *a raid on / round-up of people in hiding.*

re 〈de〉 0.1 *re* ⇒*D.*

R.E.A. 〈de (m.)〉〈afk.〉 0.1 [Raad voor Economische Aangelegenheden] 〈*Council for Economic Affairs*〉.

reaal 〈de (m.)〉〈gesch.〉 0.1 [muntstuk] *real* 0.2 [waarde] *real.*

reactie 〈de (v.)〉 0.1 [tegenbeweging] *reaction* ⇒*repercussion, answer* 0.2 [〈schei.〉] *reaction* 0.3 [antwoord op een prikkel] *reaction* ⇒*response* 0.4 [antwoord] *reaction* ⇒*answer, response, reply* 0.5 [〈pol.〉] *reaction* ♦ 1.4 een stortvloed van ~ s a *flood of response* 2.2 een neutrale ~ *a neutral r.* 2.3 geconditioneerde ~ *conditioned response;* snelle ~ 〈op verzoek〉 *promptness, quick reaction;* snelle ~s *sharp reflexes;* te sterke ~ *over-reaction;* een vertraagde ~ *a delayed reaction* 3.2 een ~ aangaan met *react (up)on/with;* een ~ doen aangaan *react* 3.3 een ~ vertonen *respond* 3.4 geen enkele ~ krijgen *get no reaction/response* 6.1 als/uit ~ (lachen/iets gaan doen) *(laugh/do sth.) as a reaction to/in reply to;* de contra-reformatie was een ~ op de hervorming the *Counter-Reformation was a reaction to the Reformation;* als ~ op ...*as a reaction* ¶.3 traag van ~ zijn *be slow in reacting.*

reactief 〈bn.〉 0.1 [〈psych.〉] *reactive* 0.2 [〈schei.〉] *aggressive* ⇒*(re)active* ♦ 1.2 een reactieve stof *an aggressive substance* 2.2 zeer ~ *unstable.*

reactiemotor 〈de (m.)〉 0.1 *reaction engine/motor.*

reactiesnelheid 〈de (v.)〉 0.1 *quickness of reaction/response.*

reactietijd 〈de (m.)〉 0.1 *reaction time* ⇒*latent period.*

reactievat 〈het〉 0.1 *reactor.*

reactievergelijking 〈de (v.)〉〈schei.〉 0.1 *chemical equation.*

reactievermogen 〈het〉 0.1 *reactions* ⇒*response(s), ability to react/respond.*

reactionair¹ 〈de (m.)〉 0.1 *reactionary* ⇒*die-hard,* 〈pej.〉 *(Colonel) Blimp* ♦ 2.1 een verbeten ~ *a die-hard.*

reactionair² 〈bn., bw.〉 0.1 〈bn.〉 *reactionary* ⇒*conservative, blimpish,* 〈bw.〉 *in a reactionary way* ♦ 1.1 de ~e krachten the *(forces of) reaction;* een ~e partij *a r. party;* een ~ standpunt *a r. point of view* 3.1 zich ~ opstellen *take/adopt a r. stance.*

reactiveren 〈ov.ww.〉 0.1 *reactivate* ⇒*revive, revivify, refresh.*

reactivering 〈de (v.)〉 0.1 *reactivation* ⇒*revivification.*

reactor 〈de (m.)〉 0.1 *reactor* ♦ 2.1 snelle/trage ~ *fast/slow r..*

reactorcentrale 〈de〉 0.1 *nuclear power plant.*

reactorfysica 〈de (v.)〉 0.1 *reactor physics.*

reactorkern 〈de〉 0.1 *(reactor) core.*

reactorschip 〈het〉 0.1 *nuclear-powered ship.*

reactorwand 〈de (m.)〉 0.1 *reactor wall.*

reageerbuis 〈de〉 0.1 *test tube* ♦ 6.1 bevruchting in een ~ *t.-t./in vitro fertilization;* uit de ~ *synthetic, man-made.*

reageerbuisbaby 〈de (m.)〉 0.1 *test-tube baby.*

reageermiddel 〈het〉 0.1 *reagent* ⇒*reacting agent.*

reageerpapier 〈het〉 0.1 *test paper* ⇒*litmus paper.*

reagens 〈de〉 →reageermiddel.

reageren 〈onov.ww.〉 0.1 [reactie vertonen] *react* ⇒*respond* 〈ihb. op medische behandeling〉 0.2 [〈schei.〉] *react* 0.3 [handeling/situatie beantwoorden] *react* ⇒*respond, answer, counter* ♦ 3.2 laten ~ *(allow to) react* 5.1 te sterk/onvoldoende ~ *overreact, underreact* 5.3 moet je eens kijken hoe hij daarop reageert *look how he reacts to that;* een snel ~de markt *a sensitive market;* traag ~ *be slow to react;* welwillend ~ op een verzoek *respond favourably to a request, show a favourable response* 6.1 hij reageerde niet op de entstof *he didn't react to the inoculum;* ze reageerde positief op de behandeling *she responded to the treatment* 6.2 zink en zoutzuur ~ gemakkelijk met elkaar *zinc and hydrochloric acid r. readily* 6.3 (daar moet je) niet op reageren *(you should) ignore that/it/pay no attention to that/it/take no notice of that/it;* ~ tegen *react against* ¶.3 pas bij nader inzien ~ *react on reflection.*

reagrarisatie 〈de (v.)〉 0.1 *ruralization.*

realia 〈zn.mv.〉 0.1 *realia* ⇒*realities.*

realisatie 〈de (v.)〉 0.1 [verwezenlijking] *realization* ⇒*actualization* 0.2 [het te gelde maken] *realization* ⇒*conversion into cash/real money.*

realiseerbaar 〈bn.〉 0.1 [uitvoerbaar] *realizable* ⇒*feasible, operable, practicable* 0.2 [〈hand.〉] *realizable* ⇒*convertible (into cash/real money)* ♦ 1.1 dat plan is niet ~ *that plan is not feasible/practicable* 1.2 direct realiseerbare activa *quick assets;* realiseerbare waarden *r. assets.*

realiseren
I 〈ov.ww.〉 0.1 [verwezenlijken] *realize* ⇒*actualize* 0.2 [uitvoeren] *realize* ⇒*execute, put into practice, carry through* 0.3 〈hand.〉 *realize* ⇒*cash, sell, convert into cash/real money* ♦ 1.1 een plan ~ *r. a plan;* hij realiseerde zijn beste tijden op de Medeobaan *he turned in his best times on the Medeo track* 1.2 een project ~ *r. a project* 5.1 dat is niet te ~ *that is impracticable;*
II 〈wk.ww.;zich ~〉 0.1 [beseffen] *realize* 0.2 [tot werkelijkheid worden] *materialize* ⇒*come true* 〈wensdroom〉 ♦ 8.1 plotseling realiseerde zij zich dat ...*suddenly she realized that/it came to her that* ....

realisering 〈de (v.)〉 0.1 [verwezenlijking] *realization* ⇒*actualization, execution, completion* 0.2 [bewust besef] *realization* ⇒*awareness, consciousness* 0.3 〈hand.〉 *realization* ⇒*cashing, conversion into cash/real money.*

realisme 〈het〉 0.1 [levenshouding] *realism* ⇒*sense of reality* 0.2 [〈fil.〉] *realism* 0.3 [kunstopvatting] *realism* ♦ 3.1 dat getuigt van weinig ~ *that shows/reveals a lack of r..*

realist 〈de (m.)〉 0.1 [iem. die zich richt op de werkelijkheid] *realist* 0.2 [〈fil.〉] *realist* 0.3 [mbt. kunst] *realist.*

realistisch 〈bn., bw.;-ally〉 0.1 [gericht op de werkelijkheid] *realistic* ⇒*practical, sober, level-headed* 〈persoon〉 0.2 [〈fil.〉] *realist(ic)* 0.3 [mbt. kunst(werken)] *realist(ic)* 0.4 [onverbloemd] *realistic* ⇒*raw, tough, hard-boiled, revealing* ♦ 1.1 een weinig ~e uiteenzetting *an exposé showing little sense of reality* 1.3 ~e schilderkunst *realist(ic) art, realism in art* 1.4 een ~ boek *a realistic novel* 3.1 ~ beschrijven/schilderen *describe/paint realistically;* hij is erg ~ in die dingen *he is very r. in these matters.*

realiteit 〈de (v.)〉 0.1 [feitelijkheid] *reality* ⇒*actuality* 0.2 [〈wisk.〉] *reality* 0.3 [werkelijkheid] *reality* ♦ 2.3 het is de harde ~ *this is harsh r., it's the harsh truth* 3.3 we moeten de ~ onder ogen zien *we must face facts/r.;* de ~ niet onder ogen willen zien *live in a fool's paradise* 6.3 de ~ van alledag *day-to-day reality/realities.*

realiteitsgevoel →realiteitszin.

realiteitszin 〈de (m.)〉 0.1 *sense of reality* ⇒*realism.*

realiter 〈bw.〉 0.1 *in reality* ⇒*practically (speaking), realistically.*

realpolitik 〈de (v.)〉 0.1 *realpolitik* ⇒*practical/realistic politics, political realism.*

reanimatie 〈de (v.)〉 0.1 [het weer tot leven wekken] *resuscitation* ⇒*reanimation* 0.2 [het bijbrengen] *resuscitation* ⇒*bringing round/to.*

reanimatietechniek 〈de (v.)〉 0.1 *resuscitation technique.*

reanimatieverklaring 〈de (v.)〉 0.1 *declaration of/request for non-resuscitation.*

reanimeren 〈ov.ww.〉 0.1 *resuscitate* ⇒*reanimate, revive.*

reassuradeur 〈de (m.)〉 0.1 *reinsurer.*

reassurantie 〈de (v.)〉 0.1 [mbt. de verzekerde] *reinsurance* 0.2 [mbt. de verzekeraar] *reinsurance.*

reassureren 〈ov.ww.〉 0.1 [mbt. de verzekerde] *reinsure* ⇒*transfer insurance to another company* 0.2 [mbt. de verzekeraar] *reinsure* ⇒*assume in reinsurance.*

Réaumur 0.1 *Réaumur;* 〈afk.〉 *R* ♦ ¶.1 water kookt bij 80° ~ *water boils at 80° Réaumur/R.*

rebbe 〈de (m.)〉 0.1 *rabbi.*

rebbelen 〈onov.ww.〉 0.1 *chatter* ⇒*rattle, babble.*

rebel 〈de (m.)〉 0.1 [opstandeling] *rebel* ⇒*revolutionary, insurgent* 0.2 [opstandig persoon] *rebel.*

rebellenleger 〈het〉 0.1 *rebel army/forces.*

rebellenleider 〈de (m.)〉 0.1 *rebel leader.*

rebelleren 〈onov.ww.〉 0.1 [zich verzetten tegen het gezag] *rebel* ⇒*disobey, kick against* 0.2 [in opstand komen] *rebel* ⇒*revolt, rise (up), mutiny (against)* 〈ihb. op een schip/in een leger〉 ♦ 1.1 ~de onderdanen *rebellious subjects* 6.2 ~ tegen ...*rebel/rise (up) against.*

rebellie 〈de (v.)〉 0.1 [opstand tegen de overheid] *rebellion* ⇒*(up)rising, revolution, insurrection, mutiny* 〈ihb. op een schip, in een leger〉 0.2 [opstandigheid] *rebelliousness* ⇒*defiance.*

rebels 〈bn., bw.;-ly〉 0.1 [opstandig] *rebellious* ⇒*disobedient, defiant, insubordinate, revolutionary* 0.2 [kwaad] *furious* ⇒*hopping mad* ♦ 1.1 er heerste een ~e geest in de klas *there was a rebellious spirit in the class* 6.2 ~ zijn op iem. *be f. with s.o..*

rebound 〈de (m.)〉〈sport〉 0.1 *rebound* ♦ 6.1 scoren uit de ~ *take the ball on the r. and score.*

rebus 〈de (m.)〉 0.1 *rebus.*

rebuut 〈het〉 0.1 [onbestelbare brief 〈meestal mv.〉] *dead mail/letter(s)* 0.2 [〈hand.〉 uitschot] *reject(s), scrap* ♦ 1.¶ kantoor van rebuten *dead letter office.*

recalcitrant 〈bn., bw.;-ly〉 0.1 *recalcitrant* ⇒*obstreperous* ♦ 1.1 ~ gedrag *r. behaviour, recalcitrance.*

recapitulatie 〈de (v.)〉 0.1 *recapitulation* ⇒*summary, (brief) restatement,* 〈inf.〉 *recap.*

recapituleren 〈ov.ww.〉 0.1 *recapitulate* ⇒*summarize, restate briefly,* 〈inf.〉 *recap.*

receiver 〈de〉 0.1 〈audio〉 *tuner amplifier* 0.2 [〈com.〉] *receiver.*

recensent 〈de (m.)〉 0.1 *reviewer, critic.*

recenseren 〈ov.ww.〉 0.1 *review.*

recensie 〈de (v.)〉 0.1 *review* ⇒〈vaak mv.〉 *notice, critique* ♦ 2.1 zijn nieuwe boek kreeg goede/zowel goede als slechte ~s *his new book got good/mixed notices;* lovende/juichende ~s krijgen *get rave reviews* 3.1 de kost verdienen met ~s schrijven *make a living writing reviews, write reviews for a living.*

recensie-exemplaar 〈het〉 0.1 *review copy.*

recent 〈bn.〉 0.1 *recent* ⇒*new, late(st), fresh* 〈gegevens〉, *hot* 〈nieuws〉 ♦ 1.1 dat is nog van ~e datum *that is quite r. that is of a recent date;* 〈biol.〉 ~e flora/fauna *r./modern flora/fauna;* er is geen ~ nieuws over de verkiezingen *there's been no fresh news of the elections;* volgens ~e onderzoekingen *according to r. studies.*

recentelijk 〈bw.〉 0.1 *recently* ⇒*lately, of late,* 〈voor voltooid deelw. ook〉 *newly.*

recepis 〈het, de〉〈hand.〉 0.1 *scrip (certificate), provisional/interim certificate* ♦ 1.1 ~ van uitgifte *stores requisition.*

recept ⟨het⟩ **0.1** [⟨med.⟩] *prescription* ⇒*recipe* **0.2** [bereidingsvoorschrift] *recipe* ⟨ihb. voor koken⟩ ⇒*formula* ◆ **2.1** volgens speciaal~ *magistral* **2.2** een geheim ~*a secret formula*/*r.*; ⟨scherts.⟩ het gewone ~ *the usual* **3.1** een — uitschrijven *write out a p.*; iem. een ~ voorschrijven *write s.o. (out) a p.* **6.1** alleen op ~ verkrijgbaar *ethical, available only on p.*; **zonder** ~ (verkrijgbaar) *(available) over the counter* **6.2** het ~ voor het geluk is niet te geven *it's impossible to give a r.*/*formula for happiness*.
receptbriefje ⟨het⟩ **0.1** *prescription*.
recepteerkunde ⟨de (v.)⟩ ⇒**receptenleer.**
receptenboek ⟨het⟩ **0.1** [kookboek] *cookery book* ⇒*book of recipes* **0.2** [boek in een apotheek] *(pharmaceutical) codex* ⇒*dispensary*.
receptenbus ⟨de⟩ **0.1** *prescription box.*
receptenleer ⟨de⟩ **0.1** *science of prescription-writing* ⇒*pharmaceutics.*
recepteren ⟨onov.ww.⟩ **0.1** [voorschrijven] *prescribe* ⇒*write (out) prescriptions* **0.2** [klaarmaken] *prepare*/*make up*/*dispense prescriptions*/*medicines on prescription.*
receptformulier ⟨het⟩ **0.1** *prescription form.*
receptie ⟨de (v.)⟩ **0.1** [officiële ontvangst] *reception* **0.2** [ontvangstbalie] *reception (desk)* **0.3** [wijze waarop een tekst/kunstwerk ontvangen wordt] *reception* **0.4** [onderneming van rechtsgewoontes] *reception* ◆ **2.1** staande ~ *stand-up r.*; ⟨scherts.⟩ hé, het is hier geen staande ~ *there's no charge for sitting down* **3.1** ~ houden *give a r.* **6.1** ~ **ten** hove *r. at court* **6.2** melden **bij** de ~ *report to the reception (desk)*.
receptiealbum, -boek ⟨het⟩ **0.1** *guest*/*reception book.*
receptie-esthetica ⟨de (v.)⟩ **0.1** *reception aesthetics.*
receptief ⟨bn.⟩ **0.1** [mbt. de mens(elijke geest)] *receptive* ⇒*susceptible, sensory* ⟨orgaan, vermogen⟩, *open-minded* ⟨karakter⟩ **0.2** [mbt. stoffen] *receptive* ◆ **1.1** onze receptieve vermogens *our r.*/*sensory powers*/*faculties.*
receptieonderzoek ⟨het⟩ ⟨comm.⟩ **0.1** *reception studies.*
receptionist ⟨de (m.)⟩, **-niste** ⟨de (v.)⟩ **0.1** *receptionist.*
receptiviteit ⟨de (v.)⟩ **0.1** *receptivity* ⇒*recipience, receptiveness, susceptiveness.*
receptor ⟨de (m.)⟩ **0.1** [⟨med.⟩ eindorgaan van een zenuw] *receptor* **0.2** [⟨med.⟩ moleculaire groep van het protoplasma] *receptor* **0.3** [toestel] *receptor.*
receptuur ⟨de (v.)⟩ **0.1** [leer van het voorschrijven van medicijnen] *science of prescription-writing* **0.2** [kennis van het klaarmaken van recepten] *making up*/*preparing*/*dispensing prescriptions* **0.3** [bereidingswijze] *method of preparation*/*making up.*
reces ⟨het⟩ **0.1** [vakantie] *recess* ⇒*adjournment* **0.2** [verslag] *minutes* ⇒*record*/*report (of a meeting)* ◆ **6.1** gedurende het ~ *during the r.*; ⟨attr.⟩ *recessional*; de Kamer gaat **op** ~ tot eind januari *the house rises*/*goes into r. until the end of January*; op ~ zijn *be in r..*
recessie ⟨de (v.)⟩ **0.1** [teruggang] *recession* ⇒ ↓*slump* **0.2** [⟨ster.⟩] *recession* ⇒*Hubble effect.*
recessief ⟨bn., bw.; -ly⟩ ⟨biol.⟩ **0.1** *recessive* ◆ **1.1** een recessieve eigenschap *a r. characteristic*/*trait* **3.1** ~ overerven *be inherited*/*handed on through a r. gene.*
recette ⟨de⟩ **0.1** *receipts* ⇒*takings,* ⟨theater ook⟩ *box-office receipts,* ⟨sport ook⟩ *gate (receipts*/*money).*
réchaud ⟨het, de (m.)⟩ **0.1** *hot plate.*
recherche ⟨de⟩ **0.1** [opsporingsdienst] *detective*/ ⟨GB ook⟩ *criminal investigation department*/*service*/*bureau* **0.2** [ambtenaren] *detective force* **0.3** [onderzoek] *investigation* ⇒*inquiry* ◆ **1.3** recht van ~ *right of search* **2.1** fiscale ~ *fiscal investigation service.*
rechercheur ⟨de (m.)⟩ **0.1** [politiebeambte] *detective* ⇒*plainclothesman* **0.2** [detective] *(private) detective*/*investigator.*
recherchevaartuig ⟨het⟩ **0.1** *revenue cutter*/*lau.uch*/*vessel.*
recht¹ ⟨het⟩ ⟨→sprw. 222,312,421⟩ **0.1** [gerechtigheid] *justice* ⇒*right, law* **0.2** [complex van rechtsregels] *law* **0.3** [rechtsgeleerdheid] *law* **0.4** [rechtspraak] *justice* **0.5** [proces] *court* ⇒*law, (legal) action* **0.6** [bevoegdheid, voorrecht] *right* ⇒*claim, title, power, prerogative* **0.7** [⟨mv.⟩ bevoegdheden behorend bij een stand/positie] *rights* ⇒*privileges, authority, powers* **0.8** [aanspraak] *right* ⇒*claim, interest* **0.9** [⟨mv.⟩ bevoegdheid tot reproductie van een boek/film enz.] *(copy)right(s)* **0.10** [belasting] *duty* ⇒ ⟨invoer⟩ *custom,* ⟨leges⟩ *fee, charge, tax* ◆ **1.1** ⟨fig.⟩ met ~ en reden *for good reasons* **1.3** student (in de) ~ *en l. student* **1.6** ~ van bestaan hebben *have a r. to exist, have justified one's existence*; het ~ van gratie *the prerogative of mercy*; ~ van koop *r. of emption, option of purchase*; het ~ van de sterkste *the law of the jungle*; ~ van vereniging en vergadering *r. of free assemblage, r. of association and meeting* **1.7** de ~en v.d. mens *human rights*; de ~en en plichten van de burgers *the r. and duties of citizens*; de ~en v.d. vrouw *women's rights* **1.8** ~ op uitkering *entitlement (to a benefit)* **1.10** ~ van successie/registratie *death duty*/ ᴬ*tax* **2.2** agrarisch/fiscaal /militair ~ *agrarian*/*fiscal*/*military l.*; het geschreven ~ *(the) written*/*statute l.*; het ongeschreven ~ *unwritten*/*common l.*; publiek en privaat ~ *public and private l.*; Romeins ~ *Roman l.* **2.6** aangeboren en verworven ~en *birthrights and acquired rights*; dat is mijn goed ~ *that is my r.*; onvervreemdbaar ~ *inalienable l.*; het volste ~ hebben om … *have every r. to …, be fully entitled to …*; een zakelijk ~ *a r. of things*/

in rem, *a real r.*; een zedelijk/een moreel ~ *a moral r.* **2.7** burgerlijke/ politieke ~en *civil*/*political rights* **2.8** de oudste ~en hebben *have first*/*a prior claim* **2.10** exclusief ~en *exclusive of d.*; vast ~ *fixed charge*; vrij van ~en *free of duties* **3.1** iem. ~ doen (wedervaren) *do s.o.j., do right by s.o., give s.o. his*/*her due*; ~ doen aan iets *do j. to sth.*; het ~ handhaven *enforce*/*uphold the l.*; ⟨fig.⟩ het ~ aan zijn kant hebben *have right on one's side, be in the right*; het ~ met voeten treden *trample j. underfoot* **3.2** het ~ is vastgelegd in de wetboeken *the l. is laid down*/*encoded in l. books*; het ~ in eigen handen nemen, zichzelf ~ verschaffen *take the l. into one's own hands* **3.3** ~ en studeren *read*/*study l., read for the bar* **3.4** ~ doen *render*/*give*/*deliver judgement*; ~ doen in een zaak *adjudicate*/*decide on a case*; ~ vorderen/ zoeken *demand*/*seek j.* **3.6** ⟨fig.⟩ iets/iem. geen, iets/iem. niet tot zijn ~ laten komen *do no justice to s.o.*/*sth., be unfair to s.o.*/*sth.*; zijn graad geeft hem het ~ om …*his degree qualifies*/*entitles him to …*; het ~ hebben om zijn kinderen te *(are n hebbe)* … niet het ~ hebben iets te doen *have no r. to do sth., have no business doing sth.*; het is mijn goed ~ om …*I have a*/*every r. to …*; ⟨fig.⟩ zijn kwaliteiten komen daar veel beter tot hun ~ *his talents will have full play there*; hem was het ~ ontnomen het kasteel te erven *he was disabled*/*disentitled from inheriting the castle*; iem. het ~ ontzeggen om …*deny s.o. the r. to …*; evenveel ~ van spreken hebben als de rest *have an equal voice with the rest*; geen ~ van spreken hebben *have no r. to speak*; door dat te doen had hij geen ~ van spreken meer *by doing that he put himself out of court*; ⟨fig.⟩ ik vind dat je hier niet helemaal tot je ~ komt *I think your talents are not being done full justice here* **3.7** ~ en ontnemen *dis(en)franchise* **3.8** geen ~ hebben op *have no r.*/*claim*/*title to*; je moet goed weten waar je ~ op hebt *you must know exactly what is due to you*; zijn ~en laten gelden *exercise one's rights* **3.9** de ~en v.e. boek verkopen *sell the rights of*/ *to a book*; alle ~en voorbehouden *all rights reserved* **6.1** in zijn ~ zijn/ staan *be in the right*/*within one's rights*; ⟨fig.⟩ met ~ *right(ful)ly, justly, properly*; je kan je **met** ~ afvragen wat …*one*/*you may well wonder what …*; **met** ~ razend zijn *have good reason*/*every right to be furious*; genade **voor** ~ laten gelden *temper j. with mercy* **6.2** krachtens ~ en *gewoonte by right and custom*; **krachtens**/**volgens** Engels ~ *under English l.*; **volgens** geldend ~ *as the l. stands* **6.3** meester in de ~en *law graduate, graduate lawyer,* ⟨AE ook⟩ *law school graduate, Master of Laws* **6.5** iem. in ~e vervolgen *prosecute s.o. (judicially), sue s.o.*; een zaak **in** ~e vervolgen *take a matter to court*; **in** ~e iets afdwingen/ eisen/ vorderen *enforce sth. in a court of law, demand sth. by legal process*; niet **in** ~e kunnen optreden/staan *be unable to appear*/*stand in court* **6.6** wat geeft u het ~ **om** zo te spreken? *what gives you the r. to speak like that?*; iedereen heeft het ~ **om** …*everyone has the r. to …*; niemand hier heeft het ~ **om** …*it's nobody's business to …*; **op** zijn ~(en) staan *stand*/*insist on one's right(s)*; ⟨fig.⟩ **tot** zijn ~ komen *show*/*be shown to advantage* ⟨jurk, schilderij⟩; *come*/*stand out well, look well*; ⟨fig.⟩ iem./ iets **tot** zijn ~ laten komen *do justice to s.o.*/ *sth., give s.o.*/*sth. its due*; ⟨fig.⟩ goed **tot** zijn ~ **komen** *come out*/*show up well*; ⟨fig.⟩ ~ **van** spreken hebben *be entitled to speak*/*a hearing, be an authority*; **voor** zijn ~(en) opkomen *defend one's right(s)* **6.8** ~ hebben/geven **op** iets *have*/*give the a r. to sth., be entitled to sth.*; be eligible ⟨voor deelname⟩; *have a title*/*claim to sth.* ⟨goederen⟩; de eerste ~en hebben **op** *have a first claim*/*preferential r. to* **6.10** aan ~ onderhevig *dutiable, liable*/*subject to duties.*
recht² ⟨→sprw. 54⟩
I ⟨bn., bw.⟩ **0.1** [niet gebogen/bochtig] *straight* **0.2** [niet scheef/ schuin] *straight* **0.3** [rechtop] *straight (up), upright*; ⟨bn.⟩ *erect* **0.4** [normaal] ⟨bn.⟩ *right* ⟨kant van stof⟩; *direct* ⟨evenredigheid⟩; *plain* ⟨breisteek⟩; ⟨bn.⟩ *directly* ⟨evenredig⟩ **0.5** [juist] ⟨bn.⟩ *right* ⟨woord⟩; ⟨bn.⟩ *true* ⟨oorzaak⟩ **0.6** [mbt. een hoek] ⟨bn.⟩ *right* **0.7** [rechtvaardig] ⟨bn.⟩ *rightful* ⇒*just, fair,* ⟨bw.⟩ *rightfully, justly* ◆ **1.1** een ~e lijn trekken *draw a s. line*; in ~e lijn afstammen *descend*/*be descended directly from s.o.*; in ~e lijn (gemeten) ⟨ook⟩ *as the crow flies*; ⟨geneal.⟩ ~e lijn/linie *direct line (of descent)*; op het laatste ~e stuk on *the home straight*/ ᴬ*stretch* **1.3** een ~e houding *an u. posture*/*r. carriage* **1.4** een ~e steek breien *knit a plain stitch*; de ~e zijde v.e. voorwerp *the r. side of an object* **1.5** het bij het ~e eind hebben *have the r. end of the stick, be r.*; hij is daar de ~e man niet voor *he's not the r. man for that*; op het ~e pad zijn/blijven ⟨fig.⟩ *be on*/ *keep to the straight and narrow (path)*; het hart op de ~e plaats hebben *have*/*wear one's heart in the r. place*; te ~er tijd *at the r. time, when the time is r.*; de ~e weg *the r. way*; ⟨fig., pad der deugd⟩ *the straight and narrow* **1.6** ~e hoek *r. angle* **2.4** ~ evenredig zijn met *be directly proportional to* **2.7** is dit eerlijk en ~? *is this right and fair*/ *proper?* **3.1** iets ~ snijden *cut sth. (off) s.* **3.2** het roer ~ houden *steady the helm*; je bord moet je wel ~ houden *you must keep your plate s.*/ *level*; de auto kwam ~ op ons af *the car was coming s. at us*; iets ~ leggen *adjust sth., put sth. s.*; ~ op iem./ iets afgaan *go s. for s.o.*/*sth.*, step up to s.o./ sth.; ~ oversteken *cross over directly* **3.3** zijn hoofd ~ houden ⟨fig.⟩ *keep a clear head*; ~ op zijn benen staan *stand up s., stand e.*; ~ zitten/staan *sit*/*stand up s.* **5.2** ~ omhoog/omlaag s. up/ down **5.3** ~ overeind s. up, bolt upright; ⟨fig.⟩ het probleem blijft ~

overeind staan *the problem remains unsolved/standing* **6.1** ⟨fig.⟩ ~
door zee *straightforward;* ⟨fig.⟩ iem. iets ~ **in** zijn gezicht zeggen *say
sth. (s.) to s.o.'s face;* ⟨fig.⟩ iem. iets ~ **op** de man af vragen *ask s.o.
sth. s. (out)/flat-out;* ~ **van** lijf en leden *s.-limbed;* ⟨fig.⟩ ~ **voor** zijn
raap *s. from the shoulder, without beating about the bush,* ᴬ*up front*
6.2 iem. ~ **in** de ogen kijken *look s.o. s. in the eye;* ~ **op** zijn doel afgaan *go/aim s. for one's goal;* ~ **voor** zich uitkijken *look/stare s.
ahead/in front of one* **6.5** ~ **in** de leer *orthodox, doctrinaire, dogmatic*
6.¶ ~ **voor** de zaak uitkomen *be quite open about the matter;* ⟨AZN⟩
~ **voor** de vuist *straightforward* **7.4** ⟨breien⟩ eerst drie averecht, dan
drie ~ *first three purl, then three plain* **7.5** het ~ **e** van iets weten *know
the ins and outs of sth.* **8.3** zo ~ als een kaars *as s. as a ruler, bolt u.*
⟨staan⟩ **¶.2** een ~ op en neer *a s. genever/Dutch gin;*
II ⟨bw.⟩ **0.1** [⟨schr.⟩ echt] *really* ⇒*truly, in earnest, quite* **0.2** [precies]
straight ⇒*right, exactly* ◆ **2.1** ~ gelukkig was hij nooit *he was never r.
/ truly happy* **3.2** hangt/zit mijn jurk ~? *is my dress s.?;* ze reden ~ op
elkaar in *they collided head-on* **6.2** ~ **naar** het Oosten varen *sail due
east;* hij woont ~ **tegenover** mij *he lives s. / directly across from me;* ~
tegenover elkaar *face-to-face, vis-à-vis;* het schrift ~ **voor** zich hebben
have the exercise book s. in front of one.

rechtaan ⟨bw.⟩ **0.1** [regelrecht] *straightforward* ⇒*without beating about
the bush* **0.2** [in rechte richting] *straight on/ahead* ◆ **5.1** rechttoe, ~
straightforward; voor hem gaat alles rechttoe, ~ *it's all plain sailing to
him.*

rechtbank ⟨de⟩ **0.1** [college] *court (of law/justice)* ⇒*lawcourt,* ⟨voor
bijz. doel⟩ *tribunal, judicature* **0.2** [personen] *court* ⇒*magistrates,
bench* **0.3** [gebouw] *court* ⇒*law courts, magistrates' court,* ᴬ*court-
house* ◆ **1.1** de ~ v.h. geweten *the tribunal of (one's) conscience* **6.1**
een zaak **bij** de ~ aanhangig maken *take a matter to c.;* **buiten** de ~ om
out-of-c.; **voor** de ~ moeten komen *have to appear in c. / before the c.;*
iem. **voor** de ~ brengen wegens iets *bring/take s.o. to c. for sth.;* een
zaak **voor** de ~ brengen *take a matter to c..*

rechtbuigen ⟨ov.ww.⟩ **0.1** *straighten (out)* ⇒*bend straight.*

rechtdoor ⟨bw.⟩ **0.1** [in rechte richting vooruit] *straight on/ahead* **0.2**
[rechtstreeks] *straight (through)* ⇒*directly, unswervingly* **0.3** [open-
hartig] *straight(forward)* ⇒*frankly, candidly* ◆ **3.1** deze weg loopt ~
this road runs s. on **3.2** ~ naar huis gaan *go s. home.*

rechtdoorzee ⟨bn.⟩ **0.1** *straight* ⇒*honest, sincere, candid,* ⟨inf.⟩ *on the
level.*

rechtdraads ⟨bn., bw.⟩ **0.1** [mbt. een weefsel]⟨bn.⟩ *cut with the grain;*
⟨bw.⟩ *with the grain* **0.2** [mbt. hout]⟨bn.⟩ *sawn with the grain;* ⟨bw.⟩
with the grain.

rechtdradig ⟨bn.⟩ **0.1** *straight-grained.*

rechte ⟨de⟩ ⟨wisk.⟩ **0.1** *straight line.*

rechtelijk ⟨bn., bw.⟩ **0.1** [volgens het recht] *lawful;* ⟨bw.⟩ *by/in
law/right(s), lawfully* **0.2** [mbt. het recht]⟨bn.⟩ *legal;* ⟨bw.⟩ *legally* ◆
1.2 geschillen van ~ e aard *disputes of a l. nature* **3.1** iets ~ bezitten
possess sth. by right/law.

rechteloos ⟨bn.⟩ **0.1** [zonder rechten] ⟨alleen predicatief⟩ *without rights*
⇒*rightless* **0.2** [⟨gesch.⟩ vogelvrij] *outlawed* **0.3** [waarin geen recht
heerst] *lawless* ⇒*anarchic* ◆ **1.3** een rechteloze maatschappij *a l. society.*

rechteloosheid ⟨de (v.)⟩ **0.1** *lawlessness* ⟨van staat⟩; *lack of rights* ⟨van
mens⟩ ◆ **2.1** in volslagen ~ leven/verkeren *have no rights whatsoever.*

rechten ⟨ov.ww.⟩ **0.1** [rechtbuigen] *straighten (out)* ⇒*bend straight* **0.2**
[omhoogrichten] *straighten* ⇒*lift up* ⟨hoofd⟩, *square* ⟨schouders⟩ ◆
1.2 hij rechtte zijn rug *he straightened his back.*

rechtens ⟨bw.⟩ **0.1** *by right(s)* ⇒*rightly, in justice,* ⟨volgens de wet⟩ *by
law, de jure* ◆ **3.1** zij kreeg wat haar ~ toekwam *she got what was hers
by rights/what she was entitled to* **¶.1** bewijs door getuigen en alle
middelen ~ *proof by means of witnesses and all lawful means.*

rechtenstudie ⟨de (v.)⟩ **0.1** *law studies* ⇒*study of law.*

rechter¹ ⟨de (m.)⟩ ⟨→sprw. 345⟩ **0.1** [iem. die recht spreekt] *judge* ⇒
magistrate, justice **0.2** [iem. die een beslissend oordeel uitspreekt]
judge ⇒*arbiter* ◆ **1.1** de ~ van instructie *the examining judge/magis-
trate* **2.1** de militaire/burgerlijke ~ *the military/civil judge/court* **2.2**
de opperste ~ *the Supreme Judge/Arbiter* **3.1** ~ zijn *be on the bench*
6.1 **buiten** de ~ om *out-of-court;* je mag geen ~ **in** (je) eigen zaken
zijn *you cannot be a judge in your own cause;* **naar** de ~ gaan/stappen
go to court; aanstellen/benoemen **tot** ~ *call/raise to the bench;* **voor**
de ~ moeten verschijnen *have to appear in court/before the court/
judge;* een zaak **voor** de ~ brengen *take a matter to court;* iem. **voor** de
~ dagen/slepen *have/take the law of s.o., take s.o. to court;* iem. **voor**
de ~ brengen *try s.o., bring s.o. to trial.*

rechter² ⟨bn.⟩ **0.1** [mbt. lichaamsdelen] *right* **0.2** [mbt. zaken]
right(-hand) ◆ **1.2** de ~ deur *the door on the/your r.* **7.1** de ~ of de linker? *the right(-hand) one or the left(-hand)(one)?.*

rechterarm ⟨de (m.)⟩ **0.1** *right arm.*

rechterbeen ⟨het⟩ **0.1** *right leg.*

rechterbladzijde ⟨de⟩ **0.1** *recto* ⇒*right-hand page.*

rechter-commissaris ⟨de (m.)⟩ **0.1** [rechter van instructie] *examining
judge/magistrate* **0.2** [bij faillissement] *official receiver.*

rechterhand ⟨de⟩ ⟨→sprw. 409⟩ **0.1** [hand van de rechterarm] *right
hand* **0.2** [⟨fig.⟩ steun] *right hand/arm* ⇒*right-hand man, man Friday, number two* ◆ **3.1** ⟨fig.⟩ de linkerhand moet niet weten wat de ~
doet *do not let your right hand know what your left hand is doing* **6.1**
de tweede straat **aan** uw ~ *the second street on your right* **7.1** ⟨fig.⟩
twee ~ en hebben *be very handy/very good with one's hands.*

rechterkant ⟨de (m.)⟩ **0.1** *right(-hand) side* ◆ **6.1 aan** de ~ *on the
right(-hand) side,* ⟨BE ook⟩ *on the offside;* met het stuur **aan** de ~
right-hand drive.

rechterlijk ⟨bn., bw.;-ly⟩ **0.1** *judicial* ⇒*judiciary* ◆ **1.1** ~ ambtenaar
magistrate, judicial functionary, law officer; verkoop op ~ bevel *judicial sale;* ~ e dwaling *miscarriage of justice;* de ~ e macht *the judiciary;*
met ~ e macht bekleed *invested with judicial power;* bij de ~ e macht
zijn *be on the bench;* ~ e organisatie *judicial organisation, system of
court/justice;* bij ~ vonnis *by a judicial decision, by a sentence of the
court;* een ~ vonnis *a judicial sentence/decision, an order/sentence of
the court.*

rechteroever ⟨de (m.)⟩ **0.1** *right bank.*

rechter-plaatsvervanger ⟨de (m.)⟩ **0.1** *deputy judge.*

rechtersambt ⟨het⟩ **0.1** *office of (a) judge* ⇒*judgeship.*

rechterschouder ⟨de (m.)⟩ **0.1** *right shoulder.*

rechterstoel ⟨de (m.)⟩ **0.1** [zetel van een rechter] *bench* ⇒*seat of the
judge, judge's chair* **0.2** [rechtbank, ⟨ook fig.⟩] *tribunal* ⇒*court (of
justice/law), seat of justice, judgement seat* ◆ **1.2** ⟨fig.⟩ de ~ van het
geweten *the t. / bar of one's conscience;* ⟨fig.⟩ voor Gods ~ verschijnen *appear before the t. of God/God's judgement seat.*

rechtervleugel ⟨de (m.)⟩ **0.1** [vleugel aan de rechterzijde] *right(-hand)
wing* ⇒⟨van vliegtuig⟩ *starboard wing* **0.2** [rechter gedeelte v.e.
bouwwerk] *right(-hand) wing* **0.3** [afdeling aan de rechterkant] *right
wing* ◆ **1.3** iem. v.d. ~ *a right-winger.*

rechtervoet ⟨de (m.)⟩ **0.1** *right foot.*

rechterzijde ⟨de⟩ **0.1** [zijde van het lichaam] *right(-hand) side* **0.2** [zijde
rechts van iem./ iets] *right(-hand) side* **0.3** [conservatieve partijen]
right wing ◆ **1.2** de ~ van het gebouw *the right-hand side/right wing
of the building* **1.3** lid v.d. ~ *right-winger* **6.1** pijn **in** de ~ hebben *have
a pain in one's right side* **6.2** **ter, aan** de ~ *on the/one's right(-hand
side).*

rechtgeaard ⟨bn.⟩ **0.1** *right-minded* ⇒*true(-born/-blue)* ◆ **1.1** iedere ~ e
Fransman *every true Frenchman.*

rechtgelovig ⟨bn.⟩ **0.1** *orthodox.*

rechtgelovige ⟨de (m.)⟩ **0.1** *true believer* ⇒*orthodox.*

rechtgelovigheid ⟨de (v.)⟩ **0.1** *orthodoxy.*

rechtgevend ⟨bn.⟩ **0.1** *entitling* ◆ **1.1** ~ kind *qualifying/dependent child.*

rechthebbende ⟨de (m.)⟩ **0.1** *(rightful) claimant* ⇒*person/party entitled.*

rechtheid ⟨de (v.)⟩ **0.1** *straightness.*

rechthoek ⟨de (m.)⟩ **0.1** *rectangle* ⇒*oblong.*

rechthoekig ⟨bn., bw.⟩ **0.1** [met een of meer rechte hoeken]⟨bn.⟩
right-angled, orthogonal, orthographic; ⟨bw.⟩ *at right angles* **0.2** [met de
vorm van een rechthoek]⟨bn.⟩ *rectangular, oblong;* ⟨bw.⟩ *rectangu-
larly, in a rectangular shape* ◆ **1.1** een ~ e driehoek *a right(-angled)
triangle* **1.2** een ~ e kamer/tafel *a r. room/table* **3.1** ~ maken *square
off;* die lijnen snijden elkaar ~ *these lines cross at right angles* **6.1** ~ **op**
square to, at right angles with, at a right angle to; ~ **op** elkaar staan *be
at right angles to one another.*

rechthoekszijde ⟨de⟩ ⟨wisk.⟩ **0.1** *cathetus.*

rechtigen ⟨ov.ww.⟩ ⟨schr.⟩ **0.1** *entitle, qualify* ⇒*justify* ◆ **4.1** niets rech-
tigde hem die vraag te stellen *he had no right/business asking that
question, nothing could justify his asking that question.*

rechtkomen ⟨onov.ww.⟩ **0.1** *right itself.*

rechtlijnig ⟨bn., bw.⟩ **0.1** *straight(-lined), (recti)linear;* ⟨fig.⟩ con-
sistent, straightforward; ⟨bw.⟩ *in a straight line* ◆ **1.1** ⟨fig.⟩ een ~ betoog *a logical argument/demonstration;* een ~ e beweging *a linear
movement;* een ~ e rectilineair figuur *a rectilinear figure* **3.1** ⟨fig.⟩ ~ denken *think
along straight lines/in a straightforward way;* ⟨pej.⟩ *be blinkered;* ~
tekenen *geometrical drawing;* zich ~ voortbewegen *move in a straight
line.*

rechtlijnigheid ⟨de (v.)⟩ **0.1** *straightness* ⇒⟨lett.⟩ *rectilinearity,* ⟨fig.⟩
consistency, straightforwardness.

rechtmaken ⟨ov.ww.⟩ ⟨→sprw. 189⟩ **0.1** *straighten (out)* ⇒*make
straight.*

rechtmatig ⟨bn., bw.;-ly⟩ **0.1** [wettig] *rightful* ⟨erfgenaam, eigenaar⟩;
lawful ⟨handeling⟩; *legitimate* ⟨bewind, erfgenaam⟩ **0.2** [gerechtvaar-
digd] *legitimate* ⇒*just, justifiable* ◆ **1.1** ~ e aanspraken *legitimate
claims;* de ~ e eigenaars *the r. / legitimate owners;* een ~ vonnis *a legitimate verdict* **1.2** een ~ e straf *a just punishment;* met ~ e trots *with l. /
proper pride* **2.1** ~ verworven *legitimately/lawfully obtained* **3.1** dat
komt hem ~ toe *that is his by rights* **¶.1** ~ aanspraak maken op *rightfully claim.*

rechtmatigheid ⟨de (v.)⟩ **0.1** *rightfulness* ⇒*lawfulness, legitimacy.*

rechtop ⟨bw.⟩ **0.1** *upright* ⇒*straight (up), erect, on end* ⟨van langwerpi-
ge voorwerpen⟩ ◆ **3.1** op het ijs kon hij zich moeilijk ~ houden *he
found it difficult to keep u. / stay on his feet on the ice;* ~ lopen/zitten
walk u. / erect/tall, sit straight/erect; ~ schrijven *have a u. hand-*

(writing); zij zat ~ in bed *she sat up (straight) in bed;* iets ~ zetten *put/ place sth. on end/u.;* ⟨met ondersteuning⟩ *prop sth. up.*

rechtopstaand ⟨bn.⟩ **0.1** *erect* ⇒*upright, standing, straight, perpendicular* ♦ **1.1** ~ haar *hair standing on end.*

rechtover ⟨bw.⟩ **0.1** *straight across* ⇒*just opposite* ♦ **3.1** zij wonen hier ~ *they live s. a. (the road) from here/us.*

rechts[1] ⟨het⟩ **0.1** [⟨pol.⟩] *(the) Right* **0.2** [mbt. verkeer] *traffic from the right* ♦ **2.1** uiterst/extreem ~ *far-right, ultra-right* **3.2** in ons land gaat ~ voor *in this country traffic from the right has priority/right of way* **7.1** de ~ en *the Right (Wing/Wingers).*

rechts[2] ⟨bn., bw.⟩ **0.1** [aan de rechterzijde] *right(-hand)* **0.2** [rechtshandig] *right-handed* **0.3** [⟨pol.⟩] *right-wing* ♦ **1.1** de eerste deur ~ *the first door on/to the right;* ⟨sport⟩ een ~ e stoot *a right;* de tweede straat ~ *the second street on the right;* auto met ~ stuur *car with right-hand drive, right-hand-drive car;* het ~ e verkeer *traffic on/from the right* **1.2** ~ e rakker *righty,* blue **1.3** de ~ e partijen the r.-w. parties, *the parties on the right* **2.1** links en ~ *left and right* **3.1** ~ afslaan *turn (off to the) right;* ~ houden/ rijden *keep (to the) right, drive on the right;* ⟨mil.⟩(naar) ~ richten ! *right-dress!* **3.2** ~ schrijven *write with one's right hand* **5.1** ~ boven/ beneden *top/bottom right* **6.1** naar ~ *to the right, rightward(s);* bocht naar ~ *right-hand bend, bend to the right;* hij zat ~ van mij *he sat on my right(-hand side)/to my right/to the right of me* **7.1** ⟨breien⟩ één ~, één averechts *knit one, purl one.*

rechtsadviseur ⟨de (m.)⟩, **-adviseuse** ⟨de (v.)⟩ **0.1** *legal adviser/counsel* ⇒*lawyer,* [B]*solicitor.*

rechtsaf ⟨bw.⟩ **0.1** *(to the/one's) right* ♦ **3.1** bij de splitsing moet u ~ *you have to turn r. at the junction;* ~ slaan *turn to the r., fork r..*

rechtsback ⟨de (m.)⟩ **0.1** *right back.*

rechtsbedeling ⟨de (v.)⟩ **0.1** *administration/dispensation of justice* ⇒*administration of law.*

rechtsbeginsel ⟨het⟩ **0.1** *principle of justice/the law* ⇒*legal/juridical principle* ♦ **2.1** de algemene ~ en *the general principles of justice.*

rechtsbegrip ⟨het⟩ **0.1** [gevoel inzake (on)recht] *sense of justice* ⇒*conception of law/justice* **0.2** [juridisch begrip] *legal concept/notion* ♦ **2.1** ons aangeboren ~ *our innate sense of justice* **2.2** algemene ~ pen *general legal concepts/notions/principles, general principles of law;* volgens geldende ~ pen *according to current legal notions.*

rechtsbenig, -voetig ⟨bn.⟩ ⟨sport⟩ **0.1** *right-footed* ♦ **7.1** ⟨voetbal⟩ een rechtsvoetige *a right-footer, a r.-f. player.*

rechtsbescherming ⟨de (v.)⟩ **0.1** *legal protection.*

rechtsbetrekking ⟨de (v.)⟩ **0.1** *legal relation(ship).*

rechtsbevoegd ⟨bn.⟩ **0.1** *having/possessing (legal) rights* ⇒*having/possessing capacity for rights* ♦ **3.1** ieder persoon is ~ *everyone has legal rights;* een minderjarige is ~, maar niet handelingsbevoegd *a minor has legal rights, but lacks full legal capacity.*

rechtsbevoegdheid ⟨de (v.)⟩ **0.1** *capacity for rights, capacity to have/hold rights.*

rechtsbewustzijn ⟨het⟩ **0.1** *sense of justice.*

rechtsbezit ⟨het⟩ **0.1** *quasi-possession* ⇒*possessio juris.*

rechtsbijstand ⟨de (m.)⟩ **0.1** *legal aid/assistance* ♦ **3.1** ~ verlenen *give/ provide with legal aid.*

rechtsbijstandverzekering ⟨de (v.)⟩ **0.1** *legal expenses insurance.*

rechtsbinnen ⟨de (m.)⟩ ⟨sport⟩ **0.1** *inside right.*

rechtsbron ⟨de⟩ **0.1** *source of law* ♦ **2.1** oudvaderlandse ~ nen *traditional/ancient sources of law.*

rechtsbuiten ⟨de (m.)⟩ ⟨sport⟩ **0.1** *right-winger, outside right.*

rechtschapen ⟨bn., bw.;-ly⟩ **0.1** *righteous* ⇒*honest, upright, honourable, virtuous* ♦ **1.1** een ~ karakter *an honest/upright character;* ~ mensen *righteous/virtuous people.*

rechtschapenheid ⟨de (v.)⟩ **0.1** *righteousness* ⇒*honesty, integrity, uprightness, virtue.*

rechtscheppend ⟨bn.⟩ **0.1** *law-creating/-making* ♦ **1.**¶ een ~ vonnis *a judgment that creates/sets a precedent* **3.1** de vakverenigingen kunnen ~ te werk gaan *the unions can, as it were, create their own law.*

rechtscollege ⟨het⟩ **0.1** *court of justice/law)* ⇒*lawcourt,* ⟨de personen⟩ *bench.*

rechtsdelict ⟨het⟩ **0.1** *malum in se.*

rechtsdraaiend ⟨bn.⟩ **0.1** [draaiend zoals de wijzers van de klok] *turning to the right, clockwise* **0.2** [⟨nat.⟩] *dextrorotatory* ⇒ ⟨in combinaties⟩ *dextro-* ♦ **1.2** ~ melkzuur *dextrorotatory lactic acid, dextro-lactic acid;* ~ e yoghurt *dextrorotatory yoghurt.*

rechtsdwaling ⟨de (v.)⟩ **0.1** *miscarriage of justice.*

rechtsdwang ⟨de (m.)⟩ **0.1** *legal compulsion/enforcement/constraint.*

rechtseffect ⟨het⟩ **0.1** *legal effect.*

rechtsfeit ⟨het⟩ **0.1** *juristic fact.*

rechtsfiguur ⟨de⟩ **0.1** [rechtsbegrip] *(legal) concept(ion)/formula;* ⟨belichaming van rechtsbegrip⟩ *(legal) arrangement/device* ♦ **1.1** ~ en, zoals het trustverband, ... *arrangements, such as a trust, ...* **2.1** een Nederlandse ~ *a conception known to Dutch law.*

rechtsfilosofie ⟨de (v.)⟩ **0.1** *philosophy of law.*

rechtsgang ⟨de (m.)⟩ **0.1** *(court) procedure* ⇒*course of proceedings, judicial process.*

rechtsgebied ⟨het⟩ **0.1** [bevoegdheid tot rechtspreken] *jurisdiction* **0.2** [arrondissement] *(territorial) jurisdiction* ⇒*district (of a judge/court),* ⟨USA ook⟩ *judicial district* **0.3** [al wat de rechtspraak betreft] *(field/ area of) law/justice* ♦ **6.3** boeken op ~ *law books, books on law and related matters.*

rechtsgebouw ⟨het⟩ **0.1** *law courts* ⇒*magistrates' court,* [A]*court-house.*

rechtsgebruik ⟨het⟩ **0.1** *legal/judicial usage/custom.*

rechtsgeding ⟨het⟩ **0.1** [proces] *lawsuit* ⇒*legal action/suit* **0.2** [het procederen] *judicial/court procedure/proceeding* ♦ **3.1** een ~ aanspannen/voeren *commence an action, enter into a l., conduct a case/suit (at law).*

rechtsgeldig ⟨bn., bw.⟩ **0.1** ⟨bn.⟩*(legally) valid, authentic, lawful;* ⟨bw.⟩ *in a legally valid way, authentically, lawfully.*

rechtsgeldigheid ⟨de (v.)⟩ **0.1** *legality* ⇒*legal force/validity* ♦ **3.1** ~ hebben *be legally valid, be valid in law* **7.1** een papier dat geen ~ bezit *a document that is legally void/has no legal force/validity.*

rechtsgeleerd ⟨bn.⟩ **0.1** [deskundig mbt. het recht] *legal* ⇒*law-, juridical* **0.2** [juridisch] *legal* ⇒*law-, juridical* ♦ **1.1** ~ e schrijvers *writers on law/legal subjects;* de ~ e wereld *the juridical/legal world/profession* **1.2** een ~ advies *(a piece of) legal advice;* ~ e studiën *law studies.*

rechtsgeleerde ⟨de (m.)⟩ **0.1** *lawyer* ⇒*jurist.*

rechtsgeleerdheid ⟨de (v.)⟩ **0.1** *(science/study of) law/jurisprudence.*

rechtsgelijkheid ⟨de (v.)⟩ **0.1** *equality before the law* ⇒*equality of rights/ status.*

rechtsgeschiedenis ⟨de (v.)⟩ **0.1** *history of law* ⇒*legal history.*

rechtsgeschil ⟨het⟩ **0.1** *legal dispute* ⇒*litigation.*

rechtsgevoel ⟨het⟩ **0.1** *sense of justice* ♦ **2.1** die jongen heeft een sterk ~ *that boy has a strong(ly developed) sense of justice.*

rechtsgevolg ⟨het⟩ **0.1** *legal/juridical effect/consequence* ♦ **3.1** ~ en hebben *have legal consequences.*

rechtsgezag ⟨het⟩ **0.1** *legal authority* ⟨van rechtbank⟩; *legal force* ⟨van vonnis⟩.

rechtsgoed ⟨het⟩ **0.1** *right.*

rechtsgrond ⟨de (m.)⟩ **0.1** *juridical/legal foundation/ground/cause.*

rechtshalf[1] ⟨de (m.)⟩ ⟨sport⟩ **0.1** *right half(-back).*

rechtshalf[2] ⟨bw.⟩ ⟨sport⟩ **0.1** *at right-half* ♦ **3.1** ~ staan *be at right-half, be right half.*

rechtshandel ⟨de (m.)⟩ ⟨schr.⟩ **0.1** *legal proceeding* ⇒*lawsuit, action.*

rechtshandeling ⟨de (v.)⟩ **0.1** *legal/juridical act/transaction.*

rechtshandig ⟨bn.⟩ **0.1** *right-handed* ⇒*dextral.*

rechtshandigheid ⟨de (v.)⟩ **0.1** *right-handedness* ⇒*dextrality.*

rechtshantering ⟨de (v.)⟩ **0.1** *administration/dispensation of justice, application of law* ⇒*judicature* ♦ **2.1** vrije ~ *door de rechter discretionary power of the court/judge, judicial discretion (in the application of law).*

rechtsherstel ⟨het⟩ **0.1** *rehabilitation* ⇒*redress* ♦ **1.1** aanvraag tot ~ *petition of right.*

rechtshistoricus ⟨de (m.)⟩ **0.1** *legal historian.*

rechtshistorie → **rechtsgeschiedenis.**

rechtshistorisch ⟨bn.⟩ **0.1** *of/* ⟨enz.⟩ *legal history* ♦ **1.1** een ~ boek *a book on legal history;* ~ e onderzoekingen *research in the field of legal history* **3.1** ~ gezien *from the point of view of legal history.*

rechtshulp ⟨de (v.)⟩ **0.1** *legal aid/assistance* ♦ **2.1** internationale ~ *international legal assistance/cooperation* **6.1** bureau voor ~ *law centre, citizens' advice bureau.*

rechtsingang ⟨de (m.)⟩ **0.1** [toestemming tot strafvervolging] *consent to prosecution, leave to prosecute* **0.2** [begin van een procedure] *commencement of proceedings* ⇒*commencing stage of an action* **0.3** [toegang] *access* ♦ **3.1** ~ aan een klacht geven *prosecute on a complaint;* ~ verlenen tegen iem. *consent to/grant leave for/authorize s.o.'s prosecution;* ~ weigeren *dismiss an action* **6.2** de ~ door dagvaarding *the commencement of an action through a writ of summons.*

rechtsinstelling ⟨de (v.)⟩, **-instituut** ⟨het⟩ **0.1** *legal/juridical institution/ procedure.*

rechtskarakter ⟨het⟩ **0.1** [hoedanigheid van tot het recht behoren] *legal/juridical nature/character* **0.2** [juridische aard] *legal/juridical nature.*

rechtskennis ⟨de (v.)⟩ **0.1** *legal knowledge.*

rechtskosten ⟨zn.mv.⟩ **0.1** *legal fees/expenses/charges, law-costs.*

rechtskracht ⟨de⟩ **0.1** *legal force/effect, force of law* ♦ **3.1** ~ verlenen *give a legal force.*

rechtskrenking ⟨de (v.)⟩ **0.1** *violation/infringement of right(s).*

rechtskring ⟨de (m.)⟩ **0.1** *(territorial) jurisdiction.*

rechtskundig ⟨bn.⟩ **0.1** [volgens het recht] *legal, juridical* **0.2** [juridisch geschoold] *legal, law-* ♦ **1.1** ~ e gronden *on l. grounds* **1.2** een ~ advies *a legal opinion;* een ~ adviseur *a legal adviser, a solicitor;* ~ e bijstand *legal aid;* een ~ bureau *law centre, citizens' advice bureau.*

rechtskundige ⟨de (m.)⟩ **0.1** *lawyer* ⇒*jurist, legal expert/counsel.*

rechtslaan ⟨ov.ww.⟩ **0.1** *beat/hammer straight.*

rechtsleer ⟨de⟩ **0.1** *(legal) doctrine.*

rechtsmacht ⟨de⟩ **0.1** *jurisdiction* ⇒*judicial powers/authority.*

rechtsmiddel ⟨het⟩ **0.1** *legal/statutory remedy* ⇒*remedy at law* ♦ **3.1** een ~ aanwenden *take/have recourse to a (legal) remedy.*

rechtsmisbruik ⟨het⟩ **0.1** *abuse of justice/the law.*

rechtsnorm ⟨de⟩ **0.1** *legal norm / standard* ⇒*rule of law.*

rechtsobject ⟨het⟩ **0.1** *justiciable issue / case.*

rechtsom ⟨bw.⟩ ◆ **3.¶** ~ *(to the) right* ◆ **3.1** ⟨mil.⟩ ~ keert! *(r.) about face / turn!;* ~ slaan *turn / fold back to the r..*

rechtsomkeert ⟨bw.⟩ ◆ **3.¶** ~ maken ⟨mil.⟩ *about-turn,* ⟨vnl. AE⟩ *about-face;* ⟨fig.⟩ *turn on one's heels, make a U-turn;* de sergeant liet zijn mannen ~ maken *the sergeant faced his men about.*

rechtsongelijkheid ⟨de (v.)⟩ **0.1** *inequality of justice / rights / status / before the law* ◆ **6.1** de ~ tussen samenwonenden en gehuwden *the legal inequality between married and unmarried couples.*

rechtsontwikkeling ⟨de (v.)⟩ **0.1** *development of law.*

rechtsonzekerheid ⟨de (v.)⟩ **0.1** *legal insecurity.*

rechtsopvatting ⟨de (v.)⟩ **0.1** *legal conception(s)* ⇒*view of the law.*

rechtsopvolger ⟨de (m.)⟩ **0.1** *legal successor.*

rechtsorde ⟨de⟩ **0.1** *legal order* ⇒*system of law.*

rechtsoverweging ⟨de (v.)⟩ **0.1** *legal / juridical ground / foundation / motive.*

rechtspantig ⟨bn.⟩ **0.1** *straight-timbered.*

rechtspersoon ⟨de (m.)⟩ **0.1** *legal / artificial / juristic / corporate / fictitious person* ⇒*legal body / entity / persona, corporate body, corporation* ⟨bv. gemeente⟩ ◆ **2.1** natuurlijke ~ *natural person;* privaatrechtelijke en publiekrechtelijke rechtspersonen *artificial persons in private and public law.*

rechtspersoonlijkheid ⟨de (v.)⟩ **0.1** *legal / artificial / juristic / corporate personality* ⇒*legal individuality, corporate existence / capacity, incorporation* ◆ **3.1** ~ aanvragen *ask / apply for corporate rights;* ~ hebben / verkrijgen / verlenen *possess / acquire / grant corporate personality / rights* **6.1** een vereniging met ~ *an incorporated society.*

rechtspleging ⟨de (v.)⟩ **0.1** *administration / dispensation of justice;* ⟨wijze⟩ *judicial procedure* ◆ **2.1** behoorlijke ~ *proper administration of justice, proper judicial procedure;* buitengewone ~ *special (criminal) procedures / proceedings;* civiele ~ *civil procedure.*

rechtsplicht ⟨de⟩ **0.1** *legal duty / obligation.*

rechtspositie ⟨de (v.)⟩ **0.1** *legal position* ◆ **2.1** de uitstekende / zwakke ~ van werknemers *the excellent / weak legal status of employees.*

rechtspositioneel ⟨bn., bw.⟩ **0.1** *from the point of view of the legal position.*

rechtspraak ⟨de⟩ **0.1** [het spreken van recht] *administration of justice / of (the) law* **0.2** [rechtspleging] *jurisdiction* **0.3** [jurisprudentie] *jurisprudence* ◆ **2.2** contentieuze ~ *contentious j., j. in disputed matters;* de kerkelijke ~ *ecclesiastical j.;* vrijwillige ~ *voluntary j., j. in undisputed matters* **3.1** de ~ is opgedragen aan de rechter *the administration of justice is entrusted to the judge;* ~ uitoefenen *administer justice* **6.2** de ~ in strafzaken *criminal j..*

rechtspraktijk ⟨de⟩ **0.1** [uitoefening] *legal practice* ⇒*practice of the law* **0.2** [praktijk als advocaat] *solicitor's practice.*

rechtspreken ⟨onov.ww.⟩ **0.1** *administer justice* ◆ **1.1** een ~d lichaam *a court;* de ~ de macht *the judicature / judiciary* **6.1** ~ in een zaak *judge a case;* over iem. ~ *sit in judg(e)ment upon s.o..*

rechtspreking ⟨de (v.)⟩ **0.1** *administration of justice.*

rechtsprobleem ⟨het⟩ **0.1** *legal problem.*

rechtspunt ⟨het⟩ **0.1** *legal question* ⇒*point of law.*

rechtsregel ⟨de (m.)⟩ **0.1** *legal rule* ⇒*rule of law.*

rechtsschennis ⟨de (v.)⟩ **0.1** *violation / infringement / breach of the law(s) / of justice.*

rechtsschool ⟨de⟩ **0.1** *school of law.*

rechtssfeer ⟨de⟩ **0.1** *jurisdiction.*

rechtssociologie ⟨de (v.)⟩ **0.1** *sociology of law.*

rechtssociologisch ⟨bn., bw.⟩ **0.1** ⟨bn.⟩ *in terms of / from the point of view of the sociology of law* ◆ **1.1** uit een ~ oogpunt *in terms of the sociology of law, from the point of view of the sociology of law.*

rechtssoevereiniteit ⟨de (v.)⟩ **0.1** *sovereignty of the law.*

rechtsspreuk ⟨de⟩ **0.1** *legal adage.*

rechtsstaat ⟨de (m.)⟩ **0.1** *constitutional state.*

rechtsstelsel ⟨het⟩ **0.1** *legal system* ⇒*system of law.*

rechtstaal ⟨de⟩ **0.1** *legal language / terminology* ⇒*language of the court(s).*

rechtstaan ⟨onov.ww.⟩ ⟨AZN⟩ **0.1** *stand up.*

rechtstand ⟨de (m.)⟩ ⟨bouwk.⟩ **0.1** *upright.*

rechtstandig ⟨bn., bw.; -ly⟩ **0.1** *perpendicular* ⇒*vertical, upright* ◆ **1.1** een ~ e wand *a p. wall* **3.1** het geweer ~ tegen de schouder plaatsen *place the rifle vertically / upright against the shoulder.*

rechtstandigheid ⟨de (v.)⟩ **0.1** *perpendicularity* ⇒*verticality.*

rechtsterm ⟨de (m.)⟩ **0.1** *law / legal term* ◆ **6.1** in ~ en *in legal terms.*

rechtstitel ⟨de (m.)⟩ **0.1** *legal ground.*

rechtstoestand ⟨de (m.)⟩ **0.1** [toestand op rechtsgebied] *legal situation* **0.2** [rechtspositie] *legal status / position.*

rechtstraditie ⟨de (v.)⟩ **0.1** *legal tradition.*

rechtstreeks ⟨bn., bw.; -ly⟩ **0.1** [zonder omwegen] *direct* ⇒*straight(forward)* **0.2** [zonder tussenschakel] *direct* ⇒*immediate* **0.3** [mbt. een directe relatie] *direct* ◆ **1.1** ⟨fig.⟩ een ~ e aanval *a straightforward / d. attack;* de verbinding is niet ~ *the connection is not a d. one* **1.2** koppe-

ling met ~ e aandrijving *d. drive;* een ~ e uitzending *a d. transmission / broadcast;* ~ e verkiezingen *d. elections* **1.3** ~ e afstammelingen *d. descendants* **3.1** ~ antwoorden *answer directly / straightforwardly;* ~ naar huis gaan *go straight / right home;* ~ ingaan tegen *cut clean across* **3.2** ~ bij de uitgever bestellen *order directly from the publishers;* hij wendde zich ~ tot de minister *he went straight to the minister* **3.3** zij nam daaraan ~ deel *she participated directly.*

rechtsvacuüm ⟨het⟩ **0.1** *legal vacuum.*

rechtsveiligheid ⟨de (v.)⟩ **0.1** *legal security.*

rechtsverdraaiing ⟨de (v.)⟩ **0.1** *perversion of justice / the law* ⇒*chicanery.*

rechtsverfijning ⟨de (v.)⟩ **0.1** *narrowing down a rule of law.*

rechtsvergelijking ⟨de (v.)⟩ **0.1** *comparative law.*

rechtsverhouding ⟨de (v.)⟩ **0.1** *legal relation(ship).*

rechtsverkeer ⟨het⟩ **0.1** *judicial matters.*

rechtsverkrachting ⟨de (v.)⟩ **0.1** *violation of justice / the law.*

rechtsvermoeden ⟨het⟩ **0.1** *presumption of law* ◆ **6.1** ~ van overlijden *presumption of death.*

rechtsvervolging ⟨de (v.)⟩ **0.1** *legal proceedings* ⇒*prosecution* ◆ **1.1** ontslag van ~ *discharge, acquittal;* de ~ staken *stay the proceedings* **6.1** een ~ tegen iem. instellen *institute legal proceedings / a prosecution against s.o., bring an action against s.o.;* ontslaan **van** ~ *discharge, acquit.*

rechtsverzuim ⟨het⟩ **0.1** [het niet verschijnen] *failure to appear in court* **0.2** [gebrek in de vorm] *faulty procedure.*

rechtsvinding ⟨de (v.)⟩ **0.1** *judicial construction / interpretation of rules of law* ◆ **2.1** een moderne ~ *modern attempts to construe (a) rule(s) of law.*

rechtsvordering ⟨de (v.)⟩ **0.1** [handeling] *(legal) action* **0.2** [stelsel van regels] *legal procedure* **0.3** [vordering] *legal claim* ◆ **3.1** een ~ tegen iem. instellen *institute / bring an action against s.o., take legal action against s.o..*

rechtsvorm ⟨de (m.)⟩ **0.1** [vorm van rechtspraak] *legal form* **0.2** [in het recht bekende vorm] *legal form* **0.3** [vorm van recht] *legal form.*

rechtswege ◆ **6.¶** van ~ nietig *legally (null and) void;* het kwam hem van ~ toe *it belonged to him by right, it was his by right;* een van ~ aangestelde voogd *a guardian appointed by the court.*

rechtsweigering ⟨de (v.)⟩ **0.1** *denial of justice.*

rechtswetenschap ⟨de (v.)⟩ **0.1** *jurisprudence.*

rechtswezen ⟨het⟩ **0.1** *law* ⇒*judicial / legal system.*

rechtswinkel ⟨de (m.)⟩ **0.1** *law clinic* ⇒*(free) legal advice centre / bureau.*

rechtszaak ⟨de⟩ **0.1** [geding] *lawsuit* **0.2** ⟨mv.⟩ mbt. zaken] *legal business / matters / cases* ◆ **¶.1** ergens een ~ van maken *take a matter to court.*

rechtszaal ⟨de⟩ **0.1** *courtroom.*

rechtszekerheid ⟨de (v.)⟩ **0.1** *legal security.*

rechtszitting ⟨de (v.)⟩ **0.1** *sitting / session / meeting of the court.*

rechttoe ⟨bw.⟩ ◆ **3.¶** het gaat daar niet ~ *there's sth. funny going on there* **5.¶** ~, rechtaan *straightforward;* iem. ~ rechtaan belazeren *cheat s.o. outright;* het was allemaal ~ rechtaan *it was plain sailing all the way.*

rechttrekken ⟨ov.ww.⟩ **0.1** [goedmaken, verbeteren] *set / put right* **0.2** [zo trekken dat het niet meer scheef is] *straighten (out)* ⇒*put / pull straight, adjust* ◆ **1.2** zijn das ~ *straighten / adjust one's tie, put one's tie straight.*

rechtuit ⟨bw.⟩ **0.1** [in een rechte lijn verder] *straight on* **0.2** [ronduit] *frankly* ⇒*openly, straight(forwardly), outright* ◆ **3.1** ~ lopen *walk straight on* **3.2** ~ antwoorden *answer frankly, give a straight answer;* ~ gezegd *(speaking) frankly;* hij is altijd ~ *he is always straightforward.*

rechtvaardig ⟨bn., bw.; -ly⟩ **0.1** *just* ⇒*fair,* ⟨rechtschapen ook⟩ *righteous* ◆ **1.1** een ~ e behandeling *a square deal;* een min of meer ~ e behandeling *rough justice;* een ~ e inkomensverdeling *an equitable income distribution;* een ~ oordeel *a fair judg(e)ment;* een ~ e straf *(a) j. punishment;* ~ e wetten *j. laws* **3.1** iem. ~ behandelen *give s.o. a j. treatment, treat s.o. fairly.*

rechtvaardige ⟨de (m.)⟩ **0.1** *just / righteous person.*

rechtvaardigen ⟨ov.ww.⟩ **0.1** [de legitimiteit / juistheid aantonen] *justify* ⇒⟨wettigen ook⟩ *warrant* **0.2** [de rechtvaardigheid aantonen] *justify* ⇒*vindicate* **0.3** [⟨rel.⟩] *justify* ◆ **3.1** het is niet te ~ *it's unjustifiable;* zulke dwaasheden zijn nooit te ~ *such follies can never be justified* **4.1** zich tegenover iem. ~ *justify o.s. to s.o.* **¶.1** ⟨passief⟩ gerechtvaardigd zijn *be justified* **¶.3** die Hij geroepen heeft, heeft Hij ook gerechtvaardigd *those He called He justified.*

rechtvaardigheid ⟨de (v.)⟩ **0.1** [het rechtvaardig zijn] *justice* **0.2** [wat rechtvaardig is] *justice* ◆ **1.1** het is een eis van ~ *j. demands it* **2.1** sociale ~ *social j.* **¶.2** dat is in strijd met de ~ *that runs counter to j..*

rechtvaardigheidsgevoel ⟨het⟩ **0.1** *sense of justice* ⇒*sense of right and wrong.*

rechtvaardiging ⟨de (v.)⟩ **0.1** *justification.*

rechtvaardigmaking ⟨de (v.)⟩ ⟨rel.⟩ **0.1** *sanctification, justification.*

rechtverkrijgende ⟨de (m.)⟩ **0.1** *assign(ee).*

rechtvleugelig ⟨bn.⟩ ⟨biol.⟩ **0.1** *orthopterous* ◆ **¶.1** ⟨zelfst.⟩ ~ en *orthoptera.*

rechtzetten 〈ov.ww.〉 **0.1** [rectificeren] *put/set right* ⇒*rectify, correct* 〈misverstand〉, *adjust* 〈scheef gelopen zaak〉 **0.2** [in de juiste stand zetten] *adjust* **0.3** [overeind zetten] *set/put up* ⇒*raise*.
rechtzetting 〈de (v.)〉 **0.1** *rectification* ⇒*correction, adjustment*.
rechtzinnig 〈bn., bw.; -ly〉 **0.1** [orthodox] *orthodox* ⇒ 〈Prot.〉 *Reformed* **0.2** [openhartig] *frank* ⇒*open(-hearted)* ◆ **1.1** een ~ predikant *preacher/minister of the Reformed Church* **7.1** de ~en *members of the Reformed Church*.
rechtzinnigheid 〈de (v.)〉 **0.1** *orthodoxy*.
rechtzitten 〈onov.ww.〉 **0.1** *sit up* ◆ **3.1** hij ging wel even~, toen hij dat hoorde *he sat up when he heard that, that made him sit up*.
rechtzoekende 〈de (m.)〉 **0.1** *person seeking justice* ⇒*litigant* 〈procederende party〉.
recidive 〈de〉 **0.1** [〈jur.〉] *recidivism* **0.2** [mbt. een ziekte] *relapse* ⇒*recrudescence*.
recidiveren 〈onov.ww.〉 **0.1** [〈jur.〉] *repeat the offence* **0.2** [〈med.〉] *relapse* ◆ **1.2** ~de catarres *recurrent catarrh*.
recidivist 〈de (m.)〉 **0.1** [〈jur.〉] *recidivist* ⇒*repeated offender* **0.2** [〈scherts.〉 zittenblijver] †*repeater*.
recief 〈het〉 **0.1** (*temporary*) *receipt*.
recipiënt 〈de (m.)〉 **0.1** [persoon] *sponsor* **0.2** [vat] *receiver* ⇒*receptacle* **0.3** [klok van een luchtpomp] *receiver*.
recipiëren 〈onov.ww.〉 **0.1** *receive* ⇒*give a reception* ◆ **6.1** zij ~ **van** 6 tot 7 *they receive from 6 till 7*.
reciproceren 〈ov.ww.〉 **0.1** *reciprocate*.
reciprociteit 〈de (v.)〉 **0.1** *reciprocity*.
reciprociteitsbeginsel 〈het〉 **0.1** *principle of reciprocity*.
reciprociteitsverdrag 〈het〉 **0.1** *reciprocity treaty, treaty of reciprocity*.
reciproque 〈de〉 ◆ **1.¶** ~ begrippen *reciprocal concepts*; 〈wisk.〉 ~ getallen *reciprocal numbers, reciprocals*.
recirculatie 〈de (v.)〉 **0.1** *recycling*.
recital 〈het〉 〈muz.〉 **0.1** *recital*.
recitando 〈bw.〉 〈muz.〉 **0.1** *recitando*.
recitatief 〈het〉 〈muz.〉 **0.1** [zang] *recitative* **0.2** [deel van een opera] *recitative* ◆ **2.1** instrumentaal ~ *instrumental r.*.
reciteren 〈onov., ov.ww.〉 **0.1** ~ *recite*.
reclamant 〈de (m.)〉 〈jur.〉 **0.1** *complainant* 〈aanklager〉; *claimant* 〈eiser〉; *petitioner* 〈wie verzoekschrift indient〉.
reclamatie 〈de (v.)〉 **0.1** [het reclameren] *reclamation* **0.2** [bezwaarschrift] *claim* ⇒*petition*.
reclame 〈de〉 **0.1** [openbare aanprijzing] *advertising* ⇒*advertisement, publicity* **0.2** [voorwerp] *ad(vertisement)* ⇒*sign* **0.3** [beklag] *complaint* ⇒*protest, claim, appeal* **0.4** [terugvordering] *claim* ◆ **1.4** recht van ~ *right of stoppage (in transitu)* **2.1** ideële ~ *non-profit-making advertising*; misleidende ~ *misleading/deceptive advertising*; opdringerige ~ *intrusive advertising* **3.1** ~ maken *advertise*; ~ maken voor koelkasten *advertise refrigerators* **3.2** er zijn verscheidene ~s afgewaaid *several advertisements have blown off/away* **3.3** ~s indienen *put in claims/complaints*; ~ inwilligen *allow a claim* **3.4** ~ instellen *lodge a c.* **6.1** dat artikel is **in** de ~ *that article is on special offer*; dat is geen ~ **voor** hun zaak *that is not a good advertisement for their business* **6.3** ~ **betreffende** zijn belastingaanslag *appeal against one's tax assessment*.
reclame-aanbieding 〈de (v.)〉 **0.1** *special offer*.
reclameadviseur 〈de (m.)〉, **-seuse** 〈de (v.)〉 **0.1** *publicity expert*.
reclameafdeling 〈de (v.)〉 **0.1** *publicity department* ⇒ 〈voor klachten〉 *PR/public relations department*.
reclameartikel 〈het〉 **0.1** *special offer*.
reclamebiljet 〈het〉 **0.1** [strooibiljet] *hand bill* **0.2** [aanplakbiljet] (*advertisement/advertising*) *poster, bill, sticker, placard* ⇒ 〈in winkel〉 *show-card*.
reclameblaadje 〈het〉 **0.1** *advertising leaflet, flysheet*; 〈met meer bladen〉 *advertising pamphlet/brochure*.
reclameblok 〈het〉 **0.1** *block of advertisements*.
reclameboodschap 〈de (v.)〉 **0.1** *commercial*.
reclamebord 〈het〉 **0.1** *advertising/advertisement/bill board* ⇒ 〈groot〉 *hoarding, ski sign* 〈op dak〉, (*advertising*) *sign* 〈tegen muur〉, *sandwich board* 〈van sandwichman〉.
reclamebureau 〈het〉 **0.1** *advertising agency*.
reclamecampagne 〈de〉 **0.1** *advertising/* 〈inf.〉 *ad campaign* ⇒ 〈niet voor koopwaren〉 *publicity campaign* ◆ **3.1** een ~ voeren *run/conduct an advertising/ad/a publicity campaign* **¶.1** een ~ op touw zetten *launch/start an advertising/ad/a publicity campaign*.
reclamechef 〈de (m.)〉 **0.1** *advertising manager* ⇒ 〈niet voor koopwaren〉 *publicity manager*.
reclamecode 〈de (m.)〉 **0.1** *code of advertising (practice), advertising standards*.
reclamecodecommissie 〈de (v.)〉 **0.1** *Advertising Standards Authority*.
reclamedrukwerk 〈het〉 **0.1** [handeling] *printing of advertising matter* **0.2** [resultaat] *advertising leaflets/* 〈met meer bladen〉 *pamphlets/brochures* ◆ **5.2** mijn brievenbus zat vol ~ *my letterbox was full of junk mail*.
reclamefolder 〈de〉 **0.1** *advertising brochure/pamphlet* ⇒ 〈niet voor koopwaren〉 *publicity brochure/pamphlet*.
reclamefoto 〈de〉 **0.1** *advertisement photo* ⇒ 〈niet voor koopwaren〉 *publicity photo*.

reclameman 〈de (m.)〉 **0.1** *publicity agent* ⇒*advertising man/executive*, 〈inf.〉 *adman, sandwichman*.
reclamemateriaal 〈het〉 **0.1** *advertising material* ⇒ 〈niet voor koopwaren〉 *publicity material*.
reclameplaat 〈de〉 **0.1** [affiche] *show bill* ⇒*advertising poster* **0.2** [plaatje] waarop reclame gemaakt wordt] *advertising record*.
reclameraad 〈de (m.)〉 **0.1** *Advertising Standards Council/Authority*.
reclameregels 〈zn.mv.〉 →**reclamecode**.
reclameren I 〈onov.ww.〉 **0.1** [klagen] *complain* ⇒*object (to), protest (against)* **0.2** [navraag doen] *claim* ⇒*put in a claim* ◆ **6.1** ik zal hierover~ **bij** de directie *I shall c. to the management about this* **¶.1** niets te ~? *no complaints?*; niets te ~? *I don't want to hear any complaints*; niets te ~? *no complaints?*; II 〈ov.ww.〉 **0.1** [terugeisen] (*re*)*claim* ⇒*claim back*.
reclamespot 〈de (m.)〉 **0.1** *commercial* ⇒(*advertising*) *spot*, 〈t.v. ook〉 *television ad*.
reclamestunt 〈de (m.)〉 **0.1** *advertising stunt* ⇒ 〈niet voor koopwaren〉 *publicity stunt*.
reclametekenaar 〈de (m.)〉 **0.1** *advertisement/commercial artist*.
reclametekst 〈de (m.)〉 **0.1** *advertising text, copy* ⇒ 〈niet voor koopwaren〉 *publicity text, copy*.
reclametelevisie 〈de (v.)〉 **0.1** *commercial television*.
reclamevliegtuig 〈het〉 **0.1** *advertising plane*.
reclamewagen 〈de (m.)〉 **0.1** *advertising vehicle/van*.
reclamewezen 〈het〉 **0.1** (*world of*) *advertising*.
reclamezuil 〈de〉 **0.1** *advertising column/pillar*.
reclassabel 〈bn.〉 **0.1** *suitable for resettlement*.
reclassent 〈de (m.)〉 **0.1** 〈*discharged prisoner undergoing resettlement/rehabilitation*〉.
reclasseren 〈ov.ww.〉 **0.1** *resettle/rehabilitate (discharged prisoners)*.
reclassering 〈de (v.)〉 **0.1** [vorm van maatschappelijk werk] 〈→**reclasseringswerk**〉 **0.2** [sociale (her)aanpassing] *resettlement, rehabilitation* **0.3** [instanties] *after-care and resettlement organizations*.
reclasseringsambtenaar 〈de (m.)〉 **0.1** *probation officer*.
reclasseringsinstelling 〈de (v.)〉 **0.1** 〈*association for the care and resettlement of offenders/ex-prisoners*〉.
reclasseringsraad 〈de (m.)〉 **0.1** 〈*council for the after-care and resettlement of offenders*〉 ⇒ 〈GB〉 *probation and after-care committee*.
reclasseringswerk 〈het〉 **0.1** 〈*after-care and resettlement of discharged prisoners*〉 ⇒ 〈GB〉 *probation and after-care service*.
recluse 〈de (m.)〉 〈gesch.〉 **0.1** *recluse*.
reclusie 〈de (v.)〉 **0.1** *reclusion*.
recognitie 〈de (v.)〉 **0.1** [erkenning] *recognition* **0.2** [heffing voor bruikleen van een bepaald goed] *charge*.
recombinant¹ 〈de (m.)〉 **0.1** *recombinant*.
recombinant² 〈bn.〉 **0.1** *recombinant* ◆ **¶.1** ~ DNA *r. DNA*.
recombinatie 〈de (v.)〉 **0.1** *recombination* ◆ **1.1** ~ van genen *gene splicing*.
recombineren 〈ov.ww.〉 **0.1** *recombine*.
recommandabel 〈bn.〉 **0.1** *recommendable*.
recommandatie 〈de (v.)〉 **0.1** *recommendation* ◆ **6.1** op ~ van *at the r. of*.
recommanderen 〈ov.ww.〉 **0.1** *recommend*.
reconciliatie 〈de (v.)〉 **0.1** [verzoening] *reconciliation* **0.2** [herstel van de wijding] *reconciliation*.
reconciliëren 〈onov., ov.ww.〉 **0.1** [verzoenen] *reconcile* **0.2** [de wijding van ontheiligde kerken/kerkhoven herstellen] *reconcile*.
reconstructie 〈de (v.)〉 **0.1** [herstelling] *reconstruction* **0.2** [wat hersteld is, kopie] *reconstruction* ⇒*replica* **0.3** [voorstelling] *reconstruction* ◆ **1.1** een poging tot ~ van de tekst *an attempt at reconstructing the text* **1.2** een ~ van de tempel te T. *a reconstruction of the temple at T.* **1.3** de ~ van een voorval/een misdrijf *the r. of an incident/a crime*.
reconstrueren 〈ov.ww.〉 **0.1** [herstellen] *reconstruct* **0.2** [opnieuw laten afspelen] *reconstruct* ◆ **1.1** een tekst ~ *r. a text* **1.2** een misdrijf ~ *r. a crime*.
reconvalescent¹ 〈de (m.)〉 **0.1** *convalescent*.
reconvalescent² 〈bn.〉 **0.1** *convalescent*.
reconvalescentie 〈de (v.)〉 **0.1** [revalidatie] *convalescence*; 〈mbt. lichamelijk gebrek ook〉 *rehabilitation* **0.2** [wegneming van een gebrek/beschikking/regeling] *remedy(ing)* ⇒*correction*.
reconventie 〈de (v.)〉 〈jur.〉 **0.1** *counterclaim*.
record 〈het〉 **0.1** [〈sport〉] *record* **0.2** [het hoogste wat tot nog toe bereikt is] *record* ◆ **3.1** een ~ breken/verbeteren/slaan *break/better/beat a r.*; een ~ vestigen/op zijn naam brengen *set up a (new) r.* **3.2** de winter van 1963 sloeg alle ~s *the winter of 1963 was a record-breaker*.
recordaantal 〈het〉 **0.1** *record number*.
recordcijfer 〈het〉 **0.1** *record figure*.
recorderdeck 〈de (m.)〉 **0.1** (*tape*) *deck*.
recordhoogte 〈de (v.)〉 **0.1** *record level* ⇒*record height* 〈ook sport〉.
recordhouder 〈de (m.)〉, **-houdster** 〈de (v.)〉 **0.1** *record-holder*.
recordjaar 〈het〉 **0.1** *record year*.
recordomzet 〈de (m.)〉 **0.1** [omzet die een record breekt] *record turnover* **0.2** [zeer hoge omzet] *record turnover*.

recordpoging 〈de (v.)〉 **0.1** *attempt on a record*.
recordsnelheid 〈de (v.)〉 **0.1** [snelheid waarmee een record gevestigd wordt] *record speed* **0.2** [zeer grote snelheid] *record speed*.
recordtijd 〈de (m.)〉 **0.1** *record time* ◆ **6.1** in ~ *in r.t.*.
recover-kamer 〈de〉 **0.1** *recovery room*.
recreant 〈de (m.)〉 **0.1** ≠*holiday-maker* ⇒〈AE vnl.〉 *vacationer/nist*.
recreatie 〈de (v.)〉 **0.1** [ontspanning] *recreation* ⇒*leisure* **0.2** [tijd voor ontspanning] *time for recreation* ⇒*playtime* 〈school〉.
recreatiebedrijf 〈het〉 **0.1** *recreation/leisure centre*.
recreatief 〈bn.〉 **0.1** *recreational*.
recreatiegebied 〈het〉 **0.1** *recreation area*.
recreatieoord 〈het〉 **0.1** *(recreation/holiday/^Avacation) resort* ⇒*holiday/ ^Avacation camp*.
recreatiepark 〈het〉 **0.1** *recreation park*.
recreatiesport 〈de (m.)〉 **0.1** *leisure sport*.
recreatieterrein 〈het〉 **0.1** *recreation park*.
recreatiezaal 〈de〉 **0.1** *recreation room*.
recreëren 〈wk.ww.; zich ~〉 **0.1** *recreate*.
rectaal 〈bn., bw.; -ly〉〈med.〉 **0.1** *rectal* ◆ **1.1** ~ onderzoek *a r. examination* **3.1** de temperatuur ~ opnemen *take s.o.'s temperature rectally*.
rectificatie 〈de (v.)〉 **0.1** [verbetering] *rectification* ⇒*correction, amendment* **0.2** [〈wisk.〉] *rectification*.
rectificeren 〈ov.ww.〉 **0.1** *rectify* ⇒*put right, correct*.
recto 〈bw.〉 **0.1** *on the recto side* ◆ **7.1** 〈zelfst.〉 de ~'s *the rectos*.
rector 〈de (m.)〉 **0.1** [directeur van een school] *headmaster* ⇒〈vnl. AE〉 *principal* **0.2** [voorzitter van een academisch bestuur] *rector* ⇒〈GB〉 *vice-chancellor* **0.3** [geestelijk leider] *rector* **0.4** [hoofd van een niet-parochiale kerk] *rector* **0.5** [voorzitter van een studentencorps] *president* ◆ **¶.2** ~ magnificus *rector;* 〈GB〉 *vice-chancellor*.
rectoraal 〈bn.〉 **0.1** *rectorial* ◆ **1.1** rectorale rede *r. address*.
rectoraat 〈het〉 **0.1** [waardigheid, ambt] *rectorship* ⇒*principalship*, 〈BE, universiteit〉 *vice-chancellorship*, 〈school〉 *headmastership* **0.2** [periode] *rectorate* ⇒*rectorship, vice-chancellorship, principalship, headmastership* **0.3** [kerk] *rectory* ◆ **6.2 tijdens** zijn ~ *during his rectorate/vice-chancellorship*.
rectoraatsoverdracht 〈de〉 **0.1** *handing over of rectorship*.
rectoscoop 〈de (m.)〉 **0.1** *proctoscope* ⇒*rectoscope*.
rectoscopie 〈de (v.)〉 **0.1** *proctoscopy*.
rectrix 〈de (v.)〉 **0.1** [directrice van een school] *headmistress* **0.2** [voorzitter van studentenvereniging] *president*.
rectum 〈het〉〈med.〉 **0.1** *rectum*.
reçu¹ 〈het〉 **0.1** *receipt* 〈kwitantie〉 ⇒*ticket* 〈bagage enz.〉, *certificate of posting* 〈van aangetekende zending〉, *counterfoil* 〈afgescheurd van postwissel enz.〉.
reçu² 〈bn.〉 **0.1** *accepted* ⇒*approved* ◆ **3.1** dat is ~ in die kringen *that is common practice in those circles*.
recueil 〈het〉 **0.1** [verzameling] *collection* **0.2** [samenvattend overzicht] *compendium*.
recul 〈het, de (m.)〉 **0.1** *recoil*.
recuperabel 〈bn.〉 **0.1** *recyclable*.
recuperatie 〈de (v.)〉 **0.1** [terugwinning] *recycling* **0.2** [herstel] *recuperation* ⇒*recovery*.
recuperatief 〈bn.〉 **0.1** *recovered* ⇒*reclaimed* ◆ **2.1** recuperatieve warmtewinning uit b.v. verbrandingsgassen *recovery of heat from, for example, combustion gases*.
recupereren
   I 〈ov.ww.〉 **0.1** [terugwinnen] *recycle;*
   II 〈onov.ww.〉 **0.1** [opnieuw op krachten komen] *recuperate* ⇒*recover*.
recursief 〈bn.〉 **0.1** *recursive* ◆ **1.1** recursieve functie/regel *r. function/ rule*.
recursiviteit 〈de (v.)〉 **0.1** *recursiveness, recursivity*.
recusatie 〈de (v.)〉 **0.1** *recusation*.
recyclen 〈ov.ww.〉 **0.1** *recycle*.
recycling 〈de (v.)〉 **0.1** *recycling* ◆ **6.1** die flessen gaan in de ~ *those bottles will be recycled*.
redacteur 〈de (m.)〉, **-trice** 〈de (v.)〉 **0.1** [mbt. krant/tijdschrift] *editor* **0.2** [mbt. een verzamelwerk] *editor* ◆ **2.1** financieel ~ *financial e.*.
redactie 〈de (v.)〉 **0.1** [het redigeren van een stuk] *editing* **0.2** [de redacteuren] *editors* ⇒*editorial staff* **0.3** [bureau] *editorial office* **0.4** [versie] *wording* ⇒*draft, version* ◆ **1.1** aan de ~ van dit rapport heeft hij niet deelgenomen *he has had no share in the editing of that report* **1.2** noot v.d. ~ *editorial note* **3.1** de ~ v.e. tijdschrift verzorgen *edit a magazine* **6.1 onder** ~ **van** *edited by* **6.2** hij zit in de ~ *he is a member of the editorial staff* **6.3** zij is vandaag nog niet **op** de ~ geweest *she has not been at the editorial office today* **7.4** de eerste ~ was beter *the first version/ draft was better*.
redactiebureau 〈het〉 **0.1** *editorial office*.
redactiegeheim 〈het〉 **0.1** *press secret*.
redactiekamer 〈de〉 **0.1** *editorial room, newsroom*.
redactielid 〈het〉 **0.1** *member of the editorial staff* ⇒*staffer*.
redactietafel 〈de〉 **0.1** *editorial desk* ⇒*copy desk*.
redactievergadering 〈de (v.)〉 **0.1** *editorial meeting* ⇒*meeting of the editorial board*.

redactioneel 〈bn.〉 **0.1** [van de redactie afkomstig] *editorial* **0.2** [mbt. de (wijze van) redactie] *editorial* ◆ **1.1** een ~ artikel *an e.;* het redactionele gedeelte van een krant *the e. part of a newspaper*.
redactrice →**redacteur**.
redbod 〈het〉〈bridge〉 **0.1** *save*.
reddeloos
   I 〈bn.〉 **0.1** [niet gered kunnende worden] *past help/saving* ⇒*beyond hope, irretrievable, irrecoverable* 〈zaak, toestand〉;
   II 〈bw.〉 **0.1** [zó dat redding onmogelijk is] *irrecoverably* ⇒*irretrievably* ◆ **2.1** hij is ~ verloren *he is irretrievably lost/beyond redemption*.
redden
   I 〈ov.ww.〉 **0.1** [uit gevaar helpen] *save* ⇒*rescue*, 〈bij ramp ook〉 *salvage* **0.2** [uit een situatie helpen] *save* **0.3** [(+het) gedaan krijgen] *manage* ◆ **1.1** zijn hachje ~ *save one's bacon;* iem. het leven ~ *save s.o.'s life;* het vege lijf ~ *save one's carcass/neck;* zijn naam/zijn eer ~ *save one's name/honour* **1.2** een ~de engel *a ministering angel;* 〈fig.〉 zijn gezicht ~ *save face;* de ~de hand toesteken *give the kiss of life;* de toestand/zaak ~ *save the day* **3.1** hij is niet meer te ~ *he is past praying for/saving/redemption;* we moeten zien te ~ wat er te ~ valt *we must make the most of a hopeless situation* **3.2** zich eruit weten te ~ *manage to carry it off;* zichzelf weten te ~ *work out one's own salvation* **4.1** hij redde zich door te vluchten *he saved himself by fleeing* **4.2** die inval redde hem *that idea was his salvation* **4.3** zo, nu red ik het wel *so, now I can manage;* het ~ *rub along;* de zieke zal het niet ~ *the patient won't pull through* **5.1** zich door bluf eruit ~ *bluff it out* **5.3** het net ~ *keep body and soul together* **6.2** iem. **uit** (de) handen van kidnappers ~ *save s.o. from kidnappers* **¶.2** redde wie zich ~ kan *devil take the hindmost; run for your lives;*
   II 〈wk.ww.; zich ~〉 **0.1** [zich kunnen handhaven] *manage* ⇒*get along, cope* ◆ **3.1** ik spreek genoeg Frans om me te kunnen ~ *I speak enough French to get by* **4.1** ze ~ zich wel *they'll get along somehow* **5.1** ik red me best hoor! *I can manage quite well, you know;* hij kan zich goed ~ *he can manage very well;*
   III 〈onov., ov.ww.〉 **0.1** [redding brengen] *save* ◆ **1.1** Jezus redt *Jesus saves/brings salvation;* God heeft de mensen willen ~ *God wanted to save mankind*.
redder 〈de (m.)〉 **0.1** [iem. die redt] *rescuer* ⇒*saver*, 〈bij ramp ook〉 *rescue-worker*, 〈fig. ook〉 *saviour* **0.2** [mbt. schipbreukelingen] *rescuer* **0.3** [Jezus] *saviour* ◆ **1.1** ~ v.h. vaderland *the saviour of the country* **6.1** een ~ **in/uit** de nood *a lifesaver*.
redderen 〈onov., ov.ww.〉 **0.1** [opruimen] *tidy up* **0.2** [regelen] *arrange* ⇒*put in order* ◆ **1.1** een kamer ~ *tidy (up)/do a room* **1.2** een boedel ~ *administer an estate* **¶.2** hij zal dat wel ~ *he will arrange things*.
redding 〈de (v.)〉〈→sprw.457〉 **0.1** [heil] *salvation* ⇒〈zaligmaking ook〉 *redemption* **0.2** [verlossing] *rescue* ⇒*deliverance, salvation* **0.3** [mbt. schipbreukelingen] *rescue* ◆ **2.2** ~ brengende troepen *rescue troops* **4.2** dat is onze ~ *that is our salvation*.
reddingsactie 〈de (v.)〉 **0.1** *rescue operation*.
reddingsboei 〈de〉 **0.1** *lifebuoy*.
reddingsboot 〈de〉 **0.1** *lifeboat*.
reddingsbrigade 〈de (v.)〉 **0.1** *rescue-party/team*.
reddingsbroek 〈de〉 **0.1** *breeches-buoy*.
reddingsgordel 〈de (m.)〉 **0.1** *lifebelt*.
reddingslijn 〈de〉 **0.1** *life line*.
reddingsmiddel 〈het〉 **0.1** *life-saving appliance/device* ⇒〈fig.〉 *way out, solution* ◆ **2.1** dit is het enige ~ *this is the only way out/solution*.
reddingsoperatie 〈de (v.)〉 **0.1** *rescue operation* ⇒〈berging〉 *salvage operation* ◆ **2.1** financiële ~ *bailout* **¶.1** ~ op zee vanuit de lucht *air-sea rescue*.
reddingsplan 〈het〉 **0.1** *rescue plan*.
reddingsploeg 〈de〉 **0.1** *rescue party/squad/team* ⇒〈om iem. te zoeken〉 *search party* ◆ **1.1** de mannen v.d. ~ *the rescue workers*.
reddingspoging 〈de (v.)〉 **0.1** *rescue attempt/bid/effort* ◆ **3.1** hun ~en mochten hem niet baten *their attempts/efforts to rescue him were in vain*.
reddingspost 〈de (m.)〉 **0.1** *rescue post/station*.
reddingsstation 〈het〉 **0.1** *lifeboat station*.
reddingsvest 〈het〉 **0.1** *life jacket/vest*.
reddingsvlot 〈het〉 **0.1** *life raft*.
reddingswerk 〈het〉 **0.1** *rescue work/operations*.
reddingswezen 〈het〉 **0.1** *life-saving service, life-boat service, rescue services*.
rede 〈de〉 **0.1** [denkvermogen] *reason* ⇒*sense* **0.2** [het uiten van woorden] *speech* **0.3** [redevoering] *speech* ⇒*address* **0.4** [begrips- en onderscheidingsvermogen] *reason* ⇒*intelligence, intellect* **0.5** [redelijkheid] *reason* **0.6** [ankerplaats] *roadstead* ⇒*roads* 〈mv.〉 ◆ **1.5** naar recht en ~ *in a just and fair manner* **2.2** directe/indirecte ~ *direct/indirect s.* **2.3** inaugurale ~ *inaugural address* **2.4** theoretische/zuivere ~ *theoretical/pure r.* **3.1** naar ~ luisteren *listen to/see r.* **3.3** een ~ houden/uitspreken *deliver/make a r., give an address* **6.1** met ~ begaafd *endowed/gifted with r.;* met ~ *sensibly;* iem. **tot** ~ brengen *bring s.o. to r./his senses, make s.o. see r./sense;* hij is niet **voor** ~ vatbaar *he is not amenable to r./open to argument* **6.2** iem. **in** de ~ vallen *interrupt s.o.* **6.6 op** de ~ liggen *lie in the roads/roadstead*.

rededeel ⟨het⟩ **0.1** *part of speech.*

redekavelen ⟨onov.ww.⟩ ⟨iron.⟩ **0.1** *chop logic* ⇒*argue, argufy.*

redekaveling ⟨de (v.)⟩ **0.1** *choplogic* ⇒*argument.*

redekunde ⟨de (v.)⟩ **0.1** *rhetoric.*

redekundig ⟨bn., bw.⟩ ◆ **1.¶** ⟨taal.⟩ ~e ontleding *parsing* **3.¶** ⟨taal.⟩ ~ ontleden *parse.*

redekunst ⟨de (v.)⟩ **0.1** *rhetoric.*

redekunstig ⟨bn.⟩ **0.1** *rhetorical* ◆ **1.1** ~e figuren *figures of speech.*

redelijk
I ⟨bn., bw.; -ly⟩ **0.1** [met rede begaafd] *rational* **0.2** [rationeel] *rational* ⇒*sensible* **0.3** [rechtvaardig, billijk] *reasonable* ⇒*fair, moderate* **0.4** [vrij goed] *reasonable* ⇒*fair, tolerable, passable* ◆ **1.1** de mens is een ~ wezen *man is a r. being* **1.3** binnen ~e grenzen *within (r.) limits;* een ~e prijs *a r. / moderate price* **1.4** dat geeft een ~ bestaan *that provides a decent living;* een ~ kans maken *stand a good / fair chance;* de patiënt heeft een ~e nacht gehad *the patient has had / passed a fairly good night;* de resultaten waren ~ *the results were acceptable* **3.2** ~ blijven *keep within the bounds of reason;* ~ denken *think rationally / sensibly;* alles wat ~ is *anything within reason* **3.3** men heeft u ~ behandeld *you received fair treatment;* hij was ~ in zijn eisen *his demands were r. / moderate* **3.4** de pijn is nu ~ te verdragen *the pain is tolerable now;* dat ziet er ~ uit *that looks quite decent;*
II ⟨bw.⟩ **0.1** [tamelijk] *reasonably* ⇒*fairly, moderately, tolerably* ◆ **2.1** ik ben ~ gezond *I am in r. good health;* ~ groot *fair-sized, biggish, largish* **5.1** hij verstaat die kunst ~ wel *he knows that job / trade / craft quite well.*

redelijkerwijs ⟨bw.⟩ **0.1** [met billijkheid] *in fairness* **0.2** [met verstand redenerend] *reasonably* ⇒*in / with reason* ◆ **3.1** ~ kunt u niet meer verlangen *in all fairness you cannot expect more* **3.2** ~ kan ik dat niet geloven *I cannot r. believe this,* reason *prevents me from believing this;* zo iets kon men ~ vermoeden *it was quite reasonable to suspect something like that.*

redelijkheid ⟨de (v.)⟩ **0.1** [verstandigheid] *reasonableness* ⇒*sensibleness, judiciousness* **0.2** [rechtvaardigheid, billijkheid] *reasonableness* ⇒*fairness* ◆ **1.1** de ~ van zijn besluit *the sensibleness / r. of his decision* **6.2** dat kan in ~ niet van ons gevergd worden *that cannot in r. / fairness be asked of us;* **tegen** alle ~ in *against all / contrary to reason.*

redeloos ⟨bn., bw.; -ly⟩ **0.1** [niet met rede begaafd] *irrational* ⇒*void of reason* **0.2** [dwaas] *unreasonable* ⇒*void of reason, stupid* **0.3** [niet naar rede luisterend] *unreasonable, unreasoning* ⇒*insensate, mad, unreasoned* **0.4** [zinloos] *irrational* ⇒*senseless, meaningless, void of reason, absurd* ◆ **1.1** het redeloze vee, redeloze dieren *the brute world, brute beasts* **1.2** redeloze vooroordelen *u. / unfounded prejudices* **1.3** het volk was ~ *the people had taken leave of their senses;* redeloze woede *unreasoning / insensate rage* **1.4** de redeloze ellende van het menselijk bestaan *the senseless / absurd misery of human existence* **¶.2** ~ te werk gaan *act foolishly / stupidly / senselessly.*

redeloosheid ⟨de (v.)⟩ **0.1** *irrationality* ⇒*unreason.*

redemptorist ⟨de (m.)⟩ **0.1** *redemptorist.*

reden[1] ⟨de⟩ **0.1** [wat de mens doet handelen] *reason* ⇒*cause, ground, motive* **0.2** [motief, argument] *reason* ⇒*cause, ground, motive* **0.3** [⟨wisk.⟩] *ratio* ◆ **1.1** ~ van bestaan *raison d'être, r. for being;* met recht en ~ *for good reasons* **1.2** zonder opgaaf van ~en *without r.* **2.1** zonder dat daar een bepaalde ~ voor aan te wijzen is *for no apparent r.;* om persoonlijke ~en *for personal reasons;* voldoende ~ voor iets hebben *have enough reason(s) to* **3.1** ik heb er mijn ~ voor *I have my reasons* **3.2** ~ geven tot *give cause for / rise to* **6.1** met ~ (goed) r.; **om** ~en van menselijkheid *for humanitarian reasons;* (inf.) **om** ~ dat *because;* **om** dat ~ *for that / this r., therefore;* geen ~ tot klagen hebben *have no cause / ground for complaint, have no r. / occasion to complain;* ~ **tot** dankbaarheid *cause for gratitude;* er is geen ~ **voor** ongerustheid *there is no cause for alarm / concern;* en niet zonder ~! *and not without r.!, and not just for the fun of it!* **6.2** een met ~en omkleed voorstel *a well-reasoned / -motivated proposal* **6.3 in** ~ van 1 tot 6 *in the r. of 1 to 6* **6.4** te meer om ...all *the more r. why ....*

reden[2] ⟨ov.ww.⟩ **0.1** *equip* ⇒*fit out, get ready.*

redenaar ⟨de (m.)⟩ **0.1** [spreker] *speaker* ⇒*orator* **0.2** [beoefenaar van de welsprekendheid] *orator* ⇒*rhetorician* ◆ **2.2** eenn bombastisch ~ *a bombastic o., a ranter;* een charismatisch ~ *a charismatic o., a spellbinder;* een vrouwelijke ~ *a female o., an oratrix* **7.2** hij is geen ~ *he is no great speechmaker / o..*

redenaarsgave ⟨de⟩ **0.1** *oratorical gift* ⇒*gift of the gab.*

redenaarskunst ⟨de (v.)⟩ **0.1** *rhetoric, (art of) oratory / public speaking.*

redenaarstalent ⟨het⟩ **0.1** *oratorical talent / powers.*

redenatie ⟨de (v.)⟩ **0.1** *reasoning* ⇒*argument* ◆ **2.1** dwaze ~s *foolish r..*

redeneerkunde ⟨de (v.)⟩ **0.1** [logica] *logic* ⇒*dialectic(s)* **0.2** [retorica] *rhetoric.*

redeneerkunst ⟨de (v.)⟩ **0.1** *(the) art of argumentation.*

redeneertrant ⟨de (m.)⟩ **0.1** *(style of) argumentation.*

redeneren ⟨onov.ww.⟩ **0.1** [praten] *reason* ⇒*discuss, discourse* **0.2** [gevolgtrekkingen afleiden] *reason* **0.3** [argumenteren, redetwisten] *reason* ⇒*argue (about)* ◆ **1.3** de wet redeneert niet, zij gebiedt *the law does not argue, it commands* **3.3** daartegen is / valt niet te ~ *there is no*

arguing with that; zij zaten druk te ~ *they were busy reasoning with each other / arguing* **5.2** logisch ~ *r. with logic / logically;* scherp ~ *r. closely.*

redenering ⟨de (v.)⟩ **0.1** [argumentatie] *reasoning* ⇒*argumentation* **0.2** [relaas] *discourse* ◆ **1.1** een fout in de ~ *a flaw in the argumentation* **2.1** een flauwe ~ *a tenuous argument;* een geldige ~ *a valid argumentation;* een gezonde ~ *a sound r.* **2.2** ellenlange ~en houden *hold endless discourses (on)* **3.1** een ~ weerleggen *refute an argumentation* **6.1** door (logische) ~ kan men dat geheel duidelijk maken *logical r. makes this entirely clear;* volgens die ~ *according to this course / line of r.* **¶.1** uw ~ houdt geen steek *your r. holds no water.*

redengevend ⟨bn.⟩ **0.1** ⟨taal.⟩ *causal* **0.2** [⟨jur.⟩] *stating the reasons on which it is based* ◆ **1.1** ~ voegwoord *c. conjunction.*

reder ⟨de (m.)⟩ **0.1** *shipowner.*

rederij ⟨de (v.)⟩ ⟨scheep.⟩ **0.1** [het uitrusten en exploiteren] *fitting out ships, fitting ships / getting ships ready for sea* **0.2** [bedrijf] *shipping company* ⇒*shipowning company, shipowner(s), carrier.*

rederijk ⟨bn.⟩ **0.1** *eloquent* ⇒*voluble, loquacious, glib* ◆ **3.1** hij is zo ~ als hij dronken is *he becomes quite e. when he gets drunk.*

rederijker ⟨de (m.)⟩ **0.1** *rhetorician.*

rederijkerskamer ⟨de⟩ **0.1** [vereniging van rederijkers] *chamber of rhetoric* **0.2** [vereniging van tonelamateurs] *drama society.*

rederijkerskunst ⟨de (v.)⟩ **0.1** *rhetoric.*

redetwist ⟨de (m.)⟩ **0.1** *dispute* ⇒*argument, argumentation, disputation, controversy.*

redetwisten ⟨onov.ww.⟩ **0.1** *argue* ⇒*dispute, skirmish.*

redeverband ⟨het⟩ **0.1** *context.*

redevoering ⟨de (v.)⟩ **0.1** *speech* ⇒*address,* ⟨plechtig ook⟩ *oration, peroration* ◆ **2.1** iemands eerste ~ *s.o.'s maiden s.* **3.1** een ~ houden / make / deliver *a s., give an address.*

redhibitie ⟨de (v.)⟩ ⟨jur.⟩ **0.1** *redhibition* ⇒*annulment of a sale.*

redhibitoir ⟨bn.⟩ ⟨jur.⟩ **0.1** *redhibitory.*

redigeren ⟨ov.ww.⟩ **0.1** [opstellen] *draw up* ⇒*formulate, draft, word, redact* **0.2** [redactie voeren van] *edit* ◆ **1.1** een wetsartikel opnieuw ~ *reformulate / reword an article of law* **1.2** een dagblad ~ *e. a newspaper.*

redmiddel ⟨het⟩ **0.1** *remedy* ⇒*expedient, shift* ◆ **2.1** het laatste ~ beproeven *resort to one's expedient;* als laatste / uiterste ~ *in the last resort, as a last resource.*

redoubleren ⟨onov., ov.ww.⟩ ⟨bridge⟩ **0.1** *redouble.*

redox ⟨de (v.)⟩ ⟨schei.⟩ **0.1** *redox.*

redoxreactie ⟨de (v.)⟩ **0.1** *redox* ⇒*oxidation-reduction.*

redres ⟨het⟩ **0.1** [herstel] *redress* ⇒*rectification, reparation* **0.2** [herziening] *redress* ◆ **1.1** recht van ~ *right of redress.*

redresseren ⟨ov.ww.⟩ **0.1** *redress* ⇒*rectify, right, remedy* ◆ **4.1** het zal zich wel ~ *things will right themselves.*

reduceerbaar ⟨bn.⟩ **0.1** *reducible* ⇒*diminishable.*

reduceren ⟨ov.ww.⟩ **0.1** [verminderen] *reduce* ⇒*decrease, cut* **0.2** [verkleinen] *reduce* ⇒*decrease, diminish, narrow down* **0.3** [⟨wisk.⟩] *reduce* ⇒*convert* **0.4** [⟨taal.⟩] *reduce* **0.5** [⟨schei., tech.⟩] *reduce* ⇒*deoxidize, deoxidate* ◆ **1.1** gereduceerd tarief *reduced / discount / cut rate / price* **1.3** getalsverhoudingen ~ *r. proportions / fractions* **1.4** gereduceerde vocalen *reduced vowels.*

reductie ⟨de (v.)⟩ **0.1** [vermindering] *reduction* ⇒*decrease,* ⟨vnl. besnoeiing⟩ *cut, cutback* **0.2** [verkleining] *reduction* ⇒*decrease* **0.3** [⟨wisk.⟩] *reduction* ⇒*conversion* **0.4** [⟨taal.⟩] *reduction* **0.5** [⟨schei., tech.⟩] *reduction* ⇒*deoxidation* ◆ **3.1** ~ geven *give a r. in price / a discount.*

reductiebon ⟨de (m.)⟩ **0.1** *money-off / discount coupon.*

reductiedeling ⟨de (v.)⟩ ⟨biol.⟩ **0.1** *reduction division* ⇒*meiosis.*

reductiegetal ⟨het⟩ **0.1** *coefficient of reduction.*

reductiekaart ⟨de⟩ **0.1** ⟨mbt. openbaar vervoer⟩ *reduced fare card / pass;* ⟨mbt. koopwaren⟩ *discount card.*

reductieklinker ⟨de (m.)⟩, **-vocaal** ⟨de (m.)⟩ ⟨taal.⟩ **0.1** *reduced vowel.*

reductiemiddel ⟨het⟩ ⟨schei.⟩ **0.1** *reducing agent, reducer.*

reductievermogen ⟨het⟩ ⟨schei.⟩ **0.1** *reducing power.*

redundant ⟨bn., bw.; -ly⟩ **0.1** *redundant.*

redundantie ⟨de (v.)⟩ **0.1** *redundancy.*

reduplicatie ⟨de (v.)⟩ ⟨taal.⟩ **0.1** *reduplication.*

redupliceren
I ⟨onov.ww.⟩ ⟨taal.⟩ **0.1** [reduplicatie vertonen] *reduplicate;*
II ⟨ov.ww.⟩ **0.1** [verdubbelen] *reduplicate* ⇒*double.*

ree[1] ⟨het⟩ ~ **rede 0.6.**

ree[2] ⟨het, de⟩ **0.1** [hertesoort] *roe, deer* **0.2** [reegeit] *roe, doe* ◆ **8.1** vlug / schuw als een ~ *swift / shy as a roe.*

reebok ⟨de (m.)⟩ **0.1** [mannetjesree] *roebuck* **0.2** [antilope] *reebok.*

reebokantilope ⟨de (m.)⟩ **0.1** *reebok.*

reebout ⟨de (m.)⟩ **0.1** *haunch of venison.*

reebruin ⟨bn.⟩ **0.1** *fawn(-coloured)* ⇒*hazel* ⟨ogen⟩.

reeds ⟨bw.⟩ ⟨schr.⟩ **0.1** *already* ◆ **1.¶** ~ het feit dat ze geslaagd was *the bare fact that she succeeded* **2.1** ~ lang gevestigd *well-established, established for a long time;* ~ lang *for a long time* **5.1** is hij nu ~ vertrokken? *has he a. gone?;* toen ~ *even then* **6.1** ~ **bij** het begin *a. from the* *(very) beginning;* ~ **in** de eerste weken van het jaar *as early as the first weeks of the year;* ~ **in** de vorige eeuw *as long ago as/as early as/a. in/ as far back as the previous century.*

reëducatie ⟨de (v.)⟩ **0.1** *re-education.*

reëel ⟨bn., bw.⟩ **0.1** [bestaand] *real* ⇒*actual, true* **0.2** [zakelijk, nuchter] *realistic* ⇒*reasonable* **0.3** [⟨jur.⟩] *real* **0.4** [intrinsieke waarde hebbend] *real* ⇒*genuine, sound* ◆ **1.1** een ~ getal *a r. number;* reële gevaren *r./actual dangers;* reële groei v.h. inkomen *growth of r. income;* ⟨fil.⟩ een ~ object *a transcendental object;* de reële waarde van effecten *the r. value of securities* **1.2** een reële kijk op het leven hebben *have a realistic outlook on life* **1.3** reële executie *specific performance;* een reële overeenkomst *real contract.*

reef ⟨het⟩ ⟨scheep.⟩ **0.1** *reef* ◆ **3.1** een ~ in het zeil doen, een reefje inbinden ⟨ook fig.⟩ *take in a r.;* een ~ losmaken *let out a r..*

reegeit ⟨de (v.)⟩ **0.1** *roe, doe.*

reekalf ⟨het⟩ **0.1** *fawn.*

reeks ⟨de⟩ **0.1** [rij van dingen] *series* ⇒*row, string* ⟨woorden, tekens⟩ **0.2** [opeenvolging] *series* ⇒*succession, sequence, consecution* **0.3** [aantal, serie] *series* ⇒⟨verzameling⟩ *set,* ⟨inf.⟩ *batch* **0.4** [⟨wisk.⟩] *progression, series* ◆ **1.1** een ~ huizen *a row of houses;* een ~ karakters ⟨comp.⟩ *a character string* **1.2** een ~ van jaren *a succession of years;* een ~ ongelukken *a train/string/succession of accidents* **1.3** een ~ van bewijzen *a chain of proof* **2.3** een literaire ~ *a literary series* **2.4** rekenkundige/meetkundige ~ *arithmetic/geometric p. /s..*

reel[1] →**rail**.

reel[2] ⟨de (m.)⟩ **0.1** *reel* ⇒⟨BE ook⟩ *winch.*

reëngagement ⟨het⟩ **0.1** *new employment/job/post.*

reëngageren ⟨ov.ww.⟩ **0.1** *hire/employ again, reappoint, take back on one's payroll* ◆ **4.1** zich ~ *take a new job/post/employment.*

reep ⟨de (m.)⟩ **0.1** [smalle strook] *strip* ⇒*ribbon* ⟨stof⟩, *strap* ⟨leer, metaal⟩, *thong* ⟨leer⟩, ⟨band⟩ *band,* ⟨reepje⟩ *sliver* **0.2** [chocolade] *bar (of chocolate)* **0.3** [zwaar touw] *rope* ⇒*cable* **0.4** [kabel v.e. haringnet] *float line* **0.5** [hoepel] *hoop* **0.6** [⟨in een slot⟩] *tumbler* ◆ **1.1** een ~ grond *a strip of land;* een ~ linnen *a ribbon of linen;* een ~ lood *a strap of lead;* een ~ papier *a strip of paper* **1.3** de ~ van een veerpont *the cable of a ferry, the ferry-cable* **3.4** de ~ inhalen *draw in the f. l.* **6.1** in ~jes snijden *slice into strips/slivers, shred* ⟨groente, vlees ...⟩; *cut to julienne strips* ⟨groente⟩; *cut to ribbons* ⟨stof⟩; *cut into fingers* ⟨boterham⟩.

reepgast ⟨de (m.)⟩ **0.1** ≠*gauger.*

reephamer ⟨de (m.)⟩ **0.1** *dresser.*

reeppont ⟨de⟩ **0.1** *(underwater-)cable ferry.*

reepsleutel ⟨de (m.)⟩ **0.1** *bit/wing key.*

reerug ⟨de (m.)⟩ **0.1** *saddle/loin of venison.*

reeschaaf ⟨de (m.)⟩ **0.1** *trying plane.*

reet ⟨de⟩ **0.1** [nauwe opening] *crack* ⇒*chink,* ⟨vnl. mv.⟩ *interstice,* ⟨vnl. in rots⟩ *crevice, deft* **0.2** [⟨vulg.⟩ achterste] *arse,* [A]*ass* ⇒[⟨vulg.]] *bum* ◆ **1.1** door de ~ v.d. deur *through the crack/chink in the door* **2.2** jij zit daar maar op je luie ~ *you just sit there on your lazy bum/* ⟨vnl. AE⟩ *rusty-dusty* **3.2** je kunt m'n ~ likken *fuck off;* ⟨vnl. BE⟩ *bugger off;* [1]*get lost* **6.1** reten in de vloer *cracks in the floor* **6.2 aan** mijn ~ *my arse/*[A]*ass!;* iem. **achter** zijn ~ zitten *keep tabs on s.o.;* ik kreeg een pak **op** mijn ~ *I got a thrashing* **7.2** het kan me geen ~ schelen *I don't give/care a* [1]*damn/fuck/toss.*

ref. ⟨afk.⟩ **0.1** [referentie(s)] *ref.* ⟨*reference*⟩ **0.2** [referent] *rep.* ⟨*reporter*⟩.

refactie ⟨de (v.)⟩ ⟨hand.⟩ **0.1** *rebate* ⇒*recompense.*

refectorium ⟨het⟩ **0.1** *refectory.*

referaat ⟨het⟩ [verslag] *report* **0.2** [voordracht] *lecture, paper* ◆ **3.2** een ~ houden over iets voor iem. *read a p. on sth. to s.o..*

référé ⟨het⟩ **0.1** *summary procedure.*

referee ⟨de (m.)⟩ **0.1** *referee* ⇒↓*ref.*

referendaris ⟨de (m.)⟩ **0.1** ≠*head of department, senior (government) official.*

referendum ⟨het⟩ **0.1** *referendum* ⇒*plebiscite* ◆ **3.1** een ~ houden onder de leden over iets *hold a r. on sth. among the members* **6.1** uitmaken **bij** ~ *decide by r..*

referent ⟨de (m.)⟩ **0.1** [verslaggever] *reporter* ⇒⟨recensent⟩ *reviewer, critic* **0.2** [iem. die een referaat houdt] *speaker* ⇒*lecturer* **0.3** [iem. die informaties bezorgt] *consultant, expert, specialist* **0.4** [⟨fil.; taalk.⟩] *referent.*

referentie ⟨de (v.)⟩ **0.1** [verwijzing] *reference* ⇒⟨taal.; fil. ook⟩ *referent* **0.2** [(opgave van) personen] *reference* ⇒⟨BE; persoon ook⟩ *referee,* ⟨BE; inlichting ook⟩ *character,* ⟨aanbeveling⟩ *credential* ⟨vaak mv.⟩, *recommendation* ◆ **2.2** prima ~s *excellent/highest/first-class references* **3.2** ~s opgeven *give/state/furnish/provide references* **6.1 onder** ~ **aan** ... *with reference to, referring to* **8.2** iem. als ~ opgeven *give s.o.'s name (and address) as a reference;* mag ik u als ~ opgeven? *may I use your name/you as a reference?.*

referentieel ⟨bn.⟩ **0.1** *referential.*

referentiegroep ⟨de⟩ **0.1** *reference group* ⇒⟨van gelijken⟩ *peer group.*

referentiekader ⟨het⟩ ⟨soc.⟩ **0.1** *frame of reference.*

referentiepunt ⟨het⟩ **0.1** *reference point* ⇒*point of reference,* ⟨fig. ook⟩ *bench-mark.*

referentiewerk ⟨het⟩ **0.1** *reference book/work.*

refereren
I ⟨onov.ww.⟩ **0.1** [verwijzen] *refer* **0.2** [berichten] *report* ◆ **6.1** (zich) ~ **aan** een brief/uitspraak *r. to a letter/statement* **6.2** ~ **over** een gebeurtenis *r. on an event;*
II ⟨wk.ww.; zich ~⟩ **0.1** [zich beroepen op] *refer (to)* ⇒*defer (to)* ◆ **6.1** hij refereerde zich **aan** haar mening *he referred/deferred to her opinion.*

referte ⟨de (v.)⟩ **0.1** [verwijzing] *reference* **0.2** [⟨jur.⟩] *reference* ◆ **6.1** ⟨schr.⟩ **onder/met** ~ **aan** uw schrijven *referring to/with r. to/further (to) your letter.*

reflatie ⟨de (v.)⟩ **0.1** *reflation* ◆ **3.1** ~ veroorzaken van *reflate.*

reflatoor ⟨bn.⟩ **0.1** *reflationary.*

reflectant ⟨de (m.)⟩ **0.1** ⟨bij sollicitatie⟩ *applicant, candidate;* ⟨ec.⟩ *intending/prospective purchaser/buyer.*

reflecteren
I ⟨onov.ww.⟩ **0.1** [het in aanmerking nemen] *consider* ⟨sollicitatie⟩; *entertain* ⟨voorstel⟩; *answer* ⟨advertentie⟩ **0.2** [nadenken (over)] *reflect (on/upon)* ⇒*consider* ◆ **6.1** ~ **op** een personeelsadvertentie *answer an advertisement for a job;* ~d **op** in response to;
II ⟨onov.ww.⟩ **0.1** [weerspiegelen, ⟨ook fig.⟩] *reflect* ⟨ook fig.⟩ ⇒*mirror,* ⟨vele malen; lett.⟩ *reverberate* ◆ **1.1** gereflecteerd licht *reflected/reflective light;* papier dat sterk reflecteert *highly/very reflective paper.*

reflectie ⟨de (v.)⟩ **0.1** [terugkaatsing] *reflection* ⇒*reflex* **0.2** [wat teruggekaatst is] *reflection* ⇒*reflex* **0.3** [beschouwing] *reflection.*

reflectiecoëfficiënt ⟨de (m.)⟩ ⟨nat.⟩ **0.1** *reflection coefficient/factor* ⇒*reflectance.*

reflectief ⟨bn.⟩ **0.1** [reflectorisch] *reflective* ⇒*reflexive* **0.2** [bespiegelend] *reflective* ⇒*thoughtful, deliberative.*

reflectiefactor ⟨de (v.)⟩ **0.1** *reflection factor/coefficient* ⇒*reflectance.*

reflectiemethode ⟨de (v.)⟩ **0.1** *reflection method.*

reflectiepsychologie ⟨de (v.)⟩ **0.1** *reflective psychology.*

reflectiescherm ⟨het⟩ **0.1** *reflector.*

reflectievermogen ⟨het⟩ **0.1** *reflectivity, reflective power.*

reflectografie ⟨de (v.)⟩ **0.1** *reflex copying.*

reflector ⟨de (m.)⟩ **0.1** [vlak dat straling terugkaatst] *reflector* **0.2** [⟨verkeer⟩] *reflector* ⇒⟨BE ook⟩ *reflector stud,* ⟨op wegdek⟩ *cat's-eye,* ⟨spoorweg⟩ *reflecting disc* **0.3** [spiegeltelescoop] *reflector, reflecting telescope* **0.4** [⟨med.⟩] *reflex centre* ◆ **6.1** een lamp **met** ~ *a lamp/ light with a r..*

reflectorisch ⟨bn.⟩ **0.1** *reflexive* ⇒*reflective,* ⟨attr.⟩ *reflex.*

reflex ⟨de (m.)⟩ **0.1** [onwillekeurige reactie] *reflex* **0.2** [weerspiegeling] *reflex* ⇒*reflection* ◆ **2.1** een aangeboren/niet geconditioneerde ~ *an unconditioned response, an innate r.;* een voorwaardelijke/geconditioneerde ~ *a conditioned response/r..*

reflexbeweging ⟨de (v.)⟩ **0.1** *reflex/* ⟨zeldz.⟩ *reflexive motion/movement/ (re)action* ⇒*reflex* ◆ **3.1** een ~ maken *make a reflex (movement), react automatically.*

reflexboog ⟨de (m.)⟩ **0.1** *reflex arc.*

reflexcamera ⟨de⟩ **0.1** *reflex camera.*

reflexhamer ⟨de (m.)⟩ ⟨med.⟩ **0.1** *percussor* ⇒*plexor, plessor.*

reflexibiliteit ⟨de (v.)⟩ **0.1** *reflexibility.*

reflexief[1] ⟨het⟩ **0.1** *reflexive (verb).*

reflexief[2] ⟨bn.⟩ **0.1** [⟨taal.⟩] *reflexive* **0.2** [bespiegelend] *reflective* ⇒*thoughtful, deliberative, contemplative* ◆ **1.1** het reflexieve pronomen *the r. pronoun;* de reflexieve werkwoorden *the r. verbs.*

reflexiviteit ⟨de (v.)⟩ **0.1** [vermogen tot introspectie] *reflectiveness* ⇒*reflectivity* **0.2** [mogelijkheid om in taal over taal te spreken] *reflexivity.*

reflexketen ⟨de (m.)⟩ **0.1** *chain reflex.*

reflexzoeker ⟨de (m.)⟩ ⟨foto.⟩ **0.1** *reflex vision finder.*

reflux ⟨de (m.)⟩ **0.1** *reflux.*

reform ⟨de⟩ **0.1** [rationele regeling van kleding/voeding] *reform* **0.2** [⟨mil.⟩] ⟨nieuwe indeling⟩ *reform;* ⟨afdanking⟩ *dismissal* ◆ **6.2** op ~ stellen *retire, discharge.*

reformartikel ⟨het⟩ **0.1** *health food product* ⇒*wholefood product.*

reformatie ⟨de (v.)⟩ **0.1** *reformation* ◆ **2.1** de katholieke ~ *the Counter-Reformation* **7.1** de Reformatie *the Reformation.*

reformator ⟨de (m.)⟩ **0.1** ⟨church⟩ *reformer* ⇒*protestant.*

reformatorisch ⟨bn.⟩ **0.1** [mbt. de Reformatie] *reformational* **0.2** [strevend naar reformatie] *reformational, reformative, reformatory* ⇒⟨in samenst.⟩ *reform-.*

reformbeweging ⟨de (v.)⟩ **0.1** ≠*nineteenth-century dietary and clothing reform movement).*

reformen ⟨ww.⟩ **0.1** *reform.*

reformeren ⟨ov.ww.⟩ **0.1** [een andere vorm geven] *reform* **0.2** [benzine omzetten] *reform* ◆ **1.1** de gereformeerde religie *the reformed church.*

reformhuis ⟨het⟩ →**reformwinkel**.

reformisme ⟨het⟩ **0.1** *reformism* ⇒*liberalism,* ⟨binnen marxisme⟩ *revisionism.*

reformist ⟨de (m.)⟩ **0.1** ⟨alg.⟩ *reformist* ⇒⟨binnen marxisme⟩ *revisionist.*

reformistisch ⟨bn.⟩ **0.1** *reformist* ⇒*reformational, reformative, reformatory,* ⟨in samenst.⟩ *reform-,* ⟨binnen marxisme⟩ *revisionist.*

reformvoeding ⟨de (v.)⟩ **0.1** *health food, wholefood.*

reformwinkel ⟨de (m.)⟩ **0.1** *health food/wholefood shop/^store.*

refractair ⟨bn.⟩ **0.1** *refractory* ⇒*recalcitrant, rebellious* ◆ **1.¶** de ~e periode v.e. spiervezel *the refractory period of a muscle fibre.*

refractie ⟨de (v.)⟩ **0.1** [straalbreking] *refraction* **0.2** [⟨schei.⟩ soortelijk brekingsvermogen] *index of refraction, refractive index.*

refractiecoëfficiënt ⟨de (m.)⟩ **0.1** *index of refraction, refractive index.*

refractoir ⟨bn.⟩ **0.1** *refractory* ⇒*recalcitrant, rebellious.*

refractometer ⟨de (m.)⟩ **0.1** *refractometer.*

refractometrie ⟨de (v.)⟩ **0.1** *refractometry.*

refractor ⟨de (m.)⟩ **0.1** *refractor* ⇒*refracting telescope.*

refrein ⟨het⟩ **0.1** [herhaalde versregels aan het eind van een couplet] *refrain* ⇒*chorus, burden* **0.2** [weerkerend motief] *refrain* ⇒*song, burden* **0.3** [strofisch gedicht] *ballade* ◆ **3.1** iedereen zong het ~ mee *everybody joined in the chorus/refrain.*

refter ⟨de (m.)⟩ **0.1** *refectory.*

refugié ⟨de (m.)⟩ **0.1** *refugee* ⇒⟨ihb.⟩ *Huguenot.*

refuseren ⟨ov.ww.⟩ **0.1** *refuse.*

refutatie ⟨de (v.)⟩ **0.1** [weerlegging] *refutation* ⇒*confutation, refutal* **0.2** [⟨jur.⟩] *rebuttal, rebutment* ⇒*refutation, refutal.*

refuteren ⟨ov.ww.⟩ **0.1** *refute* ⇒*confute,* ⟨vnl. jur.⟩ *rebut.*

regaal[1] ⟨het⟩ **0.1** [orgelregister] *reed (stop)* **0.2** [klein orgel] *regal* ⇒*reed organ* **0.3** [recht van een landheer] *royal prerogative, regality;* ⟨mv. ook⟩ *regalia.*

regaal[2] ⟨bn.⟩ **0.1** *regal* ⇒*royal* ◆ **1.1** regale abdij *royal abbey, abbey in the royal prerogative;* ~ recht *regality, regal right, royal prerogative;* ⟨mv. ook⟩ *regalia.*

regalia ⟨zn.mv.⟩ **0.1** *regalia.*

regarderen ⟨ov.ww.⟩ ⟨schr.⟩ **0.1** *regard, concern* ◆ **4.1** dat regardeert mij *that concerns me;* ⟨een ander niet⟩ *that is my affair/business;* dat regardeert mij niet *that is no concern of mine, that does not concern me.*

regatta ⟨de⟩ **0.1** *regatta.*

regeerakkoord ⟨het⟩ **0.1** *coalition agreement.*

regeerbaar ⟨bn.⟩ **0.1** *governable.*

regeerder ⟨de (m.)⟩ **0.1** *ruler* ⇒*governor* ◆ **1.1** ~s en geregeerden *rulers and subjects, the governing powers and the governed.*

regeerzucht ⟨de⟩ **0.1** *lust/passion for power.*

regel ⟨de (m.)⟩ ⟨→sprw. 580⟩ **0.1** [lijn] *line* **0.2** [reeks geschreven/gedrukte woorden] *line* **0.3** [geschreven mededeling] *line* ⇒*note* **0.4** [gewoonte] *rule* ⇒*practice, habit* **0.5** [aanvaarde handelwijze] *rule* ⇒*norm, practice* **0.6** [voorschrift] *rule* ⇒*regulation, precept,* ⟨van spel ook⟩ *law* **0.7** [smalle lat] *rail* ⇒*style, lathe* **0.8** [rij] *row* **0.9** [⟨mv.⟩ menstruatie] *period* ⟨enk.⟩ **0.10** [liniaal] *rule(r)* ◆ **1.3** schrijf mij een paar ~tjes *drop/write/send me a l.* **1.4** het is eerder ~ dan uitzondering *it is the r. rather than the exception* **1.6** de ~ van St.-Franciscus *the rule of St. Francis* **2.2** een gezette ~ ⟨druk.⟩ *a typebar;* nieuwe ~! *new l.!* **2.5** het is vaste ~ *it is (a) general practice, it is standard (practice)* **2.6** een algemene ~ *a general/universal/blanket rule;* gulden ~s ⟨raad⟩ *words of wisdom;* ⟨hoofdregels⟩ *golden rule(s);* vaste ~ *hard and fast rule* **3.2** een ~ overslaan *skip a l.;* ⟨bij schrijven ook⟩ *leave a l. open/blank, write on alternate lines* **3.3** ~ de uitzondering bevestigt de ~ *the exception proves the r.;* het is ~ dat ...*it is a (general) r. that* ... **3.6** van de ~ afwijken *bend the rules;* ⟨een keer⟩ *stretch a point* **6.1** op de ~ schrijven *write on/along the (dotted) l.* **6.2** per ~ betaald worden *get/be paid by the/per l.;* tussen de ~s door lezen ⟨fig.⟩ *read between the lines* **6.4** in de ~ *as a r., in general, ordinarily, customarily, usually* **6.5** zich aan geen ~s storen *ignore the rules, be a law unto o.s.* **6.6** tegen alle ~s in *contrary to/against all the rules;* volgens de ~s v.d. kunst *according to the rules, in the approved manner;* ⟨inf.⟩ *with a vengeance* **6.8** koolplanten/bollen op ~ zetten *plant rows of cabbages/bulbs.*

regelaar ⟨de (m.)⟩ **0.1** [persoon] *regulator* **0.2** [instrument] *regulator* ⇒*control.*

regelafstand ⟨de (m.)⟩ **0.1** *line space/interval, spacing* ⇒⟨druk. ook⟩ *leading* ◆ **2.1** op enkele/dubbele ~ *single-/double-spaced* **3.1** de ~ instellen op 1,5 *set the line interval to 1.5.*

regelapparatuur ⟨de (v.)⟩ **0.1** *regulating equipment/gear, controls, control equipment* ⇒⟨comp.⟩ *control devices.*

regelautomaat ⟨de (m.)⟩ **0.1** *regulator* ⇒⟨comp.⟩ *controlautomaton.*

regelbaar ⟨bn.⟩ **0.1** *regulable* ⇒⟨verstelbaar⟩ *adjustable,* ⟨stuurbaar⟩ *controllable,* ⟨variabel⟩ *variable* ◆ **1.1** een regelbare schroef *an adjustable screw;* ⟨luchtv.⟩ *a variable-pitch propellor* **5.1** de temperatuur/verwarming is makkelijk ~ *the temperature/heating is easily regulated.*

regeldrukker ⟨de (m.)⟩ **0.1** *lineprinter.*

regelelement ⟨het⟩ ⟨kernenergie⟩ **0.1** *control rod.*

regelen ⟨onov.ww.⟩ **0.1** [in orde brengen] *regulate* ⇒⟨organiseren⟩ *arrange,* ⟨inf.⟩ *fix (up), settle* ⟨zaken, schulden⟩, *control* ⟨verkeer⟩, ⟨tech. ook⟩ *adjust,* ⟨orde scheppen⟩ *order* **0.2** [bepalen, vaststellen] *regulate* ⇒*lay down rules for,* ⟨prijzen ook⟩ *control, adjust, settle* ⟨ge-

schil⟩, *determine* ⟨spelling⟩ ◆ **1.1** de geluidssterkte ~ *adjust the volume;* een ontmoeting ~ *arrange/* ⟨inf.⟩ *fix up a meeting;* de temperatuur/snelheid ~ *r./control the temperature/speed;* het verkeer ~ *control/r./direct the traffic;* zijn zaken ~ *arrange/order/regularize/sort out one's affairs, put one's affairs in order* **1.2** een geschil ~ *settle a dispute* **1.3** de overheid treedt ~d op in ...*the authorities exercise control in* ... **5.1** ik zal dat wel even ~ *I'll take care of that;* alles was goed geregeld *everything was well arranged/organized* **6.2** dat is geregeld bij de wet *that is provided for by (the) law;* zijn uitgaven naar zijn inkomsten ~ *adjust one's expenses to one's income,* ⟨fig.⟩ *cut one's suit according to one's cloth.*

regelgeving ⟨de (v.)⟩ **0.1** [het geven van voorschriften] *issuing/giving of rules/* ⟨aanwijzingen⟩ *instructions* **0.2** [de gegeven voorschriften] *rules;* ⟨aanwijzingen⟩ *instructions.*

regelhoogte ⟨de (v.)⟩ **0.1** *height (of a line)* ⇒⟨plaats of papier⟩ *line position.*

regeling ⟨de (v.)⟩ **0.1** [het in orde brengen] *regulation, arrangement* ⇒*settlement, settling, ordering, control* ⟨verkeer⟩, ⟨normalisering⟩ *regularization,* ⟨afstelling⟩ *adjustment* **0.2** [bepaling] *regulation* ⇒*control* **0.3** [schikking] *arrangement* ⇒*settlement, adjustment, scheme* ⟨pensioen, sparen⟩ ◆ **1.1** de automatische ~ v.d. gastoevoer *the automatic control of the gas supply* **1.2** de ~ v.d. spelling *the r. of the spelling, spelling rules* **2.2** wettelijke ~en *statutory regulations* **3.3** een ~ treffen *effect/make an arrangement/a settlement* **5.3** een ~ vooraf *a foreclosure/prearrangement* **6.1** de ~ van de geldzaken *the arrangement/setting of money matters.*

regelkamer ⟨de⟩ **0.1** *control room.*

regelklep ⟨de⟩ **0.1** *pilot/control valve* ⇒⟨smoorklep ook⟩ *throttle/butterfly valve/gate.*

regelknop ⟨de (m.)⟩ **0.1** *control button/key* ⇒*regulator.*

regellengte ⟨de (v.)⟩ **0.1** *length of a/the line.*

regelloos ⟨bn.⟩ **0.1** ⟨zonder regel⟩ *ruleless;* ⟨geen regels volgend⟩ *unruly* ⇒⟨onregelmatig⟩ *irregular, erratic,* ⟨wanordelijk⟩ *orderless, disorderly, without order* ◆ **1.1** een ~ leven *an irregular/unruly life.*

regelmaat ⟨de⟩ **0.1** [het zichzelf gelijkblijven] *regularity* **0.2** [ordelijke schikking] *regularity* ◆ **1.1** in mijn huis heersen orde en ~ *law/method and order prevail in my house, in my house things are regular and orderly* **6.1** met de ~ van de klok *with clock-like r., as regular(ly) as clockwork* **6.2** zonder ~ *opgestapeld liggen be stacked disorderly, tie in disorderly heaps.*

regelmatig ⟨bn., bw.; -ly⟩ **0.1** [zichzelf gelijkblijvend] *regular* ⇒*orderly, even* **0.2** [geregeld] *regular* ⇒⟨vaak⟩ *frequent* **0.3** [volgens de regels] *regular* ⇒*lawful* ◆ **1.1** een ~e ademhaling *r./even breathing;* hij heeft een ~ handschrift *his handwriting is even/r., he writes an orderly hand;* een ~ leven leiden *lead a r./live a steady life;* ⟨wisk.⟩ een ~e veelhoek *a r. polygon* **1.2** een ~e bezoeker *a r./frequent caller/visitor, a frequenter* **1.3** ~e beëindiging v.e. arbeidsovereenkomst *r./lawful termination of a labour;* een ~e overwinning *a r./foreseeable victory;* ⟨taal.⟩ een ~ werkwoord *a r. verb* **3.1** de motor loopt ~ *the engine runs smoothly* **3.2** ~ naar de kerk gaan *go to church regularly, be a r. churchgoer;* dat komt tegenwoordig ~ voor *that happens regulary/quite often/that's always happening/that's a regular occurrence these days.*

regelmatigheid ⟨de (v.)⟩ **0.1** *regularity* ⇒⟨gelijkmatigheid ook⟩ *evenness, symmetry.*

regelneef ⟨de (m.)⟩ ⟨iron.⟩ **0.1** *busybody* ⇒*organizer.*

regelrecht ⟨bn., bw.⟩ **0.1** *straight* ⇒*direct,* ⟨fig. ook, vnl. AE⟩ *right,* ⟨fig.⟩ *downright* ⟨belediging, leugen⟩ ◆ **1.1** ~ bedrog *deceit, pure and simple;* een ~e beschuldiging *a pointblank accusation;* een ~e leugen *a blatant/downright lie;* een ~e oorlog *a full-blown war;* ~ verraad *rank treason;* een ~e weigering *a pointblank refusal* **2.¶** hij is ~ dom *he is utterly stupid* **3.1** ~ van iem. afstammen *be directly descended from s.o.;* ~ gaan naar/afstevenen op ⟨ook⟩ *head s./make a beeline for;* ~ iets vragen *ask sth. s./right out* **6.1** de kinderen kwamen ~ naar huis *the children came s./right home.*

regelstaaf ⟨de⟩ **0.1** *control rod.*

regeltafel ⟨de⟩ **0.1** *console* ⇒*control panel, panelboard.*

regeltechnicus ⟨de (m.)⟩ **0.1** *control engineer.*

regeltechniek ⟨de (v.)⟩ **0.1** *control engineering.*

regeltransformator ⟨de (m.)⟩ **0.1** *variable transformer.*

regelvast ⟨bn.⟩ **0.1** *rule-conscious* ⇒*regulated, disciplined, conforming.*

regelvulling ⟨de (v.)⟩ **0.1** *line-filling.*

regelweerstand ⟨de (m.)⟩ **0.1** *variable resistor* ⇒*rheostat.*

regelwijzer ⟨de (m.)⟩ **0.1** *line scale* ⟨op schrijfmachine⟩.

regelzucht ⟨de⟩ **0.1** *mania for organization.*

regen ⟨de (m.)⟩ ⟨→sprw. 513⟩ **0.1** [neerslag] *rain* ⇒*rainfall* **0.2** [bui] *rain* ⇒*rainfall,* ⟨buitje⟩ *shower* **0.3** [grote hoeveelheid, ⟨ook in samenst.⟩] *rain* ⇒*shower, hail* ◆ **1.3** een asregen *a r. of ashes;* een ~ van kogels *a shower/volley of bullets;* een ~ van kogels doen neerdalen op de vijand *rain bullets upon the enemy;* een ~ van pijlen *a volley/r. of arrows;* een ~ van slagen kwam op hem neer *a hail of blows rained upon him* **2.1** aanhoudende ~ *persistent rain(fall);* in de stromende ~ *in the pouring rain;* zure ~ *acid rain* **2.2** een mals ~tje *gentle rain, a* *gentle shower;* zware / tropische ∼s *heavy / tropical rains* **6.1** bij / door / **in** ∼ en wind *(come) rain or shine;* ⟨fig.⟩ **van** de ∼ in de drup komen *jump out of the frying pan into the fire.*

regenachtig ⟨bn.⟩ **0.1** [met regen dreigend] *rainy* ⇒*showery* **0.2** [mbt. een tijdperk / seizoen] *rainy* ⇒*wet, showery* ◆ **1.1** een ∼e dag *a r. day;* ∼ weer *r. / wet / dirty weather* **1.2** een ∼e zomer *a r. / wet summer* **3.1** het ziet er ∼ uit *it looks like rain* **3.2** het is nogal ∼ vandaag *it's rather a wet / r. day today.*

regenachtigheid ⟨de (v.)⟩ **0.1** *raininess.*

regenarm ⟨bn.⟩ **0.1** *deficient / lacking in rain(fall)* ⇒*arid, dry.*

regenbak ⟨de (m.)⟩ **0.1** *cistern* ⇒*(rain-)water tank,* ⟨regenton⟩ *water-butt.*

regenboog ⟨de (m.)⟩ **0.1** [cirkelboog aan de hemel] *rainbow* **0.2** [schip] *rainbow yacht* ◆ **1.1** in alle kleuren v.d. ∼ *in all the colours of the r..*

regenboogforel ⟨de⟩ **0.1** *rainbow trout.*

regenboogjacht ⟨het⟩ **0.1** *rainbow yacht.*

regenboogklasse ⟨de (v.)⟩ **0.1** *rainbow class.*

regenboogtrui ⟨de (m.)⟩ ⟨sport⟩ **0.1** *rainbow jersey.*

regenboogvlies ⟨het⟩ **0.1** *iris.*

regenbroek ⟨de⟩ **0.1** *waterproof trousers* ⇒*rainproof trousers.*

regenbui ⟨de⟩ **0.1** *shower (of rain)* ⇒*rain(shower),* ⟨zwaar⟩ *downpour.*

régence ⟨de (v.)⟩ **0.1** *Regency.*

Regencystijl ⟨de (m.)⟩ **0.1** *Regency (style)* ◆ **6.1** meubels **in** ∼ *R. furniture.*

regendag ⟨de (m.)⟩ **0.1** *rainy day.*

regendruppel ⟨de (m.)⟩ **0.1** *raindrop.*

regenen
I ⟨onp.ww.⟩ **0.1** [in druppels uit de hemel neervallen] *rain* ⇒⟨licht⟩ *shower, spot, drizzle* **0.2** [in grote menigte neerkomen] *rain* ⇒*shower* ◆ **1.1** ⟨fig.⟩ het regent pijpestelen *the rain is coming down in buckets / bucketfuls, it's raining cats and dogs* **1.2** het regende complimenten *the compliments were flying;* het regent er geld *money is pouring in;* het regende straffen in de klas *punishments were meted out all round in the class* **3.1** als het niet begint te / gaat ∼ *if the rain holds / keeps off, if it doesn't start raining* **5.1** het heeft flink geregend *there was quite a downpour;* het regent hard *it's raining heavily;* het ging harder ∼ *it started to pour, the rain became heavier* **8.1** het regent dat het giet *it's pouring;*
II ⟨onov.ww.⟩ **0.1** [regen doen neervallen] *rain* **0.2** [sproeien] *sprinkle* ◆ **6.1** God laat het ∼ over rechtvaardigen en onrechtvaardigen *God sends rain on the righteous and the unrighteous alike.*

regeneraat ⟨het⟩ **0.1** [herwonnen grondstof] *recycled material* **0.2** [⟨biol.⟩] *regenerated matter.*

regeneratie ⟨de (v.)⟩ **0.1** [geestelijke wedergeboorte] *regeneration* ⇒*(spiritual) rebirth,* ⟨theol.⟩ *palingenesis* **0.2** [⟨biol.⟩] *regeneration* **0.3** [⟨tech.⟩] *recycling* ⇒*reclamation.*

regeneratief ⟨bn.⟩ **0.1** *regenerative* ◆ **1.1** een regeneratieve reactor *a breeder reactor.*

regenerator ⟨de (m.)⟩ **0.1** *regenerator.*

regenereren
I ⟨ov.ww.⟩ **0.1** [weer bruikbaar maken] *recycle* ⇒*reclaim, regenerate* ◆ **1.1** geregenereerde rubber *reclaimed rubber;* schilderijen ∼ *clean paintings;*
II ⟨onov.ww.⟩ **0.1** [⟨biol.⟩ weer aangroeien] *regenerate.*

regenfront ⟨het⟩ **0.1** *rainy front.*

regengebied ⟨het⟩ **0.1** *rainy area* ⇒⟨meteo.⟩ *precipitation area.*

regengod ⟨de (m.)⟩ **0.1** *rain god.*

regengordel ⟨de (m.)⟩ **0.1** *rain belt.*

regengordijn ⟨het⟩ **0.1** *curtain of rain.*

regenhoek ⟨de (m.)⟩ ◆ **6.¶** de wind zit **in** de ∼ *the wind is set for rain / is coming from the rainy quarter.*

regeninstallatie ⟨de (v.)⟩ **0.1** *sprinkler.*

regenjas ⟨de⟩ **0.1** *raincoat* ⇒⟨BE ook⟩ *mackintosh,* ⟨inf.⟩ *mac.*

regenkaart ⟨de⟩ **0.1** *rain chart.*

regenkap ⟨de⟩ **0.1** *rain hood.*

regenkapje ⟨het⟩ **0.1** *rain hat.*

regenkleding ⟨de (v.)⟩ **0.1** *rainproof clothing.*

regenloos ⟨bn.⟩ **0.1** *rainless* ⇒*dry.*

regenlucht ⟨de⟩ **0.1** *overcast sky.*

regenmaand ⟨de⟩ **0.1** *rainy month* ◆ **1.1** de ∼ februari *February fill-dyke* ᴬ*dike.*

regenmantel →**regenjas.**

regenmeter ⟨de (m.)⟩ **0.1** *rain gauge* / ᴬ*gage* ⇒*pluviometer, udometer.*

regenmoesson ⟨de (m.)⟩ **0.1** *monsoon.*

regenpak ⟨het⟩ **0.1** *waterproof / rainproof / showerproof suit / gear.*

regenperiode ⟨de⟩ **0.1** *spell of rain.*

regenpijp ⟨de⟩ **0.1** *drainpipe;* ⟨AE vnl.⟩ *downspout* ⇒*rain leader,* ⟨BE ook⟩ *downpipe, rainwater pipe.*

regenput ⟨de⟩ **0.1** *rain drain* ⇒*gulley.*

regenrijk ⟨bn.⟩ **0.1** *rainy* ⇒*pluvial.*

regenrivier ⟨de⟩ **0.1** *rain-fed river.*

regenschaduw ⟨de⟩ **0.1** *rain shadow.*

regenscherm ⟨het⟩ ⟨schr.⟩ **0.1** ⟨ongemarkeerd⟩ *umbrella.*

---

regenseizoen ⟨het⟩ **0.1** *rainy season.*

regent¹ ⟨de (m.)⟩, **-es** ⟨de (v.)⟩ **0.1** [iem. die het rijksbestuur waarneemt] *regent* **0.2** [⟨gesch.⟩ bestuurder / ster v.e. liefdadigheidsinstelling] *trustee* ⇒*governor* **0.3** [⟨AZN⟩ leraar, lerares] *teacher of secondary school / lower level.*

regent² ⟨de (m.)⟩ **0.1** [⟨gesch.⟩ regerend aristocraat] *regent* ⇒*governor* **0.2** [hoofd v.e. seminarie] *superior* **0.3** [⟨bel.⟩ autoritair bestuurder] *dictator* **0.4** [⟨gesch.⟩ Javaans ambtenaar] *regent.*

regentaat ⟨het⟩ ⟨AZN⟩ **0.1** [opleiding] *secondary teacher training, lower level;* ⟨gebouw⟩ ≠*teachers' training college.*

regentenkamer ⟨de⟩ **0.1** *trustees' room.*

regentenkliek ⟨de⟩ **0.1** *ruling class.*

regentenstuk ⟨het⟩ **0.1** ⟨*picture representing the governors of an orphanage* ⟨enz.⟩⟩.

regententijd ⟨de (m.)⟩ ⟨gesch.⟩ **0.1** (*Dutch*) *Regency.*

regentijd ⟨de (m.)⟩ **0.1** *rainy season* ⇒*rains, rainy period* ◆ **1.1** bij het begin v.d. ∼ *when the rain sets in* **6.1** in de ∼ *during the rainy season.*

regenton ⟨de⟩ **0.1** *water butt* ⇒*rain barrel.*

regenschap ⟨het⟩ **0.1** [ambt] *regency* ⇒*regentship* **0.2** [periode] *regency* **0.3** [gewest] *regency* ◆ **6.1** onder het ∼ van *under the regency of.*

regentschapsraad ⟨de (m.)⟩ **0.1** *regency (council).*

regentuiter ⟨de (m.)⟩ ⟨inf.⟩ **0.1** [goudplevier] *golden plover* **0.2** [wulp] *curlew.*

regenval ⟨de (m.)⟩ **0.1** [hoeveelheid regenwater] *rainfall* **0.2** [het regenen] *rain(fall)* ⇒*fall of rain,* ⟨bui⟩ *shower,* ⟨meteo.⟩ *precipitation* ◆ **2.1** de jaarlijkse ∼ *the yearly r.* **2.2** na zware ∼ *after a heavy downpour.*

regenverlet ⟨het⟩ **0.1** *wet time* ⇒*lay-off due to rain.*

regenverzekering ⟨de⟩ **0.1** *rain insurance.*

regenvlaag ⟨de⟩ **0.1** [door de wind voortgezweepte regen] *scud* ⇒*rainsquall* **0.2** [⟨AZN⟩ regenbui] *shower (of rain)* ⇒*rain (shower),* ⟨zwaar⟩ *downpour.*

regenvogel ⟨de (m.)⟩ **0.1** *rainbird.*

regenvrij ⟨bn.⟩ **0.1** *rain-free.*

regenwater ⟨het⟩ **0.1** *rainwater.*

regenweer ⟨het⟩ **0.1** *rainy / wet weather.*

regenwolk ⟨de⟩ **0.1** *rain cloud* ⇒*storm cloud.*

regenworm ⟨de (m.)⟩ **0.1** *rainworm* ⇒*earthworm.*

regenwoud ⟨het⟩ **0.1** *rain forest.*

regenwulp ⟨de⟩ **0.1** *whimbrel.*

regenzee ⟨de⟩ **0.1** *rains.*

regenzone ⟨de⟩ **0.1** *rain belt.*

regenzonnetje ⟨het⟩ **0.1** *watery sun(shine).*

regeren ⟨→sprw. 202⟩
I ⟨onov., ov.ww.⟩ **0.1** [overheidsgezag uitoefenen] *rule (over)* ⇒*reign* ⟨vnl. vorst⟩, *govern, control* ⟨ook fig.⟩ ◆ **1.1** ⟨fig.⟩ haar hartstochten ∼ haar *she is swayed by her passions;* de ∼de partij *the party in power / office, the governing party;* ⟨fig.⟩ het geld regeert de wereld *money rules the world* **5.1** Willem III heeft lang geregeerd *William III had a long reign* **6.1** in / over een land ∼ *govern / rule over a country;*
II ⟨ov.ww.⟩ **0.1** [⟨taal.⟩] *govern* ⇒*require, take* ◆ **1.1** de meeste voorzetsels ∼ de vierde naamval *most prepositions g. / take the accusative case.*

regering ⟨de (v.)⟩ **0.1** [(het staatshoofd met) de ministers] *government* ⇒⟨vnl. AE⟩ *administration* **0.2** [uitoefening van overheidsgezag] *government* ⇒*administration,* ⟨vorst⟩ *rule, reign* **0.3** [periode] *government* ⇒⟨vnl. AE⟩ *administration, reign* ⟨vorst⟩ **0.4** [⟨taal.⟩ beheersing, rectie] *government* ⇒*regimen* ◆ **1.1** aan het hoofd v.d. ∼ *at the head of the g. / affairs* **3.1** de ∼ is afgetreden *the g. has resigned;* een ∼ vormen *form a g.* **3.2** de ∼ aanvaarden *assume office;* die partij is nu aan de ∼ *that party is now in power / office;* aan de ∼ komen *come to power* ⟨partij⟩; *come into office* ⟨ministers⟩; de ∼ neerleggen *resign (from office).*

regeringloos ⟨bn.⟩ **0.1** *anarchic.*

regeringsadviseur ⟨de (m.)⟩ **0.1** *government adviser, adviser to the government.*

regeringsapparaat ⟨het⟩ **0.1** *machinery of government.*

regeringsbeleid ⟨het⟩ **0.1** *government policy.*

regeringsbesluit ⟨het⟩ **0.1** *government decision* / ⟨tekst⟩ *order.*

regeringsbestel ⟨het⟩ **0.1** *governmental organisation* ⇒*polity, system / form of government.*

regeringsbevoegdheid ⟨de (v.)⟩ **0.1** *power(s) of government.*

regeringsblad ⟨het⟩ **0.1** *pro-government newspaper.*

regeringscoalitie ⟨de (v.)⟩ **0.1** *government coalition.*

regeringscollege ⟨het⟩ **0.1** *government body.*

regeringscommissaris ⟨de (m.)⟩ **0.1** [iem. door de regering met een bijzondere taak belast] *government commissioner / administrator* **0.2** [lid v.e. raad van commissarissen namens de regering] *government-appointed director* **0.3** [ambtenaar die een minister bijstaat] *government adviser.*

regeringscommissie ⟨de (v.)⟩ **0.1** *government commission* ⇒⟨GB ook⟩ *Royal commission.*

regeringscrisis ⟨de (v.)⟩ **0.1** *government crisis* ⇒*cabinet crisis.*

regeringsdienst ⟨de (m.)⟩ **0.1** *government service* ⇒*civil service* ◆ **6.1 in** ~ staan/zijn *be in g. s. / employ; be a civil servant* ⟨ambtenaar⟩.
regeringsfunctie ⟨de (v.)⟩ **0.1** *government post/position.*
regeringsfunctionaris ⟨de (m.)⟩ **0.1** *senior civil servant* ⇒*functionary.*
regeringsgebouw ⟨het⟩ **0.1** *government building.*
regeringsgezind ⟨bn.⟩ **0.1** *pro-government* ⇒*friendly to the government.*
regeringsinstantie ⟨de (v.)⟩ **0.1** *government agency.*
regeringsjubileum ⟨het⟩ **0.1** *King's/Queen's jubilee.*
regeringskringen ⟨zn.mv.⟩ ◆ **6.¶** in ~ *in government circles.*
regeringsleider ⟨de (m.)⟩ **0.1** *leader of the government.*
regeringslichaam ⟨het⟩ **0.1** *government body.*
regeringsmaatregel ⟨de (m.)⟩ **0.1** *government measure.*
regeringsmeerderheid ⟨de (v.)⟩ **0.1** [het grootste deel v.d. regering] *cabinet majority* **0.2** [steunende meerderheid in het parlement] *government majority.*
regeringsniveau ⟨het⟩ **0.1** *cabinet level.*
regeringsontwerp ⟨het⟩ **0.1** *government bill.*
regeringsopdracht ⟨de⟩ **0.1** *government order* ⟨aan fabriek enz.⟩; *government commission* ◆ **6.1** naar de V.S. gaan met een ~ *go to the U.S. on a government mission.*
regeringspartij ⟨de (v.)⟩ **0.1** *party in office/power* ⇒*government party.*
regeringsperiode ⟨de (v.)⟩ **0.1** *period of government/office* ⇒*reign* ⟨van vorst⟩, *rule.*
regeringsprogramma ⟨het⟩ **0.1** *government programme* ᴬ*gram.*
regeringspupil ⟨de (m.)⟩ **0.1** ≠*child in care.*
regeringsrapport ⟨het⟩ **0.1** *government report* ⇒⟨GB/USA ook⟩ *blue book.*
regeringsstandpunt ⟨het⟩ **0.1** *government('s) position.*
regeringsstelsel ⟨het⟩ **0.1** *system/form of government.*
regeringssteun ⟨de (m.)⟩ **0.1** *government aid/assistance.*
regeringstafel ⟨de⟩ **0.1** *cabinet table* ◆ **6.1** er verschenen nieuwe gezichten achter de ~ *new faces appeared behind the c. t..*
regeringstijd ⟨de (m.)⟩ **0.1** *reign.*
regeringstroepen ⟨zn.mv.⟩ **0.1** *government troops.*
regeringsuitgave ⟨de⟩ **0.1** *government expenditure* ⇒⟨mv. ook⟩ *government spending.*
regeringsverantwoordelijkheid ⟨de (v.)⟩ **0.1** *responsibilities of government.*
regeringsverklaring ⟨de (v.)⟩ **0.1** *government policy statement.*
regeringsvorm ⟨de (m.)⟩ **0.1** *(form of) government* ◆ **2.1** een constitutionele ~ *a constitutional g.;* ⟨abstr.⟩ *constitutionalism.*
regeringswege ◆ **6.¶** van ~ *officially, by/from the government;* het werd van ~ verboden *it was officially forbidden/forbidden by the government.*
regeringswoordvoerder ⟨de (m.)⟩, **-ster** ⟨de (v.)⟩ **0.1** *government spokesman/spokesperson/spokeswoman.*
regeringszaak ⟨de⟩ **0.1** *state affair* ⇒*government business* ◆ **3.1** kunst is geen ~ *the government should not subsidize/patronize art, art is no concern of the government.*
regeringszetel ⟨de⟩ **0.1** *seat of government.*
regeringszijde ⟨de⟩ ◆ **6.¶** van ~ *officially, on the part/behalf of the government, from/by the government;* er werd van ~ medegedeeld dat … *it was officially stated that …,* it was stated by the government that ….
regest ⟨het⟩ **0.1** [boek met afschriften] ≠*c(h)artulary* **0.2** [inhoudsopgave] *calendar.*
regie ⟨de (v.)⟩ **0.1** *direction* ⇒⟨BE ook⟩ *production* ◆ **3.1** de ~ doen van een stuk *direct/produce a play* **6.1** de ~ van het stuk was voor-treffelijk *the d./production of the play was excellent;* ~ van X. *directed/produced by X.* **6.¶** in ~ *bouwen build under state control.*
regie-aanwijzing ⟨de (v.)⟩ **0.1** *(stage/film) direction.*
regie-assistent ⟨de (m.)⟩, **-e** ⟨de (v.)⟩ ⟨film, t.v.⟩ **0.1** *assistent to the director/* ⟨BE ook⟩ *producer* ⇒⟨v. ook⟩ *script girl.*
regiekamer ⟨de (m.)⟩ **0.1** *direction room.*
regietafel ⟨de⟩ **0.1** *control panel* ⇒*console.*
regime ⟨het⟩ **0.1** [staatsbestel] *regime* **0.2** [uitoefening van bestuur] *regime* **0.3** [voorschriften] *regimen* ⇒⟨med.⟩ *diet* **0.4** [mbt. een rivier] *regime* ◆ **2.1** een militair ~ *a military r.* **6.2** onder zijn ~ *under his r.;* onder het nieuwe ~ *under the new r.* **6.3** onder streng ~ staan ⟨ook⟩ *be on a strict diet/follow a strict r.* **¶.1** het ancien régime *the ancien régime.*
regiment ⟨het⟩ **0.1** [militaire eenheid] *regiment* **0.2** [groot aantal] *regiment* ⇒*army, legion, multitude* ◆ **1.1** een ~ infanterie *an infantry r.* **1.2** een heel ~ muizen *a whole r./army of mice.*
regimentsnummer ⟨het⟩ **0.1** *regiment number.*
regimentsstaf ⟨de (m.)⟩ **0.1** *regimental officers.*
regimentsvaandel ⟨het⟩ **0.1** *regimental colours/flag/standard.*
regio ⟨de⟩ **0.1** [streek] *region* ⇒*area, district* **0.2** [⟨mv.⟩ luchtlaag] *spheres* ⟨ook fig.⟩ ◆ **2.1** zonniger ~ nen *sunnier regions* **2.2** in hogere ~ nen *(lett.; in hogere luchtlagen) in higher s.; (fig.; in extase) in the clouds, on cloud nine; (fig.; aan top) in higher s.; (fig.) in de hogere* ~ nen van de geest *in the higher s. of the mind* **6.1 in/uit** de ~ *in/from the country/provinces/regions;* wij krijgen onze studenten/leerlingen uit de ~ Utrecht *(the province of) Utrecht is our catchment (area).*

regio-etnoloog ⟨de (m.)⟩ **0.1** *folklorist.*
regiokorting ⟨de (v.)⟩ ⟨verz.⟩ **0.1** *regional discount.*
regionaal ⟨bn., bw.;-ly⟩ **0.1** *regional.*
regionaliseren ⟨ov.ww.⟩ **0.1** *regionalize.*
regionalisme ⟨het⟩ **0.1** [het cultiveren v.d. aparte tradities] *regionalism* **0.2** [streven naar gewestelijke autonomie] *regionalism.*
regionalist ⟨de (m.)⟩ **0.1** *regionalist.*
regisseren ⟨onov., ov.ww.⟩ **0.1** *direct* ⇒⟨BE ook⟩ *produce.*
regisseur ⟨de (m.)⟩, **-seuse** ⟨de (v.)⟩ **0.1** *director* ⇒⟨BE ook⟩ *producer, régisseur.*
regisseursstoel ⟨de (m.)⟩ **0.1** *director's chair.*
register ⟨de⟩ **0.1** [lijst] *register* ⇒*record, list, logbook* ⟨journaal⟩ **0.2** [inhoudsopgave] *index* ⇒*table of contents, concordance* ⟨van woorden/passages uit boek/auteur⟩ **0.3** [gastenboek] *register* ⇒*hotel register* **0.4** [orgelpijpen] *register* ⇒*stop(knob)* **0.5** [deel van de toonomvang] *register* ⇒*compass* **0.6** [⟨taal.⟩ stijlniveau] *register* ◆ **1.1** de ~ s v.d. burgerlijke stand *the register/records of births, deaths and marriages* **2.1** een alfabetisch ~ *an alphabetical register;* het kerkelijk ~ *parish register* **2.2** een systematisch ~ *a subject index* **2.4** een ander ~ kiezen *(fig.) change one's tune* **2.5** het lage/hoge ~ van de klarinet *the lower/upper r. of the clarinet* **3.1** iem. in het ~ inschrijven *enter s.o.('s name) in the register* **3.4** alle ~ s openzetten *pull out all the stops* ⟨ook fig.⟩; ⟨in sport⟩ *make an all-out effort.*
registeraccountant ⟨de (m.)⟩ **0.1** *chartered accountant* ⇒*auditor.*
registeren ⟨onov., ov.ww.⟩ **0.1** [registers op fiches brengen] *index* **0.2** [⟨druk.⟩] *register.*
registeringenieur ⟨de (m.)⟩ **0.1** *registered civil engineer.*
registerinhoud ⟨de (m.)⟩ **0.1** *register(ed) tonnage.*
registerkaart ⟨de⟩ **0.1** *index card, file card.*
registerknop ⟨de (m.)⟩ ⟨muz.⟩ **0.1** *stop(knob).*
registerton ⟨de⟩ **0.1** *register ton* ⇒*ton.*
registratie ⟨de (v.)⟩ **0.1** [in een register] *registration* ⇒*registry, enrolment* ⟨namen van leerlingen⟩ **0.2** [in het geheugen, op film] *recording* ⇒*fixing* ⟨herinneringen in de geest⟩ **0.3** [⟨muz.⟩] *registration* ◆ **6.2** de ~ van de gebeurtenissen *the r. of the events.*
registratiebewijs ⟨het⟩ **0.1** *certificate of registry, registration certificate* ⇒*register.*
registratiecomputer ⟨de (m.)⟩ **0.1** *flight recorder* ⇒*black box.*
registratief ⟨bn., bw.⟩ **0.1** *according to the register* ⟨alleen pred. of als bw.⟩ ⇒*registrational* ◆ **2.1** ~ ingedeeld bij de landmacht *registered as assigned to the land forces.*
registratiekamer ⟨de⟩ ⟨com.⟩ **0.1** *recording studio.*
registratiekantoor ⟨het⟩ **0.1** *register office* ⇒*registry (office), records/registrar's office.*
registratiekosten ⟨zn.mv.⟩ **0.1** *registration costs.*
registratieletter ⟨de⟩ **0.1** *registration letter/mark.*
registratienummer ⟨het⟩ **0.1** *registration number.*
registratierecht ⟨het⟩ **0.1** *registration fee.*
registratiewet ⟨de⟩ **0.1** *Registration Act.*
registrator ⟨de (m.)⟩ **0.1** [toestel] *recorder* ⇒*register* **0.2** [persoon] *registrar* ⇒*recorder, register.*
registratuur ⟨de (v.)⟩ **0.1** [het ordenen en bewaren van archiefstukken] *filing, registration* **0.2** [deel van een archief] *registry* ⇒*filing system* **0.3** [⟨muz.⟩] *registration.*
registreerapparaat ⟨het⟩ **0.1** *recorder, recording device* ⇒*register.*
registreerbaar ⟨bn.⟩ **0.1** *registrable* ⇒*recordable.*
registreerballon ⟨de (m.)⟩ **0.1** *sounding balloon.*
registreren ⟨onov., ov.ww.⟩ **0.1** [optekenen dmv. een instrument] *register* ⇒*record* **0.2** [waarnemen] *register* ⇒*record* **0.3** [in een register schrijven] *register* ⇒*record, enter, file, list, enrol/* ᴬ*roll* ⟨leerlingenlijst⟩, *log* **0.4** [⟨muz.⟩] *registrate* ◆ **1.1** een ~ de thermometer/barometer *a recording thermometer/barometer* **3.3** laten ~ *register* **6.3** zijn naam stond niet in het telefoonboek geregistreerd *his name was not listed in the telephone book.*
reglement ⟨het⟩ **0.1** *regulation(s)* ⇒*rule(s), order, code,* ⟨concr.⟩ *rule book, rules and regulations,* ⟨sport ook⟩ *laws* ⟨cricket⟩ ◆ **1.1** ~ van orde *code of order; standing orders* ⟨parlement e.d.⟩ **2.1** huishoudelijk ~ *regulations, rules (and regulations), by(e)-laws* **3.1** een ~ opstellen/herzien/wijzigen *draw up/review/modify (the) regulations/rules.*
reglementair ⟨bn., bw.⟩ **0.1** [v.h. reglement] *regulatory* ⇒*regulative* **0.2** [volgens het reglement] ⟨bn.⟩ *regulation* ⇒*perscribed, official,* ⟨bw.⟩ *according to the regulation(s)/rule(s)* ◆ **1.1** ~ e bepalingen *the stipulations/provisions/conditions of the rules* **1.2** de ~ e lichten die een schip moet voeren *the r. lights which a ship must have* **3.1** dat is ~ niet geoorloofd *that is against/not permitted by the rules;* iets ~ vaststellen *prescribe sth., make sth. a rule;* ⟨sport⟩ ~ winnen/verliezen *be declared the winner(s)/the loser(s).*
reglementeren ⟨ov.ww.⟩ **0.1** *regulate* ◆ **1.1** de handel/prostitutie ~ *r./impose regulations on trade/prostitution.*
reglementering ⟨de (v.)⟩ **0.1** *regulation.*
regres ⟨het⟩ **0.1** *recourse* ⇒*recovery, comeback, redress* ◆ **3.1** ~ hebben (tegen/op) *have recourse against/to;* ~ nemen (op) *take recourse*

(against), proceed against (s.o.) for recovery **6.1 behoudens** ~ *right of recovery withheld;* **zonder** ~ *without recourse, sans recours.*

regresrecht ⟨het⟩ **0.1** *right of recourse / recovery.*

regressie ⟨de (v.)⟩ **0.1** [teruggang] *regression* ⇒*reversion,* ⟨biol. ook⟩ *retrogression* ⟨plant, dier⟩ **0.2** [⟨statistiek⟩] *regression.*

regressief ⟨bn., bw.⟩ **0.1** *regressive* ⇒*retrogressive, retroactive* ⟨maatregelen⟩ ◆ **1.1** ⟨taal.⟩ regressieve assimilatie *regressive assimilation,* ⟨biol., psych.⟩ regressieve ontwikkeling *regressive development.*

regressievergelijking ⟨de (v.)⟩ ⟨statistiek⟩ **0.1** *regression equation.*

regulair ⟨bn.⟩ **0.1** *regular* ◆ **1.1** het ~e kristalstelsel *the r. crystal(line) system.*

regularisatie ⟨de (v.)⟩ **0.1** *regularization* ⇒*regulation.*

regularisatieslachtoffer ⟨het⟩ **0.1** *victim of Immigrant Workers Act.*

regularisatiewet ⟨de⟩ **0.1** *Appropriation Amendment Act.*

regulariseren ⟨ov.ww.⟩ **0.1** *regularize* ⇒*regulate.*

regulariteit ⟨de (v.)⟩ **0.1** *regularity.*

regulateur ⟨de (m.)⟩ **0.1** [onderdeel om een machine regelmatig te doen lopen] *regulator* ⇒*governor, controller* **0.2** [mbt. de toe-, afvoer van vloeistoffen / gassen] *regulator* **0.3** ⟨slingeruurwerk⟩ *regulator.*

regulatie ⟨de (v.)⟩ **0.1** [het reguleren, regeling] *regulation* ⇒*regularization* **0.2** [⟨med.⟩] *orthodontics* ⇒*orthodontic treatment.*

regulatief ⟨bn.⟩ **0.1** *regulative* ⇒*regulating, regulatory* ◆ **1.1** een regulatieve werking *a regulating effect.*

regulatiestof ⟨de (v.)⟩ **0.1** *regulatory / control substance.*

regulator ⟨de (m.)⟩ **0.1** [onderdeel om een machine regelmatig te doen lopen] *regulator* **0.2** [ordenende kracht] *regulator.*

reguleerbaar ⟨bn.⟩ **0.1** *adjustable, regulable.*

reguleren ⟨ov.ww.⟩ **0.1** *regulate* ⇒*regularize, control, adjust, correct* ◆ **1.1** ~de werking, factor *regulating effect / factor.*

regulering ⟨de (v.)⟩ **0.1** *regulation* ⇒*regularization, adjustment, correction.*

regulier¹ ⟨de (m.)⟩ **0.1** *regular.*

regulier² ⟨bn.⟩ **0.1** [geregeld] *regular* ⇒*orderly* **0.2** [volgens een kloosterregel levend] *regular* ◆ **1.1** ~e troepen *r. troops* **1.2** de ~e geestelijken *the r. clergy.*

regulist ⟨de (m.)⟩ **0.1** *operator.*

regurgitatie ⟨de (v.)⟩ ⟨med.⟩ **0.1** *regurgitation* ⇒*eructation.*

rehabilitatie ⟨de (v.)⟩ **0.1** [eerherstel] *rehabilitation* ⇒*vindication,* ⟨na faillissement⟩ *discharge* **0.2** [renovatie] *restoration* ⇒*rehabilitation, renovation* ⟨herstelbouw⟩, *renewal* ⟨nieuwbouw⟩ **0.3** [⟨med.⟩] *rehabilitation.*

rehabilitatiecentrum ⟨het⟩ **0.1** *rehabilitation centre, halfway house.*

rehabiliteren ⟨ov.ww.⟩ **0.1** [mbt. goede naam] *rehabilitate* ⇒*vindicate,* ⟨na faillissement⟩ *discharge* **0.2** [mbt. gebouw] *restore* ⇒*rehabilitate, renovate* ◆ **4.1** zich ~ *vindicate o.s., rehabilitate o.s. (in the eyes of s.o.).*

rei
I ⟨de (m.)⟩ **0.1** [personen] *chorus* ⇒*choir* **0.2** [koor(zang)] *chorus* **0.3** [(ronde)dans] *choral dance* ⇒*round dance* ◆ **3.1** de ~ aanvoeren *lead the chorus* ⟨ook fig.⟩; ⟨fig.⟩ *be the leader, set an example;*
II ⟨de⟩ **0.1** [rechte lat] *straightedge.*

reidans ⟨de (m.)⟩ **0.1** *choral dance* ⇒*round dance.*

reidansen ⟨onov.ww.⟩ **0.1** *dance in chorus.*

reien
I ⟨onov.ww.⟩ **0.1** [rei uitvoeren] *(dance in) chorus;*
II ⟨ov.ww.⟩ **0.1** [⟨scheep.⟩] *lash* **0.2** [hout recht en vlak schaven] *shoot, finish, smooth.*

reiger ⟨de (m.)⟩ **0.1** *heron* ◆ **2.1** de blauwe ~ *the grey h.* **8.1** ⟨vulg.⟩ schijten als een ~ *have the runs / trots.*

reigerachtigen ⟨zn.mv.⟩ **0.1** *Ciconiiformes.*

reigerbos
I ⟨de (m.)⟩ **0.1** [bos reigerveren] *heron plume / crest;*
II ⟨het⟩ **0.1** [bos waarin reigers nestelen] *wood where / in which herons nest.*

reigerkolonie ⟨de (v.)⟩ **0.1** *heronry.*

reigersbek ⟨de (m.)⟩ **0.1** *stork's bill* ◆ **2.1** gewone ~ *common stork's bill.*

reiken
I ⟨onov.ww.⟩ **0.1** [de hand uitstrekken] *reach* **0.2** [zich tot een grens uitstrekken] *reach* ⇒*stretch, extend, range* ◆ **1.2** ⟨fig.⟩ ver reikende doelstellingen, hoog reikende idealen *far-reaching aspirations, lofty ideals;* ⟨fig.⟩ zijn macht reikt niet zo ver *his power doesn't extend that far, that is beyond (the range of) his power(s);* zo ver het oog reikt *as far as the eye can see / reach;* haar stem reikt ver *her voice carries far* **5.2** verder ~ dan *outreach, outstretch; surpass* ⟨fig.⟩ **6.1** ⟨fig.⟩ hij wil met de hand **aan** de hemel ~ *he wants (to r. for) the moon / sky;* ~ **naar** r. *for, make a long arm for* **6.2** hij reikt **tot** mijn schouders *he reaches / comes up to my shoulders;* **tot** de knieën ~d *knee-length* ⟨kleding⟩; *knee-deep* ⟨water⟩; *knee-high* ⟨vanaf de grond gezien⟩;
II ⟨ov.ww.⟩ ◆ **1.¶** elkaar de hand ~ *hold out a hand to each other* ⟨ook fig.⟩; ⟨fig.⟩ *reach out to each other, offer / hold out an olive branch;* iem. de behulpzame hand ~ *extend a helping hand to s.o..*

reikhalzen ⟨onov.ww.⟩ **0.1** *yearn (for)* ⇒*long (for), hanker (for / after)* ◆

3.1 iets ~d tegemoet zien, ~d uitzien naar *long / y. for, eagerly look forward to* **6.1 naar** iets ~ *y. / long / hanker for sth..*

reikhoogte ⟨de (v.)⟩ **0.1** *(upward) reach* ⇒⟨van zaak ook⟩ *(upward) range, height.*

reikwijdte ⟨de (v.)⟩ **0.1** [bereik] *range* ⇒*scope, reach, extent, extension, radius* **0.2** [draagwijdte] *significance* ⇒*import, purport, implication* ◆ **1.2** zij kan de ~ van haar opmerking niet overzien *she cannot estimate the s. / implications / import of her remark.*

reilen ⟨ww.⟩ ◆ **1.¶** ⟨zelfst.⟩ het ~ en zeilen van zijn vrienden ⟨manier waarop men leeft⟩ *the life his friends lead;* ⟨handelingen⟩ *his friends' doings;* ⟨zelfst.⟩ het politieke ~ en zeilen *the ins and outs of politics;* ⟨pej.⟩ *political goings on* **3.¶** zoals het reilt en zeilt *lock, stock and barrel; as it stands.*

rein ⟨bn., bw.; -ly⟩ **0.1** [⟨schr.⟩ schoon] *clean* ⇒*immaculate, spotless* **0.2** [zedelijk zuiver] *pure* ⇒*clear, clean, undefiled, unsullied, immaculate* **0.3** [zuiver] *pure* ⇒*clear, sheer, perfect, absolute* ◆ **1.1** ~e handen *c. hands* **1.2** een ~ geweten *a clear conscience;* een ~e maagd *a p. / chaste maiden* **1.3** ~e culturen *pure cultures;* je ~ste onzin / bedrog *pure / utter / downright / sheer / absolute / perfect / unadulterated nonsense; deceit pure and simple;* ~ water *distilled water* **1.¶** ⟨rel.⟩ ~e dieren *clean animals* **3.2** ~ leven *lead a clean / p. life, live cleanly* **6.2** ~ van lichaam en geest *p. in body and mind.*

Reinaert (de Vos) ⟨lit.⟩ **0.1** *Reynard (the Fox).*

reïncarnatie ⟨de (v.)⟩ **0.1** [wedergeboorte] *reincarnation* **0.2** [⟨concr.⟩] *reincarnation* ◆ **1.2** een ~ v.d. boeddha *a r. of Buddha.*

reïncarnatieleer ⟨de (v.)⟩ **0.1** *doctrine of reincarnation.*

reïncarneren ⟨onov.ww.⟩ **0.1** *reincarnate.*

reïncultuur ⟨de (v.)⟩ ⟨biol.⟩ **0.1** *pure culture.*

reine ⟨het⟩ ◆ **6.¶** een zaak weer in het ~ brengen *sort / straighten a matter out, put matters straight / a matter to rights;* in het ~ komen *sort / straighten out;* met zichzelf nog niet in het ~ zijn *still have (moral) qualms, not have things straightened / sorted out for o.s., not yet have come to terms with o.s..*

reine-claude ⟨de⟩ **0.1** *greengage.*

reinheid ⟨de (v.)⟩ **0.1** *purity* ⇒*immaculacy, chastity, clean(li)ness* ◆ **1.1** de ~ van de lucht *the p. of the air* **2.1** hij leidde een leven van volkomen ~ *he led a life of perfect p. / chastity* **6.1** blinken **van** ~ *sparkle with cleanliness.*

reinigen ⟨ov.ww.⟩ **0.1** [ontdoen van vuil] *clean (up)* ⇒*wash, cleanse* ⟨wonden⟩, ⟨ceremonieel⟩ *purify* **0.2** [⟨fig.⟩] *cleanse* ⇒*purify, wash away, purge* ◆ **1.1** Mozes reinigde het altaar *Moses purified the altar;* een wond ~ *clean / cleanse a wound* **5.1** chemisch ~ *dry-clean* **6.2** iem. van zonden ~ *cleanse / purge s.o. of his sins, wash away s.o.'s sins.*

reiniging ⟨de (v.)⟩ **0.1** [het reinigen, gereinigd worden] *cleaning* ⇒*cleansing, washing, purification* **0.2** [reinigingsdienst] ⟨zie aldaar⟩ **0.3** [bevrijding van zonde] *cleansing* ⇒*purification, washing away* ◆ **2.1** biologische ~ van het afvalwater *biological purification of waste water;* chemische ~ *dry cleaning.*

reinigingscrème ⟨de⟩ **0.1** *cleansing cream /* ⟨in reclametaal vaak ook⟩ *creme.*

reinigingsdienst ⟨de (m.)⟩ **0.1** *sanitation / cleansing service / department* ⇒⟨AE ook⟩ *trash / garbage collection* ◆ **1.1** directeur v.d. ~ *director / head / superintendent of sanitation / the cleansing department* **6.1** hij is **bij** de ~ *he works for the sanitation / cleansing service / department, he is a dustman / ᴬtrash collector;* ⟨scherts.⟩ *he is a sanitation engineer.*

reinigingsmiddel ⟨het⟩ **0.1** *cleansing agent* ⇒*clean(s)er,* ⟨(af)wasmiddel⟩ *detergent.*

reinigingsrecht ⟨het⟩ **0.1** *refuse / ᴬgarbage collection rate.*

reinigingsvlucht ⟨de (v.)⟩ **0.1** *cleansing flight.*

reinigingswagen ⟨de (m.)⟩ **0.1** ᴮ*dustcart* ⇒ᴮ*dust van,* ᴬ*trash / garbage truck.*

reïntegratie ⟨de (v.)⟩ **0.1** *reintegration.*

reïntegreren ⟨ov.ww.⟩ **0.1** *reintegrate* ◆ **4.1** zich ~ *r..*

reïnterpretatie ⟨de (v.)⟩ **0.1** *reinterpretation.*

reïnterpreteren ⟨ov.ww.⟩ **0.1** *reinterpret.*

reis ⟨de⟩ **0.1** [tocht] *trip* ⇒*journey, voyage, passage* ⟨per boot⟩, *flight* ⟨per vliegtuig⟩ **0.2** [arrangement] *trip* ⇒*tour* ◆ **2.1** enkele ~ ᴮ*single,* ᴬ*one-way;* goede / voorspoedige ~ *have a good / safe / pleasant trip /* ⟨vnl. BE⟩ *journey;* ⟨vnl. bij lange reis⟩ *bon voyage;* de grote ~ aanvaarden *make the last journey;* dat is een hele ~ *that is quite a trek / t.;* een verre ~ *a distant journey* **2.2** onze Griekse ~ *our Greek trip / tour;* een geheel verzorgde ~ *a package tour / holiday* **3.1** de ~ aanvaarden *start (out) on / start one's t. / journey;* waar gaat de ~ heen? *where are you going / travelling?, where is your trip taking you?;* een ~ om de wereld maken *make / take a t. around the world* **6.1 op** ~ gaan *go on / set out on a t. / journey;* dat is handig voor **op** ~ *that is handy for travelling;* Spaans voor **op** ~ *Spanish for travellers;* **op** ~ zijn *be on a t., be travelling;* **op** ~ naar *on the way to.*

reisagent ⟨de (m.)⟩ **0.1** *travel agent.*

reisagentschap ⟨het⟩ ⇒*reisbureau.*

reisapotheek ⟨de (v.)⟩ **0.1** *first-aid kit.*

reisbenodigdheden ⟨zn.mv.⟩ **0.1** *travel(ling / ᴬing) / travellers' ᴬ-elers' items / ¹requisites* ⇒*needments.*

reisbeschrijving ⟨de (v.)⟩ **0.1** *travel story;* ⟨geschreven ook⟩ *travel book;* ⟨lezing, film⟩ *travelogue.*

reisbeurs ⟨de⟩ **0.1** *travel(ling)* ᴬ*el(ing) scholarship / grant.*

reisbevrachting ⟨de (v.)⟩ **0.1** *voyage chartering.*

reisbiljet ⟨het⟩ **0.1** *ticket.*

reisbureau ⟨het⟩ **0.1** *travel agency / agent's / bureau, tourist office / agency.*

reisbus ⟨de⟩ **0.1** *(motor) coach.*

reischarter ⟨het⟩ **0.1** *voyage charter (party).*

reischeque ⟨de (m.)⟩ **0.1** *traveller's* ᴬ*eler's check.*

reisdag ⟨de (m.)⟩ **0.1** [dag dat men op reis is] ᴮ*travel(ling) /* ᴬ*traveling day* ⇒*day of one's trip* **0.2** [dag waarop een schip vaart; tgov. ligdag] *day at sea.*

reisdeclaratie ⟨de (v.)⟩ **0.1** *expense account / sheet / claim.*

reisdeken ⟨de⟩ **0.1** *travelling* ᴬ*eling blanket / rug;* ⟨AE ook⟩ *lap robe.*

reisdeviezen ⟨zn.mv.⟩ **0.1** *foreign currency / money.*

reisdocumenten ⟨zn.mv.⟩ **0.1** *travel documents.*

reisdoel ⟨het⟩ **0.1** *destination.*

reis- en kredietbrief ⟨de (m.)⟩ **0.1** *circular letter of credit.*

reiservaring ⟨de (v.)⟩ **0.1** [ervaring in het reizen] ᴮ*travel(ling) /* ᴬ*traveling experience* **0.2** [gebeurtenis] *travel experience, experience on one's travels.*

reisexemplaar ⟨het⟩ **0.1** *preview copy.*

reisgeld ⟨het⟩ **0.1** *travel(ling)* ᴬ*el(ing) money* ⇒⟨uitgegeven⟩ *travel-(ling)* ᴬ*el(ing) expenses,* ⟨voor getuige / recruut⟩ *conduct money.*

reisgelegenheid ⟨de (v.)⟩ **0.1** [verbinding] *opportunity* **0.2** [vervoermiddel] *means of transport / conveyance* ⇒*transportation* ◆ **6.1 per** eerste ~ *by first train / plane (etc.), by the earliest o..*

reisgenoot ⟨de (m.)⟩, **-note** ⟨de (v.)⟩ **0.1** *travelling* ᴬ*eling companion* ⇒ *fellow traveller* ᴬ*eler.*

reisgezelschap ⟨het⟩ **0.1** [personen die samen reizen] *tour(ing) group / party;* ⟨in bus ook⟩ *coach party* **0.2** [het bijzijn van anderen] *company on a trip* ◆ **3.2** ~ gevraagd *travelling* ᴬ*eling companion sought, required: travelling* ᴬ*companion* **6.1 met** een ~ op vakantie gaan *go on* ᴮ*holiday / ᴬvacation with a group.*

reisgids ⟨de (m.)⟩ **0.1** [brochure] *travel brochure / leaflet* **0.2** [boek] *guide book, (travel) guide* **0.3** [persoon] *(travel) guide* ⇒*courier.*

reisherinnering ⟨de (v.)⟩ **0.1** [herinnering aan de reisbelevenissen] ⟨mv.⟩ *travel memories / reminiscences* **0.2** [souvenir] *memento / souvenir (from a trip).*

reiskleding ⟨de (v.)⟩ **0.1** ᴮ*travelling / ᴬtraveling clothes.*

reiskoffer ⟨de (m.)⟩ **0.1** ⟨ᴮ*travelling / ᴬtraveling*⟩ *case, suitcase;* ⟨groot⟩ ⟨ᴮ*travelling / ᴬtraveling*⟩ *trunk;* ⟨openslaand⟩ *portmanteau.*

reiskoorts ⟨de⟩ **0.1** [reislust] *wanderlust* ⇒*travel bug / urge, mania / craze for travelling* ᴬ*eling* **0.2** [opwinding] *travel nerves* ◆ **3.1** hij heeft de ~ *he's got the travel bug.*

reiskosten ⟨zn.mv.⟩ **0.1** *travelling* ᴬ*eling expenses* ◆ **1.1** reis- en verblijfkosten *travelling expenses and subsistence* **3.1** ~ declareren *apply for / charge one's t. e., submit one's expense account.*

reiskostenvergoeding ⟨de (v.)⟩ **0.1** [vergoeding van reiskosten] *refund-(ing) / reimbursement of travel(ling* ᴬ*ing) expenses* **0.2** [bedrag] *travelling* ᴬ*eling allowance.*

reislectuur ⟨de (v.)⟩ **0.1** *reading (matter) for a / the trip, sth. to read on the journey.*

reisleider ⟨de (m.)⟩, **-ster** ⟨de (v.)⟩ **0.1** *(travel / tour) guide* ⇒*courier* ◆ **1.1** een tocht met ~ *a guided tour.*

reislust ⟨de (m.)⟩ →**reiskoorts.**

reislustig ⟨bn.⟩ **0.1** *fond of / keen on travelling* ᴬ*eling;* ⟨inf.⟩ *travel-mad* ◆ **3.1** ~ zijn *be a devoted / real traveller;* ⟨inf.⟩ *be a globetrotter.*

reismand ⟨de⟩ **0.1** [mand voor een baby / huisdier] *baby / dog / cat* ⟨enz.⟩ *basket* **0.2** [rieten koffer] *(travel) basket.*

reisnecessaire ⟨de (m.)⟩ **0.1** *travel / dressing case* ⇒*vanity case* ⟨voor dames⟩.

reisorganisatie ⟨de (v.)⟩ **0.1** *travel organization / company* ⇒*tour operator.*

reisorganisator ⟨de (m.)⟩ **0.1** *tour operator.*

reispas ⟨de (m.)⟩ **0.1** *passport.*

reisplan ⟨het⟩ **0.1** *itinerary, route* ◆ **6.¶** ze loopt altijd rond met ~nen *she is forever planning trips / journeys.*

reisroute ⟨de (v.)⟩ **0.1** *travel route, itinerary.*

reissom ⟨de⟩ **0.1** *cost of the trip / journey.*

reistas ⟨de (m.)⟩ **0.1** [tas voor reisbenodigdheden] ᴮ*travel(ling) / ᴬtraveling bag / case* ⇒*holdall, carryall, valise, grip* **0.2** [toiletkoffer] *travel / dressing case.*

reistijd ⟨de (m.)⟩ **0.1** [duur van een reis] *travelling* ᴬ*eling time* **0.2** [⟨mv.⟩ reisschema] *arrival and departure times* ⇒*arrivals and departures* ◆ **2.¶** de beste ~ voor Egypte *the best time to go to Egypt.*

reisvaardig ⟨bn.⟩ **0.1** *ready to leave / to set out / to go* ◆ **3.1** zich ~ maken *get ready to leave.*

reisverbod ⟨het⟩ **0.1** *travel ban* ◆ **3.1** het ~ opheffen *lift the ban on travel.*

reisvereniging ⟨de (v.)⟩ **0.1** *travel club.*

reisvergoeding ⟨de (v.)⟩ **0.1** *traveling* ᴬ*eling allowance.*

reisvergunning ⟨de (v.)⟩ **0.1** *travel permit.*

---

reisverhaal ⟨het⟩ →**reisbeschrijving.**

reisverkeer ⟨het⟩ **0.1** *(holiday / tourist) traffic* ⇒*travellers* ᴬ*elers.*

reisverslag ⟨het⟩ **0.1** *travel report / account, report of a journey;* ⟨als dagboek⟩ ᴮ*holiday / ᴬvacation diary.*

reisvervrachting ⟨de (v.)⟩ **0.1** *voyage chartering.*

reisverzekering ⟨de (v.)⟩ **0.1** *travel insurance.*

reiswagen ⟨de (m.)⟩ **0.1** [⟨gesch.⟩ koets] *(stage-)coach* **0.2** [woonwagen] *caravan* ⇒*camper* **0.3** [autobus] *(motor)coach* **0.4** [auto] *tourer, touring car.*

reiswekker ⟨de (m.)⟩ **0.1** *travelling* ᴬ*eling alarm (clock).*

reiswereld ⟨de⟩ **0.1** *travel business / sector.*

reiswezen ⟨het⟩ **0.1** *travel business / sector.*

reiswieg ⟨de (v.)⟩ **0.1** *carry cot* ⇒*portable crib, baby basket.*

reiswijzer ⟨de (m.)⟩ **0.1** *travel booklet / brochure.*

reïteratie ⟨de (v.)⟩ **0.1** *reiteration.*

reïteratief ⟨bn., bw.⟩ **0.1** *reiterative.*

reizen ⟨onov.ww.⟩ **0.1** [een reis ondernemen] *travel* ⇒*take a / go on a trip /* ⟨vnl. BE⟩ *journey, tour* **0.2** [klanten bezoeken] *be a travelling* ᴬ*eling salesman* ⇒⟨vnl. BE⟩ *travel* ◆ **3.1** hij gaat ~ *he's almost gone, he's about to go (over);* ~ en trekken ᴮ*travelling,* ᴬ*traveling, being on the go* **5.1** op en neer ~ *commute, travel up and down;* zij hebben veel gereisd ⟨ook⟩ *they have* ᴮ*travelled / ᴬtraveled widely;* vrij ~ hebben *travel (for) free / gratis* **6.1 per** spoor / **te** voet ~ *travel by train / on foot;* het ~ **per** vliegtuig *air travel, travel by air;* **voor** zaken / **voor** je plezier ~ *travel for business / pleasure* **6.2** hij reist **in** wijn *he travels / is a* ᴮ*travelling / ᴬtraveling salesman in wine.*

reizend ⟨bn.⟩ **0.1** [op reis zijnde] ᴮ*travelling,* ᴬ*traveling* ⇒*touring* **0.2** [van plaats tot plaats gaand] ᴮ*travelling,* ᴬ*traveling* ⇒*touring, itinerant* ◆ **1.1** het ~ publiek ⟨ook⟩ ᴮ*travellers,* ᴬ*travelers* **1.2** een ~e tentoonstelling a ᴮ*travelling / ᴬtraveling / mobile / touring exhibition;* een ~ toneelgezelschap a ᴮ*travelling / ᴬtraveling / an itinerant / a touring theatre group, a theatre group on tour.*

reiziger ⟨de (m.)⟩, **-ster** ⟨de (v.)⟩ **0.1** [iem. die reist, toerist] ᴮ*traveller,* ᴬ*traveler, passenger* ⇒*tourist* **0.2** [handelsreiziger] *(commercial)* ᴮ*traveller / ᴬtraveler,* ᴮ*travelling / ᴬtraveling salesman* ◆ **6.1** ~s **naar** Londen hier overstappen *passengers for London change here.*

reizigerskilometer ⟨de (m.)⟩ ⟨verkeer⟩ **0.1** ≠*seat mile.*

reizigersprovisie ⟨de (v.)⟩ **0.1** *(salesman's) commission / percentage.*

reizigerstrein ⟨de (m.)⟩ **0.1** *passenger train.*

reizigersverkeer ⟨het⟩ **0.1** *passenger traffic* ⇒⟨van toeristen⟩ *tourist traffic.*

reizigersvervoer ⟨het⟩ **0.1** *passenger transport.*

rejectie ⟨de (v.)⟩ **0.1** [verwerping] *rejection* **0.2** [oprisping bij het herkauwen] *rejection.*

rek

I ⟨het⟩ **0.1** [latwerk, stelling] *rack* ⇒*shelves* ⟨mv.⟩ **0.2** [gymtoestel] *climbing rack* ◆ **6.1** de tijdschriften liggen **in** de ~ken *the periodicals are in the racks / on the shelves;*

II ⟨de (m.)⟩ **0.1** [rekbaarheid] *elasticity* ⇒*give,* ⟨fig.⟩ *flexibility* **0.2** [⟨tech.⟩ vervorming] *strain* ◆ **3.1** de ~ is er uit *there's little flexibility / little room for manoeuvre / ᴬmaneuver left, the options are limited now, things have become quite rigid;* daar zit geen ~ in *it has no e. / give;*

III ⟨het, de (m.)⟩ **0.1** [lange tijdruimte] *long time / stretch* ◆ **2.1** van september tot Kerst is een hele ~ *it's a long time / stretch / haul from September to Christmas.*

rekbaar ⟨bn.⟩ **0.1** *elastic* ⇒*stretchy* ◆ **1.1** een ~ begrip *an e. / a broad notion, a notion open to interpretation;* ⟨fig.⟩ een rekbare bepaling *an e. / a broad rule, a rule open to interpretation;* ⟨fig.⟩ hij heeft een ~ geweten *he has an e. conscience.*

rekbaarheid ⟨de (v.)⟩ **0.1** *elasticity* ⇒*flexibility, stretch.*

rekel ⟨de (m.)⟩ **0.1** [deugniet] *rascal, rogue, scamp* **0.2** [mannetjesdier] *(male) dog* ⇒*dog (fox), male* ◆ **2.1** brutale ~! *little rascal!, impudent pup!, cheeky devil!*

rekenaar ⟨de (m.)⟩, **-ster** ⟨de (v.)⟩ **0.1** *arithmetician* ⇒*calculator* ◆ **2.1** dat is een knap ~ *he / she is very good at figures / clever with numbers / in arithmetic;* dat is een vlugge ~ *he / she is very quick at figures / in arithmetic.*

rekenarij ⟨de (v.)⟩ ⟨inf.⟩ **0.1** *calculation* ⇒*calculating* ◆ **2.1** dat is een hele ~ *that's quite a calculation.*

rekenautomaat ⟨de (m.)⟩ **0.1** *calculator* ⇒*computer.*

rekenboek ⟨het⟩ **0.1** *arithmetic book.*

rekencentrum ⟨het⟩ **0.1** *computer / computing centre.*

rekeneenheid ⟨de (v.)⟩ **0.1** *monetary unit, unit of account.*

rekenen

I ⟨onov.ww.⟩ **0.1** [met getallen werken] *figure* ⇒*do sums / figures, calculate, reckon* **0.2** [de rekening opmaken] *figure* ⇒*add / tally up* **0.3** [schatten] *estimate* ⇒*value / put / figure at* **0.4** [rekening houden met] *consider* ⇒*include, take into consideration / account* **0.5** [vertrouwen] *rely* ⇒*count / depend on, trust* **0.6** [⟨+op⟩ verwachten] *expect, bargain for, reckon with* ◆ **1.1** ⟨zelfst.⟩ twee uur ~ *two hours of arithmetic* **3.1** ik heb even zitten ~, maar het wordt een heel bedrag *I've done some figuring, but it comes to quite a sum* **5.4** daar had ik niet op gerekend *I* *hadn't counted on that / taken that into consideration / expected that;* daar mag je wel mee ~ *you'd better take that into account* **5.¶** daar zou ik niet te veel op ~ ⟨inf.⟩ *I shouldn't wager on that;* ik had er niet op gerekend dat zij ook zou komen *I had not bargained for / reckoned with her coming too* **6.1 met / in** guldens / franken ~ *calculate in / reckon by guilders / francs;* te ~ **van** vandaag *counting from today* **6.2** maar hij had **buiten** de waard gerekend *but there was one thing he had not reckoned with;* **naar** zich toe ~ *f. to one's advantage* **6.3** de schade op f600,- ~ *e. I put the damage at 600 guilders* **6.4** ~ **op** drie uur vertraging *count on three hours' delay* **6.5** kan ik **op** je ~? *can I count / depend / r. on you?;* reken maar niet **op** ons *count us out* **6.¶ op** steun v.d. overheid ~ *look to the Government for assistance* **¶.1** uit het hoofd ~ *do mental arithmetic / sums in one's head;* door elkaar gerekend *on the / an average;*

II ⟨ov.ww.⟩ **0.1** [tellen] *count* **0.2** [vragen] *charge* ⇒*want, ask* **0.3** [begrijpen onder] *count* ⇒*consider, number, figure, rate* **0.4** [achten] *consider* ⇒*count (up)on* **0.5** [in aanmerking nemen] *bear in mind, remember* ⇒*count, allow for,* ⟨vnl. AE⟩ *figure* **0.6** [veronderstellen] *assume, take it* ◆ **1.5** zonder zijn moeite te ~ *not allowing for / counting his trouble* **4.1** alles bij elkaar gerekend *all told, including everything* **4.4** ik reken mij bevoegd om ... *I reckon I'm / I consider myself qualified to ...* **5.2** hoeveel rekent u daarvoor? *how much do you charge / want for that?;* te veel ~ *overcharge* **5.5** reken maar! *you bet!, count on it!* **6.2** ergens niets **voor** ~ *make no charge for sth.* **6.3** men kan hem **tot / onder** de grootste geleerden ~ *he can be counted as one of / numbered / rated among the greatest scholars* **8.5** als je rekent dat het een uur rijden is *bearing in mind that it's an hour's drive* **8.6** reken dat hij komt, dan zijn we met z'n dertienen *assuming that he comes, there will be thirteen of us.*

rekenfout ⟨de⟩ **0.1** *miscalculation, arithmetical / computational error.*

Rekenhof ⟨het⟩ ⟨AZN⟩ **0.1** *audit / auditor's office.*

rekening ⟨de (v.)⟩ ⟨→sprw. 514⟩ **0.1** [nota] *bill;* ⟨AE ook⟩ *check* ⇒*invoice* **0.2** [staat met debet- en creditzijde] *account* **0.3** [manier van rekenen] *calculation* ⇒*computation* **0.4** ⟨⟨+voor⟩ op kosten / ter verantwoording van de genoemde] *expense* **0.5** [gissing] *reckoning* ⇒*estimate* ◆ **1.1** ⟨fig.⟩ het kind v.d. ~ zijn *be the dupe / loser / victim, be left holding the baby* **1.¶** ~ en verantwoording doen *give (an) account of* **2.1** een hoge ~ *a steep b.* **2.2** een gezamenlijke ~ *a joint a.;* een lopende ~ *current a.,* ᴮ*credit / charge a.* **2.4** voor eigen ~ *at one's own expense, out of one's own pocket, on one's own account* **3.1** ober, mag ik de ~? *waiter, may I have the b. / settle up please?;* iem. de ~ ⟨voor iets] presenteren *demand satisfaction;* een ~ schrijven / afdoen *write / settle a b.;* een ~ sturen *send in a b., bill* ⟨iem.⟩*;* een ~ voor voldaan tekenen *receipt a b.* **3.2** de ~ vereffenen met iem. ⟨ook fig.⟩ *settle / square accounts / settle matters with s.o.* **3.¶** ~ houden met iets *bear sth. in mind, reckon with / allow for sth., take sth. into account / consideration;* ⟨verdisconteren⟩ *discount;* geen ~ houden met iets ⟨ook⟩ *overlook sth.;* geen ~ houden met iets *leave sth. out of account, take no account of / disregard sth.;* ze houdt ~ met de buren *she is considerate of the neighbours;* je moet een beetje ~ houden met je ouders *you should have / show some consideration for your parents;* ⟨fig.⟩ een oude ~ vereffenen *pay off an old grudge, settle an old score* **4.5** naar mijn ~ moet hij nu thuis zijn *by my r. he should be home / by now* **6.2** iem. iets in ~ brengen *charge sth. to s.o., charge s.o. for sth.;* **op** ~ kopen *buy on a. / credit / ⟨BE;inf.⟩ tick;* **op** ~ van *at the expense of;* ⟨fig.⟩ iets **op** iemands ~ schrijven *put sth. down to s.o.;* dat is **voor** mijn ~ *I'll get the bill, that's for me;* ⟨fig. ook⟩ *I'll take care of that, leave that to me* **6.4** dat is geheel **voor** ~ van de schrijver *that is (entirely) the author's view* **6.¶** ⟨fig.⟩ dat is een steep *door de* ~ *that upsets the applecart / throws a spanner in the works;* ⟨fig.⟩ per slot **van** ~ *after all;* ⟨uiteindelijk⟩ *ultimately, in the last / final analysis;* ⟨alles wel beschouwd⟩ *all things considered;* de V.S. nemen 35% van het wereldverbruik van vlees **voor** hun ~ *the U.S. account for 35% of the world's meat consumption.*

rekening-courant ⟨de (v.)⟩ **0.1** *account current, current / running account* ◆ **6.1** in ~ staan *have a current / running account;* gelden / kredieten in ~ *monies / credits on current account.*

rekeninghouder ⟨de (m.)⟩, **-ster** ⟨de (v.)⟩ **0.1** *account holder.*

rekeningnummer ⟨het⟩ **0.1** *account number.*

rekeningseenheid ⟨de (v.)⟩ **0.1** *monetary unit, unit of account.*

rekeninstallatie ⟨de (v.)⟩ **0.1** *work station* ⇒*computer system.*

Rekenkamer ⟨de⟩ **0.1** *audit / auditor's office* ◆ **1.1** President v.d. ~ *Auditor General, General Auditor.*

rekenkunde ⟨de (v.)⟩ **0.1** *arithmetic* ⇒⟨inf.⟩ *maths.*

rekenkundig ⟨bn., bw.⟩ **0.1** *arithmetic(al)* ◆ **1.1** ~e bekwaamheid *a. / numerical skill, skill with figures;* ~e evenredigheid *a. proportion;* ~ gemiddelde *a. mean, an average;* ~e reden *a. ratio;* ~e reeks *a. series;* een ~ vraagstuk / een ~ oplossing *an arithmetic problem / solution.*

rekenkunstje ⟨het⟩ **0.1** [voor snelle oplossing] *quick / ready formula;* ⟨pej.⟩ *financial sleight of hand, juggling with figures.*

rekenlat ⟨de⟩ ⟨inf.⟩ **0.1** *slide rule.*

rekenles ⟨de⟩ **0.1** *arithmetic lesson / class, maths.*

rekenliniaal ⟨de⟩ **0.1** *slide rule.*

rekenmachine ⟨de (v.)⟩ **0.1** *calculator* ⇒*adding machine,* ⟨elektronisch⟩ *computer.*

rekenmethode ⟨de (v.)⟩ **0.1** *arithmetic method.*

rekenmunt ⟨de⟩ **0.1** *monetary unit.*

rekenopgave ⟨de⟩ **0.1** *sum,* ⟨mv. ook⟩ *number work.*

rekenorgaan ⟨het⟩ **0.1** *arithmetic section / unit.*

rekenplichtig ⟨bn.⟩ **0.1** *accountable* ⇒*responsible.*

rekenplichtige ⟨de (m.)⟩ ⟨jur.⟩ **0.1** *accountable / responsible party.*

rekenplichtigheid ⟨de (v.)⟩ **0.1** *accountability* ⇒*responsibility.*

rekenraam ⟨het⟩ **0.1** *abacus.*

rekenschap ⟨de (v.)⟩ **0.1** *account* ⇒*explanation* ◆ **1.1** ~ en verantwoording afleggen *give / render a. for / account for / justify one's conduct / actions* **3.1** ~ afleggen / geven / vragen / eisen *give / render / ask / demand an a. / explanation;* ik ben u geen ~ verschuldigd *I'm not answerable to you, I don't owe you an / explanation* **3.¶** zich ~ van iets geven *give / render a. of sth., account for / justify / explain one's conduct / actions.*

rekenschijf ⟨de⟩ **0.1** *circular slide rule.*

rekensom ⟨de⟩ **0.1** [vraagstuk, oplossing] *sum;* ⟨mv. ook⟩ *number work* **0.2** ⟨⟨fig.⟩ iets dat men kan becijferen] *problem* ⇒*question* ◆ **2.2** het is een eenvoudig ~ metje *it's simple p. / question.*

rekentaal ⟨de⟩ **0.1** *computer language.*

rekentabel ⟨de⟩ **0.1** *(ready) reckoner* ⇒*conversion table.*

rekentafel ⟨de⟩ **0.1** [omrekentafel] *conversion table* ⇒*(ready) reckoner* **0.2** [afdeling v.d. Rekenkamer] *audit section / department.*

rekentijd ⟨de (m.)⟩ **0.1** *computer time.*

rekentuig ⟨het⟩ **0.1** *calculator* ⇒⟨elektronisch⟩ *computer.*

rekenwerk ⟨het⟩ **0.1** *calculations, arithmetical work.*

rekenwonder ⟨het⟩ **0.1** *genius,* ⟨inf.⟩ *whiz-kid with numbers / figures* ⇒*arithmetic / mathematic whiz-kid / genius, walking computer.*

rekest ⟨het⟩ **0.1** *petition* ◆ **3.1** een ~ opstellen / indienen *(frame / serve / deliver / submit a) petition* **6.1** ⟨meestal fig.⟩ nul op het ~ krijgen *be turned down, come away empty-handed.*

rekestrant ⟨de (m.)⟩ **0.1** *petitioner* ⇒*suppli(c)ant.*

rekestreren
I ⟨onov.ww.⟩ **0.1** [een verzoekschrift indienen] *(submit a) petition;*
II ⟨ov.ww.⟩ **0.1** [bij verzoekschrift vragen] *petition.*

rekgrens ⟨de⟩ **0.1** *yield / breaking point.*

rekkelijk ⟨bn., bw.⟩ **0.1** [goed gerekt kunnende worden] *elastic* ⇒*ductile* ⟨metalen⟩*, extensible, extendible, extensile,* ⟨buigzaam⟩ *flexible, pliable* **0.2** [inschikkelijk] *flexible* ⇒*pliable, amenable* **0.3** [verdraagzaam] *moderate* ◆ **1.1** ~ leer *flexible / pliable leather* **3.2** ~ van aard zijn *be f.* **7.3** ⟨zelfst.⟩ ⟨gesch.⟩ de ~ en de preciezen *the moderates and the (strictly) orthodox.*

rekken
I ⟨onov.ww.⟩ **0.1** [langer / wijder (kunnen) worden] *stretch* **0.2** [in galop rijden] *gallop (at full stretch)* **0.3** [kwaken] *quack* ◆ **1.1** dat elastiek rekt niet goed meer *that (piece of) elastic has lost its stretch;* het leer moet nog wat ~ *the leather still has to s. a bit / be broken / be worn in;*
II ⟨ov.ww.⟩ **0.1** [uitstrekken] *stretch* **0.2** [door trekken wijder maken] *stretch (out)* ⟨schoenen, linnen⟩ ⇒*draw out* ⟨metalen⟩ **0.3** [langer doen duren] *stretch / drag / draw out* ⇒*prolong* ⟨onderhandelingen, leven⟩*, spin out, protract* ⟨bezoek⟩ **0.4** ⟨taal.)] *lengthen* ◆ **1.1** ⟨AZN⟩ de benen ~ *s. one's legs;* de spieren ~ *s. one's muscles* **1.3** de avond ~ *drag / spin out the evening;* de besluitvorming ~ *prolong / drag / draw out the decision-making process;* een gesprek ~ *drag / draw / spin out a conversation;* het leven v.e. stervende ~ *prolong a dying person's life;* de tijd ~ *stall, delay, drag things out, run out the clock* ⟨voetbal⟩ **4.1** zich ~ *stretch (out).*

rekker ⟨de (m.)⟩ **0.1** [rekinstrument] *stretcher* **0.2** [iets dat rekken kan] *stretcher* ⇒*extender* **0.3** ⟨AZN⟩ *elastiekje, elastic (band).*

rekkerig ⟨bn.⟩ **0.1** [geneigd zich te rekken] *yawny* ⇒*sleepy, droopy* **0.2** [lijmerig] *sticky* ⇒*gluey, gooey.*

rekking ⟨de (v.)⟩ **0.1** [het rekken] *stretching* ⇒*tension* **0.2** [trekspanning] *residual / internal stress* **0.3** ⟨⟨scheep.⟩ bindsel om touw heen] *racking, seizing.*

rekkracht ⟨de⟩ **0.1** *tension.*

rekortan ⟨het⟩ **0.1** *all-weather composite.*

rekristallisatie ⟨de (v.)⟩ **0.1** *recrystallization.*

rekristalliseren ⟨onov.ww.⟩ **0.1** *recrystallize.*

rekruteren ⟨ov.ww.⟩ **0.1** *recruit.*

rekrutering ⟨de (v.)⟩ **0.1** *recruitment.*

rekruut ⟨de (m.)⟩ **0.1** *recruit* ◆ **2.1** exercerende rekruten *drilling recruits;* goedgekeurde rekruten *accepted / able-bodied recruits.*

rekspanning ⟨de (v.)⟩ **0.1** *tensile stress.*

rekstok ⟨de (m.)⟩ ⟨sport⟩ **0.1** *horizontal / high bar* ◆ **6.1** de reuzenzwaai **aan** de ~ *the grand circle on the h. b.*

rekverband ⟨het⟩ **0.1** [verband] *bandage used in traction* **0.2** [elastisch verband] *(elastic) bandage.*

rekwest →**rekest.**

rekwestrant →**rekestrant.**

rekwestreren →**rekestreren.**

rekwirant ⟨de (m.)⟩ **0.1** [eiser] *claimant* ⇒⟨jur.⟩ *plaintiff* **0.2** [lastgever] *requisitioner*.

rekwirent ⟨de (m.)⟩ **0.1** *researcher* ⇒*investigator*.

rekwireren ⟨ov.ww.⟩ **0.1** *requisition* ⇒*put/call into/lay under requisition,* ⟨jur.⟩ *demand* ◆ **1.1** hulp~ *r. help;* vrijspraak ~ *demand (an) acquital.*

rekwisiet ⟨het⟩ **0.1** [toneelattribuut] *(stage-) property* ⇒⟨inf.⟩ *prop* **0.2** [vereiste, voorwaarde] *requisite.*

rekwisiteur ⟨de (m.)⟩ **0.1** *property man* ⇒⟨inf.⟩ *props.*

rekwisitie ⟨de (v.)⟩ **0.1** *requisition* ◆ **3.1** ~(s) doen *requisition, lay under r., call/put into r..*

rekwisitiestelsel ⟨het⟩ **0.1** *requisition system.*

rekwisitoor →**requisitoir.**

rel ⟨de (m.)⟩ **0.1** [opstootje] *row* ⇒*flap, disturbance, dustup, riot* **0.2** [het kletsen] *blabber(ing)* ⇒*chatter(ing), babble, blather(ing), jabber(ing)* ◆ **3.1** een ~ schoppen/trappen *kick up/cause a row/disturbance/* ⟨inf.⟩ *bust-up* **6.1** de demonstratie eindigde in een ~ met de politie *the demonstration turned into a clash with the police* **6.2** hij praatte in één ~ door *he just kept blabbering/blabbing on.*

relaas ⟨het⟩ **0.1** [betoog] *account* ⇒*story, tale, narrative* **0.2** [rapport] *account* ⇒*report, record* ◆ **1.1** ⟨jur.⟩ ~ van registratie *registration account/report;* het ~ van zijn reis *the story of his trip* **2.1** een droevig ~ *a sad tale/story* **3.1** zijn ~ doen *tell one's story;* ⟨inf.⟩ *give/do one's spiel;* een uitvoerig ~ geven *van give a complete/extensive/full a. /report;* zijn ~ onderbreken *interrupt one's a.* **3.2** een ~ opmaken *draw up an a. / a report.*

relais ⟨het⟩ **0.1** [heruitzending] *relay* **0.2** [⟨elektriciteit⟩] *relay* **0.3** [pleisterplaats] *stage* ⇒*staging post/inn.*

relaisschakeling ⟨de (v.)⟩ **0.1** *relay connection.*

relaisstation ⟨het⟩⟨elek.⟩ **0.1** *relay station* ⇒*link transmitter.*

relaiszender ⟨de (m.)⟩ **0.1** *relay station.*

relaps ⟨de (m.)⟩ **0.1** *relapse.*

relateren ⟨ov.ww.⟩ **0.1** [in verband brengen met] *relate* ⇒*connect* **0.2** [⟨jur.⟩] *relate* ⇒*set forth* ◆ **6.1** iets ~ aan *relate sth. to.*

relatie ⟨de (v.)⟩ **0.1** [betrekking waarin personen, zaken tot elkaar staan] *relation(s)* ⇒*connection, relationship* **0.2** [liefdesverhouding] *affair* ⇒*relationship* **0.3** [persoon, firma] *relation(s)* ⇒*connection, contact* ◆ **2.1** goede ~s hebben *have good relations;* lineaire ~s *linear relationships;* persoonlijke/zakelijke ~s *personal/business connections/contacts* **2.2** een hechte ~ *a close/serious relationship* **2.3** een bevriende ~ *a friendly relation* **3.1** ~s met iem. aanknopen *enter into relations with s.o.;* ~s onderhouden (met) *maintain relations (with)* **3.2** een ~ hebben met iem. *have a relationship/an a. / carry on an a. with s.o.* **6.1** in ~ staan tot/met iem. *have relations with;* de ~ van deze feiten tot elkaar *the (inter) relationship of these facts.*

relatief¹ ⟨het⟩⟨taal.⟩ **0.1** *relative (pronoun).*

relatief² ⟨bn., bw.⟩ **0.1** [betrekkelijk] *relative* ⇒*comparative* **0.2** [beperkt] *relative* ⇒*limited* ◆ **1.1** een ~ begrip *a r. notion;* ⟨taal.⟩ een relatieve bijzin *a r. clause;* dat heeft slechts relatieve waarde *that has relatively limited value* **3.1** ~ gezien *comparatively speaking* **5.1** ~ hebben zij het nog goed gedaan *all things considered they did a good job.*

relatiegeschenk ⟨het⟩ **0.1** *business present/gift* ⇒⟨inf.⟩ *perk.*

relatieprobleem ⟨het⟩ **0.1** *relational problem* ⇒*problem/difficulty with relationships.*

relatietherapie ⟨de (v.)⟩ **0.1** *relational therapy.*

relatietraining ⟨de (v.)⟩ **0.1** *relationship training.*

relatievorming ⟨de (v.)⟩ **0.1** *entering into relations* ⟨zakelijk, politiek⟩ ⇒*starting a relationship, development of a relationship* ⟨persoonlijk⟩.

relationisme ⟨het⟩⟨fil.⟩ **0.1** *relationism* ⇒*relativism.*

relativeren ⟨ov.ww.⟩ **0.1** *relativize* ⇒*put in perspective.*

relativering ⟨de (v.)⟩ **0.1** [het relativeren] *relativization* **0.2** [relativerende opmerking] *in perspective relativization.*

relativisme ⟨het⟩ **0.1** [opvatting, leer] *relativism* **0.2** [relativering] *relativization* ⇒*putting in perspective.*

relativistisch ⟨bn.⟩ **0.1** [mbt. het relativisme] *relativistic* **0.2** [volgens het relativiteitsprincipe] *relativistic.*

relativiteit ⟨de (v.)⟩ **0.1** [betrekkelijkheid] *relativity* **0.2** [⟨nat.⟩] *relativity* **0.3** [⟨jur.⟩] *relationship.*

relativiteitstheorie ⟨de (v.)⟩⟨nat.⟩ **0.1** *theory of relativity* ◆ **2.1** de algemene ~ *the theory of general relativity;* de speciale ~ *the theory of special relativity.*

relativum ⟨het⟩⟨taal.⟩ **0.1** *relative pronoun.*

relaxatie ⟨de (v.)⟩ **0.1** [⟨med.⟩] *relaxation* **0.2** [ontspanning] *relaxation* **0.3** [vertraagde reactie] *relaxation.*

relaxed ⟨bn., bw.⟩ **0.1** *relaxed* ⇒*cool, laid-back.*

relaxen ⟨onov.ww.⟩ **0.1** [zich ontspannen] *relax* ⇒*take it easy* **0.2** [⟨euf.⟩ mbt. seks] *have/be given/shown a good time* ⇒*be shown the ways of the world, get pampered.*

relayeren ⟨ov.ww.⟩ **0.1** *relay.*

releasen ⟨ov.ww.⟩ **0.1** *release.*

relegatie ⟨de (v.)⟩ **0.1** [⟨jur.⟩] *relegation* ⇒*banishment, exile* **0.2** [verwijdering van een universiteit, hogeschool] *rustication* ⇒*expulsion.*

relevant ⟨bn.⟩ **0.1** [ter zake] *relevant* ⇒*germain, adrem* **0.2** [van betekenis] *relevant* ◆ **1.1** die vraag is niet ~ *that question is irrelevant/is not to the point* **1.2** ~ e opmerkingen *r. / appropriate remarks* **6.2** dat is een standpunt dat ~ is voor mijn argument *that point is r. / germain/material to my argument.*

relevantie ⟨de (v.)⟩ **0.1** [belang] *relevance* **0.2** [het toepasselijk, toepasbaar zijn] *relevance* ⇒*pertinence, pertinency, materiality.*

relevatie ⟨de (v.)⟩ **0.1** *discharge.*

releveren
I ⟨ov.ww.⟩ **0.1** [aandacht vestigen op] *bring/point out* ⇒*point to, bring to the fore, draw attention to* **0.2** [ontheffen] *discharge* ◆ **1.1** een zaak ~ *draw attention to a matter, bring a matter to the fore;*
II ⟨onov.ww.⟩ **0.1** [afhankelijk zijn] *depend (upon).*

relict ⟨het⟩ **0.1** *relic.*

reliëf ⟨het⟩ **0.1** [het uitsteken boven iets] *relief* **0.2** [⟨fig.⟩ contrast, nadruk] *relief* ⇒*contrast* **0.3** [uitspringend beeldwerk] *relief* ⇒*relieve* **0.4** [natuurlijke oneffenheid] *relief* ◆ **1.1** het ~ v.e. vestingwerk *the r. of a fortress* **2.4** het geografisch ~ *geographic r.* **3.2** aan een zaak meer ~ geven *draw attention to/emphasize a matter, bring/point a matter* **6.1** voorstellingen in ~ *representation/image in r.;* in ~ bewerkte vlakken *surfaces in r., relieved surfaces;* in ~ brengen *raise* ¶.1 en ~ *in r..*

reliëfdruk ⟨de (m.)⟩ ⟨druk.⟩ **0.1** [hoogdruk] *die-stamp printing* **0.2** [brailledruk] *braille (printing).*

reliëfkaart ⟨de⟩ **0.1** *relief map.*

reliëfperspectief ⟨het⟩ **0.1** *relief perspective.*

reliëfstip ⟨de⟩ **0.1** *raised dot.*

reliëfwerk ⟨het⟩ **0.1** *relief work, raised work* ⇒*embossing.*

reliek ⟨het, de (v.)⟩ **0.1** *relic.*

reliekaltaar ⟨het, de (m.)⟩ **0.1** *reliquary altar.*

reliekhouder ⟨de (m.)⟩ **0.1** *reliquary.*

reliekschrijn ⟨het, de (m.)⟩ **0.1** *reliquary.*

religie ⟨de (v.)⟩ **0.1** [godsdienst] *religion* **0.2** [geloofsleer] *religion* ⇒*faith, belief* ◆ **1.2** vrijheid van ~ *freedom of r.* **2.1** ⟨fig.⟩ een esthetische/een politieke ~ *an aesthetic/political philosophy* **2.2** de christelijke/de gereformeerde ~ *the Christian/Reformed faith.*

religieus¹ ⟨de (m.)⟩ **0.1** *religious* ⇒*monk,* ⟨vero.⟩ *religeux.*

religieus²
I ⟨bn.⟩ **0.1** [geestelijk] *religious* **0.2** [gebonden aan een kloosterregel] *religious* ◆ **1.2** het religieuze leven *(the) r. life;*
II ⟨bn., bw.⟩ **0.1** [godsdienstig] *religious* ⇒*spiritual, sacred, pious, devout* **0.2** [bovenzinnelijk] *religious* ⇒*reverential, spiritual* ◆ **1.2** een religieuze verering voor iem. koesteren *revere s.o., have a reverence for s.o., hold s.o. in awe.*

religieuze ⟨de (v.)⟩ **0.1** *nun* ⇒*religious,* ⟨vero.⟩ *religieuse.*

religievrede ⟨de⟩ **0.1** [toestand] *freedom of religion* ⇒*religious freedom* **0.2** [vredesverdrag] *treaty/act/agreement of religious freedom, treaty of religious tolerance.*

religiologie ⟨de (v.)⟩ **0.1** *comparative religion/theology.*

religiositeit ⟨de (v.)⟩ **0.1** *religiosity.*

relikwie
I ⟨de (v.)⟩ ⟨r.k.⟩ **0.1** [overblijfsel v.e. heilige] *relic* ⇒⟨vero.⟩ *halidom* ◆ **8.1** iets als een ~ bewaren *cherish sth. (as a religious r.), treasure sth.;*
II ⟨het⟩ **0.1** [dierbaar bezit] *treasure* ⇒*relic.*

relikwieënkastje ⟨het⟩ **0.1** *reliquary.*

relikwiekruis ⟨het⟩ **0.1** *reliquary cross.*

reling ⟨de⟩ **0.1** [leuning] *rail* **0.2** [hekwerk] *rail(ing)* ◆ **6.1** over de ~ hangen *hang over the r..*

relipop ⟨de (m.)⟩ **0.1** *religious rock music.*

rellen ⟨onov.ww.⟩ **0.1** *babble* ⇒*blab, jabber, chatter.*

rellenbrigade ⟨de (v.)⟩ **0.1** *riot squad/police.*

rellerig ⟨bn., bw.⟩ **0.1** *riotous* ⇒*obstreperous.*

relletje ⟨het⟩ **0.1** [opstootje] *row* ⇒*fracas, disturbance, fray* **0.2** [⟨mv.⟩ ongeregeldheden] *riot* ⇒*disruption, disturbance* **0.3** [⟨geldw.⟩] *run.*

relnicht ⟨de (v.)⟩ **0.1** *militant homosexual.*

relschopper ⟨de (m.)⟩ **0.1** *rioter* ⇒*troublemaker,* ⟨BE ook; inf.⟩ *tearaway.*

reltrapper ⟨de (m.)⟩ →**relschopper.**

rem ⟨de⟩ **0.1** [toestel om iets te stoppen] *brake* **0.2** [⟨fig.⟩ belemmering] *brake* ⇒*check, drag, block, obstacle, restraint* **0.3** [eenheid van stralingsdosis] *rem* ◆ **3.1** op de ~ gaan staan *slam/jam on the brakes;* op de ~ trappen *step on the b.* **3.2** alle ~men losgooien *throw caution to the wind;* *let it all hang out, let one's hair down;* ~men vielen bij hem weg *he threw caution to the wind;* ⟨inf.⟩ *he let it all hang out, he let his hair down;* dat was voor mij een ~ *that checked/braked/restrained me/held me back, that functioned as a brake for me* **6.1** aan de ~ trekken *slow sth. down, put on/apply the brakes* **6.2** ~men op de bevolkingsgroei *restraints on population growth.*

remafstand ⟨de (m.)⟩ **0.1** *braking/stopping distance.*

remanent ⟨bn.⟩ **0.1** *remanent* ⇒*remaining* ◆ **1.1** ~ magnetisme *remanent/residual magnetism.*

remanentie ⟨de (v.)⟩ **0.1** *remanence* ⇒*residue, remainder.*

remarquabel ⟨bn.⟩ **0.1** [opmerkelijk] *remarkable* ⇒*noteworthy* **0.2** [vreemd] *remarkable* ⇒*peculiar curious, unusual, strange.*

remarque ⟨de⟩ **0.1** *remark.*

remarqueren ⟨ov.ww.⟩ **0.1** [waarnemen] *notice* ⇒*remark* **0.2** [aanmerkingen maken op] *remark* ⇒*mention.*

rembekleding ⟨de (v.)⟩ **0.1** *brake lining.*

rembekrachtiging ⟨de (v.)⟩ **0.1** *power(-assisted) brakes* ⇒*servo-assistance unit.*

remblok ⟨het⟩ **0.1** *brake block* ⇒*(brake) shoe, drag* ⟨voor een koets⟩, *skid.*

rembours ⟨het⟩ **0.1** [wijze van verzenden] *cash on delivery* ⇒*C.O.D.* **0.2** [pakket] *C.O.D. parcel/packet* **0.3** [terugbetaling] *reimbursement* **0.4** [dekking v.e. wissel] *backing for a note, cover, security* **♦ 6.1** onder ~ versturen *send (sth.) C.O.D.*.

rembourseren ⟨ov.ww.⟩ **0.1** [onder rembours zenden] *send (sth.) C.O.D.* **0.2** [terugbetalen] *reimburse* **♦ 3.2** een wissel ~ *honour a bill.*

rembourskosten ⟨zn.mv.⟩ **0.1** *C.O.D. charges/fee.*

rembourszending ⟨de (v.)⟩ **0.1** *C.O.D. parcel/packet, packet sent C.O.D.*.

remcilinder ⟨de (m.)⟩ **0.1** *brake cylinder.*

remcircuit ⟨het⟩ **0.1** *(dual) breaking system.*

remedie ⟨het, de (v.)⟩ **0.1** [methode/middel om te genezen] *remedy* ⇒ *cure, curative* **0.2** [mbt. munten] *remedy* ⇒*tolerance* **♦ 2.1** dat is de aangewezen ~ *that is the obvious r.;* voor jouw problemen bestaat een eenvoudige ~ *there is a simple r./cure for your problems;* ⟨fig.⟩ een uitstekende ~ voor luiaards *an excellent cure for lazybones/layabouts* **6.1** ⟨fig.⟩ rondom lelijk, een (goede) ~ tegen de liefde *ugly as sin, (ugly) enough to stop a clock/enough to sour milk* **7.1** daar is geen ~ voor *that is beyond help/r./repair.*

remediëren ⟨ov.ww.⟩ **0.1** *remedy.*

remigrant ⟨de (m.)⟩, -e ⟨de (v.)⟩ **0.1** *remigrant.*

remigratie ⟨de (v.)⟩ **0.1** *remigration.*

remilitarisatie ⟨de (v.)⟩ **0.1** *remilitarization.*

remilitariseren ⟨ov.ww.⟩ **0.1** *remilitarize* ⇒*rearm, rebuild one's military strength/power.*

reminiscentie ⟨de (v.)⟩ **0.1** [herinnering] *reminiscence* **0.2** [passage die aan een ander werk herinnert] *reminiscence.*

Reminiscere ⟨de⟩ ⟨r.k.⟩ **0.1** *Reminiscere Sunday.*

reminrichting ⟨de (v.)⟩ **0.1** *brake/braking system, brakes.*

remis ⟨het⟩ **0.1** [⟨jur.⟩] *commutation* ⇒*remission, abatement* **0.2** [korting] *abatement.*

remise¹ ⟨de (v.)⟩ **0.1** [loods] *depot* ⇒*garage, coach/carriage house* **0.2** [onbeslist geëindigde partij] *draw* ⇒*tie* **0.3** [overmaking van geld] *remittance* ⇒*transfer* **0.4** [wat aan geld overgemaakt is] *remittance* ⇒ *transfer* **♦ 3.4** uw ~ ontvangen *have received your r./payment.*

remise² ⟨bn.⟩ **0.1** *draw* ⇒*tie* **♦ 3.1** zij maakte de partij ~ *she tied the match/brought the match to a tie/d., she drew;* ~ spelen *(come to a) tie, come to a d..*

remisepartij ⟨de (v.)⟩ **0.1** *draw, tie* ⇒*drawn game.*

remiserit ⟨de (m.)⟩ **0.1** *depot run* ⇒*last/first ride/service.*

remissie ⟨de (v.)⟩ **0.1** [⟨jur.⟩] *remission* ⇒*commutation, pardon* **0.2** [korting] *reduction* ⇒*abatement, discount* **0.3** [opheffing v.e. verbod] *remission, rescindment* **0.4** [⟨med.⟩] *remission, recovery.*

remittent ⟨de (m.)⟩ **0.1** [hij die (geld) overmaakt] *remitter/or* **0.2** [eerste wisselhouder] *payee.*

remitteren

I ⟨onov., ov.ww.⟩ **0.1** [overmaken] *transfer* ⇒*remit;*

II ⟨ov.ww.⟩ **0.1** [korting geven op] *reduce* ⇒*discount;*

III ⟨onov.ww.⟩ **0.1** [tijdelijk verminderen] *be in remission* **♦ 1.1** ~de koorts *a passing fever.*

remkabel ⟨de (m.)⟩ **0.1** [mbt. het aantrekken v.e. rem] *brake cable* **0.2** [mbt. het afremmen van vliegtuigen] *arrester wire.*

remketting ⟨de⟩ **0.1** *drag (chain), skid.*

remklep ⟨de⟩ **0.1** *air/speed break* ⇒*flap* ⟨vliegtuig⟩.

remlicht ⟨het⟩ **0.1** *brake light* ⇒*stoplight.*

remmechanisme ⟨het⟩ **0.1** *braking mechanism.*

remmen

I ⟨onov.ww.⟩ **0.1** [de remmen in werking stellen] *brake* **0.2** [tot stilstand brengen] *brake* ⇒*stop* **♦ 5.1** sterk/vol ~ *b. hard/completely* **6.1** op de motor ~ *use the motor to b.;*

II ⟨ov.ww.⟩ **0.1** [beweging vertragen, stoppen] *brake* **0.2** [⟨fig.⟩] *brake* ⇒*curb, check, restrain, inhibit* **♦ 1.2** door iets geremd worden *be braked/checked/curbed by sth.;* een ~de invloed *a restraining influence;* een persoon ~ *slow s.o. down;* onevenwichtige personen kunnen hun psychische reacties niet ~ *unstable people cannot control their psychic reactions;* de werkzaamheden werden geremd door de slechte weersomstandigheden *work/progress was impeded/hampered by the bad weather conditions* **6.2** geremd in zijn ontwikkeling door huiselijke omstandigheden *curbed in its/his development/its/his development curbed by domestic circumstances.*

remmer ⟨de (m.)⟩ **0.1** [⟨spoorw.⟩ persoon die remt] *brake(s)man* **0.2** [remtoestel voor treinen] *brake* **0.3** [⟨fig.⟩ conservatief] *diehard* **0.4** [⟨biochem.⟩ remmende stof] *inhibitor.*

remming ⟨de (v.)⟩ **0.1** *check* ⇒⟨fig.⟩ *inhibition, restraint* **♦ ¶.1** alle ~en opzij zetten *throw caution to the winds, throw away one's inhibitions.*

remnaaf ⟨de⟩ **0.1** *brake hub.*

remodelleren ⟨ov.ww.⟩ **0.1** *remodel.*

remolie ⟨de⟩ **0.1** *brake fluid.*

remonstrant ⟨de (m.)⟩ **0.1** [Arminiaan] *Remonstrant* **0.2** [lid van het protestantse kerkgenootschap] *Remonstrant.*

remonstrantie ⟨de (v.)⟩ **0.1** [bezwaarschrift] *remonstration* ⇒*remonstrance* **0.2** [⟨gesch.⟩] *Remonstrance.*

remonstrants ⟨bn.⟩ **0.1** *Remonstrant* **♦ 1.1** de Remonstrantse Broederschap *the Remonstrant Brethren, the Remonstrants.*

remontoir ⟨het⟩ **0.1** *stem-winder* ⇒*stem-winding/keyless watch.*

remouladesaus ⟨de⟩ **0.1** *rémoulade/remolade.*

remouldband ⟨de (m.)⟩ **0.1** *remould* ^A*old* ⇒*retread.*

remous ⟨de (m.)⟩ **0.1** *eddy* **♦ 3.1** er stond veel ~ *it was very bumpy.*

removeren ⟨ov.ww.⟩ **0.1** [wegruimen] *remove* **0.2** [afzetten v.e. post] *remove* ⇒*dismiss.*

rempaardekracht ⟨de⟩ **0.1** *brake horsepower, b.h.p..*

remparachute ⟨de (m.)⟩ **0.1** *drogue (parachute).*

rempedaal ⟨het, de (m.)⟩ **0.1** *brake pedal.*

remplaçant ⟨de (m.)⟩ **0.1** [persoon] *replacement* ⇒*substitute* **0.2** [middel] *replacement* ⇒*substitute, surrogate.*

remplaceren ⟨ov.ww.⟩ **0.1** *replace.*

remproef ⟨de⟩ **0.1** [mbt. de remkracht/het remvermogen] *brake test* **0.2** [mbt. het vermogen v.e. motor] *dynamometer test* ⇒*power/torque test.*

remraket ⟨de⟩ **0.1** *retro(rocket)* ⇒*braking rocket.*

remschijf ⟨de⟩ **0.1** *brake disc.*

remschoen ⟨de (m.)⟩ **0.1** *(brake) shoe* ⇒*drag, skid.*

remslaap ⟨de (m.)⟩ **0.1** *REM sleep* ⇒*paradoxical/rapid eye movement sleep.*

remspoor ⟨het⟩ **0.1** [wielspoor] *skid mark* **0.2** [⟨scherts.⟩ ontlastingresten] *skidmarks* ⟨mv.⟩.

remstof ⟨de⟩ **0.1** [antibioticum] *inhibiting compound* ⇒*antibiotic* **0.2** [in kernreactor] *moderator.*

remstraling ⟨de (v.)⟩ **0.1** ⟨kernfysica⟩ **0.1** *bremsstrahlung.*

remtrommel ⟨de⟩ **0.1** *brake drum.*

remuneratie ⟨de (v.)⟩ **0.1** *remuneration.*

remunereren ⟨ov.ww.⟩ **0.1** *remunerate.*

remvermogen ⟨het⟩ **0.1** [remkracht] *brake/braking power* ⇒*braking efficiency* **0.2** [⟨tech.⟩ gemiddelde druk op zuiger] *brake mean effective pressure.*

remvloeistof ⟨de⟩ **0.1** *brake fluid.*

remvoering ⟨de (v.)⟩ **0.1** *brake lining.*

remweg ⟨de (m.)⟩ **0.1** *brake path* ⇒*braking distance.*

ren

I ⟨de (m.)⟩ **0.1** [snelle loop] *run* **0.2** [⟨paardensport⟩] *run* **♦ 2.1** in volle ~ *at top speed, in full career;* een wilde ~ *a tear, a breakneck race* **6.1** in één ~ *in a sprint/dash;*

II ⟨de⟩ **0.1** [voor kippen enz.] *run.*

renaissance ⟨de⟩ ⟨gesch.⟩ **0.1** [vernieuwing v.d. kunst- en levensstijl] *renaissance* **0.2** [periode] *Renaissance.*

renaissancist ⟨de (m.)⟩ **0.1** *renaissance artist/painter/writer.*

renaissancistisch ⟨bn., bw.⟩ **0.1** *renaissance.*

renbaan ⟨de⟩ **0.1** *(race)track* ⇒*(race)course,* ⟨AE ook⟩ *raceway.*

renbode ⟨de⟩ **0.1** *runner* ⇒*errand/messenger boy/girl, courier.*

rencontre ⟨de⟩ **0.1** [ontmoeting] *rencounter, rencontre* **0.2** [gevecht] *encounter* ⇒⟨vero.⟩ *rencounter/rencontre* **0.3** [belevenis] *experience* **♦ 2.3** ik had daar een vreemde ~ *I encountered sth. very strange there, I had a strange/weird e. there.*

rendabel ⟨bn.⟩ **0.1** *profitable* ⇒*remunerative, cost-effective* **♦ 3.1** de onderneming bleek wel ~ te zijn *the venture appeared to be p.! be making money/in the black;* een zaak ~ maken ⟨ook⟩ *make a business go/pay;* een zaak weer ~ proberen te maken *try to put a business back on its feet/on a cost-effective basis* **5.1** de zaak is niet ~ ⟨ook⟩ *the business isn't paying/turning a profit.*

rendabiliteit ⟨de (v.)⟩ **0.1** *cost-effectiveness* ⇒*profitability.*

rendant ⟨de (m.)⟩ **0.1** *steward.*

rendement ⟨het⟩ **0.1** [opbrengst] *return* ⇒*yield, output* **0.2** [nuttig effect] *efficiency* ⇒*output, performance* **0.3** [resultaat] *result(s)* **♦ 1.1** het ~ van obligaties/van een belegging *the r./yield of bonds/an investment* **1.2** het ~ van benzine *the performance of* ^B*petrol/*^A*gasoline;* het ~ v.e. elektrische lamp/pomp *the e./output of an electric lamp/a pump* **1.3** het ~ v.e. studie *the success rate of a course/programme* ^A*gram/department, the percentage of students who finish a programme* ^A*gram/course* **2.2** mechanisch ~ *mechanical advantage;* totaal ~ *overall e..*

renderen ⟨onov.ww.⟩ **0.1** [winst opleveren] *pay (a profit)* **0.2** [voldoende opbrengen] *pay* **♦ 1.1** een ~d bedrijf *a going/paying concern;* het erts wordt niet in ~de hoeveelheden aangetroffen *the ore is not available in profitable quantities, extraction of the ore is not commercially viable* **1.2** die zaak zal wel ~ *that business will pay, that will be a paying concern* **3.1** een kapitaal ~d maken *make one's money/capital work, put one's money/capital to work.*

rendez-vous 〈het〉 **0.1** *rendezvous* ⇒〈geheim〉 *assignation* ◆ **3.1** elkaar ~ geven *make an appointment*/〈inf.〉 *a date;* een 〈huis van〉 ~ houden *run a bordello*/*a house of ill repute* **3.¶** 〈inf.〉 ~ spelen *throw up*/*toss one's cookies* **6.1** hij verscheen niet **op** het ~ *he didn't show up for the r..*

rendier 〈het〉 **0.1** *reindeer.*

rendierjager 〈de (m.)〉 **0.1** [jager op rendieren] *reindeer hunter* **0.2** [〈mv.〉 volksstammen] *reindeer hunters.*

rendiermos 〈het〉 **0.1** *reindeer moss.*

renegaat 〈de (m.)〉 **0.1** *renegade.*

renet 〈de (m.)〉 **0.1** *reinette.*

renetappel 〈de (m.)〉 **0.1** *reinette apple.*

reneweren 〈ov.ww.〉〈inf.〉 **0.1** [vernielen] *ruin* ⇒*destroy* **0.2** [financieel te gronde richten] *ruin* ⇒*destroy.*

renforceren 〈ov.ww.〉 **0.1** *reinforce.*

rengalop 〈de (m.)〉 **0.1** *full gallop.*

renloop 〈de (m.)〉 **0.1** *run.*

rennen 〈onov.ww.〉 **0.1** [hard lopen] *run* ⇒*race* **0.2** [galopperen] *run* **0.3** [snellen] *race* **0.4** [een wedren houden] *race* ◆ **3.1** we zijn erg laat, we moeten ~ *we're terribly late; we have to dash (off)*/*rush (off)*/*fly* **5.1** iem. achterna ~ *run*/*race*/*charge after s.o.;* ervandoor ~ *rush*/*dash off* **6.1** 〈fig.〉 **naar** zijn ondergang ~ *race towards one's demise, pitch towards one's downfall*/*ruin;* **naar** beneden ~ *run*/*race*/*charge*/*tear downstairs* **6.4 om** de prijs ~ *r. for the prize* **¶.1** hij rende de deur uit *he ran*/*raced out of the door.*

renner 〈de (m.)〉 **0.1** *runner* ⇒*racer, rider.*

rennersveld 〈het〉 **0.1** *field.*

renommee 〈de (v.)〉 **0.1** [reputatie] *fame* ⇒*reputation, repute* **0.2** [goede naam] *reputation.*

renonce 〈de〉〈kaartspel〉 **0.1** *void* ◆ **3.1** ik had ~ in schoppen *I had a v. in spades.*

renonceren 〈ov.ww.〉 **0.1** [afstand doen van] *renounce* ⇒*revoke, refuse* **0.2** [〈kaartspel〉] *renounce* ⇒*renege, revoke.*

renovatie 〈de (v.)〉 **0.1** [hernieuwing] *renovation* ⇒*renewal* **0.2** [aanpassing van woningen] *renovation, redevelopment, rehabilitation* **0.3** [aanmaning tot betaling] *final notice (to pay).*

renovatiewoning 〈de (v.)〉 **0.1** *renovated house.*

renoveren
I 〈ov.ww.〉 **0.1** [hernieuwen] *renovate;*
II 〈onov.,ov.ww.〉 **0.1** [mbt. woningen] *renovate* ⇒*redevelop, rehabilitate* ◆ **1.1** een krottenwijk ~ *renovate*/*redevelop*/*clear a slum (district).*

renpaard 〈het〉 **0.1** *racehorse* ⇒*thoroughbred* ◆ **3.1** je kunt van een ezel geen ~ maken ≠*you can't make a silk purse out of a sow's ear.*

rensport 〈de〉 **0.1** *racing* ◆ **3.1** ~ zitten *be in r.*/*a r. man.*

renstal 〈de (m.)〉 **0.1** [stal met renpaarden] *racing stable* **0.2** [aantal renpaarden] *stable* **0.3** [autocoureurs] *racingteam.*

rentabiliteit 〈de (v.)〉 **0.1** [rendabiliteit] *productivity* ⇒*cost-effectiveness, profitability* **0.2** [〈geldw.〉] *yield* ⇒*(rate of) return* **0.3** [van onderneming] *earning power*/*capacity* ◆ **2.2** effecten met een hoge ~ *securities showing a high r.*/*rate of return.*

rentabiliteitswaarde 〈de (v.)〉 **0.1** *potential value.*

rente 〈de〉 **0.1** [inkomsten uit vaste goederen, belegde gelden] *interest* ⇒*return* **0.2** [vergoeding voor het lenen van een geldsom] *interest* **0.3** [〈in samenst.〉 uitkering] *pension* ◆ **2.2** dat brengt dubbele ~ op *that has a double advantage;* een goede ~ maken van zijn kapitaal *get a good return on one's capital;* zijn geld tegen een hoge ~ uitzetten *invest one's money at a high (rate of) i.;* lening tegen hoge ~ *low-i. loan* **3.2** ~ bedingen/berekenen/betalen/bijschrijven *charge, calculate, pay, add i.;* ~ opbrengen/afwerpen *pay*/*yield i.* **5.2** de prijs (van effecten) inclusief ~ *the cum price* **6.1** van zijn ~ leven *live off*/*from*/*on one's private means* **6.2** 〈fig.〉 iets **met** ~ terugkrijgen/teruggeven *get*/*give*/*pay sth. back with i.;* geld **op** ~ zetten *lend money at i., put out money;* ~ **op** ~ *compound i.;* lening tegen ~ *loan with i..*

renteaftrek 〈de (m.)〉 **0.1** *deduction of interest;* 〈bedrag〉 *deductible interest.*

rentearbitrage 〈de (v.)〉 **0.1** *interest arbitrage.*

rentebank 〈de〉 **0.1** *savings bank.*

renteberekening 〈de (v.)〉 **0.1** [het uitrekenen] *calculation of interest* **0.2** [het in rekening brengen] *charging of interest* ◆ **6.1** bij de ~ *in calculating (the) interest.*

rentebewijs 〈het〉 **0.1** [coupon] *coupon* **0.2** [bewijsstuk] *voucher.*

renteclausule 〈de〉 **0.1** *interest clause.*

rentedag 〈de (m.)〉 **0.1** *interest (earning) day.*

rentedaling 〈de (v.)〉 **0.1** *fall in (the) interest rate(s).*

rentedragend →rentegevend.

rentegevend 〈bn.〉 **0.1** [waarvan men rente krijgt] *interest-bearing* **0.2** [renderend] *profitable* ⇒*remunerative, cost-effective* ◆ **1.1** ~ kapitaal *capital bearing*/*carrying interest;* ~e papieren *i.-b. stock* **3.1** de lening is ~ *the loan carries interest;* ~ worden *begin to bear*/*carry interest.*

rentekoers 〈de (m.)〉 **0.1** *field.*

renteloos 〈bn.〉 **0.1** [waarvan geen rente geheven wordt] *interest-free* **0.2** [geen rente gevend] *non-productive* ⇒*idle, non-interest-bearing* ◆ **1.1** een renteloze schuld *passive debt;* een ~ voorschot *an i.-f. advance* **1.2** ~ kapitaal *n.-p.*/*idle capital* **3.2** 〈fig.〉 ~ liggen *lie idle.*

rentemarge 〈de〉 **0.1** *interest margin.*

renten 〈ov.ww.〉〈geldw.〉 **0.1** *yield*/*bear interest* ◆ **1.1** ƒ1000 kapitaal, ~de 14 procent *1000 guilders capital bearing*/*yielding a 14% interest* **5.1** het verstrekken van laag ~de leningen *the provision*/*supply of low-interest(-bearing) loans.*

rentenier 〈de (m.)〉, -**ster** 〈de (v.)〉 **0.1** [iem. die van zijn renten leeft] *person of independent*/*private means, person living off his*/*her interest* **0.2** [iem. zonder bezigheden] *loafer* ⇒*idler, layabout.*

rentenieren 〈onov.ww.〉 **0.1** [van zijn rente leven, 〈ook fig.〉] *live off one's investments*/*private means* **0.2** [niets uitvoeren] *lead a life of leisure* ⇒〈pej.〉 *loaf, idle.*

rentepeil 〈het〉 **0.1** *interest level.*

rentepercentage 〈het〉 **0.1** *interest rate* ⇒*percentage*/*rate of interest.*

renteprodukt 〈het〉 **0.1** 〈mv.〉 *products.*

renterekening 〈de (v.)〉 **0.1** *interest account.*

renteschuld 〈de〉 **0.1** [achterstallige rente] *back interest* ⇒*interest due* **0.2** [rentedragende staatsschuld] *standing debt.*

rentespaarbrief 〈de (m.)〉 **0.1** *certificate of deposit.*

rentestand 〈de (m.)〉 **0.1** *interest rate* ⇒*rate of interest.*

rentestandaard 〈de (m.)〉 **0.1** *interest rate*/*level* ⇒*rate of interest* ◆ **2.1** een hoge/lage ~ *a high*/*low i. r.*/*l.;* de ~ is laag *the i. r.*/*return is low.*

rentestijging 〈de (v.)〉 **0.1** *rise in (the) interest rate(s).*

rentesubsidie 〈het, de (v.)〉 **0.1** *interest subsidy.*

rentetarief 〈het〉 **0.1** *interest rate.*

rentetrekker 〈de (m.)〉 **0.1** *pensioner* ⇒*beneficiary.*

rentevergoeding 〈de (v.)〉 **0.1** [voor leningen] *payment of interest, interest payment;* 〈voor deposito's enz.〉 *allowance of interest, interest allowed* ◆ **6.1** tegen een ~ van 4% per jaar *at (a rate of interest of) 4% per annum.*

renteverhoging 〈de (v.)〉 **0.1** *increase in (the rate of) interest.*

renteverlaging 〈de (v.)〉 **0.1** *lowering*/*reduction of (the rate of) interest.*

renteverlies 〈het〉 **0.1** *loss of interest* ⇒*interest loss.*

renteverzekering 〈de (v.)〉 **0.1** *annuity insurance.*

rentevoet 〈de (m.)〉 **0.1** *interest rate* ⇒*rate of interest* ◆ **6.1 op** die ~ kun je makkelijk aan geld komen *at that i. r. money is easy to come by;* de tarieven zijn berekend **tegen** een ~ van 4% *the charges*/*prices are based on an i. r. of 4%.*

rentmeester 〈de (m.)〉 **0.1** [iem. die een goed beheert] *steward* ⇒*manager,* B*bailiff,* B*estate*/*land agent* **0.2** [administrateur] *manager* ⇒*supervisor, agent.*

rentmeesterschap 〈het〉 **0.1** [betrekking] *stewardship* ⇒*supervisory position, managership* **0.2** [periode] *stewardship* ⇒*supervisory period, managership.*

rentree 〈de〉 **0.1** [herintrede] *comeback, re-entry* **0.2** [〈bridge〉] *re-entry* ◆ **3.1** zijn ~ maken *make one's c..*

renunciatie 〈de (v.)〉 **0.1** *renunciation.*

renunciëren 〈onov.ww.〉 **0.1** *renunciate.*

renversaal 〈het〉 **0.1** [tegenakte] *reversal* **0.2** [betalingsbewijs] *receipt.*

renvooi 〈het〉 **0.1** [〈jur.〉] *referral* **0.2** [verwijzing] *reference* **0.3** [kanttekening in een akte] *amendment* **0.4** [doorzending van stukken] *commitment.*

renvooieren 〈ov.ww.〉 **0.1** [verwijzen naar een rechter] *refer* **0.2** [in handen stellen] *deliver* **0.3** [wijzigen] *amend.*

renwagen 〈de (m.)〉 **0.1** *race*/*racing car.*

reologie 〈de (v.)〉〈nat.〉 **0.1** *rheology.*

reometer 〈de (m.)〉〈nat.〉 **0.1** *rheometer.*

reorganisatie 〈de (v.)〉 **0.1** *reorganization* ⇒*reconstitution* 〈van bedrijf/bestuur〉, *reconstruction* 〈van leger〉, *rearrangement, reshuffle* 〈van kabinet〉, 〈vnl. BE; rationalisering〉 *rationalization* ◆ **1.1** na de ~ v.h. kabinet *after the Cabinet reshuffle* **2.1** een grondige ~ *an*/*(a complete) overhaul;* 〈inf.〉 a shake up 〈van bedrijf enz.〉.

reorganisatieplan 〈het〉 **0.1** *reorganization scheme*/*plan* ⇒*reconstruction scheme,* 〈herkapitalisatie〉 *refinancing plan*/*scheme.*

reorganiseren 〈onov.,ov.ww.〉 **0.1** *reorganize* ⇒〈ov.ww.ook〉 *reconstitute* 〈bedrijf, bestuur, vereniging〉, *reconstruct* 〈leger, politiewezen〉, *reshuffle, rearrange* 〈kabinet〉, 〈herschikken〉 *reconvert,* 〈rationaliseren〉 *rationalize* ◆ **1.1** een afdeling ~ *reorganize*/*reconstitute a department;* het onderwijs ~ *reorganize the educational system* **3.1** dat bedrijf wil ~ *that company intends to reorganize*/*rationalize.*

reoriënteren 〈ov.ww.〉 **0.1** *reorient(ate)* ⇒〈pol.〉 *redirect,* 〈BE; school.〉 *restream* 〈leerling〉.

reostaat 〈de (m.)〉〈tech.〉 **0.1** *rheostat* ⇒〈variable〉 *resistance, regulator.*

rep ◆ **6.¶ in** ~ en roer brengen *throw into commotion*/*confusion, stir up a commotion;* alles/het hele land was **in** ~ en roer *everything*/*the entire country was in (a state of) uproar*/*in commotion, the entire country was up in arms.*

reparabel 〈bn.〉 **0.1** *repairable.*

reparateur 〈de (m.)〉 **0.1** *repairer; repairman* 〈vnl. mechanische mankementen〉; 〈monteur〉 *serviceman, service-engineer* ◆ **6.1** ~ **van** radiotoestellen/auto's *radio*/*car mechanic.*

reparatie 〈de (v.)〉 **0.1** [herstelling] *repair, reparation* ⇒〈herstelwerk〉

. *mending* **0.2** [vergoeding] *reparation(s)* ⇒*recompensation* ◆ **3.1** ~s aanbrengen *carry out/make repairs* **6.1** kleine ~s **aan** de auto *small/minor repairs to the car;* iets **in** ~ geven *have sth. repaired/mended;* schepen die **in** ~ liggen *ships under repair/undergoing repairs;* mijn horloge is **in** (de) ~ *my watch is being repaired.*

reparatiedoosje 〈het〉 **0.1** *(bicycle) repair kit* ⇒*repair/mending outfit.*

reparatiehelling 〈de〉 **0.1** *repair/dry dock* ⇒*maintenance slipway.*

reparatiewerf 〈de〉 **0.1** *repair yard.*

reparatiewerkplaats 〈de〉 **0.1** *repair shop* ⇒*repair workshop,* 〈van auto ook〉 *garage.*

repareren 〈onov.,ov.ww.〉 **0.1** *repair, mend* ⇒ 〈ov. ww. ook〉 〈opknappen〉 *fix,* 〈onderhoudsbeurt geven〉 *service,* 〈grondig〉 *overhaul* ◆ **1.1** een klok/schip laten ~ *have a clock/ship repaired/under repair;* de machine moet nodig gerepareerd worden *the machine is/stands in urgent need of/urgently requires repairs/is up for repair;* de weg wordt gerepareerd, ze zijn de weg aan het ~ *the road is being repaired /undergoing repairs* **3.1** dat is niet meer te ~ *that's beyond repair, it can't be mended* **4.1** wij ~ alles *we undertake all repairs, all repairs undertaken.*

repartie 〈de (v.)〉 **0.1** *repartee* ⇒*riposte, retort.*

repartitie 〈de (v.)〉 **0.1** *repartition* ⇒*apportionment, distribution, allotment.*

repasseren 〈ov.ww.〉 **0.1** [nog eens controleren] *go through, examine, check (over/through)* 〈rekeningen〉 **0.2** [mbt. aardewerk] *finish* ◆ **1.1** een uurwerk ~ *regulate/time a clock.*

repatriant 〈de (m.)〉 **0.1** 〈gerepatrieerde〉 *repatriate; returnee* 〈ihb. na Am. mil. dienst〉.

repatriatie 〈de (v.)〉 **0.1** *repatriation.*

repatriëren
I 〈onov.ww.〉 **0.1** [naar vaderland terugkeren] *repatriate* ⇒*leave for/return/go home;*
II 〈ov.ww.〉 **0.1** [naar vaderland terugbrengen] *repatriate* ◆ **6.1** gerepatrieerd worden **uit** *be repatriated from.*

repatriëring 〈de (v.)〉 **0.1** *repatriation* ◆ **2.1** gedwongen ~ *forced r..*

repel 〈de (m.)〉 **0.1** [vlaskam] *ripple, rippling-comb* **0.2** [hennepbraak] *ripple, rippling-comb* ◆ **6.1** vlas **over/door** de ~ halen *ripple flax, put flax through the ripple.*

repelen 〈ov.ww.〉 **0.1** *ripple.*

repercussie 〈de (v.)〉 **0.1** [onaangenaam gevolg] *repercussion* ⇒*consequence, result* **0.2** [〈muz.〉] *repercussion* ◆ **3.1** dat zal zeker ~s hebben *that's bound to have consequences/repercussions* **6.1** de ~ v.d. oorlog **op** de scheepvaart *the repercussions of the war on shipping;* uit vrees **voor** ~ ...*for fear of/out of fear for repercussions.*

repertoire 〈het〉 **0.1** [lijst van stukken] *repertoire, repertory* **0.2** [〈jur.〉 repertorium] *repertory* ◆ **1.1** haar ~ van oudbakken grappen *her stock of stale/corny jokes* **2.1** het klassieke ~ *the classics* **3.1** zijn ~ afwerken *do one's repertoire/number;* een heel ~ afzingen *sing (through) an entire repertoire;* ~ houden *keep the stage* **6.1** dat staat niet **op** zijn ~ *that's beyond him/out of his reach;* een stuk **op** het ~ plaatsen *put on a (new) play, include a play in the repertoire;* een stuk **van** het ~ afvoeren *take a play off.*

repertoirestuk 〈het〉 **0.1** *stock play/piece.*

repertoetoneel 〈het〉 **0.1** *repertory (company),* ᴬ*stock company.*

repertorium 〈het〉 **0.1** [〈jur.〉 repertory] *repertory* **0.2** [register] *repertory* ⇒*index, catalogue, table, register* **0.3** [verzameling fundamentele gegevens] *repertory* ⇒*compendium* ◆ **6.2** ~ **op** tijdschriftartikels *index of periodical articles* **6.3** een ~ **voor** de wis- en natuurkunde *a r./ revision book for mathematics and physics.*

repeteergeweer 〈het〉 **0.1** *repeater, repeating rifle/gun* ⇒ 〈snelvuurgeweer〉 *quick-firer.*

repeteervuur 〈het〉 **0.1** *quick fire* ⇒*magazine fire.*

repeteerwekker 〈de (m.)〉 **0.1** *repeater, repeat alarm.*

repetent 〈de (m.)〉 **0.1** [〈wisk.〉] *recurring* **0.2** [student] *student revising for exams, examming student, crammer* ◆ **7.1** ¹/₃ is gelijk aan nul komma 3 ~ *¹/₃ equals zero/nought point three r..*

repetentie 〈de (v.)〉 **0.1** [aantal malen dat iets zich herhaalt] *number of repetitions/recurrences* **0.2** [golfgetal] *wave number.*

repeteren
I 〈onov.ww.〉 **0.1** [instuderen] *rehearse* ⇒*practise* **0.2** [zich herhalen] *repeat; circulate* 〈ook wisk.〉; *recur* ◆ **1.2** een ~de breuk *a recurring decimal;* een ~d motief *a recurring motif* **6.1** iem. laten ~ **voor** r./ *coach s.o. for;*
II 〈ov.ww.〉 **0.1** [herhalen] *rehearse* ⇒ 〈vluchtig herhalen〉 *go/run over,* 〈oefenen〉 *run/go through* **0.2** [onderwijzen] *coach* ◆ **1.1** de les ~ ᴮ*revise/* ᴬ*review the lesson, go over the lesson (again)* **4.1** op weg naar huis repeteerde zij wat ze zeggen zou *on her way home she rehearsed the things she was going to say.*

repetitie 〈de (v.)〉 **0.1** [proefwerk] *test* ⇒ 〈AE ook〉 *review,* 〈proefwerk(vragen)〉 *paper, exam(ination)* **0.2** [herhaalde oefening] *repetition, rehearsal* **0.3** [het instuderen] *rehearsal* ⇒*run-through* 〈toneel/ muziekstuk〉, *practice* 〈vooral van koren〉 **0.4** [herhaling v.e. muziekstuk] *reprise* ⇒*repeat* **0.5** [stijlfiguur] *repetition* **0.6** [terugvordering] *claim* ◆ **1.3** we zijn met de ~s v.h. stuk begonnen *our play is in re-*

hearsal/we have started rehearsing the play **2.2** zijn colleges zijn een goede ~ voor het tentamen *his lectures are a good rehearsal/* 〈inf.〉 *dry-run for the exam* **2.3** generale ~ *dress rehearsal* 〈toneel〉; *final/ last rehearsal* 〈muziek〉; *full practice* 〈koor〉 **3.1** ik heb deze ~ goed/ slecht gemaakt *I've done well/badly in this test;* een ~ hebben (over) *have/sit a test/paper (on);* een ~ opgeven *set a paper/t..*

repetitiecijfer 〈het〉 **0.1** *(test) mark.*

repetitief 〈bn.〉 **0.1** *repetitive.*

repetitieles 〈de〉 **0.1** *revision (lesson).*

repetitieteken 〈het〉 〈muz.〉 **0.1** *repeat sign.*

repetitiewerk 〈het〉 **0.1** ᴮ*revision,* ᴬ*review work.*

repetitor 〈de (m.)〉 **0.1** [iem. die met studenten leerstof doorneemt] *coach* ⇒ 〈inf.〉 *crammer* **0.2** [iem. die repetities leidt] *repetiteur* **0.3** [toestel] *repeater.*

replantatie 〈de (v.)〉 〈biol., med.〉 **0.1** *replantation.*

repletie 〈de (v.)〉 **0.1** *repletion* ⇒〈zwaarlijvigheid〉 *obesity.*

replica 〈de〉 **0.1** [kopie] *replica* ⇒*copy, reproduction, duplicate, duplication,* 〈zeldz.〉 *replication* **0.2** [afgietsel] *replica* **0.3** [herhaling] *repetition.*

replicatieonderzoek 〈het〉 〈statistiek〉 **0.1** *replication (test).*

repliceren 〈onov.,ov.ww.〉 **0.1** [antwoorden] *reply* ⇒*return,* 〈vinnig〉 *retort* **0.2** [〈jur.〉] *reply.*

repliek 〈de (v.)〉 **0.1** [weerwoord] *retort* ⇒ 〈snedig weerwoord〉 *comeback,* 〈weerwoord〉 *response,* 〈vinnig antwoord〉 *rejoinder,* 〈gevat〉 *repartee* **0.2** [〈jur.〉] *reply, replication* **0.3** [antwoord] *reply* ◆ **1.2** conclusie van ~ *statement of reply;* het recht van ~ *the right to/of reply* **2.1** een snedige/gevatte ~ *repartee* **6.1** 〈pregn.〉 iem. **van** ~ dienen *tell s.o. where to get off/put it, give s.o. as good as one gets, talk back to s.o., make a counterattack against s.o.* **6.2** de raadsman stelde **in** zijn ~ *counsel, in reply, stated that;* **van** ~ dienen *talk back, counterattack, retort.*

report 〈het〉 **0.1** [verschil in notering] *premium* **0.2** [premie] *contango, carry-over, continuation (rate)* **0.3** [prolongatie] *continuation.*

reportage 〈de (v.)〉 **0.1** [verslaggeving] *report* ⇒*coverage,* 〈commentaar〉 *commentary,* 〈stijl van verslaggeving〉 *reportage* **0.2** [gegeven verslag] *report* ◆ **1.1** kijken naar de ~ v.d. plechtigheid *watch the coverage of the ceremony;* luisteren naar de ~ v.e. voetbalwedstrijd *listen to the commentary on/coverage of a football match* **2.1** een directe ~ *a live/running commentary* **2.2** verbale en fotografische ~ *commentary/r. and photographs* **3.1** een ~ geven/uitzenden van *comment/give a commentary on, broadcast a commentary on.*

reportagewagen 〈de (m.)〉 **0.1** *reporting/television/radio van.*

reporter 〈de (m.)〉 **0.1** *reporter.*

reporteren 〈ov.ww.〉 〈hand.〉 **0.1** *carry over* ◆ **1.1** zijn positie ~ *carry over one's position.*

repositie 〈de (v.)〉 **0.1** *reposition* 〈ook med.〉.

repousseren 〈ov.ww.〉 〈bk.〉 **0.1** *emboss, work in repoussé, hammer.*

repoussoir 〈het〉 **0.1** *setoff, foil.*

reppen
I 〈onov.ww.〉 **0.1** [te berde brengen] *mention* ⇒〈ter sprake brengen〉 *come up with* ◆ **6.1** met geen woord ~ *over not breathe a word about, keep mum about, not m. a (single) word about;* **van** deze zaak is niet gerept *this (whole) business has not been mentioned/did not come up;*
II 〈wk.ww.; zich~〉 **0.1** [zich haasten] *scurry* ⇒*hasten, scramble,* 〈jachtig〉 *bustle* ◆ **5.1** rep je wat! *hurry up!, stir your stumps!, get a move on!* ¶.1 we moesten ons haastje repje klaarmaken *we had to get ready in a (tearing) hurry, we had to (really) scramble to get ready.*

represaille 〈de〉 **0.1** *reprisal* ⇒*retaliation,* 〈wraakactie〉 *counterblow,* 〈tegen enkelen〉 *victimization* ◆ **3.1** ~s nemen (tegen) *take reprisals against, retaliate against/upon; victimize* 〈enkelen〉 **8.1** als ~ *as/in reprisal* ¶.1 bij wijze van ~ *as a/by way of reprisal, in retaliation.*

represaillemaatregel 〈de (m.)〉 **0.1** *reprisal, retaliatory measure* ◆ **3.1** ~en treffen (tegen) *take reprisals against, retaliate against, take retaliatory measures against.*

representant 〈de (m.)〉 **0.1** [vertegenwoordiger] *representative* **0.2** [drager v.e. eigenschap, exponent v.e. stroming] *representative* ⇒*exponent, product* **0.3** [produkt] *product* **0.4** [〈wisk.〉] *representative.*

representatie 〈de (v.)〉 **0.1** [behartiging van belangen] *representation* **0.2** [uitdrukking, weergave] *representation* ⇒*rendering* **0.3** [in-de-plaats-treding] *representation* **0.4** [vertegenwoordiging van bewerkingen] *representation* ◆ **1.3** recht van ~ *right of r.* **2.2** symbolische ~ *figuration, symbolic representation* **2.4** 〈comp.〉 de interne ~ *the internal r.* **6.3** opvolging **bij** ~ *succession by r.;* erfgenaam **bij** ~ *heir by r..*

representatief 〈bn.〉 **0.1** [vertegenwoordigend] *representative* **0.2** [karakteristiek] *representative (of)* ⇒*typical (of)* **0.3** [geschikt om te vertegenwoordigen] *representative* ⇒*presentable* **0.4** [goede indruk makend] *representative* ⇒*presentable* ◆ **1.1** het ~ stelsel *the r. system* **1.2** een representatieve groep v.d. bevolking *a cross/sample selection of the population* **1.3** 〈statistiek〉 een representatieve steekproef *a r. sample* **1.4** een ~ figuur *a r. person;* het ~ voorkomen *of good appearance* **1.¶** representatieve kunst *representational art.*

representatiekosten 〈zn.mv.〉 **0.1** 〈de kosten zelf〉 *official expenses, ex-*

penses of office; ⟨de toelage hiervoor⟩ *entertainment/social allowance.*

representativiteit ⟨de (v.)⟩ **0.1** [hoedanigheid] *representativeness* **0.2** [geschiktheid om te vertegenwoordigen] *representativeness.*

representeren ⟨ov.ww.⟩ **0.1** [vertegenwoordigen] *represent* **0.2** [voorstellen] *represent* ⇒⟨vertolken, uitbeelden⟩ *personate, portray,* ⟨belichamen⟩ *personify, embody.*

repressie ⟨de (v.)⟩ **0.1** [onderdrukking] *repression* **0.2** [bestraffing] *restraint* ⇒*detention* **0.3** [verdringing] *repression.*

repressief ⟨bn., bw.;-ly⟩ **0.1** *repressive* ◆ **1.1** repressieve maatregelen *r. measures;* repressieve tolerantie *r. tolerance* **3.1** ~ optreden *act in a r. way.*

reprimande ⟨de⟩ **0.1** *reprimand* ⇒⟨berisping⟩ *rebuke,* ⟨preek⟩ *lecture,* ⟨uitbrander⟩ *telling-off, dressing down,* ⟨inf.;standje⟩ *talking-to* ◆ **2.1** hij kreeg een stevige ~ *he was seriously reprimanded, he got severely raised* **3.1** een ~ krijgen/oplopen/geven *get/give s.o. a rating/ caution/talking-to/dressing down.*

reprimeren ⟨ov.ww.⟩ **0.1** *repress* ⇒⟨beteugelen⟩ *subdue, check,* ⟨onderdrukken⟩ *put down, suppress.*

reprise ⟨de (v.)⟩ **0.1** [herhaling v.e. voorstelling] *revival, repeat (performance)* ⇒*rerun* [film/toneelstuk] **0.2** [⟨muz.⟩] *repeat, reprise* ⇒*recapitulation* **0.3** [overschildering] *retouch* ⇒*overpainting* **0.4** [⟨hand.⟩] *rally, recovery, revival* **0.5** [⟨sport⟩] *reprise.*

repro ⟨de⟩ **0.1** *repro.*

reprobatie ⟨de (v.)⟩ **0.1** *reprobation* ⇒⟨afkeuring⟩ *disapproval,* ⟨verwerping⟩ *condemnation.*

reproduceerbaar ⟨bn.⟩ **0.1** *reproducible.*

reproducent ⟨de (m.)⟩ **0.1** [iem. die iets reproduceert] *producer* **0.2** [iem. die stukken produceert] *reproducer.*

reproduceren
I ⟨ov.ww.⟩ **0.1** [weer voortbrengen] *reproduce* ⟨ook van toneelstuk: weer opvoeren⟩ **0.2** [nabootsen] *reproduce, recreate* ⇒*copy* **0.3** [herhalen] *repeat* **0.4** [uitvoeren] *perform* ⇒⟨vertolken⟩ *interpret* **0.5** [uit het geheugen opzeggen] *reproduce* **0.6** [⟨psych.⟩] *retrieve* ◆ **1.3** een historische gebeurtenis ~ *recreate/re-enact a historical event* **1.4** ~de kunst *performing arts* **5.2** fotografisch/grafisch ~ *reproduce photographically/graphically;*
II ⟨wk.ww.; zich ~⟩ **0.1** [zich voortplanten] *reproduce* ⇒*breed* ◆ **1.1** zich snel ~de organismen *fast reproducing organisms.*

reproduktie ⟨de (v.)⟩ **0.1** [nabootsing] *reproduction* ⇒*facsimile* ⟨exacte kopie, facsimile⟩, *replica* ⟨exacte kopie, vaak kleiner dan origineel⟩, *copy* ⟨kopie, afdruk⟩ **0.2** [nieuwe voortbrenging] *reproduction* ⇒*breeding* **0.3** [herhaling] *reproduction* ⇒*repetition, repeat* **0.4** [het nabootsen] *reproduction* **0.5** [⟨psych.⟩] *(total) recall* **0.6** [het herhalen] *reproduction* ⇒*repetition* ◆ **2.1** ongeoorloofde ~ *pirated copy;* een slechte ~ *a poor reproduction* **2.2** de menselijke ~ *human r.* **2.4** fotografische ~ *photographic r.* **6.1** een map met ~s naar Dürer *a folder of/with reproductions after Dürer.*

reproduktiecamera ⟨de⟩ **0.1** *copy camera.*

reproduktiecijfer ⟨het⟩ **0.1** [demografie] **0.1** *fertility rate* ⇒*birthrate.*

reproduktief ⟨bn.⟩ **0.1** [weer voortbrengend] *reproductive* ⇒*procreative* **0.2** [reproducerend] *reproductive.*

reproduktietechniek ⟨de (v.)⟩ **0.1** *reproduction technique.*

reproduktievermogen ⟨het⟩ **0.1** [voortplantingsvermogen] *reproductive/ procreative power* ⇒*fertility* **0.2** [⟨psych.⟩] *power of recall.*

reproduktiviteit ⟨de (v.)⟩ **0.1** [reproduktieve kracht] *reproductivity* **0.2** [voortplantingsvermogen] *reproductivity* ⇒*reproductive/procreative power, fertility.*

reprograferen ⟨ov.ww.⟩ **0.1** *reproduce* ⇒*reprint.*

reprografie ⟨de (v.)⟩ **0.1** [reproduktie en vermenigvuldiging] *reprography* **0.2** [offsetdruk] *off-set printing* ⇒*reprography.*

reprografisch ⟨bn.,-ally⟩ **0.1** *reprographic.*

reptiel ⟨het⟩ **0.1** [dier] *reptile* ⇒*reptilian* **0.2** [verachtelijk wezen] *reptile* ⇒*reptilian, serpent* ⟨onderkruiper, geniepigerd⟩, *creep* **0.3** [huid] *reptile.*

republicanisme ⟨het⟩ **0.1** *republicanism.*

republiek ⟨de (v.)⟩ **0.1** *republic* ◆ **1.1** ⟨fig.⟩ de ~ der letteren the *r. of letters;* de ~ der Verenigde Nederlanden the *R. of the United Provinces, the Dutch R.* **3.1** de ~ uitroepen *proclaim the r.* **6.1** tot een ~ maken *republicanize, make/turn into a r..*

republikein ⟨de (m.)⟩ **0.1** [aanhanger van de republikeinse staatsvorm] *republican* **0.2** [aanhanger van de republikeinse partij] *Republican.*

republikeins ⟨bn., bw.⟩ **0.1** [van een republiek] ⟨bn.⟩ *republican;* ⟨bw.⟩ *in a republican manner* **0.2** [van de republikeinen] ⟨bn.⟩ *republican;* ⟨bw.⟩ *in a republican manner* ◆ **1.1** ⟨gesch.⟩ de ~e kalender *the Revolutionary Calendar;* ~e regeringsvorm *the r. form of government* **1.2** de ~e partij *the r. party;* ⟨AE⟩ *the Grand Old Party* ⟨de Republikeinse partij⟩.

repudiatie ⟨de (v.)⟩ **0.1** [echtscheiding] *repudiation* ⇒*divorce, renouncement, relinquishment* **0.2** [weigering om schuld te betalen] *repudiation* **0.3** [weigering van geld als ruilmiddel] *rejection* ⇒*non-acceptance.*

repudiëren ⟨ov.ww.⟩ **0.1** *repudiate* ⇒*reject, disown, renounce* ⟨mening/ geloof⟩, ⟨jur.⟩ *relinquish.*

---

repugnant ⟨bn.⟩ **0.1** *repugnant* ⇒*nauseating* ⟨walgelijk⟩, *repellent, repellant* ⟨afstotelijk, weerzinwekkend⟩, *repulsive* ⟨afstotend, weerzinwekkend⟩, *disgusting* ⟨stank/geur⟩, *revolting* ⟨lelijkheid⟩.

repuls ⟨de⟩ **0.1** *rejection* ⇒*repulse* ⟨koude afwijzing⟩, *rebuff* ⟨afwijzing, weigering⟩.

repulsie ⟨de (v.)⟩ **0.1** [⟨nat.⟩ afstoting] *repulsion* **0.2** [afwijzing] *repulse* ⟨koude afwijzing⟩ ⇒*rebuff* ⟨afwijzing, weigering⟩, *rejection* ⟨verwerping, afwijzing⟩.

repulsief ⟨bn.⟩ ⟨nat.⟩ **0.1** *repulsive* ⇒*repellent, repellant* ⟨afstotend, terugdrijvend⟩.

repulsiemotor ⟨de (m.)⟩ **0.1** *repulsion motor.*

reputatie ⟨de (v.)⟩ **0.1** [naam] *reputation* ⇒*name* ⟨naam, roem⟩, *repute* **0.2** [goede naam] *reputation* ⇒*fame* ⟨goede naam⟩, *repute* ⟨vermaardheid⟩, *standing* ⟨achting⟩, *character* ⟨goede reputatie⟩ ◆ **2.1** gevestigde ~ *established reputation/name;* hij heeft zich een goede ~ verworven *he's earned a reputation, he's earned himself a name (in ...);* een goede/slechte ~ hebben/genieten *have/enjoy a good/bad reputation, be held/stand in good/bad repute;* zichzelf een slechte ~ bezorgen *cheapen o.s., mar one's good name, damage one's reputation;* van (een) twijfelachtige ~ *of doubtful reputation, of questionable standing, shady* **3.1** de ~ hebben (van) een genie te zijn *have the reputation of being a genius, be reputed to be a genius, have a reputation for genius;* wat heeft hem deze ~ bezorgd? *what won/gained him this reputation?;* een ~ krijgen (van) een vechtersbaas te zijn *get/obtain/acquire a reputation for fighting* **3.2** iemands ~ bezoedelen/bekladden *blast/blemish/blot/foul/blacken s.o.'s reputation;* zijn ~ ophouden/op het spel zetten *keep up/risk one's reputation;* iemands ~ schaden, slecht zijn voor iemands ~ *damage/mar s.o.'s reputation, put a slur on s.o.* **6.1** alleen **bij** ~ bekend zijn *be known only by repute;* een man met een slechte ~/een gevestigde ~ ⟨slecht⟩ *a disreputable man, a man of ill fame/repute;* ⟨goed⟩ *a man with an established reputation/name, a reputable man* **6.2** dat is hij **aan** zijn ~ verplicht *he owes it to his reputation;* een firma met ~ *a firm of standing, a highly/very reputable firm;* een man **van** ~/met een ~ *a man of repute/standing/character.*

requiem ⟨het⟩ **0.1** [dodenmis] *Requiem (mass)* **0.2** [muziek] *Requiem (mass), Requiem* **0.3** [geschrift] *requiem* ⇒*elegy.*

requiemmis ⟨de⟩ **0.1** *requiem (mass)* ⇒*dirge.*

requisitoir ⟨het⟩ **0.1** [⟨jur.⟩] ⟨*closing speech of the public prosecutor (containing the demand that a penalty be imposed)*⟩ **0.2** [⟨fig.⟩] *indictment* ◆ **2.1** hij kwam met een heel ~ voor de dag *he produced a complete charge;* schriftelijk ~ *(formal) written charge, indictment* **3.1** de openbare aanklager hield zijn ~ *the public prosecutor held/delivered his closing speech* **6.2** zijn boek is één ~ **tegen** ... *his book is a running indictment of/against ....*

rescissie ⟨de (v.)⟩ ⟨jur.⟩ **0.1** *rescission* ⇒*rescindment, annulment, repeal.*

rescontreren ⟨onov., ov.ww.⟩ **0.1** [⟨hand.⟩] *settle* ⇒*carry over (one's) position* **0.2** [afwijzen] *refute* ⇒*disprove.*

rescribéren ⟨onov., ov.ww.⟩ **0.1** ⟨reply⟩ ⇒*answer in writing.*

rescript ⟨het⟩ **0.1** *rescript* ⇒*written answer/reply.*

research ⟨de (m.)⟩ **0.1** *research* ◆ **2.1** fundamentele ~ *basic r.;* operationele ~ ⟨vnl. BE⟩ *operational r.;* toegepaste ~ *applied r..*

research- ⟩**onderzoeks-.**

reseceren ⟨ov.ww.⟩ ⟨med.⟩ **0.1** *resect.*

resectie ⟨de (v.)⟩ ⟨med.⟩ **0.1** *resection.*

reseda[1]
I ⟨de⟩ **0.1** [plant] *reseda* ⇒*mignonette* ⟨ihb. tuinplant: Reseda odorata⟩;
II ⟨het⟩ **0.1** [kleur] *reseda* ⇒*mignonette.*

reseda[2] ⟨bn.⟩ **0.1** *reseda* ⇒*mignonette.*

reseen ⟨het⟩ **0.1** *resin.*

reservaat ⟨het⟩ ⟨vaak in samenst.⟩ **0.1** *reserve* ⇒*preserve* ◆ **1.1** Indianenreservaat *Indian reservation;* natuurreservaat *nature reserve, sanctuary.*

reservatie ⟨de (v.)⟩ **0.1** [het bewaren v.h. geconsacreerde brood] *reservation* **0.2** [voorbehoud] *reservation* ⇒*qualification* ⟨beperking, voorbehoud⟩, *condition* ⟨voorwaarde, voorbehoud⟩, *restriction* ⟨beperkende bepaling, voorbehoud⟩ **0.3** [⟨AZN⟩ (plaats)bespreking] *booking, reservation.*

reserve ⟨de⟩ **0.1** [noodvoorraad] *reserve(s)* ⇒*backup* ⟨voorraad⟩, *fall-back* ⟨ook uitwijkmogelijkheid⟩ **0.2** [plaatsvervanger] *standby* ⇒*substitute, sub, supernumerary* ⟨extra, vervanger⟩, ⟨mil.⟩ *reserve, reservist* ⟨reservist, reserve⟩ **0.3** [groep personen die gereed gehouden worden] *reserve(s)* ⇒⟨mil.⟩ *reserve troops* **0.4** [terughoudendheid] *reserve* ⇒*reservation, reticence* ⟨terughoudendheid⟩, *caution* ⟨behoedzaamheid⟩ **0.5** [kapitaal] *reserve, fall-back* **0.6** [mbt. het verven van textiel] *batik* ⇒*wax dying* ◆ **2.1** fysieke/geestelijke ~s *physical/mental reserves;* monetaire ~ *monetary reserves* **2.2** eerste ~ *first standby/ reserve/sub(stitute), twelfth man;* vaste ~ zijn ⟨AE; sl.; sport⟩ *be benchwarmer/reserve* **2.3** nationale ~ *national reserve,* ≠*territorial army* **2.4** enige ~ is hierbij geboden *some reserve/caution is in order here;* zonder enige ~ *without reserve/reservations, fully, unreservedly, frankly* **3.1** een ~ aanleggen *build up a reserve;* zijn ~s aan-

spreken *draw on one's reserves* **3.4** zijn~(s) laten varen *let o.s. go,
unbend;* ⟨inf.;fig.⟩ *let one's hair down* **3.5** (het saldo/een bedrag) op
~ plaatsen/stellen *place/put/transfer/allocate/take the balance/a
sum to reserve* **6.1** iets in ~ houden *keep sth. in reserve, reserve sth.,
keep sth. back/in store;* we moeten snel tanken, hij staat al op zijn~/
wij rijden al **op** zijn ~ *we've got to get some petrol soon, we're down to
our last gallon* **6.3** hij is **bij** de ~ ingedeeld *he's been posted to the reserves* **8.1** een oude fiets/bel als ~ houden *keep an old bicycle/bell as
a spare/standby* **8.2** als ~ opstellen *place as reserve/sub, put on the
bench,* ⟨AE;sport⟩ *bench.*
reserveband ⟨de (m.)⟩ **0.1** *spare tyre* [A]*tire* ⇒⟨inf.⟩ *spare.*
reservebank ⟨de⟩⟨sport⟩ **0.1** *reserve(s') bench.*
reservedruk ⟨de (m.)⟩⟨ind.⟩ **0.1** *batik/wax dying/printing.*
reservefonds ⟨het⟩ **0.1** *reserve fund.*
reservekader ⟨het⟩⟨mil.⟩ **0.1** ≠*territorial army* ⇒*territorials, reserve officers' training corps.*
reservekapitaal ⟨het⟩ **0.1** *reserve fund/capital.*
reservekapitein ⟨de (m.)⟩ **0.1** *captain in the reserves.*
reserveluchT ⟨de⟩ **0.1** *reserve air* ⇒*supplemental/residual air.*
reserveofficier ⟨de (m.)⟩⟨mil.⟩ **0.1** *reserve officer, officer of the reserves*
⇒*temporary officer* ◆ **1.1** lijst van ~en *reserved list.*
reserveonderdeel ⟨het⟩ **0.1** *(spare) part* ⇒⟨BE ook⟩ *spare.*
reserverekening ⟨de (v.)⟩ **0.1** *reserve account* ◆ **6.1 op** de ~ plaatsen
transfer/place/put to reserve.
reserveren
  I ⟨ov.ww.⟩ **0.1** [afzonderlijk houden] *reserve* ⇒*set aside/apart, put
aside/away/by* **0.2** [voorbehouden] *reserve* ⇒*qualify* ⟨beperken,
kwalificeren⟩,*stipulate* ⟨bedingen⟩ **0.3** [een bijzondere bestemming
geven] *reserve* ⇒*allocate, allot* ⟨toewijzen, bestemmen⟩ **0.4** [mbt.
weefsels] *wax* ⇒*mask* ◆ **1.1** de bedrijfswinst ~ *r. the company profit;
geld* ~ *set/put aside money,* een som van 30.000 gulden ~ voor *set
aside a sum of 30,000 guilders for; earmark a sum of 30,000 guilders
for* ⟨bestemmen⟩; *budget a sum of 30,000 guilders, budget for 30,000
guilders* ⟨begroten⟩ **1.2** ⟨jur.⟩ de (uitspraak over de) kosten ~ *r. (the
judgement on) costs* **4.2** zich rechten ~ *r. rights to o.s.* **6.1** een artikel **voor** iem. ~ *keep/put aside* [A]*lay away an article for s.o.;*
  II ⟨onov., ov.ww.⟩ **0.1** [bespreken] ⟨ov., onov.⟩ *book,* ⟨ov.⟩ *reserve* ⇒
engage ◆ **1.1** een tafel ~ *r./b. a table* **5.1** reserveer tijdig *book your
reservations early* **6.1** zij reserveerde **voor** de tweede voorstelling *she
booked for the second show.*
reservering ⟨de (v.)⟩ **0.1** [het reserveren/bewaren] *reserving, reservation* ⇒*setting aside/apart* **0.2** [het bespreken van plaatsen] *booking,
reservation* ◆ **1.¶** ⟨hand.⟩ de ~ v.h. saldo *placing the balance to reserve.*
reservespeler ⟨de (m.)⟩, **-speelster** ⟨de (v.)⟩⟨sport⟩ **0.1** *reserve/substi-
tute (player)* ⇒⟨inf.⟩ *sub.*
reservetank ⟨de (m.)⟩ **0.1** *reserve (fuel) tank.*
reservetroepen ⟨zn.mv.⟩⟨mil.⟩ **0.1** *reserves, reserve troops.*
reservevoedsel ⟨het⟩⟨biol.⟩ **0.1** *storage food.*
reservewiel ⟨het⟩ **0.1** *spare wheel.*
reservist ⟨de (m.)⟩ **0.1** [militair] *reservist, reserve* **0.2** [invaller] *standby*
⇒*substitute* ⟨plaatsvervanger; ook sport⟩, *sub.*
reservoir ⟨het⟩ **0.1** [vergaarbak] *reservoir* ⇒*tank, basin, bin, fountain*
[A]*faunt* ⟨olie-, inktreservoir⟩, *container* ⟨vat⟩ **0.2** [bewaarplaats van
water] *reservoir* ⇒*basin, cistern, tank, receptacle* **0.3** [verzameling
personen etc.] *pool, reservoir, store* ⇒*wealth, abundance* ⟨grote hoe-
veelheid⟩ ◆ **1.1** het ~ v.e. closet *the cistern* **1.3** een ~ van arbeidskrachten *a reservoir/pool of labour/manpower* **6.3** hij kan **uit** een ~
van jeugdherinneringen putten *he can draw on a store of childhood
memories.*
reservoirgesteente ⟨het⟩ **0.1** *oil-shale* ⇒*reservoir rock.*
reservoirtechniek ⟨de⟩ **0.1** *reservoir technology.*
resident ⟨de (m.)⟩⟨gesch.⟩ **0.1** [hoofd van gewestelijk bestuur] *resident*
0.2 [hoofd van handelskantoor] *resident* **0.3** [gevolmachtigde v.e. re-
gering] *commissioner, resident, envoy.*
residentie ⟨de (v.)⟩ **0.1** [verblijf v.e. staatshoofd] *residence* ⇒*royal/
court capital* **0.2** [het verblijven v.e. r.k. geestelijke in zijn ambtsge-
bied] *residentiaryship* **0.3** [ambtsgebied van geestelijke] *residence* **0.4**
[⟨gesch.⟩ ambtsgebied van resident] *residency, Residency* **0.5**
[⟨AZN⟩ luxe flat(gebouw)] *(block of)* [B]*residential flats/*[A]*luxury
apartments;* ⟨BE ook⟩ *residential/apartment block.*
residentieel (bn.) **0.1** *residential.*
residentiestad ⟨de⟩ **0.1** *residence* ⇒*royal seat/capital.*
residentschap ⟨het⟩ **0.1** [gewest] *residence, province* **0.2** [ambt] *resi-
dentship* **0.3** [tijd] *residence.*
resideren ⟨onov.ww.⟩ **0.1** [verblijf houden] *reside* ⇒*stay* in de kolo-
niën⟩ **0.2** [⟨fig.⟩ mbt. zaken] *reside* ⇒*be vested in* **0.3** [mbt. r.k. gees-
telijken] *reside* ◆ **1.1** ~d ambassadeur *resident ambassador* **1.3** ~de
bisschoppen *residentiary bishops* **6.1** hij resideert **in** de hoofdstad *he
resides in the capital, his residence is in the capital.*
residu ⟨het⟩ **0.1** *residue* ⇒⟨bezinksel⟩ *dregs,* ⟨wisk.⟩ *remainder,* ⟨jur.;
schei. ook⟩ *residuum* ◆ **1.1** ⟨fig., pej.⟩ een ~ van verouderde denkbeelden *a refuse of antiquated ideas;* ~ v.e. nalatenschap *residual estate, residue of an inheritance.*

residuaal ⟨bn.⟩ **0.1** *residual.*
residuwaarde ⟨de (v.)⟩ **0.1** [waarde als residu] *residual value* ⇒*scrap/
break-up value* **0.2** [⟨ec.⟩] *residual value.*
resignatie ⟨de (v.)⟩ **0.1** [ontslagneming] *resignation* **0.2** [⟨jur.⟩] *unseal-
ing* **0.3** [berusting] *resignation* ⇒⟨berusting, aanvaarding⟩ *acquiescence,* ⟨zelfverloochening⟩ *renunciation.*
resigneren
  I ⟨onov.ww.⟩ **0.1** [afstand doen v.e. ambt] *resign* ⇒*relinquish,* ⟨aftre-
den⟩ *step down,* ⟨vero.⟩ *demit;*
  II ⟨ov.ww.⟩⟨jur.⟩ **0.1** [gerechtelijk ontzegelen] *unseal* ⇒*take out of
band* ⟨accijns⟩;
  III ⟨wk.ww.;zich ~⟩ **0.1** [berusten] *resign (o.s.)* ⇒*submit,* ⟨(zich)
overgeven⟩ *yield, put up with,* ⟨opgeven⟩ *give up.*
resiliabel ⟨bn.⟩ **0.1** *annullable* ⇒*cancellable, terminable.*
resiliatie ⟨de (v.)⟩ **0.1** *annulment* ⇒*cancellation, invalidation, termination.*
resine ⟨het, de⟩ **0.1** *resin.*
resineren ⟨onov.ww.⟩ **0.1** *resin(ate)* ◆ **1.1** geresineerde wijn *resinated
wine, retsina.*
resistent ⟨bn.⟩ **0.1** *resistant* [A]*ent (to)* ⇒*resistive,* ⟨ongevoelig, onvat-
baar⟩ *immune (to)* ◆ **1.1** ~e rassen *resistant varieties/strains* **6.1** ~
worden **tegen** antibiotica *become resistant/immune to antibiotics;* ~
zijn **tegen** ...*resist, be resistant to.*
resistentie ⟨de (v.)⟩ **0.1** *resistance.*
resisteren ⟨ov.ww.⟩ ⟨vero.⟩ **0.1** *reluct* ⇒*resist, object, withstand, stand
up to.*
resocialiseren ⟨ov.ww.⟩ **0.1** *rehabilitate.*
resolutie ⟨de (v.)⟩ **0.1** [besluit] *resolution* ⇒*resolve,* ⟨decreet⟩ *decree,
motion* **0.2** [conclusie] *resolution* ⇒⟨AE⟩ *resolve* ⟨aangenomen con-
clusie⟩ ◆ **3.2** er werden twee ~s aangenomen *two resolutions were
adopted/carried/passed* **6.1 bij** ~ v.d. minister *by decree of the minister, by ministerial decree.*
resoluut
  I ⟨bn., bw.; -ly⟩ **0.1** [vastberaden] *resolute* ⇒*purposeful, sturdy, determined,* ⟨ferm⟩ *unflinching,* ⟨gedecideerd⟩ *strong-minded* ◆ **1.1**
het is een resolute kerel *he's a strong-minded/unflinching chap* **3.1** ~
optreden *act purposefully/resolutely/decisively;* ~ weigeren *turn
down flatly;*
  II ⟨bw.⟩ **0.1** [zonder omhaal] *frankly, candidly;* ⟨AE ook⟩ *outspoken-
ly* ◆ **3.1** ~ de waarheid zeggen *tell the truth out straight, come out with
the truth.*
resolveren
  I ⟨ov.ww.⟩ **0.1** [ontbinden] *resolve* ⇒*disintegrate;*
  II ⟨onov.ww.⟩ **0.1** [besluiten] *resolve* ⇒*determine.*
resonans ⟨de (v.)⟩ **0.1** *resonance.*
resonansbodem →**resonantiebodem.**
resonantie ⟨de (v.)⟩ **0.1** [het meetrillen] *resonance* **0.2** [nagalm] *resonance* ⇒⟨weergalm⟩ *reverberation* **0.3** [het beklemtonen van fre-
quenties] *resonance* **0.4** [⟨fig.⟩ weerklank] *echo* ⇒*response.*
resonantiebodem ⟨de (m.)⟩ **0.1** *sound board.*
resonator ⟨de (m.)⟩ **0.1** [resonerend systeem] *resonator* **0.2** [instru-
ment] *resonator* **0.3** [trillingssysteem] *resonator.*
resoneren ⟨onov.ww.⟩ **0.1** [klinken] *resound* ⇒*reverberate, resound, echo* **0.3** [weerklank vinden] *resound* **0.4**
[respons geven] *respond* **0.5** [meetrillen, ⟨ook fig.⟩] *resound, resonate*
⇒*vibrate* ◆ **6.5** ~ **met/op** *resound/resonate with/to.*
resorberen ⟨ov.ww.⟩ **0.1** *reabsorb, resorb.*
resorcinol ⟨de⟩ **0.1** *resorcinol, resorcin.*
resorptie ⟨de (v.)⟩ **0.1** *resorption, reabsorption.*
resp. ⟨afk.⟩ **0.1** [respectievelijk] *resp.* **0.2** [responde] ⟨*respond*⟩.
respect ⟨het⟩ **0.1** *respect* ⇒⟨achting⟩ *regard,* ⟨eerbied⟩ *deference,*
⟨voorkomendheid⟩ *consideration,* ⟨ontzag⟩ *awe* ◆ **2.1** iem. niet met
het verschuldigde ~ bejegenen *fail to treat s.o. with the proper respect, disrespect s.o.* **3.1** ~ afdwingen *command admiration/respect;* ~
inboezemen *fill with/evoke respect;* iem. met ~ vervullen *fill s.o. with
respect/admiration;* voor iets/iem. ~ tonen *show respect for sth./s.o.,
tip one's hat to sth./s.o.* **6.1** (het zij) **met** alle ~ gezegd *with all (due)
respect (it should be said);* eerbied *met* ~ behandeld te worden
stand on one's dignity; **uit** ~ voor haar *out of consideration for her;* **uit**
~ voor hun gevoelens *out of respect for/in deference to their feelings;*
daar heb ik ~ **voor** *I respect/appreciate that;* zonder ~ **voor** in contempt of, *without regard for, irrespective of;* een (groot/heilig) ~ **voor**
iem. hebben/koesteren *have a healthy respect for s.o., stand in awe of
s.o.*
respectabel
  I ⟨bn.⟩ **0.1** [eerbiedwaardig] *respectable* ⇒⟨achtenswaardig⟩ *honourable,* ⟨met goede naam⟩ *reputable,* ⟨achtenswaardig⟩ *estimable,*
⟨keurig⟩ *decent;*
  II ⟨bn., bw.; -ly⟩ **0.1** [prijzenswaardig] *commendable* ⇒⟨voortreffe-
lijk⟩ *admirable,* ⟨loffelijk⟩ *laudable,* ⟨eervol⟩ *honourable* **0.2** [in-
drukwekkend] *respectable* ⇒⟨aanzienlijk⟩ *considerable,* ⟨fors⟩ *sizable* ◆ **1.2** een ~ bedrag/aantal *a r./considerable amount/number* **3.1**
~ handelen *act honourably* **3.2** ~ stijgende inkomsten *considerably
increasing income, a sizable increase in income.*

respectabiliteit ⟨de (v.)⟩ **0.1** *respectability* ⇒*repute, reputability, decency*.

respectblad ⟨het⟩ **0.1** *flyleaf* ⇒*blank page*.

respectdagen →**respijtdagen.**

respecteren ⟨ov.ww.⟩ **0.1** [blijk geven van eerbied] *respect* ⇒ ⟨(ver)eren⟩ *revere,* ⟨bewonderen⟩ *admire,* ⟨waarderen⟩ *appreciate* **0.2** [met eerbied behandelen] *respect* ⇒*regard,* ⟨eerbiedigen⟩ *defer to* **0.3** [naleven] *observe* ⇒*honour* **0.4** [honoreren] *honour* ◆ **1.2** iemands opvattingen ~ *respect s.o.'s views* **4.1** zichzelf ~ *respect o.s.;* iedere politicus die zichzelf respecteert (gaat naar die demonstratie) *every self-respecting / self-respectful politician (will go to that demonstration)* **8.1** hij wordt als vakman / om zijn vakmanschap gerespecteerd *he is respected / appreciated for his craftsmanship*.

respectief ⟨bn.⟩ **0.1** *respective* ⇒*relative* ◆ **1.1** hun respectieve namen *their respective names;* de respectieve voordelen van windenergie en kernenergie *the relative / comparative advantages of wind energy and nuclear energy*.

respectievelijk[1]
I ⟨bn., bw.; -ly⟩ **0.1** [elk voor zich] *respective* ⇒⟨bw. ook⟩ *severally;*
II ⟨bw.⟩ **0.1** [achtereenvolgens] *respectively* ◆ **¶.1** bedragen van ~ 1000, 10.000 en 100.000 gulden *sums of 1,000, 10,000 and 100,000 guilders r..*

respectievelijk[2] ⟨vw.⟩ **0.1** *or (else / alternatively / otherwise)* ◆ **¶.1** het toekennen v.e. strafschop, ~ vrije schop *awarding a penalty kick, or (otherwise) a free kick*.

respectueus ⟨bn., bw.; -ly⟩ **0.1** *respectful* ⇒*reverent(ial), deferential*.

respectvol ⟨bn., bw.; -ly⟩ **0.1** *respectful* ⇒*reverent(ial), deferential*.

respijt ⟨het⟩ **0.1** [uitstel] *respite* ⇒*grace, delay* **0.2** [onderbreking] *reprieve* ⇒*truce, respite, rest, break* ◆ **1.1** geef mij enige dagen ~ *give me a few days' grace / delay* **1.2** ik heb geen uurtje ~ op een dag *I don't get an hour's respite / relief / reprieve in the / a whole day* **3.1** ~ vragen / verlenen *ask / give r.;* ⟨verlenen ook⟩ *reprieve, respite* **6.2** zonder ~ *without respite* ⇒*a rest / break*.

respijtdagen ⟨zn.mv.⟩ ⟨hand.⟩ **0.1** *days' grace* ◆ **7.1** twee / enige ~ *two / a few days' grace*.

respiratie ⟨de (v.)⟩ **0.1** [het ademen] *respiration* **0.2** [een keer inademen] *breath* **0.3** [gasstofwisseling] *respiration*.

respiratiecentrum ⟨het⟩ **0.1** *respiratory centre*.

respiratietoestel ⟨het⟩ **0.1** *respirator*.

respiratoir ⟨bn.⟩ **0.1** *respiratory* ◆ **1.1** ⟨biol.⟩ ~ quotiënt *r. quotient*.

respirator ⟨de (m.)⟩ **0.1** [ademhalingstoestel] *respirator* ⇒*inhaler, inspirator* **0.2** [masker] *respirator*.

respiratorisch ⟨bn.⟩ **0.1** *respiratory* ◆ **1.1** het ~ accent *the r. accent;* ~ quotiënt *r. quotient*.

respireren ⟨onov., ov.ww.⟩ **0.1** *respire*.

respondent ⟨de (m.)⟩ **0.1** [iem. die antwoordt op een enquête] *respondent* **0.2** [student] *respondent* **0.3** [verdediger] *respondent*.

responderen ⟨onov.ww.⟩ **0.1** [antwoorden] *respond* ⇒*reply* **0.2** [borg blijven] *vouch (for)*.

respons ⟨het, de (v.)⟩ **0.1** [reactie] *response* ⇒*feedback,* ⟨antwoord⟩ *return, reply, reaction* **0.2** [mbt. een beurtzang] *response(s)* ⟨meestal mv.⟩ ⇒*respond, responsory* ◆ **3.1** op zijn enquête kreeg de onderzoeker weinig ~ *the researcher got little response to his questionnaire;* ~ krijgen *get a response / reaction, get feedback;* ~ verwekken / vinden *evoke a response, get feedback*.

responsabel ⟨bn.⟩ **0.1** [verantwoordelijk] *responsible* ⇒*accountable, answerable* **0.2** [aansprakelijk] *responsible* ⇒*accountable, answerable*.

responsabiliteit ⟨de (v.)⟩ **0.1** [verantwoordelijkheid] *responsibility* ⇒*accountability, answerability* **0.2** [aansprakelijkheid] *responsibility* ⇒*accountability, answerability*.

responsie ⟨de (v.)⟩ **0.1** [beantwoording in de beurtzang] *response(s)* ⟨meestal mv.⟩ ⇒*respond, responsory* **0.2** [het antwoorden in college] *reply* **0.3** [college] ⟨→**responsiecollege**⟩ **0.4** [reactie] *response* ⇒*reaction* **0.5** [⟨nat., tech.⟩] *response* ⇒*sensitivity, susceptibility*.

responsiecollege ⟨het⟩ **0.1** ≠*tutorial,* ≠*seminar* ⇒≠*supervision*.

responsorie ⟨het, de (v.)⟩, **responsorium** ⟨het⟩ ⟨r.k.⟩ **0.1** *responsory* ⇒*respond, response*.

responsum ⟨het⟩ **0.1** [antwoord v.e. rechtscollege / faculteit] *response* ⇒*reply, rescript* **0.2** [aanschrijving] *notification* ⇒*notice* **0.3** [refrein] *response* ⇒*respond, response*.

ressentiment ⟨het⟩ **0.1** *resentment* ⇒⟨wrok, haat⟩ *spite,* ⟨verbitterdheid⟩ *bitterness, ill will,* ⟨afgunst⟩ *envy* ◆ **2.1** brieven / kritieken vol ~ *letters / reviews full of / brimming with r..*

ressort
I ⟨het⟩ ⟨Fr.⟩ **0.1** [springveer] *spring* ⇒*spiral* **0.2** [⟨AZN⟩] spiraalmatras] *spring mattress;*
II ⟨het⟩ **0.1** [ambts / rechtsgebied] *jurisdiction* **0.2** [(vak)gebied] *province* ⇒*domain, field, area,* ⟨bereik⟩ *scope* **0.3** [rechts / bestuursbevoegdheid] *jurisdiction* ◆ **1.1** het ~ van deze arrondissementsrechtbank *the j. of this district court* **2.3** vonnis in hoogste ~ gewezen *judgement passed at the highest level;* in laatste ~ *in the last instance, as a last resort* **4.2** dat behoort niet tot mijn ~ *that's not within my p.* **6.1** dat valt buiten ons ~ *that's outside our j., our writ doesn't run there*.

ressorteren ⟨onov.ww.⟩ ◆ **5.¶** een hoofdpostkantoor, waaronder vier bijkantoortjes ~ *a general post office, heading four sub-post-offices* **6.¶** ~ **onder** *come under;* dat ressorteert niet **onder** hem *that's outside his province;* de afdeling kunstzaken ressorteert tegenwoordig **onder** WVC *the department of art nowadays comes under the Ministry of Welfare, Public Health and Culture*.

ressource ⟨de⟩ **0.1** [⟨meestal mv.⟩ hulpmiddel] *resource* ⇒⟨(geschikt) middeltje⟩ *expediency,* ⟨list⟩ *stratagem* **0.2** [⟨schaaksport⟩] *tactical finesse / trick* **0.3** [⟨mv.⟩ mogelijkheden] *resources* ⇒⟨capaciteiten⟩ *capabilities, possibilities*.

rest ⟨de⟩ **0.1** [wat is overgebleven] *rest* ⇒*remainder* ⟨ook wisk.⟩, ⟨overblijfsel⟩ *remain,* ⟨restant⟩ *remnant,* ↓*leftover* **0.2** [wat nog blijft voor de toekomst] *rest, remainder* **0.3** [wat verder nog behoort tot een categorie / geheel] *rest, remainder* ◆ **1.1** de ~ v.h. gebruikte materiaal *the remainder of the material used, the leftovers;* ~ en van vroegere schoonheid *remnants of former beauty* **1.2** de ~ van zijn leven *the rest of his life* **1.3** de ~ v.h. boek is weinig interessant *the rest of the book isn't very interesting* **2.1** stoffelijke ~en *(mortal) remains* **3.3** de ~ kun je wel raden *you can guess the rest* **6.1** ⟨wisk.⟩ die deling gaat op **zonder** ~ *this division terminates without remainder* **6.3** **voor** de ~ kan het mij niet schelen *otherwise fair enough / I'm easy, I don't care / I'm not bothered about the rest;* **voor** de ~ geen nieuws *otherwise no news* **8.3** en de ~! *and the rest (of it (all))!, and so on!*.

restactiviteit ⟨de (v.)⟩ ⟨nat.⟩ **0.1** *residual activity*.

restant
I ⟨het⟩ **0.1** [overschot] *remainder* ⟨ook van boeken⟩ ⇒⟨overschot⟩ *remnant, oddment,* [B]*surplus,* ⟨overgehouden voorraad⟩ *carry-over* ◆ **1.1** een ~ ongebleekt katoen *oddments in unbleached cotton;* opruiming van ~en *remnant / remainder sale* **6.1** ⟨fig.⟩ een ~ **aan** eergevoel *a vestige of pride;* **met** een ~ / ~en blijven zitten *be stuck with dead stock / unsaleable goods;*
II ⟨de⟩ **0.1** [obligatie] *unpaid / unclaimed drawn bond*.

restantenuitverkoop ⟨de (m.)⟩ **0.1** *remnant / remainder sale*.

restantpartij ⟨de (v.)⟩ **0.1** *odd lot*.

restaurant ⟨het⟩ **0.1** *restaurant* ◆ **2.1** een eenvoudig ~ *a simple r., an eating house / place, a chophouse,* [A]*a diner,* ⟨goedkoop⟩~(je) ⟨vnl. AE ook; inf.⟩ *beanery* **6.1** in een ~ gaan eten *dine out in a r..*

restauranthouder ⟨de (m.)⟩, **-ster** ⟨de (v.)⟩ **0.1** *restaura(n)teur* ⇒*restaurant keeper, caterer*.

restaurateur ⟨de (m.)⟩ **0.1** [iem. die restauraties verricht] *restorer* ⇒⟨zeldz.⟩ *instaurator* **0.2** [iem. die een restaurant houdt] *restaura(n)teur* ⇒*restaurant keeper, caterer*.

restauratie ⟨de (v.)⟩ **0.1** [het restaureren] *restoration* **0.2** [herstel v.e. regime] *restoration* **0.3** [restaurant] *restaurant* ⇒⟨cafetaria⟩ *buffet* **0.4** [verfrissing] *refreshment* ◆ **1.1** ~ v.h. gebit *r. of the teeth* / ⟨kunstgebit⟩ *dentures*.

restauratief ⟨bn.⟩ **0.1** ⟨zie **1**⟩ ◆ **1.1** restauratieve verzorging v.h. personeel *catering for the staff, staff catering*.

restauratiewagen ⟨de (m.)⟩ **0.1** *dining car, diner;* ⟨BE ook⟩ *restaurant / buffet car*.

restauratiewerkzaamheden ⟨zn.mv.⟩ **0.1** *restoration / restoring work*.

restaureren ⟨ov.ww.⟩ **0.1** [herstellen] *restore* ⇒*renovate,* ⟨opknappen⟩ *refurbish, recondition* **0.2** [weer aan de macht brengen] *restore* ◆ **1.1** een kerk / boekband / schilderij ~ *restore a church / (book)binding / painting*.

restcategorie ⟨de (v.)⟩ **0.1** *remaining / residual category*.

resten ⟨onov.ww.⟩ **0.1** [te doen / te zeggen blijven] *remain, be left* **0.2** [nog beschikbaar zijn] *remain, be left* ◆ **4.1** hem restte niets meer dan zich haastig terug te trekken *there was nothing left for him but / he was only left a hasty retreat;* nu rest mij nog te verklaren … *now it only remains for me to say …* **4.2** ons resten nog twee staanplaatsen *there's only standing room left (for us)*.

resteren ⟨onov.ww.⟩ **0.1** [nog overblijven] *be left, remain* **0.2** [mbt. geld] *remain, be outstanding* ◆ **1.1** de ~de dagen van onze vakantie *the remaining days of our holiday* **1.2** het ~de bedrag betalen *pay the outstanding amount* **7.1** ⟨zelfst.⟩ het ~de *the remainder* **7.2** ⟨zelfst.⟩ het ~de ⟨saldo⟩ *the balance*.

restgetal ⟨het⟩ ⟨wisk.⟩ **0.1** *remainder*.

restgroep ⟨de⟩ **0.1** *remainder* ⇒*remaining group*.

restitueren ⟨ov.ww.⟩ **0.1** [terugbetalen] *refund* ⇒*pay back, repay, restitute* ⟨ook teruggeven⟩.

restitutie ⟨de (v.)⟩ **0.1** ⟨terugbetaling⟩ *refund* ⇒⟨vergoeding⟩ *repay(ment),* ⟨teruggave⟩ *restitution, restoration, recession* ◆ **3.1** ~ verlenen *make a refund of* ⟨gelden⟩; *restore, return* ⟨bezittingen⟩.

restje ⟨het⟩ **0.1** [leftovers] ⇒*scraps,* ⟨AE ook⟩ *pickings* ◆ **1.1** met zijn laatste ~ kracht *with the remains of his strength / his last ounce of energy;* er zit nog een ~ wijn in *there's just a drop / heeltap of wine left* **6.1** ik heb nog een ~ **van** gisteren *I've got a few scraps (left over) from yesterday* **¶.1** de ~s aan de hond geven *feed the l. to the dog*.

resto ◆ **6.¶ per** ~ *in the final / last / ultimate analysis, in the end, at the end of the day, on balance*.

restorneren ⟨ov.ww.⟩ ⟨hand.⟩ **0.1** *refund*.

restorno ⟨de (m.)⟩ ⟨hand.⟩ **0.1** *refund*.

restrictie ⟨de (v.)⟩ **0.1** [beperking] *restriction* ⇒*constraint, qualification* **0.2** [voorbehoud] *restriction* ⇒*condition, qualification* ◆ **3.2** ~s maken *make reservations* **6.2 onder/met** de volgende ~s *under/with the following qualifications, on the following conditions;* **zonder** ~ *without stint, unqualified.*

restrictief ⟨bn.⟩ **0.1** [beperkend] *restrictive* **0.2** [voorbehoud bevattend] *qualified* ⇒*conditional.*

restringeren ⟨ov.ww.⟩ **0.1** *restrict* ⇒*restrain, constrain.*

restwaarde ⟨de (v.)⟩ **0.1** *residual value* ⇒*value after depreciation.*

restzetel ⟨de (m.)⟩ **0.1** *residual seat.*

resultaat ⟨het⟩ **0.1** [uitslag] *result* ⇒*effect, issue, outcome, upshot* **0.2** [positieve uitkomst] *result* ⇒*outcome, end* **0.3** [opbrengst] *result* ⇒ ⟨voordeel⟩ *fruits,* ⟨winst⟩ *returns* ◆ **1.3** de resultaten van zijn onderzoek *the findings of his research, his research findings* **2.1** het plan had het beoogde ~ *the plan had the desired effect* **2.3** de onderneming behaalde dit jaar bevredigende resultaten *the company showed satisfactory results/returns this year* **3.2** geen ~ boeken/opleveren *achieve no result(s), fall flat, be without success;* de onderhandelingen hebben niet tot ~ geleid *the talks did not lead to any results/did not yield any profits/failed;* mijn harde woorden hadden ~ *my severe words took/had their effect* **3.3** met ~ *result in;* **met** het ~ dat ..., **met** als ~ dat ... *with the r. that ..., resulting in ...* **6.2 zonder** ~ *without avail/r., in vain, to no purpose, unsuccessful, unprofitable, issueless* **6.3** zijn goede cijfers waren het ~ **van** hard werken *his good marks came from/of working hard/were the fruits of hard work;* het ~ **van** al zijn inspanningen was ... *his exertions resulted in ..., the outcome of his exertions was ...* ¶**.1** je resultaten op school *your school results.*

resultante ⟨de⟩ **0.1** [(wisk.)] *result* ⇒*resultant* **0.2** [⟨nat.⟩] *resultant* **0.3** [⟨fig.⟩] *upshot.*

resultatenrekening ⟨de (v.)⟩ **0.1** *profit-and-loss account.*

resultatief ⟨bn.⟩ **0.1** *resultative* ⇒*resultant, pertaining to/indicating a/the result.*

resulteren ⟨onov.ww.⟩ **0.1** *result* ◆ **5.1** het daaruit ~de verlies *the loss resulting from it, the resulting loss* **6.1** ~ **in** r. *in, lead up to;* dit heeft geresulteerd **in** zijn ontslag *this has led up to his dismissal;* wanneer het signaal sterk is dan zal dat ~ **in** een goede ontvangst *if the signal is strong, high quality reception will result/be the result;* ~ **uit** r. *from* ¶**.1** wat resulteert is ... *the result/outcome/upshot is ....*

resumé ⟨het⟩ **0.1** [samenvatting van tekst] *summary* ⇒*abstract, brief, résumé,* ⟨samenvatting van tekst⟩ *précis, synopsis, epitome,* ↓*round-up,* ⟨jur.⟩ *summing-up, summation* ◆ **3.1** een ~ geven *van* iets *give a summary* ⟨enz.⟩ *of sth..*

resumeren ⟨ov.ww.⟩ **0.1** [samenvatten] *summarize* ⇒*sum up, encapsulate, epitomize, précis* ⟨tekst⟩ **0.2** [herhalen] *recapitulate* ⇒⟨inf.⟩ *recap* ¶**.1** ~d kunnen we stellen, dat ... *summarizing/summing up/winding up, we may say that ....*

resumptie ⟨de (v.)⟩ **0.1** [het samenvatten] *summarizing* ⇒*summing up,* abstracting **0.2** [samenvatting] *summary* ⇒*summing-up,* ⟨ook →resumé⟩ ◆ **6.1** de ~ **van** de notulen *the reading of the minutes.*

resurrectie ⟨de (v.)⟩ **0.1** *resurrection.*

resusaap ⟨de (m.)⟩ **0.1** *rhesus, rhesus monkey/macaque.*

resusbaby ⟨de (m.)⟩ **0.1** *Rhesus baby.*

resuscitatie →reanimatie.

resusfactor ⟨de (m.)⟩ **0.1** *Rhesus factor* ⇒*Rh factor.*

resusnegatief ⟨bn.⟩ **0.1** *Rhesus negative* ⇒*(Rh) negative.*

resuspositief ⟨bn.⟩ **0.1** *Rhesus positive* ⇒*(Rh) positive.*

retabel ⟨het, de⟩ **0.1** *retable* ⇒*reredos, altarpiece,* ⟨onderstuk van retabel⟩ *predella.*

retardatie ⟨de (v.)⟩ **0.1** [⟨nat.⟩] *retardation, retardment* ⇒*deceleration* **0.2** [⟨med.⟩] *retardation, retardment* **0.3** [⟨muz.⟩] *retardation, retardment.*

retarderen ⟨ov.ww.⟩ **0.1** [mbt. snelheid] *retard* ⇒*decelerate* **0.2** [mbt. ontwikkeling/verloop] *retard* **0.3** [later laten plaatshebben] *postpone* ⇒*delay, defer.*

retentie ⟨de (v.)⟩ **0.1** [⟨jur.⟩] *retention* **0.2** [⟨med.⟩] *retention* ◆ **1.1** recht van ~ *lien;* recht van ~ hebben op *have a lien on.*

retenuto ⟨bw.⟩ ⟨muz.⟩ **0.1** *ritenuto.*

reticentie ⟨de (v.)⟩ **0.1** *aposiopesis.*

reticulair ⟨bn.⟩ **0.1** *reticulate, reticular* ◆ **1.1** ~ bindweefsel *reticulate connective tissue.*

retina ⟨de⟩ ⟨med.⟩ **0.1** *retina.*

retiniet ⟨het⟩ **0.1** *retinite.*

retirade ⟨de (v.)⟩ **0.1** [terugtocht] *retreat* ⇒*withdrawal* **0.2** [toilet] *(public) lavatory* ⇒⟨BE ook⟩ *public convenience,* ⟨AE ook⟩ *comfort station/room, washroom* ◆ **1.2** de juffrouw v.d. ~ *lavatory attendant.*

retireren
I ⟨onov.ww.⟩ **0.1** [terugdeinzen] *shrink/start back (from);*
II ⟨wk.ww.; zich ~⟩ **0.1** [stil gaan leven] *retire* ⇒*withdraw* **0.2** [naar bed gaan] *retire* ⇒*withdraw.*

retor ⟨de (m.)⟩ **0.1** ⟨schr.⟩ redenaar] *orator* ⇒*rhetorician* **0.2** [⟨gesch.⟩] *rhetor.*

retorica ⟨de (v.)⟩ **0.1** *rhetoric* ⇒*oratory, speechcraft,* ⟨studie/praktijk v.h. debatteren⟩ *forensics* ◆ **1.1** Kamer van ~ *Chamber of r..*

retoriek ⟨de (v.)⟩ **0.1** [bombast] *rhetoric* ⇒*bombast* **0.2** [retorica] *rhetoric* ⇒*oratory* ◆ **2.1** holle ~ *empty r., bombast, rant, fustian.*

retorisch ⟨bn., bw.; -ly⟩ **0.1** [redekunstig] *rhetorical* ⇒*oratorical* **0.2** [bombastisch] *rhetorical* ⇒*bombastic, declamatory, purple* ◆ **1.1** ~e gebaren *oratorical gestures;* ~ talent *gift for rhetoric,* ↓*gift of the gab/of speaking well;* een ~e vraag *a r. question.*

retorsie ⟨de (v.)⟩ **0.1** *retorsion* ⇒*retaliation, reprisal.*

retorsierechten ⟨zn.mv.⟩ **0.1** *countervailing/retaliatory duties/tariff.*

retort ⟨het, de⟩ **0.1** [distilleerkolf] *retort* **0.2** [toestel voor droge distillatie] *retort.*

retouche ⟨de⟩ **0.1** [het bijwerken] *retouch* ⇒*touchup* **0.2** [bijgewerkte plaats] *retouch* ⇒*touchup.*

retoucheerinkt ⟨de (m.)⟩ **0.1** *retouching fluid.*

retoucheerpotlood ⟨het⟩ **0.1** *retouching pencil.*

retoucheertafel ⟨de⟩ ⟨foto., bk.⟩ **0.1** *retouching table.*

retoucheren ⟨ov.ww.⟩ **0.1** *retouch* ⇒*touch up, repaint,* ⟨met luchtpenseel⟩ *airbrush.*

retour[1]
I ⟨de (m.)⟩ **0.1** [⟨geldw.⟩] *return* **0.2** [wissel] *return* ⇒*returned/dishonoured bill* **0.3** [retourvracht] *return (cargo/freight)* ◆ **2.3** onvoordelige ~en *unprofitable returns/home-rates* **6.¶** ⟨fig.⟩ **op** zijn ~ zijn *wane, be on the way down/wane, be beyond/past one's prime, be over the hill;*
II ⟨het⟩ **0.1** [retourbiljet] [B]*return*/[A]*round-trip (ticket)* ◆ **1.1** een ~ eerste/tweede klas Utrecht *a first/second class return/round-trip (ticket) to Utrecht* **2.1** een 3-daags ~ *a 3 day return.*

retour[2] ⟨bw.⟩ **0.1** ⟨zie 1.1,3.1⟩ ◆ **1.1** ~ afzender *return to sender;* drie gulden ~ *three guilders change* **3.1** hierbij gaat het boekje ~ *the booklet is herewith returned;* iets ~ sturen *return/send back sth..*

retouremballage ⟨de (v.)⟩ **0.1** *returned packing* ⇒ ↓*returned empties.*

retourenveloppe ⟨de⟩ **0.1** *self-addressed envelope, S.A.E.* ◆ **2.1** een gefrankeerde ~ *a stamped (self-)addressed envelope/S.A.E..*

retourhandel →ruilhandel.

retourkaartje, retourbiljet ⟨het⟩ **0.1** [B]*return*/[A]*round-trip ticket.*

retourlading ⟨de (v.)⟩ **0.1** *return cargo/freight.*

retourleiding ⟨de (v.)⟩ **0.1** *return pipe.*

retourneren
I ⟨onov.ww.⟩ **0.1** [terugkeren] *return* ⇒*go/come back;*
II ⟨ov.ww.⟩ **0.1** [terugzenden] *return* ⇒*send back* ◆ **1.1** de bal ~ r. *the ball;* de emballage ~ r. *the packing.*

retourtje ⟨het⟩ **0.1** [B]*return,* [A]*round-trip.*

retourvlucht ⟨de (v.)⟩ **0.1** [terugreis v.e. vliegtuig] *return flight* **0.2** [vlucht heen en weer] [B]*return*/[A]*round-trip flight.*

retourvracht ⟨de⟩ **0.1** [retourlading] *return cargo/freight* **0.2** [vrachtprijs] *return charge(s).*

retourwissel ⟨de (m.)⟩ **0.1** [geweigerde wissel] *returned/dishonoured bill* **0.2** [herwissel] *redraft, re-exchange.*

retourzending ⟨de (v.)⟩ **0.1** [de goederen] *return shipment* ⇒*goods returned* **0.2** [het terugzenden] *return, sending back* ◆ **6.2 bij** ~en *when goods are returned.*

retract ⟨het/hand.⟩ **0.1** *retract.*

retracteren ⟨ov.ww.⟩ ⟨schr.⟩ **0.1** ⟨ongemarkeerd⟩ *retract.*

retractie ⟨de (v.)⟩ **0.1** [⟨med.⟩] *retraction* **0.2** [herroeping] *retraction.*

retractor ⟨de (m.)⟩ ⟨med.⟩ **0.1** *retractor.*

retraitant ⟨de (m.)⟩, -e ⟨de (v.)⟩ **0.1** *retreatant.*

retraite ⟨de⟩ **0.1** [(periode van) afzondering] *retreat* **0.2** [terugtocht] *retreat* ⇒*withdrawal* **0.3** [rustplaats] *retreat* ◆ **3.2** de ~ blazen/slaan *sound/beat the r.* **6.1 in** ~ gaan *go into r., make a r.* ¶**.¶** hij leeft en ~ *he lives in retirement.*

retribueren ⟨ov.ww.⟩ **0.1** *requite* ⇒*repay, reimburse, refund.*

retributie ⟨de (v.)⟩ **0.1** [teruggave] *requital* ⇒*retribution, repayment, reimbursement* **0.2** [betaling voor overheidsdiensten] *charges* ⇒*dues, fees.*

retroactief ⟨bn.⟩ **0.1** *retroactive* ⇒*retrospective.*

retroactiviteit ⟨de (v.)⟩ **0.1** *retroaction.*

retroflexie ⟨de (v.)⟩ ⟨med.⟩ **0.1** *retroversion* ⇒*retroflexion.*

retrograde[1] ⟨de (v.)⟩ **0.1** *palindromic verse* ⇒≠*palindrome.*

retrograde[2] ⟨bn.⟩ **0.1** *retrograde* ⇒*regressive, retrogressive* ◆ **1.1** ~ amnesie *retrograde amnesia;* ⟨muz.⟩ ~ imitatie *retrograde imitation;* een ~ woordenboek *a retrograde dictionary.*

retrogressie ⟨de (v.)⟩ **0.1** *retrogression* ⇒*regression, retrocedence, retrogradation.*

retrospectief[1] ⟨het⟩ **0.1** *retrospective* ◆ **6.1 in** ~ *in retrospect.*

retrospectief[2] ⟨de (v.)⟩ **0.1** *retrospective* ◆ **1.1** een retrospectieve tentoonstelling *a r. exhibition, a retrospective.*

returnwedstrijd ⟨de (m.)⟩ ⟨sport⟩ **0.1** *return match* ⇒*second/other/return leg.*

reu ⟨de (m.)⟩ **0.1** *(he-)dog.*

reuk ⟨de (m.)⟩ **0.1** [reukzin] *smell* ⇒⟨van dieren ook⟩ *scent* **0.2** [geur] *smell* ⇒*odour, scent,* ⟨walijke⟩ *malodour, reek, stink,* ⟨aangename⟩ *fragrance* **0.3** [⟨fig.⟩ reputatie] *odour* ◆ **1.1** het zintuig v.d. ~ *the sense of smell, the olfactory sense* **2.1** een scherpe/fijne ~ hebben *have a keen/fine sense of smell/nose; have a keen scent* **2.3** in een slechte/kwalijke ~ staan *be in bad o.* / *in disrepute (with)* **3.1** op de ~ afgaan *hunt by scent, scent* **3.2** een ~ afgeven *give a smell, smell;* een politiehond ~ van iets geven *give a police dog (the) scent of sth.;* ⟨fig.⟩ de ~ van iets hebben/krijgen *get wind of sth., smell a rat;* een onaangename ~ verspreiden *give out/diffuse an unpleasant odour/smell* **6.3** in een ~ van heiligheid staan *have an o. of sanctity about one, live in an o. of sanctity.*

reukaltaar ⟨het, de (m.)⟩ **0.1** *incense altar.*
reukcentrum ⟨het⟩ **0.1** *olfactory bulb.*
reukdier ⟨het⟩ **0.1** *keen-scented animal.*
reukflesje ⟨het⟩ **0.1** *vinaigrette* ⇒*scent bottle,* ⟨met reukzout ook⟩ *smelling-bottle.*
reukloos ⟨bn., bw.⟩ **0.1** *odourless, inodorous* ⟨gas e.d.⟩; *scentless* ⟨bloem⟩.
reukoffer ⟨het⟩ **0.1** *incense offering.*
reukorgaan ⟨het⟩ **0.1** *olfactory/nasal organ.*
reukverdrijver ⟨de (m.)⟩ **0.1** *(room) deodorant* ⇒*odour suppressor/remover.*
reukwater ⟨het⟩ **0.1** [B]*scent, perfume* ⇒*(eau de) cologne, Cologne water, toilet water, eau de toilette.*
reukwerk ⟨het⟩ **0.1** *perfumery, perfumeries.*
reukzakje ⟨het⟩ **0.1** *(perfume/scent) sachet, scent bag.*
reukzenuw ⟨de⟩ **0.1** *olfactory nerve.*
reukzin ⟨de (m.)⟩ **0.1** *(sense of) smell* ⇒*olfaction,* ⟨van dier ook⟩ *scent.*
reukzout ⟨het⟩ **0.1** *smelling salts* ⇒*sal volatile, spirits of ammonia, volatile salt,* ⟨AE ook; inf.⟩ *dope.*
reuma ⟨het⟩ **0.1** *rheumatism* ⇒⟨inf.⟩ *rheumatics* ◆ **2.1** acute ~ *acute rheumatism, rheumatic fever;* chronische ~ *chronic rheumatism, rheumatoid arthritis.*
reumapatiënt ⟨de (m.)⟩, -e ⟨de (v.)⟩ **0.1** *rheumatic.*
reumatiek ⟨de (v.)⟩ **0.1** *rheumatism* ⇒⟨inf.⟩ *rheumatics* ◆ **3.1** ~ hebben /krijgen *suffer from/get rheumatism, be/become a rheumatic, be/get rheumatic.*
reumatisch ⟨bn.⟩ **0.1** [van de aard van reumatiek] *rheumatic* ⇒*rheumatoid* **0.2** [lijdend aan reumatiek] *rheumatic* ⇒⟨inf.⟩ *rheumaticky* ◆ **1.1** ~e aandoeningen/pijnen *rheumatic/rheumatoid disorders/pains* **1.¶** een ~ klimaat *a rheumatic/* ⟨schr.⟩ *rheumy climate.*
reumatologie ⟨de (v.)⟩ ⟨med.⟩ **0.1** *rheumatology.*
reumatologisch ⟨bn.⟩ **0.1** *rheumatological.*
reumatoloog ⟨de (m.)⟩, -loge ⟨de (v.)⟩ **0.1** *rheumatologist.*
reünie ⟨de (v.)⟩ **0.1** *reunion* ⇒⟨AE ook; mbt. oud-studenten⟩ *homecoming* ◆ **3.1** een ~ houden voor oud-leerlingen *have/hold a r. for* ⟨BE⟩ *former students/old boys/old girls/* ⟨AE⟩ *alumni.*
reünist ⟨de (m.)⟩, -e ⟨de (v.)⟩ **0.1** *participant in a reunion* ⇒⟨school. ook⟩ [B]*old boy/girl,* [A]*alumnus.*
reup ⟨de (v.)⟩ **0.1** *bulb/stem eelworm/nematode.*
reus ⟨de (m.)⟩ **0.1** [⟨myth.⟩] *giant* ⇒⟨mensenetend⟩ *ogre* **0.2** [groot mens] *giant* ⇒*goliath, titan, Hercules* **0.3** [⟨ook in samenst.⟩ groot dier, grote plant/zaak] *giant* ⇒*jumbo,* ⟨inf.⟩ *whacker, whopper* ◆ **1.1** Klein Duimpje en de ~ *Tom Thumb and the g.* **1.3** een woudreus *a g. of the forest* **2.3** ⟨ster.⟩ rode ~ *red g.;* een Vlaamse ~ *a Belgian hare, a Flemish g.* **2.¶** ouwe ~ *old boy* **6.2** een ~ van een kerel *a giant (of a man), a gigantic man, a colossus;* ⟨inf.⟩ *a powerhouse/jumbo;* ⟨AE; inf.⟩ *a highpockets.*
reusachtig
I ⟨bn.⟩ **0.1** [zeer groot] *gigantic* ⇒*colossal, huge, jumbo(-sized), gargantuan,* ⟨inf.⟩ *whopping/whacking (great)* **0.2** [prachtig] *great* ⇒*terrific, grand, capital* ◆ **1.1** een ~ bedrijf *a giant/mighty/jumbo(-sized)/mammoth/vast business/company/firm;* een ~e gestalte *a gigantic/colossal/huge stature/figure;* een ~ karwei *a vast/huge task;*
II ⟨bw.⟩ **0.1** [uitermate] *immensely* ⇒*enormously, tremendously,* ⟨inf.⟩ *whopping, whacking* ◆ **2.1** dat is ~ aardig van je *that is awfully kind of you;* het was er ~ druk *there was an enormous/a huge/tremendous crowd* **3.1** je hebt ~ geboft *you have been terribly lucky, you have had prodigious luck.*
reusachtigheid ⟨de (v.)⟩ **0.1** *hugeness, gigantic size/proportions, gi(g)antism.*
reüsseren ⟨onov.ww.⟩ **0.1** [slagen] *succeed* ⇒*be successful, have success* **0.2** [mbt. planten] *thrive* ⇒*flourish.*
reüssite ⟨de⟩ **0.1** [⟨schr.⟩ het slagen] *succeeding* ⇒*success* **0.2** [goed wijngewas] *(very good/successful) vintage.*
reut ⟨de (m.)⟩ ⟨inf.⟩ **0.1** [ongeordende hoeveelheid] *jumble* ⇒*welter, mass, heap, pile, caboodle,* [A]*kit and caboodle* **0.2** [mensen] *bunch* ⇒*lot, gang, caboodle,* [A]*kit and caboodle* ◆ **2.1** de hele ~ verkopen *sell the whole (kit and) caboodle;* de hele ~ laten barsten *let the whole (kit and) caboodle go hang* **2.2** we gaan er met de hele ~ heen *the whole b./lot/gang (of us) are/is going (there);* we hebben de hele ~ naar huis gestuurd *we sent the whole (kit and) caboodle of them home.*
reutel ⟨de (m.)⟩ **0.1** *rattle* ⇒*death rattle* ◆ **6.¶** ⟨inf.⟩ op de ~ kopen [B]*buy on the never-never/on tick/* [A]*on the cuff.*
reutelen ⟨onov.ww.⟩ **0.1** [rochelend ademen] *rattle* **0.2** [zeuren] *drivel* ⇒*twaddle* ◆ **1.1** het ~ v.d. stervenden *the rattling of the dying, the death r.* **4.2** wat reutel je toch! *what's all this drivel!.*

reutemeteut ⟨de (m.)⟩ →reut.
reuze¹
I ⟨bn.⟩ **0.1** [geweldig] *great* ⇒*grand,* ⟨inf.⟩ *super,* ⟨vnl. BE; inf.⟩ *smashing,* ⟨AE ook; inf.⟩ *out of sight* ◆ **1.1** een ~ bof *a great/smashing piece/stroke of luck;* ze hebben een ~ lol gehad in D. *they've had a whale of a time/a grand time/great fun in D.* **3.1** dat is ~! *that is great/super/smashing!;*
II ⟨bw.⟩ **0.1** [in hoge mate] *enormously, immensely* ⇒*awfully, terribly* ◆ **2.1** ~ gek *stark (staring) mad;* dat huis staat ~ scheef *that house slopes terribly;* ~ veel *an awful lot, a great many* **3.1** ~ bedankt *thanks awfully/a million* **¶.1** hij was ~ in zijn sas/schik *he enjoyed himself i..*
reuze² ⟨tw.⟩ **0.1** *excellent* ⇒*splendid,* ⟨inf.⟩ *great, super,* ⟨vnl. BE ook; inf.⟩ *smashing,* ⟨AE ook; inf.⟩ *out of sight* ◆ **¶.1** ga je mee? ~! *are you coming (too)? great/super!.*
reuzeblij ⟨bn.⟩ **0.1** *overjoyed* ⇒*on top of the world* ⟨alleen pred.⟩.
reuzeblunder ⟨de (m.)⟩ **0.1** *glaring/stupendous bloomer* ⇒⟨sl.⟩ *hell of a* [B]*clanger/* [A]*boner.*
reuzehonger ⟨de (m.)⟩ **0.1** ⟨zie 3.1⟩ ◆ **3.1** een ~ hebben *be starving/half-starved, be famishing.*
reuzekerel ⟨de (m.)⟩ **0.1** *terrific chap* ⇒⟨inf.⟩ *brick.*
reuzekoopje ⟨het⟩ **0.1** *gift* ⇒*real bargain.*
reuzel ⟨de (m.)⟩ **0.1** [vetweefsel] *lard* **0.2** [vet] *lard* ◆ **6.2** in ~ gebakken *fried in l..*
reuzenbed ⟨het⟩ **0.1** ≠*dolmen* ⇒≠*cromlech.*
reuzenboom ⟨de (m.)⟩ **0.1** *sequoia* ⇒*big/mammoth tree.*
Reuzengebergte ⟨het⟩ **0.1** *Sudetes* ⇒*Sudeten Mountains.*
reuzengestalte ⟨de (v.)⟩ **0.1** *gigantic/colossal stature.*
reuzengroei ⟨de (m.)⟩ **0.1** *gigantism, giantism.*
reuzenhert ⟨het⟩ **0.1** *Irish deer/elk.*
reuzenkracht ⟨de⟩ **0.1** *gigantic/Herculean/titanic/phenomenal strength.*
reuzenmolecule ⟨het, de (m.)⟩ **0.1** *macromolecule.*
reuzenolifant ⟨de (m.)⟩ **0.1** *mammoth.*
reuzenrad ⟨het⟩ **0.1** *Ferris wheel* ⇒⟨BE ook⟩ *big wheel.*
reuzenschildpad ⟨de⟩ **0.1** *giant tortoise.*
reuzenschrede ⟨de⟩ **0.1** *giant('s) stride* ◆ **6.1** hij gaat met ~n vooruit *he is advancing with/making giant strides.*
reuzenslalom ⟨de (m.)⟩ **0.1** *giant slalom.*
reuzensprong ⟨de (m.)⟩ **0.1** ⟨ook fig.⟩ *great leap (forward).*
reuzenstrijd ⟨de (m.)⟩ **0.1** *battle of (the) giants* ⇒*gargantuan struggle.*
reuzenwerk ⟨het⟩ **0.1** *gigantic task* ⇒*monumental task, Herculean labour/task, colossal work/job.*
reuzenzwaai ⟨de (m.)⟩ ⟨sport⟩ **0.1** *giant swing.*
reuzin ⟨de (v.)⟩ **0.1** [vrouwelijke reus] *giantess* ⇒⟨mensenetende⟩ *ogress* **0.2** [grote vrouw] *giantess.*
revaccinatie ⟨de (v.)⟩ **0.1** *revaccination.*
revaccineren ⟨ov.ww.⟩ **0.1** *revaccinate.*
revalidatie ⟨de (v.)⟩ **0.1** *rehabilitation* ⇒ ↓*rehab.*
revalidatiearts ⟨de (m.)⟩ **0.1** *rehabilitation specialist.*
revalidatiecentrum ⟨het⟩ **0.1** *rehabilitation centre.*
revalideerbaar ⟨bn.⟩ **0.1** *able to be rehabilitated.*
revalideren
I ⟨onov.ww.⟩ **0.1** [weer valide worden] *recover, convalesce;*
II ⟨ov.ww.⟩ **0.1** [weer valide maken] *rehabilitate.*
revalorisatie ⟨de (v.)⟩ **0.1** [herstel v.d. valuta] *revalorization* ⇒*revaluation* **0.2** [herwaardering van goederen] *revalorization.*
revaloriseren ⟨ov.ww.⟩ **0.1** *revalorize.*
revaluatie ⟨de (v.)⟩ **0.1** [mbt. munteenheid] *revaluation* **0.2** [herwaardering] *revaluation.*
revalueren ⟨ov.ww.⟩ **0.1** [herwaarderen] *revalue* **0.2** [mbt. munteenheid] *revalue.*
revanche ⟨de⟩ **0.1** [wraak] *revenge* **0.2** [⟨sport⟩] *return (game/match)* ◆ **3.1** ~ nemen (op iem.) *take r./revenge o.s. (on s.o.), get even (with s.o.), get back at s.o.;* ⟨inf.⟩ *get one's own back (on s.);* ~ willen nemen op *seek r. on;* ⟨inf.⟩ *be bent on getting one's own back on* **3.2** iem. ~ geven *give s.o. a return game/match;* ~ nemen *have one's revenge;* ~ vragen *ask for a return game/match.*
revanchegedachte ⟨de (v.)⟩ **0.1** *thought of revenge.*
revancheren ⟨wk.ww.; zich ~⟩ **0.1** *revenge* ◆ **6.1** zich voor iets op iem. ~ *revenge o.s. on s.o. for sth., be revenged on s.o. for sth.;* zich voor een matig optreden ~ *live down a poor performance.*
revanchisme ⟨het⟩ ⟨pol.⟩ **0.1** *revanchism.*
reveil ⟨het⟩ **0.1** [opwekking] *revival* **0.2** [reveille] *reveille* ◆ **2.1** ethisch ~ *moral r..*
reveille ⟨de (v.)⟩ **0.1** ⟨de ~ blazen/slaan *sound (the) r..*
reveillon ⟨het⟩ **0.1** *(nocturnal) dinner on Christmas Eve/New Year's Eve.*
revelatie ⟨de (v.)⟩ **0.1** [ontdekking] *revelation* **0.2** [persoon] *discovery* ◆ **1.2** de ~ v.h. jaar *the d. of the year* **6.1** het was een ~ voor hem *it was a r. to him, it opened his eyes.*
reveleren ⟨ov.ww.⟩ **0.1** *reveal.*
reven ⟨onov., ov.ww.⟩ **0.1** ⟨ov. ww.⟩ *reef, scandalize;* ⟨onov. ww.⟩ *reef (down),* take in sail ◆ **5.1** een zeil ~ *r. (in) a sail;* de zeilen ~ *r. lower the sails, take in sail, reef down* **5.1** dubbel ~ *double-reef.*
revenu ⟨het⟩ **0.1** *revenue* ◆ **3.1** de ~en van iets hebben *derive revenue(s)/income from sth..*

reverbeeroven ⟨de (m.)⟩ **0.1** *reverberatory (furnace)*, *reverberator* ⇒*re-verberating-furnace* / *-kiln*.

revérence ⟨de⟩ **0.1** *curts(e)y* ◆ **3.1** een ~ voor iem. maken *curtsey to s.o.*.

reverentie ⟨de (v.)⟩ **0.1** [ontzag] *reverence* **0.2** [eerbetuiging] *obeisance* **0.3** [buiging] *curts(e)y, bow*.

rêverie ⟨de (v.)⟩ **0.1** [dromerij] *reverie* **0.2** [muziekstuk] *reverie*.

revers ⟨de (m.)⟩ **0.1** [keerzijde] *reverse* **0.2** [mbt. kledingstukken] *lapel* ⇒*revers*.

reversibel ⟨bn.⟩ **0.1** *reversible*.

reversibiliteit ⟨de (v.)⟩ **0.1** *reversibility*.

reversie ⟨de (v.)⟩ **0.1** *reversal*.

revidéren ⟨ov.ww.⟩ **0.1** [reviseren] *overhaul* ⇒*recondition* **0.2** [herzien] *revise* ⇒*go over* / *through*.

revier ⟨het⟩ **0.1** *district* ⇒*area*.

revieren ⟨onov.ww.⟩ **0.1** *search*.

revindicatie ⟨de (v.)⟩ **0.1** *revendication*.

revindicéren ⟨ov.ww.⟩ **0.1** *revendicate* ⇒*claim back*.

reviseren ⟨ov.ww.⟩ **0.1** *overhaul* ⇒*recondition* ◆ **5.1** een onlangs geheel gereviseerde motor *a recently reconditioned engine*.

revisie ⟨de (v.)⟩ **0.1** [herziening] *revision* ⇒*revisal* **0.2** [periodieke controle] *overhaul, going-over* ⇒*servicing* **0.3** [(jur.)] *review* ⇒(nieuw onderzoek) *retrial* **0.4** [(druk.) tweede en volgende correctie(s)/proef] *revise* ◆ **1.4** ~ v.d. drukproef *revised proofs* **2.4** laatste ~ *final r., press proof* **3.3** ~ aanvragen *seek a review of one's sentence; apply / ask for a retrial* **6.2** het vliegtuig ging **in** ~ *the plane was given an o. / was (being) overhauled*.

revisiebedrijf ⟨het⟩ **0.1** *mechanical repair centre*.

revisionisme ⟨het⟩ **0.1** [richting in het socialisme] *revisionism* **0.2** [streven naar herziening van vredesverdragen] *revisionism*.

revisionist ⟨de (m.)⟩ **0.1** *revisionist*.

revisionistisch ⟨bn.⟩ **0.1** *revisionist*.

revisor ⟨de (m.)⟩ **0.1** *proofreader* ⇒*reviser, corrector*.

revivescentie ⟨de (v.)⟩ **0.1** *resuscitation*.

revocabel ⟨bn.⟩ **0.1** *revocable*.

revocatie ⟨de (v.)⟩ **0.1** *revocation*.

revocéren ⟨ov.ww.⟩ **0.1** *revoke*.

revoltant ⟨bn.⟩ **0.1** *revolting*.

revolte ⟨de (v.)⟩ **0.1** *revolt* ⇒*insurgence, (up)rising, insurrection*.

revolteren
I ⟨onov.ww.⟩ **0.1** [oproerig worden] *revolt* ⇒*rebel (against)*;
II ⟨ov.ww.⟩ **0.1** [in opstand brengen] *incite to revolt*.

revolutie ⟨de (v.)⟩ **0.1** [ommekeer in de staatkundige/maatschappelijke toestand] *revolution* **0.2** [(fig.)] *revolution* ◆ **2.1** de Amerikaanse Revolutie *the War of American Independence, the American Revolution, the Revolutionary War;* vreedzame ~ *bloodless r.* **2.2** de groene ~ *the green r.;* de industriële ~ *the Industrial Revolution;* de tweede industriële ~ *the technological r.* **3.1** tot ~ opwekken/oproepen *revolutionize* **3.2** een ~ ondergaan (ook) *go into the meltingpot* **6.1** van **na** de ~ *post-revolution* **6.2** een ~ **in** de denkbeelden/mode *a r. in ideas/fashion*.

revolutiebouw ⟨de (m.)⟩ **0.1** *jerry-building* ⇒*jerry-built houses*.

revolutionair¹ ⟨de (m.)⟩ **0.1** *revolutionary* ⇒*revolutionist*.

revolutionair² ⟨bn., bw.; -ly⟩ **0.1** [omwentelingsgezind] *revolutionary* **0.2** [van revolutionaire aard] *revolutionary* **0.3** [radicaal anders] *revolutionary* ◆ **1.1** ~e bladen/strijdkrachten *r. magazines/armies;* ~ extremist *r. extremist, sansculotte* **1.2** ~e ideeën *r. subversive ideas* **1.3** een ~e vernieuwing/ontdekking *a r. / an epoch-making innovation/discovery* **2.2** ~ socialistisch *r. socialist* ¶**.3** ~ te werk gaan *work/proceed in a r. way/along r. lines*.

revolutionéren ⟨ov.ww.⟩ **0.1** *revolutionize*.

revolver ⟨de (m.)⟩ **0.1** [vuurwapen] *revolver* ⇒*pistol*, (met zes kamers) *sixshooter* **0.2** [mbt. een microscoop/filmcamera] (mbt. microscoop) *nosepiece;* (mbt. camera) *turret* ◆ **3.1** een ~ dragen/op zak hebben *carry a r. / pistol;* (vnl. AE ook;inf.) *pack a pistol/gun* **6.1** het met de ~(s) uitvechten *shoot it out*.

revolvercamera ⟨de⟩ ⟨gesch.⟩ **0.1** (met objectiefrevolver) *revolver photo camera;* (in de vorm van revolver) *photographic gun*.

revolvergreep ⟨de (m.)⟩ **0.1** *pistol grip*.

revolverheld ⟨de (m.)⟩ (iron.) **0.1** *gunslinger*.

revolverjournalist ⟨de (m.)⟩ **0.1** *journalist using blackmail methods*.

revolverpers ⟨de⟩ **0.1** *press using blackmail methods*.

revolverschot ⟨het⟩ **0.1** [schot uit revolver] *revolver shot* **0.2** [wond] *bullet-wound*.

revolverspuit ⟨de⟩ **0.1** *spray-gun*.

revolvertang ⟨de⟩ ⟨tech.⟩ **0.1** *revolving punch*.

revolvertas ⟨de⟩ **0.1** *holster*.

revue ⟨de⟩ **0.1** [tijdschrift] *review* **0.2** [amusementsprogramma] *revue* **0.3** [monstering] *review* ◆ **3.3** een ~ afnemen *hold a r., review;* (fig.) iets de ~ laten passeren *pass sth. in r.;* (fig.) ze één voor één de ~ laten passeren *pass them under separate r.;* (fig.) de ~ passeren (ook fig.) *pass in r.* **6.2** in een ~ optreden *appear/perform in r.*.

revuegezelschap ⟨het⟩ **0.1** *revue company*.

revuemeisje ⟨het⟩ **0.1** *chorus girl* ⇒*showgirl*.

revueschrijver ⟨de (m.)⟩ **0.1** ⟨tijdschrift⟩ *magazine-writer;* (show) *revuist, writer of revues*.

revuester ⟨de (v.)⟩ **0.1** *revue star*.

rex ⟨de (m.)⟩ **0.1** *Rex*.

Reykjavik ⟨het⟩ **0.1** *Reykjavik*.

rez-de-chaussée ⟨de (m.)⟩ **0.1** *ground floor*, ^*first flour*.

R.F. ⟨de (v.)⟩ ⟨afk.⟩ **0.1** [République Française] ⟨*French Republic*⟩.

r.f.s.v.p. ⟨afk.⟩ **0.1** [réponse favorable s'il vous plaît] ⟨*favourable reply expected*⟩.

Rhaeto-Romaans¹ ⟨het⟩ **0.1** *Rhaeto-Romanic* ⇒*Rhaetian*.

Rhaeto-Romaans² ⟨bn.⟩ **0.1** *Rhaetian*.

rhenium ⟨het⟩ ⟨schei.⟩ **0.1** *rhenium*.

rhizoom ⟨de⟩ ⟨biol.⟩ **0.1** *rhizome*.

rhodaan ⟨het⟩ ⟨schei.⟩ **0.1** *thiocyanogen*.

Rhodesië ⟨het⟩ **0.1** *Rhodesia*.

rhodium ⟨het⟩ ⟨schei.⟩ **0.1** *rhodium*.

Rhodos ⟨het⟩ **0.1** *Rhodes*.

R.I. ⟨zn.mv.⟩ ⟨afk.⟩ **0.1** [Romanum Imperium] ⟨*Roman Empire*⟩ **0.2** [Republik Indonesia] ⟨*Republic of Indonesia*⟩.

RIAGG ⟨het⟩ ⟨afk.⟩ **0.1** [Regionaal instituut voor de ambulante geestelijke gezondheidszorg] ⟨*regional institute for mental welfare*⟩.

rial ⟨de (m.)⟩ **0.1** *rial*.

riant ⟨bn., bw.; -ly⟩ **0.1** [er aantrekkelijk uitziend] *delightful, charming* **0.2** [zeer ruim] *ample, spacious* **0.3** [gunstig] *favourable* ◆ **1.1** een ~ uitzicht *a d. / splendid view* **1.2** een ~ inkomen *an a. income;* een ~e villa *a s. / roomy villa* **1.3** de vooruitzichten zijn (niet) ~ *the prospects are (not) rosy* **3.2** er ~ bij zitten (financieel) *be well off;* (op zijn gemak) *be sitting comfortably* **3.3** de bungalow is ~ gelegen *the bungalow is favourably situated*.

riaskust ⟨de⟩ ⟨geol.⟩ **0.1** *ria coastline*.

rib ⟨de⟩ **0.1** [been in de borstkas] *rib* ⇒⟨anatomie⟩ *costa* **0.2** [(mv.) zijde] *ribs* **0.3** [ribstuk] *rib* ⇒⟨biefstuk v.d. rib⟩ *T-bone (steak)* **0.4** [dunne balk] *joist* ⇒*rib* **0.5** [verhoging aan voorwerp] *rib* ⇒*fin* **0.6** [⟨wisk.⟩ edge **0.7** [⟨scheep.⟩ *rib* **0.8** [strook land] *levee* ◆ **2.1** de valse/korte ~ben *the false/short ribs;* de ware/lange ~ben *the true ribs;* de zwevende/vrije/losse ~ben *the floating ribs* **3.1** je kunt zijn ~ben tellen *he is a bag of bones/(as) thin as a rake* **6.** ¶ dat is een ~ **uit** je lijf *that makes a hole in/hurts your pocket, that knocks you back a pretty penny*.

ribbel ⟨de⟩ **0.1** [verhoging aan een voorwerp] *rib* ⇒*ridge*, (in zand enz.) *ripple(mark)* **0.2** [strepen op ribfluweel] *rib, cord*.

ribbelig ⟨bn.⟩ **0.1** *ribbed* ⇒*corrugated* ◆ **1.1** ~ papier *corrugated paper*.

ribbeling
I ⟨de (v.)⟩ **0.1** [ribbel] *rib* ⇒*ridge;*
II ⟨de (m.)⟩ **0.1** [appel] *costard*.

ribben ⟨ov.ww.⟩ **0.1** [van ribben voorzien] *rib* **0.2** [groeven maken] *rib* ⇒*ridge, flute*.

ribbenademhaling ⟨de (v.)⟩ **0.1** *costal/chest respiration*.

ribbenkast ⟨de⟩ **0.1** *rib cage* ◆ **2.1** (fig.) je kunt zijn hele ~ zien *he is all skin and bone(s)* **6.1** (fig.) iem. **op** zijn ~ geven *dust s.o.'s jacket, tan s.o.'s hide*.

ribbestoot ⟨de (m.)⟩ **0.1** *poke/dig in the ribs*.

ribbestuk →**ribstuk**.

ribbetjesgoed ⟨het⟩ **0.1** *cord(uroy)* ⇒⟨fijn⟩ *needlecord*.

ribboog ⟨de⟩ **0.1** *costal arch*.

ribbroek ⟨de⟩ **0.1** *cord(uroy) trousers* ⇒*corduroys*, (inf.) *cords*.

ribcord ⟨het⟩ **0.1** *cord(uroy)*.

ribes ⟨de⟩ **0.1** *ribes* ◆ **2.1** rode ~ *(red) flowering currant*.

ribfluweel ⟨het⟩ **0.1** *cord* ⇒*corduroy*, ⟨fijn⟩ *needlecord*.

ribfractuur ⟨de (v.)⟩ **0.1** *fracture of the rib, broken rib*.

ribgewelf ⟨het⟩ **0.1** *ribbed vault*.

ribkarbonade ⟨de (m.)⟩ **0.1** *rib chop*.

ribkotelet ⟨de⟩ **0.1** *chop*.

ribkwal ⟨de⟩ **0.1** *ctenophore*.

riblap ⟨de⟩ **0.1** [vlees] *rib* ⇒⟨rundvlees⟩ *stewing steak* **0.2** [leer] *thick piece of leather*.

riboflavine ⟨het, de⟩ **0.1** *riboflavin*.

ribonucleïnezuur ⟨het⟩ ⟨schei.⟩ **0.1** *ribonucleic acid* ⇒⟨afk.⟩ *RNA*.

ribose ⟨het, de⟩ ⟨schei.⟩ **0.1** *ribose*.

ribstof ⟨de⟩ **0.1** *cord* ⇒*corduroy*.

ribstuk ⟨het⟩ **0.1** *rib*.

ribtricot ⟨het, de (m.)⟩ **0.1** *tricot*.

ribzaad ⟨het⟩ **0.1** *chervil*.

richel ⟨de⟩ **0.1** [bovenste rand v.e. voorwerp] *ledge* ⇒*edge, ridge*, ⟨looppad⟩ *catwalk* **0.2** [platte lat] *lath* **0.3** [duinstrook] *beach ridge* **0.4** [bank in zee] *offshore bar* ◆ **1.** ¶ dat is tuig v.d. ~ *they are the scum of the earth*.

richelieuwerk ⟨het⟩ **0.1** *cut work*.

richtantenne ⟨de⟩ **0.1** *directional* ^B*aerial* / ^*antenna* ⇒*beam* ^B*aerial* / ^*antenna*.

richtas ⟨de⟩ **0.1** *line of sight*.

richtbaak ⟨de⟩ **0.1** *beacon*.

richten
I ⟨ov.ww.⟩ **0.1** [in een rechte lijn brengen] *line up*, *align* ⇒⟨mil.⟩ *dress* **0.2** [in een richting laten gaan] *direct* ⇒*turn* **0.3** [sturen] *direct* ⇒*address*, *extend* ⟨uitnodiging/dankwoord enz.⟩ **0.4** [rechtmaken] *straighten* ♦ **1.1** een compagnie ~ *dress a company* **1.2** iemands gangen ~ *lead s.o.* **1.4** kromme geweerlopen ~ *s. bent rifle-barrels* **5.1** rechts/links ~ *dress right/left, dress to the right/left* **6.1** wielen ~ *a. wheels* **6.2** zijn schreden ~ **naar** *bend/turn one's steps to(wards), head for*; gericht zijn **op** *aimed/directed at, intended to; targeted on* ⟨wapens/acties enz.⟩; zijn gedachten **op** iets ~ *turn/put one's mind to sth.*; zijn ogen **op** iets ~ *bend one's eyes to sth.*; de camera **op** iem. ~ *focus/train the camera on s.o.*; ⟨film.⟩ *cut to s.o.*; alle ogen waren **op** haar gericht *all eyes were turned towards/focused on her*; het plan was gericht **op** een spoedig herstel *the plan aimed at a quick recovery*; een motie gericht **tegen** het regeringsvoorstel *a vote aimed/levelled at the government proposal*; zijn ogen **ten** hemel ~ *turn one's eyes to heaven*, d. one's eyes heavenward **6.3** een brief, **aan** mij gericht *a letter addressed to me*; deze kritiek is niet **op** jou gericht *this criticism is not directed against/aimed/levelled at you*; een vraag ~ **tot** de voorzitter *put a question to the chairman*; een dankwoord **tot** iem. ~ *extend words of thankfulness to s.o.* ¶.¶ iem./iets te gronde ~ *be the ruin/undoing/ruination of s.o./sth.*; zichzelf te gronde ~ *dig one's own grave*;
II ⟨onov., ov.ww.⟩ **0.1** [in bepaalde richting brengen] *align* ⇒*collimate* ⟨optische instrumenten⟩ **0.2** [mbt. vuurwapens] *aim (at)* ⇒*point, level (at), train ((up)on), lay* ⟨groot vuurwapen⟩ ♦ **1.2** een kanon/geweer ~ *a./level a gun/rifle* **5.1** (iets) horizontaal/evenwijdig ~ *level/parallel (sth.)* **5.2** scherp ~ *zero in on* **6.1** de zeilen **naar** de wind ~ *trim the sails*; het kanon gericht *facing east*; een zoeklicht ~ **op** *play a searchlight on*, d. a searchlight against **6.2** het geweer **op** iem. ~ *pull/turn a gun on s.o.*, a./point a gun at s.o.*;
III ⟨wk.ww.; zich ~⟩ **0.1** [⟨+tot⟩ zich wenden tot] *address (o.s. to)* ⇒ *appeal to* ⟨met verzoek⟩, *petition* ⟨met verzoek aan regering enz.⟩ **0.2** [⟨+naar⟩ als voorbeeld nemen] *conform to* ⇒*go by, pattern o.s. on*, *be guided by, take one's cue from* **0.3** [⟨+op⟩ zich concentreren op] *concentrate on* ⇒*bend/turn one's mind to, centre one's thoughts ((up)on)* **0.4** [⟨mil.⟩ in het gelid gaan staan] *dress, line up* ⇒*fall in* ♦ **6.1** richt u met klachten **tot** ons bureau *address complaints to our office* **6.2** zich ~ **naar** haar smaak/de mode *follow/be guided/be led by her taste/(the) fashion*; zich ~ naar de omstandigheden *be guided by circumstances* **6.3** zich geheel **op** zijn studie ~ *centre/focus all one's attention on one's studies*.

richter ⟨de (m.)⟩ ⟨bijb.⟩ **0.1** *judge* ♦ **1.1** het boek der Richteren *the book of Judges*.

Richter ♦ **1.¶** schaal van ~ *Richter scale*.

richtgetal ⟨het⟩ **0.1** *guide number* ♦ **2.1** ⟨foto.⟩ een flitser met een hoog ~ *a flash(light) with a high g. n.*.

richthoek ⟨de (m.)⟩ **0.1** *firing angle*.

richting ⟨de (v.)⟩ **0.1** [zijde, kant] *direction* ⇒*set* ⟨van wind/stroming⟩, *trend* ⟨van kustlijn/heuvel/gesprek enz.⟩ **0.2** [gezindheid] *school (of thought)* ⇒⟨pol.⟩ *opinion, denomination, persuasion* ⟨godsdienst⟩ **0.3** [het richten naar een kant] *aim* ⇒*aiming*, ⟨soldaten⟩ *dressing, alignment* ♦ **1.1** zij gingen ~ Amsterdam *we headed for/went in the d. of Amsterdam*; ~ schuur gaan *make for/towards the barn*; ze namen de trein ~ Utrecht *they took the Utrecht train* **2.1** er gaan bussen in beide ~en *there is a bus service in both directions*; iem. een zetje in de goede ~ geven *give s.o. a lead*; in de goede/verkeerde ~ *in the right/wrong d.*; een nieuwe ~ inslaan *strike out on a new course*; in tegenovergestelde ~ *the opposite way, in reverse (order), right-about, contrariwise* **2.2** niet tot een bepaalde ~ behoren ⟨pol.⟩ *have no definite politics*; belong to no particular school ⟨in de kunst⟩; een nieuwe godsdienstige ~ *a new persuasion/denomination*; politieke ~ *political opinion/views* **3.1** ⟨verkeer⟩ ~ aangeven *indicate d.*, [B]*wink*, [A]*blink*; de ~ geven/aanwijzen *point the way, indicate the d.*; zich in de ~ van het ... of; ⟨in samenst.⟩ -*wards*; zich **in** de ~ bewegen **van** *go in the d. of, seek*; een nieuwe ~ in het kernonderzoek *a new avenue of nuclear research*; het gesprek **in** de ~ sturen van *bring the conversation round to*; een heel eind gaan **in** de ~ **van** *go a long way towards*; dat komt aardig in de ~ *that's more like it*; in die ~ moeten we het zoeken *you/we* ⟨enz.⟩ *are on the right lines*; ze kwamen **uit** alle ~en *they came from all sides/quarters/from every quarter*; wind **uit** noordelijke ~en *northerly wind*; **van** ~ veranderen *alter/change d.*, turn **6.2** de moderne ~ **in** de kunst *the modern school of art* **6.3** de juiste ~ **van** het geweer *the right aim of the gun*.

richtingaanwijzer ⟨de (m.)⟩ **0.1** *(direction) indicator*.

richtingbord ⟨het⟩ **0.1** *direction/route sign, signpost* ⟨langs weg⟩; *destination board, route indicator* ⟨op bus, tram⟩.

richtinggevend ⟨bn.⟩ **0.1** *directive, directional* ⇒*directorial, guiding*.

richtinggevoel ⟨het⟩ **0.1** *sense of direction* ♦ **¶.1** zijn ~ kwijt zijn *have lost one's sense of direction, be disorient(at)ed*.

richtingloos ⟨bn.⟩ **0.1** *directionless* ⇒*aimless, disorientated*.

richtingslijn ⟨de⟩ ⟨nat.⟩ **0.1** *vector line*.

richtingsroer ⟨het⟩ **0.1** *rudder*.

richtingwijzer →**richtingaanwijzer**.

richtingzoeker ⟨de (m.)⟩ **0.1** *direction finder*.

richtkracht ⟨de⟩ ⟨nat.⟩ **0.1** ⟨van magneetnaald⟩ *verticity*.

richtlat ⟨de⟩ **0.1** *ruler, level* ⇒⟨van metselaar⟩ *jointing rule, batten*.

richtlijn ⟨de⟩ **0.1** [aanwijzing] *guideline* ⇒⟨mv.⟩ *directions* **0.2** [⟨jur.⟩] *directive* ⇒*instruction* **0.3** [mbt. grond-/metselwerk⟩⟨horizontaal⟩ *line*; ⟨verticaal⟩ *plumb line/rule* **0.4** [⟨wisk.⟩] *directrix* **0.5** [mbt. vuurwapens] *line of sight* ♦ **3.1** ~en geven/opstellen *give/draw up guidelines/directions* **6.1** iets **volgens** de ~en uitvoeren *carry out/do sth. in the prescribed way*.

richtlood ⟨het⟩ **0.1** *plumb line*.

richtprijs ⟨de (m.)⟩ **0.1** [kostendekkende vraagprijs] *basic price* **0.2** [geadviseerde prijs] *recommended price*.

richtpunt ⟨het⟩ **0.1** *target* ⇒*aim*.

richtsnoer ⟨het⟩ **0.1** [lijn om in een rechte lijn te blijven] ⟨horizontaal⟩ *line*; ⟨verticaal⟩ *plumb line/rule* **0.2** [voorschrift] *guideline, directive* ⇒*line (of action)* **0.3** [voorbeeld] *guide* ⇒*lead, cue* ♦ **1.2** het ~ van zijn geloof *the canon of his faith* **3.2** een ~ geven/vaststellen/volgen *give/lay down/follow a g.* **6.3** iets **tot** ~ nemen *take one's cue from sth.* **8.3** als ~ dienen *serve as a g.*.

richtvlak ⟨het⟩ **0.1** *point*.

ricinusboom ⟨de (m.)⟩ **0.1** *castor-oil plant* ⇒⟨AE ook⟩ *castor bean*.

ricinusolie ⟨de⟩ **0.1** *castor oil*.

ricocheren ⟨onov.ww.⟩ **0.1** *ricochet*.

ricochet ⟨het⟩ **0.1** *ricochet*.

ricochetschot ⟨het⟩ **0.1** *ricochet*.

ridder ⟨de (m.)⟩ **0.1** [persoon opgenomen in de ridderstand] *knight* **0.2** [mbt. de hedendaagse adelstand] *knight* **0.3** [lid v.e. ridderorde] *companion* ⇒*knight* **0.4** [iem. die zich ridderlijk gedraagt] *cavalier* ⇒*gentleman* **0.5** [dapper strijder] *knight* ♦ **2.1** dolende ~ *knights errant*; Malteser ~s *(Knights) Hospitallers* [A]*alers, Knights of St. John of Jerusalem, Knights of Malta* **6.1** iem. **tot** ~ slaan *dub/make s.o. a k.*, *knight s.o.* **6.3** ~ **in** de orde van Oranje-Nassau *Companion of the Order of Orange-Nassau* ¶.¶ een ~ zonder vrees of blaam *a knight without fear or reproach*; een ~ v.d. droevige figuur *a Knight of the Rueful Countenance, a Don Quixote*; ~ v.d. blauwe knoop worden *take/sign the pledge, go on the (water) wagon*.

ridderdienst ⟨de (m.)⟩ **0.1** [⟨gesch.⟩ bewezen dienst] *knight('s) service* **0.2** [hoffelijkheid] *act of chivalry, chivalrous act*.

riddereed ⟨de (m.)⟩ **0.1** *knight's oath, oath of knighthood*.

ridderen ⟨ov.ww.⟩ **0.1** [tot ridder slaan] *knight* ⇒*dub* **0.2** [in een ridderorde opnemen] *knight* ⇒*confer a knighthood on* ♦ **3.2** geridderd worden *be knighted, receive a knighthood*.

ridderepiek ⟨de (v.)⟩ **0.1** *chivalric literature*.

ridderepos ⟨het⟩ **0.1** *chivalric epic* ⇒*chanson de geste*.

ridderforel ⟨de (v.)⟩ **0.1** *char(r)*.

ridderkruis ⟨het⟩ **0.1** *cross*.

ridderlijk
I ⟨bn.⟩ **0.1** [met de eigenschappen v.e. ridder] *knightly* ⇒*chivalrous, gallant* **0.2** [v.e. ridder] *knightly* ♦ **1.1** een ~e cavalier *a gallant cavalier*; een ~e strijd *a chivalrous fight* **1.2** een ~ slot *a knight's castle*;
II ⟨bw.⟩ **0.1** [op de wijze v.e. ridder] *chivalrously* ⇒*gallantly* **0.2** [ronduit] *frankly* ⇒*outright, roundly* ♦ **3.2** hij kwam er ~ voor uit *he f. admitted it*.

ridderlijkheid ⟨de (v.)⟩ **0.1** *chivalry, chivalrousness* ⇒*gallantry*.

ridderlint ⟨het⟩ **0.1** *ribbon*.

ridderorde ⟨de⟩ **0.1** [stand] *knighthood* **0.2** [vereniging van ridders] *order of knights* ⇒*knighthood* **0.3** [onderscheiding] *knighthood* ⇒*order, decoration* **0.4** [versiersel] *ribbon/insignia (of knighthood)* ⇒*order, decoration* ♦ **3.3** een ~ krijgen *receive a k./an order/a decoration*.

ridderroman ⟨de (m.)⟩ **0.1** *romance (of chivalry)* ⇒*chanson de geste*.

ridderschap
I ⟨het⟩ **0.1** [het ridder zijn] *knighthood*;
II ⟨de (v.)⟩ **0.1** [de ridders] *knighthood* ⇒*knightage*.

ridderslag ⟨de (m.)⟩ **0.1** *accolade* ♦ **3.1** iem. de ~ geven *give s.o. the a.*, *confer the a. on s.o.*, *dub s.o.*; de ~ ontvangen *receive the a.*, *be dubbed a knight*.

ridderspel ⟨het⟩ **0.1** *joust, tournament*.

ridderspoor ⟨de⟩ **0.1** [plant] *delphinium* ⇒*larkspur* **0.2** [spoor aan de voet] *(knight's) spur* ♦ **3.2** ⟨fig.⟩ zijn riddersporen verdienen *win one's spurs*.

ridderstand ⟨de (m.)⟩ **0.1** [waardigheid] *knighthood* **0.2** [de ridders] *knighthood* ⇒*knightage*.

riddertijd ⟨de (m.)⟩ **0.1** *age of chivalry*.

ridderwezen ⟨het⟩ **0.1** *chivalry*.

ridderzaal ⟨de⟩ **0.1** [grote zaal] *great hall* **0.2** [gebouw] *(the) Knights' Hall*.

ridderzate ⟨de⟩ **0.1** ≠*manor*.

ridiculiseren ⟨ov.ww.⟩ **0.1** *ridicule* ⇒*satirize, travesty, hold up to mockery*.

ridicuul ⟨bn., bw.; -ly⟩ **0.1** *ridiculous*.

riedel ⟨de (m.)⟩ **0.1** [klankenreeks] *tune, jingle, tinkle* ⇒⟨jazz⟩ *riff* **0.2** [slagzin] *slogan, catchphrase* ◆ **3.1** geef eens een ~(tje) op je nieuwe piano/klarinet *play us a tune on your new piano/clarinet, give us a tinkle on your new piano* **3.¶** ⟨inf.⟩ ik krijg de ~ van dat geluid *that noise gets on my nerves.*

riedelen ⟨onov.ww.⟩ **0.1** *riff* ⟨jazz⟩; *tinkle* ⟨piano⟩; *strum* ⟨gitaar⟩.

riek ⟨de (m.)⟩⟨landb.⟩ **0.1** *(two-/three-/four-pronged) fork.*

rieken
I ⟨onov.ww.⟩ **0.1** [de indruk wekken van] *smack/smell/reek (of)* **0.2** [⟨bijb.⟩ stinken] *reek* ◆ **6.1** dat riekt **naar** nepotisme *that smacks/smells of nepotism;* dit riekt **naar** corruptie *this reeks of corruption;* die riekt **naar** verraad *this smacks of treason;*
II ⟨ov.ww.⟩ ⟨AZN⟩ **0.1** [ruiken] *smell* ◆ **3.¶** ⟨AZN⟩ iem. niet kunnen ~ *not be able to stand s.o..*

riem ⟨de (m.)⟩ ⟨→sprw. 84,515⟩ **0.1** [gordel] *belt* ⇒*girdle* **0.2** [snaar, drijfriem] *belt* ⇒*band, strap* **0.3** [band om iets vast te binden] *strap* ⟨aan schoen/horloge⟩ ⇒*belt* ⟨over schouder⟩, *sling* ⟨van fototoestel /kijker/geweer⟩, *lead, leash* ⟨van hond⟩ **0.4** [⟨mv.⟩ veiligheidsgordels] *seat/safety belts* **0.5** [roeispaan] *oar* **0.6** [pees] ⟨tongriem⟩ *frenulum linguae* **0.7** [strook veen] *strip of peat* **0.8** [strook met de ploeg omgewerkte grond] *ploughed strip* **0.9** [strook kurk] *plate of cork* **0.10** [hoeveelheid papier] *ream* ⇒*short ream* ⟨van 480 vellen⟩, *long ream* ⟨van 500 vellen⟩, *printer's/perfect ream* ⟨van 516 vellen⟩ ◆ **2.3** een leren ~pje *a thong* **2.5** met zijn eigen ~en roeien *shift for o.s.;* iem. op eigen ~en laten drijven *leave s.o. to sink or swim* **3.1** een ~ omdoen/ gespen *buckle up a b.* **3.5** de ~en binnenhalen ⟨fig.⟩ *drop/give up sth.;* de ~en innemen/uitleggen *ship/unship oars;* een ~ onder het zeil steken ⟨fig.⟩ *step/bump/pep sth. up, boost sth.;* de ~en strijken/ opsteken *lower/raise the oars* **6.1** ⟨fig.⟩ iem. een hart **onder** de ~ steken *hearten s.o., buck s.o. up* **6.3** schaatsen/koffers **met** ~en *skates/ suitcases with straps;* schoenen **met** ~pjes *strap/^Abar shoes;* iem. **met** een ~ afranselen *belt/strap s.o.* **6.5** roeien **met** de ~en die je hebt *make shift/do with what one has, make the best of it.*

riemblad ⟨het⟩ **0.1** *paddle.*

riemdol ⟨de (m.)⟩ **0.1** [holte] *rowlock,* ⟨AE vnl.⟩ *oarlock;* ⟨pin⟩ *thole (pin).*

riemen ⟨ov.ww.⟩ **0.1** *strap* ⇒*belt.*

riemoverbrenging ⟨de (v.)⟩ **0.1** *belt transmission.*

riempjes ⟨zn.mv.⟩ **0.1** *strapwort.*

riemschijf ⟨de⟩ **0.1** *(belt)pulley* ⇒*rigger* ◆ **2.1** losse en vaste ~ *fast/fixed and loose pulley.*

riemslag ⟨de (m.)⟩ **0.1** [slag met roeispanen] *stroke of (the) oars* ⇒ *sweep* **0.2** [afstand] *stroke* ⇒*sweep.*

riemtransmissie →riemoverbrenging.

riesling ⟨de⟩ **0.1** *riesling.*

riet ⟨het⟩ **0.1** [grassoort] *reed* **0.2** [rietstengel] *reed* ⇒⟨dik⟩ *cane* **0.3** [mbt. blaasinstrumenten] *reed* **0.4** [in een weefgetouw] *reed* **0.5** [suikerriet] *(sugar)cane* ◆ **2.1** Indisch ~ *rattan* **2.2** een Spaans ~ *a rattan/ cane;* een zwak ~ ⟨fig.⟩ *a broken r.* **6.1** ⟨fig.⟩ iets **in** het ~ laten lopen *let sth. go, make a mess of sth.;* ⟨fig.⟩ iets **in** het ~ sturen/schuiven *botch (up)/bungle sth.;* ⟨fig.⟩ iem. met een kluitje **in** het ~ laten sturen *not let o.s. be put off by fair words/be given the brush-off/be fobbed off;* **met** ~ begroeide plassen *reedy lakes* **8.2** beven als een ~ *shake/tremble like a leaf.*

rietachtig ⟨bn.⟩ **0.1** [op riet lijkend] *reed-like* **0.2** [vol riet] *reedy.*

rietareaal ⟨het⟩ **0.1** *acreage of reeds.*

rietberm ⟨de (m.)⟩⟨wwb.⟩ **0.1** *reeded bank.*

rietbeslag ⟨het⟩⟨wwb.⟩ **0.1** *reed mattress.*

rietblazer ⟨de (m.)⟩ **0.1** *reed player;* ⟨mv., als deel van orkest⟩ *reeds.*

rietdekker ⟨de (m.)⟩ **0.1** *thatcher.*

rieten ⟨bn.⟩ **0.1** *reed;* ⟨van biezen⟩ *rush;* ⟨van bamboe⟩ *cane;* ⟨van tenen⟩ *wicker(work), basket(work)* ◆ **1.1** ~ dak *thatched/reed roof;* ~ koffer *cane trunk;* ~ mandje *wicker basket;* ~ mat *rush-mat;* ~ stoel *cane/wicker(work)/basket/rush chair.*

rietfluit ⟨de⟩ **0.1** *reed pipe* ⇒*reed.*

rietgans ⟨de⟩ **0.1** *bean goose* ◆ **2.1** kleine ~ *pink-footed goose.*

rietgors ⟨de⟩ **0.1** [vogel] *reed bunting* **0.2** [land] *reed-marsh* ⇒*reed-flat.*

rietgras ⟨het⟩ **0.1** [⟨mv.⟩ onderafdeling v.d. grassen] *reed* **0.2** [hoge grassoort] *reed canary grass* ⇒*sword/ribbon grass.*

riethalm →rietstengel.

riethoen ⟨het⟩ **0.1** *moorhen.*

rietig ⟨bn.⟩ **0.1** *brittle, shake-ridden.*

rietje ⟨het⟩ **0.1** [om te drinken] *straw* **0.2** [⟨muz.⟩ tongetje] *reed* **0.3** [rottinkje] *cane* **2.3** Spaans ~ *cane;* met het ~ geven *cane, give a caning/the cane* **7.2** instrument met twee ~ *double-reed instrument.*

rietkraag ⟨de (m.)⟩ **0.1** *fringe of reeds, reed(y) border.*

rietland ⟨het⟩ **0.1** *reed-land* ⇒*reedy land,* ⟨AE ook⟩ *canebrake.*

rietlijster ⟨de⟩ **0.1** *great reed warbler.*

rietmat ⟨de⟩ **0.1** *reed-/rush-mat.*

rietmeubelen ⟨zn.mv.⟩ **0.1** *cane furniture* ⇒*wicker/basket furniture.*

rietmijt ⟨de⟩ **0.1** *stack of reeds.*

rietmus ⟨de⟩ **0.1** *reed bunting.*

rietpijp →rietfluit.

rietplanter ⟨de (m.)⟩ **0.1** *sugarcane planter.*

rietpluim ⟨de⟩ **0.1** *reed-panicle/tuft.*

rietpoot ⟨de⟩ **0.1** *reed mattress/underlay.*

rietschalig ⟨bn.⟩ **0.1** *with ring shakes* ⟨alleen pred.⟩.

rietscherm ⟨het⟩ **0.1** *rush screen/windbreak.*

rietstengel ⟨de (m.)⟩ **0.1** *reed-stem* ⇒*cane.*

rietsuiker ⟨de (m.)⟩ **0.1** [suiker] *cane sugar* ⇒⟨bruine⟩ *demarara (sugar)* **0.2** [⟨schei.⟩] *sucrose.*

rietveld ⟨het⟩ **0.1** [rietland] *reed-land* ⇒⟨AE ook⟩ *canebrake* **0.2** [veld met suikerriet] *(sugar)cane field;* ⟨één afzonderlijk veld⟩ *cane piece.*

rietvink ⟨de⟩ **0.1** [rietgors] *reed bunting* **0.2** [kleine karakiet] *reed warbler* **0.3** [nachtvlinder] *drinker (moth).*

rietvoorn ⟨de (m.)⟩ **0.1** *rudd* ⇒*redeye.*

rietvorst ⟨de⟩ **0.1** *reeder's ridge-tyle.*

rietwaren ⟨zn.mv.⟩ **0.1** *caneware* ⇒*basketware.*

rietzanger ⟨de (m.)⟩ **0.1** [zangvogel] *sedge warbler* **0.2** [⟨mv.⟩ groep van zangvogels] *reed warblers.*

rietzodde ⟨de⟩ **0.1** *floating island.*

rif ⟨het⟩ **0.1** [klip] *reef* ⇒*shelf, ledge* **0.2** [⟨scheep.⟩] *reef* ◆ **2.2** een dubbele ~ zetten *double-reef* **3.2** een ~ steken/innemen *take in a r.* **5.1** vol ~fen *reefy.*

riffel ⟨de (m.)⟩ **0.1** *needle file.*

riffelen ⟨ov.ww.⟩ **0.1** [klinken met riffelkoppen] *rivet* **0.2** [(metaal) vijlen] *file.*

rigide ⟨bn.⟩ **0.1** [stijf] *rigid* ⇒*stiff, inflexible* **0.2** [met strenge morele principes] *rigid* ⇒*strict, unbending, severe.*

rigiditeit ⟨de (v.)⟩ **0.1** [het niet soepel zijn] *rigidity* ⇒*stiffness, inflexibility* **0.2** [strengheid] *rigidity* ⇒*strictness, severity.*

rigorisme ⟨het⟩ **0.1** *rigorism.*

rigor mortis ⟨de/med.⟩ **0.1** *rigor mortis.*

rigorositeit ⟨de (v.)⟩ **0.1** *rigorousness* ⇒*strictness.*

rigoroso ⟨bw.⟩ ⟨muz.⟩ **0.1** *rigoroso.*

rigoureus ⟨bn., bw.; -ly⟩ **0.1** [zeer streng] *rigorous* ⇒*strict, rigid* **0.2** [voorschriften stipt volgend] *rigorous* ⇒*meticulous, precise, punctilious* ◆ **1.2** ~ persoon *precisian.*

rigueur ⟨de⟩ **0.1** [strengheid] *rigorousness* ⇒*strictness* **0.2** [stiptheid] *rigorousness* ⇒*meticulousness, precision, punctiliousness* ◆ **¶.2** de ~ *de rigueur.*

rij ⟨de⟩ **0.1** [opeenvolging in rechte lijn] *row, line* ⇒⟨mensen⟩ *file,* ⟨mensen, verkeer⟩ *queue,* ⟨zaailingen⟩ *drill* **0.2** [volgorde] *row* ⇒ *list, series, rank* **0.3** [reeks] *row* ⇒*array,* ⟨cijfers⟩ *string* **0.4** [rechte lat] *rule, ruler;* ⟨van metselaar⟩ *jointing rule* ◆ **1.1** ~en auto's *queues of cars;* ⟨files⟩ ^Btailbacks, ^Abackups; een ~ bomen *a line of trees;* een weg met ~en bomen erlangs *a road lined with trees, an avenue (of trees);* een ~ huizen *a r. of houses, a terrace (of houses);* een jas met een/twee ~en knopen *a single-/double-breasted coat;* een ~ mensen ⟨naast elkaar⟩ *a r. of people;* ⟨achter elkaar⟩ *a l./file/queue of people;* een ~ stoelen *a r. of chairs* **1.3** een ~ getallen ⟨onder elkaar⟩ *a column of figures;* ⟨naast elkaar⟩ *a row/series of figures;* een hele ~ kinderen hebben *have a whole troop of children* **2.1** in de eerste/ voorste ~ *in the front rank/seats* **3.1** de ~en sluiten ⟨ook fig.⟩ *close (up) the ranks* **6.1** ~ **aan** ~ *in rows, in (serried) ranks;* in de ~ staan *stand in line, (stand in the) queue;* in de ~ lopen *walk in line/procession;* ⟨BE; kind.⟩ *form/make a crocodile;* zij komen in ~en naar binnen *they file in;* in de/ een ~ gaan staan *join the/a queue, form a queue, queue (up), line up;* **in/op** ~en staan *be/stand in rows;* ze marcheerden (met) vier **op** een ~ *they marched/trooped four abreast* **6.2** hij was de vijfde **in** de ~ *he was fifth in the queue/in line/on the list;* alles nog eens **op** een ~tje zetten *go through things/it systematically once more;* ⟨fig.⟩ ze allemaal **op** een ~tje hebben ⟨inf.⟩ *be on the ball;* ⟨fig.⟩ ze niet allemaal **op** een ~tje hebben ⟨inf.⟩ *have a screw/ tile loose;* **van/op** het ~tje af gaan *do it/them consecutively/one by one;* ⟨op een⟩ ~ *go round the class* **6.4** men snijdt glas **langs** een ~ *glass is cut along a glazier's rule.*

rijbaan ⟨de⟩ **0.1** [weggedeelte] *roadway* ⇒*carriageway,* ⟨strook⟩ *lane* **0.2** [baan in een manege] *ring* **0.3** [strook v.e. vliegveld] *taxiway* ⇒ *taxi strip* **0.4** [baan op het ijs] *skating rink/* ⟨wedstrijd⟩ *track* ◆ **2.1** weg met gescheiden rijbanen ^Bdual carriageway, ^Adivided highway.

rijbevoegdheid ⟨de (v.)⟩ **0.1** ^Bdriving licence, ^Adriver's license.

rijbewijs ⟨het⟩ **0.1** ^Bdriving licence, ^Adriver's license ◆ **3.1** z'n ~ halen *pass one's driving test.*

rijbroek ⟨de⟩ **0.1** *jodhpurs, riding breeches* ◆ **7.1** een ~ *a pair of j./r. b..*

rijdek ⟨het⟩ **0.1** *car deck.*

rijden ⟨→sprw. 317⟩
I ⟨onov.ww.⟩ **0.1** [zich voortbewegen] ⟨op dier/fiets, met de trein⟩ *ride, go;* ⟨voertuig zelf⟩ *go, run;* ⟨vliegtuig⟩ *taxi* **0.2** [geschikt zijn om zich erop voort te bewegen] *ride, drive* **0.3** [(een auto) besturen] *drive* **0.4** [schaatsen] *skate* ⇒*ice skate* **0.5** [op en neer gaan] *fidget* ⇒ *wiggle* ◆ **3.3** hij kan uitstekend ~ *he drives extremely well, he's a very good driver* **3.5** opa liet de kleine op zijn knie ~ *grandpa bounced/danced/ dandled the little one on his knee* **4.1** hoeveel heeft je auto al gereden? *how many miles/kilometres/how much has your car done?* **4.¶** 'm ~ ⟨bang zijn⟩ *have the wind up, have cold feet;* ⟨inf.⟩ *be in a funk;*

⟨kwaad worden⟩ *get one's back up* **5.1** door een vakbondsactie ~ de treinen niet *owing to industrial action no trains are running/trains are at a standstill* **5.2** die weg rijdt gemakkelijk *that road is easy to d. on;* die auto rijdt gemakkelijk *that car drives easily* **5.3** ⟨sport⟩ iem. eraf/uit de wielen ~ *pull straigt into a safe lead;* sneller/beter ~ dan *outride;* hij werd bekeurd omdat hij te hard reed *he was fined for speeding;* vóór gaan ~ *draw/pull ahead* **6.1** (te) dicht **op** elkaar ~ *not keep one's distance, drive bumper to bumper,* ᴬ*tailgate;* de bussen ~ **op** de treinen *the buses connect with the trains;* de tractor rijdt **op** dieselolie *the tractor runs/operates on diesel oil/* ⟨BE ook⟩ *derv* **6.3 aan** de kant gaan ~ *draw in;* ⟨en stoppen⟩ *pull over;* **op** een tegenligger ~ *crash/run into an oncoming car* **6.5** zit niet zo **op** die stoel te ~ *stop fidgeting on that chair;* ⟨scheep.⟩ **voor** anker ~ *ride to/at anchor* **6.¶ op** de tong ~ *have/feel one's ears burning;*

II ⟨ov.ww.⟩ **0.1** [vervoeren] *drive* ⇒⟨iem. met de auto⟩ *chauffeur* ◆ **4.1** zich laten ~ *be driven, ride* **6.1** iem. **in** een rolstoel ~ *wheel s.o. in a wheelchair;* hij reed me **naar** het stadion *he drove/chauffeured me to the stadium* **6.¶** iem. **in** de wielen ~ ⟨fig.⟩ *put a spoke in s.o.'s work;* iem. **op** de stang ~ ⟨fig.;sl.⟩ *breathe down s.o.'s neck;*

III ⟨onov.,ov.ww.⟩ **0.1** [(op) een rijdier voortbewegen] *ride* **0.2** [besturend voortbewegen] *drive* ⇒⟨snel⟩ *bowl (along),* ᴬ*highball* **0.3** [over iets rijden] *ride (over)* **0.4** [paren] *mate, couple* ◆ **1.2** honderd kilometer per uur ~ *cruise at/do a hundred kilometres per hour;* (met) een kruiwagen ~ *wheel/push/trundle a wheelbarrow;* het is twee uur ~ *it takes two hours by car, it's a two-hour drive/* ⟨fiets, enz.⟩ *ride* **1.4** ~ de honden *mating dogs;* ~de vissen *spawning fish* **3.1** uit ~ gaan, gaan ~ *go (out) for a ride/drive* **5.1** hij rijdt al lang (op)(dit paard) *he has been riding (this horse) for a long time* **5.2** iem. ondersteboven ~ *knock s.o. down/over, bowl s.o. over;* stapvoets ~ d. *at footpace;* ⟨verkeersbord⟩ *slow, 5 m.p.h.* **5.3** de weg werd plat gereden *the road was jam-packed* **6.1** met de vier ~ *drive four-in-hand* **6.2** door een stoplicht/het rode licht ~ *jump the (traffic) lights, go through red;* in een auto ~ *d. (in) a car;* verboden **in** te ~ *no entry;* met een/de auto ~ *go by car;* met de fiets/motor ~ *go by bike;* ⟨fiets⟩ (r. a) *bike, cycle* **6.3 over** de stoep ~ *r. /drive on the* ᴮ*pavement/* ᴬ*sidewalk* **8.2** hij rijdt als een gek *he drives like a lunatic* **¶.1** op een/te paard ~ *r. a horse/on horseback* **¶.2** een auto total loss ~ *smash a car up, write a car off;* ⟨AE sl. ook⟩ *total a car.*

rijdend ⟨bn.⟩ **0.1** [verplaatsbaar] *mobile* ⇒*travelling* ᴬ*eling, on wheels* **0.2** [in beweging zijnd] *moving* **0.3** [bereden] *mounted, horse* ◆ **1.1** ~e bibliotheek *mobile/travelling library,* ᴬ*bookmobile;* ~e (hef)kraan *mobile crane, transporter crane;* ~e kantine *mobile canteen;* ~ materieel *rolling stock;* ~ plateau/platform *float, platform on wheels;* ⟨film, t.v.⟩ *dolly;* ~ verkeer *vehicular traffic;* ~e winkel *mobile/travelling shop, shop on wheels;* ~ wrak ⟨inf.⟩ *tin lizzie, jalop(p)y* **1.2** in een ~e trein (springen) *(jump) in(to) a moving train* **1.3** ~e artillerie *horse artillery.*

rijder ⟨de (m.)⟩, **-ster** ⟨de (v.)⟩ **0.1** [iem. die rijdt] *rider;* ⟨bestuurder⟩ *driver;* ⟨op fiets⟩ *cyclist* **0.2** [ruiter] *horseman;* ⟨v. ook⟩ *horsewoman;* *equestrian* **0.3** [schaatser] *skater* **0.4** [munt] *rider.*

rijdier ⟨het⟩ **0.1** *riding animal, mount.*

rijdraad ⟨de (m.)⟩ **0.1** *contact wire.*

rijeigenschap ⟨de (v.)⟩ **0.1** *driving characteristic/quality* ⟨vaak mv.⟩

rijen
I ⟨ov.ww.⟩ **0.1** [iets op een rij plaatsen] *line (up)* ⇒*range;*
II ⟨onov.ww.⟩ **0.1** [op rijen staan] *be/stand in rows.*

rijenbouw ⟨de (m.)⟩ **0.1** [mbt. het verbouwen van gewassen] *row/ridge/drill cultivation* ⇒*planting/sowing in rows/drills* **0.2** [mbt. het bouwen van huizen] *terrace construction.*

rijer ⟨de (m.)⟩ ⟨film.⟩ **0.1** *dolly shot.*

rijervaring ⟨de (v.)⟩ **0.1** *driving/road experience.*

rijexamen ⟨het⟩ **0.1** *driving test* ◆ **3.1** ~ doen *take one's driving test.*

rijf ⟨de⟩ **0.1** *rake.*

rijgdraad ⟨de (m.)⟩ **0.1** *basting-/tacking-thread* ◆ **3.1** de ~ halen uit *untack, take out the tacking/basting.*

rijgen ⟨onov.,ov.ww.⟩ **0.1** [aan een snoer hechten] *thread, string* **0.2** [naaien] *baste, tack* **0.3** [met een snoer vastmaken] *lace/lash (up)* **0.4** [een band door een schuif trekken] *thread (in a casing)* ◆ **1.3** schoenen/een korset ~ *lace shoes/a corset (up);* zeildoeken/de tenten ~ *lash up the sails/tents* **6.1** ⟨fig.⟩ iem. **aan** de degen ~ *run s.o. through with te sword, impale s.o. on a sword;* zij was **aan** het ~ *she was threading beads;* **aan** het mes ~ *knife;* **aan** een draad ~ *wire, thread (on /with wire), string.*

rijggaren ⟨het⟩ **0.1** *basting-/tacking-thread.*

rijglaars ⟨de⟩ **0.1** *lace-up/laced boot.*

rijgnaad ⟨de (m.)⟩ **0.1** *basted seam.*

rijgnaald ⟨de⟩ **0.1** *bodkin.*

rijgschoen ⟨de (m.)⟩ **0.1** *lace-up (shoe)* ◆ **2.1** lage ~ *low-heeled laced shoe;* ⟨soort stevige schoen ook⟩ *Oxford/balmoral (shoe).*

rijgsluiting ⟨de (v.)⟩ **0.1** *lace fastening.*

rijgsnoer ⟨het⟩ **0.1** [snoer om voorwerpen aan te rijgen] *string* **0.2** [veter] *lace.*

---

rijgsteek ⟨de (m.)⟩ **0.1** *tack, basting-stitch* ◆ **6.1** met rijgsteken naaien *baste, tack.*

rijgveter ⟨de (m.)⟩ **0.1** *lace* ⇒*lacing,* ⟨scheep.⟩ *point.*

rijhoogte ⟨de (v.)⟩ **0.1** *maximum vehicle height.*

rijinstructeur ⟨de (m.)⟩, **-trice** ⟨de (v.)⟩ **0.1** *driving instructor* ⇒⟨v. ook⟩ *driving instructress.*

rijk[1] ⟨het⟩ **0.1** [gebied onder een vorst] *realm* ⇒*domain, dominion, demesne,* ⟨koninkrijk⟩ *kingdom,* ⟨keizerrijk⟩ *empire* **0.2** [soevereine staat] *state* ⇒*kingdom, empire* **0.3** [landelijke overheid] *government, State* **0.4** [⟨fig.⟩ kring/ruimte waarover iem. macht uitoefent] *domain* **0.5** [gebied] *realm* ⇒*country, land* ◆ **1.1** het ~ der dromen *the Land of Nod;* het ~ der hemelen *the Kingdom of heaven* **1.3** eigendom v.h. Rijk *State/government property* **1.5** iets naar het ~ der fabelen verwijzen *think sth. belongs in/comes from cloud-cuckoo-land/never-never-land;* het ~ der kleuren/klanken *the r. of colours/sounds;* het ~ der letteren *the Commonwealth/republic of letters;* dat behoort tot het ~ der mogelijkheden *that is within the bounds of possibility* **2.1** het Belgische Rijk *the Kingdom of Belgium;* het Britse Rijk *the British Empire;* het Duitse Rijk *the German Empire/Reich, the Second Reich;* het duizendjarig ~ the *millennium;* het Hemelse Rijk *the Celestial Empire;* ons voormalig koloniaal ~ *our former colonial empire/territories* **2.2** het heilige Roomse Rijk *the Holy Roman Empire* **2.¶** het ~ alleen hebben *have it/the place (all) to o.s.;* iem. het ~ alleen laten (hem niet tegenspreken) *leave s.o. in charge, leave it up to s.o.;* ⟨zich verwijderen⟩ *take one's leave of s.o.* **3.3** hij is door het Rijk aangesteld *he was appointed by the government* **3.¶** zijn ~ zal niet lang duren *his reign won't last long* **6.3** een betrekking **bij** het Rijk hebben *have a position in/work for the civil service;* **door** het Rijk gefinancierd *State-financed* **7.2** het Derde Rijk *the Third Reich;* het Tweede Rijk *the Second Reich.*

rijk[2] (→sprw. 147)
I ⟨bn.⟩ **0.1** [vermogend] *rich, wealthy* ⇒*well-off, prosperous,* ⟨inf.⟩ *rolling* **0.2** [ruim voorzien van] *rich (in), abundant (in/with)* **0.3** [overvloedig] *rich, ample; fertile* ⟨grond enz.⟩; *generous, copious* ⟨maal⟩ **0.4** [kostbaar] *valuable, expensive* ⇒⟨zeldz.⟩ *rich* **0.5** [kostelijk] *rich, magnificent* ◆ **1.1** ⟨zelfst.⟩ ~ en arm *rich and poor;* ⟨inf.⟩ *the haves and the have-nots;* als ik in mijn ~e jaren kom *when I come into the money;* van ~e komaf *born wealthy/with a silver spoon in one's mouth,* from a wealthy background **1.2** hij is geen cent ~ *he's not worth a farthing, he hasn't a penny (to his name)* **1.3** een ~e taal (a) r. *language;* een ~e vangst *a bumper catch/haul;* hij heeft een ~e verbeelding *he has a fertile/wild imagination;* ~e winsten/voordelen *considerable profit(s)/advantages* **1.4** een ~e verzameling *a valuable collection* **1.5** het is een ~ gezicht *it is a splendid sight* **1.¶** de ~e kant v.e. steen *sharp edge of a brick* **2.1** stinkend ~ zijn *be stinking/filthy rich, be made of money, be loaded* **3.1** ik ben er niet ~er van geworden *it has not let me any the richer;* hij is slapende ~ geworden *he got rich doing nothing* **3.2** een ton ~er worden *become (the) richer by a hundred thousand guilders;* een caravan zijn wij niet ~ *we cannot boast a caravan* **4.1** hoe ~ is zij? *what is she worth?* **6.2** ~ **aan** ervaring /**aan** boeken zijn *have a mass of experience/books;* ~ **aan** beloften *full of promise;* ~ **aan** zilver/zwavel/energie ⟨ook⟩ *silver/sulphur* ᴬ*fur/energy-rich* **6.¶** de koning/de prins te ~ zijn *be pleased as Punch, be happy as a king/sandboy* **8.2** ik ben je liever kwijt dan ~ *I'd rather see the back of you;*
II ⟨bw.⟩ **0.1** [in overvloedige mate] *abundantly, profusely, lavishly, richly* **0.2** [op kostbare wijze] *expensively* ◆ **3.1** ~ bloeiende heesters *free-flowering shrubs;* van alles ~ voorzien *lavish, cornucopian* **3.2** het gaat er ~ toe *everything is expensive/costly there;* dat huis is ~ gemeubileerd *that house is e. furnished* **3.¶** ~ trouwen *marry money/a fortune* **¶.1** ~ in bloei staan *be in full flower/blossom.*

rijkaard ⟨de (m.)⟩ **0.1** *rich/wealthy/prosperous person/man* ⇒*Croesus,* ⟨sl.⟩ *moneybags.*

rijkdom ⟨de (m.)⟩ **0.1** [toestand] *wealth, affluence* **0.2** [vermogen] *riches, opulence* **0.3** [goed dat de mens van nut is] *resource* **0.4** [het in ruime mate aanwezig zijn] *profusion, abundance, richness, luxuriance* **0.5** [de rijke stand] *the wealthy/well-to-do/rich* ◆ **1.3** een betere verdeling v.d. ~men *a fairer distribution of wealth/resources* **1.4** de ~ van onze taal *the r. of our language* **2.3** de natuurlijke ~men *the natural resources* **4.2** ⟨fig.⟩ zijn liefde was haar ~ *she felt herself rich in his love, his love was her fortune* **6.4** een ~ **aan** veldbloemen *a p. of wild flowers;* Libië's ~ **aan** olie *Libya's rich oil resources.*

rijke ⟨de (m.)⟩ **0.1** *rich/wealthy person, plutocrat* ◆ **7.1** de ~n *the rich/wealty/well-to-do/well-off.*

rijkelijk ⟨bn., bw.; ly⟩ **0.1** [kwistig] *lavish, liberal* **0.2** [overvloedig] *rich, copious* **0.3** [te veel] *superabundant, ample* ◆ **1.2** een ~ maal *a sumptuous meal* **1.3** er zit ~ zout in het eten *the food is salty/has been liberally seasoned/salted* **3.1** ~ met iets doen/omgaan *use sth. lavishly* **3.2** iem. ~ belonen *reward s.o. handsomely;* ~ geven *give generously;* ~ voorzien van alles *abundantly supplied with everything, cornucopian* **5.3** die japon is ~ laag uitgesneden *that dress is cut pretty low* **7.3** er zit ~ veel knoflook in *it has got plenty of garlic (in)* **¶.2** ~ gebruiken maken van iets *use sth. liberally* **¶.3** ~ op tijd zijn *be in a. time.*

rijkelui ⟨zn.mv.⟩ **0.1** *rich people* ⇒⟨inf.⟩ *rich folks* ◆ **7.1** de ~ ⟨ook⟩ *the well-to-do.*

rijkeluiskind ⟨het⟩ **0.1** *rich man's son, rich man's daughter* ⇒*child born with a silver spoon in his mouth* ◆ **¶.1** ~eren ⟨ook⟩ *jeunesse dorée.*

rijkeluiswens ⟨de (m.)⟩ **0.1** ≠*ideal/optimal family (of a mother and father and two children)* ◆ **2.1** ze hebben een zoon en een dochter; een echte ~! *they have a son and a daughter; the ideal of the rich!.*

rijkheid ⟨de (v.)⟩ **0.1** *richness* ⇒*wealth* ◆ **1.1** de ~ van haar geestelijk leven/ervaringen *the r. of her spiritual life/experiences* **6.1** ~ **aan** betekenis *wealth of meaning.*

rijknecht ⟨de (m.)⟩ **0.1** [knecht die paarden verzorgt] *groom* ⇒*stable hand* **0.2** [jockey] *jockey.*

rijkostuum ⟨het⟩ **0.1** *riding costume/outfit/clothes* ⇒*riding habit* ⟨van amazone⟩.

rijksacademie ⟨de (v.)⟩ **0.1** *state academy* ⇒*national academy,* ⟨USA vnl.⟩ *Federal Academy.*

rijksaccountantsdienst ⟨de (m.)⟩ **0.1** *government auditors' department.*

rijksadelaar ⟨de (m.)⟩ **0.1** *imperial eagle.*

rijksadvocaat ⟨de (m.)⟩ **0.1** *government lawyer* ⇒≠*counsel for the Treasury, Treasury counsel.*

rijksambt ⟨het⟩ **0.1** *public/government office* ⇒*government appointment,* ⟨USA ook⟩ *federal office.*

rijksambtenaar ⟨de (m.)⟩ **0.1** *public servant* ⇒*government official, civil servant* ◆ **3.1** ~ worden *become a public official;* ⟨vnl. BE⟩ *enter the civil service.*

rijksappel ⟨de (m.)⟩ **0.1** *orb* ⇒*(imperial) globe.*

rijksarbeidsbureau ⟨het⟩ **0.1** *national employment office* ⇒⟨GB⟩ *Employment Service Agency.*

rijksarchief ⟨het⟩ **0.1** *Public Record(s) Office, Public Record* ⇒*national/State Archives* ◆ **6.1** op het ~ *at the Public Record Office.*

rijksarchiefschool ⟨de (v.)⟩ **0.1** *(national) College of Archive Administration.*

rijksarchivaris ⟨de (m.)⟩ **0.1** ⟨provinciaal niveau⟩ *keeper of the Public Records;* ⟨nationaal niveau⟩ *head of the Public Record Office.*

rijksasiel ⟨het⟩ **0.1** *secure mental hospital/institution.*

rijksbegroting ⟨de (v.)⟩ **0.1** *(national) budget.*

rijksbelasting ⟨de (v.)⟩ **0.1** *(national/*[A]*federal) tax(ation)* ◆ **2.1** plaatselijke en ~en *local and national/federal taxes;* ⟨GB ook⟩ *rates and taxes.*

rijksbemiddelaar ⟨de (m.)⟩ ⟨vero.⟩ **0.1** *government conciliator/mediator/arbitrator.*

rijksbeurs ⟨de⟩ **0.1** *State scholarship* ⇒*government grant* ◆ **3.1** van een ~ genieten *hold a S.s..*

rijksbijdrage ⟨de⟩ **0.1** *government contribution/grant* ⇒*state/exchequer grant(-in-aid), state aid* ◆ **3.1** een ~ verlenen voor *make a grant from the Treasury.*

rijksbijdrageregeling ⟨de (v.)⟩ **0.1** *'rijksbijdrageregeling'* ⟨*arrangement for government contributions to local authority subsidies*⟩.

rijksbotermerk ⟨het⟩ **0.1** *government butter stamp/mark.*

rijksbouwmeester ⟨de (m.)⟩ **0.1** *government architect.*

rijksbureau ⟨het⟩ **0.1** *government office* ⇒*national bureau.*

rijkscommissaris ⟨de (m.)⟩ **0.1** [commissaris in een gebied] *government commissioner* **0.2** [⟨gesch.⟩] *Reich Commissioner.*

rijksdaalder ⟨de (m.)⟩ **0.1** *rix-dollar* ⇒*two-and-a-half guilder coin.*

rijksdag ⟨de (m.)⟩ **0.1** [⟨gesch.⟩] *diet* **0.2** [volksvertegenwoordiging] *diet* ⇒*parliament,* ⟨gesch.; in Duitsland⟩ *Reichstag.*

rijksdeel ⟨het⟩ **0.1** *territory (overseas)* ⇒*overseas territory.*

rijksdienst ⟨de (m.)⟩ **0.1** [dienst bij het Rijk] *public service* ⇒*civil government service* **0.2** [door het Rijk verzorgde dienst] *government department* ⇒*state authority, government service agency* ◆ **6.1** ambtenaar **in** ~ *public/civil servant, national and local government officer* **6.2** ~ **voor** het wegverkeer ≠*Ministry of Transport Industries.*

rijksgebied ⟨het⟩ **0.1** *territory of the State/realm.*

rijksgebouw ⟨het⟩ **0.1** *public building* ⇒*government building.*

rijksgebouwendienst ⟨de (m.)⟩ **0.1** ≠*Ministry of Housing and Construction (M.H.C.).*

rijksgenoot ⟨de (m.)⟩ **0.1** *fellow citizen* ⇒⟨mbt. Ned. ook⟩ ≠*citizens living in Dutch overseas territories.*

rijksgrens ⟨de⟩ **0.1** *(national) frontier/border.*

rijksgrond ⟨de (m.)⟩ **0.1** *government(-owned) land,* [A]*federal(ly-owned) land* ⇒*state-owned land.*

rijksinkomsten ⟨zn.mv.⟩ **0.1** *national/public revenue.*

rijksinsignes ⟨zn.mv.⟩ **0.1** *regalia.*

rijksinstelling ⟨de (v.)⟩ **0.1** *government/state/*[A]*federal institution* ⇒⟨concreet⟩ *Government establishment.*

rijkskanselier ⟨de (m.)⟩ **0.1** [hoogste regeringsambtenaar] *chancellor* **0.2** [eerste minister in Duitsland] *Chancellor (of the FRG).*

rijkskantoor ⟨het⟩ **0.1** [B]*Inland Revenue (Office),* [A]*Internal Revenue Office.*

rijkskas ⟨de⟩ **0.1** *national exchequer* ⇒*treasury, public purse.*

rijksklerk ⟨de (m.)⟩ **0.1** *inland/*[A]*internal revenue officer;* ⟨mbt. registatiekantoor⟩ *registrar.*

rijkskosten ⟨zn.mv.⟩ **0.1** *public/government expense/charge* ◆ **6.1** op ~ *at the public expense;* begrafenis **op** ~ *state funeral.*

rijkslandbouwproefstation ⟨het⟩ **0.1** *state/government agricultural experimental station.*

rijksluchtvaartdienst ⟨de (m.)⟩ **0.1** [B]*Civil Aviation Authority,* [A]*Civil Aeronautics Board.*

rijksmark ⟨de (m.)⟩ ⟨gesch.⟩ **0.1** *Reichsmark.*

rijksmerk ⟨het⟩ **0.1** *government (inspection-)stamp/mark.*

rijksmiddelen ⟨zn.mv.⟩ **0.1** *government/state/*[A]*federal revenue(s).*

rijksmunt ⟨de⟩ **0.1** [munt] *coin of the realm* **0.2** [⟨met hoofdletter⟩ instituut] *Mint* ⇒[B]*Royal Mint,* [A]*the Bureau of the Mint.*

rijksmuseum ⟨het⟩ **0.1** *national museum* ⇒⟨voor kunst ook⟩ *national gallery.*

rijksontvanger ⟨de (m.)⟩ **0.1** *tax collector.*

rijksopvoedingsgesticht ⟨het⟩ **0.1** ⟨BE⟩ ≠*community home,* ⟨vanaf 15 jaar⟩ *borstal (institution);* [A]*federal reformatory.*

rijksoverheid ⟨de (v.)⟩ **0.1** *central/national government.*

rijkspensioen ⟨het⟩ **0.1** *state/*≠ [A]*federal pension.*

rijkspolitie ⟨de (v.)⟩ **0.1** *national/state police (force),* [A]*Federal Police* ⇒≠*County Constabulary.*

Rijkspostspaarbank ⟨de⟩ **0.1** *National Savings Bank.*

rijksregeling ⟨de (v.)⟩ **0.1** *state regulation* ◆ **6.1** salaris **volgens** ~ *salary in accordance with national scales.*

rijksschatkist ⟨de⟩ →*rijkskas.*

rijksschool ⟨de⟩ **0.1** *state school.*

rijksstad ⟨de⟩ ⟨gesch.⟩ **0.1** *imperial city.*

rijkssubsidie ⟨het, de (v.)⟩ **0.1** *government/state subsidy/subvention/grant/aid/grant-in-aid* ◆ **6.1** met ~ *state-aided; direct-grant* ⟨school⟩.

rijkstuinbouwconsulent ⟨de (m.)⟩ **0.1** ≠*government horticultural expert/consultant.*

rijksuniversiteit ⟨de (v.)⟩ **0.1** *state university* ◆ **6.1** ~ **te** Utrecht *(state) University of Utrecht.*

rijksverkeersinspectie ⟨de (v.)⟩ **0.1** ⟨GB⟩ *Ministry of Transport.*

rijksvoorlichtingsdienst ⟨de (m.)⟩ **0.1** *Government Information Service* ⇒⟨GB⟩ *Central Office of Information.*

rijksvorst ⟨de (m.)⟩ ⟨gesch.⟩ **0.1** *(German) prince* ⇒*Elector.*

rijkswacht ⟨de⟩ ⟨AZN⟩ **0.1** *state police* ⇒*gendarmerie.*

rijkswachter ⟨de (m.)⟩ ⟨AZN⟩ **0.1** *gendarme.*

rijkswapen ⟨het⟩ **0.1** *national (coat of) arms, arms of the state.*

rijkswaterstaat ⟨de (m.)⟩ **0.1** ≠*Department/Mission of (Public) Works.*

rijksweg ⟨de (m.)⟩ **0.1** *national trunk road,* [A]*state highway* ⇒⟨niet GB; beh. jur.⟩ *national highway.*

rijkswege ◆ **6.¶** van ~ *by (authority of) the government, from the government, officially;* **van** ~ uitgegeven/voorgeschreven/gesteund *published/enforced/assisted by the government;* **van** ~ gekeurd *government/officially tested;* subsidie **van** ~ *state/government subsidy.*

rijkswegenfonds ⟨het⟩ **0.1** *road fund.*

rijkswet ⟨de⟩ **0.1** *statute law.*

rijkszegel ⟨het⟩ **0.1** *Great Seal.*

rijkszuivelconsulent ⟨de (m.)⟩ **0.1** *state/government advisory dairy expert.*

rijkunst ⟨de (v.)⟩ **0.1** *horsemanship* ⇒*equitation, equestrianism,* ⟨mbt. auto⟩ *driving skill.*

rijlaars ⟨de⟩ **0.1** *riding boot* ⇒⟨kort⟩ *jodhpur boot.*

rijles ⟨de⟩ **0.1** ⟨auto⟩ *driving lesson;* ⟨paard⟩ *riding lesson* ◆ **3.1** ~ nemen *take driving/riding lessons.*

rijm
I ⟨het⟩ **0.1** [gelijkheid van klank] *rhyme* **0.2** [klank, woord] *rhyme* **0.3** [regel] *(line of) verse* **0.4** [gedicht] *verse* ⇒*rhyme, (a) poem,* ⟨bel.⟩ *(a piece of) doggerel* ◆ **1.4** ~en en vertellingen *verses and stories* **2.1** gebroken ~ *interrupted r.;* gekruist ~ *alternate r.;* gepaard ~ *rhyming couplet;* glijdend ~ *triple r.;* omvattend ~ *embracing r.;* onzuiver ~ *approximate/slant/imperfect r.;* rijk ~ *rime riche;* slepend/vrouwelijk ~ *feminine/weak r.;* staand/mannelijk ~ *masculine/strong r.;* zuiver ~ *full/true/perfect r.* **6.1** iets **in/op** ~ brengen/zetten *put/turn sth. into verse, verse, versify;* **op** ~ *rhyming, in r.* **6.2** ken je een ~ **op** vogel? *can you think of a word rhyming with bird?, do you know a r. for bird?;*
II ⟨de (m.)⟩ **0.1** ⟨vero., schr.⟩ bevroren dauw] *rime (frost)* ⇒*(white) frost, hoarfrost.*

rijmbijbel ⟨de (m.)⟩ **0.1** *rhyming bible* ⇒*bible in verse, rhymed bible.*

rijmdwang ⟨de (m.)⟩ **0.1** *poetic necessity.*

rijmeester ⟨de (m.)⟩ **0.1** *riding master.*

rijmelaar ⟨de (m.)⟩, **-ster** ⟨de (v.)⟩ **0.1** *poetaster* ⇒*balladmonger, rhymer, rhymester, versemonger, versifier.*

rijmelarij ⟨de (v.)⟩ **0.1** *doggerel (verse).*

rijmelen ⟨onov., ov.ww.⟩ **0.1** *write doggerel (verse).*

rijmen
I ⟨onov.ww.⟩ **0.1** [rijm hebben] *be rhymed, be in rhyme/verse* **0.2** [rijm vormen] *rhyme (with)* **0.3** [⟨fig.⟩ overeenkomen] *be consonant (with)* ⇒*be consistent/compatible (with)* **0.4** [verzen maken] *rhyme* ⇒*versify* ◆ **1.1** die gedichten ~ (niet) *these poems are (un)rhymed* **1.2** deze woorden ~ op elkaar *these words r. (with each other)* **5.4** hij kan goed ~ *he's a good versifier* **6.3** zo'n daad rijmt niet **met** zijn beginselen *such an act is not consonant/consistent/is incompatible with his principles;*

II ⟨ov.ww.⟩ **0.1** [in overeenstemming brengen] *reconcile* ◆ **6.1** dat viel niet te ~ **met** ...*it/ that was not to be reconciled with ...;*
III ⟨onp.ww.⟩ **0.1** [⟨vero., schr.⟩ rijp vertonen] *rime* ◆ **4.1** het heeft gerijmd *it has rimed, there has been rimefrost.*

rijmer →rijmelaar.

rijmerij →rijmelarij.

rijmklank ⟨de (m.)⟩ **0.1** [gelijke klank] *rhyme* ⇒*jingle* **0.2** [laatste klank v.e. versregel] *rhyme.*

rijmkunst ⟨de (v.)⟩ **0.1** *art of rhyming* ⇒*versification.*

rijmloos ⟨bn.⟩ **0.1** *unrhymed* ⇒*rhymeless* ◆ **1.1** rijmloze verzen *u. verse, free verse; blank verse* ⟨van jambische pentameters⟩.

rijmpaar ⟨het⟩ **0.1** *rhyming couplet* ⇒*heroic couplet* ⟨van jambische pentameters⟩.

rijmpje ⟨het⟩ **0.1** *rhyme* ⇒*jingle, short verse.*

rijmprent ⟨de⟩ **0.1** *illustrated broadsheet/ broadside poem.*

rijmschema ⟨het⟩ **0.1** *rhyme scheme.*

rijmwoord ⟨het⟩ **0.1** *rhyme, rhyming word.*

rijmwoordenboek ⟨het⟩ **0.1** *rhyming dictionary.*

rijn ⟨de (m.)⟩⟨amb.⟩ **0.1** *millrind.*

Rijn ⟨de (m.)⟩ **0.1** *Rhine.*

rijnaak ⟨de⟩ **0.1** *Rhine barge.*

rijnagel ⟨de (m.)⟩ **0.1** *guide pin.*

Rijndal ⟨het⟩ **0.1** *Rhine valley, valley of the Rhine.*

rijnforel ⟨de⟩ **0.1** *Rhine trout.*

Rijngrens ⟨de⟩ **0.1** *border formed by the Rhine.*

rijnlander ⟨de (m.)⟩ **0.1** *Rhine barge.*

rijns →rins.

Rijns ⟨bn.⟩ **0.1** *Rhine(land), Rhenish* ◆ **1.1** ~e wijn *Rhine wine, Rhenish, hock.*

rijnschip ⟨het⟩ **0.1** *Rhine barge* ⇒*Rhine vessel.*

Rijnstaat ⟨de (m.)⟩ **0.1** *country on the Rhine.*

rijnwijn ⟨de (m.)⟩ **0.1** *Rhenish, hock* ⇒*Rhine wine.*

rijnzalm ⟨de (m.)⟩ **0.1** *Rhine salmon.*

rij-op-rij-afschip ⟨het⟩ **0.1** *roll-on/ roll-off ship* ⇒*ro-ro ship, drive-on/ drive-off car ferry.*

rijp¹ ⟨de (m.)⟩ **0.1** [aanslag van ijskristallen] *(white) frost* ⇒*hoarfrost,* ⟨lit.⟩ *hoar,* ⟨lit.⟩ *rime* **0.2** [dunne waas op vruchten/ planten] *bloom* ◆ **3.1** er lag vanmorgen ~ op het gras *the grass was covered with (white) frost this morning.*

rijp² ⟨bn.⟩ ⟨→sprw. 516⟩ **0.1** [mbt. vruchten/ gewassen] *ripe* ⇒⟨sappig⟩ *mellow* **0.2** [mbt. personen] *mature* ⇒*adult, ripe,* ⟨en goedaardig⟩ *mellow* **0.3** [⟨+voor⟩ geschikt geworden] *ripe (for), ready (for)* ⇒*fit (for)* **0.4** [goed overwogen] *serious* ⇒*full, ripe, mature* ◆ **1.2** de ~ere jeugd *adolescents;* op ~ere leeftijd *at a ripe age* **1.4** na ~ beraad *after due consideration, after s. thought;* een ~ oordeel en rijke ervaring *a mature/ ripe judgement and rich in experience* **3.1** ~ maken *ripen, mature;* ~ worden *ripen, mature* **3.2** hij is ~ voor zijn leeftijd *he is mature for his age* **5.3** de tijd is daarvoor nog niet ~ *the time is not yet ripe (for it)* **6.3** ~ **voor** de sloop *ready for the scrapheap;* het volk was ~ **voor** de opstand *the people were ripe for rebellion;* ⟨scherts.⟩ zij is ~ **voor** het gekkenhuis *she should be certified, she is (a) certifiable (case).*

rijpaard ⟨het⟩ **0.1** *saddle horse* ⇒*riding horse,* ⟨kalm en mak⟩ *mount.*

rijpad ⟨het⟩ **0.1** ⟨te paard⟩ *bridle path, riding track;* ⟨mbt. fietsen⟩ *cycle path.*

rijpelijk ⟨bw.⟩ **0.1** *seriously* ⇒*duly, (care)fully* ◆ **3.1** iets ~ overwegen *give sth. one's full consideration, give/ bestow serious thought to a matter, chew the cud over sth..*

rijpen
I ⟨onov.ww.⟩ **0.1** [mbt. vruchten/ gewassen] *ripen* ⇒*mature* **0.2** [mbt. personen/ zaken] *mature* ⇒*ripen* **0.3** [verhouten] *become/ grow woody* ⇒*form wood* ◆ **1.2** een gerijpt man *a mature man* **6.2** ~ tot iets *ripen into sth.;* het ~ **van** de kaas *the ripening/ maturing of the cheese;* het ~ **van** het karakter/ verstand *the maturing of the character/ mind;*
II ⟨ov.ww.⟩ **0.1** [rijp maken] *ripen, mature* **0.2** [wijs maken] *mature;*
III ⟨onp.ww.⟩ **0.1** [rijp vertonen] *be hoary/ frosty* ◆ **4.1** het heeft gerijpt *there has been a (hoar)frost.*

rijpheid ⟨de⟩ **0.1** *ripeness, maturity* ⇒*fruition* ◆ **2.1** ⟨fig.⟩ het portret toont haar in volle vrouwelijke ~ *the portrait represents her in the prime of womanly m.* **6.1** ⟨fig.⟩ **tot** ~ komen *ripen, mature, reach/ attain m.;* ⟨fig.⟩ een zaak **tot** ~ brengen *see a matter/ sth. through (to m. / fruition);* ⟨fig.⟩ ~ **van** geest *spiritual/ mental m.;* ⟨bij uitbr.⟩ *wisdom.*

rijping ⟨de (v.)⟩ **0.1** [het rijpen] *ripening, maturing, maturation* ⇒*ag(e)ing, seasoning* **0.2** [⟨landb.⟩] *ripeness, maturity* **0.3** [groei naar volwassenheid] *maturing, maturation* **0.4** [⟨geol.⟩] *maturity.*

rijpingsjaren ⟨zn.mv.⟩ **0.1** *years of maturation* ⇒⟨puberteit⟩ *(years of) adolescence, adolescent years.*

rijpingsproces ⟨het⟩ **0.1** *maturation, ripening/* ⟨ook fig.⟩ *maturing process.*

rijplaat ⟨de⟩ **0.1** *steel planking.*

rijproef ⟨de⟩ **0.1** *driving test;* ⟨te paard⟩ *dressage test.*

---

rijrichting ⟨de (v.)⟩ **0.1** *direction of the traffic (flow).*

rijs ⟨het⟩ **0.1** [twijg] *twig* ⇒*sprig,* ⟨om te binden⟩ *withy, withe, osier* **0.2** [takkenbos] *faggot, bundle of twigs* **0.3** [rijshout] *osier, brush(wood);* ⟨gevlochten⟩ *wicker* ◆ **2.1** ⟨fig.⟩ jonge rijzen kan men buigen, maar oude bomen niet *you can't teach an old dog new tricks* **3.1** ⟨fig.⟩ buig het ~je, als het jong is *train a new shoot while it's still young* **7.1** ⟨fig.⟩ veel ~jes maken een bezem *≠many a little makes a nickle.*

rijsbed ⟨het⟩⟨wwb.⟩ **0.1** [tegen verzakking v.d. ondergrond] *osier mat/ mattress* **0.2** [ter versteviging v.d. dijkwand] *osier revetment.*

rijsberm ⟨de (m.)⟩⟨wwb.⟩ **0.1** *fascine (work).*

rijsbeslag ⟨het⟩⟨wwb.⟩ **0.1** *osier revetment.*

rijsbos
I ⟨de (m.)⟩ **0.1** [takkenbos] *bundle of twigs, faggot;*
II ⟨het⟩ **0.1** [bosje van laagstammig geboomte] *thicket.*

rijschema ⟨het⟩ **0.1** [leidraad bij een te volgen route] *route plan* ⇒*itinerary* **0.2** [schema van beurten om te rijden] *driving roster/* ᴮ*rota.*

rijschool ⟨de⟩ **0.1** [autorijschool] *driving school* **0.2** [manege] *riding school/* ⟨manège⟩ *manège, manege.*

rijshout ⟨het⟩ **0.1** *osier, brush(wood);* ⟨gevlochten⟩ *wicker.*

rijsmiddel ⟨het⟩ **0.1** *leavening agent* ⇒*leaven* ⟨gist ook⟩, ⟨bakpoeder⟩ *baking powder,* ⟨gist⟩ *yeast.*

rijsnelheid ⟨de (v.)⟩ **0.1** *(driving) speed.*

rijspoor
I ⟨het⟩ **0.1** [wagenspoor] *(wheel-)rut, track* ⇒*tread;*
II ⟨de⟩ **0.1** [spoor aan een laars] *spur.*

rijsport ⟨de⟩ **0.1** *equestrian sport(s)* ⇒*(horse) riding, equestrianism.*

rijst ⟨de (m.)⟩ **0.1** [graan] *rice* **0.2** [graankorrels] *rice* **0.3** [gerecht] *rice* ◆ **2.2** gepelde ~ *polished r.;* ongepelde ~ *unpolished/ whole grain/ brown r..*

rijstabilisator ⟨de (m.)⟩ **0.1** *stabilizer.*

rijstblok ⟨het⟩ **0.1** *(wooden) rice-mortar.*

rijstbouw ⟨de (m.)⟩ **0.1** *cultivation/ growing of rice.*

rijstbrandewijn ⟨de (m.)⟩ **0.1** *(rice) arrack/ arak* ⇒*rice liquor,* ⟨vnl. Japan⟩ *sake.*

rijstbuik ⟨de (m.)⟩ **0.1** *potbelly, swollen/ distended belly.*

rijstdiefje ⟨het⟩ **0.1** *Java sparrow* ⇒*paddy(bird), ricebird.*

rijstebloem ⟨de⟩ **0.1** *rice flour.*

rijstebrij ⟨de⟩ **0.1** *rice pudding.*

rijstebrijberg ⟨de (m.)⟩ **0.1** [berg uit Luilekkerland] *≠road to Never Never Land* **0.2** [⟨fig.⟩] *mound/ mountain of problems, sea of troubles* ◆ **3.2** door een ~ heen eten *plough one's way through a mound/ stack of sth., remove innumerable obstacles/ problems.*

rijstemeel ⟨het⟩ **0.1** *rice meal.*

rijstenat ⟨het⟩ **0.1** *rice pudding.*

rijstepap ⟨de⟩ **0.1** *rice pudding* ⇒⟨voor kinderen en zieken ook⟩ *rice pap.*

rijstesoep ⟨de⟩ **0.1** *rice soup, soup with rice.*

rijstevla ⟨de⟩ **0.1** *rice tart.*

rijstewater ⟨het⟩ **0.1** *rice water.*

rijstglas ⟨het⟩ **0.1** *milk glass.*

rijstijl ⟨de (m.)⟩ **0.1** [mbt. autorijden] *style of driving, driving style* **0.2** [mbt. schaatsenrijden] *skating style.*

rijstk(a)ander ⟨de (m.)⟩ **0.1** *rice weevil.*

rijstkorrel ⟨de (m.)⟩ **0.1** *grain of rice, rice grain.*

rijstland ⟨het⟩ **0.1** [rijstakker] *rice/ paddy field(s)* **0.2** [rijstgebied] *rice-growing area* ⇒*rice bowl.*

rijstmeel →rijstemeel.

rijst-met-krentenhond ⟨de (m.)⟩⟨inf.⟩ **0.1** *spotted dog/ Dick.*

rijstoogst ⟨de (m.)⟩ **0.1** *rice crop/ harvest.*

rijstpan ⟨de⟩ **0.1** *rice pan.*

rijstpap ⟨de⟩⟨AZN⟩ **0.1** *rice pudding.*

rijstpapier ⟨het⟩ **0.1** [Chinees papier uit papyrus] *rice paper* **0.2** [papier uit rijststro] *rice paper* ⇒*rice-straw paper.*

rijstpellerij ⟨de⟩ **0.1** *rice-husking plant.*

rijstrand ⟨de (m.)⟩ **0.1** [rand van rijst] *rice mould* ᴬ*mold/ ring* **0.2** [blikken vorm] *ring mould* ᴬ*mold.*

rijstrook ⟨de⟩ **0.1** *(traffic) lane.*

rijststomer ⟨de⟩ **0.1** *steamer.*

rijststro ⟨het⟩ **0.1** *rice straw.*

rijsttafel ⟨de⟩ **0.1** *(Indonesian) rice table* ⇒*rijsttafel.*

rijsttafelen ⟨onov.ww.⟩ **0.1** *have/ eat an Indonesian rice table/ a rijsttafel.*

rijstteelt ⟨de⟩ **0.1** *cultivation/ growing of rice.*

rijstveld ⟨het⟩ **0.1** *rice field/ paddy* ⇒*paddy field.*

rijstvogeltje ⟨het⟩ **0.1** *Java sparrow* ⇒*paddy(bird), ricebird.*

rijstwater ⟨het⟩ **0.1** *rice water.*

rijswaard ⟨de⟩ **0.1** [buitendijkse grond] *osier bed, holt* **0.2** [wilg] *osier.*

rijswerk ⟨het⟩⟨wwb.⟩ **0.1** *osier revetment.*

rijteken ⟨het⟩ **0.1** *sign to drive on.*

rijten ⟨ov.ww.⟩⟨schr.⟩ **0.1** *rend* ⇒*tear, rip* ◆ **6.1 aan** stukken ~ *tear/ pull to/ rend into pieces;* iem. de kleren **van** het lichaam ~ *tear the clothes from/ off s.o.'s body.*

rijtijd ⟨de (m.)⟩ **0.1** [tijd gedurende welke men rijdt] *driving time* **0.2** [duur v.e. rit] *travel time* **0.3** [paartijd van vissen] *spawning season.*

rijtijdenbesluit ⟨het⟩ **0.1** *regulations governing driving hours.*
rijtijdenboekje ⟨het⟩ **0.1** *lorry/^Atruck-driver's log.*
rijtjeshuis ⟨het⟩ **0.1** ^Bterrace(d) house, ^Arow house.*
rijtoer ⟨de (m.)⟩ **0.1** *drive* ⇒*joyride, (pleasure) trip,* ⟨met fiets, te paard⟩ *ride* ◆ **3.1** een ~ maken *go for a d., take a joyride/spin.*
rijtuig ⟨het⟩ **0.1** [koets] *carriage* **0.2** [treinstel] ^Bcarriage, ^Acar ⇒*(passenger) coach* ◆ **2.1** een gesloten ~ *a closed/an enclosed c., a coach;* een open ~ *an open c.* **6.1** ~ met twee/vier paarden *coach and pair/four, pair/four-in-hand.*
rijvaardigheid ⟨de (v.)⟩ **0.1** *driving ability/proficiency* ◆ **3.1** geneesmiddelen die de ~ beïnvloeden *medecines which affect one's d. a. / ability to drive.*
rijvaardigheidsbewijs ⟨het⟩ **0.1** *certificate of driving proficiency* ⇒ ≠^Bdriving licence, ≠^Adriver's license.*
rijven ⟨onov., ov.ww.⟩ ⟨AZN⟩ **0.1** [harken] *rake* **0.2** [raspen] *grate.*
rijverbod ⟨het⟩ **0.1** *driving ban* ◆ **3.1** hier geldt een ~ *(this street/area is) closed to (motor) vehicles, no driving allowed;* iem. een ~ opleggen *take away/lift s.o.'s licence* ^Alicense, *ban s.o. from driving.*
rijvereniging ⟨de (v.)⟩ **0.1** *riding club.*
rijverkeer ⟨het⟩ **0.1** *vehicular traffic.*
rijvlak ⟨het⟩ **0.1** [afdekking v.e. brug] *roadway* **0.2** [deel v.e. rubberband] *tread.*
rijweg ⟨de (m.)⟩ **0.1** [weg] *roadway* ⇒*road, paving,* ⟨BE ook⟩ *carriageway,* ⟨AE ook⟩ *pavement* **0.2** [oprijlaan] *drive.*
rijwiel ⟨het⟩ ⟨schr.⟩ **0.1** *(bi)cycle.*
rijwielberging ⟨de (v.)⟩ **0.1** *(bi)cycle shed/park.*
rijwielhandel ⟨de (m.)⟩ **0.1** *bicycle shop.*
rijwielhandelaar ⟨de (m.)⟩ **0.1** *bicycle dealer.*
rijwielhersteller ⟨de (m.)⟩, -ster ⟨de (v.)⟩ ⟨schr.⟩ **0.1** *bicycle repairman* ⟨m.⟩;*(bi)cycle repairer/* ⟨BE ook⟩ *mender* ⟨m., v.⟩.
rijwielpad ⟨het⟩ **0.1** *(bi)cycle path* ⇒⟨BE ook⟩ *cycle track/way.*
rijwielstalling ⟨de (v.)⟩ **0.1** ⟨binnen⟩ *(bi)cycle lock-up;* ⟨buiten⟩ *(bi)cycle park.*
rijwieltasje ⟨het⟩ **0.1** *bicycle (tool) bag* ⇒*saddlebag.*
rijwieltegel ⟨de (m.)⟩ **0.1** ⟨paving stone with a slot in which a bicycle may be parked⟩.
rijwielverhuur ⟨de (m.)⟩ **0.1** [het verhuren] *hiring (out)/* ^Arenting (out) of bicycles* ⇒*bicycle hire/* ^Arental* **0.2** [bedrijf] *bicycle-hire/* ^A-rental shop/centre/company.*
rijwielverzekering ⟨de (v.)⟩ **0.1** *(bi)cycle insurance.*
rijzen ⟨onov.ww.⟩ **0.1** [zich oprichten] *rise (up), arise* **0.2** [een hogere positie innemen] *rise* **0.3** [omhooggaan] *rise* ⇒*go up, ascend, move up(wards), mount* **0.4** [gisten] *rise* ⇒⟨deeg ook; zeldz.⟩ *prove* **0.5** [opwaarts hellen] *rise* **0.6** [zich voordoen] *arise* ⇒*occur, appear* ◆ **1.1** laat het deeg ~ *set/leave the dough to r.* **1.2** het land v.d. ~de zon *the land of the rising sun* **1.3** het water/kwik/de barometer rijst *the water/mercury is rising, the barometer is mounting/rising* **1.4** ~de kaas *fermenting cheese* **1.6** toen rezen er moeilijkheden *then problems arose/emerged/cropped up;* ⟨fig.⟩ twijfel doen ~ *raise doubts;* de vraag rijst of ... *the question arises (as to/of) whether ...* **6.1** iem. de haren te berge doen ~ *make s.o.'s hair curl/stand on end;* van zijn zetel ~ *stand up/rise from one's seat* **6.3** in aanzien ~ *r. / go up in estimation;* de prijzen ~ de pan uit *prices are soaring/shooting up/getting steep* **6.6** voor de geest/ogen ~ *arise/appear in one's mind/before one's eyes.*
rijzig ⟨bn., bw.⟩ **0.1** [mbt. personen] *tall* **0.2** [mbt. zaken] *tall* ◆ **3.2** ~ schieten de gebouwen op *the t. buildings go shooting up into the sky* **6.1** ~ van gestalte *t. in build/stature.*
rijzweep ⟨de⟩ **0.1** [hunting/riding] *crop, riding whip* ⇒⟨AE ook⟩ *quirt,* ⟨lang⟩ *horsewhip.*
rikketik[1] ⟨de (m.)⟩ **0.1** [spel] ≠*wheel of fortune* **0.2** [⟨inf.⟩ hart] *ticker* ◆ **6.¶** in zijn ~ zitten *have one's heart in one's mouth.*
rikketik[2] ⟨tw.⟩ ◆ **6.¶** zijn hartje gaat van ~ *his heart is going pitapat.*
rikketikken ⟨onov.ww.⟩ **0.1** *(go) pit(a)pat, go ticking away* ⇒*tick (away),* ⟨klank⟩ *go tick-tack* ⟨horloge⟩ */ricky-tick.*
rikkikken ⟨onov.ww.⟩ **0.1** *croak.*
riks ⟨de (m.)⟩ ⟨inf.⟩ **0.1** *2.5 guilder(s)(piece)* ⇒⟨gesch.⟩ *rix-dollar.*
riksja ⟨de (m.)⟩ **0.1** *rickshaw.*
ril[1]
I ⟨de (m.)⟩ **0.1** [rilling] *shiver(ing), shudder(ing)* ⇒*trembling,*
II ⟨de⟩ **0.1** [groef] *groove* ⇒*rill, gulley* ^Agully* **0.2** [⟨ster.⟩] *rill* ◆ **6.1** ~len in het wegdek *grooves/gulleys in the road surface.*
ril[2] ⟨bn., bw.; -ly⟩ ⟨gesch.⟩ **0.1** *timorous.*
rillen
I ⟨onov.ww.⟩ **0.1** [trillen] *shiver, shudder* ⇒*tremble* ◆ **6.1** hij rilde van de kou *he shivered with cold;* het is om van te ~, zo ontzettend is het *it's bad enough to give you the shudders/to send shivers down your spine/to make your flesh creep;* ~ van angst *shiver/shudder/tremble/quake/shake with fear;*
II ⟨ov.ww.⟩ **0.1** [groeven aanbrengen] *score* ⇒*crease.*
rillerig ⟨bn.⟩ **0.1** *shivery* ⇒*aguish.*
rillijn ⟨de⟩ **0.1** *crease* ◆ **6.1** op de ~ vouwen *fold/bend along the fold line/c..*

rilling ⟨de (v.)⟩ **0.1** *shiver, shudder* ⇒*tremble, tremor* ◆ **2.1** koude ~en hebben ⟨ook fig.⟩ *have the shakes/shivers* **3.1** iem. ~en bezorgen *make s.o. shiver/shudder/* ⟨van angst ook⟩ *tremble (with fear);* er liep een ~ over mijn rug *a shiver ran down my spine, it gave me the creeps.*
rimboe ⟨de⟩ **0.1** [oerwoud] *jungle* ⇒*bush* **0.2** [afgelegen streek] *bush, wild* ⇒⟨Austr.E⟩ *outback,* ↓*sticks* ◆ **6.2** hij woont ergens in de ~ *he lives somewhere out in the wild(s)/sticks/* ^Aboondocks/* ^Aboonies.*
rimpel ⟨de (m.)⟩ **0.1** [frons] *wrinkle* ⇒*line, pucker,* ⟨diep⟩ *furrow,* ⟨om de ogen⟩ *crow's feet* **0.2** [kreuk, plooi] *wrinkle* ⇒*crinkle, crimp* **0.3** [golving op het water] *ripple, ruffle* ⇒*rimple, wavelet* ◆ **3.1** ~s in het voorhoofd trekken *knit/furrow one's brow, frown, pucker one's forehead;* ⟨fig.⟩ iemands ~s wegstrijken *smoothe s.o.'s forehead/brow* **5.1** een gezicht vol ~s *a wrinkled/wizen(ed) face, a face creased/lined with wrinkles* **5.2** een uitgedroogde appel zit vol ~s *a dried out apple is full of wrinkles/crinkles/is wizened* **6.2** ⟨fig.⟩ een naam **zonder** vlek of ~ *a spotless name.*
rimpelen
I ⟨onov.ww.⟩ **0.1** [mbt. het gezicht] *wrinkle (up)* ⇒*pucker (up)* **0.2** [mbt. het water] *ripple, ruffle* ⇒*wimple* **0.3** [plooien] *pucker* ⇒*crinkle, gather* ⟨stof⟩, ⟨kreukelen⟩ *crush;*
II ⟨ov.ww.⟩ **0.1** [rimpels veroorzaken] *wrinkle (up)* ⇒*pucker (up), line* **0.2** [doen golven] *ripple, ruffle* ⇒*rimple, wimple, dimple* **0.3** [plooien maken in] *crinkle (up), crimp; gather* ⟨stof⟩; ⟨kreukelen⟩ *crumple* ◆ **1.1** het voorhoofd ~ *wrinkle/pucker one's forehead, knit one's brow* **1.2** de wind rimpelt het meer *the wind ruffled/rippled/* ⟨dicht.⟩ *fretted the surface of the lake* **1.3** papier ~ *crinkle/crumple paper.*
rimpelig ⟨bn.⟩ **0.1** *wrinkled, wrinkly* ⇒*rippled, crinkly, puckered* ◆ **1.1** een ~e appel *a shrivelled/wizened apple;* een ~ gezicht *a wrinkled/lined face;* een ~ oudje *a wrinkled old man/woman.*
rimpeling ⟨de (v.)⟩ **0.1** [het gerimpeld worden] *wrinkling* ⇒*puckering* **0.2** [de rimpels in iets, gerimpeld oppervlak] *wrinkling* ⇒*puckering,* ⟨stof, papier⟩ *crumpling* **0.3** [golfje] *ripple, rippling, ruffle* ⇒*wavelet.*
rimpelloos ⟨bn.⟩ **0.1** [zonder rimpels] *smooth* ⇒⟨gezicht ook⟩ *unwrinkled, unlined, calm, unruffled* ⟨water⟩ **0.2** [⟨fig.⟩] *smooth* ⇒*calm, tranquil* ◆ **1.2** een ~ bestaan *a s. / an untroubled existence* **3.2** de dag verliep ~ *the day passed off smoothly/without incident.*
rimram ⟨de (m.)⟩ **0.1** [rompslomp] *(fuss and) bother, the whole* ^Bcaboodle/* ^Akit and caboodle;* ⟨AE ook⟩ *the whole shebang* **0.2** [koeterwaals] *balderdash, rubbish* ⇒*stuff and nonsense, hot air.*
RIN ⟨het⟩ ⟨afk.⟩ **0.1** [Rijksinstituut voor Natuurbeheer] ⟨(Dutch) National Institute for Conservation⟩.
rinforzando ⟨bw.⟩ ⟨muz.⟩ **0.1** *rinforzando.*
ring ⟨de (m.)⟩ ⟨→sprw. 4⟩ **0.1** [sieraad] *ring* ⇒*band* **0.2** [cirkelvormig voorwerp] *ring* ⇒*circlet, band, hoop,* ⟨om eind van stok enz.⟩ *ferrule* **0.3** [zaak van cirkelvormige gedaante] *ring* **0.4** [wat zich voordoet als een ring] *ring* ⇒*circle,* ⟨om de maan ook⟩ *halo* **0.5** [afgeperkte ruimte] *ring* ⇒*arena* **0.6** [⟨prot.⟩] *circuit* ⇒*district* **0.7** [⟨wisk.⟩] *ring* **0.8** [vereniging van personen] *ring* **0.9** [⟨mv.⟩ turndiscipline] *swinging-/flying-rings* ◆ **1.2** ~ en v.e. ketting *links in a chain* **1.3** de ~en v.h. strottenhoofd/v.d. luchtpijp *the ring-cartilage/ring-shaped segments of the larynx/windpipe* **1.4** de ~en v.e. boom *the (annual/growth) rings of a tree;* ⟨ster.⟩ de ~(en) van Saturnus *the rings of Saturn;* ⟨sport⟩ een ~ van verdedigers *a line of defenders* **6.5** de boksers komen/treden **in** de ~ *the boxers step into the r.;* de paarden **in** de ~ rijden *ride the horses into the r.;* de handdoek **in** de ~ gooien *throw in the towel/sponge.*
ringagenda ⟨de⟩ **0.1** *loose-leaf diary.*
ringanker ⟨het⟩ **0.1** [⟨scheep.⟩] *ring anchor* **0.2** [ringvormig anker] *ring armature.*
ringbaan ⟨de⟩ **0.1** [traject met rails] *circle line,* ^Abeltline* ⇒*circular railway* **0.2** [rondweg] *ring road,* ^Abeltway.*
ringbaard ⟨de (m.)⟩ **0.1** *fringe of beard.*
ringband ⟨de (m.)⟩ **0.1** [band voor losse bladen] *ring binder* ⇒*loose-leaf file/folder, spiral binding* **0.2** [⟨med.⟩] *annular ligament.*
ringbout ⟨de (m.)⟩ **0.1** *ringbolt.*
ringdeuvel ⟨de (m.)⟩ **0.1** *annular dowel.*
ringdijk ⟨de (m.)⟩ **0.1** *ring-dike, encircling dike.*
ringduif ⟨de⟩ **0.1** *ringdove* ⇒*wood pigeon,* ⟨Sch.E⟩ *cushat.*
ringelen ⟨ov.ww.⟩ **0.1** *ring.*
ringeling ⟨de (m.)⟩ ⟨kind.⟩ **0.1** ⟨ongemarkeerd⟩ *third/ring finger.*
ringelmees ⟨de⟩ **0.1** *blue tit.*
ringeloren ⟨ov.ww.⟩ **0.1** [dier beteugelen] *ring (an animal) in the ear* **0.2** [⟨fig.⟩] *bully* ⇒*bullyrag, hector, browbeat, bulldoze* ◆ **3.2** zich laten ~ *let o.s. be ridden over rough-shod.*
ringelrups ⟨de⟩ **0.1** *lackey caterpillar.*
ringen ⟨ov.ww.⟩ **0.1** [mbt. varkens] *ring* **0.2** [mbt. vogels] *ring,* ^Aband* **0.3** [mbt. voorwerpen] *ring* ⇒*encircle* **0.4** [mbt. bomen] *ring(cut)* ⇒*girdle, ringbark* ⟨vnl. om te laten afsterven⟩ **0.5** [mbt. afsluiten geslachtsorganen] *infibulate* ⟨zeug, merrie⟩ ◆ **1.3** sigaren ~ *put a band on cigars.*
ringenstelsel ⟨het⟩ **0.1** *ring system* ⇒*system of rings.*
ringetje ⟨het⟩ **0.1** *little ring, ringlet* ⇒*eye(let), eye-hole* ◆ **6.1** ⟨fig.⟩ hij/

het was om **door** een ~ te halen *he/it looked as neat as a (new) pin, it looks spick and span.*

ringgewelf ⟨het⟩ **0.1** *annular vault.*

ringgracht ⟨de⟩ **0.1** *moat.*

ringhagedissen ⟨zn.mv.⟩ **0.1** *worm lizards.*

ringkade ⟨de⟩ **0.1** [gesloten kade] *≠dike, embankment (along riverside meadow)* **0.2** [kade langs een ringvaart] *(ring-)embankment/dike* ⇒ *embankment/dyke (along a ring/circular canal).*

ringkraag ⟨de (m.)⟩ **0.1** *collar* ⇒ *ring.*

ringkreeften ⟨zn.mv.⟩ **0.1** *Arthrostraca.*

ringmerel ⟨de⟩ **0.1** *ring-ouzel.*

ringmus ⟨de⟩ **0.1** *tree sparrow.*

ringmuur ⟨de (m.)⟩ **0.1** *ring-wall* ⇒*circular wall,* ⟨hoofdomwalling van vesting⟩ *enceinte.*

ringnet ⟨het⟩ **0.1** *ring net.*

ringonderzoek ⟨het⟩ **0.1** *ring/^band assay/census.*

ringopener ⟨de (m.)⟩ ◆ **6.¶** blikje met een ~ *ring-pull (tin/^can).*

ringoppervlak ⟨het⟩ ⟨wisk.⟩ **0.1** *torus.*

ringoven ⟨de (m.)⟩ **0.1** *round (brick-)kiln.*

ringrijden →**ringsteken.**

ringscheur ⟨de⟩ **0.1** *cup/ring shake.*

ringslang ⟨de⟩ **0.1** *grass snake;* ⟨vnl. BE⟩ *ring-snake.*

ringsleutel ⟨de (m.)⟩ **0.1** *ring spanner.*

ringsloot ⟨de⟩ **0.1** [sloot langs droogmakerijen] *ring/circular canal* **0.2** [sloot om een erf] *ring/circular ditch.*

ringslot ⟨het⟩ **0.1** *ring/combination lock.*

ringsteken ⟨ww.⟩ **0.1** *tilt at the ring.*

ringvaart ⟨de⟩ **0.1** *ring/belt canal.*

ringveer ⟨de⟩ **0.1** *annular spring.*

ringvinger ⟨de (m.)⟩ **0.1** *ring finger* ⇒*third finger.*

ringvleugel ⟨de (m.)⟩ **0.1** *ring wing.*

ringvormig ⟨bn.⟩ **0.1** *ring-shaped* ⇒*annular* ◆ **1.1** ~ kraakbeen *cricoid/ring cartilage;* ~e maansverduistering *annular eclipse of the moon.*

ringvuur ⟨het⟩ **0.1** *verticiliosis* ⇒*verticillium wilt.*

ringweg ⟨de (m.)⟩ **0.1** *^Bring-road, ^belt-way.*

ringwerpen ⟨ww.⟩ **0.1** *play quoits* ◆ **7.1** ⟨zelfst.⟩ het ~ *quoits; deck quoits* ⟨aan boord v.e. schip⟩

ringworm ⟨de⟩ **0.1** ⟨dier⟩ *annelid(an)* ⇒*segmented worms* **0.2** [huidziekte] *ringworm* ⇒⟨med.⟩ *tinea.*

rinitis ⟨de (v.)⟩ **0.1** *rhinitis.*

rinkel ⟨de (m.)⟩ **0.1** *jingle* ⇒*jingle bell, jingling metal disk.*

rinkelbel ⟨de⟩ **0.1** [rammelaar] *jingle* ⇒*jingling toy, (bells and) rattle* **0.2** [rinkelend belletje] *jingling bell* ⇒*tinkling bell.*

rinkelbom ⟨de⟩ **0.1** *tambourine.*

rinkelen ⟨onov.ww.⟩ **0.1** *jingle* ⇒*tinkle, ring* ⟨bel⟩, *chink* ⟨glas, metaal⟩, *clink* ⟨glas, metaal⟩ ◆ **1.1** ~de glazen *the chink/clink/tinkle of glasses;* kassa rinkelt! *jackpot!;* ~de ruiten *tinkling/rattling panes of glass;* de ~de tamboerijn *the jingling tambourine* **6.1** hij rinkelde met zijn sleutels *he jingled his keys.*

rinkelwerk ⟨het⟩ **0.1** *decorative carving.*

rinket ⟨het⟩ **0.1** [valdeur in een sluisdeur] *wicket* ⇒*(sluice-)valve* **0.2** [⟨AZN⟩ deurtje in een grote deur] *wicket(-door).*

rinkinken ⟨onov.ww.⟩ **0.1** *rattle* ⇒*clang, clatter,* ⟨lichter⟩ *tinkle, jingle* ◆ **1.1** ik hoorde de glazen/ruiten/melkflessen ~ *I heard the rattle/rattling sound of glasses/window-panes/milkbottles.*

rinoceros ⟨de (m.)⟩ **0.1** *rhinoceros* ⇒⟨inf.⟩ *rhino.*

rinologie ⟨de (v.)⟩ ⟨med.⟩ **0.1** *rhinology.*

rinoplastiek ⟨de (v.)⟩ **0.1** *rhinoplasty.*

rinoscopie ⟨de (v.)⟩ **0.1** *rhinoscopy.*

rins ⟨bn.⟩ **0.1** *sourish* ⇒*sharp, acid* ◆ **1.1** ~e appelstroop *≠(sour) apple syrup.*

RIOD ⟨het⟩ ⟨afk.⟩ **0.1** [Rijksinstituut voor Oorlogsdocumentatie] ⟨*National Institute of War Documentation*⟩.

riolenstelsel ⟨het⟩ **0.1** *sewerage* ⇒*arterial drainage, system of sewers.*

rioleren ⟨ov.ww.⟩ **0.1** *sewer* ⇒*install sewers* ◆ **1.1** straten ~ *s. the streets, provide streets with sewers, install/lay the (drains and) sewers.*

riolering ⟨de (v.)⟩ **0.1** [riolenstelsel] *sewerage* **0.2** [het rioleren] *sewering* ⇒*installation of (drains and) sewers* ◆ **3.1** de ~ aanleggen *install/lay the (drains and) sewers.*

riool ⟨het, de⟩ **0.1** [onderaards afvoerkanaal] *sewer* ⇒⟨van huis naar hoofdriool⟩ *drain, soil pipe* **0.2** [opening in een sluismuur] *drain(pipe)* ◆ **2.1** ⟨fig.⟩ een open ~ *an open sewer.*

rioolbuis ⟨de⟩ **0.1** *sewer* ⇒⟨van huis naar straatriool⟩ *drain(pipe), sewage pipe, soil pipe.*

riooldeksel ⟨het⟩ **0.1** *manhole cover.*

rioolgas ⟨het⟩ **0.1** *sewer-gas.*

riooljournalistiek ⟨de (v.)⟩ **0.1** *gutter journalism* ⇒*gutter press,* ⟨inf.⟩ *muckraking journalism.*

rioolkolk ⟨de⟩ **0.1** *drain(-hole).*

rioolput ⟨de (m.)⟩ **0.1** [verzamelput in riool] *sewer drain, settling pit* **0.2** [straatput] *drain(-hole).*

rioolrat ⟨de⟩ **0.1** *sewer rat* ⇒*brown rat, Norway rat.*

rioolrecht ⟨het⟩ **0.1** *sewerage charges.*

rioolslib ⟨het⟩ **0.1** *sewage sludge.*

rioolstelsel →**riolenstelsel.**

rioolwagen ⟨de (m.)⟩ **0.1** *drain lorry.*

rioolwater ⟨het⟩ **0.1** *sewage (water).*

rioolwaterzuivering ⟨de (v.)⟩ **0.1** *sewage purification/treatment.*

rioolwaterzuiveringsinrichting ⟨de (v.)⟩ **0.1** *sewage works/plant/farm.*

riposte ⟨de⟩ ⟨sport⟩ **0.1** *riposte.*

riposteren ⟨onov.ww.⟩ **0.1** [⟨sport⟩] *riposte* ⇒*make a riposte* **0.2** [gevat antwoorden] *riposte* ⇒*make a riposte/repartee, (make a) retort.*

ripper ⟨de (m.)⟩ ⟨wwb.⟩ **0.1** *ripper, rooter.*

rips ⟨het⟩ **0.1** *(cotton) rep(p).*

ripsen ⟨bn.⟩ **0.1** *repp(ed).*

ripspapier ⟨het⟩ **0.1** *repped paper.*

ris ⟨de⟩ **0.1** [takje met bessen] *bunch* **0.2** [aantal voorwerpen aan een stok/touw] *string, rope* ◆ **1.2** een ~ uien *a s./r. of onions.*

risee ⟨de (v.)⟩ **0.1** *laughingstock* ⇒*butt* ◆ **3.1** hij was de ~ v.h. hele kantoor/de hele stad/dorp/school *he was the l./butt of the whole office/town/village/school.*

risico ⟨het, de (m.)⟩ **0.1** *risk* ⇒*hazard, chance* ◆ **1.1** dat behoort tot de ~'s v.h. vak *that's one of the hazards of the job/occupational hazards* **2.1** ⟨verz.⟩ eigen ~ *own r.* **3.1** ~ dragen *bear/carry the r.;* het ~ lopen (van) *run the r. (of);* ~'s nemen *run risks, take chances,* ⟨inf.⟩ *stick one's neck out;* te veel ~'s nemen *run too many risks, take too many chances;* ⟨inf.⟩ push one's luck **6.1** op eigen ~ *at one's own r., at one's peril;* ⟨hand.⟩ *with all faults;* dat blijft **voor** uw/eigen ~ *that remains at your/one's own r.;* **voor** ~ v.d. eigenaar *at owner's r.;* ⟨sport⟩ **zonder** ~ spelen *play a defensive game/for safety,* ⟨voetbal ook⟩ *play a catenaccio game* **7.1** geen ~ op zich willen nemen *not want to take any chances;* ⟨inf.⟩ *play safe/for safety.*

risicodekking ⟨de (v.)⟩ **0.1** *risk cover.*

risicodeling ⟨de (v.)⟩ **0.1** *risk-sharing.*

risicodragend ⟨bn.⟩ **0.1** *risk-bearing* ◆ **1.1** ~ kapitaal *risk/venture capital.*

risicofactor ⟨de (m.)⟩ **0.1** *risk factor.*

risicogroep ⟨de⟩ **0.1** [⟨verz.⟩] *high-risk group* **0.2** [leeftijdsgroep] *high-risk group.*

risicoloos ⟨bn.⟩ **0.1** *risk-free.*

risicopremie ⟨de (v.)⟩ **0.1** *(insurance) premium.*

risicospreiding ⟨de (v.)⟩ **0.1** *spreading of risks* ◆ **2.1** een grotere ~ *a wider spread of risk.*

riskant ⟨bn.⟩ **0.1** *risky* ⇒*hazardous, chancy, perilous,* ⟨inf.⟩ *dicey, dodgy, hairy* ◆ **1.1** een ~e onderneming *a r. enterprise, a gamble, an adventure* **5.1** dat is mij te ~ *that's too r./chancy for me.*

riskeren ⟨ov.ww.⟩ **0.1** [wagen] *risk* ⇒*venture, hazard, stake* **0.2** [gevaar lopen] *risk* ⇒*run the risk of, stand a chance of* ◆ **1.1** zijn leven ~ *take one's life in one's own hands, take/carry one's life in one's hands, r. one's life/neck, stake one's life;* hij riskeert zijn hele vermogen *he puts his whole property/capital at stake* **1.2** hij riskeert ontslag *he stands a chance of being given the sack, he risks being fired* **4.1** alles ~ *r./stake everyting;* ⟨inf.⟩ *shoot the (whole) works;* ⟨kaartspel ook⟩ *go nap.*

risotto ⟨de (m.)⟩ **0.1** *risotto.*

rissen ⟨ov.ww.⟩ **0.1** [tot een ris voegen] *string* ⟨uien⟩ **0.2** [afrissen] *stem* ◆ **1.2** bessen ~ *s. currants.*

rissole ⟨de⟩ **0.1** *rissole.*

rist ⟨de⟩ →**ris, rits.**

risten ⟨ov.ww.⟩ →**rissen.**

rister ⟨het⟩ **0.1** *mouldboard.*

ristorneren ⟨ov.ww.⟩ **0.1** [⟨hand.⟩] *reverse an entry* ⇒*issue a redraft* ⟨wissels⟩ **0.2** [⟨verz.⟩] *return a premium.*

ristorno ⟨de⟩ **0.1** [⟨hand.⟩] *reversal of entry* ⇒*redraft* ⟨wissel⟩ **0.2** [⟨verz.⟩] *return of premium.*

rit

I ⟨de (m.)⟩ **0.1** [het rijden] *ride* ⇒⟨met auto ook⟩ *drive* **0.2** [een keer rijden] *ride,* **run** **0.3** ⟨sport⟩ ⟨wielrennen⟩ *stage;* ⟨schaatsen⟩ *race* ◆ **2.1** dat is nog een hele ~ *that's still quite a r./drive* **2.2** de laatste ~ is om twaalf uur *the last train/bus/tram/*⟨openbaar vervoer⟩ *service is at twelve o'clock* **3.1** een ~je maken *go for/take a r.;* ⟨met auto ook⟩ *go for/take a drive* **3.2** ⟨fig.⟩ de ~ uitzitten *ride it out;*

II ⟨het⟩ **0.1** [eitjes van kikkers] *frog-spawn.*

ritardando ⟨bw.⟩ ⟨muz.⟩ **0.1** *ritardando.*

rite ⟨de⟩ **0.1** *rite* ⇒*ritual, ceremony* ◆ **2.1** de laatste ~n *the last rites.*

ritenuto ⟨bw.⟩ ⟨muz.⟩ **0.1** *ritenuto.*

ritme ⟨het⟩ **0.1** [regelmatig afwisselende beweging] *rhythm* ⇒*pulse, beat* **0.2** [⟨muz.⟩] *rhythm* ⇒*beat, measure* **0.3** [⟨lit.⟩] *rhythm* ⇒*measure, metre* ◆ **1.1** het ~ van zijn polsslag lijkt normaal *the frequency of his pulse seems normal.*

ritmebox ⟨de⟩ ⟨muz.⟩ **0.1** *rhythm box.*

ritmeester ⟨de (m.)⟩ **0.1** *troop captain* ⇒⟨gesch.⟩ *rittmaster, captain of horse* ◆ **3.1** tot ~ bevorderd worden *get one's troop.*

ritmeren ⟨ov.ww.⟩ **0.1** *give (sth.) rhythm* ⇒*make (sth.) rhythmical,* ⟨lit.⟩ *give metre to.*

ritmesectie ⟨de (v.)⟩ **0.1** *rhythm section.*

ritmestoornis ⟨de (v.)⟩ ⟨med.⟩ **0.1** *arrhythmia* ⟨mbt. hart⟩.

ritmiek ⟨de (v.)⟩ **0.1** [leer v.d. ritmen] *rhythmics* **0.2** [het ritmisch zijn] *rhythmicality, rhythmicity* ⇒*rhythm(s)* ◆ **1.2** de ∼ v.e. beweging/van verzen *the rhythmicity of a movement/of verse.*

ritmisch
I ⟨bn.⟩ **0.1** [het ritme betreffend] *rhythmic(al), metrical* ◆ **1.1** ∼e eigenaardigheden *peculiarities/idiosyncrasies of rhythm;* ⟨muz.⟩ ∼e waardetekens *notation of m./ rhythmic values;*
II ⟨bn., bw.;-ly⟩ **0.1** [met/in een bepaald ritme] *rhythmical* ◆ **1.1** ∼e gymnastiek *eurhythmics* **3.1** ∼ bewegen *move rhythmically;* ∼ klappen *clap in time.*

ritnaald ⟨de⟩ **0.1** *wireworm.*
ritornel ⟨het⟩ ⟨muz.⟩ **0.1** *ritornello.*
ritprijs ⟨de (m.)⟩ **0.1** *fare.*
rits¹ ⟨de⟩ **0.1** [ritssluiting] ᴮ*zip(-fastener)*, ᴬ*zipper* **0.2** [serie, rij] *row* ⇒ *series* **0.3** [grote hoeveelheid] *bunch* ⇒*string* ⟨namen, auto's⟩, *batch* ⟨schriften, bestellingen, brieven⟩, *battery* ⟨camera's, pannen, messen, vragen⟩ **0.4** [insnijding] *cut* ⇒*incision, groove* **0.5** [krib in een rivier] *groyne* ᴬ*groin* **0.6** [scherm van rijshout] *osiered windbreak* ◆ **1.2** een hele∼ tijdschriften *a whole series of periodicals* **1.3** een ∼ kinderen *a swarm/herd/flock of children;* een ∼ vrienden *a bunch of friends* **6.1** kun je me even helpen met mijn ∼? *can you just help me with my zip?, can you zip me up?*
rits² ⟨tw.⟩ **0.1** *rip* ⇒*zip.*
ritsband ⟨de (m.)⟩ **0.1** ᴮ*zip(-fastener)*, ᴬ*zipper.*
ritsbeitel ⟨de (m.)⟩ **0.1** *burin.*
ritselaar ⟨de (m.)⟩ ⟨inf.⟩ **0.1** *fixer.*
ritselen
I ⟨onov.ww.⟩ **0.1** [geluid doen horen] *rustle* ◆ **1.1** ∼de bladeren *rustling leaves* **6.1** de wind ritselde in de bomen *the wind rustled in/through the trees;* ∼ met een papiertje *r. a paper;* ik hoor een muis∼ tussen het behang *I hear a mouse scuffling behind the wallpaper;*
II ⟨ov.ww.⟩ **0.1** [regelen] *fix;* ⟨op slinkse manier⟩ *wangle* ⇒*work* ◆ **3.1** er valt misschien wel iets te ∼ *maybe sth. can be arranged;* dat zie ik wel te ∼ *I'll work/f./ wangle it if I can;*
III ⟨onp.ww.⟩ **0.1** [wemelen (van)] *teem/crawl/swarm (with), to be alive (with).*
ritseling ⟨de (v.)⟩ **0.1** *rustling* ⇒*rustle.*
ritsen
I ⟨ov.ww.⟩ **0.1** [een gleuf maken in] *scratch, cut;* ⟨groef/inkeping maken⟩ *make an incision in, groove; carve* ⟨vnl. mbt. figuur/naam enz.⟩; *score* ⟨karton⟩; *scribe* ⟨metaal, glas; ook merk op vat⟩ **0.2** [een stuk afhakken] *chisel* ⇒*chip* ◆ **1.1** karton ∼ *score cardboard;*
II ⟨onov.ww.⟩ ⟨AZN⟩ **0.1** [glijden] *slither* ⇒*slide* **0.2** [weglopen] *make off* ⇒*clear off, run away* ◆ **6.1** de paling ritste uit mijn hand *the eel slithered out of my hand.*
ritshout ⟨het⟩ ⟨amb.⟩ **0.1** *scratch/marking gauge.*
ritsijzer ⟨het⟩ **0.1** [gereedschap voor het ritsen] *scriber, scribe; scratch awl* **0.2** [beitel] *burin.*
ritsmachine ⟨de (v.)⟩ **0.1** *machine for making cardboard boxes.*
ritssluiting ⟨de (v.)⟩ **0.1** ᴮ*zip*, ᴬ*zipper* ⇒⟨BE ook⟩ *zip-fastener,* ⟨AE ook⟩ *slidefastener* ◆ **6.1** kun je me even helpen met mijn ∼? *can you just help me with my zip?, can you zip me up?;* een tas/trui met een ∼ *a zip bag/jumper.*
rituaal ⟨het⟩ **0.1** [voorschrift] *ritual* ⇒*ceremonial* **0.2** [boek] *ritual* ⇒*ceremonial.*
ritualisme ⟨het⟩ **0.1** *ritualism.*
ritueel¹ ⟨het⟩ **0.1** *ritual* ⇒*ceremonial, rite* ◆ **2.1** een magisch ∼ *magical ritual/rite.*
ritueel² ⟨bn., bw.;-ly⟩ **0.1** *ritual* ⇒*ceremonial* ◆ **1.1** de rituele handwassing *the r. handwashing;* ⟨r.k.⟩ *lavabo;* de rituele slachting van vee *the r. killing/slaughtering of cattle;* een ∼ voorschrift *a r. prescription;* de rituele wassing *the r. washing.*
ritus ⟨de (m.)⟩ **0.1** [rituele gebruiken, ceremoniën] *rite* **0.2** [kerkgebruik] *rite.*
ritzege ⟨de⟩ ⟨sport⟩ **0.1** *stage victory* ◆ **3.1** een ∼ behalen *win a stage;* de ∼ ging naar X *the s. v. went to X, X won the stage.*
R.I.V. ⟨het⟩ ⟨afk.⟩ **0.1** [Rijksinstituut voor de Volksgezondheid] ⟨*National Institute of Public Health*⟩.
rivaal ⟨de (m.)⟩, **-vale** ⟨de (v.)⟩ **0.1** [concurrent(e)] *rival* **0.2** [medeminnaar/-nares] *rival.*
rivaliseren ⟨onov.ww.⟩ **0.1** *vie/contend (with s.o.); compete* ⟨ook in een wedstrijd⟩.
rivaliteit ⟨de (v.)⟩ **0.1** *rivalry* ⇒*competition* ◆ **2.1** er heerst een gezonde ∼ tussen hen *there is (a) healthy competition between them.*
riverse ⟨bw.⟩ ⟨muz.⟩ **0.1** *riverse, alla riverso.*
rivet ⟨de⟩ ⟨amb.⟩ **0.1** *rivet.*
rivier ⟨de⟩ **0.1** [waterstroom] *river* **0.2** [stromende hoeveelheid] *stream, flood* ◆ **1.1** de ∼ de Mississippi *the Mississippi (River);* de ∼ de Rijn/Theems *the River Rhine/Thames* **1.2** een ∼ van tranen/vuur *a f. of tears, a sea of fire* **2.1** beneden/boven de grote ∼en *to the south/north of the big rivers (i.e. Rhine and Meuse);* een open ∼ *a navigable/an open r.* **3.1** de stad ligt aan een ∼ *the town is/lies on a r.;* een ∼ oversteken/overzwemmen *cross a r., swim (across) a r.* **6.1** een huis aan

de ∼ *a house on the r., a riverside house;* aan/bij/langs de ∼ gelegen ⟨ook⟩ *riverine, riparian;* aan de kant van/bij de ∼ zitten *sit by the r.* **¶.1** ∼tje *stream;* ⟨AE, Austr.E⟩ *creek.*
Rivièra ⟨de⟩ **0.1** *Riviera* ◆ **2.1** Engelse ∼ *English R..*
rivieraal ⟨de (m.)⟩ **0.1** *freshwater eel.*
rivierafzetting ⟨de (v.)⟩ **0.1** *fluvial deposit(s).*
rivierarm ⟨de (m.)⟩ **0.1** *arm of a/the river* ⇒⟨kort⟩ *creek, distributary* ⟨bij een delta⟩, *bayou* ⟨in moerasachtige gebieden; vnl. zuiden U.S.A.⟩.
rivierbaars ⟨de (m.)⟩ **0.1** *(freshwater/river) perch.*
rivierbed ⟨het⟩ **0.1** *riverbed.*
rivierbrasem ⟨de (m.)⟩ **0.1** *(freshwater/river) bream.*
riviercorrespondentie ⟨de (v.)⟩ **0.1** *river bank agreement.*
rivierdelta ⟨de⟩ **0.1** *delta.*
rivierdijk ⟨de (m.)⟩ **0.1** *river dyke/embankment* ⇒⟨natuurlijke waterkering⟩ *river bank, levee.*
rivierdonderpad ⟨de⟩ **0.1** *miller's thumb, bullhead.*
rivierduin ⟨het⟩ **0.1** *river dune.*
riviereiland ⟨het⟩ **0.1** *(river) island* ⇒⟨klein⟩ *ait, eyot, holm(e).*
rivierenrecht ⟨het⟩ **0.1** *International River Law.*
rivierforel ⟨de (m.)⟩ **0.1** *river trout.*
riviergod ⟨de (m.)⟩ **0.1** *river god, god of the river.*
riviergrondel ⟨de (m.)⟩ **0.1** *gudgeon.*
rivierklei ⟨de⟩ **0.1** *river clay.*
rivierkreeft ⟨de⟩ **0.1** *crayfish,* ᴬ*crawfish.*
rivierleem ⟨het, de (m.)⟩ **0.1** *river loam.*
riviermeer ⟨het⟩ **0.1** *river lake.*
riviermond ⟨de (m.)⟩ **0.1** *river mouth* ⇒⟨breed⟩ *estuary,* ⟨Sch.E⟩ *firth.*
riviermonding →**riviermond.**
riviermossel ⟨de (m.)⟩ **0.1** *freshwater/river mussel.*
rivieroever ⟨de (m.)⟩ **0.1** *riverbank* ⇒*riverside.*
rivierpolitie ⟨de (v.)⟩ **0.1** *river police.*
rivierschildpad ⟨de⟩ **0.1** *soft-shelled turtle.*
rivierschip ⟨het⟩ **0.1** *river vessel* ⇒⟨mv.⟩ *river craft.*
rivierslib ⟨het⟩ **0.1** *river silt* ⇒*fluvial silt.*
rivierstand ⟨de (m.)⟩ **0.1** *river level, level of the river.*
rivierstelsel ⟨het⟩ **0.1** *river system.*
riviertak ⟨de (m.)⟩ **0.1** *branch of a/the river* ⇒*arm of a/the river.*
riviertol ⟨de (m.)⟩ **0.1** *river dues/toll.*
riviertunnel ⟨de (m.)⟩ **0.1** *tunnel under a river* ⇒*river tunnel.*
riviervaart ⟨de⟩ **0.1** *river traffic* ⇒*river shipping.*
riviervak ⟨het⟩ **0.1** *section of a river* ⇒*river section,* ⟨recht stuk ook⟩ *reach.*
riviervis ⟨de (m.)⟩ **0.1** *freshwater fish.*
riviervisser ⟨de (m.)⟩ **0.1** *freshwater/river fisherman.*
riviervisserij ⟨de (v.)⟩ **0.1** *river fishing.*
rivierwater ⟨het⟩ **0.1** *river water.*
rivierwerk ⟨het⟩ **0.1** [werk ter verbetering v.e. rivier] *river works* **0.2** [wat dient voor het verbeteren v.e. rivier] *river works.*
rivierzand ⟨het⟩ **0.1** *river sand.*
rivierzwaluw ⟨de⟩ **0.1** *house martin.*
RIVO ⟨het⟩ ⟨afk.⟩ **0.1** [Rijksinstituut voor Visserij-onderzoek] *F.R.D.B.* ⟨*Fisheries Research and Development Board*⟩.
rizofoor ⟨de (m.)⟩ **0.1** *Rhizophora* ⇒*mangrove.*
rizoom ⟨het⟩ ⟨biol.⟩ **0.1** *rhizome* ⇒*rootstock, rootstalk.*
R.-K. ⟨afk.⟩ **0.1** [Rooms-Katholiek] *R.C..*
R.L.S. ⟨de⟩ ⟨afk.⟩ **0.1** [Rijksluchtvaartschool] ≠*National Flying School.*
R.L.V.D. ⟨de (m.)⟩ ⟨afk.⟩ **0.1** [Rijkslandbouwvoorlichtingsdienst] *A.I.A.C.* ⟨*Agricultural Industry Advisory Committee*⟩.
rob
I ⟨de (m.)⟩ **0.1** [zeehond] *seal* **0.2** [⟨mv.⟩ orde der Phocae] *(earless) seals* ⟨Phocidae⟩;
II ⟨de⟩ **0.1** [vissemaag] *stomach of large fishes* **0.2** [vruchtenmoes] *(fruit) jelly.*
robbedoes ⟨de (m.)⟩ **0.1** *tomboy, hoyden* ⟨v.⟩; *wild boy* ⟨m.⟩.
robbedoezen ⟨onov.ww.⟩ **0.1** *romp* ⇒*skylark, frolic, fool about.*
robbehuid ⟨de⟩ **0.1** *sealskin* ⇒*seal.*
robbejacht ⟨de⟩ **0.1** *seal hunting* ⇒*sealery.*
robbenkolonie ⟨de (v.)⟩ **0.1** *(seal) rookery.*
robbenschip ⟨het⟩ **0.1** *sealer* ⇒*seal ship.*
robbenvaarder ⟨de (m.)⟩ **0.1** [jager] *seal hunter* ⇒*sealer* **0.2** [schip] *sealer, seal ship.*
robber ⟨de (m.)⟩ **0.1** ⟨whist⟩ *rubber* **0.2** ⟨bridge⟩ *rubber* **0.3** ⟨druk.⟩ *roller.*
robbertje ⟨het⟩ **0.1** *round* ⇒⟨spel⟩ *game* ◆ **3.1** een ∼ vechten ⟨vriendschappelijk⟩ *have a (little) tussle/tangle/squabble/tiff;* ⟨vijandig⟩ *have a brush/skirmish/set-to/scuffle/brawl, fight a bout.*
robbevel ⟨het⟩ **0.1** *sealskin* ⇒*seal.*
robe ⟨de⟩ **0.1** [japon] *gown* ⇒*dress* **0.2** [stof] *dress length* **0.3** [toga] *robe* **0.4** [vacht] *skin.*
robertskruid ⟨het⟩ **0.1** *herb Robert.*
robijn¹
I ⟨de (m.)⟩ **0.1** [edelsteen] *ruby;*

II ⟨het⟩ **0.1** [edelgesteente] *ruby*.
robijn² ⟨bn.⟩ **0.1** *ruby*.
robijnen ⟨bn.⟩ **0.1** [van robijn] *ruby* **0.2** [rood als robijn] *ruby (red)*.
robijnglas ⟨het⟩ **0.1** *ruby glass*.
robijnlaser ⟨de (m.)⟩ **0.1** *ruby laser*.
roborantia ⟨zn.mv.⟩ ⟨med.⟩ **0.1** *roborants*.
robot ⟨de (m.)⟩ **0.1** [kunstmens] *robot* ⇒*automaton* **0.2** [mechanische inrichting] *robot* ⇒*automaton* ◆ **2.2** industriële ~s *industrial robots* **3.1** hij lijkt wel een ~ *he is like an automaton/a r..*
robotachtig ⟨bn.⟩ **0.1** *robotic* ⇒*robotomorphic, robot-like*.
robotiseren ⟨onov., ov.ww.⟩ **0.1** *robotize*.
robotisering ⟨de (v.)⟩ **0.1** *robotization*.
roburiet ⟨het⟩ **0.1** *roburite*.
robuust ⟨bn., bw.;-ly⟩ **0.1** *robust* ⇒*sturdy* ⟨bouw van persoon⟩, *solid* ⟨dingen⟩ ◆ **1.1** ⟨fig.⟩ een ~e gezondheid *r. health* **2.1** een ~ gebouwde jongeman *a sturdy/sturdily built young man*.
rocaille ⟨het, de⟩ **0.1** [grotwerk] *rocaille, pebble work* **0.2** [decoratieve stijl] *rocaille*.
rochel ⟨de (m.)⟩ **0.1** [speeksel] *dollop/lump of spit(tle)/phlegm* ⇒⟨sl.⟩ *gob, spit* ⟨ook het rochelen⟩ **0.2** [reutel] *hawk* ⇒*rattle* ⟨van stervende⟩ ◆ **3.1** hij gaf een paar flinke ~s (en ging weer verder met zijn werk) *he gave a few firm spits (and got on with his work)*.
rochelen ⟨onov.ww.⟩ **0.1** [ophoestend geluid maken] *hawk (up)* ⇒*cough, clear one's throat* **0.2** [fluimen opgeven] *spit* ⇒*hawk up*, ⟨sl.⟩ *gob* **0.3** [een rauw keelgeluid maken] *hawk* ⇒*rattle* ⟨voor de dood⟩.
rochelpot ⟨de (m.)⟩ **0.1** *spitter*.
rochet ⟨het⟩ **0.1** [koorhemd van bisschoppen, abten en prelaten] *rochet* **0.2** [koorhemd van koorknapen] *rochet*.
rock ⟨de (m.)⟩ **0.1** *rock (music)* ◆ **2.1** psychedelische ~ *acid rock;* symfonische ~ *symphonic rock*.
rocken ⟨onov.ww.⟩ **0.1** [dansen] *rock* **0.2** [spelen] *play rock/rock-and-roll (music)*.
rocker ⟨de (m.)⟩ **0.1** *rocker, rock-and-roller* ◆ **2.1** zo, ouwe ~ *so, old rocker/man/mate*.
rockmuziek ⟨de (v.)⟩ **0.1** *rock (music)*.
rockopera ⟨de (m.)⟩ **0.1** *rock opera*.
rockzanger ⟨de (m.)⟩, -es ⟨de (v.)⟩ **0.1** *rock singer*.
rococo ⟨het⟩ **0.1** [kunststijl] *rococo* **0.2** [periode] *rococo* **0.3** [versieringsmotieven] *rococo*.
rococostijl ⟨de (m.)⟩ **0.1** *rococo style*.
roddel ⟨de (m.)⟩ **0.1** [geklets] *gossip* ⇒*backbiting* **0.2** [roddelaar] *gossip* ⇒*backbiter* **0.3** [kletspraatje] *gossip* ⇒*rumour* ◆ **2.3** de nieuwste ~s uit de showwereld *the latest g. in show business*.
roddelaar ⟨de (m.)⟩, -ster ⟨de (v.)⟩ **0.1** *gossip* ⇒*gossipmonger, rumourmonger, telltale, backbiter*.
roddelblad ⟨het⟩ **0.1** *gossip/scandal paper/* ⟨inf.⟩ *rag*.
roddelcircuit ⟨het⟩ **0.1** *grapevine*.
roddelen ⟨onov.ww.⟩ **0.1** *gossip (about)* ⇒*tattle, speak ill (of), talk/whisper (about), backbite*.
roddelpers ⟨de⟩ ⟨coll.⟩ **0.1** *gossip/scandal papers/* ⟨inf.⟩ *rags*.
roddelpraat ⟨de (m.)⟩ **0.1** *gossip* ⇒*rumour, talk, tittle-tattle* ◆ **3.1** ~jes rondstrooien *spread/retail g..*
roddelrubriek ⟨de (v.)⟩ **0.1** *gossip column*.
roddeltante ⟨de (v.)⟩ **0.1** *gossip(monger)* ⇒*(old) hen/tabby, cackling (old) hen*.
rode ⟨de (m.)⟩ **0.1** [iem. met rood haar] *redhead* **0.2** [socialist, communist] *red* **0.3** [⟨mv.⟩ metselsteen] *red brick(s)* **0.4** [⟨inf.⟩ bankbiljet] *≠grand (in guilders)* ⇒⟨schr.⟩ *thousand guilder note*, ⟨lett.⟩ *red one* ◆ **7.2** de ~n the reds **7.4** een bankstel van drie rooien *a living room suite for/costing/worth three grand (in guilders)* ¶**1** hé, rooie! hey, ginger/carrot top; ⟨Austr.E⟩ hey, blue(y).
rodehond ⟨de (m.)⟩ **0.1** [op mazelen lijkende ziekte] *German measles* ⇒⟨med.⟩ *rubella*, ⟨inf.⟩ *bastard measles* **0.2** [tropenziekte] *prickly heat* ⇒⟨med.⟩ *miliaria* **0.3** [⟨AZN⟩ roodvonk] *scarlet fever* ⇒*scarlatina* ◆ **3.1** hebt u ooit ~ gehad? *have you ever had German measles?;* er heerst hier ~ *there is an outbreak of German measles here, German measles is going around here*.
rodekool ⟨de⟩ **0.1** [soort kool] *red cabbage* **0.2** [gerecht] *red cabbage*.
Rode Kruis ⟨het⟩ **0.1** *Red Cross*.
rodekruispost ⟨de⟩ **0.1** *Red Cross post*.
rodelbaan ⟨de⟩ **0.1** *toboggan run* ⟨ook sport⟩ ⇒*sledge run*, ^*coast* ◆ **2.1** de Olympische ~ *the Olympic luge toboggan run*.
rodelen ⟨onov.ww.⟩ **0.1** *toboggan* ⟨ook sport⟩ ⇒*go tobogganing/sledging/*^*sledding*, ^*coast* **7.1** ⟨zelfst.⟩ *luge tobogganing, lugeing;* ⟨liggend⟩ *Cresta/skeleton tobogganing*.
rodeloop ⟨de (m.);-⟩ **0.1** *dysentery*.
rodelslee ⟨de⟩ **0.1** *toboggan*.
roden ⟨ov.ww.⟩ ⟨schr.⟩ **0.1** *rubefy* ⇒*incarnadine*.
rodeo ⟨de (m.)⟩ **0.1** [bijeenkomst van cowboys] *rodeo* **0.2** [plaats voor bijeengedreven vee] *rodeo*.
roderen ⟨ww.⟩ ⟨AZN⟩ **0.1** *run in*.
rodineren ⟨onov.ww.⟩ **0.1** *rhodanize*.
rododendron ⟨de (m.)⟩ **0.1** [plantengeslacht] *rhododendron* **0.2** [plant] *rhododendron*.

rodopsine ⟨het⟩ **0.1** *rhodopsin*.
roe ⟨de⟩ →**roede**.
roebel ⟨de (m.)⟩ **0.1** *rouble*.
roede ⟨de⟩ **0.1** [strafwerktuig] *rod* ⇒⟨bos berketwijgen⟩ *birch (rod)*, ⟨schr.⟩ *scourge*, ⟨dun⟩ *switch*, ⟨rotting⟩ *cane* **0.2** [staaf, stang] *rod* ⇒ *(glass/glazing) bar* ⟨in venster⟩, ⟨schuif-/hangroede⟩ *rail*, ⟨ceremonieel⟩ *verge* **0.3** [maatstok] *measuring rod/staff* ⇒*rule* **0.4** [maat] ⟨vero.⟩ *rood* ⟨1000m²⟩ ⇒*≠rod, pole, perch*, ⟨scherts.⟩ *rod, pole or perch* **0.5** [staak, paal] *rod* ⇒*pole, beam, sail-/wind-arm* ⟨van molen⟩, *lateen yard* ⟨van zeilschip⟩ **0.6** [staart v.e. komeet] *tail* **0.7** [penis] *penis* ⇒⟨sl.⟩ *cock, rod, prick, pizzle* ⟨van dier⟩ ◆ **2.4** een Nederlandse ~ *a Dutch rod/pole/perch;* de Rijnlandse ~ *the Rhenish rod/pole/perch* ⟨3,7674 m⟩; vierkante ~ ⟨≠250 m²⟩ *square rod/pole/perch* **3.1** die de ~ spaart, haat zijn kind *spare the r. and spoil the child* **6.2** de ~n voor de gordijnen *curtain rods;* roetjes voor de trap *stair rods* **6.5** een hooiberg met één ~ *a haystack with one roof-support*.
roedehoofd ⟨het⟩ **0.1** *glans penis*.
roedel ⟨het⟩ **0.1** ⟨mbt. edelwild⟩ *herd;* ⟨mbt. honden/wolven⟩ *pack* ◆ **1.1** een ~ herten *a h. of deer*.
roedelbaan ⟨de⟩ **0.1** [rodelbaan] *toboggan run* ⟨ook sport⟩ ⇒*sledge run*, ^*coast* **0.2** [transportband] *conveyer belt*.
roedeloper ⟨de (m.)⟩ **0.1** *water diviner, dowser*, ^*water witch(er)*.
roedeschaaf ⟨de⟩ **0.1** *moulding plane*.
roef¹ ⟨de⟩ **0.1** [deel v.e. schip] *deckhouse (accommodation)* ⇒*roundhouse* ⟨van klein jacht⟩ **0.2** [deksel op een doodskist] *(coffin) lid* **0.3** [strook zink] *cap of a wood roll*.
roef² ⟨tw.⟩ **0.1** ⟨beweging⟩ *w(h)oosh* ⇒*swoosh, zoom*, ⟨beweging, geluid⟩ *whiz(z)* ▲**1** ~, ~, maakte zij haar werk af *she finished her work in a scurry/flash*.
roefdek ⟨het⟩ **0.1** *cabin roof*.
roefel ⟨de⟩ ⟨landb.⟩ **0.1** *cultivator*.
roeflat ⟨de⟩ ⟨bouwk.⟩ **0.1** *wood roll (of a zinc roof)*.
roefpan ⟨de⟩ **0.1** *ventilation tile*.
roeibaan ⟨de⟩ **0.1** *rowing course*.
roeibank ⟨de⟩ **0.1** *thwart* ⇒*rowing bench/seat*, ⟨glijbank⟩ *slide*.
roeiboot ⟨de⟩ **0.1** *rowing-boat;* ⟨ihb. AE⟩ *row-boat* ◆ **2.1** een open ~ *an undecked row(ing)-boat*.
roeidol ⟨de (m.)⟩ **0.1** *rowlock*, ^*oarlock* ⇒*thole (pin)*.
roeieend ⟨de⟩ **0.1** *stifftailed duck* ⇒⟨in Europa, Oxyura leucocephala⟩ *white-headed duck*, ⟨in USA, Oxyura jamaicensis⟩ *ruddy duck, rudder bird/duck*.
roeien ⟨→sprw. 555⟩
I ⟨onov., ov.ww.⟩ **0.1** [met bootje] *row* ⇒⟨met een riem achter ook⟩ *scull* ◆ **1.1** welk bootje wil je ~? *which boat do you want to r. in?* **3.1** een uurtje gaan ~ *go for an hour's row* **5.1** goed ~ *pull a good oar;* harder ~ *row faster, give way;* stroomopwaarts ~ *row up (stream)* **6.1** ⟨fig.⟩ men moet ~ met de riemen die men heeft *one must make do/manage (with what one's got);* met grote slagen ~ *take big strokes, ply the oars;* naar de overkant ~ *r. over/across (the river/lake);* naar de wal ~ *row in;*
II ⟨ov.ww.⟩ **0.1** [inhoud peilen] *gauge* **0.2** [hoeveelheid en sterkte van gedestilleerd bepalen] *determine the strength of spirits;*
III ⟨onov.ww.⟩ **0.1** [zwembewegingen maken] *paddle* **0.2** [met de armen zwaaien] *flail/thrash/wave one's arms about* **0.3** [vliegen] *have a bumpy flight.*
roeier ⟨de (m.)⟩, -ster ⟨de (v.)⟩ **0.1** [iem. die roeit] *rower* ⟨m., v.⟩ ⇒ ⟨m.⟩ *oarsman*, ⟨v.⟩ *oarswoman* **0.2** [beoefenaar van de roeisport] *rower* ⟨m., v.⟩ ⇒ ⟨m.⟩ *oarsman* **0.3** [ambtenaar die de inhoud peilt] *gauger* ^*gager* ◆ **2.1** zij is een goede ~ ⟨ook⟩ *she pulls a good oar.*
roeipin ⟨de⟩ **0.1** *thole (pin)*.
roeipotigen ⟨zn.mv.⟩ **0.1** *pelecaniformes*.
roeiriem ⟨de (m.)⟩ **0.1** *oar* ⇒⟨lichte riem, ook voor gebruik achter⟩ *scull*.
roeispaan ⟨de⟩ **0.1** *oar* ⇒⟨lichte riem, ook voor gebruik achter⟩ *scull*, ⟨kort, met breed blad⟩ *paddle*.
roeisport ⟨de⟩ **0.1** *rowing*.
roeistok ⟨de (m.)⟩ **0.1** *gauging-rod/-rule, gauge* ⇒*dipstick* ⟨voor oliepeil⟩.
roeistrop ⟨de (m.)⟩ **0.1** *thole string*.
roeivereniging ⟨de (v.)⟩ **0.1** *rowing club*.
roeivoet ⟨de (m.)⟩ **0.1** *webbed foot*.
roeiwedstrijd ⟨de (m.)⟩ **0.1** *boat race* ⇒*rowing race*, ⟨groot concours⟩ *regatta*.
roek ⟨de (m.)⟩ **0.1** *rook*.
roekeloos ⟨bn., bw.;-ly⟩ **0.1** *reckless* ⇒⟨doldriest ook⟩ *foolhardy, daredevil*, ⟨overhaast⟩ *rash*, ⟨mbt. geld⟩ *profligate* ◆ **1.1** roekeloze daden *rash/foolhardy/madcap deeds;* een roekeloze jongen *a daredevil, a young hell-raiser;* roekeloze moed *blind courage* **3.1** ~ omspringen met geld *spend one's money rashly, play ducks and drakes with/squander one's money;* ~ rijden *drive recklessly, be a r. driver;* ~ zijn leven wagen/zich in gevaar begeven *risk one's life blindly; be r. of all*

danger, place o.s. in the lion's mouth; ~ *worden throw (all) caution to the wind, become r..*

roekeloosheid ⟨de (v.)⟩ **0.1** [vermetelheid] *recklessness* ⇒⟨doldriestheid ook⟩ *foolhardiness, daredevilry,* ⟨onbezonnenheid⟩ *rashness,* ⟨mbt. geld⟩ *profligacy* **0.2** [onbezonnen daad] *reckless/foolhardy deed/feat.*

roekoeën ⟨onov.ww.⟩ **0.1** *coo.*

Roel 0.1 *Ralph* ♦ **2.1** bereisde ~ ≠*globe-trotter.*

Roeland 0.1 *Roland* ♦ **2.1** als een razende ~ *like (one) mad/a mad man.*

Roelandslied ⟨het⟩⟨lit.⟩ **0.1** *Chanson de Roland, Song of Roland.*

roem ⟨de (m.)→,sprw. 410⟩ **0.1** [lof en eer] *glory* ⇒*fame, renown* **0.2** [waaraan iem./iets zijn roem te danken heeft] *glory* ⇒*pride* **0.3** [⟨kaartspel⟩] *meld* ♦ **1.1** zich met ~ overladen *cover o.s. in/crown o.s. with g.* **1.2** hij is de ~ van zijn familie *he is the pride of his family* **2.1** onvergankelijke ~ *immortality, undying/eternal fame* **3.1** zijn ~ begint te tanen *his fame is beginning to tarnish/his star is on the wane;* ~ najagen *search for/after fame/g.;* ~ oogsten *reap fame;* op zijn ~ teren *live on one's fame/name/reputation, rest on one's laurels;* zijn ~ overleven *outlive one's fame;* zijn ~ vestigen *establish/earn one's fame* **3.¶** ~ dragen (op iets) *glory (in), pride o.s. (on)* **7.3** de tegenspeler meldde vijftig ~ *the opponent melded cards worth fifty points.*

Roemeen ⟨de (m.)⟩, **-se** ⟨de (v.)⟩ **0.1** *Rumanian.*

Roemeens ⟨het⟩ **0.1** *Rumanian.*

roemen
I ⟨onov.ww.⟩ **0.1** [zich beroemen] *pride o.s. (on)* ⇒*boast (of);*
II ⟨onov., ov.ww.⟩ **0.1** [loven] *praise* ⇒*speak highly of, commend, sing the praises of* **0.2** [⟨kaartspel⟩] *meld* ♦ **1.1** van dit gebouw roemt men vooral de zuiverheid van stijl *this building is especially commended for its purity of style* **1.2** een driekaart ~ *m. a tierce* **6.1** daar valt niet **op** te ~, het is niet om **over** te ~ *that is nothing to boast of/about, that is nothing to write home about.*

Roemenië ⟨het⟩ **0.1** *Rumania.*

roemer ⟨de (m.)⟩ **0.1** *rummer.*

roemkaart ⟨de⟩⟨sport⟩ **0.1** *scoring card.*

roemloos ⟨bn.⟩ **0.1** *inglorious* ♦ **1.1** een ~ einde vinden *meet an i./a bad end.*

roemrijk ⟨bn., bw.;-ly⟩ **0.1** *glorious* ⟨gebeurtenissen⟩; *illustrious, renowned* ⟨personen⟩ ♦ **1.1** een ~ verleden *the g. past.*

roemrucht(ig) ⟨bn.⟩⟨schr.⟩ **0.1** *illustrious, renowned.*

roemvol ⟨bn., bw.⟩→**roemrijk.**

roemzucht ⟨de⟩ **0.1** *thirst for glory, ambition.*

roemzuchtig ⟨bn.⟩ **0.1** *eager/thirsting/lusting for fame/glory* ⇒*highly ambitious.*

roep ⟨de (m.)⟩ **0.1** [het roepen] *call* ⇒⟨van vogel ook⟩ *cry, shout* **0.2** [keer dat er geroepen wordt] *call* ⇒*cry, shout* **0.3** [verlangen, vraag] *demand* ⇒⟨aandringend⟩ *clamour* **0.4** [gerucht] *rumour* **0.5** [reputatie] *reputation* ⇒*repute, fame, name* **0.6** ⟨AZN⟩ huwelijksafkondiging] *banns* ♦ **2.3** de algemene ~ om hervormingen/maatregelen *the public d. for reform(s)/measures* **2.5** een grote ~ van geleerdheid *a considerable reputation for learning/scholarship* **3.4** de ~ gaat dat ... *rumour has it that ..., it is rumoured that ...* **6.1** de ~ van een koekoek *the call/cry of the cuckoo* **6.2** een ~ **om** hulp ⟨oproep⟩ *a call for help;* ⟨schreeuw⟩ *a cry for help.*

roepeend ⟨de⟩ **0.1** *decoy (duck).*

roepen ⟨→sprw. 269⟩
I ⟨onov., ov.ww.⟩ **0.1** [op luide toon meedelen] *cry* ⇒*call, shout* **0.2** [oproepen] *call* ♦ **1.1** bevelen ~ *shout orders;* moord en brand ~ *scream blue murder* **1.2** Amerika roept *America is calling (me);* de plicht roept (mij) *duty calls (me)* **6.1** iets **naar** iem. ~ *call sth. out to s.o.;* schande ~ **over** iets *be outraged at/by sth., find sth. disgraceful;* ⟨fig.⟩ erg **over** iets ~ *be very enthusiastic about/speak highly/be loud in one's praises of sth.* **6.2** ⟨rel.⟩ **tot** het ambt geroepen zijn *have a calling/vocation (for/to the ministry);* alles roept ons **tot** kalmte en beraad *everything calls for calm and reflection* **7.1** een ~ de in de woestijn *a voice (crying) in the wilderness* **7.2** velen zijn geroepen, maar weinigen uitverkoren *many are called, but few are chosen;*
II ⟨ov.ww.⟩ **0.1** [ontbieden] *call* ⇒¹*summon* **0.2** [in een toestand brengen] *call* **0.3** [door roepen wekken] *call* **0.4** [bij opbod verkopen] *auction (off)* ♦ **1.1** een dokter/de politie ~ *c./summon a doctor/the police;* zijn hond ~ *c. one's dog;* iem. op het matje ~ *c./have/put s.o. on the mat;* de ober ~ *c. for the waiter* **3.1** daar voel ik mij niet toe geroepen *I don't feel like it* **5.1** er een expert bij ~ *call in an expert, call an expert in* **6.1** ik werd **bij** de directeur geroepen *I was called/summoned before the director;* een leger **onder** de wapenen ~ *c. an army to arms;* iem. **te** hulp ~ *c. for s.o.'s help;* iem. **ter** zijde ~ *call s.o. aside;* God heeft hem **tot** zich geroepen *God has called him;* iem. **voor** de rechter ~ *summons/* ⟨AE ook⟩ *subpoena s.o.* **6.2** iets **in** het leven ~ *call sth. into being;* iem. **tot** het bewustzijn ~ *call s.o. to his senses;* zich iets **voor** de geest ~ *call sth. to mind, recall sth.* **8.1** je komt als geroepen *(you're) just the person we need* **¶.3** ik zal je om zeven uur ~ *I'll c. you at seven o'clock;* ⟨inf.⟩ *I'll give you a shout at seven;*
III ⟨onov.ww.⟩ **0.1** [schreeuwen] *call* ⇒*cry, scream, shout, holler* **0.2** [dringend vragen] *call* ⇒*cry* ♦ **1.1** de koekoek roept *the cuckoo calls*

6.2 om hulp ~ *call/cry (out) for help;* dat kind roept **om** zijn moeder *the child is calling/crying for its mother;* ⟨fig.⟩ dat roept **om** wraak *that calls/that cries out for revenge.*

roeper ⟨de (m.)⟩ **0.1** [iem. die roept] *caller* ⇒⟨schreeuwer⟩ *shouter, yeller* **0.2** [mbt. een openbare verkoping] *auctioneer* **0.3** [megafoon] *megaphone* ⇒⟨BE ook⟩ *loud hailer,* ⟨AE ook⟩ *bullhorn* **0.4** [⟨boek.⟩ custode] *catchword.*

roepia ⟨de (m.)⟩ **0.1** *rupiah.*

roeping ⟨de (v.)⟩ **0.1** [het bestemd zijn tot een taak/ambt] *vocation* ⇒*call, mission* **0.2** [taak] *mission* **0.3** [het zich geroepen voelen] *vocation* ⇒*mission, calling* ♦ **3.2** ergens een ~ vervullen *undertake a mission somewhere* **3.3** voor het onderwijs moet men ~ hebben/gevoelen *one must have a v. for teaching;* geen ~ voelen om ... *not feel o.s. called upon to ...* **6.1 aan** zijn ~ beantwoorden/voldoen *follow one's calling, answer one's calling, fulfil* ^A*ll one's v./mission* **6.3** zich **van** zijn ~ bewust worden *become aware of one's v./mission/calling* **¶.1** ⟨r.k.⟩ het aantal ~en loopt sterk terug *the number of those who obey the call is greatly decreasing.*

roepletter ⟨de⟩ **0.1** *call letter* ⇒⟨mv. ook⟩ *call sign/signal.*

roepnaam ⟨de (m.)⟩ **0.1** *Christian name* ⇒*forename, name by which one is generally known;* [bijnaam] *nickname,* ⟨com.⟩ *call sign/letters.*

roepstem ⟨de⟩ **0.1** *(the) call of conscience/duty* ⇒ ↓*(a) little voice* ♦ **6.1** gehoor geven **aan** een ~ *obey the call of duty/one's conscience.*

roepvogel ⟨de (m.)⟩ **0.1** *decoy (bird).*

roepzaal ⟨de⟩⟨AZN⟩ **0.1** *auction room.*

roer
I ⟨het⟩ **0.1** [mbt. schepen/vliegtuigen] *rudder* **0.2** [stuurmiddelen] *helm* ⇒⟨roerpen ook⟩ *tiller* **0.3** [lokvogel] *decoy (bird)* **0.4** [pijp] *stem* **0.5** [schietgeweer] *firelock* ♦ **1.2** ⟨fig.⟩ het ~ van staat *the h. of state* **3.1** het ~ aan de scheg hangen ⟨fig.⟩ *go about sth. the wrong way, put the cart before the horse;* ⟨sl.⟩ *get sth. arse about face;* het ~ in het water houden ⟨fig.⟩ *keep things going, keep on course;* het ~ is v.h. schip ⟨fig.⟩ *things are getting/have got out of hand* **3.2** het ~ in handen hebben *have things under control;* hou je ~ recht ⟨fig.⟩ *steady (as she goes)!;* het ~ in handen houden/niet uit handen geven ⟨ook fig.⟩ *remain/keep at the h.;* ⟨fig.⟩ het ~ in handen nemen *take the h., assume control, come (in)to power;* het ~ omgooien ⟨fig.⟩ *change course/tack, reverse one's policy;* ⟨helemaal⟩ *make a U-turn* **6.1** goed **naar** het ~ luisteren, scherp **op** het ~ zijn *steer well, answer the helm well;* **uit** het ~ lopen ⟨fig.⟩ *go too far;* ⟨lett.⟩ *sheer/swing out of line* **6.2** de man **aan** het ~/ **te** ~ *the man at the h., the helmsman;* **aan** het ~ staan ⟨fig.⟩ *be at the h./wheel, be in control/charge;*
II ⟨de (m.)⟩ ♦ **1.¶** in rep en ~ *in uproar, in a commotion;* deze openbaringen brachten het land in rep en ~ *these revelations/disclosures shook/convulsed the nation.*

roerblad ⟨het⟩⟨scheep.⟩ **0.1** *rudder blade.*

roerder ⟨de (m.)⟩ **0.1** *agitator* ⇒*stirrer, stirring rod.*

roerdomp ⟨de (m.)⟩ **0.1** *bittern* ⇒*bull-of-the-bog.*

roerei ⟨het⟩ **0.1** *scrambled eggs.*

roeren ⟨→sprw. 554⟩
I ⟨onov.ww.⟩ **0.1** [zo handelen, dat iets omgeroerd wordt] *stir* **0.2** [⟨AZN⟩ zich bewegen] *move* ⇒*stir* ♦ **5.1** voortdurend blijven ~ *s. well/continuously* **6.1 in** het water/een bak ~ *s. water/(in) a container;*
II ⟨ov.ww.⟩ **0.1** [omroeren] *stir* ⇒*mix* **0.2** [in beweging brengen] *stir* ⇒*move* **0.3** [ontroeren] *move* ⇒*touch, affect, stir, rouse* ♦ **1.1** de soep/pap ~ *s. the soup/porridge* **1.2** de handen/armen ~ *move one's hands/arms;* hij weet zijn mond te ~ *he has a tongue in his head;* zijn snater/tong/mond ~ *be a chatterbox; have the gift of the gab* ⟨mbt. gewiekste persoon⟩; ⟨fig.⟩ maart roert zijn staart ≠*March still has a sting in its tail;* ≠*March comes in like a lion (and goes out like a lamb)* **1.¶** de trommel ~ *bang/beat the drum;* ⟨fig.⟩ *make a fuss/a song and dance about sth.* **6.1 door** elkaar ~ *mix together;* ⟨fig.⟩ roer je niet **in** die ruzie *don't get mixed up in/keep well out of that quarrel* **6.3** iem. **tot** tranen toe ~ *m./bring s.o. to tears;*
III ⟨wk.ww.;zich ~⟩ **0.1** [zich bewegen] *stir* ⇒*move* **0.2** [zich verzetten] *rise (in revolt)* ⇒*rebel, revolt* ♦ **3.1** ⟨fig.⟩ hij kan zich goed ~ *he is well-off/well-to-do;* zich niet kunnen ~ *have no room to manoeuvre/no breathing space, not have enough room to swing a cat.*

roerend
I ⟨bn., bw.;-ly⟩ **0.1** [treffend] *moving* ⇒⟨medelijdenwekkend, triest⟩ *touching* ♦ **2.1** ⟨scherts.⟩ het ~ eens zijn *be of one/the same mind;* daar ben ik het ~ mee eens *I am in complete agreement/agree completely with that;*
II ⟨bn.⟩ **0.1** [beweegbaar] *movable, moveable* **0.2** [mbt. feestdagen] *movable, moveable* ♦ **1.1** ~ goed *moveable property, personal property* **1.2** ~e feestdagen *movable feasts.*

roerfluit ⟨de⟩ **0.1** *rohrflöte.*

roerganger ⟨de (m.)⟩ **0.1** *helmsman* ⇒*steersman, wheel(s)man* ♦ **2.1** ⟨fig.⟩ de Grote Roerganger ⟨Mao⟩ *the Great Helmsman.*

roerhaak ⟨de (m.)⟩⟨scheep.⟩ **0.1** *pintle.*

roerig ⟨bn.⟩ **0.1** [levendig] *lively* ⇒*active, restless* **0.2** [wanordelijk] *tur-*

bulent ⇒*restless, chaotic* **0.3** [de orde verstorend] *troublesome* ◆ **1.1** de kinderen zijn vandaag erg~ *the children are very l. / active today* **1.2** een~ leven *an eventful life;* ~e tijden *t. / unsettled times;* een~e zitting *a chaotic meeting* **1.3** een~ lid *a t. member* **3.2** het was nogal~ in de stad *there was plenty of life in town.*

roerigheid ⟨de (v.)⟩ **0.1** [levendigheid] *liveliness, restlessness* ⇒*activity, excitement* **0.2** [wanorde] *turbulence* ⇒*chaos* **0.3** [oproerigheid] *trouble* ⇒*unrest, bustle.*

roerijzer ⟨het⟩ **0.1** [roerspaan] *rabble* ⟨voor gesmolten metaal⟩; *spatula* ⟨bij apotheek⟩ **0.2** [⟨inf.⟩(thee)lepeltje] *agitator, stirrer.*

roering ⟨de (v.)⟩ **0.1** *commotion* ⇒*stir, upheaval* ⟨vooral politiek⟩.

roerketting ⟨de⟩ ⟨scheep.⟩ **0.1** [zorgketting] *rudder (pendant) chain* **0.2** [stuurreep] *rudder chain.*

roerkoning ⟨de (m.)⟩ ⟨scheep.⟩ **0.1** *rudder-stock.*

roerlijn ⟨de⟩ **0.1** *decoy line.*

roerloos
I ⟨bn., bw.⟩ **0.1** [onbeweeglijk] *motionless* ⇒*immovable, immobile, unstirring* ⟨fig.⟩ *unmoved, impassive* ◆ **3.1** hij stond~ van angst *he was petrified;*
II ⟨bn.⟩ **0.1** [zonder stuur] *rudderless* ⟨schip⟩.

roerom ⟨de (m.)⟩ **0.1** ⟨*cake made of mixture that is constantly stirred*⟩.

roeroven ⟨de (m.)⟩ **0.1** *reverboratory furnace, reverberatories.*

roerpen ⟨de⟩ ⟨scheep.⟩ **0.1** [helmstok] *tiller, helm* **0.2** [pen om een roer in de ogen te hangen] *pintle.*

roersel ⟨het⟩ **0.1** [drijfveer] *motive* ⇒*prompting, impulse* **0.2** [aandoening, emotie] *emotion* ⇒*stirring* ◆ **2.1** geheime/verborgen~en *secret promptings* **2.2** de diepste~en v.d. ziel *the deepest stirrings of the soul.*

roerspaan ⟨de⟩ **0.1** *stirring stick / spoon, stirrer* ⇒*spatula* ⟨van apotheker⟩, *mash-staff* ⟨brouwerij⟩.

roerspil ⟨de⟩ ⟨scheep.⟩ **0.1** *rudder-stock, rudderpost.*

roerstel ⟨het⟩ ⟨scheep.⟩ **0.1** *pintles and gudgeons.*

roersteven ⟨de (m.)⟩ ⟨scheep.⟩ **0.1** *sternpost* ⇒*rudderpost.*

roerstok ⟨de (m.)⟩ **0.1** [roerpen] *tiller, helm* **0.2** [roerspaan] *stirring stick / rod, stirrer* ⇒*swizzle stick* ⟨in drankjes⟩.

roertalie ⟨de (v.)⟩ ⟨scheep.⟩ **0.1** [talie aan het roer] *rudder tackle* **0.2** [talie op de roerpen] *rudder tackle.*

roervink
I ⟨de⟩ **0.1** [lokvink] *decoy (bird);*
II ⟨de (m.)⟩ **0.1** [aanstoker] *firebrand* ⇒*troublemaker,* ⟨politiek⟩ *agitator.*

roervlak ⟨het⟩ **0.1** *rudder.*

roervogel ⟨de (m.)⟩ **0.1** *decoy (bird).*

roerzeef ⟨de⟩ **0.1** *purée sieve.*

roes ⟨de (m.)⟩ **0.1** [bedwelming] *fuddle* ⇒*intoxication, high* ⟨drank, drugs⟩, ⟨lichte roes⟩ *glow* **0.2** [toestand van bedwelming] *flush* ⇒*high* ⟨drugs e.d.⟩ **0.3** [⟨hand.⟩⟨geld⟩ *lump sum;* ⟨goederen⟩ *lump* ◆ **1.2** een~ van zinnelijk genot/blijdschap *a f. / glow of pleasure / happiness;* in de eerste~ v.d. overwinning *in the first f. of victory* **3.1** zijn~ uitslapen *sleep it off* **6.1** zich in een~ bevinden *be in a mist* **6.2** het succes bracht haar in een~ *she was intoxicated by/with her success;* zij leeft nu als in een~ *she is living in a whirl (of excitement)* **6.3** iets bij de~ kopen/verkopen *sell in bulk.*

roest ⟨het, de (m.)⟩ **0.1** [het oxyderen] *rust* **0.2** [resultaat van oxydatie] *rust* **0.3** [planteziekte] *rust* **0.4** [stok waarop kippen slapen] *roost,* *perch* **0.5** [stal waar kippen slapen] *coop* **0.6** [nachtleger van vliegend wild] *perch* ◆ **1.2** een laag~ *a layer of r.;* die fiets is niet meer dan een oud stuk~ *that bike is fit for the scrapheap / nothing but a heap of r.* **2.3** witte~ *white r.* **2.¶** oud~ *scrap iron* **3.1** de~ vreet het ijzer aan *r. corrodes / eats away iron* **6.1** door~ aangetast *rusted;* bestand tegen~ *rustproof, corrosion-resistant* **6.2** het zit dik onder de~ *it is covered in / with r..*

roestbestendig ⟨bn.⟩ **0.1** *rustproof.*

roestbruin ⟨bn.⟩ **0.1** *rust, rust-coloured* ◆ **7.1** ⟨zelfst.⟩ het~ *rust, rust-colour.*

roesten ⟨onov.ww.⟩ ⟨→sprw. 519,538⟩ **0.1** [met roest bedekt worden] *rust* ⇒*get rusty* **0.2** [door roesten vast gaan zitten] *rust (away)* **0.3** [mbt. kippen] *roost, perch* **0.4** [mbt. vliegend wild] *roost, perch* ◆ **3.1** ⟨scherts.⟩ zijn hersens beginnen een beetje te~ *his brains are beginning to get / go a bit rusty / are getting rather mouldy* **5.1** snel/licht~ *r. fast* **6.2** de klinknagel is in het staal geroest *the rivet has rusted away / in / up.*

roestig ⟨bn.⟩ **0.1** [met roest bedekt] *rusty* **0.2** [mbt. planten] *rusty* **0.3** [roestkleurig] *rusty* ⇒*rust-coloured.*

roestkleur ⟨de⟩ **0.1** *rust-colour, rust.*

roestkleurig ⟨bn.⟩ **0.1** *rust-coloured* ⇒*rust(y),* ⟨schr.⟩ *rubiginous, rubiginose.*

roestmiddel ⟨het⟩ **0.1** *rust-preventer / -preventative;* ⟨mbt. auto⟩ [B]*under-seal,* [A]*undercoat(ing).*

roestpapier ⟨het⟩ **0.1** [pakpapier] *oiled paper* **0.2** [schuurpapier] *sandpaper.*

roestplaats ⟨de⟩ **0.1** *roosting place, perch.*

roestpoeder →roestvlekkenpoeder.

roeststok ⟨de (m.)⟩ **0.1** *roost, perch.*

roestvlek ⟨de⟩ **0.1** [hoeveelheid roest] *rust spot / mark* **0.2** [roestkleurige vlek] *rust(y) spot / mark, ironmould* ◆ **3.1** een~je wegschuren *sand down a patch of rust* **3.2** ~ken verwijderen uit *remove ironmould from, remove rust spots / marks / stains from.*

roestvlekkenpoeder ⟨het, de (m.)⟩ **0.1** *salts of sorrel* ⇒*rust remover.*

roestvorming ⟨de (v.)⟩ **0.1** *rust formation, rusting, corrosion.*

roestvrij ⟨bn.⟩ **0.1** [vrij van roest] *rust-free, free of rust* ⇒*rustless* **0.2** [niet onderhevig aan roest] *rustproof, rust-resistant* ⇒*rustless* ◆ **1.2** ~ staal *stainless steel* **3.1** een ketting~ maken *remove the rust from a chain* **3.2** ~ maken *rustproof.*

roestwerend ⟨bn.⟩ **0.1** *anti-rust, rust-preventing* ◆ **1.1** een~e laag *a layer of rust-preventer,* [B]*an underseal,* [A]*an undercoat(ing)* ⟨mbt. auto⟩; voorzien v.e. ~e laag [B]*underseal,* [A]*undercoat* ⟨auto⟩; ~e verf *anti-corrosion paint.*

roet ⟨het⟩ **0.1** *soot* ◆ **1.1** met een laag~ bedekt *covered with (a layer of) s. / grime, sooted* **3.1** ⟨fig.⟩ ~ in het eten gooien *queer the pitch for s.o. / s.o.'s pitch, put a spoke in s.o.'s wheels; be a spoil-sport* ⟨vooral mbt. kinderen⟩ **8.1** zo zwart als~ *as black as s. / pitch.*

roetaanzetting ⟨de (v.)⟩ **0.1** *build up of soot.*

roetachtig ⟨bn., bw.;-ly⟩ **0.1** *sooty* ⇒*fuliginous, grimy* ⟨mbt. viezigheid⟩ ◆ **1.1** een~e smaak/lucht *a s. taste / smell.*

roetbruin ⟨bn.⟩ **0.1** *bistre* ◆ **7.1** het~ *bistre.*

roetdauw ⟨de (m.)⟩ **0.1** *sooty mould.*

roetdeeltje ⟨het⟩ **0.1** *(black) smut.*

roeten ⟨onov.ww.⟩ **0.1** *soot (up).*

roeterig ⟨bn., bw.;-ly⟩ **0.1** *sooty* ⇒*fuliginous, grimy.*

roethanen ⟨ww.⟩ **0.1** *mess (about)(with)* ⇒*dabble (in).*

roetig ⟨bn., bw.;-ly⟩ **0.1** *sooty* ⇒*fuliginous, grimy* ⟨mbt. viezigheid⟩ ◆ **1.1** ~e muren *s. / grimy walls* **3.1** het ruikt hier~ *it smells of soot here, there is a smell of soot here.*

roetkleur ⟨de⟩ **0.1** [kleur van roet] *sooty colour* **0.2** [zwartbuin] *soot brown* ⇒*bistre* **0.3** [waterverf] *bistre.*

roetkolk ⟨de⟩ **0.1** *back hearth.*

roetkool ⟨de⟩ **0.1** *brown / bituminous coal.*

roetkuil →roetkolk.

roetmop ⟨de (m.)⟩ **0.1** [racistisch scheldwoord] *nigger* ⇒*darky,* ⟨sl.⟩ *coon* **0.2** [besmeurd persoon] ≠*mudlark* ⇒⟨scherts.⟩ *blackamoor,* ⟨mbt. kind⟩ *piccaninny* **0.3** [schoorsteenveger] *sweep* **0.4** [klodder roet] *lump of soot.*

roetpluim ⟨de⟩ **0.1** *column of black smoke.*

roetsjbaan ⟨de⟩ **0.1** *big dipper, roller coaster* ⇒⟨BE ook⟩ *switchback.*

roetsjen ⟨onov.ww.⟩ **0.1** *slide* ⇒*whizz, fly.*

roetzwart[1] ⟨het⟩ **0.1** [fijn roet] *carbon black, lampblack* **0.2** [verf] *bone / ivory black* **0.3** [⟨bk.⟩] *bistre* [A]*bister.*

roetzwart[2] ⟨bn.⟩ **0.1** [zwart als roet] *soot-black, black as soot* **0.2** [erg zwart, pikzwart] *black, pitch-black* ⇒*black as one's hat* **0.3** [smerig] *black, filthy.*

roezemoes ⟨de (m.)⟩ **0.1** [drukke warreling] *buzz* ⇒*bustle* **0.2** [warboel] *muddle* ⇒*mess, tangle, confusion* ◆ **1.1** ~ van mensen en muziek *a buzz / hum of voices and music* **2.2** in dat huis was het een echte~ *that house was in a real muddle / utter chaos.*

roezemoezen ⟨onov.ww.⟩ **0.1** [leven maken] *buzz* ⇒*bustle* **0.2** [rommelen] *potter (about), do odd jobs;* ⟨in iets zoeken⟩ *rummage* **0.3** [⟨AZN⟩ een dof gerucht maken] *drone* ◆ **1.1** ~d lawaai *buzz* **3.1** ik liet de jongens maar wat~ *I let the boys rampage around.*

roezemoezig ⟨bn.⟩ **0.1** [onstuimig] *noisy* ⇒*boisterous* **0.2** [⟨AZN⟩ dof gonzend] *droning.*

roezen ⟨onov.ww.⟩ **0.1** *make a din / row / hubbub / noise.*

roezig ⟨bn.⟩ **0.1** [druk] *busy* ⇒*bustling, boisterous, noisy* **0.2** [wanordelijk] *messy* ⇒*muddled, tangled* **0.3** [mbt. weer] *blustery* ◆ **1.1** de kinderen zijn vandaag erg~ *the children are very active / wild / boisterous today;* een~e plaats *a hive of activity;* wat een~e week, mijn hoofd loopt om *it is such a busy week, I can't think straight* **1.2** ~ haar *tangled hair.*

roffel ⟨de (m.)⟩ **0.1** [slagen op een trom] ⟨snel⟩ *roll;* ⟨langzamer⟩ *ruffle* **0.2** [schaaf] *jack plane* **0.3** [slordig werker] *bungler, botcher, muddler* **0.4** [uitbrander] *scolding* ⇒*telling-off,* ⟨BE ook⟩ *wigging* **0.5** [⟨AZN⟩ pak slaag] *drubbing, thrashing, spanking* ⇒*(good) hiding* ◆ **3.1** een~ geven/slaan *give / beat a roll / ruffle, roll, ruffle* **3.4** een~ krijgen *get a s. / dressing down* **6.1** een~ op de tafel trommelen *drum on the table* **6.2** ⟨fig.⟩ ergens met de~ overheen lopen ⟨snel werken⟩ *scamp;* ⟨onzorgvuldig werken⟩ *bungle, botch.*

roffelaar ⟨de (m.)⟩ **0.1** [⟨amb.⟩ schaver] *planer* **0.2** [slordig werker] *bungler, botcher, muddler.*

roffelen
I ⟨onov.ww.⟩ **0.1** [roffel op de trom slaan] *roll* ⇒*ruffle, give a roll / ruffle* **0.2** [roffelend geluid geven] *roll* ⇒*drum* **0.3** [roffelend geluid maken] *drum* ⇒*thrum* ⟨regen⟩ **0.4** [knoeien] *bungle, botch* ◆ **6.3** de regenjassen~ in de wind *the raincoats flap in the wind;* met de vingers op de tafel~ *d. (one's fingers) on the table;*
II ⟨onov.ww., ov.ww.⟩ **0.1** [afschaven] *plane.*

roffelig

I ⟨bn.⟩ **0.1** [ruw] *rough, unplaned;*
II ⟨bn., bw.⟩ **0.1** [slordig bewerkt] *shoddy* ⇒*botched, bungled.*
roffelschaaf ⟨de⟩ **0.1** *fore plane* ⇒*jack plane.*
roffelschaar ⟨de⟩ **0.1** *heavy duty scissors.*
roffeltrom ⟨de⟩ **0.1** *snare drum.*
roffelwerk ⟨het⟩ **0.1** *shoddy work.*
roffelzaag ⟨de⟩ **0.1** *joiner's/tenon saw.*
rog ⟨de (m.)⟩ **0.1** *ray* ⇒*thornback.*
rogatoir ⟨bn.⟩ **0.1** *rogatory* ◆ **1.1** een ~e commissie *a r. commission;* ~e commissie opdragen aan *issue a commission to;* vanwege een ~e commissie gehoord worden *examine witnesses/hear evidence on commission;* een ~ getuige *witness rogatus.*
rogge ⟨de⟩ **0.1** [graansoort] *rye* **0.2** [koren] *rye (grain)* **0.3** [roggebrood] *rye bread* ◆ **1.3** een sneetje ~ *a slice of r. b.* **6.2** brood van ~ *bread made from/with rye.*
roggebloem ⟨de⟩ **0.1** [roggemeel] *rye flour/meal* **0.2** [pap] *rye porridge.*
roggebrand ⟨de (m.)⟩ **0.1** *rye smut.*
roggebrood ⟨het⟩ **0.1** *rye bread* ⇒*black bread.*
roggegras ⟨het⟩ **0.1** *rye-grass.*
roggemeel ⟨het⟩ **0.1** *rye flour/meal.*
roggemik ⟨de⟩ **0.1** *loaf of rye bread.*
roggestaart ⟨de (m.)⟩ **0.1** *ray tail, tail of a ray* ◆ **3.1** (fig.) hij heeft een ~ in zijn keel *he has got a frog in his throat.*
roggetje ⟨het⟩ **0.1** [roggebroodje] *small loaf of rye bread* **0.2** [sneetje roggebrood] *slice of rye bread.*
roggeveld ⟨het⟩ **0.1** *rye field.*
rogvissen ⟨zn.mv.⟩ **0.1** *(Skates and) Rays.*
rok ⟨de (m.)⟩ ⟨→sprw. 274⟩ **0.1** [kledingstuk voor vrouwen] *skirt* ⇒*petticoat* (onderrok) **0.2** [vrouw] *(bit of) skirt* **0.3** [jas voor mannen] *tail coat* ⇒*tails, morning coat* **0.4** [overkleed] *coat* (vero.) **0.5** [⟨plantk.⟩] *tunic* **0.6** [⟨med.⟩] *tunica* ⇒ (harde oogrok) *sclera, cornea* **0.7** [omhulsel om buizen] *cladding* **0.8** [⟨met hoofdletter⟩ vogel] *roc* ◆ **1.1** aan moeders ~ken hangen (fig.) *tied to mother's apronstrings;* ⟨lett.⟩ *tug at mother's skirts* **2.1** Schotse ~ *kilt;* een wijde ~ *a full s.* **2.4** de heilige ~ (van Trier) *the holy robe of Trier* **3.1** zij heeft geen ~ aan haar gat (fig.) *she has not got a fig/penny to her name/two pennies to rub together* **6.2** achter de ~ken lopen *womanize* **6.3** (fig.) iem. aan zijn ~kennen judge *s.o. from the cut of his cloth;* de heren waren in ~ *the men wore evening dress/*⟨inf.⟩ *tails.*
rokade ⟨de (v.)⟩ **0.1** *castling* ◆ **2.1** de korte/lange ~c. *(on the) king's side/queen's side.*
rokband ⟨de (m.)⟩ **0.1** *waistband, waistbelt, skirtband.*
rokbroek ⟨de (m.)⟩ **0.1** *divided skirt, culottes.*
roken ⟨→sprw. 402⟩
I ⟨onov.ww.⟩ **0.1** [rook afgeven] *smoke* **0.2** [dampen] *steam* **0.3** [in de rook hangen] *smoke* ⇒*cure* ⟨etenswaren⟩ ◆ **1.1** daar kan de schoorsteen niet van ~ (fig.) *that will not make the pot boil;* het vuur/de schoorsteen rookt *the fire/chimney is smoking* **4.1** het rookt in de kamer *there is smoke in the room;*
II ⟨onov., ov.ww.⟩ **0.1** [tabaksrook inzuigen en uitblazen] *smoke* ⇒ *puff (at)* **0.2** [⟨pregn.⟩ rokend drugs gebruiken] *smoke* ◆ **1.1** (fig.) een lelijke pijp ~ *have a hard time of it, have a lot to put up with, come off badly* **2.1** ~ is slecht voor de gezondheid *smoking is bad for/affects the health* **3.1** stoppen met ~ *stop/cut out/give up smoking;* verboden te ~ *no smoking, smoking prohibited, smoking is not allowed;* wilt u ~? *do you s.?, do you want to s.?, would you like a cigarette?* **5.1** minder gaan ~ *cut down on smoking;* gelieve niet te ~ *please do not s., kindly refrain from smoking;* een coupé niet-roken, een niet-roken coupé *a non-smoking compartment, a non-smoker* **7.1** veel ~ *be a heavy smoker, s. a lot* **8.1** ~ als een ketter/schoorsteen *s. like a chimney* ¶**.1** hij rookt/rookt niet *he smokes/does not s.;*
III ⟨ov.ww.⟩ **0.1** [in de rook hangen] *smoke* ⇒ ⟨vlees ook⟩ *cure,* ⟨vis ook⟩ *bloat* ◆ **1.1** gerookte paling *smoked eel.*
rokend ⟨bn.⟩ **0.1** *smoking* ⇒ ⟨smeulend⟩ ⟨smoldering⟩, ⟨dampend⟩ *steaming, fuming* ⟨met rook en gassen⟩ ◆ **1.1** een ~e berg *a smoking/smouldering pile/heap;* ~ bloed *warm blood;* een ~e kool *a live coal;* ~e puinhopen *smouldering ruins;* ~ salpeterzuur *fuming saltpetre;* ~e schotels *steaming dishes.*
roker ⟨de (m.)⟩, **rookster** ⟨de (v.)⟩ **0.1** [iem. die tabak rookt] *smoker* **0.2** [iem. die vis, vlees rookt] *(fish-/meat-)smoker/curer* ◆ **2.1** ze is een matige/stevige ~ *she's a moderate/heavy s.* **6.1** een ruimte voor ~s en voor niet-rokers *a smokers' and a non-smokers' area, a smoking and non-smoking area.*
rokeren ⟨onov.ww.⟩ ⟨sport⟩ **0.1** *castle* ◆ **5.1** kort/lang ~c. *on the king's/queen's side.*
rokerig ⟨bn.⟩ **0.1** [veel rook verspreidend] *smoky* **0.2** [vol rook] *smoky* **0.3** [naar rook smakend] *smoky* **0.4** [door de rook bruin geworden] *smoke-stained.*
rokerij ⟨de (v.)⟩ **0.1** *smokehouse.*
rokershoest ⟨de (m.)⟩ **0.1** *smoker's cough.*
rokertje ⟨het⟩ **0.1** *smoke* ◆ **2.1** mijn dagelijkse ~ *my daily s.* **3.1** wil je een ~? *do you want a s.?.*
rokhanger ⟨de (m.)⟩ **0.1** *skirt-hanger.*

rokjas ⟨de⟩ **0.1** [rok] *dress/tail coat* ⇒ ⟨inf.⟩ *tails* **0.2** [jas v.e. rokkostuum] *dress/tail coat* ⇒ ⟨inf.⟩ *tails.*
rokje ⟨het⟩ **0.1** *(little/short) skirt* ◆ **3.1** zijn ~ omkeren *turn one's coat, be(come) a turncoat;* een ~ uittrekken *lose a few pounds;* zoals de wind waait, waait mijn ~ *he/she's like a weathercock, he/she turns whichever way the wind blows.*
rokken¹ ⟨het⟩ **0.1** *distaff.*
rokken² ⟨ov.ww.⟩ **0.1** *wind onto a/the distaff.*
rokkenjager ⟨de (m.)⟩ **0.1** *womanizer* ⇒*skirt-chaser.*
rokkenspuit ⟨de⟩ ⟨amb.⟩ **0.1** *hem marker.*
rokkostuum ⟨het⟩ **0.1** *dress suit* ⇒ ⟨inf.⟩ *tails.*
roklengte ⟨de (v.)⟩ **0.1** *skirt length* ◆ ¶**.1** de ~ langer/korter maken *lower/raise the hemline.*
rokmeter ⟨de (m.)⟩ **0.1** *hem measurer.*
rokoverhemd ⟨het⟩ **0.1** *dress shirt* ⇒*boiled shirt.*
rokpand ⟨het, de (m.)⟩ **0.1** [onderstuk v.e. rokjas] *coat-tails* **0.2** [baan v.e. vrouwenrok] *width* ◆ **3.2** de ~en vallen enigszins klokkend *the skirt is somewhat flared.*
rokspand ⟨het⟩ **0.1** *coat-tails.*
rokspanner ⟨de (m.)⟩ **0.1** *skirt-hanger.*
roksplit ⟨het⟩ **0.1** *placket.*
rokvest ⟨het⟩ **0.1** *dress waistcoat/*^A*vest.*
rokzadel ⟨het⟩ **0.1** *ladies' bicycle saddle.*
rol
I ⟨de⟩ **0.1** [⟨dram.⟩] *part* ⇒*role* **0.2** [opgerolde hoeveelheid van iets] *roll;* ⟨hol⟩ *cylinder;* ⟨stof⟩ *bolt;* ⟨touw, enz.⟩ *coil;* ⟨perkament⟩ *scroll;* ⟨camera⟩ *reel, spool* **0.3** [rolrond stuk materiaal] *roller;* ⟨deegrol⟩ *rolling pin* **0.4** [schijf om een spil] *roller;* ⟨onder stoelpoot⟩ *castor;* ⟨katrol⟩ *pulley(-wheel)* **0.5** [lijst] *roll* ⇒*list* **0.6** [⟨wisk.⟩] *cylinder* **0.7** [⟨bouwk.⟩] *upright course (of bricks)* **0.8** [individueel gedrag in een sociale omgeving] *role* **0.9** [functie] *role* ◆ **1.2** een ~ bankbiljetten *a roll/wad of banknotes, a bankroll;* een ~ behang *a roll of wallpaper;* een ~ beschuit *a packet of rusks;* een ~ guldens *a roll/*†*rouleau of guilders;* een ~ tekeningen *a cylinder full of drawings* **1.3** de ~ v.e. schrijfmachine/pianola *the platen/*⟨inf.⟩ *roller of a typewriter, the roll/cylinder of a pianola* **1.8** de ~ v.d. vrouw *the r. of women* **1.9** de ~ v.d. kerk in deze tijd *the r. of the church at this time* **2.1** (fig.) de ~ belangrijkste ~ *the key role* **2.9** tevreden zijn met een ondergeschikte ~ *be happy with a minor part;* (fig.) *be happy to take a back seat/to play second fiddle* **3.1** een ~ bezetten *fill a p.;* (fig.) ~ instuderen *learn one's p.;* de ~len omkeren *reverse roles;* ⟨wraak⟩ *turn the tables;* een ~ spelen ⟨zich anders voordoen⟩ *play a part, play-act;* ⟨van invloed zijn⟩ *play a part (in), enter/come in(to);* twee ~len spelen ⟨ook⟩ *double a p.;* de ~len verdelen *cast the parts;* (fig.) zijn ~ volhouden, in zijn ~ blijven *sustain one's p., stay in character* **3.9** wat is zijn ~ in die zaak? *where does he come into this?, what's his part in this?;* zijn ~ is uitgespeeld *he has played his part;* geld speelt geen ~ *money is no object, never mind the expense;* de kleur speelt een grote ~ *the colour matters a lot/is very important;* een ~ van betekenis/geen ~ van betekenis spelen in *play an important part/not play an important part in* **6.1** (fig.) uit zijn ~ vallen *forget o.s.;* Ank van der Moer speelde de ~ van Badeloch *Ank van der Moer acted/played (the part of) Badeloch;* in de ~ van Julia *as Juliet, in the role/p. of Juliet* **6.3** de la loopt op ~len *the drawer runs on rollers* **6.4** het touw is van de ~ geschoten *the rope has come off the pulley(-wheel)* **6.5** ⟨scheep.; mil.⟩ in de ~ staan *have signed on/up;* ⟨jur.⟩ een zaak op de ~ plaatsen *enter a case in the cause list;* de zaak staat op de ~ *the case is down for a hearing;*
II ⟨de (m.)⟩ **0.1** [handeling v.h. rollen] *rolling* **0.2** [manier van zingen] *trill(ing)* ◆ **6.1** ~ aan de ~ gaan/zijn *go/be on a spree/*⟨inf.⟩ *on the razzle.*
rolaap ⟨de (m.)⟩ **0.1** [Zuidamerikaanse aap] *capuchin (monkey)* ⇒*sapajou* **0.2** [faunaap] *capuchin (monkey).*
rolbaan ⟨de⟩ **0.1** [rolschaatsbaan] *roller-skating rink* **0.2** [baan op een vliegterrein] *taxi strip* ⇒*taxiway* **0.3** [baan waarover een constructie rolt] *rollway.*
rolbandmaat ⟨de⟩ **0.1** *flexible steel rule.*
rolbank ⟨de⟩ **0.1** [bank op rolletjes] *settee with/(mounted) on castors* **0.2** [schraag met rol erbovenop] *roller.*
rolberoerte ⟨de (v.)⟩ ⟨inf.⟩ **0.1** *fit* ◆ **3.1** (fig.) zich een ~ eten *eat till one is (nearly) bursting, eat till it comes out of one's ears;* (fig.) ik kreeg een ~ v.h. lachen *I (nearly) killed myself laughing, I nearly had a f. laughing, I nearly split myself laughing, I was laughing fit to bust/burst;* (fig.) zich een ~ schrikken *jump out of one's skin, nearly drop dead from fright;* ⟨scherts.⟩ *have kittens.*
rolbeweging ⟨de (v.)⟩ **0.1** *roll(ing).*
rolbezem ⟨de (m.)⟩ **0.1** *rotary/carpet sweeper.*
rolbezetting ⟨de (v.)⟩ ⟨dram., film.⟩ **0.1** *cast* ◆ **2.1** de ~ is uitstekend *the play is excellently cast.*
rolblind ⟨het⟩ **0.1** *roll-down shutter.*
rolblok ⟨het⟩ **0.1** [⟨landb.⟩] *roller* **0.2** [⟨wwb.⟩] *roller.*
rolboek ⟨het⟩ ⟨jur.⟩ **0.1** *cause list.*
rolborstel ⟨de (m.)⟩ **0.1** *paint roller.*
rolbriefje ⟨het⟩ ⟨jur.⟩ **0.1** *memorandum of summons.*

rolbrug ⟨de⟩ **0.1** *roller bridge*.
rolcentimeter ⟨de (m.)⟩ →**rolbandmaat**.
rolconflict ⟨het⟩ **0.1** *divided / conflicting loyalties*.
roldak ⟨het⟩ **0.1** *sliding roof*.
roldeeg ⟨het⟩ **0.1** *pastry*.
roldeur ⟨de⟩ **0.1** *sliding door*.
roldoorbrekend ⟨bn.⟩ **0.1** *breaking social conventions / set patterns, unconventional* ◆ **1.1** ~ *gedrag u. behaviour*.
rolfilm ⟨de (m.)⟩ **0.1** *roll-film*.
rolgedrag ⟨het⟩ ⟨soc.⟩ **0.1** *role-play* ⇒*role behaviour*.
rolgesp ⟨de⟩ **0.1** *buckle with no prong*.
rolgewricht ⟨het⟩ **0.1** *hock*.
rolgordijn ⟨het, de⟩ **0.1** *(roller) blind*, ^A*(window) shade* ◆ **3.1** een ~ ophalen / laten zakken *let up / down a blind / shade, let a blind / shade up / down*.
rolham ⟨de⟩ **0.1** *rolled ham*.
rolhanddoek ⟨de (m.)⟩ **0.1** *roller towel*.
rolheuvel ⟨de (m.)⟩ ⟨med.⟩ **0.1** *trochanter*.
rolhockey ⟨het⟩ **0.1** *roller hockey*.
roljaloezie ⟨de (v.)⟩ **0.1** ≠*roll-down shutter*.
rolkast ⟨de⟩ ⟨landb.⟩ **0.1** *mobile greenhouse / glasshouse*.
rolkei ⟨de (m.)⟩ **0.1** *pebble*.
rolklaver ⟨de⟩ ⟨biol.⟩ **0.1** *bird's-foot*.
rolklos ⟨de⟩ ⟨scheep.⟩ **0.1** *running block*.
rolkraag ⟨de (m.)⟩ **0.1** *polo neck*, ^A*turtleneck* ⇒*rollneck*.
rolkrans ⟨de⟩ **0.1** *roller carriage*.
rolkromme ⟨de⟩ ⟨wisk.⟩ **0.1** *roulette*.
rolkussen ⟨het⟩ **0.1** *bolster* ⇒⟨vero.⟩ *Dutch wife*.
rollaag ⟨de⟩ ⟨bouwk.⟩ **0.1** [laag van op hun kant of kop gemetselde stenen] *upright course* ⇒*soldier course* **0.2** [laag stenen op de zijkant] *brick-on-edge coping*.
rollade ⟨de (v.)⟩ **0.1** *rolled meat*.
rollager ⟨het⟩ **0.1** *roller bearing*.
rollebollen ⟨onov.ww.⟩ **0.1** [over de kop rollen] *turn / go head over heels* ⇒*turn somersaults, somersault* **0.2** [⟨inf.⟩ neuken] *tumble* ⇒*roll*.
rolleger ⟨het⟩ →**rollager**.
rollen (→sprw. 192,549,556)
  I ⟨onov.ww.⟩ **0.1** [wentelend voortbewegen] *roll* **0.2** [zich op rollen / wielen voortbewegen] *roll* ⇒⟨vliegtuig ook⟩ *taxi* **0.3** [mbt. de ogen] *roll* **0.4** [buitelen] *roll* ⇒*tumble* **0.5** [rondwentelend naar beneden tuimelen] *roll* ⇒*tumble* **0.6** [vallen] *tumble* **0.7** [golvend bewegen] *roll* **0.8** [mbt. een schip] *roll* **0.9** [mbt. geluiden] *roll*; ⟨vogel⟩ *trill* **0.10** [mbt. het gesproken / geschreven woord] *roll* ⇒*flow* **0.11** [aan de rol zijn] *carouse* ⇒*be on a spree* / ⟨inf.⟩ *on the razzle* ◆ **1.1** ⟨fig.⟩ je weet nooit hoe een dubbeltje kan ~ *you never can tell, stranger things have happened (at sea)*; ⟨fig.⟩ er gaan koppen ~ *heads will r.*; het ~d materieel *rolling stock*; er rolde een traan over zijn wang *a tear rolled down his cheek* **1.7** het ~de water *the rolling waves* **1.9** in de verte rolt de donder *there is a distant roll of thunder, thunder is rolling in the distance*; een ~de medeklinker *a trill*; je moet de r goed laten ~ *you have to roll the 'r' properly* **1.11** zij rolden de hele nacht *they spent the whole night carousing / on the razzle* **1.¶** de kanarie rolt goed *the canary trills beautifully* **3.1** ⟨fig.⟩ het geld laten ~ *spend money freely* / ⟨inf.⟩ *like water*; ⟨fig.⟩ de zaak moet ~ *things must get moving, the ball must get rolling*; ⟨fig.⟩ het geld moet ~ *you must keep money moving* **5.1** ⟨fig.⟩ hij zal er wel door(heen) ~ *he'll get through it*; ⟨fig.⟩ het compromis dat eruit rolde *the compromise that came up / that came out of it / that was thrown up*; ik ben er vanzelf in gerold *I got into it by chance* **6.1** ⟨fig.⟩ de zaak aan het ~ brengen *get things moving, get the ball rolling*; ⟨fig.⟩ door de wereld ~ *be happy-go-lucky*; het geld rolde over de vloer *the money rolled across the floor* **6.2** het vliegtuig rolde naar de startbaan *the plane taxied up to the runway* **6.4** de meisjes rolden over elkaar *the girls tumbled over each other* **6.6** van de stoel / uit het zadel ~ *tumble off the chair / out of the saddle*; hij rolde van de berg / trap *he tumbled down the mountain / stairs* **6.10** over / van de lippen ~ *r. off one's tongue, flow from one's lips*; uit de pen ~ *flow from the pen*;
  II ⟨ov.ww.⟩ **0.1** [rondwentelend voortbewegen] *roll*; ⟨scherts.⟩ *trundle* **0.2** [rondwentelen] *roll* **0.3** [oprollen] *roll (up)* **0.4** [wikkelen] *wrap* ⇒*roll (up)* **0.5** [met een rol aandrukken] *roll* **0.6** [rollend vormen] *roll* **0.7** [op behendige wijze stelen] *lift* ◆ **1.1** een vat over de straat ~ *r. a barrel across the street* **1.3** een sigaret ~ *r. a cigarette* **1.5** deeg ~ *r. (out) dough / pastry*; een tennisveld / gras ~ *r. a tennis court / a lawn* **1.6** een schroefdraad ~ *r. a screw thread* **1.7** mijn pas is gerold *my passport's been pinched / lifted*; zakken ~ *pick pockets, be a pickpocket* **4.2** het paard rolt zich in de weide *the horse is rolling / is having a roll in the pasture*; zich in het zand ~ *r. (about) in the sand* **4.3** de egel rolt zich tot een bal *the hedgehog rolls (itself) (up) into a ball* **6.4** zich in een deken ~ *wrap o.s. up in a blanket*; een kaart om een stok ~ *r. up a map* **¶.7** ik ben gerold *I've had my pockets picked, my pockets have been picked*.
rollenblok ⟨het⟩ →**rollager**.
rollende ⟨de⟩ →**rollade**.

rollenketting ⟨de⟩ **0.1** *roller chain*.
rollenpatroon ⟨het⟩ **0.1** ≠*sex stereotyping*.
rollenspel ⟨het⟩ **0.1** *role-playing* ⇒*role play*.
roller ⟨de (m.)⟩ **0.1** [kruller] *curler* ⇒*roller* **0.2** [zakkenroller] *pickpocket* **0.3** [zware golf] *roller* **0.4** [rollend geluid] *trill(ing)*.
rolleren ⟨onov.ww.⟩ **0.1** *cast a / the play*.
rollerketting ⟨de⟩ **0.1** *block chain*.
rollerpen ⟨de⟩ **0.1** *roller ball (pen)* ⇒*floating ball (pen)*.
rolletje ⟨het⟩ **0.1** *(small) roll*; ⟨rolrond voorwerp⟩ *roller*; ⟨onder meubilair⟩ *castor* ◆ **1.1** een ~ drop *a roll of liquorice* ^A*licorice*; een ~ munten *a roll* / ↑*rouleau of coins* **2.1** ze gaven haar een klein ~ *they gave her a small part* / ⟨inf.⟩ *a bit part*; een nieuw ~ in zijn camera doen *put a new roll in one's camera* **6.1** alles liep op ~s *everything went like clockwork / went smoothly*.
rolling ⟨de (v.)⟩ ⟨scheep.⟩ **0.1** [deining] *swell* ⇒*rolling* **0.2** [rolberoerte] *fit* ◆ **3.2** ⟨fig.⟩ ik dacht dat ik een ~ kreeg *I thought I was going to have a f.* / *to drop dead on the spot* **6.2** ⟨fig.⟩ ik krijg nog eens een ~ van zijn gezeur *the way he goes on, he's going to drive me round the bend, I'll have a f. if he goes on much more*.
rollood ⟨het⟩ **0.1** *lead in rolls*.
rolluik ⟨het⟩ **0.1** *roll-down shutter*.
rolmaat ⟨de⟩ →**rolbandmaat**.
rolmachine ⟨de (v.)⟩ **0.1** *roller printing machine*.
rolmops ⟨de (m.)⟩ **0.1** *rollmop*.
rolneut ⟨de⟩ ⟨amb.⟩ **0.1** *volute*.
roloplegging ⟨de (v.)⟩ **0.1** *roller nest*.
roloven ⟨de (m.)⟩ **0.1** *roller-type furnace*.
rolpatroon ⟨het⟩ **0.1** *role pattern* ◆ **2.1** ingesleten rolpatronen *fixed / habitual role patterns* **3.1** rolpatronen doorbreken *break down role patterns*.
rolpens ⟨de⟩ **0.1** *spiced minced meat in tripe*.
rolplaat ⟨de⟩ **0.1** *rolled(-up) tinplate*.
rolplank ⟨de⟩ **0.1** [plank waarop iets wordt (uit)gerold] *rolling board* ⇒⟨voor deeg⟩ *pastry-board* **0.2** [plank met wieltjes] *skateboard*.
rolprent ⟨de⟩ **0.1** *film*; ⟨inf.⟩ *movie*.
rolroer ⟨het⟩ **0.1** *aileron*.
rolrond ⟨bn.⟩ **0.1** *cylindrical* ⇒*cylinder-shaped*.
rolschaats ⟨de⟩ **0.1** *roller skate*.
rolschaatsbaan ⟨de⟩ **0.1** *roller-skating rink*.
rolschaatsen ⟨onov.ww.⟩ **0.1** *roller skate*.
rolschaatser ⟨de (m.)⟩, **-ster** ⟨de (v.)⟩ **0.1** *roller skater*.
rolschaatsplank ⟨de⟩ **0.1** *skateboard*.
rolschelp ⟨de⟩ **0.1** ≠*volute*.
rolscherm ⟨het⟩ **0.1** *drop(-curtain)*.
rolslag ⟨de (m.)⟩ **0.1** *trill(ing)*.
rolslak ⟨de⟩ **0.1** *Atlanta*.
rolslot ⟨het⟩ **0.1** *guideway*.
rolspin ⟨de⟩ **0.1** *solpugid* ⇒*solifuge*.
rolsprong ⟨de (m.)⟩ **0.1** *straddle (jump)*.
rolsteen ⟨de (m.)⟩ **0.1** ⟨groot⟩ *boulder*; ⟨klein⟩ *pebble*.
rolstempel ⟨de (m.)⟩ **0.1** *roller (stamp)*.
rolstoel ⟨de (m.)⟩ **0.1** *wheelchair* ◆ **6.1** toegankelijk voor ~en *wheelchair access, with access for wheelchairs*.
rolstoelbus ⟨de⟩ **0.1** *bus adapted for (passengers in) wheelchairs*.
rolstoelgebruiker ⟨de (m.)⟩, **-ster** ⟨de (v.)⟩ **0.1** *wheelchair / invalid chair user* ◆ **6.1** elke zaal zou toegankelijk moeten zijn voor ~s *every hall should be accessible for (persons in) wheelchairs*.
rolstoelsport ⟨de (v.)⟩ **0.1** *wheelchair games / sports* ⇒*paraplegic games*.
roltabak ⟨de (m.)⟩ **0.1** *twist*.
roltafel ⟨de⟩ **0.1** *table on rollers / castors*.
roltijd ⟨de (m.)⟩ **0.1** *mating season*.
roltong ⟨de⟩ **0.1** [feestartikel] ≠*blower* **0.2** [spiraalvormige tong] *proboscis*.
roltrap ⟨de (m.)⟩ **0.1** *escalator* ⇒⟨BE ook⟩ *moving staircase* ◆ **3.1** de ~ start bij betreden *the escalator starts when you step onto it* **6.1** de ~ naar boven / beneden *the escalator up / down*.
rolvast ⟨bn.⟩ **0.1** *word-perfect*, ^A*letter-perfect* ⇒*sure of one's lines* (niet voor zn.) ◆ **1.1** een ~ acteur *a w.-p. actor, an actor who is sure of his lines*.
rolveegmachine ⟨de (v.)⟩ **0.1** *street-sweeping machine* ⇒*street sweeper*.
rolveger ⟨de (m.)⟩ **0.1** ⟨ihb. voor tapijt⟩ *carpet sweeper*.
rolverdeling ⟨de (v.)⟩ **0.1** *cast(ing)* ⇒⟨fig.⟩ *division of roles* ◆ **2.1** de ~ was goed *the casting was good* **6.1** ⟨fig.⟩ de ~ tussen man en vrouw *the division of roles between men and women*.
rolvlucht ⟨de⟩ ⟨luchtv.⟩ **0.1** *(barrel) roll*.
rolvorm ⟨de (m.)⟩ **0.1** *roll* ◆ **6.1** een handschrift in ~ *a scroll*.
rolvormig ⟨bn.⟩ **0.1** *cylindrical*.
rolwagen ⟨de (m.)⟩ **0.1** [wagentje op rollen] *bogie, trolley* **0.2** [platformwagen met opliggende rails] *rolling platform* **0.3** [loopwagentje] *baby-walker*.
rolweerstand ⟨de (m.)⟩ **0.1** *rolling resistance*.
rolwerk ⟨het⟩ ⟨amb.⟩ **0.1** *scroll work*.
rolwisseling ⟨de (v.)⟩ **0.1** *exchange of roles* ⇒⟨soc., ook⟩ *role reversal*.

rolzaal ⟨de⟩ **0.1** *'Hall of the Rolls'* ⟨*Courtroom used by the Court of Holland and the Supreme Council of Holland*⟩.
rolzegel ⟨het, de (m.)⟩ ⟨gesch.⟩ **0.1** *cylinder seal.*
rolzitting ⟨de (v.)⟩ ⟨jur.⟩ **0.1** *cause-list sitting.*
rolzonnescherm ⟨het⟩ **0.1** *roller blind.*
rolzoom ⟨de (m.)⟩ **0.1** *rolled hem.*
Rom. ⟨afk.⟩ **0.1** [Romaans] *Rom.* **0.2** [Romeins] *Rom.* **0.3** [⟨bijb.⟩] *Rom.* ◆ **7.3** Rom. 8 vers 12 *Rom. VIII. 12.*
Romaan ⟨de (m.)⟩ **0.1** *Latin;* ⟨taal.⟩ *Romance-speaker.*
Romaans¹ ⟨het⟩ **0.1** *Romance (language(s))* ⇒*Latin / Romanic language(s).*
Romaans² ⟨bn.⟩ **0.1** [van Latijnse afkomst] *Latin* ⇒⟨zeldz.⟩ *Romanic* **0.2** [mbt. taal] *Romance* ⇒*Latin, Romanic* **0.3** [⟨bk.⟩] *Romanesque* ◆ **1.1** de ~e volken *the L. peoples* **1.2** de ~e talen *the Romance languages* **1.3** ~e kunst *R. art;* de ~e stijl *(the) R. (style).*
roman ⟨de (m.)⟩ **0.1** [verhaal in proza] *novel* **0.2** [avontuurlijk gebeuren] *adventure (story)* ⇒*novel* **0.3** [episch gedicht] *romance* ◆ **1.1** de held v.e. ~ *the hero of a novel* **2.1** een korte ~ *a novelette* ⟨BE; vaak pej.⟩; *a novella* **2.3** Frankische / Keltische / oosterse ~s *Frankish / Celtic / eastern romances* **3.2** zijn leven is een ~ *his life is an adventure story* **6.1** een ~ **in** brieven *a novel in letter form, an epistolary novel;* een ~ **van** Flaubert *a novel by Flaubert, a Flaubert novel.*
romance ⟨de⟩ **0.1** [liefdesavontuur] *romance* **0.2** [oud volkslied] *romance* **0.3** [⟨muz.⟩] *romance* ◆ **6.3** Beethoven schreef ~s **voor** viool *Beethoven wrote romances for the violin.*
romancero ⟨de (m.)⟩ **0.1** *romancero.*
romancier ⟨de (m.)⟩, **-cière** ⟨de (v.)⟩ **0.1** *novelist.*
romancyclus ⟨de (m.)⟩ **0.1** *cycle of novels* ⇒⟨familieromancyclus ook⟩ *roman-fleuve, saga (novel).*
romandebuut ⟨het⟩ **0.1** *first novel* ⇒*début as a novelist.*
romandrukpapier ⟨het⟩ **0.1** *novel paper.*
romanesk ⟨bn., bw.; -ally⟩ **0.1** [als in een roman] *romantic* ⇒*novelistic* **0.2** [romantisch aangelegd] *romantic.*
romanfiguur ⟨de (v.)⟩ **0.1** *character in a novel* ⇒*fictional character.*
romanheld ⟨de (m.)⟩, **-in** ⟨de (v.)⟩ **0.1** *hero / heroine of a novel.*
romanindustrie ⟨de (v.)⟩ ⟨pej.⟩ **0.1** *fiction industry.*
romaniseren
I ⟨ov.ww.⟩ **0.1** [onder Romeinse beschaving brengen] *Romanize* **0.2** [Romaans karakter laten aannemen] *Latinize* ⇒*Roman(ic)ize* ◆ **1.1** het Westen was geheel geromaniseerd *the West had been completely Romanized* **1.2** het Engels is een sterk geromaniseerde Germaanse taal *English is a highly Latinized Germanic language;*
II ⟨onov.ww.⟩ ⟨bk.⟩ **0.1** [zich richten naar Romeinse voorbeelden] *Romanize* ⇒*Latinize.*
romanist ⟨de (m.)⟩ **0.1** [iem. die de Romaanse talen bestudeert] *Romanist* ⇒*student of Romance languages* **0.2** [⟨bk.⟩] *Romanist.*
romanistiek ⟨de (v.)⟩ **0.1** *Romance studies.*
romankunst ⟨de (v.)⟩ **0.1** *(art of) novel-writing* ⇒*novelist's art.*
romannetje ⟨het⟩ **0.1** [kleine roman] *novelette* ⟨BE; vaak pej.⟩ ⇒*novella* **0.2** [⟨pej.⟩ roman] *novelette* ⇒*light novel* **0.3** [liefdesavontuur] *love story* ◆ **3.2** ze leest alleen maar van die ~s uit de Bouquet-reeks *all she ever reads is romantic fiction* **¶.2** een flut ~ *a grub-street novel.*
romanpersonage ⟨het, de (v.)⟩ **0.1** *character in a novel* ⇒*fictional character.*
romanschrijver ⟨de (m.)⟩, **-schrijfster** ⟨de (v.)⟩ **0.1** *novelist* ⇒*fiction writer.*
romanstructuur ⟨de (v.)⟩ **0.1** *structure of a novel.*
romanticisme ⟨het⟩ **0.1** *romanticism.*
romanticus ⟨de (m.)⟩ **0.1** [aanhanger v.d. romantiek] *romanticist* ⇒*romantic* **0.2** [iem. die tot romantiek neigt] *romantic.*
romantiek¹ ⟨de (v.)⟩ **0.1** [richting in de letterkunde] *Romanticism* ⇒ *(the) Romantic Movement* **0.2** [romanliteratuur, ridderpoëzie] *romances* **0.3** [gevoeligheid] *romance* ◆ **1.3** met veel gevoel voor ~ *with a great sense of r.;* een vleugje ~ *a flavour of r.;* een zonsondergang *the r. of a sunset* **2.3** valse ~ ⟨iron.⟩ *real romance* **6.3** liefde **zonder** ~ *love without r..*
romantiek² ⟨bn.⟩ **0.1** *romantic.*
romantiekerig ⟨bn., bw.; -ly⟩ ⟨pej.⟩ **0.1** *sentimental* ⇒*over-romantic(ized),* ⟨inf.⟩ *corny.*
romantisch
I ⟨bn., bw.; -ally⟩ **0.1** [als in een roman] *romantic* ⇒*novelistic* **0.2** [dromerig] *romantic* ◆ **1.1** een ~e reisverhaal *a r. travel-tale;* een ~ verhaal *a fictional story;* [liefdesverhaal] *a romance, a love story* **1.2** zijn ~e natuur / aard *his r. nature* **3.1** een ~ geschreven boek *a novelistic book;*
II ⟨bn.⟩ **0.1** [mbt. de romantiek] *romantic* ◆ **1.1** een ~ drama *a r. drama;* de ~e muziek / schilderkunst *r. music / painting;* de ~e school *the Romantic School / Movement.*
romantiseren ⟨ov.ww.⟩ **0.1** [romantische voorstelling geven] *romanticize* **0.2** [iets tot een roman verwerken] *fictionalize.*
romantisme ⟨het⟩ **0.1** [romantiek] *romanticism* **0.2** [neiging, opvatting, houding] ⟨neiging⟩ *romanticism* ⇒*romantic nature,* ⟨opvatting, houding⟩ *romantic attitude.*

romanverwikkeling ⟨de (v.)⟩ **0.1** [in een roman] *plot;* ⟨als in een roman⟩ *entanglement.*
romanvorm ⟨de (m.)⟩ **0.1** [prozastijl] *novel form* **0.2** [compositie v.e. roman] *form of a novel* ◆ **6.1** een toneelstuk in ~ *a play in n. f..*
romanwereld ⟨de⟩ **0.1** *fictional reality* ⇒*life / the world as portrayed in fiction / novels.*
rombendodecaëder ⟨de (m.)⟩ ⟨wisk.⟩ **0.1** *rhombododecahedron.*
rombisch ⟨bn.⟩ **0.1** *rhombic* ◆ **1.1** ~e zwavel *rhombic sulphur* ^*fur* **1.¶** het ~e stelsel *the (ortho)rhombic / rhombohedral system.*
romboëder ⟨de (m.)⟩ ⟨wisk.⟩ **0.1** *rhombohedron.*
romboïdaal ⟨bn.⟩ **0.1** *rhomboidal.*
romboïde ⟨de (v.)⟩ ⟨wisk.⟩ **0.1** *rhomboid.*
rombom ⟨tw.⟩ **0.1** *(ta-)rum-tum-tum.*
rombus ⟨de (m.)⟩ ⟨wisk.⟩ **0.1** *rhombus* ⇒⟨zeldz.⟩ *rhomb.*
Rome ⟨→sprw. 645⟩ **0.1** [hoofdstad van Italië] *Rome* **0.2** [het Romeinse rijk] *Rome* **0.3** [de Kerk] *Rome* ◆ **1.1** de Club van ~ *the Club of R.* **1.3** het verzet van ~ tegen de abortus *the opposition of R. to abortion;* een trouw volger van ~ *a faithful follower of R.* **2.2** het oude ~ *Ancient R.* **6.3** op ~ gericht *Romeward* **¶.1** zo oud als de weg naar ~ *as old as the hills.*
romein ⟨de⟩ **0.1** *roman character / type* ◆ **6.1** in ~ zetten ⟨ook⟩ *romanize.*
Romein ⟨de (m.)⟩ **0.1** [burger / inwoner van Rome] *Roman* **0.2** [burger v.d. Romeinse, Kerkelijke Staat] *Roman* ◆ **1.2** ⟨bijb.⟩ de Brief aan de ~en *the Epistle to the Romans* **7.1** de (oude) ~en *the (Ancient) Romans.*
romeinletter ⟨de⟩ ⟨amb.⟩ **0.1** *roman character.*
romeins ⟨bn., bw.⟩ ⟨druk.⟩ **0.1** ⟨bn.⟩ *roman;* ⟨bw.⟩ *in roman (characters / type).*
Romeins ⟨bn.⟩ **0.1** [van Rome / de Romeinen] *Roman* **0.2** [rooms-katholiek] *Roman* ⇒⟨ihb. itt. Grieks-Orthodox⟩ *Latin* ◆ **1.1** ~e cijfers *R. numerals;* een ~e neus *a R. nose;* uit de ~e oudheid *from Ancient Rome;* het ~ recht *R. law;* het ~e rijk *the R. Empire;* ~ schrift *R. script* **1.2** de ~e Curie *the Roman Curia;* de ~e ritus *the Latin Rite* **1.¶** ~e kaarsen *Roman candles* **2.1** ~-Brits *Romano-British.*
Romeins-katholiek ⟨bn.⟩ **0.1** *Roman Catholic.*
Romeinsrechtelijk ⟨bn., bw.⟩ **0.1** ⟨bn.⟩ *Roman law;* ⟨bw.⟩ *in Roman law.*
romen
I ⟨ov.ww.⟩ **0.1** [ontromen] *skim;*
II ⟨onov.ww.⟩ **0.1** [room vormen] *cream* ◆ **3.1** de melk staat te ~ *the milk is creaming.*
römertopf ⟨de⟩ **0.1** *römertopf.*
romig ⟨bn.⟩ **0.1** *creamy* ◆ **1.1** ~e kaas *c. cheese;* een ~ toetje *a c. dessert.*
rommedoe ⟨de (m.)⟩ **0.1** ≠*Limburger (cheese).*
rommel ⟨de (m.)⟩ **0.1** [allegaartje] *lumber* ⇒*junk,* ⟨afval⟩ *litter* **0.2** [rotzooi] *mess* ⇒*shambles, clutter, jumble* **0.3** [ondeugdelijke waar] *junk* ⇒*rubbish,* ⟨pej.⟩ *trash,* ⟨AE ook⟩ *garbage* **0.4** [rommelend geluid] *rumble* ⇒*rumbling* ◆ **1.1** een hoop ~ *a pile of lumber / junk* **2.1** breng de hele ~ naar de zolder *just take all that junk up to the attic;* oude ~ *old lumber / junk* **2.2** het was hier een geweldige ~ tijdens de verbouwing *it was an awful m. here during the alterations* **2.3** ⟨fig.⟩ ik schrijf dergelijke ~ niet *I don't write such tripe / rubbish / junk;* ⟨fig.⟩ koop jij die pornografische ~? *do you buy that pornographic trash?;* hij is / zit met waardeloze ~ opgescheept *he's been lumbered with some worthless junk* **3.2** gelieve geen ~ te laten *please do not leave litter;* ⟨fig.⟩ je hebt er een ~tje van gemaakt *you've made a real m. of it;* het is er een ~ *it's a m. / shambles in here!;* ~ maken *make a m.* **3.3** ~ verkopen *sell junk / odds and ends* **¶.2** let maar niet op de ~ *just ignore the m., don't mind the m..*
rommeldebom ⟨tw.⟩ **0.1** *rat-(a-)tat(-tat)* ⇒*thumpety-thump.*
rommelen ⟨onov.ww.⟩ **0.1** [dof rollend geluid maken] *rumble* ⇒*roll* **0.2** [snuffelen] *rummage* **0.3** [slordig werken] *muddle* ⇒*fiddle* **0.4** [regelen, ritselen] *fix (up)* ⇒*wangle, fiddle* ◆ **1.1** de donder rommelt in de verte *the thunder is rumbling in the distance;* ~de tromm els *rolling drums* **3.4** valt er nog wat te ~? *can we come to an arrangement?* **4.1** hoor je? het rommelt *listen, it's thundering;* ⟨fig.⟩ het rommelt in Argentinië *there are rumblings in / from Argentina, things are brewing up in Argentina* **5.3** en zo ~ we maar verder *and we m. along* **6.1** het rommelt **in** zijn buik *his stomach is rumbling* **6.2** ~ **in** iets r. *(around) in sth.;* in zijn papieren ~ *shuffle one's papers, r. in one's papers* **6.4** ~ **in** de marge *fiddle around;* **met** meisjes ~ *mess about with girls* **¶.3** maar wat aan ~ *fiddle around;* ⟨AE ook⟩ ↓*goof around.*
rommelgoed ⟨het⟩ **0.1** *corner for junk* ⇒ ⟨inf.⟩ *glory hole.*
rommelhok ⟨het⟩ **0.1** [schuurtje, hok voor rommel] *lumber shed* ⇒*glory hole* **0.2** [knutselruimte] *room for pottering about.*
rommelig ⟨bn., bw.; -ly⟩ **0.1** [niet ordelijk] *messy* ⇒*untidy, cluttered* **0.2** [mbt. ingewanden] *rumbling* ◆ **1.1** een ~ huishouden *a m. household;* die roman is ~ *that novel is a mess* **3.1** het is ~ in de stad *there are trouble-spots in the town;* ~ van een bureau verspreid liggende papieren *papers littering a desk;* het zag er erg ~ uit *it looked very untidy* / ⟨inf.⟩ *a real mess* **3.2** het is ~ in de buik *my / your / his* ⟨enz.⟩ *stomach's rumbling.*
rommeling ⟨de (v.)⟩ **0.1** [rommelend geluid] *rumble* ⇒*rumbling* **0.2** [waardeloos goed] *junk* ⇒*rubbish,* ⟨pej.⟩ *trash,* ⟨AE ook⟩ *garbage.*

rommelkamer ⟨de⟩ **0.1** *lumber/junk room* ⇒⟨inf.⟩ *glory hole*.
rommelkast ⟨de⟩ **0.1** *cupboard/^closet for junk* ⇒⟨inf.⟩ *glory hole*.
rommelkont ⟨de⟩⟨volks.⟩ **0.1** ⟨vnl. BE⟩ *mucky pup* ⇒*untidy/messy little devil/beast*.
rommelkot ⟨het⟩⟨AZN⟩ →**rommelkamer**.
rommelmarkt ⟨de⟩ **0.1** *jumble/^rummage sale*.
rommelpot ⟨de (m.)⟩ **0.1** [pot] *rumbling pot* **0.2** [persoon] *muddler*.
rommelzolder ⟨de (m.)⟩ **0.1** *attic (used as a lumber/junk room)*.
rommelzooi ⟨de⟩, **-tje** ⟨het⟩ **0.1** [allegaartje] *lumber* ⇒*junk* **0.2** [bende, janboel] *mess* ⇒*shambles, clutter, jumble*.
romp ⟨de (m.)⟩ **0.1** [mbt. mens of dier] *trunk* ⇒⟨van mens/standbeeld ook⟩ *torso*, ⟨van dier ook⟩ *body, barrel* **0.2** [mbt. grote voorwerpen] ⟨van (uitgebrand) huis, enz.⟩ *shell;* ⟨van schip⟩ *hull;* ⟨van auto/vliegtuig⟩ *body;* ⟨van vliegtuig ook⟩ *fuselage* ◆ **3.2** het schip werd in de ~ getroffen *the ship was hit (in the hull of the ship) was hit;* de ~ is lek geslagen *the hull has been holed/is stove in* **6.1** iem. het hoofd **van** de ~ afslaan/scheiden *strike/sever s.o.'s head from his body* **6.2** een gat **in** de ~ boren *drill a hole in the hull/fuselage*.
rompbouwer ⟨de (m.)⟩ **0.1** *bodyworker*.
rompgebergte ⟨het⟩ **0.1** *relict mountains*.
rompkabinet ⟨het⟩ **0.1** *rump/remainder/*⟨pej.⟩ *remnant of a/the cabinet*.
rompmusculatuur ⟨de (v.)⟩ **0.1** *muscles of the trunk/torso/*⟨dier⟩ *body*.
rompparlement ⟨het⟩⟨gesch.⟩ **0.1** *the Rump (Parliament)*.
rompschijf ⟨de⟩ **0.1** *trunk/torso target* ⇒⟨pistoolschieten⟩ *rapid-fire target*.
rompslomp ⟨de (m.)⟩ **0.1** *fuss, bother* ⇒⟨een heel karwei⟩ *performance, rigmarole* ◆ **2.1** dit brengt een hoop administratieve ~ met zich mee *it involves you in a whole lot of red tape/bureaucratic nonsense;* ambtelijke ~ *red tape, bureaucracy;* zo'n verhuizing geeft een hele ~ *moving house is such a performance/rigmarole;* papieren ~ *paperwork;* er is te veel ~ bij *it involves/*⟨inf.⟩ *it's too much f./b.* **3.1** de zaak levert veel op, maar ik kan toch die ~ niet aanhouden *the business is profitable, but I simply can't keep up with all the paperwork*.
rompwervel ⟨de (m.)⟩ **0.1** *thoracic/lumbar vertebra*.
rond[1] ⟨het⟩⟨schr.⟩ **0.1** [bol] *round* ⇒*sphere* **0.2** [ronde ruimte] *round* ⇒*circle* ◆ **1.1** 's werelds ~ *this earthy r./sphere* **6.2** een ~ **voor** bloemen in de tuin *a round flowerbed in the garden*.
rond[2] ⟨bn., bw., -ly⟩ **0.1** [bolvormig] *round* ⇒⟨wet.⟩ *spherical, globular,* ⟨scherts.⟩ *rotund* **0.2** [cilindrisch] *cylindrical* ⇒*round* **0.3** [cirkel-/kringvormig] *round* ⇒*circular* **0.4** [niet hoekig, scherp van omtrek] *round(ed)* **0.5** [mbt. tijdruimten] *round* **0.6** [zo dat er niets ontbreekt] *arranged* ⇒⟨inf.⟩ *fixed (up)* **0.7** [afgerond] *round* **0.8** [ongeveer] *around* ⇒⟨BE ook⟩ *about* **0.9** [oprecht] *straightforward* ⇒*plain,* ⟨persoon ook⟩ *decent* **0.10** [in gehele kring om] *round, ^around* **0.11** [volklinkend] *round(ed)* **0.12** [mbt. taal] *plain* **0.13** [mbt. wijn] *full-bodied* ◆ **1.3** een ~ venster *a r./circular window* **1.4** een ~e buik hebben *have a rounded belly* **1.5** het hele jaar ~ *all the year r., throughout the year* **1.7** een mooi ~ bedrag *a nice r. figure;* in een ~ getal uitgedrukt *in r. figures;* in een ~e som was het f700,- *in r. figures;* ⟨AZN⟩ een ~ sommeken *a fair/tidy sum* **1.9** het is een ~e kerel *he's a decent/s.* [B]*chap/*^*guy;* het is de ~e waarheid *it's the plain/honest truth* **1.10** het klokje ~ slapen *sleep (a)round the clock* **1.11** een ~e toon *a rounded note* **1.12** in ~e bewoordingen *in p. language;* een ~e volzin *p. language* **1.13** deze wijn is ~ op de tong *this wine has a r. out of body* **3.4** zich/zijn buikje ~ eten *eat one's fill* **3.6** de zaak is ~ *everything is a./fixed (up)!;* zij kon het verhaal niet ~ krijgen *she couldn't finish (off) the story;* hij kon de financiering niet ~ krijgen *he couldn't arrange the finance* **3.9** ~ antwoorden *answer straightforwardly/plainly;* ~ voor zijn mening uitkomen *make one's views plain;* er ~ voor uitkomen dat ... *say/*⟨toegeven⟩ *admit frankly/*⟨inf.⟩ *straight out that ...* **3.10** ik ben het eiland ~ geweest *I've been (a)round the island;* het wiel is nog niet ~ *the wheel hasn't come full circle yet;* de beker is driemaal ~ geweest *the dice-box has been/gone (a)round three times* **6.¶** in het ~ *in a circle;* draai de schijf draait eenmaal per seconde *the disc spins (a)round once a second;* de mensen van tien dorpen **in** het ~(e) *people from ten villages around;* hij keek angstig **in** het ~ *he looked (a)round anxiously* **7.8** dat zou ~ 4 miljoen opleveren *that would bring in around/about 4 million*.
rond[3] ⟨vz.⟩ **0.1** [rondom] *round, ^around* ⇒⟨fig.⟩ *surrounding* **0.2** [in de omtrek van] *round, ^around* **0.3** [omstreeks] *around* **0.4** [ongeveer] *around* ⇒⟨BE ook⟩ *about* ◆ **1.1** ⟨fig.⟩ in de berichtgeving ~ de affaire *in the reporting of/the reports on the affair;* ~ het bed hingen gordijnen *curtains hung (a)round the bed;* ~ de tafel zitten *sit (a)round the table;* ⟨fig.⟩ de sfeer van geheimzinnigheid ~ haar verdwijning *the mystery surrounding her disappearance* **1.2** de kastelen/dorpen ~ Leiden *the castles/villages (a)round Leyden* **1.3** ~ de middag *around midday* **7.3** ~ 1800 *a./circa 1800* **7.4** ~ (de) 2000 betogers *approximately/about/some 2000 demonstrators;* hij is ~ de dertig *(jaar) he's thirtyish, he's around/about thirty*.
rondachtig ⟨bn.⟩ **0.1** *roundish*.
rondbabbelen ⟨ov.ww.⟩ **0.1** *blab about/^around*.

rondbanjeren ⟨onov.ww.⟩⟨inf.⟩ **0.1** *drift/wander around/about*.
rondbazuinen ⟨ov.ww.⟩ **0.1** *broadcast* ⇒*trumpet (around)/*⟨BE ook⟩ *about), blaze (about/abroad), advertise* ◆ **5.1** iets overal ~ *broadcast sth. everywhere*.
rondbekken ⟨zn.mv.⟩⟨dierk.⟩ **0.1** *Cyclostomi*.
rondbezorgen ⟨ov.ww.⟩ **0.1** *bring round/^around* ⇒*deliver*.
rondblikken ⟨onov.ww.⟩ **0.1** *gaze/*⟨vluchtig⟩ *glance round/^around*.
rondbogig ⟨bn.⟩ **0.1** *round-arched* ◆ **1.1** ~e doorgangen *passageways with round arches*.
rondboog ⟨de (m.)⟩⟨bouwk.⟩ **0.1** *round arch*.
rondbooggewelf ⟨het⟩ **0.1** *tunnel-vault*.
rondborstig ⟨bn., bw.;-ly⟩ **0.1** *straight(forward)* ⇒*frank, open, plain-spoken,* ↑*candid* ◆ **3.1** ~ zijn/voor iets uitkomen *be straightforward, admit sth. frankly/openly* **6.1** ~ **in** zijn doen en laten *straight(forward)*.
rondborstigheid ⟨de (v.)⟩ **0.1** *straight(forward)ness* ⇒*frankness, openness,* ↑*candour*.
rondbreien ⟨ov.ww.⟩ **0.1** *knit in a circle*.
rondbreimachine ⟨de (v.)⟩ **0.1** *circular knitting machine*.
rondbreipen ⟨de⟩ **0.1** *circular knitting needle*.
rondbrengen ⟨ov.ww.⟩ **0.1** *bring round/^around* ◆ **1.1** de krant ~ *bring (a)round the paper, bring the paper (a)round*.
rondbrieven ⟨ov.ww.⟩⟨AZN⟩⟨pej.⟩ **0.1** *blab/spread about/^around*.
rondcirkelen ⟨onov.ww.⟩ **0.1** *circle (round)/^around)* ◆ **6.1** ~ **boven** een dorp *circle over a village*.
ronddansen ⟨onov.ww.⟩ **0.1** [in de rondte dansen] *dance round* **0.2** [dansend rondspringen] *dance about/around*.
ronddarren ⟨onov.ww.⟩ **0.1** *wander about* ⇒⟨AE ook⟩ ↓*goof around*.
ronddartelen ⟨onov.ww.⟩ **0.1** *frisk about/around*.
ronddelen ⟨ov.ww.⟩ **0.1** *hand/pass round/^around* ⇒*hand/give out,* ↑*distribute, deal* ⟨kaarten⟩ ◆ **1.1** wie moet de kaarten ~? *whose deal is it?, who's dealing?*.
ronddienen ⟨ov.ww.⟩ **0.1** *hand/pass round/^around* ⇒ ↑*distribute*.
ronddobberen ⟨onov.ww.⟩ **0.1** *drift/bob about/around*.
ronddolen ⟨onov.ww.⟩ **0.1** *roam/wander/ramble around/*⟨BE ook⟩ *about* ◆ **6.1** in de woestijn ~ *wander the desert*.
ronddollen ⟨onov.ww.⟩ **0.1** *charge around/*⟨BE ook⟩ *about*.
ronddraaien
I ⟨onov.ww.⟩ **0.1** [draaiend omgaan] *turn (round/^around)* ⇒⟨snel⟩ *spin (round/^around),* ⟨wet.⟩ *revolve, rotate,* ⟨zeldz.⟩ *gyrate* **0.2** [zich bewegen om] *move round* ◆ **1.1** een ~e beweging *a turning/spinning/revolving/rotating movement* **6.1** ~ **in** een cirkel, *keep going round in circles;* ~ **in** zijn stoel ⟨ook⟩ *swivel round in one's chair;* **II** ⟨ov.ww.⟩ **0.1** [in de rondte draaien] *turn (round/^around)* ⇒⟨snel⟩ *spin (round/^around),* ⟨wet.⟩ *revolve, rotate,* ⟨zeldzaam⟩ *gyrate* ◆ **1.1** zijn stoel ~ ⟨ook⟩ *swivel one's chair (a)round*.
ronddragen ⟨ov.ww.⟩ **0.1** [in de rondte dragen] *carry round/around* **0.2** [een bericht verspreiden] *spread (around/*⟨BE ook⟩ *about)* **0.3** [⟨AZN⟩ iets rondbrengen] *bring/take sth. round/^around*.
ronddraven ⟨onov.ww.⟩ **0.1** [draven langs een omtrek] *trot round/^around* **0.2** [draven in alle richtingen] *trot about/around* ◆ **3.2** iem. de hele middag laten ~ *keep s.o. trotting about/trotting to and fro/on the trot all afternoon*.
ronddrentelen ⟨onov.ww.⟩ **0.1** *stroll around/*⟨BE ook⟩ *about*.
ronddrijven
I ⟨onov.ww.⟩ **0.1** [hier- en daarheen drijven] *drift (around/*⟨BE ook⟩ *about)* ◆ **5.1** stuurloos ~ *drift out of control;* **II** ⟨ov.ww.⟩ **0.1** [in een cirkel voortdrijven] *drive round/^around* **0.2** [voortdrijven over een bep. gebied] *drive about/round/^around* ◆ **1.1** het rad ~ *drive the wheel round*.
ronddwalen ⟨onov.ww.⟩ **0.1** [zwerven in alle richtingen] *wander (around /*⟨BE ook⟩ *about)* **0.2** [hier- en daarheen zwerven] *wander/roam/ramble (around/*⟨BE ook⟩ *about)* ◆ **1.1** haar ogen dwaalden het vertrek rond *her eyes wandered round the room* **6.2** met zijn gedachten ~ *let one's mind wander/roam*.
ronde ⟨de⟩ **0.1** [rondgang v.e. patrouille] *rounds;* ⟨politie⟩ *beat* **0.2** [rondgang] *round(s)* **0.3** [deel v.e. wedstrijd] *round* **0.4** [omtrek v.e. wedstrijdbaan] *lap* ⇒*circuit* **0.5** [rondje] ⟨sport⟩ ⟨Austr.E;inf.⟩ *shout* **0.6** [⟨AZN⟩ omtrek] *circumference* **0.7** [wielerwedstrijd] *tour* ◆ **1.4** een ~ voorsprong nemen *go one l. ahead, take a lead of one l.* **3.1** de ~ doen *do/make one's r.;go on one's b.* **3.2** ⟨fig.⟩ de praatjes doen de ~ *stories are doing the rounds/going around;* de postbode doet zijn ~ *the postman's doing his rounds/on his round* **5.4** twee ~n voor/achter liggen *be two laps ahead/behind* **6.3** ⟨boksen⟩ een partij **over** 15 ~n *a match over 15 rounds* **6.6** een meter in de ~ *one metre around* **6.7** de ~ **van** Frankrijk *the Tour de France*.
rondeau ⟨het⟩ **0.1** *rondeau* ⇒*rondel*.
rondedans ⟨de (m.)⟩ **0.1** *dance in a ring/circle* ◆ **3.1** een ~ maken door de kamer *dance in a circle round/^around the room*.
rondeel ⟨het⟩ **0.1** [halfronde toren] *roundel* **0.2** [kort gedicht] *rondeau* ⇒*rondel*.
ronden
I ⟨ov.ww.⟩ **0.1** [omvaren] *round* **0.2** [rond maken] *round off* **0.3** [afronden] *round off;*

II ⟨onov.ww.⟩ **0.1** [een ronde vorm krijgen] *round.*

ronde-tafelconferentie ⟨de (v.)⟩ **0.1** *round-table conference.*

rondetijd ⟨de (m.)⟩ **0.1** *lap time* ◆ **2.1** de snelste ~ *the fastest lap* **3.1** de ~en aangeven/bijhouden *indicate/keep track of/* ⟨bijhouden ook⟩ *clock the lap times.*

rondfietsen ⟨onov.ww.⟩ **0.1** [zonder bepaald doel fietsen] *cycle/ride around/* ⟨BE ook⟩ *about* **0.2** [in een kring fietsen] *cycle/ride round/* ^A*around* ◆ **1.1** een uurtje ~ *cycle around for an hour or so* **1.2** het IJsselmeer ~ *cycle round the IJsselmeer;* de overwinnaar fietste driemaal het stadion rond *the winner rode three times round the stadium.*

rondfladderen ⟨onov.ww.⟩ **0.1** *flutter around/* ⟨BE ook⟩ *about.*

rondgaan ⟨onov.ww.⟩ **0.1** [in de rondte gaan] *go round/* ^A*around* **0.2** [her- en derwaarts gaan] *go round/* ^A*around* **0.3** [beurtelings langskomen] *go/pass round/* ^A*around* ◆ **1.1** hij ging de tuin/de zaal rond *he went round the garden/room* **1.2** het nieuwtje ging het hele dorp rond *the news went all/right round the village;* zijn ogen gingen rond *his eyes darted about;* er gaat een praatje rond *there's a story going round* **1.3** laat de foto's eens ~ *pass the photos round* **3.3** laat de schaal nog maar eens ~ *pass the plate round again* **6.3** ⟨fig.⟩ met de pet ~ *pass/take/send the hat/cap round;* ⟨BE ook⟩ *have a whip-round;* met een handtekeningenlijst ~ *go round with a petition, take a petition round;* ~ **om** geld op te halen *go round collecting money* **8.2** ~ als een lopend vuurtje *spread like wildfire.*

rondgang ⟨de (m.)⟩ **0.1** [kringloop] *walk-round/* ^A*-around* ⇒ ↑*circuit* **0.2** [het gaan langs een vooraf bepaalde weg] *circuit* **0.3** [het bezoeken van afdelingen] *tour* **0.4** [het op de rij af rondgaan] *going/passing round/* ^A*around* **0.5** [collecte] *collection* ◆ **3.2** een ~ maken door het dorp *make a c. of the village, walk all round the village* **3.3** een ~ maken door het bedrijf *make a t. of the factory.*

rondgeven ⟨ov.ww.⟩ **0.1** *hand/pass round/* ^A*around* ⇒ ↑*distribute, deal* ⟨kaarten⟩.

rondgooien ⟨ov.ww.⟩ **0.1** [naar alle kanten gooien] *throw around/about* **0.2** [aan ieder iets toewerpen] *throw (a)round (to everyone).*

rondgraaien ⟨onov.ww.⟩ ⟨inf.⟩ **0.1** *rummage (in/among).*

rondhangen ⟨onov.ww.⟩ **0.1** *hang around/* ⟨BE ook⟩ *about* ⇒*lounge around/* ⟨BE ook⟩ *about,* ⟨op straat;pej.⟩ *loiter* ◆ **6.1** in de buurt v.d. keuken ~ *hang around/about the kitchen.*

rondheid ⟨de (v.)⟩ ⟨fig.⟩ **0.1** *straightforwardness* ⇒*frankness, openness,* ↑*candour.*

rondhollen ⟨onov.ww.⟩ **0.1** *run about* ⇒⟨inf.⟩ *bat/kick around.*

rondhout ⟨het⟩ **0.1** [niet beslagen hout] *rough/undressed timber* **0.2** [⟨scheep.;verz.n.⟩] *spars* **0.3** [⟨scheep.⟩ stuk rondhout] *spar.*

rondhuppelen ⟨onov.ww.⟩ **0.1** *skip/hop around/* ⟨BE ook⟩ *about.*

ronding ⟨de (v.)⟩ **0.1** [het rond zijn] *rounding* ⇒*curve* **0.2** [plaats waar iets rond is] *rounding* ⇒*curve* **0.3** [⟨taal.⟩ mbt. de lippen] *rounding.*

rondist ⟨het⟩ ⟨amb.⟩ **0.1** *girdle.*

rondje ⟨het⟩ **0.1** [klein rond voorwerp] *round* **0.2** [ronde] ⟨sport⟩ *lap* ⇒ *circuit* **0.3** [⟨kaarten⟩] *round* **0.4** [drankje] *round* ⇒ ⟨Austr.E.;inf.⟩ *shout* ◆ **1.4** een ~ v.d. zaak *(a r. of) drinks on the house* **3.2** ~s draaien van minder dan 30 seconden *lap in under 30 seconds;* een ~ lopen *run/do a l.* **3.4** hij gaf een ~ *he stood a r. (of drinks), he bought drinks all round;* wie is er aan de beurt om een ~ te geven? *whose r./shout is it?;* de verliezer moet een ~ geven *the loser buys a r..*

rondkijken ⟨onov.ww.⟩ **0.1** [kijken in alle richtingen] *look round/* ^A*around* **0.2** [zoeken] *look round/* ^A*around* ◆ **1.1** de kamer ~ *look round the room* **5.2** goed ~ voor je iets koopt *shop around* **6.2** naar een huis/vrouw ~ *look round for a house/wife.*

rondkomen ⟨onov.ww.⟩ **0.1** *manage* ⇒*get by,* ⟨geld ook⟩ *live* ◆ **3.1** wij kunnen er mee ~ maar meer ook niet *we can get by on it but that's all;* daar moet ze maar mee zien rond te komen *she'll just have to m. on it* **5.1** hij kan er net mee ~ *he can just m./get by on it;* ik kan er ruim mee ~ *I can m. easily on that* **6.1** met ƒ1000,- per maand ~ *m./get by/live on 1000 guilders a month;* van dat salaris kan ik niet ~ *I can't m./get by/live on that wage.*

rondkop ⟨de (m.)⟩ **0.1** [spijkertje] *chair nail* **0.2** [⟨gesch.⟩] *Roundhead.*

rondkruipen ⟨onov.ww.⟩ **0.1** *crawl/creep about.*

rondkuieren ⟨onov.ww.⟩ **0.1** *stroll around/* ⟨BE ook⟩ *about* ⇒*sainter around/* ⟨BE ook⟩ *about, wander aimlessly.*

rondleiden ⟨ov.ww.⟩ **0.1** [in een kring leiden] *lead round/* ^A*around* ⇒ *take round/* ^A*around* **0.2** [overal heen leiden] *show/take round/* ^A*around* ◆ **1.1** hij heeft haar de stad rondgeleid *he took her (all) round the town* **6.2** mensen in een museum ~ *show/take people round a museum, give people a guided/conducted tour of a museum;* iem. over een tentoonstelling ~ *show/take s.o. round an exhibition.*

rondleiding ⟨de (v.)⟩ **0.1** [het rondleiden] *guided/conducted tour* **0.2** [keer] *tour* ◆ **3.1** iem. een ~ geven door de fabriek *show/take s.o. round/* ^A*around the factory, give s.o. a guided/conducted tour of the factory;* er wordt drie keer per dag een ~ gehouden *there are guided/conducted tours three times a day* **6.1** een ~ door het kasteel *a guided/conducted tour of the castle.*

rondlopen ⟨onov.ww.⟩ **0.1** [in de rondte lopen] *go/walk around/* ⟨BE ook⟩ *round* **0.2** [binnen een ruimte her- en derwaarts lopen] *walk around/* ⟨BE ook⟩ *round/about* **0.3** [her- en derwaarts rondgaan] *go/*

walk around/ ⟨BE ook⟩ *round/about* ◆ **1.1** de minuutwijzer loopt eens in een uur rond *the minute hand goes round once every hour* **1.3** de grootste gek die op twee benen rondloopt *the biggest idiot on two legs/feet, the biggest idiot around/alive;* er lopen nog genoeg leuke meisjes rond *there are still plenty of nice girls around* **3.3** je moet daar niet mee blijven ~ *you shouldn't let that weigh/prey on your mind* **5.2** verloren ~ *walk around lost* **5.3** je snapt niet dat zo iemand nog vrij rondloopt *it's incredible that s.o. like that is still on the loose/still able to go about freely;* ze is lang ziek geweest maar ze loopt nu toch weer rond *she was ill for a long time but now she's back on her feet/she's out and about again;* zenuwachtig ~ *walk around nervously* **6.3** er loopt **bij** PSV voor een kapitaal aan spelers rond *there are players at PSV who are worth a fortune between them;* **met** een denkbeeld/plan ~ *go with an idea/a plan;* **met** wraakgevoelens ~ *go/walk around nursing feelings of revenge* ¶.¶ loop rond! *(go and) take a running jump!.*

rondlummelen ⟨onov.ww.⟩ **0.1** *loaf about* ⇒*hang about/* (a)round, ⟨sl.⟩ *mooch about/* (a)round, ⟨AE ook⟩ *goof around* ◆ **1.1** de hele dag maar wat ~ *just loafing about/hanging around/mooching about all day.*

rondneuzen ⟨onov.ww.⟩ **0.1** *nose about/(a)round* ⇒*prowl, poke about/(a)round* ◆ **6.1** hij besloot eens in de bibliotheek te gaan ~ *he decided to go for a prowl/browse in the library;* in iemands papieren ~ *nose/poke about/(a)round in s.o.'s papers.*

rondo ⟨het⟩ **0.1** [muziekstuk] *rondo* **0.2** [slot van concert/sonate] *rondo.*

rondom[1] ⟨bw.⟩ **0.1** *all round* ⇒*on all sides* ^A*all-around* ◆ **1.1** het plein met de huizen ~ *a square with houses on all sides* **3.1** een plein, ~ beplant met bomen *a square with trees planted all (a)round.*

rondom[2] ⟨vz.⟩ **0.1** [om (iets) heen] *(a)round* **0.2** [in de omgeving van] *(a)round* ⇒*about* **0.3** [met betrekking tot] *(a)round* ⇒*about* ◆ **1.1** de grachten ~ de stad *the canals (a)round the town* **1.2** ~ Rotterdam is veel industrie *there is a lot of industry (a)round Rotterdam* **1.3** de problemen ~ de invoering van de nieuwe wet *the problems entailed in the introduction of the new law.*

rondpassen ⟨onov.,ov.ww.⟩ **0.1** *pass.*

rondreis ⟨de⟩ **0.1** *tour* ⇒*round trip,* ⟨BE ook⟩ *circular tour* ◆ **6.1** een ~ door het land maken *make a t./circuit of the country, travel (a)round the country;* op haar ~ door de Verenigde Staten *on her t. of America, during her trip (a)round the United States;* zijn rondreizen **door** Europa *his t. of/round Europe.*

rondreizen ⟨onov.ww.⟩ **0.1** [overal heen reizen] *travel (a)round* **0.2** [reizend bezoeken afleggen] *tour (through)* ⇒*make a tour of* ◆ **1.1** een ~d circus/koopman *a travelling circus/salesman;* een ~de expositie *a travelling exhibition;* heel het land ~ *travel all (a)round the country;* een ~d toneelgezelschap *a strolling/itinerant company (of actors);* ⟨klein gezelschap⟩ *a fit-up;* de wereld ~ *travel round the globe, make a tour of the world* **1.2** jaarlijks alle vestigingen ~ *make an annual tour of/visit to all branches* **6.1** hij heeft jaren **in** Afrika rondgereisd *he travelled (a)round/about in Africa for years.*

rondrennen ⟨onov.ww.⟩ **0.1** *run around* ⇒*career round, chase about.*

rondrijden

I ⟨onov.ww.⟩ **0.1** [rijdend een kring beschrijven] *drive round/* ^A*around* **0.2** [toeren] *go for a drive/run* **0.3** [plaatsen in een kring bezoeken] *tour, make a tour (of)* ⇒*make/do a round* ⟨melkboer e.d.⟩ ◆ **6.2** wij hebben wat **in** het bos rondgereden *we went for a drive in the woods* **6.3** de ijscoman rijdt rond de wijk *the ice-cream man is making his round through/is going round the area;*

II ⟨ov.ww.⟩ **0.1** [met een voertuig rondleiden] *drive (a)round/about* ⇒*take (s.o.) for a run.*

rondrit ⟨de (m.)⟩ **0.1** *tour* ⇒*(round) trip* ◆ **6.1** een ~ door de stad maken *see the town, make a tour of the town.*

rondschaaf ⟨de⟩ **0.1** *fluting plane.*

rondscharrelen ⟨onov.ww.⟩ **0.1** [ergens bezig zijn] *potter/mess about/around* **0.2** [zonder bepaald doel rondlopen] *knock/saunter about/(a)round* **0.3** [voedsel zoeken] *scratch about/* ⟨AE;sl.⟩ *grub about/around* **0.4** [snuffelen, rondneuzen] *rummage (about/(a)round)* ⇒*nose about/(a)round,* ⟨Austr.E⟩ *fossick* ◆ **6.1** hij scharrelde de hele dag in de tuin *he pottered/messed about/around in the garden all day* **6.2** over de markt/in de stad ~ *saunter (a)round the market/the town* **6.3** de kippen/vogels scharrelen in de tuin rond *the chickens/birds are scratching about/(a)round in the garden.*

rondschenken ⟨ov.ww.⟩ **0.1** *serve* ⇒*pour* ⟨thee, koffie⟩.

rondschieten ⟨onov.ww.⟩ **0.1** *shoot around* ⇒*take pot-shots.*

rondschreeuwen ⟨ov.ww.⟩ **0.1** *shout (sth.) out* ⇒*broadcast* ◆ **1.1** het nieuws ~ *broadcast the news.*

rondschrift ⟨het⟩ **0.1** *round hand.*

rondschriftpen ⟨de⟩ **0.1** *round-nib pen.*

rondschrijven[1] ⟨het⟩ **0.1** *circular (letter)* ◆ **3.1** alle leden een ~ sturen *circularize all members.*

rondschrijven[2] ⟨ov.ww.⟩ **0.1** *circularize.*

rondsel ⟨het⟩ ⟨tech.⟩ **0.1** *pinion.*

rondsjouwen

I ⟨ov.ww.⟩ **0.1** [in alle richtingen sjouwen] *drag about/(a)round* ⇒ ⟨inf.⟩ *cart/lug about/(a)round;*

II ⟨onov.ww.⟩ **0.1** [sjouwend rondlopen] *drag (a)round/about* **0.2** [rondtrekken] *wander (a)round* ⇒*knock about, travel (through)* ◆ **6.1** de hele dag met een zware koffer ~ *drag/cart/lug a heavy suitcase (a)round all day* **6.2** een paar maanden door Europa ~ *knock about/ wander (a)round Europe for a few months.*

rondslenteren ⟨onov.ww.⟩ **0.1** *stroll (a)round* ⇒*knock about/around,* ⟨vermoeid⟩ ⟨inf.⟩ *traipse about/(a)round* ◆ **1.1** hij is de markt rond-geslenterd *he strolled/traipsed round the market* **6.1** de hele avond in de stad ~ *stroll about/(a)round town all evening.*

rondslingeren

I ⟨onov.ww.⟩ **0.1** [slingerend een kring beschrijven] *swing round* **0.2** [ordeloos neergelegd zijn] *lie/knock/kick about/around* **0.3** [rond-slenteren] *knock about/around* ◆ **3.2** zijn boeken laten ~ *leave his books lying around/about;*

II ⟨ov.ww.⟩ **0.1** [slingerend een kring doen beschrijven] *swing round/ in a circle* **0.2** [in het wilde weg slingeren] *fling about/around.*

rondsloffen ⟨onov.ww.⟩ **0.1** *shuffle/slouch/pad about/around.*

rondsluipen ⟨onov.ww.⟩ **0.1** *prowl about/(a)round* ⇒⟨persoon ook⟩ *steal round, ghost, mouse about* ◆ **1.1** ik zag de dief het huis ~ *I saw the thief prowling/steal round the house;* de tijger sloop rond *the tiger was prowling (a)round/about.*

rondsmijten

I ⟨ov.ww.⟩ **0.1** [her en der smijten] *throw about/around* ⇒⟨inf.⟩ *chuck about/around;*

II ⟨onov.ww.⟩ **0.1** [ordeloos neergooien] *throw about/around* ⇒ ⟨inf.⟩ *chuck about/around* ◆ **6.1** met het speelgoed ~ *throw/chuck the toys about/around.*

rondsnuffelen ⟨onov.ww.⟩ **0.1** [al snuffelend rondlopen] *sniff around/ about* **0.2** [nieuwsgierig speurend rondlopen] *nose/snoop about* **0.3** [⟨+in⟩ zonder plan doorzoeken] *rummage/ferret about* ◆ **6.3 in** iemands papieren ~ *ferret/rummage about in s.o.'s papers.*

rondspartelen ⟨onov.ww.⟩ **0.1** [in water] *flounder/flop/splash about* **0.2** [⟨fig.⟩ met moeite rondkomen] *get by, manage* ◆ **3.1** zij kunnen net ~ van hun inkomen *they can only just make ends meet/get by on their income.*

rondspelen ⟨ov.ww.⟩ ⟨sport⟩ **0.1** *pass/throw back and forth* ◆ **1.1** de bal ~ *pass the ball back and forth.*

rondspetteren ⟨onov.ww.⟩ **0.1** *splash (about).*

rondspoken ⟨onov.ww.⟩ **0.1** *ghost/wander about/around.*

rondspringen ⟨onov.ww.⟩ **0.1** [springend een kring beschrijven] *jump round (in a circle)* **0.2** [in alle richtingen springen] *jump (a)round/ about* ⇒*cavort, frisk* ⟨jonge dieren⟩.

rondstappen ⟨onov.ww.⟩ **0.1** *pace about* ⇒⟨trots⟩ *strut (about).*

rondstrooien ⟨ov.ww.⟩ **0.1** [in het rond strooien] *scatter (a)round/about* ⇒⟨inf.⟩ *dish out,* ⟨vero.⟩ *strew around/about* **0.2** [rondvertellen] *put about, spread (about)* ⇒*peddle* ◆ **1.1** bloemen ~ *scatter/strew flowers around;* geld ~ *throw money about/around* **1.2** het praatje ~ dat *whisper about/around that;* lelijke praatjes ~ *spread malicious gossip.*

rondsturen ⟨ov.ww.⟩ **0.1** *send round* ◆ **1.1** circulaires ~ *distribute circulars;* uitnodigingen ~ *send out/round invitations.*

rondtasten ⟨onov.ww.⟩ **0.1** *grope (a)round/about* ⇒*feel/fumble about (for)* ◆ **6.1** ⟨fig.⟩ in onzekerheid ~ *grope blindly* **8.1** als een blinde ~ *grope/feel one's way blindly.*

rondte ⟨de (v.)⟩ **0.1** [kring] *circle* ⇒*round(ness)* **0.2** [omtrek] *circumference* ⟨v.e. cirkel⟩; ⟨buurt⟩ *neighbourhood* ◆ **6.1** in de ~ zitten *sit in a c.* ¶ als een bezetene sprong hij in de ~ *he jumped (a)round like a man possessed.*

rondtoeren ⟨onov.ww.⟩ **0.1** *drive/tour (a)round/about* ⇒ ⟨inf.⟩ *tootle* ◆ **1.1** een eindje ~ met de auto *go for a drive.*

rondtollen

I ⟨onov.ww.⟩ **0.1** [als een tol ronddraaien] *spin (a)round* ⇒*gyrate* **0.2** [hinderlijk rondlopen] *run around, be under s.o.'s feet* ◆ **1.2** die kinderen hebben hier de hele dag al rondgetold *the children have been under my feet/running round all day;*

II ⟨ov.ww.⟩ **0.1** [als een tol doen ronddraaien] *spin round.*

rondtrekken ⟨onov.ww.⟩ **0.1** *travel about/(a)round* ⇒⟨te voet⟩ *wander about/(a)round,* ⟨met vervoermiddel⟩ *tour (about/(a)round),* ⟨schr.⟩ *peregrinate* ◆ **1.1** die kooplieden trekken het gehele land rond *those merchants travel all round/over the country;* ~de muzikanten *travelling/itinerant musicians;* een ~de prediker *an itinerant preacher;* ~de seizoenarbeiders *migrant seasonal workers;* een ~d to-neelgezelschap *a company of actors on the road/* ⟨vero.⟩ *of strolling players.*

rondtrompetten ⟨ov.ww.⟩ **0.1** *trumpet abroad* ⇒*blaze/blazon abroad, broadcast.*

ronduit ⟨bw.⟩ **0.1** *plain* ⇒*straight(forward), frank, forthright, candid* ◆ **2.1** het is ~ belachelijk *absolutely/simply ridiculous* **3.1** ~ antwoorden *give a straight answer;* ~ gezegd *to be candid/frank, frankly/can-didly (speaking);* iets ~ ontkennen *flatly deny sth.;* je kunt ~ spreken *you can speak freely/frankly/candidly;* om het maar ~ te zeggen *not to put too fine a point on it, to put it plainly/bluntly, not to mince mat-ters;* iem. iets ~ zeggen *tell s.o. sth. plainly/in p. terms;* iem. ~ de waar-heid zeggen *tell s.o. the p./blunt truth.*

rondvaart ⟨de⟩ **0.1** *round trip* ⇒*circular trip/tour,* ⟨lange afstand⟩ *cruise* ◆ **6.1** een ~ door de grachten maken *make/go for a r. t. of the canals;* een ~ op de Waal *a r. t. on the Waal.*

rondvaartboot ⟨de⟩ **0.1** *round-trip boat* ⇒*water bus, launch.*

rondvaren ⟨onov.ww.⟩ **0.1** *sail round* ⇒*go for/make a boat trip* ◆ **1.1** zij hebben de hele dag rondgevaren *they have been sailing around all day;* de haven ~ *sail round the harbour, make a boat trip around the docks.*

rondventen ⟨onov., ov.ww.⟩ **0.1** *hawk/peddle (about/(a)round)* ◆ **6.1** met sinaasappelen ~ *hawk/peddle oranges.*

rondvertellen ⟨ov.ww.⟩ **0.1** *put/spread about* ◆ **1.1** hij heeft dat overal rondverteld *he spread/put that about everywhere/all over the place/ all over town.*

rondvliegen ⟨onov.ww.⟩ **0.1** [vliegend een kring beschrijven] *fly round* ⇒*circle (over)* **0.2** [in alle richtingen vliegen] *fly around/about* **0.3** [door een ruimte geslingerd worden] *fly about/around* ⇒*be thrown around/about* **0.4** [zich om een middelpunt bewegen] *fly/spin round* **0.5** [in alle richtingen en weer lopen] *fly/tear/rush around/about* ◆ **1.2** de zwaluwen vliegen rond in de lucht *the swallows are flying around in the sky* **1.3** geraakt worden door ~de kogels *be hit by flying bullets;* de scherven vlogen overal rond *the fragments/splinters were flying about everywhere* **1.4** door de hevige wind vlogen de molen-wieken rond *due to the strong wind the sails of the windmill were flying/spinning round.*

rondvlucht ⟨de⟩ **0.1** *round trip (by plane/helicopter)* ⇒*circuit* ◆ **6.1** een ~ boven de stad maken *make a circuit over the town, go for a round trip over the town.*

rondvraag ⟨de⟩ **0.1** *(any) other business* ⇒*questions at the end of the meeting* ◆ **6.1** bij de ~ *(for) any other business;* iets bij de ~ ter sprake brengen *bring up a point/matter for discussion under any other busi-ness;* iets voor de ~ hebben *have a question/sth. for 'any other busi-ness';* heeft er iem. iets voor de ~? *has anyone got any other busi-ness?*

rondvragen ⟨ov.ww.⟩ **0.1** *ask round.*

rondwandelen ⟨onov.ww.⟩ **0.1** [her en der wandelen] *walk around* ⇒ *take a turn,* ⟨schr.⟩ *perambulate* **0.2** [rondgaan op aarde] *walk the earth* ◆ **1.1** de tuin ~ *walk round the garden* **6.1** hij heeft ruim een uur met zijn kinderen rondgewandeld *he has been walking with his children for over an hour* **6.2** Jezus heeft op aarde rondgewandeld *Jesus walked the earth.*

rondwandeling ⟨de (v.)⟩ **0.1** *stroll, tour* ⇒*walk round* ◆ **3.1** een ~ ma-ken door de kamers *tour/make a t. of the rooms.*

rondwaren ⟨onov.ww.⟩ **0.1** [spoken] *walk* ⇒*be abroad/about, ghost* **0.2** [omdwalen] *flit* ⇒*be abroad/about* ◆ **1.1** een boze geest die overal rondwaart *an evil spirit that is abroad/about everywhere;* er waren daar spoken rond *it is haunted there* **6.2** vreemde gedachten waarden in zijn brein rond *strange thoughts flitted through his brain.*

rondweg[1] ⟨de (m.)⟩ **0.1** ⟨vnl. BE⟩ *ring road;* ⟨AE⟩ *beltway, belt highway* ⇒⟨BE ook⟩ *ringway, by-pass,* ⟨omlegging⟩ *relief road* ◆ **3.1** een ~ aanleggen om L. *by-pass L..*

rondweg[2] ⟨bw.⟩ **0.1** *frankly* ⇒*bluntly, plainly* ◆ **3.1** hij is ~ een ploert *f./ put bluntly/put plainly he is a cad;* ~ verklaren dat *f. explain that.*

rondwentelen

I ⟨onov.ww.⟩ **0.1** [om zijn as wentelen] *revolve* ⇒*rotate;*

II ⟨ov.ww.⟩ **0.1** [om zijn as doen ronddraaien] *revolve* ⇒*rotate.*

rondwormen ⟨zn.mv.⟩ ⟨dierk.⟩ **0.1** *roundworms* ⇒*filariae, gapeworms.*

rondzaag ⟨de⟩ **0.1** *circular saw.*

rondzaaien ⟨ov.ww.⟩ **0.1** [in alle richtingen zaaien] *scatter* **0.2** [rondver-tellen] *spread (a)round/about* ⇒*put about, broadcast* ◆ **1.2** lelijke praatjes ~ *spread malicious gossip, put about nasty rumours.*

rondzeggen ⟨ov.ww.⟩ **0.1** *give notice of* ◆ **3.1** de dood van zijn broer laten ~ *give notice of one's brother's death.*

rondzeilen ⟨onov.ww.⟩ **0.1** [in een kring zeilen] *sail (a)round* **0.2** [in alle richtingen zeilen] *sail about/(a)round* ◆ **1.1** een eiland ~ *sail round an island* **4.2** ⟨fig.⟩ waar heeft hij rondgezeild? *where has he been to?;* ⟨inf.⟩ *where has he been hanging out?;* op de zee wat ~ *sail around/ about on the sea a bit, go for a bit of a sail on the sea.*

rondzendbrief ⟨de (m.)⟩ **0.1** *circular (letter).*

rondzenden ⟨ov.ww.⟩ **0.1** *send round/out* ⇒*circulate.*

rondzeulen ⟨ov.ww.⟩ **0.1** *cart/drag/lug about/around.*

rondzien ⟨onov.ww.⟩ **0.1** [zoeken naar] *look for* ⇒*look out/round (for)* **0.2** [om zich heen kijken] *look round* ◆ **6.1** naar iem./iets ~ *look for s.o./sth.;* naar een betrekking/naar kamers ~ *look.(round) for a job/ rooms.*

rondzingen ⟨ww.⟩ ⟨tech.⟩ **0.1** *acoustic(al) feedback.*

rondzoekradar ⟨de (m.)⟩ **0.1** *search radar element, SRE.*

rondzwalken ⟨onov.ww.⟩ **0.1** [rondzwerven] *knock about/(a)round* ⇒ *drift about/(a)round,* ⟨AE ook⟩ *bat around* **0.2** [overal heen dobbe-ren] *toss about* ⇒*be tossed about, drift about/(a)round.*

rondzwerven ⟨onov.ww.⟩ **0.1** [her- en derwaarts zwerven] *roam about/ (a)round* ⇒*wander about/(a)round,* ⟨inf.⟩ *knock about/(a)round,* ⟨schr.⟩ *rove* **0.2** [rondslingeren] *lie about/around* ⇒ ⟨inf.⟩ *knock/ kick about/(a)round* ◆ **1.1** die brief heeft overal rondgezworven *that* *letter has done the rounds/ been all over the place* 1.2 zijn boeken zwerven overal rond *his books are knocking/lying/kicking about/ around all over the place* 4.1 ik weet niet waar hij rondzwerft *I do not know where he is knocking about/hanging out* 6.1 in Europa ~ *roam around Europe;* ⟨plezier zoekend⟩ *gad about Europe;* **op** straat ~ *run the streets* ⟨kinderen⟩; *roam the streets* ⟨landlopers, bedelaars⟩ ¶.1 hij heeft op zee rondgezworven *he has roamed the seas.*

rondzwieren ⟨onov.ww.⟩ **0.1** *whirl (a)round/about* ⇒*swerve about.*

rong ⟨de⟩ **0.1** [staander] *stake* ⇒*stanchion* **0.2** [steunpaal] *stake* ⇒*stanchion* **0.3** [ijzeren nagel] *spike.*

ronken ⟨onov.ww.⟩ **0.1** [snurken] *snore* **0.2** [in diepe slaap zijn] *sleep like a log/block* **0.3** [mbt. motoren] *throb* ⇒⟨in de verte⟩ *drone,* ⟨ritmisch dreunen⟩ *thrum,* ⟨van stoommachine⟩ *chug* **0.4** [⟨AZN⟩ mbt. insekten] *buzz* ⇒*hum, whirr* **0.5** [mbt. taal] *brag* ⇒*boast* ◆ **1.3** met ~de motoren *with throbbing engines* **1.5** in ~de volzinnen *in overblown language.*

ronselaar ⟨de (m.)⟩ **0.1** [werver voor de krijgsdienst] ⟨vero.⟩ *crimp* ⇒⟨groep ronselaars⟩ *press gang* **0.2** [⟨alg.⟩ werver] *recruiter, recruiting officer* ⟨van arbeidskrachten⟩.

ronselen ⟨ov.ww.⟩ **0.1** *recruit* ⇒*press-gang* ⟨voor leger in verleden, nu iron.⟩, ⟨vero.; voor leger enz.⟩ *crimp,* ⟨sl.⟩ *shanghai, press* ◆ **1.1** ⟨iron.⟩ wat mensen proberen te ~ om toezicht te houden *try to press-gang some people into keeping an eye on things.*

ronselpraktijken ⟨zn.mv.⟩ **0.1** *press-ganging* ⇒*recruitment,* ⟨sl.⟩ *shanghaiing.*

röntgen ⟨de (m.)⟩ **0.1** *roentgen.*

röntgenafdeling ⟨de (v.)⟩ **0.1** *radiography department* ⇒*X-ray department.*

röntgenapparaat ⟨het⟩ **0.1** *X-ray machine.*

röntgenastronomie ⟨de (v.)⟩ **0.1** *x-ray astronomy.*

röntgenbestraling ⟨de (v.)⟩ **0.1** *X-ray treatment/therapy, radiotherapy.*

röntgenbron ⟨de⟩ **0.1** *x-ray source.*

röntgenbuis ⟨de⟩ **0.1** *X-ray tube.*

röntgendiagnostiek ⟨de (v.)⟩ **0.1** *X-ray diagnostics* ⇒*roentgen/röntgen diagnostics.*

röntgenen ⟨ov.ww.⟩ **0.1** *X-ray* ⇒*roentgenize.*

röntgenfoto ⟨de⟩ **0.1** *X-ray* ⇒*roentgenogram, roentgenograph* ◆ **3.1** een ~ laten maken *have an X-ray taken/done;* een ~ maken van de longen *take an X-ray of the lungs.*

röntgenlaborant ⟨de (m.)⟩ **0.1** *radiographer* ⇒*roentgenographer.*

röntgenogram ⟨het⟩ **0.1** *X-ray* ⇒*roentgenogram, roentgenograph.*

röntgenologie ⟨de (v.)⟩ **0.1** *radiology* ⇒*roentgenology.*

röntgenoloog ⟨de (m.)⟩, **-loge** ⟨de (v.)⟩ **0.1** *radiologist* ⇒*roentgenologist.*

röntgenonderzoek ⟨het⟩ **0.1** *X ray* ⇒*roentgenogram, roentgenograph.*

röntgenopname ⟨de⟩ **0.1** *X-ray* ⇒*roentgenogram, roentgenograph.*

röntgenscherm ⟨het⟩ **0.1** *X-ray screen* ⇒*roentgen screen.*

röntgenspectrum ⟨het⟩ **0.1** *X-ray spectrum.*

röntgenstralen ⟨zn.mv.⟩ **0.1** *X rays* ⇒*roentgen rays* ◆ **3.1** geen ~ doorlaten *radiopaque.*

röntgenstraling ⟨de (v.)⟩ **0.1** *X rays.*

röntgentherapie ⟨de (v.)⟩ **0.1** *X-ray therapy* ⇒*roentgenotherapy.*

ronzebons ⟨de (m.)⟩ **0.1** *puppet show* ⇒≠*Punch-and-Judy show.*

rood¹ ⟨het⟩ **0.1** [kleur] *red* **0.2** [(als symbool)] *red* **0.3** [(pol.)] *red* **0.4** [blos]⟨v.d. jeugd⟩ *blush;* ⟨bij ziekte⟩ *flush;* ⟨gezonde kleur van wangen⟩ *pink* **0.5** [bessenjenever] *red-currant gin* **0.6** [kleurstof] *red* **0.7** [metselsteen] *red brick* **0.8** [planteziekte] *rust* ◆ **1.5** een glaasje ~ *a glass of red-currant gin* **2.6** Engels ~ *r. ochre* **6.1** in het ~ (gekleed) *dressed in r.* **7.3** de Roden *the Reds;* ⟨pej.⟩ *the Bolshies;* ⟨inf.⟩ *the Commies* **8.3** ~ heeft drie zetels gewonnen *the Reds have/left has won three seats.*

rood² ⟨bn.⟩ (→sprw. 264) **0.1** [rode kleur hebbend, (ook als symbool)] *red* **0.2** [(pol.)]⟨communistisch⟩ *red* **0.3** [roodachtig] *red* ⇒*ginger* ⟨haar⟩, *ruddy* ⟨wangen⟩ **0.4** [rood-geel] *red* ⇒*copper(y), ginger, sandy* ◆ **1.1** ⟨fig.⟩ in de rode cijfers [zitten] *be in/go into the r.;* de rode draad *thread;* met een ~ hoofd v.d. inspanning *flushed with exertion;* ⟨sport⟩ iem. de rode kaart tonen *show s.o. the r. card, disqualify s.o.;* met rode koppen tegenover elkaar staan *they faced each other r. in the face/r. with anger;* ⟨fig.⟩ dan gaat er bij mij een ~ lampje branden *that rings an alarm bell;* door ~ (licht) rijden *jump/shoot the lights,* ^Arun *a traffic-light;* een rode neus *a r. nose;* met rode oortjes lezen *be absorbed in what one is reading;* het Rode Plein *Red Square;* ⟨fig.⟩ het rode potlood hanteren *blue-pencil;* het rode ras *the redskins;* de rode vlag *the r. flag;* ~ vlees *r. meat* **1.2** het rode gevaar *the r. peril, reds under the beds;* het Rode Leger *the Red Army;* ⟨inf.⟩ een rooie rakker *a red;* ⟨pej.⟩ *a Bolshie;* ⟨inf.⟩ *a Commie* **1.3** een rode baard *a red beard;* ~ koper *copper* **1.4** ~ goud *r. gold* **1.¶** hij bezit geen rooie cent/geen rode duit *he is penniless, he hasn't got a penny to his name;* ⟨sl.⟩ *he hasn't got a bean, he hasn't got two half pennies to rub together* **3.1** ~ aanlopend *getting hot under the collar, flushing;* zijn lippen ~ maken *redden one's lips;* een hokje ~ maken *cast one's vote;* een fout ~ omcirkelen *circle a mistake in r.;* tot achter

de oren ~ worden *blush to the roots of one's hair;* ~ worden *go r./ scarlet, flush, colour, blush* **3.2** hij stemt ~ *he votes communist* **3.¶** ~ staan *be in the red* **6.1** het sein/stoplicht staat **op** ~ *the signal is/traffic lights are (on) r.;* het licht sprong **op** ~ *the light changed to r.;* ~ **van** drift/schaamte *flush/go scarlet with anger/shame;* haar ogen waren ~ **van** het huilen *her eyes were r. with crying* **7.1** ⟨fig.; inf.⟩ over de rooie gaan ⟨inf.; boos zijn⟩ *flip one's lid;* ⟨zenuwachtig, geshockeerd zijn⟩ *have kittens;* ⟨inf.⟩ het kostte me drie rooien/rooie ruggen *it cost me three grand (in guilders)* **8.1** zo ~ als een biet/kreeft/kroot *as r. as a beet(root)/lobster.*

roodaarde ⟨de⟩ **0.1** *ruddle* ⇒*red ochre.*

roodachtig ⟨bn.⟩ **0.1** *reddish* ⇒*ruddy.*

roodbaard ⟨de (m.)⟩ **0.1** [man met rode baard] *red-beard* **0.2** [⟨AZN⟩ roodborstje] *robin (redbreast)* ⇒*redbreast,* ⟨BE; gew.⟩ *ruddock* **0.3** [poon] *gurnard.*

roodbaars ⟨de (m.)⟩ **0.1** *bergylt.*

roodblaar ⟨de⟩ **0.1** *white-faced/-head red cattle, red white-faced cattle.*

roodbont¹ ⟨de (m.)⟩ **0.1** *skewbald* ⟨paard⟩; *red-and-white cattle* ⟨koeienras⟩.

roodbont² ⟨bn.⟩ **0.1** [wit met roodbruine vlekken] *red and white* ⟨vee⟩; *skewbald* ⟨paard⟩ **0.2** [mbt. stoffen] *red-and-white checked/striped* ◆ **1.1** ~e koeien *red-and-white cows* **1.2** ~e schorten *red-and-white checked aprons.*

roodborstje ⟨het⟩ **0.1** *robin (redbreast)* ⇒*redbreast,* ⟨BE; gew.⟩ *ruddock.*

roodborsttapuit ⟨de (m.)⟩ **0.1** *stonechat.*

roodbruin ⟨bn.⟩ **0.1** *reddish brown* ⇒*russet, sorrel* ⟨paard⟩, ⟨pigment⟩ *sepia* ◆ **7.1** ⟨zelfst.⟩ het ~ (van herfstbladeren) *the russet (colour) (of autumn leaves).*

roodfilter ⟨het, de (m.)⟩⟨nat.⟩ **0.1** *red filter.*

roodforel ⟨de⟩ **0.1** *brook trout* ⇒*speckled trout.*

roodgeel ⟨bn.⟩ **0.1** *copper-coloured* ◆ **7.1** ⟨zelfst.⟩ het ~ *copper colour.*

roodgieter ⟨de (m.)⟩ **0.1** *brass/tombac founder.*

roodgloeiend ⟨bn.⟩ **0.1** *red-hot* ◆ **3.1** ⟨fig.⟩ de telefoon staat ~ *the telephone hasn't stopped ringing.*

roodhalsgans ⟨de⟩ **0.1** *red-breasted goose.*

roodharig ⟨bn.⟩ **0.1** *red-haired, red-headed* ⇒*carroty, sandy-haired.*

roodheid ⟨de⟩ **0.1** *redness.*

roodhemd ⟨de (m.)⟩⟨AZN; sport⟩ **0.1** *redshirt.*

roodhuid ⟨de (m.)⟩ **0.1** *redskin.*

roodijzererts ⟨het⟩ **0.1** *haematite* ^A*hematite.*

roodijzersteen ⟨het⟩ **0.1** *haematite* ^A*hematite* ⇒*iron glance.*

roodkapje ⟨het⟩ **0.1** *Little Red Riding Hood.*

roodkeelduiker ⟨de (m.)⟩ **0.1** *red-throated loon.*

roodkop ⟨de⟩ **0.1** *pochard.*

roodkoper ⟨het⟩ **0.1** [zuiver koper] *copper* **0.2** [rood messing] *tombac.*

roodkopererts ⟨het⟩ **0.1** *cuprite* ⇒*red copper ore.*

roodkoraal ⟨het⟩ **0.1** *red/precious coral.*

roodkorst ⟨de⟩ **0.1** *red rind.*

roodkrijt ⟨het⟩ **0.1** *ruddle* ⇒*red ochre.*

roodlak ⟨de (m.)⟩ **0.1** *cheap wine* ⇒⟨BE, Austr.E; inf.⟩ *plonk.*

roodlakenvelder ⟨de (m.)⟩ **0.1** ≠*red-and-white cow.*

roodomrand ⟨bn.⟩ **0.1** *red-rimmed* ◆ **1.1** ~e ogen *eyes red with crying.*

roodschimmel ⟨de (m.)⟩ **0.1** ⟨bruin en grijs⟩ *red roan;* ⟨voskleurig en grijs⟩ *strawberry roan.*

roodspecht ⟨de (m.)⟩ **0.1** *great spotted woodpecker.*

roodstaartje ⟨het⟩ **0.1** *redstart.*

roodtijger ⟨de (m.)⟩ **0.1** *skewbald.*

roodvalk ⟨de (m.)⟩ **0.1** *kestrel* ⇒*windhover.*

roodvonk
  I ⟨de⟩ **0.1** [epidemische ziekte] *scarlet fever* ⇒⟨wet.⟩ *scarlatina;*
  II ⟨het⟩ ⟨AZN⟩ **0.1** [rodehond] *German measles.*

roodvos ⟨de (m.)⟩ **0.1** *liver chestnut.*

roodvuur ⟨het⟩ ⟨landb.⟩ **0.1** *rust.*

roodwangig ⟨bn.⟩ **0.1** *red-cheeked, ruddy* ⇒*rosy-/apple-cheeked.*

roodwaterkoorts ⟨de⟩ **0.1** *red-water (fever).*

roodwild ⟨het⟩ **0.1** *deer.*

roof
  I ⟨de (m.)⟩ **0.1** [het roven] *robbery* ⇒*plundering, looting* **0.2** [het bejagen] *preying* ⇒*hunting* **0.3** [het geroofde] *booty* ⇒*plunder,* ⟨van dieren⟩ *prey* ◆ **3.1** ~plegen *rob, plunder, loot* **6.1 op** ~ uitgaan *commit r.; go out plundering* **6.3** tuk **op** ~ *greedy/eager for b.;*
  II ⟨de⟩ **0.1** [korst op een wond] *scab.*

roofachtig ⟨bn.⟩ **0.1** *rapacious* ⇒*predatory.*

roofbij ⟨de⟩ **0.1** *robber bee.*

roofbouw ⟨de (m.)⟩ **0.1** [⟨landb.⟩] *overcropping* **0.2** [roekeloze exploitatie, ⟨ook fig.⟩] *exhaustion, overuse* ◆ **6.2** ~ **op** zijn talent *exploitation of one's genius;* ~ plegen **op** zijn lichaam *wear o.s. out, exhaust o.s.; burn the candle at both ends* ⟨door te weinig slapen⟩; ~ plegen **op** het personeel *drive the staff to hard, overtax the staff;* ~ plegen **op** zijn gezondheid *ruin one's health.*

roofdier ⟨het⟩ **0.1** *animal/beast of prey* ⇒*predator* ⟨ook fig.⟩.

roofdruk ⟨de (m.)⟩ **0.1** *pirate edition.*

roofgierig ⟨bn.⟩ **0.1** ⟨ook fig.⟩ *rapacious* ⇒*predacious, predatory.*
roofgoed ⟨het⟩ **0.1** *stolen goods* ⇒*booty, loot* ◆ **7.1** ⟨scherts.⟩ het is geen ~ *it does not grow on trees.*
roofhaaien ⟨zn.mv.⟩ **0.1** *sharks.*
roofkever ⟨de (m.)⟩ **0.1** *ground beetle.*
roofmeeuw ⟨de (m.)⟩ **0.1** *skua (gull).*
roofmier ⟨de⟩ **0.1** *warrior ant* ⇒*robber ant* ◆ **2.1** een bloedrode ~ *a sanguinary ant.*
roofmoord ⟨de⟩ **0.1** *robbery with murder.*
roofnest ⟨het⟩ **0.1** *thieves'/robbers' den* ⇒*den of thieves/robbers, thieves' hide-out.*
roofoverval ⟨de (m.)⟩ **0.1** *robbery* ⇒*hold-up* ⟨waarbij mensen bedreigd worden⟩, ⟨AE;sl.;diefstal⟩ *heist, raid* ◆ **3.1** een ~ plegen op een juwelierszaak *rob/heist/raid a jeweller's.*
roofpoten ⟨zn.mv.⟩ ⟨dierk.⟩ **0.1** *raptorial feet/claws* ⇒*tatons.*
roofridder ⟨de (m.)⟩ ⟨gesch.⟩ **0.1** *robber baron.*
roofsprinkhaan ⟨de (m.)⟩ **0.1** *praying mantis.*
roofstaat ⟨de (m.)⟩ **0.1** *robber/piratical state* ◆ **¶.1** ⟨gesch.⟩ de Roofstaten *the Barbary States.*
rooftocht ⟨de (m.)⟩ **0.1** *raid* ⇒⟨plunderen⟩ *foray, prowl* ⟨vooral dieren⟩ ◆ **6.1** op ~ gaan *make a r., go on a foray; prey, go on the prowl* ⟨dieren⟩;*freeboot* ⟨piraat⟩.
roofvogel ⟨de (m.)⟩ **0.1** *bird of prey* ⇒⟨schr.⟩ *raptor.*
roofwants ⟨de⟩ **0.1** *assassin bug* ⇒*conenose, kissing bug.*
roofzucht ⟨de⟩ **0.1** *rapacity.*
roofzuchtig ⟨bn.⟩ **0.1** *predatory* ⟨dieren; ook fig.⟩ ⇒*rapacious, raptorial* ⟨vogels⟩,*ravening* ⟨dieren, vooral wolven⟩.
rooi
I ⟨de⟩ **0.1** [het richten/mikken] *aim* **0.2** [gissing, raming] *guess, estimate* ◆ **6.2** ~ op iets hebben *understand/know about sth.* **7.¶** het houdt geen ~ *it's going too far;*
II ⟨het⟩ ⟨AZN⟩ **0.1** [armoede] *poverty* ⇒*want.*
rooibijl ⟨de⟩ **0.1** *grubaxe* [A]*ax.*
rooie →**rode.**
rooien ⟨ov.ww.⟩ **0.1** [ontwortelen] *dig up* ⇒*grub up* ⟨aardappels, bomen⟩,*lift/raise* ⟨aardappels, bieten enz.⟩, *uproot,* [A]*unroot* ⟨boom⟩ **0.2** [klaarspelen] *manage* **0.3** [de loop bepalen] *align* **0.4** [berekenen, mikken] *aim, estimate* **0.5** [stelen] *steal* ⇒*rob,* ⟨sl.⟩ *nick* ◆ **1.1** een bos ~ *grub up/clear a wood/forest* **1.4** ⟨mil.⟩ het geschut ~ *take aim* **1.¶** een graf ~ *dig up a grave* **3.2** hij kan het amper ~ *he can only just/hardly m.;* ik kan het alleen wel ~ *I can m. by myself/alone* **5.1** aardappelen machinaal ~ *machine-lift potatoes* **5.4** iets goed ~ *be spot on* **6.2** ik kan het met hem niet ~ *I cannot get on with him.*
rooilat ⟨de⟩ **0.1** *alidade.*
rooilijn ⟨de⟩ **0.1** *building line, alignment* ◆ **6.1** die huizen staan **binnen/buiten** de ~ *the houses are inside/outside the b. l./a.;* **op** de ~ staan *range with the street.*
rooimeester ⟨de (m.)⟩ **0.1** *clerk of (the) works.*
rooipaal ⟨de (m.)⟩ **0.1** *surveyor's level.*
rook ⟨→sprw. 517,635⟩
I ⟨de (m.)⟩ **0.1** [mbt. vuur] *smoke* ⇒⟨rokerige nevel⟩ [A]*smaze,* ⟨rook en gassen⟩ *fume(s)* ◆ **3.1** de ~ bijt in de ogen *smoke stings one's eyes;* men kan er de ~ snijden *you can cut the smoke with a knife* **6.1** vlees **in** de ~ hangen *smoke/cure meat;* ⟨fig.⟩ al mijn hoop is **in** ~ vervlogen/opgegaan *all my hopes have gone up in smoke;* ⟨fig.⟩ **in** ~ opgaan *go/end up in smoke, vanish/melt/evaporate into thin air;* ⟨fig.⟩ **onder** de ~ v.d. stad wonen *live a stone's throw from the town* **¶.1** geen ~ zonder vuur *there is no smoke without fire, where there is smoke there is fire;*
II ⟨de⟩ **0.1** [hooistapel] *rick.*
rookagaat ⟨het⟩ **0.1** *black agate.*
rookartikelen ⟨zn.mv.⟩ **0.1** *smokers' requisites* ⇒*smoking materials.*
rookbom ⟨de⟩ **0.1** *smoke bomb.*
rookcoupé ⟨de (m.)⟩ **0.1** *smoking compartment* ⇒⟨inf.⟩ *smoker.*
rookdicht ⟨bn.⟩ **0.1** *smokeproof.*
rookeest ⟨de (m.)⟩ ⟨ind.⟩ **0.1** *open-fire oast(house).*
rookgat ⟨het⟩ **0.1** *smoke hole.*
rookgerei ⟨het⟩ **0.1** *smoker's requisites* ⇒*smoking materials.*
rookgewoonte ⟨de (v.)⟩ **0.1** [wijze waarop men rookt] *smoking habit* **0.2** [gewoonte om te roken] *smoking habit.*
rookglas ⟨het⟩ **0.1** *smoked glass.*
rookgordijn ⟨het⟩ **0.1** [scherm van rook] *smoke screen* **0.2** [misleidende praatjes] *smoke screen* ◆ **3.1** een ~ leggen *put up/lay a s. s.* **3.2** een ~ optrekken *put up a s. s..*
rookgranaat ⟨de⟩ **0.1** *smoke shell.*
rookhelm ⟨de (m.)⟩ **0.1** *smoke mask, respirator.*
rookhok ⟨het⟩ **0.1** [vertrek vol rook] ⟨→rookhol⟩ **0.2** [plaats waar eten te roken hangt] *smoking shed, smokehouse.*
rookhol ⟨het⟩ **0.1** *smoky room* ⇒⟨pej.⟩ *smokehouse,* ⟨AE ook;sl.⟩ *tea pad* ⟨rook van marihuana⟩.
rookkamer ⟨de⟩ **0.1** *smoking/smoke room.*
rookkanaal ⟨het⟩ **0.1** [afvoerpijp] *flue* **0.2** [schoorsteenkanaal] *flue.*
rookkast ⟨de⟩ **0.1** *smoke house.*

rookkolom ⟨de⟩ **0.1** *column/pillar of smoke.*
rookkwarts ⟨het⟩ **0.1** *smoky quartz, smoke stone, cairngorm.*
rooklucht ⟨de⟩ **0.1** *smell of smoke.*
rookmasker ⟨het⟩ **0.1** *smoke mask.*
rookmelder ⟨de (m.)⟩ **0.1** *smoke detector.*
rookontwikkeling ⟨de (v.)⟩ **0.1** *smoke production/output* ◆ **2.1** een sterke ~ bemoeilijkte de bluswerkzaamheden *fire-fighting was made difficult/was hampered by the heavy s. (emission/p.).*
rookpauze ⟨de⟩ **0.1** *break for a cigarette/* ⟨inf.⟩ *smoke* ⇒*cigarette break,* ⟨Austr.E;sl.⟩ *smoko* ◆ **3.1** een ~ inlassen *take a break for a cigarette/a cigarette break;* ⟨Austr.E⟩ *have a smoko.*
rookpluim ⟨de⟩ **0.1** *wisp/plume of smoke.*
rookscherm ⟨het⟩ **0.1** *smoke screen.*
rooksignaal ⟨het⟩ **0.1** *smoke signal.*
rookspek ⟨het⟩ **0.1** *smoked bacon.*
rookstel ⟨het⟩ **0.1** *smoker's set.*
rookstoel ⟨de (m.)⟩ **0.1** *Morris chair.*
rooktabak ⟨de (m.)⟩ **0.1** *(cigarette/pipe) tobacco.*
rooktopaas ⟨het⟩ **0.1** *smoky topaz* ⇒*smoky quartz, cairngorm.*
rookvang ⟨de (m.)⟩ **0.1** *funnel* ⇒*flue.*
rookverbod ⟨het⟩ **0.1** *smoking ban* ⇒*ban on smoking.*
rookverdrijver ⟨de (m.)⟩ **0.1** [mbt. tabaksrook] *smoke expeller* **0.2** [mbt. schoorsteen] *(chimney) cowl* ⇒*chimney cap/hood.*
rookvlees ⟨het⟩ **0.1** ≠*smoke-dried beef/meat.*
rookvrij ⟨bn.⟩ **0.1** [vrij van tabaksrook] *non-smoking* **0.2** [geen rook veroorzakend] *smokeless* ◆ **1.1** een ~e conversatiezaal *a n.-s. lounge, a non-smoker.*
rookwolk ⟨de⟩ **0.1** *cloud/pall of smoke.*
rookworst ⟨de⟩ **0.1** ≠*smoked sausage.*
rookzolder ⟨de (m.)⟩ **0.1** *smokehouse.*
rookzuil ⟨de⟩ **0.1** *pillar/column of smoke.*
room ⟨de (m.)⟩ **0.1** [vette delen v.d. melk] *cream* **0.2** [⟨fig.⟩ het beste] *cream* ◆ **2.1** dikke ~ *double c.;* zure ~ *sour c.* **3.2** hij neemt de ~ v.d. melk ⟨fig.⟩ *he skims the c. off* **6.1** ~ **in** de koffie *c. with/in one's coffee;* aardbeien met ~ *strawberries and c.* **¶.2** de ~ is er al af ⟨fig.⟩ *the gilt is off the gingerbread.*
roomachtig ⟨bn.⟩ **0.1** *creamy, cream-like.*
roomafscheiding ⟨de (v.)⟩ **0.1** *separation of the cream.*
roomboter ⟨de⟩ **0.1** *butter.*
roombotergebak ⟨het⟩ **0.1** *all-butter cake.*
roomboterkoekje ⟨het⟩ **0.1** *all-butter biscuit.*
roombutyrometer ⟨de (m.)⟩ **0.1** *(cream) butyrometer.*
roomhoorn ⟨de (m.)⟩ **0.1** *cream horn.*
roomijs ⟨het⟩ **0.1** *ice cream* ⇒⟨BE ook⟩ *cream ice.*
roomijsje ⟨het⟩ **0.1** *ice cream.*
roomkaas ⟨de (m.)⟩ **0.1** [van room gemaakte kaas] *cream cheese* **0.2** [kaas van niet-afgeroomde melk] *cream cheese.*
roomkannetje ⟨het⟩ **0.1** *cream jug, creamer.*
roomkleur ⟨de⟩ **0.1** *cream.*
roomkleurig ⟨bn.⟩ **0.1** *cream(-coloured)* ⇒*creamy.*
roomklopper ⟨de (m.)⟩ **0.1** *cream whipper* ⇒⟨garde⟩ *whisk.*
roomklutser ⟨de (m.)⟩ →**roomklopper.**
roomkwark ⟨de (m.)⟩ **0.1** *cream curds* ⇒≠*cream cheese.*
roommeter ⟨de (m.)⟩ **0.1** *butyrometer.*
rooms ⟨bn.⟩ **0.1** [mbt. de r.k. kerk] *Roman Catholic* **0.2** [mbt. de r.k. leer] *Roman Catholic* ◆ **1.1** de ~e Kerk *the R. C. Church, Rome* **1.2** ~e godsdienstoefeningen *R. C. religious services* **1.¶** ~e boon *broad/horse/Windsor bean;* ~e kervel *(sweet) cicely* **3.1** zij zijn ~ *they are R. C./Roman Catholics* **8.2** ⟨fig.⟩ ~er dan de paus *more Catholic than the pope.*
Rooms ⟨bn.⟩ **0.1** *Roman* ◆ **1.1** het Heilige ~e Rijk *the Holy R. Empire.*
roomsaus ⟨de⟩ **0.1** *cream sauce.*
roomse ⟨de (m.)⟩ **0.1** *Roman Catholic.*
roomsgezind ⟨bn.⟩ **0.1** *Romanist(ic)* ⇒*Romanish, Romeward,* ⟨vaak pej.⟩ *Romish.*
rooms-katholicisme ⟨het⟩ **0.1** *Roman Catholicism.*
rooms-katholiek[1] ⟨de (m.)⟩ **0.1** *Roman Catholic.*
rooms-katholiek[2] ⟨bn.⟩ **0.1** [v.d. kerk van Rome] *Roman Catholic* **0.2** [v.d. katholieken] *Roman Catholic.*
Rooms-Koning ⟨de (m.)⟩ ⟨gesch.⟩ **0.1** *Holy Roman Emperor.*
roomsoep ⟨de⟩ **0.1** *cream soup* ⇒*bisque.*
roomsoes ⟨de⟩ **0.1** *cream puff* ⇒*éclair.*
roomstel ⟨het⟩ **0.1** *sugar and cream set.*
roomtaart ⟨de⟩ **0.1** *cream cake* ⇒*cream sandwich/gateau.*
roomvers ⟨bn.⟩ **0.1** *farm-fresh* ◆ **1.1** ~e eieren *farm-fresh/freshly-laid.*
roomwit ⟨bn.⟩ **0.1** *cream* ⇒*off-white* ◆ **7.1** het ~ *cream (colour).*
roos ⟨→sprw. 518,562⟩ **0.1** [plant] *rose* **0.2** [bloem] *rose* **0.3** [voorwerp] *rose* **0.4** [middelpunt v.e. schietschijf] *bull's-eye* **0.5** [belroos, wondroos] *rose, erysipelas* ⇒*St. Anthony's fire* **0.6** [(schilfers van) hoofdroos] *dandruff* **0.7** [blos] *rose* **0.8** [schijf v.h. kompas] *rose/card* **0.9** [⟨bk.⟩] *boss* **0.10** [diamant] *rose* **0.11** [rand aan het geweei] *bur(r)* ◆ **2.¶** Chinese ~ *China r., hibiscus;* Gelderse ~ *guelder r., snowball;* zij is haar ~ je kwijt [↑]*she has lost her virginity,* [A]*she has lost*

her cherry 3.1 ⟨fig.⟩ rozen op iemands pad strooien *strew s.o.'s path with roses* 6.1 ⟨fig.⟩ **op** rozen zitten *be on a bed of roses, be in clover;* ⟨fig.⟩ zijn weg gaat niet **over** rozen *his path is not strewn with roses, life is no bed of roses for him* 6.4 in de ~ schieten ⟨ook fig.⟩ *hit the mark, score a b.;* (midden) **in** de ~ *dead on target, bang on/in the middle* 8.¶ ⟨fig.⟩ slapen als een ~ *sleep like a log/baby/top.*

roosachtig ⟨bn.⟩ **0.1** [als een roos] *roselike* **0.2** [⟨med.⟩] *scurfy* ⇒*flaky, scaly,* †*furfuraceous.*

roosachtigen ⟨zn.mv.⟩ **0.1** *rosaceous plants.*

roosbeen ⟨het⟩⟨med.⟩ **0.1** *elephantiasis.*

roosje ⟨het⟩ **0.1** [kleine roos] *little rose* ⇒*rosette* **0.2** [diamantje] *rose* ⇒ *rosette.*

rooskleurig ⟨bn., bw.; -ly⟩⟨fig.⟩ **0.1** *rosy* ⇒*rose-coloured/-tinted, rose-ate* ♦ **1.1** een ~e toekomst *a rosy/bright future* **3.1** hij weet alles ~ voor te stellen *he always gives a rosy picture of how things are.*

roosten

I ⟨onov.ww.⟩ **0.1** [gezengd worden] *be/get scorched/singed/burned/roasted;*

II ⟨ov.ww.⟩ **0.1** [mbt. de zon] *scorch* ⇒*burn, roast* **0.2** [mbt. vruchten, zaden] *roast* ⇒*grill* **0.3** [mbt. een erts] *roast.*

rooster ⟨het, de (m.)⟩ **0.1** [rasterwerk] *grid* ⇒*grating, grate,* ⟨vnl. versiering⟩ *grille, gridiron* ⟨van barbecue enz.⟩ **0.2** [tabel] *grid* **0.3** [programma, schema] *schedule* ⟨ook school⟩ ⇒*timetable, roster,* ⟨vnl. BE⟩ *rota* **0.4** [houten vloer] *pile framing* ♦ **1.1** het ~ v.d. kachel *the stove grate* **6.1** ⟨fig.⟩ ⟨AZN⟩ iem. **op** het ~ leggen *grill s.o..*

roosteren

I ⟨ov.ww.⟩ **0.1** [op een rooster braden] *grill* ⇒*roast, broil, parch* ⟨bonen, erwten, granen⟩ **0.2** [mbt. brood] *toast* **0.3** [mbt. de zon] *scorch* ⇒*burn, roast;*

II ⟨onov.ww.⟩ **0.1** [gebraden, gezengd, geroosterd worden] *be/get roasted/scorched/burned/grilled.*

roosterfundering ⟨de (v.)⟩ **0.1** *grillage foundation.*

roosterspanning ⟨de (v.)⟩⟨elek.⟩ **0.1** *grid potential/voltage* ♦ **2.1** negatieve ~ *grid bias.*

roosterwerk ⟨het⟩ **0.1** [roostervormig traliewerk] *lattice(work)* ⇒*grating, grate* **0.2** [fundament] *grillage foundation, grating.*

roostoven ⟨de (m.)⟩ **0.1** *roasting furnace.*

roosvenster ⟨het⟩ **0.1** *rose (window).*

root

I ⟨de⟩ **0.1** [water] *retting water* ⇒*retting ground* **0.2** [hoeveelheid vlas/hennep die geroot wordt] *quantity of flax (to be) retted in one operation*⟩ **0.3** [geroot vlas] *retted flax;*

II ⟨de (m.)⟩ **0.1** [het roten] *ret(ting)* ⇒*rating.*

rootput ⟨de (m.)⟩ **0.1** *retting pit* ⇒*rettery.*

roquefort ⟨de (m.)⟩ **0.1** *Roquefort (cheese).*

Rorate ⟨r.k.⟩ **0.1** *Rorate (Sunday).*

rorschachtest ⟨de (m.)⟩ **0.1** *Rorschach test* ⇒⟨inf.⟩ *ink-blot test.*

ros¹

I ⟨het⟩⟨schr.⟩ **0.1** [paard] *steed* ⇒*mount, courser, charger* ♦ **2.1** ⟨fig.⟩ het ijzeren ~ ⟨vero.⟩ *the iron horse;* ⟨fig.⟩ het stalen ~ ≠*the metal horse/s., the bike;*

II ⟨het, de (m.)⟩⟨inf.⟩ **0.1** [rosbief]⟨ongemarkeerd⟩ *roast (beef)* ♦ **1.1** een broodje ~ *a roll with beef, a beef roll.*

ros² ⟨bn.⟩ **0.1** [koperkleurig] *reddish* ⇒*rudy, sandy, carroty, ginger* ⟨haar⟩ **0.2** [⟨fig.⟩] *red* ♦ **1.2** de ~se buurt *the red-light district;* ⟨AE ook⟩ *the tenderloin;* het ~se leven *the life.*

rosaline ⟨de⟩ **0.1** *rosaline.*

rosarium ⟨het⟩ **0.1** *rosarium* ⇒*rose garden.*

rosbief ⟨de (m.)⟩ **0.1** *roast beef.*

rosbladig ⟨bn.⟩ **0.1** *copper-leaved.*

rose →roze.

rosé ⟨de (m.)⟩ **0.1** *rosé (wine).*

roseola ⟨de⟩⟨med.⟩ **0.1** *roseola* ⇒*rubella.*

roset →rozet.

roshaar ⟨het⟩ **0.1** *horsehair, haircloth.*

rosharig ⟨bn.⟩ **0.1** *red-headed* ⇒*sandy, ginger, carroty.*

roskam ⟨de (m.)⟩ **0.1** *currycomb.*

roskammen ⟨ov.ww.⟩ **0.1** *groom* ⇒*curry(comb).*

rosmarijn →rozemarijn.

rosmolen ⟨de (m.)⟩ **0.1** *horse mill* ⇒⟨fig. ook⟩ *treadmill.*

rossen

I ⟨onov.ww.⟩ **0.1** [woest rijden] *tear (along)* ⇒*drive hell for leather, career (along/about);*

II ⟨ov.ww.⟩ **0.1** [paard kammen] *groom* ⇒*curry(comb).*

rossig ⟨bn.⟩ **0.1** *reddish* ⇒*ruddy, sandy, carroty, ginger* ⟨haar⟩.

rossinant ⟨de (m.)⟩ **0.1** *Rosinante* ⇒*nag, jade, plug.*

rostra ⟨de⟩ **0.1** *rostrum* ⇒*podium.*

rot¹

I ⟨het⟩ **0.1** [het rot zijn] *rot* ⇒*decay, rottenness* **0.2** [rotte plek] *rot* ⇒ *decay* **0.3** [escouade] *squad* **0.4** [rij manschappen] *file* **0.5** [vier tegen elkaar gezette geweren] *stack* **0.6** [bende] *gang* ⇒*band* ♦ **6.5** de geweren **in** ~ ten zetten *stack the rifles;*

II ⟨de⟩ ♦ **2.¶** een oude ~ *an old hand/stager/dog;* ⟨vnl. AE⟩ *an old-timer.*

rot² ⟨bn.⟩ ⟨→sprw. 17,516⟩ **0.1** [verrot] *rotten* ⇒*bad, decayed* ⟨kies⟩, *putrid, foul, addle* ⟨ei⟩ **0.2** [ellendig] *rotten* ⇒*lousy, foul, wretched, beastly* **0.3** [slecht, corrupt] *rotten* ⇒*corrupt, evil* ♦ **1.3** ~te toestanden in de maatschappij *evils of society, social maladies* **3.1** iem. voor ~te vis uitmaken *slang s.o., call s.o. all sorts of names* **3.2** doe niet zo ~ *don't be so mean/such a nuisance/so beastly;* ~ doen tegen iem. *hand s.o. a lemon, be beastly to s.o.;* het is om je ~te lachen *it's enough to make a cat laugh;* zich ~ lachen *split one's sides laughing;* iem. voor ~ schelden *tear s.o. off a strip, bawl out s.o.;* zij schrok zich ~ *she got the fright of her life, she was scared out of her wits;* iem. ~ slaan *beat the hell out of s.o., beat s.o. hollow/to a pulp;* zich ~ vervelen *be bored to tears;* zich ~ werken *work o.s. to the bone* ¶.**1** door en door ~, zo ~ als een mispel *r. to the core;* ~ van binnen en van buiten *r. without and within.*

rota ⟨de⟩ **0.1** *Rota.*

rotacisme ⟨het⟩⟨taal.⟩ **0.1** *r(h)otacism.*

rotameter ⟨de (m.)⟩ **0.1** [gasmeter] *rotameter* **0.2** [mbt. kromme lijnen] *rotameter.*

rotan¹ ⟨het, de (m.)⟩ **0.1** [Spaans riet] *rattan* **0.2** [stengels] ⟨rattan⟩ *cane.*

rotan² ⟨bn.⟩ **0.1** *cane.*

rotanmeubel ⟨het⟩ **0.1** *cane furniture.*

rotanschild ⟨het⟩ **0.1** *cane shield.*

rotanstoel ⟨de (m.)⟩ **0.1** [stoel van rotan] *cane chair* **0.2** [samenstel van stengels] *rattan stool.*

rotatie ⟨de (v.)⟩ **0.1** *rotation* ⇒*revolution, circumvolution, gyration,* ⟨snel⟩ *whirl* ♦ **1.1** de ~ v.d. aarde om haar as *rotation/revolution of the earth on its axis.*

rotatiedruk ⟨de (m.)⟩ **0.1** *rotary printing.*

rotatiemotor ⟨de (m.)⟩ **0.1** [elektrische motor] *rotary engine* **0.2** [motor met draaiende zuigers] *rotary engine.*

rotatiepers ⟨de⟩ **0.1** *rotary press.*

rotatiepomp ⟨de⟩ **0.1** *rotary pump.*

rotatiesnelheid ⟨de (v.)⟩ **0.1** *speed of rotation.*

rotator ⟨de (m.)⟩ **0.1** [rondwentelend lichaam] *rotary* **0.2** [ronddraaiende oven] *rotary furnace.*

rotbaan ⟨de⟩ **0.1** *lousy job* ⇒*miserable/* ↓*rotten/* ↓*beastly/* †*wretched job.*

rotbui ⟨de⟩ **0.1** *filthy mood.*

rotcent ⟨de (m.)⟩⟨inf.⟩ ♦ **2.¶** geen rooie ~ waard *not worth a damn* **7.¶** geen ~ in huis *flat broke;* ⟨vnl. BE⟩ *skint.*

rotding ⟨het⟩ **0.1** ⟨vnl. BE⟩ *bloody thing* ⇒*bastard.*

roten

I ⟨ov.ww.⟩ **0.1** [aan inwerking van vocht blootstellen] *ret, rate* ⇒ *steep, soak, water-ret;*

II ⟨onov.ww.⟩ **0.1** [inwerking van vocht ondergaan] *ret, rate.*

roteren ⟨onov.ww.⟩ **0.1** *rotate* ⇒*revolve, gyrate, turn,* ⟨snel⟩ *whirl* ♦ **1.1** een ~e beweging *a rotary motion;* ~de ploeg *rotary plow;* ~de pompen *rotary pumps;* ~de slinger (torsion) *pendulum.*

rotgans ⟨de⟩ **0.1** *brent* ^*brant (goose).*

rotgevoel ⟨het⟩ **0.1** *lousy/ghastly feeling* ⇒ ↓*rotten/* †*awful/* †*wretched feeling.*

roti ⟨de⟩⟨cul.⟩ **0.1** *roast.*

rotisserie ⟨de (v.)⟩ **0.1** *rotisserie.*

rotje ⟨het⟩ **0.1** [vuurwerk] (fire)cracker ⇒*squib, banger,* ^*salute,* ⟨AE ook; sl.⟩ *golf ball* **0.2** [plat beschuitje] ≠*rusk* ⇒*cracker, toast* ♦ **3.¶** zich een ~ lachen *laugh one's head off, split one's sides, be in stitches/knots.*

rotjong, -joch ⟨het⟩⟨inf.⟩ **0.1** *brat* ⇒*little pest/menace.*

rotklap ⟨de (m.)⟩⟨inf.⟩ **0.1** *hell of a smack/lick* ♦ **3.1** iem. een ~ geven *wallop/* ^*crock s.o..*

rotklus ⟨de (m.)⟩⟨inf.⟩ **0.1** *awful/rotten job* ♦ **2.1** dat is een echte ~ *that job is a real bastard.*

rotkreupel ⟨het⟩ **0.1** *footrot* ⇒*foul-foot.*

rotmeid ⟨de (v.)⟩⟨inf.⟩ **0.1** *bitch* ⇒*cow,* ⟨AE; sl.⟩ *dog,* ⟨Austr.E; sl.⟩ *crow.*

rotogravure ⟨de⟩ **0.1** *rotogravure.*

rotonde ⟨de⟩ **0.1** [verkeersplein] *roundabout* ⟨AE⟩ *traffic cirle, rotary* **0.2** [rond gebouw] *rotunda.*

rotopmerking ⟨de (v.)⟩⟨inf.⟩ **0.1** *cheap shot* ⇒*nasty remark* ♦ **3.1** ~en maken *cat.*

rotor ⟨de (m.)⟩ **0.1** [omwentelingslichaam] *rotor* **0.2** [schroef v.e. helikopter] *rotor* **0.3** [draaiende cilinder] *rotor.*

rotorboot ⟨de⟩ **0.1** *rotor ship.*

rots ⟨de⟩ **0.1** [steenmassa] *rock* ⇒*cliff,* ⟨steil⟩ *crag, scar* **0.2** [biscuit] ≠*rock-biscuit/-cake* **6.1** ⟨fig.⟩ een ~ in de branding *tower of strength;* ⟨fig.⟩ als een ~ **in** de branding *steady as a r.;* het schip liep **op** de ~en *the ship struck the rocks;* de Rots **van** Gibraltar *the Rock of Gibraltar.*

rotsachtig ⟨bn.⟩ **0.1** *rocky* ⇒*rugged, cliffy, bouldery.*

rotsachtigheid ⟨de (v.)⟩ **0.1** *rockiness.*

rotsbank ⟨de⟩ **0.1** *reef.*

rotsbeen ⟨het⟩⟨med.⟩ **0.1** *petrosal (bone).*

rotsbes ⟨de⟩ **0.1** *moorwort.*

rotsblok ⟨het⟩ 0.1 *boulder.*
rotsbodem ⟨de (m.)⟩ 0.1 *rock-bed* ⇒*rocky bottom/ground/substratum.*
rotscactus ⟨de (m.)⟩ 0.1 *Cereus.*
rotsduif ⟨de⟩ 0.1 *rock pigeon* ⇒*rock dove, blue rock.*
rotsformatie ⟨de (v.)⟩ 0.1 *rock formation.*
Rotsgebergte ⟨het⟩ 0.1 *the Rocky Mountains* ⇒ ⟨inf.⟩ *the Rockies.*
rotsgrond ⟨de (m.)⟩ 0.1 *rocky ground/soil.*
rotsig →rotsachtig.
rotskloof ⟨de⟩ 0.1 *chasm* ⇒⟨smal⟩ *cleft, chimney.*
rotskruiper ⟨de (m.)⟩ 0.1 *wall creeper.*
rotskust ⟨de⟩ 0.1 *rocky coast.*
rotsmispel ⟨de⟩ 0.1 *serviceberry* ⇒*juneberry, shadberry, shadbush.*
rotspartij ⟨de (v.)⟩ 0.1 [rotsachtig geheel] *rock mass* ⇒*mass of rocks,* ⟨AE ook⟩ *rockwork* 0.2 [steenblokken met planten] *rockery* ⇒*rock garden, rockwork.*
rotsplant ⟨de⟩ 0.1 [tussen rotsen groeiende plant] *rock plant* 0.2 [laaggroeiende plant] *rock plant.*
rotspunt ⟨de⟩ 0.1 *tor, aiguille.*
rotsschildering ⟨de (v.)⟩ 0.1 *cave/wall painting.*
rotsspleet ⟨de⟩ 0.1 *chasm* ⇒*crevice, cranny.*
rotstekening ⟨de (v.)⟩ 0.1 *rock-drawing* ⇒*rock-carving, petroglyph.*
rotstraal ⟨de (m.)⟩ ⟨dierk.⟩ 0.1 *thrush.*
rotstreek ⟨de⟩ ⟨inf.⟩ 0.1 *dirty/low/mean trick* ⇒*doggery, skullduggery* ◆ 3.1 iem. een ~ leveren do s.o. a bad turn.
rotstuin ⟨de (m.)⟩ 0.1 *rock garden* ⇒*rockery, rockwork.*
rotsvalk ⟨de (m.)⟩ 0.1 *merlin, pigeon hawk.*
rotsvast ⟨bn., bw.⟩ 0.1 [onbeweeglijk] *rock-solid* ⇒*immovable* 0.2 [⟨fig.⟩ onwankelbaar] *rock-solid* ⇒*rock-ribbed, rocklike* ◆ 1.2 een ~e overtuiging *a deep-rooted conviction* 3.2 ~ op iets vertrouwen *have r.-s./absolute/utter confidence in sth..*
rotswand ⟨de (m.)⟩ 0.1 *rock/cliff face* ⇒⟨steil⟩ *precipice, bluff, scar(p)* ◆ 2.1 een steile ~ *a sheer cliff.*
rotswilg ⟨de (m.)⟩ 0.1 *(early/flowering) spir(a)ea.*
rotszout ⟨het⟩ 0.1 *rock salt.*
rottegat ⟨het⟩ ⟨wwb.⟩ 0.1 *rathole.*
rottekop ⟨de (m.)⟩ ⟨AZN⟩ 0.1 [schurftig hoofd] *scabby/scabbed/scurfy/scurvy head* 0.2 [persoon] ≠*scabby head.*
rotten
I ⟨onov.ww.⟩ 0.1 [bederven] *rot* ⇒*decay, putrefy, addle* ⟨ei⟩, ⟨eten ook⟩ *spoil* 0.2 [barsten, stikken] ⟨zie 3.2⟩ 0.3 [⟨vulg.⟩ winden laten] *fart* ⇒*poop* ◆ 1.1 ~d hout *rotting wood* 3.1 laten ~ *spoil, rot* 3.2 laat maar ~ *let it go to rot/pot* 6.¶ liggen te ~ in zijn bed/nest *lie and rot;*
II ⟨onov., ov.ww.⟩ 0.1 [⟨tech.⟩] *ret, rate* ⇒*decay, soak, water-ret* ◆ 1.1 loodwitverf laten ~ *r./soak/steep white-lead paint;* vlas ~ *r./steep flax.*
rotterd ⟨de (m.)⟩ 0.1 *rotter* ⇒*rat, stinker, bastard, heel.*
rotterdammer ⟨de (m.)⟩ 0.1 [schipperspet] *'Rotterdammer' (cap)* ⟨black sailor's cap⟩ 0.2 [tarwebrood] *'Rotterdammer'* ⟨type of white wheaten bread⟩ 0.3 [dobber] ≠*float with a long antenna* 0.4 [⟨biljart⟩] ≠*double stroke.*
rottig ⟨bn., bw.; -ly⟩ 0.1 [min of meer rot] *rotten* ⇒*rotting, decaying, putrid, foul* 0.2 [⟨inf.⟩ vervelend] *rotten* ⇒*nasty, horrid, beastly,* ⟨BE ook; sl.⟩ *grotty* 0.3 [⟨inf.⟩ smerig] *rotten* ⇒*lousy, wretched, foul, beastly* ◆ 1.3 een ~e honderd gulden *a lousy/measly hundred guilders* 3.2 ~ tegen iem. doen *behave rottenly towards s.o., be nasty/beastly to s.o..*
rottigheid ⟨de (v.)⟩ ⟨fig.⟩ 0.1 [vuile taal] *filth* ⇒*obscenities, smuttiness* 0.2 [narigheid] *misery* ⇒*ugliness, wretchedness, troubles* ◆ 3.2 er is zoveel ~ in de wereld *there is so much m./ugliness in the world.*
rotting
I ⟨de (v.)⟩ 0.1 [bederf] *rot* ⇒*decay, decomposition, putrefaction* 0.2 [het roten] *retting, rating* ⇒*steeping, soaking, water-retting;*
II ⟨de (m.)⟩ 0.1 [rotanstok] *cane* ⇒*rattan,* ⟨mil.⟩ *swagger-stick/* B-*cane.*
rottingslucht ⟨de⟩ 0.1 *smell of decay* ⇒*effluvium.*
rottingsproces ⟨het⟩ 0.1 *rotting/decaying process* ⇒*decomposition, putrefaction.*
rotvent ⟨de (m.)⟩ ⟨inf.⟩ 0.1 *bastard* ⇒*skunk, rotter, stinker, son-of-a-bitch.*
rotvis ⟨de (m.)⟩ 0.1 *burbot* ⇒*eelpout.*
rotwerk ⟨het⟩ 0.1 *nasty work* ⇒↓*rotten/*↓*beastly work, nasty/lousy/rotten job/task/chore* ⟨klus⟩.
rotwijf ⟨de (v.)⟩ ⟨inf.⟩ 0.1 *bitch* ⇒*she-devil,* ⟨vnl. BE⟩ *cow,* ⟨Austr.E⟩ *crow.*
rotzak ⟨de (m.)⟩ ⟨inf.⟩ 0.1 *rotter* ⇒*rat, stinker,* ⟨BE ook⟩ *nasty sod, son-of-a-bitch* ◆ ¶.1 wat een ~! *what a r./bastard/piece of scum/cad.*
rotzooi ⟨de⟩ 0.1 [ondeugdelijke waar] *(piece of) junk* ⇒*trash, rubbish, garbage* 0.2 [wanorde] *mess* ⇒*shambles,* ⟨vulg.⟩ *balls-up* ◆ 2.¶ de hele ~ ⟨ook⟩ *the whole caboodle/*^A*kit and caboodle* 3.1 iem. ~ aansmeren/verkopen *fob/palm a piece of junk off on s.o.;* waarom leest u zulke ~? *why do you read such cheap trash?* 3.2 zij hebben er een ~ van gemaakt *they made a hash of it, they messed it up;* ~ trappen *raise Cain/hell/the devil.*

rotzooien ⟨onov.ww.⟩ ⟨inf.⟩ 0.1 [knoeien] *mess* 0.2 [te keer gaan] *mess about* ⇒*horse about/around, monkey about* 0.3 [rommelig werken] *mess about* ⇒*tinker,* ⟨vulg.⟩ *piss/fuck (around/about), bugger about* 0.4 [zich ontuchtig gedragen] *fool around* ⇒*knock about* ◆ 6.1 ~ met de boekhouding *tamper with the accounts, cook the books* 6.3 wie heeft aan mijn spullen zitten ~? *who's been messing about/tinkering/buggering about with my gear?.*
rotzorg ⟨de⟩ ⟨inf.⟩ ◆ ¶.¶ dat zal me een ~ zijn ^↑ *I couldn't care less.*
roué ⟨de (m.)⟩ 0.1 *roué* ⇒*rake, debauchee, libertine, profligate.*
rouge ⟨het, de (m.)⟩ 0.1 *rouge* ⇒*blusher* ◆ 6.1 met (veel) ~ opmaken/schminken *raddle;* met ~ op de wangen *with rouged cheecks.*
roulade ⟨de (v.)⟩ ⟨muz.⟩ 0.1 *roulade.*
roulatie ⟨de (v.)⟩ 0.1 *circulation* ◆ 6.1 in ~ brengen *bring into c.* ⟨film⟩; uit de ~ halen *take out of c., call in.*
rouleren ⟨onov.ww.⟩ 0.1 [in omloop zijn] *circulate* ⇒*be in circulation* 0.2 [bij toerbeurt waargenomen worden] *rotate* ⇒*take turns,* ⟨ploegendienst⟩ *work in shifts,* ⟨dansen⟩ *change partners* ◆ 1.1 roulerend krediet *revolving credit;* ~de voorraad *revolving stocks* 1.2 het voorzitterschap rouleert *the presidency/chairmanship rotates.*
roulette ⟨de⟩ 0.1 [kansspel] *roulette* 0.2 [wieltje om stippellijnen in metaal aan te brengen] *roulette.*
roulettetafel ⟨de⟩ 0.1 *roulette table.*
route ⟨de⟩ 0.1 *route* ⇒*way, round* ⟨melkboer enz.⟩, ⟨scheep.⟩ *course* ◆ 2.1 ⟨scheep.⟩ bevaren ~ *lane;* dagelijkse ~ *daily round* ⟨van leverancier⟩; een toeristische ~ *a scenic r.;* vaste ~ *beat* ⟨vnl. van politieagent⟩ 3.1 dat ligt niet op onze ~ *that's not on our r./way.*
routebeschrijving ⟨de (v.)⟩ 0.1 *itinerary* ⇒*route description.*
routekaart ⟨de⟩ 0.1 [kaart met aangegeven route] *key map* 0.2 [lijst van adressen] *delivery list/sheet.*
routeren ⟨onov.ww., ov.ww.⟩ 0.1 *route.*
routering ⟨de (v.)⟩ ⟨verkeer⟩ 0.1 [het dirigeren v.d. scheepvaart] *routing* 0.2 [het geven van opdrachten aan scheepskapiteins] *routing.*
routine ⟨de (v.)⟩ 0.1 [vaardigheid] *practice* ⇒*skill, knack, experience, know-how* 0.2 [sleur] *routine* ⇒*grind, rut, groove,* ⟨dom⟩ *rote* ◆ 1.1 een kwestie van ~ *a matter of p./know-how* 2.2 in de dagelijkse ~ zitten *be in the daily round/grind/rut/groove* 3.1 hij heeft er de ~ van *he has the knack of it;* de ~ van iets kwijtraken *lose the hang/knack of sth..*
routinehandeling ⟨de (v.)⟩ 0.1 *routine action* ⇒⟨automatisme⟩ *automatism.*
routineonderzoek ⟨het⟩ 0.1 *routine check-up.*
routineus ⟨bn., bw.; -ly⟩ 0.1 *routine.*
routinewerk ⟨het⟩ 0.1 [werk waarbij het op routine aankomt] *work requiring practice* 0.2 [eentonig werk] *routine work/job.*
routing ⟨de (v.)⟩ ⟨ec.⟩ 0.1 *routing.*
routinier ⟨de (m.)⟩ 0.1 [iem. met ervaring] *old hand* ⇒*expert* 0.2 [gewoontemens] *creature of habit* ⇒*routineer, routinist.*
rouw^1 ⟨de (m.)⟩ 0.1 [droefheid over een dode] *mourning* ⇒*sorrow, grief* 0.2 [het tonen van droefheid] *mourning* 0.3 [rouwkleding] *mourning* ◆ 2.2 lichte ~ *half m.;* zware ~ *deep m.* 3.3 om iem. de ~ aannemen *go into m.;* geen ~ meer dragen *go out of m., stop being in m.;* ~ dragen *be in m., wear black* 6.1 in de ~ dompelen *plunge into m.* 6.2 gedurende de ~ ging men nergens heen *one didn't go out while in m./during the m. period;* ⟨scherts.⟩ je nagels zijn in de ~ *your finger-nails are in m./have a mourning-band* 6.3 in de ~ zijn *be in m..*
rouw^2 ⟨bn.⟩ 0.1 [ruw] *rowdy* ⇒*rough, tough, coarse* 0.2 [onstuimig] *rough* ◆ 1.1 ~e klanten *tough customers.*
rouwband ⟨de (m.)⟩ 0.1 *mourning band* ⇒*black armband, crepe, crape.*
rouwbandje ⟨het⟩ ⟨dierk.⟩ 0.1 *tufted duck/pochard.*
rouwbeklag ⟨het⟩ 0.1 *condolence* ◆ 1.1 brieven van ~ *letters of c./sympathy* 7.1 geen ~ *no calls of c..*
rouwbrief ⟨de (m.)⟩ 0.1 *mourning card.*
rouwcentrum ⟨het⟩ 0.1 *funeral parlour* ⇒⟨AE ook⟩ *funeral home, mortuary.*
rouwdienst ⟨de (m.)⟩ 0.1 *memorial service* ⇒⟨r.k.⟩ *requiem mass.*
rouwdouw ⟨de (m.)⟩ ⟨inf.⟩ 0.1 *rowdy* ⇒*bruiser, hooligan, knockabout,* ⟨BE ook; sl.⟩ *yob(bo).*
rouwdrager ⟨de (m.)⟩ 0.1 [persoon] *mourner* 0.2 [⟨dierk.⟩] *white-eyed duck/pochard.*
rouwen
I ⟨onov.ww.⟩ 0.1 [smart voelen] *mourn* ⇒*grieve, sorrow* 0.2 [in de rouw zijn] *mourn* ◆ 4.¶ dat zal hem ~ *he will (live to) regret that, he will rue the day when ...* 6.1 om iem. ~ m. (for/over) s.o., sorrow for/after s.o., lament for s.o.* 6.2 ~ over iem. *m./be in mourning for s.o.;*
II ⟨ov.ww.⟩ ⟨amb.⟩ 0.1 [laken ruwen] *raise* ⇒*card.*
rouwfloers ⟨het⟩ 0.1 [zwarte stof] *crepe, crape* ⇒*weeper* 0.2 [rouwsluier] *crepe, crape* ⇒*weeper.*
rouwgoed ⟨het⟩ 0.1 [kleren] *mourning attire/garb/clothes* ⇒*weeds, widow's weeds* ⟨van weduwe⟩ 0.2 [stof] *mourning cloth* ⇒*crepe, crape.*
rouwig ⟨bn.⟩ 0.1 *regretful* ⇒*sorry* ◆ 3.1 ergens niet ~ om zijn *not regret/be sorry about sth..*

rouwjaar ⟨het⟩ **0.1** *year of mourning.*

rouwkamer ⟨de⟩ **0.1** *funeral parlour* ⇒⟨AE ook⟩ *funeral home, mortuary.*

rouwkapel ⟨de⟩ **0.1** *funeral chapel.*

rouwklacht ⟨de⟩ **0.1** [weeklacht] *lamentation* ⇒*wailing* **0.2** [klaaglied] *lament* ⇒*dirge, elegy, threnode,* ⟨vnl. IE⟩ *keen.*

rouwklagen ⟨onov.ww.⟩ **0.1** *mourn* ⇒*lament,* ⟨vnl. IE⟩ *keen.*

rouwklager ⟨de (m.)⟩, **-klaagster** ⟨de (v.)⟩ **0.1** *mourner* ⇒*weeper.*

rouwkleding ⟨de (v.)⟩ **0.1** *mourning (clothes/attire/garb)* ⇒*weeds, widow's weeds* ⟨van weduwe⟩ ◆ **3.1** ~ *dragen wear m. / black.*

rouwkleed ⟨het⟩ **0.1** [kleren] *mourning garment/attire* ⇒*weeds, widow's weeds* ⟨van weduwe⟩ **0.2** [lijkkleed] *shroud* ⇒*winding sheet* **0.3** [zwart kleed als teken van rouw] *pall.*

rouwkoets ⟨de⟩ **0.1** *mourning/funeral coach.*

rouwkrans ⟨de (m.)⟩ **0.1** *funeral wreath.*

rouwkwikstaart ⟨de (m.)⟩ ⟨dierk.⟩ **0.1** *pied wagtail* ⇒*water wagtail.*

rouwlint ⟨het⟩ **0.1** *mourning ribbon.*

rouwmantel ⟨de (m.)⟩ ⟨dierk.⟩ **0.1** *mourning cloak (butterfly)* ⇒*Camberwell beauty.*

rouwmis ⟨de⟩ **0.1** *requiem mass.*

rouwmoedig ⟨bn., bw.; -ly⟩ **0.1** *remorseful* ⇒*repentant, penitent, contrite* ◆ **1.1** een ~ *zondaar a contrite/repentant sinner.*

rouwnagels ⟨zn.mv.⟩ ⟨inf.⟩ **0.1** *fingernails in mourning.*

rouwpapier ⟨het⟩ **0.1** *mourning paper* ⇒*black-bordered/-edged notepaper.*

rouwrand ⟨de (m.)⟩ **0.1** *black border/edge* ◆ **3.1** ⟨inf.; fig.⟩ je nagels hebben ~ en *your (finger)nails are in mourning.*

rouwsluier ⟨de (m.)⟩ **0.1** [zwarte sluier] *widow's veil* ⇒*weeper* **0.2** [rouwkleed] *pall.*

rouwstoet ⟨de (m.)⟩ **0.1** *funeral procession* ⇒*cortège.*

rouwtijd ⟨de (m.)⟩ **0.1** *(period/time of) mourning.*

rouwvlinder ⟨de (m.)⟩ ⟨dierk.⟩ **0.1** [Neptis rivularis] *Hungarian glider* **0.2** [Neptis sappho] *common glider/sailer* **0.3** [Zeuzera pyrina] *wood leopard moth.*

roux ⟨de (m.)⟩ **0.1** *roux* ◆ **2.1** blonde ~ *white sauce.*

roven
I ⟨ov.ww.⟩ **0.1** [met geweld wegnemen] *steal* **0.2** [ontnemen] *steal* ⇒ *rob of* **0.3** [gewelddadig wegvoeren] *carry off* ⇒*abduct, kidnap* ◆ **1.1** geroofde goederen *stolen goods* **1.2** hij heeft haar eer geroofd *he has defiled her;* een kusje ~ *s. / snatch a kiss* **1.3** een kind ~ *kidnap a child;* **II** ⟨onov.ww.⟩ **0.1** [roof plegen, van roof leven] *rob* ⇒*plunder, pillage.*

rover ⟨de (m.)⟩ **0.1** *robber* ⇒⟨overvaller ook⟩ *raider,* ⟨struikrover⟩ *highwayman* ◆ **3.1** ~tje spelen *play (at) robbers.*

roverij ⟨de (v.)⟩ **0.1** *robbery* ⇒*brigandage, banditry,* ⟨op zee⟩ *piracy.*

roversbende ⟨de⟩ **0.1** *gang/band of robbers.*

rovershol ⟨het⟩ **0.1** *robbers' den.*

rovescio ⟨de (m.)⟩ ⟨muz.⟩ **0.1** [omgekeerd] *(a/al) rovescio* **0.2** [achterstevoren te spelen] *(a/al) rovescio.*

royaal¹ →*royaalpapier.*

royaal² ⟨bn., bw.; -ly⟩ ⟨→sprw. 322⟩ **0.1** [ruim] *generous* ⇒*open-/free-handed, liberal* **0.2** [ruim van opvattingen] *liberal* ⇒*broad-minded, magnanimous* **0.3** [van flinke afmetingen, voldoende] *spacious* ⇒*ample* ◆ **1.1** een royale beloning *a handsome/g. reward* **1.2** een royale kerel *a sportsmanlike fellow, a sportsman* **1.3** een ~ huis *a s. / roomy house;* een royale meerderheid *a comfortable majority* **3.1** ~ voor de dag/over de brug komen *be lavish/g.* **3.2** ~ handelen *behave magnanimously;* ~ de waarheid zeggen *speak openly/the plain truth* **3.3** ~ bouwen *build generously* **5.1** te ~ leven *live beyond one's means;* wij kregen ~ voldoende *what we got was ample* **6.1** zeer ~ met *lavish with;* ~ zijn met zijn geld *spend freely, be g. with one's money* ¶**.3** ~ octavo *royal octavo.*

royaalpapier ⟨het⟩ **0.1** *royal* ◆ **2.1** super ~ *super r..*

royalisme ⟨het⟩ **0.1** *royalism.*

royalist ⟨de (m.)⟩ **0.1** *royalist.*

royalistisch ⟨bn., bw.; -(ic)ally⟩ **0.1** *royalist(ic).*

royaliteit ⟨de (v.)⟩ **0.1** *generosity* ⇒*liberality, open-handedness.*

royeerbaar ⟨bn.⟩ **0.1** *removable* ⇒*cancellable.*

royement ⟨het⟩ **0.1** *removal* ⇒*cancellation* ⟨van contract/hypotheek⟩, ⟨van hypotheek ook⟩ *annulment, expulsion* ⟨als lid⟩, ⟨van advocaat ook⟩ *disbarment.*

royementskosten ⟨zn.mv.⟩ **0.1** *cancellation/* ⟨van hypotheek ook⟩ *annulment charges.*

royeren ⟨ov.ww.⟩ **0.1** [schrappen] *cancel* ⇒*annul, remove (from), strike (off)* ⟨lijst enz.⟩ **0.2** [als lid schrappen] *expel (from)* ⇒⟨advocaat ook⟩ *disbar* ◆ **8.1** iem. als clublid ~ *expel s.o. from a club.*

roze ⟨bn.⟩ **0.1** *pink* ⇒*rose* ◆ **1.1** door een ~ bril kijken ⟨fig.⟩ *see things through rose-coloured/-tinted spectacles/glasses;* de ~ driehoek *the p. triangle* **2.1** oud ~ *old rose* **6.1** ⟨zelfst.⟩ zij was in het ~ *she was wearing p. / dressed in p..*

rozeblad ⟨het⟩ **0.1** [bloemblad] *rose petal, rose leaf* **0.2** [blad v.e. rozestruik] *rose leaf.*

rozebladluis ⟨de⟩ **0.1** *rose aphid* ⇒⟨inf.⟩ *greenfly.*

rozebokje, rozeboktor ⟨de⟩ **0.1** *musk beetle.*

rozeboom ⟨de (m.)⟩ **0.1** *rose tree.*

rozebottel ⟨de⟩ **0.1** *rose hip.*

rozegal ⟨de⟩ **0.1** *rose gall* ⇒*bedeg(u)ar.*

rozegeranium ⟨de⟩ **0.1** *rose geranium.*

rozegeur ⟨de (m.)⟩ **0.1** *smell/scent/perfume/fragrance of roses* ◆ **1.1** het is er niet alleen ~ en maneschijn *it's not all roses there* **3.1** ⟨fig.⟩ alles was ~ *everything in the garden was lovely.*

rozehout ⟨het⟩ **0.1** *rosewood.*

rozekam ⟨de⟩ **0.1** *rose comb.*

rozekevertje ⟨het⟩ **0.1** *garden chafer* ⟨Phyllopertha horticola⟩; *rose chafer/bug.* ⟨Macrodactylus subspinosus⟩.

rozeknop ⟨de (m.)⟩ **0.1** ⟨ook fig.⟩ *rosebud.*

rozelaar →*rozestruik.*

rozemarijn ⟨de (m.)⟩ **0.1** *rosemary.*

rozemond ⟨de (m.)⟩ **0.1** *ruby lips.*

rozenbed ⟨het⟩ **0.1** *rose bed.*

rozenhoedje ⟨het⟩ ⟨r.k.⟩ **0.1** *chaplet.*

rozenkrans ⟨de (m.)⟩ **0.1** [krans van rozen] *wreath/garland of roses* **0.2** [gebed] *rosary* **0.3** [bidsnoer] *rosary* ◆ **3.2** de ~ bidden *say/recite the r., tell one's beads.*

Rozenkruisers ⟨zn.mv.⟩ **0.1** *Rosicrucians.*

rozenkweker ⟨de (m.)⟩ **0.1** *rose grower* ⇒*rosarian.*

rozenmaand ⟨de⟩ **0.1** *June.*

rozenobel ⟨de (m.)⟩ **0.1** *(rose) noble.*

rozenolie ⟨de⟩ **0.1** *attar (of roses).*

rozensteker ⟨de⟩ **0.1** *rose bowl.*

rozenteelt ⟨de⟩ **0.1** *rose growing/culture/breeding.*

rozentijd ⟨de (m.)⟩ **0.1** *rose season.*

rozentuin ⟨de (m.)⟩ **0.1** *rose garden* ⇒*rosary.*

rozenvloei ⟨het⟩ **0.1** *pink tissue paper.*

rozenvreter ⟨de (m.)⟩ **0.1** *larva of the rose chafer/bug.*

rozenwater ⟨het⟩ **0.1** [welriekend water] *rose water* **0.2** [rozenolie met water vermengd] *rose water* ◆ **1.¶** een lulletje ~ ≠ *a la(h)-di-da.*

rozeoor ⟨het⟩ **0.1** *rose ear.*

rozerood¹ ⟨het⟩ **0.1** [kleur als een roos] *rose red* **0.2** [vleeskleur] *carnation* ⇒*flesh colour.*

rozerood² ⟨bn.⟩ **0.1** [rozekleurig] *rose-red* **0.2** [vleeskleurig] *flesh-coloured/-tinted* **0.3** ⟨fig.⟩ *rooskleurig] rosy* ⇒*roseate.*

rozespons ⟨de⟩ **0.1** *rose gall.*

rozestek ⟨de (m.)⟩ **0.1** *rose cutting.*

rozestok ⟨de (m.)⟩ **0.1** *pedicel* ⇒*pedicle.*

rozestruik ⟨de (m.)⟩ **0.1** *rose bush.*

rozet ⟨de⟩ **0.1** [versiering] *rosette* **0.2** [krans van bladeren] *rosette* **0.3** [diamantje] *rose* ◆ **8.3** geslepen als een ~ *rose-cut.*

rozetblad ⟨het⟩ **0.1** *echeveria.*

rozig ⟨bn.⟩ **0.1** [met de kleur van rozen] *rosy* ⇒*roseate* **0.2** [door roos ontstoken] *scurfy* **0.3** [aangenaam loom] *languid* ◆ **1.1** ~e wangen hebben *have rosy cheeks.*

rozijn ⟨de⟩ **0.1** *raisin.*

rozijnenbaard ⟨de (m.)⟩ ⟨scherts.⟩ **0.1** [uitslag rond de mond] ⟨ongemarkeerd⟩ *impetigo* **0.2** [persoon] ⟨ongemarkeerd⟩ *person suffering from impetigo.*

rozijnenbrood ⟨het⟩ **0.1** *raisin bread.*

rozijnenwijn ⟨de (m.)⟩ **0.1** *raisin wine.*

rozijnerwten ⟨zn.mv.⟩ **0.1** *sweet peas.*

rp ⟨afk.⟩ **0.1** [réponse payée] ⟨reply paid⟩.

RP ⟨afk.⟩ **0.1** [reverende pater] ⟨Reverend Father⟩.

R.P.I. ⟨de (v.)⟩ ⟨afk.⟩ **0.1** [Rijks Psychiatrische Inrichting] ⟨state psychiatric hospital⟩.

R.P.S. ⟨de⟩ ⟨afk.⟩ **0.1** [Rijkspostspaarbank] ⟨National Savings Bank⟩.

r.s.v.p. ⟨afk.⟩ **0.1** [réponse/répondez s'il vous plaît] *R.S.V.P., r.s.v.p..*

RU ⟨de (v.)⟩ ⟨afk.⟩ **0.1** [Rijksuniversiteit] ⟨state university⟩.

rubato ⟨het⟩ ⟨muz.⟩ **0.1** *rubato.*

rubber¹ ⟨het, de (m.)⟩ **0.1** [sap v.d. rubberboom] *rubber* **0.2** [gewas] *rubber tree* **0.3** [rubbersoort] *rubber* ◆ **2.3** geregenereerde ~ *reclaimed/regenerated r.* **6.1** met ~ behandelen *rubberize.*

rubber² ⟨bn.⟩ **0.1** *rubber.*

rubberachtig ⟨bn.⟩ **0.1** *rubbery* ⇒⟨med.⟩ *gummatous (gezwel).*

rubberband ⟨de (m.)⟩ **0.1** *rubber band* ⇒*elastic band,* ⟨van auto enz.⟩ *rubber tyre* ᴬ*tire.*

rubberboom ⟨de (m.)⟩ **0.1** *rubber tree.*

rubberboot ⟨de⟩ **0.1** *(rubber) dinghy.*

rubberdruk ⟨de (m.)⟩ **0.1** *offset printing.*

rubberen ⟨bn.⟩ **0.1** *rubber.*

rubberhak ⟨de⟩ **0.1** *rubber heel.*

rubberkogel ⟨de (m.)⟩ **0.1** *rubber bullet* ⇒*baton round.*

rubberlaag ⟨de⟩ **0.1** *rubber layer, layer of rubber.*

rubberlaars ⟨de⟩ **0.1** *rubber boot, gumboot* ⇒⟨vnl. BE⟩ *Wellington (boot),* ⟨mv. ook; inf.⟩ *wellies.*

rubberpakking ⟨de (v.)⟩ **0.1** *rubber seal/filling.*

rubberplant ⟨de⟩ **0.1** *rubber plant.*

rubberplantage ⟨de (v.)⟩ **0.1** *rubber plantation.*

rubberzool ⟨de⟩ **0.1** *rubber sole.*

Rubensfiguur ⟨de⟩ **0.1** *Rubenesque figure*.
Rubicon ⟨de (m.)⟩ **0.1** *Rubicon* ◆ **3.1** de ~ overtrekken ⟨ook fig.⟩ *cross the R.* **3.**¶ ⟨kaartspel⟩ rubicon maken *rubicon*.
rubidium ⟨het⟩ ⟨schei.⟩ **0.1** *rubidium*.
rubricator ⟨de (m.)⟩ **0.1** [iem. die rubriceert] *rubricator* **0.2** [⟨gesch.⟩] *rubricator*.
rubriceren ⟨ov.ww.⟩ **0.1** [in rubrieken verdelen] *rubricate* **0.2** [in een rubriek onderbrengen] *class* ⇒*classify* **0.3** [versierde letters aanbrengen] *rubricate*.
rubriek ⟨de (v.)⟩ **0.1** [afdeling in een dagblad] *column* ⇒*feature, section* **0.2** [categorie] *section* ⇒*group, class* **0.3** [⟨radio, t.v.⟩] *feature* **0.4** [opschrift] *rubric* **0.5** [voorschrift] *rubric* ◆ **1.1** de advertentierubriek(en) *the advertizing columns* **2.1** de financiële ~ *the financial c.*; een vaste ~ *regular feature* **6.2** iets in een ~ onderbrengen *classify sth., place sth. in a group/under a head*; in ~ en indelen *divide into classes/ heads*; **onder** welke ~ valt/komt dat? *what heading does this article come under?*.
rubriek(s)advertentie ⟨de (v.)⟩ **0.1** *classified ad(vertisement)* ⇒*small ad*.
ruche ⟨de⟩ **0.1** *ruche* ⇒*frill*.
ruchtbaar ⟨bn.⟩ **0.1** *known* ⇒*public* ◆ **3.1** iets ~ maken *make sth. known/public*; ~ worden *become k., leak out*.
ruchtbaarheid ⟨de (v.)⟩ **0.1** *publicity* ◆ **3.1** ~ aan iets geven *give p. to sth.*; ~ krijgen *become known, spread (abroad)* **7.1** ergens geen ~ aan geven *hush sth. up*.
rücksichtslos ⟨bn., bw.; -ly⟩ **0.1** *unscrupulous, unsparing* ⇒*thoughtless, inconsiderate*.
ruderaal ⟨bn.⟩ **0.1** *ruderal*.
rudiment ⟨het⟩ **0.1** [onontwikkeld lichaamsdeel] *rudiment* **0.2** [aanvangsgrond] *rudiment*.
rudimentair ⟨bn., bw.; -ly⟩ **0.1** *rudimentary* ⇒*rudimental*.
ruften ⟨onov.ww.⟩ ⟨inf.⟩ **0.1** ↑*break wind* ⇒⟨winden laten⟩ *let off, fart*, ⟨boeren laten⟩ *belch*.
rug ⟨de (m.)⟩ **0.1** [lichaamsdeel] *back* **0.2** [deel v.e. kledingstuk] *back* **0.3** [mbt. meubels] *back* **0.4** [deel van iets dat lijkt op een rug] *back* **0.5** [achtergedeelte van iets] *back* **0.6** [mbt. boeken] *back* ⇒*spine* **0.7** [stompe bovenzijde] *back* ◆ **1.4** de ~ v.e. gebergte *a mountain ridge* **1.5** de ~ v.e. schilderij/spiegel *the b. of a picture/mirror* **2.1** hij heeft een brede ~ ⟨krijgt van alles de schuld⟩ *he is always blamed for everything*, ⟨kan veel verdragen⟩ *he has a thick skin*; een hoge ~ *a hump(back)/hunch(back)*; een hoge ~ (op)zetten *arch/hump one's b.*; een persoon met een hoge ~ *a humpback/hunchback*; een holle ~ *a swayback*; een kromme ~ *a hogback/hog's-back*; open ~ *spina bifida*; een ronde ~ *a slouch/stoop* **2.2** japon met lage ~ *backless dress* **2.3** een stoel met een hoge ~ *a high-backed chair* **2.6** boek met leren ~ *half-bound book* **2.**¶ een rooie ~ ↑*a thousand-guilder note* **3.1** ik had mijn ~ nog niet gekeerd, of ... *hardly had I turned my b. when ...*; iem. de ~ toedraaien/toekeren *turn one's b. on s.o.*; ⟨fig.⟩ de vijand de ~ toekeren *fly from the enemy*; ⟨fig.⟩ zijn ~ vrijhouden *keep an escape route open* **6.1** ⟨fig.⟩ achter ~ van iem. kwaadspreken *talk about s.o. behind his/her b.*; ⟨fig.⟩ het is achter de ~ *it's all over*; ⟨fig.⟩ hij heeft een moeilijke tijd achter de ~ *he has a difficult time behind him*; ⟨fig.⟩ we hebben het ergste achter de ~ *we are over the hump*; **door** zijn ~ gaan *do one's b. in*; pijn in de ~ hebben *have b. pain*; de vijand in de ~ (aan)vallen *take/attack the enemy from behind/in the rear*; de zieke vroeg een kussentje in de ~ *the patient asked for a cushion to support his b.*; iem een duwtje/steuntje in de ~ ⟨fig.⟩ *a lift/push, a leg up*; in de ~ gedekt kon hij wegrennen *covered from behind, he was able to run away*; wind in de ~ ⟨*a*⟩ *tail-wind, the wind at one's b. /* ⟨*coming*⟩ *from behind*; ⟨fig.⟩ ik heb geen ogen in/op mijn ~ *I haven't got eyes in the b. of my head*; met zijn ~ naar mij toe *with his b. to me*; ⟨fig.⟩ met de ~ tegen de muur *with one's b. to the wall*; ⟨fig.⟩ het (geld) groeit mij niet op de ~ *I am not made of money*; op zijn ~ liggen ⟨dood zijn⟩ *be six feet under*; ⟨veronachtzaamd worden⟩ *be stagnant/left to rot* ⟨zaken⟩; met zijn handen op de ~ ⟨met zijn hands behind his b.⟩; een kind op de ~ laten rijden *give a child a piggyback*; het loopt mij koud over mijn ~ *it sends shivers down my spine*; ⟨fig.⟩ over de ~ gen v.d. arbeiders werkt hij zich omhoog *he's working his way up by trampling on the workers*; ⟨fig.⟩ ik kan het niet van mijn ~ afsnijden *there's no way I can pay for it* **6.4** ⟨meteo.⟩ een ~ van hoge druk *a ridge of high pressure* ¶.**1** ⟨inf.⟩ je kunt mijn ~ op! *you know where you can put that?*.
rug-aan-rug 0.1 *back to back*.
rugby ⟨het⟩ **0.1** *rugby* ⇒⟨schr.⟩ *rugby football*, ⟨vnl. BE ook; inf.⟩ *rugger*, ⟨BE ook⟩ *rugby league* ⟨voor beroeps, met teams van 13 spelers⟩/*rugby union* ⟨voor amateurs, met teams van 15 spelers⟩.
rugbybal ⟨de (m.)⟩ **0.1** *rugger ball* ⇒⟨schr.⟩ *rugby (foot)ball*.
rugbyen ⟨onov.ww.⟩ **0.1** *play rugby/* ⟨vnl. BE ook; inf.⟩ *rugger*.
rugbywedstrijd ⟨de (m.)⟩ **0.1** *rugby match*.
rugcrawl ⟨de (m.)⟩ **0.1** *backcrawl*.
rugdecolleté ⟨het⟩ **0.1** *back décolletage* ◆ **6.1** een jurk met een ~ *a backless dress*.
rugdekking ⟨de (v.)⟩ **0.1** *backing* ◆ **3.1** iem. ~ geven ⟨balsport⟩ *back s.o. up*; ⟨fig.⟩ *back s.o.*.

ruggegraat ⟨de⟩ **0.1** [wervelkolom] *spinal/vertebral column* ⇒*backbone, spine* **0.2** [innerlijke kracht] *backbone* ⇒*stamina*, ⟨inf.⟩ *guts, determination* **0.3** [voornaamste deel] *backbone* ◆ **1.3** dat is de ~ v.d. inkomstenbelasting *that is the b./linchpin of income tax* **3.2** men moet ~ tonen *one has to show/display stamina/guts/determination* **6.2** iem. zonder ~ *a spineless creature* **7.2** geen ~ hebben *have no b./guts*.
ruggegraatsverkromming ⟨de (v.)⟩ **0.1** *curvature of the spine*.
ruggegraatswervel →ruggewervel.
ruggelings
I ⟨bw.⟩ **0.1** [rug tegen rug] *back to back* **0.2** [achterover] *backward(s)* **0.3** [achterwaarts] *backward(s)* **0.4** [op de rug] *on one's back* ◆ **3.3** ~ de kamer uit gaan *back out of the room* **3.4** ~ zwemmen ⟨ook⟩ *swim backstroke*;
II ⟨bn.⟩ **0.1** [achterwaarts gericht] *backward*.
ruggemerg ⟨het⟩ **0.1** *spinal marrow/cord* ◆ **6.1** verdoving in het ~ *spinal anaesthesia*.
ruggemergontsteking ⟨de (v.)⟩ **0.1** *inflammation of the spinal cord/marrow* ⇒⟨med.⟩ *myelitis*.
ruggemergpunctie ⟨de (v.)⟩ **0.1** *lumbar puncture*.
ruggemergsholte ⟨de (v.)⟩ **0.1** *spinal canal*.
ruggemergsvocht ⟨het⟩ **0.1** *(cerebro)spinal fluid*.
ruggemergszenuw ⟨de⟩ **0.1** *spinal nerve*.
ruggeprik ⟨de (m.)⟩ **0.1** *spinal puncture/* ⟨BE ook; inf.⟩ *jab*.
ruggespraak ⟨de⟩ **0.1** [overleg voor een besluit] *consultation* **0.2** [overleg van afgevaardigden met lastgevers] *consultation* ◆ **3.1** ~ met iem. houden *consult (with) s.o., hold a c. with s.o., confer with s.o.* **6.2** na ~ met *after c. with/consulting (with)*.
ruggesteun ⟨de (m.)⟩ **0.1** [steun in de rug] *back support* ⇒*support in the back* **0.2** [hulp] *backing* ⇒*support, back-up* ◆ **2.2** iem. flinke ~ geven *give s.o. solid backing/a strong back-up*.
ruggesteunen →rugsteunen.
ruggestreng ⟨de⟩ **0.1** *spine*.
ruggevat ⟨het⟩ **0.1** *dorsal vessel*.
ruggewervel ⟨de (m.)⟩ **0.1** *(dorsal) vertebra*.
ruggordel ⟨de (m.)⟩ ⟨dierk.⟩ **0.1** *carapace*.
rugkant →rugzijde.
rugklachten ⟨zn.mv.⟩ **0.1** *back trouble(s)/complaints, backaches*.
rugkleed ⟨het⟩ **0.1** *horse-cloth*.
rugklier ⟨de⟩ **0.1** *dorsal gland*.
rugkorf ⟨de⟩ **0.1** *pack basket*.
rugkrabber ⟨de (m.)⟩ **0.1** [harkje om de rug te krabben] *back scratcher* **0.2** [ijzeren krabber] *scraper*.
rugkussen ⟨het⟩ **0.1** *back cushion, squab*.
rugleuning ⟨de (v.)⟩ **0.1** *back (of a chair)* ◆ **2.1** met hoge ~ *high-backed*; stoel met verstelbare ~ *adjustable (arm)chair; reclining seat* ⟨in auto/vliegtuig⟩ **6.1** zonder ~ *backless, unbacked*.
rugligging ⟨de (v.)⟩ **0.1** *supine position* ⇒*dorsal position*.
rugnummer ⟨het⟩ **0.1** *(player's) number*.
rugpand ⟨het⟩ **0.1** *back panel* ⇒⟨van kledingstuk ook⟩ *back*.
rugpijn ⟨de⟩ **0.1** *pain in the back* ⇒*backache*.
rugpositief ⟨het⟩ **0.1** *Rückpositiv* ⇒≠*choir organ*.
rugschelp ⟨de⟩ **0.1** *dorsal shell*.
rugschild ⟨het⟩ **0.1** *carapace*.
rugschildje ⟨het⟩ **0.1** *distinctive (spine) label*.
rugschot ⟨het⟩ **0.1** *shot in the back*.
rugslag ⟨de (m.)⟩ **0.1** *backstroke* ⇒*backcrawl*.
rugsluiting ⟨de (v.)⟩ **0.1** *back fastening* ◆ **6.1** met (een) ~ *fastened at the back*.
rugspier ⟨de⟩ **0.1** *dorsal muscle*.
rugsproeier ⟨de (m.)⟩ **0.1** *knapsack spray(er)*.
rugsteun →ruggesteun.
rugsteunen ⟨ov.ww.⟩ **0.1** [steunen in de rug] *give back support* **0.2** [bijstaan] *back (up)* ⇒*support* ◆ **6.2** door hem gerugsteund, durfde hij alles *with my backing, he'd take on anything, backed up by him, he dared to do everything*.
rugstuk ⟨het⟩ **0.1** [keerzijde] *obverse* **0.2** [stuk vlees] *chine* ⇒*saddle*.
rugtitel ⟨de (m.)⟩ **0.1** *title on the spine*.
rugvin ⟨de⟩ **0.1** *dorsal fin*.
rugvliegen ⟨ww.⟩ **0.1** *inverted/upside-down flying*.
rugvlucht ⟨de (v.)⟩ **0.1** *inverted flight* ⇒*upside-down flight*.
rugwaarts ⟨bn., bw.⟩ **0.1** *backward* ⇒⟨bw. ook⟩ *backwards* ◆ **1.1** een ~e beweging *a backward movement* **3.1** ~ gaan *go backward(s)*.
rugwering ⟨de (v.)⟩ **0.1** *parados*.
rugwervel →ruggewervel.
rugwind ⟨de (m.)⟩ **0.1** *tail wind, following wind*.
rugzak ⟨de (m.)⟩ **0.1** *rucksack* ⇒*knapsack*, ⟨vnl. AE ook⟩ *backpack* ◆ **6.1** met de ~ om *rucksacked, knapsacked, backpacked*.
rugzenuw ⟨de⟩ **0.1** *dorsal nerve*.
rugzijde ⟨de⟩ **0.1** [zijde v.d. rug] *side of the back* ⇒*(rear) flank* **0.2** [achterzijde] *back* ⇒*reverse, obverse* ◆ **6.1** aan de ~ *posterior* ⟨bn.⟩.
rugzwemmen ⟨ww.⟩ **0.1** *swim backstroke, swim(ming) on one's back*.
rugzwemmers ⟨zn.mv.⟩ ⟨dierk.⟩ **0.1** *notonectidae, notonectal insects* ⇒ *backswimmers*.

rui ⟨de (m.)⟩ **0.1** [het ruien] *moult(ing)* ^A*molt(ing)* **0.2** [ruitijd] *moulting* ^A*molting season/time* ◆ **6.1** onze kanarie is **aan** de ~ *our canary is moulting.*

ruien ⟨onov.ww.⟩ **0.1** [verharen, van veren wisselen] *moult* ^A*molt* ⇒ *shed one's feathers, mew (feathers)* **0.2** [mbt. vruchtbomen] *drop (early)* ⇒ *shed* **0.3** [mbt. wijn, teruggaan in kwaliteit] *deteriorate.*

ruif ⟨de⟩ **0.1** *rack* ⇒ ⟨schr.⟩ *manger.*

ruig¹ ⟨het⟩ **0.1** [wat ruig is] *shag* ⇒*scour* **0.2** [baardharen] *stubble.*

ruig²
I ⟨bn.⟩ **0.1** [stug aanvoelend] *rough* **0.2** [harig] *shaggy* ⇒*hairy, bushy* ⟨baard, wenkbrauwen⟩ **0.3** [⟨kind.⟩ prachtig] *smashing, super* ◆ **1.1** een ~e haardos *a thatch, a wild mop* **1.2** een ~e baard *a s./ bushy beard;* een ~e mantel *a s. coat;* ~e wangen *hairy cheeks* **3.1** ~ maken *roughen, shag* **6.¶** die is **voor** zijn ~e *that job's done, that's that;*
II ⟨bn., bw.; -ly⟩ **0.1** [ruw, wild] *rough* **0.2** [met schimmel bedekt] ⟨met rijp⟩ *hoary,* ⟨met schimmel⟩ *mildewed, mouldy* ^A*moldy* ◆ **1.1** een ~e apostel *a r. diamond;* een ~ feest *a r./* ⟨inf.⟩ *rowdy party;* ⟨sl.⟩ *a rave-up;* ~e taal *r./ coarse language* **1.2** ~e vorst *hoarfrost* **3.1** ~ omgaan met iets *treat/handle sth. roughly.*

ruigharig ⟨bn.⟩ **0.1** [langharig] *shaggy* ⟨vnl. mbt. pony/hond⟩; ⟨draadharig⟩ *rough-/wire-haired* ⟨vnl. mbt. hond⟩ ◆ **1.1** een ~e tekkel *a rough-coated dachshund.*

ruigheid ⟨de (v.)⟩ **0.1** [het stug aanvoelen] *roughness* **0.2** [harigheid] *shagginess* ⇒*hairiness, bushiness* **0.3** [onbeschaafdheid] *roughness* ⇒ *coarseness.*

ruigpoot ⟨de (m.)⟩ ⟨vulg.⟩ **0.1** *queer, gay, pansy, fairy;* ⟨BE ook⟩ *poofter.*

ruigpotig ⟨bn.⟩ **0.1** *rough-legged/-footed.*

ruigte ⟨de (v.)⟩ **0.1** [harig oppervlak] *shaggy/rough surface* **0.2** [wild gewas] *brushwood, underwood* ⇒*rough growth, (rough) herbage, tangled growth* **0.3** [stugheid] *roughness* **0.4** [afval] *(garden) rubbish.*

ruikbaar ⟨bn.⟩ **0.1** *smellable.*

ruiken
I ⟨onov.ww.⟩ **0.1** [reuk geven] *smell* **0.2** [de gedachte opwekken] *smell (of)* ⇒*savour (of)* **0.3** [reuk opnemen] *smell* ⇒*sniff (in/up/at)* **0.4** [stinken] *smell* ⇒*stink, reek* ◆ **1.1** het vlees ruikt wat *the meat is a bit smelly* **5.1** die bloemen ~ goed/lekker *those flowers s. good/nice/ have a lovely scent;* het ruikt niet *it has no smell/doesn't s.;* bedorven eieren~ slecht/vies *bad eggs s./ have a nasty smell* **5.3** de hond kan goed ~ *the dog has a good scent/nose/sense of smell* **5.¶** dat kan er niet aan ~ *that can't touch it/be compared with it* **6.1** hij ruikt **naar** je ~ *never he smells/* ⟨sterker⟩ *reeks of Dutch gin;* het ~ **naar** parfum *the place smells/* ⟨sterker⟩ *reeks of perfume* **6.2** dat ruikt **naar** ketterij/fascisme *that smells/savours/smacks of heresy/fascism* **6.3 aan** iets ~ *smell/have a smell/sniff at;* ⟨fig.⟩ **aan** iets geroken hebben *get the gist of sth., begin to understand sth.;* je mag er alleen maar **aan** ~ *you may only have a sniff at/get the smell of it* **6.4** hij ruikt **uit** zijn mond *his breath smells;*
II ⟨ov.ww.⟩ **0.1** [met de reukzin gewaarworden] *smell* ⇒*scent* **0.2** [⟨fig.⟩ lucht krijgen van] *smell* ⇒*scent, sniff* ◆ **1.1** ⟨fig.⟩ het paard ruikt de stal *he/she* ⟨enz.⟩ *is putting on a final spurt* **1.2** geld ~ *scent/ smell money;* lont ~ *smell a rat/sth. fishy;* onraad ~ *scent/ sniff/sense danger* **3.2** hoe kon ik dat nu ~! *how could I possibly know!.*

ruiker ⟨de (m.)⟩ **0.1** *bouquet* ⇒ ⟨klein⟩ *nosegay, posy.*

ruil ⟨de (m.)⟩ **0.1** [het ruilen] *exchange* **0.2** [handeling van ruilen] *exchange* ⇒ ⟨inf.⟩ *swap, swop* ◆ **2.2** een eerlijke ~ *a fair e.;* een goede ~ doen *make a good e.* **6.1** goederen **in** ~ voor levensmiddelen *goods in e. for food(s);* iets **in** ~ nemen voor iets *take sth. in e. for sth..*

ruiladvertentie ⟨de (v.)⟩ **0.1** *exchange/swap ad(vertisement).*

ruilbaar ⟨bn.⟩ **0.1** *exchangeable.*

ruilbeurs ⟨de⟩ **0.1** *exchange mart,* ^A*swap-meet.*

ruilebuiten ⟨onov.ww.⟩ **0.1** *barter* ⇒ ⟨inf.⟩ *swap, swop.*

ruilen
I ⟨onov., ov.ww.⟩ **0.1** [inwisselen] *exchange* ⇒ ⟨inf.⟩ *swap, swop* **0.2** [ruilhandel drijven] *exchange* ⇒*barter, trade,* ⟨inf.⟩ *swap, swop* ◆ **1.1** ⟨sport⟩ de lopers ~ *the runners change over;* verkochte waren worden niet meer geruild *sold goods cannot be exchanged* **3.1** zullen we ~? *shall we swap?* **6.2** iets met iem. ~ *swap sth. with s.o.;* vlees **voor/ tegen** kolen ~ *e./ barter/trade meat for coal;*
II ⟨onov.ww.⟩ **0.1** [verwisselen van toestand] *change* ◆ **6.1** ik zou niet met hem willen ~ *I would not c. places with him;* met iem. van plaats ~ *c. places with s.o..*

ruilhandel ⟨de (m.)⟩ **0.1** *barter (trade)* ◆ **3.1** ~ drijven *barter, trade by barter.*

ruilhart ⟨het⟩ **0.1** *donor heart.*

ruiling ⟨de (v.)⟩ **0.1** [het ruilen] *exchange* **0.2** [overeenkomst] *exchange.*

ruilmiddel ⟨het⟩ **0.1** *means/medium of exchange* ◆ **8.1** als ~ dienen *serve as a means of exchange.*

ruilobject ⟨het⟩ **0.1** *object of/to exchange* ⇒ ⟨inf.⟩ *swap, swop.*

ruilorder ⟨de⟩ **0.1** *exchange order.*

ruilverdrag ⟨het⟩ **0.1** *treaty of exchange.*

ruilverkaveling ⟨de (v.)⟩ **0.1** *land consolidation.*

ruilverkeer ⟨het⟩ **0.1** [onderlinge ruiling] *exchange* **0.2** [het economisch verkeer] *trade* ◆ **2.2** het vrije ~ *free t..*

ruilvoet ⟨de (m.)⟩ ⟨ec.⟩ **0.1** [basis waarop geruild wordt] ⟨mv.⟩ *terms of exchange* **0.2** [verhouding van valuta's] *exchange rate.*

ruilwaarde ⟨de (v.)⟩ **0.1** *exchange value* ⇒ ⟨van munt ook⟩ *circulating currency/value, market value* ⟨van aandelen⟩.

ruim¹ ⟨het⟩ **0.1** ⟨scheep.⟩ *hold* **0.2** [⟨schr.⟩ luchtruim] *firmament* ⇒ *sky* ◆ **2.1** met groot ~ *full-bottomed.*

ruim²
I ⟨bn., bw.; -ly⟩ **0.1** [uitgestrekt] *spacious* ⇒*large, wide* **0.2** [veel ruimte biedend] *spacious* ⇒*roomy, capacious* **0.3** [open, onbelemmerd] *free* **0.4** [veel kunnende bevatten] *large* ⇒*capacious* **0.5** [met tussenruimte, wijd] *wide* ⇒*roomy, loose* **0.6** [uitgebreid] *large* **0.7** [meer dan voldoende] *ample* ⇒*liberal* **0.8** [niet bekrompen] *broad* ⇒ *wide* ◆ **1.1** de plaats innemen *occupy a large place/space, take up a lot of room;* het ~e sop *the deep/open sea(s);* ⟨schr.⟩ *the deep;* een ~ uitzicht hebben *have a wide/broad/an open view;* het ~e veld *the open field* **1.2** een ~ huis *a roomy house* **1.3** ~ baan maken *clear the/ make way, stand aside* **1.4** ⟨fig.⟩ een ~e beurs *a long purse;* ⟨fig.⟩ een ~ geweten hebben *have an easy conscience* **1.5** ~e schoenen *w. shoes* **1.6** een ~ assortiment *a l. assortment, a large choice/range of goods;* een ~ formulering *a general/an approximate formulation;* in ~e mate *to a l. extent, largely;* op ~e schaal *on a l. scale;* in de ~ste zin *in the broadest sense* **1.7** ~ gewicht *lumping weight;* een ~e gift *a liberal/generous gift;* een ~ inkomen *a comfortable/more than adequate income;* een ~e meerderheid *a big majority* **1.8** een ~e blik hebben *take a b. view* **3.1** ~e opvatting *a b. view* **3.2** ~ wonen *live in a large/ s. house* **3.3** ~er ademhalen ⟨fig.⟩ *breathe more freely;* ~ kunnen ademhalen *(ook fig.) be able to breathe freely* **3.5** de tekst is ~ gedrukt *the text is generously printed;* dat coat is ~ *that coat is roomy/ loose fitting* **3.7** iem. ~ betalen *pay s.o. liberally/generously/handsomely;* de geldmarkt blijft ~ *(the) money(-market) remains easy;* ⟨fig.⟩ het ~ hebben, ~ kunnen leven *live in comfort, be well-off;* ⟨fig.⟩ hij heeft het niet ~ *he is in straitened circumstances;* ~ rekenen/meten *give good measure, be generous* **3.8** hij dacht daar heel ~ over *he took a (really) b. view of it;* de wet ~ interpreteren *stretch/bend/strain the law;* de dingen ~ zien *view matters/see things in a b. perspective* **6.8** ~ van opvatting *broad-minded;*
II ⟨bw.⟩ **0.1** [iets meer dan] *(rather) more than* ⇒*something/well over* ◆ **1.1** ~ f 100,- *upwards of a hundred guilders, a hundred guilders or more;* ~ een kilo *well over one kilo;* ~ de tijd hebben *have plenty of/ ample time;* het was ~ tien uur *it was a little past/at least ten o'clock;* ~ een uur *well over an hour* **5.1** dat is ~ voldoende *that is amply sufficient, that is plenty* **6.1** ~ **boven** de f 1000,- *considerably over/quite a bit more than a thousand guilders* **6.¶** ~ tijd *in good/plenty of time;* ~ **uit** elkaar staan *be/stand wide apart* **7.1** ~ 500 pagina's *over/at least 500 pages;*
III ⟨bw.⟩ **0.1** [mbt. de wind] *free* ◆ **3.1** ~ zeilen *sail large/free.*

ruimdenkend ⟨bn.⟩ **0.1** *broad(-minded)* ⇒*open-minded, liberal.*

ruimen
I ⟨ov.ww.⟩ **0.1** [plaats maken in] *empty* **0.2** [schoonmaken] *clear out* **0.3** [wegruimen] *clear away* **0.4** [een plaats verlaten] *evacuate* ⇒*vacate* **0.5** [snoeien] *thin (out)* ◆ **1.1** een kamer/kast ~ *e. a room/cupboard* **1.2** een beerput ~ *empty a cesspool* **1.3** ⟨fig.⟩ geschillen uit de weg ~ *clear up disputes;* ⟨fig.⟩ iem. uit de weg ~ *eliminate s.o.;* misverstanden uit de weg ~ *dispose of/clear up misunderstandings;* het puin uit de weg ~ *remove/clear the debris* **1.4** ⟨fig.⟩ voor iem. het veld ruimen *abandon the field to s.o.;* een woning ~ *vacate a house* **1.5** een haag ~ *thin (out) a hedge;*
II ⟨onov.ww.⟩ **0.1** [mbt. wind] *veer.*

ruimhartig ⟨bn.⟩ ⟨schr.⟩ **0.1** *large-/big-hearted.*

ruimijzer ⟨het⟩ **0.1** *reamer* ⇒*broach.*

ruimschoots ⟨bw.⟩ **0.1** [in ruime mate] *amply* ⇒*plentifully, abundantly, largely* **0.2** [⟨scheep.⟩] *large* ◆ **1.1** ~ de tijd/gelegenheid hebben *have ample time/opportunity* **3.1** ~ betalen *pay s.o. generously* **3.2** ~ zeilen *sail l.* **5.1** zo heb ik ~ genoeg *I have enough and to spare;* dat is ~ voldoende *that is amply sufficient;* er was ~ voldoende plaats *there was ample/plenty of room* **¶.1** ~ op tijd aankomen *arrive in ample time.*

ruimte ⟨de (v.)⟩ **0.1** [vrije plek/plaats] *room* ⇒*space* **0.2** [uitgebreidheid] *space* **0.3** [begrensde ruimte (bet. 0.2)] *space* **0.4** [vertrek] *room* **0.5** [heelal] *(outer) space* ⇒*universe* **0.6** [overvloed] *abundance* ◆ **1.1** wegens gebrek aan ~ *for lack of r./ accommodation/* ⟨in krant⟩ *space* **1.2** de begrippen ~ en tijd *the concepts of time and s.* **1.4** kelderruimte *cellarage* **2.1** dat is allemaal verloren ~ *it's all a waste of space* **2.2** een vierdimensionale ~ *a four-dimensional s.* **2.3** een lege ~ *an empty s.* **2.4** een verwarmde ~ *a heated r.* **2.5** de kosmische ~ *outer space* **3.1** het vliegtuig biedt ~ aan tien personen *the plane will/can seat/ seats ten people/is a ten-seater;* hun tent/caravan biedt ~ aan zes personen *their tent/caravan will/can accommodate six people;* de nieuwe schouwburg biedt ~ aan 400 toeschouwers *the new theatre can seat an audience of 400/seats 400;* te weinig ~ hebben *be cramped for space;* ⟨fig.⟩ dat standpunt laat weinig ~ open *that viewpoint leaves little r.*

for discussion; ~ maken *make r. / space, clear the way;* dat neemt veel ~ in *that takes up a lot of r.;* ~ uitsparen *save space* **3.2** ⟨sport⟩ de ~ dekken *use zonal defence;* ⟨fig.⟩ geef ze de ~! *give them (the) room!;* iem. de ~ geven ⟨fig.⟩ *give s.o. elbow-room / a free rein;* de ~ kiezen ⟨fig.⟩ *make off, take to one's heels* **3.3** een ~ laten tussen ... *leave a s. between;* ~ openlaten *leave (a) s. / a blank;* een ~ opvullen *fill a s.* **3.6** de ~ die ontstaat door de groei v.h. nationaal inkomen *the prosperity that originates from the growth of the national income* **5.3** de ~ hieronder niet beschrijven *do not use the s. below* **6.1** ~ voor de benen / het hoofd *leg / head r.* **6.2** in de ~ staren *stare into s.;* ⟨fig.⟩ gepraat / gezwam in de ~ *loose talk* **6.3** de ~ tussen de woorden *the s. / interval between the words;* de ~ tussen de regels *the s. between the lines* **6.5** een ontmoeting in de ~ *a meeting in space* **6.6** de ~ op de geldmarkt *the a. on the money market* **¶.1** binnen de mij ter beschikking gestelde ~ *within the space at my disposal.*

ruimtebesparend ⟨bn.⟩ **0.1** *space-saving.*
ruimtebesparing ⟨de (v.)⟩ **0.1** *saving / economy of space, space saving* ◆ **6.1** met het oog op ~ *to save space, for economy of space, to economize space.*
ruimtebiologie ⟨de (v.)⟩ **0.1** *exobiology* ⇒*astrobiology.*
ruimtecapsule ⟨de⟩ **0.1** *space capsule.*
ruimtedekking ⟨de (v.)⟩ ⟨sport⟩ **0.1** *zonal defence* [A]*se* ◆ **3.1** ~ toepassen *use zonal defence.*
ruimte-eenheid ⟨de (v.)⟩ **0.1** *unit of volume.*
ruimtegebrek ⟨het⟩ **0.1** *lack / shortage of space / room /* ⟨voor gasten ook⟩ *accommodation* ◆ **2.1** wij kampen met een chronisch ~ *we are suffering from a chronic lack / shortage of space / room / accommodation, we were very / badly cramped / pinched for space / room.*
ruimtehoek ⟨de (m.)⟩ **0.1** *solid angle.*
ruimtekromme ⟨de⟩ **0.1** *space curve.*
ruimtelaboratorium ⟨het⟩ **0.1** *spacelab.*
ruimtelandschap ⟨het⟩ **0.1** *spacescape.*
ruimtelijk ⟨bn., bw.; -ly⟩ **0.1** [mbt. de ruimte] *spatial, spacial, space* **0.2** [driedimensionaal] *three-dimensional* ◆ **1.1** ~e ordening *environmental / town and country planning* **1.2** een ~e voorstelling *a t.-d. representation;* de ~e werking v.e. wandversiering *the t.-d. effect of a wall-decoration* **3.2** ~ denken *think in three dimensions / three-dimensionally.*
ruimtemaat ⟨de⟩ **0.1** [belaadbare ruimte] *cubic measure, measure of capacity* **0.2** [volume van gestapeld hout] *stacked measure.*
ruimtemodel ⟨het⟩ **0.1** *stereogram* ⇒*stereograph.*
ruimteonderzoek ⟨het⟩ **0.1** *space research / exploration.*
ruimteorgaan ⟨het⟩ **0.1** *(sensory) organ for spatial perception.*
ruimtepak ⟨het⟩ **0.1** *space suit* ⇒⟨ruim.; inf.⟩ *penguin suit.*
ruimtependel →ruimteveer.
ruimteprobleem ⟨het⟩ **0.1** *problem of space* ◆ **3.1** ruimteproblemen hebben *meet with problems of space, be cramped for space.*
ruimteraket ⟨de⟩ **0.1** *space rocket.*
ruimtereis ⟨de⟩ **0.1** *space flight / travel* ⇒*journey into space.*
ruimterooster ⟨het⟩ **0.1** *crystal / space lattice.*
ruimteschip →ruimtevaartuig.
ruimteschroot ⟨het⟩ **0.1** *debris in space, space-age debris / waste.*
ruimtesonde ⟨de⟩ **0.1** *space probe.*
ruimtestation ⟨het⟩ **0.1** *space station.*
ruimtetijdperk ⟨het⟩ **0.1** *space age.*
ruimtetralie →ruimterooster.
ruimtevaarder ⟨de (m.)⟩, -vaarster ⟨de (v.)⟩ **0.1** *spaceman* ⟨m.⟩, *spacewoman* ⇒*astronaut,* ⟨Russisch⟩ *cosmonaut, cosmonette.*
ruimtevaart ⟨de⟩ **0.1** *space travel.*
ruimtevaartcentrum ⟨het⟩ **0.1** *space centre* ⇒⟨Russisch, ihb. lanceerbasis⟩ *cosmodrome.*
ruimtevaartgeneeskunde ⟨de (v.)⟩ **0.1** *space medicine* ⇒*bioastronautics.*
ruimtevaartprogramma ⟨het⟩ **0.1** *space programme* [A]*gram.*
ruimte(vaart)technologie ⟨de (v.)⟩ **0.1** *(aero)space technology* ⇒*astronautics,* ⟨Russisch⟩ *cosmonautics.*
ruimtevaartuig ⟨het⟩ **0.1** *spacecraft* ⇒⟨bemand⟩ *spaceship.*
ruimteveer ⟨het⟩ **0.1** *(space-)shuttle.*
ruimteverdeling ⟨de (v.)⟩ **0.1** *internal arrangement.*
ruimtevlucht ⟨de⟩ **0.1** *space flight* ◆ **2.1** een onbemande ~ *an unmanned space flight.*
ruimtevorm ⟨de (m.)⟩ ⟨wisk.⟩ **0.1** *space.*
ruimtevrees ⟨de⟩ **0.1** *agoraphobia* ⇒*fear of open spaces.*
ruimtewandeling ⟨de (v.)⟩ **0.1** *spacewalk.*
ruimtewapen ⟨het⟩ **0.1** *space weapon* ⇒⟨inf.⟩ *Star Wars weapon.*
ruimtewerking ⟨de (v.)⟩ **0.1** *three-dimensional effect.*
ruimteziekte ⟨de (v.)⟩ **0.1** *spacesickness.*
ruin ⟨de (m.)⟩ **0.1** *gelding.*
ruïne ⟨de (v.)⟩ **0.1** [overblijfsel] *ruins;* ⟨vervallen bouwwerk⟩ *ruin* ◆ **1.1** de ~s van Athene *the ruins of Athens;* de ~ v.h. kasteel *the ruins of the castle* **2.1** de kerk is een volslagen ~ *the church is a complete ruin* **3.1** het is een ~ ⟨fig.⟩ *it's a complete mess;* ⟨fig.⟩ hij was een ~ geworden *he had become a wreck;* een ~ worden *fall into ruins.*
ruïneren ⟨ov.ww.⟩ **0.1** [verwoesten] *ruin* ⇒*devastate* **0.2** [tot armoede

---

brengen] *ruin* ◆ **1.1** je hebt je broek geruïneerd *you've ruined your trousers;* zijn gezondheid ~ r. / *wreck one's health* **4.2** hij zal zich nog ~ *he is bound to r. himself* **¶.2** ik ben / hij is geruïneerd *I am / he is ruined.*
ruïneus ⟨bn.⟩ **0.1** *ruinous.*
ruis ⟨de (m.)⟩ **0.1** [ruisend geluid] *noise* ⇒⟨mbt. hart⟩ *murmur* **0.2** [storing] *noise* ⇒⟨van grammofoonplaat⟩ *surface noise* **0.3** [rietvoorn] *rudd* ◆ **2.2** witte ~ *white n.* **3.2** ⟨fig.⟩ de helft van wat hij zegt is gewoon ~ *half of what he says is mere twaddle* **6.2** er zit veel ~ in het signaal *there is a lot of n. in the signal* **¶.2** die boodschap bevat veel ruis *that message contains a lot of n..*
ruisbalk ⟨de (m.)⟩ ⟨video⟩ **0.1** *interference bar.*
ruisen ⟨onov.ww.⟩ **0.1** [mbt. het geluid v.e. stroom lucht / vloeistof] ⟨van wind, bladeren⟩ *rustle;* ⟨van vloeistof⟩ *gurgle* **0.2** [mbt. het geluid van zachte muziek] *murmur* **0.3** [mbt. het geluid van stoffen] *rustle* ⇒ *swish* ◆ **1.1** deze beek ruist aangenaam *this brook gurgles pleasantly;* de bladeren ~ *the leaves rustle;* het ~ der bladeren *the rustling of the leaves;* een zacht ~d briesje *a gently sighing breeze;* een ~d geluid maken *rustle;* mijn oren ~ *my ears are ringing / singing;* het ~ v.d. zee *the sound /* ⟨zacht⟩ *murmur /* ⟨luid⟩ *roar of the sea* **1.2** ~ de harptonen *the murmur of a / the harp* **1.3** het ~ van zijden rokken *the swish of silk skirts.*
ruisfilter ⟨de (m.)⟩ **0.1** *noise filter* ⇒⟨naaldruisfilter⟩ *scratch filter.*
ruishoorn ⟨de (m.)⟩ **0.1** *whelk-shell.*
ruiskast ⟨de⟩ **0.1** *baffle (filter).*
ruisonderdrukker ⟨de (m.)⟩ **0.1** *squelch* ⇒*noise suppressor.*
ruisvoorn ⟨de (m.)⟩ **0.1** *rudd.*
ruit ⟨de⟩ **0.1** [glazen plaat] *(window-)pane* ⇒*window* **0.2** [vierkant] *diamond* ⇒*lozenge,* [patroon in textiel e.d.] *check* **0.3** [vierhoek] *rhomb* ⇒*rhombus* **0.4** [⟨kaartspel⟩ *diamond* **0.5** ⟨⟨plantk.⟩ Ruta] *rue* **0.6** [⟨plantk.⟩ Thalictrum] *meadow rue* ◆ **2.2** Schotse ~en *(Scottish) tartans / plaids* **3.1** zijn eigen ~en ingooien ⟨fig.⟩ *cut one's own throat, be one's own worst enemy;* een ~ inslaan *smash a window;* een ~ inzetten *glaze / glass a window;* alle ~en zijn gesprongen *all the windows are shattered* **6.1** een raam zonder ~ *a paneless window.*
ruitachtigen ⟨zn.mv.⟩ **0.1** *Rutaceae.*
ruiten[1] ⟨de⟩ **0.1** *diamonds* ◆ **2.1** ~ is troef *d. are trumps* **3.1** vijf ~ bieden *bid five d.* **7.1** een ~ *a diamond.*
ruiten[2] ⟨bn.⟩ **0.1** *check(ed)* ⇒*chequered* [A]*checkered* ◆ **1.1** een ~ jasje *a check(ed) jacket.*
ruiten[3] ⟨ov.ww.⟩ **0.1** *check, square* ⇒*chequer* [A]*checker* ◆ **1.1** papier ~ *s. paper.*
ruitenaas ⟨het, de (m.)⟩ **0.1** *ace of diamonds.*
ruitenboer ⟨de (m.)⟩ **0.1** *jack of diamonds* ⇒*knave of diamonds.*
ruitenheer ⟨de (m.)⟩ **0.1** *king of diamonds.*
ruitenlood ⟨het⟩ **0.1** *window lead.*
ruitenstelsel ⟨het⟩ **0.1** [geheel van ruiten] *pattern of checks / squares* **0.2** [dakbedekking] ≠*chequer* [A]*checkerwork.*
ruitentien ⟨de⟩ **0.1** *ten of diamonds.*
ruitentikken ⟨ww.⟩ **0.1** *smash windows.*
ruitentikker ⟨de (m.)⟩ **0.1** [dief] *smash-and-grab raider* **0.2** [voorwerp om ruiten te tikken] *window-smasher.*
ruitenvrouw ⟨de⟩ **0.1** *queen of diamonds.*
ruiter ⟨de (m.)⟩ **0.1** [paardrijder] *horseman* ⇒*rider* **0.2** ⟨⟨mil.⟩ *cavalryman* ⇒*trooper* **0.3** [stellage] *(drying) rack* ⇒⟨lang⟩ *rickstand,* ⟨driehoekig⟩ *tripod,* ⟨voor hooi ook⟩ *hay prop* **0.4** [plank die sluit over de noklijn] *ridge board* ⇒*hip* ◆ **2.1** een goed / ervaren ~ *a good / experienced h.* **2.¶** Spaanse of Friese ~s *chevaux-de-frise, sawhorses* **7.2** duizend ~s *a thousand cavalry / horse.*
ruiterbende ⟨de⟩ **0.1** *body / troop of horse.*
ruiterfeest ⟨het⟩ **0.1** *horse show* ⇒⟨vnl. BE⟩ *gymkhana.*
ruitergevecht ⟨het⟩ **0.1** *cavalry battle.*
ruiterij ⟨de (v.)⟩ **0.1** *cavalry* ⇒*horse.*
ruiterlijk ⟨bn., bw.; -ly⟩ **0.1** *frank* ⇒*plain, straightforward* ◆ **2.1** een ~e bekentenis *a f. confession* **3.1** hij kwam er ~ voor uit *he spoke his mind frankly;* iets ~ toegeven *admit sth. frankly.*
ruiterpad ⟨het⟩ **0.1** *bridle path* ⇒*riding track.*
ruitersport ⟨de⟩ **0.1** [†] *equestrian sport(s), equestrianism* ⇒*horse trials,* ↓*riding.*
ruiterstandbeeld ⟨het⟩ **0.1** *equestrian statue.*
ruiterstoet ⟨de⟩ **0.1** *cavalcade.*
ruiterstukje ⟨het⟩ **0.1** *performance, ride* ⇒⟨sprong⟩ *jump.*
ruitertje ⟨het⟩ **0.1** [kleine ruiter] *little horseman / rider* **0.2** [opzetstukje] *tab* **0.3** [gewichtje] *rider* **0.4** [stukje spek, geroosterd brood] ⟨spek⟩ *lardon;* ⟨brood⟩ *crouton.*
ruiterwacht ⟨de⟩ **0.1** [troep ruiters ter bewaking] *mounted guard* ⇒*vedette* **0.2** [wacht(post) v.d. cavalerie] *cavalry post.*
ruitesproeier ⟨de (m.)⟩ **0.1** [B]*screenwasher,* [A]*windshield washer.*
ruitewisser ⟨de (m.)⟩ **0.1** [instrument op de voorruit] [B]*windscreen /* [A]*windshield wiper* **0.2** [glazenwassersinstrument] *wiper.*
ruitijd ⟨de (m.)⟩ **0.1** *moulting* [A]*molting period.*
ruitje ⟨het⟩ **0.1** [kleine ruit] *pane* **0.2** [versieringsmotief] *check* **0.3** [stof] *check(s)* ⇒*checked / chequered* [A]*checkered material* ◆ **3.1** met de

vuist een ~ inslaan *smash one's fist through a p.;* ~ tikken *smash windows* **3.3** zij droeg een ~ *she wore a check/checks* **6.2** een hemd met ~s *a check(ed) shirt.*

ruitjespapier ⟨het⟩ **0.1** *squared paper.*

ruitjesstof ⟨de⟩ **0.1** *check(ed)/chequered* ᴬ*checkered/squared fabric/material/cloth* ⇒⟨Schots⟩ *tartan.*

ruitmicrometer ⟨de (m.)⟩ **0.1** *filar/net-ruled micrometer.*

ruitpatroon ⟨het⟩ **0.1** *check (pattern)* ⇒*chequer* ᴬ*checker(board),* ⟨Schots⟩ *tartan.*

ruitverwarmer ⟨de (m.)⟩ **0.1** ᴮ*demister,* ᴬ*defroster.*

ruitvormig (bn.) **0.1** [met de vorm v.e. ruit] *rhombic* ⇒*rhomboid(al), diamond/lozenge-shaped* **0.2** [uit ruiten bestaand] *check(ed).*

ruk ⟨de (m.)⟩ **0.1** [korte beweging] *jerk* ⇒*tug, pull, wrench* **0.2** [windvlaag] *gust (of wind)* **0.3** [afstand] *distance* ⇒*way* **0.4** [tijdsduur] *time* ⇒*spell* ♦ **2.1** met korte ~s *jerkily* **2.3** naar A. is nog een hele ~ *it is still quite a d./a long way to A.* **2.4** het is nog een hele ~ tot Kerstmis *it is still a long t. till Christmas* **3.1** hij gaf een ~ aan de bel *he tugged at the bell* **6.1** in één ~ speelde hij het klaar *he managed (it) straight off the top;* met een ~ vloog hij overeind *he jumped up with a start;* met een ~ stoppen *stop with a j., jerk to a halt* **6.4** in één ~ doorwerken *work on at one stretch;* een boek in één ~ uitlezen *read a book at one sitting;* in één ~ doorrijden *drive straight through/on* **7.**¶ dat kan me geen ~ schelen *I don't give a damn.*

rukken

I ⟨onov.ww.⟩ **0.1** [hard trekken] *jerk (at)* ⇒*tug (at), pull (at)* **0.2** [⟨vulg.⟩ masturberen] *whack off* ⇒⟨BE ook⟩ *wank, frig,* ⟨AE ook⟩ *jerk (off), beat one's meat* **0.3** [zich voortbewegen] *march (out)* ♦ **1.1** een ~de beweging maken *make a jerk* **3.1** die jongens doen niets dan ~ en plukken *those boys are always romping about* **6.1 aan** een touw/de bel ~ *tug at a rope/the bell* **6.3** het leger rukte **ten** strijde *the army marched off to war;*

II ⟨ov.ww.⟩ **0.1** [door hard trekken verplaatsen] *tear* ⇒*wrench, snatch* **0.2** [door hard trekken in een toestand brengen] *tear* **0.3** [klaarspelen] *manage* ⇒*pull (sth.) off* ♦ **1.1** bloemen uit de grond ~ *t. up flowers;* zich de haren uit het hoofd ~ *t. one's hair;* hij rukte een tak v.d. boom *he tore a branch from the tree* **1.2** een stuk doek aan flarden ~ *t. a piece of cloth to shreds* **6.1** iem. iets **uit** de hand ~ *wrench/snatch sth. from s.o.'s hand;* zich uit iemands armen ~ *tear o.s. free from s.o.'s arms;* iem. de kleren **van** het lijf ~ *t. the clothes from s.o.'s body* **6.2** ⟨fig.⟩ de woorden **uit** hun verband ~ *t./wrench the words from their context;* zich werden woest **uit** hun slaap gerukt *they were jolted out of their sleep.*

rukwind ⟨de (m.)⟩ **0.1** *squall* ⇒*gust (of wind).*

rul (bn.) **0.1** *loose* ⇒*sandy* ♦ **1.1** een ~le weg *a sandy road;* het ~le zand *the l. sand.*

rulijs ⟨het⟩ **0.1** *bumpy ice.*

rullig (bn.) **0.1** *sandyish.*

rum ⟨de (m.)⟩ **0.1** [drank] *rum* **0.2** [glas rum] *(glass of) rum.*

rumba ⟨de (m.)⟩ **0.1** *rumba.*

rumboon ⟨de (m.)⟩ **0.1** *rum bonbon.*

rum-cola ⟨de (m.)⟩ **0.1** *Cuba libre.*

rumgrog ⟨de (m.)⟩ **0.1** *rum grog/toddy, rum-shrub.*

ruminatie ⟨de⟩ **0.1** *regurgitation.*

rumineren ⟨onov., ov.ww.⟩ **0.1** [herkauwen] *ruminate* ⇒*chew the cud* **0.2** [wikken en wegen] *ruminate (on/over)* ⇒*ponder/chew (over)* **0.3** [de maaginhoud in de mond terugbrengen] *regurgitate.*

rumoer ⟨het⟩ **0.1** [lawaai] *noise* ⇒⟨gedruis⟩ *hubbub,* ⟨kabaal⟩ *din, racket, row* **0.2** [ophef] *tumult* ⇒*uproar,* ⟨opschudding⟩ *fuss,* ⟨herrie⟩ *commotion, shindy,* ⟨drukte⟩ *hullabaloo* ♦ **3.1** ~ maken *make a n.; kick up a shindy* **3.2** die maatregel verwekte veel ~ *that measure caused quite an uproar* **4.2** wat een ~ om zo'n kleinigheid *what a lot of fuss/wind about nothing* **6.1** last hebben **van** het ~ in de straat *be bothered by the din in the street.*

rumoerig (bn.) **0.1** [vol rumoer] *noisy* **0.2** [druk] *boisterous* ⇒*noisy* **0.3** [tot opstootjes geneigd] *turbulent* ⇒*tumultuous, riotous,* ⟨ordeloos⟩ *rowdy* **0.4** [onstuimig] *boisterous* ⇒*tumultuous, uproarious,* ⟨stormachtig⟩ *tempestuous* ♦ **1.2** de kinderen zijn vandaag erg ~ *the children are very b. today;* die klas is erg ~ *vandaag that class is very unruly/unsettled today* **1.3** een ~e bevolking *a turbulent populace* **1.4** de zee is zeer ~ *the sea's very boisterous/rough/choppy.*

rumpudding ⟨de (m.)⟩ **0.1** *rum pudding.*

rumpunch ⟨de (m.)⟩ **0.1** *(rum) shrub.*

run

I ⟨de (m.)⟩ **0.1** [stormloop] *run* **0.2** [⟨sport⟩] *run* **0.3** [⟨comp.⟩] *run* **0.4** [⟨scheep.⟩] *run* ♦ **6.1** er was een ~ **op** die bank *there was a r. on that bank;* er was een enorme ~ **op** dat artikel *there was a tremendous r. on that article;*

II ⟨de⟩ **0.1** [boomschors] *tan(-bark).*

rund ⟨het⟩ **0.1** [zoogdier] *cow;* ⟨mv.⟩ *cattle* ⇒⟨trekdier⟩ *ox* **0.2** [stier, koe] ⟨koe⟩ *cow;* ⟨stier⟩ *bull;* ⟨AE ook⟩ *cattle* **0.3** [stommeling] *idiot* ⇒*fool, moron, nincompoop* **0.4** [biologisch geslacht] *bovine animal* ♦ **3.4** de buffels behoren tot de ~eren *the buffalo is a bovine animal* **6.3** een ~ van een vent *a prize idiot* **8.2** bloeden als een ~ *bleed like a pig.*

runderbiefstuk ⟨de (m.)⟩ **0.1** *beefsteak.*

runderdaas ⟨de (m.)⟩ **0.1** *large horsefly.*

rundergehakt ⟨het⟩ **0.1** *minced/* ᴬ*ground beef* ⇒*mince.*

runderhaas ⟨de (m.)⟩ **0.1** *tenderloin* ⇒*fillet of beef.*

runderhorzel ⟨de⟩ **0.1** *warble fly.*

runderlap ⟨de (m.)⟩ **0.1** *braising steak* ♦ **3.1** ~pen moeten lang sudderen *b. s. has to be cooked long and slowly.*

runderlever ⟨de⟩ **0.1** *ox liver* ⇒⟨AE ook⟩ *beef liver.*

runderoog ⟨het⟩ **0.1** [kamille] *fetid camomile* **0.2** [sierplant] *oxeye.*

runderpest ⟨de⟩ **0.1** *rinderpest.*

runderras ⟨het⟩ **0.1** *cattle breed.*

runderrib ⟨de⟩ **0.1** *rib of beef.*

runderrollade ⟨de (v.)⟩ **0.1** *collared/rolled beef.*

runderschenkel ⟨de (m.)⟩ **0.1** *shin of beef.*

rundleer ⟨het⟩ **0.1** *cowhide, cowskin* ⇒*neat leather.*

rundleren (bn.) **0.1** *cowhide, cowskin* ⇒*neat leather.*

rundvee ⟨het⟩ **0.1** *cattle* ♦ **1.1** een stuk ~ *a head of c..*

rundveestamboek ⟨het⟩ **0.1** *herdbook.*

rundvet ⟨het⟩ **0.1** *beef fat/dripping.*

rundvlees ⟨het⟩ **0.1** *beef.*

rune ⟨de⟩ **0.1** [schriftteken] *rune* **0.2** [hiëroglief] *rune* ⇒*hieroglyph.*

runenalfabet ⟨het⟩ **0.1** *runic alphabet* ⇒*futhark.*

runenschrift ⟨het⟩ **0.1** *runic script/writing.*

runeteken ⟨het⟩ **0.1** *runic character* ⇒*rune.*

runisch (bn.) **0.1** *runic.*

runkleurig (bn.) **0.1** *tan.*

runnen ⟨ov.ww.⟩ **0.1** *run, manage* ⇒⟨leiden⟩ *direct,* ⟨beheren⟩ *operate,* ⟨zorgen voor⟩ *mind* ♦ **1.1** hij runt het bedrijf in z'n eentje *he runs the company all by himself;* wie runt de zaak? ⟨inf.;fig.⟩ *who's at the wheel?, who minds the shop?, who's in charge?*

runner ⟨de (m.)⟩ **0.1** [zeeman] *runner* **0.2** [reep touw] *runner* **0.3** [rolschijfje v.e. gordijn] *runner.*

runologie ⟨de (v.)⟩ **0.1** *runology.*

runoloog ⟨de (m.)⟩, **-loge** ⟨de (v.)⟩ **0.1** *runologist.*

rups

I ⟨de⟩ **0.1** [⟨dierk.⟩] *caterpillar* **0.2** [kermisattractie] *caterpillar;*

II ⟨de (m.)⟩ **0.1** [rupsband] *caterpillar (track)/*⟨AE ook⟩ *tread).*

rupsauto ⟨de (m.)⟩ **0.1** *tracked vehicle* ⇒*half-track* [met alleen rupsband om wielen die auto voortbewegen].

rupsbaan ⟨de⟩ **0.1** *caterpillar.*

rupsband ⟨de (m.)⟩ **0.1** *caterpillar (track/*⟨AE ook⟩ *tread).*

rupsendoder ⟨de (m.)⟩ **0.1** [⟨alg.⟩] *caterpillar eater* **0.2** [graafwesp] *digger wasp* ⇒*sand wasp,* †*ammophila* **0.3** [sluipwesp] *ichneumon fly/wasp.*

rupsennest ⟨het⟩ **0.1** *nest of caterpillars, shelter.*

rupsenplaag ⟨de⟩ **0.1** *caterpillar plague.*

rupsensluipwesp ⟨de⟩ **0.1** *ichneumon fly/wasp.*

rupsenspiegel ⟨de (m.)⟩ ⟨landb.⟩ **0.1** *cluster of caterpillars.*

rupsenvraat ⟨de (m.)⟩ **0.1** *caterpillar damage.*

rupsketting ⟨de⟩ **0.1** *caterpillar track* ⇒*track/caterpillar chain.*

rupsklaver ⟨de⟩ **0.1** *medick* ᴬ*ic.*

rupsvoertuig ⟨het⟩ **0.1** *(caterpillar-)tracked vehicle* ⇒*caterpillar,* ⟨inf.⟩ *cat.*

ruptuur ⟨de (v.)⟩ **0.1** [⟨med.⟩] *rupture* **0.2** [onenigheid] *rupture* ⇒*breach, discord.*

ruraal (bn.) **0.1** *rural* ♦ **1.1** ⟨gesch.⟩ rurale steden *r. cities/towns.*

rus ⟨de (m.)⟩ **0.1** [rechercheur] *dick* ⇒*snooper, nose* **0.2** [bloembies] *rush.*

Rus ⟨de (m.)⟩, **-sin** ⟨de (v.)⟩ **0.1** *Russian* ⇒⟨v. ook⟩ *Russian woman.*

rush ⟨de (m.)⟩ **0.1** [stormloop] *rush, run* **0.2** [⟨paardensport⟩] *spurt.*

Rusland ⟨het⟩ **0.1** *Russia.*

Ruslandkenner ⟨de (m.)⟩ **0.1** *sovietologist.*

russificatie ⟨de (v.)⟩ **0.1** *Russification.*

russificeren ⟨ov.ww.⟩ **0.1** *Russify* ⇒*Russianize.*

Russisch¹ ⟨het⟩ **0.1** *Russian.*

Russisch² (bn.) **0.1** *Russian* ♦ **1.**¶ de ~e beer *the Bear;* een ~ ei *eggs mayonnaise, oeuf dur à la russe;* de ~e Kerk *the Russian Orthodox Church;* ~e laarzen *Russian boots;* ~ leer *Russia leather;* ~ roulette *Russian roulette;* ~e thee *Russian tea;* ~ windhond *borzoi, Russian wolfhound* **2.1** de ~-Franse betrekkingen *Russo-French relations.*

russofiel¹ ⟨de (m.)⟩ **0.1** *Russophil(e).*

russofiel² (bn.) **0.1** *Russophil(e).*

russofobie ⟨de (v.)⟩ **0.1** *Russophobia.*

russomanie ⟨de (v.)⟩ **0.1** *Russomania.*

rust ⟨de⟩ ⟨→sprw. 519⟩ **0.1** [toestand na arbeid] *rest* ⇒⟨ontspanning⟩ *relaxation* **0.2** [ontspanning door slaap] *rest* ⇒⟨schr.⟩ *repose,* ⟨(middag)slaapje⟩ *lie-down,* ⟨inf.;fig.⟩ *rest* **0.3** [het vrij zijn van drukte] *quiet* ⇒*peace and quiet* **0.4** [stilte] *(peace and) quiet* ⇒*hush,* ⟨stilte, kalmte⟩ *still(ness),* ⟨vredigheid⟩ *calm,* ⟨verfrissende stilte⟩ *restfulness* **0.5** [afwezigheid van beweging] *rest* **0.6** [⟨fig.⟩ mbt. de dood] *rest* ⇒*peace* **0.7** [het vrij zijn van werkzaamheden] *retirement* **0.8** [afwezigheid van ongenoegen] *peace* ⇒*quiet,* ⟨vredigheid⟩ *calm* **0.9** [ongestoorde toestand v.d. ziel] *peace* ⇒⟨evenwicht(igheid)⟩

composure, ⟨vreedzaamheid⟩ *placidity*, ⟨sereniteit, rust⟩ *serenity*, ⟨kalmte, rust(igheid)⟩ *tranquility* **0.10** [⟨sport⟩] ***half-time, interval*** ⇒ ⟨AE ook⟩ *intermission* **0.11** [⟨muz.⟩] ***rest*** **0.12** [⟨lett.⟩] ***rest, pause, c(a)esura*** **0.13** [steunpunt v.e. hefboom] ***fulcrum*** ◆ **1.6** bidden voor de ~ v.e. gestorvene *pray that the deceased should find peace* **1.11** drie maten ~ *three bars r.* **2.4** het dorp was in diepe ~ *all was quiet in the village* **2.6** de eeuwige ~ *eternal peace / r.* **3.3** zijn ogen ~ geven *rest one's eyes;* gun hem wat ~ *give him a break / a bit of peace;* iem. geen ~ gunnen *keep s.o. on the hop / go, run s.o. off his legs;* zich een ogenblik ~ gunnen *allow o.s. / take a moment's rest;* ⟨inf.⟩ *take a breather;* ik heb geen ~ voordat ik het weet *I won't rest before I know, I won't have a moment's rest before I know;* de zieke moet ~ hebben *the patient needs rest;* nooit / geen ogenblik ~ hebben *never / not have a moment's peace / q.;* hij heeft geen ~ (in zijn gat) *he can't sit still for a minute;* ⟨sl.⟩ *he's got ants in his pants;* ~ houden *rest;* wat ~ nemen *take a break;* ⟨vnl. AE ook; inf.⟩ *take five* **3.4** niets dat de ~ verstoort *nothing to disturb the peace and quiet* **3.5** zijn benen wat ~ gunnen *rest one's legs, get the weight off one's feet* **3.8** de ~ bewaren / herstellen *keep / restore the (peace and) quiet;* de ~ is weergekeerd *p. has returned / has been restored* **3.9** hij heeft eindelijk ~ gevonden *he is finally at peace (with himself), he has finally settled / calmed down, he has finally found peace;* ~ vinden in het geloof *find peace in one's faith* **3.11** hier staat een ~ *there's a r. here* **6.1** ~ **voor** lichaam en geest *rest for mind and body* **6.2** hij is in **diepe** ~ *he's fast asleep* **6.3** **in** alle ~ *in peace and q.;* iem. **met** ~ laten *leave s.o. alone / in peace;* laat me **met** ~! *leave me alone / be!, lay / leave off!, stop bothering me!, get off my back!;* iem. geen seconde **met** ~ laten *not give s.o. a moment's rest;* **tot** ~ brengen *settle / calm (down);* **tot** ~ komen *settle / calm / simmer (down)* **6.5** iets **met** ~ laten *leave sth. alone / be* **6.6** hij is reeds **in** ~e *he is at peace;* zijn hoofd **te(r)** ~(e) leggen *lay one's head down (to rest);* de overledene **te(r)** ~e leggen *bear the deceased to his last resting-place* **6.7** predikant **in** ~e *pastor emeritus, retired clergyman* **6.8** **in** ~ en vrede leven *live in p.;* die herinnering liet hem geen ogenblik **met** ~ *that memory haunted / obsessed him;* **op** ~ gesteld zijn *be fond of p. (and quiet)* **6.10** **bij** de ~ stonden we met 2-1 voor *at h.-t. we were leading 2-1* **6.13** de haan **in** de ~ zetten *uncock* **¶.5** op de plaats ~! *stand at ease;* ⟨tweede rust⟩ *stand easy.*

rustaltaar ⟨het, de (m.)⟩ ⟨r.k.⟩ **0.1** ***wayside altar.***

rustbank ⟨de⟩ **0.1** ***couch, settee, sofa.***

rustbed ⟨het⟩ **0.1** [rustbank] ***couch, settee, sofa*** **0.2** [bed] ***couch*** ⇒ ↓*bed.*

rustdag ⟨de (m.)⟩ **0.1** [dag waarop niet gewerkt wordt] ***rest day*** ⇒*day of rest,* ⟨vrije dag⟩ *day off, holiday* **0.2** [⟨sport⟩] ***rest day*** ⇒*day's rest.*

rusteloos ⟨bn., bw.; -ly⟩ **0.1** [zonder rust] ***restless*** ⇒*unremitting, ceaseless, unsettled,* ⟨nooit aflatend⟩ *untiring* **0.2** [onrustig] ***restless*** ⇒*restive,* ⟨ongedurig⟩ *itchy* **0.3** [zonder rustplaats] ***restless*** ⇒*unsettled, aimless* ◆ **1.1** een ~ leven hebben *lead a r. / an unsettled life;* een rusteloze tijd *a time of unrest, unsettled times* **3.1** ~ de nacht doorbrengen *have a fitful sleep, sleep in snatches / in fits and starts;* ~ naar iets streven *strive for sth. unremittingly,* ↓*never leave off, be untiring in one's purpose;* de zeemeeuwen vlogen ~ heen en weer *the seagulls flew to and fro restlessly* **3.2** ~ en gejaagd zijn *be restless and nervous* **3.3** ~ zwerven *drift aimlessly.*

rusteloosheid ⟨de (v.)⟩ **0.1** [voortdurende bezigheid] ***restlessness*** ⇒ *ceaselessness* **0.2** [ongedurigheid] ***restlessness*** ⇒*restiveness.*

rusten ⟨→sprw. 21⟩

I ⟨onov.ww.⟩ **0.1** [uitrusten] ***rest, relax*** ⇒*take / have a rest* **0.2** [slapen] ***rest*** ⇒*sleep* **0.3** [begraven liggen] ***rest, lie*** **0.4** [vrij zijn van werkzaamheden] ***rest*** ⇒*pause* **0.5** [innerlijke rust hebben] ***rest*** ⇒*be at ease, be calm* **0.6** [niet gebruikt worden] ***be left untouched / unused*** ⇒*let rest / drop* ⟨zaak, kwestie⟩ **0.7** [met rust / terzijde gelaten worden] ***be allowed to rest / drop, remain unsolved / unattended to;*** ⟨schr.⟩ ***be left in abeyance*** **0.8** [stil liggen] ***rest*** ⇒ ⟨zich nestelen⟩ *snuggle* **0.9** [als iets bezwarends drukken] ***weigh*** ⇒ ⟨berusten bij⟩ *rest / lie with,* ⟨gebukt gaan onder⟩ *be burdened / encumbered with* **0.10** [steunen op] ***rest (upon)*** ⇒*be supported (by)* **0.11** [gebaseerd zijn op] ***rest (on)*** ⇒*depend / rely (on), be based (on), hinge (upon)* **0.12** [mbt. de blik] ***rest*** ⇒ *linger* ◆ **1.4** een ~d geneesheer *a retired medical practitioner;* een ~d hoogleraar *an emeritus professor, a professor emeritus;* een ~d predikant *a pastor emeritus, a retired clergyman* **3.1** zijn paard laten ~ *rest one's horse* **3.2** na het eten wat gaan ~ *take a little nap after dinner, have a lie-down after dinner;* hij ligt te ~ *he's resting / taking a rest* **3.5** niet kunnen ~ voor ... *not (be able to) r. before / until ...* **3.6** het penseel laten ~ *let the brush rest, leave the brush untouched;* ik zal de zaak nu laten ~ *I'll let the matter drop / rest now* **3.7** de zaak kan voorlopig blijven ~ *the matter can remain / be left in abeyance / suspense for the moment;* meningsverschillen laten ~ *sink one's differences;* we moeten het verleden laten ~ *we've got to let bygones be bygones;* de doden laten ~ *let the dead be;* we moeten de zaak laten ~ *we must draw a curtain / veil over the affair, we must let the matter drop / drop the matter* **5.1** even ~ *have / take a break /* ⟨inf.⟩ *breather;* ⟨vnl. AE ook; inf.⟩ *take five* **5.2** niet ~ voor ... *not r. before / until ..., not (be able to) sleep before / until ...* **5.3** hier rust *here lies* **6.1** **van** de arbeid ~ *rest after working, take a rest from work* **6.3** hij / zijn ziel ruste **in** vrede *may he / his soul r. in peace* **6.8** **in** iemands schoot ~ *r. in s.o.'s lap;* haar hand rustte **op** zijn schouder *her hand rested on his shoulder* **6.9** **op** die onderneming rust geen zegen *there's a curse on that company, that company is under a curse;* **op** hem rust een zware verdenking *he is under strong suspicion;* **op** deze produkten rust een embargo *these products are under an embargo;* er rust een zware hypotheek **op** *a heavy mortgage attaches to it, there is a heavy mortgage on it;* **op** jou rust geen blaam / verdenking *no blame / suspicion attaches to you* **6.10** de balken ~ **op** de muur *the beams rest / sit on the wall* **6.11** ⟨fig.⟩ **op** hechte grondslagen ~ *be based on firm foundations* **6.12** zijn blikken ~ met welgevallen **op** het meisje *his glance rested on the girl appreciatively;* haar blik bleef **op** hem ~ *her glance lingered on him;*

II ⟨wk.ww.; zich ~⟩ ⟨schr.⟩ **0.1** [zich voorbereiden op] ***prepare (o.s.)*** ⇒*get ready* ◆ **6.1** zich **ten** strijde ~ *prepare (o.s.) for battle / the fray.*

rustgevend ⟨bn.⟩ **0.1** [geruststellend] ***comforting*** ⇒*consoling* **0.2** [kalmerend] ***restful*** ⇒*calming* ◆ **1.1** een ~e gedachte *a comforting thought* **1.2** ~e geneesmiddelen *sedatives.*

rusthuis ⟨het⟩ **0.1** ***rest home*** ⇒*home of rest.*

rusticiteit ⟨de (v.)⟩ **0.1** [natuurlijke toestand] ***rusticity*** **0.2** [landelijke eenvoud] ***rusticity*** ⇒*rurality.*

rustiek ⟨bn.⟩ **0.1** [landelijk] ***rural*** ⇒ ⟨idyllisch⟩ *pastoral,* ⟨meestal ongunstig⟩ *rustic* **0.2** [in natuurlijke toestand gelaten] ***rustic*** ◆ **1.1** een ~e omgeving *a rural environment* ⟨milieu⟩; *rural surroundings* ⟨gebied⟩ **1.2** ~ hout *rustic wood;* ~ werk *rustic (work).*

rustig

I ⟨bn., bw.; -ly⟩ **0.1** [rust hebbend] ***peaceful*** ⇒*quiet, tranquil* **0.2** [niet in beweging] ***calm*** ⇒*still* **0.3** [niet haastig] ***steady*** ⇒*regular, even* **0.4** [vrij van innerlijke beroering] ***calm*** ⇒*serene, peaceful* **0.5** [kalm] ***calm*** ⇒*placid, composed, cool, serene* **0.6** [niet luidruchtig / opdringerig] ***quiet*** ⇒*restful,* ⟨kleuren ook⟩ *soft, muted* **0.7** [ongestoord] ***quiet*** ⇒*undisturbed, untroubled, smooth* ⟨verloop⟩, ⟨zonder voorvallen⟩ *uneventful* **0.8** [vreedzaam] ***peaceful*** ⇒*peaceable, peace-loving* ◆ **1.1** de ~e oude dag *comfortable old age* **1.2** het kind is nu ~ *the child's quiet now / has calmed down;* het water is ~ *the water's c.* **1.5** een ~e ademhaling *even breathing;* de zieke heeft een ~e nacht gehad *the patient has had a comfortable night;* tijdens de ~e uren *during the off hours;* ~ weer *calm /* ↑*halcyon weather* **1.6** ⟨fig.⟩ een ~ behang *q. / restful / delicate wallpaper;* ⟨fig.⟩ ~e kleuren *soft / restful / muted colours* **1.7** een ~ plekje *a private / q. spot* **2.5** ~ en beheerst *cool, calm and collected* **2.7** een ~ gelegen huis *a quietly situated house, a house in quiet / peaceful surroundings* **3.3** het hart klopt ~ *the heart's beating evenly / regularly* **3.4** ~ sterven *die peacefully* **3.5** ~ antwoorden *answer calmly;* ze bleef ~ *she remained calm, she kept her wits about her, she kept silent;* blijf ~ zitten *keep your seat(s), please don't get up;* hij gaat ~ zijn gang *he goes about his business quietly;* zich ~ houden *keep quiet / still;* hij is altijd ~ *he's always calm and collected / even-tempered, he never gets worked up /* ↓*loses his cool;* hij komt ~ een uur te laat *he has no qualms about being an hour late;* alles eens ~ overdenken *(quietly) think things over, sleep on it;* weer ~ worden *ease up again;* ze zat ~ te lezen *she was having a quiet read* **3.6** alles is ~ *everything's q.* **3.7** daar kan ik ~ studeren *I can study there in peace* **3.8** het land is nu weer ~ *the country's settled down again* **5.5** ~ nou maar *don't get worked up, steady on, take it easy, easy does it,* ↓*cool it* **5.7** het is hier lekker ~ *it's nice and q. here* **¶.5** het ~ aan doen *take it easy;* ~ aan! *easy!, steady!, keep your hair on!, careful now!;* ⟨bij afscheid⟩ *take care!, mind how you go!;* je zou het wat ~er aan moeten doen *you should take things a bit easier / be easier on yourself;*

II ⟨bw.⟩ **0.1** [zonder bezwaar] ***safely*** ◆ **3.1** je kunt me 's avonds ~ bellen *feel free to ring me in the evening;* dat mag je ~ weten *I don't mind if you know / you knowing this.*

rustigjes ⟨bw.⟩ **0.1** ***quietly*** ⇒*calmly* ◆ **3.1** ik zal het ~ afwachten *I'll just wait and see what happens.*

rusting ⟨de (v.)⟩ **0.1** ***armour*** ⇒ ↑*panoply.*

rustjaar ⟨het⟩ **0.1** ***year of rest.***

rustkamer ⟨de⟩ **0.1** ***armoury.***

rustkuur ⟨de⟩ **0.1** ***rest cure*** ◆ **3.1** een ~ doen *take / undergo a r. c..*

rustlievend ⟨bn.⟩ **0.1** ***peace-loving*** ⇒*peaceable.*

rustoord ⟨het⟩ **0.1** [plaats, streek] ***place where one can rest*** ⇒*spa, resort* **0.2** [instituut, instelling] ***rest home*** ⇒*retreat,* ⟨herstellingsoord⟩ *sanatorium, health resort, convalescent (nursing) home.*

rustpauze ⟨de⟩ **0.1** ***rest, break*** ⇒*rest period, interval* ◆ **3.1** een ~ inlassen *take / have a b;* ⟨vnl. AE ook; inf.⟩ *take five / ten* ⟨enz.⟩.

rustperiode ⟨de (v.)⟩ **0.1** [tijd van rust] ***period of rest*** ⇒*rest period, halt* ⟨tijdens lange reis⟩ **0.2** [tijdvak waarin geen arbeid wordt verricht] ***statutory leave*** ⇒*time off (work),* ⟨gedwongen werkloosheid⟩ *lay-off* **0.3** [stadium bij planten] ***dormancy*** ⇒*dormant period.*

rustplaats ⟨de⟩ **0.1** [graf] ***resting-place*** **0.2** [pleisterplaats] ***halting-place, place to rest*** **0.3** [slaapplaats] ***lodging*** ⇒*bed* **0.4** [leger van wild] ***lair*** **0.5** [rustaltaar] ***wayside altar*** ◆ **2.1** de laatste ~ *the last / final r.-p.;* naar zijn laatste ~ brengen *lay to (one's) rest, bear to one's last / final r.-p..*

rustpunt ⟨het⟩ **0.1** [pauze] ***pause*** ⇒*period* ⟨aan het eind v.d. zin⟩ **0.2** [toevluchtsoord] ***haven*** ⇒*refuge* **0.3** [steunpunt] ***support.***

ruststadium ⟨het⟩ **0.1** [periode van rust] *rest* ⇒*period of rest* **0.2** [stadium van stilstand] *dormancy, dormant period.*

ruststand ⟨de (m.)⟩ **0.1** [stand van rust] *rest* **0.2** [⟨sport⟩] *half-time score* ◆ **5.1** in (de) ~ staan *stand easy* **6.1** in (de) ~ *at rest.*

ruststoel ⟨de (m.)⟩ **0.1** [leunstoel] *easy chair* ⇒⟨ligstoel⟩ *reclining chair* **0.2** [⟨scheep.⟩] *davit.*

ruststroom ⟨de (m.)⟩ **0.1** *closed-circuit current* ⇒*quiescent current.*

rustteken ⟨het⟩ ⟨muz.⟩ **0.1** [sela] *rest* **0.2** [binnen een maat] *pause, fermata.*

rusttijd ⟨de (m.)⟩ **0.1** *rest* ⇒*break.*

rusttoestand ⟨de (m.)⟩ **0.1** *state/condition of rest* ◆ **6.1** in ~ verkeren *be at rest.*

rustuur ⟨het⟩ **0.1** *hour of rest.*

rustverstoorder ⟨de (m.)⟩ **0.1** [alg.] *disturber of the peace* ⇒⟨relschopper, ordeverstoorder⟩ *rioter,* ⟨herrieschopper, straattuig⟩ *hooligan,* ⟨opruier⟩ *ringleader.*

rustverstoring ⟨de (v.)⟩ **0.1** *disturbance.*

rut ⟨bn.⟩ ⟨inf.⟩ **0.1** *broke* ⇒ ⟨BE ook; inf.⟩ *skint* ⟨meestal na zn.⟩ ◆ **3.1** ik ben ~ *I'm b.*; iem. ~ spelen *clean s.o. out, take s.o. to the cleaner's.*

rutiel ⟨het⟩ **0.1** *rutile.*

rutilium ⟨het⟩ **0.1** *rutile.*

ruw¹ ⟨het⟩ **0.1** *rough diamond.*

ruw²

I ⟨bn., bw.; -ly⟩ **0.1** [niet glad] *rough* ⇒*coarse, rugged,* ⟨vnl. BE⟩ *chunky* ⟨⟨gebreide⟩ kleding⟩ **0.2** [niet afgewerkt] *raw* ⇒*crude, rough-hewn* ⟨steen⟩ **0.3** [globaal] *rough* ⇒*broad* **0.4** [onbeheerst] *rough* ⇒⟨nonchalant⟩ *slapdash* **0.5** [niet zachtzinnig] *rough* ⇒*abrasive, harsh* **0.6** [onbeschaafd] *coarse* ⇒*rude, rough* **0.7** [onstuimig] *rough* ⇒*boisterous, unruly* **0.8** [onaangenaam] *raw* ⇒*harsh* ◆ **1.1** een ~e huid *a coarse skin;* een ~e plank *a rough plank;* ~ terrein *broken ground* **1.2** een ~e diamant ⟨ook fig.⟩ *a rough diamond;* ~ linnen *unbleached linen;* ~e olie *crude (oil);* ~e suiker *crude/unrefined sugar* **1.3** een ~e schets *a r. draft;* in ~e trekken *roughly, in the rough* **1.5** een ~ spel *a r. game* **1.6** ~e manieren *c. manners;* ~ in de mond zijn *be rough-spoken/foul-mouthed, have a foul mouth;* ~e taal *c. language* **1.7** een ~e zee *a r./choppy sea* **1.8** een ~ klimaat *a r. climate;* een ~e wind *a harsh wind* **3.1** ~ aanvoelend *rough-textured;* ~ worden *roughen* ⟨handen⟩; *get rough* ⟨zee⟩ **3.3** ~ geschat *roughly speaking, very approximately, at a r. estimate* **3.4** ~ omgaan met iets *handle sth. roughly* **3.5** iets ~ afbreken *break sth. off abruptly;* iem. ~ behandelen/beetpakken *manhandle s.o., push s.o. around/about, treat s.o. roughly, knock s.o. around;*

II ⟨bn.⟩ **0.1** [harig] *rough* ⇒*wire-haired, rough-haired* ⟨hond⟩ ◆ **1.1** een ~e handoek ⟨ruw geworden⟩ *a rough towel;* ⟨van ruw weefsel⟩ *a Turkish towel.*

ruwaard

I ⟨de (m.)⟩ ⟨gesch.⟩ **0.1** [landvoogd] ≠*governor* ⇒*regent, protector;*
II ⟨de⟩ **0.1** [⟨wwb.⟩] *cutwater* ⇒*icebreaker.*

ruwbladigen ⟨zn. mv.⟩ **0.1** *Boraginaceae, boraginaceous plants.*

ruwbouw ⟨de (m.)⟩ **0.1** *structural work.*

ruwen ⟨ov. ww.⟩ **0.1** *raise* ⟨textiel⟩; *roughen* ⟨bv. rubber⟩.

ruwglas ⟨het⟩ **0.1** *crude glass.*

ruwharig ⟨bn.⟩ **0.1** *shaggy* ⇒⟨hond ook⟩ *rough-/wire-haired,* ⟨plantk.⟩ *hispid,* ⟨stekelig⟩ *bristly.*

ruwheid ⟨de (v.)⟩ **0.1** [oneffenheid] *roughness* ⇒*ruggedness, coarseness* **0.2** [ongevoeligheid] *harshness* ⇒*hard-heartedness* **0.3** [onbeschaafdheid] *coarseness* ⇒*rudeness, bluntness* **0.4** [hardhandigheid] *roughness.*

ruwigheid ⟨de (v.)⟩ **0.1** *roughness.*

ruwijzer ⟨het⟩ **0.1** *pig iron* ⇒⟨voor bessemerproces⟩ *Bessemer pig.*

ruwkruid ⟨het⟩ **0.1** *woodruff.*

ruwkwallen ⟨zn. mv.⟩ **0.1** *trachomedusans* ⇒⟨wet.⟩ *Trachomedusae.*

ruwnat ⟨het⟩ **0.1** *forerunning,* ^A*forerun* ⟨vaak mv.⟩ ⇒*first running.*

ruwsap ⟨het⟩ **0.1** *crude (sugar) juice.*

ruwstaal ⟨het⟩ **0.1** *crude/raw steel.*

ruwsteen ⟨de (m.)⟩ **0.1** *first matte.*

ruwvoer ⟨het⟩ **0.1** *roughage* ⇒*bulk(age).*

ruwweg ⟨bw.⟩ **0.1** *roughly* ⇒*generally, broadly, approximately* ◆ **3.1** ~ geschat *at a rough estimate/guess.*

ruwwerker ⟨de (m.)⟩ **0.1** ≠*(work)hand.*

ruwzink ⟨het⟩ **0.1** *spelter.*

ruzie ⟨de (v.)⟩ **0.1** [hooglopend geschil] *row* ⇒*argument, quarrel, fight* **0.2** [heftig gekijf] *row* ⇒*squabble, quarrel,* ⟨geharrewar⟩ *strife* ◆ **1.1** er waren voortdurend ~tjes en irritaties *there were always tiffs and wrangles* **2.1** een hooglopende ~ *a flaming r.;* slaande ~ hebben *come to blows* **3.1** een ~ bijleggen *patch up a quarrel, make up;* dat stel heeft altijd ~ *that couple is always fighting/arguing;* daar komt ~ van *there'll be a r.;* ⟨inf.⟩ *it'll end in tears;* ~ krijgen met iem. *fall out with s.o.;* eens lekker ~ maken *have it out (with s.o.);* ⟨inf.⟩ *have a grand dust-up;* ~ maken/schoppen *have a r.;* een ~ uitlokken/beginnen *start a r./quarrel;* zoek je soms ~? *are you looking for trouble?;* ~ zoeken *pick a quarrel, look for trouble/a fight* **6.1** ~ maken met/om *argue/(have a) quarrel with/over;* ~ hebben met/om *quarrel/wrangle with (s.o.)/over (sth.).*

ruzieachtig ⟨bn.⟩ **0.1** [als bij ruzie] *cantankerous* ⇒*argumentative* **0.2** [twistziek] *quarrelsome* ⇒*argumentative,* ⟨kijfachtig; van vrouw⟩ *termagant* ◆ **1.1** een ~e toon *an argumentative tone of voice.*

ruziemaker ⟨de (m.)⟩, **-maakster** ⟨de (v.)⟩ **0.1** *quarrelsome person* ⇒*wrangler.*

ruziën ⟨onov. ww.⟩ ⟨schr.⟩ **0.1** [ruzie maken] *quarrel* ⇒*row* **0.2** [kijven] *quarrel* ⇒*wrangle,* ⟨bekvechten⟩ *bicker* ◆ **1.1** een ~d bestaan *a cat-and-dog life.*

ruzietoon ⟨de (m.)⟩ **0.1** *argumentative tone.*

ruziezoeker ⟨de (m.)⟩, **-ster** ⟨de (v.)⟩ **0.1** *quarrelsome person* ⇒*wrangler.*

RvA ⟨de (m.)⟩ ⟨afk.⟩ **0.1** [Raad van Arbeid] ⟨*Board of Labour*⟩.

RVA ⟨de (m.)⟩ ⟨AZN⟩ ⟨afk.⟩ **0.1** [Rijksverzekeringsbank] ⟨*National Insurance Bank*⟩.

RVD ⟨de (m.)⟩ ⟨afk.⟩ **0.1** [Rijksvoorlichtingsdienst] ⟨*Government Information Service* ⇒⟨*GB*⟩ *Central Office of Information*⟩.

RvO ⟨het⟩ ⟨afk.⟩ **0.1** [reglement van orde] ⟨*standing orders*⟩.

R.v.S. ⟨de (m.)⟩ ⟨afk.⟩ **0.1** [Raad van State] ⟨*Council of State*⟩.

RW ⟨de (m.)⟩ ⟨afk.⟩ **0.1** [Rijkswaterstaat] ⟨*Department/Mission of (Public) Works*⟩.

Rwanda ⟨het⟩ **0.1** *Rwanda.*

RWW ⟨de (v.)⟩ ⟨afk.⟩ **0.1** [Rijksgroepregeling Werkloze Werknemers] ⟨≠ ^B*Unemployment Benefit Act*⟩ ◆ **6.1** ⟨inf.⟩ hij zit in de ~ ^B*he's on the dole,* ^A*he's on welfare.*

ryton ⟨de (m.)⟩ ⟨archeologie⟩ **0.1** *rhyton* ⇒⟨ongemarkeerd⟩ *drinking horn.*

S

s ⟨de⟩ **0.1** [letter, klank] *s, S* **0.2** [namen/woorden beginnend met s] *s, S*.

S ⟨afk.⟩ **0.1** [Sanctus] *S.*, *St. (Saint)* **0.2** [small ⟨maataanduiding⟩] *S* ◆ ¶.¶ ⟨sold.⟩ op S. 5 worden afgekeurd *be rejected for military service because of mental instability*.

S.A. ⟨afk.⟩ **0.1** [Suid Afrika, South Africa] *S.A.* **0.2** [⟨Dui.;gesch.⟩ Sturmabteilung] *S.A.* **0.3** [⟨Fr.⟩ Société Anonyme]⟨vnl. BE⟩ *Ltd, Limited (Liability Company);* ⟨AE⟩ *Inc. Incorporated*.

saai¹ ⟨het, de (m.)⟩ **0.1** *serge*.

saai² ⟨bn., bw.;-ly⟩ **0.1** *boring* ⇒*dull, dreary, tedious* ◆ **1.1** een ~e boel is 't hier *this place is dead;* een ~e Piet *a dull dog/dry stick;* een ~e plaats, er is niets te beleven *a sleepy town-nothing ever happens there;* een ~e toespraak *a somnolent/soporific speech;* het is een ~e vent *he's a real bore/as dry as dust* **2.1** verschrikkelijk ~ *dead/terribly b.* **3.1** iets ~ brengen/vertellen *make sth. deadly boring;* ~ worden ⟨van verhaal⟩ *slow down* **5.1** zijn colleges zijn vaak nogal ~ *his lectures tend to be rather dull*.

saaiheid ⟨de (v.)⟩ **0.1** *dullness* ⇒*tedium* ◆ **1.1** collegelopen/die kroeg is het toppunt van ~ *going to lectures/that pub is deadly boring*.

saam ⟨bw.⟩⟨schr.⟩ **0.1** ↓*together*.

saamhorig ⟨bw.⟩ **0.1** *united* ⇒*one, of one mind*.

saamhorigheid ⟨de (v.)⟩ **0.1** *solidarity* ⇒*unity, oneness,* ⟨broederschap, verbond⟩ *fellowship*.

saamhorigheidsgevoel ⟨het⟩ **0.1** *solidarity* ⇒*togetherness*.

saampjes ⟨bw.⟩ **0.1** *together* ◆ **4.1** wij ~ *us two*.

sabbat ⟨de (m.)⟩ **0.1** *sabbath* ◆ **3.1** de ~ houden/vieren/schenden/heiligen *keep/celebrate/break/honour the s.* **6.1** op ~ *on the s..*

sabbatschennis ⟨de (v.)⟩ **0.1** *sabbath-breaking* ⇒*breaking of the sabbath*.

sabbat(s)jaar ⟨het⟩ **0.1** [⟨bijb.⟩] *sabbatical/sabbatic year* **0.2** [verloftermijn] *sabbatical (year/*⟨vnl. AE ook⟩ *leave)*.

sabbat(s)maal ⟨het⟩ **0.1** *sabbath meal*.

sabbat(s)rust ⟨de⟩ **0.1** *sabbatical peace*.

sabbatviering ⟨de (v.)⟩ **0.1** *observance of the Sabbath* ⇒ ⟨mbt. zondag⟩ *Sunday observance*.

sabbelaar ⟨de (m.)⟩, **-ster** ⟨de (v.)⟩ **0.1** ⟨*person who sucks*⟩.

sabbelen ⟨onov.ww.⟩ **0.1** *suck* ◆ **6.1** ~ **aan** een lollie *s./lick a lollipop;* op een snoepje/op een potlood ~ *s. a sweet/a pencil*.

sabel

I ⟨de (m.)⟩ **0.1** [slagwapen] *sabre* ⇒*sword* **0.2** [metselaarsgereedschap] ≠*trowel* ◆ **3.1** de ~ trekken *draw one's sabre* **6.1** met een ~ doorboren *cut/run through with a sabre;* een houw/slag met de ~ *a sabre-cut;*

II ⟨het⟩ **0.1** [bont] *sable* **0.2** [⟨herald.⟩ kleur] *sable*.

sabelantilope ⟨de⟩ **0.1** *sable antelope*.

sabelbajonet ⟨de⟩ **0.1** *sword bayonet*.

sabelbont ⟨het⟩ **0.1** *sable*.

sabeldans ⟨de (m.)⟩ **0.1** *sabre dance*.

sabeldier ⟨het⟩ **0.1** *sable*.

sabelen ⟨onov.ww.⟩ **0.1** *sabre* ⇒*hew, slash*.

sabelmarter ⟨de (m.)⟩ **0.1** *sable*.

sabelsprinkhaan ⟨de (m.)⟩ **0.1** *katydid*.

Sabijns ⟨bn.⟩⟨gesch.⟩ **0.1** *Sabine* ◆ **1.1** ~e maagden *S. virgins*.

sabotage ⟨de (v.)⟩ **0.1** *sabotage* ◆ **3.1** ~ plegen *commit an act of s..*

saboteren

I ⟨onov., ov.ww.⟩ **0.1** [sabotage plegen] *commit sabotage (on);*

II ⟨ov.ww.⟩ **0.1** [in de war sturen] *sabotage* ⇒*disrupt, undermine* ◆ **1.1** onderhandelingen ~ *s. negotiations;* voorschriften ~ *undermine regulations*.

saboteur ⟨de (m.)⟩ **0.1** *saboteur*.

sabra ⟨de (m.)⟩ **0.1** *Sabra*.

sa(c)charide ⟨de⟩ **0.1** *saccharide*.

sa(c)charose ⟨de⟩ **0.1** *saccharose*.

sacharificatie ⟨de (v.)⟩ **0.1** *saccharification*.

sacharimeter ⟨de (m.)⟩ **0.1** *saccharimeter, saccharometer*.

sacharimetrie ⟨de (v.)⟩ **0.1** *saccharimetry, saccharometry*.

sacharine ⟨de⟩ **0.1** *saccharin*.

sachem ⟨de (m.)⟩ **0.1** *sachem*.

sacherijn →chagrijn.

sacherijnig →chagrijnig.

sachertaart ⟨de⟩ **0.1** *sachertorte*.

sachet ⟨het⟩ **0.1** [zakje met kruiden] *sachet* **0.2** [zakje om een zakdoek in te bergen] *handkerchief case*.

sacraal ⟨bn.⟩ **0.1** [gewijd] *sacral* ⇒*sacred* **0.2** [⟨med.⟩] *sacral* ◆ **1.2** sacrale wervels *s. vertebrae*.

sacrament ⟨het⟩ **0.1** [⟨r.k.⟩] *sacrament* **0.2** [⟨prot.⟩] *sacrament* ◆ **1.1** het ~ des altaars, het Heilig Sacrament *the s. of the altar, the Blessed Sacrament;* het ~ v.d. doop/der biecht *the s. of baptism/penance;* het ~ des huwelijks *holy matrimony;* het ~ der stervenden/der zieken *extreme unction* **2.1** voorzien v.d. heilige/laatste ~en *fortified with the rites of the Holy Church;* de laatste ~en *the last rites/sacraments* **3.1** iem. de laatste ~en toedienen *administer the last sacraments to s.o..*

sacramentale ⟨het⟩⟨r.k.⟩ **0.1** [alles wat de Kerk wijdt of zegent] *sacramental* **0.2** [zegeningen] *sacramental*.

sacramenteel ⟨bn.⟩ **0.1** [tot het sacrament behorend] *sacramental* **0.2** [bij het gebruik behorend] *sacramental*.

sacramentsaltaar ⟨het, de (m.)⟩⟨r.k.⟩ **0.1** *holy altar*.

Sacramentsdag ⟨de (m.)⟩ **0.1** *Corpus Christi*.

sacramentshuisje ⟨het⟩⟨r.k.⟩ **0.1** *tabernacle, sacrament-house*.

sacrarium ⟨het⟩ **0.1** *sacrarium*.

sacreren ⟨ov.ww.⟩ **0.1** *sanctify* ⇒*hallow,* ⟨(in)wijden⟩ *consecrate*.

sacrificie ⟨het⟩ **0.1** [(mis)offer] *sacrifice* **0.2** [opoffering] *sacrifice*.

sacrifiëren ⟨ov.ww.⟩ **0.1** [⟨r.k.⟩ offeren] *sacrifice* ⇒*offer (up)* **0.2** [opofferen] *sacrifice*.

sacristein ⟨de (m.)⟩ **0.1** *sacristan* ⇒*sacrist*.

sacristie ⟨de (v.)⟩ **0.1** *sacristy*.

sacrosanct ⟨bn.⟩ **0.1** [heilig en gewijd] *sacrosanct* ⇒*sacred* **0.2** [onaantastbaar] ⟨vaak scherts.⟩ *sacrosanct* ⇒*sacred*.

sadisme ⟨het⟩ **0.1** *sadism*.

sadist ⟨de (m.)⟩, **-e** ⟨de (v.)⟩ **0.1** *sadist*.

sadistisch ⟨bn., bw.;-(al)ly⟩ **0.1** *sadistic* ◆ **1.1** ~e trekjes (hebben) *(have) s. streaks* **3.1** ~ aangelegd zijn *have a s. bent/nature*.

sado ⟨de (m.)⟩ **0.1** *sado*.

sadomasochisme ⟨het⟩ **0.1** *sadomasochism*.

safari ⟨de⟩ **0.1** *safari* ◆ **6.1** op ~ gaan *go on s..*

safari-jasje ⟨het⟩ **0.1** *bush jacket/shirt* ⇒*safari jacket*.

safaripark ⟨het⟩ **0.1** *safari park*.

safaritoerisme ⟨het⟩ **0.1** *safari tourism*.

safe¹ ⟨de (m.)⟩ **0.1** *safe* ⇒*safe deposit box,* ⟨(bank)kluis⟩ *strongroom,* ⟨brandkast, loket⟩ *strongbox*.

safe² ⟨bn.⟩ **0.1** *safe* ⇒*secure,* ⟨betrouwbaar⟩ *all right* ◆ **3.1** is dat wel ~? *is that safe?/all right?;* zich niet ~ voelen *not feel at ease/comfortable;* ~ zitten *be home and dry/all right* **6.1** op ~ spelen *play it safe, be/err on the safe side*.

safehuur ⟨de⟩ **0.1** *rental of a/the safe*.

safeloket ⟨het⟩ **0.1** *safe-deposit box* ⇒*strongbox*.

saffiaan ⟨het⟩ **0.1** *saffian*.

saffie ⟨het⟩⟨inf.⟩ **0.1** *fag* ⇒*cig* ◆ **3.1** een ~ draaien *roll a f..*

saffier

I ⟨de (m.)⟩ **0.1** [edelsteen] *sapphire* **0.2** [saffiernaald] *stylus;*

II ⟨het⟩ **0.1** [edelgesteente] *sapphire* **0.2** [kleur] *sapphire*.

saffierblauw ⟨bn.⟩ **0.1** *sapphire (blue)* ◆ **7.1** het ~ *s. (blue)*.

saffieren ⟨bn.⟩ **0.1** *sapphire* ⇒*sapphirine*.

saffisch ⟨bn.⟩ **0.1** *Sapphic* ◆ **1.1** ~e strofe *S. (stanza)*.

saffisme ⟨het⟩ **0.1** *Sapphism* ⇒*Lesbianism*.

saffloer ⟨het, de (m.)⟩ **0.1** [plantesoort] *safflower* **0.2** [kobalterts] *zaffre*.

saffraan[1]

  I ⟨de (m.)⟩ **0.1** [specerij] *saffron* **0.2** [kleurstof] *saffron* ♦ **2.1** valse ~ *safflower, bastard saffron;*
  II ⟨het⟩ **0.1** [kleur] *saffron*.

saffraan[2] ⟨bn.⟩ **0.1** *saffron* ⇒*saffrony*.

saffraangeel[1] ⟨het⟩ **0.1** [kleurstof] *saffron* **0.2** [kleur] *saffron*.

saffraangeel[2] ⟨bn.⟩ **0.1** *saffron yellow*.

saffraankleur ⟨de⟩ **0.1** *saffron*.

saffraankrokus ⟨de (m.)⟩ **0.1** *saffron (crocus)*.

saga ⟨de⟩ **0.1** *saga*.

sage ⟨de⟩ **0.1** *legend* ⇒*folk tale/story*.

sagencyclus, -kring ⟨de (m.)⟩ **0.1** *legend cycle*.

saggerijn(ig) →*chagrijn(ig)*.

sagittaal ⟨bn.⟩ **0.1** *sagittal*.

sago ⟨de (m.)⟩ **0.1** *sago*.

sagobloem ⟨de⟩ **0.1** *sago flour*.

sagomeel ⟨het⟩ **0.1** *sago flour*.

sagopalm ⟨de (m.)⟩ **0.1** *sago-palm*.

Sahara ⟨de (m.)⟩ **0.1** [woestijn] *Sahara* **0.2** [⟨fig.)] *Sahara* ⇒*desert* ♦ **6.1** uit/van de ~ *Saharan, Saharian*.

saignant ⟨bn.⟩ ⟨cul.⟩ **0.1** *rare, underdone*.

saillant[1] ⟨het, de (m.)⟩ **0.1** *salient, salience* ⇒*bulge*.

saillant[2]

  I ⟨bn., bw.⟩ **0.1** [opvallend] *salient* ⇒*prominent;*
  II ⟨bn.⟩ **0.1** [vooruitstekend] *salient* ⇒*prominent*.

saillie ⟨de⟩ **0.1** [⟨bouwk.)] *projection* **0.2** [goede zet] *sally* ⇒*riposte*.

saisie ⟨de (v.)⟩ **0.1** *seizure*.

saisine ⟨de (v.)⟩ ⟨jur.⟩ **0.1** *livery of seisin*.

sajet ⟨de (m.)⟩ **0.1** [gesponnen wol] *sagathy* **0.2** [bal voor kolfspel] ≠*ball used in (pall-)mall*.

sake, saki ⟨de (m.)⟩ **0.1** *sake*.

saki ⟨de (m.)⟩ **0.1** *saki*.

sakkeren ⟨onov.ww.⟩ ⟨AZN⟩ **0.1** *swear, curse*.

sakkerju ⟨tw.⟩ **0.1** *my goodness, goodness gracious (me), (well/God) bless my soul, good heavens, by Jove, my word;* ⟨AE⟩ *well I'll be darned/ damned, would you believe that?, stone the crows, dammit*.

sakkerloot ⟨tw.⟩ **0.1** *darn, dash it all, (God) bless my soul*.

sakkers ⟨bn.⟩ ⟨AZN⟩ **0.1** *damn(ed)* ⇒*darn(ed)* ♦ **1.1** ~e deugniet *you damn scoundrel*.

Saksen ⟨het⟩ **0.1** *Saxony*.

Saks(er) ⟨de (m.)⟩, **-ische** ⟨de (v.)⟩ **0.1** *Saxon*.

Saksisch ⟨bn.⟩ **0.1** *Saxon* ♦ **1.1** ~ blauw *S. blue, saxe (blue);* het ~ dialect *the S. dialect, Saxon;* ~ porselein *Saxe china*.

salade ⟨de⟩ ⟨vaak in samenst.⟩ **0.1** *salad* ♦ **1.1** krabsalade, wortelsalade *crab s., carrot s.*.

salamander ⟨de (m.)⟩ **0.1** [dier] *salamander* **0.2** [kachel] ⟨→salamanderkachel⟩ ♦ **6.¶** iem. op z'n ~ geven *tan s.o.'s hide, dust s.o.'s jacket*.

salamanderkachel ⟨de⟩ **0.1** ⟨cylindrical stove for heating⟩.

salamanders[1] ⟨bn., bw.;-ly⟩ ⟨inf.⟩ **0.1** *confounded*.

salamanders[2] ⟨tw.⟩ ⟨inf.⟩ **0.1** *hang it*.

salami ⟨de (m.)⟩ **0.1** *salami*.

salamipolitiek ⟨de (v.)⟩ **0.1** *salami tactics*.

salangaan ⟨de (m.)⟩ **0.1** *salangane* ⇒*swiftlet*.

salariaat ⟨het⟩ ⟨schr.⟩ **0.1** *salariat*.

salariëren ⟨ov.ww.⟩ **0.1** [salaris verlenen] *salary* ⇒*pay* **0.2** [salaris verbinden aan] *pay* ♦ **1.2** een goed gesalarieerde betrekking *a well-paid job* **5.1** sommige ambtenaren worden te laag gesalarieerd *some civil servants are underpaid*.

salariëring ⟨de (v.)⟩ **0.1** *payment*.

salaris ⟨het⟩ **0.1** *salary* ⇒*pay* ♦ **1.1** verlof met behoud van ~ *leave on full pay* **2.1** een vast/een hoog ~ *a fixed/high s.* **3.1** er is een ~ van 80.000 gulden aan deze betrekking verbonden *the post commands a s. of 80,000 guilders;* regelmatig zijn ~ ontvangen *draw one's s. regularly;* ~ ontvangen/hebben/genieten *receive/have/draw a s.;* ~ overmaken/uitbetalen *remit/pay a/the s.* **6.1** met zo'n ~ kan je je weinig veroorloven *one can't afford much on such a s.*.

salarisadministratie ⟨de (v.)⟩ **0.1** *salary records* ♦ **3.1** ik doe de ~ *I keep the s.r.*.

salarisgrens ⟨de⟩ **0.1** *minimum/maximum salary*.

salarisregeling ⟨de (v.)⟩ **0.1** *salary conditions* ⇒ ↓*rate of pay*.

salarisrekening ⟨de (v.)⟩ **0.1** *current account*, [A]*checking account*.

salarisschaal ⟨de⟩ **0.1** *salary scale*.

salarisverhoging ⟨de (v.)⟩ **0.1** *(salary) increase* ⇒⟨inf.⟩ *(pay) rise*, [A]*raise*.

salarisverlaging ⟨de (v.)⟩ **0.1** *reduction in/of salary/salaries* ⇒⟨inf.⟩ *salary cut*.

salderen ⟨ov.ww.⟩ **0.1** *balance*.

saldibalans ⟨de⟩ **0.1** *trial balance*.

saldilijst ⟨de⟩ **0.1** *list of balances*.

saldo ⟨het⟩ **0.1** *balance* ♦ **1.1** ~ tegoed *credit/favourable b.* **2.1** een batig/positief ~ *a credit b.;* uw nadelig ~, het ~ in uw nadeel *the b. against you/to your debit/due from you;* een nadelig/negatief/passief ~ *deficit* **3.1** een batig ~ geven, een ~ opleveren *yield a surplus;* het

~ trekken/opmaken/bijschrijven *strike the b.* **6.1** per ~ *⟨fig.)* *on b.* **¶.1** ~ in kas *b. in hand*.

saldobedrag ⟨het⟩ **0.1** *balance*.

saldotekort ⟨het⟩ **0.1** *deficit* ⇒*deficiency, debit balance,* ⟨op giro-/bankrekening⟩ *overdraft* ♦ **3.1** aan het eind v.d. maand heb ik altijd een ~ *I'm always overdrawn at the end of the month;* u heeft ~ *your account is overdrawn*.

salep ⟨de (m.)⟩ **0.1** *salep* ⇒*saloop*.

saletjonker ⟨de (m.)⟩ ⟨pej.⟩ **0.1** *dandy, fop*.

salicoside ⟨het⟩ **0.1** *salicin*.

salicyl ⟨het⟩ ⟨inf.⟩ **0.1** [1] *salicylic acid* ⇒⟨geneesmiddel⟩ ≠*aspirin*.

salicylzuur ⟨het⟩ ⟨schei.⟩ **0.1** *salicylic acid*.

salie ⟨de⟩ **0.1** [plantengeslacht] *sage* **0.2** [saliemelk] *sage milk* ♦ **2.1** echte/gewone ~ *(common) s.* **2.¶** valse/wilde ~ *wood sage* **6.1** met ~ gekruid *sag(e)y*.

saliemelk ⟨de⟩ **0.1** *sage milk*.

salieolie ⟨de⟩ **0.1** *sage oil*.

salificatie ⟨de (v.)⟩ ⟨schei.⟩ **0.1** *salification*.

saligenol ⟨het⟩ **0.1** *saligenin* ⇒*salicyl alcohol*.

saline ⟨de (v.)⟩ **0.1** *salina, saline*.

salinisch ⟨bn.⟩ **0.1** *saline*.

saliniteit ⟨de (v.)⟩ **0.1** *salinity*.

salivatie ⟨de (v.)⟩ **0.1** *salivation*.

salmiak ⟨de (m.)⟩ **0.1** [⟨schei.)] *sal ammoniac, ammonium chloride* **0.2** [dropje] ⟨type of liquorice sweet⟩ ♦ **1.1** geest van ~ *(aqueous) ammonia, ammonia water/solution*.

salmiakdrop ⟨het, de⟩ **0.1** *acid drop*.

salmonella ⟨de⟩ **0.1** *salmonella*.

salmonellainfectie ⟨de (v.)⟩ **0.1** *salmonella infection;* ⟨med. ook⟩ *salmonellosis*.

Salomo ⟨de (m.)⟩ ⟨bijb.⟩ **0.1** *Solomon* ♦ **8.1** zo wijs als ~ *(as) wise as S.;* zo wijs als ~'s kat (zijn) *(be) self-opiniated/conceited*.

Salomonisch ⟨bn.⟩ **0.1** *Solomonic* ⇒*Solomonian, Salomonic, Salomonian*.

Salomonsoordeel ⟨het⟩ **0.1** *judgment of Solomon*.

salomonszegel ⟨de (m.)⟩ **0.1** *Solomon's seal*.

salon ⟨het, de (m.)⟩ **0.1** [ontvangkamer] *drawing room* ⇒*salon* **0.2** [(plaats van) geregelde samenkomst] *drawing room* ⇒*salon* **0.3** [vertrek voor het ontvangen van de clientèle] *salon*, [A]*parlor* ⇒⟨hotel, restaurant⟩ *reception room* **0.4** [⟨AZN⟩ bankstel] *(three-piece) suite*.

saloncommunist ⟨de (m.)⟩ **0.1** *armchair communist* ⇒⟨AE;sl.⟩ *parlor pink*.

salonfähig ⟨bn.⟩ **0.1** *socially acceptable* ⇒⟨mensen, optreden, uiterlijk⟩ *presentable*.

salonheld ⟨de (m.)⟩ **0.1** ≠*socialite*.

salonmuziek ⟨de (v.)⟩ **0.1** *salon music*.

salonrijtuig ⟨het⟩ →*salonwagen 0.1*.

salonsocialist ⟨de (m.)⟩ **0.1** *armchair socialist* ⇒*parlour socialist,* ⟨AE; sl.⟩ *parlor pink*.

salonstuk ⟨het⟩ **0.1** [toneelstuk] *drawing-room play* **0.2** [muziekstuk] *drawing-room piece*.

salontafel ⟨de⟩ **0.1** *coffee table*.

salontafelboek ⟨het⟩ **0.1** *coffee-table book*.

salonvleugel ⟨de (m.)⟩ **0.1** *parlour grand (piano)* ⇒⟨kleiner⟩ *baby grand (piano)*.

salonwagen ⟨de (m.)⟩ **0.1** [spoorwagen] [B]*saloon*, [A]*parlor/lounge/chair car* ⇒*Pullman (car)* **0.2** [woonwagen] *caravan*.

saloondeuren ⟨zn.mv.⟩ **0.1** *saloon doors*.

salopette ⟨de (v.)⟩ ⟨mv.⟩ **0.1** *dungarees* ⟨mv.⟩.

salpen ⟨zn.mv.⟩ **0.1** *salpae, salpas*.

salpeter ⟨het, de (m.)⟩ **0.1** [kalisalpeter] *saltpetre* ⇒*nitre* **0.2** [uitslag op muren] *efflorescence* ♦ **2.1** ruwe/gezuiverde ~ *crude/purified s.* **6.1** met ~ uitslaan *effloresce*.

salpetergrond ⟨de (m.)⟩ **0.1** *nitrous earth/soil*.

salpeterigzuur ⟨het⟩ ⟨schei.⟩ **0.1** *nitrous acid*.

salpeterlucht ⟨de⟩ **0.1** *nitrous fume(s)*.

salpetermeel ⟨het⟩ **0.1** *saltpetre flour*.

salpeterplantage ⟨de (v.)⟩ **0.1** *nitre works*.

salpetersmaak ⟨de (m.)⟩ **0.1** *taste of saltpetre*.

salpeterstruik ⟨de (m.)⟩ **0.1** *nitre bush*.

salpeterzout ⟨het⟩ **0.1** *nitrate*.

salpeterzuur ⟨het⟩ **0.1** *nitric acid* ⇒*aqua fortis* ♦ **2.1** rokend ~ *fuming nitric acid*.

salsa ⟨de (m.)⟩ ⟨muz.⟩ **0.1** *Salsa*.

saltatie ⟨de (v.)⟩ ⟨biol.⟩ **0.1** *saltation*.

salto ⟨de (m.)⟩ **0.1** *somersault* ⇒⟨in de lucht⟩ *flip* ♦ **2.1** een gehurkte ~ *a tucked s.;* een achterwaartse ~ *a backwards s.;* a gainer ~ *(a gainer s.)* **3.1** een ~ maken *turn a s.,* somersault **¶.1** ~ mortale *death-defying leap* ⟨circus⟩; *loop* ⟨vliegtuig⟩; *(fig.) daring feat*.

salubriteit ⟨de (v.)⟩ **0.1** [gezonde gesteldheid] *salubrity* ⇒*salubriousness* **0.2** [gezondheidstoestand] *health*.

salueren ⟨onov.ww.⟩ **0.1** *salute* ⇒*give a salute*.

salut ⟨tw.⟩ ⟨schr.⟩ **0.1** *greeting*.

salutatie ⟨de (v.)⟩ **0.1** *salutation*.
saluut ⟨het⟩ **0.1** *salute* ◆ **1.¶** ⟨AZN; inf.⟩ ~ en de kost! *(bye,) I'm off*
3.1 het ~ geven/beantwoorden *give/take the s.*; er werd ~ gegeven
met de vlag *the flag was dipped* **¶.¶** ik moet weg, ~! *I must be going,*
goodbye/so long.
saluutschot ⟨het⟩ **0.1** *salute* ◆ **3.1** er klonken ~en *salutes rang out;* ~en/
een ~ lossen voor *fire a s. to*.
Salvadoriaan ⟨de (m.)⟩, **-se** ⟨de (v.)⟩ **0.1** *Salvadorean*.
Salvadoriaans ⟨bn.⟩ **0.1** *Salvadorean*.
salvarsan ⟨het⟩ **0.1** *salvarsan*.
salve ⟨tw.⟩ **0.1** *salute* ⇒*hail* ◆ **¶.1** ⟨r.k.⟩ ~ regina *Salve Regina*.
salvia ⟨de (v.)⟩ **0.1** *salvia*.
salvo ⟨het⟩ **0.1** [mbt. vuurwapens] *salvo* ⇒*volley,* ⟨kort⟩ *burst,* ⟨van
boordbatterij⟩ *broadside* **0.2** [mbt. voorwerpen/uitroepen] *volley,*
salvo ⇒*(out)burst* ◆ **1.2** een ~ van toejuichingen *a s./burst of cheers;*
een ~ van verwensingen *a v. of oaths/curses* **3.1** een ~ lossen/afvuren
loose off a volley, volley.
salzafij ⟨de (v.)⟩ ⟨plantk.⟩ **0.1** *salsify*.
samaar ⟨de⟩ ⟨gesch.⟩ **0.1** *cymar*.
Samaritaan ⟨de (m.)⟩ **0.1** *Samaritan* ◆ **2.¶** een barmhartige ~ *a good*
S..
Samaritaans ⟨bn.⟩ **0.1** *Samaritan*.
samarium ⟨het⟩⟨schei.⟩ **0.1** *samarium*.
samba
  I ⟨de⟩ **0.1** [dans] *samba* ◆ **3.1** de ~ dansen *dance/do the s., samba;*
  II ⟨het⟩ **0.1** [kaartspel] *samba*.
sambabal ⟨de (m.)⟩ ⟨muz.⟩ **0.1** *maraca* ⟨vnl. mv.⟩.
sambal ⟨de (m.)⟩ **0.1** *sambal*.
sambar ⟨de (m.)⟩ **0.1** *sambar*.
Same ⟨de (m.)⟩ **0.1** *Samoyed*.
samen ⟨bw.⟩ **0.1** [bijeen] *together* **0.2** [met elkaar] *together* ⇒*in chorus*
⟨zingen, spreken⟩ **0.3** [onderling] *with each other, with one another*
0.4 [bij elkaar gerekend] *in all, altogether* **0.5** [met zijn tweeën] *just*
the two of us/them ◆ **1.1** John en Bill ~ gaat nooit goed *John plus Bill*
means trouble **2.3** zij zijn het ~ eens *they agree (with each other)* **3.1**
nu wij hier ~ zijn, wil ik u een voorstel doen *now that we have gath-*
ered/met here, I would like to make a proposal to you **3.2** ze gaven
haar ~ een geschenk *they gave her a joint present;* zij hebben ~ een
kamer *they share a room;* ~ een boek schrijven *collaborate on a*
book; ~ zingen *sing in chorus/unison* **3.3** het ~ goed kunnen vinden
get on well (together), click (with each other); ⟨inf.⟩ *hit it off (with*
each other) **3.4** alles ~ genomen, al deze dingen ~ *all told, all in all, al-*
together; ~ verdienen zij nog geen 50 gulden per dag *between them,*
they earn less than 50 guilders a day **3.5** ⟨pregnant⟩ eerst een paar
jaar ~ blijven *just the two of us/them for the first year or two;* zij zijn
maar ~ *it's just the two of them* **4.4** alles ~ of afzonderlijk *jointly or*
separately **5.2** ~ uit, ~ thuis *out t., home t.* **9.1** goedenavond ~ *good*
evening everybody **¶.3** ~ handel drijven *trade with each other/one an-*
other **¶.4** ~ is 21 gulden *that is/makes 21 guilders altogether/in*
all, that adds up to 21 guilders.
samenballen
  I ⟨ov.ww.⟩ **0.1** [ineenpersen] *clench* ⇒*bunch* ◆ **1.1** ⟨fig.⟩ zijn vuisten
~ *c. one's fists;*
  II ⟨onov.ww.⟩ **0.1** [zich tot een bal aaneensluiten] *form a ball*.
samenbinden ⟨ov.ww.⟩ **0.1** *bind/tie together* ⇒*tie up,* ⟨fig.⟩ *bind, unite* ◆
1.1 handen en voeten ~ *bind/tie hands and feet together, tie up hands*
and feet **4.1** ⟨fig.⟩ de band die ons hier samenbindt *the band/tie that*
unites us **6.1** kleren tot een bundel ~ *bundle up clothes*.
samenblijven ⟨onov.ww.⟩ **0.1** *stay together* ⇒⟨inf.⟩ *stick together*.
samenbrengen ⟨ov.ww.⟩ **0.1** *bring together* ⇒*assemble, unite, join, rally*
◆ **1.1** bouwstoffen voor iets ~ *assemble materials for sth.;* geld ~ *col-*
lect money; twee mensen ~ *bring/throw two people together;* troepen/
soldaten ~ *muster/assemble/rally/mass troops/soldiers* **5.1** twee
mensen weer ~ *reunite two people* **6.1** in één punt ~ *centralize, con-*
centre.
samenbundelen ⟨ov.ww.⟩ **0.1** *bind together* ⇒⟨fig.⟩ *join, unite, combine*
◆ **1.1** ⟨fig.⟩ de krachten ~ *join forces*.
samendoen
  I ⟨ov.ww.⟩ **0.1** [verenigen] *put together, combine;*
  II ⟨onov.ww.⟩ **0.1** [samen met iem. handelen] *be partners* ⇒⟨samen
delen⟩ *go shares*.
samendrijven
  I ⟨ov.ww.⟩ **0.1** [bij elkaar brengen] *herd (together), round up* ◆ **6.1** de
koeien in een weiland ~ *round up/herd the cows (together) into a*
meadow;
  II ⟨onov.ww.⟩ **0.1** [bij elkaar komen] *drift together*.
samendringen
  I ⟨onov.ww.⟩ **0.1** [bij elkaar komen] *crowd (together)* ⇒*bunch (up)*
(together), gather round ⟨rond iets/iem.⟩;
  II ⟨ov.ww.⟩ **0.1** [bij elkaar brengen] *huddle (together)* ⇒*bunch*.
samendrommen ⟨onov.ww.⟩ **0.1** *crowd (together)* ⇒*flock (together),*
swarm (about/round).
samendrukbaar ⟨bn.⟩ **0.1** *compressible*.

samendrukbaarheid ⟨de (v.)⟩ **0.1** *compressibility* ◆ **6.1** de ~ bij gassen
the c. of gases.
samendrukken ⟨ov.ww.⟩ **0.1** [vast op elkaar drukken] *press (together)* ⇒
compress, telescope ⟨bv. van voertuigen bij botsing⟩ **0.2** [in elkaar
drukken] *compress* ◆ **1.1** de handen/lippen ~ *press one's hands/lips*
together **1.2** een spons ~ *squeeze a sponge;* dieren met samengedrukte
staart *animals with compressed tail;* ⟨plantk.⟩ samengedrukte stengel
compressed stalk **3.2** de gassen laten zich sterk ~ *the gases are highly*
compressible.
samenduwen ⟨ov.ww.⟩ **0.1** [bij elkaar brengen] *squeeze together, squash*
(up) **0.2** [in elkaar duwen] *squeeze, squash*.
samenflansen ⟨ov.ww.⟩ **0.1** *knock up/together* ⇒*patch (up/together),*
cobble (together) ◆ **1.1** een boek ~ *throw/cobble together a book*.
samengaan ⟨onov.ww.⟩ **0.1** [gepaard gaan] *go together* **0.2** [bij elkaar
passen] *go together* ⇒*go hand in hand* ◆ **1.1** afgunst en domheid
gaan meestal samen *envy and stupidity tend to go together/often go*
hand in hand **1.2** vrijheid en dictatuur gaan niet samen *freedom and*
dictatorship don't go together **3.2** we moeten allen ~ als we willen
winnen *if we want/are to win, we should all stand together* **6.1** ons bedrijf is met Dodgson samengegaan *our company has amalgamated/*
merged with Dodgson's **6.2** niet ~ met *not go (together) with*.
samengerechtigd ⟨bn.⟩ ⟨jur.⟩ **0.1** *jointly entitled/authorized*.
samengesteld ⟨bn.⟩ **0.1** *compound* ⇒*composite, complex* ⟨breuk, zin⟩ ◆
1.1 ⟨biol.⟩ ~ blad *compound leaf;* ~e bloem *compound flower;* ~
⟨wisk.⟩ een ~e breuk *a compound/complex fraction;* ~ eiwit *conju-*
gated protein; ⟨wisk.⟩ een ~e functie *a composite function;* ⟨wisk.⟩
een ~ getal *a mixed number;* een ~e katrol *a composite pulley;* ⟨biol.⟩
~ oog *compound eye;* een ~e stof *a composite/compound, a com-*
pound substance; ⟨taal.⟩ een ~e (vol)zin *a compound/complex sen-*
tence.
samengesteldbloemigen ⟨zn.mv.⟩ **0.1** *composites*.
samengezworene ⟨de (m.)⟩ **0.1** *conspirator*.
samengroeien ⟨onov.ww.⟩ **0.1** *grow together* ⇒*accrete, coalesce* ◆ **1.1**
⟨plantk.⟩ bloemen met samengegroeide bladen *flowers with concres-*
cent petals; ⟨plantk.⟩ bloemen met samengegroeide meeldraden
flowers with monadelphous stamina; samengegroeide vingers *webbed*
fingers.
samenhang ⟨de (m.)⟩ **0.1** [mbt. woorden/zinnen] *coherence* ⇒⟨zinsver-
band⟩ *context* **0.2** [onderling verband] *connection,* ^*connexion* ⇒*rela-*
tionship **0.3** [⟨nat.⟩ cohesie] *cohesion* ◆ **1.2** ~ van de gebeurtenissen *the c./relationship between the events* **2.3** de ~ is bij de metalen
zeer groot *the c. of metals is very great/strong, metals are very cohe-*
sive **3.1** in iets ~ brengen *give sth. coherence;* je verhaal mist elke ~
your story is incoherent/lacks coherence/does not hang together **6.1**
een verhaal zonder ~ *a rambling/disconnected story* **6.2** iets in ~ zien
met *see sth. in c. with*.
samenhangen ⟨onov.ww.⟩ **0.1** [in verband tot elkaar staan] *be connected*
⇒*be linked,* ⟨logisch⟩ *cohere* **0.2** [⟨nat.⟩ tot een geheel verbonden
zijn] *cohere* ◆ **5.1** deze zaken hangen nauw samen *these matters are*
closely connected/bound up/linked (together/up) **5.2** vloeistoffen
hangen niet sterk samen *liquids do not c. strongly* **6.1** dat hangt
samen met het klimaat *that is connected with the climate*.
samenhangend ⟨bn., bw.;-ly⟩ **0.1** [coherent] *connected* ⇒*coherent, con-*
sistent **0.2** [in verband staand] *related* ⇒*allied, connected* ◆ **1.1** ergens
een ~ geheel van maken *make sth. into a coherent whole;* een ~ verhaal *a coherent/connected story* **5.2** een hiermee ~ probleem *a r./al-*
lied problem **6.2** ~ met *connected/in connection with*.
samenhelmig ⟨bn.⟩ ⟨plantk.⟩ **0.1** *syngenesious, synantherous*.
samenhokken ⟨onov.ww.⟩ **0.1** [in een kleine ruimte bij elkaar wonen]
⟨live in cramped conditions⟩ **0.2** [samenwonen] ⟨inf.⟩ *shack up (to-*
gether) ⇒*live together,* ↑*cohabit* ◆ **6.2** met iem. ~ *shack up/live/* ↑*co-*
habit with s.o..
samenhorigheid →saamhorigheid.
samenhouden ⟨onov.ww.⟩ **0.1** *keep/hold together*.
samenklank ⟨de (m.)⟩ **0.1** [harmonie] *consonance, harmony* **0.2** [het gelijktijdig klinken] *simultaneous sounding* ◆ **6.1** twee muziekinstrumenten in ~ brengen *bring two musical instruments into harmony*.
samenklappen ⟨onov.ww.⟩ **0.1** *collapse, fold*.
samenklemmen ⟨ov.ww.⟩ **0.1** *clamp/clip (together)* ⇒*clench (together)*
⟨tanden/vuist/vingers⟩.
samenkleven
  I ⟨onov.ww.⟩ **0.1** [vast gaan zitten] *stick together* ⇒*cohere,* ⟨wet.⟩ *ag-*
glutinate;
  II ⟨ov.ww.⟩ **0.1** [vastmaken] *stick together* ⇒*paste together,* ⟨wet.⟩
agglutinate.
samenklinken
  I ⟨onov.ww.⟩ **0.1** [gelijktijdig klinken] *sound together/simultaneously*
0.2 [harmoniëren] *harmonize;*
  II ⟨ov.ww.⟩ **0.1** [aan elkaar hechten] *rivet (together)* ⇒*clinch (togeth-*
er) ⟨ihb. stukken hout⟩.
samenklonteren ⟨onov.ww.⟩ **0.1** *coagulate*.
samenknijpen ⟨ov.ww.⟩ **0.1** *squeeze together* ⇒*press together, compress*
⟨lippen⟩, *screw up* ⟨ogen⟩.

samenknopen ⟨ov.ww.⟩ **0.1** *tie/knot together* ◆ **1.1** een doek ~ *tie up the corners of a cloth;* een paar touwtjes ~ *knot together pieces of string.*
samenkoeken ⟨onov.ww.⟩ **0.1** *congeal.*
samenkomen ⟨onov.ww.⟩ **0.1** *come together, meet (together)* ⇒*assemble, gather (round), converge (on)* ⟨in één punt/ op één plaats⟩.
samenkomst ⟨de (v.)⟩ **0.1** [bijeenkomst] *meeting* ⇒*gathering, assembly, convergence, junction* ⟨van wegen/ kanalen enz.⟩ **0.2** [⟨ster.⟩] *conjunction* ◆ **1.1** de plaats van ~ *the meeting place/ point, the venue;* ⟨ook mil.; verzamelplaats⟩ *the rendezvous* **6.1** iem. **tot** een ~ uitnodigen *invite s.o. to a gathering/ m..*
samenkoppelen ⟨ov.ww.⟩ **0.1** *couple, connect* ⇒⟨fig. ook⟩ *link/ bracket (together).*
samenkoppeling ⟨de (v.)⟩ **0.1** [het samenkoppelen] *connection, coupling* **0.2** [⟨taal.⟩] *compound (word).*
samenkrimpen ⟨onov.ww.⟩ **0.1** *shrink* ⇒*contract,* ⟨biol.⟩ *plasmolyze* ⟨van protoplasma⟩ ◆ **1.1** ⟨fig.⟩ mijn hart kromp samen *my heart shrank.*
samenleven ⟨onov.ww.⟩ **0.1** [met elkaar wonen] *live together* ⇒⟨vreedzaam⟩ *coexist* **0.2** [samenwonen] *live together* ⇒ ↓*shack up (together),* †*cohabit* ◆ **6.2** met iem. ~ *live/ shack up/ cohabit with s.o..*
samenleving ⟨de (v.)⟩ **0.1** [maatschappij] *society* **0.2** [⟨biol.⟩] *symbiosis* **0.3** [het samenleven] *living together;* †*cohabitation* ◆ **2.1** de huidige ~ *modern s..*
samenlevingsopbouw ⟨de (m.)⟩ **0.1** *community structure.*
samenlevingsverband ⟨het⟩ **0.1** *community (relations)* ⇒*communal living.*
samenlevingsvorm ⟨de (m.)⟩ **0.1** *way/ form/ mode of cohabitation;* ⟨vorm van maatschappij⟩ *kind/ type/ form of society* ◆ **2.1** de woongroep is een steeds gewildere ~ *the commune is an increasingly popular way of living.*
samenlijmen ⟨ov.ww.⟩ **0.1** *glue together* ⇒⟨tech.⟩ *conglutinate.*
samenloop ⟨de (m.)⟩ **0.1** [omstandigheid dat krachten hun werking verenigen] *concurrence* ⇒*conjunction, concourse* ⟨ook van mensen⟩ **0.2** [plaats waar wegen/ rivieren zich verenigen] *meeting point, (point of) junction/ convergence* **0.3** [het samenlopen] *convergence, junction* ⇒ *merging* ◆ **1.1** een ~ van omstandigheden *a coincidence, a concurrence of circumstances, a conjuncture* **1.2** aan de ~ van Maas en Waal *at the confluence of the Meuse and the Waal* **2.1** een bijzondere/ toevallige ~ *a special/ chance concurrence/ concourse.*
samenlopen ⟨onov.ww.⟩ **0.1** [zich in een punt verenigen] *meet, join* ⇒ *come together, converge* **0.2** [toevallig haar werking verenigen] *concur* ⇒*combine* ◆ **1.1** verschillende wegen lopen hier samen *several roads m./ come together/ converge here* **6.1** lijnen die in één punt ~ *converging lines* **6.2** alles liep **tot** zijn ongeluk samen *everything combined to bring about his misfortune/ accident.*
samenpakken
I ⟨ov.ww.⟩ **0.1** [tot een pak maken] *pack (together)* ◆ **1.1** verschillende zaken ~ *p. various things together;*
II ⟨wk.ww.; zich ~⟩ **0.1** [zich opeenhopen] *stack up* ⇒*gather* ◆ **4.1** zware wolken pakten zich samen *heavy clouds were gathering.*
samenpersen ⟨ov.ww.⟩ **0.1** *compress, press together* ⇒*pack, compact* ◆ **1.1** samengeperst hooi *packed hay;* samengeperste lucht *compressed air.*
samenraapsel ⟨het⟩ ⟨pej.⟩ **0.1** *pack* ⇒⟨vnl. ideeën⟩ *ragbag,* ⟨personen, zaken⟩ *mixed lot,* ⟨taal. zaken, ideeën ook⟩ *hotchpotch,* ^*hodge-podge* ◆ **1.1** een ~ van leugens *a p./ parcel/ tissue of lies;* een ~ van mislukkelingen *a bunch/ collection of misfits.*
samenrapen ⟨ov.ww.⟩ **0.1** *gather together, collect.*
samenroepen ⟨ov.ww.⟩ **0.1** *call (together)* ⇒*summon, convene, convoke* ◆ **1.1** de leden v.e. vereniging ~ *convene the members of an association/ a club;* een vergadering ~ *call/ convene a meeting.*
samenrotten ⟨onov.ww.⟩ **0.1** *troop up/ together, mob.*
samenscholen ⟨onov.ww.⟩ **0.1** *assemble* ⇒*gather.*
samenscholing ⟨de (v.)⟩ **0.1** [het samenscholen] *gathering* **0.2** [samengeschoolde menigte] *gathering* ⇒*assembly, assemblage,* ⟨jur.⟩ *rout.*
samensmelten
I ⟨onov.ww.⟩ **0.1** [een geheel worden] *fuse (together)* **0.2** [⟨fig.⟩] *amalgamate* ⇒*merge, fuse (together), coalesce,* ⟨AE ook⟩ *meld* ◆ **1.2** de twee partijen zijn samengesmolten *the two parties have amalgamated/ merged* **6.1 tot** een klomp samengesmolten ijzeren staven *iron bars fused (together) into a lump;*
II ⟨ov.ww.⟩ **0.1** [smeltend verbinden] *fuse/ melt together.*
samensnoeren ⟨ov.ww.⟩ **0.1** *constrict* ◆ **3.1** mijn keel lijkt samengesnoerd *my throat feels constricted.*
samensnoering ⟨de (v.)⟩ **0.1** [het samensnoeren] *constriction* **0.2** [plaats] *constriction* ◆ **1.1** ~ v.d. pisbuis *c. of the urethra.*
samenspannen ⟨onov.ww.⟩ **0.1** *conspire* ⇒*plot (together), connive (with), be in league (with), machinate* ◆ **6.1** met iem. ~ *conspire/ be in league with s.o.,* *connive with s.o.;* alles spant samen **om** mij ongelukkig te maken *everything is conspiring/ combining to make me unhappy;* **tegen** iem./ de staat ~ *conspire/ plot against s.o./ the state.*
samenspanning ⟨de (v.)⟩ ⟨jur.⟩ **0.1** *conspiracy.*
samenspel ⟨het⟩ **0.1** *combined action/ play* ⇒⟨muz.⟩ *ensemble,* ⟨sport⟩ *teamwork, combination* ◆ **2.1** hun ~ was zeer zuiver *their ensemble was very good* **6.1** ⟨fig.⟩ het ~ **tussen** twee organisaties *the combined/ concerted action of two organizations.*
samenspelen ⟨onov.ww.⟩ **0.1** *play together* ◆ **6.1** ~ met iem. *play (together) with s.o..*
samenspraak ⟨de⟩ **0.1** *dialogue* ⇒*conversation,* ⟨schr.⟩ *colloquy* ◆ **3.1** samenspraken houden *confer, converse, hold conversations/ dialogues.*
samenstel ⟨het⟩ **0.1** [stelsel] *composition* ⇒*system,* ⟨fig.⟩ *fabric* **0.2** [constructie] *structure* ⇒*construction, build* ◆ **1.1** een ~ van regels en bepalingen *a body/ system of rules and regulations* **1.2** het ~ v.e. orgel *the s./ construction/ build of an organ.*
samenstellen ⟨ov.ww.⟩ **0.1** [tot een geheel vormen] *put together* ⇒*make up, build, compound, compose* **0.2** [opstellen, schrijven] *draw up* ⇒ *compose, formulate, draft* ⟨schets⟩ *compile* ⟨lijst, woordenboek enz.⟩ ◆ **1.1** een machine ~ *put together/ build/ assemble/ construct a machine* **1.2** een brochure ~ *compile a brochure* **6.1** samengesteld zijn **uit** *be made up/ composed of.*
samenstellend ⟨bn.⟩ **0.1** *component, constituent* ⇒*constitutive* ◆ **1.1** de ~e delen van een geheel *the component/ constituent parts of a whole, the components/ constituents of sth..*
samensteller ⟨de (m.)⟩, **-stelster** ⟨de (v.)⟩ **0.1** *compiler* ⇒⟨auteur⟩ *composer,* ⟨bereider⟩ *concoctor, anthologist* ⟨bloemlezing⟩ ◆ **1.1** de ~s van een t.v.-programma *the producers of a TV-programme* ^*gram;* de ~s van een woordenboek/ van een tijdschrift *the compilers of a dictionary, the editors of a periodical* **2.1** mechanisch ~ *assembler.*
samenstelling ⟨de (v.)⟩ **0.1** [het samenstellen] *construction, compilation, compounding; assembly* ⟨onderdelen⟩; *concoction* ⟨recept⟩; *editing* ⟨tijdschrift⟩ **0.2** [wijze van samenstelling] *composition* ⇒*make-up, constitution, arrangement, structure* **0.3** [⟨taal.⟩] *compound* ⇒⟨proces⟩ *compounding* ◆ **1.2** de ~ van de gemeenteraad/ de Tweede Kamer *the composition/ constitution of the municipal council/ Lower Chamber/ Dutch Second Chamber* **2.2** de chemische ~ van voedingsmiddelen *the chemical composition of foods* **2.3** eigenlijke/ echte ~ en *true/ opaque/ idiomatic compounds;* oneigenlijk/ onechte ~ *false/ transparent compounds* ¶ **.3** ~ door middel van afleiding ⟨proces⟩ *compounding through derivation;* ⟨woord⟩ *derivational compound.*
samenstromen ⟨onov.ww.⟩ **0.1** [samenkomen] *flock (together)* ⇒*crowd, assemble, gather* **0.2** [mbt. waterwegen] *flow together/ into one another* ⇒*unite* ◆ **1.1** de samengestroomde menigte *the gathered/ assembled crowd.*
samentreffen ⟨onov.ww.⟩ **0.1** *coincide (with).*
samentrekken
I ⟨ov.ww.⟩ **0.1** [dichter bij elkaar trekken] *contract* ⇒*draw/ pull together, gather* ⟨ook van wolken⟩, *purse* ⟨lippen⟩ **0.2** [mbt. troepen] *concentrate* **0.3** [⟨taal., wisk.⟩ samenvoegen] ⟨taal.⟩ *contract;* ⟨wisk.⟩ *add up, reduce* ◆ **1.1** een strik/ een knoop ~ *draw together/ tighten a knot;* de wenkbrauwen ~ *frown, knit one's brow* **1.2** een legermacht ~ *c. armed forces/ an army* **1.3** twee lettergrepen ~ *c. two syllables;* ⟨taal.⟩ zinnen ~ *c. sentences* **4.1** het hart trekt zich samen *the heart contracts;*
II ⟨ov.ww.⟩ **0.1** [ineenkrimpen] *contract* ⇒*shrink, pull together, close (up)* ⟨wond⟩ ⟨gezicht⟩ *screw up* ◆ **7.1** het ~ van een spier *the contraction of a muscle.*
samentrekkend ⟨bn.⟩ **0.1** *astringent* ⇒*styptic(al)* ◆ **1.1** ~e middelen/ geneesmiddelen *astringents, styptics;* aluin heeft een ~e smaak *alum has an a. taste/ effect on the mouth/ screws the mouth up.*
samentrekker ⟨de (m.)⟩ **0.1** *contractor.*
samentrekking ⟨de (v.)⟩ **0.1** [het ineenkrimpen] *contraction* **0.2** [keer dat iets ineenkrimpt] *contraction* **0.3** [⟨taal., wisk.⟩ het samenvoegen] *contraction* **0.4** [⟨taal., wisk.⟩ wat samengevoegd is] *contraction.*
samentrekkingsteken ⟨het⟩ ⟨taal.⟩ **0.1** *circumflex.*
samenvallen ⟨onov.ww.⟩ **0.1** [elkaar dekken] *coincide (with)* ⇒⟨overeenkomen⟩ *correspond* **0.2** [samenkomen] *converge* **0.3** [op dezelfde tijd vallen] *coincide* ⇒*concur,* ⟨interfereren⟩ *clash (with)* ◆ **1.1** twee ~de lijnen *two coinciding/ coincident(al) lines* **1.3** die twee feesten vielen samen *those two parties coincided/ clashed* **5.1** gedeeltelijk ~ *overlap.*
samenvatten ⟨ov.ww.⟩ **0.1** *summarize* ⇒*sum up, recapitulate,* ⟨inf.⟩ *recap* ◆ **3.1** ~d kan men zeggen/ constateren … *to sum up/ summing up/ summarizing, it may be said/ stated …* **4.1** alles ~ *sum up* **5.1** iets kort ~ *put sth. in a nutshell, recap(itulate) sth. briefly;* kort samengevat ⟨ook⟩ *in a nutshell* **6.1** iets in een paar woorden ~ *summarize sth./ sum sth. up in a few words.*
samenvatting ⟨de (v.)⟩ **0.1** [het resumeren] *summarizing* ⇒*recapitulation* **0.2** [resumé] *summary* ⇒*abstract, recapitulation, précis,* ⟨eind v.e. toespraak⟩ *summing-up,* ⟨mbt. wedstrijd ook⟩ *highlights* ⟨mv.⟩ ◆ **3.2** een ~ geven *give a s./ an abstract* ⟨enz.⟩, *summarize, précis, recap(itulate).*
samenvlechten ⟨ov.ww.⟩ **0.1** *plait, twine (together)* ⇒*braid, intertwine, interlace.*
samenvloeien ⟨onov.ww.⟩ **0.1** *flow together* ⇒*merge, meet, blend, run together* ⟨ihb. van kleuren⟩ ◆ **1.1** al het water vloeide hier samen *all the water flowed together here.*

samenvoegen ⟨ov.ww.⟩ **0.1** *join (together)* ⇒*combine, put together, assemble* ⟨onderdelen⟩,*merge, amalgamate* ⟨bedrijven⟩,*pool* ⟨ideeën, geld⟩ ◆ **6.1** zes dorpen~ **tot** twee nieuwe *consolidate six villages into two new ones.*

samenvoeging ⟨de (v.)⟩ **0.1** *junction, joining (together)* ⇒*combination,* ⟨fusie⟩ *merger, amalgamation.*

samenvouwen ⟨ov.ww.⟩ **0.1** [in elkaar vouwen] *fold* **0.2** [door vouwen verkleinen] *fold (up)* ⇒*collapse* ⟨bv. tafel, stoel⟩ ◆ **1.1** de handen~ *f. one's hands* **1.2** het schone linnengoed~ *f. (up) the clean linen.*

samenweefsel ⟨het⟩ **0.1** *web* ⇒*texture,* ⟨ook fig.⟩ *tissue* ◆ **1.1** een~ van leugens/misdaden *a w. / tissue of lies, a w. of crimes.*

samenwerken ⟨onov.ww.⟩ **0.1** [mbt. personen] *work together* ⇒*pull together, cooperate, collaborate* **0.2** [mbt. zaken] *combine* ⇒*coincide, concur* ◆ **3.1** gaan ~ *join forces (with)* **5.1** harmonieus ~ met zijn collega's *work in concert/ unison/ harmony with one's colleagues;* nauw ~ *cooperate closely, work/ act in close conjunction/ cooperation/ association (with)* **6.1** met haar valt niet samen te werken *she's impossible to work with;* ~ **om** iets tot stand te brengen *work together/ pull together/ cooperate/ collaborate (in order) to achieve/ accomplish sth.* **6.2** alles werkte samen **om** de avond een succes te laten worden *everything combined to make the evening a success.*

samenwerking ⟨de (v.)⟩ **0.1** *cooperation* ⇒*collaboration, concerted action, teamwork* ◆ **2.1** eendrachtige ~ *close cooperation, good teamwork;* in nauwe ~ met *in close collaboration with;* met dank voor de prettige ~ *we enjoyed working with you very much* **6.1** een **geest** van ~ *a spirit of cooperation;* **in** ~ **met** *in association/ conjunction/ cooperation/ concert with, together with.*

samenwerkingsorgaan ⟨het⟩ **0.1** *cooperative body.*

samenwerkingsschool ⟨de (v.)⟩ **0.1** *interdenominational school.*

samenwerkingsverband ⟨het⟩ **0.1** [afspraken mbt. samenwerking tussen personen en/of instanties] *collaboration, cooperation* **0.2** [alle betrokkenen] *cooperative* ◆ **1.2** een~ van artsen, tandartsen en paramedici *a group practice of doctors, dentists and clinical services.*

samenwonen ⟨onov.ww.⟩ **0.1** [ongehuwd samenleven] *live together* ⇒*cohabit,* ⟨inf.⟩ *shack up (together)* **0.2** [bij elkaar wonen] *live (together)* ⇒*share a house/ flat* ⟨enz.⟩ ◆ **5.1** zij wonen langdurig samen *they have been living together/ shacking up (together) for a long time* **6.2** hij woonde samen **met** zijn moeder *he lived with his mother.*

samenwoning ⟨de (v.)⟩ **0.1** *living together* ⇒ ⟨ongehuwd⟩ *cohabitation.*

samenzang ⟨de (m.)⟩ **0.1** *part-singing.*

samenzijn ⟨het⟩ **0.1** *gathering* ◆ **2.1** een gezellig ~ *a social g.;* ⟨inf.⟩ *a get-together.*

samenzweerder ⟨de (m.)⟩,**-ster** ⟨de (v.)⟩ **0.1** *conspirator* ⟨m.⟩; *conspiratress* ⟨v.⟩ ⇒*plotter.*

samenzweerderig ⟨bn., bw.; -ly⟩ **0.1** *conspiratorial.*

samenzweren ⟨onov.ww.⟩ **0.1** *conspire* ⇒*plot* ◆ **6.1** ⟨fig.⟩ alles schijnt wel **tegen** mij samen te zweren *everything seems to c. against me;* **tegen** iem. ~ *c. / plot against s.o..*

samenzwering ⟨de (v.)⟩ **0.1** [het samenzweren] *conspiracy* ⇒*plotting* **0.2** [komplot] *plot* ◆ **3.2** een ~ smeden tegen *lay/ hatch a plot against, plot/ conspire against.*

samenzweringstheorie ⟨de (v.)⟩ **0.1** *conspiracy theory.*

samizdat ⟨de⟩ **0.1** [uitgeverijen] *samizdat* **0.2** [drukwerk] *samizdat.*

Samoa ⟨het⟩ **0.1** *Samoa.*

Samoaan ⟨de (m.)⟩, **-se** ⟨de (v.)⟩ **0.1** *Samoan (girl/ woman).*

samoem ⟨de (m.)⟩ **0.1** *simoom, simoon* ⇒*samiel.*

samoerai ⟨zn.mv.⟩ **0.1** *samurai.*

Samojeed ⟨de (m.)⟩ **0.1** ⟨ook hond⟩ *Samoyed(e).*

samovaar ⟨de (m.)⟩ **0.1** *samovar.*

sampan ⟨de (m.)⟩ **0.1** *sampan.*

samsam ⟨bw.⟩ ⟨inf.⟩ **0.1** *fifty-fifty* ◆ **3.1** ~ doen *go f.-f. / halves (with s.o.).*

sanatorium ⟨het⟩ **0.1** ᴮ*sanatorium,* ᴬ*sanitarium.*

sanctie ⟨de (v.)⟩ **0.1** [goedkeuring] *sanction* **0.2** [dwangmaatregel] *sanction* ◆ **1.2** aan verlenen *lend/ give one's s.;* ~s aan iets. ; de ~ weigeren aan *refuse to give one's s. to* **3.2** ~s stellen op *impose sanctions on;* ~s verbinden aan *apply sanctions to* **6.2** een voorschrift **zonder** ~ *a regulation which does not carry a penalty.*

sanctificatie ⟨de (v.)⟩ **0.1** *sanctification.*

sanctifiëren ⟨ov.ww.⟩ **0.1** *sanctify.*

sanctioneren ⟨ov.ww.⟩ **0.1** [goedkeuren] *sanction* ⇒*authorize, approve* **0.2** [waarborgen] *guarantee* ◆ **1.2** een eventuele boete sanctioneert de nakoming van het voorschrift *a possible fine guarantees the observance of the regulation.*

sanctuarium ⟨het⟩ **0.1** *sanctuary* ⇒*sacrarium.*

sandaal ⟨de⟩ **0.1** *sandal.*

sandelboom ⟨de (m.)⟩ **0.1** *sandalwood (tree), sandal tree.*

sandelhout ⟨het⟩ **0.1** *sandalwood* ⇒*sandal.*

sandelolie ⟨de⟩ **0.1** *sandalwood oil.*

sandhi ⟨de⟩ ⟨taal.⟩ **0.1** *sandhi.*

sandinist ⟨de (m.)⟩ ⟨pol.⟩ **0.1** *Sandinista.*

Sandinistisch ⟨bn., bw.⟩ ⟨pol.⟩ **0.1** *Sandinista.*

sandrak ⟨het⟩ **0.1** [hars] *sandarac(h)* **0.2** [kleurstof] *realgar.*

sandwichbord ⟨het⟩ **0.1** *sandwich board.*

saneren ⟨ov.ww.⟩ **0.1** [mbt. gebit] *put in order, see to* **0.2** [op orde stellen] *reorganize* ⇒*redevelop, clean up* ⟨wijk⟩ ◆ **1.1** zijn gebit laten ~ *have one's teeth seen to/ put in order* **1.2** een bedrijf ~ *reorganize a company;* de binnenstad ~ *redevelop/ clean up the town centre;* de financiën ~ *reorganize (the) finances;* schulden ~ *purge debts.*

sanering ⟨de (v.)⟩ **0.1** [mbt. gebit] ≠*course of dental treatment* **0.2** [het op orde stellen] *reorganization* ⇒ ⟨stedebouw⟩ *redevelopment,* ⟨krotopruiming⟩ *slum clearance,* ⟨woningverbetering⟩ *housing improvement* ◆ **1.2** ~ v.d. financiën *reorganization of the finances, financial reconstruction.*

saneringsgebied ⟨het⟩ **0.1** *redevelopment area* ⇒*slum clearance area.*

saneringskaart ⟨de⟩ **0.1** ≠*dental record card.*

saneringsmaatregel ⟨de (m.)⟩ **0.1** ⟨ec.⟩ *(financial) reconstruction measure;* ⟨stedebouw⟩ *housing improvement measure* ◆ **3.1** ~en invoeren *take measures to reorganize (the) finances/ to put finances on a sound basis.*

saneringsplan ⟨het⟩ **0.1** ⟨ec.⟩ *(financial) reconstruction scheme;* ⟨stedebouw⟩ *housing improvement scheme.*

saneringspremie ⟨de (v.)⟩ **0.1** *redevelopment grant.*

sanforiseren ⟨ov.ww.⟩ **0.1** *sanforize* ⇒*preshrink.*

sangfroid ⟨het⟩ **0.1** *sang-froid.*

sangria ⟨de⟩ **0.1** *sangria.*

sanguine ⟨de (v.)⟩ **0.1** [rood krijt] *sanguine* ⇒*red chalk* **0.2** [tekening] *sanguine.*

sanguinicus ⟨de (m.)⟩ **0.1** *hothead.*

sanguinisch ⟨bn., bw.; -ly⟩ **0.1** *fiery, hot* ◆ **1.1** een~ temperament *a fiery/ hot temper(ament).*

sanhedrin ⟨het⟩ ⟨bijb.⟩ **0.1** *Sanhedrin.*

sanitair¹ ⟨het⟩ ⟨coll.⟩ **0.1** *sanitary fittings* ⇒*bathroom fixtures,* ⟨inf.⟩ *(the) plumbing* ◆ **3.1** het ~ schoonmaken *clean the bathroom.*

sanitair² ⟨bn.⟩ **0.1** [mbt. toiletruimte] *sanitary* **0.2** [mbt. gezondheid] *sanitary* ◆ **1.1** ~e artikelen *s. ware/ goods/ articles, bathroom equipment;* de ~e dienst *the s. department;* ⟨scherts.⟩ een ~e stop *a potty stop;* ~e voorzieningen *toilet/ s. facilities;* uitstekende ~e voorzieningen ⟨ook⟩ *excellent sanitation* **1.2** uit ~ oogpunt *for s. reasons.*

sanitas ⟨de (v.)⟩ **0.1** *your health, good health.*

sannie ⟨de (v.)⟩ **0.1** *dick.*

sans ⟨bw.⟩ **0.1** *sans* ⇒*without* ◆ ¶.1 ~ rancune *no hard feelings, without rancour;* ⟨sport⟩ ~ atout *no-trump(s), chicane;* ~ comparaison *beyond compare;* ~ façon *without more/ further ado;* ~ gêne *s. gêne;* ~ souci *s. souci;* ~ le sou *without a sou.*

sansculotte ⟨de (m.)⟩ ⟨gesch.⟩ **0.1** *sansculotte.*

sansevièria ⟨de⟩ **0.1** *sansevieria.*

Sanskriet ⟨het⟩ **0.1** *Sanskrit* ◆ **3.1** dat is ~ voor hem *that is Greek to him.*

sant ⟨de (m.)⟩ **0.1** *saint* ◆ ¶.¶ ⟨AZN⟩ niemand is ~ in eigen land/ geen ~ verheven in eigen land *no man is a prophet in his own country.*

santé ⟨tw.⟩ **0.1** *your health, here's to you.*

santen ⟨de⟩ ⟨cul.⟩ **0.1** *creamed coconut, coconut milk/ cream.*

santenkraam ⟨de⟩ ◆ **2.¶** ⟨scherts., pej.⟩ de hele ~ *the whole lot/ caboodle/ outfit;* ⟨vnl. AE; inf.⟩ *the whole shebang.*

santjes ⟨tw.⟩ ⟨inf.⟩ **0.1** *cheers, here's how, bottoms up, down the hatch;* ⟨BE ook⟩ *cheerio.*

santon ⟨de (m.)⟩ **0.1** *(Christmas crib) figure.*

santoskoffie ⟨de⟩ **0.1** *Santos coffee.*

sanyassin ⟨de⟩ **0.1** *sannyasin.*

Saoedi-Arabië ⟨het⟩ **0.1** *Saudi Arabia.*

Saoedi-Arabisch, Saoedisch ⟨bn.⟩ **0.1** *Saudi (Arabian).*

Saoediër ⟨de (m.)⟩, **-ische** ⟨de (v.)⟩ **0.1** *Saudi (Arabian) (girl/ woman).*

sap ⟨het⟩ **0.1** *sap* ⟨plant⟩ *juice* ⟨vrucht⟩ *fluid* ⟨lichaam⟩ ◆ **1.1** ⟨fig.⟩ wat hij zegt, heeft ~ noch kracht *what he says is neither here nor there* **2.¶** kwade ~pen *evil humours* **3.1** het ~ uit een citroen knijpen *squeeze the j. from a lemon;* ~ onttrekken aan *sap* **6.1** peren **op** ~ *pears in syrup.*

sapcentrifuge ⟨de⟩ **0.1** ⟨vnl. BE⟩ *liquidizer;* ⟨vnl. AE⟩ *blender.*

sapgroen¹ ⟨het⟩ **0.1** [verfstof] *sap green* ⇒*lokao* **0.2** [plant] *buckthorn.*

sapgroen² ⟨bn.⟩ **0.1** *sap green.*

sapje ⟨het⟩ **0.1** *(fruit) juice* ⇒ ⟨meestal vrij zoet⟩ *soft drink.*

saploos ⟨bn.⟩ **0.1** [mbt. planten] *sapless;* ⟨mbt. vruchten, groenten⟩ *juiceless.*

saponiet ⟨het⟩ **0.1** *saponite.*

sappel ⟨de (m.)⟩ ⟨inf.⟩ ◆ **3.¶** zich ⟨de/te⟩ ~ maken ⟨ploeteren⟩ *slave/ slog (away), drudge, toil (away);* ⟨bezorgd zijn⟩ *worry, get/ be worried.*

sappelaar ⟨de (m.)⟩ **0.1** *drudge, slave* ⇒*plodder,* ⟨pej.⟩ *eager beaver.*

sappelen ⟨onov.ww.⟩ **0.1** *slave/ slog (away), drudge, toil (away), plod (away/ along/ at/ through).*

sapperloot ⟨tw.⟩ **0.1** *(God) bless my soul/ me, (well) I'm blest/ damned, (well) bless my heart, good gracious (me)/ heavens, my goodness, (well) I'll be damned, heavens (above).*

sappig ⟨bn.⟩ **0.1** [vol sap] ⟨mbt. plant⟩ *sappy, succulent, full of juice, sapful;* ⟨mbt. vrucht⟩ *juicy* **0.2** [smeuïg] *juicy* ⇒*vivid, racy,* ⟨ihb. pikant,* gewaagd⟩ *spicy* ◆ **1.1** ~e perziken *juicy peaches;* ~e planten *succulents;* ⟨fig.⟩ ~ vlees *juicy/tender/succulent meat;* ⟨fig.⟩ een ~e weide *a lush meadow* **1.2** ~e taal *j./vivid/racy/spicy language;* een ~ verhaal *a j. story* **3.2** iets ~ vertellen *tell sth. in a j./vivid manner/vividly.*

sappigheid ⟨de (v.)⟩ **0.1** *juiciness* ⇒⟨eten ook⟩ [↑]*succulence,* ⟨planten⟩ *sappiness,* ⟨van woorden, opmerkingen ook⟩ *raciness, spiciness.*

saprijk ⟨bn.⟩ →**sappig.**

sapring ⟨de (m.)⟩ ⟨plantk.⟩ **0.1** *annual/growth ring.*

sapristi ⟨tw.⟩ →**sapperloot.**

saprofiet ⟨de (m.)⟩ **0.1** *saprophyte, saprophite* ⇒*parasite.*

saprogeen ⟨bn.⟩ **0.1** *saprogenic.*

saprozoën ⟨zn.mv.⟩ **0.1** *saprozoon* ⇒*saprophytic, parasite.*

sapverf ⟨de⟩ **0.1** *transparent colour.*

sar ⟨de (m.)⟩ **0.1** *baiter* ⇒*tease(r).*

sarabande ⟨de (m.)⟩ **0.1** *saraband(e).*

Saraceen ⟨de (m.)⟩ **0.1** *Saracen.*

sarcasme ⟨het⟩ **0.1** *sarcasm* ⇒⟨zeer sterk⟩ *vitriol* ◆ **2.1** zijn bijtend ~ *his scathing/biting/vitriolic s..*

sarcast ⟨de (m.)⟩ **0.1** *sarcastic person/writer* ⟨enz.⟩ ⇒*sarcast.*

sarcastisch ⟨bn., bw.;-(al)ly⟩ **0.1** *sarcastic* ⇒⟨BE;inf.⟩ *sarky* ◆ **1.1** ~e opmerkingen *sarcastic/biting/cutting/tart/snide remarks;* ⟨inf.⟩ *digs* **5.1** hij is altijd nogal ~ *he's always rather sarcastic, he tends to be sarcastic.*

sarcofaag ⟨de (m.)⟩ **0.1** *sarcophagus.*

sarcoom ⟨het⟩ ⟨med.⟩ **0.1** *sarcoma.*

sardine ⟨de⟩ **0.1** *sardine* ⇒*pilchard.*

sardineblikje ⟨het⟩ **0.1** *sardine tin* ⇒⟨met inhoud⟩ *tin of sardines.*

Sardinië ⟨het⟩ **0.1** *Sardinia.*

Sardiniër ⟨de (m.)⟩ **0.1** *Sardinian.*

Sardinisch, Sardisch ⟨bn.⟩ **0.1** *Sardinian.*

sardis ⟨de (m.)⟩ **0.1** *sard(ius), sardine.*

sardonisch ⟨bn., bw.⟩ **0.1** *sardonic* ⇒*scornful, cynical* ◆ **1.1** een ~e lach *a sardonic laugh.*

sardonyx ⟨het, de (m.)⟩ **0.1** *sardonyx.*

sari ⟨de (m.)⟩ **0.1** *sari, saree.*

sarong ⟨de (m.)⟩ **0.1** *sarong.*

sarren ⟨ov.ww.⟩ **0.1** *bait* ⇒*(deliberately) provoke, needle, tease, annoy, irritate* ◆ **1.1** een hond ~ *tease/provoke/bait a dog;* iem. ~ ⟨BE;inf.; ook⟩ *get on s.o.'s wick, drive s.o. to distraction, give s.o. the hump/pip, get s.o.'s goat.*

sarrig ⟨bn., bw.;-ly⟩ **0.1** *baiting* ⇒*needling, teasing, annoying, irritating, provoking.*

sas

I ⟨het⟩ **0.1** [schutsluis] *lock;*

II ⟨de⟩ **0.1** [kruit] *(gun)powder;*

III ⟨de⟩ ◆ **6.¶** hij is zeer in zijn ~ met zijn compact disc player *he's delighted/over the moon/very pleased/⟨inf.⟩ tickled pink with his compact disc player;* in zijn ~ zijn *be in high spirits, be in (a) good humour, feel on top of the world, be over the moon;* niet in zijn ~ zijn *be in low spirits/in the doldrums, feel/be low, feel down (in the dumps).*

sasbuis ⟨de⟩ **0.1** ⟨algemeen⟩ *blasting cap, detonator;* ⟨geweer⟩ *firing pin.*

sasdeur ⟨de⟩ **0.1** *lock gate.*

sassafras

I ⟨de (m.)⟩ **0.1** [boom] *sassafras;*

II ⟨het⟩ **0.1** [hout, bast] *sassafras.*

sassen ⟨ov.ww.⟩ ⟨inf.⟩ **0.1** *piddle;* ⟨vnl. van kinderen⟩ *wee;* ⟨sl.⟩ *piss, pee, take a leak.*

satan ⟨de (m.)⟩ **0.1** [⟨bijb./fig.)] *Satan* ⇒*(the) Devil, Lucifer, (the) Archfiend, (the) Fiend,* ⟨scherts.⟩ *(His) Satanic Majesty* **0.2** [boosaardig persoon] *devil, fiend* ◆ **1.1** aanbidder van Satan *Satanist.*

satanisch ⟨bn., bw.;-(al)ly⟩ **0.1** *satanic(al)* ⇒*evil, diabolic, devilish, hellish, demonic, fiendish, demoniac(al)* ◆ **1.1** een ~e blik/lach *a devilish/demonic/fiendish/demoniac(al) look/laugh* **3.1** ~ lachen *laugh devilishly.*

satanisme ⟨het⟩ **0.1** [duivelse boosheid] *Satanism, satanism* ⇒*diabolism* **0.2** [aanbidding van Satan] *Satanism.*

satans ⟨bn., bw.;-ly⟩ **0.1** *devilish* ⇒*diabolic, satanic, demonic, fiendish* ◆ **1.1** ~e jongen *a devilish lad, a devil of a lad, an imp, a (little) devil/fiend;* een ~ leven *one/a hell of a racket, a devil of a row.*

satansboleet ⟨de (m.)⟩ **0.1** *Devil's bolete* ⟨Boletus satanas⟩.

satansgebroed ⟨het⟩ **0.1** *devils* ⇒*fiends, imps.*

satanskind ⟨het⟩ **0.1** *child of Satan/the Devil* ⇒*hell-hound, devil, fiend,* ⟨vnl. scherts. of vertederend⟩ *imp.*

satanswerk ⟨het⟩ **0.1** [boze streek] *devilish trick* ⇒*rotten/lousy trick* **0.2** [moeilijk werk] *devilish/hellish work* ⇒⟨inf.⟩ *(one/a) hell of a job* ◆ **3.2** woordenboeken schrijven is ~ *writing dictionaries is one/a hell of a job/is fiendishly difficult work.*

saté, sateh ⟨de⟩ **0.1** *meat on skewers, skewered meat* ⇒*(Indonesian) (shish) kebab/kebob.*

satelliet ⟨de (m.)⟩ **0.1** [kunstmaan] *satellite* **0.2** [bijplaneet] *satellite* ⇒ *moon, secondary planet* ◆ **2.1** vaste ~ *stationary s.* **6.1** wij krijgen dit programma via de ~ *we gèt this programme* [^]*gram via (the) s./on the s. channel/by s..*

satellietbaan ⟨de⟩ **0.1** *satellite orbit.*

satellietcommunicatie ⟨de (v.)⟩ **0.1** *satellite communications.*

satellietfoto ⟨de⟩ **0.1** *satellite photo(graph).*

satellietstaat ⟨de (m.)⟩ **0.1** *satellite (state)* ⇒*vassal state.*

satellietstad ⟨de⟩ **0.1** *satellite (town).*

satellietverbinding ⟨de (v.)⟩ **0.1** *satellite link(-up).*

sater ⟨de (m.)⟩ **0.1** [halfgod] *satyr* **0.2** [wellusteling] *satyr* ⇒⟨sl.⟩ *goat* **0.3** [vlinder] *satyr.*

satéstokje ⟨het⟩ **0.1** *skewer* ⇒*(Indonesian) (shish) kebab/kebob skewer.*

satijn ⟨het⟩ **0.1** *satin* ◆ **8.1** zo zacht als ~ *as soft as silk.*

satijnachtig ⟨bn.⟩ **0.1** *satin(y)* ⇒*silky* ◆ **1.1** deze verf heeft een ~e glans *this paint has a satiny gloss/silky finish;* een ~e huid *a silky skin.*

satijnbinding ⟨de (v.)⟩ **0.1** *satin weave.*

satijnen ⟨bn.⟩ **0.1** [van satijn] *satin* **0.2** [zeer zacht] *satin(y)* ⇒*silky.*

satijnglans ⟨de (m.)⟩ **0.1** *satin gloss;* ⟨afwerking⟩ *satin finish.*

satijnhout ⟨het⟩ **0.1** *satinwood.*

satijnverf ⟨de⟩ **0.1** *gloss paint.*

satijnwit ⟨het⟩ **0.1** *satin white.*

satijnzacht ⟨bn.⟩ **0.1** *satin(y)* ⇒*(as) soft as satin* ⟨alleen na zn.⟩.

satijnzwam ⟨de⟩ **0.1** *livid entoloma.*

satineren ⟨ov.ww.⟩ **0.1** *satinize, glaze* ⇒⟨tech.; met kalander⟩ *(super)calender* ◆ **1.1** gesatineerd papier *glazed/(super)calendered paper.*

satinet ⟨het, de (m.)⟩ **0.1** *satinet(te), sateen, satine.*

satire ⟨de⟩ **0.1** *satire* ⇒*lampoon, burlesque* ◆ **3.1** een ~ schrijven op *satirize, write a s. on* **6.1** een ~ op het stadsleven *a s. on city life;* ⟨op sociale klasse⟩ *comedy of manners.*

satiricus ⟨de (m.)⟩ **0.1** *satirist.*

satiriek ⟨bn., bw.⟩ →**satirisch.**

satirisch ⟨bn., bw.;-(al)ly⟩ **0.1** *satiric(al)* ◆ **1.1** een ~e prent *a (satirical) cartoon;* een ~ programma *a satirical programme* [^]*gram.*

satisfactie ⟨de (v.)⟩ **0.1** [⟨schr.⟩ bevrediging] *satisfaction* ⇒*contentment, pleasure* **0.2** [genoegdoening ⟨ook theol.⟩] *satisfaction* ◆ **2.1** tot algemene ~ *to the s. of all* **3.1** ~ van iets hebben *be satisfied by sth.* **3.2** ~ vragen/geven/weigeren *demand/give/refuse s..*

satraap ⟨de (m.)⟩ **0.1** [⟨gesch.⟩] *satrap* **0.2** [⟨schr.⟩ in weelde levend heerser] *satrap* ⇒*despot.*

satrapie ⟨de (v.)⟩ **0.1** *satrapy.*

saturatie ⟨de (v.)⟩ ⟨nat.;tech.⟩ **0.1** *saturation.*

satureren ⟨ov.ww.⟩ **0.1** *saturate.*

saturnaliën ⟨zn.mv.⟩ **0.1** *Saturnalia* ⟨ww. ook enk.⟩.

saturniet ⟨het⟩ **0.1** *saturnite.*

saturnisch ⟨bn.⟩ **0.1** *Saturnian* ◆ **1.1** ~e versmaat *S. verse.*

saturnisme ⟨het⟩ **0.1** *saturnism, plumbism* ⇒*chronic lead poisoning.*

Saturnus ⟨de (m.)⟩ **0.1** [planeet] *Saturn* **0.2** [Romeinse godheid] *Saturn* ◆ **1.1** bewoner van ~ *Saturnian;* van de planeet ~ *Saturnian.*

satyr →**sater.**

satyriasis ⟨de (v.)⟩ **0.1** *satyriasis, erotomania* ◆ **1.1** lijder aan ~ *satyr;* ⟨sl.⟩ *goat; lecher.*

satyrspel ⟨het⟩ **0.1** *satyr play.*

saucijs ⟨de⟩ **0.1** *sausage.*

saucijzebroodje ⟨het⟩ **0.1** *sausage roll.*

saumon ⟨bn.⟩ **0.1** *salmon* ◆ **7.1** het ~ *salmon (pink).*

sauna ⟨de (m.)⟩ **0.1** [Fins bad] *sauna (bath)* **0.2** [gebouw] *sauna.*

sauriër ⟨de (m.)⟩ **0.1** *saurian.*

saurus →**sauriër.**

saus ⟨de⟩ **0.1** [vloeibare spijs] *sauce* ⇒⟨jus⟩ *gravy,* ⟨op sla⟩ *(salad) dressing* **0.2** [kleurstof] ⟨tempera⟩ *distemper, colour-wash, dye;* ⟨witkalk⟩ *whitewash* **0.3** [afkooksel] *sauce* ⇒*seasoning, flavouring, pickle* ◆ **1.1** ⟨fig.⟩ een ~ je van geleerdheid *a dressing/gloss/veneer of scholarship* **2.1** ⟨fig.⟩ honger is de beste ~ *hunger is the best s.;* pikante ~ *hot/spicy s.;* zoetzure ~ ⟨mbt. oosterse gerechten⟩ *sweet and sour (s.);* zure ~ *sour s.* **6.1** met (een) ~ overgieten, er een ~ je overdoen *sauce, dress, season, flavour;* zonder ~ *without s., sauceless.*

sausen

I ⟨ov.ww.⟩ **0.1** [mbt. tabak] *sauce* ⇒*flavour, season, pickle* **0.2** [met een kleurstof bestrijken] ⟨met tempera⟩ *distemper, colour-wash, dye;* ⟨met witkalk⟩ *whitewash;*

II ⟨onp.ww.⟩ **0.1** [stortregenen] *pour (with rain/down), teem (with rain/down), pelt (with rain/down), bucket down* ⇒⟨scherts.⟩ *rain cats and dogs* ◆ **3.1** het zal wel gaan ~ *it looks like it's going to pour (with rain/down)/come pouring/teeming down.*

sauskom ⟨de⟩ **0.1** *sauce-boat* ⇒⟨voor jus⟩ *gravy-boat.*

sauslepel ⟨de (m.)⟩ **0.1** *sauce spoon/ladle* ⇒⟨voor jus⟩ *gravy spoon/ladle.*

sauspan ⟨de⟩ **0.1** *gravy pan.*

sauteren ⟨ov.ww.⟩ **0.1** *sauté.*

sauternes ⟨de⟩ **0.1** *Sauternes.*

sauvegarde ⟨de (v.)⟩ **0.1** *safeguard.*

sauveren ⟨ov.ww.⟩ ⟨schr.⟩ **0.1** ⟨dekken⟩ *shield* ⇒*screen, protect,* ⟨redden⟩ *save* ◆ **4.1** zich ~ *save o.s..*

savanne ⟨de⟩ **0.1** *savanna(h).*

savannebos ⟨het⟩ **0.1** *savanna woodland.*

savant ⟨bn.⟩ **0.1** *savant* ⇒*scholarly, learned.*

savoir-vivre ⟨het⟩ **0.1** *savoir vivre.*
savonethorloge ⟨het⟩ **0.1** *hunting watch, hunter.*
savooi(e)kool ⟨de⟩ **0.1** *savoy (cabbage).*
savoureren ⟨ov.ww.⟩ **0.1** *savour* ⇒*relish.*
sawa ⟨de (m.)⟩ **0.1** *paddy (field), (flooded) rice field, rice paddy.*
sax ⟨de (m.)⟩ **0.1** *sax(ophone).*
saxhoorn ⟨de (m.)⟩ **0.1** *saxhorn.*
saxofonist ⟨de (m.)⟩ **0.1** *saxophonist* ⇒*saxophone player.*
saxofoon ⟨de (m.)⟩ **0.1** *saxophone.*
saxofoonsolo ⟨het, de (m.)⟩ **0.1** *solo for (the) saxophone.*
sc. ⟨afk.⟩ **0.1** [scilicet] *sc., ss* **0.2** [sculpsit] *sc..*
scabiës ⟨de (v.)⟩ **0.1** *scabies.*
scabieus ⟨bn.⟩ **0.1** *scabious.*
scabreus ⟨bn., bw.;-ly⟩ **0.1** *scabrous* ⇒*indecent* ◆ **1.1** scabreuze moppen ⟨ook⟩ *racy/risqué jokes.*
scafander ⟨de (m.)⟩ **0.1** [gordel] *lifebelt* **0.2** [duikerpak] *diving-suit.*
scala ⟨de⟩ **0.1** [reeks] *scale* ⇒*range, gamut* **0.2** [toonladder] *scale, gamut* **0.3** [⟨med.⟩] *scalae* ⟨mv.⟩ ⇒*semicircular canals* ⟨mv.⟩ ◆ **1.1** een~ van mogelijkheden *a (whole) range of possibilities* **2.1** een breed~ van artikelen *a wide range of items*; het hele ~ van gevoelens *the whole gamut/range of feelings.*
scalair ⟨bn.⟩ ⟨wisk.⟩ **0.1** *scalar.*
scalp ⟨de (m.)⟩ **0.1** *scalp.*
scalpeermes ⟨het⟩ **0.1** *scalping-knife.*
scalpel ⟨het⟩ **0.1** *scalpel.*
scalperen ⟨ov.ww.⟩ **0.1** *scalp.*
scampi ⟨zn.mv.⟩ ⟨cul.⟩ **0.1** *scampi.*
scanderen ⟨ov.ww.⟩ **0.1** [elke lettergreep nadruk geven] *chant* **0.2** [het metrum duidelijk doen uitkomen] *scan* **0.3** [in versvoeten afdelen] *scan* ◆ **1.¶** leuzen/namen ~ *c. slogans/names* **7.¶** onder het ~ van leuzen *to the chanting of slogans.*
Scandinavië ⟨het⟩ **0.1** *Scandinavia.*
Scandinaviër ⟨de (m.)⟩, **-sche** ⟨de (v.)⟩ **0.1** *Scandinavian.*
Scandinavisch ⟨bn.⟩ **0.1** *Scandinavian* ◆ **1.1** de ~e talen *the S. languages.*
scannen ⟨onov.ww., ov.ww.⟩ **0.1** [mbt. een beeld] *scan* **0.2** [⟨med.⟩] *scan* **0.3** [⟨com.⟩] *scan.*
scapulier ⟨de (m.)⟩ ⟨r.k.⟩ **0.1** [schouderkleed] *scapular(y)* **0.2** [lapjes gewijde stof] *scapular(y).*
scarabee ⟨de⟩ **0.1** *scarab (beetle), scarabee* ⇒*scarabaeus, dung beetle.*
scarificatie ⟨de (v.)⟩ **0.1** *scarification.*
scarificator ⟨de (m.)⟩ **0.1** *scarifier;* ⟨med. ook⟩ *scarificator.*
scarlatina ⟨de⟩ ⟨med.⟩ **0.1** *scarlatina* ⇒*scarlet fever.*
scatologie ⟨de (v.)⟩ **0.1** [voorliefde voor alles mbt. de uitwerpselen] *scatology* **0.2** [studie van fossiele excrementen] *scatology.*
scatologisch ⟨bn.⟩ **0.1** *scatologic(al).*
scenario ⟨het⟩ **0.1** [⟨film, dram.⟩] *scenario* ⇒*screenplay* ⟨film⟩, *script* ⟨drama⟩ **0.2** [schema, plan] *scenario.*
scenarioschrijver ⟨de (m.)⟩, **-schrijfster** ⟨de (v.)⟩ **0.1** *scriptwriter* ⇒*scenario-writer, scenarist,* ⟨film.⟩ *screenwriter.*
scene ⟨de⟩ **0.1** *scene* ◆ **3.1** tot de ~ behoren *be part of the s.* **6.1** uit de ~ stappen *quit the s..*
scène ⟨de⟩ **0.1** [⟨dram.: film⟩] *scene* **0.2** [voorval] *scene* **0.3** [wijze van optreden] *scene* ⇒*row* ◆ **2.3** hij heeft hier een flinke ~ gemaakt *he made/caused a dreadful s. here* **3.1** dat gaf me een ~ *there wasn't half a s./row* **3.3** maak geen ~ *don't make/cause a s., don't start a row here* **6.1** ⟨fig.⟩ zij had de overval zelf in ~ gezet *she had faked the robbery herself* **¶.1** ~ à faire *grand/climatic/main scene.*
scenery ⟨de (v.)⟩ **0.1** [toneelschikking] *staging, setting* ⇒*scenery* **0.2** [(beeld van) de omgeving] *scenery* ⇒⟨dram. ook⟩ *décor, set.*
scenisch ⟨bn., bw.;-ally⟩ **0.1** *scenic.*
scenografie ⟨de (v.)⟩ **0.1** [kunst om decoraties te schilderen] *scenography* **0.2** [perspectiefschildering] *scenography.*
scepsis ⟨de (v.)⟩ **0.1** *scepticism* ⇒⟨zeldz.⟩ *scepsis* ◆ **3.1** zijn ~ overwinnen *conquer one's scepticism.*
scepter ⟨de (m.)⟩ **0.1** [rijksstaf] *sceptre* **0.2** [heerschappij] *rule* ◆ **3.1** de ~ voeren/zwaaien *bear/hold sway (over), rule.*
scepticisme ⟨het⟩ **0.1** [twijfel] *scepticism* **0.2** [⟨fil.⟩] *scepticism* ◆ **6.1** met enig ~ tegen iets aankijken *view sth. with some s..*
scepticus ⟨de (m.)⟩ **0.1** [twijfelaar] *sceptic* **0.2** [⟨fil.⟩] *sceptic.*
sceptisch ⟨bn., bw.;-ly⟩ **0.1** [geneigd tot twijfel] *sceptical* **0.2** [twijfel uitdrukkend] *sceptical* ◆ **3.1** ~ blijven ten aanzien van iets *remain s. about sth.;* ~ staan tegenover iets *be s. about sth..*
schaaf ⟨de⟩ **0.1** [om voorwerpen glad te maken] *plane* **0.2** [om iets fijn af te snijden] *slicer;* ⟨grove keukenschaaf⟩ *shredder* ◆ **1.1** het blok/de bek/de beitel van de ~ *the stock/bit/chisel of a p.* **2.1** er nog eens met de fijne ~ over gaan *polish it up, smooth/take off the rough edges;* ergens met de ruwe ~ over gaan *make a rough (and ready) job of sth.;* een zoete ~ *a smooth(ing) p.* **3.1** die ~ bijt niet *the p. won't bite/cut.*
schaafbank ⟨de⟩ **0.1** [werkbank] *carpenter's/joiner's bench* ⇒*planer* **0.2** [machine] *lathe* ⇒*planer, planing machine.*
schaafbeitel ⟨de (m.)⟩, **-ijzer** ⟨het⟩ **0.1** *plane bit/knife/iron.*

schaafkarton ⟨het⟩ **0.1** *scraperboard.*
schaafkrullen ⟨zn.mv.⟩ **0.1** *shavings.*
schaafmes ⟨het⟩ **0.1** [mes voor schaaf] *plane bit* **0.2** [gereedschap] *shave(r)* ⇒*drawknife.*
schaafsel ⟨het⟩ **0.1** *shavings.*
schaafsgewijze ⟨bw.⟩ ⟨plantk.⟩ **2.¶** ~ ingesneden bladeren *runcinate leaves.*
schaafwond ⟨de⟩ **0.1** *graze* ⇒*scrape.*
schaak[1] ⟨het⟩ **0.1** [spel] *chess* **0.2** [stelling] *check* ◆ **1.1** een partij ~ *a game of c.* **2.2** eeuwig ~ geven *give perpetual c.* **3.1** ~ spelen *play c.* **3.2** zich aan het ~ onttrekken *get (the King) out of c.;* de koning ~ geven *put/place the King in c., check the King.*
schaak[2] ⟨bn.⟩ **0.1** *in check* ◆ **3.1** ~ staan *be in check;* de koning staat ~ *the King is in check;* iem. ~ zetten ⟨ook fig.⟩ *put s.o. in check.*
schaak[3] ⟨tw.⟩ **0.1** *check.*
schaakblind ⟨bn.⟩ **0.1** *chess-blind.*
schaakbord ⟨het⟩ **0.1** [bord waarop men schaak speelt] *chessboard* **0.2** [andere indeling] *chessboard* ⇒*chequerboard,* ^A*checkerboard.*
schaakcafé ⟨het⟩ **0.1** *chess café.*
schaakclub ⟨de⟩ **0.1** *chess club.*
schaakcomputer ⟨de (m.)⟩ **0.1** *chess computer.*
schaakklok ⟨de⟩ **0.1** *chess clock.*
schaakmat ⟨bn.⟩ **0.1** *checkmate* ◆ **3.1** iem. ~ geven *(check)mate s.o.;* ~ staan *be checkmated;* iem. ~ zetten ⟨ook fig.⟩ *checkmate s.o..*
schaakmeester ⟨de (m.)⟩ **0.1** *chess master.*
schaakpartij ⟨de (v.)⟩ **0.1** *game of chess.*
schaakprobleem ⟨het⟩ **0.1** *chess problem.*
schaakrubriek ⟨de (v.)⟩ **0.1** *chess column.*
schaakspel ⟨het⟩ **0.1** [spel] *chess* **0.2** [het spelen van schaak] *chess game* **0.3** [schaakbord en stukken] *chess set* **0.4** [overleg eisende strijd] *game of chess.*
schaakspelen ⟨onov.ww.⟩ **0.1** *play chess.*
schaakspeler ⟨de (m.)⟩, **-speelster** ⟨de (v.)⟩ **0.1** *chess-player.*
schaakster ⟨de (v.)⟩ **0.1** *(woman/female) chess-player.*
schaakstuk ⟨het⟩ **0.1** *chessman* ⇒*piece.*
schaaktoernooi ⟨het⟩ **0.1** *chess tournament.*
schaakwonder ⟨het⟩ **0.1** *chess genius/* ⟨kind ook⟩ *prodigy.*
schaakzet ⟨de (m.)⟩ **0.1** *chess move* ⇒*move at/in chess.*
schaal ⟨de⟩ **0.1** [verhoudingsmaatstaf] *scale* **0.2** [reeks van getallen] *scale* **0.3** [⟨wisk.⟩] *scale* **0.4** [⟨muz.⟩] *scale* **0.5** [schotel] *dish* ⇒*plate* (ihb. voor collecte) **0.6** [weegtoestel] *scale(s)* ⇒*balance* **0.7** [dop] *shell* ◆ **1.1** de ~ van Beaufort *the Beaufort s.;* de ~ van Fahrenheit *the Fahrenheit s.;* de ~ van Richter *the Richter s.* **1.6** de ~ van Themis *the scales of justice* **2.1** ⟨fig.⟩ op brede/ruime/bescheiden ~ *on a broad/generous/modest s.;* volgens een glijdende ~ *on a sliding s.;* produktie op grote ~ *large-scale production;* ⟨fig.⟩ er wordt op grote ~ misbruik van gemaakt *it is misused on a large s.;* iets op verkleinde ~ tekenen *draw sth. to s., make a small-scale drawing of sth.* **3.6** ⟨fig.⟩ de ~ doen doorslaan in iemands voordeel *tip/turn the scale(s)/balance in s.o.'s favour;* de ~ slaat door *the scales are tipped/* ⟨fig.⟩ *are turned/tipped in s.o.'s favour* **6.1** op ~ tekenen *draw to s.;* op ~ brengen *put in proportion, scale down;* een tekening op ~ a *s. drawing* **6.5** met de ~ rondgaan *pass/hand the plate round/* ^A*around;* een ~ met aardappelen/fruit *a dish of potatoes/fruit* **6.6** ⟨fig.⟩ dat legt gewicht in de ~ *that carries (some) weight;* ⟨fig.⟩ dat legt bij haar geen gewicht in de ~ *that carries no weight/* ⟨inf.⟩ *cuts no ice with her* **7.1** ~ 4: 1 s. 4: 1 **¶.6** ⟨fig.⟩ de ~ in evenwicht houden *keep the scales balanced.*
schaalaanduiding ⟨de (v.)⟩ **0.1** *(indication of a/the) scale.*
schaalamoebe ⟨de⟩ **0.1** *arcella.*
schaalcollecte ⟨de⟩ **0.1** *plate collection.*
schaaldier ⟨het⟩ **0.1** *crustacean.*
schaaleenheid ⟨de (v.)⟩ **0.1** *scale unit* ⇒*unit of a/the scale.*
schaalmodel ⟨het⟩ **0.1** *scale model.*
schaalverdeling ⟨de (v.)⟩ **0.1** [indeling van een schaal] *calibration* ⇒*graduation,* ⟨onderverdeling⟩ *scale division* **0.2** [strook, schijf] *(calibrated/graduated) scale* ⇒*dial* ◆ **3.1** een ~ op iets aanbrengen *calibrate/graduate sth.;* voorzien van een ~ *calibrated/graduated.*
schaalvergroting ⟨de (v.)⟩ **0.1** [vergroting op schaal] *scaling-/scale-up* ⇒*increase in scale* **0.2** [het (laten) toenemen v.d. schaal waarop iets gebeurt] *increase (in scale)* ⇒*expansion.*
schaalverkleining ⟨de (v.)⟩ **0.1** [verkleining op schaal] *scaling down, decrease in scale* **0.2** [het kleinschaliger maken, worden] *scaling down.*
schaalverlichting ⟨de (v.)⟩ **0.1** *dial light.*
schaalvlies ⟨het⟩ **0.1** *shell membrane (of an egg).*
schaalvormig ⟨bn.⟩ **0.1** *shell-shaped.*
schaalvrucht ⟨de⟩ **0.1** *nut, achene.*
schaalwaarde ⟨de (v.)⟩ **0.1** *calibration/graduation unit.*
schaamachtig ⟨bn., bw.;-ly⟩ **0.1** [geneigd zich te schamen] *shamefaced* **0.2** [verlegen] *shy* ⇒*bashful.*
schaambeen ⟨het⟩ ⟨med.⟩ **0.1** *pubis* ⇒*pubic bone.*
schaambeenboog ⟨de (m.)⟩ **0.1** *pubic arch.*
schaambeharing ⟨de (v.)⟩ **0.1** *pubic hair.*
schaamdeel ⟨het⟩ **0.1** *genital(s)* ⇒*private part(s)* ◆ **2.1** de vrouwelijke/mannelijke schaamdelen *the female/male genitals.*

schaamdoek ⟨de (m.)⟩ **0.1** *loincloth.*

schaamhaar ⟨het⟩ **0.1** *pubic hair;* ⟨inf.⟩ *pubes, short and curlies.*

schaamheuvel ⟨de (m.)⟩ **0.1** *mons Veneris* ⇒*prepubis.*

schaamlippen ⟨zn.mv.⟩ **0.1** *labia* ◆ **2.1** de grote/de kleine ~ *the l. majora/minora.*

schaamluis ⟨de⟩ **0.1** *pubic/crab louse;* ⟨inf.;mv.⟩ *crabs.*

schaamrood ⟨het⟩ **0.1** *blush (of shame)* ◆ **3.1** iem. het ~ naar de kaken jagen *bring a blush (of shame) to s.o.'s cheeks;* het ~ steeg haar naar de kaken *she blushed with shame.*

schaamschortje ⟨het⟩ **0.1** *G-string.*

schaamschot ⟨het⟩ **0.1** *partition.*

schaamspleet ⟨de⟩ **0.1** *vulva.*

schaamstreek ⟨de⟩ **0.1** *genital/pubic area.*

schaamte ⟨de (v.)⟩ **0.1** [gevoel] *shame* **0.2** [schaamdelen] *shame* ◆ **2.1** plaatsvervangende ~ voelen *be ashamed for s.o. (else);* valse ~ *false modesty* **3.1** alle ~ afgelegd/verloren hebben *have cast off/lost all sense of s.;* ~ hebben/voelen *be ashamed, feel s.;* geen ~ kennen *have no s.;* geen ~ meer kennen *be past/beyond s.* **3.2** zijn ~ bedekken *cover one's s.* **5.1** het hoofd vol ~ laten hangen *hang one's head in s.* **6.1** van ~ in de grond kruipen/door de grond gaan *cringe with s.;* rood van ~ *red with s.;* blozen/rood worden van ~ *blush/go red with s.;* doodgaan van ~ *die of s..*

schaamteblos ⟨de (m.)⟩ **0.1** *blush of shame.*

schaamtegevoel ⟨het⟩ **0.1** [gevoel waaruit de schaamte voortkomt] *sense of shame* **0.2** [gevoel van schaamte] *feeling of shame.*

schaamteloos ⟨bn.,bw.;-ly⟩ **0.1** [geen schaamtegevoel hebbend] *shameless* ⇒*brazen, impudent,* ⟨leugens ook⟩ *barefaced* **0.2** [niet met schaamte gepaard gaand] *unashamed* **0.3** [getuigend van gemis aan schaamtegevoel] *shameless* ⇒*impudent* ◆ **1.1** een schaamteloze leugenaar *a barefaced/s./brazen liar;* jij schaamteloze schurk! *you out-and-out scoundrel!* **1.3** schaamteloze taal/woorden/gebaren *impudent language/words/gestures* **3.2** ~ liegen *tell barefaced lies, lie baredfaced(ly).*

schaamtevol ⟨bn.,bw.;-ly⟩ **0.1** [schaamte gevoelend] *ashamed, shamefaced* **0.2** [schaamte kennend] *ashamed.*

schaamvoeg ⟨de⟩ **0.1** *symphysis* ⇒*pubic symphysis.*

schaap ⟨het⟩ ⟨→sprw. 271,275,520,521⟩ **0.1** [dier] *sheep* **0.2** ⟨fig.⟩ persoon onder de hoede van een geestelijk leidsman] *sheep* **0.3** [weerloos persoon] *lamb* **0.4** [onnozel persoon] *silly thing/billy* ◆ **1.1** een kudde schapen *a flock of s.* **2.1** ⟨fig.⟩ het zwarte ~ (van de familie) zijn *be the black s. (of the family)* **2.3** arm ~! *(you) poor thing!, poor you!, (you) poor lamb!* **2.4** onnozel ~! *(you) silly!,* ⟨BE ook⟩ *daft thing!* **3.1** schapen houden/fokken *keep/breed s.;* de schapen scheren *shear the s.;* ⟨fig.⟩ ~ jes tellen *count s.* **4.2** waar zijn mijn ~ jes? *where is my flock?* ¶**.1** ⟨fig.⟩ een ~ met vijf poten zoeken *be looking for the impossible;* ⟨fig.⟩ zijn ~ jes op het droge hebben *have made one's pile.*

schaapachtig ⟨bn.,bw.;-ly⟩ **0.1** *silly* ◆ **3.1** iem. ~ aankijken *look stupidly at s.o.;* ~ lachen *grin sheepishly;* er ~ uitzien *look s..*

schaapherder ⟨de (m.)⟩, **-herderin** ⟨de (v.)⟩ **0.1** *shepherd* ⟨m.⟩; *shepherdess* ⟨v⟩; ⟨AE ook⟩ *sheep-herder* ⟨m.,v.⟩.

schaapjeswolken ⟨zn.mv.⟩ **0.1** *fleecy clouds* ◆ **3.1** de lucht was met ~ bedekt *the sky was fleeced with clouds* **5.1** een lucht vol ~ *a fleecy/mackerel sky.*

schaapshoofd ⟨het⟩ **0.1** [hoofd v.e. schaap] *sheep's head* **0.2** [persoon] ⟨→schaapskop⟩.

schaapskleren ⟨zn.mv.⟩ **0.1** ◆ **6.¶** een wolf in ~ *a wolf in sheep's clothing.*

schaapskooi ⟨de⟩ **0.1** *(sheep) fold* ⇒*(sheep-)pen* ◆ **6.1** ⟨fig.⟩ de wolf in de ~ sluiten *set the fox to keep the geese, be asking for trouble.*

schaapskop ⟨de (m.)⟩ **0.1** *nitwit* ⇒*nincompoop, blockhead.*

schaar ⟨de⟩ **0.1** [knipwerktuig] *(pair of) scissors* ⟨mv.⟩; ⟨groter⟩ *(pair of) shears* ⟨mv.⟩ **0.2** [grijporgaan] *pincers* ⟨mv.⟩ ⇒*claws* ⟨mv.⟩ **0.3** [deel v.e. ploeg] *(plough)share* **0.4** [⟨plantk.⟩] *water soldier* **0.5** [voorwerp om iets vast te zetten] *bracket* **0.6** [⟨sport⟩ schijnbeweging] *scissors kick* **0.7** [schor] *salt marsh* **0.8** [diepe geul] *(deep) channel* ◆ **3.1** ⟨fig.⟩ daar hangt de ~ uit *they fleece you!* ⟨inf.⟩ *rip you off there;* de ~ in iets zetten *take the scissors/a pair of scissors to sth.* **6.1** met ~ en lijmpot werken *cut and paste* **7.1** één ~ *one pair of scissors;* twee scharen *two pairs of scissors;* ⟨inf.⟩ *two scissors* ¶**.1** knip zei de ~ *snip went the scissors.*

schaarbeweging ⟨de (v.)⟩ **0.1** [beweging (als) v.e.schaar] *scissor-movement* **0.2** [⟨sport⟩ schijnbeweging] *scissors kick* **0.3** [⟨gymnastiek⟩] *scissor-movement.*

schaarbrug ⟨de⟩ **0.1** *jackknife bridge.*

schaarde ⟨de⟩ **0.1** *nick* ⇒*notch, gap, gash* ◆ **3.1** de ~ n uitslijpen *sharpen the blade;* ⟨fig.⟩ *tidy things up.*

schaarden
I ⟨ov.ww.⟩ **0.1** [schaarden maken in] *nick* ⇒*gap, gash;*
II ⟨onov.ww.⟩ **0.1** [schaarden krijgen] *get nicked/gapped/gashed.*

schaardijk ⟨de (m.)⟩ **0.1** *'schaardijk'* ⟨dike immediately next to river⟩.

schaargebit ⟨het⟩ **0.1** *scissor/carnassial teeth.*

schaarkijker ⟨de (m.)⟩ **0.1** *scissors/hinged telescope.*

schaarkunst ⟨de (v.)⟩ **0.1** *découpage.*

---

schaarlamp ⟨de⟩ **0.1** *hinged lamp.*

schaars
I ⟨bw.⟩ **0.1** [op karige wijze] *sparingly* ⇒*sparsely,* ⟨zelden⟩ *seldom,* ⟨mbt. licht⟩ *dimly,* ⟨mbt. kleding⟩ *scantily* ◆ **2.1** ~ met iets bedeeld zijn *not be richly endowed with sth.;* ~ verlicht *dimly lit* **3.1** ~ beloond worden *be poorly rewarded;* slechts ~ bezocht worden *be visited only seldom;* ~ gekleed *scantily dressed, thinly-/scantily-clad;* ~ gemeubileerd *sparsely furnished.*
II ⟨bn.⟩ **0.1** [zeldzaam] *scarce* ⇒*rare* **0.2** [karig] *meagre* ⇒*sparse, scanty* ◆ **1.1** het geld is ~ *money is scarce;* een ~ goed *a scarce item;* mijn ~ e vrije ogenblikken *my rare free moments* **1.2** een ~ e bevolking hebben *be sparsely populated;* een ~ loon *a meagre wage.*

schaarsliep ⟨de (m.)⟩ **0.1** *knife grinder.*

schaarsnede ⟨de⟩ **0.1** *shear-cut.*

schaarsprong ⟨de (m.)⟩ **0.1** *scissor-jump; scissors* ⟨mv.⟩ ◆ **3.1** een ~ maken *do a scissor-jump.*

schaarste ⟨de (v.)⟩ **0.1** *scarcity* ⇒*shortage,* ⟨schr.⟩ *dearth, paucity* ◆ **1.1** in tijden van ~ *in times of scarcity/shortage* **6.1** de ~ van levensmiddelen *the food shortage.*

schaartrap ⟨de⟩ **0.1** *folding steps.*

schaarvormig ⟨bn.⟩ **0.1** *scissor-like* ⇒*pincer-like.*

schaats ⟨de⟩ **0.1** *skate* ◆ **2.1** ⟨fig.⟩ een scheve ~ rijden *overstep the mark* **3.1** de ~ goed/slecht kunnen rijden *he skates well, he's a good skater, he's good at skating;* ~ en slijpen *sharpen skates* **6.1** hardrijden op de ~ *speed-skating.*

schaatsbaan ⟨de⟩ **0.1** [ijsbaan] *(skating-)rink* ⇒*ice-rink* **0.2** [rolschaatsbaan] *(skating-)rink.*

schaatsband ⟨de (m.)⟩ **0.1** *skate-strap/-fastener/-binding.*

schaatsbeslag ⟨het⟩ **0.1** *(skate) straps.*

schaatsen ⟨onov.ww.⟩ **0.1** *skate.*

schaatsenrijden ⟨ww.⟩ **0.1** *skating.*

schaatsenrijder ⟨de (m.)⟩, **-ster** ⟨de (v.)⟩ →*schaatser.*

schaatsenslijper ⟨de (m.)⟩ **0.1** *skate-sharpener.*

schaatser ⟨de (m.)⟩, **-ster** ⟨de (v.)⟩ **0.1** *skater* ⟨m.,v.⟩.

schaatshout ⟨het⟩ **0.1** *wooden skate without straps.*

schaatsijzer ⟨het⟩ **0.1** *(skate) blade.*

schaatsplank ⟨de⟩ **0.1** *skateboard.*

schaatsriem ⟨de (m.)⟩ **0.1** *skate-strap.*

schaatsschoen ⟨de (m.)⟩ **0.1** *skating-shoe.*

schab ⟨het⟩ ⟨AZN⟩ **0.1** *shelf.*

schabel ⟨de⟩ **0.1** [zitbankje] *bench* **0.2** [voetplank v.e. weefgetouw] *footrest.*

schacht ⟨de⟩ **0.1** [kokervormige toegang] *shaft* **0.2** [stok, staaf] *shaft;* ⟨sleutel, anker⟩ *shank* **0.3** [deel v.e. laars/kous] *leg* **0.4** [⟨plantk.⟩] *stem* **0.5** [⟨ind.⟩] *shaft* **0.6** [⟨med.⟩] *shaft* **0.7** [⟨AZN, stud., sold.⟩] ⟨stud.⟩ *freshman* ⟨m.⟩; *freshwoman* ⟨v.⟩; ⟨inf.⟩ *fresher;* ⟨sold.⟩ *rookie* ◆ **1.1** de ~ v.e. hoogoven *the s. of a blast furnace* **1.2** de ~ v.e. anker *the shank of an anchor;* de ~ v.e. lans/naald *the shaft of a lance/needle;* de ~ v.e. sleutel *the shank of a key;* de ~ v.e. zuil *the shaft of a column* **2.1** blauwe ~ *staple (s.).*

schachtbalk ⟨de (m.)⟩ **0.1** *prop, post, support.*

schachtbok ⟨de (m.)⟩ ⟨mijnw.⟩ **0.1** *headgear, headframe.*

schachtboor ⟨de⟩ **0.1** *trepan.*

schachthalm ⟨de (m.)⟩ **0.1** *horse-tail.*

schachtkooi ⟨de (v.)⟩ **0.1** *cage.*

schachtring ⟨de (m.)⟩ ⟨bouwk.⟩ **0.1** *shaft-ring.*

schade ⟨de⟩ ⟨→sprw. 522⟩ **0.1** [nadeel] *loss(es);* ⟨schr.⟩ *detriment* **0.2** [beschadiging] *damage* ⇒⟨persoon ook⟩ *harm, injury* ◆ **1.1** door ~ en schande wijs worden *live and learn, learn the hard way, learn by (bitter) experience* **2.2** geringe/onherstelbare ~ *slight/irreparable d.* **3.1** dat zal geen ~ doen *that will do no harm/won't do any harm;* ~ van/bij iets hebben/ondervinden *suffer by sth., lose out on sth.;* de ~ inhalen *recover/recoup one's losses;* ~ lijden *suffer a loss, lose out;* de ~ opnemen *inspect/survey the damage* **3.2** ~ aanrichten/aan iets toebrengen/berokkenen *do/cause d. (to sth.);* zijn ~ inhalen *recover the loss from;* er werd voor f50,- ~ vastgesteld *the d. was assessed at f50.-* **6.1** met ~ verkopen *sell at a loss;* iets tot zijn ~ ondervinden *know/find out/learn sth. to one's cost;* tot ~ van *to the detriment of* ¶**.2** hoeveel is de ~? *what's/how much is the d.?, how much d. is there?* de ~ loopt in de miljoenen *the d. runs into millions.*

schadeaangifteformulier ⟨het⟩ **0.1** *(damage/(ongeluk) accident) claim form* ⇒⟨ongeluk ook⟩ *accident report.*

schadeactie ⟨de (v.)⟩ **0.1** *action for damages.*

schadeafdeling ⟨de (v.)⟩ ⟨verzekering⟩ **0.1** *claims department.*

schadeafwikkeling ⟨de (v.)⟩ **0.1** *claim settlement* ⇒*settlement of a/the claim.*

schadebedrag ⟨het⟩ **0.1** *amount of the loss/* ⟨beschadiging⟩ *damage/* ⟨claim⟩ *claim.*

schadecertificaat ⟨het⟩ **0.1** *certificate of damage.*

schadeclaim ⟨de (m.)⟩ **0.1** *insurance claim (for the damage)* ◆ **3.1** een ~ indienen *submit an i. c., claim on the/one's insurance.*

schadecorrespondent ⟨de (m.)⟩ **0.1** *claims assessor*.

schadelijk ⟨bn., bw.; -ly⟩ **0.1** [schade doend] *harmful* ⇒*damaging*, ↑*injurious*, ↑*detrimental*, ⟨schr.⟩ *prejudicial*, ⟨dampen, enz.⟩ *noxious* **0.2** [onvoordelig] *unprofitable* ⇒*expensive, uneconomical, wasteful* ◆ **1.1** een ~ boek *a h. book;* ~e dieren *pests, vermin;* ~e gewoonten *pernicious habits* **1.2** ⟨nat.⟩ ~e ruimte *clearance* ⟨luchtpomp⟩; *dead space* ⟨vrachtauto e.d.⟩ **6.1** roken is ~ **voor** de gezondheid *smoking damages your health/is h. to your health;* ~ zijn **voor** *damage, harm, be damaging/h. to*.

schadelijkheid ⟨de (v.)⟩ **0.1** *harmfulness* ⇒*damaging nature,* ↑*injuriousness*, ⟨dampen, enz.⟩ *noxiousness*.

schadeloos ⟨bn., bw.⟩ **0.1** *unharmed* ⇒*undamaged, safe*.

schadeloosstellen ⟨ov.ww.⟩ **0.1** *compensate* ⇒⟨schr.⟩ *indemnify*, ⟨mbt. onkosten ook⟩ *repay, reimburse, recoup* ◆ **4.1** ⟨fig.⟩ zich ergens voor ~ *c. (o.s.) for sth., find compensation for sth*. **6.1** iem. **voor** zijn moeite ~ *compensate s.o. for his trouble*.

schadeloosstelling ⟨de (v.)⟩ **0.1** [het schadeloosstellen, gesteld worden] *compensation* ⇒⟨schr.⟩ *indemnification* **0.2** [wat men krijgt/moet betalen] *compensation* ⇒⟨schr.⟩ *indemnity, damages* ⟨mv.⟩ ◆ **3.1** ~ eisen *claim/demand c.*.

schaden ⟨onov., ov.ww.⟩ ⟨→sprw. 486⟩ **0.1** *damage* ⇒*harm, injure,* ↑*impair,* ↑*prejudice* ◆ **1.1** roken schaadt de gezondheid *smoking damages your health/is harmful to (your) health;* iemands reputatie ~ *d./ harm/injure s.o.'s reputation;* zijn eigen zaak ~ *harm one's own cause, be one's own worst enemy* **6.1** iem. **in** zijn rechten/belangen ~ *prejudice s.o.'s rights/interests* ¶.**1** baat het niet, het schaadt ook niet *it can't do any harm and it may do some good*.

schadeopneming ⟨de (v.)⟩ **0.1** *assessment of (the) damage*.

schadepenningen ⟨zn.mv.⟩ **0.1** *compensation for damage* ⇒*damages*.

schadepercentage ⟨het⟩ **0.1** ⟨mbt. schade⟩ *percentage of damage/loss;* ⟨mbt. verzekeringsmaatschappij⟩ *loss ratio*.

schadeplichtig ⟨bn.⟩ **0.1** *liable for damages* ⇒*liable to pay compensation*.

schadepost ⟨de (m.)⟩ **0.1** [post waaronder een schade geboekt wordt] *(item of) loss* ⇒*loss-making item* **0.2** [onvoorziene onkosten] *loss* ⇒*(financial) setback* ◆ **3.1** een ~ opleveren *lead to/result in/mean a loss*.

schaderapport ⟨het⟩ **0.1** *damage/*⟨ongeluk⟩ *accident report*.

schaderegeling ⟨de (v.)⟩ **0.1** *claim settlement* ⇒*settlement of a/the claim*.

schaderekening ⟨de (v.)⟩ **0.1** *statement of damage*.

schadestaat ⟨de (m.)⟩ **0.1** *assessed damages* ⟨mbt. maatschappij⟩; *assessment of the loss* ⟨mbt. een schade⟩.

schadestatistiek ⟨de (v.)⟩ **0.1** *loss statistics*.

schadevergoeding ⟨de (v.)⟩ **0.1** [het vergoeden] *compensation;* ⟨jur.⟩ *damages* ⟨mv.⟩ **0.2** [wat gegeven wordt] *compensation;* ⟨jur.⟩ *damages* ⟨mv.⟩ ◆ **1.1** een eis tot ~ instellen *put in/submit a claim for c./ d., sue (s.o.) d*. **3.1** ~ eisen *claim c./ d. for;* ~ krijgen/toekennen *be given/award d*. **3.2** f1000,- ~ krijgen *receive f1000,- d*. **6.1** recht **op** ~ *entitlement to compensation/d*. **8.2** als ~ krijgen *receive in c.*.

schadeverhaling ⟨de (v.)⟩ **0.1** *recovery of damages/loss*.

schadeverzekering ⟨de (v.)⟩ **0.1** *property insurance*.

schadevordering ⟨de (v.)⟩ **0.1** *claim for compensation/damages*.

schadevrij ⟨bn., bw.⟩ **0.1** *without an accident* ◆ **3.1** zij heeft al tien jaar ~ gereden *she's driven for ten years without an accident;* korting voor ~ rijden *no-claim(s) bonus*.

schaduw ⟨de⟩ **0.1** [plaats waar het licht onderschept is] *shade* ⇒*shadow* **0.2** [schaduwbeeld] *shadow* **0.3** [vage gedaante] *shadow* **0.4** ⟨⟨bk.⟩⟩ *shade* ⇒*shadow* **0.5** ⟨⟨fig.⟩⟩ zwak aftreksel] *shadow* ◆ **1.5** er blijft mij geen ~ van hoop *there isn't a flicker of hope* **2.2** ⟨fig.⟩ dat werpt een donkere ~ op deze feestelijke dag *that casts a (dark) s./ a cloud over the day's celebrations;* je zit in je eigen ~ *you're in your own s., you're blocking your own light* **2.3** rondwarende ~en *roaming shadows* **2.4** donkere/diepe ~en *dark/deep shade* **3.1** ~ geven/bieden *give/provide shade* **3.2** ⟨fig.⟩ komende/grote gebeurtenissen werpen hun ~en vooruit *coming events cast their shadow(s) before;* de ~en worden langer *the shadows are lengthening* **3.3** ⟨fig.⟩ naar een ~ grijpen, een ~ omhelzen *catch at/run after/chase (after) a s*. **3.4** ~ aanbrengen *put in shade* **6.1** ⟨fig.⟩ iets **in** de ~ laten *leave sth. aside;* ⟨fig.⟩ iets/iem. **in** de ~ stellen *outshine/eclipse/overshadow sth./ s.o., put sth./ s.o. in(to) the shade;* **uit** de ~ treden ⟨ook fig.⟩ *come out of the shadows* **8.2** iem. volgen als zijn ~ *follow s.o. like his s*. ¶**.2** ⟨fig.⟩ niet in iemands ~ kunnen staan *not be able to hold a candle to s.o., not be in the same street/class/league as s.o.;* ⟨fig.⟩ in iemands ~ staan *be outshone/overshadowed by s.o., play second fiddle to s.o*..

schaduwachtig ⟨bn., bw.⟩ **0.1** ⟨bn.⟩ *shadowy;* ⟨bw.⟩ *like a shadow* ◆ **3.1** zich ~ aftekenen *form a faint/shadowy outline, appear as a shadowy figure*.

schaduwarchief ⟨het⟩ **0.1** *duplicate files*.

schaduwbeeld ⟨het⟩ **0.1** [door de schaduw gevormd beeld] *shadow* **0.2** [schijnbeeld] *shadow* **0.3** ⟨bk.⟩ *silhouette* ◆ **3.2** ~en najagen *chase (after) shadows*.

schaduwbepaling ⟨de (v.)⟩ **0.1** *shading*.

schaduwboekhouding ⟨de (v.)⟩ **0.1** *duplicate bookkkeeping/accounts*.

schaduwboksen ⟨ww.⟩ **0.1** *shadow-box*.

schaduwen ⟨ov.ww.⟩ **0.1** [voortdurend volgen] *shadow* ⇒⟨inf.⟩ *tail* **0.2** [⟨sport⟩] *shadow* ⇒*cover*, ⟨BE ook⟩ *mark closely/tightly* **0.3** [schaduw aanbrengen aan, in] *shade (in)* ◆ **3.1** iem. blijven ~ *keep shadowing s.o., keep a tail on s.o., keep s.o. under observation;* iem. laten ~ *have s.o. shadowed/tailed, put a tail on s.o*..

schaduwfiguur ⟨de⟩ **0.1** *silhouette*.

schaduwgestalte ⟨de (v.)⟩ **0.1** *shadow(y figure)*.

schaduwgras ⟨het⟩ **0.1** *wood meadow grass*.

schaduwindustrie ⟨de (v.)⟩ **0.1** *shadow industry*.

schaduwkabinet ⟨het⟩ **0.1** *shadow cabinet*.

schaduwkant ⟨de (m.)⟩ **0.1** [kant waar de schaduw is] *shady side* **0.2** [nadelige kant] *drawback* ⇒*snag* ◆ **3.2** die zaak heeft ook een ~ *however, there is a drawback (to it)*.

schaduwkegel ⟨de (m.)⟩ **0.1** *umbra*.

schaduwletter ⟨de⟩ **0.1** *shaded character*.

schaduwloos ⟨bn.⟩ **0.1** *shadeless* ⇒*shadowless, unshaded*.

schaduwminister ⟨de (m.)⟩ **0.1** *shadow minister*.

schaduwomtrek ⟨de (m.)⟩ **0.1** *silhouette*.

schaduwpalm ⟨de (m.)⟩ **0.1** *talipot (palm)*.

schaduwpartij ⟨de (v.)⟩ ⟨bk.⟩ **0.1** *shadows* ⟨mv.⟩ ⇒*shaded part/portion /area*.

schaduwpatroon ⟨het⟩ ⟨ind.⟩ **0.1** *shadow pattern*.

schaduwperspectief ⟨het⟩ **0.1** *shading*.

schaduwplant ⟨de⟩ **0.1** *shade plant*.

schaduwrijk ⟨bn.⟩ **0.1** [veel schaduw gevend] *shady* **0.2** [waar veel schaduw is] *shad(ow)y* ⇒*(well-)shaded*.

schaduwschema ⟨het⟩ ⟨elek.⟩ **0.1** *matrix mimic board*.

schaduwspel ⟨het⟩ **0.1** *shadow play* ⇒*shadow show*.

schaduwverkiezingen ⟨zn.mv.⟩ ⟨pol.⟩ **0.1** *mock election(s)*.

schaduwwerk ⟨het⟩ **0.1** [niet erkende arbeid] *shadow labour* ⇒*hidden labour* **0.2** [handwerktechniek op dunne stof] *shadow work*.

schaduwwolk ⟨de⟩ **0.1** *cumulus (cloud)*.

schaduwzijde ⟨de (v.)⟩ **0.1** [zijde waar schaduw is] *shady side* **0.2** [nadelige kant] *drawback* ⇒*snag* ◆ **1.2** de ~ der dingen *the dark side of things;* de ~ v.e. overigens nuttige maatregel *the d. to an otherwise useful measure* **3.2** alles heeft zijn ~ *there are drawbacks to everything*.

schaffen ⟨ov.ww.⟩ **0.1** [verschaffen] *procure* **0.2** [opdissen] *serve up* ◆ **1.1** geld/hulp ~ *p. money/aid;* raad ~ *find/devise ways and means* **1.2** eten wat de pot schaft *take potluck*.

schaft ⟨de⟩ **0.1** [pauze] *break* **0.2** [deel v.d. werktijd] *work period* **0.3** [stok, staaf] *shaft*.

schaften ⟨onov.ww.⟩ **0.1** [eten] *eat* ⇒*take a/one's meal* **0.2** [pauzeren] *break (for lunch/dinner/one's meal)* ⇒⟨inf.⟩ *knock off for lunch* ⟨enz.⟩ ◆ ¶.¶ ik wil niets met hem te ~ hebben *I want nothing to do with him;* jij hebt hier niets te ~ *you've no business (to be) here*.

schaftje ⟨het⟩ **0.1** *tin*.

schaftkeet ⟨de⟩ **0.1** *workmen's hut*.

schaftklok ⟨de⟩ **0.1** *dinner bell*.

schaftlokaal ⟨het⟩ **0.1** *canteen*.

schafttijd ⟨de (m.)⟩ **0.1** *lunch/dinner break*.

schaftuur ⟨het⟩ **0.1** *lunch/dinner hour*.

schakel ⟨de⟩ ⟨→sprw. 334⟩ **0.1** [deel v.e. ketting] *link* **0.2** [⟨fig.⟩] *link* **0.3** [schakelnet] *trammel* ◆ **2.1** een keten is zo sterk als de zwakste ~ ⟨ook fig.⟩ *a chain is (only) as strong as its weakest l*. **2.2** een belangrijke ~ *a vital l.;* de ontbrekende ~ *the missing l*. **3.2** ik mis een ~ in uw uiteenzetting *you've missed out a step in your explanation*.

schakelaar ⟨de (m.)⟩ **0.1** *switch*.

schakelapparatuur ⟨de (v.)⟩ **0.1** *switchgear*.

schakelarmband ⟨de (m.)⟩ **0.1** *chain bracelet*.

schakelautomaat ⟨de (m.)⟩ **0.1** *automatic switch*.

schakelbaar ⟨bn.⟩ ⟨elek.⟩ **0.1** *switchable* ⇒*variable*.

schakelbord ⟨het⟩ **0.1** *switchboard*.

schakelbungalow ⟨de (m.)⟩ **0.1** *(type of) semi-detached house*.

schakelcapaciteit ⟨de (v.)⟩ **0.1** *circuit-breaking capacity*.

schakelcel ⟨de⟩ ⟨med.⟩ **0.1** *internuncial (neuron), interneuron*.

schakelcursus ⟨de (m.)⟩ **0.1** *transition course*.

schakelen
I ⟨onov., ov.ww.⟩ **0.1** [tot een keten vormen, meestal fig.] *link (up/ together)* **0.2** ⟨mbt. motorvoertuigen⟩ *change/* ⟨AE ook⟩ *shift gear(s)* ◆ **1.1** gedachten/beelden aan elk. ~ *link ideas/images* **1.2** parallel/in serie ~ *c. in parallel/in series* **6.3** naar de tweede versnelling ~ *change/shift (in)to second (gear);*
II ⟨onov.ww.⟩ **0.1** [⟨mbt. motorvoertuigen⟩ zich laten schakelen] *change/* ⟨AE ook⟩ *shift gear* **0.2** [vissen] *trammel* ◆ **5.1** deze auto schakelt moeilijk *this car has a difficult gear change/* ^*gearshift*.

schakelhandel ⟨het, de (m.)⟩ **0.1** *gear lever/* ⟨inf.⟩ *stick,* ^*gearshift* ⇒ *gear selector*.

schakelhefboom ⟨de (m.)⟩ ⟨elek.⟩ **0.1** *switch lever*.

schakelhuisje ⟨het⟩ **0.1** *switchbox*.

schakeling ⟨de (v.)⟩ **0.1** [het schakelen van elektriciteit] *connection;* ⟨circuit⟩ *circuit* **0.2** [wijze van schakelen] *connection;* ⟨circuit⟩ *circuit*

0.3 [mbt. een auto] *gear change,* ^A*gearshift* ◆ **2.1** geïntegreerde ~ *integrated circuit* **2.3** automatische ~ *automatic gear change* ⟨ (inf.) *gears/gearshift.*

schakelkamer ⟨de⟩ **0.1** *control/switch room.*

schakelkast ⟨de⟩ **0.1** *switchbox, switch cupboard* ⇒*switchboard cabinet.*

schakelklas ⟨de (v.)⟩ **0.1** *transition, remove* ⇒*intermediate/bridge class (between two types of education).*

schakelklok ⟨de⟩ **0.1** *time switch.*

schakelknop ⟨de (m.)⟩ **0.1** *knob* ⇒*switch.*

schakelmechanisme ⟨het⟩ **0.1** *switching mechanism.*

schakelmeubelen ⟨zn.mv.⟩ **0.1** *unit furniture.*

schakelnet ⟨het⟩ →schakel **0.5.**

schakelpaneel ⟨het⟩ **0.1** *switchboard* ⇒*control panel.*

schakelpauze ⟨de⟩ **0.1** *intermission* ⇒*break.*

schakelprogramma ⟨het⟩ **0.1** *radio/t.v. linkup.*

schakelrad ⟨het⟩ **0.1** *switch wheel.*

schakelschema ⟨het⟩ **0.1** *wiring/circuit diagram.*

schakelstand ⟨de (m.)⟩ **0.1** *switch position.*

schakeltafel ⟨de⟩ **0.1** *switch/control desk.*

schakeltechnicus ⟨de (m.)⟩ **0.1** *mixer.*

schakeltijd ⟨de (m.)⟩ **0.1** *switching time.*

schakelvilla ⟨de⟩ **0.1** *(type of) semi-detached house.*

schakelwacht ⟨de⟩ **0.1** *control room.*

schakelwoning ⟨de (v.)⟩ **0.1** *(type of) semi-detached house.*

schaken
I ⟨onov.ww.⟩ **0.1** [schaak spelen] *play chess* ◆ **1.1** een partijtje/potje ~ *play a game of chess;*
II ⟨ov.ww.⟩ **0.1** [ontvoeren] *abduct* ⇒*carry off* ◆ **3.1** zich door iem. laten ~ *elope/run away with s.o..*

schaker ⟨de (m.)⟩ **0.1** [schaakspeler] *chess player* **0.2** [ontvoerder] *abductor.*

schakeren ⟨ov.ww.⟩ **0.1** [met afwisseling van kleur schikken] *variegate* ⇒*chequer* ^A*checker, mottle* **0.2** [afwisselen] *pattern* ⇒*chequer* ^A*checker* **0.3** [⟨muz.⟩]⟨in sterkte doen toenemen⟩ *play (a) crescendo/* ⟨doen afnemen⟩*(a) decrescendo* **0.4** [mbt. kleuren] *grade* ⇒*gradate, tinge* ◆ **1.1** het bont geschakeerde bloemtapijt *the gaily patterned tapestry of flowers* **5.1** rijk geschakeerd *variegated.*

schakering ⟨de (v.)⟩ **0.1** [het schakeren] *gradation, variegation* **0.2** [kleurschikking] *pattern(ing)* **0.3** [verscheidenheid v.e. hoofdkleur] *shade* ⇒*hue, tinge, tint* **0.4** [verscheidenheid van eigenschappen/ denkbeelden] *diversity* ⇒*variety, multiplicity* **0.5** [⟨muz.⟩] *colour* ◆ **1.3** wat een ~en (van) groen! *all those shades of green!* **2.4** filosofen van allerlei ~ *philosophers of all varieties;* de verschillende ~en in levensopvatting *the variety/diversity/multiplicity of outlooks on life.*

schaking ⟨de (v.)⟩ **0.1** *abduction* ⇒*elopement.*

schalie ⟨de (v.)⟩ **0.1** [⟨geol.⟩] *shale* **0.2** [⟨AZN⟩ lei] *slate.*

schaliëndekker ⟨de (m.)⟩ ⟨AZN⟩ **0.1** *slater.*

schalier ⟨de⟩ **0.1** *upright.*

schalk ⟨de (m.)⟩ **0.1** [persoon] *rogue* ⇒*imp, rascal* **0.2** [hijstoestel] *hoist* **0.3** [⟨bouwk.⟩] *shaft* ◆ **2.1** het is zo'n kleine ~ *he's such a little rogue/imp/rascal.*

schalks ⟨bn., bw.; -ly⟩ **0.1** *roguish* ⇒*mischievous, impish,* ⟨plagend⟩ *sly, arch* ◆ **1.1** een ~e blik *an arch look;* een ~e opmerking *a sly remark* **3.1** zij keek mij ~ aan *she gave me a r./sly/arch look;* ~ lachen *smile roguishly, give an impish smile.*

schalksheid ⟨de (v.)⟩ **0.1** [ondeugendheid] *roguishness* ⇒*mischievousness, impishness* **0.2** [wat schalks is] *roguery* ⇒*mischief.*

schallebijter →scharrebijter.

schallen ⟨onov.ww.⟩ **0.1** *(re)sound* ⇒*ring, peal* ⟨lach⟩, *blare* ⟨trompet, luidspreker⟩ ◆ **1.1** wij hoorden de trompetten ~ *we heard the trumpets sounding/blaring.*

schalm ⟨de (m.)⟩ **0.1** *link.*

schalmei ⟨de⟩ **0.1** *shawm.*

schalmen ⟨ov.ww.⟩ ⟨scheep.⟩ **0.1** *batten down.*

schalmgat ⟨het⟩ **0.1** *stairwell, well of a staircase.*

schalmketting ⟨de⟩ **0.1** *link(ed) chain.*

schamel ⟨bn., bw.; -ly⟩ **0.1** [armoedig] *poor* ⇒*humble, shabby* **0.2** [pover, slecht] *poor* ⇒*miserable, paltry* ◆ **1.1** de ~e inboedel *the few sticks of furniture;* hij moest v.e. ~ pensioentje rondkomen *he had to live on a miserable/paltry pension;* een ~e woning *a humble dwelling* **1.2** ~e resultaten *poor/paltry results* **3.1** er ~ uitzien *look shabby/ out-at-elbows* **3.2** ~ gekleed/gemeubileerd *poorly dressed, scantily furnished.*

schamelheid ⟨de (v.)⟩ **0.1** *poverty* ⇒*shabbiness, paltriness, scantiness* ⟨gegevens⟩.

schamen ⟨wk.ww.; zich ~⟩ **0.1** *be/feel ashamed (of)/embarrassed* ⇒*blush (with shame), feel small/cheap* ◆ **1.1** ⟨fig.⟩ zich de ogen uit het hoofd ~ *feel deeply ashamed* **2.1** ik schaamde me dood ⟨ook⟩ *I was so embarrassed, it was so embarrassing;* ⟨inf.⟩ zich dood/zich rot ~ *die/be burning with shame, not dare to look anybody in the face* **4.1** foei, schaam je (om) zo iets te zeggen *you ought to be ashamed of yourself for saying things like that* **5.1** daar hoef je je niet voor te ~ *there's no need to be ashamed of that* **6.1** zich nergens voor ~ *be una-*

shamed; zich voor iem. ~ ⟨om iem.⟩ *be ashamed for s.o.;* ⟨tgov. iem.⟩ *be ashamed to look at s.o., feel ashamed in front of s.o.;* zonder zich te ~ ⟨ook⟩ *unashamedly.*

schampen ⟨onov.ww.⟩ **0.1** ⟨ov.⟩ *graze* ⇒⟨ov.⟩ *shave, clip, brush* ◆ **6.1** de auto schampte **langs** haar fiets *the car grazed/brushed against her bicycle.*

schamper ⟨bn., bw.; -ly⟩ **0.1** *scornful* ⇒*sneering, sarcastic* ◆ **1.1** een ~e opmerking *a sneer, a put-down, a sarcastic remark;* er kwam een ~e trek om zijn mond *he gave a sneer* **3.1** ~ lachen *laugh sneeringly, give a scornful laugh;* iets ~ opmerken, ~ doen *sneer.*

schamperen ⟨onov.ww.⟩ **0.1** *sneer* ⇒*say scornfully/sneeringly.*

schamperheid ⟨de (v.)⟩ **0.1** [het schamper zijn] *scorn* ⇒*sarcasm* **0.2** [wat schamper is] *sneer* ⇒*(piece of) sarcasm.*

schamppaal ⟨de (m.)⟩ **0.1** *bumper,* ^A*fender.*

schampschot ⟨het⟩ **0.1** *grazing shot* ⇒*graze.*

schandaal ⟨het⟩ **0.1** [ergernis] *scandal* ⇒*outrage* **0.2** [gebeurtenis] *scandal, outrage* **0.3** [schande] *shame* ⇒*scandal, disgrace, crime* ◆ **2.2** een publiek/een politiek ~ *a public o., a political s.* **2.3** een grof ~ *a crying /howling/mortal/bloody shame* **3.1** ~ geven/maken *create/cause a s.* **3.2** op ~tjes belust *muckraking, fond of/out for scandal* **3.3** het is een ~ dat zo iets kan gebeuren *it's a disgrace that such things can happen* **6.3** voor ~ lopen *be a disgrace.*

schandaalblad ⟨het⟩ **0.1** *scandal sheet.*

schandaalpers ⟨de⟩ **0.1** *gutter press.*

schandaleus ⟨bn., bw.; -ly⟩ **0.1** *scandalous, outrageous* ⇒*disgraceful, shameful, infamous.*

schandaliseren ⟨ov.ww.⟩ **0.1** *disgrace* ⇒*bring shame on* ◆ **1.1** een persoon ~ *d. a person* **6.1** hij heeft zich **met** die affaire geschandaliseerd *he has brought shame on himself with that affair.*

schanddaad ⟨de⟩ **0.1** *outrage* ⇒*infamy, ignominy, shameful act.*

schanddalig ⟨bn., bw.; -ly⟩ **0.1** *scandalous, outrageous* ⇒*disgraceful, shameful, infamous* ◆ **1.1** een ~ artikel *a scandalous article;* een ~e geldverspilling *a scandalous waste of money* **2.1** 't is ~ duur *it's outrageously expensive;* een ~ groot huis *a dirty great house* **3.1** 't is ~ zo'n lawaai als die kinderen maken *these kids are making an unholy racket;* het is ~ zoals hij ons behandelt *it's a crime, the way he treats us;* eigenlijk is het ~ *it's little less than scandalous.*

schande ⟨de⟩ (→sprw. 17,25,414,522) **0.1** [oneer] *disgrace* ⇒*shame, discredit, ignominy* **0.2** [iets dat tot oneer strekt] *shame* ⇒*disgrace, scandal* ◆ **3.1** zijn familie ~ aandoen *disgrace one's family, bring shame on one's family* **3.2** het is (een) ~ *it's a disgrace;* het is een ~ om ...*it's no disgrace/shame to ..., it's not a crime to ...;* ~ van iets spreken *cry shame over sth., cry out against/at sth.* **5.2** het is gewoonweg ~! *it's downright shame/disgrace!* **6.1** iem. **te** ~ maken *disgrace s.o., bring shame (up)on s.o..*

schandek ⟨het⟩ **0.1** *gunwhale* ⟨schip⟩.

schandelijk
I ⟨bn., bw.; -ly⟩ **0.1** [onterend] *scandalous, outrageous* ⇒*shameful, disgraceful, infamous* ◆ **1.1** een ~ boek *an infamous book;* een ~ gedrag *outrageous behaviour;* een ~ leven leiden *lead a shameful life, lead a life of sin;* een ~e nederlaag ⟨ook⟩ *an ignominious defeat;*
II ⟨bw.⟩ **0.1** [zeer erg] *outrageously* ⇒*shockingly, grossly, monstrously, scandalously* ◆ **2.1** 't is ~ duur *it's outrageously expensive;* ~ hoge prijzen/huur *extortionate/exorbitant prices/rent* **3.1** zich ~ gedragen ⟨ook⟩ *disgrace o.s.;* hij heeft zijn plicht ~ verwaarloosd *he has grossly neglected his duty;* een kind ~ verwennen *pamper a child.*

schandelijkheid ⟨de (v.)⟩ **0.1** [het schandelijk zijn] *outrageousness* ⇒*scandalousness* **0.2** [wat schandelijk is] *outrage* ⇒*scandal, infamy, disgrace.*

schandhout ⟨het⟩ **0.1** *pillory* ⇒⟨kruis van Christus⟩ *Cross.*

schandknaap ⟨de (m.)⟩ **0.1** *catamite* ⇒*male prostitute.*

schandmerk ⟨het⟩ **0.1** *stigma* ⇒*mark of shame/disgrace.*

schandmerken ⟨ov.ww.⟩ **0.1** *stigmatize* ⇒*brand.*

schandnaam ⟨de (m.)⟩ **0.1** *stigma.*

schandpaal ⟨de (m.)⟩ **0.1** *pillory* ◆ **6.1** ⟨fig.⟩ iem. **aan** de ~ nagelen *pillory s.o., put s.o. in the p..*

schandteken ⟨het⟩ **0.1** *stigma* ⇒*mark of infamy/shame.*

schandvlek ⟨de⟩ **0.1** [smet, oneer] *blot* ⇒*blur, stain, stigma* **0.2** [persoon die anderen te schande maakt] *disgrace* ◆ **6.2** hij is een ~ voor zijn familie *he is a d. to his family.*

schandvlekken ⟨ov.ww.⟩ **0.1** *blot* ⇒*stain, disgrace, stigmatize, drag through the mud* ◆ **1.1** iemands eer ~ *b./put a blot on s.o.'s honour.*

schans ⟨de⟩ **0.1** [⟨mil.⟩] *sconce* ⇒*redoubt,* ⟨lijnvormig⟩ *bulwark, entrenchment* **0.2** [⟨sport⟩] *ski-jump.*

schansspringen ⟨ww.⟩ **0.1** *ski-jump.*

schap
I ⟨het, de⟩ **0.1** [kastplank] *shelf* **0.2** [⟨AZN⟩ legkast] *(linen) cupboard* **0.3** [⟨AZN⟩ tapkast] *bar* ⇒*counter* ◆ **3.1** de ~pen bijvullen *re-stock the shelves;*
II ⟨het⟩ **0.1** [⟨als verkorting⟩] (→**bedrijfschap, zuiveringschap enz.**).

schapebloem ⟨de⟩ **0.1** ⟨Trifolium repens⟩ *white/Dutch clover;* ⟨Trifolium pratense⟩ *red clover;* ⟨Bellis perennis⟩ *daisy.*

schapeboter ⟨de⟩ **0.1** *butter made from sheep's/ewe's milk.*

schapebout ⟨de (m.)⟩ **0.1** *leg of mutton/lamb* ⇒*gigot*.
schapegal ⟨de⟩ ⟨plantk.⟩ **0.1** *water forget-me-not*.
schapegras ⟨het⟩ **0.1** *sheep's fescue*.
schapehok ⟨het⟩ **0.1** *sheep shed* ⇒*sheep house*.
schapekaas ⟨de (m.)⟩ **0.1** *sheep's/ewe's cheese*.
schapekooi →*schaapskooi*.
schapeleer ⟨het⟩ **0.1** *sheepskin* ⇒⟨zacht⟩ *buckskin* ◆ **6.1** zijn tong is niet van ~ *he has a discerning palate*.
schapeluis ⟨de⟩ **0.1** [Melophagus ovinus] *sheep ked/tick* **0.2** [Trichodectes sphaerocephalus] *sheep louse*.
schapemelk ⟨de⟩ **0.1** *sheep's milk*.
schapemelker ⟨de (m.)⟩ **0.1** [persoon] ⟨*person who milks sheep*⟩ **0.2** [vogel] *nightjar* ⇒*goatsucker*.
schapendoder ⟨de (m.)⟩ **0.1** *sheep-killing dog*.
schapendrift ⟨de⟩ **0.1** *sheep walk/run*.
schapenfokkerij ⟨de (v.)⟩ **0.1** [schapenteelt] *sheep breeding/rearing/raising* **0.2** [bedrijf] *sheep farm* ⇒⟨groot⟩ *sheep station*.
schapenland ⟨het⟩ **0.1** *sheep walk* ⇒*sheep run*.
schapenscheerder ⟨de (m.)⟩ **0.1** *sheepshearer*.
schapenteelt ⟨de⟩ **0.1** *sheep breeding/rearing/farming*.
schapeoor ⟨het⟩ **0.1** [oor v.e schaap] *sheep's ear* **0.2** [⟨plantk.⟩] *sea lavender*.
schaper ⟨de (m.)⟩ **0.1** *shepherd*.
schaperas ⟨het⟩ **0.1** *breed of sheep*.
schaperib ⟨de⟩ **0.1** [rib(stuk) v.e schaap] *lamb chop* **0.2** [⟨plantk.⟩] *yarrow* ⇒*milfoil*.
schapershond ⟨de (m.)⟩ **0.1** *sheepdog*.
schapeschaar ⟨de⟩ **0.1** *(pair of) sheepshears*.
schapesmeer ⟨het, de (m.)⟩ **0.1** *wool fat* ⇒*lanolin*.
schapestal ⟨de (m.)⟩ **0.1** *sheep house*.
schapetalk ⟨de (m.)⟩ **0.1** *sheep's tallow*.
schapetong ⟨de⟩ **0.1** [tong v.e. schaap] *sheep's tongue* **0.2** [⟨plantk.⟩] *ribwort*.
schapevacht ⟨de⟩ **0.1** [schapevel] *sheep's pelt* **0.2** [bereide schapehuid] *sheepskin* ⇒*woolskin* **0.3** [afgeschoren wol v.e. schaap] *(sheep's) fleece*.
schapevel ⟨het⟩ **0.1** *sheepskin*.
schapevlees ⟨het⟩ **0.1** *mutton*.
schapewol ⟨de⟩ **0.1** *sheep's wool*.
schapewolken →*schaapjeswolken*.
schapezuring ⟨de⟩ ⟨plantk.⟩ **0.1** *sheep sorrel*.
schappelijk ⟨bn., bw.; -ly⟩ **0.1** *reasonable* ⇒*fair, moderate,* ⟨niet streng ook⟩ *lenient* ◆ **1.1** die prijs is nogal ~ *the price is quite r.* **3.1** iem. ~ behandelen *give s.o. fair treatment;* u moet het een beetje ~ met mij maken *you'll have to be fair/r. with me*.
schapulier →*scapulier*.
schar ⟨de⟩ **0.1** *dab*.
schardijn ⟨de⟩ **0.1** *sprat*.
schare ⟨de⟩ **0.1** *multitude, host* ⇒*crowd, flock, throng*.
scharen
I ⟨ov.ww.⟩ **0.1** [opstellen, ordenen] *range* ⇒*rally, marshal,* ⟨om iets heen⟩ *gather, cluster* ◆ **6.1** zich ~ aan de zijde v.d. geallieerden *side with the allies;* ⟨fig.⟩ zich achter iem./ een partij ~ *side with/throw in one's lot with s.o./a party;* zich ~ langs de route *line the route;* zich om het vuur ~ *gather/cluster round the fire;*
II ⟨onov.ww.⟩ **0.1** [⟨turnen⟩] *perform/execute shears/scissors* **0.2** [mbt. voertuigen] *jackknife* **0.3** [mbt. vissen] *spawn*.
scharend ⟨bn.⟩ **0.1** *(that moves/can be moved) like scissors* ⇒*scissorlike*.
scharenlichter ⟨de (m.)⟩ **0.1** *(beet) lifter* ⇒*beet harvester*.
scharenslijper ⟨de (m.)⟩, -**sliep** ⟨de (m.)⟩ **0.1** *knife-grinder*.
scharlaken[1] ⟨het⟩ **0.1** [stof] *scarlet* **0.2** [kleur] *scarlet (red)*.
scharlaken[2] ⟨bn.⟩ **0.1** *scarlet*.
scharlakendoorn ⟨de (m.)⟩ **0.1** *red haw*.
scharlakenkleur ⟨de⟩ **0.1** *scarlet (colour)*.
scharlakenkoorts ⟨de⟩ **0.1** *scarlet fever* ⇒*scarlatina*.
scharlakenluis ⟨de⟩ **0.1** *cochineal*.
scharlakenrood ⟨bn.⟩ **0.1** *scarlet*.
scharlakens ⟨bn.⟩ **0.1** *scarlet*.
scharlei ⟨de⟩ **0.1** *clary (sage)*.
scharminkel ⟨het, de (m.)⟩ **0.1** *scrag* ◆ **2.1** een mager ~ *a bag of bones*.
scharnier ⟨het⟩ **0.1** *hinge* ◆ **2.1** dood ~ *springless h.;* levend ~ *spring h.* **6.1** met ~en *hinged;* om een ~ draaien *hinge;* een deur uit zijn ~en lichten *take a door off its hinges*.
scharnierband
I ⟨de (m.)⟩ **0.1** [band die als scharnier fungeert] *hinge band;*
II ⟨het⟩ **0.1** [stofnaam] *hinge (strip)*.
scharnierblad ⟨het⟩ **0.1** *hinge leaf/flap*.
scharnierbout ⟨de (m.)⟩ **0.1** *hinge bolt*.
scharnierdeur ⟨de⟩ **0.1** *hinged door*.
scharnieren ⟨onov.ww.⟩ **0.1** *hinge*.
scharnierend ⟨bn.⟩ **0.1** *hinged*.
scharniergewricht ⟨het⟩ **0.1** *hinge joint* ⇒*ginglymus*.
scharnierklep ⟨de⟩ **0.1** *flap(per) valve*.

scharnierkoppeling ⟨de (v.)⟩ **0.1** *universal joint*.
scharnierpasser ⟨de (m.)⟩ **0.1** *hinge compasses* ⟨mv.⟩.
scharnierplant ⟨de⟩, -**bloem** ⟨de⟩ **0.1** *physostegia*.
scharnierpunt ⟨het⟩ **0.1** *hinge point* ⇒*pivot(ing point)*.
scharnierverbinding ⟨de (v.)⟩ **0.1** *hinge(d) joint*.
scharrebier ⟨het⟩ **0.1** *small beer* ◆ **8.1** ⟨iron.⟩ hij betert als ~ op de tap *it's going from bad to worse with him*.
scharrebijter ⟨de (m.)⟩ **0.1** *ground beetle*.
scharrel ⟨de (m.)⟩ ⟨inf.⟩ **0.1** [persoon] *flirt* ⇒*one-night stand, pick-up* **0.2** [oppervlakkige relatie] *flirtation* ◆ **3.2** een ~ hebben met iem. *flirt/fool around with s.o.* **6.2** aan de ~ zijn *be on the make, sleep/fool around*.
scharrelaar ⟨de (m.)⟩ **0.1** [iem. die van alles ter hand neemt] *odd-jobber* ⇒*floater, Jack of all trades* **0.2** [iem. die spulletjes bijeenraapt] *scrap merchant* ⇒*cheap-jack* **0.3** [iem. die op liefdesavontuurtjes uit is] *philanderer* **0.4** [geslacht van vogels] *roller* **0.5** [iem. die zich moeilijk voortbeweegt] *fiddler* ⇒*botcher, bungler, beginner* ⟨mbt. schaatsen⟩.
scharrelei ⟨het⟩ **0.1** *free-range egg*.
scharrelen
I ⟨onov.ww.⟩ **0.1** [rommelen] *rummage* ⇒*grub (about)* **0.2** [⟨+in⟩ kleinhandel drijven] *deal (in)* **0.3** [⟨+met⟩ losse verkering hebben] *flirt (with)* ⇒*have a flirtation (with)* **0.4** [mbt. kippen] *scratch, scrape* **0.5** [zich op moeilijke wijze voortbewegen] *stumble along* ◆ **6.1** hij scharrelt de hele dag in de tuin *he potters about in the garden all day (long);*
II ⟨ov.ww.⟩ **0.1** [moeizaam bijeenzoeken] *scratch up* ⇒*scrape together* ◆ **1.1** wat geld bij elkaar ~ *scrape together a little money;* zijn kostje bij elkaar ~ *scratch up one's income*.
scharrelkip ⟨de (v.)⟩ **0.1** *free-range chicken/hen*.
scharrelruimte ⟨de (v.)⟩ **0.1** *free-range room/area*.
scharretong ⟨de⟩ **0.1** *megrim* ⇒*whiff*.
schat ⟨de (m.)⟩ ⟨→sprw. 229,348⟩ **0.1** [voorwerpen/stoffen met een grote waarde] *treasure* **0.2** [groot bezit aan geld] *treasure, riches* **0.3** [geliefd bezit] *treasure* **0.4** [kostbare overvloed] *treasure* ⇒*wealth, profusion, riches* **0.5** [lieverd] *darling* ⇒*dear, love* ◆ **1.1** de ~ten van Croesus *the riches of Croesus* **2.1** een verborgen ~ *a hoard* **2.5** lieve ~ *dearest, darling* **3.2** ~ten aan iets verdienen *earn/make a fortune out of sth.* **6.4** een ~ aan ervaring opdoen *gain/acquire a wealth of experience;* een ~ aan/van gegevens/materiaal/informatie *a wealth/store of data/material/information, a mine of information* **6.5** een ~ van een vrouw/van een man *a gem/dear* **8.3** als een ~ bewaren *treasure sth.* ¶**5** zijn het geen~jes? *aren't they sweet/lovely/^cute?.*
schatbewaarder ⟨de (m.)⟩ **0.1** [bewaker v.e.schat] *treasurer* **0.2** [⟨AZN⟩ penningmeester] *treasurer*.
schatekster ⟨de⟩ **0.1** *red-backed shrike*.
schateren ⟨onov.ww.⟩ **0.1** [luidkeels lachen] *roar (with laughter)* **0.2** [helder weerklinken] *resound* **0.3** [mbt. vogels] *chatter* ◆ **1.2** lachen dat het schatert *laugh one's head off* **6.1** de kinderen ~ van plezier *the children roared/shouted with pleasure;* ~ van het lachen *roar with laughter*.
schatering ⟨de (v.)⟩ **0.1** *roar (of laughter)*.
schaterlach ⟨de (m.)⟩ **0.1** *loud laughter* ⇒*roar/burst of laughter*.
schaterlachen ⟨onov.ww.⟩ **0.1** *roar with laughter* ◆ **3.1** iedereen doen ~ *make everybody roar;* ⟨zelfst.⟩ in een ~ uitbarsten *burst into a roar of laughter*.
schatgraven ⟨ww.⟩ **0.1** *dig for treasure*.
schatgraver ⟨de (m.)⟩, -**graafster** ⟨de (v.)⟩ **0.1** *treasure-digger* ⇒⟨fig.⟩ *treasure-hunter*.
schatkamer ⟨de⟩ **0.1** [vertrek] *treasury* **0.2** [in musea] *treasury* ⇒*treasure-house/chamber* **0.3** [⟨fig.⟩] *treasury* ⇒*treasure-house, storehouse, (gold) mine* ◆ **1.3** de ~s v.d. natuur *the treasure-houses of nature;* een ~ van wetenswaardigheden *a treasure-house/a mine of information*.
schatkist ⟨de⟩ **0.1** [geldkist] *coffer* ⇒*treasure-chest* **0.2** [staatskas] *treasury* ⟨BE ook⟩ *(the) Exchequer* ◆ **1.2** 's lands ~ *the National Treasury/Exchequer, the Public Treasury* **2.2** de ~ was leeg *the t. was empty*.
schatkistbiljet ⟨het⟩ **0.1** *treasury bill*.
schatkistcertificaat ⟨het⟩ **0.1** *treasury certificate/bond*.
schatkistpapier ⟨het⟩ **0.1** *treasury issues/bills* ⟨mv.⟩.
schatkistpromesse ⟨de (v.)⟩ **0.1** *treasury bill/bond*.
schatkistwissel ⟨de (m.)⟩ **0.1** *treasury bill*.
schatmeester ⟨de (m.)⟩ **0.1** *treasurer*.
schatmeesterschap ⟨het⟩ **0.1** *treasurership*.
schatplichtig ⟨bn.⟩ **0.1** *tributary* ⇒*taxable* ⟨belasting⟩ ◆ **1.1** een ~ volk *a tributary people* **3.1** iem. ~ maken *lay s.o. under tribute*.
schatplichtigheid ⟨de (v.)⟩ **0.1** *liability to tax*.
schatrijk ⟨bn.⟩ **0.1** *wealthy* ⇒*immensely/very rich, opulent,* ⟨inf.⟩ *filthy rich* ◆ **3.1** ze zijn schat- en schatrijk *they are fabulously w.*.
schattebout ⟨de (m.)⟩ **0.1** *dear* ⇒*darling, angel, sweetie pie, sweetheart*.
schattekind ⟨het⟩ **0.1** *dear* ⇒*(little) darling, angel*.
schatten ⟨ov.ww.⟩ **0.1** [taxeren] *rate, estimate* ⟨verlies, schade⟩ *assess* ⟨belasting, inkomen⟩, *appraise* ⟨mbt. taxateur⟩ **0.2** [een waarde hechten aan] *value* ⇒*estimate, put/set a value on* **0.3** [houden

voor] *consider* ⇒*deem* ◆ **1.1** de afstand ~ *estimate / judge the distance;* een huis ~ *v. a house* **2.2** iets te gering ~ *put too low a value on sth.* **4.1** hoe oud schat je hem? *how old do you take him to be?* **5.1** te hoog ~ *overestimate, overrate;* te laag ~ *underestimate, underrate;* niet te ~ *uncountable, unestimable* **5.3** iem. niet hoog ~ *have a poor opinion / not think much of s.o.* **6.1** de schade ~ *op assess the damage at;* iemands inkomen ~ *op rate s.o.'s income at* **6.2** iets **op** de juiste waarde ~ *estimate / assess sth. at its true value.*

schatter ⟨de (m.)⟩, **schatster** ⟨de (v.)⟩ **0.1** *appraiser* ⇒*valuer,* ⟨mbt. belasting ook⟩ *assessor, valuation surveyor* ⟨mbt. vaste goederen⟩.

schattig ⟨bn., bw.;-ly⟩ **0.1** *sweet* ⇒*lovely, charming, darling* ◆ **1.1** een ~ kind *a darling child* **3.1** ~ kijken *look charmingly;* iets ~ vinden *think / find sth. lovely;* zij ziet er ~ uit *she looks lovely.*

schatting ⟨de (v.)⟩ **0.1** [raming] *valuation* ⇒*estimation, estimate, assessment* **0.2** [waardering, mening] *esteem* ⇒*estimation* **0.3** [⟨gesch.⟩ belasting] *tribute* ⇒*contribution* ◆ **2.1** een globale / ruwe ~ *a rough estimate;* een voorlopige ~ maken *make a preliminary estimate;* een voorzichtige ~ *a conservative estimate* **6.1** naar ~ *at a rough estimate;* **naar** ~ drie miljoen *an estimated three million.*

schattingseed ⟨de (m.)⟩ ⟨jur.⟩ **0.1** *valuation oath.*

schattingsinterval ⟨het⟩ ⟨stat.⟩ **0.1** *confidence interval.*

schattingskosten ⟨zn.mv.⟩ **0.1** *valuation charges.*

schavelen
I ⟨ov.ww.⟩ **0.1** [naar de wind richten] *set to windward* ◆ **1.1** de zeilen ~ *set the sails to windward, sail to windward / against the wind;*
II ⟨onov.ww.⟩ **0.1** [slijten] *chafe* ⇒*fray* ◆ **3.1** dat touw begint te ~ *that rope is beginning to c. / fray.*

schaveling ⟨de (v.)⟩ **0.1** *chafing* ⇒*abrasion, fraying.*

schaven
I ⟨ov.ww.⟩ **0.1** [gladmaken] *plane* ⇒*smooth* **0.2** [⟨fig.⟩ verbeteren] *polish* **0.3** [licht verwonden] *graze* ⇒*bark, scrape, chafe, skin* **0.4** [fijn snijden met een schaaf] *slice* ⇒*shred* **0.5** [⟨voetbal⟩] *hack* ◆ **1.1** planken ~ *p. boards* **1.3** zijn hand / arm / huid ~ *g. one's hand / arm / skin;* zijn knie / elleboog ~ ⟨ook⟩ *scrape / skin one's knee / elbow* **1.4** kool / komkommers ~ *shred cabbage, slice cucumbers* **6.2** ⟨sport⟩ je mag wel eens wat **aan** je techniek ~ *your technique needs improving;*
II ⟨onov.ww.⟩ **0.1** [slijten] *chafe* ⇒*abrade, fray.*

schavieling →**schaveling.**

schaving ⟨de (v.)⟩ **0.1** [het zich schaven] *grazing, chafing* **0.2** [schaafwond] *graze* ⇒*gall.*

schavot ⟨het⟩ **0.1** [stellage waarop veroordeelden hun vonnis ondergaan] *scaffold* **0.2** [deel v.e. steigervloer] *extending part of a scaffold* **0.3** [erepodium] *podium* ⇒*dais, platform* ◆ **3.1** het ~ beklimmen / bestijgen *go to the s.* **6.1 op** het ~ sterven *die on the s.;* iem. **op** het ~ brengen *condemn s.o. to the s.;* ⟨fig.⟩ *cause s.o.'s downfall.*

schavotje ⟨het⟩ **0.1** [kleine stellage] *small scaffold(ing)* **0.2** [⟨scheep.⟩] ≠*binnacle.*

schavuit ⟨de (m.)⟩ **0.1** *rascal* ⇒*knave, rogue.*

schede ⟨de⟩ ⟨→sprw. 430⟩ **0.1** [huls voor een lemmet] *sheath* ⇒*scabbard* **0.2** [vagina] *vagina* **0.3** [⟨biol.⟩ omkleding] *sheath* **0.4** [⟨amb.⟩] *groove* ◆ **6.1** ⟨fig.⟩ het zwaard **in** de ~ steken ⟨fig.⟩ *sheathe the sword, bury the hatchet;* het zwaard **uit** de ~ trekken *draw / unsheathe the sword* **6.2** een tampon **in** de ~ brengen *introduce a tampon into the v.* **6.4** verbinding met **mes** en ~ *tongue-and-groove joint.*

schedediertje ⟨het⟩ **0.1** *infusorian* ⇒*vaginicola.*

schedekramp ⟨de (v.)⟩ **0.1** *vaginismus.*

schedel ⟨de (m.)⟩ **0.1** [deel v.h. hoofd] *skull* ⇒*cranium* **0.2** [doodshoofd] *skull* ⇒*death's-head* **0.3** [deel v.e. luidklok] *head* ◆ **2.1** ⟨fig.⟩ een harde ~ hebben ⟨fig.⟩ *he has a thick s. / is thick-skulled;* hij heeft een kale ~ *he has a bald head* **3.1** iem. de ~ inslaan *beat / bash s.o.'s brains in;* de ~ lichten *trepan.*

schedelbasis ⟨de (v.)⟩ **0.1** *base of the skull.*

schedelbasisfractuur ⟨de (v.)⟩ **0.1** *fracture of the base of the skull.*

schedelbeen ⟨het⟩ **0.1** *cranial bone.*

schedelboor ⟨de⟩ **0.1** *trepan* ⇒*trephine.*

schedelbreuk ⟨de⟩ **0.1** *fracture of the skull* ⇒*cranial fracture* ◆ **3.1** een ~ oplopen *fracture one's skull, receive a fractured skull.*

schedeldak ⟨het⟩ **0.1** *crown of the skull.*

schedelfissuur ⟨de (v.)⟩ **0.1** *(cranial) fissure.*

schedelgeboorte ⟨de (v.)⟩ **0.1** *vertex presentation.*

schedelholte ⟨de (v.)⟩ **0.1** *cranial cavity.*

schedelhuid ⟨de⟩ **0.1** *scalp.*

schedelkap ⟨de⟩ **0.1** [deel v.d. schedel] *skullcap* ⇒*top of the skull* **0.2** [hoofddeksel] *skullcap* ⇒*beanie,* ⟨r.k.⟩ *calotte.*

schedelleer ⟨de⟩ **0.1** *phrenology.*

schedelletsel ⟨het⟩ **0.1** *skull / cranial injury / damage, injury to the skull.*

schedellichting ⟨de (v.)⟩ **0.1** *trepanation.*

schedelligging ⟨de (v.)⟩ **0.1** *cephalic presentation.*

schedellozen ⟨zn.mv.⟩ ⟨biol.⟩ **0.1** *acrania.*

schedelmeter ⟨de (m.)⟩ **0.1** *craniometer.*

schedelmeting ⟨de (v.)⟩ **0.1** *craniometry.*

schedelnaad ⟨de (m.)⟩ **0.1** *cranial suture.*

schedelvlies ⟨het⟩ **0.1** *pericranium.*

schedelvorm ⟨de (m.)⟩ **0.1** *skull shape.*

schedeontsteking ⟨de (v.)⟩ **0.1** *vaginitis* ⇒*inflammation of the vagina.*

schedespoeling ⟨de (v.)⟩ **0.1** *douche.*

schedewind ⟨de (m.)⟩ **0.1** *vaginal wind* ⇒⟨vulg.⟩ *cunt fart.*

schee →**schede.**

scheef ⟨bn., bw.;-ly⟩ ⟨→sprw. 503⟩ **0.1** [niet recht] *crooked* ⟨rug, boomstam⟩ ⇒⟨schuin⟩ *oblique, leaning* ⟨toren⟩, *slanting, sloping* ⟨oppervlak⟩ **0.2** [asymmetrisch] *crooked* ⇒*lopsided, askew* ⟨alleen pred.⟩, *wry* ⟨gezicht⟩ **0.3** [⟨fig.⟩ verkeerd] *wrong* ⇒*distorted, false, lopsided* ◆ **1.1** scheve hoeken *oblique angles;* de kamer / het bed is ~ *the room / bed is out of square* **1.2** een scheve mond / neus ~ *make / pull a wry face / mouth;* een scheve neus hebben *have a crooked / bent nose;* ⟨fig.⟩ dat geeft scheve ogen *that will excite envy / make people jealous* **1.3** scheve begrippen / ideeën / logica *w. notions, false ideas, cock-eyed logic;* dat geeft een scheve verhouding *that will distort the relationship, that will put us / them in a false position;* een scheve voorstelling van iets geven *misrepresent sth.* **3.1** iem. ~ aankijken *look askance at s.o.;* het schilderij hangt ~ *the picture is c.;* een muts ~ op het hoofd hebben *wear one's cap askew;* je houdt het ~! *you're not holding it level / straight;* die kantlijn loopt ~ *the margin is slanting;* iets ~ snijden / knippen *cut sth. slantwise / obliquely;* de tafel staat ~ *the table is slanting / is not level;* zijn hoed ~ zetten *cock one's hat;* je das zit ~ *your tie is c.* **3.3** de zaak gaat / loopt ~ *things are going w. / awry;* ~ oordelen *misjudge.*

scheefbloem ⟨de⟩ **0.1** *candytuft* ⇒*iberis.*

scheefgroeien ⟨onov.ww.⟩ **0.1** *grow / go crooked / awry / askew* ◆ **1.1** dat kind zal nog ~ *the child will grow crooked;* de zaak is scheefgegroeid ⟨fig.⟩ *things have gone awry / wrong.*

scheefheid ⟨de (v.)⟩ **0.1** *crookedness* ⇒*obliqueness, wryness.*

scheefhoek ⟨de (m.)⟩ **0.1** *rhomboid.*

scheefhoekig ⟨bn.⟩ **0.1** *oblique(-angled)* ◆ **1.1** een ~e driehoek *an oblique triangle.*

scheefkelk ⟨de (m.)⟩ **0.1** *rockcress* ⇒*wall-cress, arabis* ◆ **2.1** de ruige ~ *hairy rockcress.*

scheeflopen
I ⟨ov.ww.⟩ **0.1** [door lopen scheef maken] *wear out / down on one side* ◆ **1.1** ⟨fig.⟩ zijn schoenen ~ *wear o.s. out, be run off one's feet;*
II ⟨onov.ww.⟩ **0.1** [dreigen te mislukken] *go wrong / awry.*

scheefogig ⟨bn.⟩ **0.1** *slant-eyed.*

scheefte ⟨de (v.)⟩ **0.1** *slant* ⇒*skew, cant, slope, obliquity.*

scheeftrekken
I ⟨ov.ww.⟩ **0.1** [zo trekken dat het scheef raakt] *pull out of position / true* ⇒*warp* ⟨planken door de zon⟩ **0.2** [⟨fig.⟩] *warp, distort* ⇒*falsify* ◆ **1.2** scheefgetrokken verhoudingen *distorted relationships;*
II ⟨onov.ww.⟩ **0.1** [kromtrekken] *warp; become warped.*

scheel ⟨bn., bw.⟩ ⟨→sprw. 532⟩ **0.1** [mbt. ogen] ⟨bn.⟩ *squinting, cross- / squint-eyed;* ⟨bw.⟩ *with a squint* **0.2** [niet haaks] *skew(ed)* ⇒*askew* ◆ **1.1** een schele jongen *a boy with a squint;* ⟨fig.⟩ dat geeft schele ogen *that will excite / arouse envy;* ⟨fig.⟩ iem. met schele ogen aankijken *eye s.o. askance / with envy* **1.¶** schele hoofdpijn *migraine* **3.1** ik erger me daar ~ aan *it gets my goat / makes my blood boil;* hij is / kijkt ~ *he has a squint;* ⟨fig.⟩ iets ~ zien *get sth. wrong* **3.2** dat hout is ~ getrokken *that wood has is warped* **7.1** een schele ~ *squint / squint-eye.*

scheelachtig ⟨bn.⟩ **0.1** *slightly cross-eyed;* ⟨alleen pred.⟩ *squinting slightly; with / having a cast / a slight squint.*

scheelheid ⟨de (v.)⟩ **0.1** *squint* ⇒*strabismus,* ⟨licht⟩ *cast.*

scheelogen ⟨onov.ww.⟩ **0.1** *squint* ⇒*look furtively / askance (at).*

scheelogig ⟨bn.⟩ **0.1** *squinting* ⇒*cross- / squint-eyed.*

scheeloog ⟨de (m.)⟩ **0.1** *squint-eye* ⇒*squinter.*

scheelte ⟨de (v.)⟩ ⟨amb.⟩ **0.1** *bevel* ◆ **6.1** ⟨amb.⟩ van ~ schaven *plane (smooth)* **6.¶** goed van ~ *plane.*

scheelzien ⟨onov.ww.⟩ **0.1** *squint* ⇒*have a squint, be cross-eyed* ◆ **6.1** ⟨fig.⟩ ~ van de honger *be weak / faint with hunger;* ⟨fig.⟩ ~ van de hoofdpijn *have a splitting / sick headache;* ⟨fig.⟩ ~ van afgunst *be green with envy.*

scheen ⟨de⟩ **0.1** *shin* ◆ **1.1** zijn schenen stoten ⟨lett.⟩ *bark one's shins;* ⟨fig.⟩ *come to grief* **2.1** ⟨AZN⟩ hij liep een blauwe ~ *he was turned down, he got the mitten* **6.1** ⟨fig.⟩ iem. het vuur na aan de schenen leggen *make things hot for s.o., press s.o. hard;* iem. **tegen** de schenen schoppen ⟨fig.⟩ *tread on s.o.'s toes, hurt s.o.'s feelings.*

scheenbeen ⟨het⟩ **0.1** *shin-bone* ⇒*tibia.*

scheenbeschermer ⟨de (m.)⟩ **0.1** *shin-guard* ⇒*shin-pad.*

scheenstuk ⟨het⟩ **0.1** *greave.*

scheenzadel ⟨het, de (m.)⟩ **0.1** *pack-saddle.*

scheep ⟨bw.⟩ **0.1** *aboard / on board (ship)* ◆ **3.1** ~ gaan / ~ komen *go a., embark;* ⟨fig.⟩ die ~ is, moet varen *in for a penny, in for a pound.*

scheepsaandeel ⟨het⟩ **0.1** ⟨in schip⟩ *share in a ship;* ⟨in scheepvaartmaatschappij⟩ *shipping share.*

scheepsaffuit ⟨het, de⟩ **0.1** *mounting (of a ship's / naval gun).*

scheepsagent ⟨de (m.)⟩ **0.1** *shipping / ship's agent* ⇒*ship's husband.*

scheepsagentuur ⟨de (v.)⟩ **0.1** *shipping agency.*

scheepsarts ⟨de (m.)⟩ **0.1** *ship's doctor.*

scheepsbarometer ⟨de (m.)⟩ **0.1** *ship's barometer.*
scheepsbehoeften ⟨zn.mv.⟩ **0.1** *ship's (stores and) supplies, marine / naval / sea stores* ⇒*ship chandlery.*
scheepsbel ⟨de⟩ **0.1** *ship's bell.*
scheepsbericht →scheepvaartbericht.
scheepsbeschuit ⟨de⟩ **0.1** *ship-biscuit* ⇒*hardtack.*
scheepsbevrachter ⟨de (m.)⟩ **0.1** *ship broker* ⇒*shipping agent.*
scheepsbewijs ⟨het⟩ **0.1** *certificate of registry.*
scheepsblok ⟨het⟩ **0.1** *block.*
scheepsboekhouding ⟨de (v.)⟩ **0.1** *registry of shipping.*
scheepsboord ⟨het⟩ **0.1** *shipboard* ◆ **6.1** aan ~ *on s..*
scheepsbouw ⟨de (m.)⟩ **0.1** *shipbuilding (industry).*
scheepsbouwbedrijf ⟨het⟩ **0.1** *shipbuilding company / concern* ⇒*shipyard.*
scheepsbouwer ⟨de (m.)⟩ **0.1** *shipbuilder* ⇒⟨timmerman⟩ *shipwright,* ⟨ontwerper⟩ *marine architect.*
scheepsbouwkunde ⟨de (v.)⟩ **0.1** *naval architecture / construction* ⇒*shipbuilding.*
scheepsbouwkundig ⟨bn.⟩ **0.1** ⟨zie 1.1⟩ ◆ **1.1** ~ ingenieur *marine engineer, naval architect.*
scheepsbouwkundige ⟨de (m.)⟩ **0.1** *naval / marine architect.*
scheepsbouwmeester ⟨de (m.)⟩ **0.1** *naval architect* ⇒*master shipbuilder.*
scheepsclassificatie ⟨de (v.)⟩ **0.1** *classification of ships, ship's classification.*
scheepsdagboek ⟨het⟩ **0.1** *(ship's) log(book).*
scheepsdienst ⟨de (m.)⟩ **0.1** ⟨*service aboard a ship*⟩ ◆ **6.1** verwonding of ziekte in ~ ontstaan *injuries sustained / illness contracted while serving aboard a ship.*
scheepsdokter ⟨de (m.)⟩ **0.1** *ship's doctor.*
scheepsgelegenheid ⟨de (v.)⟩ **0.1** *shipping opportunity / facility* ⇒*ship, steamer* ◆ **6.1** per ~ *by ship / steamer / sea.*
scheepsgezagvoerder ⟨de (m.)⟩ **0.1** *(sea / ship's) captain* ⇒*shipmaster, master mariner.*
scheepshelling ⟨de (v.)⟩ **0.1** *slipway* ⇒⟨voor bouw ook⟩ *building slip / berth,* ⟨voor reparatie ook⟩ *repairing slip.*
scheepshuid ⟨de (v.)⟩ **0.1** *ship's skin / shell.*
scheepshut ⟨de⟩ **0.1** *(ship's) cabin* ⇒⟨eenvoudig⟩ *berth.*
scheepshypotheek ⟨de (v.)⟩ **0.1** *ship mortgage.*
scheepsingenieur ⟨de (m.)⟩ **0.1** *marine engineer.*
scheepsjongen ⟨de (m.)⟩ **0.1** *ship / cabin boy.*
scheepsjournaal ⟨het⟩ **0.1** *(ship's) log.*
scheepskameel ⟨het⟩ **0.1** *(ship's) camel.*
scheepskanon ⟨het⟩ **0.1** *ship's / naval gun.*
scheepskapitein ⟨de (m.)⟩ **0.1** *(ship's / sea) captain* ⇒*shipmaster, master mariner.*
scheepskeuken ⟨de⟩ **0.1** *galley* ⇒*caboose.*
scheepskiel ⟨de⟩ **0.1** *ship's keel.*
scheepskist ⟨de⟩ **0.1** *sea chest.*
scheepsklasse ⟨de (v.)⟩ **0.1** *class of a ship, ship's class.*
scheepsklerk ⟨de (m.)⟩ **0.1** *ship's clerk.*
scheepskok ⟨de (m.)⟩ **0.1** *ship's cook.*
scheepskompas ⟨het⟩ **0.1** *mariner's / naval compass.*
scheepskost ⟨de (m.)⟩ **0.1** *ship's / sailors' food.*
scheepslading ⟨de (v.)⟩ **0.1** *(ship's) cargo, shipment, lading* ◆ **6.1** met (hele) ~en tegelijk *by the shipload.*
scheepslantaarn ⟨de⟩ **0.1** *ship's lantern.*
scheepslast ⟨de⟩ **0.1** *last.*
scheepslengte ⟨de (v.)⟩ **0.1** *ship's length.*
scheepslieden ⟨zn.mv.⟩ **0.1** *seamen, sailors* ⇒*mariners.*
scheepsmaatje ⟨het⟩ **0.1** *ship boy* ⇒*cabin boy.*
scheepsmacht ⟨de⟩ **0.1** *naval force(s)* ⇒*navy.*
scheepsmakelaar ⟨de (m.)⟩ **0.1** *shipbroker.*
scheepsmast ⟨de⟩ **0.1** *ship's mast.*
scheepsmeter ⟨de (m.)⟩ **0.1** *(ship's) ga(u)ger.*
scheepsmodel ⟨het⟩ **0.1** *ship model.*
scheepsofficier ⟨de (m.)⟩ **0.1** *ship's officer.*
scheepsolie ⟨de⟩ **0.1** *ship's fuel / oil.*
scheepsontvanger ⟨de (m.)⟩ **0.1** *ship('s) radio / receiver.*
scheepspapieren ⟨zn.mv.⟩ **0.1** *ship's papers.*
scheepsproviand ⟨het, de (m.)⟩ **0.1** *ship's provisions / supplies / stores.*
scheepsraad ⟨de (m.)⟩ **0.1** [raad van scheepsofficieren] *council of naval officers* **0.2** [bijeenkomst] *council (meeting) of naval officers.*
scheepsramp ⟨de⟩ **0.1** *shipping / naval disaster.*
scheepsrecht ⟨het⟩ ⟨→sprw. 131⟩ **0.1** *maritime law.*
scheepsregister ⟨het⟩ **0.1** [register van handelsschepen] *register book, ship's register* **0.2** [register van Nederlandse schepen] *Dutch register book.*
scheepsreis ⟨de⟩ **0.1** *sea voyage* ⇒*passage by ship / boat.*
scheepsroeper ⟨de (m.)⟩ **0.1** *megaphone, loudhailer.*
scheepsrol ⟨de⟩ **0.1** *muster-roll.*
scheepsromp ⟨de (m.)⟩ **0.1** *(ship's) hull.*
scheepsruim ⟨het⟩ **0.1** *(ship's) hold.*
scheepsruimte ⟨de (v.)⟩ **0.1** [tonnenmaat] *tonnage* **0.2** [de totale, voor vervoer per schip, beschikbare ruimte] *tonnage.*

scheepssloper ⟨de (m.)⟩ **0.1** *ship-breaker.*
scheepstelefoon ⟨de (m.)⟩ **0.1** *ship's telephone.*
scheepstelegraaf ⟨de (m.)⟩ **0.1** *engine-room / engine (order) telegraph.*
scheepsterm ⟨de (m.)⟩ **0.1** *nautical term.*
scheepstijd ⟨de (m.)⟩ **0.1** *time on board.*
scheepstijdingen ⟨zn.mv.⟩ **0.1** *shipping news / reports.*
scheepstimmerman ⟨de (m.)⟩ **0.1** [iem. die schepen timmert] *shipwright* ⇒*shipyard worker* **0.2** [⟨gesch.⟩ timmerman aan boord] *ship's carpenter.*
scheepstimmerwerf ⟨de⟩ **0.1** *shipbuilding yard* ⇒*shipyard.*
scheepston ⟨de⟩ **0.1** [ruimtemaat] *freight ton, ton of 1 cubic metre* **0.2** [gewicht] *metric ton.*
scheepstype ⟨het⟩ **0.1** *type of ship* ⇒*ship type.*
scheepsverklaring ⟨de (v.)⟩ **0.1** *(ship's / captain's) protest.*
scheepsvolk ⟨het⟩ **0.1** [zeelieden] *seamen* ⇒*sailors, mariners* **0.2** [bemanning] *(ship's) crew.*
scheepsvracht ⟨de⟩ **0.1** [lading] *(ship's) cargo* ⇒*shipload* **0.2** [vervoersprijs] *freight(age).*
scheepswand ⟨de (m.)⟩ **0.1** *ship's side* ⇒*side of a ship.*
scheepswerf ⟨de⟩ →scheepstimmerwerf.
scheepswerktuigkundige ⟨de (m.)⟩ **0.1** *marine engineer* ◆ **1.1** het diploma ~ hebben *have / hold a certificate in marine engineering.*
scheepszender ⟨de (m.)⟩ **0.1** *ship's radio.*
scheepvaart ⟨de⟩ **0.1** [als bedrijfstak] *shipping (trade / industry)* **0.2** [varende schepen] *shipping (traffic)* ⇒*navigation* ◆ **2.2** er is daar veel drukke ~ *the shipping traffic is heavy there* **6.2** de Friese meren weer openstellen voor de ~ *reopen the Frisian lakes for navigation;* een waarschuwing voor de ~: windkracht 9 *navigational warning: force 9 winds / gales* **7.2** er is daar veel ~ *there's a lot of navigation there.*
scheepvaartbedrijf ⟨het⟩ **0.1** [bedrijfstak] *shipping industry / trade* **0.2** [bedrijf] *shipping company / concern / line.*
scheepvaartbericht ⟨het⟩ **0.1** *shipping news / report.*
scheepvaartinspectie ⟨de (v.)⟩ **0.1** *inspection of shipping* ⇒*shipping inspection.*
scheepvaartkanaal ⟨het⟩ **0.1** *shipping canal.*
scheepvaartkringen ⟨zn.mv.⟩ **0.1** *shipping circles.*
scheepvaartmuseum ⟨het⟩ **0.1** *maritime / nautical museum.*
scheepvaartroute ⟨de⟩ **0.1** *shipping route;* ⟨zeeroute ook⟩ *ocean lane.*
scheepvaartsluis ⟨de⟩ **0.1** *(shipping) lock.*
scheepvaartverdrag ⟨het⟩ **0.1** *navigation treaty.*
scheepvaartverkeer ⟨het⟩ **0.1** *shipping (traffic).*
scheepvaartwet ⟨de⟩ **0.1** *navigation / shipping law / act.*
scheepvormig ⟨bn.⟩ **0.1** *boat-shaped, navicular* ⇒⟨med.; plantk.⟩ *cymbiform,* ⟨med.⟩ *scaphoid* ◆ **1.1** ⟨med.⟩ ~ been *navicular (bone).*
scheer ⟨de⟩ **0.1** *skerry.*
scheerapparaat ⟨het⟩ **0.1** *(electric) shaver.*
scheerbalk ⟨de (m.)⟩ **0.1** [⟨scheep.⟩] *hatch coaming* **0.2** [⟨AZN⟩ hanebalk] *purlin.*
scheercrème ⟨de⟩ **0.1** *shaving cream.*
scheerder ⟨de (m.)⟩ **0.1** [schapenscheerder] *(sheep)shearer* **0.2** [afzetter] *swindler* ⇒*shark* **0.3** [lakenscheerder] *shearer.*
scheerdoek ⟨de (m.)⟩ **0.1** *cloth tied round the neck of s.o. being shaved*⟩.
scheergerei ⟨het⟩ **0.1** *shaving tackle / things.*
scheerkop ⟨de (m.)⟩ **0.1** *shaving / shaver head.*
scheerkwast ⟨de (m.)⟩ **0.1** *shaving brush.*
scheerlijn ⟨de⟩ **0.1** [spanlijn] *stretching / tension wire / rope* **0.2** [mbt. een tent] *guy (rope)* **0.3** [mbt. een hangmat] *hammock cord* **0.4** [lijn tussen schip en wal] *painter.*
scheermes ⟨het⟩ **0.1** *razor* ◆ **8.1** zo scherp als een ~ *(as) sharp as a r.;* een tong als een ~ hebben *have a r.-sharp tongue.*
scheermesje ⟨het⟩ **0.1** *razor blade.*
scheerspiegel ⟨de (m.)⟩ **0.1** *shaving mirror.*
scheerstaaf ⟨de⟩ **0.1** *shaving stick.*
scheersteentje ⟨het⟩ **0.1** *styptic (pencil).*
scheertijd ⟨de⟩ **0.1** ⟨mbt. schapen⟩ *shearing-season / time.*
scheervlucht ⟨de⟩ ⟨luchtv.⟩ **0.1** *low pass;* ⟨inf.⟩ *hedgehopping.*
scheerwol ⟨de⟩ **0.1** *(virgin / shorn) wool* ◆ **2.1** zuiver ~ *pure new wool.*
scheerzeep ⟨de⟩ **0.1** *shaving soap.*
scheerzolder ⟨de (m.)⟩ ⟨AZN⟩ **0.1** *attic* ⇒*loft.*
scheet ⟨de (m.)⟩ ⟨inf.⟩ **0.1** [wind] *fart* **0.2** [⟨liefkozende aanduiding⟩] [B]*ducky,* [A]*chickadee* **0.3** [klein, onaanzienlijk exemplaar] *dinky thing* ◆ **2.2** kleine, lekkere ~ van me *my little* [B]*d.,* [A]*c.* **3.1** een ~ laten *let (out / off) a f., fart, let (one) off;* er als een ~ vandoor gaan *be off like greased lightning* ¶ **1** een poep en een ~ klaar zijn *be finished before one can say Jack Robinson.*
scheg ⟨de⟩ **0.1** [stuk hout] *wedge* **0.2** [⟨scheep.⟩ verbreding] *lace piece* **0.3** [⟨scheep.⟩ steunpunt] *cutwater.*
scheggebeeld ⟨het⟩ **0.1** *figurehead.*
scheghout ⟨het⟩ ⟨amb.⟩ **0.1** *wedge.*
schei ⟨de⟩ **0.1** [dwarshout] *cross bar / piece* **0.2** [⟨amb.⟩] *dovetail(ed) wedge.*
scheidbaar ⟨bn., bw.; -ly⟩ **0.1** [gescheiden kunnende worden] *separable* **0.2** [⟨taal.⟩] *separable.*

scheidbrief ⟨de (m.)⟩⟨bijb.⟩ **0.1** *bill of divorcement.*

scheiden
I ⟨ov.ww.⟩ **0.1** [samenzijn/verbinding tegengaan] *separate* ⇒*keep apart/away, divide* **0.2** [samenzijn/eenheid verbreken] *separate* ⇒*divide, part, break up, detach* **0.3** [echtscheiding uitspreken] *divorce* ⇒*separate* ⟨van tafel en bed⟩ **0.4** [afzonderen] *separate* ⇒*sever, cut off* **0.5** [onderscheid maken tussen] *separate* ⇒*distinguish, set apart* ◆ **1.2** een boedel ~ *partition an estate;* tot de dood ons scheidt *till death do us part;* dooier en eiwit ~ *s. the yolk from the (egg-)white;* het hoofd v.d. romp ~ *sever the head from the body;* twee vechtenden ~ *part/s. two fighters* **1.4** huisvuil ~ *separate the rubbish/* [A]*garbage;* ~d vermogen ⟨van kijker⟩ *resolving power, (power of) resolution* **3.3** zich laten ~ *get/obtain a divorce* **5.3** wettig gescheiden *divorced* **5.5** die begrippen zijn niet scherp van elkaar te ~ *those concepts are hard to distinguish/separate* **6.1** tien kilometers ~ *ten kilometres between us and the finish* **6.2** iets ~ **in** ... *divide sth. up into* ... **7.4** het ~ van koolwaterstoffen is moeilijk *separating hydrocarbons is difficult;*
II ⟨onov.ww.⟩ **0.1** [niet langer samen gaan] *part (company)* ⇒*separate, break up, disperse* **0.2** [mbt. huwelijk] *divorce* ⇒*separate* ⟨van tafel en bed⟩ **0.3** [zich losmaken] *part* **0.4** [⟨schr.⟩ heengaan] *depart (from this life/world)* ⇒*pass away* ◆ **1.1** ⟨fig.⟩ de geesten ~ *the opinions diverge;* hier ~ onze wegen *here our ways/roads part* **1.4** het ~ de jaar *the closing year;* de ~ de voorzitter *the retiring chairman* **3.2** zij gaan ~ *they are getting a divorce* **6.1** ~ **van** *part/separate from* **6.2** ~ **van** tafel en bed *get a legal separation* **8.1** als vrienden/in onmin ~ *part (as) friends/on bad terms;*
III ⟨wk.ww.;zich ~⟩ **0.1** [losgaan] *separate* ⇒*come/break off, become detached* **0.2** [uiteengaan] *part (company)* ⇒*separate* ◆ **1.2** hier ~ zich de lijnen/onze wegen *this is where the lines part/diverge/where our ways/roads part.*

scheiding ⟨de (v.)⟩ **0.1** [het verbreken] *separation* ⇒*detachment* **0.2** [het niet-verbonden zijn] *separation* ⇒*division* **0.3** [verbreking van huwelijk] *divorce* ⇒*(legal) separation* ⟨van tafel en bed⟩ **0.4** [boedelscheiding] *separation (of property)* ⇒*partitioning* **0.5** [grens(lijn)] *partition* ⇒*boundary* **0.6** [mbt. haar] *parting* **0.7** [het uiteengaan] *parting* ⇒ *separation* ◆ **1.2** de ~ der geesten *the diverging of opinions* **1.7** het uur v.d. ~ *the hour of p./separation* **2.6** ⟨scherts.⟩ een brede ~ *a bald pate* **3.1** een ~ maken/veroorzaken (in) *rupture, disrupt* **3.6** hij draagt een ~ in het midden *he parts his hair in/down the middle, he has a centre p.* **6.1** ~ **van** Kerk en Staat *s. of Church and State* **6.2** de ~ **tussen** de standen *the divisions between the classes;* de ~ **van** lichaam en ziel *the disunion of body and soul* **6.3** in ~ liggen *be getting a divorce;* vonnis tot ~ **van** tafel en bed *separation order.*

scheidingsbrief ⟨de (m.)⟩⟨bijb.⟩ **0.1** *bill of divorcement.*
scheidingsdal ⟨het⟩ **0.1** *dividing valley.*
scheidingsgebergte ⟨het⟩ **0.1** *dividing mountain range.*
scheidingslijn ⟨de (v.)⟩ **0.1** *dividing line* ⇒ ⟨tussen gebieden⟩ *boundary,* ⟨fig.⟩ *borderline, watershed* ◆ **2.1** een duidelijke/scherpe ~ *a clear/sharp distinction* **6.1** de ~ **tussen** het geoorloofde en het ontoelaatbare is vaak moeilijk te trekken *it is often hard to draw the line between what is permissible and what is not;* de ~ **tussen** deze perioden *the dividing line between these periods.*
scheidingsmuur ⟨de (m.)⟩ **0.1** *partition/dividing (wall)* ⇒ ⟨tussen terreinen⟩ *boundary/party wall,* ⟨fig.⟩ *obstacle, barrier.*
scheidingsprocedure ⟨de⟩ **0.1** [mbt. echtscheiding] *divorce case/suit* **0.2** [mbt. goederen] *suit for partition.*
scheidingsschakelaar ⟨de (m.)⟩ **0.1** *isolating switch* ⇒*isolator.*
scheidingstransformator ⟨de (m.)⟩ **0.1** *isolating transformer.*
scheidpaal ⟨de (m.)⟩ **0.1** *boundary post/stone.*
scheids ⟨de (m.)⟩⟨sport;inf.⟩ **0.1** *ref* ⇒ ⟨vnl. bij tennis, honkbal, cricket, netbal⟩ *ump.*
scheidsgerecht ⟨het⟩ **0.1** *arbitration (board/court/tribunal)* ◆ **3.1** het geschil aan een ~ onderwerpen *go to arbitration, submit/refer the conflict to arbitration.*
scheidslijn ⟨de⟩ **0.1** *dividing line* ⇒*borderline.*
scheidsman ⟨de (m.)⟩ **0.1** *arbiter* ⇒ ⟨in handel⟩ *arbitrator* ◆ **8.1** als ~ optreden *arbitrate.*
scheidsmuur ⟨de (m.)⟩ **0.1** [tussenmuur] *partition/dividing wall* ⇒ ⟨tussen terreinen⟩ *boundary/party wall* **0.2** [⟨fig.⟩ barrière] *barrier, obstacle* ◆ **6.2** het verschil van geloof vormt een ~ **tussen** hen *the difference in religion puts a b. between them.*
scheidsrechter ⟨de (m.)⟩ **0.1** [arbiter] *arbitrator* ⇒*judge, adjudicator* **0.2** [⟨sport⟩] *umpire* ⟨tennis, cricket⟩; *referee* ⟨voetbal, hockey⟩ ◆ **3.1** zich bij een geschil op ~ s beroepen *refer a dispute to arbitration;* ⟨fig.⟩ laat uw vader ~ zijn *let your father be the judge/decide the matter* **8.2** als ~ optreden (bij een wedstrijd) *umpire/referee a match.*
scheidsrechteren ⟨onov.ww.⟩⟨sport;inf.⟩ **0.1** *ref* ⇒ ⟨vnl. bij tennis, honkbal, cricket, netbal⟩ *ump.*
scheidsrechterlijk ⟨bn., bw.⟩ **0.1** [v.e. scheidsgerecht] ⟨bn.⟩ *arbitral, arbitrational;* ⟨bw.⟩ *by arbitration* **0.2** [⟨sport⟩] ⟨bn.⟩ *umpire's, referee's;* ⟨bw.⟩ *by the umpire/referee* ◆ **1.1** ~e uitspraak *arbitral award* **1.2** een ~e beslissing *an umpire's/a referee's call/decision;* een ~e dwa-

ling *an error by the umpire/referee* **3.1** ~ uitmaken *decide by arbitration.*
scheidsrechtersbal ⟨de (m.)⟩⟨sport⟩ **0.1** *bounce/drop ball.*
scheidsrechtersstoel ⟨de (m.)⟩⟨sport⟩ **0.1** *referee's chair* ⇒ ⟨vnl. bij tennis, gymnastiek, bowls, enz.⟩ *umpire's chair* ◆ **6.1** ⟨fig.⟩ het is niet aan mij om in, op de ~ te gaan zitten *it's not my business to play/be the referee.*
scheidswand ⟨de (m.)⟩ **0.1** *dividing wall.*
scheikunde ⟨de (v.)⟩ **0.1** [wetenschap] *chemistry* **0.2** [les] *chemistry* ◆ **2.1** analytische/synthetische ~ *analytical/synthetic c.;* de empirische of experimentele ~ *practical/empirical/experimental c.;* fysische ~ *physical c.;* de kwantitatieve ~ *quantitative c.;* de organische/anorganische ~ *organic/inorganic c.;* theoretische ~ *theoretical c.;* toegepaste ~ *applied c.* **3.2** het tweede uur hebben we ~ *the second period is c..*
scheikundeleraar ⟨de (m.)⟩ **0.1** *chemistry teacher.*
scheikundeproef ⟨de⟩ **0.1** *chemical experiment/test.*
scheikundig ⟨bn., bw.;-ly⟩ **0.1** [chemisch] *chemical* **0.2** [door scheikunde verkregen] *chemical* ◆ **1.1** de ~e eigenschappen v.e. stof *the c. properties of a substance;* ~ ingenieur *c. engineer;* een ~ laboratorium *a c. laboratory;* ~ onderzoek *c. analysis;* ~e tekens en formules *c. symbols and formulae* **1.2** ~e preparaten/verbindingen *chemicals* **3.1** ~ verbinden/onderzoeken/ontleden *synthesize/analyse/decompose chemically.*
scheikundige ⟨de (m.)⟩ **0.1** *chemist* ⇒*analyst* ⟨bv. van voedingsstoffen⟩.
scheil ⟨het⟩ **0.1** *mesentery.*
scheitrechter ⟨de (m.)⟩ **0.1** *separatory funnel.*
schel¹ ⟨de⟩ **0.1** [klokje] *bell* **0.2** [deurbel] *(door)bell* **0.3** [keer dat gebeld wordt] *ring* **0.4** [vlies over het oog] ⟨zie 3.4⟩ **0.5** [⟨AZN⟩ plak] *slice* ◆ **3.4** ⟨fig.⟩ de ~len vallen hem van de ogen *the scales fall from his eyes, his eyes are opened.*
schel² ⟨bn., bw.;-ly⟩ **0.1** [mbt. geluid] *shrill* ⇒*piercing, strident* **0.2** [mbt. licht/kleuren] *bright* ⇒ ⟨van licht⟩ *glaring,* ⟨van kleuren⟩ *garish, loud, gaudy* ◆ **1.1** een ~e stem *a shrill/piercing voice* **1.2** de lucht is ~ *the light is very b..*
Schelde ⟨de⟩ **0.1** *Scheldt.*
Scheldemond ⟨de (m.)⟩ **0.1** *Scheldt estuary.*
schelden ⟨→sprw. 523⟩
I ⟨onov.ww.⟩ **0.1** [tieren] *curse* ⇒*swear,* ⟨schr.⟩ *use abusive language, vituperate* **0.2** [knorren] *scold* ⇒*rail (at), find fault (with), fulminate (against),* ⟨inf.⟩ *bitch (about)* ◆ **3.1** hij begon te ~ en te razen *he started to rant and rave;* vloeken en ~ *curse and swear* **6.1** op iem. ~ *scold (at)/rail against s.o., call s.o. names* **6.2** hij loopt altijd **op** haar te ~ *he's always bitching about her* **8.1** ~ als een viswijf *scold like a fishwife* ¶**.1** ~ doet geen zeer (als staan zoveel te meer) *hard words break no bones, sticks and stones may break my bones (but words will never hurt me);*
II ⟨ov.ww.⟩ **0.1** [uitschelden] *scold, call names* ⇒*rail at/against.*
scheldkanonnade ⟨de (v.)⟩ **0.1** *torrent/barrage of abuse* ⇒*volley of oaths/curses, tirade.*
scheldnaam ⟨de (m.)⟩ **0.1** *term of abuse;* ⟨vriendelijk⟩ *nickname.*
scheldpartij ⟨de (v.)⟩ **0.1** *slanging-match* ⇒*brawl,* ↑*exchange of abuse,* ⟨door één persoon⟩ *flood of abuse, scolding.*
scheldsonnet ⟨het⟩ **0.1** *invective/abuse sonnet.*
scheldwoord ⟨het⟩ **0.1** *term of abuse* ◆ **1.1** een (stort)vloed van ~en *a torrent/stream of abuse* **6.1** ze overstelpte hem **met** ~en *she poured (out/forth) abuse (up)on him, she heaped/showered abuse (up)on him* ¶**.1** ~en *abuse, invective,* ↑*obloquy* ⟨enk.⟩.
schele ⟨de⟩ **0.1** *squint-eye, squinter.*
scheleend ⟨de⟩ **0.1** *goldeneye.*
schelen ⟨onov.ww.⟩ **0.1** [onderling verschillen] *make a difference* ⇒*differ* **0.2** [afwijken] *differ* ⇒*be cheaper/taller/heavier* ⟨enz.⟩ **0.3** [verschil uitmaken] *differ* ⇒*be hard to match/matter, concern, matter* ⇒ ⟨zie 3.4⟩ **0.5** [ontbreken] ⟨zie 1.5,5.5⟩ **0.6** [mankeren] *be the matter* ⇒*be wrong, ail* ◆ **1.2** zij scheelt een hoofd met hem *she's a head taller/shorter than him* **1.5** het scheelde geen haar of het was verdronken he *narrowly escaped being drowned* **5.6** er scheelt altijd iets aan (bij hem) *there's always sth. bothering/troubling/*[A]*bugging him* **6.2** zij ~ niet veel in leeftijd *they are nearly the same age* **7.2** ze ~ twee maanden *they are two months apart;* het zal niet veel ~ *it won't be far wrong/out.*
schelf ⟨de⟩ **0.1** *stack, rick.*
schelhaakje ⟨het⟩ **0.1** *junction box.*

schelheid ⟨de (v.)⟩ **0.1** [scherpe klank] *shrillness* ⇒*piercing quality, stridency* **0.2** [felheid] *glare, brightness* ⟨licht⟩;*garishness, gaudiness* ⟨kleuren⟩ ◆ **1.1** de ~ van deze stem bevalt me niet *I don't like the s. of this voice.*

schelinstallatie ⟨de (v.)⟩ **0.1** *alarm (system).*

schelklinkend ⟨bn.⟩ **0.1** *shrill(-sounding)* ⇒*piercing, strident.*

schelknop ⟨de (m.)⟩ **0.1** *bell knob/push* ⇒⟨bij trekbel⟩ *bell-handle.*

schelkoord ⟨het, de⟩ **0.1** *bell rope/pull.*

schellak ⟨het, de (m.)⟩ **0.1** *shellac.*

schellen ⟨schr.⟩
  I ⟨onov.ww.⟩ **0.1** [aan een schel trekken] *ring (the bell)* ◆ **6.1** om iets ~ *ring for sth.;*
  II ⟨ov.ww.⟩ **0.1** [ontbieden] *ring for* ⇒*call* ◆ **1.1** de zuster ~ *ring for the nurse.*

schellenboom ⟨de (m.)⟩ **0.1** *(Turkish) crescent* ⇒*pavillon chinois, jingling Johnny.*

schelling ⟨de (m.)⟩ **0.1** ≠*sixpence.*

schellinkje ⟨het⟩ **0.1** *gallery* ⇒*gods* ◆ **6.1** op het ~ zitten *have a seat in the gods.*

schelm ⟨de (m.)⟩ **0.1** [schurk] *crook* ⇒*scoundrel, blackguard, villain* **0.2** [deugniet] *rogue* ⇒*rascal, scoundrel, prankster* ◆ **2.2** waar zit de kleine ~? *where's the little rogue (hiding)?* **8.1** als een ~ handelen *act like a c..*

schelmachtig ⟨bn., bw.; -ly⟩ **0.1** [boefachtig] *villainous* ⇒*blackguardly* **0.2** [guitig] *roguish* ⇒*rascally* ◆ **1.1** een ~e kerel *a blackguard/villain* **3.1** zich ~ aanstellen *behave like a villain.*

schelmenroman ⟨de (m.)⟩ **0.1** *picaresque novel.*

schelmenstreek ⟨de⟩ **0.1** *prank* ⇒*roguish trick, piece of roguery/knavery.*

schelmerij ⟨de (v.)⟩ **0.1** [schurkenstreek] *villainy* **0.2** [bedriegerij] *roguery* ⇒*trickery* **0.3** [guitenstreek] *prank(s)* ⇒*roguish trick(s).*

schelms ⟨bn., bw.; -ly⟩ **0.1** [schurkachtig] *villainous* ⇒*blackguardly* **0.2** [guitig] *roguish* ⇒*rascally, impish, mischievous* ◆ **1.1** een ~e daad *a villainous/blackguardly action/deed* **1.2** een ~ gezicht *an impish face;* ~e ogen *roguish eyes.*

schelp ⟨de⟩ **0.1** [schaal v.e. weekdier] *shell* ⇒⟨schelpdier⟩ *shellfish* **0.2** [gerecht] *scallop* ⇒*shell* **0.3** [deel v.h. oor] *auricle* ⇒*pinna, concha, external ear* **0.4** [deel v.d. neus] *turbinate (bone)* **0.5** [trompetgewelf] *trumpet-like vault;* ⟨versiering⟩ *squinch* ◆ **2.5** kruisgewelven met hoge ~en *crossed vaults with squinches* **3.1** ~en vissen *fish for shellfish* **6.1** ⟨AZN⟩ uit zijn ~ komen *come out of one's shell.*

schelpaarde ⟨de⟩ **0.1** *marl.*

schelpboog ⟨de (m.)⟩ **0.1** *inclined/rising/rampant arch.*

schelpcamee ⟨de (v.)⟩ **0.1** *shell cameo.*

schelpdieren ⟨zn.mv.⟩ **0.1** *shellfish* ⇒*clams.*

schelpenbank ⟨de⟩ **0.1** ≠*deposit of shells on a/the beach.*

schelpenpad ⟨het⟩ **0.1** *shell path.*

schelpkalk ⟨de (m.)⟩ **0.1** *shell lime.*

schelpvis ⟨de (m.)⟩ **0.1** *shellfish.*

schelpvormig ⟨bn.⟩ **0.1** *shell-shaped* ⇒*conchiform.*

schelpzand ⟨het⟩ **0.1** [fijngemaakte schelpen] *shell-sand* **0.2** [zand met schelpen] *shell-sand* ◆ **6.1** fietspaden van ~ *shell-sand cycle paths/tracks.*

scheluw ⟨bn., bw.⟩ **0.1** ⟨bn.⟩ *warped* ⇒*twisted, crooked,* ⟨bw.⟩ ⟨zie 3.1⟩ ◆ **1.1** ~ hout *warped wood* **3.1** het dak ligt ~ *the roof is crooked;* ~ trekken *warp.*

scheluwte ⟨de (v.)⟩ **0.1** *warp* ⇒*twistedness, crookedness.*

schelvis ⟨de (m.)⟩ **0.1** [kabeljauwachtige zeevis] *haddock* **0.2** [vuurrode vis] *rosefish* ⇒*redfish, bergylt, Norway haddock* ◆ **8.1** als een ~ op het droge *like a fish out of water.*

schelvisachtigen ⟨zn.mv.⟩ **0.1** *Anacanthini.*

schelvisduivel ⟨de (m.)⟩ **0.1** *dragonet.*

schelvisoog ⟨het⟩ **0.1** [oog v.e. schelvis] *haddock's eye* ⇒*eye of a haddock* **0.2** [uitpuilend oog] *pop-eye.*

schelvispekel ⟨de (m.)⟩ **0.1** *type of Dutch herbal schnaps.*

schema ⟨het⟩ **0.1** [voorstelling] *diagram* ⇒*plan, outline, blueprint,* ⟨stroomschema⟩ *flowchart* **0.2** [geheel van hoofdpunten] *plan* ⇒*outline, scheme, framework* **0.3** [tijdsplanning] *schedule* ◆ **3.2** een ~ invullen/uitwerken/ontwerpen *fill in an outline, elaborate a scheme, lay out a scheme/ground-plan* **6.2** een ~ voor een opstel *an essay p.* **6.3** we liggen weer op ~ *we're back on s./on s. again;* achter/voor op het ~ behind/ahead of s.;* de treinen rijden weer volgens/op ~ *the trains are running on s. again.*

schematisch ⟨bn., bw.; -(al)ly⟩ **0.1** *schematic, diagrammatic(al)* ◆ **1.1** een ~e tekening v.e. pomp *a s. drawing of a pump;* een ~e voorstelling *a diagram* **3.1** iets ~ voorstellen/aanduiden/aangeven *represent/sketch/show sth. schematically.*

schematiseren ⟨ov.ww.⟩ **0.1** [schematisch voorstellen] *represent schematically/diagrammatically* **0.2** [vereenvoudigde voorstelling geven] *outline, schematize.*

schematisering ⟨de (v.)⟩ **0.1** ⟨schema⟩ *diagram* ⇒*outline,* ⟨het schematisch voorstellen⟩ *schematization.*

schematisme ⟨het⟩ **0.1** *schematism.*

schemel ⟨de (m.)⟩ **0.1** [bankje] *stool* **0.2** [voetbankje] *footstool.*

schemer ⟨de (m.)⟩ **0.1** [halfduister] *twilight* ⇒*half-light,* ⟨donkerder⟩ *dusk* **0.2** [vage schijn] *glimmer* ⇒*shimmer, gleam* ◆ **3.1** de ~ valt *evening/dusk is falling* **6.1** in de ~ zitten *sit in the t..*

schemerachtig ⟨bn., bw.; -ly⟩ **0.1** [half licht] *dusky* ⇒*dim, twilit* **0.2** [vaag] *dim* ⇒*vague* ◆ **1.2** ~e voorstelling van iets hebben *have d. notions of/about sth.* **3.1** de kamer was ~ verlicht *the room was dimly lit;* het wordt al ~ *the light is going, dusk is coming down.*

schemeravond ⟨de (m.)⟩ **0.1** *twilight;* ⟨donkerder⟩ *dusk.*

schemerdonker[1] ⟨het⟩ **0.1** *twilight* ⇒*half-light,* ⟨donkerder⟩ *dusk,* ⟨'s ochtends⟩ *dawn* ◆ **6.1** in het ~ zie je niet veel *you can't see very much in the dusk/half-light;* het ~ opstaan *get up at dawn.*

schemerdonker[2] ⟨bn.⟩ **0.1** *dusky* ◆ **3.1** het is nog ~ ⟨'s avonds⟩ *there's still some light left, it's not quite dark yet;* ⟨'s ochtends⟩ *it's not quite light yet.*

schemerduister ⟨het⟩ **0.1** *twilight* ⇒*half-light,* ⟨donkerder⟩ *dusk,* ⟨'s ochtends⟩ *dawn.*

schemeren ⟨onov.ww.⟩ **0.1** [tussen licht en donker zijn] ⟨'s avonds⟩ *grow dark;* ⟨'s ochtends⟩ *dawn, become light* **0.2** [zich onrustig/verward vertonen] *waver, swim* ⇒*become blurred* **0.3** [in schemering zitten] *sit in the twilight* **0.4** [vaag te zien zijn] *shimmer* ⇒*gleam, be dimly visible, filter* ⟨licht⟩ ◆ **1.3** 's avonds een uurtje ~ *sit in the twilight for an hour in the evening* **3.1** het begint te ~ *twilight is coming down/setting in* **4.1** het schemert nog *there's still some light left* **6.2** het schemert mij voor de ogen *my head reels* **6.4** het daglicht schemert door de gordijnen *daylight filtered through the curtains.*

schemerig ⟨bn., bw.; -ly⟩ **0.1** [halfduister] *dim* ⇒⟨in schemering gehuld⟩ *twilit* ⇒*dusky* **0.3** [vaag] *vague* ⇒*blurry, dim* ◆ **1.1** een ~ licht *a dusky/dim light, a half-light* **1.3** ~e begrippen *vague concepts* **3.1** het wordt al ~ *the light is going* **3.3** zich iets ~ herinneren *remember sth. dimly.*

schemering ⟨de (v.)⟩ **0.1** [toestand] *twilight* ⇒*half-light,* ⟨donkerder⟩ *dusk,* ⟨'s ochtends⟩ *dawn* **0.2** [vage voorstelling] *dim/vague notion* ⇒*shimmer, gleam* **0.3** [het schemeren] *shimmering* ⇒*wavering, reeling* ◆ **3.1** de ~ valt *twilight is coming down/setting in.*

schemerlamp ⟨de⟩ **0.1** ⟨op vloer⟩ *floor lamp;*[B]*standard lamp;* ⟨op tafel⟩ *table lamp.*

schemerlicht ⟨het⟩ **0.1** *twilight* ⇒*half-light,* ⟨'s ochtends ook⟩ *dawn.*

schemerschaduw ⟨de⟩ **0.1** *dim/vague shadow.*

schemertijd ⟨de (m.)⟩ **0.1** *twilight period/hour* ⇒⟨inf.⟩ *blindman's holiday,* ⟨fig.ook⟩ *dawning.*

schemertoestand ⟨de (m.)⟩ **0.1** *twilight state.*

schemeruur ⟨het⟩ **0.1** *twilight hour.*

schemerzone ⟨de (m.)⟩ **0.1** *twilight zone.*

schendbrief ⟨de (m.)⟩ **0.1** *defamatory/libellous letter.*

schenden ⟨ov.ww.⟩ ⟨→sprw. 442⟩ **0.1** [schade berokkenen] *harm* ⇒*mutilate, damage* **0.2** [onteren] *violate* ⇒*sully, defile* **0.3** [beschadigen] *damage* ⇒*spoil, break* **0.4** [ontwijden] *desecrate* ⇒*profane, violate* **0.5** [verbreken] *break* ⇒*violate, betray* ⟨vertrouwen⟩, *infringe on* ⟨rechten⟩ ◆ **1.2** iemands eer/goede naam ~ *sully/defile s.o.'s honour/good name;* ⟨schr.⟩ een maagd ~ v./ *deflower a virgin* **1.3** een geschonden exemplaar *a damaged piece/copy* **1.4** de sabbat ~ *break/violate the Sabbath* **1.5** de mensenrechten/de neutraliteit ~ *violate human rights, infringe/violate the neutrality;* een verdrag ~ *violate a treaty;* zijn woord/belofte/eed ~ *break one's word/promise/pledge.*

schender ⟨de (m.)⟩,**schendster** ⟨de (v.)⟩ **0.1** *violator, breaker* ⇒*desecrator* ⟨kerken⟩, *infringer, transgressor* ⟨rechten⟩.

schenderij ⟨de (v.)⟩ **0.1** *violation* ⇒*damaging, spoiling* ◆ **1.1** straatschenderij *hooliganism, vandalism.*

schendig ⟨bn., bw.; -ly⟩ ⟨schr.⟩ **0.1** *desecrating, spoiling* ⇒⟨lasterlijk⟩ *defamatory.*

schending ⟨de (v.)⟩ **0.1** *violation* ⟨eer, verdrag, rechten⟩;*mutilation* ⟨lichamen, goederen⟩;*desecration* ⟨kerk, graf⟩;*breach* ⟨verdrag, belofte, vertrouwen⟩ ◆ **1.1** ~ van geheimen *betrayal of secrets;* ~ v.d. mensenrechten *violation of human rights;* de ~ van onze neutraliteit *the infringement/violation of our neutrality;* ~ van vertrouwen *breach of confidence;* ~ v.d. wet *infringement/breach/nonobservance of the law* **6.1** met ~ van *in violation/contravention of.*

schenkblad ⟨het⟩ **0.1** *(drinks) tray.*

schenkel ⟨de (m.)⟩ **0.1** [mbt. mensen] *shank* ⇒*femur* **0.2** [mbt. dieren] *shank* ⇒*hock* **0.3** [glij-ijzer] ⟨van schaats⟩ *blade;* ⟨van slede⟩ *runner* **0.4** [touw] *(extended) grommet strop.*

schenkelbeen ⟨het⟩ **0.1** *shank.*

schenkelvlees ⟨het⟩ **0.1** *shin (of beef)* ⇒*shank.*

schenken ⟨ov.ww.⟩ **0.1** [uitgieten] *pour (out)* **0.2** [slijten] *sell* ⇒*retail, serve* **0.3** [serveren] *serve* **0.4** [cadeau geven] *give* ⇒*make a present of, present (with)* **0.5** [verlenen] *give* ⇒*grant, bestow (on), confer (on)* **0.6** [v.e. verplichting ontslaan] *spare* ⇒*let off* ◆ **1.2** klare wijn ~ ⟨fig.⟩ *speak openly/in plain terms* **1.4** zijn hart ~ aan g. *one's heart to;* iem. kinderen ~ *bear s.o. children* **1.5** aandacht ~ aan iem./sth.; *pay attention to s.o./sth.;* geen aandacht aan iets/iem. ~ *take no notice/account of/pay no attention to s.o./sth.;* overdreven aandacht ~ aan *make a fuss of/over/about;* iem. geloof ~ *believe s.o.;* zijn gunsten ~ aan iem. *confer/bestow one's favours on s.o.*; iem. vergiffenis ~ *grant s.o. pardon;* iem. de vrijheid ~ *set s.o. free, release s.o.* **1.6** de details schenk ik u *I (will) spare you the details.*

schenker ⟨de (m.)⟩, **-ster** ⟨de (v.)⟩ **0.1** [gever] *giver* ⇒*donor* ⟨ihb. mbt. schenking⟩ **0.2** [mbt. dranken] *cupbearer* ◆ **1.1** wie is de milde ~ van die vaas? *who is the generous donor of that vase?.*

schenking ⟨de (v.)⟩ **0.1** [het cadeau geven] *gift* ⇒*grant(ing), donation, benefaction* ⟨uit liefdadigheid⟩ **0.2** [geschenk] *gift* ⇒*grant, donation, benefaction* ⟨uit liefdadigheid⟩ ◆ **1.1** akte van ~ *deed of gift* **3.1** een ~ doen *make a gift/donation/benefaction* **6.1** een ~ **door** overlijden *a bequest, a gift mortis causa;* een ~ **met** de warme hand *a gift (during the lifetime (of))* **6.2** een ~ **van** f 200,- *a gift of 200 guilders* ¶.1 een ~ van hand tot hand *a gift from hand to hand.*

schenkingsakte ⟨de⟩ **0.1** *deed of gift/donation.*

schenkingsrecht ⟨het⟩ **0.1** *duty on gifts* ⇒*capital transfer tax,* ⟨successie-rechten⟩ *death duty.*

schenkkan ⟨de⟩ **0.1** *flagon* ⇒*jug.*

schenkketel ⟨de (m.)⟩ **0.1** *(tea-)kettle.*

schenkkurk ⟨de⟩ **0.1** *pourer;* ⟨aan ondersteboven hangende flessen⟩ *optic.*

schenkmandje ⟨het⟩ **0.1** *wine basket.*

schenkrand ⟨de (m.)⟩ **0.1** *(pouring) lip.*

schenktafel ⟨de⟩ **0.1** *buffet* ⇒*drinks table.*

schenktuit ⟨de⟩ **0.1** *spout.*

schennis ⟨de (v.)⟩ **0.1** *violation* ⇒*desecration* ⟨van graf, kerk⟩ ◆ **1.1** openbare ~ v.d. eerbaarheid *(public) indecency, outrage to public decency* **3.1** ~ plegen *commit v..*

schep
I ⟨de⟩ **0.1** [gereedschap] *scoop* ⇒⟨groter⟩ *shovel;*
II ⟨de⟩ **0.1** [hoeveelheid] *dessertspoon(ful), tablespoon(ful), scoop(ful)* ⇒⟨groter⟩ *shovel(ful)* **0.2** [grote hoeveelheid] *heap* ⇒⟨inf.⟩ *load* ◆ **1.2** dat kost een ~ geld *that costs heaps/lots/a load of money;* je moet wel ~ pen geld verdienen *you must be raking it in* **7.1** drie ~ pen suiker *three spoonfuls of sugar* **7.2** drie ~ pen ijs *three scoops/* ⟨inf.⟩ *dollops of ice cream.*

scheparm ⟨de (m.)⟩ **0.1** *shovel boom.*

schepbak ⟨de (m.)⟩ **0.1** [waaruit men schept] *container* **0.2** [waarmee men schept] *bucket* ⇒*dipper.*

schepbord ⟨het⟩ **0.1** *float(board).*

schepel ⟨het, de (m.)⟩ **0.1** [oude inhoudsmaat] *bushel* **0.2** [maatvat] *bushel.*

schepeling ⟨de (m.)⟩ **0.1** *member of the crew, crew member* ◆ ¶.1 de ~ en *the crew, the (ship's) company.*

schepemmer ⟨de (m.)⟩ **0.1** *bucket.*

schepen¹ ⟨de (m.)⟩ **0.1** [⟨gesch.⟩] *sheriff* **0.2** [⟨AZN⟩ wethouder] *alderman.*

schepen² ⟨ov.ww.⟩ ⟨→sprw. 140⟩ **0.1** *ship* ⇒*take on board.*

schepencollege ⟨het⟩ ⟨AZN⟩ **0.1** *bench of aldermen.*

schepenkamer ⟨de⟩ ⟨gesch.⟩ **0.1** *sheriffs' courtroom.*

schepenwet ⟨de⟩ **0.1** *Merchant Shipping Act.*

schepijs ⟨het⟩ **0.1** *scoop ice(-cream).*

schepje ⟨het⟩ **0.1** [kleine schep] *(small) spoon* **0.2** [hoeveelheid] *(tea)spoon(ful)* ◆ **1.2** een ~ suiker *a (tea)spoonful of sugar* **2.1** een zilveren ~ *a silver spoon* **5.2** ⟨fig.⟩ er een ~ (boven)op doen *add a little extra;* ⟨(een verhaal enz.) aandikken⟩ *heighten (the story/effect).*

schepkorf ⟨de (m.)⟩ **0.1** *skep.*

scheplepel ⟨de (m.)⟩ **0.1** *ladle* ⇒*dipper.*

schepmelk ⟨de⟩ **0.1** *skimmed milk.*

schepnet ⟨het⟩ **0.1** *dip/landing net* ⇒*scoop net,* ⟨klein, bv. voor kinderen⟩ *fishing net.*

scheppen
I ⟨ov.ww.; schiep, h. geschapen⟩ **0.1** [creëren] *create* **0.2** [vormen] *create* ⇒*bring about, set up, establish* ◆ **1.1** God schiep de hemel en de aarde *God created heaven and earth;* ~ de macht *creative power* **1.2** orde ~ in de chaos *bring order into the/out of chaos;* precedenten ~ *c. /establish/set precedents;* sfeer ~ *c. an atmosphere, give character (to a /the place/house* ⟨enz.⟩ *);* een traditie ~ *establish a tradition;* voorwaarden ~ *make/set up conditions* **6.1** ⟨fig.⟩ niet **voor** het geluk geschapen zijn *not be born for happiness/meant to be happy;*
II ⟨ov.ww.; schepte, h. geschept⟩ **0.1** [putten, ergens op/in doen] *scoop* ⇒*shovel* **0.2** [tot zich nemen] *take* ⇒*draw* **0.3** [zich verwerven] *draw* ⇒*find, take* **0.4** [opnemen en verplaatsen, opvangen] *catch* **0.5** [mbt. papier] *dip* ◆ **1.1** een emmer water ~ *draw a bucket of water, fill a bucket with water* **1.4** een bal ~ *catch/intercept/field a ball;* ⟨inf.⟩ een voetganger ~ *knock down/pick off a pedestrian/walker;* de boot schept water *the boat ships water;* de zeilen ~ wind *the sails are catching the wind* **5.1** vol/leeg ~ *fill, empty* **6.1** soep/pap in een bord ~ *serve/ladle soup/porridge into a plate;* zand **op** een kruiwagen ~ *shovel sand into a barrow.*

scheppend ⟨bn.⟩ **0.1** *creative* ◆ **1.1** ~ e kracht *c. power;* een ~ kunstenaar *a c. artist.*

schepper ⟨de (m.)⟩ **0.1** [creator] *creator* ⇒*maker* **0.2** [arbeider in een papierfabriek] *dipper* ⇒*vatman* **0.3** [gereedschap] *scoop.*

schepping ⟨de (v.)⟩ **0.1** [het scheppen] *creation* **0.2** [heelal] *creation* ⇒*universe* **0.3** [kunstwerk] *creation* ⇒*production* ◆ **1.1** de ~ v.e. kunstwerk *the c. of a work of art;* sedert de ~ v.d. wereld *since the Creation of the world* **1.2** de heren der ~ *the lords of c.* **2.3** literaire ~ en *literary productions* **3.1** in de ~ geloven *believe in the story of the Creation* **3.2** genieten van de ~ *delight in nature* **3.3** dit is zijn ~ *this is his c..*

scheppingsboek ⟨het⟩ ⟨bijb.⟩ **0.1** *Genesis.*

scheppingsdag ⟨de (m.)⟩ ⟨bijb.⟩ **0.1** *day of (the) Creation* ◆ **7.1** de eerste ~ *the first day of (the) Creation.*

scheppingsdrang ⟨de (m.)⟩ **0.1** *creative urge.*

scheppingsgeschiedenis ⟨de (v.)⟩ **0.1** *story of the Creation* ⇒*Creation story/narrative.*

scheppingskracht ⟨de⟩ **0.1** *creative power.*

scheppingsproces ⟨het⟩ **0.1** *creative process.*

scheppingstheorie ⟨de (v.)⟩ **0.1** *creationism.*

scheppingsverhaal ⟨het⟩ **0.1** *story of the Creation* ⇒*Creation story/narrative.*

scheppingsvermogen ⟨het⟩ **0.1** *creative power* ⇒*creativity.*

scheppingswoord ⟨het⟩ **0.1** *creative word.*

schepput ⟨de (m.)⟩ **0.1** *gully trap.*

scheprad ⟨het⟩ **0.1** *paddle-wheel* ⟨van boot⟩ ⇒*water-wheel* ⟨van molen⟩.

schepsel ⟨het⟩ **0.1** [levend wezen] *creature* **0.2** [⟨pej.⟩ minderwaardig persoon] *creature* ⇒*thing* ◆ **1.1** Gods ~ en *(all) God's creatures* **2.1** het is een zwak ~ *he/she is a weak c.* **2.2** een ondankbaar ~ *an ungrateful c. / thing* **7.1** er was geen ~ te zien *there was not a living thing/soul to be seen.*

schepspade ⟨de⟩ **0.1** *scoop-shovel.*

schepvat ⟨het⟩ **0.1** *bail(er).*

scheren¹ ⟨zn.mv.⟩ ⟨plantk.⟩ **0.1** *water soldier.*

scheren²
I ⟨ov.ww.; bet. o. t/m 0.6 sterk, bet. o. (en 0.6 ook) zwak vervoegd⟩ **0.1** [mbt. haar] *shave* **0.2** [mbt. dieren] *shear* ⇒*clip* **0.3** [mbt. gewassen] *trim* **0.4** [mbt. weefsel] *shear* **0.5** [afzetten] *fleece* **0.6** [spannen] *stretch* **0.7** [keilen] *skim* ◆ **1.1** zijn baard ~ *s. one's beard;* een glad geschoren kin/gezicht *a clean/smooth-shaven chin/face;* de kruin ~ *s. the crown* **1.2** paling ~ *trim an eel;* geschoren schapen *shorn sheep* **1.3** een geschoren palm *a trimmed box tree* **1.4** geschoren fluweel *sheared velvet* **4.1** zich ~ *shave, have a shave* **5.1** nat ~ *shave wet* **5.2** kort ~ *crop;*
II ⟨onov.ww.; zwak vervoegd⟩ **0.1** [snel bewegen] *skim* ◆ **5.1** scheer je weg! *get away!, buzz off!* **6.1** ~ **langs** *s. (over/along),* laag **over** een menigte ~ *buzz a crowd.*

scherenkust ⟨de⟩ **0.1** *skerry coast.*

scherf ⟨de⟩ **0.1** [onregelmatig stuk] *fragment* ⇒*splinter, potsherd, shard* ⟨van aardewerk⟩ **0.2** [brok v.e. granaat] *(shell-)splinter* ◆ **1.1** ⟨fig.⟩ neerzitten bij de scherven van zijn geluk *brood over the disaster, review the world in pieces at one's feet* **6.1** ⟨fig.⟩ daar lag haar droom **aan** scherven *her dream was shattered/in shatters;* iets **in** scherven laten vallen *drop and smash sth.;* **in** scherven (uiteen)vallen *fall to pieces;* **in** scherven liggen *be in shatters* ¶.1 scherven brengen geluk ≠*no good crying over spilt milk;* ⟨fig.⟩ de scherven proberen te krammen *try and patch sth. / it up.*

scherfbom ⟨de⟩ **0.1** *fragmentation bomb.*

scherfgranaat ⟨de⟩ **0.1** *fragmentation shell/grenade.*

scherfvrij ⟨bn.⟩ ◆ **1.¶** ~ glas *shatterproof/safety glass.*

scherfwerking ⟨de (v.)⟩ **0.1** *fragmentation.*

scherfwond ⟨de⟩ **0.1** *splinter wound.*

schering ⟨de (v.)⟩ **0.1** [het scheren] *shaving* ⟨mbt. haar⟩ ⟨mbt. dieren⟩ *trimming* ⟨mbt. gewassen⟩ **0.2** [mbt. weefsels] *warp* ◆ **1.2** ⟨fig.⟩ dat is ~ en inslag *that is the order of the day/a matter of course;* ~ en inslag *warp and weft/woof.*

scheringdraad ⟨de (m.)⟩ **0.1** *warp thread.*

scherm ⟨het⟩ **0.1** [wat dient tot bescherming] *screen* ⇒*shade, awning* ⟨vnl. tegen de zon⟩ **0.2** [toneeldoek] *curtain* **0.3** [beeldscherm] *screen* ⇒⟨van t.v.⟩ *tube,* ⟨comp.⟩ *display* **0.4** [bloeiwijze] *umbel* ◆ **2.4** enkelvoudig ~ *simple u.;* samengesteld ~ *compound u.* **6.2** achter de ~ en blijven *remain backstage/offstage;* ⟨ook fig.⟩ *remain behind the scenes/in the wings;* ⟨fig.⟩ een kijkje achter de ~ en nemen *peep behind the scenes, get an inside view;* de man achter de ~ en ⟨ook fig.⟩ *the man behind the show;* ⟨fig.⟩ de wirepuller; ⟨fig.⟩ datgene wat zich achter de ~ en afspeelt *that which is at the bottom/back of it;* ⟨fig.⟩ achter de ~ en opereren *pull the wires/strings/ropes* **6.3** dia's op een ~ projecteren *project slides on a s.;* ⟨comp.⟩ een grafiek op het ~ toveren *conjure (up)/produce a diagram on the display.*

schermbeeld ⟨het⟩ **0.1** *display.*

schermbloem ⟨de⟩ **0.1** *umbellifer.*

schermbloemig ⟨bn.⟩ **0.1** *umbelliferous* ⇒*umbellar, umbellate(d).*

schermbloemigen ⟨zn.mv.⟩ **0.1** *parsley family* ⇒*Umbelliferae, Apiaceae.*

schermbos ⟨het⟩ **0.1** *protection forest.*

schermclub ⟨de⟩ **0.1** *fencing club.*

schermdegen ⟨de (m.)⟩ **0.1** *(fencing) foil.*

schermdragend ⟨bn.⟩ ◆ **1.¶** de ~ e gewassen ⟨→schermbloemigen⟩.

schermen ⟨onov.ww.⟩ **0.1** [oefenen met degen] *fence* **0.2** [zwaaien] ⟨ov.⟩ *flourish, brandish* **0.3** [redeneren zonder grondslag] *talk big, talk hot air* ♦ **6.1** ~ **met/op** de sabel *sabre* **6.2 met** de armen ~ *wave one's arms;* **met** een stok ~ *b. a stick* **6.3 met** iets ~ *make play with sth.;* **met** woorden ~ *talk hot air, use high-sounding language;* **met** relaties/zijn daden/beloften ~ *brag about/parade/make a parade of one's connections/acts/promises* ¶ **.3** in het wild(e weg) ~ *talk in the void, talk at random.*

schermer ⟨de (m.)⟩, **schermster** ⟨de (v.)⟩ **0.1** *fencer* ⟨m., v.⟩ ⇒*swordsman* ⟨m.⟩, *swordswoman* ⟨v.⟩.

schermhandschoen ⟨de⟩ **0.1** *fencing glove.*

schermkunst ⟨de (v.)⟩ **0.1** *(art of) fencing* ⇒*swordsmanship* ♦ **3.1** de ~ beheersen/meester zijn *master fencing.*

schermkwal ⟨de⟩ **0.1** *discomedusan;* ⟨mv.; orde⟩ *Discomedusae.*

schermlap ⟨de (m.)⟩ **0.1** *plastron.*

schermmasker ⟨het⟩ **0.1** *fencing mask.*

schermmeester ⟨de (m.)⟩ **0.1** [leermeester] *fencing master/instructor* **0.2** [bedreven schermer] *swordsman* ⟨m.⟩, *swordswoman* ⟨v.⟩.

schermpagina ⟨de⟩ ⟨com.⟩ **0.1** *page.*

schermpje ⟨het⟩ ⟨plantk.⟩ **0.1** *umbellule, umbellet.*

schermplaat ⟨de⟩ **0.1** *armour plate.*

schermrooster ⟨het⟩ **0.1** *screen grid.*

schermschool ⟨de⟩ **0.1** *fencing school.*

schermutselen ⟨onov.ww.⟩ **0.1** [gevechten houden] *skirmish* ⇒*scrimmage, scuffle* **0.2** [vechten met woorden] *skirmish* ⇒*spar, have a brush with, bicker (over).*

schermutseling ⟨de (v.)⟩ **0.1** [klein gevecht] *skirmish* ⇒*clash, scrimmage, scuffle* **0.2** [woordenstrijd] *skirmish* ⇒*squabble* ♦ **3.1** een ~ houden *have a skirmish.*

schermvereniging ⟨de (v.)⟩ **0.1** *fencing society/club.*

schermzaal ⟨de⟩ **0.1** *fencing room/hall.*

scherp[1] ⟨het⟩ **0.1** [snede van wapen] *edge* **0.2** [kogels] *ball* **0.3** [mbt. orgel] *sharp furniture (stop)* **0.4** [punten op hoefijzers] *rough* ⇒*calk* ♦ **6.1** een kwestie **op** het ~ van de snede uitvechten ⟨fig.⟩ *fight over sth. to the death, not pull one's punches* **6.2** een geweer **met** ~ laden *load a gun with ball(s);* **met** ~ schieten *fire (with)/use ball/live ammunition/cartridges;* **op** ~ staan ⟨fig.⟩ *be on edge* **6.4** een paard **op** ~ zetten *calk/rough a horse;* **op** ~ *calked, roughshod, sharp-shod.*

scherp[2] ⟨bn., bw.; -ly⟩ ⟨→sprw. 415, 424, 571⟩ **0.1** [goed snijdend, geslepen] *sharp* ⇒*keen, sharp-edged, cutting* **0.2** [met een fijne punt] *sharp(-pointed)* **0.3** [spits toelopend] *sharp* ⇒*pointed, acute* ⟨hoek⟩ **0.4** [de zintuigen pijnlijk aandoend] *sharp* ⇒*pungent, hot, spicy* ⟨voedsel⟩, *cutting, biting, keen* ⟨koude, wind⟩, *acute* ⟨pijn⟩, *acerbic* ⟨zuur⟩ **0.5** [met kracht optredend] *severe, strong* **0.6** [vinnig] *sharp* ⇒*harsh, cutting* **0.7** [duidelijk uitkomend] *sharp* ⇒*clean-/clear-cut, well-defined, distinct* **0.8** [met fijn onderscheidingsvermogen] *sharp* ⇒*keen* **0.9** [streng] *strict, severe* **0.10** ⟨taal.⟩ *half-close* **0.11** [zonder veel speelruimte] ⟨zie 2.11, 3.11⟩ **0.12** [met harde punten] *sharp* **0.13** [met vermogen te doden] ⟨attr.⟩ *live* ⟨munitie⟩; *armed* ⟨bom⟩ ♦ **1.3** een ~ hoek *a. a hairpin (bend);* ⟨hand.⟩ een ~e daling van de koersen *a s. / abrupt/steep fall/drop in prices;* een ~ kin *a s. / pointed chin;* ~e rand *jagged/s. edge;* ~e trekken *sharp/sharply-defined features* **1.4** ~e kaas *pungent/sharp cheese;* een ~ licht *a glare, a glaring/harsh light;* ~ lucht ⟨koude⟩ *sharp chill;* ⟨geur⟩ *pungent smell;* ⟨taal.⟩ ~e medeklinkers *hard/sharp consonants;* ~e mosterd/kerrie *hot mustard/curry;* ~e peper *fiery/hot pepper;* ~e tabak *pungent;* ⟨onaangenaam ook⟩ *rank tobacco;* de wind is ~ *there is a cutting/keen/sharp/biting wind* **1.6** ~e kritiek *strong/stinging/s. criticism;* een ~e opmerking *a tart comment/remark;* een ~e pen voeren *have a biting pen;* ~e spot *biting sarcasm;* ~e tekst/lezing/taal *trenchant text/speech/language;* op ~ e toon zijn instructies geven *rasp out one's instructions;* een ~e vraag *a pointed question* **1.7** een ~e afbakening/grens *a s. / rigid line;* een ~ contrast vormen *be in s. contrast with* **1.8** een ~ waarnemer *a shrewd/keen observer* **1.9** ~ toezicht *close control;* een ~ verbod *a strict ban* **1.10** ~e e en o *h.-close e and o* **1.12** ~ zand *s. / gritty sand* **1.13** ~e patronen *ball, ball/live ammunition/cartridges* **1.¶** ⟨sport⟩ een ~e tijd neerzetten *produce a record performance* **2.7** niet ~ omlijnd *vague, not well-defined* **2.11** tegen ~ concurrerende/ ~e prijzen *at (very) keen/competitive prices* **3.1** een zaag ~ zetten *set a saw* **3.3** deze stok loopt ~ toe in een punt *this stick tapers off to a point* **3.6** ~ hekelen *criticize severely;* ⟨BE ook⟩ *slate;* hij keek mij ~ aan *he looked at me closely;* ~ uitvallen tegen iem. *lash out at s.o.;* iem. / iets ~ veroordelen *criticize/condemn s.o. / sth. strongly/severely* **3.7** zich ~ aftekenen tegen *stand out / be in bold/s. relief against;* ~ doen aftekenen *throw into relief* ⟨foto.⟩ ~ stellen *focus, bring sth. into focus;* iets ~ uit laten komen *throw sth. into relief, make sth. stand out in bold/s. relief* **3.8** ~ luisteren *listen intently/closely;* ~ uitkijken *keep a s. eye open;* ~ zien/horen *have a quick/keen eye/ear, be quick-sighted/-eared* **3.11** ~ concurreren *compete closely* **3.13** de bom was ~ *the bomb was armed* **3.¶** ~ (bij de wind) zeilen *sail close to/near the wind* **5.6** ~ gekant zijn tegen *be a strong opponent of/strongly opposed to.*

scherpachtig ⟨bn.⟩ **0.1** *sharpish.*

scherpen
I ⟨ov.ww.⟩ **0.1** [slijpen] *sharpen* ⇒⟨mes ook⟩ *whet, strap, strop* ⟨op scheerriem⟩ **0.2** [⟨fig.⟩] *sharpen* **0.3** [ruw maken] *grind, edge* **0.4** [beslaan] *calk, rough* ♦ **1.1** de kat scherpt haar nagels *the cat sharpens her nails;* een potlood ~ *sharpen a pencil;* een zeis ~ *whet a scythe* **1.2** het verstand/de geest/het geheugen ~ *s. one's intelligence/mind/memory* **1.3** een molensteen ~ *g. / e. a millstone* **1.4** een paard ~ *c. / r. a horse;*
II ⟨onov.ww.⟩ ⟨scheep.⟩ **1.1** [mbt. wind] *sharpen.*

scherper ⟨de (m.)⟩ **0.1** [persoon] *sharpener* **0.2** [voorwerp] *(pencil) sharpener.*

scherpgekant ⟨bn.⟩ **0.1** *sharp-/keen-edged.*

scherpgeneusd ⟨bn.⟩ **0.1** *sharp-nosed.*

scherpgepunt ⟨bn.⟩ **0.1** *sharp(-pointed).*

scherpgetand ⟨bn.⟩ **0.1** *sharp-toothed.*

scherpgras ⟨het⟩ **0.1** *crested hair grass;* ⟨AE ook⟩ *(prairy) june grass.*

scherphamer ⟨de (m.)⟩ **0.1** *whetting hammer.*

scherpheid ⇒**scherpte.**

scherphoekig ⟨bn.⟩ **0.1** *acute-angled* ♦ **1.1** een ~e driehoek *an a.-a. triangle.*

scherping ⟨de (v.)⟩ **0.1** *sharpening.*

scherpkruid ⟨het⟩ **0.1** *madwort.*

scherpnagel ⟨de (m.)⟩ **0.1** *rough.*

scherpomlijnd ⟨bn.⟩ **0.1** *clear-/clean-cut, well-marked/-defined* ♦ **1.1** ~e criteria *well-defined criteria.*

scherprechter ⟨de (m.)⟩ **0.1** *executioner* ⇒*hangman.*

scherpriekend ⟨bn.⟩ **0.1** *pungent.*

scherpschutter ⟨de (m.)⟩ **0.1** *sharpshooter* ⇒*marksman, sure/dead shot,* ⟨verdekt⟩ *sniper.*

scherpslijper ⟨de (m.)⟩ **0.1** *quibbler* ⇒*literalist.*

scherpslijperij ⟨de (v.)⟩ **0.1** *hair-splitting, quibbling.*

scherpsnijdend ⟨bn.⟩ **0.1** *sharp, sharp-/keen-edged.*

scherpstelling ⟨de (v.)⟩ **0.1** *focussing.*

scherpte ⟨de (v.)⟩ **0.1** *sharpness* ⇒*keenness* ♦ **1.1** de ~ v.h. beeld ⟨van kijker, t.v.⟩ *the s. / definition of the picture;* de ~ v.e. foto *the focus of a picture;* de ~ v.h. gehoor/h. gezicht *the s. / keenness of ear/eye;* de ~ v.e. mes *the s. / keenness of a knife;* de ~ van oordeel/van verstand *the s. / keenness/acuteness of judgment/intelligence;* de ~ v.e. zuur/sterk water *the causticity of an acid/nitric acid.*

scherptediepte ⟨de (v.)⟩ ⟨foto.⟩ **0.1** *depth of field.*

scherpteregeling ⟨de (v.)⟩ **0.1** *focus control.*

scherpvogel ⟨de (m.)⟩ ⟨inf.⟩ **0.1** *falcon.*

scherpziend ⟨bn.⟩ **0.1** *sharp-eyed* ⇒*keen-eyed, clear-sighted,* ⟨inf.⟩ *hawk-/eagle-eyed.*

scherpzinnig ⟨bn., bw.; -ly⟩ **0.1** [schrander] *acute* ⇒*discerning, keen(-witted), sharp(-witted), astute, sagacious, shrewd* **0.2** [spitsvondig] *shrewd, penetrating, clever* ⇒*closely reasoned* ♦ **1.1** een ~ denker *an acute/a shrewd thinker;* een ~e gedachte *a subtle/penetrating mind* **1.2** ~e opmerkingen *penetrating remarks* **2.1** hij is zeer ~ *he is very acute/shrewd* **3.2** ~ antwoorden *give a shrewd/clever answer.*

scherpzinnigheid ⟨de (v.)⟩ **0.1** [schranderheid] *acuteness* ⇒*acumen, discernment, sagacity, shrewdness* **0.2** [spitsvondigheid] *shrewdness, penetration* ⇒*wit.*

scherts ⟨de⟩ **0.1** *joke, jest* ⇒*banter, raillery, badinage, pleasantry* ♦ **2.1** nu alle ~ terzijde *all joking aside* **5.1** het was slechts ~ *it was just/only a joke, I/he (etc.) was only joking* **6.1** in ~/ bij wijze van ~ *in jest, jokingly, jestingly, by way of a joke* **7.1** hij verstaat geen ~ *he stands no nonsense, he can't take a joke* **8.1** iets als ~ opvatten *take/treat sth. as a joke* ¶ **1** men moet de ~ niet te ver drijven *one should not let a joke go too far.*

schertsartikel ⟨het⟩ **0.1** *joke/trick article.*

schertsbeeld ⟨het⟩ **0.1** *caricature.*

schertsen ⟨onov.ww.⟩ **0.1** [gekscheren] *jest, joke* ⇒*be facetious* **0.2** [spotten] *poke fun (at s.o./sth.), make fun (of s.o./sth.)* ♦ **6.2** hij laat niet met zich ~ *he is not to be trifled with.*

schertsend ⟨bn., bw.; -ly⟩ **0.1** *joking, jesting, playful* ♦ **2.1** quasi/half ~ *half in jest* **3.1** ~ vragen/antwoorden *ask/answer jokingly/jestingly;* al ~ iets zeggen *say sth. in jest/jokingly/jestingly.*

schertsenderwijs ⟨bw.⟩ **0.1** *in jest* ⇒*jokingly, jestingly, playfully, by way of a joke.*

schertser ⟨de (m.)⟩ **0.1** *jester, joker.*

schertsfiguur ⟨de⟩ **0.1** *joke* ⇒*nonentity, comic character.*

schertsproces ⟨het⟩ **0.1** *mockery of a trial, farcical trial* ⇒⟨schijnproces⟩ *showtrial* ♦ **3.1** het was maar een ~ *it was a mockery of a trial, the trial was a mockery/farce/joke.*

schertsvertoning ⟨de (v.)⟩ **0.1** *joke.*

scherven ⟨onov.ww.⟩ **0.1** *scarify, loosen* ♦ **1.1** grond ~ *s. / l. the soil.*

schervengericht ⟨het⟩ ⟨gesch.⟩ **0.1** *ostracism.*

schervenlaag ⟨de⟩ ⟨archeologie⟩ **0.1** *layer of shards.*

scherzando ⟨bw.⟩ ⟨muz.⟩ **0.1** *scherzando.*

scherzo ⟨het⟩ ⟨muz.⟩ **0.1** *scherzo.*

schets ⟨de⟩ **0.1** [tekening in hoofdlijnen] *sketch* ⇒*draft* **0.2** [uitbeelding in woorden] *sketch* **0.3** [kort verhaal] *sketch* ⇒*short story* **0.4** [kort overzicht⟩ *sketch* ⇒*outline, delineation,* ⟨plan⟩ *plan, blueprint, draft* ◆ **1.3** een bundel ~en *a volume / anthology of sketches / short stories* **1.4** ~ v.d. algemene geschiedenis *outline of general history* **2.1** een eerste ~ *a first draft / rough copy* **2.2** een ruwe / korte ~ van mijn leven *a rough / brief outline of my life* **6.1** een ~ in potlood *a pencil s.* ¶.1 een ~ op papier zetten *put a s. down on paper.*

schetsboek ⟨het⟩ **0.1** *sketchbook.*

schetsen ⟨ov.ww.⟩ **0.1** [in hoofdlijnen tekenen] *sketch* ⇒*rough in / out, outline* ⟨plan⟩ **0.2** [met woorden uitbeelden] *sketch* ⇒*describe in broad outline, give a rough sketch of* ◆ **1.1** een tekening in houtskool ~ *make a charcoal drawing;* ik ga de hele tekening eerst ~ *I'll just rough out the whole picture;* ik moet de vorm v.h. hoofd nog ~ *I still have to rough in the shape of the head* **1.2** een beeld ~ van *paint a picture of;* iemands karakter ~ *sketch s.o.'s character;* wie schetst mijn verbazing *imagine my surprise / amazement* **5.2** ruw / in grote lijnen ~ *give a rough sketch* (of), *chalk out, rough in.*

schetskaart ⟨de⟩ **0.1** [eenvoudige kaart] *sketch map* **0.2** [stafkaart om in te tekenen] *base / outline map.*

schetsmatig ⟨bn., bw.;-ally⟩ **0.1** *schematic* ⇒*rough, (in) outline,* ⟨onvoldoende gedetailleerd⟩ *sketchy* ◆ **3.1** iets ~ afbeelden *give a rough description of, describe / sketch in broad outline;* ~ invullen / aangeven *rough in;* een karakter ~ uitbeelden *give a sketchy interpretation of a character.*

schetsontwerp ⟨het⟩ **0.1** *rough draft / design / plan* ⇒*sketch plan.*

schetsplan ⟨het⟩ **0.1** *rough / skeleton plan.*

schetsrol ⟨de⟩ **0.1** *roll of sketching paper.*

schetstekening ⟨de (v.)⟩ **0.1** *sketch* ⇒*draft, outline.*

schetteren ⟨onov.ww.⟩ **0.1** [tetteren] *blare* ⇒⟨trompet ook⟩ *bray,* ⟨geluid, muziek ook⟩ *jangle,* ⟨kwetteren⟩ *cackle, twitter* **0.2** [luidkeels verkondigen] ⟨van redenaar⟩ *rant (on), declaim;* ⟨bluffen⟩ *brag, swagger* ◆ **1.1** haar stem schetterde boven alles uit *her shrill voice was heard above everything* **1.2** een ~de redevoering *a rant / tirade, a ranting / bombastic speech.*

schetterklank ⟨de (m.)⟩ **0.1** *piercing / shrill sound.*

schetterstem ⟨de⟩ **0.1** *piercing / shrill / blaring voice.*

scheuken ⟨onov.ww., wk.ww.;zich ~⟩ **0.1** *rub (o.s.), wriggle.*

scheukpaal ⟨de (m.)⟩ **0.1** *rubbing post.*

scheur ⟨de⟩ **0.1** [barst, spleet] *crack* ⇒*crevice, cleft, fissure* ⟨in rots, bodem⟩, ⟨spleet⟩ *split, break, gap* ⟨in wolkendek⟩ **0.2** [mbt. weefsel / papier] ⟨mbt. papier⟩ *tear;* ⟨mbt. weefsel ook⟩ *rip;* ⟨grote scheur⟩ *rent* **0.3** [⟨inf.⟩ (grote) mond] *trap;* ⟨BE ook⟩ *gob* ◆ **3.2** hij heeft een ~ in mijn nieuwe boek gemaakt *he's torn my new book* **3.3** hou je scheur *shut your t. / g.;* zijn ~ opentrekken *open one's big mouth* **6.1** een ~ in een muur / kopje *a crack in a wall / cup;* er zit een ~ in deze plank *this plank's split.*

scheurbaan ⟨de⟩ **0.1** *rip panel.*

scheurbuik ⟨het, de (m.)⟩ **0.1** *scurvy* ◆ **3.1** aan ~ lijdend *scorbutic.*

scheuren

I ⟨ov.ww.⟩ **0.1** [stuktrekken] *tear* ⇒*rip* **0.2** [verscheuren] *tear (up)* ⇒*rip (up), shred,* ⟨divide, separate* ⟨wortels v.e. plant⟩ **0.3** [losrukken, ⟨ook fig.)] *tear (away)* **0.4** [omploegen] *break / plough (up)* ⇒*open, put / lay (land) under the plough* ◆ **1.1** zijn kleren ~ *t. one's clothes;* ⟨uit droefheid⟩ *rend one's garments* **5.2** iets doormidden ~ *tear sth. in two / half* **6.3** het behang van de muur ~ *strip the paper off / from the wall;*

II ⟨onov.ww.⟩ **0.1** [een scheur krijgen] *tear apart* ⟨stof, papier⟩; *rip* ⟨stof⟩; *crack* ⟨iets hards⟩; ⟨hout ook⟩ *split* **0.2** [hard rijden] *tear* ⇒*career* **0.3** [⟨fig.)] *shoot* ⇒*dart* ◆ **1.1** pas op, het papier zal ~ *be careful, the paper will tear* **1.3** een ~de pijn *a shooting / darting pain* **6.1** uit zijn kleren ~ *burst out of one's clothes.*

scheurijzer ⟨het⟩ ⟨scherts.⟩ **0.1** *hot-rod* ⇒*buzz-bomb.*

scheuring ⟨de (v.)⟩ **0.1** [het scheuren] *tearing* ⇒*ripping,* ⟨van grond⟩ *cracking, rupture, division, separation* ⟨van planten⟩ **0.2** [schisma] *rift, split* ⇒*cleavage, rupture, schism* ⟨ihb. binnen de kerk⟩ **0.3** [van weiland tot bouwland maken] *breaking up* ⇒*opening* ◆ **1.2** de ~ v.d. Hervormde Kerk *the schism of the Reformed Church;* de ~ in de partij *the split / rift in the party* **3.2** een ~ veroorzaken in de vredesbeweging *split the peace movement.*

scheurkalender ⟨de (m.)⟩ **0.1** *block-calendar, tear-off calendar.*

scheurkerk ⟨de⟩ **0.1** *schismatic / break-away church.*

scheurkies ⟨de⟩ **0.1** *laniary / carnassial (tooth).*

scheurklep→**scheurbaan.**

scheurland ⟨het⟩ **0.1** *broken meadowland.*

scheurlinnen ⟨het⟩ **0.1** *linen waste.*

scheurmaker ⟨de (m.)⟩, -maakster ⟨de (v.)⟩ **0.1** *schismatic.*

scheurvorming ⟨de (v.)⟩ **0.1** *cracking* ⟨in hout / beton enz.⟩ ⇒*crack formation,* ⟨geol.⟩ *fissuration.*

scheurvrij ⟨bn.⟩ **0.1** *tearproof, tear-resistant* ⟨textiel⟩; *crack-free, crack-resistant* ⟨metaal⟩.

scheurweerstand ⟨de (m.)⟩ **0.1** *resistance to tearing;* ⟨tech.⟩ *rupture / tear / breaking strength.*

scheurwol ⟨de⟩ **0.1** *shoddy.*

scheurwond ⟨de⟩ **0.1** *laceration.*

---

scheut ⟨de (m.)⟩ **0.1** [korte pijn] *twinge, stab (of pain)* **0.2** [uitloper] *shoot* ⇒*sprout* **0.3** [hoeveelheid vloeistof] *dash* ⇒*splash, squeeze* ⟨citroensap⟩, *shot* ⟨sterke drank⟩ **0.4** [het opgroeien] ⟨zie 3.4,6.4⟩ **0.5** [vrije loop] *slack* ◆ **1.3** een ~ melk *a splash / d. of milk;* een ~ in de thee doen *lace tea with rum* **2.1** pijnlijke ~en *shooting pains, painful twinges* **3.2** ~en krijgen *put forth / send up shoots, shoot, sprout* **3.4** het koren heeft geen ~ *the wheat has not sprung up / does not grow well;* ~ krijgen, ~ nemen *shoot up* **3.5** (een touw) ~ geven *let a rope run out, pay (a rope) out.*

scheutig ⟨bn.⟩ **0.1** [vrijgevig] *generous* ⇒*lavish, liberal, open-handed* **0.2** [rijzig] *tall* **0.3** [bereidwillig] *willing* ◆ **3.1** ~ zijn zij daar niet *they are not very g. there,* ↓*they're a mean lot* **3.3** hij is niet ~ om iets voor een ander te doen *he is reluctant / not very w. to do sth. for s.o.* else **6.1** ~ met complimentjes zijn *be lavish / g. with compliments* **6.**¶ ⟨AZN⟩ ~ op iets zijn *be keen on sth..*

scheutstek ⟨de (m.)⟩ **0.1** *stem cutting.*

schevelbeen ⟨het⟩ ⟨med.⟩ **0.1** *ringbone.*

schibbolet ⟨het⟩ **0.1** ⟨bijb.⟩ *shibboleth* **0.2** [kenmerkende uiting / handeling] *shibboleth* **0.3** [wachtwoord] *shibboleth* ⇒*password, watchword.*

schicht ⟨de (m.)⟩ **0.1** [flits] *flash (of lightning)* ⇒*bolt, dart* **0.2** [bloeiwijze] *scorpioid cyme.*

schichtig ⟨bn., bw.;-ly⟩ **0.1** *nervous* ⇒⟨bangig⟩ *timid, timorous, skittish, shy* ⟨paard⟩ ◆ **1.1** ~e blikken *panicky glances;* een ~ paard *a skittish / shy horse, a shier* **3.1** ~ worden (voor) *shy at, shrink from.*

schiedammer ⟨de (m.)⟩ **0.1** *Schiedam* ⇒*Hollands* ◆ **3.1** een ~ drinken *drink a glass of Schiedam.*

schiefer ⟨de (m.)⟩ **0.1** *schist, slate.*

schielijk

I ⟨bw.⟩ **0.1** [snel] *quickly* ⇒*swiftly, rapidly, hastily* **0.2** [zonder tussenpoos] *promptly* ⇒*immediately* **0.3** [plotseling] *suddenly* ⇒*all at once* ◆ **3.2** ~ op elkaar volgen *follow each other in rapid succession* **3.3** het is heel ~ gegaan *it was (all) very sudden, it took us unawares;*

II ⟨bn.⟩ **0.1** [vlug voorbijgaand] *swift* ⇒*rapid, fast* **0.2** [plotseling intredend] *sudden* ◆ **1.2** een ~e dood *a s. death;* ~e veranderingen *rapid changes.*

schiemanswerk ⟨het⟩ ⟨scheep.⟩ **0.1** *tackle* ⇒*ropework.*

schier ⟨bw.⟩ ⟨schr.⟩ **0.1** *well nigh* ⇒*nigh on,* ↓*almost,* ↓*nearly* ◆ **1.1** ~ de hele stad liep uit *nigh on the whole town twined out* **2.1** het is ~ onmogelijk om goed personeel te vinden *it's jolly nearly impossible to find good staff* **3.1** het is ~ middernacht *it is well nigh midnight.*

schieraal ⟨de (m.)⟩ **0.1** *silver eel.*

schiereiland ⟨het⟩ **0.1** *peninsula* ◆ **1.1** bewoner v.e. ~ *peninsular* **2.1** het Iberische ~ *the Iberian Peninsula.*

schierpaling→**schieraal.**

schiervlakte ⟨de (v.)⟩ ⟨geol.⟩ **0.1** *peneplain.*

schierzand ⟨het⟩ **0.1** *podzol (soil).*

schietbaan ⟨de⟩ **0.1** *shooting range* ⇒⟨ihb. mbt. geweer⟩ *rifle range,* ⟨ihb. mbt. artillerie⟩ *artillery range.*

schietbeitel ⟨de (m.)⟩ **0.1** *mortise chisel.*

schietbenodigdheden ⟨zn.mv.⟩ **0.1** *ammunition* ⇒*munitions.*

schietbond ⟨de (m.)⟩ **0.1** *rifle club.*

schietboog ⟨de (m.)⟩ **0.1** *bow.*

schietbuis ⟨de⟩ **0.1** *gun barrel.*

schietbus ⟨de⟩ **0.1** *popgun.*

schietdraad ⟨de (m.)⟩ ⟨ind.⟩ **0.1** *woof / weft (thread).*

schieten ⟨→sprw. 36,403,525⟩

I ⟨onov.ww.⟩ **0.1** [een schot lossen] *shoot* ⇒⟨met vuurwapen ook⟩ *fire* **0.2** [plotseling opkomen] ⟨zie voorbeelden⟩ **0.3** [uitbotten] *shoot (up), sprout* ⇒*send up / put forth shoots, come up* **0.4** [zich snel bewegen] *shoot* ⇒*dash, rush* **0.5** [⟨+laten⟩ niet langer tegenhouden] *let go, release,* ~ *gaan* ⟨touw⟩, *drop, forget* ⟨persoon⟩ **0.6** [plotseling vallen] *slip, fall, drop* **0.7** [zaad vormen] *seed, run to seed* ⇒⟨vroegtijdig⟩ *bolt* ◆ **1.1** hij heeft een humeur om op te ~ *he's in a rotten / filthy mood* **1.3** de uien ~ *the onions are coming up / sprouting* **1.4** ⟨fig.⟩ de prijzen ~ omhoog *prices are shooting up / rocketing / soaring* **3.1** beginnen te ~ *start shooting (at), open fire* (on) **3.5** ⟨fig.⟩ laat hem ~ *forget (about) / drop him, give him the go-by;* ⟨niet bemoeien⟩ *leave him alone;* een touw laten ~ *(loslaten) let go (of) a rope;* ⟨vieren⟩ *pay / run out a rope;* iets niet laten ~ *hang on to sth.;* een kans laten ~ *pass over an opportunity, let a chance slip* **5.1** goed / slecht ~ *be a good / bad shot* **5.4** heen en weer ~ *flick(er), dartle, flash,* ⟨fig.⟩ zijn doel voorbij ~ *overshoot the mark, defeat one's object / own ends* **6.1** met scherp ~ *s. with live ammunition / cartridges;* op iem. ~ *s. / take a shot at / fire at s.o.;* op de menigte ~ *fire into the crowd* **6.2** de tranen schoten haar in de ogen *tears rushed to her eyes, her eyes filled with tears;* het is hem in zijn rug geschoten *he's cricked his back* **6.3** de bomen ~ in het blad *the trees are putting forth leaves* **6.4** bij het ongeluk was hij door de voorruit geschoten *during the crash he had been thrown / propelled out of the car through the windscreen;* in zijn kleren ~ *throw one's clothes on, slip into one's clothes;* snel weer in bed ~ *dart back into bed* **6.**¶ in de lach ~ *burst out laughing;* ⟨AE ook⟩ *crack up* **7.2** het ~ van de melk *the flowing / secretion of the milk, lac-*

tation **7.3** het ~ van het graan *the sprouting of the grain* **¶.2** er schiet mij net iets te binnen *I've just thought of sth., I've just had a brain-wave;* weer te binnen ~ *come back (to mind)* **¶.4** iem. te hulp ~ *rush to s.o.'s aid/assistance* **¶.¶** te kort ~ jegens iem. *fail in one's duty towards s.o.;* te kort ~ in (zijn plichten e.d.) *lack in/* † *be remiss in (one's duty)/* 〈enz.〉; woorden ~ (mij) te kort *words fail me;*
II 〈ov.ww.〉 **0.1** [een projectiel werpen] *shoot* ⇒ 〈uit vuurwapen ook〉 *fire* **0.2** [treffen] *shoot* **0.3** [door treffen bemachtigen] *shoot* **0.4** [in een toestand brengen] *shoot* ⇒ 〈mijnbouw〉 *blast* **0.5** [mbt. gewassen] *shoot* **0.6** [door een stoot/zwaai verplaatsen] 〈zie 1.6,6.6〉 **0.7** [〈ster.〉] *shoot* ⇒ *take the altitude of* ♦ **1.1** 〈schr.;fig.〉 stralen ~ 〈van zon〉 *s./dart rays;* 〈fig.〉 een snapshot **1.4** een bres ~ *make/effect a breach* **1.5** knop/loten ~ *bud, put forth buds/shoots;* wortel ~ 〈ook fig.〉 *put down/take/strike roots* **1.6** aarde ~ *bank up earth;* koren ~ *turn grain;* een kuil ~ *dig a pit/hole;* de netten ~ *s. the nets* **1.7** de zon/een ster ~ *take the altitude of/shoot the sun/a star* **1.¶** kuit ~ *spawn;* touw ~ *coil a rope* **3.2** 〈fig.〉 hij kon haar wel ~ *he could (cheerfully) have murdered her/wrung her neck* **4.2** zich voor de kop/zich een kogel door het hoofd ~ *blow out one's brains* **5.4** iem. overhoop ~ *shoot s.o. down/dead;* 〈sl.〉 *waste s.o.* **6.6** brood in de oven ~ *shove/run in the loaves, put (a batch of) bread into the oven;*
III 〈onov.,ov.ww.〉 **0.1** [〈balsport〉] *shoot* ♦ **5.1** naast ~ *miss* **6.1** in het doel ~ *net (the ball), shoot/slam (the ball) into the net.*

schieter 〈de (m.)〉 **0.1** [mbt. een slot] *(lock) bolt* **0.2** [knikker] *shooter* **0.3** [plant] *bolter* **0.4** [spoel] *shuttle* **0.5** [schietplank] *bread shorel, peel* **0.6** [schietmot] *caddis fly.*

schietgat 〈het〉 **0.1** [opening in een muur] *loophole* ⇒ *embrasure,* 〈gesch.〉 *porthole* 〈van schip〉 **0.2** [in iets geschoten gat] 〈van kogel〉 *bullet hole;* 〈bres〉 *breach;* 〈mijnbouw〉 *blast(ing) hole, shot hole* ♦ **6.1** een muur met ~ en *a loopholed/embrasured wall.*

schietgebed 〈het〉 **0.1** *short/little/quick prayer* ⇒ † *ejaculation, ejaculatory prayer* ♦ **3.1** een ~ je doen *offer up/say a quick/short prayer.*

schietgereedschap 〈het〉 **0.1** *shooting requisites/equipment.*

schietgeweer 〈het〉 〈kind.〉 **0.1** *rifle.*

schietgraag 〈bn.〉 **0.1** *trigger-happy, quick on the draw* ♦ **1.1** een schietgrage voetballer *an eager/a keen shot.*

schiethamer 〈de (m.)〉 **0.1** *stud gun.*

schietijzer 〈iron.〉 **0.1** *shooting-iron* ⇒ *six-gun, rod, piece, shooter.*

schieting 〈de (v.)〉 〈AZN〉 **0.1** 〈oefening〉 *target practice;* 〈wedstrijd〉 *shooting match/contest.*

schietkamp 〈het〉 **0.1** *artillery training camp.*

schietkampioen 〈de (m.)〉 **0.1** *shooting champion* ⇒ *champion marksman/shot.*

schietkatoen 〈het〉 **0.1** *guncotton.*

schietklaar 〈bn.〉 **0.1** *ready to fire;* 〈mbt. geweer ook〉 *cocked.*

schietkraam 〈het, de〉 〈AZN〉 **0.1** *shooting/rifle gallery.*

schietlaag 〈de〉 〈wwb.〉 **0.1** *first layer of fascine work.*

schietlap 〈de (m.)〉 **0.1** *(arm) bracer.*

schietlijn 〈de〉 **0.1** *fishing line.*

schietlood 〈het〉 **0.1** *plumb line* ⇒ 〈loodje〉 *plummet, plumb (bob),* 〈met plankje〉 *plumb rule.*

schietmasker 〈het〉 **0.1** *humane (cattle-)killer* ⇒ *slaughtering mask.*

schietmot 〈de〉 **0.1** *caddis fly.*

schietnet 〈het〉 **0.1** *bird net.*

schietoefening 〈de (v.)〉 **0.1** *target/shooting practice* ⇒ 〈met geweer ook〉 *rifle practice* ♦ **3.1** ~ en houden *hold artillery exercises.*

schietpartij 〈de (v.)〉 **0.1** *shoot-out* ⇒ *gun battle, shooting match.*

schietplooi 〈de〉 **0.1** *centre backpleat.*

schietproef 〈de〉 **0.1** *gun/rifle test.*

schietschijf 〈de〉 **0.1** *target.*

schietschijfcel 〈de〉 〈med.〉 **0.1** *target cell.*

schietschool 〈de〉 **0.1** *artillery school, school of gunnery;* 〈gesch.〉 *musketry school.*

schietschop 〈de〉 **0.1** [schietplank] *baker's shovel, peel* **0.2** [schop] *muck shovel.*

schietsleuf 〈de〉 **0.1** *embrasure* ⇒ *loophole.*

schietspoel 〈de〉 〈ind.〉 **0.1** *shuttle.*

schietsport 〈de〉 **0.1** *shooting.*

schietstoel 〈de (m.)〉 **0.1** *ejector/ejection seat* ♦ **3.1** de ~ gebruiken *eject.*

schietstroom 〈de (m.)〉 **0.1** *rapid.*

schiettent 〈de (v.)〉 **0.1** *shooting gallery.*

schietterrein 〈het〉 **0.1** *rifle/shooting range* ⇒ 〈gewoonlijk overdekt〉 *rifle/shooting gallery,* 〈voor zwaar geschut〉 *artillery range.*

schiettuig 〈het〉 **0.1** 〈vuurwapens〉 *firearms;* 〈mil.〉 *artillery.*

schietvaardig 〈bn.〉 **0.1** *ready to shoot/fire* ⇒ 〈geweer〉 *cocked.*

schietvaardigheid 〈de (v.)〉 **0.1** *marksmanship* ⇒ *shooting skill/prowess.*

schietvereniging 〈de (v.)〉 **0.1** *shooting/rifle club.*

schietvoorraad 〈de (m.)〉 **0.1** *ammunition* ⇒ *munitions.*

schietvoorschrift 〈het〉 **0.1** *shooting/firing instruction(s).*

schietwedstrijd 〈de (m.)〉 **0.1** *shooting-match, shooting competition* ⇒ 〈boogschieten〉 *archery contest/competition.*

schietwilg 〈de (m.)〉 **0.1** [opgeschoten wilg] *white willow* 〈Salix alba〉 **0.2** [knotwilg] *pollard(ed) willow.*

schiften
I 〈ov.ww.〉 **0.1** [sorteren] *sort (out)* ⇒ *sift (through)* **0.2** [afzonderen] *separate* ⇒ *sift/weed out,* 〈uitschakelen〉 *eliminate* **0.3** [mbt. rails] *shift, re-align* ♦ **1.1** inzendingen/bewijsmateriaal ~ *sort entries/sift (through) evidence;* de sollicitanten ~ naar hun capaciteiten *shift applicants according to their abilities* **1.2** het kaf van het koren ~ *separate the wheat from the chaff;*
II 〈onov.ww.〉 **0.1** [mbt. melk] *curdle, turn* **0.2** [mbt. verf] *clot* **0.3** [mbt. de wind] *shift, change direction* ⇒ 〈meteo.〉 *veer* **0.4** [doorschieten] *bolt* ♦ **1.3** de wind schiftte een paar graden *the wind shifted a few degrees.*

schiftig 〈bn.〉 **0.1** *prone to curdle/turn.*

schiftijzer 〈het〉 **0.1** *(track) lining device* ⇒ *gange-setting device.*

schifting 〈de (v.)〉 **0.1** [selectie] *sifting* ⇒ *selection, sorting,* 〈uitschakeling〉 *elimination* **0.2** [het ongelijkmatig worden] *curdling, turning* 〈van melk〉; 〈van verf〉 ♦ **6.1** Jan is bij de eerste ~ afgevallen *Jan didn't get through/was weeded out in the first round (of the selection procedure).*

schiftingsonderzoek 〈het〉 **0.1** [van kandidaten] *eliminating examination* ⇒ *screening* **0.2** [van stoffen] *screening (test)* ♦ **3.1** onderwerpen aan een ~ naar geschiktheid voor officier en instructeur *screen for suitability as officers and instructors.*

schiftklamp 〈de〉 〈amb.〉 **0.1** *dovetail.*

schijf 〈de〉 **0.1** [platrond voorwerp] *disc;* 〈AE vnl.〉 *disk* ⇒ 〈damschijf〉 *man,* 〈sport〉 *discus* **0.2** [voorwerp om een spil] *disc* ⇒ *plate,* 〈van pottenbakker〉 *(potter's) wheel,* 〈telefoon〉 *dial* **0.3** [plak] *slice* ⇒ *round* **0.4** [schietschijf] *target* ⇒ *mark, aim* **0.5** [grammofoonplaat] *disc* ⇒ *record* **0.6** [deel v.e. katrol] *sheave, pulley* **0.7** [〈plantk.〉] *blade* **0.8** [mbt. belastingen] *(tax) bracket* **0.9** [〈comp.〉] *geheugenschijf] disk* ♦ **1.1** 〈fig.〉 de ~ v.d. maan *the moon's disc* **1.2** de ~ v.e. excentriek *eccentric sheave, disc of an eccentric* **1.3** een ~ bij de citroen *s. of lemon* **2.2** de glazen ~ v.e. elektriseermachine *the glass plates of an electrostatic generator* **3.4** op een ~ schieten *shoot at a t., do t. practice* **6.3** snij de appel in ~ jes *slice/cut the apple into rings;* iets in schijven/~ jes snijden *cut sth. up into slices, slice;* de schijven tussen de wervels *the discs between the vertebrae* **6.4** dat loopt over dezelfde schijven 〈fig.〉 *it's the same procedure all over again;* dat loopt over te veel schijven 〈fig.〉 *the procedure's too involved, it has to go through too many channels.*

schijfaandrijving 〈de (v.)〉 **0.1** *pulley (drive).*

schijfblad 〈het〉 〈plantk.〉 **0.1** *discoid/disc-shaped leaf.*

schijfbloem 〈de〉 **0.1** *floret (of the disc)* ⇒ *disc floret/flower* ♦ **6.1** met ~ en *discoid(al).*

schijfcactus 〈de (m.)〉 **0.1** *prickly pear* ⇒ *opuntia.*

schijffrees 〈de〉 **0.1** *side milling cutter, side mill, side and face cutter.*

schijfgat 〈het〉 **0.1** *channel, sheave-hole.*

schijfgeheugen 〈het〉 〈comp.〉 **0.1** *(magnetic) disk store* ⇒ *disk storage.*

schijfhoornslak 〈de〉 **0.1** *ram's horn snail.*

schijfje 〈het〉 **0.1** [cognacgrok met schijfje citroen] 〈cognac grog with a slice of lemon〉 **0.2** [〈comp.〉] *wafer.*

schijfjesmos 〈het〉 **0.1** *scale moss.*

schijfkamille 〈de〉 **0.1** *rayless c(h)amomile.*

schijfkoppeling 〈de (v.)〉 **0.1** *disc/plate clutch* ⇒ *flange/plate coupling.*

schijfkwal 〈de〉 **0.1** *discomedusan, disc jellyfish;* 〈mv.;orde〉 *Discomedusae.*

schijfrem 〈de〉 **0.1** *disc brake.*

schijfschieten 〈ww.〉 **0.1** *target practice/shooting.*

schijfslak 〈de〉 **0.1** *planorbid.*

schijftaling 〈de (m.)〉 **0.1** *garganey.*

schijftol 〈de (m.)〉 **0.1** *gyroscope.*

schijfvormig 〈bn.〉 **0.1** *disc-shaped* ⇒ *discoid(al), disciform.*

schijfwiel 〈het〉 **0.1** *disc wheel* ⇒ *webwhool.*

schijfzwam 〈de〉 **0.1** *cup fungus* ⇒ *discomycete.*

schijn 〈de (m.)〉 〈→sprw. 526〉 **0.1** [schijnsel] *shine* ⇒ 〈glans ook〉 *sheen,* 〈straling〉 *radiance, glimmer, gleam* 〈zwak〉 **0.2** [bedrieglijk voorkomen] *appearance* ⇒ *semblance, pretence,* 〈bedrog〉 *sham* **0.3** [vertoon] *show, appearances* **0.4** [zeer kleine hoeveelheid] *shadow* ⇒ *gleam, ghost* ♦ **1.2** een ~ van democratie/van beschaving *a shadow/varnish of democracy/of civilization;* een ~ van waarheid/oprechtheid geven aan *give/lend colour to, give a semblance of truth/verisimilitude to* **2.1** een gouden ~ *a golden shine* **2.2** op de uiterlijke ~ afgaan *judge by (outward) appearances* **2.3** schone ~ *glamour, cosmetics, gloss, varnish* **3.2** de ~ aannemen van eerlijkheid *assume an a. of honesty, make a pretence/show of honesty;* ~ bedriegt *appearances are deceptive;* die ruwheid is maar ~ *that/his/her coarseness/rudeness is only on the surface;* de ~ ophouden tegenover/voor de rest van de familie *keep up appearances in front of the rest of the family;* de ~ redden *save appearances/one's face;* men moet zelfs de ~ vermijden *one should avoid even the semblance (of);* ik wil niet de ~ wekken dat ... *I don't want you/anyone to get the idea/to think that ...* **6.2** in ~ in a., *ostensibly, seemingly;* hij is slechts in ~ koning *he is a king only in* *name, he is but a phantom of a king;* **naar** alle ~ *to all appearances, on the face of it;* **onder** ~ van oprechtheid/van vriendschap *under the show/pretence/pretext/mask/cloak of sincerity/friendship;* dit gevecht is maar (**voor** de)~ *this fight is just make-believe;* **voor** de~ *for the sake of appearances, for show* **6.3** zich **aan** de~vergapen *be deceived/fooled by outward appearances* **7.4** je hebt geen~van kans *you don't have a ghost/s. of a chance,* ↓*you don't have a (cat's/snowball's) chance in hell;* geen~van bewijs *not a scrap/shred/particle of evidence* ¶**.2** de~is tegen mij *appearances are against me;* het heeft er alle~van dat it *would seem that, it looks as if, there is every a. that.*

schijnaanval ⟨de (m.)⟩ **0.1** *feint* ⇒*feigned/sham attack* ◆ **3.1** hij deed een~op me met zijn linkse *he feinted at me with his left.*

schijnaar ⟨de⟩⟨plantk.⟩ **0.1** *pseudo spike.*

schijnakte ⟨de⟩ **0.1** *bogus/sham/spurious/false instrument/deed/document.*

schijnargumenten ⟨zn.mv.⟩ **0.1** *fake/false arguments.*

schijnbaar
   I ⟨bn., bw.;-ly⟩ **0.1** [niet werkelijk] *seeming* ⇒*apparent, ostensible* **0.2** [mbt. zintuigelijke waarnemingen] *apparent* ◆ **1.1** een~herstel *(an) apparent recovery* **1.2** de schijnbare horizon *the a. horizon* **2.1** ~ oprecht/juist/goed *specious, seemingly sincere/right/good* **3.1** hij heeft~gelijk *he would seem/appear to be right, he's right, on the face of it;*
   II ⟨bw.⟩ **0.1** [blijkbaar] *apparently* ⇒*obviously, evidently.*

schijnbedrieger ⟨de (m.)⟩ **0.1** *trompe l'oeil.*

schijnbeeld ⟨het⟩ **0.1** [bedrieglijk beeld] *deceptive image, deception, illusion* **0.2** [(nat.)] *virtual image* **0.3** [hersenschim] *shadow* ⇒*phantom, illusion.*

schijnbeweging ⟨de (v.)⟩ **0.1** [(mil.)] *feint* ⇒*feigned/sham/mock attack* **0.2** [misleidende beweging] *feint* ⇒*dummy (movement/pass), diversion* ◆ **3.2** een~maken *feint, make a feint* **6.2** iem. **met** een paar~en passeren *(sport) sell s.o. a dummy, jink past s.o..*

schijnbewijs ⟨het⟩ **0.1** *seeming evidence/proof.*

schijnbloei ⟨de (m.)⟩ **0.1** *seeming/apparent prosperity* ⇒*sham/illusory boom.*

schijndemocratie ⟨de (v.)⟩ **0.1** *sham/fake democracy* ⇒*pseudo-democracy, pretence at democracy.*

schijndeugd ⟨de⟩ **0.1** *simulated virtue.*

schijndode ⟨de (m.)⟩ **0.1** *s.o. who is apparently dead/in a state of suspended animation.*

schijndood¹ ⟨de (m.)⟩ **0.1** *apparent death, suspended animation* ⇒ ⟨door verstikking⟩ *asphyxia.*

schijndood² ⟨bn.⟩ **0.1** *apparently dead* ⇒*in a state of suspended animation.*

schijnen ⟨onov.ww.⟩⟨→sprw. 298,664⟩ **0.1** [glans geven] *shine* ⇒ ⟨zwak⟩ *glimmer, gleam,* ⟨fel⟩ *glare, blaze* **0.2** [als licht vertonen] *shine* **0.3** [(fig.) stralen] *radiate (from)* **0.4** [lijken] *seem, appear* **0.5** [naar zeggen zo zijn] *appear* ◆ **1.1** de zon schijnt *the sun is shining/is out* **4.4** het schijnt mij (dat …) *it seems/would seem to me (that …)* **5.4** het schijnt zo *so it appears, it looks like it, so it would a.* **6.1** een lantaren die **met** rood licht schijnt *a lantern which shows a red light;* **met** een zaklantaarn in iemands gezicht~*flash a torch in s.o.'s face;* zijn licht laten~**op** *explain, enlighten, throw/shed light on;* de zon scheen fel **op** onze blote ruggen *the sun was beating down/blazing mercilessly on our backs* **6.3** de rust schijnt **van** haar gezicht *her face is radiant with/radiates peace, peace radiates from her face.*

schijnfossiel ⟨het⟩ **0.1** *pseudo fossil.*

schijngestalte ⟨de (v.)⟩⟨aardr.⟩ **0.1** *phase* ◆ **1.1** de vier~n van de maan *the four phases of the moon.*

schijngevecht ⟨het⟩ **0.1** *sham/fake/mock fight* ⇒⟨mil.⟩ *sham/mock battle.*

schijngrond ⟨de (m.)⟩ **0.1** *pretext, pretence* ⇒*apparent/spurious/ostensible reason.*

schijnhandeling ⟨de (v.)⟩⟨jur.⟩ **0.1** *bogus/fictitious/sham act/transition.*

schijnheilig ⟨bn., bw.;-ly⟩ **0.1** *hypocritical* ⇒*sanctimonious, two-faced,* ↑*pharisaic* ◆ **1.1** met een~*gezicht sanctimoniously;* een~gezicht trekken *pull a sanctimonious/h. face* **3.1** zich~gedragen *behave hypocritically, be two-faced, play/act the innocent.*

schijnheilige ⟨de (m.)⟩ **0.1** *hypocrite.*

schijnheiligheid ⟨de (v.)⟩ **0.1** *hypocrisy* ⇒*sanctimoniousness.*

schijnhuwelijk ⟨het⟩ **0.1** *marriage of convenience.*

schijnknol ⟨de (m.)⟩⟨plantk.⟩ **0.1** *pseudobulb.*

schijnkoning ⟨de (m.)⟩ **0.1** *figurehead monarch.*

schijnkoop ⟨de (m.)⟩ **0.1** *spurious purchase.*

schijnkracht ⟨de⟩ **0.1** [schijnbare kracht] *apparent power* **0.2** [(nat.)] *apparent force.*

schijnkrans ⟨de (m.)⟩⟨plantk.⟩ **0.1** *verticillaster.*

schijnkristal ⟨het⟩ **0.1** *crystalloid.*

schijnlicht ⟨het⟩⟨scheep.⟩ **0.1** *skylight.*

schijnmanoeuvre ⟨het, de⟩ **0.1** *feigned/sham manoeuvre* ᴬ*neuver* ⇒ *feint.*

schijnmengsel ⟨het⟩ **0.1** *emulsion.*

schijnoplossing ⟨de (v.)⟩ **0.1** *bogus/doubtful solution.*

schijnoverwinning ⟨de (v.)⟩ **0.1** *apparent victory* ⇒*Pyrrhic victory.*

schijnpapaver ⟨de⟩ **0.1** *Welsh poppy.*

schijnproces ⟨het⟩ **0.1** *show trial.*

schijnraket ⟨de⟩⟨plantk.⟩ **0.1** *European pale mustard.*

schijnreden ⟨de⟩ **0.1** [voorwendsel] *ostensible reason* ⇒*pretext* **0.2** [drogreden] *sophism* ⇒*fallacy.*

schijnschoon ⟨bn.⟩ **0.1** *specious* ⇒*plausible* ◆ **1.1** schijnschone redenen *specious/trumpery arguments.*

schijnsel ⟨het⟩ **0.1** *shine* ⇒*light* ◆ **1.1** het~v.d. lamp *the lamplight* **6.1** in het~v.d. maan *in the moonshine/moonlight.*

schijnslaap ⟨de (m.)⟩ **0.1** *apparent/feigned sleep.*

schijnspurrie ⟨de⟩⟨plantk.⟩ **0.1** *sand/sea spurr(e)y.*

schijnstoot ⟨de (m.)⟩ **0.1** *feint.*

schijnsucces ⟨het⟩ **0.1** *apparent success* ⇒*quasi-victory, Pyrrhic victory.*

schijntje ⟨het⟩ ◆ **1.**¶ hij kreeg zelfs geen~waardering *he wasn't shown the least bit/an ounce of appreciation* **3.**¶ wat hij verdient is een~ *what he is earning is a mere pittance* **6.**¶ ik kocht het **voor** een~*I bought it for a trifle/for a song/for next to nothing/dirt-cheap;* dat kun je daar **voor** een~laten maken *you can have it repaired there for next to nothing.*

schijntruffel ⟨de⟩⟨plantk.⟩ **0.1** *false truffle.*

schijnvertoning ⟨de (v.)⟩ **0.1** [schijnbare vertoning] *sham* ⇒*hoax* **0.2** [van de hoofdzaak afleidende vertoning] *diversion.*

schijnvrede ⟨de⟩ **0.1** *illusory peace.*

schijnvreugde ⟨de (v.)⟩ **0.1** *fake/false joy* ⇒*forced merriment.*

schijnvroom ⟨bn., bw.;-ly⟩ **0.1** *sanctimonious* ⇒*goody-goody.*

schijnvrucht ⟨de⟩⟨plantk.⟩ **0.1** *accessory/false fruit* ⇒*pseudocarp.*

schijnweerstand ⟨de (m.)⟩⟨tech.⟩ **0.1** *reactance.*

schijnwereld ⟨de⟩ **0.1** *make-believe/dream world.*

schijnwerper ⟨de (m.)⟩ **0.1** *floodlight* ⇒ ⟨op het toneel⟩ *spotlight,* ⟨zoeklicht⟩ *searchlight* ◆ **1.1** een rij~s *a row of floodlights/spotlights* **3.1** de~s op zich gericht houden ⟨fig.⟩ *hold the limelight/spotlight* **6.1** iem. **in** de~s zetten ⟨fig.⟩ *spotlight s.o.;* een grachtenhuis **met**~s verlichten *floodlight a canalside house.*

schijnzwanger ⟨bn.⟩ **0.1** *showing a phantom pregnancy.*

schijnzwangerschap ⟨de (v.)⟩ **0.1** *phantom pregnancy.*

schijt ⟨het, de (m.)⟩⟨vulg.⟩ **0.1** [poep] *shit* ⇒*crap* **0.2** [schijterij] *shits* ⇒ *runs, trots* ⟨alle mv.⟩ ◆ **3.2** ⟨fig.⟩ ik heb er~aan *I don't give/care a s.* ↑*cuss/* ↑*damn;* ⟨fig.⟩~krijgen *get the wind up, get cold feet* **6.2 aan** de~zijn *have the s./trots/runs;* ⟨fig.⟩ ik heb~**aan** die mensen *I don't care/give a shit for these people;* ↑*I couldn't care less about these people.*

schijtbes ⟨de⟩ **0.1** ⟨*berry of the buckthorn*⟩.

schijtebroek ⟨de (m.)⟩⟨inf.⟩ **0.1** [iem. die in zijn broek schijt] ⟨*s.o. who shits his pants*⟩ **0.2** [lafaard] ⟨→**schijter(d)**⟩.

schijten ⟨→sprw. 143⟩
   I ⟨onov.ww.⟩ **0.1** [poepen] *shit* ⇒*crap* ◆ **6.1** in zijn broek~ ⟨ook fig.⟩ *shit o.s.;* ⟨fig.⟩ *wet one's pants;* ⟨fig.⟩ zij~in één pot *they are two of a kind;* **in/op** iets/iem. ~ *not care/give a shit for sth./s.o.* **8.1** ~als een reiger *have the galloping trots;*
   II ⟨ov.ww.⟩ **0.1** [ontlasten] *shit* ◆ **1.1** ⟨fig.⟩ peulen~*s. a brick, shit o.s..*

schijter(d) ⟨de (m.)⟩⟨inf.⟩ **0.1** [iem. die schijt] ⟨*one who shits*⟩ **0.2** [lafaard] *funk, chicken* ⇒*scaredy-cat.*

schijterig ⟨bn., bw.⟩⟨inf.⟩ **0.1** *faint-/chicken-hearted.*

schijterij ⟨de (v.)⟩⟨inf.⟩ **0.1** [diarree] *shits* ⇒*trots, runs* ⟨alle mv.⟩ **0.2** [schrik] ⟨zie 3.2⟩ ◆ **3.2** de~krijgen *get the wind up, get cold feet* **6.1 aan** de~zijn *have the shits/trots/runs.*

schijtgat ⟨inf.⟩
   I ⟨het⟩ **0.1** [anus] *arse,* ᴬ*ass* ⇒*arse-hole;*
   II ⟨de (m.)⟩ **0.1** [schijter] ⟨→ **schijter(d)**⟩.

schijtgeld ⟨het⟩ ◆ **1.**¶ geen ezeltje/paardje~hebben *be not sitting on a gold mine, not be made of money.*

schijthak ⟨de⟩ **0.1** *hock, shank* ⟨van runderen⟩.

schijthuis ⟨vulg.⟩
   I ⟨het⟩ **0.1** [plee] *shithouse* ⇒ ⟨BE ook⟩ *bog;*
   II ⟨de (m.)⟩ **0.1** [persoon] ⟨→**schijter(d)** 0.2⟩.

schijtkont ⟨de (m.)⟩ →**schijter(d)** 0.2.

schijtlaars ⟨de (m.)⟩⟨inf.⟩ →**schijter(d)** 0.2.

schijtlijster ⟨de (m.)⟩⟨inf.⟩ →**schijter(d)** 0.2.

schijtluis ⟨de (m.)⟩⟨inf.⟩ **0.1** *chicken(-livered softy)* ⇒*funk(er)* ◆ **3.1** hij is een~⟨ook⟩ *he's got brown trousers.*

schijtvink ⟨de (m.)⟩⟨inf.⟩ →**schijter(d)** 0.2.

schijtwortel ⟨de (m.)⟩⟨plantk.⟩ **0.1** *tormentil.*

schijveneg ⟨de⟩ **0.1** *disc harrow.*

schijvengeheugen ⟨het⟩⟨comp.⟩ **0.1** *disk storage.*

schijventarief ⟨het⟩ **0.1** ⟨*graded tax system based on income brackets*⟩.

schik ⟨de (m.)⟩ **0.1** [tevreden stemming] *contentment* ⇒*contentedness* **0.2** [plezier] *fun* ⇒*pleasure* ◆ **1.2** hij heeft al een hoop~van zijn nieuwe jas gehad *he has been awfully pleased with his new coat so far* **3.2** ~hebben in zijn werk *enjoy one's work;* hij heeft~in zijn leven *he is getting a lot of f. out of life, he is taking great pleasure in life* **6.1** ik ben ermee **in** mijn~*I am pleased/delighted with it, I am taken by/ with it;* hij is niet **in** zijn~*he is not pleased/in low spirits.*

schikgodin ⟨de (v.)⟩ ⟨myth.⟩ ◆ **7.**¶ de drie ~nen *the Fates.*

schikkelijk ⟨bn., bw.;-ly⟩ **0.1** [inschikkelijk] *accommodating* ⇒*obliging, compliant* **0.2** [redelijk] *fair* ⇒*reasonable* ◆ **1.1** een ~ man *an a. / obliging man* **3.2** je moet het ~ met mij maken *you should ask a reasonable price* ¶.**1** ~ van aard *a. / obliging.*

schikken

I ⟨ov.ww.⟩ **0.1** [rangschikken] *arrange* ⇒*order* **0.2** [maatregelen treffen] *arrange* **0.3** [regelen dmv. een compromis] *settle* ◆ **1.1** de boeken in volgorde ~ *put the books in order* **1.3** een zaak in der minne ~ *s. a matter amicably, come to an amicable agreement* **4.3** dat zal zich wel ~ *it'll sort itself out, it is sure to come right* ¶.**2** kunt u het zo ~ dat ik vrijdag kan komen? *could you a. for me to come on Friday?;*

II ⟨wk.ww.; zich ~⟩ **0.1** [zich plaatsen op doelmatige wijze] *settle (o.s.)* **0.2** [berusten, zich conformeren] *go along with* ⇒⟨zich conformeren⟩ *conform (to),* ⟨berusten⟩ *reconcile / resign o.s. (to)* ◆ **5.2** zich zo goed mogelijk (in iets) ~ *make the best of it / a bad job, put a good face on it* **6.2** hij schikt zich in alles *he goes along with everything, he is very accommodating;* zich in het onvermijdelijke ~ *resign o.s. / reconcile o.s. / bow to the inevitable;* zich in zijn lot ~ *resign o.s. / reconcile o.s. to one's fate;* zich naar iets of iem. ~ *go along with sth. / s.o.;* zich **naar** de omstandigheden ~ *adapt / adjust o.s. to the circumstances;*

III ⟨onov.ww.⟩ **0.1** [gelegen komen] *suit* ⇒*be convenient* **0.2** [in orde komen] *come right* **0.3** [houding aannemen] *move* ◆ **4.1** zodra het u schikt *at earliest convenience* **4.2** het zal wel ~ (met hem) *things aren't that bad (with him)* **5.1** schikt twee uur / morgenmiddag jou? *will two o'clock / tomorrow afternoon be convenient for you / s. you?* **6.3** schik eens wat **naar** links *move a little to the left, will you.*

schikking ⟨de (v.)⟩ **0.1** [ordening] *arrangement* ⇒*ordering, disposition* **0.2** [overeenkomst] *arrangement* ⇒*settlement, agreement* **0.3** [⟨jur.⟩ het vrijwillig voldoen aan een voorwaarde] *settlement* ⟨van rechtszaak⟩; *compliance* ⟨van voorwaarde⟩ **0.4** [maatregel] *arrangement* ◆ **2.3** een minnelijke ~ treffen *settle a lawsuit amicably* **3.4** ~en treffen om … / voor … *make arrangements for …, take steps to …* **6.1** de ~ van de figuren op een schilderij *the a. of the figures in a painting* **6.2** in een ~ treden *enter into an agreement;* **tot** een ~ komen (met) *come to an agreement with s.o..*

schil ⟨de⟩ **0.1** [mbt. vruchten / knollen] ⟨dun⟩ *skin* ⟨appel, ui⟩; ⟨dik⟩ *rind* ⟨sinaasappel, meloen⟩; ⟨wat kan worden losgemaakt⟩ *peel* ⟨banaan, sinaasappel⟩ ⇒⟨als afval⟩ *peelings* ⟨aardappels⟩, ⟨afval⟩ *parings* ⟨appel⟩ **0.2** [mbt. takken] *bark* ⇒*rind* **0.3** [mbt. eieren] *shell* [korst v.e. grondsoort] *crust* **0.5** [groep elektronen] *shell* ◆ **6.1** in de ~ gekookte aardappels *potatoes boiled in their skins;* ⟨in de oven⟩ *baked / jacket potatoes.*

schild ⟨het⟩ **0.1** [verdedigingswapen] *shield* ⇒*buckler* **0.2** [plaat aan een kanon] *shield* **0.3** [beschutting] *shield* **0.4** [⟨herald.⟩] *shield* ⇒*escutcheon, coat of arms* **0.5** [bord met opschrift] *sign* ⇒*board* **0.6** [dekschild] *shell,* ⟨insekten⟩ *wing-case,* ⟨cobra⟩ *hood* ◆ **6.4** een adelaar in zijn ~ voeren *bear an eagle on one's coat of arms;* ⟨fig.⟩ ik weet niet, wat hij in zijn ~ voert *I don't know what he is up to / what his game is.*

schildbeen ⟨het⟩ **0.1** *shoulder blade.*

schildbladig ⟨bn.⟩ ⟨plantk.⟩ **0.1** *peltate-leafed.*

schildboog ⟨de (m.)⟩ ⟨bouwk.⟩ **0.1** *blind arch.*

schildboortig ⟨bn.⟩ ⟨gesch.⟩ **0.1** *armigerous.*

schildbumper ⟨de (m.)⟩ **0.1** *wrap-round bumper.*

schilddak ⟨het⟩ **0.1** *hip(ped) roof* ⇒⟨Romeinse gesch.; mil.⟩ *testudo.*

schilddeel ⟨het⟩ **0.1** *division of a heraldic shield.*

schilddrager ⟨de (m.)⟩ **0.1** [schildknaap] *shield-bearer* ⇒*squire* **0.2** [⟨herald.⟩] *supporter.*

schildeend ⟨de⟩ **0.1** *shovel(l)er (duck).*

schilden ⟨zn.mv.⟩ **0.1** *coleoptera.*

schilder ⟨de (m.)⟩, **schilderes** ⟨de (v.)⟩ **0.1** [huisschilder] *(house-)painter* ⇒⟨vnl. BE ook⟩ *(house-)decorator* ⟨binnenshuis⟩ **0.2** [kunstschilder(es)] *painter* ◆ **1.2** een ~ van bloemstukken *a p. of flower-pieces.*

schilderaar ⟨de (m.)⟩ **0.1** *painter* ⇒*delineator, limner.*

schilderacademie ⟨de (v.)⟩ **0.1** *academy of arts.*

schilderachtig ⟨bn., bw.;-ly⟩ **0.1** [pittoresk] *picturesque* ⇒*pictorial* ⟨taal, situatie⟩, *scenic* ⟨route⟩ **0.2** [beeldend, suggestief] *picturesque* ⇒*pictorial, graphic, colourful* ◆ **1.1** een ~ landschap *picturesque scenery* **1.2** een ~e beschrijving *a colourful / vivid description;* in ~e bewoordingen iets vertellen *tell sth. graphically.*

schilderboek ⟨het⟩ **0.1** *book on painting.*

schilderdoek ⟨het⟩ **0.1** *canvas,* ⟨AE ook⟩ *canvass.*

schilderemail ⟨het⟩ **0.1** *hand-painted enamel.*

schilderen ⟨→sprw. 139,141⟩

I ⟨ov.ww.⟩ **0.1** [verven] *paint* ⇒*decorate* **0.2** [met verf aanbrengen] *paint* **0.3** [beschrijven] *paint (a picture of)* ⇒*picture, depict, portray, delineate* ◆ **1.1** zijn huis laten ~ *have one's house painted;* de kamer (opnieuw) ~ *repaint / redecorate the room;* een bruin geschilderde kast *a cupboard painted brown* **1.2** een naam ~ *p. a name* **3** schrik en wanhoop waren op haar gezicht geschilderd *her face was a picture of fear and dispair* **3.1** dit tafelblad moet drie keer geschilderd worden *this table top should get three coats of paint;*

II ⟨onov., ov.ww.⟩ **0.1** [met verf tot stand brengen] *paint* ◆ **1.1** een doek ~ *p. a canvas;* landschappen / portretten ~ *p. landscapes / portraits* **6.1** met / **in** olieverf ~ *p. in oils;* **naar** de natuur ~ *p. from life / nature;*

III ⟨onov.ww.⟩ **0.1** [vak / kunst van schilder uitoefenen] *paint* **0.2** [op (schild)wacht staan] *be on sentry duty* ◆ **3.1** leren ~ *learn to p.* **3.2** staan ~ *stand / keep sentry;* ⟨iron.⟩ *cool one's heels* **7.2** het ~ *sentry-go.*

schildergenie ⟨het⟩ **0.1** [gave] *gift for painting* **0.2** [persoon] *brilliant painter.*

schildergerei ⟨het⟩ **0.1** *painter's equipment.*

schilderij ⟨het, de (v.)⟩ **0.1** [schilderstuk] *painting* ⇒*picture,* ⟨doek⟩ *canvas,* ⟨AE ook⟩ *canvass* **0.2** [ingelijste plaat] *painting* ⇒*picture* **0.3** [plastische beschrijving] *picture* ⇒*portrayal, delineation* ⟨van karakter⟩ ◆ **1.1** een ~ v.e. oude meester *an old master* **3.1** een ~ inlijsten *frame a painting / picture* **3.2** een ~ ophangen *hang a painting / picture* **3.3** ergens een ~ van ophangen ⟨fig.⟩ *paint a lively picture of sth.; tell the world about sth.* **6.1** een ~ **in** olieverf *an oil painting.*

schilderijenkabinet ⟨het⟩ **0.1** *picture gallery.*

schilderijhaak ⟨de (m.)⟩ **0.1** *picture hook.*

schilderijlijst ⟨de⟩ **0.1** [lijst v.e. schilderij] *picture frame* **0.2** [lijst aan muur] *picture moulding* ^*molding.*

schildering ⟨de (v.)⟩ **0.1** [het schilderen] *painting* **0.2** [geschilderde voorstelling] *painting* ⇒*picture, portrait, fresco* ⟨op kalkmuur⟩ **0.3** [beschrijving] *depiction* ⇒*delineation, picture, portrayal* ◆ **6.2** ~en op een wand *murals, mural paintings, wall paintings.*

schilderkist ⟨de⟩ **0.1** *painter's box.*

schilderkunst ⟨de (v.)⟩ **0.1** [beeldende kunst] *(art of) painting* **0.2** [toepassing] *painting* ◆ **2.2** de 17de-eeuwse Nederlandse ~ *17th-century Dutch p.;* de romantische / moderne ~ *romantic / modern p.* **3.1** de ~ beoefenen *practise the art of p..*

schilderles ⟨de⟩ **0.1** *art class* ⇒*art lesson* ◆ **3.1** ~ krijgen / nemen *attend art classes, have art lessons.*

schildermateriaal ⟨het⟩ **0.1** *painting materials.*

schildermaterieel ⟨het⟩ **0.1** *painter's equipment / tools.*

schildersatelier ⟨het⟩ **0.1** *painter's / artist's studio.*

schildersbedrijf ⟨het⟩ **0.1** [vak van huisschilder] *painter's trade* ⇒*painting business* **0.2** [firma] *painting business* ⇒*decorating business, decorator's* ◆ **6.1** hij zit in het ~ *he is in the painting business, he is a house-painter.*

schilderschool ⟨de⟩ **0.1** [groep schilders] *school of painting* **0.2** [school] *art school* ⇒*art college* ◆ **2.1** de Nederlandse / de Vlaamse ~ *the Dutch / Flemish school of painting.*

schildersezel ⟨de (m.)⟩ **0.1** *(painter's) easel.*

schilderskam ⟨de (m.)⟩ **0.1** *(graining) comb.*

schilderskoliek ⟨het, de (v.)⟩ **0.1** *painter's colic* ⇒*lead colic.*

schilderslinnen ⟨het⟩ **0.1** *(painting) canvas,* ⟨AE ook⟩ *canvass.*

schildersmodel ⟨het⟩ **0.1** *artist's model.*

schildersmossel ⟨de⟩ **0.1** *painter's gaper / mussel* ⟨Unio pictorum⟩.

schildersperspectief ⟨de⟩ **0.1** *artist's perspective.*

schilderstuk ⟨het⟩ **0.1** *painting* ⇒*picture, canvas,* ⟨AE ook⟩ *canvass.*

schildersverdriet ⟨het⟩ ⟨plantk.⟩ **0.1** *London pride.*

schildersverf ⟨de⟩ **0.1** *artist's paint* ⇒*colour.*

schildertechniek ⟨de (v.)⟩ **0.1** *painting technique.*

schildertechnisch ⟨bn., bw.⟩ **0.1** *in painting technique(s), in painting skill* ◆ **1.1** een groot kunstenaar op ~ gebied *a great artist in (terms of) painting techniques* **3.1** ~ moet hij nog het een en ander verbeteren *his painting technique needs improving.*

schilderwerk ⟨het⟩ **0.1** [geschilderde voorstellingen] *painting* **0.2** [werk voor / v.e. huisschilder] *paintwork* **0.3** [aangebrachte verf] *paintwork* ⇒*paint* ◆ **3.2** het ~ aanbesteden *let / give out / put out the p. by contract* **3.3** het ~ bladdert *the paint(work) is flaking off* **6.1** het ~ **op** de wand *the mural (p.), the wall p..*

schildje ⟨het⟩ **0.1** [klein schild] *(little) shield* **0.2** [mbt. insekten] *wing case / cover* ⇒⟨wet.⟩ *elytron, elytrum, scutellum* **0.3** [mbt. granen] *scutellum* **0.4** [anticonceptiemiddel] *I.U.D.* ⇒*intra-uterine device.*

schildkever ⟨het⟩ **0.1** *helmet-beetle* ⇒*tortoise beetle.*

schildklier ⟨de⟩ ⟨med.⟩ **0.1** *thyroid gland.*

schildklierhormoon ⟨het⟩ ⟨med.⟩ **0.1** *thyroid hormone* ⇒*thyroxine.*

schildknaap ⟨de (m.)⟩ **0.1** [wapenknecht] *shield-bearer* ⇒*armour-bearer, armiger, squire* **0.2** [iem. die een ander bijstaat] *henchman* ⇒*aide, right-hand man.*

schildknoop ⟨de (m.)⟩ ⟨scheep.⟩ **0.1** *wall knot.*

schildkraakbeen ⟨het⟩ ⟨med.⟩ **0.1** *thyroid cartilage.*

schildkruid ⟨het⟩ **0.1** [wapenknecht] *common skullcap* ⟨glidkruid⟩; *greater celandine* ⟨stinkende gouwe⟩; *field penny cress* ⟨witte krodde⟩.

schildluis ⟨de⟩ **0.1** *scale insect* ⇒⟨vnl. AE⟩ *scale bug, coccus.*

schildmos ⟨het⟩ **0.1** *crustaceous lichen.*

schildpad

I ⟨de⟩ **0.1** [dier] *tortoise* ⇒*turtle* ⟨vnl. zee⟩;

II ⟨het⟩ **0.1** [hoornachtige stof] *tortoise-shell.*

schildpadachtig ⟨bn.⟩ **0.1** *tortoise- / turtle-like* ⇒*tortoise-shell-like* ⟨stof⟩.

schildpadden ⟨bn.⟩ **0.1** *tortoise-shell.*

schildpadpapier ⟨het⟩ **0.1** *tortoise-shell paper* ⇒*marbled paper, mottled paper.*

schildpadreiger ⟨de (m.)⟩ **0.1** *Squacco heron.*

schildpadsoep ⟨de⟩ **0.1** *turtle soup.*

schildpadtorretje ⟨het⟩ **0.1** *tortoise beetle* ⇒*helmet beetle.*

schildpadverband ⟨het⟩⟨med.⟩ **0.1** *swathe.*

schildslak ⟨de⟩ **0.1** *snail.*

schildstof ⟨de⟩ **0.1** *chitin.*

schildvarken ⟨het⟩ **0.1** *armadillo.*

schildvink ⟨de⟩ **0.1** *chaffinch.*

schildvis ⟨de (m.)⟩ **0.1** *remora* ⇒*short sucking fish, sharksucker.*

schildvleugel ⟨de (m.)⟩ **0.1** *sheath wing.*

schildvleugelig ⟨bn.⟩⟨biol.⟩ **0.1** *sheath-winged* ⇒⟨wet.⟩ *coleopterous, coleopteral* ◆ **¶.1** ⟨zelfst.⟩⟨de⟩~en *Coleoptera;* ⟨zelfst.⟩ een~e *a coleopteron/coleopteran.*

schildvormig ⟨bn.⟩ **0.1** *shield-shaped* ⇒*sheath-shaped,* ⟨biol.⟩ *scutellate* ◆ **1.1** ⟨biol.⟩~e bladeren *peltate leaves;* ⟨med.⟩ het~ kraakbeen *the thyroid cartilage.*

schildwacht
I ⟨de⟩ **0.1** [het wachthouden] *guard* ⇒*watch, sentry duty* ◆ **6.1** op ~ staan (bij) *stand guard/sentinel (over);*
II ⟨de (m.)⟩ **0.1** [soldaat] *sentry* ⇒*guard, sentinel* ◆ **2.1** ⟨mil.⟩ verloren, verste~ *front-line outpost* **3.1** ~en aflossen *relieve/change the guard;* ~en uitzetten *place a guard, set a watch, post a sentry/guard.*

schildwachthuisje ⟨het⟩ **0.1** *sentry box.*

schildwangig ⟨bn.⟩⟨dierk.⟩ **0.1** *mail-cheeked* ◆ **¶.1** ⟨zelfst.⟩⟨de⟩~en *Cataphracti, Scleroparei.*

schildwants ⟨de⟩ **0.1** *stink bug* ⇒*shield bug.*

schildzaad ⟨het⟩ **0.1** (*small) alison.*

schilfer ⟨de (m.)⟩ **0.1** *scale* ⇒*flake* ⟨zacht oppervlak⟩, *chip* ⟨hard oppervlak⟩, *sliver* ⟨scherp⟩, *spall* ⟨steen⟩ ◆ **1.1** glasschilfertjes *tiny slivers of glass;* een ~ van een tak afsnijden *cut a sliver off a branch* **6.1** de kalk valt in ~s af *the plaster is flaking/chipping off;* ~s op het hoofd *flakes/scales on the head, dandruff, scurf.*

schilferachtig ⟨bn.⟩ **0.1** [aard van schilfers] *scaly* ⇒*scurfy* ⟨hoofdhuid⟩ **0.2** [bladderig] *scaly* ⇒*flaky.*

schilferen ⟨onov.ww.⟩ **0.1** [schilfers loslaten] *flake (off)* ⇒*scale, chip (off), peel (off)* **0.2** [in schilfers uiteenvallen] *flake* ⇒*scale* ◆ **3.1** het plafond gaat ~ *the plaster is flaking/chipping/peeling off the ceiling* **5.2** schelvis moet gemakkelijk ~ *haddock should f. easily.*

schilferig ⟨bn.⟩ **0.1** [met schilfers bezet] *scaly* ⇒*scurfy* **0.2** [uit schilfers bestaande] *scaly* ⇒*flaky* **0.3** [gemakkelijk schilferend] *flaky* ⇒*scaly.*

schilfering ⟨de (v.)⟩ **0.1** *scaling* ⇒*flaking (off).*

schilijzer ⟨het⟩ **0.1** *peeler.*

schillen
I ⟨ov.ww.⟩ **0.1** [van de schil ontdoen] *peel* ⟨sinaasappels, peren enz.⟩ ⇒*pare* ⟨appels⟩, *skin* ⟨tomaten⟩ **0.2** [doppen, pellen] *shell* ⟨noten, erwten⟩ ⇒*hull,* ⟨vnl. AE⟩ *shuck, husk* ⟨rijst⟩ ◆ **1.1** aardappels ~ *peel potatoes;* een boom ~ *(de)bark a tree;* tenen/hennep ~ *peel/strip twigs/hemp* **1.2** amandelen ~ *shell/blanch almonds;*
II ⟨onov.ww.⟩ **0.1** [kunnen pellen] ⟨zie 5.1⟩ **0.2** [gepeld kunnen worden] *peel* ⇒*pare, shell* ◆ **5.1** dat mes schilt gemakkelijk *that knife peels well/is a good peeler.*

schillenbak ⟨de (m.)⟩ **0.1** *waste food bin.*

schillenboer ⟨de (m.)⟩ **0.1** *waste food collector.*

schillenmand ⟨de⟩ **0.1** *peel basket.*

schiller ⟨de (m.)⟩, **-ster** ⟨de (v.)⟩ **0.1** *peeler* ⇒*parer, stripper* ⟨van schors⟩.

schillerhemd ⟨het⟩ **0.1** *open-collared shirt.*

schillerkraag ⟨de (m.)⟩ **0.1** *open collar.*

schilletje ⟨het⟩ **0.1** [kleine schil] *skin* ⇒*peel, husk* **0.2** [stukje v.e. schil] (*piece of) skin/peel* ⇒*twist* ⟨van citrusvrucht⟩, *peeling* **0.3** [glaasje citroenjenever] ≠(*a dram of) lemon-flavoured Hollands.*

Schilling ⟨de (m.)⟩ **0.1** *schilling.*

schilmachine ⟨de (v.)⟩ **0.1** *peeler* ⇒*peeling-machine.*

schilmes ⟨het⟩ **0.1** *peeler* ⇒*stripper, stripping knife.*

schilmesje ⟨het⟩ **0.1** *peeler* ⇒*paring knife, peeling knife, parer.*

schilploeg ⟨de⟩ **0.1** *stubble plough* ^A*plow.*

schim ⟨de⟩ **0.1** [vage gedaante] *shadow* ⇒*shade* **0.2** [geest van een afgestorvene] *shade* ⇒*ghost* **0.3** [zwak aftreksel] *shadow* ⇒*shade* **0.4** [schaduwbeeld] *silhouette* ⇒*shadow* ◆ **1.2** het rijk der~men *the nether regions/world, the underworld, the Shades* **2.4** Chinese~men *Chinese silhouettes* **3.3** hij is nog maar een~ van zichzelf *he is a mere shadow of his former self* **¶.1** ~men in het donker *shadows/shapes in the dark.*

schimmel ⟨de (m.)⟩ **0.1** [wit- of groenachtige uitslag] *mould* ^A*mold* ⇒*fungus, mildew* ⟨wittige uitslag op leer/papier⟩ **0.2** [⟨plantk.⟩ klasse] *fungus* **0.3** [plantje] *fungus* **0.4** [paard] *grey* ◆ **2.1** grauwe ~ *sclerotium rot/disease* **3.1** de ~ van kaas afhalen *scrape the mould of the cheese* **3.3** deze ~ groeit op brood *this (type of) f. grows on bread* **6.1** er zit ~ op die muur *there is mildew on the wall.*

schimmelachtig ⟨bn.⟩ **0.1** [op schimmel lijkend] *fungoil* ⇒*mouldy* ^A*moldy* **0.2** [beschimmeld] *mouldy* ^A*moldy* ⇒*mildewed, musty, foxy* ◆ **3.2** dat brood smaakt ~ *that bread tastes mouldy.*

schimmelantilope ⟨de⟩ **0.1** *roan (antelope).*

schimmelbles ⟨de (m.)⟩ **0.1** *grey with a blaze.*

schimmeldodend ⟨bn.⟩ **0.1** *fungicidal.*

schimmeldraad ⟨de (m.)⟩ **0.1** *hypha* ⇒*hyphal threads.*

schimmelen ⟨onov.ww.⟩ **0.1** *mould* ^A*mold* ⇒*mildew, become mouldy* ^A*moldy/mildewed.*

schimmelgroei ⟨de (m.)⟩ **0.1** *fungous/fungal/fungoid growth.*

schimmelig ⟨bn.⟩ **0.1** [beschimmeld] (→*schimmelachtig 0.2*) **0.2** [op schimmel lijkend] (→*schimmelachtig 0.1*).

schimmelinfectie ⟨de (v.)⟩ **0.1** *fungous/* ↑ *fungal infection.*

schimmeling ⟨de (v.)⟩ **0.1** *moulding* ^A*molding.*

schimmelkaas ⟨de (m.)⟩ **0.1** *blue(-veined) cheese.*

schimmelkleur ⟨de⟩ **0.1** *grey.*

schimmelkleurig ⟨bn.⟩ **0.1** *grey.*

schimmelplantje ⟨het⟩ **0.1** *fungus.*

schimmelschade ⟨de⟩ **0.1** *fungal/fungous damage.*

schimmelvergiftiging ⟨de (v.)⟩ **0.1** *fungous poisoning.*

schimmelwerend ⟨bn.⟩ **0.1** *anti-fungal* ⇒*fungistatic, fungicidal.*

schimmelziekte ⟨de (v.)⟩ **0.1** *mycosis* ⇒*fungous disease.*

schimmenrijk ⟨het⟩ **0.1** *realm of spirits/ghosts* ⇒*underworld, the Shades, Hades* ◆ **1.1** Pluto, de vorst v.h. ~ *Pluto, prince of the underworld.*

schimmenspel ⟨het⟩ **0.1** [vertoning van schaduwbeelden] *shadow show* ⇒*shadow dance, galanty show, shadow play* **0.2** [onwezenlijke vertoning] *phantasmagoria* ⇒*sham (and show).*

schimmetje ⟨het⟩ **0.1** *trifle* ⇒*pittance* ⟨verdiensten⟩ ◆ **3.1** ik heb er maar een ~ voor gehad *I only got a t./a mere pittance for it.*

schimmig ⟨bn.⟩ **0.1** *shadowy* ⇒*phantom, wraithlike* ◆ **1.1** een~e figuur *a s. figure.*

schimp ⟨de (m.)⟩ **0.1** *scoffing* ⇒*derision, mockery, scorn* ◆ **1.1** ~en smaad te verduren hebben *have to endure mockery and scorn/abuse and derision/taunts and gibes.*

schimpdicht ⟨het⟩ **0.1** *satire.*

schimpen ⟨onov.ww.⟩ **0.1** *scoff* ⇒*jeer, sneer, gibe, mock, taunt* ◆ **1.1** een ~de opmerking maken *sneer, say sth. with a sneer/scoffingly/tauntingly* **3.1** iets ~d opmerken *make a cutting/a derisive remark/a taunt* **6.1** op iem. ~ *scoff/sneer/jeer/gibe at s.o.;* op de regering ~ *inveigh/rail against the government.*

schimpig ⟨bn., bw.; -ly⟩ **0.1** *scoffing* ⇒*scornful, derisive, abusive, mocking, taunting.*

schimping ⟨de (v.)⟩ **0.1** *scoffing* ⇒*jeering, abuse, derision, sneering, taunting.*

schimplachje ⟨de (m.)⟩ **0.1** *sneer* ⇒*smirk, fleer.*

schimpnaam ⟨de (m.)⟩ **0.1** *nickname* ⇒*byword.*

schimprede ⟨de⟩ **0.1** *barrage of abuse* ⇒*invective,* ↑ *diatribe, tirade.*

schimpscheut ⟨de (m.)⟩ **0.1** *gibe, taunt* ⇒*jeer, insult, scoff* ◆ **3.1** iem. ~en geven *jeer at/taunt s.o.;* ⟨AE; inf.⟩ *bitch at s.o..*

schimpschrift ⟨het⟩ **0.1** *lampoon* ⇒*satire,* ⟨jur.⟩ *libel.*

schimpwoord ⟨het⟩ **0.1** *abusive word, term/word of abuse.*

schink ⟨de (m.)⟩ **0.1** *ham.*

schinkel ⟨de (m.)⟩ **0.1** [schenkel] *shank* **0.2** [⟨scheep.⟩ zwaar touw] *pendant, pennant.*

schip ⟨het⟩ (→sprw. 16,31,325,524⟩ **0.1** [boot] *ship* ⇒⟨vnl. voor op zee⟩ *vessel,* ⟨voor binnenvaart⟩ *barge,* ⟨vnl. door niet-zeelui gebruikt⟩ *boat,* ⟨mv. ook⟩ *shipping* ⟨verz.n.: totaal aan schepen v.e. land/in een haven enz.⟩ **0.2** [⟨bouwk.⟩ *nave* ◆ **1.1** ⟨fig.⟩ het ~ van staat *the ship of state;* een ~ van 30.000 ton *a ship of 30,000 tons (burden);* ⟨fig.⟩ het ~ van de woestijn *(the) ship of the desert* **2.1** een scherp ~ *a fast ship;* schoon ~ maken ⟨fig.⟩ *make a clean sweep, put/set one's house in order, clean/clear things up* **3.1** een ~ bevrachten/uitrusten *load/fit out a ship;* ⟨fig.⟩ zijn schepen achter zich verbranden *burn one's boats;* ⟨fig.⟩ de ratten verlaten het zinkende ~ *rats leave a/the rats are leaving the sinking ship* **5.1** een ~ vlot trekken *float a ship* **6.1** ⟨fig.⟩ in het ~ zitten *be in trouble/a mess/a fix;* ⟨vulg.; scherts.⟩ *be up shit creek (in a barbed-wire canoe (without a paddle));* ⟨fig.⟩ voor een paar ton het ~ in gaan *be set back/make a loss of several hundred thousand guilders;* een ~ in nood *a ship in distress;* ⟨fig.⟩ dan ga je mooi het ~ in *then you'll be (in) for it;* ⟨fig.⟩ als het ~ met geld komt *when my ship comes in/home;* op een ~ varen *serve as/be a sailor, serve on a ship;* ⟨reizen⟩ *sail, go by ship;* per ~ *by boat.*

schipbreuk ⟨de (m.)⟩ **0.1** *shipwreck, wreck* ◆ **3.1** ⟨fig.⟩ een plan ~ doen lijden *wreck/torpedo a plan;* ⟨fig.⟩ al zijn pogingen leden ~ *all his attempts foundered/came to nothing/failed/came to grief;* ~ lijden ⟨schip zelf⟩ *founder, be wrecked;* ⟨opvarenden⟩ *be (ship)wrecked.*

schipbreukeling ⟨de (m.)⟩ **0.1** *shipwrecked person* ⇒⟨zeeman ook⟩ *shipwrecked sailor,* ⟨ihb. op vlot/wrakhout of aangespoeld; ook fig.⟩ *castaway,* ⟨fig. ook⟩ *failure.*

schipbrug ⟨de⟩ **0.1** *pontoon bridge* ⇒*bridge of boats, boat/floating bridge.*

schipdeur ⟨de⟩ **0.1** *caisson.*

schipkapel ⟨de⟩ **0.1** *side-chapel.*

schipper ⟨de (m.)⟩ **0.1** [gezagvoerder] *master (of a ship), master mariner* ⇒*captain, shipmaster,* ⟨inf.⟩ *skipper* **0.2** [bestuurder v.e. binnenvaartuig] *captain of a barge* ⇒^B*bargee,* ^A*bargeman* **0.3** [⟨vero.⟩ onderofficier] *petty officer* ◆ **1.1** ~en stuurman zijn 〈fig.〉 *carry out one's own orders* ¶**.2** ~ mag ik overvaren ≠*shepherd can I bring my sheep.*

schipperen
I 〈onov.ww.〉 **0.1** [naar omstandigheden handelen] *give and take* ⇒ ↑*compromise* ◆ **3.1** je moet een beetje weten te ~ *you have to know how to give and take/compromise (a bit)* **6.1** je kunt niet **met** de kwaliteit gaan ~ *you can't compromise on quality;* daar valt niet over te ~ *you can't compromise on that, that won't bear compromise;* **van** ~ wilde hij nooit weten *he never knew how to give and/or take;* ↑*he abhorred compromise;*
II 〈ov.ww.〉 **0.1** [klaarkrijgen] *manage* ◆ **4.1** ik zal dat wel ~ *I'll m. that all right/somehow.*
schipperij 〈de (v.)〉 **0.1** [bedrijf] *inland navigation* **0.2** [schippersvolk] Bbargees, Abargemen.
schippersbaard 〈de (m.)〉 **0.1** *Newgate frill/fringe.*
schippersbeurs 〈de〉 **0.1** *shipping-exchange.*
schippersboom 〈de (m.)〉 **0.1** *barge-pole* ⇒〈BE ook〉 *quant.*
schippersbootje 〈het〉 **0.1** ≠*ship's boat;* ≠*jolly boat.*
schippersgemeente 〈de (v.)〉 **0.1** *congregation of* Bbargees/Abargemen.
schippershut 〈het〉 **0.1** *cabin.*
schippersjongen 〈de (m.)〉 **0.1** *bargehand,* Bbargee Abargeman ⇒*deckhand (on a barge).*
schipperskind 〈het〉 **0.1** Bbargee's/Abargeman's child* ◆ **6.1** onderwijs **aan** ~eren *schooling for bargees'/bargemen's children;* school **voor** ~eren 〈→schippersschool〉.
schippersklokje 〈het〉 **0.1** *ship's clock* ⇒*gimbal clock.*
schippersknecht 〈de (m.)〉 **0.1** *boat-/*〈schuit〉 *barge-hand.*
schippersknoop 〈de (m.)〉 →**schipperssteek.**
schippersschool 〈de〉 **0.1** *school for* Bbargees'/Abargemen's children.*
schipperssteek 〈de (m.)〉 **0.1** *clove hitch.*
schipperstrui 〈de〉 **0.1** *seaman's pullover/jersey* ⇒*(fisher) gansey.*
schippersvrouw 〈de〉 **0.1** Bbargee's/Abargemen's wife.*
schippertje 〈het〉 **0.1** [hondje] *schipperke* **0.2** [wandklok]〈→schippersklokje〉.
schisma 〈het〉 **0.1** *schism* **0.1** ↓*rent* ◆ **2.1** het Grote Schisma *the Great Schism.*
schismaticus 〈de (m.)〉 **0.1** *schismatic.*
schismatiek 〈bn.〉 **0.1** *schismatic(al).*
schistosoma 〈de〉〈med.〉 **0.1** *schistosome, bilharzia.*
schistosomiasis 〈de〉〈med.〉 **0.1** *schistosomiasis, bilharzia(sis).*
schitteren 〈onov.ww.〉 **0.1** [glinsteren] *glitter, shine, twinkle* ⇒*sparkle* 〈ogen, diamant enz.〉 **0.2** [uitblinken] *shine (in/at)* ⇒ ↑*excel (in/at)* **0.3** [korte tijd fel schijnen] *flash, flare* ◆ **1.1** het gepoetste koperwerk schittert u tegen *the polished brass(ware) gleams/shines at you* **6.1** zijn ogen schitterden **van** plezier *his eyes twinkled with amusement* **6.2**~**door** afwezigheid *be conspicuous by one's absence;* hij schittert **door** geestigheid/verstand *he excels in wit/common sense, he is brilliantly witty/commonsensical;* ~ **in** gezelschap *be a social success.*
schitterend 〈bn., bw.;-ly〉 **0.1** [stralend] *brilliant* ⇒*glittering, glittering, radiant, dazzling* **0.2** [prachtig] *splendid, magnificent* ⇒*glorious, gorgeous, dazzling,* 〈meestal mbt. prestatie〉 *brilliant* ◆ **1.1** een ~ licht *a b.* /*dazzling light;* de ~e sneeuw *the sparkling/glittering snow;* een ~e ster *a twinkling/glittering/bright star;* het weer was ~ *the weather was gorgeous/glorious/wonderful* **1.2** een ~ doelpunt *a marvellous/s./brilliant goal;* een ~e loopbaan *a brilliant/s. career;* ~e overwinningen *glorious victories* ¶**.2** ~! *splendid!, brilliant!, marvellous!, terrific!, fantastic!.*
schitterglans 〈de〉 **0.1** *brilliance, glitter, sparkle* ⇒*lustre, splendour.*
schittering 〈de (v.)〉 **0.1** [het schitteren] *brilliance* ⇒*radiance, glitter, dazzle* **0.2** [praal] *brilliance, splendour, magnificence* ⇒*resplendence.*
schitterlicht 〈het〉 **0.1** [stralend licht] *brilliant/dazzling light* **0.2** [signaallicht] *flashing light* ⇒*flash.*
schizofreen[1] 〈de (m.)〉 **0.1** *schizophrenic* ⇒〈inf.〉 *schizo.*
schizofreen[2] 〈bn.〉 **0.1** [gespleten] *schizophrenic* ⇒ *with/having a split personality* **0.2** [van schizofrene aard] *schizophrenic* **0.3** [raar] *schizophrenic, schizoid* ⇒〈inf.〉 *schizo, crazy, nuts* ◆ **1.2** schizofrene reacties *s. reactions* **3.1** hij is ~ *he is s.; he has a split personality;* iem. die ~ is *s.o. who is s., s.o. with a split personality* **3.3** doe niet zo~! *don't be so schizo(phrenic)/crazy.*
schizofrenie 〈de (v.)〉 **0.1** *schizophrenia.*
schizogenesis 〈de (v.)〉〈biol.〉 **0.1** *schizogenesis.*
schizoïde 〈bn.〉 **0.1** *schizoid.*
schizothym 〈bn.〉 **0.1** *schizothymic.*
schlager 〈de (m.)〉 **0.1** *(schmalzy) pop(ular) song* ⇒〈succeslied〉 *(smash) hit.*
schlamm 〈de〉 **0.1** *sludge.*
schlemiel 〈de (m.)〉 **0.1** [slappeling]〈BE;inf.〉 *wet, sap;* 〈AE;sl.〉 *schlemiel* **0.2** [pechvogel] *underdog, down-and-out* ⇒〈AE;sl.〉 *schlemasel* ◆ **2.1** een lange ~ *a beanpole (of a boy/man).*
schlemielig 〈bn.〉 **0.1** [onbeholpen] *schlemiel, nebbish, clumsy* **0.2** [slungelachtig] *schlemiel.*
schmieren 〈onov.ww.〉〈dram.〉 **0.1** *ham (it up).*
schmink 〈de (m.)〉 **0.1** *grease paint, make-up.*

---

schminken 〈ov.ww.〉 **0.1** *make (o.s./s.o.) up* ◆ **4.1** zich ~ *make (o.s.) up.*
schnabbel 〈de (m.)〉 **0.1** *(bit of a) job on the side* ⇒〈muz.〉 *gig* ◆ **3.1** daar heb ik een leuke ~ aan *it's a nice (bit of a) job on the side for me;* ergens een ~ hebben *have a (bit of a) job on the side somewhere, have a gig somewhere* **8.1** als ~ in een orkestje spelen *play/have a gig/some gigs in a band, gig in a band.*
schnabbelaar 〈de (m.)〉 **0.1** 〈vnl. 's avonds na het gewone werk〉 ≠*moonlighter;* 〈muz.〉 *gig player.*
schnabbelen 〈onov.ww.〉 **0.1** *have a (bit of a) job on the side* ⇒〈vooral 's avonds na het gewone werk〉 *moonlight,* 〈muz.〉 *gig, play/have a gig/gigs.*
schnapps 〈de (m.)〉 **0.1** *schnapps.*
schnitzel 〈de (m.)〉 **0.1** *(veal/pork) cutlet* ⇒〈vnl. kalfsvlees〉 *schnitzel* ◆ ¶**.1** Wiener ~ *Wiener schnitzel.*
schnorkel →**snorkel.**
schobbejak 〈de (m.)〉 **0.1** *scoundrel, blackguard* ⇒*villain, rogue,* 〈inf.〉 *scab,* 〈sl.〉 *rotter, heel.*
schobben 〈ov.ww.〉 **0.1** *scratch, rub* ◆ **4.1** het paard schobt zich tegen de krib *the horse rubs (itself) against the manger.*
schobber 〈de (m.)〉 **0.1** [berooid persoon] *down-and-out, (poor) wretch* ⇒〈vnl. mv.〉 *have-not* **0.2** [schobbejak]〈→schobbejak〉.
schobberdebonk 〈de (m.)〉 ◆ **6.¶ op** de ~ *on the spur of the moment; for the hell of it, unpremeditated;* **op** de ~ lopen *sponge, scrounge, cadge, be on the scrounge/cadge* ¶.¶ voor ~ lopen *look like a dog's dinner/an unmade bed/a rag-bag.*
schoeien 〈ov.ww.〉 **0.1** [bekleden met schoenen] *shoe* **0.2** [beschermen] 〈met hout〉 *timber;* 〈met andere materialen〉 *face* **0.3** [vastzetten] *put in a/the rowlock/the rowlocks* ◆ **1.1** 〈fig.〉 de opleiding op een andere leest ~ *remodel/reorganize the course.*
schoeiing 〈de (v.)〉 **0.1** [het beschermen]〈met hout〉 *timbering;* 〈van rivieroevers e.d.〉 *campshotting, campshedding* **0.2** [beschoeiing] *cladding* ⇒〈mbt. rivieroevers ook〉 *campshed, campshot.*
schoeiplank 〈de〉 **0.1** *sheathing.*
schoeisel 〈het〉 **0.1** *footwear, footgear* ◆ **1.1** ~en kleding *footwear and clothing* **2.1** houten ~ *clogs, wooden shoes* **6.1** zonder ~ *without shoes, shoeless;* 〈op kousenvoeten〉 *in one's stocking(ed) feet;* 〈op blote voeten〉 *barefoot.*
schoelje 〈de (m.)〉 →**schobbejak.**
schoeljeachtig 〈bn., bw.〉 **0.1** 〈bn.〉 *blackguard(ly), scoundrel(ly);* 〈bw.〉 *in a blackguard(ly)/scoundrelly way.*
schoeljestuk 〈het〉 **0.1** *(piece of) villainy.*
schoen 〈de (m.)〉〈→sprw. 310,527,528〉 **0.1** [voetbekleedsel]〈ihb. lage schoen〉 *shoe* ⇒〈hoge schoen〉 *boot* **0.2** [schoenachtig voorwerp] *shoe* **0.3** [stompje v.e. tak] *stump, heel* ◆ **1.1** de ~ v.e. laars *the foot part of a boot;* een paar ~en *a pair of shoes;* twee paar ~en *two pairs of shoes* **1.2** de ~ v.e. sabelschede *the chape of a scabbard* **2.1** lage ~en *shoes,* 〈AE ook〉 *loafers;* 〈lage rijgschoenen〉 *Oxfordshoes, Oxfords;* 〈fig.〉 de stoute ~en aantrekken *pluck/screw up one's courage, nerve o.s. (for sth.)* **3.1** zijn ~en aantrekken *put on one's shoes, put/pull on one's boots;* zijn ~en poetsen *polish/shine one's shoes;* zijn ~en uittrekken *take off one's shoes;* daar wringt de ~ *that's where the s. pinches;* de ~ zetten *put one's shoe next to the chimney,* ≠*hang up one's (Christmas) stocking* **6.1** stevig **in** zijn ~en staan 〈fig.〉 *be sure of o.s.* /*one's ground, stand firm;* ik zou niet graag **in** zijn ~en willen staan *I wouldn't like to be in his shoes;* 〈fig.〉 iem. iets **in** de ~en schuiven *pin sth. on (to) s.o., foist sth. (up)on s.o., lay sth. at s.o.'s door, saddle s.o. with sth.;* ~ **met** platte hak *flat shoe,* 〈inf.〉 *flattie;* **naast** zijn ~en lopen van verwaandheid *be too big for one's boots/breeches;* ↑*be full of conceit;* **zonder** ~en *without shoes, shoeless;* 〈op kousenvoeten〉 *in one's stocking(ed) feet;* 〈op blote voeten〉 *barefoot.*
schoenbek 〈de (m.)〉〈dierk.〉 **0.1** *shoebill.*
schoenborstel 〈de (m.)〉 **0.1** *shoe brush.*
schoencrème 〈de〉 **0.1** *shoe polish/cream.*
schoendop 〈de (m.)〉 **0.1** *stud.*
schoenendoos 〈de〉 **0.1** *shoe box.*
schoenenwinkel 〈de (m.)〉 →**schoenenzaak.**
schoenenzaak 〈de〉 **0.1** *shoe shop.*
schoener 〈de (m.)〉 **0.1** *schooner.*
schoenerbark 〈de〉〈scheep.〉 **0.1** *barquentine* Akentine.
schoenerzeil 〈het〉〈scheep.〉 **0.1** *fore trysail.*
schoenfabriek 〈de (v.)〉 **0.1** *shoe factory.*
schoengesp 〈de (m.)〉 **0.1** *shoe-buckle.*
schoenklomp 〈de (m.)〉 **0.1** *clog (with leather upper(s)).*
schoenlak 〈de (m.)〉 **0.1** *shoe lacquer.*
schoenlappen 〈ww.〉 **0.1** *shoe-repair* ⇒*mending/repair of shoes.*
schoenlapper 〈de (m.)〉 **0.1** [persoon]〈→schoenmaker〉 **0.2** [vlinder] *Vanessa* ⇒〈Vanessa atalanta〉 *red admiral.*
schoenleer 〈het〉 **0.1** *shoe-leather.*
schoenleest 〈de〉 **0.1** *(shoe-)last.*
schoenlepel 〈de (m.)〉 **0.1** *shoehorn.*
schoenmaat 〈de〉 **0.1** *shoe size.*

schoenmaken ⟨ww.⟩ **0.1** *shoemaking* ⇒*mending / repairing of shoes*.

schoenmaker ⟨de (m.)⟩ ⟨→sprw. 529⟩ **0.1** *cobbler, shoemaker* ⇒ ⟨in hakkenbar⟩ *shoe repairman* ◆ **6.1** die schoenen moeten **naar** de ~ *those shoes need mending / repair(ing)*.

schoenmakerij ⟨de (v.)⟩ **0.1** [werkplaats] *cobbler's (workshop), shoemaker's (workshop)* **0.2** [het repareren] *shoe-repair* ⇒*mending / repair of shoes*.

schoenmakersdriestal ⟨de (m.)⟩ **0.1** *cobbler's / shoemaker's stool*.

schoenmakersdrievoet ⟨de (m.)⟩ →**schoenmakersdriestal**.

schoenmakersels ⟨de⟩ **0.1** *cobbler's / shoemaker's awl*.

schoenmakerswinkel ⟨de (m.)⟩ →**schoenmakerij 0.1**.

schoenpin ⟨de⟩ **0.1** *shoe-peg / -pin*.

schoenpoets ⟨de (m.)⟩ ⟨inf.⟩ **0.1** ⟨ongemarkeerd⟩ *shoe polish*.

schoenpoetsautomaat ⟨de (m.)⟩ **0.1** *shoe-cleaning machine*.

schoenpoetsen ⟨ww.⟩ **0.1** *cleaning / shining / polishing of shoes, shoe-cleaning*.

schoenpoetser ⟨de (m.)⟩ **0.1** [persoon] *shoeshine boy* ⇒*shoeblack, bootblack*, ⟨in hotel⟩ *boots* **0.2** [machine] ⟨→**schoenpoetsautomaat**⟩.

schoenriem ⟨de (m.)⟩ **0.1** *sandal (strap)*.

schoenschaats ⟨de⟩ **0.1** *skate* ⇒*skating boot*.

schoensmeer ⟨het, de (m.)⟩ **0.1** *shoe polish* ⇒*shoe cream*, ⟨zwarte⟩ *(shoe-)blacking*.

schoenspanner ⟨de (m.)⟩ **0.1** *shoe-tree* ⇒ ⟨bij schoenmaker⟩ *(shoe-)stretching machine*.

schoenspijker ⟨de (m.)⟩ **0.1** ⟨om zolen / hielen te bevestigen⟩ *(shoe-)tack;* ⟨om het slijten te voorkomen⟩ *hobnail*.

schoentrekker ⟨de (m.)⟩ **0.1** *shoehorn*.

schoenveter ⟨de (m.)⟩ **0.1** [bandje] *shoelace* ⇒ ⟨AE ook⟩ *shoestring* **0.2** [paling] *very thin eel* ◆ **3.1** zijn ~s strikken / vastmaken *lace up / tie one's shoes*.

schoenzool ⟨de⟩ **0.1** *sole*.

schoep ⟨de⟩ **0.1** [bord op de omtrek v.e. rad] *blade* ⟨ook v.e. turbine⟩ ⇒*vane, paddle, float(board)* **0.2** [plankje in een zonneblind] *slat*.

schoepen ⟨ov.ww.⟩ ⟨inf.⟩ **0.1** *swipe* ⇒*pinch, pilfer, nick*.

schoepenrad ⟨het⟩ **0.1** *paddle wheel* ⇒*turbine*.

schoepenwiel ⟨het⟩ **0.1** *paddle wheel* ⇒*turbine*.

schoffel ⟨de⟩ **0.1** [gereedschap] *hoe* ⇒*weeder*, ⟨zwaar model⟩ *grubber, grub(bing)hoe, grubhook* **0.2** [spade] *spade, shovel*.

schoffelaar ⟨de (m.)⟩ **0.1** [persoon] *hoer, weeder, grubber* **0.2** [hert] *elk / buck with palmate(d) antlers* **0.3** [⟨sport⟩] *hacker* ⇒*rough / dirty player*.

schoffelen
I ⟨onov., ov.ww.⟩ **0.1** [met de schoffel (be)werken] *weed, grub* ◆ **1.1** de tuinpaden ~ *w. / g. the garden paths;*
II ⟨onov.ww.⟩ **0.1** [schuifelen] *shuffle* **0.2** [slenteren] *saunter* ⇒*stroll* **0.3** [haastig te werk gaan] *do a quick / superficial / hasty job, skip over (sth.)* **0.4** [⟨sport⟩] *hack* ⇒*chop, give some stick;*
III ⟨ov.ww.⟩ **0.1** [dooreenschudden] *shuffle* **0.2** [schuivend voortbewegen] *shuffle (along)* ⇒*push* ◆ **1.1** speelkaarten ~ *s. cards* **1.2** een knikker ~ *push a marble*.

schoffelfrees ⟨de⟩ **0.1** *soil miller*.

schoffelgewei ⟨het⟩ **0.1** *palmate(d) antlers, shovel antlers*.

schoffelploeg ⟨de⟩ **0.1** *cultivator*, [B]*grubber*.

schofferen ⟨ov.ww.⟩ **0.1** [beledigen] *treat with contempt* ⇒≠*insult* **0.2** [verkrachten] ⟨lit.; euf.⟩ *violate* ⇒*rape* ◆ **1.1** de minister schoffeerde de kamer *the minister treated the (members of the) chamber with contempt*.

schoffie ⟨het⟩ **0.1** *rascal* ⇒*urchin, ruffian, scamp, imp*.

schoft
I ⟨de (m.)⟩ **0.1** [schurk] *scoundrel, rascal, villain* ⇒*skunk, bastard* ◆ **1.1** stelletje ~en! *bunch of shits /* [A]*jerks* **2.1** hij is de grootste ~ die ik ooit heb ontmoet *he is the biggest skunk / bastard I have ever met;* een vuile ~ *a dirty rat / son of a bitch;*
II ⟨de⟩ **0.1** [schouder v.e. dier] *shoulder* ⇒ ⟨v.e. paard ook⟩ *withers* ⟨mv.⟩ **0.2** [mbt. sluis / duiker] *slide*.

schoftachtig ⟨bn., bw.⟩ →**schofterig**.

schoftbuil ⟨de⟩ **0.1** *fistulous withers*.

schoftenstreek ⟨de⟩ **0.1** *rotten / dirty / nasty / beastly trick*.

schofterig ⟨bn., bw.⟩ **0.1** *rascally* ⇒*beastly, villainous*, ⟨AE; sl.⟩ *jerky*.

schofthoogte ⟨de (v.)⟩ **0.1** *shoulder height* ⇒*height of the withers*.

schoftzadel ⟨het⟩ **0.1** *backband* ⇒*saddle-pad*.

schok
I ⟨de (m.)⟩ **0.1** [stoot] *jolt* ⇒*jar, blow, jerk, impact* ⟨slag⟩ **0.2** [elektrische ontlading] *shock* **0.3** [gebeurtenis] *event* **0.4** [emotionele klap] *shock* ⇒*blow, jolt, jar* ◆ **1.1** de ~ken v.e. aardbeving *earthquake tremors* **1.4** de ~ van de herkenning *the s. / jolt of recognition;* een ~ van verontwaardiging *a wave of indignation* **2.1** de ~ was zo hevig dat ... *the (force of the) impact was so great that ...* **3.2** een ~ krijgen *receive / get a s.* **3.4** dat zal een ~ geven *that will be a (severe) blow;* er ging een ~ door de aanwezigen *a shudder / tremor went through the crowd* **6.1** met een ~ stilstaan / wegrijden *jolt to a stop / jolt away;* ⟨stoppen ook⟩ *stop with a jerk;* **met** een ~ wakker worden *awake with a start / jolt / jerk;* zich iets **met** een ~ realiseren *come to the startling realization, realize with a jolt / start* **¶.4** de ~ te boven komen *get over the s.;*
II ⟨het⟩ **0.1** [zestigtal] *three score* **0.2** [twintigtal] ≠*two dozen* ⇒*score*.

schokabsorberend ⟨bn.⟩ **0.1** *shock-absorbing*.

schokbehandeling ⟨de (v.)⟩ **0.1** *shock treatment / therapy*.

schokbelasting ⟨de (v.)⟩ **0.1** *intermittent load, repeated loadings*.

schokbestendig ⟨bn.⟩ **0.1** *shockproof* ⇒*shock-resistant* ◆ **1.1** ⟨tech.⟩ een zeer ~ huis *a high-impact housing*.

schokbeton ⟨het⟩ **0.1** *vibrated concrete*.

schokbeveiliging ⟨de (v.)⟩ **0.1** *shock-absorbing device / construction*.

schokbreker ⟨de (m.)⟩ **0.1** *shock absorber* ⇒ ⟨BE ook⟩ *damper*, ⟨inf.; mv.⟩ *shocks* ⟨van auto⟩.

schokbuis ⟨de⟩ **0.1** *(percussion) fuse*.

schokdemper →**schokbreker**.

schokeffect ⟨het⟩ **0.1** *shock* ⇒*impact* ◆ **3.1** een enorm ~ teweegbrengen *make a tremendous impact;* voor een ~ zorgen *create a s.*.

schokgolf ⟨de⟩ **0.1** *shock wave* ⇒*blast*.

schokgranaat ⟨de⟩ **0.1** *(percussion) grenade*.

schokken
I ⟨onov.ww.⟩ **0.1** [aan schokken blootstaan] *shake* ⇒*jolt, bump* **0.2** [schokken veroorzaken] *shake* ⇒*jolt, jostle, agitate* **0.3** [ongecontroleerde bewegingen maken] *shake* ⇒*twitch* ◆ **1.2** een ~de auto *a jolting car* **6.3** met de schouders ~ *shrug one's shoulders;*
II ⟨ov.ww.⟩ **0.1** [choqueren] *shock* ⇒*shake* **0.2** [heftig doen bewegen] *shake* **0.3** [nadelig werken op] *shake* **0.4** [⟨inf.⟩ betalen] *cough up* ⟨het geld⟩ ◆ **1.2** de snikken die haar boezem schokten *the sobs that shook her bosom* **1.3** iemands geloof / vertrouwen ~ *shake s.o.'s faith / trust;* het droeve bericht schokte zijn gezondheid *the sad news shook / undermined his health;* geschokt vertrouwen *shaken faith*.

schokkend ⟨bn.⟩ **0.1** *shocking* ⇒*startling, jolting* ◆ **1.1** de film bevat ~e beelden *the film has some shocking / harrowing scenes;* een ~e ervaring ⟨ook⟩ *an unnerving / a harrowing experience*.

schokker ⟨de (m.)⟩ **0.1** [erwt] *green pea* **0.2** [vissersvaartuig] *'schokker'* ⟨small (commercial) fishing boat⟩ **0.3** [jachtmodel] *'schokker'* ⟨type of yacht⟩.

schokkerig ⟨bn., bw.; -ly⟩ **0.1** *jerky* ⇒*bumpy*.

schokproef ⟨de⟩ **0.1** *shock / impact test*.

schokschouderen ⟨onov.ww.⟩ **0.1** *shrug one's shoulders*.

schoksgewijs ⟨bw.⟩ **0.1** *jerkily, by fits and starts* ⇒*intermittently*.

schokstaking ⟨de (v.)⟩ **0.1** *intermittent strike*.

schoktherapie ⟨de (v.)⟩ **0.1** *shock treatment / therapy*.

schokvast ⟨bn.⟩ **0.1** *shockproof* ⇒*shock-resistant*.

schokvrij ⟨bn.⟩ →**schokvast**.

schokwerking ⟨de (v.)⟩ **0.1** *impact* ⇒*shock*.

schol
I ⟨de (m.)⟩ **0.1** [platvis] *plaice* **0.2** [schar] *flounder* ⇒*dab(s)* ◆ **8.1** zo plat als een ~ *as flat as a pancake;*
II ⟨de⟩ **0.1** [ijs] *(ice) floe* **0.2** [zode] *sod* ⇒*turf* **0.3** [⟨geol.⟩] *(fault) block*.

schola cantorum ⟨de⟩ **0.1** *schola cantorum*.

scholasticus ⟨de (m.)⟩ **0.1** *scholastic*.

scholastiek[1]
I ⟨de (v.)⟩ **0.1** [wijsbegeerte en godgeleerdheid] *scholasticism;*
II ⟨de (m.)⟩ **0.1** [kloosterling] *scholastic*.

scholastiek[2] ⟨bn., bw.⟩ **0.1** *scholastic* ◆ **1.1** de ~e wijsbegeerte *s. philosophy, scholasticism*.

scholastisch ⟨bn., bw.; -(al)ly⟩ **0.1** *scholastic(al)*.

scholekster ⟨de⟩ **0.1** *oystercatcher / bird* ⇒ ⟨vnl. BE⟩ *sea pie*.

scholen
I ⟨ov.ww.⟩ **0.1** [opleiden] *school* ⇒*teach, instruct, train, drill* ◆ **1.1** de arbeiders moeten opnieuw geschoold worden *the workers have to be retrained;*
II ⟨onov.ww.⟩ **0.1** [samenscholen] *flock (together)* ⇒ ⟨mbt. vissen⟩ *school*.

scholenbouw ⟨de (m.)⟩ **0.1** *school building / construction*.

scholencomplex ⟨het⟩ **0.1** *school complex*.

scholengemeenschap ⟨de (v.)⟩ **0.1** ≠*comprehensive school*.

scholiën ⟨zn. mv.⟩ **0.1** *scholia*.

scholier ⟨de (m.)⟩ **0.1** [B]*pupil*, [A]*student* ⇒*schoolboy / -girl*.

scholierenabonnement ⟨het⟩ **0.1** ⟨mbt. tijdschriften⟩ [B]*pupil /* [A]*student subscription;* ⟨mbt. kortingen⟩ *youth card*.

scholing ⟨de (v.)⟩ **0.1** *schooling* ⇒*education, training, instruction* ◆ **3.1** ~ ontvangen *receive s. / training / instruction, be schooled / trained* **6.1** een man met weinig ~ *a man of / with little s. / education*.

scholingsinspecteur ⟨de (m.)⟩ **0.1** *(vocational) school inspector*.

scholspier ⟨de⟩ **0.1** *sural muscle*.

scholtijd ⟨de (m.)⟩ **0.1** *plaice season*.

schommel ⟨de⟩ **0.1** [speeltuig] *swing* **0.2** [gezet persoon] *cow* ⇒*blimp, fat person*, ⟨sl.⟩ *fatso* ◆ **2.2** een dikke ~ *a fat c. / lump*.

schommelaar ⟨de (m.)⟩ **0.1** *lumbering / waddling person*.

schommelbank ⟨de⟩ **0.1** *couch hammock*.

schommelbeweging ⟨de (v.)⟩ **0.1** *swing* ⇒*swinging / rocking motion*.

schommelen ⟨onov.ww.⟩ **0.1** [heen en weer bewegen] *swing* ⇒ ⟨stoel,

trein⟩ *rock*, ⟨boot⟩ *roll* **0.2** [zich schommelend vermaken] *swing* ⇒ *rock* **0.3** [zich bewegen om een gemiddelde] *fluctuate* **0.4** [voortbewegen] *lumber* ◆ **1.1** een ~de wieg *a rocking cradle* **1.3** de prijzen ~ tussen de 20 en 25 gulden *prices fluctuate between 20 and 25 guilders* **6.1** het ranke bootje schommelde **op** de golven *the crank boat rolled on the waves* **6.2** ze zijn **aan** 't ~ *they are playing on the swings/swinging*.

schommelgang ⟨de (m.)⟩ **0.1** *lumbering gait* ⇒ *waddle*.

schommeling ⟨de (v.)⟩ **0.1** *fluctuation* ⇒ *swing*, ⟨tech.⟩ *oscillation* ◆ **6.1** ~en **in** de temperatuur/de wisselkoersen *fluctuations/variations in temperature/the rates of exchange*.

schommelstoel ⟨de (m.)⟩ **0.1** *rocking chair* ⇒ ⟨AE ook⟩ *rocker*.

schompes ⟨het⟩ ⟨inf.⟩ ◆ **3.¶** zich het ~ schrikken *be scared stiff/silly, jump out of one's skin*; ik ga me daar een beetje het ~ werken voor een paar tientjes *I'm not going to sweat/work/slog my guts out for a couple of pounds*.

schone ⟨de (v.)⟩ **0.1** *beauty* ◆ **2.1** een Spaanse ~ *a Spanish beauty*.

schonen ⟨ov.ww.⟩ **0.1** [zuiveren] *clean* **0.2** [mbt. water] *clean* ◆ **1.1** de prijsindex ~ *revise the price index*.

schonk ⟨de⟩ **0.1** [grof been] *(coarse) bone* **0.2** [lichaamsdeel] *hip, shoulder*.

schonkig ⟨bn.⟩ **0.1** *bony* ◆ **1.1** een ~e kerel *a b. fellow*.

schoof ⟨de⟩ **0.1** [bundel halmen] *sheaf* **0.2** [bundel] *sheaf* ◆ **3.1** in schoven binden *sheave* **6.1** **op/aan** schoven zetten *set/sheave upright*.

schooien
I ⟨onov.ww.⟩ **0.1** [bedelen] *beg* ⇒ *scrounge, cadge*, ⟨AE;sl.⟩ *mooch* **0.2** [dringend vragen] *beg* ◆ **6.1** die hond schooit **bij** iedereen om een stukje vlees *that dog begs at everybody's knee for a piece of meat*; ~ **langs** de huizen *go from door to door begging/asking for a hand-out* **6.2** hij schooit **om** geld *he's begging for money*;
II ⟨ov.ww.⟩ **0.1** [ophalen] *collect* ⇒ *pick up* ◆ **1.1** zij schooit oude kranten *she goes around collecting old (news)papers* **6.1** honderd gulden **bij** elkaar ~ *c./rake up 100 guilders*.

schooier ⟨de (m.)⟩ **0.1** [vagebond] *bum* ⇒ *tramp, vagabond* **0.2** [haveloos type] *bum* ⇒ *tramp* **0.3** [schoft] *bum* ⇒ *bastard, skunk, rat* **0.4** [bedelaar] *beggar* ⇒ ⟨AE ook⟩ *panhandler*.

schooieren ⟨onov.,ov.ww.⟩ **0.1** *cadge*; ⟨AE ook;inf.⟩ *panhandle* ◆ **1.1** geld bij elkaar ~ *go around cadging money*.

schooipreek ⟨de⟩ ⟨inf.⟩ **0.1** *begging sermon*.

school ⟨de⟩ **0.1** [onderwijsinstelling] *school* **0.2** [gebouw] *school* **0.3** [lestijd] *school* **0.4** [scholieren plus leerkrachten] *school* **0.5** [leermethode] *school* **0.6** [mbt. kunst/wetenschappen/letterkunde] *school* **0.7** [het schoolwezen] *education* ⇒ *schooling* **0.8** [leerschool] *school* **0.9** [menigte dieren] *school* **0.10** [(paardesport)] *school* **0.11** [massa] *mesh* ◆ **1.6** de ~ van Plato *the Platonic s.*; de ~ van Zola *Zola's s. (of thought)* **1.9** een ~ haringen *a s. of herring* **2.1** een bijzondere ~ *a denominational s.*; een christelijke/katholieke ~ *a Protestant/Catholic s.*; een gemengde ~ *a mixed/co-ed(ucational) s.*; ⟨kind.⟩ de grote ~ *the big s.*; de lagere ~ *primary/elementary/* ⟨AE ook⟩ *grade s.*; de middelbare ~ [B]*secondary* [A]*high school*; een neutrale ~ *a non-denominational s.*; een openbare ~ [B]*state/* [A]*public s.*; de vrije ~ *the anthroposophic s.* **2.4** de hele ~ praat erover *the whole s. is buzzing/talking about it* **3.1** de middelbare ~ niet afmaken *drop out of/leave/quit secondary s.*; ⟨de⟩ ~ verzuimen *be absent from/miss/skip s.* **3.3** de ~ duurt tot 12 uur *s. ends/is over at 12 o'clock*; de ~ gaat aan/uit *s. begins/ends* **3.6** ~ maken *get/gather a following* **6.1** ~ **met** de bijbel *Protestant s.*; **naar** ~ gaan *go to s.*; de kinderen zijn **naar** ~ *the children are at s.*; de kinderen **naar** ~ brengen en halen *take the children to s. and pick them up again*; voor het eerst **naar** (de grote) ~ gaan *start s.*; **op** ~ komen *arrive at/get to s.*; **op** de middelbare ~ zitten *be at/attend secondary/* [A]*high school*; ik heb nog met hem **op** ~ gezeten *I went to s. with him*; **uit** ~ komen *come home from s.*; een kind **van** ~ nemen *take a child (away) from s.*; als de kinderen **van** ~ zijn *when the children have left s.*; zij werd **van** ~ gestuurd *she was expelled from s.*; ~ **voor** jongens/voor meisjes *boys'/girls' s.*; een ~ **voor** buitengewoon onderwijs *a special education/remedial s.*; een ~ **voor** voortgezet onderwijs *a secondary s.* **6.3 na** (de) ~ *after s.* **6.¶ uit** de ~ klappen *blab*.

schooladviesdienst ⟨de (m.)⟩ **0.1** ≠*education/schools advisory service*.

schoolagenda ⟨de⟩ **0.1** *school diary* ⇒ [B]*prep book*.

schoolakte ⟨de⟩ **0.1** *teaching certificate*.

schoolangst ⟨de (m.)⟩ **0.1** *fear of school* ⇒ *homesickness*.

schoolartikelen ⟨zn.mv.⟩ **0.1** *school necessities*.

schoolarts ⟨de (m.)⟩ **0.1** *school doctor*.

schoolatlas ⟨de (m.)⟩ **0.1** *student/junior atlas*.

schoolbad ⟨het⟩ **0.1** [bad bij school] *school swimming pool* **0.2** [instructiezwembad] *learner's/training pool* ⇒ *instruction pool/bath*.

schoolbank ⟨de⟩ **0.1** *school desk* ◆ **6.1** ik heb met hem in de ~en gezeten *we went to school together, I went to school with him, we were schoolmates/schoolfellows*.

schoolbegeleider ⟨de (m.)⟩, **-ster** ⟨de (v.)⟩ **0.1** *educational/vocational advisor*.

schoolbegeleidingsdienst ⟨de (m.)⟩ **0.1** (→**schooladviesdienst**).

schoolbehoeften ⟨zn.mv.⟩ **0.1** *school necessities/supplies*.

schoolbel ⟨de⟩ **0.1** [bij aan-/uitgaan] *school bell/buzzer* **0.2** [aan de voordeur] *school bell*.

schoolbestuur ⟨het⟩ **0.1** [de bestuurders] *governing body (of a school), school governors, board of governors (of a school)* **0.2** [het besturen] *school management, management/running of a school*.

schoolbezoek ⟨het⟩ **0.1** [door de leerlingen] *(school) attendance* **0.2** [door een inspecteur/schoolcommissie] *visit of the (school) inspector/* [A]*school board* **0.3** [door de ouders] *open house*.

schoolblad ⟨het⟩ **0.1** [schoolkrant] *school (news)paper/magazine* **0.2** [aan het onderwijs gewijd nieuwsblad] *educational publication/paper/magazin/periodical*.

schoolblijven ⟨onov.ww.⟩ **0.1** *stay in/be kept in (after school)* ◆ **6.1** hij moet **tot** vijf uur ~ *he has to stay in/must be kept in (after school) until five o'clock* **7.1** het ~ *detention*.

schoolboek ⟨het⟩ **0.1** *school book* ⇒ *textbook*.

schoolbord ⟨het⟩ **0.1** *blackboard* ⇒ *chalkboard*.

schoolbrigade ⟨de (v.)⟩ **0.1** *school crossing/school safety patrol*.

schoolbrigadier ⟨de (m.)⟩ **0.1** *school/road crossing warden* ⇒ ⟨BE ook⟩ *lollipop man/woman/boy/girl*.

schoolbus ⟨de⟩ **0.1** *school bus*.

schoolcijfers ⟨zn.mv.⟩ **0.1** [B]*marks*, [A]*grades*.

schoolclub ⟨de⟩ **0.1** *school club*.

schooldag ⟨de (m.)⟩ **0.1** *school day* ◆ **7.1** de eerste ~ *the first day of/at school*.

schooldecaan ⟨de (m.)⟩ **0.1** *career/vocational adviser* ⇒ [B]*careers master*.

schooldecanaat ⟨het⟩ **0.1** *function/institution of vocational adviser/careers master*.

schooldiploma ⟨het⟩ **0.1** *diploma* ⇒ *school (leaving) certificate*.

schooldirecteur ⟨de (m.)⟩, **-trice** ⟨de (v.)⟩ **0.1** *headmaster* (m.), *headmistress* (v.) ⇒ ⟨in voortgezet en hoger onderwijs ook⟩ *principal*.

schooldokter → **schoolarts**.

schoolduits, -engels, -frans ⟨het⟩ **0.1** *school(book/boy/girl) German/English/French*.

schooleditie ⟨de (v.)⟩ **0.1** *school edition*.

schoolelftal ⟨het⟩ **0.1** *school (soccer) team*.

schoolexamen ⟨het⟩ **0.1** *(school) exam(ination)*.

schoolfeest ⟨het⟩ **0.1** *school party*.

schoolfonds ⟨het⟩ **0.1** [fonds] *school fund(s)* **0.2** [schooluitgaven] *(a publisher's) educational line*.

schoolfrik ⟨de (m.)⟩ ⟨bel.⟩ **0.1** [†]*pedant* ⇒ [†]*pedagogue*, ⟨inf.⟩ *schoolmarm, prig*.

schoolgaan ⟨onov.ww.⟩ **0.1** *go to/attend school* ◆ **1.1** ik heb tien jaar schoolgegaan *I went to/was at/attended school for ten years* **6.1** ⟨fig.⟩ **bij** hem kun je nog wel ~ *you can learn a lot from him, he can teach you a thing or two*.

schoolgaand ⟨bn.⟩ **0.1** *schoolgoing*.

schoolgebouw ⟨het⟩ **0.1** *school(-building)* ⇒ ⟨kleinere school ook⟩ *schoolhouse*.

schoolgebruik ⟨het⟩ **0.1** [wat op school gebruikelijk is] *school custom* **0.2** [gebruik op scholen] *school/classroom use* ⇒ *use in school* ◆ **6.2 voor** ~ geschikt *suitable for classroom use*.

schoolgeld ⟨het⟩ **0.1** *tuition* ⇒ ⟨voor privé-school⟩ *fee(s)* ◆ **3.1** ik zou mijn ~ maar terughalen ⟨fig.⟩ *where did you go to school?, what sort of school did you go to, didn't they teach you anything at school?*; ⟨BE ook⟩ *what sort of school did you go to, approved school?*.

schoolgemeenschap ⟨de (v.)⟩ **0.1** *school community*.

schoolgezondheidszorg ⟨de⟩ **0.1** *school health service*.

schoolgrammatica ⟨de (v.)⟩ **0.1** *school grammar*.

schoolhoofd ⟨het⟩ **0.1** *principal* ⇒ ⟨vnl. BE⟩ *headmaster/mistress, head*, [B]*master*.

schoolinspecteur ⟨de (m.)⟩, **-trice** ⟨de (v.)⟩ **0.1** *school inspector*.

schoolinspectie ⟨de (m.)⟩ **0.1** [dienst van toezicht] *school inspection* **0.2** [ambtsgebied] *school inspection area* **0.3** [schoolbezoek] *school inspection*.

schooljaar ⟨het⟩ **0.1** [levensjaar op school] *year* ⇒ [A]*grade* **0.2** [leerjaar] *school year* ◆ **3.2** het ~ begint in augustus *the s.y. begins in August* **6.1** toen ik nog in mijn schooljaren was *when I was still in/at school* **7.2** het eerste ~ over moeten doen *have to repeat the first year/* [A]*grade, have to do the first year/* [A]*grade over again*.

schooljeugd ⟨de⟩ **0.1** *school-age children, school-agers*.

schooljongen ⟨de (m.)⟩ **0.1** *schoolboy* ◆ **2.1** ⟨fig.⟩ hij is nog een echte ~ *he is still a child, he's a real s./very school boyish* **8.1** iem. als een ~ behandelen *treat s.o. like a child*.

schooljuf ⟨de (v.)⟩ ⟨inf.⟩ **0.1** *schoolmarm* ⇒ ⟨scherts. of pej.⟩ *teach*.

schooljuffrouw ⟨de (v.)⟩ **0.1** *teacher* ⇒ *schoolmistress*.

schoolkaart ⟨de⟩ **0.1** [landkaart] *school map* **0.2** [openbaar vervoerkaart] *pupil's/* ⟨AE ook⟩ *student's season ticket* ⇒ *bus/train (season) pass*.

schoolkameraad ⟨de (m.)⟩ **0.1** *school friend/chum/pal* ⇒ *schoolmate, schoolfellow*.

schoolkamp ⟨het⟩ **0.1** *school camp*.

schoolkennis
I ⟨de (v.)⟩ **0.1** [wat men op school opdoet] *(school) learning* ⇒ *book learning* ⟨ook pej.⟩;

II ⟨de (m.)⟩ **0.1** [persoon] *school acquaintance.*
schoolkind ⟨het⟩ **0.1** *schoolchild* ⇒*pupil,* ⟨AE ook⟩ *student,* ⟨inf.⟩ *schoolkid.*
schoolklas ⟨de⟩ **0.1** *class* ⇒⟨vnl. BE⟩ *form.*
schoolkleuren ⟨zn.mv.⟩ **0.1** *school colours* ◆ **3.1** ⟨sport⟩ de ~ verdedigen *defend the s. c..*
schoolkrant ⟨de⟩ **0.1** *school (news)paper.*
schoolkrijt, -krijtje ⟨het⟩ **0.1** *(piece of) chalk.*
schoolleiding ⟨de (v.)⟩ **0.1** *school management/management/running of a school.*
schoolleven ⟨het⟩ **0.1** *school life.*
schoollokaal ⟨het⟩ **0.1** *schoolroom.*
schoolmaatschappelijk ⟨bn.⟩ **0.1** *socio-educational* ◆ **1.1** ~ werk(er/ster) *school social work(er).*
schoolmakker ⟨de (m.)⟩ **0.1** *school pal/chum/friend* ⇒*schoolmate/fellow.*
schoolmeester ⟨de (m.)⟩ **0.1** [onderwijzer] *teacher* ⇒[B] *(school)master* **0.2** [pedant type] ↑*pedant* ⇒ ↑*pedagogue,* ⟨BE;sl.⟩ *beak, prig* ◆ **3.2** de ~ spelen/uithangen *act like a prig, be a pedant.*
schoolmeesterachtig ⟨bn., bw.; -ally⟩ **0.1** *pedantic, schoolish* ⇒⟨inf.⟩ *schoolmistressy, schoolmarmish* ⟨mbt. vrouw⟩, *didactic, priggish.*
schoolmeesteren ⟨onov.ww.⟩ **0.1** *be pedantic/schoolish (with)* ⇒⟨zeldz.⟩ *pedantize,* ⟨BE;zeldz.⟩ *schoolmaster.*
schoolmeisje ⟨het⟩ **0.1** *schoolgirl.*
schoolmelk ⟨de⟩ **0.1** *school milk.*
schoolmeubilair ⟨het⟩ **0.1** *school furniture.*
schoolmuseum ⟨het⟩ **0.1** *museum of education.*
schoolmuur ⟨de (m.)⟩ **0.1** *school wall.*
schoolmuziek ⟨de (v.)⟩ **0.1** [muziekbeoefening] *music tuition* **0.2** [richting binnen muziekonderwijs] *music education* ◆ **3.2** hij doet ~ aan het conservatorium *he is majoring in/studying m. e. at the music school.*
schoolonderzoek ⟨het⟩ **0.1** [onderdeel van eindexamen] *(internal) exam-(ination)* **0.2** [⟨Belg.⟩ medisch onderzoek] *school medical* ⇒*medical examination at school.*
schoolopleiding ⟨de (v.)⟩ **0.1** *education* ⇒*schooling* ◆ **2.1** een goede ~ gehad/genoten hebben *have had the advantage of a good e..*
schoolorkest ⟨het⟩ **0.1** *school orchestra/band.*
schoolparlement ⟨het⟩ **0.1** *school parliament.*
schoolperiode ⟨de (v.)⟩ **0.1** *school-time.*
schoolplein ⟨het⟩ **0.1** *schoolyard* ◆ **6.1** de kinderen spelen **op** het ~ *the children were playing in the s..*
schoolplicht ⟨de⟩ **0.1** [verplichting om naar school te gaan] *compulsory (school) attendance* **0.2** [plicht jegens de school] *school attendance policy/rule,* ⟨alg.⟩ *school rules (and regulations).*
schoolplichtig ⟨bn.⟩ **0.1** *school-age* ⇒*schoolable* ◆ **1.1** ~e kinderen *s.-a. children, school-agers;* de ~e leeftijd verhogen *raise the s.-a..*
schoolpolitiek ⟨de (v.)⟩ **0.1** *education(al) policy.*
schoolpracticum ⟨het⟩ **0.1** *practice teaching* ⇒*teacher training practice.*
schoolprogramma ⟨het⟩ **0.1** *school curriculum.*
schoolraad ⟨de (m.)⟩ **0.1** *advisory committee on education.*
schoolradio ⟨de (v.)⟩ **0.1** *educational radio.*
schoolrapport ⟨het⟩ **0.1** [B] *(school) report,* [A] *report card.*
schoolreglement ⟨het⟩ **0.1** *school regulations/rules.*
schoolreis ⟨de⟩ **0.1** *school/class trip/outing.*
schoolrijden ⟨ww.⟩ ⟨sport⟩ **0.1** *school horsemanship* ⇒*equitation.*
schoolrijp ⟨bn.⟩ **0.1** *schoolable* ⇒*ready for school.*
schools ⟨bn., bw.⟩ **0.1** [als op school] *school* ⇒*schoolish* **0.2** [weinig zelfstandig] *scholastic* ⇒*academic, bookish* ◆ **1.1** ~e gebruiken *school customs;* ~e kennis *book learning;* ~e tucht *school discipline* **1.2** ~e opvattingen *bookish/academic ideas;* een ~e stijl *an academic style, academic)ism* **3.2** een methode ~ navolgen *follow a method rigidly, not deviate from a learned method.*
schoolschip ⟨het⟩ **0.1** *school/training ship.*
schoolschrift ⟨het⟩ **0.1** *school notebook/exercise book.*
schoolsheid ⟨de (v.)⟩ **0.1** *formalism* ⇒*academ(ic)ism.*
schoolslag ⟨de (m.)⟩ **0.1** *breaststroke.*
schoolsparen ⟨ww.⟩ **0.1** *saving at school* ⇒*school-savings scheme.*
schoolsport ⟨de⟩ **0.1** *physical education;* ⟨inf.⟩ *P.E.* ⇒*sport at school.*
schoolstof ⟨de⟩ **0.1** *school material/work* ⇒*material covered in school* ◆ **3.1** dat zou je moeten weten, want het is ~ *you should know that, because it's covered in school.*
schoolstrijd ⟨de (m.)⟩ **0.1** ≠*school funding controversy.*
schooltaal ⟨de⟩ **0.1** *school/schoolroom language.*
schooltandarts ⟨de (m.)⟩ **0.1** *school dentist.*
schooltas ⟨de⟩ **0.1** *schoolbag* ⇒⟨met schouderband⟩ *(school)satchel.*
schoolteam ⟨het⟩ **0.1** *school team.*
schooltelevisie ⟨de (v.)⟩ **0.1** *educational television.*
schooltijd ⟨de (m.)⟩ **0.1** [lestijd] *school time/hours* **0.2** [schooljaren] *school time/years/days* **0.3** [tijd om naar school te gaan] *time for school* ⇒*school time* ◆ **3.1** de ~ en variëren soms van school tot school *s. h. often vary from school to school* **6.1** **buiten/na** ~ *outside/after school;* gedurende de/**onder** ~ *during school (time/hours).*

schooltoernooi ⟨het⟩ **0.1** *school tournament.*
schooltoets ⟨de (m.)⟩ **0.1** *achievement/progress test (at the end of primary /elementary school)* ⇒⟨BE;gesch.⟩ *eleven plus,* ≠*school entrance exam.*
schooltuin ⟨de (m.)⟩ **0.1** [bij een school] *school garden* **0.2** [mbt. het praktisch onderwijs] *school garden/nursery.*
schooluitgave ⟨de⟩ **0.1** [schooleditie] *school edition* **0.2** [⟨mv.⟩ deel van uitgeversfonds] *range of school/education books, education(al) range.*
schooluitvoering ⟨de (v.)⟩ **0.1** *school programme* [A]*gram/show.*
schooluitzending ⟨de (v.)⟩ **0.1** *school broadcast/programme* [A]*gram.*
schoolvakantie ⟨de (v.)⟩ **0.1** *school* [B]*holidays/* [A]*vacation.*
schoolverband ⟨het⟩ ◆ **6.¶** activiteiten buiten ~ *extra-curricular activities;* een reisje/sporttoernooi **in** ~ *a school trip/tournament.*
schoolvereniging ⟨de (v.)⟩ **0.1** [mbt. het stichten/onderhouden v.e. school] *school society* ⇒[A]*school board* **0.2** [vereniging van scholieren] *student group/club/association* ⇒[B]*students' union.*
schoolvergadering ⟨de (v.)⟩ **0.1** *(school) staff meeting.*
schoolverlater ⟨het⟩ ◆ **6.**, **-laatster** ⟨de (v.)⟩ **0.1** [na beëindiging school] [B]*school-leaver,* ≠ [A]*graduate* ⇒⟨voor beëindiging school⟩ *drop-out.*
schoolverzekering ⟨de (v.)⟩ **0.1** *school insurance.*
schoolverzuim ⟨het⟩ **0.1** *school absenteeism* ⇒*absence from school.*
schoolvoorbeeld ⟨het⟩ **0.1** *classic example* ⇒*textbook case, case/textbook example* ◆ **6.1** dit is een ~ **van** hoe het niet moet *that/here is a classic example of how it shouldn't be done.*
schoolvorming ⟨de (v.)⟩ **0.1** [mbt. vissen] *shoaling* ⇒*schooling* **0.2** [educatieve vorming] *schooling* ⇒*education.*
schoolvos ⟨de (m.)⟩ ⟨bel.⟩ **0.1** *pedagogue* ⇒*pedant.*
schoolvrees ⟨de (v.)⟩ **0.1** *fear of school* ⇒*school phobia/anxiety.*
schoolvriend ⟨de (m.)⟩, **-in** ⟨de (v.)⟩ **0.1** *school friend/fellow/mate.*
schoolvrij ⟨bn.⟩ **0.1** *free off (from school)* ⇒*(a day's) holiday* ◆ **1.1** een ~e middag *a free afternoon, an afternoon off (from school).*
schoolwandeling ⟨de (v.)⟩ **0.1** *school/class outing.*
schoolwerk ⟨het⟩ **0.1** [op school gemaakt werk(je)] *schoolwork* **0.2** [huiswerk] *homework* ⇒*schoolwork.*
schoolwerkplan ⟨het⟩ **0.1** *(school) curriculum.*
schoolwet ⟨de⟩ **0.1** [wet op onderwijs] *education act* **0.2** [reglement op school] *school rules/policy.*
schoolwezen ⟨het⟩ **0.1** *educational system* ⇒*system/organisation of education.*
schoolwijsheid ⟨de (v.)⟩ **0.1** *book-learning.*
schoolwoordenboek ⟨het⟩ **0.1** *student/junior/learner's dictionary.*
schoolziek ⟨bn.⟩ **0.1** ≠*malingering.*
schoolziekte ⟨de (v.)⟩ **0.1** ≠*malingering* ⇒≠*malingery.*
schoolzwemmen ⟨ww.⟩ **0.1** *swimming (in school/as part of the curriculum).*
schoon¹ ⟨het⟩ ⟨→sprw. 577⟩ **0.1** *beauty* ◆ **2.1** uiterlijk ~ *external/superficial b.;* het vrouwelijk ~ *female b.* ⟨schr.⟩ *pulchritude.*
schoon² ⟨→sprw. 57,104, 175,200, 254,668⟩
I ⟨bn., bw.; -ly⟩ **0.1** [vrij van vuil] *clean* ⇒⟨sterker⟩ *pure,* ⟨netjes, opgeruimd⟩ *neat* **0.2** [mooi] *beautiful* ⇒*fine, handsome, lovely,* ⟨schr.⟩ *fair* **0.3** [loffelijk] *fine* ⇒*splendid* **0.4** [vrij van onkosten] *clear* ⇒ ⟨mbt. belasting⟩ *after tax* **0.5** [⟨AZN.⟩ knap] *fine* ⇒*pretty, handsome* ◆ **1.1** een schone bom *a c. bomb;* ~ goed/schone kousen aantrekken *change one's clothes/stockings, put on c. clothes/stockings, put on a change of clothes/stockings;* ~ schip *scheep.)* een schone grond *a clear bottom;* schone handen hebben ⟨ook fig.⟩ *have c./* ⟨fig. ook⟩ *unbesmirched hands;* ~ metselwerk *c. brickwork/mortar-work;* ~ papier *blank paper;* een ~ vel tekst *a c. sheet;* ~ water *c./fresh/pure/ clear water* **1.2** schone beloften *fine promises;* zijn kans ~ zien *see one's chance/opportunity, see one's way clear (to);* de schone kunsten *the fine arts;* schone letteren *belles-lettres* **1.3** geduld is een schone zaak *patience is a f. thing* **1.4** ⟨hand.⟩ schone acceptatie *unconditional acceptance;* ~ loon *after tax/net(t) earnings, earnings after tax* **3.1** zich ~ maken *clean one's way out of it/sth.* **3.4** 50 pond ~ per week maken/ overhouden *he makes/has 50 pounds a/per week net(t)/after tax, he clears 50 pounds a/per week net(t)* **7.2** een schone a *beauty;* het schone *the b.* **¶.1** tachtig kilo ~ aan de haak *eighty kilo's net(t) (weight)/* ⟨mensen⟩ *undressed/without clothes,*
II ⟨bw.⟩ **0.1** [geheel en al] *absolutely* ⇒*entirely* ◆ **3.1** ik heb mijn geld ~ uitgegeven *I've gone/run through all my money; I'm right out of money, I've spent my last* [B]*penny/* [A]*cent* **5.1** ik heb er ~ genoeg van *I'm heartily/a. sick of it, I'm fed up (to the back teeth) with it, I'm heartily/a. fed up/cheesed off with it;* alles is ~ op *there's a. nothing left, everything's clean gone, we're right out of everything, there's no more of anything left.*
schoon³ ⟨vw.⟩ ⟨schr.⟩ **0.1** ⟨ongemarkeerd⟩ *(al)though* ⇒*even though.*
schoonbijten ⟨ov.ww.⟩ **0.1** *pickle* ⇒*strip* ⟨verf⟩.
schoonbranden ⟨ov.ww.⟩ **0.1** *burn off/clean.*
schoonbroer ⟨de (m.)⟩ **0.1** *brother-in-law.*
schoondochter ⟨de (v.)⟩ **0.1** *daughter-in-law.*
schoonfamilie ⟨de (v.)⟩ **0.1** ⟨inf.⟩ *in-laws.*
schoonheid ⟨de (v.)⟩ ⟨→sprw. 530⟩ **0.1** [hoedanigheid] *beauty* ⇒⟨schr.⟩

pulchritude ⟨vnl. mbt. vrouwen⟩ **0.2** [schone dingen] *beauty* **0.3** [mooie vrouw/zaak] *beauty* ⇒*belle* ◆ **1.2** de verheerlijking van de ~ *the glorification of b.* **6.3** een ~ **van** een doelpunt *a b. of a kick/goal/point*.

schoonheidsbehandeling ⟨de (v.)⟩ **0.1** *beauty treatment*.

schoonheidscommissie ⟨de (v.)⟩ **0.1** ᴮ*planning authority,* ᴬ*planning board*.

schoonheidsfout ⟨de⟩ **0.1** *flaw* ⇒*(cosmetic) imperfection* ◆ **3.1** die verschrijving is een ~je *that error is only a slight/minor flaw/a slip of the pen* **6.1** lappen textiel **met** ~jes *pieces of material with slight imperfections, slightly flawed pieces of material*.

schoonheidsgevoel ⟨het⟩ **0.1** *aesthetic sense* ⇒*sense of beauty*.

schoonheidsinstituut ⟨het⟩ **0.1** *beauty parlour/salon/*ᴬ*shop*.

schoonheidskoningin ⟨de (v.)⟩ **0.1** *beauty queen*.

schoonheidsleer ⟨de⟩ **0.1** *aesthetics*.

schoonheidsmasker ⟨het⟩ **0.1** *face pack*.

schoonheidsmelk ⟨de⟩ **0.1** *beauty cream*.

schoonheidsmiddel ⟨het⟩ **0.1** *beauty product*.

schoonheidssalon ⟨het, de (m.)⟩ **0.1** *beauty parlour/salon/*ᴬ*shop*.

schoonheidsslaapje ⟨het⟩ **0.1** *beauty sleep*.

schoonheidsspecialiste ⟨de (v.)⟩ **0.1** ⟨algemeen⟩ *beautician* ⇒ ⟨make-up⟩ *cosmetician*.

schoonheidsverzorging ⟨de (v.)⟩ **0.1** *beauty care*.

schoonheidsvlekje ⟨het⟩ **0.1** *beauty spot*.

schoonheidswaarde ⟨de (m.)⟩ **0.1** *aesthetic value*.

schoonheidswedstrijd ⟨de (m.)⟩ **0.1** *beauty contest*.

schoonheidszin ⟨de (m.)⟩ **0.1** *aesthetic sense* ⇒*sense of beauty*.

schoonhouden ⟨ov.ww.⟩ **0.1** [zorgen dat iets niet vuil wordt] *keep clean* **0.2** [schoonmaken] *clean* ◆ **1.1** zijn kleren ~ *keep one's clothes clean;* zuigflessen moeten goed schoongehouden worden *baby bottles have to be carefully cleaned* **1.2** een kantoor ~ *c. an office* **5.2** gemakkelijk schoon te houden *easy to c.*.

schoonklinkend ⟨bn.⟩ **0.1** ⟨ook fig.⟩ *fine/sweet sounding* ⇒⟨lett.⟩ *melodious, tuneful* ◆ **1.1** ~e woorden *fine/sweet sounding words*.

schoonkrabben ⟨ov.ww.⟩ **0.1** *scrape clean*.

schoonmaak ⟨de (m.)⟩ **0.1** *(house) cleaning* ◆ **2.1** de grote ~ *the* ᴮ*spring-clean/*ᴬ*spring-cleaning* **3.1** ~ houden *give (sth.) a thorough cleaning;* ⟨fig.⟩ grote ~ houden *do the* ᴮ*spring-clean/*ᴬ*spring-cleaning; spring-clean,* ⟨vnl. BE⟩ *have a good clearout/turnout,* ⟨fig.⟩ *make a clean sweep* **6.1** ⟨druk⟩ aan de ~ zijn *be busy cleaning*.

schoonmaakartikelen ⟨zn.mv.⟩ **0.1** *cleaning products* ⇒*cleanser(s)*.

schoonmaakbedrijf ⟨het⟩ **0.1** [bedrijf] *cleaning agency/service* ⇒*(professional) cleaners* **0.2** [het schoonmaken] *cleaning*.

schoonmaakbeurt ⟨de⟩ **0.1** [keer dat iets/iem. schoongemaakt wordt] *cleaning* **0.2** [keer dat men moet schoonmaken] *cleaning* ◆ **3.1** iets zijn jaarlijkse ~ geven *give sth. its yearly cleaning-up/-out;* de caravan kreeg zijn jaarlijkse ~ *the* ᴮ*caravan/*ᴬ*trailer got its yearly* ᴮ*spring-clean/*ᴬ*spring-cleaning* **3.2** wie heeft de ~ deze week? *whose turn is it to do the c.! to clean this week?* **6.1** jouw kamer is echt **aan** een ~ toe *your room could do with/could stand a c./* ⟨vnl. BE⟩ *a good clearout/turnout*.

schoonmaakdienst ⟨de (m.)⟩ **0.1** *cleaning service*.

schoonmaakmiddel ⟨het⟩ **0.1** *cleaning product;* ⟨reclametaal⟩ *cleansing agent;* ⟨inf.⟩ *cleaner*.

schoonmaakrooster ⟨het⟩ **0.1** *cleaning schedule* ⇒*duty sheet*.

schoonmaakwoede ⟨de (v.)⟩ **0.1** *cleaning fit, fit of cleaning* ◆ **3.1** ze heeft weer eens last v.d. ~ *she's got one of them cleaning fits again*.

schoonmaken
I ⟨onov., ov.ww.⟩ **0.1** [reinigen] *clean* ⇒⟨grondig⟩ *clean up/out,* ⟨vnl. BE⟩ *clear/turn out,* ⟨BE;inf.⟩ *char* ⟨vnl. tegen betaling⟩ ◆ **6.1** zij zijn nog **aan** het ~ *they are still (busy) cleaning;*
II ⟨ov.ww.⟩ **0.1** [ontdoen van ongerechtigheden] *clean* ⟨ook vis, groente⟩ ⇒*gut* ⟨vis⟩, *draw* ⟨gevogelte⟩ **0.2** [uitvegen] *clean* ⇒*wipe (up/away)* ⟨met vod⟩,*sweep* ⟨met borstel⟩ ◆ **1.1** een kalkoen ~ *draw a turkey;* een konijn ~ *c. a rabbit* **1.2** het schoolbord/een leitje ~ *wipe the blackboard/a slate*.

schoonmaker ⟨de (m.)⟩,-**maakster** ⟨de (v.)⟩ **0.1** *cleaner* ⇒*cleaning person/woman,* ⟨BE;inf.⟩ *char(lady)*.

schoonmama ⟨de (v.)⟩ **0.1** *mum-in-law*.

schoonmoeder ⟨de (v.)⟩ **0.1** *mother-in-law*.

schoonouders ⟨zn.mv.⟩ **0.1** ⟨inf.⟩ *in-laws*.

schoonpapa ⟨de (m.)⟩ **0.1** *dad-in-law*.

schoonpoetsen ⟨ov.ww.⟩ **0.1** *polish (up)* ⇒*clean (up)*.

schoonprater ⟨de (m.)⟩,-**praatster** ⟨de (v.)⟩ **0.1** *fancy/slick/glib talker, flatterer;* ⟨pej.⟩ *toady*.

schoonrijden ⟨het⟩ **0.1** ⟨te paard⟩ *school horsemanship, equitation* ◆ **6.1** ~ **op** kunstschaatsen *figure skating*.

schoonschijnend ⟨bn.⟩ **0.1** *specious* ⇒*plausible,* ⟨schr.⟩ *meretricious* ◆ **1.1** ~e beloften *empty/* ⟨inf.⟩ *fancy promises;* ~e redenen *s. arguments*.

schoonschrift ⟨het⟩ **0.1** *calligraphy*.

schoonschrijven ⟨ww.⟩ **0.1** [kalligrafie] *calligraphy, penmanship* **0.2** [netjes schrijven] *writing neatly/nicely* ⇒*having a fine/nice/good hand(writing)*.

schoonspoelen ⟨ov.ww.⟩ **0.1** *rinse (out)* ⇒*clean (out)* ◆ **1.1** glazen ~ *r. glasses (out)*.

schoonspringen ⟨ww.⟩ ⟨sport⟩ **0.1** *(springboard/platform) diving*.

schoonspuiten ⟨ov.ww.⟩ **0.1** [mbt. auto/straat] *hose (down)* **0.2** [mbt. lichaamsdeel/plant] *spray clean*.

schoonvader ⟨de (m.)⟩ **0.1** *father-in-law*.

schoonvegen ⟨ov.ww.⟩ **0.1** ⟨met een bezem/veger⟩ *sweep clean* ⇒⟨met een bezem⟩ *brush clean* ◆ **1.1** het huis ~ *sweep the house clean;* zijn pad (paadje) ~ *cover one's tracks;* zijn schoenen ~ *brush one's shoes clean;* de straat ~ ⟨fig.⟩ *clear the street*.

schoonwassen ⟨ov.ww.⟩ **0.1** *wash clean* ⇒⟨fig.⟩ *whitewash* ◆ **1.1** handen ~ *clean/wash (one's) hands;* ⟨fig.⟩ zijn ziel ~ *wash/purify one's soul*.

schoonwrijven ⟨ov.ww.⟩ **0.1** *polish (up)*.

schoonzoon ⟨de (m.)⟩ **0.1** *son-in-law*.

schoonzus ⟨de (v.)⟩ **0.1** *sister-in-law*.

schoonzuster →**schoonzus**.

schoonzwemmen ⟨ww.⟩ ⟨sport⟩ **0.1** ≠*swimming technique practice* ᴬ*se*.

schoor[1] ⟨de (m.)⟩ **0.1** [steunbalk] *shore, prop* **0.2** [aangewassen grond] ⟨→schor⟩ ◆ **3.1** de schoren van een op stapel staand schip wegnemen/wegslaan *remove the shoring of a ship on the stocks* **6.1** een muur **met** schoren ondersteunen *shore up a wall*.

schoor[2] ⟨bw.⟩ **0.1** ⟨zie 3.1⟩ ◆ **3.1** zich ~ zetten *brace o.s.*.

schoorbalk ⟨de (m.)⟩ **0.1** *shore* ⇒*prop*.

schoorbeeld ⟨het⟩ **0.1** *caryatid*.

schoorgewelf ⟨het⟩ **0.1** *flying buttress*.

schoormuur ⟨de (m.)⟩ **0.1** *buttress(ing wall)*.

schoorpaal ⟨de (m.)⟩ **0.1** *shore* ⇒ ⟨in mv. ook⟩ *shoring*.

schoorpijler ⟨de (m.)⟩ **0.1** *buttress* ⇒*counterfort*.

schoorsteen ⟨de (m.)⟩ ⟨→sprw. 402⟩ **0.1** [rookkanaal] *chimney* ⇒*flue* **0.2** [schoorsteenmantel] *fireplace* ⇒*mantel(piece), chimneypiece* **0.3** [deel bovenop het dak] *chimney* ⇒*chimney-stack,* ⟨AE ook⟩ *smokestack* ◆ **1.1** de ~ v.e. oude locomotief/een stoomboot *the funnel/* ⟨AE ook⟩ *smokestack of an old locomotive/steamboat* **3.1** ⟨fig.⟩ daar kan de ~ niet van roken *that's not enough to keep the pot boiling;* de ~ trekt niet goed *the c. doesn't draw well;* de ~ vegen *sweep/clean the c.;* ⟨fig.⟩ zij is een wandelende ~ *she's a real c.* **8.3** hij rookt als een ~ *he smokes like a chimney*.

schoorsteenbrand ⟨de (m.)⟩ **0.1** *fire in a chimney*.

schoorsteenkap ⟨de⟩ **0.1** *cowl* ⇒*hood,* ⟨BE ook⟩ *bonnet* ◆ **2.1** een draaiende ~ *a revolving chimney-top/hood*.

schoorsteenloper ⟨de (m.)⟩ **0.1** *mantelpiece runner* ⇒*runner for a mantelpiece*.

schoorsteenmantel ⟨de (m.)⟩ **0.1** *mantel-piece* ⇒*chimney-piece,* ⟨bovenblad⟩ *mantelshelf*.

schoorsteenpijp ⟨de⟩ **0.1** [uitstekend deel v.e. schoorsteen] *chimney-pot* **0.2** [mbt. een schip/locomotief] *funnel* ⇒ ⟨AE ook⟩ *smokestack*.

schoorsteenplaat ⟨de⟩ **0.1** [vuurplaat] *hearth-plate* **0.2** [plaat om de opening af te sluiten] *flue lid/plate/stop*.

schoorsteenstuk ⟨het⟩ **0.1** [schilderstuk] *mantel painting* **0.2** [stukadoorswerk] *chimney plaster-work*.

schoorsteenuren ⟨zn.mv.⟩ ⟨school.⟩ **0.1** *free (teaching) hours*.

schoorsteenvegen ⟨ww.⟩ **0.1** *chimney sweeping*.

schoorsteenveger ⟨de (m.)⟩ **0.1** *chimney sweep*.

schoorvoetend ⟨bn., bw.;-ly⟩ **0.1** *reluctant* ⇒*hesitating* ◆ **3.1** ~ erkennen dat ...*admit reluctantly that ...*.

schoot ⟨de (m.)⟩ **0.1** [ruimte tussen onderlijf en dijen] *lap* **0.2** [moederschoot] *womb* **0.3** [holte in een opgehouden kledingstuk] *apron* ⇒ *skirt* **0.4** [deel v.e. kledingstuk] *skirt* **0.5** [⟨fig.⟩ wat iets opneemt] *bosom* **0.6** [⟨scheep.⟩] *clew* **0.7** [mbt. planten] *shoot* **0.8** [mbt. een slot] *bolt* ◆ **1.5** de ~ v.d. aarde *the bowels of the earth;* in Abrahams ~ in *Abraham's b.* **3.3** een ~ maken *hold out one's skirt/a.* **3.6** de ~ vieren/ruimen ⟨lett.⟩ *ease the sail;* ⟨fig.⟩ *ease up* **3.7** schoten krijgen *send out shoots* **6.1** de handen in de ~ leggen ⟨fig.⟩ *fold one's arms, remain idly by;* ⟨fig.⟩ het hoofd in de ~ leggen *knuckle under;* ⟨fig.⟩ bij elkaar **op** ~ zitten *sit/live on top of one another;* bij iem. **op** ~ kruipen *clamber onto s.o.'s l* **6.2** ⟨fig.⟩ dat is nog in de ~ van de toekomst verborgen *it's in the lap of the gods,* ↓*we don't know what the future has in store for us* **6.3** het wordt hem zo maar in de ~ geworpen ⟨fig.⟩ *it simply falls into his lap* **6.5** in de ~ der goden *in the lap of the gods*.

schootgaan ⟨onov.ww.⟩ **0.1** *disappear* ⇒*vanish* ◆ **6.1** hij is **met** dat meisje schootgegaan *he has run off with that girl*.

schoothondje ⟨het⟩ **0.1** *lap dog*.

schootkind ⟨het⟩ **0.1** [jong kind] *babe (in arms)* **0.2** [vertroeteld kind] *pet* ⇒*pampered/spoilt child*.

schootsafstand ⟨de (m.)⟩ **0.1** *range* ⇒*shooting distance/range* ◆ **6.1** de vijand ligt **op/binnen** ~ *the enemy is within r.*.

schootshoek ⟨de (m.)⟩ ⟨mil.⟩ **0.1** *angle of projection*.

schootsvel ⟨het⟩ ⟨amb.⟩ **0.1** *leather apron*.

schootsveld ⟨het⟩ **0.1** *field of fire*.

schootvrij ⟨bn.⟩ **0.1** [beveiligd tegen schoten] *out of range* ⇒ ⟨bomvrij⟩ *sheltered* **0.2** [⟨fig.⟩] *safe*.

schop ⟨→sprw. 162⟩

I 〈de (m.)〉 **0.1** [trap] *kick* ◆ **2.1** 〈sport〉 een vrije ~*a free k.* **3.1** iem. een~onder zijn kont geven *kick s.o. in the behind/^ass;* 〈BE;inf.〉 *give s.o. a kick up the bum;* de~krijgen *get the boot/sack;* ~pen uitdelen *kick (away);* iem. een~verkopen *kick s.o.;*

II 〈de〉 **0.1** [schep] *shovel* ⇒〈spade〉 *spade* **0.2** [hoeveelheid] *shovel-(ful)* ◆ **1.2** een~aarde/steenkolen *a shovel of earth/coal* **6.1** grond omzetten **met** ~pen *turn soil with spades* **6.2** 〈fig.〉 het geld werd er **bij** ~pen in huis gegooid *they were raking it in.*

schoppen[2] 〈de〉 **0.1** *spades* ◆ **2.1** ~is troef *s. is/are trump* **6.1 in** ~spelen *play s.* **¶.1** al zijn~kwijt zijn *be out of s..*

schoppen[2]

I 〈ov.ww.〉 **0.1** [trap geven] *kick* **0.2** [verplaatsen] *kick* **0.3** [veroorzaken] *kick (up)* ◆ **1.3** herrie/kabaal~*k. up/raise a racket/rumpus* **5.¶** het ver~*go far (in the world);* hij zal 't nooit ver~*he'll never amount to much* **6.2** iem. **buiten** de deur~*kick s.o. out,* [↑]*show s.o. the door;* 〈fig.〉 kinderen **in** de wereld~[↑]*bring children into the world;* 〈fig.〉 iem. **naar** boven (omhoog)~〈ook fig.〉 *kick s.o. upstairs;*

II 〈onov.ww.〉 **0.1** [de voet bewegen] *kick* ◆ **6.1 tegen** een bal~*k. a ball;* **tegen** iem./iets **aan**~〈fig.〉 *lay into s.o./sth..*

schoppenaas 〈het,de (m.)〉 **0.1** *ace of spades.*

schopschijf 〈de〉 **0.1** *kick wheel.*

schopstoel 〈de (m.)〉 ◆ **6.¶ op** de~zitten 〈ieder ogenblik ontslagen kunnen worden〉 *be next in line, have one's head on the chopping block;* 〈in onzekerheid verkeren〉 *be on tenterhooks.*

schopvast 〈bn.〉 **0.1** [bestand tegen het schoppen] *kick-proof* **0.2** [zo stevig samenhangend dat het met een schop/spade bewerkt kan worden] *impacted* ⇒*firm.*

schor[1] 〈de〉 **0.1** *salt marsh.*

schor[2] 〈bn.,bw.;-ly〉 **0.1** [mbt. de keel/stem] *hoarse* ⇒*husky, gravelly, rasping* **0.2** [mbt. personen] *hoarse* ⇒*throaty* **0.3** [mbt. geluiden] *rattling* ⇒*rasping* ◆ **1.1** een~re stem *a h./husky/gravelly voice* **3.2** ~praten *talk in a husky voice, speak hoarsely;* ~zijn *be h.;* zich~zingen en schreeuwen *sing and yell o.s. h., be h. from singing and yelling.*

schorem[1] 〈het〉 **0.1** *riffraff* ⇒*rabble, scum.*

schorem[2]

I 〈bn.〉 **0.1** [schunnig] *shabby* ⇒*sleazy* ◆ **1.1** een~e vent *a shabby fellow;*

II 〈bw.〉 **0.1** [op schoreme wijze] *shabbily* ⇒*sleazily* ◆ **3.1** zich~gedragen *behave (o.s.) shabbily;* 〈sl.〉 *act like/be a sleaze;* zich~kleden *dress shabbily.*

schoren 〈ov.ww.〉 **0.1** *shore (up)* ⇒*prop (up), buttress, support* ◆ **1.1** een muur~*shore up/prop up/buttress a wall;* een boom/een schip~*prop up/support a tree/ship.*

schorheid 〈de (v.)〉 **0.1** *hoarseness* ⇒*huskiness.*

schorpioen 〈de (m.)〉 **0.1** [dier] *scorpion* **0.2** [(astrol.)] *Scorpio.*

schorre →*schor.*

schorriemorrie 〈het〉 **0.1** [mbt. personen] (→*schorem*) **0.2** [mbt. zaken] *junk* ⇒*trash.*

schors 〈de〉 **0.1** [(plantk.)] *bark* 〈v.e. vrucht〉 **0.2** [buitenste bekleding] *cortex* **0.3** [(fig.)] *exterior* ◆ **1.2** 〈med.〉 de~v.d. hersenen/v.d. nier *the c. of the brain/kidneys* **2.3** onder een ruwe ~heeft hij een hart van goud *under a rough e. there beats a heart of gold.*

schorsachtig 〈bn.〉 **0.1** *corticate* ⇒*barklike, rind-like.*

schorsen 〈ov.ww.〉 **0.1** [buiten werking stellen] *suspend* **0.2** [tijdelijk sluiten] *adjourn* **0.3** [verbieden zijn ambt waar te nemen] *suspend* ◆ **1.1** ~de kracht *suspensive/suspensory power;* de uitvoering v.h. vonnis wordt geschorst *there will be a stay of execution* **1.2** een vergadering~*a. a meeting* **6.3** iem. **in** zijn ambt~*suspend s.o. from (the exercise of) his office;* een voetballer **voor** drie wedstrijden~*s. a footballer for three games* **8.3** als lid~*suspend s.o. from membership.*

schorseneer 〈de〉 〈plantk.〉 **0.1** *salsify* ⇒*scorzonera, vegetable oyster, oyster plant.*

schorsing 〈de (v.)〉 **0.1** *suspension* ⇒〈stay of execution〉 ◆ **3.1** door zijn gedrag een~oplopen *be suspended for bad conduct;* 〈jur.〉 een~uitspreken *pronounce a stay of execution.*

schort 〈het,de (v.)〉 **0.1** [kledingstuk] *apron* ⇒*pinafore* **0.2** [lendedoek] *loincloth* ◆ **3.1** een~voordoen *put on an a..*

schorten

I 〈onov.ww.〉 **0.1** [haperen] *lack* ⇒*be lacking* **0.2** [uitstellen] *hold over* ◆ **1.2** de uitbetalingen werden geschort *the payments were held over* **4.1** wat schort eraan? *what's wrong/the matter* **6.1** het schort hun **aan** goede wil *they lack good will;* het schort **aan** ...the trouble/cause is ...;*

II 〈ov.ww.〉 **0.1** [korter maken] *shorten* ◆ **1.1** kleding~*s. clothes.*

schot[1] (→sprw.531)

I 〈het〉 **0.1** [(uit een wapen)] *shot* ⇒〈knal〉 *gunshot, report* **0.2** [(mbt.balspel)] *shot* **0.3** [bereik] *range* ⇒*shot* **0.4** [voortgang] *movement* ⇒*go* **0.5** [ruimte] *space* ⇒*box* **0.6** [groei] *sprouting* **0.7** [ontkieming] *germination* **0.8** [ziekte in naaldbomen] *leaf/needle cast, pine twig blight* **0.9** [lading kruit/kogels] *shot* ⇒*round, charge* **0.10** [visvangst] *catch* ⇒*haul* **0.11** [afscheiding] *partition* ⇒〈scheep.;vliegtuig〉 *bulkhead* **0.12** [afgescheiden ruimte] *pen, sty* ⇒*compartment* ◆

1.9 hij is geen~kruit waard 〈fig.〉 *he is not worth the trouble/* 〈schr.〉 *power and s.* **2.1** een direct~*a direct hit* **3.1** ik hoorde een~*I heard a s./gunshot/report;* er viel/klonk een~*there was a s., a s. rang out;* 〈fig.〉 een~wagen *have a s./go;* 〈gissen ook〉 *hazard a guess* **3.4** ~brengen in een zaak *get things moving/going, speed things up;* er komt/zit~in de zaak *things are beginning to get going/moving/to move, things are beginning to make progress/headway/to get somewhere;* er kwam~in de opgedrongen menigte *the packed crowd began to move* **3.5** ~geven 〈lett.〉 *veer, let out;* 〈fig.〉 *give (s.o.) (some) leeway* **3.7** er komt~in het graan *the corn is germinating/shooting* **6.1** een~**in** de roos 〈ook fig.〉 *a bull's-eye;* 〈sport〉 **in** het~vallen *start with the (starting) s.;* een~**in** het wit 〈v.d. schietschijf〉 *a carton;* een~**in** het wilde weg 〈fig. ook〉 *a pot s.;* een~**voor** de boeg 〈ook fig.〉 *a s. across the bows, a warning s.* **6.2** een~**op** goal *a s. at goal;* **op**~zijn 〈lett.〉 *be a good s.;* 〈fig.〉 *have got going* **6.3 buiten**~blijven, zich **buiten**~houden 〈ook fig.〉 *keep out of r.;* 〈fig. ook〉 *keep out of it, keep out of harm's way;* iem./iets **onder**~hebben *have sth./s.o. within r.;* **onder**~houden/nemen *keep covered, cover;*

II 〈de (v.)〉 **0.1** [driejarige koe] *three-year old heifer* **0.2** [koe die eenmaal gekalfd heeft] *three-year old heifer in milk;*

III 〈de (m.)〉 〈met hoofdl.〉 **0.1** [inwoner van Schotland] *Scot* ⇒*Scotsman* 〈m.〉, *Scotswoman* 〈v.〉 ◆ **7.1** de Schotten *the Scots* **8.1** zo zuinig/gierig als een Schot zijn *be a real Scrooge/miser/penny-pincher.*

schotbalk 〈de (m.)〉 **0.1** *stop log.*

schotel 〈de〉 (→sprw.145,532,533〉 **0.1** [schaal] *dish* ⇒〈klein〉 *saucer,* 〈plat〉 *plate,* 〈plat ook in BE vero.〉 *platter,* 〈kom〉 *basin,* 〈vnl. bijb.〉 *charger* **0.2** [gerecht] *dish* ⇒*plat* **0.3** [schotelantenne] *saucer/dish, antenna* ◆ **1.1** kop en~*cup and saucer* **2.1** platte/diepe~*s flat/deep dishes;* een vuurvaste~*a fireproof/Pyrex d.;* 〈klein〉 *a cocotte* **2.2** een warme~*a hot d.* **2.¶** een vliegende~*a flying saucer, a UFO/U.F.O./ufo; an unidentified flying object* **8.1** ogen als~tjes opzetten *make/have eyes like saucers, be goggle-eyed.*

schotelantenne 〈de〉 〈com.〉 **0.1** *dish/saucer antenna/aerial.*

schotelklep 〈de〉 **0.1** *poppet/puppet/mushroom valve.*

schotelwarmer 〈de (m.)〉 **0.1** *plate warmer.*

schotkalf 〈het〉 **0.1** *fattening/* 〈vnl. AE〉 *feeder calf.*

Schotland 〈het〉 **0.1** *Scotland;* 〈schr.,gesch.,scherts.〉 *Caledonia.*

schots[1] 〈de〉 **0.1** 〈ice〉 *floe.*

schots[2] 〈bw.〉 ◆ **5.¶** ~en scheef *higgledy-piggledy, topsy-turvy, at sixes and sevens, pell-mell; spidery, straggly* 〈handschrift〉.

Schots 〈bn.〉 **0.1** [uit/van Schotland] *Scottish* ⇒*Scots,* 〈niet voor personen; vnl. in vaste uitdrukkingen〉 *Scotch,* 〈schr.;gesch.;scherts.〉 *Caledonian* **0.2** [mbt. geweven stoffen] *plaid, plaided, tartan* ◆ **1.1** ~e whisky *Scotch (whisky)* **1.2** ze droeg een rok met een~e ruit *she wore a plaid/tartan skirt.*

schotsbont 〈bn.〉 **0.1** *tartan.*

schotschrift 〈het〉 **0.1** *slander; (defamatory) pamphlet* ⇒〈geestig〉 *squib,* 〈toneelstukje〉 *skit,* 〈schr.〉 *diatribe* 〈fel〉, *lampoon* 〈parodistisch〉.

schotter 〈de (v.)〉 **0.1** *(three year old) heifer.*

schotvaardig 〈bn.〉 〈sport〉 **0.1** 〈zie 3.1〉 ◆ **3.1** (zeer)~zijn *be a goal-getter/(goal-)scorer.*

schotvarken 〈het〉 **0.1** *fattening/* 〈vnl. AE〉 *feeder pig/hog* ⇒*porker.*

schotvast 〈bn.〉 **0.1** *accurate, precise.*

schotvrij →*schootvrij.*

schotwerk 〈het〉 **0.1** *partitioning.*

schotwilg →*schietwilg.*

schotwond 〈de〉 **0.1** *bullet/gunshot wound.*

schotzalm 〈de (m.)〉 **0.1** *sea trout* ⇒*salmon trout.*

schouder 〈de (m.)〉 **0.1** [mbt. de mens] *shoulder* **0.2** [mbt. dieren] *shoulder* **0.3** [mbt. een kledingstuk] *shoulder* ◆ **2.1** hij heeft brede~s 〈fig.〉 *he has a broad back/broad shoulders;* hoge~s hebben/hoog in de~s zijn *be high-shouldered* **3.1** de~s ophalen 〈fig.〉 *shrug one's shoulders, pooh-pooh, give a shrug, dismiss (sth.);* zijn~s onder iets zetten 〈fig.〉 *put one's s. to the wheel, put one's back into sth.* **6.1** ~**aan**~staan *be s. to s./side by side, close ranks;* **met** kop en ~s uitsteken boven 〈fig.〉 *be head and shoulders above;* iem. **op** zijn~s kloppen 〈fig.〉 *pat/slap s.o. on the back;* iets **op** de~s tillen/dragen/torsen *lift/carry/bear sth. on the shoulders;* **op** iemands~staan 〈fig.〉 *stand on s.o.'s shoulders, lean on s.o.;* iem. **op** de~s nemen *chair s.o., carry s.o. in triumph;* **op** de~s gaan *be chaired, be carried in triumph;* **over** iemands~meelezen *read over s.o.'s s.;* iem. **over** de~aanzien 〈fig.〉 *give s.o. the cold s., brush s.o. off, snub s.o.;* het geweer **tegen** de~leggen *shoulder the rifle/arms;* een last van iemands~s nemen 〈fig.〉 *take a weight off s.o.'s shoulders* **6.2** dit paard is stijf/lam **in** de ~s *this horse has frozen shoulders.*

schouderband 〈de (m.)〉 **0.1** [mbt. een kledingstuk] *shoulder strap* **0.2** [draagband] *sling; strap* 〈v.e. tas〉 **0.3** [gewrichtsband] *shoulder/* 〈med.〉 *humeral ligament* ◆ **1.1** de~jes v.e. bikini *the straps of a bikini* **1.2** de~v.d. vaandeldrager *the colour-bearer's sling* **6.1** zonder ~jes *strapless.*

schouderbeweging 〈de (v.)〉 **0.1** *shoulder movement* ⇒〈schouderophalen〉 *shrug.*

schouderbies ⟨de⟩ **0.1** *piping on the shoulders*.
schouderblad ⟨het⟩ **0.1** *shoulder blade/bone* ⇒*blade*, ⟨med.⟩ *scapula*.
schouderbreedte ⟨de (v.)⟩ **0.1** *shoulder width*.
schouderduw ⟨de (m.)⟩ ⟨sport⟩ **0.1** *shoulder charge*.
schouderen ⟨ov.ww.⟩ **0.1** ⟨mil.⟩ *shoulder, slope* ◆ **1.1** het geweer~ *shoulder/*⟨met het geweer in schuine positie⟩ *slope the rifle*.
schoudergewricht ⟨het⟩ **0.1** *shoulder joint* ⇒⟨med.⟩ *pectoral arch/girdle*.
schoudergordel ⟨de (m.)⟩ **0.1** *shoulder girdle* ⇒*pectoral girdle/arch, scapular arch*.
schouderham ⟨de⟩ **0.1** *shoulder of ham*.
schouderhoogte ⟨de (v.)⟩ **0.1** *shoulder height/level* ◆ **6.1** oefeningen aan de rekstok op ~ *exercises with the horizontal bar at s.h.*.
schouderkarbonade ⟨de (v.)⟩ **0.1** *chuck cutlet, shoulder chop*.
schouderklopje ⟨het⟩ **0.1** *slap/pat (on the back)* ◆ **3.1** een~ krijgen ⟨fig.⟩ *get a pat on the back*.
schouderligging ⟨de (v.)⟩ **0.1** [⟨sport⟩] *fall* **0.2** [⟨med.⟩] *shoulder presentation*.
schouderlijn ⟨de⟩ **0.1** *shoulder line*.
schouderloos ⟨bn.⟩ **0.1** *shoulderless* ⇒*off-the-shoulder(s)*.
schoudermantel ⟨de (m.)⟩ **0.1** *cape* ⇒⟨smal⟩ *pelerine*, ⟨gesch.⟩ *tippet* ⟨pels⟩.
schouderophalen ⟨het⟩ **0.1** *shrug* ◆ **6.1** iets met ~ beantwoorden *answer sth. with a s.*; zij sprak over hem met een ~ *she spoke of him/referred to him with a s./ with indifference/resignation*.
schouderplaat ⟨de⟩ **0.1** *shoulder-plate* ⇒*pauldron, pouldron*.
schouderriem ⟨de (m.)⟩ **0.1** *shoulder strap; cartridge belt, bandoleer* ⟨met patronen⟩, *rifle-sling* ⟨voor geweer⟩; ⟨gesch.⟩ *baldric* ⟨voor sierzwaard⟩.
schoudersluiting ⟨de (v.)⟩ **0.1** *shoulder fastener/snap/hook*.
schouderstuk ⟨het⟩ **0.1** [voorbout] *shoulder (joint)* **0.2** [mbt. een kledingstuk] *yoke* **0.3** [als bescherming] *pauldron, pouldron*.
schoudertas ⟨de⟩ **0.1** *shoulder bag*.
schoudervulling ⟨de (v.)⟩ **0.1** *shoulder pad*.
schouderworp ⟨de⟩ ⟨judosport⟩ **0.1** *shoulder throw*.
schout ⟨de (m.)⟩ **0.1** [⟨gesch.⟩] *bailiff* ⇒*sheriff*, ⟨gesch.⟩ *portreeve* ⟨van Eng. haven/marktplaats⟩ **0.2** [dijkgraaf] *dike-grave*.
schout-bij-nacht ⟨de (m.)⟩ **0.1** *rear admiral*.
schouw
I ⟨de⟩ **0.1** [stookplaats] *fireplace* ⇒*hearth* **0.2** [schoorsteenmantel] *mantel(piece), mantelshelf* ⇒*chimney breast* **0.3** [⟨AZN⟩ schoorsteen] *chimney* **0.4** [binnenvaartuig] *scow* ⟨schuit⟩ *barge* **0.5** [veerboot] *ferry(boat)* **0.6** [overzetplaats] *ferry*;
II ⟨de (m.)⟩ **0.1** [inspectie] *survey* ⇒*inspection, review* ◆ **3.1** de~ drijven/varen *survey the water-courses* **6.1** de vaart staat onder de ~ v.h. polderbestuur *that waterway is surveyed by the polder authorities*.
schouwburg ⟨de (m.)⟩ **0.1** [theater] *theatre* ⇒*playhouse* **0.2** [publiek] *audience* ⇒*house* ◆ **6.1** naar de~ gaan *go to (the) t.*; een kaartje voor de~ *a ticket for the t., a t. ticket*.
schouwburgabonnement ⟨het⟩ **0.1** *season ticket for the theatre, theatre subscription*.
schouwburgbezoek ⟨het⟩ **0.1** ⟨telb.⟩ *visit to a/the theatre*; ⟨n.-telb.⟩ *theatre-going, playgoing*.
schouwburgpubliek ⟨het⟩ **0.1** *theatre audience/public* ⇒*playgoing public, playgoers, theatregoers*, ⟨aanwezigen⟩ *house* ◆ **2.1** het gewone~ *the average playgoer(s)*.
schouwen ⟨ov.ww.⟩ **0.1** [in de geest waarnemen] *witness* ⇒*see* **0.2** [inspecteren] *view* ⇒*survey* ⟨bv. dijken, wegen⟩, *inspect, examine, review* ⟨troepen⟩, ⟨seksen⟩ *sex* ◆ **1.1** hij heeft Gods glorie geschouwd *he has witnessed God's glory*; het ~de leven *the contemplative life* **1.2** dijken/wegen/vaarten~ *survey dikes/roads/waterways*; eieren~ *candle eggs*; de fuiken~ *check the (lobster/eel) pots*; een lijk~ *hold a post mortem on a body*.
schouwer ⟨de (m.)⟩ **0.1** *viewer* ⇒*inspector, examiner*, ⟨lijkschouwer⟩ *coroner, surveyor* ⟨vnl. mbt. opmetingen⟩.
schouwing ⟨de (v.)⟩ **0.1** [inspectie] *view* ⇒*inspection, examination*, ⟨opmeting⟩ *survey*, ⟨wapenschouwing⟩ *muster* **0.2** [lijkschouwing] *post-mortem (examination)* ⇒⟨jur.⟩ *(coroner's) inquest* ◆ **1.1** de~ van de troepen *mustering/reviewing the troops* **2.2** gerechtelijke~ *(coroner's) inquest*.
schouwplaats ⟨de⟩ ⟨schr.⟩ **0.1** *scene* ⇒*arena*.
schouwspel ⟨het⟩ **0.1** *spectacle* ⇒*scene, picture*, ⟨aanblik⟩ *sight*, ⟨spektakel⟩ *show* ◆ **2.1** een heerlijk/een roerend/een aangrijpend~ *a wonderful/moving/touching sight*; historisch~ *a pageant*; het prachtige~v.d. zonsopgang *the marvellous spectacle of the rising sunrise* **3.1** een droevig~ bieden *present a sorry sight/mournful spectacle*.
schouwtoneel ⟨het⟩ ⟨schr.⟩ **0.1** [plaats] *stage* ⇒⟨achtergrond, kader⟩ *setting*, ⟨locatie⟩ *scene* **0.2** [⟨vero.⟩ toneel] *stage* ◆ **1.1** dit land was het~ van zijn grote daden *this country was the stage of his grand exploits* ¶.2 de wereld is een~, elk speelt zijn rol en krijgt zijn deel *'all the world's a stage, / And all the men and women merely players. / They have their exits and their entrances, / And one man in his time plays many parts'*.

schoven ⟨ov.ww.⟩ **0.1** *bind (in sheaves)* ⇒*sheaf, sheave*.
schovenbinder ⟨de (m.)⟩ **0.1** [persoon] *sheaf-binder* **0.2** [machine] *(sheaf-)binder*.
schoverzeil ⟨het⟩ **0.1** *mainsail*.
schr. ⟨afk.⟩ **0.1** [schriftelijk] ⟨written⟩ **0.2** [schrijver] ⟨writer⟩.
schraag¹ ⟨de⟩ **0.1** *trestle* ⇒⟨voor het zagen⟩ *sawhorse*, ⟨voor vaten⟩ *gantry, gauntry*, ⟨stellage⟩ *stillage*.
schraag² ⟨bw.⟩ **0.1** *slantingly, slantways, slantwise* ◆ **3.1** iets~ afzagen *saw sth. off slantwise/at a slant*.
schraagbalk ⟨de (m.)⟩ **0.1** *girder, support(er)* ⇒⟨verticaal⟩ *upright*.
schraagbeeld ⟨het⟩ **0.1** *supporting statue* ⇒⟨Griekse bouwk.⟩ *caryatid* ⟨vrouw⟩, *telamon* ⟨man⟩.
schraagpijler ⟨de (m.)⟩ **0.1** *buttress*.
schraagsgewijs ⟨bw.⟩ **0.1** *support*.
schraagtafel ⟨de⟩ **0.1** *trestle table*.
schraal ⟨bn., bw.⟩ **0.1** [mager] *lean* ⇒*thin*, ⟨van mensen ook⟩ *gaunt, lank*, ⟨nietig⟩ *puny* **0.2** [mbt. onstoffelijke zaken] *meagre* ⇒*scanty, poor, slender, puny* **0.3** [mbt. grond] *poor* ⇒*arid, hungry, infertile* **0.4** [mbt. weer] *bleak* ⟨weer⟩; *dry, cutting* ⟨wind⟩ **0.5** [mbt. huid] *dry* ⇒⟨gekloofd, schraal⟩ *chapped* **0.6** [krap, karig] *scanty* ⇒*puny, meagre, bare* ⟨maaltijd⟩, ⟨sober⟩ *frugal* **0.7** [(relatief) te veel zand bevattend] *lean* **0.8** [mbt. hout] *rough* ⇒*unplaned* **0.9** [gierig] *cheeseparing, penny-pinching, miserly* ◆ **1.1** ~ bier *thin beer*; ~ deeg *ill-risen dough*; een~ dieet houden *be on a scanty diet*; een schrale kas *a bare purse*; dat is schrale kost *that's scanty/meagre fare* **1.2** de schrale opkomst v.d. leden *the poor attendance of the members* **1.4** ⟨scheep.⟩ een schrale wind *a scant(y) wind* ⟨waardoor men niet veel vordert⟩ **1.5** schrale handen/lippen *chapped hands/lips* **1.6** ~ koren *poor grain*/⟨BE ook⟩ *corn* **1.7** schrale klei *l. clay* **1.¶** een schrale wijn *a sourish wine* **2.2** ~ gemeubileerd *scantily/sparsely furnished* **3.1** het ~ hebben *be poorly off* **3.6** het koren staat ~ *the grain*/⟨BE ook⟩ *corn is poor* **3.9** iem.~ belonen *reward s.o. poorly/niggardly*; ~ meten *give short measure*.
schraalhans ⟨de (m.)⟩ **0.1** *miser, Scrooge, scraper* ◆ **¶.1** ~ is er keukenmeester *their cupboard is nearly always bare, they don't have much money to throw around*.
schraalheid ⟨de (v.)⟩ **0.1** [magerheid] *leanness* ⇒*thinness*, ⟨van personen ook⟩ *lankness, gauntness* **0.2** [geringheid in hoeveelheid] *sparsity* ⇒*scarcity, frugality, poorness* **0.3** [geringe vruchtbaarheid] *infertility* ⇒*poorness* **0.4** [geestelijke armoede] *aridity* **0.5** [ruwheid] *dryness* **0.6** [gierigheid] *miserliness* ⇒*sparingness*.
schraalte ⟨de (v.)⟩ **0.1** [armoedigheid] *poverty* ⇒*poorness* **0.2** [mbt. land] *infertility* ⇒⟨dorheid⟩ *aridity*.
schraaltjes ⟨bw.⟩ **0.1** [magertjes] *thinly* ⇒*gauntly, punily* **0.2** [gierig] *miserly, graspingly* ◆ **3.1** die rogge staat ~ *that rye hasn't borne/is not bearing well*; het ziet er bij hem ~ uit *his place looks a bit shabby*; hij ziet er ~ uit *he looks a bit peaked*; ~ in de kleren zitten *be shabbily dressed/thinly clad* **3.2** ~ meten *give short measure*.
schraapachtig ⟨bn., bw.⟩ **0.1** *stingy* ⇒*skinny, miserly*.
schraapijzer, -mes, -staal ⟨het⟩ **0.1** *scraper*.
schraapsel ⟨het⟩ **0.1** *scrapings*.
schraapzucht ⟨de⟩ **0.1** *stinginess* ⇒*miserliness, tight-fistedness, penny-pinching*, ⟨vnl. AE⟩ *cheapness*.
schraapzuchtig ⟨bn.⟩ **0.1** *stingy* ⇒*miserly, tight(-fisted), penny-pinching*, ⟨vnl. AE⟩ *cheap*.
schrab →**schrap¹**.
schrabben →**schrappen**.
schrabber ⟨de (m.)⟩ **0.1** [krabber] *scraper* **0.2** [stoepijzer] *(foot)scraper*.
schrabsel ⟨het⟩ **0.1** *scrapings*.
schragen ⟨ov.ww.⟩ **0.1** [steunen] *prop (up)* ⇒*shore (up), buttress, support* **0.2** [⟨fig.⟩] *support* ⇒*buoy (up), assist* ◆ **6.2** iem. in zijn voornemens~ *support s.o.'s plans*.
schraging ⟨de (v.)⟩ **0.1** [het steunen] *support* **0.2** [⟨fig.⟩] *support* ⇒*assistance*.
schram
I ⟨de⟩ **0.1** [schaafwond] *scratch* ⇒*scrape, graze* **0.2** [kras] *scratch* ⇒*scrape, graze* ◆ **3.1** zij heeft bij die val~ men opgelopen *she got scratched/scraped when she fell* **3.2** schuurpapier geeft~men *sandpaper (leaves) scratches*; ~men maken op *scratch, scrape* **5.1** vol~men zitten *be all scratched up* **6.1** zonder een~metje *without a scratch*;
II ⟨de (m.)⟩ **0.1** [varken] *piglet* ⇒*pigling*, ⟨gesneden varkentje⟩ *barrow*.
schrammen ⟨ov.ww.⟩ **0.1** *scratch* ⇒*scrape, graze* ◆ **4.1** zich~ *scratch/scrape o.s.*.
schrander ⟨bn., bw.; -ly⟩ **0.1** *clever* ⇒*sharp, bright, discerning, shrewd* ◆ **1.1** een~ beest *a c./smart animal*; een~e jongen ⟨ook⟩ *a quick-witted boy*; ~e ogen *lively/bright eyes*; een~e opmerking *an astute remark*.
schranderheid ⟨de (v.)⟩ **0.1** *cleverness* ⇒*intelligence, sagacity, discernment, shrewdness*.
schrank ⟨de⟩ ⟨schraag⟩ *trestle*; ⟨voor hijswerktuig⟩ *shearlegs, sheerlegs* ⟨mv.⟩ **0.2** [omheining] *palisade* ◆ **6.2** binnen de~en blijven ⟨fig.⟩ *stay within (set) limits/within bounds*.

schranken
I ⟨ov.ww.⟩ **0.1** [kruislings over elkaar leggen] *cross* ⟨vnl. benen⟩ ⇒ *lay perpendicular* **0.2** [mbt. een zaag] *set;*
II ⟨onov.ww.⟩ **0.1** [scheefzakken] *tilt, slant.*

schransen ⟨onov.ww.⟩ **0.1** *gorge (o.s.), stuff o.s.* ♦ **5.1** zij kunnen geweldig ~ *they can really put/store it away, they are tremendous eaters.*

schranser ⟨de (m.)⟩ **0.1** *glutton.*

schranspartij ⟨de (v.)⟩ **0.1** *blowout, beano, beanfeast.*

schrap[1] ⟨de⟩ **0.1** [krab, kras] *scratch* **0.2** [streep, inkrassing] *line* ♦ **6.2** een ~ (je) **bij** iets zetten *put a tick/mark by, mark, tick;* een ~ **door** iets halen *scratch/cross sth. off/out;* ⟨er niet meer op rekenen⟩ *scratch sth. (off one's list).*

schrap[2] ⟨bw.⟩ **0.1** *braced* ♦ **3.1** ~ staan ⟨niet wijken⟩ *stand firm, not budge;* ⟨gereed staan om in actie te komen⟩ *stand ready, be poised for action;* zet je ~ want ik heb een zeer vervelende mededeling voor je *brace yourself/get ready, I've got rather bad news for you;* zij zette zich/haar voet ~ tegen de muur *she braced herself/put her foot against the wall;* zich ~ zetten *brace o.s.* ⟨ook fig.⟩; ⟨fig. ook⟩ *steel o.s., nerve o.s., get ready, steady o.s.;* ⟨weigeren toe te geven⟩ *dig one's heels in;* ⟨fig.; inf.⟩ *bite the bullet* **3.**¶ ⟨scheep.⟩ ~ zeilen *sail close to the wind.*

schrapen
I ⟨ov.ww.⟩ **0.1** [schrappen] *scrape* **0.2** [mbt. de keel] *clear* **0.3** [bij elkaar halen] *scrape* ♦ **1.2** de keel ~ *c. one's throat, hawk* **1.3** geld bij elkaar ~ *s. money together;*
II ⟨onov.ww.⟩ **0.1** [schurend geluid maken] *rasp* **0.2** [⟨pej.⟩ inhalig zijn, doen] *be miserly/mean (with one's money)* ⇒ *be penny-pinching/ tight-fisted, pinch one's pennies.*

schraper ⟨de (m.)⟩ **0.1** [vrek] *penny-pincher* ⇒ *tightwad, miser, skinflint, cheap skate* **0.2** [schraapijzer] *scraper.*

schraperig ⟨bn.⟩ **0.1** *stingy* ⇒ *tight(-fisted), penny-pinching, miserly,* ⟨vnl. AE⟩ *cheap.*

schrapmes ⟨het⟩ **0.1** *scraper* ⇒ *scraping knife.*

schrapnel ⟨de (m.)⟩ **0.1** *shrapnel.*

schrappen
I ⟨ov.ww.⟩ **0.1** [schrapen] *scrape* ⇒ *scale* ⟨vis⟩ **0.2** [doorhalen] *strike/ cross off/out* ⇒ *remove, delete, cancel, drop, scrap* ♦ **1.2** een woord ~ uit een brief *delete a word from a letter* **4.2** ik had je al geschrapt *I had dropped you from/crossed you off my list* **6.2** een post **van** een begroting ~ *drop an item from a budget* **8.2** iem. als lid ~ *drop s.o. from membership;*
II ⟨onov.ww.⟩ **0.1** [een schrap maken] *scratch.*

schrapper ⟨de (m.)⟩ **0.1** [persoon] *scraper* **0.2** [krabber] *scraper.*

schrapping ⟨de (v.)⟩ **0.1** [het doorhalen] *crossing/striking out/off* ⇒ *scrapping, removal, deletion, erasure,* ⟨schuld ook⟩ *cancellation* **0.2** [dat wat doorgehaald is of wordt] *deletion, erasure* ⇒ *scrapping,* ⟨schuld ook⟩ *cancellation.*

schrapsel ⟨het⟩ **0.1** [schraapsel] *scrapings* **0.2** [een klein beetje] *(a) tiny/ teeny bit.*

schrede ⟨de⟩ ⟨schr.⟩ **0.1** *step* ⇒ *pace* ♦ **1.1** hij woont hier slechts een paar ~n vandaan *he lives very close to here/just down the street/just around the corner, he lives a few steps/paces from here* **2.1** zijn eerste ~n zetten ⟨fig.⟩ *take one's first steps;* met rasse ~n vooruitgaan ⟨ook fig.⟩ *procede with great/rapid strides, make great strides forward* **3.1** zijn ~n richten/wenden naar *wend one's way towards, turn/direct one's (foot)steps towards* **6.1 op** zijn ~n terugkeren ⟨fig.⟩ *retrace one's (foot)steps.*

schredenteller ⟨de (m.)⟩ **0.1** *pedometer.*

schreef ⟨de⟩ **0.1** [streep] *line* ⇒ *scratch* **0.2** [dwarsstreepje aan drukletter] *serif* **0.3** [⟨spel⟩ begin- of doelstreep] *starting line* ⟨beginstreep⟩ ⇒ *finishing line* ⟨doelstreep⟩ ♦ **6.**¶ **over** de ~ gaan *exceed the limit, go beyond the pale, go too far, overstep the mark* ¶**.1** ⟨fig.⟩ zij heeft een ~ je voor *she's in his/her* ⟨enz.⟩ *good books, she can get away with anything/murder/what she likes.*

schreefloos ⟨bn.⟩ ⟨druk.⟩ **0.1** *sanserif* ♦ **1.1** schreefloze letter *s. / Gothic letter.*

schreeuw ⟨de (m.)⟩ **0.1** *shout, cry, scream* ⇒ *yell, shriek, squeal* ♦ **3.1** een ~ geven *(let out a) scream/yell/shriek/shout/squeal, give a cry.*

schreeuwbek ⟨de (m.)⟩ **0.1** *bawler* ⇒ *screamer.*

schreeuwen
I ⟨onov., ov.ww.⟩ **0.1** [roepend mededelen] *shout (out)* ⇒ *yell (out), cry (out), scream (out)* ♦ **1.1** een bevel ~ *bark out/yell (out) an order* **2.1** zich schor ~ *shout/yell/bawl o.s. hoarse* **5.1** ik ben niet doof, dus schreeuw niet zo *I'm not deaf, you don't have to s. / yell* **6.1** ⟨fig.⟩ zich de longen **uit** het lijf ~ *shout one's head off;*
II ⟨onov.ww.⟩ **0.1** [gillen] *scream, cry (out)* ⇒ *yell (out), shout, shriek* **0.2** [⟨fig.⟩ roepen (om)] *cry out (for)* ⇒ *clamour (for)* **0.3** [hard huilen] *bawl* ⇒ *howl* **0.4** [hevig tekeergaan] *clamour* ⇒ *scream, shout* **0.5** [mbt. dieren] *cry* ⇒ *screech* ⟨pauw, uil⟩, *squeal* ⟨varken⟩, *hoot* ⟨uil⟩ **0.6** [mbt. kleuren] *clash* **0.7** [lelijk zingen] *screech* ♦ **6.1** de drenkeling schreeuwde **om** hulp *the drowning person cried out/yelled for help;* ~ **om** niets *scream for no reason/about nothing/for nothing* **6.2 om** wraak ~ *call for revenge;* deze problemen ~ **om** een snelle oplos-

sing *these problems cry out for a quick solution* **6.4** hij schreeuwt **tegen** iedereen *he yells/barks at everyone* **8.1** ~ als een mager (speen)varken *squeal like a stuck pig* ¶**.1** ~ voordat men geslagen wordt ⟨fig.⟩ *cry out/yell before one is hurt;* uit alle macht ~ *shout at the top of one's lungs, yell one's head off.*

schreeuwend
I ⟨bn.⟩ **0.1** [zich opdringend] *crying* ⇒ *glaring, flagrant, screaming* **0.2** [hinderlijk voor de ogen/het gevoel] *screaming* ⇒ *glaring, loud, shrieking* ♦ **1.1** ~e ⟨krante⟩koppen *screaming/shrieking headlines;* ⟨AE; inf.⟩ *screamers;* ~e misstanden *flagrant/blatant abuses;* een ~e onrechtvaardigheid *a glaring/flagrant injustice;* ~e reclame *blatant advertisement;* ⟨AE; inf.⟩ *screamer* **1.2** een ~ contrast *a glaring contrast;* ~e kleuren *loud/garish/gaudy colours;*
II ⟨bw.⟩ **0.1** [in de hoogste mate] *terribly* ⇒ *impossibly.*

schreeuwer ⟨de (m.)⟩ **0.1** [iem. met grote mond] *loudmouth* ⇒ *bigmouth, windbag* **0.2** [pocher] *braggard* ⇒ *boaster, swaggerer* **0.3** [klein kind] *screamer* ⇒ *monster* **0.4** [⟨inf.⟩ mond] *trap, gob* ♦ **2.1** hij is een echte ~ *he's a real t., he always has his trap open* **2.3** een kleine ~ *a little monster* **2.4** hou je grote ~! *shut your t..*

schreeuwerig ⟨bn.⟩ **0.1** [telkens schreeuwend] *screaming* ⇒ *shrieking* **0.2** [onaangenaam klinkend] *blaring* ⇒ *shrieking* **0.3** [met heftige woorden] *heated, fiery* ⇒ *loud* ⟨bv. van toon⟩, *strong-worded* ♦ **1.1** een ~ kind *a screaming/shrieking child;* een ~ mens *a screamer/ shrieker* **1.2** ⟨fig.⟩ ~e kleuren *garish/loud/garish colours;* een ~e stem *a harsh voice* **1.3** een ~ artikel *a h. / f. / strong-worded article;* ~e reclame *glaring/loud advertisement(s);* ⟨inf.⟩ *(media) hype, heavy plug.*

schreeuwlelijk ⟨de (m.)⟩ **0.1** [iem. die veel misbaar maakt] *bigmouth* ⇒ *loudmouth, bawler* **0.2** [kind] *squaller* ⇒ *screamer, cry-baby.*

schreeuwvogels ⟨zn.mv.⟩ **0.1** *noisemakers.*

schreien ⟨schr.⟩
I ⟨onov.ww.⟩ **0.1** [wenen] *weep* ⇒ *cry* **0.2** [schreeuwen] *cry (out)* ♦ **1.2** ten hemel ~ de toestanden *woeful/pitiful/lamentable conditions* **4.1** zich de ogen uit het hoofd ~ *cry one's eyes out* **5.1** hij schreide bitter *he wept bitterly* **6.1 om** iem. ~ *w. for s.o.;* **tot** ~s toe bewogen *moved to tears;* ~ **van** vreugde *w. for joy* **6.2** dat schreit **om** wraak *that cries out for/demands revenge;*
II ⟨ov.ww.⟩ **0.1** [huilend doen vloeien] *weep* ⇒ *cry* ♦ **1.1** bittere/hete tranen ~ *w. bitter/hot tears.*

schreier ⟨de (m.)⟩, **schreister** ⟨de (v.)⟩ ⟨schr.⟩ **0.1** *weeper.*

schreierig ⟨bn.⟩ **0.1** *weepy, tearful.*

schriek ⟨de (m.)⟩ **0.1** [kwartelkoning] *corncrake* ⇒ *landrail* **0.2** [waterral] *water rail.*

schriel ⟨bn., bw.; -ly⟩ **0.1** [lang en dun] *lean* ⇒ *gaunt, thin,* ⟨inf.⟩ *skinny* **0.2** [gierig] *mean* ⇒ *miserly, stingy, niggardly* **0.3** [mbt. grond] *poor* ⇒ *barren* **0.4** [guur] *raw* ⇒ *harsh.*

schrift ⟨het⟩ **0.1** [tekst] *writing* **0.2** [handschrift] *(hand)writing* ⇒ *hand, script* **0.3** [tekens] *script* **0.4** [lettersoort] *type* ⇒ *typeface* **0.5** [het schrijven] *writing* **0.6** [cahier] *notebook, exercise book, copy book* ♦ **2.2** fijn ~ *thin letters/script;* in groot/klein ~ *in a large/small hand, in large/small letters;* links hellend ~ *leftwards/backward leaning/sloping handwriting, backhand;* duidelijk leesbaar ~ *clear/readable/legible handwriting/hand* **1.3** fonetisch ~ *phonetic transcription* **2.4** lopend/cursief ~ *cursive, italics;* staand ~ *straight letters* **6.1** iets **op** ~ stellen/brengen *put sth. in/commit sth. to w.;* ik heb het **op/in** ~ *I have it in w..*

Schrift ⟨de⟩ **0.1** *Scripture(s)* ⇒ *Writ* ♦ **2.1** de Heilige ~ *(Holy) Scripture, Holy Writ, the Scriptures* **6.1** altijd plaatsen uit de ~ aanhalen *always be quoting the Scriptures;* niet **volgens** de ~ *not according to the Scriptures, unscriptural.*

schriftbeeld ⟨het⟩ **0.1** *(type)face.*

schriftelijk[1] ⟨het⟩ **0.1** *written exams* ♦ **3.1** voor het ~ zakken *fail one's written exams.*

schriftelijk[2] ⟨bn., bw.⟩ **0.1** ⟨bn.⟩ *written;* ⟨bn., bw.⟩ *in writing, by letter, on paper* ♦ **1.1** ⟨jur.⟩ ~e w. *complaint;* een ~e cursus *correspondence course;* ~e mededelingen *w. communication/announcements;* een ~e overhoring *a w. test/*[A]*quiz;* ~e stem *absentee ballot;* ~ werk *w. work* **3.1** ~ bestellen *send away/off for, order by mail;* ~ bevestigen *confirm in writing;* ~ stemmen *vote by ballot;* iets ~ vastleggen *put sth. in writing/down on paper.*

schriftexpertise ⟨de (v.)⟩ **0.1** *graphology* ⇒ *graphological/handwriting analysis.*

schriftgedeelte ⟨het⟩ **0.1** *Scriptural text/passage.*

schriftgeleerde ⟨de (m.)⟩ **0.1** *scribe* ⟨bij de Joden⟩ ⇒ *mullah* ⟨bij de islamieten⟩.

schriftkenner ⟨de (m.)⟩ **0.1** [handschriftlezer] *handwriting expert* **0.2** [schriftgeleerde] *scribe* ⟨bij de Joden⟩ ⇒ *mullah* ⟨bij de islamieten⟩.

schriftkunde ⟨de (v.)⟩ **0.1** [paleografie] *palaeography* **0.2** [grafologie] *graphology.*

schriftkundige ⟨de (m.)⟩ **0.1** [paleograaf] *palaeographer* **0.2** [grafoloog] *graphologist* ⇒ *handwriting expert.*

schriftlezing ⟨de (v.)⟩ **0.1** *lesson.*

schriftplaats ⟨de⟩ **0.1** *place in the Scriptures.*

schriftteken ⟨het⟩ **0.1** *letter*.
schriftuitlegger ⟨de (m.)⟩ **0.1** *exegete/exegetist* ⇒*interpreter of Scripture /Holy Writ*.
schriftuur ⟨het, de (v.)⟩ **0.1** *(written) document, writing* ◆ **1.1** ⟨jur.⟩ ~ van antwoord *statement of defence* ^Ase; ⟨jur.⟩ ~ van eis *statement of claim* **3.1** ⟨jur.⟩ deze ~ bewijst duidelijk zijn onschuld *this d. clearly indicates/proves his innocence*.
schriftuurlijk ⟨bn., bw.; -ly⟩ **0.1** *scriptural* ⇒*biblical* ◆ **1.1** ~e namen/ liederen *biblical names/songs* **3.1** iets ~ bewijzen *give s. proof of sth.*.
schriftvervalser ⟨de (m.)⟩ **0.1** *(document) forger*.
schriftwoord ⟨het⟩ **0.1** *scripture*.
schrijdelings →schrijlings.
schrijden ⟨onov.ww.⟩ ⟨schr.⟩ **0.1** *stride* ⇒*stalk*, ⟨paraderen⟩ *strut*.
schrijfbehoeften, -benodigdheden ⟨zn.mv.⟩ **0.1** *stationery* ⇒*writing materials*.
schrijfblok ⟨het⟩ **0.1** *writing pad* ⇒*(note)pad*.
schrijfbureau ⟨het⟩ **0.1** *(writing) desk*.
schrijffout ⟨de⟩ **0.1** *writing error* ⇒*erratum*, ⟨verschrijving⟩ *slip of the pen*, ⟨bij het over/uitschrijven⟩ *clerical error*.
schrijfgereedschap →schrijfgerei.
schrijfgerei ⟨het⟩ **0.1** *stationery* ⇒*writing materials*.
schrijfhaak ⟨de (m.)⟩ **0.1** *setsquare*.
schrijfhand ⟨de⟩ **0.1** [de hand waarmee men schrijft] *writing hand* **0.2** [handschrift] *hand(writing)* ⇒⟨schrijfwijze⟩ *penmanship* ◆ **2.2** een goede ~ hebben *write a good hand, be a good penman*.
schrijfhouding ⟨de (v.)⟩ **0.1** *writing posture/position*.
schrijfinkt ⟨de (m.)⟩ **0.1** *writing ink*.
schrijfkramp ⟨de⟩ **0.1** *writer's cramp*.
schrijfkrijt ⟨het⟩ **0.1** *(writing) chalk*.
schrijfkunst ⟨de (v.)⟩ **0.1** *art of writing*.
schrijfkunstenaar ⟨de (m.)⟩ **0.1** *calligrapher*.
schrijf-leesmethode ⟨de (v.)⟩ **0.1** ⟨*method of literacy instruction in which children learn to read and write simultaneously*⟩.
schrijfletter ⟨de⟩ **0.1** [bij schrijven gebruikte letter] *script letter* ⇒*written character* **0.2** [⟨druk.⟩] *script letter* ⇒*italic*.
schrijfmachine ⟨de⟩ **0.1** *typewriter* ⇒⟨draagbaar⟩ *portable* ◆ **2.1** een elektrische ~ *an electric t.* **6.1 aan/achter** de ~ zitten *sit at/behind the t.*.
schrijfmachinelint ⟨het⟩ **0.1** *typewriter ribbon*.
schrijfmachinepapier ⟨het⟩ **0.1** *typing-paper*.
schrijfmap ⟨de⟩ **0.1** *writing case*.
schrijfoefening ⟨de (v.)⟩ **0.1** *writing exercise*.
schrijfpapier ⟨het⟩ **0.1** *writing paper*.
schrijfrol ⟨de⟩ **0.1** *platen* ⇒*roller*.
schrijfsel ⟨het⟩ ⟨pej.⟩ **0.1** *scribblings*.
schrijfster ⟨de (v.)⟩ **0.1** *writer* ⇒⟨auteur ook⟩ *authoress, woman/lady author*.
schrijfstift ⟨de⟩ **0.1** [voor handgebruik] *stylus* ⇒*style* **0.2** [van instrument] *tracer* ⇒*pen*.
schrijfstijl ⟨de (m.)⟩ **0.1** *style (of writing)*.
schrijftaal ⟨de⟩ **0.1** *written language*.
schrijftafel ⟨de⟩ **0.1** [bureau] *writing table* ⇒*(writing) desk*, ⟨vnl. BE⟩ *bureau* **0.2** [arbeidsplaats] *desk* ◆ **7.1** ⟨fig.⟩ een tweede ~ *a second centre of administration*.
schrijftalent ⟨het⟩ **0.1** *writing talent, talent for writing*.
schrijftrant ⟨de (m.)⟩ **0.1** *style (of writing)*.
schrijfvaardigheid ⟨de (v.)⟩ **0.1** *writing skill* ◆ **3.1** ~ toetsen *test writing skills*.
schrijfvertrek ⟨het⟩ **0.1** *study*.
schrijfvlak ⟨het⟩ **0.1** *writing surface*.
schrijfwerk ⟨het⟩ **0.1** *writing, paperwork*.
schrijfwijze ⟨de⟩ **0.1** [handschrift] *handwriting* **0.2** [spelling] *spelling* **0.3** [schrijfstijl] *style (of writing)* ⇒⟨manier van schrijven/noteren⟩ *notation* ◆ **2.3** decimale ~ *decimal notation*.
schrijfwoede ⟨de (v.)⟩ **0.1** *mania/passion for writing*.
schrijlings ⟨bn., bw.⟩ **0.1** ⟨bn.⟩ *straddling*; ⟨bw.⟩ *astride, astraddle* ◆ **1.1** een ~e houding *a straddle, a straddling position* **3.1** ~ op zijn stoel/op een paard zitten *straddle one's chair/a horse, sit astride one's chair/horse*.
schrijn ⟨het, de (m.)⟩ **0.1** *shrine*.
schrijnen ⟨onov.ww.⟩ **0.1** [door schuren pijn veroorzaken] *chafe* **0.2** [mbt. wonden] *smart* ◆ **1.1** dat harde goed schrijnt *that stiff material chafes*.
schrijnend ⟨bn.⟩ **0.1** *harrowing* ⇒*cutting, piercing, poignant* ◆ **1.1** ~e armoede *grinding poverty*; een ~e herinnering *a h. memory*; een ~ voorbeeld *a poignant example*.
schrijnwerk ⟨het⟩ **0.1** *cabinetwork*.
schrijnwerker ⟨de (m.)⟩ **0.1** *cabinetmaker*.
schrijven¹ ⟨het⟩ ⟨schr.⟩ **0.1** *missive* ◆ **2.1** een begeleidend ~ *an accompanying/covering letter*; een herderlijk ~ *a pastoral (letter)*; een koninklijk ~ *a royal m.*; een officieel ~ *a m.*; pauselijk ~ *brief* **6.1** in antwoord op uw ~ **van** 10 maart j.l. *in answer to/re your letter of 10 March last*.

schrijven² ⟨→sprw. 184⟩
I ⟨onov., ov.ww.⟩ **0.1** [letters aanbrengen] *write* **0.2** [een brief, boek samenstellen] *write* ⇒⟨componeren ook⟩ ⟨*compose* ◆ **1.2** een vriend ~ *w. to a friend* **3.1** leren ~ *learn to w.* **4.1** zich lam ~ *w. until one's hand is dropping off* **4.2** wij ~ elkaar al lang *we have been writing to each other/corresponding for a long time*; ⟨pregn.⟩ zij schrijft *she writes* **5.1** eigenhandig ~ *w. in one's own hand*; groot/klein ~ *w. large/small*; links ~ *w. left-handed, w. with one's left hand* **5.2** hij schrijft vlot /gemakkelijk *writing comes easily to him, he writes with ease, he has a facile pen* **6.1** zijn 'toe ~ *w. out neatly/a fair copy*; iets in het klad ~ *w. a (rough) draft of sth., w. (out) sth. in rough* **6.2** dat is met bloed geschreven ⟨fig.⟩ *that's written in blood*; met inkt ~ *w. in ink*; met de hand ~ *w. in longhand/by hand*; met de machine ~ *type*; een met de hand geschreven brief *a handwritten letter*; iem. om geld ~ *w. (to) s.o. for money*; op een advertentie ~ *answer an advertisement*; dat is niet om over naar huis te ~ ⟨fig.⟩ *that's nothing to w. home about* **7.1** het geschrevene *the writing* ¶.2 op het moment waarop ik dit schrijf *at the moment of writing*;
II ⟨ov.ww.⟩ **0.1** [spellen] *write* **0.2** [noteren] *write* **0.3** [schriftelijk meedelen] *write (that)* **0.4** [dateren] ⟨zie 4.4,7.4⟩ ◆ **1.2** geschreven recht *statute law* **3.2** dat staat nergens geschreven *it doesn't say that anywhere*; er staat geschreven ⟨mbt. Bijbel⟩ *it is written, the Bible says*; ⟨fig.⟩ het stond in de sterren geschreven *it was (written) in the stars* **4.4** de hoeveelste ~ we? *what day of the month is it (today)?* **5.1** iets fout ~ *misspell sth.*; voluit ~ *w. (out) in full* **6.2** wij schreven f1000,- **bij** zijn saldo *we have credited f1000,- to his account/his account with f1000,-*; iets op iemands rekening ~ ⟨fig.⟩ *put sth. on/charge sth. to s.o.'s account/bill*; ⌞chalk sth. up to s.o.*; het staat op haar gezicht geschreven *it's written all over her face* **7.4** wij schreven toen 1960 *the year/date was 1960*;
III ⟨onov.ww.⟩ **0.1** [geschikt zijn om mee te schrijven] *write* **0.2** [beschrijfbaar zijn] ⟨zie 5.2⟩ ◆ **5.2** dat papier schrijft slecht *that paper is not good/nice to write on, that's bad paper for writing on*.
schrijver ⟨de (m.)⟩ **0.1** [auteur] *writer, author* **0.2** [persoon die iets schrijft] *writer* **0.3** [ambtenaar(srang)] *clerk* **0.4** [registreerapparaat] *recorder* ◆ **2.1** hij bezit veel Franse ~s *he's got a lot of French writers*; een onbekend ~ *an obscure w.*; een produktief ~ *a fertile/productive/prolific a.*; een veelgelezen ~ *a widely read a.* **2.2** een vlug/een snel ~ *a swift penman* **3.1** een ~ plunderen *borrow heavily from an a.* **3.2** hij is geen ~ *he isn't much of a w.* **6.1** de ~s **over** de geschiedenis v.h. zeewezen *the writers on the history of navigation* ¶.2 ~ dezes *the present w.*.
schrijverij ⟨de (v.)⟩ ⟨pej.⟩ **0.1** [handeling] *scribbling* ⇒⟨ongemarkeerd⟩ *writing* **0.2** [resultaat] *scribblings* ⇒⟨ongemarkeerd⟩ *writing* ◆ **3.1** de ~ levert niet veel op *there's not much money in writing*.
schrijversbent ⟨de⟩ **0.1** *writing fraternity*.
schrijverscafé ⟨het⟩ **0.1** *literary café* ⇒⟨vnl. in Ierland⟩ *literary pub*.
schrijverschap ⟨het⟩ **0.1** *authorship* ⇒⟨schr.⟩ *pen, the profession of letters*.
schrijverskwaliteiten ⟨zn.mv.⟩ **0.1** *literary qualities*.
schrijversnaam ⟨de (m.)⟩ **0.1** *pen name, pseudonym* ⇒*nom de plume*.
schrijversproef ⟨de⟩ **0.1** *author's proofs*.
schrijvertje ⟨het⟩ **0.1** [onbetekenend auteur] *scribbler, hack* ⇒*penny-a-liner* **0.2** [kever] *whirligig beetle*.
schrik ⟨de (m.)⟩ **0.1** [ontsteltenis] *terror* ⇒*shock, fright* **0.2** [afkeer] *horror* **0.3** [vrees] *fright* ⇒*fear* **0.4** [wie/wat schrik veroorzaakt] *terror* ◆ **1.1** de ~ van zijn leven krijgen *get the fright/shock of one's life* **1.4** de leeuw is de ~ v.d. savannen *the lion is the t. of the savannahs* **3.1** iem. ~ aanjagen *strike t. into s.o., give s.o. a fright, frighten/scare s.o.*; van de ~ bekomen *get over the shock* **3.3** de ~ zit erin *they've got the wind up* **6.1** met ~ vervuld *be terrified/terror-struck*; er met de ~ afkomen/**met** de ~ vrijkomen *have a lucky escape*; iets **met** ~ tegemoet zien *dread sth.*; tot mijn ~ *to my alarm*; tot hun grote ~ *to their horror/dismay*; ⟨fig.⟩ verlamd **van** ~ *petrified*; **van** ~ verbleken *blanch with fear*; **van** ~ beven *tremble with fear*; **van** ~ doodblijven *die of fright* ¶.1 ⟨fig.⟩ de ~ zit mij nog in de benen *I haven't got over the fright yet*; ⟨fig.⟩ de ~ sloeg ons om het hart *we were terror-struck*; de eerste ~ te boven zijn *get over the initial shock*.
schrikaanjagend ⟨bn.⟩ **0.1** *terrifying* ⇒*frightening*, ⟨inf.⟩ *scary*, ⟨huiveringwekkend⟩ *hair-raising*, ⟨alarmerend⟩ *startling*.
schrikachtig →schrikkerig.
schrikbarend
I ⟨bn., bw.; -ly⟩ **0.1** [bedenkelijk] *alarming* ⇒*shocking* ◆ **1.1** een ~ lawaai maken *make a shocking racket/noise*; ~e ontwikkelingen *a. developments* **5.1** ~ hoge prijzen *shocking prices*;
II ⟨bn.⟩ **0.1** [verschrikkelijk] *terrifying* ⇒*frightful* ◆ **1.1** een ~ schouwspel *a t. spectacle*.
schrikbeeld ⟨het⟩ **0.1** *phantom, spectre* ⇒*bogey* ◆ **1.1** het ~ v.d. oorlog/ v.d. werkloosheid *the s. of war/unemployment* ¶.1 zich een ~ voor de geest halen *raise a s.*.
schrikbewind ⟨het⟩ **0.1** *reign of terror* ◆ **2.1** ⟨fig.⟩ de nieuwe rector voerde een waar ~ *the new principal terrorized the place/conducted a veritable reign of terror*.

schrikdraad
I ⟨het, de (m.)⟩ **0.1** [elektrisch geladen draad] *electric fence;*
II ⟨de (m.)⟩ **0.1** [stuk draad] *electric fence(-wire).*
schrikhek ⟨het⟩ **0.1** *barrier, roadblock.*
schrikkelbaby ⟨de (m.)⟩ **0.1** *leap-day baby.*
schrikkeldag ⟨de (m.)⟩ **0.1** *leap day* ⇒*intercalary day.*
schrikkeldans ⟨de (m.)⟩ **0.1** ≠*ladies' excuse-me.*
schrikkelijk ⟨schr.⟩
I ⟨bn.⟩ **0.1** [verschrikkelijk] ⟨ongemarkeerd⟩ *frightful* ⇒*terrifying* ◆
1.1 ~e bedreigingen *f. threats;*
II ⟨bn., bw.; -ly⟩ **0.1** [zeer hevig] ⟨ongemarkeerd⟩ *tremendous* ⇒
enormous, stupendous ◆ **1.1** een ~e domheid *an appalling stupidity;*
je hoeft niet zo'n ~e haast te maken *there's no need for that terrible
rush* **2.1** zij is ~ lelijk *she's ugly as hell/sin* **7.1** hij verkwist ~ veel geld
he squanders a shocking amount of money.
schrikkeljaar ⟨het⟩ **0.1** *leap year* ⇒*bissextile.*
schrikkelmaand ⟨de⟩ **0.1** [februari] *February* **0.2** [mbt. een maanjaar]
intercalary month.
schrikken
I ⟨onov.ww.; sterk⟩ **0.1** [door schrik bevangen worden] *be shocked/
scared/frightened* ⇒*shy (at)* ⟨paard⟩ ◆ **1.1** ze is een beetje geschrokken *she had a bit of a fright;* ik schrik me een ongeluk/een hoedje *I'm
scared out of my wits* **2.1** ik schrik me kapot/dood *I'm scared stiff/
silly;* wakker ~ *wake with a start* **3.1** iem. laten ~ *scare/frighten s.o.,
give s.o. a fright* **5.1** daar schrik je wel even van *it makes you sit up a
bit/gives you sth. of a shock;* hij schrok ervan *it gave him a fright;* ik
schrik niet gauw, maar *...I don't scare easily, but ...;* zij schrok zichtbaar *she gave a visible start/started visibly* **6.1** je schrikt gewoon van
de prijzen *(the) prices are simply shocking;* van/voor iets ~ *be frightened by/of sth.; shy at sth.* ⟨paard⟩ **7.1** ⟨zelfst.⟩ iem. aan het ~ maken
give s.o. a fright; ⟨inf.⟩ *put the wind up s.o.* ¶**.1** het is om je dood te ~
it's enough to frighten the life out of you; schrok je? *did I give you a
fright?;*
II ⟨onov.ww.⟩ **0.1** [met een schok van zijn plaats gaan] *start* ⇒
jump **0.2** [plotseling afgekoeld worden] *be quenched* ⟨metaal⟩;
III ⟨ov.ww.; zwak⟩ **0.1** [⟨scheep.⟩] *slack off, slacken* **0.2** [plotseling
afkoelen] *quench* ⟨metaal⟩ **0.3** [plotseling in kokend water brengen]
plunge into boiling water ◆ **1.2** een gekookt ei ~ *put a boiled egg in
cold water.*
schrikkerig ⟨bn., bw.; -ly⟩ **0.1** *nervy, jumpy* ⇒*jittery, shy* ⟨paard⟩.
schrikneurose ⟨de (v.)⟩ **0.1** *traumatic neurosis.*
schrikplank ⟨de⟩ **0.1** *guard board.*
schrikpsychose ⟨de (v.)⟩ **0.1** *traumatic/shock psychosis.*
schrikreactie ⟨de (v.)⟩ **0.1** *shock reaction.*
schriksteiger ⟨de (m.)⟩ **0.1** *safety floor (of a scaffold), safety platform.*
schrikstelling →**schriksteiger.**
schrikstroom ⟨de (m.)⟩ **0.1** *warning current.*
schriktouw ⟨het⟩ **0.1** *emergency rope.*
schrikverwekkend →**schrikwekkend.**
schrikwekkend ⟨bn.⟩ **0.1** *terrifying, terrible* ⇒*terrific.*
schril ⟨bn., bw.; -ly⟩ **0.1** [schel klinkend] *shrill* ⇒*strident,* ⟨scherp⟩
acute, ⟨metaalachtig⟩ *tinny,* ⟨piepend⟩ *squeaky* **0.2** [scherp afste-
kend] *sharp* ⇒*stark, glaring* ◆ **1.1** een ~ geluid *a squeal;* een ~le
kreet *a shrill/strident cry, a shriek;* een ~le stem *a shrill voice;* ~le
tonen *piercing tones* **1.2** een ~ contrast vormen met *contrast sharply
with.*
schrobben ⟨onov., ov.ww.⟩ **0.1** *scrub* ⇒*scour* ◆ **1.1** ⟨scheep.⟩ het dek ~
scrub the deck; de vloer/de stoep ~ *scrub the floor/the doorstep.*
schrobber ⟨de (m.)⟩ **0.1** [persoon] *scrubber* **0.2** [bezem om te schrob-
ben] *scrubbing brush,* ^*scrubbrush* **0.3** [ronde bezem van heide]
broom.
schrobbering ⟨de (v.)⟩ **0.1** *dressing down* ⇒*ticking off,* ⟨AE; inf.⟩
call-down ◆ **3.1** de President gaf het ministerie van Buitenlandse
Zaken een ~ *the President gave the Ministry of Foreign Affairs a
dressing down;* iem. een ~ geven *bawl s.o. out, give s.o. a dressing
down, rap s.o. on/over the knuckles, throw the book at s.o..*
schrobnet ⟨het⟩ **0.1** *trawl (net).*
schrobrasp ⟨de⟩ **0.1** *wood rasp.*
schrobvisserij ⟨de (v.)⟩ **0.1** *trawling.*
schrobzaag ⟨de⟩ **0.1** *compass/fret saw.*
schroef ⟨de⟩ **0.1** [staaf met spiraalvormige groef] *screw* **0.2** [bank-
schroef] *vice,* ^*vise* **0.3** [voortstuwingswerktuig] *screw propeller* ⇒
airscrew ⟨van vliegtuig⟩ **0.4** [beweging volgens een schroeflijn]
⟨sport⟩ *screw* **0.5** [bloeiwijze] *helicoid cyme, bostryx* ◆ **1.1** de ~ van
een kurketrekker *the s. of a corkscrew* **1.3** de ~ v.e. vliegtuig *the pro-
peller/s. of a plane* **2.1** een dubbele ~ *a double-threaded s.;* ⟨fig.⟩ alles
staat (weer) op losse schroeven *everything's unsettled/in the air
(again);* een rechtse/een linkse ~ *a right-hand(ed)/left-hand(ed) s.;*
de ~ is verlopen/dol *the s. is drunken/stripped* **2.4** een dubbele ~ maken *perform a double s. (dive)* **3.1** ⟨fig.⟩ de schroeven aandraaien *put
the screws on;* de ~ slaat terug *the s. does not bite;* een ~ vastdraaien/
losdraaien *tighten/loosen a s.;* ⟨fig.⟩ er zit een ~ je bij hem los *he has
a s. loose, he's a button short* **6.1** het zit met schroeven vast *it's
screwed together/on.*

schroefas ⟨de⟩ **0.1** *propeller shaft.*
schroefaskoker ⟨de (m.)⟩ **0.1** *propeller-shaft tunnel.*
schroefbaar ⟨bn.⟩ **0.1** *screwable.*
schroefbacterie ⟨de (v.)⟩ **0.1** *spirillum.*
schroefbank ⟨de⟩ **0.1** *vice/*^*vise bench.*
schroefblad ⟨het⟩ **0.1** *propeller blade.*
schroefboor ⟨de⟩ **0.1** [met schroefvormig boorijzer] ⟨voor hout⟩ *screw/
spiral auger;* ⟨spiraalboor⟩ *twist drill* **0.2** [om schroefmoeren uit te
boren] *tap.*
schroefbout ⟨de (m.)⟩ **0.1** *screw/stud bolt.*
schroefbuis ⟨de⟩ **0.1** *screwed tube.*
schroefcirkel ⟨de (m.)⟩ **0.1** *propeller arc.*
schroefdeksel ⟨het⟩ **0.1** *screw cap, screw(-on) lid.*
schroefdop ⟨de (m.)⟩ **0.1** *screw cap/top* ◆ **1.1** de ~ van een fles losdraaien *screw the top off a bottle.*
schroefdraad ⟨de (m.)⟩ **0.1** *(screw) thread* ◆ **3.1** ~ snijden/tappen *cut/
tap a screw thread.*
schroefdruk ⟨de (m.)⟩ **0.1** *propeller thrust.*
schroefgang ⟨de (m.)⟩ **0.1** *turn.*
schroefgat ⟨het⟩ **0.1** *screw hole.*
schroefhaak ⟨de (m.)⟩ **0.1** *screw(-in) hook.*
schroefhoudend ⟨bn.⟩ ◆ **1.¶** ~ vermogen *screw-holding capacity.*
schroefklem ⟨de⟩ **0.1** *screw clamp* ⇒*holdfast.*
schroefkop ⟨de (m.)⟩ **0.1** *screw head.*
schroefkoppeling ⟨de (v.)⟩ **0.1** *screw coupling.*
schroeflijn ⟨de⟩ **0.1** *helical line* ⇒⟨spiraallijn⟩ *spiral,* ⟨wisk.⟩ *helix.*
schroefloos ⟨bn.⟩ **0.1** *jet-propelled* ⇒*propellerless.*
schroefmicrometer ⟨de (m.)⟩ **0.1** *micrometer screw(gauge/*^*gage), micrometer calliper/*^*caliper.*
schroefmoer ⟨de⟩ **0.1** *nut.*
schroefmolen ⟨de (m.)⟩ **0.1** *Archimedean screw.*
schroefnagel ⟨de (m.)⟩ **0.1** [grote houtschroef] *woodscrew* **0.2** [nagel]
screwed nail, screw-nail.
schroefoog ⟨het⟩ **0.1** *screw-eye.*
schroeforchis ⟨de⟩ ⟨plantk.⟩ **0.1** *lady's-tresses.*
schroefpaal ⟨de (m.)⟩ **0.1** *screw pile.*
schroefpers ⟨de⟩ **0.1** *screw press.*
schroefplug ⟨de⟩ **0.1** *threaded plug.*
schroefpomp →**schroefmolen.**
schroefpot ⟨de (m.)⟩ **0.1** *screw top/screw-topped jar.*
schroefring ⟨de (m.)⟩ **0.1** *screw/threaded ring.*
schroefsgewijs ⟨bn., bw.; -ly⟩ **0.1** *spiral.*
schroefsleutel ⟨de (m.)⟩ **0.1** *(screw/monkey) wrench,* ^*spanner.*
schroefsluiting ⟨de (v.)⟩ **0.1** *screw cap/top* ⇒⟨abstr.⟩ *screw connection*
◆ **6.1** de stukken v.e. boorstang worden door ~ en aan elkaar bevestigd *the joints of a drilling string are connected by threaded/screwed
couplings;* een fles met ~ *a screw-top bottle.*
schroefsprong ⟨de (m.)⟩ **0.1** *screw.*
schroefsteven ⟨de (m.)⟩ **0.1** *sternpost* ⇒*rudderpost.*
schroeftandwiel ⟨het⟩ **0.1** *screw gear/wheel.*
schroeftang ⟨de⟩ **0.1** *screw clamp* ⇒^*vice,* ^*vise, jack.*
schroefturbine ⟨de (v.)⟩ **0.1** *propeller turbine* ⇒*turboprop (engine),*
⟨tech.; inf.⟩ *propjet.*
schroefveer ⟨de⟩ **0.1** *helical/coil spring.*
schroefverbinding ⟨de (v.)⟩ **0.1** *screwed joint/connection.*
schroefvijzel ⟨de⟩ **0.1** [krik] *screw jack* **0.2** [tonmolen] *Archimedean
screw.*
schroefvlak ⟨het⟩ **0.1** *helicoid(al) surface* ⇒*helicoid.*
schroefvleugel ⟨de (m.)⟩ **0.1** *propeller plane.*
schroefvormig ⟨bn., bw.; -ly⟩ **0.1** *spiral, helical* ⇒*spiroid, helicoid* ◆ **1.1**
~e zaadhuisjes *contorted capsules* **3.1** ~ gewonden *spiral-wound, spirally wound, coiled.*
schroefwiel →**schroeftandwiel.**
schroefwinding ⟨de (v.)⟩ **0.1** *turn.*
schroeien
I ⟨ov.ww.⟩ **0.1** [aan de oppervlakte verbranden] *singe* ⇒*sear* **0.2**
[sterk uitdrogen] *scorch* **0.3** [mbt. porselein] *fire, bake* ◆ **1.1** een ge-
plukte kip/een geslacht varken ~ *singe a plucked fowl/slaughtered
pig;* zijn kleren ~ *singe one's clothes* **1.2** de zon schroeide het gras *the
sun scorched the grass* **1.¶** geschroeid koren *scalded corn;*
II ⟨onov.ww.⟩ **0.1** [aan de oppervlakte branden] *singe* ⇒*burn* ◆ **3.1**
er moet wat ~, ik ruik het *sth. must be burning, I can smell it.*
schroeierig ⟨bn., bw.⟩ ◆ **3.¶** wat ruikt het hier ~ *there's a smell of burning here.*
schroeijzer ⟨het⟩ **0.1** *brand, branding iron.*
schroeiplek ⟨de⟩ **0.1** *scorch (mark)* ⇒*singe.*
schroevedraaier ⟨de (m.)⟩ **0.1** *screwdriver* ⇒*turnscrew.*
schroeven
I ⟨ov.ww.⟩ **0.1** [met een schroef bevestigen] *screw* **0.2** [dmv. een
schroef verplaatsen] *screw* ⇒*wind* **0.3** [klemmen] *clamp, screw* **0.4**
[van schroefdraad voorzien] *thread* ◆ **1.1** een naamplaatje op de
deur ~ *s. a nameplate on the door* **1.3** iem. in zijn ~de greep houden
have s.o. in one's vice-like grip **5.2** een pianostoeltje wat hoger ~

wind up / raise a piano stool **6.2** iets **in** elkaar ~ *s. sth. together;* iets **uit** elkaar ~ *unscrew sth.;*
II ⟨onov.ww.⟩ **0.1** [ronddraaien] *screw* ⇒*turn.*

schrok →**schrokker.**

schrokachtig →**schrokkerig.**

schrokhans →**schrokker.**

schrokken ⟨onov.,ov.ww.⟩ **0.1** *cram, gobble, gulp;* ⟨inf.⟩ *scoff;* ⟨alleen ov.ww.⟩ *wolf* ◆ **3.1** zit niet zo te ~ *don't cram your face with food, stop making a pig of yourself* **6.1 naar** binnen ~ *wolf / gulp / bolt down, gobble up / down.*

schrokker ⟨de (m.)⟩ **0.1** *guzzler, gobbler* ⇒*pig, hog, greedy-guts.*

schrokkerig ⟨bn.,bw.;-ly⟩ **0.1** *ravenous, voracious* ⇒*greedy,* ⟨scherts.; schr.⟩ *edacious.*

schrokkig →**schrokkerig.**

schrokop →**schrokker.**

schromelijk ⟨bn.,bw.;-ly⟩ **0.1** *gross* ⇒*bad* ◆ **1.1** ~ plichtsverzuim *g. neglect of duty* **3.1** ~ overdreven *grossly exaggerated;* zich ~ vergissen *be sorely / greatly mistaken* ¶**.1** ~ te kort schieten *fail badly / sadly.*

schromen
I ⟨ov.ww.⟩ **0.1** [vrezen] *fear, dread* ◆ **1.1** hij schroomt het gevaar niet *he doesn't shrink from danger* **6.1 zonder** ~ *fearlessly, undauntedly;*
II ⟨onov.,ov.ww.⟩ **0.1** [aarzelen] *hesitate, hold back* ⇒*scruple* ⟨door gewetensbezwaren⟩ ◆ **3.1** ik schroomde hem te storen *I felt some diffidence about disturbing him;* schroom niet kritiek te geven *do not hesitate to criticize* **6.1 zonder** ~ *unhesitatingly, unflinchingly.*

schrompelen ⟨onov.ww.⟩ **0.1** *shrivel* ⇒*wrinkle, pucker,* ⟨verschrompelen⟩ *wither.*

schrompelig ⟨bn.⟩ **0.1** *shrivelled* ^*eled* ⇒*wrinkled, puckered, withered* ◆ **1.1** ~e appels *wrinkled apples;* een ~ besje *a withered old crone;* een ~e huid *a s. skin.*

schroom ⟨de (m.)⟩ **0.1** [vreesachtigheid] *fearfulness* ⇒*fear,* ⟨bezorgdheid⟩ *anxiety* **0.2** [aarzeling] *hesitance, hesitation;* ⟨bedeesdheid⟩ *diffidence* ◆ **6.1 zonder** ~ naar de tandarts gaan *have no fear of going to the dentist* **6.2 met** enige ~ een voorstel doen *make a suggestion with some diffidence / a timid suggestion.*

schroomachtig ⟨bn.⟩ **0.1** *diffident* ⇒*fearful.*

schroomvallig ⟨bn.,bw.;-ly⟩ **0.1** *timid, timorous* ⇒*shy, diffident,* ⟨weifelend⟩ *tremulous.*

schroot
I ⟨het⟩ **0.1** [metaalafval] *scrap (iron / metal)* ⇒*junk* **0.2** [brokstukken] *lumps* ⟨mv.⟩ **0.3** [ijzer als lading v.e. vuurwapen] *shot* ⇒*pellets,* ⟨mil., gesch.⟩ *grapeshot;*
II ⟨de (m.)⟩ **0.1** [strook gezaagd hout] *lath* ◆ **6.1** een muur **met** ~jes betimmeren *lath a wall.*

schroothamer ⟨de (m.)⟩ **0.1** ≠*sledgehammer.*

schroothandel ⟨de (m.)⟩ **0.1** [handel] *scrap (iron / metal) trade* **0.2** [bedrijf] *scrapyard, junkyard.*

schroothandelaar ⟨de (m.)⟩ **0.1** *scrap (iron / metal) dealer / merchant* ⇒ *junk merchant, junk dealer.*

schroothoop ⟨de (m.)⟩ **0.1** *scrapheap* ◆ **6.1 naar** de ~ verwijzen *scrap;* **op** de ~ terechtkomen ⟨ook fig.⟩ *wind up on the s.;* **op** de ~ gooien ⟨fig.⟩ *throw sth. on the s.;* deze auto is rijp **voor** de ~ *this car is fit for the s.;* bestemd zijn **voor** de ~ *be destined for the s.;* ⟨sl.⟩ *go down the pan.*

schrootjeswand ⟨de (m.)⟩ **0.1** *lathed wall.*

schrootwaarde ⟨de (v.)⟩ **0.1** *scrap value.*

schrot ⟨het⟩ **0.1** [mbt. appels / peren] *screenings* ⇒*small fry* **0.2** [metaalafval] *scrap (iron / metal).*

schroten ⟨ov.ww.⟩ **0.1** *scrap.*

schub ⟨de⟩ **0.1** [plaatje] *plate* **0.2** [mbt. vissen / dieren] *scale* ⇒⟨biol.⟩ *scute, scutum, squama,* ⟨van insekt ook⟩ *tegula* **0.3** [mbt. een maliënkolder] *scale.*

schubachtig ⟨bn.⟩ **0.1** *scaly* ⇒⟨biol.⟩ *squamous, squamose* ◆ **1.1** een ~e huid *a scaly skin.*

schubben ⟨ov.ww.⟩ **0.1** *scale.*

schubbig ⟨bn.⟩ **0.1** *scaly, scaled* ⇒⟨biol.⟩ *squamous, squamose, squamate.*

schubdier ⟨het⟩ **0.1** *pangolin.*

schubhuid ⟨het⟩ ⟨med.⟩ **0.1** *ichtyosis.*

schubmes ⟨het⟩ **0.1** *scaling knife.*

schubsgewijs ⟨bw.⟩ **0.1** *in scales.*

schubvleugelige ⟨de (m.)⟩ **0.1** *lepidopteran* ⇒*lepidopteron.*

schubvormig ⟨bn.,bw.;-ly⟩ **0.1** ⟨biol.⟩ *squamous, squamose, scutellate.*

schuchter ⟨bn.,bw.;-ly⟩ **0.1** *shy* ⇒*timid, timorous, tentative,* ⟨gemaakt⟩ *coy* ◆ **1.1** dat was maar een ~ begin *it was a very tentative start;* een ~ blik *a s. / coy look;* een ~ meisje *a s. / timid / coy girl;* een ~e poging *a timid / tentative attempt;* ⟨inf.⟩ *two bites at a cherry* **3.1** ~ rondkijken / vragen *look round / ask shyly / tentatively.*

schuddebollen ⟨onov.ww.⟩ **0.1** *keep nodding one's head, dodder.*

schuddebuiken ⟨onov.ww.⟩ **0.1** ≠*rock, shake* ◆ ¶**.1** ~ van het lachen *r. / s. with laughter.*

schudden
I ⟨onov.,ov.ww.⟩ **0.1** [op en neer bewegen] *shake* ⇒*rock, shuffle*

⟨kaarten⟩ ◆ **1.1** zij ~ de boom, zodat de vruchten (eraf)vielen *they shook the fruit down off the tree;* elkaar de hand ~ *shake hands;* iem. flink de hand ~ *pump s.o.'s hand, pumphandle s.o.;* deze hoestdrank ~ voor gebruik *this cough mixture is to be shaken before use;* het hoofd ~ *shake one's head;* de kaarten zijn geschud ⟨fig.⟩ *the die is cast;* de kaarten ~ *shuffle the cards, give the cards a shuffle* **2.1** iem. wakker ~ *jolt s.o. awake;* ⟨fig. ook⟩ *bring s.o. to himself / herself* **3.**¶ ⟨inf.⟩ dat kun je wel ~ *forget it!, nothing doing!* **5.1** nee ~ (met het hoofd) *shake one's head* ¶**.1** iem. door elkaar ~ *give s.o. a (good) shaking;*
II ⟨ov.ww.⟩ **0.1** [van / op een plaats brengen] *shake* ◆ **1.1** appels ~ *s. down apples* **6.1** iem. van zich af ~ *shake s.o. off;*
III ⟨onov.ww.⟩ **0.1** [heen en weer bewogen worden] *shake* ◆ **3.1** de lamp hangt te ~ *the lamp is rocking back and forth* **4.1** alles schudt door elkaar *everything is being shaken up* **6.1** zij schudde **van** het lachen *she shook with laughter.*

schudding ⟨de (v.)⟩ **0.1** [het schudden] *shaking* **0.2** [het geschud worden] *shaking* ⇒*shake, concussion.*

schudgoot ⟨de (m.)⟩ **0.1** *shaking conveyor.*

schudtafel ⟨de⟩ **0.1** *shaking table.*

schuier ⟨de (m.)⟩ **0.1** *brush.*

schuieren ⟨onov.,ov.ww.⟩ **0.1** *brush* ◆ **1.1** een kleed ~ *b. a carpet / rug.*

schuif ⟨de⟩ **0.1** [grendel] *bolt* **0.2** [schuivend blad] *slide* **0.3** [⟨inf.⟩ massa] *load* **0.4** [ruimte waarin / waardoor iets geschoven wordt] *slide* **0.5** [⟨AZN⟩ lade] *drawer* ◆ **1.3** een ~ geld *a l. / pile of money* **1.4** de ~ van een lade *the s. of a drawer* **6.1** de ~ **op** de deur doen *bolt the door.*

schuifbeweging ⟨de (v.)⟩ **0.1** *sliding movement, slide.*

schuifblad ⟨het⟩ **0.1** *leaf.*

schuifcontact ⟨het⟩ **0.1** *sliding contact.*

schuifdak ⟨het⟩ **0.1** *sliding roof* ⇒*sun(shine) roof* ⟨van auto⟩.

schuifdeksel ⟨het⟩ **0.1** *sliding lid / cover* ⇒*shutter.*

schuifdeur ⟨de⟩ **0.1** *sliding door* ◆ **6.1 tussen** de ~ en optreden ⟨inf.⟩ *perform informally, have / hold a recital at home.*

schuifdobber ⟨de (m.)⟩ **0.1** *sliding float.*

schuifdoos ⟨de⟩ **0.1** *box with a sliding lid.*

schuifelen ⟨onov.ww.⟩ **0.1** [zich schuivend voortbewegen] *shuffle* ⇒ *shamble, inch* **0.2** [telkens schuiven] *shift, fidget* **0.3** [dansen, slijpen] *smooch* ◆ **1.1** de menigte schuifelde naar de uitgang *the crowd shuffled towards the exit* **5.2** op zijn stoel heen en weer ~ *s. / f. on one's chair* **6.1 met** de voeten ~ *shuffle one's feet;* **over** de weg / langs de huizenkant (voort) ~ *dodder across / along the road.*

schuifgesp ⟨de (m.)⟩ **0.1** *sliding buckle / clasp.*

schuifgewicht ⟨het⟩ **0.1** *sliding weight.*

schuifgiek ⟨de⟩ **0.1** *extendible jib.*

schuifgordijn ⟨het, de⟩ **0.1** *curtain.*

schuifhek ⟨het⟩ **0.1** *gate.*

schuifje ⟨het⟩ **0.1** [kleine schuif] ⟨small⟩ *bolt* **0.2** [kleinigheid] *trifle* ◆ **6.2** iets **voor** een ~ kopen *buy sth. for a song* ¶**.1** ⟨fig.⟩ hij heeft het ~ gekregen *he has been silenced.*

schuifklep ⟨de⟩ **0.1** *sleeve / slide valve.*

schuifkracht ⟨de⟩ **0.1** *shearing force.*

schuifladder ⟨de⟩ **0.1** *extension ladder.*

schuiflade ⟨de⟩ **0.1** *drawer.*

schuifluik ⟨het⟩ **0.1** *sliding hatch.*

schuifmaat ⟨de⟩ **0.1** *sliding / vernier calipers.*

schuifpaneel ⟨het⟩ **0.1** *sliding panel.*

schuifpasser ⟨de (m.)⟩ **0.1** *sliding / vernier calipers.*

schuifpui ⟨de⟩ **0.1** *sliding French* ^B*window / ^Adoor* ⇒*sliding patio doors.*

schuifraam ⟨het⟩ **0.1** [op en neer] *sash window;* ⟨heen en weer⟩ *sliding window.*

schuifregelaar ⟨de (m.)⟩ **0.1** *slide control.*

schuifslot ⟨het⟩ **0.1** *deadlock, bolt / stock lock.*

schuifspanning ⟨de (v.)⟩ **0.1** *shear(ing)(stress).*

schuiftafel ⟨de⟩ **0.1** *extending table.*

schuiftrombone ⟨de⟩ ⟨muz.⟩ **0.1** *slide trombone* ⇒⟨middeleeuwen en barok⟩ *sackbut.*

schuiftrompet ⟨de⟩ **0.1** *trombone.*

schuifuil ⟨de (m.)⟩ **0.1** *long-eared owl.*

schuifvenster →**schuifraam.**

schuifwand ⟨de (m.)⟩ **0.1** *sliding wall.*

schuifweerstand ⟨de⟩ **0.1** [⟨elek.⟩ verstelbare weerstand] *sliding resistance, slide resister* **0.2** [weerstand tegen schuifspanning] *shear resistance.*

schuiladres ⟨het⟩ **0.1** *secret address.*

schuilen ⟨onov.ww.⟩ **0.1** [zich verbergen] *hide* ⇒*lurk* **0.2** [beschutting zoeken] *shelter (from)* **0.3** [te vinden zijn] *lie* ⇒*be found* ◆ **1.1** daarin schuilt een groot gevaar *that carries a great risk (with it)* **1.3** daarin schuilt geen enkele verdienste *there is no merit in it at all* **3.1** ⟨scheep.⟩ de wind gaat ~ *the wind is going to drop / die down* **3.2** we zullen moeten gaan ~ *we shall have to take shelter / cover* **5.1** daar schuilt iets achter *there is sth. behind / at the back of it, there is a catch in it* **6.1** ⟨fig.⟩ **achter** iem. ~ *h. behind s.o.* **6.2 voor** de regen ~ *onder* een boom *s. from the rain under a tree* **6.3** de oorzaak daarvan schuilt **in** ... *its cause is to be found in* ....

schuiler ⟨kind.⟩ ◆ **3.¶** ~ spelen *play hide-and-seek;* ⟨AE ook⟩ *play hide-and-go-seek.*

schuilevinkje ⟨het⟩ ⟨inf.⟩ ◆ **3.¶** hij heeft ~ gespeeld *he has been hiding himself/keeping a low profile/lying low;* ~ spelen *play hide-and-seek;* ⟨AE ook⟩ *play hide-and-go-seek.*

schuilgaan ⟨onov.ww.⟩ **0.1** [zich verbergen] *hide* ⇒ *go in* ⟨zon⟩ **0.2** [verscholen zijn] *be hidden* ⇒ *lie hidden, be at the bottom of, be behind* ◆ **6.1** de zon ging schuil **achter** donkere wolken *the sun was hidden/went behind dark clouds* **6.2** wat gaat er **achter** die B.V. schuil? *what is that company being used as a cover for?*

schuilgelegenheid ⟨de (v.)⟩ **0.1** *(place of) shelter.*

schuilhoek ⟨de (m.)⟩ **0.1** [schuilplaats] *hideaway, hide-out* **0.2** [verborgen plaats] *recess* ◆ **1.2** de ~ en van het hart *the recesses of the heart* **6.1** terroristen **uit** hun ~ verdrijven *dislodge/flush/drive terrorists from their hide-out.*

schuilhoekje → **schuilevinkje.**

schuilhouden ⟨wk.ww.; zich ~ ⟩ **0.1** [zich verborgen houden] *be in hiding* ⇒ *hide,* ⟨AE; sl.⟩ *hole up* **0.2** [zich niet in het publiek vertonen] *hide o.s. away* ⇒ *keep a low profile* ◆ **6.1** zich ~ **voor** de politie/de pers *be in hiding from the police/press.*

schuilhut ⟨de⟩ **0.1** *hide,* ^*blind* ⇒ *lodge.*

schuilkelder ⟨de (m.)⟩ **0.1** *airraid shelter.*

schuilkerk ⟨de⟩ **0.1** *conventicle.*

schuilnaam ⟨de (m.)⟩ **0.1** *pseudonym* ⇒ *pen name* ◆ **3.1** een ~ aannemen *adopt a pseudonym.*

schuilplaats ⟨de⟩ **0.1** [plaats om zich te verbergen] *hiding-place* ⇒ *(place of) shelter, (place of) refuge* **0.2** [plaats om te schuilen] *shelter* ◆ **3.1** iem. een ~ verlenen *give shelter to s.o., shelter/harbour s.o.* **3.2** een ~ zoeken *take s. / refuge* **6.1** uit de ~ komen *break over;* zijn huis is een ~ **voor** velen *his house is a shelter/hiding-place/refuge to many* **6.2** een ~ tegen de regen *a s. from the rain.*

schuim ⟨het⟩ **0.1** [massa blaasjes] *foam* ⇒ *froth* ⟨bier/eiwit⟩, *lather* ⟨zeep⟩, *spume* ⟨zee⟩ **0.2** [speeksel] *foam* ⇒ *froth* **0.3** [naar boven komende onzuiverheden] *scum* ⟨bijb. metaalschuim⟩ *dross* **0.4** [uitvaagsel] *scum* ⇒ *dregs, offscourings* **0.5** [gebak] *meringue* ◆ **1.4** het ~ van de natie *the s. / dregs of the nation* **3.3** het ~ van de erwten/de bouillon afscheppen *skim/scum the peas/stock* **6.1** ~ **op** bier *froth on beer;* eieren **tot** ~ klutsen *beat/whisk eggs until frothy* **6.2** paarden **met** ~ op de bek *horses foaming at the mouth* **¶.2** het ~ stond op zijn mond ⟨fig.⟩ *he was foaming at the mouth/foaming with anger.*

schuimaarde ⟨de⟩ **0.1** *earth foam.*

schuimachtig ⟨bn.⟩ **0.1** *frothy.*

schuimbad ⟨het⟩ **0.1** [bad] *bubble bath* **0.2** [badschuim] *bubble bath.*

schuimbeestje ⟨het⟩ **0.1** *spittlebug* ⇒ *froghopper.*

schuimbekken ⟨onov.ww.⟩ **0.1** *foam/froth at the mouth* ◆ **6.1** ~ **van** woede *foam with anger/rage.*

schuimbeton ⟨het⟩ **0.1** *foamed concrete.*

schuimblusapparaat ⟨het⟩ **0.1** *foam extinguisher* ◆ **3.1** een ~ leegspuiten *empty a f. e..*

schuimblusser → **schuimblusapparaat.**

schuimcel ⟨de⟩ **0.1** *histiocyte.*

schuimen

I ⟨onov.ww.⟩ **0.1** [schuim geven] *foam* ⇒ *froth, lather* ⟨zeep⟩ **0.2** [schuimbekken] *foam* ⇒ *froth at the mouth* ◆ **1.1** die zeep schuimt niet *that soap does not lather* **5.1** het bier schuimt sterk *the beer is very frothy* **6.2** ~ **van** woede *foam/froth with anger/rage;*

II ⟨ov.ww.⟩ **0.1** [van schuim zuiveren] *skim* ⇒ *scum* ◆ **1.1** de soep/gegiste wijn ~ *skim the soup/the fermented wine.*

schuimend ⟨bn.⟩ **0.1** [vol schuim] *foaming* ⇒ *foamy, frothy, lathery* ⟨zeep⟩ **0.2** [schuimbekkend] *foaming/frothing (at the mouth)* ◆ **1.1** op de ~ e baren *on the foaming/spuming billows;* ~ bier *foaming/frothy beer;* ~ zweet *lather.*

schuimgebakje ⟨het⟩ **0.1** *meringue.*

schuimig ⟨bn.⟩ **0.1** *foamy, frothy* ⇒ *lathery* ⟨zeep⟩.

schuimklopperij ⟨de (v.)⟩ **0.1** *blowing (things) up* ⇒ *exaggeration, piling it on, laying it on thick.*

schuimkop ⟨de (m.)⟩ **0.1** *white crest* ◆ **6.1** golven **met** ~ pen *white-crested waves;* ⟨BE⟩ *white horses;* ~ pen **op** de golven *crests on the waves.*

schuimkraag ⟨de (m.)⟩ **0.1** *head.*

schuimlaag ⟨de⟩ **0.1** *layer of foam.*

schuimlepel → **schuimspaan.**

schuimmanchet ⟨de⟩ → **schuimkraag.**

schuimomelet ⟨de⟩ **0.1** *soufflé omelette.*

schuimpje ⟨het⟩ **0.1** *meringue.*

schuimplastic[1] ⟨het⟩ **0.1** *foamed plastic, plastic foam.*

schuimplastic[2] ⟨bn.⟩ **0.1** *foam (plastic).*

schuimrubber[1] ⟨de (m.)⟩ **0.1** *foam rubber.*

schuimrubber[2] ⟨bn.⟩ **0.1** *foam rubber* ◆ **1.1** een ~ matras/bal *a foam rubber mattress/ball.*

schuimscheiding ⟨de (v.)⟩ ⟨tech.⟩ **0.1** *flotation.*

schuimsel ⟨het⟩ **0.1** [het afgeschuimde] *scum* ⇒ *skimmings* **0.2** [uitschot] *scum.*

schuimspaan ⟨de⟩ **0.1** *skimmer.*

schuimsteen ⟨de (m.)⟩ **0.1** *stalactite.*

schuimtablet ⟨het, de⟩ **0.1** *effervescent tablet.*

schuimvormer ⟨de (m.)⟩ **0.1** *foaming agent.*

schuimwijn ⟨de (m.)⟩ **0.1** *sparkling wine.*

schuin ⟨bn., bw.; -ly⟩ **0.1** [scheef] *slanting* ⇒ *sloping, oblique, inclined* **0.2** [onfatsoenlijk] *smutty* ⇒ *dirty,* ↑*risqué* ◆ **1.1** ~ e beitel *skew chisel;* een ~ e blik *a sidelong glance, a side-glance;* ~ dak *pitched roof;* ~ e doorsnede *oblique section;* ~ e hoogte *slant height;* met een ~ oog kijken naar ⟨fig.⟩ *look at ... with envious eyes, cast envious looks at;* ~ e rand *bevelled edge;* een ~ e streep *a slash/diagonal/solidus/oblique;* een ~ vlak *a slanting/sloping/oblique plane;* ~ e zijde ⟨v.e. driehoek⟩ *hypotenuse* **3.1** stof ~ afknippen *cut cloth on the bias;* een stuk hout ~ afzagen *saw a piece of wood slantwise/slantways;* ~ gesneden *cut on the bias;* hij hield het ~ *he held it aslant;* iets ~ houden *slope/slant/tilt sth.;* ~ invallende zonnestralen *slanting rays of sunlight;* ⟨fig.⟩ ~ kijken *look out of the corner of one's eye;* ⟨ook fig.⟩ *look askance;* ~ oversteken *cross diagonally;* ~ schrijven *write italic;* ~ toelopen *slope;* een lichtstraal viel ~ op zijn lessenaar *a ray of light fell aslant upon his desk* **5.1** hier ~ tegenover *diagonally/hearly opposite* **6.1** de wind staat ~ **achter** *the wind is on the quarter;* ~ **op** *at an angle with.*

schuinen ⟨ov.ww.⟩ **0.1** *slant* ⇒ *slope, incline.*

schuining ⟨de (v.)⟩ **0.1** [het schuinen] *slanting, sloping* **0.2** [het schuin toelopen] *slant* ⇒ *slope, incline.*

schuinogen ⟨onov.ww.⟩ ⟨schr.⟩ **0.1** *steal a glance (at).*

schuins

I ⟨bn., bw.; -ly⟩ **0.1** [in schuine richting] *oblique* ⇒ *askew, askance* ◆ **1.1** een ~ e blik *a sidelong glance* **3.1** iem. ~ aankijken *look askance at s.o.;* iets ~ afzagen *saw sth. off obliquely;* ~ toelopen *taper;*

II ⟨bn.⟩ **0.1** [lichtzinnig] *rakish* ⇒ *profligate.*

schuinschrift ⟨het⟩ **0.1** *sloping/slanting handwriting.*

schuinsmarcheerder ⟨de (m.)⟩ **0.1** *debauchee* ⇒ *libertine, profligate.*

schuinte ⟨de (v.)⟩ **0.1** [schuine richting] *slope* ⇒ *slant, incline, pitch* ⟨dak⟩ ◆ **1.2** de ~ v.e. borstwering *the slope/incline of a parapet;* de ~ v.d. weg/v.d. dijk *the slope/incline of the road/dike* **6.1** fluweel in de ~ nemen *cut velvet on the cross;* iets **in** de ~ afknippen *cut sth. on the b. / cross.*

schuit ⟨de⟩ **0.1** [eenvoudig vaartuig] *barge, boat* **0.2** [⟨pej.⟩ schip] *tub* ⇒ ⟨AE⟩ *bucket* ◆ **2.1** ⟨fig.⟩ een lekke ~ *a sinking ship* **2.2** een dure ~ *an expensive-looking boat* **6.1** ~ en **van** schoenen *beetlecrushers, shoes like boats.*

schuitje ⟨het⟩ **0.1** [kleine boot] *boat* **0.2** [voorwerp] *car* ⟨van draaimolen, luchtballon⟩ **0.3** [mbt. een weef-/naaimachine] *shuttle* ◆ **6.1** in een ~ varen *sail in a b., boat;* ⟨fig.⟩ in hetzelfde ~ zitten *be in the same b.;* ⟨fig.⟩ wij zitten in het ~ en moeten meevaren *we are in for it now;* ⟨fig.⟩ hij komt al **in** mijn ~ *he is coming round to my opinion;* ⟨fig.⟩ in het ~ stappen *get married;* ⟨fig.⟩ hij gaat **met** mijn ~ varen *he is going to throw his lot in with me.*

schuitjevaren ⟨ww.⟩ **0.1** *boat, be boating.*

schuitvormig ⟨bn.⟩ **0.1** *boat-shaped* ⇒ ⟨anatomie⟩ *navicular* ◆ **1.1** ⟨med.⟩ het ~ been *the navicular;* ⟨biol.⟩ ~ blaadje/bloemblaadje *cymbiform leaf/petal.*

schuiven

I ⟨ov.ww.⟩ **0.1** [verplaatsen door duwen] *push* ⇒ *shove* **0.2** [verplaatsen met een werktuig] *shovel* **0.3** [mbt. opium/roken] *smoke* ◆ **1.1** een draad door een buis ~ *feed a wire through a pipe;* een stoel **bij** de tafel ~ *pull/draw up a chair* **5.1** iem. als kandidaat naar voren ~ *push s.o. forward as a candidate;* iets/iem. terzijde ~ ⟨fig.⟩ *brush sth. /s.o. aside;* een bezwaar terzijde ~ *overrule an objection;* zijn trots terzijde ~ *swallow one's pride;*

II ⟨onov.ww.⟩ **0.1** [zich langs een vlak voortbewegen] *slide* ⇒ *slip, glide* **0.2** [zich met een vlak laten verplaatsen] *move/bring one's chair* **0.3** [zich langs een vlak laten bewegen] *slide* ◆ **1.1** de lading ging ~ *the cargo shifted* **3.1** zitten te ~ *shift/fidget/wriggle (on one's chair)* **3.¶** laat hem maar ~ *let him get on with it* **5.2** dichterbij ~ *edge up, bring one's chair closer* **6.1** in elkaar ~ *telescope;* **naar** binnen ~ *steal into a room;* wolken ~ **voor** de zon *clouds blot out the sun* **6.2** schuif wat **bij** elkaar *move your chairs a bit closer together* **6.¶** met data ~ *rearrange dates;*

III ⟨onov., ov.ww.⟩ **0.1** [(geld) betalen, dokken] ⟨inf.⟩ *shell out* ⇒ ⟨BE; inf.⟩ *stump up.*

schuiver ⟨de (m.)⟩ **0.1** [opiumschuiver] *opium smoker* **0.2** [⟨balsport⟩] *low/ground shot* ⇒ *daisy cutter* **0.3** [beweging] *skid* ⇒ *lurch* **0.4** [⟨biljart⟩] *miscue* ◆ **3.3** een ~ (d) maken *skid, lurch;* een ~ (d) nemen *take to one's heels, show a clean pair of heels;* ⟨inf.⟩ *cut and run.*

schuivertje ⟨het⟩ **0.1** *pusher* ⟨eetgerei voor kinderen⟩.

schuld ⟨de⟩ ⟨→sprw.43,337,534⟩ **0.1** [geldelijke verplichting] *debt* **0.2** [verkeerde daad, tekortkoming] *guilt* ⇒ *fault* **0.3** [verantwoordelijkheid] *guilt, blame* ⇒ *culpability* **0.4** [aangegane leningen] *debt* ◆ **1.2** ~ en boete *crime and punishment* **2.1** ik kreeg alle ~ *I was left holding the baby/*^*bag;* openbare ~ *public d.;* preferente ~ *preferential d.;* uitstaande ~ *outstanding/active d.* **2.3** iets verspelen door eigen stomme ~ *throw sth. away through one's own stupid fault* **2.4** uitgestelde ~ *de-*

ferred d.; vlottende ~ _floating / unfunded d._; werkelijke ~ _perpetual stock / bonds_ **3.1** een ~ aangaan _contract / make a d._; zijn ~ en afbetalen _pay off / settle one's debts_; een ~ afdoen / betalen / kwijten / vereffenen _discharge / pay (off) / settle / redeem / liquidate a d._; ~ en hebben _have debts;_ ⟨vnl. BE; inf.⟩ _be in Queer Street; be in the red_ ⟨op bankrekening⟩; ~en maken / delgen _run up / pay off debts_ **3.2** ~ bekennen / belijden _admit / confess one's g._; vergeef ons onze ~en _forgive us our trespasses_ **3.3** iemands ~ bewijzen _prove s.o.'s g._; iem van iets geven _hang sth. on s.o., blame s.o. for sth._, _lay sth. at s.o.'s door;_ de ~ op iem. gooien _put the b. on s.o.;_ de ~ krijgen _get the b._; de ~ ligt bij mij _the b. is mine;_ de ~ van iets op zich nemen _take the b. for sth._ **4.3** het is mijn eigen ~ _it is my own fault, I have myself to blame_ **6.1** zich **in** (de) ~en steken _incur debts, get into d._; in de ~en _run up debts;_ diep **in** de ~ _in deep d._; in de ~en zitten _be in d., have run up a d._; zich diep **in** de ~en steken _plunge into d., get deep into d._; **uit** de ~en geraken _get out of d._; _get in the black_ ⟨op bankrekening⟩ **6.2** dood **door** ~ _culpable homicide_ **6.3** ~ **aan** iets hebben _be to blame for / guilty of sth._; het is **buiten** zijn ~ _that is not his fault, it is through no fault of his own;_ vrij **van** ~ _clear of g., in the clear_ ¶.**3** eigen ~ dikke bult _it's your own fault._

schuldbekentenis ⟨de (v.)⟩ **0.1** [promesse] _bond_ ⇒_obligation, IOU,_ _acknowledgement of (a) debt_ **0.2** [schuldbelijdenis] _admission / confession of guilt_ ♦ **2.2** een oprechte ~ _a genuine / sincere admission / confession of guilt_ **3.2** een volledige ~ afleggen _make a full confession_ **6.1** ~ **aan** toonder _an obligation payable to bearer_ ¶.**1** ~ op naam _an obligation payable to a named person._

schuldbelijdenis ⟨de (v.)⟩ **0.1** [het belijden van schuld] _confession of guilt_ **0.2** [⟨r.k.⟩] _confession._

schuldbesef ⟨het⟩ **0.1** _sense of guilt._

schuldbewijs ⟨het⟩ **0.1** _bond_ ⇒_obligation, IOU._

schuldbewust ⟨bn.⟩ **0.1** _conscious of guilt_ ⇒_contrite, guilty, hangdog_ ⟨blik / gezicht⟩ ♦ **3.1** ~ kijken _look contrite._

schuldbrief ⟨de (m.)⟩ **0.1** _debenture_ ⇒_bond, obligation._

schuldcomplex ⟨het⟩ **0.1** _guilt complex._

schuldeiser ⟨de (m.)⟩, **-eiseres** ⟨de (v.)⟩ **0.1** _creditor_ ♦ **2.1** preferente ~ _preferred c.._

schuldeloos ⟨bn.⟩ **0.1** _guiltless_ ⇒_innocent_ ♦ **2.1** ~ gescheiden _divorced as the innocent party._

schuldeloosheid ⟨de (v.)⟩ **0.1** _innocence._

schuldenaar ⟨de (m.)⟩, **-nares** ⟨de (v.)⟩ **0.1** _debtor._

schuldenlast ⟨de (m.)⟩ **0.1** [mbt. verkeerde daad] _burden of guilt_ **0.2** [mbt. geldschuld] _burden of debt, indebtedness._

schulderkenning ⟨de (v.)⟩ **0.1** _admission of guilt_ ⇒⟨mbt. geld⟩ _acknowledgement of debt._

schuldgevoel ⟨het⟩ **0.1** _feeling / sense of guilt_ ⇒_guilty conscience_ ♦ **3.1** iem. een ~ aanpraten _make s.o. feel guilty;_ een ~ hebben _have a feeling of guilt / a guilty conscience, feel guilt._

schuldheling ⟨de (v.)⟩ **0.1** _receiving unlawly obtained goods._

schuldherziening ⟨de (v.)⟩ **0.1** _revision / review of a debt._

schuldig ⟨bn.⟩ ⟨→sprw. 535⟩ **0.1** [verplicht te voldoen] _owing_ **0.2** [schuld hebbend] _guilty_ ⇒_culpable, at fault_ **0.3** [⟨schr.⟩ zondig] _sinful_ ♦ **1.1** mijn ~ e plicht _my bounden duty_ **3.1** hoeveel ben ik u ~? _how much do I owe you?;_ iem. verantwoording ~ zijn _be accountable to s.o._ **3.2** de rechter heeft hem ~ verklaard _the judge has pronounced / declared him g.;_ hij is ~ bevonden aan diefstal _he is found g. of theft;_ zich ~ voelen _feel g._ **6.2** **aan** iets ~ zijn _be g. of / to blame for sth._; zich **aan** iets ~ maken _be g. of / commit / perpetrate sth._ **7.2** het ~ over iem. uitspreken _find a verdict of guilty against s.o.._

schuldige ⟨de (m.)⟩ **0.1** _culprit_ ⇒_guilty party / person, wrongdoer,_ ⟨overtreder⟩ _offender_ ♦ **3.1** de ~ aanwijzen _point out the c.._

schuldigheid ⟨de (v.)⟩ **0.1** _guilt_ ⇒_guiltiness._

schuldigverklaring ⟨de (v.)⟩ **0.1** _verdict of guilty._

schuldinvordering ⟨de (v.)⟩ **0.1** _recovery / collection of a / the debt / of debts_ ⇒⟨alg.⟩ _debt collection._

schuldloos →**schuldeloos.**

schuldoverdracht ⟨de⟩ **0.1** _transfer of a / the debt / of debts._

schuldovereenkomst ⟨de (v.)⟩ **0.1** _debt-agreement._

schuldplichtig ⟨bn.⟩ **0.1** _liable._

schuldpost ⟨de (m.)⟩ **0.1** _debit item._

schuldregeling ⟨de (v.)⟩ **0.1** _settlement of a / the debt / of debts._

schuldsplitsing ⟨de (v.)⟩ ⟨jur.⟩ **0.1** _division_ ♦ **1.1** het voorrecht van ~ _benefit of d.._

schuldvergiffenis ⟨de (v.)⟩ **0.1** _forgiveness, pardon._

schuldvermenging ⟨de (v.)⟩ **0.1** _merger of debts._

schuldvernieuwing ⟨de (v.)⟩ **0.1** _novation._

schuldverplichting ⟨de (v.)⟩ **0.1** _debt obligation._

schuldvordering ⟨de (v.)⟩ **0.1** [het invorderen] _recovery of debt_ ⇒_debt collection_ **0.2** [te vorderen schuld] _claim_ ♦ **3.2** een ~ tonen / kopen / verkopen _show / buy / sell a c._ **6.2** een ~ **op** iem. hebben _have a c. on s.o.._

schuldvraag ⟨de⟩ **0.1** _the question of who is guilty / to blame._

schulp ⟨de⟩ **0.1** [schelp] _shell_ **0.2** [versiersel] _scallop_ ♦ **6.1** ⟨fig.⟩ in zijn ~ kruipen _draw in one's horns;_ ⟨inf.⟩ _climb down;_ ⟨fig.⟩ zich **in** zijn ~

terugtrekken _go / retire into one's s._ **6.2** een hals met ~en _a scalloped neckline._

schulpen ⟨ov.ww.⟩ **0.1** [schelpvormig uitsnijden] _scallop_ **0.2** [doorzagen] _rip_ ♦ **1.1** de geschulpte rand v.e. kelk _the scalloped edge of a chalice._

schulplijn ⟨de⟩ ⟨wisk.⟩ **0.1** _conchoid (of Nicomedes)._

schulpwerk ⟨het⟩ **0.1** _scalloping._

schulpzaag ⟨de⟩ **0.1** _ripsaw_ ⇒_ripper._

schunnig ⟨bn.⟩ **0.1** [vuil, schuin] _shabby_ ⇒_filthy, dirty_ **0.2** [armzalig] _shabby_ ⇒_squalid_ ♦ **1.1** een ~e streek _a s. / dirty trick;_ ~e taal uitslaan _use dirty / filthy language_ **1.2** ~e kleren _shabby clothes_ **3.1** zich ~ gedragen _act shabbily_ **3.2** er ~ uitzien _look shabby._

schunnigheid ⟨de (v.)⟩ **0.1** [hoedanigheid] _shabbiness_ **0.2** [obsceniteit] _filth, dirt._

schuren ⟨→sprw. 164⟩
I ⟨onov., ov.ww.⟩ **0.1** [met wrijving (langs iets) schuiven] _grate_ ⇒_scour_ **0.2** [wrijven met schuurpapier] _sand(paper)_ ♦ **1.2** houtwerk ~ _sand(paper) woodwork;_ zand schuurt de maag ≠_swallowing / eating a bit of sand never hurt anybody_ **5.2** droog / nat ~ _sand dry / wet_ **6.1** touwen die over elkaar ~ _ropes grazing each other;_
II ⟨ov.ww.⟩ **0.1** [wrijvend schuiven langs] _rub_ ⇒_grate, chafe_ **0.2** [in een schuur brengen] _store in a barn_ ♦ **1.1** zijn gat ~ ⟨fig.⟩ _make off, clear out_ **1.2** koren ~ _store grain in a barn;_
III ⟨onov.ww.⟩ **0.1** [een branderig gevoel geven] _chafe (on / against)._

schurend ⟨bn.⟩ **0.1** _grating, chafing_ ♦ **1.1** een ~ geluid _a g. sound._

schurft ⟨het, de⟩ **0.1** [mbt. mensen / dieren] _scabies_ / ⟨inf.⟩ _the itch_ ⟨mbt. mensen⟩; _scab, mange_ ⟨vnl. dieren⟩ **0.2** [mbt. planten] _scab_ ♦ **3.1** ⟨fig.⟩ de ~ aan iets hebben _hate sth.;_ de ~ aan iem. hebben _hate s.o.'s guts;_ de ~ in hebben ⟨vnl. inf.⟩ _be riled / ruffled;_ de ~ hebben / krijgen _have / get scabies;_ krijg de ~ _get stuffed._

schurftachtig ⟨bn.⟩ **0.1** _scabious_ ⇒_scabby, scabbed_ ⟨aardappelen⟩ ♦ **1.1** ~e huiduitslag _scabious skin eruption / rash._

schurftig ⟨bn.⟩ **0.1** [met schurft behept] _scabby, scabious_ ⇒_itchy,_ ⟨van dieren⟩ _mangy_ **0.2** [⟨fig.⟩ smerig] _despicable_ ⇒⟨fig.⟩ _scabby_ **0.3** [op schurft lijkend] _scabious_ ♦ **1.1** een ~e hond _a mangy dog._

schurftkruid ⟨het⟩ **0.1** _scabiosa, scabious_ ⇒_gipsy rose, knautia._

schurftmijt ⟨de⟩ **0.1** _itch-mite._

schurftmos ⟨het⟩ **0.1** _lecanora._

schurftvis ⟨de (m.)⟩ **0.1** _megrim_ ⇒_scaldfish, lantern, flounder._

schuring ⟨de (v.)⟩ **0.1** _rubbing, friction._

schuringsklank ⟨de (m.)⟩ ⟨taal.⟩ **0.1** _fricative._

schurk ⟨de (m.)⟩ **0.1** [boef] _scoundrel_ ⇒_blackguard, villain,_ ⟨sl.⟩ _heel_ **0.2** [⟨scherts.⟩] _scoundrel_ ⇒_rascal, scamp._

schurkachtig ⟨bn.⟩ **0.1** _blackguardly_ ⇒_villainous, scoundrelly_ ♦ **1.1** een ~ voorkomen _a b. appearance_ **3.1** zich ~ gedragen _behave villainously / roguishly._

schurken ⟨wk.ww.; zich ~⟩ **0.1** _have a scratch_ ⇒_rub o.s.._

schurkenrol ⟨de⟩ **0.1** _villain('s part / role);_ ⟨inf.⟩ _(part of the) baddy_ ♦ **3.1** hij speelt de ~ _he is / plays the villain (of the piece) / baddy._

schurkenstreek ⟨de⟩ **0.1** _piece of villainy / knavery / roguery._

schurkerij ⟨de (v.)⟩ **0.1** _villainy_ ⇒_knavery, roguery, trickery._

schurkpaal ⟨de (m.)⟩ **0.1** _rubbing post._

schut ⟨het⟩ **0.1** [stuw] _lock_ ⇒_weir, barrage_ **0.2** [wand] _screen_ ⇒_partition_ **0.3** [beschutting] _shelter, cover_ ♦ **3.**¶ ⟨inf.⟩ voor ~ gaan _be locked up, get put away;_ iem. voor ~ zetten _hold s.o. up to ridicule;_ ⟨inf.⟩ _make a monkey (out) of s.o._ **6.**¶ hij loopt voor ~ _he looks idiotic / a fool / a sight;_ voor ~ staan _look a fool._

schutblad ⟨het⟩ **0.1** [blad papier] _endpaper, end leaf_ ⇒⟨vastgeplakt deel van schutblad⟩ _pastedown,_ ⟨⟨losse helft van⟩ schutblad⟩ _fly(leaf)_ **0.2** [mbt. bloemen] _bract._

schutbril ⟨de (m.)⟩ **0.1** _goggles_ ⟨mv.⟩ ♦ **7.1** twee ~len _two pairs of goggles._

schutdek ⟨het⟩ ⟨scheep.⟩ **0.1** _shelter deck._

schutdekschip ⟨het⟩ ⟨scheep.⟩ **0.1** _shelter-deck ship._

schutdeur ⟨de⟩ **0.1** _lock gate, floodgate._

schutgeld ⟨het⟩ **0.1** _lockage._

schutglas ⟨het⟩ **0.1** _protective glass._

schuthoogte ⟨de (v.)⟩ **0.1** _lockage._

schutkleur ⟨de⟩ **0.1** _camouflage_ ♦ **3.1** de kameleon neemt een ~ aan _the chameleon changes colour according to its surroundings._

schutkolk ⟨de⟩ **0.1** _(lock) chamber, lock._

schutlengte ⟨de (v.)⟩ **0.1** [afstand tussen de sluisdeuren] _length of (lock) chamber_ **0.2** [toegestane scheepslengte] _admissible length (of ship in lock)._

schutnet ⟨het⟩ **0.1** ≠_pound-net_ ⟨mbt. viswater⟩.

schutsengel ⟨de (m.)⟩ **0.1** _guardian angel._

schutsheer ⟨de (m.)⟩ **0.1** _patron._

schutsheilige ⟨de (m.)⟩ **0.1** _patron saint._

schutsluis ⟨de⟩ **0.1** _lock._

schutspatroon ⟨de (m.)⟩, **-patrones** ⟨de (v.)⟩ **0.1** _patron saint_ ⟨m., v.⟩ ⇒_patron_ ⟨m.⟩, _patroness_ ⟨v.⟩.

schutsvrouw ⟨de (v.)⟩ **0.1** _patroness._

schutswapen ⟨het⟩ **0.1** _defensive / protective weapon_ ⟨ook fig.⟩ ⇒⟨fig. ook⟩ _defence_ Λse, _protection._

schutten

I ⟨ov.ww.⟩ **0.1** [⟨mbt. schepen⟩] *lock (in/out/up/down/through)* **0.2** [tegenhouden] *stem, stop, check* ⇒⟨water ook, met dam⟩ *dam up* **0.3** [opsluiten] *shut up* ⇒ ↑*impound,* ⟨vee ook⟩ *pound, pen (up)* ◆ **1.2** de vloed ~ *stem the flood;* water ~ *stem/check/dam up water* **1.3** verdwaald vee ~ *shut up/pound/pen (up) stray cattle* **2.4** ⟨fig.⟩ dat schut ik *I object to/counter that* **7.1** het ~ van schepen *(the) lockage (of ships);*

II ⟨onov.ww.⟩ **0.1** [⟨van schepen⟩] *lock (in/out/up/down/through), pass into/out/through a lock.*

schutter ⟨de (m.)⟩ **0.1** [lid v.e. schuttersvereniging] ⟨met geweer⟩ *rifleman, marksman;* ⟨met boog⟩ *archer, bowman* **0.2** ⟨voetbal⟩ *striker* ⇒*crack, good/crack shot, goal-getter/-scorer* **0.3** [lid v.e. schuttersgilde] *member of a rifle/shooting club* ⟨gesch. ook⟩ *association* **0.4** [⟨astrol.; met hoofdl.⟩] *Sagittarius* ⇒*the Archer* **0.5** [tropische vis] *archerfish* ⟨Toxotes jaculator⟩ ◆ **2.2** dat elftal heeft een paar goede ~s *that team's got a few good strikers/real goal-getters/-scorers a few real cracks/crack shots* **2.** hij is een goede ~ *he is a good/crack shot/ marksman;* een rare/vreemde ~ *a queer fish/customer, a rare bird;* hij is een slechte ~ *he is a bad shot/marksman.*

schutteren ⟨onov.ww.⟩ **0.1** [onhandig te werk gaan] *fumble* **0.2** [verlegen te werk gaan of spreken] *falter, stammer, stumble over one's words* ◆ **3.1** hij stond te ~ met het fototoestel *he was fumbling with the camera* **3.2** wat sta je daar nu weer te ~ *what are you mumbling/ babbling (on) about now?.*

schutterig ⟨bn., bw.; -ly⟩ **0.1** *awkward, clumsy* ⇒*fumbling* ◆ **3.1** ~ spreken *falter, stammer, stumble over one's words.*

schutterij ⟨de (v.)⟩ **0.1** [schietvereniging] *rifle/shooting club* **0.2** [⟨gesch.⟩] *(citizen's) militia* ⇒*civic/national guard.*

schuttersdoelen ⟨de (m.)⟩ **0.1** *rifle-/shooting-range.*

schuttersgilde ⟨het, de⟩ **0.1** *rifle/shooting club* ⟨gesch. ook⟩ *association.*

schutterskoning ⟨de (m.)⟩ **0.1** *champion shot/rifleman* ⇒*shooting/rifle champion.*

schuttersput ⟨de (m.)⟩ **0.1** *foxhole.*

schutting ⟨de (v.)⟩ ⟨→sprw. 536⟩ **0.1** [omheining] *fence* ⇒*hoarding* ⟨tijdelijk, bv. rond bouwterrein⟩ **0.2** [het schutten] *lockage* ⟨van schepen⟩ ◆ **6.1** een ~ om een bouwterrein zetten *fence off a building /construction site;* over een ~ klimmen *climb over a f..*

schuttingpaal ⟨de (m.)⟩ **0.1** *paling* ⇒*stake,* ⟨zeldz.⟩ *pale.*

schuttingtaal ⟨de⟩ **0.1** *foul/obscene language* ◆ **3.1** ~ uitslaan *use foul/ obscene language.*

schuttingwoord ⟨het⟩ **0.1** *four-letter word* ⇒*obscenity.*

schutwater ⟨het⟩ **0.1** *lockage.*

schuur ⟨de⟩ **0.1** *shed* ⇒*barn* ⟨van boerderij⟩, *lean-to* ⟨tegen huis⟩ ◆ **6.1** een ~tje aan het huis bouwen *build a lean-to;* hout/aardappels in de ~ hebben *have wood/potatoes in the s.;* de oogst in de ~ brengen *bring in/gather in the harvest;* een ~tje voor de fietsen *a s. for the bicycles.*

schuurbord ⟨het⟩ **0.1** *rubbing board* ⇒*mason's float.*

schuurborstel ⟨de (m.)⟩ **0.1** [B]*scrubbing brush,* [A]*scrub brush* ⇒*cleaning brush.*

schuurder ⟨de (m.)⟩ **0.1** [persoon] *s.o. who sands (sth.)(down)* **0.2** [geluid] *fricative.*

schuurdeur ⟨de⟩ **0.1** *shed door* ⇒*barn-door* ⟨op boerderij⟩ ◆ **8.1** hij heeft een mond als een ~ *he's got a cavernous mouth.*

schuurkurk ⟨de⟩ **0.1** *cork sanding-block.*

schuurlinnen ⟨het⟩ **0.1** *abrasive cloth* ⇒*emery cloth* ⟨amarildoek⟩, *glass-cloth* ⟨glaslinnen⟩.

schuurmachine ⟨de (v.)⟩ **0.1** *sander, sanding machine.*

schuurmiddel ⟨het⟩ **0.1** *abrasive.*

schuurpapier ⟨het⟩ **0.1** *sandpaper* ⇒*abrasive paper, emery paper* ⟨met amarilpoeder⟩, *glass paper* ⟨met glas⟩ ◆ **2.1** fijn ~ *fine s.* ⟨enz.⟩; grof ~ *coarse s.* ⟨enz.⟩

schuurpoeder ⟨het, de⟩ **0.1** *scouring powder* ⇒ ↑*abrasive.*

schuurpoort ⟨de⟩ **0.1** *barn-door.*

schuurschijf ⟨de⟩ **0.1** *abrasive/sanding disc.*

schuurspons ⟨de⟩ **0.1** *scourer.*

schuursteen ⟨het, de (m.)⟩ **0.1** *hearthstone* ⇒*holystone* ⟨om scheepsdek te schuren⟩.

schuurtafel ⟨de⟩ **0.1** *sanding bench/table.*

schuurwerk ⟨het⟩ ⟨bouwk.⟩ **0.1** *rendering, rendered work, floated work.*

schuurzand ⟨het⟩ **0.1** *scouring sand.*

schuw ⟨bn., bw.; -ly⟩ **0.1** [niet houdend van] *shy* **0.2** [schichtig] *shy* ⇒ *bashful, timid, skittish* ⟨ihb. paard⟩ ◆ **1.2** een ~e blik *a bashful/timorous look/glance;* ~e dieren *shy animals;* het kind is ~ *the child is shy/bashful;* het paard is ~ geworden *the horse has become skittish* **3.1** ~ van iets zijn *be s. of sth.* **3.2** ~ rondkijken *look around bashfully /timidly.*

schuwen ⟨ov.ww.⟩ **0.1** *shun* ⇒*fight shy of, shrink from, avoid,* ⟨schr.⟩ *eschew* ◆ **1.1** het daglicht ~ *shun daylight/the light of day;* moeite ~ *avoid effort;* werk ~ *shirk work, be work-shy* **5.1** de strijd niet ~ *not be afraid to fight* **8.1** iem./iets ~ als de pest *shun/avoid s.o. like the plague.*

schuwheid ⟨de (v.)⟩ **0.1** *shyness* ⇒*bashfulness, timidity.*

schuwelijk ⟨bn.⟩ **0.1** *ugly as sin, hideous.*

schwa ⟨de⟩ **0.1** *schwa.*

schwung ⟨de (m.)⟩ **0.1** *verve* ⇒*dash* ◆ **3.1** er zit niet veel ~ in *it lacks v.* **6.1** met veel ~ stak hij zijn speech af *he delivered his speech with great panache.*

science fiction ⟨de⟩ **0.1** *science fiction* ⇒*sci-fi.*

scïentisme ⟨het⟩ **0.1** *scientism.*

scientology-kerk ⟨de⟩ **0.1** *scientology church.*

scintigrafie ⟨de (v.)⟩ ⟨med.⟩ **0.1** *scintigraphy.*

scintigram ⟨het⟩ ⟨med.⟩ **0.1** *scintigram.*

scintillatie ⟨de (v.)⟩ ⟨nat.⟩ **0.1** *scintillation.*

scintillatieteller ⟨de (m.)⟩ ⟨nat.⟩ **0.1** *scintillation counter.*

sciopticon ⟨de (m.)⟩ **0.1** *sciopticon.*

sclerose ⟨de (v.)⟩ ⟨med.⟩ **0.1** *sclerosis* ◆ **¶.1** multiple ~ *multiple s..*

scoliose ⟨de (v.)⟩ **0.1** *scoliosis, scolioma.*

scooter ⟨de (m.)⟩ **0.1** *(motor) scooter.*

scopolamine ⟨de (v.)⟩ ⟨schei.⟩ **0.1** *scopolamine.*

scorbuut ⟨het, de (m.)⟩ **0.1** *scurvy.*

score ⟨de (m.)⟩ ⟨sport⟩ **0.1** [behaalde punten] *score* **0.2** [uitslag] *score* ◆ **2.1** een gelijke ~ *a draw, an equal/a level s.;* een hoge/lage ~ *a high/ low s.;* de maximale ~ *behalen score a possible* ⟨in schietsport⟩ **3.1** een ~ behalen van ... *make a s. of ...;* de ~ bijhouden *keep (the) s., score;* wat is de ~ nu? *what is the s. now?;* de ~ openen *open the s.;* de ~ opvoeren *raise the s.* **3.2** de ~ bekendmaken *announce the s.;* de ~ beperkt houden *keep the s. down* **6.2** Ajax won met een ~ van 6-2 *Ajax won with a 6 to 2 s..*

scorebord ⟨het⟩ **0.1** *scoreboard* ⇒⟨AE ook⟩ *message board.*

scorelijst ⟨de⟩ **0.1** *results table.*

scoren

I ⟨onov., ov.ww.⟩ **0.1** [(punten) behalen] *score* ◆ **1.1** een doelpunt ~ *s. (a goal);* de gelijkmaker ~ *equalize, pull/draw level (again), get/ score the equalizer;* ⟨fig.⟩ punten ~ in een debat *s. points in a debate* **5.1** hoog ~ *s. points* **6.1** voor open doel ~ *shoot into an open goal* ⟨ook fig.⟩;

II ⟨onov.ww.⟩ ⟨inf.⟩ **0.1** [heroïne gebruiken] *score* **0.2** [geld voor een shot bijeenbrengen] *score.*

scoreverloop ⟨het⟩ **0.1** *(progress of/changes in the) score.*

scoringskans ⟨de⟩ **0.1** *chance/opportunity to score/of scoring* ◆ **3.1** een ~ benutten *seize/take/bungle a chance to score;* geen/veel ~en krijgen *get no/many chances of scoring/to score.*

SCP ⟨de (v.)⟩ **0.1** [Sociaal Cultureel Planbureau] ⟨*Socio-cultural Planning Department/Agency*⟩.

scr. ⟨lat.⟩ ⟨afk.⟩ **0.1** [scripsit (heeft geschreven)] ⟨*written by*⟩.

scrabbelen ⟨onov.ww.⟩ **0.1** *play Scrabble.*

scratchen ⟨onov.ww.⟩ **0.1** *scratch.*

screenen ⟨ov.ww.⟩ **0.1** [op betrouwbaarheid onderzoeken] *screen* ⇒ ⟨vnl. BE; inf.⟩ *vet* **0.2** [door een test laten onderzoeken] *screen* ◆ **1.1** een sollicitant ~ *s./vet an applicant* **6.2** iem. ~ op borstkanker *screen s.o. for cancer of the breast;* ⟨t.v.⟩ iem. ~ voor een rol *screentest s.o..*

scriba ⟨de (m.)⟩ **0.1** *secretary* ◆ **1.1** de ~ v.d. kerkeraad *the s. of the church council.*

scribent ⟨de (m.)⟩ **0.1** [briefschrijver] *writer* ⇒*scribe* **0.2** [prulschrijver] *scribbler, hack.*

scribofoon ⟨de (m.)⟩ ⟨com.⟩ **0.1** [handelsnaam] *Tel Autograph (device)* ⇒⟨vnl. BE⟩ *telewriter.*

scriptgirl ⟨de⟩ **0.1** *script girl* ⇒*continuity girl.*

scriptie ⟨de (v.)⟩ **0.1** *extended essay.*

scriptorium ⟨het⟩ ⟨gesch.⟩ **0.1** *scriptorium.*

scrofuleus ⟨bn.⟩ **0.1** *scrofulous.*

scrotum ⟨het⟩ ⟨med.⟩ **0.1** *scrotum.*

scrupule ⟨de⟩ **0.1** *scruple* ⇒*qualm, compunction* ◆ **3.1** geen ~s hebben (over) *have no scruples/qualms (about);* ~s hebben/maken *have scruples/qualms, scruple* **6.1** zonder ~s *without scruples/qualms/ compunction.*

scrupuleus ⟨bn., bw.; -ly⟩ **0.1** *scrupulous* ⇒*conscientious, compunctious.*

sculpturaal ⟨bn., bw.; -ly⟩ **0.1** *sculptural.*

sculptuur ⟨de⟩ **0.1** [beeldhouwkunst] *sculpture* **0.2** [beeldhouwwerk] *sculpture* ⇒*carving* **0.3** [plastische vorm] *sculpture.*

Scylla ⟨zn.mv.⟩ **0.1** [klip in de straat van Messina] *Scylla* **0.2** [⟨myth.⟩] *Scylla* ◆ **6.1** ⟨fig.⟩ tussen ~ en Charybdis *between S. and Charybdis, on the horns of a dilemma, between the devil and the deep blue sea;* ⟨fig.⟩ van ~ in Charybdis komen/vallen *go from the frying pan into the fire.*

Scythen ⟨zn.mv.⟩ **0.1** *Scythians.*

Scythisch ⟨bn.⟩ **0.1** *Scythian.*

seance ⟨de⟩ **0.1** *séance* ⟨van spiritisten⟩ ◆ **2.1** een spiritistische ~ *a s.* **3.1** een ~ houden *hold a s..*

sec

I ⟨bn.⟩ **0.1** [droog] *sec* ◆ **¶.1** champagne, double ~ *champagne, double s.;*

II ⟨bw.⟩ **0.1** [alleen maar, op zichzelf] *only* ⇒*alone* ◆ **3.1** als we de zaak ~ bekijken *if we consider the matter on its own merits;* iets ~ drinken *drink sth.* [B]*neat*/[A]*straight;* deze auteur wordt ~ geciteerd *o. the author's name is quoted/given/cited* ¶.¶ in tien seconden ~ *in ten seconds flat.*

sec. ⟨afk.⟩ **0.1** [seconde] *sec.*

secans ⟨de⟩⟨wisk.⟩ **0.1** [rechte lijn door een kromme] *secant* **0.2** [omgekeerde v.d. cosinus] *secant* ⇒*sec.*

secco ⟨bw.⟩ ♦ ¶.¶ a(l) ~ schilderen *paint in secco.*

secessie ⟨de (v.)⟩ **0.1** *secession.*

seclusie ⟨de (v.)⟩ **0.1** *exclusion.*

secondair →*secundair.*

secondant ⟨de (m.)⟩ **0.1** *second* ⟨bij wedstrijden e.d.⟩.

seconde ⟨de⟩ **0.1** [tijdmaat, graad] *second* **0.2** [ogenblik] *second* ⇒*moment* **0.3** [⟨muz.⟩] *second* ♦ **1.1** in een onderdeel v.e. ~ *in a split s.* **1.2** een paar ~ n *a few seconds/moments* **2.3** grote/kleine ~ *major/minor s.* **3.2** heb je een ~? *have you got a moment/s.?* **7.2** hij houdt geen ~ zijn mond *he runs on for ever, he never stops talking;* ik heb er geen ~ meer aan gedacht *I did not think of it for a moment, it never crossed my mind.*

seconderen ⟨onov., ov.ww.⟩ **0.1** *second* ⟨duel, boksen⟩ ⇒*support, assist.*

secondeteken ⟨het⟩ **0.1** *second-mark.*

secondewijzer ⟨de (m.)⟩ **0.1** *second(s) hands* ⇒*sweep-second hand.*

secreet ⟨het⟩ **0.1** *secretion.*

secretaire ⟨de (m.)⟩ **0.1** *writing desk* ⇒*secretary,* [B]*secretaire, escritoire,* [B]*davenport.*

secretaresse ⟨de (v.)⟩ **0.1** *secretary* ♦ **1.1** opleiding voor ~ *secretarial training/course/school* **2.1** een particulier ~ *a private s..*

secretariaat ⟨het⟩ **0.1** [ambt] *secretariat* ⇒*secretaryship* **0.2** [kantoor] *secretariat* ⇒*secretary's/secretarial office(s),* ⟨gebouw ook⟩ *secretarial building/offices* ♦ **2.1** VN het ~ *the secretariat of the U.N.,* the U.N. secretariat **2.2** vast/algemeen ~ *permanent/general secretariat* **3.1** het ~ bekleden ⟨kantoor⟩ *be secretary;* ⟨vereniging⟩ *have/hold the position of secretary;* het ~ waarnemen ⟨mbt. vereniging⟩ *be acting secretary;* ⟨op kantoor⟩ *do the secretarial work* **6.2** op het ~ *in the secretarial department/secretariat* ⟨afdeling⟩.

secretarie ⟨de (v.)⟩ **0.1** *office* ⇒*town clerk's office* ⟨bij gemeente⟩ ♦ **6.1** ambtenaar ter ~ *official at town clerk's office.*

secretaris ⟨de (m.)⟩ **0.1** [mbt. correspondentie/notulen] *secretary* ⇒ *clerk* ⟨in gemeente, parlement, rechtbank⟩ **0.2** [ambtenaar v.e. gemeentebestuur] ≠*town clerk* **0.3** [vogel] *secretary bird* ⇒*serpent/snake-eater* ♦ **1.1** ~ v.d. voorzitter *s. to the chairman/s. chairperson;* de werkzaamheden v.e. ~ *secretarial duties* **2.1** eerste ~ *first s.;* particulier ~ *private/personal s.;* tweede ~ *undersecretary.*

secretaris-generaal ⟨de (m.)⟩ **0.1** [hoofd der ambtenaren] [B]*permanent secretary,* [A]*secretary* **0.2** [hoofd v.e. secretariaat] *secretary-general.*

secretarisvogel ⟨de (m.)⟩ **0.1** *secretary bird* ⇒*serpent/snake-eater.*

secretie ⟨de (v.)⟩ **0.1** *secretion* ♦ **2.1** klieren met inwendige ~ *glands with endocrine s.,* ⟨ook⟩ *endocrine glands, ductless glands.*

sectie ⟨de (v.)⟩ **0.1** [⟨med.⟩⟨mbt. lijk⟩ *autopsy, post-mortem (examination);* ⟨alg.⟩ *dissection* **0.2** [afdeling] *section* ⇒*department* ⟨mbt. een organisatie, school, universiteit⟩, *division* ⟨binnen bedrijf e.d.⟩ **0.3** [deel v.e. werk] *section* ⇒*stage* ⟨tariefzone bij bus en tram⟩ **0.4** [deel v.e. stadswijk] *quarter* ⇒*district, area* **0.5** [peloton] *platoon* ⇒*squad* ⟨twaalf soldaten⟩ ♦ **1.2** de ~ *Betaald Voetbal* [B]*the Football League;* de ~ Frans heeft vanmiddag een vergadering *the French department has got a meeting this afternoon* **3.1** ~ verrichten *carry out/conduct a post-mortem (examination)/an a..*

sectiecommandant ⟨de (m.)⟩ **0.1** *platoon-commander.*

sectievergadering ⟨de (v.)⟩ **0.1** *departmental meeting.*

sectio ⟨de (v.)⟩⟨med.⟩ **0.1** *Caesarian.*

sector ⟨de (m.)⟩ **0.1** [⟨wisk.⟩] *sector* **0.2** [afdeling] *sector* ⟨ook mil.⟩ ⇒ *part, field* ⟨zaken-, kennisgebied⟩ **0.3** [afdeling v.h. maatschappelijk leven] *sector* ⇒*industry* ♦ **2.1** bolvormige ~ *s. of a sphere* **2.2** huizen in de vrije ~ *free s. housing* ⟨houses built without government subsidy, not requiring residence permit⟩ **2.3** de agrarische of primaire/de industriële of secundaire ~ *the agricultural/industrial s., agriculture/industry;* de collectieve ~ *the public s.;* de particuliere ~ *the private s., private enterprise;* de quartaire ~ *the government/public s.;* de tertiaire ~ *the service s., (the) service industries;* de zachte ~ ⟨scherts.⟩ *the brown bread and sandals brigade.*

sectoraal ⟨bn.⟩ **0.1** *sectoral, sectorial.*

seculair ⟨bn.⟩ **0.1** [honderdjarig] *centenarian* **0.2** [per eeuw] *secular* **0.3** [wereldlijk] *secular* ⇒*worldly, mundane, temporal* ⟨vnl. mbt. kerkelijk gebruik⟩ **0.4** [⟨ster.⟩] *secular* ♦ **1.2** ⟨geol.⟩ ~e korstbeweging *s. movement of the crust;* ⟨ster.⟩ ~e storingen *s. perturbations;* ⟨ster.⟩ ~e variatie *s. variation* **1.3** het ~ gezag van de paus *the temporal authority of the Pope;* de ~e macht *the s. power.*

secularisatie ⟨de (v.)⟩ **0.1** [verwereldlijking] *secularization* **0.2** [het geloof betrekken op werelds leven] *secularization* **0.3** [onteigening van kerkelijke goederen] *secularization* **0.4** [verlof om buiten de orde te leven] *secularization.*

seculariseren ⟨onov., ov.ww.⟩ **0.1** *secularize* ♦ **1.1** een geseculariseerde moraal *secularized morals/ethics.*

secularisme ⟨het⟩ **0.1** *secularism.*

seculier [1] ⟨de (m.)⟩ **0.1** *secular.*

seculier [2] ⟨bn.⟩ **0.1** *secular* ♦ **1.1** de ~e geestelijken *the s. clergy, the seculars.*

secunda ⟨de⟩ **0.1** *second of exchange* ⇒*duplicate of exchange, second via, secunda via.*

secundair ⟨bn., bw.⟩ **0.1** *secondary* ⇒*minor* ⟨ondergeschikt⟩, *incidental* ⟨bijkomend⟩, ⟨geol.⟩ *Mesozoic* ♦ **1.1** ~e arbeidsvoorwaarden *fringe benefits, perquisites;* ⟨inf.⟩ *perks;* van ~ belang *of minor importance;* ⟨geol.⟩ ~e gesteenten *Mesozoic rocks;* ~e (olie)winning *s. oil recovery;* ⟨Belg.⟩ ~ onderwijs *s. education;* ~e oorzaken *minor causes;* ~e wegen *s./minor roads;* ⟨BE ook⟩ *B roads;* ~e windingen *s. coils, secondaries* **3.1** dat is ~ *that is incidental/of minor importance;* ~ reageren *give/show a delayed reaction* **7.1** ⟨geol.⟩ ⟨zelfst.⟩ het Secundair *the Mesozoic period, the Mesozoic.*

secundo ⟨bw.⟩ **0.1** *secondly* ⇒*in the second place, second.*

secundus ⟨de (m.)⟩ **0.1** *second* ⇒*secondary, deputy* ⟨plaatsvervanger⟩, *reserve* ⟨kandidaat⟩.

securiteit ⟨de (v.)⟩ **0.1** [zekerheid] *security* ⇒*certainty* **0.2** [veiligheid] *security* ♦ **6.1** ik vraag het alleen voor de ~ *I only ask (it) to be/make quite sure/to be on the safe side.*

secuur
I ⟨bn.⟩ **0.1** [nauwlettendheid vereisend] *painstaking* ♦ **1.1** een ~ werkje *a p. task;*
II ⟨bn., bw.; -ly⟩ **0.1** [nauwgezet] *precise* ⇒*accurate, scrupulous, meticulous* ⟨precies tot in detail⟩, *punctilious* **0.2** [zeker] *safe* ⇒*secure* ♦ **1.1** een ~ mannetje *a precise person.*

sedan ⟨de (m.)⟩ **0.1** [B]*saloon,* [A]*sedan.*

sedatief [1] ⟨het⟩ **0.1** *sedative* ⇒*calmative, depressant, ataractic.*

sedatief [2] ⟨bn.⟩ **0.1** *sedative* ⇒*calmative, depressant, ataractic.*

sedecimo ⟨het⟩⟨druk.⟩ **0.1** [formaat] *sedecimo* ⇒*sextodecimo, 16mo* **0.2** [boek] *sixteenmo* ⇒*sextodecimo, 16mo.*

sedentair ⟨bn.⟩ **0.1** [zittend] *sedentary* **0.2** [met vaste standplaats] *sedentary* ♦ **1.1** een ~ leven *a s. life* **1.2** de ~e bevolking werd door de nomaden bedreigd *the s. population was threatened by the nomads.*

sederen ⟨ov.ww.⟩⟨med.⟩ **0.1** *sedate.*

sedert [1] ⟨vz.⟩ **0.1** *since* ⟨vanaf⟩; *for* ⟨gedurende⟩ ♦ **1.1** ~ de 16e eeuw *s. the 16th century, from the 16th century on(wards);* ~ enige tijd *f. some time;* ~ zijn ziekte *s. his illness* **5.1** ~ wanneer? *s. when* ¶.**1** ~ kort *recently, lately.*

sedert [2] ⟨vw.⟩ **0.1** *since* ♦ ¶.**1** het gaat beter ~ hij hier is *things have improved s. he came/arrived.*

sedertdien ⟨bw.⟩ **0.1** *since (then), ever since* ♦ **3.1** ~ heeft hij niets meer gepubliceerd *since then he has published nothing else;* en ~ is hij doof *and ever since he has been deaf, and he has been deaf ever after.*

sediment ⟨het⟩ **0.1** [bezinksel] *sediment* ⇒*dregs* ⟨koffie, wijn⟩, *grounds* ⟨koffie⟩, *lees* ⟨wijn⟩ **0.2** [⟨geol.⟩] *sediment* ⇒*sedimentary deposit.*

sedimentair ⟨bn.⟩ **0.1** *sedimentary* ♦ **1.1** een ~ gesteente *a s. rock.*

sedimentatie ⟨de (v.)⟩ **0.1** [afzetting] *sedimentation* ⇒*deposit* **0.2** [bezinking] *sedimentation.*

sedimentgesteente ⟨het⟩ **0.1** *sedimentary rock.*

sedimentologie ⟨de (v.)⟩ **0.1** *sedimentology.*

seelachs ⟨de⟩ **0.1** *coal-fish, pollack, pollock;* ⟨BE⟩ *coley, saithe, green cod.*

sefardim ⟨zn.mv.⟩ **0.1** *Sephardim.*

sefardisch ⟨bn.⟩ **0.1** *Sephardic.*

seffens ⟨bw.⟩ ⟨AZN⟩ **0.1** [tegelijkertijd] *at the same time, at once* **0.2** [dadelijk] *directly, right away, at once.*

segment ⟨het⟩ **0.1** [deel v.e. cirkel of bol] *segment* **0.2** [⟨biol.⟩] *segment* **0.3** [elk v.d. delen die samen een constructie vormen] *segment* ⇒*section, portion, part* ♦ **1.1** bij zonsverduistering wordt een ~ v.d. zon door de maan bedekt *in an eclipse part of the sun is obscured by the moon* **1.3** de ~en v.e. tunnel *the sections of a tunnel.*

segmentaal ⟨bn.⟩ **0.1** [uit segmenten bestaand] *segmental, segmentary* **0.2** [v.e. segment] *segmental, segmentary.*

segmentatie ⟨de (v.)⟩ ⟨biol.⟩ **0.1** *(metameric) segmentation, metamerism.*

segmentboog ⟨de (m.)⟩ ⟨bouwk.⟩ **0.1** *segmental arch.*

segmentbouw ⟨de (m.)⟩ **0.1** *sectional building.*

segmenteren ⟨ov.ww.⟩ **0.1** *segment* ⇒*section, divide (into segments).*

segno ⟨het⟩⟨muz.⟩ **0.1** *segno.*

segregatie ⟨de (v.)⟩ **0.1** [apartheid] *segregation* ⇒*separatism, apartheid* ⟨Z. Afrika⟩ **0.2** [van elkaar scheiden] *segregation* ♦ **1.1** de ~ v.d. negers *the segregation of the negroes/blacks.*

segregeren
I ⟨ov.ww.⟩ **0.1** [afzonderen] *segregate;*
II ⟨onov.ww.⟩ **0.1** [uiteenvallen] *segregate.*

segrijn ⟨het⟩ **0.1** *shagreen* ♦ **6.1** een bijbel in ~ gebonden *a bible bound in s..*

segrijnen ⟨bn.⟩ **0.1** *shagreen* ♦ **1.1** een ~ band *a s. belt/strap.*

seicento ⟨het⟩ **0.1** *seicento.*

seigneur ⟨de (m.)⟩ **0.1** *seigneur* ⇒*lord,* ⟨scherts.⟩ *panjandrum* ♦ **2.1** een vreemde ~ [B]*a queer fish,* [B]*an odd fish/bird,* [A]*an oddball* **3.1** de grand ~ spelen *put on airs (and graces), play the panjandrum.*

sein ⟨het⟩ **0.1** [teken] *signal* ⇒*sign* **0.2** [aanleiding] *signal* **0.3** [voorwerp om tekens te geven] *signal* **0.4** [waarschuwing, tip] *tip* ⇒*hint, tip-off,* ᴮ*tick-tack* ⟨bij weddenschappen op renbaan⟩ ◆ **2.3** door een onveilig~ rijden *go/drive through a danger s./s. at danger;* het~ stond op veilig *the s. was at clear;* het~ op veilig stellen *set the s. at clear* **3.1** zodra het~ gegeven werd *at the drop of a hat, as soon as the signal had been given* **3.3** de~en bedienen *work the signals* **3.4** geef me even een~tje als je hulp nodig hebt/als het boek er is *tell me/let me know if you need some help, give me a ring/drop me a line when the book has arrived;* iem. een~tje geven *give s.o. a tip/hint, tip s.o. off,* tip s.o. a wink **6.2** het~ **tot** de opstand *the s. for the revolution/for revolt.*

seinboek ⟨het⟩ **0.1** *book of signals* ⇒*signal book.*

seinbord ⟨het⟩ **0.1** [om mee te seinen] *sign* **0.2** [om seinen te bedienen] *(signal) switchboard.*

seincode ⟨de (m.)⟩ **0.1** *code of signals* ⇒*signal code.*

seinen
I ⟨onov.ww.⟩ **0.1** [seinen geven] *signal* ⇒*flash* ⟨met lichten⟩, *semaphore, wigwag* ⟨met vlaggen⟩ **0.2** [berichten afzenden] *telegraph* ⇒*wire, cable,* ⟨draadloos⟩ *radio* ◆ **6.1** met de ogen~ *signal with the eyes;* ≠*give a warning look;* **met** vlaggen~ *semaphore, wigwag, flag;* **met** de koplampen~ *flash the headlights, flash (s.o.);* **om** hulp~ *signal for help;*
II ⟨ov.ww.⟩ **0.1** [bekendmaken] *signal* ⇒*flash* ⟨met lichten⟩, *semaphore, wigwag* ⟨met vlaggen⟩ **0.2** [telegraferen] *telegraph* ⇒*wire,* ⟨draadloos ook⟩ *radio;*
III ⟨onov., ov.ww.⟩ **0.1** [mbt. kaarten] *signal.*

seiner ⟨de (m.)⟩ **0.1** *signaller* ᴬ*aler* ⇒*signalman* ⟨spoorw., marine⟩, ⟨BE;marine⟩ *yeoman (of signals), wigwagger* ⟨met semafoor⟩.

seingever ⟨de (m.)⟩ **0.1** [persoon] *signaller* ᴬ*aler* ⇒*wigwagger* ⟨met semafoor⟩, *starter* ⟨bij wedstrijd⟩ **0.2** [toestel] *transmitter, sender.*

seingranaat ⟨de⟩ **0.1** *star shell.*

seinhuis ⟨het⟩ **0.1** ᴮ*signal box,* ᴬ*signal/switch tower* ⇒ᴮ*cabin.*

seinhuiswachter ⟨de (m.)⟩ **0.1** *signalman.*

seininrichting ⟨de (v.)⟩ **0.1** *signalling* ᴬ*aling* ⟨radio, telegraaf ook⟩ *transmitting apparatus* ⇒⟨radio, telegraaf ook⟩ *transmitter,* ⟨spoorw.⟩ *semaphore.*

seinlamp ⟨de⟩ **0.1** *signal lamp/lantern* ⇒*Morse lamp.*

seinlicht ⟨het⟩ **0.1** *signal* ⇒*flashlight, flashing light, flasher, signal light.*

seinontvanger ⟨de (m.)⟩ **0.1** *receiver.*

seinpaal ⟨de (m.)⟩ **0.1** *semaphore.*

seinpistool ⟨het⟩ **0.1** *signal gun/pistol* ⇒*Very pistol.*

seinpost ⟨de (m.)⟩ **0.1** ᴮ*signal box,* ᴬ*signal tower.*

seinraket ⟨de⟩ **0.1** *signal flare/rocket* ⇒*maroon.*

seinschot ⟨het⟩ **0.1** *warning shot.*

seinsleutel ⟨de (m.)⟩ **0.1** *(telegraph) key.*

seinsysteem ⟨het⟩ **0.1** *code (of signals).*

seintoestel ⟨het⟩ **0.1** *signalling* ᴬ*aling apparatus* ⇒*telegraph,* ⟨radio, telegraaf ook⟩ *transmitter, transmitting apparatus.*

seintoren ⟨de (m.)⟩ **0.1** *semaphore, signal tower.*

seinvlag ⟨de⟩ **0.1** *signal(ling* ᴬ*ing) flag.*

seinwachter ⟨de (m.)⟩ **0.1** *signalman.*

seinwimpel ⟨de (m.)⟩ **0.1** *signalling* ᴬ*aling pennant.*

seismisch ⟨bn.⟩ **0.1** *seismic(al)* ◆ **1.1** ~e gebieden *seismic zones;* ~ instituut *seismologic institute;* ~e kaarten/golven *seismic maps/waves.*

seismograaf ⟨de (m.)⟩ **0.1** *seismograph.*

seismografisch ⟨bn., bw.;-ly⟩ **0.1** *seismographic(al).*

seismogram ⟨het⟩ **0.1** *seismogram.*

seismologie ⟨de (v.)⟩ **0.1** *seismology.*

seismologisch ⟨bn.⟩ **0.1** *seismologic(al)* ◆ **1.1** ~ instituut *seismologic institute.*

seismometer ⟨de (m.)⟩ **0.1** *seismometer.*

seismonastie ⟨de (v.)⟩⟨biol.⟩ **0.1** *seismonasty.*

seizen ⟨ov.ww.⟩⟨scheep.⟩ **0.1** *seize.*

seizing ⟨de (v.)⟩ **0.1** [⟨scheep.⟩ streng] *seizing* ⇒*lanyard, becket* **0.2** [pakkingstof] *packing* ⇒*gasket.*

seizoen ⟨het⟩ **0.1** [jaargetijde] *season* **0.2** [hoogseizoen, periode waarin iets plaatsvindt] *season* ◆ **2.2** het nieuwe~ *the new s.;* het slappe/stille~ *the low/dull/dead/off s.* **3.2** het~ werd geopend met een concert van ... *the s. opened with a concert by ...* **6.1** weer dat past **bij** het~/ abnormaal is **voor** het~ *seasonable/unseasonable weather;* groenten **van** het~ *vegetables in s.* **6.2** buiten het~ *in the off-season, out of s.;* ⟨attr.⟩ *off-season;* **in** het~ *in s.;* midden **in** het~ *at the height of the s..*

seizoenaanbieding ⟨de (v.)⟩ **0.1** *(after-season) sales offer, seasonal offer.*

seizoenarbeid ⟨de (m.)⟩ **0.1** *seasonal work/employment/labour.*

seizoenarbeider ⟨de (m.)⟩, **-ster** ⟨de (v.)⟩ **0.1** *seasonal worker* ⇒*migrant worker* ⟨rondtrekkende seizoenarbeider⟩.

seizoenartikel ⟨het⟩ **0.1** *seasonal article/*⟨mv. ook⟩ *goods.*

seizoenbedrijf ⟨het⟩ **0.1** *seasonal trade/business.*

seizoendimorfisme ⟨het⟩ **0.1** *seasonal dimorphisme.*

seizoendrukte ⟨de (v.)⟩ **0.1** *seasonal activity/rush/pressure.*

seizoengebonden ⟨bn.⟩ **0.1** *seasonal.*

seizoengevoelig ⟨bn.⟩ **0.1** *seasonal* ⇒*sensitive to seasonal influences.*

seizoeninvloed ⟨de (m.)⟩ **0.1** *seasonal influence/effect* ◆ **6.1** gecorrigeerd **voor** ~en *seasonally-adjusted.*

seizoenkaart ⟨de⟩ **0.1** *season ticket.*

seizoenmatig ⟨bn.⟩ **0.1** *seasonal.*

seizoenopruiming ⟨de (v.)⟩ **0.1** *after-season/end-of-season sale(s).*

seizoenwerk ⟨het⟩ **0.1** *seasonal work/employment/labour.*

seizoenwerkloosheid ⟨de (v.)⟩ **0.1** *seasonal unemployment.*

seizoenwisseling ⟨de (v.)⟩ **0.1** *change of the seasons* ⇒⟨schr.⟩ *turn of the seasons.*

sekreet ⟨het⟩ **0.1** [kreng] *(dirty) swine, sod* ⇒⟨vrouw ook⟩ *bitch, cow, sow* **0.2** [⟨vero.⟩ w.c.] *jakes* ⇒*privy.*

seks ⟨de (m.)⟩ **0.1** *sex* ◆ **2.1** vrije~ *free s.* **3.1** ~ bedrijven *have s./go to bed with s.o.;* ⟨BE;euf.⟩ *get one's end away;* ~ hebben met iem. *have s. with s.o.* **6.1** een boek/een film **met** veel~ *a book/film with a lot of s. in it.*

seksartikelen ⟨zn.mv.⟩ **0.1** *sex/sexual aids.*

seksbioscoop ⟨de (m.)⟩ **0.1** *sex/porn cinema.*

seksblad ⟨het⟩ **0.1** *sex/girlie/nudie magazine* ⇒⟨AE ook⟩ *skin magazine,* ⟨sl. ook⟩ *tit mag, bum-and-titty magazine.*

seksboerderij ⟨de (v.)⟩ **0.1** *country brothel.*

seksboetiek ⟨de (v.)⟩ **0.1** *sex/porn shop.*

seksbom ⟨de (v.)⟩ **0.1** *sex bomb* ⇒*sexpot.*

seksclub ⟨de⟩ **0.1** *sex club.*

sekse ⟨de (v.)⟩ **0.1** *sex* ◆ **2.1** iem. v.d. andere~ *s.o. of the other/opposite s.;* personen van beiderlei~ *people of both sexes;* de schone~ *the fair s..*

seksegenoot ⟨de (m.)⟩ **0.1** *s.o. of the same sex.*

seksen
I ⟨onov., ov.ww.⟩ **0.1** [geslacht bepalen (van)] *sex* ◆ **1.1** kuikens~ *s. chicks;*
II ⟨onov.ww.⟩ **0.1** [gemeenschap hebben] *have sex(ual intercourse).*

sekseneutraal ⟨bn.⟩ **0.1** *non-sexist.*

sekser ⟨de (m.)⟩ **0.1** *sexer.*

seksfilm ⟨de (m.)⟩ **0.1** *sex/porno(graphic) film* ⇒*blue/stag film/*⟨AE; inf.⟩ *movie,* ⟨sl.⟩ *nudie.*

seksisme ⟨het⟩ **0.1** [bepaald gedrag] *sexism* ⇒⟨door man(nen) ook⟩ *male chauvinism* **0.2** [uitdrukking] *sexist expression/remark.*

seksist ⟨de (m.)⟩ **0.1** *sexist* ⇒⟨ihb. man⟩ *male chauvinist pig, male chauvinist/supremacist.*

seksistisch ⟨bn., bw.⟩ **0.1** ⟨bn.⟩ *sexist;* ⟨bw.⟩ *in a sexist way, like a sexist* ◆ **1.1** een~e opmerking *a sexist remark* **3.1** ~ reageren *react like a sexist.*

seksleven ⟨het⟩ **0.1** *sex life* ◆ **3.1** een goed/slecht~ hebben *have a good /bad s. l..*

sekslingerie ⟨de (v.)⟩ **0.1** *sexy lingerie/underwear.*

seksloos ⟨bn.⟩ **0.1** [zonder sexappeal] *sexless* **0.2** [geslachtsloos] *sexless* ⇒*asexual, neutre.*

seksmaniak ⟨de (m.)⟩ **0.1** *sex maniac.*

seksobject ⟨het⟩ **0.1** *sex object.*

sekstheater ⟨het⟩ **0.1** *porn(o) club* ⇒≠*strip-club/-joint.*

sekstoerisme ⟨het⟩ **0.1** *sex tourism.*

seksualiseren ⟨ov.ww.⟩ **0.1** *sexualize.*

seksualisme ⟨het⟩⟨biol.⟩ **0.1** *sexuality.*

seksualiteit ⟨de (v.)⟩ **0.1** [geslachtelijkheid] *sexuality* **0.2** [geslachtsleven] *sexuality* ⇒*sex life.*

seksueel ⟨bn., bw.;-ly⟩ **0.1** *sexual* ◆ **1.1** seksuele aantrekkingskracht *sex appeal, s. magnetism;* ~ contact *sex(ual intercourse);* de veranderende seksuele moraal *changing s. morals/ethics;* een~ probleem *a sex problem;* de seksuele revolutie *the s. revolution;* seksuele verschillen/organen *s. differences, sex organs;* seksueel sex education* **2.1** ~ dimorf *sexually dimorphic;* ~ overdraagbare aandoeningen *sexually transmitted/transmissible disease(s)* **3.1** ~ opwinden *switch/turn on, excite.*

seksuologie ⟨de (v.)⟩ **0.1** *sexology.*

seksuologisch ⟨bn.⟩ **0.1** *sexological.*

seksuoloog ⟨de (m.)⟩ **0.1** *sexologist.*

sekswinkel ⟨de (m.)⟩ **0.1** *sex/porn shop.*

sektariër ⟨de (m.)⟩ **0.1** *sectarian* ⇒*sectary, separatist.*

sektarisch ⟨bn., bw.;-ly⟩ **0.1** [mbt. een sekte] *sectarian* **0.2** [geneigd tot sektevorming] *sectarian* ◆ **3.2** ~ denken *think sectarianly, have s. tendencies.*

sektarisme ⟨het⟩ **0.1** *sectarianism.*

sekte ⟨de⟩ **0.1** *sect* ⇒≠*denomination* ◆ **3.1** een~ oprichten *found a s.;* een~ vormen *form a s..*

sektegeest ⟨de (m.)⟩ **0.1** *sectarianism.*

sektevorming ⟨de (v.)⟩ **0.1** *formation of (a) sect(s).*

sekwester
I ⟨de (m.)⟩ **0.1** [bewaarder] *sequestrator;*
II ⟨het⟩ **0.1** [⟨med.⟩] *sequestrum.*

sekwestratie ⟨de (v.)⟩⟨jur.⟩ **0.1** *sequestration.*

sekwestreren ⟨ov.ww.⟩⟨jur.⟩ **0.1** *sequester, sequestrate* ◆ **1.1** de gesekwestreerde goederen *the sequestered goods.*

sela ⟨het, de (m.)⟩ **0.1** *selah.*

selderie ⟨de (m.)⟩ **0.1** ⟨bladselderie⟩ *celery;* ⟨knolselderie⟩ *celeriac.*
selderieknol ⟨de (m.)⟩ **0.1** *celeriac.*
selderiezout ⟨het⟩ **0.1** *celery salt.*
selderij →*selderie.*
select ⟨bn.⟩ **0.1** *select* ⇒*exclusive, rarefied* ◆ **1.1** een ~ gezelschap *a s. company/gathering.*
selecteren ⟨ov.ww.⟩ **0.1** [uitzoeken] *select* ⇒*choose, pick (out), cull* ⟨zwakke(re) dieren⟩ **0.2** [scheiden] *select* ⇒*sort (out)* ◆ **5.1** zorgvuldig ~ *s. carefully* **6.1** ⟨sport⟩ hij werd niet geselecteerd voor deze wedstrijd *he was not picked/selected for this match* **7.1** ⟨sport⟩ de geselecteerden *those selected.*
selectie ⟨de (v.)⟩ **0.1** [het uitkiezen] *selection* **0.2** [teeltkeus] *selection* **0.3** [wat uitgekozen is] *selection* ◆ **2.1** een scherpe ~ toepassen *be highly selective, select strictly* **2.2** natuurlijke ~ *natural s., survival of the fittest* **2.3** ⟨sport⟩ de nationale ~ *the national team/s.* **3.3** ⟨sport⟩ de ~ bekendmaken *name the team, announce the s.* **6.3** een ~ uit het werk van Bloem *a s. from Bloem's work(s).*
selectiecriterium ⟨de (v.)⟩ **0.1** *criterion for selection, selection criterion.*
selectief ⟨bn., bw.; -ly⟩ **0.1** *selective* ⇒*select, critical* ◆ **1.1** een ~ geheugen *a selective memory;* ⟨psych.⟩ selectieve perceptie *selective perception;* selectieve verontwaardiging *selective indignation* ¶**.1** ~ te werk gaan *(go to) work critically.*
selectieprocedure ⟨de⟩ **0.1** *selection procedure* ⇒*screening.*
selectieregel ⟨de (m.)⟩ **0.1** *selection rule.*
selectierestrictie ⟨de (v.)⟩ ⟨taal.⟩ **0.1** *selection(al) restriction.*
selectiespeler ⟨de (m.)⟩ ⟨sport⟩ **0.1** *selected player;* ⟨mv.⟩ *selection.*
selectietheorie ⟨de (v.)⟩ ⟨biol.⟩ **0.1** *theory of natural selection.*
selectietraining ⟨de (v.)⟩ ⟨sport⟩ **0.1** *selection training.*
selectiewedstrijd ⟨de (m.)⟩ ⟨sport⟩ **0.1** *selection match* ⇒⟨mbt. ploeg ook, voorronde wedstrijd⟩ *preliminary (match).*
selectiviteit ⟨de (v.)⟩ **0.1** [eigenschap] *selectivity* ⟨ook van radio⟩ **0.2** [waarde als toets] *selectivity* ⇒*selectiveness.*
seleen →*selenium.*
seleenzuur ⟨het⟩ ⟨schei.⟩ **0.1** *selenic acid.*
selenaat ⟨het⟩ ⟨schei.⟩ **0.1** *selenate.*
selenaut ⟨de (m.)⟩ **0.1** *luna(r)naut* ⇒*lunar astronaut/explorer.*
seleniet ⟨het⟩ **0.1** [⟨schei.⟩] *selenite* **0.2** [⟨schr.⟩] *selenite.*
selenium ⟨het⟩ **0.1** *selenium.*
selenografie ⟨de (v.)⟩ **0.1** *selenography.*
selenografisch ⟨bn.⟩ **0.1** *selenographic(al).*
selterswater ⟨het⟩ **0.1** *Seltzer (water).*
selva ⟨de⟩ ⟨aardr.⟩ **0.1** *selva.*
semafoon ⟨de (m.)⟩ **0.1** ≠*radio(tele)phone.*
semafoor ⟨de (m.)⟩ **0.1** *semaphore* ⇒*telegraph.*
semanteem ⟨het⟩ ⟨taal.⟩ **0.1** *sememe, semanteme.*
semanticus ⟨de (m.)⟩ ⟨taal.⟩ **0.1** *semanticist.*
semantiek ⟨de (v.)⟩ ⟨taal.⟩ **0.1** [⟨taal.⟩] *semantics* ⇒*sematology, semasiology* **0.2** [⟨fil.⟩] *semantics* ⇒*sematology, semasiology.*
semantisch ⟨bn., bw.; -ally⟩ **0.1** [semasiologisch] *semantic* ⇒*semasiological* **0.2** [inhoudelijk] *semantic* ◆ **1.1** ~ marker *semantic marker;* het ~ systeem *the semantic system* **3.2** ~ maakt dat een groot verschil *semantically (speaking)/from a s. point of view that makes a great difference.*
semasiologie ⟨de (v.)⟩ **0.1** *semasiology* ⇒*semantics, sematology.*
semasiologisch ⟨bn.⟩ **0.1** *semasiological* ⇒*semantic.*
semeem ⟨het⟩ ⟨taal.⟩ **0.1** *sememe.*
semester ⟨het⟩ **0.1** *half a year, six months* ⇒⟨vnl. AE; universiteit⟩ *semester,* ⟨BE; universiteit⟩ *term (of six months).*
semestrieel ⟨bn.⟩ **0.1** *half-yearly, six-monthly* ⇒⟨vnl. AE; universiteit⟩ *semestral.*
semi-ambtenaar ⟨de (m.)⟩ **0.1** *quasi-civil-servant.*
semi-arts ⟨de⟩ **0.1** [B]*junior doctor.*
semi-automatisch ⟨bn., bw.; -ly⟩ **0.1** *semi-automatic.*
semi-bungalow ⟨de (m.)⟩ **0.1** *bungalow.*
semi-direct ⟨bn.⟩ ⟨taal.⟩ ◆ **1.**¶ ~e rede *free indirect speech.*
Semieten ⟨zn.mv.⟩ **0.1** *Semites.*
semilor →*similor.*
semi-metro ⟨de (m.)⟩ **0.1** *metro* ⇒[B]*underground,* [A]*subway.*
semi-militair ⟨bn.⟩ **0.1** *para-military.*
semi-muraal ⟨bn.⟩ **0.1** *semi-institutionalized.*
seminaar ⟨het⟩ **0.1** *seminar* ⇒[B]*tutorial.*
seminarie ⟨het⟩ **0.1** *seminary* ◆ **6.1** op het ~ zitten *be at/go to/attend a s..*
seminarist ⟨de (m.)⟩ **0.1** *seminarian.*
seminarium ⟨het⟩ **0.1** [seminarie] *seminary* **0.2** [werkcollege] *seminar* ◆ **2.1** groot ~ *major s.;* ⟨r.k.⟩ klein ~ *minor/preparatory s..*
semi-officieel ⟨bn.⟩ **0.1** *semi-official.*
semiologie ⟨de (v.)⟩ ⟨med.⟩ **0.1** *semiotics, semeiotics* ⇒*semiology, symptomatology.*
semioticus ⟨de (m.)⟩ ⟨taal.⟩ **0.1** *semiotician, semiologist.*
semiotiek ⟨de (v.)⟩ ⟨taal.⟩ **0.1** *semiotics* ⇒*semiology.*
semiotisch ⟨bn., bw.; -(al)ly⟩ ⟨taal.⟩ **0.1** *semiotic(al), semiological.*

semioverheidsbedrijf ⟨het⟩ **0.1** *semi state-controlled company.*
semi-permanent ⟨bn.⟩ **0.1** *semipermanent.*
semi-permeabel ⟨bn.⟩ **0.1** *semipermeable.*
semiprof ⟨de (m.)⟩ ⟨sport⟩ **0.1** *semi-pro* ⇒*part-time pro,* ⟨pseudo-amateur⟩ *shamateur.*
semi-professionalisme ⟨het⟩ ⟨sport⟩ **0.1** *semiprofessionalism* ⇒⟨inf.⟩ *shamateurism.*
Semitisch¹ ⟨het⟩ **0.1** *Semitic.*
Semitisch² ⟨bn.⟩ **0.1** *Semitic* ◆ **1.1** ~e talen *S. languages.*
semitist ⟨de (m.)⟩ **0.1** *Semitist.*
semitistiek ⟨de (v.)⟩ **0.1** *Semitics.*
semper ⟨bw.⟩ ⟨Lat.⟩ **0.1** *sempre* ◆ ¶**.1** ⟨muz.⟩ ~ crescendo *sempre crescendo;* ~ idem *s. idem.*
sen ⟨de (m.)⟩ **0.1** *sen.*
senaat ⟨de (m.)⟩ **0.1** [⟨Rom. gesch.⟩] *senate* **0.2** [Eerste Kamer] ⟨in USA, Canada, Australië enz.⟩ *Senate* ⇒*Upper House/Chamber* **0.3** [raad van hoogleraren] *senate* **0.4** [bestuur v.e. studentencorps] *senate* ◆ **6.**¶ van/mbt. de/een ~ *senatorial.*
senator ⟨de (m.)⟩ ⟨pol.⟩ **0.1** *senator* ◆ **3.1** tot ~ gekozen worden *be elected (as) s.* **6.1** de ~ van Wyoming *the s. for Wyoming;* van/mbt. de/een ~ *senatorial.*
seneblad ⟨het⟩ **0.1** *senna leaf* ◆ **2.1** wilde ~ en *bladder senna.*
Senegal ⟨het⟩ **0.1** *Senegal.*
Senegalees¹ ⟨de (m.)⟩, **-ese** ⟨de (v.)⟩ **0.1** *Senegalese, Senegalese girl/woman.*
Senegalees² ⟨bn.⟩ **0.1** *Senegalese.*
seniel ⟨bn.⟩ **0.1** [aan de ouderdom eigen] *senile* **0.2** [aftakelend] *senile* ⇒⟨inf.⟩ *doddery, doddering* ◆ **1.1** ~e aftakeling *s. decay* **1.2** een ~e grijsaard *a s. old man* **3.2** ~ worden *get/become s..*
seniliteit ⟨de (v.)⟩ **0.1** *senility.*
senior¹ ⟨de (m.)⟩ **0.1** [iem. van oudere generatie] *senior* **0.2** [⟨sport⟩] *over eighteen.*
senior² ⟨bn.⟩ **0.1** *senior* ⇒⟨op kostschool⟩ *major, primus* ◆ **1.1** Verhoeven ~ *Verhoeven s.; Verhoeven major/primus.*
senioraat ⟨het⟩ **0.1** *(right of) primogeniture.*
seniorenconvent ⟨het⟩ **0.1** *(joint) group of the leaders of all political parties represented in parliament.*
seniorenkaart ⟨de⟩ **0.1** *senior citizen's/O.A.P.'s* ⟨old age pensioner⟩ *pass.*
sennhut ⟨de⟩ **0.1** *summer chalet.*
senorita ⟨de⟩ **0.1** ≠*cigarillo.*
sensatie ⟨de (v.)⟩ **0.1** [zintuiglijke gewaarwording] *sensation* ⇒*feeling* **0.2** [beroering, opschudding] *sensation* ⇒⟨opwinding⟩ *excitement, thrill,* ⟨opschudding⟩ *stir* **0.3** [levendige gewaarwording] *sensation* ⇒*feeling* ◆ **2.1** zij vindt vliegen een geweldige ~ *flying gives her a tremendous s.;* een vreemde ~ *a strange s.* **3.2** ~ maken *cause a sensation/stir;* ~ verwekken *create a sensation* **6.2** op ~ belust zijn *be looking for sensation;* op ~ belust mensen *sensationmongers;* ⟨vnl. mbt. pers⟩ *muckrakers, sensationalists;* het belust zijn op/streven naar ~ *sensationalism.*
sensatiebelust ⟨bn.⟩ **0.1** *sensation-loving/seeking* ⇒⟨pred. ook⟩ *keen on sensation.*
sensatieblad ⟨het⟩ **0.1** *sensational paper.*
sensatiepers ⟨de⟩ **0.1** *yellow/gutter press* ⇒*sensational press.*
sensatieverhaal ⟨het⟩ **0.1** *sensational story* ⇒*blood-and-thunder story,* ⟨spannend⟩ *cliff-hanger,* ⟨boek⟩ [B]*penny blood/dreadful.*
sensatiezoeker ⟨de (m.)⟩ **0.1** *sensation-lover/seeker.*
sensatiezucht ⟨de⟩ **0.1** *sensationalism* ⇒*thirst for sensation.*
sensationeel ⟨bn., bw.; -ly⟩ **0.1** *sensational* ⇒⟨opzienbarend⟩ *spectacular* ◆ **1.1** sensationele berichten *sensational news, front-page news;* een sensationele mededeling doen ⟨ook⟩ *drop a bombshell;* een sensationele wending nemen *take a sensational turn.*
sensibel ⟨bn.⟩ **0.1** [gevoels-] *sensory* **0.2** [vatbaar voor indrukken] *sensitive (to)* ⇒⟨vero.⟩ *sensible* **0.3** [waarneembaar] *perceptible* ⇒*observable* ◆ **1.1** de ~e zenuwen *the s. nerves* **1.3** de ~e wereld *the p. world.*
sensibilisatie ⟨de (v.)⟩ **0.1** *sensitization.*
sensibiliseren ⟨ov.ww.⟩ **0.1** *sensitize.*
sensibiliteit ⟨de (v.)⟩ **0.1** [gevoeligheid] *sensitivity* **0.2** [gevoel als zintuig] *(sense of) touch.*
sensitief ⟨bn.⟩ **0.1** *sensitive* ⇒*perceptive,* ⟨fysiologie⟩ *sensory* ◆ **1.1** een ~ persoon *a sensitive/perceptive person;* sensitieve zenuwen *sensory nerves.*
sensitivisme ⟨het⟩ **0.1** *sensitivism.*
sensitiviteit ⟨de (v.)⟩ **0.1** *sensitivity* ⇒*perceptiveness.*
sensitometer ⟨de (m.)⟩ ⟨foto.⟩ **0.1** *sensitometer.*
sensitometrie ⟨de (v.)⟩ ⟨foto.⟩ **0.1** *sensitometry.*
sensomotorisch ⟨bn.⟩ **0.1** *sensorimotor, sensomotor.*
sensor ⟨de (m.)⟩ **0.1** *sensor.*
sensorisch ⟨bn.⟩ **0.1** *sensory* ⇒*sensorial.*
sensualisme ⟨het⟩ **0.1** [⟨fil.⟩] *sensationalism, sensualism* **0.2** [zinnelijkheid] *sensualism* ⇒*sensuality.*
sensualist ⟨de (m.)⟩ **0.1** [aanhanger v.h. sensualisme] *sensationalist, sensualist* **0.2** [zinnelijk mens] *sensualist.*

sensualiteit ⟨de (v.)⟩ **0.1** *sensuality* ⇒*sensualism.*
sensueel ⟨bn., bw.;-ly⟩ **0.1** *sensual* ◆ **1.1** een sensuele mond *a s. mouth;* sensuele muziek *s. music.*
sententie ⟨de (v.)⟩ **0.1** [kernspreuk] *saying* ⇒*maxim* **0.2** [vonnis] *sentence.*
sententieus ⟨bn.⟩ **0.1** *sententious.*
sentiment ⟨het⟩ **0.1** *sentiment* ⇒*feeling, emotion(s)* ◆ **2.1** een toneelstuk vol goedkoop~ *a play full of sloppy s.;* ⟨inf.⟩ *a gushy/schmaltzy play;* vals~ *cheap s., mawkishness.*
sentimentalisme ⟨het⟩ **0.1** *sentimentalism.*
sentimentalist ⟨de (m.)⟩ ⟨lit.⟩ **0.1** *sentimentalist.*
sentimentaliteit ⟨de (v.)⟩ **0.1** [gevoeligheid] *sentimentality* **0.2** [uiting] *sentimentality* ⇒⟨inf.⟩ *slush, mush* ◆ **6.1** de ~ in de letterkunde v.d. 18de eeuw *s. in 18th century literature.*
sentimenteel ⟨bn., bw.;-ly⟩ **0.1** [overgevoelig] *sentimental* **0.2** [week van gevoel] *sentimental* ⇒⟨huilerig⟩ *maudlin,* ⟨vals⟩ *mawkish,* ⟨inf.⟩ *sloppy, gushy, schmaltzy* ◆ **1.2** een sentimentele film ⟨inf.⟩ *a soppy/mushy film; a tear-jerker;* een~ liedje *a sentimental song;* ⟨inf.⟩ *a tear-jerker* **3.2** ~ klinken *sound sentimental/maudlin/mawkish;* ~ zijn /doen *be sentimental/maudlin/mawkish (about/over);* ~ zijn/doen over iets ⟨ook⟩ *sentimentalize about/over sth.* **7.1** ⟨zelfst.⟩ de sentimentele spelen/uithangen *be a sentimentalist.*
separaat ⟨bn.⟩ **0.1** *separate* ◆ **3.1** onder~ couvert zenden *send separately/by s. post/under s. cover.*
separatie ⟨de (v.)⟩ **0.1** *separation.*
separatisme ⟨het⟩ **0.1** *separatism.*
separatist ⟨de (m.)⟩ **0.1** [voorstander v.h. separatisme] *separatist* ⇒*separationist* **0.2** [jur.] *preferential creditor.*
separatistisch ⟨bn.⟩ **0.1** *separatist* ⇒*separationist, separatistic* ◆ **1.1** ~e bewegingen *separatist movements.*
separator ⟨de (m.)⟩ **0.1** *separator* ◆ **2.1** centrifugale ~ *centrifugal s..*
separeren ⟨ov.ww.⟩ ⟨schr.⟩ **0.1** *separate* ◆ **3.1** gesepareerd leven *be separated, live apart.*
sepia ⟨de⟩ **0.1** [kalkachtige stof] *sepia* **0.2** [waterverf] *sepia* **0.3** [kleur] *sepia.*
sepiabeen ⟨het⟩ **0.1** *cuttlebone.*
seponeren ⟨ov.ww.⟩ ⟨jur.⟩ **0.1** *dismiss* ⇒*drop* ◆ **1.1** een zaak~ *dismiss/ drop a case.*
sepositie ⟨de (v.)⟩ ⟨jur.⟩ **0.1** *dismissal.*
sepot ⟨het⟩ ⟨jur.⟩ **0.1** *dismissal.*
sepsis ⟨de (v.)⟩ ⟨med.⟩ **0.1** *sepsis.*
sept. ⟨afk.⟩ **0.1** [september] *Sept..*
september ⟨de (m.)⟩ **0.1** *September* ◆ **1.1** de maand~ *the month of S..*
septennaal ⟨bn.⟩ **0.1** *septennial.*
septet ⟨het⟩ **0.1** [muziekstuk] *septet* **0.2** [musici] *septet.*
septime ⟨de⟩ **0.1** [⟨muz.⟩] *seventh* **0.2** [⟨kaartspel⟩] *run of seven.*
septimeakkoord ⟨het⟩ ⟨muz.⟩ **0.1** *seventh (chord).*
septimo ⟨bw.⟩ **0.1** *seventhly, in the seventh place.*
septisch ⟨bn.⟩ ⟨med.⟩ **0.1** [besmet] *septic* **0.2** [uit sepsis voortkomend] *septic* ◆ **1.¶** ~e put *s. tank* **3.1** het ~ zijn *septicity.*
septool ⟨de⟩ ⟨muz.⟩ **0.1** *septuplet.*
Septuagesima ⟨de (m.)⟩ **0.1** *Septuagesima (Sunday).*
Septuagint ⟨de⟩ **0.1** *Septuagint.*
sepulcraal ⟨bn.⟩ **0.1** *sepulchral.*
sepulcrum ⟨het⟩ **0.1** *sepulchre.*
sequeel ⟨het⟩ ⟨jur.⟩ **0.1** *consequence* ◆ **6.1** met sequelen *with all that that entails, with everything thereby entailed.*
sequens ⟨de⟩ ⟨muz.⟩ **0.1** [herhaling van tonen] *sequence* **0.2** [gezang] *sequence.*
sequentie ⟨de (v.)⟩ **0.1** [sequens] *sequence* **0.2** [⟨film⟩] *sequence.*
sequentieel ⟨bn.⟩ **0.1** *sequential.*
sequoia ⟨de⟩ **0.1** *sequoia* ⇒*redwood.*
SER ⟨de (m.)⟩ ⟨afk.⟩ **0.1** [Sociaal-Economische Raad] *Socio-Economic Council* ⇒⟨GB⟩ *National Economic Development Office.*
seraf ⟨de (m.)⟩ **0.1** *seraph.*
serafijn ⟨de (m.)⟩ **0.1** *seraph.*
serafijns ⟨bn.⟩ **0.1** *seraphic(al).*
serafine ⟨de (v.)⟩ **0.1** *seraphine* ⇒*melodeon, harmonium.*
serail ⟨het⟩ **0.1** [paleis] *seraglio, serail* **0.2** [harem] *seraglio, serail.*
sereen ⟨bn., bw.;-ly⟩ **0.1** [helder] *serene* ⇒*clear, azure* ⟨hemel⟩ **0.2** [kalm] *serene* ⇒*tranquil, philosophical* ⟨persoon⟩ ◆ **1.1** een serene glimlach *a s. smile.*
sereh ⟨de⟩ ⟨cul.⟩ **0.1** *lemon grass.*
serenade ⟨de (v.)⟩ **0.1** [huldebewijs] *serenade* **0.2** [muziekstuk] *serenade* ◆ **3.1** iem. een~ brengen *serenade s.o..*
serendipiteit ⟨de (v.)⟩ **0.1** *serendipity.*
serendipiteus ⟨bn.⟩ **0.1** *serendipitous* ◆ **1.1** een serendipiteuze vondst *a s. discovery.*
serendipitist ⟨de (m.)⟩ **0.1** *serendipitist.*
sereniteit ⟨de (v.)⟩ **0.1** *serenity* ⇒*calm.*
serge ⟨de⟩ **0.1** *serge* ◆ **2.1** fijne~ *shalloon.*
sergeant ⟨de (m.)⟩ **0.1** [⟨mil.⟩] *sergeant* ⇒⟨inf.⟩ *sarge* **0.2** [gereedschap] *cramp* ◆ **¶.1** ~ eerste klas *sergeant first class.*

sergeant-majoor ⟨de (m.)⟩ ⟨mil.⟩ **0.1** *sergeant-major.*
sergeantstrepen ⟨zn.mv.⟩ **0.1** [strepen op de mouwen] *sergeant's stripes* **0.2** [strepen op het wegdek] *chevrons.*
sergen ⟨bn.⟩ **0.1** *serge.*
serie ⟨de (v.)⟩ **0.1** [reeks] ⟨ook t.v.⟩ *series* ⇒*run,* ⟨biljart⟩ *break,* ⟨feuilleton⟩ *serial* **0.2** [groot aantal] *series* ⇒*set* **0.3** [⟨sport⟩] *heat* **0.4** [aantal loten] *series, batch* ◆ **1.1** een~ bankbiljetten *a series of bank notes;* een ~ postzegels *a series of stamps* **2.1** een Amerikaanse ~ op de t.v. *an American* ⟨feuilleton⟩ *serial/* ⟨aparte verhalen⟩ *series on t.v.;* een complete ~ *a complete/entire series* **3.1** ⟨biljart⟩ een ~ maken *make a break* **6.1** ⟨tech.⟩ **in** ~ (schakelen) (connect) in series; stofzuigers worden **in** ~ vervaardigd *vacuum cleaners are mass-produced;* nummeren **in** ~s *place in serial order/serially;* ~s **van** tien *series of ten* **6.2** ⟨fig.⟩ ze heeft ze **in** ~s *she has stacks of them.*
seriebouw ⟨de (m.)⟩ **0.1** *mass-production (of buildings)* ◆ **6.1** **in** ~ vervaardigd *mass-produced.*
serieel ⟨bn.⟩ **0.1** *serial, seriate* ◆ **1.1** componist van seriële muziek *serialist;* seriële ordening *seriality, seriation* **2.1** ~ homoloog *serial homologous.*
seriefabricage →**serieproduktie.**
seriemotor ⟨de (m.)⟩ **0.1** *series(-wound) motor.*
serienummer ⟨het⟩ **0.1** *serial number.*
serieprodukt ⟨het⟩ **0.1** *mass-produced article/item/product* ⇒⟨mbt. geregistreerde produkten ook⟩ *batch product.*
serieproduktie ⟨de (v.)⟩ **0.1** *mass production* ⇒⟨mbt. geregistreerde produkten ook⟩ *batch production.*
seriepublikatie ⟨de (v.)⟩ **0.1** *serial (publication).*
serieschakelaar ⟨de (m.)⟩ **0.1** [hotelschakelaar] *two-way switch;* ⟨mbt. kroonluchter⟩ *electrolier switch.*
serieschakeling ⟨de (v.)⟩ ⟨tech.⟩ **0.1** *series connection/circuit.*
serietijd ⟨de (m.)⟩ **0.1** *heat time, time in a/the heat.*
serieus ⟨bn., bw.;-ly⟩ **0.1** *serious* ⇒*grave* ⟨karakter⟩*, earnest* ⟨gemeend⟩*, straight* ⟨zonder grapjes⟩ ◆ **1.1** een ~ aanbod *a serious offer;* een ~ man *a serious man;* serieuze reflectanten *serious applicants;* een serieuze zaak ⟨ook⟩ *no laughing matter* **3.1** ik meen het~ *I really mean it, I mean it seriously;* een zaak ~ opnemen *take a matter seriously* **¶.1** ~? *seriously?, really?, honestly?.*
sérieux ◆ **¶.¶** au ~ *seriously;* iem. niet au ~ nemen *not take s.o. seriously.*
seriewedstrijd ⟨de (m.)⟩ **0.1** *heat.*
serieweerstand ⟨de (m.)⟩ ⟨nat.⟩ **0.1** *series resistor.*
seriewerk ⟨het⟩ **0.1** *series* ◆ **1.1** tijdschriften en~ en *periodicals and s..*
seriewikkeling ⟨de (v.)⟩ **0.1** *series winding.*
serigrafie ⟨de (v.)⟩ **0.1** *serigraphy* ⇒*silk-screen printing.*
sering ⟨de⟩ **0.1** [plantengeslacht] *lilac* ⇒*syringa* **0.2** [bloem] *lilac* ◆ **1.2** een boeket ~ en *a bunch of l.* **2.1** witte ~ en *white l..*
seringebloesem ⟨de (m.)⟩ **0.1** *lilac (blossom).*
sermoen ⟨het⟩ **0.1** [preek] *sermon* **0.2** [vermaning] *sermon* ⇒*homily, talking to* ◆ **3.2** een ~ houden *preach (at s.o.), read the riot act.*
seroen ⟨de (m.)⟩ **0.1** *sero(o)n.*
seroendeng ⟨de⟩ ⟨cul.⟩ **0.1** *roasted coconut shreds.*
serologie ⟨de (v.)⟩ **0.1** *serology.*
serologisch ⟨bn.⟩ **0.1** *serologic(al).*
seroloog ⟨de (m.)⟩ **0.1** *serologist.*
serpeling ⟨de (m.)⟩ **0.1** *dace.*
serpent
I ⟨het⟩ **0.1** [⟨vero.;schr.⟩ slang] *serpent* ⇒*snake* **0.2** [persoon] *shrew, bitch* ⇒*serpent* ◆ **2.2** lelijk ~ ! *rotten b.!;*
II ⟨de⟩ **0.1** [blaasinstrument] *serpent.*
serpentig ⟨bn.⟩ **0.1** *serpentine* ⇒*treacherous, bitchy* ⟨vrouw⟩ ◆ **1.1** een ~ wijf *a bitch, a vixen, a shrew.*
serpentijn ⟨het⟩ **0.1** *serpentine* ⇒*ophite.*
serpentijnmarmer ⟨het⟩ **0.1** *serpentine marble* ⇒*verde antique.*
serpentine ⟨de (v.)⟩ **0.1** [strook papier] *streamer* ⇒[A]*ticker-tape* **0.2** [⟨wisk.⟩] *serpentine curve, hairpin curve.*
serpentinisch ⟨bn.⟩ ◆ **1.¶** ~ vers *serpentine verse.*
serre ⟨de⟩ **0.1** [veranda] *sun lounge/room,* [A]*sun parlour/porch* **0.2** [broeikas] ⟨aan huis/gebouw vast⟩ *conservatory* ⟨voor planten⟩; ⟨losstaand⟩ *greenhouse,* [B]*glasshouse.*
serremeubelen ⟨zn.mv.⟩ **0.1** *cane/sun-lounge furniture.*
serreren
I ⟨ov.ww.⟩ **0.1** [samendrukken] *press together;*
II ⟨onov., ov.ww.⟩ **0.1** [biljart] *keep (the balls) close together.*
serum ⟨het⟩ **0.1** [bloedwater zonder fibrine] *serum* **0.2** [bloedvloeistof] *serum* ◆ **3.1** ~ bij iem. inspuiten *inject s.o. with s..*
serumbehandeling ⟨de (v.)⟩ **0.1** *serum treatment/therapy* ⇒*serotherapy.*
serumdiagnose ⟨de (v.)⟩ **0.1** *serum diagnosis* ⇒*serodiagnosis.*
serumreactie ⟨de (v.)⟩ **0.1** *serum reaction.*
serumtherapie ⟨de (v.)⟩ **0.1** *serum therapy* ⇒*serotherapy.*
serumziekte ⟨de (v.)⟩ **0.1** *serum sickness.*
serve ⟨de⟩ ⟨sport⟩ **0.1** *serve* ⇒[↑]*service* ◆ **6.1** aan ~ zijn *serve.*
serveerboy ⟨de (m.)⟩ **0.1** *(tea)* [B]*trolley/*[A]*cart.*
serveerder ⟨de (m.)⟩, **-ster** ⟨de (v.)⟩ **0.1** [bediende] ⟨aan tafel⟩ *waiter*

⟨m.⟩, *waitress* ⟨v.⟩; ⟨achter toonbank⟩ *server, serving-lady* ⟨v.⟩; ⟨in café ook⟩ *barman* ⟨m.⟩, *barmaid* ⟨v.⟩ 0.2 [⟨sport⟩ iem. die de opslag verricht] *server.*

serven ⟨onov.ww.⟩ 0.1 *serve.*

server ⟨de (m.)⟩ ⟨sport⟩ 0.1 *server.*

serveren ⟨onov., ov.ww.⟩ 0.1 [(gerechten) opdienen] *serve* ⇒*dish up* 0.2 [⟨sport⟩ opslaan] *serve* ♦ 1.1 een maaltijd ~*s. / dish up a meal* 1.2 de bal in het net ~*s. the ball into the net* 2.1 koel~*s. chilled* 3.2 jij moet ~*it's your service/serve* 5.2 onderhands/bovenhands ~*s. underarm/overarm.*

servet ⟨het⟩ 0.1 [monddoek] *(table) napkin;* ⟨vnl. BE⟩ *serviette* 0.2 [dekservet] *table cloth* ⇒*tray cloth* ⟨voor op een dienblad⟩ ♦ 3.1 een~je vouwen *fold up a s. / n.* ¶.2 ⟨fig.⟩ te groot voor~ en te klein voor tafellaken, tussen~ en tafellaken *at the awkward/in-between age.*

servetring ⟨de (m.)⟩ 0.1 *napkin/serviette ring.*

service ⟨de (m.)⟩ 0.1 [diensten aan de cliëntèle] *service* 0.2 [⟨sport⟩] *service* 0.3 [bedieningsgeld] *service charge* ♦ 2.1 een goede ~ *(a) good s.* 2.3 ~ inbegrepen *service charges included* 3.1 dat is nog eens ~! *that is what I call s.!;* ~ verlenen *give/offer service(s)* 3.2 zijn~ uitslaan *serve out* 6.2 **aan** ~ zijn *be serving.*

service-afdeling ⟨de (v.)⟩ 0.1 *(after-sales) service department.*

servicebeurt ⟨de⟩ 0.1 *service* ♦ 6.1 met je auto naar de garage gaan **voor** een~ *send the car in/take the car for (a) s., have one's car serviced.*

servicebureau ⟨het⟩ 0.1 [bureau dat diensten verleent] *service agency* 0.2 [bureau dat automatiseert] *automation bureau.*

servicedienst ⟨de (m.)⟩ 0.1 *service(s) department.*

servicedoorbraak ⟨de⟩ ⟨sport⟩ 0.1 *(service) break.*

serviceflat ⟨de (m.)⟩ 0.1 ᴮ*service flat.*

servicekosten ⟨zn.mv.⟩ 0.1 *service charge(s).*

servicelijn ⟨de (m.)⟩ 0.1 *service line.*

servicepakket ⟨het⟩ 0.1 *service package.*

servicestation ⟨het⟩ 0.1 *service station.*

servicevak ⟨het⟩ ⟨sport⟩ 0.1 *service court.*

Servië ⟨het⟩ 0.1 *Serbia;* ⟨vero.⟩ *Servia.*

serviel ⟨bn., bw.;-ly⟩ 0.1 *servile* ⇒*slavish.*

Serviër ⟨de (m.)⟩ 0.1 *Serb(ian).*

servies ⟨het⟩ 0.1 [⟨vaak in samenst.⟩] *service* ♦ 1.1 theeservies *tea s. / -set* 2.1 30-delig ~ *30 piece s.;* een porseleinen ~ *a porcelain/(bone) china s..*

serviesgoed ⟨het⟩ 0.1 *crockery.*

serviesje ⟨het⟩ 0.1 *doll's tea-set.*

servilisme ⟨het⟩ 0.1 [slaafsheid] *servility* ⇒*slavishness* 0.2 [stelsel van kruiperij] *servilism.*

serviliteit ⟨de (v.)⟩ 0.1 [slaafsheid] *servility* ⇒*slavishness* 0.2 [handeling] *servile action.*

Servisch ⟨bn.⟩ 0.1 *Serbian* ⇒⟨vero.⟩ *Servian* ♦ 1.1 de ~e taal *(the) Serbian (language).*

servituut ⟨het⟩ ⟨jur.⟩ 0.1 *servitude, incorporated hereditament, easement* ⇒*profit à prendre.*

servobesturing ⟨de (v.)⟩ 0.1 *power/servo(-assisted) steering.*

Servo-Kroatisch ⟨het⟩ 0.1 *Serbo-Croat(ian).*

servomechanisme ⟨het⟩ 0.1 *servomechanism* ⇒⟨inf.⟩ *servo.*

servomotor ⟨de (m.)⟩ 0.1 *servomotor* ⇒*servo-/power-assisted motor.*

servoremmen ⟨zn.mv.⟩ 0.1 *power/servo(-assisted) brakes.*

sesam ⟨de (m.)⟩ 0.1 [gewas] *sesame* ⇒*benni* 0.2 [zaad] *sesame (seed)* ⇒ *benni seed* ♦ 1.2 brood met ~ *bread with sesame seeds* 3.¶ Sesam, open u! *open Sesame!.*

sesambeentje ⟨het⟩ 0.1 *sesamoid (bone).*

sesambrood ⟨het⟩ 0.1 *sesame bread.*

sesamkoek ⟨de (m.)⟩ 0.1 ⟨veekoek⟩ *sesame seed cake, sesame oilcake;* ⟨versnapering⟩ *sesame biscuit/*ᴬ*cookie.*

sesamolie ⟨de⟩ 0.1 *benni oil, gingili.*

sesampasta ⟨het, de⟩ ⟨cul.⟩ 0.1 *sesame paste, tahina.*

sesamzaad ⟨het⟩ 0.1 *sesame seed(s)* ⇒*benni seed(s).*

sessie ⟨de (v.)⟩ 0.1 [zitting] *session* ⇒*sitting, seance* ⟨van spiritisten⟩ 0.2 [iets dat beslommeringen meebrengt] *session* 0.3 [improvisatiebijeenkomst] *session* ⇒⟨muzikanten ook⟩ *jam session* ♦ 2.2 een hele ~ *quite a s.,* a long job 3.1 de cursus bestaat uit acht ~s *the course consists of eight sessions/lessons.*

sessiel ⟨bn.⟩ 0.1 [vaste woonplaats hebbend] *domiciled* 0.2 [zonder steel] *sessile.*

sessiemuzikant ⟨de (m.)⟩ 0.1 ⟨jazz⟩ *jammer* ⇒*session/studio musician /player.*

sestertie ⟨de (v.)⟩ ⟨gesch.⟩ 0.1 *sesterce, sestertius.*

set ⟨de (m.)⟩ 0.1 [⟨sport⟩] *set* 0.2 [stel] *set* 0.3 [⟨film⟩] *(film-)set* ♦ 6.2 een ~(je) **van** drie *a s. of three* 6.3 **op** de ~ *on (the) s.* 7.1 hij won de derde ~ *he won the third s..*

settelen
I ⟨wk.ww.; zich ~⟩ 0.1 [zich vestigen] *settle* ♦ 6.1 zij hebben zich vorig jaar **in** Friesland gesetteld *last year they settled in Friesland;*
II ⟨ov.ww.⟩ 0.1 [plaats geven] *settle* ⇒*arrange.*

setter ⟨de (m.)⟩ 0.1 *setter* ♦ 2.1 Ierse ~ *Irish s..*

set uppen ⟨ww.⟩ ⟨sport⟩ 0.1 *set up.*

set upper ⟨de (m.)⟩ ⟨sport⟩ 0.1 *set up.*

severiteit ⟨de (v.)⟩ 0.1 *severity* ⇒*austerity* ⟨stijl⟩.

sèvres ⟨het⟩ 0.1 *Sèvres* ♦ 1.1 ~ porselein *S. (porcelain/ware).*

Sexagesima ⟨de (m.)⟩ ⟨r.k.⟩ 0.1 *Sexagesima.*

sext ⟨de⟩ ⟨muz.⟩ 0.1 [toon] *sixth* 0.2 [interval] *sixth.*

sextakkoord ⟨het⟩ 0.1 *sixth (chord).*

sextant ⟨de (m.)⟩ 0.1 [⟨scheep.⟩] *sextant* 0.2 [⟨ster.⟩] *Sextans.*

sexten ⟨zn.mv.⟩ ⟨r.k.⟩ 0.1 *sext* ♦ 3.1 ~ zingen *chant the s..*

sextet ⟨het⟩ 0.1 [muziekstuk] *sextet(te)* 0.2 [musici] *sextet(te)* 0.3 [versregels] *sextet(te).*

sextiel ⟨de (m.)⟩ ⟨ster.⟩ 0.1 *sextile.*

sexto ⟨bw.⟩ 0.1 *sixthly.*

sextool ⟨de⟩ ⟨muz.⟩ 0.1 *sextuplet.*

Seychellen ⟨zn.mv.⟩ 0.1 *Seychelles.*

sfagnum ⟨het⟩ 0.1 *sphagnum.*

sfaleriet ⟨het⟩ 0.1 *sphalerite* ⇒*(zinc) blende.*

sfeer ⟨de⟩ 0.1 [stemming] *atmosphere* 0.2 [karakteristieke eigenschap] *atmosphere* ⇒*character* ⟨plaats, gebouw⟩, *ambience* ⟨plaats⟩, ⟨schr.⟩ *aura* 0.3 [gebied op/rond de aarde] *sphere* 0.4 [⟨fig.⟩ gebied] *sphere* ⇒*scope, field, range, province, domain* ♦ 2.1 er heerst een nare ~ *there is an unpleasant a.* 2.2 er hangt hier een bedompte ~ *the atmosphere is close/stuffy here;* een huis/stad met een heel eigen ~ *a house/town with a distinctive character* 2.4 in hogere sferen zijn *have one's head in the clouds* ⟨ook scherts.⟩; ⟨scherts.⟩ *be woolgathering;* iets in de persoonlijke ~ trekken *give sth. a personal slant;* ⟨vnl. pej.⟩ *make a personal of sth., make sth. (into) a personal issue* 3.1 een ~tje creëren *make things nice and cosy/snug;* ~ scheppen *create a good a.;* de ~ verpesten *ruin the a.* 3.2 een ~ uitademen van … *breathe/exude an atmosphere of …* 6.4 hij zei iets in de ~ van … *he said sth. like ….*

sfeerloos ⟨bn.⟩ 0.1 *cheerless* ⇒*bleak, without/lacking amosphere/character/style* ⟨plek e.d.⟩.

sfeertekening ⟨de (v.)⟩ 0.1 *atmospheric description.*

sfeerverlichting ⟨de (v.)⟩ 0.1 *atmospheric lighting.*

sfeervol ⟨bn.⟩ 0.1 *attractive* ⇒*with/having atmosphere/character/style* ♦ 1.1 een ~ interieur *an a. interior.*

sferisch ⟨bn.⟩ 0.1 [bolvormig] *spherical* ⇒*spheric, globular* 0.2 [mbt. een bol] *spherical* ⇒*spheric* ♦ 1.1 ~e afwijking *spherical aberration;* een ~e spiegel *a spherical mirror* 1.2 ~e coördinaten *spherical coordinates.*

sferoïdaal ⟨bn.⟩ 0.1 *spheroid(al)* ⇒*globoid* ♦ 1.1 de sferoïdale toestand *spheroid(al) state.*

sferoïde ⟨de (v.)⟩ 0.1 *spheroid.*

sferometer ⟨de (m.)⟩ 0.1 *spherometer.*

sfinx ⟨de (m.)⟩ 0.1 [⟨myth.⟩] *Sphinx* 0.2 [persoon] *sphinx* 0.3 [vlinder] *hawk-moth,* ᴬ*sphinx moth.*

sfinxachtig ⟨bn., bw.⟩ 0.1 [⟨bn.⟩] *sphinxlike;* ⟨bw.⟩ *in a sphinxlike manner /way/fashion.*

sforzando ⟨bw.⟩ ⟨muz.⟩ 0.1 *sforzando, sforzato.*

sfragistiek ⟨de (v.)⟩ 0.1 *sphragistics.*

sfumato ⟨bw.⟩ 0.1 *sfumato.*

sfygmografie ⟨de (v.)⟩ ⟨med.⟩ 0.1 *sphygmography.*

sfygmomanometer ⟨de (m.)⟩ ⟨med.⟩ 0.1 *sphygmomanometer.*

s.g. ⟨afk.⟩ 0.1 [soortelijk gewicht] *s.g..*

shag ⟨de⟩ 0.1 *(rolling/hand-rolling) tobacco* ♦ 2.1 zware ~ *heavy tobacco* 3.1 ~ roken *roll one's own, smoke roll-ups.*

shagje ⟨het⟩ 0.1 *(hand-rolled) cig(arette)* ⇒⟨inf.⟩ *roll-up,* ⟨BE ook⟩ *fag* ♦ 3.1 een ~ draaien/rollen *roll a cigarette;* ⟨inf.⟩ een ~ pielen *roll a fag.*

shaken ⟨ww.⟩ 0.1 [schudden] *shake* ⟨cocktails etc.⟩ 0.2 [dansen] *do the shake.*

Shakespeariaans ⟨bn.⟩ 0.1 *Shakespearean.*

shamponeren ⟨ov.ww.⟩ 0.1 *shampoo.*

shampoo ⟨de (m.)⟩ 0.1 [haarwasmiddel] *shampoo* 0.2 [reinigingsmiddel] ⟨voor auto's⟩ *(car) shampoo;* ⟨voor tapijten⟩ *(carpet) shampoo.*

shampooën ⟨ov.ww.⟩ 0.1 *shampoo.*

shantoeng ⟨het, de (m.)⟩ 0.1 *shantung.*

sheddak ⟨het⟩ 0.1 *sawtooth (roof)* ⇒*shed/pent roof.*

shelter ⟨de (m.)⟩ 0.1 *pup tent* ⇒ ⟨AE ook⟩ *shelter tent, sibley tent.*

sherry ⟨de (m.)⟩ 0.1 *(pale) sherry.*

sherryglas ⟨het⟩ 0.1 *sherry glass.*

Shetlander ⟨de (m.)⟩ 0.1 [persoon] *Shetlander* 0.2 [pony] *Shetland (Pony)* ⇒*Shetlander.*

shiitake ⟨de⟩ ⟨cul.⟩ 0.1 *shiitake* ⇒*Japanese (tree) mushroom.*

shilling ⟨de⟩ 0.1 *shilling* ⇒⟨inf.⟩ *bob.*

shimmiën ⟨onov.ww.⟩ 0.1 *shimmy.*

shintoisme ⟨het⟩ 0.1 *Shinto(ism).*

shirt ⟨het⟩ 0.1 [hemd] *shirt* ⇒*jersey* 0.2 [blouse] *shirt* ⇒⟨AE; voor vrouw⟩ *shirtwaist, blouse* 0.3 [⟨sport⟩] *shirt* ♦ 3.3 ~jes wisselen *exchange shirts/jerseys.*

shirtreclame ⟨de⟩ 0.1 *shirt advertising.*

shoarma ⟨de⟩ 0.1 *shoarma(h)* ♦ 1.1 een broodje ~ *a s. sandwich.*

shoarmabroodje ⟨het⟩ 0.1 *pittah bread.*

shockbehandeling ⟨de (v.)⟩ ⟨psych.⟩ **0.1** *shock treatment / therapy*.
shockeren ⟨ov.ww.⟩ **0.1** *shock*.
shocktherapie ⟨de (v.)⟩ **0.1** *shock treatment / therapy*.
shocktoestand ⟨de (m.)⟩ **0.1** *state of shock* ◆ **6.1** hij is in ~ *he is in (a state of) shock*.
shopbox ⟨de⟩ **0.1** *shopping box* ⇒*car handy*.
shopper ⟨de (m.)⟩ **0.1** [tas op onderstel] *shopping* [B]*trolley/* [A]*cart* **0.2** [grote tas] *(large) shopping bag*.
short ⟨de⟩, **shorts** ⟨zn.mv.⟩ **0.1** *shorts* ⟨mv.⟩.
show ⟨de (m.)⟩ **0.1** [presentatie] *show* ⇒*display, exhibition* **0.2** [⟨dram., t.v.⟩] *show* ◆ **3.2** ⟨fig.⟩ dat is allemaal ~ *that's all put on / one big show-off / hot air*; ⟨fig.⟩ een ~ opvoeren *put on a s.*; ⟨fig.⟩ de ~ stelen *steal the s. / the scene* **6.2** ⟨fig.⟩ dat is alleen maar **voor** de ~ *that is just for s., that is all done for s. / just empty s. / cosmetic;* ⟨fig.⟩ iets **voor** de ~ doen *do sth. for s., put up a s. (of sth.)*.
showbink ⟨de (m.)⟩ **0.1** *show-off* ⇒*swaggerer, boaster*.
showen ⟨onov., ov.ww.⟩ **0.1** *show* ⇒*display,* ⟨van mannequin⟩ *model* ◆ **1.1** je moet je nieuwe broek nog ~ *you must s. us your new trousers;* zijn huis ~ *s. one's house, show s.o. (a)round* / ⟨vnl. BE⟩ *over one's house;* zijn verzameling ~ *s. one's collection*.
showfilm ⟨de (m.)⟩ **0.1** *revue / musical film*.
shunten ⟨onov.ww.⟩ ⟨elek.⟩ **0.1** *shunt*.
si ⟨de⟩ ⟨muz.⟩ **0.1** *ti, si*.
sial ⟨het⟩ ⟨geol.⟩ **0.1** *sial*.
siamees ⟨de (v.)⟩ **0.1** *Siamese*.
Siamees ⟨bn.⟩ ◆ **1.¶** een Siamese kat *a Siamese (cat);* Siamese tweelingen ⟨ook fig.⟩ *Siamese twins*.
sibbe ⟨de⟩ ⟨gesch.⟩ **0.1** *sib* ⇒*kinship*.
sibbekunde ⟨de (v.)⟩ **0.1** *kinship study*.
Siberië ⟨het⟩ **0.1** *Siberia*.
Siberisch ⟨bn., bw.⟩ **0.1** *Siberian* ◆ **1.1** ~e kou *S. cold;* ~ krijt *black chalk* **3.1** het laat mij ~ *it leaves me cold;* ⟨inf.⟩ *I don't care / give a fig*.
sibille ⟨de (v.)⟩ **0.1** [profetes] *sibyl* **0.2** [raadselachtige vrouw] *sphinx*.
sibillijns ⟨bn.⟩ **0.1** *sibylline* ◆ **1.1** ⟨gesch.⟩ de ~e boeken *the Sibylline Books*.
sic ⟨bw.⟩ **0.1** *sic*.
siccatief ⟨het⟩ **0.1** *siccative* ⇒*drier*.
Siciliaan ⟨de (m.)⟩, **-se** ⟨de (v.)⟩ **0.1** *Sicilian*.
Siciliaans ⟨bn.⟩ **0.1** *Sicilian* ◆ **1.1** ⟨schaken⟩ ~e verdediging *S. defence*.
Sicilië ⟨het⟩ **0.1** *Sicily*.
sidderaal ⟨de (m.)⟩ **0.1** *electric eel*.
sidderen ⟨onov.ww.⟩ **0.1** *tremble* ⇒*shiver, quake (with / at), shake, shudder* ⟨moment⟩ ◆ **3.1** doen ~ *make (s.o.) t. / shake, give (s.o.) the shivers / shakes* **6.1** ik sidderde **bij** de gedachte alleen al *the very thought of it made me shudder;* ~ **van** angst *t. / shake / quake with fear;* **voor** iem. ~ *t. in s.o.'s presence, quake / shiver (in one's shoes) before s.o.*.
siddering ⟨de (v.)⟩ **0.1** *shudder* ⇒*shiver, tremor* ◆ **1.1** ~ en van pijn *spasms of pain* **3.1** er ging een ~ door de menigte *a shudder / shiver / tremor went through the crowd;* er ging een ~ door zijn leden *his limbs shuddered, a tremor / shock went through / shook him*.
sidderrog ⟨de (m.)⟩ **0.1** *electric ray* ⇒*torpedo (fish)*.
sideraal ⟨bn.⟩ **0.1** *sidereal* ◆ **1.1** siderale astronomie *s. astronomy*.
sideriet
I ⟨het⟩ **0.1** [ijzererts] *siderite* ⇒*chalybite, sparry / spathic iron;*
II ⟨de (m.)⟩ **0.1** [meteoriet] *siderite*.
siderisch ⟨bn.⟩ ⟨ster.⟩ **0.1** *sidereal* ◆ **1.1** ~ jaar *s. year;* ~e maand *s. month*.
sief ⟨het, de (m.)⟩ ⟨inf.⟩ **0.1** *(the) pox* ⇒*syph*.
siepelen →**sijpelen**.
siepoog
I ⟨het⟩ **0.1** [traanoog] *watery / weepy- / weeping eye;*
II ⟨de (m.)⟩ **0.1** [persoon] *crybaby, weeping millow*.
sier ⟨de⟩ **0.1** *show* ◆ **2.¶** goede ~ maken (met iets) *try to cut a dash (with sth.), show off (sth.)* **6.1** dat dient nergens voor, dat is alleen maar **voor** de ~ *that doesn't serve any purpose, it's only for s.*.
sieraad ⟨het⟩ **0.1** [opschik] *ornament* ⇒*adornment* **0.2** [bijou] (duur) *jewel, (a piece of) jewellery;* ⟨goedkoop⟩ *trinket* ◆ **1.1** ⟨fig.⟩ hij is het ~ van zijn stad *he is the pride (and joy) of his city* **2.1** ⟨fig.⟩ deugd is het schoonste ~ ≠*virtue is its own reward* **2.2** gouden sieraden *golden jewels / jewellery* **6.1** een ~ **voor** de boekenkast *a beautiful addition to one's books / library;* ⟨fig.⟩ zij is een ~ **voor** onze familie *she is a credit to our family*.
sieraanplanting ⟨de (v.)⟩ **0.1** *(ornamental) planting* ⇒*(ornamental) shubbery* ⟨lage bosjes⟩.
sierasperge ⟨de⟩ **0.1** *asparagus fern*.
sierband ⟨de (m.)⟩ **0.1** *ornamental / decorative band* / ⟨lint⟩ *ribbon;* ⟨bandje om sigaar⟩ *fancy cigar band*.
sierbestrating ⟨de (v.)⟩ **0.1** *ornamental paving*.
sierboom ⟨de (m.)⟩ **0.1** *ornamental tree*.
sierdiamant ⟨de (m.)⟩ **0.1** *cut / ornamental diamond*.
sierduif ⟨de⟩ **0.1** *fancy pigeon*.
sieren ⟨ov.ww.⟩ **0.1** [tot sieraad zijn] *adorn* ⇒*become, grace* **0.2** [⟨schr.⟩ versieren] *decorate (with)* ⟨kamer e.d.⟩ ⇒*embellish (with), ornament*

(with), adorn ⟨mbt. mensen⟩, *garnish* ⟨eten⟩ ◆ **1.1** eenvoud siert de mens *simplicity is a good virtue* **4.1** dat siert hem *it is to his credit, that does him honour* **5.1** die houding siert je niet *that attitude ill / becomes you / suits you is unworthy of you*.
siererwt ⟨de⟩ **0.1** *sweet pea*.
siergevel ⟨de (m.)⟩ **0.1** *ornamental gable*.
siergewas ⟨het⟩ **0.1** *ornamental plant*.
siergras ⟨het⟩ **0.1** *ornamental / fancy grass*.
sierheester ⟨de (m.)⟩ **0.1** *ornamental shrub / bush*.
sierkalebas ⟨de⟩ **0.1** *gourd*.
sierkers ⟨de⟩ **0.1** *(ornamental / flowering) cherry* ◆ **2.1** Japanse ~ *Japanese (flowering) cherry*.
sierkool ⟨de⟩ **0.1** *ornamental cabbage*.
sierkunst ⟨de (v.)⟩ **0.1** *decorating art, art of decorating* ⇒*decoration*.
sierkunstig ⟨bn.⟩ **0.1** *decorative* ⇒*ornamental*.
sierkurk ⟨de (v.)⟩ **0.1** *decorative / ornamental cork / stopper*.
sierletter ⟨de⟩ **0.1** *ornamental letter*.
sierlijk ⟨bn., bw.; -ly⟩ **0.1** *elegant* ⇒*graceful, decorative* ◆ **1.1** een ~ gebaar *a graceful / an e. gesture* **3.1** ~ bewegen / turnen *move / tumble gracefully;* zich ~ kleden *dress elegantly;* ~ schrijven / spreken *write / speak elegantly* / ⟨overdreven⟩ *floridly* **5.1** overdreven ~ *florid*.
sierlijkheid ⟨de (v.)⟩ **0.1** [het sierlijk zijn] *elegance* ⇒*gracefulness* **0.2** [iets sierlijks] *ornament(ation)* ⇒*decoration, elegance*.
sierlijst ⟨de⟩ **0.1** [voor inlijsten] *ornamental / decorative frame* **0.2** [van auto] ⟨→**sierstrip**⟩ **0.3** [sierrand] ⟨→**sierrand**⟩.
sierplant ⟨de⟩ **0.1** *ornamental plant*.
sierpleister ⟨het⟩ **0.1** *stucco* ⇒*ornamental plaster*.
sierprothese ⟨de (v.)⟩ **0.1** *(non functional) prosthesis*.
siërra ⟨de⟩ **0.1** *sierra*.
Sierra Leone ⟨het⟩ **0.1** *Sierra Leone*.
sierrand ⟨de (v.)⟩ **0.1** *decorative / ornamental edge / edging / border* ⇒*decorative / ornamental moulding* ⟨van muur e.d.⟩.
sierschrift ⟨het⟩ **0.1** *elegant (hand)writing* ⇒*calligraphy, penmanship*.
siersel ⟨het⟩ **0.1** *ornament(ation)* ⇒*decoration*.
sierspeld ⟨de⟩ **0.1** *pin* ⇒*brooch*.
siersteek ⟨de (m.)⟩ **0.1** *ornamental stitch* ⇒*embroidery stitch*.
siersteen ⟨de (m.)⟩ **0.1** [steen als versiering] *ornamental / decorative stone* ⇒*face / facing brick* **0.2** [halfedelsteen] *semiprecious stone*.
sierstrip ⟨de (m.)⟩ **0.1** *trim* ⟨op auto⟩.
sierteelt ⟨de (v.)⟩ **0.1** *ornamental plant cultivation*.
siertegel ⟨de (m.)⟩ **0.1** *decorative tile*.
siertuin ⟨de (m.)⟩ **0.1** *ornamental / pleasure garden*.
siervis ⟨de (m.)⟩ **0.1** *tropical fish* ⇒*exotic fish*.
siervogel ⟨de (m.)⟩ **0.1** *tropical bird* ⇒*exotic bird*.
siësta ⟨de⟩ **0.1** *siesta* ◆ **3.1** ~ houden *have / take a s.*.
sifon ⟨de (m.)⟩ **0.1** [hevel] *siphon* **0.2** [spuitfles] *siphon* **0.3** [afvoerbuis met zwanehals] *trap* **0.4** [grondduiker] *culvert*.
sigaar ⟨de (m.)⟩ **0.1** [rookwaar] *cigar* **0.2** [standje] *ticking / telling off* ⇒*scolding, dressing-down* **0.3** ⟨plantk.⟩ *reed mace / cat's tail spike* ◆ **3.1** sigaren draaien *roll cigars;* een ~ opsteken *light a c.* **3.2** ⟨mil.⟩ sigaren uitdelen *scold, tick / tell off, lay into (s.o.), give (s.o.) a dressing-down* **3.¶** hij is altijd de ~ *he always gets the blame;* de ~ zijn ⟨erbij zijn⟩ *be fior it, have had it;* ⟨de schuld krijgen⟩ *get the blame, be left holding the* [B]*baby /* [A]*bag* **6.1** onder een ~ iets bespreken *talk about sth. over a c.*.
sigareaansteker ⟨de (m.)⟩ **0.1** *cigar lighter*.
sigareas ⟨de⟩ **0.1** *cigar ash*.
sigarebandje ⟨het⟩ **0.1** *cigar band / ring*.
sigareknipper ⟨de (m.)⟩ **0.1** *cigar cutter*.
sigarenkist ⟨de⟩ **0.1** [kistje voor sigaren] *cigar box* **0.2** [⟨scherts.⟩ schoen] *chisel-toe* ⇒≠*clodhopper*.
sigarenkoker ⟨de (m.)⟩ **0.1** [etui] *cigar case* **0.2** [bus] *cigar case / caddy*.
sigarenmagazijn ⟨het⟩ **0.1** *tobacconist's (shop)* ⇒*tobacco shop / store*.
sigarenmaker ⟨de (m.)⟩, **-maakster** ⟨de (v.)⟩ **0.1** *cigar maker*.
sigarenwinkel ⟨de (m.)⟩ **0.1** *cigar shop / store*.
sigarepeuk ⟨de (m.)⟩ **0.1** *cigar stub* ⇒*cigar butt / end / stump*.
sigarepijpje ⟨het⟩ **0.1** *cigar-holder*.
sigareschaartje ⟨het⟩ **0.1** *cigar cutter*.
sigaret ⟨de (v.)⟩ **0.1** *cigarette* [A]*ret* ⇒⟨inf.⟩ *cig, fag* ◆ **1.1** een pakje ~ten *a* [B]*packet /* [A]*pack(age) of cigarettes;* een trekje van / aan een ~ *a pull at a cigarette, a puff* **3.1** een ~ opsteken / uitmaken *light a cigarette, put / stub out a cigarette;* een ~ roken *smoke a cigarette, puff at / on a cigarette;* zijn eigen ~ten rollen *roll one's own (cigarettes)* **6.1** ~ zonder filter *plain cigarette, cigarette without filter / tip*.
sigarettenautomaat ⟨de (m.)⟩ **0.1** *vending machine* ⇒*automat, slot machine*.
sigarettenkoker ⟨de (m.)⟩ **0.1** *cigarette* [A]*ret case*.
sigarettenpapier ⟨het⟩ **0.1** *cigarette* [A]*ret paper*.
sigarettenvloei ⟨het⟩ **0.1** *cigarette* [A]*ret paper*.
sigarettepeuk ⟨de (m.)⟩ **0.1** *cigarette* [A]*ret end* ⇒*(cigarette* [A]*ret) butt / stump / stub,* ⟨inf.⟩ *fag end*.
sigarettepijpje ⟨het⟩ **0.1** *cigarette* [A]*ret holder* ⇒*mouthpiece*.
sightseeën ⟨ww.⟩ **0.1** *(go) sightseeing* ⇒*see the sights*.

sigillografie ⟨de (v.)⟩ **0.1** *sphragistics*.
sigillum ⟨het⟩ **0.1** *sigil* ⇒*seal*.
sigma ⟨de⟩ **0.1** [Griekse letter s] *sigma* **0.2** [⟨biol.⟩] *sigmoid (flexure/colon)*.
sigmadeeltje ⟨het⟩ **0.1** *sigma (particle)*.
signaal ⟨het⟩ **0.1** [sein] *signal* ⇒*sign*, ⟨mil., op hoorn⟩ *call* **0.2** [gebeurtenis, geschrift] *signal* ⇒*sign* **0.3** [instrument] *signal* **0.4** [⟨nat.⟩] *signal* ◆ **2.4** een zacht ~ *a weak/faint s.* **3.1** een ~ geven *signal, sign, make a signal/sign* **3.4** een ~ opvangen/uitzenden/doorgeven *receive/broadcast/relay a s.* **6.1** het ~ **voor** vertrek *the signal for departure, the starting-signal*; het ~ **voor** de aftocht geven *sound/beat the retreat* ¶**.3** het ~ stond op rood *the s. was red.*
signaalfunctie ⟨de (v.)⟩ **0.1** *warning function* ⇒*indication, indicator*.
signaalhoorn ⟨de (m.)⟩ **0.1** *signal-horn*; ⟨mil.⟩ *bugle*.
signaalhuur ⟨de⟩ **0.1** *relay rights*.
signaalkleur ⟨de⟩ **0.1** *dominant/striking colour*.
signaalspanning ⟨de (v.)⟩ **0.1** *signal voltage*.
signalement ⟨het⟩ **0.1** [persoonsbeschrijving] *description* **0.2** [mbt. hoedanigheden] *description* ⇒*portrait, definition* ◆ **3.1** hij beantwoordt niet aan het ~ *he doesn't answer (to)/fit the d., the d. doesn't apply to him*; een ~ van iem. geven *give a d. of s.o., describe s.o.*; het ~ luidt als volgt: lang één meter tachtig ... *the suspect/missing person answers to the following d.: height 1.80 metres ...*; een ~ opgeven *give a d.*.
signaleren ⟨ov.ww.⟩ **0.1** [opmerken] *see* ⇒*observe, spot* **0.2** [wijzen op] *point out* ⇒*call/draw attention to, indicate* ◆ **1.2** misstanden ~ *p. o. problems/evils* **3.1** het is te laat om weg te lopen, je bent al gesignaleerd *it's too late to run, you've been spotted* **6.1** hij was in een nachtclub gesignaleerd *he had been seen in a nightclub*.
signatuur ⟨de (v.)⟩ **0.1** [ondertekening] *signature* **0.2** [⟨fig.⟩ karakter, aard] *nature* ⇒*character* **0.3** [⟨boek.⟩] *signature* ⟨als aanduiding bij het binden⟩ ⇒*pressmark, shelf mark* ⟨op rug, om plaats in bibliotheek aan te duiden⟩, *class mark* ⟨om plaats in systeem aan te geven⟩ **0.4** [⟨med.⟩] *signature* **0.5** [⟨muz.⟩] *signature* ◆ **2.2** een politicus van uitgesproken linkse/rechtse ~ *a politician of a markedly left-/right-wing persuasion* **3.1** het werk draagt zijn ~ *the work bears his s.*; een stuk van zijn ~ voorzien *sign a document, put one's s. to a document*.
signeren ⟨ov.ww.⟩ **0.1** [handtekening plaatsen] *sign* ⇒*autograph* **0.2** [tbv. verzamelaars] *autograph* ◆ **1.1** een door de auteur gesigneerd exemplaar *a copy autographed by the author, a signed/autographed copy*; het schilderij is niet gesigneerd *the painting bears no signature/is not signed*.
signet ⟨het⟩ **0.1** [zegelring] *signet-ring* **0.2** [zegelstempel] *signet* ⇒*seal*.
significant ⟨bn., bw.; -ly⟩ **0.1** [betekenisvol] *significant* ⇒*important, material* **0.2** [⟨stat.⟩] *significant*.
significantie ⟨de (v.)⟩ **0.1** *significance* ⇒*importance, consequence, relevance, weight*.
significatie ⟨de (v.)⟩ **0.1** *signification*.
signum ⟨het⟩ **0.1** *sign*.
sijpelen ⟨onov.ww.⟩ **0.1** *seep* ⇒*trickle, ooze, percolate, filter, drain* ◆ **6.1** het water sijpelt **door** de muur/**door** de dijk *the water seeps/oozes through the wall/dike*; de regen sijpelde **door** haar jas *the rain soaked/worked its way through her coat*; er sijpelde wat informatie **naar** buiten *some information trickled through*.
sijs ⟨de⟩ **0.1** *siskin* ⇒⟨tam⟩ *aberdevine*.
sijsjeslijmer ⟨de (m.)⟩ ⟨fig.; inf.⟩ **0.1** ⟨sullig⟩ *soft(y), twit, ninny*; ⟨slijmerig⟩ *flatterer, fawner*, ᴬ*sweet-talker*.
sik ⟨de⟩ **0.1** [baardje] *goatee* **0.2** [geit] *goat* **0.3** [locomotief] *saddle-tank engine* ⇒ᴮ*shunting*/ᴬ*switch engine* ◆ **3.**¶ ⟨inf.⟩ ergens een ~ van krijgen *get/be fed up (to the back teeth) with sth., be sick and tired of sth.*.
sikkel ⟨de⟩ **0.1** [snijmes] *sickle* ⇒*(reap(ing)) hook* **0.2** [kleine zeis] *sickle* ⇒*(reap(ing)) hook* **0.3** [iets met sikkelvorm] *sickle* ⇒*crescent* **0.4** [⟨plantk.⟩] *sickle* ◆ **1.1** hamer en ~ *hammer and s.* **1.3** de ~ van de maan *the crescent moon, the moon's s.* **3.1** de ~ in het koren zetten *put the s. to the corn*.
sikkelcel ⟨de⟩ **0.1** *sickle cell*.
sikkelcelanemie ⟨de (v.)⟩ ⟨med.⟩ **0.1** *sickle cell anaemia*.
sikkelvormig ⟨bn., bw.⟩ **0.1** *sickle-shaped* ⇒*crescent(-shaped)*, ⟨blad⟩ *falcate*.
sikkeneurig ⟨bn., bw.; -ly⟩ **0.1** *peevish* ⇒*grouchy, grumpy, sullen, cantankerous* ◆ **1.1** 't is zo'n ~ mens *he's/she's such a crosspatch/grump/sourpuss*/ᴬ*sorehead*/ᴬ*crank* **3.1** ~ kijken *look like thunder, look testily, give (s.o.) a black look*; hij wordt er helemaal ~ van *it really gets his goat, it really puts him out (of sorts), he gets really het-up/up-tight about it*.
sikkepit ⟨de⟩ **0.1** *whit* ⇒*bit, shred, jot* ◆ **1.1** hij heeft geen ~ je verstand *he hasn't got a drop/shred/grain/one whit of sense, he hasn't the remotest idea/got the least bit/one jot of sense* **7.1** 't is geen ~ waard *it isn't worth a straw/rap*/ᴮ*brass farthing*/ᴬ*dime*/ᴬ*nickel*; ik snap er geen ~ van *that's way beyond me, I just don't get it*; geen ~! *not a sausage/bean!*.
sikker ⟨bn.⟩ ⟨inf.⟩ **0.1** [beschonken] *sloshed* ⇒*half seas over, soaked,*

stewed, ↑*tight* **0.2** [duizelig] *wobbly* ⇒*woozy, dizzy, weak at the knees, reeling*.
sileen ⟨de (m.)⟩ **0.1** *silenus*.
silene ⟨de⟩ ⟨plantk.⟩ **0.1** *campion* ⇒*catchfly, flybane* ◆ **2.1** de knikkende ~ *Nottingham catchfly*.
silentium¹ ⟨het⟩ **0.1** *silence*.
silentium² ⟨tw.⟩ **0.1** *silence*.
silex
  I ⟨het⟩ **0.1** [vuursteen] *flint*;
  II ⟨de (m.)⟩ **0.1** [prehistorisch wapen, werktuig] *flint(-age implement)*.
silhouet ⟨het, de⟩ **0.1** [beeltenis] *silhouette* **0.2** [schaduwbeeld] *silhouette* ⇒*profile, outline, form, shadow* **0.3** [omtrek] *silhouette* ⇒*profile, outline, form* ◆ **3.3** het ~ v.d. grote stad *the skyline of the big city*; haar tekende zich af tegen het licht van de koplampen *her s./outline/form stood out against the light of the headlights, she stood silhouetted/outlined against the light of the headlights*.
silhouetteren ⟨ov.ww.⟩ **0.1** *silhouette*.
silicaat ⟨het⟩ **0.1** *silicate*.
silicium ⟨het⟩ **0.1** *silicon*.
siliciumchip ⟨de (m.)⟩ **0.1** *silicon chip*.
siliciumdioxyde ⟨het⟩ **0.1** *silicon dioxide* ⇒*silica*.
siliciumhoudend ⟨bn.⟩ **0.1** *silicon-containing*.
silicone ⟨het⟩ **0.1** *silicone*.
siliconenkit ⟨het, de⟩ **0.1** *silicone/fibre-glass paste*.
silicose ⟨de (v.)⟩ **0.1** *silicosis*.
silo ⟨de (m.)⟩ **0.1** [voederkuil] *silo* **0.2** [kokervormig pakhuis] *silo* **0.3** [raketopslagplaats] *silo* **0.4** [⟨scherts.⟩ kantoorgebouw] *skyscraper*.
siloziekte ⟨de (v.)⟩ ⟨med.⟩ **0.1** *nitrous oxide poisoning*.
Silurisch ⟨bn.⟩ ⟨geol.⟩ **0.1** *Silurian*.
Siluur ⟨het⟩ ⟨geol.⟩ **0.1** *Silurian*.
silvaner ⟨de (m.)⟩ **0.1** [wijnstok] *Sylvaner* **0.2** [wijnsoort] *Sylvaner*.
Silvester ⟨de (m.)⟩ **0.1** *New Year's Eve*; ⟨Schotland⟩ *Hogmanay*.
Silvesteravond ⟨de (m.)⟩ **0.1** *New Year's Eve*; ⟨Schotland⟩ *Hogmanay*.
sim ⟨de⟩ **0.1** [snoer] *line* **0.2** [kurk] *float* ◆ **6.**¶ iem. **onder** ⟨de⟩ ~ hebben *have s.o. under one's thumb/well in hand*.
simiësk ⟨bn., bw.⟩ **0.1** *simian* ⇒*ape-like, monkey-like*.
similidiamant ⟨de (m.)⟩ **0.1** *rhinestone* ⇒*paste*.
similor ⟨het⟩ **0.1** *similor*.
simmen ⟨onov.ww.⟩ **0.1** *whine* ⇒*whimper, whinge*.
simonie ⟨de (v.)⟩ ⟨rel.⟩ **0.1** *simony* ◆ ¶**.1** zich aan ~ schuldig maken *commit s.*.
simpel ⟨bn., bw.; -ly⟩ **0.1** [weinig ingewikkeld] *simple* ⇒*straightforward, plain, easy, uncomplicated* **0.2** [niet meer dan] *simple* ⇒*plain, mere* **0.3** [dom(mig)] *simple* ⇒*dense, obtuse, slow, thick* ◆ **1.1** ~e kost *simple/humble/homely/modest fare/food*; een ~ meisje *a simple/artless/naive/unsophisticated girl* **1.2** ⟨jur.⟩ een ~e akte *a s./private deed*; ⟨jur.⟩ een ~e kopie *an unsigned copy* **1.3** een ~e ziel *a Simple Simon, a simpleton/noddy*; ⟨boer van buiten⟩ *a rustic/greenhorn* **3.3** doe niet zo ~ *don't be so dense* ¶**.1** zo ~ ligt dat! *plain/pure and simple!*.
simpelweg ⟨bw.⟩ **0.1** *simply* ⇒*just*.
simpen ⟨onov.ww.⟩ **0.1** *whine* ⇒*whimper, whinge*.
simplex ⟨het⟩ ⟨taal.⟩ **0.1** [enkelvoud] *singular* **0.2** [woord] *simplex*.
simpliciteit ⟨de (v.)⟩ **0.1** *simplicity* ⇒*sincerity, plainness, openness, directness*.
simpliciter ⟨bw.⟩ **0.1** *simply*.
simplificatie ⟨de (v.)⟩ **0.1** [vereenvoudiging] *simplification* **0.2** [te eenvoudige voorstelling] *oversimplification*.
simplificeren ⟨ov.ww.⟩ **0.1** [eenvoudig voorstellen] *simplify* ⇒*reduce to essentials, streamline*, ⟨gemakkelijker maken⟩ *facilitate* **0.2** [te zeer vereenvoudigen] *oversimplify* ◆ **1.2** een gesimplificeerde voorstelling van zaken geven *o. matters*.
simplisme ⟨het⟩ **0.1** *simplism* ⇒*oversimplification*, ⟨gunstig⟩ *honesty, directness*.
simplistisch ⟨bn., bw.; -ly⟩ **0.1** *simplistic* ⇒*oversimplified*, ⟨gunstig⟩ *honest-to-goodness* ◆ **3.1** dat is wel wat ~ geredeneerd *that is a rather s./oversimplified train of thought, that's somewhat naive reasoning*.
simsalabim ⟨tw.⟩ **0.1** *abracadabra* ⇒*hocus pocus, mumbo jumbo*.
simulant ⟨de (m.)⟩ **0.1** *simulator* ⇒*mimic*, ⟨mbt. tot ziekte⟩ *malingerer*, ⟨BE; inf.⟩ *lead-swinger*.
simulatie ⟨de (v.)⟩ **0.1** [het simuleren] *simulation* ⇒*feigning*, ⟨mbt. tot ziekte⟩ *malingering*, ⟨BE; inf.⟩ *lead-swinging* **0.2** [nabootsing] *simulation* ⇒*mimicry* **0.3** [⟨jur.⟩] *fraudulent misrepresentation, fraud, deception, false pretences/forgery* ⟨valsheid in geschrifte⟩.
simulatiemachine ⟨de (v.)⟩ **0.1** *simulator* ⇒*simulating machine*.
simulator ⟨de (m.)⟩ **0.1** [simulant] *simulator* ⇒*mimic* **0.2** [toestel dat een mens nabootst] *simulator* **0.3** [toestel dat een situatie nabootst] *simulator*.
simuleren
  I ⟨ov.ww.⟩ **0.1** [voorgeven] *simulate* ⇒*feign, affect, sham* **0.2** [nabootsen] *simulate* ⇒*imitate, reproduce*, ⟨in scène zetten⟩ *stage, re-enact, recreate*;

II ⟨onov., ov.ww.⟩ **0.1** [een ziekte voorwenden] *feign (illness)* ⇒ *sham (illness), malinger,* ⟨BE;inf.⟩ *owing the lead.*

simultaan¹ ⟨de (v.)⟩ **0.1** ⟨afzonderlijke partij⟩ *simultaneous game;* ⟨seance⟩ *simultaneous (display)* ◆ **3.1** een ~ geven *give a simultaneous display.*

simultaan² ⟨bn., bw.;-ly⟩ **0.1** *simultaneous* ⇒*concurrent, coincident, coinciding, contemporaneous* ◆ **1.1** ⟨wisk.⟩ simultane vergelijkingen *s. equations;* ⟨comp.⟩ simultane verwerking *s. processing* **3.1** ⟨sport⟩ ~ spelen *give a s. display;* ⟨sport⟩ ~ spelen tegen 100 tegenstanders *tackle 100 opponents simultaneously;* ~ vertalen *interpret simultaneously.*

simultaanpartij ⟨de (v.)⟩ **0.1** *simultaneous game.*

simultaanseance ⟨de (v.)⟩ **0.1** *simultaneous (display).*

simultaanspeler ⟨de (m.)⟩, **-speelster** ⟨de (v.)⟩ ⟨denksport⟩ **0.1** *simultaneous player, player giving a simultaneous display.*

simultaneïsme ⟨het⟩ **0.1** [⟨lit.⟩] *simultaneity* **0.2** [het weergeven van meer dan één aspect van iets in één beeld] *simultaneity.*

simultaneïteit ⟨de (v.)⟩ **0.1** *simultaneity* ⇒*concurrence, contemporaneity, coincidence, synchronicity.*

sin. ⟨afk.⟩ **0.1** [sinus] *sin.*

sinaasappel ⟨de (m.)⟩ **0.1** *orange.*

sinaasappelboom ⟨de (m.)⟩ **0.1** *orange-tree.*

sinaasappelkist ⟨de⟩ **0.1** *orange box* / ⟨hand.⟩ *crate.*

sinaasappelsap ⟨het⟩ **0.1** *orange juice.*

sinaasappelschil ⟨de⟩ **0.1** *orange peel* / *rind.*

sinas ⟨de (m.)⟩ **0.1** *orangeade* ⇒*orange soda.*

sinds¹ ⟨vz.⟩ **0.1** ⟨gevolgd door tijdstip⟩ *since;* ⟨gevolgd door periode⟩ *for* ◆ **1.1** ik ben hier al ~ jaren niet meer geweest *I haven't been here for years;* ik heb hem ~ maandag niet meer gezien *I haven't seen him since Monday;* ~ de Middeleeuwen *since* / ⟨onafgebroken⟩ *ever since the Middle Ages;* ~ enige tijd *for some time (now);* hij woont hier al ~ tijden niet meer *he moved away ages ago* **4.1** ~ wanneer woont hij in Utrecht? *since when has he been living in Utrecht?.*

sinds² ⟨vw.⟩ **0.1** *since* ⇒ ⟨onafgebroken⟩ *ever since* ◆ **3.1** ~ ik Jan ken *s. I met* / *have known Jan;* ~ ze in Nijmegen wonen *s. they have been living in Nijmegen.*

sindsdien ⟨bw.⟩ **0.1** *since* ⇒*since then,* ⟨onafgebroken⟩ *ever since* ◆ **3.1** ~ is er van hen niets meer vernomen *they have not been heard of since;* ~ werkt hij niet meer *he hasn't worked since (then).*

sine ⟨vz.⟩ ◆ **¶.¶** een voorwaarde ~ qua non *a sine qua non.*

sinecure ⟨de⟩ **0.1** *sinecure* ⇒ ⟨inf.⟩ *money for jam* / *for old rope, cushy number,* ᴬ*gravy train* ◆ **3.1** dat is geen ~ *that's no s.* / ⟨inf.⟩ *picnic.*

sing. ⟨afk.⟩ **0.1** [singularis] *sing..*

Singalees ⟨de (m.)⟩ **0.1** *Sin(g)halese.*

Singapore ⟨het⟩ **0.1** *Singapore.*

singel
I ⟨de (m.)⟩ **0.1** [buitengracht] *canal* **0.2** [weg] *boulevard, promenade, avenue* **0.3** [buikriem] *girth* **0.4** [band] *web(bing)* **0.5** [⟨r.k.⟩] *cincture* **0.6** [beplante strook] *belt* ⇒*grove;*
II ⟨het⟩ **0.1** [stof] *webbing.*

singelband
I ⟨de (m.)⟩ **0.1** [band] *web(bing);*
II ⟨het⟩ **0.1** [stof] *webbing.*

singlet ⟨de (m.)⟩ **0.1** ᴮ*singlet* ⇒ᴮ*vest,* ᴬ*undershirt.*

singularis ⟨de (m.)⟩ ⟨taal.⟩ **0.1** *singular.*

singulariteit ⟨de (v.)⟩ **0.1** *singularity* ⇒*peculiarity, strangeness, eccentricity.*

singulier ⟨bn., bw.;-ly⟩ **0.1** [eigenaardig] *singular* ⇒*strange, odd, peculiar,* ↓*funny* **0.2** [bijzonder] *singular* ⇒*unusual.*

sinister ⟨bn., bw.;-ly⟩ **0.1** *sinister* ⇒*baleful, ominous,* ⟨invloed, kracht ook⟩ *malign* ◆ **1.1** ~e plannen *s. designs.*

sinjeur ⟨de (m.)⟩ **0.1** *type* ⇒*chap, character, customer* ◆ **2.1** een rare ~ *an odd* / *a queer fish, a weirdo* / *weirdie, a crank,* ᴬ*an oddball.*

Sinksen ⟨de (m.)⟩ ⟨AZN⟩ **0.1** *Whit(sun)* ⇒*Whitsuntide, Whit Sunday, Whitsunday,* ⟨vnl. AE⟩ *Pentecost* ⟨eerste Pinksterdag⟩.

sinofiel¹ ⟨de (m.)⟩ **0.1** *Sinophile* ⇒*Sinophil.*

sinofiel² ⟨bn.⟩ **0.1** *Sinophile* ⇒*Sinophil.*

sinologie ⟨de (v.)⟩ **0.1** *Sinology.*

sinologisch ⟨bn.⟩ **0.1** *Sinological* ◆ **1.1** het ~ instituut *the Institute for Sinology.*

sinoloog ⟨de (m.)⟩ **0.1** *Sinologist* ⇒*Sinologue.*

sinopel ⟨het⟩ ⟨herald.⟩ **0.1** *vert.*

sinopia ⟨de⟩ **0.1** *cartoon.*

sint ⟨de (m.)⟩ **0.1** [heilige] *saint* **0.2** [Sinterklaas] ⟨*St Nicholas*⟩ ⇒≠*Father Christmas,* ≠*Santa (Claus)* ◆ **2.2** de ⟨goede⟩ ~ ≠*Father Christmas,* ≠*Santa (Claus)* **¶.1** Sint-Jan *St John; Midsummer(day).*

sint-andrieskruis ⟨het⟩ **0.1** *St Andrew's* / *diagonal cross;* ⟨herald.⟩ *saltire.*

sint-antoniusvuur ⟨het⟩ **0.1** [belroos, ergotisme] *St Anthony's fire;* ⟨gordelroos⟩ *shingles* ⇒ ⟨med.⟩ *herpes zoster.*

sint-bernard ⟨de (m.)⟩ **0.1** *St Bernard (dog).*

sint-bernardshond ⟨de (m.)⟩ **0.1** *St Bernard (dog).*

sintel ⟨de (m.)⟩ **0.1** *cinder* ⇒*clinker, slag* ⟨slak(ken)⟩ ◆ **2.1** gloeiende ~s *live* / *glowing embers* **3.1** de ~s uit de kachel halen *take the cinders out of the stove.*

sintelbaan ⟨de⟩ **0.1** *cinder track* ⇒*dirt track, cinder court* ⟨tennis⟩.

sintelpad ⟨het⟩ **0.1** *cinder path.*

sinterklaas ⟨de (m.)⟩ **0.1** [Sint-Nicolaas] ⟨*St Nicholas*⟩ ⇒≠*Father Christmas,* ≠*Santa (Claus)* **0.2** [feest] ⟨*feast of St Nicholas* ⟨5th December⟩⟩ ⇒≠*Christmas* **0.3** [als St.-Nicolaas verkleed persoon] ⟨*St Nicholas*⟩ ⇒≠*Father Christmas,* ≠*Santa (Claus)* ◆ **3.1** hij gelooft niet meer in ~ *he no longer believes in Father Christmas* / *Santa (Claus)* **6.1** voor ~ spelen ⟨fig.⟩ *scatter presents right and left, play the nabob* / ⟨pej.⟩ *Lady Bountiful.*

sinterklaasavond ⟨de (m.)⟩ **0.1** ⟨*St Nicholas' Eve* ⟨5th December⟩⟩ ⇒≠*Christmas (Eve* / *Day).*

sinterklaasdrukte ⟨de (v.)⟩ **0.1** ≠*Christmas rush.*

sinterklaasfeest ⟨het⟩ **0.1** ⟨*feast of St. Nicholas (5th December)*⟩ ⇒≠*Christmas.*

sinterklaasgedicht →sinterklaasvers.

sinterklaasgeschenk ⟨het⟩ **0.1** ⟨*St. Nicholas Eve present*⟩ ⇒≠*Christmas present.*

sinterklaasliedje ⟨het⟩ **0.1** ⟨*song sung (by children) on or about the eve of the feast of St Nicholas* ⟨5th December⟩⟩.

sinterklaaspapier ⟨het⟩ **0.1** ⟨*wrapping paper for St Nicholas' Eve presents* ⟨5th December⟩⟩.

sinterklaaspop ⟨de⟩ **0.1** ≠*gingerbread man.*

sinterklaasvers ⟨het⟩ **0.1** [rijm bij een geschenk] ⟨*(personal) rhyme* / *poem accompanying St Nicholas' Eve present*⟩ **0.2** [slecht vers] *doggerel.*

sint-jakobsschelp ⟨de⟩ **0.1** *scallop* / *scollop (shell).*

sint-jansbrood ⟨het⟩ **0.1** *carob* ⇒*St John's bread.*

sint-janskruid ⟨het⟩ **0.1** *St. John's wort* (Hypericum perforatum) ⇒ *Aaron's beard, rose of Sharon* ⟨Hypericum calycinum⟩, ⟨AE ook⟩ *Klamath weed* ⟨Hypericum perforatum⟩.

sint-jansvlinder ⟨de (m.)⟩ **0.1** *burnet (moth).*

sint-juttemis ⟨de⟩ ◆ **6.¶** met ~ *when pigs fly, never in a month of Sundays, at* / *on the Greek calends;* iets tot ~ uitstellen *put sth. off endlessly* / *till doomsday;* wachten tot ~ *wait till the cows come home.*

Sint-Maarten 0.1 ⟨feestdag⟩ *Martinmas;* ⟨heilige⟩ *St Martin.*

Sint-Nicolaas ⟨de (m.)⟩ **0.1** [heilige] *St Nicholas* **0.2** [feest] ⟨*feast of St Nicholas* ⟨5th December⟩⟩ ⇒≠*Christmas.*

Sint-Pieterspenning ⟨de (m.)⟩ **0.1** *Peter's penny* / *pence* ⇒*Peter penny.*

sint-salarius 0.1 *payday.*

sint-vitusdans ⟨de (m.)⟩ **0.1** *St Vitus's dance* ⇒*chorea,* ⟨inf.⟩ *the jerks* / *jumps.*

sinus ⟨de (m.)⟩ **0.1** [⟨wisk.⟩] *sine (of angle)* **0.2** [⟨med.⟩] *sinus* ◆ **¶.1** ~ versus *versed s., versine.*

sinusitis ⟨de (v.)⟩ ⟨med.⟩ **0.1** *sinusitis.*

sinusoïde ⟨de (v.)⟩ **0.1** *sinusoid* ⇒*sine curve* / *wave.*

sinusregel ⟨de (m.)⟩ ⟨wisk.⟩ **0.1** *sine rule.*

Sion ⟨het⟩ **0.1** *Zion* ⇒*Sion.*

Sioniet ⟨de (m.)⟩ **0.1** *Zionite.*

sip ⟨bn.⟩ **0.1** *glum* ⇒*chapfallen, crestfallen, sour, sullen, sorry* ◆ **1.1** een ~ gezicht *a g.* / *sour* / *sorry face* **3.1** wat kijk je ~? *what's eating you?;* ~ kijken *look g.* / *chapfallen* / *crestfallen* / *sullen* / *miserable;* zij ging steeds ~per kijken *her face fell.*

Sire ⟨de (m.)⟩ **0.1** *your Majesty* ⇒ ⟨gesch.;vero.⟩ *Sire.*

SIRE ⟨de (v.)⟩ ⟨afk.⟩ **0.1** [Stichting ideële reclame] ⟨*Institute for Non-Commercial Advertising*⟩.

sirene ⟨de (v.)⟩ **0.1** [toestel dat geluidssignalen geeft] *siren* ⇒*hooter, horn* **0.2** [⟨myth.⟩] *siren* **0.3** [verleidster] *siren* ⇒*temptress, femme fatale* **0.4** [werktuig om trillingen van een toon te tellen] *siren* ◆ **2.1** met loeiende ~ *with wailing sirens* **3.1** de politieauto liet de ~ horen *the police car sounded the s.* / *its horn;* de ~s van de boten loeiden door de mist *the sirens* / *foghorns of the boats boomed in the mist* **8.2** zij zingt als een ~ *she sings like a lark* / *bird.*

Sirius ⟨de (m.)⟩ ⟨ster.⟩ **0.1** *Sirius* ⇒*Dog Star, Sothis, Orion's Hound.*

sirocco ⟨de (m.)⟩ **0.1** *sirocco.*

siroop ⟨de⟩ **0.1** *syrup* ◆ **2.1** vruchten op lichte / zware ~ *fruit in light* / *heavy s..*

sirtaki ⟨de (m.)⟩ **0.1** *sirtaki.*

sisal ⟨de (m.)⟩ **0.1** [bladvezel] *sisal* **0.2** [weefsel] *sisal.*

sisklank ⟨de (m.)⟩ ⟨taal.⟩ **0.1** *sibilant.*

sissen
I ⟨onov.ww.⟩ **0.1** [scherp geluid voortbrengen] *hiss* **0.2** [mbt. vocht, vet] *sizzle* ⇒*frizzle, sputter* ◆ **1.1** een ~d geluid maken *h., make a hissing noise;* een ~de locomotief *a hissing railway engine;* een slang sist *a snake hisses;* met ~de stem *with a hissing voice, in a hiss* **3.2** even laten ~ *frizzle for a moment* **6.2** het spek siste in de pan *the bacon was sizzling* / *frizzling* / *sputtering in the pan;*
II ⟨ov.ww.⟩ **0.1** [met sissende stem zeggen] *hiss* ◆ **6.1** 'schurk', siste zij hem in het oor *'villain' she hissed in his ear.*

sisser ⟨de (m.)⟩ ◆ **6.¶** met een ~ aflopen *blow over, pass* ⟨iets dreigends⟩; *fizzle out, be a damp squib* ⟨tot niets komen, tegenvallen⟩.

sister ⟨de (m.)⟩ **0.1** [sistrum] *sistrum* **0.2** [tokkelinstrument] *cittern* ⇒ *cithern, cither.*

sistrum ⟨het⟩ **0.1** *sistrum*.

sisyfusarbeid ⟨de (m.)⟩ **0.1** *Sisyphean labour* ⇒*task of Sisyphus, never-ending task.*

sitar ⟨de (m.)⟩ **0.1** *sitar*.

sit-downstaking ⟨de (v.)⟩ **0.1** *sit-down (strike)*.

sits ⟨het⟩ **0.1** [bedrukt katoen] *chintz* **0.2** [papier]⟨→sitspapier⟩ ◆ **2.1** gebloemd ~ *flowered c.*.

sitsen ⟨bn.⟩ **0.1** *chintz*.

sitspapier ⟨het⟩ **0.1** [gemarmerd papier] *coloured/tinted paper, marbled paper* **0.2** [geglansd papier] *glossy paper.*

situatie ⟨de (v.)⟩ **0.1** [positie] *situation* ⇒*position* **0.2** [toestand] *situation* ⇒*state of affairs* **0.3** [ligging] *situation* ⇒*location* **0.4** [tekening] *site drawing/plan* ⇒*siting* ◆ **2.1** een moeilijke/een precaire ~ *a difficult/awkward/dodgy s., a fine kettle of fish, a sticky wicket, a tight corner/place/spot, a fix, a hole, a scrape;* een uitzichtloze ~ *a logjam, a fix, a dead-end, a blind alley* **2.2** een levensgevaarlijke ~ *a death trap;* de politieke/de financiële ~ *the political/financial state of affairs/situation* **3.2** de ~ opnemen *weigh (up) the situation* **3.3** de ~ ter plaatse kennen *know the geography of the place;* de ~ schetsen *describe the s./location* **6.1** in een vervelende ~ verkeren *be in a sorry plight/a tight spot* **6.2** in de huidige ~ *as things stand, in the present situation;* afhankelijk van de ~ *as the case may be, depending on circumstances* ¶.2 de ~ meester zijn *be in control of/(man) master of/⟨vrouw⟩ mistress of the situation, be on top of the situation.*

situatief ⟨bn.⟩ **0.1** *situational.*

situatiekaart ⟨de⟩ **0.1** ≠*ordnance survey map* ⇒*medium-scale map.*

situatieplan ⟨het⟩ **0.1** *(ground) plan* ⇒*floor plan, site plan.*

situatieschets ⟨de⟩ **0.1** [situatietekening] *plan, lay-out* **0.2** [vlotte weergave v.e. situatie] *sketch of a situation* ⇒*summary.*

situatietekening ⟨de (v.)⟩ **0.1** ⟨mbt. ongeluk⟩ *sketch/drawing of the situation (at the time of the accident);* ⟨van terrein⟩ *ground plan.*

situationeel ⟨bn.⟩ **0.1** *situational.*

situationisme ⟨het⟩⟨pol.⟩ **0.1** *situationism.*

situeren ⟨ov.ww.⟩ **0.1** *place* ⇒*locate, set, situate* ◆ **1.1** waar is de handeling van het verhaal gesitueerd? *where is the story set?, where does the action of the story take place?, what is the scene of the story's action?;* in welke eeuw zou je dat vooral ~? *in which century would you p. that event?, to which century would you attribute/refer that event?;*

situering ⟨de (v.)⟩ **0.1** *situation* ⇒*location, setting.*

Sixtijns ⟨bn.⟩ ◆ **1.¶** de ~e kapel *the Sistine chapel.*

S.J. ⟨afk.⟩ **0.1** [Societas Jesu] *SJ* ⇒*S.J..*

sjaal ⟨de (m.)⟩ **0.1** *scarf* ⟨voor vrouw, man⟩ *shawl* ⟨vnl. voor vrouwen, babies⟩, *(nec)kerchief,* ⟨herensjaaltje⟩ *cravat* ◆ **3.1** een ~ omslaan *put on a scarf, wrap a scarf round one's neck.*

sjaalkraag ⟨de (m.)⟩ **0.1** *shawl collar.*

sjabbes ⟨de (m.)⟩⟨inf.⟩ **0.1** ⟨ongemarkeerd⟩ *Sabbath.*

sjablone ⟨de⟩ **0.1** [modelvorm] *stencil (plate)* ⇒*template, templet* ⟨voor snijden/boren⟩ **0.2** [cliché] *cliché* ⇒*stereotype, platitude, commonplace.*

sjablonepen ⟨de⟩ **0.1** *stencil(ling) pen.*

sjabloneren ⟨onov.ww.⟩ **0.1** *stencil.*

sjabrak ⟨het, de⟩ **0.1** *saddlecloth* ⇒*caparison,* ⟨gesch.⟩ *shabrack.*

sjacheraar ⟨de (m.)⟩, **-ster** ⟨de (v.)⟩ **0.1** *trafficker* ⇒*huckster, cheapjack.*

sjacheren ⟨onov.ww.⟩ **0.1** [bedrieglijke handel drijven] *traffic* ⇒*huckster, palter* **0.2** [marchanderen] *haggle* ⇒*higgle, dicker, chaffer, barter.*

sjah ⟨de (m.)⟩ **0.1** *shah* ⇒*Padishah.*

sjakes ⟨bw.⟩⟨inf.⟩ ◆ **3.¶** zich ~ houden ⟨zich koest houden⟩ *lie low/doggo, lay low, keep quiet, keep a low profile;* ⟨van de domme⟩ *play innocent.*

sjako ⟨de (m.)⟩ **0.1** *shako.*

sjaloom 0.1 *shalom.*

sjalot ⟨de⟩ **0.1** *shallot* ⇒*scallion, eschalot.*

sjamaan ⟨de (m.)⟩ **0.1** *shaman.*

sjamanisme ⟨het⟩ **0.1** *shamanism.*

sjamberloek ⟨de (m.)⟩ **0.1** *dressing-gown.*

sjanker ⟨de (m.)⟩ **0.1** *chancre* ⇒⟨AE;sl.⟩ *chan(c)k, shank* ◆ **2.1** harde ~*chancre;* zachte/weke ~ *chancroid, soft chancre/sore.*

sjans ⟨de⟩ ◆ **3.¶** ~ hebben *make a hit (with s.o.), be the centre of attention;* ⟨vnl. van man⟩ *be given the come-on;* jij hebt wel ontzettende ~ bij haar *she's really giving you the come-on.*

sjansen ⟨onov.ww.⟩⟨inf.⟩ **0.1** *flirt* ⇒*make eyes at s.o.,* ⟨vnl. met man⟩ *give s.o. the come-on, give s.o. a come-hither look* ◆ **6.1** ~ met de buurman *f. with the neighbour, chat the neighbour up;* zitten ~ **naar** de meisjes die langslopen *make eyes at/whistle at the girls walking by.*

sjappen ⟨ov.ww.⟩ **0.1** *mark, blaze.*

sjappie ⟨de (m.)⟩ **0.1** [ruwe klant] *tough* ⇒*thug, roughneck, rowdy,* ⟨mbt. uiterlijk⟩ *tramp* **0.2** [opschepperig ventje] *big-mouth* ⇒*braggart, swaggerer, swashbuckler, swank.*

sjappietouwen ⟨onov.ww.⟩ **0.1** *loaf* ⇒*idle, loiter, bum around/about, lay about.*

sjasliek ⟨de⟩ **0.1** *shashlik* ⇒*shashlick.*

sjees ⟨de⟩ **0.1** [grote hoeveelheid] *pack* ⇒*bunch, flock, herd, troop* **0.2** [rijtuig] *gig* **0.3** [personenauto] *jalopy, banger* ◆ **1.1** een ~ kinderen *a bunch of kids, a flock/herd/troop of children;* er stond een hele ~ vrachtauto's *there was a whole bunch/crowd of* [B]*lorries/* [A]*trucks.*

sjeik ⟨de (m.)⟩ **0.1** *sheik(h)* ⇒*shaik(h).*

sjeikdom ⟨het⟩ **0.1** [gebied] *sheikdom* ⇒*sheikhdom* **0.2** [waardigheid] *sheikdom* ⇒*sheikhdom.*

sjekkie ⟨het⟩⟨inf.⟩ **0.1** *(hand-rolled) cig(arette)* ⇒⟨BE ook⟩ *fag* ◆ **3.1** heb je een ~ voor mij? *have you got a fag/some tobacco for me?, can you spare a fag/some shag?;* een ~ rollen/draaien *roll a cig/fag.*

sjerp ⟨de (m.)⟩ **0.1** [met strik gesloten band] *sash* **0.2** [⟨AZN⟩ halsdoek] *scarf* ⇒*(nec)kerchief.*

sjerpa ⟨de (m.)⟩ **0.1** [lid van een volksstam in Tibet] *sherpa* **0.2** ⟨⟨padvinderij⟩⟩ ≠[B]*Girl Guide,* ≠ [A]*Girl Scout.*

sjezen ⟨onov.ww.⟩ **0.1** [hard lopen] *tear/charge/fly (off)* **0.2** [zakken] *be ploughed* ⇒*flunk* **0.3** [vluchten] *drop out* ⇒*pack it in, skip (it), take off* **0.4** [scheuren] *race* ⇒*rocket, thunder, hare, scream* ◆ **1.3** een gesjeesd student *a drop out, a student who has left the university* ¶.4 hij sjeesde de hoek om *he tore/screamed/hared round the corner.*

sjiek →**chic.**

sjiiet ⟨de (m.)⟩ **0.1** *Shiite.*

sjilpen ⟨onov.ww.⟩ **0.1** *cheep* ⇒*chirp.*

sjirpen ⟨onov.ww.⟩ **0.1** *chirp* ⇒*chirrup, chirr* ◆ **1.1** het ~ van de krekels *the chirp(ing)/chirrup(ing)/chirr(ing) of the crickets.*

sjoechem →**sjoege 0.2.**

sjoege ⟨de (m.)⟩⟨inf.⟩ **0.1** [begrip]⟨ongemarkeerd⟩ *notion* ⇒*inkling, idea* **0.2** [antwoord]⟨ongemarkeerd⟩ *answer, reply* ◆ **3.1** ergens (totaal) geen ~ van hebben *not have the vaguest idea/know the first thing about sth.* **3.2** hij gaf geen ~ ⟨zei niets⟩ *he kept quiet (on that one);* ⟨reageerde niet⟩ *he refused to/he didn't answer/react;* ⟨bleef onverstoord⟩ *he didn't bat an eyelid.*

sjoel ⟨de⟩ **0.1** *s(c)hul, synagogue.*

sjoelbak ⟨de (m.)⟩ **0.1** *shuffleboard* ⇒*shovelboard.*

sjoelbakken ⟨onov.ww.⟩ **0.1** ≠*play (at) shuffleboard/shovelboard.*

sjoelen ⟨onov.ww.⟩ **0.1** ≠*play (at) shuffleboard/shovelboard.*

sjoelschijf ⟨de⟩ **0.1** *shuffling/shoveling disc.*

sjoemelaar ⟨de (m.)⟩, **-ster** ⟨de (v.)⟩⟨inf.⟩ **0.1** *fiddler* ⇒*cheat, (card)sharp(er),* [A]*cardshark* ⟨met kaarten⟩.

sjoemelen ⟨onov.ww.⟩⟨inf.⟩ **0.1** [knoeien] *fiddle* ⇒*cook the books, wangle (it)* **0.2** [⟨kaartsp.⟩] *cheat* ⇒*switch cards* ◆ **6.1** ~ met de uitslagen *f. with/rig the results.*

sjofel ⟨bn., bw.⟩ **0.1** *shabby* ⇒*shoddy, dingy* ⟨ding, plaats⟩ ◆ **1.1** in ~e kleren *in hand-me-downs, in shabby/dingy/dowdy/mangy/tatty clothes* **3.1** wat ziet hij er ~ uit *he does look shabby/down at heel/seedy.*

sjofelaar ⟨de (m.)⟩ **0.1** *down-and-out* ⇒*tramp,* ⟨BE;sl.⟩ *dosser,* ⟨AE; sl.⟩ *bum.*

sjofeltjes ⟨bw.⟩ **0.1** *shabby* ⇒*shoddy, dingy* ⟨ding, plaats⟩ ◆ **3.1** hij ziet er ~ uit *he looks rather shabby/down at heel/seedy.*

sjokken ⟨onov.ww.⟩ **0.1** *trudge* ⇒*drag o.s., slog, traipse, lumber.*

sjokkerig ⟨bn., bw.; -ly⟩ **0.1** [sjokkend] *trudging* ⇒*lumbering, plodding, clumping* **0.2** [mbt. kleren] *baggy* ⇒*loose, sloppy, oversize* ◆ ¶.2 er ~ bij lopen *look sloppy.*

sjorhout ⟨het⟩⟨scheep.⟩ **0.1** *toggle.*

sjorren

I ⟨onov., ov.ww.⟩ **0.1** [trekken] *lug* ⇒*tug, heave, haul, drag* ◆ **1.1** zij sjorde het pak de trap op *she lugged/tugged/heaved/dragged/hauled the package up the stairs* **6.1** hij zat onder **aan** het touw te ~ *he stood at the bottom tugging/heaving at the rope;* zit niet zo **aan** me te ~ *stop pulling/tugging at me;*

II ⟨ov.ww.⟩ **0.1** [vastbinden] *lash* ⇒*seize, cord, frap, gammon* ⟨boegspriet⟩ ◆ **5.1** alles was stevig gesjord *everything was lashed down securely;*

III ⟨onov.ww.⟩⟨vulg.⟩ **0.1** [rukken] [B]*toss/* [A]*jack off* ⇒[B]*wank (off)* [A]*jerk off.*

sjorring ⟨de (v.)⟩⟨scheep.⟩ **0.1** *lashing(s)* ⇒*gripe(s), stop.*

sjortouw ⟨het⟩⟨scheep.⟩ **0.1** *lashing* ⇒*lanyard.*

sjouw ⟨de (m.)⟩ **0.1** [lastig werk] *grind* ⇒*sweat, fag* **0.2** [⟨scheep.⟩] *waft, weft* ◆ **2.1** dat was een hele ~ *that was quite a g./sweat/stiff* **6.2** de vlag in ~ de waft; de vlag **in** ~ hijsen *hoist a waft* **6.¶ aan** de ~ zijn *be on the loose/razzle/out on the tiles;* **op** ~ zijn *be on a trip.*

sjouwen

I ⟨ov.ww.⟩ **0.1** [met inspanning dragen] *lug* ⇒*carry, haul, drag,* ⟨BE; inf.⟩ *hump,* [A]*tote* **0.2** [⟨inf.⟩ uitvoeren] *be up to* ⇒*do;*

II ⟨onov.ww.⟩ **0.1** [zwaar aan iets dragen] *lug* ⇒*drag* **0.2** [iets inspannends doen] *trudge* ⇒*toil (and moil), slave (away), fag, grind* **0.3** [⟨inf.⟩ lopen] *trudge* ⇒*traipse, lumber* **0.4** [nachtbraken] *be/go on the loose* ⇒*be/go on the razzle/out on the tiles* ◆ **6.3** hij sjouwt het hele veld **over** *he plods all over the field* ¶.3 trap op/trap af ~ *trudge/traipse/lumber up/down the stairs.*

sjouwer ⟨de (m.)⟩ **0.1** [beroep] *porter* ⇒⟨in haven⟩ *dock-worker, dock-hand, docker* **0.2** [iem. die het zwaarste werk op zich neemt] *workhorse* ⇒*drudger, toiler* **0.3** [⟨sport⟩] *workhorse* ⇒*struggler, plodder.*

sjouwerman ⟨de (m.)⟩ **0.1** *porter* ⇒⟨in haven⟩ *dock-worker, dock-hand, docker.*

sjwa ⟨de⟩ **0.1** *schwa* ⇒*shwa, neutral vowel.*

ska ⟨de (m.)⟩ **0.1** *ska.*

skaat ⟨het⟩ **0.1** *skat.*

skai¹ ⟨het⟩ **0.1** *imitation leather* ⇒*leatherette, American cloth* ◆ **6.1** de bank is **met** ~ bekleed *the sofa is upholstered with i. l. / leatherette/ American cloth.*

skai² ⟨bn.⟩ **0.1** *imitation leather* ⇒*leatherette, American cloth* ◆ **1.1** een ~ bankstel *an i. l. / leatherette sofa.*

skald ⟨de (m.)⟩ **0.1** *skald* ⇒*scald.*

skandaleus →*schandaleus.*

skate-boarden ⟨onov.ww.⟩ **0.1** *skateboard.*

skaten ⟨ww.⟩ **0.1** *skateboard.*

skelet ⟨het⟩ **0.1** [geraamte] *skeleton* **0.2** [mager mens] *skeleton* ⇒*scarecrow* **0.3** [⟨bouwk.⟩] *skeleton* ⇒*frame* **0.4** [⟨plantk.⟩] *skeleton.*

skeletbouw ⟨de (m.)⟩⟨bouwk.⟩ **0.1** *structural steelwork.*

skeletteren ⟨ov.ww.⟩ **0.1** [mbt. een dierlijk lichaam] *skeletonize* **0.2** [mbt. bladeren] *skeletonize* ◆ **1.1** ⟨fig.⟩ een geskeletteerde arm *an arm stripped to the bone.*

skelter ⟨de (m.)⟩ **0.1** [motorwagentje] *(go-)kart* ⇒*go-cart* **0.2** [trapauto] *(go-)kart* ⇒*go-cart.*

skelterbaan ⟨de (m.)⟩ **0.1** *(go-)kart (race)track.*

skelteren ⟨onov.ww.⟩ **0.1** *(go-)kart* ◆ **7.1** het ~ *(go-)karting, (go-)kart racing.*

ski ⟨de (m.)⟩ **0.1** [sneeuwschaats] *ski* **0.2** [landingsgestel] *ski* ◆ **6.1** op ~'s lopen *walk on skis.*

skibob ⟨de⟩ **0.1** *ski-bob.*

skibroek ⟨de⟩ **0.1** *ski pants.*

skicentrum ⟨het⟩ **0.1** *ski resort.*

skicursus ⟨de (m.)⟩ **0.1** *skiing course.*

skiën ⟨onov.ww.⟩ **0.1** ◆ **3.1** gaan ~ *go skiing,* leren ~ *learn to s.* **6.1** ze zijn **naar** beneden geskied *they skied down.*

skiër ⟨de (m.)⟩, **skiester** ⟨de (v.)⟩ **0.1** *skier.*

skiffeur ⟨de (m.)⟩, **-feuse** ⟨de (v.)⟩ **0.1** *skiff carsman* ⟨m.⟩ / *woman* ⟨v.⟩.

skihut ⟨de⟩ **0.1** *hut/shelter skiing.*

skiklas ⟨de (v.)⟩ **0.1** *skiing class/lesson.*

skileraar ⟨de (m.)⟩, **-lerares** ⟨de (v.)⟩ **0.1** *ski instructor* ⟨m.,v.⟩ ⇒⟨v. ook⟩ *ski instructress.*

skilift ⟨de (m.)⟩ **0.1** *ski-lift* ⇒*ski-tow, J-bar.*

skilopen ⟨ww.⟩ **0.1** *cross-country skiing.*

skipak ⟨het⟩ **0.1** *ski suit.*

skipas ⟨de (m.)⟩ **0.1** *lift pass.*

skipiste ⟨de⟩ **0.1** *ski-run.*

skipnaam ⟨de (m.)⟩⟨com.⟩ **0.1** *radio-ham's codename/callname.*

skippybal ⟨de (m.)⟩ **0.1** *kangaroo ball.*

skischans ⟨de⟩ **0.1** *ski-jumping.*

skischoen ⟨de (m.)⟩ **0.1** *ski boot.*

skischool ⟨de⟩ **0.1** *ski school.*

skispringen ⟨ww.⟩ **0.1** *ski-jumping.*

skisprong ⟨de (m.)⟩ **0.1** *ski-jump.*

skistok ⟨de (m.)⟩ **0.1** *ski stick* ⇒^*ski pole.*

skitocht ⟨de (m.)⟩ **0.1** *skiing-trip.*

ski-uitrusting ⟨de (v.)⟩ **0.1** *skiing gear.*

skivakantie ⟨de (v.)⟩ **0.1** *skiing holiday* ⇒⟨vnl. AE ook⟩ *skiing vacation.*

skiverhuur ⟨de (m.)⟩ **0.1** *ski rental.*

skiwas ⟨de (m.)⟩ **0.1** *ski wax.*

sla ⟨de⟩ **0.1** [gewas] *lettuce* **0.2** [als voedsel] *lettuce* ⇒*salad* **0.3** [koud gerecht] *salad* ◆ **1.1** een krop ~ *a (head of) l.* **1.2** blaadjes ~ voor het konijn *some l. leaves for the rabbit* **3.2** de ~ aanmaken *dress the salad.*

slaaf ⟨de (m.)⟩, **slavin** ⟨de (v.)⟩ **0.1** [lijfeigene] *slave* **0.2** [afhankelijke] *slave* **0.4** [masochist] *slave* ⇒*victim* ◆ **1.2** de slaven van de moderne industrie *the slaves of modern industry* **1.3** een ~ zijn van zijn driften *be a s. to one's passions* **3.1** iem. tot ~ maken *enslave s.o..*

slaafs

I ⟨bn., bw.; -ly⟩ **0.1** [serviel] *slavish* ⇒*servile, obsequious, abject, grovelling* **0.2** [zich niet kunnende losmaken van een voorbeeld] *slavish* ◆ **1.1** ~e gehoorzaamheid *slavish/servile obedience;* een ~e gewoonte *a besetting sin, an inveterate/ingrained habit;* ~e navolging *base/servile imitation, Chinese copy;* ~e volgeling *yes-man, hanger-on, toady* **3.1** iem. ~ dienen *wait on s.o. hand and foot,* run after *s.o.;* de mode ~ navolgen *be a slave to fashion* **3.2** iem. ~ navolgen *imitate s.o. slavishly;*

II ⟨bn.⟩ **0.1** [vernederend] *degrading* ⇒*ignominious, humiliating* **0.2** [mbt. arbeid] *slavish* ⇒*menial* ◆ **1.1** ~e arbeid *drudgery, slave labour, menial work;* ~e dwang *brute force.*

slaag ⟨de (m.)⟩ **1.¶** een kind een pak ~ geven *spank/wallop a child, give a child a spanking* **3.¶** iem. (een pak) ~ geven *give s.o. a beating/hiding/dressing/licking/pasting, beat s.o. up;* ⟨fig.; sport⟩ *give s.o. a*

beating/thrashing; ~ krijgen *get/take a beating/licking/pasting;* ⟨fig.; sport⟩ *get a beating/thrashing;* meer ~ dan eten krijgen *get more kicks than halfpence.*

slaags ⟨bw.⟩ **0.1** [in gevecht] *to blows* ⇒*to grips* **0.2** [⟨scheep.⟩] *on course* ◆ **3.1** ~ worden/(ge)raken met een tegenstander *come to blows/grips with an opponent, close with an opponent;* ~ worden/(ge)raken met de politie *clash with/fall foul of the police;* ~ worden/(ge)raken met het vijandelijke leger *engage/close with the enemy force;* ~ zijn *exchange/bandy blows, clash, grapple* **3.2** met de stroom ~ komen *drift/turn on course with the current;* het schip werd door de sleepboot ~ getrokken *the ship was towed on course.*

slaan ⟨→sprw. 283⟩

I ⟨ov.ww.⟩ **0.1** [via slagen pijn toebrengen] *hit* ⇒*strike, slap, thump, smack* ⟨met vlakke hand⟩, *beat* ⟨een pak slaag geven⟩ **0.2** [met enige kracht treffen] *hit* ⇒*strike, beat, clout,* ⟨inf.⟩ *biff,* ⟨sl.⟩ *bash* **0.3** [door slagen op, van de plaats, in een toestand brengen] *beat* ⇒*knock* **0.4** [door slagen doen ontstaan] ⟨zie 1.4⟩ **0.5** [door een zwaaiende beweging op, van de plaats, in een toestand brengen] *strike* ⇒*beat, knock (up),* ⟨zie 5.5,6.5⟩ **0.6** [door een zwaaiende beweging tot stand brengen] ⟨zie 1.6⟩ **0.7** [mbt. het oog, de blik] *turn* ⇒*direct* **0.8** [mbt. draden, stroken] *plait* ⇒^*braid,* ⟨mat, mand ook⟩ *weave* **0.9** [verslaan] *beat* ⇒*defeat* **0.10** [lozen] *drain* ⇒*empty* **0.11** [⟨mbt. spel⟩] *take* ⇒*capture* ◆ **1.1** iem. een bloedneus ~ *give s.o. a bloody nose;* deeg ~ *knock up dough;* iem. een blauw oog/een ongeluk ~ *black s.o.'s eye;* knock the living daylights out of s.o., *beat s.o. to pulp* **1.2** zullen we een balletje ~? *how about a game of tennis?;* een spijker in de muur ~ *drive/hammer/knock a nail into a wall* **1.3** olie ~ *strike oil;* een put ~ *drive/sink a well,* bore a well **1.4** een bres ~ *make a hole, open up a breach;* een brug over een rivier ~ *throw/build/erect a bridge over a river;* geld ~ *strike/mint coins, coin money;* een ring ~ om *put/fit a ring round* **1.7** acht ~ op *take heed/notice/note of sth., pay/give heed to sth.* **1.8** touw/een knoop ~ *make rope; tie a knot* **2.1** iem. bewusteloos ~ *knock s.o. out (cold);* iem. bont en blauw ~ *beat s.o. black and blue;* zich warm ~ *beat one's arms* **2.2** alles kort en klein ~ *smash everything to smithereens, turn the place upside down, tear the place apart* **4.1** ik sloeg hem waar ik hem maar raken kon *I hit him all over;* ⟨fig.⟩ hij zich had voor het hoofd/zijn kop ~ *he could have kicked himself* **4.2** ⟨fig.⟩ zich ergens doorheen ~ *pull/win through;* ⟨fig.⟩ zich door het werk heen ~ *make one's way/get through the work* **5.1** ik sla het er wel bij hem in/uit *I'll beat/knock/drub it into/out of him* **5.5** een fles rum achterover ~ *sink/lower/tuck away a bottle of rum* **6.1** iem. in het gezicht ~ *slap s.o.'s face; give s.o. a slap in the face* ⟨ook fig.⟩; **met** de koppen tegen elkaar ~ *bang/knock their heads together;* ⟨fig.⟩ iem. met iets **om** de oren ~ *blow s.o. up over sth., give s.o. hell about sth.;* iem. **om** de oren ~ *box s.o.'s ears* **6.2** iets **aan** stukken ~ *smash sth., make matchwood of sth.;* een paal in de grond ~ *drive a stake into the ground;* iem. **tot** ridder ~ *knight s.o.* **6.3** iem. **aan** het kruis ~ *nail s.o. to the cross, crucify s.o.;* iem. **in** de boeien ~ *clap/put s.o. in irons* **6.5** door de keel **naar** binnen ~ *bolt sth. (down), gobble sth. down* ⟨schrokken⟩;*polish sth. off, put/tuck sth. away, dispatch sth.* ⟨snel opeten⟩;*knock back, toss off/down* ⟨borrel⟩; iem. een mantel **om** het lichaam ~ *wrap a coat round s.o.;* de armen **om** de hals van iem. ~ *put/throw/fling/fold/wrap one's arms around s.o.'s neck;* een touw ~ om *tie a rope round;* de armen **over** elkaar ~ *cross/fold one's arms;* de benen **over** elkaar ~ *cross one's legs* ¶**.1** ⟨fig.⟩ hij is er niet (bij) vandaan/weg te ~ *wild horses couldn't drag him away;*

II ⟨onov.ww.⟩ **0.1** [slaande beweging(en) maken] *hit* ⇒*beat, strike* **0.2** [mbt. hart, pols] *beat* ⇒*pulsate, pulse* **0.3** [door slagen geluid voortbrengen] *strike* **0.4** [door heen en weer bewegen geluid voortbrengen] *bang* ⇒*slam* **0.5** [⟨+op⟩ betreffen] *refer to* ⇒*bear reference to, bear on, allude to* **0.6** [begin maken met] ⟨zie 6.6, ¶.6⟩ **0.7** [plotseling op een plaats, in een toestand komen] ⟨zie 5.7,6.7⟩ ◆ **1.3** de klok slaat ieder kwartier *the clock strikes/chimes the quarters;* de nachtegaal slaat *the nightingale is jugging;* ⟨fig.⟩ zijn laatste uur heeft geslagen *his final hour has come;* ⟨sl.⟩ *it's curtains for him* **5.2** zijn hart ging sneller ~ *his pulse quickened, his heart beat faster* **5.5** waar slaat dit nu weer op? *what is the meaning of this?* **5.7** overboord ~ *be lost/be washed/fall overboard* **6.1** met de vleugels ~ *beat/flap one's wings;* **met** armen en benen ~ *swing one's arms and legs, lash about with one's arms and legs;* **met** de deur ~ *slam the door;* de walvis sloeg **met** z'n staart *the whale lashed its tail;* zij sloeg **naar** de bal *she hit/took a swipe at the ball;* wild **om** zich heen ~ *lay about o.s., lash out;* de golven ~ **over** het dek *the waves are breaking over/sweeping the deck;* haar knieën sloegen **tegen** elkaar *her knees knocked (together)* **6.4** het water slaat **tegen** het schip/de dijk *the water washes against the ship/dike;* de zeilen ~ **tegen** de mast *the sails are flapping against the mast* **6.5** dat slaat **op** mij *that is meant for/aimed at me;* dat slaat nergens **op /als** een tang **op** een varken *that makes no sense at all, that is neither here nor there* **6.6** de soldaten ~ **aan** het muiten *the soldiers are rising in mutiny/are about to mutiny;* **op** de vlucht slaan *take to one's heels/to flight, run away, run for it* **6.7** de bliksem is **in** de toren geslagen *the tower has been struck by lightning;* de vlam slaat **in** de pan *the con-*

tents of the pan catch fire; 〈fig.〉 het is hem in het hoofd/zijn bol geslagen *he has gone crazy/nuts, he has flipped (his lid);* de rook slaat op je keel *the smoke catches your throat/chokes you;* over de kop ~ *overturn;* tegen de grond ~ *fall flat on one's face;* de vlammen sloegen uit het dak *the flames shot up through the roof* ¶.1 er maar op los ~ *lay about s.o., go wildly at s.o..*

slaand 〈bn.〉 ◆ **1.¶** ~e ruzie *a blazing/terrible row, a stand-up fight;* 〈inf.〉 a/one *hell of a row;* met ~e trom *with drums beating.*

slaap 〈de (m.)〉 **0.1** [rusttoestand] *sleep* ⇒〈schr.〉 *slumber* **0.2** [neiging] *sleepiness* ⇒*drowsiness* **0.3** [zijvlak v.h. hoofd] *temple* **0.4** [afscheiding aan de oogleden] *sleep* ⇒〈kind. ook〉 *sand* **0.5** [mbt. planten] *sleep* ◆ **1.1** de ~ des rechtvaardigen slapen *sleep the sleep of the just* **2.1** een diepe ~ *a deep/sound sleep;* de eeuwige ~ *eternal rest, the last sleep;* een lichte ~ *a light/shallow sleep;* een onrustige/woelige ~ *an uneasy/a troubled sleep* **3.1** we hebben vannacht weinig ~ gehad *we didn't get much sleep last night;* iem. uit de ~ houden *keep s.o. awake;* in zijn ~ praten/wandelen *talk/walk in one's sleep;* de ~ niet kunnen vatten *not be able to get to sleep, not be able to get off* **3.2** ~ hebben *be/feel sleepy;* ze heeft nog steeds geen ~ 〈mbt. kind〉 *she won't go to sleep/go off;* ~ krijgen *get sleepy/drowsy;* met de ~ worstelen *fight s.* **3.4** de ~ uit zijn ogen wrijven *rub the sleep out of one's eyes* **6.1** in ~ vallen *fall asleep, go to sleep, drop off (to sleep);* 〈mbt. kind ook〉 *go off; doze/nod off (to sleep)*〈b.v. in stoel〉; 〈euf.〉 iem. in ~ brengen *send/put s.o. to sleep;* een kind in ~ wiegen *rock a child to sleep;* 〈fig.〉 zijn geweten in ~ sussen/wiegen *ease/lull/soothe one's conscience;* in ~ doen vallen 〈ook bij operatie〉 *send/put to sleep;* 〈bij operatie ook〉 *put/knock out;* in ~ zingen *sing to sleep;* het was om bij in ~ te vallen *it was enough to put/send one to sleep,* 〈inf.〉 *it was a (real) drag/yawn;* in ~ zijn *be asleep;* 〈schr. of scherts.〉 be in Morpheus' arms; als een blok/vast in ~ vallen *go/fall fast/sound asleep, go out like a light* **6.2** over zijn ~ heen zijn *not feel sleepy anymore;* omvallen van de ~ *be falling asleep standing up, be unable to keep one's eyes open.*

slaapbank 〈de〉 **0.1** [bedbank] *sofa bed* ⇒*studio couch* **0.2** [rustbank] *couch* ⇒*day-bed.*

slaapbeen 〈het〉 〈med.〉 **0.1** *temporal bone.*

slaapbeweging 〈de (v.)〉 **0.1** *nyctinasty* ⇒*sleep movement.*

slaapbol 〈de (m.)〉 **0.1** [vrucht] *opium poppyhead* **0.2** [plant] *opium poppy.*

slaapcentrum 〈het〉 〈med.〉 **0.1** *sleep area.*

slaapcoupé 〈de (m.)〉 **0.1** *sleeping compartment, sleeper* ⇒〈BE ook〉 *couchette.*

slaapdeuntje 〈het〉 **0.1** *lullaby.*

slaapdrank 〈de (m.)〉 **0.1** *sleeping draught* ⇒*sleeping potion,* 〈borrel〉 *nightcap.*

slaapdronken 〈bn.〉 **0.1** *half asleep, drowsy* ◆ **3.1** ~ antwoorden *answer sleepily/drowsily;* hij is nog ~ *he is still half asleep/drowsy.*

slaapgebrek 〈het〉 **0.1** *lack/want of sleep.*

slaapgelegenheid 〈de (v.)〉 **0.1** *sleeping accommodation, place to sleep* ◆ **1.1** ~ voor de bemanning 〈op schip〉 *the crew's sleeping accommodation/quarters.*

slaaphoek 〈de (m.)〉 **0.1** *sleeping area.*

slaapje 〈het〉 **0.1** *nap, snooze* ⇒〈inf.〉 *forty winks,* 〈BE, inf. ook〉 *kip* ◆ **3.1** een ~ doen *have a n.*/s./*forty winks/a kip;* 〈kind.〉 nu gaan we ~s doen *now it's time to go to bye-byes;* 〈kind.〉 heb je lekker ~s gedaan? *did you have a nice/lovely sleep?*

slaapkamer 〈de〉 **0.1** [vertrek] *bedroom* ⇒↑*bedchamber* 〈vnl. van koning(in)〉 **0.2** [ameublement] *bedroom suite* ◆ **3.2** een ~ uitzoeken *choose a (new) b.s..*

slaapkameraad 〈de (m.)〉 **0.1** 〈op dezelfde kamer〉 *room-mate;* 〈in hetzelfde bed〉 *bedfellow, bedmate.*

slaapkamergeheim 〈het〉 **0.1** *bedroom secret.*

slaapkamerintimiteiten 〈zn.mv.〉 **0.1** *intimate details.*

slaapkamerkleedje 〈het〉 **0.1** *bedroom rug.*

slaapkleur 〈de〉 **0.1** *flushed face from/after sleep.*

slaapkop 〈de (m.)〉 **0.1** [slaperig persoon] *sleepyhead* **0.2** [sufferd] *dope* ⇒*dullard* ◆ **1.2** dat stelletje ~pen van hiernaast *that doz(e)y/dop(e)y lot next door* **3.2** wat ben jij een ~! *you're so doz(e)y/dop(e)y!, don't be so doz(e)y!.*

slaapkuur 〈de〉 **0.1** *sleep/narco therapy.*

slaaplaag 〈het〉 **0.1** *bedroom level/storey/*^*story.*

slaapliedje 〈het〉 **0.1** *lullaby* ⇒*cradlesong.*

slaaplucht 〈de〉 **0.1** *bedroom smell.*

slaapmatje 〈het〉 **0.1** *sleeping mat.*

slaapmiddel 〈het〉 **0.1** *sedative* ⇒〈med. ook〉 *opiate, narcotic, soporific,* 〈slaappil〉 *sleeping pill* ◆ **3.1** een ~ innemen/voorschrijven *take/prescribe a sedative/sleeping pill.*

slaapmuts 〈de〉 **0.1** [nachtmuts] *nightcap* **0.2** [slaapkop] *sleepyhead.*

slaapmutsje 〈het〉 **0.1** [borrel] *nightcap* **0.2** [〈plantk.〉] *California poppy* ⇒*eschscholtzia.*

slaapogen 〈zn.mv.〉 **0.1** [slaperige ogen] *sleepy eyes* ⇒↑*eyes heavy with sleep* **0.2** [mbt. poppen] 〈zie 6.2〉 ◆ **6.2** een pop met ~ *a doll that (really) goes to sleep.*

slaappakje 〈het〉 **0.1** *sleeping suit, sleeper.*

slaappil 〈de〉 **0.1** *sleeping pill.*

slaapplaats 〈de〉 **0.1** [bed] *place to sleep, sleeping-place* ⇒*bed,* 〈op schip〉 *berth,* 〈BE; inf.〉 *kip* **0.2** [logeeradres] *place to sleep* ⇒*bed (for the night)* ◆ **6.1** een zeiljacht met zes ~en *a six-berth yacht, a yacht with six berths;* we hebben ~ voor vier extra gasten *we've got beds for four extra guests, we can sleep four extra guests.*

slaappoeder 〈de〉 **0.1** *sleeping powder.*

slaaprijtuig →**slaapwagen.**

slaapstad 〈de〉 **0.1** 〈voorstad〉 *dormitory suburb;* 〈satellietstad〉 *dormitory town* ⇒〈AE ook〉 *bedroom town* 〈satellietstad〉.

slaapster 〈de (v.)〉 ◆ **2.¶** de schone ~ *(the) Sleeping Beauty.*

slaapstoel 〈de (m.)〉 **0.1** *rest-chair* ⇒〈ligstoel〉 *reclining chair,* 〈in auto/vliegtuig, op schip〉 *reclining seat* 〈met verstelbare rugleuning〉.

slaapstoornis 〈de (v.)〉 **0.1** *sleep disorder.*

slaaptablet 〈het, de (m.)〉 **0.1** *sleeping pill.*

slaaptijd 〈de (m.)〉 **0.1** [tijd om te gaan slapen] *time to go to sleep* ⇒〈bedtijd〉 *bedtime* **0.2** [voor de slaap bestemde tijd] *time to sleep.*

slaaptrein 〈de (m.)〉 **0.1** *sleeping car.*

slaapverdrijvend 〈bn.〉 **0.1** *stimulant* ◆ **1.1** ~e middelen *stimulants.*

slaapvertrek 〈het〉 **0.1** *bedroom* ⇒〈inf. ook〉 *sleeping quarters* 〈vnl. van bemanning/soldaten/personeel〉, 〈slaapzaal〉 *dormitory.*

slaapverwekkend 〈bn.〉 **0.1** [wat de slaap verwekt] *sleep-inducing* ⇒↑*soporific, narcotic, somniferous, hypnogenetic* **0.2** 〈fig.〉 saai] *soporific* ◆ **1.2** wat een ~e toestand/boel is het hier *this (place) is enough to send you/anyone to sleep, what a bore!* ↓*drag this (place) is;* een ~ verhaal/boek *a s.*/*tedious/boring story/book* **3.2** wat is dit boek ~ *this book is enough to send you/anyone to sleep, this book's a(n utter) bore!* ↓*drag.*

slaapwagen 〈de (m.)〉 **0.1** *sleeping car, sleeper.*

slaapwagon →**slaapwagen.**

slaapwandelaar 〈de (m.)〉, -**ster** 〈de (v.)〉 **0.1** *sleepwalker* ⇒↑*somnambulist, noctambulist* ◆ **3.1** hij is een ~ *he is a sleepwalker, he walks in his sleep.*

slaapwandelen 〈onov.ww.〉 **0.1** *walk in one's sleep* ◆ **7.1** het ~*sleepwalking;* ↑*somnambulism, noctambulism* ¶.1 ~d *sleepwalking;* ↑*somnambulant, noctambulant.*

slaapwekkend →**slaapverwekkend.**

slaapwerend →**slaapverdrijvend.**

slaapzaal 〈de〉 **0.1** *dormitory* ⇒*sleeping quarters,* 〈inf.〉 *dorm.*

slaapzak 〈de (m.)〉 **0.1** [zak om in te slapen] *sleeping bag* ⇒*bedroll,* 〈sl.〉 *flea-bag* **0.2** [lakenzak] *sheet sleeping bag* **0.3** [persoon] *sleepyhead.*

slaapziekte 〈de (v.)〉 **0.1** [tropische ziekte] (*African) sleeping sickness* ⇒〈med.〉 *(African) trypanosomiasis* **0.2** [hersenontsteking] *sleeping sickness* ⇒〈BE ook〉 *sleepy sickness,* 〈med.〉 *encephalitis lethargica.*

slaapzucht 〈de (v.)〉 **0.1** *narcolepsy.*

slaatje 〈het〉 **0.1** [gerecht] *salad* **0.2** [voordeeltje] 〈zie 3.2〉 ◆ **3.2** een ~ uit iets slaan *do well out of sth., make a bit out of sth., cash in on sth.;* hij wil overal een ~ uit slaan *he tries to cash in on everything.*

slab 〈de〉 **0.1** [morsdoekje] *bib* ⇒〈vnl. BE〉 *feeder* **0.2** [strook lood] 〈onder in een muur〉 *damp(-proof) course;* 〈om muuraansluiting af te dekken〉 *flashing* ◆ **3.1** een kind een ~ voordoen *put a child's b. on.*

slabak 〈de (m.)〉 **0.1** *salad bowl.*

slabakken 〈onov.ww.〉 **0.1** [niet voortmaken] 〈luieren〉 *slack, idle;* 〈treuzelen〉 *dawdle* **0.2** [afnemen] *slacken (off)* ⇒〈mbt. wind ook〉 *drop* ◆ **3.1** een beetje lopen te ~ *lounge around.*

slabed 〈het〉 **0.1** *lettuce bed.*

slablad 〈het〉 **0.1** *lettuce leaf.*

slaboon 〈de〉 **0.1** ^B*French bean,* ^A*green bean.*

slacentrifuge 〈de〉 **0.1** *lettuce/salad spinner.*

slacht 〈de〉 **0.1** [het slachten] *slaughter(ing)* **0.2** [wat het slachten oplevert] *slaughtered animal(s)* ◆ **3.1** in november hebben wij de ~ *November is our slaughtering time* **6.1** varkens mesten/fokken voor de ~ *fatten (up)/breed pigs for slaughtering/(the) slaughter.*

slachtafval 〈het, de (m.)〉 **0.1** *offal.*

slachtbank 〈de〉 **0.1** (*chopping/slaughtering) block* ◆ **6.1** naar de ~ geleid worden 〈fig.〉 *be led (like a lamb) to the slaughter;* morgen moet je naar de ~ 〈fig., scherts.〉 *your head will be on the b. tomorrow.*

slachtbeest 〈het〉 **0.1** *animal for slaughter(ing)* ⇒〈mv. ook〉 *stock for slaughter(ing), fat stock,* 〈vee〉 *beef cattle.*

slachtblok 〈het〉 **0.1** (*chopping/slaughtering) block.*

slachtdier →**slachtbeest.**

slachten 〈ov.ww.〉 (→sprw. 344〉 **0.1** [doden] *slaughter* ⇒*butcher, kill* **0.2** [verkrijgen] *obtain by slaughtering* **0.3** [mbt. personen] *slaughter* ⇒*butcher,* 〈mbt. meerdere personen ook〉 *massacre* ◆ **1.1** geslachte koeien en varkens *slaughtered cows and pigs, carcasses of beef and pork;* een koe/varken ~ *s. a cow/pig;* een konijn ~ *kill a rabbit* **1.2** schapevlees ~ *obtain mutton by slaughtering sheep* ¶.1 hij hield twee konijnen om te ~ met kerst *he kept two rabbits to kill for Christmas.*

slachter 〈de (m.)〉 **0.1** *slaughterman* ⇒*slaughterer, killer.*

slachterij 〈de (v.)〉 **0.1** [bedrijf] *slaughterhouse, abattoir* ⇒〈AE ook〉 *meatworks, meat-packing factory* **0.2** [handeling] *slaughtering.*

slachthuis ⟨het⟩ **0.1** *slaughterhouse*, *abattoir* ⇒⟨AE ook⟩ *meatworks*.
slachting ⟨de (v.)⟩ **0.1** [het slachten, keer] *slaughtering* ⇒*killing* **0.2** [massamoord] *slaughter*, *massacre*, *bloodbath* ⇒*butchery*, *carnage* ◆ **2.2** ⟨fig.⟩ het tentamen was een ware ~ *there were a lot of casualties in the examination* **3.2** een ~ aanrichten *cause carnage / a m., carry out a m.*; een ~ aanrichten onder *slaughter, butcher, massacre (wholesale)*.
slachtkip ⟨de (v.)⟩ **0.1** *table chicken* ⇒⟨mv. ook⟩ *table poultry*.
slachtmaand ⟨de⟩ **0.1** *slaughtering / butchering season* ⇒*November*.
slachtmasker ⟨het⟩ **0.1** *slaughtering mask* ⇒*humane killer*.
slachtmethode ⟨de (v.)⟩ **0.1** *method of slaughter(ing)* ⇒*slaughtering method*.
slachtoffer ⟨het⟩ **0.1** [persoon] *victim* ⇒⟨vnl. mv. ook⟩ *casualty* ⟨in oorlog / bij ramp / bij ongeluk⟩ **0.2** [offerdier] *victim*, *sacrifice* ⇒*offering*, ⟨dier ook⟩ *sacrificial animal*, ⟨mens ook⟩ *human sacrifice* ◆ **1.1** ⟨fig.⟩ het ~ van zinsbegoocheling zijn *labour under a delusion*; ⟨regelmatig⟩ *be a prey to / suffer from delusions* ⟨hersenschimmen⟩ **2.1** ⟨scherts.⟩ wie is het volgende ~? *who is the next v.?*; een willig ~ *a willing v.* **3.1** ~ worden van *fall (a) v. / prey to*; het ~ worden v.e. oplichter *be the v. of a swindler, be duped by a swindler* **6.1** tot ~ maken *make a v. of, victimize*.
slachtpartij ⟨de (v.)⟩ **0.1** *slaughter, massacre, bloodbath*.
slachtprijs ⟨de (m.)⟩ **0.1** *slaughter value*.
slachtrijp ⟨bn.⟩ **0.1** *ready / fit for slaughter(ing)* ⇒*fat(tened), mature* ◆ **1.1** ~ vee *fat stock, stock / cattle for slaughter(ing), beef (cattle)*.
slachttijd ⟨de (m.)⟩ **0.1** *slaughtering / butchering time / season*.
slachtvee ⟨het⟩ **0.1** *stock / cattle for slaughter(ing), fat stock, beef (cattle)*.
slachtvlees ⟨het⟩ **0.1** *butcher's meat*.
slachtwaarde ⟨de (v.)⟩ **0.1** *slaughter value*.
slachtwet ⟨de⟩ **0.1** *law on the slaughter of animals*; ⟨in GB, USA ook⟩ *Slaughter of Animals Act*.
slacks ⟨zn.mv.⟩ **0.1** *(pair of) slacks*.
slacouvert ⟨het⟩ **0.1** *salad servers*.
sladood ⟨de (m.)⟩ ◆ **2.¶** een lange ~ *a beanpole*.
slag ⟨→sprw. 79.537⟩
    I ⟨de (m.)⟩ **0.1** [klap] *blow*, *stroke* ⇒⟨vuistslag ook⟩ *punch* ⟨vnl. mbt. boksen⟩, ⟨met zweep ook⟩ *lash*, ⟨met vlakke hand⟩ *slap* **0.2** [ramp, schok] *blow* **0.3** [klap tegen een bal] *stroke* ⇒⟨golf / cricket ook⟩ *drive* **0.4** [⟨mil.⟩] *battle* **0.5** [geluid] *bang* ⇒*thump, bump* **0.6** [golvende beweging] *wave* **0.7** [luchtverplaatsing] ⟨zie 1.7⟩ **0.8** [het slaan, keer] *stroke* ⇒⟨muz.; van pols / hart⟩ *beat*, ⟨van vogel⟩ *call, note* **0.9** [handigheid] *knack* **0.10** [⟨kaartspel⟩] *trick* **0.11** [⟨damspel⟩] *take, capture, jump* **0.12** [mbt. munten / merken] *striking* ⇒*minting* **0.13** [⟨sport⟩ het uitslaan] *stroke* ⟨zwemmen, roeien⟩; *gliding stride* ⟨schaatsen⟩ **0.14** [winding] *turn* ⇒*coil* **0.15** [wenteling] *turn* ⇒ᵗ*revolution, rotation* **0.16** [roeier] *stroke* **0.17** [mbt. bouwland] *rotation* **0.18** [van laverend schip] *leg, tack, board* **0.19** [dun uiteinde van zweep] *lash* **0.20** [mbt. vleugel] *beat* ⇒*stroke* **0.21** [mbt. zuiger] *stroke* ⇒ ⟨lengte van slagbeweging⟩ *travel* ◆ **1.1** ⟨fig., inf.⟩ een ~ v.d. molen beet hebben *have a screw loose, be a bit touched / cracked, not be all there* **1.2** de ~ en v.h. noodlot the *blows of fate* **1.7** een ~ v.d. donder *a clap / peal of thunder, a thunderclap* **1.13** ⟨zwemmen⟩ met een tempo van 30 ~ en per minuut *at a rate of 30 strokes per minute, at a stroke-rate of 30 per minute* **1.14** de ~ en v.e. zwachtel *the spirals / coils of a bandage* **2.1** een harde ~ *a hard / heavy b.* **2.3** een onderhandse ~ *an underhand (s.)* **2.4** een beslissende ~ *a decisive b., a Waterloo* **2.6** hij heeft een mooie ~ in zijn haar *he has a nice w. in his hair* **2.10** de winnende ~ *the winning t.*; ⟨bridge⟩ the odd t. **2.13** met grote ~ en roeien *row with long strokes*; ⟨zwemmen⟩ vrije ~ *freestyle* **2.15** vrije ~ *play* **2.¶** met de Franse ~ iets doen *do sth. in a slapdash manner / way* **3.1** iem. een (zware) ~ toebrengen *deal / strike s.o. a heavy b.*; iem. ~ en toedienen *deal / strike / fetch s.o. a b.* **3.3** een ~ doen *make a s.* **3.4** ~ leveren *do b. (with s.o.), give b. (to s.o.), fight a b.*; ~ verliezen *lose the b. / day*; de ~ winnen *win the b., win / gain / carry the day* **3.9** en de ~ van hebben iets te doen *have the k. of doing sth.*; de ~ van iets kwijtraken *lose the k. of (doing) sth.* **3.10** een ~ maken *win / make a t.* **3.13** de ~ aangeven ⟨bij roeien⟩ *set s., row s., stroke (the boat)* **3.15** ~ houden *click shut*; iets een halve ~ omdraaien *give sth. a half t.*; de wekker een paar ~ en opwinden *wind up the alarm-clock a few turns* **3.16** ~ roeien *row s.* **3.¶** een ~ naar iets slaan *make a (random) guess at sth., have a shot / stab at sth.*; zijn ~ slaan *take one's chance, seize one's chance / opportunity*; een goede ~ slaan *make a good deal*; de inbrekers sloegen een grote ~ *the burglars made / netted a good / big haul* **5.10** ⟨fig.⟩ iem. een ~ voor zijn *be one up on s.o.* **6.1** ⟨fig.⟩ dat was een ~ in zijn gezicht *that was one in the eye / a slap in the face for him*; iem. een ~ **met** de vlakke hand geven *slap s.o., give s.o. a slap*; ⟨een kind slaan⟩ *smack s.o., give s.o. a smack*; met elke ~ v.d. hamer *with each b. / stroke of the hammer*; ⟨fig.⟩ zonder ~ of stoot ⟨fig.⟩ *without striking a b., without a struggle / fight* **6.3** aan ~ komen *be / get in, have one's turn to bat / shoot / serve* ⟨enz.⟩; **aan** ~ zijn *be in*; ⟨cricket ook⟩ *be batting / innings* bat; ⟨honkbal⟩ **met** de drie ~ uitgooien *strike out* **6.4 in** de ~ bij Nieuwpoort *at the Battle of Nieuwpoort*; ⟨AZN⟩ zich **uit** de ~ trekken ⟨fig.⟩ *get out of a tight spot* **6.8 op** ~ van tienen *on the s. of ten*; mijn pendule is **van** ~ *my clock is striking wrong / incor-*

rectly; ⟨fig.⟩ **van** ~ zijn *be off one's s., have been put off*; ⟨fig.⟩ iem. **van** ~ brengen *put s.o. off (his s.), rattle s.o.* **6.12** munten **van** dezelfde ~ *coins struck from the same die* **6.13 van** ~ zijn ⟨bij roeien / zwemmen⟩ *be off one's s.*; ⟨mbt. roeiploeg⟩ *be all to pieces* **6.¶ aan** de ~ gaan *get / set to work, get going / busy / cracking / weaving*; **aan** de ~! *get going / busy / cracking / weaving!, get to it!*; ⟨vulg.⟩ *get / take your finger out!*; ze doet alles om **aan** de ~ te komen *she's doing all she can to find a job*; zin hebben om weer **aan** de ~ te gaan *be eager to get back to work*; er zit een ~ **in** mijn wiel *my wheel is buckled*; hij is al maanden **in** de ~ met de gemeente *he's been at it with / in the clinch with the council for months*; een ~ **om** de arm houden *refuse to commit o.s., be non-committal*; hij was **op** ~ dood *he was killed instantly / outright* **7.3** ⟨honkbal⟩ twee ~ een wijd *two strikes one wide* **¶.3** ⟨fig.⟩ zijn verdenking is een ~ in de lucht *his suspicion was just a shot in the dark* **¶.9** de ~ van iets te pakken krijgen *get the k. / hang / feel of sth., get into the way of sth.*; je moet even de ~ te pakken hebben *you just have to find the (right) k.* **¶.10** die ~ is (voor) jou ⟨fig.⟩ *touché, one up for / to you*;
    II ⟨het⟩ **0.1** [aard, soort] *sort* ⇒*kind, type, class* **0.2** [veeslag] *type, strain* **0.3** [onverharde weg] *track* ⇒*path* **0.4** [perceel] *plot* ⇒*parcel*, ⟨AE ook⟩ *lot* **0.5** [duiventil] *loft* ⇒*cote* ◆ **1.1** dat is niet voor ons ~ *mensen that's not for the likes of us*; je kent dat ~ mensen wel *you know the s. / type of person (I'm talking about)* **2.1** mensen van allerlei ~ *people of all sorts, all sorts of people, people of every s. / description*; ⟨schr.⟩ *all sorts and conditions of men*; ⟨inf.⟩ the long (and) the short and the tall; een raar ~ (van) volk *funny / strange people* **2.¶** een ~ groter / kleiner *a bit bigger / smaller* **6.1** iem. **van** jouw ~ *s.o. like you*; ⟨vaak pej.⟩ *the likes of you.*
slagader ⟨de⟩ **0.1** *artery* ◆ **1.1** ⟨fig.⟩ ~ s v.h. verkeer *arteries, arterial roads* **2.1** grote ~ *aorta*; kleine ~ *arteriole*.
slagaderbreuk ⟨de⟩ **0.1** *arterial rupture.*
slagaderlijk ⟨bn.⟩ **0.1** *arterial* ◆ **1.1** een ~ e bloeding *a. bleeding, an a. haemorrhage.*
slagaderverkalking ⟨de (v.)⟩ **0.1** *hardening of the arteries* ⇒⟨med.⟩ *arteriosclerosis.*
slagbal ⟨het⟩ **0.1** ≠ᴮ*rounders.*
slagbeitel ⟨de (m.)⟩ **0.1** *gouge.*
slagbeurt ⟨de⟩ ⟨sport⟩ **0.1** ⟨vnl. cricket⟩ *innings*; ⟨honkbal⟩ *inning.*
slagboom ⟨de (m.)⟩ **0.1** [draaibare boom] *barrier* ⇒*gate* ⟨ihb. spoorweg⟩ **0.2** [hinderpaal] *barrier* ⇒*bar* ◆ **2.1** halve ~ *half-barrier* **3.2** slagbomen opwerpen / opheffen tegen *put up / raise / erect barriers against.*
slagboor ⟨de⟩ →**slagboormachine.**
slagboormachine ⟨de (v.)⟩ **0.1** *hammer drill.*
slagcirkel ⟨de (m.)⟩ ⟨hockey⟩ **0.1** *(striking-)circle.*
slagdrempel ⟨de (m.)⟩ **0.1** *lock-sill.*
slagen ⟨onov.ww.⟩ **0.1** [gelukken] *succeed* ⇒*manage*, ⟨inf.⟩ *pull it off, come off / through* **0.2** [examen halen] *pass* ⇒*get through, qualify* ⟨mbt. bevoegdheid⟩ **0.3** [goed uitvallen] *be successful* ⇒*come off / turn out well* ◆ **1.1** bij ons slaagt iedereen ⟨in winkel⟩ *we have sth. for everyone / all tastes* **1.3** het ~ v.e. onderneming *the success of a business / an enterprise*; de operatie is geslaagd *the operation has been successful*; de tekening is goed geslaagd *the drawing has turned out well* **3.2** ze hebben hem laten ~ *they pulled him through* **5.1** er niet in ~ te / om *fail to*; erin ~ de top te bereiken *make it to the top*; erin ~ om / te s. in **6.1** in een winkel (kunnen) ~ *(manage to) get what one wants in a shop*; in ieder opzicht ~ ⟨ook⟩ *carry all / everything before one*; **in / met** iets ~ *manage sth.*; *pull it off* **6.2** hij is **voor** zijn Frans geslaagd *he has passed his French* **¶.2** met voldoening ~ *pass.*
slager ⟨de (m.)⟩ **0.1** [iem. die vlees verkoopt] *butcher* **0.2** [slachter] *butcher* **0.3** [beul] *butcher* **0.4** [⟨bel.⟩ chirurg] *butcher* ◆ **6.1** iets bij de ~ halen *get / fetch sth. from the butcher's.*
slagerij ⟨de (v.)⟩ **0.1** [winkel] *butcher's (shop)* **0.2** [slachterij] *slaughterhouse.*
slagersbank ⟨de⟩ **0.1** *chopping block.*
slagersbijl ⟨de⟩ **0.1** *butcher's cleaver* ⇒*meat axe / hatchet.*
slagersblok ⟨het⟩ **0.1** *chopping block.*
slagersknecht ⟨de (m.)⟩ **0.1** *butcher('s) boy.*
slagersmes ⟨het⟩ **0.1** *butcher's knife* ⇒*chopper, (meat-)cleaver.*
slagerswinkel ⟨de (m.)⟩ **0.1** *butcher's (shop).*
slaggemiddelde ⟨het⟩ ⟨sport⟩ **0.1** *batting average.*
slaggitaar ⟨de⟩ **0.1** *rhythm guitar.*
slaghek ⟨het⟩ **0.1** *self closing gate.*
slaghoedje ⟨het⟩ **0.1** *(percussion) cap* ⇒*primer.*
slaghout ⟨het⟩ **0.1** [waarmee men slaat] ⟨sport⟩ *bat* **0.2** [als draagstuk] *lintel.*
slaginstrument ⟨het⟩ **0.1** *percussion instrument.*
slagklok ⟨de⟩ **0.1** *chiming / striking clock.*
slagkracht ⟨de⟩ **0.1** *power, strength* ⇒⟨inf.⟩ *clout* ◆ **1.1** de ~ van Japan op de Europese markt *Japan's s. / clout on the European market.*
slagkruiser ⟨de (m.)⟩ **0.1** *(battle) cruiser.*
slagkwik ⟨het⟩ **0.1** *fulminate of mercury* ⇒*fulminating mercury.*
slaglinie ⟨de (v.)⟩ **0.1** *line of battle* ⇒*battle line.*

slagman ⟨de (m.)⟩⟨sport⟩ **0.1** *batsman* ⟨vnl. cricket⟩ ⇒*batter* ⟨cricket, honkbal⟩,*striker* ⟨cricket⟩ ◆ **7.1** eerste ~ *first man in.*

slagnet ⟨het⟩ **0.1** *clap-net.*

slagorde ⟨de⟩ **0.1** *battle array* ⇒*order of battle* ◆ **6.1** zich **in** ~ scharen/ stellen *o.s. for battle;* **in** ~ (op)stellen *array, draw up in b. a..*

slagpartij ⟨de (v.)⟩⟨sport⟩ **0.1** *batting side.*

slagpen ⟨de⟩ **0.1** ⟨vogelveer⟩ *flight feather* ⇒*pen/quill feather,* ⟨lit.⟩ *pinion* **0.2** ⟨slagpin⟩ *firing/fuse pin* ⇒*striker* ◆ **2.1** grote/kleine ~nen *primary/secondary feathers* **3.1** de ~nen zijn hem uitgetrokken ⟨fig.⟩ *he's had his wings clipped.*

slagperk ⟨het⟩⟨sport⟩ **0.1** *home base.*

slagpijpje ⟨het⟩ **0.1** *detonator.*

slagpin ⟨de⟩ **0.1** *firing/fuse pin* ⇒*striker.*

slagplank ⟨de⟩ **0.1** *bat.*

slagregen ⟨de (m.)⟩ **0.1** *driving/torrential rain* ⇒*downpour.*

slagregenen ⟨onp.ww.⟩ **0.1** *pour (with rain)* ⇒⟨inf.⟩ *pelt (down),* [B]*bucket (down).*

slagrijm ⟨het⟩ **0.1** *monorhyme.*

slagroeier ⟨de (m.)⟩ **0.1** *stroke (oar).*

slagroom ⟨de (m.)⟩ **0.1** *whipping cream* ⟨voor het kloppen⟩; *whipped cream* ⟨na het kloppen⟩ ◆ **6.1** aardbeien **met** ~ *stawberries and whipped cream.*

slagroompunt ⟨de (m.)⟩ **0.1** *cream cake.*

slagschaduw ⟨de⟩ **0.1** *cast shadow.*

slagschip ⟨het⟩ **0.1** ⟨oorlogsschip⟩ *battleship* ⇒*capital ship* **0.2** [iets enorm groots] *giant* ⇒*boat* ⟨schoen⟩.

slagsoldeer ⟨het, de (m.)⟩ **0.1** *brazing/hard solder.*

slagtand ⟨de (m.)⟩ **0.1** [uitstekende tand] *tusk* ⟨olifant, wild zwijn⟩; ⟨klein⟩ *tush* **0.2** [hoektand] *fang* ⟨roofdieren⟩; *tush* ⟨ihb. van paarden⟩ ◆ **6.1** met ~en *tusked, tusky;* opgraven/openrijten/doorboren **met** de ~en *tusk.*

slaguurwerk ⟨het⟩ **0.1** *striking clock.*

slagvaardig
I ⟨bn.⟩ **0.1** [ad rem] *sharp (witted)* ⇒*quick/good at repartee, adroit,* ⟨grappig⟩ *witty,* ⟨inf.⟩ *on the ball* **0.2** [geneigd tot snel handelen] *decisive* **0.3** [gereed om slag te leveren] *ready for battle* ⇒⟨ook fig.⟩ *ready for the fray* ◆ **1.1** een ~e spreker *a witty speaker* **1.2** een ~e minister *a d. minister* **1.3** de vloot was ~ *the fleet was ready for battle;*
II ⟨bw.⟩ **0.1** [gevat] *adroitly* ⇒*cleverly,* ⟨met humor⟩ *wittily* ◆ **3.1** ~ weerlegde hij alle bezwaren *he a. refuted all objections.*

slagvaardigheid ⟨de (v.)⟩ **0.1** [gevatheid] *ready wit* ⇒*skill at repartee, adroitness* **0.2** [vermogen om snel te handelen] *decisiveness* **0.3** [het gereed zijn om slag te leveren] *readiness for battle* ⇒⟨ook fig.⟩ *readiness for the fray* ◆ **1.3** de ~ v.d. vloot *the fleet's readiness for battle* **3.1** in het debat toonde zij haar ~ *in the debate she showed her ready wit/skill at repartee* **6.2** het gebrek aan ~ **bij** de regering *the government's lack of d..*

slagvast ⟨bn.⟩ **0.1** *impact-resistant/proof.*

slagveer ⟨de⟩ **0.1** [slagpen] *flight feather* ⇒*pen/quill feather* **0.2** [mbt. een vuurwapen] *mainspring* **0.3** [mbt. een uurwerk] *mainspring.*

slagveld ⟨het⟩ **0.1** *battlefield/-ground* ⇒*cockpit* ⟨bij herhaaldelijke slagen⟩, ⟨fig.⟩ *field* ◆ **1.1** hij bleef meester v.h. ~ ⟨ook fig.⟩ *he won the day/field* **3.1** het ~ behouden *hold the field, win the battle;* het ~ betreden ⟨fig.⟩ *take the field.*

slagvloot ⟨de⟩ **0.1** *battle fleet.*

slagvolume ⟨het⟩ **0.1** [hoeveelheid bloed] *pulsation/pulsatory volume* **0.2** [cilinderinhoud] *swept/stroke volume.*

slagwerk ⟨het⟩ **0.1** [slaginstrumenten] *percussion (section)* ⇒⟨jazz⟩ *rhythm section,* ⟨sl.⟩ *kitchen* **0.2** [werk waardoor een uurwerk slaat] *striking/strike mechanism* **0.3** [⟨sport⟩] *batting* ⇒*hitting* ◆ **2.1** melodisch ~ *melodic percussion* **3.1** het ~ bespelen *play/be on percussion/rhythm.*

slagwerker ⟨de (m.)⟩, **-ster** ⟨de (v.)⟩ **0.1** *percussionist* ⇒*rhythmist, drummer* ⟨alleen trommels⟩.

slagwijdte ⟨de (v.)⟩ **0.1** [mbt. vogelvleugels] *wing span* **0.2** [⟨elek.⟩] *sparking distance* ⇒*spark gap.*

slagwind ⟨de (m.)⟩⟨scheep.⟩ **0.1** *squall* ⇒*gust (of wind).*

slagzee ⟨de⟩ **0.1** *heavy sea.*

slagzij ⟨de⟩ **0.1** *list, heel* ⟨schip⟩*bank* ⟨vliegtuig⟩ ◆ **3.1** dat schip maakt zware ~ *that ship is listing heavily/heeling over considerably;* dat vliegtuig maakt zware ~ *that airplane is banking steeply;* ~ maken *list, heel* ⟨schip⟩*bank* ⟨vliegtuig⟩.

slagzin ⟨de (m.)⟩ **0.1** *slogan* ⇒*catch phrase.*

slagzwaard ⟨het⟩ **0.1** *broadsword* ⇒*backsword, claymore* ⟨van Schotse Hooglanders⟩.

slak ⟨de⟩ **0.1** [weekdier] *snail* ⟨met huisje⟩; *slug* ⟨zonder huisje⟩ **0.2** [als gerecht] *snail* ⇒*escargot* **0.3** [afval van metalen] *slag* ⇒*scoria* **0.4** [afval van verbrande steenkool] *slag* ⟨cinder, cinder* ⟨as⟩ **0.5** [⟨mv.⟩ onverteerbare deeltjes] *waste products* **0.6** [langzaam rijdende auto] [B]*slowcoach,* [A]*slowpoke,* [A]*slug* ◆ **2.1** naakte ~ *slug* **2.¶** vulkanische ~ken *(volcanic) scoria* **3.1** ~ken zoeken *snail* **3.3** ~ken vormen *slag* **5.1** vol ~ken *snaily* **6.¶ op** alle ~ken zout leggen *find fault with everything.*

slakachtig ⟨bn.⟩ **0.1** [v.d. aard van slakken] *snail-like* ⇒*snaily* **0.2** [op metaalslakken lijkend] *slaggy* ⇒*scoriaceous* ◆ **1.1** de ~e dieren *gastropods.*

slaken ⟨ov.ww.⟩ **0.1** [uiten] *give* ⇒*let out, utter, heave* ⟨zucht⟩,*set up* ⟨kreet⟩ **0.2** [⟨schr.⟩ losmaken] *loosen* ⇒*liberate* ⟨een persoon⟩, ⟨vero.⟩ *unfetter, unshackle* ◆ **1.1** gilletjes ~ *squeak;* een kreet ~ g./ *set up a cry;* een zucht ~ g./ *heave a sigh* **1.2** iemands boeien ~ ⟨ook fig.⟩ *loosen s.o.'s shackles/fetters/chains.*

slakkegang ⟨de (m.)⟩ **0.1** *snail's pace* ⇒*crawl* ◆ **6.1** alles gaat hier **met** een ~etje *things move at a s. p. here;* **met** een ~ vooruitkomen *move at a s. p., inch forward.*

slakkehuis ⟨het⟩ **0.1** [kalkachtige schaal] *snail's shell* **0.2** [⟨med.⟩] *cochlea* **0.3** [mbt. een centrifugaalpomp] *spiral casing.*

slakkenmeel ⟨het⟩ **0.1** [kunstmest] *(ground) basic slag* **0.2** [slakkenzand] *slag sand.*

slakkensteen ⟨de (m.)⟩ **0.1** *slag-brick.*

slak(ken)vorming ⟨de (v.)⟩ **0.1** *slag formation* ⇒⟨metalen ook⟩ *scorification.*

slakkenwol ⟨de⟩ **0.1** *mineral wort* ⇒*slag-wool.*

slakkenzand ⟨het⟩ **0.1** *slag sand.*

slakom ⟨de⟩ **0.1** *salad bowl.*

slakrop ⟨de⟩ **0.1** *(head of) lettuce.*

slalom ⟨de (m.)⟩⟨sport⟩ **0.1** [(ski)traject] *slalom* **0.2** [afdaling] *slalom* **0.3** [kanowedstrijd] *slalom.*

slamix ⟨de (m.)⟩ **0.1** *salad dressing.*

slampampen ⟨onov.ww.⟩ **0.1** *idle/lounge arround* ⇒*loaf.*

slampamper ⟨de (m.)⟩ **0.1** *idler* ⇒*lounger, loafer, good-for-nothing.*

slang ⟨de⟩ ⟨in bet. 5 met hoofdletter⟩ **0.1** [dier] *snake* ⇒⟨schr.⟩ *serpent,* ⟨dierk.⟩ *ophidian* **0.2** [symbool van boosheid/verleiding] *serpent* **0.3** [buis] *hose* **0.4** [boosaardige vrouw] *shrew* ⇒*bitch* **0.5** [⟨ster.⟩] *Serpens* ⇒⟨inf.⟩ *snake* **0.6** [⟨geldw.⟩] *snake* ◆ **2.1** giftige ~en *poisonous/venomous snakes* **3.1** een ~ in/aan zijn boezem koesteren *harbour/nourish/rear a nest of vipers in one's bosom* **6.1** de ~ **met** de staart in de bek *the snake swallowing its own tail* **8.1** listig als een ~ *cunning/sly as a fox.*

slangachtig ⟨bn.⟩ **0.1** *snakelike* ⇒⟨schr.⟩ *serpentine,* ⟨dierk.⟩ *ophidian,* ⟨inf.⟩ *snaky.*

slangebeet ⟨de (m.)⟩ **0.1** *snake-bite.*

slangeblad ⟨het⟩ **0.1** *sansevieria* ⇒*bowstring hemp,* ⟨inf.⟩ *mother-in-law's tongue.*

Slangedrager ⟨de (m.)⟩ ⟨ster.⟩ **0.1** *Serpens Caput.*

slangeëi ⟨het⟩ **0.1** *snake's egg* ⇒⟨fig. ook⟩ *serpent's egg.*

slangegebroed ⟨het⟩ **0.1** [nest slangen] *nest of snakes* **0.2** [valse mensen] *nest of serpents/vipers.*

slangegif ⟨het⟩ **0.1** *snake poison* ⇒*venom.*

slangehuid ⟨de⟩ **0.1** *snakeskin.*

slangekop ⟨de (m.)⟩ **0.1** [kop v.e. slang] *snake's head* **0.2** [slangekruid] *viper's bugloss.*

slangekruid ⟨het⟩ **0.1** *viper's bugloss* ⇒[A]*blueweed,* ⟨Austr. E⟩ *Paterson's curse.*

slangelandschap ⟨het⟩ **0.1** ⟨type of landscape especially in peat areas where the land is divided into long narrow strips⟩.

slangeleer ⟨het⟩ **0.1** *snakeskin.*

slangelijn ⟨de⟩ **0.1** *wavy/serpentine line.*

slangemens ⟨de (m.)⟩ **0.1** [lenig mens] *person made of rubber* **0.2** [artiest] *contortionist.*

slangenbezweerder ⟨de (m.)⟩ **0.1** *snake-charmer* ⇒*serpent-charmer,* ⟨AE; inf.⟩ *geek.*

slangenbezwering ⟨de (v.)⟩ **0.1** *snake-charming.*

slangenkuil ⟨de (m.)⟩ **0.1** [kuil met slangen] *snake pit* **0.2** [gevaarlijke plaats] *lions' den* ⇒*snake pit.*

slangenlook ⟨het⟩ **0.1** *rocambole.*

slangestaf ⟨de (m.)⟩ **0.1** *caduceus.*

slangesteen ⟨de (m.)⟩ **0.1** [mineraal] *serpentine* ⇒*ophite* **0.2** [⟨volksgeneeskunde⟩] *snake stone.*

slangetong ⟨de⟩ **0.1** [tong van een slang] *snake's tongue* **0.2** [persoon] *backbiter* ⇒*slanderer, mud-slinger* **0.3** [⟨plantk.⟩] *arrowhead.*

slangewortel ⟨de (m.)⟩ **0.1** *calla* ⇒*snakeweed.*

slanghagedis ⟨de⟩ **0.1** *serpent lizard.*

slangvormig ⟨bn.⟩ **0.1** *snake-like* ⇒*serpentine.*

slangwoord ⟨het⟩ **0.1** *slang word.*

slank ⟨bn.⟩ **0.1** *slender* ⇒*slim* ⟨mensen⟩,*slimline* ⟨van constructie⟩, *rangy* ⟨lang en slank⟩, *svelte* ⟨slank en gracieus⟩ ◆ **1.1** een beetje ~ *slimmish;* een ~e den *a lovely slim figure;* aan de ~e lijn doen *slim,* [A]*slenderize;* dit is goed voor de ~e lijn *this is good for the figure;* ~e poten *slender legs;* ⟨med.⟩ ~e spier *sartorius;* een ~e toren *a slimline tower* **3.1** ~ afkleden *be slimming;* een streepjesoverhemd maakt je een stuk ~er *a striped shirt makes you look a lot thinner/slimmer;* ~(er) worden *slim,* [A]*slenderize* **8.1** zo ~ als een den *willowy.*

slankmakend ⟨bn.⟩ **0.1** *slimming;* ⟨inf.⟩ *slinky* ⟨nauwsluitend⟩.

slaolie ⟨de⟩ **0.1** *salad oil.*

slap
I ⟨bn.⟩ **0.1** [niet gespannen] *slack* ⇒*lax* ⟨discipline⟩ **0.2** [niet stijf]

soft ⇒*limp, flabby* **0.3** [mbt. het lichaam] *weak* ⇒*flabby, feeble, flaccid* ⟨spieren⟩ **0.4** [niet doortastend/ flink] *weak* ⇒*spineless, feeble* **0.5** [mbt. vloeistoffen] *weak* ⇒*thin, watery*, ⟨inf.⟩ *wishy-washy* **0.6** [⟨hand.⟩] *slack* ⇒*dull, stagnant, dead* **0.7** [mbt. de wind/ het winterweer] *light* ⟨wind⟩; *mild* ⟨temperatuur⟩ ♦ **1.1** een ~ balletje *a feeble/ weak/ tame shot;* een ~ pe band hebben *have a soft tyre* **1.2** een ~ pe boord *a s. collar;* een ~ pe hoed *a s. / squash/ slouch hat;* een ~ pe kaft ⟨van boek⟩ *a s. cover;* ~ leer *s. leather* **1.3** ~ pe spieren *flabby muscles;* ~ pe borsten *floppy breasts;* een ~ pe lul *a drooping prick;* ⟨slappe vent⟩ *a wet/ gutless bastard/ slob* **1.4** een ~ pe wind *a wet/ weed/ soft(ie)* **1.5** een ~ brouwsel, een ~ bakkie *slipslop, dishwater* **1.6** een ~ pe tijd *off-season/ -time* **1.¶** ~ hout *soft wood;* ~ pe kost *a light diet, slops* **3.1** de zeilen hangen ~ *the sails are s.; hij het touw hangt ~ the rope is s.;* de armen ~ laten hangen *let one's arms hang loose/ go limp* **3.3** we lagen ~ v.h. lachen *we were helpless/ weak with laughter/ laughing, we were in stitches, we fell about laughing;* zich ~ voelen *feel w. / washed out* **3.4** ~ maken *enervate, weaken, debilitate* **6.3** ~ van de warmte zijn *be wilting from the heat* **7.3** een ~ pe (penis) *a flaccid penis;*
II ⟨bn., bw.; -ly⟩ **0.1** [inhoudloos] *empty* ⇒*feeble* ♦ **1.1** een ~ excuus *a lame/ feeble excuse;* ~ geklets *e. talk, slip-slop;* ~ gelul [B]*codswallop,* [A]*jive, bushwah* **3.1** ⟨inf.⟩ ~ ouwehoeren *rabbit on.*

slapeloos ⟨bn., bw.; -ly⟩ **0.1** *sleepless* ⇒*wakeful, watchful* ♦ **1.1** een slapeloze nacht *a s. / white night;* iem. slapeloze nachten bezorgen *give s.o.s. nights* **3.1** de nacht ~ doorbrengen *spend a wakeful/ watchful night.*

slapeloosheid ⟨de (v.)⟩ **0.1** *insomnia* ⇒*sleeplessness* ♦ **3.1** aan ~ lijden *suffer from i., be an insomniac.*

slapen ⟨→sprw. 33⟩
I ⟨onov.ww.⟩ **0.1** [in slaap zijn] *sleep* ⇒⟨inf.⟩ [B] *kip* **0.2** [geslachtsgemeenschap hebben] *sleep (with)* ⇒*go to bed (with),* ⟨BE; sl.⟩ *bunk up (with)* **0.3** [mbt. ledematen] *have gone to sleep* **0.4** [suffen] *be half asleep* **0.5** [mbt. de doden] *sleep, be asleep* ⇒*rest* **0.6** [mbt. zaken] *sleep* **0.7** [mbt. planten] *sleep* ♦ **1.1** probeer nog wat/ een uurtje te ~ *try and get some/ an hour's sleep* **1.6** ⟨dominospel⟩ er ~ twee zessen *two sixes are not showing* **3.1** gaan ~ *go to bed* **3.2** ~ gaan *go to bed, turn in;* go to sleep, fall asleep ⟨inslapen⟩; zich te ~ leggen *lay o.s. down to rest/ s.;* op straat moeten ~ *get/ have the key of the street, s. rough;* tussen ~ en waken *between sleeping and waking/ waking and dreaming* **3.4** de dag half ~ d doorbrengen *drowse/ dream away the day* **3.6** iets laten ~ *leave sth. alone* **5.1** door alles heen ~ *s. through everything;* hij kon er niet ~ *it kept him awake, he lay awake over it;* te lang ~ *oversleep;* slaap lekker *s. well, sweet dreams;* vast/ diep ~ *s. soundly/ deeply* **6.1** bij iem. blijven ~ *stay/ spend the night with s.o.;* goed ~ op een borrel *s. soundly/ well after a nightcap;* ergens ~ nachtje over iets ~ *consult with/ take counsel of one's pillow, s. on sth.* **8.1** hij slaapt als een os/ als een roos/ als een marmot *he sleeps like a log/ top;*
II ⟨ov.ww.⟩ **0.1** [te slapen leggen] *sleep.*

slapend ⟨bn.⟩ ⟨→sprw. 287⟩ **0.1** [in slaaptoestand] *sleeping* ⇒*dozing* **0.2** [niet werkzaam] *dormant* ⇒*latent, deferred* ⟨betalingen⟩, *quiescent* ⟨ziekte⟩ ♦ **1.2** ~ e aandelen *deferred shares;* ~ e bankrekeningen *inactive bank accounts;* ⟨landb.⟩ ~ e ogen *dormant/ latent buds* **2.1** ⟨fig.⟩ ~ e rijk worden *make money without any effort* **3.1** ⟨fig.⟩ iets ~ e kunnen vinden *be able to find sth. in one's sleep.*

slapengaan ⟨het⟩ **0.1** *go to bed* ⇒*turn in (for the night),* ⟨schr.⟩ *retire for the night* ♦ **1.1** een verhaaltje voor het ~ *a bedtime story* **6.1** 's avonds voor het ~ *before one goes to bed, last thing at night.*

slaper ⟨de (m.)⟩ **0.1** [iem. die slaapt] *sleeper* **0.2** [iem. die veel slaapt] *sleeper* ⇒⟨inf.⟩ *sleepyhead* **0.3** [logeergast] *guest for the night* **0.4** [dromer] *(day)dreamer* **0.5** [binnendijk] *inner dike* **0.6** [legger] *sleeper* **0.7** [standaard, legger] ⟨van maten en gewichten⟩ *standard* ♦ **2.1** een lichte ~ *a light s.* **3.3** ~ s hebben *have guests for the night/ people to stay.*

slaperdijk ⟨de (m.)⟩ **0.1** *inner dike.*

slaperig ⟨bn., bw.; -(al)ly⟩ **0.1** [soezerig] *sleepy* ⇒*drowsy, somnolent* **0.2** [dromerig] *sleepy* ⇒*drowsy, dreamy* **0.3** [sloom] *lethargic* ⇒*lazy, comatose,* ⟨AE; sl.⟩ *cokie, cokey* **0.4** [slaperig makend] *sleepy* ⇒*soporific, drowsy* ♦ **1.2** een ~ blik *a s. / drowsy look* **1.3** een ~ stadje *a sleepy/ drowsy town* **1.4** ~ weer *s. / drowsy/ soporific weather* **3.1** ~ kijken *look s. / drowsy;* ~ zijn/ worden *be/ get s. / drowsy.*

slaperigheid ⟨de (v.)⟩ **0.1** [slaaplust] *sleepiness* ⇒*drowsiness, somnolence* **0.2** [dromerigheid] *dreaminess* ♦ **2.1** ziekelijke ~ *lethargy.*

slapheid ⟨de (v.)⟩ **0.1** [het niet gespannen zijn] *slackness* ⇒*laxity, laxness* ⟨discipline⟩ **0.2** [het niet stijf zijn] *softness* ⇒*limpness, flabbiness* **0.3** [mbt. het lichaam] *weakness* ⇒*flabbiness, feebleness, flaccidness* ⟨spieren⟩ **0.4** [het niet doortastend zijn] *weakness* ⇒*spinelessness, feebleness* **0.5** [⟨hand.⟩] *slackness* ⇒*dullness, deadness* ♦ **1.1** de ~ van het touw *the s. of the rope.*

slapie, slaapje ⟨het⟩ **0.1** ≠*room-mate* ⟨kamergenoot⟩.

slapjanus ⟨de (m.)⟩ **0.1** *weed* ⇒*wet, wimp, soft(ie), sissy,* ↓*wet/ gutless bastard/ slob.*

slapjes ⟨bn., bw.; -ly⟩ **0.1** [niet fit] *weak* ⇒*feeble, frail* **0.2** [niet doortastend] *weak* ⇒*feeble, spineless* **0.3** [⟨hand.⟩] *slack* ⇒*dull, dead* ♦ **3.1**

hij is nog ~ *he is still w.* **3.2** ~ optreden *be feeble (with s.o.)* **3.3** het gaat ~ in de handel *trade is s. / dull.*

slappeling ⟨de (m.)⟩ **0.1** *weakling* ⇒*wet, weed, wimp, soft(ie),* ↓*wet/ gutless bastard/ slob.*

slapte ⟨de (v.)⟩ **0.1** [krachteloosheid] *weakness* ⇒*feebleness, langour* **0.2** [zachtheid] *softness* ⇒*limpness* ⟨stof, groenten e.d.⟩ **0.3** [geringheid van omzet] *slackness* ⇒*depression* ⟨voor langere tijd⟩ **0.4** [geringe concentratie] *weakness* ⇒*thinness* ⟨mengsel, mortel, bier⟩ ♦ **1.2** de ~ v.d. bal *the s. of the ball* **1.4** de ~ van dit drankje *the w. of this drink* **6.3** ~ aan de beurs/ in de handel *s. at the stock exchange/ in trade.*

slasaus ⟨de⟩ **0.1** *salad dressing.*

slaschotel ⟨de⟩ **0.1** *salad.*

slat ⟨de⟩ **0.1** [waterplas op de heide] *bog* **0.2** [veenbagger] *sludge.*

slaven ⟨onov.ww.⟩ **0.1** *slave* ⇒*drudge, toil* ♦ **3.1** ~ en zwoegen *moil and toil.*

slavenarbeid ⟨de (m.)⟩ **0.1** [arbeid van slaven] *slave labour* ⇒⟨abstract⟩ *slavery, slaves' work* **0.2** [⟨fig.⟩] *slave labour* ⟨op het werk⟩; *drudgery* ⟨thuis⟩.

slavenarmband ⟨de (m.)⟩ **0.1** *slave bangle.*

slavenbestaan ⟨het⟩ **0.1** [leven van hard en lang werken] *(life of) slave labour* ⇒*(life of) toil, (life of) drudgery,* ⟨inf.⟩ *dog's life* **0.2** [leven als slaaf] *slavery* ⇒*servitude.*

slavendrijver ⟨de (m.)⟩ **0.1** [iem. die slaven aandrijft] *slave driver* **0.2** [⟨fig.⟩] *slave driver.*

slavenhandel ⟨de (m.)⟩ **0.1** *slave trade/ traffic.*

slavenmoraal ⟨de⟩ **0.1** *slave morality/ ethics.*

slavenwerk →**slavenarbeid.**

slavernij ⟨de (v.)⟩ **0.1** [persoonlijke onvrijheid] *slavery* ⇒*bondage, thralldom, servitude* **0.2** [maatschappelijk stelsel] *slavery* ⇒*serfdom* **0.3** [⟨fig.⟩] *slavery* ⇒*bondage, thralldom* ♦ **1.2** afschaffing v.d. ~ *abolition of slavery;* voorstander v.d. afschaffing v.d. ~ *abolitionist, emancipationist* **6.1** iem. in ~ brengen *enslave s.o., take s.o. into slavery/ bondage;* uit de ~ verlossen *emancipate, enfranchise, set free* **6.3** ⟨fig.⟩ in de ~ der zonden zuchten *toil/ labour under the yoke of sin.*

slavin ⟨de (v.)⟩ **0.1** [vrouwelijke slaaf] *(female) slave* ⇒*bondmaid, bond(s)woman* **0.2** [⟨fig.⟩] *slave* ♦ **2.2** handel in blanke ~ nen *white slave trade/ traffic;* handelaar in blanke ~ nen *white slaver, white slave trafficker.*

slavink ⟨de⟩ **0.1** *kromensky.*

Slavisch¹ ⟨het⟩ **0.1** *Slavonic* ⇒*Slavic.*

Slavisch² ⟨bn.⟩ **0.1** *Slavonic* ⇒*Slavic, Slav* ♦ **1.1** de ~ e volken *the Slav(onic) peoples.*

slavist ⟨de (m.)⟩ **0.1** *Slavist.*

slavistiek ⟨de (v.)⟩ **0.1** *Slavonic studies.*

slavofiel ⟨de (m.)⟩ **0.1** *Slavophile.*

Slavonisch ⟨bn.⟩ **0.1** *Slavonian.*

s.l.e.a. ⟨afk.⟩ **0.1** [sine loco et anno] *s.l.e.a.*.

slecht ⟨→sprw. 125, 197, 424, 452, 511, 611, 648⟩
I ⟨bn., bw.; -ly⟩ **0.1** [niet goed] *bad* ⇒*poor* ⟨van kwaliteit⟩ **0.2** [ongunstig] *bad* ⇒*unfavourable* **0.3** [in ongelijk opzicht] *bad* ⇒*poor* **0.4** [in moreel/ zedelijk opzicht] *bad* ⇒*wrong* **0.5** [niet voorspoedig] *bad* ⇒*ill* **0.6** [verkeerd] *bad* ⇒*wrong* **0.7** [ineffectief] *bad* ⇒*poor* ♦ **1.1** een ~ e adem *b. breath;* ~ e cijfers halen *get b. marks;* een ~ gebit *b. teeth;* een ~ e reuk hebben *have a poor sense of smell;* ~ e voeding *malnutrition;* een ~ e zomer *a b. / an unseasonable summer* **1.2** een ~ e kritiek krijgen *get a b. crit(icism);* ~ nieuws *b. news* **1.3** ~ e tijden *hard times;* iets opzij leggen voor ~ e(re) tijden *put sth. away/ keep sth. for a rainy day* **1.4** ~ e huizen ⟨fig.⟩ *houses of ill-repute/ fame;* ~ e manieren *b. manners/ form;* niet zo ~ als hij wordt afgeschilderd *not so black as he is painted;* zich op het ~ e pad begeven *go wrong, set foot on the slippery path, go astray;* een ~ e vrouw *a woman of ill repute/ fame* **3.1** ~ betaald *badly/ low paid;* dat apparaat functioneert ~ *that machine malfunctions/ does not work well/ is in poor working-order;* dat is niet ~ *that is not (too) b.;* jij kent haar maar ~ *you do not know her well;* ~ horen *have b. hearing;* ~ worden *deteriorate;* zij ziet ~ *she has b. eyesight;* ~ er zijn dan ... *be worse than ...* **3.2** ~ bekend staan, een ~ e naam hebben *have a b. name/ reputation;* hij heeft het ~ getroffen *things have gone badly for him, he has fared ill/ been unlucky* **3.3** de zaken staan ~ *things look b.* **3.4** iem. ~ behandelen *treat s.o. badly;* zich ~ gedragen *behave badly, misbehave* **3.5** het er ~ af brengen *come off badly/ worse/ worst, be badly/ worse/ worst off;* een ~ e dag hebben *have an off day;* het gaat hem ~ *things look b. / are turning out badly for him;* het gaat ~ en er ~ er *things are going from b. to worse/ getting worse and worse/ changing for the worse;* het loopt nog eens ~ met je af *you will come to a b. / a sticky end/ no good;* het ziet er ~ voor hem uit *things look b. for him* **5.4** hij is door en door ~ *he is b. through and through, he is thoroughly b.* **6.2** op zijn ~ st, in het ~ ste geval *at (the) worst, if the worst comes to the worst;* dat is ~ voor de lijn/ *voor de gezondheid that is b. for the figure/ one's health* **7.1** hij is de ~ ste v.d. klas *he is at the bottom of the class* **¶.1** ~ ter been zijn *not be very good on one's legs* ⟨bejaarde⟩; *limp* ⟨handicap⟩ **¶.5** er ~ aan toe zijn *be in a b. way/ sorry plight;*

II ⟨bn.⟩ **0.1** [ziekelijk] *ill* ⇒*poorly, peaky* ⟨uiterlijk⟩ ◆ **3.1** de zieke wordt ~ *er the patient is getting worse;*
III ⟨bw.⟩ **0.1** [bijna niet] *hardly, scarcely* ⇒*badly* **0.2** [bezwaarlijk] *hardly, scarcely* ◆ **3.1** iem. ~ kunnen uitstaan *not suffer s.o. gladly;* ik schiet ~ op *I find it heavy going;* ~ slapen *sleep badly;* ~ verborgen afgunst *ill-concealed jealousy;* dat zal ~ gaan *that will be difficult / cause problems.*

slechten ⟨ov.ww.⟩ **0.1** [vlak maken] *level* ⇒*even* **0.2** [slopen] *demolish* ⇒*raze* **0.3** [doen verdwijnen] *level / even out* ◆ **1.1** wegen ~ *l. / even roads* **1.2** een huis ~ *d. / raze a house* **1.3** molshopen ~ *level out mole-hills.*

slechterik ⟨de (m.)⟩ ⟨inf.⟩ **0.1** *villain* ⇒[B]*rotter.*

slechtgehumeurd ⟨bn.⟩ **0.1** *bad-tempered* ⇒*ill-humoured peevish, tetchy moody* ◆ **5.1** bijzonder ~ ⟨ook⟩ *like a bear with a sore head.*

slechtgemanierd ⟨bn.⟩ **0.1** *bad- / ill-mannered* ⇒*unmannered, unmannerly.*

slechtgemutst →**slechtgehumeurd.**

slechtheid ⟨de (v.)⟩ **0.1** [verdorvenheid] *badness* ⇒*wickedness* **0.2** [slechte kwaliteit] *badness* ⇒*poor quality.*

slechthorend ⟨bn.⟩ **0.1** *hard of hearing.*

slechts ⟨bw.⟩ ⟨→sprw. 577⟩ **0.1** [maar] *only* ⇒*merely, just* **0.2** [enkel *only* ⇒*just, merely, but* ◆ **1.1** dat kost ~ een gulden *that o. costs a guilder* **1.2** ~ een kwestie van tijd *o. a matter / question of time;* ~ een wonder kan ons nog redden *nothing short of / o. a miracle can save us now* **3.2** ik heb het onderwerp ~ aangeroerd *I o. / just / merely touched on the subject;* je hebt ~ te gehoorzamen *you must simply / just obey / listen* ¶**.1** in ~ enkele gevallen *in o. / just a few cases.*

slechtvalk ⟨de (m.)⟩ **0.1** *peregrine (falcon)* ⇒*duck hawk.*

slechtziend ⟨bn.⟩ **0.1** *partially sighted.*

slede →**slee.**

sledehond ⟨de (m.)⟩ **0.1** *sleigh / sledge dog.*

sledestofzuiger ⟨de (m.)⟩ **0.1** *vacuum-cleaner (mounted) on runners.*

slee¹ ⟨de⟩ **0.1** [glijdend voertuig] *sledge,* [A]*sled* ⇒*sleigh, toboggan, luge* **0.2** [auto] *limousine* ⟨inf.⟩ *limo* **0.3** [glijdend onderstel] *carriage* **0.4** [deel van een draai / werkbank] *carriage* **0.5** [sleepruim] *sloe.*

slee² ⟨de⟩ **0.1** [mbt. tanden] *on edge* **0.2** [stomp, bot] *blunt* ⇒*dull.*

sleedoorn ⟨de (m.)⟩ ⟨plantk.⟩ **0.1** *sloe, blackthorn.*

sleeën

I ⟨onov.ww.⟩ **0.1** [glijden] *sledge,* [A]*sled* ⇒*sleigh, toboggan, luge* ◆ **1.1** de kinderen sleeden naar beneden *the children sledged / tobogganed to the bottom / downhill* ¶**.1** het is prachtig weer om te ~ *it is wonderful weather to go sledging, it's sledging weather;*
II ⟨ov.ww.⟩ **0.1** [vervoeren] *sledge,* [A]*sled* ◆ **1.1** de kinderen naar school ~ *sledge the children to school.*

sleehak ⟨de⟩ **0.1** *wedge* ◆ **6.1** schoen met een ~ *wedge.*

sleep ⟨de (m.)⟩ **0.1** [deel v.e. japon] *train* **0.2** [stoet] *train* ⇒*procession, retinue* **0.3** [auto] *tow;* ⟨opschrift⟩ *on tow* **0.4** [trek met een sleepnet] *trawl* ⇒*drag* **0.5** [schepen] *train (of boats)* ◆ **1.1** een ~ van hovelingen *a retinue / t. of courtiers;* hij heeft een ~ kinderen *he has a crowd of children in tow* **3.3** iem. aan een ~(je) geven, iem. op ~ nemen *give s.o. a tow, take s.o. on tow* **3.4** een ~ door *boten trawl, drag, trail* **6.5** een sleepboot met ~ *a tug with a train of barges.*

sleepaak ⟨de⟩ **0.1** *barge.*

sleepantenne ⟨de⟩ **0.1** *trailing aerial.*

sleepasperge ⟨de⟩ **0.1** *asparagus (stalks).*

sleepauto ⟨de (m.)⟩ →**sleepwagen.**

sleepboot ⟨de⟩ **0.1** *tug(boat)* ⇒*towboat.*

sleepbootkapitein ⟨de (m.)⟩ **0.1** *tug captain.*

sleepcontact ⟨het⟩ ⟨tech.⟩ **0.1** *wiper* ⇒*brush.*

sleepdienst ⟨de (m.)⟩ **0.1** [onderneming] *towing service* **0.2** [dienstverlening] *towing service.*

sleepdrager ⟨de (m.)⟩ **0.1** *train-bearer.*

sleephaak ⟨de (m.)⟩ **0.1** [draaibare haak] *tow-hook* **0.2** [trekhaak] *towing-hook* ⇒⟨voor caravan ook⟩ *caravan / [A]trailer coupling.*

sleephelling ⟨de (v.)⟩ **0.1** *slipway.*

sleephengel ⟨de (m.)⟩ **0.1** *troll* ⇒*trail* ◆ **3.1** met een ~ vissen ⟨naar / op⟩ *troll (for).*

sleephopperzuiger ⟨de (m.)⟩ →**sleepzuiger.**

sleep-in ⟨de (m.)⟩ **0.1** ⟨cheap (student) hostel / dormitory⟩ ⇒≠*youth hostel,* ⟨sl.⟩ *crash-pad.*

sleepkabel ⟨de (m.)⟩ **0.1** [mbt. een voer / vaar / vliegtuig] *tow(ing)-cable* ⇒*tow(ing)-wire / -rope, hawser* **0.2** [mbt. een luchtballon] *trailing-rope* ⇒*trailing-cable, drag-rope, guiderope.*

sleepketting ⟨de⟩ **0.1** *tow(ing)-chain.*

sleeplift ⟨de (m.)⟩ **0.1** *ski tow* ⇒*ski lift.*

sleeplijn ⟨de⟩ **0.1** [kabel] *tow(ing)-line* ⇒*tow(ing)-rope* **0.2** [vistuig] *troll* ◆ **3.2** met een ~ vissen ⟨naar / op⟩ *troll (for).*

sleeploon ⟨het⟩ **0.1** *towage* ⇒⟨te land⟩ *cartage, haulage,* ⟨vero.⟩ *drayage.*

sleepnet ⟨het⟩ **0.1** *trawl (net)* ⇒*dragnet, trail net, purse net / seine* ◆ **3.1** met een ~ vissen ⟨naar / op⟩ *trawl (for), go hauling.*

sleepoog ⟨het⟩ **0.1** *towing eye / ring.*

sleepreis ⟨de⟩ **0.1** *towage (trip).*

sleepring ⟨de (m.)⟩ **0.1** *slip ring.*

sleepruim ⟨de⟩ **0.1** *sloe* ⇒⟨boom vnl.⟩ *blackthorn.*

sleepschip ⟨het⟩ **0.1** *barge (in tow).*

sleepstart ⟨de (m.)⟩ **0.1** *aerotow (launch).*

sleeptoon ⟨de (m.)⟩ **0.1** [lijzige toon] *drawl* **0.2** [⟨taal.⟩] *drawling accent.*

sleeptouw ⟨het⟩ **0.1** [touw waaraan men iets voortsleept] *tow(ing)-rope* ⇒*tow(ing)-line* **0.2** [mbt. een luchtballon] *trailing-rope* ⇒*guiderope, drag-rope* ◆ **6.1** ⟨fig.⟩ iem. op ~ nemen *take s.o. in tow, drag s.o. along;* ⟨fig.⟩ iem. op ~ houden *keep s.o. dangling;* een schip op ~ *a ship under tow;* ⟨fig.⟩ zich op ~ laten nemen *door let o.s. be led by.*

sleeptros ⟨de (m.)⟩ **0.1** *tow(ing)-cable / -line* ⇒*hawser.*

sleepvaart ⟨de⟩ **0.1** *towage* ⇒*towing (service), tugging.*

sleepvisserij ⟨de (v.)⟩ **0.1** *trawling.*

sleepvlag ⟨de⟩ **0.1** *towing-flag.*

sleepvliegtuig ⟨het⟩ **0.1** *tug.*

sleepvloot ⟨de⟩ **0.1** *tug fleet* ⇒*fleet of tugs.*

sleepvoeten ⟨onov.ww.⟩ **0.1** *shuffle (along)* ⇒*shamble (along),* ⟨ook fig.⟩ *drag one's feet.*

sleepwagen ⟨de (m.)⟩ **0.1** [B]*breakdown truck / van* ⇒⟨AE ook⟩ *wrecker, tow truck / car.*

sleepzak ⟨de (m.)⟩ **0.1** *drift / sea anchor.*

sleepzuiger ⟨de (m.)⟩ **0.1** *trailing suction dredger.*

Sleeswijk-Holstein ⟨het⟩ **0.1** *Schleswig-Holstein.*

sleet¹ ⟨de⟩ **0.1** [het slijten] *wear (and tear)* ⇒*abrasion* ⟨munt⟩ **0.2** [versleten plaats] *worn patch* ◆ **1.2** er is breuk noch ~ aan *it's as good as new / in mint condition.*

sleet² ⟨bn.⟩ **0.1** *worn.*

sleets ⟨bn.⟩ **0.1** [slordig] *hard on one's clothes* **0.2** [versleten] *worn* ⇒*down-at-heel* ⟨schoen⟩ ◆ **1.2** een ~e plek in een jas *a w. patch in a coat* **3.1** zij is erg ~ *she wears out her clothes in no time.*

sleg ⟨de⟩ **0.1** *beetle* ⇒*maul, mall.*

slei ⟨de⟩ **0.1** *beetle* ⇒*maul, mall.*

slem ⟨het, de (m.)⟩ **0.1** *slam* ◆ **2.1** groot ~ maken *make a grand s.;* klein ~ maken *make a little / small s..*

slemiel →**schlemiel.**

slemp ⟨de (m.)⟩ **0.1** [drank] *saffron milk* **0.2** [⟨inf.⟩ koffie] ⟨ongemarkeerd⟩ *coffee* ⇒[A]*java* **0.3** [dik gekookt vruchtsap] *stewed fruit, puree* **0.4** [smulpartij] *spread* ⇒*blow-out, tuck-in, junketing, (bean)feast* **0.5** [overdadige traktatie] *treat* ◆ **6.¶** op de ~ lopen *sponge,* [A]*freeload.*

slempen

I ⟨onov.ww.⟩ **0.1** [overdadig eten / drinken] *feast* ⇒⟨eten⟩ *gormandize, gorge, stuff o.s., pig out,* ⟨drinken⟩ *carouse,* ⟨scherts.⟩ *revel;*
II ⟨ov.ww.⟩ **0.1** [met water drenken] *soak.*

slemperij ⟨de (v.)⟩ **0.1** *feasting* ⇒*gormandizing* ⟨eten⟩, ⟨drinken⟩ *carousing,* ⟨scherts.⟩ *revelling.*

slemppartij ⟨de (v.)⟩ **0.1** *spread* ⇒*blow-out, tuck-in, junketing, (bean)feast.*

slenk ⟨de⟩ **0.1** [geul] *channel* **0.2** [⟨geol.⟩] *ravine, gorge* ⇒*graben, rift (valley).*

slenteraar ⟨de (m.)⟩ **0.1** *stroller* ⇒⟨pej.⟩ *loiterer.*

slenteren ⟨onov.ww.⟩ **0.1** *stroll* ⇒*saunter* ◆ **6.1** naar buiten ~ *saunter out* ¶**.1** op straat ~ *lounge / loiter / loaf about the streets.*

slentergang ⟨de (m.)⟩ **0.1** [slenterende gang] *stroll* **0.2** [sleur] *rut* ⇒*groove, jogtrot, grind, routine.*

slenterig ⟨bn.⟩ **0.1** *sauntering* ⇒*leisurely* ◆ **1.1** zijn stap was ~ *his pace was leisurely, he was sauntering.*

slepen

I ⟨ov.ww.⟩ **0.1** [voorttrekken] *drag* ⇒*haul, lug* **0.2** [mbt. een vervoermiddel] *tow* ⇒⟨schip vanaf wal ook⟩ *track* **0.3** [⟨muz.⟩] *slur* ⇒*tie* ◆ **1.1** ⟨fig.⟩ hij sleept zijn vrouw overal heen *he drags his wife along / has his wife in tow everywhere he goes* **3.1** ⟨sport; fig.⟩ zich laten ~ *tail* **5.1** ⟨fig.⟩ ze sleepte er een goed cijfer uit *she managed to get a good mark;* ⟨fig.⟩ de dokter sleepte de patiënt erdoor *the doctor pulled the patient through* **6.1** ⟨fig.⟩ iem. **door** een examen ~ *pull / push / see s.o. through an exam;* iem. **langs** de grond ~ *drag s.o. along the ground;* ⟨fig.⟩ iem. **voor** de rechter ~ *haul s.o. (up) before the court, sue s.o., take s.o. to court, go to law against s.o.;*
II ⟨onov.ww.⟩ **0.1** [trekkend voortbewegen] *drag* ⇒*lug* **0.2** [zich schuivend voortbewegen] *drag* ⇒*trail* ⟨staart, sleep⟩ **0.3** [traag verloop hebben] *drag on* **0.4** [afhangen] *trail* **0.5** [mbt. klanken] *be slurred* ⇒*be tied* ◆ **1.2** het anker sleept *the anchor drags;* die japon sleept *that dress is trailing, you're trailing your dress* **1.4** zware, ~de gordijnen *heavy, floor-length curtains* **3.3** iets laten ~ *keep sth. hanging fire, protract sth., draw sth. out* **6.1** met iets ~ *d. / lug sth. about / along* **6.2** met zijn been ~ *d. one's leg.*

slepend

I ⟨bn.⟩ **0.1** [wat sleept] *dragging* **0.2** [lang van duur] *lingering* ⇒*languishing, chronic* **0.3** [mbt. rijm] *feminine* **0.4** [mbt. klanken] *spread* **0.5** [⟨hand.⟩] *slack* ⇒*sluggish, dull, slow* **0.6** [mbt. een conversatie] *dragging* ⇒*wearisome* ◆ **1.1** een ~e gang hebben *have a shuffling / trailing gait, have a drag in one's walk, drag / shuffle one's feet;* ~e pas *shuffle* **1.4** een ~e stem *a drawl(ing voice);*
II ⟨bw.⟩ **0.1** [mbt. klanken] *legato* ◆ **3.1** hij speelde ~ op het orgel *he played the organ l..*

sleper ⟨de (m.)⟩ **0.1** [sleepboot] *tug(boat)* ⇒*towboat* **0.2** [sleeptros] *tow-(ing)-line* ⇒*tow(ing)-rope*/ *-hawser* **0.3** [visser] *trawler* **0.4** [sleepcontact] *wiper* ⇒*brush*.

slet ⟨de (v.)⟩⟨pej.⟩ **0.1** *slut* ⇒*trollop, whore, tramp, tart*.

sletig ⟨bn.⟩⟨AZN⟩ **0.1** *wearing* ⇒*abrasive*.

sleuf ⟨de⟩ **0.1** [opening] *slot* ⇒*slit* **0.2** [smalle groef] *groove* ⇒*trench* ⟨in grond⟩ ◆ **1.1** de ∼ v.e. spaarpot/ brieventas *the slot in a piggybank, the slit in a letterbag* **6.2** de sleuven **in** een pilaar *the grooves/ flutes in a pillar*; ⟨biol.⟩ helmknoppen die **met** sleuven openspringen *anthers opening along fissures*.

sleufgraver ⟨de (m.)⟩ **0.1** *ditchdigger* ⇒*ditcher*.

sleur ⟨de (m.)⟩ **0.1** *rut* ⇒*groove, grind, jogtrot, routine* ◆ **2.1** de alledaagse ∼ *the drag of daily life, the everyday routine, the daily round/ grind*; de oude ∼ *the old rut* **3.1** de ∼ (ver)breken *get out of the rut/ groove/ routine* **6.1** het is tot een ∼ geworden *it has become a (mere) grind/ routine, the life/ magic has gone out of it*.

sleuren
I ⟨ov.ww.⟩ **0.1** [ruw slepen] *drag* ⇒*pull, haul, tear, tug* ◆ **6.1** ⟨fig.⟩ iemands naam **door** het slijk ∼ *fling/ sling/ throw mud at s.o., drag s.o./ s.o.'s name through the mire*; iem. **uit** zijn bed ∼ *d./ tear/ tug s.o. from his bed*; iem. **voor** de rechter ∼ *haul s.o. before the court, sue s.o.*;
II ⟨onov.ww.⟩ **0.1** [traag verlopen] *drag (on)* ◆ **3.1** die zaak blijft ∼ *the matter is dragging on/ hanging fire/ in the air*; iets laten ∼ *protract sth., draw sth. out* ⟨onnodig lang laten duren⟩; *keep sth. hanging fire* ⟨geen beslissing nemen⟩; *let sth. drift* ⟨niets ondernemen⟩.

sleurwerk ⟨het⟩ **0.1** [werk uit sleur verricht] *routine work* **0.2** [werk dat langzaam vordert] *uphill work* ◆ **3.1** dit wordt gauw/ gemakkelijk/ licht ∼ *this tends to get very monotonous, this can easily become a drag*.

sleutel ⟨de (m.)⟩ **0.1** [werktuig mbt. een slot] *key* **0.2** [⟨fig.⟩] *key* ⇒*clue, secret*, ⟨van code ook⟩ *cipher, cypher, ratio* ⟨voor verdeling⟩ **0.3** [(versterkte) plaats] *key* **0.4** [werktuig, gereedschap] ᴮ*spanner* ⇒ ᴬ*wrench, key* ⟨klok⟩, *peg, pin* ⟨snaarinstrument⟩ **0.5** [⟨muz.⟩] *clef* ◆ **1.1** de baard/ pijp v.e. ∼ *the bit/ shank of a k.* **2.1** een Duitse ∼ *a hollow-shank k.*; een Franse ∼ *a solid-shank k.*; een valse ∼ *a false k.* **2.3** ⟨mil.⟩ strategische ∼ *strategic k.* **2.4** een Engelse ∼ *a monkey-wrench,* ᴮ*an adjustable spanner* **3.1** de ∼ omdraaien *turn the k.*; de ∼ in het slot steken *put the k. into the lock, apply the k. to the door.*

sleutelaar ⟨de (m.)⟩ **0.1** *amateur mechanic* ⇒*tinker(er)* ◆ **2.1** hij is een verwoede ∼ aan motorfietsen *he loves tinkering at/ tinkering with/ fiddling with motorcycles.*

sleutelbedrijf ⟨het⟩ **0.1** *key business/ company.*

sleutelbeen ⟨het⟩⟨med.⟩ **0.1** *collarbone* ⇒*clavicle* ◆ **6.1** mbt. / van het ∼ *clavicular.*

sleutelbeenbreuk ⟨de⟩ **0.1** *clavicular/ collarbone fracture.*

sleutelbloem ⟨de⟩ **0.1** *primula* ⇒*primrose, bird's-eye* ◆ **2.1** echte ∼ *cowslip*; slanke ∼ *oxlip.*

sleutelbord ⟨het⟩ **0.1** *key-board* ⇒*key-rack.*

sleutelbos ⟨de (m.)⟩ **0.1** *bunch of keys.*

sleutelen ⟨onov.ww.⟩⟨inf.⟩ **0.1** [met sleutels werken] *work (on)* ⇒*repair, fiddle (with), tinker (at/ with)* ⟨amateuristisch⟩ **0.2** [⟨fig.⟩] *fiddle (with)* ⇒*tinker (at/ with), doctor* **0.3** [seinen] *key* ◆ **6.2** er is heel wat **aan** de spelling gesleuteld *the spelling has undergone a great deal of doctoring.*

sleuteletui ⟨het⟩ **0.1** *key case.*

sleutelfiguur ⟨de⟩ **0.1** *key figure.*

sleutelgat ⟨het⟩ **0.1** *keyhole* ⇒*keyway* ◆ **6.1** aan het ∼ luisteren *listen/ eavesdrop at the keyhole*; door het ∼ kijken *peep through the keyhole.*

sleutelgeld ⟨het⟩ **0.1** *key money.*

sleutelhanger ⟨de (m.)⟩ **0.1** *key ring* ⇒*(key) fob.*

sleutelindustrie ⟨de (v.)⟩ **0.1** *key industry.*

sleutelkind ⟨het⟩ **0.1** *latchkey child.*

sleutelmacht ⟨de⟩ **0.1** [⟨r.k.⟩] *key(s)* ⇒*power of the keys* **0.2** [macht op grond van een sleutelpositie] *key power* **0.3** [⟨jur.⟩] *right of possession.*

sleutelmal ⟨de (m.)⟩ **0.1** *key profile/ template.*

sleutelpaal ⟨de⟩ **0.1** *locked post.*

sleutelpassage ⟨de (v.)⟩ **0.1** *key passage.*

sleutelpersoon ⟨de (m.)⟩ **0.1** *key figure* ⇒*key man/ woman.*

sleutelplaatje ⟨het⟩ **0.1** [aan sleutel] *key-label/ -tag* **0.2** [om sleutelgat] *(e)scutcheon.*

sleutelpositie ⟨de (v.)⟩ **0.1** *key position* ◆ **3.1** een ∼ innemen *occupy a k. p..*

sleutelring ⟨de (m.)⟩ **0.1** [ring voor sleutels] *key ring* **0.2** [deel van een sleutel] *key bow.*

sleutelrol ⟨de⟩ **0.1** *key role* ⇒*key part, central role/ part.*

sleutelroman ⟨de (m.)⟩ **0.1** *roman à clef.*

sleutelschacht ⟨de⟩ **0.1** *key shank.*

sleutelstad ⟨de⟩ **0.1** *Leiden (the Key Town).*

sleutelstelling ⟨de (v.)⟩⟨mil.⟩ **0.1** *key position* ⇒*key point.*

sleutelvaluta ⟨de⟩ **0.1** *key/ leading currency.*

sleutelwoord ⟨het⟩ **0.1** *key (word).*

---

sleutelzet ⟨de (m.)⟩ **0.1** *keymove.*

sleuvengraver ⟨de (m.)⟩ **0.1** *trench digger* ⇒*trencher.*

slib ⟨het⟩ **0.1** [slijk] *silt* ⇒*warp, sediment, deposit* **0.2** [bezinksel] *sludge* ⇒*slurry* **0.3** [mbt. ertsen] *gangue* **0.4** [slik, schor] *mud flat* **0.5** [kleverige/ natte massa] *ooze* ⇒*mud, mire, slime* ◆ **1.5** ∼ van een slijpsteen *(grinding) slurry, swarf, nourings* **3.1** ⟨fig.⟩ ∼ vangen *not make the grade, fail.*

slibachtig ⟨bn.⟩ **0.1** *oozy* ⇒*slimy, muddy, silty* ⟨bv. rivier/ havenslib⟩.

slibafzetting ⟨de (v.)⟩ **0.1** *silting(-up)* ⇒*deposit of silt/ sludge.*

slibbemesting ⟨de (v.)⟩ **0.1** *silt fertilization.*

slibben ⟨ov.ww.⟩ **0.1** *dress* ⇒*pan, jig.*

slibberen ⟨onov.ww.⟩ **0.1** *slip* ⇒*slither.*

slibberig ⟨bn.⟩ **0.1** *slippery* ⇒*slimy* ⟨door slijm⟩.

slibgehalte ⟨het⟩ **0.1** *silt content* ⇒*sedimentation level.*

slibzuiger ⟨de (m.)⟩ **0.1** *suction/ hydraulic dredger.*

slichten ⟨ov.ww.⟩ **0.1** [gladmaken] *dress* ⇒*flesh* ⟨huid, vel⟩ **0.2** [afgraven] *level* ⇒*skim* ◆ **1.2** de koppen van zandverstuivingen ∼ *l. the tops of sand drifts.*

sliding ⟨de (m.)⟩⟨sport⟩ **0.1** *slip/ sliding-tackle* ⟨aanval⟩; *dive* ⟨naar tegenspeler/ honk⟩ ◆ **3.1** een ∼ inzetten/ uitvoeren *make a slip-tackle/ dive.*

sliepen ⟨onov.ww.⟩ **0.1** ≠*jeer (at)* ◆ ¶**.1** sliep, sliep, dat krijg je niet! *you're not getting it/ any, so there!*; ⟨kind.⟩ *yah boo, you can't have it!.*

sliepuit ⟨tw.⟩ **0.1** *sucks* ◆ ¶**.1** ∼, ∼, alle kinderen lachen je uit! *yah boo sucks to you.*

slier ⟨de (m.)⟩ **0.1** [rij personen]⟨→**sliert 0.1**⟩ **0.2** [persoon]⟨→**sliert 0.3**⟩ **0.3** [optisch verschijnsel] ≠*fleck* ⇒*flaw.*

slierasperge ⟨de⟩ **0.1** *asparagus (stalk)(with butter).*

slieren
I ⟨ov.ww.⟩ **0.1** [sleuren] *drag* ⇒*pull, haul, tear, tug*;
II ⟨onov.ww.⟩ **0.1** [glijden op het ijs] *slide* **0.2** [uit/ weg/ doorglijden] *slide* ⇒*slip* **0.3** [doelloos rondlopen] *wander* ⇒*loaf about/ around, loiter* **0.4** [onbedoeld over de grond slepen] *trail* **0.5** [verspreid liggen] *lie about* **0.6** [zich als een slinger voortbewegen] *wind* ⇒⟨rivier ook⟩ *meander* **0.7** [in een slier schaatsen] *skate in a string/ chain.*

sliert ⟨de (m.)⟩ **0.1** [rij personen] *string* ⇒*trail, chain* **0.2** [een heleboel] *pack* ⇒*bunch, flock, herd, troop* **0.3** [persoon] *beanpole*, ᴬ*string bean* **0.4** [slap neerhangend iets] *string* ⇒*tendril, thread, wisp* ⟨haar⟩ **0.5** [zich als slinger vertonend iets] *string* ⇒*wisp, weft, trail* ◆ **1.1** een ∼ schaatsenrijders a s. / chain of skaters **1.4** ∼en rook/ mist *wisps/ wefts/ trails of smoke/ mist*; een ∼ spaghetti a s. of spaghetti **2.2** een hele ∼ *a whole bunch.*

sliertig ⟨bn.⟩ **0.1** *stringy; wispy* ⟨rook⟩.

sliet ⟨de⟩⟨bosb.⟩ **0.1** *log.*

slijk ⟨het⟩ **0.1** [modder] *mud* ⇒*mire, ooze, sludge* ⟨dik, vettig⟩ **0.2** [aangeslibde grond] *mud flat* **0.3** [opgebaggerd veenstof] *sludge* ◆ **1.1** ⟨fig.⟩ goud is het ∼ der aarde *gold is the dross of the earth* **1.¶** ⟨scherts.⟩ het ∼ der aarde *filthy lucre* **5.1** een sloot vol ∼ *a ditch full of mud/ mire* **6.1** ⟨fig.⟩ iem. **door** het ∼ sleuren, iemands naam **door** het ∼ halen *drag s.o./ s.o.'s name through the mire, fling/ throw/ sling mud at s.o.*; ⟨fig.⟩ zich in het ∼ wentelen *wallow in the mud* **8.1** ⟨AZN⟩ geld verdienen gelijk ∼ *make big money, earn money like water.*

slijkachtig ⟨bn.⟩ **0.1** *muddy* ⇒*miry, oozy, sludgy, silty* ⟨als slib⟩.

slijkgat ⟨het⟩ **0.1** [gat vol slijk] *mudhole* **0.2** [dorp, stadje] *mudhole* **0.3** [mbt. stoomketel] *mudhole.*

slijkgras ⟨het⟩ **0.1** *spartina grass.*

slijkgrond ⟨de (m.)⟩ **0.1** *mud flat.*

slijkland ⟨het⟩ **0.1** [moerassig land] *bog* ⇒*marsh(land)* **0.2** [veengrond] *bog* ⇒*peat (bog/ moor).*

slijkplaat ⟨de⟩⟨aardr.⟩ **0.1** *mud flat* ⇒*mudbank.*

slijkvis ⟨de (m.)⟩ **0.1** *mudfish* ⇒*lungfish.*

slijkvulkaan ⟨de (m.)⟩ **0.1** *mud volcano* ⇒*salse.*

slijm ⟨het, de (m.)⟩ **0.1** [kleverige afscheiding] *mucus* ⇒*phlegm* ⟨fluim⟩ **0.2** [huidbedekking] *slime* ⇒*mucus* **0.3** [⟨plantk.⟩ plantenstof] *slime* ◆ **2.1** dik ∼ *sticky m.* **3.1** ∼ op de borst hebben *suffer from congestion of the chest*; ∼ opgeven *expectorate, raise/ hawk up phlegm.*

slijmachtig ⟨bn.⟩ **0.1** [op slijm lijkend] *slimy* **0.2** [slijm afscheidend] *mucous.*

slijmafscheidend ⟨bn.⟩ **0.1** *mucous* ⇒*secreting mucus.*

slijmafscheiding ⟨de (v.)⟩ **0.1** *mucous secretion* ⇒*secretion of mucus.*

slijmbal ⟨de (m.)⟩⟨inf.⟩ **0.1** *toady* ⇒*bootlicker, lickspittle*, ᴬ*slimeball*, ⟨sl.⟩ *creep*, ᴬ*sweet-talker.*

slijmbeurs ⟨de⟩⟨med.⟩ **0.1** *bursa.*

slijmdiertje ⟨het⟩ **0.1** *mycetozoan.*

slijmen
I ⟨onov.ww.⟩ **0.1** [⟨inf.⟩ naar de mond praten] *lay it on (thick/ with a trowel)* ⇒*soft-soap, bow and scrape*, ᴬ*sweet-talk* **0.2** [slijm opgeven] *expectorate* ⇒*raise/ hawk up phlegm* ◆ **6.1** ∼ **bij/ tegen** iem. *suck up to/ soft-soap s.o., butter s.o. up, lick s.o.'s boots, kiss s.o.'s feet, curry favour with s.o.*;
II ⟨ov.ww.⟩ **0.1** [van slijm ontdoen] *slime.*

slijmerd ⟨de (m.)⟩⟨inf.⟩ **0.1** [kruiperig persoon]⟨→**slijmbal**⟩ **0.2** [bangerd] *chicken* ⇒⟨kind.⟩ *scaredy-cat.*

slijmerig
I ⟨bn.⟩ **0.1** [van de aard van slijm] *slimy* ⇒⟨inf.⟩ *gooey,* ⟨med.⟩ *mucous* **0.2** [met slijm bedekt] *slimy* ⇒⟨inf.⟩ *gooey,* ⟨med.⟩ *mucous;* **II** ⟨bn.,bw.;-ly⟩⟨inf.⟩ **0.1** [kruiperig] *slimy* ⇒*bootlicking, toady, grovelling, ingratiating, obsequious.*

slijmhoest ⟨de (m.)⟩ **0.1** *catarrhal cough* ⇒*moist/phlegmy cough.*

slijmjurk ⟨de⟩⟨inf.⟩→**slijmbal.**

slijmklier ⟨de⟩ **0.1** *mucous gland.*

slijmoplossend ⟨bn.⟩ **0.1** *expectorant.*

slijmprik ⟨de (m.)⟩ **0.1** *myxine* ⇒⟨ihb.⟩ *hagfish.*

slijmprop ⟨de⟩ **0.1** *sputum.*

slijmvis ⟨de (m.)⟩ **0.1** *(European) blenny* ◆ **2.1** *gewone ~ shanny.*

slijmvlies ⟨het⟩⟨med.⟩ **0.1** *mucous membrane* ⇒*mucosa.*

slijmzwam ⟨het⟩ **0.1** *myxomycete* ⇒*slime mould.*

slijp ⟨het, de (m.)⟩ **0.1** [door slijpen verkregen stof] *swarf* ⇒*grinding dust* **0.2** [schuurzand] *scouring sand* ⇒*abrasive/abradant (powder), grinding paste* **0.3** [houtslijp] *sawdust, wood pulp.*

slijpapparaat ⟨het⟩ **0.1** *grinding machine* ⇒*grinder, sharpener, abrasive/abradant machine.*

slijpen
I ⟨ov.ww.⟩ **0.1** [glad/effen maken] *grind* ⇒*polish,* ⟨edelsteen ook⟩ *cut* **0.2** [door wrijving scherp maken] *grind* ⇒*whet, sharpen, hone, set* ⟨scheermes⟩ **0.3** [dmv. een mes scherp maken] *sharpen* ⇒⟨potlood ook⟩ *point* **0.4** [⟨fig.⟩] *sharpen* ⇒*whet* **0.5** [mbt. glaswerk] *cut* ◆ **1.1** marmer/brilleglazen/diamant ~ *polish marble/spectacle-glasses, g./cut/polish diamonds* **1.4** dat slijpt het verstand *that sharpens/whets the intellect* **2.1** glas mat ~ *g. glass;*
II ⟨onov.ww.⟩ **0.1** [polijsten] *grind* ⇒*polish,* ⟨edelsteen ook⟩ *cut* **0.2** [scherpen] *grind* ⇒*whet, sharpen, hone, set* ⟨scheermes⟩ **0.3** [⟨inf.⟩ innig dansen]⟨ongemarkeerd⟩ *dance cheek to cheek* ⇒⟨sl.⟩ *grind* **0.4** [slenteren] *loaf (about/around)* ⇒*loiter, lounge* ◆ **5.1** dit oliesteentje slijpt goed *this oilstone hones well.*

slijper ⟨de (m.)⟩ **0.1** [toestel] *grindstone* ⇒*grinding machine, sharpener* ⟨o.a. potlood⟩, *abrasive/abradant machine* **0.2** [persoon] *grinder* ⇒*polisher, cutter* ⟨glas, edelsteen⟩.

slijperij ⟨de (v.)⟩ **0.1** [bedrijf] *grinding mill/shop* ⇒*grindery* **0.2** [handeling] *grind(ing)* ⇒*polishing, cutting* ⟨edelsteen, glas⟩, ⟨scherp maken ook⟩ *whetting, sharpening.*

slijpmachine ⟨de (v.)⟩ **0.1** *grinder* ⇒*grinding machine.*

slijpmiddel ⟨het⟩ **0.1** *abrasive.*

slijpmolen ⟨de (m.)⟩ **0.1** [slijptoestel] *grinding mill* ⇒*grinding wheel/machine, abrasive/abradant machine, grinder* **0.2** [slijpschijf van diamantslijpers] *polishing wheel.*

slijppatroon ⟨het⟩ **0.1** *grinding template.*

slijpplaatje ⟨het⟩ **0.1** *slice.*

slijpplank ⟨de⟩ **0.1** *knife sharpener.*

slijppoeder ⟨het, de (m.)⟩ **0.1** *abrasive/abradant powder.*

slijpschijf ⟨de⟩ **0.1** *grinding/polishing disc.*

slijpsel ⟨het⟩ **0.1** [wat afvalt] *grindings* ⇒*grinding dust, swarf* **0.2** [wat verkregen wordt] *grind* ⇒*cutting, finished form.*

slijpspil ⟨de⟩ **0.1** *grinding/grindstone spindle.*

slijpstaal ⟨het⟩ **0.1** *steel* ⇒*knife-sharpener.*

slijpsteen ⟨de (m.)⟩ **0.1** *grindstone* ⇒*whetstone, hone, snakestone, rubber.*

slijpstof ⟨het⟩ **0.1** *grinding dust* ⇒*swarf, grindings.*

slijpstrip ⟨de (m.)⟩ **0.1** *grinding strip.*

slijpvlak ⟨het⟩ **0.1** *grinding face.*

slijpzand ⟨het⟩ **0.1** *scouring sand.*

slijtachtig ⟨bn.⟩ **0.1** *heavy on clothes* ◆ **3.1** hij is erg~ ⟨ook⟩ *he wears out his clothes in no time.*

slijtage ⟨de (v.)⟩ **0.1** *wear (and tear)* ⇒*waste,* ⟨munt/rem/rail ook⟩ *abrasion, wastage* ⟨verlies door slijtage/afschrijving⟩ ◆ **1.1** tekenen van ~ vertonen *show signs of wear* **2.1** economische ~ *(economic) obsolescence;* aan ~ onderhevige onderdelen *wearing parts* **6.1** aan ~ onderhevig zijn *be subject/liable to wear, wear out rapidly;* tegen ~ bestand zijn *stand/resist (hard) wear, be durable/wear-resistant.*

slijtageslag ⟨de (m.)⟩⟨fig.⟩ **0.1** *war of attrition* ⇒*siege, bruising battle* ◆ **2.1** een ware ~ leveren *fight a bruising battle/war of attrition* **3.1** in een ~ verwikkeld zijn *be engaged in a war of attrition/siege/bruising battle;* onze vakantie in Londen was een ~ *our holiday in London was exhausting.*

slijten ⟨→sprw. 538⟩
I ⟨ov.ww.⟩ **0.1** [doen afnemen in massa/sterkte/bruikbaarheid] *wear (out)* **0.2** [door wrijving/gebruik veroorzaken] *wear* **0.3** [doorbrengen] *spend* ⇒*pass* **0.4** [verkopen] *sell* ⇒*retail* ⟨middenstander⟩, *fob/palm off (on(to))* ⟨iets slechts⟩ **0.5** [⟨AZN⟩ uittrekken bij de oogst] *harvest* ◆ **1.1** de drempel was behoorlijk gesleten *the threshold was quite worn away* **1.3** zijn laatste dagen in een bejaardentehuis ~ *end one's days in a home;* zijn leven in eenzaamheid ~ *s./pass one's days in solitude* **6.4** ⟨scherts.⟩ kan ik niets **aan** je ~? *is there nothing I can offer you?;* hij probeerde een overjarig model **aan** me te ~ *he tried to fob/palm off last year's/an outdated model onto me;*

II ⟨onov.ww.⟩ **0.1** [minder worden in massa/sterkte/bruikbaarheid] *wear (out)* **0.2** [⟨fig.⟩] *wear away/off* ⇒⟨vermageren, verzwakken⟩ *waste (away)* ◆ **2.1** die jas is kaal gesleten *that coat is worn (thread)bare* **5.1** gauw ~ *w. badly, w. out rapidly.*

slijter ⟨de (m.)⟩ **0.1** [B]*licensed victualler,* [A]*liquor merchant* ⇒⟨van wijn⟩ *vintner, wine merchant.*

slijterij ⟨de (v.)⟩ **0.1** [B]*off-licence (shop),* [A]*liquor/package store* ⇒⟨BE; inf.⟩ *offie.*

slijtlaag ⟨de⟩ **0.1** ⟨op weg⟩ *metalling.*

slijtplek ⟨de⟩ **0.1** *worn patch* ⇒⟨op vloer/schoen⟩ *scuff.*

slijtproef ⟨de⟩ **0.1** *durability/wear test.*

slijtvast ⟨bn.⟩ **0.1** *wear-resistant* ⇒*longwearing, durable.*

slijtvergunning ⟨de (v.)⟩ **0.1** [B]*off-licence,* [A]*liquor licence.*

slik
I ⟨het, de (m.)⟩ **0.1** [slijk] *mud* ⇒*mire, ooze, slime* **0.2** [aangeslibde grond] *mud flat* **0.3** [slib] *silt* ⇒*warp, sediment, deposit;* **II** ⟨de (m.)⟩ **0.1** [slikbeweging] *gulp* ⇒*swallow* ◆ **6.1** je moet het maar met één~door je keel zien te krijgen *you must try to get it down in one g./swallow.*

slikbeweging ⟨de (v.)⟩ **0.1** *gulp* ⇒*swallow(ing movement)* ◆ **3.1** een ~ maken *gulp, swallow.*

slikgas ⟨het⟩ **0.1** *methane* ⇒*marsh gas.*

slikken
I ⟨ov.ww.⟩ **0.1** [innemen] *swallow* ⇒*bolt (down), gulp down* ⟨haastig⟩ **0.2** [accepteren] *swallow* ⇒⟨belediging e.d. ook⟩ *stomach, put up with, packet, digest* ◆ **1.1** de pil gaan ~ *go on the pill* **1.2** zo'n behandeling slik ik niet *I won't stand for/take such treatment;* hij slikte mijn verhaal *he swallowed my story* **3.2** je hebt het maar te ~ *you just got to put up with it;* heel wat moeten ~ *have to put up with a great deal;* **II** ⟨onov.ww.⟩ **0.1** [slikspieren laten werken] *swallow* ⇒*gulp* ◆ **3.1** ⟨scherts.⟩ ~ of stikken ⟨mbt. eten⟩ *you're going to eat this if I have to shove it down your throat;* ⟨mbt. maatregel⟩ *if you don't like it, (you can) lump it.*

sliknat ⟨bn.⟩ **0.1** *soaked (to the skin/through)* ⇒*drenched, sopping/soaking wet, wet through.*

slikorgaan ⟨het⟩ **0.1** *pharynx and gullet/oesophagus.*

slim ⟨bn.,bw.;-ly⟩⟨→sprw. 552⟩ **0.1** [schrander] *clever* ⇒*smart, bright, shrewd,* ⟨pej.⟩ *sly* **0.2** [blijk gevend van slimheid] *clever* ⇒*smart, bright, shrewd, astute* **0.3** [erg] *bad* ⇒*serious, grave* ◆ **1.2** een ~ idee *a bright idea, a wrinkle;* ~me oogjes *shrewd eyes;* een ~me zet *a crafty move/clever dodge, very neat* **3.2** het ~ aanpakken *play one's cards right/well* **7.1** niet een van de ~sten zijn *be none too c./bright/smart* ¶**.1** iem. te ~ af zijn *be too c./sharp for s.o., get/have the better of s.o., outwit/outsmart/outfox s.o., be one too many for s.o., take advantage of s.o.;* ⟨sl.⟩ *come it over/it with s.o..*

slimheid ⟨de (v.)⟩ **0.1** [eigenschap] *cleverness* ⇒*brightness, shrewdness, brains, wit* **0.2** [bedenksel] *dodge* ⇒*trick, sleight, contrivance, ingenuity.*

slimmeling ⟨de (m.)⟩ **0.1** *sly dog* ⇒*smart number/*[A]*cookie, cool card/customer/hand* ◆ **2.1** politieke ~en *wily/crafty politicians.*

slimmerd ⟨de (m.)⟩, **slimmerik** ⟨de (m.)⟩ **0.1** *smart number/*[A]*cookie* ⇒*cool card/customer/hand* ◆ **3.1** ⟨iron.⟩ wat ben je toch een ~! *you're a genius!, aren't you a marvel?, what a whiz-kid!.*

slimmigheid ⟨de (v.)⟩ **0.1** [slimheid] *cleverness* ⇒*brightness, shrewdness, brains, wit* **0.2** [slimme handelwijze] *dodge* ⇒*trick, sleight, shift, device* ◆ **6.2** hij wist zich door een ~je eruit te redden *he dodged/weaseled/wangled his way out of it.*

slinger ⟨de (m.)⟩ **0.1** [zwaai] *swing* ⇒*sway, lurch, oscillation* ⟨beweging van slinger van klok⟩ **0.2** [versiering] *festoon* ⇒*paper chain, streamer, garland* ⟨bloemen⟩, ⟨krans⟩ *wreath* **0.3** [sliert] *coil* ⇒*twist, string, convolution* **0.4** [hefboom] *handle* ⇒*crank, crank/starting handle* ⟨oude auto⟩, *winder* **0.5** [werptuig] *sling* **0.6** [zwaar lichaam opgehangen aan een horizontale as] *pendulum* **0.7** [mitella] *sling* ◆ **2.6** een enkelvoudige/samengestelde ~ *a simple/compound p.* **3.1** een ~ maken *(give a) lurch, swing, sway, rock* **3.2** ~s ophangen *hang up festoons/paper chains/streamers/garlands* ¶**.1** ⟨fig.⟩ ergens een (andere) ~ aan geven *give sth. a twist.*

slingeraap ⟨de (m.)⟩ **0.1** *spider monkey* ⇒*sapajou.*

slingeras ⟨de⟩ **0.1** *pivot.*

slingerbeweging ⟨de (v.)⟩ **0.1** [schommeling] *swing* ⇒⟨wet.⟩ *oscillation, oscillatory/pendulum motion* **0.2** [van lichaam] *swerve* ⇒*lurch* **0.3** [van schip] *roll* ◆ **3.2** hij maakte een plotselinge ~ *he suddenly swerved, he gave a sudden lurch.*

slingerdeslang ⟨bw.⟩ **0.1** *in a winding fashion* ◆ **3.1** dat beekje loopt ~ door het dal *that stream winds/meanders its way through the valley.*

slingeren
I ⟨onov.ww.⟩ **0.1** [zwaaien] *swing* ⇒*oscillate* **0.2** [zigzaggen] *sway* ⇒*lurch, rock, yaw* ⟨schip⟩, *be out of true* ⟨wiel⟩ **0.3** [zwaaiende beweging maken] *sway* ⇒*sway* **0.4** [ordeloos neergelegd zijn] *lie about/around* **0.5** [kronkelen] *wind* ⇒⟨rivier ook⟩ *meander* **0.6** [mbt. een varend schip] *roll* ◆ **1.1** een ~de beweging *a swinging movement, an oscillation* **1.5** een ~de weg *a winding/twisting road* **3.4** laat je boe-

ken niet altijd op mijn bureau ~! *don't always park/spread your books around on my desk!* **5.1** heen en weer ~ *s. back and forth, pendulate, oscillate* **5.2** hij slingerde erg *he walked very unsteadily, he was reeling/lurching/staggering* **6.1** de gorilla slingerde **aan** zijn armen *the gorilla swung by its arms;* ~ **op** zijn benen *sway on one's legs* **6.2** **met** de fiets ~ *ride one's bicycle unsteadily, wobble on one's bike/cycle;* de auto slingerde **over** de straat *the car bucketed/zigzagged/lurched (drunkenly) along the street;*

II ⟨ov.ww.⟩ **0.1** [met een zwaai werpen] *sling* ⇒*fling, hurl, hurtle* **0.2** [zwaaiende beweging doen maken] *swing* ⇒*sway, catapult* **0.3** [winden om] *wrap* **0.4** [met een slinger voortbewegen] *sling* ⇒*catapult* ◆ **1.¶** honing ~ *extract honey* **6.1** ⟨fig.⟩ **tussen** vrees en hoop heen en weer geslingerd worden *hover/be poised/be torn between hope and fear* **6.2** bij een botsing **uit** de auto geslingerd worden *be flung out of the car in a crash;*

III ⟨wk.ww.;zich~⟩ **0.1** [kronkelen] *wind* ⇒*meander* **0.2** [zich om een voorwerp kronkelen] *wind (o.s.)* ⇒*twine/wrap o.s.* ◆ **6.2** de klimop slingert zich **om** de boom *the ivy winds/twines/wraps itself round the tree.*

slingergewicht ⟨het⟩ **0.1** *bob.*

slingerhoning ⟨de (m.)⟩ **0.1** *extracted honey.*

slingering ⟨de (v.)⟩ **0.1** [slingerbeweging]⟨→**slingerbeweging**⟩ **0.2** [kronkeling] *bend* ⇒*turn, twist.*

slingerkring ⟨de (m.)⟩ ⟨tech.⟩ **0.1** *oscillatory circuit.*

slingermachine ⟨de (v.)⟩ **0.1** *centrifuge* ⇒*separator.*

slingerpad ⟨het⟩ **0.1** *winding/twisting path* ⇒*crooked path.*

slingerplant ⟨de⟩ **0.1** *creeper* ⇒*climber, runner, twining plant, parasite.*

slingerproef ⟨de⟩ **0.1** *(Foucault's) pendulum experiment.*

slingerpunt ⟨het⟩ **0.1** [punt van ophanging] *point of suspension* **0.2** [middelpunt van slingerbeweging] *centre/midpoint of oscillation.*

slingerschot ⟨het⟩ **0.1** [in scheepsruim] *shifting-board* **0.2** [in ballasttank] *wash bulkhead* **0.3** [in vliegtuig] *baffle plate.*

slingerslag ⟨de (m.)⟩ **0.1** [slag van een slinger] *oscillation* ⇒*tick* ⟨geluid⟩ **0.2** [mbt. een touw] *belay(ing).*

slingertijd ⟨de (m.)⟩ **0.1** *time of oscillation.*

slingeruurwerk ⟨het⟩ **0.1** *pendulum clock.*

slingervlak ⟨het⟩ **0.1** *plane of oscillation.*

slingerwet ⟨de⟩ ⟨nat.⟩ **0.1** *law of the pendulum.*

slingerwijdte ⟨de (v.)⟩ ⟨nat.⟩ **0.1** *amplitude (of an oscillation)* ⇒*span/arc (of an oscillation).*

slinken ⟨onov.ww.⟩ **0.1** *shrink* ⇒*boil down* ⟨bij koken⟩, *subside, go down, resolve* ⟨gezwel⟩ ◆ **1.1** ~de krachten *dwindling/failing strength;* vlees slinkt bij het aanbraden *meat shrinks when it is fried;* de voorraad slinkt *the supply is dwindling (away)/petering out/diminishing/decreasing.*

slinks ⟨bn.,bw.;-ly⟩ **0.1** *cunning* ⇒*devious, underhand, oblique, fraudulent* ◆ **1.1** ~e streken *c. devices, underhand doings, oblique dealings;* op ~e wijze *by devious/roundabout means/methods, by tricks and devices* ¶**.1** ~te werk gaan *manoeuvre* ^*euver.*

slinksheid ⟨de (v.)⟩ **0.1** [het slinks zijn] *cunning* ⇒*guile, underhandedness, artfulness, craftiness* **0.2** [bedriegerij] *trickery* ⇒*fraud, deceit, deception.*

slip

I ⟨de⟩ **0.1** [afhangend deel] *lappet* ⇒*tail* ⟨hemd, jas⟩, *tuck-in* ⟨hemd e.d.⟩, *flap, skirt* ⟨jas⟩ **0.2** [⟨verkeer⟩] *skid* ⇒*sideslip* ⟨auto, vliegtuig⟩ ◆ **1.1** de ~pen v.e. hemd *the tails of a shirt, shirttails* **6.1** een jas **met** ~pen *a tailcoat, a skirted/tailed coat;* ⟨vero.⟩ *a frock coat;* ⟨AZN; fig.⟩ op de ~pen van de presidentsjas *on the president's coat-tail* **6.2** **in** een ~ raken *go into a skid;* **uit** een ~ komen *get out of/correct a skid;*

II ⟨de (m.)⟩ **0.1** [onderbroek] *(pair of) briefs* ⇒*(pair of) underpants, (pair of)* ^*knickers* ⟨dames⟩.

slipafstand ⟨de (m.)⟩ **0.1** *braking distance.*

slipbladig ⟨bn.⟩ **0.1** *laciniate(d).*

slipcursus ⟨de (m.)⟩ **0.1** *skid course.*

slipgevaar ⟨het⟩ **0.1** *danger/risk of skidding* ⇒*slippery road* ⟨op verkeersbord⟩.

slipjacht ⟨de⟩ **0.1** *drag(hunt).*

slipjas ⟨de⟩ **0.1** *tailcoat* ⇒*skirted/tailed coat,* ⟨vero.⟩ *frock coat.*

slipje ⟨het⟩ **0.1** *(pair of) briefs/panties* ⇒*(pair of)* ^*knickers.*

slip-over ⟨de (m.)⟩ **0.1** *sleeveless pullover/sweater/jumper.*

slippedrager ⟨de (m.)⟩ **0.1** [mbt. een begrafenis] *pallbearer* **0.2** [slaafse volgeling] *lackey* ⇒*minion, menial, flunk(e)y, hanger-on, yes-man.*

slippen ⟨onov.ww.⟩ **0.1** [wegglijden] *slip* **0.2** [uitglijden] *skid* ⇒*sideslip* ⟨auto, vliegtuig⟩ **0.3** [ergens in, uit komen] *slip* ◆ **1.1** het anker slipt *the anchor is slipping, the ship is dragging;* een ~de koppeling autorijden *drive with a slipping clutch* **3.1** een touw laten ~ *let a rope s.;* iets laten ~ ⟨ook fig.⟩ *let sth. s.;* ⟨fig.⟩ geld door de vingers laten ~ *let money s. through one's fingers* **5.3** in de drukte slipte hij mee naar binnen *in the bustle/throng he slipped in with the rest* **6.2** mijn fiets slipte **op** de beijzelde weg *my bicycle skidded on the icy road.*

slipper ⟨de (m.)⟩ **0.1** *casual (shoe)* ⇒*mule, slipper* ⟨pantoffel⟩, ⟨inf.⟩ *flip-flop* ◆ **6.1 op** ~s lopen *wear casuals/mules/slippers.*

slippertje ⟨het⟩ ◆ **3.¶** een ~ maken *have a bit on the side.*

slipschool ⟨de⟩ **0.1** *skid course.*

slipspoor ⟨het⟩ **0.1** *skid mark.*

slipsteek ⟨de (m.)⟩ **0.1** *slip-knot.*

slipwerend ⟨bn.⟩ **0.1** *nonskid* ⇒*nonslip.*

slissen ⟨onov.ww.⟩ **0.1** *lisp* ⇒*speak with a lisp.*

slivovitsj ⟨de (m.)⟩ **0.1** *slivovitz.*

slobber ⟨de (m.)⟩ **0.1** [voer] *swill* ⇒*(hog-)wash* **0.2** [koffie] ⟨ongemarkeerd⟩ *coffee* ⇒⟨AE ook⟩ *java,* ⟨slootwater⟩ *wish-wash, dishwater.*

slobberen

I ⟨onov.ww.⟩ **0.1** [ruim en slap neerhangen] *bag, sag* **0.2** [slecht aansluiten] *be loose* ◆ **1.2** ~de bouten *rattling/loose bolts, bolts with play (in them)* **6.1** zijn jasje slobbert **om** zijn lijf *his baggy coat sags from his body;*

II ⟨onov.,ov.ww.⟩ **0.1** [slurpen] *slobber* ⇒*slurp* ◆ **1.1** ~de eenden *gobbling ducks;* een kopje thee ~ *slobber/slurp a cup of tea.*

slobberig ⟨bn.,bw.;-ly⟩ **0.1** *baggy* ⇒*loose, oversize,* ⟨slordig⟩ *sloppy* ◆ **2.1** ~ gekleed *dressed sloppily.*

slobbertrui ⟨de (m.)⟩ **0.1** *baggy sweater/pullover/jumper* ⇒*sloppy sweater/Joe.*

slobbroek ⟨de⟩ **0.1** [wijde broek] *baggy trousers* **0.2** [kinderbroek] *crawlers,* ^*sleep-'n-playsuit* ⇒*coveralls, sleepsuit, sleeper.*

slobeend ⟨de⟩ **0.1** *shoveler.*

slobkous ⟨de⟩ **0.1** *gaiter* ⟨lang⟩; *spat* ⟨kort⟩.

slodderen ⟨onov.ww.⟩ **0.1** *bag* ⇒*flap.*

slodderig ⟨bn.,bw.;-ly⟩ **0.1** *sloppy* ⇒*slovenly, grubby,* ⟨vrouw ook⟩ *slatternly, dowdy.*

slodderuos ⟨de (m.)⟩ **0.1** *slob* ⇒*grub,* ⟨slordig geklede vrouw ook⟩ *frump, dowdy.*

sloeber ⟨de (m.)⟩ **0.1** [stakker] *wretch* ⇒*poor devil/beggar* **0.2** [⟨inf.⟩ smeerlap] *slob* ⇒*swine, pig* **0.3** [⟨AZN⟩ slokop] *glutton* ⇒*pig* ◆ **2.1** een arme ~ *a poor w./devil/beggar.*

sloep ⟨de⟩ **0.1** [reddingsboot] *sloop* ⇒*jolly(-boat), longboat* ⟨groot⟩, *cutter* ⟨van oorlogsschip⟩ **0.2** [vissersvaartuig] *smack* **0.3** [zeilboot] *sloop* ◆ **3.1** de ~ strijken *lower the s./boat.*

sloepdavits ⟨zn.mv.⟩ **0.1** *davits.*

sloependek ⟨het⟩ **0.1** *boatdeck.*

sloepenrol ⟨de⟩ **0.1** *boat drill.*

sloerie ⟨de (v.)⟩ **0.1** *slut* ⇒*trollop, whore, tramp, tart.*

slof[1] ⟨de (m.)⟩ **0.1** [pantoffel] *slipper* ⇒*mule,* ⟨inf.⟩ *slip-slop* ⟨met open hiel⟩ **0.2** [pak met pakjes sigaretten] *carton, card* **0.3** [hengselmandje] *chip (basket)* ⇒⟨BE ook⟩ *punnet* **0.4** [trage voortgang] *shuffle* ⇒*shamble* **0.5** [benedeneind van een strijkstok] *nut* ⇒*heel* **0.6** [briket] *briquet(te)* ◆ **6.1** ⟨fig.⟩ zij kan het **op** haar ~fen af *she has plenty of time to do it* ⟨alle tijd⟩; *she can do it on her head/with one hand tied behind her back* ⟨het is gemakkelijk voor haar⟩; ⟨fig.⟩ ze haalde het **op** haar ~fen *she sailed/breezed through* **6.¶ in** de ~ blijven *not come off;* **uit** zijn ~ schieten ⟨kwaad worden⟩ *go off the deep end, flare up, go through/hit/raise the roof;* ⟨extra veel zeggen/doen/uitgeven⟩ *go to town;* ⟨te veel zeggen⟩ *let one's tongue run away with one.*

slof[2] ⟨tw.⟩ **0.1** *shuffle.*

sloffen ⟨onov.ww.⟩ **0.1** [sleepvoetend lopen] *shuffle* ⇒*shamble, drag one's feet* **0.3** [verwaarlozen] *let slide* **0.2** [boffen] zij is **in** luck ⇒*turn up trumps,* ⟨AE ook⟩ *luck out* ◆ **3.1** loop niet zo te ~! *don't shuffle/drag your feet!, pick your feet up!* **3.2** hij laat alles maar ~ *he lets everything slide, he lets things slide/rip* **6.1** met duidelijke tegenzin slofte ze **naar** huis *she went home dragging her feet* **6.3** zij slofte niet **met** haar verkeersexamen *she was out of luck in her exam on rule of the road.*

sloffig ⟨bn.,bw.⟩ **0.1** [nalatig] *lax* ⇒*careless, negligent, neglectful, casual* **0.2** [sloffend] *shuffling* ⇒*shambling.*

slogan ⟨de (m.)⟩ **0.1** *slogan* ⇒*catchword, motto.*

slöjd ⟨de⟩ **0.1** *sloid, sloyd.*

slok ⟨de (m.)⟩ **0.1** [een keer slikken] *swallow* ⇒*gulp* **0.2** [teug] *drink* ⇒*draught, sip, nip* ⟨klein⟩, *pull* ⟨groot⟩, ⟨inf.⟩ *swig* **0.3** [borrel] *drop* ⇒*dram, nip, shot, snort* ◆ **2.2** grote ~ken nemen *gulp* **3.3** hij houdt wel van een ~je *he's fond of a drop* **6.2** ⟨fig.⟩ dat scheelt een ~ **op** een borrel *that makes a world of difference* **7.1** in één ~ leegdrinken *empty/drain at a draught/in one go/at one gulp* ¶**.2** mag ik een ~je van jouw cola? *can I have a sip of your coke?.*

slokdarm ⟨de (m.)⟩ **0.1** *gullet* ⇒⟨med.⟩ *oesophagus* ◆ **6.1** van/mbt. de ~ *oesophageal.*

slokdarmspraak ⟨de⟩ **0.1** *oesophageal speech.*

slokken ⟨onov.,ov.ww.⟩ **0.1** *swallow* ⇒*gulp, guzzle, gobble* ◆ **1.1** zijn eten naar binnen ~ *gulp down/wolf (down)/gobble one's food.*

slokker ⟨de (m.)⟩ **0.1** *guzzler* ⇒*glutton, ↓pig, ↓hog, ↓greedy guts* ◆ **2.¶** arme ~ *poor devil;* een goeie ~ *a good-natured fellow.*

slokop ⟨de (m.)⟩ **0.1** *glutton* ⇒*gourmand(izer), ↓pig, ↓hog, ↓greedy guts,* ⟨auto⟩ *gas guzzler.*

slome ⟨de (m.)⟩ **0.1** *wet* ⇒*wimp, drip, slouch,* ⟨schr.⟩ *sluggard,* ⟨trage persoon⟩ ^*slowcoach,* ^*slowpoke,* ^*laggard.*

slons ⟨de (v.)⟩ **0.1** *sloven* ⇒⟨ihb. mbt. vrouwen⟩ *slut, slattern, dowdy, frump.*

slonsachtig ⟨bn.,bw.;-ly⟩ **0.1** [slordig] *slovenly, sloppy* ⇒⟨ihb. mbt. vrouwen⟩ *sluttish, slatternly, dowdy, frumpish* **0.2** [nalatig] *negligent* ⇒*careless, nonchalant.*

slonsje ⟨het⟩ **0.1** *dark lantern.*

slonzen ⟨onov.ww.⟩ **0.1** *skimp, scamp* ⇒*be careless (with / about).*

slonzig ⟨bn.,bw.;-ly⟩ **0.1** *slovenly, sloppy* ⇒⟨ihb. mbt. vrouwen⟩ *sluttish, slatternly, frumpish, dowdy,* ⟨mbt. kleren⟩ *tatty* ◆ **3.1** ~ gekleed zijn *be slovenly / tattily dressed,* ↓*look like a scarecrow* ¶**.1** er ~ bij lopen *slouch about / around.*

sloof
 I ⟨de (v.)⟩ **0.1** [zwoegende vrouw] **(household) drudge** ⇒*skivvy, slavey, dogsbody, maid of all work;*
 II ⟨de⟩ **0.1** [voorschoot] *apron* **0.2** [dwarsbalk] *cap, wall piece, head beam.*

sloom ⟨bn.,bw.;-(al)ly⟩ **0.1** *lethargic* ⇒*listless, inert, slow, dull, sluggish,* ⟨slap⟩ *drippy, droopy* ◆ **1.1** een ~ paard *a slow horse;* op slome toon spreken / voorlezen *speak / read out in a listless / dull tone* **3.1** doe niet zo ~ (opschieten) *come on, I haven't got all day;* ↓*pull your finger out;* ⟨sullig⟩ *don't be such a drip;* ~ kijken *look dull, look a drip.*

sloop
 I ⟨het, de⟩ **0.1** [overtrek] *pillow-case* ⇒*(pillow-)slip* ◆ **1.1** lakens en slopen ⟨ook⟩ *bed linen;*
 II ⟨de (m.)⟩ **0.1** [het slopen] *demolition* ⟨van gebouwen⟩ ⇒⟨muur, afscheiding ook⟩ *pulling / tearing down, breaking-up, dismantling* ⟨van installaties, machines⟩ **0.2** [bedrijf] *demolition firm* ⟨mbt. gebouwen⟩; *scrapyard,* ^*wrecker* ⟨mbt. auto's⟩; *breaker's (yard)* ⟨mbt. schepen⟩ ◆ **6.1** het schip is voor de ~ verkocht *the ship has been sold for scrap;* je auto / huis is rijp voor de ~ *your car / house looks as if it's on its last legs / is fit for the scrap heap* **6.2** een spatbord bij de ~ weghalen *get a wing from the scrapyard / wreck.*

sloopauto ⟨de (m.)⟩ **0.1** *scrap car, wreck,* ^*junked automobile.*

sloophuis ⟨het⟩ **0.1** *house due for demolition* ⇒≠*condemned house.*

sloopkogel ⟨de (m.)⟩ **0.1** *demolition / wrecker's / wrecking ball.*

slooponderdelen ⟨zn.mv.⟩ **0.1** *scrap parts.*

slooppand ⟨het⟩ **0.1** *house / building due for demolition* ⇒≠*condemned house / building.*

slooprijp ⟨bn.⟩ **0.1** ⟨alleen na zn.⟩ *ripe for demolition, which ought to be demolished* ⟨van gebouw⟩; ⟨ook van auto, schip enz.; ook fig.⟩ *fit for the scrap heap.*

sloopwaarde ⟨de (v.)⟩ **0.1** *scrap value.*

sloopwagen ⟨de (m.)⟩ **0.1** *scrap car, wreck,* ^*junked automobile.*

sloopwerk ⟨het⟩ **0.1** *demolition work.*

sloot ⟨de⟩ ⟨→sprw. 29,362⟩ **0.1** [brede greppel] *ditch* ⇒⟨sport⟩ *water jump* **0.2** [grote hoeveelheid] *buckets, gallons* ◆ **2.1** een droge ~ a ha(w)-ha(w) **6.1** over een ~ springen *jump / leap over a d.;* ⟨fig.⟩ geen oude koeien uit de ~ halen *let bygones be bygones;* ⟨fig.⟩ oude koeien uit de ~ halen *rake up the past, open old sores* **7.1** ⟨fig.⟩ in geen zeven sloten tegelijk lopen *look before one leaps, be able to take care of o.s..*

slootjespringen ⟨ww.⟩ **0.1** *leap (over) ditches.*

slootkant ⟨de (m.)⟩ **0.1** *bank / side of a ditch.*

slootwater ⟨het⟩ **0.1** [water uit een sloot] *ditchwater* **0.2** [⟨fig.⟩] *dishwater* ⇒↓*gnat's pee.*

slop ⟨het⟩ **0.1** [smalle steeg] *alley(way)* ⇒⟨doodlopend⟩ *blind alley, cul-de-sac* **0.2** [vaargeul] *channel / passage (through the ice)* ◆ **6.1** ⟨fig.⟩ in het ~ raken *come to a dead end;* ⟨fig.⟩ in het ~ zitten *be stuck in the morass / bogged down, be in a deadlock;* ⟨fig.⟩ de onderhandelingen uit het ~ halen *save the negotiations / talks.*

slopen ⟨onov.ww.⟩ **0.1** [afbreken] *demolish* ⇒⟨afscheiding, schoorsteen, ook⟩ *knock / pull / tear down* **0.2** [uit elkaar nemen] *break up* ⇒*scrap* ⟨schip, auto⟩, *dismantle* ⟨installatie⟩, *cannibalize* ⟨omwille van bruikbare onderdelen⟩ **0.3** [bij afbraak verkrijgen] *salvage* **0.4** [verteren] *undermine* ⟨gezondheid⟩; *sap* ⟨kracht⟩ ◆ **1.2** een schip ~ *break up / scrap a ship / vessel* **1.4** ~'d klimaat *debilitating climate;* zijn krachten ~ *undermine one's vitality, sap one's strength;* ~'d werk *exhausting / back-breaking work;* ~'de ziekte *a wasting disease* **6.3** hij had de radio uit een oude Fiat gesloopt *he had salvaged the radio from an old Fiat.*

sloper ⟨de (m.)⟩ **0.1** [aannemer] *demolition contractor* ⇒*demolisher, (ship-)breaker,* ⟨BE; huizen ook⟩ *knacker,* ⟨ihb. AE⟩ *wrecker* **0.2** [handelaar] *scrap dealer* ◆ **6.1** dat schip gaat naar de ~ *that ship is going to the breaker's (yard).*

sloperij ⟨de (v.)⟩ **0.1** [bedrijf] *demolition firm / contractors* ⟨mbt. gebouwen⟩; *scrapyard,* ^*wrecker* ⟨mbt. auto's⟩; *breaker's (yard)* ⟨mbt. schepen⟩ **0.2** [het slopen] *demolition* ⟨van gebouwen⟩ ⇒⟨muur, schoorsteen ook⟩ *pulling / tearing down, dismantling* ⟨van installaties⟩.

slopershamer ⟨de (m.)⟩ ◆ **6.¶** onder de ~ vallen *be* ⟨gebouw⟩ *demolished / pulled down* ⟨schip, enz.⟩ *broken up.*

sloppenwijk ⟨de⟩ **0.1** *slums* ⇒*slum area* ◆ **3.1** een ~ / de ~ en bezoeken ⟨lock⟩ *slum, go slumming.*

slordig
 I ⟨bn.⟩ **0.1** [⟨inf.⟩ ruim, flink] *cool* ⇒*tidy* ◆ **1.1** een ~ e duit *a tidy sum / penny;* dat kost een ~ e miljoen *that costs a c. million;* tegen een ~ prijsje *at a price;*

II ⟨bn.,bw.;-ly⟩ **0.1** [onverzorgd] *slovenly* ⇒*careless,* ⟨onordelijk⟩ *untidy,* ⟨haastig⟩ *slapdash,* ⟨werk, taal, kleding, ook⟩ *slipshod, sloppy* **0.2** [onnauwkeurig] *careless* ⇒*sloppy, slovenly* ◆ **1.2** ~ Engels / woordgebruik *slipshod English / usage;* ~ handschrift *scribble;* een ~ opstel *a sloppy essay;* een ~ e stijl *a slovenly / loose style;* een ~ e vergissing *a c. mistake* **3.1** ~ gekleed *frumpish, frumpy, sloppily dressed;* wat zit je haar ~ *how untidy your hair is* **3.2** ~ herstellen *botch;* ~ schrijven *write sloppily, scribble;* dat staat zo ~ *that looks so slovenly / sloppy.*

slordigheid ⟨de (v.)⟩ **0.1** [onverzorgdheid] *slovenliness* ⇒*carelessness, negligence, sloppiness* **0.2** [iets slordigs] *slovenly / careless work / wording;* ⟨onnauwkeurigheid⟩ *inaccuracy* ◆ **3.1** iem. zijn ~ verwijten *reproach s.o. for / with his slovenliness* **3.2** in zijn brief vindt men nergens een ~ *no trace of carelessness can be found in his letter* **6.1** ~ van stijl *slipshod / sloppy style, sloppiness of style.*

slorpen →**slurpen.**

slot ⟨het⟩ **0.1** [sluittoestel] *lock* ⇒⟨van deur ook⟩ *catch, latch, clasp* ⟨v.e. boek, broche⟩, *fastening, (snap) fastener* ⟨v.e. armband⟩, ⟨hangslot⟩ *padlock* **0.2** [einde] *end* ⇒*conclusion, close,* ⟨van boek ook⟩ *ending* **0.3** [burcht] *castle* ⇒⟨voornaam huis⟩ *mansion, manor-house, hall* **0.4** [saldo] *balance* **0.5** [⟨hand.⟩] *close* **0.6** [⟨muz.⟩] *close* ⇒*cadence* **0.7** [deel van orgel] *slide* **0.8** [kloosterruimte] *enclosure* ⇒*clausura* ◆ **1.1** iem. achter ~ en grendel zetten *shut s.o. up / away, put s.o. behind bars;* achter ~ en grendel *under lock and key;* het ~ je van een halsketting *the clasp / fastener of a necklace* **1.3** het ~ Loevestein *Loevestein c.* **2.1** een links / rechts ~ *a left- / right-hand lock* **2.2** met automatisch ~ *self-locking* **2.6** kerkelijk ~ *plagal close / cadence* **3.2** ~ volgt *to be concluded* **6.1** iets achter ~ houden *keep sth. locked up / under lock and key;* in het ~ vallen *fall to;* de sleutel in het ~ steken *put the key in the lock, apply the key to the door / box;* een deur op ~ doen *lock a door;* een fiets op ~ zetten *(pad)lock a bike;* je kunt hem geen ~ op de mond doen *you cannot stop him talking / shut him up / shut his mouth;* kan deze deur (niet) op ~? *does (n't) this door lock?;* alles op ~ doen *lock up;* een deur van het ~ doen *unlock a door* **6.2** aan het ~ van de rede *at the end / close of the speech;* ten ~ te (tot slot) *in conclusion, in closing, to conclude;* ⟨uiteindelijk⟩ *finally, eventually;* ⟨per slot van rekening⟩ *after all('s said and done), on balance;* het kwam ten ~ te hierop neer *eventually it boiled down to this;* tot ~ *to conclude, in / by way of conclusion, finally, to wind up with* **6.4** ⟨fig.⟩ per ~ van rekening *after all('s said and done), on b., ultimately, in the final analysis, all things considered* **6.5** aan / bij het ~ *at the c..*

slotakkoord ⟨het⟩ ⟨muz.⟩ **0.1** *final chord.*

slotakte ⟨de⟩ **0.1** [laatste akte] *last / closing / final act* **0.2** [mbt. een internationale conferentie] *final act.*

slotalinea ⟨de⟩ **0.1** *concluding / closing / final / last paragraph.*

slotartikel ⟨het⟩ **0.1** *concluding / last article* ⟨in krant⟩ ⇒*last / concluding section* ⟨in wet⟩.

slotbalans ⟨de⟩ ⟨hand.⟩ **0.1** *final / annual balance sheet* ⇒*list of closing balances.*

slotband ⟨de (m.)⟩ **0.1** *ligament.*

slotbepaling ⟨de (v.)⟩ **0.1** *final article / clause / provision.*

slotbeschouwing ⟨de (v.)⟩ **0.1** *concluding observations* ⇒*concluding remarks, final conclusions.*

slotbewaarder ⟨de (m.)⟩, **-bewaarster** ⟨de (v.)⟩ **0.1** *keeper / governor (of a castle)* ⇒*chatelain, warden, constable.*

slotbout ⟨de (m.)⟩ **0.1** *coach bolt.*

slotcadens ⟨de (m.)⟩ ⟨muz.⟩ **0.1** *cadence.*

slotcommuniqué ⟨het⟩ **0.1** *final communiqué.*

slotconclusie ⟨de (v.)⟩ **0.1** *final conclusion.*

slotdividend ⟨het⟩ **0.1** *final dividend.*

slotenmaker ⟨de (m.)⟩ **0.1** *locksmith.*

slotfase ⟨de (v.)⟩ **0.1** *final / last stage* ⇒*closing stage(s), final phase.*

slotfeest ⟨het⟩ **0.1** *closing festivities* / ↑*function.*

slotformule ⟨de⟩ **0.1** *closing formula* ⇒*conclusion, final clause* ⟨van contract⟩, *(complimentary) close* ⟨v.e. brief⟩.

slotgracht ⟨de⟩ **0.1** *(castle) moat* ⇒*foss(e).*

slothaak ⟨de (m.)⟩ **0.1** *picklock* ⇒*lock-picker.*

slothout ⟨het⟩ ⟨zeilvaart⟩ **0.1** *fid.*

slotklank ⟨de (m.)⟩ **0.1** *final / terminal sound.*

slotklinker ⟨de (m.)⟩ **0.1** *final vowel.*

slotklooster ⟨het⟩ **0.1** *enclosed convent.*

slotkoers ⟨de (m.)⟩ **0.1** *closing price(s) / quotation / rate* ⟨mbt. effecten⟩; *closing / final rate* ⟨mbt. wisselkoers⟩.

slotkoor ⟨het⟩ **0.1** *final chorus.*

slotmaat ⟨de⟩ ⟨muz.⟩ **0.1** *final measure / movement.*

slotmedeklinker ⟨de (m.)⟩ **0.1** *final consonant.*

slotnotering ⟨de (v.)⟩ **0.1** *closing price / quotation / rate.*

slotnummer ⟨het⟩ **0.1** *final / closing number / item / piece.*

slotontdooier ⟨de (m.)⟩ **0.1** [metalen staafje] *lock defroster* **0.2** [vloeistof] *lock defroster.*

slotopmerking ⟨de (v.)⟩ **0.1** *final / closing / concluding remark* ⇒*final observation.*

slotplein ⟨het⟩ **0.1** *castle yard.*

slotpoort ⟨de⟩ 0.1 *castle gate.*
slotprotocol ⟨het⟩ 0.1 *final protocol.*
slotrede ⟨de⟩ 0.1 *closing speech/words/address* ⇒*peroration* ⟨mbt. redevoering⟩, *postscript* ⟨naschrift⟩.
slotregel ⟨de (m.)⟩ 0.1 *final/last line.*
slotscène ⟨de⟩ 0.1 *final scene.*
slotsom ⟨de⟩ 0.1 *conclusion* ⇒*result, upshot* ◆ 6.1 wij kwamen tot de ~ dat ... *we came to the conclusion that ....*
slotstuk ⟨het⟩ 0.1 [laatste stuk] *concluding piece* ⇒*finale* 0.2 [⟨bouwk.⟩] *key-stone* ⇒*assembling plate for the ties of a truss.*
slottoneel ⟨het⟩ 0.1 *final/closing scene.*
slottoon ⟨de (m.)⟩ ⟨muz.⟩ 0.1 *final/closing tone/note.*
slottoren ⟨de (m.)⟩ 0.1 *castle tower* ⇒⟨versterkte hoofdtoren⟩ *keep*, ⟨gesch.⟩ *donjon.*
slotuitkering ⟨de (v.)⟩ 0.1 *final payment* ⇒⟨op aandeel⟩ *final dividend.*
slotval ⟨de (m.)⟩ ⟨muz.⟩ 0.1 *fall* ⇒*cadence.*
slotverklaring ⟨de (v.)⟩ 0.1 *final/closing statement.*
slotvoogd ⟨de (m.)⟩, **-voogdes** ⟨de (v.)⟩ 0.1 *governor (of a castle)* ⇒*warden, constable,* ⟨gesch.⟩ *castellan.*
slotwens ⟨de (m.)⟩ 0.1 *last/final wish.*
slotwerk ⟨het⟩ 0.1 [slotmechanisme] *lock mechanism* 0.2 [geheel van de sluiting door sloten] *locks* 0.3 [laatste werkstuk] *final piece of work.*
slotwoord ⟨het⟩ 0.1 [epiloog] *epilogue,* ⟨AE ook⟩ *epilog* ⇒*afterword, postscript, conclusion, peroration* ⟨mbt. redevoering⟩ 0.2 [toespraak tot slot] *closing/concluding word(s)/speech* ◆ 3.2 de voorzitter sprak een ~ *the chairman said a few words in conclusion.*
slotzang ⟨de (m.)⟩ 0.1 [laatste couplet(ten)] *last/final canto* 0.2 [laatste gezang] *closing hymn* ⇒*recessional (hymn).*
slotzin ⟨de (m.)⟩ 0.1 *closing/last/final/concluding sentence* ⇒⟨theater⟩ *curtain line.*
slotzitting ⟨de (v.)⟩ 0.1 *final/closing/last session.*
slotzuster ⟨de (v.)⟩ ⟨r.k.⟩ 0.1 *nun in an enclosed order.*
Sloveen ⟨de (m.)⟩, **-se** ⟨de (v.)⟩ 0.1 *Slovene.*
Sloveens ⟨bn.⟩ 0.1 *Slovenian* ⇒*Slovene.*
sloven ⟨onov.ww.⟩ 0.1 *drudge* ⇒*toil.*
slover ⟨de (m.)⟩ 0.1 *drudge* ⇒*toiler.*
Slowaak ⟨de (m.)⟩, **-se** ⟨de (v.)⟩ 0.1 *Slovak* ⇒*Slovak (woman/girl)*⟨v.⟩.
Slowaaks ⟨bn.⟩ 0.1 *Slovak(ian).*
slow-fox ⟨de (m.)⟩ 0.1 *slow foxtrot.*
slufter ⟨de (m.)⟩ 0.1 *sea inlet* ⇒*tidal gully.*
sluier ⟨de (m.)⟩ 0.1 [doek] *veil* ⇒⟨van Hindoevrouwen⟩ *purdah* 0.2 [sluiervormige krans] ⟨mbt. hoedzwammen⟩ *veil, velum* 0.3 [⟨fig.⟩] *veil* ⇒*blanket, cover, shroud, curtain* 0.4 [⟨foto.⟩] *fog* ⇒*fogging,* ⟨halatie⟩ *halation, scum* ◆ 1.3 een ~ van geheimhouding *a v. / blanket of secrecy* 3.1 de ~ aannemen ⟨fig.⟩ *take the v.;* de ~ laten vallen/terugslaan *drop/raise the v.* 3.3 een ~ over iets werpen *draw/throw a v. / shroud over sth.* 6.1 zonder ~ *unveiled* 6.2 een ~ rond de maan *a veil round the moon.*
sluierdans ⟨de (m.)⟩ 0.1 *veil dance* ⇒*dance of the (seven) veils.*
sluiereffect ⟨het⟩ ⟨com.⟩ 0.1 *fading.*
sluieren
I ⟨ov.ww.⟩ 0.1 [met een sluier bedekken] *veil* ◆ 1.1 de bruid was gesluierd *the bride wore a veil/was veiled;*
II ⟨onov.ww.⟩ 0.1 [⟨foto.⟩] *fog* ⇒*become foggy/fogged.*
sluierstaart ⟨de (m.)⟩ 0.1 *veiltail.*
sluif ⟨de⟩ 0.1 [smalle gleuf] *slit* 0.2 [omgenaaide rand voor koordje/elastiek] *casing* 0.3 [foedraaltje, ihb. vingerling] *fingerstall* ⇒*cot.*
sluik ⟨bn.⟩ 0.1 [mbt. haar] *straight* ⇒*lank* 0.2 [mbt. kledingstukken] *straight.*
sluikgoed ⟨het⟩ 0.1 *contraband (goods)* ⇒*smuggled goods.*
sluikhandel ⟨de (m.)⟩ 0.1 *illicit trade/trading* ⟨verboden handel⟩; *smuggling, contraband trade* ⟨smokkelhandel⟩ ◆ 3.1 ~ drijven in verdovende middelen *traffic in (illicit) drugs.*
sluikharig ⟨bn.⟩ 0.1 *lank-haired.*
sluikreclame ⟨de⟩ 0.1 *clandestine advertizing* ⇒↓*(illicit/free) plug(ging),* ⟨rond sportveld⟩ *perimeter advertizing.*
sluimer ⟨de (m.)⟩ 0.1 *slumber* ⇒*doze, drowse* ◆ 2.1 in zoete ~ liggen *slumber sweetly* 6.1 uit zijn ~ ontwaken *awake from one's slumber(s).*
sluimeren ⟨onov.ww.⟩ 0.1 [dommelen] *slumber* ⇒*doze, drowse* 0.2 [verborgen aanwezig zijn] *slumber* ⇒*lie/be dormant, be latent, smoulder, lurk* ⟨mbt. negatieve eigenschappen of onderwerpen⟩ ◆ 1.2 ~de haat *smouldering hatred;* de ~de twisten laaiden weer op *the slumbering disputes/disputes that had lain dormant flared up again;* ~de vulkaan *dormant volcano* 3.1 de middag ~d doorbrengen *s. away the afternoon* 6.2 in die jongen sluimert een dichter *in that boy slumbers a poet.*
sluimerig ⟨bn.⟩ 0.1 *dozy* ⇒*sleepy, drowsy.*
sluimering ⟨de (v.)⟩ 0.1 *slumber* ⇒*doze, drowse.*
sluimerknop ⟨de (m.)⟩ 0.1 *slumber button/*⟨sensor⟩ *sensor.*
sluimerrol ⟨de⟩ 0.1 *bolster.*
sluipen ⟨onov.ww.⟩ 0.1 [mbt. personen] *steal* ⇒*sneak, slink, skulk, creep, stalk* ⟨bij de jacht⟩ 0.2 [mbt. zaken] *creep* ◆ 6.1 naar boven ~ *steal upstairs, sneak out;* naar buiten ~ *sneak out;* de kat sloop naar de

vogel toe *the cat stalked the bird* 6.2 het zelfverwijt sloop in haar ziel *self-reproach crept into her soul;* ⟨fig.⟩ er is een fout in de rekening geslopen *an error has crept into the account* 8.1 ~d als een tijger *with the stealth of a tiger* ¶.1 stiekem naar binnen ~ *steal/creep/slip inside furtively/surreptitiously.*
sluipend ⟨bn.⟩ 0.1 *stealing* ⇒*sneaking* ◆ 1.1 ~e inflatie *creeping inflation;* een ~ roofdier *a prowling predator;* met ~e tred *stealthily, with stealthy footsteps;* een ~e ziekte *an insidious disease.*
sluipgang ⟨de (m.)⟩ 0.1 *hidden/secret passage(way).*
sluipjacht ⟨de⟩ 0.1 *still hunt(ing)* ⇒⟨mbt. herten⟩ *deer-stalking.*
sluipmoord ⟨de⟩ 0.1 *assassination.*
sluipmoordenaar ⟨de (m.)⟩ 0.1 *assassin.*
sluiproute ⟨de⟩ 0.1 *short cut.*
sluipschutter ⟨de (m.)⟩ 0.1 *sniper.*
sluipvlieg ⟨de⟩ 0.1 *parasite fly.*
sluipweg ⟨de (m.)⟩ 0.1 [heimelijke weg] *secret route/path/road* 0.2 [list] *ruse, trick* ◆ 6.2 zijn doel via ~en trachten te bereiken *try to attain one's goal by guile/by stealth.*
sluipwesp ⟨de⟩ 0.1 *ichneumon fly/wasp.*
sluis ⟨de⟩ 0.1 [waterkering] ⟨voor schepen⟩ *lock;* ⟨voor uitwatering⟩ *sluice* 0.2 [kolk] *lock-chamber* 0.3 [⟨fig.⟩] *channel;* ⟨schakel⟩ *link, intermediary* 0.4 [⟨scheep.⟩] *sluice valve* ◆ 1.1 ⟨fig.⟩ de sluizen v.d. hemel openden zich *the floodgates of heaven opened;* ⟨fig.⟩ de sluizen v.d. welsprekendheid werden geopend *the floodgates of eloquence were opened* 3.1 gekoppelde ~ *chain of/flight of/staircase locks;* hellende ~ *ship canal lift,* ^*ship elevator;* een ~ invaren/uitvaren *lock in/out;* een ~ openen/sluiten *open/close a lock/sluice* 6.1 water door een ~ inlaten/aflaten *let water in/out through a sluice;* door een ~ varen *pass through a lock, lock through.*
sluisdeur ⟨de⟩ 0.1 *lock gate/door* ⇒⟨van spuisluis⟩ *sluice(gate), water gate, floodgate.*
sluisgang ⟨de (m.)⟩ 0.1 [sluis in werking] *lockage* 0.2 [hoeveelheid water] *lockage.*
sluisgeld ⟨het⟩ 0.1 *lockage* ⇒*lock-dues/charges.*
sluishoofd ⟨het⟩ 0.1 *lock bay* ⇒⟨v.e. schutsluis⟩ *sluice head* ⟨v.e. spuisluis⟩.
sluiskolk ⟨de⟩ 0.1 *lock-chamber.*
sluiswachter ⟨de (m.)⟩ 0.1 *lockkeeper* ⇒*locksman, lockmaster.*
sluiswachtershuisje ⟨het⟩ 0.1 *lockhouse.*
sluiswerken ⟨zn.mv.⟩ 0.1 *locks, sluices* ⇒*lockage.*
sluitboom ⟨de (m.)⟩ 0.1 [slagboom] *barrier* ⇒*gate,* ⟨van haven⟩ *boom* 0.2 [boom die sluit] *bar.*
sluitdop ⟨de (m.)⟩ 0.1 *(screw/locking) cap.*
sluiten ⟨→sprw. 308⟩
I ⟨ov.ww.⟩ 0.1 [dichtmaken] *shut* ⇒*close, draw, pull* ⟨gordijnen⟩, ⟨op slot⟩ *lock,* ⟨voorgoed⟩ *close down* 0.2 [opbergen, wegsluiten] *lock up/away* 0.3 [buiten-/uitsluiten] *lock out, close off* 0.4 [plaatsen zonder tussenruimte] *close* 0.5 [aangaan] *conclude* ⇒*make, enter into, negotiate* 0.6 [beëindigen] *close, conclude* ⟨debat, vergadering⟩; *wind up* ⟨toespraak⟩; *prorogue* ⟨parlement⟩ 0.7 [verbieden] *close* 0.8 [⟨hand.⟩ opmaken] *close* ⇒*balance* ◆ 1.1 een boog/gewelf ~ *close a vault;* de ⟨doods⟩kist ~ *screw down the coffin;* de grenzen ~ *close the frontiers;* het hek ~ ⟨fig.⟩ *bring up the rear;* de ogen ~ ⟨ook fig.⟩ *s./ close one's eyes;* een opening/gat ~ *close/stop a hole/gap;* een patrijspoort ~ *douse a porthole;* het raam ~ *close the window;* de ramen ~ ⟨met luiken⟩ *shutter the windows, put up the shutters;* de winkel/zaak ~ ⟨ihb. voorgoed⟩ *close (the shop) down;* ⟨ook 's avonds⟩ *shut up shop,* ⟨inf.⟩ *put up the shutters* 1.3 een ~d argument *a strong argument* 1.4 met gesloten hielen springen *jump with the heels together* 1.5 een koop(je) ~ *strike a bargain;* een verbond ~ ⟨met⟩ *enter into/c. an alliance (with);* vrede ~ *make/ ↑c. peace;* ⟨na ruzie⟩ *make up (with s.o.);* vriendschap ~ ⟨met⟩ *make friends (with)* 1.6 de discussie is hiermee gesloten *this ends the argument/debate, the discussion is now closed;* de stoet/rij ~ *bring up the rear;* de zaak/het incident werd als gesloten beschouwd *the matter/incident was considered closed/settled* 1.7 gesloten jacht *close season* 1.8 de boeken ~ *c. / balance the books* 4.2 elkaar in de armen ~ *embrace* 6.2 ⟨fig.⟩ in zich ~ *include, imply, involve;* ⟨fig.⟩ het gevaar/risico in zich ~ dat ... *hold the danger/risk that ...* 6.3 iem. buiten de deur ~ *lock s.o. out.*
II ⟨onov.ww.⟩ 0.1 [dichtgaan] *shut* ⇒*close, fasten* 0.2 [aansluiten] *close* ⇒*fit* 0.3 [goed geheel vormen] *fit* 0.4 [afsluiten] *lock up* 0.5 [ten einde lopen] *close* 0.6 [als einduitkomst hebben] *balance* 0.7 [gelijke eindcijfers aan debet- en creditzijde vertonen] *balance* ⇒*agree* ◆ 1.1 de armband sluit niet meer *the bracelet does not fasten any more;* automatisch ~de deuren *self-closing doors;* overal sloten fabrieken door gebrek aan grondstoffen *factories ran down everywhere owing to a shortage of raw materials;* dinsdagmiddag sluit alle winkels gesloten *it's early closing day on Tuesday afternoon* 1.3 die redenering sluit niet *that is not a strong argument/not sound reasoning, that argument doesn't hold* 1.6 de meeste banken ~ met verlies *most banks have made losses* 1.7 een ~de begroting *a balanced budget* 3.1 de kool begint te ~ *the cabbage is beginning to close* 5.2 slecht ~de deksels *badly-/ill-fitting covers/lids* 6.2 de delen ~ precies in elkaar

the parts fit exactly; deze helm sluit goed **om** je hoofd *this helmet grips the head well* **6.5 ~ op** ... ⟨van aandelen⟩ *c. at* **6.6 ~ met** een tekort *show a deficit* **6.¶** ⟨com.⟩ **over** en ~ *over and out* **8.2** dat sluit als een bus *it all fits together beautifully* **¶.7** de begroting ~d maken *b. the budget;*

III ⟨wk.ww.; zich ~⟩ **0.1** [dicht gaan] *close* ⇒ *shut* ◆ **6.1** zich ~ **rond/om/over** *c. around/on.*

sluiter ⟨de (m.)⟩ **0.1** *shutter* ◆ **2.1** een roterende ~ *a rotary s..*

sluitgat ⟨het⟩ **0.1** [⟨wwb.⟩] *last/closing gap in a dike* **0.2** [gat voor bout of pin] *mortise.*

sluiting ⟨de (v.)⟩ **0.1** [handeling] *shutting, closing; closure* ⟨van debat, bedrijf⟩; *conclusion* ⟨van vrede, debat⟩; *prorogation* ⟨v.h. parlement⟩ **0.2** [wat dient om te sluiten] *fastening, fastener* ⇒ ⟨slot⟩ *lock, clasp, cap, stopper* ⟨van fles⟩, *catch, latch* ⟨aan raam⟩, ⟨deksel⟩ *top, lid* **0.3** [opheffing] *closing (down)* ⇒ *closure* **0.4** [⟨muz.⟩] *cadence, close* **0.5** [U-vormige ijzeren schakel] *shackle* ◆ **1.1 ~** v.d. rekening *the balance/making-up of the account;* de ~ van de jaarlijkse vergadering *the closing of the annual meeting* **1.2** de ~ van deze jurk zit op de rug *this dress does up at the back* **1.3 ~** v.h. debat voorstellen *move the closure of the debate* **2.2** een blinde ~ *a blind fastening* **2.3** vrijwillige/gedwongen ~ *voluntary/compulsory closure; running down* **6.3** bij de ~ v.d. bijeenkomst *at the close/conclusion of the meeting;* **bij** de ~ v.d. inschrijving *on the closing of the (subscription) lists.*

sluitingsdatum ⟨de (m.)⟩ **0.1** *closing date* ⇒ *deadline (date).*

sluitingsplechtigheid ⟨de (v.)⟩ **0.1** *closing ceremony.*

sluitingstijd ⟨de (m.)⟩ **0.1** *closing time/hour* ⇒ ⟨van park ook⟩ *lock-out time* ◆ **6.1 na** ~ *after hours* **¶.1 '** *last orders (please)!.*

sluitingsuur ⟨het⟩ **0.1** *closing time/hour.*

sluitketting ⟨de⟩ **0.1** [mbt. een deur] *door chain* **0.2** [mbt. een sieraad] *safety chain.*

sluitklep ⟨de⟩ **0.1** *stop valve* ⇒ *flap* ⟨mbt. enveloppe⟩.

sluitkool ⟨de (m.)⟩ **0.1** *head(ed) cabbage.*

sluitnota ⟨de⟩ **0.1** *cover(ing) note* ⇒ *(covering) slip.*

sluitplaat ⟨de⟩ **0.1** [plaat om af te sluiten] *locking/washer plate* ⇒ ⟨opsluitplaat⟩ *retainer plate* **0.2** [mbt. een slot] *lock plate* ⇒ *striking/keeper plate.*

sluitpost ⟨de (m.)⟩ **0.1** *closing entry* ⇒ *balancing item/figure* ◆ **6.1** als ~ op de begroting dienen ⟨fig.⟩ *be considered unimportant, come at the bottom of the list;* **als** ~ van de begroting to *balance the budget.*

sluitrede ⟨de⟩ **0.1** *syllogism* ◆ **1.1** in de vorm van een ~ *syllogistic(al)* **2.1** valse ~ *false s..*

sluitregel ⟨de (m.)⟩ **0.1** *closing/last line.*

sluitring ⟨de (m.)⟩ ⟨tech.⟩ **0.1** *washer.*

sluitspeld ⟨de⟩ **0.1** [veiligheidsspeld] *safety pin* **0.2** [⟨gesch.⟩ fibula] *fibula.*

sluitspier ⟨de⟩ **0.1** *constrictor;* ⟨med.⟩ *sphincter.*

sluitsteen ⟨de (m.)⟩ ⟨bouwk.⟩ **0.1** [middelste steen] *keystone* ⇒ *key of an arch, crown/apex stone* **0.2** [zijdelings afsluitende steen] *coping stone, copestone.*

sluitstuk ⟨het⟩ **0.1** [stuk materiaal] *coping stone* ⇒ *breechblock* ⟨mbt. kanon⟩, *keeper* ⟨mbt. magneet⟩ **0.2** [laatste stuk] *final piece* ⇒ *tailpiece* ◆ **1.2** als ~ v.d. begroting to *balance the budget* **8.2** als ~ fungeren *van tail.*

sluitveer ⟨de⟩ **0.1** *retainer spring* ⇒ *spring catch, lock spring.*

sluitwerk ⟨het⟩ **0.1** *locks (and handles)* ◆ **1.1** hang- en ~ *door and window furniture.*

sluitwoord ⟨het⟩ **0.1** *cue.*

sluitzegel ⟨de (m.)⟩ **0.1** *postery-/picture-stamp.*

sluizen ⟨ov.ww.⟩ **0.1** [mbt. schepen] *lock (in/out/down/up/through)* **0.2** [⟨fig.⟩] *channel* ◆ **1.2** geld naar onderwijs ~ *c. funds to education.*

slungel ⟨de (m.)⟩ **0.1** *beanpole;* ⟨onbehouwen lummel⟩ *lout, gawk, oaf* ◆ **2.1** een lange ~ *a huge/lumbering big lout, a (gawkish) beanpole.*

slungelen ⟨onov.ww.⟩ **0.1** *slouch lumber;* ⟨rondlummelen⟩ *lounge/idle/* ⟨inf.⟩ *mooch about.*

slungeling ⟨bn., bw.; -ly⟩ **0.1** *lanky* ◆ **3.1 ~** rondhangen *slouch/lounge/* ⟨inf.⟩ *mooch about;* ~ zijn *be all legs.*

slurf ⟨de⟩ **0.1** [snuit] *trunk* ⟨ihb. van olifant⟩ ⇒ *proboscis* **0.2** [buigzame buis] *hose* **0.3** [mbt. vliegtuigen] *movable gangway/passenger bridge* ⇒ *aviobridge* **0.4** [slurfachtige vorm] *trunk* ⇒ *proboscis.*

slurfachtig ⟨bn.⟩ **0.1** *proboscidiform* ⇒ *proboscidal.*

slurfbloedzuiger ⟨de (m.)⟩ **0.1** *glossiphoniid.*

slurfdier ⟨het⟩ **0.1** [dier met een slurf] *proboscidean* **0.2** [orde van zoogdieren] ⟨mv.⟩ *proboscidea.*

slurp ⟨de (m.)⟩ **0.1** [slok] *draught* ⇒ *swallow, gulp,* ⟨kleine slok⟩ *sip* **0.2** [geluid] *slurp* ◆ **6.1** hij dronk zijn pils in één ~ uit *he downed his beer at one go/in a single gulp.*

slurpen

I ⟨onov.ww.⟩ **0.1** [geluid maken] *slurp;*

II ⟨ov.ww.⟩ **0.1** [hoorbaar tot zich nemen] *slurp* **0.2** [opnemen] *absorb, take in/up* ◆ **1.1** ⟨fig.⟩ zo'n auto slurpt benzine *that sort of car (just) drinks/those cars (just) drink* [B]*petrol/*[A]*gas;* zijn melk ~ *s. one's milk.*

sluw ⟨bn., bw.; -ly⟩ **0.1** *sly, crafty* ⇒ *cunning, insidious, wily* ◆ **1.1** een

~ blik *a s. look;* een ~e kerel *a wily fellow;* ⟨inf.⟩ *a slick operator;* een ~e streek *a s./cunning trick;* ⟨mv.⟩ *cunning wiles;* de ~e vos *the s./cunning old fox;* ⟨inf.⟩ *slyboots* **3.1** hij heeft het ~ aangelegd *he has gone about it very slyly/* ⟨enz.⟩ *cleverly.*

sluwheid ⟨de (v.)⟩ **0.1** [hoedanigheid] *slyness, craftiness* ⇒ *cunning, guile, wiliness* **0.2** [handeling] *(sly/cunning) trick* ⇒ ⟨mv.⟩ *wiles.*

s.m. ⟨afk.⟩ **0.1** [sadomasochisme] *S.M., S and M.*

smaad ⟨de (m.)⟩ **0.1** *defamation, slander* ⇒ *abuse, insult,* [↑] *opprobrium,* ⟨jur.⟩ *libel* ◆ **1.1** het misdrijf van ~ *(the offence of) libel, criminal libel* **2.1** de geleden ~ *uitwissen wipe out the indignities/abuse one (had) suffered/was made to suffer* **3.1** iem. ~ aandoen *inflict an indignity/indignities on s.o.;* ~ lijden/ondervinden/te verduren hebben *suffer/have to put up with/be subject to abuse/insult/indignities* **6.1** met ~ bejegenen *treat injuriously, behave insultingly towards.*

smaadrede ⟨de⟩ **0.1** *invective* ⇒ *slander, abuse, diatribe.*

smaadschrift ⟨het⟩ **0.1** *defamatory piece of writing* ⇒ *broadside,* ⟨jur.⟩ *libel,* ⟨satire⟩ *lampoon* ◆ **1.1** het misdrijf van ~ *(the offence of) libel;* schrijver v.e. ~ *libellant* [↑]*belant, perpetrator of a libel* **3.1** een ~ publiceren tegen iem. *publish a broadside/* ⟨jur.⟩ *libel against s.o..*

smaadwoord ⟨het⟩ **0.1** *insulting/* [↑] *opprobrious term/word* ⇒ [↑] *term of opprobrium.*

smaak ⟨de (m.)⟩ ⟨→sprw. 539,540⟩ **0.1** [zintuig] *taste* ⇒ *palate* **0.2** [gewaarwording in de mond] *taste, flavour* **0.3** [trek, eetlust] *relish* **0.4** [voorkeur] *taste* **0.5** [schoonheidszin] *taste* ◆ **2.1** een fijne/scherpe ~ hebben *have a fine/discriminating palate* **2.2** ik krijg er een akelige/vieze ~ van in de mond ⟨fig.⟩ *it leaves a bad t. in the mouth/gives me a turn/makes me sick* **2.4** een dure ~ *expensive tastes* **2.5** van goede/slechte ~ getuigen *be a sign of good/bad t., be in good/bad t., be tasteful/tasteless;* een goede/vreemde ~ hebben *have good/strange t.* **3.2 ~** geven aan *flavour;* ⟨ook fig.⟩ *add (a) savour to, spice;* meer ~ geven aan ⟨fig.⟩ *add/give zest/(a) savour to;* de ~ verbeteren *enhance/improve the f.;* de ~ wegspoelen *wash away the t.* **3.3** ⟨fig.⟩ de ~ van iets te pakken hebben *have acquired a t. for/come to like sth.* **3.4** aan alle smaken beantwoorden *suit all tastes;* smaken verschillen *tastes differ* **4.4** ieder zijn ~ *everyone to his own t.* **6.2** tien smaken ijs, ijs in tien smaken *ice cream in ten flavours, ten varieties of ice cream;* iets **op** ~ brengen *season/flavour sth.;* vol/wrang **van** ~ *rich/sharp/tart in f.;* met een ~ **van** ... *with a f. of .../a ... f., ...-flavoured* **6.3** ⟨fig.⟩ **in** de ~ vallen bij ... *take the fancy of ..., appeal to ..., find favour/go down well with ...;* ⟨fig.⟩ deze roman viel bij de lezer **in** de ~ *this novel commends itself to the reader;* ⟨fig.⟩ zijn optreden viel niet bij iedereen **in** de ~ *his behaviour was not to everybody's liking/taste;* ⟨fig.⟩ niet **in** de ~ vallen bij *be unpopular with/distasteful to;* iets **met** (veel) ~ nuttigen *eat sth. with (great) r.;* **met** (veel) ~ vertellen over iets *talk about sth. with (great) r.* **6.4** **naar** mijn ~ *to my t.;* kruiden **naar** ~ toevoegen *season to t.;* **over** ~ valt niet te twisten *there is no accounting for tastes* **7.5** geen ~ hebben *have no t..*

smaakbederf ⟨het⟩ **0.1** *decline in/of good taste.*

smaakcel ⟨de⟩ **0.1** *gustatory cell, taste cell.*

smaakje ⟨het⟩ **0.1** [bijsmaak] *taste* ⇒ *smack, tang,* ⟨BE; inf.⟩ *whiff* **0.2** [toevoegsel, ⟨vaak in samenst.⟩] *flavour* ◆ **1.1** bananensmaakje *banana-flavoured ice cream* **2.1** een raar ~ *a peculiar/funny taste* **3.2** er een ~ aan geven *flavour it, give it f.* **6.1** er zit een ~ **aan** dat vlees *that meat tastes funny.*

smaakloos ⟨bn.⟩ **0.1** *tasteless* ⇒ *flavourless, insipid* ◆ **1.1** een smaakloze hap *a t./insipid mouthful.*

smaakmaker ⟨de (m.)⟩ **0.1** [toevoegsel] *seasoning, flavouring* **0.2** [persoon] *trendsetter.*

smaakorgaan ⟨het⟩ **0.1** *organ of taste, gustatory organ.*

smaakpanel ⟨het⟩ **0.1** *jury/panel of tasters.*

smaakpapil ⟨de⟩ **0.1** *taste bud.*

smaakprikkel ⟨de (m.)⟩ **0.1** *taste stimulus.*

smaakstof ⟨de⟩ **0.1** *flavour(ing), seasoning* ◆ **1.1** kleur- en ~fen *colourings and flavourings.*

smaakvol ⟨bn., bw.; -ly⟩ **0.1** *tasteful* ⇒ *elegant, in good taste* ◆ **1.1** een ~le inrichting *t./elegant furnishings, a t./an elegant interior* **3.1 ~** gekleed zijn *be dressed in good taste/tastefully/elegantly* **5.1** zo'n broek onder zo'n trui is niet erg ~ *those trousers don't go well with/fight/clash with that jumper.*

smaakzenuw ⟨de⟩ **0.1** *gustatory nerve.*

smaakzin ⟨de (m.)⟩ **0.1** *(sense of) taste.*

smaakzone ⟨de⟩ **0.1** *taste(-bud) region.*

smachten ⟨onov.ww.⟩ **0.1** [wegkwijnen] *languish* ⇒ *pine away* **0.2** [snakken] *pine, yearn* ⇒ *long* ◆ **5.2** ernaar ~ om te ... *yearn/long to ..., be aching/dying to ...* **6.1** van honger/dorst ~ *die of hunger/thirst;* ⟨van honger ook⟩ *starve;* ⟨van dorst ook⟩ *be parched* **6.2 naar** gezelschap ~ *y./long for company;* ~ **naar** een koele dronk *die/thirst for a cool drink;* ⟨fig.⟩ het land smacht **naar** regen *the fields are thirsting for rain;* ~ **naar** p./y./*long for, thirst after/for, crave.*

smachtend ⟨bn., bw.; -ly⟩ **0.1** [vervuld van verlangen] *languorous, languishing* ⇒ *longing* **0.2** [kwijnend] *languishing* **0.3** [dorstig makend] *parching* ◆ **1.1** iem. ~e blikken toewerpen *cast sheep's eyes/look longingly at s.o.* **1.3** een ~e hitte *sweltering/stifling heat* **2.3** het is ~

smadelijk ⟨bn.,bw.⟩ **0.1** [smaad aandoend]⟨vernederend⟩ *humiliating;* ⟨honend⟩ *scornful;* ⟨beledigend⟩ *injurious, insulting;* [^]*opprobrious* ⟨ihb. woorden⟩ **0.2** [verachtelijk] *ignominious* ⇒*inglorious, disgraceful* ◆ **1.1** een ~e straf ondergaan *undergo a humiliating punishment;* ~e verwijten *humiliating reproaches/reproofs* **1.2** een ~e aftocht *an ignominious retreat;* een ~e nederlaag lijden *suffer a humiliating/an ignominious/inglorious defeat* **3.1** iem. ~ bejegenen *treat s.o. injuriously;* zich ~ laten behandelen *put up with abuse/indignities* **3.2** ~ lachen *laugh scornfully.*

smaden ⟨ov.ww.⟩ **0.1** [honen] *insult, revile, abuse* **0.2** [met verachting spreken van] *defame* ⇒*asperse,* ⟨schr.⟩ *vilify* ◆ **1.1** deze veel gesmade instelling *this much maligned institution.*

smadend ⟨bn.⟩ **0.1** *insulting, abusive* ◆ **1.1** ~e woorden/taal *i./a. words /language.*

smak
I ⟨de (m.)⟩ **0.1** [val] *fall* **0.2** [slag, klap] *crash* ⇒*smack, dump, thump, plump* **0.3** [met de mond voortgebracht geluid] *smack* **0.4** [grote menigte/hoeveelheid] *heap, pile* ◆ **1.4** dat kost een ~ geld *that runs (in)to a h. of money* **2.1** hij maakte een harde ~ *he had a bad/nasty f.; he (really) came a cropper* **3.1** een ~ maken *fall with a bang, have/take a spill;* een lelijke/flinke ~ maken ⟨BE;inf.⟩ *come/go a mucker, come/take a purler;* ⟨inf.⟩ *come a cropper* **6.2** met een ~ sloeg de deur dicht *the door slammed/banged (shut);* met een ~ neerzetten *put down with a c., slam/slap (down);* met een ~ op de grond gooien *send crashing to the floor;*
II ⟨de⟩ **0.1** [⟨scheep.⟩] *smack.*

smakelijk ⟨bn.,bw.;-ly⟩ **0.1** [lekker] *tasty, savoury* ⇒*appetizing,* ⟨sl.⟩ *yummy* **0.2** [smeuïg, vrolijk] ⟨smeuïg⟩ *vivid;* ⟨vrolijk⟩ *merry, gay, cheerful* ◆ **3.1** eet ~! *enjoy your meal!;* ⟨iron.⟩ *oh, lovely!;* hij kan ~ koken *he cooks the most delicious things;* het ziet er ~ uit *it looks t./ appetizing/tempting* **3.2** ~ lachen *laugh heartily/gaily;* hij maakte het verhaal nog wat ~er door ... ⟨minder erg maken⟩ *he rendered the story more palatable by ...;* ⟨interessanter maken⟩ *he added relish to the story by ...;* ~ vertellen *tell a good story with relish.*

smakeloos ⟨bn., bw.;-ly⟩ **0.1** *tasteless* ⇒⟨alleen pred.⟩ *lacking in taste, indelicate, tawdry, unsavoury* ◆ **1.1** een smakeloze grap *a feeble/pathetic joke;* smakeloze kleding *tasteless/vulgar clothes* **2.1** een ~ ingericht huis *a house furnished in poor/bad taste.*

smakeloosheid ⟨de (v.)⟩ **0.1** [gebrek aan smaak] *tastelessness, lack of taste* ⇒*indelicacy, poor/bad taste* **0.2** [iets smakeloos] *tasteless/indelicate object/exhibition/remark/* ⟨enz.⟩; *vulgar clothes/jewellery* ⟨enz.⟩.

smaken ⟨→sprw. 595⟩
I ⟨onov.ww.⟩ **0.1** [smaak hebben] *taste* **0.2** [lekkere smaak hebben] *taste/be good/nice* **0.3** [indruk teweegbrengen] *please, be to one's taste* ◆ **1.1** kreeft zou me wel ~ *I could just eat/I just fancy (a) lobster;* hoe smaakt ~ dit wijntje? *how do you like/what do you think of this wine?* **1.2** die soep smaakt *that soup tastes/is good* **4.1** hoe smaakt het? *how is it?, what do you think of it?* **5.1** hij liet zich het eten goed ~ *he ate heartily/with relish;* zoet/melig/zuur ~ *t. sweet/floury/tart* **6.1** het smaakt goed **bij** lamsvlees *it goes well with lamb;* **naar** iets ~ *t. of sth.;* dat smaakt **naar** uien *that tastes of/like onion(s);* ⟨scherts.⟩ dat smaakt **naar** meer/⟨AZN⟩ **naar** nog ⟨inf.⟩ *that's very mor(e)ish;* het smaakt een beetje **naar** kaneel *it has a hint of cinnamon;* het smaakt **naar** niets meer *it has lost its savour/flavour* ¶.2 dat zal ~! *that will go down well/just right;*
II ⟨ov.ww.⟩ ⟨schr.⟩ **0.1** [genieten] *taste, enjoy* ◆ **1.1** geluk/vreugde ~ *t./e. happiness;* het genoegen ~ om ...t. *I know the pleasure of ...;* de vrijheid ~ *t. I have a taste of freedom.*

smakken
I ⟨onov.ww.⟩ **0.1** [geluid maken] *smack one's lips* **0.2** [vallen] *crash* ◆ **5.1** smak niet zo! *don't make so much noise (when you're eating)* **6.1** **op** zijn pijpje ~ *puff noisily at one's pipe* **6.2** tegen de grond ~ *c. to the ground* ¶.1 zij zoende hem dat het smakte *she gave him a smacking kiss/a smacker (on the lips/mouth/cheek);*
II ⟨ov.ww.⟩ [smijten] *fling, hurl* ◆ **1.1** zijn tas in een hoek ~ *f. one's bag into a corner;* zij smakte haar tegenstander tegen de grond/opzij *she sent her opponent flying, she hurled/flung her opponent to the ground/aside.*

smakker ⟨de (m.)⟩ **0.1** [iem. die smakt] *noisy eater* **0.2** [⟨inf.⟩ zoen] *smack(er)* ◆ **3.2** iem. een dikke ~(d) geven *give s.o. a juicy/big/smacking kiss/a smacker (on the lips/mouth/cheek).*

smal ⟨bn.⟩ **0.1** *narrow* ◆ **1.1** ~le doorgang/opening *n. passage, small opening;* de ~le gemeente *the lower orders;* een ~ gezichtje *a pinched /thin face;* planken/stenen op de ~le kant zetten *place planks/bricks on edge;* een ~le marge *a n. margin;* een broek met ~le pijpen *(a pair of) n. trousers* ⟨inf.⟩ *drainpipes* ⟨inf.⟩ *drainpipe trousers;* een ~ steegje *a n. alley/lane;* ~le voetjes *n./slender feet;* de ~le weg ⟨fig.⟩ *the straight and n. (path)* **3.1** ~ler maken *narrow, taper;* ~ler worden *narrow;* ⟨geleidelijk⟩ *taper* **5.1** nogal ~ *thinnish* **6.1** Holland **op** zijn ~st ⟨fig.⟩ *Dutch narrow-mindedness, Holland at its most narrow-minded.*

smaldeel ⟨het⟩ **0.1** [afdeling van een vloot] *squadron* **0.2** [eskader] *squadron, flotilla* **0.3** [onderafdeling] *section.*

smaldier ⟨het⟩ ⟨jacht⟩ **0.1** *hind calf.*

smalen ⟨onov.ww.⟩ **0.1** *revile, abuse, scorn* ◆ **6.1** op iem. ~ *scoff/jeer (at) s.o., revile/abuse/scorn s.o..*

smalend ⟨bn., bw.;-ly⟩ **0.1** *scornful* ⇒*slighting, mocking, sardonic* ◆ **1.1** een ~e glimlach *a mocking/sardonic smile;* een ~e opmerking maken over *jeer at* **3.1** ~ spreken over *speak scornfully/slightingly of;* iem. ~ uitlachen, ~ om iets lachen *laugh s.o. to scorn* ¶.1 ~ zijn neus ophalen *turn up/look down one's nose (in scorn).*

smalfilm ⟨de (m.)⟩ **0.1** [^B]*cine/*[^A]*movie film.*

smalletjes ⟨bn., alleen pred.⟩ **0.1** *thinnish, peaky* ◆ **3.1** er~ uitzien *look p./puny/weedy.*

smalspoor ⟨het⟩ **0.1** [spoorbaan van lichte constructie] *light railway* ⇒*temporary railway* **0.2** [spoorbaan met geringe spoorbreedte] *narrow-gauge/* ⟨AE⟩ *narrow-gage railway.*

smalt ⟨de⟩ **0.1** [kobaltglas] *smalt* **0.2** [stof] *smalt.*

smalte ⟨de (v.)⟩ **0.1** [hoedanigheid] *narrowness* **0.2** [plek] *narrow(s)* ◆ **6.2** in de ~ *at the narrowest point.*

smaragd
I ⟨het⟩ **0.1** [edelgesteente] *emerald* **0.2** [kleur] *emerald (green);*
II ⟨de (m.)⟩ **0.1** [steen] *emerald.*

smaragden ⟨bn.⟩ **0.1** [van smaragd] *emerald* **0.2** [grasgroen] *emerald (green)* ◆ **1.1** een ~ ring *an e. ring* **1.2** de ~ zee *the emerald sea.*

smaragdgroen ⟨bn.⟩ **0.1** *emerald (green).*

smart ⟨de (v.)⟩ ⟨→sprw. 174⟩ **0.1** [verdriet] *sorrow, grief* ⇒*affliction, pain, distress* **0.2** [verlangen] *yearning* ⇒*longing* ◆ **1.1** ⟨schr.⟩ het brood der ~e eten *eat the bread of affliction;* de Man van Smarten *the Man of Sorrows* **3.1** ~ voelen/hebben *feel s.* **6.1** met ~ vernemen/ iets herdenken/denken aan *hear of/commemorate sth./think of with regret* **6.2** met ~ op iets/iem. wachten *wait longingly/anxiously for sth./s.o..*

smartegeld ⟨het⟩ **0.1** [vergoeding] *vindictive damages, smart-money, solatium* **0.2** [toelage] ≠*widow's allowance.*

smartelijk ⟨bn., bw.;-ly⟩ **0.1** [tragisch, bitter] *grievous* ⇒*painful, heart-rending* **0.2** [begerig] *anxious* ◆ **1.1** een ~ bericht *a sad report, sad news;* een ~e ervaring ⟨ook⟩ *a calvary;* na een lang en ~ lijden *after long and g. suffering;* met een ~e trek op zijn gezicht *with a g./ painful look/expression on his face* **1.2** in ~e afwachting *in painful/a. expectation* **3.2** ~ naar iets verlangen *pine for/after sth..*

smarten
I ⟨onov.ww.⟩ **0.1** [beginnen te rotten] *spoil* **0.2** [mbt. de huid] *be chafed/irritated* **0.3** ⟨schr.⟩ bedroeven] *cause/give pain, grieve* ◆ **1.3** die woorden ~ hevig *those words grieve (me, enz.) greatly* **4.3** het smart mij *it grieves/pains me;*
II ⟨ov.ww.⟩ **0.1** [⟨scheep.⟩] *parcel, keckle.*

smartlap ⟨de (m.)⟩ **0.1** weepy, *tear-jerker* ⇒*croon song,* ⟨AE;over onbeantwoorde liefde⟩ *torch song* ◆ **3.1** ~pen zingen *croon.*

smash ⟨de (m.)⟩ **0.1** (overhead) *smash, overhead* ◆ **3.1** een ~ geven, met een ~ over het net slaan *smash.*

smashen ⟨onov., ov.ww.⟩ **0.1** *smash.*

smeden ⟨ov.ww.⟩ ⟨→sprw. 311⟩ **0.1** [mbt. metalen] *forge* ⇒*smith* **0.2** [scheppen] *forge* ⇒*create, coin, mint* ⟨woorden⟩ **0.3** [beramen] *hatch, plan, concoct* ◆ **1.1** ijzer tot staven ~ *f. iron into bars;* twee stukken ijzer aan elkaar ~ *weld two pieces of iron (together)* **1.2** argumenten/verzen ~ *make up/invent arguments/verses* **1.3** een aanslag ~ *p. an attack;* een komplot ~ *lay/h. a plot;* plannen ~ *make/lay plans* **5.1** heet ~ *forge;* koud ~ ⟨machinaal⟩ *forge;* ⟨met de hand⟩ (cold-)hammer **6.1** uit een stuk gesmeed *forged in one piece* **6.2** iets tot een geheel ~ ⟨ook fig.⟩ *weld sth. (together).*

smederij ⟨de (v.)⟩ **0.1** [smidse] *forge, smithy* **0.2** [het smeden] *forging.*

smedig ⟨bn.⟩ **0.1** *malleable.*

smeedbaar ⟨bn.⟩ **0.1** *malleable, forgeable.*

smeedhamer ⟨de (m.)⟩ **0.1** *forging hammer* ⇒*sledgehammer.*

smeedhitte ⟨de (v.)⟩ **0.1** *forge heat.*

smeedijzer ⟨het⟩ **0.1** *wrought iron.*

smeedijzeren ⟨bn.⟩ **0.1** *wrought-iron* ◆ **1.1** een ~ hek *a w.-i. gate.*

smeedstaal ⟨het⟩ **0.1** *forge(d) steel.*

smeedstuk ⟨het⟩ **0.1** *piece of forged work* ⇒⟨tech. ook⟩ *forging.*

smeedwerk ⟨het⟩ **0.1** [werk dat in smeden bestaat] *forging* ⇒*smithery* **0.2** [een of meer werkstukken] **(wrought)** *ironwork* ◆ **2.2** open ~ *wrought-iron openwork.*

smeekbede ⟨de⟩ **0.1** *plea, appeal, prayer (for)* ⇒[^]*supplication, entreaty* ◆ **6.1** ~ om meer geld *plea for more money;* ~ om hulp *plea/cry for help* ¶.1 aan iemands ~n gehoor geven *answer s.o.'s prayers/pleas.*

smeekdicht ⟨het⟩ **0.1** *rhymed petition.*

smeekgebed ⟨het⟩ **0.1** *(humble) prayer* ⇒*supplication, plea.*

smeekschrift ⟨het⟩ **0.1** *petition.*

smeer ⟨het, de (m.)⟩ ⟨→sprw. 541⟩ **0.1** [smeersel] *grease, oil, fat* ⇒*lubricant, dope, axle grease* ⟨voor wagenassen⟩, *polish* ⟨voor schoenen⟩ **0.2** [vuil, vlek] *smear* ⇒*stain, spot, smudge* **0.3** [dierlijk vet] *tallow* ⟨voor kaarsen⟩ ⇒*lard* ⟨varkens⟩ ◆ **6.2** je hebt ~ **op** je handen *your hands are smudgy/smudged, there are smears on your hands.*

smeerbaar ⟨bn.⟩ **0.1** *spreadable* ◆ **1.1** deze margarine is bij elke temperatuur ~ *this margarine is s. at any temperature.*

smeerboel ⟨de (m.)⟩ **0.1** *mess* ⇒⟨inf.⟩ *muck*, ⟨sl.⟩ ᴮ*gunge*, ᴬ*gunk.*

smeerborstel ⟨de (m.)⟩ **0.1** *shoe brush.*

smeerbrug ⟨de⟩ **0.1** *hydraulic lift;* ⟨vnl. AE⟩ *lubritorium.*

smeerbuik ⟨de (m.)⟩ **0.1** [deel van de buik] *lower part of the belly* **0.2** [dikke buik] *potbelly.*

smeerbus ⟨de⟩ **0.1** *oilcan, oiler* ⇒*lubricator, grease cup.*

smeergeld ⟨het⟩ **0.1** *bribe* ⇒⟨inf.⟩ *backhander,* ⟨AE;sl.⟩ *boodle* ◆ **3.1** ~ aannemen *take bribes/a bribe;* iem. ~ geven/betalen *bribe s.o., grease/oil s.o.'s palm (with), cross s.o.'s palm (with silver);* ~ krijgen *receive bribes/a bribe.*

smeerinrichting ⟨de (v.)⟩ **0.1** [machine-onderdeel] *lubricator* ⇒*lubricating device* **0.2** [ruimte] (→**smeerstation**).

smeerkaars ⟨de⟩ **0.1** *tallow candle.*

smeerkaas ⟨de (m.)⟩ **0.1** *cheese spread.*

smeerkees ⟨de (m.)⟩ **0.1** ⟨viezerik⟩ *dirty fellow, slob, scruff;* ⟨kind⟩ *mucky pup;* ⟨gemeen⟩ *skunk, bastard,* ᴬ*son-of-a-bitch/gun, blackguard, swine.*

smeerklier ⟨de⟩ **0.1** *sebaceous gland.*

smeerkuil ⟨de (m.)⟩ **0.1** *pit* ⇒⟨AE ook⟩ *lubritorium.*

smeerkwast ⟨de (m.)⟩ **0.1** *grease brush* ◆ **6.1** met de ~ lopen ⟨fig.⟩ *bow and scrape, toady, court favour;* ⟨inf.⟩ *butter up to people, lay it on (thick).*

smeerlap ⟨de (m.)⟩ **0.1** ⟨viezerik⟩ (→**smeerpoets**) **0.2** [gemeen persoon] *skunk, bastard,* ᴬ*son-of-a-bitch/gun* **0.3** [vunzig/ontuchtig persoon] *pervert, lecher* ⇒*sex maniac, dirty old man* ⟨oud⟩ **0.4** [lap] *greasy rag.*

smeerlapperij ⟨de (v.)⟩ **0.1** [viezigheid] *dirt, filth* ⇒⟨inf.⟩ *muck* **0.2** [gemene streken] *dirty/scurvy tricks* **0.3** [mbt. tot seks] *filth, dirt* ⇒*lechery.*

smeerleverworst ⟨de⟩ **0.1** *liver paté/sausage.*

smeermiddel ⟨het⟩ **0.1** *lubricant.*

smeernippel ⟨de (m.)⟩ **0.1** *(grease) nipple.*

smeerolie ⟨de⟩ **0.1** *lubricant.*

smeerpijp

I ⟨de⟩ **0.1** [pijpleiding] *sewer, drain;*

II ⟨de (m.)⟩ **0.1** [persoon] (→**smeerpoets;**→**smeerlap 0.3**).

smeerpoets ⟨de (m.)⟩ **0.1** ⟨kind⟩ *mucky pup/dirty fellow/* ↓*pig, slob, scruff.*

smeerpot ⟨de (m.)⟩ **0.1** [met/voor smeer] *grease pot* **0.2** [van waaruit werktuigdeel wordt gesmeerd] *grease cup* ⟨van auto⟩; *grease box* ⟨van locomotief⟩ **0.3** [persoon] (→**smeerpoets**).

smeerpunt ⟨het⟩ **0.1** *lubrication point.*

smeersel ⟨het⟩ **0.1** ⟨zalf⟩ *ointment, unguent;* ⟨vloeibaar⟩ *liniment, embrocation;* ⟨boterham⟩ *spread, paste.*

smeerseltje ⟨het⟩ ⟨inf.⟩ **0.1** ⟨ongemarkeerd⟩ *application* ⇒*ointment, salve* ◆ **3.1** een ~ voorschrijven/geven *prescribe/give an a..*

smeerstation ⟨het⟩ **0.1** *lubricating station,* ᴬ*lubritorium.*

smeertroep ⟨de (m.)⟩ →**smeerboel.**

smeervet ⟨het⟩ **0.1** *(lubricating) grease.*

smeerworst ⟨de⟩ **0.1** *meat paste, paté.*

smeerwortel ⟨de (m.)⟩ ⟨plantk.⟩ **0.1** [ruwbladige plant] *comfrey* **0.2** [vetplant] *orpine.*

smeerzalf ⟨de⟩ **0.1** *ointment, salve; liniment.*

smeerzeep ⟨de⟩ **0.1** *liquid soap.*

smegma ⟨het, de⟩ ⟨med.⟩ **0.1** *smegma.*

smekeling ⟨de (m.)⟩, **-e** ⟨de (v.)⟩ **0.1** *supplicant.*

smeken ⟨onov.ww.⟩ **0.1** *implore, beg* ⇒⟨sterk⟩ *appeal (for), urge,* †*beseech, entreat* ◆ **1.1** met een ~de blik *with an imploring/appealing look* **3.1** iem. ~ *appeal to s.o. appealingly/entreatingly;* bidden en ~ *beg and pray* **6.1** iem. **om** hulp ~ *beg (for) s.o.'s help, i.s.o. for help;* ⟨iem.⟩ **om** genade/lijfsbehoud ~ *beg (s.o.) for mercy; cry for-giveness, appeal for mercy/forgiveness* ¶ **1** ik smeek u! *I entreat/beg you!;* ze smeekte hem niet te komen *she implored/begged/entreated him not to come;* hij smeekte hem (om) zijn dochter vrij te laten *he implored/entreated him to release his daughter.*

smelleken ⟨het⟩ ⟨dierk.⟩ **0.1** *merlin.*

smelt ⟨de⟩ **0.1** [gesmolten massa/stof] *melt(age)* ⇒*fusion* **0.2** [⟨dierk.⟩] *sand eel.*

smeltbaar ⟨bn.⟩ **0.1** *meltable* ⇒*fusible, liquefiable* ◆ **5.1** moeilijk ~ *difficult to fuse/melt;* ⟨vuurvast⟩ *refractory.*

smeltbaarheid ⟨de (v.)⟩ **0.1** *fusibility.*

smeltdraad ⟨de (m.)⟩ **0.1** *fuse (wire).*

smelten

I ⟨onov.ww.⟩ **0.1** [vloeibaar worden] *melt* ⇒*fuse* ⟨bij hoge temperatuur⟩ **0.2** [oplossen] *melt* ⇒*dissolve* **0.3** [⟨fig.⟩] *melt* **0.4** [in elkaar overgaan] *melt* ⇒*fuse* **0.5** [slinken] *melt (away)* ◆ **1.1** de sneeuw smelt ⟨ook⟩ *the snow thaws* **1.4** ~de kleuren/tinten *fusing colours;* de tonen *melting sounds* **3.3** iemands hart doen ~ *make s.o.'s heart m.* **5.1** ⟨fig.⟩ ik smelt haast *I am broiling/baking;* snel ~d ⟨smeltgevoelig⟩ *liquescent; dissolvable* **6.1** ⟨fig.⟩ ~ van de hitte *broil/m./frizzle up with the heat* **6.2** die perzikken ~ **op** de tong *those peaches m. in the mouth;* ⟨scherts.⟩ je zult van zo'n buitje niet ~ *a little bit of rain won't*

hurt you **8.5** ~ als sneeuw voor de zon *disappear/melt/vanish into thin air;*

II ⟨ov.ww.⟩ **0.1** [vloeibaar maken] *melt* ⇒*melt down* ⟨metalen⟩ **0.2** [laten fijnkoken] *boil to mash, boil down.*

smelter ⟨de (m.)⟩ **0.1** *melter* ⟨vet e.d.⟩; *smelter* ⟨metalen⟩.

smelterij ⟨de (v.)⟩ **0.1** [handeling] *melting, fusion* ⇒*smelting* ⟨van erts⟩ **0.2** [bedrijf, gebouw] *forge* ⇒*smelter(y)* ⟨van erts⟩.

smelthitte ⟨de (v.)⟩ **0.1** *heat of fusion.*

smeltkroes ⟨de (m.)⟩ **0.1** [vuurvaste pot] *melting pot* ⇒*crucible* **0.2** [⟨fig.⟩ plaats] *melting pot* ◆ **1.2** Amerika, de ~ der beschavingen *America, the m. p. of cultures.*

smeltlassen ⟨het⟩ **0.1** *fusion welding.*

smeltmiddel ⟨het⟩ **0.1** *flux.*

smeltoven ⟨de (m.)⟩ **0.1** *melting furnace, forge* ⇒*blast-furnace, smelter* ⟨voor erts⟩.

smeltprop ⟨de⟩ **0.1** *fusible (boiler) plug.*

smeltpunt ⟨het⟩ **0.1** *melting point, point of fusion.*

smeltstop ⟨de (m.)⟩ **0.1** *fuse.*

smelttemperatuur ⟨de (v.)⟩ **0.1** *melting/fusing temperature.*

smeltveiligheid ⟨de (v.)⟩ **0.1** *(safety) fuse.*

smeltwarmte ⟨de (v.)⟩ **0.1** *heat of fusion.*

smeltwater ⟨het⟩ **0.1** *meltwater.*

smeren

I ⟨ov.ww.⟩ **0.1** [invetten] *grease* ⇒*oil, lubricate* ⟨met olie⟩ **0.2** [van boter/vet voorzien] *butter* ⟨met boter⟩; *lard* ⟨met vet⟩ **0.3** [uitstrijken] *smear* ⇒*spread, daub* ⟨bv. verf⟩, *rub* ⟨op huid/leer enz.⟩ ◆ **1.1** ⟨fig.⟩ de keel ~ ⟨inf.⟩ *wet one's whistle;* ⟨fig.⟩ de maag ~ *eat one's fill;* ⟨inf.⟩ *stuff o.s.;* ⟨BE;inf.⟩ *tuck in* **1.2** brood/boterhammen ~ *butter bread, make some bread and butter* **1.3** de boter er (heel) dun op ~ *scrape the butter, spread the butter on thin;* crème op zijn huid ~ *rub cream on one's skin;* ⟨fig.⟩ stroop ~ ⟨fig.⟩ *bow and scrape, lay/spread on the butter,* ↓*butter s.o. up* **4.** ¶ nou, ik smeer 'em maar *well, I am off now! I'd better beat it! smeer 'em gesmeerd the culprits have cleared off/made off/* ⟨vnl. BE;sl.⟩ *buzzed off/have done a bunk/cut and run;* smeer 'em *get/clear out of here;* ⟨sl.⟩ *frig/beat it;* ⟨BE;sl.⟩ *hop it;* 'em ~ *op zijn naam/ scarper;* ⟨sl.⟩ *make tracks;* ⟨AE;sl.⟩ *bug off;* ⟨BE;sl.⟩ *do a bunk* **6.3** ⟨fig.;inf.⟩ smeer (het) maar **in** je haar *stuff it (up your jumper/arse);*

II ⟨onov.ww.⟩ **0.1** [zich laten uitsmeren] *spread* **0.2** [kliederen] *make a mess.*

smerig ⟨bn., bw.;-ly⟩ **0.1** [vuil] *dirty, soiled* ⇒*messy,* ⟨inf.⟩ *mucky, grubby* **0.2** [schunnig] *dirty, smutty* ⇒*filthy, lewd, sordid* **0.3** [oneerlijk, gemeen] *scurvy, shabby* ⇒*dirty* **0.4** [ellendig] *dirty, filthy* ⇒*nasty, squalid, foul* ◆ **1.1** een ~ gezicht *a grubby face;* ~e handen/schoenen *d./grubby/filthy hands/shoes, scuffed shoes* **1.2** ~e taal ⟨talk⟩ *a lot/load of) dirt/filth/smut* **1.3** een ~e streek/truc ⟨a/one hell of) a dirty/scabby trick;* ⟨vnl. AE⟩ *a snide trick;* een ~ zaakje *a dirty/shady/grubby business* **1.4** het is een ~ gezicht *it is a squalid/sordid sight;* dat is een ~ goedje *that's vicious/filthy stuff;* ~ weer *d./filthy/foul weather* **3.1** iets ~ maken *dirty/mess sth. up;* ~ worden *dirty, become d.* **3.3** iem. ~ behandelen *treat s.o. shabbily/scurvily, do the dirty on s.o.* ¶ **1** er ~ bij lopen *be dressed slovenly, look scruffy.*

smerigheid ⟨de (v.)⟩ **0.1** [hoedanigheid] *dirtiness, filthiness* ⇒*squalor* **0.2** [iets vuils] *dirt, filth* ⇒*smut* **0.3** [gemene streek] *dirty/scurvy/shabby/mean trick* ⇒⟨vnl. AE⟩ *snide trick.*

smeris ⟨de (m.)⟩ ⟨inf.⟩ **0.1** *cop(per)* ⇒⟨mv.⟩ *fuzz,* ⟨BE;sl.⟩ *rozzer* ◆ **6.** ¶ **op** ~ staan *be on the/keep a look-out, keep watch.*

smet ⟨de⟩ **0.1** [vlek, spat] *spot, stain* ⇒*smear, smudge, blot* **0.2** [bezoedeling] *blemish* ⇒*taint, stain, blot* ◆ **3.2** de ~ uitwissen *wipe out/away/remove the stain/blot;* dit werpt een ~ op zijn naam *this casts a slur on his reputation/puts a slur upon him/blots his reputation* **6.2** zonder ~(ten) *unsullied, untainted, unblemished.*

smetlijn ⟨de⟩ **0.1** [touw] *chalk line* **0.2** [getrokken streep] *chalk line.*

smetpoeder ⟨het, de (m.)⟩ **0.1** *dusting powder.*

smetstof ⟨de⟩ **0.1** *infectant, infective agent* ◆ **3.1** de ~ meedragen/overbrengen/doden *carry/transmit/kill the infection.*

smetteloos ⟨bn., bw.;-ly⟩ **0.1** ⟨ook fig.⟩ *spotless, immaculate, impeccable* ⇒⟨fig.⟩ *blameless, flawless, faultless* ◆ **1.1** ⟨fig.⟩ een ~ leven *an impeccable/untainted life;* een ~ overhemd *a s./ an immaculate shirt* **2.1** ~ wit *immaculate(ly) white.*

smetten

I ⟨onov., ov.ww.⟩ **0.1** [vuilmaken] *soil, stain, spot;*

II ⟨onov.ww.⟩ **0.1** [vuil aannemen] *soil* **0.2** [mbt. de huid] *be/get chafed* ◆ **5.1** lichte stof smet makkelijk *light-coloured fabric soils easily.*

smetvrees ⟨de⟩ ⟨psych.⟩ **0.1** *hosophobia.*

smeuïg

I ⟨bn.⟩ **0.1** [zacht, gebonden] *smooth* ⇒*creamy* ◆ **1.1** een ~ soepje *a thick soup;*

II ⟨bn., bw.⟩ **0.1** [smakelijk] *savoury, appetizing* ⇒⟨fig.⟩ *vivid, juicy* ◆ **1.1** ~e taal *vivid/juicy/colourful language/words* **3.1** ~ vertellen *tell a story vividly, tell a juicy/colourful story.*

smeulen ⟨onov.ww.⟩ **0.1** [langzaam branden] *smoulder* **0.2** [⟨fig.⟩]

smoulder ⇒simmer ♦ **1.1** ~de kolen/sintels/hout *live!smouldering coal/embers/wood;* een~d vuurtje *a smouldering/sulky/smoky fire* **1.2** de haat smeulde reeds lang in zijn hart *hatred had been smouldering/simmering in his heart for a long time;* ~de hartstocht *smouldering passion;* er smeult een oproer/verraad/samenzwering *there is riot/treason/a conspiracy brewing.*

smid ⟨de (m.)⟩ **0.1** *(black/gold/silver) smith* ♦ **1.1** ⟨fig.⟩ ieder is de ~ van zijn geluk *everyone has to make his own life* **1.¶** dat is het geheim van de~ *that's a trick of the trade* **8.1** handen als een~ *powerful/mighty hands.*

smidse ⟨de⟩ **0.1** [werkplaats] *forge, smithy* **0.2** [vuurhaard] *forge.*

smidshamer ⟨de (m.)⟩ **0.1** *sledgehammer.*

smidsvuur ⟨het⟩ **0.1** *forge.*

smiecht ⟨de (m.)⟩ **0.1** [gemene kerel] *skunk,* ᴬ*son-of-a-bitch, bastard, rascal* **0.2** [iem. die handig zijn zin weet te krijgen] *wangler, smartaleck, cleverclogs.*

smient
I ⟨de⟩ **0.1** [fluiteend] *(sand/sea) widgeon/*⟨BE ook⟩ *wigeon;*
II ⟨de (m.)⟩ **0.1** [mager mens] *beanpole.*

smiespelen ⟨onov.ww.⟩ **0.1** *whisper, exchange confidences.*

smiezen ⟨zn.mv.⟩ ⟨inf.⟩ ♦ **6.¶** iets in de ~ hebben *be on to sth., see the way the land lies;* ⟨BE⟩ *twig sth.;* iem. **in** de ~ hebben *have s.o. taped;* ⟨AE⟩ *be wise to s.o.;* iem. **in** de~ houden *keep one's eye on s.o., watch s.o., keep tabs/a tab on s.o.;* dat loopt in de ~ ⟨ongemarkeerd⟩ *that will attract too much attention, it will be a bit obvious, we don't want to be too obvious;* iets/iem. **in** de ~ krijgen *tumble to sth./spot s.o.;* ⟨AE⟩ *get wise to sth./s.o.;* in de ~ krijgen wat er gaande is *grasp/see/* ⟨vnl. AE⟩ *wise up to what is going on.*

smijdig ⟨bn.⟩ **0.1** [buigzaam] *pliable* ⇒*supple, flexible, pliant* **0.2** [op sierlijke wijze plooibaar] *fluid* ⇒*articulate, graceful* **0.3** [gemakkelijk te bewerken] *malleable* ♦ **1.1** ⟨fig.⟩ hij heeft een ~ karakter *he has a pliable/flexible character;* ~leer *supple leather* **1.2** ~e taal *f. language* **1.3** ~goud *m./pliable gold.*

smijten
I ⟨onov.,ov.ww.⟩ **0.1** [gooien] *throw, fling* ⇒*dash, hurl, pitch,* ⟨inf.⟩ *chuck* ♦ **5.1** iem. de deur uit~ *chuck/sling s.o. out;* ⟨vnl. BE;inf.⟩ *turf s.o. out;* iem. de kroeg uit ~ ⟨sl.⟩ *give s.o. the bum's rush* **6.1** iets **door** de ruiten ~ *t./f./hurl stones at s.o., pelt s.o. with stones;* **met** de deuren ~ *slam the doors;* **met** geld ~ ⟨fig.⟩ *spend one's money right and left, squander/*⟨inf.⟩ *splash out money/t. one's money about/around;* ⟨fig.⟩ iem. iets **naar** het hoofd ~ *t./hurl sth. in s.o.'s teeth;* de verf **op** de muur ~ *slosh the paint on the wall;*
II ⟨ov.ww.⟩ **0.1** [in een toestand brengen] *smash* ♦ **1.1** iets in stukken~ *dash sth. to pieces* **2.1** iets kapot ~ *s. sth..*

smijtfilm ⟨de (m.)⟩ ♦ **1.¶** gooi- en~*slapstick, custard pie* ᴮ*film/*ᴬ*movie.*

smikkelaar ⟨de (m.)⟩, **-ster** ⟨de (v.)⟩ ⟨inf.⟩ **0.1** ≠*bon vivant* ⇒⟨ongemarkeerd⟩ *epicure, gourmet* ♦ **3.1** hij is een echte ~ *he loves his food/is fond of eating well.*

smikkelen ⟨onov.,ov.ww.⟩ ⟨inf.⟩ **0.1** *eat heartily, tuck in(to)* ♦ **3.1** zij zaten heerlijk te ~ *they were having a good feed.*

smoel ⟨vulg.⟩
I ⟨de (m.)⟩ **0.1** [mond] *gob, trap* ⇒*mug, face,* ⟨vnl. AE⟩ *yap* **0.2** [grimas] *face* ⇒ ¹*grimace* ♦ **3.1** zijn ~ dichthouden *shut one's face/t., keep one's face/t. shut;* houd je ~! *belt up!, shut your face/g.!, put a sock in it!, hold/stop your jaw!* **3.2** ~en trekken *pull faces, make grimaces;*
II ⟨het, de (m.)⟩ **0.1** [gezicht] *conk* ⇒*clock, dial, mug, jib,* ⟨kind.⟩ *physgog* ♦ **2.1** een lief/mooi ~tje *a pretty/doll face* **3.1** dat ~ van jou staat me niet aan *I don't like that look on your face/the cut of your jib* **6.1** iem. **op** zijn ~ slaan *conk s.o.;* **op** zijn ~ vallen ⟨ook fig.⟩ *come a cropper.*

smoelschuif ⟨de⟩ ⟨muz.;scherts.⟩ **0.1** ⟨ongemarkeerd⟩ *mouth organ, harmonica.*

smoeltje ⟨het⟩ ⟨med.;inf.⟩ **0.1** *(surgical) mask.*

smoelwerk ⟨het⟩ ⟨inf.⟩ **0.1** [gezicht] *conk* ⇒*clock, dial, mug, jib* **0.2** [grimas] *face* ⇒ ¹*grimace.*

smoes ⟨de⟩ **0.1** *excuse* ⇒*sham, blind,* ⟨verzinsel⟩ *story,* ⟨uitvlucht;pej.⟩ *cop-out* ♦ **2.1** een doorzichtige ~ *a thin/transparent/obvious e.* **3.1** een ~ je bedenken *think up a story, concoct an e.;* dat is maar een ~ *that's a mere pretext;* je moet bij mij geen ~jes verkopen *teach your grandmother to suck eggs, pull the other one, tell me another* **7.1** en denk erom: geen ~jes! *and remember now: none of your flannel!/no nonsense!* **¶.1** ~jes! *eyewash!, rubbish!, rot!;* ⟨sl.;vulg.⟩ *bull!*

smoezelen ⟨onov.ww.⟩ **0.1** [zacht praten] *whisper* ⇒*mutter (under one's breath)* **0.2** [smoesjes vertellen] *tell a yarn* ⇒*pull a fast one, try it on.*

smoezelig ⟨bn.⟩ **0.1** *dingy* ⇒*grubby, grimy,* ⟨inf.⟩ *grotty.*

smoezen ⟨onov.ww.⟩ **0.1** [praatjes verkopen] *invent excuses* ⇒*equivocate,* ⟨schr.⟩ *prevaricate* **0.2** [zacht praten] *whisper* ⇒*mutter (under one's breath)* **0.3** [praten] *jaw* ⇒*chinwag* ♦ **4.1** zich ergens uit ~ *talk one's way out of sth. (by saying …)* **4.2** ze hebben altijd wat te ~ *they're always whispering about sth. (or other)* **4.3** wat ik je smoes *I*

(can) tell you, I'm telling you, as I live **5.1** hij heeft er wat omheen gesmoesd *he gave them a lot of (old) flannel/beat about the bush/spun a likely yarn.*

smogalarm ⟨het⟩ **0.1** *smog alert/warning.*

smoken
I ⟨onov.ww.⟩ **0.1** [paffen] *smoke* ⇒*puff, blow* **0.2** [walmen] *smoke* ♦ **3.1** ze zaten de hele avond te ~ *they were smoking away all evening* **5.2** het smookt hier geweldig *there's a terrible smoke in here;*
II ⟨ov.ww.⟩ **0.1** [roken] *smoke.*

smoking ⟨de (m.)⟩ **0.1** *dinner jacket* ⇒⟨inf.⟩ *D.J.,* ⟨AE ook⟩ *tuxedo,* ⟨AE;inf.⟩ *tux, black tie* ♦ **6.1** hij is **in** ~ *he's in a d.j..*

smokingdas ⟨de⟩ **0.1** *dress tie;* ⟨zwart ook⟩ *black (bow) tie.*

smokinghemd ⟨het⟩ **0.1** *dress shirt.*

smokingjasje ⟨het⟩ →**smoking.**

smokkel ⟨de (m.)⟩ **0.1** *smuggling* ⇒*contraband,* ⟨wapensmokkel⟩ *gunrunning.*

smokkelaar ⟨de (m.)⟩ **0.1** [persoon] *smuggler* ⇒*contrabandist, runner,* ⟨dranksmokkelaar⟩ *bootlegger,* ⟨wapensmokkelaar⟩ *gun runner* **0.2** [schip] *contraband ship* ⇒*bootlegger.*

smokkelarij ⟨de (v.)⟩ **0.1** *smuggling* ⇒*contraband,* ⟨wapensmokkel⟩ *gunrunning.*

smokkelen
I ⟨onov.,ov.ww.⟩ **0.1** [smokkelhandel drijven] *smuggle* ⇒⟨clandestien drank verkopen/vervoeren⟩ *bootleg,* ⟨ov.ww.⟩ *run* ⟨geweren, drank⟩ **0.2** [behendig wegmoffelen] *smuggle* ⇒*shuffle (away)* ⇒*conceal, palm, pocket* ♦ **5.1** iets naar binnen/buiten ~ *smuggle sth. in/out* **6.1** iem. het land in/uit ~ *smuggle s.o. into/out of the country;*
II ⟨onov.ww.⟩ **0.1** [voorschrift, verbod heimelijk ontduiken] *dodge* **0.2** [⟨sport⟩] *cheat* ⇒*trick* **0.3** [op school] *cheat* ⇒⟨spieken⟩ *crib* ♦ **1.2** een beetje ~ bij het nemen v.e. vrije trap *try it on/pull a fast one when taking a freekick.*

smokkelgoed ⟨het⟩ →**smokkelwaar.**

smokkelhandel ⟨de (m.)⟩ **0.1** *smuggling* ⇒*contraband, traffic* ♦ **3.1** ~ drijven *smuggle, traffic (in contraband).*

smokkelschip ⟨het⟩ **0.1** *contraband ship* ⇒*smuggler(s' ship/vessel,* ⟨mbt. drank⟩ *bootlegger.*

smokkelwaar ⟨de⟩ **0.1** *contraband* ⇒*bootleg* ⟨vnl. drank⟩, ⟨sl.⟩ *swag, smuggled goods,* ⟨marinetaal⟩ *rabbits.*

smokken ⟨onov.ww.⟩ **0.1** *smock, shirr.*

smokwerk ⟨het⟩ **0.1** *smocking* ⇒*shirring, shirr, gathering, gathers.*

smook ⟨de (m.)⟩ **0.1** [dikke rook] *smoke* ⇒⟨(verstikkende) walm⟩ *smog* **0.2** [nevel] *fog, mist* ⇒*haze.*

smoor¹ ⟨de (m.)⟩ **0.1** [⟨AZN⟩ damp] *fog, mist* ⇒*haze* **0.2** [⟨AZN⟩ rook] *smoke* ⇒⟨(verstikkende) walm⟩ *smog* ♦ **3.¶** daar heb ik de ~ aan *I can't stand/bear it* **3.¶** *stick that, I hate (the sight of)/dislike that;* er de ~ in hebben *have the hump/a fit of the sulks.*

smoor² ⟨bn.⟩ **0.1** [verliefd] *besotted* ⇒*smitten, head-over-heels, infatuated (by/with)* **0.2** [stomdronken] *plastered* ⇒*legless, mindless, stupefied, staggering,* ⟨vulg.⟩ *pissed* ♦ **6.1** ~ **op** iem. zijn *be dotty/nutty about s.o., be b./smitten with s.o., have a crush on s.o., be (dead) gone on s.o..*

smoordronken ⟨bn.⟩ **0.1** *plastered* ⇒*legless, mindless, dead drunk,* ⟨vulg.⟩ *pissed.*

smoorheet ⟨bn.⟩ **0.1** *sweltering* ⇒*broiling/baking/blazing hot* ♦ **1.1** een smoorhete dag *a scorcher/broiler, a s. (hot)/broiling hot day* **3.1** het was ~ in de zaal *the room was stifling/hot to suffocation.*

smoorhitte ⟨de (v.)⟩ **0.1** *sweltering/baking/scorching/broiling heat* ⇒⟨drukkend, vochtig⟩ *swelter.*

smoorlijk ⟨bw.⟩ **0.1** *head over ears/heels* ⇒*dead, totally* ♦ **2.1** ~ verliefd zijn *be struck (on/with), be over the ears/head-over-heels in love/ (completely) infatuated (with), have a crush on.*

smoorspoel ⟨de⟩ ⟨tech.⟩ **0.1** *choke.*

smoorverliefd ⟨bn.⟩ **0.1** *besotted (with love)* ⇒*smitten (with s.o.) infatuated (with)* ♦ **6.1** ~ zijn **op** *be gone on/crazy about/infatuated with, have a crush on.*

smoren
I ⟨onov.ww.⟩ **0.1** [stikken] *suffocate* ⇒*choke, stifle, swelter* ⟨v.d. hitte⟩ **0.2** [blijven steken] *die away* ⇒*come to a dead end* **0.3** [gaar worden] *braise* ⇒⟨fig.⟩ *broil* ⟨in de zon⟩ ♦ **6.1** het is hier om te ~ *it's stifling/sweltering (hot) in here* **6.2** de kogel smoorde **in** het zand *the bullet buried itself in the sand;*
II ⟨ov.ww.⟩ **0.1** [doen stikken] *smother, throttle, strangle* ⇒*choke, suffocate* **0.2** [gaar laten worden] *braise.*

smörgåsbröd ⟨het, de⟩ **0.1** *smorgasbord.*

smörrebröd ⟨het⟩ **0.1** [belegde boterham] *smörrebröd* ⇒*smorrebrod* **0.2** [uitgebreide broodmaaltijd] *smörrebröd* ⇒*smorrebrod.*

smous ⟨de (m.)⟩ **0.1** [scheldnaam] *sheeny, sheenie* ⇒*Yid,* ⟨AE ook⟩ *kike, clip* **0.2** [hond] ⟨~smoushond⟩.

smoushond ⟨de (m.)⟩ **0.1** *affenpinscher* ⇒⟨griffon⟩ *(Brussels) griffon.*

smout ⟨het⟩ ⟨druk.⟩ **0.1** *display* ⇒*jobbing* **0.2** [broodbeleg] *dripping* **0.3** [⟨AZN⟩ olie] *oil.*

smoutwerk ⟨het⟩ ⟨druk.⟩ **0.1** *display, job work.*

smullen ⟨onov.ww.⟩ **0.1** [eten] *feast* ⇒*banquet, regale,* ⟨BE;inf.⟩ *tuck in*

/⟨van⟩ *into* **0.2** [⟨fig.⟩] *lap up* ⇒⟨van⟩ *tuck into* ◆ **3.1** dat is/wordt~ *yum-yum(s), goodie-goodie;* ⟨sl.⟩ *big eats!* **6.1** van/aan iets~*tuck into sth.* **6.2** van een verhaal/schandaal~ *lap up/tuck into a story/a scandal;* een jurkje om **van** te~*a peach of a dress;* ⟨pej.⟩ zij~**van** een ander zijn ellende *they gloat over/feast on/thrive on s.o. else's misery;* daar zullen de kranten **van** ~ *the newspapers will gobble it up/lap it up/lick their lips over it/relish it/make a meal of it.*

smulpaap ⟨de (m.)⟩ **0.1** ≠*bon vivant* ⇒*gourmet, (good) trencherman, gastronome(r), gourmand* ⟨ihb. veelvraat⟩ ◆ **3.1** zij is een echte~*she loves her food/is fond of eating well.*

smulpartij ⟨de (v.)⟩ **0.1** *banquet* ⇒⟨BE;inf.⟩ *tuck-in bean-feast,* ⟨BE; sl.⟩ *tuck,* ⟨vreet-/smulpartij⟩ *blow-out,* ⟨feestmaal;inf.⟩ *spread.*

smurf ⟨de (m.)⟩ **0.1** *smurf.*

smurrie ⟨de⟩ **0.1** *gunk* ⇒⟨BE;sl.⟩ *gunge,* ⟨AE;sl.⟩ *glop, gook,* ⟨modder,slijk⟩ *sludge.*

Smyrnaas ⟨de⟩ **0.1** *Smyrna;* ⟨alleen na zn.⟩ *of/from Smyrna.*

smyrnatapijt ⟨het⟩ **0.1** *Smyrna, smyrna* ⇒*Turkey carpet.*

Smyrnawol ⟨de⟩ **0.1** *rug wool/yarn.*

snaai ⟨de (m.)⟩ **0.1** *bit on the side* ◆ **2.1** een aardig~tje maken *make a nice little bit on the side.*

snaaien ⟨ov.ww.⟩ **0.1** [wegpakken] *snitch* ⇒*snatch, nab, bag, pinch* **0.2** [meer in rekening brengen] *rip off, fleece* ⇒*overcharge* **0.3** [betrappen] *nab* ⇒*nick* ◆ **1.1** een portemonnee~*snatch a wallet* **3.1** daar valt wel wat te~*there's sth. to be had there.*

snaak ⟨de (m.)⟩ **0.1** [grappenmaker] *joker* ⇒*wag, jokester* **0.2** [persoon in het algemeen] *feller, fellow* ⇒⟨sl.⟩ *geezer,* ⟨benaming voor manspersoon⟩ *jack,* ⟨inf.⟩ *guy* ◆ **2.1** een echte~ *the life and soul of the party, a big laugh* **2.2** een rare/een vreemde~*a queer fish/customer,* ^A*an oddball;* ⟨sl.⟩ *a weirdo.*

snaaks ⟨bn., bw.;-ly⟩ **0.1** ⟨scherts.⟩ *jocular;* ⟨grappig⟩ *funny;* ⟨schelmachtig⟩ *roguish, waggish* ◆ **1.1** ~e streken *roguish/roguish pranks;* een~e vent *jocular/funny fellow/guy* **3.1** iets~vertellen *have a roguish way of telling sth..*

snaaksheid ⟨de (v.)⟩ **0.1** ⟨abstr.⟩ *drollery, jocularness;* ⟨ook concr.,vnl. mv.⟩ *pleasantry.*

snaar ⟨de⟩ **0.1** [mbt. muziekinstrumenten] ⟨ook fig.⟩ *string;* ⟨ook fig.⟩ *chord;* ⟨van trommel⟩ *snare; wire* **0.2** [mbt. tennisracket] *string* **0.3** [koord, band, riem] *cord* ⇒⟨van leer⟩ *strap, thong* ◆ **2.1** ⟨fig.⟩ een gevoelige~aanraken/treffen *touch the right chord, touch a string, pluck s.o.'s heart strings;* ⟨fig.⟩ de juiste~raken *touch/strike the right chord/tone;* een omwonden~*a coiled string;* zilveren/stalen ~*silver/steel string/wire* **3.1** die~moet men niet aanroeren ⟨fig.⟩ *that's a sensitive spot/area;* de snaren (be)tokkelen *pluck the strings;* nieuwe snaren opzetten *restring* ⟨instrument, racket⟩; *put a new snare on* ⟨trommel⟩; men moet de snaren niet te sterk spannen ⟨fig.⟩ ≠*one mustn't burden/overtax o.s.;* de snaren spannen *string* ⟨instrument, racket⟩; *snare* ⟨trommel⟩; de snaren losser spannen *release/ slacken the strings;* de snaren stemmen *tune the strings.*

snaarelektrometer ⟨de (m.)⟩ **0.1** *string electrometer.*

snaarinstrument ⟨het⟩ **0.1** *stringed instrument* ⇒*chordophone.*

snaaroverbrenging ⟨de (v.)⟩ **0.1** *belt transmission.*

snack ⟨de (m.)⟩ **0.1** *snack* ⇒⟨hapje, vluchtig maaltje⟩ *snatch,* ⟨snacks ook⟩ *fast food.*

snackbar ⟨de⟩ **0.1** *snack bar/counter* ⇒*café, cafetaria,* ⟨BE ook⟩ *luncheon bar,* ⟨AE;inf.⟩ *quick-and-dirty.*

snakerig →**snaaks.**

snakken ⟨onov.ww.⟩ **0.1** [mond opendoen om te happen] *gasp, pant* ⇒ ⟨stikken⟩ *choke, gulp* **0.2** [smachten] *crave* ⇒*yearn, long, pine, pant* ◆ **5.2** hij snakt ernaar als een vis naar het water *he's (just) dying for it;* er komt nog eens een tijd dat je ernaar zult ~ *there will come a time when you will give anything for it* **6.2** ~ naar een koud biertje *die for a cold beer;* ~ **naar** water *be in dire need of/be gasping for water;* ~ **naar** liefde *be hungry/craving for love;* ~ **naar** aandacht *be panting/ craving/pining for attention;* ~ **naar** eten *be famished (for food)/ gasping for food/sth. to eat.*

snap ⟨de (m.)⟩ **0.1** *snap* ◆ **1.1** in een hap en een~ *in a jiffy/no time* **6.1** de hond had het in één~ *the dog snapped it up/had it at a snap.*

snaphaan ⟨de (m.)⟩ **0.1** *flintlock.*

snappen

I ⟨onov.ww.⟩ **0.1** [happen] *snap* ⇒*snatch (at);*

II ⟨ov.ww.⟩ **0.1** [⟨inf.⟩ begrijpen] *get* ⇒*catch, grasp, see,* ⟨BE;sl.⟩ *twig* **0.2** [betrappen] *nab* ⇒*nick, cop* ◆ **1.1** ik snap dit bericht niet *I can't make out this message* **1.2** ze hebben de dader gesnapt *they nicked the culprit* **3.1** eindelijk begonnen ze het te ~ *they finally got wise to it, it finally registered with them;* daar valt toch niets aan te~ *what's the problem?* **4.1** snap je dat nou? *do you get that?, can you follow that?, can you believe it?;* snap je? *(do you) get that/me?, do you get my point?;* ja snap 'm *the penny has dropped, I get the picture* **5.1** het is niet zo moeilijk als je het eenmaal snapt *it's easy/not so difficult once you get the hang of it;* hij snapt niet waar het om gaat *he fails to see what it's all about;* wie wil het snappen dat ... *what I can't get/ what gets me/ beats me is that ...;* ik snap niet hoe je zoiets kunt doen *how you can do such a thing is beyond me;* ik snap jou wel *I'm on to*

---

you, I've got you sussed **6.1** ik snap er niets **van/geen** fluit **van** *I don't get it, I simply don't understand, I'm in a fog* **6.2** hij is **bij** het spieken gesnapt *he was caught cribbing* ¶**.1** hij snapt er de ballen **van** *he doesn't begin to understand, he's completely in the dark, he doesn't know what's what;* ⟨vulg.⟩ *he knows fuck all/* ⟨BE;inf.⟩ *sod all about it;* ⟨scherts.⟩ snopen? *get my drift?, see?, got it?, are you with me?.*

snarenspel ⟨het⟩ **0.1** *string music.*

snars ⟨de (m.)⟩ ◆ **7.**¶ geen ~ *not a bit;* er is geen ~ **van** overgebleven *there's not a shred left;* hij weet er geen ~ **van** *he doesn't know a/the least thing about it;* ⟨vulg.⟩ *he knows fuck all/* ⟨BE;inf.⟩ *sod all about it;* hij trekt zich er geen ~ **van** aan *he doesn't care/give a tinker's damn, he doesn't care/give a cuss, he doesn't give a rap/toss;* je begrijpt er geen ~ **van** *you haven't got a clue, you're way out.*

snater ⟨de (m.)⟩ ⟨inf.⟩ **0.1** *trap* ⇒*gob,* ⟨AE ook⟩ *mouth* ◆ **3.1** hou je ~! *shut your trap/face/gob!, put a sock in it!, belt up!.*

snateren ⟨onov.ww.⟩ **0.1** [mbt. vogels] ⟨van ganzen enz.⟩ *gabble, cackle, gaggle, honk;* ⟨van kalkoenen⟩ *gobble* **0.2** [mbt. personen] *cackle* ⇒ *gabble, gibber, jabber,* ⟨ratelen⟩ *rattle (away at/on s.o.)* ◆ **1.2** een stel~de meisjes *a gaggle of girls.*

snauw

I ⟨de (m.)⟩ **0.1** [bits gezegde] *growl, snarl* ⇒*snap* ◆ **1.1** iem. ~en en grauwen geven *snarl at s.o.;*

II ⟨de⟩ **0.1** [schip] *snow.*

snauwen

I ⟨onov.ww.⟩ **0.1** [bits spreken] *snarl, growl* ◆ **6.1** tegen iem. ~ *snarl at s.o., bite/snap s.o.'s head off;*

II ⟨ov.ww.⟩ **0.1** [op bijtende wijze toevoegen] *snarl, growl, snap* ◆ ¶**.1** ik kom niet, snauwde hij *I won't come, he snapped.*

snauwerig ⟨bn., bw.;-ly⟩ **0.1** *snarly* ⇒*snappy,* ⟨chagrijnig⟩ *currish,* ⟨korzelig⟩ *gruff* ◆ **3.1** ~ antwoorden/bevelen *snarl answers/orders.*

snavel ⟨de (m.)⟩ **0.1** [bek van vogels] *bill;* ⟨groot, krom⟩ *beak* ⇒*nib, pecker,* ⟨dierk.⟩ *rostrum* **0.2** [⟨inf.⟩ mond] *mouth* ⇒⟨vnl. AE;sl.⟩ *yap* **0.3** [snuit] *snout* **0.4** [uitsteeksel aan een vrucht] *rostrum* ◆ **2.1** met een brede~*thick-billed* **3.1** ⟨fig.⟩ overal zijn~in steken *put/stick/ shove one's oar in* **3.2** hou je~! *shut your mouth!, not a dickybird!;* zijn~roeren *gab away;* ⟨sl.⟩ *yap.*

snavelbranden ⟨ww.⟩ **0.1** *debeak.*

snavelinsekten ⟨zn.mv.⟩ **0.1** *true bugs.*

sneb ⟨de⟩ **0.1** [snavel] *bill;* ⟨groot, krom⟩ *beak* ⇒*nib, pecker,* ⟨dierk.⟩ *rostrum* **0.2** [deel v.e. schip] *rostrum.*

snede →**snee.**

snedig ⟨bn., bw.;-ly⟩ **0.1** *witty* ⇒*incisive,* ⟨bijdehand⟩ *smart* ◆ **1.1** een ~ antwoord *a smart retort, a riposte* **3.1** ~ antwoorden *make a w. reply;* iets~s zeggen ⟨ook⟩ *be quick as a flash.*

snee ⟨de⟩ **0.1** [insnijding] ⟨ook med.⟩ *incision* ⇒⟨klein⟩ *cut, gash* ⟨groot⟩, ⟨keep⟩ *indentation,* ⟨med. ook⟩ *section* **0.2** [afgesneden stuk] *slice* ⇒⟨plak⟩ *round,* ⟨tranche⟩ *flitch,* ⟨plak bacon/ham⟩ *rasher* **0.3** [snijwond] *cut* ⇒⟨diepe wond⟩ *gash, slash,* ⟨houw, jaap⟩ *hack,* ⟨lange scheur⟩ *rip* **0.4** [snijvlak] *edge* **0.5** [het snijden, keer] *cut* **0.6** [snijkant] *(cutting) edge* ⇒*knife-edge* ⟨van mes⟩ **0.7** [snit] *cut* **0.8** [het oogsten] *cut(ting)* ⇒*crop* **0.9** [⟨vulg.⟩ schaamspleet] *slit, twat* **0.10** [cesuur] *caesura, section* ◆ **1.6** de~v.e. sabel/zaag *the (sharp) edge of a sabre/saw;* ⟨fig.⟩ op het scherp van de~*at daggers drawn* **2.2** een dikke~*a slab;* ⟨brood;BE;sl.⟩ *a doorstep;* een dun~tje *a thin s.* ⟨bv. brood⟩ **2.5** tabak v.d. grove/fijne snede *coarse-/fine-cut tobacco* **2.**¶ gulden snede *golden section* **6.4** een boek, verguld **op** ~ *a gilt-edged book* **6.5** een wei **aan** de~brengen *plough up grassland.*

sneep ⟨de (m.)⟩ **0.1** *beaked carp.*

sneer ⟨de (m.)⟩ **0.1** *gibe, taunt* ⇒*lash,* ⟨vaak mv.⟩ *jeer,* ⟨inf.⟩ *swipe* ◆ **6.1** met een ~ aan mijn adres ging hij verder *after lashing out at me he continued.*

sneeuw ⟨de⟩ **0.1** [vorm van neerslag] *snow* ⇒*slush* ⟨smeltend⟩, *snowbroth* ⟨half gesmolten⟩ **0.2** [storing in t.v.] *snow* **0.3** [cocaïne] *snow* **0.4** [koolzuursneeuw] *snow* ◆ **1.1** een dik pak ~ *(a) thick (layer of) snow* **2.1** eeuwige ~ *perennial/perpetual snow;* natte ~ *sleet* **3.1** vers gevallen ~ *virgin snow;* ~ scheppen/ruimen *shovel/clear away snow;* smeltende ~ ⟨op straat⟩ *slush;* er valt ~ *it's snowing;* vastzitten in/ door de ~ *be snow-bound* **6.1** door de ~ lopen ⟨moeizaam⟩ *plough/ plod (along) through the snow;* bedekt met ~ *snow-clad/-covered;* snow-capped ⟨berg⟩ **8.1** het verdwijnt/smelt als ~ voor de zon *it evaporates/disappears like snow in summer;* zo wit als ~ *white as snow.*

sneeuwachtig ⟨bn.⟩ **0.1** [mbt. het weer] *snowy* **0.2** [als sneeuw] *snowy, snowlike* ⇒*niveous* ⟨vnl. kleur⟩.

sneeuwbal ⟨de (m.)⟩ **0.1** [bal van sneeuw] *snowball* **0.2** [bol met poedersuiker] *doughnut in icing sugar* **0.3** [plant] *guelder rose, viburnum, snowball-tree* **0.4** [borrel] ≠*brandy, gin fix* **0.5** [verkoopmethode] *snowball* ◆ **2.3** de wollige~ *the wayfaring tree* **3.1** ~len gooien *throw snowballs;* ~len maken *roll snowballs* **6.1** elkaar **met** ~len bekogelen *pelt snowballs at one another, snowball each other.*

sneeuwbaleffect ⟨het⟩ **0.1** *snowball* ⇒⟨pol., domino-theorie⟩ *domino theory.*

sneeuwballen ⟨onov.ww.⟩ **0.1** *snowball* ⇒*throw snowballs.*

sneeuwband ⟨de (m.)⟩ **0.1** *snow* ᴮ*tyre* ᴬ*tire*.

sneeuwbank ⟨de⟩ **0.1** [bank van sneeuw] *snowdrift* ⇒*bank (of snow)* **0.2** [sneeuwwolk] *smother* ⇒*snow cloud*.

sneeuwberg ⟨de (m.)⟩ **0.1** [sneeuwhoop] *snowdrift* ⇒*snowmound, bank (of snow)* **0.2** [berg met eeuwige sneeuw] *snow-capped mountain*.

sneeuwbes ⟨de⟩ **0.1** *snowberry*.

sneeuwblazer ⟨de (m.)⟩ **0.1** *snowblower*.

sneeuwblind ⟨bn.⟩ **0.1** *snow-blind*.

sneeuwbloem ⟨de⟩ **0.1** *snowdrop*.

sneeuwboog ⟨de (m.)⟩ **0.1** *snow blink, snow sheen*.

sneeuwbril ⟨de (m.)⟩ **0.1** *(pair of)(snow) goggles* ◆ **7.1** twee ~len *two pairs of snow goggles*.

sneeuwbui ⟨de⟩ **0.1** *snow (shower)* ⇒*shower*, ⟨zware⟩ *blizzard*, ⟨lichte⟩ *snow flurry*.

sneeuwdek ⟨het⟩ **0.1** *snow (cover)*; ⟨eeuwige sneeuw⟩ *snow field*; ⟨langzaam smeltend⟩ *snowpack*.

sneeuwduin ⟨het⟩ **0.1** *snowdrift*.

sneeuwen ⟨onp.ww.⟩ **0.1** *snow* ⇒⟨zachtjes sneeuwen⟩ *spit*, ⟨hagelen/sneeuwen èn regenen⟩ *sleet* ◆ **1.1** ⟨fig.⟩ het sneeuwde bloemen *it was snowing down with flowers, flowers showered/came showering down*; het sneeuwt grote vlokken *the snow's falling in big flakes* **5.1** het sneeuwt hard/licht *there's a heavy/light snow, it's snowing heavily /lightly*; het sneeuwde niet meer *the snow had stopped/ceased to fall, it had stopped/ceased snowing*; het begon zachtjes te ~ *the snow came spitting down*.

sneeuwfiguur ⟨het, de⟩ **0.1** [vorm van een sneeuwvlok] *snowflake* **0.2** [sneeuwpop] *snowman*.

sneeuwgans ⟨de⟩ **0.1** *snow goose*.

sneeuwgebergte ⟨het⟩ **0.1** *snow-capped mountains*.

sneeuwgordel ⟨de (m.)⟩ **0.1** *snowline* ⇒⟨in 't noorden v.d. VS⟩ *the Snowbelt*.

sneeuwgors ⟨de⟩ ⟨dierk.⟩ **0.1** *snow bunting*.

sneeuwgrens ⟨de⟩ **0.1** *snow line*.

sneeuwhoen ⟨het⟩ **0.1** [gewone] *ptarmigan* **0.2** [Schotse] *red grouse*.

sneeuwhut ⟨de⟩ **0.1** *snow hut* ⇒⟨van Eskimo's⟩ *igloo/iglu*.

sneeuwig ⟨bn.⟩ **0.1** *snowy, snowlike*.

sneeuwijs ⟨het⟩ **0.1** *snow ice*.

sneeuwjacht ⟨de⟩ **0.1** *blizzard* ⇒⟨lichte⟩ *scurry*.

sneeuwkalkoen ⟨de (m.)⟩ **0.1** *white Austrian turkey*.

sneeuwketting ⟨de⟩ **0.1** *(snow)/skid chain* ⇒*tyre-chain* ᴬ*tire chain* ◆ **¶.1** ~en om de banden doen *put skid chains on the tyres* ᴬ*tires*.

sneeuwklokje ⟨het⟩⟨plantk.⟩ **0.1** *snowdrop*.

sneeuwkristal ⟨het⟩ **0.1** *snow crystal*.

sneeuwlandschap ⟨het⟩ **0.1** [landschap] *snowy/wintry landscape* **0.2** [afbeelding] *winter landscape*.

sneeuwlawine ⟨de (v.)⟩ **0.1** *avalanche snowslip, snowslide*.

sneeuwlucht ⟨de⟩ **0.1** *snowy sky*.

sneeuwmachine ⟨de (v.)⟩ **0.1** *snowmaker* ⇒*snowmaking machine*.

sneeuwman ⟨de (m.)⟩ **0.1** [sneeuwpop] *snowman* **0.2** [mensachtig wezen] *yeti* ◆ **2.2** de verschrikkelijke ~ *the Abominable Snowman, the y..*

sneeuwmassa ⟨de⟩ **0.1** *mass of snow* ◆ **2.1** overhangende ~ ⟨ook⟩ *cornice*.

sneeuwploeg

 I ⟨de⟩ **0.1** [machine] *snowplough* ᴬ*plow*;

 II ⟨de⟩ **0.1** [sneeuwruimers] *snow clearers/clearing team*.

sneeuwpop ⟨de⟩ **0.1** *snowman*.

sneeuwruimen ⟨ww.⟩ **0.1** *clear snow* ⇒*shovel (away) snow*.

sneeuwruimer ⟨de (m.)⟩ **0.1** [persoon] *snow clearer* **0.2** [machine] *snowplough* ᴬ*plow*, *(snow)sweeper*.

sneeuwschild ⟨het⟩ **0.1** *snow fence*.

sneeuwschoen ⟨de (m.)⟩ **0.1** *snowshoe*; ⟨in de vorm van tennisracket ook⟩ *racket*.

sneeuwschuiver ⟨de (m.)⟩ **0.1** [grote schop] *snow push/shovel* **0.2** [auto] *snow plough*, ᴬ*snowplow*.

sneeuwstorm ⟨de (m.)⟩ **0.1** *snowstorm* ⇒⟨hevige⟩ *blizzard*.

sneeuwsurfen ⟨onov.ww.⟩⟨sport⟩ **0.1** *snow-surf*.

sneeuwuil ⟨de (m.)⟩ **0.1** *snowy owl*.

sneeuwvacht ⟨de⟩ **0.1** *snow cover/* ⟨permanent⟩ *field/* ⟨smeltend⟩ *pack, fleece of snow*.

sneeuwvakantie ⟨de (v.)⟩ **0.1** ≠*skiing holiday/* ᴬ*vacation*.

sneeuwwal ⟨de (m.)⟩ **0.1** [keer dat er sneeuw valt] *snowfall* ⇒*(snow) shower*, ⟨lichte⟩ *snow flurry* **0.2** [lawine] *snowslip, snowslide, avalanche* ◆ **2.1** verwachting voor vanavond: lichte ~ *snow flurries are expected this evening*; de wegen zijn versperd door zware ~ *the roads are blocked due to heavy snowfall* **6.1** bij ~ *in the event of snowfall*; wegens ~ niet doorgaan *be snowed off*.

sneeuwverstuiving ⟨de (v.)⟩ **0.1** [het verstuiven] *snowdrifting* **0.2** [gebied met sneeuwduinen] *(area of) snowdrifts*.

sneeuwvink ⟨de⟩ **0.1** *snow bunting*.

sneeuwvlaag ⟨de⟩ **0.1** *squall/gust of snow*.

sneeuwvlok ⟨de⟩ **0.1** *snowflake*.

sneeuwvrij ⟨bn.⟩ **0.1** *clear of snow* ◆ **3.1** de wegen ~ maken *clear the roads of snow*.

sneeuwwater ⟨het⟩ **0.1** *snow water*.

sneeuwwit¹ ⟨het⟩ **0.1** *snow-white* ◆ **¶.¶** Sneeuwwitje *Snowwhite*.

sneeuwwit² ⟨bn.⟩ **0.1** *snowy, snow-white* ⟨haar, bloesem⟩; *niveous* ⟨kleur⟩.

sneeuwwitje ⟨het⟩ **0.1** [hoofdpersoon uit een sprookje] *Snowwhite* **0.2** [limonade met een scheut bier erdoor] *shandy*.

sneeuwwolk ⟨de⟩ **0.1** *snow cloud* ⇒*smother*.

sneeuwzeker ⟨bn.⟩ **0.1** *with a guarantee of/guaranteed snow*.

sneevergulden ⟨ww.⟩ **0.1** *give gilded edges to, cover with gilded edges*.

snel ⟨→sprw. 391⟩

 I ⟨bn.⟩ **0.1** [in staat zich vlug voort te bewegen] *fast* ⇒*rapid, quick, swift, speedy* **0.2** [lichtgevoelig] *high-speed, fast* **0.3** [⟨kernfysica⟩] *fast*;

 II ⟨bn., bw.;-ly⟩ **0.1** [vlug] *quick, swift*, ⟨ook bw.⟩ *fast* ⟨vaart⟩; *prompt, speedy* ⟨genezing, vooruitgang⟩ **0.2** [modern, in] *trendy* ⇒*nifty* **0.3** [⟨AZN⟩ handig] *neat, nifty* ⇒*handy* ◆ **1.1** en ~le beslisser *a fast mover, a quick decider*; een ~ besluit *a quick decision; a rash* ⟨overhaast⟩ */snap* ⟨zonder tijd om na te denken⟩ *decision*; een ~le blik werpen op *shoot/dart a glance at*; een ~le leerling *a quick pupil*; een ~le reactie *a quick reaction*; ⟨abstr.⟩ *promptness, promptitude*; een ~le tijd *a fast time* **1.2** een ~le jas *a t. / nifty coat*; een ~ jongen *a t. / swinging person/swinger*; ⟨BE;inf.⟩ *a trendy* **3.1** ~ achteruitgaan *decline rapidly, sink fast; fall rapidly* ⟨van barometer⟩; ~ hulp bieden *be quick to offer help*; dat gaat ook ~! *that's quick!, that's sharp work!*; hij is ~ geïrriteerd *he's a bit touchy/tetchy, he's quick-tempered*; kom je ~? *will you come quickly?*; ~ een besluit nemen *make up one's mind quickly*; ⟨ondoordacht⟩ *rush to a decision*; da's ~ verdiend* ᴬ*that's a fast buck, that's easy money*; ~ van begrip zijn *be prompt/quick, have a quick mind, be quick on the uptake* **6.1** er ~ bij zijn *be quick off the mark* **¶.1** ~ in zijn werk gaan *happen quickly*; iem. te ~ af zijn *have the leg of s.o., steal a march on s.o.*;

 III ⟨bw.⟩ **0.1** [vlug voortbewegend] *rapidly, swiftly* ⇒*quickly* **0.2** [binnenkort] *soon, shortly* ◆ **3.1** ~ fietsen *cycle rapidly/at a rapid pace*; ~ optrekken *speed away*; ⟨hoedanigheid⟩ *have good acceleration*.

snelbinder ⟨de (m.)⟩ **0.1** *carrier straps*.

snelblusser ⟨de (m.)⟩ **0.1** *fire extinguisher*.

snelbouwsteen ⟨de (m.)⟩ **0.1** *high-speed building brick*.

snelbuffet ⟨het⟩ **0.1** *snack bar/counter* ⇒*quick-lunch bar/counter, cafetaria*.

sneldicht ⟨het⟩ **0.1** *epigram*.

sneldichter ⟨de (m.)⟩ **0.1** [schrijver van sneldichten] *epigrammatist* **0.2** [die onvoorbereid gedichtjes schrijft] *epigrammatist* ⇒*rhymer, rhymester, poetaster, versifier, rhymewriter*.

sneldienst ⟨de (m.)⟩ **0.1** *fast/express/* ⟨inf.⟩ *quick service*.

sneldrogend ⟨bn.⟩ **0.1** *quick-drying* ⇒*quick-setting* ⟨cement⟩.

snelfilter ⟨het⟩ **0.1** *coffee filter*.

snelfiltermaling ⟨de (v.)⟩ **0.1** *extra-fine grind*.

snelhaven ⟨de (m.)⟩ **0.1** *rapid turn-round port*.

snelhechter ⟨de (m.)⟩ **0.1** *quick-binder*.

snelheid ⟨de (v.)⟩ **0.1** [omstandigheid, vermogen] *fastness* ⇒*rapidity, swiftness, quickness, speed* **0.2** [vaart, tempo] *pace* ⇒*rate, tempo, velocity* ⟨van licht, geluid⟩, *speed* ⟨van trein, hardloper, enz.⟩ **0.3** [verbruikte hoeveelheid] *rate* **0.4** [lichtgevoeligheid] *speed* ◆ **1.2** de ~ v.d. kogel *the speed/velocity of the bullet*; de ~ v.d. pols *the frequency of the pulse* **2.2** met grote/geringe ~ *at a high/slow speed/rate*; bij hoge snelheden *at high speeds*; de maximum~ *the speed limit* ⟨op weg⟩; *the maximum speed* ⟨van voertuig⟩; op volle ~ *(at) full speed/tilt* **2.4** die film heeft een hoge ~ *that film has a high speed/is very fast* **3.2** de ~ bedroeg 15 knopen *the speed was 15 knots*; ~ minderen *reduce/drop speed, slow/ease down*; ⟨scheep.⟩ *lose way*.

snelheidsbeperking ⟨de (v.)⟩ **0.1** *speed limit*.

snelheidscontrole ⟨de (v.)⟩ **0.1** *speed(ing) check* ⇒⟨apparatuur+weggedeelte hiervoor⟩ *speed trap*.

snelheidsduivel ⟨de (m.)⟩ ⟨fig.⟩ **0.1** *speed merchant*.

snelheidsmaniak ⟨de (m.)⟩ **0.1** *roadhog, speeder* ⇒*speed merchant*, ⟨AE ook⟩ *speedster*.

snelheidsmeter ⟨de (m.)⟩ **0.1** *speedometer* ⇒⟨toerenteller⟩ *tachometer, speed indicator* ⟨van vliegtuig/machine⟩.

snelheidsmeting ⟨de (v.)⟩ **0.1** *speed/* ⟨wet. ook⟩ *velocity measurement* ⇒⟨van toerental⟩ *tachometry*.

snelkoker ⟨de (m.)⟩ **0.1** *pressure cooker*.

snelkookpan ⟨de⟩ **0.1** *pressure cooker*.

snellekweekreactor ⟨de (m.)⟩ **0.1** *fast-breeder reactor*.

snellen ⟨onov.ww.⟩ **0.1** [rennen] *rush* ⇒*hurry, run*, ⟨rennen, vliegen⟩ *scoot*, ⟨hollen, rennen⟩ *pelt* **0.2** [zich snel begeven] *race* ⇒*hasten, sweep, fly* ◆ **5.1** iem. tegemoet~ *hurry towards s.o.* **¶.1** iem. te hulp~ *rush/run to s.o.'s help, come/go to s.o.'s aid/rescue, spring to s.o.'s assistance, fly to the help of s.o.*; ⟨ihb. gezegd van groep⟩ *rally round s.o..*

snellezen ⟨ww.⟩ **0.1** *speed-reading*.

snellopend ⟨bn.⟩ **0.1** [vlug in het lopen] *fast* ⇒*swift* **0.2** [snel werkend] *fast, high-speed* ◆ **1.2** ~e motoren *f. engines*.

snelloper ⟨de (m.)⟩ **0.1** [persoon] *swift runner* **0.2** [schaats] *racing skate* **0.3** [⟨druk.⟩] *flat-bed cylinder press*.

snelrecht ⟨het⟩ **0.1** *summary jurisdiction/justice/proceedings.*

snelrekenaar ⟨de (m.)⟩ **0.1** *s.o. who's good at mental arithmetic.*

snelrijder ⟨de (m.)⟩, **-ster** ⟨de (v.)⟩ **0.1** *racer* ⇒*sprinter.*

snelschaken ⟨ww.⟩ **0.1** *play lightning chess/* ⟨vnl. AE⟩ *rapid transit.*

snelschrift ⟨het⟩ **0.1** *stenography, shorthand.*

snelschrijver ⟨de (m.)⟩ **0.1** [stenograaf] *stenographer* **0.2** [iem. die veel produceert] *prolific writer.*

sneltekenaar ⟨de (m.)⟩ **0.1** *cartoonist.*

sneltikker ⟨de (m.)⟩ **0.1** [schrijfmachine] *fast typewriter* **0.2** [elektronisch toetsenboord] *fast keyboard.*

sneltram ⟨de (m.)⟩ ⟨verk.⟩ **0.1** *express tram.*

sneltrein ⟨de (m.)⟩ **0.1** *express (train)* ⇒*intercity (train), fast/through train.*

sneltreinvaart ⟨de⟩ **0.1** *tearing rush/hurry* ⇒*full career/speed* ◆ **6.1** hij kwam in een ~ de hoek om *he came tearing round the corner, he came round the corner in full career;* iets in ~ bespreken *discuss sth. in a tearing rush.*

snelvarend ⟨bn.⟩ **0.1** *fast* ⇒*high-speed, rapid.*

snelverband ⟨het⟩ **0.1** *emergency bandage.*

snelverkeer ⟨het⟩ **0.1** *fast/through traffic.*

snelvervoer ⟨het⟩ **0.1** *express delivery.*

snelvriezen ⟨ov.ww.⟩ **0.1** *quick-freeze.*

snelvuur ⟨het⟩ **0.1** *quick/rapid fire* ⇒*quick-firing* ◆ **1.1** (fig.) een~ van vragen *a barrage of questions.*

snelvuurgeschut ⟨het⟩ **0.1** *quick-firing/rapid-fire gun* ⇒*quickfirer.*

snelvuurgeweer ⟨het⟩ **0.1** *quick-firer* ⇒*machinegun.*

snelvuurkanon ⟨het⟩ **0.1** *rapid-fire/quick-firing/rapid-firing gun.*

snelvuurwapen ⟨het⟩ **0.1** *rapid-fire/quick-firing/rapid-firing weapon.*

snelwandelaar ⟨de (m.)⟩ **0.1** *heel-and-toe walker* ⇒*toe-and-heel walker.*

snelwandelen ⟨ww.⟩ ⟨sport⟩ **0.1** *heel-and-toe/toe-and-heel walking.*

snelweg ⟨de (m.)⟩ **0.1** [B]*motorway,* [A]*freeway* ⇒ ⟨AE ook⟩ *expressway, thruway, throughway.*

snelwerkend ⟨bn.⟩ ⟨med.⟩ **0.1** *brisk* ⇒*fast-working* ◆ **1.1** een ~ vergif *a fast-working poison.*

snep ⟨de⟩ ⟨biol.⟩ **0.1** *snipe.*

snepper ⟨de (m.)⟩ **0.1** *scarificator* ⇒*scarifier.*

sneren ⟨onov., ov.ww.⟩ **0.1** *sneer (at)* ⇒*snarl, gibe (at).*

snerken

I ⟨onov.ww.⟩ **0.1** [knetteren] *sizzle, frizzle;*

II ⟨ov.ww.⟩ **0.1** [even braden] *quick-fry.*

snerp ⟨de (m.)⟩ **0.1** *sequeal, shriek, squawk.*

snerpen

I ⟨onov.ww.⟩ **0.1** [striemen] *smart* ⇒*pierce, bite, cut,* (van regen) *lash* **0.2** [mbt. woorden] *smart* ⇒*hurt, sting, cut* **0.3** [mbt. gewaarwordingen] *smart* ⇒*ache* **0.4** [schril geluid voortbrengen] *squeal, shriek* ⇒*shrill, squawk* ◆ **1.1** een ~ de kou/wind *a cutting/piercing cold/wind* **1.2** een ~ d verwijt *a cutting reproach* **1.3** een ~ d verdriet *smarting sorrow* **1.4** een ~ de fluittoon *a shrill whistle;*

II ⟨ov.ww.⟩ **0.1** [op scherpe toon iets zeggen] *snap.*

snert ⟨de⟩ **0.1** [erwtensoep] *pea soup* **0.2** [larie] *rot, baloney,* [A]*boloney* ⇒ *tripe, trash, nonsense, humbug, rubbish* **0.3** [rotzooi] *trash* ⇒*rubbish,* ⟨troep⟩ *muck,* ⟨prul⟩ *tripe,* ⟨in samenst.⟩ *rubbishy, trashy, shoddy,* ⟨AE ook⟩ *tacky, junky, cruddy,* ⟨in samenst.; versterking van klein⟩ *miserable,* ⟨AE ook⟩ *dinky (little)* ◆ **1.3** een snertblad *a worthless rag;* 't is snertweer *it's rotten/* ⟨sl.⟩ *Godawful weather* **3.2** dat was ~ *that was rot/baloney* **3.3** wat ze tegenwoordig gebruiken is ~! *what they use nowadays is trash/rubbish* ¶.**2** (als uitroep) snert! *rats!, rubbish!.*

snertkerel ⟨de (m.)⟩ **0.1** *rat;* ⟨BE ook⟩ *rotter;* ⟨sl.⟩ *ratbag.*

snerttocht ⟨de (m.)⟩ **0.1** [nare tocht] *lousy trip* **0.2** [schaatstocht] *skating trip to a/the pea soup stall.*

snertvent ⟨de (m.)⟩ →**snertkerel.**

sneu ⟨bn., bw.;-ly⟩ **0.1** *sad* ⇒*sorry, bad, hard, tough* ◆ **6.1** dat was ~ **voor** hem *that was (a bit) hard/tough on him;* ik vind het ~ **voor** je *I'm sorry for you* **9.1** hoe ~!, wat ~! *how sad!, bad/tough/hard luck!;* ⟨BE;sl.⟩ *hard lines!, hard cheese!, tough titties!.*

sneuvelen ⟨onov.ww.⟩ **0.1** [omkomen] *fall (in battle)* ⇒*be killed (in action), perish* **0.2** [kapotgaan] *perish* ◆ **1.1** ~ op het slagveld *be cut down in battle;* er sneuvelden veel soldaten *a great number of soldiers fell;* ~ in de strijd *be killed in action* **1.2** daar sneuvelt weer een kopje *another cup bites the dust;* er sneuvelden weer enige records *some more records were broken/beaten/* ⟨inf.⟩ *went.*

sneven ⟨onov.ww.⟩ ⟨schr.⟩ **0.1** *be slain, perish.*

snibben ⟨onov.ww.⟩ **0.1** *snap* ◆ **3.1** ~ en kijven *snap(ping) and snarl(ing).*

snibbig ⟨bn., bw.;-ly⟩ **0.1** *snappish, snappy* ⇒*tart, bitchy, ratty* ◆ **1.1** een ~ antwoord *a snappy answer* **3.1** ~ kijken *look sour;* ~ spreken *speak tartly.*

snibbigheid ⟨de (v.)⟩ **0.1** [eigenschap] *snappishness* ⇒*tartness, bitchiness* **0.2** [bitsheid] *bite, vitriol* ⇒ ⟨steek⟩ *stinger.*

snier →**sneer.**

sniffen ⟨onov.ww.⟩ **0.1** [hoorbaar door de neus ademhalen] *sniff(le)* **0.2** [zachtjes huilen] *snivel* ⇒*whimper,* ⟨vnl. minachtend⟩ ↓*whine.*

snijbank ⟨de⟩ **0.1** *cutting block.*

snijbiet ⟨de⟩ **0.1** (Swiss) *chard* ⇒*leaf/seakale beet,* ⟨AE ook⟩ *spinach beet.*

snijbloem ⟨de⟩ **0.1** *cut flower.*

snijbonenmolen ⟨de (m.)⟩ **0.1** *bean slicer.*

snijboon ⟨de⟩ **0.1** [groente] [B]*French bean,* [A]*string bean* ⇒*(haricot) bean* **0.2** [persoon] [B]*odd fish,* [A]*oddball* ◆ **2.2** een rare ~ *a queer fish/customer.*

snijbranden ⟨ww.⟩ **0.1** *use the/a cutting torch.*

snijbrander ⟨de (m.)⟩ **0.1** *oxyacetylene burner/torch* ⇒*cutting torch.*

snijcirkel ⟨de (m.)⟩ ⟨wisk.⟩ **0.1** *intersecting circle.*

snijdbaar ⟨bn.⟩ **0.1** ⟨in plakken snijdbaar⟩ *sliceable;* ⟨deelbaar⟩ *sectile.*

snijden ⟨→sprw.431,515,571⟩

I ⟨onov., ov.ww.⟩ **0.1** [met een mes scheiden] *cut* ⇒ ⟨beeldhouwen⟩ *vlees voorsnijden] carve,* ⟨in plakken/plakjes snijden⟩ *slice* (bv. ham, brood, taart) **0.2** [iem. afzetten] *overcharge* ⇒*make (s.o.) pay through the nose, fleece,* ⟨zwendelen⟩ *cheat, swindle,* ⟨inf.⟩ *rip off* **0.3** [⟨verkeer⟩ *cut in (on s.o.)* **0.4** [⟨kaartspel⟩] *finesse* **0.5** [castreren] *cut, geld* ⇒ [†]*castrate* ◆ **1.1** (bijb.) gesneden beeld *graven image;* een koperplaat ~ *engrave a copper plate* **1.2** iedere toerist wordt daar gesneden *all the tourists get overcharged/fleeced/made to pay through the nose/ripped off there* **1.5** een gesneden ram *a wether* **6.1** hij heeft zich daar lelijk **in** de vingers gesneden *(fig.) he burnt his fingers badly there* **6.4** op de vrouw ~ *f. with the queen;*

II ⟨onov.ww.⟩ **0.1** [mbt. snijwerktuigen] *cut* **0.2** [pijnlijk aandoen] *cut* ⇒*bite* **0.3** [een of meer sneden maken] *cut* ⇒ ⟨chirurg⟩ *make an/the incision,* ⟨hout; stukjes afsnijden; ook fig.⟩ *whittle (at)* **0.4** [snijdbaar zijn] *cut* ◆ **5.1** die messen ~ *niet those knives won't/don't c.* **5.4** vers brood snijdt moeilijk *fresh bread cuts with difficulty/is hard to cut* **6.3** (fig.) **in** eigen vlees ~ *queer one's own pitch;*

III ⟨ov.ww.⟩ **0.1** [uitsnijden] *cut* **0.2** [afsnijden] *cut* **0.3** [mbt. lijnen] *cross* ⇒*cut,* [†]*intersect* **0.4** [haar knippen] *cut* **0.5** [een bal effect geven] *cut* ◆ **1.1** uit hout een figuur ~ *carve a figure out of wood;* een gat in iets ~ *cut a hole in sth.;* stempels ~ *engrave stamps.*

snijdend ⟨bn.⟩ **0.1** [scherp] *sharp* **0.2** [pijn veroorzakend] *cutting* ⇒ *stinging, piercing* **0.3** [guur] *sharp* ⇒*cutting, piercing* **0.4** [doordringend] *piercing* ⇒*penetrating,* ⟨schel, schril⟩ *strident, shrill* **0.5** [afgebeten] *cutting* ⇒*incisive, mordant, slashing, sharp* ◆ **1.1** ~e werktuigen *edge tools* **1.2** ~e pijnen *c. pains* **1.3** een ~e wind/kou *a sharp/piercing/biting wind/cold* **1.4** ~e tonen *shrill tones* **1.5** een ~e stem *a c./sharp voice;* op ~e toon *in a mordant/c./an abrasive tone of voice.*

snijder ⟨de (m.)⟩ **0.1** [persoon die dieren castreert] *gelder* **0.2** [kleermaker] *cutter* ⇒*tailor.*

snijderspier ⟨de⟩ **0.1** *tailor's muscle* ⇒*sartorius.*

snijdervogel ⟨de (m.)⟩ **0.1** *tailorbird.*

snijdiamant ⟨de (m.)⟩ **0.1** *glass-cutting diamond.*

snijding ⟨de (v.)⟩ **0.1** [kruising] *intersection* ⇒ ⟨wegkruising⟩ *crossroads,* ⟨kruising⟩ *crossing* **0.2** [het snijden] *cutting* **0.3** [scherpe pijn] *stabbing pain* ⇒*pang, sting.*

snijdingslijn ⟨de⟩ **0.1** [snijlijn] ⟨→**snijlijn 0.1**⟩ **0.2** [⟨herald.⟩] *fesse* ⇒ ⟨smaller⟩ *bar.*

snijdsel ⟨het⟩ **0.1** [wat bij het snijden afvalt] *slice* ⇒*offcut, scrap(s)* **0.2** [wat fijngesneden is] *shaving, paring* ⟨vnl. mv.⟩ ⇒*shred* ⟨vnl. mv.⟩, ⟨vlees⟩ *mince.*

snijgroen ⟨het⟩ **0.1** *cut foliage.*

snijkamer ⟨de⟩ **0.1** *dissecting room.*

snijkant ⟨de (m.)⟩ **0.1** *(cutting) edge* ⇒ ⟨v.e. bladzij⟩ *fore-edge.*

snijklaar ⟨bn.⟩ **0.1** *ready to cut/for cutting* ◆ **1.1** snijklare groente *ready to cut vegetables.*

snijkoek ⟨de (m.)⟩ **0.1** *cake loaf.*

snijlijn ⟨de⟩ ⟨wisk.⟩ **0.1** [die een ander snijdt] *intersecting line;* ⟨lijn die een curve snijdt⟩ *secant (line)* **0.2** [waarlangs twee vlakken elkaar snijden] *line of intersection, intersection curve* **0.3** [volgens welke een zaak wordt doorgesneden] *cutting line;* ⟨van papier⟩ *perforated/dotted line, perforation.*

snijmachine ⟨de (v.)⟩ **0.1** *cutter, cutting machine;* ⟨vlees⟩ *slicer;* ⟨gehakt⟩ *mincer;* ⟨groente, afvalpapier⟩ *shredder;* ⟨papiersnijmachine⟩ *guillotine;* ⟨boekbinder⟩ *plough;* ⟨ind.⟩ *slitter.*

snijmaïs ⟨de (m.)⟩ **0.1** *green maize (fodder).*

snijmes ⟨het⟩ **0.1** [mes met twee handvatten] *drawknife* **0.2** [mes van een snijmachine] *cutting blade.*

snijplank ⟨de⟩ **0.1** ⟨broodplank⟩ *breadboard;* ⟨voor opdienen⟩ *trencher;* ⟨van groente e.d.⟩ *chopping board;* ⟨vleesplank⟩ *carving board;* ⟨van kleding, leer⟩ *cutting board.*

snijpunt ⟨het⟩ **0.1** ⟨crossing⟩ ⟨wisk. ook⟩ *intersection;* ⟨wisk.⟩ *trace;* ⟨meer dan twee lijnen⟩ *concurrence;* ⟨fig.; kruispunt⟩ *crossroads;* ⟨trefpunt⟩ *meeting point* ◆ **6.1** op het ~ van twee wegen *at the intersection of two roads.*

snijroos ⟨de⟩ **0.1** *cut rose.*

snijsla ⟨de (v.)⟩ **0.1** *cos (lettuce)* ⇒*salad bowl lettuce.*

snijtafel ⟨de⟩ **0.1** ⟨med.⟩ *dissecting table* **0.2** [mbt. stoffen] *cutting table.*

snijtand ⟨de (m.)⟩ **0.1** [voortand] *incisor, incisive tooth;* ⟨van paard⟩ *nipper* **0.2** [tand van een zaag] *tooth, serration.*

snijtang 〈de〉 0.1 *wire cutter(s)*.

snijtarwe 〈de〉 0.1 *green wheat (fodder)*.

snijvlak 〈het〉 0.1 [van een snijdend deel] *blade* ⇒*cutting face*, 〈schaaf〉 *iron* 0.2 [waarlangs wordt gesneden] *section*.

snijvlam 〈de〉 0.1 *cutting flame*.

snijwerk 〈het〉 0.1 [versieringen] *fretwork*, *carving* ⇒*carved work*, *open work*, 〈voor ingesneden figuur ook〉 *intaglio* 0.2 [(kunst)voorwerpen] *sculpture*, *carving*.

snijwerktuig 〈het〉 0.1 *cutting tool* ⇒*cutter*.

snijwond 〈de〉 0.1 *cut* ⇒*incised wound, incision, knife wound*.

snijworst 〈de〉 0.1 ≠*luncheon meat*, *span*.

snijzaal 〈de〉 0.1 [ontleedzaal] *dissecting room* 0.2 [ruimte in een confectiebedrijf] *cutting room*.

snik[1] 〈de (m.)〉 0.1 [hijgende ademtocht] *gasp* ⇒*choke* 0.2 [schokkende beweging bij het huilen] *sob* ♦ 2.1 de laatste ~ geven *breathe one's last;* tot aan zijn laatste ~ *to his dying day* 2.2 wilde/heftige ~ken *wild /convulsive sobs* 6.2 in ~ken uitbarsten *break out in sobs*.

snik[2] 〈bn.〉 (inf.) ♦ ¶.¶ niet goed ~ *balmy, dotty, loopy, cracked, potty, off one's chump/rocker, not all there*.

snikheet 〈bn.〉 0.1 *baking, broiling, sizzling, scorching, sweltering* ♦ 1.1 een snikhete dag *a broiling/sweltering (hot)/sizzling day, a scorcher/ blazer/sizzler/broiler*.

snikken 〈onov.ww.〉 0.1 [krampachtige bewegingen] *gasp* 0.2 [huilen] *sob* ⇒〈grienen〉 *blubber*, 〈snotteren〉 *sniffle* 0.3 [snikkend zeggen] *sob (out)* ♦ 3.3 iets~d zeggen *sob out sth.;* 〈pej.〉 *blubber (out) sth..*

snip 〈de〉 0.1 [vogel] *snipe* 0.2 [briefje van ƒ100,-] *'snip' (one-hundred guilder note)* ♦ 2.1 halve/volle/dubbele ~ 〈bokje〉 *jacksnipe;* 〈watersnip〉 *common snipe;* 〈poelsnip〉 *great snipe* 2.2 halve ~ 〈briefje van ƒ50,-〉 *'halve snip' (fifty guilder note)* 8.1 zo dronken als een~ *(as) drunk as a lord/fiddler/sow*.

snipachtigen 〈zn.mv.〉 0.1 *sandpipers*.

snipper 〈de (m.)〉 0.1 [stukje] *snip(pet), shred;* 〈het afgeknipte〉 *clipping;* 〈van lood, zink〉 *chipping;* 〈klein stukje appel e.d.〉 *chip* 0.2 [gekonfijte sinaasappelschil] *(shredded) candied orange peel* 0.3 [klein beetje] *shred, scrap* ♦ 1.1 ~s papier *shreds/snippings of paper* 6.1 in ~s scheuren *tear/rip in/into/to shreds* 6.2 kerstkrans met ~s almond-paste ring with mixed peel 7.3 hij zal er geen ~tje van hebben *he won't have the tiniest bit of it.*

snipperdag 〈de (m.)〉 0.1 *day off*.

snipperen
 I 〈ov.ww.〉 0.1 [tot snippers snijden] 〈versnipperen〉 *shred;* 〈fijn〉 *cut up (fine), shred;* 〈in plakjes〉 *slice;* 〈in blokjes〉 *chip;* 〈in dobbelsteentjes〉 *dice;*
 II 〈onov.ww.〉 0.1 [snippers laten vallen] *flake, rain, snow* 0.2 [snipperdag nemen] *take a day off.*

snippermand 〈de〉 0.1 *wastepaper basket;* 〈vnl. AE〉 *wastebasket, scrap basket* ♦ 6.1 dat is goed voor de ~ *that can go on the scrap heap.*

snipperuur 〈het〉 0.1 *spare/odd hour.*

snipperwerk 〈het〉 0.1 *trivial/petty/trifling work* ⇒*trifle.*

snipverkouden 〈bn.〉 0.1 *(all) bunged up* ♦ 3.1 ~ zijn *have a bad/streaming cold, be all bunged up/full with a cold.*

snit 〈de〉 0.1 *cut* ⇒*make, set,* 〈stijl〉 *tailoring* ♦ 2.1 het is naar de laatste ~ *it's after the latest fashion, it's the latest thing (in fashion).*

snob 〈de (m.)〉 0.1 [iem. die voor kunstzinnig/beschaafd wil doorgaan] *snob;* 〈BE ook〉 *toffee-nose,* 〈AE ook〉 *high-hat;* 〈intellectuele snob〉 *highbrow;* 〈cultuursnob〉 *culture vulture* 0.2 [iem. die voor gentleman wil doorgaan] *snob* ⇒〈AE ook〉 *tuft-hunter,* 〈pej.;omhooggevallen persoon〉 *upstart.*

snobisme 〈het〉 0.1 [aard] *snobbery* ⇒*snobbishness* 0.2 [gedrag, opvattingen] *snobbery* ⇒*snobbishness.*

snobistisch 〈bn., bw.; -(i)ly〉 0.1 *snobby, snobbish,* 〈BE ook〉 *toffee-nosed;* 〈omhooggevallen, verwaand〉 *snotty, snooty;* 〈intellectueel snobistisch〉 *highbrow.*

snoei 〈de (m.)〉 0.1 [snoeiing] 〈bomen〉 *lopping;* 〈bomen, struiken〉 *pruning;* 〈struiken〉 *trimming, clipping* 0.2 [snoeihout] *loppings, lop, lop and crop/top.*

snoeien 〈onov., ov.ww.〉 0.1 [takken wegnemen] 〈mbt. takken〉 *lop, prune;* 〈mbt. struiken〉 *trim, clip;* 〈vnl. fruitbomen van overtollige knoppen/loten ontdoen〉 *disbud* 0.2 [inkorten] *cut back* ⇒*prune* ♦ 1.1 heggen~ *hedge, trim hedges* 1.2 munten~ *clip coins;* 〈fig.〉 iem. de vleugels~ *clip s.o.'s wings* 6.1 ~ met een schoen *prune to a heel/ stump* 6.2 in een begroting~ *prune a budget.*

snoeihout 〈het〉 0.1 *prunings, trimmings* ⇒*loppings.*

snoeiing 〈de (v.)〉 0.1 [het snoeien] 〈alg.〉 *pruning;* 〈grof〉 *lopping;* 〈licht〉 *trimming;* 〈mbt. heg〉 *clipping* 0.2 [wijze van snoeien] *(method of) pruning/lopping/trimming/clipping.*

snoeimaand 〈de〉 0.1 *pruning month/season, February.*

snoeimes 〈het〉 0.1 [om te snoeien] *bill(hook)* ⇒*sickle, hook, trimming knife, pruning hook,* 〈zwaarder〉 *bush hook/scythe* 0.2 [om bij/glad te snijden] *(double-handed) trimming/* 〈voor bomen〉 *pruning knife.*

snoeischaar 〈de (v.)〉 0.1 〈kleine〉 *trimming/pruning shears/scissors;* 〈vnl. BE〉 *(pair of) secateurs;* 〈heggeschaar〉 *hedge shears.*

snoeisel 〈het〉 0.1 *loppings, toppings* ⇒〈afgesneden takken〉 *brash.*

snoeitang 〈de〉 0.1 *tree pruner, long-handled pruner.*

snoek 〈de (m.)〉 0.1 *pike* ⇒〈jonge snoek, BE ook〉 *pickerel,* 〈volwassen snoek〉 *luce* ♦ 3.1 een ~ vangen 〈bij het roeien〉 *catch a crab;* 〈in het water vallen〉 *fall into the water;* 〈fig.〉 ~en op zolder zoeken *go on a wild goose chase* 3.¶ (bij het roeien) een ~ maken *catch a crab* 6.1 een ~ in een karpervijver 〈fig.〉 *a hawk, troublemaker;* op ~ vissen *fish for pike.*

snoekachtig 〈bn.〉 0.1 [van de aard van snoeken] *like a pike* 0.2 [als (van) een snoek] *like a pike('s).*

snoekbaars 〈de (m.)〉 0.1 *pike perch;* 〈vnl. AE〉 *pickerel* ⇒*zander.*

snoekbroed 〈het〉 0.1 *pike fry.*

snoekduik 〈de (m.)〉 0.1 *long-fly* ⇒〈inf., alg.〉 *header.*

snoeken 〈onov.ww.〉 0.1 *fish for pike, go piking.*

snoeker 〈de (m.)〉 0.1 *pike fisher.*

snoekhengel 〈de (m.)〉 0.1 *piking rod.*

snoeksprong 〈de (m.)〉 0.1 *long fly.*

snoep 〈de (m.)〉 0.1 [snoepgoed] *confectionery, sweets;* 〈AE ook〉 *candy* ⇒〈inf.;kind.〉 *tuck* 0.2 [het snoepen] *eating sweets* ♦ 1.1 een zakje ~ *a bag of sweets.*

snoepautomaat 〈de (m.)〉 0.1 *slot machine, sweet machine.*

snoepcent 〈de (m.)〉 0.1 *tuck money, money for the tuck shop.*

snoepen
 I 〈onov., ov.ww.〉 0.1 [als lekkernij verorberen] *eat sweets* ♦ 5.1 kinderen ~ graag *children like (eating) sweets;*
 II 〈onov.ww.〉 0.1 [heimelijk eten] *(have a) nibble* ⇒*raid the larder* ♦ 6.1 wie heeft er van de pudding gesnoept? *who's been at the pudding?.*

snoeper 〈de (m.)〉 0.1 [iem. die snoept] *glutton* 0.2 [liefhebber van vrouwen] *womanizer, ladies' man* ♦ 2.2 een ouwe ~ *an old goat/lecher, a dirty old man.*

snoeperij 〈de (v.)〉 0.1 [lekkernij] *confection* ⇒*confectionery,* 〈delicatesse〉 *delicacy* 0.2 [het snoepen] *eating sweets.*

snoepgoed 〈het〉 0.1 *confectionery;* 〈BE ook〉 *sweets;* 〈AE ook〉 *candy* ⇒*confect, comfit, sweet stuff/things.*

snoepgraag 〈bn.〉 0.1 *fond of sweets* ♦ 3.1 hij is ~ *he is fond of sweets/ has a sweet tooth.*

snoepje 〈het〉 0.1 [stukje snoep] *sweet, sweetmeat;* 〈AE ook〉 *candy* 0.2 [kind] *sweety, sweetie (pie);* 〈AE ook〉 *sugar (baby), honey* ⇒*sweetheart* ♦ 2.2 wat een lekker ~ ben je toch *what a sweet thing you are.*

snoepkraam 〈het, de〉 0.1 *sweets stall;* 〈BE;vooral bij een school〉 *tuck shop.*

snoeplust 〈de (m.)〉 0.1 *fondness for sweets* ⇒〈sterker〉 *craving for sweets.*

snoeplustig 〈bn.〉 0.1 *fond of sweets* ♦ 3.1 hij is ~ *he is fond of sweets/ has a sweet tooth.*

snoepreisje 〈het〉 0.1 [uitstapje] *jaunt* ⇒*outing* 0.2 [reis op kosten van werkgever] *junket.*

snoepwinkel 〈de (m.)〉 0.1 *confectionery, confectioner's;* 〈BE ook〉 *sweetshop;* 〈AE ook〉 *candy store* ⇒〈BE;vooral bij een school〉 *tuck shop.*

snoepzucht 〈de (v.)〉 0.1 *sweet tooth* ♦ 3.1 aan ~ lijden *have a sweet tooth.*

snoer 〈het〉 0.1 [koord] *string, rope, line, band, strand* 0.2 [meetlint] *tape measure* ⇒*surveyor's tape* 0.3 [(hengelsport)] *line* 0.4 [elektrische leiding] [B]*flex, lead,* [A]*cord* 0.5 [aaneengeregen voorwerpen] *string, rope, strand* 0.6 [(biol.)] *string* ♦ 1.1 〈fig.〉 het ~ van de eendracht *the bond of solidarity* 1.5 een ~ parels *a strand/string/rope of pearls* 6.1 kralen/parels aan een ~ rijgen *string beads/pearls;* iem. met een ~ wurgen *strangle s.o. with a rope* 6.3 〈fig.〉 iem. aan zijn ~ krijgen *keep/ have s.o. on a string, pull s.o.'s strings* 6.4 een ~ met een stekker *a cord/flex/lead and plug.*

snoerboom 〈de (m.)〉 0.1 *cordon.*

snoeren 〈ov.ww.〉 0.1 〈parels, kralen bv.〉 *string;* 〈rijgen〉 *lace* ♦ 1.1 honden ~ *leash dogs;* 〈fig.〉 iem. de mond ~ *shut/stop s.o.'s mouth, shut s.o. up, muzzle s.o.;* 〈sl.〉 *quench s.o..*

snoerloos 〈bn.〉 0.1 *cordless* ♦ 1.1 snoerloze microfoon *c. microphone/* 〈inf.〉 *mike;* een ~ scheerapparaat *a c. shaver.*

snoerschakelaar 〈de (m.)〉 0.1 [B]*flex/*[A]*cord switch.*

snoerspanner 〈de (m.)〉 0.1 [B]*flex/*[A]*cord holder.*

snoerwormen 〈zn.mv.〉 0.1 *Nemertea.*

snoes 〈de (m.)〉 0.1 *darling* ⇒*pet, peach, sweetie,* 〈BE ook〉 *poppet,* 〈AE ook〉 *honey,* 〈sl.〉 *toots(ie)* ♦ 3.1 je bent een ~ *you are a d.* / *pet/ sweetie/poppet/dear* 6.1 een ~ van een kindje *a pet/poppet (of a child);* een ~ van een jurk *a dream/peach of a dress, a darling dress.*

snoeshaan 〈de (m.)〉 0.1 [opschepper] *braggart, boaster* 0.2 [vreemde snuiter] *queer customer/fellow,* 〈inf.〉 *(bit of a) weirdo* ⇒*crank, crackpot,* 〈BE ook〉 *odd fish,* 〈AE ook〉 *oddball* ♦ 2.2 een rare/een vreemde ~ *a character, a funny old bird/boy, a (bit of a) joker.*

snoet 〈de (m.)〉 0.1 [snuit, bek] *snout, muzzle* 0.2 [mond] *mouth* ⇒〈sl.〉 *kisser, mug* 0.3 [gezicht] *face* ⇒〈sl.〉 *kisser, mug* 0.4 [lieverd] *darling, dear* ♦ 2.3 een aardig ~ je *a pretty/cute little face;* 〈aantrekkelijke vrouw〉 *a (little) bit of all right, a pretty piece of goods;* een leuk ~ je *a pretty/cute little face* 3.2 hou je ~! *shut up!, keep your mouth shut!, shut your mouth/* 〈sl.〉 *gob/trap!.*

snoeven ⟨onov.ww.⟩ **0.1** *swagger* ⇒*brag, boast,* ⟨inf.⟩ *swank,* ⟨met meer of minder bekende/beroemde namen strooien⟩ *drop names* ♦ **6.1** op zijn geld/zijn afkomst/zijn familie ~ *swagger/brag/boast about one's money/birth/family.*

snoever ⟨de (m.)⟩ **0.1** *swaggerer* ⇒*braggart, boaster,* ⟨inf.⟩ *swank,* ⟨BE; inf.⟩ *swanker.*

snoeverij ⟨de (v.)⟩ **0.1** *swaggering* ⇒*bragging,* ⟨met namen strooien⟩ *namedropping,* ⟨inf.⟩ *swank.*

snoezepoes ⟨de⟩ **0.1** *sweetie, darling;* ⟨vnl. AE⟩ *honey, honeybun(ch).*

snoezig ⟨bn., bw.; -ly⟩ **0.1** *cute* ⇒*sweet, lovable,* ⟨om te knuffelen⟩ *cuddly,* ⟨BE ook⟩ *dinky* ♦ **1.1** een ~ kind/hoedje *a cute/sweet/cuddly/ lovable child, a cute/sweet/darling/lovely/dinky little hat* **3.1** zij ziet er ~ uit *she looks cute/sweet/lovely.*

snokken ⟨AZN⟩
I ⟨onov., ov.ww.⟩ **0.1** [rukken aan] *tug, jerk;*
II ⟨onov.ww.⟩ ⟨AZN⟩ **0.1** [zich met schokken bewegen] *jerk* **0.2** [snikken] *sob.*

snol ⟨de (v.)⟩ **0.1** *harlot, strumpet* ⇒*tart,* ⟨AE; sl.⟩ *hooker, hustler.*

snollen ⟨onov.ww.⟩ ⟨AZN⟩ **0.1** *sniff, nose.*

snood ⟨bn., bw.; -ly⟩ **0.1** *base* ⇒*wicked, infamous, evil, heinous* ⟨misdaad⟩ ♦ **1.1** snode plannen hebben *be scheming;* ⟨schr.⟩ *have nefarious plans;* de snode wereld *the wicked/evil world.*

snoodaard ⟨de (m.)⟩ ⟨schr.; scherts.⟩ **0.1** *villain, rogue.*

snoodheid ⟨de (v.)⟩ **0.1** [slechtheid] *baseness* ⇒*wickedness, infamy, villainy* **0.2** [boze daad] *villainy, villainous deed.*

snookerbiljart ⟨het⟩ **0.1** *snooker.*

snor ⟨de⟩ **0.1** [mbt. personen] *moustache/* ⟨AE ook⟩ *mustache* ⇒ ⟨verk.; inf.⟩ *tache,* ⟨inf.; scherts.⟩ *soup-strainer,* ⟨kortgeknipt⟩ *toothbrush/military moustache,* ⟨met grote krullen⟩ *handlebar moustache* **0.2** [mbt. dieren] *whiskers* ♦ **1.2** de ~ van een kat/van een leeuw *the w. of a cat/lion* **3.1** zijn ~ laten staan *grow a m., let one's m. grow* **3.¶** ⟨inf.⟩ zijn ~ drukken *shirk, make o.s. scarce;* ⟨sl.⟩ *cop out;* ⟨BE; sl.⟩ *do a bunk;* ⟨vnl. AE⟩ *weasel out;* dat zit (wel) ~ *that's fine/ all right/okay/(just) hunky-dory, Bob's your uncle!.*

snorbaard ⟨de (m.)⟩ **0.1** [knevel] *(a pair of) moustache(s)/* ⟨AE ook⟩ *mustache(s)* **0.2** [man] *man with a (big) moustache* ♦ **2.2** ouwe ~ *old sweat.*

snorder ⟨de (m.)⟩ **0.1** *cruising/plying taxi* ⇒⟨vnl. BE⟩ *crawler.*

snorfiets ⟨de⟩ **0.1** *moped.*

snorhaar ⟨het⟩ **0.1** [mbt. personen] *(hair of a) moustache* **0.2** [mbt. dieren] *whisker* ⇒⟨wet.⟩ *vibrissa.*

snorkel ⟨de (m.)⟩ **0.1** *snorkel.*

snorkelen ⟨onov.ww.⟩ **0.1** *snorkel* ⇒≠*skin-dive* ♦ **4.1** hij snorkelt *he snorkels/goes snorkeling/goes skin-diving.*

snorken ⟨onov.ww.⟩ **0.1** [opscheppen] *brag, boast* **0.2** [snurken] *snore.*

snorrekop ⟨de (m.)⟩ **0.1** *moustache cup.*

snorren
I ⟨onov.ww.⟩ **0.1** [een brommend geluid maken] *whirr* ⇒*buzz, zoom,* ⟨van dynamo/vliegtuig enz.⟩ *drone,* ⟨machines/verkeer ook⟩ *hum,* ⟨gedempt⟩ *purr* **0.2** [zich snel voortbewegen] *whizz* ⇒*zoom, twang, buzz* **0.3** [onderweg passagiers opnemen] *ply (for hire), cruise* **0.4** [zonder vergunning taxidiensten verrichten] *operate/run a pirate taxi* **0.5** [speuren] *nose (about)* ⇒*sniff/nose around* ♦ **1.1** een ~ de kat /vlieg/kachel/motor *a purring cat, a buzzing fly, a roaring stove, a humming/purring/whirring engine/motor;* het ~ d spinnewiel *the whirring spinning wheel* **6.2** de pijl snorde door de lucht *the arrow twanged/whizzed through the air;*
II ⟨ov.ww.⟩ ⟨inf.⟩ **0.1** [betrappen] *catch* ⇒*nab,* ⟨sl.⟩ *cop.*

snot ⟨het, de (m.)⟩ **0.1** [neusvocht] *(nasal) mucus/discharge* ⇒⟨sl.⟩ *snot* **0.2** [vogelziekte] *coryza* ⇒*roup, swelled head, contagious nasal catarrh* ♦ **1.¶** Piet Snot *Simple Simon, booby, noodle;* iem. voor Piet Snot zetten *make s.o. look silly/a fool/* ⟨inf.⟩ *a (proper) Charley;* iem. voor Piet Snot laten werken *have s.o. work for a pittance/ do the donkey-work;* meedoen voor Piet Snot *count/go/play along as a nobody/* ⟨BE ook⟩ *dogsbody.*

snotaap ⟨de (m.)⟩ →**snotjongen.**

snotje ⟨het⟩ ⟨inf.⟩ ♦ **6.¶** iets/iem. in het ~ hebben *be wise to sth./s.o., see through sth./s.o., be not fooled by sth./s.o.;* dat had ik allang in het ~ *I was wise to/I tumbled to/twigged that/saw through that a long while ago.*

snotjongen ⟨de (m.)⟩ **0.1** [groentje] *whippersnapper, whipster* ⇒*greenhorn* **0.2** [kwajongen] *brat, scamp, rascal* ⇒*whippersnapper, whipster, ragamuffin, guttersnipe* ♦ **8.1** iem. als een ~ behandelen *treat s.o. like dirt.*

snotkoker ⟨de (m.)⟩ ⟨inf.⟩ →**snufferd 0.1.**

snotlap ⟨de (m.)⟩ ⟨inf.⟩ **0.1** ⟨vulg.⟩ *snot-rag;* ⟨sl.⟩ *wipe, sniffer.*

snotneus ⟨de (m.)⟩ **0.1** [loopneus] *snivelling* ^*eling/runny nose* ⇒ ⟨vulg.⟩ *snotty nose* **0.2** [klein kind] *tot* ⇒⟨BE; inf.⟩ *nipper, (little) kid* **0.3** [kwajongen] *brat, urchin* ⇒*whippersnapper, whipster,* ⟨verwaand⟩ *puppy* **0.4** [olielamp] *spout lamp.*

snotolf ⟨de (m.)⟩ **0.1** *lumpfish* ⇒*lump-sucker.*

snotpegel ⟨de (m.)⟩ ⟨inf.⟩ **0.1** *drop/blob of snot.*

snottebel ⟨de⟩ ⟨inf.⟩ **0.1** *hanging mucus* ⇒⟨sl.⟩ *(glob of) snot.*

snotteraar ⟨de (m.)⟩ **0.1** *sniffler* ⇒*snuffler,* ⟨iem. die snotterend snikt⟩ *sniveller* ^*eler.*

snotteren ⟨onov.ww.⟩ **0.1** [snot lozen] *snivel* **0.2** [neus ophalen] *sniff(le), snivel, snuffle* **0.3** [huilen] *blub(ber)* ⇒*snivel.*

snotterig ⟨bn.⟩ **0.1** [veel snot hebbend] *snivelling* ^*eling* ⇒⟨sl.⟩ *snotty* **0.2** [gauw huilend] *snivelling, weepy.*

snotverdikkeme ⟨tw.⟩ **0.1** *deuce, hell.*

snotverkouden ⟨bn.⟩ **0.1** *(all) bunged up.*

snotziekte ⟨de (v.)⟩ →**snot 0.2.**

snuf ⟨tw.⟩ **0.1** *sniff.*

snuffelaar ⟨de (m.)⟩, -ster ⟨de (v.)⟩ **0.1** [iem. die alles doorzoekt] *prier, pry* ⟨m., v.⟩ ⇒*ferreter, prowler, Paul Pry,* ⟨BE; inf.; bel.⟩ *Nosy Parker,* ⟨ihb. detective/spion⟩ *snoop(er)* **0.2** [iem. die boeken doorzoekt] *browser.*

snuffelen ⟨onov.ww.⟩ **0.1** [mbt. dieren] *sniff, smell* **0.2** [mbt. personen] *nose (about)* ⇒*pry (into), ferret (in), rummage (about/in/among), poke (about/around),* ⟨mbt. lectuur⟩ *browse* ♦ **1.1** de hond snuffelde overal *the dog was sniffing about/everywhere* **6.1** aan iets ~ *sniff (at) sth.* **6.2** hij snuffelt altijd in de boeken *he is constantly browsing through books, he always has his nose in a book;* in laden ~ *rummage in/nose in/ferret (about) in drawers;* in andermans zaken ~ *pry into/ nose in other people's business;* naar iets ~ *poke about/nose/search/ hunt/rake about/around for sth..*

snuffelneus ⟨de (m.)⟩ **0.1** *blocked/congested nose* ⇒⟨inf.⟩ *the sniffles/ snuffles.*

snuffelpaal ⟨de (m.)⟩ **0.1** *air pollution detector.*

snuffelstage ⟨de⟩ ⟨inf.⟩ **0.1** *look-(a)round* ⇒⟨BE; voor scholieren⟩ *work experience.*

snuffelziekte ⟨de (v.)⟩ **0.1** *bullnose* ⇒⟨wet.⟩ *rhinitis.*

snuffen ⟨onov.ww.⟩ **0.1** [neus ophalen] *sniff(le), snuffle* ⇒*snivel* **0.2** [lucht opsnuiven] *sniff.*

snufferd ⟨de (m.)⟩ ⟨inf.⟩ **0.1** [neus] ⟨BE; scherts.⟩ *snitch* ⇒⟨sl.⟩ *smeller, snout, snoot, conk, beezer, hooter,* ⟨AE; sl.⟩ *nozzle* **0.2** [gezicht] ⟨sl.⟩ *puss, mug* ⇒⟨sl.⟩ *kisser, pan, dial* ♦ **3.1** steek je ~ er niet in ⟨fig.⟩ *dont' poke/stick your nose in, keep out of it* **6.2** ik gaf hem een klap op zijn ~ *I gave him one on the kisser/mush;* op z'n ~ vallen ⟨fig.⟩ *cut a ridiculous figure, fall flat on one's face.*

snufje ⟨het⟩ **0.1** [nieuwigheid] *novelty* ⇒⟨in de mode enz.⟩ *in/latest thing,* ⟨technisch⟩ *newest device/gadget* **0.2** [kleine hoeveelheid] *smack, touch* ⇒⟨AE; inf.⟩ *smidgen* ♦ **1.2** een ~ zout *a pinch of salt* **2.1** het laatste/nieuwste ~ *the latest thing, the last word, quite the thing, all the vogue, the latest vogue/craze/rage;* de nieuwste ~ s *the newest devices, the latest things/gadgets/features;* ⟨... hebben⟩ *be right with it/up-to-the-minute.*

snugger ⟨bn., bw.; -ly⟩ **0.1** *bright, clever* ⇒*sharp, smart,* ⟨inf.⟩ *brainy,* ⟨AE; sl.⟩ *savvy* ♦ **1.1** een ~ e opmerking maken *make a bright/clever remark* **3.1** hij is niet erg ~ ⟨euf.⟩ *he is not very quick/exactly bright.*

snuif ⟨de (m.)⟩ **0.1** [tabak] *snuff* **0.2** [drug] *sniff* ⇒⟨sl.⟩ *snort,* ⟨AE; sl.⟩ *line, card.*

snuifdoos ⟨de⟩ **0.1** [doos voor snuiftabak] *snuffbox* **0.2** [persoon] *snuff-taker.*

snuifje ⟨het⟩ **0.1** [hoeveelheid tabak] *(pinch of) snuff* **0.2** [klein beetje] *pinch* ⇒*dash, squeeze,* ⟨AE; inf.⟩ *smidgen* ♦ **1.2** een ~ zout *a p. of salt* **3.1** een ~ nemen *take a (pinch of) s..*

snuiftabak ⟨de (m.)⟩ →**snuif 0.1.**

snuisteren ⟨onov.ww.⟩ ⟨AZN⟩ →**snuffelen 0.2.**

snuisterij ⟨de (v.)⟩ **0.1** *bauble* ⇒*gewgaw, trinket, knickknack, gimcrack* ♦ **1.1** winkel van ~ en *bric-a-brac shop.*

snuit ⟨de (m.)⟩ **0.1** [mbt. gewervelde dieren] *snout* ⇒*muzzle,* ⟨slurf van olifant⟩ *trunk* **0.2** [mbt. ongewervelde dieren] *snout* ⇒⟨wet.⟩ *proboscis* **0.3** [mond] ⟨sl.⟩ *gob, trap, kisser* **0.4** [gezicht] *mug, puss* ⇒ ⟨sl.⟩ *kisser, pan,* ⟨BE; sl.⟩ *mush* ♦ **1.1** de ~ van een olifant *an elephant's trunk;* ⟨sl.⟩ *kisser, pan, dial* **2.4** een leuk ~ je *a cute/ sweet (little) face;* hij heeft wel een leuke ~ *he's quite a good/not a bad looker* **3.3** hou je ~! *shut your trap!, belt up!, shut up!* **6.4** iem. op zijn ~ geven *give s.o. one on the nose/kisser/mush.*

snuiten ⟨ov.ww.⟩ **0.1** [slijm verwijderen] *blow (one's nose)* **0.2** [pit van een kaars knippen] *snuff* ⇒*put out* ♦ **1.1** z'n neus ~ *blow one's nose;* een kind z'n neus ~ *blow a child's nose.*

snuiter ⟨de (m.)⟩ **0.1** [snoeshaan] ⟨inf.⟩ *customer* ⇒⟨inf.⟩ *cuss, dick, duck* **0.2** [persoon die snuit] *person blowing/who blows his/her nose* **0.3** [werktuig] *(pair of) snuffers* ♦ **2.1** een rare ~ ⟨inf.⟩ *a strange guy/ bloke/specimen, a weirdie/weirdo;* ⟨BE ook⟩ *an odd chap/fish;* ⟨AE ook⟩ *an oddball.*

snuitkever ⟨de (m.)⟩ **0.1** *weevil, snout beetle.*

snuitvormig ⟨bn.⟩ **0.1** *snouty, snoutlike, snouted.*

snuiven
I ⟨onov.ww.⟩ **0.1** [hoorbaar door de neus ademen] *sniff(le)* ⇒*snort* **0.2** [snot opsnuiven] *sniff* **0.3** [ruiken, snuffelen] *sniff (at)* ⇒*smell (at)* ♦ **6.1** ~ d van woede *snorting with rage* **6.3** aan een fles ~ *sniff/smell (at) a bottle* **8.1** ~ als een paard *snort like a horse;*
II ⟨onov., ov.ww.⟩ **0.1** [stimulerend middel gebruiken] *sniff, snort* **0.2** [snuiftabak gebruiken] *take snuff* ♦ **1.1** cocaïne ~ *sniff/snort cocaine.*

snuiver ⟨de (m.)⟩ **0.1** [iem. die hoorbaar door de neus ademt] *snorter* **0.2** [iem. die een stimulerend middel gebruikt] *sniffer* ⟹⟨sl.⟩ *snifter* **0.3** [iem. die snuiftabak gebruikt] *snuff-taker* **0.4** [vogel] *(black-tailed) godwit*.

snurken ⟨onov.ww.⟩ **0.1** [zagend keelgeluid maken] *snore* **0.2** [⟨inf.⟩ slapen] ᴮ*kip*, ᴬ*dope off*; ⟨BE; sl.⟩ *doss*; ⟨AE; sl.⟩ *conk off* ◆ **8.1** ~ als een os *snore stertorously*.

snurker ⟨de (m.)⟩ **0.1** [iem. die snurkt] *snorer* **0.2** [vent] *fellow* ⟹⟨inf.⟩ *customer, cuss*.

S.O.A. ⟨afk.⟩ **0.1** [seksueel overdraagbare aandoeningen] *S.T.D.* ⟨*sexually transmitted/transmissible diseases*⟩.

sober ⟨bn., bw.; -ly⟩ **0.1** [bescheiden] *austere* ⟹*frugal, restrained*, ⟨ihb. mbt. alcohol/voedsel⟩ *abstemious* **0.2** [niet overvloedig] *plain, sober* ⟹*simple, frugal, abstemious*, ⟨erg sober⟩ *scanty* **0.3** [armoedig] *austere* ◆ **1.1** in ~e bewoordingen *in plain words/language* **1.2** een ~ inkomen *a meagre income* **3.1** een onderwerp ~ behandelen *treat a subject soberly*; hij is/leeft zeer ~ *he is very frugal/lives very austerely/frugally* **6.1** hij is ~ **in** zijn woorden *he is sparing of/in words*.

soberheid ⟨de (v.)⟩ **0.1** [het sober zijn] *austerity* ⟹*frugality* **0.2** [krapheid] *plainness, frugality* ⟹*scantiness* **0.3** [nuchterheid] *austerity, restraint*.

sobertjes ⟨bw.⟩ **0.1** [op sobere wijze] *austerely, frugally* **0.2** [niet ruim] *scantily* ◆ **3.2** hij heeft het ~ *he has not much/little to spare, he only just gets by*.

sociaal
I ⟨bn.⟩ **0.1** [maatschappelijk] *social* **0.2** [geneigd tot groepsvorming] *social* ⟹*gregarious* ◆ **1.1** een sociale −groep *a s. group*; ~ aanzien *s. status*; sociale academie *college for s. work*; sociale actie *s. action*; sociale bijstand *s. security, welfare*; ~ contract *s. contract*; de gemeentelijke sociale diensten *the municipal/local s. services/department(s)*; sociale hygiëne *public health*; onderaan de sociale ladder *at the bottom of the s. scale*; hoog op de sociale ladder *high up on the s. scale*; sociale lasten *National Insurance contributions*; sociale noden *s. evils/abuses*; sociale onrust *s. troubles/upheavals*; sociale pedagogie *education in social work*; iemands sociale positie *s.o.'s s. position, s.o.'s position in society*; ~ raadsman *citizen's/social adviser*; ⟨instelling⟩ *Citizens' Advice Bureau*; sociale systemen/lagen *s. systems/classes*; ~ toerisme *welfare holidays*; de sociale toestanden *s. conditions*; een sociale uitkering krijgen *be on* ᴮ*social security/*ᴬ*welfare*; ~ verzekerde *covered by social insurance*; sociale verzekering *s. insurance*; ⟨in GB ook⟩ *National Insurance*; sociale voorzieningen *s. services/provisions, welfare provisions*; ~ werk doen *do s. work*; een sociale werkplaats *a sheltered workshop (for the handicapped)*; een ~ werk(st)er ⟨alg.⟩ *a s. worker*; ⟨v.e. bedrijf/instelling⟩ *welfare officer*; sociale werkvoorziening *provision of sheltered workshops (for the handicapped)*; de sociale wetenschappen *the s. sciences*; sociale wetgeving *s. legislation*; ministerie van sociale zaken ⟨in Nederland⟩ *Ministry of Social Services and Employment*; ⟨in België⟩ *of Social Affairs*; ⟨GB⟩ *Department of Health and Social Security*; ⟨USA⟩ *Department of Health and Social Services*; dienst van sociale zaken *department of social services, s. services department* **1.2** een ~ drinker *a s. drinker*; sociale insekten *s. insects*; de mens is een ~ wezen *man is a s. animal*;
II ⟨bn., bw.⟩ **0.1** [gevoelig voor andermans nood] *social(ly)-minded, socially conscious, having a social conscience, socially concerned, altruistic* ⟹*philantropic, benevolent, charitable, disinterested* ◆ **3.1** hij is (een) ~ bewogen (mens) *he has a social conscience, he's social(ly)-minded/socially conscious*; dat is niet erg ~ gedacht *that's not very social(ly)-minded, that's rather/a bit antisocial, that doesn't show much of a social conscience*.

sociaal-cultureel ⟨bn.⟩ **0.1** *socio-cultural*.

sociaal-democraat ⟨de (m.)⟩ **0.1** [aanhanger van de sociaal-democratie] *social democrat* **0.2** [lid van een sociaal-democratische partij] *social democrat*.

sociaal-democratie ⟨de (v.)⟩ **0.1** *social democracy*.

sociaal-democratisch ⟨bn.⟩ **0.1** *social democratic*.

sociaal-denkend ⟨bn.⟩ **0.1** [humanitair] ⟹*socially aware*.

sociaal-economisch ⟨bn.⟩ **0.1** *socio-economic* ◆ **1.1** Sociaal-Economische Raad ᴮ*National Economic Development Council (NEDC)*.

sociaal-geneeskundige ⟨de (m.)⟩ **0.1** ᴮ*medical officer*, ᴬ*medical examiner*.

sociaal-geograaf ⟨de (m.)⟩ **0.1** *human-geographer*.

sociaal-psycholoog ⟨de (m.)⟩ **0.1** *social psychologist*.

sociabel ⟨bn.⟩ **0.1** *sociable, companionable*.

sociabiliteit ⟨de (v.)⟩ **0.1** [het sociabel zijn] *sociableness, companionableness* **0.2** [groepering van individuen] *sociability*.

socialisatie ⟨de (v.)⟩ **0.1** [⟨sociol.⟩] *socialization* **0.2** [⟨ec..⟩] *socialization* ⟹*nationalization* **0.3** [het worden tot gemeenschapswezen] *socialization*.

socialiseren ⟨ov.ww.⟩ **0.1** [⟨ec.⟩] *socialize* ⟹*nationalise* **0.2** [⟨sociol.⟩] *socialize*.

socialisme ⟨het⟩ **0.1** [maatschappijvorm] *socialism* **0.2** [⟨pol.⟩] *socialism* ⟹*leftism*, ⟨BE ook⟩ *Labour*.

socialist ⟨de (m.)⟩ **0.1** [aanhanger van het socialisme] *socialist* ⟹*leftist* **0.2** [lid van een socialistische partij] *socialist* ⟹⟨BE⟩ *Labour*.

socialistenvreter ⟨de (m.)⟩ ⟨inf.⟩ **0.1** *(rabid) antisocialist*.

socialistisch ⟨bn., bw.; -(ic)ally⟩ **0.1** *socialist(ic)* ⟹*leftist* ◆ **1.1** ~e beginselen/begrippen *socialist principles/concepts* **2.1** ~ gezind *socialistic, leftish, inclined towards the left*.

sociatrie ⟨de (v.)⟩ **0.1** *sociatry*.

sociëteit ⟨de (v.)⟩ **0.1** [gezelligheidsvereniging] *union* ⟹*club, fraternity* ⟨voor mannen aan Am. college of universiteit⟩, *sorority* ⟨voor vrouwen aan Am. college of universiteit⟩ **0.2** [gebouw] *union (building)* ⟹*club(-house)* **0.3** [genootschap] *society* ⟹*fraternity* ◆ **1.1** lid van een ~ worden *become a member of/join a u./club* **1.3** de Sociëteit van Jezus *the S. of Jesus* **6.2** naar de ~ gaan *go to the u./club*.

sociëteitsbestuur ⟨het⟩ **0.1** *club/association committee*.

sociëteitsleven ⟨het⟩ **0.1** *union/club life*.

society ⟨de (v.)⟩ **0.1** *society* ⟹⟨inf.⟩ *uppercrust*, ⟨AE ook⟩ *swelldom*.

societyhuwelijk ⟨het⟩ **0.1** *society wedding*.

sociniaan ⟨de (m.)⟩ ⟨gesch.⟩ **0.1** *Socinian*.

sociobiologie ⟨de (v.)⟩ **0.1** *sociobiology*.

sociodrama ⟨het⟩ **0.1** *sociodrama* ⟹*improvisation/improvised drama, improvisation (theatre), role play*.

sociofysiologie ⟨de (v.)⟩ **0.1** *socio-physiology*.

sociogeen ⟨bn.⟩ **0.1** *sociogenic*.

sociogenie ⟨de (v.)⟩ **0.1** *social aetiology*.

sociograaf ⟨de (m.)⟩ **0.1** *social demographer*.

sociografie ⟨de (v.)⟩ **0.1** *social demography, sociography*.

sociogram ⟨het⟩ **0.1** [sociografische beschrijving] *sociogram (of a region)* ⟹*social map* **0.2** [voorstelling van affectieve relaties] *sociogram*.

sociolect ⟨het⟩ ⟨taal.⟩ **0.1** *sociolect*.

sociolinguïstiek ⟨de (v.)⟩ ⟨taal.⟩ **0.1** *sociolinguistics*.

sociologie ⟨de (v.)⟩ **0.1** [mbt. de menselijke samenleving] *sociology* ⟹*social science* **0.2** [mbt. de samenleving van planten en dieren] *sociology* ⟹*synecology*.

sociologisch ⟨bn., bw.; -(al)ly⟩ **0.1** *sociologic(al)* ◆ **3.1** ~ gezien *from a sociological viewpoint*.

sociologisme ⟨het⟩ **0.1** *sociologism*.

socioloog ⟨de (m.)⟩ **0.1** *sociologist*.

sociometrie ⟨de (v.)⟩ **0.1** *sociometry*.

sociometrisch ⟨bn.⟩ **0.1** *sociometric*.

socio-planoloog ⟨de (m.)⟩ **0.1** *social planner*.

sociotherapeut ⟨de (m.)⟩ **0.1** *sociotherapist, social therapist*.

sociotherapie ⟨de⟩ ⟨psych.⟩ **0.1** *sociotherapy*.

socratisch ⟨bn., bw.; -ally⟩ **0.1** *Socratic*.

soda ⟨de (m.)⟩ **0.1** [natriumcarbonaat] *soda, sodium carbonate* ⟹*washing soda* **0.2** [sodawater] *soda (water)* ⟹*fizzy drink* ◆ **1.2** een whisky ~ graag, met weinig ~ *a whisky and soda, but don't drown it, please; a whisky with a dash/splash of soda, please* **2.1** bijtende ~ *caustic soda*; ⟨schei.⟩ *sodium hydroxide*; dubbelkoolzure ~ *sodium bicarbonate, bicarbonate of soda, baking soda*.

sodaloog ⟨het, de⟩ **0.1** *soda-lime*.

sodawater ⟨het⟩ **0.1** [mineraalwater] *soda (water)* ⟹*mineral/carbonated/aerated water* **0.2** [oplossing van natriumcarbonaat] *soda water*.

sodeflikker ⟨de (m.)⟩ **0.1** ⟨vulg.⟩ *bugger* ⟹⟨BE; sl.; pej. of scherts.⟩ *sod*.

sodeju ⟨tw.⟩ **0.1** *hell* ⟹⟨sl.⟩ *damn (it), bugger (it), sod (it), shit*.

sodemieter ⟨de (m.)⟩ **0.1** [⟨inf.⟩ kerel] *bugger* ⟹⟨BE; scherts.⟩ *sod* **0.2** [⟨vulg.⟩ lichaam] ⟨inf.⟩ *carcass* ◆ **2.1** die arme ~! *that poor (old) b./sod!* **6.2** iem. op z'n ~ geven *beat/knock the hell/shit out of s.o.*, give *s.o. hell* **6.¶** naar de ~ gaan *go to pot/to the dogs*; jij doet dat **om** de ~ wel! *you're ruddy/damn/bloody/bleeding well going to!* **7.¶** dat gaat je geen ~ aan *that's none of your* ⟨inf.⟩ *ruddy/*⟨sl.⟩ *bleeding/bloody/*⟨vulg.⟩ *sodding business*; er geen ~ van snappen *do not understand a* ⟨inf.⟩ *ruddy/*⟨sl.⟩ *bloody thing about it*; ⟨sl.⟩ *understand sod/fuck all about it*; het helpt geen ~ *it's no* ⟨sl.⟩ *bloody/*⟨inf.⟩ *ruddy use*; it's no good; ⟨sl.; iron.⟩ *a hell of a lot of good/of use that is!*; it does *sod/fuck all* **8.¶** als de ~! *like hell!, like blazes!, lickety-split!*.

sodemieteren ⟨inf.⟩
I ⟨onov.ww.⟩ **0.1** [vallen] *tumble, pitch* ⟹*fall* **0.2** [zeuren] *whine, bleat* ⟹*nag* ◆ **3.2** lig niet te ~ *don't be such a bore, don't keep/do stop whining/bleating/nagging*; *chuck it!* **6.1** pas op dat je niet uit het raam sodemietert *take care (that) you do not tumble out of the window* **¶.¶** dat sodemietert niet *no bones broken*; sodemieter op! *get the hell out of here!*;
II ⟨ov.ww.⟩ **0.1** [smijten] *chuck* ⟹*bash* ◆ **6.1** je kunt het hier wel naar beneden ~ *you can c. it down here*; iem. de deur uit ~ *chuck s.o. out*.

sodomie ⟨de (v.)⟩ **0.1** *sodomy* ⟹*bestiality*, ⟨vnl. BE; jur. of sl.⟩ *buggery* ◆ **3.1** ~ bedrijven *commit s./buggery*; ⟨sl.⟩ *bugger*.

sodomsappel ⟨de (m.)⟩ **0.1** *apple of sodom* ⟹*Dead Sea apple*.

soebatten ⟨onov.ww.⟩ ⟨inf.⟩ **0.1** *pester, keep on at, nag (at), whimper* ◆ **5.1** na lang ~ kreeg hij het eindelijk gedaan *after a lot of pleading/keeping on at it/pestering/imploring long enough he finally got it done*.

Soedan ⟨de⟩ **0.1** *(the) Sudan*.

Soedanees[1] ⟨de (m.)⟩, **-nese** ⟨de (v.)⟩ **0.1** *Sudanese.*
Soedanees[2] ⟨bn.⟩ **0.1** *Sudanese.*
soefibeweging ⟨de (v.)⟩ **0.1** *Sufi(i)st/ Sufic movement.*
soefisme ⟨het⟩ **0.1** *Sufi(i)sm, Sufism.*
soelaas ⟨het⟩ **0.1** *solace* ⇒*consolation, comfort* ◆ **3.1** dat geeft ~ *that gives s./ comfort, that is a consolation.*
soenna ⟨de (v.)⟩ **0.1** *Sunna.*
soennieten ⟨zn.mv.⟩ **0.1** *Sunnites* ⇒*Sunnis.*
soep ⟨de⟩ (→sprw. 542) **0.1** [gerecht] *soup* ⇒*broth,* ⟨helder⟩ *consommé, clear soup* **0.2** [rommel] *mess* ◆ **2.1** vette/magere/ krachtige/dunne ~ *fat/lean/rich/thin s.* **3.1** de ~ laten trekken *let the s. simmer;* ⟨fig.⟩ daar lust ik wel ~ van *I'll eat that any time, I can't eat too much of that;* de ~ wordt niet zo heet gegeten als ze wordt opgediend ⟨fig.⟩ *it may not be as it looks, things are sure to simmer down* **6.¶** in de ~ zitten *be in a mess;* ⟨inf.⟩ *be in the soup;* ⟨vnl. BE; inf.⟩ *be in the cart/ a hole;* in de ~ liggen/rijden/slaan *be smashed up, smash up, smash in;* je hebt het in de ~ laten lopen *you('ve) made a mess/a shambles of it;* ⟨AE; inf.⟩ *you blew it;* in de ~ lopen *come badly unstuck* **7.2** het is niet veel ~s *it's not up to much;* ⟨vnl. BE; sl.⟩ *it's not much cop/no cop.*
soepballetje ⟨het⟩ **0.1** *forcemeat ball.*
soepbeen ⟨het⟩ **0.1** *bone for soup, soupbone.*
soepbord ⟨het⟩ **0.1** *soup plate/bowl.*
soepel
    I ⟨bn.⟩ **0.1** [buigzaam] *supple* ⇒*pliable, elastic;*
    II ⟨bn., bw.; -ly⟩ **0.1** [plooibaar, meegaand] ⟨plooibaar⟩ *supple, pliable, flexible;* ⟨meegaand⟩ (com)*pliant, adaptable;* ⟨liberaal⟩ *lenient, easy, placable* **0.2** [lenig] *supple* ⇒*lithe, loose-jointed/-limbed, fluid* **0.3** [moeiteloos] *smooth* ⇒*easy* ◆ **1.1** een ~ bewind/bestuur *a liberal/ tolerant/ co-operative government;* een ~ persoon *a (com)pliant/an easy/a lenient person;* een ~e regeling *a flexible/an adaptable/elastic arrangement;* een ~e stijl *a smooth/fluent/an easy/a flowing style* **1.2** ~e bewegingen *s./ lithe/fluid/easy movements* **2.1** hij is niet erg ~ *there is no give in him, he isn't very/exactly tolerant/he's rigid* **3.1** ~ zijn bend/stretch the rules, stretch a point; ⟨inf.⟩ *stretch it a bit* **3.3** ~ schakelen *change gear smoothly.*
soepelheid ⟨de (v.)⟩ **0.1** *suppleness* ⇒*flexibility* ⟨enz.⟩ ◆ **3.1** ~ betrachten *be flexible.*
soeperig ⟨bn.⟩ **0.1** *soupy* ⇒*watery.*
soepgroente ⟨de (v.)⟩ **0.1** *soup greens, vegetables for the soup* ⇒⟨fijngesneden⟩ *julienne.*
soepjurk ⟨de⟩ **0.1** *tent dress* ⇒*sack, tube, smock.*
soepkip ⟨de (v.)⟩ **0.1** *boiling-hen* ⇒*boiler.*
soepkop ⟨de (m.)⟩ **0.1** *soup cup.*
soeplepel ⟨de (m.)⟩ **0.1** [opscheplepel] *soup ladle* **0.2** [eetlepel] *soupspoon.*
soepstengel ⟨de (m.)⟩ **0.1** *breadstick.*
soeptablet ⟨het, de⟩ **0.1** (*soup-)cube.*
soepterrine ⟨de (v.)⟩ **0.1** *soup tureen.*
soepvlees ⟨het⟩ **0.1** *meat for (the) soup.*
soepzootje ⟨het⟩ **0.1** [vleesafval] *offal* **0.2** [rommeltje] *mess, shambles* ◆ **3.2** het is me daar ook een ~ *what a mess/shambles it is there, it's a shambles there.*
soera ⟨de⟩ **0.1** *sura.*
soes
    I ⟨de⟩ **0.1** [gebak] *choux pastry (case)* ⇒*puff;*
    II ⟨de (m.)⟩ **0.1** [slaperige toestand] *drowse, doze* **0.2** [slaapkop] *sleepy-head, dullard* ⇒*dormouse,* ⟨inf.⟩ *dozy specimen.*
soesa ⟨de (m.)⟩ **0.1** *bedlam, to-do* ⇒⟨inf.⟩ *brouhaha, bother, fuss, worries* ◆ **3.1** daar krijg je maar ~ van *that only gets you into trouble* **6.1** van al die ~ loopt me het hoofd om *all that bedlam/to-do/brouhaha makes my head spin/whirl* **7.1** maak geen ~ alsjeblieft *please don't bother/put yourself out;* veel ~ met iets hebben *have a lot of bother with sth., fuss about/make a meal of sth..*
soeverein[1] ⟨de (m.)⟩ **0.1** *sovereign* ⇒*ruler, monarch.*
soeverein[2] ⟨bn., bw.; -ly⟩ **0.1** *sovereign* ⇒*sceptred, hegemonic, ruling* ◆ **1.1** ~ gezag *sovereign authority, sovereignty, sceptre, hegemony;* ~e minachting *supreme contempt.*
soevereiniteit ⟨de (v.)⟩ **0.1** [hoogste staatsgezag] *sovereignty* ⇒*sovereign power* **0.2** [omstandigheid dat een gezag onafhankelijk is] *sovereignty.*
soevereiniteitsoverdracht ⟨de⟩ **0.1** *transfer of sovereignty.*
soevereiniteitsrecht ⟨het⟩ **0.1** *royal prerogative(s).*
soezen ⟨onov.ww.⟩ **0.1** [dutten] *doze, drowse* ⇒*have a nap/forty winks* **0.2** [mijmeren] *day-dream, stargaze, be woolgathering* ◆ **3.2** zit je weer te ~! *are you day-dreaming/woolgathering again.*
soezendeeg ⟨het⟩ ⟨cul.⟩ **0.1** *choux pastry.*
soezerig ⟨bn.⟩ **0.1** *drowsy, dozy.*
sof ⟨de (m.)⟩ **0.1** ⟨inf.⟩ *flop, washout* ◆ **3.1** ~ hebben *suffer a bad loss, have bad luck, come unstuck;* de voorstelling werd een ~ *the performance turned into/was a flop/washout.*
sofa ⟨de (m.)⟩ **0.1** *sofa* ⇒⟨vnl. BE⟩ *settee, couch, chesterfield,* ⟨AE ook⟩ *lounger.*

soffiet ⟨de (m.)⟩ ⟨bouwk.⟩ **0.1** *soffit.*
Sofia ⟨het⟩ **0.1** *Sofia.*
sofiekruid ⟨het⟩ **0.1** *flixweed.*
sofisme ⟨het⟩ **0.1** *sophism* ⇒*false syllogism, quibble, chicanery.*
sofist ⟨de (m.)⟩ **0.1** [⟨gesch., fil.⟩] *sophist* **0.2** [drogredenaar] *sophist* ⇒*casuist.*
sofisterij ⟨de (v.)⟩ **0.1** *sophistry* ⇒*chicanery, casuistry, special pleading.*
sofisticatie ⟨de (v.)⟩ **0.1** *adulteration* ◆ **1.1** ~ van bier/wijn *a. of beer/wine.*
sofistiek ⟨de (v.)⟩ **0.1** [⟨gesch., fil.⟩] *sophistry* **0.2** [het toepassen van sofismen] *sophistry* ⇒*casuistry, chicanery.*
sofistisch ⟨bn., bw.; -(al)ly⟩ **0.1** *sophistic(al)* ⇒*casuistic(al).*
softballen ⟨onov.ww.⟩ **0.1** *play softball.*
softenon **0.1** *thalidomide.*
softenonbaby ⟨de (m.)⟩ **0.1** *thalidomide baby.*
softie ⟨de⟩ ⟨inf.⟩ **0.1** *softy* ⇒*wet, drip, weakling, wimp.*
softporno ⟨de (m.)⟩ **0.1** *soft pornography* ⇒⟨inf.⟩ *soft porn(o), soft core.*
soigneren ⟨ov.ww.⟩ **0.1** [met zorg doen] *groom* ⇒*look after, take good care of* **0.2** [lichamelijke conditie verzorgen] *tone/tune up* ⇒*get into condition.*
soigneur ⟨de (m.)⟩ ⟨sport⟩ **0.1** ≠*second.*
soigneus ⟨bn., bw.; -ly⟩ **0.1** *careful* ⇒*painstaking, meticulous* ◆ **3.1** iets ~ behandelen *treat/handle sth. carefully/with care.*
soiree ⟨de (v.)⟩ **0.1** *soirée* ⇒*evening party, supper* ⟨met maal⟩.
soit ⟨tw.⟩ **0.1** *very well, well and good;* ⟨schr.⟩ *so be it.*
soja ⟨de (v.)⟩ **0.1** [ketjap] (*sweet) soy (sauce)* ⇒*bean sauce* **0.2** [plant] *soy(bean), soya (bean)* **0.3** [plantengeslacht] *soybean, soya bean.*
sojaboon ⟨de⟩ **0.1** [boon] *soybean, soya bean* **0.2** [plant] *soybean, soya bean.*
sojakaas ⟨de (m.)⟩ **0.1** *tofu.*
sojamelk ⟨de⟩ **0.1** *soya milk.*
sojaolie ⟨de⟩ **0.1** *soy(a) bean oil.*
sojasaus ⟨de⟩ **0.1** *soy(a) sauce.*
sojavlees ⟨het⟩ **0.1** *soya meat.*
sok
    I ⟨de (m.)⟩ **0.1** [uiteinde v.e. buis] *socket* **0.2** [verbindingsstuk] *union* ⇒*sleeve;*
    II ⟨de⟩ **0.1** [kous] *sock* ⇒⟨mv. ook⟩ *half hose, ankle-sock,* [A]*anklet* **0.2** [sukkel] *mug, mutt* ⇒*twit, twirp, slob* **0.3** [voetbekleding] *sock* **0.4** [deel v.d. poot] *stocking* ◆ **2.2** een ouwe ~ *an old fogy/dotard/muff;* ⟨inf.⟩ *a fuddy-duddy;* ⟨sl.⟩ *an old geezer/buffer;* ⟨AE; inf.⟩ *a creaker* **3.1** er de ~ken in zetten *spurt* **6.1** hij haalde het op zijn ~ken *he did it without effort* **6.3** op zijn ~ken *in one's socks* **6.¶** een held op ~ken *a milksop, a coward;* ⟨sl.⟩ *all gas and no go; a coward, a funk;* iem. van de ~ken rijden *bowl s.o. over, knock s.o. down/over;* van de ~ken gaan *pass out, faint.*
sokkel ⟨de (m.)⟩ **0.1** [zuilvoet] *plinth, socle* **0.2** [voetstuk voor borstbeelden] *pedestal* **0.3** [buis-/lampvoet] *end socket; base* **0.4** [plint] *dado.*
sokophouder ⟨de (m.)⟩ **0.1** [B](*sock) suspender,* [A]*garter* ⇒⟨BE; mv.⟩ (*pair of) suspenders.*
sokpootje ⟨het⟩ **0.1** *castor cup.*
soksleutel ⟨de (m.)⟩ **0.1** *socket* [B]*spanner/* [A]*wrench.*
sol
    I ⟨de⟩ **0.1** [⟨muz.⟩] *so(h)* ⇒*sol, G;*
    II ⟨het⟩ **0.1** [⟨schei.⟩] *colloïdale oplossing] sol;*
    III ⟨de (m.)⟩ **0.1** [munteenheid] *sol.*
solair ⟨bn.⟩ **0.1** *solar* ◆ **1.1** ⟨aardr.⟩ ~e klimaatgordels *s. climate zones.*
solarisatie ⟨de (v.)⟩ ⟨foto.⟩ **0.1** *solarization.*
solarium
    I ⟨het⟩ **0.1** [toestel] *solarium* ⇒*sunbed, sun canopy, sunlamp* **0.2** [ruimte] *solarium* ⇒*sun-trap shelter;*
    II ⟨de (m.)⟩ **0.1** [zeeschelp] *sundial shell.*
soldaat ⟨de (m.)⟩ **0.1** [rang] (*common) soldier* ⇒*private, ranker,* ⟨AE; inf.⟩ *GI* ⟨ihb. dienstplichtige⟩, ⟨BE; inf.⟩ *tommy* **0.2** [een militair] *soldier* ⇒*serviceman, military man,* ⟨mv. ook⟩ *troops* **0.3** [mier] *soldier* ◆ **1.1** Jan Soldaat ⟨BE; inf.⟩ *Tommy Atkins;* ⟨AE; inf.⟩ *GI Joe* **2.1** de gewone soldaten *the rank and file, the ranks* **2.2** de Onbekende Soldaat *the Unknown Soldier/Warrior* **3.1** tot gewoon ~ gedegradeerd worden *be reduced to the ranks* **3.2** hij moet ~ worden *he has to enlist/join up* **3.¶** ⟨fig.⟩ een fles ~ maken *kill/crack/dispatch a bottle;* ⟨AZN⟩ ~ zijn *be drunk/in one's cups* **¶.1** ~ eerste klas *private first class,* ≠*lance-corporal.*
soldaatje ⟨het⟩ **0.1** [speelgoedsoldaatje] *toy/tin soldier* **0.2** [geroosterd reepje brood] *soldier* ◆ **2.1** tinnen ~s *tin soldiers* **3.1** ~ spelen *play (at) soldiers.*
soldatenhoer ⟨de (v.)⟩ **0.1** *camp follower.*
soldatenleven ⟨het⟩ **0.1** *military life, soldiering* ⇒(*a) soldier's life.*
soldatenmuts ⟨de⟩ **0.1** *forage-cap.*
soldatentaal ⟨de⟩ **0.1** *army/military slang, soldiers' lingo/slang.*
soldatentijd ⟨de (m.)⟩ **0.1** *army days/years.*
soldatenuniform ⟨het⟩ **0.1** *soldier's uniform;* ⟨mv.⟩ *soldiers' uniforms.*

soldatenvolk 〈het〉 **0.1** *soldiery*.

soldatesk 〈bn.,bw.〉 **0.1** *soldierly, soldierlike* ⇒〈bw.〉 *in a soldierly/soldierlike way/manner*.

solde 〈de (v.)〉〈AZN〉 **0.1** *sale (of reduced items)*.

soldeer 〈het, de (m.)〉 **0.1** *solder*.

soldeerbout 〈de (m.)〉 **0.1** *soldering iron/bolt*.

soldeerder 〈de (m.)〉 **0.1** *solderer*.

soldeerdraad 〈het, de (m.)〉 **0.1** *soldering-wire, cored solder*.

soldeerglas 〈het〉 **0.1** *solder glass*.

soldeerlamp 〈de〉 **0.1** *blowlamp* ⇒*blowtorch, soldering lamp*.

soldeerlip 〈de〉 **0.1** *solder tag/lug/terminal* ⇒*connecting plate/board, connector*.

soldeernaad 〈de (m.)〉 **0.1** *soldered seam* ⇒*join(t)*.

soldeerpistool 〈het〉 **0.1** *soldering gun*.

soldeersel 〈het〉 **0.1** *solder*.

soldeertin 〈het〉 **0.1** *(tinning) solder, soldering tin, soft solder*.

soldeerwater 〈het〉 **0.1** *flux, soldering water/fluid*.

solderen 〈ov.ww.〉 **0.1** [aaneenhechten] *solder* **0.2** [herstellen] *solder* ◆ **1.1** twee stukken koper aan elkaar ~ *s. two pieces of copper/brass* **5.1** capillair ~ *s. / make a capillary joint*.

soldij 〈de (v.)〉 **0.1** *pay(ment)*.

solemneel 〈bn.〉 **0.1** *solemn* ◆ **1.1** een solemnele mis *a s. mass*.

solemniseren 〈ov.ww.〉 **0.1** *solemnize*.

solemniteit 〈de (v.)〉 **0.1** *solemnity*.

solenoïde 〈de (m.)〉 **0.1** *solenoid* ⇒*single layer coil, heliox*.

soleren 〈onov.ww.〉 **0.1** [als solist optreden] *perform a solo, give a solo performance, be a/the soloist* **0.2** [solistisch te werk gaan] *go it/act alone* ⇒〈sl.〉 *solo*.

solex 〈de (m.)〉 **0.1** *Solex* ⇒*moped*.

solfège 〈de (m.)〉〈muz.〉 **0.1** *solfeggio, solfège* ⇒*rudiments of music*.

solfegiëren 〈onov.ww.〉〈muz.〉 **0.1** *sing solfeggio* ⇒*solmizate*.

solidair 〈bn.,bw.;-ly〉 **0.1** [door saamhorigheid verbonden] *solidary* ⇒〈inf.〉 *solid* **0.2** 〈jur.〉 *joint, (joint and) several* ◆ **1.2** ~e aansprakelijkheid *j. liability;* ~e schuldenaars/ ~ aansprakelijk *j. debtors; jointly and severally responsible/liable* **3.1** zich ~ verklaren met iem. *express/declare one's sympathy for/one's solidarity with s.o., throw in one's lot with s.o.;* ~ zijn *stick together, stand by each other, show solidarity (with)*.

solidariseren 〈onov.ww.〉 **0.1** *declare one's/show solidarity (with)* ◆ **6.1** (zich) ~ met de cliënt/de doelgroep *declare one's/show solidarity with the client/target group*.

solidariteit 〈de (v.)〉 **0.1** [saamhorigheid] *solidarity* ⇒*unity* **0.2** [〈jur.〉] *joint/(joint and) several liability* ◆ **6.1** uit ~ met *in sympathy with*.

solidariteitsactie 〈de (v.)〉 **0.1** *sympathy/sympathetic action*.

solidariteitsheffing 〈de (v.)〉〈geldw.〉 **0.1** *equalization/levelling ᴬling taxation*.

solidariteitsstaking 〈de (v.)〉 **0.1** *sympathetic/sympathy strike* ◆ **3.1** een ~ beginnen *come out in sympathy*.

solide 〈bn.,bw.〉 **0.1** [vast, stevig] *solid* ⇒*stout, staunch, stable, substantial, sturdy,* 〈BE ook〉 *hard-wearing* 〈schoenen enz.〉 **0.2** [degelijk] *steady(-going)* ⇒*reliable, bona fide, sterling* **0.3** [te vertrouwen] *solid* ⇒*safe, sound,* 〈geldw.〉 *gilt-edged,* 〈financieel〉 *solvent* ◆ **1.1** ~ bewijzen *substantial evidence/proof* **3.2** ~ leven *lead a steady/respectable life*.

soliditeit 〈de (v.)〉 **0.1** [hechtheid] *solidity* ⇒*stoutness, strength* **0.2** [degelijkheid] *steadiness* ⇒*respectability, bona fides* **0.3** [betrouwbaarheid] *reliability* ⇒*soundness, safety,* 〈financieel〉 *solvency, solvability*.

solipsisme 〈het〉〈fil.〉 **0.1** *solipsism*.

solipsistisch 〈bn.,bw.;-ally〉 **0.1** *solipsistic*.

solisme 〈het〉 **0.1** *art of the virtuoso, virtuoso performance (to the gallery)*.

solist 〈de (m.)〉 **0.1** [musicus] *soloist* **0.2** [iem. die individueel optreedt] *solo performer* ⇒*person doing a one-man act* ◆ **8.2** als ~ zal optreden *...a solo performance/one-man-act will be given by ...*.

solistisch 〈bn.,bw.;-ly〉 **0.1** *solo* ◆ **1.1** (een) ~ optreden *a s. performance*.

solitair¹ 〈de (m.)〉 **0.1** [eenzaam levend dier] *rogue* **0.2** [eenling] *solitary, solitaire* ⇒*loner, lone wolf* **0.3** [diamant] *solitaire (diamond)*.

solitair² 〈bn.,bw.;-ly〉 **0.1** *solitary* ◆ **1.1** ~e dieren *rogue animals*.

sollen
I 〈onov.ww.〉 **0.1** [heen en weer slingeren] *toss (about)* **0.2** [willekeurig omspringen] *bandy about* ⇒*trifle, kick/mess about/around,* 〈sl.〉 *bugger about* ◆ **3.2** hij laat niet met zich ~ *he won't be trifled with/kicked around/put upon; he will stand no nonsense* **6.2** met iem. ~ *make a fool of s.o.;*
II 〈onov.,ov.ww.〉 **0.1** [heen en weer trekken] *drag/haul about*.

sollicitant 〈de (m.)〉 **0.1** *applicant* ⇒*candidate, office-seeker* 〈naar overheidsbetrekking〉 ◆ **3.1** ~en oproepen voor een vacature *invite applications for a vacancy;* een ~ uitnodigen voor een gesprek *invite an a. for (an) interview*.

sollicitatie 〈de (v.)〉 **0.1** [het solliciteren] *application* **0.2** [keer, gelegenheid] *application* **0.3** [brief] *application* ◆ **3.3** gelieve uw ~ vóór 1 mei te richten aan *you are requested to send in your a. before May 1 to, applications should arrive by May 1 at;* ~s worden ingewacht door *applications are invited by*.

sollicitatiebezoek 〈het〉 **0.1** *interview* ◆ **6.1** op ~ gaan *canvass*.

sollicitatiebrief 〈de (m.)〉 **0.1** *(letter of) application*.

sollicitatiecommissie 〈de (v.)〉 **0.1** *selection committee*.

sollicitatieformulier 〈het〉 **0.1** *application form*.

sollicitatiegesprek 〈het〉 **0.1** *interview (for a post/position/job* 〈enz.〉*)*.

sollicitatieplicht 〈de〉 **0.1** *obligation to apply for jobs*.

sollicitatieprocedure 〈de〉 **0.1** *selection procedure*.

solliciteren 〈onov.ww.〉 **0.1** [naar een betrekking dingen] *apply (for)* ⇒ *put in an application (for),* 〈inf.〉 *put in (for)* **0.2** [op de hals halen] *ask (for)* ⇒*be looking for,* 〈solliciteren naar〉 *court* ◆ **6.1** naar een leraarsbetrekking ~ *a. for a teaching post;* naar Amsterdam ~ *a. / put in for (a job/post in) Amsterdam* **6.2** hij solliciteerde naar/(om) een pak slaag *he was asking for a good hiding* ¶.**1** hij heeft al gesolliciteerd *he has sent in his application already/has already applied*.

solmisatie 〈de (v.)〉〈muz.〉 **0.1** *solmization* ⇒*solfeggio, sol-fa*.

solmiseren 〈onov.ww.〉〈muz.〉 **0.1** *solmizate*.

solo¹ 〈het, de (m.)〉 **0.1** [het alleen optreden] *solo* **0.2** [partij] *solo* **0.3** [〈sport〉] *solo*.

solo² 〈bw.〉 **0.1** [alleen] *solo* **0.2** [〈sport〉] *solo*.

solocarrière 〈de〉 **0.1** *solo career, career as a soloist*.

solo-elpee 〈de〉 **0.1** *solo LP*.

soloinstrument 〈het〉 **0.1** *solo instrument*.

soloklas 〈de (v.)〉 **0.1** *soloists/master class*.

Solomoneilanden 〈zn.mv.〉 **0.1** *Solomon Islands*.

solo-optreden 〈het〉 **0.1** *solo performance* ⇒*one-man/-woman performance*.

solopartij 〈de (v.)〉〈muz.〉 **0.1** *solo part* ⇒*cadenza*.

soloseks 〈de (m.)〉 **0.1** *masturbation* ⇒¹*self-abuse*.

solostem 〈de〉 **0.1** *solo voice*.

solotoer 〈de〉〈inf.〉 ◆ **6.¶** op de ~ gaan *carry on alone/by o.s./ on one's own, go it alone*.

solovlucht 〈de〉 **0.1** *solo flight*.

solozang 〈de (m.)〉 **0.1** *solo singing*.

solozeilen 〈ww.〉 **0.1** *single-handed sailing*.

solozeiler 〈de (m.)〉 **0.1** *solo/single-handed yachtsman*.

solsleutel 〈de (m.)〉〈muz.〉 **0.1** *G clef*.

solstitiaal 〈bn.〉 **0.1** *solstitial* ◆ **1.1** solstitiale lijn *line between/joining the solstices*.

solstitium 〈het〉〈aardr.〉 **0.1** *solstice*.

solutie 〈de (v.)〉 **0.1** [〈med.〉] *drip(-feed)* **0.2** [oplossing van rubber in benzeen] *(rubber) solution*.

solutiesnuiven 〈ww.〉 **0.1** *glue/solvent sniffing*.

solvaat 〈het〉〈schei.〉 **0.1** *solvate*.

solvabel 〈bn.〉〈hand.〉 **0.1** *solvent*.

solvabiliteit 〈de (v.)〉 **0.1** *solvency* ⇒*ability (to pay), solvability*.

solvabiliteitsverzekering 〈de (v.)〉 **0.1** *insolvency insurance*.

solvatatie 〈de (v.)〉〈schei.〉 **0.1** *solvation*.

solvateren 〈ov.ww.〉〈schei.〉 **0.1** *solvate*.

solvent¹ 〈het〉 **0.1** [oplosmiddel] *solvent* **0.2** [agressieve chemicaliën] *corrosive(s)*.

solvent² 〈bn.〉 **0.1** *solvent* ⇒*good for an amount, in the black*.

solventie 〈de (v.)〉 **0.1** *solvency*.

solveren 〈ov.ww.〉 **0.1** [oplossen] *dissolve* **0.2** [vereffenen] *settle (up), pay off*.

som 〈de〉 **0.1** [totaal] *sum* **0.2** [bedrag] *sum* ⇒*amount* **0.3** [opgave] *sum* **0.4** [geheel van gevoelswaarden] *sum (total)* ◆ **1.2** een ~ geld *a s. of money* **2.2** een aardig/mooi ~metje *a tidy/nice little s.;* een flinke ~ *a considerable/* 〈inf.〉 *tidy s.; voor het lieve ~metje van to the tune of;* een ronde ~ *a round s.* **3.3** ~men maken *do sums* **6.3** 〈fig.〉 dat is de proef op de ~ *that settles/proves it;* de proef op de ~ nemen *put (it) to the proof/test, test (it)*.

Somalië 〈het〉 **0.1** *Somalia*.

Somaliër 〈de (m.)〉, -ische 〈de (v.)〉 **0.1** *Somali (girl/woman)*.

Somalisch 〈bn.〉 **0.1** *Somali*.

somatisch 〈bn.〉 **0.1** *somatic* ◆ **1.1** ~e cellen *s. cells;* ~e geneesmiddelen *s. drugs;* ~e kenmerken *s. characteristics;* ~e klachten *s. complaints*.

somatologie 〈de (v.)〉 **0.1** *somatology*.

somatometrie 〈de (v.)〉 **0.1** *somatometry*.

somatotrofine 〈het/med.〉 **0.1** *somatotrop(h)in* ⇒ ↓*growth hormone*.

somber 〈bn.,bw.;-ly〉 **0.1** [donker] *gloomy* ⇒*dark, bleak, cheerless, sombre* 〈kleur〉 *grim* **0.2** [zwaarmoedig] *dejected* ⇒*gloomy, melancholy, downcast, dispirited,* 〈inf.〉 *down, in the dumps* ◆ **1.1** een ~ landschap *a dreary/bleak/sombre landscape;* ~ weer *miserable/sulky weather* **1.2** een ~e dronk over zich hebben *drink o.s. into a maudlin/morose state;* een ~e stemming *a black/cheerless/melancholy/* 〈inf.〉 *minor mood* **3.2** het ~ inzien *be pessimistic, take a gloomy view of things;* ~ kijken *look glum/downcast/black/blue, pull a long face, frown;* zijn gezicht stond ~ *he had a grave look on his face, there was a cloud on his brow, he wore a stern/dark face*.

somberheid 〈de (v.)〉 **0.1** [duisternis] *gloom(iness)* ⇒*darkness, bleakness* **0.2** [mbt. vooruitzichten] *bleakness, gloominess, grimness*.

somberte →**somberheid**.

sombrero 〈de (m.)〉 **0.1** *sombrero*.

somma ⟨de⟩ **0.1** *sum* ⇒*total amount* ♦ **6.1** ontvangen de ~ **van** f 100,- *received the s. | amount of Dfl. 100| 100 guilders.*

sommande ⟨de (v.)⟩ ⟨wisk.⟩ **0.1** [te sommeren grootheid] *summand,ad-dend* **0.2** [kleine grootheid] *addend.*

sommatie ⟨de (v.)⟩ **0.1** [aanmaning] *injunction,summons* ⇒*notice,de-mand* **0.2** [brief] *summons,injunction* **0.3** [⟨wisk.⟩ *summation,aggre-gate* ♦ **6.1** een ~ **om** (een schuld) te betalen *an injunction| notice to pay (a debt).*

sommatiegrenzen ⟨zn.mv.⟩ ⟨wisk.⟩ **0.1** *limits, limiting terms.*

sommeren ⟨onov.,ov.ww.⟩ **0.1** [aanmanen] *summon(s)* ⇒*call (up)on, enjoin, notify* **0.2** [⟨wisk.⟩] *find the sum| aggregate of* ⇒*sum* ♦ **1.1** de politie sommeerde de menigte uit elkaar te gaan *the police called upon| summoned the crowd to disperse;* ⟨BE;scherts.⟩ *the police read the Riot Act* **6.1** ~ **tot** betaling *s. to pay* **6.2** ~ **over** een interval v.e. functie *sum over the interval of a function.*

sommering ⟨de (v.)⟩ **0.1** [het sommeren] *injunction, summon(s)ing* **0.2** [keer] *summons, injunction.*

sommige ⟨onb.vnw.⟩ **0.1** *some* ⇒*certain* ♦ ¶**.1** ⟨zelfst.⟩ ~n *some (peo-ple); ~ some, certain.*

somnambule ⟨de (m.)⟩ **0.1** [slaapwandelaar] *somnambulist,noctambulist* ⇒ ↓*sleepwalker* **0.2** [waarzegger] *medium, clairvoyant* ⇒*fortune-tel-ler.*

somnambulisme ⟨het⟩ **0.1** [het slaapwandelen] *somnambulism* ⇒*noc-tambulism* **0.2** [helderziendheid] *clairvoyance.*

somnambuul ⟨bn.⟩ **0.1** *somnambulant* ⇒ ↓*sleep-walking.*

somnolentie ⟨de (v.)⟩ **0.1** *somnolence* ⇒ ↓*sleepiness.*

somptueus ⟨bn.,bw.;-ly⟩ **0.1** *sumptuous.*

soms ⟨bw.⟩ **0.1** [weleens] *sometimes* ⇒*now and then, once in a while, at times* **0.2** [in enkele gevallen] *sometimes* ⇒*on occasion, once in a while* **0.3** [misschien] *perhaps* ⇒*by any chance* ♦ **3.3** heb je Jan ~ ge-zien? *have you seen John by any chance?; hebt u ~ een sigaret voor me? could I have a cigarette please?, do you happen to have a cigarette for me?;* konden wij ~ weten dat ... *how were we to know that ...;* mocht zij ~ niet thuis komen, dan ... *if by any chance she doesn't come home, then ...* **5.3** dat is toch mijn zaak, of niet ~? *that's my business, or is it? | or am I mistaken?* **8.3** als je them ~ ziet ... *if you should happen to see him ...* ¶**.2** de bloemen van deze plant zijn wit, ~ echter rose *the flowers on this plant are white, and on occasion pink.*

somtijds →**soms.**

somwijlen ⟨AZN⟩ →**soms.**

sonant ⟨de (m.)⟩ ⟨taal.⟩ **0.1** *sonant.*

sonar ⟨de (m.)⟩ **0.1** *sonar.*

sonarinstallatie ⟨de (v.)⟩ **0.1** *sonar installation.*

sonate ⟨de⟩ ⟨muz.⟩ **0.1** *sonata.*

sonatine ⟨de (v.)⟩ ⟨muz.⟩ **0.1** *sonatina.*

sonde ⟨de⟩ **0.1** [peilstift] *probe* ⇒*sound, explorer* **0.2** [buisje waarmee vocht wordt af-/toegevoerd] *catheter* **0.3** [meetinstrument] *probe* **0.4** [ruimtevaartuig] *(space) probe.*

sondeerballon ⟨de (m.)⟩ ⟨meteo.⟩ **0.1** *sounding-balloon.*

sondeerijzer ⟨het⟩ **0.1** [voor wijnvat] *gauge;* ⟨bodemonderzoek⟩ *sam-pler.*

sonderen ⟨ov.ww.⟩ **0.1** [met een sonde onderzoeken] *probe* ⇒*explore, sound* **0.2** [peilingen verrichten] *sound* **0.3** [doorgronden] *fathom* ⇒*comprehend.*

sondevoeding ⟨de (v.)⟩ ⟨med.⟩ **0.1** *drip feed.*

songfestival ⟨het⟩ **0.1** *song contest* ♦ ¶**.1** het Eurovisie ~ *The Eurovision Song Contest.*

songtekst ⟨de (m.)⟩ **0.1** *lyric(s).*

soniek ⟨de (v.)⟩ ⟨muz.⟩ **0.1** *electronic music.*

sonisch ⟨bn.⟩ **0.1** *sonic.*

sonnet ⟨het⟩ **0.1** *sonnet.*

sonnettenkrans ⟨de (m.)⟩ **0.1** *sonnet cycle* ⇒*sonnet sequence.*

sonologie ⟨de (v.)⟩ **0.1** *sonology.*

sonometer ⟨de (m.)⟩ ⟨muz.⟩ **0.1** *sonometer.*

sonoor ⟨bn.,bw.;-ly⟩ **0.1** *sonorous* ⇒*resonant, rich.*

sonoriteit ⟨de (v.)⟩ **0.1** *sonority.*

soort ⟨→sprw. 543⟩

I ⟨het,de⟩ **0.1** [categorie] *sort* ⇒*kind, type, variety,* ⟨vnl. kunst⟩ *genre* **0.2** [kwaliteit] *sort* ⇒*kind, class, calibre* **0.3** [het min of meer zijn] *sort (of)* ⇒*kind (of), type (of)* ♦ **1.3** je maakt er een ~ sport van! *you're making it into a kind of game!* **2.2** de betere/ duur-dere ~en *the better| more expensive kinds* **4.1** ik ken dat ~ *I know the type* **6.1** ~ **bij** ~ doen/zetten *classify| arrange according to s. | type| variety;* **in** zijn ~ *in its| his way, of its kind;* die is enig in zijn ~ *that's the only one of its kind, that's a unique specimen* **7.1** met alle ~en van genoegen *with the greatest (possible) pleasure* **7.2** eerste ~ aardbeien *best| finest quality strawberries; eerste| tweede ~ first class, best quali-ty| second grade;*

II ⟨de⟩ **0.1** [⟨biol.⟩] *species* ⇒*variety* ♦ **2.1** de menselijke ~ *the human s.;* vroege en late ~en *early and late varieties.*

soortelijk ⟨bn.,bw.;-ally⟩ **0.1** *specific* ♦ **1.1** ~ gewicht *s. gravity;* ~e massa *density;* ~ volume *s. volume;* de ~e warmte v.e. stof *the s. heat*

---

of a substance; ~e weerstand *resistivity* **2.1** ⟨biol.⟩ ~ verschillend *spe-cifically distinct.*

soortement ⟨het⟩ ⟨inf.⟩ **0.1** *a sort of* ⇒*a kind of* ♦ **6.1** een ~ **van** schoen-lepel of zoiets *a s. | kind of shoehorn (or sth. like that).*

soortgelijk ⟨bn.⟩ **0.1** *similar* ⇒*of the same kind.*

soortgenoot ⟨de (m.)⟩ **0.1** *congener* ⇒*one of the same kind* ♦ **6.1** onder zijn soortgenoten *among his own sort.*

soortig ⟨bn.⟩ **0.1** *pedigree.*

soortnaam ⟨de (m.)⟩ **0.1** [⟨biol.⟩] *generic name* **0.2** [⟨taal.⟩] *appellative* ⇒*common noun.*

soos ⟨de⟩ **0.1** *club* ♦ **6.1** een ~ **voor** bejaarden *a c. for the elderly, an old folks' c..*

sop ⟨het⟩ **0.1** [zeepwater] *(soap)suds* **0.2** [nat] ⟨van groente/vlees⟩ *stock /broth;* ⟨van deegwaren/rijst⟩ *liquid* **0.3** [zee] *blue* ⇒*deep, drink* ♦ **2.2** ⟨fig.⟩ iem. in zijn eigen ~ gaar laten koken *let s.o. stew in his own juice;* ⟨fig.⟩ met hetzelfde ~ overgoten *tarred with the same brush/ stick* **2.3** het ruime ~ kiezen *stand out to sea;* het ruime ~ *the blue water, the briny deep* ¶**.¶** het ~ is de kool niet waard *the game is not worth the candle.*

sopje ⟨het⟩ **0.1** *(soap)suds* ♦ **3.1** het nog een ~ geven *give it another washing.*

soppen

I ⟨onov.,ov.ww.⟩ **0.1** [in vloeistof dopen] ⟨ov.⟩ *dunk* ⇒*sop,* ⟨onov.⟩ *sop in;*

II ⟨ov.ww.⟩ **0.1** [reinigen] *wash* ⇒*scrub;*

III ⟨onov.ww.⟩ **0.1** [neuken] *screw* ⇒ ⟨vnl. AE⟩ *ball.*

sopperig ⟨bn.⟩ **0.1** *sloppy* ⇒*sopping (wet),* ⟨modderig⟩ *muddy.*

soppig →**sopperig.**

sopra ⟨bw.⟩ ⟨muz.⟩ ♦ ¶**.¶** come sopra *as above.*

sopraan

I ⟨de⟩ **0.1** [stem] *soprano* ⇒ ⟨kinderstem ook⟩ *treble* ♦ **3.1** ~ zingen *sing s.;*

II ⟨de⟩ **0.1** [zangeres] *soprano.*

sopraanblokfluit ⟨de⟩ **0.1** *soprano* / ⟨BE ook⟩ *descant recorder.*

sopraansleutel ⟨de (m.)⟩ ⟨muz.⟩ **0.1** *soprano clef.*

sopraanstem ⟨de⟩ **0.1** [hoge stem] *soprano voice* ⇒ ⟨kinderstem ook⟩ *treble voice* **0.2** [bovenstem] *soprano* ⇒*soprano voice| part, treble voice| part.*

sorbet ⟨de (m.)⟩ **0.1** *sorbet* ⇒*sherbet.*

sorbiet ⟨het⟩ **0.1** *sorbitol.*

Sorbisch ⟨het⟩ **0.1** *Wendish* ⇒*Wendic.*

sordino ⟨de (m.)⟩ ⟨muz.⟩ **0.1** [demper] *sordino* **0.2** [mbt. blaasinstru-menten] *mute* ⇒*sourdine* ♦ ¶**.1** con ~ spelen *play con s..*

sores ⟨zn.mv.⟩ **0.1** *troubles* ⇒*worries* ♦ **3.1** ~ hebben *have t. | worries* **6.1** in de ~ zitten *have lots of t. | worries.*

sorghum ⟨het,de (v.)⟩ **0.1** *sorghum.*

soroptimiste ⟨de (v.)⟩ **0.1** *soroptimist.*

sororaat ⟨het⟩ **0.1** *sororate.*

sorptie ⟨de (v.)⟩ **0.1** *sorption.*

sorteerband ⟨de (m.)⟩ **0.1** *conveyer belt.*

sorteerder ⟨de (m.)⟩,-ster ⟨de⟩ **0.1** *sorter* ⇒*grader.*

sorteerkamer ⟨de⟩ **0.1** *sorting-room.*

sorteerkast ⟨de⟩ **0.1** *sorting-rack.*

sorteermachine ⟨de (v.)⟩ **0.1** *sorting machine, sorter* ⇒ ⟨op grootte ook⟩ *grader, grading machine.*

sorteerzeef ⟨de⟩ **0.1** *sifter.*

sorteren ⟨ov.ww.⟩ **0.1** *sort (out)* ⇒*assort, grade* ♦ **1.1** brieven ~ *s. letters;* lompen ~ *pick/ s. out rags;* gesorteerde snoepjes *assorted sweets* **1.¶** effect ~ *produce| have an effect, be effective* **6.1** op maat/kleur ~ *s. / grade according to size| colour.*

sortering ⟨de (v.)⟩ **0.1** [het sorteren, gesorteerd worden] *sorting* ⇒*grading* **0.2** [soort, kwaliteit] *grade* **0.3** [verzameling goederen] *selec-tion, range* ⇒*assortment* ♦ **2.3** een ruime ~ stoffen *a wide s. | r. of fab-rics* **6.1** ~ op grootte *s. / grading according to size* **7.2** eerste ~ ⟨zuivel, vlees⟩ *grade A quality; finest grade.*

sortiment ⟨het⟩ **0.1** [assortiment] *assortment* ⇒*selection* **0.2** [⟨landb.⟩] *selection* ⇒*range* **0.3** [soort] *sort of* ⇒*kind of.*

S.O.S. 0.1 *S.O.S.* ♦ **3.1** een ~(-signaal) uitzenden *send out an S.O.S. | a Mayday (call).*

sostenuto[1] ⟨het⟩ ⟨muz.⟩ **0.1** *sostenuto.*

sostenuto[2] ⟨bw.⟩ ⟨muz.⟩ **0.1** *sostenuto* ♦ **3.1** een muziekstuk ~ spelen *play a piece of music s..*

soteriologie ⟨de (v.)⟩ **0.1** *soteriology.*

soteriologisch ⟨bn.⟩ **0.1** *soteriological.*

soterisch ⟨bn.⟩ **0.1** *soterial.*

sotternie ⟨de (v.)⟩ **0.1** *farce.*

sotto voce ⟨bw.⟩ ⟨muz.⟩ **0.1** *sotto voce.*

sou ⟨de (m.)⟩ ⟨gesch.⟩ **0.1** *sou* ♦ **7.1** hij heeft geen ~ *he hasn't a s..*

soubrette ⟨de (v.)⟩ **0.1** [zangeres] *soubrette* **0.2** [hoofdrol] *soubrette.*

souche ⟨de⟩ **0.1** *counterfoil* ⇒*stub.*

souchon ⟨de (v.)⟩ **0.1** *souchong.*

soufflé ⟨de (m.)⟩ **0.1** [gerecht] *soufflé* **0.2** [plooi] *fold.*

souffleren ⟨ov.ww.,onov.ww.⟩ **0.1** [⟨dram.⟩] *prompt* **0.2** [influisteren] *prompt* **0.3** [laten rijzen] ⟨make (sth.) rise with beaten egg white⟩.

souffleur ⟨de (m.)⟩, **-fleuse** ⟨de (v.)⟩ ⟨dram.⟩ **0.1** *prompter* ◆ **6.1** op de ~ spelen *rely on the prompter.*
souffleurshokje ⟨het⟩ ⟨dram.⟩ **0.1** *prompt-box.*
soul-muziek ⟨de (v.)⟩ **0.1** *soul music.*
souper ⟨het⟩ **0.1** *supper* ⇒*dinner* ◆ **3.1** een ~ geven *give a s. / dinner.*
souperen ⟨onov.ww.⟩ **0.1** *(have) supper* ◆ **6.¶** van iets / iem. gesoupeerd hebben *have had s.o. / sth. up to here.*
souplesse ⟨de (v.)⟩ **0.1** [buigzaamheid] *flexibility* ⇒*suppleness* **0.2** [inschikkelijkheid] *flexibility* ⇒*adaptability.*
sourdine ⟨de (v.)⟩ ⟨muz.⟩ **0.1** *sourdine* ⇒*mute, muffler,* ⟨piano⟩ *damper.*
sousafoon ⟨de (m.)⟩ ⟨muz.⟩ **0.1** *sousaphone.*
sousbras ⟨de (m.)⟩ **0.1** *dress shield.*
souschef ⟨de (m.)⟩ **0.1** *deputy* ⇒ ⟨warenhuis⟩ *under-manager.*
sousmain ⟨de (m.)⟩ **0.1** *blotter* ⇒*blotting pad.*
souspied ⟨de (m.)⟩ **0.1** [riempje] *trouser-strap* **0.2** [slobkous] *spat(s).*
soutane ⟨de⟩ ⟨r.k.⟩ **0.1** *soutane* ⇒*cassock.*
souteneren ⟨ov.ww.⟩ **0.1** [onderhouden] *support* ⇒*provide for, keep* **0.2** [souteneur zijn van] *pimp for* **0.3** [beweren] *maintain.*
souteneur ⟨de (m.)⟩ **0.1** *pimp.*
souterrain ⟨het⟩ **0.1** *basement.*
souvenir ⟨het⟩ **0.1** [geschenk] *keepsake* ⇒*memento, souvenir* **0.2** [reisherinnering] *souvenir* ⇒*memento* **0.3** [verwonding, litteken] *memento* ⇒*souvenir* ◆ **3.3** dit ~ heb ik aan de oorlog overgehouden *this is a m. / souvenir I've retained from the war.*
souvenirjager ⟨de (m.)⟩ **0.1** *souvenir hunter.*
souvenirwinkel ⟨de (m.)⟩ **0.1** *souvenir shop.*
sovchose ⟨de (m.)⟩ **0.1** *sov(k)hoz.*
sovjet ⟨de (m.)⟩ **0.1** [raad] *soviet* **0.2** [⟨mv., met hoofdl.⟩ de Russen] *Soviets* ◆ **2.1** de opperste ~ *the Supreme Soviet.*
sovjetblok ⟨het⟩ **0.1** *Soviet bloc.*
Sovjetleider ⟨de (m.)⟩ **0.1** *Soviet leader.*
sovjetoloog ⟨de (m.)⟩ ⟨pol.⟩ **0.1** *sovietologist* ⇒ ⟨kremlinoloog⟩ *Kremlinologist.*
sovjetregering ⟨de (v.)⟩ **0.1** *soviet government.*
Sovjetrepubliek ⟨de (v.)⟩ **0.1** *Soviet republic* ◆ **2.1** de Unie van Socialistische Sovjetrepublieken *Union of Soviet Socialist Republics.*
Sovjetrus ⟨de (m.)⟩ **0.1** *Soviet.*
Sovjetrussisch ⟨bn.⟩ **0.1** *Soviet.*
sovjetstaat ⟨de (m.)⟩ **0.1** *soviet state.*
sovjetsysteem ⟨het⟩ **0.1** *soviet system.*
sovjetiseren ⟨ov.ww.⟩ ⟨pol.⟩ **0.1** [onder de invloedssfeer van de Sovjet-Unie brengen] *sovietize* ⇒≠*Russify, Russianize* **0.2** [inrichten volgens het bestel van de Sovjet-Unie] *sovietize* ⇒≠*Russify, Russianize.*
Sovjetunie ⟨de (v.)⟩ **0.1** *Soviet Union.*
sowieso ⟨bw.⟩ **0.1** *in any case* ⇒*anyhow* ◆ **¶.1** het wordt ~ laat op dat feest *in any case that party will go on until late / the small hours.*
spa¹ →**spade.**
spa² ⟨de⟩ **0.1** *mineral water* ⇒*Perrier* ◆ **3.1** mag ik een ~? *may I have a Perrier / glass of m. w..*
spaak¹ ⟨de⟩ **0.1** [verbindingsstaaf in wiel] *spoke* **0.2** [hefboom] *bar* ◆ **3.1** ⟨fig.⟩ een ~ in het wiel steken *throw a spanner in the works, gum up the works;* ⟨bij iem.⟩ *put a s. in s.o.'s wheel, cook s.o.'s goose* **6.2** ~ voor het gangspil *capstan b..*
spaak² ⟨bw.⟩ ◆ **3.¶** dat huwelijk is toen ~ gelopen *that marriage failed / went wrong after that;* zo loopt de boel helemaal ~ *that's the way to make everything go wrong!* ⟨inf.⟩ mess everything up; het loopt ~ op een onbenulligheid *it is / things are going wrong;* ⟨inf.⟩ *all messed up for the most ridiculous reason;* ~ lopen *go wrong.*
spaakbeen ⟨het⟩ **0.1** *radius* ⇒*spoke-bone.*
spaakknippel ⟨de (m.)⟩ **0.1** *spoke nipple.*
spaakreflector ⟨de (m.)⟩ **0.1** *spoke reflector* ⇒*wheel reflector.*
spaakwiel ⟨het⟩ **0.1** *wheel with spokes* ⇒ ⟨van sportwagen⟩ *wire wheel.*
spaan ⟨de⟩ **0.1** [spaander] *chip (of wood)* **0.2** [keukengereedschap] *skimmer* ◆ **6.1** de kachel met spanen aanmaken *light the stove with chips of wood / kindling* **7.1** er bleef geen ~ van heel ⟨fig.⟩ *there was nothing left of it, they made matchwood out of it, it was completely demolished;* ⟨fig.⟩ geen ~ heel laten v.e. boek *tear / pull a book apart / to pieces, make mincemeat of a book* **7.¶** ik geloof er geen ~ van *I don't believe a word of it.*
spaander ⟨de (m.)⟩ ⟨→sprw. 181⟩ **0.1** *chip* ⇒*splinter* ◆ **3.1** er zullen ~s vallen ⟨er gaan koppen rollen⟩ *heads will roll;* het zal er warm toegaan ⟩ *the sparks will fly;* de ~s vlogen eraf *they were really going at it, the sparks were flying.*
spaanderplaat →**spaanplaat.**
spaanhout ⟨het⟩ **0.1** *split-wood* ⇒*splits* ⟨mv.⟩.
spaanplaat ⟨de⟩ **0.1** *chipboard.*
spaanplaatgas ⟨het⟩ **0.1** *formaldehyde.*
Spaans¹ ⟨het⟩ **0.1** *Spanish* ◆ **6.1** zeg het eens op z'n ~ / in het ~ *say it in S..*
Spaans²
I ⟨bn.⟩ **0.1** [uit Spanje] *Spanish* ◆ **1.1** ⟨cul.⟩ ~e saus *espagnole sauce;* een ~e schone *a S. beauty* **1.¶** ~e griep *Spanish flu;* ⟨gesch.⟩ ~e laar-

zen *boots;* ⟨paardendressuur⟩ ~e pas *Spanish walk, piaffer;* ~e peper *chilli, capsicum;* ⟨gesch.⟩ ~e pokken *the pox;* ~ riet *rattan;* ~e ruiter ⟨scheep.⟩ *martingale;* ⟨mil.⟩ *chevaux / cheval de frise;* de ~e wijk *the barrio;* ~e zeep *Castile Soap* **3.¶** dat is helemaal ~! *that's pushing it / things (a bit) too far* **7.1** een ~e *a S. woman / Spaniard;*
II ⟨bw.⟩ ◆ **2.¶** ik had het ~ benauwd *I was scared out of my wits* **3.¶** het ging er ~ (aan) toe *there were wild goings-on there;* dat klinkt ~ *it's Greek to me.*
spaanssprekend ⟨bn.⟩ **0.1** *Spanish-speaking* ◆ **1.1** ~ Amerika *Spanish America.*
spaaractie ⟨de (v.)⟩ **0.1** *savings campaign.*
spaarbank ⟨de⟩ **0.1** [instelling] *savings bank* **0.2** [gebouw] *savings bank* ◆ **6.1** geld op de ~ hebben *have money in a s. b. / savings account;* geld op de ~ zetten *deposit / put money in the s. b. / one's savings account;* geld van de ~ halen *withdraw / take out money from the s. b. / one's savings account.*
spaarbankboekje ⟨het⟩ **0.1** *deposit book* ⇒*savings account record.*
spaarbanktegoed ⟨het⟩ **0.1** *savings balance.*
spaarbekken ⟨het⟩ **0.1** [drinkwateropslag] *reservoir* **0.2** [mbt. een elektrische krachtcentrale] *reservoir.*
spaarbewijs ⟨het⟩ ⟨geldw.⟩ →**spaarbiljet.**
spaarbiljet ⟨het⟩ ⟨geldw.⟩ **0.1** *savings certificate.*
spaarboekje →**spaarbankboekje.**
spaarbrander ⟨de (m.)⟩ **0.1** [inrichting aan gastoestel] *economical / energy-saving burner* **0.2** [gasbrander] *pilot burner / light.*
spaarbrief ⟨de (m.)⟩ **0.1** *savings certificate* ◆ **¶.1** ~ aan toonder ≠*certificate of deposit; s. c. payable to the bearer.*
spaarbusje ⟨het⟩ **0.1** *money box.*
spaarcenten ⟨zn.mv.⟩ **0.1** *savings* ⇒ ⟨appeltje voor de dorst⟩ *nest egg.*
spaardeposito ⟨het⟩ **0.1** *savings.*
spaarder ⟨de (m.)⟩ **0.1** *saver.*
spaargeld ⟨het⟩ **0.1** *savings.*
spaarkaart ⟨de⟩ **0.1** *trading stamp book* ◆ **2.1** tegen inlevering v.e. volle ~ ontvangt u f 10 *upon receipt of a completed t. s. b. you will be given ten guilders.*
spaarkachel ⟨de (m.)⟩ **0.1** *energy-saving stove / heater.*
spaarkas ⟨de⟩ **0.1** [vorm van sparen] ᴮ*slate club* ⇒*thrift club* **0.2** [spaarbank] *savings bank.*
spaarloon ⟨het⟩ **0.1** *save-as-you-earn deduction.*
spaaroverschot ⟨het⟩ ⟨ec.⟩ **0.1** *surplus in savings.*
spaarpenning ⟨de (m.)⟩ **0.1** *savings* ⇒*nest egg.*
spaarpijp ⟨de⟩ **0.1** *coin dispenser* ⇒*pocket bank.*
spaarpot ⟨de (m.)⟩ **0.1** [spaarbusje] *money box* ⇒*piggy bank* **0.2** [gespaard geld] *savings* ⇒*nest egg* ◆ **2.2** een aardig ~je hebben *have a nice little nest egg* **3.2** een ~je aanleggen *start saving for a rainy day;* zijn ~ aanspreken *draw on one's savings.*
spaarpremie ⟨de (v.)⟩ **0.1** *bonus.*
spaarquote ⟨de⟩ **0.1** *savings ratio* ⇒*savings rate.*
spaarrekening ⟨de (v.)⟩ **0.1** *savings account* ◆ **3.1** een ~ openen *open a s. a..*
spaarrente ⟨de⟩ **0.1** *interest on savings.*
spaarsaldo ⟨het⟩ **0.1** *savings balance.*
spaartegoed ⟨het⟩ **0.1** *savings balance.*
spaartransformator ⟨de (m.)⟩ **0.1** *autotransformer.*
spaarvarken ⟨het⟩ **0.1** *piggy bank.*
spaarvlam ⟨de⟩ **0.1** *pilot flame / light.*
spaarzaam ⟨bn., bw.;-ly⟩ **0.1** [zuinig] *thrifty* ⇒*economical, frugal, sparing* **0.2** [schaars] *scanty* ⇒*skimpy, sparse* ◆ **1.1** een ~ gebruik van iets maken *use sth. sparingly;* een spaarzame huisvrouw *a t. / frugal housewife* **1.2** de spaarzame ogenblikken dat er iets gebeurde *the few instances in which sth. happened;* zijn spaarzame probeersels / mededelingen *his occasional experiments / announcements;* spaarzame verlichting *scanty lighting* **2.2** een ~ bevolkt gebied *a sparsely populated area* **3.1** hij is erg ~ met zijn lof *he's awfully sparing in his praise, he doesn't just hand out compliments;* ~ leven *live economically / frugally;* ~ met iets omgaan *use sth. very sparingly;* ~ zijn met informatie *give scanty information;* ~ zijn met zijn woorden *not waste words, be a man / woman of few words* **3.2** de doodstraf wordt ~ toegepast *the death-penalty is seldom imposed.*
spaarzaamheid ⟨de (v.)⟩ **0.1** *thrift* ⇒*frugality.*
spaarzegel ⟨de (m.)⟩ **0.1** *trading stamp* ◆ **2.1** met gratis ~s *with free trading stamps.*
spaat ⟨het⟩ **0.1** *spar.*
spade ⟨de⟩ **0.1** *spade* ⇒*shovel* ◆ **2.1** twee ~n diep *two spits deep* **7.1** de eerste ~ in de grond steken *break ground, cut the first sod.*
spadrille ⟨de⟩ **0.1** *espadrille.*
spagaat ⟨de (m.)⟩ **0.1** *splits* ◆ **3.1** een ~ maken *do the s..*
spaghetti ⟨de (m.)⟩ **0.1** *spaghetti* ◆ **1.1** een ~ *a strand of s..*
spaghettivreter ⟨de (m.)⟩ ⟨bel.⟩ **0.1** *Eyetie* ⇒*Wop.*
spaken ⟨ov.ww.⟩ **0.1** *spoke.*
spakerig ⟨bn.⟩ **0.1** [uitgedroogd] *dry (as a bone)* ⇒*arid* **0.2** [mbt. de lucht] *hazy* ◆ **1.1** een ~ keel *a dry throat, a throat as dry as a bone.*
spalier ⟨het⟩ **0.1** *espalier.*

spalierboom ⟨de (m.)⟩ **0.1** *espalier.*
spalk ⟨de⟩ **0.1** [⟨med.⟩] *splint* **0.2** [hout om iets open te houden] *prop.*
spalken
  I ⟨ov.ww.⟩ **0.1** [⟨med.⟩] *splint* ⇒*put in splints* **0.2** [openhouden] *prop open* ♦ **1.1** een gebroken been ~ *s. a broken leg;*
  II ⟨onov.ww.⟩ **0.1** [splijten] *split.*
spalkverband ⟨het⟩ **0.1** *splint bandage.*
spallatie ⟨de (v.)⟩ **0.1** *spallation.*
span
  I ⟨het⟩ **0.1** [mbt. trekdieren] *team* ⇒*yoke* **0.2** [mbt. personen] *couple* ⇒*pair,* ⟨meer dan twee⟩ *team* **0.3** [mbt. zaken] *pair* ⇒*couple* ♦ **1.1** een mooi ~ paarden *a pretty t. of horses* **2.2** een aardig~(netje) *a nice c., a pretty/fine pair;*
  II ⟨de⟩ **0.1** [afstand tussen duim en pink] *span* **0.2** [tijdsruimte] *span* **0.3** [raam en touw van spanzaag] *frame* ♦ **1.2** een ~ne tijds *a short/brief s. of time.* **2.2** een korte ~ne *a brief/short s. of time.*
spanbeton ⟨het⟩ **0.1** *prestressed concrete.*
spandiensten ⟨zn.mv.⟩ ♦ **1.** ¶ hand- en ~verrichten *lend a helping hand.*
spandoek ⟨het, de (m.)⟩ **0.1** *banner* ♦ **3.1** een ~ met zich meedragen *carry a b..*
spandraad ⟨de (m.)⟩ **0.1** *guy* ⇒*stay.*
spanen ⟨bn.⟩ **0.1** *made of split-wood.*
spang ⟨de⟩ **0.1** [gesp, knip] *clasp* **0.2** [haak] *hook.*
spanhaak ⟨de (m.)⟩ **0.1** *tenter(hook).*
spanhout ⟨het⟩ **0.1** [spanlatje] *wedge* **0.2** [v.e. gat voorzien houtje] *swivel.*
spaniël ⟨de (m.)⟩ **0.1** *spaniel.*
Spanjaard ⟨de (m.)⟩, **Spaanse** ⟨de (v.)⟩ **0.1** *Spaniard.*
Spanje ⟨het⟩ **0.1** *Spain.*
spanjolet ⟨de⟩ **0.1** *espagnolette.*
Spanjool ⟨de (m.)⟩ ⟨bel.⟩ **0.1** ⟨vnl. AE⟩ *spic(k), spig, spik* ⟨ook S-⟩.
spankeren ⟨onov.ww.⟩ ⟨inf.⟩ **0.1** *cut and run* ⇒*make tracks.*
spankracht ⟨de⟩ **0.1** [kracht die door trekking/druk werkt] *tension* **0.2** [veerkracht] *elasticity* **0.3** [uitzettingskracht] *expansibility, expansion force* ♦ **1.2** de ~ v.d. spieren *muscle tone.*
spanlaken ⟨het⟩ **0.1** *straitjacket.*
spanlijn ⟨de⟩ **0.1** *guy-rope* ⇒*stay.*
spanne → **span**.
spannen ⟨→sprw. 77,489⟩
  I ⟨ov.ww.⟩ **0.1** [strak trekken] *stretch, tighten* **0.2** [uitrekken] *stretch* **0.3** [de volle kracht in werking stellen] *strain* **0.4** [door strak (uit)zetten vormen] *stretch* **0.5** [vastmaken] *harness* ⇒*yoke, hitch* **0.6** [twee poten aan elkaar vastbinden] *bind* ♦ **1.1** een draad/snaar ~ *s. / t. a string/chord;* op het gespannen koord dansen *dance on a/the tightrope;* zijn spieren ~ *tense/flex one's muscles* **1.2** (de streng/pees van) een boog ~ *bend/draw a bow;* de haan van een geweer ~ *cock a rifle* **1.3** met gespannen aandacht iets volgen *listen to/with every nerve, follow sth. intently* **1.4** een boog/gewelf ~ *span an arch/a vault;* een dak/kap ~ *tress/span a roof;* een net ~ *spread a net;* een tent ~ *pull the tent ropes up tightly, set the fly-ropes of a tent* **1.** ¶ dat spant de kroon *that takes the cake;* zij leven met elkaar op gespannen voet *their relationship is strained/tense* **4.5** ⟨fig.⟩ als hij er zich voor spant *if he takes the matter in hand/puts his mind to it* **5.** ¶ haar verwachtingen waren te hoog gespannen *she had pitched her expectations too high* **6.5** ⟨fig.⟩ het paard/de paarden **achter** de wagen ~ *put/set the cart before the horse;* ⟨fig.⟩ iem. **voor** zijn karretje ~ *make good use/a convenience of s.o.;* een paard **voor** een wagen ~ *harness/hitch/put a horse to a cart/carriage;*
  II ⟨onov.ww.⟩ **0.1** [nauw sluiten] *be (too) tight* ⇒*fit tightly* **0.2** [mbt. rupsen] *inch;*
  III ⟨onp.ww.⟩ **0.1** [spannend zijn] *be tense* ♦ **3.1** als het er gaat ~ *if it is going to be tense/hot there* **4.1** het zal erom ~ of het lukt *that will be no easy task/matter;* het zal erom spannen wie er wint *it will be a close /tight match/race* **5.1** het zal erom ~ *it will/is going to be tight/close.*
spannend ⟨bn.⟩ **0.1** *tense* ⇒*thrilling, exciting, engrossing* ♦ **1.1** ~e boeken *exciting/engrossing/suspenseful books;* een ~ ogenblik *a tense/an exciting moment;* een ~ verhaal *a thrilling/suspenseful/an exciting/engrossing story;* een ~ wedstrijd *a tense/an exciting match.*
spanner ⟨de (m.)⟩ **0.1** [werktuig] *fastener* ⇒⟨van schoenen⟩ *shoetree* **0.2** [spier] *tensor* **0.3** [⟨vnl. mv⟩ spanrupsvlinder] *geometrid* ⇒*inchworm, spanworm, measuring worm, looper.*
spanning ⟨de (v.)⟩ **0.1** [het strak trekken/getrokken zijn] *tension* ⇒*strain* **0.2** [druk, geladenheid] *tension* ⇒*stress, strain, agitation* **0.3** [factoren waardoor de aandacht gespannen blijft] *tension, suspense* **0.4** [toestand die tot een uitbarsting dreigt te leiden] *tension* ⇒*strain* **0.5** [⟨elek.⟩] *tension* ⇒*electric potential, voltage, charge* **0.6** [⟨nat.⟩ druk] *tension* ⇒*pressure* **0.7** [⟨nat.⟩ kracht] *tension* **0.8** [afstand tussen twee steunpunten] *span* ♦ **1.1** de ~ van een snaar *a string's t.* **1.3** ~en sensatie *excitement and s.* **1.5** een ~ van 10.000 Volt *a charge of 10,000 volts* **2.6** stoom van hoge ~ *high-pressure steam* **3.2** de ~ viel van haar af *there/that was a load off of her shoulders/back* **3.3** de ~ stijgt *the t. mounts* **3.5** op het lichtnet staat ~ *there's high t. on the electric mains;* er staat ~ op *it's (a) live (wire)* **3.6** de ~ verminderen de-

crease the t. / *pressure* **5.2** ze zaten vol ~ te wachten *they were waiting anxiously* **6.2** in ~ iets afwachten *anxiously await sth.;* iem. in ~ houden *keep s.o. in suspense;* in ~ zitten *be on tenterhooks/in suspense;* met ~ naar iets uitkijken *await/look forward to sth. anxiously* **6.5** onder ~ staan *be live;* iets onder ~ zetten *put sth. under pressure/strain.*
spanningsboog ⟨de (m.)⟩ ⟨tech.⟩ **0.1** *voltage/current curve.*
spanningscoëfficiënt ⟨de (m.)⟩ ⟨tech.⟩ **0.1** *coefficient of pressure.*
spanningsleer ⟨de⟩ ⟨nat.⟩ **0.1** *tonometry.*
spanningsmeter ⟨de (m.)⟩ **0.1** ⟨elek.⟩ *voltmeter;* ⟨gas, damp⟩ *tonometer;* ⟨druk⟩ *pressure gauge;* ⟨autoband⟩ *tyre/^tire gauge.*
spanningsrail ⟨de⟩ **0.1** *spotlight rail.*
spanningsregelaar ⟨de (m.)⟩ ⟨tech.⟩ **0.1** *voltage regulator.*
spanningsveld ⟨het⟩ ⟨vnl. fig.⟩ **0.1** *area/field of tension* ♦ **6.1** het ~ tussen Amerika en Rusland *the area of tension between America and Russia.*
spanningsverlies ⟨het⟩ ⟨tech.⟩ **0.1** *loss of voltage/tension* ⇒*voltage loss.*
spanningsverschil ⟨het⟩ ⟨tech.⟩ **0.1** *difference in voltage* ⇒*potential difference.*
spanningzoeker ⟨de (m.)⟩ ⟨tech.⟩ **0.1** *test lamp* ⇒*tester.*
spanplaat ⟨de⟩ **0.1** *clamping plate.*
spanraam ⟨het⟩ **0.1** [raam waarop iets gespannen wordt] *stretcher* **0.2** [machine] *tenter* ♦ **1.1** ~ v.e. weefgetouw *s. on a loom.*
spanrib ⟨de⟩ [bouwk.] **0.1** *rafter;* ⟨steunbalk voor spant⟩ *collar (beam).*
spanrups(vlinder) ⟨de (m.)⟩ →**spanner 0.3**.
spanschroef ⟨de⟩ **0.1** [bout] *turnbuckle* ⇒*tightening screw* **0.2** [⟨scheep.⟩] *bottle screw.*
spant ⟨het⟩ **0.1** [schuine balk] *rafter* ⇒*truss* **0.2** [metalen profielbalk] *frame* ⇒*rib.*
spanvisserij ⟨de (v.)⟩ **0.1** *pair trawling.*
spanwijdte ⟨de (v.)⟩ **0.1** [mbt. een overspanning] *span* **0.2** [mbt. een vogel/vliegtuig] *wingspan* ⟨ihb. v.e. vliegtuig⟩; *wingspread* ⟨ihb. v.e. vogel⟩.
spanzaag ⟨de⟩ **0.1** *frame saw* ⇒*bow saw.*
spanzeil ⟨het⟩ **0.1** [spanlaken] *straightjacket* **0.2** [springzeil] *fireman's net, jumping sheet/net* ⇒⟨AE ook⟩ *life net.*
spar ⟨de (m.)⟩ **0.1** [naaldboom] *spruce* **0.2** [spant] *rafter* ♦ **2.1** grove ~ *Scots/Scotch fir/pine.*
sparappel ⟨de (m.)⟩ **0.1** *fir-cone.*
spardek ⟨het⟩ **0.1** *spar deck.*
sparen ⟨→sprw. 123,557⟩
  I ⟨onov., ov.ww.⟩ **0.1** [bewaren] ⟨onov. ww.⟩ *save (up);* ⟨ov. ww.⟩ *save (up)* ⇒*put away/aside/by, set aside* ♦ **5.1** actief ~ *save regularly;* automatisch ~ *save-as-you-earn* **6.1** ~ voor de oude dag *put sth. aside/ save for one's old age;* voor een nieuwe auto ~ *save up for a new car;*
  II ⟨ov.ww.⟩ **0.1** [zuinig zijn met] *save* ⇒*spare,* †*husband* **0.2** [be/uitsparen] *save* **0.3** [verzamelen] *collect* **0.4** [niet doden] *spare* ⇒*save* **0.5** [behoeden voor] *spare* ⇒*save* ♦ **1.1** de kritiek werd haar niet gespaard *she was not spared the criticism* **1.2** je kunt je die moeite ~ *s. yourself the trouble, don't bother* **1.4** (het leven van) de terrorist/stier ~ *spare the terrorist/bull('s life)* **1.5** spaar me de details/die verhalen maar *spare me the details/those stories, all right?* **4.4** de dood spaart niemand *death spares no-one.*
sparregroen ⟨het⟩ **0.1** *evergreen branches* ⇒*Christmas greenery.*
sparrehout ⟨het⟩ **0.1** *fir/spruce/Scotch fir (wood).*
sparrekegel ⟨de (m.)⟩ **0.1** *fir-cone.*
sparren ⟨onov.ww.⟩ ⟨sport⟩ **0.1** ⟨alg.⟩ *work out;* ⟨vechtsporten⟩ *spar.*
sparrenbos ⟨het⟩ **0.1** *fir/spruce/Scotch fir wood.*
Spartaan ⟨de (m.)⟩ **0.1** [inwoner van Sparta] *Spartan* ⇒*Laconian, Lacedaemonian* **0.2** [gehard persoon] *Spartan.*
Spartaans ⟨bn., bw.⟩ **0.1** [als een Spartaan] ⟨bn.⟩ *Spartan;* ⟨bw.⟩ *like a Spartan* **0.2** [streng] ⟨bn.⟩ *Spartan;* ⟨bw.⟩ *strictly* ⇒*soberly, rigorously, austerely* ♦ **1.2** een ~ opvoeding *a S. upbringing;* ~e zeden *S. morals.*
spartelen ⟨onov.ww.⟩ **0.1** [met armen en benen heen en weer slaan] *flounder* ⇒*flap, thrash about* **0.2** [mbt. vissen] *flounder* ♦ **6.1** het kleine kind spartelt in het water *the little child splashes/thrashes about in the water;* op de grond liggen te ~ *thrash about on the ground* **6.2** de vissen spartelden op het droge *the fish floundered on dry land.*
spartelgras ⟨het⟩ **0.1** *esparto (grass).*
spartelvijver ⟨de (m.)⟩ **0.1** *wading/splashing pond.*
spasme ⟨het⟩ ⟨med.⟩ **0.1** *spasm* ⇒*paroxysm.*
spasmisch ⟨bn., bw.;-ally⟩ **0.1** *spasmodic* ⇒*paroxysmal, paroxysmic.*
spasmodisch ⟨bn., bw.;-ally⟩ **0.1** *spasmodic.*
spasmogeen¹ ⟨het⟩ **0.1** *spasmogenic (drug).*
spasmogeen² ⟨bn.⟩ **0.1** *spasmogenic.*
spasticiteit ⟨de (v.)⟩ ⟨med.⟩ **0.1** *spasticity.*
spastisch ⟨bn., bw.;-ally⟩ **0.1** [⟨med.⟩] *spastic* ⇒*spasmodic* **0.2** [krampachtig, benepen] *spastic* ♦ **1.1** ~e kinderen *spastic children;* ~e paralyse *spastic paralysis;* ~e verlamming *cerebral palsy* **3.2** je moet niet zo ~ doen! *you're/stop acting like a spastic.*
spat ⟨de⟩ **0.1** [spetter] *splash* ⇒*drop, blob* **0.2** [vlek] *stain* ⇒*speck, spot* ♦ **3.2** de ~ten zitten op het raam *the spots/specks are on the window*

6.1 ~ten **op** zijn kleren, bril *splashes/drops on one's clothes/glasses* **7.¶** ⟨inf.⟩ er is geen~ van waar *there's not a speck/scrap of truth in it;* zij is in al die jaren geen~ veranderd *she hasn't changed a/one (little) bit in all those years;* geen~ uitvoeren *not do a stroke of work.*

spatader ⟨de⟩ **0.1** *varicose vein* ⇒*varix.*

spatbord ⟨het⟩ **0.1** *mudguard* ⇒⟨auto⟩ *wing,* ^*fender,* ⟨auto, kar⟩ *splashboard.*

spatel ⟨de⟩ **0.1** [spaan] *spatula* ⇒*slice, palette knife, scoop* **0.2** [strijkmes] *spatula* ◆ **6.2** zalf opbrengen **met** een ~ *put cream/salve on with a s..*

spatiaal ⟨bn.⟩ **0.1** *spatial.*

spatie ⟨de (v.)⟩ **0.1** [tussenruimte tussen letters] *space* ⇒*spacing, interspace* **0.2** [⟨muz.⟩] *space* **0.3** [⟨druk.⟩] *space bar* ◆ **6.1** iets typen **zonder/met** een~ *type sth. without/with interspacing.*

spatiebalk ⟨de (m.)⟩ **0.1** *space bar, spacer.*

spatiëren ⟨ov.ww.⟩ **0.1** [ruimte tussen letters aanbrengen] *space* ⇒*interspace* **0.2** [breder uiteendrukken] *interspace* **0.3** [mbt. geboorten in een gezin] *space out.*

spatiëring ⟨de (v.)⟩ **0.1** *spacing.*

spatietoets ⟨de (m.)⟩ **0.1** *space bar/key.*

spatieus ⟨bn., bw.;-ly⟩ ⟨schr.⟩ **0.1** ⟨ongemarkeerd⟩ *spacious, roomy, expansive.*

spatje ⟨het⟩ ⟨inf.⟩ **0.1** *nip (of geneva).*

spatjes ⟨zn.mv.⟩ ⟨inf.⟩ ◆ **3.¶** ~ hebben/maken *make/kick up a fuss/ trouble.*

spatlap ⟨de (m.)⟩ **0.1** *mud flap.*

spatscherm ⟨het⟩ **0.1** *splashboard* ⇒⟨vero.⟩ *dashboard.*

spatten
  I ⟨onov.ww.⟩ **0.1** [in kleine deeltjes wegspringen] *splash* ⇒*splutter, sputter, splatter* ◆ **1.1** vonken ~ in het rond *sparks sputtered all around* **6.1** er is verf **op** mijn kleren gespat *some paint has splashed on my clothes* **¶.1** uit elkaar ~ *burst;*
  II ⟨onov., ov.ww.⟩ **0.1** [nat maken] *splash* ⇒*splutter, splatter, sputter* **0.2** [kleine deeltjes laten wegspringen] *splutter* ⇒*splatter, sputter, spatter* ◆ **2.1** iem. nat ~ *get s.o. wet* **5.1** spat niet zo! *stop sputtering!* **6.1** zij spatte (mij) **met** water in mijn gezicht *she splashed/spattered/ sputtered water in my face* **6.2** inkt **op** iets ~ *spatter/splatter ink on sth..*

spatting ⟨de (v.)⟩ **0.1** [het spatten] *splashing* ⇒*spurting, spattering, sputtering* **0.2** [⟨scheep.⟩] *splaying* **0.3** [⟨spoorw.⟩] *spreading/ splaying.*

spawater ⟨het⟩ **0.1** *mineral water.*

SPD ⟨afk.⟩
  I ⟨de (v.)⟩ **0.1** [Sozialdemocratische Partei Deutschlands] *SPD* ⟨*Social-Democratic Party of Germany*⟩;
  II ⟨het⟩ **0.1** [staatspraktijk-diploma] ≠*HND* ⟨*Higher National Diploma*⟩;
  III ⟨de (m.)⟩ **0.1** [sociaal-psychiatrische dienst] ⟨*social-psychiatric service*⟩.

specerij ⟨de (v.)⟩ **0.1** *spice* ⇒*seasoning, condiment.*

specerijeilanden ⟨zn.mv.⟩ **0.1** *Spice Islands.*

specerijenhandel ⟨de (m.)⟩ **0.1** *spice trade.*

specht ⟨de (m.)⟩ **0.1** *woodpecker* ◆ **2.1** de grote/kleine bonte ~ *the great /lesser spotted w.;* de groene/zwarte ~ *the green/black w..*

speciaal
  I ⟨bn.⟩ **0.1** [bijzonder] *special* ⇒*extraordinary, exceptional, unusual, unique* ◆ **1.1** een speciale aanbieding *a s. offer, budget prices, package deal;* een ~ geval *a s./ an extraordinary/exceptional/unusual case;* in dit speciale geval *in this particular case;* niet om een speciale reden *for no particular reason* **4.1** zij heeft iets~s *she has sth. different/out of the ordinary;*
  II ⟨bw.⟩ **0.1** [met name] *especially* ⇒*particularly, specially, specifically* ◆ **3.1** ik doel ~ op hem *I mean him in particular, I'm aiming at him in particular;* ~ gebouwd/vervaardigd *purpose-built/-made;* ik heb daar niet ~ op gelet *I didn't pay particular attention to it;* ~ ingezette bussen *extra buses.*

speciaalzaak ⟨de⟩ **0.1** *specialist shop/*^*store.*

specialisatie ⟨de (v.)⟩ **0.1** [het zich specialiseren/gespecialiseerd zijn] *specialization* **0.2** [deel van een kennisgebied] *speciality* ⇒*specialty, specialism.*

specialiseren ⟨wk.ww.; zich ~⟩ **0.1** *specialize* ◆ **6.1** zij heeft zich gespecialiseerd **in** internationaal recht *she has specialized in international law;* hij gaat zich ~ **in** de interne geneeskunde *he's going to s. in internal medecine.*

specialisme ⟨het⟩ **0.1** *specialism* ⇒*speciality, specialty.*

specialist ⟨de (m.)⟩ **0.1** [expert] *specialist* ⇒*expert, authority* **0.2** [arts] *specialist* **0.3** [winkelier] *specialist* ◆ **3.2** een ~ raadplegen *consult a s..*

specialistenwerk ⟨het⟩ **0.1** *a job/work for a specialist/an expert.*

specialistisch ⟨bn., bw.⟩ **0.1** *specialistic, specialist* ◆ **1.1** ~e kennis *specialist knowledge* **3.1** onze~denkende geneeskunde *our specialist-oriented medicine.*

spécialité ⟨de⟩ **0.1** *branded/trademarked drug* ◆ **¶.¶** ~ de la maison *speciality/*^*specialty of the house.*

specialiteit ⟨de (v.)⟩ **0.1** [vakgebied] *speciality* ⇒*specialty, specialism, department, expertise,* ⟨inf.⟩ *bag* **0.2** [produkt] *speciality* ⇒*specialty* ◆ **2.2** de culinaire ~ en v.c. streek *the culinary specialities/specialties of the region;* een plaatselijke ~ *a local speciality/specialty* **3.1** zijn ~ is letterkunde *his speciality/specialty/specialism is literature, he has specialized in literature.*

specialiteitenrestaurant ⟨het⟩ **0.1** *gourmet restaurant, high-class restaurant.*

specialiter ⟨bw.⟩ ⟨schr.⟩ **0.1** ⟨ongemarkeerd⟩ *especially* ⇒*specially, particularly, specifically.*

specie ⟨de (v.)⟩ **0.1** [cement, mortel] *cement* ⇒*mortar, slurry* **0.2** [gemunt geld] *coin* ⇒*specie* **0.3** [mengsel voor gieten op persen] *type metal* **0.4** [door uitgraven/baggeren verkregen grond] *spoil* ⇒*dredgings* ◆ **6.2 in** ~ *in specie/cash.*

speciebriefje ⟨het⟩ **0.1** *specified list of specie.*

speciemolen ⟨de (m.)⟩ **0.1** *cement/concrete mixer.*

species ⟨de (v.)⟩ **0.1** *species.*

specificatie ⟨de (v.)⟩ **0.1** [gesplitste opgave] *specification* ⇒⟨bouwk.⟩ *specifications,* ⟨inf.⟩ *spec(k)s, breakdown* **0.2** [⟨jur.⟩ zaakvorming] *specification* ◆ **1.1** ~ van de inventaris *specification of the inventory;* ~ van een nota vragen *request the specification of a bill.*

specificeren ⟨ov.ww.⟩ **0.1** *specify* ⇒*itemize, particularize* ◆ **1.1** een gespecificeerde opgave *a specified/an itemized return/statement* **5.1** nader/niet nader specificeren de verklaring *a more detailed explanation, an explanation with no further detail.*

specificiteit ⟨de (v.)⟩ **0.1** *specificity* ⇒*particularity.*

specifiek
  I ⟨bn.⟩ **0.1** [typisch] *specific* ⇒*particular* **0.2** [stuk voor stuk behandelend] *specific* ⇒*explicit* **0.3** [soortelijk] *specific* ◆ **1.1** lachen is een ~ kenmerk v.d. mens *laughter is a feature s. to humans/a specifically human feature/characteristic;*
  II ⟨bw.⟩ **0.1** [typisch] *specifically* ⇒*particularly, definitely, typically* **0.2** [in afzonderlijke onderdelen] *specifically* ⇒*explicitly* **0.3** [nadrukkelijk] *specifically* ⇒*explicitly.*

specimen ⟨het⟩ **0.1** *specimen* ⇒*exemplar, example, sample.*

spectaculair ⟨bn.⟩ **0.1** *spectacular* ⇒*sensational.*

spectraal ⟨bn.⟩ **0.1** *spectral.*

spectraalanalyse ⟨de (v.)⟩ **0.1** *spectrum analysis.*

spectrofotometer ⟨de (m.)⟩ **0.1** *spectrophotometer.*

spectrograaf ⟨de (m.)⟩ **0.1** *spectroheliograph.*

spectrografie ⟨de (v.)⟩ **0.1** *spectrography.*

spectrografisch ⟨bn., bw.;-ally⟩ **0.1** *spectrographic.*

spectrogram ⟨het⟩ **0.1** *spectrogram.*

spectrometer ⟨de (m.)⟩ **0.1** *spectrometer.*

spectrometrie ⟨de (v.)⟩ **0.1** *spectrometry.*

spectroscoop ⟨de (m.)⟩ **0.1** *spectroscope.*

spectroscopie ⟨de (v.)⟩ **0.1** *spectroscopy.*

spectrum ⟨het⟩ **0.1** [kleurenband] *spectrum* **0.2** [⟨fig.⟩] *spectrum* ⇒*range, variety, choice* ◆ **1.1** de kleuren v.h. ~ *the colours of the s.* **2.1** continu ~ *continuous s.* **2.2** een breed ~ van mogelijkheden *a wide range of possibilities* ◆ de plaats v.e. partij in het politieke ~ *a party's position in the political s..*

spectrumlijn ⟨de (v.)⟩ **0.1** *spectrum line.*

speculaas ⟨het, de (m.)⟩ **0.1** ≠*spiced biscuit* ◆ **1.1** een pop van ~ ≠*gingerbread man* **2.1** gevulde ~ ≠*cake filled with almond paste.*

speculaasje ⟨het⟩ **0.1** ≠*spiced biscuit/*^*cookie.*

speculaaskruiden ⟨zn.mv.⟩ ⟨cul.⟩ **0.1** *mixed spices.*

speculaasplank ⟨de⟩ **0.1** *carved wooden biscuit/*^*cookie mould.*

speculaaspop ⟨de⟩ **0.1** ≠*gingerbread man.*

speculant ⟨de (m.)⟩ **0.1** *speculator* ⇒ ↓*scalper,* ↓*plunger,* ↓*punter* ◆ **2.1** kleine ~ en *small-time speculators* **¶.1** ~ à la baisse *bear;* ~ à la hausse *bull.*

speculatie ⟨de (v.)⟩ **0.1** [veronderstelling] *speculation* ⇒*theory, theorization, conjecture, assumption, supposition* **0.2** [⟨hand.⟩] *speculation* ⇒*gamble, flier, venture* **0.3** [⟨fil.⟩] *speculation* ◆ **6.1** ~s **over** de reden van haar afwezigheid *speculations on the reason for her absence* **6.2 op** ~ kopen *buy on s./a gamble.*

speculatiebouw ⟨de (m.)⟩ **0.1** *speculative building.*

speculatief ⟨bn., bw.;-ly⟩ **0.1** [op veronderstelling berustend] *speculative* ⇒*theoretical, tentative* **0.2** [⟨hand.⟩] *speculative* ⇒*risky* **0.3** [⟨fil.⟩] *speculative* ⇒*meditative* ◆ **1.1** een zeer speculatieve verklaring *an extremely s./theoretical statement* **1.2** de speculatieve fondsen *s. stocks/securities* **1.3** speculatieve filosofie *metaphysics, s. philosophy* **3.2** zijn geld ~ beleggen *invest one's money on speculation.*

speculatiegeest ⟨de (m.)⟩ **0.1** *speculative spirit.*

speculatiewinst ⟨de (v.)⟩ **0.1** *profits from speculation* ⇒⟨inf.⟩ *scoop.*

speculeren ⟨onov.ww.⟩ **0.1** [⟨+op⟩ gokken op] *speculate (on/upon/ about)* **0.2** [veronderstellen] *speculate* ⇒*theorize, conjecture, suppose, assume* **0.3** [⟨hand.⟩] *speculate* ⇒*gamble, operate,* ↓*plunge* **0.4** [⟨fil.⟩] *speculate* ⇒*theorize* ◆ **1.4** de ~ de wijsbegeerte *the speculative philosophy* **6.1** hij speculeert **op** de goedgelovigheid van de mensen *he speculates on the trustfulness of people* **6.2** er is veel gespeculeerd **over** de oorzaken van deze mislukking *there has been much specula-*

tion on the cause of this failure **6.3 in** kolen~*s.* / *gamble in coal* ¶.3 à la baisse/ à la hausse ~ *bear, bull.*

speculum 〈het〉〈med.〉 **0.1** *speculum.*

speech 〈de (m.)〉 **0.1** *speech* ⇒*toast* ◆ **3.1** een ~ afsteken *deliver/ give/ make a s.;* 〈op bruiloft enz. ook〉 *make a toast.*

speechen 〈onov.ww.〉 **0.1** *deliver/ give/ make a speech* ⇒〈pej.〉 *speechify* ◆ **5.1** er werd veel gespeecht *many speeches were made, there were many speeches.*

speedboot 〈de (m.)〉 **0.1** *speedboat* ⇒*motorboat, hydroplane.*

speeksel 〈het〉 **0.1** *saliva* ⇒ ↓*spit,* ↓*spittle,* ↓*slobber* ◆ **2.1** nuchter ~ *morning saliva/ mouth.*

speekselafscheiding 〈de (v.)〉 **0.1** *secretion of saliva.*

speekselklier 〈de〉 **0.1** *salivary gland.*

speekselpompje 〈het〉 **0.1** *suction pump.*

speelautomaat 〈de (m.)〉 **0.1** *slot machine* ⇒*one-armed bandit, fruit machine, gambling machine.*

speelavond 〈de (m.)〉 **0.1** [mbt. spel] *play-night* **0.2** [mbt. optreden] *night of performance.*

speelbaar 〈bn.〉 **0.1** *performable* ⇒〈muz.〉 *playable,* 〈toneel〉 *actable* ◆ **5.1** dit toneelstuk is goed ~ *this play acts well/ is very actable.*

speelbal 〈de (m.)〉 **0.1** [bal om mee te spelen] *(playing) ball* **0.2** [weerloos slachtoffer] *plaything* ⇒*toy, sport* **0.3** [〈biljart〉] *cue ball* ◆ **1.2** hij is de ~ v.d. fortuin *he's the p. of fortune;* het schip was de ~ v.d. golven *the ship was the waves' p.* **6.2** hij gebruikt hem tot zijn ~ *he uses him as his p./ toy.*

speelbank 〈de〉 **0.1** *casino* ⇒*gambling/ gaming house,* 〈mbt. bingo〉 *bingo hall.*

speelbeurt 〈de〉 **0.1** *turn.*

speelbord 〈het〉 **0.1** *games' board.*

speelclub 〈de〉 **0.1** *games club.*

speeldag 〈de (m.)〉 **0.1** [mbt. spel] *sports-day, games day* ⇒*day of the match* **0.2** [mbt. optreden] *day of performance.*

speeldoos 〈de〉 **0.1** [muziekdoos] *music(al) box* **0.2** [speelgoeddoos] *toy box.*

speelduivel 〈de (m.)〉 **0.1** *gambling fever* ◆ **6.1** hij is van de ~ bezeten *he's an addicted gambler, he's got g.f., he's hooked on gambling.*

speelduur 〈de (m.)〉 **0.1** [tijd dat iets speelt] *playing time, duration of (the) performance* **0.2** [wedstrijdduur] *playing time* ⇒*length of play* ◆ **2.1** verlengde ~ *extended play* **2.2** de reglementaire ~ is voorbij *official time is up;* 〈bij voetbal ook〉 *the ninety minutes are up.*

speelfilm 〈de (m.)〉 **0.1** *(feature) film;* 〈AE ook〉 *movie* ⇒*motion picture,* 〈BE; inf.〉 *picture.*

speelgelegenheid 〈de (v.)〉 **0.1** [gelegenheid om te spelen] *opportunity for playing/ gambling* **0.2** [plaats] *casino* ⇒*gambling/ gaming house,* 〈mbt. bingo〉 *bingo hall.*

speelgoed 〈het〉 **0.1** [voorwerpen waarmee kinderen spelen] *toy(s)* ⇒ *plaything(s)* **0.2** [〈fig.〉] *plaything(s)* ⇒*toy(s)* ◆ **1.1** een stuk ~ *a toy/ plaything* **2.1** mechanisch/ opwindbaar ~ *clockwork toys.*

speelgoedafdeling 〈de (v.)〉 **0.1** *toy department.*

speelgoedbeer 〈de (m.)〉 **0.1** *teddy/ toy bear, teddy.*

speelgoedbeest 〈het〉 **0.1** *toy animal.*

speelgoedhandel 〈de (m.)〉 **0.1** [speelgoedwinkel] *toy shop* **0.2** [handel in speelgoed] *toy trade.*

speelgoedkist 〈de〉 **0.1** *toybox* ⇒*playbox.*

speelgoedtrein 〈de (m.)〉 **0.1** *(toy) train* ⇒*train set.*

speelgoedwinkel 〈de (m.)〉 **0.1** *toyshop.*

speelhal 〈de〉 **0.1** *amusement arcade.*

speelhelft 〈de〉 **0.1** [helft van een veld] *end* **0.2** [helft van de speelduur] *half* ◆ **2.1** de spelers op de andere ~ *the players upfield/ at the other end (of the field).*

speelhol 〈het〉 **0.1** *gambling/ gaming den/* 〈vero.〉 *hell.*

speelhuis 〈het〉 **0.1** *gambling/ gaming house.*

speelhuisje 〈het〉 **0.1** *play/ Wendy house.*

speelkaart 〈de〉 **0.1** *playing card.*

speelkalender 〈de (m.)〉 **0.1** *fixtures list.*

speelkamer 〈de〉 **0.1** [vertrek voor kinderen] *playroom* **0.2** [ruimte voor de beiaardier] *carillonneur's room.*

speelkameraad 〈de (m.)〉 **0.1** *playfellow, playmate.*

speelklok 〈de〉 **0.1** *musical/ chiming clock.*

speelkwartier 〈het〉 **0.1** 〈voor jonge kinderen〉 *playtime;* 〈voor oudere leerlingen〉 *break* ⇒*interval.*

speelleerklas 〈de (v.)〉 **0.1** ≠*infant class;* 〈class which bridges the gap between the nursery and primary school〉.

speellokaal 〈het〉 **0.1** [op school] *games room* **0.2** [goklokaal] *gaming/ gambling room.*

speelmakkertje →**speelkameraad.**

speelman 〈de (m.)〉 **0.1** *minstrel* ⇒*troubadour, street musician* ◆ **3.1** de ~ zit bij hen nog op het dak *they are still on (their) honeymoon.*

speelpakje 〈het〉 **0.1** *playsuit* ⇒*romper, (pair of) rompers.*

speelplaats 〈de〉 **0.1** *playground, play area* ◆ **6.1** op de ~ *in the playground.*

speelplan 〈het〉 **0.1** *repertoire* ⇒*repertory.*

speelplein →**speelplaats.**

speelpop 〈de〉 **0.1** [pop waarmee een kind speelt] *doll* ⇒〈handpop, marionet〉 *puppet* **0.2** [〈fig〉 speelbal] *puppet* ⇒*toy, plaything.*

speelruimte 〈de (v.)〉 **0.1** [ruimte tussen constructiedelen] *play* ⇒*space* **0.2** [〈fig.〉] *latitude* ⇒*margin, scope* **0.3** [plaats om te spelen] *play area, room to play* ◆ **3.1** ~ hebben *(have some) play* **3.2** ~ geven *leave some elbowroom, allow full play.*

speels

I 〈bn.〉 **0.1** [dartel] *playful* ⇒*frolicsome, sportive,* 〈inf.〉 *larky,* 〈vnl. dier〉 *frisky* **0.2** [luchtig] *playful* ⇒*light(-hearted), jocular, comic, humorous* **0.3** [grillig] *fanciful, whimsical* **0.4** [bronstig] *rutting, on heat* ⇒*ruttish* ◆ **1.3** de ~e gang van de verbeelding *the w. course of imagination;* ~e versieringen/ lijnen *f. decorations/ lines;*

II 〈bw.〉 **0.1** [als spel] *playfully* **0.2** [grillig] *fancifully, whimsically.*

speelschuld 〈de〉 **0.1** *gambling/ gaming debt.*

speelseizoen 〈het〉 **0.1** *season.*

speelsgewijs 〈bw.〉 **0.1** *playfully.*

speelsheid 〈de (v.)〉 **0.1** [dartelheid] *playfulness* ⇒*larkishness, sportiveness* **0.2** [luchtigheid] *playfulness* ⇒*popularity, light-heartedness* **0.3** [bronstigheid] *rut, heat* ⇒*ruttishness* ◆ **6.1** uit ~ *playfully, in play.*

speelstraat 〈de〉 **0.1** *play/ pedestrian area.*

speelstuk 〈het〉 **0.1** [toneelstuk] *acting play* **0.2** [stuk dat bij het spelen tot zijn recht komt] *acting/ actor's play* ⇒*real theatre.*

speeltafel 〈de〉 **0.1** [tafel voor een kansspel] *gaming table* **0.2** [tafeltje voor kaartspel] *card table* **0.3** [klavier] *console.*

speelterrein 〈het〉 **0.1** *playground* ⇒*playing field, recreation area.*

speeltijd 〈de (m.)〉 **0.1** [tijd voor spelen bestemd] *playtime* **0.2** [speelduur] *playing time* ⇒*period* **0.3** [tijd waarin dieren bronstig zijn] *mating/ courtship period* ⇒*rut.*

speeltje 〈het〉〈inf.〉 **0.1** *(little) toy.*

speeltuig 〈het〉 **0.1** [speelgoed] *toys* ⇒*playthings* **0.2** [stuk speelgoed] *toy, plaything.*

speeltuin 〈de (m.)〉 **0.1** *playground* ⇒*recreation area.*

speeluur 〈het〉 **0.1** [uur waarin kinderen spelen] *playtime* ⇒*play-hour* **0.2** [mbt. batterijen] *hour (of life).*

speelveld 〈het〉 **0.1** [sportveld] *(sports/ playing) field, pitch* **0.2** [speelweide] *playground* ⇒*recreation area.*

speelverbod 〈het〉〈sport〉 **0.1** *suspension.*

speelvogel 〈de (m.)〉〈AZN〉 **0.1** *playful child* ⇒*madcap, live wire.*

speelweide 〈de〉 **0.1** *playing field.*

speelwerk 〈het〉 **0.1** *chime(s), chiming mechanism.*

speelwijze 〈de〉 **0.1** *(style of) play, way of playing.*

speelzaal 〈de〉 **0.1** [zaal voor kinderspelen] 〈in huis〉 *playroom;* 〈kinderopvang〉 *play group; nursery* **0.2** [zaal voor kansspelen] *gambling/ gaming room(s)/ hall.*

speelziek 〈bn.〉 **0.1** *playful* ⇒*sportive, frolicsome,* 〈vnl. dier〉 *frisky.*

speelzucht 〈de〉 **0.1** *compulsion to gamble, compulsive gambling* ⇒*passion for gambling.*

speen 〈de〉 **0.1** [dop op een zuigfles] ^B*dummy,* ^A*pacifier* ⇒〈AE; inf.〉 *nipple,* 〈BE ook〉 *(rubber) teat* **0.2** [tepel] *teat;* 〈van mensen〉 *nipple.*

speenkruid 〈het〉〈plantk.〉 **0.1** *lesser celandine* ⇒*pilewort.*

speentijd 〈de (m.)〉 **0.1** *weaning time.*

speenvarken 〈het〉 **0.1** *sucking pig.*

speer 〈de〉 **0.1** [lans] *spear* ⇒〈werpspeer〉 *javelin* **0.2** [bloeiwijze] *spear* ◆ **6.1** met een ~ doorboren/ steken *spear.*

speerdistel 〈de〉 **0.1** *spear thistle.*

speerhaai 〈de (m.)〉 **0.1** *spiny dogfish.*

speerhaak 〈de (m.)〉 **0.1** *two-horned anvil.*

speermaat 〈de〉 **0.1** *gauge.*

speerpunt 〈de〉 **0.1** [punt van een speer] *spearhead* **0.2** [innoverend element] *spearhead* ◆ **1.2** de ~en van een beleid/ van een actie *the spearheads of a policy/ movement;* de ~ van onze onderneming *the s. of our enterprise.*

speerpuntactie 〈de (v.)〉 **0.1** *spearhead action;* 〈korte staking〉 *warning strike.*

speerpuntenbeleid 〈het〉〈pol.〉 **0.1** *policy of encouraging spearhead/ new-venture industries.*

speerpuntindustrie 〈de (v.)〉 **0.1** *spearhead industry/ industries.*

speerwerpen 〈ww.〉 **0.1** *throw(ing) the javelin* ◆ **7.1** het ~ winnen *win the javelin (event).*

speerwerper 〈de (m.)〉, **-werpster** 〈de (v.)〉 **0.1** *javelin thrower.*

speet 〈de〉 **0.1** *spit* ⇒*skewer.*

speetaal 〈de (m.)〉 **0.1** *spitchcock.*

spek 〈het〉 **0.1** [laag vast vet] *bacon* 〈gezouten, gerookt〉; *pork* 〈vers〉; 〈mbt. mensen〉 *fat; blubber* 〈van walvissen; scherts. mbt. mensen〉 **0.2** [〈druk.〉] *beard* **0.3** [〈kind.〉 spekkie] 〈→*spekkie*〉 ◆ **1.** ¶ voor ~ en bonen meedoen/ erbij zitten *count for nothing* **2.1** plakje doorregen ~ *rasher (of bacon);* ongezouten ~ *green bacon* **6.1** doorrijgen/ bedekken met ~ *lard;* ~ op de ribben hebben *be fat/ fleshy* **6.** ¶ met ~ schieten *tell a tall story, romance, boast;* dat is geen ~ je voor je bekje *that is meat for your master, that is not for (the likes of) you.*

spekachtig 〈bn.〉 **0.1** [lijkend op spek] *bacony* **0.2** [〈med.〉] *lardaceous, fatty* ◆ **1.2** ~e ontaarding van lever/ milt/ nieren *l./ f. degeneration of the liver/ spleen/ kidneys.*

spekbokking ⟨de (m.)⟩ **0.1** *fat bloater.*
spekboon ⟨de⟩ **0.1** *bush bean.*
spekbuik ⟨de (m.)⟩ **0.1** *potbelly, paunch.*
spekdief ⟨de (m.)⟩ **0.1** [mager persoon] *beanpole, bag of bones;* ⟨vrouw, meisje ook⟩ *skinny Lizzie* **0.2** [langpootmug] *daddy longlegs.*
speken ⟨onov.ww.⟩ ⟨AZN⟩ **0.1** *spit.*
spekglad ⟨bn.⟩ **0.1** *(very / extremely) slippery* ⇒ ⟨wegen ook⟩ *greasy.*
spekhaak ⟨de (m.)⟩ **0.1** *bacon hook.*
spekhals →**speknek.**
spekjood ⟨de (m.)⟩ ⟨bel.⟩ **0.1** *lapsed Jew.*
spekken ⟨ov.ww.⟩ **0.1** *lard* ◆ **1.1** (fig.) iemands beurs ~ *line s.o.'s purse;* vlees ~ *l. meat* **6.1** (fig.) zijn verhaal *met* anekdotes ~ *l. / spice one's story with anecdotes.*
spekkie ⟨het⟩ **0.1** ≠*marshmallow.*
spekkig ⟨bn.⟩ **0.1** [ranzig] *rancid* **0.2** [vet] *greasy.*
spekkoper ⟨de (m.)⟩ ◆ **2.¶** 't is een hele ~ ⟨hij heeft geld⟩ *he is not short of money, he does all right (for himself);* ⟨hij heeft veel praats⟩ *he is quite a boaster / braggart.*
speklap ⟨de (m.)⟩ **0.1** *slice /* ⟨dun en doorregen⟩ *rasher of bacon.*
speklucht ⟨de⟩ **0.1** *smell of bacon.*
speknek ⟨de (m.)⟩ **0.1** [vette nek] *fat neck* **0.2** [persoon] *fat neck.*
spekpannekoek ⟨de (m.)⟩ **0.1** *froise.*
spekslager ⟨de (m.)⟩ **0.1** *pork-butcher.*
spekslagerij ⟨de (v.)⟩ **0.1** *pork butcher's (shop).*
speksnijder ⟨de (m.)⟩ **0.1** [iem. die spek van walvissen snijdt] *whale-cutter* **0.2** [vreemd persoon] *queer customer* ◆ **2** 2 een rare ~ ⟨ook⟩ [B]*an odd fish,* [A]*an oddball.*
speksteen
  I ⟨het, de (m.)⟩ **0.1** [gesteente] *soapstone* ⇒*steatite* ◆ **2.¶** Chinese ~ *pagoda stone, pagodite;*
  II ⟨de (m.)⟩ **0.1** [stuk speksteen] *piece of soapstone / steatite.*
speksteenpoeder ⟨het, de (m.)⟩ **0.1** *steatite powder.*
spektakel ⟨het⟩ **0.1** [schouwspel] *spectacle* ⇒*show* **0.2** [opschudding] *uproar* ⇒*tumult, fuss, hubbub* **0.3** [lawaai] *racket* ⇒*din* **0.4** [⟨AZN⟩ scheldwoord voor vrouwen] *shrew, fishwife* ◆ **2.3** een hels / oorverdovend ~ *a racket of noise, the hell of a noise* **3.1** het ~ is afgelopen *the show is over* **3.2** ~ maken *kick up a row / fuss;* het was / gaf me een ~ *it was a tremendous fuss.*
spektakelstuk ⟨het⟩ **0.1** *pageant (play)* ⇒*show(-piece).*
spekvet¹ ⟨het⟩ **0.1** *bacon fat.*
spekvet² ⟨bn.⟩ **0.1** *fat as bacon.*
spekzool ⟨de⟩ **0.1** *crepe sole.*
spekzwoerd ⟨het⟩ **0.1** *pork- / bacon-rind.*
spel ⟨het, de (m.)⟩ →sprw. 544) **0.1** [bezigheid ter ontspanning] *game* ⇒ ⟨kansspel⟩ *gambling, gaming* **0.2** [partij, wedstrijd] *game* ⇒*match* **0.3** [spelbenodigdheden] *game* ⇒*pack / deck of cards* ⟨kaarten⟩, *set* ⟨schaken, dammen⟩ **0.4** [wijze van bezig zijn] *play* **0.5** [toneelstuk] *play* **0.6** [wijze van acteren] *acting* ⇒*performance* **0.7** [wijze van bewegen, zich gedragen] *play* **0.8** [wijze van muziek maken] *playing* ⇒*execution, performance* **0.9** [speling] *play* ◆ **1.2** brood en ~ *en bread and circuses* **2.2** [kaartspel] een goed / sterk ~ in handen hebben *have a good hand;* een mooi ~ hebben *put up a good g.;* de Olympische ~en *the Olympic games;* ⟨thans ook⟩ *the Olympics;* volgend ~! *next deal!* **2.4** gemakkelijk ~ hebben met iem. *easily get the better of s.o.;* goed ~ (te zien) geven *give a good performance;* grof ~ spelen *play high;* hoog ~ spelen *play for high stakes;* open ~ spelen *put one's cards on the table;* vals ~ *cheating;* vuil / onsportief ~ *foul p.* **2.6** stil ~ *silent action, by-play* **2.7** vrij ~ hebben *have free p. / full scope* **3.2** het ~ beëindigen *draw stumps;* doe je ook een ~ letje mee? *do you want to join in / play?;* het ~ gewonnen geven *accede / admit defeat, give up the g. as lost;* ⟨fig.⟩ gewonnen ~ hebben *have made it;* het ~ in handen hebben *hold all the cards;* ⟨fig.⟩ hat ~ is verloren *the g. is up;* ⟨fig.⟩ het ~ meespelen *muck in, get one's feet wet;* het ~ staat gelijk *the scores are even, the score is even / level* **3.4** het ~ heeft nu wel lang genoeg geduurd *this has gone on long enough* **3.5** ⟨fig.⟩ zijn ~ goed / knap spelen *play one's cards well* **5.1** dit gevecht is maar ~ *this fight is all put on / all an act* **6.4** kinderen **bij** het / hun ~ *children at p.* **6.¶** buiten ~ blijven *stay / keep out of it;* in het ~ zijn *be involved;* ⟨het onderwerp vormen⟩ *be in question / at stake;* de hand mee in het ~ hebben *have a hand in the matter / a finger in the pie;* er is een vergissing in het ~ *there is an error somewhere;* alles op het ~ zetten *stake / hazard everything;* zijn leven op het ~ zetten *risk / stake one's life;* uw toekomst staat op het ~ *your future is at stake* **¶.¶** het ~ is aan de gang ⟨iron.⟩ *now the fun is starting, the game is on.*
spelbederf ⟨het⟩ ⟨sport⟩ **0.1** ≠*unsportsmanlike play /* ⟨van één speler⟩ *conduct.*
spelbederver ⟨de (m.)⟩ →**spelbreker.**
spelbehoefte ⟨de (v.)⟩ **0.1** *need to / for play.*
spelbepalend ⟨bn.⟩ **0.1** *key* ◆ **1.1** een ~e middenvelder *a key midfielder.*
spelbepaler ⟨de (m.)⟩ **0.1** *key player.*
spelboekje ⟨het⟩ **0.1** *spelling book* ⇒*speller.*
spelbreker ⟨de (m.)⟩, **-breekster** ⟨de (v.)⟩ **0.1** [mbt. een spel] *spoilsport* **0.2** [⟨fig.⟩] *spoilsport* ⇒*killjoy* ◆ **7.2** ik wil geen ~ zijn, maar ... *I don't*

mean to be a s. / don't want to spoil your fun, but ... **8.2** het plotseling opkomende onweer trad als ~ op *the sudden thunderstorm ruined everything / the game.*
spelcassette ⟨de⟩ **0.1** *computer game cassette.*
spelcomputer ⟨de (m.)⟩ **0.1** *games computer.*
speld ⟨de⟩ **0.1** [als naaigerei] *pin* **0.2** [broche] *pin* ⇒*brooch* **0.3** [haarspeld] *(hair)pin, hairgrip, hairclip;* ⟨BE ook⟩ *hair slide* ◆ **3.1** ⟨fig.⟩ men kon er een ~ horen vallen *you could have heard a pin drop* **6.1** ⟨fig.⟩ dat is zoeken naar een ~ in een hooiberg *that's like looking for a needle in a haystack* **7.1** ⟨fig.⟩ daar is geen ~ tussen te krijgen *there's no flaw in that argument, the reasoning is watertight;* ⟨er is geen woord tussen te krijgen⟩ *you can't get a word in edgeways;* ⟨fig.⟩ dat is een redenering waar geen ~ tussen te krijgen is *that is close reasoning / a watertight case.*
speldeknop ⟨de (m.)⟩ **0.1** [bolletje] *pin-head* **0.2** [bijna niets] *pin-head* ◆ **8.1** zo groot als een ~ *the size of a p.-h..*
spelden ⟨ov.ww.⟩ **0.1** *pin* ◆ **1.1** een zoom ~ *p. (up) a hem* **6.1** ⟨fig.⟩ iem. iets op de mouw ~ *gull s.o.;* ⟨sl.⟩ *put one over on s.o..*
speldenkoker ⟨de (m.)⟩ **0.1** *pin-box.*
speldenkussen ⟨het⟩ **0.1** *pin-cushion.*
speldeprik ⟨de (m.)⟩ **0.1** [prik met een speld] *pin-prick* ⇒*pin-hole* **0.2** [hatelijke opmerking] *pin-prick* **0.3** [vijandige handeling] *provocation* ◆ **3.2** iem. ~ken geven *pin-prick s.o., stick pins into s.o.;* ~ken uitdelen *needle (s.o.), hit out.*
speldje ⟨het⟩ **0.1** [kleine speld] *pin* **0.2** [insigne] *badge* ⇒*tag* **0.3** [schildje met tekst / afbeelding] *button, badge.*
spelelement ⟨het⟩ **0.1** *creative play* ◆ **3.1** het ~ terugbrengen in het voetbal *play a creative game.*
spelen →sprw. 7,431)
  I ⟨onov., ov.ww.⟩ **0.1** [zich (met een spel) vermaken] *play* **0.2** [toneelspelen] *act* ⇒*play* **0.3** [bespelen] *play* **0.4** [uitvoeren] *play* ⇒*perform* **0.5** [in beweging brengen, opwerpen] *play* **0.6** [van invloed zijn] *be of importance* ⇒*count* ◆ **1.1** blindemannetje ~ *p. blindman's buff;* ⟨fig.⟩ open kaart ~ *put / lay (all) one's cards on the table, show one's cards;* ⟨fig.⟩ hoog spel ~ *p. high* **1.2** ⟨fig.⟩ komedie ~ *play on / take advantage of s.o.'s vanity* **1.3** de eerste viool ~ ⟨fig.⟩ *he is / plays first fiddle* **1.5** ⟨kaartspel⟩ troef ~ *p. trump(s)* **1.6** dat speelt geen rol *that is of no importance* **1.¶** mooi weer ~ *make a show of friendliness* **3.4** de fanfare begon het volkslied te ~ *the brass band struck up the national anthem* **5.1** al ~d leren *pick sth. up as you go along;* ⟨methode⟩ *learn through play* **5.2** beter ~ dan iem. *outplay s.o., p. better than s.o.;* ⟨fig.⟩ ga jij maar buiten ~ *go fly a kite, (go and) take a running jump, run off and play (sonny enz.);* grof ~ *play high;* vals ~ *cheat* **5.3** vals ~ *p. out of tune* **5.6** dat speelt niet meer *that is no longer of any importance / no longer an / at issue;* die kwestie speelt nog steeds *that matter is still undecided, that is still an (important) issue* **6.1** ⟨kaartspel⟩ *naar* de heer toe ~ *lead up to the king;* ⟨fig.⟩ met iem. onder één hoedje spelen *be hand in glove with s.o. / in league with s.o.;* ver *onder* zijn niveau ~ *p. well below one's level / out of one's league;* ⟨fig.⟩ op de man ~ ⟨sport⟩ *hack, chop;* ⟨fig.⟩ *get personal;* iem. de bal *voor* de voeten ~ *p. up front* **6.2** ⟨fig.⟩ op de tribune ~ *p. up to the spectators* **6.3** iets **uit** het hoofd ~ *p. sth. from memory / (off) by heart;* iets van het blad ~ *p. sth. at sight, sight-read sth.* **6.4** deze radio speelt ook **op** batterijen *this radio works on / off batteries too* **6.¶** **op** safe ~ *p. safe;* **op** zijn poot ~ *kick up a fuss / row, cut up rough;*
  II ⟨ov.ww.⟩ **0.1** [zich voordoen als] *play* **0.2** [aanpakken] *play* ◆ **1.1** de baas ~ *dominate, domineer, lord it (over s.o.);* de baas over iem. proberen te ~ *try coming the boss with s.o., try to boss s.o. about;* de mooie, dure meneer ~ *act grand, p. the fine gentleman;* de mevrouw ~ tegenover iem. *queen it over s.o.* **5.2** we hadden het anders moeten ~ *we should have tackled it differently* **6.1** voor Sinterklaas ~ ⟨lett.⟩ *p. Santa Claus;* ⟨fig.⟩ *scatter presents left and right;*
  III ⟨onov.ww.⟩ **0.1** [plaatsvinden] *be set (in)* ⇒*take place (in)* **0.2** [sollen] *play (with)* ⇒*trifle (with)* **0.3** [zich in wisselende vormen vertonen] *play* **0.4** [doelloos bezig zijn] *play (with)* ⇒*toy, fiddle, fidget (with)* **0.5** [speels omgaan met] *play (with)* ⇒*toy (with)* **0.6** [speling vertonen] *play* **0.7** [de troef bepalen] *play* **0.8** [speculeren] *speculate, gamble* ⇒*bank* ◆ **1.2** het is alsof de duivel ermee speelt *it's as if the devil had a hand in it* **1.¶** er speelde een glimlach om haar mond *a smile played about her lips* **6.1** de film speelt in New York *the film is set in New York* **6.2** hij laat niet **met** zich ~ *he won't be trifled with;* **met** vuur ~ ⟨fig.⟩ *p. with fire, dice with death;* **met** iemands gevoelens ~ *trifle with s.o.'s feelings* **6.3** het speelt me **door** de geest *it's running through my mind;* zijn woorden bleven haar **door** het hoofd ~ *his words kept going round and round her head;* de wind speelde **met** haar haren *the wind played / was playing with her hair* **6.4** nerveus **met** een paperclip ~ *fiddle / play nervously with a paperclip* **6.5** **met** de gedachte spelen om ... *toy with the idea of (doing enz.), flirt the idea of* ... **8.¶** **op** rijzing, **op** daling ~ *speculate on a rise / fall;* **op** iemands ijdelheid ~ *play on / take advantage of s.o.'s vanity.*
spelenderwijs ⟨bw.⟩ **0.1** *without effort* ⇒*with (the greatest of) ease* ◆ **3.1** hij leert ~ *his lessons are mere child's play to him;* ~ promotie maken *get promotion without exerting o.s..*

speleologie ⟨de (v.)⟩ **0.1** *speleology* ⇒⟨AE ook⟩ *spelunking*, ⟨BE ook⟩ *potholing*.
speleologisch ⟨bn.⟩ **0.1** *speleological*.
speleoloog ⟨de (m.)⟩ **0.1** *speleologist* ⇒⟨AE ook⟩ *spelunker*, ⟨BE ook⟩ *potholer*.
speler ⟨de (m.)⟩, **speelster** ⟨de (v.)⟩ **0.1** [iem. die sport beoefent] *player* **0.2** [acteur, actrice] *player* ⇒*actor* ⟨m.⟩, *actress* ⟨v.⟩ **0.3** [deelnemer aan een gezelschapsspel] *player* **0.4** [gokker] *gambler* ⇒*gamester* **0.5** [muzikant] *player* ⇒*musician* ♦ **2.2** de gezamenlijke ~s *the cast/ company* **7.1** een van de ~s moest het veld verlaten *one of the players was sent off*.
spelerstunnel ⟨de (m.)⟩ ⟨sport⟩ **0.1** *players' tunnel*.
speler-trainer ⟨de (m.)⟩ **0.1** *player-coach*.
spelevaart ⟨de (v.)⟩ **0.1** *boating*.
spelevaren ⟨onov.ww.⟩ **0.1** *go boating* ♦ **6.1** aan het ~ zijn *be out boating*.
spelfase ⟨de (v.)⟩ **0.1** *phase of the game* ⇒*stage in the game*.
spelfout ⟨de (v.)⟩ **0.1** *spelling mistake*.
speling ⟨de (v.)⟩ **0.1** [grillige beweging, uiting] *play* ⇒*freak* **0.2** [vrije beweging] *play* **0.3** [speelruimte] *play* ⇒⟨mbt. machines⟩ *backlash* **0.4** [marge] *margin* ⇒*tolerance, latitude* ♦ **1.1** de ~en van licht en schaduw *the play of light and shade;* door een ~ van het lot *by some whim of fate;* een ~ van de natuur *a freak of nature* **1.4** een maand ~ voor onvoorziene gebeurtenissen *a m. of a month for contingencies* **3.2** het touw heeft niet genoeg ~ *the rope does not have enough p./ slack*.
spelinzicht ⟨het⟩ **0.1** *insight into the game* ♦ **3.1** veel ~ hebben *(be able to) read the game well,* ᴬ*have a field eye;* geen ~ hebben *lack insight into the game*.
spelkunst ⟨de (v.)⟩ **0.1** *orthography* ⇒*spelling*.
spelleider ⟨de (m.)⟩, **-ster** ⟨de (v.)⟩ **0.1** [mbt. spel/sport] *instructor* ⇒ ⟨op school⟩ *games master* ⟨m.⟩, *games mistress* ⟨v.⟩, ⟨mbt. TV-programma⟩ *emcee,* ⟨mbt. quiz⟩ *quizmaster, question master* **0.2** [regisseur] *producer* ♦ **3.1** als ~ optreden in een programma *emcee/host (a programme)*.
spelleiding ⟨de (v.)⟩ **0.1** [mbt. spel/sport] *conduct of the game* **0.2** [regie] *production*.
spellen ⟨ov.ww.⟩ **0.1** [letters in volgorde opnoemen] *spell* **0.2** [aandachtig lezen] *peruse, study (closely)* ♦ **1.1** hoe spelt hij zijn naam? *how does the s. his name?* **1.2** een brief/de krant ~ *read a letter/the newspaper word by word* **1.9** ¶ ⟨AZN⟩ iem. de les ~ *rebuke s.o., read s.o. a lecture* **5.1** een woord verkeerd ~ *misspell a word* **6.1** dat wordt met hoofdletters gespeld *that is written in capitals* ¶.**1** van achteren naar voren ~ *s. backward(s)*.
spelletje ⟨het⟩ **0.1** [spel] *game* **0.2** [partijtje] *game* ♦ **1.2** een ~ golf *a round of golf* **3.1** ergens een ~ van maken *take/treat sth. lightly, make light work of sth.;* een ~ spelen met iem. ⟨fig.⟩ *give s.o. the run-around, have a little g. with s.o.*.
spelling ⟨de (v.)⟩ **0.1** [systeem] *spelling* ⇒*orthography* **0.2** [schrijfwijze] *spelling* **0.3** [het spellen] *spelling* ♦ **1.2** de ~ van een woord vragen *ask how to spell a word* **2.1** fonologische ~ *phonological s.;* de moderne ~ *modern s.* **6.3** moeite hebben met ~ *have difficulty with s.*.
spellingbeeld ⟨het⟩ **0.1** *written form*.
spellingscommissie ⟨de (v.)⟩ **0.1** *spelling committee*.
spellingskwestie ⟨de (v.)⟩ **0.1** *spelling question, question of spelling* ⇒*spelling problem*.
spellingsleer ⟨de⟩ **0.1** *orthography*.
spelling(s)regel ⟨de (m.)⟩ **0.1** *spelling/orthographic(al) rule*.
spellinguitspraak ⟨de⟩ **0.1** *spelling pronunciation*.
spellingwet ⟨de (v.)⟩ **0.1** *spelling legislation*.
spelmaker ⟨de (m.)⟩ **0.1** *key player*.
spelmethode ⟨de (v.)⟩ **0.1** *orthographical method*.
spelmoment ⟨het⟩ **0.1** [moment in spel] *moment of play, stage in the game* **0.2** [speelse factor] *element of play* ♦ **2.1** scoren uit een dood ~ *score after an interruption of play;* prachtige ~en *highlights* **6.2** het ~ in de cultuur *the element of play in culture*.
spelonderbreking ⟨de (v.)⟩ **0.1** *interruption of play,* ᴬ*time out* ♦ **6.1** er was een ~ van 5 minuten *play was interrupted for 5 minutes*.
spelonk ⟨de⟩ **0.1** *cave* ⇒*cavern*.
spelonkachtig ⟨bn.⟩ **0.1** [als een spelonk] *cavernous* **0.2** [vol spelonken] *cavernous*.
spelopbouw ⟨de (m.)⟩ **0.1** *build-up* ♦ **3.1** zich met de ~ bemoeien *help build up the attack*.
spelotheek ⟨de (m.)⟩ **0.1** *toy library*.
speloverzicht ⟨het⟩ **0.1** *game/field sense,* ᴬ*field eye* ♦ **3.1** een goed ~ hebben *read the game well,* ᴬ*have a field eye*.
spelpeil ⟨het⟩ **0.1** *standard of play* ⇒*level of the game* ♦ **3.1** het ~ verhogen *improve the standard of play*.
spelprogramma ⟨het⟩ **0.1** *game show* ⇒*quiz (programme/*ᴬ*show)* ⟨met vragen⟩.
spelregel ⟨de (m.)⟩ **0.1** [regels van een spel] *rule of play/the game* **0.2** [spellingregel] *rule of spelling* ♦ **2.1** ⟨fig.⟩ de parlementaire ~s *the parliamentary rules of the game* **3.1** je moet je aan de ~s houden *you*

---

must stick to/comply with the rules; de ~s overtreden *break the rules (of the game)* **6.1** volgens de ~s *by the book, in accordance with the rules (of play);* dat is niet helemaal volgens de ~s *this is not entirely as it should be* ¶.**1** de ~s niet in acht nemen *ignore the rules (of play)*.
spelreglement ⟨het⟩ **0.1** *rules of the game*.
spelsituatie ⟨de (v.)⟩ **0.1** *situation in the game* ♦ **3.1** snel op bepaalde ~s reageren *adapt/react quickly to certain situations (when playing/in the game)*.
spelt ⟨de⟩ **0.1** *spelt*.
speltechniek ⟨de (v.)⟩ **0.1** *technique* ⇒*play*.
speltechnisch ⟨bn.; bw.;-ly⟩ **0.1** *technical* ♦ **1.1** de ~e kant van het voetbal *the technical side of football*.
speltempo ⟨het⟩ ⟨sport⟩ **0.1** *pace/tempo (of play)*.
speltheorie ⟨de (v.)⟩ **0.1** *game(s) theory, theory of the game*.
speltherapeut ⟨de (m.)⟩ **0.1** *play therapist*.
speltherapie ⟨de (v.)⟩ **0.1** *play therapy*.
spelvaardigheid ⟨de (v.)⟩ **0.1** *playing skill, expertise*.
spelverdeler ⟨de (m.)⟩, **-deelster** ⟨de (v.)⟩ ⟨sport⟩ **0.1** *schemer, key player*.
spelverruwing ⟨de (v.)⟩ **0.1** *increasingly rough play*.
spelvreugde ⟨de (v.)⟩ **0.1** *pleasure in the game* ♦ **3.1** de ~ verdwijnt *the pleasure in the game is lost*.
spelwoord ⟨het⟩ **0.1** *key word*.
spenderen ⟨ov.ww.⟩ **0.1** *spend (on)* ⇒*expend (on)* ♦ **1.1** tijd ~ aan iets *s. time on sth., give time to sth.;* een vermogen ~ aan een bruiloft/hobby *lash out/s. a fortune on a wedding/hobby* **5.1** ik wil er niet veel aan ~ *I don't want to s. much on/pay much for it* **6.1** veel geld en moeite **aan** iets ~ *expend a lot of money and effort on/devote a lot of money and effort to sth.*.
spenen ⟨ov.ww.⟩ **0.1** [niet meer zogen] *wean (off)* **0.2** [het begeerde onthouden] *wean (from)* **0.3** [vis van grondsmaak ontdoen] *rinse* **0.4** [zaailingen uitplanten] *plant out* ⇒*prick out* ♦ **6.2** van iets gespeend zijn/blijven *(have to) do without sth.;* hij is geheel **van** humor gespeend *he lacks all sense of humour;* zich **van** iets ~ *abstain from sth.;* ⟨inf.⟩ *lay off sth.*.
sperboom ⟨de (m.)⟩ **0.1** *barrier*.
sperma ⟨het⟩ **0.1** *sperm* ♦ **3.1** zijn ~ laten invriezen *have one's s. frozen*.
spermabank ⟨de (v.)⟩ **0.1** *sperm bank*.
spermaceti ⟨de (m.)⟩ **0.1** *spermaceti (wax)*.
sperma(ceti)olie ⟨de⟩ **0.1** *sperm-oil*.
spermacide[1] ⟨het⟩ ⟨med.⟩ **0.1** *spermicide*.
spermacide[2] ⟨bn.⟩ ⟨med.⟩ **0.1** *spermicidal*.
spermadonor ⟨de (m.)⟩ **0.1** *semen/artificial insemination donor*.
spermalab ⟨het⟩ ⟨med.⟩ **0.1** *semen laboratory*.
spermarietje ⟨het⟩ ⟨med.⟩ **0.1** *semen phial/vial*.
spermatide ⟨de (m.)⟩ **0.1** *spermatid* ⇒*spermatoblast*.
spermatocyt ⟨de (m.)⟩ ⟨biol.⟩ **0.1** *spermatocyte*.
spermatogenese ⟨de (v.)⟩ ⟨biol.⟩ **0.1** *spermatogenesis*.
spermatozoïde ⟨de (v.)⟩ ⟨plantk.⟩ **0.1** *spermatozoid*.
spermatozoön ⟨het⟩ ⟨biol.⟩ **0.1** *sperm(atozoon)*.
spermine ⟨het⟩ **0.1** *spermine*.
spermiogenese ⟨de (v.)⟩ ⟨biol.⟩ **0.1** *spermiogenesis*.
sperren ⟨ov.ww.⟩ **0.1** [wijd openzetten] *open wide* ⇒*distend* **0.2** [versperren] *block (up)* ⇒*bar, abstruct* ♦ **1.1** de kaken/de ogen ~ *open the jaws wide, distend the eyes* **1.2** een doorgang ~ *obstruct a passage;* de weg ~ *block/close off the road*.
spertijd ⟨de (m.)⟩ **0.1** *curfew* ⇒*closing time,* ⟨mbt. energieverbruik⟩ *economy time*.
spervuur ⟨het⟩ **0.1** *barrage* ⇒*curtain fire* ♦ **1.1** een ~ van vragen *a b. of questions*.
sperwer ⟨de (m.)⟩ **0.1** *sparrow hawk*.
sperwerachtigen ⟨zn.mv.⟩ **0.1** *sparrow hawks*.
sperwersblik ⟨de (m.)⟩ **0.1** *hawk-/eagle-eye* ♦ **6.1** met ~ *hawk-/eagle-/ falcon-eyed*.
sperzieboon ⟨de⟩ **0.1** *French bean* ⇒*green bean,* ⟨AE ook⟩ *snap bean*.
spes patriae ⟨de (v.)⟩ **0.1** *our young hopefuls* ⇒*the rising generation*.
spet ⟨de⟩ →**spetter 0.1.**
spetten ⟨onov.ww.⟩ →**spetteren 0.2.**
spetter ⟨de (m.)⟩ **0.1** [spat] *spatter* ⇒*sp(l)utter* ⟨heet vet, vuur⟩, *splash* ⟨flink⟩ **0.2** [⟨inf.⟩ erg knappe persoon] *stunner* ⇒*dish, bit, eyeful* ⟨vrouw⟩, *hunk* ⟨man⟩, ⟨vnl. AE;sl.⟩ *hunk, eye-filler*.
spetteren ⟨onov.ww.⟩ **0.1** [wegspringen] *sp(l)atter* ⇒*sp(l)utter, crackle* ⟨geluid⟩ **0.2** [spatten] *sp(l)atter* ⇒*sp(l)utter,* ⟨met water⟩ *splash*.
speurder ⟨de (m.)⟩ **0.1** *detective* ⇒*investigator,* ⟨scherts. ook⟩ *sleuth, private eye,* ⟨AE;inf.⟩ *hawkshaw, Sherlock (Holmes)*.
speurdersoog ⟨het⟩ **0.1** *sharp eye* ⇒*keen nose* ♦ **3.1** een ~ hebben *be a sharp/keen observer*.
speurdersverhaal ⟨het⟩ **0.1** *detective story*.
speuren
I ⟨ov.ww.⟩ **0.1** [bemerken] *detect* ⇒*sense,* ⟨fig. ook⟩ *smell, sniff out* ♦ **1.1** onraad ~ *d./sense trouble/danger;* ⟨inf.⟩ *smell a rat;*
II ⟨onov.ww.⟩ **0.1** [onderzoekend kijken] *investigate* ⇒*hunt, search, explore* **0.2** [opsporingswerk doen] *investigate* ⇒*track, trail,* ⟨inf.⟩

snoop ◆ **6.1 naar** iets ~ *hunt / search for sth., track sth. down, ferret out sth.*.

speurhond 〈de (m.)〉 **0.1** [hond] *tracker (dog)* ⇒*bloodhound, sleuth-(hound), ranger* 〈vnl. jacht〉, *trailer* **0.2** [〈scherts.〉 detective] *bloodhound* ⇒*tracker, trailer, sleuth(hound)* ◆ **1.2** Himmlers ~en *Himmler's bloodhounds*.

speurneus 〈de (m.)〉 **0.1** [fijne neus] *keen nose* **0.2** [persoon] *sleuth* ⇒ *Sherlock (Holmes)*, 〈AE; inf.〉 *Pinkerton*.

speurtocht 〈de (v.)〉 **0.1** *search* ⇒*quest, hunt* ◆ **3.1** een ~ houden *hunt, organize a hunt / search*.

speurwerk 〈het〉 **0.1** [werk van een speurder] *investigation* ⇒*detection, detective work* **0.2** [research] *research (work)* ⇒*inquiry* ◆ **2.2** fundamenteel ~ *fundamental r.*.

speurzin 〈de (m.)〉 **0.1** *sense of detection* ⇒*keen nose*.

S.P.I. 〈afk.〉 **0.1** [Standaard Produkt Informatie] *'S.P.I.'* 〈(consumer) product information〉.

spiccato 〈bw.〉 〈muz.〉 **0.1** *spiccato*.

spicht 〈de (m.)〉 **0.1** *beanpole*.

spichtig 〈bn., bw.〉 **0.1** [lang en dun] *lanky* ⇒*spindly* 〈benen〉, *weedy, skinny, angular* **0.2** [smal en puntig] *spiky* ⇒*wispy, spidery* 〈handschrift〉 ◆ **1.1** een ~ gezicht *a pinched face;* een ~ meisje *a skinny girl*.

spie 〈de〉 **0.1** [pen] *pin* ⇒*peg, key* **0.2** [wig] *gib* ⇒*wedge, spline* 〈glijspie〉 **0.3** [〈inf.〉 geld] *tin* ⇒*dough,* 〈sl.〉 *brass,* 〈AE ook〉 *dime, cent* ◆ **1.1** ~en contraspie *gib and cotter* **3.3** ik heb geen ~ meer *I haven't got a bean / a dime, I'm penniless*.

spiebout 〈de (m.)〉 **0.1** *cotter*.

spieden 〈onov.ww.〉 **0.1** *spy* ⇒*peer, peep, peek* ◆ **3.1** ~d om zich heen kijken *look furtively around, peer around* **6.1** in het rond ~ *peer around*.

spiegat 〈het〉 **0.1** 〈tech.〉 *keyhole*.

spiegel 〈de (m.)〉 **0.1** [weerkaatsend voorwerp] *mirror* ⇒*(looking-)glass, cheval glass* 〈staande〉, 〈med.〉 *speculum* **0.2** [〈schr.〉 voorbeeld] *example* **0.3** [〈fig.〉] *mirror* ⇒*reflection* **0.4** [spiegelend oppervlak] *mirror* ⇒*surface* **0.5** [〈med.〉 gehalte] *level* **0.6** [gedeelte van schip] *escutcheon* 〈met naamplaat〉 ⇒*stern, counter* **0.7** [〈druk.〉 type / text space / area* **0.8** [〈bouwk.〉 omlijst veld] *panel* ⇒*bay* **0.9** [plek met afwijkende beharing] *escutcheon* ⇒*speculum* 〈bij vogels〉 **0.10** [straal in hout] *face (side)* ⇒*wood ray, grain* ◆ **1.3** de ogen zijn de ~s v.d. ziel *the eyes are the mirrors of the soul* **1.4** de ~ van de zee *the surface of the sea* **2.1** vlakke / holle / bolle ~s *flat / concave / convex mirrors* **3.1** iem. een ~ voorhouden 〈fig.〉 *hold a m. up to s.o.'s face* **6.1** in de ~ kijken *(take a) look at o.s. (in the m.)* **6.2** laat hij u tot ~ dienen *let him be / serve as an e. to you* **6.10** op ~ gezaagd hout *square-sawn timber* **8.4** de zee was als een ~ *the sea was like a sheet of glass / a mill-pond*.

spiegelachtig 〈bn.〉 **0.1** *mirrorlike*.

spiegelaflezing 〈de (v.)〉 〈nat.〉 **0.1** *mirror reading*.

spiegelbeeld 〈het〉 **0.1** [teruggekaatst beeld] *reflection* **0.2** [omgekeerde afbeelding] *mirror image* ◆ **4.2** die twee figuren zijn elkaars ~ *those two figures are / form each other's m. i.* **6.2** in ~ schrijven *write in reverse / backwards / mirrorwise*.

spiegelbeeldpunt 〈het〉 〈wisk.〉 **0.1** *reflection point*.

spiegelblank 〈bn.〉 **0.1** [blinkend] *shining like a mirror / new penny* ⇒ *bright as a mirror, glossy, gleaming* **0.2** [rein] *mirror bright, bright as a new penny / a mirror* ⇒*spotless, immaculate*.

spiegeldeur 〈de〉 **0.1** *mirror door* ⇒*door (fitted) with a mirror*.

spiegelei 〈het〉 **0.1** [gebakken ei] *fried egg* ⇒*egg sunny-side up* **0.2** [〈scherts.〉〈spoorw.〉〈ongemarkeerd〉 *signalling disc* ^*aling disk* ◆ **7.1** twee ~eren *two eggs sunny-side up*.

spiegelen 〈→sprw. 545〉
I 〈onov.ww.〉 **0.1** [reflecteren] *reflect* ⇒*mirror* **0.2** [lichtstralen in een richting werpen] *flash* ⇒*shine* **0.3** [mbt. kledingstukken] *shine* ◆ **1.1** het ~d ijs *the glittering / shiny ice;* 〈lit.〉 *the sheen of the ice* **6.2** die jongen spiegelt in mijn gezicht *that boy is flashing in my face;*
II 〈wk.ww.; zich ~〉 **0.1** [zich bekijken, teruggekaatst worden] *look at o.s.* 〈in een spiegel〉 ⇒*be reflected / mirrored* **0.2** [een voorbeeld nemen] *take example / warning from* ⇒*emulate* 〈slaafs〉 ◆ **6.2** zich ~ aan iem. of iets *take warning from s.o. or sth., emulate s.o., follow s.o.'s example;*
III 〈onov., ov.ww.〉 **0.1** [als spiegel fungeren] 〈zie ¶.1〉 ◆ **¶.1** u helpt me niet verder, als u alleen maar spiegelt ≠*you won't help me by throwing everything back at me*.

spiegelfiguur 〈het, de〉 〈nat.〉 **0.1** *reflected figure*.

spiegelgalvanometer 〈de (m.)〉 〈nat.〉 **0.1** *reflecting galvanometer*.

spiegelgevecht 〈het〉 **0.1** [schijngevecht] *sham battle / fight* ⇒*mock fight / battle / combat* **0.2** [geveinsde vertoning] *sham battle / fight* ⇒*mock / mimic battle / fight, shadow boxing*.

spiegelgewelf 〈het〉 〈bouwk.〉 **0.1** *cavetto vault*.

spiegelgieterij 〈de (v.)〉 **0.1** *plate-glass factory*.

spiegelglad 〈bn.〉 **0.1** *as smooth / slippery as glass* ⇒*glassy, like a sheet of glass, icy, slippery* 〈van wegen〉.

spiegelglas 〈het〉 **0.1** [glas v.e. spiegel] *mirror (glass)* ⇒*looking-glass* **0.2** [verfoelied glas] *mirror glass* **0.3** [gegoten glas] *plate glass* ⇒*float glass*.

---

spiegelhars 〈het, de (m.)〉 **0.1** *rosin* ⇒*colophony*.

spiegeling 〈de (v.)〉 **0.1** [terugkaatsing van licht] *reflection* ⇒*reflex* **0.2** [spiegelbeeld; 〈wisk.〉] *mirror image* **0.3** [〈fig.〉] *reflection* ⇒*echo*.

spiegelingsmeetkunde 〈de (v.)〉 **0.1** *reflection geometry*.

spiegelkarper 〈de (m.)〉 **0.1** *mirror carp*.

spiegelkast 〈de〉 **0.1** *mirror-fronted / -faced wardrobe / cupboard*.

spiegelkijker 〈de (m.)〉 →*spiegeltelescoop*.

spiegellamp 〈de〉 **0.1** *reflector lamp*.

spiegellijst 〈de〉 **0.1** *mirror frame* ⇒*looking-glass frame*.

spiegelmicroscoop 〈de (m.)〉 **0.1** *reflecting microscope*.

spiegelobjectief 〈het〉 **0.1** *mirror lens*.

spiegelopstand 〈de (m.)〉 **0.1** *mirror mount*.

spiegeloptiek 〈de (v.)〉 **0.1** [optica mbt. spiegels] *catoptrics* **0.2** [optisch stelsel] *optical system with mirrors*.

spiegelperiscoop 〈de (m.)〉 **0.1** *reflecting periscope*.

spiegelreflexcamera 〈de〉 **0.1** *(single-lens) reflex camera* ⇒*SLR*.

spiegelruit 〈de〉 **0.1** *plate-glass pane / window*.

spiegelschaal 〈de〉 **0.1** *mirror scale / graduation*.

spiegelschrift 〈het〉 **0.1** *mirror writing* ◆ **3.1** ~ schrijven / lezen *write / read backwards / in reverse* **6.1** dit is geschreven in ~ *this has been written backwards / mirrorwise*.

spiegelsymmetrie 〈de (v.)〉 **0.1** *mirror symmetry*.

spiegeltelescoop 〈de (m.)〉 **0.1** *reflector* ⇒*reflecting telescope*.

spiegelvlak 〈het〉 **0.1** [oppervlakte v.e. spiegel] *mirror surface* **0.2** [spiegelend vlak] *mirror surface* **0.3** [〈wisk.〉] *plane of symmetry / reflection* **0.4** [oppervlak van hout] *face (side)* ⇒*wood ray, grain*.

spiegelzaal 〈de〉 **0.1** *hall of mirrors*.

spiegelzoeker 〈de (m.)〉 **0.1** *reflecting viewfinder*.

spiegelzonnewijzer 〈de (m.)〉 **0.1** *reflecting sundial*.

spiegelzool 〈de〉 **0.1** *clump (sole)*.

spiekbriefje 〈het〉 **0.1** *crib, notes* ⇒〈sl.〉 *cheat sheet*.

spieken 〈ww.〉 **0.1** *copy* ⇒*use notes / a crib, crib* ◆ **5.1** even ~ *have a look at / consult one's notes* **6.1** bij iem. ~ *copy from / off s.o.* ¶.1 zij heeft het hele proefwerk bij elkaar gespiekt *she copied the entire test-paper*.

spiekpapiertje 〈het〉 →*spiekbriefje*.

spielerei 〈de (v.)〉 **0.1** *fiddling, fooling*.

spielmacher 〈de (m.)〉 〈sport〉 **0.1** *key player*.

spier 〈de〉 **0.1** [〈biol.〉] *muscle* **0.2** [halm] *shoot* ⇒*blade* 〈gras〉, *spire* **0.3** [sparrestam] *spruce sapling* **0.4** [laadboom] *boom* ⇒*derrick* ◆ **2.1** dwarsgestreepte ~en *striated muscle;* gladde ~en *smooth / unstriated muscle;* stalen ~en *muscles of steel* **3.1** de ~en losmaken *loosen (up) the muscles, limber up, warm up;* hij vertrok geen ~ (van zijn gezicht) *he didn't bat an eyelid / move a m. / flinch*.

spieraam 〈het〉 **0.1** *canvas stretcher*.

spierachtig 〈bn.〉 **0.1** *muscular* ⇒〈gespierd ook〉 *sinewy, brawny*.

spierarbeid 〈de (m.)〉 **0.1** *physical work* ⇒*manual work / labour,* 〈scherts.〉 *brawn*.

spieratrofie 〈de (v.)〉 **0.1** *muscular atrophy*.

spierbal 〈de (m.)〉 ◆ **3.¶** zijn ~len gebruiken *use one's muscle(s) / brawn / beef, flex one's muscles*.

spierbeweging 〈de (v.)〉 **0.1** *muscle / muscular movement*.

spierbuik 〈de (m.)〉 **0.1** *muscle belly*.

spierbundel 〈de (m.)〉 **0.1** *bundle of muscles*.

spiercel 〈de〉 **0.1** *muscle cell*.

spiercontractie 〈de (v.)〉 **0.1** *muscle contraction*.

spierdystrofie 〈de (v.)〉 〈med.〉 **0.1** *muscular dystrophy*.

spierfysiologie 〈de (v.)〉 **0.1** *physiology of the muscle* ⇒*muscle physiology*.

spiergezwel 〈het〉 **0.1** *myoma*.

spierhaai 〈de (m.)〉 →*speerhaai*.

spiering 〈de (m.)〉 **0.1** *smelt* ⇒*sparling* ◆ **2.1** 〈fig.〉 een magere ~ *a beanpole;* 〈AE; sl.〉 *a peanut; a weed* **3.1** 〈fig.〉 een ~ uitwerpen om een kabeljauw te vangen *set a sprat to catch a herring / mackerel / whale*.

spierkracht 〈de〉 **0.1** *muscle (power)* ⇒*muscular strength,* 〈vaak scherts.〉 *brawn, beef, muscles* ◆ **2.1** haar ~ is ongelofelijk *her muscular strength is incredible* **3.1** ~ ontwikkelen *develop muscular strength* **6.1** iem. zonder ~ *s.o. without muscle*.

spierkramp 〈de〉 **0.1** *muscle spasm / cramp*.

spiermaag 〈de〉 **0.1** *gizzard* ⇒*muscular stomach*.

spiernaakt 〈bn.〉 **0.1** *stark naked* ⇒*mother-naked,* 〈AE; sl.〉 *buck naked,* 〈BE; inf.; pred. bn.〉 *starkers, buff-bare* ◆ **3.1** zich ~ uitkleden 〈vnl. BE〉 *strip to the buff;* hij was ~ *he was in his birthday suit / skin;* 〈inf. ook〉 *he was in the altogether /* 〈BE ook〉 *in the buff*.

spierpees 〈de〉 **0.1** *tendon* ⇒*sinew*.

spierpijn 〈de〉 **0.1** *sore / aching muscles, muscular pain* ⇒〈med.〉 *myalgia*.

spierreumatiek 〈de (v.)〉 **0.1** *muscular rheumatism* ⇒〈wet.〉 *rheumatoid myositis*.

spierschede 〈de〉 **0.1** *muscle sheath* ⇒〈wet.〉 *perimysium*.

spierslapte 〈de (v.)〉 **0.1** *weakness of (the) muscles*.

spierstelsel 〈het〉 **0.1** *muscular system* ⇒*musculature*.

spierstijfheid 〈de (v.)〉 **0.1** *stiffness of a muscle* / *the muscles, muscular stiffness* 〈na sport〉; *muscular rigidity* 〈bij ziekte〉.
spierstofwisseling 〈de (v.)〉 **0.1** *muscle metabolism.*
spierstuk 〈het〉 **0.1** ≠*thick flank.*
spiersuiker 〈de (m.)〉 **0.1** *muscle sugar* ⇒*inositol.*
spierverlamming 〈de (v.)〉 **0.1** *muscular paralysis.*
spierverrekking 〈de (v.)〉 **0.1** *strained* / 〈inf.〉 *pulled* / *wrenched muscle.*
spiervezel 〈de〉 **0.1** *muscle fibre.*
spierweefsel 〈het〉〈med.〉 **0.1** *muscular tissue.*
spierwerking 〈de (v.)〉 **0.1** *muscular activity* ⇒*muscle function.*
spierwit 〈bn.〉 **0.1** *(as) white as a sheet* ◆ **3.1** hij werd ~ van angst *he turned w. (as a sheet)* / *blanched with fear.*
spies 〈de〉 **0.1** [speer] *spear* ⇒*lance* **0.2** [pen met vlees] *spit* ⇒*skewer* **0.3** [geweı̈] *spike.*
spieshert 〈het〉 **0.1** *brocket* ⇒*pricket.*
spiesleutel 〈de (m.)〉 **0.1** ≠*adjustable* [B]*spanner* / [A]*wrench.*
spiets 〈de〉 →**spies 0.1.**
spietsen 〈ov.ww.〉 **0.1** *spear* ⇒*spike, impale, gore* 〈vnl. met horens〉, *spit, skewer* 〈vlees〉.
spijbelaar 〈de (m.)〉, **-ster** 〈de (v.)〉 **0.1** *truant* ⇒〈BE; sl.〉 *wag.*
spijbelbus 〈de〉 **0.1** *truancy* / *truants' bus* 〈*bus serving as care centre for truants*〉.
spijbelen 〈onov.ww.〉 **0.1** *play truant* ⇒〈AE; inf.〉 *play hooky,* 〈BE; sl.〉 *play (the) wag, bunk off.*
spijker 〈de (m.)〉 **0.1** *nail* ⇒*tack* 〈klein, bv. in schoen〉, *spike* 〈grote draadnagel〉 ◆ **2.1** het is net een gloeiende ~ *it's a mere pinprick (of light)* **3.1** 〈fig.〉 een ~ in z'n kop hebben *have a hangover* / *splitting headache;* hij kan nog geen ~ inslaan *he has two left hands, he is all thumbs;* een ~ kromslaan / uittrekken *bend* / *pull out a n.;* de ~ op de kop slaan *hit the n. on the head, touch the spot, hit the mark;* 〈fig.〉 ~s met koppen slaan *get down to brass tacks* / *business, talk business;* weet ik een ~, hij weet een gat *he can find a peg for every hole;* 〈fig.〉 ~s op laag water zoeken *split hairs* **3.¶** ~s hebben 〈sl.〉 *have tin* / *(plenty of) bread* / *dough* / *rhino* **6.1** 〈fig.〉 iets **aan** de ~ hangen *shelve sth., put sth. off;* iets **met** een ~ vastslaan *nail sth. down* / *in, hammer sth. down* / *in;* 〈fig.〉 de ~ op de kop, *spot-on;* ~s **zonder** koppen *headless nails* **7.1** geen ~ hebben om zijn hoed aan op te hangen *not have two halfpennies to rub together.*
spijkerbak 〈de (m.)〉 **0.1** *nail box.*
spijkerband 〈de (m.)〉 **0.1** *spiked tyre* [A]*tire* ⇒*spike-studded tyre, snow tyre.*
spijkerbroek 〈de〉 **0.1** *(blue) jeans* ⇒〈denim〉 *jeans,* 〈sl.〉 *denims.*
spijkeren
  I 〈ov.ww.〉 **0.1** [bevestigen met spijkers] *nail* ⇒*tack* ◆ **1.1** hij spijkerde het deksel dicht *he tacked down the lid;* een gespijkerd kistje *a nailed-down box;*
  II 〈onov.ww.〉 **0.1** [spijkers indrijven] *hammer in nails* ⇒*knock in* / *drive in nails.*
spijkergat 〈het〉 **0.1** [door een spijker gemaakt gat] *nail-hole* **0.2** [gat voor een spijker] *nail-hole.*
spijkerhard 〈bn.〉 **0.1** [zeer hard] *(as) hard as a rock* **0.2** [meedogenloos] *(as) hard as nails* ⇒*flinty, hard-boiled, (as) tough as nails* ◆ **1.1** ~ hout *rock-hard wood;* ~ vlees *rock-hard flesh* / *muscle* **1.2** ~e mensen *flinty* / *stony people.*
spijkerjasje 〈het〉 **0.1** *denim* / *jean(s) jacket.*
spijkerpak 〈het〉 **0.1** *denim suit* ⇒〈inf.〉 *denims, jean suit.*
spijkerschoen 〈de (m.)〉 **0.1** *hobnailed shoe* / *boot* ⇒*nail-studded shoe.*
spijkerschort 〈het, de〉 **0.1** *nail apron.*
spijkerschrift 〈het〉 **0.1** *cuneiform (script).*
spijkerstof 〈de〉 **0.1** *denim* ⇒*jean.*
spijkertang 〈de〉 **0.1** *nail puller* ⇒*extractor.*
spijkertrekker 〈de (m.)〉 **0.1** →**spijkertang.**
spijkervast 〈bn.〉 **0.1** *nailed* ⇒*fixed* ◆ **3.1** wat ~ is, moet aan het huis blijven *all fixtures must remain in the house.*
spijl 〈de〉 **0.1** [tralie] *bar* 〈van kooi, kinderbed, enz.〉 ⇒*baluster* 〈van trapleuning〉, *rail(ing)* 〈van hek〉, *spindle* 〈van stoel, trapleuning〉 **0.2** [sluitpen] *pin* ⇒*pintle* ◆ **1.1** de ~ en v.e. box *the bars of a playpen* **6.1** het jongetje zat met zijn hoofd vast **tussen** de ~en 〈v.h. hek〉 *the boy got his head stuck between the railings.*
spijs 〈de〉〈→sprw. 593〉 **0.1** 〈schr.〉 voedsel] *food* ⇒ [†]*fare,* 〈mv. ook〉 [†]*victuals* **0.2** [min of meer vloeibaar of kneedbaar mengsel] *metal* 〈klokken, letters〉; 〈cul.〉 *paste* **0.3** [specie] *spoil, dredgings* **0.4** [〈AZN〉 vruchtenmoes] *stewed fruit* ◆ **1.1** ~ en drank *f.* / *meat and drink.*
spijsbrij 〈de (m.)〉 **0.1** *chyme.*
spijskaart 〈de〉 **0.1** *menu* ⇒*bill of fare.*
spijslift 〈de〉 **0.1** *service lift* ⇒*dumbwaiter.*
spijslijst 〈de〉 →**spijskaart.**
spijsoffer 〈het〉〈bijb.〉 **0.1** *food offering* ⇒*meat offering.*
spijsolie 〈de〉 **0.1** *edible oil* ⇒*cooking* / *salad oil.*
spijsvertering 〈de (v.)〉 **0.1** *digestion* ◆ **2.1** een goede / slechte ~ hebben *have a good digestive system, suffer from indigestion;* 〈wet.〉 *be eupeptic* / *dyspeptic.*

spijsverteringskanaal 〈het〉 **0.1** *digestive tract* ⇒*alimentary canal.*
spijsverteringsorgaan 〈het〉 **0.1** *digestive organ.*
spijsverteringsstelsel 〈het〉 **0.1** *digestive system.*
spijsverteringsstoornis 〈de (v.)〉 **0.1** *digestive disorder* ⇒*indigestion, digestive upset.*
spijsvet 〈het〉 **0.1** *edible fat* ⇒*cooking fat.*
spijt 〈de〉 **0.1** [berouw] *regret* ⇒*remorse, repentance* **0.2** [verdriet] *regret* ⇒*sorrow* ◆ **3.1** heb geen ~ en zie niet om *neither repent nor look back;* daar zul je geen ~ van hebben *you won't regret that* / *be sorry;* ~ van iets hebben als haren op zijn hoofd *regret* / *rue sth. from the bottom of one's heart;* geen ~ hebben *have no regrets* **3.2** zijn ~ betuigen *testify* / *show one's r.* **6.2 met** ~ in het hart *regretful(ly), feeling bad* / *sorry.*
spijtbetuiging 〈de (v.)〉 **0.1** *expression of regret.*
spijten 〈ov.ww.〉 **0.1** *regret* ⇒*be sorry, rue* ◆ **4.1** dat spijt me *I'm sorry, I feel bad about that;* het speet ons, dat je gisteren niet kon komen *we were sorry that you couldn't come yesterday;* het zal je ~ *you'll regret it* / *be sorry;* het dat ik u stoor *I'm sorry to disturb you;* het spijt me u te moeten zeggen … *I hate* / *regret having to tell you …* **5.1** dat zou me erg ~ *I should regret* / *be sorry for that.*
spijtig 〈bn., bw.; -ly〉 **0.1** *regrettable* ⇒*unfortunate, deplorable* ◆ **3.1** ik vind het erg ~ *I find it very* / *most r.* / *most unfortunate* / *most deplorable.*
spijtoptant 〈de (m.)〉 **0.1** 〈*s.o. bitterly regretting a decision or choice*〉.
spijzen 〈ov.ww.〉〈vero.〉 **0.1** 〈ongemarkeerd〉 *feed* ◆ **1.1** de hongerigen ~ *f. the hungry.*
spijzigen 〈ov.ww.〉〈schr.〉 **0.1** 〈ongemarkeerd〉 *feed.*
spijziging 〈de (v.)〉〈schr.〉 **0.1** 〈ongemarkeerd〉 *feeding.*
spike 〈de (m.)〉 **0.1** [schoen] *spiked shoe* ⇒*track shoe* **0.2** [spijkertje] *spike* ◆ **1.2** banden met ~s *spiked* / *spike-studded tyres* **3.1** ik kan mijn ~s niet vinden *I cannot find my spikes.*
spikkel 〈de (m.)〉 **0.1** *fleck* ⇒*speck, dot, spot* ◆ **1.1** de ~s v.e. tijgerkat *the markings of a tabby* / *tiger cat* **2.1** wit met donkerbruine ~s *white with dark brown flecks, white speckled with brown.*
spikkelachtig 〈bn.〉 **0.1** *flecked* ⇒*speckled, mottled* 〈bv. huid, papier〉.
spikkelen
  I 〈ov.ww.〉 **0.1** [bespikkelen] *fleck* ⇒*speckle, spot, dot, dapple* 〈licht en schaduw〉 ◆ **1.1** de snede v.e. boek ~ *mottle the edge of a book;*
  II 〈onov.ww.〉 **0.1** [spikkels gaan vertonen] *spot.*
spikkelig 〈bn.〉 →**spikkelachtig.**
spiksplinternieuw 〈bn.〉 **0.1** *spanking new* ⇒*brand new, spic-and-span (new).*
spil
  I 〈de〉 **0.1** [as] *pivot* ⇒*axis, spill, spindle* **0.2** [centrale persoon] *pivot* ⇒*kingpin, linchpin, keyman, key figure, centre-half* 〈voetbal〉 **0.3** [stijl mbt. een schroefvormige constructie] *mandrel* 〈van draaibank〉 ⇒*newel-(post)* 〈van wenteltrap〉 **0.4** 〈〈plantk.〉] *rachis* ◆ **1.2** mijn moeder was de ~ van ons gezin *my mother was the p. of our family;* zij was de ~ van de organisatie *she was the key figure of the organization* **1.3** de ~ v.e. slakkehuis *the columella of a snail-shell* **2.1** een verticale / horizontale ~ *a vertical* / *horizontal p.* / *axis* **6.1** de ~ van een **kraan** *the spindle of a tap;* **om** een ~ draaien *turn on a p., swivel;*
  II 〈het〉 **0.1** [〈scheep.〉] *capstan* ⇒*windlass.*
spilkoers 〈de (m.)〉〈geldw.〉 **0.1** *central rate.*
spillage 〈de (v.)〉 **0.1** *spillage* ⇒*leakage.*
spillebeen
  I 〈het〉 **0.1** [mager been] *spindle* / *spindly leg* ⇒*spidery leg, bird's leg;*
  II 〈de (m.)〉 **0.1** [persoon] *spindlelegs* ⇒*spindleshanks.*
spilleleen 〈het〉〈gesch.〉 **0.1** *female fief.*
spillepoot 〈de (m.)〉〈bel.〉 →**spillebeen II.**
spiltrap 〈de (m.)〉 **0.1** *spiral stair(case)* ⇒*corkscrew stair.*
spilziek 〈bn.〉 **0.1** *extravagant* ⇒*spendthrift, wasteful, prodigal.*
spilzucht 〈de〉 **0.1** *extravagance* ⇒*squandermania* 〈vnl. van regering〉, *wastefulness, prodigality.*
spin
  I 〈de〉 **0.1** [geleedpotig dier] *spider* **0.2** [snelbinder] 〈→**spinbinder**〉 ◆ **2.1** 〈fig.〉 het is bij de wilde ~nen af *it's too shocking* / *outrageous for words, it's beyond words* **8.1** nijdig als een ~ *as mad as a wet hen, as cross as two sticks, hopping mad, livid;*
  II 〈de (m.)〉 **0.1** [tollende beweging, aswenteling] *spin* **0.2** [dansfiguur] *spin* ⇒*twirl, pirouette, whirl* ◆ **7.1** een bal veel ~ geven *give a ball a lot of s..*
spinaal[1] 〈het〉 **0.1** *wax(ed) end.*
spinaal[2] 〈bn.〉 **0.1** *spinal* ◆ **1.1** spinale verlamming *s. paralysis.*
spinachtig 〈bn.〉 **0.1** *spiderlike* ⇒*arachnoid, arachnid* ◆ **1.1** de ~e dieren *the arachnids* / *Arachnida.*
spinazie 〈de〉 **0.1** [moesplant] *spinach* **0.2** [groente] *spinach* ◆ **2.1** wilde ~ (garden) *orache* **6.2** ~ uit de diepvries *frozen s.* **¶.2** à la crème *creamed s..*
spinazieacademie 〈de (v.)〉〈inf.; bel.〉 **0.1** 〈ongemarkeerd〉 *domestic science school* ⇒〈inf.〉 *cookery school.*
spinaziebed 〈het〉 **0.1** *spinach bed.*
spinbinder 〈de (m.)〉 **0.1** *octopus;* 〈BE ook〉 *spider* ⇒*roofrack binder(s).*

spinde ⟨de⟩ **0.1** *pantry* ⇒*larder, store cupboard.*

spindel ⟨de (m.)⟩ **0.1** *spindle.*

spindelolie ⟨de⟩ **0.1** *spindle oil.*

spinel ⟨de (m.)⟩ **0.1** *spinel.*

spinet ⟨het⟩ **0.1** *spinet.*

spinhuis ⟨het⟩ ⟨gesch.⟩ **0.1** *spinning house.*

spinklier ⟨de⟩ **0.1** *silk gland* ⇒*spinning gland.*

spinklos ⟨de (m.)⟩ **0.1** *spindle.*

spinkrabben ⟨zn.mv.⟩ **0.1** *spider crabs.*

spinmachine ⟨de (v.)⟩ **0.1** *spinning machine/frame.*

spinnaker ⟨de (m.)⟩ **0.1** *spinnaker* ⇒*balloon (sail).*

spinnekop ⟨de⟩ **0.1** [spin] *spider* **0.2** [pinnig meisje] *cat* ⇒*Mary Contrary* **0.3** [wipmolen] *hollow post-mill* **0.4** [voorwerp van metaaldraad] *wire peg* **0.5** [mbt. kledingstukken: vlieg] *arrowhead.*

spinnen
I ⟨onov., ov.ww.⟩ **0.1** [door draaien een draad vormen] *spin* **0.2** [een web vormen] *spin* ⇒*weave* **0.3** [uit vaste stoffen een draad trekken] *spin* **0.4** [ineendraaien] *twist* ⇒*spin* ◆ **1.1** garen ~ *s. thread/yarn* **1.¶** je zult er garen bij ~ *there is money in it for you*; garen/zijde bij iets ~ *reap profit from sth.* **5.1** fijn/grof ~ *s. fine/rough yarn* **6.1** ⟨fig.⟩ een verhaal *over* iets ~ *s. a yarn about sth.* **¶.1** er is geen goed garen mee te ~ *it is hopeless/useless;*
II ⟨onov.ww.⟩ **0.1** [mbt. katten] *purr* **0.2** [draderig worden] *rope* ⇒ *become ropy* ◆ **1.2** die wijn spint *that wine is ropy/ropes.*

spinnendoder ⟨de (m.)⟩ **0.1** [wesp] *spider wasp* **0.2** [verdelger] *arachnicide.*

spinner ⟨de (m.)⟩ **0.1** [iem. die spint] *spinner* **0.2** [visseaas] *spinner* **0.3** [⟨mv.⟩ familie van vlinders] *bombycids* ⇒*Bombycidae* **0.4** [⟨sport⟩] *spinner.*

spinnerij ⟨de (v.)⟩ **0.1** [handeling] *spinning* **0.2** [fabriek] *spinning mill.*

spinnetje ⟨het⟩ **0.1** [kleine spin] *(little) spider* **0.2** [mbt. borduurwerk] *spider's web.*

spinneweb ⟨het⟩ **0.1** *cobweb* ⇒*spider('s) web* ◆ **6.1** ⟨fig.⟩ een ~ *van* straatjes en gangen *a web/maze of streets and passageways.*

spinnewebvlies ⟨het⟩ **0.1** *arachnoid.*

spinnewiel ⟨het⟩ **0.1** [toestel] *spinning-wheel* **0.2** [⟨AZN⟩ rusteloos kind] *fidget* ⇒*giddy goat.*

spinnig ⟨bn., bw.;-ly⟩ **0.1** *waspish* ⇒*cattish, huffy, snappish.*

spinnijdig ⟨bn.⟩ **0.1** *(as) cross as two sticks* ⇒*(as) mad as a wet hen, hopping mad, livid.*

spinozisme ⟨het⟩ **0.1** *Spinozism.*

spinrag ⟨het⟩ **0.1** *cobweb* ⇒*spider('s) web* ◆ **8.1** zo fijn/zo dun/zo teer als ~ *as fine/thin/delicate as a c./as silk thread/as gossamer.*

spinrokken ⟨het⟩ **0.1** [spinstok] *distaff* ⇒*spindle* **0.2** [hoeveelheid vlas/wol] *spindle of wool.*

spinsel ⟨het⟩ **0.1** [wat gesponnen wordt of is] *spinning(s)* ⇒*spun yarn/thread, web* ⟨v.e. insekt⟩, *cocoon* ⟨v.e. rups⟩ **0.2** [hersenspinsel] *crazy /wild idea* ⇒*hallucination.*

spinseldraad ⟨de (m.)⟩ **0.1** *web.*

spinster ⟨de (v.)⟩ **0.1** *spinner.*

spinstok ⟨de (m.)⟩ →**spinrokken 0.1.**

spint
I ⟨het⟩ **0.1** [jaarkringen van een boom] *sapwood* ⇒*alburnum* **0.2** [spinsel v.d. spintmijt] *web;*
II ⟨de⟩ **0.1** [spintmijt] ⟨→**spintmijt**⟩.

spintmijt ⟨de⟩ **0.1** *red spider (mite)* ⇒*spinning mite.*

spinwol ⟨de⟩ **0.1** *spinning-wool.*

spinzen ⟨onov.ww.⟩ ⟨inf.⟩ **0.1** *watch/look (for)* ◆ **6.1** op iets ~ *be keen on sth..*

spion ⟨de (m.)⟩, **spionne** ⟨de (v.)⟩ **0.1** *spy* ⇒*(undercover/secret) agent, (intelligence) operative, mole* ◆ **2.1** communistische ~ *communist s./agent/operative/mole.*

spionage ⟨de (v.)⟩ **0.1** *espionage* ⇒*spying* ◆ **6.1** van ~ verdacht zijn *be suspected of spying;* wegens ~ ter dood veroordelen *condemn to death for spying/on charge of e..*

spionagefilm ⟨de (m.)⟩ **0.1** *spy film.*

spionagenet ⟨het⟩ **0.1** *spy/espionage network/ring* ⇒*network of spies/secret agents.*

spionageroman ⟨de (m.)⟩ **0.1** *spy novel/thriller.*

spionagezaak ⟨de⟩ **0.1** *spy/espionage case.*

spioneren ⟨onov.ww.⟩ **0.1** *spy* ◆ **6.1** ~ voor de vijand *s. for the enemy, be an enemy agent.*

spionnetje ⟨het⟩ **0.1** ⟨spiegel⟩ *busybody;* ⟨kijkgaatje in deur⟩ *judas.*

spiraal ⟨de⟩ **0.1** [krullijn] *spiral* ⇒*helix* **0.2** [schroeflijn] *spiral* **0.3** [voorwerp] *spiral* ⇒*coil* **0.4** [matras] ⟨→**spiraalmatras**⟩ ◆ **3.2** een ~ beschrijven *spiral.*

spiraalbeweging ⟨de (v.)⟩ **0.1** *spiral/* ⟨wet. ook⟩ *helical movement.*

spiraalboor ⟨de⟩ **0.1** *twist drill.*

spiraaldraadlamp ⟨de⟩ **0.1** *coiled-filament lamp.*

spiraallijn ⟨de⟩ **0.1** *spiral line.*

spiraalmatras ⟨het, de⟩ **0.1** *spring mattress* ⇒*springs.*

spiraalnevel ⟨de (m.)⟩ **0.1** *spiral galaxy* ⇒⟨vroeger⟩ *spiral nebula.*

spiraalpasser ⟨de (m.)⟩ **0.1** *helicograph.*

spiraalsgewijs ⟨bw.⟩ **0.1** *spirally* ◆ **3.1** (zich) ~ bewegen *spiral, cork-screw;* ~ stijgen/dalen ⟨van prijzen⟩ *spiral.*

spiraaltje ⟨het⟩ ⟨med.⟩ **0.1** *coil* ⇒*loop, I.U.D., intra-uterine device.*

spiraalveer ⟨de⟩ **0.1** *coiled/spiral spring.*

spiraalvorm ⟨de (m.)⟩ **0.1** *spiral/* ⟨wet. ook⟩ *helical form/shape* ⇒*turbination* ⟨schelp⟩.

spiraalvormig ⟨bn., bw.;-ly⟩ **0.1** *spiral* ⇒*spiroid, whorled* ◆ **3.1** ~ gekruld *spiraled, involute(d);* ~ maken *form into a spiral.*

spiraalwinding ⟨de (v.)⟩ **0.1** [⟨tech.⟩] *coil* **0.2** [schelp] *whorl.*

spirant ⟨de (m.)⟩ ⟨taal.⟩ **0.1** *fricative* ⇒*spirant.*

spirantisch ⟨bn.⟩ ⟨taal.⟩ **0.1** *fricative* ⇒*spirant.*

spirantiseren ⟨onov., ov.ww.⟩ ⟨taal.⟩ **0.1** *change into a fricative/spirant.*

spirea ⟨de (m.)⟩ **0.1** *spiraea* ◆ **2.1** viltige ~ *steeplebush,* ⟨vnl. AE⟩ *hardhack.*

spiril ⟨de⟩ **0.1** *spirillum.*

spirit ⟨de (m.)⟩ **0.1** *spirit* ⇒*guts, spunk, mettle, zip* ◆ **3.1** ~ hebben *be full of life/guts;* die speler heeft ~ *that player has spirit/guts/spunk;* er zit geen ~ meer in die mensen *those people have no spirit/spunk anymore.*

spiritisme ⟨het⟩ **0.1** *spirit(ual)ism.*

spiritist ⟨de (m.)⟩ **0.1** *spirit(ual)ist.*

spiritistisch ⟨bn.⟩ **0.1** *spirit(ual)istic* ◆ **1.1** ~ medium *medium, psychic* **2.1** een ~ e bijeenkomst *a s. gathering, a seance.*

spiritualiën ⟨zn.mv.⟩ **0.1** *spirits.*

spiritualisme ⟨het⟩ **0.1** [wijsgerige opvatting] *spiritualism* **0.2** [wereldbeschouwing] *spiritualism* **0.3** [⟨theol.⟩] *spiritualism.*

spiritualist ⟨de (m.)⟩ **0.1** *spiritualist.*

spiritualistisch ⟨bn.⟩ **0.1** *spiritualistic.*

spiritualiteit ⟨de (v.)⟩ **0.1** [onstoffelijkheid] *spirituality* ⇒*immateriality* **0.2** [geestelijke levenshouding] *spirituality.*

spiritueel ⟨bn., bw.;-ly⟩ **0.1** [geestig] *witty* ⇒⟨zeldz.⟩ *spirituel(le)* **0.2** [geestelijk] *spiritual* ⇒*unworldly* ◆ **1.1** een spirituele conversatie *a w. conversation.*

spiritueus ⟨bn.⟩ **0.1** ⟨zeldz.⟩ *spirituous* ⇒*strong, stiff.*

spirituoso ⟨bw.⟩ ⟨muz.⟩ **0.1** *spiritoso.*

spiritus ⟨de (m.)⟩ **0.1** [alcohol] *methylated spirits* ⇒⟨inf.⟩ *meths, alcohol* **0.2** [Grieks symbool] *spiritus* ◆ **6.1** iets *in, op* ~ bewaren *preserve sth. in alcohol* **¶.2** ~ *asper s. asper;* ~ *lenis s. lenis.*

spiritusbrander ⟨de (m.)⟩ **0.1** *methylated spirit/* ⟨inf.⟩ *meths burner.*

spiritusdrinker ⟨de (m.)⟩, **-drinkster** ⟨de (v.)⟩ **0.1** *meths drinker.*

spirituslamp ⟨de⟩ **0.1** *methylated spirit/* ⟨inf.⟩ *meths lamp.*

spiritusstel ⟨het⟩ →**spiritusbrander.**

spiritusvlam ⟨de⟩ **0.1** *meths flame.*

spirocheet ⟨de⟩ ⟨biol.⟩ **0.1** *spirochaete* ◆ **6.1** door spirocheten veroorzaakt *spirochaetal;* ziekte veroorzaakt *door* spirocheten *spirochaetosis.*

spirograaf ⟨de (m.)⟩ **0.1** *spirograph.*

spirometer ⟨de (m.)⟩ **0.1** *spirometer.*

spit
I ⟨het⟩ **0.1** [braadspit] *spit* **0.2** [spade] *spade* ⇒*shovel* **0.3** [hoeveelheid aarde] *spit* ◆ **3.3** de grond twee ~ ten omspitten *turn the soil two spits deep* **6.1** een haas *aan* het ~ steken *put a hare on the s., spit a hare;* *aan* het ~ gebraden *broiled/cooked on the s.;* kip *van* 't ~ *chicken from the s., barbecued chicken;*
II ⟨het, de (m.)⟩ **0.1** [⟨med.⟩] *lumbago* ⇒*backache, crick* ◆ **3.1** ~ (in de rug) hebben *have back pain/a crick in one's back.*

spitdraaier ⟨de (m.)⟩ **0.1** *(roasting) jack* ⇒⟨ook gesch.; persoon, hondje⟩ *turnspit.*

spits[1]
I ⟨de⟩ **0.1** [piek] *peak* ⇒*point, apex, top, cusp* **0.2** [spitsuur] *rush/peak hour* **0.3** [voorhoede] ⟨mil.⟩ *advance guard* ⇒⟨ook fig.⟩ *vanguard,* ⟨sport⟩ *forward line* **0.4** [sleepschip] *tug(boat)* **0.5** [hoorn van een jong hert] *incipient/immature antler* ◆ **1.1** de ~ van een toren *the spire/steeple* **3.¶** de/het ~ afbijten *go first, be the first (to)* **6.3** ⟨fig.⟩ *aan* de ~ van de beweging staan *be at the head of/be the leader of/be in the van(guard) of a movement;* *in* de ~ spelen *play/be (in the) forward (line)* **6.¶** iets *op* de ~ drijven *drive home a point, make an issue of sth.;* iem. *op* de ~ drijven *force the issue with s.o., corner s.o.;*
II ⟨de (m.)⟩ **0.1** [hond] ⟨→**spitshond**⟩ **0.2** [⟨sport⟩ speler] *striker.*

spits[2] ⟨bn., bw.;-ly⟩ **0.1** [puntig] *pointed* ⇒*sharp, pointy* **0.2** [vernuftig] *sharp* ⇒*acute, brilliant, subtle* ◆ **1.1** ~ e boei/ton *a conical/nun buoy;* een ~ e gevel *a pointed gable;* een ~ gezicht met scherpe trekken *a pointed face with sharp features;* een ~ mondje trekken *purse one's mouth, pull a sour face;* een ~ e punt *a sharp point;* een ~ snuit *a pointed nose/snout;* een ~ e toren *a spire/steeple* **1.2** een ~ antwoord *a subtle/brilliant answer;* een ~ e geest *an incisive mind* **3.1** ~ maken *point, sharpen;* ~ toelopen *taper, end in a point.*

spitsbaard ⟨de (m.)⟩ **0.1** [puntige baard] *pointed beard* **0.2** [persoon] *s.o. with a pointed beard.*

Spitsbergen ⟨het⟩ **0.1** *Spitsbergen.*

spitsboef ⟨de (m.)⟩ **0.1** *scoundrel* ⇒*confounded rascal, arch villain.*

spitsbogenstijl ⟨de (m.)⟩ ⟨bouwk.⟩ **0.1** *Gothic (style).*

spitsboog 〈de (m.)〉〈bouwk.〉 **0.1** *Gothic/pointed arch*.
spitsbroeder 〈de (m.)〉〈schr.〉 **0.1** *comrade-/brother-in-arms*.
spitsen
I 〈ov.ww.〉 **0.1** [puntige stand/vorm geven] *prick* 〈oren〉 ⇒*cock* 〈oren〉, *purse* 〈mond〉, *point* 〈tenen〉 **0.2** [puntig maken] *point* ⇒ *sharpen* ◆ **1.1** de oren ~ 〈ook fig.〉 *prick up one's ears;* 〈fig.〉 *be all ears;* met gespitste oren *with ears cocked, with pricked-up ears* **1.2** een paal ~ *sharpen a pole to a point* **6.¶** gespitst zijn **op** *be eager about/ keen on;*
II 〈wk.ww.;zich~〉 **0.1** [(+op) tuk zijn op] *look forward to* ⇒*be eager about/keen on*.
spitsheid 〈de (v.)〉 **0.1** [puntigheid] *sharpness* ⇒*pointedness,* 〈statistiek〉 *kurtosis* **0.2** [scherpzinnigheid] *sharpness* ⇒*perspicacity*.
spitshond 〈de (m.)〉 **0.1** *spitz*.
spitsig 〈bn.〉 **0.1** *pointy* ⇒*sharp*.
spitskool 〈de〉 **0.1** *oxheart/comical cabbage*.
spitsmuis 〈de〉 **0.1** *shrew(mouse)*.
spitsroede 〈de (v.)〉 **0.1** *switch* ⇒*cane* ◆ **3.1** ~n lopen 〈ook fig.〉 *run the gauntlet*.
spitsspeler 〈de (m.)〉〈sport〉 **0.1** *centre forward*.
spitstechnologie 〈de (v.)〉〈AZN〉 **0.1** *high technology*.
spitsuur 〈het〉 **0.1** *rush/peak hour* ⇒〈elek.〉 *peak* ◆ **3.1** om 6 uur is het ~ *6 o'clock is r./p.h., the traffic peaks at 6* **6.1** buiten de spitsuren *outside of r./p.h.,* during the slow/off hours; in het ~, op de spitsuren *at/during r./p.h.*.
spitsverkeer 〈het〉 **0.1** *rush hour traffic*.
spitsvoet 〈de (m.)〉 **0.1** *clubfoot*.
spitsvondig 〈bn., bw.;-ly〉 **0.1** *clever* ⇒*smart, sophisticated* ◆ **1.1** een ~ redenaar *a c. speaker;* een ~e verklaring *a c./smart/sophisticated explanation* **3.1** ~ antwoorden *give a smart answer;* ~ redeneren *argue cleverly*.
spitsvondigheid 〈de (v.)〉 **0.1** [het spitsvondig zijn] *cleverness* ⇒*sophistication, shrewdness, astuteness* **0.2** [wat van spitsvondigheid getuigt] *piece of cleverness, clever remark* **0.3** [gezocht argument] *far-fetched/* 〈onnodig ingewikkeld〉 *contrived argument* ◆ **3.3** spitsvondigheden debiteren *(try to) be clever/smart*.
spitten 〈onov., ov.ww.〉 **0.1** [omwerken, delven] *dig (over/out)* **0.2** [doorboren] *pitch* ◆ **1.1** land ~ *d. soil over* **1.2** hooi ~ *p. hay* **6.1** 〈fig.〉 in een stapel papier ~ *delve in a stack of papers;* 〈fig.〉 in iemands verleden ~ *dig up/delve into s.o.'s past*.
spitter 〈de (m.)〉 **0.1** *digger*.
spitvarken 〈het〉 **0.1** *roast(ing) piglet*.
spitvork 〈de〉 **0.1** *digging/garden fork* ⇒*muck fork*.
spitwerk 〈het〉 **0.1** *digging* ⇒*excavation*.
spitzen 〈zn.mv.〉〈dansk.〉 **0.1** *point shoes, ballet shoes/slippers*.
spleen 〈het〉 **0.1** *gloominess*.
spleet 〈de〉 **0.1** [kier] *crack* ⇒*chink, split,* 〈geol.〉 *fissure, cleft, crevice* **0.2** [〈vulg.〉 vagina] *slit* ◆ **5.1** de planken zaten vol spleten door het weer *the boards were all cracked by the weather* **6.1** door een ~ in de schutting kijken *look through a crack in the fence;* er komen spleten in de muur *there are cracks starting to come/show up in the wall*.
spleetbout 〈de (m.)〉 **0.1** *wedge*.
spleetogig 〈bn.〉 **0.1** *slit-/slant-eyed*.
spleetoog
I 〈het〉 **0.1** [spleetvormig oog] *slit-/slant-eye;*
II 〈de (m.)〉〈bel.〉 **0.1** [persoon] *slit-/slant-eye* ⇒〈sl.〉 *chink, gook*.
spleetsluiter 〈de (m.)〉 **0.1** *focal plane shutter*.
spleetsnaveligen 〈zn.mv.〉 **0.1** *Hirundinidae*.
spleettongigen 〈zn.mv.〉 **0.1** *monitors*.
spleetvoetig 〈bn.〉 **0.1** *cloven-footed* ⇒*fissiped(al)* ◆ **7.1** 〈zelfst.〉 de ~en *the fissipeda*.
splenectomie 〈de (v.)〉〈med.〉 **0.1** *splenectomy*.
splijtbaar 〈bn.〉 **0.1** [gespleten kunnende worden] *cleavable* ⇒*fissile, scissile* **0.2** [mbt. atoomsplitsing] *fissionable* ⇒*fissile* ◆ **1.2** ~ materiaal *fissionable material*.
splijten
I 〈ov.ww.〉 **0.1** [klieven] *split* ⇒*cleave, rend, slit, cut* 〈diamanten〉 ◆ **3.1** dat hout laat zich gemakkelijk ~ *that wood is easy to split* **6.1** iets in tweeën/in drieën enz. ~ *split/cut sth. into two/three* 〈enz.〉; (zich) in lagen ~ *foliate;*
II 〈onov.ww.〉 **0.1** [een scheur krijgen] *split* 〈ook haarpunten〉 ◆ **6.1** ~ van de hitte/de droogte *s./crack (open) from the heat/drought*.
splijting 〈de (v.)〉 **0.1** *splitting* ⇒*cracking, fissure, fission* 〈atoomkernen〉 ◆ **1.1** de ~ van atoomkernen *nuclear fission;* de ~ v.e. kristal *the splitting of a crystal*.
splijtprodukt 〈het〉 **0.1** *radio-active product(s)*.
splijtproef 〈de〉 **0.1** *fission test*.
splijtrichting 〈de (v.)〉 **0.1** *direction in which sth. splits/rips/tears/ cracks*.
splijtstaaf 〈de〉〈nat.〉 **0.1** *(nuclear) fuel rod*.
splijtstof 〈de〉 **0.1** *nuclear fuel* ⇒*fissionable material*.
splijtstofelement 〈het〉 **0.1** *(nuclear) fuel element*.

splijtvlak 〈het〉 **0.1** *splitting surface*.
splijtzwam 〈de〉 **0.1** [bacterie] *schizomycete* ⇒*fission fungus* **0.2** [〈fig.〉 element dat verdeeldheid brengt] *divisive element*.
splinter 〈de (m.)〉 **0.1** *splinter* ⇒〈bijb.〉 *mote* ◆ **1.1** een ~ v.e. projectiel *a shell fragment* **6.1** iets **aan** ~s slaan *smash sth. to pieces/smithereens;* een ~ in de vinger krijgen *get a s. in one's finger;* 〈fig.〉 de ~ in een anders oog zien en niet de balk in zijn eigen *see the mote in one's brother's eye but not see the beam in one's own*.
splinterbom 〈de〉 **0.1** *fragmentation bomb/shell*.
splinteren 〈onov.ww.〉 **0.1** [tot splinters breken] *splinter* ⇒*shatter* 〈vooral glas〉 **0.2** [splinters afgeven] *splinter*.
splintergroepering 〈de (v.)〉〈pol.〉 **0.1** *splinter (group/faction)*.
splinterig 〈bn.〉 **0.1** *splintery* ⇒*splinty*.
splinternieuw 〈bn.〉 **0.1** *brand-new*.
splinterpartij 〈de (v.)〉〈pol.〉 **0.1** *splinter group/party* ⇒*dissident faction*.
splintertangetje 〈het〉 **0.1** *(pair of) tweezers*.
splintervrij 〈bn.〉 **0.1** [niet splinterend] *shatterproof* **0.2** [zonder splinter(s)] *splinter-free* ◆ **1.1** ~ glas *safety/shatterproof/laminated glass*.
split
I 〈het〉 **0.1** [insnijding] *slit* ⇒〈in kleding ook〉 *slash, placket, vent* 〈in jas〉 **0.2** [steenslag] *gravel* ⇒*grit* ◆ **3.1** een ~ maken (in kleding) *make a slit/slash/vent/placket, slit, slash, vent* **6.1** een rok **met** een ~ *a skirt with a slit/slash;*
II 〈de〉 **0.1** [gymnastische stand] *(the) splits*.
spliterwt 〈de〉 **0.1** *split pea*.
splitleer 〈het〉 **0.1** *split hide*.
splitpen 〈de〉〈amb.〉 **0.1** *split/cotter pin*.
splitrok 〈de (m.)〉 **0.1** *skirt with a slit/slash/vent* ⇒*vented skirt*.
splits 〈de〉 **0.1** *splice*.
splitsbaar 〈bn.〉 **0.1** *severable, divisible* ⇒〈nat., biol.〉 *fissionable,* 〈schei.〉 *separable*.
splitsbewijs 〈het〉 **0.1** *delivery order*.
splitsen
I 〈ov.ww.〉 **0.1** [verdelen] *divide* ⇒*share, split* **0.2** [mbt. touwen, kabels] *splice* **0.3** [〈schei.〉] *separate, split up* **0.4** [〈nat.〉] *split* ◆ **1.1** gesplitste aandelen *partial shares;* de moeilijkheden ~ *analyse ^yze/ take the problems one (step) at a time* **1.3** een scheikundige stof ~ *separate/split up a chemical substance* **6.¶** 〈fig.〉 iem. iets **in** de maag ~ *palm sth. off on s.o.;*
II 〈wk.ww.;zich~〉 **0.1** [uiteengaan, scheiden] *split (up)* ⇒*divide,* ↑*bifurcate* ◆ **1.1** daar splitst de weg zich *the road branches off/forks/ bifurcates/splits (up) there*.
splitshamer 〈de (m.)〉 **0.1** *commander*.
splitsing 〈de (v.)〉 **0.1** [handeling] *splitting (up)* ⇒*division, separation* **0.2** [〈mbt. weg, spoorweg e.d.〉] *fork* ⇒*branch(ing),* ↑*bifurcation* **0.3** [scheuring] *scission* ⇒*split(ting up), division, schism* **0.4** [mbt. touwen, kabels] *splice* ◆ **1.1** ~ v.d. persoonlijkheid *personality disintigration/disorder, split personality* **1.3** de ~ v.e. kerkgenootschap *a church schism* **6.1** de ~ van **atomen** *the splitting of atoms, nuclear fission* **6.2** bij de ~ rechts, links afslaan *turn right/left at the f.*.
splitsingsakte 〈de〉 **0.1** *property division agreement*.
splitten 〈ov.ww.〉 **0.1** *split*.
splitvrucht 〈de〉 **0.1** *schizocarp*.
splitzijde 〈de〉 **0.1** *floss (silk)*.
SPO 〈znw.〉〈afk.〉 **0.1** [sociaal-pedagogisch onderwijs] 〈*socio-pedagogical education*〉.
spoed 〈de (m.)〉〈→sprw. 250〉 **0.1** [haast] *speed* ⇒*quickness, rush, hurry, haste,* 〈schr.〉 *expedition* **0.2** [mbt. schroefdraad] *pitch* ◆ **2.1** met bekwame ~ *with (all) due speed;* met gezwinde/grote ~ *posthaste;* haastige ~ *precipitous haste, rush* **2.2** met verstelbare ~ *with adjustable p.* **3.1** ~ maken/betrachten *hurry, make haste, push/press forward;* op ~ aandringen *stress the urgency of a/the matter/* 〈enz.〉; ergens ~ achter zetten *speed/push sth. along;* 〈schr.〉 *expedite sth.* **5.1** er is ~ bij *it is urgent/pressing* **6.1** met ~ *with dispatch/haste;* iem. tot ~ manen/aanzetten *hurry s.o. up/along* **¶.1** ~! 〈bv. op brieven〉 *urgent*.
spoedbehandeling 〈de (v.)〉 **0.1** 〈med.〉 *emergency treatment* ⇒〈inf.〉 *rush job*.
spoedberaad 〈het〉 **0.1** *emergency consultations;* 〈inf.〉 *huddle* ◆ **3.1** de gijzelaars hielden ~ *the hostages held e.c./went into a h.*.
spoedbericht 〈het〉 **0.1** *urgent message*.
spoedbestelling 〈de (v.)〉 **0.1** *rush order; express/special delivery* 〈van post〉.
spoedcursus 〈de (m.)〉 **0.1** *intensive/crash course*.
spoedeisend 〈bn.〉 **0.1** *urgent* ⇒*pressing, importunate*.
spoeden 〈schr.〉
I 〈onov.ww.〉 **0.1** [met spoed gaan] *speed* ⇒*hasten, hurry* ◆ **¶.1** het jaar spoedt ten einde *the year hastens to an end, the year draws quickly to a close;*
II 〈wk.ww.;zich~〉 **0.1** [zich haastig begeven] *speed* ⇒*hasten, hurry, rush*.
spoedgeval 〈het〉 **0.1** *emercency (case)*.

spoedig 〈bn.,bw.;-ly〉 **0.1** [binnen korte tijd]〈bn.〉 *near;* 〈bw.〉 *shortly, soon* **0.2** [met snelle voortgang] *speedy* ⇒*quick, fast, swift* ◆ **1.1** ~e levering *prompt/swift delivery;* de ~e nadering v.d. lente *the n. approach of spring* **1.2** een ~ antwoord *a quick/swift answer* **5.1** ~ daarop/daarna *shortly (there)after, presently, not long after* **6.1** antwoord ten ~ste *please answer at your earliest convenience;* tot ~ (ziens)! *see you soon* **6.2** ten ~ste *as quickly/soon as possible.*

spoedkarwei 〈het〉 **0.1** *urgent/* 〈inf.〉 *rush job.*

spoedopdracht 〈de〉 **0.1** *urgent/* 〈inf.〉 *rush order.*

spoedoperatie 〈de (v.)〉 **0.1** *emergency operation.*

spoedopname 〈de (v.)〉 **0.1** *emergency admittance.*

spoedreparatie 〈de (v.)〉 **0.1** *emergency repair.*

spoedstuk 〈het〉 **0.1** *urgent matter/document/case.*

spoedvergadering 〈de (v.)〉 **0.1** *emergency/special meeting.*

spoedzending 〈de (v.)〉 **0.1** *urgent despatch/shipment* ⇒〈pakket ook〉 *express parcel.*

spoedzitting 〈de (v.)〉 **0.1** *emergency/special meeting* ◆ **6.1** in ~ bijeenroepen *call into e. m., call a e./s. m..*

spoel 〈de〉 **0.1** [klos voor garen] ᴮ*reel,* ᴬ*spool* ⇒*bobbin* 〈op naaimachine〉 **0.2** [mbt. weven] *shuttle* **0.3** [mbt. film-, geluidsbanden] *reel* **0.4** [〈elek.〉] *coil* **0.5** [ondereinde van een veer] *quill* ◆ **6.1** garen op een ~ winden *wind thread on(to) a r./s./bobbin, reel/spool thread.*

spoelbak 〈de (m.)〉 **0.1** 〈vast aan muur〉 ᴮ*sink,* ᴬ*washbasin;* 〈los〉*(rinsing) tub/bowl/basin.*

spoeldrank 〈de (m.)〉 **0.1** *mouthwash.*

spoelen
I 〈onov., ov.ww.〉 **0.1** [reinigen] *rinse (out)* **0.2** [door middel van een stromende vloeistof verplaatsen] *rinse/wash (out (of));* 〈met veel water〉 *sluice/swill (out/down)* **0.3** [op een spoel winden] ᴮ*reel,* ᴬ*spool* ⇒*quill, wind on a spool/spindle/reel* ◆ **1.1** de keel ~ 〈fig.〉 *put back/down a couple, lift one's elbow;* 〈scherts.〉 *wet one's whistle;* luiers, flessen ~ *r. (out)* ᴮ*nappies/* ᴬ*diapers/bottles;* de mond ~ *r. one's mouth (out), gargle;* ga je mond maar ~ 〈fig.〉 *I'd wash your mouth (out) with soap if I were you;* 〈fig.〉 iem. de voeten ~ *make s.o. walk the plank* **1.2** grond ~ *w. soil away* **1.3** garen ~ *r./spool/quill thread;* geluidsbanden ~ *wind tapes (on a spool)* **6.1** alcoholvaten **met** heet water ~ 〈ook〉 *grog casks/vats;*
II 〈onov.ww.〉 **0.1** [wegdrijven] *wash* **0.2** [vloeien] *wash* ⇒*sluice* ◆ **6.1** naar zee, **aan** land ~ *w. out to sea/onto land* **6.2** de golven ~ **over** het dek *the waves w./sweep over/flood the deck.*

spoelfiguur 〈het, de〉 **0.1** *achromatic figure, spindle.*

spoelhok 〈het〉 **0.1** *laundry room, washhouse.*

spoelhouder 〈de (m.)〉 **0.1** *coil holder/base.*

spoeling 〈de (v.)〉〈→sprw. 584〉 **0.1** [het spoelen, gespoeld worden] *rinse* 〈ook van mond, haar〉 ⇒*rinsing, flush,* 〈med.〉 *douche,* 〈met veel water〉 *swill (down/out)* **0.2** [veevoeder] *slop(s)* ⇒*swill* **0.3** [〈mbt. w.c.〉] *flush* ◆ **3.1** een ~ geven *rinse (out), flush (out);* 〈med.〉 *douche* **6.2** de koeien **met** ~ voeren *feed the cows (with) slops/swill.*

spoelingbak 〈de (m.)〉 **0.1** [voor vee] *swill-trough/-tub* **0.2** [bij boorput] *mud pit.*

spoelkant 〈de (m.)〉 **0.1** *bobbin lace.*

spoelkeuken 〈de〉 **0.1** *dishwashing/washing-up room/kitchen.*

spoelkom 〈de〉 **0.1** *washing-/rinsing-basin/-bowl.*

spoelkop 〈de (m.)〉 **0.1** *(rotary) swivel.*

spoelmachine 〈de (v.)〉 **0.1** [om garen te spoelen] *bobbinwinder* **0.2** [door spoelen te reinigen] *rinsing machine* ⇒*rinser.*

spoelsel 〈het〉 **0.1** [spoelwater] *rinse water* **0.2** [spoeldrank] *mouthwash.*

spoelstelsel 〈het〉 **0.1** *flush(ing) system.*

spoelvoet 〈de (m.)〉 **0.1** *Collybia.*

spoelvormig 〈bn.〉 〈plantk., med.〉 **0.1** *fusiform.*

spoelwater 〈het〉 **0.1** *rinse water.*

spoelworm 〈de (m.)〉 **0.1** *round-worm.*

spoetnik 〈de (m.)〉 **0.1** *sputnik.*

spoken
I 〈onov.ww.〉 **0.1** [dolen als spook] *haunt* **0.2** [rondlopen] *prowl (round/about)* **0.3** [mbt. gedachten, gevoelens] *haunt* ◆ **3.1** geesten komen 's nachts ~ *ghosts come (out) to h. at night* **6.2** nog laat **door** het huis ~ *p. about in the house late at night* **6.3** gedachten aan zelfmoord spookten **door** zijn hoofd *he was haunted by suicide thoughts;*
II 〈onp.ww.〉 **0.1** [door spoken bezocht worden] *be haunted* ◆ **5.1** 〈fig.〉 oop zee kan het geducht ~ *it can be terribly rough/wild at sea* **6.1** het spookt **tussen** hen *they are at loggerheads, they live a cat and dog life.*

spokerij 〈de (v.)〉 **0.1** *haunting.*

spoliatie 〈de (v.)〉〈jur.〉 **0.1** *(de)spoiliation;* ↓*plundering.*

spoliëren 〈ov.ww.〉〈jur.〉 **0.1** *despoil;* ↓*plunder.*

spon 〈de〉 **0.1** *tap, bung* ⇒*spigot, plug, peg.*

sponde 〈de〉〈schr.〉 **0.1** *couch* ⇒ ↓*bed* ◆ **6.1** hij waakte **aan** haar ~ *he kept watch at her bedside.*

spondee 〈de (m.)〉〈lit.〉 **0.1** *spondee.*

spondeïsch 〈bn.〉〈lit.〉 **0.1** *spondaic, spondean.*

spondeus 〈de (m.)〉 **0.1** *spondee.*

spondylartritis 〈de〉〈med.〉 **0.1** *ankylosing/rheumatic/rheumatoid spondylitis.*

spondylitis 〈de (v.)〉 〈med.〉 **0.1** *spondylitis.*

spondylomyelitis 〈de (v.)〉 〈med.〉 **0.1** *spondylomyelitis.*

spondylotomie 〈de (v.)〉 〈med.〉 **0.1** *spondylotomy.*

spongat 〈het〉 **0.1** *vent* ⇒*bunghole.*

spongiet 〈de (m.)〉 **0.1** *pumice (stone).*

spongieus 〈bn.〉 **0.1** *spongy* ⇒*porous, spongelike.*

spongine 〈de〉 **0.1** *spongin.*

sponning 〈de (v.)〉〈amb.〉 **0.1** *groove* ⇒*rebate, rabbet, runner* ◆ **1.1** de ~ van een schuifraam *the g./track of a window* **3.1** een ~ maken in *g., rebate, rabbet.*

sponningschaaf 〈de〉〈amb.〉 **0.1** *router (plane)* ⇒*rabbet (plane).*

spons 〈de〉 **0.1** [dier] *sponge* **0.2** [materiaal om iets schoon te vegen] *sponge* ◆ **3.1** naar sponzen duiken *dive for sponges, go sponging* **3.2** een ~ (met water) doordrenken *saturate/soak a s. with water;* 〈fig.〉 er ~ over iets halen *close a subject/chapter, declare a subject closed;* een ~ uitknijpen *wring/squeeze out a s.* **6.2** iets **met** een ~ uitvegen *sponge sth. (off/out/down)* **8.2** drinken als een ~ *drink like a fish.*

sponsachtig 〈bn.〉 **0.1** *spongy* ⇒*porous, spongelike* ◆ **1.1** 〈med.〉 ~e uitwas *fungus.*

sponsen 〈ov.ww.〉 **0.1** [met een spons afvegen] *sponge (off/out/down), clean/wipe with a sponge* **0.2** [ponsen] *calk* ◆ **1.2** een tekening ~ *c. a drawing.*

sponsenduiker 〈de (m.)〉 **0.1** *sponge-diver* ⇒*sponger.*

sponsig ⇒*sponzig.*

sponsijzer 〈het〉 **0.1** *sponge iron.*

sponskoraal 〈het, de〉 **0.1** *mushroom/fungus coral.*

sponsoren 〈ov.ww.〉 **0.1** *sponsor.*

sponsrif 〈het〉 **0.1** *sponge reef.*

sponsrubber 〈het〉 **0.1** *sponge rubber.*

sponssteen 〈de (m.)〉 **0.1** *pumice* ⇒〈zeldz.〉 *spongite.*

sponsvisser 〈de (m.)〉 **0.1** *sponge-fisher* ⇒*sponger.*

spontaan 〈bn.,bw.;-ly〉 **0.1** [mbt. handelingen, uitingen] *spontaneous* ⇒ *unrehearsed, unprompted, unpremeditated, spur-of-the-moment* **0.2** [mbt. personen] *natural* ⇒*unaffected, spontaneous* **0.3** [〈biol.〉] *spontaneous* ◆ **1.1** spontane beweging *self-propulsion;* ~ gelach *spontaneous laughter* **1.2** een ~ kind *a n. child* **3.1** ~ reageren *react impulsively.*

spontaniteit 〈de (v.)〉 **0.1** [het uit eigen aandrang handelen] *spontaneity* **0.2** [het onvoorbedacht geschieden] *spontaneity.*

sponzenkolonie 〈de (v.)〉 **0.1** *sponge colony.*

sponzenvisserij 〈de (v.)〉 **0.1** *sponge-fishing.*

sponzig 〈bn.〉 **0.1** *spongy.*

spook 〈het〉 **0.1** [schim] *ghost* ⇒*phantom, spectre,* ↑*apparition,* ↓*spook* **0.2** [hersenschim] *chimera* ⇒*delusion* **0.3** [dreiging] *spectre* ⇒〈imaginair〉 *bog(e)y, bugbear* **0.4** [onuitstaanbaar meisje] *horror* ⇒*fright* ◆ **1.2** een ~ van de verbeelding *a figment of one's imagination, a delusion* **1.3** het ~ van de werkloosheid *the s. of unemployment* **2.3** het rode ~ *the s. of communism, the red menace* **3.2** overal spoken zien *see ghosts everywhere, be paranoid, suffer from delusions.*

spookachtig 〈bn., bw.〉 **0.1** *ghostly* ⇒*spooky, eerie, phantom,* ↑*spectral* ◆ **1.1** een ~e verschijning *a g./spectral figure.*

spookbeeld 〈het〉 →*spook* **0.3.**

spookdier 〈het〉 **0.1** *tarsier.*

spookgeest 〈de (m.)〉 **0.1** *ghost* ⇒*spirit.*

spookgestalte 〈de (v.)〉 **0.1** *phantom* ⇒*ghostly/spectral/spooky figure,* ↑*apparition.*

spookhuis 〈het〉 **0.1** [huis waar het spookt] *haunted house* **0.2** [kermisattractie] *ghost trains.*

spookkreeftje 〈het〉 **0.1** [schaaldier] *caprellid* **0.2** [〈mv.〉 familie van de Caprellidae] *caprellids.*

spookoorlog 〈de (m.)〉 **0.1** *phon(e)y war.*

spookrijden 〈ww.〉 **0.1** *driving against the traffic (on a* ᴮ*motorway/* ᴬ*(super)highway).*

spookrijder 〈de (m.)〉, -**rijdster** 〈de (v.)〉 **0.1** *'spookrijder'* 〈*motorist driving against the traffic on motorways〉;* 〈AE;inf.〉 *ghost-driver.*

spookschip 〈het〉 **0.1** *phantom ship.*

spooksel 〈het〉 **0.1** *phantom* ⇒*spectre.*

spooksprinkhaan 〈de (m.)〉 **0.1** *stick-and-leaf insect.*

spookstad 〈de〉 **0.1** *ghost town.*

spooktekening 〈de (v.)〉 **0.1** *latent markings.*

spookuur 〈het〉 **0.1** *witching hour/time.*

spookverhaal 〈het〉 **0.1** *ghost story.*

spookverschijning 〈de (v.)〉 **0.1** *spectre* ⇒*ghost,* ↑*apparition.*

spookvis 〈de (m.)〉 **0.1** *chim(a)era.*

spookvliegtuig 〈het〉 **0.1** *unidentified/phantom aeroplane* ᴬ*airplane,* 〈mil.,met opzet〉 *intruder.*

spookwoord 〈het〉 〈taal.〉 **0.1** *ghost word.*

spoonerisme 〈het, de (m.)〉 **0.1** *spoonerism.*

spoor
I 〈de〉 [om een rijdier aan te drijven] *spur* ⇒〈v.e. kemphaan〉 *gaff* **0.2** [uitwas aan vogelpoten] *spur* ⇒*calcar* **0.3** [uitsteeksel aan een bloem] *spur* ⇒*calcar* **0.4** [spore] *spore* ◆ **2.1** gulden sporen *gold/gilded spurs* **3.1** een paard de sporen geven *set/put spurs to a horse,*

dig one's spurs into a horse, spur a horse; van sporen voorzien *spur;* ⟨fig.⟩ zijn sporen verdienen/verdiend hebben *win/have won one's spurs;*
II ⟨het⟩ **0.1** [afdruk in de grond] *track* ⇒*(foot)print, trail, mark,* ⟨v.e. dier ook⟩ *spoor* **0.2** [geluidsspoor] *track* **0.3** [blijk van vroegere aanwezigheid] *trace* ⇒*vestige* **0.4** [kleine hoeveelheid van een bestanddeel] *trace* **0.5** [gebaande weg] *track* ⇒*trail* **0.6** [spoorrails] *track* ⇒ *rails* **0.7** [bedrijf van de spoorwegen] *railway/* ⟨vnl. AE⟩ *railroad (company)* **0.8** [trein] *rail* ⇒*train* **0.9** [spoorbreedte] *gauge* ♦ **1.1** ⟨jacht⟩ verlies van ~ *check* **1.3** de sporen van geweld dragen/vertonen *bear/show the marks of violence;* sporen van geweldpleging *marks of violence* **2.1** het ~ bijster/kwijt zijn *be off the track;* ⟨jacht ook⟩ *have lost the scent;* ⟨van de goede weg af zijn; ook⟩ *be off the right track;* op het goede ~ zijn *be on the right track/trail;* een vers~ *a new scent;* ⟨jacht⟩ *a fresh scent* **2.3** diepe/zware sporen na/achterlaten *mark deeply, leave heavy/deep marks* **2.5** op een dood~ komen/ raken *be sidetracked, come to a deadlock;* ⟨fig.⟩ iem. weer in het goede~ brengen *put s.o. back on the right track* **2.6** op dood~ *on a sidetrack;* enkel/dubbel~ *single/double t.* **2.9** smal/normaal/breed~ *narrow/standard/broad g.* **3.1** ⟨fig.⟩ de politie heeft een ~ gevonden *the police have a clue;* ⟨jacht.⟩~ maken *leave tracks/a trail;* sporen uitwissen *cover up one's tracks;* ⟨jacht⟩ het ~ vinden *pick up the scent;* een ~ volgen *follow a track/trail/scent;* ⟨fig.⟩ iemands ~ volgen/drukken *follow in s.o.'s footsteps/tracks;* ⟨jacht⟩ het ~ zoeken ⟨ook⟩ *cast (the hounds)* **3.3** geen ~ meer van iets kunnen ontdekken *not be able to find any trace/evidence of sth.* **6.1** iem. op het ~ komen ⟨ontdekken waar iem. zich bevindt⟩ *track s.o. down, trace s.o.;* ⟨zijn plannen beginnen te doorzien⟩ *see through s.o.;* iets op het ~ zijn *be on to sth.;* iem. op het ~ zijn *be on s.o.'s track;* ⟨jacht⟩ een hond op het ~ zetten *lay a hound on the scent* **6.2** een band met vier sporen *a four track tape* **6.5** ⟨fig.⟩ **buiten** ~ treden *go/be off the beaten track;* ⟨fig.⟩ **van/uit** het ~ raken *get off the track/trail* **6.6** uit het ~ lopen *leave the t.;* metals, be/get derailed **6.7** **aan/bij** het ~ zijn *werken be with/work for the railway/railroad* **6.8** iets **per** ~ verzenden *send/ship sth. by r./train* **6.**¶ ⟨scheep.⟩ de mast vastzetten in het ~ *step the mast* **7.3** geen ~ van ... *no trace/vestige of ....*

spoorbaan ⟨de⟩ **0.1** *railway* ⇒⟨vnl. AE⟩ *railroad.*
spoorbalk ⟨de (m.)⟩ →**spoorbiels.**
spoorbeen ⟨het⟩ ⟨dierk.⟩ **0.1** *calcar.*
spoorbiels ⟨zn.mv.⟩ **0.1** B*(railway) sleeper,* A*crosstie, railroad tie.*
spoorbloem ⟨de⟩ **0.1** *centranth* ♦ **2.1** rode ~ *red valerian.*
spoorboekje ⟨het⟩ **0.1** [dienstregeling] *(train/railway/* ⟨vnl. AE⟩ *railroad) timetable* **0.2** [weergave van plannen] *timetable* ⇒*scenario.*
spoorboom ⟨de (m.)⟩ **0.1** *level-crossing/* ⟨vnl. AE⟩ *railroad barrier/gate.*
spoorboot ⟨de⟩ **0.1** *train ferry.*
spoorbreedte ⟨de (v.)⟩ **0.1** *(railway/* ⟨vnl. AE⟩ *railroad) gauge.*
spoorbrug ⟨de⟩ **0.1** *railway/* ⟨vnl. AE⟩ *railroad bridge.*
spoordam ⟨de (m.)⟩ **0.1** *railway dam.*
spoordienst ⟨de (m.)⟩ **0.1** *railway/* ⟨vnl. AE⟩ *railroad service.*
spoordijk ⟨de (m.)⟩ **0.1** *railway/* ⟨vnl. AE⟩ *railroad embankment.*
spoorelement ⟨het⟩ **0.1** *trace element* ⇒*micro-element, micronutrient.*
spoorgors ⟨de⟩ **0.1** *Lapland bunting.*
spoorkaartje ⟨het⟩ **0.1** *railway/train ticket.*
spoorlijn ⟨de⟩ **0.1** [spoorwegverbinding] *railway/* ⟨vnl. AE⟩ *railroad line* **0.2** [spoorweg] *railway/* ⟨vnl. AE⟩ *railroad* **0.3** [lijn die een wiel achterlaat] *track* ♦ **3.2** een ~ aanleggen *build a railway/* ⟨vnl. AE⟩ *railroad.*
spoorloos ⟨bn.⟩ **0.1** *without a trace* ⇒⟨zeldz.⟩ *trackless* ♦ **1.1** mijn bril is ~ *my glasses have vanished/disappeared;* zijn spoorloze verdwijning *his total disappearance* **3.1** ~ verdwijnen *disappear without a trace/ into thin air.*
spoorrad ⟨het⟩ ⟨herald.⟩ **0.1** *spur rowel.*
spoorrail ⟨de⟩ **0.1** *rail.*
spoorrat ⟨de⟩ **0.1** *ichneumon.*
spoorrijtuig ⟨het⟩ **0.1** *coach* ⇒*(railway/* ⟨vnl. AE⟩ *railroad) car.*
spoorslag ⟨de (m.)⟩ **0.1** *goad* ⇒*spur,* ⟨fig. ook⟩ *stimulus, incentive, impetus, fillip.*
spoorslags ⟨bw.⟩ **0.1** *at full speed/tilt* ⇒ ↓*hell for leather* ♦ **3.1** er ~ vandoor gaan *leave posthaste, rush/dash off.*
spoorspant ⟨het⟩ **0.1** *(common) rafter.*
spoorspijker ⟨de (m.)⟩ **0.1** *(dog)spike.*
spoorstaaf ⟨de⟩ **0.1** *rail.*
spoorstang ⟨de⟩ **0.1** *track rod.*
spoorstok ⟨de⟩ **0.1** [boot] *stretcher* **0.2** [wagen] *swingle-tree;* ⟨BE ook⟩ *splinter-bar;* ⟨AE ook⟩ *whiffletree.*
spoorstudent ⟨de (m.)⟩ **0.1** *commuting/day student.*
spoortrein ⟨de (m.)⟩ **0.1** [trein] *(railway/* ⟨vnl. AE⟩ *railroad) train* **0.2** [speelgoed] *(railway/* ⟨vnl. AE⟩ *railroad) train* ⇒*train set, electric train.*
spoorvast ⟨bn.⟩ **0.1** ⟨zie 1.1⟩ ♦ **1.1** een ~e hond *an excellent/a good tracker.*
spoorverbinding ⟨de (v.)⟩ **0.1** *(railway/* ⟨vnl. AE⟩ *railroad) connection.*
spoorvormig ⟨de (v.)⟩ ⟨verkeer⟩ **0.1** *ruts.*

spoorvracht ⟨de⟩ **0.1** *rail freight.*
spoorwachter ⟨de (m.)⟩ **0.1** *trackman.*
spoorwagen ⟨de (m.)⟩ **0.1** *railway carriage/coach,* A*railroad car* ⇒⟨BE; vracht⟩ *railway wagon.*
spoorweg ⟨de (m.)⟩ **0.1** [weg van rails] *railway;* ⟨vnl. AE⟩ *railroad/train tracks* **0.2** [⟨mv.⟩ bedrijf] *railway;* ⟨vnl. AE⟩ *railroad* ♦ **1.1** een knooppunt van ~en *a railway/railroad junction;* een dicht net van ~en *a complex network of railway/railroad lines* **2.1** verhoogde ~ *elevated railway/railroad;* ⟨inf.⟩ *el* **3.1** een ~ aanleggen *build a railway/railroad* **6.2** hij werkt **bij** de Spoorwegen *he works for the railway/railroad.*
spoorwegarbeider ⟨de (m.)⟩ **0.1** *railway/*A*railroad worker;* ⟨BE ook⟩ *railwayman.*
spoorwegbeambte ⟨de (m.)⟩ **0.1** *railway/*A*railroad employee.*
spoorwegemplacement ⟨het⟩ **0.1** *railway/*A*railroad yard.*
spoorwegknooppunt ⟨het⟩ **0.1** *railway/*A*railroad junction.*
spoorwegmaatschappij ⟨de (v.)⟩ **0.1** *railway/* ⟨vnl. AE⟩ *railroad (company).*
spoorwegmaterieel ⟨het⟩ **0.1** *railway/*A*railroad equipment* ⇒⟨rollend⟩ *rolling-stock.*
spoorwegnet ⟨het⟩ **0.1** *rail(way)/* ⟨vnl. AE⟩ *railroad network* ♦ **3.1** een ~ aanleggen *build a r.n..*
spoorwegongeluk ⟨het⟩ **0.1** *railway/*A*railroad accident* ⇒ ↓*train crash.*
spoorwegovergang ⟨de (m.)⟩ **0.1** *level/railway crossing,* A*grade crossing* ♦ **2.1** bewaakte ~ *protected/gated/guarded level/grade crossing;* onbewaakte ~ *unprotected/ungated/unguarded level/grade crossing.*
spoorwegpersoneel ⟨het⟩ **0.1** *railway/* ⟨vnl. AE⟩ *railroad personnel/employees/workers.*
spoorwegpolitie ⟨de (v.)⟩ **0.1** *railway/*A*railroad police.*
spoorwegrecherche ⟨de (v.)⟩ **0.1** *railway/*A*railroad detective force.*
spoorwegstaking ⟨de (v.)⟩ **0.1** *railway/* ⟨vnl. AE⟩ *railroad strike.*
spoorwegstation ⟨het⟩ **0.1** *railway/*A*railroad station.*
spoorwegvervoer ⟨het⟩ **0.1** *railway/*A*railroad/rail transport.*
spoorwijdte →**spoorbreedte.**
spoorwissel ⟨de (m.)⟩ **0.1** B*points* ⟨mv.⟩, A*switch.*
spoorzoeken ⟨ww.⟩ **0.1** *tracking* ⇒*tracing.*
sporadisch ⟨bn., bw.;-(al)ly⟩ **0.1** *sporadic* ⇒*rare, seldom* ♦ **1.1** ⟨med.⟩ ~e ziekten *uncommon diseases* **3.1** ~ voorkomen ⟨ook⟩ *be few and far between;* ⟨in⟩ ~ voorkomende gevallen ⟨in *a few scattered/isolated/* ⟨med. ook⟩ *sporadic instances;* ik zie hem maar ~ *I seldom see him, I see him only once in a while/* ↓*once in a blue moon.*
spore ⟨de⟩ **0.1** *spore* ⇒⟨klein⟩ *sporule.*
sporediertje ⟨het⟩ **0.1** *sporozoon, sporozoan.*
sporedragend ⟨bn.⟩ **0.1** *cryptogamic, cryptogamous.*
sporen
I ⟨onov.ww.⟩ **0.1** [in een zelfde spoor lopen] *track* **0.2** [per spoor reizen] *go/travel by rail/train* ⇒ ⟨inf.⟩ *train* ♦ **1.2** het is maar 20 minuten ~(s) *it's only 20 minutes by rail/train, it's only a 20-minute trip by train* **5.1** die wagen spoort goed *that car tracks well* **6.1** ⟨fig.⟩ het beleid spoort niet **met** de maatschappelijke ontwikkelingen *the policy doesn't mesh with social developments* **6.2** naar ~ Amsterdam ~ *take the train to Amsterdam;* ⟨regelmatig⟩ *commute to Amsterdam.*
II ⟨ov.ww.⟩ **0.1** [van sporen voorzien] *spur* **0.2** [mbt. een paard] *spur* **0.3** [opsporen] *track.*
sporenaar ⟨de⟩ ⟨plantk.⟩ **0.1** *strobile, strobilus.*
sporenelement →**spoorelement.**
sporenhouder ⟨de (m.)⟩ ⟨biol.⟩ **0.1** *theca* ♦ **1.1** een tros ~s *a sorus.*
sporenvrucht ⟨de⟩ **0.1** *fructification.*
sporeplant ⟨de⟩ **0.1** *cryptogam.*
sporkeboom ⟨de (m.)⟩ **0.1** *alder buckthorn* ⇒*alder dogwood.*
sporozoön ⟨het⟩ →**sporediertje.**
sport ⟨de⟩ **0.1** [lichamelijke bezigheid] *sport(s)* **0.2** [bepaalde sport] *sport* **0.3** [trede] *rung* **0.4** [stelspaak] *rung* ⇒*crossbar* ♦ **2.3** de hoogste ~ bereiken ⟨fig.⟩ *reach the highest r. (of the ladder)/the top of the ladder/heap;* op de onderste ~ beginnen ⟨fig.⟩ *start on the bottom r.* **3.1** veel/weinig aan ~ doen *go in for/not go in for sports, be/not be keen on sports, be/not be (much of) a sportsman* **3.2** een ~ beoefenen *practise* A*tice/play a sport;* een ~ van iets maken *go after sth.;* ⟨iron.⟩ ~ turn/make sth. into a joke **5.3** ⟨fig.⟩ een ~ omhoog op de maatschappelijke ladder *a step up the social ladder.*
sportaccommodatie ⟨de (v.)⟩ **0.1** *sports accomodation/centre.*
sportartikel ⟨het⟩ **0.1** *sports equipment;* ⟨mv.⟩ *goods;* ⟨kleding⟩ *sportswear.*
sportarts ⟨de (m.)⟩ **0.1** *sports doctor/physician.*
sportbeoefenaar ⟨de (m.)⟩ **0.1** *sportsman* ⇒B*sporting man.*
sportbeoefening ⟨de (v.)⟩ **0.1** *(practice of) sport(s).*
sportberichten ⟨zn.mv.⟩ **0.1** *sports news;* ⟨AE ook⟩ *sportscast* ⟨radio, t.v.⟩.
sportblad ⟨het⟩ **0.1** [aparte publicatie] *sports magazine, sports paper* **0.2** [supplement in dagblad ⟨vnl. mv.⟩] *sports page(s).*
sportbond ⟨de (m.)⟩ **0.1** *association, federation* ♦ **2.1** internationale ~ *international federation;* nationale ~ *national association.*
sportbroek ⟨de (m.)⟩ **0.1** *shorts.*

sportcentrum ⟨het⟩ **0.1** *sports centre.*
sportclip ⟨de (m.)⟩ **0.1** *safety/retaining clip.*
sportclub ⟨de⟩ **0.1** *sporting/sports club.*
sportcommissaris ⟨de (m.)⟩ **0.1** *sports official.*
sportcomplex ⟨het⟩ **0.1** *sports complex/centre.*
sportcoupé ⟨de (m.)⟩ **0.1** *sports car.*
sportdag ⟨de (m.)⟩ **0.1** *sports day.*
sportduiker ⟨de (m.)⟩ **0.1** *scuba diver* ⇒*sport diver.*
sporten ⟨onov.ww.⟩ **0.1** *practise* ^A*tice/play a sport, exercise.*
sporter ⟨de (m.)⟩, **-ster** ⟨de (v.)⟩ **0.1** *sportsman* ⟨m.⟩, *sportswoman* ⟨v.⟩.
sportevenement ⟨het⟩ **0.1** *sporting/sports event.*
sportfanaat ⟨de (m.)⟩ **0.1** *sports fanatic/freak.*
sportfiets ⟨de⟩ **0.1** *sports bicycle;* ⟨inf.⟩ *bike* ⇒*racing bicycle/bike.*
sportfondsenbad ⟨het⟩ **0.1** *'sportfondsenbad'* ⟨*swimming pool paid for by a sports club, public/clubs' swimming pool/bath(s)*⟩.
sportfoto ⟨de⟩ **0.1** *sports photo* ⇒ ↑*sports photograph.*
sportgebeuren ⟨het⟩ **0.1** ⟨concr.⟩ *sporting event;* ⟨alg.⟩ *sports.*
sportgebied ⟨het⟩ **0.1** *sports/sporting field* ⇒*sports* ◆ **6.1** op ~ *in the field of sports.*
sportgeneeskunde ⟨de (v.)⟩ **0.1** *sports medicine.*
sporthal ⟨de⟩ **0.1** *sports hall/centre* ⇒≠*gymnasium,* ⟨inf.⟩ *gym.*
sporthart ⟨het⟩ **0.1** *athlete's heart.*
sporthemd ⟨het⟩ **0.1** *sports shirt.*
sporthygiëne ⟨de (v.)⟩ **0.1** *sport(s) health.*
sportief ⟨bn., bw.⟩ **0.1** [mbt. sport] *sports* ⇒*sporty* **0.2** [van sport houdend] *sport(s)-loving* ⇒*fond of sports,* ⟨soms pej.⟩ *sporty* **0.3** [eerlijk, fair] *sportsmanlike* ⇒*sporting* ◆ **1.1** een ~ evenement *a sports event;* een ~ jasje *a casual/sporty jacket, a sports jacket* **1.3** een ~ gebaar *a sportsmanlike/sporting gesture* **3.1** het sportief roeien *competitive rowing* **3.3** hou het ~ *keep/play it clean;* iets ~ opvatten *take sth. well/with grace;* ~ zijn ⟨ook⟩ *be a sport.*
sportieveling ⟨de (m.)⟩ ⟨inf., iron.⟩ **0.1** *sports freak.*
sportiviteit ⟨de (v.)⟩ **0.1** *sportsmanship* ⇒*fairness.*
sportjasje ⟨het⟩ **0.1** ^B*sports jacket,* ^A*sport coat.*
sportjournaal ⟨het⟩ **0.1** *sports news/section;* ⟨AE ook⟩ *sportscast* ⇒ *sports.*
sportjournalist ⟨de (m.)⟩ **0.1** *sports journalist/correspondent/writer/reporter/commentator;* ⟨AE; t.v.-commentator⟩ *sportscaster.*
sportjournalistiek ⟨de (v.)⟩ **0.1** *sport journalism.*
sportkamp ⟨het⟩ **0.1** *sports camp.*
sportkeuring ⟨de (v.)⟩ **0.1** *physical (for participating in a sport).*
sportkleding ⟨de (v.)⟩ **0.1** *sportswear* ⇒*sports clothing/clothes/things.*
sportkostuum ⟨het⟩ **0.1** *sports outfit* ⇒⟨BE ook⟩ *strip* ⟨vnl. voetbal⟩.
sportkous ⟨de⟩ **0.1** *sports sock.*
sportkrant ⟨de⟩ **0.1** *sports (news)paper.*
sportleider ⟨de (m.)⟩, **-ster** ⟨de (v.)⟩ **0.1** ^B*PE-teacher,* ^A*coach* ⇒*trainer.*
sportleraar ⟨de (m.)⟩, **-rares** ⟨de (v.)⟩ **0.1** *sports teacher;* ⟨school⟩ *PE/PT teacher* ⟨m., v.⟩ ⇒*games teacher* ⟨m., v.⟩/*master* ⟨m.⟩/*mistress* ⟨v.⟩.
sportliefhebber ⟨de (m.)⟩ **0.1** *sports enthusiast/* ⟨overdreven⟩ *fanatic.*
sportlievend ⟨bn.⟩ **0.1** *sport(s)-loving* ⇒*fond of sports* ⟨alleen pred.⟩.
sportman ⟨de (m.)⟩ **0.1** *sportsman* ⇒*sporting man.*
sportmanifestatie ⟨de (v.)⟩ **0.1** *sports/sporting event.*
sportmodel ⟨het⟩ **0.1** *sport(s) model.*
sportpagina ⟨de⟩ **0.1** *sports page.*
sportpaleis ⟨het⟩ **0.1** *sports hall* ⇒*covered stadium, (sports) coliseum.*
sportpark ⟨het⟩ **0.1** *sports park;* ⟨AE ook⟩ *park.*
sportprestatie ⟨de (v.)⟩ **0.1** *sporting achievement.*
sportprogramma ⟨het⟩ ⟨radio, t.v.⟩ **0.1** *sports programme* ^A*gram.*
sportraad ⟨de (m.)⟩ **0.1** *sports/sporting commission.*
sportredacteur ⟨de (m.)⟩, **-trice** ⟨de (v.)⟩ **0.1** *sports writer/editor.*
sportrubriek ⟨de (v.)⟩ **0.1** *sports column/section.*
sportschoen ⟨de⟩ **0.1** *sports shoe.*
sportschool ⟨de⟩ **0.1** *school/institute/academy for (the) martial arts.*
sportstuur ⟨het⟩ **0.1** ⟨v.e. fiets⟩ *sporty handle bars* ⇒ ⟨v.e. auto⟩ *sports wheel.*
sporttas ⟨de⟩ **0.1** *sports/kit bag.*
sportterm ⟨de (m.)⟩ **0.1** *sporting/sports term.*
sportterrein ⟨het⟩ **0.1** *sports/playing field* ⇒*sports park,* ⟨AE ook⟩ *park.*
sporttrui ⟨de⟩ **0.1** *sports sweater/jersey.*
sportuitrusting ⟨de (v.)⟩ **0.1** *sports/sporting gear/equipment/* ⟨kleding⟩ *outfit* ◆ **2.1** hij heeft een nieuwe ~ gekocht *he's bought new sports gear/equipment/a new sports outfit.*
sportuitslagen ⟨zn.mv.⟩ **0.1** *sports/sporting results.*
sportuitwisseling ⟨de (v.)⟩ **0.1** *sport(s) exchange.*
sportvedette ⟨de (m.)⟩ **0.1** *sports star.*
sportveld ⟨het⟩ **0.1** *sports/playing field* ⇒⟨BE ook⟩ *pitch.*
sportvelg ⟨de⟩ **0.1** *sports rim.*
sportverdwazing ⟨de (v.)⟩ **0.1** *sports madness.*
sportvereniging ⟨de (v.)⟩ **0.1** *sports/sporting club.*
sportvissen ⟨ww.⟩ **0.1** *sport/amateur fishing.*
sportvisser ⟨de (m.)⟩ **0.1** *angler* ⇒*(amateur) fisherman.*

sportvlekken ⟨zn.mv.⟩ ⟨inf.; scherts.⟩ **0.1** ⟨ongemarkeerd⟩ *sperm stains.*
sportvlieger ⟨de (m.)⟩, **-ster** ⟨de (v.)⟩ **0.1** *private/amateur pilot.*
sportvliegtuig ⟨het⟩ **0.1** *pleasure aircraft/plane.*
sportvriend ⟨de (m.)⟩, **-in** ⟨de (v.)⟩ **0.1** [sportliefhebber] *sports lover* **0.2** [vriend(in) door sport] *sports friend.*
sportvrouw ⟨de (v.)⟩ **0.1** *sportswoman* ⇒*sporting woman.*
sportwagen ⟨de (m.)⟩ **0.1** *sports car.*
sportwedstrijd ⟨de (m.)⟩ **0.1** *sports/sporting competition/event/contest.*
sportwereld ⟨de⟩ **0.1** *sports world* ⇒*world of sports.*
sportwol ⟨de⟩ **0.1** *'sportwol'* ⟨*yarn/wool for a casual/sporty sweater*⟩.
sportzaak ⟨de⟩ **0.1** [winkel] *sports shop/* ^A*store* **0.2** [⟨mv.⟩ sportaangelegenheden] *sports/sporting matters.*
spot
 I ⟨de (m.)⟩ **0.1** [reclamebeeld] *(advertising) spot* **0.2** [lamp] *spot(light)* ◆ **3.2** ergens een ~ je op zetten *spotlight sth.;*
 II ⟨de (m.)⟩ **0.1** [ironie] *satire* ⇒*irony, ridicule, derision, mockery, sarcasm* **0.2** [uitdrukking, blijk van spotten] *sarcasm* ⇒*irony, derision, mockery, satire, ridicule* **0.3** [voorwerp van bespotting] *laughing-stock* ◆ **2.1** boosaardige/bijtende ~ *vicious/biting satire/irony;* goedaardige/zachte ~ *good-natured scoffing, persiflage* **3.1** de ~ drijven met iets/iem. *poke fun at/scoff at sth./s.o., mock sth./s.o.* **3.3** de ~ zijn van *be the l. of* **6.2** iem. door ~ v.e. mening afbrengen *laugh s.o. out of an opinion* **6.3** ten ~ van velen *exposed to the ridicule/derision/mockery of many;* voor ~ zitten/lopen *be (made) a l..*
spotachtig ⟨bn., bw.; -ly⟩ **0.1** [ironisch] *scoffing* ⇒*derisive, mocking,* ⟨AE ook⟩ *joshing* **0.2** [spotziek] *sarcastic* ⇒*flippant, irreverent.*
spotbeeld ⟨het⟩ **0.1** *caricature.*
spotblad ⟨het⟩ **0.1** *satirical magazine/newspaper.*
spotcharter ⟨de (m.)⟩ **0.1** *special charter.*
spotdicht ⟨het⟩ **0.1** *satirical poem* ⇒*satire.*
spotgoedkoop ⟨bn., bw.⟩ **0.1** *dirt-cheap* ◆ **1.1** een ~ ding *a bargain;* ⟨AE ook⟩ *a steal* **3.1** iets ~ kopen/krijgen ⟨ook⟩ *buy/get sth. for peanuts/nothing/a bargain.*
spotheilige ⟨de (m.)⟩ **0.1** *pseudo-saint.*
spotkoopje ⟨het⟩ **0.1** *bargain* ⇒⟨AE ook⟩ *steal.*
spotlach ⟨de (m.)⟩ **0.1** *sneer* ⇒*jeer(ing laugh).*
spotlijster ⟨de⟩ **0.1** [vogel] *mocking bird* **0.2** [⟨mv.⟩ vogelfamilie] *mocking birds.*
spotlust ⟨de (m.)⟩ **0.1** *fondness for/love of mockery/sarcasm* ⇒*sarcastic/facetious bent* ◆ **3.1** de ~ opwekken *arouse mockery,* ↑*provoke ridicule.*
spotmarkt ⟨de⟩ **0.1** *spot market.*
spotmeeuw ⟨de⟩ **0.1** [vogel] *blackheaded gull* **0.2** [persoon] *sarcastic/ironic person* ⇒*scoffer, mocker.*
spotmerel ⟨de⟩ →**spotlijster.**
spotnaam ⟨de (m.)⟩ **0.1** *nickname* ◆ **3.1** iem. de ~ Tiggy geven *nickname s.o. Tiggy.*
spotprent ⟨de⟩ **0.1** *(political) cartoon* ◆ **1.1** tekenaar van ~en *cartoonist.*
spotprijs ⟨de (m.)⟩ **0.1** *bargain/giveaway price* ◆ **6.1** alles voor een ~ verkopen *sell everything at bargain/giveaway prices;* voor de ~ van f20 ⟨ook⟩ *for the ridiculous(ly low) price of 20 guilders.*
spotschrift ⟨het⟩ **0.1** *satire, lampoon.*
spotten (→sprw. 234)
 I ⟨onov.ww.⟩ **0.1** [zich met scherts uiten] *joke* ⇒*jest,* ⟨AE ook⟩ *josh* **0.2** [belachelijk maken] *mock* ⇒*scoff, sneer, jibe, deride* **0.3** [zich niet storen aan] *defy* ◆ **1.1** een ~de benaming *a derisive name* **1.2** een ~de blik *a sardonic look;* een ~de opmerking *a facetious remark, a jibe* **3.1** hij zei het al ~d/om te ~ *he said it in jest/as a joke* **3.2** ~d (uit)lachen *laugh at, sneer/jibe (at)* **5.** ¶ daar moet je niet mee ~ *that is no laughing matter* **6.2** niet met zich laten ~ *not stand for any nonsense;* ⟨fig.⟩ toestanden die ~ met alle beschrijving *conditions/circumstances that defy description;* hij spot met alles en iedereen *he makes fun of everything and everyone* **6.3** ~ met zijn gezondheid *play dangerously with one's health;* ~ met iemands raadgevingen *laugh at s.o.'s advice* ¶.2 ja, spot er maar mee *go ahead and laugh;*
 II ⟨ov.ww.⟩ **0.1** [ontdekken] *spot* ⇒*scout* ◆ **1.1** een goede zangeres ~ bij een talentenjacht *spot/discover a good singer at a talent show/on a scouting tour.*
spotter ⟨de (m.)⟩, **-ster** ⟨de (v.)⟩ **0.1** [iem. die spot] *mocker* ⇒*scoffer, jeerer, ribald* **0.2** [⟨film.⟩] *(talent) scout* ◆ **1.1** ~s huisje brandt ook *don't laugh too soon (it could happen to you).*
spotternij ⟨de (v.)⟩ **0.1** [handeling] *mocking* ⇒*jeering, flippancy, scoffing, taunting* **0.2** [uitlating] *mockery* ⇒*jeer, jest, taunt.*
spotvogel ⟨de (m.)⟩ **0.1** [vogel] *icterine warbler* **0.2** [persoon] *mocker* ⇒*scoffer, jokester,* ⟨AE ook⟩ *josher* ◆ **2.1** Amerikaanse ~ *mocking bird.*
spotziek ⟨bn., bw.; -ly⟩ **0.1** *mocking* ⇒*scoffing, derisive, flippant.*
spotzucht ⟨de⟩ **0.1** *love of/fondness for mocking/scoffing* ⇒*satirical/facetious bent.*
spouw ⟨de⟩ **0.1** *cavity* ⇒*split.*
spouwmuur ⟨de (m.)⟩ **0.1** [dubbele muur] *cavity/hollow wall* **0.2** [binnenmuur] *cavity wall.*
spouwmuurisolatie ⟨de (v.)⟩ **0.1** *cavity wall insulation.*

SPQR ⟨afk.⟩ **0.1** [Senatus Populusque Romanus] *S.P.Q.R.*.
spr. ⟨afk.⟩ **0.1** [spreker] ⟨*speaker*⟩.
spraak ⟨de⟩ **0.1** [vermogen om te spreken] *speech* ⇒*tongue* **0.2** [wijze van spreken] *language* ⇒*tongue, speech* **0.3** [persoonlijk taalgebruik] *speech* ⇒*language* **0.4** [wat gesproken wordt] *speech* ◆ **1.2** de ~ van de ogen *the l. of the eyes* **2.1** van de schrik zijn ~ kwijt zijn *be scared speechless* **2.2** een zware ~ hebben *have a thick tongue* **3.1** zijn ~ hervinden *find one's tongue (again);* de ~ missen *be dumb / speechless;* zijn ~ verloren hebben *have lost one's tongue* **3.2** iem. aan zijn ~ herkennen *know / recognize s.o. by his l.;* je weet de weg en je kent de ~ *you're no stranger here.*
spraakcentrum ⟨het⟩ **0.1** *speech centre.*
spraakchip ⟨de⟩ **0.1** *synthesizer / speech chip.*
spraakgebrek ⟨het⟩ **0.1** *speech impediment / defect.*
spraakgebruik ⟨het⟩ **0.1** *usage* ⇒*parlance* ◆ **2.1** volgens algemeen / geldend ~ *in ordinary language / terms, in common parlance;* het gewone / bestaande ~ *common parlance, idiomatic usage* ¶.**1** dat is in strijd met het ~ *that is not common u. / not idiomatic.*
spraakherkenner ⟨de (m.)⟩ ⟨comp.⟩ **0.1** *speech recognizer.*
spraakklank ⟨de (m.)⟩ **0.1** *speech sound* ⇒*phone, phoneme* ◆ **3.1** ~en produceren ⟨ook⟩ *phonate, articulate.*
spraakkunst ⟨de (v.)⟩ **0.1** [leer] *grammar* **0.2** [boek] *grammar* ◆ **3.1** aan ~ doen ⟨ook⟩ *be a grammarian, grammaticize.*
spraakkunstig ⟨bn., bw.; -ly⟩ **0.1** *grammatical.*
spraakleraar ⟨de (m.)⟩, **-lerares** ⟨de (v.)⟩ **0.1** *speech therapist* ⇒*elocution teacher, elocutionist.*
spraakles ⟨de⟩ **0.1** *speech / voice training;* ⟨lesuur⟩ *elocution lesson.*
spraakmakend ⟨bn.⟩ ◆ **1.**¶ de ~e gemeente *the speech-making community.*
spraakorgaan ⟨het⟩ **0.1** *speech organ.*
spraakstoornis ⟨de (v.)⟩ →**spraakgebrek.**
spraaktechnologie ⟨de (v.)⟩⟨comp.⟩ **0.1** *speech-processing technology.*
spraakvermogen ⟨het⟩ **0.1** *power of speech.*
spraakversneller ⟨de (m.)⟩ **0.1** *speech accelerator.*
spraakverwarring ⟨de (v.)⟩ **0.1** *babel, confusion of tongues* ◆ **2.1** die verandering bracht een Babylonische ~ teweeg *the change brought about a confusion of tongues / a veritable tower of Babel.*
spraakwater ⟨het⟩ **0.1** *firewater* ⇒*booze,* ⟨AE ook⟩ *hooch* ◆ **3.1** ⟨fig.⟩ veel ~ hebben *be garrulous / talkative / loquacious;* ~ in hebben *have a few under the belt, have tossed back a few.*
spraakwaterval ⟨de (m.)⟩ **0.1** *chatterer* ⇒*big / great talker,* ↓*jabberer* ↓*windbag,* ↓*babbler.*
spraakwending ⟨de (v.)⟩ **0.1** *turn of speech.*
spraakzaam ⟨bn.⟩ **0.1** *talkative* ⇒ †*garrulous, voluble,* ⟨schr.⟩ *loquacious,* ⟨inf.⟩ *chatty* ◆ **1.1** ~ mens ⟨ook⟩ *he is a real talker* **3.1** drank maakt ~ *alcohol loosens the tongue* **5.1** hij is weinig / niet erg ~ van aard *he is sparing with (his) words, he is not very t. / communicative;* zij is vandaag weinig / niet erg ~ *she isn't in a very t. mood today* ¶.**1** ~ van aard *t. / chatty by nature.*
sprake ⟨de (v.)⟩ ◆ **5.**¶ er is ~ van *there is (some) talk / rumour, rumour / report has it that;* er is geen ~ van *it / that is (absolutely) out of the question;* er is hier ~ van ... *it is a matter / question of ...* **6.**¶ iets ter ~ brengen *bring sth. up;* ter ~ komen *come up* **7.**¶ ⟨als antwoord op een verzoek⟩ geen ~ van! *certainly / absolutely / definitely not!, nothing of the kind / sort!;* ⟨inf.⟩ *no way!.*
sprakeloos ⟨bn., bw.; -ly⟩ **0.1** *speechless* ⇒*dumb* ◆ **3.1** iem. ~ maken / doen staan *leave s.o. speechless;* ze staat ~ *she is s. / struck dumb / dumbfounded* **6.1** ~ van verbazing *s., dumbfounded;* ~ **van** woede *s. with rage.*
sprank ⟨de⟩ **0.1** *spark.*
sprankelen ⟨onov.ww.⟩ **0.1** *sparkle* ⇒*scintillate,* ⟨fig.⟩ *bubble* ◆ **1.1** ~ de conversatie *bright / lively / animated conversation;* een ~ de geest *a brilliant mind, a sparkling wit;* ~ d proza *sparkling / scintillating prose* **6.1** hij sprankelt **van** levenslust *he is bursting with life / enthusiasm.*
sprankje ⟨het⟩ **0.1** [⟨fig.⟩ greintje] *spark* ⇒*ray, flicker, gleam, glimmer* **0.2** [straaltje] *ray* ⇒*glint, flicker* **0.3** [vonkje] *spark* ◆ **1.1** er is nog een ~ hoop *there is still a s.;* gleam of hope;* er is geen ~ hoop meer *there is not a gleam of hope anymore / left* **1.2** een ~ licht *a r. of light.*
sprant ⟨de⟩ **0.1** *effluent* ⇒*branch.*
sprayen ⟨ov.ww.⟩ **0.1** *spray.*
spreekbeurt ⟨de⟩ **0.1** *speaking engagement* ⇒*lecture,* ⟨op school⟩ *talk* ◆ **3.1** zijn ~ afzeggen *cancel one's engagement;* een ~ vervullen *deliver a lecture.*
spreekbuis ⟨de⟩ **0.1** [huistelefoon] *speaking / voice tube* **0.2** [⟨fig.⟩ persoon] *mouthpiece* **0.3** [spreekhoorn] *megaphone.*
spreekcel ⟨de⟩ **0.1** [telefooncel] *(tele)phone booth / box* **0.2** [geïsoleerde kamer] *soundproof room* ⇒*studio.*
spreekgestoelte ⟨het⟩ **0.1** [platform] *platform* ⇒*podium, rostrum, dais, tribune,* ⟨in een kerk⟩ *pulpit* ◆ **3.1** het ~ bestijgen *mount the platform.*
spreekhoorn ⟨de (m.)⟩ **0.1** *ear trumpet.*
spreekkamer ⟨de⟩ **0.1** *consulting / consultation room* ⇒⟨BE ook⟩ *surgery,* ⟨AE ook⟩ *office,* ⟨in een klooster⟩ *parlour.*
spreekkoor ⟨het⟩ **0.1** [groep die een tekst voordraagt] *chorus* ⇒*choral readers* **0.2** [het gesprokene] *choral reading* ⇒*chant(ing).*

spreekoefening ⟨de (v.)⟩ **0.1** *speech training* ⇒⟨één oefening⟩ *speaking exercise.*
spreekrecht ⟨het⟩ **0.1** *right to speak* ◆ **6.1** toehoorders **met** ~ *members of the audience with a right to speak / a right to the floor.*
spreeksnelheid ⟨de (v.)⟩ **0.1** *speed of speech.*
spreekstalmeester ⟨de (m.)⟩ **0.1** *ringmaster.*
spreekstem ⟨de⟩ **0.1** *speaking voice.*
spreektaal ⟨de⟩ **0.1** *spoken language* ⇒*colloquial speech / language, vernacular* ◆ **6.1 tot** de ~ behorend *colloquial, vernacular.*
spreektijd ⟨de (m.)⟩ **0.1** *(allotted) speaking time.*
spreektrant ⟨de (m.)⟩ **0.1** *manner of speaking* ⇒*elocution.*
spreektrompet ⟨de⟩ **0.1** [spreekhoorn] *speaking / ear trumpet* **0.2** [⟨fig.⟩ persoon] *mouthpiece.*
spreekuur ⟨het⟩ **0.1** *office hours* ⟨ook AE med.⟩ ⇒⟨BE; med.⟩ *surgery (hours)* ◆ **3.1** ~ houden *hold / have o. h. / surgery;* de dokter houdt ~ van 9 tot 11 ⟨ook⟩ *the doctor does / gives consultations / is at home from 9 to 11* **6.1** op het ~ komen *come to s.o.'s o. h. / surgery* ¶.**1** ~: 10.00 - 12.00 u. *Hours: 10 a.m. - 12 noon.*
spreekvaardigheid ⟨de (v.)⟩ **0.1** *speaking skill / ability, fluency.*
spreekverbod ⟨het⟩ **0.1** *ban on / writ against public speaking* ◆ **3.1** ik heb een ~ *I have been barred from speaking / forbidden to speak;* iem. een ~ opleggen *serve a writ against public speaking on s.o..*
spreekwijze ⟨de⟩ **0.1** *phrase* ⇒*locution, expression.*
spreekwoord ⟨het⟩ **0.1** *proverb* ⇒*adage, saying* ◆ **3.1** zoals het ~ zegt *as the saying goes.*
spreekwoordelijk ⟨bn., bw.; -ly⟩ **0.1** [als spreekwoord gangbaar] *proverbial* **0.2** [algemeen bekend] *proverbial* ◆ **3.1** ~ worden *become p., pass into a proverb* **3.2** zijn verstrooidheid is ~ *his absent-mindedness is p., he is proverbially absent-minded.*
spreekwoordenboek ⟨het⟩ **0.1** *dictionary of proverbs.*
spreeuw ⟨de⟩ **0.1** *starling* ◆ **1.1** een zwerm ~ en *a flock of starlings* **2.1** roze ~ *(rosy) pastor.*
spreeuwbes ⟨de⟩ **0.1** *mountain-ash.*
sprei ⟨de⟩ **0.1** [sierdeken] *(bed)spread* ⇒*coverlet, counterpane* **0.2** [uitgespreide laag] *layer, spread* **0.3** [reikwijdte van een kraan] *radius.*
spreiden ⟨ov.ww.⟩ **0.1** [uitspreiden] *spread (out)* **0.2** [over een tijdsverloop, ruimte, personen verdelen] *stagger* ⇒*spread (out)* **0.3** [uit elkaar plaatsen] *spread (out)* ⇒*space* **0.4** [verspreiden] *spread* ⇒*disperse, scatter, dissipate* ◆ **1.2** de macht ~ *share / distribute power;* het risico ~ *spread the risk, hedge / cover one's bets;* de vakanties ~ *stagger vacations* **4.1** een blos spreidde zich over haar wangen *a blush spread / crept over her cheeks* ¶.¶ kracht / weelde ten toon ~ *make a display of strength / affluence.*
spreiding ⟨de (v.)⟩ **0.1** [het uitspreiden] *spread(ing)* ⇒*dispersal* **0.2** [verdeling over een tijdsverloop, ruimte, personen] *staggering* ⇒*spacing, distribution* ⟨bevolking⟩, ⟨reikwijdte⟩ *spread,* ⟨adm., pol.⟩ *decentralization* **0.3** [⟨nat.⟩] *spreading* **0.4** [⟨statistiek⟩] *dispersion* ⇒*scatter* ⟨van gegevens⟩ **0.5** [laag van gespreide materialen] *layer* ◆ **1.2** ~ v.d. industriële centra *industrial decentralization;* de ~ v.e. geweer *the scatter (zone);* de ~ v.d. macht *the distribution of power;* ~ v.d. vakantie *staggering of vacation periods /* ⟨vnl. BE⟩ *holidays.*
spreidingsbedrijf ⟨het⟩ **0.1** *branch.*
spreidingsbreedte ⟨de (v.)⟩ ⟨statistiek⟩ **0.1** *range.*
spreidlicht ⟨het⟩ **0.1** *floodlight.*
spreidloon ⟨het⟩ **0.1** [beloningssysteem] *free incomes policy* **0.2** [loon] *salary / wages / pay(ment) determined at market rates.*
spreidsprong ⟨de (m.)⟩ **0.1** *leg spread.*
spreidstand ⟨de (m.)⟩ **0.1** *straddle* ◆ **6.1** in ~ staan / zitten *straddle.*
spreidvoet ⟨de (m.)⟩ **0.1** ⟨concr.⟩ *splayed forefoot;* ⟨verschijnsel⟩ *anterior flatfoot.*
spreidzit ⟨de (m.)⟩ **0.1** *splits.*
spreken ⟨→sprw. 93,134, 142,306, 546⟩
I ⟨onov.ww.⟩ **0.1** [klanken voortbrengen] *speak* ⇒*talk* **0.2** [gedachten uiten] *speak* **0.3** [zich doen gelden] *speak* ⇒*show* **0.4** [⟨+van⟩ getuigen] *be obvious / (self-)evident / manifest* **0.5** [⟨+uit⟩ blijken] *reveal* ⇒*manifest, show* **0.6** [⟨+tot⟩ treffen] *speak* **0.7** [overtuigend zijn] *speak* **0.8** [geluid geven] *sound* **0.9** [mbt. een ruimte] *resound* ◆ **1.2** het gesproken woord *the spoken word* **3.2** daar kom ik nog over te ~ *I'll come to that (point);* het ~ werd hem door geschreeuw belet *he was shouted down* **4.7** dat spreekt *that is clear / obvious / evident / manifest* **5.2** ⟨fig.⟩ daar spreekt de wet niet van *the law does not provide for / cover that;* men spreekt ervan ... *there's talk of ...;* ⟨telefoon⟩ spreekt u mee! *speaking* **5.7** het spreekt vanzelf *it goes without saying / is understood / obvious / self-evident / speaks for itself* **5.8** ⟨muz.⟩ die pijp spreekt goed *that pipe sounds good* **6.2** in het openbaar *s. publicly / openly;* **in** het algemeen gesproken *generally / broadly speaking;* om **met** mevrouw C. te ~ ...*to quote Mrs. C.;* ⟨telefoon⟩ spreek ik **met** Jan? *is this John?;* spreek er a.u.b. **met / tegen** niemand over! *please don't mention it to anyone;* **over** het vak ~ *talk shop;* spreek a.u.b. **over** iets anders! *please (let's) change the subject;* ~ **tot** s. to, address;* **van** zichzelf doen ~ *make a name / build up a reputation;* om niet te ~ **van** ...*not to mention ..., let alone ...;* dat is geen manier **van** ~ *that's no way to talk;* bij wijze **van** ~ *so to s., in a manner of speaking;*

~ **voor** iets *s. out/up for sth.;* **voor** de vuist weg ~ *s. off the cuff, extemporize* 6.5 er sprak argwaan **uit** zijn stem *his voice betrayed suspicion* 6.7 dat spreekt **tegen** hem/**in** zijn nadeel *that speaks ill of/doesn't say much for him* 8.2 ~ als een boek *talk like a book;*
II ⟨ov.ww.⟩ 0.1 [uitspreken] *speak* ⇒*tell* 0.2 [praten met] *speak/talk to/with* 0.3 [zich (kunnen) uiten in] *speak* 0.4 [verklaren dat iemand zo is] *proclaim* ♦ 1.1 recht ~ *(pass) sentence;* schande ~ van *s. ill of, condemn* 1.3 een vreemde taal *s. a foreign language* 1.¶ dat spreekt boekdelen *that speaks volumes* 3.2 ik ben voor niemand te ~ *I am not in/home for anyone;* kan ik u even ~, mijnheer? ⟨ook⟩ *may I have a word with you, sir?* 5.2 ik spreek je nader *I'll speak to you about this later, we'll discuss this later;* ⟨dreigend⟩ *I'll see to you later* 6.1 geen woord meer **met** elkaar ~ *not s. to one another/not be on speaking terms anymore* 6.2 iem. niet **te** ~ krijgen ⟨ook⟩ *not be able to get in touch with s.o.* 6.¶ slecht **te** ~ zijn be *in a bad mood/temper;* niet **te** ~ zijn over iets *be unhappy about sth.* 8.3 hij sprak Engels als een Engelsman *he spoke English like a native* ¶.1 hij sprak: 'laten we gaan' *he said 'let us go'.*

sprekend
I ⟨bn.⟩ 0.1 [geluid gevend] *speaking* ⇒*talking* 0.2 [sterk uitkomend] *strong* ⇒*striking* 0.3 [duidelijk] *strong* ⇒*clear* 0.4 [met veel uitdrukking] *expressive* ♦ 1.1 de ~e film *a talking film, a talkie;* een ~e papegaai *a talking parrot;* ⟨muz.⟩ ~e registers *s. stops* 1.2 een ~e gelijkenis *a striking resemblance;* ~e kleuren *strong colours;* een ~ portret *a true portrait* 1.3 een ~ bewijs *clear proof;* ~e cijfers *telling figures;* een ~e naam *a significant name;* een ~ voorbeeld *a striking example;* die cijfers geven op ~e wijze aan *these figures indicate/tell clearly* 1.4 ~e ogen *e. eyes;*
II ⟨bw.⟩ 0.1 [precies] *exactly* ⇒*just* ♦ 3.1 zij is ~/lijkt ~ op haar moeder *she is/looks e./just like/is the spitting image of her mother;* dat portret lijkt ~ *that picture captures (her/him ⟨enz.⟩) perfectly, that picture is a perfect likeness.*

spreker ⟨de (m.)⟩, **spreekster** ⟨de (v.)⟩ 0.1 [redenaar] *speaker* 0.2 [mbt. een taal, dialect] *speaker* ♦ 2.1 hij is een goed ~ *he is a good (platform) s..*
sprekerd ⟨de (m.)⟩ ⟨inf.⟩ 0.1 *(would-be/soap-box) orator.*
sprekershoek ⟨de (m.)⟩ 0.1 *speakers' corner.*
spreng ⟨de⟩ 0.1 [bron] *spring* 0.2 [kanaal] *spring.*
sprengwater ⟨het⟩ 0.1 *spring water.*
sprenkel ⟨de (m.)⟩ 0.1 [spat, druppel] *drop* ⇒*drip* 0.2 [spikkel] *speck(le)* 0.3 [klem] *trap* ~*snare.*
sprenkelen ⟨onov., ov.ww.⟩ 0.1 [druppelen] *sprinkle* 0.2 [besprenkelen] *sprinkle* 0.3 [spikkelen] *speckle* ♦ 1.3 een gesprenkeld blad *a speckled page* 6.1 water ~ **op** *s. water on(to).*
sprenkelinstallatie ⟨de (v.)⟩ 0.1 *sprinkler system.*
spreu ⟨bn.⟩ 0.1 *chapped.*
spreuk ⟨de⟩ 0.1 [motto] *maxim* ⇒*motto, aphorism, saying, proverb* 0.2 [bordje] *wall plate with a maxim* ♦ 2.1 oude ~ *old saying, saw* 6.2 een ~ **aan** de muur *a maxim on the wall* 7.1 De Spreuken (van Salomo) *the (Book of) Proverbs.*
spriet ⟨de (m.)⟩ 0.1 [mbt. planten] *blade* (van gras) ⇒*spear* 0.2 [voelhoren] *antenna* ⇒*feeler* 0.3 [lang meisje] *bean-pole* 0.4 [hoofdhaar] *wisp* 0.5 [sprietantenne] (→*sprietantenne*) 0.6 [boegspriet] *(bow)sprit* 0.7 [vogel] *corncrake* ~*land rail.*
sprietantenne ⟨de⟩ 0.1 [telescoopantenne] *telescopic/set-top aerial/* ^*antenna;* [staafantenne] *rod aerial;* ^*antenna.*
sprieten ⟨onov.ww.⟩ 0.1 *sprout.*
sprietenplant ⟨de⟩ 0.1 *chlorophyte.*
sprietig ⟨bn.⟩ 0.1 [spichtig] *lanky* ⇒*gangly* 0.2 [met sprieten] *wispy* ⟨haar⟩.
sprietje ⟨het⟩ 0.1 [kleine spriet] *small blade/spear/* ⟨voelhoren⟩ *antenna/* ⟨vogel⟩ *corncrake* 0.2 [sigaartje] *cigarillo.*
sprietmager ⟨bn.⟩ 0.1 *thin as a rail/rake.*
sprietsen ⟨ov.ww.⟩ 0.1 *spray (out).*
sprietzeil ⟨het⟩ 0.1 *sprit sail.*
springaal ⟨de (m.)⟩ ⟨gesch.⟩ 0.1 *springald.*
springbak ⟨de (m.)⟩ ⟨sport⟩ 0.1 *jumping pit.*
springbal ⟨de (m.)⟩ 0.1 *kangaroo ball.*
springbalk ⟨de (m.)⟩ ⟨sport⟩ 0.1 *take-off board.*
springbalsamine ⟨de⟩ ⟨plantk.⟩ 0.1 *balsam* ⇒*touch-me-not.*
springbok ⟨de (m.)⟩ 0.1 [dier] *springbok* ⇒*springer* 0.2 [gymnastiektoestel] *(vaulting) buck.*
springbox ⟨de (m.)⟩ 0.1 *box mattress.*
springbron ⟨de (m.)⟩ 0.1 [bron, fountain ⇒ ⟨warme⟩ *geyser, hot spring.*
springbus ⟨de⟩ 0.1 [handgranaat] *petard* 0.2 [vuurwerk] *petard.*
springconcours ⟨het, de (m.)⟩ 0.1 *jumping competition/match/show.*
springdraad ⟨de (m.)⟩ ⟨plantk.⟩ 0.1 *peristome.*
springeb ⟨de⟩ 0.1 *spring ebb(-tide).*
springen ⟨onov.ww.⟩ 0.1 [zich in de lucht verheffen] *jump, leap, spring* ⇒ ⟨op handen steunend⟩ *vault* 0.2 [het lichaam rukgewijze opheffen] *jump* ⇒ ⟨huppelen⟩ *skip, hop,* ⟨dartelen⟩ *frisk, prance, frolic* 0.3 [mbt. zaken, zich met een ruk verplaatsen] *leap, jump* ⇒*jerk* 0.4 [kaatsen] *bound, bounce* ⇒ ⟨terugveren⟩ *spring back, rebound* 0.5

[mbt. vloeistoffen] *spring* ⇒*rush, gush,* ⟨eruitspringen⟩ *burst,* ⟨fontein⟩ *spout, play* 0.6 [uiteengedreven worden, barsten] ⟨ketel, kruitvat⟩ *burst, explode;* ⟨mijn⟩ *spring;* ⟨brug, rots⟩ *blast* 0.7 [scheuren krijgen] ⟨verf⟩ *crack;* ⟨lippen, huid⟩ *chap;* ⟨bloedvat⟩ *break;* ⟨snaar, veer⟩ *snap* 0.8 [uitsteken] *project, jut out* 0.9 [bankroet gaan] *break* ⇒ *crash* 0.10 [dekken] *mount, cover, service, serve* 0.11 [straal uitwerpen] *play* ⇒*jet, spout* 0.12 [mbt. wild] *spring* ♦ 1.6 mijn band is gesprongen *my tyre has burst;* een snaar/het glas is gesprongen *a string/the glass has snapped* 1.7 mijn lippen/handen zijn gesprongen *my lips/hands are chapped/cracked* 3.2 dansen en ~ *caper/skip/hop and dance;* ⟨fig.⟩ staan te ~ om weg te komen *be dying/itching to leave;* ⟨fig.⟩ zitten te ~ op zijn stoel *be rearing to go;* ⟨fig.⟩ zitten te ~ om iets *be bursting/burning for sth.* 3.6 een mijn/rotsen laten ~ *spring/blast a mine/rocks* 3.9 de bank laten ~ *break the bank* 5.1 ⟨fig.⟩ eruit ~ *come out on the right side, break even;* ⟨fig.⟩ je kunt hoog of laag ~ het moet toch gebeuren *whether you will or not, it's got to happen;* hoog/ver/omlaag ~ *j. high/far/down;* ⟨fig.⟩ men moet niet verder ~ dan zijn stok lang is *one mustn't bite off more than one can chew* 5.8 ⟨fig.⟩ eruit ~ *stand out* 6.1 ⟨fig.⟩ ergens bovenop ~ ⟨fanatiek reageren⟩ *pounce on/fly at sth.;* ⟨fig.⟩ een meter/gat **in** de lucht ~ *j. for joy, throw one's hat into the air;* ⟨fig.⟩ ergens **in** ~ ⟨zich ermee gaan bezighouden⟩ *step into sth.;* **op** de fiets ~ *hop/j./l. on the bicycle;* **over** een sloot ~ *l. a ditch;* **te** paard ~ *j./vault onto a horse;* ⟨fig.⟩ **uit** de band ~ *go on the bust/razzle, have a bust/spree, run riot, let one's hair down;* ⟨fig.⟩ **van** de hak **op** de tak/**van** de os **op** de ezel ~ *go/be/keep going off at a tangent, ramble (on)* 6.3 ⟨fig.⟩ dat springt **in** het oog *it leaps to/catches the eye;* ⟨negatief⟩ *it stands/sticks out a mile/like a sore thumb;* er is een knoop **van** mijn vest gesprongen *a button has come off my waistcoat* (van pak)/*cardigan* ⟨wol⟩ 6.5 de tranen sprongen hem **in** de ogen *the tears sprang/rushed/welled/started (in)to his eyes* 6.6 een brug/een schip **in** de lucht laten ~ *blow up a bridge/ship;* ⟨fig.; inf.⟩ **op** ~ staan *be bursting/about to burst/dying to go;* 't is om **uit** je vel te ~ *it's enough to make you blow your top/your blood boil* 6.8 de achterkamer springt iets **naar** buiten/binnen *the backroom juts out/inwards a little* 6.9 de zaak staat **op** ~ *the company's on the verge of/near bankrupcy* 7.1 mijn paard springt 1.80 m *my horse clears 1.80 metres (80 cm* ¶.2 ⟨fig.⟩ huizehoog ~ *throw one's hat in the air, jump for joy.*
springer ⟨de (m.)⟩ 0.1 [verspringend beeld] *jerking picture* 0.2 [tangent] *tangent* 0.3 [iem. die springt] *jumper.*
springerig ⟨bn., bw.⟩ 0.1 *jumpy* ⇒*jittery, fidgetty, restless, turbulent* ♦ 1.1 ~ haar *wiry hair;* een ~ kind *a fidgetty/fussy child* 3.1 zich ~ bewegen *jump, jitter.*
springgelatine ⟨de⟩ 0.1 *gelignite;* ⟨fig.⟩ *gelly/jelly.*
spring-in-'t-veld ⟨de (m.)⟩ 0.1 *madcap* ⇒ ⟨meisje⟩ *filly, hoyden, tomboy.*
springkers ⟨de⟩ 0.1 *lady's smack, cuckooflower.*
springkever ⟨de (m.)⟩ 0.1 *click beetle* ⇒*elater(id), snapping beetle, skipjack.*
springkommer ⟨de⟩ 0.1 *squirting cucumber.*
springkruid ⟨het⟩ 0.1 [kruisbladwolfsmelk] *spurge* 0.2 [springzaad] *touch-me-not* ⇒*noli-me-tangere.*
springlading ⟨de (v.)⟩ 0.1 *explosive/bursting charge* ⇒*blast,* ⟨nuttige last/springlading in bom/raket⟩ *pay/paying load* ♦ 3.1 een ~ plaatsen in/onder iets *dynamite sth..*
springlat ⟨de⟩ ⟨sport⟩ 0.1 *(cross)bar.*
springlevend ⟨bn.⟩ 0.1 *alive (and kicking)* ⇒*lively, bouncy, sprightly.*
springmatras ⟨het, de⟩ 0.1 [bedmatras] *spring mattress* 0.2 ⟨(sport)⟩ *(landing/safety) mattress.*
springmeester ⟨de (m.)⟩ 0.1 *explosives engineer.*
springmes ⟨het⟩ 0.1 *flick knife,* ^*switchblade (knife), switch knife.*
springmuis ⟨de⟩ 0.1 *jumping mouse.*
springnet ⟨het⟩ 0.1 *jumping net/sheet,* ^*life net.*
springoefening ⟨de (v.)⟩ 0.1 *jumping exercise.*
springpaard ⟨het⟩ 0.1 [dier] *jumper* 0.2 [gymnastiektoestel] *vaulting horse, long horse* ⟨met handvatten⟩ *pommel horse, side horse.*
springplank ⟨de⟩ 0.1 [afzetplank] *springboard* 0.2 ⟨(fig.)⟩ *springboard* ⇒*stepping stone.*
springprocessie ⟨de (v.)⟩ 0.1 *St Vitus' Procession (at Echternach).*
springraket ⟨de⟩ 0.1 *sparkler, rocket.*
springriem ⟨de (m.)⟩ 0.1 *martingale.*
springruiter ⟨de (m.)⟩ ⟨sport⟩ 0.1 *jumper.*
springschans ⟨de⟩ ⟨sport⟩ 0.1 *ski jump.*
springscherm ⟨het⟩ 0.1 *parachute.*
springschoen ⟨de (m.)⟩ ⟨sport⟩ 0.1 *jumping shoe; jumping spikes* ⟨mv.⟩.
springslot ⟨het⟩ 0.1 *spring lock.*
springspin ⟨de⟩ 0.1 *jumping spider* ⇒*saltigrade.*
springstaart ⟨de (m.)⟩ 0.1 ⟨mv.⟩ onderklasse van insekten] *springtail* 0.2 [soort staart] *jumping tail.*
springstal ⟨de (m.)⟩ 0.1 *jumping stables.*
springstof ⟨de⟩ 0.1 *explosive.*
springstok ⟨de (m.)⟩ 0.1 *(vaulting) pole.*
springtafel ⟨de⟩ ⟨sport⟩ 0.1 *box.*

springteugel ⟨de (m.)⟩ **0.1** *martingale*.
springtij ⟨het⟩ **0.1** *spring tide*.
springtor ⟨de⟩ **0.1** *click beetle* ⇒*elater(id), snapping beetle, skipjack*.
springtoren ⟨de (m.)⟩ **0.1** [mbt. duiken] *diving platform* **0.2** [mbt. parachutespringen] *jumping platform*.
springtouw ⟨het⟩ **0.1** [waarmee men springt] *skipping rope*, ^A*skip rope* ⇒*jump(ing) rope* **0.2** [waarover men springt] *jump(ing) rope* ◆ **3.1** het ~ draaien *swing round the skipping rope*.
springveer ⟨de⟩ **0.1** [opspringende veer] *spring* **0.2** [mbt. matrassen] *box spring* ◆ **3.1** (fig.) alle springveren laten werken *pull out all the stops /all stops out, make an all-out effort* **6.1** de ~ in een slot *the spring in a lock* **6.2** een matras/stoelen met springveren *(a) sprung mattress/ seats, interior spring mattress/seats*.
springveren ⟨bn.⟩ **0.1** *sprung* ◆ **1.1** een ~ matras *a s. mattress*.
springversje ⟨het⟩ **0.1** *skipping rhyme*.
springvloed ⟨de (m.)⟩ **0.1** [springtij] *spring tide* **0.2** [vloedgolf] *spring flood (tide)* ⇒*bore, eagre*.
springvorm ⟨de (m.)⟩ **0.1** *springform*.
springvrucht ⟨de⟩ **0.1** *dehiscent fruit*.
springwants ⟨de⟩ **0.1** *saldid*.
springworm ⟨de⟩ **0.1** *pin-worm* ⇒*oxyurid*.
springzaad ⟨het⟩ **0.1** [plantengeslacht] *touch-me-not* ⇒*noli-me-tangere* **0.2** [vrucht] *dehiscent fruit*.
springzeil ⟨het⟩ **0.1** [opspringende veer] *spring* **0.2** [mbt. matrassen] *box spring* ◆ 1.1 een ~ matras *jumping sheet/net*, ^A*life net*.
springzwam ⟨de⟩ **0.1** *puffball* ⇒(vnl. BE) *fuzzball, fussball*.
sprinkhaan ⟨de (m.)⟩ **0.1** *locust, grasshopper* ⇒(AE ook) *grig* ◆ **2.1** groene ~ *long-horned grasshopper;* (fig.) een magere ~ *a scrag, a bag of bones;* (AE; sl.) *a broomstick* **8.1** zo mager als een ~ *(as) thin as a rake*.
sprinkhaanrietzanger ⟨de (m.)⟩ **0.1** *grasshopper warbler/lark*.
sprinkhanenplaag ⟨de⟩ **0.1** *plague of locusts*.
sprinkler ⟨de (m.)⟩ **0.1** *sprinkler*.
sprinklerinstallatie ⟨de (v.)⟩ **0.1** *sprinkler system*.
sprint ⟨de (m.)⟩ **0.1** [snelheidswedstrijd] *sprint race* **0.2** [eindspurt] *sprint* ⇒*spurt, dash* ◆ **1.2** de honderd meter ~ *the 100 metres sprint* **2.1** een goede ~ in de benen hebben *be a good sprinter* **3.2** de ~ aantrekken *pace/set up the sprint;* een ~ trekken *put on a sprint/spurt;* de ~ van het peloton winnen *win the sprint in the pack* **6.2** in de ~ gaan *make a dash for it, go for it*.
sprinten ⟨onov.ww.⟩ **0.1** *sprint* ⇒*spurt, dash*.
sprinter ⟨de (m.)⟩ **0.1** [persoon] *sprinter, short distance runner/racer* **0.2** [dier] *sprinter* **0.3** [trein] *'sprinter'* ⟨*kind of fast train*⟩.
sprit ⟨de (m.)⟩ **0.1** [azijn] *strong/concentrated vinegar* **0.2** [vogel] *land rail, corncrake*.
sprits ⟨de⟩ **0.1** *(Dutch) short biscuit*.
spritsen ⟨onov.ww.⟩ ⟨inf.⟩ **0.1** *squirt* ⇒*spurt*.
sproei ⟨de (m.)⟩ **0.1** *rose*.
sproeiapparaat ⟨het⟩ **0.1** *sprinkler*.
sproeidop ⟨de (m.)⟩ **0.1** *rose* ⇒*spray nozzle/head*.
sproeien
  I ⟨ov.ww.⟩ **0.1** [begieten] *spray, water* ⇒(sprenkelen) *sprinkle*, ⟨irrigeren, besproeien⟩ *irrigate*, ⟨insecticiden uit vliegtuigen ook⟩ *dust* ◆ **1.1** de tuin ~ *spray/w. the garden;*
  II ⟨onov., ov.ww.⟩ **0.1** [uitgieten over] *spray, water* ⇒*sprinkle* ◆ **1.1** water ~ *spray water* **5.1** als het droog is, moet je goed ~ *when it's dry, damp down thoroughly/give a good soaking*.
sproeier ⟨de (m.)⟩ **0.1** [sproeitoestel] *sprinkler* ⇒*sprayer, jet, spray nozzle* ⟨carburator⟩, ⟨irrigator⟩ *irrigator*, ⟨ruitesproeier⟩ *screenwasher* **0.2** [dop om vloeistof te verstuiven] *rose* ⇒*(spray) nozzle* ◆ **6.2** de ~ in de carburateur is verstopt *the spray nozzle of the carburettor is choked*.
sproeiflacon ⟨de (m.)⟩ **0.1** *spray(er), atomizer*.
sproeikanon ⟨het⟩ **0.1** *revolving/field sprinkler*.
sproeikop ⟨de (m.)⟩ **0.1** *(spray) nozzle, head* ◆ **1.1** de ~ v.e. douche *the nozzle/h. of a shower, the shower h..*
sproeimiddel ⟨het⟩ **0.1** *spray*.
sproeipomp ⟨de⟩ **0.1** *spray pump*.
sproeistof ⟨de⟩ **0.1** *spray*.
sproeivliegtuig ⟨het⟩ **0.1** *spray plane*.
sproeiwagen ⟨de (m.)⟩ **0.1** *watering cart*.
sproet ⟨de⟩ **0.1** *freckle, sunspot* ◆ **6.1** ~en in het gezicht hebben *have a freckled face*.
sproetig ⟨bn.⟩ **0.1** *freckled, freckly* ◆ **1.1** een ~ gezicht *a freckled face*.
sprok ⟨AZN⟩ **0.1** *brittle* ⇒*friable, crumbly*.
sproke ⟨de⟩ **0.1** *tale* ⇒(schr.; gesch.) *lay* ⟨vers, ballade⟩ ◆ **1.1** de ~ van Beatrijs *the t. of Beatrice*.
sprokkel ⟨de (m.)⟩ **0.1** [dor takje] *dry stick* **0.2** [⟨mv./fig.⟩ kleine stukjes] *gleanings, brush(wood), dead wood*.
sprokkelaar ⟨de (m.)⟩ **0.1** [persoon] *gleaner* **0.2** [kokerjuffer] *caddis-/ caddice-worm*.
sprokkelen ⟨ov.ww., onov.ww.⟩ **0.1** [dor hout zoeken] *gather wood/kindling, gather dry sticks* **0.2** [⟨fig.⟩] ⟨ov.⟩ *glean* ⇒*cull, store*, ⟨schr.⟩ *garner* ◆ **1.1** hout ~ *gather wood* **1.2** verhaaltjes ~ *collect/gather stories*.

sprokkelhout ⟨het⟩ **0.1** *brush(wood)* ⇒*dead wood*.
sprokkeling ⟨de (v.)⟩ **0.1** [stuk hout] *brush* ⇒*dry stick* **0.2** [⟨fig.⟩ mbt. zaken] ⟨moeizaam verzameld⟩ *gleanings* ⇒⟨keuze, keur⟩ *culling* ◆ **1.2** een ~ van reisverhalen *a collection of travel stories*.
sprokkelmaand ⟨de⟩ **0.1** *February*.
sprokkelworm ⟨de (m.)⟩ **0.1** *caddis-/caddice-worm*.
sprong ⟨de (m.)⟩ (→sprw. 328) **0.1** [handeling; ruimte die men overspringt] *leap* ⇒*jump*, ⟨buiteling, sprong⟩ *spring*, ⟨plotseling⟩ *bounce, vault* ⟨met stok/handensteun⟩ **0.2** [verandering] *leap;* (fig.) *jump;* ⟨plotselinge overgang, hiaat⟩ *saltus;* ⟨plotselinge beweging⟩ *saltation* **0.3** [het dekken] *service, covering* **0.4** [vooruitstekend deel] *projection, jut* **0.5** [⟨muz.⟩ *leap;* ⟨vnl. AE⟩ *skip* **0.6** [barst] *crack* ⇒ ⟨spleet, scheur⟩ *split*, ⟨spleet, kloof⟩ *fissure*, ⟨geol.⟩ *fault* **0.7** [troep dieren] *herd* **0.8** [mbt. weven] *shed* ◆ **1.1** een ~ met aanloop/van de plaats *a flying/running jump, a standing jump* **1.¶** op stel en ~ *like a shot;* ⟨gebiedend⟩ *this (very) minute;* het hoeft niet op stel en ~ *there's no rush, it needn't be done right away* **2.1** een grote ~ doen ⟨fig.⟩ *be an overnight success;* de honden kwamen met grote ~ en de heuvel af *the dogs bounded down the hill;* een grote/wijde/kleine ~ a *large/wide/small jump/l.;* een klein ~etje a *skip/hop;* een vrolijk ~etje a *bound/capriole* **2.2** de Grote Sprong Voorwaarts *the Great Leap Forward* **3.1** dit nummer heeft een enorme ~ gemaakt op de hitparade *this track has moved up very quickly on the hitparade;* hij maakte een ~ in de lucht van blijdschap *he jumped for joy;* ⟨fig.⟩ de ~ wagen *take the plunge* **3.2** de ~ niet aandurven *tremble on the brink, hang fire* **6.2** een ~ in inkomen maken *take a* ^B*rise/*^A*raise in salary;* de prijzen gingen met ~ en omhoog *prices leapt/jumped/soared;* een ~ voorwaarts een *a progress by leaps and bounds;* hij gaat met ~ en vooruit *he's coming along by leaps and bounds*.
sprongbeen ⟨het⟩ **0.1** [voetwortelbeentje] *anklebone* ⇒⟨anat.⟩ *talus*, ⟨med., dierk.⟩ *astragalus* **0.2** [⟨sport⟩ been dat men als eerste opheft] *lead leg*.
spronggewricht ⟨het⟩ ⟨med.⟩ **0.1** *tarsal joint* ⇒ ↓*hock, hough*.
spronghoogte ⟨de (v.)⟩ ⟨geol.⟩ **0.1** *throw*.
sprongmutatie ⟨de (v.)⟩ ⟨biol.⟩ **0.1** *saltation*.
sprongsgewijs ⟨bn., bw.; -ly⟩ **0.1** *abrupt, jerky, jumpy* ⇒⟨alleen bn.⟩ *saltatorial, saltatory* ◆ **1.1** ⟨biol.⟩ sprongsgewijze veranderingen *saltatory mutations* **3.1** ~ omhoog gaan *go up by leaps*.
sprongvariatie ⟨de (v.)⟩ **0.1** *saltation* ⇒*mutation*.
sprookje ⟨het⟩ **0.1** [vertelling] *fairy tale/story* ⇒*tale, folk tale/story* **0.2** [iets wonderbaarlijks] *marvel* ⇒*wonder, miracle, prodigy, (living) dream* **0.3** [leugenachtig verhaal] *tail story/tale* ⇒*traveller's tale* ◆ **1.1** de ~s van Grimm *Grimm's fairy/folk tales;* een ~ van Moeder de Gans *a tale from Mother Goose* **3.3** iem. ~s vertellen *lead s.o. up the garden path* **5.2** het ~ is voorbij *the gilt is off, the dream is shattered* **8.2** klinken als een ~ *be too good to be true;* eruitzien als een ~ *look a picture;* een leven als een ~ *a life like a dream*.
sprookjesachtig ⟨bn., bw.⟩ **0.1** ⟨alleen bn.⟩ *fairy-like* ⇒⟨fig.⟩ *fairy-like, picturesque*, ⟨bn.⟩ *fabulous*, ⟨bw.⟩ *fabulously* ◆ **1.1** een ~ fortuin *a fabulous fortune;* ~e schoonheid *fairy-tale beauty* **2.1** de grachten waren ~ verlicht *the canals were romantically illuminated*.
sprookjesland ⟨het⟩ **0.1** *fairyland* ⇒*wonderland*, ⟨elfenland⟩ *elfland*.
sprookjesprins ⟨de (m.)⟩, -es ⟨de (v.)⟩ **0.1** *fairy-tale prince/princess*.
sprookjeswereld ⟨de⟩ **0.1** *fairyland* ⇒*wonderland*, ⟨droomwereld⟩ *dreamland, dreamworld*.
sprot ⟨de (m.)⟩ **0.1** *sprat, brisling* ⇒*whitebait* ◆ **1.1** een bosje ~ *a bunch of sprats* **2.1** verse Engelse ~ *prime English sprat/brisling*.
sprotje ⟨het⟩ ⟨inf.⟩ **0.1** *bunch, lot* ◆ **2.1** het hele ~ *the whole shoot/ shooting-match;* ⟨AE; inf.⟩ *the whole shebang*.
sprouw →spruw.
spruit
  I ⟨de (m.)⟩ ⟨vaak scherts.⟩ **0.1** [kind] *sprig, olive-branch* ⇒*sprout, scion*, ⟨AE; sl.⟩ *godfer* ◆ **2.1** de jongste ~ *the youngest sprig* **4.1** pa en ma en hun ~en *mum and dad and their offspring/the kids;*
  II ⟨de⟩ **0.1** [tak met bladeren] *(off)shoot, shooting* ⇒*sprout, offset*, ⟨stekje⟩ *slip* **0.2** [groente] ⟨vaak mv.⟩ *(Brussels) sprout* **0.3** [aftakking] *branch* **0.4** [⟨bouwk.⟩] *upper chord* **0.5** [bek van een gieter] *rose;* ⟨tuit⟩ *spout* ◆ **2.1** er komen nieuwe ~en aan die plant *there are new shoots on that plant* **3.1** ~ schieten *put out sprouts/shoots* **3.2** we eten ~jes vanavond *we're having (Brussels) sprouts tonight*.
spruiten ⟨onov.ww.⟩ **0.1** [voortkomen] *spring from, come of/from* ⇒*result from* **0.2** [afstammen] *spring from, come of/from* ⇒*descend from* **0.3** [uitlopers krijgen] *sprout, shoot* ◆ **1.1** hieruit ~ allerlei moeilijkheden *this will give rise to all sorts of problems* **1.3** de aardappelen ~ *the potatoes are sprouting* **3.3** de planten beginnen te ~ *the plants are beginning to sprout/shoot* **6.2** hij is gesproten uit een aanzienlijk geslacht *he is descended from illustrious/honourable stock*.
spruitjesgeur ⟨de (m.)⟩ **0.1** *smell of boiled sprouts;* ⟨fig.⟩ *musty/boarding-house smell*.
spruitkool ⟨de⟩ **0.1** *(Brussels) sprouts*.
spruitstuk ⟨het⟩ **0.1** *spray, manifold;* ⟨rechthoekig viermondig⟩ *cross*.
spruw ⟨de⟩ ⟨med.⟩ **0.1** [ontsteking van mond- en keelslijmvlies] *thrush, aphtha* **0.2** [maagdarmstoornis] *sprue*.

spugen ⟨onov., ov.ww.⟩ **0.1** [speeksel uitwerpen] *spit, spew* ⇒⟨onov.⟩ *gob* **0.2** [braken] *vomit, throw up* ⇒*spew(up)*, ⟨onov.⟩ *be sick*, ⟨ov.⟩ *bring/sick up* ♦ **1.2** bloed ~ *spit blood* **5.2** de boel onder ~ *be sick all over the place* **6.1** iem. **in** 't gezicht ~ *spit in s.o.'s face;* ⟨fig.⟩ **in** iets niet ~ *not say no to sth.;* **in** zijn handen ~ *spit on one's hands;* **op** iets/ iem. ~ ⟨fig.⟩ *despise sth. / s.o.;* iem. **voor** de voeten ~ ⟨fig.⟩ *spit at/ on s.o. / in s.o.'s eye* **6.2** ⟨fig.⟩ dat is om van te ~ *it makes you sick/ want to throw up.*

spui ⟨het⟩ **0.1** [waterlozing] *sluice(way)* **0.2** [boezem] *drain.*

spuien
I ⟨onov.,ov.ww.⟩ **0.1** [lozen] *drain (off)* ⇒*throw off*, ⟨ov.⟩ *unload, blow down* ⟨ketel⟩ **0.2** [aanslibbing tegengaan] *blow out* ♦ **1.1** overtollig water ~ *sluice surplus water* **6.1** ~ **op** open water *drain into open water;* deze polder spuit **op** de ringvaart *this polder drains into the surrounding canal;*
II ⟨ov.ww.⟩ **0.1** ⟨fig.⟩ uiten] *spout* ⇒*unload, throw off, get off one's chest* **0.2** [op de markt brengen] *unload* ♦ **1.1** zijn kennis ~ *s. one's knowledge;* kritiek ~ *ventilate criticism;* zijn zorgen ~ *unload one's worries;*
III ⟨onov.ww.⟩ **0.1** [lucht verversen] *air.*

spuier ⟨de (m.)⟩ **0.1** *waterspout;* ⟨gargouille⟩ *gargoyle.*

spuigat ⟨het⟩ ♦ **3.¶** dat loopt de ~en uit *that's going too far, that's past bearing.*

spuisluis ⟨de⟩ **0.1** [sluis om te reinigen] *drainage sluice* **0.2** [uitwateringssluis] *outlet sluice, drainage sluice.*

spuit ⟨de⟩ **0.1** [instrument] *squirt* **0.2** [paraplu] *gamp, brolly* **0.3** [geweer] *gaspipe* **0.4** [injectiespuit] *needle* ⇒*syringe, hypodermic* **0.5** [injectie] *shot* ⇒*injection,* ⟨BE; inf.⟩ *jab* **0.6** [diarree] *gippy-tummy; the trots/ runs* ♦ **3.4** een ~ zetten *give an injection* **3.5** een ~(je) geven *put down/ to sleep* ⟨dieren⟩; *give an injection* ⟨mensen⟩ **6.1** de tuin sproeien **met** een ~ *water the garden with a hose;* verf/lak opbrengen **met** een ~ *spray paint/ lacquer with a spray-gun* **6.6 aan** de ~ zijn *have the runs/ trots/ squitters* **7.¶** ⟨scherts.⟩ ~ elf *squirt;* ~ elf geeft (ook nog) modder *hear who's talking;* ⟨vnl. BE⟩ *hark at him/ her.*

spuitbeton ⟨het⟩ **0.1** *pouring concrete.*

spuitboom ⟨de (m.)⟩ **0.1** *spray/ spraying boom.*

spuitbus ⟨de (m.)⟩ **0.1** *spray (can), sprayer* ⇒*aerosol (can), air spray* ♦ **6.1** deodorant/ haarlak **in** een ~ *deodorant/ (hair) lacquer in a spray can.*

spuiten
I ⟨ov.ww.⟩ **0.1** [vloeistof naar buiten persen] *squirt, spurt, spout* ⇒*jet, erupt* ⟨geiser, vulkaan⟩ **0.2** [vervaardigen] *pipe (on)* **0.3** [spuitend lakken] *spray(-paint)* ♦ **1.1** ~de fonteinen *playing/ spouting fountains* **1.2** een slagroomrand ~ *pipe on a border of whipped cream* **1.3** een auto ~ *spray-paint a car* **6.1** lak **op** iets ~ *spray lacquer on sth.;*
II ⟨onov., ov.ww.⟩ **0.1** [met een spuit toedienen] *spray* **0.2** [mbt. geneesmiddelen, drugs] *shoot* ⇒*inject* ♦ **1.2** morfine ~ *shoot (up) morphine* **2.2** iem. plat ~ *put s.o. out/ under* **¶.1** ⟨pregn.⟩ in de ecologische landbouw wordt helemaal niet gespoten *they don't use pesticides in ecological farming* **¶.2** hij spuit *he's a junkie;*
III ⟨onov.ww.⟩ **0.1** [naar buiten geperst worden] *squirt* ⇒*spurt, spout,* ⟨gutsen⟩ *gush, blow down* ⟨ketel⟩ **0.2** [lozen] *discharge* **0.3** [ejaculeren] *shoot* ⇒*come* **0.4** [mbt. walvissen] *spray* ⇒*spout* **0.5** [mbt. katers] *spray* ♦ **5.1** de olie spuit omhoog *the oil's spouting* **6.1** de vlam spoot **uit** de loop *the flame shot out of the barrel.*

spuiter ⟨de (m.)⟩ **0.1** [druggebruiker] *hype* ⇒*mainliner, junkie* **0.2** [schilder] *sprayer* **0.3** [iem. die gewassen bespuit] *sprayer* **0.4** [petroleumbron] *spouter, gusher* **0.5** [opening in een waterkering] *leak.*

spuitfles ⟨de⟩ **0.1** *siphon, syphon.*

spuitgast ⟨de (m.)⟩ **0.1** *hoseman,* ⟨AE; sl.⟩ *pipeman.*

spuitje ⟨het⟩ **0.1** [instrument] *syringe* **0.2** [injectie] *injection* ⇒⟨inf.⟩ *shot,* ⟨BE ook⟩ *jab.*

spuitlak ⟨het, de (m.)⟩ **0.1** *spray paint.*

spuitmachine ⟨de (v.)⟩ **0.1** *sprayer* ⇒⟨landb. ook⟩ *spraying-machine.*

spuitmasker ⟨het⟩ **0.1** *(protective) mask.*

spuitmiddel ⟨het⟩ **0.1** *spray, spraying agent.*

spuitmond ⟨de (m.)⟩ **0.1** *nozzle.*

spuitpistool ⟨het⟩ **0.1** *spray-gun, paint sprayer.*

spuitpoep ⟨de (m.)⟩ ⟨inf.⟩ **0.1** *trots, runs, squitters* ♦ **6.1 aan** de ~ zijn *have the t. / r. / s..*

spuitschuim ⟨het⟩ **0.1** *(spray) foam.*

spuitvliegen ⟨ww.⟩ **0.1** *crop-dusting.*

spuitvliegtuig ⟨het⟩ **0.1** *crop-spraying-dusting aircraft, (crop) sprayer; spraying plane.*

spuitwater ⟨het⟩ **0.1** *aereated/ sparkling water* ⇒*soda(-water), seltzer* ♦ **1.1** een glas ~ *a glass of soda-water* **6.1** limonade **met** ~ *lemonade with soda-water.*

spuitzak ⟨de (m.)⟩ ⟨cul.⟩ **0.1** *piping bag.*

spuitzand ⟨het⟩ **0.1** [dat wordt bovengebracht] *sand slurry* **0.2** [waarmee een terrein wordt opgespoten] *sand slurry.*

spuiwater ⟨het⟩ **0.1** [dat gespuid wordt] *drain water* **0.2** [waarmee gespuid wordt] *displacing / displacement water.*

spul ⟨het⟩ **0.1** [benodigdheden] *gear* ⇒*things,* ⟨gereedschappen⟩

---

layout, tools, ⟨kleren⟩ *gear, togs,* ⟨persoonlijke spullen⟩ *belongings, effects, affairs* **0.2** [waar, goed] *stuff* ⇒⟨waardeloos goed⟩ *dross,* ⟨leuk dingetje⟩ *gadget* **0.3** [onenigheid] *quarrel, jar* **0.4** [last] *trouble, bother* ♦ **1.¶** ⟨pej.⟩ de baas van het ~ *the boss of it all, the leader of the gang* **2.2** fijn/ raar ~ *nice/ strange stuff;* het hele ~ kan weg *the whole shooting-match/ shebang can go;* koppig ~ *heady stuff;* zij heeft mooie ~letjes *she's got nice things;* slecht ~ *trash, rubbish, bad stuff* **2.¶** het hele ~ ging mee *the whole crowd went along;* het jonge ~ *small fry;* the young (ones) **3.1** zijn ~len bij elkaar pakken/ meenemen/ opruimen *pack up/ take along/ clear up one's things* **¶.¶** zijn ~len voor elkaar hebben *have one's house in order, have it all sorted out, know one's stuff.*

spurrie ⟨de⟩ **0.1** *(corn-)spurr(e)y.*

spurt ⟨de (m.)⟩ **0.1** *spurt* ⇒⟨BE ook⟩ *spirt, sprint, dash,* ⟨korte, snelle rit/ race⟩ *belt* ♦ **3.1** er de ~ in zetten *step on it, step on the gas, speed up.*

spurten ⟨onov.ww.⟩ **0.1** *spurt, sprint* ⇒*dash, race.*

sputteren ⟨onov.ww.⟩ **0.1** [druppels, speeksel uitwerpen] *sputter, splutter* ⇒*spit* ⟨kat⟩, *spatter* ⟨regendruppels⟩, *gurgle* ⟨baby⟩ **0.2** [mopperen] *mutter* ⇒*grumble* **0.3** [knetterend spatten] *sputter, cough* ⇒*crackle* ♦ **1.3** de kaars ging ~d uit *the candle sputtered out;* om een tak ~de vlammen *flames crackling around a branch* **1.¶** de motor sputterde alleen een beetje *the engine only sputtered/ coughed a little* **3.1** het kind ligt te ~ *the baby's spluttering/ gurgling* **6.2 tegen** iets ~ *grumble/ complain/* ⟨BE; inf.⟩ *grizzle about sth..*

sputum ⟨het⟩ ⟨med.⟩ **0.1** *sputum* ⇒*expectorale.*

spuug ⟨het⟩ **0.1** *spittle, spit* ⇒⟨kwijl, spuug⟩ *slobber,* ⟨speeksel⟩ [saliva] ♦ **1.1** een druppel ~ *a drop of spit(tle).*

spuugbak ⟨de (m.)⟩ **0.1** *spittoon* ⇒⟨AE ook⟩ *cuspidor.*

spuuglelijk ⟨bn.⟩ **0.1** *ugly as sin/ hell.*

spuuglok ⟨de⟩ **0.1** [krulletje op voorhoofd] [B]*kiss-curl,* [A]*spit curl;* ⟨BE ook⟩ *kiss-me-quick.*

spuugzat ⟨bn.⟩ ♦ **3.¶** hij is het ~ *he's browned off, he's had it up to here;* iets ~ zijn *be sick (and tired)/ sick to death of sth..*

spuwen ⟨onov., ov.ww.⟩ **0.1** [speeksel uitwerpen] *spit, spew, sputter* ⇒⟨onov.⟩ *gob* **0.2** [braken] *spew up, throw up* ⇒*vomit,* ⟨onov.⟩ *be sick,* ⟨ov.⟩ *bring/ sick up* ♦ **1.2** ⟨fig.⟩ een vulkaan spuwt lava *a volcano belches lava;* ⟨fig.⟩ vuur en vlam ~ *spit fire, fume;* vuur ~ *breathe/ spit out fire* **3.1** verboden te ~ *no spitting.*

sq. ⟨afk.⟩ **0.1** [sequens] *sq..*

squashbaan ⟨de⟩ **0.1** *squash court.*

Sr. ⟨afk.⟩ **0.1** [senior] *Sr..*

SS ⟨de (v.)⟩ ⟨afk.⟩ **0.1** [Schutzstaffel] *SS.*

S.S. ⟨afk.⟩ **0.1** [stoomschip] *S.S..*

SS-20 raketten ⟨zn.mv.⟩ **0.1** *SS-20 missiles.*

sst ⟨tw.⟩ **0.1** *(s)sh* ⇒*hush* ♦ **3.1** ~ zeggen *(s)hush.*

s.s.t.t. ⟨afk.⟩ **0.1** [salvis titulis (zonder vermelding van titels)] ⟨*without titles*⟩.

st. ⟨afk.⟩ **0.1** [stuk(s)] *in no.*, ⟨*in number*⟩ **0.2** [stuiver] ⟨*≠penny*⟩, *p.* **0.3** [sterling] *st.*

s.t. ⟨afk.⟩ **0.1** [salvo titulo (zonder vermelding van titel)] ⟨*without title*⟩.

St. ⟨afk.⟩ **0.1** [Sint] *St..*

staaf ⟨de⟩ **0.1** [van metaal] *bar* **0.2** [van een andere stof] *stick* ⇒*pole, rod, stave, rail* ♦ **1.1** een ~ijzer *a length of iron, an iron bar;* een ~zilver/ goud *a silver/ gold b. / ingot* **2.2** glazen ~jes *glass rods / sticks.*

staafantenne ⟨de⟩ **0.1** *rod aerial.*

staafbacterie ⟨de (v.)⟩ **0.1** ⟨vaak mv.⟩ *rod-shaped bacterium, bacillus.*

staafbatterij ⟨de (v.)⟩ **0.1** [B]*torch/* [A]*flashlight battery.*

staafdiagram ⟨het⟩ ⟨stat.⟩ **0.1** *histogram.*

staafgoud ⟨het⟩ **0.1** *gold in bars, gold bullion.*

staafgrafiek ⟨de (v.)⟩ ⟨stat.⟩ **0.1** *histogram.*

staafjesrood ⟨het⟩ **0.1** *visual purple, rhodopsin.*

staaflantaarn ⟨de⟩ **0.1** [B]*torch,* [A]*flashlight.*

staafvorm ⟨de (m.)⟩ **0.1** [vorm van een staaf] *rod shape/ form* **0.2** [vorm om staven in te gieten] *rod/ bar mould/* [A]*mold.*

staafvormig ⟨bn.⟩ **0.1** *rod/ bar-shaped* ♦ **1.1** ~e bacteriën *r.-s. bacteria, bacilli.*

staag ⟨bn., bw.; -ly⟩ ⟨schr.⟩ **0.1** [aanhoudend] *steady* ⇒*constant, continuous* **0.2** [geregeld] *steady* ⇒*regular.*

staak ⟨de (m.)⟩ **0.1** [paal] *stake* ⇒*pole, stick* **0.2** [mager lichaamsdeel] *stick* **0.3** [persoon] *bean-pole* **0.4** [paal tot steun] *stake* ⇒*pole, stick, bean-pole* ⟨bij bonen⟩, *pea-stick* ⟨bij erwten⟩ **0.5** [familietak] *branch* **0.6** ⟨herald.⟩ *fess(e)* **6.2** ⟨scherts.⟩ **op** de staken komen *clamber to one's feet* **6.4** staken **bij** de bonen zetten *put stakes by the beans, put up bean-poles* **6.5** een erfenis **bij** staken verdelen *divide an inheritance in(to) portions* **8.1** zo stijf als een ~ *as stiff as a rod.*

staakboon ⟨de⟩ **0.1** *climbing bean.*

staakt-het-vuren ⟨het⟩ **0.1** *cease-fire* ♦ **3.1** een ~ afkondigen *declare a c.-f..*

staal
I ⟨het⟩ **0.1** [in vloeibare toestand bereid ferrometaal] *steel* **0.2** [⟨fig.⟩ kracht] *steel* ⇒*iron* **0.3** [ijzer als bestanddeel van levende wezens] *iron* **0.4** [voorwerp, werktuig] *steel* **0.5** [monster] *sample* **0.6** [proef,

blijk) *sample* ⇒*specimen, pattern* ◆ **1.1** ⟨fig.⟩ hij is van ijzer en ~ *he is (as) tough as nails* **1.6** een (mooi) ~tje van meesterschap *a masterly example;* dat is niet meer dan een ~tje van je plicht *that is simply your duty* **2.1** gelegeerd ~ *alloyed s.;* zacht ~ *mild s.* **2.4** het moordend /het glimmend ~ *lethal/ gleaming s.* **3.2** er zit ~ in hem *he's made of s.* **3.6** ~tjes (van iets) kunnen vertellen *be able to tell stories (about)* **6.1** met ~ bewapend/gepantserd *steel-clad/-plated, armoured* **6.5** op ~ bestellen *order from a s.* **8.1** zo hard als ~ *as hard as iron;* **II** ⟨de (m.)⟩ **0.1** [ondergrond] *subsoil* **0.2** [grond waarop gebouwd wordt] *subsoil* **0.3** [stengel] *stem* **0.4** [staak voor visnetten] *fish-net pole* ◆ **6.2** op ~ bouwen *build on footings.*

staalankerplaat ⟨de⟩ **0.1** *floor plate.*
staalarbeider ⟨de (m.)⟩ **0.1** *steelworker.*
staalbaron ⟨de (m.)⟩ **0.1** *steel baron.*
staalbeton ⟨het⟩ **0.1** *reinforced concrete.*
staalblauw ⟨bn.⟩ **0.1** *steel(y) blue* ◆ **1.1** ~e ogen *steel blue eyes* **7.1** het ~ *steel blue.*
staalblik ⟨het⟩ **0.1** *sheet steel/ iron.*
staalboek →**stalenboek.**
staalboom ⟨de (m.)⟩ **0.1** [ingeheide palen] *fishnet pole* **0.2** [zadelboom] ⟨vooraan zadel⟩ *pommel, horn;* ⟨achteraan zadel⟩ *cantle.*
staalborstel ⟨de (m.)⟩ **0.1** *wire brush.*
staalbron ⟨de⟩ **0.1** *chalybeate spring.*
staalbrons ⟨het⟩ **0.1** [legering] *delta metal* **0.2** [poeder] *metal powder.*
staalconstructie ⟨de (v.)⟩ **0.1** *steel construction.*
staaldraad ⟨de (m.)⟩ **0.1** *steel wire* ◆ **2.1** blank/hardgetrokken ~ *mild steel wire.*
staaldraadkabel ⟨de (m.)⟩ **0.1** *wire rope, steel cable.*
staaldraadstrop ⟨de⟩ **0.1** *(wire rope) sling.*
staaldrank ⟨de (m.)⟩ **0.1** *iron-enriched drink/potion* ⇒⟨AE ook⟩ *geritol.*
staaldruppels ⟨zn.mv.⟩ **0.1** *iron drops.*
staalfabriek ⟨de (v.)⟩ **0.1** *steel mill/plant,* ⟨mv.; ww. ook enk.⟩ *steel works.*
staalfundering ⟨de (v.)⟩ **0.1** *footings.*
staalgieterij ⟨de (v.)⟩ **0.1** *steel foundry, steel plant/mill/works.*
staalgrauw ⟨bn.⟩ **0.1** *steel(y) grey.*
staalgravure ⟨de⟩ **0.1** [methode] *steel engraving* **0.2** [afdruk] *(steel) engraving.*
staalgrijs ⟨bn.⟩ **0.1** *steel(y) grey.*
staalhard ⟨bn.⟩ **0.1** *(as) hard as steel* ◆ **1.1** ~een ~ blik *a steely look.*
staalindustrie ⟨de (v.)⟩ **0.1** *steel industry* ⇒*steel trade.*
staalkaart ⟨de⟩ **0.1** [kaart met stalen, monsters] *sample sheet/card* ⇒ *show/display card* **0.2** [bonte verzameling] *sampling.*
staalkabel ⟨de (m.)⟩ **0.1** *steel cable.*
staalmeester ⟨de (m.)⟩ ⟨gesch.⟩ **0.1** ≠*syndic.*
staalpil ⟨de⟩ **0.1** *iron pill.*
staalplaat ⟨de⟩ **0.1** [plaat van staal] *steelplate* **0.2** [soort van plaatijzer] *steelplate* **0.3** [gravure] *steel engraving* ◆ **2.1** vertinde ~ *tinplate.*
staalproduktie ⟨de (v.)⟩ **0.1** *steel production* ⇒*steel output.*
staalskelet ⟨het⟩ ⟨bouwk.⟩ **0.1** *steel skeleton.*
staalstempeldruk ⟨de (m.)⟩ ⟨druk.⟩ **0.1** *steel engraving.*
staalstralen ⟨ww.⟩ **0.1** *grit blasting.*
staaltinctuur ⟨de⟩ ⟨med.⟩ **0.1** *iron drops.*
staalwalserij ⟨de (v.)⟩ **0.1** *steel-rolling mill.*
staalwaren ⟨zn.mv.⟩ **0.1** ⟨n.-telb.⟩ *steelware* ⇒*steel goods/products.*
staalwater ⟨het⟩ **0.1** *chalybeate water.*
staalwijn ⟨de (m.)⟩ **0.1** *steel/ferruginous wine.*
staalwol ⟨de⟩ **0.1** *steel wool.*
staan (→sprw. 54,558,663)
I ⟨onov.ww.⟩ **0.1** [mbt. personen, dieren] *stand* **0.2** [op steunpunten rusten] *stand* **0.3** [in een toestand, hoedanigheid zijn] *stand* ⇒*be* **0.4** [passen, kleden] *look* **0.5** [opgetekend, gedrukt zijn] *say* ⇒*be written* **0.6** [weldra zullen] *be ready/about to* **0.7** [gericht zijn] *be* **0.8** [bij voortduring met iets bezig zijn] *stand* ⇒*be* **0.9** [geëist worden] *carry* **0.10** [stilstaan] *stand still* **0.11** [onaangeroerd zijn] *leave* ⇒*stand* **0.12** [niet wijken] *not budge (for), stand up (against)* **0.13** [functie, standplaats hebben] *be (employed)* **0.14** [zwaar gevoel geven] *sit heavily* **0.15** [betamen] *become* ⇒*flatter* **0.16** [eisen] *insist ((up)on)* **0.17** [streven] *strive (for)* ◆ **1.2** de tol staat! *the top is spinning* ⟨vero.⟩ *sleeping* **1.3** hoe staat de barometer? *what does the barometer say/read?;* hoe staat het pond? *what is the pound at?,* how high is the pound?, *how is the pound trading/doing?;* zó staat die zaak *that's where/how the matter stands;* hoe ~ de zaken? *how are you (getting on)?, how are things?, how/where do things stand?;* er staat veel zee *there is a heavy sea* **1.5** geld op de bank hebben ~ *have money in the bank* **1.10** ⟨vis.⟩ de dobber staat *the float is bobbing;* ⟨jacht.⟩ de ~de hond *the pointing dog/pointer;* het water staat *the water level is stable* **2.3** alleen ~ *be alone;* bekend ~ als *be known as* **3.1** ga er maar aan ~! *(you) just go ahead and try!;* ⟨dat is niet eenvoudig⟩ *that's far from/not at all easy/no easy matter, some job!;* gaan ~ *stand up;* ergens aan gaan ~ *start on sth.;* achter/naast elkaar gaan ~ ⟨ook⟩ *queue/line up;* ⟨fig.⟩ de mens zoals hij gaat en staat *the average man;* zich ~de houden ⟨fig.⟩ *stay/*

remain standing; ⟨fig.⟩ *not succumb, hold firm;* ergens onverwacht voor komen te ~ *come up against sth. unexpectedly;* ⟨fig.⟩ zij zag me niet ~ *she didn't know I existed/ was alive* **3.2** iets ~de houden *s. by sth.;* hiermee staat of valt de zaak *this will make or break the business* **3.3** er staat geschreven *it is written, it says in the Bible;* zo komt de zaak anders te ~ *that changes/ alters the situation* **3.8** verlegen/raar ~ (te) kijken *look shy/funny;* ergens van ~ (te) kijken *be flabbergasted;* het water staat te koken *the water is boiling;* zich ~ te vervelen *get/be bored;* ze staat al een uur te wachten *she has been waiting (for) an hour;* koud ~ (te) worden *(begin to) get cold* **3.10** ~ blijven *stay in the same place;* ⟨fig.⟩ *remain in the same position, not be promoted;* blijven ~ *stand still;* iem. ~de houden *stop s.o.* **3.11** laat maar ~ *just let it be, just leave it (alone/ there);* laat ... *not to mention/ let alone (that);* laat die zin ~ *leave that sentence be/in;* hij kon nauwelijks spreken, laat ~ zingen *he could barely speak let alone sing;* zijn eten laten ~ *leave one's food, let one's food sit;* zijn baard laten ~ *grow a beard, let one's beard grow;* ⟨pregnant⟩ de alcohol laten ~ *leave off/not touch alcohol;* een rekening laten ~ *walk out on a bill;* hij liet nog wat op zijn rekening ~ *he left some money in his account/ the bank* **3.¶** dat staat nog te bewijzen *that is still left to be proved;* er staat heel wat te doen *there is a whole lot (waiting) to be done;* dat komt ons duur te ~ ⟨ook fig.⟩ *that is going to cost us;* er staat heel wat te wachten *there is sth. in store for him* **4.3** hoe staat het ermee? *how's it going?, how are things?* **4.4** ⟨pregnant⟩ dat stáát *that is/looks impressive;* ⟨pregnant⟩ dat stáát niet *that looks absurd/ ridiculous;* ⟨iron.⟩ *that would make (you/ him look) a perfect sight;* ⟨ongepast⟩ *that's not done* **4.11** er staat nog wat van gisteren *there is some left over from yesterday* **5.1** zij ~ er werkeloos bij *they stand idly by/idle/ are looking on idly;* iem. terzijde ~ *go along with/support s.o.* **5.3** er goed bij ~ *look/ be doing fine/ well;* er goed/slecht voor ~ *look good/ bad;* hiertegenover staat echter dat ... *on the other hand however, ...;* de oogst staat mooi *the crops look good/ promising;* zij ~ sterk *they are in/ have a strong position;* zijn ogen ~ wazig *his eyes look hazy, he has a hazy look in his eyes* **5.4** die kleur staat er niet bij *that colour doesn't fit/ clashes;* ⟨fig.; iron.⟩ dat staat je fraai/ netjes *thanks a lot, that's a fine how-do-you do;* dat kapsel staat u goed *that hairstyle looks good on you/ becomes/ flatters you;* die jas staat netjes *that jacket looks neat/ smart/ nice;* die houding staat hem vreemd *that attitude doesn't fit him* **5.5** er staat niet bij wanneer *it doesn't say/ mention when;* er staat letterlijk *it says literally* **5.15** hij deed het alleen omdat het goed stond *he did it only/ only did it for appearances(' sake)* **5.16** Jan staat erop dat dit goed gebeurt *Jan insists that this will go well* **6.1** iets ~ *s./ be behind s.o./ sth.;* ⟨fig. ook⟩ *back s.o./ sth. (up);* kom bij me ~! *come (and) stand by my side/ me;* ⟨fig.⟩ waar sta jij **in** deze zaak? *where do you stand/ what's your position in this (business/ matter)?;* **op** zijn remmen ~ *jam/ slam on the brakes;* die gebeurtenis staat geheel **op** zichzelf *that is an isolated incident;* **voor** iem. ~ ⟨fig.⟩ *stand by/ behind s.o.;* **voor** iets ~ ⟨fig.⟩ *stand by sth.;* ⟨fig.⟩ **voor** zijn mening/ principes ~ *stick to one's opinion/ principles;* ergens alleen **voor** ~ ⟨fig.⟩ *be solely responsible for sth., be all on one's own;* **voor** de rechtbank ~ *go /s. before/ face the bench;* ⟨fig.⟩ **voor** een probleem ~ *be faced with a problem* **6.2 op** zichzelf ~ ⟨ook fig.⟩ *stand alone* **6.3 boven** iem. ~ *be above s.o.;* **buiten** iets ~ *not be involved in sth.;* **in** zijn twee/ drie ~ *be in second/ third (gear);* **in** de grondverf ~ *have an undercoat/ have primer (on);* ⟨muz.⟩ dit stuk staat **in** g kleine terts *this piece is in G minor;* **voor** een groot bedrag **in** de schuld ~ *be liable/ in debt for a large sum;* hoe staat het **met** de gezondheid? *how is your health?;* ergens **middenin** ~ *be/ sit in the middle of sth.;* **naar** binnen ~ *turn in, stand looking in;* **naar** buiten ~ *turn out, stand looking out;* **onder** iem. staan *be under s.o.;* die instelling staat **onder** het stadsbestuur *that institution comes under the jurisdiction of the city council;* de verwarming staat **op** 18° ⟨inf.⟩ *the heat is on 18° degrees;* de snelheidsmeter stond **op** 80 *the speedometer was/stood at/ showed/read 80;* ergens sceptisch/ ambivalent **tegenover** ~ *be sceptical/ ambivalent about sth.;* ergens positief **tegenover** ~ *have a positive attitude/ approach towards sth./ feeling about sth.;* 7 staat **tot** 14 als 8 staat tot 16 *7 is to 14 as 8 is to 16* **6.5** het staat niet **in** Van Dale *it's not in Van Dale/* ≠ [B]the *OED/* [A]*Webster's, Van Dale does not give/ list/ know/ have it/ hasn't got it (in);* wat staat er **in** de krant? *what's in/ what does it say in the (news)paper?, what does the (news)paper (have to) say?;* het staat **in** de wet *the law says so;* **in** de tekst staat daar niets over *there is no mention of it in the text;* zoals het **in** de Bijbel staat ⟨ook⟩ *as the Bible has it;* er goed **op** ~ ⟨fig.⟩ *be a good likeness;* ⟨fig.⟩ nou, je staat er goed **op** well, *you've done it/ you can forget it/ you've blown that one/ you've put your foot in it;* er stond een waarschuwing **op** *there was a warning on it;* wat staat er **op** het programma? *what's on (the programme* [A]*gram)?;* i.e. staat **voor** id est *i.e. stands for id est* **6.6 op** trouwen ~ *be about to get married/* ⟨inf.⟩ *get hitched/* ⟨inf.⟩ *tie the knot/ make a match of it;* **op** springen ~ ⟨boos zijn⟩ *be about to explode;* ⟨grote haast hebben⟩ *be in a terrible rush, be about to take off;* ⟨nodig naar de w.c. moeten⟩ *have one's teeth floating* **6.7** ⟨fig.⟩ mijn hoofd staat daar nu niet **naar** *I can't keep my mind on it right now;* de zon staat 's middags **op** deze kamer *this room gets the midday sun* **6.9** er

staat 10 jaar gevangenisstraf **op** *it carries a 10 year penalty/jail sentence;* er staat een hoge beloning **op** zijn hoofd *there is/he has got a high price on his head* **6.10** de snoek staat in het water *pike stands still in the water;* de vijand **tot** ~ brengen *stop/halt the enemy;* **tot** ~ brengen *bring to a halt/standstill, halt, stop* **6.12** zij staat **voor** niets *she's game for anything/stops at nothing, she'll take anything on* **6.13** deze dominee staat **in** Utrecht *this minister is/preaches in Utrecht;* **voor** de klas ~ *teach, be a teacher/in education* **6.16** hij staat **op** goede manieren *he is a stickler for/he insists upon good manners* **6.¶ op** zijn stripen ~ *stand on one's authority;* **op** het punt ~ *be (just) about to/on the verge of* **7.3** zij staat derde in het algemeen klassement *she is (ranked) third in the overall scores;* wie staat er nummer één? *who is number one/heads/is at the top of the list/charts/is at the top?* **7.5** er staat nog 100 pond (schuld) *there is still 100 pounds outstanding* **8.3** zoals de zaken nu ~ *as things now stand* **8.10** sta of ik schiet! *halt/stop or I'll shoot* **¶.1** je moet altijd ~ voor dat werk *you have to be on your feet all the time for that work* **¶.3** de bloemen ~ er mooi bij *the flowers look nice/beautiful* **¶.5** ik kan niet lezen wat daar staat *I can't read what it says there/is written there* **¶.10** sta! (tot paard) *whoa;* ⟨mil.⟩ staat! *halt!;*
II ⟨ov.ww.⟩ **0.1** [verdringen van] *be after* ◆ **1.¶** zijn mannetje ~ *be (quite) able to hold one's own/one's ground;* †*be capable;* ⟨sl.⟩ hang tough **6.1** ⟨fig.⟩ iem. **naar** het leven ~ *be after s.o.'s life;* ⟨fig.⟩ iem. **naar** de kroon ~ ⟨ook⟩ *be after s.o.'s position.*
staand ⟨bn.⟩ ◆ **1.¶** de ~e voet *forthwith, on the spot, at once;* ⟨mbt. verleden ook⟩ *then and there;* een ~e kraag *standing/stand-up collar;* ~e klok *grandfather/long-case clock;* een ~ uitdrukking *standard/set/stereotype(d) expression;* ~ leger *standing army;* ~ bord *easel board;* ⟨tuinbouw⟩ ~ glas *hothouse(s), greenhouse(s);* ~e golf *standing/stationary wave;* ~e hond *pointer;* ~ lamp *standing/standard lamp;* ⟨herald.⟩ ~e leeuw *lion salient;* een ~ ovatie *a standing ovation;* ~e passagier *standing passenger;* ~e receptie *stand-up reception;* ~ rijm *masculine rhyme;* ~ schrift *typescript;* ~ tuig *standing rigging;* uit/op ~e voet vertrekken *get off to a standing start;* iem. op ~e voet arresteren *summarily arrest s.o.;* kom op ~e voet *come at once/instantly/immediately, come this (very) minute;* ~ water *standing/stagnant water;* met ~e zeilen *all standing;* ⟨fig.⟩ *ablaze* **3.¶** zich ~ houden *keep going, carry on, hold out;* ⟨voet bij stuk houden; concurrentie aan kunnen⟩ *hold one's own (ground), stand one's ground;* iem. ~ houden *stop s.o.;* ~ houden (dat) *maintain (that), assert (that), contend (that);* ⟨erbij blijven⟩ *stand by one's opinion/belief* ⟨enz.⟩ *that.*
staande ⟨vz.⟩ **0.1** *during* ◆ **1.1** ⟨jur.⟩ ~ het huwelijk *d. (the continuance of) the marriage, stante matrimonio;* ~ de vergadering/de zitting *d. the meeting/session.*
staander ⟨de (m.)⟩ **0.1** [steunbalk] *standard* **0.2** [stander] *stand.*
staanderbouw ⟨de (m.)⟩ **0.1** *stand construction.*
staandevoets ⟨bw.⟩ ⟨schr.⟩ **0.1** *forthwith.*
staangeld ⟨het⟩ **0.1** ⟨op markt, camping⟩ ᴮ*stallage,* ᴬ*(camping/market)* ⟨enz.⟩) *fee;* ⟨staangeld bij niet tijdig lossen van railvervoer⟩ *demurrage.*
staanijzer ⟨het⟩ **0.1** *backplate* ⇒*fireback.*
staanplaats ⟨de⟩ **0.1** [plaats waar men kan/moet staan]⟨mv.⟩ *standing room* ⇒⟨open tribune⟩ *terrace,* ⟨v.e. machinist⟩ *footplate* **0.2** [standplaats]⟨op markt⟩ *stallage;* ⟨van standwerker⟩ *pitch;* ⟨van taxi's⟩ *(taxi)* ᴮ*rank/*ᴬ*stand* ◆ **7.1** geen ~en *no standing (room)* **¶.1** ~en: *f2,- standing f2,-.*
staantribune ⟨de⟩ **0.1** *terrace* ⟨voetbalstadium⟩ ⇒*stand.*
staar ⟨de⟩ **0.1** *cataract* ⇒*stare,* ⟨waas op 't oog⟩ *film* ◆ **2.1** grauwe ~ *cataract;* groene ~ *glaucoma;* zwarte ~ *amaurosis* **3.1** van de ~ lichten *couch a cataract.*
staarsteek ⟨de (m.)⟩⟨med.⟩ **0.1** *cataract operation.*
staart ⟨de (m.)⟩ **0.1** [mbt. dieren] *tail* ⇒⟨kort staartje, bv. van konijn/hert⟩ *scut,* ⟨gecoupeerde honde-/paardestaart⟩ *bobtail,* ⟨staart van pauw⟩ *train* **0.2** [bos neerhangend haar] **(pig)tail;** ⟨opgebonden haar⟩ *ponytail* **0.3** [achterste, onderste gedeelte] *tail (end)* ⇒*queue* **0.4** ⟨fig.⟩ nasleep] *train* ⇒*aftermath, consequence* **0.5** [einde] *tail* ⇒*end* **0.6** [overschot] *tail end* **0.7** [haal]⟨neerhaal⟩ *descender;* ⟨neer- of ophaal; druk.⟩ *hairline* **0.8** [spoor van komeet] *tail, trail, train* **0.9** [deel van plant] *stalk, filament* ◆ **1.3** de ~ v.e. hamer *the peen of a hammer;* de ~ v.e. kanon *the trail of a gun;* de ~ v.e. klok *the clock case;* de ~ v.e. molen *the tail-pole of a windmill;* de ~ v.e. optocht/een leger *the tail/train of a procession/an army;* de ~ v.e. ploeg *the handle of a plough;* de ~ v.e. viool *the neck of a violin;* de ~ v.e. vlieger *the tail of a kite* **1.5** daar is kop noch ~ aan te vinden *there's neither head nor tail to it;* ⟨niets van te begrijpen⟩ *I can't make head or tail of it* **1.6** het ~je v.d. afbetaling *the end/last bit of the payment, the last/final instalment;* een ~je in een glas *a heeltap* **1.7** de ~ v.e. noot *the tail of a note* **2.1** met een gecoupeerde ~ *bob-/dock-tailed, docked* **3.1** krijg een ~! *get off!;* ⟨fig.⟩ ergens een ~ ~ van krijgen *be sick of sth.;* de tijger sloeg met zijn ~ *the tiger lashed its tail, the tiger's tail lashed about* **5.1** met de ~ omhoog *cock-tailed, with the tail up/cocked* **6.1** bij de ~ trekken *pull by the tail;* met de ~ kwispelen

---

wag the tail; **met** een ~*tailed;* ⟨biol. ook⟩ *caudate(d);* ⟨fig., scherts.⟩ 'em **op** zijn ~ trappen *give the gun, let it/her rip;* ⟨fig.⟩ met de ~ **tussen** de benen afdruipen/thuiskomen *slink off/come home with one's tail between one's legs* **6.2** het haar in een ~/**in** ~jes dragen *wear one's hair in pigtails* **6.3** een winter **met** een ~ *an endless winter* **6.6** ⟨wisk.⟩ deling **met/zonder** ~ *long/short division* **¶.4** dat muisje/die zaak zal een ~je hebben/krijgen *we haven't seen/heard the last of it.*
staartbalk ⟨de (m.)⟩ **0.1** [⟨bouwk.⟩] *tail beam, tailpiece* **0.2** [mbt. een molen] *tail-pole.*
staartbeen ⟨het⟩ **0.1** [stuitbeen] *coccyx, tailbone* ⇒⟨van rund⟩ *aitchbone* **0.2** [beentje van de staart] *tailbone, caudal vertebra.*
staartbijten ⟨ww.⟩ **0.1** *tail-biting.*
staartcactus ⟨de (m.)⟩ **0.1** *rat's tail cactus.*
staartdeling ⟨de (v.)⟩ ⟨wisk.⟩ **0.1** *long division.*
staartdraad ⟨de (m.)⟩ **0.1** *tail/rear feeler.*
staartgeboorte ⟨de (v.)⟩ **0.1** *breech birth/delivery.*
staartgrassen ⟨zn.mv.⟩ **0.1** *cutting grass.*
staartgroef ⟨de⟩ **0.1** *root of the tail.*
staarthengsel ⟨het⟩ ⟨amb.⟩ **0.1** *strap hinge.*
staartklok ⟨de⟩ **0.1** *grandfather/long-case/long-pendulum clock* ◆ **2.1** een Friese ~ *a Frisian (g./l.-c.) clock.*
staartlastig ⟨bn.⟩ **0.1** *tail-heavy.*
staartletter ⟨de⟩ **0.1** *descender.*
staartlicht ⟨het⟩ **0.1** *taillight, tail lamp.*
staartloos ⟨bn.⟩ **0.1** *tailless;* ⟨dierk.⟩ *rumpless* ◆ **1.1** staartloze aap *ape;* staartloze kat *tailless/rumpless cat, rumpy;* ⟨manxkat⟩ *Manx cat.*
staartmees ⟨de⟩ **0.1** *long-tailed tit.*
staartmolen ⟨de (m.)⟩ **0.1** [watermolen] *fan-tail mill* **0.2** [windwijzer] *weather vane.*
staartnoot ⟨de⟩ ⟨muz.⟩ **0.1** *flagged note.*
staartnummer ⟨het⟩ **0.1** *descender figure.*
staartparachute ⟨de (m.)⟩ **0.1** *brake parachute.*
staartpen ⟨de⟩ **0.1** *quill (feather)* ⇒*rectrix.*
staartpeper ⟨de (m.)⟩ **0.1** [bessen] *cubeb* **0.2** [plant] *cubeb.*
staartpruik ⟨de⟩ **0.1** *pigtail wig.*
staartriem ⟨de (m.)⟩ **0.1** *crupper(-strap)* ⇒*dock.*
staartschroef ⟨de⟩ **0.1** [aan helikopter] *tail rotor* **0.2** [⟨mil.⟩ aan vuurwapen] *breech pin.*
staartschudden ⟨ww.⟩ **0.1** *buffetting.*
staartsonnet ⟨het⟩ **0.1** *tailed sonnet.*
staartster ⟨de⟩ **0.1** *comet.*
staartsteun ⟨de (m.)⟩ **0.1** *(tail)skid.*
staartstomp ⟨de (m.)⟩ **0.1** *stump/stub of a/the tail.*
staartstuk ⟨het⟩ **0.1** [achterstuk] *tailpiece;* ⟨van vliegtuig⟩ *tail, empennage* **0.2** [stuk vlees] *aitchbone* ⇒*rump* ◆ **1.1** het ~ v.e. geweer *the breech of a gun;* het ~ v.e. viool *the tailpiece of a violin.*
staarttalie ⟨de (v.)⟩ ⟨scheep.⟩ **0.1** *jigger.*
staartveer ⟨de⟩ **0.1** *rectrix* ⇒*tail feather, quill.*
staartvin ⟨de⟩ **0.1** [mbt. een vis] *tail fin;* ⟨van walvis⟩ *fluke* **0.2** [mbt. een vliegtuig] *tail fin, vertical fin/stabilizer.*
staartvlak ⟨het⟩ **0.1** ᴮ*tailplane,* ᴬ*horizontal stabilizer.*
staartwaaier ⟨de (m.)⟩ **0.1** [staartharen v.e. paard] *horse-tail* ⇒*horse's tail* **0.2** [orgaan aan staart van kreeften] *tail fan, telson.*
staartwervel ⟨de (m.)⟩ **0.1** [mbt. dieren] *tailbone, caudal vertebra* **0.2** [mbt. de mens] *coccygeal vertebra, tailbone.*
staartwiel ⟨het⟩ **0.1** *tail wheel.*
staartwind ⟨de (m.)⟩ **0.1** *tail wind.*
staartwortel ⟨de (m.)⟩ **0.1** [⟨biol.⟩] *root* **0.2** [⟨plantk.⟩] *adventitious root.*
staat ⟨de (m.)⟩ **0.1** [toestand] *state, condition* ⇒*status, way,* ⟨BE; sl.⟩ *nick* **0.2** [mogelijkheid, gelegenheid] *condition* **0.3** [rijk] *state* ⇒*country, nation, power,* ⟨het staatslichaam⟩ *the body politic* **0.4** [bestuurscollege] *council, board* **0.5** [regering] *government* ⇒⟨in process⟩ *the Crown* **0.6** [lijst van ontvangsten, uitgaven] *list, record* ⇒*register, statement,* ⟨ontvangsten⟩ *(list of) receipts/incomings,* ⟨uitgaven⟩ *(list of) outgoings* **0.7** [opgave, overzicht] *statement* ⇒*record, report, survey* **0.8** [begroting] *estimate* ⇒*budget* **0.9** ⟨bk.⟩ [stadium] *state* **0.10** [luister] *state* ⇒*circumstance, pomp* **0.11** [stand] *status, position* ⇒*rank, station* **0.12** [hoge post] *post* **0.13** [eer] *state* ⇒*standing, prestige, reputation* ◆ **1.1** de ~ van beleg *martial law;* de ~ van beleg afkondigen *proclaim martial law;* in ~ van beschuldiging stellen *indict;* ⟨jur.⟩ *impeach;* de ~ van gelukzaligheid *the blessed state;* ⟨r.k.⟩ ~ van genade/gratie *the state of grace;* ~ van oorlog *belligerency, state of war;* ~ van verval *decrepitude, dilapidation;* ⟨jur.⟩ de ~ van gehuwde vrouw *coverture* **1.3** de ~ der Nederlanden *the kingdom of The Netherlands* **1.4** ⟨gesch.⟩ de Staten van Holland *the States of Holland* **1.5** Raad van State *Council of State,* ≠*Privy Council* **1.6** een ~ van baten en schulden *a statement of assets and liabilities* **1.7** ~ van dienst *record of service* **1.¶** Minister van ~ *Minister of State* **2.1** iets in behoorlijke ~ brengen/houden *restore sth. to/maintain sth. in a reasonable condition;* burgerlijke ~ *marital/civil state/status;* gewicht in droge ~ *weight when dry;* (in) gezegende ~ (zijn) *be in the family way;* in goede ~ verkeren *be in good condition/shape, be well preserved;*

⟨BE; sl.⟩ *be in good nick;* de huwelijke/echtelijke ~ *conjugality, marriage, matrimony, wedlock, connubiality;* hij verkeert in kennelijke ~ *he's befuddled (with drink)/under (the) influence;* ongehuwde ~ *unmarried state;* ⟨mannen⟩ *bachelordom/bachelorhood;* ⟨jur.⟩ ⟨vrouwen⟩ *spinsterhood;* in ongehuwde ~ ⟨jur.⟩ *discovert;* de tegenwoordige ~ van zaken *the present state of affairs;* zondige ~ *natural state, state of nature* 2.3 het bos is eigendom v.d. ~ *the forest is owned by the state/state-owned/state property/property of the state;* de Kerkelijke/Pauselijke ~ *the State of the Church, the Papal State* 2.4 de Staten-Generaal *the States-General;* de Provinciale Staten *the Provincial Council* 2.11 de priesterlijke ~ *holy orders* 3.6 een ~ van ontvangsten en uitgaven opmaken *make up a statement of income/revenue and expenditure;* een wekelijkse ~ opmaken *make up a weekly return/statement* 3.7 een ~ (van dienst) bijhouden *keep a record (of service)* 3.8 zijn ~ maken *draw up/make one's estimate* 3.¶ ~ maken op *bank/rely/depend on;* u kunt ~ op mij/op mijn hulp maken *you can always rely/count on me/my help;* op het weer is geen ~ te maken *there's no trusting/depending on the weather* 6.1 ⟨inf.;fig.⟩ in alle staten zijn *be frenzied/agitated/beside o.s., abandon o.s.;* in prima ~ van onderhoud *in an excellent state of repair, maintained in mint condition, in excellent keep;* in ~ van dronkenschap *under the influence (of drink);* ⟨scherts.⟩ *under the affluence of incohol;* in ~ van nieuw *(condition) as new, in prime condition;* in ~ van ontbinding *in a state of decomposition;* niet tot werken in ~ wegens ziekte *incapable of working through/by illness* 6.2 (niet) in ~ zijn iem. te helpen *not be in a position to help s.o.;* in ~ zijn te betalen *be able to/afford to pay;* hij is niet in ~ iem. te bedriegen *he couldn't/wouldn't be capable of cheating s.o.;* tot alles in ~ zijn *not stick/stop at anything, be ready for/capable of/up to anything;* iem. in ~ stellen (om) te …*enable s.o. to;* ⟨geschikt maken⟩ *capacitate s.o. for;* weer in ~ zijn te werken *be able/in a position to resume work* 6.7 ⟨jur.⟩ de kosten worden bij ~ opgemaakt *the costs are taxed/assessed by the court* 6.11 personen van ~ *people of quality.*

staathuishoudkunde ⟨de (v.)⟩ **0.1** *economics, political economy.*
staathuishoudkundige ⟨de (m.)⟩ **0.1** *economist.*
staatkunde ⟨de (v.)⟩ **0.1** [wetenschap] *politics, political science* **0.2** [bekwaamheid in het regeren] *statecraft, statesmanship.*
staatkundig
  I ⟨bn., bw.;-ly⟩ **0.1** [volgens de regels van de staatkunde] *political* **0.2** [de staatkunde betreffend] *political* ◆ **1.2** ~ evenwicht *balance of power;*
  II ⟨bn.⟩ **0.1** [mbt. de staat, het staatsgebied] *national, political.*
staatkundige ⟨de (m.)⟩ **0.1** *politician;* ⟨ervaren⟩ *statesman;* ⟨diplomaat⟩ *diplomat.*
staatloze ⟨de (m.)⟩ **0.1** *displaced person.*
staatsaangelegenheid ⟨de (v.)⟩ **0.1** *public affair* ⇒⟨mv.⟩ *state affairs, affairs of state.*
staatsalmanak ⟨de (m.)⟩ **0.1** *State directory* ⇒⟨Britse Staatsalmanak⟩ *Red Book.*
staatsamateur ⟨de (m.)⟩ **0.1** *state-subsidized amateur* ⇒⟨inf.⟩ *shamateur.*
staatsambt ⟨het⟩ **0.1** *public/state/government office* ⇒*office of state.*
staatsapparaat ⟨het⟩ **0.1** *state machinery* ⇒*civil/public service,* ⟨BE ook⟩ *Whitehall.*
staatsbalans ⟨de⟩ **0.1** *(national) budget.*
staatsbank ⟨de⟩ **0.1** *national/central bank.*
staatsbankroet ⟨het⟩ **0.1** *national bankruptcy.*
staatsbediende ⟨de (m.)⟩ ⟨AZN⟩ **0.1** *civil/public servant.*
staatsbedrijf ⟨het⟩ **0.1** *state/government enterprise* ⇒⟨genationaliseerd⟩ *state-owned/nationalized company.*
staatsbegrafenis ⟨de (v.)⟩ **0.1** *state funeral.*
staatsbegroting ⟨de (v.)⟩ **0.1** *budget* ⇒*state/national budget.*
staatsbelang ⟨het⟩ **0.1** *state/national interest.*
staatsbemoeienis ⟨de (v.)⟩ **0.1** *state intervention/*⟨neutraal⟩ *activities.*
staatsbestel ⟨het⟩ **0.1** [bestuur v.e. staat] *government* ⇒⟨vnl. van dictaturen⟩ *regime, régime* **0.2** [inrichting v.h. staatsbestuur] *polity* ⇒*form of government, constitution.*
staatsbestuur ⟨het⟩ **0.1** [het uitoefenen van staatsgezag] *state administration* ⇒*administration of the state* **0.2** [personen die een staat besturen] *state government/*⟨AE ook⟩ *administration* ⇒*government of the state.*
staatsbetrekking ⟨de (v.)⟩ **0.1** *government office/place.*
staatsbezit ⟨het⟩ **0.1** *state(-owned) property* ⇒*public property,* ⟨abstr.⟩ *State ownership.*
staatsbezoek ⟨het⟩ **0.1** *state visit* ◆ **3.1** een ~ afleggen *go on a s. v..*
staatsblad ⟨het⟩ **0.1** *(the) statute book* ⟨alle verzamelde geschreven wetten⟩ ◆ **3.1** een wet in het ~ afkondigen *enter an act into/put an act on the s. b..*
staatsbos ⟨het⟩ **0.1** *state(-owned)/national forest.*
staatsbosbeheer ⟨het⟩ **0.1** [B]*Forestry Commission,* [A]*Forest Service.*
staatsburger ⟨de (m.)⟩ **0.1** [iem. met burgerrechten in een staat] *citizen* **0.2** [inwoner v.e. staat] *citizen, national* ⇒*subject* ◆ **2.1** ⟨scherts.⟩ de jonge ~ *the newly-born* **2.2** Amerikaanse ~s in Engeland *American nationals in England* **3.2** Brits ~ zijn *be a British c..*

staatsburgerlijk ⟨bn.⟩ **0.1** *civil* ⇒*civic.*
staatsburgerschap ⟨het⟩ **0.1** *citizenship* ⇒*nationality* ◆ **2.1** het Belgische ~ bezitten *have/possess Belgian c./nationality, be of Belgian nationality, be a Belgian citizen/national.*
staatscommissie ⟨de (v.)⟩ **0.1** *government/state commission/committee.*
staatscommunisme ⟨het⟩ **0.1** *State communism.*
Staatscourant ⟨de⟩ **0.1** *gazette* ⇒*official newspaper* ◆ **6.1** dit wordt in de ~ gepubliceerd *it will be gazetted.*
staatsdienaar ⟨de (m.)⟩ **0.1** [hooggeplaatst regeringsambtenaar] *government official* **0.2** [ambtenaar in staatsdienst] *civil/public servant.*
staatsdienst ⟨de (m.)⟩ **0.1** [werkzaamheden ten behoeve v.e. staat] *public service* **0.2** [dienstbetrekking] *civil/public service* ◆ **6.2** in ~ zijn *hold a public office/an office under the government, be in the public/civil service;* in ~ treden *enter the civil/public service.*
staatsdiploma ⟨het⟩ **0.1** *state/government diploma/certificate.*
staatsdomein ⟨het⟩ **0.1** *national/*[A]*public domain.*
staatsdrukkerij ⟨de (v.)⟩ **0.1** *State/government printing office/house* ⇒ [B]*(Her Majesty's) Stationery Office, H.M.S.O..*
staatseigendom
  I ⟨de (m.)⟩ **0.1** [omstandigheid] *public ownership;*
  II ⟨het⟩ **0.1** [zaak] *public/state property,* [A]*government issue.*
staatsexamen ⟨het⟩ **0.1** *state exam(ination);* [mbt. universiteit] *university entry examination* ◆ **3.1** ~ doen *sit for a state exam;* ⟨mbt. universiteit⟩ *take/sit a u. e..*
staatsfonds ⟨het⟩ **0.1** *government securities/stock.*
staatsfoto ⟨de⟩ **0.1** *official (group) photograph/portrait.*
staatsgarantie ⟨de (v.)⟩ **0.1** *state guarantee.*
staatsgeheim ⟨het⟩ **0.1** [mbt. staatszaken] *official/state secret* **0.2** [belangrijk geheim] *official secret* ⇒*classified material.*
staatsgelden ⟨zn.mv.⟩ **0.1** *public funds/money* ⇒*state/national funds.*
staatsgevaarlijk ⟨bn., bw.⟩ **0.1** *dangerous to the state* ⟨alleen pred.⟩ ⇒*subversive,* ⟨bw.⟩ *subversively.*
staatsgevangene ⟨de (m.)⟩ **0.1** *state/political prisoner.*
staatsgevangenis ⟨de (v.)⟩ **0.1** *state/government prison.*
staatsgezind ⟨bn.⟩ ⟨gesch.⟩ **0.1** [anti-Spaans] *pro-Dutch, anti-Spanish* **0.2** [antistadhouderlijk] *republican; against the stadholder* ⟨alleen pred.⟩.
staatsgodsdienst ⟨de (m.)⟩ **0.1** *established/official/state religion.*
staatsgreep ⟨de (m.)⟩ **0.1** *coup (d'état)* ⇒*putsch, revolt.*
staatshervorming ⟨de (v.)⟩ **0.1** *state reform* ⇒*reform of the state.*
staatshoofd ⟨het⟩ **0.1** *head of state.*
staatshuishouding ⟨de (v.)⟩ **0.1** *national economy.*
staatshulp ⟨de⟩ **0.1** *state/government aid.*
staatsie ⟨de (v.)⟩ **0.1** [praal] *state* ⇒*ceremony, pomp* **0.2** [deel v.e. schip] *gilded stern* ◆ **2.1** lege ~ *gaud, empty show* **3.1** ~ voeren *keep s.* **6.1** met veel/grote ~ *with much/great ceremony/* ⟨afkeurend⟩ *pomp and circumstance.*
staatsiebezoek →staatsbezoek.
staatsiedegen ⟨de (m.)⟩ **0.1** *dress sword.*
staatsiekleed ⟨het⟩ **0.1** *regalia* ⟨mv.⟩ ⇒⟨gala(kostuum)⟩ *gala/ceremonial/court/full dress.*
staatsiekoets ⟨de⟩ **0.1** *state coach/carriage.*
staatsietrap ⟨de (m.)⟩ **0.1** *grand/ceremonial staircase/stairway.*
staatsiezaal ⟨de⟩ **0.1** *state room/hall* ⇒*room/hall of state.*
staatsinkomsten ⟨zn.mv.⟩ **0.1** *state/public/national revenue* ⇒*state/national income.*
staatsinmenging ⟨de (v.)⟩ **0.1** *state/government interference (in/with).*
staatsinrichting ⟨de (v.)⟩ **0.1** [vorm v.h. staatsbestuur] *polity* ⇒*form of government, constitution* **0.2** [schoolvak;les] *political science, politics* ◆ **1.1** geschiedenis v.d. ~ *constitutional/political history.*
staatsinstelling ⟨de (v.)⟩ **0.1** [door de overheid bestuurd] *public institution* **0.2** [behorend tot organisatie v.e. staat] *constitutional body.*
staatskapitalisme ⟨het⟩ **0.1** *State capitalism.*
staatskas ⟨de⟩ **0.1** *treasury;* ⟨vnl. BE⟩ *exchecquer* ◆ **6.1** een bijdrage uit de ~ *a state subsidy, public money, a contribution made with public funds/out of public revenue.*
staatskerk ⟨de⟩ **0.1** *established church.*
staatskosten ⟨zn.mv.⟩ **0.1** *public expenditure* ◆ **6.1** op ~ *at public expense/cost;* ⟨vero.⟩ *from the public purse.*
staatslening ⟨de (v.)⟩ **0.1** *public/government/national loan.*
staatslichaam ⟨het⟩ **0.1** [de staat] *body politic* **0.2** [openbaar lichaam in de staat] *public/state body.*
staatsloterij ⟨de (v.)⟩ **0.1** *state/national lottery.*
staatsmacht ⟨de⟩ **0.1** [regeringsmacht] *state power, power of government* **0.2** [deel van deze macht] *state power, power of government.*
staatsman ⟨de (m.)⟩ **0.1** *statesman* ◆ **2.1** een groot/wijs ~ *an elder statesman* **6.1** (als) van een ~ *statesmanlike, statesmanly.*
staatsmanschap ⟨het, de (v.)⟩ **0.1** *statesmanship* ⇒*statecraft.*
staatsmijn ⟨de⟩ **0.1** *state mine.*
staatsminister ⟨de (m.)⟩ ⟨AZN⟩ **0.1** *Privy Councillor.*
staatsmisdaad ⟨de⟩ **0.1** *crime against the state, treason.*
staatsmonopolie ⟨het⟩ **0.1** *state monopoly.*
staatsnoodrecht ⟨het⟩ **0.1** *legislation under emergency powers, emergency laws.*

staatsobligatie ⟨de (v.)⟩ **0.1** *government bond.*

staatsomwenteling ⟨de (v.)⟩ **0.1** *revolution.*

staatsorde ⟨de⟩ **0.1** *polity* ⇒*form of government, constitution.*

staatsorgaan ⟨het⟩ **0.1** *state organization* ⇒*public/constitutional body.*

staatspapier ⟨het⟩ **0.1** *government paper/stock/securities* ⟨mv.⟩; ⟨BE ook⟩*(the) Funds* ⟨mv.⟩ ◆ **1.1** houder van Britse ~en *fundholder* **3.1** in~en beleggen *invest in government paper/stock/securities;* ⟨BE ook⟩ *fund.*

staatspartij ⟨de (v.)⟩ **0.1** *political party* ⇒⟨landelijke partij⟩ *national party.*

staatspensioen ⟨het⟩ **0.1** *state pension.*

staatspraktijkdiploma ⟨het⟩ **0.1** *national diploma* ⇒*state examination certificate.*

staatsprijs ⟨de (m.)⟩ **0.1** [college] *official/state/national prize.*

staatsraad ⟨de (m.)⟩ **0.1** [college] *Council of State* ⇒*State Council* **0.2** [persoon] *State Councillor.*

staatsraison ⟨de (m.)⟩ **0.1** *reason of State.*

staatsrecht ⟨het⟩ **0.1** [mbt. het bestuur en inrichting v.d. staat] *constitutional/organic/municipal law* **0.2** [mbt. de burgers] *civil rights.*

staatsrechtelijk ⟨bn., bw.;-ly⟩ **0.1** *constitutional.*

staatsregeling ⟨de (v.)⟩ **0.1** [inrichting/bestuur v.e. staat] *polity* ⇒*form of government, constitution* **0.2** [grondwet] *constitution* **0.3** [regeling die uitgaat v.h. staatsbestuur] *state settlement, public/government regulation.*

staatsruif ⟨de⟩ ⟨scherts.⟩ **0.1** *public purse* ◆ **6.1** uit de ~ eten *draw money from the public purse.*

staatsschuld ⟨de⟩ **0.1** *national/public debt.*

staatssecretaris ⟨de (m.)⟩ **0.1** ⟨in Ned. en België⟩ *State Secretary* ⇒ ⟨GB⟩ *Minister of State,* ⟨USA⟩ *Assistant Secretary (of State).*

staatssocialisme ⟨het⟩ **0.1** *State socialism.*

staatssoevereiniteit ⟨de (v.)⟩ **0.1** *state sovereignty.*

staatstaak ⟨de⟩ **0.1** *state matter/duty/business.*

staatstoezicht ⟨het⟩ **0.1** [toezicht vanwege de staat] *state/government/public control* **0.2** [lichaam] *state/government inspectorate/authority/supervisory agency* ◆ **2.2** het geneeskundig ~ *the state/government health inspectorate/authority/authorities* **6.1** onder ~ staan/plaatsen *be/place under state/government/public control/supervision;* **onder** ~ ⟨ook⟩ *state/government-supervised/controlled;* het ~ **op** de scholen *government supervision/inspection of schools.*

staatsuitgaven ⟨zn.mv.⟩ **0.1** *public/state/national/government(al) expenditure(s)* ⇒*public/government spending.*

staatsveiligheid ⟨de (v.)⟩ **0.1** ⟨abstr.⟩ *state/national/public security* **0.2** [dienst] *state/national security police/service/bureau/department.*

staatsvijand ⟨de (m.)⟩ **0.1** *public/national enemy* ⇒*enemy of the state.*

staatsvoogdij ⟨de (v.)⟩ **0.1** *state control/intervention.*

staatsvorm ⟨de (m.)⟩ **0.1** *form of government, constitution* ⇒*polity.*

staatswege ◆ **6.¶ van** ~ *by authority/on behalf/the part of the state;* vervolging **van** ~ *public prosecution.*

staatswet ⟨de⟩ **0.1** [wet in formele zin] *state law* ⇒*Act of* [B]*Parliament/* [A]*Congress* **0.2** [grondwet v.e. staat] *(state) constitution.*

staatswetenschap ⟨de (v.)⟩ **0.1** *political science.*

staatszaak ⟨de⟩ **0.1** *state affair/matter/business, affair of (the) state.*

stabiel ⟨bn.⟩ **0.1** [vast van evenwicht, vastliggend] *stable* ⇒*balanced, firm,* ⟨stevig⟩ *secure, steady* **0.2** [vast van toestand/grootte] *stable* ⇒ ⟨hand. ook⟩ *firm,* ⟨evenwichtig⟩ *poised, balanced, settled* ◆ **1.1** een ~e auto *a stable/well-balanced/steady car* **1.2** ~e bevolking *a stable population;* een ~e constructie *a rigid/solid construction;* ⟨nat.⟩ ~ evenwicht *stable equilibrium;* ~e prijzen en lonen *stable prices and wages;* ~ weer *settled/calm weather* **3.1** ⟨scheep.⟩ ~ liggen *trim;* ~ maken/worden *stabilize.*

stabij ⟨de (m.)⟩ **0.1** *Frisian pointer.*

stabilisatie ⟨de (v.)⟩ **0.1** [het vast van evenwicht maken] *stabilization* ⇒*consolidation* **0.2** [het vast van waarde maken] *stabilization.*

stabilisatiekoers ⟨de (v.)⟩ **0.1** *stabilization rate* ⇒*rate of stabilization.*

stabilisatievin ⟨de⟩ **0.1** *stabilizer (fin).*

stabilisatievlak ⟨het⟩ ⟨verkeer⟩ **0.1** *stabilizer* ⇒⟨horizontaal⟩ *tailplane,* [A]*horizontal stabilizer,* ⟨vertikaal⟩ *fin,* [A]*vertical stabilizer,* ⟨onderzeeboot, horizontaal⟩ *hydroplane.*

stabilisator ⟨de (m.)⟩ **0.1** [inrichting] *balancer* ⇒*fin, stabilizer,* ⟨scheep. ook⟩ *gyrostabilizer* **0.2** [⟨schei.⟩] *stabilizer.*

stabiliseren ⟨ov.ww.⟩ **0.1** [toest: stabiel maken] *stabilize* ⇒*steady,* ⟨verstevigen⟩ *firm (up),* ⟨ec.⟩ *freeze, peg* **0.2** [laten voortduren] *consolidate* ◆ **1.1** de gulden ~ *freeze the guilder;* de prijzen ~ *firm up/peg prices* **4.1** zich ~ *stabilize, steady;* ⟨ec.⟩ *harden.*

stabiliteit ⟨de (v.)⟩ **0.1** [vastheid van evenwicht] *stability* ⇒⟨evenwicht⟩ *poise, balance, steadiness* **0.2** [vastheid van toestand/grootte] *stability* ⇒*steadiness,* ⟨onveranderlijkheid⟩ *fixity* **0.3** [mbt. schepen] *steadiness;* ⟨ihb. van duikboot⟩ *trim.*

stabilo ⟨de (m.)⟩ →*stabilisatievlak.*

stabilometrie ⟨de (v.)⟩ **0.1** *statics.*

stacaravan ⟨de (m.)⟩ **0.1** *site caravan.*

staccato[1] ⟨het⟩ ⟨muz.⟩ **0.1** *staccato.*

staccato[2] ⟨bw.⟩ ⟨muz.⟩ **0.1** *staccato* ◆ **3.1** een passage ~ spelen *play a passage s.;* ⟨bij blaasinstrumenten⟩ *(single-/double-/triple-)tongue a passage.*

staccatopuntje ⟨het⟩ ⟨muz.⟩ **0.1** *staccato mark.*

stad ⟨de⟩ **0.1** [grote plaats] *town* ⇒⟨grote, dichtbevolkte stad met stadsrechten, of kathedraalstad⟩ *city,* ⟨stedelijke gemeente⟩ *borough* **0.2** [bevolking] *town* **0.3** [gemeentebestuur] *town/city council* **0.4** [⟨gesch.⟩ ommuurde plaats met eigen rechten] *borough* ◆ **1.1** ⟨fig.⟩ ~ en land aflopen *search/hunt/seek high and low, look everywhere* **2.1** versterkte ~ *fortress, burg, fortified* **t. 2.2** de hele ~ weet het *it's all over the t./place, it's the talk of the t.* **5.1** de ~ in gaan *go (in)to t.* ⟨van inwoner⟩/*the t.* ⟨van toerist⟩; de ~ uit zijn *be out of t.* ⟨van inwoner⟩/*the t.* ⟨van reiziger, passagier⟩ **6.1** buiten de ~ *in the country;* **in** de ~ wonen/zijn *live/be in t./the city;* **naar** de ~ gaan *go to t.* ⟨van uit de omgeving⟩/*the t.* ⟨van reiziger⟩; **naar** de grote ~ komen *come up to t..*

stadbewoner ⟨de (m.)⟩, **-woonster** ⟨de (v.)⟩ **0.1** *city dweller, citizen.*

stade ⟨schr.⟩ ◆ **6.¶ te** ~ komen *stand in good stead;* ⟨vero.⟩ *stead (well).*

stadgenoot ⟨de (m.)⟩, **-note** ⟨de (v.)⟩ **0.1** [medebewoner] *fellow townsman* ⟨m.⟩; *fellow townswoman* ⟨v.⟩ **0.2** [uit dezelfde stad afkomstig iem.] *townsman* ⟨m.⟩; *townswoman* ⟨v.⟩.

stadhouder ⟨de (m.)⟩ ⟨gesch.⟩ **0.1** [landvoogd] ⟨algemeen⟩ *viceregent, viceroy* ⇒⟨landvoogd⟩ *governor,* ⟨Ned.⟩ *stad(t)holder* **0.2** [hoofd v.h. uitvoerend gezag] *governor, viceroy.*

stadhouderlijk ⟨bn.⟩ ⟨gesch.⟩ **0.1** ⟨alg.⟩ *viceregal;* ⟨Ned.⟩ *of a/the stad(t)holder.*

stadhouderloos ⟨bn.⟩ ⟨gesch.⟩ **0.1** ⟨Ned.⟩ *stad(t)holderless.*

stadhuis ⟨het⟩ **0.1** *town/* ⟨AE ook⟩ *city hall* ⇒⟨BE ook⟩ *council/town house.*

stadhuisstijl ⟨de (m.)⟩ **0.1** *ceremonious/formal style.*

stadhuistaal ⟨de⟩ **0.1** *officialese* ⇒*gobbledegook, gobbledy gook, pomposity.*

stadhuiswoord ⟨het⟩ **0.1** [ambtelijk woord] *ceremonious/formal term/phrase* ⇒*pomposity* **0.2** [deftig woord] *grand/big word.*

stadie ⟨de (v.)⟩ **0.1** *stadium.*

stadig ⟨bn., bw.;-ly⟩ ⟨schr.⟩ **0.1** [voortdurend] *incessant* ⇒*continuous, persistent* **0.2** [onveranderlijk] *steady* ⇒*constant* ◆ **1.2** de handel was ~ *trade was s..*

stadion ⟨het⟩ **0.1** ⟨sport⟩ *stadium* ⇒⟨AE; ihb. honkbalstadium⟩ *park,* ⟨amfitheater; AE⟩ *bowl,* ⟨BE ook⟩ ⟨sports⟩ *ground* **0.2** [⟨gesch.⟩] *stadium* ◆ **6.1** in het ~ *at the stadium, in the ground(s).*

stadium ⟨het⟩ **0.1** *stage, phase* ⇒*stadium,* ⟨fase, periode⟩ *period* ◆ **2.1** de zaken komen in een beslissend/kritiek ~ *affairs are coming/drawing to a crisis;* ⟨inf.⟩ *things are hotting up;* de voorbereidingen verkeren in een vergevorderd ~ *preparations have reached/are in an advanced stage/are well advanced* **3.1** een ~ doorlopen *go/pass through a phase/stage* **6.1** in een vroeg ~ *in the egg;* **in** dit late ~ *at this time of day;* **in** dit ~ *at this stage/point in time.*

stads ⟨bn., bw.⟩ **0.1** [zoals in de stad] *town* ⟨attr.⟩, *city* ⟨attr.⟩ **0.2** [uit de stad afkomstig] *town* ⟨attr.⟩, *city* ⟨attr.⟩ ⇒*towny, urban* ◆ **1.2** een ~e madam *a city miss.*

stadsaanleg ⟨de (m.)⟩ **0.1** *town planning.*

stadsbeeld ⟨het⟩ **0.1** *townscape.*

stadsbeschrijving ⟨de (v.)⟩ **0.1** *urban topography.*

stadsbestuur ⟨het⟩ **0.1** [het besturen] *city/town/urban government/administration* **0.2** [personen] *town/city council, municipality* ⇒⟨AE ook⟩ *city hall,* ⟨B en W⟩ *mayor and aldermen.*

stadsbestuurder ⟨de (m.)⟩ **0.1** *city/* [B]*town councillor* ⇒⟨mv. ook; vaak scherts.⟩ *city fathers.*

stadsbewoner →*stadbewoner.*

stadsbibliotheek ⟨de (v.)⟩ **0.1** *municipal/town/city library.*

stadsbode ⟨de (m.)⟩ **0.1** [bode in dienst v.h. stadsbestuur] *town messenger* **0.2** [⟨gesch.⟩] ≠*bailiff.*

stadsbus ⟨de⟩ **0.1** [autobus] ⟨in de stad⟩ *local bus;* ⟨bus die de hele stad bestrijkt⟩ *cross-town bus* **0.2** [brievenbus] *local posting-box/* ⟨BE ook⟩ *pillar-box.*

stadscentrum ⟨het⟩ **0.1** *town/city centre.*

stadscultuur ⟨de (v.)⟩ **0.1** *urbanism* ⇒*urban/city culture.*

stadsdeel ⟨het⟩ **0.1** *quarter* ⇒*area, part of town,* ⟨wijk⟩ *district,* ⟨stadsgebied met bep. bestemming⟩ *precinct.*

stadsdienst ⟨de (m.)⟩ **0.1** *urban/city/town (bus) service.*

stadsduif ⟨de⟩ **0.1** *urban pigeon.*

stadsgemeente ⟨de⟩ **0.1** [gemeente bestaande uit een stad] *corporate town* **0.2** [kerkelijke gemeente] *urban/town/city parish.*

stadsgenoot →*stadgenoot.*

stadsgesprek ⟨het⟩ **0.1** *local call.*

stadsgewest ⟨het⟩ **0.1** *urban/metropolitan district.*

stadsgewoel ⟨het⟩ **0.1** *city bustle* ⇒*hustle and bustle of the city.*

stadsgezicht ⟨het⟩ **0.1** [gezicht v.e. stad] *cityscape, townscape* ⇒*view* **0.2** [afbeelding] *townscape.*

stadsgrens ⟨de⟩ **0.1** *town/city boundary/* [A]*limits.*

stadsguerrilla ⟨de⟩ **0.1** *urban guerilla.*

stadsherstel ⟨het⟩ **0.1** *urban renewal.*

stadsjeugd ⟨de⟩ **0.1** *urban/city youth.*

stadskantoor 〈het〉 **0.1** *municipal office(s)*.
stadskern 〈de〉 **0.1** *town/city centre*.
stadskind 〈het〉 **0.1** *city/urban child*.
stadsleven 〈het〉 **0.1** *city/town/urban life* ⇒*urbanity*.
stadslicht 〈het〉 **0.1** *parking light* ⇒*side lamp, sidelight*.
stadslucht 〈de〉 **0.1** [lucht in stad] *city air* **0.2** [geestelijk klimaat] *city/ urban atmosphere*.
stadsmens 〈de (m.)〉 **0.1** *city dweller, townsman* ⇒〈vnl. AE〉 *urbanite*, 〈pej.〉 *townee* ^A*nie* ^A*ny* 〈AE; inf., pej.〉 *dude*.
stadsmuur 〈de (m.)〉 **0.1** *town/city wall*.
stadsnieuws 〈het〉 **0.1** *town/urban news*.
stadspark 〈het〉 **0.1** *town/municipal/city park*.
stadsplan 〈het〉 **0.1** *town/street plan, city map*.
stadsplanning 〈de (v.)〉 **0.1** *town planning*.
stadsplattegrond 〈de (m.)〉 **0.1** *town/city plan/map* ⇒*street map/plan (of a/the town/city)*.
stadspoort 〈de〉 **0.1** *town/city gate*.
stadsrecht 〈het〉〈gesch.〉 **0.1** [verleende privileges] *privilege/franchise of a town/city* **0.2** [in een stad geldend recht] *municipal/city by(e)law(s)* ◆ **3.1** ~ *geven enfranchise, grant privileges/a charter*.
stadsredactie 〈de (v.)〉 **0.1** ^B*local news desk,* ^A*city desk*.
stadsreiniging 〈de (v.)〉 **0.1** [alles mbt. de reiniging v.d. stad] *city cleansing/sanitation* **0.2** [organisatie] *cleansing/sanitation department*.
stadsrit 〈de (m.)〉 **0.1** *local journey/(bus) ride*.
stadssanering 〈de (v.)〉 **0.1** *urban improvement/renovation/renewal*.
stadsschouwburg 〈de (m.)〉 **0.1** *municipal/city theatre*.
stadstaat 〈de (m.)〉 **0.1** [staat gevormd door een stad met omliggend gebied] *city-state* **0.2** [kleine staat] *city-state* ⇒*miniature state*.
stadstuin 〈de (m.)〉 **0.1** [tuin bij woonhuis in stad] *town/city garden* **0.2** [stedelijk openbaar plantsoen] *town/city/municipal park/gardens* **0.3** [percelen grond verhuurd aan stadsbewoners] *allotment*.
stadsuitbreiding 〈de (v.)〉 **0.1** *urban/town/city extension/expansion*.
stadsverkeer 〈het〉 **0.1** *urban traffic*.
stadsvernieuwing 〈de (v.)〉 **0.1** *urban renewal*.
stadsverwarming 〈de (v.)〉 **0.1** *district heating*.
stadsvrijheid 〈de (v.)〉〈gesch.〉 **0.1** [gebied v.e. stad] *urban territory/jurisdiction* **0.2** [privilege] *privilege/franchise of a city/town*.
stadsvuil 〈het〉 **0.1** *town/city refuse/* 〈AE ook〉 *garbage*.
stadswacht 〈de〉〈gesch.〉 **0.1** *town/civic guard*.
stadswal 〈de (m.)〉 **0.1** *town rampart*.
stadswapen 〈het〉 **0.1** [stedelijk wapen] *city/town arms* **0.2** [zegel v.e. stadsbestuur] *city/town seal*.
stadswege ◆ **6.¶** *van* ~ *on the part of the city/town (council)/the local authorities, by the municipality;* **van** ~ *wordt alles in orde gebracht everything will be arranged/paid by the city/town council*.
stadswijk 〈de〉 **0.1** *ward* ⇒*district, area,* 〈buurt〉 *quarter*.
stadvoogd 〈de (m.)〉〈gesch.〉 **0.1** *city governor*.
stadwaarts 〈bw.〉 **0.1** *townward(s)* ⇒*towards/in the direction of the town*.
staf 〈de (m.)〉 〈→sprw. 300〉 **0.1** [wandelstok] *staff* ⇒*stave, rod, (walking) stick* **0.2** [leiding] *staff* ⇒〈wetenschappelijk personeel〉 *faculty* **0.3** [toverstaf] *wand* **0.4** [〈mil.〉] *staff* ⇒*corps* **0.5** [als teken van waardigheid/macht] *staff* ⇒*baton, rod, mace* 〈van voorzitter Brits Lagerhuis〉, *truncheon* 〈van maarschalk〉 **0.6** [dirigeerstokje] *baton* ⇒*stick, wand* **0.7** [herdersstaf] *crock* ⇒*staff* **0.8** [stafmuziek] *military/regimental band* ◆ **1.5** de ~ van Hermes *Hermes' caduceus;* kroon en ~ *crown and sceptre;* ring en ~ *v.e. bisschop a bishop's ring and crosier* **2.4** de generale ~ *the general s., General Headquarters;* de kleine ~ *non-commissioned officers, NCO's* **3.¶** de ~ breken over iem./ iets *condemn s.o./sth.*.
stafbespreking 〈de (v.)〉 **0.1** *staff meeting*.
stafchef 〈de (m.)〉 **0.1** *chief of staff* ◆ **2.1** de Gezamenlijke Stafchefs *the Joint Chiefs of Staff*.
stafdocent 〈de (m.)〉 **0.1** *teacher on the permanent staff*.
stafdrager 〈de (m.)〉 **0.1** *macebearer*.
staffel 〈de (m.)〉 **0.1** [berekening] *graduated calculation of interest* **0.2** [lijst] *ladder* **0.3** [〈sport〉] *switch* ◆ **3.1** even een ~tje maken *work out/tot up the interest*.
staffelen
I 〈onov., ov.ww.〉 **0.1** [〈boekhouden〉] *calculate the (new) interest rate* ⇒*graduate the interest* ◆ **1.1** gestaffelde renteberekening *graduated interest calculation;*
II 〈onov.ww.〉 **0.1** [〈sport〉] *switch*.
staffelmethode 〈de (v.)〉〈boekhouden〉 **0.1** [manier van renteberekening] *graduated calculation of interest* **0.2** [vorm van boekhouden] *accounting based on sliding balances*.
staffelvorm 〈de (m.)〉 →**staffelmethode**.
staffunctie 〈de (v.)〉 **0.1** *staff appointment/position*.
stafijzer 〈het〉 **0.1** *pig iron*.
stafkaart 〈de〉 **0.1** *topographic map,* ^B*ordnance survey map*.
staflid 〈het〉 **0.1** *staff member, member of staff*.
stafmuziek 〈de (v.)〉 **0.1** [muziekkorps] *regimental/military band* **0.2** [muziek] *regimental/military music*.

stafofficier 〈de (m.)〉 **0.1** *staff officer*.
stafrijm 〈het〉 **0.1** *alliteration* ⇒*stave-rhyme*.
stafvergadering 〈de (v.)〉 **0.1** *staff meeting*.
stafwerk 〈het〉〈bouwk.〉 **0.1** *reed filling*.
stafylococcen 〈zn.mv.〉〈med.〉 **0.1** *staphylococcus* ⇒〈inf.〉 *staph(ylococ)*.
stafylokok 〈de〉〈med.〉 **0.1** *staphylococcus* ⇒〈inf.〉 *staph(ylococ)/of a trainee*.
stag 〈het〉〈scheep.〉 **0.1** *stay* ◆ **6.1** over ~ gaan 〈fig.〉 *be roped in, fall (for)*.
stage 〈de (v.)〉 **0.1** *training* ⇒*apprenticeship, practical,* 〈med.〉 ^B*housemanship,* ^A*intern(e)ship* ◆ **3.1** ~ lopen *train;* 〈AE; in het onderwijs, als co-assistent in ziekenhuis〉 *intern*.
stagebegeleiding 〈de (v.)〉 **0.1** *supervision of practical training/of a trainee*.
stagegeld 〈het〉 **0.1** ≠*remuneration, allowance*.
stageld 〈het〉 **0.1** *toll* ⇒ 〈BE ook〉 *stallage*.
stagen 〈ov.ww.〉〈scheep.〉 **0.1** *haul on the fore-stay*.
stageperiode 〈de (v.)〉 **0.1** *traineeship, period of practical training/work experience*.
stageplaats 〈de〉 **0.1** *trainee post*.
stagerapport 〈het〉 **0.1** [verslag] *report on a period of practical training/ placement/work experience* **0.2** [schriftelijke beoordeling] *report on a period of practical training/placement/work experience*.
stageren 〈onov.ww.〉 **0.1** *be trained on the job/apprenticed*.
stagering 〈de (v.)〉〈med.〉 **0.1** *observation*.
stagevergoeding 〈de (v.)〉 →**stagegeld**.
stagflatie 〈de (v.)〉 **0.1** *stagflation*.
stagfok 〈de〉〈scheep.〉 **0.1** *jib*.
stagiair 〈de (m.)〉, -e 〈de (v.)〉 **0.1** *trainee* ⇒*apprentice,* 〈AE; in het onderwijs〉 *intern(e)* ◆ **8.1** als ~ werkzaam zijn bij een advocatenkantoor *be articled to a solicitor's office*.
stagnatie 〈de (v.)〉 **0.1** *stagnation* ⇒*congestion, blockage,* 〈fig.〉 *doldrums,* 〈vnl. med.〉 *stasis* ◆ **1.1** ~ v.h. verkeer *congestion of the traffic*.
stagneren 〈onov.ww.〉 **0.1** *stagnate* ⇒*come to a standstill, (come to a) halt* ◆ **3.1** laten ~ *stagnate*.
stagzeil 〈het〉〈scheep.〉 **0.1** *staysail*.
stahoogte 〈de (v.)〉 **0.1** *headroom*.
sta-in-de-weg 〈de (m.)〉 **0.1** *obstacle* ⇒*embarrassment, liability, drag*.
stakelen 〈onov.ww.〉〈scheep.〉 **0.1** *flare, burn flares*.
staken
I 〈ov.ww.〉 **0.1** [beëindigen] *cease* ⇒*stop, leave off, discontinue* **0.2** [schorsen] *suspend* **0.3** [spannen] *pole* ◆ **1.1** de aanvoer ~ *discontinue/stop the supply;* de betalingen ~ *stop/suspend the payments;* zijn pogingen ~ *desist from/c. one's efforts, stop trying;* de strijd ~ *break off the action, concede;* de studie ~ *discontinue one's studies;* het verzet ~ *give up all resistance,* 〈inf.〉 *cave in;* de vijandelijkheden ~ *suspend/break off hostilities;* het vuren ~ *c. fire* **1.2** de veerdienst ~ *discontinue the ferry line/service;* de werkzaamheden ~ *c. work;* 〈tijdelijk staken〉 *suspend activities* **1.3** huiden ~ *p. skins;*
II 〈onov.ww.〉 **0.1** [het werk neerleggen] *strike* ⇒*go on strike, walk out, (lay) down (one's) tools* **0.2** [mbt. een stemming] *tie* ◆ **1.1** het werk ~ 〈inf.〉 *pack it in* **3.1** blijven ~ *remain/stay out on strike;* gaan ~ *s., go/come out on strike, come/turn/walk out* **6.2** de stemmen ~ over *het voorstel there is an equal division/the votes are equally divided on the motion*.
staker 〈de (m.)〉, **staakster** 〈de (v.)〉 **0.1** *striker*.
staket 〈het〉 **0.1** [hek] *picket fence* ⇒*paling, palisade* **0.2** [〈wwb.〉] *paling*.
staketsel 〈het〉 **0.1** [hek] *picket fence* ⇒*paling, palisade* **0.2** [〈mil.〉] *stockade*.
staketwerk 〈het〉〈wwb.〉 **0.1** *piling* ⇒*pilework*.
staking 〈de (v.)〉 **0.1** [het neerleggen v.h. werk] *strike (action)* ⇒*walk-out, stoppage (of work),* 〈AE ook〉 *tie-up* **0.2** [het ophouden met iets] *cessation* ⇒*suspension,* 〈schr.〉 *discontinuance* **0.3** [mbt. een stemming] *tie* ⇒*equality of votes* **0.4** [schorsing] *suspension* ◆ **1.2** ~ van betaling *suspension of payment* **2.1** een algemene ~ *a general s.;* een wilde ~ *an unofficial/outlaw s., a wildcat (strike);* 〈inf.〉 *a quickie* **2.3** bij ~ van stemmen *in case of equality (of votes)/a t.* **3.1** een ~ afkondigen/uitroepen/beëindigen/breken *call/call off/break a s.* **6.1** in ~ zijn/gaan *be/go/come out (on strike), take strike action, down tools, walk out;* **tot** ~ oproepen *call out (on strike), bring out*.
stakingbreker 〈de (m.)〉 **0.1** *strikebreaker* ⇒*rat,* 〈inf.; bel.〉 *scab,* 〈BE; pej.〉 *blackleg,* 〈AE; sl.〉 *fink*.
stakingsactie 〈de (v.)〉 **0.1** *strike action*.
stakingscomité 〈het〉 **0.1** *strike committee*.
stakingsdag 〈de (m.)〉 **0.1** *strike day*.
stakingsdreiging 〈de (v.)〉 **0.1** *strike threat*.
stakingsfonds 〈het〉 **0.1** *strike fund*.
stakingsgolf 〈de〉 **0.1** *wave of strikes* ⇒*strike wave*.
stakingskas 〈de〉 **0.1** *strike fund*.
stakingsleider 〈de (m.)〉 **0.1** *strike leader*.

stakingsoproep 〈de (m.)〉 **0.1** *strike-call, call to/for strike.*
stakingsrecht 〈het〉 **0.1** *right to strike.*
stakingsuitkering 〈de (v.)〉 **0.1** *strike pay/benefit.*
stakingsverbod 〈het〉 **0.1** *prohibition of strikes* ⇒*ban on strikes.*
stakingswet 〈de〉 **0.1** *trades unions and trades disputes act.*
stakker 〈de (m.)〉 **0.1** *wretch* ⇒*poor soul/creature/thing* ◆ **1.1** ∼s van kinderen *poor/wretched children, pathetic kids* **2.1** een arme ∼ *a poor beggar;* 〈inf.〉 *a down-and-out(er)* ¶.1 ach, ∼! *poor soul/thing!.*
stal 〈de (m.)〉 **0.1** [dierenverblijf] *stable* 〈vnl. voor paarden〉 ⇒*cowhouse, cowshed* 〈voor koeien〉*, sty* 〈voor varkens〉*, fold* 〈voor schapen〉 **0.2** [dieren] *stable* 〈mbt. paarden〉*; herd* 〈mbt. koeien〉*; pig stock* 〈mbt. varkens〉*; team* 〈mbt. schapen〉 **0.3** [〈sport〉] *stable* **0.4** [zetel in een koorbank] *stall* ◆ **1.1** de ∼ van Bethlehem *the stable of Bethlehem* **1.2** een ∼ paarden houden *keep a stable, keep a string of horses* **3.1** de ∼ ruiken 〈fig.〉 *smell home;* de ∼ uitmesten 〈fig.〉 *clear out the mess* **3.3** een ∼ sponsoren *sponsor a s.* **6.1** koeien op ∼ hebben *have cows in the shed;* een dier op ∼ zetten *stable/stall an animal;* 〈fig.〉 iets van ∼ halen *dig sth. out/up (again)* **6.3** voor een ∼ rijden/uitkomen *ride/compete for a s..*
stalactiet 〈de (m.)〉 **0.1** *stalactite.*
stalagmiet 〈de (m.)〉 **0.1** *stalagmite.*
stalagmometer 〈de (m.)〉〈nat.〉 **0.1** *stalagmometer.*
stalagmometrie 〈de (v.)〉〈nat.〉 **0.1** *stalagmometry.*
stalboom 〈de (m.)〉 **0.1** *stable bar.*
stalboter 〈de〉 **0.1** *winter/hay butter.*
staldeur 〈de〉 **0.1** *stable door.*
stalen[1] 〈bn., alleen attr.〉 **0.1** [van staal gemaakt] *steel* **0.2** [als van staal] *steel* ⇒*steely, iron* ◆ **1.1** een ouderwets ∼ brilletje *a steel-rimmed pair of granny glasses;* ∼ meubelen *metal furniture;* ∼ schepen *steeld-clad/ -plated ships* **1.2** met een ∼ gezicht *with a brazen face, stony-/brazen-/ poker-faced;* 〈inf.〉 *deadpan;* een ∼ wet *a hard and fast rule;* een ∼ wil *a steely/an iron will;* iem. met ∼ zenuwen *s.o. with iron/strong nerves/ with nerves of steel.*
stalen[2] 〈ov.ww.〉 **0.1** [tot staal maken] *steel* **0.2** [〈fig.〉] *steel* ⇒*harden* ◆ **1.2** arbeid staalt de krachten *labour steels/hardens the muscles;* de moed ∼ *s. one's courage* **6.2** in het ongeluk gestaald *steeled/hardened in misfortune.*
stalenboek 〈het〉 **0.1** *pattern book.*
stalgeld 〈het〉 **0.1** *storage charge(s)* 〈voor fiets, auto, enz.〉*; garage charge(s)* 〈voor auto enz.〉*; yardage* 〈voor vee〉.
stalgreep 〈de〉 **0.1** *three-/four-pronged pitchfork.*
stalhouder 〈de (m.)〉*, -ster* 〈de (v.)〉 **0.1** *liveryman* 〈m.〉*; liverywoman* 〈v.〉 ⇒〈BE ook〉 *jobmaster.*
stalhouderij 〈de (v.)〉 **0.1** *livery stable* ⇒〈vnl. AE〉 *livery.*
stalhout 〈het〉 **0.1** *ledge.*
stalinisme 〈het〉 **0.1** *stalinism.*
stalinist 〈de (m.)〉 **0.1** *stalinist.*
stalinistisch 〈bn.〉 **0.1** *stalinist.*
stalinorgel 〈het〉〈mil.〉 **0.1** *multiple-rocket launcher* ⇒〈inf.〉 *hedgehog.*
stalkaars 〈de〉 **0.1** [dwaallicht] *will-o'-the-wisp* ⇒*jack-o'-lantern, fen-fire, friar's lantern,* 〈verk.〉 *wisp* **0.2** [plantengeslacht] *mullein* **0.3** [kandelaar met kaars] *(large) candle and candle stick.*
stalknecht 〈de (m.)〉 **0.1** [stalbediende] *stableman* ⇒*stable hand, stablelad, groom,* 〈vnl. AE〉 *swipe* 〈op renbaan〉.
stallantaarn 〈de〉 **0.1** *stable lantern.*
stallen
I 〈ov.ww.〉 **0.1** [op stal zetten] *stable* ⇒*stall, put up, house* 〈vee〉 **0.2** [mbt. voertuigen] *store* ⇒*put up/away, garage* 〈motor voertuig〉 **0.3** [〈geldw.〉] *deal on margin* ◆ **1.1** de koeien/de paarden ∼ *house the cows, put up/stable the horses* **1.2** zijn auto/fiets ∼ s./ *put up/away one's car/bicycle, garage one's car;*
II 〈onov.ww.〉 **0.1** [op stal staan] *be stabled/stalled* ⇒*be put up, be housed* 〈van vee〉 **0.2** [jagen] *hunt with a decoy.*
stalles 〈zn.mv.〉 **0.1** [mbt. een schouwburg] [B]*stalls,* [A]*parquet* ⇒〈AE ook〉 *orchestra,* 〈BE ook〉 *fauteuil* **0.2** [mbt. een bioscoopzaal] [B]*stalls,* [A]*parquet.*
stalletje 〈het〉 **0.1** [kleine stal] *shed* **0.2** [tafel, kraampje] *stall* ⇒*stand, booth, kiosk* 〈met wanden〉, 〈BE ook〉 *pitch* ◆ **6.2** met een ∼ op de markt staan *have/keep a stall/stand/pitch on the market.*
stalling 〈de (v.)〉 **0.1** [loods, garage] *garage* 〈voor auto enz.〉*; shelter* 〈voor fiets enz.〉 **0.2** [het op stal brengen] *stabling* **0.3** [het onderbrengen van voertuigen] *garaging* 〈van auto enz.〉*; storage* 〈van fiets〉 **0.4** [stalgeld] *garage/storage charges* ◆ **1.3** gelegenheid tot ∼ van rijwielen *storage (accommodation) for bicycles, bike-racks* **2.1** een overdekte ∼ bij het station *under-cover/covered racks at/near the station.*
stallingkosten 〈zn.mv.〉 **0.1** 〈auto〉 *garage charges, cost(s) of garaging;* 〈fiets〉 *storage charges, cost(s) of storage.*
stallucht 〈de〉 **0.1** *stable smell.*
stalmeester 〈de (m.)〉 **0.1** *equerry.*
stalmest 〈de (m.)〉 **0.1** *stable/farmyard dung/manure/muck.*
stalpaal 〈de (m.)〉 **0.1** [in een paardestal] *stable bar* **0.2** [in een koestal] *stallpost.*
stalvee 〈het〉 **0.1** *indoor-/house-fed cattle, zero-grazed cattle.*
stam 〈de (m.)〉〈→sprw. 18〉 **0.1** [deel v.e. boom] *trunk* ⇒*stem, stock* **0.2**

[boom] *tree* **0.3** [plantenstengel] *stem* ⇒*stalk, stipe* 〈van paddestoel/ varen〉 **0.4** [geslacht] *stock* ⇒*race, clan* 〈in Schotse Hooglanden〉 **0.5** [volksstam] *tribe* ⇒*race* **0.6** [ader] *trunk* **0.7** [〈taal.〉] *stem* **0.8** 〈biol.〉 indelingsgroep] *phylum* ◆ **1.4** de laatste van zijn ∼ zijn *be the last of one's s..* ∼ race/kin **2.5** nomadische ∼ men *nomadic tribes* **6.1** hout op ∼ kopen/verkopen *buy/sell timber on the stump* **6.3** het op ∼ staande koren *the growing/standing corn* **7.4** de twaalf ∼ men van Israël *the twelve tribes of Israel.*
stamakkoord 〈het〉〈muz.〉 **0.1** *fundamental chord.*
stamanalyse 〈de (v.)〉〈landb.〉 **0.1** *stem analysis.*
stambewustzijn 〈het〉 **0.1** *tribal consciousness* ⇒*consciousness of kinship.*
stamboek 〈het〉 **0.1** [mbt. rasdieren] *pedigree* ⇒*studbook* 〈vnl. voor paarden〉*, herdbook* 〈voor runderen/varkens/schapen〉 **0.2** [mbt. personen] *genealogical register* **0.3** [mbt. een vereniging/inrichting] *register* **0.4** [mbt. boeken] *accessions register* ◆ **1.3** het ∼ v.e. ziekenfonds/een school *the health-insurance/school r.* **2.1** het Friese ∼ *the* [B]*Friesian/*[A]*Holstein(-Friesian) pedigree/herdbook* **6.1** dekhengsten in het ∼ opnemen *enter studhorses in the studbook.*
stamboekdier 〈het〉 **0.1** *pedigree(d) animal* ⇒〈paard〉 *thoroughbred.*
stamboekhengst 〈de (m.)〉 **0.1** *pedigree/registered stallion* ⇒*thoroughbred/purebred stallion.*
stamboekmerrie 〈de (v.)〉 **0.1** *pedigree/registered mare* ⇒*thoroughbred/ purebred mare.*
stamboeknummer 〈het〉 **0.1** *register/registration number* 〈van mensen〉*; pedigree number* 〈van dieren〉*; studbook number* 〈van paarden〉*; herdbook number* 〈van vee〉.
stamboekvee 〈het〉 **0.1** *pedigree(d) cattle.*
stamboom 〈de (m.)〉 **0.1** [boom v.e. geslacht] *genealogical/family tree* **0.2** [tekening] *genealogy, pedigree* ◆ **3.2** een ∼ van zijn familie opmaken *draw up a genealogy/pedigree of one's family.*
stamboomtheorie 〈de (v.)〉〈taal.〉 **0.1** *family-tree theory.*
stamboon 〈de〉 **0.1** *dwarf bean.*
stambreuk 〈de〉〈wisk.〉 **0.1** *unit fraction.*
stamcafé 〈het〉 →*stamkroeg.*
stamelaar 〈de (m.)〉 **0.1** *stammerer* ⇒*sputterer.*
stamelen
I 〈onov.ww.〉 **0.1** [stotteren] *stammer* ⇒*stutter, sp(l)utter, falter* ◆ **6.1** hij stamelde van woede *he sp(l)uttered/faltered with anger/rage* **7.1** het ∼ v.e. kind *the stammering of a child;*
II 〈ov.ww.〉 **0.1** [gebrekkig sprekend uitbrengen] *stammer* ⇒ *sp(l)utter, stutter, falter (out)* ◆ **1.1** een verontschuldiging ∼ *falter out an apology;* woorden van dank ∼ *falter out/stammer/sp(l)utter words of gratitude;* een paar woordjes ∼ *stammer/get out a few words.*
stamgast 〈de (m.)〉 **0.1** *regular (customer)* ⇒*frequenter, habitué.*
stamgebied 〈het〉 **0.1** *tribal territory.*
stamgenoot 〈de (m.)〉 **0.1** [iem. van hetzelfde geslacht] *kinsman* **0.2** [iem. van dezelfde stam] *(fellow) tribesman.*
stamgoed 〈het〉 **0.1** *family/entailed estate* ⇒*entail.*
stamgrondvlak 〈het〉〈bosb.〉 **0.1** *basal area.*
stamhoofd 〈het〉 **0.1** *chieftain* 〈m.〉*, chieftainess* 〈v.〉 ⇒*tribal chief, headman.*
stamhouder 〈de (m.)〉 **0.1** *son and heir, family heir* ⇒*agnate* 〈vnl. bij vorsten〉.
stamhout 〈het〉 **0.1** [bos] *standing timber* ⇒〈AE ook〉 *stumpage* **0.2** [hout] *trunk-wood, (round) logs.*
stamhuis 〈het〉 **0.1** *dynasty.*
stamietsteen 〈de (m.)〉 **0.1** *artificial stone.*
stamijn 〈het〉 **0.1** *tammy* ⇒〈ook〉 *tammy cloth, tammis.*
stamijnen 〈bn.〉 **0.1** *tammy.*
staminee 〈de (v.)〉〈AZN〉 **0.1** *pub.*
staminodisch 〈bn.〉〈plantk.〉 ◆ **1.1** ∼e bloemkroon *staminoid corolla.*
staminodium 〈het〉〈plantk.〉 **0.1** *staminodium* ⇒*staminode.*
stamkaart 〈de〉 **0.1** [kaart met zakelijke gegevens] *index/data/documentation card* **0.2** [kaart met persoonlijke gegevens] *registration card* **0.3** [identiteitsbewijs] *identification card* ⇒*ID (card)* **0.4** [moederkaart] *master card.*
stamkapitaal 〈het〉 **0.1** *original/initial capital.*
stamklinker 〈de (m.)〉 **0.1** *root/stem vowel.*
stamkroeg 〈de〉 **0.1** *favourite* [B]*pub/*[A]*bar* ⇒*(favourite) haunt,* 〈BE; inf.〉 *local,* 〈AE; inf.〉 *hangout.*
stamkruising 〈de (v.)〉 **0.1** *hybridization, crossbreeding.*
stammen 〈onov.ww.〉 **0.1** [voortspruiten] *descend (from)* ⇒*stem (from), spring (from),* 〈dateren〉 *date (back to/from),* 〈taal.〉 *derive (from)* ◆ **6.1** hij stamde uit een oud geslacht *he descended/sprang from/came of an ancient race, he was/came of ancient stock;* zijn familie stamt uit Zeeland *his family comes originally from/originates in /stems from Zeeland* **6.2** dat woord stamt uit het Latijn *that word derives from Latin.*
stammenee →*staminee.*
stammenoorlog 〈de (m.)〉 **0.1** *(inter)tribal war.*
stammerrie 〈de (v.)〉 **0.1** *broodmare.*
stammoeder 〈de (v.)〉 **0.1** *ancestress* ⇒*progenitress, progenitrix.*

stammorfeem ⟨het⟩ ⟨taal.⟩ **0.1** *stem morpheme, lexeme.*

stamouders ⟨zn.mv.⟩ **0.1** *ancestors* ⇒*first parents* ◆ **4.1** Adam en Eva zijn volgens de bijbel onze ~ *according to the Bible, Adam and Eva are our first parents/ ancestors.*

stamp ⟨de (m.)⟩ **0.1** [het met kracht neerstoten van de voet] *stamp(ing)* **0.2** [⟨AZN⟩ trap] *kick* **0.3** [mbt. een schip] *pitch* **0.4** [stempel] *stamp* ◆ **1.2** een ~ van een paard krijgen *get a k. from a horse* **1.** ¶ een hele ~ mensen *a lot/ crowd of people* **6.2** een ~ op de grond geven *stamp on the ground.*

stampaarde ⟨de⟩ **0.1** *rammed(-down)/ tamped/ flattened earth.*

stampbeton ⟨het⟩ **0.1** *tamping concrete.*

stampblok ⟨het⟩ **0.1** *stamp* (voor erts); *pestle, stamping/ pounding/ grinding block.*

stampei ⟨de (v.)⟩ **0.1** *hullabal(l)oo* ⇒*hubbub, uproar, row,* ↓B*shindy,* A*shindig* ◆ **3.1** ~ maken (om/over iets) *raise hell/ kick (up) a row/ fuss/ shindy/ shindig (about/ over sth.).*

stampen

I ⟨onov.ww.⟩ **0.1** [de voet met kracht neerstoten] *stamp* ⇒ ↓*stomp* **0.2** [mbt. machines] *thump* ⇒*thud* **0.3** [mbt. schepen] *pitch* ⇒*plunge* **0.4** [krachtig op iets stoten] *bump, knock* **0.5** [trappen] *kick* **0.6** [⟨wielersport⟩ *ride/ handle a bike badly, ride/ be all over the place* ◆ **6.1** met zijn voet ~ *stamp one's foot;* ~ **van** ongeduld/ woede *stamp with impatience/ rage;*

II ⟨ov.ww.⟩ **0.1** [door stoten kleiner maken/mengen] *pound* ⇒*crush, mash, pulverize* **0.2** [door stoten aanstampen] *tamp* ⇒*pound* **0.3** [door stoten doppen] *thresh, thrash* **0.4** [een vorm persen in metaal] *stamp* ⇒*dropforge* **0.5** [verwijderen, te voorschijn brengen] *stamp* ⇒ *kick* ◆ **1.1** gestampte aardappelen *mashed potatoes, mash;* geneesmiddelen ~ in een vijzel *pound/ crush medicines in a mortar;* gestampte muisjes *aniseed (sugar) crumble;* gestampte pot *hotchpotch,* A*hodgepodge;* ⟨fig.⟩ jongens v.d. gestampte pot *common people/folk* **1.2** beton/ asfalt ~ *tamp concrete/ asphalt* **1.3** rijst ~ *thresh rice* **6.1** in elkaar ~ *knock together/ up;* ↓*knock off;* ⟨sl.⟩ *bung up* **6.5** ⟨fig.⟩ (iem.) iets **in** zijn kop/ hoofd ~ *din sth. into s.o., pump/ bang sth. into s.o.'s head,* ram sth. down *s.o.'s throat;* ⟨fig.⟩ een gebouw/ vereniging **uit** de grond ~ *set afoot/ knock up a building/ club;* de sneeuw **van** zijn laarzen ~ *s. / kick the snow off one's boots.*

stamper ⟨de (m.)⟩ **0.1** [instrument] *stamp(er)* ⇒*pounder, pestle* ⟨van vijzel⟩, *masher* ⟨voor puree e.d.⟩, *triturator* ⟨voor poeders⟩ **0.2** [⟨plantk.⟩] *pistil* **0.3** [mbt. een vuurwapen] *rammer* **0.4** [⟨mv.⟩ benen] ⟨scherts.⟩ *stumps* ⇒ **2.2** enkelvoudige ~ *simple p..*

stamperbloem ⟨de⟩ ⟨plantk.⟩ **0.1** *pistillate flower.*

stamplant ⟨de⟩ **0.1** *mother/ parent plant.*

stamplegering ⟨de (v.)⟩ **0.1** *powder metallurgy.*

stamppot ⟨de (m.)⟩ **0.1** *hotchpotch* ⇒⟨vnl. AE⟩ *hodgepodge,* ⟨met kool⟩ *mashed potatoes and cabbage,* ⟨gebakken⟩ *bubble and squeak.*

stampstok ⟨de (m.)⟩ ⟨scheep.⟩ **0.1** *dolphin striker.*

stampvat ⟨het⟩ **0.1** *mortar.*

stampvoeten ⟨onov.ww.⟩ **0.1** *stamp one's feet/ foot* ⇒*paw (at)* ⟨v.e. dier (met hoef)⟩ ◆ **6.1** hij stampvoette **van** ongeduld/ woede *he stamped his feet/ foot with/ in impatience/ rage.*

stampvol ⟨bn.⟩ **0.1** *chockfull* ⇒*chuckfull, chokefull,* ⟨BE;inf.⟩ *cramfull, chock-a-block.*

stampwerk ⟨het⟩ **0.1** [werk bestaande in stampen] *tamping/ stamp(ing) work* ⇒*tamping, stamping, crushing, pounding* **0.2** [mbt. leerstof] *cramming, learning by rote.*

stamregister ⟨het⟩ **0.1** *genealogical register* ⇒*family tree.*

stamriool ⟨het⟩ **0.1** *main sewer/ drain.*

stamroos ⟨de⟩ **0.1** *standard rose.*

stamtaal ⟨de⟩ **0.1** *mother tongue.*

stamtafel ⟨de⟩ **0.1** *table (reserved) for regulars.*

stamtijd ⟨de (m.)⟩ ⟨taal.⟩ **0.1** ⟨mv.⟩ *principal parts.*

stamtoon ⟨de (m.)⟩ ⟨muz.⟩ **0.1** *natural note.*

stamuil ⟨de (m.)⟩ **0.1** *gipsy moth.*

stamvader ⟨de (m.)⟩ **0.1** *ancestor* ⇒*progenitor, primogenitor, forefather, for(e)bear.*

stamverwant¹ ⟨de (m.)⟩, **-e** ⟨de (v.)⟩ **0.1** *kinsman* ⟨m.⟩; *kinswoman* ⟨v.⟩.

stamverwant² ⟨bn.⟩ **0.1** [mbt. personen] *cognate* ⇒*akin* **0.2** [⟨taal.⟩] *cognate* ⇒*paronymous, conjugate.*

stamverwantschap ⟨de (v.)⟩ **0.1** *kinship, cognateness, cognation.*

stamvorm ⟨de (m.)⟩ **0.1** [⟨taal.⟩] *root, radical; stem* **0.2** [⟨biol.⟩] *prototype.*

stamwapen ⟨het⟩ **0.1** *family arms* ⇒*(family) coat of arms/ armorial bearings.*

stamwoord ⟨het⟩ **0.1** *primitive* ⇒*etymon.*

stamwortel ⟨de (m.)⟩ **0.1** *tap root.*

stance ⟨de (v.)⟩ **0.1** *stanza.*

stand ⟨de (m.)⟩ **0.1** [mbt. personen] *posture* ⇒*bearing, carriage,* ⟨houding tijdens het sporten⟩ *stance* **0.2** [wijze van staan/ geplaatst zijn] *position* **0.3** [toestand, gesteldheid] *state* ⇒*condition* **0.4** [⟨sport⟩ score] *score* **0.5** [rang] *estate* ⇒*class, rank, (social) position, station, order* **0.6** [ligging] *position* **0.7** [het zijn] *existence, being* **0.8** [plaats op

een tentoonstelling] *stand* **0.9** [toeschouwerstribune] *stand(s)* ◆ **1.2** de ~ van aandelen/ v.d. beurs *the p. of shares/ the Stock Exchange;* de ~ v.d. barometer/ thermometer *the reading of the barometer/ thermometer, the barometer/ thermometer reading;* de ~ v.d. dollar *the exchange rate of the dollar;* de ~ v.d. hemel *the (p. of the) sky at night;* de ~ v.h. hoofd/ de ogen *the carriage/ bearing/ poise of the head, the p. of the eyes;* de ~ v.d. zon *the p. of the sun* **1.3** de ~ v.d. gewassen *the s. / condition of the crops;* de ~ van zaken/ van het spel *the s. of affairs/ play* **1.5** mensen van alle rang en ~ *people from all walks of life* **2.1** gesloten ~ *attention,* ⟨mil. bevel ook⟩ *to attention;* open ~ *straddle,* ⟨mil. bevel⟩ *at ease* **2.2** de uiterste ~ v.e. gewricht *the extreme p. of a joint* **2.3** de burgerlijke ~ *the register/ registry office* **2.5** de geestelijke ~ *the clerical order;* de gegoede ~ *the well-to-do, the upper-middle class;* de hogere/ lagere ~en *the upper/ lower classes* **3.1** een ~ aannemen *assume a position* **3.4** de ~ is 2-1 *the s. is 2-1/ two to one* **3.5** zijn ~ ophouden *keep up with the Joneses* **6.5** beneden zijn ~ trouwen *marry beneath one's station;* boven zijn ~ leven *live above/ beyond one's means;* iem. / een heer **van** ~ *s.o. / a man of rank/ position, an upper-middle class person/ gentleman* **6.6 op** ~ wonen *live in a good/ nice/ sought-after area* **6.7** iets **in** ~ houden *preserve/ maintain/ keep up sth.;* **in** ~ blijven *endure, last, survive;* **tot** ~ brengen *bring about/ to pass, achieve, accomplish;* **tot** ~ komen *come about/ into being/ off, be effected/ established* **7.2** zet de oven op ~ vier *turn the oven to four, set the oven at four;* de vier ~en v.d. maan *the four phases of the moon* **7.5** ⟨gesch.⟩ de drie ~en *the Three Estates;* de vierde ~ *the fourth e., the working class(es).*

standaard¹ ⟨de (m.)⟩ **0.1** [stander] *stand* ⇒*standard* **0.2** [exemplaar van eenheid van maat/ gewicht] *standard* ⇒*prototype, model* **0.3** [⟨geldw.⟩] *standard* **0.4** [maatstaf] *standard* ⇒*criterion, norm* **0.5** [vaandel] *standard* ⇒*banner* ◆ **1.1** de ~ v.e. fiets *the stand of a bicycle* **1.2** ~ van de meter/ het kilogram *s. / prototype of the metre/ kilogram(me)* **2.3** dubbele ~ *bimetallism, double s.;* enkele ~ *monometallism, single s.;* de gouden ~ *the gold s.* **2.5** de koninklijke ~ *the royal s.* **3.4** een bepaalde ~ bereiken *reach/ attain a certain s.* **6.4 tot** ~ verheffen *raise to a s.* **6.5** ⟨fig.⟩ zich **onder** iemands ~ scharen *follow/ join s.o.'s banner* **8.4** als ~ aannemen *take as a s..*

standaard² ⟨bn., bw.⟩ **0.1** ⟨bn.⟩ *standard;* ⟨bw.⟩ *in a standard way/ fashion* ◆ **3.1** dat wordt ~ bijgeleverd *that's a s. accessory.*

standaardafmeting ⟨de (v.)⟩ **0.1** *standard size.*

standaardafwijking ⟨de (v.)⟩ ⟨statistiek⟩ **0.1** *standard deviation.*

standaardarrest ⟨het⟩ ⟨jur.⟩ **0.1** *casebook judgement.*

standaardbrief ⟨de (m.)⟩ **0.1** *form letter.*

standaardcontract ⟨het⟩ **0.1** *standard contract.*

standaarddeviatie ⟨de (v.)⟩ ⟨stat.⟩ **0.1** *standard deviation.*

standaardformaat ⟨het⟩ **0.1** *standard size.*

standaardfout ⟨de⟩ ⟨wisk.⟩ **0.1** *standard error.*

standaardgewicht ⟨het⟩ **0.1** *standard weight.*

standaardgezin ⟨het⟩ **0.1** *average family.*

standaardisatie ⟨de (v.)⟩ **0.1** *standardization.*

standaardiseren ⟨ov.ww.⟩ **0.1** *standardize* ◆ **1.1** melk ~ *s. (the fat content of) milk;* gestandaardiseerde produkten *standardized products;* het gestandaardiseerde type *the standard model.*

standaardmaat ⟨de⟩ **0.1** *standard measure* ⟨om te meten⟩; ⟨grootte⟩ *standard (size).*

standaardmolen →**standerdmolen**.

standaardmunt ⟨de⟩ **0.1** *standard coin.*

standaardnederlands ⟨het⟩ **0.1** *standard Dutch.*

standaardprijs ⟨de (m.)⟩ **0.1** *standard price.*

standaardtaal ⟨de⟩ **0.1** *standard language.*

standaarduitrusting ⟨de (v.)⟩ **0.1** *standard equipment/ gear.*

standaarduitvoering ⟨de (v.)⟩ **0.1** *standard type/ model/ design* ◆ **6.1** in ~ in/ for the s. t. / m./ d..

standaardvoorbeeld ⟨het⟩ **0.1** *classic example* ⇒*archetype.*

standaardwerk ⟨het⟩ **0.1** *standard work/ book.*

standbeeld ⟨het⟩ **0.1** *statue* ⇒*image* ◆ **3.1** een ~ onthullen *unveil a s.* **8.1** hij staat daar als een ~ *he stands/ is standing there like a s. / a pillar of salt.*

standegeest ⟨de (m.)⟩ **0.1** *class spirit.*

standenmaatschappij ⟨de (v.)⟩ **0.1** *class(-ridden) society.*

stander ⟨de (m.)⟩ **0.1** [standaard] *stand* ⇒⟨drievoet⟩ *tripod* **0.2** [opstaande balk ter ondersteuning] *post* ⇒*upright, standard, prop* **0.3** [as] *post* **0.4** [roerschacht] *rudder stock* **0.5** [kuip] *crock.*

standerdmolen ⟨de (m.)⟩ **0.1** *post-mill.*

standgeld ⟨het⟩ **0.1** *stallage, toll.*

standgenoot ⟨de (m.)⟩ **0.1** ⟨com⟩*peer* ⇒*coequal, equal in rank.*

standhoek ⟨de (m.)⟩ **0.1** *dihedral angle.*

standhouden ⟨onov.ww.⟩ **0.1** [overeind blijven] *hold out* ⇒*stand up* **0.2** [mbt. personen] *hold out/ up* ⇒*hang/ hold on, stand firm/ one's ground* **0.3** [blijven bestaan] *persist* ◆ **1.1** de muur hield stand ondanks de beschietingen *the wall held out/ stood up in spite of the bombardments/ shelling* **1.2** die speler hield goed stand in de wedstrijd *that player stood his ground/ held his own very well/ stood very firm during the game* **1.3** de gewoonte houdt nog steeds stand *the custom still persists.*

standhouder ⟨de (m.)⟩, **-houdster** ⟨de (v.)⟩ **0.1** *exhibitor* ⇒⟨BE ook⟩ *stallholder.*

standje ⟨het⟩ **0.1** [houding] *position* ⇒*posture* **0.2** [berisping] *rebuke* ⇒ *scolding, talking-to, reprimand,* ⟨AE; inf.⟩ *call-down* **0.3** [oploop] *row* ⇒*commotion,* ↓*Bshindy,* A*shindig* **0.4** [opvliegend persoon] *quick-tempered/short-tempered/peppery person/fellow/woman* ◆ **2.4** een opgewonden ~ *a spitfire* **3.2** een ~ geven *rebuke, scold, reprimand, criticize, bring up, rate, tick/tell off;* ↓*haul up, rag;* ⟨vnl. BE; inf.⟩ *haul (s.o.) on the carpet;* een ~ krijgen *be scolded/reprimanded, get/be told off;* ⟨sl.⟩ *get a jawing/blast(ing).*

standolie ⟨de⟩ **0.1** *stand oil.*

standpenning ⟨de (m.)⟩ **0.1** [standaardmunt] *standard coin* **0.2** [munt als wettig betaalmiddel voor alle betalingen] *legal tender.*

standpijp ⟨de⟩ **0.1** *standpipe* ⇒⟨brandkraan, hydrant⟩ *(fire) hydrant.*

standplaats ⟨de⟩ **0.1** [(vaste) plaats van iem./ iets] *stand* **0.2** [plaats waar een ambtenaar gevestigd is] *station* ⇒*post* **0.3** [⟨biol.⟩] *station, habitat* ◆ **1.2** de ~ v.e. predikant *the living/benefice of a clergyman/minister* **6.1** de ~ op de markt *a market s.;* ⟨vnl. BE⟩ *a market stall;* ~ *voor* taxi's B*taxi rank,* A*cab s..*

standplaatstoelage ⟨de⟩ **0.1** *local allowance.*

standpunt ⟨het⟩ **0.1** [opvatting] *stand(point)* ⇒*attitude, stance, viewpoint, point of view, position, opinion* **0.2** [plek waar men staat] *position* ⇒*viewpoint* ◆ **2.1** dat is een persoonlijk ~ *that is a personal view-(point)* **2.2** een gunstig/hoog ~ *a favourable/high p. / viewpoint* **3.1** zijn ~ bepalen *define/determine one's position;* bij zijn ~ blijven *hold /keep/stand one's ground, stand firm;* een bepaald ~ innemen *take (up) a certain/particular stand(point)/position;* van ~ veranderen *change/shift one's ground* **6.1** zich **op** het ~ stellen, dat ... *take the position/line that ....*

standrecht ⟨het⟩ **0.1** *summary jurisdiction/justice/proceedings; drumhead court-martial* ⟨te velde⟩.

standrechtelijk ⟨bn., bw.; -ly⟩ **0.1** *summary* ◆ **3.1** ~ gefusilleerd *shot summarily;* ⟨door krijgsraad te velde⟩ *shot by order of a drumhead court martial;* iem. ~ vonnissen *sentence s.o. summarily, give s.o. a s. sentence.*

standruimte ⟨de (v.)⟩ **0.1** *growing space.*

standsbewustzijn ⟨het⟩ **0.1** *class feeling* ⇒*class consciousness.*

standsgeheim ⟨het⟩ **0.1** [principe] *clerical secrecy;* ⟨geheim⟩ *clerical secret.*

standsorganisatie ⟨de (v.)⟩ **0.1** [mbt. een belangengroep] *class(-related/-based) pressure group* **0.2** [⟨r.k.⟩] *pastoral council.*

standsuitgave ⟨de (v.)⟩⟨fiscus⟩ **0.1** *(non-tax-deductable) promotion(al) expenditure.*

standsverschil ⟨het⟩ **0.1** *class difference/distiction* ⇒*social difference.*

standsvooroordeel ⟨het⟩ **0.1** *class prejudice.*

standvastig ⟨bn., bw.; -ly⟩ **0.1** [volhardend] *firm* ⇒*perseverant, persistent,* ⟨vastberaden⟩ *single-minded,* ⟨resoluut⟩ *stable,* ⟨trouw⟩ *steady, enduring* **0.2** [constant] *constant* ⇒*persistent,* ⟨getallen, bedragen⟩ *fixed,* ⟨koersen⟩ *stable* ◆ **1.1** ~e liefde *an enduring love* **1.2** een ~e zuidenwind *a persistent southerly wind* **3.1** ~ blijven *keep a f. front, remain f., close the ranks;* ~ weigeren *refuse firmly/staunchly.*

standvastigheid ⟨de (v.)⟩ **0.1** *firmness* ⇒*perseverance,* ⟨vastberadenheid⟩ *resolve,* ⟨vasthoudendheid⟩ *tenacity,* ⟨constantheid⟩ *constancy.*

standvis ⟨de (m.)⟩ **0.1** [vis die op dezelfde plaats blijft] *resident/sedentary fish* **0.2** [niet-gepote vis] *indigenous fish.*

standvizier ⟨het⟩ **0.1** [⟨gesch.⟩] *visor, vizor* **0.2** [op een vuurwapen] *fixed sight(s).*

standvogel ⟨de (m.)⟩ **0.1** *resident/sedentary bird.*

standweiden ⟨ww.⟩ **0.1** *(put out to) pasture (on the same field(s)).*

standwerker ⟨de (m.)⟩ **0.1** *hawker* ⇒*(market/street) vendor.*

standwild ⟨het⟩ ⟨jacht⟩ **0.1** *resident/sedentary game.*

standyoghurt ⟨de (m.)⟩ **0.1** *set yog(h)urt/yoghourt/yaourt.*

stang ⟨de⟩ **0.1** [staaf] *stave, bar, rod* ⇒⟨ijzer⟩ *rail,* ⟨paal⟩ *pole,* ⟨van herenfiets⟩ *crossbar* **0.2** [bit] *bit,* A*port* **0.3** [geweitak] *beam* ◆ **6.2** ⟨fig.⟩ iem. **op** ~ jagen *rattle/needle/nettle/rile s.o., get s.o.'s back up.*

stangen ⟨onov., ov.ww.⟩ ⟨inf.⟩ **0.1** *needle, nettle, rattle, rile.*

stanggebit ⟨het⟩ **0.1** *bit,* A*port.*

stank ⟨de (m.)⟩ **0.1** *stench* ⇒*bad/foul/nasty smell, stink, reek,* ↑*odour* ◆ **3.1** ~ verspreiden *give off a bad smell* **6.1** ~ **voor** dank krijgen *get small thanks (for one's pains), be a fool for one's pains.*

stankafsluiter ⟨de (m.)⟩ **0.1** *gully/stink trap, stench-trap* ⇒⟨zwanehals⟩ *siphon, S-bend, S-trap, U-trap, P-trap,* ⟨waterslot⟩ *air trap.*

stankscherm ⟨het⟩ **0.1** *(stench-/stink-)trap.*

stanleymes ⟨het⟩ **0.1** *Stanley knife.*

stanniool, staniol ⟨het⟩ **0.1** *tinfoil.*

stansen, stanzen ⟨ov.ww.⟩ **0.1** *blank* ⇒*punch* ◆ **0.1** gaten ~ *punch holes.*

stante pede ⟨bw.⟩ **0.1** *on the spot, this minute* ⇒*without delay, at once, (in) double-quick (time).*

stanza ⟨de⟩ *stanza* ⇒*verse, strophe, long metre.*

stap ⟨de (m.)⟩ **0.1** [pas] *step* ⇒*footstep, pace, stride* **0.2** [⟨fig.⟩] *step, move* ⇒*measure,* ⟨stadium⟩ *grade* **0.3** [lengte v.e. stap] *step* **0.4** [tred] *step, tread* ⇒*walk,* ⟨geluid⟩ *footfall,* ⟨zware tred⟩ *tramp* **0.5** [spoor]

footprint/step ⇒*tread* ◆ **1.3** hij woont een paar ~pen van hier *he lives only a few steps from here* **2.1** met afgemeten/grote ~pen *with measured/great strides;* een lichte/zware ~ *a light/heavy step/tread/footfall* **2.2** de grote ~ wagen *make the plunge;* het is een hele ~ *it's quite a s. / decision (to take);* een weloverwogen/onberaden ~ *a deliberated/rash move* **3.2** ~pen ondernemen *take steps/measures/action against* **3.4** een paard de ~ laten gaan *walk a horse* **3.5** iemands ~pen volgen *watch s.o.'s movements, dog/tail s.o.* **5.1** een ~ achteruit *a step back;* een ~ vooruit *a step forward* **6.1** ⟨fig.⟩ een ~ **in** de goede richting doen *take a step/make a move in the right direction;* ~ **voor** ~ *step by step, inch by inch, at a slow pace;* ⟨fig.⟩ ~(je) **voor** ~(je) *inch by inch, inchmeal, bit by bit, little by little* **6.**¶ **op** ~ gaan *set out/off, push off;* hij is **op** ~ *he's out on the town/on the binge/razzle, he's painting the town red* **7.1** ⟨fig.⟩ geen ~ meer kunnen verzetten *be fagged out/shattered;* ergens geen ~ voor verzetten *not stir/move/lift a finger for sth.;* ergens geen ~ mee vooruitkomen *not get anywhere/any further with sth.;* dat brengt ons geen ~ verder *that doesn't carry/take/get us a step nearer/farther/further* **7.2** de eerste ~ doen *take the first s., make the first move, take the initiative;* ⟨lonken⟩ *make advances/overtures* ¶.**1** een ~(je) terug doen ⟨fig.⟩ *take a step down (in pay).*

stapel¹ ⟨de (m.)⟩ **0.1** [opgetaste hoeveelheid] *pile, heap, stack* ⇒⟨partij⟩ *batch* **0.2** [⟨in samenst.⟩ vee] *stock* **0.3** [stelling op een werf] *stocks* **0.4** [mbt. een strijkinstrument] *sound-post* **0.5** [pluk uit een wollen vacht] *pile* **0.6** [katoen/vlasvezel] *staple* **0.7** [vachtdikte] *pile* ◆ **1.1** een ~ papieren/rekeningen *a pile/batch of papers/bills* **1.2** pluimveestapel/runderstapel *poultry s., cattle s.* **6.3** een schip **op** ~ zetten/ **van** ~ laten lopen *lay down/build a ship;* ⟨fig.⟩ een werk **op** ~ zetten *put sth. on the s., launch a project;* te hard **van** ~ lopen *go/move too fast, overdo things/it; take the bit between one's teeth* **6.7** dicht **van** ~ heavy p..*

stapel² ⟨bn.⟩ **0.1** *mad, crazy, raving* ⇒↑*gaga,* ⟨BE;sl.⟩ *bonkers,* ⟨AE; sl.⟩ *bananas* ◆ **3.1** ben je nou helemaal ~ geworden? *have you taken leave/are you out of your senses?, have you gone mad?* **6.1** ergens ~ **op** zijn *be gaga/wild/crazy/nuts about sth.;* ~ zijn **op** iem. *be besotted /madly in love with s.o..*

stapelbaar ⟨bn.⟩ **0.1** *stackable* ⇒*capable of being stacked, stacking.*

stapelbed ⟨het⟩ **0.1** *bunk beds* ⇒⟨vnl. AE⟩ *double-decker.*

stapelblok ⟨het⟩ **0.1** [⟨scheep.⟩ blok als steun voor schip op stapel] *stock* ⇒*keelblock* **0.2** [blokken om op elkaar te stapelen] *building-block.*

stapeldoos ⟨de⟩ **0.1** *easy-to-stack box.*

stapelelement ⟨het⟩ **0.1** *(stacking) unit.*

stapelen ⟨ov.ww.⟩ **0.1** [ophopen] *pile/heap up, stack* **0.2** [⟨scheep.⟩ stuwen] *stow* ◆ **4.1** ⟨fig.⟩ tegenslagen die zich op elkaar ~ *accumulating setbacks* **6.1** zakken **op** elkaar ~ *pile/stack bags on top of each other;* ⟨fig.⟩ hij stapelde de ene dwaasheid **op** de andere *he piled one folly on another, he capped/topped one folly with another.*

stapelgek ⟨bn., bw.; -ly⟩ **0.1** [knettergek] *crazy* ⇒(*as*) *mad as a hatter, round the bend, ((stark) raving) mad,* ⟨BE ook⟩ *crackers, bonkers* **0.2** [bezeten van liefde] *mad, crazy* ◆ **6.2** zij is ~ **op** hem *she's besotted with him/dippy about him, she's got a crush on him/him on the brain.*

stapelgoed ⟨het⟩ **0.1** *staple goods, staples.*

stapelingsziekte ⟨de (v.)⟩⟨med.⟩ **0.1** *metabolitis.*

stapelkast ⟨de⟩ **0.1** *unit wardrobe.*

stapelloop ⟨de (m.)⟩ **0.1** *launching.*

stapelmagazijn ⟨het⟩ **0.1** [voorraadmagazijn] *depot, store(house)* **0.2** [magazijn zonder tussenvloeren] *depot.*

stapelmarkt ⟨de⟩ **0.1** *staple (market).*

stapelplaats ⟨de⟩ **0.1** [plaats waar opgestapeld wordt] *depot* **0.2** [⟨gesch.⟩ plaats die stapelrecht had] *staple town* **0.3** [handelsplaats] *entrepôt.*

stapelrecht ⟨het⟩ **0.1** [⟨gesch.⟩] *staple right* **0.2** [belasting op stapelgoederen] *staple duty.*

stapelstoel ⟨de (m.)⟩ **0.1** *stacking chair.*

stapelwolk ⟨de⟩ **0.1** *cumulus* ⇒*woolpack.*

stapelzot →*stapelgek.*

staphorster ⟨de (m.)⟩ **0.1** *widened road junction.*

staplaats ⟨de⟩⟨inf.⟩ **0.1** *standing place.*

stappen ⟨onov.ww.⟩ **0.1** [lopen] *step, walk* ⇒⟨met lange passen⟩ *stride,* ⟨paraderen⟩ *strut,* ⟨vastberaden⟩ *march,* ⟨zwaar⟩ *tramp* **0.2** [enige stappen doen] *step (up/down)* **0.3** [mbt. paarden] *walk* ⇒⟨in telgang⟩ *pace* **0.4** [uitgaan] *go out/for a drink, spend the evening out* ◆ **3.4** een avond gaan ~ *go on a bust/binge/the razzle, be out on the town;* ⟨BE; inf.⟩ *push the boat out;* ⟨veel café's bezoeken⟩ *have a pub crawl* **5.1** trots/deftig/bedaard ~ *step proudly/solemnly/quietly* **5.2** eruit ~ ⟨opgeven⟩ *quit, get/step out;* ⟨zelfmoord plegen⟩ *do o.s. in;* wij zullen er maar overheen ~ *we'll let it pass/pass over it, we'll say no more about it* **6.1 naar** de rechter ~ *go to court, take legal action* **6.2** ⟨fig.⟩ in het huwelijksbootje ~ *tie the knot;* **uit** de auto/**van** de fiets/**in** een lift ~ *get/step out of a car/off a bicycle/into a lift.*

stapper ⟨de (m.)⟩ **0.1** [persoon] *walker* ⇒*pedestrian* **0.2** [schoen] *clodhopper,* A*boondocker* **0.3** [kroegloper] *pub-crawler* ⇒*boozer.*

stapsgewijs ⟨bw.⟩ **0.1** *step by step* ⇒*gradually.*

stapvoets ⟨bw.⟩ **0.1** [mbt. paarden] *at walk/a footpace* **0.2** [mbt. personen] *at walk/a footpace* ⇒⟨heel langzaam⟩ *dead slow* ◆ **3.1** ~ rijden *drive slowly, crawl along* **3.¶** ~ gaan ⟨van man/paard⟩ *walk*.

stapvogels ⟨zn.mv.⟩ **0.1** ≠*shorebirds* ⇒⟨wet.⟩ *Gharadriiformes*.

star ⟨bn., bw.;-ly⟩ **0.1** [onbeweeglijk] *frozen* ⇒*stiff, fixed, glassy* ⟨blik⟩ **0.2** [koppig, vasthoudend] *rigid* ⇒*inflexible, uncompromising, unbending* ◆ **1.1** met ~ re blik *with a glassy look* **1.2** ~ re eigenzinnigheid *pigheaded obstinacy;* ~ re opvattingen *r. views* **2.2** iets stijf en ~ volhouden *maintain sth. obstinately* **3.1** zij keek ~ voor zich uit *she stiffly/fixedly stared ahead of her*.

staren ⟨onov.ww.⟩ **0.1** [wezenloos kijken] *stare* ⇒*gaze, gape, glower,* ⟨dom⟩ *rubberneck* **0.2** [turen] *peer* ⇒*goggle* ◆ **1.1** een ~ de blik *a stare/goggle, a far-away look;* ⟨schr.⟩ *regard* **2.2** ⟨fig.⟩ zich blind ~ op iets *be fixed/fixated on sth., be obsessed by sth.* **6.1** in het vuur ~ *gaze into the fire* **6.2** naar de hemel ~ *p. at the heavens* **¶.1** doelloos voor zich uit ~ *stare aimlessly*.

starheid ⟨de (v.)⟩ **0.1** [onbeweeglijkheid] *rigidity* ⇒*inelasticity* **0.2** [vasthoudendheid] *obstinacy* ⇒*tenacity, self-opinion*.

starogen ⟨onov.ww.⟩ **0.1** *gaze, goggle, stare*.

start ⟨de (m.)⟩ **0.1** [⟨sport⟩] *start* ⇒*throw-off* ⟨ook van jacht⟩ **0.2** [wijze van vertrekken] *start* **0.3** [punt van vertrek] *start* ⇒*starting-point, take-off* **0.4** [het starten] *starting* ⇒*blast-off, shot* ⟨van raket⟩ ◆ **2.2** staande ~ *standing s.;* een valse ~ *a false s.;* vliegende ~ *flying s.;* ⟨inf.⟩ *flyer, flier* **2.4** ⟨auto⟩ de koude ~ *the cold start* **6.1** bij de ~ *at the s.* **6.3** acht rijders verschenen aan de ~ *eight drivers appeared at the start;* van ~ gaan ⟨opstijgen ook⟩ *take off; go ahead;* ⟨van wal steken⟩ *proceed;* ⟨mil.;sport⟩ *jump off* **6.4** bij de ~ *at take-off* ⟨vliegtuig⟩.

startbaan ⟨de⟩ **0.1** *runway* ⇒⟨air⟩ *strip* ⟨van klein vliegveld⟩.

startblok ⟨het⟩ ⟨sport⟩ **0.1** *starting block* ◆ **6.1** in de ~ken staan ⟨fig.⟩ *be ready to go;* uit de ~ken zijn ⟨fig.⟩ *be off/on the way;* slecht uit de ~ken komen ⟨fig.⟩ *have/get off to a bad start, get off on the wrong foot*.

startbox ⟨de (m.)⟩,-**hok** ⟨het⟩ **0.1** ⟨van paarden⟩ *starting* [B]*stall/*[A]*gate;* ⟨van honden⟩ *trap*.

starten
I ⟨ov.ww.⟩ **0.1** [op gang brengen] *start* ⇒*begin, trigger, spark (off)* ◆ **1.1** een motor ~ *start (up) an engine;* een project ~ *begin/set up a project;*
II ⟨onov.ww.⟩ **0.1** [vertrekken] *start* ⇒⟨vliegtuig ook⟩ *take off,* ⟨sport⟩ *be off* **0.2** [op gang kunnen komen] *start* ⇒⟨inf.⟩ *step off,* ⟨motor⟩ *turn over* ◆ **1.2** de motor wil niet ~ *the engine won't start;*
III ⟨onov., ov.ww.⟩ **0.1** [beginnen te ondernemen] *start* ⇒*begin, open* ◆ **1.1** (met) de uitverkoop ~ *the sales*.

starter ⟨de (m.)⟩ **0.1** [persoon] *starter* **0.2** [mbt. een motor] *starter* ⇒⟨automatisch⟩ *self-starter* **0.3** [mbt. gasontladingslampen] *starter*.

startgeld ⟨het⟩ **0.1** [te ontvangen bedrag] *starting/participation/entry fee* **0.2** [te betalen bedrag] *starting/participation/entry fee*.

starthek ⟨het⟩ **0.1** *starting-gate*.

startklaar ⟨bn.⟩ **0.1** *ready to start/go* ⇒⟨vliegtuig⟩ *ready to take off/for take-off*.

startknop ⟨de (m.)⟩ **0.1** *starter*.

startlijn, -streep ⟨de⟩ **0.1** *mark, scratch, line*.

startmotor ⟨de (m.)⟩ **0.1** *starter, starting motor* ⇒*booster*.

startnummer ⟨het⟩ **0.1** *number*.

startpistool ⟨het⟩ **0.1** *starting pistol/gun*.

startpunt ⟨het⟩ **0.1** *starting point*.

startraket ⟨de⟩ **0.1** *booster*.

startschot ⟨het⟩ **0.1** *starting shot*.

startsein ⟨het⟩ **0.1** *starting signal* ⇒⟨fig. ook⟩ *go-ahead, green light* ◆ **3.1** het ~ geven *give s.o. the go-ahead/green light*.

startsubsidie ⟨het, de (v.)⟩ **0.1** *grant for starting an enterprise, incentive*.

starttoren ⟨de (m.)⟩ **0.1** *starting tower*.

statarisch ⟨bw.⟩ **0.1** *in depth* ◆ **3.1** ~ lezen *read in depth*.

state ⟨de⟩ **0.1** *(Frisian) estate*.

statelijk ⟨bn., bw.;-ly⟩ ⟨schr.⟩ **0.1** *august* ⇒*sublime, solemn, majestic* ◆ **1.1** met ~ e schreden *with dignified steps* **3.1** zich ~ bewegen/verheffen *move/rise majestically*.

Staten ⟨zn.mv.⟩ **0.1** [⟨gesch.⟩] *the States (General)* **0.2** [Provinciale Staten] *(Dutch) Provincial Council*.

Statenbijbel ⟨de (m.)⟩ **0.1** *States Bible, (Dutch) Authorized Version*.

statenbond ⟨de (m.)⟩ **0.1** *federation* ⇒*confederation, confederacy*.

Staten-Generaal ⟨zn.mv.⟩ **0.1** [het Nederlandse parlement] *States General* ⇒*Dutch parliament, parliament of the Netherlands* **0.2** [⟨gesch.⟩] *States General* ⇒*Estates General*.

statenloos ⟨bn.⟩ **0.1** *stateless*.

Statenvertaling ⟨de (v.)⟩ **0.1** *(Dutch) Authorized Version*.

stater ⟨de (m.)⟩ **0.1** *stater*.

statica ⟨de (v.)⟩ ⟨nat.⟩ **0.1** *statics*.

staticus ⟨de (m.)⟩ **0.1** *structural engineer*.

statie ⟨de (v.)⟩ **0.1** [kruiswegstatie] *station (of the Cross)* ⟨vaak met hoofdletter⟩ **0.2** [⟨AZN⟩ station] ([B]*railway/*[A]*railroad) station,* [A]*depot* ◆ **3.1** de ~s bidden *do/visit the stations of the Cross*.

---

statief ⟨het⟩ **0.1** ⟨driepoot⟩ *tripod;* ⟨alg.⟩ *stand* ◆ **2.1** eenbenig ~ *unipod;* verrijdbaar ~ *dolly*.

statiegeld ⟨het⟩ **0.1** *deposit (money)* ◆ **3.1** voor de krat wordt ~ berekend *there's a d. on the crate,* ↓*there's sth. / money back on the crate, the crate's returnable* **6.1** met ~ *nondisposable, returnable* **7.1** geen ~ *nonreturnable*.

statig ⟨bn., bw.⟩ **0.1** [deftig] *stately* ⇒*grand, dignified, noble* **0.2** [plechtig] *solemn* **0.3** [indrukwekkend] *stately* ⇒*imposing, magnificent, majestic, regal,* ⟨muz.⟩ *maestoso, majestic,* ⟨mbt. paard, schip⟩ *gallant* ◆ **1.1** een ~ e dame/vrouw *a regal woman, a fine/handsome figure of a woman;* een ~ e schoonheid *(a) s. beauty;* een ~ e zwaan *a s. / noble swan* **1.2** een ~ e stoet *a s. procession;* een ~ e tred *a s. pace/gait* **1.3** een ~ e boom *a magnificent/majestic tree;* een ~ gebouw *a grand/an imposing building*.

station ⟨het⟩ **0.1** [plaats van aankomst en vertrek van treinen] ([B]*railway/*[A]*railroad) station* ⇒[A]*depot* **0.2** [stationsgebouw] *station* ⇒[A]*depot* **0.3** [radiozender] *station* **0.4** [inrichting voor een ander doel] *station* ◆ **1.1** ~ van aankomst/vertrek *arrival/departure s.;* ~ van afgifte *issuing s.;* ~ van afzending/ontvangst *forwarding/receiving s.;* ~ Oldenzaal *Oldenzaal s.*.

stationair ⟨bn.⟩ **0.1** [ongewijzigd] *stationary* ⇒*stable* **0.2** [op de plaats blijvend] *stationary* ◆ **1.1** ~ e bevolking *zero population growth* **1.2** ⟨meteo.⟩ een ~ front *a s. front* **3.1** de ziektetoestand blijft ~ *the patient's condition is stable/unchanged* **3.2** een motor ~ laten draaien *let an engine idle/* ⟨be ook⟩ *tick over*.

stationcar ⟨de (m.)⟩ **0.1** [B]*estate car,* [A]*station wagon* ⇒⟨BE ook⟩ *shooting brake*.

stationeren
I ⟨ov.ww.⟩ **0.1** [mbt. personen] *station* ⇒*post* **0.2** [mbt. zaken] *station* ⇒*berth* ⟨van schepen⟩*, position, locate* ◆ **1.1** waar is die ambtenaar gestationeerd? *where is that civil servant/official stationed?* **1.2** kruisraketten ~ *s. / deploy cruise missiles;*
II ⟨onov.ww.⟩ **0.1** [mbt. personen] *be stationed/posted* **0.2** [mbt. zaken] *be stationed/positioned/located* ◆ **1.2** ~ de taxi's *taxis/cabs waiting* [B]*taxi rank/*[A]*at a stand (to be hired)*.

stationschef ⟨de (m.)⟩ **0.1** *stationmaster*.

stationsemplacement ⟨het⟩ **0.1** *station yard*.

stationsgebouw ⟨het⟩ **0.1** *station (building)* ⇒*passenger building*.

stationshal ⟨de⟩ **0.1** *station hall, (main) concourse*.

stationskiosk ⟨de⟩ **0.1** *station kiosk/bookstall*.

stationspersoneel ⟨het⟩ **0.1** *station staff*.

stationsplein ⟨het⟩ **0.1** *station square*.

stationsrestauratie ⟨de (v.)⟩ **0.1** *station buffet* ⇒*station refreshment room*.

statisch ⟨bn.⟩ **0.1** [in evenwicht] *static* **0.2** [niet beweeglijk] *static* **0.3** [mbt. de statica] *static* ◆ **1.2** ~ e elektriciteit *static (electricity)* **1.3** ~ e belasting/druk *s. load/pressure;* ~ e luchtvaart *aerostation*.

statistica ⟨de (v.)⟩ **0.1** *statistics*.

statisticus ⟨de (m.)⟩ **0.1** *statistician*.

statistiek[1] ⟨de (v.)⟩ **0.1** [methode, wetenschap] *statistics* **0.2** [stuk met gegevens] *statistic(s)* ⇒⟨mv.;inf.⟩ *stats,* ⟨officieel rapport⟩ *return* ◆ **1.2** ⟨Ned.⟩ Centraal Bureau/ ⟨Belg.⟩ Nationaal Instituut voor de Statistiek *Central Statistical Office* **2.1** theoretische/mathematische ~ *theoretical/inferential s.* **3.2** ~ opmaken *draw up/take statistics* **6.2** ~ en van geboorten/invoer *birth/import statistics;* ⟨scherts.⟩ voor de ~ *for the record*.

statistiek[2] ⟨bn.⟩ **0.1** *statistical*.

statistiekrecht ⟨het⟩ **0.1** *statistics duty/tax* ⇒≠*administrative/processing charge*.

statistisch ⟨bn., bw.;-ly⟩ **0.1** *statistical* ◆ **1.1** de ~ e gegevens *the statistical data, the statistics*.

statoscoop ⟨de (m.)⟩ **0.1** *statoscope*.

statten ⟨onov.ww.⟩ ⟨inf.⟩ **0.1** ⟨vnl. BE⟩ *pop into town for/to do some shopping;* ⟨vnl. AE⟩ *go (shopping) downtown*.

status ⟨de (m.)⟩ **0.1** [standing] *(social) status* ⇒*standing* **0.2** [plaats, hoedanigheid] *(legal) status* **0.3** [medisch dossier] *case history* ⇒*anamnesis* ◆ **1.2** de ~ van politieke gevangenen *the (l.) s. of political prisoners* **2.1** sociale ~ *social status/position* **3.1** mijn ~ vereist dat ik eerste klas reis *my status requires that I travel first class*.

status-quo ⟨het, de (m.)⟩ **0.1** *status quo* ◆ **3.1** de ~ handhaven *maintain the s. q.*.

statussen ⟨onov., ov.ww.⟩ ⟨med.⟩ **0.1** *compile a clinical/medical record*.

statussymbool ⟨het⟩ **0.1** *status symbol*.

statutair ⟨bn., bw.;-ly⟩ **0.1** *statutory* ◆ **1.1** een ~ e bepaling *a s. provision/clause/stipulation; a provision* ⟨enz.⟩ *in the articles (of association)* ⟨mbt. maatschappij⟩ **3.1** ~ vastgesteld *laid down by statute/in accordance with the articles (of association)*.

statutenwijziging ⟨de (v.)⟩ **0.1** *amendment to/of the articles of association/bye-laws*.

statuut ⟨het⟩ **0.1** [geheel van voorschriften ⟨ook in samenst.⟩] *statute* **0.2** [publiekrechtelijke regeling] *statute* ⟨Internationaal en Europees Gerechtshof⟩*; charter* ⟨VN, Koninkrijk der Nederlanden⟩ **0.3** [wettelijke regeling] *statute* **0.4** [⟨mv.⟩ grondregels] *articles of association,*

^Abylaws ⟨NV,BV⟩; by(e)-laws ⟨vereniging, stichting⟩; *Articles of Agreement* ⟨wereldbank, IMF⟩; *constitution* ⟨vakbond e.d.⟩ ◆ 1.1 vennootschapsstatuut *personal law/status of a company* 1.2 ~ v.h. Koninkrijk *Charter for the Kingdom of the Netherlands* 2.1 gemengd ~ *mixed s.*, *statutum mixtum*; persoonlijk ~ *personal s. / status / law*, *statutum personale*; zakelijk ~ *real s.*, *statutum reale* 2.3 academisch ~ *Academic Statute* 3.4 de statuten opmaken/wijzigen/indienen *draw up / change / submit the articles of association / bye-laws* ⟨enz.⟩.

stavast ◆ 1.¶ een Jan ~/ kerel van ~ *a heart of oak, a hefty/plucky fellow/guy*.

staven ⟨ov.ww.⟩ 0.1 [bekrachtigen] *confirm* ⇒*corroborate, support* 0.2 [bewijzen] *substantiate, prove* ~*verify* ⟨door onderzoek⟩ 0.3 [sterken] *confirm* 0.4 [het in stand houden] *support, sustain* ◆ 1.2 zijn recht op iets ~ *authenticate / p. one's right to sth.* 1.4 de rechten van de kroon ~ *uphold / maintain the rights of the crown* 6.1 iets met getuigen ~ *corroborate / support sth. by witnesses* 6.2 iets met bewijzen ~ *s. / p. sth. / bear sth. out by evidence, document / circumstantiate sth.* ¶.3 in een voornemen gestaafd worden *be confirmed in an intention*.

staving ⟨de (v.)⟩ 0.1 [bevestiging] *confirmation* ⇒*corroboration, support* 0.2 [versterking] *confirmation, support* 0.3 [bewijs] *proof, substantiation* ⇒*verification* ⟨door onderzoek⟩ ◆ 6.2 tot ~ van dit vermoeden *in s. of this conjecture / suspicion* 6.3 ⟨jur.⟩ stukken die tot ~ kunnen leiden *documentary evidence*.

stayer ⟨de (m.)⟩ ⟨sport⟩ 0.1 [atleet, schaatser] *stayer / skater* 0.2 [wielrenner] *stayer* ⇒*motor-paced rider*.

stayerswedstrijd ⟨de (m.)⟩ ⟨sport⟩ 0.1 *stayer(s') race* ⇒*motor-paced race*.

steak ⟨de (m.)⟩ 0.1 *(beef)steak*.

stearine ⟨de⟩ 0.1 *stearin*.

stearinekaars ⟨de⟩ 0.1 *stearin candle*.

stearinezuur ⟨het⟩ ⟨schei.⟩ 0.1 *stearic acid*.

steatiet ⟨het⟩ 0.1 *steatite* ⇒*soapstone*.

stede ⟨de⟩ ⟨schr.⟩ 0.1 *town, city* 6.1 hier ter ~ *in / of this town / city* 6.¶ in ~ van *instead of*.

stedebouw ⟨de (m.)⟩ 0.1 [aanleg van steden] *urban development* ⇒*town planning* 0.2 [planologie] *town (and country) planning*.

stedebouwkunde ⟨de (v.)⟩ 0.1 *urban development* ⇒*town (and country) planning*.

stedebouwkundig ⟨bn.⟩ 0.1 *urban development* ⇒*town (and country) planning*.

stedehouder ⟨de (m.)⟩ ⟨schr.⟩ 0.1 *vicegerent* ⟨van God/koning⟩ ◆ 1.1 de ~ Gods op aarde *the Vicar of Christ*.

stedelijk ⟨bn.⟩ 0.1 [van een/de stad] *town, city* ⇒*municipal, urban, civic* 0.2 [van de steden] *urban* ◆ 1.1 het ~ bestuur *the t. / city / municipal administration / government*; het ~ museum *the municipal museum* 1.2 de ~e bevolking *the u. population*.

stedeling ⟨de (m.)⟩ 0.1 *townsman* ⟨m.⟩, *townswoman* ⟨v.⟩ ⇒*town- / city-dweller*, ⟨pej.⟩ *townee*, ^Atownie, *towny* ⟨gehaaid, mondain⟩ *city-slicker* ◆ ¶.1 ~en ⟨ook⟩ *townspeople, townsfolk*.

stedemaagd ⟨de (v.)⟩ 0.1 ≠*patroness (of a / the town / city)*.

stee ⟨de⟩ 0.1 [plekje] *spot* 0.2 [boerderij] *farm(stead), homestead* ◆ 6.¶ op ~ *in order*.

steeds

I ⟨bw.⟩ 0.1 [altijd] *always* ⇒*continually, constantly, all the time* 0.2 [bij voortduring] *increasingly* ⇒*more and more*, ⟨schr.⟩ *ever* 0.3 [⟨+nog⟩] *still* ◆ 2.1 hij is ~ bezig *he is a. busy, he's forever working, he works all the time* 2.2 ~ gecompliceerder / moeilijker *more and more complicated / difficult, increasingly complicated / difficult*; ~ meer / groter *more and more / bigger and bigger*; ~ slechter worden *go from bad to worse, go on deteriorating*; ~ zwaarder worden *become increasingly heavy* 3.1 iem. ~ aankijken *keep looking at s.o.*; hij is ~ op de been *he is a. on the go / move* 5.1 ~ weer *time and time) again, time after time, repeatedly* 5.2 hij begint ~ opnieuw *he keeps starting all over again* 5.3 het regent nog ~ *it is s. raining*; weet je het nog ~ niet? *you still don't know?, don't remember?* ◆ ¶.1

II ⟨bn., bw.; -ly⟩ 0.1 [zoals van / in de stad] *(big) city* ⇒*townish, towny* ◆ 1.1 ~e gewoonten *(b.) c. / ↓townee customs / ways*; ~e kleding *town clothes* 3.1 ~ gekleed *(dressed) in one's town clothes* 6.1 op zijn ~ *in a citified way*.

steeg ⟨de⟩ 0.1 *lane, alley(way)* ◆ 2.1 een blinde ~ *a blind alley / cul-de-sac*.

steek ⟨de (m.)⟩ ⟨→sprw. 90⟩ 0.1 [stoot met een scherp voorwerp] *stab* ⇒*thrust* ⟨van zwaard enz.⟩, *prick* ⟨van naald⟩, ⟨wond⟩ *stab wound*, ⟨fig.⟩ opmerking⟩ *(unkind) cut, dig* 0.2 [prik v.e. insekt] *sting* ⟨v.e. mug⟩ 0.3 [kort gevoel van pijn] *shooting / stabbing pain* ⇒⟨lichter⟩ *twinge, stitch* ⟨in de zij⟩, ⟨meestal fig.⟩ *pang* 0.4 [mbt. handwerken] *stitch* 0.5 [knoop] *knot* ⇒*hitch, bend* 0.6 [hoofddeksel] *cocked hat* ⇒*three-cornered hat, tricorn(e)* ⟨driekantig⟩ 0.7 [po] *bedpan* 0.8 [uitgestoken hoeveelheid grond] *spit* 0.9 [bij tand- en wormwielen] *pitch* ◆ 1.2 een ~ v.e. mug / mier *a mosquito / an ant bite*; een ~ v.e. wesp / bij *a bee / wasp s.* 2.4 blinde ~ *slip s.*, ⟨fig.⟩ aan hem is een ~ je los *he has got a screw loose, he's not all there, he's nuts*; een losse ~ *a chain s.*; overhandse ~ *whipstitch, overcast*; een vaste ~ *a double cro-*

---

chet 3.1 ⟨fig.⟩ iem. een ~ onder water geven *have a (sly) dig at s.o.*; ⟨vnl. AE; inf.⟩ *have / take a sideswipe at s.o.*; iem. een ~ toebrengen *stab s.o., inflict a stab wound on s.o.* 3.4 een ~ laten vallen ⟨lett.⟩ *drop a s.*; ⟨fig.⟩ *make a gaffe*, ↓*put one's foot in it*; ⟨vnl. BE; inf.⟩ *drop a clanger* 6.1 ⟨fig.⟩ dat was een ~ door mijn hart *that cut me to the quick* 6.3 een ~ in de borst *a twinge / pang in the chest* 6.¶ iem. in de ~ laten *let s.o. down, leave s.o. in the lurch, run out on s.o.*, ↑*abandon s.o.*, ↑*desert s.o.*; zijn geheugen liet hem in de ~ *his memory failed him* 7.¶ geen ~ *not a thing / whit / jot / an iota*; ik zie geen ~ *I can't see a (blind) thing*; zij heeft geen ~ uitgevoerd *she hasn't done a stroke of work*.

steekbalk ⟨de (m.)⟩ ⟨bouwk.⟩ 0.1 *hammer beam*.

steekbeitel ⟨de (m.)⟩ 0.1 *firmer / paring chisel*; ⟨guts⟩ *gouge*.

steekbrem ⟨de (m.)⟩ 0.1 *gorse* ⇒*furze*.

steekgeld →*steekpenningen*.

steekhouden ⟨onov.ww.⟩ 0.1 *hold water* ⇒*be valid / sound, stand up to scrutiny* ◆ 1.1 die bewering houdt geen steek *that assertion (simply) won't wash*.

steekhoudend ⟨bn.⟩ 0.1 *convincing* ⇒*sound, solid, valid* ◆ 1.1 ~e argumenten / bewijzen *c. / conclusive arguments / evidence* 3.1 dat is niet ~ *that is unconvincing / does not hold water*.

steeklaken ⟨het⟩ 0.1 *drawsheet*.

steekmap ⟨de⟩ 0.1 *folder* ⇒*(loose-leaf) file*.

steekmug ⟨de⟩ 0.1 [familie, geslacht] *mosquito* 0.2 [één insekt] *mosquito* ⇒*gnat, midge*.

steekpartij ⟨de (v.)⟩ 0.1 *knifing*.

steekpasser ⟨de (m.)⟩ 0.1 *(pair of) dividers* ◆ 7.1 twee ~s *two pairs of dividers*.

steekpenningen ⟨zn.mv.⟩ 0.1 *bribe(s)* ⇒*hush money*, ⟨sl.⟩ *kickback(s)*, ^Bbackhander(s), ^Asugarplums* ◆ 1.1 geheim fonds voor ~ *slush fund* 3.1 ~ aannemen *accept / take a bribe / bribes*; ⟨sl.⟩ *be bought off*.

steekproef ⟨de⟩ 0.1 [test] *random / spot check*; ⟨soc.⟩ *(random) sample survey* 0.2 [personen] *sample, sampling* ◆ 2.2 een aselecte ~ *a random / non-selective sample / sampling* 3.1 aan een ~ onderwerpen *spot-check*; steekproeven nemen *test at random, carry out / make random / spot checks*; ⟨soc.⟩ *carry out / take a (random) sample survey*.

steeksleutel ⟨de (m.)⟩ 0.1 *(open-end / fork) spanner / wrench*; ⟨van sloten⟩ *picklock*.

steekspel ⟨het⟩ 0.1 [puntige discussie] *sparring match* ⇒*sharp exchange (of views)*, ⟨beledigingen⟩ *slanging match* 0.2 [⟨gesch.⟩ toernooi] *joust* ⇒*tilt, tourney, tournament* 0.3 [het ringsteken] *tilting at the ring* ◆ 2.1 diplomatiek ~ *diplomatic / political fencing / sparring / jousting* 3.2 deelnemen aan een ~ *joust, tilt, engage in a j.*; een ~ houden *joust* 6.1 een ~ met woorden *a sharp verbal exchange, a sparring match*.

steektrap ⟨de (m.)⟩ ⟨amb.⟩ 0.1 *straight (flight of) stairs* ◆ 2.1 rechte ~ *straight stairs (of one flight)*; scheve ~ *oblique stairs*.

steekturf ⟨de (m.)⟩ 0.1 *dug peat*.

steekvlam ⟨de⟩ 0.1 *jet / tongue / burst of flame, flash* ⇒*blowpipe flame, oxyacetylene flame* ⟨van brander⟩.

steekvlieg ⟨de (m.)⟩ 0.1 *gadfly, horsefly*.

steekwagen ⟨de (m.)⟩ 0.1 *handtruck* ⇒⟨BE ook⟩ *trolley, sack barrow / truck*.

steekwapen ⟨het⟩ 0.1 *stabbing weapon* ⇒*pointed weapon*.

steekwond ⟨de⟩ 0.1 *stab wound*.

steekwoord ⟨het⟩ 0.1 [trefwoord] *catchword* 0.2 [custos] *catchword*.

steekzak ⟨de (m.)⟩ 0.1 *slit-pocket* ⇒⟨met klep⟩ *hacking pocket*.

steel ⟨de (m.)⟩ 0.1 [mbt. planten] *stalk, stem* ⇒⟨van champignon ook⟩ *stipe, peduncle* ⟨van bloem⟩, *petiole* ⟨van blad⟩, *stick* ⟨van rabarber⟩ 0.2 [handvat] *handle* ⇒*stem* ⟨van wijnglas⟩, *helve* ⟨van bijl⟩, *panhandle* ⟨van pan⟩ 0.3 [buis] *shank* 0.4 [⟨mv.⟩ mbt. de hersenen] *peduncles* ◆ 1.1 het ~tje v.e. kers *the stalk of a cherry, a cherry-stalk* 1.2 de ~ v.e. hamer / bezem *the handle of a hammer / broom* 3.1 van de stelen ontdoen *(top and) tail* ⟨fruit, bonen⟩; *stem* ⟨aardbeien⟩; *stalk* ⟨kersen⟩ ¶.3 ⟨fig.⟩ ogen op ~tjes hebben *be stunned / stupefied / astonished*.

steelgat ⟨het⟩ 0.1 *handle hole* ◆ 1.1 het ~ v.e. bijl *the helve hole of an axe*; het ~ v.e. hamer *the h. h. of a hammer*.

steeloog ⟨de (m.)⟩ 0.1 *sentinel crab*.

steelpan ⟨de⟩ 0.1 *saucepan* ⇒⟨vnl. BE⟩ *skillet* ⟨vaak met pootjes⟩.

steels ⟨bn., bw.; -ly⟩ 0.1 *furtive* ⇒*stealthy, surreptitious* ◆ 1.1 een ~e blik werpen *steal a look (at), take a surreptitious look (at)*; met ~e tred *on tiptoe, stealthily, furtively, like a cat*.

steelsgewijs ⟨bw.⟩ 0.1 *furtively* ⇒*stealthily, surreptitiously* ◆ 3.1 iem. ~ aankijken / gadeslaan *look / gaze at s.o. furtively / out of the corner of one's eye, take a surreptitious look at s.o.*; iets ~ weghalen *sneak off with sth., remove sth. by stealth*.

steelsteek ⟨de (m.)⟩ 0.1 *stem stitch*.

steelstofzuiger ⟨de (m.)⟩ 0.1 *upright vacuum cleaner*.

steen ⟨→sprw. 135,165,231,548,549⟩

I ⟨het, de (m.)⟩ 0.1 [harde delfstof] *stone* ◆ 1.¶ ~ en been klagen *complain bitterly / loudly* 3.1 ~ houwen *cut / hew s.* 6.1 ⟨fig.⟩ hij heeft een hart van ~ *he has a heart of s., he is stony-hearted*; ik ben niet van

~ *I am not made of s.* **8.1** zo hard als ~ *as hard as s. / rock / flint, rock-hard;*

II ⟨de (m.)⟩ **0.1** [stuk steen in zijn natuurlijke vorm] *stone,* ^*rock* ⇒ ⟨groot⟩ ^B*rock,* ⟨klein⟩ *pebble* **0.2** [als bouwmateriaal] *stone* ⇒⟨baksteen⟩ *brick,* ⟨plavuisvormig⟩ *slab,* ⟨kinderhoofdje⟩ *cobble(-stone)* **0.3** [edelsteen] *stone* ⇒⟨vnl. bewerkt⟩ *gem,* ⟨in horloge⟩ *jewel* **0.4** [niersteen] *stone* ⇒⟨med.⟩ *calculus* **0.5** [⟨sport⟩] *man* ⇒⟨bij dammen, schaken ook⟩ *piece,* ⟨bij dominospel⟩ *domino,* ⟨dobbelsteen⟩ *die,* ↓*dice* **0.6** [hagelsteen] *(hail)stone* **0.7** [uit steen vervaardigd voorwerp] *stone* ⇒⟨slijpsteen⟩ *wheel* **0.8** [grote pit v.e. vrucht] *stone* ◆ **1.1** ⟨fig.⟩ een ~ *des aanstoots a stumbling block, an obstacle, a bone of contention;* de ~ *der wijzen* (zoeken) *search / look for the philosopher's s.* **2.2** ⟨fig.⟩ de onderste ~ *moet boven komen we must get to the bottom of this* **2.3** bewerkte stenen *cut stones, gems* **2.** ¶ ⟨AZN⟩ dat valt op geen blauwe ~ *I'll make a note of that, I won't forget* **3.1** ⟨fig.⟩ stenen voor brood geven *give a s. for bread;* met stenen gooien naar *throw / hurl stones /* ^*rocks at, stone, pelt with stones /* ^*rocks;* ⟨fig.⟩ er is me een ~ *van het hart gevallen that is a laod / weight off my mind;* de eerste ~ (naar iem.) werpen *throw / cast the first s. (at s.o.)* **3.2** stenen bakken *fire bricks* (in oven); *bake bricks* (in de zon); ergens een ~tje toe bijdragen *do / contribute one's bit towards sth.; chip in with* ⟨bedrag⟩ */ towards* ⟨doel⟩; de eerste ~ leggen *lay the foundation s. / the first s.* **3.5** een ~ slaan *capture a m. / piece; jump a m. / piece* (bij damspel); met de stenen werpen *throw / cast the dice* (met dobbelstenen) **6.3** een ring met een ~ *a ring set with a s.* **6.7** een ~ op een graf *a s. (put up) over a grave, a gravestone* **7.2** geen ~ op de ander laten *not leave a s. standing, raze to the ground* **8.1** als een ~ op de maag liggen *be indigestible* **8.6** stenen als duiveëieren *hailstones the size of pigeon's eggs.*

steenaarde ⟨de⟩ **0.1** *brick clay.*

steenachtig ⟨bn.⟩ **0.1** [op steen lijkend] *stony, rocky; gritty* (fruit) **0.2** [vol stenen] *stony* ◆ **1.2** ~e grond *s. soil / ground;* ⟨scheep.⟩ *s. / rocky bottom.*

steenanjer ⟨de⟩ **0.1** *maiden pink.*

steenanker ⟨het⟩ **0.1** *cramp(-iron).*

steenarend ⟨de (m.)⟩ **0.1** *golden eagle.*

steenbakker ⟨de (m.)⟩ **0.1** [iem. die bakstenen vervaardigt] *brickmaker* **0.2** [steenbakkerijeigenaar] *owner of a brickyard / works* ⇒*brickmaker.*

steenbakkerij ⟨de (v.)⟩ **0.1** [handeling] *brickmaking* **0.2** [plaats, fabriek] *brickyard / works* ⇒⟨oven⟩ (brick) *kiln.*

steenbedding ⟨de⟩ **0.1** *stone bed.*

steenbeitel ⟨de (m.)⟩ **0.1** [voor natuursteen] *stone chisel, stonemason's chisel;* [voor baksteen] *bolster;* ⟨boorpunt⟩ *rock (cutting / roller) bit.*

steenbekleding ⟨de (v.)⟩ **0.1** ⟨natuursteen⟩ *stone revetment;* ⟨baksteen⟩ *brick facing / lining.*

steenberg ⟨de (m.)⟩ **0.1** *slagheap* ⇒*tip heap, spoil heap.*

steenbestorting ⟨de (v.)⟩ **0.1** *rubble,* ^*riprap.*

steenbik ⟨het⟩ **0.1** *stone chippings / dust.*

steenblok ⟨het⟩ **0.1** *block of stone,* (bouw) *block.*

steenbok ⟨de (m.)⟩ **0.1** [geit] *ibex* ⇒*rock-goat* **0.2** [⟨astrol., ster.⟩] *Capricorn* ⇒*Capricornus, the Goat* **0.3** [persoon] *Capricorn.*

steenbokskeerkring ⟨de (m.)⟩ **0.1** *tropic of Capricorn.*

steenbolk ⟨de (m.)⟩ ⟨dierk.⟩ **0.1** *bib* ⇒*pout, stink-alive.*

steenboor ⟨de⟩ **0.1** [voor bodemonderzoek] *stone / rock drill / bit* **0.2** [om gaten in (kunst)steen te boren] *masonry drill / bit.*

steenbreek ⟨de⟩ ⟨plantk.⟩ **0.1** *saxifrage.*

steendood ⟨bn.⟩ ⟨AZN⟩ **0.1** *stone-dead.*

steendoorn ⟨de (m.)⟩ **0.1** *hawthorn.*

steendruk ⟨de (m.)⟩ **0.1** [kunst] *lithography* **0.2** [gedrukte plaat] *lithograph* ⇒⟨verk.⟩ *litho.*

steendrukken ⟨onov., ov.ww.⟩ **0.1** *lithograph.*

steendrukker ⟨de (m.)⟩ **0.1** *lithographer.*

steendrukkerij ⟨de (v.)⟩ **0.1** [handeling] *lithography* **0.2** [werkplaats] *lithographic printing office.*

steendrukkunst ⟨de (v.)⟩ **0.1** *lithography.*

steenduif ⟨de⟩ **0.1** *rock-dove / -pigeon.*

steeneik ⟨de (m.)⟩ **0.1** *holm* (oak) ⇒*holly oak, ilex.*

steenezel ⟨de (m.)⟩ **0.1** [⟨Suriname⟩ gewone ezel] *donkey, ass* **0.2** [⟨AZN⟩ dom mens] *donkey, ass.*

steenfabriek ⟨de (v.)⟩ **0.1** *brickyard, brickworks, brickfield.*

steenformatie ⟨de (v.)⟩ **0.1** *rock formation.*

steengaas ⟨het⟩ **0.1** *lath(ing)* ⇒*bricanion.*

steengeit ⟨de⟩ **0.1** [gems] *chamois* **0.2** [wijfjessteenbok] *female ibex / rock-goat.*

steenglooiing ⟨de (v.)⟩ **0.1** *stone batter* ⇒*stone pitching of slope / embankment.*

steengoed[1] ⟨het⟩ **0.1** *stoneware* ◆ **2.1** Engels ~ *Wedgwood;* ⟨roomkleurig⟩ *queen's-ware.*

steengoed[2] ⟨bn., bw.; -ly⟩ **0.1** *fantastic, great* ⇒⟨sl.⟩ *groovy* ◆ **1.1** ~e popmuziek *groovy pop music.*

steengraver ⟨de (m.)⟩ **0.1** *quarryman* ⇒*quarry worker, quarrier.*

steengroeve ⟨de⟩ **0.1** *(stone) quarry* ⇒*stone pit.*

steengruis ⟨het⟩ **0.1** [steenkorrels] *stone / brick dust* ⇒*rubble, broken stone(s),* ⟨voor wegenbouw⟩ *road metal,* ⟨vnl. BE⟩ *hardcore,* ⟨geol.⟩ *debris* **0.2** [⟨med.⟩] *(kidney / bladder) stones, gallstones* ⇒⟨med.⟩ *calculi.*

steenhard ⟨bn., bw.⟩ **0.1** [hard als steen] *as hard as stone, rock hard, stony* **0.2** [⟨fig.⟩] *stony* ⇒*adamant, hard as nails* ◆ **1.1** een ~e grond *soil as hard as stone, stony soil* **1.2** een ~ gemoed *a s. heart.*

steenhoop ⟨de (m.)⟩ **0.1** [stapel] *heap of stones / bricks* ⇒⟨afval⟩ *rubble heap.*

steenhouwen ⟨ww.⟩ **0.1** [loshakken] *quarrying (stone)* ⇒*cutting / hewing stone* **0.2** [bewerken] *stone dressing / carving.*

steenhouwer ⟨de (m.)⟩ **0.1** [iem. die steen loshakt] *stonecutter* ⇒*quarryman, quarry worker, quarrier* **0.2** [iem. die steen bewerkt] *(stone)mason* ⇒*stonedresser.*

steenhouwerij ⟨de (v.)⟩ **0.1** [het loshakken] *quarrying* ⇒*stonecutting* **0.2** [het bewerken] *(stone)masonry* ⇒*stonedressing* **0.3** [werkplaats] *stonecutter's / (stone)mason's yard.*

steenkalk ⟨de (m.)⟩ **0.1** *lump lime.*

steenkanker ⟨de (m.)⟩ **0.1** ≠*brick corrosion.*

steenkern ⟨de⟩ **0.1** [mbt. fossielen] *internal mould /* ^*mold* **0.2** [vruchtkern] *stone* ⇒⟨plantk.⟩ *endocarp.*

steenklaver ⟨de⟩ **0.1** *clover* ⟨genus Trifolium⟩ ⇒⟨ihb.⟩ *hop clover* ⟨Trifolium campestre⟩, *white / Dutch clover* ⟨Trifolium repens⟩, *red clover* ⟨Trifolium pratense⟩.

steenklei ⟨de⟩ **0.1** [klei waarvan men stenen bakt] *brick clay* **0.2** [steenachtig geworden klei] *shale.*

steenkleur ⟨de⟩ **0.1** *stone(-colour).*

steenklomp ⟨de (m.)⟩ **0.1** *lump of stone / rock.*

steenkolen ⟨zn.mv.⟩ **0.1** *(pit) coal.*

steenkolenbedding ⟨de (v.)⟩ **0.1** *layer / seam / bed /* [↑] *stratum of coal* ⇒*coal-seam / -bed.*

steenkool ⟨de⟩ **0.1** *(pit) coal* ◆ **1.1** brokken ~ *lumps / pieces of c.;* ⟨gloeiend⟩ *coals* **2.1** ⟨fig.⟩ blauwe ~ *marine power, wave energy;* magere ~ *lean c.;* vette ~ *soft / bituminous c.;* ⟨fig.⟩ witte ~ *white c.* **3.1** ~ stoken *burn c.*

steenkoolbekken ⟨het⟩ **0.1** *coal basin.*

steenkoolengels ⟨het⟩ **0.1** *broken English* ⇒⟨sl.⟩ *lousy English.*

steenkoolgas ⟨het⟩ **0.1** *coal gas.*

steenkoolgroeve ⟨de⟩ **0.1** *coal-mine / -pit, colliery* ◆ **2.1** een open ~ *an opencast /* ^*opencut mine,* ^a *strip mine.*

steenkoolteer ⟨het, de m.)⟩ **0.1** *coal tar.*

steenkoolvorming ⟨de (v.)⟩ **0.1** [ontstaan van steenkolen uit planten] *formation of coal* ⇒*coalification* **0.2** [gevormde steenkool] *coal-formation / -deposit.*

steenkoolwagen ⟨de (m.)⟩ **0.1** *tender.*

steenkoolzwart ⟨het⟩ **0.1** *coal black.*

steenkoraal ⟨het⟩ **0.1** *stone / stony coral.*

steenkoud ⟨bn.⟩ **0.1** [zeer koud] *freezing (cold)* ⇒*ice- / stone-cold, (as) cold as charity* **0.2** [gevoelloos] *stony* ⇒*ice-cold, callous* ◆ **1.2** een ~ hart *a stone-cold heart* **3.1** ik ben ~ *I am freezing.*

steenkring ⟨de (m.)⟩ **0.1** *stone circle* ⇒⟨archeologie⟩ *peristalith.*

steenlaag ⟨de⟩ **0.1** [ader van stenen] *layer / stratum of stones* **0.2** [laag metselstenen] *course of bricks.*

steenlegging ⟨de (v.)⟩ **0.1** *stonelaying.*

steenmarter ⟨de (m.)⟩ **0.1** *stone marten* ⇒*beech marten.*

steenmos ⟨het⟩ **0.1** *rock lichen.*

steenoven ⟨de (m.)⟩ **0.1** *brickkiln.*

steenpuist ⟨de⟩ **0.1** *boil* ⇒⟨med.⟩ *furuncle.*

steenrijk ⟨bn.⟩ **0.1** *immensely rich* ⇒⟨sl.⟩ *stinking rich* ◆ **3.1** zijn oude heer is ~ *his old man is rolling in it / has pots of money.*

steenrood ⟨bn.⟩ **0.1** *brick(-red)* ◆ **1.1** een steenrode kop *a b.-r. / scarlet face.*

steenroos ⟨de⟩ **0.1** *alpenrose, rock rhododendron.*

steenrots ⟨de⟩ **0.1** *rock* ◆ **6.1** op een ~ gebouwd ⟨fig.⟩ *(as) solid as a r., rock-solid* **8.1** zo hard als een ~ *(as) hard as a r., rock-hard;* zo onwrikbaar als een ~ *(as) firm as a r., adamant.*

steens ⟨bn.⟩ ◆ **1.** ¶ een ~e muur *a nine-inch wall.*

steenschaal ⟨de⟩ ⟨geol.⟩ **0.1** *lithosphere.*

steenschilder ⟨de (m.)⟩, -es ⟨de (v.)⟩ **0.1** *ceramic artist.*

steenslag ⟨het⟩ **0.1** [⟨wwb.⟩] *road-metal* ⇒*hard core,* ⟨bij herstelwerkzaamheden⟩ *chippings* **0.2** [puin] *rubble* ⇒*broken stone(s)* ◆ ¶.1 pas op, ~! *caution, loose chippings.*

steenslagweg ⟨de (m.)⟩ **0.1** *metalled road.*

steensnede ⟨de⟩ **0.1** *stonecutting, stone dressing* ⇒*stereotomy.*

steensnijden ⟨ww.⟩ **0.1** *cut / dress stone.*

steensnijkunst ⟨de (v.)⟩ **0.1** *glyptography, glyptics.*

steensoort ⟨de⟩ **0.1** [soort van steen] *type / variety of stone / rock* **0.2** [⟨mijnw.⟩] *rock, stone.*

steenstort ⟨het, de (m.)⟩ ⟨mijnw.⟩ **0.1** *slagheap.*

steentekenaar ⟨de (m.)⟩ **0.1** *lithographer.*

steenthee ⟨de (m.)⟩ **0.1** *brick tea.*

steentijd ⟨de (m.)⟩ **0.1** *Stone Age* ◆ **2.1** de oudere en de jongere ~ *the Palaeolithic and the Neolithic, the Old and the New S. A..*

steentijdperk ⟨het⟩ **0.1** *Stone Age* ◆ **2.1** het middelste ~ *the Mesolithic, the Middle S. A..*

steentje ⟨het⟩ **0.1** [kleine steen] *small stone* ⇒⟨kiezelsteen⟩ *pebble,* ⟨AE ook⟩ *small rock* **0.2** [kleine edelsteen] *small stone* ⇒⟨AE; sl.⟩ *rock* **0.3** [⟨elek.⟩] *connector* **0.4** [vuursteentje] *flint* ◆ **2.1** de kleine ~s ᴮ*the pavement,* ᴬ*the sidewalk* **3.1** ⟨fig.⟩ zijn/haar/een ~ bijdragen *contribute one's mite;* ⟨het zijne doen⟩ *do one's bit, pull one's weight* **6.2** een ring met een ~ *a ring set with a small stone.*

steenuil ⟨de (m.)⟩ **0.1** *little owl.*

steenvalk ⟨de (m.)⟩ **0.1** *merlin, pigeon hawk.*

steenverband ⟨het⟩ **0.1** *bond.*

steenverering ⟨de (v.)⟩ ⟨rel.⟩ **0.1** *stone-worship, litholatry.*

steenvlas ⟨het⟩ **0.1** *asbestos* ⇒*amiant(h)us.*

steenvorming ⟨de (v.)⟩ **0.1** [het vormen van (bak)stenen] *brickmaking* **0.2** [wijze waarop gesteentes ontstaan] *formation of rocks.*

steenvrucht ⟨de⟩ **0.1** *stone fruit* ⇒⟨wet.⟩ *drupe.*

steenweg ⟨de (m.)⟩ ⟨AZN⟩ **0.1** *(paved) road.*

steenwerk ⟨het⟩ **0.1** [werk in steen] *stonework* ⟨in natuursteen⟩; *brickwork* ⟨in baksteen⟩ **0.2** [keramisch produkt] *stoneware.*

steenwoestijn ⟨de⟩ **0.1** [stadsgebied zonder groen] *urban desert* ⇒*concrete jungle* **0.2** [woestijngebied] *stony/rocky desert.*

steenwol ⟨de⟩ **0.1** *mineral/rock wool.*

steenworp ⟨de (m.)⟩ **0.1** [worp met een steen] *throw of a stone* **0.2** [worp met dobbelstenen] *cast of the dice* **0.3** [afstand] *stone's throw* ◆ **6.3** hij woont op een ~ afstand *he lives within a stone's throw.*

steenzaad ⟨het⟩ **0.1** *stoneweed/-seed* ⇒*gromwell.*

steenzaag ⟨de⟩ **0.1** *stone saw.*

steenzetter ⟨de (m.)⟩ **0.1** [iem. die bakstenen telt en opzet] *brick stacker /piler* **0.2** [iem. die stenen aan dijkglooiingen plaatst] *stoneworker.*

steenzetting ⟨de (v.)⟩ **0.1** *bricklaying.*

steenziekte ⟨de (v.)⟩ **0.1** *(kidney) stones* ⇒⟨med.⟩ *calculi.*

steenzout ⟨het⟩ **0.1** *rock salt.*

steeple-chase ⟨de (m.)⟩ **0.1** [⟨paardesport⟩] *steeplechase* ⇒*chase* **0.2** [⟨atletiek⟩] *steeplechase* ⇒*chase.*

steepler ⟨de (m.)⟩ ⟨paardesport⟩ **0.1** *chaser.*

steevast ⟨bn., bw.;-ly⟩ **0.1** *invariable* ⇒*regular* ◆ **1.1** een ~ gebruik *a regular custom* **3.1** die jongen komt ~ te laat *that boy is always/invariably late.*

steg ⟨de (m.)⟩ ◆ **1.¶** ergens heg noch ~/weg noch ~ weten *be a total stranger in some place.*

steganografie ⟨de (v.)⟩ **0.1** *steganography.*

stegelreep ⟨de (m.)⟩ ⟨AZN⟩ **0.1** [riem waaraan de stijgbeugel hangt] *stirrup leather/strap* **0.2** [stijgbeugel] *stirrup* **0.3** [schroefmoer] *(butterfly/wing) nut.*

steiger ⟨de (m.)⟩ **0.1** [aanlegplaats] *landing (stage/place)* ⇒*quay, jetty* **0.2** [stelling] *scaffold(ing)* ◆ **2.2** een vliegende ~ *a gondola/cradle* **3.2** een ~ oprichten/afbreken *put up/raise/take down scaffolding* **6.2** in de ~s staan ⟨lett.⟩ *be in scaffolding* ⟨van gebouwen⟩; ⟨fig.⟩ *be under way/construction/in the pipeline;* in de ~s zetten *scaffold;* de ~s om de toren *the scaffolding around the tower.*

steigerbalk ⟨de (m.)⟩ **0.1** *scaffolding-beam* ⇒*ledger* ⟨evenwijdig aan muur⟩, *putlog* ⟨bevestigd in muur⟩.

steigeren ⟨onov. ww.⟩ **0.1** [mbt. paarden] *rear (up)* ⇒*prance, cavort* **0.2** [protesteren] *get up on one's hind legs, go up the wall* **0.3** [een steiger oprichten] *put up/raise scaffolding* ◆ **6.3** ⟨fig.⟩ meer kosten van ~ dan van dekken *it costs more to set up than to do, the preparation costs more than the job.*

steigergeld ⟨het⟩ **0.1** *quay dues, quayage* ⇒*harbour/port/landing dues.*

steigerhout ⟨het⟩ **0.1** [hout waarvan men steigers maakt] *scaffolding-wood* **0.2** [steigerpaal] *scaffolding-pole.*

steigerpaal ⟨de (m.)⟩ **0.1** *scaffolding-pole* ⇒*pile, standard.*

steigerplank ⟨de (v.)⟩ **0.1** *scaffolding-board/-plank.*

steil ⟨bn., bw.;-ly⟩ **0.1** [sterk oplopend/afdalend] *steep* ⇒⟨zeer steil⟩ *precipitous, sheer,* ⟨nogal steil⟩ *steepish* **0.2** [mbt. een beweging] *steep* **0.3** [star, bekrompen] *rigid* ⇒*uncompromising, dogmatic, inflexible* **0.4** [mbt. de wind] *strong* ⇒*stiff* ◆ **1.1** een ~e afgrond *a sharp drop;* ~ haar *spiky hair;* de ~e wand *the Wall of Death* **1.3** ~e begrippen *r./dogmatic concepts;* een ~ calvinist *a r./dour Calvinist* **3.1** ~er worden *steepen* **3.2** ~ dalen *fall away;* ⟨plotseling⟩ *plunge* ¶.**2** ⟨fig.⟩ ergens ~ van achterover slaan ⟨inf.⟩ *be bowled over/flabbergasted by sth..*

steilheid ⟨de (v.)⟩ **0.1** *rigidity* ⇒*dogmatism, inflexibility* ◆ **1.1** de ~ van zijn beginselen *the r./dogmatism of his principles.*

steiloor ⟨de (m.)⟩ **0.1** [dier] *donkey, ass* **0.2** [persoon] *dogmatist* ⇒*bigot, old fogey,* ⟨inf.⟩ *stick-in-the-mud.*

steilorig ⟨bn., bw.⟩ **0.1** [met steile oren] ⟨bn.⟩ *prick-eared* **0.2** [koppig] *obstinate* ⇒*stubborn, headstrong.*

steilschrift ⟨het⟩ **0.1** *perpendicular/upright (hand)writing.*

steilstarter ⟨de (m.)⟩ **0.1** *jumpjet* ⇒*VTOL/STOL (aircraft)* ⟨*Vertical/Short Take Off and Landing*⟩.

steilte ⟨de (v.)⟩ **0.1** [mate van steil-zijn] *steepness* **0.2** [sterk oplopende helling] *steep, precipice* **0.3** [⟨fig.⟩ hoogheid] *loftiness, sublimity* ◆ **1.3** de ~ der glorie *the s. of glory* **3.2** van een ~ neerstorten *plunge/crash down a p..*

steilwandig ⟨bn.⟩ **0.1** *steep-sided.*

stek

I ⟨de (m.)⟩ **0.1** [afgesneden takje] *cutting* ⇒*set, slip, scion* **0.2** [jonge bewortelde boom] *sprig, spray* **0.3** [voerplek voor vissen] *pitch* ⇒⟨inf.⟩ *cast* **0.4** [uitgekozen plekje] *niche* ⇒*den* **0.5** [aangestoken vrucht/plek] ⟨vrucht⟩ *blemished/bruised fruit;* ⟨plek⟩ *bruise* **0.6** [⟨sport⟩] *stick* **0.7** [vistuig] *eel-tackle* **0.8** [plaats waar grond afgegraven wordt] *quarry, pit* ◆ **2.4** dat is zijn liefste ~ *that is his favourite spot;* een vaste ~ hebben *have a n. (for o.s.)* **3.1** ~ken planten *plant out cuttings/slips* **3.4** hij heeft zijn ~(je) gevonden ⟨fig.⟩ *he has found his n./a n. for himself* **6.3** voer naar zijn ~ brengen *take feed to one's p./cast* **6.5** die appel zit vol met ~ken *that apple is full of bruises/blemishes.*

II ⟨het⟩ **0.1** [staketsel] *fence, paling* **0.2** [aangestoken groente/fruit] *damaged/blemished fruit/vegetables.*

stekeblind ⟨bn.⟩ **0.1** *stone-blind* ⇒*(as) blind as a bat* ◆ **3.1** je moet wel ~ zijn om dat niet te zien *you must be s.-b. not to see that.*

stekel ⟨de (m.)⟩ **0.1** [mbt. planten] *prickle* ⇒*thorn, spine* ⟨van cactus enz.⟩, ⟨AE ook⟩ *pricker* **0.2** [mbt. dieren] *spine* ⇒*prickle, quill* ◆ **3.2** zijn ~s opzetten ⟨fig.⟩ *bristle (up) (at), make one's hackles rise.*

stekelachtig ⟨bn.⟩ **0.1** [puntig] *prickly* ⇒*spiny, thorny, spiky* **0.2** [⟨fig.⟩] *sharp* ⇒*pungent, caustic* ◆ **1.2** ~e woorden *s./pungent/caustic words* **3.2** zij kan zo ~ iets zeggen *she can say things so sharply.*

stekelachtigheid ⟨de (v.)⟩ **0.1** [bitsheid] *sharpness* ⇒*pungency* **0.2** [bits gezegde] *cut* ⇒*hit, dig.*

stekelbaars ⟨de (m.)⟩ **0.1** *stickleback.*

stekelbes ⟨de⟩ **0.1** *gooseberry.*

stekelbrem ⟨de (m.)⟩ **0.1** *needlefurze.*

stekeldraad ⟨het⟩ **0.1** *barbed wire.*

stekelhaar ⟨het⟩ **0.1** [mbt. personen] *crew cut* ⇒⟨AE; inf.⟩ *GI haircut, bristle* ⟨vnl. op gezicht⟩ **0.2** [mbt. wol] *kemp.*

stekelhuidigen ⟨zn.mv.⟩ **0.1** *echinoderms.*

stekelig ⟨bn.⟩ **0.1** [vol stekels] *prickly* ⇒*spinose* ⟨vnl. mbt. planten⟩, *spiny* **0.2** [als stekels] *prickly* ⇒*spinous, spiny, thorny, bristly* **0.3** [⟨fig.⟩] *sharp* ⇒*pungent, cutting, tart, caustic* ◆ **1.1** ~e bladeren *p./spinose leaves;* een ~ gewas *a spinose plant* **1.2** een ~e baard *a bristly beard;* ~ haar *spiky hair, crew cut* **1.3** een ~e opmerking *a s./*⟨enz.⟩ *remark;* een ~e zet *a snappy/caustic remark* **3.2** ~ overeind staan *bristle (up)* **3.3** ~ doen *be tart/cutting/sarcastic.*

stekeligheid ⟨de (v.)⟩ **0.1** [puntigheid] *prickliness* ⇒*sharpness, spinosity* ⟨van planten⟩ **0.2** [bitsheid] *sharpness* ⇒*pungency, tartness, bite* **0.3** [scherpe opmerking] *cut* ⇒*hit, dig* ◆ **1.2** de ~ van zijn opmerking *the sting of his remark* **3.3** stekeligheden zeggen *make sharp/cutting/pungent/caustic remarks.*

stekelkrab ⟨de⟩ **0.1** *porcupine crab.*

stekelrog ⟨de (m.)⟩ **0.1** *thornback.*

stekeltje ⟨het⟩ **0.1** [kleine stekel] ⟨biol.⟩ *small spine/prickle* ⇒*spinule* **0.2** [⟨mv.⟩ haar] *crew cut* ⇒⟨AE; inf.⟩ *GI haircut* **0.3** [vis] *stickleback* ⇒⟨BE ook⟩ *tittlebat,* ⟨BE; inf.⟩ *tiddler* ◆ **3.2** hij had ~s laten knippen *he had had his hair cropped* **3.3** ~s vangen *catch sticklebacks* ⟨enz.⟩.

stekelvarken ⟨het⟩ **0.1** [knaagdier] *porcupine* ⟨Hystrix; Erethizon⟩ ⇒*hedgehog,* ⟨AE; inf.⟩ *porky* **0.2** [~ igel] *hedgehog* ◆ **8.1** zo kwaad/knorrig als een ~ *like a bear with a sore head, as prickly as a hedgehog.*

stekelvormig ⟨bn.⟩ **0.1** *spiny, spinulose.*

steken ⟨→sprw. 494⟩

I ⟨onov., ov.ww.⟩ **0.1** [verwonden] *stab* **0.2** [grieven] *sting* ⇒*cut* **0.3** [mbt. dieren/planten] *sting* ⇒*cut* **0.4** [⟨kaartspel⟩] *deal o.s. (unfairly)* ◆ **1.1** zalm ~ *sniggle salmon* **1.3** hij is door een bij gestoken *he has been stung by a bee* **1.4** hij had twee azen gestoken *he'd dealt himself two aces* **4.2** dat steekt (hem) *that sticks in one's/*⟨his⟩ *throat/stings* ⟨him⟩/*is galling (to him)/galls him* **6.1** een injectienaald ~ in *jab a hypodermic needle into;*

II ⟨ov.ww.⟩ **0.1** [in iets vastprikken] *stick* **0.2** [in een omhulsel bergen] *put, place* **0.3** [in een plaats/richting/toestand brengen] *put* **0.4** [op een plaats bevestigen] *put* ⇒*stick* **0.5** [uitspitten] *dig* ⇒*cut* **0.6** [door spitten/steken laten ontstaan] *dig* **0.7** [door te treffen in een toestand brengen] *stab* **0.8** [mbt. blaasinstrumenten] *sound, blow* **0.9** [afpassen] *measure off* **0.10** [peilen] *sample* ◆ **1.2** steek dat snoepje maar gauw in je mond *put/pop that sweet quickly in your mouth;* ⟨fig.⟩ veel tijd in iets ~ *spend a lot of time on sth.* **1.3** ⟨fig.⟩ de hoofden/de koppen bij elkaar ~ *put our/your/their heads together;* ⟨inf.⟩ go into a huddle; ⟨vaak scherts.⟩ powwow **1.5** asperges/turf ~ *cut asparagus/peat* **1.6** er werd een nieuw graf gestoken *a new grave was being dug;* ⟨scheep.⟩ een rif ~ *take in a reef* **1.8** de loftrompet over iem. ~ *trumpet s.o.'s praise,* [eulogize/extol s.o. **1.10** monsters ~s., *take samples* **2.7** alle banden waren lek gestoken *all the tyres had been punctured* **5.7** iem. overhoop ~ *stab s.o. to death* **6.1** een stok in de grond ~ *a pole into the ground;* iem. een mes tussen de ribben ~ *put a knife between s.o.'s ribs* **6.2** steek dat bij je *put it in your pocket;* het zwaard in de schede ~ *sheathe the sword;* zijn geld in een zaak ~ *put/sink/invest one's money in an undertaking;* dat kun je in je zak ~

⟨fig.⟩ *put that in your pipe and smoke it;* iem. **in** de nieuwe kleren ~ *set s.o. up in new clothes;* zich **in** het zwart ~ *dress in black;* ⟨fig.⟩ iets **in** een ander jasje ~ *give sth. a new look / a face-lift;* ⟨fig.⟩ al zijn energie **in** zijn werk ~ *put all one's energy into one's work;* hij stak de handen **in** de zakken *he put / slipped / thrust / stuck his hands into his pockets* **6.3** zij stak haar arm **door** de zijne *she slipped her arm under his;* zijn vingers **in** de oren ~ *p. one's fingers in one's ears;* de stekker **in** het stopcontact ~ *put / insert / plug the plug into the socket;* ⟨fig.⟩ zijn neus **in** andermans zaken ~ *stick / p. / poke / thrust one's nose into other people's affairs / business;* de draad **in** een naald ~ *thread a needle;* zich diep **in** de schulden / moeilijkheden steken *incur large debts / trouble;* iets **in** brand ~ *set fire to sth., p. / set a match to sth., ignite / kindle sth.;* iem. **in** de hoogte ~ ⟨fig.⟩ *praise s.o. to the skies;* de sleutel **in** het slot ~ *p. / insert / fit the key in(to) the lock;* een hand **in** het water ~ *dip a hand into the water;* **in** zee ~ *take the offing;* zijn hoofd **uit** het raam ~ *p. / pop one's head out of the window* **6.4** een ring **aan** zijn vinger ~ *p. / slip a ring on one's finger;* een veer **op** zijn hoed ~ *stick a feather in one's hat* **¶.3** iets in elkaar ~ *construct sth., p. sth. together;*
III ⟨onov.ww.⟩ **0.1** [vastzitten] ***stick*** **0.2** [in iets / ergens zijn] ***be*** **0.3** [gevoel van pijn veroorzaken] ***sting*** **0.4** [doorborend kijken] ***sting*** **0.5** [erop aan komen] ***matter*** **0.6** [⟨scheep.⟩ diep gaan] ***draw*** **0.7** [stekende beweging maken] ***thrust*** ⇒*prod, jab, stab* ◆ **1.2** er steekt een schrijver in hem *he has the makings of a writer* **1.3** haar ogen ~ van de slaap *her eyes are stinging from sleep;* de zon steekt *the sun burns* **1.6** het schip steekt twee meter *the ship draws two metres* **1.¶** zijn zakken ~ altijd vol pepermunt *his pockets are always full of / crammed with peppermints* **3.1** zijn stem bleef ~ *his voice caught;* hij bleef in zijn rede ~ *he dried up in his speech;* de woorden bleven me in de keel ~ *the words stuck in my throat;* ergens in blijven ~ *get stuck / bogged (down) in / with sth.;* in de modder blijven ~ *be bogged down, s. (fast) in the mud;* plotseling blijven ~ *come to a dead stop, stop dead* **5.2** daar steekt iets achter *there is sth. behind it;* daar steekt meer achter *there is more to it than meets the eye* **5.5** dat steekt zo nauw niet *that does not m. so much* **6.2** haar voeten staken **in** rode schoentjes *she had little red shoes on, her feet were shod in little red shoes;* **in** de schulden ~ *have run into debt, be indebted;* de sleutel steekt **in** het slot *the key is in the lock.*

stekend ⟨bn., bw.⟩ **0.1** [prikkend] ***prickly*** **0.2** [vinnig kijkend] ***stinging*** ⇒*piercing* **0.3** [scherp, pijnlijk] ***stinging*** ⇒*sharp, stabbing, shooting, piercing, acute* **0.4** [grievend] ***stinging*** ⇒*cutting, sharp* **0.5** [schuin omhoog lopend] ≠***diagonal*** ⇒*sloping, slanting, oblique* ◆ **1.1** een ~e baard *a p. beard* **1.2** een ~e blik *a s. / piercing look;* ~e ogen *s. / piercing eyes* **1.3** een ~e pijn *a stinging / sharp / stabbing / shooting / piercing pain* **1.4** ~e woorden *s. / cutting / sharp words* **3.5** de paaltjes worden ~ gezet *the posts are raised diagonally.*

steker ⟨de (m.)⟩ **0.1** [werktuig waarmee men steekt] ***pricker*** **0.2** [turfsteker] ***peat cutter*** **0.3** [monsternemer] ***sampler*** **0.4** [stekker] ***plug.***

stekken ⟨onov., ov.ww.⟩ **0.1** ***slip, pipe, strike*** ◆ **1.1** planten ~ *strike cuttings of / slip plants.*

stekker ⟨de (m.)⟩ **0.1** ***plug*** ◆ **3.1** de ~ uit het stopcontact halen *unplug the p., disconnect the p. from the power point / socket.*

stekkerdoos ⟨de⟩ **0.1** ***multiple socket.***

stekkie ⟨het⟩ ⟨inf.⟩ **0.1** ***hideaway*** ⇒ᴬ*hide-out,* ⟨ongemarkeerd⟩ *stamping ground.*

stekpotje ⟨het⟩ **0.1** ***cutting pot.***

stekske ⟨het⟩ ⟨AZN⟩ **0.1** ***match.***

stel ⟨het⟩ **0.1** [reeks, set] ***set*** **0.2** [tweetal personen] ***couple*** ⇒*pair* **0.3** [aantal] ***couple*** ⇒*lot* **0.4** [kooktoestel] ***cooker*** ⇒*stove* **0.5** [onderstel v.e. wagen] ***undercarriage*** ◆ **1.1** een ~ kaarten *a pack of cards;* een ~ tafelgoed *a s. of table-linen* **1.3** de beste v.h. ~ *the best of the bunch;* een leuk ~ kinderen *a nice c. of children;* een ~ vrienden *a c. of friends* **1.¶** ⟨AZN⟩ op ~ en sprong zitten om *be about to;* op ~ en sprong *immediately, right away, at a moment's notice, then and there* **2.1** hij heeft een goed ~ hersens *he has a good brain* **2.2** een pas getrouwd ~ *newly weds, a newly wed c.;* een verloofd ~ *an engaged c.* **2.3** een heel ~ *quite a few;* ⟨iron.⟩ dat is ook een mooi ~ bij elkaar *they are a fine / pretty lot* **6.¶** **op** ~ zijn / maken *be / get settled (in);* **van** ~ zijn *be at sixes and sevens* **7.1** ik neem drie ~ kleren mee *I shall take three sets of clothes with me.*

stèle ⟨de⟩ **0.1** [grafzuil] ***stele*** **0.2** [⟨plantk.⟩] ***stele.***

stelen ⟨→sprw. 128,239,547,551⟩
I ⟨onov., ov.ww.⟩ **0.1** [heimelijk wegnemen] ***steal*** ⇒*make off / away with, thieve,* ⟨schr.⟩ *purloin* ◆ **1.1** ⟨basketbal⟩ een bal ~ *poach a ball;* ⟨fig.⟩ iemands eer en goede naam ~ *cast a reflection (up)on s.o. / s.o.'s honour, compromise s.o.;* ⟨fig.⟩ iemands hart ~ *steal s.o.'s heart;* een kus ~ *s. / snatch a kiss* **3.1** dat / hij kan me gestolen worden *I'd be well shot of it / him, I'd be better off without that / him, if only I could be rid of that / him;* ⟨soms ook⟩ *good riddance* **5.1** dwangmatig ~ *be a kleptomaniac /* ⟨inf.⟩ *a klepto* **6.1** dat is **om** te ~ *isn't that pretty?;* je ziet eruit **om** te ~ *you look a knockout;* ⟨AZN⟩ iem. de woorden **uit** de mond ~ *take the words out of s.o.'s mouth;* **uit** stelen gaan *go thieving;* **uit** een boek ~ *plagiarize (from) a book;* dat idee heeft hij **van** mij gestolen *he has picked my brains for that one;*
II ⟨ov.ww.⟩ **0.1** [van stelen ontdoen] ***stem.***

steler ⟨de (m.)⟩ ⟨schr.⟩ ⟨→sprw. 272⟩ **0.1** ***stealer*** ⇒*purloiner, larcener* ᴬ*ist.*

stelhamer ⟨de (m.)⟩ **0.1** ***tuning key.***

stelhout ⟨het⟩ **0.1** ***wooden ratchet.***

stelijzer ⟨het⟩ **0.1** ***iron / metal ratchet.***

stelkunde ⟨de (v.)⟩ **0.1** ***algebra.***

stelkundig ⟨bn.⟩ **0.1** ***algebraic(al)*** ◆ **1.1** ~e vergelijkingen *algebraic equations.*

stellage ⟨de (v.)⟩ **0.1** [tijdelijk gebouwde verhoging] ***stand*** ⇒*stage, platform, scaffold(ing)* ⟨van steiger⟩ **0.2** [opbergrek] ***rack*** ⇒*stillage* **0.3** [getimmerte ter ondersteuning] ***gantry*** ⇒*rickstand* ⟨voor hooiberg⟩ ◆ **2.1** een planken ~ voor de muzikanten *a board stage / platform for the musicians.*

stellair ⟨bn.⟩ **0.1** ***stellar.***

stellen ⟨→sprw. 67⟩
I ⟨ov.ww.⟩ **0.1** [in een toestand / positie (aan)brengen] ***put*** ⇒*set, make* **0.2** [plaatsen, neerzetten] ***put*** ⇒*place, erect* **0.3** [in de gewenste stand brengen] ***set*** ⇒*adjust, regulate, lay, train* ⟨een kanon⟩ **0.4** [doen, uiten] ***put*** ⇒*pose* **0.5** [voorschrijven] ***dictate*** ⇒*lay down* **0.6** [vaststellen] ***put*** ⇒*fix, set* **0.7** [veronderstellen] ***suppose*** **0.8** [beweren] ***state*** ⇒*argue, allege* **0.9** [⟨+op⟩ begroten] ***estimate / rate at*** **0.10** [achten] ***regard*** **0.11** [voor een functie aanwijzen] ***put forward*** **0.12** [klaarspelen, redden] ***manage*** ⇒*(make) do, get along,* ⟨inf.⟩ *get by* **0.13** [in een toestand verkeren] ***be (doing)*** ◆ **1.3** een kijker ~ *adjust (a pair of) binoculars;* een machine ~ *adjust / regulate a machine;* een raam ~ in een bouwwerk *s. a window in a building;* ⟨fig.⟩ zijn vertrouwen ~ op / in iets / iem. *put / place one's trust in s.o. / sth.* **1.4** een probleem ~ *put / state / pose / posit a problem;* een vraag / een alternatief ~ *put / ask a question, formulate / suggest an alternative* **1.5** iem. de wet ~ *lay down the law to* **1.6** een borg ~ *fix bail;* een limiet ~ *set a limit;* een prijs op iemands hoofd ~ *p. / set a price on s.o.'s head;* een prognose / diagnose ~ *make a forecast;* ⟨diagnose⟩ *diagnose, make a diagnosis;* een termijn ~ *fix a time / term;* een ultimatum ~ *deliver / issue an ultimatum* **1.7** stel het geval v.e. leraar die ... *take the case of a teacher who ...* **1.8** ⟨jur.⟩ een feit ~ *s. / allege a fact* **1.¶** belang ~ in iets / iem. *be interested / take an interest in sth. / s.o.* **2.1** iem. iets beschikbaar ~ *p. sth. at s.o.'s disposal;* zich herkiesbaar ~ *be up for re-election;* iem. verantwoordelijk ~ (voor iets) *hold s.o. responsible (for sth.), lay / put the blame (for sth.) on s.o.* **2.10** iets als onwaarschijnlijk ~ *consider sth. unlikely / improbable* **2.13** het is er lelijk mee gesteld *it is in a bad way / deplorable state, the situation is bad* **4.12** ik kan het hier niet alleen ~ *I cannot get on here on my own;* we zullen het met minder moeten ~ *we'll have to make / do with less* **5.1** laat mij dit even duidelijk ~ *let me get this right / clear / straight* **5.2** zijn eigen belang hoger ~ dan dat van een ander *put one's own interests before those of others;* de problemen waarvoor wij gesteld zijn *the problems facing / before / confronting us* **6.1** iem. / iets / zich **in** zekerheid ~ *put s.o. / sth. out of harm's way;* alles **in** het werk ~ ⟨fig.⟩ *leave no stone unturned;* iem. **in** staat van beschuldiging ~ *indict / charge s.o.;* iem. **in** verzekerde bewaring ~ *take s.o. into custody / safekeeping;* iets **in / buiten** werking ~ *p. sth. into / out of action, activate / deactivate sth.;* zich **onder** behandeling ~ *place o.s. in the hand of a doctor;* **onder** curatele ~ *put s.o. in / under ward;* iem. **op** de hoogte / **in** kennis ~ van *acquaint / inform / notify s.o. of sth.;* iem. **op** vrije voeten ~ *set s.o. free / at liberty;* iem. **op** zijn gemak ~ *p. / set s.o. at his / her ease;* zich **te** weer ~ *stand at bay;* **te** werk ~ *set to work;* **ten** dienste ~ *p. at the service (of);* **ter** beschikking ~ *provide, supply, furnish, make available;* zich **tot** taak ~ iets te doen *make it one's task to do sth., set o.s. the task of doing sth.;* iem. **voor** een (voldongen) feit ~ *present s.o. with a fait accompli* **6.2** iets / iem. **in** de plaats ~ van *substitute s.o. / sth. for;* iem. **in** het ongelijk ~ *put s.o. in the wrong;* iem. **in** het gelijk ~ *put s.o. in the right, decide in s.o.'s favour;* **op** de voorgrond ~ *bring to the fore;* ⟨fig.⟩ (zich) **op** een standpunt ~ *take a position / line;* iets **te** boek / **op** papier ~ *put sth. on record / paper;* iets **tegenover** iets anders ~ *oppose sth. against / to sth. else, contrast one thing with another;* **ter** zijde ~ ⟨fig.⟩ *put / set aside;* **ter** hand ~ *hand (over), deliver (into s.o.'s hands);* ⟨fig.⟩ iets **voor** ogen ~ ⟨doen zien⟩ *visualize sth.;* ⟨een voorstelling hebben van⟩ *visiluaze / picture sth.;* je opmerkingen ~ me **voor** een probleem *your remarks present me with a problem* **6.11** iem. **ten** voorbeeld ~ *hold s.o. up as an example* **6.12** veel **te** ~ hebben met iem. / iets *have one's hands full with s.o. / sth.;* het **zonder / buiten** iets / iem. moeten ~ *have to do without sth. / s.o.* **6.13** hoe is het gesteld **met** zijn vrouw? *how is his wife (doing)?;* het is niet zo best **met** hem gesteld *he is not doing too / so well, he is in a bad way, all is not well with him* **8.5** als regel ~ *make it a rule* **8.7** (ge)stel(d), dat dit zo is *s. / say this were true / this were the case* **¶.7** ⟨nat.⟩ stel een druk p en een volume v *let pressure be p and volume v;*
II ⟨onov., ov.ww.⟩ **0.1** [opstellen] ***draw up*** ⇒*write* ◆ **1.1** een brief / rekest ~ *draw up a petition, write a letter* **5.1** goed ~ *be a good stylist;* de brief was slecht gesteld *the letter was badly worded / ill-written.*

stellend ⟨bn.⟩ ⟨taal.⟩ ◆ **1.¶** (van adjectieven) de ~e trap *the positive degree.*

steller ⟨de (m.)⟩ **0.1** *writer* ⇒*scribe* ◆ **2.1** hij is een goed~ *he is a good stylist* **4.1** ~ dezes *the (present) w.*.

stelletje ⟨het⟩ **0.1** [⟨pej.⟩ zootje] *bunch* ⇒*rabble, mob* **0.2** [paartje] *couple, pair* ◆ **1.1** wat een~ idioten/stommelingen *what a b. of idiots;* ~ schoften! *you bastards!* **3.2** die twee vormen een~ *those two form/ make a c.* ¶.**1** een~ ongeregeld *a disorderly/ wild b./ mob.*

stelliet ⟨het⟩ **0.1** *stellite.*

stellig

I ⟨bn., bw.;-ly⟩ **0.1** [werkelijk, wezenlijk] *positive* ⇒*distinct, decided* **0.2** [beslist, zeker] *definite* ⇒*certain, positive* ◆ **1.1** een~e mogelijkheid *a distinct possibility;* het~e recht *p. law;* een~e verbetering *a distinct improvement* **1.2** een~ bewijs *positive proof/ proof positive;* in de~e overtuiging verkeren *be of firm opinion, be confident;* op~ toon *in a peremptory tone, assertively;* in de~e verwachting verkeren *confidently expect;* het~e voornemen hebben om *have the/ a firm intention to* **2.1** dit resultaat is~ beter *this result is decidedly better* **3.2** ik geloof het~ *I do not doubt it;* hij komt~ *he is sure/ bound to come* **6.2** ⟨zelfst.⟩ iets ten~ste verzekeren *assure s.o. of sth. (most) emphatically/ firmly;* ik raad je ten~ste aan *I strongly advise you;* ten~ste ontkennen *deny outright/ flatly/ categorically;*

II ⟨bw.⟩ **0.1** [zeer waarschijnlijk] *surely* ◆ **3.1** hij zou~ te laat zijn gekomen *he would have s. been late.*

stelligheid ⟨de (v.)⟩ **0.1** [beslistheid] *positiveness, certainty* **0.2** [stellige uitlating] *dogmatic assertion* ◆ **1.1** de~ van zijn toon *the p. of his tone* **6.1** dit bericht wordt **met**~ tegengesproken *this information has met with a categoric denial.*

stelling ⟨de (v.)⟩ **0.1** [het stellen van een vraag/probleem] *posing* **0.2** [wijze waarop iets/iem. is geplaatst] *position* **0.3** [terrein door een legermacht ingenomen] *position* **0.4** [steiger] *scaffold(ing)* **0.5** [staand rek] *rack* **0.6** [beginsel] *proposition* ⇒*postulate* **0.7** (⟨wisk.⟩] *theorem* ⇒*proposition* **0.8** [mbt. een promotie] *thesis* **0.9** [omloop rond windmolens] *gallery, balcony* **0.10** [getimmerte] *framework* ⇒*gantry* ◆ **1.6** de~ van Luther *the theses of Luther* **1.7** de~ van Pythagoras *Pythagoras' t.* **2.2** ⟨schaken, dammen⟩ een gunstige~ opbouwen *build up a favourable p.* **2.6** een onhoudbare~ *an untenable proposition* **3.3** de~ en betrekken *take up the positions;* ~ nemen tegen ⟨fig.⟩ *make a stand against, set one's face against;* ~ nemen tegen de vijand *make a stand against the enemy;* de~en zijn ingenomen ⟨fig.⟩ *positions have been taken* **3.6** een~ poneren *advance/ put forward a proposition* **6.2** zwaar geschut **in**~ brengen *bring the heavy cannon to bear;* het geschut **in**~ brengen *place the guns in p.* **6.5** een vat bier **op**~ leggen *rack a cask of beer.*

stellingmolen ⟨de (m.)⟩ **0.1** *tower mill.*

stellingname ⟨de⟩ **0.1** *position, stand* ⇒*attitude.*

stellingoorlog ⟨de (m.)⟩ **0.1** *trench warfare* ⇒*war of position.*

stelliniaal ⟨het, de⟩ **0.1** *adjustable gauge.*

stelmoer ⟨de⟩ **0.1** *adjusting nut.*

stelnet ⟨het⟩ **0.1** *fixed net.*

stelpen[1] ⟨de⟩ **0.1** *peg.*

stelpen[2] ⟨ov.ww.⟩ **0.1** *staunch* ⇒*stem, stop, check* ◆ **1.1** bloed~ *stop/ stem blood;* tranen~ *console;* een wond~ *staunch/ stem/ check the flow of blood/ the blood flow from a wound.*

stelplicht ⟨de⟩ **0.1** *obligation to furnish the facts, obligation to produce prima facie evidence.*

stelpost ⟨de (m.)⟩ **0.1** *approximate estimate* ◆ **3.1** een~ opvoeren op de begroting *give an approximate estimate.*

stelregel ⟨de (m.)⟩ **0.1** *principle* ⇒*maxim* ◆ **2.1** een goede~ *a good rule to go by* **3.1** een~ aannemen *adopt a p.* **6.1** zich iets **tot/ten**~ nemen *make a p. of sth.* **8.1** ik hanteer de~ dat ...*I stick to the p. that ....*

stelring ⟨de (m.)⟩ **0.1** *adjusting ring.*

stelschroef ⟨de⟩ **0.1** *setscrew.*

stelsel ⟨het⟩ **0.1** [samenstel van delen] *system* **0.2** [systeem, indeling] *system* **0.3** [geheel van opvattingen/regels] *system* ◆ **1.1** een~ van onderaardse gangen *a s. of underground tunnels/ passages* **1.2** ~ van maten en gewichten *s. of weights and measures* **2.2** ⟨wisk.⟩ het tientallig~ *the decimal s., the ordinary/ denary scale* **2.3** continentaal~ *Continental System;* een economisch~ *an economic s./ economy;* een koloniaal/ feodaal~ *a colonial/ feudal s.;* een staatkundig/ parlementair~ *a political/ parliamentary s.* **3.3** een~ opbouwen/bestrijden/ omverwerpen *construct/ combat/ demolish a s.*

stelselloos ⟨bn., bw.;-(ally)⟩ **0.1** *unsystematic* ⇒*unmethodical, haphazard* ◆ **1.1** de stelselloze maatregelen v.d. regering *the unsystematic measures of the Government* ¶.**1** ~ te werk gaan *proceed unsystematically/ haphazardly.*

stelselmatig ⟨bn., bw.;-(al)ly)⟩ **0.1** [methodisch] *systematic* ⇒*methodical* **0.2** [consequent] *consistent* **0.3** [volgens een vooropgezet patroon] *systematic* ◆ **1.2** een~ stilzwijgen *a c. silence* **3.1** iets~ onderzoeken *investigate sth. systematically/ methodically* **3.2** ~ kritiek leveren *be consistently critical.*

stelt ⟨de⟩ **0.1** [loopstok] *stilt* **0.2** [⟨inf.⟩ been] *pin* ⇒*peg, underpinnings* ⟨mv.⟩ ◆ **2.2** lange~en hebben *have long legs, be long-legged/ a long-legs* **6.1** **op**~en lopen *walk on stilts* **6.**¶ het hele huis stond/ was **op**~en *the whole house was in an uproar;* de boel **op**~en brengen/zetten *raise hell/ Cain.*

stelthak ⟨de⟩ **0.1** *stiletto heel.*

steltlopen ⟨ww.⟩ **0.1** *walk on stilts, stilt-walk.*

steltloper ⟨de (m.)⟩, **-loopster** ⟨de (v.)⟩ **0.1** *stilt-walker.*

steltlopers ⟨zn.mv.⟩ **0.1** *stilt-birds* ⇒*stilts, long-legged waders, grallatorial birds.*

steltpoot ⟨de (m.)⟩ **0.1** *stilt.*

steltvoet ⟨de (m.)⟩ **0.1** *pes equinus, equinus deformity.*

steltwortel ⟨de (m.)⟩ ⟨plantk.⟩ **0.1** *prop root, buttress root* ⇒*knee* ⟨van cypres⟩.

stem ⟨de⟩ **0.1** [vermogen geluid voort te brengen] *voice* **0.2** [voortgebracht geluid] *voice* **0.3** [zangpartij] *part, voice* **0.4** [kiesstem] *vote* **0.5** [stemrecht] *vote* ⇒⟨zeggenschap⟩ *voice, say,* ⟨stemrecht⟩ *suffrage* **0.6** [orgelregister] *stop, register* **0.7** (⟨taal.⟩ het trillen van de stembanden] *voice* ◆ **1.2** ⟨fig.⟩ de~ v.h. bloed *the call of the blood;* ⟨fig.⟩ de~ v.h. geweten *the still small v., the dictates of one's conscience;* ⟨fig.⟩ de~ v.d. natuur/het hart *the v. of nature, the call of the wild;* ⟨v.h. hart⟩ de~ v. of one's heart;* ⟨fig.⟩ de~ v.h. volk *the v. of the people, (the) vox populi;* ⟨fig.⟩ de~ v.d. wind *the v. of the wind* **1.4** beiden behaalden een gelijk aantal~men *it was a tie between the two* **2.2** een blanco~ (uitbrengen) *an abstention;* ⟨uitbrengen⟩ *abstain;* hij sprak met gebroken~ *his v. broke as he spoke;* met gedempte~ spreken *speak in an undertone;* een hoge~ *metje a treble, a peeping/small v.;* met luide~ *out loud;* een waarschuwende~ laten horen *sound a note of warning* **2.4** met algemene~men *by common/ general consent / assent, unanimously, nem. con.;* gesplitste~ *split ticket;* de meeste~men gelden *the majority decides/ rules;* schriftelijke~ *absentee ballot;* zwevende~men *the floating v., the don't-knows* **2.5** hij heeft maar een adviserende~ *he is just an advisor/ only has an advisory function/ has a voice but no vote* **3.1** zijn~ verliezen *lose one's v.* **3.2** er gaan~men op *voices are heard, people are saying (that);* zijn~ doen/laten horen *be vocal, make one's v. heard;* haar~ sloeg over van woede *her v. broke with anger;* zijn~ verdraaien *disguise one's v.;* zijn~ verheffen *raise/ lift up one's v.;* zijn~ verheffen tegen *raise one's v. (in protest) against, cry out against;* zijn~ wisselt *his v. is changing/ breaking/ turning/ cracking* **3.4** zijn partij heeft~men gewonnen *his party has gained a (larger) margin (of votes);* hij kreeg/behaalde maar 100~men *he got/ received/ polled only 100 votes;* de~men opnemen *collect and count the votes;* de~men staken *there is a tie, the votes are equally/ evenly divided;* de~men tellen *tell/ count the votes;* zijn~ uitbrengen *give/ enter one's v., cast one's v./ ballot, go to the polls;* zijn~ uitbrengen op iem. *vote for s.o., give one's v. to s.o.;* ~men werven *canvass, electioneer;* de~men zijn verdeeld *opinions vary/ are mixed* **3.5** zijn~ aan iets geven *support sth.;* ~ hebben in een vergadering ⟨een stem mogen uitbrengen⟩ *have a vote in a meeting;* ⟨mogen spreken⟩ *have a voice in the meeting;* een~ in het kapittel hebben *have a say/ voice in the matter* **5.4** er was maar één~ tegen *there was only one dissenting (v.)* **6.1** goed **bij**~ zijn *be in good v.;* niet **bij**~ zijn *be out of v.* **6.4** bij meerderheid **van**~men *by a majority* **7.3** de eerste/ tweede~ zingen *take the first/ second p./ v.* **7.4** hij heeft de meeste~men *he heads/ tops the poll, he's at the top/ head of the poll;* hij heeft de minste~men *he's at the bottom of the poll* **8.2** een~ als een klok *a v. as clear as a bell* ¶.**2** ⟨fig.⟩ een~ van binnen *an inner v., the still small v. (of conscience).*

stemadvies ⟨het⟩ **0.1** *advice on how to vote).*

stemafdruk ⟨de (m.)⟩ ⟨taal.;comp.⟩ **0.1** *(sound) spectrogram* ⇒*voiceprint.*

stemballetje ⟨het⟩ **0.1** *ballot.*

stemband ⟨de (m.)⟩ **0.1** *vocal cord.*

stembereik ⟨het⟩ **0.1** *range (of the/ his/ a* ⟨enz.⟩ *voice), compass (of the/ his/a* ⟨enz.⟩ *voice).*

stembeugel ⟨de (m.)⟩ ⟨muz.⟩ **0.1** *crook* ⇒*shank.*

stembiljet ⟨het⟩ **0.1** *ballot (paper)* ⇒*ticket* ◆ **2.1** een ongeldig~ *an invalid ballot* **3.1** een~ invullen *fill in/ up/ mark one's ballot.*

stembreuk ⟨de⟩ **0.1** *change/ breaking of voice.*

stembriefje ⟨het⟩ **0.1** *ballot (paper).*

stembuiging ⟨de (v.)⟩ **0.1** *inflection* ⇒*modulation, intonation, cadence.*

stembureau ⟨het⟩ **0.1** [stemlokaal] *polling* [B]*station/*[A]*place* ⇒(BE ook) *returning station,* ⟨niet concr.⟩ *poll* **0.2** [college van personen] *polling committee* ◆ **1.2** de voorzitter v.h.~ *presiding officer of the polling station/ place;* ⟨BE, Austr.E⟩ *returning officer.*

stembus ⟨de⟩ **0.1** [bus voor stembriefjes] *ballot box* **0.2** [stemming] *poll* ◆ **6.1 naar** de~ gaan *go to the polls, poll* **6.2 aan/bij** de~ de overwinning behalen *gain the vote, win at the polls;* ⟨fig.⟩(als winnaar) **uit** de~ komen *be/ stand at the head/ top of the p., head/ top the p., come out on top;* met 20.000 stemmen **uit** de~ komen *poll 20,000 votes.*

stembusakkoord ⟨het⟩ **0.1** *electoral pact, pre-election alliance, agreement on a joint platform.*

stemdistrict ⟨het⟩ **0.1** *constituency* ⟨2e kamer⟩ ⇒*borough* ⟨2e kamer, gemeenteraad⟩, *ward* ⟨gemeenteraad⟩.

stemfluitje ⟨het⟩ ⟨muz.⟩ **0.1** *pitch pipe* ⇒*tuning pipe.*

stemgedrag ⟨het⟩ **0.1** *voting behaviour.*

stemgeluid ⟨het⟩ **0.1** *voice* ⇒*tone/timbre of one's voice.*

stemgember ⟨de (m.)⟩ **0.1** *stem ginger.*

stemgerechtigd ⟨bn.⟩ **0.1** *entitled to vote* ⇒*qualified to vote, enfranchised in* ⟨in algemene verkiezing⟩ ◆ **1.1** de ~e leden *the voting members;* de~e leeftijd hebben *be of voting age* **3.1** ~ zijn *have the vote, have a/ the right to vote* **5.1** niet~ *ineligible to vote.*

stemgerechtigde ⟨de (m.)⟩ **0.1** *voter* ⇒*voting member* ⟨in vergadering⟩.

stemhamer ⟨de (m.)⟩⟨muz.⟩ **0.1** *tuning hammer.*

stemhebbend ⟨bn.⟩ **0.1** [⟨taal.⟩ *voiced* **0.2** [stemgerechtigd] (→**stemgerechtigd**) ◆ **1.1** ~e medeklinkers *v./soft consonants.*

stemhokje ⟨het⟩ **0.1** *(voting) booth* ⇒*polling booth.*

stemkaart ⟨de⟩ **0.1** *poll card.*

stemklank ⟨de (m.)⟩ **0.1** *phonation.*

stemlokaal ⟨het⟩ **0.1** *polling* [B]*station/*[A]*place* ⇒⟨BE ook⟩ *returning station.*

stemloos ⟨bn.⟩ **0.1** [⟨taal.⟩] *voiceless* ⇒*unvoiced, surd* **0.2** [zonder stem] *voiceless* ⇒*mute, dumb* ◆ **1.1** stemloze medeklinkers *v./unvoiced/ sharp/surd consonants, surds* **3.1** ~ maken *unvoice, devocalize, devoice;* ~ uitspreken *unvoice, pronounce without voice.*

stemma ⟨het⟩⟨lit.⟩ **0.1** *stemma.*

stemmachine ⟨de (v.)⟩ **0.1** *voting machine.*

stemmen

I ⟨onov., ov.ww.⟩⟨muz.⟩ **0.1** [op de juiste toonhoogte(n) brengen] *tune* ⇒*voice* ⟨orgel⟩, *tune up* ⟨orkest⟩ ◆ **2.1** een viool een halve toon hoger ~ *tune a violin half a tone higher* **6.1** op toon ~ *tune to pitch;*
II ⟨onov.ww.⟩ **0.1** [kiezen] *vote* ⇒*cast one's vote,* ⟨naar stembus gaan⟩ *poll, (cast one's) ballot* ⟨met briefje⟩, *divide* ⟨parlement⟩ **0.2** [⟨muz.⟩ onderling gelijke klank hebben] *be in tune (with each other)* **0.3** [overeenkomen] *agree* ⇒*correspond, tally* ◆ **2.1** blanco~ *abstain (from voting),* en **3.1** ga jij ~? *are you going to the polls?;* laten wij tot ~ overgaan *let's take a vote (on it)* **5.1** hoofdelijk (laten)~ *poll;* stem (op) links! *v. left!;* er werd niet gestemd *no vote was taken;* schriftelijk (laten)~ *ballot;* ik stem tegen/voor *I v. for/against it; I vote in favour* ⟨voor⟩ **6.1** ~ met handopsteken *v. by (a) show of hands;* op wie stemt zij? *whom is she voting for?, whom is she giving her vote to?;* ~ over *een voorstel v. on a motion;* er werd over het voorstel gestemd *the motion was put (to the vote/meeting), a vote was taken on the motion;* per brief ~ *cast an absentee ballot* **6.2** de fluit stemt met de piano *the flute is in tune with the piano;*
III ⟨ov.ww.⟩ **0.1** [in een stemming brengen] *make (feel)* ◆ **2.1** iem. gunstig ~ *placate/conciliate/propitiate s.o., get in s.o.'s good books, rub s.o. up the right way;* het stemt ons hoopvol *it is encouraging;* iem. (on)gunstig ~ voor een plan *predispose s.o. in favour of/against a plan;* dat stemt mij treurig *that makes me (feel) sad, that saddens me;* iem. zacht(er) ~ ⟨jegens⟩ *mollify/soften s.o. (towards)* **6.1** dit bericht stemt mij tot vreugde/tevredenheid *this news is a source of happiness /satisfaction to me, this is happy/gratifying news;* dat stemt tot nadenken *this is food for thought, this challenges/provokes thought.*

stemmenoverdracht ⟨de⟩ **0.1** *transfer(ence) of votes.*

stemmenoverschot ⟨het⟩ **0.1** *excess of votes (over the number required for election).*

stemmenverhouding ⟨de (v.)⟩ **0.1** *proportion/ratio of votes* ⇒*voting ratio* ◆ **6.1** een ~ van 100 tegen 20 *a vote of 100 to 20.*

stemmer ⟨de (m.)⟩ **0.1** [instrumentenstemmer] *tuner* **0.2** [kiezer] *voter.*

stemmig ⟨bn., bw.; -ly⟩ **0.1** *sober* ⇒*subdued,* ⟨persoon ook⟩ *grave, sedate,* ⟨aankleding ook⟩ *quiet* ◆ **1.1** ~e kleuren *muted/quiet/subdued colours;* ~e muziek *grave/solemn music;* een ~ muziekje *easy listening music* ⟨sfeervol⟩; in ~ zwart *in decent/sober black* **3.1** ~ gekleed gaan *be dressed quietly/soberly.*

stemming ⟨de (v.)⟩ **0.1** [gemoedsgesteldheid] *mood* ⇒*frame/state of mind, spirits, vein* **0.2** [gezindheid] *feeling* ⇒*sentiment, attitude* **0.3** [het uitbrengen v.d. stem] *vote* ⇒*voting, ballot* ⟨met briefjes⟩, *division* ⟨parlement⟩, *poll(ing)* ⟨verkiezing⟩ **0.4** [⟨kunst.⟩] *tone* ⇒*tendency, sentiment* **0.5** [het op de juiste toon brengen] *tuning* **0.6** [zuiverheid] *tune* ◆ **1.4** ~en en koersen *tendencies and prices* **2.1** aan ~ onderhevig *moody;* de opgetogen ~ v.d. conferentie *the elated spirit of the conference;* in een slechte/goede ~ zijn *be in a bad/good m., be in low/high spirits,* ⟨slecht ook⟩ *be out of sorts;* een vrolijke ~ *high spirits, a merry m.* **2.2** er heerst een vijandige ~ *there is an air of hostility, feelings are hostile* **2.3** een geheime ~ *a secret ballot;* een hoofdelijke ~ *a poll;* een schriftelijke ~ *a (vote by) ballot* **2.4** een flauwe/lusteloze /gedrukte ~ *sluggish trading;* een vaste ~ *steady trading* **3.1** die schilder beeldt ~en uit *that painter catches/captures moods;* de ~ erin brengen *raise the spirits, break the ice;* de ~ steeg ten koste v.h. peil *spirits rose as the tone declined* **3.2** ~ maken voor/tegen iets/iem. *rouse popular f./create sentiment for/against s.o./ sth.* **3.3** ~ (aan)vragen/verlangen *call for the question, demand a vote/ballot; challenge a division* ⟨in parlement⟩; de ~ gaat tussen twee partijen *the vote lies between two parties;* een ~ houden *take a vote/ballot/ poll, hold a ballot/poll;* zich van ~ onthouden *abstain (from voting);* om een ~ vragen *call for the question/ a ballot/a vote* **3.4** de ~ was verdeeld *trading was mixed* **6.1** voor iets in de ~ zijn *be in the m. for sth.;* ik ben niet in de ~ om te werken *I don't feel like working, I'm not*

in the m. for work; in de ~ geraken *warm up, get in the m.;* in de ~ brengen *warm up, get in the m.* **6.3** iets bij ~ verwerpen/goedkeuren *vote sth. down/through;* bij/door ~ beslissen *decide on a vote/at a ballot/on/at a poll/by vote;* een ~ door handopsteking *a show of hands;* in ~ brengen *put to the vote/meeting, vote on;* tot ~ overgaan *proceed to the vote, take a vote, apply closure to a debate, put the question* **¶.1** de ~ zit erin *spirits are high.*

stemmingmakerij ⟨de (v.)⟩⟨pej.⟩ **0.1** *rousing of public sentiment* ⇒*rousing of public/popular feeling, rabble-rousing* ◆ **¶.1** zich schuldig maken aan ~ *be guilty of rabble-rousing, disturb the peace.*

stemmingsbeeld ⟨het⟩ **0.1** *portrayal of a mood, mood-picture.*

stemoefening ⟨de (v.)⟩ **0.1** *voice training, vocalising (exercise)* ◆ **3.1** ~en doen *vocalise.*

stemomvang ⟨de (m.)⟩ **0.1** *range* ⇒*register, compass, diapason.*

stemonthouding ⟨de (v.)⟩ **0.1** *abstention.*

stempel

I ⟨de (m.)⟩ **0.1** [werktuig waarmee men drukt/perst] *stamp* ⇒*die* ⟨om munten te slaan/medailles/reliëfstempels te maken⟩, *seal* ⟨om papier/metaal/was van reliëf te voorzien⟩ **0.2** [werktuig om een afdruk te maken] *seal* ⇒*signet* ⟨in een ring/wapen/enz.⟩ **0.3** [⟨plantk.⟩] *stigma* **0.4** [steunbalk] *prop* ⇒*stay* ◆ **2.¶** iem. v.d. oude ~ *s.o. of the old school/style/stamp/guard, a stick in the mud, an orthodox/old-fashioned person* **3.2** ⟨fig.⟩ zijn ~ op iem. drukken *leave one's mark/stamp on s.o., set one's stamp/seal on s.o.;* ~s snijden/ graveren *cut/sink dies* **6.1** een ~ om gaten te maken *a punch;*
II ⟨het, de m.⟩ **0.1** [afdruk] *stamp* ⇒*seal, postmark* ⟨op post⟩, *hallmark* ⟨van echtheid⟩ **0.2** [⟨fig.⟩ kenmerk] *stamp* ⇒*seal, (hall)mark* ◆ **1.1** de ~s van muntstukken *the mintage on coins* **3.1** een ~tje krijgen ≠*get a gold star;* voorzien van de ~ v.h. bedrijf *duly stamped by the company;* een ~ zetten *put on a stamp, stamp* **3.2** het rapport draagt duidelijk haar ~ *the report is stamped with/bears the stamp of her personality;* het ~ van echtheid dragen *bear the hallmark of authenticity;* dat drukt een ~ op je *that marks you, that leaves a/its mark on you.*

stempelautomaat ⟨de (m.)⟩ **0.1** *stamping machine.*

stempelband ⟨de (m.)⟩⟨boek.⟩ **0.1** *stamped binding* ◆ **6.1** in ~ *in stamped binding.*

stempelen

I ⟨ov.ww.⟩ **0.1** [stempel drukken op] *stamp* ⇒*postmark* ⟨post⟩, *emboss* ⟨met reliëfletters⟩, ⟨vnl.BE⟩ *frank* ⟨portvrije post⟩ **0.2** [⟨fig.⟩] *stamp* ⇒*mark* **0.3** [stutten] *prop* ⇒*stay* ◆ **1.1** de brief was in Antwerpen gestempeld *the letter bore the Antwerp postmark/was postmarked 'Antwerp';* gouden voorwerpen/munten ~ *hallmark gold, mint coins* **6.2** dat stempelt hem tot volwaardig burger *that stamps him as a full-fledged citizen;* hij werd tot dief gestempeld *he was branded a thief;*
II ⟨onov.ww.⟩⟨gesch.⟩ **0.1** [werkloos zijn] *be on* [B]*the dole/*[A]*on welfare/social security.*

stempeling ⟨de (v.)⟩ **0.1** *stamping* ⇒*postmarking* ⟨post⟩, *embossing* ⟨met reliëfletters⟩, *hallmarking* ⟨goud, zilver⟩.

stempelinkt ⟨de (m.)⟩ **0.1** *stamp-pad ink.*

stempelkaart ⟨de⟩⟨gesch.⟩ **0.1** [B]*dole/*[A]*social security/welfare card.*

stempelklok ⟨de⟩ **0.1** *time clock* ⇒⟨AE ook⟩ *punch clock.*

stempelkussen ⟨het⟩ **0.1** [inktkussentje] *inkpad* ⇒*(stamp(ing)) pad* **0.2** [⟨plantk.⟩] *stigma.*

stempelmerk ⟨het⟩ **0.1** *hallmark.*

stempelsnijder ⟨de (m.)⟩, -ster ⟨de (v.)⟩ **0.1** *diesinker* ⇒*diecutter, medallist* ⟨kunstenaar⟩.

stempelvlag ⟨de⟩ **0.1** *postmark advertisement.*

stempijp ⟨de⟩⟨muz.⟩ **0.1** *pitch pipe* ⇒*tuning pipe.*

stemplaatje ⟨het⟩⟨taal.; comp.⟩ **0.1** *(sound) spectrogram* ⇒*voiceprint.*

stemplicht ⟨de⟩ **0.1** *compulsory voting.*

stemrecht ⟨het⟩ **0.1** *(right to) vote* ⇒⟨pol. ook⟩ *franchise, suffrage* ◆ **2.1** het algemeen ~ *universal suffrage;* enkelvoudig ~ *one man, one vote;* meervoudig ~ *right of plural voting* **3.1** het ~ geven aan vrouwen *give women the vote, enfranchise women;* ~ geven/verlenen aan *enfranchise, give the vote to;* ~ hebben *qualify to vote;* iem. het ~ ontnemen *disenfranchise;* van het ~ uitsluiten *debar from voting* **6.1** aandelen met ~ *voting stock;* aandelen zonder ~ *stock carrying no voting rights;* iem. zonder ~ *s.o. having no vote, a voteless/disenfranchised person.*

stemregister ⟨het⟩⟨muz.⟩ **0.1** [orgelregister] *vox humana* **0.2** [plaats v.e. zangstem tov. de toonhoogte] *register* ⇒*voice (type).*

stemronde ⟨de⟩ **0.1** *ballot.*

stemsleutel ⟨de (m.)⟩⟨muz.⟩ **0.1** *tuning fork* ⇒*tonometer.*

stemspleet ⟨de⟩⟨med.⟩ **0.1** *glottis* ⇒*glottal aperture.*

stemtest ⟨de (m.)⟩ **0.1** [microfoontest] *microphone check/test* **0.2** [beoordeling v.d. stem] *audition, voice test* **0.3** [⟨muz.⟩] *voice determination.*

stemtoon ⟨de (m.)⟩⟨muz.⟩ **0.1** *concert/standard pitch* ⇒⟨vero.⟩ *diapason.*

stemvastheid ⟨de (v.)⟩⟨muz.⟩ **0.1** *ability to carry a tune/sing in tune.*

stemvee ⟨het⟩⟨bel.⟩ **0.1** *voting mob* ⇒*flock/herd of voters.*

stemverheffing ⟨de (v.)⟩ **0.1** *raising of one's voice* ◆ **6.1** zij sprak met ~ *she raised her voice as she spoke;* hij sprak zonder ~ *he spoke in a level voice/without raising his voice/without emphasis.*

stemverklaring ⟨de (v.)⟩ **0.1** *motivation of one's voice.*

stemvoering ⟨de (v.)⟩ ⟨muz.⟩ **0.1** *voice leading* ⇒*part-writing.*

stemvork ⟨de⟩ **0.1** *tuning fork* ⇒*tonometer.*

stemvorming ⟨de (v.)⟩ **0.1** [het vormen v.d. stem] *phonation* ⇒*vocalization, voice production* **0.2** [het beschaven v.d. stem] *voice culture.*

stemwisseling ⟨de (v.)⟩ **0.1** *change/breaking of the voice.*

stencil ⟨het, de (m.)⟩ **0.1** [moedervel] *stencil* ⇒*mimeograph, mimeo* **0.2** [afdruk] *stencil, hand-out* ⇒*mimeograph, mimeo* ◆ **3.1** een ~ afdraaien *run off a s.* **3.2** ~s uitdelen *distribute hand-outs.*

stencilcultuur ⟨de (v.)⟩ ⟨iron.⟩ **0.1** ᴮ*roneomania,* ᴬ*mimeomania.*

stencilen ⟨ov.ww.⟩ **0.1** *duplicate* ⇒*stencil, mimeograph, cyclostyle.*

stencilinkt ⟨de (v.)⟩ **0.1** *stencil ink.*

stencilmachine ⟨de (v.)⟩ **0.1** *duplicator* ⇒*mimeograph.*

stencilpapier ⟨het⟩ **0.1** *stencilling* ᴬ*iling/duplicating paper.*

stencilwerk ⟨het⟩ **0.1** *stencilling* ᴬ*iling* ⇒*stencil-work, duplicating work.*

stenen¹ ⟨bn.⟩ **0.1** [gemaakt van steen]⟨van natuursteen⟩ *stone* ⇒⟨van baksteen⟩ *brick,* ⟨van tegels⟩ *clay,* ⟨aardewerk⟩ *earthenware* **0.2** [als van steen] *stone* ⇒*stony* ◆ **1.1** ~ drempel/stoep *a doorstone, a s. doorstep/doorsill/threshold;* een ~ huis *a s./brick house;* een ~ kruik *greybeard,* ᴬ*graybeard;* ~ leidingen *stoneware/glazed pipes;* een ~ (tabaks)pijp *a clay pipe* **1.2** hij heeft een ~ hart *he's got a heart of stone* **1.¶** het ~ tijdperk *the Stone Age.*

stenen² ⟨onov.ww.⟩ ⟨schr.⟩ **0.1** *repine;* ⟨ongemarkeerd⟩ *groan* ⇒ *moan.*

steng ⟨de⟩ **0.1** *topmast* ◆ **2.1** de grote ~ *the big t..*

stengel ⟨de (m.)⟩ **0.1** [deel v.e. plant] *stalk* ⇒*stem, bine* **0.2** [koekje] *stick* ◆ **2.1** met kale/bladloze ~ *nudicaul(ous);* kruipende ~s *decumbent stems* **2.2** zoute ~s ≠*pretzel sticks* **6.2** ~s voor in de soep *soup sticks.*

stengelgroente ⟨de (v.)⟩ **0.1** *stem and stalk vegetable.*

stengelknol ⟨de (m.)⟩ **0.1** *tuber.*

stengelknoop ⟨de (m.)⟩ ⟨plantk.⟩ **0.1** *joint* ⇒*node.*

stengellid ⟨het⟩ **0.1** *internode.*

stengelomvattend ⟨bn.⟩ ⟨plantk.⟩ ◆ **1.¶** ~e bladeren *perfoliate/stem-embracing leaves.*

stengelvezel ⟨de⟩ **0.1** *stem fibre.*

stenigen ⟨ov.ww.⟩ **0.1** *stone* ⇒*lapidate.*

steniging ⟨de (v.)⟩ **0.1** *stoning* ⇒*lapidation.*

stennis ⟨de (m.)⟩ ⟨inf.⟩ **0.1** *commotion* ⇒*rumpus, shindy,* ᴬ*shindig, row* ◆ **3.1** ~ maken *kick up a row/shindy.*

steno ⟨het, de (m.)⟩ **0.1** [stenografie] *stenography* ⇒*shorthand* **0.2** [stenogram] *stenographic report, report in shorthand.*

stenocardie ⟨de (v.)⟩ ⟨med.⟩ **0.1** *cardiac stenosis* ⇒*angina pectoris.*

stenochromie ⟨de (v.)⟩ ⟨druk.⟩ **0.1** *stenochromy.*

stenograaf ⟨de (m.)⟩ **0.1** ᴮ*shorthand writer,* ᴬ*stenographer* ⇒⟨AE;inf.⟩ *steno.*

stenografeermachine ⟨de (v.)⟩ **0.1** *stenotype.*

stenograferen ⟨onov., ov.ww.⟩ **0.1** *write/take down in shorthand/stenography* ⇒*stenograph* ◆ **1.1** een gestenografeerd verslag *a report written in shorthand.*

stenografie ⟨de (v.)⟩ **0.1** *stenography* ⇒*shorthand.*

stenografisch ⟨bn., bw.;-ally⟩ **0.1** *stenographic* ⇒*shorthand* ◆ **1.1** ~e tekens *stenographic/shorthand symbols, logogram/graph,* ⟨stenotype⟩ een ~ verslag *a stenographic report, a report in shorthand* **3.1** een dictaat ~ opnemen *take dictation in shorthand.*

stenogram ⟨het⟩ **0.1** *stenographic report* ⇒*report in shorthand.*

stenotypen ⟨onov.ww.⟩ **0.1** *type out shorthand.*

stenotypist ⟨de (m.)⟩ **0.1** *shorthand typist* ⇒⟨AE ook⟩ *stenographer, shorthand secretary.*

stentor ⟨de (m.)⟩ **0.1** *stentor.*

stentorstem ⟨de⟩ **0.1** *stentorian voice.*

step ⟨de (m.)⟩ **0.1** [autoped] *scooter* **0.2** [voetsteuntje] *footrest* **0.3** [danspas] *step* **0.4** [dans] *step-dance.*

stepdans ⟨de (m.)⟩ **0.1** *step-dance.*

stephanotis ⟨de⟩ **0.1** *stephanotis.*

step-in ⟨de (m.)⟩ **0.1** *roll-on.*

steppe ⟨de⟩ **0.1** *steppe* ⇒*prairie* ⟨Noord-Amerika⟩, *pampas* ⟨Zuid-Amerika⟩.

steppehond ⟨de (m.)⟩ **0.1** [hyenahond] *hyena dog* **0.2** [prairiehond] *prairie dog.*

steppemeer ⟨het⟩ **0.1** *steppe-lake.*

steppen ⟨onov.ww.⟩ **0.1** [op een autoped rijden] *ride a scooter* **0.2** [danspassen uitvoeren] *step* **0.3** [mbt. paarden] *step* ◆ **1.3** de ~de draf *the pace.*

steppengordel ⟨de (m.)⟩ **0.1** *steppe zone.*

stepperivier ⟨de⟩ **0.1** *steppe-river.*

ster ⟨de⟩ **0.1** [hemellichaam] *star* **0.2** [persoon] *star* ⇒*celebrity,* ⟨AE⟩ *pip* **0.3** [stervormig figuur] *star* **0.4** [onderscheidingsteken] *star* ⇒ ⟨BE⟩ *pip* **0.5** [lichtinteling] *star* **0.6** [witte bles] *star* **0.7** [asterisk] *star* ⇒*asterisk* ◆ **1.¶** ⟨plantk.⟩ ~ van Bethlehem *Star of Bethlehem, Star flower* **2.1** een vallende ~ *a falling/shooting s., a meteor;* een vaste ~ *a fixed s.;* een veranderlijke ~ *a cepheid* **2.2** ⟨fig.⟩ een rijzende ~ *an up-and-coming s./celebrity* **3.1** ⟨fig.⟩ zijn ~ rijst *his s. is rising;*

⟨scheep.⟩ een ~ schieten *take an observation;* ⟨fig.⟩ zijn ~ verbleekt *his s. has set/is on the wane* **3.5** ~ren zien *see stars* **4.1** ⟨astrol.⟩ iemands ~ *s.o.'s/one's special s.* **6.1** het staat in de ~ren *it's in the stars* **6.¶** ⟨AZN⟩ tegen de ~ren op drinken *drink o.s. silly* **7.4** een restaurant met drie ~ren *a three-star restaurant;* een generaal met vijf ~ren *a five s. general* **¶.1** Ster in het Oosten *Eastern S..*

STER ⟨de (v.)⟩ ⟨afk.⟩ **0.1** [Stichting Ether Reclame] ⟨*radio and television advertising authority*⟩.

steradiaal ⟨de (m.)⟩ **0.1** *steradian.*

sterallures ⟨de⟩ **0.1** *starlike airs.*

steranemoon ⟨de⟩ **0.1** *star anemone.*

steranijs ⟨de (v.)⟩ ⟨plantk.⟩ **0.1** *star/Chinese anise* ⇒*badian.*

sterappel ⟨de (m.)⟩ **0.1** *star apple.*

sterbladigen ⟨zn.mv.⟩ **0.1** *rubiaceae.*

stercoratie ⟨de (v.)⟩ **0.1** *stercoraceous fertilization.*

stère ⟨de⟩ **0.1** *stere.*

stereo¹ ⟨de (v.)⟩ **0.1** [stereofonie] *stereo(phony)* **0.2** [stereo-installatie] *stereo* **0.3** [stereometrie] *stereometry.*

stereo² ⟨bn., bw.⟩ **0.1** *stereo.*

stereoapparatuur ⟨de (v.)⟩ **0.1** *stereo equipment.*

stereocamera ⟨de (v.)⟩ **0.1** *stereoscopic camera.*

stereochemie ⟨de (v.)⟩ ⟨schei.⟩ **0.1** *stereochemistry.*

stereochromie ⟨de (v.)⟩ **0.1** [wijze van waterverfschilderen] *stereochromy* **0.2** [voorstelling] *stereochrome.*

stereofilm ⟨de (m.)⟩ **0.1** *stereoscopic film.*

stereofonie ⟨de (v.)⟩ **0.1** *stereophony* ⇒*stereo.*

stereofonisch ⟨bn., bw.;-ally⟩ **0.1** *stereophonic* ⇒*stereo, binaural.*

stereofoto ⟨de⟩ **0.1** *anaglyph.*

stereofotografie ⟨de (v.)⟩ ⟨nat.⟩ **0.1** *stereo photography.*

stereografie ⟨de (v.)⟩ **0.1** *stereography.*

stereografisch ⟨bn., bw.;-ally⟩ **0.1** *stereographic.*

stereogram ⟨het⟩ **0.1** [stereoscopische foto] *stereogram, stereograph, hologram* **0.2** [ruimtelijk blokdiagram] *stereogram, hologram.*

stereo-installatie ⟨de (v.)⟩ **0.1** *stereo (set).*

stereo-isomeer ⟨het, de (m.)⟩ ⟨schei.⟩ **0.1** *stereoisomer.*

stereometer ⟨de (m.)⟩ **0.1** *stereometer.*

stereometrie ⟨de (v.)⟩ **0.1** *stereometry.*

stereometrisch ⟨bn., bw.;-ally⟩ **0.1** *stereometric.*

stereomeubel ⟨het⟩ **0.1** *stereo unit/cabinet.*

stereomicrofoon ⟨de (m.)⟩ **0.1** *stereo microphone.*

stereo-ontvanger ⟨de (m.)⟩ **0.1** *stereo receiver.*

stereo-opname ⟨de⟩ **0.1** [geluidsopname] *stereo recording* **0.2** [fotografische opname] *stereograph/gram.*

stereoplaat ⟨de⟩ **0.1** *stereo record.*

stereoscoop ⟨de (m.)⟩ **0.1** *stereoscope.*

stereoscopie ⟨de (v.)⟩ **0.1** *stereoscopy.*

stereoscopisch ⟨bn., bw.;-ally⟩ **0.1** *stereoscopic* ⇒*three-dimensional* ◆ **1.1** een ~e camera *binocular camera.*

stereotiep¹ ⇒*stereotype.*

stereotiep² ⟨bn., bw.⟩ **0.1** *stock* ⇒*stereotypic(al), standard, cut-and-dried, cardboard* ⟨personages⟩ ◆ **1.1** een ~ beeld *a standard image, a stereotype;* een boek met ~e figuren *a book with stock/cardboard characters/stereotypes;* een ~e glimlach *a ready-made smile;* een ~e opinie *a ready-made opinion;* ~e opmerkingen *stock/standard comments/remarks;* een ~e uitdrukking *a cliché/set phrase* **3.1** een ~ toegepast beeld *a stereotype.*

stereotoren ⟨de (m.)⟩ **0.1** *music centre.*

stereotype ⟨de⟩ **0.1** [vastliggend beeld] *stereotype* **0.2** ⟨druk.⟩ plaat] *stereotype* **0.3** [⟨druk.⟩ afdruk] *stereotype* ◆ **6.1** in ~n indelen *stereotype.*

stereotyperen ⟨ov.ww., onov.ww.⟩ ⟨druk.⟩ **0.1** [vervaardigen naar zetsel] *stereotype* **0.2** [in stereotypie drukken] *stereotype.*

stereotypie ⟨de (v.)⟩ **0.1** [het vervaardigen van gegoten drukvormen] *stereotypy* **0.2** [drukprocédé] *stereotypy* **0.3** [drukplaat] *stereotype* **0.4** [afdruk] *stereotype* **0.5** ⟨psych.⟩ *stereotypy.*

stereo-uitzending ⟨de (v.)⟩ **0.1** *stereo broadcast.*

sterfbed ⟨het⟩ **0.1** [doodsbed] *deathbed* **0.2** [omstandigheden, tijd, wijze] *dying hour* ⇒*final hour, last breath* ◆ **2.2** zacht ~ hebben *die quietly/peacefully* **6.1** aan iemands ~ zitten *watch over s.o.'s d., see s.o. out;* op zijn ~ zal hij er nog berouw over hebben *he'll regret it to his dying day;* huwelijk op het ~ *marriage in extremis;* een eed op het ~ *a dying oath.*

sterfdag ⟨de (m.)⟩ **0.1** [dag van overlijden] *dying day* ⇒*day of death* **0.2** [gedenkdag] *anniversary of s.o.'s death* ◆ **1.1** de herdenking van zijn ~ *the commemoration of the day he died, the anniversary of his death.*

sterfelijk ⟨bn.⟩ **0.1** *mortal.*

sterfelijkheid ⟨de (v.)⟩ **0.1** *mortality.*

sterfgeval ⟨het⟩ **0.1** *death* ⇒*bereavement* ◆ **3.1** de ~len overtreffen de geboorten *the number of deaths exceeds the number of births* **6.1** in de familie is een ~ *there has been a d./bereavement in the family;* gesloten wegens ~ *closed owing/due to a d./bereavement.*

sterfhuis ⟨het⟩ **0.1** *house of mourning* ⇒*home of the deceased* ◆ **6.1** dat zijn maar kosten op het ~ *that's like throwing money out of the window.*

sterfhuisconstructie ⟨de (v.)⟩ ⟨ec.⟩ **0.1** ⟨*judicial construct splitting up a concern into viable branches to be saved and non-viable branches to be allowed to fail*⟩.
sterfjaar ⟨het⟩ **0.1** *year of s.o.'s death* ⇒*year in which s.o. died*.
sterfkamer ⟨de⟩ **0.1** *death-room* ⇒ ↑*death-chamber* ◆ **1.1** dit was Gladstone's ~ *this was/is the room Gladstone died in*.
sterflat ⟨de (m.)⟩ **0.1** *radial block of flats/*^*apartment block*.
sterflijk →**sterfelijk**.
sterfscène ⟨de⟩ ⟨dram.⟩ **0.1** *death scene* ◆ **2.1** de grote~s in Verdi's opera's *the great death scenes in Verdi's operas*.
sterfte ⟨de (v.)⟩ **0.1** [het sterven] *death* **0.2** [aantal sterfgevallen] *mortality* ◆ **2.2** verloskundige ~ *perinatal m.*.
sterftecijfer ⟨het⟩ **0.1** *mortality/death rate*.
sterfteoverschot ⟨het⟩ ⟨demografie⟩ **0.1** *death surplus* ⇒ ⟨ongemarkeerd⟩ *natural decrease*.
sterftetafel ⟨de⟩ **0.1** *mortality/life table*.
sterfuur ⟨het⟩ **0.1** *dying hour* ⇒*hour of death*.
stergewelf ⟨het⟩ ⟨bouwk.⟩ **0.1** *stellar vault*.
sterhelder ⟨bn.⟩ ⟨dicht.⟩ **0.1** *starlit* ⇒ ⟨ongemarkeerd⟩ *starry*.
steriel ⟨bn.⟩ **0.1** [vrij van ziektekiemen] *sterile* ⇒*aseptic* **0.2** [onvruchtbaar] *sterile* ⇒*infertile*, ⟨schr.⟩ *barren*, ⟨plantk.⟩ *acarpous, fruitless* **0.3** [saai] *sterile* ⇒*lifeless, uninspiring, stale, unimaginative* ◆ **1.1** ~e instrumenten *s. instruments* **1.2** ⟨fig.⟩ een~e geest *a(n) s./infertile/barren mind*; een~e methode *a fruitless method* **1.3** een~e glimlach *an empty/a fixed smile*; een~e kamer *a clean room*; een~ persoon *an unimaginative person* **3.1, 3.2** ~ maken *sterilize*.
sterilisatie ⟨de (v.)⟩ **0.1** [onvruchtbaarmaking] *sterilization* ⇒*castration*, ⟨mbt. mannelijke dieren⟩ *gelding*, ⟨mbt. vrouwelijke dieren⟩ *spaying* **0.2** [het vrijmaken van ziektekiemen] *sterilization* ◆ **6.2** ~ van melk *s. of milk*.
sterilisator ⟨de (m.)⟩ **0.1** *sterilizer*.
steriliseren ⟨ov.ww.⟩ **0.1** [onvruchtbaar maken] *sterilize* ⇒*castrate*, ⟨mbt. dieren⟩ *fix*, ^neuter, ⟨mbt. mannelijke dieren⟩ *geld*, ⟨mbt. vrouwelijke dieren⟩ *spay* **0.2** [desinfecteren] *sterilize* ◆ **3.1** zich laten ~ *have o.s. sterilized*; ⟨mbt. vrouwen⟩ ↓*get one's tubes tied*.
steriliteit ⟨de (v.)⟩ **0.1** [onvruchtbaarheid] *sterility* ⇒*infertility*, ⟨mbt. vrouwen⟩ *barrenness* **0.2** [het vrij zijn van ziektekiemen] *sterility*.
sterisch ⟨bn.⟩ **0.1** *steric* ⇒*spatial*.
sterk ⟨→sprw. 46,211,334,440,552⟩
I ⟨bn.⟩ **0.1** [krachtig] *strong* ⇒*powerful, forceful, vigorous, robust* **0.2** [moedig] *strong* ⇒*tough, brave, stout* **0.3** [veel kunnende weerstaan/verdragen] *strong* ⇒*hardy, tough, sturdy* **0.4** [hevig] *strong* ⇒*powerful, sharp* **0.5** [omvangrijk, veelvuldig] *strong* **0.6** [bekwaam] *strong* **0.7** [kras] *thick*, ^*exaggerated* **0.8** [geconcentreerd] *strong* ⇒*powerful, potent, intense, concentrated* **0.9** [mbt. reuk/smaak] *strong* ⇒*pungent, potent, sharp* **0.10** [mbt. geluiden] *strong* **0.11** [mbt. optische instrumenten] *strong* ⇒*powerful* **0.12** [talrijk] *strong* **0.13** [met vaste waarde] *strong* ◆ **1.1** ⟨fig.⟩ de ~e arm *the s. arm*; het ~e geslacht *the sterner sex*; een ~e man ⟨fig.⟩ *a s. man*; ⟨fig.⟩ hij is daar de ~e man *he's the s. man/man in the saddle there*; een~e motor/zender *a high-powered engine/transmitter* **1.3** een~ argument *a strong/solid argument*; een ~ gestel *a strong/tough constitution*; ~e lijm *strong glue*; een~e persoonlijkheid *a strong personality*; ~e schoenen *hard-wearing/stout shoes*; ik vind het geen ~ verhaal *I don't think much of the story*; ~e zenuwen *steady nerves* **1.4** een ~e stijging *a sharp rise*; een~e wind *a strong/high/heavy wind* **1.5** een te ~e dosis *an overdose* **1.6** dat is zijn ~e kant *that's his s. point/his forte/strength*; zich van zijn ~ste kant laten zien *show one's best side*; een ~e speler *a s. player* **1.7** een ~ verhaal *a cock-and-bull/tall/fishy story* **1.8** ~e koffie/thee *s. coffee/tea*; ~e parfum *s./heady perfume* **1.12** het leger is 30.000 man ~ *the army is 30,000 s.* **1.¶** een ~e gelijkenis *a strong resemblance* **3.1** ⟨fig.⟩ zich ~ maken voor iem. *make out a case for s.o.*; ~ er worden *gain/pick up strength* **3.7** dat is ~ / *that's a bit t./steep*; dat lijkt me ~ *I doubt it/wouldn't count on it* **3.8** iets~s drinken *drink sth. s./potent* **3.¶** ik maak mij ~ dat hij er zal zijn *I am pretty sure/my bet is that he won't be there* **5.6** daar ben ik niet zo ~ in *I'm not so good at that* **6.1** ~ zijn in zijn armen *have s. arms* **6.2** ~ in het geloof zijn *be firm in one's belief* **6.6** ~ in aardrijkskunde *s. in geography* **¶.7** ~ er nog … *indeed, more that that, worse still*;
II ⟨bw.⟩ **0.1** [zeer] *strongly* ⇒*greatly, highly* **0.2** [op goede wijze] *well* ◆ **2.1** ~ gepeperd *s. peppered*; dat is ~ overdreven *that's highly exaggerated*; een ~ vergrote foto *a much enlarged photograph* **3.1** zich ~ tot iem. aangetrokken voelen *feel a strong attraction towards s.o., feel s. drawn to s.o.*; ~ afwijken naar links *deviate/go s. to the left*; er ~ over denken om te gaan verhuizen *seriously consider moving*; ~ gekleurd *highly coloured*; ~ gekruid *highly flavoured/seasoned*; iets ~ overdrijven *greatly exaggerate sth.*; ~ ruiken *smell s.*; ~ toenemen *increase s./sharply*; ~ twijfelen aan *doubt sth. s./very much*; het vijandelijke leger ~ uitdunnen *greatly deplete the enemy army*; ~ uiteenlopen/verschillen *diverge/differ greatly*; ~ verbeterd *much improved* **3.2** een ~ gelopen race *a well-run race*; ~ staan te keepen *make a good job of goal-keeping*; ~ redeneren *reason w.* **3.¶** zij staat (nogal) ~ ⟨deugdelijke argumenten⟩ *she has a solid/strong case*; ⟨veilige po-

sitie⟩ *she's on solid ground*; ik zal het je nog ~er vertellen *I'll tell you one to top that, I'll go one better than that*.
sterkedrank ⟨de (m.)⟩ **0.1** *strong drink* ⇒⟨hard/intoxicant⟩ *liquor, spirits*, ⟨inf.⟩ *booze*, ⟨inf.;scherts.⟩ *firewater*.
sterken ⟨ov.ww.⟩ **0.1** [versterken] *strengthen* ⇒*fortify, invigorate* **0.2** [aanmoedigen] *strengthen* ⇒*fortify, buoy up, steel* **0.3** [⟨jur.⟩] *assist, support* ◆ **1.1** het lichaam ~ *s. the body* **6.1** gesterkt door het voedsel zetten zij de tocht voort *fortified by the food, they continued their journey*; iem. in zijn verlies *sustain s.o. in his loss* **6.2** iem. in iets ~ *steel s.o. in sth.*; **in** zijn mening gesterkt worden *be confirmed in one's views*; iem. ~ **in** het kwaad *encourage a person in his bad ways* **6.3** zij was gesterkt en gemachtigd **door** mr. A. *she was assisted and supported by A.*.
sterkers →**sterrekers**.
sterkgebouwd ⟨bn.⟩ **0.1** *strongly-/solidly-built* ⇒*robust, stout*.
sterking ⟨de (v.)⟩ **0.1** *strengthening*.
sterksmakend ⟨bn.⟩ **0.1** *strong-tasting*.
sterksprekend ⟨bn.⟩ **0.1** *significant* ⇒*meaningful, bold* ⟨patroon⟩ ◆ **1.1** een ~ voorbeeld *a s. example*.
sterkstroom ⟨de (m.)⟩ **0.1** *power current*.
sterkstroominstallatie ⟨de (v.)⟩ **0.1** *heavy current/high-voltage installation* ⇒*power plant*.
sterkte ⟨de (v.)⟩ **0.1** [vermogen om kracht te ontwikkelen] *strength* ⇒*power, vigour* **0.2** [kracht om smart/leed te dragen] *fortitude, fibre* ⇒*courage* **0.3** [weerstandsvermogen] *strength* ⇒*wear* **0.4** [intensiteit] *strength* ⇒*intensity*, ⟨mbt. geluid ook⟩ *volume, loudness* **0.5** [mate waarin iets kan werken] *strength* ⇒*potency, concentration* **0.6** [talrijkheid] *strength* **0.7** [vesting] *stronghold* ⇒*fortress* ◆ **1.1** de ~ v.e. lamp/motor *the power of a lamp/motor*; de ~ v.e. paard/een man *the s. of a horse/man* **1.3** de ~ v.e. materiaal *the s. of a material* **1.4** de ~ v.e. geluid/v.h. licht *the intensity of a noise/the light* **1.5** de ~ v.e. geneesmiddel/van wijn *the s. of a medicine/of wine* **2.6** op volle/halve ~ *at full/half s.* **3.2** iem. ~ wensen *#wish s.o. (good) luck* **6.6** toenemen **in** ~ *increase in s.*; niet **op** ~ *below/under s.* **¶.2** ~ ⟨gewenst⟩ *take care/heart*.
sterkteleer ⟨de⟩ **0.1** *theory of strength of materials*.
sterkteregeling ⟨de (v.)⟩ ⟨elek.⟩ **0.1** ⟨geluidssterkte⟩ *volume control* ⟨van radio⟩.
sterkwater ⟨het⟩ **0.1** [conserveervloeistof] *spirits* **0.2** [onzuiver salpeterzuur] *aqua fortis, nitric acid* ◆ **6.1** iets **op** ~ zetten/bewaren *steep in s.*.
sterling ◆ **1.¶** een pond ~ *pound sterling, sterling*.
stermerrie ⟨de (v.)⟩ **0.1** *mare of high pedigree* ⇒*high-class mare*, ⟨inf.⟩ *classy mare*.
stermotor ⟨de (m.)⟩ **0.1** *radial engine*.
stern ⟨de⟩ **0.1** *tern* ◆ **2.1** grote ~ *Sandwich t.*; Noordse ~ *Arctic t.*.
steroïden ⟨zn.mv.⟩ ⟨schei.⟩ **0.1** *steroids*.
sterreclame ⟨de⟩ **0.1** *commercials, television and radio advertising*.
sterrekers ⟨de⟩ **0.1** *garden (pepper) cress, garden peppergrass*.
sterrekijker ⟨de (m.)⟩ **0.1** *telescope*.
sterremuur ⟨de⟩ ⟨plantk.⟩ **0.1** *starwort*.
sterrenbeeld ⟨het⟩ **0.1** [groep sterren] *constellation* **0.2** [teken v.d. dierenriem] *sign of the zodiac*.
sterrengala ⟨het⟩ **0.1** *all-star gala night*.
sterrenhemel ⟨de (m.)⟩ **0.1** *starry/star-spangled sky*.
sterrenhoop ⟨de (m.)⟩ ⟨ster.⟩ **0.1** *star cluster* ⇒*nebula* ◆ **2.1** een bolvormige ~ *a spiral nebula*.
sterrenkaart ⟨de⟩ **0.1** *celestial chart* ⇒*map of the stars*.
sterrenkijker ⟨de (m.)⟩ **0.1** ⟨scherts.⟩ astronoom *stargazer* **0.2** ⟨scherts.⟩ astroloog *stargazer* **0.3** [instrument] *telescope* **0.4** [vis] *stargazer*.
sterrenkijkerij ⟨de (v.)⟩ ⟨scherts.⟩ **0.1** *stargazing*.
sterrenkunde ⟨de (v.)⟩ **0.1** *astronomy*.
sterrenkundig ⟨bn.⟩ **0.1** *astronomical* ⇒*astronomic*.
sterrenkundige ⟨de (m.)⟩ **0.1** *astronomer*.
sterrenregen ⟨de (m.)⟩ **0.1** *meteor(ic) shower*.
sterrenrestaurant ⟨het⟩ **0.1** *starred restaurant* ⇒*gourmet restaurant*.
sterrenstelsel ⟨het⟩ **0.1** *star system*.
sterrenwacht ⟨de⟩ **0.1** [observatorium] *observatory* **0.2** [waarnemers die sterrenwacht bemannen] *observator(s), observer(s)*.
sterrenwichelaar ⟨de (m.)⟩ **0.1** *astrologer* ⇒⟨scherts.⟩ *stargazer*.
sterrenwichelarij ⟨de (v.)⟩ **0.1** *astrology*.
sterretje ⟨het⟩ **0.1** [vuurwerk] *sparkler* **0.2** [asterisk] *star* ⇒*asterisk* **0.3** [⟨mil.⟩] *star* ⇒⟨BE;inf.⟩ *pip* **0.4** [jonge filmster] *starlet* ◆ **3.¶** ~s zien *see stars*.
sterrit ⟨de (m.)⟩ **0.1** *rally*.
sterspeler ⟨de (m.)⟩, **-speelster** ⟨de (v.)⟩ **0.1** *star player* ⇒*top player*.
sterspot ⟨de⟩ **0.1** *commercial, radio/television advertisement, spot*.
sterveling ⟨de (m.)⟩ **0.1** *mortal* ◆ **2.1** de gewone ~ *the ordinary m.* **7.1** er was geen ~ te bekennen *there wasn't a (living) soul in sight*.
sterven ⟨→sprw. 124,163⟩
I ⟨onov.ww.⟩ **0.1** [doodgaan] *die* ⇒*pass away, decease, meet one's Maker*, ⟨schr.⟩ *expire* **0.2** [⟨fig.⟩ wegkwijnen] *die* ⇒*fade/waste/pine

(away) ◆ **3.1** ⟨fig.⟩ ik mag ~ als het niet waar is *I'll eat my hat if it is not true;* ~ de zijn *be dying / at one's last gasp / at death's door / moribund* **5.1** zij stierf eerder dan haar echtgenoot *she predeceased her husband* **6.1** ~ **aan** een ziekte *die of an illness;* ~ **aan** zijn verwondingen *die from one's injuries;* **in** de Heer gestorven *die with the Lord's blessing;* **op** ~ liggen *be on one's deathbed / at death's door;* **op** ~ na dood zijn *be as good as dead, be near death;* ⟨fig.⟩ ~ **van** kou/ **van** honger *be freezing / starving to death;* **voor** zijn tijd ~ *die before one's time, come to an untimely end* **6.2** het woord stierf **op** zijn lippen *the word died / faded on his lips* **8.1** ~ als een hond/ een beest *die like a dog;* ~ als miljonair *die a millionaire* **¶.1** ⟨fig.⟩ sterf! *drop dead!, go to hell!;* ⟨schr.⟩ *die!;* te veel om te ~, te weinig om te leven *not enough to live or die on;*
II ⟨ov.ww.⟩ **0.1** [op de genoemde wijze overlijden] *die* ◆ **1.1** ⟨fig.⟩ duizend doden ~ ⟨doodgemarteld worden⟩ *be tortured to death;* ⟨in doodsangst zitten⟩ *be scared to death;* ⟨fig.⟩ een stille dood ~ *peter out;* een langzame dood ~ *d. by inches;* een gewelddadige dood ~ *d. a violent death, d. by violence* **6.1** in het harnas ~ *d. in harness;* ⟨inf.⟩ *d. in one's boots / with one's boots on;*
III ⟨onp.ww.⟩ **0.1** [vol zijn met] *be swarming with* ◆ **6.1** het sterft hier **van** de vliegen/ toeristen *this place is swarming with flies / tourists.*
stervend ⟨bn.⟩ **0.1** *dying* ⇒¹ *moribund* ◆ **1.1** ⟨zelfst.⟩ de sacramenten der ~en toedienen *administer the last sacraments* **7.1** ⟨zelfst.⟩ een ~ e *a d. man / woman / person.*
stervensbegeleiding ⟨de (v.)⟩ **0.1** *terminal care.*
stervensbekorting ⟨de (v.)⟩ **0.1** *reduction of the terminal phase* ⇒ *euthanasia.*
stervensdruk ⟨bn.⟩ **0.1** *packed* ⟨met mensen⟩; *up to one's eyes / eyeballs* ⟨met werk⟩.
stervensfase ⟨de (v.)⟩ **0.1** *terminal phase.*
stervenshulp ⟨de⟩ **0.1** *care / counselling for the dying* ⇒ *hospice provision.*
stervenskoud ⟨bn.⟩ **0.1** *freezing cold.*
stervensproces ⟨het⟩ **0.1** *process of dying.*
stervensuur ⟨het⟩ **0.1** *dying hour* ⇒ *hour of death, last hour* ◆ **6.1** in het ~ zijn *be at one's dying hour / the hour of death, be in extremis.*
stervormig ⟨bn.⟩ **0.1** *star-shaped* ⇒ *starlike, asteroid, stellate,* ⟨biol.⟩ *astral* ◆ **1.1** een ~e barst in een spiegel *a star-shaped / starlike crack in the mirror;* ⟨biol.⟩ ~e cellen *stellate cells, Kupfer cells.*
stethoscoop ⟨de (m.)⟩ **0.1** *stethoscope.*
steun ⟨de (m.)⟩ **0.1** [stut] *support* ⇒ *prop, brace, stay, bolster* **0.2** [houvast] *support* ⇒ *assistance, comfort, backing, stay* **0.3** [materiële hulp] *support* ⇒ *aid, relief, assistance,* ⟨sponsoring⟩ *sponsorship* **0.4** [⟨inf.⟩ W.W.] *welfare,* ᴮ*dole* ⇒ *public / ᴮnational assistance, relief, social security, benefit* ◆ **1.2** iemands ~ en toeverlaat zijn *be a prop and stay to s.o.* **2.1** een stevige/ gammele ~ *a sturdy / shaky support* **2.2** dat zal een grote ~ voor ons zijn *that will be a great help to us;* morele ~ *moral support, countenance;* het voorstel vond niet voldoende ~ *the suggestion didn't get enough support* **2.3** met financiële ~ van het Rijk *with financial assistance from the government;* geldelijke ~ *financial support / aid / assistance;* ⟨AE;sl.⟩ *grubstake* **3.2** ~ hebben aan iets/ iem. *receive support from / be comforted by sth. / s.o.;* iem. zijn ~ toezeggen *come out for s.o.;* zich van iemands ~ verzekeren *secure / enlist s.o.'s support;* ~ zoeken bij iets/ iem. *turn to sth. / s.o. for support / comfort* **3.3** ~ verlenen *lend support, give assistance* **3.4** ~ trekken *be on w. / the d.* **6.1** een ~ tje in de rug ⟨fig.⟩ *a lift / helping hand / boost;* een ~ **voor** de voeten *a footing;* ⟨voetsteun⟩ *a footrest* **6.2** ze heeft veel/ weinig ~ **aan** haar zus *her sister has been a big / hasn't been much of a support / help to her;* iem. **tot** ~ zijn *be of assistance to s.o.* **6.3** de ~ **aan** ontwikkelingslanden *the aid to developing countries;* **met** ~ van *with support / assistance from* **6.4** **bij** de ~ aankloppen *go on the d.;* **van** de ~ leven *be on w. / the d.*.
steunbalk ⟨de (m.)⟩ ⟨bouwk.⟩ **0.1** *girder* ⇒ *supporter, shore,* ⟨horizontaal⟩ *joist.*
steunbeer ⟨de (m.)⟩ ⟨bouwk.⟩ **0.1** *buttress.*
steunboog ⟨de (m.)⟩ ⟨bouwk.⟩ **0.1** *flying buttress.*
steuncomité ⟨het⟩ **0.1** *support / ⟨hulp⟩ aid / relief committee.*
steunder ⟨de (m.)⟩ ⟨bouwk.⟩ **0.1** *support, prop, shore.*
steunen
I ⟨ov.ww.⟩ **0.1** [stutten] *support* ⇒ *prop (up), hold up, shove up* **0.2** [⟨fig.⟩] *support* ⇒ *buttress, stand by, back up* **0.3** [kreunen] *groan* ◆ **1.1** een muur ~ *support / prop up / shore up a wall* **1.2** een goed doel ~ *subscribe to / support a good cause;* een motie ~ *second / carry a motion;* een voorstel ~ *support / back / countenance a proposal* **3.2** zich gesteund weten door *feel buttressed by* **5.2** iem. financieel ~ *support / assist s.o. financially;* ⟨inf.⟩ *bankroll / ⟨AE ook⟩ stake s.o.;* ⟨AE;sl.⟩ *grubstake s.o.* **8.1** iem. moreel ~ *give s.o. moral support* **6.1** iem. ergens **in** ~ *back up s.o. in sth.* **8.3** zij steunde dat ze doodop was *she groaned that she was dead-beat* **¶.2** iem. door dik en dun ~ *stay with s.o. through thick and thin;*
II ⟨onov.ww.⟩ **0.1** [leunen] *lean (on), rest (on)* **0.2** [kreunen] *groan* ◆ **1.1** de muren waarop de balken ~ *the walls which support the beams* **5.2** de patiënt steunde zachtjes *the patient groaned softly* **6.1** **op** een

stok ~ *l. on a cane;* ⟨fig.⟩ een opvatting doen ~ **op** *base / found an idea on;* ⟨fig.⟩ **op** eigen kracht ~ *rely on one's own strength;* ⟨fig.⟩ de dictator steunt **op** het leger *the dictator depends on the army;* de regering steunt **op** een coalitie *the government relies on the coalition;* te veel **op** iem. ~ *l. / rely too heavily on s.o., depend too much on s.o.;* ~ **tegen** een muur *l. against a wall.*
steunfonds ⟨het⟩ **0.1** ⟨na een ramp⟩ *relief fund;* ⟨voor leden⟩ *benefit fund / society.*
steunfraude ⟨de⟩ **0.1** *social security fraud.*
steungevend ⟨bn.⟩ **0.1** *supporting* ◆ **1.1** ~e bandages *elastic bandages;* een ~e beha *an uplift bra;* ~e panties ≠*support / elastic hose / tights,* ᴬ*elastic panties.*
steunkous ⟨de⟩ **0.1** *support stocking* ⇒ *elastic stocking.*
steunkussen ⟨het⟩ **0.1** *support(ing) cushion pad.*
steunlijst ⟨de⟩ **0.1** *supporting frame.*
steunmaatregel ⟨de (m.)⟩ **0.1** *support / ⟨hulp⟩ aid / relief measure.*
steunmuur ⟨de (m.)⟩ **0.1** *retaining wall* ⇒ *revetment,* ⟨om aarden wal⟩ *breast-wall.*
steunpilaar ⟨de (m.)⟩ **0.1** [pilaar] *pillar* ⇒ *pier,* ⟨van opzij steunend⟩ *buttress, prop* **0.2** [persoon] *pillar* ⇒ *mainstay, tower of strength, cornerstone.*
steunpunt ⟨het⟩ **0.1** [punt waarop iets steunt] *(point of) support* ⇒ *abutment, fulcrum* ⟨hefboom⟩, *pivot* **0.2** [⟨fig.⟩] *(main) point* ⇒ *foundation, keystone, keynote* **0.3** [⟨mil.⟩] *base* **0.4** [mbt. organisatie] *(regional) centre / office* ◆ **1.1** de ~en v.d. brug *the abutments / supports of the bridge* **1.2** een van de ~en van zijn betoog *one of the main points of his argument* **3.1** een ~ proberen te vinden ⟨ook fig.⟩ *try to find a foothold / ⟨voor de voeten⟩ toehold* **6.3** de ~en **voor** de vloot *naval bases.*
steunregeling ⟨de (v.)⟩ **0.1** *support / ⟨hulp⟩ aid / relief scheme.*
steunschoen ⟨de (m.)⟩ **0.1** *supported shoe* ⇒ *shoe with (built-in) arch support / support(ing) sole.*
steuntrekker ⟨de (m.)⟩, **-ster** ⟨de⟩ **0.1** *person* ᴮ*on the dole / ᴬon welfare (benefit)* ⇒ ⟨pej.⟩ *sponger (off the state).*
steunverlening ⟨de (v.)⟩ **0.1** *(provision of) support / ⟨hulp⟩ relief / aid.*
steunvlak ⟨het⟩ **0.1** *supporting surface* ⇒ ⟨draagvlak⟩ *bearing surface.*
steunweefsel ⟨het⟩ ⟨dierk.⟩ **0.1** *strengthening / supporting tissue.*
steunwortel ⟨de (m.)⟩ **0.1** *prop root.*
steunzender ⟨de (m.)⟩ **0.1** *relay station* ⇒ *booster.*
steunzool ⟨de⟩ **0.1** *arch support.*
steur ⟨de (m.)⟩ ⟨dierk.⟩ **0.1** [vis] *sturgeon* **0.2** [familie] *Acipenseridae.*
steurgarnaal ⟨de (m.)⟩ **0.1** *prawn.*
steurkrab ⟨de⟩ **0.1** *prawn.*
steven ⟨de (m.)⟩ ⟨scheep.⟩ **0.1** [uiterste voor- of achtergedeelte] ⟨voor⟩ *stem;* ⟨achter⟩ *stern* **0.2** [voorsteven] *stem* ⇒ *prow* ◆ **3.2** de ~ wenden *put about, put / bring a ship about;* de ~ wenden naar *make / head for.*
stevenen ⟨onov.ww.⟩ **0.1** [zich begeven naar] *head for* ⇒ *make one's way to* **0.2** [⟨scheep.⟩ koers zetten naar] *steer* ⇒ *sail, set sail for* ◆ **6.1** ze stevende direct **naar** huis *she headed directly for home* **6.2** de vloot stevende **naar** de Oostzee *the fleet set sail for the Baltic.*
stevig
I ⟨bn.⟩ **0.1** [mbt. eten] *substantial* ⇒ *hearty, square, solid, heavy* **0.2** [⟨iron.⟩ fors] *robust* ⇒ *sturdy, hefty,* ⟨fig.⟩ *stiff, heavy* **0.3** [geducht] ⟨zie 1.3⟩ ◆ **1.1** ~ e kost *substantial / heavy food;* een ~e maaltijd *a square / hearty / substantial / heavy meal;* een ~ ontbijt *a substantial / big breakfast* **1.2** een ~ e boete *a heavy / stiff fine;* een blondine met een ~e boezem *a busty / bosomy blonde;* ~e bovenbenen *hefty / sturdy / ⟨sterker⟩ massive thighs;* een ~e eetlust *a hearty / sharp appetite;* hij drinkt een ~ glas wijn *he's fond of a glass of wine;* een ~ e hoofdpijn *a splitting headache;* een ~e prijs *a stiff price;* een ~e tante *a strapping girl;* een ~ uur *a good hour;* een ~e vent *a stocky / beefy fellow;* een ~e vrijpartij *(a bout of) heavy petting, a heavy petting session* **1.3** een ~e borrelaar *quite a drinker, a heavy / hard drinker;* een ~e eter *a hearty eater;* een ~e vijftiger *s.o. well into his / her fifties;* een ~e werker *a good / lusty / sturdy worker;*
II ⟨bn., bw.; -ly⟩ **0.1** [solide, degelijk] *solid* ⇒ *strong, sturdy, robust, firm* **0.2** [krachtig] *tight* ⇒ *strong, firm* **0.3** [flink, behoorlijk] *substantial* ⇒ *considerable* ◆ **1.1** ~e borsten *firm breasts;* een ~ bureau *a substantial desk;* een ~e constructie *a sturdy / solid construction;* een ~e kist/ doos *a strong / sturdy case / box;* ~e schoenen *sturdy shoes* **1.2** een ~e bries *a stiff / fresh breeze;* een ~ pak slaag *a good hiding;* een ~e rode wijn *a full-bodied red wine* **1.3** dat is een ~ eind *that's a considerable distance;* in een ~ tempo *at a sharp / brisk pace;* ~e vaart *rapid pace* **1.¶** ~e groenten *crisp vegetables* **2.1** ~ dicht *shut close / fast* **3.1** ~ gebouwd *of solid build, thickset, sturdily built;* ⟨vrouw ook⟩ *plump, buxom;* ~ gebouwde huizen *houses of very solid construction;* zijn argumenten ~ onderbouwen *base one's arguments on solid grounds;* ~ op zijn benen staan *be firm on one's feet / footsure / sure-footed;* die ladder staat niet ~ *that ladder is a bit wobbly / ᴮdicky;* ~ vastbinden *tie securely;* iets ~ vastmaken *make sth. fast, fasten sth. tightly;* een wond ~ verbinden *strap up a wound* **3.2** iem. ~ de hand drukken *wring s.o.'s hand;* hou me ~ vast *hold me t.;* hou je ~ vast *hang on t.;* ~ vasthouden *keep a t. grip on, get a good hold on;* ~ vast-

pakken *grab hold of* **3.3** ~ aanpakken *get stuck in(to sth.);* zich~ afdrogen *rub o.s. down;* ~ doorstappen *walk on briskly, step out;* hij is weer~ aan het drinken *he's on another drinking-bout;* ~ drinken/ eten *drink heavily, eat heartily;* ~ ontbijten *have a good-sized/ hearty breakfast* ¶**.2** iem. ~ onder handen nemen *give s.o. a good talking to;* hij moet ~ in de hand gehouden worden *he needs a t. hand/ he must be taken (firmly) in hand;* we moeten er ~ tegenaan gaan *we need to really buckle down to it;* ga er eens ~ tegenaan *get going, buckle down to it* ¶**.3** 'm ~ om hebben *be sloshed/ stoned.*

stevigheid 〈de (v.)〉 **0.1** *sturdiness* ⇒*strength, firmness, solidity.*

steward 〈de (m.)〉, **-ess** 〈de (v.)〉 **0.1** *steward* 〈m.〉; *stewardess, (air) hostess* 〈v.〉.

St.-Gen. 〈afk.〉 **0.1** [Staten-Generaal] *States General.*

stichomythie 〈de (v.)〉〈lit.〉 **0.1** *stichomythia.*

sticht 〈het〉 **0.1** [klooster] *convent* **0.2** [bisdom] *bishopric* ⇒*see, diocese.*

stichtelijk
I 〈bn., bw.;-ly〉 **0.1** [verheffend in godsdienstige/ zedelijke zin] *edifying* ⇒*elevating, improving* **0.2** [vroom] *devotional* ⇒*pious* ◆ **1.1** ~e lectuur *edifying/ improving reading;* een ~e preek *an edifying sermon* **1.2** een ~ leven leiden *lead a pious life;* ~e liederen *d. songs, hymns* **5.1** dat is niet erg ~ *that isn't particularly edifying/ elevating;* **II** 〈bw.〉 〈iron.〉 ◆ **3.¶** ik bedank er ~ voor *thanks a bunch/ for nothing.*

stichtelijkheid 〈de (v.)〉 **0.1** *edifying nature;* 〈van levenswijze〉 *piety, piousness.*

stichten 〈→sprw. 232〉
I 〈ov.ww.〉 **0.1** [oprichten] *found* ⇒*establish, start, set up, erect* **0.2** [teweegbrengen] *bring about* ⇒*cause, create, make* 〈vrede〉 ◆ **1.1** brand ~ *start a fire, commit arson;* een gezin ~ *start a family;* een school/ klooster ~ *f. a school/ convent* **1.2** kwaad/ onheil ~ *stir up/ do/ cause evil/ mischief;* verwarring ~ *cause/ create confusion;* **II** 〈onov., ov.ww.〉 **0.1** [in godsdienstig/ zedelijk opzicht verheffen] 〈ov.ww.〉 *edify* ⇒*uplift* ◆ **6.1** in de kerk gesticht worden *be uplifted by the church;* 〈fig.〉 niet gesticht zijn **over** iets *be annoyed/ displeased / vexed about sth..*

stichter 〈de (m.)〉, **-es** 〈de (v.)〉 **0.1** [oprichter] *founder* 〈m., v.〉 ⇒ 〈schr.〉 *founding father* 〈m.〉, *foundress* 〈v.〉, *institutor* 〈m., v.〉 **0.2** [iem. die iets teweegbrengt] *instigator* 〈m., v.〉 ⇒*author* 〈m.〉, *authoress* 〈v.〉 **0.3** [〈gesch.〉 schenker v.e. kerkelijk kunstwerk] *donor* ◆ **1.1** de ~ v.d. christelijke godsdienst *the founding father of the Christian religion;* de ~ v.h. Perzische rijk *the founder of the Persian Empire* **1.2** de ~ van zoveel kwaad *the i. / author of so much evil.*

stichting 〈de (v.)〉 **0.1** [het oprichten] *foundation* ⇒*establishment, creation, institution* **0.2** [rechtspersoon] *corporation* ⇒ 〈alg. ook〉 *foundation, organization, institution* **0.3** [godsdienstige/ zedelijke verheffing] *edification* ⇒*improvement* ◆ **1.2** de Stichting van de Arbeid *the Foundation of Labour, the Joint Industrial Labour Council* **6.3** tot ~ **van** *for the benefit/ e. / improvement of.*

stichtingsakte 〈de〉 **0.1** *deed/ charter of foundation.*

stichtingskosten 〈zn.mv.〉 **0.1** ≠*development/ building costs/ charges.*

stief 〈bn.〉 ◆ **1.¶** een ~ kwartiertje *a good quarter of an hour.*

stiefbroer 〈de (m.)〉 **0.1** *stepbrother.*

stiefdochter 〈de (v.)〉 **0.1** *stepdaughter.*

stiefelen 〈onov.ww.〉〈inf.〉 **0.1** *hoof it, leg it* ◆ **6.1** naar huis ~ *head/ make for home.*

stiefkind 〈het〉 **0.1** [stiefdochter/ zoon] *stepchild* **0.2** [〈fig.〉] *poor cousin/ relation* ⇒*Cinderella* ◆ **1.2** ~eren van de fortuin *victims of fortune* **3.1** hij is een beetje het ~ *he's always treated like a poor relation.*

stiefmoeder 〈de (v.)〉 **0.1** [tweede moeder] *stepmother* **0.2** [〈pej.〉] *stepmother* ◆ **6.2** 〈fig.〉 de fortuin is geen ~ voor hem geweest *fortune has been good to him.*

stiefmoederlijk 〈bn., bw.〉 **0.1** *stepmotherly* ◆ **3.1** de natuur heeft deze landstreek ~ bedeeld *this part of the country has been badly served by Mother Nature;* ze werden maar ~ behandeld *they were treated harshly/ unfeelingly/ in s. fashion/ in a s. way.*

stiefouder 〈de〉 **0.1** *stepparent.*

stiefouderadoptie 〈de (v.)〉 **0.1** *adoption by a stepparent.*

stiefvader 〈de (m.)〉 **0.1** *stepfather.*

stiefzoon 〈de (m.)〉 **0.1** *stepson.*

stiefzuster 〈de (v.)〉 **0.1** *stepsister.*

stiekem 〈bn., bw.〉 **0.1** [geniepig] 〈bn.〉 *sneaky* ⇒*underhand, surreptitious,* 〈bw.〉 *in an underhand way, on the sly/ quiet* **0.2** [heimelijk] 〈bn.〉 *secret* ⇒*clandestine, surreptitious, furtive, underhand,* 〈bw.〉 *in secret/ private, by stealth* ◆ **1.1** een ~e jongen *a sneaky boy, a slyboots;* ~e streken *sneaky tricks* **1.2** ~ gedoe *hugger-muggery;* een ~e voldoening *a secret satisfaction* **3.1** ~ iets kopen *buy sth. on the sly;* ~ iets wegnemen *remove sth. secretly, sneak sth.* **3.2** ~ iets doen *on the sly/ in the corner;* ~ meerijden *steal a ride;* ~ weggaan *steal/ sneak/ slink away* ¶**.2** ~ te werk gaan *do sth. craftily.*

stiekemerd 〈de (m.)〉 **0.1** *sneak* ⇒*sly dog, deep one, slyboots.*

stiekempjes 〈bw.〉〈inf.〉 **0.1** *quietly* ⇒*without a word* ◆ **3.1** ik zou maar ~ thuisblijven *I'd just keep my mouth shut and stay home.*

stiel 〈de (m.)〉〈AZN〉 **0.1** *craft* ◆ **3.1** dat is mijn ~ niet *that is off my*

beat **6.1** op ~ gaan/ zijn *be articled to (s.o.)/ be in articles;* iem. **op** ~ doen *apprentice s.o. to s.o.;* een man **van** ~ *craftsman.*

stier 〈de (m.)〉 **0.1** [mannelijk rund] *bull* **0.2** [〈astrol.〉 met hoofdl.) teken] *Taurus, Bull* **0.3** [〈astrol.〉 persoon] *Taurus* **0.4** [〈fig.〉 onbeheerst type] *bull* ◆ **2.1** als een dolle ~ *like a mad b.* **8.1** loeien/ snuiven als een ~ *bellow/ snort like a b.* **8.¶** 〈inf.〉 balen als een ~ *be fed up to the back teeth, be sick and tired of, be sick to death (of).*

stieregevecht 〈het〉 **0.1** *bullfight.*

stieren 〈onov.ww.〉 **0.1** *bull* ◆ **5.1** door de verdediging heen ~ *b. one's way through the defence* ^*se.*

stierenek 〈de (m.)〉 **0.1** [gespierde nek] *bull-necked* **0.2** [nek v.e. stier] *bull's neck.*

stierenvechter 〈de (m.)〉 **0.1** *bullfighter.*

stierkalf 〈het〉 **0.1** *bullcalf* ⇒〈gecastreerd〉 *steer, bullock.*

stierlijk 〈bw.〉〈inf.〉 **0.1** ¶**.2** zij is ~ vervelend *she's beastly annoying, she's such a drag/ bore;* het was ~ vervelend *it was such a drag/ bore* **3.¶** ik verveel me ~ *I'm bored stiff/ to death/ to tears;* iem. ~ vervelen *bore a person to death/ tears* ¶**.¶** ~ het land hebben *be fed up to the back teeth.*

stift
I 〈de〉 **0.1** [dunne houten/ metalen pen] *style, stylus* ⇒〈van graveur〉 *burin, tracer, graver* **0.2** [puntig voorwerp] *pin* ⇒*peg* **0.3** [mbt. een vulpotlood/ ballpoint] *cartridge* **0.4** [viltstift] *felt-tip (pen);*
II 〈het〉 **0.1** [klooster] *convent* **0.2** [bisdom] *bishopric* ⇒*see, diocese.*

stifttand 〈de (m.)〉 **0.1** *false tooth.*

stigma 〈het〉 **0.1** [〈fig.〉 merkteken] *stigma* **0.2** [〈med.〉] *stigma* **0.3** [wondteken van Christus] *stigma* ⇒〈vaak mv.〉 *stigmata* ◆ **4.1** een strafblad is een maatschappelijk ~ *a criminal record is a social s..*

stigmatisatie 〈de (v.)〉 **0.1** *stigmatization.*

stigmatiseren 〈ov.ww.〉 **0.1** [〈fig.〉 brandmerken, schandvlekken] *stigmatize* ⇒*brand* **0.2** [〈rel.〉 tekenen met de littekens van Christus] *stigmatize* ◆ **8.1** de krakers werden gestigmatiseerd als misdadigers *the squatters were branded as criminals.*

stijf 〈→sprw. 74〉
I 〈bn.〉 **0.1** [niet soepel] *stiff* ⇒*rigid* **0.2** [goed samenhangend] *stiff* ⇒*firm* **0.3** [bolstaand] *bulging* ⇒*stiff* **0.4** [〈fig.〉 houterig] *stiff* ⇒*awkward, wooden, self-conscious* **0.5** [niet hartelijk] *stiff* ⇒*formal,* 〈inf.〉 *stuffy,* 〈ihb. van vrouwen〉 *prim, prissy* **0.6** [krachtig] *stiff* ⇒*strong* **0.7** [strak] *taut, tight* ◆ **1.1** stijve boorden *s. collars;* het lijk is al ~ *the corpse is already s.;* ~ linnen *starchy/ s. linen;* stijve spieren, een stijve rug, een stijve nek *s. muscles, a sore/ aching back, a s. / cricked neck* **1.3** een stijve sigaar *a b. cigar* **1.4** stijve bewegingen/ manieren *stiff movements, stiff/ constrained manners;* een ~ gebaar *a stiff/ wooden/ self-conscious gesture;* een stijve stijl *a stiff/ wooden style* **1.5** een stijve begroeting *a stiff greeting;* stijve deftigheid *stiff formality;* een ~ knikje *a stiff/ formal nod* **1.6** een stijve bries *a stiff breeze* **2.1** 〈fig.; AZN〉 iem. met de stijve nek bezien *give s.o. the cold shoulder, cut s.o. dead/ cold;* ~ en stram *s. and stark* **3.1** 〈fig.〉 iem. ~ schelden/ vloeken *yell/ swear s.o.'s ears off* **3.2** eiwit ~ kloppen *beat the egg whites until s.;* stijve/ klaar als de wegwijzers **3.3** 〈fig.〉 zijn proefwerk staat ~ v.d. fouten *his test is loaded/ brimming/ riddled with mistakes;* hij staat ~ v.d. doping *he's been doped to the gills* **3.7** een touw ~ spannen/ aantrekken *stretch/ pull a rope taut;* de stagen stonden ~ naar achteren *the stays were tightly pulled to the rear* **6.1** ~ **van** de kou *numb with cold* **7.1** 〈vulg.; zelfst.〉 een stijve krijgen/ hebben *get/ have a hard-on;*
II 〈bw.〉 **0.1** [niet soepel] *stiffly* ⇒*rigidly* **0.2** [houterig] *stiffly* ⇒*awkwardly, woodenly, self-consciously* **0.3** [niet hartelijk] *stiffly* ⇒*formally* **0.4** [strak] *stiffly* ⇒*tautly, tightly* ◆ **2.2** 〈fig.〉 iets ~ strak staande houden *not budge an inch, maintain sth. stubbornly* **3.1** ~ lopen *walk s.* **3.3** ~ groeten *greet s. / coolly* **3.4** iem. ~ aanzien *stave at/ look at/ fix s.o. steadily;* zij hield het pak ~ vast *she held on to/ clutched the package with all her might, she kept a tight hold on the package.*

stijfdeftig 〈bn., bw.;-ly〉 **0.1** *formal* ⇒*ceremonious.*

stijfheid 〈de (v.)〉 **0.1** [onbuigzaamheid] *stiffness* ⇒*rigidity* **0.2** [onhartelijkheid] *stiffness* ⇒*formality* **0.3** [sterke consistentie] *stiffness* ⇒*firmness* ◆ **1.1** de ~ v.e. constructie *the strength of a construction;* last hebben van toenemende ~ v.d. rug *be bothered by an increasing s. in the back* **1.2** de opvallende ~ van zijn begroeting *the striking s. of his greeting* **1.3** de ~ v.d. pudding *the firmness of the pudding.*

stijfhoofd 〈de (m.)〉 **0.1** *mule* ⇒*stubborn/ obstinate/* 〈inf.〉 *pigheaded person, bullhead, hardhead.*

stijfhoofdig 〈bn., bw.〉 **0.1** *stiff-necked* ⇒*stubborn, obstinate, headstrong,* 〈inf.〉 *pigheaded.*

stijfjes 〈bn., bw.;-ly〉 **0.1** *stiff* ⇒*formal, distant* ◆ **3.1** ze groette ~ *she said hello stiffly/ formally;* is hij altijd zo ~? *is he always so formal/ distant?*

stijfkop 〈de (m.)〉 **0.1** →stijfhoofd.

stijfkramp 〈de (v.)〉 **0.1** *tetanus, lockjaw.*

stijfsel 〈het, de (m.)〉 **0.1** [voor de was] *starch;* 〈om te plakken〉 *paste* ◆ **3.1** ~ koken *heat up s.;* de ~ laat los/ plakt niet *the p. comes off/ doesn't stick* **6.1** het linnengoed **door** het ~ halen *starch the linen.*

stijfselkwast ⟨de (m.)⟩ **0.1** *paste-brush*.
stijfselpap ⟨de⟩ **0.1** *starch paste*.
stijfvloeken ⟨ov.ww.⟩ **0.1** *to cow (s.o.) by swearing*.
stijgbeugel ⟨de (m.)⟩ **0.1** [voetbeugel] *stirrup* ⇒*footstall* ⟨dameszadel⟩ **0.2** [gehoorbeentje] *stirrup (bone)* ⇒*stapes* ◆ **6.1** een voet in de ~ hebben *have a foot in the* ⟨fig.⟩ *door/* ⟨lett.⟩ *s.;* iem. in de ~ helpen *give s.o. a leg up*.
stijgbeugelriem ⟨de (m.)⟩ **0.1** *stirrup leather/strap*.
stijgen ⟨onov.ww.⟩ **0.1** [zich naar een hoger gelegen punt bewegen] *rise* ⇒*climb* ⟨vliegtuig⟩ **0.2** [omhooglopen] *rise* ⇒*go up* **0.3** [mbt. rangorde] *rise* ⇒*climb, advance, go up* **0.4** [mbt. vloeistoffen] *rise* **0.5** [toenemen] *increase* ⇒*rise, grow, mount, go up* **0.6** [opstappen] *mount* **0.7** [af/uitstappen] *step/get off, step/get out of* ⇒*dismount, alight, descend from* ⟨paard⟩ ◆ **1.2** het bergpad stijgt *the mountain path gets steeper and steeper;* een ~ de lijn *an upward trend;* zich in ~ de lijn bewegen *be on the upgrade, show an upward trend* **1.3** de plaat stijgt met stip *the record is climbing the charts;* een treetje ~ *get a step up* **1.4** het kwik/de thermometer stijgt *the mercury/temperature is rising;* het water/de rivier stijgt *the water/river is rising* **1.5** ⟨taal.⟩ ~d accent *rising intonation, rise;* hij zag zijn kansen ~ *he saw his chances multiply;* de prijzen/lonen ~ *prices/wages are on the rise/increase/up-and-up;* met ~de verbazing *with growing amazement* **3.5** zijn kansen doen ~ *multiply one's chances* **5.3** een snel ~de ster *a golden boy/girl* **5.5** snel ~de prijzen *sharply rising/soaring prices* **6.1** het vliegtuig steeg snel **naar** 2000 voet *the plane quickly climbed to 2000 feet;* ⟨fig.⟩ de alcohol stijgt me **naar** het hoofd *the alcohol is going to my head;* ⟨fig.⟩ de loftuitingen zijn hem **naar** het hoofd gestegen *the praise has gone to/turned his head* **6.3** in achting ~ r. *in esteem;* **in** aanzien ~ r. *in prestige* **6.5** in prijs ~ i. / *rise in price;* zijn woede steeg **ten** top *he'd never been so furious in his life;* ⟨inf.⟩ *he was hopping mad* **6.6 te** paard/**in** het zadel ~ *m. a horse, climb into the saddle* **6.7** ⟨schr.⟩ **uit** een wagen ~ *alight from a car;* **van** het paard ~ *dismount/alight from a horse* **7.5** met het ~ der jaren *with increasing age, as the years mount*.
stijghoogte ⟨de (v.)⟩ **0.1** [punt tot waar/afstand over welke iets stijgt] *rise, pitch* **0.2** [mbt. een vloeistof in een capillaire buis] *height of rise*.
stijging ⟨de (v.)⟩ **0.1** [het stijgen] *rise* ⇒*increase, lift, climb, ascent* **0.2** [mate waarin iets stijgt] *rise* ⇒*increase, advance,* ⟨mbt. helling ook⟩ *gradient,* ⟨mbt. waarde ook⟩ *appreciation* **0.3** [keer] *rise* ⇒*increase* ◆ **2.1** ⟨mbt. prijs/waarde⟩ een plotselinge/krachtige ~ *a jump, a boom* **3.2** deze lijn geeft de ~ aan *this line indicates the r. / increase* **6.1** een ~ **in** prijs *a r. / an increase in price*.
stijgingsregen ⟨de (m.)⟩ **0.1** ⟨door convectie⟩ *convectional/* ⟨door lage-drukgebied⟩ *cyclonal/* ⟨door bergen⟩ *orographic rain (fall)*.
stijgkracht ⟨de⟩ ⟨luchtv.⟩ **0.1** *lift(ing power)*.
stijgsnelheid ⟨de (v.)⟩ **0.1** [van vliegtuig] *rate of climb/ascent* ⇒*climbing speed* **0.2** [van koersen] *rate of rise*.
stijgvermogen ⟨het⟩ **0.1** *lift* ⇒*climbing power*.
stijl ⟨de (m.)⟩ **0.1** [overeind staande paal] *post* ⇒*stanchion, upright, strut,* ⟨deur, raam ook⟩ *jamb* **0.2** [schrijfwijze] *style* ⇒⟨taal. ook⟩ *register* **0.4** [vormgeving] *style* ⇒*tradition* **0.5** [handelwijze] *style* ⇒*manner* **0.6** [deel van stamper] *style* **0.7** [stelsel van tijdrekening] *style* ⇒*calendar* ◆ **1.5** zij heeft geen gevoel voor ~ *she hasn't got any class/s.* **2.3** journalistieke/ambtelijke/academische ~ ⟨pej.⟩ *journalese, officialese, academic;* een verheven ~ *a grand/a lofty/an elevated s.* **2.4** een kathedraal in de gotische ~ *a Gothic cathedral* **2.5** een feest in grote ~ *a party in grand s.;* het onderwijs nieuwe ~ *the new s. of education;* iem. met een persoonlijke ~ *s.o. with a s. all his own* **2.7** de nieuwe/Gregoriaanse ~ *New Style, the Gregorian calendar* **3.5** ⟨pregn.⟩ ~ hebben *have s.* **6.4** in de ~ **van** *after the fashion of* **6.5** in ~ blijven *keep up/keep in s.;* een man of *fashion/with s.;* **met** veel ~ *in fine s.;* ⟨pregn.⟩ **met/in** ~ *with/in s.,* stylishly **7.5** dat is geen ~ *that's no way to behave/to treat people/go about things, it's a downright shame*.
stijlanalyse ⟨de (v.)⟩ **0.1** *style analysis, analysis of style* ⇒⟨taal.⟩ *stylistic analysis*.
stijlbloempje ⟨het⟩ **0.1** *stylistic howler* ⇒⟨ihb.⟩ *mixed metaphor*.
stijlbreuk ⟨de⟩ ⟨lit., bk.⟩ **0.1** *(sudden) change of/in style*.
stijldans ⟨de (m.)⟩ **0.1** *ballroom dance*.
stijldansen ⟨ww.⟩ **0.1** *ballroom dancing*.
stijlfiguur ⟨de⟩ **0.1** *figure of speech* ⇒*trope* ◆ **3.1** een ~ gebruiken/toepassen *use/apply a figure of speech*.
stijlfout ⟨de⟩ **0.1** *fault in style* ⇒*stylistic lapse*.
stijlkritiek ⟨de (v.)⟩ **0.1** *stylistic analysis*.
stijlkritisch ⟨bn., bw.⟩ **0.1** *based on stylistic analysis* ◆ **1.1** een werk identificeren op ~e gronden *identify a work on the basis of (a) stylistic analysis*.
stijlleer ⟨de⟩ **0.1** [stilistiek] *stylistics* **0.2** [boek] *stylebook*.
stijlloos ⟨bn., bw.⟩ **0.1** [zonder stijl] *tasteless, styleless* ⇒*lacking in style,* ⟨AE ook⟩ ↓*tacky* **0.2** [zonder gevoel voor stijl, zonder manieren] *off-hand, ill-mannered, underhand, unseemly* ◆ **1.1** de stijlloze huizenbouw van de 19de eeuw *the s. / uninspired way in which houses were built in the 19th century* **1.2** een stijlloze manier van doen *shameful/*

underhand/unseemly behaviour **3.2** wat je gedaan hebt is ~ *what you've done is beyond all pale/is unworthy of you*.
stijlmeubel ⟨het⟩ **0.1** *period piece* ⇒⟨mv.⟩ *period furniture*.
stijlmiddel ⟨het⟩ **0.1** *stylistic device*.
stijlniveau ⟨het⟩ **0.1** *stylistic level, level of style;* ⟨taal.⟩ *register*.
stijloefening ⟨de (v.)⟩ **0.1** [het zich bekwamen in de stijl] *style exercise* **0.2** [les, opgave] *composition (exercise)*.
stijlregister ⟨het⟩ ⟨taal.⟩ **0.1** *register*.
stijlvariant ⟨de⟩ **0.1** *alternative style-form*.
stijlvoet ⟨de (m.)⟩ ⟨plantk.⟩ **0.1** *stylopodium*.
stijlvol ⟨bn., bw.; -ly⟩ **0.1** *stylish* ⇒*chic, fashionable,* ⟨BE ook⟩ *smart,* ⟨bw.⟩ *in style* ◆ **3.1** dat heeft zij heel ~ opgelost *she solved that one very nicely/smoothly/tactfully;* ~ ingericht *stylishly/fashionably/ smartly decorated, decorated in good taste/fine style*.
stijven
I ⟨ov.ww.⟩ **0.1** [met stijfsel bewerken] *starch* ◆ **1.1** linnengoed ~ *s. linen;*
II ⟨ov.ww.⟩ **0.1** [versterken] *stiffen* ⇒*back, encourage, strengthen* **0.2** [stijf maken] *stiffen* ◆ **1.2** de kou stijft de handen *the cold numbs the hands* **3.¶** de wind begint te ~ *the wind is beginning to stiffen/pick up* **6.1** iem. in zijn overmoed/in het kwaad ~ *confirm s.o. in his recklessness/evil ways;* hij wordt daardoor slechts **in** zijn overtuiging gestijfd *it only goes to strengthen his conviction*.
stik ⟨tw.⟩ **0.1** [uitroep van ergernis] *oh heck/blast/damn, dash/damn it,* ^A*oh drat* **0.2** [verwensing] *nuts (to you)* ⇒*get lost,* ⟨BE ook⟩ *get stuffed*.
stikdonker[1] ⟨het⟩ **0.1** *pitch-dark(ness), pitch-black(ness)* ◆ **6.1** in het ~ *in pitch-darkness*.
stikdonker[2] ⟨bn.⟩ **0.1** *pitch-dark, pitch-black* ◆ **3.1** het is ~ ⟨ook⟩ *it's as black/dark as pitch*.
stikheet ⟨bn.⟩ ⟨inf.⟩ **0.1** *suffocating* ⇒*boiling/blazing hot, stifling (hot), sweltering*.
stikken
I ⟨onov.ww.⟩ **0.1** [sterven door ademgebrek] *suffocate* ⇒*choke* **0.2** [benauwd worden] *suffocate* ⇒*be stifled, seethe/be seething (with)* ⟨woede⟩ **0.3** [in overvloed hebben] *be bursting (with)* ⟨jaloezie, trots⟩ ⇒*be up to one's ears/eyes/eyeballs/neck (in)* ⟨werk e.d.⟩ **0.4** |⟨fig.⟩ doodvallen] *drop dead* ⇒*go to hell/the devil/blazes* ◆ **1.¶** ⟨inf.⟩ stik de moord! *drop dead!, go to hell/blazes!, get stuffed!, go boil your head!* **3.4** iem. laten ~ *let s.o. down, leave s.o. in the lurch;* ⟨mbt. echtgenoot ook⟩ *walk/run out on s.o.;* ⟨niet trouwen⟩ *jilt s.o.;* ⟨niet verschijnen⟩ *stand s.o. up* **6.1** hij is **door** kolendamp gestikt *he suffocated from/choked with carbon monoxide poisoning;* **in** iets ~ *choke on sth.;* ⟨fig.⟩ hij stikte bijna **in** zijn woorden *he almost/practically choked on his words* **6.2** het is hier **om** te ~! *it's stifling/boiling hot in here, you can't breathe in here;* ~ **van** de warmte *(be) swelter(ing);* ~ **van** het lachen *be in stitches, be convulsed with laughter, split one's sides;* ~ **van** woede *choke with anger, be all choked up* **6.3** ~ **in** het werk *be up to one's ears in work, be snowed under with work;* ~ **van** het geld *be lousy with money,* ⟨inf.⟩ *have money to burn* **¶.2** ik stik! *I'm choking!* **¶.4** je kunt voor mijn part ~! stik jij toch! *as far as I'm concerned, you can drop dead!, why don't you drop dead!;*
II ⟨onov., ov.ww.⟩ **0.1** [naaien zonder tussenruimte] *stitch* ◆ **1.1** een naadje ~ *s. a seam* **6.1 met** de machine/**met** de hand ~ *s. by machine/hand;*
III ⟨onp.ww.⟩ ⟨inf.⟩ **0.1** [overvloedig aanwezig zijn] *be full (of)* ⇒*swarm (with), crawl (with), be infested/lousy (with)* ◆ **6.1** het stikt hier **van** de restaurantjes/**van** de muggen/**van** de verkeerslichten *this place is lousy with/full of/crawling with bistros/mosquitoes/traffic-lights;* deze vertaling stikt **van** de fouten *this translation is riddled with errors*.
stikkend ⟨bn., bw.; -ly⟩ **0.1** *suffocating* ⇒*stifling* ◆ **1.1** de lucht was ~ *the air was suffocating/stifling* **2.1** het was ~ heet *it was stifling/boiling hot, it was sweltering;* ~ vol *suffocatingly full, fit to burst*.
stikkie ⟨het⟩ ⟨inf.⟩ **0.1** *joint* ⇒*stick, reefer,* ⟨vnl. in taal van West-Indiërs en Rastafari's⟩ *spliff*.
stikmachine ⟨de (v.)⟩ **0.1** *stitching machine, stitcher*.
stiknaald ⟨de⟩ **0.1** *stitching needle*.
stiksel ⟨het⟩ **0.1** *stitching*.
stiksteek ⟨de (m.)⟩ **0.1** ⟨machinaal⟩ *straight stitch;* ⟨met de hand⟩ *back stitch*.
stikstof ⟨de⟩ **0.1** *nitrogen*.
stikstofbemesting ⟨de (v.)⟩ **0.1** *nitrogen(ous) fertilizer/manure*.
stikstofbinding ⟨de⟩ **0.1** [proces] *nitrogen fixation* **0.2** [chemische binding van anorganische stikstof] *nitrogen binding*.
stikstofgehalte ⟨het⟩ **0.1** *nitrogen content/level*.
stikstofhoudend ⟨bn.⟩ **0.1** *nitrogenous* ⇒⟨pred. ook⟩ *containing nitrogen*.
stikstofverbinding ⟨de (v.)⟩ **0.1** *nitrogen compound*.
stikvol ⟨bn.⟩ ⟨inf.⟩ **0.1** *crammed* ⇒*chock-full, packed, crowded, chock-a-block* ◆ **1.1** ~ le zalen *packed halls*.
stikwerk ⟨het⟩ ⟨amb.⟩ **0.1** *stitching* ⇒*stitchery*.
stikzijde ⟨de⟩ **0.1** *silk thread*.

stil 〈→sprw. 641,676〉

I 〈bn.〉 **0.1** [zonder geluid] *quiet* ⇒*silent, still, mute, hushed* **0.2** [niet bewegend] *still* ⇒*motionless* **0.3** [bedaard] *quiet* ⇒*calm, tranquil,* 〈mbt. handel ook〉 *slack, dull* **0.4** [verborgen, heimelijk] *secret* ◆ *concealed, hidden* **0.5** [niet in woorden geuit] *silent* ⇒*mute, secret* ◆ **1.1** ~ alarm *silent alarm;* een ~le mis *a low mass;* ~le omgang *silent procession;* een ~le rol *a non-speaking role* **1.2** de Stille Oceaan/ Zuidzee *the Pacific (Ocean);* een ~le zee *a calm sea* **1.3** ~le berusting *q. resignation;* 〈hand.〉 een ~le handel *(a) q. / slack/slow/ (an) idle trade, quiet* 〈enz.〉 *trading;* een ~le plekje zoeken *look for a nice q. corner/spot;* de ~le tijd *the slack/low/off season;* 〈scherts.; mbt. journalistiek〉 *the silly season;* de ~le uurtjes 〈's nachts〉 *the dead hours of the night;* 〈mbt. handel〉 *the slack hours* **1.4** een ~le aanbidder *a s. admirer;* ~le armoede *hidden poverty;* een ~le drinker *a s. / quiet drinker;* de ~le kracht ≠*silent/invisible forces;* 〈hand.〉 een ~le vennoot *a* Bsleeping/Asilent *partner* **1.5** een ~ verlangen *a secret wish;* een ~le getuige *a silent witness;* de ~le hoop koesteren dat ...*nurse the secret hope that ...;* een ~ protest *a silent protest;* in ~le verbazing naar iets kijken *look at sth. in open-mouthed/silent wonder;* een ~ vermoeden *a secret suspicion;* er lag een ~ verwijt in haar ogen *there was a silent/ mute reproach in her eyes;* de ~le wens koesteren om ...*have a sneaking/secret desire to ...* **1.**¶ Stille Nacht *Silent Night;* ~le week *Holy Week* **3.1** wees~! *be q.!, hush!;* ik werd er ~ van *I was reduced to silence, it made me speechless;* ~ worden *go q., fall silent;* even ~ zijn *be q.! still for a moment* **3.3** het is ~ op straat/in huis 〈ook〉 *the streets are/the house is q., it is q. out/indoors;* daarna werd het ~ rond X *it then went silent around X, silence then fell around X* **5.1** hij is er ~ van *it has reduced him to silence, he's gone (all) q. / silent* **8.1** het was er zo ~, dat men een speld kon horen vallen *it was so q. you could hear a pin drop* **¶.1** ~! *silence!, hush up!;*

II 〈bw.〉 **0.1** [zonder (veel) geluid voort te brengen] *quietly* ⇒*silently, mutely* **0.2** [roerloos] *still* **0.3** [zonder ophef te maken] *quietly* ⇒*calmly, peacefully* **0.4** [heimelijk] *silently* ⇒*secretly* ◆ **3.1** 〈AZN〉 ~ spreken/zeggen *speak/say softly, whisper* **3.2** ~ blijven zitten *sit s.* **3.3** ~ leven *live a retired/secluded life;* ~ gaan leven *go into retirement, retire* **3.4** er ~ vandoor gaan *leave/slip out quietly.*

stilaan 〈bw.〉 **0.1** *gradually* ⇒*by degrees, step by step* ◆ **3.1** we moeten ~ vertrekken *we'll have to be leaving/making our way soon.*

stileren 〈ov.ww.〉 **0.1** [uitbeelden in een vereenvoudigde grondvorm] *stylize* **0.2** [in goede stijl uitdrukken] *stylize; compose* **0.3** [in model brengen] *formalize* ◆ **1.1** gestileerde bloemen *stylized flowers* **5.2** goed ~ *have a good style.*

stilet 〈het〉 **0.1** *stiletto.*

stiletto 〈de (m.)〉 **0.1** *flick knife,* Aswitchblade*.*

stilheid 〈de (v.)〉 **0.1** [stilte] *quiet, silence* ⇒*hush* **0.2** [rustigheid] *peace, tranquillity.*

stilhouden

I 〈ov.ww.〉 **0.1** [stil laten zijn] *keep quiet* ⇒*hold still* **0.2** [geheim houden] *keep quiet* ⇒*conceal, hush/cover up* ◆ **1.1** de benen niet stil kunnen houden *have restless legs;* een kind ~ *keep a child quiet, quieten a child (down);* ze houdt haar mond niet ~! *she does keep on!;* hou je voeten stil! *keep your feet still!* **1.2** zij hielden de zaak stil *they kept the thing hushed up/quiet* **4.1** hou je stil! *be quiet, hold your tongue, shut up;*

II 〈onov.ww.〉 **0.1** [stoppen] *stop* ⇒*pull up, come to a stop/halt* ◆ **1.1** de taxi hield stil voor de voordeur *the taxi pulled up at the front door.*

stilist 〈de (m.)〉 **0.1** [schrijver, schrijfster] *stylist* **0.2** [mbt. de detailhandel] *stylist.*

stilistiek 〈de (v.)〉 **0.1** [leer] *stylistics* **0.2** [onderzoek] *stylistics* **0.3** [boek] *guide to good style.*

stilistisch 〈bn., bw.; -ally〉 **0.1** [〈lit.〉] *stylistic* **0.2** [mbt. de stijl] *stylistic* ◆ **1.1** de ~e grammatica *grammar of style, s. grammar* **1.2** een ~ hoogstandje *a stylistic masterpiece/tour de force.*

stille 〈de (m.)〉 **0.1** [zwijger] *quiet one* **0.2** [rechercheur] *plain-clothes policeman* ⇒〈AE; sl.〉 *gumshoe man, spy, snoop(er).*

stilleggen 〈ov.ww.〉 **0.1** *stop* ⇒*halt, shut/close down, immobilize* ◆ **1.1** een bedrijf ~ *shut/close down a business;* het verkeer ~ *stop/halt the traffic;* het werk ~ *stop work;* 〈bij staking〉 *down tools.*

stillen 〈ov.ww.〉 **0.1** [doen ophouden] *satisfy* ⇒*relieve, alleviate, soothe* 〈pijn〉, *quench* 〈dorst〉 **0.2** [tot kalmte brengen] *still* ⇒*quiet, silence, calm* ◆ **1.1** zijn honger ~ *satisfy/alleviate/check one's hunger;* dat zal zijn eerste honger ~ *that will take the edge off his appetite.*

stilletjes 〈bw.〉 **0.1** [met weinig gerucht/beweging] *quietly* ⇒*noiselessly* **0.2** [stiekem] *secretly* ⇒*stealthily, on the quiet/sly/q.t., by stealth* **0.3** [zonder zich ermee te bemoeien] *undisturbed, in peace* ◆ **3.1** ze begon ~ te huilen *she began to cry;* ~ verdwijnen *steal away, tiptoe out, disappear q.* **3.2** ~ zijn gang gaan *keep one's own counsel;* hij stak haar ~ wat geld toe *he slipped her some money on the sly/quiet* **3.3** laat haar maar ~ haar gang gaan *just let her do things her own way/do her own thing, just leave her to her own devices.*

stilleven 〈het〉 **0.1** [groepering van onbeweeglijke voorwerpen] *still life* **0.2** [kunstwerk] *still life* **0.3** [genre] *still life.*

stillezen 〈het〉 **0.1** *silent reading* ⇒*comprehension.*

stilliggen 〈onov.ww.〉 **0.1** [rustig liggen] *lie still/quiet* **0.2** [blijven liggen, uit de vaart zijn] *rest, wait* ⇒*lie idle/at rest, lie to,* 〈aangemeerd〉 *be moored, be at anchor, be anchored,* 〈in haven〉 *be in port,* 〈voor reparatie e.d.〉 *lie up* **0.3** [niet functioneren] *lie/be idle* ⇒*be inoperative/ closed down/suspended* ◆ **1.3** de aanvoer van hout lag grotendeels stil *the supply of wood was for the most part stopped/in the doldrums* 〈inf.〉 */nearly at a standstill;* het werk ligt stil *work is at a standstill.*

stilligschade 〈de〉 **0.1** *losses/costs incurred during laying up.*

stilling 〈de (v.)〉 **0.1** *satisfaction* ⇒*relief, alleviation, soothing, appeasement* ◆ **6.1** ~ van het verlangen *satisfaction/appeasement of one's desire.*

stilstaan 〈onov.ww.〉 〈→sprw. 566〉 **0.1** [staan zonder te bewegen] *stand still* **0.2** [stilhouden] *stand still* ⇒*pause, come to a standstill* **0.3** [zich niet ontwikkelen] *stand still* ⇒*stagnate, vegetate* **0.4** [niet functioneren] *stand still* ⇒*stop, halt, be idle/at a standstill* ◆ **1.1** zijn mond staat nooit stil *his mouth is always running on, he talks nineteen to the dozen* **1.2** de tijd staat niet stil *time goes on* **1.4** mijn horloge staat stil *my watch has stopped;* de machine stond stil *the machine stopped/ stood still/lay idle;* de telefoon staat niet stil *the telephone never stops ringing* **5.2** 〈fig.〉 daar sta je normaal niet bij stil 〈ook〉 *you tend to take it for granted, you don't normally realize it;* 〈fig.〉 heb je er ooit bij stilgestaan dat ...*has it ever occurred to/struck you that ...;* ik heb er geen moment bij stilgestaan *I didn't give it a moment's thought, it never occurred to me* **5.4** daar staat mijn verstand bij stil *it's beyond my comprehension, it baffles me* **6.2** 〈fig.〉 lang ~ bij iets *dwell (up)on sth., deal with sth. at great length;* 〈fig.〉 lang ~ bij details *linger over details* **6.3** in kennis blijven ~ *stagnate in one's knowledge.*

stilstaand 〈bn.〉 **0.1** [zonder beweging zijnde] *stationary* ⇒*standing* **0.2** [in rust zijnde] *stagnant* ⇒*still* **0.3** [zich niet ontwikkelend] *stagnant* ◆ **1.1** vuren op ~e doelen *fire on stationary targets* **1.2** ~e wateren *stagnant/still waters.*

stilstand 〈de (m.)〉 **0.1** [bewegingloze stand/staat] *standstill* ⇒*halt, rest* **0.2** [stagnatie] *stagnation* ⇒*stoppage, arrest, standstill, stagnancy* ◆ **1.2** ~ is achteruitgang *stagnation means decline* **3.2** tot ~ brengen/ komen *bring/come to a standstill/halt* **6.2** een ~ in de groei *an arrest of growth.*

stilte 〈de (v.)〉 **0.1** [geluidloosheid] *silence* ⇒*quiet, stillness, hush* 〈wegvallen van geluid〉 **0.2** [bewegingloosheid] *stillness* ⇒*quiet, motionlessness, calm* **0.3** [toestand waarin het niet waait] *calm* ⇒*lull* 〈kortstondig〉 **0.4** [rust] *quiet* ⇒*calm, peace, tranquillity, quietude* **0.5** [heimelijkheid] *quiet* ⇒*privacy,* 〈heimelijkheid〉 *secrecy* ◆ **1.1** een minuut ~ *a minute's silence;* de ~ v.d. nacht *the still of the night;* een ogenblik ~ in acht nemen *observe a moment's silence* **2.1** er heerste een diepe ~ *there was a profound silence, a profound silence reigned;* een doodse ~ *a dead silence, a deathly hush;* er viel een pijnlijke ~ *an awkward silence fell, there was an uncomfortable silence/pause* **2.5** hij is in alle ~ begraven *he was buried quietly, his funeral was strictly private* **3.1** de ~ bewaren *observe (the) silence;* ~ eisen/ ~ in de klas eisen *demand silence/insist on silence in the class;* tot ~ manen *urge to be silent/quiet;* impose silence (on) 〈vergadering, rechtzaal〉 *de ~ verbreken break/cut into/disrupt the silence;* om ~ vragen voor gebed *request a moment's silence for prayer;* de ~ zoeken *seek silence/quiet* **6.1** in ~ lijden *suffer in silence* **6.3** 〈fig.〉 de ~ voor de storm *the c. / lull before the storm* **6.5** in ~ ⇒*quietly, in private, privately;* 〈stiekem ook〉 *secretly;* 〈inf.〉 *on the q. / sly* **¶.1** ~! *silence!, quiet!.*

stiltecentrum 〈het〉 **0.1** *sanctuary, meditation centre.*

stiltegebied 〈het〉 **0.1** *sanctuary* ◆ **6.1** in dit ~ broeden veel vogelsoorten *this s. is a breeding place/ground for many species of birds.*

stiltegordel 〈de (m.)〉 **0.1** [mbt. geluid] *zone of silence* **0.2** [aardgordel met windstilten] *doldrums.*

stilton 〈de〉 〈→sprw.〉 **0.1** *Stilton (cheese).*

stilvallen 〈onov.ww.〉 **0.1** [tot rust/stilstand komen] *come to a stop/ standstill/halt* ⇒〈verkeer ook〉 *stagnate, be paralysed* **0.2** [niet meer spreken, geen geluid maken] *fall silent* ◆ **1.1** het openbaar vervoer is stilgevallen *public transport has come to a standstill/ground to a halt/ become paralysed.*

stilzetten 〈ov.ww.〉 **0.1** *(bring to a) stop* ⇒*hold up,* Astall 〈verkeer〉 ◆ **1.1** een klok/machine ~ *stop a clock/machine.*

stilzitten 〈onov.ww.〉 **0.1** [zitten zonder zich te bewegen] *sit still* **0.2** [niet bedrijvig zijn] *sit/stand still* ⇒*sit idle, do nothing* ◆ **3.1** zij kan geen ogenblik ~ *she can't sit still for a moment* **5.2** wij hebben ondertussen ook niet stilgezeten *in the meantime we haven't been sitting around doing nothing/standing still.*

stilzwijgen[1] 〈het〉 **0.1** *silence* ◆ **3.1** het ~ bewaren/in acht nemen *keep/ preserve/maintain s., keep/remain silent;* iem. het ~ opleggen *enjoin s./secrecy on s.o., swear s.o. to secrecy* 〈manen tot stilzwijgen〉 *silence s.o.* 〈ertoe dwingen〉 *het ~ verbreken break/cut into/disrupt the s.* **¶.1** er het ~ toe doen *remain silent, hold one's peace.*

stilzwijgen[2] 〈onov.ww.〉 **0.1** [niet spreken] *be/keep silent* ⇒*remain silent, hold one's peace/tongue* **0.2** [ophouden met spreken] *fall silent.*

stilzwijgend

I 〈bn., bw.; -ly〉 **0.1** [zonder te spreken] *silent* ⇒*tacit* **0.2** [niet uitgedrukt] *tacit* ⇒*implied, understood, implicit* ◆ **1.2** een~e afspraak *t.*/ *implied agreement* **3.1** ~ stemde hij daarmee in *he consented tacitly;* ergens~ aan voorbijgaan *pass over sth. without comment* **3.2** ~ aannemen/veronderstellen dat ...*take (it) for granted that* ...; een contract~ verlengen *automatically/tacitly renew a contract;* er werd~ aangenomen dat ...*it was understood/an understood thing that* ...; **II** ⟨bn.⟩ **0.1** [zwijgzaam] *silent* ⇒*taciturn, quiet, uncommunicative, reticent.*

stimulans ⟨de (m.)⟩ **0.1** [pepmiddel] *stimulant* ⇒⟨inf.⟩ *pep pill,* ^A*upper* **0.2** [⟨fig.⟩] *stimulus* ⇒*inducement, incentive, impetus, boost* ◆ **3.2** een ~ aan het bedrijfsleven geven *give business a boost/s.*/ *shot in the arm* **6.2** een ~ **tot** zelfwerkzaamheid *a s.*/ *inducement/incentive to independent activity/using one's initiative.*

stimulatie ⟨de (v.)⟩ **0.1** *stimulation.*

stimulator ⟨de (m.)⟩ **0.1** [persoon] *stimulator* **0.2** [toestel] *stimulator.*

stimuleren ⟨ov.ww.⟩ **0.1** *stimulate* ⇒*promote, encourage, boost* ⟨handel⟩ ◆ **1.1** een ~d boek *a stimulating/provocative/thought-provoking book;* de eetlust~ *s.*/ *rouse/whet the appetite;* ~de middelen *stimulants, amphetamines,* ⟨inf.⟩ *dope;* de verkoop~ *promote/boost sales;* een ~de werking hebben op *have a stimulating effect on;* hij stimuleerde zijn zoon om in de politiek te gaan *he pushed his son (to go) into politics* **6.1** iem. **in** zijn werk ~ *encourage s.o. in his work.*

stimulering ⟨de (v.)⟩ **0.1** *stimulation* ⇒*encouragement, promotion.*

stimuleringsbeleid ⟨het⟩⟨pol.⟩ **0.1** *incentives policy.*

stimuleringsgebied ⟨het⟩ **0.1** *economic/special development area.*

stimulus ⟨de (m.)⟩ **0.1** *stimulus, incentive* ⇒*impetus, fillip,* ⟨inf.⟩ *shot in the arm.*

stinkbom ⟨de⟩ **0.1** *stink-bomb* ⇒*stink-pot, stink-ball* ⟨bij zeeslagen⟩.

stinkdier ⟨het⟩ **0.1** *skunk* ⇒⟨AE ook⟩ *polecat.*

stinken ⟨onov.ww.⟩⟨→sprw. 195,410,554⟩ **0.1** *stink* ⇒*smell,* ⟨BE; sl.⟩ *pong* ◆ **1.1** een uur in de wind ~ *stink to high heaven;* het vlees stinkt *the meat smells bad;* ⟨fig.⟩ die zaak stinkt *there's something fishy about that, that business smells/stinks* **4.1** ⟨fig.⟩ het stinkt hier *get a load of him/her!, what a windbag!* **5.¶** ⟨inf.⟩ erin ~ ⟨betrapt worden⟩ *walk right into it/the trap;* ⟨erin trappen⟩ *rise to/take/swallow the bait, fall/go for it, be caught out/fooled* **6.1 naar** jenever ~ *reek of gin;* ⟨AZN⟩ ~ **naar/van** het geld *be stinking/filthy rich/rolling in it;* **uit** de mond~ *have bad/foul breath* **8.1** ~ als een bunzing/als de pest *stink like a polecat.*

stinkend ⟨→sprw. 266⟩ **I** ⟨bn.⟩ **0.1** [vies ruikend] *stinking* ⇒*smelly, fetid,* ⟨BE; inf.⟩ *pongy* ◆ **1.1** ~e ballote *black horehound;* ~ gouwe *greater celandine, wartweed;* ~e kamille *stinking chamomile, dog fennel, mayweed, stinkweed;* een ~e lucht *a stench/smell/stink;* ~e voeten *smelly feet;* **II** ⟨bn., bw.; -ly⟩ **0.1** [afschuwelijk] *terrible* ⇒*foul, insufferable* ◆ **1.1** een ~e leugen *a foul/grotesque lie* **2.1** zij is ~ brutaal *she's got a nerve*/ ⟨inf.⟩ *a bloody cheek, she's as bold as brass;* ~ jaloers *insufferably/ insanely jealous, green with jealousy/envy;* ~ lui *bone idle/lazy, as lazy as lazy;* zij is ~ rijk *she is stinking/filthy rich.*

stinker(d) ⟨de (m.)⟩ **0.1** [iemand die stinkt] *stinker* ⇒*stink-pot, skunk* **0.2** [⟨scheldwoord⟩] *stinker* ⇒*stink-pot, skunk* ◆ **2.2** ⟨inf.⟩ rijke ~s *moneybags, stinking/filthy capitalists;* vuile/lelijke ~ *dirty/filthy stinker, scum* **6.¶** ⟨inf.⟩ **in** zijn ~ zitten *be in a blue funk/a stew, have/get the wind up.*

stinkkaas ⟨de (m.)⟩⟨inf.⟩ **0.1** *smelly cheese* ⇒*Limburger (cheese).*

stinkklier ⟨de⟩ **0.1** *scent gland.*

stinksteen ⟨het, de (m.)⟩ **0.1** *stink stone.*

stinkstok ⟨de (m.)⟩⟨inf.⟩ **0.1** *cheap cigar* ⇒⟨AE; sl.⟩ *toby, butt.*

stinkzwam ⟨de⟩ **0.1** *stinkhorn* ◆ **2.1** grote~ *s..*

stip

I ⟨de⟩ **0.1** [stippel] *dot* ⇒*spot, point, speck* ⟨vlekje⟩, *polka-dot* ⟨als versiering⟩ **0.2** [⟨sport⟩] *(penalty) spot* **0.3** [⟨biljart⟩] *spot(-ball)* ◆ **6.1** het vliegtuig was maar een ~je aan de hemel *the plane was a mere speck/d. in the sky;* een hit met ~ *a climber/tip (for the top);* **II** ⟨de (m.)⟩⟨sold.⟩ **0.1** [adjudant-onderofficier] ≠*warrant officer.*

stipendium ⟨het⟩ **0.1** *scholarship* ⇒*grant,* ⟨BE ook⟩ *exhibition.*

stippel ⟨de⟩ **0.1** *dot* ⇒*spot, point, speck* ⟨vlekje⟩, *polka-dot* ⟨als versiering⟩ ◆ **6.1** een grens met ~s aangeven *mark a border with dots/a dotted line.*

stippelen

I ⟨ov.ww.⟩ **0.1** [uit stippels samenstellen] *dot* ⇒*speckle, spot* ⟨grotere stippen⟩, *stipple* ⟨gravure⟩ ◆ **1.1** gestippelde lijnen *dotted lines;* **II** ⟨onov.ww.⟩⟨schr.⟩ **0.1** [zich als stippels vertonen] ⟨zie 6.1⟩ ◆ **6.1** kleine sterren stippelden **om** de schijf v.d. maan *the sky around the moon was dotted with small stars, small stars dotted the sky about the moon.*

stippelgravure ⟨de⟩ **0.1** *stipple (print/engraving).*

stippellijn ⟨de⟩ **0.1** *dotted line.*

stippen ⟨ov.ww.⟩ **0.1** [met stippen aanduiden] *dot* **0.2** [even indopen] *dip* ◆ **6.1** hij had de weg **op** het papier gestipt *he had dotted the road on the paper.*

stipt ⟨bn., bw.; -ly⟩ **0.1** *exact* ⇒*accurate, punctual* ⟨altijd op tijd⟩, *prompt* ⟨tijdig⟩, *strict* ⟨mbt. navolging van regels⟩ ◆ **1.1** ~e geheim-

houding is vereist *strict/absolute secrecy is imperative;* hij is een ~ mens *he is a punctual/precise man* **3.1** ~ betalen *pay promptly/* ⟨iedere maand⟩ *punctually;* ~ werken *be precise in one's work; work to rule* ⟨om te vertragen⟩ **6.1** ~ **om** drie uur *at three o'clock punctually/ sharp* **¶.1** ~ op tijd *right/exactly on time, on the dot, on scratch.*

stiptheid ⟨de (v.)⟩ **0.1** *accuracy* ⇒*punctuality* ⟨steeds op tijd zijn⟩, *promptness* ⟨tijdigheid⟩, *strictness* ⟨mbt. navolging van regels⟩.

stiptheidsactie ⟨de (v.)⟩ **0.1** *work-to-rule* ⇒^B*go-slow,* ^A*slow-down (strike),* ⟨Sch.E⟩ *ca'canny* ◆ **3.1** een ~ houden *work to rule.*

stipulatie ⟨de (v.)⟩ **0.1** [het stipuleren] *stipulation* **0.2** [bepaling] *stipulation* ⇒*condition, term, clause.*

stipuleren ⟨ov.ww.⟩ **0.1** *stipulate* ⇒*settle, specify.*

stirlingmotor ⟨de (m.)⟩ **0.1** *Stirling engine.*

Stoa ⟨de⟩ **0.1** *stoa, Stoa* ⇒*Porch* ⟨waar Zeno en zijn leerlingen zich ophielden; bij uitbr. de Stoïcijnse school⟩.

stobbe ⟨de⟩ **0.1** *stump* ⇒*stub.*

stochast ⟨de⟩⟨statistiek⟩ **0.1** *stochastic function.*

stochastiek ⟨de (v.)⟩ **0.1** *stochastic research (method).*

stochastisch ⟨bn.⟩ **0.1** *stochastic* ◆ **1.1** ~e variabele *s. variable.*

stockdividend ⟨het⟩ **0.1** *scrip* ⇒*free scrip issue, scrip/capital/share bonus.*

stoef ⟨de (m.)⟩⟨AZN⟩ **0.1** *bragging* ⇒*boasting,* ⟨schr.⟩ *braggadocio,* ⟨BE; inf.⟩ *side,* ⟨praal⟩ *show.*

stoefen ⟨onov.ww.⟩⟨AZN⟩ **0.1** *brag* ⇒*boast,* ⟨pralen⟩ *show off.*

stoeien ⟨onov.ww.⟩ **0.1** [ravotten] *play about/around* ⇒⟨AE⟩ *horse about/around, lark about, romp* **0.2** [⟨pregn.⟩ vrijen] *have a romp/ roll (in the hay)* ◆ **6.1** zij stoeiden **met** de kinderen *they were having a romp/frolic with the children;* ⟨fig.⟩ **met** het idee ~ *toy/play/dally with the idea (of), kick the idea around.*

stoeierij ⟨de (v.)⟩ **0.1** [stoeipartij] *horseplay* ⇒*romp, frolic, rollick* ⟨keer dat men stoeit⟩ **0.2** [⟨pregn.⟩ vrijpartij] *romp/roll (in the hay).*

stoeipartij ⟨de (v.)⟩ **0.1** *romp* ⇒*frolic, rollick.*

stoeipoes ⟨de (v.)⟩ **0.1** *sex kitten* ⇒*playgirl, pin-up.*

stoeiziek ⟨bn.⟩ **0.1** *playful* ⇒*frisky.*

stoel ⟨de (m.)⟩ **0.1** [zitmeubel] *chair* ⇒*seat* ⟨zitplaats⟩ **0.2** [zetel als ambtsplaats] *chair* ⇒*see* ⟨paus⟩ **0.3** [onderstel] *foot* ⇒*frame* ⟨torenklok⟩ **0.4** [⟨plantk.⟩] *stool* ◆ **1.1** ⟨fig.⟩ op het puntje van zijn ~ zitten *sit on the edge of one's seat, be all ears;* de ~ van de tandarts *the dentist's c.* **2.1** de elektrische ~ *the (electric) c., the burner;* ⟨sl.⟩ *the hot seat;* een hoge ~ *a high-backed c.;* een luie/gemakkelijke ~ *an easy c., a Sleepy Hollow c.* **2.2** de pauselijke/Heilige ~ *the Holy/Apostolic See, the See of Rome, the Vatican* **3.1** pak een ~ *take a seat, grab/pull up a c., take the weight off your feet* **6.1** een ~ **met** armleuningen *an armchair;* ⟨fig.⟩ iets niet **onder** ~en of banken steken *make no attempt to disguise sth., make no secret of sth., be vocal about sth.;* ⟨fig.⟩ **op** andermans ~ gaan zitten ⟨zijn plaats innemen⟩ *step into s.o.'s shoes, take s.o.'s place;* ⟨zijn situatie aanvoelen⟩ *put o.s. in s.o. else's shoes/place;* ⟨fig.⟩ iem. **van** zijn ~ praten *talk s.o.'s head off, talk the hind leg off a donkey;* ⟨fig.⟩ van verbazing **van** zijn ~ vallen *fall off one's c. in surprise, be bowled over, be knocked sideways;* hij sprong op **van** zijn ~ *he jumped up from his c.;* ⟨fig.⟩ **van** zijn ~ vallen *come to grief;* ⟨inf.⟩ *come a cropper, take a dive;* **voor** ~en en banken praten *lecture to empty benches* ⟨zonder publiek⟩; *be a voice (crying) in the wilderness* ⟨niet gehoord worden⟩ **6.2** ⟨fig.⟩ wij mogen niet zomaar **op** de ~ v.d. rechter gaan zitten *we may not sit in judgement (over others), we cannot just take the law into our own hands* **¶.1** ⟨fig.⟩ de poten onder iemands ~ wegzagen *take away the ground from under s.o.'s feet;* ⟨inf.⟩ *pull the rug out from under s.o.; take the wind out of s.o.'s sails.*

stoelen ⟨onov.ww.⟩ **0.1** [berusten op] *be based (on)* ⇒*rest (on), be founded/built (on)* **0.2** [mbt. planten] *stool* ◆ **6.1** zo'n beschuldiging stoelt nergens **op** *such an accusation is baseless/without foundation.*

stoelendans ⟨de (m.)⟩ **0.1** *musical chairs* ◆ **6.1** ⟨fig.⟩ een ~ **om** ministersposten *a jostle for cabinet positions.*

stoelengeld ⟨het⟩ **0.1** *chair rent* ⇒⟨in kerk⟩ *pew rent, pewage.*

stoelenmatten ⟨ww.⟩ **0.1** *cane chairs* ⇒*bottom/mend chairs.*

stoelenmatter ⟨de (m.)⟩ **0.1** *(chair-)caner* ⇒*chair-bottomer/mender.*

stoelgang ⟨de (m.)⟩ **0.1** *(bowel) motion(s)/movement* ⇒*stool(s), evacuation* ◆ **2.1** dunne ~ *diarrhea;* geregelde ~ hebben *have regular bowels.*

stoelgordel, -riem ⟨de (m.)⟩ **0.1** *seat belt.*

stoelleuning ⟨de (v.)⟩ **0.1** ⟨armleuning⟩ *chair arm, arm of a/the chair;* ⟨rugleuning⟩ *chair back, back of a/the chair.*

stoelnummer ⟨het⟩ **0.1** *seat number.*

stoelpoot ⟨de (m.)⟩ **0.1** *chairleg.*

stoeltjesklok ⟨de⟩ **0.1** *(Frisian) bracket clock.*

stoeltjeslift ⟨de (m.)⟩ **0.1** *chair lift.*

stoelvast ⟨bn.⟩ **0.1** [geneigd te blijven zitten] *sedentary* **0.2** [niet genegen zijn ontslag te nemen] *unwilling to retire* ⟨niet willen weggaan⟩; *enjoying security of tenure* ⟨niet ontslagen kunnen worden⟩ ◆ **3.1** hij is geen ogenblik ~ *he can't sit still for a minute* **3.2** hij zit daar nogal ~ *he's pretty much a fixture there, he's just more or less sitting out his time there.*

stoelzitting ⟨de (v.)⟩ **0.1** *chair seat/bottom* ⇒*seat/bottom of a/the chair.*
stoep ⟨de⟩ **0.1** [voetpad] ^B*pavement* ⇒^B*(foot)path,* ^A*sidewalk* **0.2** [stenen opstap] *(door)step* ⇒⟨AE ook⟩ *stoop* **0.3** [pad voor een huis] *path* ◆ **2.2** een hoge ~ *a flight of steps* **2.3** ieder moet zijn eigen ~ (schoon) vegen *everyone should set/keep their own house in order* **6.2** onverwachts **op** de ~ staan bij iem. *turn up on s.o.'s doorstep;* bij iem. **op** de ~ staan *be at s.o.'s door;* ⟨fig.⟩ *lay sth. at s.o.'s door, call s.o. to account;* ⟨fig.⟩ **op** het ~je geroepen worden *be carpeted, be taken to task.*
stoepa ⟨de (m.)⟩ **0.1** *stupa.*
stoepband ⟨de (m.)⟩ **0.1** *kerb* ^A*curb.*
stoepenzout ⟨het⟩ **0.1** *salt.*
stoepier ⟨de (m.)⟩ **0.1** *tout* ⇒*barker.*
stoepparkeren ⟨ww.⟩ **0.1** *park on the* ^B*pavement/*^A*sidewalk.*
stoeprand ⟨de (m.)⟩ **0.1** ^B*kerb* ^A*curb* ⇒⟨steen⟩ ^B*kerbstone* ^A*curbstone.*
stoeptegel ⟨de (m.)⟩ **0.1** *paving stone.*
stoer
  I ⟨bn.⟩ **0.1** [krachtig van lichaamsbouw] *sturdy* ⇒*powerful(ly built), burly, husky, stalwart,* ⟨zwaar⟩ *hefty* ◆ **1.1** een ~e bink *a big/sturdy/powerful/burly fellow, a he-man;* ⟨inf.;iron.⟩ *a (real) son-of-a-gun;*
  II ⟨bn.,bw.;-ly⟩ **0.1** [flink, onverzettelijk] *tough* ◆ **1.1** de ~e jongen uithangen *act the t. guy;* een ~e socialist *a staunch/stalwart socialist;* ~e taal *t./forceful language* **3.1** ⟨iron.⟩ ~ doen *act t., put on a brave/bold face/front;* zich ~ houden *take it like/be a man, grin and bear it;* ~ rondstappen *strut about.*
stoerheid ⟨de (v.)⟩ **0.1** [mbt. lichaamsbouw] *sturdiness* ⇒*robustness,* ⟨grootte⟩ *heftiness* **0.2** [flinkheid, onverzettelijkheid] *toughness* ⇒*stolidness, doggedness.*
stoerling ⟨de (m.)⟩ **0.1** *tough guy* ⇒*macho.*
stoet ⟨de (m.)⟩ **0.1** [processie] *procession* ⇒*parade,* ⟨begrafenis ook⟩ *cortege, cavalcade* ⟨met paarden⟩, *autocade* ⟨auto's⟩ **0.2** [massa] *crowd* ⇒*throng, train, retinue, cortege* ⟨gevolg, bedienden⟩ **0.3** [brood] *'stoet'* ⟨type of good quality bread⟩ ◆ **3.1** langzaam bewoog de ~ zich voort *the procession moved on slowly.*
stoeterij ⟨de (v.)⟩ **0.1** [handeling] *horse-breeding* **0.2** [plaats] *stud (farm).*
stoethaspel ⟨de (m.)⟩ **0.1** [onhandig mens] *butterfingers* ⇒*bungler, clumsy oaf, incompetent, weak sister* **0.2** [snuiter] *fellow* ⇒*chap, guy, girl* ⟨vrouw⟩ ◆ **2.2** een vreemde ~ *an odd/queer fish, a wierdo/ie, a crank;* ⟨AE ook⟩ *an oddball.*
stoethaspelig ⟨bn.,bw.;-ly⟩ **0.1** *clumsy* ⇒*bungling, awkward, ham-fisted/handed.*
stoetsgewijze ⟨bw.⟩ ⟨AZN⟩ **0.1** *in procession.*
stof
  I ⟨het⟩ **0.1** [in de lucht voorkomende deeltjes] *dust* **0.2** [stuivende vorm waarin een materie voorkomt] *dust* **0.3** [droog zand] *dust* ◆ **1.1** wolken ~ *clouds of d.* **1.2** wij zijn maar ~ en as *we are d. and ashes* **2.1** neerslag van radioactief ~ *radioactive fallout* **3.1** ~ afnemen *dust;* ⟨fig.⟩ veel ~ doen opwaaien *raise a d., make a noise in the world, cause a great deal of controversy* **6.2** tot ~ vermalen *pulverize, grind to (a) d.;* ⟨bijb.⟩ van ~ zijt gij en tot ~ zult gij wederkeren *d. thou art, and unto d. shalt thou return* **6.3** voor iem. **door** het ~ gaan *ko(w)tow to s.o., cringe before s.o.;* **in** het ~ bijten *bite/kiss/lick the d.;* ⟨fig.⟩ **in** het ~ kruipen *grovel, cringe, crawl, eat dirt/crow/humble pie;* iem. **in** het ~ doen bijten *make s.o. grovel, stretch s.o. on the ground, make s.o. bite/kiss/lick the d., make s.o. eat dirt/crow/humble pie;*
  II ⟨de⟩ **0.1** [materie] *substance* ⇒*matter* ⟨n.-telb.⟩, *chemical* ⟨scheikundige stof⟩, *material* ⟨grondstof⟩ **0.2** [weefsel] *material* ⇒*cloth, fabric, textile, tissue* ⟨fijn⟩ **0.3** [materiaal, onderwerp] *(subject) matter* ⇒*material* ◆ **1.2** een lap ~ *a piece/length of m./cloth/fabric* **1.3** de bewerking/behandeling van de ~ *the treatment of the subject (matter)* **2.1** organische/vergiftige/kneedbare ~fen *organic/poisonous/malleable stuffs;* een vaste ~ *a solid* **2.2** lichte/grove/katoenen ~fen *light/coarse/cotton (cloths/fabrics)* **2.3** de verplichte ~ voor een examen *the compulsory subject matter for an examination* **6.3** ~ tot nadenken hebben *have food for thought/reflection;* er was genoeg ~ tot praten *there was sufficient matter for conversation, there was enough to talk about, there were plenty of topics of conversation;* lang/kort van ~ zijn *be long-winded* ⟨lang⟩; *be brief* ⟨kort⟩; ~ **voor** een roman *material for a novel.*
stofbeheersing ⟨de (v.)⟩ **0.1** *command of the/one's subject* ⇒*mastery of the subject.*
stofboel ⟨de (m.)⟩ **0.1** *dusty place* ◆ **3.1** 't is hier een ~ *this place is thick with dust.*
stofbril ⟨de (m.)⟩ **0.1** *(pair of) goggles* ⇒*protective glasses/goggles.*
stofdeeltje ⟨het⟩ **0.1** ⟨nat.⟩ *particle (of matter)* **0.2** [vuiltje] *dust particle* ⇒*particle of dust, speck of dust* ⟨op kleding e.d.⟩, *mote.*
stofdicht ⟨bn.,bw.⟩ **0.1** *dustproof.*
stofdoek ⟨de (m.)⟩ **0.1** *duster* ⇒*(dust)cloth.*
stofdoekenmandje ⟨het⟩ **0.1** *duster basket.*
stoffeerder ⟨de (m.)⟩ **0.1** *upholsterer* ⟨ihb. meubelen⟩; ≠*(interior) decorator* ⟨woning/kamer e.d.⟩.
stoffelijk ⟨bn.⟩ **0.1** [mbt. de materie] *material* ⇒*physical* ⟨wereld⟩ **0.2**

[materieel] *material* ⇒*tangible* ⟨tastbaar⟩ **0.3** [⟨taal.⟩] *material* ◆ **1.1** het ~ overschot *the body/corpse, the (mortal) remains;* de ~e resten v.h. slachtoffer *the mortal remains of the victim, the victim's body* **1.2** ~e belangen *m. interests;* ⟨schr.⟩ een ~ blijk van waardering *tangible proof of one's appreciation;* ⟨AZN⟩ ~e schade *m. damage* **1.3** ~e bijvoeglijke naamwoorden *m. adjectives.*
stoffen[1] ⟨bn.⟩ **0.1** [cloth] ⇒*fabric, textile* ◆ **1.1** autostoelen met ~ bekleding *car seats with c. upholstery;* ~ pantoffels *fabric slippers;* haar ~ schoenen *her c. shoes.*
stoffen[2]
  I ⟨onov.,ov.ww.⟩ **0.1** [stof afnemen] *dust* ◆ **6.1** de werkster is **aan** het ~ *the cleaning lady is dusting;*
  II ⟨onov.ww.⟩ **0.1** [pochen] *brag* ⇒*boast, show off* ⟨pralen⟩.
stoffenwinkel ⟨de (m.)⟩ **0.1** *fabric shop/*^A*store* ⇒^B*drapery,* ^B*draper's shop.*
stoffer ⟨de (m.)⟩ **0.1** *brush* ◆ **1.1** ~ en blik *dustpan and b..*
stofferen ⟨ov.ww.⟩ **0.1** [bekleden] *upholster* **0.2** [van vloerbedekking/gordijnen voorzien] ≠*ornament, decorate* ⇒*furnish with carpets and curtains/*^A*drapes/hangings, carpet* ⟨tapijt⟩, ⟨BE ook⟩ *provide with soft furnishings, upholster* **0.3** [opsieren] *embellish* ⇒*ornament, elaborate, garnish* **0.4** [⟨bk.⟩] *fill in* ◆ **1.1** een auto ~ *u. a car* **1.2** gestoffeerde kamers te huur *partly furnished rooms for rent, rooms for rent with fixtures/carpets and fittings* **1.3** een beschrijving ~ met allerlei citaten *embellish/garnish a description with all sorts of quotations* **1.4** een schilderij ~ *add staffage, fill in a picture.*
stoffering ⟨de (v.)⟩ **0.1** [datgene waarmee men stoffeert] ^B*soft furnishings,* ^A*fabrics, cloth* ⇒*upholstery* ⟨bekleding van stoelen⟩, *carpeting* ⟨vloerbedekking⟩, *hangings, curtains,* ^A*drapes* ⟨gordijnen⟩ **0.2** [het stofferen] ≠*(interior) decoration* ⇒*upholstery* ⟨bekleding van stoelen⟩, *carpeting* ⟨vloerbedekking⟩ **0.3** [opsiering] *embellishment* ⇒*elaboration, decoration* **0.4** [⟨bk.⟩] *staffage, filling-in.*
stoffig ⟨bn.⟩ **0.1** *dusty* ⇒⟨fig., hersens ook⟩ *mouldy,* ⟨saai⟩ *stuffy, musty* ◆ **1.1** ⟨fig.⟩ het is er een ~e boel *it's* ^B*a dead and alive place/*^A*dullsville* **3.1** het is hier ~ *this place is d., it's always d. in here;* ⟨fig.⟩ het wordt wat ~ in zijn bovenkamer *his brains are getting rather mouldy.*
stofgoud ⟨het⟩ **0.1** *gold dust.*
stofhoes ⟨de⟩ **0.1** *dust cover.*
stofjas ⟨de⟩ **0.1** *dustcoat* ⇒*duster,* ⟨BE ook⟩ *overall.*
stofje ⟨het⟩ **0.1** *dust particle* ⇒*speck of dust, mote, smut* ⟨op kleding e.d.⟩.
stofkam ⟨de (m.)⟩ **0.1** *fine-tooth(ed) comb.*
stofkap ⟨de (m.)⟩ **0.1** *dust cap/cover.*
stofknoop ⟨de (m.)⟩ **0.1** *cloth-covered button.*
stoflaag ⟨de⟩ **0.1** *layer/coat(ing) of dust* ⇒*dust layer.*
stoflaken ⟨het⟩ **0.1** *dust sheet/cover.*
stoflongen ⟨zn.mv.⟩ **0.1** *black lung* ⇒*brown lung disease,* ⟨inf.⟩ *dust.*
stofluis ⟨de⟩ **0.1** *wood louse.*
stofmasker ⟨het⟩ **0.1** *dust mask* ⇒*industrial mask.*
stofnaam ⟨de (m.)⟩ **0.1** [naam v.e. stof] *name of a substance/material* **0.2** [⟨taal.⟩] *material noun.*
stofnest ⟨het⟩ **0.1** *dust trap.*
stofomslag ⟨het⟩ **0.1** *(dust/book) jacket* ⇒*(dust) cover/wrapper.*
stofregen ⟨de (m.)⟩ **0.1** [fijne regen] *drizzle* ⇒*sprinkle* **0.2** [vallend stof] *rain of dust.*
stofstorm ⟨de (m.)⟩ **0.1** *dust storm.*
stofvod ⟨het⟩ ⟨AZN⟩ **0.1** *duster* ⇒*(dust)cloth.*
stofvrij ⟨bn.⟩ **0.1** [zó dat er geen stof bij komt] *dust-proof* ⇒*dust-tight* **0.2** [zonder stof] *dust-free* ⇒*dustless* **0.3** [geen stof veroorzakend] *dust-free* ◆ **1.1** een ~e ruimte *a dust-proof area* **1.2** ~e thee/tabak *pure/fine quality tea/tobacco* **1.3** ~e kussens *d.-f. pillows.*
stofwerend ⟨bn.⟩ **0.1** *dust-preventing* ◆ **1.1** ~e middelen *dust-laying preparations.*
stofwisseling ⟨de (v.)⟩ **0.1** *metabolism.*
stofwisselingsziekte ⟨de (v.)⟩ **0.1** *metabolic disease/disorder.*
stofwolk ⟨de⟩ **0.1** *cloud of dust* ⟨klein⟩; *dust cloud* ⟨groot⟩ ◆ **3.1** ~en opjagen *raise clouds of dust.*
stofzuigen ⟨onov.,ov.ww.⟩ **0.1** *vacuum* ⇒⟨BE ook⟩ *hoover* ◆ **1.1** het huis ~ *v. the house.*
stofzuiger ⟨de (m.)⟩ **0.1** *vacuum (cleaner)* ⇒⟨BE ook⟩ *hoover.*
stofzuigeren ⟨onov.ww.⟩ **0.1** *vacuum* ⇒⟨BE ook⟩ *hoover.*
stoïchiometrie ⟨de (v.)⟩ ⟨schei.⟩ **0.1** *stoichiometry.*
stoïchiometrisch ⟨bn.⟩ **0.1** *stoichiometric.*
stoïcijn ⟨de (m.)⟩ **0.1** [onverstoorbaar persoon] *stoic* **0.2** [⟨fil.⟩] *stoic.*
stoïcijns
  I ⟨bn.,bw.;-ly⟩ **0.1** [onverstoorbaar] *stoical* ⇒*stoic, philosophical, impassive* ◆ **1.1** met ~e kalmte *with stoic(al)/philosophical calm* **3.1** zich ~ gedragen *behave stoically, adopt a philosophical attitude;*
  II ⟨bn.⟩ **0.1** [mbt. het stoïcisme] *Stoic.*
stoïcisme ⟨het⟩ **0.1** [⟨fil.⟩] *Stoicism* **0.2** [onverstoorbaarheid] *stoicism* ⇒*resignation, impassiveness.*
stoïsch ⟨bn.,bw.;-ly⟩ **0.1** *stoical* ⇒*stoic, philosophical, impassive.*
stok[1] ⟨de (m.)⟩ ⟨→sprw. 283⟩ **0.1** [rolrond stuk hout, staaf] *stick* ⇒

⟨wandelstok ook⟩ *cane*, ⟨voor klimplant ook⟩ *stake, baton* ⟨dirigent⟩, *stock* ⟨anker⟩ **0.2** [afgebroken tak] *stick* ⇒*branch* **0.3** [dunne stam] *stalk* **0.4** [staafvormig iets] *stick* ⇒*bar* **0.5** [⟨kaartspel⟩] *talon* **0.6** [bijen] *hive* **0.7** [deel v.e. betalings/ontvangstbewijs] *counterfoil* ⇒*stub* **0.8** [blok met gaten voor gevangenen] *stocks* ⟨mv.⟩ **0.9** [⟨lit.⟩] ≠*refrain* ◆ **1.1** hij is mijn ~ en staf ⟨fig.⟩ *he is my rod and my staff* **1.3** de ~ v.e. rozestruik *the branches / twigs of a rosebush* **2.1** ⟨sport⟩ schermen op de korte / lange ~ *play at cudgels / singlestick* **3.1** ⟨fig.⟩ iem. een ~ tussen de benen gooien *put a spoke in s.o.'s wheel, spike s.o.'s guns* **6.1** ⟨fig.⟩ het **aan** de ~ krijgen *met* iem. *get on the wrong side of s.o., come up against s.o., rub s.o. up the wrong way;* er hing geen vlag **aan** de ~ *there was no flag on the pole;* ⟨fig.⟩ zij kregen het **aan** de ~ over de prijs *they fell out over the price;* ⟨fig.⟩ het **aan** de ~ hebben met iem. *be at loggerheads with s.o.;* ⟨fig.⟩ een ~ **achter** de deur *the big stick;* hij is **met** geen ~ hierheen te krijgen *wild horses couldn't drag him here;* de leraar wees de hoofdsteden aan **met** een ~ *the teacher pointed out the capitals with a pointer;* iem. **met** de ~ geven *give s.o. the stick;* ⟨druk.⟩ de b is een letter **met** ~ *the b has / is an ascender;* met de kippen **op** ~ gaan *go to bed with the sun;* de kippen gingen **op** ~ *the chickens went to roost* **6.5** hoeveel kaarten liggen er **op** ~? *how many cards are left / over / in the bank / on the pile?*.

stok² ⟨bn.⟩ ⟨inf.⟩ **0.1** *ancient* ⇒*old.*

stokanker ⟨het⟩ **0.1** *common anchor.*

stokbeitel ⟨de (m.)⟩ **0.1** *chisel.*

stokboon ⟨de⟩ **0.1** *runner bean,* ^A*string bean.*

stokbrood ⟨het⟩ **0.1** *baguette* ⇒*French bread / loaf, flute, baton.*

stokdood ⟨bn.⟩ ⟨AZN⟩ **0.1** *stone-dead* ⇒*(as) dead as a doornail.*

stokdoof ⟨bn.⟩ **0.1** *stone-deaf* ⇒*(as) deaf as a (door)post / an adder.*

stokebrand ⟨de (m.)⟩ **0.1** *firebrand* ⇒*instigator, troublemaker,* ⟨inf.⟩ *stirrer, agent provocateur,* ⟨vero.⟩ *incendiary.*

stoken
I ⟨ov.ww.⟩ **0.1** [laten branden] *stoke (up)* ⇒⟨vuur ook⟩ *feed,* ⟨aansteken⟩ *light, kindle* **0.2** [als brandstof gebruiken] *burn* **0.3** [aanwakkeren] *stir up* ⇒*brew, kindle, foment* **0.4** [distilleren] *distil* **0.5** [mbt. tanden] *pick* ◆ **1.1** een op olie gestookte verwarmingsinstallatie *an oil-fired heating system;* het vuur ~ *s. up / tend the fire;* een vuurtje ~ *light / start / kindle a fire* **1.2** olie ~ *b. / run on oil* **1.3** ruzie ~ *stir up strife;*
II ⟨onov.ww.⟩ **0.1** [een vuur branden] *heat* ⇒*keep a fire* ⟨met kachel / open haard⟩ **0.2** [opruien] *make trouble* ⇒*make / brew mischief, stir up trouble / strife* ◆ **3.2** die vrouw zit altijd te ~ *that woman is always stirring (things up)* **6.2** ⟨fig.⟩ ~ **in** een goed huwelijk *set two people at one another's throats / by the ears, drive a wedge between two people.*

stoker ⟨de (m.)⟩ **0.1** [iem. belast met stoken van vuren] *fireman* ⇒*stoker, boilerman, firer* **0.2** [iem. die onrust stookt] *firebrand* ⇒*instigator, troublemaker,* ⟨inf.⟩ *stirrer, agent provocateur* **0.3** [distilleerder] *distiller.*

stokerij ⟨de (v.)⟩ **0.1** *distillery* ⇒⟨klein ook⟩ *still.*

stokerskramp ⟨de⟩ **0.1** *stoker's cramp* ⇒*heat cramps* ⟨mv.⟩.

stokje ⟨het⟩ **0.1** [kleine stok] *stick* ⇒*peg, perch* ⟨voor vogel⟩ **0.2** [haaksteek] *double crochet* ◆ **3.1** maar daar stak hij een ~ voor *but he anticipated me / nipped my enterprise in the bud;* ⟨fig.⟩ ergens een ~ voor steken *put a stop to sth., foil s.o.'s plans, head s.o. off;* weglopen zonder opruimen? daar zal ik een ~ voor steken *running off without cleaning up? I'll see about that* **6.1** alle gekheid **op** een ~ *(all) joking apart / aside, and now to be serious;* ⟨inf.⟩ ⟨fig.⟩ **van** zijn ~ vallen / gaan *pass / flake / conk out, faint, keel over.*

stokkaart ⟨de⟩ **0.1** *card in the talon / bank / left on the pile.*

stokken
I ⟨onov.ww.⟩ **0.1** [blijven steken] *catch* ⇒*halt, stall* ⟨motor⟩ ◆ **1.1** de aanvoer van voedsel stokt *food supplies have broken down, there is a hold-up in the food supply;* zijn adem stokte van woede / verbazing *he gasped in / with rage / amazement;* het gesprek stokte *the conversation flagged;* met ~de stem vertelde hij het slechte nieuws *in a voice faltering with emotion / haltingly he told the bad news;* zijn stem / zijn adem stokte *his voice faltered / cracked, there was / he had a catch in his voice; his breath caught / stuck in his throat, his breath stopped short;*
II ⟨ov.ww.⟩ ⟨landb.⟩ **0.1** [aan stokken binden] *stake (up)* ⇒*tie up, pole.*

stokkenklavier ⟨het⟩ **0.1** *keyboard (of a carillon).*

stokkerig
I ⟨bn.⟩ **0.1** [mbt. personen / lichaamsdelen] *stiff, wooden* ⟨stijf⟩; *spindly, twiggy* ⟨dun⟩ ◆ **1.1** ~e beentjes *spindly / twiggy / skinny / bony legs;* een ~e man *a man creaking in every limb, a rheumaticky fellow;*
II ⟨bn., bw.; -ly⟩ **0.1** [niet soepel] *wooden* ⇒*stiff* ◆ **1.1** ~e zinnen *w. / halting phrases* **3.1** zich ~ bewegen *move woodenly / creakily / stiffly.*

stokmaat ⟨de⟩ **0.1** [stok met maatverdeling] *(measuring) rod* **0.2** [opgenomen maat] *height.*

stokoud ⟨bn.⟩ **0.1** *ancient* ⇒*(as) old as Methuselah / the hills* ◆ **1.1** ~ man *an a. man;* ⟨AE ook⟩ *an old timer.*

stokpaardje ⟨het⟩ **0.1** [favoriet onderwerp] *hobbyhorse* ⇒*pet subject / topic, pet notion / fancy* ⟨idee⟩ **0.2** [stok met paardekop] *hobbyhorse* ◆ **2.1** zijn geliefkoosd ~ berijden *go off on one's h. / favourite topic* **3.1** iedereen heeft wel zijn ~ *everyone has his fads and fancies.*

stokpasser ⟨de (m.)⟩ **0.1** *beam compass* ⇒*(pair of) beam compasses / dividers, trammel.*

stokpop ⟨de⟩ **0.1** *stick puppet.*

stokroos ⟨de⟩ **0.1** [plant] *hollyhock* ⇒*(rose-)mallow, alth(a)ea* **0.2** [stamroos] *standard rose.*

stokschermen ⟨ww.⟩ **0.1** *play at singlestick* ⟨lange stok⟩; *engage in cudgel-play* ⟨korte stok⟩ ◆ **7.1** het ~ *singlestick, cudgel-play, cudgels.*

stokschroef ⟨de⟩ **0.1** *dowel screw.*

stokslag ⟨de (m.)⟩ **0.1** *stroke with a stick* ◆ **3.1** ~en geven *beat with a stick, flog, cane* **7.1** veroordeeld tot twintig ~en *sentenced to twenty strokes of the cane.*

stokstijf ⟨bn., bw.⟩ **0.1** [zo stijf als een stok] *(as) stiff as a rod* ⇒*(as) stiff as a poker / a board,* ⟨onbeweeglijk⟩ *stock-still* **0.2** [onverzettelijk] *stubborn* ⇒*obstinate, pig-headed, mulish* ◆ **1.1** ~ in de houding blijven staan *stand stock-still / motionless at attention* **3.1** ~ blijven staan *stop dead (in one's tracks), stop short* **3.2** ~ volhouden dat iets waar is *maintain stubbornly / obstinately that sth. is true.*

stokuitvoering ⟨de (v.)⟩ ⟨muz.; sport⟩ **0.1** *bowing* ⟨violist⟩; *stick technique, stroke* ⟨hockey⟩ ◆ **2.1** deze violist heeft een uitstekende ~ *this violinist bows excellently.*

stokvis ⟨de (m.)⟩ **0.1** *stockfish* ◆ **3.1** ⟨fig.⟩ ~ eten *get a beating / licking / thrashing.*

stol ⟨de (m.)⟩ **0.1** *stollen, Christmas / Easter loaf.*

stola ⟨de⟩ **0.1** [sjaal] *stole* **0.2** [⟨gesch.⟩ bovenkleed] *stola.*

stollen ⟨onov.ww.⟩ **0.1** *solidify* ⟨kwik, lava enz.⟩ ⇒*coagulate, congeal* ⟨door o.a. kou⟩, *set* ⟨ei, gelei⟩, *clot* ⟨bloed⟩ ◆ **3.1** het schouwspel deed haar bloed ~ *her blood curdled / froze at the spectacle* **6.1** een ei stolt **door** het koken *an egg sets with / by boiling, boiling coagulates an egg;* ⟨fig.⟩ het bloed stolde **in** mijn aderen *my blood ran cold, my blood froze / curdled in my veins;* ⟨fig.⟩ het bloed **in** de aderen doen ~ *make one's blood run cold, freeze one's blood, be blood-curdling;* lava stolt **tot** steen *lava hardens / solidifies into rock.*

stollingsgesteente ⟨het⟩ ⟨geol.⟩ **0.1** *igneous rock* ⇒*pyrogenic / pyrogenous rock.*

stollingstijd ⟨de (m.)⟩ **0.1** *coagulation / solidification time.*

stoloon ⟨de⟩ ⟨plantk.⟩ **0.1** *stolon* ⇒*runner.*

stolp ⟨de⟩ **0.1** [glazen kap] *(bell-)glass* ⇒*bell-jar, glass bell,* ⟨landb.⟩ *cloche, dome, shade* ⟨voor klok⟩ **0.2** [glazen stop] *stopper* **0.3** [boerderij] ≠*farmhouse* ◆ **3.1** de ~ over de kaas zetten *put the (cheese-)cover over the cheese, cover the cheese.*

stolpboerderij ⟨de (v.)⟩ **0.1** *cheese-cover farmhouse.*

stolpdeur ⟨de⟩ ⟨bouwk.⟩ **0.1** ≠*french windows.*

stolpfles ⟨de⟩ **0.1** *(glass) jar* ⇒*apothecary('s) jar.*

stolphoeve →*stolpboerderij.*

stolphuis ⟨het⟩ →*stolpboerderij.*

stolpkraag ⟨de (m.)⟩ ⟨gesch.⟩ **0.1** *ruff* ⇒*pleated collar.*

stolpplooi ⟨de⟩ **0.1** *box pleat / plait.*

stolpraam ⟨het⟩ **0.1** *casement window.*

stolpunt ⟨het⟩ **0.1** *congealing / solidification / ⟨van bloed⟩ coagulation point.*

stolsel ⟨het⟩ **0.1** *coagulum* ⇒*congelation,* ⟨bloed ook⟩ *clot.*

stom (→sprw. 189)
I ⟨bn.⟩ **0.1** [zonder spraakvermogen] *dumb* ⇒*mute* **0.2** [geen geluid gevend] *silent* ⇒*mute* **0.3** [eentonig] *stupid* ⇒*boring, dull, tedious* **0.4** [op toeval berustend] *accidental* **0.5** [onbeklemtoond] *silent* ⇒*mute* ◆ **1.1** een ~ dier / beest *a d. animal;* tot haar ~me verbazing *to her utter astonishment;* ~me vogels *mute / songless / voiceless birds* **1.2** een ~me film *a s. film/* ^A*movie;* ⟨jacht⟩ een ~me jachthond *a mute hound;* ⟨dram.⟩ een ~me rol *a walk-on (part);* een ~ verwijt *a s. / mute reproach;* geen ~ woord zeggen *not say a single word, never say a word* **1.3** die ~me school *that s. school* **1.4** door ~ geluk / toeval *by a mere fluke, by the merest chance, accidentally* **1.5** de ~me *e the s. / mute* **e** **3.2** de muren bleven ~ *the walls remained s.;*
II ⟨bn., bw.; -ly⟩ **0.1** [dom] *stupid* ⇒*dense, thick(headed),* ⟨inf.⟩ *dumb,* ⟨onverstandig ook⟩ *foolish* ◆ **1.1** door je eigen ~me schuld! *it's all your own fault!, you have only yourself to blame!;* een ~me streek uithalen *do sth. stupid / foolish / silly, (commit a) blunder* **3.1** doe niet zo ~, geef me mijn boek terug *don't be so silly / tiresome / (such) a pain, give me my book back;* ik voelde me zo ~ *I felt such a fool /* ^B ↓*dumbo/* ^A ↓*dummy;* ze was zo ~ om toe te stemmen *she was fool / s. enough to agree;* dat was zo ~ nog niet *van haar (om dat te kopen) she could have done worse (than buy that);* hij was zo ~ geweest om het te doen *he had been and done it* **4.1** iets ~s doen *do sth. s. / foolish / silly, (commit a) blunder* **5.1** erg ~ *van je! a most s. thing to do* **6.1** (wat) ~ **van** hem! *how s. of him!;*
III ⟨bw.⟩ **0.1** [⟨in samenst.⟩ in hoge mate] *awfully, terribly, very.*

stoma ⟨de⟩ **0.1** [⟨plantk.⟩] *stoma* **0.2** [⟨med.⟩] *fistula* ⇒⟨dikke darm⟩ *colostomy.*

stomatologie ⟨de (v.)⟩ **0.1** *stomatology.*

stomatoloog ⟨de (m.)⟩, **-loge** ⟨de (v.)⟩ **0.1** *stomatologist.*

stomdronken ⟨bn.⟩ **0.1** *dead drunk* ⇒*blind drunk, as drunk as a fiddler / lord / sow,* ⟨AE ook⟩ *loaded* ◆ **1.1** in ~ toestand *in a drunken stupor.*

stomen
I ⟨onov.ww.⟩ **0.1** [damp afgeven] *steam* **0.2** [varen] *steam* ⇒*sail* ◆ **1.1** het kokende water stoomt *the boiling water is steaming* **3.1** de pan stond te ~ op het vuur *the pan was steaming away on the fire* **5.2** de schepen ~ de haven binnen *the ships are steaming into the harbour;* II ⟨ov.ww.⟩ **0.1** [gaarmaken] *steam* **0.2** [reinigen] *dry-clean* **0.3** [micro-organismen doden] *fumigate* ⟨grond⟩ **0.4** [bewerken met stoom] *steam* ◆ **1.2** een pak laten ~ *have a suit cleaned, send one's suit to the wash* **1.4** hout ~ *s. wood* **2.4** een brief open ~ *s. open a letter* **5.4** een postzegel v.e. envelop af ~ *s. a stamp off an envelope.*

stomer ⟨de (m.)⟩ **0.1** *steamer.*

stomerij ⟨de (v.)⟩ **0.1** *dry cleaner's.*

stomheid ⟨de (v.)⟩ **0.1** [het niet kunnen spreken] *dumbness* ⇒*muteness,* ⟨van emotie⟩ *speechlessness* **0.2** [stomme streek] *stupidity* ⇒*folly, blunder* **0.3** [het stom zijn] *stupidity* ⇒*foolishness, idiocy* ◆ **2.1** aangeboren ~ *congenital d.* **6.1** met ~ geslagen zijn *be struck dumb* (with surprise), *be stunned into speechlessness, be dumbfounded / wonder-stricken / tongue-tied, stand amazed;* iem. **met** ~ slaan *amaze s.o.;* ⟨inf.⟩ *knock s.o. for six, tie s.o. up in knots.*

stomkop ⟨de (m.)⟩ **0.1** *blockhead* ⇒*muttonhead, meathead, fathead, numbskull.*

stomme ⟨de (m.)⟩ **0.1** [iem. die niet kan praten] *mute* ⇒*dumb person* **0.2** [figurant] *mute* ⇒*supernumerary, extra* ◆ **¶.1** de ~n *the dumb.*

stommeknecht ⟨de (m.)⟩ **0.1** [B]*dumb waiter* ⇒*serving cart, tea / dinner wagon,* ⟨vnl.⟩ *trolley, sideboard.*

stommelen ⟨onov.ww.⟩ **0.1** [stotende bewegingen maken] *clatter* ⇒*clutter, stump, bang* **0.2** [zich stommelend voortbewegen] *stumble* ⇒*blunder* ◆ **6.2** naar boven ~ *s. up the stairs.*

stommeling
I ⟨de (m.)⟩ **0.1** [domoor] *fool* ⇒*moron, idiot, nit(wit),* ⟨BE ook⟩ *ass;* II ⟨de (v.)⟩ **0.1** [met gerucht gepaard gaande beweging] *stumbling* ⇒*blundering* **0.2** [rommelend geluid] *rumble* ⇒*clatter, bang.*

stommerd →**stommerik.**

stommerik ⟨de (m.)⟩ **0.1** *fool* ⇒*dunce, chump,* ⟨AE ook⟩ *dumbell, dummy.*

stommetje ◆ **3.¶** ~ spelen *keep one's mouth shut, not say a word, play dumb.*

stommigheid →**stommiteit.**

stommiteit ⟨de (v.)⟩ **0.1** *stupidity* ⇒*folly, blunder, bloomer, howler* ◆ **3.1** ~en begaan *make stupid mistakes, commit stupidities / follies / blunders / howlers, make / perpetrate blunders;* hij had weer eens een ~ begaan *he had put his foot in it* /[A] *↓had goofed up as usual.*

stomp[1]
I ⟨de (m.)⟩ **0.1** [kort geknot voorwerp] *stumb* ⇒*stub* **0.2** [stoot] *thump* ⇒*prod, knock, jab,* ⟨met vuist⟩ *punch* **0.3** [mast] *short mast* ◆ **1.1** een ~ v.e. arm *the stump of an arm* **2.¶** de oude / ouwe ~ ⟨vnl. BE⟩ *the old sweats* **3.2** iem. een ~ geven *thump / punch s.o., strike s.o. a blow* **6.1** ⟨landb.⟩ **op** ~ kappen / zetten *prune / trim down (to a stool), stump;* II ⟨de⟩ ⟨AZN⟩ **0.1** [gestampte aardappelen] *mash, mashed potatoes.*

stomp[2] ⟨bn.⟩ **0.1** [niet puntig] *blunt* **0.2** [bot] *blunt* ⇒*dull* **0.3** [⟨druk.⟩] *block* ⇒*in block style / format* ◆ **1.1** ⟨wisk.⟩ een ~e hoek *an obtuse angle;* een ~e neus *a snub / pug(gy) nose;* een ~ potlood *a b. pencil;* een ~e toren *a truncated tower* **1.2** ⟨plantk.⟩ een ~ blad *an obtuse leaf;* een ~ mes *a b. / dull knife* **3.2** ⟨fig.⟩ zijn tanden op iets ~ bijten *labour in vain at sth., put useless effort into sth.;* zo maak je het mes ~! *you'll turn / blunt / dull the edge of the knife that way!*

stompen ⟨ov.ww.⟩ **0.1** *thump* ⇒*pound, jab, poke,* ⟨vuistslag geven⟩ *punch* ◆ **3.1** iem. ~ en slaan *belabour s.o. with one's fists* **6.1** hij stompte ongeduldig **op** de tafel *he pounded / thumped on the table impatiently.*

stomphoekig ⟨bn.⟩ **0.1** *obtuse-angled* ◆ **1.1** een ~e driehoek *an obtuse triangle.*

stompje ⟨het⟩ **0.1** [kort eindje] *stump* ⇒*stub* **0.2** [pijp] *short (clay) pipe* ◆ **1.1** een ~ kaars *a candle-stump;* een ~ potlood *a stump of pencil, a pencil-stub;* een ~ sigaar *a cigar-end / stump / stub / butt.*

stompwerk ⟨het⟩ **0.1** *making door and window frames.*

stompzinnig ⟨bn., bw.; -ly⟩ **0.1** *obtuse* ⇒*dense, dull(-witted), stolid, stupid,* ⟨inf.⟩ *thick* ◆ **1.1** ~ werk *monotonous / dull / stupid work* **3.1** ~ lachen *laugh stupidly / inanely.*

stompzinnigheid ⟨de (v.)⟩ **0.1** *obtuseness* ⇒*denseness, dull-wittedness, stupidity,* ⟨inf.⟩ *thickness.*

stomtoevallig ⟨bn., bw.⟩ **0.1** ⟨bn.⟩ *accidental;* ⟨bw.⟩ *by a (mere) fluke, by the merest chance.*

stomverbaasd ⟨bn.⟩ **0.1** *astonished* ⇒*amazed, flabbergasted, confounded, bowled* ◆ **3.1** ~ staan / zijn *be speechless with amazement, be struck dumb (with surprise), be stunned into speechlessness, be dumbfounded / wonder-stricken / tongue-tied, stand amazed.*

stomvervelend ⟨bn.⟩ **0.1** *deadly dull* ⇒*dull as ditchwater, boring,* ⟨lastig⟩ *really aggravating / annoying* ◆ **1.1** wat een ~ feest *that party was deathly / dire;* een ~ figuur ⟨saai⟩ *a crashing bore,* ⟨lastig⟩ *a real pain (in the neck);* ~ werk moeten doen *have to do monotonous / dull / stupid / tedious work, have to drudge / slave away* **3.1** ik vind het ~ om

steeds jouw rotzooi te moeten opruimen *I'm fed up with /* [B]*bored stiff with cleaning up the mess you make;* vroeger was de Franse les altijd ~ *French lessons used to be a real fag / bore.*

stomverwonderd →**stomverbaasd.**

stomweg ⟨bw.⟩ **0.1** *simply* ⇒*just* ◆ **3.1** je moet het ~ uit je hoofd leren *you'll just have to learn it by heart.*

stonde ⟨de (v.)⟩ ⟨schr.⟩ **0.1** ⟨ongemarkeerd⟩ *time* ⇒*moment, hour* ◆ **2.1** te aller ~ *at all times, any t.* **6.1** op die ~ *at that t.;* **van** ~ aan *from now on, henceforth.*

stoof ⟨de⟩ **0.1** [voetwarmer] *footstove* ⇒*footstove, brazier* **0.2** [droogoven] *kiln* ⇒*oven* **0.3** [⟨AZN⟩ kachel] *stove.*

stoofappel ⟨de (m.)⟩ **0.1** *culinary / cooking apple* ⇒*cooker, stewing apple.*

stooflap ⟨de (m.)⟩ **0.1** *braising steak* ⇒*skirt.*

stoofpaling ⟨de (m.)⟩ **0.1** *eel suitable for stewing.*

stoofpan ⟨de⟩ **0.1** *stew(ing)-pan* ⇒*casserole.*

stoofpeer ⟨de⟩ **0.1** *culinary / cooking pear* ⇒*cooker, stewing pear.*

stoofpot ⟨de (m.)⟩ **0.1** [stoofschotel] *stew* ⇒*casserole* **0.2** [pot om in te stoven] *stew(ing)-pot* ⇒*casserole.*

stoofschotel ⟨de⟩ **0.1** *stew* ⇒*casserole.*

stoofwilg ⟨de (m.)⟩ **0.1** *pollard(ed) willow.*

stookbak ⟨de (m.)⟩ **0.1** *hotbed;* ⟨kiemkastje⟩ *propagating case.*

stookgat ⟨het⟩ **0.1** [mbt. een oven] *stokehole* **0.2** [mbt. een dak] *chimney hole.*

stookgelegenheid ⟨de (v.)⟩ **0.1** *fireplace* ◆ **6.1** kamer **met** ~ *room with f..*

stookinrichting ⟨de (v.)⟩ **0.1** *burner* ⇒*furnace.*

stookkanaal ⟨het⟩ ⟨amb.⟩ **0.1** *chimney.*

stookkelder ⟨de (m.)⟩ **0.1** *boiler room.*

stookkosten ⟨zn.mv.⟩ **0.1** *fuel / heating costs.*

stookolie ⟨de⟩ **0.1** *fuel oil* ⇒*oil fuel, furnace oil,* ⟨lichte ook⟩ *heating oil* ◆ **6.1** centrale verwarming **op** ~ *oil-fired central heating.*

stookplaats ⟨de⟩ **0.1** [in gebouw / woning] *fireplace* ⇒*hearth* **0.2** [voor stoomketel, op schip] *stokehold* ⇒*stokehole.*

stookseizoen ⟨het⟩ **0.1** *heating season.*

stooktafel ⟨de⟩ **0.1** *hearth.*

stookwaarde ⟨de (v.)⟩ **0.1** *net heating value.*

stool ⟨de (m.)⟩ **0.1** *stole, stola.*

stoom ⟨de (m.)⟩ **0.1** *steam* ◆ **1.1** een sliert ~ *a wisp of s.* **3.1** ~ afblazen ⟨ook fig.⟩ *let / work off s.;* ~ geven / maken *put on s., get up a head of s.* **6.1** de machine werd **door** ~ aangedreven *the machine was worked by s. / was steam-powered / -driven;* het schip lag **onder** ~ *the ship was under s..*

stoomafsluiter →**stoomklep.**

stoombad ⟨het⟩ **0.1** [zweetbad] *steam bath* ⇒*vapour bath, Turkish bath* **0.2** [het inademen van stoom] *(steam) inhalation.*

stoomboot ⟨de⟩ **0.1** *steamboat* ⇒*steamer, steamship.*

stoomcursus ⟨de (m.)⟩ **0.1** *crash course* ⇒*cram course, crammer, intensive course.*

stoomdicht ⟨bn.⟩ **0.1** *steamtight.*

stoomdruk ⟨de (m.)⟩ **0.1** *steam pressure* ⇒*head of steam.*

stoomfluit ⟨de⟩ **0.1** *steam wistle* ⇒*hooter.*

stoomgemaal ⟨het⟩ **0.1** *steam(-driven) pumping station.*

stoomketel ⟨de (m.)⟩ **0.1** *(steam) boiler* ⇒*steamer, generator.*

stoomklep ⟨de⟩ **0.1** *steam valve* ⇒*steam cock, trap.*

stoomkracht ⟨de⟩ **0.1** *steam power.*

stoomlocomotief ⟨de⟩ **0.1** *steam engine / locomotive.*

stoommachine ⟨de (v.)⟩ **0.1** *steam engine.*

stoompan ⟨de⟩ **0.1** *steamer.*

stoompijp ⟨de⟩ **0.1** *steam pipe.*

stoomstrijkijzer ⟨het⟩ **0.1** *steam iron.*

stoomtractie ⟨de (v.)⟩ **0.1** *steam traction.*

stoomtram ⟨de (m.)⟩ **0.1** *steam tram.*

stoomtrein ⟨de (m.)⟩ **0.1** *steam train.*

stoomwals ⟨de⟩ **0.1** *steamroller.*

stoomwezen ⟨het⟩ **0.1** *steam engineering* ⇒*the application of steam power.*

stoop ⟨de⟩ ⟨vero.⟩ **0.1** *stoup* ⇒*stoop.*

stoorgebied ⟨het⟩ **0.1** *mush area, area of (radio) disturbance.*

stoornis ⟨de (v.)⟩ **0.1** [toestand / gebeurtenis die stoort] *disturbance* ⇒*interference, inconvenience* **0.2** [gebrek] *disturbance* ⇒*disorder* ◆ **3.1** ~ brengen / veroorzaken *cause d., create a d., interfere.*

stoorzender ⟨de (m.)⟩ **0.1** [radiozendstation] *jammer* ⇒*jamming station* **0.2** ⟨⟨fig.⟩ persoon⟩ *nuisance* ⇒*pest, plague* ◆ **8.2** de waarde van kleine politieke partijen als ~ *the n. value of minor political parties.*

stoot
I ⟨de (m.)⟩ **0.1** [krachtige duw] *thrust* ⇒*jab,* ⟨vuistslag⟩ *punch,* ⟨met dolk⟩ *stab,* ⟨wind⟩ *gust,* ⟨botsing⟩ *impact,* ⟨van ram, enz.⟩ *butt* **0.2** [krachtig geblazen geluid] *blast* ⇒*blow, sound, toot* **0.3** [menigte] *pack* ⇒*mob, bunch, flock, herd,* ⟨van dingen⟩ *pile(s), load(s)* **0.4** [onderbreking van beweging] *jolt* ⇒*jerk, shock* **0.5** [⟨taalk.⟩] *glottal stop* **0.6** [puls] *pulse* ◆ **1.3** een ~ volk *a crowd / mob, a bunch / flock / herd of people;* een ~ vrienden *loads of friends;* een ~ werk *piles of work*

2.1 〈biljarten〉 een fraaie ~ *a good stroke/shot;* 〈fig.〉 dat gaf hem de laatste ~ *that was the last straw, that was his undoing, that finished him (off)* **3.1** iem. een ~ geven 〈duw〉 *give s.o. a push/t., push s.o.;* 〈vuistslag〉 *give s.o. a punch/blow, punch s.o.;* 〈met elleboog aanstoten〉 *nudge s.o.;* 〈fig.〉 de ~ tot iets geven *set the ball rolling, initiate sth., give the first impulse/impetus to sth., be the prime mover in sth., take the initiative in sth./to do sth.* **3.¶** 〈AZN〉 stoten doen/uithalen 〈pej.〉 *play dirty/nasty tricks;* 〈AZN〉 dat zijn stoten *that beats everything, that's the limit* **6.1** een ~ **met** een degen *a t./plunge/lunge with a sword;* een ~ **onder** de gordel 〈ook fig.〉 *a hit below the belt, a foul blow* **6.¶ op** ~ zijn *be in good/top form, be at one's best;*
II 〈de (v.)〉 〈vulg.〉 **0.1** [knappe meid] *dish* ⇒*eyeful, piece (of ass/tail/↓trade)* ◆ **2.1** een blonde ~ *a hefty blonde, a blonde piece.*

stootbalk 〈de (m.)〉 **0.1** [mbt. treinen] ᴮ*buffer (stop),* ᴬ*bumper* **0.2** [mbt. kanonnen] *buffer.*

stootband 〈de (m.)〉 **0.1** [mbt. kleding] *brush braid* ⇒*seam binding, welt,* 〈aan broekspijp〉 *trouser protector* **0.2** [stootrand] *bumper* ⇒ *fender.*

stootberg 〈de (m.)〉 **0.1** *push moraine.*

stootblok 〈het〉 **0.1** ᴮ*buffer (stop),* ᴬ*bumper.*

stootbord 〈het〉 **0.1** *rise(r).*

stootduiken 〈ww.〉 **0.1** *dive* ⇒*stoop.*

stoothaak 〈de (m.)〉 **0.1** *bench stop* ⇒*bench holdfast.*

stoothoek 〈de (m.)〉 **0.1** *reinforced corner.*

stootionisatie 〈de (v.)〉 **0.1** *ionization by impact/collision.*

stootje 〈het〉 **0.1** *thrust* ⇒*jab, poke,* 〈duw〉 *push,* 〈met elleboog〉 *nudge* ◆ **6.1** 〈fig.〉 wel tegen een ~ kunnen *stand rough handling/hard wear, be a bear for rough treatment, be sturdy;* 〈tegen kritiek kunnen〉 *have a thick rind, be tough/thick-skinned.*

stootkant 〈de (m.)〉 **0.1** [mbt. kleding] *hem* ⇒*seam binding* **0.2** [mbt. een stenen trap] *rise(r).*

stootkracht 〈de〉 **0.1** *impact* ⇒*push, thrust, shock, momentum* ◆ **3.1** aan ~ winnen *gain/gather momentum.*

stootkussen 〈het〉 **0.1** [buffer] *buffer* ⇒*pad, cushion, fender, bumper* **0.2** [〈scheep.〉] *buffer* ⇒*fender, pudding.*

stootmat 〈de〉 〈scheep.〉 **0.1** *paunch mat.*

stootplaat 〈de〉 **0.1** *guard.*

stootrand 〈de (m.)〉 **0.1** *bumper* ⇒*fender.*

stoots 〈bn.〉 **0.1** *given to butting.*

stootsgewijs 〈bn., bw.; -ly〉 **0.1** *jerky* ⇒*jerking, spasmodic* ◆ **1.1** stootsgewijze slagen *jerks, spasmodic thrusts, jerking strokes* **3.1** zich ~ voortbewegen *jerk/jolt along, move jerkily/in jerks.*

stoottand 〈de (m.)〉 **0.1** [slagtand] *tusk* **0.2** [schelpje] *tooth shell* ⇒*tusk shell.*

stoottoon 〈de (m.)〉 〈taal.〉 **0.1** *checking accent.*

stoottroep 〈de (m.)〉 **0.1** *shock/storm troop* ⇒*shock detachment, assault division, commando.*

stoottroeper 〈de (m.)〉 **0.1** *shock/storm trooper* ⇒*raider, commando.*

stootvast 〈bn.〉 **0.1** *chip-proof* ⇒*baked on* 〈email〉.

stootvlak 〈het〉 **0.1** *rise(r).*

stootvoeg 〈de〉 **0.1** *butt (joint).*

stootvogel 〈de (m.)〉 **0.1** ≠*bird of prey* ◆ **2.1** de blauwe ~ *hen harrier.*

stootwapen 〈het〉 **0.1** *thrust weapon.*

stootzaag 〈de〉 **0.1** *compass saw.*

stootzak 〈de (m.)〉 **0.1** [〈bokssport〉] *punching bag* **0.2** [〈scheep.〉] 〈→stootkussen **0.2**〉.

stop¹ 〈de (m.)〉 **0.1** [voorwerp om een opening af te sluiten] *stopper* ⇒ *plug, bung* **0.2** [zekering] *fuse* ⇒*cutout* **0.3** [plaats waar een weefsel gestopt is] *darn* ⇒*mend* **0.4** [pauze] *stop* ⇒*break,* ᴬ*layover* **0.5** [stopzetting] *stop* ⇒*freeze* **0.6** [mbt. honden] *stop* ◆ **2.2** een nieuwe ~ indraaien *replace a f.* **2.4** een sanitaire ~ maken *stop to go to the bathroom!* 〈dames〉 *ladies'/*〈heren〉 *gents';* 〈BE ook〉 *make a convenience/loo stop;* 〈AE ook〉 *make a comfort/rest stop* **3.2** de ~ is doorgeslagen *the fuse has blown/gone/melted;* 〈fig.〉 alle stoppen sloegen bij hem door *he blew a fuse/his top* **3.5** voor enkele studierichtingen is een ~ ingesteld *a limit has been placed on the number of students in various departments.*

stop² 〈tw.〉 **0.1** [niet verder!] *stop* ⇒〈mil.〉 *halt,* 〈tegen paard〉 *ho* **0.2** [genoeg!] *stop (it)* ⇒*hold it, enough,* 〈scheep.〉 *avast.*

stopbad 〈het〉 〈foto.〉 **0.1** *stop bath.*

stopbalk 〈de (m.)〉 **0.1** *raker, raking shore.*

stopbod 〈het〉 **0.1** *drop-dead bid.*

stopbord 〈het〉 **0.1** *stop sign.*

stopbus 〈de〉 **0.1** *stuffing box.*

stopcontact 〈het〉 **0.1** *(plug-)socket* ⇒*power/electric point, wall plug, outlet* ◆ **6.1** de stekker v.h. apparaat in het ~ steken *put the plug of the appliance into the s., plug in the appliance* **7.1** zijn er voldoende ~en? *are there sufficient connections (electric/power) points?*.

stopeblaren 〈zn.mv.〉 **0.1** *water lilies.*

stopfles 〈de〉 **0.1** *jar* ⇒*stopper(ed) bottle, apothecary('s) bottle/flask.*

stopgaren 〈het〉 **0.1** *mending wool* ⇒*darning wool,* 〈katoen〉 *mending/darning cotton.*

stopgroen 〈het〉 **0.1** *greenery* ⇒*foliage (material).*

stophorloge 〈het〉 **0.1** *stopwatch.*

stophout 〈het〉 **0.1** *chock* ⇒*wedge.*

stopkogel 〈de (m.)〉 **0.1** *incapacitating/disabling bullet.*

stoplap 〈de (m.)〉 **0.1** [waarop men het stoppen oefent] *(darning) sampler* **0.2** [waarmee men een opening stopt] *patch* **0.3** [nietszeggend woord] *stopgap* ⇒*makeweight,* 〈bladvulling〉 *filling, fill-up.*

stoplicht 〈het〉 **0.1** [verkeerslicht] *traffic light(s)* ⇒*traffic signal,* 〈rood licht〉 *stoplight* **0.2** [achterlicht] *stoplight* ⇒*stoplamp* ◆ **3.1** het ~ staat op rood/oranje *the traffic light/signal is red/amber* **6.1** door een ~ rijden *jump;* 〈inf.〉 *shoot the traffic lights.*

stoplijn 〈de〉 **0.1** *halt line* ⇒〈AE ook〉 *limit line.*

stopmandje 〈het〉 **0.1** *mending basket.*

stopmes 〈het〉 **0.1** *putty knife.*

stopmiddel 〈het〉 **0.1** [vulmiddel] *filling* ⇒〈kit〉 *lute,* 〈stopverf〉 *putty* **0.2** [medicijn] *astringent.*

stopnaald 〈de〉 **0.1** *darning needle.*

stoporder 〈de〉 **0.1** [order die een andere tenietdoet] *counter-order* ⇒ *countermanding order* **0.2** [stop-loss-order] *stop order* ⇒*stop-loss order.*

stoppel 〈de (m.)〉 **0.1** [mbt. halmen] *stubble* **0.2** [baardhaar] *stubble* ⇒ *bristle* **0.3** [〈plantk.〉] *(receptacular) scale* ◆ **3.1** de ~s afbranden *burn off the s.;* de ~s onderploegen *turn/plough the s. under.*

stoppelbaard 〈de (m.)〉 **0.1** *stubbly beard, stubble* ⇒〈van man met zware baard, 's middags〉 *five o'clock shadow.*

stoppeldak 〈het〉 **0.1** ≠*thatched roof.*

stoppelgewas 〈het〉 **0.1** *catch crop.*

stoppelhaar 〈het〉 **0.1** *bristle(s)* ⇒*bristly hair* ◆ **2.1** een snor van harde stoppelharen *a moustache of hard bristles, a bristly moustache.*

stoppelig 〈bn.〉 **0.1** [uit stoppels bestaand] *stubbly* ⇒〈haar/baard ook〉 *bristly* **0.2** [met stoppels] *stubbly.*

stoppelknol 〈de (m.)〉 **0.1** ≠*turnip.*

stoppelploeg 〈de〉 **0.1** *skim/shallow/stubble plough* ⇒*stubble parer.*

stoppelveer 〈de〉 **0.1** *pin feather.*

stoppelveld 〈het〉 **0.1** *stubble field.*

stoppen

I 〈ov.ww.〉 **0.1** [een ruimte opvullen] *fill (up)* ⇒〈volstoppen/proppen〉 *stuff* **0.2** [iets in een ruimte bergen] *put (in(to))* ⇒ ↓*stick (in(to)),* 〈proppen〉 ↓*stuff (in(to))* 〈meestal onzorgvuldig〉, ↓*pop* 〈meestal snel of onverwacht〉 **0.3** [tot stilstand brengen] *stop* ⇒*halt, bring to a stop/halt/standstill* ◆ **1.1** een gans ~ *fatten a goose,* 〈fig.〉 het ene gat met het andere ~ *rob Peter to pay Paul;* een gat ~ *fill/stop/plug a hole;* 〈fig.〉 getuigen ~ *corrupt/bribe witnesses;* een lek ~ *plug a leak;* een pijp ~ *fill a pipe;* ruiten ~ *putty/put in a windowpane;* een trompet ~ *mute a trumpet;* worst ~ *fill a sausage* **1.3** de keeper kon de bal niet ~ *the goalkeeper couldn't save the ball/goal/couldn't make a save;* het verkeer ~ *s. the traffic, hold up the traffic* **3.3** hij was niet te ~ *he couldn't be stopped, there was no stopping him* **5.1** wij stopten onze oren dicht *we stopped up our ears* **6.2** iets in zijn mond ~ *put/stick/stuff/pop sth. in(to) one's mouth;* een kind **in** bed/**onder** de wol ~ *put a child to bed/*↓*pack a child off to bed/tuck a child up in bed;* iem. geld **in** de hand ~ *slip (some) money into s.o.'s hand;* hij laat zich alles **in** (de) handen ~ *he'll take anything, you can give him anything;* iem. **in** de gevangenis ~ *put/stick/clap s.o. in prison;* stop het **in** je zak / de la *stick/put it in your pocket/the drawer;* munten **in** de telefoon ~ *feed coins into the telephone;* iem. iets **in** de handen ~ 〈lett.〉 *put sth. in s.o.'s hands;* 〈fig.〉 *palm/fob s.o. off with sth., foist/palm sth. off on s.o.;* zijn hemd **in** zijn broek ~ *tuck one's shirt into one's trousers;* 〈inf.〉 iem. **onder** de grond ~ *put/stick s.o. in the ground;*
II 〈onov.ww.〉 **0.1** [halthouden] *stop* ⇒*come to a stop/halt/standstill,* 〈vervoermiddel ook〉 *draw/pull up* **0.2** [eindigen] *stop (-ing)* ⇒↑*cease* ◆ **1.1** de auto stopte *the car stopped/drew up/pulled up/came to a stop/halt;* het stopt bij de bus *the bus stops here* **1.2** stop dat gezwam *s. talking/don't talk rubbish* **3.1** een auto doen ~ *s. a car;* verboden te ~ *no stopping;* wilt u daar ~? 〈auto〉 *please pull up over there* **5.1** stop eens even! *s. I wait a minute/moment/second!* **5.2** stop eens even! *s. (it) a minute/moment/second!;* stop ermee! *stop it!;* 〈inf.〉 *quit it!, pack it in!, knock it off!* **6.1** ~ **aan** de kant v.d. weg *s. at the side of the road, pull over;* **bij** elk station ~ *s. / call at every station* **6.2** ik stop **met** dit werk *I'm stopping doing this work;* 〈inf.〉 *I'm quitting, I'm packing it in;* het is tijd om te ~ *it's time to s., time's up;* **zonder** te ~ *without stopping, non-stop* ¶.**1** stop! *stop!,* ↓*hold on/it!;*
III 〈onov., ov.ww.〉 **0.1** [stoffen herstellen] *darn* ⇒*mend* **0.2** [mbt. ontlasting] *bind (the bowels)* ⇒〈positief ook〉 *stop diarrhoea,* 〈negatief ook〉 *cause constipation* ◆ **1.2** rijstewater stopt (de buikloop) *rice-water binds (the bowels)/stops diarrhoea* **3.1** moeder zat (kousen) te ~ *mother was darning/mending (stockings).*

stoppend 〈bn.〉 **0.1** *binding* ⇒*constipating.*

stoppenkast 〈de〉 **0.1** *fuse box* ⇒〈AE ook〉 *cutout box.*

stopper 〈de (m.)〉 **0.1** [pijpestopper] *(tobacco) stopper* **0.2** [〈sport〉] *centre half* **0.3** [〈scheep.〉] *stopper.*

stopperij 〈de〉 **0.1** [bedrijf voor stopwerk] *(invisible) mending service* **0.2** [deel v.c. lakenfabriek] *fulling mill.*

stopperspil 〈de (m.)〉 〈sport〉 **0.1** *centre half.*

stopping 〈de (v.)〉 **0.1** *prop* ⇒*stay*.
stopplaats 〈de〉 **0.1** *stop* ⇒*stopping / halting place, stage*, 〈BE; spoorw.〉 *halt*.
stopreactie 〈de (v.)〉〈schei.〉 **0.1** *termination reaction* ⇒*chain-stopping reaction*.
stopsein, stopsignaal 〈het〉 **0.1** *stop / halt sign* ⇒*stop / halt signal*, 〈rood licht〉 *stoplight*.
stopsteek 〈de (m.)〉 **0.1** *darning stitch*.
stopsteen 〈de (m.)〉〈amb.〉 **0.1** *rubble* ⇒*fill*.
stopstreep 〈de〉 **0.1** *halt line* ⇒〈AE ook〉 *limit line* ◆ **6.1** oprijden **tot** de ~*approach the h. l. / limit line*.
stopteken 〈het〉 **0.1** *stop / halt sign* ⇒*stop / halt signal*.
stoptijd 〈de (m.)〉〈scheep.〉 **0.1** *stopping time*.
stoptrein 〈de (m.)〉 **0.1** *slow / ᴬlocal train* ⇒〈AE ook〉 *way train, accomodation train, omnibus train*.
stopverbod 〈het〉 **0.1** *stopping prohibition* ⇒〈op bord〉 *no stopping*, ᴮ*clearway*.
stopverf 〈de〉 **0.1** *putty*.
stopweg 〈de (m.)〉〈scheep.〉 **0.1** *stopping distance*.
stopwerk 〈het〉 **0.1** [handeling] *darning* ⇒*mending* **0.2** [breiwerk, weefsels] *darning* ⇒*mending*.
stopwol 〈de〉 **0.1** *mending wool* ⇒*darning wool*.
stopwoord 〈het〉 **0.1** *stopgap* ⇒*filler* ◆ **3.1** 'weet je' is zijn ~ *'you know' is his s. / filler, he says 'you know' every other word*.
stopzetten 〈ov.ww.〉 **0.1** *stop* ⇒*bring to a standstill / halt, put to a stop, discontinue* 〈bootdienst, subsidie〉, 〈tijdelijk, werkzaamheden ook〉 *suspend* ◆ **1.1** besprekingen ~ *break off talks*; een fabriek ~ *close down / shut down a factory*; een machine ~ *switch / turn off a machine*; iemands toelage ~ *cut off s.o.'s allowance*; de uitvoer ~ *s. exports, put exports to a stop / a stop to exports, bring exports to a standstill / halt*; het verkeer ~ *hold up traffic*.
stopzetting 〈de (v.)〉 **0.1** *stopping* ⇒*stoppage, discontinuation, suspension*, 〈van machine ook〉 *switching-off*, 〈van fabriek〉 *closing / shutting-down*.
storax 〈de (m.)〉 **0.1** *storax*.
store 〈de〉 **0.1** *(Venetian) blind* ⇒*jalousie*.
storen 〈onov., ov.ww.〉 **0.1** [afleiden] *disturb* ⇒〈zich opdringen〉 *intrude*, 〈onderbreken〉 *interrupt*, 〈onov. ww. ook; zich ergens mee bemoeien; radio〉 *interfere*, 〈ov. ww. ook; last bezorgen〉 *inconvenience* **0.2** [geven om] *take heed (of)* ⇒*mind, take notice (of), care (about)* ◆ **1.1** elektromotoren ~ dikwijls *electromotors often cause interference / interfere with radio reception*; de lijn is gestoord *the communication is interrupted*; een natuurlijke ontwikkeling ~ *d. a natural development* **3.1** de Duitsers bleven de BBC ~ *the Germans kept jamming the BBC*; hier kunnen we niet gestoord worden *no one will d. us here* **4.1** stoort het u als ik rook? *do you mind if I smoke?*; stoor ik u? *am I in your way?*; 〈bij binnenkomen〉 *am I interrupting (you) / intruding?* **5.1** niet ~! *do not d.!* **5.2** zij stoorde er zich niet aan *she took no notice of it* **6.1** iem. **in** zijn werk ~ *disturb s.o. at his work*; iem. **in** zijn slaap ~ *interrupt s.o.'s sleep, disturb s.o. in his sleep* **6.2** zich **aan** niets of niemand ~ *be a law unto o.s.*; zich niet ~ **aan** iets / iem. *act in defiance of sth. / s.o., ride roughshod over sth. / s.o.*; 〈advies, regel〉 *set sth. at naught*; zonder zich te ~ **aan** *without regard for / to, heedless of*; stoor u niet **aan** die praatjes *don't listen to that gossip, take no notice of that talk*; hij stoorde zich niet **aan** de waarschuwing *he took no heed of / ignored the warning*; zij stoort zich niet **aan** de regels *she disregards the rules, she sets the rules at naught! as default / aside*; ga rustig t.v. kijken, stoor je niet **aan** mij *go ahead and watch TV, don't mind me* ¶**.1** je stoort! *you are a nuisance!, you're in the way!*.
storend 〈bn., bw.; -ly〉 **0.1** *interfering* ⇒〈ergerlijk〉 *annoying*, 〈ongelegen〉 *inconvenient* ◆ **1.1** ~e bijgeluiden *interfering noises*; 〈radio〉 *mush, static, atmospherics*; ~e drukfouten *annoying printing errors* **5.1** er is hier veel verkeer, maar ik vind dat niet ~ *there's a great deal of traffic here, but it doesn't bother me*; zij was een beetje scheel, maar niet ~ *she had a slight squint, but it didn't really attract one's attention / you didn't really notice it* ¶**.1** ze kwam telkens ~ tussenbeide *she kept interrupting*.
storing 〈de (v.)〉 **0.1** [onderbreking, belemmering] *disturbance* ⇒〈treinverkeer, telefoon〉 *interruption*, 〈defect〉 *trouble*, 〈uitvallen〉 *failure, breakdown* **0.2** [com.] *interference* ⇒*noise, static, atmospherics, mush* **0.3** [meteo.] *disturbance* ⇒〈lage drukgebied〉 *depression* **0.4** [geol.] *disturbance* ◆ **2.1** technische ~ *technical malfunction / hitch / trouble* **2.3** door atmosferische ~ konden we de BBC niet ontvangen *due to atmospherics / disturbances of the atmosphere / static we could not receive the BBC* **6.1** ~ **in** het lichtnet *a failure / breakdown of the electricity, a blackout*.
storingsdienst 〈de (m.)〉 **0.1** *fault-clearing service* ⇒〈vnl. AE〉 *trouble-shooting service*.
storingsgebied 〈het〉〈meteo.〉 **0.1** *area of disturbance*.
storingvrij 〈bn.〉 **0.1** *free of interference*.
storingzeef 〈de〉 **0.1** *noise suppressor*.
storm 〈de (m.)〉 〈→sprw. 661〉 **0.1** [hevige wind] 〈meteo., windkracht 7-10〉 *gale*; 〈meteo., windkracht 11; stormachtig weer〉 *storm* ⇒*wind-*

storm, 〈rukwind〉 *squall* **0.2** [heftige emotie] *storm* ⇒*tempest* **0.3** [stormloop] *storm* ⇒*assault* ◆ **2.1** een vliegende ~ *a violent storm / gale* **3.1** de ~ barstte / brak los *the storm broke / burst*; de ~ ging liggen *the storm / gale calmed down / died down / subsided*; de ~ huilt / loeit *the storm is wailing*; er stak een ~ op / kwam een ~ opzetten *a storm blew up* **3.2** een ~ afwenden / bezweren *lay a s., still the waters*; een ~ ontketenen / verwekken / doen losbarsten *raise / stir up / create a s., reap the wind, stir up a hornet's nest, bring a hornet's nest about one's ears* **3.3** de ~ afslaan *beat off / repel / repulse the assault*; 〈fig.〉 het loopt ~ *there is a regular run on it* **5.1** wachten tot de ~ voorbij is *wait out the storm* **6.1** 〈fig.〉 een ~ **in** een glas water *a storm in a teacup, a tempest in a teapot*; de barometer staat **op** ~ *the barometer indicates stormy weather*; 〈fig.〉 there's a storm brewing **6.2** een ~ **van** verontwaardiging / kritiek / protesten *a s. of indignation / criticism / protests*.
stormaanval 〈de (m.)〉〈mil.〉 **0.1** *storm* ⇒*assault* ◆ **3.1** een ~ uitvoeren op een dorp *storm a village, take a village by s..*
stormachtig 〈bn., bw.; -ly〉 **0.1** [met storm] *stormy* ⇒*blustery, squally* **0.2** [onstuimig] *stormy* ⇒*tempestuous*, 〈luidruchtig〉 *tumultuous, uproarious, roaring* ◆ **1.1** een ~e zee / reis *a stormy sea / journey* **1.2** een ~ applaus *a storm / roar of applause*; ~e debatten *s. / tempestuous debates*; een ~e ontwikkeling *a boom*; ~e tijden *tempestuous times* **3.1** het bleef ~ the *weather remained stormy* **3.2** het ging er ~ toe *harsh / hard words were spoken, there was a s. quarrel*; iem. ~ toejuichen *cheer s.o. to the echo, cheer s.o. tumultuously / uproariously*.
stormbaan 〈de〉 **0.1** [mil.] *assault course* **0.2** [baan waarlangs een storm zich verplaatst] *path of a / the storm*.
stormbal 〈de (m.)〉 **0.1** ~*storm cone* ⇒*storm warning / signal*.
stormband 〈de (m.)〉 **0.1** *chin strap* ⇒*cheek strap*.
stormbui 〈de〉 **0.1** *squall*.
stormcentrum 〈het〉〈meteo.〉 **0.1** *storm centre*.
stormcolonne 〈de〉〈mil.〉 **0.1** *assault column*.
stormdek 〈het〉 **0.1** *hurricane deck*.
stormdepressie 〈de (v.)〉〈meteo.〉 **0.1** *(storm) depression* ⇒*low (pressure area)*.
stormen
I 〈onov.ww.〉 **0.1** [onstuimig voorwaarts lopen] *storm* ⇒*blow, rush, fly* **0.2** [aanval doen] *storm* ⇒*attack, assault* ◆ **6.1** de kinderen ~ **naar** binnen *the children come storming / blowing / rushing / flying / dashing / bursting in*; naar voren ~ *rush forward / ahead*; kwaad **naar** buiten ~ *s. / stalk / bounce / flounce out angrily*; **naar** beneden / boven ~ *tear / rush up / down the stairs*;
II 〈onp.ww.〉 **0.1** [hard waaien] 〈zie **3**.1,5.1〉 ◆ **3.1** het gaat ~ *it's blowing up a gale / great guns / a storm, a storm / gale is blowing up*; 〈fig.〉 als dat bekend wordt, dan zal het er ~ *when that leaks out, there will be a breeze / the devil to pay* **5.1** het kan daar flink ~ *it knows how to blow up a gale there*; het stormt verschrikkelijk *there is a terrible storm / gale blowing*.
stormenderhand 〈bw.〉 **0.1** *by storm* ⇒*by assault, with a rush* ◆ **3.1** ~ innemen / veroveren *take by storm, carry / take by assault, carry with a rush*; iemands hart ~ veroveren *take s.o.'s heart by storm*; het publiek ~ veroveren *take the public by storm, carry all / the world before one*.
stormfok 〈de〉 **0.1** *storm jib*.
stormgebied 〈het〉〈meteo.〉 **0.1** *storm area*.
stormhaak 〈de (m.)〉〈gesch.〉 **0.1** *grapple, grapnel*.
stormhoed 〈de (m.)〉 **0.1** [〈gesch.〉 helm] *morion* **0.2** [plant] *aconite* ⇒*monkshood, wolfsbane*.
stormhout 〈het〉 **0.1** *storm windfall(s)*.
stormig 〈bn.〉 **0.1** *stormy* ⇒*blustery, squally* ◆ **1.1** ~e regenvlagen *rain squalls*.
stormklok 〈de〉 **0.1** *alarm bell* ⇒*tocsin* ◆ **3.1** de ~ luiden *ring the a. b., sound the tocsin*.
stormkracht 〈de〉 **0.1** 〈11 Beaufort〉 *storm force*; 〈10 Beaufort of minder〉 *gale force* ◆ **3.1** de wind is tot ~ aangegroeid *the wind has reached storm / gale force*.
stormladder 〈de〉 **0.1** [ladder gebruikt bij een bestorming] *scaling ladder* **0.2** [〈scheep.〉] *side-ladder* ⇒*rope-ladder* ◆ **6.1 met** ~s beklimmen *scale, escalade*.
stormlamp 〈de〉 **0.1** *hurricane lamp* ⇒*hurricane / storm lantern*.
stormlantaarn 〈de (m.)〉 **0.1** *hurricane lamp* ⇒*hurricane lantern*, 〈BE ook〉 *storm-lantern*.
stormlijn 〈de〉 **0.1** *guy (rope)*.
stormloop 〈de〉 **0.1** [het stormlopen] *rush* ⇒*storm, assault, attack* **0.2** [rush] *rush* ⇒*run, stampede* ◆ **6.2** er ontstond een ~ **op** kolenkachels *a run set in / started on coal stoves, there was a sudden rush for coal stoves*; een ~ **op** die ene winkel *a run on that one shop*.
stormlopen
I 〈onov.ww.〉 **0.1** [aanvallen] *storm* ⇒*attack, assault, rush* ◆ **6.1 op** / tegen een vesting ~ *s. / assault / attack / rush a fortress*;
II 〈onp.ww.〉 ◆ ¶**.¶** het loopt storm *there was quite a rush, there was a run on it*; het liep er storm van de mensen die ...*there was a rush / stampede of people who ...*; het liep storm bij de opheffingsuitverkoop van die winkel *there was a run on the closing-down sale in that shop, that shop did a roaring trade during its closing-down sale*.

stormmeeuw ⟨de⟩ 0.1 *common gull.*
stormpas ⟨de (m.)⟩ 0.1 *double-quick step* ◆ 6.1 in ~ on / at the double.
stormpen ⟨de⟩ ⟨vis.⟩ 0.1 ⟨*float with a long antenna*⟩.
stormram ⟨de (m.)⟩ 0.1 *battering-ram.*
stormramp ⟨de⟩ 0.1 *storm disaster.*
stormschade ⟨de⟩ 0.1 *storm damage* ⇒*gale damage, storm loss(es), heavy weather damage.*
stormsein ⟨het⟩ 0.1 *storm signal* ⇒*storm warning,* ⟨concr. ook⟩ *storm cone, bad weather cone.*
stormtij ⟨het⟩ 0.1 *storm tide* ⇒*storm flood / surge.*
stormtroep ⟨de (m.)⟩ 0.1 *storming party; storm / shock troop, shock troop* ⟨vnl. mv.⟩.
stormvast ⟨bn.⟩ 0.1 *storm-proof.*
stormveld ⟨het⟩ ⟨meteo.⟩ 0.1 *low* ⇒*cyclone.*
stormvloed ⟨de (m.)⟩ 0.1 *storm tide* ⇒*storm flood / surge.*
stormvloedkering ⟨de (v.)⟩ 0.1 *flood barrier* ⇒*flood barrage.*
stormvogel ⟨de⟩ 0.1 *storm(y) petrel* ⇒*storm bird, Mother Carey's chicken,* ⟨BE ook⟩ storm finch ◆ 2.1 noordse ~ *fulmar (petrel), mallemuck, mollymawk.*
stormvogeltje ⟨het⟩ 0.1 *storm petrel.*
stormweer ⟨het⟩ 0.1 *stormy weather* ◆ 6.1 in / bij ~ *in stormy weather, during / in a gale / storm.*
stormwind ⟨de (m.)⟩ 0.1 *gale* ⇒*storm(y) wind* ◆ 3.1 er stond een aanlandige ~ *an onshore g. was blowing.*
stormzeil ⟨het⟩ ⟨scheep.⟩ 0.1 *storm sail.*
stormzwaluw ⟨de⟩ 0.1 *storm(y) petrel* ⇒*storm bird.*
storneren ⟨ov.ww.⟩ ⟨boekhouden⟩ 0.1 *counter-enter* ⇒*reverse, cancel (by counter-entry), adjust* ⟨rekening⟩.
storno ⟨de (m.)⟩ ⟨boekhouden⟩ 0.1 *counter-entry.*
stort
 I ⟨het, de (m.)⟩ 0.1 [stortplaats] *dump* ⇒*dumping ground,* ⟨BE ook⟩ *(rubbish) tip;*
 II ⟨het⟩ 0.1 [dun plaatstaal] *thin sheet-iron, black plate.*
stortbad ⟨het⟩ 0.1 [douche, ⟨ook fig.⟩] *shower* ⇒*douche* 0.2 [inrichting, toestel] *shower* ⇒*douche* ◆ 2.1 ⟨fig.⟩ hij kreeg een geducht ~ *that was a cold douche to him, that poured cold water on him / sobered him up* 3.1 ~en nemen *shower, douche, take / have showers / douches.*
stortbak ⟨de (m.)⟩ 0.1 [mbt. een w.c.] *cistern* ⇒*tank* 0.2 [bak waarin iets gestort wordt] *shoot* ⇒*chute, tank.*
stortberg ⟨de (m.)⟩ ⟨mijnw.⟩ 0.1 [B]*slag-heap.*
stortbeton ⟨het⟩ 0.1 *poured concrete.*
stortbord ⟨het⟩ 0.1 *mould-board.*
stortbui ⟨de⟩ 0.1 *downpour* ⇒*deluge, torrent, rainstorm, soaker, cloudburst.*
stortebed ⟨het⟩ ⟨wwb.⟩ 0.1 *sunk mattress, (sunk) fascine work.*
storten[1] ⟨bn.⟩ 0.1 *sheet-iron.*
storten[2]
 I ⟨onov.ww.⟩ 0.1 [met geweld vallen] *fall* ⇒*crash, dash, rush,* ⟨in water⟩ *plunge* ◆ 6.1 in het ravijn ~ *f. / be precipitated into the ravine;* in elkaar ~ *collapse, cave in* ⟨gebouw⟩; ⟨geestelijk⟩ *collapse, crack up;* de golven ~ over het schip *the waves sweep over the deck;* van de trap ~ *f. down the stairs;*
 II ⟨ov.ww.⟩ 0.1 [met geweld laten vallen] *throw* ⇒*dump, shoot* ⟨afval⟩, ⟨gieten⟩ *pour,* ⟨in ongeluk/rampen enz.⟩ *throw* ◆ 1.1 afval in zee ~ *dump waste in the sea;* beton ~ *pour / cast concrete;* bloed ~ *shed blood;* gesmolten ijzer ~ *teem / cast molten iron;* tranen ~ over *shed tears over;* zand ~ *dump sand* 6.1 iets in beton ~ *cast sth. in concrete;*
 III ⟨wk.ww.; zich~⟩ 0.1 [zich werpen] *throw o.s.* ⇒*plunge, rush* 0.2 [⟨+op⟩ met hartstocht aanpakken] *throw o.s. (into)* ⇒*dive / plunge (into)* 0.3 [⟨+op⟩ aanvallen] *fall (on)* ⇒*rush (on),* ⟨van boven af⟩ *swoop down / pounce (on),* ⟨inf.⟩ *light (into)* ◆ 6.1 ⟨fig.⟩ zich in de politiek ~ *dive into politics;* zich in de menigte ~ *plunge into the crowd;* zich in het verderf ~ *work one's own destruction;* zich in iemands armen ~ *throw o.s. into s.o.'s arms* 6.2 zich op een probleem ~ *throw o.s. into / dive into a problem;* zich op een idee ~ *fasten upon an idea* 6.3 zich op de vijand ~ *throw o.s. upon the enemy;* de hond stortte zich op de postbode *the dog hurled itself at the postman;*
 IV ⟨onov., ov.ww.⟩ 0.1 [overmaken] *pay* ⇒*deposit* ◆ 1.1 het gestorte bedrag is ... *the sum paid is ...;* gestort kapitaal *paid-up capital* 6.1 geld ~ bij een bank *p. money into a bank, lodge money at / in a bank, deposit money with a bank;* in de schatkist ~ *p. into the exchequer;* in een fonds ~ *allocate / transfer / add to a fund;* een tientje op een girorekening ~ *p. 10 guilders into a giro account;* u wordt verzocht ƒ25,- te ~ op rekeningnummer ... *please deposit 25 guilders into account no. ...;* op eigen rekening ~ *deposit / p. into one's own account;* voor zijn pensioen ~ *contribute towards / pay towards / subscribe for one's pension* 7.1 het te veel gestorte wordt terugbetaald *the excess payment will be refunded;*
 V ⟨onp.ww.⟩ 0.1 [stortregenen] *be pouring* ⇒ ⟨BE; inf.⟩ *be bucketing (down).*
stortgat ⟨het⟩ 0.1 *chute.*
stortgeld ⟨het⟩ 0.1 *fee for use of dumping ground.*
stortgelegenheid ⟨de (v.)⟩ 0.1 *dumping ground* ⇒*dump,* ⟨BE ook⟩ *(rubbish) tip.*

stortgoed ⟨het⟩ 0.1 *bulk goods* ⇒*bulk cargo* ◆ 1.1 met een lading ~ (e-ren) *laden with bulk, carrying a bulk cargo.*
stortgoot ⟨de⟩ 0.1 *chute* ⇒*shoot.*
storthelling ⟨de (v.)⟩ 0.1 *embankment.*
storting ⟨de (v.)⟩ 0.1 [het afdragen van geld] *payment* ⇒*deposit,* ⟨bij bank ook⟩ *lodgement,* ⟨op aandelen⟩ *call,* ⟨pensioen⟩ *contribution* 0.2 [neerwerpen] *throwing* ⇒⟨gieten⟩ *pouring,* ⟨afval, puin, zand⟩ *dumping, shooting,* ⟨BE ook⟩ *tipping* 0.3 [neergeworpen hoeveelheid] *dump* ◆ 6.1 het bedrag is te voldoen door ~ of overschrijving *payments may be made by deposit or transfer;* een ~ van tien gulden *a 10 guilder deposit.*
stortingsbewijs ⟨het⟩ 0.1 *voucher* ⇒*receipt, certificate of payment, scrip, paying-in slip.*
stortingsdatum ⟨de (m.)⟩ 0.1 *date of payment.*
stortingsformulier ⟨het⟩ 0.1 *paying-in slip / form.*
stortingskaart ⟨de⟩ 0.1 *giro deposit slip.*
stortingsrecht ⟨het⟩ 0.1 *paying-in charge / fee.*
stortkar ⟨de⟩ 0.1 *tipcart* ⇒*tilt cart, dumping cart, dumpcart.*
stortklep ⟨de⟩ 0.1 *shootdoor.*
stortkoker ⟨de (m.)⟩ 0.1 *chute* ⇒*shoot.*
stortlaag ⟨de⟩ 0.1 *(layer of) rubble.*
stortluik ⟨het⟩ 0.1 *hatch.*
stortmolen ⟨de (m.)⟩ 0.1 *concrete mixer.*
stortplaats ⟨de⟩ 0.1 *dump* ⇒*dumping ground / site,* ⟨BE ook⟩ *(rubbish) tip.*
stortregen ⟨de (m.)⟩ 0.1 *downpour* ⇒*deluge, torrent, pelting / pouring / driving rain.*
stortregenen ⟨onp.ww.⟩ 0.1 *pour / teem / pelt (with rain / down), rain cats and dogs* ◆ 4.1 het stortregent *the rain is pouring /* ⟨BE ook; inf.⟩ *bucketing down.*
stortvloed ⟨de (m.)⟩ 0.1 [vloedstroom] *torrent* ⇒*deluge, flood* 0.2 [⟨fig.⟩] *torrent* ⇒*deluge, flood, avalanche, rush* ◆ 6.2 een ~ van woorden / reacties *a(n) t. / deluge / flood / avalanche / tornado of words / reaction(s);* een ~ van tranen *a flood / rush of tears;* een ~ van verwensingen *a hail / volley of curses, a t. / stream of abuse;* een ~ van bezwaren *a running fire of objections.*
stortzee ⟨de⟩ 0.1 *sea* ◆ 3.1 een ~ overkrijgen *take / ship a s..*
stoten ⟨→sprw. 165⟩
 I ⟨onov.ww.⟩ 0.1 [horten, haperen] *jolt* ⇒*jerk, bump* 0.2 [aanstoot geven] *offend* ⇒*give offence, affront* 0.3 [botsen] *bump* ⇒*knock, hit,* ⟨met elleboog⟩ *nudge* 0.4 [op een prooi neerschieten] *swoop (down)* ⇒*pounce, stoop* ◆ 1.1 die auto's ~ *those cars jolt / are bumpy;* het geweer stoot *the rifle kicks / recoils;* zijn zinnen ~ *his sentences are halting / awkward / laboured / stumbling* 2.3 lek ~ *spring a leak* 6.3 het schip stootte op een klip *the ship struck ((on) a rock), the ship grounded / stranded, the ship ran upon a rock, the ship fell / ran foul of a rock;* op de vijand ~ *come upon the enemy, fall in with the enemy;* op een vreemd woord ~ *come across / come upon / encounter a foreign word;* op moeilijkheden ~ *meet (up) with / encounter / experience / run into difficulties;* op elkaar ~ *collide, run into each other;* op / tegen iets ~ *b. / knock into sth., b. / knock up against sth.;* tegen elkaar ~ *b. / knock against each other; click, clink* ⟨glas, bal⟩;
 II ⟨ov.ww.⟩ 0.1 [door duwen op / van een plaats / in een toestand brengen] *thrust* ⇒*push, drive, knock* 0.2 [door botsen bezeren] *bump* ⇒*knock, hit,* ⟨hard⟩ *bash* 0.3 [stampen] *pound* ◆ 1.2 zijn hoofd ~ ⟨fig.⟩ *fall (flat) on one's face, get a smack in the face / eye;* zijn neus ~ ⟨fig.⟩ *fall (flat) on one's face, get a smack in the face / eye;* zijn teen ~ (aan / tegen) *stub one's toe (against)* 1.3 peper / kaneel ~ *p. pepper / cinnamon* 5.1 niet ~! *handle with care!, fragile!* 6.1 ⟨fig.⟩ iem. uit een ambt ~ *depose s.o. from office;* iem. uit de groep / de partij ~ *expel s.o. from the party, cast / throw s.o. out of the group / party;* iem. uit de kerk ~ *excommunicate s.o.;* iem. uit de orde ~ *unfrock / defrock s.o.;* een vaas van de kast ~ *knock a vase off the sideboard;* iem. van zijn voetstuk ~ *knock s.o. off his pedestal / perch* 6.2 pas op, stoot je hoofd niet *mind your head;* ⟨fig.⟩ iem. voor het hoofd ~ *offend / hurt s.o., hurt / injure / wound s.o.'s feelings;* ⟨sterker⟩ *cut s.o. to the quick, touch s.o. on the raw;*
 III ⟨onov., ov.ww.⟩ 0.1 [⟨gewichtheffen⟩] *press* 0.2 [⟨biljart⟩] *play / shoot (a ball)* ⇒⟨onov. ook⟩ *strike a ball, make a shot,* ⟨zeldz.⟩ *cue* 0.3 [steken] *thrust* ⇒*lunge,* ⟨met horens⟩ *butt* ◆ 1.2 hij stootte een serie van honderd *he made a break of a hundred* 6.2 hij stootte door het laken *he tore the baize with his cue;* de bal in de zak ~ *pocket / [B]pot the ball;*
 IV ⟨wk.ww.; zich~⟩ 0.1 [botsen] *bump (o.s.)* ⇒*knock (o.s.), hit* 0.2 [zich ergeren] *take offence* ⇒*take exception, be offended / insulted* ◆ 6.1 we stootten ons aan de tafel *we bumped / knocked into / up against the table, we bumped / knocked ourselves against the table* 6.2 wij ~ ons aan zijn gedrag *we take offence at / exception to his behaviour, we are offended at / by his behaviour.*
stotend ⟨bn.⟩ 0.1 [geneigd tot stoten] *given to butting* 0.2 [aanstoot gevend] *offensive* ⇒*objectionable,* ⟨walgelijk⟩ *disgusting, loathsome, revolting* 0.3 [haperend] *jerky* ⇒*jolting, halting, stumbling, stuttering* ⟨spreken⟩ ◆ 1.2 een ~e voordracht *an offensive / objectionable speech;* iem. ~e woorden toevoegen *shower abuse on s.o..*

stoterig ⟨bn.,bw.;-ly⟩ **0.1** [hakkelend] *jerky* ⇒*jolting, halting, stumbling, stuttering* ⟨spreken⟩ **0.2** [stoots] *given to butting* ◆ **3.1** ~lezen/zingen *read/sing haltingly.*

stotig ⟨bn.⟩ **0.1** [geneigd tot stoten] *given to butting* **0.2** [bokkig] *touchy* ⇒*quick to take offence, thin-skinned, easily offended.*

stotinka ⟨de⟩ **0.1** *stotinka.*

stotteraar ⟨de (m.)⟩, **-ster** ⟨de (v.)⟩ **0.1** *stutterer* ⇒*stammerer.*

stotteren
I ⟨onov.ww.⟩ **0.1** [hakkelen] *stutter* ⇒*stammer* ◆ **5.1** hij stottert soms een beetje *he stutters/stammers slightly, he has a slight stutter/stammer* **6.1** zonder te ~*without a stutter;*
II ⟨ov.ww.⟩ **0.1** [met moeilijke articulatie uitbrengen] *stutter* ⇒*stammer* ◆ **1.1** hij stotterde nog een paar woorden en ging weg *he stuttered/stammered a few words and left.*

stout ⟨bn.,bw.;-ly⟩ **0.1** [ondeugend] *naughty* ⇒*bad, impish* **0.2** [stoutmoedig] *bold* ⇒*daring, audacious, enterprising* **0.3** [hoge vlucht nemend] *wild* ◆ **1.2** de ~e schoenen aantrekken *take the plunge;* ik trok de ~e schoenen aan en nodigde haar uit *I made so bold as to invite her;* een ~ stuk *a b. enterprise/venture* **1.3** een ~e verbeelding *a w. imagination;* het overtreft mijn ~ste verwachtingen *it is beyond my wildest dreams/expectations* **3.1** ~zijn *misbehave;* ⟨vnl. AE; inf.⟩ *cut up* **7.2** Karel de Stoute *Charles the Bold.*

stouterd, stouterik ⟨de (m.)⟩ **0.1** *imp* ⇒*naughty boy/girl/child,* ⟨inf.⟩ *perisher, tinker.*

stoutheid ⟨de (v.)⟩ **0.1** [ondeugendheid] *naughtiness* ⇒*misbehaviour* **0.2** [vrijpostigheid] *boldness* ⇒⟨vermetelheid⟩ *daring, audacity, enterprise,* ⟨onbeschaamdheid⟩ *hardihood* **0.3** [onverschrokkenheid] *boldness* ⇒*intrepidity, fearlessness.*

stoutigheid ⟨de (v.)⟩ **0.1** [ondeugende daad] *prank* ⇒*trick* **0.2** [het stout zijn] *naughtiness* ⇒*misbehaviour* **0.3** [vermetele/vrijpostige daad] *bold enterprise* ⇒*bold venture.*

stoutmoedig ⟨bn.,bw.;-ly⟩ **0.1** *bold* ⇒⟨moedig⟩ *fearless, intrepid, hardy,* ⟨vermetel⟩ *daring, audacious, enterprising.*

stoutmoedigheid ⟨de (v.)⟩ **0.1** *audacity* ⇒*boldness, daring, intrepidity.*

stoutweg ⟨bw.⟩ **0.1** *audaciously* ⇒*boldly* ◆ **3.1** ~iets doen/vragen ⟨ook⟩ *do/ask sth. daringly/without trepidation.*

stouwen ⟨ov.ww.⟩ **0.1** [stoppen, bergen] *stow* ⇒*pack, cram* **0.2** [⟨scheep.⟩] *stow* ⇒*trim* **0.3** [veel eten en drinken] *cram* ⇒*stuff* ◆ **3.3** hij kan wat naar binnen ~ *he can cram down a thing or two* **5.2** die goederen zijn niet goed gestouwd *those goods haven't been properly stowed/trimmed* **6.1** zij stouwde alles in haar tas *she crammed everything into her bag.*

stouwer ⟨de (m.)⟩ **0.1** *stevedore,* ᴬ*lumper* ⇒*trimmer.*

stouwsluis ⟨de⟩ **0.1** *sluice(-gate).*

stoven
I ⟨onov.ww.⟩ **0.1** [gaar worden] *stew* ⇒*simmer, braise* **0.2** [⟨zonne⟩warmte opnemen] *bask (in the sun)* ⇒*broil* ◆ **1.1** de vissen~in de pan *the fish are simmering in the pan* **3.2** de zonaanbidders lagen te ~op het strand *the sun-worshippers were broiling on the beach;*
II ⟨ov.ww.⟩ **0.1** [gaar laten worden] *stew* ⇒*simmer, braise* **0.2** [zacht verwarmen] *stew* ⇒*simmer, braise* ◆ **1.1** gestoofde appeltjes/peertjes *stewed apples/pears;* groente ~in wat boter *stew vegetables in a little butter* **1.2** de zon stooft de tomaten rijp *the sun bakes/is baking the tomatoes.*

straal¹ ⟨de⟩ **0.1** [smalle lichtbundel] *beam* ⇒*ray, shaft* **0.2** [stroom vloeistof/gas] *jet* ⇒⟨vloeistof ook⟩ *squirt, spout,* ⟨straaltje⟩ *trickle* **0.3** [⟨wisk.⟩] *radius* **0.4** [⟨nat.⟩] *beam* ⇒*ray* **0.5** [verstuiver v.e. tuinspuit] *spout* **0.6** [eeltweefsel] *frog* ◆ **1.2** een ~water/stikstof *a jet/spout of water/nitrogen* **2.1** invallende/teruggekaatste stralen *entering/reflected beams/rays* **2.4** een gebroken ~*a refracted ray;* kosmische/ultraviolette stralen *cosmic/ultraviolet radiation/rays* **6.2** het zweet liep in ~tjes van zijn gezicht *sweat trickled down his face* **6.3** binnen een ~van 10 kilometer *within a r. of 10 km.*

straal² ⟨bw.⟩ **0.1** [volgens een rechte lijn] *straight, right* **0.2** [volkomen] *dead* ⇒*cold, straight, clean, right* ◆ **3.1** hij spuugde hem ~in het gezicht *he spat r. in his face* **3.2** (ben 't) ~vergeten *clean forgotten;* ze negeerde hem ~*she cut him d.* **5.2** iem. ~voorbijlopen *walk right past s.o* **6.1** ~tegen de wind in *in the teeth of the wind.*

straalaandrijving ⟨de (v.)⟩ **0.1** *jet propulsion* ◆ **6.1** met ~*jet-propelled.*

straalbezopen ⟨bn.⟩ **0.1** *blind/dead drunk* ⇒*soused to the gills, full as an egg.*

straalbloem ⟨de⟩ **0.1** *ray (flower).*

straalbrekend ⟨bn.⟩ **0.1** *refractive* ◆ **1.1** ~vermogen *r. power.*

straalbreking ⟨de (v.)⟩ **0.1** *refraction.*

straalbuis ⟨de⟩ **0.1** *nozzle* ⇒*jet.*

straalbuismotor ⟨de (m.)⟩ **0.1** *turbine.*

straalbundel →*stralenbundel.*

straaldier ⟨het⟩ **0.1** *radiolarian.*

straalgewelf ⟨het⟩ **0.1** *fan vaulting* ⇒*palm vaulting.*

straaljager ⟨de (m.)⟩ **0.1** *fighter jet.*

straalkachel ⟨de⟩ **0.1** *radiant heater, electric radiator.*

straalkanker ⟨de (m.)⟩ **0.1** *canker.*

straalkapel ⟨de⟩ **0.1** *radiating chapel.*

straallamp ⟨de⟩ **0.1** *infrared lamp.*

straalmotor ⟨de (m.)⟩ **0.1** *jet engine.*

straalpijp ⟨de⟩ **0.1** [als mondstuk] *spout* ⇒*nozzle* **0.2** [uitlaatpijp v.e. straalmotor] *(exhaust) nozzle.*

straalpomp ⟨de⟩ **0.1** *jet pump.*

straalschimmel ⟨de (m.)⟩ **0.1** *actinomycete.*

straalsgewijs ⟨bn.,bw.;-ly⟩ **0.1** *radiate* ⇒*radial* ◆ **3.1** straten die ~vanaf een plein lopen *streets radiating from a square;* ~uitgespreid ⟨ook⟩ *spread in rays.*

straalstroom ⟨de (m.)⟩ **0.1** [⟨t.v.⟩] *beam current* **0.2** [⟨meteo.⟩] *jet stream.*

straalturbine ⟨de (v.)⟩ **0.1** *jet turbine.*

straalverbinding ⟨de (v.)⟩ ⟨comm.⟩ **0.1** *radio(-beam) link* ⇒*microwave radio link.*

straalverbindingstoren ⟨de (m.)⟩ **0.1** [functie] *(radio) relay station* ⇒⟨gebouw⟩ *radio mast/tower.*

straalvliegtuig ⟨het⟩ **0.1** *jet (air)plane* ◆ **2.1** twee/driemotorig ~*twin-engined/triple-engined jet plane, twinjet/trijet.*

straalvormig ⟨bn.⟩ **0.1** *radial* ⇒*radiate.*

straalzender ⟨de (m.)⟩ **0.1** *beam transmitter.*

straalzwam ⟨de⟩ →*straalschimmel.*

straat ⟨de⟩ **0.1** [verharde weg] *street* ⇒⟨itt. stoep⟩ *roadway,* ⟨bestrating⟩ *pavement* **0.2** [rij huizen] *street* ⇒*block* **0.3** [bewoners] *street* ⇒*block* **0.4** [zeeëngte] *strait(s)* **0.5** [poker] *straight* ◆ **1.1** de man v.d. ~*the man in the s.* **1.4** de ~van Gibraltar ⟨ook⟩ *the Straits;* Straat van Malakka *Strait of Malacca* **2.1** een doodlopende ~⟨ook fig.⟩ *dead end s.;* de volgende ~rechts *the next turning on/to the right* **2.2** ik woon in de volgende ~*I live* ᴮin/ᴬon *the next s./block/road* **2.3** de hele ~hing uit de ramen *the whole s./block were leaning out of the windows* **2.5** grote ~*s. flush;* kleine ~*s.* **3.1** een ~aanleggen *construct a road;* de ~opbreken *take/dig up the s./pavement* **5.1** de ~op gaan ⟨fig.⟩ *take to/hit the streets* **6.1** even verderop in de ~*down the road/s.;* met je gezicht *naar* de ~*face streetwards;* iem. *op* ~aanspreken *address s.o. in/on the s.;* die woorden leren ze *op* ~*they pick up those words on the s.;* iem. *op* ~zetten *turn s.o. (out) into the s.;* ~op staan ⟨dakloos⟩ *be (out) on the street(s);* ⟨werkloos⟩ *be booted;* midden *op* ~*in the middle of the s./roadway;* ⟨fig.⟩ de zaak ligt nu *op* ~*the matter has got about;* er was geen kip/hond/mens *op* ~*there wasn't a soul about; op* ~spelen *play in the street(s); op* ~rondzwerven, langs de ~lopen ⟨van kinderen⟩ ≠*run wild;* met uitzicht *op* ~*looking out on the s., with a view of the s.;* zich *op* ~wagen *venture out of doors;* binnen tien minuten stond hij weer *op* ~*in ten minutes' time he was out again;* de oplossing ligt *op* ~*the solution is out there on the street(s);* je kunt zo niet over ~gaan *you can't go out(side) like that;* iem. *van* de ~oprapen *pick s.o. up from the streets/out of the gutter;* ⟨iem.⟩ *van* de ~af houden *keep (s.o.) off the streets* **7.1** drie straten verderop *three streets away.*

straatactie ⟨de (v.)⟩ **0.1** *street collection* ◆ **3.1** het Rode Kruis houdt elk jaar een ~*the Red Cross holds/organizes a s. c. every year.*

straatarm ⟨bn.⟩ **0.1** *pennyless* ⇒*indigent* ◆ **1.1** een ~land *a poverty-stricken country* **3.1** ~zijn ⟨ook⟩ *be on one's uppers/down and out.*

straatartiest ⟨de (m.)⟩, **-e** ⟨de (v.)⟩ **0.1** *street/pavement artist.*

straatbeeld ⟨het⟩ **0.1** *(street) scene.*

straatbende ⟨de⟩ **0.1** *street gang.*

straatcollecte ⟨de⟩ **0.1** *street collection.*

straatdeun ⟨de (m.)⟩ →*straatliedje.*

straatdeur ⟨de⟩ **0.1** *street door.*

straatdienst ⟨de (m.)⟩ **0.1** *patrol* ⇒⟨BE; op kruispunt⟩ *point duty.*

straatfotograaf ⟨de (m.)⟩ **0.1** *street photographer* ⇒*photographer-at-large.*

straatgevecht ⟨het⟩ **0.1** *street fight* ⇒*brawl, riot.*

straatgevel ⟨de (m.)⟩ **0.1** *(house-)front.*

straatgeweld ⟨het⟩ **0.1** *street violence.*

straatgoot ⟨de⟩ **0.1** *gutter.*

straatguerrilla ⟨de (m.)⟩ **0.1** *urban guerrilla warfare.*

straathandel ⟨de (m.)⟩ **0.1** *street trading/trade/selling.*

straathandelaar ⟨de (m.)⟩ **0.1** *street vendor* ⇒*hawker, peddler,* ⟨drugs⟩ ↓*pusher/dealer.*

straathoek ⟨de (m.)⟩ **0.1** *street corner* ⇒*corner of a/the street* ◆ **6.1** op alle ~en *at/on every s.c..*

straathoekwerker ⟨de (m.)⟩ **0.1** ⟨social work concerned primarily with homeless young people⟩ ⇒⟨USA, Can.⟩ *streetworker.*

straathoer ⟨de (v.)⟩ **0.1** *streetwalker* ⇒⟨AE; sl.⟩ *hooker.*

straathond ⟨de (m.)⟩ **0.1** [zwerfhond] *cur* ⇒*mutt* **0.2** [niet-rashond] *mongrel* ⇒*cur, mutt.*

straatinterview ⟨het⟩ ⟨radio/t.v.⟩ **0.1** *street interview.*

straatje ⟨het⟩ **0.1** [kleine straat] *alley* ⇒*lane, byway* **0.2** [plaveisel naar een deur] *walk* ⇒*path* ◆ **2.1** het is maar een kort ~*it's just a short road/street* **2.2** zijn eigen ~schoonvegen ⟨fig.⟩ *whitewash o.s., try to clear o.s., fight off an accusation* **3.1** ~omlopen *walk around the block, take an airing;* voor die hond zou ik een ~omlopen *I'd keep* *out of the way of that dog* **6.2** ⟨fig.⟩ **in** iemands ~ praten *humour s.o.;* ⟨fig.⟩ dat was/paste precies **in** zijn ~ *that was just in his line/up his street/alley* **¶.1** ⟨AZN;fig.⟩ ~ zonder end *a dead-end, an interminable affair/business.*

straatjekeren ⟨ww.⟩⟨inf.⟩ **0.1** *do a three-point turn.*

straatjeugd ⟨de⟩ **0.1** *street urchins/kids* ⇒⟨in de oude zin⟩ *punks.*

straatjongen ⟨de (m.)⟩ **0.1** [die langs de straat zwerft] *street urchin* ⇒ ⟨schooiertje⟩ *guttersnipe* **0.2** [die op straat slechte manieren heeft geleerd] *street urchin* ⇒*gamin.*

straatkant ⟨de (m.)⟩ **0.1** *street side* ⇒*street front* ◆ **6.1 aan** de ~ wonen *live on the s. s. / in the front part of the house.*

straatkei ⟨de (m.)⟩ **0.1** *cobble(-stone).*

straatklinker ⟨de (m.)⟩ **0.1** *paving brick/stone* ⇒*set(t) pitcher.*

straatkolk ⟨de⟩ **0.1** *storm drain, catch basin.*

straatkreet ⟨de (m.)⟩ **0.1** *street (vendor's/trader's) cry.*

straatlantaarn ⟨de⟩ **0.1** *street lamp.*

straatleven ⟨het⟩ **0.1** *street life* ⇒*life in the street/*⟨pej.⟩ *on the street.*

straatliedje ⟨het⟩ **0.1** *popular ballad* ⇒*street song, broadside.*

straatmadelief ⟨de⟩ **0.1** [straathoer] *streetwalker* ⇒*woman of the streets* **0.2** [⟨fig.⟩ meisje dat veel op straat vertoeft] *street girl* **0.3** [⟨AZN⟩ madeliefje] *daisy.*

straatmaker ⟨de (m.)⟩ →*stratenmaker.*

straatmeid ⟨de (v.)⟩ **0.1** *street girl.*

straatmuziek ⟨de (v.)⟩ **0.1** *street music* ⇒⟨BE ook⟩ *busking.*

straatmuzikant ⟨de (m.)⟩ **0.1** *street musician* ⇒⟨BE ook⟩ *busker.*

straatnaam ⟨de (m.)⟩ **0.1** *street name.*

straatnaambordje ⟨het⟩ **0.1** *road sign, nameboard.*

straatorgel ⟨het⟩ **0.1** *barrel organ* ⇒*street organ.*

straatprediker ⟨de (m.)⟩ **0.1** *soapbox preacher.*

straatprostitutie ⟨de (v.)⟩ **0.1** *streetwalking.*

straatredenaar ⟨de (m.)⟩ **0.1** *street/soapbox orator* ⇒*soapboxer.*

straatreiniging ⟨de (v.)⟩ **0.1** *street cleaning.*

straatroof ⟨de (m.)⟩ **0.1** *robbery* ⇒ ↓*mugging,* ⟨vero.⟩ *highway robbery.*

straatrover ⟨de (m.)⟩ **0.1** *robber* ⇒ ↓*mugger,* ⟨vero.⟩ *highwayman, footpad.*

straatrumoer ⟨het⟩ **0.1** *street noise(s).*

Straatsburg ⟨het⟩ **0.1** *Strasbourg.*

straatschender ⟨de (m.)⟩ **0.1** *street ruffian* ⇒*(street) hooligan, rough, rowdy,* ⟨BE ook;inf.⟩ *yob(bo).*

straatschenderij ⟨de (v.)⟩ **0.1** ≠ᴮ*street offences* ⇒⟨vandalisme⟩ *hooliganism.*

straatslijper ⟨de (m.)⟩ **0.1** *gadabout* ⇒*vagabond,* ↑*flâneur.*

straatsteen ⟨de (m.)⟩ **0.1** ⟨baksteen⟩ *paving brick; set(t)* ⟨hard steen⟩ ◆ **6.1** ⟨fig.⟩ een produkt **aan** de straatstenen niet kwijt kunnen *be stuck /saddled with a product.*

straattaal ⟨de⟩ **0.1** *bad language* ⇒*vulgarism.*

straatterreur ⟨de⟩ **0.1** *mob violence* ⇒⟨vandalisme⟩ *hooliganism.*

straattoneel ⟨het⟩ **0.1** [bezienswaardigheden] *spectacle of the streets* **0.2** [toneel op straat] *street show* ⇒*travelling* ᴬ*eling theatre.*

straatvechter ⟨de (m.)⟩ **0.1** *street fighter.*

straatveger ⟨de (m.)⟩ **0.1** [persoon] *(road/street) sweeper* ⇒ ⟨vorige eeuw⟩ *crossing sweeper* **0.2** [machine] *(road/street) sweeper.*

straatventer ⟨de (m.)⟩ **0.1** *vendor* ⇒*hawker,* ⟨verkoopt vnl. fruit vanaf een kar⟩ *costermonger, huckster.*

straatverkoop ⟨de (m.)⟩ **0.1** *street vending.*

straatverlichting ⟨de (v.)⟩ **0.1** [het verlichten] *street lighting* **0.2** [lampen] *street lighting/lamps.*

straatversiering ⟨de (v.)⟩ **0.1** *street decoration.*

straatvoetbal ⟨het⟩ **0.1** *street soccer;* ⟨BE ook⟩ *street football.*

straatvrees ⟨de⟩ **0.1** *agoraphobia.*

straatvuil ⟨het⟩ **0.1** *street refuse/*ᴬ*garbage.*

straatweg ⟨de (m.)⟩ **0.1** *highroad, main road* ⇒⟨vnl. AE⟩ *highway.*

straatzanger ⟨de (m.)⟩, **-es** ⟨de (v.)⟩ **0.1** *street singer* ⇒⟨BE ook;inf.⟩ *busker.*

stradivarius ⟨de (m.)⟩ **0.1** *Stradivarius.*

straf¹ ⟨de (v.)⟩ **0.1** *punishment* ⇒⟨vnl. strafmaatregel, boete⟩ *penalty* ◆ **1.1** het is een ~ van God/~ des hemels dat zij ...*it's a judgement on her that* ... **2.1** ⟨mil.⟩ een disciplinaire ~ *a disciplinary punishment, disciplinary action;* strenge ~ *sharp punishment;* zijn verdiende/gerechte ~ ondergaan *be brought to justice, take one's medicine;* een zware/lichte ~ *a heavy/severe punishment, a light/mild punishment* **3.1** iem. zijn gerechte ~ doen ondergaan *bring s.o. to justice;* de ~ die gesteld is op deze overtreding *the sanction on the penalty for/the penalty imposed on this offence;* ⟨fig.⟩ dat is een ~ voor hem *that's a trial to him;* ~ krijgen *be punished;* (iem.) een ~ kwijtschelden *pardon (s.o.),* let *(s.o.) off, remit a punishment;* met ~ / met zware ~fen dreigen *threaten with punishment/a penalty/severe penalties;* een ~ ondergaan *pay the penalty, undergo a punishment;* zijn ~ ontlopen *beat the rap, get off scot free;* een ~ opleggen *inflict/impose a punishment;* ~ stellen op iets *penalize/put a penalty on sth.;* ~ uitdelen *discipline (the children/pupils);* een ~ uitzitten *serve a ten-year sentence* **6.1 op** ~fe des doods *under penalty of death, under pain of death;* **op** ~fe v.e. (geld)boete *under/on penalty of a*

fine; **op** ~fe van gevangenneming *on pain of detention/internment;* **voor** ~ *as a/for punishment;* het is de welverdiende ~ **voor** je luiheid *it's a judgement on you for being so lazy.*

straf² ⟨bn., bw.;-ly⟩ **0.1** [streng] *stiff* ⇒*severe* **0.2** [geconcentreerd] *strong* ⇒*stiff* ⟨drank⟩ **0.3** [krachtig] *stiff* **0.4** [strak, stijf] *stiff* **0.5** [⟨AZN⟩ stug] *bristly, wiry* **0.6** [⟨AZN⟩ erg] *serious, bad* ◆ **1.1** een ~fe blik *a concentrated/penetrating look/gaze;* een ~fe organisatie *a tight organization;* een ~ programma *a stringent progamme;* ~fe taal *hard words;* op ~fe toon *in an unyielding voice* **1.2** een ~fe borrel *a stiff drink* **1.3** een ~fe wind *a s. wind* **3.1** iets ~ aanpakken *take sth. in hand vigorously* **3.4** de teugels ~ houden ⟨ook fig.⟩ *tighten the reins.*

strafbaar ⟨bn.⟩ **0.1** [mbt. personen] *liable to punishment* ⇒*punishable* **0.2** [mbt. handelingen] *punishable* ⇒*penal* ◆ **1.2** een ~ feit *a(n) (penal) offence, a punishable/penal act* **3.1** als je dat doet, ben je ~ *if you do so, you are liable to punishment* **3.2** dat is ~ *that's an offence;* iets ~ stellen *attach a penalty to sth., make sth. punishable, penalize sth.* **4.2** niets ~s doen *do nothing (that is) punishable/against the law* **6.2** ~ **bij** de wet/volgens de huurwet *punishable by law/under the Rent Act;* ~ **met** een (geld)boete *punishable by a fine, finable; (that is) a) pecuniary (offence).*

strafbaarheid ⟨de (v.)⟩ **0.1** *punishableness* ⇒*punishability.*

strafbaarstelling ⟨de (v.)⟩ **0.1** *penalization.*

strafbal ⟨de (m.)⟩ ⟨sport⟩ **0.1** *penalty (shot/*⟨met stick ook⟩ *stroke).*

strafbank ⟨de⟩ **0.1** [beklaagdenbank] *dock* **0.2** [⟨sport⟩] *penalty box* ◆ **6.1** op ~ je zitten *be in the d..*

strafbeding ⟨het⟩ **0.1** *penalty clause* ◆ **6.1** een verbintenis **onder** ~ *a contract involving/containing a p. c..*

strafbepaling ⟨de (v.)⟩ **0.1** [het bepalen] *fixing/determining/establishing the punishment;* ⟨clausule⟩ *penalty clause.*

strafblad ⟨de⟩ **0.1** *police record* ⇒*record of convictions/offences* ᴬ*ses,* ⟨sl.⟩ *sheet,* ⟨BE ook;mil.⟩ *crime-sheet* ◆ **2.1** een blanco ~ hebben *have a clean record* **6.1** een dief **met** een ~ *a convicted thief;* iem. **zonder** ~ *a person without a p.r.;* ⟨sl.⟩ *a cleanskin.*

strafcel ⟨de⟩ **0.1** *(punishment) cell.*

strafcorner ⟨de (m.)⟩ ⟨sport⟩ **0.1** *penalty corner.*

strafexercitie ⟨de (v.)⟩ ⟨mil.⟩ **0.1** *punishment drill* ⇒⟨met bepakking⟩ *pack drill.*

strafexpeditie ⟨de (v.)⟩ ⟨mil.⟩ **0.1** *punitive expedition.*

straffeloos ⟨bn., bw.⟩ **0.1** *unpunished* ◆ **3.1** dat kan men niet ~ doen *that cannot be done with impunity.*

straffeloosheid ⟨de (v.)⟩ **0.1** *impunity* ⇒*exemption/immunity from punishment.*

straffen ⟨onov., ov.ww.⟩ ⟨→sprw. 375⟩ **0.1** *punish* ⇒*penalize* ◆ **5.1** disciplinair ~ *discipline, inflict disciplinary punishment (on);* streng/hard ~ *punish severely/harshly* **6.1** met iets gestraft zijn *be afflicted with sth.;* **met** een boete ~ *fine, punish by/with a fine;* **met** hechtenis ~ *punish by/with confinement/imprisonment;* ⟨bijb.⟩ ik zal hen **voor** hun zonden ~ *I shall visit their sins upon them* **¶.1** ten onrechte ~ *punish unjustly, victimize.*

strafgeding ⟨het⟩ **0.1** *criminal procedure/action* ◆ **3.1** een ~ voeren tegen *conduct criminal proceedings against.*

strafgericht ⟨het⟩ **0.1** *judg(e)ment* ◆ **1.1** Gods ~ *God's j..*

strafgevangenis ⟨de (v.)⟩ **0.1** *prison (for convicted offenders)* ⇒*convict prison.*

strafheid ⟨de (v.)⟩ **0.1** [stijfheid] *stiffness* **0.2** [strengheid] *severity.*

strafinrichting ⟨de (v.)⟩ **0.1** *penitentiary* ⇒*prison* ◆ **2.1** bijzondere ~en voor geestelijk gestoorden *special prisons for the mentally handicapped.*

strafkamer ⟨de⟩ **0.1** ≠*criminal division (of a Court).*

strafkamp ⟨het⟩ **0.1** *prison camp* ⇒*penal colony.*

strafklasse ⟨de (v.)⟩ ⟨mil.⟩ **0.1** [personen] *punishment detail* **0.2** [inrichting] *punishment block/camp* **0.3** [⟨scherts.⟩ hoogste belastinggroep] *fat-cat/supertax bracket.*

strafkolonie ⟨de (v.)⟩ **0.1** *penal settlement/colony.*

strafmaat ⟨de⟩ **0.1** *sentence, penalty* ◆ **2.1** de laagste/hoogste ~ *the minimum/maximum p./s.* **3.1** de ~ bepalen *fix/assess the p., determine the punishment/s.;* de ~ bepalen naar de misdaad *make the punishment fit the crime.*

strafmaatregel ⟨de (m.)⟩ **0.1** *punitive measure, sanction.*

strafmiddel ⟨het⟩ **0.1** *means of punishment.*

strafonderbreking ⟨de (v.)⟩ **0.1** *deferring/interruption of sentence.*

strafpeloton ⟨het⟩ **0.1** *firing squad/party.*

strafpleiter ⟨de (m.)⟩ **0.1** *criminal lawyer* ⇒*advocate, counsellor.*

strafport ⟨het, de (m.)⟩ **0.1** *surcharge* ◆ **3.1** hij moest 30 cent ~ betalen *he had to pay 30 cents s.;* ~ laten betalen *surcharge (on a letter/parcel);* er zat 15 cent ~ op *there was 15 cents postage due on it.*

strafproces ⟨het⟩ **0.1** [procedure] *criminal proceedings/procedure* **0.2** [behandeling v.e. strafzaak] *criminal action/case/trial/proceedings.*

strafprocesrecht ⟨het⟩ **0.1** *law of criminal procedure* ⇒*criminal adjective law.*

strafpunt ⟨het⟩ ⟨sport⟩ **0.1** *penalty point* ◆ **3.1** een ~ geven *award a p. p.* **6.1 zonder** ~en/met één ~ het parcours voltooien *complete the course without loss of marks/with three faults* **7.1** daar krijg je drie ~en voor *that earns you three penalty points.*

strafrecht ⟨het⟩ **0.1** *criminal law* ⇒*criminal justice* ◆ **1.1** wetboek van ~ *criminal/penal code, criminal laws.*

strafrechtelijk ⟨bn., bw.;-ly⟩ **0.1** *criminal* ◆ **1.1** ~e vervolging *c. prosecution* **3.1** iets ~ vervolgen *take c. action against sth..*

strafrechter ⟨de (m.)⟩ **0.1** *criminal judge* ⇒⟨rechtbank⟩ *criminal Court* ◆ **6.1** iem. voor de ~ brengen *bring s.o. to trial/before a criminal Court.*

strafrechtspraak ⟨de⟩ **0.1** *administration of criminal justice* ◆ **3.1** iem. onderwerpen aan ~ *administer criminal justice to s.o..*

strafregel ⟨de (m.)⟩ **0.1** *line.*

strafregister ⟨het⟩ **0.1** *criminal record* ⇒⟨BE ook;mil.⟩ *crime-sheet* ◆ **2.1** een schoon/blanco ~ *a clean sheet/slate/record.*

strafrente ⟨de⟩ **0.1** *punitive interest.*

strafschop ⟨de (m.)⟩ **0.1** *penalty (kick), spot kick* ◆ **3.1** een ~ benutten ⟨voetbal⟩ *kick a penalty home;* een ~ nemen *take a p. k.;* een ~toekennen/geven *aan award/give a p. (k.) to* **6.1** een doelpunt uit een ~ *a penalty goal;* scoren uit een ~ *score from a penalty.*

strafschopgebied ⟨het⟩ **0.1** *penalty area/box.*

strafschopstip ⟨de⟩ **0.1** *penalty spot.*

strafseconde ⟨de⟩ **0.1** *extra time.*

straftijd ⟨de (m.)⟩ **0.1** *term of imprisonment* ⇒*sentence* ◆ **3.1** zijn~uitzitten *serve one's term of imprisonment/sentence.*

strafvermindering ⟨de (v.)⟩ **0.1** *reduction of (one's) sentence* ⇒⟨van doodstraf, levenslang⟩ *commutation of (one's) sentence* ◆ **6.1** ~wegens goed gedrag *remission for good conduct.*

strafverordening ⟨de (v.)⟩ **0.1** *penal regulation.*

strafvervolging ⟨de (v.)⟩ **0.1** *(criminal) prosecution* ⇒*criminal proceedings* ◆ **3.1** zich aan ~ blootstellen *make/render o.s. liable to be prosecuted;* tot ~ overgaan *prosecute, institute criminal proceedings.*

strafvonnis ⟨het⟩ **0.1** *(criminal) judg(e)ment.*

strafvordering ⟨de (v.)⟩ **0.1** *criminal proceedings* ◆ **1.1** wetboek van ~ *Code of Criminal Procedure/Adjective Law* **6.1** het recht tot ~ *the right to institute criminal proceedings.*

strafwerk ⟨het⟩ **0.1** *lines* ⇒*(school) punishment* ◆ **3.1** ~ maken *write l.;* ⟨op Eng. public school⟩ *do impositions/an imposition;* ~ opgeven *give l./an imposition.*

strafwet ⟨de⟩ **0.1** *penal statute;* ⟨wetboek van strafrecht⟩ *criminal laws, criminal/penal code.*

strafworp ⟨de (m.)⟩ ⟨sport⟩ **0.1** *penalty/foul shot.*

strafzaak ⟨de⟩ **0.1** *criminal case/trial* ◆ **3.1** een ~ behandelen *try a criminal case* **6.1** de ~ tegen de huisarts X *the criminal case/proceedings against the general practitioner X..*

strafzitting ⟨de (v.)⟩ **0.1** *criminal sitting/session.*

strak ⟨bn., bw.;-ly⟩ **0.1** [zonder bochten/plooien] *tight* ⇒*taut* ⟨touw, zeil⟩ **0.2** [onafgewend] *fixed* ⇒*set, intent* **0.3** [geen gevoelens uitdrukkend] *fixed* ⇒*set,* ⟨streng⟩ *stern,* ⟨gespannen⟩ *tense* **0.4** [onverzettelijk] *rigid* ◆ **1.1** ⟨honkbal⟩ een ~ke bal/worp *a line drive, a liner* **1.2** met ~ke blik keek hij me aan ⟨ook⟩ *he gazed at me intently, he looked hard at me* **1.3** ⟨fig.⟩ een ~ke bouwstijl *an austere style of architure;* een ~ gezicht zetten *set one's face;* met een ~ gezicht *unsmiling, with a stony face;* een ~ke glimlach *a f./set/stern/tense smile;* ⟨fig.⟩ ~ke lijnen ⟨in kunst, enz.⟩ *taut lines/outlines* **2.4** ~ gespannen aandacht *taut/fixed attention* **3.1** een touw ~aantrekken/aanhalen *pull/stretch a rope taut;* ⟨fig.⟩ iem. ~ houden *keep a tight hand on s.o., keep s.o. on a tight rein;* de snaren ~ker spannen *tighten the strings;* ~ trekken *stretch, pull tight;* ~ker worden *tighten, be drawn tight* **3.2** iem. ~ aankijken *fix (one's gaze on) s.o.;* ze hield haar blik ~ op het podium gericht *she kept her eyes f./nailed to the stage;* ~ voor zich uit kijken *sit staring (fixedly)* **3.4** ~ aan iets vasthouden *stick to sth., keep rigidly to sth..*

strakblauw ⟨bn.⟩ **0.1** *clear/sheer blue* ⇒*cloudless* ◆ **1.1** een ~e hemel *a sheer blue sky.*

strakheid ⟨de (v.)⟩ **0.1** [gespannenheid] *tightness* ⇒*tautness, tension* **0.2** [stijfheid] *rigidity* ⇒*tautness* **0.3** [onafgewendheid] *fixedness* ⇒*fixity, steadiness* **0.4** [gelijkmatigheid] *evenness* ⇒⟨gladheid⟩ *smoothness* ◆ **1.2** ⟨fig.⟩ de ~ v.e. bouwstijl *the severity/austerity of an architectural style* **2.3** met ijselijke ~ keek hij aldoor naar het lijk *with horrifying fixity he continued to look at the body* **2.4** de glanzende ~ van metaal *the even sheen of metal.*

strakjes ⟨bw.⟩ **0.1** [binnenkort] *by and by* ⇒*soon, later* **0.2** [zoëven] *just now* **0.3** [tamelijk strak] *tightish* ⇒*with some rigidity, somewhat rigidly* ◆ **3.1** hij komt ~ *he'll come by and by.*

straks ⟨bw.⟩ **0.1** [korte tijd na nu] *later* ⇒*soon, next* **0.2** [korte tijd geleden] *just now* ◆ **3.1** wij weten niet wat de toekomst ~ nog brengen zal *we don't know what the future has in store next/still has in store;* ~ ga je me nog vertellen dat ...*the next thing/next you may be telling me that ...;* ~ winnen ze nog tegen Manchester *they'll be winning against Manchester next* **5.1** ~ meer hierover *I'll return to this* **5.2** wat je daar ~ zei *what you said just now;* zo ~ was hij nog hier *he was (still) here a moment ago* **6.1** tot ~ *so long, see you l./soon.*

stralen ⟨onov.ww.⟩ **0.1** [licht/warmte uitzenden] *radiate* ⇒*beam* **0.2** [uitdrukking van geluk vertonen] *shine* ⇒*beam, radiate* **0.3** [licht weerkaatsen] *shine* ⇒*radiate* **0.4** [zakken] ⟨BE;sl.⟩ *be ploughed; fail;*

come a cropper ◆ **1.1** de zon straalde *the sun was radiant/beaming* **1.2** de koningin straalde *the Queen was radiant;* haar ogen straalden *her eyes shone/beamed/radiated (with)* **6.2** ~ van vreugde *beam with joy, radiate joy.*

stralenbundel ⟨de (m.)⟩ **0.1** [bundel stralen] *pencil/beam of rays* ⇒⟨zon, licht⟩ *shaft (of rays)* **0.2** [⟨wisk.⟩] *pencil of rays.*

stralend ⟨bn., bw.;-ly⟩ **0.1** [stralen/licht of warmte uitzendend] *radiant* ⇒*brilliant,* ⟨sterker⟩ *dazzling* **0.2** [uitdrukking van geluk vertonend] *shining* ⇒*beaming, radiant* **0.3** [met veel zonneschijn] *glorious* ⇒*splendid* **0.4** [⟨plantk.⟩] *rayed* ⇒*ray* ◆ **1.1** een ~e zon *a brilliant/r. sun* **1.3** een ~e dag *a g. day;* ~ ⟨mooi⟩ weer *g. weather* **2.1** ⟨fig.⟩ een ~ witte was *a dazzling white wash* **3.2** iem. ~ aankijken ⟨ook⟩ *beam on s.o.;* er ~ uitzien *look glorious* **6.2** ~ van vreugde *beaming/radiant with joy.*

stralenkrans ⟨de (m.)⟩ **0.1** *halo* ⇒*aureole, aureola, glory.*

straling ⟨de (v.)⟩ **0.1** [het uitzenden van licht/warmte] *radiation* **0.2** [⟨nat.⟩] *radiation* ◆ **2.2** atmosferische ~ *atmospheric r.;* kosmische ~ *cosmic r..*

stralingsbron ⟨de (v.)⟩ **0.1** *radiation source* ⇒*source of radiation.*

stralingschemie ⟨de (v.)⟩ **0.1** *radiation chemistry* ⇒*radiochemistry.*

stralingsdosis ⟨de (v.)⟩ **0.1** *dose/amount of radiation.*

stralingsenergie ⟨de (v.)⟩ **0.1** *radiant energy.*

stralingsgevaar ⟨het⟩ **0.1** *radiation danger/risk/hazard.*

stralingsgordel ⟨de (m.)⟩ **0.1** *(Van Allen) radiation belt.*

stralingsintensiteit ⟨de (v.)⟩ **0.1** *radiation intensity* ⇒*intensity of radiation.*

stralingsmeter ⟨de (m.)⟩ **0.1** *radiation meter.*

stralingstherapie ⟨de (v.)⟩ **0.1** *radiation treatment/therapy* ⇒*radiotherapy.*

stralingswarmte ⟨de (v.)⟩ **0.1** *radiant heat.*

stralingsweerstand ⟨de (m.)⟩ **0.1** *radioresistance.*

stralingsziekte ⟨de (v.)⟩ **0.1** *radiation sickness/syndrome.*

stram ⟨bn., bw.;-ly⟩ **0.1** [stijf] *stiff* ⇒⟨strak⟩ *rigid* **0.2** [als teken van flinkheid] *rigid* ⇒*starchy* ⟨persoon⟩ ◆ **1.1** ~me leden *s. joints* **3.1** ~(mer) worden/maken *stiffen (up)* **6.1** stijf en ~ van de jicht/ouderdom *s. and cramped with the gout/with old age.*

stramheid ⟨de (v.)⟩ **0.1** [stijfheid] *stiffness* ⇒*rigidity* **0.2** [afgemetenheid in zijn bewegingen] *stiffness* ⇒*rigidity* **0.3** [weerstand tegen buiging] *stiffness* ⇒*tautness.*

stramien ⟨het⟩ **0.1** [⟨fig.⟩ patroon] *pattern* ⇒*plan* **0.2** [weefsel] *(double-thread) canvas* ◆ **6.1** volgens een vast ~ ⟨ook⟩ *on/along established lines.*

strammig ⟨bn.⟩ **0.1** *stiffish.*

strand ⟨het⟩ ⟨→sprw. 31⟩ **0.1** [strook zand langs de zee] *beach* ⇒*seaside* **0.2** [kustgebied] *beach* ◆ **2.1** naar het ~ *beach, seashore, foreshore* **6.1** langs het ~ lopen *walk along the b.;* naar het ~ gaan *go to the b./seaside;* ⟨scheep.⟩ een schip op ~ zetten *strand a ship;* op het ~ werpen *cast/drive ashore;* op het ~ duwen/trekken/zetten *beach* ⟨boot⟩; *push/haul/put ashore/on the b.;* op het ~ lopen *run aground/ashore* ⟨schip⟩.

strandafzetting ⟨de (v.)⟩ **0.1** *littoral deposit(s).*

strandbad ⟨het⟩ **0.1** *(bathing-)beach* ⇒*lido.*

strandbos ⟨het⟩ **0.1** *mangrove jungle/swamp.*

strandboulevard ⟨de (m.)⟩ **0.1** *promenade, esplanade, (sea) front* ⇒*marine parade,* ⟨BE;inf.⟩ *prom.*

stranden ⟨onov.ww.⟩ **0.1** [aanspoelen] *strand* ⇒*be cast ashore* **0.2** [mislukken] *strand* ⇒*fail* **0.3** [de reis niet kunnen voortzetten] *strand* **0.4** [mbt. een schip] *run aground/ashore* ⇒*strand* ◆ **1.1** de gestrande goederen *the goods cast up by the sea;* ⟨jur.⟩ *the wreck/wrack; jetsam* **3.2** doen/laten ~ *wreck;* eem onderneming zien ~ ⟨ook; als toeschouwer⟩ *be in at the death;* ⟨als slachtoffer⟩ *be defeated in an undertaking* **3.4** doen/laten ~ *cast/drive/run ashore/aground* **6.2** al mijn pogingen strandden op zijn onverzettelijkheid *all my attempts foundered on his obstinacy* ¶**.3** ~ in het zicht v.d. haven *fail at the last hurdle.*

strandgaper ⟨de (m.)⟩ **0.1** *(long/soft) clam* ⇒*gaper.*

strandgezicht ⟨het⟩ **0.1** *beach scene.*

strandhoofd ⟨het⟩ **0.1** *groyne* ⇒*breakwater.*

strandhotel ⟨het⟩ **0.1** *beach/seaside hotel.*

strandhuisje ⟨het⟩ **0.1** *beach cabin,* ^*cabaña.*

stranding ⟨de (v.)⟩ **0.1** [handeling] *running aground/ashore* **0.2** [keer] *running aground/ashore.*

strandjurk ⟨de⟩ **0.1** *beach dress* ⇒*dress for beach wear.*

strandjutten ⟨ww.⟩ **0.1** *beachcombing* ⇒⟨mbt. wrakken⟩ *wrecking.*

strandjutter ⟨de (m.)⟩ **0.1** *beachcomber* ⇒⟨mbt. wrakken⟩ *wrecker.*

strandleven ⟨het⟩ **0.1** *life on the beach/at the seaside.*

strandlijn ⟨de⟩ ⟨aardr.⟩ **0.1** [door de branding uitgespoelde lijn] *coastline* ⇒*shoreline* **0.2** [laagwaterlijn] *low-water mark* **0.3** [lijn die de duinvoet aangeeft] *coastline* ⇒*shoreline.*

strandloop ⟨de (v.)⟩ **0.1** *beach walk/run.*

strandloper ⟨de (m.)⟩ **0.1** [rij duinen] *littoral dune* **0.2** [vogelgeslacht] *stint, sandpiper* ◆ **1.2** Temmincks ~ *Temminck's stint* **2.2** bonte ~ *dunlin, oxbird;* kleine ~ *little stint;* paarse ~ *purple sandpiper.*

strandmeer ⟨het⟩ **0.1** *lagoon.*

strandpak ⟨het⟩ 0.1 *beach suit/set*.
strandplevier ⟨de⟩ 0.1 *Kentish plover*.
strandrecht ⟨het⟩ 0.1 [recht mbt. gestrande schepen/aangespoelde goederen] *law/right of wreck* 0.2 [heffing op gestrande goederen] *dues payable on goods washed ashore*.
strandschelp ⟨de⟩ 0.1 *beach shell*.
strandspel ⟨het⟩ 0.1 *beach game*.
strandstoel ⟨de (m.)⟩ 0.1 *deck chair*.
strandtas ⟨de⟩ 0.1 *beach bag*.
strandtent ⟨de⟩ 0.1 [om in te zitten] *beach tent* 0.2 [voor verkoop van consumptieartikelen] *beach tent*.
strandvlo ⟨de⟩ 0.1 *beach/sand flea*.
strandvogel ⟨de (m.)⟩ 0.1 *beach bird*.
strandvonder ⟨de (m.)⟩ 0.1 *wreck master/commissioner* ⇒*receiver of wrecks*.
strandvonderij ⟨de (v.)⟩ 0.1 [bemoeiingen v.d. strandvonder] *receiving of wrecks* ⇒*wrecking* 0.2 [tak van dienst/bureau] *wreck department/authority* ◆ 3.1 de ~ uitoefenen *follow the trade of/be a wreck master/commissioner*.
strandvoogd ⟨de (m.)⟩ 0.1 *wreck master/commissioner*.
strandwagen ⟨de (m.)⟩ 0.1 *cart*.
strandweer ⟨het⟩ 0.1 *nice/good weather for the beach*.
strangulatie ⟨de (v.)⟩ 0.1 *strangulation*.
strangurie ⟨de (v.)⟩ ⟨med.⟩ 0.1 *strangury*.
strapatsen ⟨zn.mv.⟩ 0.1 [ongemakken] *strain* ⇒*handicaps* 0.2 [buitensporigheden] *extravagances* ⇒⟨buitensporig gedrag⟩ *carryings-on* ◆ 3.2 met zo'n salaris zal je geen ~ kunnen maken *with a salary like that you cannot do anything wild*.
stras ⟨het⟩ 0.1 [namaakjuwelen] *paste* ⇒*costume jewellery* 0.2 [soort glas] *paste* ⇒*strass*.
stratagème ⟨de (v.)⟩ 0.1 *ruse* ⇒*artifice, statagem*.
strateeg ⟨de (m.)⟩ 0.1 [veldheer] *strategist* 0.2 [⟨pol.⟩] *strategist*.
strategie ⟨de (v.)⟩ 0.1 [kunst van oorlogsvoering] *strategy* ⇒*generalship, strategics* 0.2 [⟨fig.⟩] *strategy* ◆ ¶.1 ~ ter zee *naval strategy*.
strategisch
I ⟨bn., bw.;-ally⟩ 0.1 [de strategie betreffend] *strategic* ◆ 1.1 ~e maatregelen *s. measures, strategics, stratagems;* ⟨soc., ec.⟩ ~e planning *corporate planning;* een ~ genie *a s. genius* 2.1 een belangrijke haven *a strategically important port;*
II ⟨bn.⟩ 0.1 [van belang uit strategisch oogpunt] *strategic* ◆ 1.1 een ~e bommenwerper *a s. bomber;* een ~ punt *a s. point;* ~e wapens *s. arms*.
strategids ⟨de (m.)⟩ 0.1 *street/town map/plan* ⇒*A to Z* ⟨handelsnaam⟩.
stratenloop ⟨de (m.)⟩ 0.1 *city run*.
stratenmaker ⟨de (m.)⟩ 0.1 *paviour* ⇒*surfaceman, roadman,* ⟨voor reparatie wegdek⟩ *road mender* ◆ ¶.1 ⟨scherts.⟩ jij wordt zeker ~ op zee *are you going to be a general dogsbody, are you!*.
stratenplan ⟨het⟩ 0.1 [plan voor de aanleg van straten] *planned network (of streets)* ⇒⟨tekening⟩ *layout of streets* 0.2 [kaart] *street plan*.
stratificatie ⟨de (v.)⟩ 0.1 *stratification* ◆ 2.1 sociale ~ *social s..*
stratigrafie ⟨de (v.)⟩ 0.1 *stratigraphy*.
stratigrafisch ⟨bn.⟩ 0.1 *stratigraphic*.
stratocumulus ⟨de (m.)⟩ 0.1 *stratocumulus*.
stratografie ⟨de (v.)⟩ 0.1 [oorlogsbeschrijving] *military history* 0.2 [werk over krijgskunde] *war/military chronicle*.
stratopauze ⟨de⟩ ⟨nat.⟩ 0.1 *stratopause*.
stratosfeer ⟨de⟩ 0.1 *stratosphere*.
stratum ⟨het⟩ 0.1 *stratum* ⇒*layer*.
stratus ⟨de (m.)⟩ 0.1 *stratus*.
streaken ⟨onov.ww.⟩ 0.1 *streak*.
streber ⟨de (m.)⟩ 0.1 *careerist* ⇒*(social) climber* ◆ 3.1 hij is een ~ ⟨ook⟩ *he is always/really on the make*.
streberisch ⟨bn.⟩ 0.1 *thrusting, pushing* ⇒⟨inf.⟩ *pushy, on the make* ⟨pred.⟩.
streefcijfer ⟨het⟩ 0.1 *target figure*.
streefdatum ⟨de (m.)⟩ 0.1 *target date*.
streefgetal ⟨het⟩ 0.1 *target number/figure*.
streek ⟨→sprw. 248,618⟩
I ⟨de⟩ 0.1 [schadelijke daad] *trick* ⇒⟨van kind⟩ *prank,* ⟨dwaze⟩ *antic, caper* ◆ 2.1 een stomme ~ begaan *do a foolish thing* 3.1 we zullen hem die streken wel afleren *we'll put him off such pranks/tricks;* zijn streken thuiskrijgen *have it coming to one;* (gemene) streken uithalen *play (dirty/nasty) tricks;*
II ⟨de⟩ 0.1 [landstreek] *region* ⇒*area* 0.2 [omgeving v.e. orgaan] *region* 0.3 [windstreek] *(compass) point* 0.4 [strijkende beweging/aanraking] *stroke* ⇒⟨van strijkstok⟩ *bow* 0.5 [vleug] *pile* ⇒*nap* 0.6 [veranderde/getekende plek] *(test) mark* ◆ 2.3 een halve ~ noordelijker sturen *steer half a p. to the North* 2.4 met forse streken schaatsen *skate with powerful stroking/strokes;* de violist heeft een fraaie ~ *the violinist's bowing is excellent/the violinist bows beautifully* 3.3 ~ houden *keep (on) one's course* 6.1 in deze ~ ⟨ook⟩ *in these parts/this part of the country* 6.2 in de ~ v.h. hart *in the r. of the heart* 6.3 ⟨fig.⟩ op ~

zijn ⟨opschieten⟩ *make progress, get on;* ⟨goed op gang zijn⟩ *have got into one's stride;* op ~ komen *get into one's stride;* ⟨fig.⟩ van ~ zijn ⟨er slecht aan toe⟩ *be unsettled/distressed;* ⟨nerveus⟩ *be upset/in a dither/all over the place;* ⟨van maag⟩ *be upset/out of order* 6.4 iets met één ~ tekenen *draw sth. in one s.;* dash 6.5 tegen de ~ in ⟨ook fig.⟩ *against the grain*.
streekblad ⟨het⟩ 0.1 *local paper*.
streekbus ⟨de⟩ 0.1 *regional/county/country bus*.
streekcentrum ⟨het⟩ 0.1 *local/regional centre*.
streekgebonden ⟨bn.⟩ 0.1 *regional, local*.
streekgebruik ⟨het⟩ 0.1 *regional/local custom*.
streekgenoot ⟨de (m.)⟩ 0.1 *fellow countryman, person from the same area/region;* ⟨inf.⟩ *(another) local*.
streekgerecht ⟨het⟩ 0.1 *local/regional dish*.
streekmuseum ⟨het⟩ 0.1 *regional museum* ⇒⟨GB⟩ *county museum*.
streeknet ⟨het⟩ 0.1 *regional system/network*.
streekplan ⟨het⟩ 0.1 *regional planning*.
streekraad ⟨de (m.)⟩ 0.1 *district/regional council/authority*.
streekroman ⟨de (m.)⟩ 0.1 *regional novel*.
streekschool ⟨de⟩ 0.1 [voor leerlingen uit de hele streek] *regional/district school* ⇒⟨AE ook; lagere school⟩ *consolidated school* 0.2 [in het kader v.h. leerlingenstelsel] ⟨district school for part-time instruction under the Apprenticeship Act⟩.
streeksgewijs ⟨bn., bw.;-ly⟩ 0.1 *regional* ⇒⟨bw. ook⟩ *by area* ◆ 3.1 ~ organiseren *organize on a r. basis*.
streektaal ⟨de⟩ 0.1 *vernacular* ⇒*dialect*.
streekvervoer ⟨het⟩ 0.1 *regional transport* ⇒*coach transport*.
streekziekenhuis ⟨het⟩ 0.1 *district/regional hospital*.
streep ⟨de⟩ 0.1 [getrokken lijn] *line* ⇒*score,* ⟨teken⟩ *mark(ing),* ⟨AE, honkbal; fig.⟩ *line drive, liner* ⟨van bal⟩ 0.2 [smalle strook] *stripe* ⇒*line,* ⟨breed⟩ *band, bar,* ⟨onregelmatig⟩ *streak* ⟨van licht/vuil⟩ 0.3 [onderscheidingsteken] *stripe* ⇒*chevron* 0.4 [millimeter] *millimetre* ⇒⟨¹/₁₂ inch⟩ *line* 0.5 [scheiding in het haar] *parting* ◆ 1.2 het morsealfabet bestaat uit punten en strepen *the Morse alphabet is composed of dots and dashes* 2.1 ⟨muz.⟩ dubbele ~ *double bar;* een schuine ~ tussen twee woorden *a slash/solidus/oblique stroke between two words* 2.2 de rode ~ op een manometer *the red line on a manometer;* een witte ~ op de rijweg *a white line on the road* 2.3 gouden/zilveren strepen *golden/silver stripes/chevrons* 3.1 ⟨fig.⟩ een ~ door een plan halen *cancel/* ⟨inf.⟩ *scrub a plan;* een ~ halen door een woord *cross out a word;* ⟨fig.⟩ daar hebben we een ~ onder gezet *that's a closed book/issue now* 3.3 zijn strepen halen *get one's stripes* 6.1 dat is een ~ door de rekening ⟨fig.⟩ *that upsets the applecart/ (our) calculations* 6.2 de verf droogt in strepen op *the paint dries in streaks;* ⟨fig.⟩ iem. over de ~ trekken/halen *win s.o. over* 6.3 op zijn strepen staan *stand on one's dignity, mount one's high horse*.
streepdessin ⟨het⟩ 0.1 *stripe/stripy pattern* ⇒*stripe(s)*.
streepje ⟨het⟩ 0.1 [kleine lijn] *bar* ⇒*small line/streak/band* ⟨→streep⟩, ⟨koppelteken⟩ *hyphen,* ⟨gedachtenstreepje⟩ *dash,* ⟨schuin⟩ *slash* 0.2 [patroon] *stripe* ⇒⟨krijtstreepje⟩ *pin-stripe* ◆ 2.2 een mooi ~ voor een schort *a nice s. for an apron* 3.2 iedereen draagt weer een ~ *everybody is wearing stripes again* 5.1 ⟨fig.⟩ een ~ voor hebben *be one up (on);* ⟨fig.⟩ een ~ voor hebben bij iem. *be in s.o.'s good books* 6.1 moet er een ~ in 'fish fork'? *is 'fish fork' hyphenated?* 7.1 de thermometer is vier ~s gezakt *the thermometer has fallen four points*.
streepjesbroek ⟨de⟩ 0.1 *striped trousers/^pants*.
streepjescode ⟨de (m.)⟩ 0.1 *bar code*.
streepjesgoed ⟨het⟩ 0.1 *stripes* ⇒*striped/stripy material*.
streeplijn ⟨de⟩ 0.1 *dashed line*.
streeppatroon ⟨het⟩ ⟨ind.⟩ 0.1 *striped/stripy pattern* ⇒*stripes*.
streepsgewijs ⟨bw.⟩ 0.1 *with/in stripes*.
streepvaren ⟨de⟩ 0.1 *spleenwort*.
strek ⟨de⟩ 0.1 [boog] *flat arch* ⇒*straight arch* 0.2 [zijvlak v.e. baksteen] *stretcher face* ◆ 2.1 rechte ~ *flat/straight arch*.
strekbeweging ⟨de (v.)⟩ 0.1 *stretching movement* ⇒⟨tech. ook⟩ *extension/protraction (movement)*.
strekdam ⟨de (m.)⟩ 0.1 *longitudinal embankment/dike/levee*.
strekel ⟨de (m.)⟩ 0.1 [om inhoudsmaten/vaten af te strijken] *strickle* 0.2 [om zeisen/messen te scherpen] *strickle*.
strekgrens ⟨de⟩ ⟨tech.⟩ 0.1 *yield point*.
strekhang ⟨de (m.)⟩ ⟨sport⟩ 0.1 *hang*.
strekken
I ⟨onov.ww.⟩ 0.1 [reiken] *extend* ⇒*stretch, go, reach* 0.2 [toereikend zijn] *last* ⇒*go* 0.3 [dienen] *serve* ⇒*tend (to),* ⟨bevorderen⟩ *conduce (to)* ◆ 1.1 zover strekt zijn macht *thus far his power reaches;* mijn verplichtingen ~ niet verder *my obligations go no further, my obligations end here* 1.2 zolang de voorraad strekt *as far as the supply lasts* 1.3 een daartoe ~de motie werd door de oppositie ingediend *a motion to that effect was proposed by the opposition* 6.3 iem. tot voordeel ~ *be to the benefice of/beneficial to s.o.;* iem. tot schande ~ *bring dishonour to s.o.;*
II ⟨ov.ww.⟩ 0.1 [in lengterichting brengen] *stretch* ⇒*unbend, extend, straighten* 0.2 [vlak maken] *smooth* ◆ 1.1 even de benen ~ ⟨ook wan-

deling⟩ *stretch one's legs* **6.1** zijn vingers **naar** de kachel ~ *stretch forth/extend one's fingers to the stove;*
III ⟨wk.ww.; zich~⟩ **0.1** [languit gaan liggen] *stretch* ⇒*spread* ◆ **6.1** we strekten ons even **in** het bos *we stretched out in the wood for a while.*

strekkend ⟨bn.⟩ ◆ **1.¶** de ~e meter *the linear metre;* de ~e voegen van metselwerk *the stretching joints in masonry.*

strekker ⟨de (m.)⟩ **0.1** *tensor.*

strekking ⟨de (v.)⟩ **0.1** [tendens] *import* ⇒⟨kennelijke bedoeling/betekenis⟩ *tenor, purport,* ⟨bedoeling⟩ *purpose, intent, effect* **0.2** [het strak trekken] *stretching* **0.3** [gestrekte houding] *straightening* ⇒*straight bearing* **0.4** [beloop] *trend* ◆ **1.1** de ~ v.h. amendement *the tenor/purpose of the amendment;* de ~ v.h. verhaal *the drift/tenor of the story* **2.1** woorden van gelijke ~ *words of identical/similar import/meaning;* deze maatregel heeft een veel ruimere ~ ⟨ook⟩ *this measure is much wider in scope/has much wider implications* **6.1** of woorden **van** die ~ *or words to that effect* **6.3** let **op** ~ v.d. rug tijdens het lopen *mind you straighten your back when walking.*

strekkingslijn ⟨de⟩ ⟨geol.⟩ **0.1** *strike line, line of strike.*

streklaag ⟨de⟩ **0.1** *stretcher course.*

streks ⟨bn., bw.⟩ **0.1** [mbt. een steen] ⟨zie 1.1⟩ **0.2** [mbt. een voeg] *stretching* ◆ **1.1** ~e laag *stretcher course;* ~e steen *stretcher.*

strekspier ⟨de⟩ **0.1** *extensor muscle* ⇒*tensor.*

strekstand ⟨de (m.)⟩ ⟨sport⟩ **0.1** *straight body.*

strekzit ⟨de (m.)⟩ ⟨sport⟩ **0.1** *L-seat, long sitting.*

strelen ⟨ov.ww.⟩ **0.1** [aaien] *caress* ⇒*stroke, fondle* **0.2** [aangenaam aandoen] *gratify* ⇒*delight* ◆ **1.1** een kat/de borsten van een meisje ~ c./fondle a cat/a girl's breasts **1.2** iemands eigenliefde/ijdelheid ~ g./tickle/flatter s.o.'s vanity;* die muziek streelt het gehoor *that music delights/is pleasant to/pleases the ear* **4.2** ik streelde mij met de gedachte u geholpen te hebben *I flattered myself that I had been of help to you.*

strelend ⟨bn.⟩ **0.1** [liefkozend strijkend] *caressing* ⇒*stroking, fondling* **0.2** [aangenaam aandoend] *flattering* ⇒*gratifying* ◆ **1.1** een zachte en ~e hand *a soft and c. hand* **1.2** ~e gewaarwordingen *gratifying sensations;* ~e woorden *smooth words* **6.2** dat is ~ **voor** zijn eergevoel *that flatters his honour.*

streling ⟨de (v.)⟩ **0.1** [aai] *caress* **0.2** [het gestreeld worden] *gratification* ◆ **1.1** de ~en van jouw kleine vingers ⟨ook⟩ *the fond touch of your small fingers* **1.2** de ~en van zijn zelfbesef *the g. of his self-awareness.*

stremmen
I ⟨onov., ov.ww.⟩ **0.1** [mbt. melk] *coagulate* ⇒*curdle* ◆ **1.1** leb stremt de melk *rennet curdles milk;*
II ⟨ov.ww.⟩ **0.1** [in zijn loop belemmeren, tegenhouden] *block* ⇒*obstruct, jam* ◆ **1.1** de scheepvaart was tijdelijk gestremd *navigation was temporarily blocked/closed;* het verkeer/de doorgang ~ b./obstruct/jam the traffic/the passage;* ⟨verkeer ook⟩ *hold up the traffic.*

stremming ⟨de (v.)⟩ **0.1** [opstopping] *blocking* ⇒*obstruction* **0.2** [mbt. melk] *coagulation* ⇒*curdling* ◆ **1.1** de ~ v.d. aanvoer *the hitch in supplies,* the b. of the supplies; de ~ v.h. verkeer *the traffic jam, the b. of the traffic.*

stremsel ⟨het⟩ **0.1** *coagulant* ⇒⟨leb⟩ *rennet.*

stremstof →**stremsel.**

streng¹ ⟨de⟩ ⟨→sprw. 553⟩ **0.1** [bundel draden] *twist, twine* ⇒*skein, hank* **0.2** [bundel haar] *tress* ⇒*strand, tendril* **0.3** [mbt. een touw] *strand* **0.4** [rijgsel] *string* ⇒*rope* **0.5** [⟨med.⟩] *cord* ◆ **1.1** een ~ breiwol/zijde *a skein of knitting wool/silk* **1.4** een ~ knoflook/uien *a s./rope of garlic/onions;* een ~ parels *a s. of pearls* **1.5** een ~ van zenuwweefsel *a c. of nerve tissue* **6.2** ze draagt haar haar in ~en *she plaits/braids her hair* **7.3** uit drie ~en gedraaid touw *three-ply rope.*

streng² ⟨bn., bw.; -ly⟩ **0.1** [mbt. het weer] *severe* ⇒*hard* **0.2** [strak, hard] *severe* ⇒*hard, stern, strict, stringent, rigid* ⟨zeer⟩ *harsh* **0.3** [zorgvuldig, nauwgezet] *strict* ⇒*rigorous* ◆ **1.1** een ~ winter *a s./hard/vicious winter* **1.2** een ~e blik *a stern/severe look, a stern face;* een ~ dieet *a strict diet;* ~e stern demands; een ~ onderwijzer *a stern/strict teacher;* een ~e opvoeding *a rigorous/strict upbringing;* de ~e schoonheid van Romaanse kerken *the austere/severe beauty of Roman churches;* ~e straf *severe/stern/harsh punishment;* een ~e vader *a strict father;* de voorschriften zijn ~er/minder ~ geworden *the regulations have been tightened/relaxed;* ~e zeden *Spartan/puritan morals* **2.2** ~ orthodox *strictly orthodox;* ~ verboden toegang ⟨op bordje⟩ *tresspassers will be prosecuted* **3.1** het vriest ~ *it's freezing sharply/severely* **3.2** ~ de orde handhaven *rigidly enforce the law,* rule with a rod of iron, maintain strict/stern order/discipline; ⟨zelfst.⟩ dat is ten ~ste verboden *that is strictly forbidden/prohibited;* ~ kijken *look stern, frown (on s.o./sth.);* ~ straffen *punish severely/harshly, bear down (up)on;* ~ in de leer zijn *be strictly orthodox/very precise, have a stark/strict religion, be doctrinal* **3.3** een gevangene ~ bewaken *keep a close watch on a prisoner/a prisoner under close surveillance/a close watch;* zich ~ aan een regel houden *diet/strictly adhere to a rule/diet;* ~ toezien op de naleving van iets, iets ~ naleven *keep close control/a close watch on the fulfilment/observance of sth.* **6.2** ~ zijn **voor** zichzelf *be stern with o.s.;* te ~ zijn **voor** een leerling *be too severe on a pupil.*

strengelen
I ⟨ov.ww.⟩ **0.1** [vlechten] *twine* ⇒*wind, twist, plait, braid* **0.2** [⟨fig.⟩] *twine* ⇒⟨aaneen⟩ *intertwine/interweave (with);*
II ⟨wk.ww.; zich~⟩ **0.1** [slingeren] *twine* ⇒*wind, twist, meander* ⟨rivier⟩.

strengheid ⟨de (v.)⟩ **0.1** [mbt. het weer] *severity* ⇒*hardness* **0.2** [neiging om niet toe te geven] *severity* ⇒*hardness, sternness, strictness, stringency, harshness* **0.3** [nauwgezetheid] *strictness* ⇒*rigour* ◆ **1.2** de ~ v.d. Romaanse bouwkunst *the austerity of Roman architecture;* ~ van zeden *puritanism* **2.3** een grote ~ van redenering *a great stringency/strict severity of reasoning* **6.2** met ~ in de blik *with an austere/a stern glance, with a stern face.*

strepen
I ⟨onov.ww.⟩ ⟨schr.⟩ **0.1** [een streep vormen] *streak* ⇒*stripe* ◆ **6.1** een vlam van licht streepte **over** de grond *a line of light streaked the floor;*
II ⟨ov.ww.⟩ **0.1** [met strepen bezetten] *line, streak* ⇒*stripe, hatch, variegate.*

strepentrekker ⟨de (m.)⟩ **0.1** *road liner.*

strepenziekte ⟨de (v.)⟩ **0.1** ⟨van gerst⟩ *leaf stripe;* ⟨van tomaat/aardappel⟩ *streak.*

streperig ⟨bn., bw.; -ly⟩ **0.1** *streaky* ⇒*stripy, ropy* ⟨verf⟩, ⟨met vieze strepen⟩ *smeary* ◆ **2.1** een ~ geverfde muur *a wall with brush marks.*

streptokok ⟨de (m.)⟩ **0.1** *streptococcus* ⇒⟨inf.⟩ *strep.*

streptomycine ⟨het⟩ ⟨med.⟩ **0.1** *streptomycin.*

stress ⟨de (m.)⟩ **0.1** [psychische spanning] *stress* ⇒*strain, pressure* **0.2** [⟨med.⟩] *stress* ◆ **3.1** ~ veroorzakend *causing stress/strain* **6.1** ⟨scherts.⟩ in de ~ schieten *have a nervous breakdown, break down;* **onder** ~ werken *work under stress(es)/pressure.*

stressbestendig ⟨bn.⟩ **0.1** *immune to stress;* ⟨inf.⟩ *unflappable* ◆ **1.1** voor deze baan zijn ~e mensen nodig *this job requires people who are immune to stress;* ⟨scherts.⟩ *you need cast-iron nerves for this job.*

stressoorzaak ⟨de⟩ **0.1** *cause of stress* ⇒*stress factor.*

stressor ⟨de (m.)⟩ **0.1** *stress factor.*

stresssituatie ⟨de (v.)⟩ **0.1** *stress situation.*

stressverschijnsel ⟨het⟩ ⟨med.⟩ **0.1** *symptom of stress, stress symptom.*

stretch ⟨het⟩ ⟨ook in samenst.⟩ **0.1** *stretchy/elastic material/fabric* ⇒⟨in samenst.⟩ *stretch, elastic* ◆ **1.1** een stretchbroek *(a pair of) stretch trousers.*

stretta ⟨de⟩ ⟨muz.⟩ **0.1** *stretto* ⇒*stretta.*

stretto ⟨bw.⟩ ⟨muz.⟩ **0.1** *stretto.*

streven¹ ⟨het⟩ **0.1** [het ijverig bezig zijn] *striving (for)* ⇒*pursuit (of),* ⟨poging⟩ *endeavour, pursuance* **0.2** [wat men zich ten doel stelt] *pursuit* ⇒*ambition, aspiration, target, aim* ◆ **2.1** een onafgebroken ~ *a sustained effort* **2.2** een nobel ~ *a noble ambition/aspiration* **3.1** hij slaagde spoedig in zijn ~ *soon he succeeded in his endeavours* **3.2** het ~ is om volgend jaar te kunnen beginnen *the aim is to be able to start next year* **6.1** er bestaat een ~ **naar** spreiding v.d. industrie *a wider distribution of industry is pursued/aimed at;* het ~ **naar** onafhankelijkheid *the pursuit of independence.*

streven² ⟨onov.ww.⟩ **0.1** [zich beijveren] *strive (for/after)* ⇒*aspire (after/to),* aim (at) **0.2** [met ijver voortgaan] *strive* ◆ **5.1** ernaar ~ beroemd te worden *aspire to/seek fame;* ernaar ~ de orde te handhaven *seek to maintain order* **5.2** je doel voorbij ~ *defeat your object;* voorwaarts ~ *aim/s. forwards* **6.1** **naar** macht ~ *struggle/strive for power, pursue power;* **naar** perfectie ~ *aim at perfection;* **naar** onafhankelijkheid ~ *seek independence.*

striae ⟨zn.mv.⟩ ⟨med.⟩ **0.1** *striae.*

stribbelen ⟨onov.ww.⟩ **0.1** *demur (at/to)* ⇒*jib (at), resist.*

stribbeling →**strubbeling.**

strictuur ⟨de (v.)⟩ ⟨med.⟩ **0.1** *stricture.*

striem ⟨de (m.)⟩ **0.1** [indruk] *slash* ⇒*score,* ⟨met litteken⟩ *weal, welt* **0.2** [slag] *slash* ⇒*lash* **0.3** [streep] *streak, stripe.*

striemen ⟨onov., ov.ww.⟩ **0.1** [striemen doen ontstaan] *slash* ⇒*score, welt, weal* **0.2** [pijn doen] *lash* ⇒*castigate, welt, whip* ◆ **1.1** ⟨fig.⟩ in de ~de regen lopen *walk in the streaming/pouring rain* **1.2** ~de woorden *cutting words* **6.1** ⟨fig.⟩ de regen striemde haar **in** het gezicht *the rain lashed her in the face.*

strijd ⟨de (m.)⟩ **0.1** [gevecht] *fight* ⇒*struggle,* ⟨slag⟩ *combat, battle* **0.2** [onenigheid] *strife* ⇒*combat, dispute, controversy* **0.3** [tweestrijd] *struggle* ⇒*conflict* **0.4** [wedstrijd] *match* ⇒*contest, competition* **0.5** [tegenspraak] *controversy* ⇒*conflict, dispute* ◆ **2.1** gewapende ~ *armed battle;* de goede ~ gestreden hebben *have waged the good war;* hevige/zware ~ *fierce battle/struggle/fighting, battle royal, uphill/bloody battle;* juridische ~ *legal controversy;* ongelijke ~ *unequal f.* **2.3** innerlijke ~ *inner s./conflict* **3.1** de ~ aanbinden *engage/enter into combat, join battle;* de ~ aanbinden met de vijand *engage the enemy (in battle);* de ~ aanbinden tegen *enter upon a struggle against, struggle/fight against;* ~ voeren/leveren *wage a f., put up a f./struggle;* de ~ volhouden/opgeven *keep up a f./struggle* **3.2** ~ hebben (over iets) *have a fight (over sth.), be involved in dispute/a controversy;* zij hebben ~ ⟨ook⟩ *there is s. between them* **3.3** de beslissing heeft haar veel ~ gekost *the decision cost her many a s.* **6.1** troepen **in** de ~ werpen *throw / fling troops into the fray;* **in** een ~ gewikkeld zijn *be involved in a f. / battle / struggle;* **in** de ~ blijven *be killed in action;* de ~ **om** het bestaan *the struggle for life;* ~ **op** leven en dood *a f. to the bitter end;* de ~ **tegen** het water *the crusade / war against the water;* **ten** ~ e trekken (tegen) *go to battle / war against, wage war against;* gereed voor de ~ *in fighting condition / trim, ready for action / the battle / the fray* 6.2 daar is / bestaat ~ **over** *that is combated / disputed / a point of controversy / dispute* 6.4 de ~ **om** de kwartfinales *the competition for the quarter finals* 6.5 **in** ~ met het fatsoen *in defiance of / contrary to decency;* **in** ~ met het gezond verstand handelen *act contrary to common sense;* met elkaar **in** ~ zijnd *conflicting;* het is **in** ~ met wat zij verleden week zei *it is inconsistent with what she said last week* ¶.1 in het heetst v.d. ~ *in the midst / fury / thick of the battle.*

strijdbaar ⟨bn.⟩ **0.1** [strijdlustig] *militant* ⇒*warlike* **0.2** [geschikt voor de strijd] *able-bodied* ⇒*fit (for service)* ◆ **1.1** strijdbare literatuur *m. literature;* een ~ volk *a warlike people;* een strijdbare vrouw *a m. / assertive woman* **1.2** alle strijdbare mannen *all able-bodied men.*

strijdbanier ⟨de⟩ ⟨gesch.⟩ **0.1** *banner, ensign* ⇒*standard.*

strijdbijl ⟨de⟩ **0.1** *battle-axe;* ⟨van Indianen⟩ *tomahawk* ◆ **3.1** ⟨fig.⟩ de ~ begraven *bury the hatchet.*

strijden ⟨onov.ww.⟩ **0.1** [vechten] *struggle* ⇒*fight, wage war (against / (up)on),* ⟨slag leveren⟩ *battle* **0.2** [twisten] *dispute* ⇒*argue, quarrel, take issue, cross swords* **0.3** [in tweestrijd zijn] *be divided* ⇒*be in conflict (with o.s.)* **0.4** [wedstrijd houden] *compete* ⇒*contend* **0.5** [onverenigbaar zijn] *contradict* ⇒*conflict* ◆ **1.1** de ~ de kerk *the militant Church;* de ~ de partijen *the contending parties, the combatants / contestants* **6.1** voor een ideaal ~ *fight for / be the champion of an ideal;* **voor** de vrijheid / het vaderland ~ *fight for freedom / one's country* **6.2** ~ **over** de betekenis v.e. woord *quarrel / argue about the meaning of a word* **6.4** we ~ **om** de eer, niet om de prijzen *we are competing for the honour, not for the prizes;* **om** de eerste plaats ~ *compete / contend for the first place.*

strijder ⟨de (m.)⟩, **-ster** ⟨de (v.)⟩ **0.1** [iem. die strijdt] *fighter* ⇒⟨krijgsman⟩ *warrior, combatant* **0.2** [ijveraar] *fighter* ⇒⟨voor iets⟩ *champion (of),* ⟨tegen iets⟩ *militant (against)* ◆ **2.1** dappere ~s *brave warriors* **6.2** een ~ **voor** eer en deugd *a champion of honour and virtue.*

strijdgewoel ⟨het⟩ **0.1** *turmoil / tumult / confusion of battle.*

strijdig ⟨bn.⟩ **0.1** [niet overeenstemmend] *contrary (to)* ⇒*adverse (to), opposed (to), inconsistent (with)* **0.2** [tegenstrijdig] *conflicting* ⇒⟨onverenigbaar⟩ *incompatible (with)* ◆ **1.2** ~e belangen / gevoelens *c. interests / emotions* **6.1** dat is ~ **met** Gods wet *that contravenes God's law;* ~ met het algemene belang *c. / adverse / opposed to the public's interest.*

strijdigheid ⟨de (v.)⟩ **0.1** [het niet overeenstemmen] *conflict* ⇒*inconsistency, contrariety* **0.2** [het tegenstrijdig zijn] *conflict* ⇒*incompatibility,* ⟨van karakter⟩ *disparity* ◆ **1.1** ~ van belangen *conflict of interests* **1.2** de ~ v.d. gevoelens *the c. of feelings;* ⟨jur.⟩ ~ van vonnissen *c. / divergence of judgments* **6.1** wegens ~ met de wet *on account of contravention of the law.*

strijdkrachten ⟨zn.mv.⟩ **0.1** *(armed) forces / services* ◆ **2.1** ⟨gesch.⟩ de Binnenlandse Strijdkrachten in Nederland ≠*the (war-time) Domestic Force(s) in the Netherlands;* dode ~ *war-material;* de geallieerde ~ *the Allied Forces;* levende ~ *manpower* ¶.1 de ~ te land, ter zee en in de lucht *the military, naval and air forces.*

strijdkreet ⟨de (m.)⟩ **0.1** *battle cry* ⇒*war cry,* ⟨fig.⟩ *slogan.*

strijdleus ⟨de⟩ **0.1** *slogan* ⇒*battle / war cry.*

strijdlied ⟨het⟩ **0.1** *battle song* ⇒*war song,* ⟨strijdlustig⟩ *militant song.*

strijdlust ⟨de (m.)⟩ **0.1** *militancy* ⇒*pugnacity,* ⟨oorlogszuchtigheid⟩ *bellicosity, belligerence,* ⟨vechtlust⟩ *fighting / warlike spirit* ◆ **3.1** zij verloor alle ~ *the fight went out of her.*

strijdlustig ⟨bn.⟩ **0.1** *pugnacious* ⇒*combative,* ⟨oorlogszuchtig⟩ *bellicose,* ⟨voor een zaak⟩ *militant* ◆ **1.1** een ~ iem. ⟨ook⟩ *a fighter, s.o. on the warpath / eager for the fray.*

strijdmacht ⟨de⟩ **0.1** *force* ◆ ¶.1 de ~ te land, ter zee en in de lucht *the military, naval and air forces.*

strijdmakker ⟨de (m.)⟩ **0.1** *fellow fighter* ⇒ ⟨ ⟩ *comrade-in-arms, companion / brother at / in arms.*

strijdperk ⟨het⟩ **0.1** [arena] *arena* **0.2** [slagveld] *battleground;* ⟨in oorlogsbeschrijving / planning⟩ *theatre (of war)* ◆ **2.1** ⟨fig.⟩ het politieke ~ *the political a.* **6.1** ⟨fig.⟩ met iem. **in** het ~ treden *enter the lists against s.o..*

strijdtoneel ⟨het⟩ **0.1** *scene of battle / action* ⇒⟨in oorlogsbeschrijving / planning⟩ *theatre (of war).*

strijdvaardig ⟨bn.⟩ **0.1** [strijdlustig] *combative* ⇒*pugnacious, militant* **0.2** [klaar voor de strijd] *operational* ⇒*ready for battle* ◆ **1.2** het leger was in drie dagen ~ *the army was up in arms / o. in three days* **3.1** hij is altijd even ~ *he is always ready for a fight / quarrel, he is always game (for a fight / quarrel).*

strijdvaardigheid ⟨de (v.)⟩ **0.1** [strijdlustigheid] *combativeness* ⇒*pugnacity, militancy* **0.2** [het klaar zijn voor de strijd] *readiness for battle / to fight* ⇒⟨van persoon ook⟩ *gameness.*

strijdvraag ⟨de⟩ **0.1** *(point / question at) issue* ⇒*moot point / question.*

strijdwagen ⟨de (m.)⟩ ⟨gesch.⟩ **0.1** *(war) chariot.*

strijk ⟨de (m.)⟩ **0.1** [het strijken van wasgoed] *(doing the) ironing* **0.2** [⟨AZN⟩ strijkgoed] ⟨→**strijkgoed**⟩ ◆ **1.**¶ iets ~ en zet doen *do sth. over and over again* **6.1 aan** de ~ zijn *be doing the ironing.*

strijkage ⟨de (v.)⟩ ◆ **3.**¶ veel ~s maken *bow and scrape* **6.**¶ met veel ~s *with much bowing and scraping.*

strijkbord ⟨het⟩ **0.1** [⟨landb.⟩] *mouldboard* ^*moldboard* **0.2** [⟨amb.⟩] *float.*

strijkbout ⟨de (m.)⟩ **0.1** *iron* ⇒*flat-iron.*

strijkconcert ⟨het⟩ **0.1** [muziekstuk] *concert for strings* **0.2** [uitvoering] *string concert.*

strijkdroog ⟨bn.⟩ **0.1** *slightly damp (but ready for ironing).*

strijkecht ⟨bn.⟩ **0.1** *safe to iron* ⇒*may be ironed.*

strijkelings ⟨bw.⟩ **0.1** *by inches* ⇒*within an inch / ace of sth.* ◆ **3.1** ~ langs iets heengaan *scrape / brush past sth..*

strijken

I ⟨onov.ww.⟩ **0.1** [zich laten gladmaken] *iron* **0.2** [gaan langs / over] *brush* ⇒*sweep* ◆ **5.1** een koksmuts strijkt moeilijk *a chef's hat irons badly / is hard to i.* **6.1** haar adem streek langs zijn gezicht *her breath brushed (against) his face;* de zwaluwen ~ **over** het water *the swallows skim (over) the water* **6.**¶ **met** de eerste prijs gaan ~ *walk off with the first prize;* **met** de eer gaan ~ *carry off the palm / take the credit (for);*

II ⟨onov., ov.ww.⟩ **0.1** [met een strijkende beweging aanraken] ⟨met hand⟩ *stroke* ⇒*brush* **0.2** [(textiel) gladmaken] *iron* ◆ **6.1** met de hand langs zijn kin ~ *s. one's chin;*

III ⟨ov.ww.⟩ **0.1** [met een strijkende beweging verplaatsen / veranderen] *smooth, spread* ⇒*brush* **0.2** [laten zakken] *lower* ⇒*strike* **0.3** [bespelen] *bow* **0.4** [dichtsmeren] *stop* ⇒*cement bijwerken) joint,* ⟨uitkrabben en dichtsmeren⟩ *point* **0.5** [met een strijkijzer aanbrengen of verwijderen] *iron* **0.6** [⟨amb.⟩ schaven] *plane* ⇒*surface* ◆ **1.1** geld naar zich toe ~ *pocket money;* ⟨lett.⟩ *scoop money;* de haren uit het gezicht ~ *brush one's hair out of one's face;* kreukels uit het papier ~ *smooth (creases out of) the paper;* een mes langs het wetstaal ~ *pass a knife along the sharpener, whet the knife* **1.2** de mast / zeilen ~ *l. / strike the mast / sails;* ⟨zeilen ook⟩ *strike sail;* de riemen ~ *l. the oars;* sloepen ~ *l. boats;* een stuw ~ *raise a sluice* **1.4** voegen ~ *work joints by jointing / pointing;*

IV ⟨wk.ww.; zich ~⟩ **0.1** [mbt. paarden] *cut.*

strijker ⟨de (m.)⟩, **-ster** ⟨de (v.)⟩ **0.1** [musicus] *strings* ⟨mv.⟩ ⇒*violin / cello /* ⟨enz.⟩ *player* **0.2** [genezer] *layer-on of hands* ⇒*healer, mesmerist* ◆ **1.1** de ~s en de houtblazers *the s. and the woodwind* **6.1** een concert voor ~s *a concert for s..*

strijkerij ⟨de (v.)⟩ **0.1** [inrichting] ⟨ook wasserij⟩ *laundry* **0.2** [handeling] *ironing.*

strijkgeld ⟨het⟩ **0.1** *premium (paid to a bidder at an auction).*

strijkgoed ⟨het⟩ **0.1** [te strijken] *clothes that need to be ironed, clothes for ironing;* ⟨gestreken⟩ *ironed clothes.*

strijkijzer ⟨het⟩ **0.1** *iron* ⇒*flat-iron* ◆ **2.1** een elektrisch ~ *an electric i..*

strijkinstrument ⟨het⟩ **0.1** *stringed instrument* ◆ ¶.1 de ~en ⟨in orkest⟩ *the strings.*

strijkje ⟨het⟩ **0.1** *string band.*

strijkkamer ⟨de⟩ **0.1** *ironing room.*

strijkkwartet ⟨het⟩ **0.1** [personen] *string quartet* **0.2** [muziekstuk] *string quartet.*

strijkkwintet ⟨het⟩ **0.1** [personen] *string quintet* **0.2** [muziekstuk] *string quintet.*

strijklicht ⟨het⟩ **0.1** [van schijnwerper(s)] *floodlight;* ⟨foto.⟩ *skimming light* ◆ **3.1** ⟨een gebouw⟩ met ~ beschijnen *floodlight (a building).*

strijkmuziek ⟨de (v.)⟩ **0.1** [muziek] *music for strings* **0.2** [composities] *music for strings.*

strijkorkest ⟨het⟩ **0.1** *string orchestra.*

strijkpatroon ⟨het⟩ **0.1** *iron-on pattern.*

strijkplank ⟨de⟩ **0.1** *ironing board.*

strijksel ⟨het⟩ **0.1** *spread* ⇒*ointment, grease.*

strijkstok ⟨de (m.)⟩ **0.1** [om een strijkinstrument te bespelen] *bow* **0.2** [waarmee een maat werd afgestreken] *strickle* ◆ **6.2** er blijft veel **aan** de ~ hangen *the rake-off is considerable.*

strik ⟨de (m.)⟩ **0.1** [knoop met lussen] *bow* **0.2** [valstrik] *snare* ⇒*wire, trap* **0.3** [lus met een schuifknoop] *slipknot* ⇒*noose* ◆ **1.1** een ~ in zijn veters maken *tie one's shoelaces in a b.* **3.2** iem. een ~ spannen *lay a s. / trap for s.o.;* een ~ zetten om hazen te vangen *set a s. / wire to catch hases* **3.3** een ~ in das leggen *knot one's tie* / ⟨vnl. AE ook⟩ *necktie* **6.2** iem. **in** zijn ~ken vangen *ensnare / entrap s.o..*

strikdas ⟨de⟩ **0.1** *bow tie.*

strikje ⟨het⟩ **0.1** *bow tie.*

strikken

I ⟨onov., ov.ww.⟩ **0.1** [tot een strik binden] *tie in a bow* ◆ **1.1** zijn das ~ *knot a tie;* een schoen ~ *tie a shoe* **3.1** die peuter kan nog niet zelf ~ *that toddler cannot tie a bow himself yet;*

II ⟨ov.ww.⟩ **0.1** [in een strik vangen] *snare* **0.2** [overhalen] *trap (into)* ◆ **1.1** een haas ~ *wire / s. a hare* **6.2** iem. ~ **voor** een karweitje *trap s.o. into doing a job.*

strikknoop ⟨de (m.)⟩ **0.1** *slipknot.*

striklijn ⟨de⟩ ⟨wisk.⟩ **0.1** *lemniscate.*

strikt ⟨bn., bw.;-ly⟩ **0.1** [strak, streng] *strict* ⇒*stringent* ⟨regel⟩, *rigorous* **0.2** [zorgvuldig] *strict* ⇒*precise* ◆ **1.1** onder ~e geheimhouding *under strict secrecy;* ~ e gehoorzaamheid *strict obedience;* in de ~e zin des woords *in the narrow sense of the word* **2.1** ~ rechtvaardig zijn *be strictly just;* ~ vertrouwelijk *strictly confidential* **3.1** ~ genomen *strictly speaking;* ~ volgens de regels handelen *act/work strictly to rule* **6.2** hij is zeer ~ **op** huwelijkstrouw *he is very s. regarding marital fidelity* ¶**.1** alleen het ~ nodige doen *do the very minimum/only what is strictly necessary.*

striktheid ⟨de (v.)⟩ **0.1** [strengheid] *strictness* ⇒*stringency, rigour* **0.2** [zorgvuldigheid] *strictness* ⇒*precision.*

strikvraag ⟨de⟩ **0.1** *catch (question)* ⇒*trick/loaded question* ◆ **3.1** iem. een ~ stellen *put a c. q. to s.o..*

stringendo ⟨bw.⟩ ⟨muz.⟩ **0.1** *stringendo.*

stringent ⟨bn.⟩ **0.1** *stringent* ⇒*tight* ◆ **1.1** ~e bepalingen *s. / severe regulations/measures;* een ~e bewijsvoering *a tight argumentation;* een ~e voorwaarde *a s. condition.*

strip ⟨de (m.)⟩ **0.1** [smalle strook] *strip* ⇒⟨van papier ook⟩ *slip, band* **0.2** [stripverhaal] *comic strip* ⇒⟨vnl. BE ook⟩ *(strip) cartoon,* ⟨vnl. AE ook; inf.⟩ *comics, funny pages, funnies* **0.3** [verpakking] *strip, blister pack* **0.4** [landingsbaan] *strip* ⇒*airstrip* **0.5** [filmstrook] *strip* ⇒*filmstrip* **0.6** [mbt. een strippenkaart] *strip* ⇒*stub* ◆ **3.2** ~s lezen *read comics/comic strips/(strip) cartoons.*

stripalbum ⟨het⟩ **0.1** *comic (book).*

stripblad ⟨het⟩ **0.1** *comic (paper).*

stripboek ⟨het⟩ **0.1** *comic (book).*

stripfiguur ⟨de⟩ **0.1** *comic character.*

stripgordijn ⟨het⟩ **0.1** *strip curtain.*

stripheld ⟨de (m.)⟩ **0.1** *comic hero.*

stripmaker ⟨de (m.)⟩ **0.1** *comic writer.*

strippen
I ⟨onov.ww.⟩ **0.1** [striptease opvoeren] *strip;*
II ⟨ov.ww.⟩ **0.1** [ontdoen van onbruikbare delen] *strip* ⇒⟨tabak ook⟩ *stem, skin* ⟨vis⟩ ◆ **1.1** kabels ~ *strip cables.*

strippenkaart ⟨de⟩ **0.1** *bus and tram card* ◆ **2.1** de nationale ~ *the national bus and tram card.*

stripper ⟨de (m.)⟩ **0.1** [jongen die striptease uitvoert] *(male) stripper* ⇒ *(male) striptease artist/stripteaser* **0.2** [van tabaksbladeren] *stripper.*

striptang ⟨de⟩ **0.1** *wire stripper* ⇒*stripping pliers.*

stripteasedanseres ⟨de (v.)⟩ **0.1** *striptease dancer/artist(e)* ⇒ ↓*stripper.*

stripteaseuse ⟨de (v.)⟩ **0.1** *striptease dancer/artist(e)* ⇒ ↓*stripper.*

striptent ⟨de⟩ ⟨inf.⟩ **0.1** *strip(tease) club/* ↓*joint.*

striptologie ⟨de (v.)⟩ **0.1** *the study of the comic strip.*

stripverhaal ⟨het⟩ **0.1** *comic (strip).*

stripverpakking ⟨de (v.)⟩ **0.1** *strip/blister packaging/package.*

stro ⟨het⟩ **0.1** [halmen van gedorst koren] *straw* **0.2** [een enkele halm] *(blade of) straw* **0.3** [mbt. peulgewassen] *straw* ◆ **1.1** ~ gehakt *chopped s., chaff* **3.1** mijn haar is net ~ *my hair is (just) like s.* **6.1** een dak **met** ~ dekken *thatch a roof;* **op** ~ slapen *sleep on s..*

stroachtig ⟨bn.⟩ **0.1** *strawlike.*

strobed ⟨het⟩ **0.1** [slaapplaats] *straw mattress* **0.2** [⟨tuinbouw⟩] *mulch.*

strobedekking ⟨de (v.)⟩ **0.1** [handeling] *strawing* ⇒*thatching* ⟨dak⟩, *laying with straw* ⟨vloer⟩ **0.2** [resultaat] *straw cover* ⇒*thatch* ⟨dak⟩.

strobloem ⟨de⟩ **0.1** *strawflower* ⇒*everlasting (flower), immortelle.*

stroblond ⟨bn.⟩ **0.1** *strawcoloured* ⇒*flaxen.*

stroboard ⟨het⟩ **0.1** *strawboard.*

strobarama ⟨het⟩ ⟨tech.⟩ **0.1** *high-speed stroboscope.*

stroboscoop ⟨de (m.)⟩ **0.1** *stroboscope* ⇒⟨inf.⟩ *strobe.*

stroboscooplamp ⟨de⟩ **0.1** *stroboscope* ⇒*stroboscopic lamp/light,* ⟨inf.⟩ *strobe (light).*

stroboscopisch ⟨bn., bw.;-ally⟩ **0.1** *stroboscopic.*

strobreed ⟨het⟩ **0.1** *strawbreadth* ◆ **7.1** ⟨fig.⟩ iem. geen ~ in de weg leggen *not put the slightest obstacle in s.o.'s way, not wish to thwart/obstruct/cross s.o. in any way;* ⟨fig.⟩ geen ~ wijken *not budge/give/yield one inch, hold one's own.*

strodak ⟨het⟩ **0.1** *thatched roof, thatch.*

strodekken ⟨ww.⟩ **0.1** *thatch.*

stroef ⟨bn., bw.;-ly⟩ **0.1** [ruw] *rough, uneven* ⇒*bumpy* **0.2** [niet vlug/gemakkelijk bewegend] *stiff* ⇒*awkward, difficult,* ⟨bijna vast⟩ *tight* **0.3** [hortend] *stiff* ⇒*difficult,* ⟨inf.⟩ *sticky, awkward,* ⟨zwaar van structuur⟩ *stodgy,* ⟨hortend⟩ *jerky, brusque* **0.4** [niet vlot, toeschietelijk] *stiff* ⇒*staid, stolid,* ⟨onbeholpen⟩ *awkward,* ⟨stug⟩ *stern,* ⟨moeilijk van aard⟩ *difficult (to get on with)* ⟨pred.⟩, ⟨gereserveerd⟩ *remote, stern,* ⟨terughoudend; inf.⟩ *stand-offish* ◆ **1.3** een stroeve competitiestart *a difficult/tough/sticky beginning of the competition;* een stroeve stijl *a jerky/stiff/brusque style* **1.4** een ~ antwoord *a gruff/an awkward answer;* een ~ gezicht *a stern/harsh countenance;* stroeve glimlach *a stiff smile;* stroeve manieren *stiff/awkward/gruff manners* **3.3** dat leest vrij ~ *that reads rather awkwardly;* de onderhandelingen verlopen ~ *(the) negotiations are not proceeding smoothly/are progressing with (great) difficulty.*

stroefheid ⟨de (v.)⟩ **0.1** [ruwheid] *roughness, unevenness* **0.2** [het stroef bewegen] *stiffness* ⇒⟨het bijna vastzitten⟩ *tightness* **0.3** [het hortend

lopen] *stiffness* ⇒*awkwardness, roughness, ruggedness* **0.4** [mbt. omgang] *stiffness* ⇒*staidness, stolidness,* ⟨onbeholpenheid⟩ *awkwardness,* ⟨stugheid⟩ *sternness,* ⟨gereserveerdheid⟩ *remoteness, reserve,* ⟨terughoudendheid; inf.⟩ *stand-offishness.*

strofe ⟨de⟩ **0.1** *stanza* ⇒*strophe, stave* ◆ **2.1** een vierregelige ~ *a four-line stanza, a tetrastich/quatrain.*

strofenlied ⟨het⟩ **0.1** [⟨lit.⟩] ⟨met strofen van verschillende lengte⟩ *strophic poem;* ⟨met strofen van gelijke lengte⟩ *monostrophic/stanzaic poem* **0.2** [⟨muz.⟩] *strophic song.*

strofisch ⟨bn.⟩ **0.1** ⟨met strofen van verschillende lengte⟩ *strophic;* ⟨met strofen van gelijke lengte⟩ *stanzaic, monostrophic.*

strogeel ⟨bn.⟩ **0.1** *straw yellow* ⇒*strawcoloured, straw, flaxen* ◆ **1.1** een kleine jongen met ~ haar *a small boy with flaxen hair, a small tow-headed boy.*

strohalm ⟨de (m.)⟩ **0.1** *(stalk of) straw* ◆ **6.1** ⟨fig.⟩ zich **aan** een (laatste) ~ vastklampen *catch/clutch/grasp at a straw/at straws.*

strohoed ⟨de (m.)⟩ **0.1** *straw (hat)* ⇒*straw bonnet,* ⟨plat, met brede rand⟩ *skimmer,* ⟨matelot⟩ *boater,* ⟨panama⟩ *panama hat.*

strohut ⟨de⟩ **0.1** *thatched hut/cottage.*

strokarton ⟨het⟩ **0.1** *strawboard.*

strokartonfabriek ⟨de (v.)⟩ **0.1** *strawboard factory.*

stroken ⟨onov.ww.⟩ **0.1** *tally, agree, square* ◆ **6.1** dat strookt niet **met** mijn karakter *that is not in keeping with/does not square with my character;* dat strookt niet **met** mijn plannen *that does not fit my plans;* dat strookt niet **met** elkaar *these two things do not agree/tally, these things do not match.*

strokenparket ⟨het⟩ **0.1** *(parquet) strip flooring.*

strokenproef ⟨de⟩ ⟨druk.⟩ **0.1** *galley (proof/sheet).*

strokleur ⟨de⟩ **0.1** *strawcolour* ⇒*straw (yellow).*

stroman ⟨de (m.)⟩ **0.1** [persoon die niet voor zichzelf handelt] *straw man, man of straw* ⇒*front (man), puppet, figurehead* **0.2** [pop] *straw puppet* ◆ **8.1** als ~ dienen *be a straw man/dummy/front/blind.*

stromat ⟨de⟩ **0.1** [mat van stro] *straw carpet/mat* ⇒⟨Japanse⟩ *tatami* **0.2** [⟨tuinbouw⟩] *straw mat/cover* **0.3** [⟨wwb.⟩] ⇒*fascine work, brushwood revetment.*

stromatras ⟨het, de⟩ **0.1** *straw mattress* ⇒⟨strozak⟩ *pallet, palliasse* ^A*paillasse.*

stromen
I ⟨onov.ww.⟩ **0.1** [met kracht vloeien] *stream* ⇒*pour, gush, flow* **0.2** [⟨fig.⟩] *stream* ⇒*pour, flow* **0.3** [zich in groten getale voortbewegen] *pour* ⇒*flock* ◆ **1.1** ~de regen *pouring/streaming/pelting rain, a downpour* **1.¶** ~d water *running water* **5.1** een langzaam ~de rivier *a slow-moving/lazy river;* een snel ~de rivier *a fast-flowing/-moving/-running river* **5.2** geld stroomde het land binnen *money poured into the country;* brieven ~ het kantoor binnen *letters are pouring into the office;* de giften/verzoeken/brieven ~ binnen *donations/requests/letters are pouring/flooding in, they/we* ⟨enz.⟩ *make them flowded with donations/requests/letters* **6.1** de Amstel stroomt **door** Amsterdam *the Amstel flows through Amsterdam;* de rivier stroomt **in** zee *the river flows into the sea;* de tranen stroomden haar **over** de wangen *tears streamed/rained/ran/poured down her cheeks* **6.2** de woorden stroomden **van** haar lippen *words gushed from her lips* **6.3** het volk stroomde **naar** het station *people were flocking to the station;* de massa stroomde **uit** het theater **naar** buiten *the crowd poured out of the theatre;*
II ⟨onp.ww.⟩ **0.1** [plenzen] ⟨zie 4.1⟩ ◆ **4.1** het stroomde *it was pouring, the rain came pouring/* ⟨BE ook⟩ *bucketing down, it was raining cats and dogs.*

stromijt ⟨de⟩ **0.1** *straw stack.*

stroming ⟨de (v.)⟩ **0.1** [het met kracht vloeien] *flow* ⇒*gushing (forth)* **0.2** [stroom] *current* ⇒*flow* **0.3** [heersende denkwijze/werkwijze] *movement, trend* ⇒*tendency,* ⟨publieke opinie ook⟩ *current, drift,* ⟨bk./lit./muz. ook⟩ *school* ◆ **1.1** de ~ v.h. water *the f. of the water* **2.2** de heersende ~ ⟨ook fig.⟩ *the mainstream;* er staat een sterke ~ *there is a strong c.* **2.3** literaire ~en *literary movements/schools;* er bestaat een sterke ~ tegen kernwapens *there is a strong m./current of feeling against nuclear weapons;* de voornaamste ~ in de literatuur in de 19e eeuw *the mainstream of/the most important m. in nineteenth-century literature* **6.2** door de ~ overvallen *be surprised/overtaken by the c./tide.*

stromingsbron ⟨de⟩ **0.1** *recurring energy force.*

stromingsleer ⟨de⟩ **0.1** [hydrodynamica] *hydrodynamics* ⇒*fluid dynamics* **0.2** [aërodynamica] *aerodynamics.*

strompelaar ⟨de (m.)⟩, **-ster** ⟨de (v.)⟩ **0.1** *stumbler* ⇒*totterer, dodderer, hobbler.*

strompelen ⟨onov.ww.⟩ **0.1** *stumble* ⇒*totter, hobble, dodder, limp* ◆ **1.1** de oude vrouw strompelde naar buiten *the old woman stumbled out of the house/room* **3.1** ~d over de finish komen *s. across the finishing-line* **5.1** zij strompelde de kamer binnen met haar zware koffer *she staggered into the room with her heavy suitcase.*

strompelig
I ⟨bn., bw.;-ly⟩ **0.1** [strompelend] *stumbling* ⇒*tottering, hobbling, limping* ◆ **1.1** een ~e gang hebben *have a stumbling gait;*

II ⟨bn.⟩ **0.1** [hobbelig] *bumpy* ⇒*uneven, rough*.

stronk ⟨de (m.)⟩ **0.1** [stomp v.e. stam] *stump* ⇒*stub* **0.2** [deel v.e. koolplant] *stalk* ◆ **1.**¶ een ~ andijvie *a head of endive* / ⟨vnl. AE⟩ *chicory*.

stront ⟨de (m.)⟩ ⟨vulg.⟩ ⟨→sprw. 554⟩ **0.1** [uitwerpselen] *shit, crap* ⇒ *dung, filth, dirt* **0.2** [ruzie] ⟨zie 3.2⟩ **0.3** [moeilijkheden] *shit* ⇒*trouble* ◆ **1.1** ⟨bel.⟩ (vies) stuk ~ *filthy turd / piece of s., little s.* / *creep;* ⟨bel.⟩ eigenwijs stuk ~ *opinionated / big-headed little s.* **3.2** ~ krijgen/hebben (met iem.) *get tough / have a bust-up with s.o.* **6.1** ⟨fig.⟩ er is ~ **aan** de knikker *in / at the (whole) thing* / ⟨enz.⟩ *stinks;* ⟨fig.⟩ iem. **door** de ~ halen *fling / throw dirt at s.o., drag s.o. through the mud;* ⟨fig.⟩ ~ **in** de ogen hebben ↑*not see what is under one's nose, wear blinkers, not use one's eyes* **6.3 in** de ~ zitten *have landed / fallen in the s., be up s. creek (without a paddle);* iem. **uit** de ~ helpen *get s.o. out of the s.* / *out of trouble / difficulties*.

stronteigenwijs ⟨bn.⟩ **0.1** *bloody-minded* ⇒*pig-headed*.

strontiaan ⟨het⟩ **0.1** *strontia*.

strontium ⟨het⟩ **0.1** *strontium*.

strontje ⟨het⟩ **0.1** *sty(e)*.

strontvervelend ⟨bn.⟩ **0.1** *excruciatingly / utterly boring* ◆ **3.1** ~ zijn ⟨ook⟩ *bore the shit out of / the pants off s.o.*.

strontvlieg ⟨de (v.)⟩ **0.1** *dung fly*.

strontzat ⟨bn.⟩ ⟨inf.⟩ **0.1** [stomdronken] *pissed, dead drunk* ⇒*boozed / tanked up,* ⟨pred. ook⟩ *three sheets to the wind* **0.2** [meer dan beu] *pissed off* ◆ **3.2** iets ~ zijn *be pissed off with sth.,* ↑*have had it up to here with sth., be fed up to the back teeth with sth.*.

strooiakker ⟨de (m.)⟩ **0.1** *garden of rest*.

strooiauto ⟨de (m.)⟩ **0.1** *gritting vehicle* / [B]*lorry* / [A]*truck*.

strooiavond ⟨de (m.)⟩ **0.1** *St. Nicholas' Eve*.

strooibiljet ⟨het⟩ **0.1** *handbill* ⇒*handout, pamphlet, leaflet,* ⟨AE ook⟩ *dodger*.

strooibus ⟨de⟩ **0.1** *dredger* ⇒*shaker* ⟨ihb. voor zout / suiker⟩, ⟨busje⟩ *sifter, duster* ⟨poedersuiker⟩, *sprinkler* ⟨water⟩.

strooiclip ⟨de (m.)⟩ **0.1** ⟨*pouring*⟩ *spout*.

strooidop ⟨de (m.)⟩ **0.1** *dredger / shaker lid*.

strooien¹ ⟨bn.⟩ **0.1** [van stro] *straw* **0.2** [⟨fig.⟩] *limp, flaccid* ◆ **1.1** een ~ dak *a thatched roof, a thatch;* een ~ hoed *a straw (hat)* **1.2** ~ benen hebben *have cotton wool* / *l. legs*.

strooien² ⟨onov., ov.ww.⟩ **0.1** *scatter* ⇒*throw, strew* ⟨bloemen⟩, *sow* ⟨zaad⟩, *sprinkle* ⟨zout, peterselie, suiker⟩, *litter down* ⟨paarden, vee⟩, *dredge* ⟨suiker⟩ ◆ **1.1** mest ~ *spread dung;* zand / pekel ~ bij gladheid *grit / sand / salt on icy roads* **6.1** met confetti ~ *throw / strew confetti;* ⟨fig.⟩ zij strooit **met** haar geld *she throws / flings / chucks her money about, she squanders her money recklessly* ¶ **.1** Zwartepiet heeft gestrooid *Black Pete / St. Nicholas' servant scattered sweets* / [A]*candy*.

strooier ⟨de (m.)⟩ **0.1** [persoon] *scatterer, strewer* **0.2** [strooibus] *dredger* ⇒*castor, shaker* ⟨ihb. voor zout / suiker⟩, *sifter, sprinkler* ⟨water⟩, *duster* ⟨poedersuiker⟩ **0.3** [strooimachine] *spreader* ⇒*distributor* **0.4** [strooiauto] *gritter, sander*.

strooigoed ⟨het⟩ **0.1** *sweets* / [A]*candy (scattered by St. Nicholas' servants on St. Nicholas' eve)*.

strooiing ⟨de (v.)⟩ **0.1** [het strooien] *spread* ⇒*scatter(ing),* ↑*dispersion* **0.2** ⟨statistiek⟩ *variance* ⇒*dispersion,* ⟨standaardafwijking⟩ *standard deviation*.

strooijonker ⟨de (m.)⟩ **0.1** *page (boy)*.

strooilicht ⟨het⟩ **0.1** *diffused / indirect lighting*.

strooimeisje ⟨het⟩ **0.1** *bridesmaid*.

strooimiddel ⟨het⟩ **0.1** [mbt. wegen] *grit, sand* **0.2** ⟨landb.⟩ *fertilizer*.

strooimijn ⟨de⟩ ⟨mil.⟩ **0.1** ⟨op zee⟩ *floating mine;* ⟨op land⟩ *loose mine*.

strooisel ⟨het⟩ **0.1** [wat gestrooid wordt] *(stable) litter* ⟨in stallen⟩; ⟨hagelslag⟩ *grated chocolate, chocolate vermicelli; sand, salt* ⟨weg⟩ **0.2** [organisch afval] *humus*.

strooisuiker ⟨de (m.)⟩ **0.1** *castor sugar,* [A]*very fine granulated sugar*.

strooizand ⟨het⟩ **0.1** *(road) grit*.

strooizout ⟨het⟩ **0.1** *salt (for icy roads)*.

strook ⟨de⟩ **0.1** [smal gedeelte] *strip* ⇒*band* ⟨stof⟩ **0.2** [reep papier] *strip* ⇒*slip,* ⟨etiket⟩ *label, tag,* ⟨controlestrookje⟩ *stub, counterfoil* **0.3** [reep stof] *flounce, frill* **0.4** [smalle plank] *strip* ◆ **1.1** een ~ land *a s. of land* **6.3** een blouse met stroken *a frilled / frilly blouse*.

stroom ⟨de (m.)⟩ ⟨→sprw. 555⟩ **0.1** [zich voortbewegende massa vloeistof] *stream* ⇒*flow,* ⟨stroming⟩ *current,* ⟨grote hoeveelheid⟩ *flood, flux* **0.2** [grote menigte / hoeveelheid] *stream* ⇒*flood* **0.3** [hoeveelheid elektriciteit] *(electric) power* ⇒*(electric) current* **0.4** [elektrische spanning] *(electric) power* ⇒*(electric) current, electricity* **0.5** [rivier] *river* ⇒*stream* ◆ **1.1** stromen bloed *streams / rivers of blood;* een ~ lava *a flow of lava;* uitbarsten in een ~ van tranen *burst out in a flood of tears* **1.2** ⟨econ.⟩ een ~ goederen *a flow of goods;* er kwam een ~ van klachten binnen *complaints were pouring in;* de ~ vakantiegangers *the s. of tourists;* een ~ van woorden *a spate of words;* ⟨scheldwoorden⟩ *torrents of abuse* **2.5** een woelige ~ *a torrent* **3.1** de zwemmer werd door de ~ meegesleurd *the swimmer was carried / swept away by the current / tide* **3.2** de ~ volgen, met de ~ meegaan ⟨ook fig.⟩ *go / swim with the s. / tide;* ⟨fig.⟩ *go / swim with the times / crowd*

3.3 een broodrooster gebruikt veel ~ *a toaster uses a lot of power* 3.4 er staat ~ op die draad *that is a live wire;* de ~ valt uit *there is a power failure / cut* 6.1 op de ~ gaan *go against the current, stem the current* 6.2 **tegen** de ~ in / bij stromen *swim against the current;* **tegen** de ~ oproeien ⟨ook fig.⟩ *row / go against the current, stem the current* 6.2 het geld kwam **in / bij** stromen binnen *money was pouring in;* **tegen** de ~ in lopen *run against the stream (of people)* 6.4 **onder** ~ staan *be live / charged;* **zonder** ~ zitten *be without (electric) power*.

stroomafsluiting ⟨de (v.)⟩ **0.1** *electricity cut-off*.

stroomafwaarts ⟨bn., bw.⟩ **0.1** *downstream* ⇒*downriver, down the river* ◆ **1.1** ~e richting *downstream, downriver* **3.1** ~ liggen *be downstream / downriver;* ~ varen *go / sail downstream / down the river*.

stroomanker ⟨het⟩ **0.1** *stream anchor*.

stroomatlas ⟨de (m.)⟩ ⟨aardr.⟩ **0.1** *river atlas*.

stroombaan ⟨de⟩ **0.1** [weg die een stroom volgt] *channel* ⇒*fairway, tideway* **0.2** [⟨elektr.⟩] *circuit*.

stroombedding ⟨de⟩ **0.1** *channel* ⇒*fairway, tideway, midstream*.

stroombesparing ⟨de (v.)⟩ ⟨elek.⟩ **0.1** *electricity saving(s)* ⇒*saving of / in electricity / current*.

stroombreker ⟨de (m.)⟩ **0.1** [⟨elek.⟩] *circuit breaker* **0.2** [waterkering] *breakwater* ⇒*groyne* [A]*groin,* ⟨van brug⟩ *starling*.

stroombron ⟨de⟩ **0.1** *power source* ⇒*source of current, source of electricity, current supply*.

stroomcircuit ⟨het⟩ **0.1** *electric(al) circuit*.

stroomdam ⟨de (m.)⟩ **0.1** *groyne* [A]*groin*.

stroomdichtheid ⟨de (v.)⟩ ⟨elek.⟩ **0.1** *current density* ⇒*flux density*.

stroomdraad ⟨de (m.)⟩ **0.1** [⟨elek.⟩] *live wire* ⇒*contact / electric wire* **0.2** [richting v.d. grootste stroomsnelheid] *main current*.

stroomgebied ⟨het⟩ **0.1** [afwateringsgebied] *(river / drainage / catchment) basin* **0.2** [⟨elek.⟩] *current supply zone / sector* ◆ **1.1** het ~ v.d. Rijn / Donau *the Rhine / Danube basin*.

stroomgeleider ⟨de (m.)⟩ **0.1** *conductor*.

stroomgeul ⟨de⟩ **0.1** *fairway* ⇒*channel, tideway, midstream*.

stroomgod ⟨de (m.)⟩, **-in** ⟨de (v.)⟩ ⟨myth.⟩ **0.1** *river god / goddess*.

stroomkaart ⟨de⟩ **0.1** [mbt. de loop van rivier] *river map* **0.2** [mbt. oceaanstromingen] *current chart*.

stroomkering ⟨de (v.)⟩ ⟨elek.⟩ **0.1** *circuit breaker*.

stroomketen ⟨de⟩ **0.1** *(electric) circuit*.

stroomkosten ⟨zn.mv.⟩ **0.1** *electricity / current* / ⟨inf.⟩ *power costs / charges* ⇒*cost of electricity / current* / ⟨inf.⟩ *power*.

stroomkring ⟨de (m.)⟩ ⟨elek.⟩ **0.1** *circuit* ◆ **2.1** gesloten / primaire / secondaire ~ *closed / primary / secondary c.*.

stroomlevering ⟨de (v.)⟩ ⟨elek.⟩ **0.1** *electricity* / ⟨inf.⟩ *power supply*.

stroomlijn ⟨de⟩ **0.1** [denkbeeldige lijn] *streamline* ⇒*line of flow* **0.2** [vorm] *streamline*.

stroomlijnen ⟨ov.ww.⟩ **0.1** [v.d. stroomlijnvorm voorzien] *streamline* **0.2** [⟨fig.⟩] *streamline* ◆ **7.1** ⟨zelfst.⟩ het ~ ⟨ook⟩ *fairing*.

stroomlijnvorm ⟨de⟩ **0.1** *streamline* ⇒*streamlined design*.

stroomloop ⟨de (m.)⟩ **0.1** *(current) flow*.

stroomloos ⟨bn.⟩ **0.1** *dead* ⇒*currentless, without current* ◆ **1.1** een stroomloze draad *a d. wire* **3.1** het net ~ maken *cut off the current / electricity supply / power*.

stroommeter ⟨de (m.)⟩ **0.1** [⟨elek.⟩] *ammeter* ⇒*galvanometer* **0.2** [mbt. een stromend water] *current / flow meter*.

stroommossel ⟨de⟩ **0.1** *unio*.

stroomnet ⟨het⟩ **0.1** *mains* ⇒*electricity / power network, electricity supply system* ◆ **2.1** het landelijke ~ *the national grid*.

stroomnimf ⟨de (v.)⟩ ⟨lit.⟩ **0.1** *naiad, water nymph*.

stroomonderbreker ⟨de (m.)⟩ **0.1** *circuit breaker*.

stroomopwaarts ⟨bn., bw.⟩ **0.1** *upstream* ⇒*upriver, up the river* ◆ **1.1** in ~e richting *upstream, upriver, up the river* **3.1** ~ roeien *row up / upriver / upstream;* ~ varen *sail up / ascend the river*.

stroomregelaar ⟨de (m.)⟩ ⟨elek.⟩ **0.1** *(current) regulator*.

stroomrichting ⟨de (v.)⟩ **0.1** [⟨elek.⟩] *direction of (the) current* **0.2** [mbt. water] *direction / set of (the) current*.

stroomschema ⟨het⟩ **0.1** *flow chart / sheet / diagram*.

stroomsluiter ⟨de (m.)⟩ ⟨elek.⟩ **0.1** *circuit closer*.

stroomsnelheid ⟨de (v.)⟩ ⟨elek.⟩ **0.1** *rate of flow* ⇒⟨elek.⟩ *current velocity*.

stroomsterkte ⟨de (v.)⟩ **0.1** [⟨elek.⟩] *current intensity* ⇒*(strength / intensity of) current, amperage* **0.2** [sterkte v.e. stroom] *force / strength / intensity of a / the current*.

stroomstoot ⟨de (m.)⟩ ⟨elek.⟩ **0.1** *(current) surge* ⇒ ⟨puls⟩ *pulse, transient*.

stroomstoring ⟨de (v.)⟩ **0.1** *electricity / power failure / breakdown*.

stroomtransformator ⟨de (m.)⟩ **0.1** *(current) transformer*.

stroomvanger ⟨de (m.)⟩ ⟨elek.⟩ **0.1** *false cathode*.

stroomverbreker ⟨de (m.)⟩ ⟨elek.⟩ **0.1** *circuit breaker*.

stroomverbruik ⟨het⟩ **0.1** *electricity / power consumption*.

stroomverdeler ⟨de (m.)⟩ ⟨elek.⟩ **0.1** *(current) distributor*.

stroomverdeling ⟨de (v.)⟩ ⟨elek.⟩ **0.1** *current distribution*.

stroomverlies ⟨het⟩ **0.1** *loss of current* ⇒*current loss*.

stroomversnelling ⟨de (v.)⟩ **0.1** [versnelling v.d. stroom] *rapid* ⟨vnl. mv.⟩ **0.2** [⟨fig.⟩] ⟨zie 6.2⟩ ◆ **6.2** in een ~ geraken *gain momentum* ⟨plannen⟩; *be accelerated* ⟨ontwikkeling⟩.

stroomvoorziening ⟨de (v.)⟩ **0.1** *electricity/power supply.*
stroomvreter ⟨de (m.)⟩⟨inf.⟩ **0.1** ⟨zie 3.1⟩ ◆ **3.1** die straalkacheltjes zijn ~s *these electric fires are heavy on electricity.*
stroomwarmte ⟨de (v.)⟩⟨elek.⟩ **0.1** *joule heat* ⇒*joulean heat.*
stroomwisselaar ⟨de (m.)⟩⟨elek.⟩ **0.1** *switch* ⇒*commutator.*
stroop ⟨→sprw. 608⟩
  I ⟨de⟩ **0.1** [kleverige vloeistof] *syrup* ⇒⟨suikerstroop; licht⟩ [B]*treacle*, ⟨donker⟩ [A]*molasses* ◆ **3.1** ~ (om iemands mond) smeren ⟨fig.⟩ *butter s.o. up, softsoap s.o., toady to/fawn on s.o.;* ⟨AE ook⟩ *buddy up to s.o.;*
  II ⟨de (m.)⟩ **0.1** [het stropen] *poaching.*
stroopachtig ⟨bn.⟩ **0.1** *syrupy* ⇒*treacly.*
stroopdikte ⟨de (v.)⟩ ◆ **6.¶ tot** ~ indampen *cook until syrupy, reduce to a syrup-like consistence.*
stroopkan ⟨de⟩ →*strooppot.*
strooplikken ⟨ww.⟩ **0.1** *butter up* ⇒*softsoap, toady,* ⟨AE ook⟩ *apple-polish,* ⟨vulg.⟩ *brown-nose.*
strooplikker ⟨de (m.)⟩, **-ster** ⟨de (v.)⟩ **0.1** *toady* ⇒ ↓*bootlick(er),* ⟨AE ook⟩ *apple-polisher,* ⟨vulg.⟩ *brown-noser, arse-/*[A]*ass-licker.*
strooplikkerij ⟨de (v.)⟩ **0.1** *toadying* ⇒ ↓*bootlicking,* ⟨AE ook⟩ *apple-polishing.*
stroopnagel ⟨de (m.)⟩ **0.1** *hangnail* ⇒*agnail.*
strooppot ⟨de (m.)⟩ **0.1** *syrup jar/pot;* ⟨voor zwarte stroop⟩ *treacle jar/pot* ◆ **6.1 met** de ~ lopen ⟨fig.⟩ *softsoap, bow and scrape, toady;* ⟨vulg.⟩ *brown-nose,* ⟨AE ook⟩ *lick (s.o.'s) ass.*
stroopsmeerder ⟨de (m.)⟩, **-ster** ⟨de (v.)⟩ →*strooplikker.*
stroopsmeren ⟨ww.⟩ →*strooplikken.*
stroopsuiker ⟨de (m.)⟩ **0.1** *raw sugar.*
strooptocht ⟨de (m.)⟩ **0.1** *(predatory) raid/incursion* ⇒⟨gesch.⟩ *razzia* ◆ **6.1** ⟨fig.⟩ een ~ **door** het huis om iets lekkers te bemachtigen *go on /make a foray/forage through the house to find some goodies.*
stroopwafel ⟨de⟩ **0.1** *treacle waffle* ◆ **2.1** Goudse ~s *treacle waffles from Gouda.*
strootje ⟨het⟩ **0.1** [kleine strohalm] *straw* **0.2** [zelfgemaakte sigaret] *roll-your-own cigarette* **0.3** [lichte sigaar] *light cigar* ◆ **3.1** ~ trekken *draw straws* **6.1** over een ~ vallen *stumble on a s.*
strop ⟨de⟩ ⟨306⟩ **0.1** [lus van touw] *halter* ⇒*(hangman's) rope,* ⟨met schuifknoop⟩ *loop, noose,* ⟨om wild te vangen⟩ *snare, trap* **0.2** [pech] *hard/bad/tough luck* ⇒⟨mbt. transactie⟩ *raw deal, bad bargain,* ⟨financieel⟩ *financial blow/setback, loss* **0.3** [ketting om een voorwerp op te hijsen] *sling* ⇒⟨scheep.⟩ *hitch* **0.4** [beugel om constructiedelen samen te houden] *strap* **0.5** [stropdas] ⟨→*stropdas*⟩ **0.6** [stuk touw met in elkaar gesplitste uiteinden] *strop* ◆ **2.2** een flinke ~ *a very raw deal; a heavy financial blow, a serious financial setback, a hefty loss* **3.1** de ~ krijgen *get the rope, be hanged;* daar krijgt hij de ~ voor *it will mean the rope for him, he will swing for it;* tot de ~ veroordeeld worden *be condemned to be hanged, be sentenced to death by hanging, be sent to the gallows* **3.2** ergens een ~ aan hebben *lose a lot of money on sth.* **6.1** zijn hoofd **in** de ~ steken ⟨ook fig.⟩ *put the rope round one's own neck, put one's head in a noose;* iem. de ~ **om** de hals doen ⟨ook fig.⟩ *put the rope round s.o.'s neck* **6.2** er een ~ **van** 1000 gulden aan hebben *be a 1000 guilders out of pocket by it, lose a 1000 guilders on it* **6.3** een kist **met** een ~ aanslaan *hitch a case.*
stropapier ⟨het⟩ **0.1** *straw paper.*
stropdas ⟨de⟩ **0.1** *tie* ⇒⟨vnl. AE ook⟩ *necktie* ◆ **6.1** zonder ~ *without a t..*
stropen
  I ⟨onov., ov.ww.⟩ **0.1** [stelen] *poach* ◆ **1.1** wild ~ *p. game;*
  II ⟨ov.ww.⟩ **0.1** [opschuiven] *strip/roll/tuck up* **0.2** [villen] *skin* **0.3** [strijkelings afhalen] *strip* ◆ **1.1** de mouwen naar boven ~ *roll back/up one's sleeves* **1.3** de boerenkool ~ *s. kale* **6.3** de bladeren **van** een tak ~ *s. a branch of its leaves;*
  III ⟨onov.ww.⟩ **0.1** [opeenschuiven] *pack (up)* **0.2** [rooftocht ondernemen] *pillage, maraud* ⇒*raid, foray.*
stroper ⟨de (m.)⟩ **0.1** [iem. die op verboden terrein jaagt] *poacher* **0.2** [iem. die een strooptocht onderneemt] *marauder, raider.*
stroperig
  I ⟨bn.⟩ **0.1** [als/met stroop] *syrupy* ⇒*treacly, sugary,* ⟨viskeus⟩ *viscous, viscid, viscose* ◆ **1.1** ~e vloeistoffen *syrupy/viscous/viscid/viscose liquids;*
  II ⟨bn., bw.; -ly⟩ **0.1** [slijmerig] *smooth(-talking)* ⇒*mealy-mouthed,* ⟨pej.⟩ *greasy, oily,* ⟨BE ook⟩ *smarmy* ◆ **1.1** ~e taal/woorden *honeyed words, flavery language* **3.1** hij doet zo ~ ⟨inf.⟩ *he is such a smoother;* hij kan zo ~ praten *he is so good at smooth/*[A]*sweet talking, he can smooth-talk/sweet-talk so well.*
stroperigheid ⟨de (v.)⟩ **0.1** *syrupiness* ⇒*treacliness,* ⟨viscositeit⟩ *viscosity, viscidity.*
stroperij ⟨de (v.)⟩ **0.1** [jacht zonder vergunning] *poaching* **0.2** [diefstal van landbouwprodukten] *theft of/stealing (growing) crops* ◆ **3.1** op ~ betrapt worden *be caught p..*
stropers ⟨de⟩ **0.1** *straw baler/press* ⇒*high-pressure baler.*
stropersbende ⟨de⟩ **0.1** *gang of poachers.*
stropop ⟨de (m.)⟩ **0.1** [van stro gemaakte pop] *straw doll* **0.2** [⟨fig.⟩

stroman] *straw man, man of straw* ⇒*front (man), puppet, figurehead* **0.3** [⟨fig.⟩ slappeling] *weakling* ⇒*milksop.*
stroppen ⟨onov., ov.ww.⟩ **0.1** [knopen] *knot* **0.2** [vangen] *snare* ⇒*wire* ◆ **1.1** een das~ *k. a tie* **1.2** een konijntje~ *s. a rabbit.*
stroppenpot ⟨de (m.)⟩⟨inf.⟩ **0.1** *nest egg, (little) bit put by (for a rainy day)* ◆ **3.1** ik heb een ~ *I've got a (little) bit by (for a rainy day)* **6.1** dat is betaald uit de~ *that's paid for out of my/his* ⟨enz.⟩ *nest egg.*
stroriet ⟨het⟩ **0.1** *dried reed.*
strosnijder ⟨de (m.)⟩ **0.1** [persoon] *straw cutter* **0.2** [machine] *straw cutter/chopper.*
strot ⟨de⟩ **0.1** [voorkant v.d. hals] *throat* ⇒⟨inf.; keel⟩ *gullet* **0.2** [strottehoofd] *larynx* ◆ **3.1** iem. de ~ dichtknijpen *choke/throttle/strangle s.o.;* ⟨inf.; fig.⟩ het komt me m'n ~ uit *I'm fed up to the back teeth* **3.2** een puntig uitstekende ~ *a potruding l.* **6.1** iem. **bij** de ~ grijpen/**naar** de ~ vliegen *take/grip/seize s.o. by the t., fly at s.o.'s t.;* ⟨inf.⟩ ik krijg het niet **door** mijn ~ ⟨lett.⟩ *I cannot get it down (my t.);* ⟨wil het niet zeggen⟩ *the words stick in my t.;* ⟨wil het niet accepteren⟩ *that sticks in my t./gizzard;* ⟨fig.⟩ **op** zijn ~ staan *kick up a row.*
strotklepje ⟨het⟩ **0.1** *epiglottis.*
strottehoofd ⟨het⟩ **0.1** *larynx* ⇒⟨inf.⟩ *voice box.*
strottehoofdontsteking ⟨de (v.)⟩ **0.1** *laryngitis.*
strovezelplaat ⟨de⟩ **0.1** *strawboard.*
strovuur ⟨het⟩ **0.1** [vuur dat plotseling opvlamt] *sudden fire, straw fire* ⇒≠*spontaneous combustion* **0.2** [⟨fig.⟩] *flash in the pan* ⇒*passing fancy* ◆ **3.2** haar verontwaardiging was maar een ~tje ⟨ook⟩ *her indignation was only short-lived.*
strowis ⟨de⟩ **0.1** *handful of straw* ◆ **6.1** een bezweet paard met een ~ droogwrijven *rub down a sweating horse with a handful of straw;* ⟨fig.⟩ **op** een ~ komen aandrijven *land without a penny in one's pocket.*
strozak ⟨de (m.)⟩ **0.1** *pallet, palliasse* [A]*paillasse* ⇒⟨matras⟩ *straw mattress.*
strozolder ⟨de (m.)⟩ **0.1** *hay loft.*
strubbelen ⟨onov.ww.⟩ **0.1** *bicker, squabble, haggle, wrangle.*
strubbeling ⟨de (v.)⟩ **0.1** [onenigheid] *bickering, squabble, wrangle* **0.2** [moeilijkheid] *trouble, difficulty* ◆ **2.1** politieke ~en *political clashes/frictions/quarrelling/bickering* **3.2** dat zal veel ~en geven *there will be/that will cause a lot of difficulties/t.* **6.1** ~ **met** iem. hebben/krijgen *have a quarrel/have a row/be at odds with s.o..*
structuralisme ⟨het⟩ **0.1** [wetenschap] *structuralism* **0.2** [⟨taal.⟩] *structuralism* ⇒*structural linguistics.*
structuralist ⟨de (m.)⟩, **-e** ⟨de (v.)⟩ **0.1** *structuralist.*
structureel
  I ⟨bn.⟩ **0.1** [mbt. de structuur] *structural* **0.2** [gestructureerd] *structural* ⇒*structured,* ⟨mbt. de bouw⟩ *constructional* ◆ **1.1** ~ geweld *s. violence;* de structurele taalwetenschap *s. linguistics;* structurele verschillen *s. differences;* structurele werkloosheid *s. unemployment* **1.2** een ~ geheel *a structured whole;*
  II ⟨bw.⟩ **0.1** [uit een oogpunt van structuur] *structurally* ◆ **¶.1** ~ is er nauwelijks verschil *s./from a structural point of view there is little difference.*
structureren ⟨ov.ww.⟩ **0.1** *structure* ⇒*structuralize* ◆ **1.1** een goed gestructureerd betoog *a well-structured argument;* verwarde indrukken proberen te ~ *try to give some structure to confused/muddled impressions.*
structurering ⟨de (v.)⟩ **0.1** *structure* ⇒*structuralization, structuring.*
structuur ⟨de (v.)⟩ **0.1** [inwendige bouw] *structure* ⇒*texture* **0.2** [wijze waarop een samengesteld geheel is opgebouwd] *structure* ⇒*texture, fabric* ◆ **1.1** de ~ v.d. bodem *the s. /texture of the soil* **1.2** de ~ v.d. bevolking *the s. of the population* **2.1** een kristalvormige ~ *a crystalloid s.;* de maatschappelijke ~ *the social s./fabric* **2.2** de economische ~ *the economic s.;* een gebrekkige ~ *a poor s./whole/frame* **6.2** zonder ~ ⟨ook⟩ *structureless, formless* **7.2** geen ~ kunnen ontdekken *not be able to detect some s..*
structuuranalyse ⟨de (v.)⟩ **0.1** *structural analysis.*
structuurformule ⟨de⟩⟨schei.⟩ **0.1** *structural formula.*
structuurkleur ⟨de⟩⟨dierk.⟩ **0.1** *structural colour.*
structuurnota ⟨de⟩ **0.1** *regional (economic) plan.*
structuurplan ⟨het⟩ **0.1** [⟨planologie⟩] *master plan* ⇒⟨mbt. stad ook⟩ *city plan* **0.2** [⟨ec.⟩] *master plan.*
structuurpolitiek ⟨de (v.)⟩ **0.1** *regional (economic) policy.*
structuurpsychologie ⟨de (v.)⟩ **0.1** *structural psychology* ⇒*structuralism.*
structuurverandering ⟨de (v.)⟩ **0.1** *structural change* ⇒*change/alteration/modification in/of structure.*
structuurverf ⟨de⟩ **0.1** *cement paint* ⇒⟨merk⟩ *Snowcem, Sandtex.*
struif ⟨de⟩ **0.1** [inhoud v.e. ei] *(contents of an) egg* **0.2** [eiergebak] *omelet(te).*
struik ⟨de (m.)⟩ **0.1** [heester] *bush, shrub* **0.2** [krop, stronk] *bunch; head* ⟨andijvie, bleekselderij⟩.
struikachtig ⟨bn.⟩ **0.1** *bushy, shrubby.*
struikelblok ⟨het⟩ **0.1** *stumbling block* ⇒*obstacle* ◆ **3.1** een ~ vormen *form/be a s. b.* **6.1** dat spraakgebrek is **voor** hem een ~ *that speech im-*

pediment is a s. b. to him/is his s. b. ¶.1 ~ken uit de weg ruimen *remove obstacles*.

struikelen ⟨onov.ww.⟩ ⟨→sprw. 492⟩ **0.1** [het evenwicht verliezen] *stumble (over)* ⇒*trip (over), be tripped up (by), miss one's footing* **0.2** [vallen] *stumble (over)* ⇒*trip (over), tumble, be tripped up (by)* **0.3** [⟨fig.⟩ ten val komen] *stumble (over/against)* ⇒*founder (on), come a cropper, come unstuck* **0.4** [⟨fig.⟩ een misstap begaan] *stumble* ⇒*trip/slip up* **0.5** [⟨fig.⟩ aantreffen] *always be/keep bumping into/falling over* ◆ **1.3** het team is in de halve finale gestruikeld *the team came a cropper in the semi-finals* **3.1** iem. doen ~ *trip s.o. up* **5.4** iedereen struikelt wel eens *everybody is apt to trip/slip up/make a slip* **6.1** over een steen ~ *s. on/over a stone;* ⟨fig.⟩ over zijn eigen woorden/zijn tong ~ *s. over one's words/tongue* **6.3** het kabinet is gestruikeld **over** een belastingwet *the cabinet foundered on tax legislation;* hij struikelde over geschiedenis *he slipped up on history* **6.5** in Rome struikel je **over** de beeldhouwwerken *in Rome you're always bumping into/falling over sculptures*.

struikeling ⟨de (v.)⟩ **0.1** [verlies v.h. evenwicht] *stumble, trip, stumbling* **0.2** [⟨fig.⟩] *stumble, trip-up, slip-up*.

struikgewas ⟨het⟩ **0.1** [aantal struiken] *bushes, shrubs* ⇒*brushwood, scrub, thicket* **0.2** [struikachtig gewas] *bush, shrub* ◆ **6.1** verborgen **in** het ~ *hidden in the bushes.*

struikheide ⟨de⟩ **0.1** *heath(er)* ⇒*ling.*

struikrover ⟨de (m.)⟩ **0.1** *highwayman* ⇒⟨schr., dicht.⟩ *brigand,* ⟨AE ook⟩ *road agent* ⟨van postkoetsen⟩.

struinen ⟨onov.ww.⟩ **0.1** *forage/rummage (about/around)* ⇒⟨door bibliotheek⟩ *browse (around)* ◆ **3.1** ~d over de markt lopen *be foraging/rummaging for sth. all over the market.*

struis ⟨bn.⟩ **0.1** *robust* ⇒*sturdy,* ⟨tevens groot⟩ *upstanding* ◆ **1.1** een ~e stijl *a r./forceful style;* een ~e vrouw *a r./beefy woman.*

struisveer ⟨de⟩ **0.1** *ostrich plume/feather.*

struisvogel ⟨de (m.)⟩ **0.1** *ostrich.*

struisvogelpolitiek ⟨de (v.)⟩ **0.1** *ostrich policy* ⇒*ostrich attitude* ◆ **3.1** een ~ volgen *play (the) ostrich, refuse to face facts, bury one's head in the sand.*

struisvogeltactiek ⟨de (v.)⟩ **0.1** *ostrich policy/tactics, burying one's head in the sand.*

struma ⟨het, de (m.)⟩ ⟨med.⟩ **0.1** *struma* ⇒*goitre.*

struweel ⟨het⟩ ⟨schr.⟩ **0.1** *thicket* ⇒*scrub,* ⟨mv.⟩ *bush, shrub, brush-(wood).*

strychnine ⟨het, de⟩ **0.1** *strychnine.*

stuc ⟨het⟩ **0.1** *stucco* ⇒*plaster.*

stucmarmer ⟨het⟩ **0.1** *stucco marble* ⇒*artificial marble.*

stucwerk ⟨het⟩ **0.1** *stucco(work).*

stucwerker ⟨de (m.)⟩ **0.1** *plasterer.*

studeerkamer ⟨de⟩ **0.1** *study* ◆ **3.1** ⟨fig.⟩ een voorstel dat naar de ~ riekt *an armchair proposal, a purely academic suggestion.*

studeervertrek ⟨het⟩ **0.1** *study.*

student ⟨de (m.)⟩, **-e** ⟨de (v.)⟩ **0.1** [iem. die studeert] *student* ⇒⟨voor eerste diploma⟩ *undergraduate,* ⟨na diploma⟩ *(post)graduate,* ⟨inf.⟩ *grad* **0.2** [studiehoofd] *scholar* ⇒*bookworm,* ⟨pej.⟩ *egghead* ◆ **1.1** ~ Duits *student of German;* ⟨AE ook⟩ *German major* ⟨als hoofdvak⟩ **2.1** medisch ~ *medical student;* ⟨inf.⟩ *medic(al), medico* **3.1** zich laten inschrijven als ~ *matriculate, enrol as a student.*

student-assistent ⟨de (m.)⟩, **-e** ⟨de (v.)⟩ **0.1** *research assistant.*

studentenabonnement ⟨het⟩ **0.1** *student subscription;* ⟨kaart⟩ *student season ticket.*

studentenalmanak ⟨de (m.)⟩ **0.1** *students' almanac.*

studentenarts ⟨de (m.)⟩ **0.1** *student/university doctor.*

studentenbeweging ⟨de (v.)⟩ **0.1** *students' movement.*

studentencorps ⟨het⟩ **0.1** ≠*students' union/fellowship.*

studentendecaan ⟨de (m.)⟩ **0.1** *(student) adviser, counsellor.*

studentenflat ⟨de⟩ **0.1** *(block of) student flats,* ≠*hall of residence/student apartments.*

studentengezelschap ⟨het⟩ **0.1** *(small) student organization* ⇒*student club/fellowship.*

studentenhaver ⟨de⟩ **0.1** *assorted nuts and raisins.*

studentenhuis ⟨het⟩ **0.1** [waar studenten samenwonen] *student(s') house* /⟨onder beheer van universiteit⟩ *hostel/^Adormitory/^ ↓dorm* **0.2** [lokaal v.e. studentenvereniging] *student(s') union;* ⟨AE vnl.⟩ ⟨voor mannen⟩ *fraternity/* ⟨voor vrouwen⟩ *sorority house.*

studentenhuisvesting ⟨de (v.)⟩ **0.1** [het verschaffen van woonruimte] *housing of students, student accommodation* **0.2** [instelling] *(university) accommodation office.*

studentenkaart ⟨de⟩ **0.1** *student's ticket.*

studentenkruid ⟨het⟩ **0.1** *summer cypress.*

studentenleven ⟨het⟩ **0.1** *life as a student, college/university life* ◆ **3.1** het ~ beviel haar goed *she quite liked c./u. l..*

studentenpastor ⟨de (m.)⟩ **0.1** *student pastor* ⇒*college/university chaplain.*

studentenprotest ⟨het⟩ **0.1** *student(s') protest* ⇒*protest by students.*

studentenraad ⟨de (m.)⟩ **0.1** *students' council/group.*

studentenstad ⟨de⟩ **0.1** *university/college town.*

studentenstop ⟨de (m.)⟩ **0.1** *(student) quota* ◆ **3.1** voor zes studierichtingen geldt een ~ *there are quotas in six subjects/disciplines.*

studententaal ⟨de⟩ **0.1** *student lingo/slang/jargon.*

studententijd ⟨de (m.)⟩ **0.1** *college/student days.*

studententoneel ⟨het⟩ **0.1** *student theatre/drama.*

studentenvakbond ⟨de (m.)⟩ **0.1** *students' union.*

studentenvereniging ⟨de (v.)⟩ **0.1** *students' union/fellowship* ⇒⟨AE vnl.⟩ ⟨voor mannen⟩ *fraternity,* ⟨voor vrouwen⟩ *sorority.*

studentenvertegenwoordiger ⟨de (m.)⟩, **-ster** ⟨de (v.)⟩ **0.1** *students' representative.*

studentenvoorzieningen ⟨zn.mv.⟩ **0.1** *student(s') facilities.*

studentenweerbaarheid ⟨de (v.)⟩ **0.1** *(paramilitary student organization).*

studentenwereld ⟨de⟩ **0.1** *student world* ⇒⟨vnl. USA⟩ *campus world/life.*

studentikoos ⟨bn., bw.; -ly⟩ **0.1** *collegiate, collegial* ⇒*student-like* ◆ **1.1** studentikoze opmerkingen *student-like remarks, remarks typical of students* **3.1** ~ doen *act/behave like students/a typical student.*

studeren
I ⟨onov., ov.ww.⟩ **0.1** [een studie volgen] *study* ⇒⟨aan de universiteit⟩ *go to/be at university/college,* ⟨AE ook⟩ *go to school, read* **0.2** [zich in de muziek oefenen] *practise (music)* ◆ **1.1** als hoofdvak/bijvak ~ *take as major/minor subject,* ^Amajor/minor in;* Marijke studeert *Marijke goes to/is at university/college;* medicijnen ~ *s./read medicine;* ⟨AE ook⟩ *go to medical school;* oude talen ~ *read classics;* rechten ~ *s./read law/*⟨BE ook⟩ *for the bar;* ~ s. of *go to law school* **1.2** piano ~ *p. the piano* **3.1** natuurkunde gaan ~ *take up physics* **4.1** wat studeert zij? *what is she studying/reading?, what is her subject?* **5.1** hij studeert nog *he is still studying/at college;* verder ~ *continue one's studies/studying* **6.1** ~ **aan** de Sorbonne *s. at the Sorbonne;* **voor** ingenieur ~ *s. to be an engineer/engineering;*
II ⟨onov.ww.⟩ **0.1** [leren] *study* **0.2** [zich toeleggen, met aandacht bekijken] *study* ⇒*take a close look at* **0.3** [peinzen over] *think/pore over* ◆ **5.2** erop ~ om ...s. to ..., make it one's study to ..., go out of one's way to ...* **6.1** hij studeert in Cambridge/Oxford *he is up at Cambridge/Oxford;* ~ **voor** een examen *s./* ⟨inf.⟩ *cram for an exam;* **voor** een diploma/universitaire graad *s. for/do a degree* **6.3** op dit probleem moet ik eerst nog eens ~ *I still have to think/pore over/consider this problem.*

studerende ⟨de (m.)⟩ **0.1** *student* ◆ **6.1** gids voor ~n *students' guide.*

studie ⟨de (v.)⟩ **0.1** [het bestuderen van iets] *study* **0.2** [beoefening v.e. vak aan een onderwijsinrichting] *study* ⟨vaak mv.⟩ **0.3** [geschrift] *study* ⇒*paper,* ⟨kort⟩ *essay* **0.4** [tekening, schilderij] *study* ⇒*sketch* **0.5** [⟨muz.⟩] *study* ⇒⟨kort⟩ *étude* **0.6** [aandacht] *attention, concentration* ◆ **1.1** een man van ~ *a scholar;* de ~ v.d. taal *language studies* **1.2** de ~ v.d. filosofie *philosophical studies* **2.1** de universiteit is een plaats van vrije/zelfstandige ~ *the university is a place where one can study freely/independently* **2.2** de academische/medische ~ *academic/medical studies* **3.1** ~ van iets maken *make a s. of sth.;* zich wijden aan/zich toeleggen op de ~ *devote o.s. to s.* **3.5** ~s spelen *play studies/études* **6.1 aan** de ~ zijn *be studying;* **in** ~ zijn *be under consideration/studied;* iets **in** ~ nemen *consider/study sth., take sth. into consideration* **6.4** ~ **naar** het naaktmodel *nude studies* ¶.3 studiën op theologisch gebied *studies in theology.*

studieadres ⟨het⟩ **0.1** *study address.*

studieadviseur ⟨de (m.)⟩, **-seuse** ⟨de (v.)⟩ **0.1** ^Bsupervisor,* ^Aadviser* ⇒⟨BE ook⟩ *director of studies,* ⟨aan Britse universiteiten⟩ *tutor.*

studiebegeleiding ⟨de (v.)⟩ **0.1** *tutoring* ⇒*coaching,* ⟨periode⟩ *tutorial.*

studiebeurs ⟨de⟩ **0.1** *scholarship, (study) grant* ⇒⟨aan een Schotse universiteit⟩ *bursary, bursarship,* ⟨voor kandidaatsassistent⟩ *fellowship.*

studieboek ⟨het⟩ **0.1** *textbook* ⇒*manual.*

studiecentrum ⟨het⟩ **0.1** *(study) centre.*

studiecommissie ⟨de (v.)⟩ **0.1** *research committee* ⇒*study group.*

studiedag ⟨de (m.)⟩ **0.1** ≠*workshop.*

studiedoeleinden ⟨zn.mv.⟩ ◆ **3.** ¶ voor ~ *for study purposes.*

studiefonds ⟨het⟩ **0.1** *scholarship/study grant fund.*

studiegenoot ⟨de (m.)⟩, **-note** ⟨de (v.)⟩ **0.1** *fellow student.*

studiegids ⟨de (m.)⟩ **0.1** ^Bprospectus,* ^Acatalog.*

studiegroep ⟨de⟩ **0.1** *study group.*

studiehoofd ⟨het⟩ **0.1** [aanleg] *good head for study* **0.2** [persoon] *great student/scholar* ⇒*bookworm,* ⟨inf.; pej.⟩ *greasy grind, egghead* ◆ **3.1** geen ~ hebben *have no head for study* **3.2** hij is geen ~ *he is no great student/scholar/not much of a scholar.*

studiejaar ⟨het⟩ **0.1** [cursusjaar] *(school) year* ⇒⟨aan universiteit ook⟩ *university/academic year* **0.2** [jaar van iemands studie] *year of study* **0.3** [jaargroep] *year* ◆ **3.3** wij zijn van hetzelfde ~ *we are of the same y.* **7.1** het eerste ~ ⟨lagere school⟩ *the first form/*^Agrade;* ⟨hoger onderwijs⟩ *the first year's course.*

studiekosten ⟨zn.mv.⟩ **0.1** *cost(s) of study/studies/studying* ⇒⟨aan universiteit ook⟩ *university/college expenses.*

studieleider ⟨de (m.)⟩, **-ster** ⟨de (v.)⟩ **0.1** *director of studies.*

studielening ⟨de (v.)⟩ **0.1** *student/study loan.*

studieles 〈de〉 **0.1** ≠*tutorial.*
studieloon 〈het〉 **0.1** *student's wage.*
studiemateriaal 〈het〉 **0.1** *matter / material for study* ⇒*study matter / material.*
studiementor 〈de (m.)〉 **0.1** *tutor.*
studiepakket 〈het〉 **0.1** *subject / study package.*
studieprogramma 〈het〉 **0.1** *course / study programme* ^gram ⇒*syllabus.*
studiereis 〈de〉 **0.1** *study tour.*
studierichting 〈de (v.)〉 **0.1** *subject* ⇒*course(s), discipline, branch of study / studies* ◆ **2.1** een andere ~ kiezen *choose another subject /* ↑ *discipline.*
studietijd 〈de (m.)〉 **0.1** *years / period of study* ⇒*college / student years / days.*
studietoelage 〈de〉 **0.1** *scholarship, (study) grant* ⇒〈aan een Schotse universiteit〉 *bursary, bursarship,* 〈voor kandidaatsassistent〉 *fellowship.*
studieverlof 〈het〉 **0.1** *study leave* ⇒〈voor lange periode〉 *sabbatical (leave),* 〈voor een enkele dag per week〉 *study day release.*
studieverzekering 〈de (v.)〉 **0.1** *education(al) insurance* ⇒〈het geld〉 *educational annuity / endowment* ◆ **3.1** een ~ afsluiten / aangaan *take out an education policy.*
studievriend 〈de (m.)〉, **-in** 〈de (v.)〉 **0.1** *university / college friend* ⇒*student friend.*
studiezaal 〈de〉 **0.1** *reading room* ⇒〈AE ook〉 *study hall.*
studiezin 〈de (m.)〉 **0.1** *inclination / desire to study.*
studio 〈de (m.)〉 **0.1** 〈radio, t.v.〉 *studio* **0.2** 〈film.〉 *studio* **0.3** 〈atelier〉 *studio* **0.4** 〈éénkamerappartement〉 *studio flat,* ^*studio apartment* ⇒〈BE ook〉 *bedsit(ter),* 〈AE ook〉 *efficiency appartment* ◆ **6.1** teruggeven **naar** de ~ *return to (the) s..*
studiomuzikant 〈de (m.)〉 **0.1** *studio / session musician, session player.*
studio-opname 〈de〉 **0.1** *studio recording.*
studio-optreden 〈het〉 **0.1** *studio performance.*
studiopubliek 〈het〉 **0.1** *studio audience.*
studiosus 〈de (m.)〉 **0.1** *student* ◆ **3.1** 't is zo'n ~ *he is a real s. / bookworm, he is forever buried in his books.*
studium generale 〈het〉 **0.1** *series of lectures on topics of general interest.*
stuf 〈het〉 **0.1** 〈gom〉 *eraser* ⇒〈BE ook〉 *rubber* **0.2** 〈stuff〉 *dope, stuff;* 〈hash ook〉 *pot;* 〈marihuana ook〉 *grass, weed* ◆ **3.2** ~ verkopen *peddle d. / s..*
stuff 〈de (m.)〉 →**stuf 0.2.**
stuffen 〈onov., ov.ww.〉 **0.1** *rub out, erase.*
stug
I 〈bn.〉 **0.1** [weinig buigzaam] *stiff* ⇒*tough, hard* **0.2** [mbt. personen] *surly, dour* ⇒〈stijf〉 *stiff* **0.3** [sterk] *stiff, steep, tall* **0.4** 〈hand.〉] *slow* ◆ **1.1** ~ hout *stubborn wood;* ~ leer / linnen s. / *hard / tough leather / linen;* een ~ge vering *rigid springs;* 〈in auto〉 *a rigid suspension* **1.3** een ~ verhaal *a t. story* **3.3** dat lijkt me ~ *that seems pretty stiff / t. / steep to me;*
II 〈bn., bw. ; -ly〉 **0.1** [stevig] *sturdy* ⇒*firm* ◆ **1.1** een ~ge roker *a heavy smoker;* een ~ge werker *a s. worker* **3.1** ~ doorwerken *work away / hard;* ~ doorzetten *stay the course;* ze liep ~ door *she walked on briskly / at a brisk pace / firmly.*
stuifaarde 〈de〉 **0.1** *(dry) mould* ^*mold.*
stuifmeel 〈het〉 **0.1** 〈plantk.〉 *pollen.*
stuifmeelbuis 〈de〉 **0.1** *pollen tube.*
stuifmeelgehalte 〈het〉 **0.1** *pollen count.*
stuifmeelkorrel 〈de (m.)〉 **0.1** *pollen grain* ⇒*grain of pollen.*
stuifmeelonderzoek 〈het〉 **0.1** *pollen analysis.*
stuifsneeuw 〈de〉 **0.1** *powder snow* ⇒〈vlaag〉 *snow flurry.*
stuifzand 〈het〉 **0.1** *drift(ing) sand* ⇒*shifting sands.*
stuifzwam 〈het〉 **0.1** *puff-ball.*
stuik 〈de (m.)〉 **0.1** [afgezaagd uiteinde] *butt* **0.2** [mbt. munten] *rim* **0.3** [graanschoven] *shock* ⇒*stook.*
stuiken 〈ov.ww.〉 **0.1** [vast aan elkaar sluiten] *butt* **0.2** [mbt. graanschoven] *shock* **0.3** [mbt. klinknaden] *caulk.*
stuiklas 〈de〉 **0.1** *butt weld.*
stuip 〈de〉 **0.1** [stuiptrekking] *convulsion* ⇒*spasm,* 〈klein〉 *twitch* **0.2** [aanval van spiersamentrekkingen] *fit* ⇒*convulsion, spasm,* 〈vnl. mv.〉 **0.3** [kuur] *fit, whim* ◆ **3.2** 〈fig.〉 iem. de ~en op het lijf jagen *give s.o. a f. / scare, scare s.o. silly / stiff / to death, scare the (living) daylights out of s.o., make s.o.'s flesh creep;* 〈fig.〉 een ~ krijgen van angst / schrik *have / get a f., be scared stiff / silly / to death;* de ~en krijgen *have fits / convulsions, be convulsed;* 〈fig.〉 zich een ~ lachen *be convulsed with laughter, split one's sides with laughter.*
stuiptrekken 〈onov.ww.〉 **0.1** *convulse* ⇒*be / become convulsed* ◆ **3.1** de man stortte ~d neer *the man collapsed in convulsions.*
stuiptrekking 〈de (v.)〉 **0.1** *convulsion* ⇒*spasm,* 〈klein〉 *twitch* ◆ **2.1** de laatste ~en *the agony of death, the last death spasms;* 〈fig.〉 de laatste ~en v.d. revolutie *the last c. of the revolution.*
stuit
I 〈de〉 **0.1** [deel v.d. rug (gegraat)] *tailbone, coccyx* ⇒〈van vogel〉 *rump,* 〈achterste〉 *behind, buttocks, backside* ◆ **6.1** hij is op zijn ~ je gevallen *he fell on his t. /* 〈sl.〉 *butt /* 〈sl.〉 *tail /* 〈vnl. BE; sl.〉 *bum;*
II 〈de (m.)〉 **0.1** [het tegenhouden worden] *stop, halt* **0.2** [stoot en

terugsprong] *bounce, bound, rebound* ⇒*dap* ◆ **2.2** de bal slaan na een enkele ~ *strike / hit the ball after one bounce* **6.1** door de ~ draaien *force through s..*
stuitbeen 〈het〉 〈med.〉 **0.1** *tailbone, coccyx.*
stuitblok 〈het〉 **0.1** *buffer* ⇒*stop.*
stuiten
I 〈onov.ww.〉 **0.1** [niet verder kunnen] *be stopped / held up / arrested* **0.2** [(fig.) tegengehouden worden] *be stopped / held up / arrested* **0.3** [aantreffen] *encounter* ⇒*happen / chance upon, stumble across* **0.4** [(fig.) geconfronteerd worden] *meet with* ⇒*encounter, run up against, be faced with* **0.5** [irriteren] *shock* ⇒*disgust, offend* **0.6** [terugspringen] *bounce, bound* ◆ **1.6** de tennisballen ~ hij bezit / *the tennis balls have lost their bounce* **6.2** op een muur van onwil ~ *be up against / faced with a wall of resistance* **6.3** telkens ~ we bij die schrijver op vage symbolen *time and again we come across vague symbols in that writer's work* **6.4** op moeilijkheden / een moeilijkheid ~ *run up against / meet with / be faced with difficulties, hit a snag;* op verzet ~ *meet with / encounter / be faced with / be up against opposition;*
II 〈ov.ww.〉 **0.1** [tegenhouden] *stop* ⇒*stem, hold up,* 〈bedwingen〉 *check, arrest* **0.2** [(fig.)] *stop* ⇒*stem, hold up,* 〈bedwingen〉 *check, arrest* ◆ **1.2** de tranen ~ *stem / smother / hold back / check one's tears;* de uitvoering van plannen ~ *block / stop the execution of plans;* 〈jur.〉 de verjaring ~ *interrupt the periode of limitation* **3.1** de hardloper kon zijn vaart niet ~ *the runner could not check his speed* **6.1** iem. **in** zijn vaart ~ *stop / interrupt s.o.'s course* **6.2** iets **in** zijn ontwikkeling ~ *hold up / arrest sth.'s development;* een niet te ~ woordenvloed *an uncheckable / unstoppable flow of words;* zij is niet **te** ~ *there is no holding / stopping her.*
stuitend 〈bn., bw. ; -ly〉 **0.1** *revolting, shocking, disgusting* ◆ **1.1** ~e woorden *rank / s. language, d. words* **3.1** ik vind dit ~ *that goes against the grain with me, I can't stomach / stand this.*
stuiter 〈de (m.)〉 **0.1** *big marble* ⇒*taw,* 〈BE ook〉 *bonce.*
stuiteren 〈ov.ww.〉 **0.1** ≠*play at marbles.*
stuitgeboorte 〈de (v.)〉 **0.1** *breech birth / delivery.*
stuiting 〈de (v.)〉 **0.1** *stoppage* ⇒*interruption,* 〈schr.〉 *stay* ◆ **1.1** akte van stuiting *deed of prohibition (of a marriage)* **6.1** een fonds ter voorkoming en ~ **van** runderpest *a foundation for the prevention and control of rinderpest / swine fever;* ~ **van** de verjaring *interruption of the limitation period.*
stuitklier 〈de〉 **0.1** [bij zwemvogels] *preen gland* **0.2** [bij de mens] *coccygeal gland.*
stuitligging 〈de (v.)〉 〈med.〉 **0.1** *breech presentation.*
stuitverbinding 〈de (v.)〉 **0.1** *butt joint.*
stuiveling 〈de (m.)〉 **0.1** *powdery peat.*
stuiven
I 〈onov.ww.〉 **0.1** [waaien] *blow* ⇒*fly about / up* **0.2** [met grote snelheid voortbewegen] *dash, rush, whiz* ◆ **5.2** zij stoof de deur uit *she ran / dashed / rushed / stormed / flounced out of the room / house* **6.1** het zand stoof **in** mijn ogen *sand blew into my eyes* ¶.2 uit elkaar ~ *fly apart, scatter, disperse;*
II 〈ov.ww.〉 **0.1** [stof opjagen] *make dust* ◆ **5.1** stuif niet zo! *don't make / stop kicking up so much dust!;*
III 〈onp.ww.〉 **0.1** [in deeltjes opvliegen] *rise in clouds /* 〈sneeuw〉 *in a flurry* ◆ **5.1** het stuift hier verschrikkelijk *there is an awful lot of dust here, it is very dusty around here.*
stuiver 〈de (m.)〉 〈→sprw. 556,557〉 **0.1** [muntstuk] *stiver, five-cent piece* ⇒〈AE ook〉 *nickel* **0.2** [geld] *penny* ◆ **2.2** daar is een aardige ~ mee te verdienen *that'll earn s.o. a pretty penny / a tidy sum* **7.2** geen ~ waard zijn *not worth a s. /* 〈AE ook〉 *picayune / bean;* hij bezit / heeft geen ~ *he has not got a penny (to bless himself with),* ^*he has not got a dime / bean.*
stuiversroman 〈de (m.)〉 **0.1** *penny dreadful,* ^*dime novel* ⇒*romance.*
stuiverstuk 〈het〉 **0.1** *five-cent piece.*
stuivertje-wisselen 〈ww.〉 **0.1** [kinderspel] *play (at) puss in the corner / pussy wants a corner* ⇒〈BE ook〉 *play (at) general post* **0.2** [elkaars plaats innemen] *change / trade places* ⇒〈herschikken〉 *reshuffle.*
stuk[1] 〈het〉 **0.1** [deel] *piece* ⇒*part, fragment, length* 〈stof, plank, koord〉, 〈ook ~stukje〉 **0.2** [(grote) hoeveelheid] *lot* **0.3** [één uit een verzameling] *piece* ⇒*item* **0.4** [poststuk] *(postal) article* ⇒*(postal) item* **0.5** [aantrekkelijke vrouw / man] *piece* **0.6** [geschrift] *piece* ⇒*article, paragraph* 〈in krant〉, *paper,* 〈ook ~stukje〉 **0.7** [document] *document, paper* **0.8** [kunstwerk] *piece* ⇒*picture* **0.9** [toneelstuk] *piece* ⇒*play* **0.10** [muziekstuk] *piece (of music)* **0.11** [ingevoegd / opgelegd deel] *piece* ⇒*patch* **0.12** 〈(pej.) mens〉 *piece* ⇒*bit, sort* **0.13** [gestalte] *stature, build* **0.14** [schaaksport, damsport]] *piece* ⇒〈schaaksport ook〉 *chessman,* 〈damsport ook〉 *draughtsman,* ^*checkerman* **0.15** [(kaartspel)] *piece* ⇒[geldstuk] *piece* ⇒*coin* **0.17** [effect] *security* **0.18** [kanon] *piece (of ordnance)* ⇒*gun* **0.19** [daad] *feat* ⇒〈staaltje〉 *piece* **0.20** 〈herald.〉] *charge, device* ◆ **1.1** ~ken en brokken *bits and pieces, odds and ends;* een ~(je) brood *a p. / chunk of bread;* gebroken ~ken glas *fragments of broken glass;* een ~ grond *a piece of land, a patch (of ground), a plot, a parcel;* ik wou nog een ~(je) muziek horen *I would like to hear another piece of music* **1.2** een ~ dui-

delijkheid/onvrede/welvaart *some clarity/unease/prosperity;* een goed~werk *a fine p. of work, a competent job* **1.3** een~gereedschap *a p. of apparatus, a tool;* een~huisraad *an article/a p. of furniture;* een~linnen *a p./length of linen;* een~speelgoed *a toy;* een groot~zeep *a big/large bar/p./cake/tablet of soap* **1.12** een~kunstenaar *a bit of an artist, an artist of sorts;* een~tante van me *a sort of aunt of mine;* een~verdriet/ellende/chagrijn *a misery;* ⟨inf.⟩ een misselijk ~vreten *a real creep;* ⟨vnl. BE ook⟩ *a nasty/bit piece of goods/works;* ⟨inf.⟩ een lui~vreten *a lazybones, a good-for-nothing* **2.1** het rechte~v.d. grafiek *the straight-line portion of the graph* **2.2** een~beter/duurder *much/a l. better/more expensive;* ~ken beter/duurder *quite a l./far better/more expensive;* mijn klas is een heel~voor *my class is well ahead* **2.3** de grote~ken *the large pieces/items* **2.4** aangetekend~registered mail/letter/item;* een ongefrankeerd~*an unstamped/unpaid item/article* **2.5** een lekker~*a nice bit of skirt/stuff/crumpet, a pretty p. of goods,* ⎣*a classy chassis;* ⟨AE; sl. ook⟩ *a bit/p. of ass* **2.6** ingezonden~ken *letters to the editor;* een opruiend~*a seditious/inflammatory piece* **2.19** een stout~(je) *a bold f.* **3.1** iets in ~ken snijden *cut up sth. (into pieces);* een~met iem. meelopen *accompany s.o. part of the way/for a stretch;* ⟨fig.⟩ werken dat de~ken er af vliegen *work with a vengeance/at full tilt* **3.2** zij is een~afgeslankt *she has lost quite a bit of weight/slimmed considerably* **3.7** de ~ken doornemen *go over/through the documents;* ingekomen~ken *letters/documents/papers received;* ~ken inzenden/inleveren *send/turn in papers* **3.11** een~in een broek zetten *patch a pair of trousers/* ᴬ*pants* **3.17** ~ken met winst verkopen *sell securities at a profit* **3.18** de ~ken in stelling brengen *place the guns in position* **4.¶** op zijn~blijven staan *stand firm/fast, keep/hold one's ground, stick to one's gun;* van zijn~raken *lose one's head/one's balance/(one's) countenance, be upset/baffled, be put off one's balance;* iem. van zijn~brengen *unsettle/unnerve/upset/disconcert s.o., put s.o. out of countenance* **5.2** dat zou ons een~verder brengen *that would help us a l./give us considerable headway* **6.1** iets **aan**~ken slaan/gooien *knock/smash sth. to pieces;* iets **in**~ken scheuren *tear sth. to pieces;* het perceel werd **in** drie~ken verdeeld *the parcel was divided into three lots;* een~**uit** een boek voorlezen *read a passage/section from a book;* een~**van** haar leven *a part/⟨inf.⟩ chunk of her life* **6.2** iets/iem. **met**~ken slaan *defeat/beat s.o./sth. by a large margin/by miles;* **op** geen~ken na *not by a long way/shot/⟨BE ook⟩ chalk, not nearly, nothing near/like;* hij snapte **op** geen~ken na waar het over ging *he did not begin to understand what it was all about* **6.3 op**~werken *work/be paid by the p., be on piecework;* sigaren van twee gulden **per**~*cigars of two guilders each/apiece/a p.;* **per**~verkopen *sell by the p./singly;* ~voor~ voor trouw loyal to a man* **6.7** iets **met** de~ken kunnen bewijzen *have documents to prove sth.* **6.11** hij had~ken **op** zijn ellebogen *he had elbow patches* **6.13** klein/groot **van**~*small/big, of small/tall stature, short/tall* **6.¶** een~**in** de kraag hebben *be in one's cups/well-oiled/three sheets to the wind/liquored up/boozed up* **7.1** ⟨fig.⟩ een man uit één~*a man of character/of honour, a plain/downright fellow;* ⟨fig.⟩ aan één~doorpraten *talk for hours on end;* ⟨inf.⟩ ~talk/speak nineteen/twenty/forty to the dozen;* uit één~vervaardigd *made in/of one p.;* vijf uren aan één~*five hours on end/at a stretch/in succession/running;* uit één~gegoten *cast integral with the bedplate;* ⟨fig.⟩ geen~heel laten van iets *tear sth. to ribbons/pieces/shreds, make mincemeat out of sth.* **7.3** ringen v.e. tientje het~*rings selling at ten guilders apiece/each;* hoeveel~s zijn er? *how many (pieces) are there?;* twintig~s vee/koeien *twenty head of cattle, twenty cows;* vier~s bagage *four pieces of luggage* **8.3** een~of tien appels *nine or ten/about ten/ten or so apples;* geef mee maar een~of wat schroeven *give/hand me a screw or two/a couple of screws* **¶.17** ~ken aan toonder *bearer securities.*

stuk² ⟨bn.⟩ **0.1** [aan stukken] *apart to pieces* **0.2** [defect] *out of order* ⇒ broken-down, ⟨inf.⟩ *bust* **0.3** [onder de indruk, ingenomen met] *hung up on* ◆ **3.1** een boek~lezen *read a book to pieces;* iets~maken *break sth. (in)to pieces;* het kopje viel~*the cup fell to pieces/fell and broke* **3.2** de machine ging~*the machine broke down;* iets~maken *brak/ruin sth..*

stuka ⟨de (m.)⟩ **0.1** *dive bomber.*
stukadoor ⟨de (m.)⟩ **0.1** *plasterer.*
stukadoorskwast ⟨de (m.)⟩ **0.1** *plasterer's/whitewash brush.*
stukadoorswerk ⟨het⟩ **0.1** *plaster(work)* ⇒*plastering.*
stukadoren ⟨ov.ww.⟩ **0.1** [bepleisteren] *plaster* **0.2** [witten] *whitewash.*
stukbijten ⟨ov.ww.⟩ **0.1** *bite to pieces* ◆ **1.1** zij beet haar lippen stuk *she bit her lips (until they bled);* een noot~*crack a nut with one's teeth.*
stukbreken
  I ⟨ov.ww.⟩ **0.1** [brekend stukmaken] *break to pieces/bits;*
  II ⟨onov.ww.⟩ **0.1** [in stukken vallen] *fall to pieces* ⇒*smash.*
stuken ⟨onov., ov.ww.⟩ **0.1** *plaster* ◆ **5.1** deze plafonds zijn mooi gestuukt *a fine piece of plastering on these ceilings.*
stukgaan ⟨onov.ww.⟩ **0.1** *break down* ⇒*fail, go to pieces,* ⟨in stukken⟩ *break to pieces* ◆ **1.1** de motor is stukgegaan *the engine broke down/failed.*

stukgoed ⟨het⟩ **0.1** ⟨scheep.⟩ *general/mixed cargo;* ⟨via (spoor)weg⟩ *(load of) packed goods/parcels/packages;* ⟨textiel⟩ *piece goods* ◆ **6.1** met~geladen *carrying general/mixed cargo/packages/parcel goods.*
stukgoed(eren)tarief ⟨het⟩ **0.1** ⟨scheep.⟩ *rate for general/mixed cargo;* ⟨via (spoor)weg⟩ *parcel rate.*
stukgoederenvervoer ⟨het⟩ **0.1** *transport of general/mixed cargo;* ⟨via (spoor)weg⟩ *transport of parcels/packed goods/packages.*
stukgooien ⟨ov.ww.⟩ **0.1** *smash (to pieces/up)* ⇒*dash/knock to pieces.*
stukhakken ⟨ov.ww.⟩ **0.1** *cut/chop/hack to pieces* ⇒*cut/⟨hout ook⟩ chop up.*
stukje ⟨het⟩ **0.1** [klein stuk] *small/little piece/⟨inf.⟩ bit* **0.2** [kort verhaal /opstel] *short piece* ◆ **2.¶** een brutaal~*a bit of cheek* **3.1** een~eten *have a bite;* een~meeëten *have a bite to eat (at s.o.'s place);* een~meelopen *walk a short way/a bit of the way (with s.o.)* **6.2** een~in de krant *a piece/bit in the paper;* een~**over** een actueel onderwerp *a paragraph/piece/an article on a subject of current interest* **¶.1** ~bij beetje *bit by bit, piece by piece, piecemeal, inch by inch, by inches.*
stukjesschrijver ⟨de (m.)⟩ **0.1** *columnist.*
stuklezen ⟨ov.ww.⟩ **0.1** *read to pieces/shreds* ◆ **1.1** een stukgelezen boek *a well-thumbed book.*
stukloon ⟨het⟩ **0.1** *piece-wages* ◆ **3.1** hij krijgt geen~, maar uurloon *he's not on piecework, but on timework* **6.1** tegen~werken *work at piece rate, be paid by the piece, be on piecework.*
stukloonstelsel ⟨het⟩ **0.1** *piece-rate system.*
stukloontarief ⟨het⟩ **0.1** *piece-rate(s).*
stuklopen
  I ⟨ov.ww.⟩ **0.1** [al lopend stukmaken] *wear out* ⟨schoenen⟩; *skin* ⟨voeten⟩ ◆ **1.1** zijn voeten~*walk until one's feet are sore;*
  II ⟨onov.ww.⟩ **0.1** [misgaan] *go wrong* ⇒*fail, break down* ◆ **1.1** dat huwelijk liep stuk *that marriage broke down/⟨AE; sl.⟩ was a bust-up;* een stukgelopen huwelijk *a broken marriage.*
stukmaken ⟨ov.ww.⟩ **0.1** *break (to pieces)* ◆ **1.1** ⟨fig.⟩ een briefje van honderd gulden~*break a hundred(-guilder ᴮnote/ᴬbill).*
stukoffer ⟨het⟩ ⟨schaaksport⟩ **0.1** *sacrifice of a piece.*
stukprijs ⟨de (m.)⟩ **0.1** *unit price, price per unit* ◆ **6.1** kleinere hoeveelheden worden **tegen**~berekend *smaller quantities are charged at the each rate.*
stukproduktie ⟨de (v.)⟩ **0.1** *unit production.*
stukscheuren ⟨ov.ww.⟩ **0.1** *tear (to pieces/up/asunder.*
stukschieten ⟨ov.ww.⟩ **0.1** *shoot to pieces* ⇒*blow to bits.*
stuksgewijs ⟨bn., bw.⟩ **0.1** [bij stukken] *piecemeal* ⇒*gradual* **0.2** [stuk voor stuk] *one by one* ⇒*separately, by the piece* ◆ **1.1** een stuksgewijze kennisneming *a gradual perusal* **3.2** hij kwam~tot zijn talenkennis *he achieved his knowledge of languages piecemeal/bit by bit;* de planten werden~geteld *the plants were counted one by one.*
stukslaan
  I ⟨onov.ww.⟩ **0.1** [door een schok breken] *smash to pieces* ⇒*crash, dash to pieces* ◆ **6.1** de glazen sloegen stuk **tegen** de grond *the glasses smashed to pieces/crashed on the floor;*
  II ⟨ov.ww.⟩ **0.1** [stukmaken] *smash (to pieces/up)* ⇒*break (to pieces), dash/knock to pieces* ◆ **1.1** ⟨fig.⟩ veel geld~*spend money lavishly/right and left, squander a good deal of money.*
stuksmijten ⟨ov.ww.⟩ **0.1** *smash (to pieces/up)* ⇒*break (to pieces), dash/knock to pieces.*
stuksnijden ⟨ov.ww.⟩ **0.1** *cut (up/to pieces).*
stuktrappen ⟨ov.ww.⟩ **0.1** ⟨met schoppen⟩ *kick to pieces;* ⟨door erop te trappen⟩ *trample (to pieces/underfoot).*
stukvallen ⟨onov.ww.⟩ **0.1** *fall to pieces* ⇒*smash, break.*
stukwerk ⟨het⟩ **0.1** [per stuk afgeleverd, betaald werk] *piecework* **0.2** [fragmentarisch werk] *patchwork* ◆ **3.1** ~hebben/geven *do p., pay by the piece;* ~verrichten *work by the piece, be paid by the piece, be on p.* **3.2** al ons weten is maar~*we only know in part, our knowledge is mere/only p..*
stukwerker ⟨de (m.)⟩ **0.1** *pieceworker* ⇒*jobber,* ⟨sl.⟩ *gyppo.*
stulp ⟨de⟩ ⟨schr.⟩ **0.1** [woning] *hut, hovel, cot* **0.2** [stolp] *bell jar/glass.*
stulpen ⟨ov.ww.⟩ **0.1** *put a bell jar/glass over, put under a bell jar/glass.*
stumper ⟨de (m.)⟩ **0.1** [stakker] *wretch* ⇒*scrub* **0.2** [sukkel] *bungler, fumbler* ⇒*duffer* ◆ **2.1** arme~*poor w./fellow/fish;* ⟨vrouw, kind⟩ *poor thing* **3.2** in het rekenen is hij een~*he is hopeless at/is a b. in arithmetic.*
stumperen →*stuntelen.*
stumperig ⟨bn., bw.; -ly⟩ **0.1** ⟨onhandig⟩ *bungling, fumbling;* ⟨armzalig⟩ *poor* ◆ **1.1** een~opstel *a poor essay.*
stunt ⟨de (m.)⟩ **0.1** [onverwachte/opvallende daad] *stunt* ⇒*tour de force, feat* **0.2** [kunstvlucht] *stunt (flight)* ◆ **3.1** een~uithalen/uitvoeren *perform a s..*
stuntel ⟨de (m.)⟩ **0.1** *bungler, fumbler* ⇒⟨inf.⟩ *butterfingers.*
stuntelen ⟨onov.ww.⟩ **0.1** *fumble, bungle* ⇒*flounder.*
stuntelig ⟨bn., bw.; -ly⟩ **0.1** [gebrekkig] *infirm* ⇒*shaky, feeble* **0.2** [onhandig] *clumsy* ⇒*bungling, fumbling, butterfingered.*
stunten ⟨onov.ww.⟩ **0.1** [iets opvallends doen] *stunt* **0.2** [kunstvliegen] *stunt* ◆ **6.1** met de prijzen~*sell at record low prices.*
stuntman ⟨de (m.)⟩ **0.1** *stunt man.*

stuntprijs ⟨de (m.)⟩ **0.1** *record low price* ⇒⟨mv. ook; AE⟩ *price break-ers* ♦ **6.1** benzine **tegen** stuntprijzen verkopen *sell* ᴮ*petrol*/ᴬ*gas at record low prices.*

stuntvliegen ⟨ww.⟩ **0.1** *stunt flying* ⇒*trick flying, aerobatics, acrobatics.*

stuntvlieger ⟨de (m.)⟩ **0.1** *stunt flyer.*

stupide ⟨bn., bw.; -ly⟩ **0.1** *stupid* ⇒*silly, foolish.*

stupiditeit ⟨de (v.)⟩ **0.1** *stupidity* ⇒*silliness, foolishness.*

sturen (→sprw. 19)

I ⟨onov.ww.⟩ **0.1** [naar het roer/stuur luisteren] *steer* ♦ **5.1** mijn auto stuurt licht *my car steers well/easily, my car is easy to handle;* **II** ⟨ov.ww.⟩ **0.1** [zenden] *send* ⇒*forward* ⟨goederen⟩, ⟨verzenden⟩ *dispatch, address* **0.2** [bedienen] *operate;* ⟨elek.⟩, ⟨verzenden⟩ iem. een telegram ~ *send s.o. a cable/telegram, cable/telegraph s.o.* **6.1** iem. naar huis/van tafel ~ *s./pack off s.o. home, send s.o. away from table;* iem. **om** een boodschap ~ *send s.o. out to get/for sth.;* een speler **van** het veld ~ *s./ order a player off the field, disqualify a player from the game;* **van** school ~ *expel (from school);* **III** ⟨onov., ov.ww.⟩ **0.1** [een richting laten volgen] *steer* ⟨ook van schip/fiets/auto/satelliet⟩; ⟨auto ook⟩ *drive;* ⟨boot ook⟩ *cox;* ⟨ov. ww. ook⟩ *guide* ⟨paard, pen, iemands hand⟩; ⟨alg.⟩ *direct* ♦ **1.1** Charles stuurde *Charles was at/behind the wheel* **4.1** de kaart stuurt ons naar links *the map directs us to the left* **5.1** de taxichauffeur stuurde slecht *the taxi-man was a poor driver* **6.1** een schip **naar** de haven ~ *steer a ship into port.*

sturing ⟨de (v.)⟩ **0.1** [het sturen/gestuurd worden] *steering* **0.2** [besturing] ⟨tech.⟩ *control.*

Sturm-und-Drang ⟨de (m.)⟩ **0.1** [stijlperiode] *Sturm und Drang (period)* ⇒*Storm and Stress (period)* **0.2** [⟨bij uitbr.⟩ onrustig overgangstijdperk] *(period of) upheaval/turmoil* ⇒*storm and stress, Sturm und Drang.*

stut ⟨de (m.)⟩ **0.1** [steun, ⟨ook fig.⟩] *prop, stay, support* ⇒⟨van drooglijn⟩ *clothes-post/-prop* **0.2** [steunbalk] *shore, buttress, strut* **0.3** [turnoefening] *recovery* ♦ **1.1** iemands ~ en steun zijn *be the prop and stay of s.o..*

stutbalk ⟨de (m.)⟩ ⟨bouwk.⟩ **0.1** *shore, buttress, strut.*

stutten ⟨ov.ww.⟩ **0.1** [steunen, ⟨ook fig.⟩] *prop (up), support* ⇒⟨schoren ook⟩ *strut, shore up, buttress* **0.2** [⟨sport⟩] *perform the backward circle* ♦ **1.1** een boom ~ *stake/support a tree;* een muur ~ *shore up a wall.*

stuur ⟨het⟩ **0.1** [stuurinrichting] *steering wheel* ⇒⟨auto⟩ *wheel,* ⟨scheep.⟩ *helm,* ⟨scheep., lucht.⟩ *rudder,* ⟨lucht.⟩ *controls* ⟨mv.⟩, ⟨fiets⟩ *handlebars* ⟨mv.⟩ **0.2** [het sturen] *steering* ♦ **3.1** zijn ~ niet kunnen houden *not be able to keep/walk straight* **3.2** ~ in het schip houden *keep the ship under control* **6.1 aan** het ~ zitten *be at/behind the wheel* ⟨ook fig.⟩; *be at the helm* ⟨ook fig.⟩; ⟨lucht.⟩ *be at the controls* **¶.1** de macht over het ~ verliezen *lose control (over one's car/ bike);* in deze auto zit het ~ rechts *this is a right-hand-drive car.*

stuurautomaat ⟨de (m.)⟩ **0.1** *automatic pilot.*

stuurbekrachtiging ⟨de (v.)⟩ **0.1** *power steering* ⇒*servo-assisted steering.*

stuurboord ⟨het⟩ **0.1** *starboard* ♦ **6.1 aan** ~ *on the s. side;* het schip helde **naar** ~ *the ship heeled over to s.;* **over** ~ liggen *have the wind on the port side* **¶.1** ~ roer geven *starboard the helm.*

stuurboordwacht ⟨de⟩ **0.1** *starboard watch.*

stuurcabine ⟨de (v.)⟩ **0.1** *cockpit.*

stuurgroep ⟨de⟩ **0.1** *steering committee.*

stuurhoes ⟨de⟩ **0.1** *steering-wheel cover.*

stuurhuis ⟨het⟩ **0.1** ⟨scheep.⟩ *pilothouse, wheelhouse, wheelbox;* ⟨kraan⟩ *driver's cabin/cage.*

stuurhut ⟨de⟩ **0.1** ⟨scheep.⟩ *pilothouse, wheelhouse, wheelbox;* ⟨lucht.⟩ *cockpit.*

stuurinrichting ⟨de (v.)⟩ **0.1** *steerage, steering-gear/mechanism;* ⟨lucht.⟩ *controls* ♦ **6.1** de auto/het vliegtuig kreeg een defect **aan** de ~ *the car /plane ran into control trouble.*

stuurknuppel ⟨de (m.)⟩ **0.1** *control stick/lever* ⇒*stick,* ⟨sl.⟩ *joy stick.*

stuurkolom ⟨de⟩ **0.1** *steering column* ⇒*control column.*

stuurkunde ⟨de (v.)⟩ **0.1** *cybernetics.*

stuurloos ⟨bn., bw.⟩ **0.1** *out of control* ⇒*rudderless, adrift* ⟨ook fig.⟩, ⟨fig. ook⟩ *afloat, disorientated* ♦ **3.1** ~ ronddrijven *be afloat/adrift;* ~ worden/raken *get/go out of control.*

stuurman ⟨de (m.)⟩, **-vrouw** ⟨de (v.)⟩ (→sprw. 558,676) **0.1** [iem. die een vaartuig bestuurt] *steers/helms (wo)man* ⇒⟨roeiboot⟩ *cox- (swain),* ⟨reddingsboot⟩ *coxswain* **0.2** [iem. die examen voor de vaart heeft afgelegd] *mate* **0.3** [scheepsofficier] *navigating officer* ♦ **6.1** ⟨roeisport⟩ vier **met** ~ *coxed four* **7.2** de eerste/tweede ~ *first/chief/ second mate/officer.*

stuurmand ⟨de⟩ **0.1** *(bi)cycle basket.*

stuurmanschap ⟨het⟩ **0.1** [functie van stuurman] *steersmanship, helmsmanship* **0.2** [bekwaamheid] *steersmanship, helmsmanship;* ⟨fig.⟩ *skill, management* ♦ **¶.2** ⟨fig.⟩ er is heel wat ~ nodig om tussen alle politieke moeilijkheden door te zeilen *a great deal of skill is needed to navigate all political difficulties safely.*

stuurmanskunst ⟨de (v.)⟩ **0.1** ⟨kennis⟩ *(art of) navigation* ⇒*steerage,* ⟨vaardigheid⟩ *steersmanship, helmsmanship,* ⟨fig.⟩ *skill, manage-*

ment ♦ **¶.1** ⟨fig.⟩ daar is ~ bij (voor) nodig *(a good deal of) fore-thought/skill is needed there.*

stuurmotor ⟨de (m.)⟩ **0.1** *steering fear.*

stuurpen ⟨de⟩ **0.1** *tail/flight feather* ⇒⟨wet.⟩ *rectrix.*

stuurrad ⟨het⟩ →*stuurwiel* **0.1.**

stuurraket ⟨de⟩ ⟨ruim.⟩ **0.1** *control rocket* ⇒*thruster, vernier rocket.*

stuurroer ⟨het⟩ ⟨luchtv.⟩ **0.1** *rudder.*

stuurs ⟨bn., bw.; -ly⟩ **0.1** *surly* ⇒*sullen, morose, grumpy, gruff* ⟨ihb. manier van praten⟩ ♦ **1.1** een ~ gezicht zetten *put on a surly/sullen/morose expression* **3.1** ~ kijken *scowl.*

stuurschakeling ⟨de (v.)⟩ **0.1** *column gear* ᴮ*change*/ᴬ*shift.*

stuursheid ⟨de (v.)⟩ **0.1** *surliness* ⇒*sullenness, moroseness, grumpiness, gruffness* ⟨ihb. manier van praten⟩.

stuurslot ⟨het⟩ **0.1** *steering wheel/column/post lock* ♦ **6.1** op het ~ staan *have the steering wheel lock* ⟨enz.⟩ *on.*

stuurstang ⟨de⟩ **0.1** *control stick/lever* ⇒*stick,* ⟨sl.⟩ *joy stick.*

stuurstoel ⟨de (m.)⟩ **0.1** *control/pilot's seat.*

stuurtouw ⟨het⟩ **0.1** *guide rope.*

stuurvast ⟨bn.⟩ **0.1** [mbt. schepen/voertuigen] *steady* ⇒*easily controlled* **0.2** [mbt. besturders] *steady* ⇒*reliable.*

stuurvlak ⟨het⟩ ⟨luchtv.⟩ **0.1** *aileron.*

stuurwiel ⟨het⟩ **0.1** [⟨scheep.⟩] *(steering) wheel* ⇒⟨van groot schip⟩ *helm* **0.2** [mbt. auto] *(steering) wheel* **0.3** [mbt. vliegtuig] *control wheel.*

stuw ⟨de (m.)⟩ **0.1** *dam* ⇒*barrage, flood-control dam,* ⟨lage dam in rivier⟩ *weir* ♦ **3.1** de ~ en strijken *let down/lower the floodgates.*

stuwadoor ⟨de (m.)⟩ **0.1** *stevedore,* ᴬ*lumper* ⇒*trimmer.*

stuwage ⟨de (v.)⟩ ⟨scheep.⟩ **0.1** [handeling] *stowage* **0.2** [resultaat] *stow-age* ⇒*trim* ♦ **2.1** verkeerde ~ *bad s..*

stuwbekken ⟨het⟩ →*stuwmeer.*

stuwdam ⟨de (m.)⟩ **0.1** *dam* ⇒*barrage, flood-control dam,* ⟨lage dam in rivier⟩ *weir* ♦ **6.1** een ~ **met** doorlaat *a d. with flood/sluice/water gates.*

stuwdruk ⟨de (m.)⟩ **0.1** *thrust.*

stuwen ⟨ov.ww.⟩ **0.1** [voortduwen] *drive* ⇒*push, force, propel, impel* ⟨vnl. fig.⟩ **0.2** [stouwen] *stow* ⇒*pack, load,* ⟨scheep.⟩ *trim* **0.3** [door een stuwdam tegenhouden] *dam (up)* ♦ **1.1** ⟨fig.⟩ hij is al jaren de ~de kracht in ons bedrijf *he has been the driving force in our firm for years* **1.3** het water ~ *dam (up) the water* **5.2** de lading is verkeerd gestuwd *the cargo has been badly/wrongly stowed/loaded* **6.1** de wind stuwt het water **naar** de dam *the wind drives/forces the water to-(wards) the dam.*

stuwer ⟨de (m.)⟩ **0.1** [havenarbeider]⟨→*stuwadoor*⟩ **0.2** [stuwinstallatie] *propeller.*

stuwing ⟨de (v.)⟩ **0.1** [stuwkracht]⟨→*stuwkracht*⟩ **0.2** [het stouwen]⟨→*stuwage*⟩ **0.3** [belemmering v.d. afvloeiing v.e. vloeistof] *damming (up).*

stuwkracht ⟨de⟩ **0.1** ⟨ook fig.⟩ *force, drive* ⇒⟨tech.⟩ *thrust, propulsion,* ⟨met snelheid⟩ *momentum* ⟨ook fig.⟩, ⟨omhooggaand⟩ *lift,* ⟨van golf⟩ *s(c)end,* ⟨fig.; persoon⟩ *driving force/power,* ¹*moving spirit,* ⟨fig., kracht⟩ *impetus.*

stuwloon ⟨het⟩ **0.1** *stowage charges.*

stuwmateriaal ⟨het⟩ **0.1** *dunnage.*

stuwmeer ⟨het⟩ **0.1** *(storage) reservoir* ♦ **6.1** ⟨fig.⟩ een ~ **van** afgestudeerden *a r. of graduates.*

stuwraket ⟨de⟩ **0.1** *booster rocket.*

stuwsluis ⟨de⟩ **0.1** *lock weir.*

stuwstof ⟨de⟩ **0.1** *propellant, propellent* ⇒*rocket fuel.*

stuwstraalmotor ⟨de (m.)⟩ **0.1** *ramjet (engine).*

stuwwal ⟨de (m.)⟩ ⟨geol.⟩ **0.1** *lateral moraine.*

styliet ⟨de (m.)⟩ **0.1** *stylite* ⇒*pillar saint.*

stypticum ⟨het⟩ **0.1** *styptic.*

styreen ⟨het, de (m.)⟩ **0.1** *styrene.*

S.U. ⟨afk.⟩ **0.1** [Sovjet Unie] *U.S.S.R.* ⇒⟨op auto's⟩ *SU.*

suatie ⟨de (v.)⟩ **0.1** *drainage.*

suave ⟨bn., bw.; -ly⟩ **0.1** *smooth, bland* ⇒⟨niet cru⟩ *mild,* ⟨pej.⟩ *suave* ♦ **1.1** ~ bewoordingen/termen *b./suave wording;* ⟨pej.⟩ *smooth talk.*

sub ⟨vz.⟩ **0.1** *under* ♦ **1.1** ~ artikel 2b *in section 2b* **¶.1** ~ poena *under poena, u. penalty;* ~ voce *sub voce, u. the word;* ~ conditione *on the condition (that);* ~ specie *in the guise of, u. the pretext of, as seen from;* de in artikel 1, ~ a genoemde gevallen *the cases mentioned in article 1 subsection a.*

subafdeling ⟨de (v.)⟩ **0.1** *subdivision* ⇒*subbranch.*

subalpien ⟨bn.⟩ **0.1** *subalpine* ⇒⟨plantk.⟩ *alpestrine.*

subaltern ⟨bn.⟩ **0.1** *subaltern* ⇒*subordinate,* ⟨jur.⟩ *puisne* ♦ **1.1** ~e officieren ᴮ*subalterns, company officers* **7.1** ⟨zelfst.⟩ de ~en *the subalterns.*

subarctisch ⟨bn.⟩ **0.1** [binnen de poolcirkel] *subarctic* ⇒*polar* **0.2** [⟨geol.⟩] *subarctic, preboreal.*

subatlantisch ⟨bn.⟩ ⟨geol.⟩ ♦ **1.¶** de ~e periode *the subatlantic period.*

subatomair ⟨bn.⟩ **0.1** *subatomic.*

subboreaal ⟨bn.⟩ ⟨geol.⟩ ♦ **1.¶** de subboreale periode *the subboreal period.*

subcommissie ⟨de (v.)⟩ **0.1** *subcommission* ⇒*subcommittee.*

subcontinent ⟨het⟩ **0.1** *subcontinent.*

subcultuur ⟨de (v.)⟩ **0.1** *subculture* ⇒⟨mbt. muziek of experimentele kunst⟩ *(the) underground.*

subcutaan ⟨bn.,bw.;-ly⟩⟨med.⟩ **0.1** *subcutaneous* ⇒*hypodermic* ◆ **1.1** subcutane injectie *s. / hypodermic injection.*

subdiaken ⟨de (m.)⟩⟨r.k.⟩ **0.1** *subdeacon.*

subdivisie ⟨de (v.)⟩ **0.1** *subdivision* ⇒⟨van document⟩ *subsection.*

subdominant ⟨de⟩⟨muz.⟩ **0.1** *subdominant.*

suberine ⟨de⟩⟨plantk.⟩ **0.1** *suberin.*

subfaculteit ⟨de (v.)⟩ **0.1** *subfaculty* ◆ **1.1** de ~ tandheelkunde *the s. of dentistry.*

subfamilie ⟨de (v.)⟩⟨biol.⟩ **0.1** *subfamily.*

subhoofd ⟨het⟩ **0.1** *deputy head / chief.*

subiet ⟨bw.⟩ **0.1** [ogenblikkelijk] *immediately* ⇒*at once, right / straight away* **0.2** [beslist]⟨zie 3.2⟩ **0.3** [plotseling] *suddenly* ⇒*all at once, all of a sudden* ◆ **3.2** dat loopt ~ mis *it's bound to go wrong.*

subject[1] ⟨het⟩ **0.1** [⟨taal.⟩] *subject* **0.2** [⟨fil.⟩] *subject* ◆ **1.¶** ⟨jur.⟩ ~ van recht(en) *s. of rights / a right, person (in)vested with rights / a right, person entitled;* ⟨jur.⟩ ~ v.e. verbintenis *party to a contract / obligation.*

subject[2] ⟨bn.⟩ **0.1** *subject (to).*

subjectie ⟨de (v.)⟩ **0.1** [onderwerping] *subjection, submission* ⇒*resignation* **0.2** [onderworpenheid] *subjection, submission.*

subjectief ⟨bn.,bw.;-ly⟩ **0.1** [tot het subject behorend] *subjective* **0.2** [behorend tot persoonlijke zienswijze] *subjective* ⇒*personal* **0.3** [⟨taal.⟩] *subjective* ◆ **3.2** dat loopt ~ mis *an exceedingly p. matter;* een subjectieve mening *a s. / personal opinion.*

subjectivisme ⟨het⟩ **0.1** [subjectiviteit] *subjectivism* ⇒*subjectivity* **0.2** [wereldbeschouwing] *subjectivism* ⇒*subjectivity.*

subjectivistisch ⟨bn.,bw.;-ally⟩ **0.1** *subjectivistic.*

subjectiviteit ⟨de (v.)⟩ **0.1** *subjectivity.*

subjunctief[1] ⟨de (m.)⟩⟨taal.⟩ **0.1** *subjunctive.*

subjunctief[2] ⟨bn.⟩⟨taal.⟩ **0.1** *subjunctive.*

sublegaat ⟨het⟩ **0.1** *devolved legacy.*

subliem ⟨bn.,bw.;-ly⟩ **0.1** [verheven, groots] *sublime* ⇒*exalted* ⟨ideeën⟩, *august* ⟨persoon⟩ **0.2** [fantastisch] *fantastic, super* ⇒*wonderful, smashing* ◆ **1.1** een ~ schilderij *a s. / excellent painting* **3.2** het smaakt ~ *it / the food / the taste is scrumptious / (really) delicious.*

sublimaat ⟨het⟩ **0.1** [vast produkt v.e. sublimering] *sublimate* **0.2** [kwik-chloride] *mercury chloride, bichloride of mercury, (corrosive) sublimate.*

sublimatie ⟨de (v.)⟩ **0.1** [⟨nat.⟩] *sublimation* **0.2** [veredelen] *sublimation* ⇒*glorification, elevation, refinement* **0.3** [⟨meteo.⟩] *sublimation.*

sublimeren
I ⟨ov.ww.⟩ **0.1** [veredelen] *sublime* ⇒*glorify, refine, elevate,* ⟨psych.⟩ *sublimate* ◆ **1.1** een drift ~ *sublimate an instinct;*
II ⟨onov.ww.⟩ **0.1** [⟨nat.⟩] *sublime, sublimate* **0.2** [⟨meteo.⟩] *sublime, sublimate.*

subliminaal ⟨bn.⟩ **0.1** *subliminal.*

sublimiteit ⟨de (v.)⟩ **0.1** *sublimity* ⇒*sublimeness.*

sublunarisch ⟨bn.⟩ **0.1** *sublunary.*

submarien ⟨bn.⟩ **0.1** *submarine* ⇒*underwater.*

submarino ⟨de⟩ **0.1** *(torture by) submersion.*

submediant ⟨de⟩⟨muz.⟩ **0.1** *submediant.*

submicroscopisch ⟨bn.⟩ **0.1** *submicroscopic.*

submissie ⟨de (v.)⟩ →*subjectie.*

subordinaat ⟨bn.⟩ **0.1** *subordinate* ⇒*subsidiary, secondary.*

subordinatie ⟨de (v.)⟩ **0.1** [ondergeschiktheid] *subordination* **0.2** [⟨taal.⟩] *subordination.*

subordineren ⟨ov.ww.⟩ **0.1** *subordinate* ⇒*subject, submit.*

subornatie ⟨de (v.)⟩⟨jur.⟩ **0.1** *subornation.*

subrogatie ⟨de (v.)⟩⟨jur.⟩ **0.1** *subrogation.*

sub rosa **0.1** *sub rosa, under the rose* ⇒⟨in vertrouwen ook⟩ *confidential,* ⟨in het geheim ook⟩ *in secret.*

subroutine ⟨de (v.)⟩ **0.1** *subroutine.*

subs. ⟨afk.⟩ **0.1** [subsidiair] *subs..*

subscriptie ⟨de (v.)⟩ **0.1** *subscription.*

subsidiabel ⟨bn.⟩ **0.1** *subsidizable.*

subsidiair ⟨bn.,bw.;-ly⟩ **0.1** *alternative* ⇒⟨AE ook⟩ *alternate, subsidiary* ◆ **1.1** ~e hechtenis *alternative imprisonment;* een ~e tenlastelegging / vordering *an alternative charge / demand* **¶.1** veroordeeld worden tot *f*1000,- boete, ~ 10 dagen hechtenis *be condemned to a fine of f1000,- with the alternative of / or alternately 10 days imprisonment.*

subsidie ⟨het, de (v.)⟩ **0.1** *subsidy* ⇒⟨onderwijs, ontwikkelingshulp⟩ *(financial) aid, grant,* ⟨regelmatige toelage⟩ *allowance,* ⟨uitkering⟩ *benefit, support* ◆ **3.1** ~s geven aan het bedrijfsleven ⟨ook⟩ *subsidize business / industry* **6.1** om voor ~ in aanmerking te komen *be eligible / qualify for subsidy / a grant;* zonder ~ v.d. staat *without state subsidy.*

subsidiebeleid ⟨het⟩ **0.1** *policy on subsidies.*

subsidiënt ⟨de (m.)⟩ **0.1** *subsidizer* ⇒*granter.*

subsidieregeling ⟨de (v.)⟩ **0.1** *subsidy / grant scheme.*

subsidiëren ⟨ov.ww.⟩ **0.1** *subsidize* ⇒*grant (an amount), support, aid*

⟨with money⟩, ⟨permanent⟩ *endow,* ⟨schr.⟩ *subvent* ◆ **1.1** een onderneming ~ *subsidize a company;* een door het rijk gesubsidieerde onderwijsinstelling *a state subsidized / endowed / aided educational establishment;* het (niet-)gesubsidieerde toneel *(non-)subsidized theatre* **5.1** allerlei zwaar gesubsidieerde clubs *various heavily subsidized clubs.*

subsidietitel ⟨de (m.)⟩ **0.1** *entitlement to a / the subsidy* ◆ **3.1** onder een ~ vallen *be entitled to a subsidy.*

subsidieverlaging ⟨de (v.)⟩ **0.1** *subsidy / grant reduction /* ⟨inf.⟩ *cut* ⇒*reduction /* ⟨inf.⟩ *cut in subsidy / grant.*

subsistentie ⟨de (v.)⟩ **0.1** [⟨fil.⟩] *subsistence* **0.2** [levensonderhoud] *subsistence.*

subsonisch ⟨bn.⟩ **0.1** *subsonic* ⇒*infrasonic* ⟨geluidsgolf, trilling⟩.

subspecies ⟨de (v.)⟩ **0.1** *subspecies.*

subst. ⟨afk.⟩ **0.1** [substantief] *sb., subst., n..*

substantie ⟨de (v.)⟩ **0.1** [materie] *substance* ⇒*material, matter* **0.2** [hoofdzaak] *substance* ⇒*main point / thing, essence* **0.3** [⟨fil.⟩] *substance* ◆ **2.1** was is een kneedbare ~ *wax is a pliable s.* **6.2** in ~ *in s. / essence.*

substantieel ⟨bn.,bw.;-ly⟩ **0.1** [op zichzelf bestaand] *substantial* ⇒*independent* **0.2** [voedzaam] *substantial* ⇒*nourishing, filling* **0.3** [van / mbt. de substantie] *substantial* ⇒*real, actual* **0.4** [in hoofdzaak] *substantial* ⇒*essential* ◆ **1.3** de substantiële waarde v.d. muntstukken *the real / actual value of the coins* **1.4** het ~ vereiste v.e. akte *the essence / essential requirements of a certificate* **3.¶** zijn conclusie wijkt niet ~ af v.d. mijne *his conclusion does not differ substantially / importantly from mine* **4.2** iets ~s *sth. substantial / filling* **7.¶** hij had weinig ~s te melden *he had little of importance to tell.*

substantief[1] ⟨het⟩⟨taal.⟩ **0.1** *noun, substantive* ◆ **2.1** een verbaal ~ *verbal noun / substantive, gerund.*

substantief[2] ⟨bn.⟩ **0.1** [zelfstandig zijnde] *substantive* **0.2** [⟨taal.⟩] *substantive* **0.3** [mbt. kleurstoffen] *substantive* ⇒*direct.*

substantiëren ⟨ov.ww.⟩ **0.1** *substantiate* ⇒*substantialize* ◆ **1.¶** een vordering ~ *substantiate a claim.*

substantiveren ⟨ov.ww.⟩⟨taal.⟩ **0.1** *nominalize, substantivize.*

substantivisch ⟨bn.,bw.;-ly⟩⟨taal.⟩ **0.1** *nominal, substantive, substantival* ◆ **3.1** een werkwoord ~ gebruiken *use a verb nominally / substantively / substantivally / as (a) noun.*

substituant ⟨de (m.)⟩ **0.1** [plaatsvervuller] *substitute* ⇒⟨inf.⟩ *sub, replacement* **0.2** [⟨wisk.⟩] *substitute, substituent.*

substitueren ⟨ov.ww.⟩ **0.1** [vervangen] *substitute* ⇒*replace,* ⟨met iets beters⟩ *supersede,* ⟨jur.⟩ *subrogate* **0.2** [⟨wisk.⟩] *substitute* **0.3** [⟨schei.⟩] *substitute* **0.4** [⟨jur.⟩ als tweede erfgenaam aanwijzen] *substitute.*

substitutie ⟨de (v.)⟩ **0.1** [vervanging] *substitution* ⟨ook wisk., schei.⟩ **0.2** [⟨jur.⟩ het overdragen v.e. last] *subrogation* **0.3** [⟨jur.⟩ ondererfstelling] *substitution* ◆ **1.2** recht van ~ *right of s..*

substituut
I ⟨de (m.)⟩ **0.1** [plaatsvervanger] *substitute* ⇒⟨inf.⟩ *sub, replacement,* ⟨BE ook in de kerk; AE ook mbt. rechters⟩ *surrogate,* ⟨waarnemer⟩ *deputy,* [A]*alternate;*
II ⟨het⟩ **0.1** [vervangingsmiddel] *substitute* ⇒*surrogate, succedaneum.*

substituut-griffier ⟨de (m.)⟩⟨jur.⟩ **0.1** *deputy clerk* ⟨ook in parlement⟩.

substraat ⟨het⟩ **0.1** [onderlaag] *substrate, substratum* ⟨ook biol., geol., foto., bioch. en fig.⟩ **0.2** [etnologische onderlaag] *substratum* **0.3** [verdrongen oudste taal] *substratum* ◆ **2.1** deze schimmel groeit alleen op een vast ~ *this fungus only grows on a solid substrate.*

substraatteelt ⟨de⟩ **0.1** *hydroponic cultivation.*

substractie ⟨de (v.)⟩ **0.1** [onttrekking] *withdrawal* **0.2** [aftrekking] *subtraction.*

substratosfeer ⟨de⟩ **0.1** *substratosphere.*

substructuur ⟨de (v.)⟩ **0.1** *substructure* ⇒*substruction.*

subtaal ⟨de⟩⟨taal.⟩ **0.1** *sublanguage.*

subtiel ⟨bn.,bw.⟩ **0.1** [nauwelijks / moeilijk te onderscheiden] *subtle* ⇒*fine(-drawn)* ⟨onderscheid, argument⟩, *nice* ⟨discussiepunt⟩, *sophisticated, underhand* ⟨pej.⟩ [blijk gevend van fijn onderscheidingsvermogen] *subtle* ⇒*sophisticated,* ⟨verfijnd⟩ *delicate* ◆ **1.1** ~e nuances *subtle shades;* een ~ verschil *a subtle / fine distinction* **1.2** een ~ iem. *a sophisticated (d person);* een ~ e waarnemer *a sophisticated / subtle observer* **3.2** iets ~ opmerken / brengen *observe / put sth. subtly / delicately* **5.1** (al) te ~ *oversubtle, fine-spun, tenuous.*

subtiliteit ⟨de (v.)⟩ **0.1** [verfijnd onderscheid] *subtlety* ⇒⟨van discussiepunt⟩ *nicety,* ⟨van discussie⟩ *sophistication* **0.2** [fijn onderscheidingsvermogen] *subtlety* ⇒*sophistication,* ⟨verfijnd⟩ *delicacy* **0.3** [⟨pej.⟩] spitsvondigheid, haarkloverij] *subtlety* ⇒*hairsplitting, quibble.*

subtop ⟨de (m.)⟩ **0.1** *second rank* ⇒*B-grade* ◆ **3.1** tot de ~ behoren *be of the second rank / not quite first class;* niet boven de ~ uitkomen *not rise above the second rank, not get to the top, not make the top grade.*

subtopper ⟨de (m.)⟩⟨sport⟩ **0.1** *second-rank player / competitor.*

subtotaal ⟨het⟩ **0.1** *subtotal* ◆ **3.1** het ~ berekenen *subtotal.*

subtractief ⟨bn.⟩ **0.1** *absorbent* ◆ **1.1** subtractieve kleuren *absorption colours.*

subtropen ⟨zn.mv.⟩ **0.1** *subtropics.*
subtropisch ⟨bn.⟩ **0.1** *subtropical* ◆ **1.1** een ~ klimaat *a s. climate.*
suburbanisatie ⟨de (v.)⟩ **0.1** *suburbanization.*
subversie ⟨de (v.)⟩ **0.1** *subversion.*
subversief ⟨bn.⟩ **0.1** *subversive* ⇒*undermining* ⟨activiteit⟩ ◆ **1.1** subversieve actie *s. action;* subversieve elementen *s. elements, subverters.*
succes ⟨het⟩ **0.1** [goede afloop, welslagen, bijval] *success* ⇒*luck* **0.2** [iets dat geslaagd is] *success* ⇒*achievement,* ⟨sport⟩ *win,* ⟨slimme zet⟩ *coup, strike* ◆ **2.1** een eenmalig ~ behalen *be lucky for once;* eindeloze ~ sen boeken *sweep all before one;* een goedkoop ~ je boeken *achieve/score a cheap s.;* een overrompelend ~ behalen *carry the world/all before one;* met toenemend ~ *from strength to strength;* veel ~ toegewenst! *good luck!, the best of luck!;* ⟨formeel⟩ *I wish you every s.* **2.2** de show was een daverend ~ *the show was an overwhelming/a roaring/resounding success/a smashhit/* [B]*went like a bomb;* het bleek een onverwacht ~ *it was an unexpected success/a bonanza/* [A]*a sleeper* **3.1** ~ boeken ⟨ook⟩ *get ahead* ⟨met carrière⟩; *get there;* de zaak had ~ *the business flourished/prospered;* het idee had ~ *the idea got across/* ⟨inf.; sterker⟩ *clicked;* heb je ~ gehad? *did you succeed/make it?;* ~ hebben bij de vrouwtjes *make a hit with (the) women,* *score with the girls/* ⟨BE⟩ *birds;* geen ~ hebben ⟨mbt. behandeling/persoon⟩ *be unsuccessful, fail;* ⟨mbt. grap/verhaal/toneelstuk⟩ *fall flat;* weinig ~ hebben/boeken *have little s.;* ~ proeven/ruiken *taste/smell s. / blood* **3.2** er een ~ van maken *make a go/success of sth.;* ik vind dat gedicht niet zo'n ~ *I do not think much of that poem;* een groot ~ zijn *be a big success/* ⟨inf.⟩ *hit* **6.1** ~ met je rijexamen! *good luck with your driving test!;* iets met ~ doen/voltooien *do/complete sth. successfully/effectually/with s. / to good purpose;* hij heeft van alles geprobeerd, maar zonder ~ *he has tried everything but to no avail/purpose/without s. /* [A]*no soap/* [A]*no dice.*
succesartikel ⟨het⟩ **0.1** *successful item* ⇒*hit, best seller.*
succesnummer ⟨het⟩ **0.1** *hit* ⇒⟨lied⟩ *hit number,* ⟨AE ook; sl.⟩ *gas(ser), best seller.*
successie ⟨de (v.)⟩ **0.1** [erfopvolging] *succession* **0.2** [erfenis] *succession* ◆ **2.¶** ⟨r.k.⟩ de apostolische ~ *apostolic s.* **6.¶** voor de vierde maal in ~ *the fourth time in s. / a row/running.*
successiebelasting ⟨de (v.)⟩ **0.1** *death duty/* [A]*tax* ⇒*succession duty/* [A]*tax,* ⟨AE ook⟩ *inheritance tax, probate duty* ◆ **¶.1** vrij van ~ *free from d. d. / t.* ⟨enz.⟩
successief ⟨bn.⟩ **0.1** *successive* ⇒*consecutive, successional* ◆ **1.1** zijn successieve pogingen *his successive attempts.*
successieoorlog ⟨de (m.)⟩ **0.1** *war of succession* ◆ **2.1** de Spaanse Successieoorlog *the War of the Spanish Succession.*
successierecht ⟨het⟩ →**successiebelasting.**
successievelijk ⟨bw.⟩ **0.1** *successively* ⇒*gradually, one by one* ◆ **¶.1** ik heb ze ~ de deur uitgewerkt *I turned them out one by one.*
succesvol ⟨bn., bw.; -ly⟩ **0.1** *successful* ⇒*effective, big* ⟨persoon⟩, ⟨AE ook; sl.⟩ *ace-high* ◆ **1.1** een ~ le behandeling *a s. treatment;* een ~ le loopbaan *a s. career;* een ~ (le) man/vrouw *a golden boy/girl;* een ~ le periode *a run of success.*
succulent[1] ⟨de (m.)⟩ ⟨plantk.⟩ **0.1** *succulent.*
succulent[2] ⟨bn.⟩ **0.1** *succulent* ⇒*juicy.*
succulentie ⟨de (v.)⟩ **0.1** *succulence.*
sucrose ⟨de⟩ ⟨schei.⟩ **0.1** *sucrose* ⇒*saccharose.*
sudderen ⟨onov.ww.⟩ **0.1** *simmer* ⟨ook fig.⟩ ◆ **3.1** iets gaar laten ~ *simmer sth. until (it is) ready/cooked;* iets op een zacht pitje laten ~ ⟨fig.⟩ *let sth. tick over, keep sth. ticking over.*
sudderlap ⟨de (m.)⟩ **0.1** *braising steak* ⇒*skirt.*
sudderpit ⟨de⟩ **0.1** *simmering ring/burner.*
sudderplaat ⟨de⟩ **0.1** *simmering plate.*
Sudeten ⟨zn.mv.⟩ **0.1** *Sudeten Mountains, Sudetes.*
suède[1] ⟨het, de⟩ **0.1** *suede, suède.*
suède[2] ⟨bn.⟩ **0.1** *suede, suède* ◆ **1.1** ~ schoenen *suede shoes.*
Suezkanaal ⟨het⟩ **0.1** *Suez Canal.*
suf ⟨bn., bw.; -(i)ly⟩ **0.1** [niet helder van geest] *drowsy* ⇒*dozy,* ⟨door druggebruik⟩ *dopey,* ⟨vnl. door ziekte⟩ *groggy,* ⟨inf.⟩ *snoozy* **0.2** [dom] *slow(-witted)* ⇒*thick(-headed/-witted), silly, lumpish, dunderheaded* **0.3** [sufheid veroorzakend] *soporific* ⇒*sleepy, soporiferous, somnolent* ◆ **1.1** met mijn ~ fe kop *with my groggy/sleepy head* **1.3** ~ werk *soporific/sleepy work* **3.1** ⟨fig.⟩ zich ~ peinzen *search/rack one's brains, beat one's brains out, think o.s. silly;* ⟨fig.⟩ zich ~ werken *work one's fingers to the bone;* ⟨fig.⟩ zich ~ zoeken *search till one drops* **6.1** ik ben ~ van verkoudheid *I am groggy with this cold* **¶.2** wat ~ van me, dat ik dat kon vergeten *how silly of me to forget that.*
sufferd ⟨de (m.)⟩ **0.1** *duffer* ⇒*fathead, mug(gins), pin-/muddle-head* ◆ **2.1** een oude ~ *an old d. / fog(e)y* **¶.1** ~! kijk toch uit *idiot/fathead! look out where you're going.*
sufferig →**suffig.**
sufficiënt ⟨bn.⟩ **0.1** *sufficient* ⇒*adequate, enough.*

sufficiëntie ⟨de (v.)⟩ **0.1** [toereikendheid] *sufficiency* **0.2** [zelfgenoegzaamheid] *self-sufficiency* ⇒*complacency.*
suffig ⟨bn., bw.; -ly⟩ **0.1** *sleepy* ⇒*dull, somnolent,* ⟨inf.⟩ *punchy, woozy* ◆ **3.1** ~ kijken/antwoorden *look/answer sleepily/somnolently.*
suffix ⟨het⟩ ⟨taal.⟩ **0.1** *suffix* ⇒*postfix* ◆ **3.1** als/een ~ toevoegen aan *suffix, postfix.*
suffragaan ⟨bn.⟩ **0.1** *suffragan* ◆ **1.1** een ~ bisdom *s. diocese.*
suffragaanbisschop ⟨de (m.)⟩ **0.1** *suffragan bishop.*
suffragette ⟨de (v.)⟩ **0.1** *suffragette.*
sufheid ⟨het⟩ **0.1** *drowsiness* ⇒*dullness, grogginess,* ⟨domheid⟩ *thick-headedness, dunderheadedness.*
suggereren ⟨ov.ww.⟩ **0.1** [de suggestie doen] *suggest* ⇒*put forward* **0.2** [de suggestie wekken] *suggest* ⇒⟨indirect⟩ *insinuate, intimate* ⟨zijdelings⟩, ⟨schr.⟩ *argue,* ⟨onuitgesproken⟩ *imply* ◆ **1.1** iem. iets ~ *suggest sth. to s.o.* **1.2** zijn houding suggereert schuld *his attitude suggests/is argumentative/indicative of guilt;* haar uiterlijk suggereert wanhoop *her looks argue despair.*
suggestibel ⟨bn.⟩ **0.1** *suggestible* ⇒*impressionable.*
suggestibiliteit ⟨de (v.)⟩ **0.1** *suggestibility* ⇒*impressionability.*
suggestie ⟨de (v.)⟩ **0.1** [opgewekte voorstelling/denkbeeld] *suggestion* ⇒⟨onuitgesproken⟩ *implication,* ⟨indirect⟩ *insinuation, intimation* **0.2** [voorstel] *suggestion* ⇒*proposal, submission, recommendation,* ⟨BE; jur.⟩ *objection* ◆ **0.3** [(jur.) *objection* ◆ **3.1** dat is alleen maar ~ *that has been put into your head;* de ~ wekken dat ... *suggest/imply/insinuate that ...* **3.2** een ~ doen *put forward/make a suggestion/proposal* **6.2** de ~ om te vertrekken *the suggestion that s.o. should leave/to leave.*
suggestief ⟨bn., bw.; -ly⟩ **0.1** [suggestie inhoudend] *suggestive* ⇒*insinuating/insinuative, significant* **0.2** [beelden oproepend] *suggestive* ⇒*evocative, evocatory* **0.3** [vatbaar voor suggestie] *suggestible* ◆ **1.1** een suggestieve vraag *a leading question* **1.2** suggestieve beschrijvingen *s. / evocative descriptions.*
suggestiviteit ⟨de (v.)⟩ **0.1** *suggestiveness* ⇒*evocativeness.*
suïcidaal ⟨bn.⟩ **0.1** *suicidal.*
suïcide ⟨de (v.)⟩ **0.1** *suicide* ◆ **3.1** ~ plegen *commit s.* **6.1** een poging tot ~ *a s. attempt.*
suiker ⟨de (m.)⟩ **0.1** [zoete stof] *sugar* **0.2** [suikerziekte] *diabetes (mellitus)* **0.3** [oplosbaar koolhydraat] *sugar* ◆ **2.1** bruine ~ *brown s.;* fijne ~ ⟨bastersuiker⟩ *castor s.;* geraffineerde ~ *refined s.;* gesponnen ~ *spun s.,* [B]*candy floss,* [A]*cotton candy;* ruwe ~ *crude s.* **3.1** ~ branden *caramelize;* ~ doen in ⟨de koffie e.d.⟩ *sugar, sweeten;* geef mij de ~ even *pass me the s. please* **3.3** ~ omzetten *saccharify* **6.1** je bent toch niet **van** ~ *you won't melt* **6.3** ~ in de urine *glycosuria.*
suikerahorn ⟨de (m.)⟩ **0.1** *sugar maple.*
suikerbakker ⟨de (m.)⟩ **0.1** *confectioner* ⇒*baker, pastry cook.*
suikerbeestje ⟨het⟩ **0.1** *fondant animal.*
suikerbiet ⟨de⟩ **0.1** *sugar beet.*
suikerbietencampagne ⟨de⟩ **0.1** *sugar beet campaign.*
suikerboon ⟨de⟩ **0.1** [suikergoed] *sugared almond* **0.2** [prinsessenboon] *green/* ⟨BE ook⟩ *French bean.*
suikerbrood ⟨het⟩ **0.1** *(Frisian) sugar bread.*
suikerbus ⟨de⟩ **0.1** *sugar pot/tin.*
suikerei ⟨het⟩ **0.1** *sugar Easter egg.*
suikeren[1] ⟨bn.⟩ **0.1** *sugary* ⟨ook fig.⟩ ⇒*sweet, sugar* ⟨in samenst.⟩ ◆ **1.1** ⟨fig.⟩ een ~ brief *a sugary letter;* ⟨fig.⟩ ~ woordjes *sugary words.*
suikeren[2] ⟨ov.ww.⟩ **0.1** *sugar* ⇒*sweeten.*
suikererwt ⟨de⟩ **0.1** [zoete doperwt] *sugar pea* **0.2** [suikerbolletje] *sugar drop.*
suikerfabriek ⟨de (v.)⟩ **0.1** *sugar refinery.*
suikergast ⟨de (m.)⟩ **0.1** *silver-fish.*
suikergehalte ⟨het⟩ **0.1** *sugar/saccharine content/level* ◆ **1.1** bepaling v.h. ~ *saccharimetry, saccharometry.*
suikerglazuur ⟨het⟩ **0.1** *(sugar) icing,* [A]*frosting.*
suikergoed ⟨het⟩ **0.1** *sweets,* [A]*candy* ⇒⟨schr.⟩ *confectionery.*
suikerhart ⟨het⟩ **0.1** *fondant heart.*
suikerhoudend ⟨bn.⟩ **0.1** *saccharine* ⇒*sugary,* ⟨schei.⟩ *sacchariferous.*
suikerig ⟨bn., bw.⟩ **0.1** ⟨ook fig.⟩ *sugary* ⇒*sugared,* ⟨bw.⟩ *in a sugary way/fashion/manner.*
suikerklontje ⟨het⟩ **0.1** *lump/cube of sugar* ⇒⟨AE ook; inf.⟩ *domino.*
suikerkristal ⟨het⟩ **0.1** *sugar crystal.*
suikerlepeltje ⟨het⟩ **0.1** *sugar spoon.*
suikermeloen ⟨de⟩ **0.1** *honeydew melon.*
suikeroom ⟨de (m.)⟩ **0.1** *rich uncle.*
suikerpatiënt ⟨de (m.), -e ⟨de (v.)⟩⟩ **0.1** *diabetic* ◆ **6.1** brood/voedsel voor ~ en *diabetic bread/food.*
suikerplantage ⟨de (v.)⟩ **0.1** *sugar plantation/estate.*
suikerpot ⟨de⟩ **0.1** *sugar bowl/pot.*
suikerraffinaderij ⟨de (v.)⟩ **0.1** *sugar refinery.*
suikerriet ⟨het⟩ **0.1** [plant] *sugar cane* **0.2** [stengels] *cane.*
suikerschepje ⟨het⟩ **0.1** *sugar spoon.*
suikerspin ⟨de⟩ **0.1** [B]*candy floss,* [A]*cotton candy* ⇒*spun sugar.*
suikerstrooier ⟨de (m.)⟩ **0.1** *sugar castor/dredger/sifter/shaker/* ⟨voor poedersuiker⟩ *duster.*

suikerstroop ⟨de⟩ **0.1** [suiker bevattende stroop] ᴮ*treacle*, ᴬ*molasses* ⇒ *syrup* **0.2** [stroop waaruit suiker gewonnen kan worden] *molasses* **0.3** [⟨far.⟩ stroop] *syrup*.

suikertang ⟨de⟩ **0.1** *sugar tongs*.

suikertante ⟨de (v.)⟩ **0.1** *rich aunt*.

suikervrij ⟨bn.⟩ **0.1** *sugarless* ⇒⟨voor diabetici⟩ *diabetic, sugar-free* ⟨dieet, voedsel⟩ ♦ **1.1** zijn urine is ~ *his urine is non-glycosuric*.

suikerwater ⟨het⟩ **0.1** *sugar and water, sugared water*.

suikerwerk ⟨het⟩ ⟨verz.n.⟩ **0.1** ᴮ*sweets*, ᴬ*candy* ⇒*confectionery*.

suikerwortel ⟨de (m.)⟩ **0.1** [zoete variëteit v.d. gewone wortel] *skirret* **0.2** [suikerbiet] *sugar beet* **0.3** [spitse zuring] *sweet dock*.

suikerzakje ⟨het⟩ **0.1** *sugar bag*.

suikerziek ⟨bn.⟩ **0.1** *diabetic*.

suikerzieke ⟨de (m.)⟩ **0.1** *diabetic* ♦ **6.1** van/voor ~n *diabetic*.

suikerziekte ⟨de (v.)⟩ **0.1** *diabetes (mellitus)* ♦ **3.1** aan ~ lijden *have diabetes, be a diabetic*.

suikerzoet ⟨bn., bw.⟩ **0.1** *sugary* ⇒*sugared, saccharine*, ⟨inf.⟩ *lovey-dovey*, ⟨bw.⟩ *in a sugary way/fashion/manner* ♦ **1.1** ⟨fig.⟩ op ~e toon iets vragen *ask sth. in a sugary voice*; ⟨fig.⟩ ~e woordjes *sugary/sugared/saccharine/honeyed words*.

suite ⟨de⟩ **0.1** [kamer(s)] *suite (of rooms)* ⇒*apartment* **0.2** [muziekstuk] *suite* ⇒*partita* **0.3** [gevolg v.e. vorst] *suite* ⇒*train, retinue, following* ♦ **3.1** een ~ huren in een hotel *rent a s. in a hotel* ¶**.1** kamers en ~ *rooms en s.* ¶**.3** ⟨mil.⟩ officier à la ~ *unattached officer*, ⟨mil.⟩ à la ~ plaatsen (bij) *second*.

suizebollen ⟨onov.ww.⟩ **0.1** *reel* ⇒*stagger, be/feel/get giddy/dizzy* ♦ **3.1** een slag op het hoofd deed hem ~ *a blow on the head sent him reeling/staggering*; iem. doen ~ *knock s.o. silly*.

suizelen ⟨onov.ww.⟩ **0.1** [zachtjes suizen] *murmur* ⟨wind⟩; *sing* ⟨ketel⟩; *whisper, sough* ⟨wind, bomen⟩; ⟨wind ook⟩ *sigh; rustle* ⟨boom, papier⟩ **0.2** [duizelen] *be/get/feel dizzy/giddy* ⇒*reel, stagger*.

suizelig ⟨bn.⟩ **0.1** *dizzy* ⇒*giddy*.

suizeling ⟨de (v.)⟩ **0.1** [het zacht suizen] *murmuring* ⟨wind⟩; *singing* ⟨ketel⟩; *whispering, soughing* ⟨wind, bomen⟩; ⟨wind ook⟩ *sighing; rustling* ⟨boom, papier⟩ **0.2** [duizeligheid] *dizziness* ⇒*giddiness*.

suizen ⟨onov.ww.⟩ **0.1** [zacht ruisen] *rustle* ⟨bomen, papier⟩ ⇒*sing* ⟨water, oren⟩, *whisper, sough* ⟨wind, bomen⟩, ⟨wind ook⟩ *sigh, ⟨wind/water ook⟩ *murmur, swish* ⟨stof⟩ **0.2** [zich snel voortbewegen] *whizz* ⇒*whoosh* ⟨wind, water⟩, *zip* ⟨mensen, vervoermiddelen, kogels⟩, ⟨mensen/vervoermiddelen ook⟩ *hurtle*, ⟨kogels ook⟩ *zing* ♦ **1.1** de bomen ~ *the trees r./are rustling*; mijn oren ~ *my ears are singing/ringing*; het water suist *the water is singing* **1.2** in ~de vaart *at a zipping pace, whizzing/hurtling along* **5.2** de auto suisde voorbij *the car whizzed/zipped past* **7.1** het ~ v.d. wind *the sough/sighing of the wind*.

suizing ⟨de (v.)⟩ **0.1** *rustling* ⟨bomen, papier⟩; *singing* ⟨water⟩; *whispering, soughing* ⟨wind, bomen⟩; *swishing* ⟨stof⟩ ♦ **6.1** ~en in het oor hebben *have a ringing in the ear*.

suja ⟨tw.⟩ **0.1** *sleep* ⇒*hushaby*.

sujet ⟨het⟩ **0.1** [onguur individu] *character* ⇒*scapegrace* ⟨waardeloos; scherts.⟩, ⟨verachtelijk⟩ *skunk*, ⟨inf.⟩ *customer* **0.2** [persoon/zaak waarmee men zich bezighoudt] *subject* ♦ **2.1** een gemeen ~ *a rotten skunk*; een onbetrouwbaar ~ *a shady customer/character*; een verlopen ~ *a seedy character* **6.1** met zo'n ~ zou ik me maar niet inlaten *I wouldn't have anything to do with a character like that/such a character*.

sukade ⟨de⟩ **0.1** *candied peel* ⇒*citron*.

sukadekoek ⟨de (m.)⟩ **0.1** ⟨cake with candied peel⟩.

sukadelappen ⟨zn.mv.⟩ **0.1** *stewing steak*.

sukkel ⟨de (m.)⟩ **0.1** [dom/onhandig persoon] *duffer* ⇒⟨BE ook; inf.⟩ *mug, muggins, coot, dolt, oaf* **0.2** [beklagenswaardig/hulpbehoevend persoon] *poor soul/beggar* ⇒*wretch, lame dog/duck* **0.3** [het sukkelen] ⟨mbt. gezondheid⟩ *ill-health* ⇒*poor/bad/indifferent health*, ⟨mbt. tegenslag⟩ *set-backs, blows, misfortunes* ♦ **6.3** hij is erg **aan** de ~ *he's in ill-health; he is suffering many set-backs/blows/misfortunes*.

sukkelaar ⟨de (m.)⟩ **0.1** [beklagenswaardig/hulpbehoevend persoon] *lame dog/duck* ⇒*wretch, poor soul/beggar* **0.2** [dom/onhandig persoon] (→sukkel).

sukkeldrafje ⟨het⟩ **0.1** *jog(trot)* ⇒⟨dog⟩*trot* ♦ **6.1** op een ~ lopen *jog(trot)*; het paard **op** een ~ laten lopen *jog a horse*.

sukkelen ⟨onov.ww.⟩ **0.1** [telkens weer/aanhoudend ziek(elijk) zijn] *ail* ⇒*be ailing/weakly/an invalid, suffer (from sth.)* **0.2** [moeilijkheden ondervinden] *muddle along/on* ⇒*struggle/wrestle with* **0.3** [sjokken] *trudge* ⇒*plod, shamble (along)*, ⟨half rennend⟩ *trot* **0.4** [onbedoeld terechtkomen/raken] *fall (into sth.)* ♦ **3.1** ze begint te ~ ⟨bv. oude mensen⟩ *her health is beginning to fail*; (je kan beter naar de dokter gaan,) anders blijf je ~ *(you had better go to the doctor) otherwise it'll keep playing up/it won't get any better/it'll go on bothering you* **5.1** langzaam maar zeker achteruitsukkelen *get worse and worse, slowly go downhill* **5.3** achter iem. aan ~ *t./plod along behind s.o./trot along behind s.o.* ⟨vnl. mbt. een kind⟩ **6.1** hij sukkelt **met** zijn gezondheid *he is poorly/in bad health* **6.2** het blijft ~ **met** die jongen *that boy will never come to anything/is a dead loss*; waarom blijven ~ **met** een

tweedehands auto als ... *why put up with/have all the trouble of a second-hand car if ...* **6.3** wij sukkelden **naar** huis *we trudged home* **6.4 in** slaap ~ *doze/drop off*.

sukkelgangetje ⟨het⟩ **0.1** *jog(trot)* ⇒⟨sloffend⟩ *shambling gait*, ⟨fig.⟩ *a snail's pace* ♦ **6.1** het gaat met een ~ *things are going at snail's pace/crawling along*.

sukkelig ⟨bn., bw.;-ly⟩ **0.1** [als een sukkel] *awkward* ⇒*clumsy, doltish*, ⟨dom, onhandig⟩ *wet*, ⟨onhandig ook⟩ *muddling, bungling* **0.2** [sukkelend] *sickly* ⇒*weak, ailing* ♦ **2.2** zwak en ~ *weak and ailing*.

sul ⟨de (m.)⟩ **0.1** [goeierd] *softy* ⇒*sucker, greenhorn, wet*, ⟨vero.⟩ *gull*, ⟨AE; sl.⟩ *wrist-slapper*, ⟨AE; inf.⟩ *rubber-neck* **0.2** [sukkel] *dolt* ⇒⟨BE ook⟩ *mug, muggins, twirp, dullard, cuckoo, juggins* ♦ **2.1** 't is een goeie ~ *he is a good-natured sucker/greenhorn/softy* **3.1** ze vond hem maar een ~letje *she found/thought him self a softy*.

sulfa ⟨de⟩ ⟨med.⟩ **0.1** *sulpha (drug)* ⇒*sulphonamide*.

sulfaat ⟨het⟩ **0.1** [⟨schei.⟩] *sulphate* ᴬ*fate* ⇒*vitriol* **0.2** [⟨geol.⟩] *gypsum* ⇒*heavy spar*.

sulfamide ⟨het⟩ **0.1** *sulphonamide* ⇒*sulpha (drug)*.

sulfanilamide ⟨het⟩ ⟨med.⟩ **0.1** *sulphanilamide* ᴬ*sulfanilamide*.

sulfer ⟨het, de (m.)⟩ **0.1** *sulphur* ᴬ*fur*.

sulfide ⟨het⟩ **0.1** [⟨schei.⟩] *sulphide* ᴬ*fide* **0.2** [⟨geol.⟩] *sulphide ores*.

sulfiet ⟨het⟩ **0.1** *sulphite* ᴬ*fite*.

sulfonamiden ⟨zn.mv.⟩ ⟨med.⟩ **0.1** *sulphonamides* ⇒*sulpha (drugs)*.

sulky ⟨de (m.)⟩ **0.1** *sulky*.

sullig ⟨bn., bw.⟩ **0.1** [(te) goeiig] *soft* ⇒*wet, sappy*, ⟨kind.⟩ *goody(-goody), soggy* **0.2** [dom] *doltish* ⇒*gawky, gawkish, goofy, oafish, sheepish* ♦ **3.1** er ~ uitzien *look like a sucker*.

sultan ⟨de (m.)⟩ **0.1** *sultan* ⇒⟨vero.⟩ *soldan* ♦ **1.1** de ~ van Turkije *the Sultan of Turkey*; ⟨als titel⟩ *Grand S(e)ign(i)or*.

sultanaat ⟨het⟩ **0.1** *sultanate* ♦ **1.1** het ~ Marokko *the s. of Morocco*.

sultanarozijn ⟨de⟩ **0.1** *sultana*.

sultane ⟨de (v.)⟩ **0.1** [gemalin v.e. sultan] *sultana* ⇒⟨vero.⟩ *sultaness* **0.2** [gebakje] *sultana tart* ⟨cake with seedless raisins⟩.

Sumerisch ⟨bn.⟩ ⟨gesch.⟩ **0.1** *Sumerian*.

summa[1] ⟨de⟩ **0.1** *summa* ⇒*sum* ¶**.1** ~ summarum *summa summarum, summing up, in sum*.

summa[2] ⟨bn.⟩ **0.1** *summa* ⇒*highest* ♦ **6.1** ~ cum laude *s. cum laude*, ⟨BE ook⟩ *first (class honours degree)*.

summair ⟨bn., bw.;-(i)ly⟩ ⟨schr.⟩ **0.1** *summary* ⇒*curt, brief, concise*.

summatie ⟨de (v.)⟩ **0.1** *summation*.

summeren ⟨onov., ov.ww.⟩ **0.1** *sum (up)* ⇒*add (up)*.

summier ⟨bn., bw.;-(i)ly⟩ **0.1** [kort samenvattend] *summary* ⇒*brief, concise, curt* **0.2** [gering] *summary* ⇒*outside, scanty* ⟨kennis, feiten⟩ ♦ **1.1** een ~ overzicht *a summary (review/survey)*; ⟨jur.⟩ ~e procesorde *s. jurisdiction/justice/proceedings* **2.2** een ~ bedrag *a trifling amount/sum of money* **3.1** ⟨jur.⟩ de zaak wordt ~ behandeld *the case will be summarily dealt with*.

summum ⟨het⟩ **0.1** *height* ⇒*maximum, acme, peak, summit, top* ⟨roem, ambitie, succes⟩, *zenith, climax* ⟨gebeurtenis⟩, ⟨vnl. negatief⟩ *limit* **1.1** het ~ van saaiheid/verveling ⟨inf.⟩ *Dullsville; utter boredom* **3.1** dat is het ~ ⟨positief⟩ *that is the absolute maximum/zenith/climax*; ⟨negatief⟩ *that is the end/absolute limit* **6.1** het ~ **van** dwaasheid *the h. of folly*.

sup. ⟨afk.⟩ **0.1** [supra] *sup.*.

super[1] ⟨de⟩ **0.1** *super* ⇒⟨BE ook⟩ *4 star*.

super[2] ⟨bn., bw.⟩ ⟨vaak in samenst.⟩ **0.1** ⟨bn.⟩ *super* ⇒*outstanding, superb, excellent, first class*, ⟨sl.⟩ *superduper*, ⟨bw.⟩ *in a super way/fashion/manner, outstandingly, superbly, exceedingly*, ⟨in samenst. ook⟩ *supra-, mega-* ♦ **2.1** superfijn *superfine* **3.1** het weer is ~! *the weather is superb!* ¶**.1** super-de-luxe *super-de-luxe*; ⟨BE; inf.⟩ *slap-up*.

superarbiter ⟨de (m.)⟩ **0.1** *final arbiter* ⇒⟨jur. ook⟩ *umpire* ♦ **8.1** als ~ optreden *arbitrate*.

superbe ⟨bn., bw.;-ly⟩ **0.1** *superb*.

superbenzine ⟨de⟩ **0.1** ᴮ*4 star petrol*, ᴬ*high octane gas(oline)* ⇒⟨BE ook⟩ *premium petrol*.

superdividend ⟨het⟩ ⟨hand.⟩ **0.1** *extra dividend*.

superego ⟨het⟩ ⟨psych.⟩ **0.1** *superego*.

superette ⟨de⟩ **0.1** *mini-supermarket*.

superflu ⟨het⟩ **0.1** *superfluity*.

superfluïdum ⟨het⟩ **0.1** *superfluidity*.

superfosfaat ⟨het⟩ **0.1** *superphosphate*.

supergeleidend ⟨bn.⟩ **0.1** *superconductive* ⇒*superconducting*.

supergeleider ⟨de (m.)⟩ **0.1** *superconductor*.

supergeleiding ⟨de (v.)⟩ ⟨nat.⟩ **0.1** *superconductivity*.

superheffing ⟨de (v.)⟩ ⟨landb.⟩ **0.1** *superlevy* ♦ **6.1** er is onder boeren grote weerstand **tegen** de ~ *there is great resistance among farmers to the s.*.

superheterodyn ⟨bn.⟩ ⟨com.⟩ ♦ **1.**¶ ~e ontvanger *superheterodyne receiver*; ⟨sl.⟩ *superhet*.

superieur[1] ⟨de (m.)⟩ **0.1** [letter, cijfer] *superior* **0.2** [persoon] *superior* ⇒⟨inf.⟩ *super*, ⟨wijzer, meer ervaren⟩ *better* ♦ **2.2** haar onmiddellijke ~ *her immediate s.* **3.2** hij is mijn ~ *he is my s./above me*.

superieur[2] ⟨bn., bw.;-ly⟩ **0.1** [hooghartig, arrogant] *superior* ⇒*supercil-*

ious, arrogant, haughty, high and mighty **0.2** [beter] *superior* ⇒*better, classy,* ^*fancy* ⟨voedingswaren⟩, *highgrade, upper, vintage* ⟨wijn⟩ **0.3** [het best] *superior* ⇒*master, Olympian, supereminent, transcendent, outstanding,* ⟨AE;inf.⟩ *out-of-sight, outasight, far out* **0.4** [van cijfers/ letters] *superior* ◆ **1.1** zijn ~e houding *his superior/holier-than-thou attitude* **1.3** van ~e kwaliteit *of superior quality, pukkah/pucka;* ~e poëzie *superior/supereminent/outstanding poetry* **1.4** ~e cijfers/let-ters/tekens *superscript, suprascript.* **3.1** hij doet altijd zo~ *he is al-ways so superior/supercilious/high and mighty;* ~ glimlachen *give a superior smile, smile superiorly* **3.2** zich ~ voelen *feel s.* **6.2** ~ zijn **aan** de tegenstander *be s. to/better than one's opponent.*

superieure ⟨de (v.)⟩ **0.1** [vrouwelijke superieur] *(female) superior* ⇒ ⟨inf.⟩ *super* **0.2** [kloostermoeder] *(Mother) Superior.*

superinfectie ⟨de (v.)⟩ **0.1** *superinfection* ⇒*reinfection, second infection.*

superintendent ⟨de (m.)⟩ **0.1** *superintendent* ⇒⟨inf.⟩ *super.*

superior ⟨de (m.)⟩ **0.1** *superior* ⇒⟨in klooster ook⟩ *Superior,* ⟨inf.⟩ *super.*

superioriteit ⟨de (v.)⟩ **0.1** [het meer (waard) zijn] *superiority* ⇒*advan-tage, pre-eminence, supremacy, transcendence* **0.2** [zeer hoge kwali-teit] *superiority* ⇒*pre-eminence, transcendence* ◆ **1.1** de ~ van hun bewapening *the superiority of their armament(s)* **1.2** de ~ van zijn spel wekte aller bewondering *the s. of his game/play excited admiration* **3.1** waarin bestaat hun ~? *what defines them as/makes them supe-rior?;* iemands ~ erkennen *recognise s.o.'s superiority.*

superioriteitsgevoel ⟨het⟩ **0.1** *feeling of superiority* ◆ **2.1** mannelijk ~ *male chauvinism.*

superklasse[1] ⟨de (v.)⟩ **0.1** *superclass.*

superklasse[2] ⟨bn.⟩ **0.1** *first-/top-class.*

superlatief ⟨de (m.)⟩ **0.1** [⟨taal.⟩ overtreffende trap] *superlative* ⇒*su-perlative degree* **0.2** [woord van lof] *superlative* ◆ **6.1** (een adjectief) **in** de ~*s. (adjective)* **6.2** zich uitputten **in** superlatieven *be liberal with/profuse in superlatives/(one's) praise.*

supermacht ⟨de⟩ **0.1** *superpower.*

supermarkt ⟨de⟩ **0.1** *supermarket* ⇒*superstore.*

supermens ⟨de (m.)⟩ **0.1** *superman, superwoman.*

supernaturalisme ⟨het⟩ **0.1** *supernaturalism.*

supernaturalistisch ⟨bn.⟩ **0.1** *supernaturalist(ic).*

supernormaal ⟨bn., bw.⟩ **0.1** *supernormal.*

supernova ⟨de⟩ **0.1** *supernova.*

superomroep ⟨de (m.)⟩ **0.1** *super broadcasting organization.*

superoxyde ⟨het/⟨schei.⟩ **0.1** [peroxyde] *peroxid* **0.2** [waterstof-(su)peroxyde] *superoxide* ⇒⟨verk.;inf.⟩ *peroxide.*

superplie ⟨het⟩⟨r.k.⟩ **0.1** *surplice* ⇒⟨kort⟩ *cotta* ◆ **6.1 in** ~ *surpliced.*

superpositie ⟨de (v.)⟩ **0.1** *superposition* ⇒⟨bovenop, overheen⟩ *super-imposition.*

superscript ⟨bn.⟩ **0.1** *superscript, suprascript* ⇒*superior* ◆ **1.1** ~ teken/ letter/cijfer *superscript.*

superscriptie ⟨de (v.)⟩ **0.1** *superscription.*

supersonisch ⟨bn.⟩ **0.1** *supersonic* ◆ **1.1** ~e knal *sonic boom/bang;* ~e vliegtuigen *s. airliners/(aero)planes/*⟨AE vnl.⟩ *airplanes.*

superstitie ⟨de (v.)⟩ **0.1** *superstition.*

superstitieus ⟨bn.⟩ **0.1** *superstitious.*

superstraat ⟨taal.⟩ **0.1** *superstratum.*

superstructuur ⟨de (v.)⟩ **0.1** *superstructure.*

supertaks ⟨de⟩⟨AZN⟩ **0.1** *supertax* ⇒*surtax.*

supertanker ⟨de (m.)⟩ **0.1** *supertanker.*

supervisant ⟨de (m.)⟩ **0.1** *supervisee.*

superviseren ⟨onov., ov.ww.⟩ **0.1** *supervise.*

supervisie ⟨de (v.)⟩ **0.1** *supervision* ⇒*superintendence, superintendency* ⟨op werk⟩, *oversight, direction* ⟨bij uitvoering van iets⟩, *management* ◆ **3.1** over iem./iets de ~ krijgen *get the supervision/direction of s.o. /sth.* **6.1 onder** ~ staan van *be under the supervision of/supervised by.*

supervisor ⟨de (m.)⟩ **0.1** *supervisor* ⇒*tutor* ⟨school en universiteit⟩, *overseer* ⟨op werk⟩, *superintendent, proctor* ⟨GB, voor de ordehand-having op universiteiten; USA, op school⟩, ⟨inf.⟩ *super.*

superwinst ⟨de (v.)⟩ **0.1** *outstanding/excess profit.*

supinatie ⟨de (v.)⟩ **0.1** [handbeweging] *supination* **0.2** [voetbeweging] *supination.*

supineren ⟨ov.ww.⟩ **0.1** *supinate.*

supinum ⟨het⟩⟨taal.⟩ **0.1** *supine* ⇒⟨afk.⟩ *sup..*

supplement ⟨het⟩ **0.1** [bijvoegsel] *supplement* ⇒*supplemental, supple-mentary,* ⟨alg.⟩ *addition* **0.2** [⟨wisk.⟩] *supplement* ◆ **2.1** uitneembaar ~ *pullout* **6.1** een ~ **op** (de tiendelige reeks) *a supplement to (the ten part/volume series).*

supplementair ⟨bn., bw.; -ly⟩ **0.1** *supplementary* ⇒*supplemental, addi-tional, subsidiary, auxiliary, peripheral* ⟨computer⟩ ◆ **1.1** ~ inkomen *supplementary/additional income, perquisite;* ~e kre-diet *a supplementary credit;* ~e reclamespot ^*piggyback commercial/ ad.*

suppleren ⟨ov.ww.⟩ **0.1** [⟨bankwezen⟩ tekort aanzuiveren] *pay the mar-gin, make an additional payment/deposit* **0.2** [vervangen] *replace* ⇒ *substitute.*

suppletie ⟨de (v.)⟩ **0.1** ⟨taal.⟩ *suppletion;* ⟨geldw.⟩ *supplement(ation);* ⟨in samenst.⟩ *supplementary.*

suppletoir ⟨bn.⟩ **0.1** *supplemental, supplementary* ⇒*additional,* ⟨vero.⟩ *suppletory* ◆ **1.1** ~e begroting *supplemental/supplementary budget;* ~e eed *suppletory oath.*

suppliëren ⟨ov.ww.⟩⟨schr.⟩ **0.1** *supplicate* ⇒*plead,* ⟨schriftelijk⟩ *peti-tion.*

supponeren ⟨ov.ww.⟩ **0.1** *suppose* ⇒*presume.*

suppoost ⟨de (m.)⟩ **0.1** *attendant* ⇒*keeper.*

support ⟨het⟩ **0.1** [steun, voetstuk] *support* ⇒*pedestal,* ⟨aan object vast⟩ *foot* **0.2** [deel v.e. draaibank] *tail-/head-stock* **0.3** [ondersteu-ning] *support* ⇒⟨praktisch⟩ *aid, approval* ⟨voor goede doel, politieke partij⟩ ◆ **3.3** ~ geven *give s., support.*

supporter ⟨de (m.)⟩ **0.1** *supporter* ⇒*follower, fan, devoter,* ⟨AE ook⟩ *rooter,* ⟨vnl. stierengevecht⟩ *aficionado* ◆ **6.1** hij is een trouw ~ **van** Fortuna *he is a regular Fortuna s., he follows Fortuna.*

supporterslegioen ⟨het⟩ **0.1** *legion of supporters.*

supportersvereniging ⟨de (v.)⟩ **0.1** *supporters' club/association.*

suppositie ⟨de (v.)⟩ **0.1** *supposition* ⇒*hypothesis.*

suppressie ⟨de (v.)⟩ **0.1** [afschaffing] *suppression* **0.2** [onderdrukking] *suppression.*

supprimeren ⟨ov.ww.⟩ **0.1** [afschaffen] *suppress* ⇒*eliminate, abolish, do away with* **0.2** [achterwege laten] *omit (to do)* ⇒*withhold* ⟨glimlach, publicatie⟩ **0.3** [onderdrukken] *suppress* ⇒*put down* ⟨oproer e.d.⟩, *eliminate, repress.*

supra ⟨bw.⟩ **0.1** *above* ⇒*supra* ◆ ¶.1 ut ~ *as above.*

suprageleiding ⟨de (v.)⟩ **0.1** *supraconductivity, superconductivity.*

supralogisch ⟨bn.⟩ **0.1** *supraconscious* ⇒*supralogical.*

supranationaal ⟨bn.⟩ **0.1** *supranational.*

supranaturalisme ⟨het⟩ **0.1** *supranaturalism.*

suprematie ⟨de (v.)⟩ **0.1** [oppergezag] *supremacy* ⇒*supreme authority* **0.2** [oppermacht] *supremacy* ⇒*supreme power, sovereignty, superiori-ty* ◆ **1.1** de ~ v.d. paus in de r.k. Kerk *the supremacy of the Pope in the R.C. Church* **3.2** Engeland bezat lange tijd de ~ ter zee *for a long time England had supremacy at sea/ruled the waves.*

suprème ⟨bn.⟩ **0.1** *supreme* ⇒*ultimate, extreme, highest* ◆ **1.1** ~ minach-ting *s. disdain/scorn, subtle contempt;* op dit ~ moment *at the crux/ crunch/critical point* ¶.1 dit is het moment ~ *this is the s. moment.*

surfen ⟨onov.ww.⟩ **0.1** [plankzeilen] *surf(-ride)* ⇒*surfboard, go/be surf-ing* **0.2** [in de branding] *surf* ⇒*go/be windsurfing.*

surfer ⟨de (m.)⟩ **0.1** *surfer* ⇒*surf-rider, windsurfer.*

surfer ⟨de (m.)⟩, -ster ⟨de (v.)⟩ **0.1** *surfer* ⇒*surf-rider, windsurfer.*

surfplank ⟨de⟩ **0.1** *surf(ing) board* ⇒*(malibu) board* ◆ **6.1** van zijn ~ af-springen *bail out;* **van** zijn ~ vallen *wipe off.*

Surinaams[1] ⟨het⟩ **0.1** *Surinamese.*

Surinaams[2] ⟨bn.⟩ **0.1** *Surinamese* ⇒*Surinam* ⟨voor zn.⟩, *of/from Suri-nam* ⟨na zn.⟩ ◆ **1.1** ~e pad *Surinam toad, pipa;* ~e pudding *warm plum pudding.*

Suriname ⟨het⟩ **0.1** *Surinam* ⇒⟨gesch.⟩ *Dutch Guiana.*

Surinamiseren ⟨ww.⟩⟨pol.⟩ **0.1** [in de invloedssfeer van Suriname bren-gen] *Surinamize* **0.2** [inrichten volgens het bestel van Suriname] *Suri-namize.*

surnumerair ⟨de (m.)⟩ **0.1** *supernumerary.*

sur-place ⟨het⟩⟨sport⟩ **0.1** ≠*tactical standstill* ◆ **3.1** ~ maken *make a tactical standstill.*

surplus ⟨het⟩ **0.1** [⟨geldw.⟩] *surplus* ⟨inkomsten, activa, effectenhan-del⟩ ⇒⟨beurs⟩ *margin, overcharge, surcharge* **0.2** [overschot] *surplus* ⇒*excess (of), overspill* ⟨bevolking⟩, *overflow, overplus, oversupply,* ^*overage* **0.3** [bijzonder hoeveelheid] *surplus* ⇒*excess* ◆ **6.2** ~ **aan** kapitaal *reserve(s)* **6.3** een ~ **aan** kennis/aandacht *a surplus/an excess knowledge, excessive attention.*

surplusvoorraad ⟨de (m.)⟩ **0.1** *surplus stock(s).*

surprise ⟨de (v.)⟩ **0.1** [pakje] *have* ⇒*surprise package/parcel/packet* **0.2** [verrassing] *surprise.*

surrealisme ⟨het⟩ **0.1** *surrealism.*

surrealist ⟨de (m.)⟩ **0.1** *surrealist.*

surrealistisch ⟨bn., bw.; -ally⟩ **0.1** *surrealist(ic).*

surreëel ⟨bn.⟩ **0.1** [surrealistisch] *surrealistic* ⇒*surreal* **0.2** [bovenna-tuurlijk] *supernatural.*

surrogaat ⟨het⟩ **0.1** *surrogate* ⇒*substitute, succedaneum* ⟨medicijnen⟩, *apology* ⟨van inferieure kwaliteit⟩, ⟨pej.⟩ *ersatz,* ⟨tijdelijk⟩ *make-shift* ◆ **3.1** dat is maar ~ *that is only a surrogate/substitute* **6.1** een ~ **voor** liefde *a substitute for love.*

surrogaatkoffie ⟨de (m.)⟩ **0.1** *coffee substitute* ⇒*ersatz coffee.*

surrogaatmoeder ⟨de (v.)⟩ **0.1** *surrogate mother.*

surséance ⟨de⟩ **0.1** *moratorium* ⇒*suspension (of), postponement* ◆ **1.1** ⟨jur.⟩ ~ van betaling *m., suspension of payment;* ⟨jur.⟩ ~ van betaling aanvragen *apply for a m..*

surveillance ⟨de⟩ **0.1** *surveillance* ^*surveyance* ⇒*supervision, observa-tion, invigilation* ⟨op examen⟩, *duty* ⟨op school, bij politie⟩ ◆ **6.1 onder** ~ plaatsen *place under surveillance,* ^*stake out.*

surveillancewagen ⟨de (m.)⟩ **0.1** *patrol car* ⇒⟨AE ook⟩ *squad car, prowl car, cruiser.*

surveillant ⟨de (m.)⟩ **0.1** *supervisor, observer* ⇒*invigilator* ⟨op exa-men⟩, *duty master, housemaster* ⟨op school⟩, *surveillant* ⟨politieagent die verdachte onder toezicht houdt⟩, *overseer* ⟨in fabriek⟩, ^*proctor* ⟨op⟩⟨school⟩.

surveilleren ⟨onov.,ov.ww.⟩ **0.1** *supervise* ⇒*invigilate* ⟨op examen⟩, *be on duty* ⟨leraar⟩, *be on the beat* ⟨politieagent te voet⟩, *be on patrol* ⟨politieagent met auto⟩, *cruise* ⟨marineboot, politieauto⟩, ^*proctor* ⟨op school⟩, *overlook, oversee* ⟨op het werk⟩, *superintend, watch* ◆ **1.1** ~d agent *policeman on the beat/on patrol* **6.1** twee leraren ~ **tijdens** het speelkwartier *two teachers were on duty at playtime.*

survey ⟨de (m.)⟩ **0.1** [periodiek onderzoek] *survey* **0.2** [inspectie] *survey* ⇒*inspection.*

susceptibel ⟨bn.⟩ **0.1** [ontvankelijk, gevoelig] *susceptible (to)* ⇒*receptive (of/to)* **0.2** [lichtgeraakt] *susceptible* ⇒*impressionable.*

susceptibiliteit ⟨de (v.)⟩ **0.1** [ontvankelijkheid] *susceptibility (to)* ⇒*receptiveness (of/to)* **0.2** [lichtgeraaktheid] *susceptibility* ⇒*impressionability* **0.3** [⟨nat.⟩] *(electric) susceptibility.*

suskast ⟨de⟩ **0.1** *baffle (filter).*

suspect ⟨bn.;-ly⟩ **0.1** *suspicious* ⇒*suspect, questionable, shady* ◆ **3.1** zich ~ gedragen *behave suspiciously;* dat ziet er ~ uit *that looks suspect/shady/questionable.*

suspenderen ⟨ov.ww.⟩ **0.1** [schorsen] *suspend* **0.2** [⟨schei.⟩] *suspend.*

suspensie ⟨de (v.)⟩ **0.1** [ophijsing] *suspension* ⇒*raising, supporting* **0.2** [⟨jur.⟩] *suspension* **0.3** [⟨verz.⟩] *suspension* **0.4** [⟨schei.⟩] *suspension* ⇒*colloid, colloidal solution, slurry* ⟨van klei/modder⟩, ⟨far.⟩ *magma,* ⟨schei.⟩ *levigation* ◆ **6.1** door ~ v.h. hoofd de druk op de wervelkolom opheffen *reduce the pressure on the spiral column by supporting the head.*

suspensief ⟨bn.⟩ **0.1** *suspensive* ⇒*suspensory* ⟨verband, mbt. pees of spier⟩.

suspensoir ⟨het⟩ **0.1** [verband] *suspensory bandage;* ⟨sport⟩*(athletic) support;* ⟨inf.⟩ *jockstrap.*

suspicie ⟨de (v.)⟩ **0.1** *suspicion* ⇒*mistrust.*

sussen ⟨onov.,ov.ww.⟩ **0.1** *soothe* ⇒*calm, hush, quiet, placate* ⟨kind⟩, *conciliate, pacify* ⟨persoon⟩, *allay* ⟨vrees, suspicie⟩, *ease, salve* ⟨geweten⟩, *appease, mollify* ⟨mbt. ruzie, onenigheid⟩, *hush up* ⟨ruzie, politiek schandaal⟩ ◆ **1.1** een kind/strijd/twist ~ *pacify a child, hush up a struggle/an argument;* een ~de toon *a soothing tone/voice* **3.1** ~d tussenbeide komen *intervene conciliatingly/conciliatorily* **6.1** een kind in slaap ~ *lull/soothe a child to sleep;* in slaap ~ *appease/salve one's conscience, give a sop to one's conscience.*

sutuur ⟨de (v.)⟩ **0.1** *suture.*

s.v. ⟨afk.⟩ **0.1** [sub voce] *s.v..*

s-vormig ⟨bn.⟩ **0.1** *S-shaped.*

s.v.p. ⟨afk.⟩ **0.1** [s'il vous plaît] *s.v.p.* ⟨bij schriftelijke uitnodigingen⟩ ⇒*please.*

Swahili ⟨het⟩ **0.1** *Swahili.*

swap-affaires ⟨zn.mv.⟩ ⟨geldw.⟩ **0.1** *swap arrangements.*

swastika ⟨de⟩ **0.1** *swastika* ⇒⟨zeldz.⟩ *fylfot.*

Swaziland ⟨het⟩ **0.1** *Swaziland.*

sweater ⟨de⟩ **0.1** *sweat shirt.*

sweepstake ⟨de (m.)⟩ **0.1** *sweepstake(s)* ⇒⟨inf.⟩ *sweep.*

swing ⟨de (m.)⟩ **0.1** [muziek] *swing (music)* **0.2** [dans] *swing* ⇒⟨AE;sl.⟩ *jump* **0.3** [zwaai, beweging] *swing* ⇒*flourish, sweep, sway* **0.4** [bezieling, vuur] *swing* ⇒*inspiration, fire, vim* **0.5** [⟨hand.⟩] *swing.*

swingen ⟨onov.ww.⟩ **0.1** [dansen] *swing* ⇒⟨sl.⟩ *jump* **0.2** [bruisen van leven] *swing* ⇒⟨inf.⟩ *be groovy/cool* **0.3** [tot dansen uitnodigen] *swing* ◆ **1.3** ~de muziek draaien ze hier *they've got swinging music here* **3.1** gaan ~ in een disco *go dancing/swinging in a disco* ¶.**2** het swingt de pan uit *it's real cool/groovy* ¶.**3** die band swingt voor geen cent *that band plays definitely off the cob.*

switch ⟨de (m.)⟩ **0.1** [overgang] *switch* ⇒*change* **0.2** [⟨sport⟩] *switch* **0.3** [⟨geldw.⟩] *switch* ⇒*swap.*

switchen ⟨onov.ww.⟩ **0.1** [⟨sport⟩] *switch* **0.2** [omschakelen] *switch* ⇒*change/swop over* ◆ **6.2** hij switchte **naar** (het) onderwijs/een andere studie *he changed over to education/another subject.*

sybariet ⟨de (m.)⟩ **0.1** *sybarite* ⇒*voluptuary.*

sybaritisch ⟨bn., bw.;-(al)ly⟩ **0.1** *sybaritic(al)* ⇒*voluptuary.*

syfilis ⟨de (v.)⟩ **0.1** *syphilis* ⇒⟨med.⟩ *lues (venera),* ⟨inf.⟩ *(the) pox.*

syfilitisch ⟨bn.⟩ ⟨med.⟩ **0.1** [aan syfilis lijdend] *syphilitic* **0.2** [v.d. aard van syfilis] *syphilitic.*

syfide ⟨de (v.)⟩ **0.1** *sylphid.*

syllabair ⟨bn.⟩ **0.1** *syllabic* ◆ **1.1** ~ schrift *syllabic script/writing system;* ⟨gebruik hiervan⟩ *syllabism, syllabography.*

syllabe ⟨de (m.)⟩ **0.1** *syllable* ◆ **7.1** er is geen ~ van waar *not a s./word of it is true;* daar snap ik geen ~ van *it is all Greek to me, I cannot make head or tail of it.*

syllabenschrift ⟨het⟩ **0.2** *syllabism* ⇒*syllabography.*

syllabificatie ⟨de (v.)⟩ ⟨taal.⟩ **0.1** *syllabi(fi)cation.*

syllabisch ⟨bn., bw.;-ally⟩ **0.1** *syllabic* ◆ **1.1** ~ gezang *s. singing/plainsong* **3.1** ~ uitspreken *syllable, articulate.*

syllabus ⟨de (m.)⟩ **0.1** [samenvatting] *syllabus* ⇒*scheme, plan, outline* **0.2** [⟨r.k.⟩] lijst van stellingen] *Syllabus (of Errors).*

syllepsis ⟨de (v.)⟩ ⟨taal.⟩ **0.1** *syllepsis.*

syllogisme ⟨het⟩ ⟨fil.⟩ **0.1** *syllogism.*

syllogistiek ⟨de (v.)⟩ **0.1** *syllogistics.*

syllogistisch ⟨bn.⟩ ⟨fil.⟩ **0.1** *syllogistic(al)* ◆ **1.1** een ~ bewijs/betoog *a s. proof/argument.*

sylvesteravond ⟨de (m.)⟩ **0.1** *New Year's Eve.*

symbiose ⟨de (v.)⟩ **0.1** *symbiosis.*

symbiotisch ⟨bn.⟩ **0.1** *symbiotic(al).*

symbolentaal ⟨de⟩ **0.1** *symbolic(al) language* ⇒*symbolism.*

symboliek ⟨de (v.)⟩ **0.1** [het zinnebeeldige] *the symbolic, symbolism* ⇒*typicality* **0.2** [kennis/leer v.d. symbolen] *symbolics* ⇒*symbology* **0.3** [wetenschap] *symbolics* **0.4** [studie v.h. ontstaan v.d. geloofsbelijdenissen] *symbolics* ⇒*symbolism.*

symbolisatie ⟨de (v.)⟩ **0.1** *symbolization* ⇒*symbolism.*

symbolisch
I ⟨bn., bw.;-(al)ly⟩ **0.1** [zinnebeeldig] *symbolic(al)* ⇒*emblematic(al), figurative, significative* **0.2** [als teken geldend] *symbolic(al)* ⇒*token, nominal, typical, hieroglyphic(al)* ◆ **1.1** ~e logica *symbolic/mathematical logic* **1.2** een ~ bedrag *a symbolic/nominal amount, a token payment* **3.1** iets ~ uitdrukken *express sth. symbolically;*
II ⟨bn.⟩ **0.1** [⟨prot.⟩] *symbolical* ⇒*mystic(al).*

symboliseren ⟨ov.ww.⟩ **0.1** *symbolize* ⇒*be typical of, represent, personify, (be) token, typify* ◆ **1.1** het lam symboliseert Christus *the lamb symbolizes/represents Christ.*

symbolisme ⟨het⟩ **0.1** [⟨lit., bk.⟩] *symbolism* **0.2** [⟨rel.⟩] *symbolism.*

symbool ⟨het⟩ **0.1** [zinnebeeld] *symbol* ⇒*emblem, token, sign, personification, figure* **0.2** [doop-/geloofsbelijdenis] *creed* **0.3** [⟨schei.⟩] *symbol* **0.4** [⟨wisk.⟩] *symbol* ◆ **2.1** het levend ~ *the living symbol/personification* **3.1** symbolen gebruiken *symbol(ize);* het ~ zijn van iets *be the symbol/emblem of sth..*

symboolwaarde ⟨de (v.)⟩ **0.1** *symbolic(al) value.*

symfonie ⟨de (v.)⟩ **0.1** [muziekstuk] *symphony* ⇒*sinfonia* **0.2** [harmonisch geheel] *symphony* ◆ **1.2** een ~ van kleuren *a s. of colours.*

symfonieorkest ⟨het⟩ **0.1** *symphony orchestra* ⇒*symphony, sinfonia.*

symfonisch ⟨bn.⟩ **0.1** *symphonic* ◆ **1.1** ~ gedicht *s./tone poem;* ~e muziek *s. music.*

symmetrie ⟨de (v.)⟩ **0.1** [evenredigheid] *symmetry* ⇒*proportion* **0.2** [⟨wisk.⟩] *symmetry* **0.3** [het in spiegelbeeld gelijk zijn] *symmetry.*

symmetrieas ⟨de⟩ **0.1** *axis of symmetry.*

symmetrisch ⟨bn., bw.;-(al)ly⟩ **0.1** [in overeenstemming met de symmetrie] *symmetric(al)* ⇒*balanced, proportional* **0.2** [symmetrie bezittend] *symmetric(al)* ⇒⟨plantk.⟩ *actinomorphic, actinomorphous, zygomorphic, zygomorph.*

sympathetisch ⟨bn., bw.;-(al)ly⟩ **0.1** *sympathetic(al)* ◆ **1.1** ~e inkt *invisible/secret ink.*

sympathicus ⟨de (m.)⟩⟨med.⟩ ◆ ¶.¶ nervus ~ *sympathetic/visceral nervous system.*

sympathie ⟨de (v.)⟩ **0.1** [gevoel van genegenheid] *sympathy* ⇒*feeling, favour, congeniality* **0.2** [gevoel van instemming] *sympathy* ⇒*affinity, favour, agreement, support, leaning* ◆ **1.1** ~ën en antipathieën *likes and dislikes* **2.2** iem. met communistische ~ën *s.o. with communist sympathies/leanings;* ⟨sl.;pol.⟩ *a pink;* dat plan heeft mijn volle ~ *that plan has my full support* **3.1** zijn ~ betuigen *express one's s./condolence(s);* iemands ~ verliezen/verspelen *get on the wrong side of s.o.* **6.1** wij hebben veel ~ voor elkaar *we have a great deal of mutual s.;* ik voel geen greintje ~ voor haar *I don't feel the slightest/a grain of s. for her;* ~ voor iem./iets tonen/opbrengen *show s. for s.o./sth..*

sympathiebetuiging ⟨de (v.)⟩ **0.1** *expression of sympathy/support.*

sympathiek ⟨bn., bw.;-(al)ly⟩ **0.1** [sympathie opwekkend] *sympathetic(al)* ⇒*congenial, pleasant, lik(e)able, genial, winsome* **0.2** [van sympathie blijk gevend] *sympathetic(al)* ⇒*cordial, warm* ◆ **1.1** een ~ gezicht *a s./pleasant/likeable face* **3.1** ik vind hem erg ~ *I find/think him very s., I take/I've taken to him, I like him very much* **3.2** zij liet zich zeer ~ over het plan uit *she expressed herself warmly about the plan;* ~ staan tegenover iem./iets *be s. to(wards) s.o./sth..*

sympathiestaking ⟨de (v.)⟩ **0.1** *sympathetic/sympathy strike.*

sympathisant ⟨de (m.)⟩ **0.1** *sympathizer* ◆ **2.1** heimelijk ~ *cryptosympathizer;* ⟨inf.⟩ *crypto.*

sympathisch ⟨bn.⟩ **0.1** *sympathetic(al)* ◆ **1.¶** ⟨med.⟩ het ~ zenuwstelsel *the sympathetic/visceral nervous system* **3.1** ~ reageren op *sympathize with.*

sympathiseren ⟨onov.ww.⟩ **0.1** [waardering voelen voor] *sympathize with* ⇒*be in sympathy with, like, appreciate, lean towards* **0.2** [eenstemmig voelen] *sympathize with* ⇒*be sympathetic to* ◆ **6.1** hij sympatiseert nogal **met** die denkbeelden/het communisme *his sympathies go out to/he sympathizes with those ideas/communism;* ~ **met** de Duitsers *be on the Germans' side.*

symposium ⟨het⟩ **0.1** *symposium* ⇒*conference.*

symptomatica ⟨zn.mv.⟩ **0.1** *placebo.*

symptomatisch
I ⟨bn.⟩ **0.1** [een symptoom vormend/zijnd] *symptomatic(al)* ◆ **6.1** kortademigheid is ~ **voor** bloedarmoede *being short of breath is s. of anaemia;*
II ⟨bw.⟩ **0.1** [volgens de symptomen] *symptomatically* ◆ **3.1** een ziekte ~ beschrijven/behandelen *describe/treat a disease s..*

symptomatologie ⟨de (v.)⟩⟨med.⟩ **0.1** *symptomatology* ⇒*sem(e)iotics, sem(e)iology.*

symptoom ⟨het⟩ **0.1** [ziekteverschijnsel] *symptom* ⇒*sign* **0.2** [herken-

ningsteken] *symptom* ⇒*sign* ◆ **2.1** een ziekte zonder zichtbare/duidelijke symptomen *a subclinical disease* **3.2** een~*sign* zijn van *be symptomatic/a sign/a symptom of* **7.1** de eerste symptomen van roodvonk *the onset of scarlet fever.*
symptoombestrijding ⟨de (v.)⟩ **0.1** *treatment of (the) symptoms.*
synaeresis ⟨de (v.)⟩ ⟨taal.⟩ **0.1** *syn(a)eresis.*
synagoge ⟨de⟩ **0.1** [Israëlitische kerk] *synagogue* ^*gog* ⇒*temple* **0.2** [godsdienstige bijeenkomst, kerkelijke gemeente] *synagogue.*
synandrisch ⟨bn.⟩ ⟨plantk.⟩ **0.1** *synandrous.*
synaps ⟨de (m.)⟩ **0.1** *synapse* ⇒*synapsis.*
synartrose ⟨de (v.)⟩ ⟨med.⟩ **0.1** *synarthrosis.*
synchroniciteit ⟨de (v.)⟩ **0.1** *synchronism.*
synchronie ⟨de (v.)⟩ **0.1** *synchrony.*
synchronisatie ⟨de (v.)⟩ **0.1** *synchronization* ⇒⟨inf.⟩ *sync(h).*
synchronisch ⟨bn.,bw.;-ally⟩ **0.1** *synchronic* ◆ **1.1** de ~e taalwetenschap *s. linguistics.*
synchroniseren ⟨ov.ww.⟩ **0.1** *synchronize* ⇒⟨inf.⟩ *sync(h).*
synchronisme ⟨het⟩ **0.1** *synchronism.*
synchronistisch ⟨bn.⟩ **0.1** *synchronous* ⇒*synchronic* ◆ **1.1** ~e beschouwing *synchronic view/approach;* ⟨gesch.⟩ ~e tabellen *synchronisms.*
synchroon ⟨bn.,bw.;-ly⟩ **0.1** *synchronous* ⇒*synchronic* ◆ **1.1** synchrone taalbeschrijving *synchronic language description* **3.1** ~ verlopende verschijnselen/bewegingen *synchronic phenomena/movements* **5.1** niet~*asynchronous, out of synchronization/sync(h).*
synchroonmotor ⟨de (m.)⟩ ⟨nat.⟩ **0.1** *synchronous motor.*
synchrotron ⟨het⟩ ⟨nat.⟩ **0.1** *synchrotron.*
synclinale ⟨de⟩ ⟨geol.⟩ **0.1** *syncline.*
syncope ⟨de⟩ **0.1** [⟨taal.⟩] *syncope* ⇒*syncopation* **0.2** [⟨muz.⟩] *syncopation* **0.3** [⟨med.⟩] *syncope.*
syncoperen ⟨ov.ww.⟩ **0.1** [⟨taal.⟩] *syncopate* **0.2** [⟨muz.⟩] *syncopate.*
syncretisch ⟨bn.⟩ **0.1** *syncretic(al), syncretistic(al)* ⇒*Manich(a)ean.*
syncretiseren ⟨ov.ww.⟩ **0.1** *syncretize.*
syncretisme ⟨het⟩ **0.1** [versmelting van opvattingen] *syncretism* ⇒*Manich(a)e(an)ism* **0.2** [⟨taal.⟩] *syncretism.*
syncytium ⟨het⟩ ⟨biol.⟩ **0.1** *syncytium.*
syndicaal ⟨bn.,bw.⟩ ⟨AZN⟩ **0.1** ⟨bn.⟩*(trade-)union;* ⟨bw.⟩ *by/with* ⟨enz.⟩ *a/the (trade-)union.*
syndicaat ⟨het⟩ **0.1** [kartel] *syndicate* ⇒*combine, consortium, chain* **0.2** [vakvereniging] *trade(s) union* ⇒*syndicate* ◆ **3.1** een~vormen *syndicate.*
syndicalisme ⟨het⟩ **0.1** [politieke theorie] *syndicalism* **0.2** [sociale actie van vakverenigingen] *communalism* ⇒*trade(s) union action.*
syndicalist ⟨de (m.)⟩ ⟨AZN⟩ **0.1** *(trade) unionist.*
syndicus ⟨de (m.)⟩ **0.1** *syndic.*
syndroom ⟨het⟩ **0.1** *syndrome.*
synecdoche ⟨de⟩ ⟨lit.⟩ **0.1** *synecdoche.*
synecologie ⟨de (v.)⟩ **0.1** *synecology.*
synergie ⟨de (v.)⟩ **0.1** [⟨far.⟩] *synergism* ⇒*synergy* **0.2** [⟨fysiologie⟩] *synergism* ⇒*synergy* **0.3** [⟨theol.⟩] *synergism.*
synesthesie ⟨de (v.)⟩ **0.1** [verbinding tussen waarnemingen uit verschillende zintuigsferen] *synaesthesia* **0.2** [het meereageren v.e. lichaamsdeel] *synaesthesia.*
synodaal ⟨bn.,bw.⟩ **0.1** *synodal* ⇒*synodic(al).*
synode ⟨de (v.)⟩ ⟨kerk.⟩ **0.1** *synod* ◆ **2.1** de generale ~ *the General Synod.*
synodisch ⟨bn.⟩ ◆ **1.¶** ⟨ster.⟩ ~e omlooptijd *synodic period.*
synoniem¹ ⟨het⟩ **0.1** *synonym.*
synoniem² ⟨bn.⟩ ⟨taal.⟩ **0.1** *synonymous (with)* ◆ **6.1** zijn naam is ~**aan** wreedheid *his name has become a byword for cruelty.*
synonymie ⟨de (v.)⟩ **0.1** *synonymy* ⇒*synonymity.*
synonymiek¹ ⟨de (v.)⟩ **0.1** [leer v.d. synoniemen] *synonymy* **0.2** [gezamenlijke synoniemen] *synonymy.*
synonymiek² ⟨bn.⟩ **0.1** *synonimic(al).*
synopsis ⟨de (v.)⟩ **0.1** *synopsis* ⇒*abstract, digest, outline, summary, résumé.*
synoptici ⟨zn.mv.⟩ **0.1** *synoptists* ⇒*synoptics.*
synoptisch ⟨bn.⟩ **0.1** *synoptic* ◆ **1.1** de~e evangeliën *the Synoptic Gospels;* ~e meteorologie *s. meteorology.*
synovia ⟨de (v.)⟩ ⟨med.⟩ **0.1** [slijmvliesbekleding] *synovial membrane* **0.2** [slijmerige vloeistof] *synovia(l fluid).*
syntactisch ⟨bn.,bw.;-(al)ly⟩ **0.1** *syntactic(al)* ◆ **1.1** de~e grammatica *formal grammar* **2.1** ~ gelijke zinsdelen *syntactically) parallel/ phrases, syntactic parallells* **3.1** ~ analyseren *parse, deconstruct, analyze.*
syntagma ⟨het⟩ **0.1** *syntagma* ⇒*syntagm.*
syntagmatisch ⟨bn.,bw.⟩ **0.1** *syntagmatic.*
syntaxis ⟨de (v.)⟩ ⟨taal.⟩ **0.1** [zinsleer] *syntax* ⇒⟨wetenschap ook⟩ *syntactics* **0.2** [boek] *syntax.*
synthese ⟨de (v.)⟩ **0.1** [verbinding, eenwording] *synthesis* ⇒*coalescence, union* **0.2** [⟨schei.⟩] *synthesis* **0.3** [samenvatting] *summary* ⇒*abstract, outline, overview* ◆ **1.1** een~van onze ideeën *a s./ combination/an integration of our ideas* **3.1** een~bereiken *arrive at/achieve a s..*

synthetisch ⟨bn.,bw.;-(al)ly⟩ **0.1** [op synthese berustend] *synthetic(al)* **0.2** [kunstmatig] *synthetic(al)* ⇒*artificial, man-made* **0.3** [⟨taal.⟩] *synthetic(al)* ◆ **1.1** ~e methode *s. method* **1.2** ~e brandstof *synthetic fuel;* ~e rubber/vezels *synthetic/artificial/man-made rubber/fibres;* ~e stenen *artificial gems, paste;* ~e stoffen *synthetics;* ⟨weefsel ook⟩ *synthetic fabrics* **¶.1** ~ te werk gaan *work synthetically.*
Syrië ⟨het⟩ **0.1** *Syria.*
Syriër ⟨de (m.)⟩ **0.1** *Syrian.*
syrinx ⟨de (v.)⟩ **0.1** *syrinx* ⇒*panpipe.*
Syrisch¹ ⟨het⟩ **0.1** *Syrian* ⇒⟨rel. ook⟩ *Syriac.*
Syrisch² ⟨bn.⟩ **0.1** *Syrian.*
systeem ⟨het⟩ **0.1** [stelsel] *system* **0.2** [werking] *system* **0.3** [ordeningsprincipe] *system* ⇒*classification* **0.4** ⟨vaak in samenst.⟩ dat wat gerangschikt is] *system* **0.5** [⟨ook in samenst.⟩ methode] *system* ⇒*method* **0.6** [⟨fil.⟩] *system* **0.7** [⟨vaak in samenst.⟩ geheel van gelijksoortige eenheden] *system* **0.8** [⟨muz.⟩] *system* **0.9** [⟨vaak in samenst.⟩ geheel van computerprogramma's] *system* **0.10** [computersysteem] *system* ◆ **1.3** ⟨biol.⟩ het ~ van Linnaeus *the binominal/Linnaean s.* **1.7** buizensysteem *pip(e)age* **2.1** het kapitalistische ~ *capitalism, the capitalist s.* **2.3** ⟨plantk.⟩ natuurlijk ~ *natural orders;* het periodiek ~ der elementen *the periodic s. of the elements* **3.5** daar zit geen ~ in *there is no s./ method in it, it lacks s./ method* **3.9** een ~ bouwen *construct a s.* **6.1** tegen het ~ ageren *oppose the s.;* ⟨inf.⟩ *kick (against) the s.* **6.5** volgens een bepaald ~ te werk gaan *proceed according to a certain method* **7.5** ⟨voetbal⟩ spelen volgens het 4-3-3-systeem *play in the 4-3-3 line-up* **¶.10** het ~ is in de lucht *the s. is on line.*
systeemanalist ⟨de (m.)⟩,-e ⟨de (v.)⟩ **0.1** *systems analyst.*
systeemanalyse ⟨de (v.)⟩ **0.1** *systems analysis.*
systeembouw ⟨de (m.)⟩ **0.1** *system building* ⇒*prefabrication.*
systeembouwer ⟨de (m.)⟩ **0.1** [bouwondernemer] *system builder* **0.2** [iem.die systeem opbouwt] *systematist* ⇒*systematizer.*
systeemdenken ⟨het⟩ **0.1** *rigid (way of) thinking.*
systeemdwang ⟨de (m.)⟩ **0.1** [⟨taal.⟩] *regularization (tendency)* ⇒*pattern neatening* **0.2** [het gebonden zijn aan een systeem] *systematism.*
systeemdynamica ⟨de (v.)⟩ **0.1** *systems dynamics.*
systeemfout ⟨de⟩ **0.1** *system error.*
systeemhuis ⟨het⟩ **0.1** *automation company;robotics company* ⟨die (ook) robotsystemen levert⟩.
systeemkaart ⟨de⟩ **0.1** *card* ⇒*flash card* ⟨bij lesgeven⟩.
systeemloos ⟨bn.,bw.;-ly⟩ **0.1** *unmethodical* ⇒*casual, random* ◆ **¶.1** ~ te werk gaan *proceed unmethodically/casually/randomly/at random.*
systeemontwerper ⟨de (m.)⟩ **0.1** *systems designer* ⇒*systems analyst/engineer.*
systeemprogrammatuur ⟨de (v.)⟩ ⟨comp.⟩ **0.1** *systems software.*
systematicus ⟨de (m.)⟩ **0.1** [iem. die systemen samensmelt] *systematist* **0.2** [iem. die systematisch werkt] *systematist.*
systematiek ⟨de (v.)⟩ **0.1** [leer omtrent een systeem] *systematics* ⇒*taxonomy,* ⟨fil.⟩ *architectonics* **0.2** [het systematische] *system* ◆ **1.1** de ~ der planten *the s./taxonomy of plants* **6.2** zonder ~ *unstructured.*
systematisch ⟨bn.,bw.;-ally⟩ **0.1** *systematic* ⇒⟨volgens bepaalde methode⟩ *methodical,* ⟨logisch gerangschikt⟩ *regular, orderly* ◆ **1.1** een ~e catalogus *a subject catalogue;* een ~ overzicht *a s. survey* **3.1** iem. ~ plagen *be continually teasing s.o.* **¶.1** ~ te werk gaan *proceed systematically/methodically.*
systematiseren ⟨ov.ww.⟩ **0.1** [in een systeem onderbrengen] *systematize* ⇒*classify, regiment* **0.2** [tot een systeem maken] *systematize* ⇒*methodize.*
systematisering ⟨de (v.)⟩ **0.1** *systematization* ⇒*systematizing.*
systole ⟨de⟩ **0.1** [⟨med.⟩] *systole* **0.2** [⟨lit.⟩] *systole.*

t ⟨de⟩ **0.1** [letter] *t*, *T* **0.2** [namen/woorden beginnend met een t] *t*, *T* **0.3** [⟨vnl. in samenst.⟩ iets met de T-vorm] *T* ◆ **6.2 bij** de ~ kan ik uw naam niet vinden *I can't find your name under the t* ¶.**3** T-kruising *T-junction*.

t. ⟨afk.⟩ **0.1** [ton] *t* **0.2** [tarra] *t* **0.3** [tenor] *t* **0.4** [tomus] *t*.

't →**het**.

taai¹ →**taai-taai**.

taai² ⟨bn., bw.; -ly⟩ **0.1** [mbt. vaste stoffen/voorwerpen] *tough* ⇒*tenacious*, ⟨vlees ook⟩ *leathery*, ⟨metaal ook⟩ *ductile* **0.2** [dik vloeibaar] *viscous* ⇒*tenacious*, *sticky* ⟨kleverig⟩ **0.3** [⟨fig.⟩ met veel uithoudingsvermogen] *tough* ⇒*hardy*, *tenacious*, *stubborn*, *dogged* ⟨volhardend⟩ **0.4** [vervelend] *tedious* ⇒*dull*, *boring*, *indigestible* ◆ **1.1** ~ deeg *stiff dough*; ~e noga *sticky nougat*; ~e takken *tough branches* **1.2** ~ slijm *v. phlegm*; een ~e substantie *a v. substance* **1.3** een ~e rakker zijn *be a tough customer*, *be as tough/hard as nails*; een ~e vent *a wiry/muscular chap*; ~e volharding *tenacity*, *dogged/stubborn/tenacious/obstinate persistence*; een ~ volk *a tough/hardy people* **2.3** (een) ouwe ~ *a hale and hearty old fellow/girl* **3.1** ~ (doen) worden *toughen* **3.3** hoewel in de tachtig, hield hij zich ~ *although in his eighties, he was still hale and hearty*; houd je ~ *never say die*, *thumbs up*; ⟨kop op⟩ ᴮ*keep your pecker up*.

taaiheid ⟨de (v.)⟩ **0.1** [mbt. vaste stoffen/voorwerpen] *toughness* ⇒*tenacity* **0.2** [dik-vloeibaar zijn] *viscosity* ⇒*viscidity*, *tenacity* **0.3** [het hebben van uithoudingsvermogen] *toughness* ⇒*hardiness*, *tenacity*, *pluck*, ⟨volharding⟩ *stubbornness* **0.4** [het vervelend zijn] *tediousness* ⇒*dullness* ◆ **1.1** de ~ v.e. verflaag *the tenacity of a coat of paint* **1.3** de ~ v.d. traditie *the hardiness of tradition*.

taaipop ⟨de⟩ **0.1** *gingerbread man*.

taai-taai ⟨het, de (m.)⟩ **0.1** *gingerbread* ◆ **6.1** een vrijer *van* ~ *a g. man*.

taak ⟨de⟩ **0.1** [functie, opdracht] *task* ⇒*job*, *duty*, ⟨verantwoordelijkheid⟩ *responsibility*, ⟨opdracht⟩ *assignment* **0.2** [⟨school.⟩] *(holiday) task/assignment/homework* ◆ **2.1** een moeilijke ~ *a difficult t.*, *a hard row to hoe*, *a hard nut to crack*; de hun opgelegde ~ *their appointed t.*; ik heb de prettige/aangename ~ om ... *it is my agreeable duty to ...*; een zware ~ op zich nemen *undertake a(n) heavy/arduous t.* **3.1** zijn ~ aanvangen, van zijn ~ onthoven zijn *assume one's duties*, *be relieved of one's duties*; de officier belast met de ~ om ... *the officer charged with the duty of ...*/ whose duty it is to/ (who is) responsible for ...; het is niet mijn ~ dat te doen *it is not my place to do that, it is not for me to do that, it is not incumbent upon me to do that*; het is uw ~/ de ~ v.d. regering de nodige maatregelen te nemen *it is up to you/ the government to take the necessary measures, it is the responsibility/*

duty/business of the government to take the necessary measures; iem. een ~ opgeven/ opleggen *set s.o. a t., impose a duty upon s.o.*; zich goed van zijn ~ kwijten *give a good account of o.s.*; een ~ verrichten *perform/discharge a t./ duty*, *do a job*; een belangrijke ~ vervullen bij (de verkiezingen) *have/play an important part at (the elections)*; ~ volbracht *mission accomplished/completed*; een ~ volbrengen ᴮ*fulfil/* ᴬ*fulfill/accomplish/perform/discharge a t., do a job* **3.2** de leerling krijgt een ~ *the pupil will be given/set a task* **6.1** iem. **met** een ~ belasten *charge s.o. with a duty*; **op** ~ werken *do piece-work*; zich **tot** ~ stellen iets te doen *set o.s. the t. of doing sth., set out to do sth., make it one's business to do sth.*; **tot** ~ hebben *have as one's duty, have the duty of, be concerned with*; zich **van** zijn ~ kwijten *acquit o.s. of one's t./ duty, discharge one's duty/obligations*; niet **voor** zijn ~ berekend zijn *be unequal to one's t., be unable to cope*.

taakanalist ⟨de (m.)⟩ **0.1** *job analyst* ⇒*labour analyst*.

taakanalyse ⟨de (v.)⟩ **0.1** *job analysis* ⇒*job evaluation, labour analysis*.

taakloon ⟨het⟩ **0.1** *job wage*.

taakomschrijving ⟨de (v.)⟩ **0.1** *job description*.

taakopvatting ⟨de (v.)⟩ **0.1** *understanding/interpretation/* ᵀ*conception of one's job/task/duties* ⇒*way one sees/interprets one's job/task/duties* ◆ **3.1** dat strookt niet met zijn ~ *that does not fit in with the way he sees his job*.

taakstelling ⟨de (v.)⟩ **0.1** *setting of a task* ⇒*terms of reference* ⟨van commissie⟩.

taakuur ⟨het⟩ **0.1** *non-teaching period*.

taakverdeling ⟨de (v.)⟩ **0.1** *division of tasks* ⇒*allocation/assignment of tasks, division of labour* ◆ **6.1** de ~ **tussen** mens en machine *the allocation of function/division of labour between man and machine*.

taakverruiming ⟨de (v.)⟩ **0.1** *extension of one's duties/responsibilities*; ⟨van commissie/instantie⟩ *extension of one's terms of reference*.

taal ⟨de (m.)⟩ **0.1** [spraak, schrift] *language* ⇒⟨gesproken⟩ *speech*, ⟨vak op school⟩ *language skills, reading and writing* **0.2** [taalsysteem] *language* ⇒⟨vero.⟩ *tongue* **0.3** [iemands woorden] *language* ⇒*way of speaking/to speak* **0.4** [communicatiesysteem] *language* ◆ **1.3** ~ noch teken geven *not give a sign of life* **1.4** de ~ van de bloemen *the l. of flowers*; de ~ van het lichaam *body l.* **2.2** dode talen *dead languages*; een gewestelijke ~ *a regional l.*/ ⟨dialekt⟩ *dialect*; de klassieke talen *classical languages*; de levende talen *modern/existing languages*; de moderne talen *modern languages*; vreemde talen *foreign languages* **2.3** bloemrijke ~ *florid/flowery l.*; dagelijkse/alledaagse ~ *daily/everyday/colloquial l./ speech*; dat is krasse ~ *that's strong l./ those are big words*; onverbloemde ~ spreken *not mince matters/one's words, be blunt*; ruwe ~ *coarse/vulgar l.*; dat is verstandige ~ *that's sensible* **2.4** de cijfers spreken (een) duidelijke ~ *the figures are (quite) clear* **3.2** een ~ beheersen *be* ⟨mondeling⟩ *fluent in/have a good command of a l.* **3.3** dat is ~! *(now,) that's talking!, now you're talking!*; lelijke/gore ~ uitslaan *use ugly/foul l.* **6.2** ⟨fig.⟩ in alle talen zwijgen *be utterly silent* ¶.**2** zich een ~ eigen maken *master a l.* ¶.**3** wat is dat voor een ~? *what sort of l./ (a) way to speak is that?*.

taalaanbod ⟨het⟩ **0.1** *language input* ⇒*language one is exposed to*.

taalachterstand ⟨de (m.)⟩ **0.1** *language deficiency*.

taalakte ⟨de⟩ **0.1** *language teaching diploma/certificate*.

taalarm ⟨bn.⟩ **0.1** *suffering from language deprivation* ⇒*having a poor command of the language* ◆ **1.1** kinderen uit ~e milieus *linguistically deprived children*.

taalarmoede ⟨de⟩ **0.1** *language deficiency/deprivation* ⇒*poor command of the language*.

taalatlas ⟨de (m.)⟩ **0.1** *linguistic atlas* ⇒*dialect atlas*.

taalbarrière ⟨de⟩ **0.1** *language barrier*.

taalbederf ⟨het⟩ **0.1** *deterioration/corruption of (the) language*.

taalbegrip ⟨het⟩ **0.1** [opvatting van taal] *language concept* **0.2** [taalinzicht] *idea of grammar*.

taalbeheersing ⟨de (v.)⟩ **0.1** [taalvaardigheid] *mastery of a language* ⇒*command of a language*, ⟨wet.⟩ *(linguistic) competence* **0.2** [vakgebied] *applied linguistics*.

taalbeschouwing ⟨de (v.)⟩ **0.1** *study of language(s), language study/studies, linguistics*.

taalbeschrijving ⟨de (v.)⟩ **0.1** *description of language, linguistic description*.

taalbeweging ⟨de (v.)⟩ **0.1** *language movement*.

taalbewustzijn ⟨het⟩ **0.1** *linguistic awareness*.

taalboek ⟨het⟩ **0.1** *grammar*.

taalcompensatie ⟨de (v.)⟩ **0.1** *linguistic compensation*.

taalcompetentie ⟨de (v.)⟩ **0.1** *linguistic competence*.

taalconsulent ⟨de (m.)⟩, -e ⟨de (v.)⟩ **0.1** *interpreter (and counsellor)*.

taalcursus ⟨de (m.)⟩ **0.1** *language course*.

taaldaad ⟨de⟩ **0.1** *speech act*.

taaldomein ⟨het⟩ **0.1** *register*.

taaleigen ⟨het⟩ **0.1** *idiom*.

taaleiland ⟨het⟩ **0.1** *linguistic island*.

taalfamilie ⟨de (v.)⟩ **0.1** *language family, family of languages* ⇒*linguistic stock*.

taalfilosofie ⟨de (v.)⟩ **0.1** *philosophy of language* ⇒*linguistic philosophy*.

taalfout ⟨de⟩ **0.1** *language error* ⇒*grammatical mistake, linguistic blunder.*

taalgebied ⟨het⟩ **0.1** [streek] *regions* ⟨mv.⟩ **0.2** [alles mbt. de taal] *field of language* ⇒*field of linguistics* ◆ **2.1** het Franse ~ *French-speaking regions* **6.2** de nieuwe opvattingen **op** ~ *the new ideas on language/in the field of language;* **op** ~ munt hij niet uit *he is no great shakes when it comes to language.*

taalgebonden ⟨bn.⟩ **0.1** *idiomatic* ⇒*linguistic(ally determined).*

taalgebruik ⟨het⟩ **0.1** *(linguistic) usage* ⇒*(linguistic) performance, language* ◆ **1.1** het ~ v.d. heersende klasse *the accents of the ruling classes/upper class accent* **2.1** correct ~ *correct usuage;* in het gewone/dagelijkse ~ *in common parlance;* een grof ~ *foul language, abuse;* hedendaags/modern ~ *modern usuage;* poëtisch ~ *poetic language;* schriftelijk/mondeling ~ *written/oral usuage;* verkeerd ~ *misusage, impropriety, bad grammar* **3.1** hij heeft zijn ~ bijgeschaafd *he has polished up his speech.*

taalgebruiker ⟨de (m.)⟩ **0.1** *language user;* ⟨+genoemde taal⟩ *speaker.*

taalgedrag ⟨het⟩ **0.1** *linguistic/* ⟨gesproken taal ook⟩ *speech behaviour, language behaviour.*

taalgeleerde ⟨de (m.)⟩ **0.1** *linguist* ⇒⟨historisch/vergelijkend⟩ *philologist.*

taalgemeenschap ⟨de (v.)⟩ **0.1** *language community.*

taalgeografie ⟨de (v.)⟩ **0.1** *linguistic geography.*

taalgeschiedenis ⟨de (v.)⟩ **0.1** *historical linguistics.*

taalgevoel ⟨het⟩ **0.1** *linguistic feeling* ⇒*linguistic instinct,* ⟨talent⟩ *feeling/flair for language(s),* ⟨wet.⟩ *competence* ◆ **2.1** een goed/een zuiver ~ hebben *have a keen sense of language* **3.1** mijn ~ zegt mij dat deze zin niet grammaticaal is *my linguistic feeling/instinct tells me that this sentence is ungrammatical.*

taalgids ⟨de (m.)⟩ **0.1** *phrase book* ◆ **2.1** Duitse ~ *German p. b..*

taalgrens ⟨de⟩ **0.1** *language boundary* ⇒*linguistic frontier.*

taalgroep ⟨de⟩ **0.1** [mensen] *linguistic/language group* **0.2** [talen] *language group/family* ⇒*group/family of languages.*

taalhandeling ⟨de (v.)⟩ **0.1** *speech act.*

taalkaart ⟨de⟩ **0.1** *linguistic map* ⇒*dialect map.*

taalkenner ⟨de (m.)⟩ **0.1** *linguist.*

taalklank ⟨de (m.)⟩ **0.1** *phoneme.*

taalkring ⟨de (m.)⟩ **0.1** *language group.*

taalkunde ⟨de (v.)⟩ **0.1** *linguistics* ⇒⟨historisch/vergelijkend⟩ *philology* ◆ **1.1** Nederlandse taal- en letterkunde *Dutch language and literature* **2.1** normatieve/descriptieve/historische/structurele ~ *normative/descriptive/historical/structural l.;* ⟨historisch ook⟩ *philology;* ⟨structureel ook⟩ *structuralism.*

taalkundig ⟨bn., bw.; -(al)ly⟩ **0.1** *linguistic* ⇒⟨historisch/vergelijkend⟩ *philological* ◆ **1.1** het ~ geslacht *grammatical gender* **2.1** ~ juist/onjuist *grammatically correct/incorrect* **3.1** ~ ontleden *parse;* een ~ toegelichte uitgave *annotated edition.*

taalkundige ⟨de (m.)⟩ **0.1** *linguist* ⇒⟨historisch/vergelijkend⟩ *philologist.*

taalkunstenaar ⟨de (m.)⟩ **0.1** *gifted speaker/writer.*

taalkwestie ⟨de (v.)⟩ **0.1** [mbt. de taalkunde/het taalgebruik] *language question* ⇒*language issue* **0.2** [mbt. het officieel erkennen v.e. taal] *language question* ⇒*language issue.*

taalminderheid ⟨de (v.)⟩ **0.1** *linguistic minority.*

taaloefening ⟨de (v.)⟩ **0.1** [het zich oefenen] *language practice* **0.2** [opgave] *language exercise* ⇒*grammatical exercise.*

taalonderwijs ⟨het⟩ **0.1** *language teaching.*

taalontwikkeling ⟨de (v.)⟩ **0.1** [mbt. een persoon] *linguistic development* **0.2** [mbt. de taal] *language development* ⇒*development of a language.*

taalparticularisme ⟨het⟩ **0.1** *linguistic particularism.*

taalpolitiek¹ ⟨de (v.)⟩ **0.1** *language policy/politics.*

taalpolitiek² ⟨bn.⟩ **0.1** *language-political* ⇒*relating to language policy/politics.*

taalprobleem ⟨het⟩ **0.1** *language/linguistic problem.*

taalpsychologie ⟨de (v.)⟩ **0.1** *psycholinguistics.*

taalregel ⟨de (m.)⟩ **0.1** *rule of grammar* ⇒*grammatical rule.*

taalregister ⟨het⟩ **0.1** *register.*

taalschat ⟨de⟩ **0.1** *vocabulary* ⇒*idiom.*

taalsociologie ⟨de (v.)⟩ **0.1** *sociolinguistics.*

taalsocioloog ⟨de (m.)⟩ **0.1** *sociolinguist.*

taalstrijd ⟨de⟩ **0.1** *linguistic conflict.*

taalstudie ⟨de (v.)⟩ **0.1** *study of a/the language;* ⟨van talen als vak⟩ *language studies, study of languages;* ⟨linguïstiek⟩ *linguistics;* ⟨historisch/vergelijkend ook⟩ *philology* ◆ **2.1** vergelijkende ~ *comparative linguistics/philology.*

taalsysteem ⟨het⟩ **0.1** *linguistic/language system.*

taalteken ⟨het⟩ **0.1** *(linguistic) sign.*

taaltypologie ⟨de (v.)⟩ **0.1** *language/linguistic typology.*

taaluiting ⟨de (v.)⟩ **0.1** *language/linguistic utterance, speech act.*

taalvaardigheid ⟨de (v.)⟩ **0.1** *command of the language* ⇒*linguistic skill,* ⟨mondeling ook⟩ *fluency,* ⟨wet.⟩ *(linguistic) competence* ◆ **3.1** zijn ~ vergroten *improve one's command of the language/fluency.*

taalvakantie ⟨de (v.)⟩ **0.1** ≠*foreign holiday/*^*vacation to improve one's knowledge of the language.*

taalvariant ⟨de⟩ **0.1** *linguistic variant.*

taalvergelijking ⟨de (v.)⟩ **0.1** *comparative linguistics* ⇒*philology.*

taalvermogen ⟨het⟩ **0.1** *linguistic competence.*

taalvernieuwing ⟨de (v.)⟩ **0.1** *neology.*

taalverrijking ⟨de (v.)⟩ **0.1** *language enrichment.*

taalvervuiling ⟨de (v.)⟩ **0.1** *deterioration/corruption of (the) language.*

taalverwantschap ⟨de (v.)⟩ **0.1** *linguistic affinity* ◆ **2.1** typologische/genetische ~ *typological/genetic l. a..*

taalverwerving ⟨de (v.)⟩ **0.1** *language acquisition.*

taalvorm ⟨de (m.)⟩ **0.1** *element/component of (a) language.*

taalwet ⟨de⟩ **0.1** [vaste regel in een taal] *linguistic law* **0.2** [wettelijk voorschrift in een land] *language law.*

taalwetenschap ⟨de (v.)⟩ **0.1** *linguistics* ⇒⟨historisch/vergelijkend⟩ *philology* ◆ **2.1** algemene/historische/vergelijkende ~ *general/historical/comparative l.;* ⟨historische ook⟩ *philology;* de Romaanse ~ *study of the Romance languages.*

taalzuiveraar ⟨de (m.)⟩ **0.1** *purist.*

taalzuivering ⟨de (v.)⟩ **0.1** *purism.*

taan ⟨de⟩ **0.1** *tan* ◆ **8.1** zij ziet zo geel als ~ *she looks terribly sallow/pasty/wan.*

taart ⟨de⟩ **0.1** [gebak] *cake* ⇒⟨vruchten⟩ *pie,* ⟨met bladerdeeg⟩ *pastry,* ⟨BE; open vruchtentaart⟩ *tart* **0.2** [stuk gebak] *cake* ⇒⟨vruchten⟩ *pie,* ⟨BE; open vruchtentaart⟩ *tart* **0.3** [scheldnaam] *bag* ⇒*hag, frump,* ^*crock* ◆ **2.3** een ouwe ~ *an old b./hag/frump/crock* **7.2** een ~je *a c./cupcake/fancy cake;* ⟨vruchten⟩ *a tart/flan/patty/pie/pastry.*

taartblik ⟨het⟩ **0.1** *baking-tin.*

taartbodem ⟨de (m.)⟩ **0.1** ⟨layer of (sponge) cake as basis for decoration⟩ ⇒*pie/pastry shell.*

taart(e)deeg ⟨het⟩ **0.1** *cake dough* ⇒⟨gebakken⟩ *pastry.*

taartpunt ⟨de (m.)⟩ **0.1** *wedge of cake.*

taartrand ⟨de (m.)⟩ **0.1** *doily.*

taartschep ⟨de⟩ **0.1** *cake-slice/-server.*

taartspuit ⟨de⟩ **0.1** *icing/piping set.*

taartstolp ⟨de⟩ **0.1** *cake-cover.*

taartvorkje ⟨het⟩ **0.1** *cake-fork.*

taartvorm ⟨de (m.)⟩ **0.1** *cake mould/tin.*

taats ⟨de⟩ **0.1** [spijker] *round-headed nail* **0.2** [metalen punt] *ferrule* **0.3** [tap van assen] *pivot, trunnion* **0.4** [aambeeld in een bankschroef] *anvil.*

tab. ⟨afk.⟩ **0.1** [tabel] ⟨table⟩ **0.2** [tabulator] *tab.*

tabak ⟨de (m.)⟩ **0.1** [genotmiddel] *tobacco* **0.2** [plantengeslacht] *tobacco (plant)* **0.3** [cultuur, handel] *tobacco* ◆ **1.¶** ⟨inf.⟩ zak ~! *ass!, twerp!* **2.1** ⟨fig.⟩ dat is andere ~ *that's a different kettle of fish;* lichte/gesausde ~ *mild/sauced t.* **3.¶** ⟨inf.⟩ er ~ van hebben *be fed up (with sth.), be sick (and tired) of sth.* **6.2** een veld **met** ~ *a field of tobacco.*

tabaksaccijns ⟨de (m.)⟩ **0.1** *tobacco duty/excise/tax* ⇒*duty/excise/tax on tobacco.*

tabaksartikel ⟨het⟩ **0.1** *tobacco (product).*

tabaksblad ⟨het⟩ **0.1** *tobacco leaf.*

tabakscultuur ⟨de (v.)⟩ **0.1** [het verbouwen] *tobacco growing/cultivation* **0.2** [plantage] *tobacco plantation/estate.*

tabaksdoos ⟨de⟩ **0.1** *tobacco box.*

tabaksfermentatie ⟨de (v.)⟩ **0.1** *tobacco fermentation.*

tabakshandel ⟨de (m.)⟩ **0.1** *tobacco-trade* ⇒*trade in tobacco.*

tabakshandelaar ⟨de (m.)⟩ **0.1** *tobacco-merchant* ⇒*tobacco-dealer,* ⟨winkelier⟩ *tobacconist.*

tabaksmonopolie ⟨het⟩ **0.1** *tobacco monopoly.*

tabaksonderneming ⟨de (v.)⟩ **0.1** *tobacco plantation/estate.*

tabaksoogst ⟨de (m.)⟩ **0.1** [handeling] *tobacco harvest* **0.2** [opbrengst] *tobacco harvest/crop.*

tabakspijp ⟨de⟩ **0.1** *(tobacco) pipe.*

tabaksplant ⟨de⟩ **0.1** *tobacco plant.*

tabaksplantage ⟨de (v.)⟩ **0.1** *tobacco plantation/estate.*

tabaksplanter ⟨de (m.)⟩ **0.1** [eigenaar v.e. plantage] *tobacco planter* **0.2** [plantage-arbeider] *tobacco planter.*

tabakspot ⟨de (m.)⟩ **0.1** *tobacco jar.*

tabakspruim ⟨de⟩ **0.1** *guid (of tobacco)* ⇒*chew/plug of tobacco.*

tabaksroker ⟨de (m.)⟩ **0.1** *tobacco-smoker* ⇒*smoker of tobacco.*

tabaksrook ⟨de (m.)⟩ **0.1** *tobacco smoke* ⇒*cigar(ette) smoke.*

tabaksstoppertje ⟨het⟩ **0.1** *tobacco stopper.*

tabaksteelt ⟨de⟩ **0.1** *tobacco growing/cultivation.*

tabaksveiling ⟨de (v.)⟩ **0.1** *tobacco sale* ⇒*sale of tobacco.*

tabaksvergunning ⟨de (v.)⟩ **0.1** *licence* ^*se to sell tobacco.*

tabakswalm ⟨de (m.)⟩ **0.1** *(dense) tobacco smoke* ◆ **2.1** hij zat temidden v.e. zware ~ *he sat in the midst of a dense cloud of tobacco smoke.*

tabakszak ⟨de (m.)⟩ **0.1** *tobacco pouch.*

tabberd ⟨de (m.)⟩ **0.1** *gown* ⇒*robe,* ⟨gesch.⟩ *tabard.*

tabee ⟨tw.⟩ **0.1** *so long* ⇒*bye(-bye), see you.*

tabel ⟨de⟩ **0.1** *table* ⇒*schedule, chart* ◆ **1.1** een ~ van prijswijzigingen/de regenval *a chart of price changes/rainfall;* een ~ v.d. vrachttarieven *a schedule of freight rates* **2.1** wiskundige ~len *mathematical tables.*

tabellarisch ⟨bn.,bw.;-ly⟩ **0.1** *tabular* ⇒*tabulated, columnar* ♦ **1.1** ~ kasboek *a tabular/tabulated/columnar cashbook/account book;* een ~overzicht *a tabular survey, a tabulation* **2.1** ~ ingericht *arranged in tabular/tabulated form.*

tabellariseren ⟨ov.ww.⟩ **0.1** *tabulate.*

tabelleermachine ⟨de (v.)⟩ **0.1** *tabulator.*

tabelleren ⟨ov.ww.⟩ **0.1** *tabulate.*

tabellering ⟨de (v.)⟩ **0.1** *tabulation.*

tabelvorm ⟨de (m.)⟩ ♦ **6.¶ in** ~ *in tabular form;* een overzicht **in** ~ *a tabular overview.*

tabernakel ⟨het, de (m.)⟩ **0.1** ⟨⟨bijb.⟩⟩ *tabernacle* **0.2** [kastje voor de hosties] *tabernacle* **0.3** ⟨fig.⟩ *tabernacle* ⇒*temple, shrine, sanctuary, sanctum* ♦ **1.1** het feest der ~en *the Feast of the Tabernacles* **3.1** ergens zijn ~en opslaan/bouwen ⟨fig.⟩ *pitch one's tent somewhere* **6.¶** iem. **op** zijn ~ geven *dust s.o.'s jacket, give s.o. a good dressing-down/beating/thrashing.*

tabkaart ⟨de⟩ **0.1** *guide card.*

tablatuur ⟨de (v.)⟩ ⟨muz.⟩ **0.1** *tablature.*

tableau ⟨het⟩ **0.1** [schaal] *tray* ⇒*plateau* **0.2** [tafereel] *tableau* ⇒*scene, picture* **0.3** [lijst] *roll, list* **0.4** [geschoten wild] *bag* ♦ **¶.2** ~ vivant *t. vivant* **¶.3** ~ de la troupe *cast, list of performers/characters, (the) company, dramatis personae.*

tablet ⟨het, de⟩ **0.1** [plak, reep] *tablet* ⇒*bar* **0.2** ⟨⟨far.⟩⟩ *tablet* ⇒*pill,* ⟨zuigtablet ook⟩ *lozenge* **0.3** [geperst blokje smaakstoffen] *tablet* ⇒*cube* ⟨bouillon⟩ ♦ **1.2** ~ten aspirine *aspirin tablets* **1.3** bouillon v.e. ~ *broth from a t./cube* **3.2** een ~je innemen tegen de hoofdpijn *take a pill for/against (a) headache.*

tabletvorm ⟨de (m.)⟩ **0.1** *tablet form* ♦ **6.1** medicijnen in ~ *medicines in t.f..*

taboe¹ ⟨het, de (m.)⟩ **0.1** *taboo* ♦ **2.1** het laatste ~ *the final/ultimate t.* **3.1** er rust een ~ op *it is under (a) t., it is taboo;* een ~ schenden/doorbreken *violate/ignore a t..*

taboe² ⟨bn.⟩ **0.1** [ongepast om te gebruiken/over te spreken] *taboo* ⇒*forbidden, prohibited* **0.2** [onaantastbaar] *taboo* ⇒*sacred* ♦ **3.1** kanker is ~ *cancer is t./unmentionable;* iets ~ verklaren *taboo/forbid/prohibit sth., put sth. under taboo* **3.2** sommige vorsten waren ~ voor hun onderdanen *some monarchs were t. to their subjects* **5.1** streng ~ zijn *be strictly t..*

taboeret ⟨de (m.)⟩ **0.1** *tabo(u)ret.*

tabula rasa ⟨de (v.)⟩ **0.1** *tabula rasa* ♦ **3.1** ⟨fig.⟩ ~ maken *turn over a new leaf.*

tabulator ⟨de (m.)⟩ **0.1** *tabulator* ⇒⟨inf.⟩ *tab.*

tabulatuur ⟨de (v.)⟩ ⟨muz.⟩ **0.1** *tablature* (ihb. v.d. luit).

tabuleren ⟨onov., ov.ww.⟩ **0.1** *tabulate.*

tacet ⟨muz.⟩ **0.1** *tacet.*

tache de beauté ⟨de⟩ **0.1** *beauty spot* ⇒⟨kunstmatig ook⟩ *mouche, patch,* ⟨natuurlijk ook⟩ *birthmark.*

tachisme ⟨het⟩ ⟨bk.⟩ **0.1** *tachism(e)* ⇒*action painting.*

tachistoscoop ⟨de (m.)⟩ **0.1** *tachistoscope.*

tachogenerator ⟨de (m.)⟩ **0.1** *tachogenerator.*

tachograaf ⟨de (m.)⟩ **0.1** [snelheidsmeter] *tachometer* **0.2** [registratie-toestel] *tachograph* ⇒*speedometer.*

tachometer ⟨de (m.)⟩ **0.1** *tachometer.*

tachotypie ⟨de (v.)⟩ **0.1** *stenotypy, stenotyping.*

tachtig

I ⟨hoofdtelw.⟩ **0.1** [acht maal tien] *eighty* **0.2** [1880,1980] *eighty* ♦ **1.1** mijn oma is ~ jaar oud *my grandmother is e. (years old)* **1.2** de jaren ~ *the eighties* **6.1** in de ~ zijn *be in one's eighties;* wij waren met zijn ~en *there were e. of us;* hij loopt **naar** de ~ *he's going on (for)/verging towards/on the verge of e.* **6.2** de mannen van beweging **van** Tachtig *the Eighties movement;* mijn dochter is **van** ~ *my daughter is from 'e. I was born in 'e.;*

II ⟨rangtelw.⟩ **0.1** [tachtigste] *eighty* ⇒*eightieth* ♦ **1.1** hoofdstuk drie, paragraaf ~ *chapter three, section eighty.*

tachtiger ⟨de (m.)⟩ **0.1** [iem. van tachtig jaar] *octogenarian* ⇒*man/woman in his/her eighties, eighty-year-old, man/woman of eighty* **0.2** [⟨lit.⟩] *man/writer of the Eighties Movement* ⇒⟨mv.⟩ *Eighties movement.*

tachtigste¹ ⟨de (v.)⟩ **0.1** *eightieth* ♦ **7.1** een ~ ton *the e. of a ton,* ⟨zelfst.⟩ een ~ *one/an e..*

tachtigste² ⟨rangtelw.⟩ **0.1** *eightieth* ♦ **6.1 op** zijn ~ ging hij nog elke dag zwemmen *at (the age of) eighty, he still went swimming every day* **7.1** dit is de ~ *this is the e..*

tachtigtal ⟨het⟩ **0.1** [de hoeveelheid tachtig] *eighty* **0.2** [ongeveer tachtig] *eighty* ♦ **1.2** er waren een ~ mensen aanwezig *some e. people were present.*

tachtigvoud¹ ⟨het⟩ ⟨wisk.⟩ **0.1** *multiple of eighty* ♦ **6.¶** de bevolking is nu een ~ van vroeger *the population is now eighty times what is used to be;* het ~ **van** vijf is vierhonderd *eighty times five is four hundred.*

tachtigvoud² ⟨bw.⟩ **0.1** *eightyfold.*

tachtigvoudig ⟨bn.,bw.⟩ **0.1** *eightyfold* ♦ **7.1** de bevolking is nu het ~e van vroeger *the population is now eighty times what it used to be.*

tachycardie ⟨de (v.)⟩ ⟨med.⟩ **0.1** *tachycardia.*

tachygraaf ⟨de (m.)⟩ **0.1** [persoon] *stenographer* ⇒⟨vnl. gesch.⟩ *tachygrapher* **0.2** [machine] *stenotype.*

tachygrafie ⟨de (v.)⟩ **0.1** [snelschrift] *stenography* ⇒*speedwriting,* ⟨vnl. gesch.⟩ *tachygraphy* **0.2** [schrijfmachineschrift] *stenotype.*

tachymeter ⟨de (m.)⟩ ⟨landmeetk.⟩ **0.1** *tachymeter.*

tachymetrie ⟨de (v.)⟩ ⟨landmeetk.⟩ **0.1** *tachymetry.*

tachyon ⟨het⟩ ⟨nat.⟩ **0.1** *tachyon.*

tackelen ⟨o.vw.,onov.ww.⟩ ⟨sport⟩ **0.1** *tackle* ⇒*down.*

taco ⟨de⟩ ⟨cul.⟩ **0.1** *taco.*

tact ⟨de (m.)⟩ **0.1** *tact* ⇒*discretion, delicacy, diplomacy* ♦ **1.1** ⟨scherts.⟩ de t.v.e. olifant *the t. of an elephant/of a bull in a china shop* **3.1** ~ hebben om met mensen om te gaan *be able to handle people tactfully, have a way with people* **6.1** iets met ~ en beleid doen *do sth. with t. and discretion;* iets met ~ regelen *deal with sth. tactfully, use/show/exercise t./discretion in dealing with sth..*

tacticus ⟨de (m.)⟩ **0.1** [tactvol iem.] *diplomat* **0.2** [iem. die de tactiek goed toepast] *tactician.*

tactiek ⟨de (v.)⟩ **0.1** [werkwijze om zijn doel te bereiken] *tactics* ⇒*strategy, policy* **0.2** [⟨sport⟩] *tactics* ⇒*strategy* **0.3** [gevechtsvoeringsleer] *tactics* ♦ **1.3** de ~ v.d. verschroeide aarde *the scorched-earth policy* **2.1** dat is niet de juiste ~ om zoiets te regelen *that is not the way to go about such a thing* **3.1** ⟨pej.⟩ dat is allemaal ~ *those are just t./manoeuvres;* een verkeerde ~ toepassen *pursue/adopt unsuitable t.;* van ~ veranderen *change/alter one's t./strategy.*

tactiel ⟨bn.⟩ **0.1** *tactile.*

tactisch

I ⟨bn.⟩ **0.1** [van tactiek getuigend] *tactical* ⇒*adroit, cunning, diplomatic, politic* **0.2** [tot de tactiek behorend] *tactical* ⇒*strategic* **0.3** [⟨mil.⟩ mil.] met ondersteunende functie] *tactical* **0.4** [handig] *tactful* ♦ **1.1** een ~e fout *a mistake of tactics;* een ~e zet *a t./cunning/diplomatic/clever/shrewd move* **1.2** een ~e eenheid *a t. unit* **1.3** de ~e luchtmacht/atoomwapens *the t. air force/atomic weapons* **3.4** dat was niet erg ~ van je *that wasn't very t. of you;*

II ⟨bw.⟩ **0.1** [op van tactiek getuigende wijze] *tactically* ⇒*adroitly, cleverly, shrewdly,* ⟨tactvol⟩ *tactfully* ♦ **3.1** iets ~ aanpakken *set about sth. tactically/cleverly/shrewdly/adroitly* **¶.1** ~ te werk gaan *proceed tactically/with tact/tactfully.*

tactloos ⟨bn.,bw.;-ly⟩ **0.1** *tactless* ⇒*thoughtless, impolitic, inconsiderate, indiscreet* ♦ **1.1** een tactloze opmerking maken *make a tactless/thoughtless/clumsy remark, make a blunder, drop a brick* **3.1** ~ optreden *show no tact, blunder, put one's foot in it, be clumsy/inconsiderate/indiscreet.*

tactloosheid ⟨de (v.)⟩ **0.1** *tactlessness* ⇒*thoughtlessness.*

tactvol ⟨bn.,bw.;-ly⟩ **0.1** *tactful* ⇒*discreet, diplomatic, politic, judicious* ♦ **1.1** een ~ beleid *a t./judicious policy* **¶.1** ~ te werk gaan *proceed tactfully/with tact/with discretion.*

taekwondo ⟨het⟩ ⟨sport⟩ **0.1** *tae kwon do.*

taf ⟨het, de (m.)⟩ **0.1** *taffeta* ♦ **2.1** gewaste ~ *wax-t., oil(ed) silk.*

tafel ⟨de⟩ ⟨~sprw. 327⟩ **0.1** [meubel] *table* **0.2** [tabel, register] *table* ⇒*schedule, chart* **0.3** [dis] *table* **0.4** [personen om een tafel] *table* **0.5** [plaat met inscriptie] *table* ⇒*tablet, slab* **0.6** [avondmaalstafel] *table* ♦ **1.1** ⟨jur.⟩ van ~ en bed scheiden *be legally/judicially separated, separate from bed and board, obtain a judicial/legal separation;* aan het hoofd v.d. ~ *at the head/top of the t.* **1.2** de ~ v.h. kadaster *the register of real property;* de ~s van vermenigvuldiging *the multiplication tables* **1.6** de Tafel des Heren *the Lord's t.* **2.1** ⟨sport⟩ de groene ~ *the green/gaming t.;* de groene ~ *the boardroom t., the council board;* ⟨fig.⟩ de Ronde Tafel *the Round Table;* een goede/generous t. ⟨scherts.⟩ *a groaning board* **2.2** sterrekundige ~ *astronomical ephemeris* **2.4** een besloten ~ *a private t.;* de hele ~ lag krom *the whole t. was roaring with laughter* **2.5** ⟨bijb.⟩ de stenen ~en *the two tables, the tables of the law* **3.1** de ~ afruimen *clear the t., clear away;* de ~ dekken *set/lay the t., lay the cloth;* (in een restaurant) een ~ reserveren/bespreken *book/reserve a t.* **3.4** de ~ bedienen *wait (at/ᴬon t.), serve at t.* **6.1** aan ~ gaan *go to t., sit down to t./dinner, have dinner;* aan ~ zijn/zitten *be at t./dinner;* aan ~! *dinner is ready!/served!;* aan ~ gaan zitten *sit down at the t.;* boven/onder aan de ~ *at the head/top/bottom/foot of the t., above/below the salt;* om de ~ gaan zitten *get round the t., enter into/open (up)/start negotiations;* ⟨fig.⟩ iem. **onder** de ~ drinken *drink s.o. under the t.;* ⟨fig.⟩ een bedrag **onder** ~ *a sum under the counter;* ⟨fig.⟩ bezwaren **onder** de ~ schuiven *brush/wave objections aside, argue away objections;* ⟨fig.⟩ ⟨AZN⟩ ergens zijn benen **onder** ~ steken *stay for dinner somewhere;* ⟨fig.⟩ iem. **onder** de ~ praten *outargue s.o., talk s.o. down;* het ontbijt staat **op** ~ *breakfast is on the t./ready/ᴬserved;* de kaarten **op** ~ leggen ⟨ook fig.⟩ *lay/put/place one's cards on the t., show/reveal one's cards/hand;* ⟨kaartspel⟩ ~ zijn *be on the t.;* ⟨fig.⟩ er lagen verschillende voorstellen **op** ~ *there were several proposals on the t./under discussion;* ik kan het geld niet zonder meer **op** ~ leggen *I can't* *cough up the money just now, I can't pay cash on the nail;* ⟨fig.⟩ een voorstel **ter** ~ brengen *bring a proposal up (for discussion), bring a proposal forward, submit a proposal (for discussion),* ᴮ*table a proposal, ^Alay a proposal on the t.;* ⟨fig.⟩ **ter** ~ komen *come up (for discussion / consideration), come forward / on;* ⟨fig.⟩ **ter** ~ liggen *be / lie on the t.,* ᴮ*be tabled;* **van** ~ gaan *leave the t., rise from (the) t.;* ⟨kind ook⟩ *get down;* ⟨fig.⟩ **van / onder** de ~ vegen *brush / wave aside;* een ~ **voor** zes personen *a t. for six* **6.2** de ~ **van** zeven *the seven-times t.* **6.3** men sprak er **aan** ~ over *it was discussed at t. / during dinner;* altijd lang **aan** ~ zitten *always sit / be long over dinner;* **na** ~ een wandeling maken *go for a walk after dinner, take a postprandial walk;* bij hen kwamen er alle dagen aardappelen **op** ~ *they had potatoes every day;* **voor** ~ een borrel drinken *have a drink before dinner* **6.6 tot** de ~ naderen *communicate, go to Communion / the Lord's t., partake of the Lord's supper* **7.5** de twaalf ~ en *the Twelve Tables* **¶.1** een ~ op één poot *a t. on / with one leg, a one-legged t..*

tafelaansteker ⟨de (m.)⟩ **0.1** *table lighter.*

tafelbel ⟨de⟩ **0.1** *hand-bell.*

tafelberg ⟨de (m.)⟩ **0.1** [berg met platte top] *table mountain* **0.2** [sterrenbeeld] *Table (Mountain).*

tafelbiljart ⟨het⟩ **0.1** *(tabletop) billiard table.*

tafelblad ⟨het⟩ **0.1** [bovengedeelte v.e. tafel] *tabletop* **0.2** [inlegstuk v.e. tafel] *table-leaf;* ⟨neerklapbaar⟩ *dropleaf, table-flap.*

tafeldame ⟨de (v.)⟩ **0.1** *partner / neighbour (at dinner / table).*

tafeldans ⟨de (m.)⟩ **0.1** *table-lifting / -turning.*

tafeldekken ⟨het⟩ **0.1** *laying / setting the table.*

tafeldrank ⟨de (m.)⟩ **0.1** *table drink /* ↑*beverage.*

tafeleend ⟨de⟩ **0.1** *pochard* ⇒*dunbird.*

tafelen ⟨onov.ww.⟩ **0.1** *dine, sit / be at table* ◆ **5.1** zij tafelt goed *she dines well;* wij ~ meestal lang *we usually linger at the dinner-table / over our dinner.*

tafelgarnituur ⟨het⟩ **0.1** *cutlery* ⇒*knives and forks,* ⟨AE⟩ *silverware.*

tafelgebed ⟨het⟩ **0.1** *grace (before / after meals).*

tafelgenoot ⟨de (m.)⟩ **0.1** *table-companion.*

tafelgerei ⟨het⟩ **0.1** *tableware and cutlery* ◆ ⟨inf.⟩ *table things* ◆ **2.1** gouden ~ *gold plate.*

tafelgerief → **tafelgerei.**

tafelgesprek ⟨het⟩ **0.1** *table conversation* ◆ **2.1** zinloze ~ ken *meaningless table-talk.*

tafelgezelschap ⟨het⟩ **0.1** *guests* ⇒*table* ◆ **3.1** het ~ besprak de kabinetscrisis *the table discussed the cabinet crisis.*

tafelgoed ⟨het⟩ **0.1** *table-linen.*

tafelheer ⟨de (m.)⟩ **0.1** *partner / neighbour (at dinner / table).*

tafelkleed ⟨het⟩ **0.1** [kleed] *table-cloth / -cover* **0.2** [tafellaken] *table-cloth* ◆ **3.2** het ~ weghalen / op tafel leggen *draw / lay the (table-)cloth* **¶.1** een ~ je *a table-mat / -centre.*

tafelklem ⟨de⟩ **0.1** *table-cloth clip.*

tafelklopperij ⟨de (v.)⟩ **0.1** *table-rapping.*

tafella ⟨de⟩ **0.1** *table-drawer.*

tafellaken ⟨het⟩ **0.1** *table-cloth* ◆ **6.1** ⟨fig.⟩ te groot voor (een) servet, te klein **voor** (een) ~ ⟨mbt. kind⟩ *at the awkward / that in-between age;* ⟨alg.⟩ ≠*neither flesh / fish nor fowl.*

tafellamp ⟨de⟩ **0.1** *table-lamp.*

tafelland ⟨het⟩ **0.1** *table-land* ⇒*plateau,* ⟨in Amerika ook⟩ *mesa.*

tafellinnen ⟨het⟩ **0.1** *table-linen* ⇒*napery.*

tafelloper ⟨de (m.)⟩ **0.1** *(table) runner.*

tafelmanieren ⟨zn.mv.⟩ **0.1** *table manners.*

tafelmatje ⟨het⟩ **0.1** *table-mat* ⇒*place-mat.*

tafelmes ⟨het⟩ **0.1** *table knife* ⇒*dinner-knife.*

tafelpoot ⟨de (m.)⟩ **0.1** *leg of the / a table* ⇒*table-leg.*

tafelrede ⟨de (v.)⟩ **0.1** *after-dinner speech* ⇒*speech at dinner.*

tafelreservering ⟨de (v.)⟩ **0.1** *table reservation* ⇒*reservation of a / the table.*

tafelronde ⟨de⟩ **0.1** *Round Table* ◆ **1.1** de ridders v.d. ~ *the Knights of the R.T..*

tafelschel ⟨de⟩ **0.1** *table-bell.*

tafelschikking ⟨de⟩ **0.1** *table arrangement* ⇒*seating / placing of the guests, seating plan.*

tafelschuimer ⟨de (m.)⟩ **0.1** *sponger* ⇒*freeloader, parasite.*

tafelservies ⟨het⟩ **0.1** *dinner-service* ⇒*tableware, crockery.*

tafelspel ⟨het⟩ **0.1** *parlour / family / party game.*

tafeltennis ⟨het⟩ **0.1** *table tennis.*

tafeltenniser ⟨de (m.)⟩, **-ster** ⟨de (v.)⟩ **0.1** *table-tennis player.*

tafeltennissen ⟨onov.ww.⟩ ⟨sport⟩ **0.1** *play table-tennis /* ⟨inf.⟩ *ping-pong.*

tafeltennistafel ⟨de⟩ ⟨sport⟩ **0.1** *table-tennis table.*

tafeltje-dek-je ⟨het⟩ **0.1** [sprookjestafel] ≠*land of milk and honey* **0.2** [organisatie die maaltijden aan huis verstrekt] ≠*meals on wheels* ◆ **3.1** het is daar een ~ *it's the land of milk and honey /* ⟨BE ook⟩ *cut-and-come-again there;* het is daar geen ~ *it's not exactly the land of milk and honey here;* het was ~ *the table was soon laid.*

tafeltoestel ⟨het⟩ **0.1** [telefoon] *desk telephone,* ⟨radio, televisie⟩ *tabletop radio / television (set).*

tafelvoetbal ⟨het⟩ **0.1** *table football.*

tafelvoetbalspel ⟨het⟩ **0.1** *table football.*

tafelwijn ⟨de (m.)⟩ **0.1** *table-wine* ◆ **2.1** rode ~ *red t.-w..*

tafelzeil ⟨het⟩ **0.1** *(table) oil-cloth.*

tafelzilver ⟨het⟩ **0.1** *silver cutlery* ⇒*silverware.*

tafelzout ⟨het⟩ **0.1** *table salt.*

tafelzuur ⟨het⟩ **0.1** *pickle(s).*

tafereel ⟨het⟩ **0.1** [situatie] *tableau* ⇒*scene, sight* **0.2** [afbeelding] *tableau* ⇒*scene, picture* **0.3** [⟨wisk.⟩] *picture plane, plane of projection* ◆ **2.1** een idyllisch / roerend ~ *an idyllic scene, a moving sight.*

taffen ⟨bn.⟩ **0.1** *taffeta.*

tafia ⟨de (m.)⟩ **0.1** *tafia.*

tafzijde ⟨de⟩ **0.1** *taffeta.*

tahin ⟨de⟩ ⟨cul.⟩ **0.1** *tahina, tahini.*

tahoe ⟨de (m.)⟩ ⟨cul.⟩ **0.1** *tofu* ⇒*bean curd.*

tai-chi ⟨het⟩ **0.1** *tai chi.*

taiga ⟨de⟩ **0.1** *taiga.*

taille ⟨de⟩ **0.1** [middel] *waist* **0.2** [deel v.e. kledingstuk] *waist(-line)* **0.3** [omtrek] *waist(-size)* ⇒*girth* ◆ **2.1** een dunne / fraaie ~ hebben *have a slender / lovely w.* **2.2** een jurk met een hoge ~ *a dress with a high waist-line;* een verhoogde / verlaagde ~ *a high waist, a long / dropped waist* **6.1** ze gespte een ceintuur **om** haar ~ *around her w. she put a belt* **6.2** een japon innemen **in** de ~ *catch a dress in at the waist;* die jas is te nauw **in** de ~ *that coat is too narrow at the waist.*

tailleband

I ⟨het⟩ **0.1** [band ter versteviging] *facing;*

II ⟨de⟩ **0.1** [band om de taille] *waistband.*

taillemaat ⟨de⟩ → **taillewijdte.**

taillenaad ⟨de (m.)⟩ **0.1** *waist seam.*

tailleren ⟨ov.ww.⟩ **0.1** *nip in at the waist* ⇒*shape* ◆ **1.1** een getailleerde blouse *a tailored blouse;* je moet die jas wat meer ~ *you ought to nip that coat in at the waist* **5.1** het jasje is niet getailleerd ⟨ook⟩ *it is a loose-fitting coat.*

tailleur ⟨de (m.)⟩ **0.1** [kleermaker] *tailor* **0.2** [damesmantelpak] *suit* ⇒*costume.*

tailleuse ⟨de (v.)⟩ **0.1** *dressmaker.*

taillewijdte ⟨de (v.)⟩ **0.1** *waist size.*

Taiwan ⟨het⟩ **0.1** *Taiwan.*

tak ⟨de (m.)⟩ ⟨→sprw. 559⟩ **0.1** [loot] *branch* ⇒⟨klein⟩ *twig, sprig,* ⟨groot⟩ *bough, limb* **0.2** [vertakking] *branch* ⇒*fork, arm* **0.3** [deel v.e. familie] *branch* ⇒*offshoot* **0.4** [onderdeel v.e. menselijke werkzaamheid] *branch* ⇒*line, section, discipline* ⟨van wetenschap⟩ **0.5** [afdeling] *branch* ⇒*department, section, division* **0.6** [taal] *branch* ◆ **1.1** ⟨fig.⟩ iets met wortel en ~ uitroeien *eradicate / deracinate sth.* **1.2** de ~ ken v.e. gewei *the tines of a deer's antlers* **1.4** een ~ van dienst *a (public) service department;* een ~ van sport / van wetenschap *a branch of sports;* ⟨wetenschap ook⟩ *a discipline science* **2.1** dorre ~ ken *dead branches;* ⟨klein⟩ *dry twigs* **2.2** de Rijn verdeelt zich in verschillende ~ ken *the Rhine splits up into several branches* **2.3** de arme ~ *the poor side / b. (of the family)* **2.5** de Amerikaanse ~ van ons bedrijf *the American b. / division of our company* **3.2** een weg die zich in twee ~ ken splitst *a forked road* **3.¶** de wandelende ~ *the stick insect / spectre, the walking stick* **6.¶** v.d. hak **op** de ~ springen *jump / ramble from one subject to another.*

takel ⟨het, de (m.)⟩ **0.1** [werktuig tot verplaatsing van lasten] *tackle* ⇒*hoist* **0.2** [uitrusting v.e. zeilschip] *rigging* ⇒*tackle* ◆ **6.1** in een ~ / in de ~ hangen *be in the sling.*

takelauto ⟨de (m.)⟩ **0.1** *breakdown lorry / van;* ^A*wrecker / tow truck.*

takelbalk ⟨de (m.)⟩ **0.1** *hoist-beam.*

takelblok ⟨het⟩ **0.1** *(tackle) block.*

takelen ⟨onov., ov.ww.⟩ **0.1** [ophijsen] ⟨onov.⟩ *hoist, heave,* ⟨ov.⟩ *hoist / pull up* **0.2** [⟨scheep.⟩ optuigen] *rig* ⇒*fit out* ◆ **3.1** we zullen moeten ~ *we shall have to hoist* **6.1** een auto **uit** de sloot ~ *hoist / pull a car up out of the ditch.*

takelwagen ⟨de (m.)⟩ **0.1** *breakdown lorry / van;* ^A*wrecker / tow truck.*

takelwerk ⟨het⟩ **0.1** *rigging, cordage.*

takkenbos ⟨de (m.)⟩ **0.1** *faggot* ⇒⟨als versteviging bij dijken, e.d.⟩ *fascine.*

taks

I ⟨de⟩ **0.1** [vastgestelde hoeveelheid] *regular / usual / habitual amount / quantity / number* **0.2** [deel] *share* ⇒*portion, part* **0.3** [⟨AZN⟩ heffing] *tax* ⇒*charge, duty, levy* **0.4** [vacatiegeld] *attendance money / fee* ◆ **3.1** vijf pilsjes is mijn (vaste) ~ *five beers is my usual quantity / my limit* **6.1 aan** zijn ~ zijn *have had enough / one's regular quantity;* ik ben **boven** mijn ~ *I've already had more than I'm used to;*

II ⟨de (m.)⟩ **0.1** [dashond] *dachshund.*

tal ⟨het⟩ **0.1** [grote hoeveelheid] *scores* ⇒*hordes* **0.2** [aantal] *number* ◆ **2.2** de veestapel werd op kleiner ~ gebracht *the livestock / n. of cattle was reduced* **6.1** ~ **van** voorbeelden *numerous examples* **6.2 zonder** ~ *innumerable, without n.* **6.¶ op** het ~ staan / zetten *be (put) on the short-list.*

talen ⟨onov.ww.⟩ **0.1** [belangstelling tonen voor] *care (about / for)* ⇒*be interested, show interest, ask* **0.2** [moeite doen om te verkrijgen] *strive / strain (for / after)* ⇒*trouble o.s. (for / about)* ◆ **6.1** hij taalde niet **naar**

zijn familie *he showed no interest in his family;* ik taal er niet meer **naar** (sigaretten enz.) *it doesn't bother me in the least; it leaves me cold, it's lost its attraction, I don't fancy it anymore* **6.2** zij hebben nooit **naar** luxe getaald *they have never striven after luxury/cared for luxury.*

talenkenner ⟨de (m.)⟩ **0.1** *linguist.*

talenkennis ⟨de (v.)⟩ **0.1** *knowledge/command of languages* ◆ **2.1** een grote ~ *multilingualism, linguistic accomplishments;* iem. met een grote ~ *a linguist* **3.1** ~ is niet vereist *knowledge of languages is not required.*

talenknobbel ⟨de (m.)⟩ **0.1** *linguistic talent* ⇒*head for/flair for/gift of languages* ◆ **3.1** zij heeft een ~ *she's a natural linguist.*

talenlaboratorium ⟨het⟩ **0.1** *language laboratory/* ⟨inf.⟩ *lab.*

talenpracticum ⟨het⟩ **0.1** *language lab(oratory).*

talent ⟨het⟩ **0.1** [gave] *talent* ⇒*gift* (ihb. kunstzinnig), *ability, capacity, aptitude* ⟨bv. voor studie/zaken⟩ **0.2** [persoon] *talent(ed person)* ⇒ *genius* **0.3** [⟨gesch.⟩ gewicht, geldsom] *talent* ◆ **2.1** gezegend zijn met een groot ~ *be blessed with great talent(s), be highly gifted;* verborgen ~en *hidden/latent talents* **3.1** ze heeft (geen) ~ *she is (un)talented* **6.1** met (zijn) ~ woekeren *exploit one's talent(s)/abilities;* iem. met veel ~ *s.o. (endowed) with many talents;* een man met vele ~en *a man of many talents/parts/accomplishments;* ~ voor wiskunde *a flair for mathematics, a mathematical turn of mind;* ~ voor muziek hebben *have a talent for music;* hij heeft er ~ voor om mensen dwars te zitten *he has a great gift/talent for annoying people;* zonder ~ *talentless, untalented.*

talentenjacht ⟨de⟩ **0.1** *talent scouting.*

talentvol ⟨bn., bw.⟩ **0.1** ⟨bn.⟩ *talented, gifted;* ⟨bw.⟩ *brilliantly, ably, with great talent.*

talenwonder ⟨het⟩ **0.1** *language/linguistic genius.*

talg ⟨de (m.)⟩ **0.1** [huidsmeer] *skin fat, sebaceous matter* **0.2** [dierlijk vet] *tallow.*

talgklier ⟨de⟩ **0.1** *sebaceous gland.*

talie ⟨de (v.)⟩ ⟨scheep.⟩ **0.1** *burton* ⇒*tackle.*

taliën ⟨onov., ov.ww.⟩ **0.1** ⟨onov.⟩ *hoist, heave;* ⟨ov.⟩ *hoist/pull up.*

talig ⟨bn.⟩ **0.1** [mbt. taal] *linguistic* **0.2** [⟨als achtervoegsel⟩⟨van personen⟩] *-speaking* **0.3** [⟨als achtervoegsel⟩⟨van teksten enz.⟩] *-language* ◆ **5.2** Duitstalige Belgen *German-speaking Belgians* **5.3** Franstalige programma's *programmes* ᴬ*grams in French, French-language programmes* ᴬ*grams.*

taling ⟨de (m.)⟩ **0.1** *teal.*

talisman ⟨de (m.)⟩ **0.1** *talisman* ⇒*amulet, good-luck charm.*

talk ⟨de (m.)⟩ **0.1** [magnesiumsilicaat] *talc* **0.2** [dierlijk vet] *tallow* **0.3** [huidsmeer] *skin fat, sebaceous matter* ◆ **2.1** gemalen ~ *talcum powder* **2.2** plantaardige ~ *vegetable t..*

talkaarde ⟨de⟩ **0.1** *magnesia.*

talkachtig ⟨bn.⟩ **0.1** [vet] *tallowy* ⇒*tallowish* **0.2** [mbt. mineraal] *talcous* ⇒*talcose,* ⟨inf.⟩ *talc-like.*

talkklier ⟨de⟩ **0.1** *sebaceous gland.*

talkpoeder ⟨het, de (m.)⟩ **0.1** *talcum powder.*

talksteen ⟨de (m.)⟩ **0.1** *steatite.*

talloos ⟨bn., bw.⟩ **0.1** ⟨bn.⟩ *innumerable, numberless, myriad, numberless, uncounted,* ⟨bw.⟩ *innumerable, in countless numbers* ◆ **1.1** er zijn nog talloze dingen te doen *there are still a hundred and one things to take care of;* talloze keren *times without number, countless times* **3.1** tallozen zijn er die …*uncounted are the numbers of those who* … **6.1** wij zijn met tallozen *our numbers are legion* **7.1** ~ veel *innumerable, (in) countless numbers.*

talmen ⟨onov.ww.⟩ **0.1** *tarry* ⇒*delay, defer, linger, procrastinate, put off* ◆ **1.1** een ~de houding *a dilatory attitude* **6.1** ~ bij het nemen v.e. beslissing *defer a decision, t. over a decision/in taking a decision, put off a decision;* ~ met iets t. over/in sth.; zonder ~ *without delay.*

talmer ⟨de (m.)⟩, **-ster** ⟨de (v.)⟩ **0.1** *dawdler* ⇒*laggard, lingerer,* ⟨inf.⟩ *slowcoach,* ⟨iem. die een beslissing telkens weer uitstelt⟩ *procrastinator.*

talmud ⟨de (m.)⟩ **0.1** *Talmud.*

talmudisch ⟨bn.⟩ **0.1** *Talmudic* ◆ **1.1** naar ~ gebruik *according to T. usage.*

talmudist ⟨de (m.)⟩ **0.1** [kenner v.d. talmud] *Talmudist* **0.2** [in de talmud vermelde rabbijn] *Talmudist.*

talon ⟨de (m.)⟩ **0.1** [bewijs behorend bij een effect] *talon* ⇒*voucher* **0.2** [⟨kaartspel⟩] *talon* ⇒*stock* **0.3** [lijst] *ogee, (inverted) talon, cyma (reversa).*

talrijk
I ⟨bn.⟩ **0.1** [veelvuldig] *numerous* ⇒*many, plentiful, thick-set,* ↑*multitudinous* **0.2** [veel eenheden bevattend] *numerous* ⇒*large, rich* ◆ **1.1** met ~e illustraties *with n./many illustrations* **1.2** een ~ huisgezin *a large/n. family* **3.1** ~ zijn de verhalen die …*many's the tale which …;* zeer/weinig ~ zijn *be thick/thin on the ground;* ~er zijn dan *outnumber;*
II ⟨bw.⟩ **0.1** [in groot aantal] *in large numbers* ⇒*richly, amply, plentifully* ◆ **3.1** ~ vertegenwoordigd *present in large numbers.*

talrijkheid ⟨de (v.)⟩ **0.1** *numerousness* ⇒*great number(s),* ↑*profusion.*

talstelsel ⟨het⟩ **0.1** *scale (of notation), numerical/numbers system* ◆ **2.1** een getal in een ander ~ overbrengen *convert/transfer a number to another scale/numerical system.*

talud ⟨het⟩ **0.1** *incline, slope; bank* ⟨van weg/spoordijk⟩; ⟨natuurlijk⟩ *talus.*

tam
I ⟨bn.⟩ **0.1** [mbt. dieren] *tame(d)* ⇒*domesticated, house-trained* **0.2** [mbt. planten] *cultivated* ⇒*edible, domestic* **0.3** [mak] *tame* ⇒*meek, mild, gentle* ◆ **1.1** ~me en wilde eenden *domestic and wild ducks;* een ~ konijntje *a tame rabbit;* een ~me vos *a tame fox* **1.2** een ~me kastanje levert eetbare vruchten *a sweet/Spanish chestnut yields edible fruits;* ~me rozen *c. roses* **1.3** een ~ paard *a gentle/meek/t. horse* **3.1** ~ maken *house-train* ⟨huisdieren⟩; *tame* ⟨leeuwen e.d.⟩;
II ⟨bn., bw.; -ly⟩ **0.1** [niet krachtig] *insipid* ⇒*lukewarm, tame, dull* ◆ **1.1** het is hier maar een ~ zootje *it's a dull scene here;* een ~me rede *a lukewarm speech* **3.1** hij heeft nogal ~ gesproken *he spoke rather tamely.*

tamari ⟨de⟩ ⟨cul.⟩ **0.1** *tamari.*

tamarinde ⟨de⟩ **0.1** *tamarind.*

tamarisk ⟨de (m.)⟩ **0.1** *tamarisk.*

tamboer ⟨de (m.)⟩ **0.1** [trommelaar] *drummer* ⇒*tambour* **0.2** [⟨tech.⟩ trommel] *drum.*

tamboereerwerk ⟨het⟩ **0.1** ⟨het borduren⟩ *tambour-work;* ⟨stof⟩ *tambour(-work).*

tamboeren ⟨onov.ww.⟩ **0.1** [op de tamboer slaan] *beat the drum* ⇒*drum* **0.2** [⟨inf.⟩ voortdurend aandringen] *harp (on)* ⇒*hammer (away at/in(to)), carp (on)* ⟨klagen⟩ **0.3** [⟨AZN⟩ leven maken] *make a racket* ⇒⟨BE⟩ *kick up a row* ◆ **6.2** op iets (blijven) ~ *keep harping on sth., carp (on) about sth..*

tamboereren ⟨onov.ww.⟩ →**tamboeren** 0.1, 0.2.

tamboerijn ⟨de (m.)⟩ **0.1** [handtrom] *tambourine* **0.2** [tamboereerraam] *tambour (frame).*

tamboerkorps ⟨het⟩ **0.1** *drum band/corps.*

tamboer-maître ⟨de (m.)⟩ ⟨mil.⟩ **0.1** [⟨mil.⟩] *drum major* **0.2** [burgerdirigent] *drum major.*

tamboer-majoor ⟨de (m.)⟩ ⟨mil.⟩ →**tamboer-maître** 0.1.

tamelijk
I ⟨bw.⟩ **0.1** [nogal] *fairly, rather* ⇒ ↓*pretty,* ↑*reasonably* **0.2** [op redelijk goede wijze] *reasonably, rather/fairly well* ⇒*passably, pretty well* ◆ **2.1** een ~ groot huis ⟨ook⟩ *a fair-sized house;* een ~ lange tijd *a good(ish) while* **3.2** ze heeft het er nogal ~ afgebracht *she did rather well/didn't do too badly* **5.1** dat is ~ goed uitgevoerd *that was tolerably executed/not bad* **7.1** ~ veel bezoekers *r./quite a lot of visitors* ¶.2 ⟨iron.⟩ je bent weer ~ bezig *you're really at it again, aren't you?;*
II ⟨bn.⟩ **0.1** [van vrij goede kwaliteit] *reasonable* ⇒*fair, tolerable, middling* **0.2** [nogal groot] *fair-sized* ⇒*reasonable, considerable,* ⟨inf.⟩ *biggish* ◆ **1.1** een ~e landwijn *a tolerable regional wine* **1.2** een ~ vermogen *a considerable/biggish fortune.*

tamheid ⟨de (v.)⟩ **0.1** *tameness* ⇒*meetness.*

tamp ⟨de (m.)⟩ **0.1** ⟨scheep.⟩ *rope end* **0.2** [overschot] *leftover(s)* ⇒*remainder,* ⟨vnl. drank⟩ *dregs,* ⟨vnl. eten⟩ *leavings* **0.3** [⟨vulg.⟩ penis] *prick* ⇒*cock, dick.*

tampeloeres ⟨de (m.)⟩ →**tamp** 0.3.

tampon ⟨de (m.)⟩ **0.1** [voor menstruatie] *tamp* **0.2** [⟨med.⟩] *tampon* ⇒ *pledget* ◆ **3.1** een ~ inbrengen *insert a t..*

tamponneren ⟨ov.ww.⟩ **0.1** [⟨med.⟩] *tampon* ⇒*plug* **0.2** [geverfd oppervlak bekloppen] ≠*stipple.*

tamponziekte ⟨de (v.)⟩ ⟨med.⟩ **0.1** *toxic shock syndrome.*

tamtam ⟨de (m.)⟩ **0.1** [trommel] *tom-tom* ⇒*tam-tam* **0.2** [geluid] *tom-tom* **0.3** [⟨fig.⟩ ophef] *fanfare* ⇒*fuss,* ⟨reclamestunt⟩ *hype* ◆ **3.3** ~ maken over een gebeurtenis *make a big thing/event out of sth., make much of sth., hype sth. up* **6.3** met veel ~ *with a great fanfare, with a lot of/a big fuss.*

t.a.n. ⟨afk.⟩ **0.1** [ten algemenen nutte] ⟨*for the common/general good*⟩.

tand ⟨de (m.)⟩ ⟨→sprw. 478,589⟩ **0.1** [deel van gebit] *tooth* ⇒⟨van roofdier⟩ *fang* **0.2** [in-/afdruk van een tand] *tooth-mark* **0.3** [uitsteeksel aan de bek/de kop] *tooth* **0.4** [puntig deel van werktuigen] *tooth* ⇒⟨van vork/eg⟩ *prong,* ⟨aan wiel⟩ *cog* **0.5** [mbt. houtverbinding] ⟨inkeping⟩ *mortise;* ⟨uitsteeksel⟩ *tenon;* ⟨planken⟩ *tongue and groove* ◆ **1.1** ⟨fig.⟩ de ~ des tijds *the ravages of time* **1.4** de ~en v.e. kam/hark *the teeth of a comb/rake;* de ~en v.e. zaag *the teeth of a saw* **2.1** ⟨fig.⟩ met lange ~en eten *dawdle over/pick at one's food;* een losse ~ *a loose t.;* een onregelmatige/vooruitstekende ~ *a snaggletooth;* valse ~en inzetten *fit in dentures/* ⟨inf.⟩ (*a set of*) *false teeth* **3.1** er breekt een ~ door *he/she is cutting a t./teething;* zijn ~en op iets breken ⟨fig.⟩ ≠*waste one's energy on sth., be beaten by sth., have bitten off more than one can chew;* zijn ~en nog hebben, zijn ~en kwijt zijn *still have one's teeth, have lost one's teeth;* een ~ krijgen *cut a t., teethe;* een ~ laten vullen/trekken *have a t. filled, have a t. out/drawn/extracted;* ⟨fig.⟩ zijn ~en laten zien ⟨dreigen⟩ *show/bare one's teeth;* ⟨niet zwijgen⟩ *put up a fight;* zijn ~en poetsen *brush one's teeth;* ~en wisselen *shed one's teeth;* zijn ~en in iets zetten ⟨fig.⟩ *get one's teeth into sth.;* ⟨lett.⟩ *bite into sth.* **3.2** de ~en staan in mijn hand *you can (still) see* *the teeth-marks in my hand* **5.1** ⟨fig.⟩ met de mond vol∼en staan *be tongue-tied* **6.1** ⟨fig.⟩ iem. **aan** de∼ voelen *interrogate/cross-examine s.o., put s.o. through the mill;* ⟨fig.⟩ van de hand **in** de∼ leven *live from hand to mouth;* een mooie mond **met** ∼en *a fine set of teeth;* **met** de∼en knarsen *gnash one's teeth;* ⟨fig.⟩ **op** zijn∼en bijten *grin and bear it, bite (on) the bullet;* ⟨fig.⟩ **tot** de∼en gewapend zijn *be armed to the teeth;* **tussen** de∼en fluiten *whistle through one's teeth.*

tandaanslag ⟨de (m.)⟩ →**tandsteen.**

tandarts ⟨de (m.)⟩ **0.1** *dentist* ⇒ ↑*dental surgeon* ◆ **3.1** voor∼ studeren *study dentistry.*

tandartsassistente ⟨de (v.)⟩ **0.1** *dentist's assistant* ⇒*dental surgery assistant, dental nurse.*

tandbederf ⟨het⟩ →**tandcariës.**

tandbeen ⟨het⟩ **0.1** *dentine.*

tandcariës ⟨de⟩ **0.1** *dental caries/decay* ⇒(*dental/bacterial) plaque.*

tandeloos ⟨bn.⟩ **0.1** *toothless;* ⟨mbt. diersoort zonder tanden⟩ *edentate.*

tandem ⟨de (m.)⟩ **0.1** [soort rijwiel] *tandem (bicycle)* **0.2** [bespanning met twee paarden] *tandem* **0.3** [samenwerkende personen] *tandem* ⇒ *team, twosome* ◆ **3.3** een∼ vormen *work as a team/in tandem.*

tandemail ⟨het⟩ →**tandglazuur.**

tanden ⟨ov.ww.⟩ **0.1** [tanden maken in] *tooth, jag* ⇒*indent, notch* **0.2** [(een zaag) scherpen] *sharpen.*

tandenborstel ⟨de (m.)⟩ **0.1** *toothbrush.*

tandengeknars ⟨het⟩ **0.1** *gnashing/grinding of teeth.*

tandenknarsen ⟨onov.ww.⟩ **0.1** *gnash/grind one's teeth.*

tandenkoter ⟨de⟩ ⟨AZN⟩ →**tandenstoker.**

tandenkrijgen ⟨ww.⟩ **0.1** *teethe* ⇒*cut a tooth* ◆ **7.1** het∼ ⟨wet.⟩ *dentition.*

tandenstoker ⟨de⟩ **0.1** *toothpick.*

tandextractie ⟨de (v.)⟩ **0.1** *dental/tooth extraction.*

tandformule ⟨de⟩ **0.1** *dental formula.*

tandgeknars →**tandengeknars.**

tandglazuur ⟨het⟩ **0.1** *(dental) enamel.*

tandhals ⟨de (m.)⟩ **0.1** *neck of a tooth* ⇒⟨med.⟩ *cingulum.*

tandheelkunde ⟨de (v.)⟩ **0.1** *dentistry* ⇒ ↑*dental surgery* ◆ **2.1** prothetische ∼ *prosthodontics.*

tandheelkundig ⟨bn., bw.⟩ **0.1** ⟨bn.⟩ *dental;* ⟨bw.⟩ *using/by means of/involving dental surgery/dentistry* ◆ **1.1** ∼e behandeling *dental treatment;* een∼ instituut *a college of dentistry* **3.1** iem. ∼ behandelen *give s.o. dental treatment.*

tandheelkundige ⟨de (m.)⟩ →**tandarts.**

tandholte ⟨de (v.)⟩ **0.1** *pulp cavity* ⇒(*interior) dental cavity.*

tanding ⟨de (v.)⟩ **0.1** *(type of) perforation.*

tandkas ⟨de⟩ **0.1** *socket of a/the tooth)* ⇒⟨med. ook⟩ *alveolus.*

tandkroon ⟨de⟩ **0.1** *crown (of a tooth).*

tandmerg ⟨het⟩ **0.1** *dental pulp.*

tandpasta ⟨de, de (m.)⟩ **0.1** *toothpaste* ⇒ ↑*dentifrice.*

tandpastalach ⟨de (m.)⟩ **0.1** *toothpaste-ad/Pepsodent smile.*

tandpijn ⟨de⟩ **0.1** *toothache.*

tandplak ⟨de⟩ **0.1** *(dental) plaque.*

tandprothese ⟨de⟩ **0.1** [vervanging door kunsttanden] *dental prothesis* **0.2** [kunsttand] *dental prothesis* ⇒*false tooth.*

tandrad ⟨het⟩ **0.1** *gear (wheel)* ⇒*cog(wheel),* ⟨van fiets⟩ *chainwheel* ⟨voor⟩, *sprocket (wheel)* ⟨achter⟩ ◆ **2.1** het kleinste∼ ⟨v.e. paar⟩ *the pinion.*

tandradbaan ⟨de⟩ **0.1** *rack/cog railway.*

tandregulatie ⟨de (v.)⟩ ⟨med.⟩ **0.1** *orthodontics.*

tandspiegel ⟨de (m.)⟩ **0.1** *dental mirror.*

tandsteen ⟨de (m.)⟩ **0.1** *tartar* ◆ **3.1** van∼ ontdoen *scale.*

tandstelsel ⟨het⟩ **0.1** *dentition.*

tandtechnicus ⟨de (m.)⟩, **-ca** ⟨de (v.)⟩ **0.1** *dental technician.*

tandtechnisch ⟨bn.⟩ **0.1** *dental.*

tandverzorging ⟨de (v.)⟩ **0.1** *dental care.*

tandvlees ⟨het⟩ **0.1** *gums* ⇒⟨med.⟩ *gingiva* ◆ **3.1** mijn∼ is gezwollen *my gums are swollen* **6.1** ⟨fig.⟩ hij loopt op zijn∼ ⟨uitgeput⟩ *he's at the end of his tether;* ⟨straatarm⟩ *he's as poor as a church mouse.*

tandvleesontsteking ⟨de (v.)⟩ **0.1** *gingivitis* ⇒*inflammation of the gums.*

tandvulling ⟨de⟩ **0.1** *(dental) filling.*

tandwalvis ⟨de (m.)⟩ **0.1** *toothed whale.*

tandwiel ⟨het⟩ →**tandrad.**

tandwielaandrijving ⟨de (v.)⟩ **0.1** *gear(wheel) drive.*

tandwieloverbrenging ⟨de (v.)⟩ **0.1** *gear(wheel) transmission* ⇒*gear(ing).*

tandwolf ⟨de (m.)⟩ →**tandcariës.**

tandwortel ⟨de (m.)⟩ **0.1** *dental root, root of a tooth.*

tandzenuw ⟨de⟩ **0.1** *dental nerve.*

tandzijde ⟨de⟩ **0.1** *dental floss.*

tanen
I ⟨onov.ww.⟩ **0.1** [verzwakken] *wane, be on the wane* ⇒*decline, fade, dwindle* **0.2** [mbt. de kleur van de zon] *wane* ⇒(*grow) dim, fade* ◆ **1.1** ∼de belangstelling *dwindling (public) interest;* zijn krachten taanden *his powers were declining/on the wane;* haar roem taande *her glory faded/was beginning to fade;*

II ⟨ov.ww.⟩ **0.1** [in taan koken] *tan* **0.2** [vaalgeel kleuren] *tan* ⇒⟨van huid door zon ook⟩ *bronze.*

tang ⟨de⟩ **0.1** [gereedschap] *tongs* ⇒⟨buigtang⟩ *(pair of) pliers,* ⟨kniptang⟩ *(pair of) nippers, cutter,* ⟨nijptang⟩ *(pair of) pincers,* ⟨verstelbaar⟩ *monkey wrench,* B*adjustable spanner,* ⟨med.⟩ *forceps* **0.2** [⟨inf.⟩ vrouw] *shrew, bitch* ⇒ ↑*virago* **0.3** [⟨mil.⟩ ⟨zie 3.3⟩ **0.4** [schaar v.e. dier] *pincers* ◆ **2.2** oude∼ *old b./hag* **3.1** ik zou hem (nog) met geen∼ willen aanraken/aanpakken *I wouldn't touch him with a* B*bargepole/*A*ten-foot pole* **3.3** de legers hebben een∼ om de stad gevormd *the armies have enclosed the city in a pincer movement* **6.1** ⟨fig.⟩ iem. **in/tussen** de∼ nemen *get/have s.o. by the short hairs/* ⟨sl.⟩ *by the short and curlies;* het kind is **met** de∼ gehaald *the child had a forceps delivery;* iets **met** een∼ pakken *pick sth. up with a (pair of) t.* **6.2** het is een∼ **van** een wijf *she's a regular/real s./b.* **8.1** ⟨fig.⟩ dat slaat als een∼ op een varken *that's neither here nor there, there's no rhyme or reason to it.*

tangaslipje ⟨het⟩ **0.1** *tanga, string bikini* ⇒*G-string.*

tangbevalling ⟨de (v.)⟩ **0.1** *forceps delivery.*

tangbeweging ⟨de (v.)⟩ ⟨mil.⟩ **0.1** *pincer movement.*

tangconstructie ⟨de (v.)⟩ **0.1** [constructie(deel)] *pincer device* **0.2** [⟨taal.⟩] *discontinuous structure.*

tangens ⟨de⟩ ⟨wisk.⟩ **0.1** [mbt. een cirkel] *tangent* **0.2** [mbt. een hoek] *tangent.*

tangent ⟨de⟩ ⟨muz.⟩ **0.1** [mbt. een piano] *tangent* **0.2** [pennetje om een snaarinstrument te bespelen] *plectrum.*

tangentieel ⟨bn.⟩ **0.1** [met de raaklijn samenhangend] *tangential* **0.2** [volgens, in de richting van de raaklijn] *tangential.*

tango ⟨de (m.)⟩ **0.1** [dans] *tango* **0.2** [muziek] *tango.*

tangram ⟨de (m.)⟩ **0.1** *tangram.*

tangverlossing ⟨de (v.)⟩ **0.1** *forceps delivery.*

tanig ⟨bn.⟩ **0.1** *tawny.*

tank ⟨de (m.)⟩ **0.1** [brandstofreservoir] *tank* **0.2** [reservoir voor vloeistoffen] *tank* ⇒*container, reservoir,* ⟨mbt. watervoorziening in huis, ook bij w.c.⟩ *cistern* **0.3** [jerrycan] *tank* ⇒*jerrycan* **0.4** [gevechtswagen] *tank* **0.5** [grote auto] *tank* ◆ **2.1** een halfvolle∼ *a half-filled/full/empty t., half a t.;* een volle∼ benzine *a fill of petrol/*A*gas* **3.1** een∼ leegrijden *use (up) a whole tank of petrol/*A*gas;* de∼ volgooien *fill up (the t./car).*

tankauto ⟨de (m.)⟩ **0.1** *tanker* ⇒*tank/*B*lorry/*A*truck.*

tankbataljon ⟨het⟩ **0.1** *tank battalion.*

tankboot ⟨de⟩ **0.1** *tanker* ⇒⟨klein⟩ *tank barge.*

tankbrigade ⟨de (v.)⟩ **0.1** *tank brigade.*

tanken ⟨onov., ov.ww.⟩ **0.1** [het brandstofreservoir vullen] ⟨onov.⟩ *fill up, refuel;* ⟨vnl. BE⟩ *tank (up);* ⟨ov.⟩ *fill up with, take in* **0.2** [drinken] *have a few;* ⟨vnl. BE⟩ *tank up* ◆ **1.1** ik heb 25 liter getankt *I put 25 litres in (the tank);* ik tank meestal super *I usually take/have four star* **3.1** ik moet∼ *I must get some petrol/*A*gas/fill her up.*

tankgracht ⟨de (v.)⟩ **0.1** *antitank ditch.*

tankkoepel ⟨de (m.)⟩ **0.1** *tank turret.*

tankmijn ⟨de⟩ **0.1** *antitank mine.*

tankruimte ⟨de (v.)⟩ **0.1** ⟨ruimte die als tank wordt gebruikt⟩ *tank (space);* ⟨volume van tank⟩ *tank capacity, tankage.*

tankschip ⟨het⟩ **0.1** *(oil) tanker, tankship.*

tankslag ⟨de (m.)⟩ ⟨mil.⟩ **0.1** *tank battle.*

tankstation ⟨het⟩ **0.1** *filling/petrol station,* A*gas station.*

tankvaart ⟨de⟩ **0.1** *tanker trade/traffic.*

tankval ⟨de⟩ **0.1** *tank trap* ⇒*antitank pit.*

tankvliegtuig ⟨het⟩ **0.1** *tanker (aircraft/plane), refuelling* A*eling aircraft/plane.*

tankvloot ⟨de (v.)⟩ **0.1** *tanker fleet.*

tankwagen ⟨de (m.)⟩ **0.1** *tanker* ⇒*tank* B*lorry/*A*truck,* ⟨spoorw.⟩ *tank wagon,* A*tank car.*

tannine ⟨het, de⟩ **0.1** *tannin.*

tantalisatie ⟨de (v.)⟩ **0.1** *tantalization.*

tantalisch ⟨bn.⟩ **0.1** *tantalizing.*

tantaliseren ⟨ov.ww.⟩ **0.1** *tantalize.*

tantalium ⟨het⟩ ⟨schei.⟩ **0.1** *tantalum.*

tantaluskwelling ⟨de (v.)⟩ **0.1** *(sheer) torment* ⇒⟨schr.⟩ *torment of Tantalus* ◆ **2.1** het was een echte∼ *it was sheer/utter torment/torture, it was tantalizing in the extreme.*

tante ⟨de⟩ **0.1** [(schoon)zuster van de ouder(s)] *aunt* **0.2** [als aanspreekvorm] *(aunt(ie), aunty* **0.3** [⟨scherts.⟩] *woman* ⇒*female, lady* ◆ **1.3** ∼Betje-stijl ≠*bad/clumsy style;* Tante Pos ≠*Wells Fargo, the Pony Express;* ⟨ongemarkeerd⟩ *the Post Office* **2.3** een dikke/stevige ∼ *a sturdy female, a hefty/big lass;* een lastige∼/ *geen gemakkelijke∼ a fuss pot/fuss budget, a troublesome female, a fussy/difficult lady/w.;* ⟨sl.⟩ *a pain in the neck/*A*butt;* een uitgekookte∼ *a sly one;* ⟨sl.⟩ *a cunning little bitch* **4.1** je∼! ⟨BE⟩ *my eye!/foot!, pull the other one (it's got bells on)!, tell that to the marines!.*

tantezegger ⟨de (m.)⟩, **-ster** ⟨de (v.)⟩ **0.1** *nephew* ⟨m.⟩, *niece* ⟨v.⟩.

tantième ⟨het⟩ **0.1** *(cash/staff) bonus, percentage (of profits), premium, share* ⇒⟨aan commissarissen⟩ *director's fee,* ⟨aan kunstenaars⟩ *royalties.*

tantièmebelasting ⟨de (v.)⟩ **0.1** *tax on the bonus; royalty tax*.

tantièmeregeling ⟨de (v.)⟩ **0.1** *bonus scheme*.

tant pis (tw.) **0.1** *tant pis* ⇒ *what a shame, so be it, no use crying over spilt milk,* ⟨vriendelijk⟩ *that's too bad, never mind,* ⟨onvriendelijk⟩ *that's just too bad (isn't it)*.

Tanzania ⟨het⟩ **0.1** *Tanzania*.

taoïsme ⟨het⟩ **0.1** *Taoism*.

tap ⟨de (m.)⟩ **0.1** [afsluiter] *bung* ⇒ *plug,* ⟨op fles⟩ *stopper,* ⟨in vat⟩ *tap, peg* **0.2** [kraan waaruit vloeistof kan vloeien] *tap,* ᴬ*faucet* ⇒ ⟨in vat⟩ *spigot* **0.3** [het laten uitvloeien] *tap(ping)* **0.4** [uiteinde van een as] *journal* ⇒ *pivot, gudgeon,* ⟨van kanon ook⟩ *trunnion* **0.5** [houtverbinding] *tenon* ⇒ *cog* **0.6** [gereedschap] *(screw) tap* **0.7** [tapkast] *bar* ⇒ *buffet, counter* ◆ **3.1** de ~ in het vat steken *bung the cask* **6.2** bier uit de ~ *beer on tap / draught /* ᴬ*draft, draught /* ᴬ*draft beer* **6.3** wijn bij de ~ verkopen *sell wine from the wood;* het vat ligt op de ~ *the cask is on tap* **6.4** om een ~ draaien *turn on a gudgeon* **6.7** achter de ~ staan *serve at /* ᴬ*tend the bar*.

t.a.p. ⟨afk.⟩ **0.1** [ter aangehaalde plaatse] *l.c., loc. cit.* **0.2** [tijdelijke arbeidsplaats] ⟨*temporary position*⟩.

tapbier ⟨het⟩ **0.1** *draught /* ᴬ*draft beer*.

tapbout ⟨de (m.)⟩ **0.1** *stud (bolt), tap bolt* ⇒ *tap / cap screw*.

tapdans ⟨de (m.)⟩ **0.1** *tap dance*.

tapdanser ⟨de (m.)⟩, -es ⟨de (v.)⟩ **0.1** *tap-dancer*.

tape ⟨de (m.)⟩ **0.1** [plakband] *(adhesive) tape* **0.2** [magneetband] *(magnetic) tape* **0.3** [papieren strook bij een telegraaftoestel] *(ticker) tape* **0.4** [telegrafisch koersbericht] *ticker tape*.

tapeind ⟨het⟩ **0.1** *stud* ⇒ ⟨geheel met schroefdraad⟩ *stud bolt*.

tapgat ⟨het⟩ **0.1** [gat waarin een tap sluit] *vent* ⇒ ⟨vat ook⟩ *bunghole,* ⟨houtverbinding⟩ *mortise* **0.2** [gat waarin een tap rust / draait] *pivot / gudgeon hole* **0.3** [gat waardoor wordt afgetapt] *vent(hole)* **0.4** [binnenzijde waarin profiel getapt is] *tapped / threaded hole*.

tapijt ⟨het⟩ **0.1** [vloer-/ wandkleed]⟨vloerkleed⟩ *carpet* ⇒⟨klein⟩ *rug,* ⟨wandkleed⟩ *tapestry, (wall) hangings* **0.2** [tafelkleed] *tablecloth* ◆ **1.1** (als) met een ~ van bloemen bedekt *carpeted with flowers;* ⟨fig.⟩ een ~ van bommen neerleggen op een stad *carpet / bomb a city* **2.1** een geknoopt ~ *a hand-woven c. / rug;* een hoogpolig ~ *a long-/ deep-pile c. / rug;* een kamerbreed ~ *a fitted c., (a) wall-to-wall carpet(ing);* ⟨materiaal⟩ *broadloom;* een laagpolig ~ *a short-pile / velvet c. / rug;* een vliegend ~ *a magic c.* **6.2** ⟨fig.⟩ iets op het ~ brengen *broach the / a subject*.

tapijtfabriek ⟨de (v.)⟩ **0.1** *carpet factory*.

tapijttegel ⟨de (m.)⟩ **0.1** *carpet tile*.

tapioca ⟨de (m.)⟩ **0.1** *tapioca*.

tapir ⟨de (m.)⟩ **0.1** *tapir*.

tapisserie ⟨de (v.)⟩ **0.1** *tapestry*.

tapkast ⟨de⟩ → **tap 0.7**.

tapkraan ⟨de⟩ **0.1** *(draw-off) tap /* ᴬ*faucet* ⇒ *bibcock, (drain) cock*.

tappelings ⟨bw.⟩ **0.1** *in a steady flow* ⇒ *profusely* ◆ **3.1** het zweet liep over haar voorhoofd *her brow was bathed in sweat;* het bloed liep / stroomde ~ uit zijn wond *blood welled (out) / streamed from his wound*.

tappen

I ⟨ov.ww.⟩ **0.1** [laten vloeien uit (een omhulsel)] *tap* **0.2** [(gas/ vloeistof) laten uitvloeien] *tap* ⇒ *draw (off), pull* **0.3** [vertellen] *crack* ⇒ *cut, tell* **0.4** [schroefdraad aanbrengen] *tap* ◆ **1.1** een kokospalm ~ *t. a coconut palm;* ⟨scherts.⟩ wil je nog een kopje thee ~? *is there any more (tea) in the pot?, I could do with another cuppa /* ᴬ*cup* **1.2** bier ~ *draw / pull beer;* honing ~ *draw (off) / t. honey;* ⟨fig.⟩ hij heeft al heel wat stroom getapt *he has illegally tapped quite a bit of electricity;* wijn ~ *t. wine (from a cask)* **1.3** moppen ~ *crack / tell jokes* **1.4** draad ~ *t. a screw thread* ¶.¶ getapt zijn *be popular;*

II ⟨onov.,ov.ww.⟩ **0.1** [uit de tap schenken]⟨onov.⟩ *serve at /* ⟨AE⟩ *tend the bar;* ⟨ov.⟩ *serve, draw, pull* **0.2** [in het klein verkopen]⟨onov.⟩ *keep / run a pub /* ᴬ*bar; serve in a pub /* ᴬ*bar;* ⟨ov.⟩ *sell, serve* ◆ **5.1** hier wordt getapt *they sell beer here, there's beer on tap here* **6.1** ⟨fig.⟩ uit een ander vaatje ~ *change one's tune, sing another / a different tune*.

tapper ⟨de (m.)⟩ **0.1** [kroegbaas] *publican* ⇒ *landlord,* ᴬ*barkeeper* **0.2** [boom, schroefdraad] *tapper*.

tapperij ⟨de (v.)⟩ **0.1** *pub(lic house)* ⇒ ᴬ*bar*.

tap-plaats ⟨de⟩ **0.1** *temporary /* ⟨inf.⟩ *temp(ing) job*.

taps ⟨bn., bw.⟩ **0.1** ⟨bn.⟩ *tapering, tapered, conical;* ⟨bw.⟩ *conically*.

tapsleutel ⟨de (m.)⟩ **0.1** *tap wrench*.

taptemelk ⟨de⟩ **0.1** *skim(med) / separated milk*.

taptoe ⟨de (m.)⟩ **0.1** [signaal] *tattoo* ⇒ *last post, 'lights out'* **0.2** [muziekuitvoering] *tattoo* ◆ **3.1** de ~ slaan / blazen *beat / sound the t.*.

tapuit ⟨de (m.)⟩ **0.1** *wheatear*.

tapverbod ⟨het⟩ **0.1** *ban on liquor / alcoholic beverages / alcohol*.

tapvergunning ⟨de (v.)⟩ **0.1** *licence to sell spirits,* ᴬ*liquor license* ◆ **6.1** restaurant met ~ *licensed restaurant*.

tapvormig ⟨bn.⟩ **0.1** *conical, tapering, tapered*.

tapzaag ⟨de⟩ **0.1** *tenon saw*.

tarantella ⟨de⟩ **0.1** [Italiaanse volksdans] *tarantella* **0.2** [muziekstuk] *tarantella*.

tarantula ⟨de⟩ **0.1** *tarantula*.

tarbot ⟨de (m.)⟩ **0.1** *turbot*.

tarief ⟨het⟩ **0.1** [prijs(bepaling)] *tariff* ⇒ *rate, price list, (rate / scale / table of) charge(s),* ⟨mbt. arts, notaris⟩ *(scale of) fee(s),* ⟨openbaar vervoer⟩ *fare* **0.2** [in-, uit- en doorvoerrrechten] *tariff (rates)* ⇒ *tariff of duties* **0.3** [lijst van arbeidsprestaties en beloning] *rate(s)* ◆ **2.1** 's nachts betaalt men dubbel ~ *at night one pays double the normal charge / rate;* het gewone ~ betalen *pay (the) standard charge / rate;* vast ~ *fixed / flat rate /* ⟨vervoer⟩ *fare;* tegen verminderd ~ *at reduced t. / rate / charge(s);* het volle ~ berekenen *charge the full rate, make full charges* **2.2** beschermende tarieven *protective tariffs / duties, protection* **3.1** een ~ berekenen *charge a t. / price, make a charge* **6.1** het ~ in strafzaken en in burgerlijke zaken *the (rate of) fines in criminal and civil cases;* ~ met vallende schaal *sliding t.;* een ~ voor iets vaststellen *draw up a list of charges for sth.*.

tariefgroep ⟨de⟩ **0.1** *tax coding*.

tarieflijst ⟨de⟩ **0.1** *price list* ⇒ ¹*tariff*.

tariefloon ⟨het⟩ **0.1** *standard wage*.

tariefmuur ⟨de (m.)⟩ **0.1** *tariff wall*.

tariefsysteem ⟨het⟩ **0.1** *piecework system, piece-rates scheme*.

tariefverhoging ⟨de (v.)⟩ **0.1** *increase in a / the tariff / rate in tariffs / rates* ⇒ *tariff increase,* ⟨vervoer⟩ *rise / increase in a / the fare / in fares, fare rise / increase*.

tariefverlaging ⟨de (v.)⟩ **0.1** *reduction / cut in a / the tariff / rate / in tariffs / rates* ⇒ *tariff reduction / cut,* ⟨vervoer⟩ *reduction / cut in a / the fare / in fares, fare reduction / cut*.

tariefwerk ⟨het⟩ **0.1** *piecework*.

tariefwet ⟨de⟩ **0.1** *tariff(s) act*.

tarievenoorlog ⟨de (m.)⟩ ⟨hand.⟩ **0.1** *tariff war*.

tariferen ⟨onov., ov.ww.⟩ **0.1** ⟨onov.⟩ *fix rates;* ⟨ov.⟩ *tariff, fix rates for*.

tarn ⟨de⟩ **0.1** *ravel(ing)* ⇒ *fray, frayed / loose end*.

tarnen ⟨onov., ov.ww.⟩ **0.1** ⟨ov.⟩ *unpick, unstitch, unsew;* ⟨onov.⟩ *(be)come unstitched / unsewn*.

tarok

I ⟨het, g.mv.⟩ **0.1** [oud kaartspel] *tarot* ⇒ *tarok, taroc;*

II ⟨de (m.)⟩ **0.1** [troefkaart] *tarot* ⇒ *tarok, taroc*.

tarra ⟨de⟩ ⟨hand.⟩ **0.1** [verschil tussen bruto- en nettogewicht] *tare* **0.2** [aftrek in gewicht / waarde] *tare (weight)*.

tarreren ⟨ov.ww.⟩ **0.1** *tare*.

tartaar ⟨de (m.)⟩ **0.1** *(raw) minced /* ᴬ*ground steak*.

tartaartje ⟨het⟩ **0.1** ≠*hamburger*.

tartanbaan ⟨de⟩ ⟨sport⟩ **0.1** *tartan track*.

tarten ⟨ov.ww.⟩ **0.1** [trotseren] *defy* ⇒ *mock, flout* ⟨rechtbank, bestuursmaatregel⟩ **0.2** [tergen] *provoke* ⇒ *badger, antagonize, torment* **0.3** [uitdagen] *dare* ⇒ *challenge, defy, bait* **0.4** [overtreffen] *defy* ⇒ *be beyond, baffle* ◆ **1.1** gevaren / de dood ~ *d. danger, brave death;* de openbare mening ~ ⟨ook⟩ *fly in the face of public opinion;* ⟨fig.⟩ het noodlot ~ *tempt fate* **1.2** tart je zus niet *stop provoking / tormenting your sister* **1.3** ik tart die kerel, dat te bewijzen *I dare / challenge the chap to prove it* **1.4** een ellende die elke beschrijving tart *misery beyond / that beggars / that defies all description*.

tarwe ⟨de⟩ **0.1** [plant] *wheat* **0.2** [korrels] *wheat* **0.3** [brood] *wheat bread* ◆ **2.1** harde ~ *durum (w.)* **2.3** een heel ~ *one (loaf of) w. b.* **2.** ¶ Turkse ~ *Indian corn, maize,* ᴬ*corn*.

tarweaar ⟨de⟩ **0.1** *wheat ear, ear of wheat*.

tarweakker ⟨de (m.)⟩ **0.1** *wheatfield*.

tarwebloem ⟨de⟩ **0.1** *wheat flour*.

tarwebrood ⟨het⟩ → **tarwe 0.3**.

tarwegras ⟨het⟩ **0.1** *couch-grass*.

tarwekiem ⟨de⟩ **0.1** *wheat germ*.

tarwekiemolie ⟨de⟩ **0.1** *wheat-germ oil*.

tarwekoek ⟨de (m.)⟩ **0.1** *wheat cake*.

tarwekorrel ⟨de (m.)⟩ **0.1** *grain of wheat*.

tarwemeel ⟨het⟩ **0.1** *wheatmeal* ⇒ *wheat flour*.

tarweoogst ⟨de (m.)⟩ **0.1** [handeling] *wheat harvest* **0.2** [opbrengst] *wheat crop / yield*.

tarwepap ⟨de⟩ **0.1** ᴮ*wheat(meal) porridge,* ᴬ*cream of wheat*.

tarweveld ⟨het⟩ **0.1** *wheatfield*.

tarwevlokken ⟨zn.mv.⟩ **0.1** *wheat flakes*.

tarwezemelen ⟨zn.mv.⟩ **0.1** *(wheat) bran*.

tas

I ⟨de⟩ **0.1** [zak, kleine koffer] *bag* ⇒ ⟨school-⟩ *satchel,* ⟨akte-⟩ *(brief)case,* ⟨hand-⟩ *(hand)bag,* ᴬ*purse* **0.2** [⟨AZN⟩ kop] *cup* ◆ **2.1** een plastic ~ *a plastic bag;* ⟨voor boodschappen⟩ *a (plastic) carrier /* ᴬ*shopping bag;*

II ⟨de (m.)⟩ **0.1** [hoop] *pile* ⇒ *heap,* ⟨netjes⟩ *stack*.

tasjesdief ⟨de (m.)⟩ **0.1** *bag /* ⟨AE ook⟩ *purse snatcher*.

tasjeskruid ⟨het⟩ **0.1** *shepherd's cress*.

Tasmanië ⟨het⟩ **0.1** *Tasmania*.

tassen ⟨ov.ww.⟩ **0.1** *pile up* ⇒ ⟨netjes⟩ *stack* ◆ **1.1** koren ~ *stack corn*.

tast ⟨de (m.)⟩ **0.1** [het bevoelen] *touch* ⇒ *feeling* **0.2** [het zoekend bewegen van de hand] *groping* ⇒ *feeling* ◆ **6.1** blinden herkennen iets op de ~ *blind people recognize things by t.* **6.2** hij greep op de ~ naar de lamp *he groped/felt for the lamp;* ⟨fig.⟩ **op** de ~ ⟨lukraak⟩ *at random, haphazardly;* ⟨zonder richtsnoer⟩ *blindly, gropingly;* **op** de ~ lopen *feel/grope one's way; iets* **op** de ~ vinden *find sth. by touch/g./feeling one's way;* ⟨toevallig⟩ *stumble upon sth..*

tastbaar ⟨bn., bw.; -ly⟩ **0.1** [voel-/grijpbaar] *tangible* ⇒*palpable, concrete* **0.2** [duidelijk] *tangible* ⇒*palpable, manifest* ◆ **1.1** ⟨fig.⟩ een tastbare duisternis *palpable darkness;* de tastbare wereld *the t. world* **1.2** tastbare bewijzen *t./concrete proof;* een tastbare leugen *a palpable/manifest lie* **3.2** iets ~ maken voor iem. *explain sth. to s.o. in concrete terms.*

tastbaarheid ⟨de (v.)⟩ **0.1** *tangibility* ⇒*palpability.*

tasten
I ⟨ov.ww.⟩ **0.1** [betasten] *feel* ⇒⟨fig.⟩ *sense* **0.2** [treffen] *hurt, hit* ⇒*touch* ◆ **1.1** een leugen kunnen voelen en ~ *be able to spot a lie* **6.2** ⟨fig.⟩ iem. **in** zijn zwak/⟨inf.⟩ kruis ~ *touch/cut s.o. to the quick, hit s.o. where it hurts (most), find s.o.'s weak spot;* ⟨fig.⟩ zich **in** zijn kruis getast voelen *feel wronged;* ⟨fig.⟩ hij voelde zich **in** zijn kruis getast door *his pride was deeply offended by;*
II ⟨onov.ww.⟩ **0.1** [de hand zoekend bewegen] *grope* ⇒*feel,* ⟨zenuwachtig⟩ *fumble* **0.2** [reiken] *dip* ⇒*dive, reach* ◆ **6.1** ⟨fig.⟩ **in** het duister ~ *be in the dark, be all at sea* **6.2** **in** zijn beurs ~ *dip into one's purse;* zij heeft diep **in** haar beurs getast ⟨mbt. gulheid⟩ *she has been very generous,* ⟨mbt. aankoop⟩ *she has paid a lot of money (for that);* ⟨fig.⟩ het vuur tastte **om** zich heen *the fire spread rapidly* ¶**.1** als men dieper tast, merkt men ...*if one delves/digs a little deeper one finds ....*

taster ⟨de (m.)⟩ **0.1** [iets dat/waarmee men tast] *feeler, tentacle* ⇒⟨van insekt⟩ *palp, palpus* **0.2** [soort passer] *callipers.*

tastlichaampje ⟨het⟩ **0.1** *tactile corpuscle.*

tastorgaan ⟨het⟩ **0.1** *feeler* ⇒*tentacle,* ⟨tastlichaampje/orgaantje⟩ *touch-body/corpuscle, tactile corpuscle.*

tastzin ⟨de (m.)⟩ **0.1** *touch* ⇒⟨gevoel als zintuig⟩ *feeling, tactile sense, sense of touch.*

tata ⟨tw.⟩ ⟨kind.⟩ **0.1** *ta-ta.*

tater ⟨de (m.)⟩ ⟨inf.⟩ **0.1** [⟨AZN⟩ persoon] *chatterbox, chatterer* ⇒*babbler* **0.2** [mond] *gob, trap* ◆ **3.2** hou je ~! *shut your face/g./t.!;* zijn ~ staat nooit stil *his mouth never stops.*

tateren ⟨onov.ww.⟩ **0.1** [levendig klanken voortbrengen] *babble, chatter* **0.2** [⟨AZN⟩ kwebbelen] *jabber* ⇒*gabble (away/on/out),* ⟨fig.⟩ *cackle* **0.3** [⟨AZN⟩ praten] *chatter, prattle,* ⟨ratelen, leuteren⟩ *rattle/babble (on).*

tatoeage ⟨de (v.)⟩ **0.1** [handeling] *tattoo* **0.2** [resultaat] *tattoo.*

tatoeëerder ⟨de (m.)⟩ **0.1** *tatooist* ⇒*tattoo artist.*

tatoeëren ⟨ov.ww.⟩ **0.1** *tattoo* ◆ **3.1** zich laten ~ *have o.s. tattooed.*

tatoeëring ⟨de (v.)⟩ **0.1** [het tatoeëren] *tattooing* **0.2** [tatoeage] *tattoo.*

taugé ⟨de⟩ **0.1** *bean sprouts, soybean.*

taupe ⟨de⟩ **0.1** *taupe.*

tautologie ⟨de (v.)⟩ **0.1** *tautology, tautologism.*

tautologisch ⟨bn.⟩ **0.1** *tautological, tautologous* ◆ **1.1** een ~e uitdrukking *a tautological expression.*

tautomeer ⟨bn.⟩ ⟨schei.⟩ **0.1** *tautomeric* ◆ **1.1** tautomere verbinding *tautomer(ic compound).*

tautosyllabisch ⟨bn.⟩ ⟨taal.⟩ **0.1** *tautosyllabic.*

t.a.v. ⟨afk.⟩ **0.1** [ten aanzien van] ⟨*with respect/regard to*⟩ **0.2** [ter attentie van] *attn..*

taveerne ⟨de⟩ **0.1** *inn,* Bpub(lic house) ⇒⟨vero.⟩ *tavern.*

taxameter ⟨de (m.)⟩ **0.1** *taxi/taxameter.*

taxateur ⟨de (m.)⟩ **0.1** *appraiser, valuer* ⇒⟨van belastingen/verzekeringen⟩ *assessor,* ⟨van (hypotheek)banken⟩ *surveyor* ◆ **1.1** makelaar en ~ *estate agent and surveyor* **2.1** beëdigd ~ *sworn/licensed assessor.*

taxatie ⟨de (v.)⟩ **0.1** [schatting van waarde] *assessment, appraisal* **0.2** [raming, schatting] *estimate* ⇒⟨(kosten)raming⟩ *estimate* **0.3** [waardebepaling] *(e)valuation* ⇒*appraisal* ◆ **1.2** zijn ~ v.d. afstand bleek aardig te kloppen *his estimate of the distance turned out to be quite accurate;* de ~ v.d. nog te velde staande oogst *the estimation of the crop yet to be harvested* **3.1** een nieuwe ~ aanvragen *apply for a new assessment/appraisal;* een ~ laten uitvoeren *have an assessment carried out;* een ~ verrichten *effect/make an assessment.*

taxatiefout ⟨de⟩ **0.1** *misappraisal* ⇒*valuation error.*

taxatiekosten ⟨zn.mv.⟩ **0.1** *cost(s) of evaluation/assessment/appraisal;* ⟨honorarium van taxateur⟩ *valuer's fee(s).*

taxatieprijs ⟨de (m.)⟩ **0.1** *(e)valuation price* ◆ **6.1** uitverkoop tegen ~ *sale at v. p..*

taxatiewaarde ⟨de (v.)⟩ **0.1** [mbt. waardebepaling] *assessed* ⇒⟨BE ook⟩ *rated value* ⟨ihb. van belastingen⟩ ⇒*assessed value/worth* **0.2** [mbt. inschatting] *estimated worth/* ⟨van bedrijf ook⟩ *value.*

taxeren ⟨ov.ww.⟩ **0.1** [waarde bepalen van] *evaluate* ⇒*value (at), survey* ⟨vnl. gebouwen⟩ **0.2** [inschatten] *assess, estimate* ⇒⟨inf.⟩ *size up, weigh up,* ⟨schatten⟩ *rate* ◆ **1.1** huizen ~ *survey houses, value houses (at);* de schade ~ *assess the damage;* de getaxeerde waarde *the assessed/estimated value* **1.2** een ~de blik *an appraising look* **5.1** te hoog ~ *overrate* **5.2** iem. hoog ~ *rate s.o. highly, think much/highly of s.o.;* iem. verkeerd ~ *misjudge s.o.* **6.2** men taxeert hem **op** een paar

ton *he is estimated at a few hundred thousand;* feiten **op** hun juiste waarde ~ *a. facts for their true value, weigh the true value of the facts.*

taxfree ⟨bn.⟩ **0.1** *duty-free* ◆ **1.1** ~ artikelen *d.-f. goods.*

taxi ⟨de (m.)⟩ **0.1** *taxi* ⇒⟨inf.⟩ *cab(by)* ◆ **3.1** een ~ aanroepen *hail a t./cab;* een ~ bestellen *call/order a cab* **6.1** ze besloten **met** een/de ~ te gaan *they decided to go by t..*

taxibaan ⟨de⟩ **0.1** *taxiway.*

taxibedrijf ⟨het⟩ **0.1** *taxi firm/company.*

taxicentrale ⟨de⟩ **0.1** *taxi base, taxi(-control) centre.*

taxichauffeur ⟨de (m.)⟩ **0.1** *taxi driver.*

taxiën ⟨onov.ww.⟩ **0.1** *taxi* ◆ **6.1** over de startbaan ~ *t. along the runway.*

taximeter ⟨de (m.)⟩ **0.1** *taxi/taxameter.*

taxi-onderneming ⟨de (v.)⟩ **0.1** *taxi firm/company.*

taxirit ⟨de (m.)⟩ **0.1** *taxi ride* ⇒*ride in a/the taxi.*

taxistandplaats ⟨de⟩ **0.1** *taxi rank,* Ataxi/cab stand.

taxivliegtuig ⟨het⟩ **0.1** *taxiplane* ⇒*air-taxi.*

taxon ⟨het⟩ ⟨biol.⟩ **0.1** *taxon.*

taxonomie ⟨de (v.)⟩ **0.1** [leer v.d. biologische systematiek] *taxonomy, taxology* ⇒*systematics* **0.2** [hiërarchische ordening] *taxonomy, taxology.*

taxonomisch ⟨bn., bw.; -ally⟩ **0.1** *taxonomic.*

taxonoom ⟨de (m.)⟩ **0.1** *taxonomist* ⇒⟨vnl. AE⟩ *systematist.*

taxus ⟨de (m.)⟩ **0.1** *yew (tree)* ⇒*taxus.*

tazza ⟨de (v.)⟩ **0.1** *tazza.*

T-balk ⟨de (m.)⟩ **0.1** *T-bar/beam/girder.*

t.b.(c.) ⟨de (v.)⟩ ⟨afk.⟩ **0.1** [tuberculose] *T.B..*

T-biljet ⟨het⟩ **0.1** *tax reclaim form.*

t.b.r. ⟨de (v.)⟩ ⟨afk.⟩ **0.1** [ter beschikkingstelling v.d. regering] ⟨*detention during Her Majesty's pleasure* ⇒⟨geestelijk gestoorde ook⟩ *detention in a hospital,* ⟨minderjarige ook⟩ *detention in a youth custody*⟩⟨centre⟩ ◆ **2.1** voorwaardelijk ~ *get a suspended sentence* **3.1** ~ krijgen *be detained during Her Majesty's pleasure; be detained under a hospital order, be committed to a youth custody centre.*

t.b.v. ⟨afk.⟩ **0.1** [ten behoeve van] ⟨*on behalf of*⟩ **0.2** [ten bate van] ⟨*in aid/for the benefit/favour of*⟩.

td. ⟨afk.⟩ **0.1** [tijdelijk] *temp..*

te¹ ⟨bw.⟩ **0.1** [voor stellende trap]⟨⟨absoluut/onherroepelijk te (laat/kort, enz.)⟩ *too,* ⟨enigszins/een beetje te (laat/kort enz.):onvertaald⟩ **0.2** ⟨voor vergrotende trap⟩ *too* ◆ **2.1** dat is me ~ geleerd *that's above/beyond me, I'm out of my depth here, I can't make head or tail of it;* ~ laat *t. late;* ⟨van trein enz.⟩ *late, overdue; behind time;* dat is hem ~ min *that's beneath him, he's t. high-and-migthy for that;* ~ veel water *t. much water, water-logged;* ~ veel mensen *t. many people, overcrowded* **2.2** des ~ beter *so much the/even better;* zoveel ~ meer *the/even more so, so much/all the more* **3.1** dat is een beetje té *that's a bit much/thick* **5.1** een al ~ hoge prijs *(by far) t. high a price, an exorbitant price;* de vertaling was niet ~ moeilijk *the translation wasn't t. difficult/all that hard* **6.1** een veel ~ mooi huis **om** te verkopen *a house much t. beautiful to sell* **7.1** een ~ moeilijke taak *t. difficult a task;* ~ veel om op te noemen *t. much to mention* ¶**.1** ~ is nooit goed *you can have t. much of a good thing.*

te² ⟨vz.⟩ **0.1** [⟨voor infinitieven ter inleiding v.e. beknopte bijzin; geeft modaliteit weer⟩] *to* **0.2** [⟨voor infinitieven ter inleiding v.e. bepaling⟩] *to* **0.3** [⟨mbt. plaats⟩] *at, in* **0.4** [⟨mbt. tijd⟩] *at* **0.5** [⟨mbt. doel/bestemming⟩] *to, for, on* **0.6** [⟨mbt. middel/wijze⟩] *by, with* ◆ **1.3** de trein stopt niet ~ B. *the train doesn't stop in/at B.;* de Dom ~ Keulen *the Cathedral in Cologne;* ~ paard zitten *be (seated) on horseback;* ~ Parijs aankomen *arrive in Paris* **1.4** ~ middernacht *at midnight* **1.5** ~ huur, ~ hoop *to let, for sale* **3.1** te dijk dreigde ~ bezwijken *the dike was in danger of collapsing/threatened to collapse;* dreigen ~ vertrekken *threaten to leave;* de was ~ drogen hangen *put/hang out the washing to dry;* zij ligt ~ slapen *she's sleeping/asleep* **5.2** het wild was moeilijk ~ benaderen *the game was difficult to approach;* een niet ~ missen kans *a chance in a life-time/not to be missed, a golden opportunity* **6.2** een dag **om** nooit ~ vergeten *an unforgettable day, a day never to be forgotten.*

t.e.a.b. ⟨afk.⟩ **0.1** [tegen elk aannemelijk bod] ⟨*any reasonable offer accepted* ⇒⟨*100 pounds* ⟨enz.⟩⟩ *o.n.o.* ⟨*or near offer*⟩⟩.

teakhout ⟨het⟩ **0.1** *teak.*

teakolie ⟨de (v.)⟩ **0.1** ≠*furniture polish.*

team ⟨het⟩ **0.1** [⟨sport⟩] *team* ⇒⟨BE ook⟩ *side, sportsteam* **0.2** [samenwerkende mensen] *team* ⇒⟨ploeg, team⟩ *squad* ◆ **2.2** een medisch ~ *a medical t.* **3.1** een ~ kiezen *pick a t.;* een ~ samenstellen *make up a t.;* een ~ vormen met iem. *partner/team up with s.o.;* samen een ~ vormen *team up together* **6.2** **in** een ~ werken *work in a t.* **7.1** hij speelt in het tweede ~ *he plays for the reserves/reserve t..*

teamgeest ⟨de (m.)⟩ **0.1** *team spirit* ◆ **3.1** er heerste een uitstekende ~ *the t. s. was excellent.*

teamgenoot ⟨de (m.)⟩, **-note** ⟨de (v.)⟩ **0.1** *teammate* ◆ **2.1** het zijn goede teamgenoten *they are good teamworkers.*

teamleider ⟨de (m.)⟩, **-ster** ⟨de (v.)⟩ **0.1** *team leader, head of the/a team.*

teamverband ⟨het⟩ **0.1** *team* ◆ **6.1** **in** ~ werken *work in/as a t..*

teamwerk ⟨het⟩ **0.1** *teamwork.*
teboekstelling ⟨de (v.)⟩ **0.1** [het te boek stellen] *registration* **0.2** [het te boek gestelde]⟨boeking, geboekte post⟩ *entry;* ⟨het opgetekende⟩ *record* ♦ **1.2** een afschrift van~ *a copy of the entry* **6.1** ~ **van** schepen *r. of ships;* bij de ~ **van** zijn herinneringen *while writing his memoirs.*
techneut ⟨de (m.)⟩⟨scherts.⟩ **0.1** *boffin.*
technicus ⟨de (m.)⟩ **0.1** [werktuigkundige]⟨alg.⟩*(technical) engineer;* ⟨specialist, academicus⟩ *technologist, technical expert; technician* ⟨hoog gekwalificeerd⟩ **0.2** [iem. die reparaties verricht] *mechanic* ♦ **5.1** als niet-~ *as a non-technical person, being not very technical-(ly-minded).*
techniek ⟨de (v.)⟩ **0.1** [nodige bewerkingen/ verrichtingen om iets tot stand te brengen] *techniquе* **0.2** [bewerkingen mbt. de industrie] *engineering, technology* **0.3** [vaardigheid] *technique* ⟨ook van sport, kunst⟩ ⇒*skill, science* **0.4** [technische hulpmiddelen] *technics* ⇒*mechanics* ♦ **1.1** een cursus methoden en ~en *a course in methods and techniques* **1.3** de ~ v.e. pianist/ tennisspeler *the t. of a pianist/a tennis player;* ⟨van pianist ook⟩ *pianism* **1.4** de afdeling ~ in een warenhuis *the technical department in a store* **2.2** geavanceerde ~en *advanced techniques, high-tech(nology)* **3.1** een ~ aanleren *learn a t. / skill;* een ~ toepassen *apply a t. (to)* **3.3** over onvoldoende ~ beschikken *possess insufficient skills, be too unskilled.*
technisch
    I ⟨bn.⟩ **0.1** [de techniek betreffend] *technical* ⇒*technological, engineering* **0.2** [mbt. het werktuiglijk gedeelte] *technical* ⇒*mechanical* ♦ **1.1** ~ ambtenaar ≠*technical engineer;* ⟨opzichter⟩ *technical supervisor;* een ~ bureau *an engineering firm;* ~ chemicus *chemical technologist;* een ~ detail *a technicality;* de ~e dienst *the technical department;* een Technische Hogeschool/ Hogere Technische School *a university/ college of technology;* de ~e ontwikkeling en vooruitgang *technological development and progress;* een Lagere Technische School *a junior secondary technical school;* een Middelbare Technische School *a senior secondary technical school;* een ~ snufje *a gadget;* een ~ tekenaar *a (technical/ an engineering) draughtsman;* een ~e term *a technical term;* ~e vakken *technical subjects* **1.2** ~e moeilijkheden/ fouten *t. difficulties/ errors;* ~e specialisten *t. specialists, technicians;* een ~e storing *a t. hitch* **3.1** hij is niet erg ~ *he's not very technical(ly-minded);* ~ tekenen *technical drawing;*
    II ⟨bw.⟩ **0.1** [uit oogpunt van de techniek] *technically* ♦ **2.1** dat is ~ onmogelijk *that's physically impossible;* ~ volmaakt *t. perfect;* ~ is deze novelle voorbeeldig *t., this novella is outstanding.*
technocraat ⟨de (m.)⟩ **0.1** [aanhanger v.d. technocratie] *technocrat* **0.2** [iem. die zich door zakelijke overwegingen laat leiden] *technocrat* ⇒⟨pej.⟩ *pedant.*
technocratie ⟨de (v.)⟩ **0.1** [stelsel] *technocracy* **0.2** [heerschappij van technici] *technocracy.*
technocratisch ⟨bn., bw.;-ly⟩ **0.1** *technocratic.*
technocratisme ⟨het⟩⟨pol.⟩ **0.1** *technocracy.*
technokeuring ⟨de (v.)⟩ **0.1** ᴮ*motor ordenance test, M.O.T. test;* ⟨BE; inf.⟩ *M.O.T.* ♦ **3.1** een ~ laten uitvoeren *have an M.O.T. done.*
technologie ⟨de (v.)⟩ **0.1** [leer] *technology* **0.2** [toepassing van natuurwetenschap] *technology; applied science* ♦ **2.1** fysische/ chemische ~ *physical/ chemical engineering;* geavanceerde ~ *high-technology;* medische/ farmaceutische ~ *medical/ pharmaceutical t..*
technologisch ⟨bn., bw.;-ly⟩ **0.1** *technological* ♦ **1.1** de ~e achterstand *the t. lag;* de ~e ontwikkeling *the (onward) march of technology.*
technoloog ⟨de (m.)⟩ **0.1** *technologist.*
technorapport ⟨het⟩ ⟨BE; inf.⟩ *M.O.T.-report.*
technostation ⟨het⟩ ⟨BE; inf.⟩ *M.O.T.-garage.*
teckel ⟨de (m.)⟩ **0.1** *dachshund* ⇒⟨BE; inf.⟩ *sausage dog.*
tectyl ⟨de (m.)⟩ **0.1** *underseal,* ᴬ*undercoat.*
tectylbehandeling ⟨de (v.)⟩ **0.1** ¶ **3.** ¶ een auto een ~ geven *rustproof/ un-derseal/* ᴬ*undercoat a car, apply an underseal to a car, give a car an underseal.*
tectyleren ⟨ov.ww.⟩ **0.1** *rustproof, underseal,* ᴬ*undercoat.*
tectyllaag ⟨de⟩ **0.1** *underseal,* ᴬ*undercoat(ing).*
teddy ⟨het, de (m.)⟩ **0.1** ≠*plush, wool.*
teddybeer ⟨de (m.)⟩ **0.1** *teddy (bear).*
teder ⟨bn., bw.;-ly⟩ **0.1** *tender* ⇒*gentle, soft, loving, affectionate, fond* ♦ **1.1** een ~e kus/ omarming *a t. / fond kiss/ embrace* **3.1** iem. ~ aankijken *look at s.o. lovingly/ affectionately/ tenderly.*
tederheid ⟨de (v.)⟩ **0.1** [zachtheid] *tenderness* ⇒*gentleness* **0.2** [hartelijke liefde] *lovingness* ⇒*fondness* ♦ **1.2** liefde en tederheden *love and caresses* **2.2** de moederlijke ~ *motherly l.* **6.1** de natuur in al haar ~ *nature in all its t..*
TEE ⟨de (m.)⟩⟨afk.⟩ **0.1** [Trans-Europe Express] ⟨ *Trans-Europe Express* ⟩.
teef ⟨de (v.)⟩ **0.1** [dier] *bitch* ⇒⟨van wijfjesvos ook⟩ *vixen* **0.2** [meisje] *bitch* ⇒*cow, cunt* ⟨dom⟩ ♦ **2.1** een loopse ~ *a b. in heat* **2.2** vuile ~ *(your) rotten/ stinking/ fucking b. / cow.*
teek ⟨de⟩ **0.1** [mijt] *tick* **0.2** [⟨ AZN ⟩ aardworm] *earthworm.*
teelaarde ⟨de⟩ **0.1** [teelgrond] *(leaf) mould* ⇒*soil,* ⟨tuin/ teelaarde⟩ *garden mould* **0.2** [humus] *humus, leafmould.*

teelbaar ⟨bn.⟩ **0.1** *fertile* ⇒*procreative.*
teelbal ⟨de (m.)⟩ **0.1** *testicle.*
teelgrond ⟨de (m.)⟩ **0.1** *(leaf) mould* ⇒*soil,* ⟨tuin/ teelaarde⟩ *garden mould.*
teelt ⟨de (v.)⟩ **0.1** [het kweken] *culture, cultivation, production* **0.2** [wat geteeld is] *culture* ⇒⟨landb. ook⟩ *crop, harvest* **0.3** [fokkerij] *breed-ing* **0.4** [visvangst] *culture* ♦ **1.1** de ~ van druiven/ tomaten *the culti-vation of grapes/ tomatoes* **2.2** eigen ~ *home grown* **3.2** er is nog haast geen ~ *there's hardly any (fish) culture/ are hardly any fries* **6.3** een stier die goed **voor** de ~ is *a bull fit for b., a stud bull;* die kip legt **voor** de derde ~ *that chicken is laying for the third time/ in her third laying period.*
teeltgewas ⟨het⟩ **0.1** *cropper.*
teeltkeus ⟨de⟩ **0.1** *selection* ⇒*cull(ing)* ♦ **2.1** natuurlijke/ kunstmatige ~ *natural/ artificial s..*
teeltvergunning ⟨de (v.)⟩⟨landb.⟩ **0.1** *production licence.*
teelvocht ⟨het⟩ **0.1** *semen.*
teem
    I ⟨de (m.)⟩ **0.1** [het langzaam en vervelend spreken] *droning/ grind-ing (on);*
    II ⟨de⟩ [zeurkous] *moaner* ⇒*whiner,* ⟨inf.⟩ *whimp.*
teen
    I ⟨de (m.)⟩ **0.1** [deel v.d. voet] *toe* **0.2** [deel v.e. sok] *toe* **0.3** [voet v.e. dijk] *toe* **0.4** [deeltje knoflook] *clove* ♦ **1.4** een ~tje knoflook *a c. of garlic* **2.1** de grote/ kleine ~ *the big/ little t.;* ergens kromme tenen van krijgen *be highly embarrassed;* lange tenen hebben ⟨fig.⟩ *be touchy, be quick to take offence* **3.1** een ~ afhechten *cast off the toes* **6.1 op** zijn tenen lopen ⟨fig.⟩ *tax o.s. to the utmost, push o.s. to the limit;* **op** z'n tenen gaan staan *stand on tip-toe;* iem. **op** de tenen trappen ⟨fig.⟩ *tread on s.o.'s toes/ corns, hurt s.o.'s feelings;* ⟨AZN⟩ ⟨fig.⟩ **op** zijn tenen staan *do one's utmost;* gauw **op** zijn ~tjes getrapt zijn ⟨fig.⟩ *be quick to take offence, be huffy/ touchy;* **op** zijn tenen de kamer in/ uit lopen *tiptoe into/ out of the room;* van top **tot** ~ *all over, from head to foot;*
    II ⟨de⟩ **0.1** [twijg] *osier (rod)* ⇒*wicker, withe* ♦ **2.1** geschilde tenen *stripped osiers.*
teenganger ⟨de (m.)⟩ **0.1** *digitigrade.*
teenkootje ⟨het⟩ **0.1** *phalanx (of the toe).*
teennagel ⟨de (m.)⟩ **0.1** *toenail.*
teenslipper ⟨de (m.)⟩ **0.1** *flip-flop* ⇒⟨vnl. AE⟩ *thong.*
teer¹ ⟨de (m.)⟩ **0.1** *tar.*
teer² ⟨→sprw. 150⟩
    I ⟨bn., bw.;-ly⟩ **0.1** [broos] *delicate* ⇒*tender, fragile, frail* **0.2** [gevoelig] *delicate* ⟨onderwerp⟩; *tender* ⟨gevoelens⟩; ⟨onderwerp ook⟩ *sore, ticklish* ♦ **1.1** een ~ gestel *a d. constitution;* een tere gezondheid/ huid *d. constitution/ skin;* een ~ poppetje *a fragile* ⟨lett.⟩ *doll/* ⟨fig.⟩ *girl* **1.2** een ~ onderwerp *a d. subject, a sore point;* dat is een ~ punt (bij hem) *that's a sore point/ tender spot for him;* ⟨fig.⟩ een tere snaar aanroeren *touch upon a sore spot;*
    II ⟨bw.⟩ **0.1** [zonder felle accenten] *delicate* ⇒*soft* ⟨kleuren⟩.
teerachtig ⟨bn.⟩ **0.1** *tarry* ⇒*tar-like.*
teerasfalt ⟨het⟩ **0.1** *tar asphalt.*
teerbemind ⟨bn.⟩⟨schr.⟩ **0.1** *dearly beloved* ♦ **1.1** ~e kinderen *d. b. children.*
teergehalte ⟨het⟩ **0.1** *tar content* ♦ **2.1** sigaretten met een laag/ middel-matig/ hoog ~ *low-/ middle-/ high-tar cigarettes.*
teergevoelig ⟨bn.⟩ **0.1** [week] *(over-)sensitive, susceptible, easily hurt* **0.2** [zacht van gevoel] *delicate* ⇒*soft, tender* ♦ **1.1** een ~ hart *a tender heart* **5.1** hij is erg ~ *he is easily hurt.*
teerhartig ⟨bn.⟩ **0.1** [weekhartig] *softhearted* ⇒*soft* **0.2** [zachtaardig] *tenderhearted* ⇒*gentle, loving* ♦ **1.2** een ~e moeder *a gentle mother.*
teerhartigheid ⟨de (v.)⟩ **0.1** *tender-heartedness, gentleness;* ⟨teergevoeligheid⟩ *sensitivity, delicacy.*
teerheid ⟨de (v.)⟩ **0.1** *tenderness, delicacy* ⇒*fragility* ♦ **1.1** ~ van gemoed/ hart *t. of mind/ heart.*
teerkwast ⟨de (m.)⟩ **0.1** *tarbrush* ♦ **3.1** de ~ hanteren ⟨fig.⟩ *sling mud (at s.o.), slander (s.o.).*
teerling ⟨de (m.)⟩ **0.1** [dobbelsteen] *die* **0.2** [kubus] *cube* ♦ **3.1** ⟨fig.⟩ de ~ is geworpen *the d. is cast.*
teerolie ⟨de⟩ **0.1** *tar oil.*
teerpapier ⟨het⟩ **0.1** *tar-paper.*
teerton ⟨de⟩ **0.1** [ton om teer in te bewaren] *tar barrel* **0.2** [ton met teer als verlichting] *flare.*
teerwater ⟨het⟩ **0.1** *tarwater.*
teerzand ⟨het⟩ **0.1** *tar sand.*
teerzeep ⟨de⟩ **0.1** *(coal-)tar soap.*
TEE-trein ⟨de (m.)⟩ **0.1** *Trans-Europe-Express.*
teevee ⟨de⟩ **0.1** [televisie] *T.V.* ⇒*teevee, box,* ⟨BE inf.⟩ ᴮ*telly,* ⟨AE; inf.⟩ *tube* **0.2** [televisietoestel] *T.V. (set)* ⇒⟨BE ook⟩ *telly* ♦ **3.1** (naar de) ~ kijken *watch T.V.;* mogen we ~ kijken? *can we watch T.V.?* ¶ **1** er is niets leuks op de ~ *there's nothing worth watching on T.V..*
teeveetoestel ⟨het⟩ **0.1** *T.V. set.*
teflon ⟨het⟩ **0.1** *polytetrafluorethylene.*

tefra ⟨het⟩ ⟨geol.⟩ **0.1** *tephra.*

tegader ⟨bw.⟩ ⟨schr.⟩ **0.1** ⟨ongemarkeerd⟩ *together* ♦ **3.1** ~ brengen/komen *bring/come t..*

tegel ⟨de (m.)⟩ **0.1** [op de vloer] *tile* ⇒ ⟨in stoep⟩ *paving stone,* ⟨natuursteen⟩ *flagstone* **0.2** [op de muur] *tile* **0.3** [stuk vloerbedekking] *carpet square/tile* ♦ **2.2** een schoorsteen met antieke ~tjes *a chimney with antique tiles;* glazen ~s *glass tiles* **2.3** biezen ~s *matting squares* **3.1** ~s lichten *take up paving stones* **3.2** ~s zetten *tile* **3.3** ~s leggen *tile, lay tiles, pave* **6.2** ~s langs de wanden *tiles on the walls, tiled walls;* een met ~s beklede badkamer *a tiled bathroom.*

tegelbestrating ⟨de (v.)⟩ **0.1** *tile paving* ⇒*paving with tiles.*

tegelen ⟨onov., ov.ww.⟩ **0.1** ⟨ov.ww.⟩ *tile;* ⟨onov. ww.⟩ *lay tiles* ♦ **5.1** ik kan niet goed ~ *I'm not a good tiler.*

tegelijk ⟨bw.⟩ (→sprw. 574) **0.1** [op hetzelfde ogenblik] *at the same time/moment* ⇒*together, at a/one time/go, simultaneously* **0.2** [in dezelfde periode] *together* ⇒*simultaneously* **0.3** [samen met iem./iets anders] *also, as well, too* ⇒*at the same time* **0.4** [tevens] *also, as well, too* ⇒*at the same time, cum* ♦ **1.1** ik kan geen twee dingen ~ doen *I cannot do two things at the same time;* laat slechts één persoon ~ binnen *let in only one (person) at a time;* met tientallen ~ *by the dozen* **1.4** hij is president en partijleider ~ *he is both president and chairman of the party;* het is een horloge, kalender en wekker ~ *it's a watch, calendar and alarm clock all rolled into one* **2.1** ik kan niet op twee plaatsen ~ zijn *I cannot be in two places at once* **2.4** het is boeiend en leerzaam ~ *it is at once/both fascinating and instructive* **3.1** alles komt ~ *one thing is coming on top of the other;* ⟨inf.⟩ *it's one damn thing after another;* jullie moeten ~ trekken *you must pull together/at the same time* **3.2** zij hebben ~ gestudeerd *they were at university t.* **3.3** als de timmerman komt, kun je ~ die kast laten repareren *when the carpenter comes, you can get that cupboard repaired as well* **6.1** ~ met *at the same time as, at the time when, simultaneously with* **7.1** niet allemaal ~ ⟨iron.⟩ *one at a time please!;* met twee ~ *in pairs/twos, two by two* **8.4** hij is dokter en ~ apotheker *he is doctor as well as chemist;* ⟨vaak scherts.⟩ *he is doctor-cum-chemist.*

tegelijkertijd ⟨bw.⟩ **0.1** [gelijktijdig] *at the same time/moment, simultaneously* ⇒*concurrently, together* **0.2** [tevens] *at the same time* ⇒*all the same, nevertheless* ♦ **3.1** we kwamen ~ aan *we arrived at the same time, I arrived with him/her.*

tegelmat ⟨de⟩ **0.1** *rush mat.*

tegelpad ⟨het⟩ **0.1** *tile/*⟨grote tegels⟩ *flagstone path.*

tegeltableau ⟨het⟩ **0.1** *tile picture.*

tegeltuin ⟨de (m.)⟩ **0.1** *pavement/^sidewalk garden.*

tegelvloer ⟨de (m.)⟩ **0.1** *tiled floor.*

tegelwand ⟨de (m.)⟩ **0.1** *tiled wall.*

tegelwerk ⟨het⟩ **0.1** ⟨concr.⟩ *tiles* ⇒*tiling, tile-work* **0.2** ⟨abstr.⟩ *tiling* ⇒*tile-work.*

tegelzetten ⟨ww.⟩ **0.1** *tile.*

tegelzetter ⟨de (m.)⟩ **0.1** *tiler.*

tegemoet ⟨bw.⟩ **0.1** *to meet, towards* ♦ **1.1** het onbekende ~ *on towards/off into the unknown* **3.1** ik ben hem een eind ~ gegaan *I went part of the way to meet him;* zijn ondergang ~ gaan *court/be heading for disaster, ride for a fall;* open drukke tijd ~ gaan *be in for a busy time;* de dood ~ gaan *go to one's death, face death;* betere tijden ~ gaan *enter upon better times;* een tijd van grote onzekerheid ~ gaan *have a period of great insecurity ahead of one;* we gaan duidelijk de winter ~ *we're clearly heading for winter;* iem. ~ gaan/komen/lopen *(go to) meet s.o., go/come/walk towards s.o.;* ⟨fig.⟩ aan bezwaren ~ komen *meet/give in to objections;* ⟨fig.⟩ aan iemands wensen ~ komen *meet s.o.'s wishes;* ⟨fig.⟩ iem. een eindje ~ komen *meet s.o. part of the way;* ⟨fig.⟩ iem. een heel eind ~ komen *go a long way to meet s.o., meet s.o. (more than) half way;* ⟨fig.⟩ bereid zijn in de kosten ~ te komen *be prepared to bear part of the cost(s)/expense;* de warmte/de geur komt je ~ *the heat/smell engulfs/surrounds one;* het aroma komt je ~ *the aroma greets you;* zijn kinderen kwamen hem al ~ *he was met by his children;* iem. ~ rennen *run to meet s.o.;* iets ~ zien *await/face sth., look forward to sth.;* ⟨fig.⟩ de toekomst met vertrouwen ~ zien *face the future with confidence;* ⟨fig.⟩ iets met bezorgdheid ~ zien *look forward to sth. with apprehension/misgivings.*

tegemoetkomend ⟨bn.⟩ ⟨fig.⟩ **0.1** [toeschietelijk] *obliging* ⇒*kind, forthcoming,* ⟨coulant⟩ *compromising,* ↑*conciliatory* [naar de spreker toe] *oncoming* ⇒*approaching* ♦ **1.2** ~ verkeer *o. traffic* **3.1** hij is niet erg ~ *he's not very forthcoming, he is rather uncompromising.*

tegemoetkomendheid ⟨de (v.)⟩ **0.1** *obligingness* ⇒*accommodating nature,* ↑*conciliatoriness.*

tegemoetkoming ⟨de (v.)⟩ **0.1** [concessie] *accomodation, concession* **0.2** [gedeeltelijke vergoeding] *subsidy* ⇒*contribution, compensation, indemnification* ⟨in kosten⟩ ♦ **1.2** een ~ v.h. rijk *a government s./grant /contribution* **2.2** een kleine ~ voor de geleden schade *a small compensation/indemnification for damages sustained* **3.1** weinig/weinig ~ ondervinden (van iem.) *be shown/treated with little a.* **6.2** iem. een ~ in de kosten verstrekken *indemnify s.o. for part of the cost;* een ~ in a contribution towards/part of.*

tegen¹ ⟨het⟩ **0.1** *demerit, con(tra), disadvantage* ♦ **1.1** alles heeft zijn voor en ~ *everything has its advantages and disadvantages;* het voor en het ~ *the pros and cons, the merits and demerits;* de voors en ~s op een rij zetten/tegen elkaar afwegen *weigh the pros and cons* **5.1** de argumenten voor en ~ *the arguments for and against (it)/pro and con, the pros and cons.*

tegen² ⟨bw.⟩ **0.1** [als uitdrukking v.e. vijandige verhouding of competitie] *against* ⇒*anti* **0.2** [als uitdrukking van afkeer] ⟨zie 3.2⟩ **0.3** [in aanraking met] *(up) to, against* **0.3** [jegens] ♦ **1.1** zijn stem ~ uitbrengen *vote against /no;* wind en stroom waren ons ~ *wind and current were against us* **3.1** ergens iets (op) ~ hebben *mind sth.;* ⟨sterker⟩ *be opposed to sth.;* wind ~ hebben *walk/drive/sail against the wind;* ⟨fig.⟩ *sail against the wind/current;* je kunt hem beter niet ~ hebben *you'd better not run foul of him;* iem. ~ krijgen/hebben *get/have s.o. against one;* iedereen was ~ *everybody was against it/disagreed with it;* iem. ~ zijn *be against/opposed to sth.* **3.2** (zich) iets ~ eten *eat sth. until it makes one sick* **3.¶** zij heeft haar figuur/leeftijd ~ *her figure/age is (working) against her* **5.1** hij was fel ~ *he was dead against it* **¶.1** ik kan daar niets ~ in brengen *I cannot say anything against that.*

tegen³ ⟨vz.⟩ **0.1** [in omgekeerde richting] *against* ⇒*counter to, opposite (to)* **0.2** [gekeerd naar] *(up) to, against* **0.3** [jegens] *against* ⇒*to, with, towards* **0.4** [als aanduiding van een vijandige verhouding of competitie] *against* ⇒*opposed to, versus* **0.5** [in strijd met] *against* ⇒*counter /contrary to, in contravention of* ⟨de wet⟩, *in defiance of* ⟨voorschriften⟩ **0.6** [mbt. het einde van een beweging] *(up) against* **0.7** [kort vóór] *towards, by* **0.8** [in aanraking met] *(up) against* **0.9** [in ruil voor] *against, for, at, on* **0.10** [vergeleken met] *to, against* ♦ **1.1** ~ de stroom in *a. the current;* ~ de wind in fietsen *cycle a. the wind* **1.2** plassen ~ een boom *urinate a. a tree;* iets ~ het licht houden *hold sth. up to the light* **1.4** een race ~ de klok *a race a. the clock;* een middel ~ de koorts *a remedy a. fever;* man ~ man *man to man; hand-to-hand* ⟨gevecht⟩ **1.5** iets ~ heug en meug eten *eat sth. with distaste/disrelish;* ~ de verwachting/de gewoonte a. / *contrary to expectations/custom;* dat is ~ de wet *that is illegal/a. the law;* iets doen ~ wil en dank *do sth. reluctantly/a. one's will;* ~ a. one's better judgement **1.6** ⟨fig.⟩ dat stuit me ~ de borst *that goes a. the grain with me; that rubs me the wrong way;* ⟨fig.⟩ ~ de lamp lopen *be/get caught;* ⟨fig.⟩ iem. ~ het lijf lopen *run into s.o.;* ⟨toevallig⟩ *stumble across/upon s.o.;* met het hoofd ~ de muur lopen ⟨fig.⟩ *bang/run one's head a. a brick wall* **1.7** ~ het einde van het boek *towards/by the end of the book;* ~ Pasen *towards Easter;* ~ elf uur / elven *towards/by eleven (o'clock)* **1.8** ~ een auto leunen *lean a. a car;* ~ een muur opklimmen *climb a wall* **1.9** ~ betaling van *on payment of;* ~ elke prijs *whatever the cost;* een lening ~ 7,5 % rente *a loan at 7.5% interest;* ~ een kleine vergoeding *at/for a small reward/remuneration* **2.4** bestand ~ *proof a.;* opgewassen ~ *a match for* ⟨iem.⟩; *equal to* ⟨een taak⟩ **3.1** ~ iets ingaan *go a. sth., oppose sth., run counter to sth.* **3.2** ~ iets aankijken *be unused to sth., wonder about sth.;* hij lachte me ~ *he smiled at me;* iets ~ iem. zeggen *tell s.o. sth.* **3.3** vriendelijk/lomp ~ iem. zijn *be friendly with/rude to s.o.* **3.4** zich ~ de kou beschermen *protect o.s. from/a. the cold;* daar heb ik niets op ~ *I don't mind that (at all), I have no objections (whatsoever);* de schijn ~ zich hebben *have appearances a. one;* daar kun je niets op ~ hebben *you cannot object to that;* hebt u iets (op) ~? *do you have any objections?;* zij heeft iets ~ hem *she has/bears a grudge a. him;* heeft hij iets ~ jou? *has he got anything a. you?;* daar is toch niets op ~? *nothing wrong with that, is there?;* hij kan nergens ~ *he is so easily put out;* hij kan niet ~ autorijden/vliegen *driving/flying doesn't agree with him;* zo kan ik er weer even ~ *that'll keep me going for a while;* hij kan wel ~ een stootje *he can take a bit of buffeting;* een wrok ~ iem. koesteren *bear s.o. a grudge;* ergens niet ~ kunnen *not be able to stand/take/bear sth.;* het ~ iem. opnemen *take on s.o., fight s.o.;* ⟨sport⟩ ~ iem. spelen/rijden/boksen *meet/fight/take on s.o.;* er is niets ~ te doen *it cannot be helped;* zich ~ brand verzekeren *take out (a) fire insurance;* zich ~ iets verzetten *oppose/fight sth.;* ~ Feyenoord voetballen *play (a.)/meet Feyenoord* **3.5** ~ iets indruisen *run counter to sth., clash with sth.* **5.8** ergens ~ aan lopen ⟨fig.⟩ *run into sth., chance on sth., stumble (up)on/across sth.;* ⟨fig.⟩ ~ de toon aan zingen *sing flat/ (just) under the note* **7.7** een man van ~ de zestig *a man of about sixty/going on for sixty/in his late fifties* **7.10** ⟨bij weddenschap/kansrekening⟩ tien ~ één *ten to one* **8.7** ~ dat hij thuiskomt *by the time he comes home* **¶.10** hij is daar wekenlang geweest ~ ik maar een paar dagen *he was there for weeks, as opposed to the couple of days I was there;* de rente is nu 7% ~ 8% verleden jaar *the interest rate is now 7% , compared to 8% last year.*

tegenaan ⟨bw.⟩ **0.1** *(up) against* ⇒*into* ♦ **3.1** ⟨fig.⟩ er flink/stevig/hard ~ gaan *go (hard at) it, buckle to, pound away, exert o.s.;* ⟨fig.⟩ ergens (veel) geld ~ gooien *splash out on sth., spend a lot of money on sth.,* put a lot of money into sth., ↑*go to considerable expense for sth.;* ⟨fig.⟩ ergens ~ hikken *dread sth., shrink from sth., be reluctant to do sth.;* ergens (toevallig) ~ lopen ⟨fig.⟩ *hit/chance upon sth., run into sth., stumble (up)on/across sth.* **5.1** het andere huis staat er vlak ~ *the other house is right (up) against it.*

tegenaanbod ⟨het⟩ **0.1** *counteroffer* ⇒*counterbid* ♦ **3.1** een ~ doen *make a counteroffer, counter.*

tegenaanval ⟨de (m.)⟩ **0.1** *counterattack* ⇒*reaction* ◆ **3.1** een ~ doen *counter, strike / hit back;* een ~ werd bij verrassing uitgevoerd *a surprise c. was launched* **6.1** in de ~ gaan *counter(attack), strike / hit back.*

tegenactie ⟨de (v.)⟩ **0.1** *counter-campaign / -demonstration / -move* (enz.) ⇒*response.*

tegenargument ⟨het⟩ **0.1** *counter-argument.*

tegenbeeld ⟨het⟩ **0.1** [tegenstelling] *contrary, opposite* ⇒*contrast, antithesis* **0.2** [tegenhanger] *counterpart.*

tegenbegroting ⟨de (v.)⟩ **0.1** *counterbudget.*

tegenbericht ⟨het⟩ **0.1** [dat een ander heroept / tegenspreekt] *notice / message to the contrary* **0.2** [dat men ergens niet toe bereid / in staat is] *notice / message to the contrary* ◆ **6.1** behoudens ~ *if I / we do not hear anything to the contrary* **6.2** zonder ~ reken ik op uw komst *if I don't hear otherwise, I'll be expecting you.*

tegenbeschuldiging ⟨de (v.)⟩ **0.1** *countercharge* ⇒*counter-accusation, recrimination* ◆ **3.1** ~ en inbrengen (tegen) *make countercharges / -accusations (against);* opmerkingen die een ~ inhouden *recriminatory remarks.*

tegenbevel ⟨het⟩ **0.1** *counterorder* ⇒*countermand* ◆ **3.1** (een) ~ geven *countermand an order.*

tegenbeweging ⟨de (v.)⟩ **0.1** [beweging in tegengestelde zin] *counter-move(ment)* ⇒*contrary movement, reaction* **0.2** [⟨muz.⟩] *contrary motion.*

tegenbewijs ⟨het⟩ **0.1** *proof / evidence to the contrary* ⇒*refutation, rebuttal* ◆ **3.1** ~ leveren / toelaten *provide / accept proof to the contrary.*

tegenbezoek ⟨het⟩ **0.1** *return visit* ◆ **3.1** een ~ afleggen bij iem. *return s.o.'s call / visit.*

tegenbod ⟨het⟩ **0.1** *counteroffer* ⇒*counterbid.*

tegencoup ⟨de (m.)⟩ **0.1** *counter-coup* ◆ **3.1** een ~ plegen *launch a c.-c..*

tegencultuur ⟨de (v.)⟩ **0.1** *counterculture.*

tegendeel ⟨het⟩ **0.1** *opposite* ⇒*reverse, antithesis, contrary* ◆ **1.1** het bewijs van het ~ leveren *provide (conclusive) proof / evidence to the contrary;* een blijk van het ~ *evidence / proof to the contrary* **2.1** het ~ is waar *the o. / reverse is true* **3.1** zij is in alles het ~ van haar zuster *she is her sister's counterpart in everything;* het ~ staande houden *maintain the o.;* tenzij het ~ vermeld wordt *unless otherwise stated;* het ~ vrezen *fear on the contrary,* (that); *fear the o.;* alles wijst op het ~ *the evidence is otherwise;* het ~ zeggen van hetgeen men meent *say the o. of what one means.*

tegendoelpunt ⟨het⟩ **0.1** *goal against* ◆ **3.1** twee ~ en krijgen *concede two goals;* een ~ maken *score in reply.*

tegendraads ⟨bn., bw.⟩ **0.1** [recalcitrant] *contrary* ⇒*awkward, unruly, recalcitrant,* ⟨inf.⟩ *opposite* **0.2** [niet gelijk met de draad] *on the bias / cross* ◆ **1.2** vlees ~ snijden *cut meat across the grain;* een ~ e zoom *a hem on the bias* **3.1** ~ reageren *react in a c. way.*

tegendruk ⟨de (m.)⟩ **0.1** [⟨nat.⟩] *counterpressure* ⇒*back pressure, reaction* **0.2** [⟨druk.⟩] *backing, perfecting* ◆ **3.1** ~ geven *counterpoise.*

tegeneen ⟨bw.⟩ ⟨AZN⟩ **0.1** *against each other / one another* ◆ **3.1** ~ botsen *run / drive / crash into one another;* ~ spreken *dispute, contradict each other.*

tegeneffect ⟨het⟩ **0.1** [uitwerking v.e. tegenkracht] *countereffect* ⇒*reaction, counterbalance, chack* **0.2** [baleffect] *backspin, undercut* ◆ **3.2** ~ geven *undercut* **6.2** een bal met ~ *an undercut.*

tegeneis ⟨de (m.)⟩ **0.1** *counterclaim* ◆ **3.1** een ~ inbrengen *(enter a) counterclaim.*

tegeneten ⟨ov.ww.⟩ **0.1** *take a loathing (to sth.) by eating too much (of it)* ⇒*overeat (o.s.).*

tegengaan ⟨ov.ww.⟩ **0.1** [bestrijden] *combat, fight* ⇒*counter(act), discourage, resist* **0.2** [tegemoet gaan] *go to meet* ◆ **1.1** bederf ~ *preserve, prevent decay;* misbruik ~ *prevent / discourage abuse;* ondeugden / verkeerde neigingen / gewoonten ~ *discourage vices / bad tendencies / bad habits.*

tegengas ⟨het⟩ ◆ **3.¶** ~ geven *resist, dig in one's heels, put up a fight.*

tegengesteld ⟨bn., bw.⟩ **0.1** ⟨bn.⟩ *opposite,* ⟨sterker⟩ *antipodal; contrastive* ⟨systeem enz.⟩; *incompatible* ⟨belangen⟩; ⟨bw.⟩ *in the opposite direction, incompatibly* ◆ **1.1** ~ e belangen hebben *have / represent opposite / incompatible interests;* het ~ e effect hebben *be counterproductive,* ⟨wisk.⟩ ~ e getallen *opposite numbers;* in ~ e richting *in the opposite direction* **3.1** ~ gericht zijn *take the opposite direction; work in opposite directions* ⟨paar / team⟩.

tegengestelde ⟨het⟩ **0.1** *opposite* ⇒*contrary, antithesis* ◆ **6.1** hij is het ~ van zijn broer *he and his brother are (complete) opposites.*

tegengif ⟨het⟩ **0.1** *antidote* ⟨ook fig.⟩ ⇒⟨ihb. slangen⟩ *antivenin(e).*

tegenhanger ⟨de (m.)⟩ **0.1** *counterpart* ⇒*match, equivalent,* ⟨schilderij⟩ *pendant* ◆ **4.1** elkaars ~ (s) zijn *be one another's counterparts /* ⟨in twee groepen⟩ *opposite numbers.*

tegenhebben ⟨ov.ww.⟩ **0.1** *have (working) against one* ⇒*be opposed by* ◆ **1.1** een aantal leden v.d. vergadering ~ *be opposed by some of the members of the assembly;* hij heeft zijn uiterlijk tegen *his looks are (working) against him.*

tegenhouden ⟨ov.ww.⟩ **0.1** [beletten voort te gaan] *stop* ⇒*arrest, check, stem, hold* **0.2** [verhinderen] *prevent* ⇒*stop, obstruct, thwart, block*

0.3 [⟨foto.⟩] *shade* ⇒*dodge, hold back* ◆ **1.1** de loop van het water / een hollend paard ~ *stem the course of the water, stop / check a running horse* **1.2** een huwelijk ~ *p. / obstruct a marriage;* wie kan die plannen ~? *who can stop / block those plans?* **3.1** ik laat me door niemand ~ *I won't be stopped by anyone* **3.2** dat kun je toch niet ~ *there's no stopping that, it cannot be helped, this is bigger than both of us.*

tegenin ⟨bw.⟩ **0.1** *opposed to* ⇒*against* ◆ **3.1** ergens ~ gaan *oppose sth..*

tegenkandidaat ⟨de (m.)⟩ **0.1** [kandidaat v.d. tegenpartij] *opponent* ⇒*rival (candidate)* **0.2** [tweede kandidaat] *alternative / opposing candidate* ⇒*opponent, rival (candidate)* ◆ **3.2** een ~ stellen *put forward an alternative / opposing candidate* **6.2** zonder ~ gekozen worden *be elected /* ⟨pol. ook⟩ *be returned unopposed* **6.¶** een verkiezing zonder tegenkandidaten *an uncontested election.*

tegenkanting ⟨de (v.)⟩ → **tegenstand.**

tegenkomen ⟨ov.ww.⟩ **0.1** [ontmoeten] *meet* ⇒[1]*encounter* **0.2** [aantreffen] *stumble / come across; upon;* ⟨van personen ook⟩ *run across* ◆ **1.1** iem. op straat ~ *run / bump into s.o. on the street* **1.2** een mens komt heel wat vreemde dingen tegen in zijn leven *a person sees a lot of strange things in (the course of) his life* **4.1** ⟨fig.⟩ zichzelf ~ *discover / learn sth. / a lot about o.s.* **5.1** toevallig ~ ⟨van personen⟩ *bump / run into;* ⟨van zaken⟩ *light / chance / happen (up)on.*

tegenkracht ⟨de⟩ **0.1** *counterforce* ⇒*opposing force,* ⟨vaak mv.⟩ *cross-current.*

tegenlachen ⟨onov.ww.⟩ **0.1** *smile on / at* ◆ **1.1** ⟨fig.⟩ de toekomst lacht hem tegen *his future looks bright.*

tegenlicht ⟨het⟩ **0.1** [licht achter persoon, object] *backlight(ing);* ⟨mbt. landschap, enz.⟩ *contre jour* ◆ **6.1** een foto met ~ genomen *a photo with backlight(ing) / taken against / into the light / into the sun.*

tegenlichtopname ⟨de⟩ **0.1** ⟨landschap, enz.⟩ *photograph taken against / into the light / into the sun, contre-jour photograph;* ⟨persoon, enz.⟩ *photograph with backlight(ing)* ◆ **2.1** een romantische ~ *a romantic view taken into the sun.*

tegenligger ⟨de (m.)⟩ **0.1** ⟨auto⟩ *oncoming / approaching car;* ⟨persoon⟩ *oncoming driver;* ⟨trein⟩ *opposing train;* ⟨schip⟩ *meeting vessel;* ⟨verkeer, tegenliggers⟩ *oncoming traffic.*

tegenlopen ⟨onov.ww.⟩ **0.1** *go wrong / badly* ◆ **4.1** alles liep (mij) vandaag tegen *everything went all wrong (for me) today, it was one of those days (for me);* het loopt me tegen *I'm out of luck / down on my luck;* het loopt allemaal een beetje tegen bij haar *things aren't going very well for her.*

tegenmaatregel ⟨de (m.)⟩ **0.1** *counter(measure / action).*

tegennatuurlijk ⟨bn., bw.⟩ **0.1** *unnatural* ⇒*abnormal,* ⟨mbt. seksuele geaardheid ook⟩ *perverse* ◆ **1.1** ~ e neigingen *(sexually) deviant tendencies.*

tegennatuurlijkheid ⟨de (v.)⟩ **0.1** *unnaturalness* ⇒*abnormality,* ⟨mbt. seksuele geaardheid ook⟩ *perversity.*

tegenoffensief ⟨het⟩ **0.1** *counteroffensive.*

tegenop ⟨bw.⟩ **0.1** [mbt. voortbewegen] *up* **0.2** [mbt. kijken] *up* **0.3** [⟨fig.⟩] ⟨zie 3.3⟩ ◆ **3.1** daar moeten we ~ *we've got to go up against it* **3.2** ⟨fig.⟩ er ~ zien om ... *not look forward to, dread;* ⟨fig.⟩ ergens als een berg ~ zien *be terrified by sth. / petzified by sth. /* [1]*filled with apprehension about sth., not look forward to / dread sth.* **3.3** daar kan ik niet ~ *that's too much for / beyond me;* daar kan ik niet ~ bieden *I can't match that bid;* ik kan er niet meer ~ *I'm not up to it / I can't stand / take it anymore;* niemand kon tegen hem op *nobody was up to / could match him / could stand in his shadow.*

tegenorder ⟨het, de⟩ **0.1** *counterorder / -mand.*

tegenover ⟨vz.⟩ **0.1** [aan de overzijde van] *across, facing, opposite, over-(against)* **0.2** [in tegenstelling met] *against* ⇒*as opposed to, as distinct from,* ⟨schr.⟩ *vis-à-vis* **0.3** [vergeleken met] *against* ⇒*compared to / with, in comparison with, versus* **0.4** [jegens] *towards* ⇒⟨in tegenwoordigheid van⟩ *before, in front / the presence of* ◆ **1.1** recht / schuin / vlak ~ de kerk wonen *live directly / diagonally / just across the church;* de afbeelding ~ pagina drie *the picture f. page three* **1.3** het nieuwe schip heeft ruimte voor 1600 passagiers, ~ het oude 1100 *compared to the old ship's 1 100 passengers, the new one can accomodate 1600* **2.2** heet ~ koud *hot as opposed to cold* **3.1** ~ elkaar zitten *sit across (from) each other, sit opposite / f. each other, sit face to face* **3.2** zij staan lijnrecht ~ elkaar (in hun mening) *they are diametrically opposed to each other, they cut clean across each other (in their views);* daar staat ~ dat je ... *on the other hand you ...;* hier moet ik ~ stellen dat ... a. *this I should state that ...* **3.4** hoe sta je ~ die kwestie? *how do you feel about that matter?;* sympathiek / afwijzend ~ iets staan *be sympathetic towards / averse to sth., sympathize with / frown (up)on sth., be favourably / unfavourably disposed towards sth.;* scherp / fel ~ elkaar staan *be sharply / fiercely opposed to each other* **3.¶** staat er nog iets ~? *what's in it (for me)?* **4.4** ~ mij is hij altijd beleefd *he's always polite with me* **5.1** de huizen hier ~ *the houses across from here / opposite* **¶.1** ⟨fig.⟩ je zult merken wie je ~ je hebt *you'll find out who you're up against / dealing with.*

tegenovergelegen ⟨bn.⟩ → **tegenoverstaand.**

tegenovergesteld ⟨bn.⟩ **0.1** [tegenover iets geplaatst] *opposite* ⇒*opposed*

0.2 [⟨fig.⟩] *opposite* ⇒ ⟨van uitwerking⟩ *reverse, contrary, counter-productive* ◆ **1.1** ⟨biol.⟩ ~e bladen *opposite leaves;* ~e hoeken *opposite angles;* in/uit ~e richting *in/from the opposite direction* **1.2** in het ~e geval *in the o. case* **5.2** lijnrecht ~ aan *diametrically opposed to* **7.2** ⟨zelfst.⟩ dat je eerst zei *the o. / reverse of what you just said;* ⟨zelfst.⟩ dat is precies het ~e *that's exactly the o. / reverse;* ⟨zelfst.⟩ het ~e van iets doen *do the o. of sth..*

tegenoverliggend ⟨bn.⟩ →**tegenoverstaand**.

tegenoverstaand ⟨bn.⟩ **0.1** *opposite* ⇒*opponent, across* ◆ **1.1** de ~e huizen *the houses opposite/across;* een vertaling met ~e tekst *a translation with text en face/on the facing page.*

tegenoverstellen ⟨ov.ww.⟩ **0.1** *provide/offer (sth.) in exchange* ⟨beloning, vergoeding⟩; ⟨ter vergelijking⟩ *set (sth.) against* ◆ **1.1** ergens een financiële vergoeding ~ *offer compensation/* ⟨beloning⟩ *a reward for sth..*

tegenpartij ⟨de (v.)⟩ **0.1** [wederpartij] *opposition* ⇒*adversary, opponent, rival (party),* ⟨vijand⟩ *(the) other side* **0.2** [⟨muz.⟩] *second part/voice* ◆ **1.1** ⟨jur.⟩ advocaat van de ~ *councel for the other party;* een speler van de ~ *a player from the opposing team* **3.1** naar de ~ overlopen *defect,* ⟨van partij veranderen⟩ *cross the floor.*

tegenpaus ⟨de (m.)⟩ ⟨gesch.⟩ **0.1** *antipope.*

tegenpleiter ⟨de (m.)⟩, **-ster** ⟨de (v.)⟩ **0.1** *opponent.*

tegenpool ⟨de⟩ **0.1** [tegengestelde pool] *(anti)pole* **0.2** [⟨fig.⟩] *opposite* ◆ **4.2** ze zijn elkaars tegenpolen *they are each other's opposites/poles apart.*

tegenprestatie ⟨de (v.)⟩ **0.1** *sth. (done) in return/exchange* ⇒⟨schr.⟩ *quid pro quo* ◆ **3.1** een ~ leveren *do sth. in return, reciprocate (fer)* ¶ **.1** bij wijze van ~ *in return/exchange.*

tegenpruttelen ⟨onov.ww.⟩ **0.1** *mutter* ⇒*grumble (at/over/about), murmur (at/against).*

tegenpunt ⟨het⟩ ⟨wisk.⟩ **0.1** *antipodal point.*

tegenslag ⟨de (m.)⟩ **0.1** *setback* ⇒*check, blow, hard/bad luck,* ⟨tegenvallertje, ongelukje⟩ *mishap, fly in the ointment* ◆ **2.1** herhaalde ~en *repeated setbacks* **3.1** ~ hebben/ondervinden *meet with/experience adversity/a reverse, fall on evil days* **6.1** met ~ te kampen hebben *suffer misfortune.*

tegenspartelen ⟨onov.ww.⟩ **0.1** [zich spartelend verzetten] *struggle* ⇒ *kick, fight, resist* **0.2** [tegensputteren] ⟨→**tegensputteren**⟩.

tegenspel ⟨het⟩ **0.1** [wijze van spelen tegen een ander] *defence ^se;* ⟨reactie op aanval⟩ *response* **0.2** [⟨kaartspel⟩] *defence ^se* ◆ **3.1** ~ bieden *offer resistance, put up a fight;* ⟨inf.⟩ *give s.o. a run for his money;* ⟨fig.⟩ ~ geven/leveren *put up a fight, respond, reply* **7.2** geen ~ hebben *have no d..*

tegenspeler ⟨de (m.)⟩, **-speelster** ⟨de (v.)⟩ **0.1** [⟨dram.⟩] *partner* ⇒ ⟨in film⟩ *co-star, partner* **0.2** [⟨sport⟩] *opponent* ⇒ ⟨in transport ook⟩ *opposite number, antagonist* ◆ **2.1** ⟨fig.⟩ Talleyrand was de grote ~ van Napoleon *Talleyrand was Napoleon's great adversary* **3.1** in dat stuk was zij de tegenspeelster van haar man *she played opposite her husband in that play.*

tegenspoed ⟨de (m.)⟩ **0.1** *adversity* ⇒*misfortune, reverse, trouble* ◆ **1.1** in voor- en tegenspoed *for better or worse, through rough and smooth;* ⟨schr.⟩ *through good and evil* **3.1** veel ~ hebben/ondervinden *have/experience a stretch/lot of bad luck* **6.1** ~ in zaken *misfortune/setback in business.*

tegenspraak ⟨de (v.)⟩ **0.1** [protest] *objection, protest, argument* ⇒⟨sl.⟩ *backchat, jaw,* ⟨jur.⟩ *variance* **0.2** [ontkenning] *denial* **0.3** [het tegenstrijdig zijn] *contradiction* ⇒*discrepancy, contrast,* ⟨onenigheid⟩ *dissent* ◆ **2.3** dat is in flagrante ~ met…*that is in flagrant contradiction to/with;* onderlinge ~ *internal contradiction(s)* **3.1** geen ~ duldend *peremptory, pontifical;* ~ uitlokken *evoke p./objections* **3.2** bij iem. ~ ontmoeten *be contradicted/challenged by s.o.* **6.1** zonder ~ volgde hij het bevel op *he obeyed the order without any objections* **6.2** niet **aan** ~ onderhevig zijn *admit of no d./argument;* **zonder** ~ *indisputable, unchallenged, incontestable, incontrovertible* **6.3** een ~ in zichzelf *a contradiction in terms;* ⟨retorica⟩ *an oxymoron;* dat is **in** ~ **met** hetgeen hij eerder gezegd heeft *that's inconsistent with/contradictory to what he said before, it conflicts with/contradicts what he said before;* lijnrecht **in** ~ **met** …*in direct conflict with, in flat contradiction with;* ⟨jur.⟩ een vonnis **op** ~ *a judgement in a defended action.*

tegenspreken ⟨ov.ww.⟩ **0.1** [zich met woorden verzetten tegen] *object, protest, argue (with)* ⇒ ⟨brutaal tegenspreken⟩ *answer/talk back* **0.2** [juistheid van iets ontkennen] *deny* ⇒*contradict,* ⟨logenstraffen⟩ *belie,* ⟨weerleggen⟩ *rebut, refute* **0.3** [strijdig zijn] *conflict with, be inconsistent with* ◆ **1.2** dat gerucht is door niemand tegengesproken *nobody disputed/refuted/contested the rumour* **1.3** elkaar ~de mededelingen *contradictory/conflicting statements;* een weefsel van zich telkens ~de verklaringen *a web of contradicting statements* **3.2** ik moet u/je ~ *I must disagree with/contradict you, I differ with you (here)* **4.3** zichzelf ~ *contradict o.s.* ¶ **.3** het een spreekt het ander tegen *the one is inconsistent with the other.*

tegensputteren ⟨onov.ww.⟩ **0.1** *grumble (at/over/about)* ⇒*protest,* ⟨schr.⟩ *demur(ral)* ◆ **6.1** na veel ~ heeft hij het toch maar gedaan *after a lot of arguing/argument he went ahead with it anyway* **6.** ¶ **zonder/na** enig ~ *without/after some protest.*

tegenstaan ⟨onov.ww.⟩ **0.1** [onaangenaam zijn] *pall (on/upon)* ⇒⟨vnl. zoetigheden⟩ *start to cloy* **0.2** [⟨AZN⟩ mbt. een deur] *be ajar* ◆ **1.1** dat eten staat hem tegen *that food palls on him, he can't stomach that food;* zijn manieren staan me tegen *I can't stand/bear his manners.*

tegenstand ⟨de (m.)⟩ **0.1** [verzet] *opposition* ⇒⟨weerstand⟩ *resistance,* ⟨vijandschap⟩ *antagonism,* ⟨vijandelijkheid⟩ *hostility* **0.2** [tegengestelde kracht]⟨schei., elek.⟩ *resistance; antagonism* **0.3** [plaatsing tegenover iets] *opposition* ◆ **3.1** ~ bieden (aan) *hold off, make a stand (against);* ~ ondervinden/ontmoeten *meet with/encounter o.* **6.1** zonder ~ rukten ze de stad binnen *they entered the town unopposed* **6.3** ⟨ster.⟩ een planeet is in ~ *met de zon a planet is in o. to the sun.*

tegenstander ⟨de (m.)⟩, **-standster** ⟨de (v.)⟩ **0.1** *opponent* ⇒*adversary, enemy, antagonist,* ⟨tegenspreker⟩ *objector,* ⟨inf.⟩ *anti* ◆ **2.1** een geduchte ~ *a formidable adversary* **3.1** zich een ~ verklaren *declare o.s. an opponent/enemy of* **6.1** ⟨sport⟩ de ~ **in** de volgende ronde *the opponent in the next round;* ~ **van** iets zijn *be opposed to/anti sth., be an opponent of sth., be an anti;* de ~s **van** een plan/van het bewind *the opponents of a plan/the regime.*

tegenstellend ⟨bn.⟩ ⟨taal.⟩ **0.1** *adversative, disjunctive* ◆ **1.1** ~e voegwoorden *a./d. conjunctions, adversatives, disjunctives.*

tegenstelling ⟨de (v.)⟩ **0.1** [antithese] *antithesis* ⇒*setoff, relief, opposite, foil* **0.2** [contrast] *contrast* ⇒*discrepancy,* ⟨fig.⟩ *chasm,* ⟨schr.⟩ *contradistinction* ◆ **2.2** een schrille ~ *a glaring contrast* **6.1** er bestonden grote ~en **binnen** de partij *there were considerable differences of opinion within the party* **6.2** **in** ~ **met/tot** *in contrast with/to, contrary to, unlike, as opposed to.*

tegenstem ⟨de⟩ **0.1** [⟨pol.⟩] *dissenting/negative vote* ⇒⟨inf.⟩ *vote against* **0.2** [⟨muz.⟩] ⟨→**tegenpartij** 0.2⟩.

tegenstemmen ⟨onov.ww.⟩ **0.1** *vote against/negatively* ⇒⟨schr., weigeren in te stemmen⟩ *dissent,* ⟨in Britse Lagerhuis⟩ *vote with the Noes.*

tegenstemmer ⟨de (m.)⟩, **-stemster** ⟨de (v.)⟩ **0.1** *opponent, nay* ⇒ ⟨andersdenkende⟩ *dissentient,* ⟨BE, Lagerhuis⟩ *No,* ⟨BE, Hogerhuis⟩ *noncontent.*

tegenstof ⟨de⟩ **0.1** *antibody.*

tegenstreven ⟨onov.ww.⟩ **0.1** *resist* ⇒*recalcitrate,* ⟨fig.⟩ *sabotage,* ⟨verzet bieden⟩ *withstand* ◆ **6.1** zonder ~ *without hindrance.*

tegenstrever ⟨de (m.)⟩, **-streefster** ⟨de (v.)⟩ →**tegenstander, -standster.**

tegenstribbelen ⟨onov.ww.⟩ **0.1** [zich zeer licht verweren] *struggle* ⇒*resist* **0.2** [tegensputteren] ⟨→**tegensputteren**⟩ ◆ **3.1** ~ helpt hier niet *it won't help to put up a struggle now.*

tegenstrijd ⟨de (m.)⟩ **0.1** *conflict* ⇒⟨fig. ook⟩ *contradiction, clash* ◆ **6.1** **in** ~ zijn met *conflict with, be in contradiction/be contradictory to.*

tegenstrijdig ⟨bn., bw.; -ly⟩ **0.1** *contradictory, conflicting* ⇒*inconsistent, discrepant, incompatible* ◆ **1.1** ~e belangen *clash of/conflicting interests;* ~e gevoelens *ambivalent/contradictory feelings* **3.1** ~ handelen *act inconsistently.*

tegenstrijdigheid ⟨de (v.)⟩ **0.1** [eigenschap, feit] *contradiction* ⇒*antithesis, antilogy,* ⟨innerlijke tegenstrijdigheid⟩ *antinomy,* ⟨schijnbare tegenstrijdigheid⟩ *paradox* **0.2** [iets tegenstrijdigs] *contradiction* ⇒*conflict, inconsistency, discrepancy, contrariety, clash* ◆ **2.2** ⟨fig.⟩ hij is een vat vol (met) tegenstrijdigheden *he is a walking contradiction/a bundle of contradictions* **3.2** het boek bevat verscheidene tegenstrijdigheden *there are several inconsistencies in the book* **6.1** ~ **in** de bewoordingen *contradiction in terms.*

tegenstroom ⟨de (m.)⟩ **0.1** [mbt. vaartuig] *crosscurrent, countercurrent* **0.2** [mbt. een andere vloeistof, gas] *counterflow* **0.3** [⟨elek.⟩] *reverse current* **0.4** [draaikolk] *whirlpool* ⇒*eddy.*

tegensturen ⟨onov.ww.⟩ **0.1** *steer into a skid* ⇒*apply opposite lock.*

tegenstuur ⟨het⟩ **0.1** ⟨zie 3.1⟩ ◆ **3.1** ~ geven *steer into a skid, apply opposite lock.*

tegentij ⟨het⟩ **0.1** [ongunstig getij] *opposing/unfavourable tide* **0.2** [⟨fig.⟩]⟨→**tegenspoed**⟩.

tegenvallen ⟨onov.ww.⟩ **0.1** [niet aan de verwachtingen beantwoorden] *disappoint* ⇒*fail, fall short* **0.2** [mbt. de wind] *turn against, come around* **0.3** [⟨AZN⟩ slecht uitvallen] *turn out/work out badly/wrong-(ly)* ⇒*go* ⟨slecht verlopen⟩ *badly/* ⟨opeens tegenvallen⟩ *wrong* ◆ **1.1** de opbrengst valt (erg) tegen *the proceeds are (most) disappointing* **5.1** de rekening is vies tegengevallen *the bill was a rude awakening* **6.1** dat valt mij **van** je tegen *you disappoint me, I feel/am disappointed in you* ¶ **.1** als je hem nader leert kennen, valt hij tegen *he's not all that great once you get to know him.*

tegenvaller ⟨de (m.)⟩ **0.1** *disappointment* ⇒*check, blow,* ⟨inf.⟩ *letdown, comedown,* ⟨tegenvallertje⟩ *mishap, fly in the ointment* ◆ **2.1** een financiële ~ *a financial setback;* een lelijke ~ *a nasty blow.*

tegenverklaring ⟨de (v.)⟩ **0.1** [verklaring van de andere zijde] *counterstatement* ⇒*counterdeclaration, response,* ⟨jur. ook; repliek⟩ *rejoinder* **0.2** [verklaring dat men tegen iets is] *statement/declaration of opposition to sth./that one is opposed to sth..*

tegenvoeter ⟨de (m.)⟩ **0.1** [antipode] *antipode* **0.2** [⟨fig.⟩] *opposite* ⇒*antipode* ◆ **3.2** de ~ zijn van *be the antipode/o. of* **6.1** bij de ~s ⟨inf.⟩ *down under.*

tegenvoorbeeld ⟨het⟩ **0.1** *opposite example.*

tegenvoorstel ⟨het⟩ **0.1** *counterproposal* ◆ **3.1** een ~ indienen/doen *submit/make a c..*

tegenvordering ⟨de (v.)⟩ **0.1** *counterclaim* ⇒⟨jur. ook⟩ *counteraction* ◆ **6.1 in** ~ *in reply;* ⟨jur.⟩ *per contra.*

tegenvraag ⟨de⟩ **0.1** *counterquestion.*

tegenwaarde ⟨de (v.)⟩ **0.1** *countervalue, exchange* ⇒*worth.*

tegenweer ⟨de⟩ **0.1** *resistance, protest(ation).*

tegenwerken ⟨onov., ov.ww.⟩ **0.1** *sabotage* ⇒⟨ov.ww.⟩ *cross, thwart, hinder, oppose, check, counteract* ◆ **1.1** ~de factoren *adverse/opposing factors* **6.1** iem. in zijn plannen~ *cross/frustrate s.o. in his plans, frustrate/thwart s.o.'s plans.*

tegenwerking ⟨de (v.)⟩ **0.1** *sabotage* ⇒*hindrance, opposition, check,* ⟨weerwerk, tegenmaatregel⟩ *counteraction, counterwork, reaction* ◆ **3.1** veel/weinig~ ondervinden *meet with great/little opposition.*

tegenwerpen ⟨ov.ww.⟩ **0.1** *object* ⇒*argue, remonstrate (with/against),* ⟨schr.⟩ *demur (at).*

tegenwerping ⟨de (v.)⟩ **0.1** *objection* ⇒*argument, remonstrance,* ⟨schr.⟩ *demur(ral),* ⟨(publiek) protest⟩ *outcry,* ⟨vaak mv.⟩ *difficulty* ◆ **3.1** ~en maken *raise objections;* zijn~en zijn aangenomen/verworpen *his objections have been sustained/rejected.*

tegenwicht ⟨het⟩ **0.1** [gewicht om iets in evenwicht te houden] *counterbalance, counterpoise, counterweight;* ⟨tech.⟩ *equipoise, makeweight* **0.2** [⟨fig.⟩] *offset, setoff* ⇒*counterbalance, compensation* ◆ **3.2** haar humor vormt een goed~ tegen zijn zwaarmoedigheid *her sense of humour certainly compensates for his gloom.*

tegenwind ⟨de (m.)⟩ **0.1** [ongunstige wind] *head wind* ⇒*contrary/adverse wind* **0.2** [⟨fig.⟩] *opposition* ◆ **3.1** wij hadden~ *the wind was against us, we had the wind against us;* ~ ondervinden *encounter contrary winds;* door~ opgehouden schepen *windbound ships.*

tegenwoordig
I ⟨bn.⟩ **0.1** [aanwezig] *present* **0.2** [huidig] *present* ⇒*current,* ⟨modern⟩ *present-day, modern* ◆ **1.2** de~e directeur *the present manager;* de~e tijd *the present (tense)* **3.1** ik was daarbij~ *I was there* **6.1** zij was~ bij mijn huwelijk *she attended my wedding;* niemand was **bij** het ongeluk~ *there was nobody in evidence at the accident;*
II ⟨bw.⟩ **0.1** [nu] *now(adays), these days, today* ⇒⟨momenteel⟩ *currently,* ⟨laatstelijk⟩ *latterly* ◆ **6.1** de jeugd **van** ~ *young people nowadays, the youth of today, today's youth.*

tegenwoordigheid ⟨de (v.)⟩ **0.1** *presence* ◆ **6.1 in** ~ **van** getuigen *in the p. of witnesses;* ~ **van** geest *p. of mind.*

tegenzang ⟨de (m.)⟩ **0.1** ⟨rel.⟩ *antiphon, anthem* ⇒⟨lit.⟩ *antistrophe,* ⟨rel.; responsorium⟩ *responsory, respond, response.*

tegenzet ⟨de (m.)⟩ **0.1** ⟨ook fig.⟩ *counter(move/manoeuvre* ^*euver/stroke)* ⇒*response, reaction,* ⟨repliek⟩ *comeback, retort* ◆ **3.1** een~ doen *counter, respond.*

tegenzijde ⟨de⟩ **0.1** *reverse* ⇒*reverse/opposite side, wrong side* ⟨stoffen⟩, *back* ⟨blad⟩.

tegenzin ⟨de (m.)⟩ **0.1** ⟨afkeer⟩ *dislike, distaste;* ⟨sterker⟩ *aversion;* ⟨ongeneigdheid⟩ *reluctance, unwillingness, disinclination* ◆ **6.1** een~ in iets hebben *have a dislike of sth., have an aversion to sth., dislike sth.;* een~ **in** iets krijgen *take a dislike to sth.;* hij doet alles **met** ~ *he does everything reluctantly/unwillingly/with ill grace/grudgingly;* **met** (enige) ~ *with (some) regret/distaste;* hij dankte haar **met** ~ *he was very grudging in his thanks;* hij hielp haar **met** ~ *he was very reluctant to help her.*

tegenzitten ⟨onov.ww.⟩ **0.1** [niet gunstig zijn] *be/go against* **0.2** [⟨kaartspel⟩] *have a strong opposing/defending hand* ◆ **1.1** het weer zat lelijk tegen *the weather was against us, the weather wasn't helping any* ¶**.1** het zit hem altijd tegen *things never go his way, things are always (going) against him.*

tegenzon ⟨de⟩ **0.1** *anthelion.*

T.E.G.-er ⟨de (m.)⟩ **0.1** *(officially recognized) conscientious objector/* ⟨inf.⟩ *conshie.*

tegoed[1] ⟨het⟩ **0.1** *(bank) balance* ⇒*credit,* ⟨activa⟩ *assets, funds, holdings* ◆ **3.1** ik heb nog een~ van ƒ100,- op mijn rekening *my account is Dfl. 100 in credit;* een~ opvragen *make a withdrawal (on one's account);* een~ overschrijden *overdraw one's account* **6.1** ~ **in** het buitenland *assets hold abroad, foreign/external assets;* **op** iemands~ bijschrijven *credit to s.o.'s account, credit s.o. with.*

tegoed[2] ⟨bw.⟩ **0.1 in** store ◆ **3.1** ik heb nog vier vakantiedagen~ *I've still got four holidays owing to me/outstanding;* dat heb je nog van me~ ⟨belofte⟩ *I (still) owe you one;* ⟨dreigement⟩ *you've got it coming (to you), I'll get you one day, I'll pay you back;* dat hebben we nog~ *that's still in store for us/to come our way;* hij heeft nog ƒ100,- van mij~ *I still owe him Dfl. 100;* iets~ houden ⟨inf.⟩ *take a rain check on sth..*

tegoedbon ⟨de (m.)⟩ **0.1** *credit note.*

Teheran ⟨het⟩ **0.1** *Teh(e)ran.*

tehuis ⟨het⟩ **0.1** [plaats waar men thuis is] *home* **0.2** [inrichting] *home* ⇒*hostel, hall of residence* ⟨voor studenten⟩, *hostel, shelter, refuge* ⟨voor daklozen⟩, *asylum* ⟨voor zwakzinnigen⟩ ◆ **2.2** een militair~ *a serviceman's hostel* **3.1** goed~ gezocht voor jonge hond *wanted: good home for young puppy* **6.2** een~ **voor** ongehuwde moeders *a shelter/home for single mothers;* een~ **voor** daklozen ⟨ook⟩ *a house of refuge;* een~ **voor** zeelieden *a sailors'/seamen's home/rest;* ~ **voor** ouden van dagen *old people's home.*

teil ⟨de⟩ **0.1** *(wash-)tub* ⇒⟨vnl. BE⟩ *copper* ⟨om bv. witgoed in te koken⟩, ⟨afwasteil⟩ *washing-up bowl/basin.*

teint ⟨het, de⟩ **0.1** *complexion.*

teisteren ⟨ov.ww.⟩ **0.1** [ernstig schaden] *scourge, ravage* ⇒*plague,* ⟨razen⟩ *sweep,* ⟨bezoeken⟩ *visit* **0.2** [kwellen] *afflict* ⇒*rack* ◆ **1.1** het geteisterde gebied *the stricken/distressed area;* door de oorlog/pest/storm geteisterd *war-stricken/plague-infested/storm-swept.*

teistering ⟨de (v.)⟩ **0.1** *ravaging* ⇒⟨schr. ook⟩ *visitation.*

tekeergaan ⟨onov.ww.⟩ **0.1** *rant (and rave), storm* ⇒⟨inf.⟩ *take/carry on (about sth.), create (about sth.), go on (at s.o.)* ◆ **1.1** hoor die hond eens~ *just listen to that dog carrying on* **6.1** tegen iem. ~ *go on at s.o., come down on s.o. (like a ton of bricks);* ↓*give s.o. a rollicking/* ⟨sl.⟩ *bollocking* **8.1** hij ging tekeer als een wildeman *he carried on like a madman.*

teken ⟨het⟩ **0.1** [symptoom] *sign* ⇒⟨aanwijzing ook⟩ *indication,* ⟨voorteken ook⟩ *omen,* [†]*augury,* [†]*portent,* ⟨mbt. ziekte; ook fig.⟩ *symptom,* ⟨blijk⟩ *token, mark,* ⟨merk, spoor⟩ *mark* **0.2** [aanduiding] *sign, symbol* ⟨ook wisk.⟩ ⇒⟨van tevoren vastgesteld⟩ *signal,* ⟨om bedoeling aan te duiden⟩ *sign,* ⟨leesteken⟩ *punctuation mark,* ⟨schriftteken⟩ *character,* ⟨beeldteken⟩ *ideogram* **0.3** [symbool] *mark* ⇒*insignia* ⟨van iemands ambt⟩ ⟨insigne⟩ *badge, emblem* **0.4** [sterrenbeeld] *sign* ⇒⟨huis⟩ *house* ◆ **1.1** een~ des tijds *a sign of the times* **1.2** taal noch~ geven *give no sign of life* **2.1** het is een veeg~ *it promises no good, that's not very promising* **2.2** ⟨taal.⟩ een diacritisch~ *a diacritic* **3.1** er zijn~en die wijzen op ...*there are signs/indications of ...* **3.2** een~ geven om te beginnen/vertrekken *give a signal to start/leave* **6.1** ~en van ongeduld *signs of impatience;* een~ **van** leven *a sign of life* **6.2** dat was voor mij een~ **aan** de wand *then I saw the writing on the wall;* het is een~ **aan** de wand *we should take this as a warning* **6.3** ten~ **van** rouw *as a sign of mourning* **6.4** ⟨fig.⟩ het congres staat in het~ van ...*the theme of the conference will be ...;* de zon stond in het~ van de Kreeft *the sun was in the s. of Cancer;* ⟨fig.⟩ onze tijd staat **in** het~ **van** de computer *this is the age of the computer, our age is dominated by the computer* **8.1** een~ dat er regen komt *an indication/a sign of rain.*

tekenaap ⟨de (m.)⟩ **0.1** *pantograph.*

tekenaar[1] ⟨de (m.)⟩, **-nares** ⟨de (v.)⟩ **0.1** *artist;* ⟨tech. meestal⟩ *draughtsman/woman,* ^*draftsman/woman* ◆ **2.1** artistiek~ *artist, designer;* bouwkundig~ *architectural draughtsman;* technisch~ *technical draughtsman;* werktuigkundig~ *mechanical engineering draughtsman.*

tekenaar[2] ⟨de (m.)⟩, **-ster** ⟨de (v.)⟩ **0.1** *signatory.*

tekenacademie ⟨de (v.)⟩ **0.1** *academy/college/school of art* ⇒*art academy/college/school.*

tekenachtig ⟨bn., bw.; -ly⟩ **0.1** *graphic* ⇒*vivid, picturesque* ⟨taal⟩.

tekenakte ⟨de⟩ **0.1** *art certificate/qualification.*

tekenblok ⟨het⟩ **0.1** *(drawing/sketch) pad.*

tekenboek ⟨het⟩ **0.1** [boek met tekens/seinen] *code book* **0.2** [boek waarin men tekent] *sketchbook* ⇒*drawing book.*

tekenbord ⟨het⟩ **0.1** [bord om op te tekenen] *drawing board/stand* **0.2** [bord om tekenpapier op te spannen] *drawing board/stand.*

tekencursus ⟨de⟩ **0.1** *drawing-course.*

tekendoos ⟨de⟩ **0.1** *drawing case/set* ⇒*set/box of drawing instruments.*

tekendriehoek ⟨de (m.)⟩ **0.1** *setsquare,* ^*triangle.*

tekenen
I ⟨onov., ov.ww.⟩ **0.1** [een afbeelding maken] *draw* ⇒⟨fig.⟩ *paint, portray, describe,* ⟨afschilderen⟩ *depict* **0.2** [een handtekening zetten] *sign* ⇒⟨van militair⟩ *sign on/sign up/enlist for military service* ◆ **1.1** figuurtjes/poppetjes~ *doodle* **1.2** een~ *contract* ⇒*s. a contract, put one's signature to contract* **2.1** anatomisch/bouwkundig~ *anatomical/architectural drawing;* technisch~ *technical drawing* **3.1** vanmiddag hebben we~ *we're got drawing this afternoon* **5.1** goed kunnen~ *draw well, be a good draughtsman* **5.2** ⟨fig.⟩ ik teken ervoor altijd zulk weer te hebben *I could put up with this sort of weather all the time, I'm game for this kind of weather every day* **6.1** met potlood~ *pencil, draw in pencil;* **met** houtskool/krijt~ *charcoal/crayon;* **naar** het leven~ *draw from life* **6.2** iets **voor** gezien~ *visa, visé;* **voor** ƒ50,-~ *put one's name down for 50 guilders;* ⟨fig.⟩ hij tekende **voor** twee doelpunten *he marked up two goals against his name;* hij tekende **voor** vier jaar *he signed on for four years;* ⟨fig.⟩ daar teken ik **voor** *I won't say no to that; we've got a deal;* ⟨fig.⟩ daar zou ik zo **voor** ~ *I'd leap/jump at the chance;*
II ⟨ov.ww.⟩ **0.1** [karakteriseren] *mark* ⇒*stamp, characterize, be typical/characteristic of* **0.2** [merken] *mark* ⇒⟨oormerken⟩ *earmark* ◆ **1.1** dat antwoord tekent de man *that reply is typical of/marks the man* **6.2** hij werd voor het leven getekend ⟨litteken⟩ *he was marked/disfigured for life;* ⟨reputatie⟩ *he was marked for life;*
III ⟨onov.ww.⟩ **0.1** [sporen op je gezicht vertonen] ≠*show* ⇒*betray one's state of health/one's feelings* ◆ **5.1** hij tekent altijd gauw *everything always shows on him.*

tekenend ⟨bn.⟩ **0.1** *characteristic (of)* ⇒*typical (of),* ⟨illustratief⟩ *illustrative (of),* ⟨veelbetekenend⟩ *significant, telling* ◆ **1.1** die feiten zijn~ *those facts are telling/revealing* **6.1** dat is~ **voor** hem ⟨ook⟩ *that marks/stamps him.*

tekenfilm ⟨de (m.)⟩ **0.1** *(animated) cartoon.*

tekengerei ⟨het⟩ **0.1** *drawing-materials* / ⟨gereedschap⟩ *-implements* / ⟨tech. ook⟩ *-instruments* / ⟨inf.⟩ *-things.*

tekenhaak ⟨de (m.)⟩ **0.1** *(T-)square.*

tekening ⟨de (v.)⟩ **0.1** [afbeelding] *drawing* ⇒⟨schets⟩ *sketch,* ⟨oefentekening, studie⟩ *study,* ⟨ter verduidelijking v.e. tekst, schets⟩ *diagram,* ⟨bouwk.⟩ *design, plan* **0.2** [het ondertekenen] *signature* **0.3** [het afbeelden] *drawing* **0.4** [patroon] *pattern* ⇒⟨motief⟩ *figure, marking* ⟨huid, bladeren⟩, ⟨dessin⟩ *design* **0.5** [beschrijving] *description* ⇒*portrayal* ◆ **1.1** een ~ op schaal *a scale drawing* **1.3** het vlak van ~ *the drawing surface* **2.4** dit slangevel heeft een prachtige ~ *this snakeskin has beautiful markings* **3.1** een ~ lezen *read a plan* **3.4** er komt ~ in de lucht ≠*there's a break in the sky;* ⟨fig.⟩ er komt ~ in (de zaak) *there's a clear p. emerging (in this business)* **6.1** volgens ~ *according to the drawing* **6.2** het ontvangstbewijs wordt ter ~ ingesloten *the receipt is enclosed for s.* **6.3** slordig van ~ *careless of composition.*

tekeninkt ⟨de (m.)⟩ **0.1** *drawing-ink.*

tekenkamer ⟨de⟩ **0.1** *drawing* / *technical office.*

tekenkrijt ⟨het⟩ **0.1** *crayon* ⇒*drawing chalk, conté.*

tekenkunst ⟨de (v.)⟩ **0.1** ⟨het ontwerpen⟩ *draughts* [A]*draftsmanship;* ⟨het tekenen⟩ *drawing.*

tekenleer ⟨de⟩ ⟨taal.⟩ **0.1** *semiology* ⇒*sem(e)iotics.*

tekenleraar ⟨de (m.)⟩, *-lerares* ⟨de (v.)⟩ **0.1** *art teacher* ⇒*art master* ⟨m.⟩ / *mistress* ⟨v.⟩.

tekenles ⟨de⟩ **0.1** *drawing-lesson* ⇒*lesson in drawing* ◆ **3.1** ~ geven *give drawing-lessons* / *lessons in drawing* **6.1** op ~ zitten *take lessons in drawing.*

tekenliniaal ⟨het, de⟩ **0.1** *ruler* ⇒*rule.*

tekenlokaal ⟨het⟩ **0.1** *art room.*

tekenmal ⟨de (m.)⟩ **0.1** *(French) curve.*

tekenonderwijs ⟨het⟩ **0.1** *art education* ⇒⟨het lesgeven⟩ *art (teaching).*

tekenpapier ⟨het⟩ **0.1** *drawing-paper.*

tekenpen ⟨de⟩ **0.1** [fijne pen] *drawing pen* ⇒*lettering pen, marker* **0.2** [verstelbare houder] *pencil holder* ⇒*clutch-type pencil.*

tekenpotlood ⟨het⟩ **0.1** *drawing pencil* / *lead.*

tekenschrift ⟨het⟩ **0.1** [cahier] *drawing copy-book* **0.2** [schrift dat bestaat uit tekens] *notation* ⇒⟨alg.⟩ *writing system,* ⟨karakterschrift⟩ *lexigraphy* ◆ **2.1** het Chinese ~ *(the) Chinese writing (system), Chinese characters* **2.2** chemisch ~ *chemical n..*

tekentafel ⟨de⟩ **0.1** *drawing table* / *stand* ◆ **1.1** ⟨fig.; inf.⟩ dat gaat / moet terug naar de ~ *that goes back to the drawing board.*

tekenwerk ⟨het⟩ **0.1** ⟨concr.⟩ *drawing(s);* ⟨abstr.⟩ *drawing;* ⟨tech. ook⟩ *draughts* [A]*draftsmanship* ◆ **2.1** elektrotechnisch / ⟨werktuig⟩bouwkundig ~ *electrical* / *structural drawing(s)* / *draughtsmanship.*

tekort ⟨het⟩ **0.1** [deficit] *deficit* ⇒*deficiency, shortfall* **0.2** [hoeveelheid die aan een voorraad ontbreekt] *shortage* ⇒*lack, deficiency* **0.3** [tekortkoming] *shortcoming* ⇒*failing,* ⟨onvolkomenheid⟩ *fault, defect* ◆ **1.1** het ~ op de handelsbalans *the trade gap* / *deficit* **3.1** een ~ bijpassen / dekken *make up* / *cover a deficit* **6.2** een ~ aan kennis *a lack of knowledge, a gap in one's knowledge;* een ~ aan vitamines *a vitamin deficiency;* er is een ~ aan graan / tarwe *wheat is short* / *in short supply;* we hebben een ~ aan personeel *we are short of staff, we are short-handed* / *short-staffed* / *understaffed;* dit land heeft een ~ aan delfstoffen *this country is deficient in minerals;* in een ~ voorzien *supply* / *meet the deficiency.*

tekortkoming ⟨de (v.)⟩ **0.1** *shortcoming* ⇒*failing, fault, defect,* ⟨ontoereikendheid⟩ *inadequacy.*

tekst ⟨de (m.)⟩ **0.1** [bewoordingen v.e. geschrift] *text* ⇒⟨formulering⟩ *wording,* ⟨script⟩ *script,* ⟨dram.; mv.⟩ *lines* **0.2** [bijbelpassage] *text* **0.3** [woorden v.e. muzikale compositie] *words* ⇒*lyrics* ⟨lied, schlager⟩, *libretto* ⟨opera⟩ **0.4** [toelichting bij een plaat] *caption* ⇒*legend, words* ⟨op poster⟩ **0.5** [onderwerp] *thread* ⇒*subject* **0.6** [drukwerk v.e. tekst] *text-matter* ⇒*letterpress* ◆ **1.1** de ~ v.e. redevoering *the t. of a speech* **1.2** iem. ~ en uitleg geven *give a full* / *detailed explanation* / *all the details* / *chapter and verse* **2.1** de oorspronkelijke ~ *the original t.;* de overgeleverde ~ *the surviving t.* **6.1** iem. van zijn ~ brengen *throw s.o. (into confusion), put s.o. off, make s.o. lose the thread* **6.5** bij de ~ blijven ⟨niet afdwalen⟩ *stick to one's point,* ⟨niet toegeven⟩ *stick to one's guns, not budge;* van de ~ raken *digress,* ⟨wander from one's subject, lose one's thread* ¶ **1.1** zijn ~ kwijt zijn *forget what one was going to say;* ⟨op het toneel⟩ *forget* / *fluff one's lines.*

tekstanalyse ⟨de (v.)⟩ **0.1** *textual analysis;* ⟨van bep. tekst⟩ *analysis of a* / *the text.*

tekstballon ⟨de⟩ **0.1** *balloon.*

tekstbegrip ⟨het⟩ **0.1** *comprehension* / *understanding of a* / *the text.*

tekstbehandeling ⟨de (v.)⟩ **0.1** *treatment* / *discussion* / *study of a text.*

tekstboekje ⟨het⟩ **0.1** *book (of words)* ⇒*libretto* ⟨opera / musical⟩, ⟨draaiboek⟩ *script* ⟨film, t.v.⟩, *acting copy* ⟨acteurs⟩.

teksteditie ⟨de⟩ **0.1** *(original) text edition.*

tekstgetrouw ⟨bn., bw.⟩ **0.1** *faithful* ⇒*faithful to the original* ⟨na zn.⟩ ◆ **1.1** een ~e vertaling *a f. translation.*

tekstgrammatica ⟨de (v.)⟩ **0.1** *textual grammar.*

teksthaak ⟨de (m.)⟩ **0.1** *square bracket.*

tekstinterpretatie ⟨de (v.)⟩ **0.1** *textual interpretation* ⇒*interpretation of a* / *the text.*

tekstkritiek ⟨de (v.)⟩ **0.1** *textual criticism.*

tekstschrijver ⟨de (m.)⟩, *-schrijfster* ⟨de (v.)⟩ **0.1** *scriptwriter* ⟨films⟩ ⇒*copywriter* ⟨reclameteksten⟩, *songwriter, lyricist* ⟨liedjes⟩, *librettist* ⟨opera's⟩, *speechwriter* ⟨toespraken⟩.

tekstueel ⟨bn., bw.; -ly⟩ **0.1** [de tekst betreffend] *textual* **0.2** [woordelijk] *literal* ⇒*textual.*

tekstuitgave ⟨de⟩ **0.1** *text edition.*

tekstverbetering ⟨de (v.)⟩ **0.1** [handeling] *emendation* **0.2** [resultaat] *emendation.*

tekstverklaring ⟨de (v.)⟩ **0.1** *close reading.*

tekstvervalsing ⟨de (v.)⟩ **0.1** *forging* / *forgery* / *falsification of a* / *the text.*

tekstverwerker ⟨de (m.)⟩ **0.1** *word processor.*

tekstverwerking ⟨de (v.)⟩ **0.1** [handelingen die een tekst ondergaat] *word processing* **0.2** [⟨tech.⟩] *word processing.*

tektogenese ⟨de (v.)⟩ ⟨geol.⟩ **0.1** *tectogenesis.*

tektologie ⟨de (v.)⟩ **0.1** *tectology.*

tektoniek ⟨de (v.)⟩ **0.1** [leer van de opbouw van de aardkorst] *tectonics* **0.2** [leer van de architectonische vormen] *tectonics.*

tektonisch ⟨bn.⟩ **0.1** [⟨geol.⟩] *tectonic* **0.2** [aan de eis van de constructie beantwoordend] *tectonic.*

tel ⟨de (m.)⟩ **0.1** [het tellen] *count* **0.2** [moment] *moment, second* ⇒⟨BE; inf.⟩ *tick, sec, mo* **0.3** [aanzien] *account* **0.4** [paard] *pacery* ⇒*ambler* ◆ **2.1** dat is een hele ~ *that's quite a number;* ik was de ~ kwijt *I've lost c.* **3.1** op zijn ~len passen *be careful* / *on one's guard, watch one's step, mind one's P's and Q's* **6.2** in één ~ had hij hem doorzien *he had him sized up in a second* / *at a glance;* in twee ~len ben ik terug / klaar *I'll be back* / *ready in a jiffy* / *sec* / *in two ticks* **6.3** weinig / niet veel in / ⟨AZN⟩ van ~ zijn *not count for much, be of little a., be not much of a force to be reckoned with; be poorly thought of, command little esteem.*

tel. ⟨afk.⟩ **0.1** [telefoon] *tel.* ⇒*Tel..*

telaatkomer ⟨de (m.)⟩ **0.1** *latecomer* ⇒*late arrival.*

telapparaat ⟨het⟩ **0.1** *meter* ⇒*counter,* ⟨voor schapen⟩ *tally counter.*

telbaar ⟨bn.⟩ **0.1** *countable* ⇒*numerable,* ⟨wisk.⟩ *denumerable,* ⟨meetbaar; uit te drukken in getallen⟩ *quantifiable* ◆ **1.1** ~ naamwoord *count* / *c. noun.*

telbaarheid ⟨de (v.)⟩ **0.1** *countability* ⇒⟨wet.⟩ *quantifiability.*

teleac ⟨de (v.)⟩ ⟨verk.⟩ **0.1** [Televisie Academie] ⟨*Television Academy*⟩.

teleapparatuur ⟨de (v.)⟩ **0.1** *telecommunication equipment.*

teleautograaf ⟨de (v.)⟩ **0.1** *Telautograph, TelAutograph* ⇒[B]*telewriter.*

telebankieren ⟨onov. ww.⟩ ⟨comp.⟩ **0.1** *computerized banking.*

telecommunicatie ⟨de (v.)⟩ **0.1** *telecommunication.*

telecommunicatietechniek ⟨de (v.)⟩ **0.1** *telecommunication(s) technology.*

teleconferentie ⟨de (v.)⟩ ⟨com.⟩ **0.1** *teleconference.*

telefonade ⟨de (v.)⟩ ⟨scherts.⟩ **0.1** ⟨ongemarkeerd⟩ *interminable* / *long-winded phone call.*

telefoneren
I ⟨onov. ww.⟩ **0.1** [opbellen] *telephone* ⇒*make a call,* ⟨inf.⟩ *phone, call,* [B]*ring (up),* [A]*call up* ◆ **3.1** hij zit op het moment te telefoneren *he's on the phone at the moment* **6.1** met iem. ~ *telephone s.o.;* ⟨inf.⟩ *give s.o. a* [B]*ring* / *call;* ⟨BE; sl.⟩ *give s.o. a buzz* / *tinkle;* ik heb er met hem over getelefoneerd *I've spoken to him about it on* / *over the phone;* naar iemands kantoor ~ *phone* / *call s.o.'s office;*
II ⟨ov. ww.⟩ **0.1** [door de telefoon zeggen] *telephone* ◆ **4.1** ik telefoneerde hem het nieuws *I telephoned him the news.*

telefonie ⟨de (v.)⟩ **0.1** [overbrenging van geluid] *telephony* **0.2** [telefoonwezen] *telephone service* / *system* ◆ **2.1** draadloze ~ *wireless (telephony), radiotelephony.*

telefonisch ⟨bn., bw.; -ally⟩ **0.1** *telephonic* ⇒⟨bw. ook⟩ *by telephone, over the telephone* ◆ **1.1** ~e antwoorddienst *(telephone) answering service;* ~ bericht *(tele)phone message;* we hebben ~ contact met elkaar gehad *we have contacted each other by telephone, we have telephoned each other;* ~ gesprek *phone call, conversation over* / *on the telephone* **2.1** ~ bereikbaar *on the phone* **3.1** kan ik u ~ bereiken? *can I reach you by telephone* / *call you?.*

telefonist ⟨de (m.)⟩, *-e* ⟨de (v.)⟩ **0.1** [employé die de telefoon aanneemt] *telephonist, (switchboard) operator* ⇒⟨vnl. AE⟩ *telephone operator,* ⟨inf. ook⟩ *(telephone) girl,* [A]*hello girl* ⟨v.⟩ **0.2** [beambte die verbindingen tot stand brengt] *operator.*

telefono ⟨de⟩ **0.1** *telefono.*

telefoon ⟨de (m.)⟩ **0.1** [toestel] *telephone* ⇒⟨inf.⟩ *phone,* ⟨BE; sl.⟩ *blower* **0.2** [hoorn] *receiver* ⇒*handset* **0.3** [oproep] *(telephone) call* **0.4** [gesprek] *(tele)phone call* ⇒⟨BE; inf.; belletje⟩ *buzz* ◆ **3.1** de ~ gaat (over) *the phone is ringing;* hebben jullie ~? *are you on the (tele)phone?* **3.2** de ~ neerleggen *put down the r.* / ⟨inf.⟩ *phone;* de ~ opnemen / van de haak nemen *answer the phone* / *pick up the r.* **3.3** de ~ aannemen *answer the phone;* let jij op de ~? *you answer the phone?* **3.4** een ~tje plegen *make a call* **6.1** blijft u even aan de ~? *would you hold on* / *hold the line for a moment please?;* zij bleef de hele middag **aan** de ~ hangen *she spent all afternoon on the phone, she was on the phone all afternoon;* **per** ~ *by/on/over the telephone* **6.3** er is ~ **voor** u *there's a (phone) call/s.o. on the phone for you.*

telefoonaansluiting ⟨de (v.)⟩ **0.1** *(telephone) connection* ◆ **3.1** wij wachten op een ~ *we're waiting to be connected.*

telefoonabonnee ⟨de (m.)⟩ **0.1** *telephone subscriber.*

telefoonantwoordapparaat ⟨het⟩ **0.1** *(telephone) answering machine/device.*

telefoonautomaat ⟨de (m.)⟩ **0.1** *pay phone* ⇒*coin-box (tele)phone,* ⟨inf.⟩ *coin-box.*

telefoonbeantwoorder ⟨de (m.)⟩ **0.1** *(telephone) answering machine/device* ⇒*telephone answerer.*

telefoonboek ⟨het⟩ **0.1** *(telephone) directory* ⇒*phone book.*

telefoonbotje ⟨het⟩ **0.1** *funny/^crazy bone.*

telefooncel ⟨de⟩ **0.1** *call box* ⇒*(tele)phone booth,* ⟨BE ook⟩ *telephone kiosk, (tele)phone box, pay phone,* ⟨AE ook⟩ *pay station.*

telefooncentrale ⟨de⟩ **0.1** *(telephone) exchange* ⇒*switchboard* ⟨in bedrijf⟩.

telefooncirkel ⟨de (m.)⟩ ⟨com.⟩ **0.1** *telephone circle/ring.*

telefoondienst ⟨de (m.)⟩ **0.1** *telephone service.*

telefoondistrict ⟨het⟩ **0.1** ᴮ*telephone area,* ᴬ*(telephone) zone.*

telefoondraad ⟨de (m.)⟩ **0.1** *telephone wire* ⇒⟨kabel⟩ *telephone line.*

telefoongesprek ⟨het⟩ **0.1** [gesprek] *telephone conversation* ⇒*talk/conversation on the telephone, phone call* **0.2** [verbinding] *phone call* ◆ **3.2** een ~ aanvragen *place a (telephone) call* **6.2** een ~ **voor** rekening v.d. opgeroepene *a reverse-charge/^collect call.*

telefoongids ⟨de (m.)⟩ **0.1** *(telephone) directory* ⇒*phone book.*

telefoonkosten ⟨zn.mv.⟩ **0.1** *telephone charges.*

telefoonlijn ⟨de⟩ **0.1** *telephone line* ◆ **2.1** gemeenschappelijke ~ *party line* **6.1** ~ **voor** interlokale gesprekken *toll line.*

telefoonnet ⟨het⟩ **0.1** *telephone network/system.*

telefoonnummer ⟨het⟩ **0.1** *(phone) number* ⇒⟨abonneenummer⟩ *subscriber's number* ◆ **2.1** geheim ~ *unlisted number,* ᴮ*ex-directory number* **3.1** een geheim ~ hebben/aanvragen ᴮ*be/go ex-directory.*

telefoonoproep ⟨de (m.)⟩ **0.1** *(incoming) telephone call* ⇒⟨verzoek⟩ *telephone summons, summons by telephone.*

telefoonpaal ⟨de (m.)⟩ **0.1** *telegraph pole.*

telefoonrekening ⟨de (v.)⟩ **0.1** *telephone bill.*

telefoontoestel ⟨het⟩ **0.1** *telephone* ⇒⟨tech.⟩ *telephone apparatus.*

telefoonverbinding ⟨de (v.)⟩ **0.1** *(telephone) connection, line* ◆ **3.1** de ~ werd plotseling verbroken *we were suddenly disconnected/cut off.*

telefoonverkeer ⟨het⟩ **0.1** *telephone traffic/communications.*

telefoto ⟨de⟩ ⟨com.⟩ **0.1** *telephoto(graph).*

telefotografie ⟨de (v.)⟩ **0.1** *telephotography.*

telegeniek ⟨bn.⟩ **0.1** *telegenic.*

telegraaf ⟨de (m.)⟩ **0.1** [toestel] *telegraph* **0.2** [dienst] *telegraph service* ◆ **6.1** per ~ *by t./wire.*

telegraafdienst ⟨de (m.)⟩ **0.1** *telegraph/* ⟨AE ook; inf.⟩ *wire service.*

telegraafkabel ⟨de (m.)⟩ **0.1** *(telegraph) cable/wire.*

telegraafplantje ⟨het⟩ **0.1** *telegraph plant.*

telegraaftoestel ⟨het⟩ **0.1** *telegraph(ic apparatus).*

telegraferen ⟨onov., ov.ww.⟩ **0.1** *telegraph* ⇒*cable, wire* ◆ **6.1** hij telegrafeerde **naar** Parijs *he telegraphed/cabled/wired (to) Paris.*

telegrafie ⟨de (v.)⟩ **0.1** [het overseinen van berichten met een telegraaftoestel] *telegraphy* **0.2** [telegraafwezen] *telegraph service* ◆ **2.1** draadloze ~ *wireless t..*

telegrafisch ⟨bn., bw.; -ally⟩ **0.1** [behorend tot de telegraaf] *telegraphic* **0.2** [per telegraaf] *telegraphic* ◆ **1.2** ~e overboeking *t./ cable transfer;* ~e postwissel *Telegraph Money Order* **3.2** maak ~ wat geld aan me over *cable/wire me some money.*

telegrafist ⟨de (m.)⟩, **-e** ⟨de (v.)⟩ **0.1** *telegrapher* ⇒*telegraphist, telegraph operator.*

telegram ⟨het⟩ **0.1** [bericht] *telegram* ⇒*cable, wire,* ⟨per kabel verzonden⟩ *cablegram* **0.2** [formulier] *telegram* ◆ **3.1** iem. een ~ sturen *telegraph/cable/wire s.o.* **6.1** per ~ *by t./cable/wire.*

telegramadres ⟨het⟩ **0.1** *telegraphic address.*

telegrambesteller ⟨de (m.)⟩ **0.1** *telegraph messenger.*

telegramstijl ⟨de (m.)⟩ **0.1** *telegram style* ⇒*telegraphic style, telegraphese* ◆ **6.1** in ~ schrijven *write in telegram style.*

tele-informatie ⟨de (v.)⟩ **0.1** *tele-information.*

telekinese ⟨de (v.)⟩ ⟨psych.⟩ **0.1** *telekinesis.*

telekinetisch ⟨bn., bw.; -ally⟩ **0.1** *telekinetic.*

telekrant ⟨de⟩ ⟨com.⟩ **0.1** *telepaper.*

telelens ⟨de⟩ **0.1** *telephoto lens* ⇒*long-focus lens.*

telemanipulator ⟨de (m.)⟩ **0.1** ≠*teleoperator.*

telen ⟨ov.ww.⟩ **0.1** [kweken] *grow* ⇒*cultivate,* ⟨mbt. nieuwe rassen ook⟩ *breed, raise* ⟨uit zaad⟩ *produce* **0.2** [fokken] *breed* ⇒*rear.*

teleobjectief ⟨het⟩ ⟨foto.⟩ **0.1** *telephoto lens.*

teleologie ⟨de (v.)⟩ **0.1** [mbt. het doel v.d. schepping] *teleology* **0.2** [mbt. het doel v.d. verschijnselen] *teleology.*

teleologisch ⟨bn., bw.; -(al)ly⟩ **0.1** *teleologic(al).*

tele-onderwijs ⟨het⟩ **0.1** [televisieonderwijs] *educational television* **0.2** [schooltelevisie] *schools television.*

telepaat ⟨de (m.)⟩ **0.1** *telepathist, telepath* ⇒*mindreader.*

telepathie ⟨de (v.)⟩ **0.1** *telepathy* ⇒*thought transference.*

telepathisch ⟨bn., bw.; -ally⟩ **0.1** *telepathic.*

teler ⟨de (m.)⟩, **teelster** ⟨de (v.)⟩ **0.1** *grower* ⟨planten, gewassen⟩ ⇒⟨fokker⟩ *breeder,* ⟨producent⟩ *producer, breeder* ⟨nieuwe rassen⟩.

telerail ⟨de⟩ ⟨com.⟩ **0.1** *train radio.*

telescoop ⟨de (m.)⟩ **0.1** *telescope.*

telescoophengel ⟨de (m.)⟩ **0.1** *telescopic fishing rod.*

telescopisch ⟨bn., bw.; -ally⟩ **0.1** [door telescopen waarneembaar] *telescopic* **0.2** [met behulp v.e. telescoop] *telescopic* **0.3** [gebruikt in telescopen] *telescopic* **0.4** [in te schuiven] *telescopic* ◆ **1.3** ~e spiegels *t. mirrors* **1.4** ~e vering *t. suspension/shock-absorbers.*

teletekst ⟨de (m.)⟩ ⟨com.⟩ **0.1** *teletext* ⇒*videotex(t).*

teletekstpagina ⟨de⟩ ⟨t.v.⟩ **0.1** *page of teletext.*

teleurgang ⟨de (m.)⟩ ⟨AZN⟩ **0.1** *decline* ⇒*fall, collapse, downfall.*

teleurstellen ⟨onov., ov.ww.⟩ **0.1** [iem. onthouden, niet doen ondervinden wat hij verwachtte/wenste] *disappoint* ⇒*let down, be disappointing,* ⟨ontgoochelen⟩ *disillusion* **0.2** [niet vervullen] *disappoint* ⇒*frustrate,* ⟨schr.⟩ *falsify, defeat* ⟨hoop, verwachtingen⟩ ◆ **1.1** het laatste boek van deze schrijver stelt teleur *the latest book by this author is disappointing/a disappointment/↓let-down* **1.2** een teleurgestelde liefde *a frustrated/an unrequited love* **3.1** wij moeten u ~ *we have to disappoint you;* zich teleurgesteld voelen *feel disappointed/ disillusioned* **4.1** je stelt me teleur ⟨ook⟩ *I'm disappointed in you;* stel mij niet teleur *don't let me down* **5.1** ze stelde hem bitter teleur ⟨ook⟩ *she was a bitter disappointment to him* **6.1** hij werd in zijn hoop teleurgesteld *he was disappointed in his hopes;* teleurgesteld zijn **over** iets/iem. *be disappointed with/by/in sth./in s.o..*

teleurstellend ⟨bn.⟩ **0.1** *disappointing.*

teleurstelling ⟨de (v.)⟩ **0.1** [feit dat iem. teleurgesteld wordt] *disappointment* ⇒⟨inf.⟩ *letdown* **0.2** [het teleurgesteld zijn] *disappointment* ◆ **2.1** de avond werd een grote ~ *the evening was a big letdown* **2.2** een bittere ~ *a bitter d..*

televisie ⟨de (v.)⟩ **0.1** [het overbrengen van bewegende beelden] *television* **0.2** [toestel] *television (set)* ⇒*TV (set),* ⟨BE; inf.⟩ *telly,* ⟨AE; inf.⟩ *the tube,* ⟨sl.⟩ *(goggle) box* **0.3** [uitzending, ontvangst] *television* ⇒*TV* **0.4** [uitzendingenbestel] *television* ◆ **3.3** (naar de) ~ kijken *watch television/TV* **6.2 op** de ~ komen *be on television, be televised/ telecast* **6.4** hij schrijft stukken **voor** de ~ *he writes for t./TV.*

televisieantenne ⟨de⟩ **0.1** *television aerial/* ⟨AE ook⟩ *antenna.*

televisie-avond ⟨de (m.)⟩ **0.1** *evening of television* ◆ **2.1** een leuke ~ *a good evening's television/viewing.*

televisiebeeld ⟨het⟩ **0.1** *television picture/* ⟨wet.⟩ *image.*

televisiebewerking ⟨de (v.)⟩ **0.1** *television adaptation.*

televisiebuis ⟨de⟩ **0.1** *(cathode ray) tube.*

televisiecamera ⟨de⟩ **0.1** *television camera.*

televisiecircuit ⟨het⟩ **0.1** *television circuit* ◆ **2.1** gesloten ~ *closed circuit television.*

televisiedebat ⟨het⟩ **0.1** *television/televised debate.*

televisiejournaal ⟨het⟩ **0.1** *television news.*

televisiekanaal ⟨het⟩ **0.1** *television channel* ⇒⟨BE ook; inf.⟩ *side* ◆ **2.1** ze keken naar het andere ~ *they watched the other s..*

televisiekijker ⟨de (m.)⟩ **0.1** *(television) viewer* ⇒*televiewer.*

televisiemaker ⟨de (m.)⟩ ⟨inf.⟩ **0.1** *television producer.*

televisiemast ⟨de⟩ **0.1** [antenne op een dak] *television aerial/antenna* **0.2** [televisiezender] *television mast.*

televisiemeubel ⟨het⟩ **0.1** *television cabinet.*

televisienet ⟨het⟩ **0.1** *television network.*

televisieomroep ⟨de (m.)⟩ **0.1** *television company.*

televisie-ontvanger ⟨de (m.)⟩ **0.1** *television (receiving) set* ⇒*television receiver.*

televisieontvangst ⟨de (v.)⟩ **0.1** *television reception.*

televisieopname ⟨de⟩ **0.1** *television recording.*

televisieploeg ⟨de (m.)⟩ **0.1** *television crew/team.*

televisieportret ⟨het⟩ **0.1** *television portrait.*

televisieprogramma ⟨het⟩ **0.1** *television programme* ᴬ*gram.*

televisiepubliek ⟨het⟩ **0.1** *television audience.*

televisiereclame ⟨de⟩ **0.1** *television commercial/advertisement/* ⟨inf.⟩ *ad/* ⟨BE ook⟩ *advert/* ⟨mv. ook⟩ *advertising.*

televisiereportage ⟨de (v.)⟩ **0.1** *television/televised report.*

televisiescherm ⟨het⟩ **0.1** *television screen.*

televisieserie ⟨de (v.)⟩ **0.1** *television series/* ⟨vervolgserie⟩ *serial.*

televisiespel ⟨het⟩ **0.1** [toneelstuk] *television play* **0.2** [spelletje dat aangesloten kan worden op een t.v.-toestel] *television game* **0.3** [spelletje dat op de t.v. wordt uitgezonden] *television (quiz) game.*

televisiestation ⟨het⟩ **0.1** *television transmitter* ⇒*television channel/* ᴬ*station.*

televisietelefonie ⟨de (v.)⟩ ⟨com.⟩ **0.1** *videotelephony, videophony.*

televisietoestel ⟨het⟩ **0.1** *television/TV set.*

televisieuitzending ⟨de (v.)⟩ **0.1** *television broadcast/programme* ᴬ*gram/* ⟨tech.⟩ *transmission* ◆ **1.1** ~ in kleur *colour television broadcast/programme.*

telewinkelen ⟨ww.⟩ ⟨comp.⟩ **0.1** *tele-shopping.*

telex ⟨de (m.)⟩ **0.1** [dienst] *telex* ⇒*Telex* **0.2** [apparaat] *Teletype* ⇒ᴮ*teleprinter,* ᴬ*teletypewriter* **0.3** [bericht] *telex* ♦ **6.1** per ~ *by t..*
telexaansluiting ⟨de (v.)⟩ **0.1** *telex connection.*
telexapparaat ⟨het⟩ **0.1** *telex (machine).*
telexbericht ⟨het⟩ **0.1** *telex (message)* ⇒*teletype.*
telexdienst ⟨de (m.)⟩ **0.1** *telex (service).*
telexen ⟨ov.ww.⟩ **0.1** *telex.*
telexist ⟨de (m.)⟩, **-e** ⟨de (v.)⟩ **0.1** *telex operator.*
telexverbinding ⟨de (v.)⟩ **0.1** *telex connection/link.*
telexverkeer ⟨het⟩ **0.1** *telex/teleprinter traffic.*
telfout ⟨de⟩ **0.1** *miscalculation* ⇒*calculating error, mistake/error in (the) calculation.*
telg
  I ⟨de (m.)⟩ **0.1** [afstammeling] *descendant* ⇒ ⟨ihb. mbt. het jongste kind⟩ *scion* ♦ **4.1** zijn ~en *his offspring/progeny* **6.1** ~ *uit* een adelijk geslacht *scion of a noble family;* ⟨pej.⟩ *sprig of the nobility;*
  II ⟨de⟩ **0.1** [loot v.e. boom] *shoot, sprout* ⇒*scion, sprig.*
telgang ⟨de (m.)⟩ **0.1** *amble, ambling gait* ⇒*pace, rack* ♦ **6.1** in de ~ lopen *amble;* **in** ~ *at an amble.*
telganger ⟨de (m.)⟩ **0.1** [paard] *ambler* ⇒*pacer, ambling horse* **0.2** [ander dier] *ambler* ⇒*pacer.*
teling ⟨de (v.)⟩ **0.1** [het voortbrengen] ⟨mbt. mensen⟩ *procreation* ⇒ ⟨biol.⟩ *propagation,* ⟨mbt. dieren⟩ *breeding, rearing* **0.2** [het kweken] *growing* ⇒*cultivation, culture,* ⟨mbt. nieuwe rassen ook⟩ *breeding, raising* ⟨uit zaad⟩.
teljoor ⟨de (v.)⟩ ⟨AZN⟩ **0.1** *plate.*
telkenmale ⟨bw.⟩ ⟨schr.⟩ **0.1** ⟨voortdurend; ongemarkeerd⟩ *repeatedly, at every turn, time and (time) again, time after time, over and over again;* ⟨elke keer; ongemarkeerd⟩ *in each case, each time.*
telkens ⟨bw.⟩ **0.1** [iedere keer] *in each case* ⇒*each time* **0.2** [herhaaldelijk] *repeatedly* ⇒*at every turn, time and (time) again* ♦ **3.2** ~ onderbroken worden *be interrupted at every turn, keep being interrupted* **5.1** ~ en ~ weer/ ~ maar weer *again and again, over and over again, time and (time) again, times without number* **8.1** ~ als/wanneer *whenever, every time (that)* ¶**.1** de voorzitter kan ~ voor één jaar herkozen worden *the chairman is eligible for re-election on a yearly basis/from year to year.*
tellen ⟨→sprw. 423⟩
  I ⟨onov.ww.⟩ **0.1** [getallen in een volgorde opnoemen] *count* **0.2** [laten gelden] *count* **0.3** [meetellen] *count* **0.4** [rekenen vanaf een tijdstip] *count* ⇒*take effect, start* **0.5** [van belang zijn] *count* ⇒*matter* **0.6** [de telgang gaan] *pace* ⇒*amble* ♦ **5.1** even ~ *...let me see ...;* opnieuw ~ *re-count;* ⟨bij verkiezingen⟩ *have/order a re-count* **5.3** die punten/jaren ~ dubbel *those points/years c. double* **5.5** hij telt daar niet *he has little influence/clout there, he carries little weight there;* mensenlevens ~ daar niet *there's no regard for human life there, human life is cheap there;* zwaar ~ bij iem. *have great weight with s.o.* **6.1** hij staat daar alsof hij niet **tot** tien kan ~ *he looks as if butter wouldn't melt in his mouth;* tien ~ *c. (up) to ten* **6.3** ⟨sport⟩ heer en vrouw ~ **voor** twintig (punten) *the king and queen c. for/as twenty (points)/are worth twenty (points)* **6.4** we beginnen te ~ **vanaf** 1 mei *starting from/with effect from/as from May 1st* **6.5** winnen is het enige dat telt **bij** hem *winning is the only thing that matters to him* **6.**¶ **op** zijn ~ passen *watch one's steps, be on one's guard, mind one's P's and Q's;*
  II ⟨ov.ww.⟩ **0.1** [het aantal bepalen] *count* **0.2** [aantreffen] *find* ⇒*see, notice* **0.3** [hebben] *number* ⇒*have, boast,* ⟨bestaan uit⟩ *consist of, comprise* **0.4** [neertellen] *count out* ⇒ ⟨uitbetalen⟩ *pay out* **0.5** [geven om] *attach (great) importance to, set great store by* ♦ **1.1** ⟨fig.⟩ zijn dagen zijn geteld *his days are numbered;* ⟨scherts.⟩ de neuzen ~ ⟨ongemarkeerd⟩ *c. heads;* men kan zijn ribben ~ *you can c. his ribs/see all his ribs sticking out;* de stemmen ~ *c. / tell the votes* **1.2** het huis telde 20 kamers *the house has 20 rooms* **1.3** het bestuur telt drie leden *the board consists of/is made up of/comprises three members;* dit boek telt wel duizend pagina's *this book runs to/fills at least a thousand pages* **1.4** hij telde het geld op tafel *he counted the money out onto the table* **5.1** wel/goed geteld zijn er 30 *there are thirty all told* **5.5** iets (te) licht/ (te) zwaar ~ *think (too) little/(too) much of sth., take sth. (too) lightly/ (too) seriously* **6.1** bij iets ~ *add to sth.* ¶**.1** niet te ~! *hundreds/thousands (of them)!;*
  III ⟨onov., ov.ww.⟩ **0.1** [rekenen tot] *count* ⇒*number, reckon (among/with/as), rank (as).*
teller ⟨de (m.)⟩ **0.1** [⟨wisk.⟩] *numerator* **0.2** [persoon] *counter* **0.3** [toestel, tikker ⟨ook in samenst.⟩] *counter* ⇒*meter* ♦ **1.1** de ~ en de noemer *the n. and the denominator* **1.3** kilometerteller ᴮ*mileometer,* ᴬ*odometer.*
telling ⟨de (v.)⟩ **0.1** [het tellen, geteld worden] *count(ing)* **0.2** [aantal] *count* ♦ **3.1** de ~ bijhouden *keep count/score* ⟨bij kaartspel⟩.
tellurisch ⟨bn.⟩ **0.1** *telluric.*
telmachine ⟨de (v.)⟩ **0.1** [rekenmachine] *adding-machine* ⇒*calculating machine, calculator* **0.2** [toestel dat voorwerpen telt] *counting machine* ⇒*counter.*
teloorgaan ⟨onov.ww.⟩ ⟨schr.⟩ **0.1** *become lost* ♦ **3.1** zij waren er getuige van hoe de vrijheid teloorging *they witnessed the loss of freedom.*

teloorgang ⟨de (m.)⟩ ⟨schr.⟩ **0.1** *loss.*
telraam ⟨het⟩ **0.1** *abacus.*
telrijm ⟨het⟩ **0.1** *counting (out) rhyme.*
telstrook ⟨de⟩ **0.1** *adding-machine/calculator/cash-register slip.*
telwerk ⟨het⟩ **0.1** [het tellen] *counting* ⇒*tallying* **0.2** [mechaniek in een meter] *counter* ⇒*meter* ♦ **1.2** het ~ v.e. benzinepomp *a gas pump's c. / meter.*
telwoord ⟨het⟩ ⟨taal.⟩ **0.1** *numeral* ♦ **2.1** bepaalde ~en ⟨hoofdtelwoorden⟩ *cardinals, cardinal numbers;* ⟨rangtelwoorden⟩ *ordinals, ordinal numbers;* onbepaalde ~en *quantifiers;* ⟨zelfstandig⟩ *quantitative pronoun;* ⟨attr.⟩ *quantitative adjective.*
t.e.m. ⟨afk.⟩ **0.1** [tot en met] ⟨inclusive,⟩ ⟨vnl. AE⟩ *through* ♦ **6.1** van maandag ~ vrijdag *from Monday to Friday inclusive;* ⟨vnl. AE⟩ *Monday through Friday.*
tembaar ⟨bn.⟩ **0.1** *tam(e)able.*
temeer ⟨bw.⟩ **0.1** *all the more* ♦ **3.1** dat verheugt mij ~, daar ...*that makes me happy, all the more since/because ..., I'm delighted, the more so since ....*
temeier ⟨de (v.)⟩ ⟨inf.⟩ **0.1** ᴮ*pro,* ᴬ*hooker,* ᴬ*hustler* ♦ **3.1** een ~ zijn ⟨ook⟩ *be on the game.*
temen ⟨onov.ww.⟩ **0.1** [zeuren] *whine* **0.2** [dralen] *linger* ⇒*dawdle.*
temerig ⟨bn., bw.⟩ **0.1** [zeurderig] *shining* **0.2** [dralend] *lingering* ⇒ *dawdling.*
temmen ⟨ov.ww.⟩ **0.1** [tam maken] *tame* ⇒*domesticate* **0.2** [africhten] *tame* ⇒ ⟨paarden⟩ **0.3** [⟨fig.⟩] *come to grips with* ♦ **1.2** een woest paard ~ *break a wild horse* **1.3** zijn driften/hartstochten ~ *control one's urges/passions;* de golven/een bergstroom ~ *master the waves/a torrent;* het ~ v.d. waterstofbom *the control of the hydrogen bomb* **3.1** sommige vogels zijn gemakkelijk te ~ *some birds are easy to domesticate/are easily domesticated.*
temmer ⟨de (m.)⟩ **0.1** *tamer.*
temp ⟨de (v.)⟩ ⟨inf.⟩ **0.1** ⟨ongemarkeerd⟩ *temperature, fever* ♦ **3.1** ~ hebben *have/run a t., have a f..*
temp. ⟨afk.⟩ **0.1** [temperatuur] *temp..*
tempé ⟨de⟩ ⟨cul.⟩ **0.1** *tempeh.*
tempel ⟨de (m.)⟩ **0.1** [bedehuis] *temple* **0.2** [⟨fig.⟩] *temple* **0.3** [deel v.e. vrijmetselaarsloge] *temple* ♦ **1.1** de ~ van Salomo *Solomon's t.* **6.2** een ~ van **Venus/van** ontucht *a house of Venus/of ill-repute;* een ~ van wetenschap *a shrine of learning/knowledge.*
tempelier ⟨de (m.)⟩ **0.1** *(Knight) Templar* ♦ **2.1** Orde v.d. Goede ~en *Order of the Knights Templar* **8.1** hij zuipt/drinkt als een ~ *he drinks like a fish.*
tempelwijding ⟨de (v.)⟩ **0.1** *consecration/dedication of the/a temple* ♦ **1.1** feest der ~ *Han(n)ukkah, Feast of Dedication/Lights.*
tempen ⟨onov., ov.ww.⟩ ⟨inf.⟩ **0.1** *take s.o.'s/sth.'s temperature.*
temper ⟨de (m.)⟩ ⟨AZN⟩ **0.1** *batter.*
tempera ⟨de⟩ **0.1** *distemper* ♦ **6.1** met ~ schilderen *distemper.*
temperament ⟨het⟩ **0.1** [overheersende gemoedsgesteldheid] *temperament* ⇒*disposition* **0.2** [vurigheid] *temper(ament)* ♦ **2.1** het melancholisch/sanguinisch/cholerisch/flegmatisch ~ *melancholic/sanguine/choleric/phlegmatic t.;* een rustig/zwaarmoedig ~ hebben ⟨ook⟩ *be calm/melancholic by nature* **6.2** een vrouw **met** veel ~ *a temperamental woman.*
temperamentvol ⟨bn., bw.; -ly⟩ **0.1** *(high-)spirited.*
temperaturen ⟨onov., ov.ww.⟩ **0.1** *take s.o.'s temperature.*
temperatuur ⟨de (v.)⟩ **0.1** [warmtegraad] *temperature* **0.2** [warmte v.d. lucht] *temperature* **0.3** [warmtegraad v.h. lichaam] *temperature* **0.4** [verhoging] *temperature* **0.5** [⟨muz.⟩] *temperament* ♦ **1.1** schommelingen in de ~ *fluctuating t.* **2.1** absolute ~ *absolute t.* **2.5** gelijkzwevende ~ *equal/even t.* **3.1** de ~ aflezen *read s.o.'s/the t.;* de ~ stijgt/daalt/zakt *the t. is rising/falling/ dipping* **3.3** (de) ~ opnemen *take s.o.'s/sth.'s t.* **3.4** die man heeft ~ *that man has a/is running a t.* **6.1** water kookt **bij** een ~ van 100° C *water boils at a t. of) 100° C.;* op ~ brengen *warm up;* ⟨fig.⟩ **op** ~ moeten komen *have to warm up.*
temperatuurdaling ⟨de (v.)⟩ **0.1** *fall/decrease* ⟨inf.⟩ *drop in temperature* ⇒*temperature fall/decrease/* ⟨inf.⟩ *drop.*
temperatuurlijst ⟨de⟩ **0.1** *temperature/fever chart.*
temperatuurschommeling ⟨de (v.)⟩ **0.1** *fluctuation in temperature* ⇒ *temperature fluctuation.*
temperatuurstijging ⟨de (v.)⟩ **0.1** *rise/increase in temperature* ⇒*temperature rise/increase.*
temperatuurverschil ⟨het⟩ **0.1** *difference in temperature* ⇒*temperature difference* ♦ **2.1** er zijn enorme ~len in ons land ⟨ook⟩ *our country has an enormous range of temperature(s)/temperature range.*
temperen ⟨ov.ww.⟩ **0.1** [matigen] *temper* ⟨woede, hartstocht⟩ ⇒*mitigate, soften, dull* ⟨geluid, kleuren⟩, *assuage* ⟨gevoelens, geweten⟩, *qualify* ⟨verklaring⟩ **0.2** [in de juiste verhouding mengen] *blend* **0.3** [mbt. de ijzer/staalbewerking] *temper* **0.4** [afkoelen] *anneal* ♦ **1.1** iemands droefheid ~ *ease/assuage s.o.'s sadness;* iemands enthousiasme ~ *damp s.o.'s enthusiasm;* het licht ~ *dim the light* **1.2** verf/kleuren ~ *blend paint/colours* **7.4** het ~ van glaswaren/staal *annealing of glass/steel.*

tempering ⟨de (v.)⟩ **0.1** *tempering* ⇒*mitigation, softening, assuagement, qualification.*

tempermes ⟨het⟩ **0.1** *palette knife.*

tempex ⟨het⟩ **0.1** *expanded polystyrene* ⇒*styrofoam.*

tempo ⟨het⟩ **0.1** [relatieve snelheid] *tempo* ⇒*pace, speed* **0.2** [⟨muz.⟩] *tempo* ⇒*time* **0.3** [vaart] *speed* **0.4** [stadium] *phase* **0.5** [⟨schaken⟩] *tempo* ◆ **2.1** het jachtige ~ van het moderne leven *the feverish/hurried pace of modern life;* alles werd nu in snel ~ afgewerkt *everything is being finished/wound up at a great pace/high speed* **3.1** het ~ aangeven *set the pace/t.;* het ~ verhogen/opvoeren *speed up/increase the t./pace;* dat ~ kan men niet volhouden *you can't keep up that t./pace* **3.2** u moet het ~ wat langzamer nemen/spelen *you need to ease/relax the tempo/to take/play it a little more slowly* **3.3** ~ maken *make good time* **3.5** een ~ verliezen *lose a t.* ¶.**3** →! ~! *hurry up!*.

tempoera ⟨de⟩ ⟨cul.⟩ **0.1** *tempura.*

temporeel ⟨bn., bw.⟩ **0.1** [tijdelijk] *temporal* ⇒*temporary* **0.2** [door de tijd bepaald] *temporal* **0.3** [⟨taal.⟩] *temporal* **0.4** [aards] *temporal* ◆ **1.2** ~ accent *durational accent* **1.4** temporele wetten *t. laws.*

temporisatie ⟨de (v.)⟩ **0.1** *temporization.*

temporiseren
I ⟨onov.ww.⟩ **0.1** [tijd winnen] *temporize* ⇒*delay, play for time* **0.2** [⟨sport⟩] *stall* ⇒*play for time,* ⟨cricket⟩ *stone-wall;*
II ⟨ov.ww.⟩ **0.1** [uitstellen] *delay* ⇒*defer, put off* **0.2** [aan een tijd binden] *make up/set a time schedule for.*

tempowinst ⟨de (v.)⟩ ⟨schaakspel⟩ **0.1** *gain of a tempo.*

temptatie ⟨de (v.)⟩ **0.1** *temptation* ⇒*vexation* ⟨kwelling⟩.

tempus ⟨het, de (m.)⟩ ⟨taal.⟩ **0.1** *tense.*

ten **0.1** *at/in/to/on (the)* ◆ **1.1** ~ huize van *at the house/home of, at ...'s place;* ~ westen van *(to the) west of* ¶.**1** ~ eerste/ ~ tweede *firstly/secondly, in the first/second place.*

tenaamstelling ⟨de (v.)⟩ **0.1** *ascription.*

tendens ⟨de⟩ **0.1** [geneigdheid] *tendency* ⇒*trend, inclination* **0.2** [strekking] *tendency* ⇒*tenor, drift, purport* ◆ **2.1** de algemene ~ om *the general trend/tendency to* **6.1** ~ naar links ⟨ook⟩ *movement towards the left;* ⟨politiek⟩ *left wing tendency/inclination/sympathies.*

tendensroman ⟨de (m.)⟩ **0.1** *tendentious novel* ⇒*didactic/moral novel.*

tendentie ⟨de (v.)⟩ **0.1** [strekking] *tendency* ⇒*drift, purport* **0.2** [geneigdheid] *tendency* ⇒*trend, inclination* ◆ **6.2** een ~ naar versterking van het gezag *a trend towards increasing authority.*

tendentieus ⟨bn., bw.⟩ **0.1** *tendentious* ⇒*biased, coloured* ◆ **1.1** tendentieuze berichtgeving *biased/coloured reporting.*

tender ⟨de (m.)⟩ **0.1** [wagon achter een stoomlocomotief] *tender* **0.2** [⟨hand.⟩] *tender.*

tenderen ⟨onov.ww.⟩ **0.1** [de genoemde strekking hebben] *tend (towards/to)* ⇒*be inclined (to)* **0.2** [zich ontwikkelen] *tend* ◆ **6.1** dat verzoek tendeert *naar* een bevel *that sounds more like a command than a request.*

tenderlocomotief ⟨de⟩ **0.1** *tank-engine* ⇒*tank locomotive.*

tendinitis ⟨de (v.)⟩ ⟨med.⟩ **0.1** *tendinitis.*

tendovaginitis ⟨de (v.)⟩ ⟨med.⟩ **0.1** *tenosynovitis.*

teneinde ⟨vw.⟩ **0.1** *so that* ⇒*in order to.*

tenen ⟨bn.⟩ **0.1** *wicker* ◆ **1.1** een ~ mandje *a w. basket.*

tenenkaas ⟨de (m.)⟩ ⟨vulg.⟩ **0.1** ↑*toe-jam* ⇒*cheesy feet.*

teneur ⟨de (m.)⟩ **0.1** *tenor* ⇒*purport, drift, vein, note* ◆ **1.1** de ~ v.e. betoog *the t./drift/purport of an argument.*

tengel ⟨de (m.)⟩ **0.1** [⟨inf.⟩ hand] *paw* ⇒*mitt* **0.2** [houten lat] *lath* ⇒*batten* ◆ **6.1** overal zit hij met zijn ~s aan *he puts/has to put his paws/mitts on everything.*

tenger ⟨bn.⟩ **0.1** [rank en smal] *slight* ⇒*delicate, slim, slender, dainty* **0.2** [teer, zwak] *fragile* ⇒*tender* ◆ **1.1** ~ van gestalte/leest *a slight/slim/slender build/waist* **1.2** ⟨fig.⟩ mijn ~ hart *my tender heart;* een ~ kind *a f. child* **3.1** ~ gebouwd *slightly built, with a slight built.*

tengerheid ⟨de (v.)⟩ **0.1** [rank en smal] *slightness, slenderness* **0.2** [teer, zwak] *fragility, delicacy.*

tengevolge ⟨bw.⟩ ◆ **6.**¶ ~ van de aanhoudende droogte blijven de druiven klein *the grapes will be/remain small as a result of the continued dry spell.*

tenietdoen ⟨ov.ww.⟩ **0.1** *annul* ⇒*nullify, undo, counter(act), negate, rescind* ◆ **1.1** een beschuldiging ~ *counter an accusation;* de voordelen ~ *undo the advantages.*

tenietgaan ⟨onov.ww.⟩ **0.1** *perish* ⇒*come to nought/nothing.*

tenlastelegging ⟨de (v.)⟩ ⟨jur.⟩ **0.1** [het ten laste leggen] *charge* ⇒*indictment* **0.2** [het ten laste gelegde] *charge* ⇒*indictment.*

tenminste ⟨bw.⟩ **0.1** *at least* ◆ **5.1** ik doe het liever niet, ~ niet dadelijk *I'd rather not, at least not right away* ¶.**1** dat is ~ iets *that is at least sth./sth. at any rate.*

tennis ⟨het⟩ **0.1** *tennis.*

tennisarm, -elleboog ⟨de (m.)⟩ **0.1** *tennis elbow.*

tennisbaan ⟨de⟩ **0.1** [baan] *tennis court* **0.2** [terrein v.e. tennisclub] *tennis court* ◆ **2.1** verharde ~ *hard-court.*

tennisbal ⟨de (m.)⟩ **0.1** *tennis ball.*

tenniskleding ⟨de (v.)⟩ **0.1** *tennis clothes/clothing/*⟨reclametaal⟩ *wear.*

tennisracket ⟨het, de⟩ **0.1** *tennis racket.*

tennisschoen ⟨de (m.)⟩ **0.1** *tennis shoe.*

tennissen ⟨onov.ww.⟩ **0.1** *play tennis* ◆ **6.1** zij is aan het ~ *she is playing tennis.*

tennisser ⟨de (m.)⟩, **-ster** ⟨de (v.)⟩ **0.1** *tennis player.*

tennistoernooi ⟨het⟩ **0.1** *tennis tournament.*

tenor ⟨de (m.)⟩ **0.1** [zangstem] *tenor* **0.2** [zanger] *tenor* **0.3** [mbt. een psalmvers] *tenor.*

tenorpartij ⟨de (v.)⟩ **0.1** *tenor (part).*

tenorsaxofoon ⟨de (m.)⟩ **0.1** *tenor saxophone.*

tenorsleutel ⟨de (m.)⟩ **0.1** *tenor clef.*

tenorstem ⟨de⟩ **0.1** *tenor (voice).*

tensie ⟨de (v.)⟩ **0.1** *(blood) pressure.*

tensiemeter ⟨de (m.)⟩ **0.1** [spanningsmeter] ⟨dampspanningsmeter⟩ *tensimeter;* ⟨voor het meten van treksterkte en oppervlaktespanning⟩ *tensiometer* **0.2** [⟨med.⟩] *sphygmanometer.*

tenslotte ⟨bw.⟩ **0.1** [immers] *after all* **0.2** [uiteindelijk] *finally* ⇒*ultimately, at last, eventually* ◆ **3.2** we zijn ~ maar vertrokken *f. we just left* ¶.**1** ~ is zij nog maar een kind *after all she's only/she's still a child.*

tensor ⟨de (m.)⟩ ⟨wisk.⟩ **0.1** *tensor.*

tent ⟨de⟩ **0.1** [verplaatsbaar verblijf] *tent* **0.2** [kraam] *tent* ⇒*stand, stall* **0.3** [doek ter beschutting] *awning* ⇒*canopy* **0.4** [openbaar lokaal] *place* ⇒*spot, joint,* ⟨pej.⟩ *dive* ◆ **2.4** een gezellige ~ *a friendly/fun p.* **3.1** ergens zijn ~ en opslaan *pitch one's t. somewhere;* ⟨ook fig.⟩ *camp somewhere;* een ~ opslaan/opzetten/afbreken *pitch/put up/take down a t.* **3.4** ze breken de ~ af *you could hardly keep them in their seats, they were about to tear the place apart* **6.1** in een ~ ⟨ook⟩ *under canvas;* iem. uit zijn ~ halen ⟨fig.⟩ *call s.o. to arms;* iem. uit zijn ~ lokken ⟨fig.⟩ *draw s.o. out.*

tentakel ⟨de (m.)⟩ **0.1** [draadachtig orgaan mbt. planten/dieren] *tentacle* **0.2** [vangarm] *tentacle.*

tentamen ⟨het⟩ **0.1** *examination;* ⟨inf.⟩ *exam* ⇒⟨voorlopig⟩ *preliminary (examination)/*⟨inf.⟩ *exam)*, ⟨BE ook; inf.⟩ *prelim*, ⟨middelbaar onderwijs; inf.⟩ *mock (exam)* ◆ **2.1** een mondeling ~ *an oral (exam(ination)* **3.1** ~ doen *sit/take an exam(ination);* slagen voor een ~ *pass an exam(ination).*

tentamenbriefje ⟨het⟩ ⟨inf.⟩ **0.1** *pass sheet.*

tentamineren ⟨onov., ov.ww.⟩ **0.1** *give/set an exam(ination).*

tentatie ⟨de (v.)⟩ **0.1** *temptation.*

tentatief ⟨bn.⟩ **0.1** *tentative* ◆ **1.1** ⟨taal.⟩ tentatieve werkwoorden *t. verbs.*

tentbewoner ⟨de (m.)⟩ **0.1** *tent-dweller.*

tentdak ⟨het⟩ **0.1** *pavilion roof.*

tentdek ⟨het⟩ **0.1** [⟨scheep.⟩] *awning/hurricane deck* **0.2** [buitentent] *fly(sheet).*

tentdoek
I ⟨de (m.)⟩ **0.1** [tentzeil] *canvas* ⇒*tent-cloth;*
II ⟨het⟩ **0.1** [linnen] *canvas* ⇒*duck, sailcloth,* ⟨geteerd⟩ *tarpaulin.*

tentenkamp ⟨het⟩ **0.1** *(en)camp(ment)* ⇒*campsite, canvas* ⟨vnl. circustenten⟩.

tenteren ⟨ov.ww.⟩ **0.1** [in verleiding brengen] *tempt* **0.2** [proberen te doen] *attempt.*

tentjurk ⟨de⟩ **0.1** *tent dress.*

tentoonspreiden ⟨ov.ww.⟩ **0.1** *display* ⇒⟨vnl. pej.⟩ *show (off), parade* ◆ **1.1** zijn kennis ~ ⟨pej.⟩ *show off/parade one's knowledge/wares;* ⟨inf.⟩ ↓*strut one's stuff.*

tentoonstellen ⟨ov.ww.⟩ **0.1** *exhibit* ⇒*show, display* ◆ **1.1** beelden ~ e./show/display statues/sculpture;* tentoongestelde voorwerpen *exhibits, exhibited articles/objects, articles/objects on exhibition/show/display/view* **3.1** tentoongesteld worden *be on exhibition/show/display/view.*

tentoonstelling ⟨de (v.)⟩ **0.1** [het ter bezichtiging stellen] *exhibition* ⇒ ⟨inf.⟩ *show, display,* ⟨vnl. industrieel⟩ *fair* **0.2** [expositie] *exhibition*, ⟨AE ook⟩ *exposition* ⇒⟨inf.⟩ *show, display,* ⟨vnl. industrieel⟩ *fair.*

tentoonstellingsgebouw ⟨het⟩ **0.1** *exhibition building/hall/centre* ⇒*pavilion.*

tentoonstellingsterrein ⟨het⟩ **0.1** *exhibition ground/area* ⇒*show ground(s).*

tentstok ⟨de (m.)⟩ **0.1** *tent pole.*

tentzeil ⟨het⟩ **0.1** *canvas* ⇒*tent-cloth.*

tenue ⟨het, de⟩ **0.1** [uniform] *dress* ⇒*uniform* **0.2** [kostuum, kledij] *clothes* ⇒*clothing, costume, garments, outfit* ◆ **2.1** in groot ~ *in full d./regimentals/full-dress uniform;* ⟨scherts.⟩ *in full rig;* ⟨troepen bij parade/inspectie⟩ *in review order;* in klein ~ *in undress* **2.2** het zondags ~ *(one's) Sunday clothes/best.*

tenuis ⟨de⟩ ⟨taal.⟩ **0.1** *tenuis* ⇒*voiceless stop.*

tenuitvoerlegging ⟨de (v.)⟩ **0.1** *execution* ⇒*enforcement* ⟨van wetten⟩, *implementation* ⟨van plan/resolutie/verdrag⟩ ◆ **1.1** de ~ van rechterlijke beslissingen/van het vonnis *the execution of court decisions/of a sentence.*

tenware ⟨vw.⟩ ⟨AZN; schr.⟩ **0.1** *unless.*

tenzij ⟨vw.⟩ **0.1** *unless* ⇒*except(ing), bar(ring),* ↑*save* ◆ ¶.**1** ik ga mee ~ het regent *I'll join you/count me in u. it rains;* zij zijn verloren ~ er een wonder gebeurt ⟨ook⟩ *nothing save/bar a miracle can help them now.*

tepel ⟨de (m.)⟩ **0.1** *nipple* ⟨van mens⟩ ⇒*teat* ⟨van mens/dier⟩, *dug* ⟨van dier⟩, ⟨biol.⟩ *mamilla.*

tepelhoedje ⟨het⟩ **0.1** [bij borstvoeding] *nipple shield* **0.2** [van stripteasers] *pasty.*

tepelhof ⟨de (m.)⟩ **0.1** *areola.*

tepelkloof ⟨de⟩ **0.1** *cracked nipple.*

tepelvormig ⟨bn.⟩ **0.1** *nipple-shaped;* ⟨med.⟩ *mastoid* ◆ **1.1** ~ aanhangsel van het rotsbeen *m. process.*

tepelzalf ⟨de⟩ **0.1** *nipple ointment/salve/cream.*

tequila ⟨de⟩ **0.1** *tequila.*

ter ⟨vz.⟩ **0.1** *at/to/in/on (the)* ◆ **1.1** ~ aarde *on the earth;* ~ plaatse *here, on the spot, locally.*

teraardebestelling ⟨de (v.)⟩ ⟨schr.⟩ **0.1** *burial* ⇒*funeral, interment, inhumation, entombment* ⟨in tombe⟩.

teratologie ⟨de (v.)⟩ **0.1** *teratology.*

terbeschikkingstelling →t.b.r..

terdege ⟨bw.⟩ **0.1** [naar behoren] **thoroughly** ⇒*properly, well, duly* **0.2** [flink, grondig] *properly* ⇒*to the utmost, sorely, grievously* ◆ **3.2** zich ~ vergissen *be sorely/grievously mistaken;* iem. ~ de waarheid zeggen *tell s.o. off p., give s.o. a piece of one's mind/the (rough) edge of one's tongue, let s.o. have it, give it to s.o. (left and right)* ¶**.1** ~ rekening houden met *take duly into account, give due consideration to* ¶**.2** er ~ van langs krijgen ⟨ook sport⟩ *be soundly beaten/* ↓*knocked into a cocked hat.*

terecht
I ⟨bw.⟩ **0.1** [op de juiste plaats] *in/at the right place* **0.2** [teruggevonden] *(found) back* **0.3** [met recht] *rightly* ⇒*justly, deservedly, justifiably, correctly* ◆ **3.2** haar gouden horloge is ~ *her gold watch has been found/has turned up;* haar broche is still missing *hasn't turned up yet/been found yet* **3.3** ~ beweert hij dat ... *he correctly argues that ..., he is right in arguing/to argue that ...* **5.3** hij denkt al dan niet ~, dat ... *he thinks, with or without good reason/ r. or wrongly that ...* **6.1** ben ik hier ~ **bij** Dr. A? *is this Dr. A's house/ place/address?* **8.3** hij is voor zijn examen gezakt, en ~ *he failed his examination and r. so;*
II ⟨bn.⟩ **0.1** [juist] *correct* ⇒*appropriate, pertinent* ◆ **1.1** uw ~e keuze *the right one for you,* † *the right choice for you to make;* een ~e opmerking *an appropriate/a pertinent/apt remark* **3.1** het is niet ~ om ...*it is incorrect/wrong to ....*

terechtbrengen ⟨ov.ww.⟩ **0.1** *bring back* ⇒*find, reclaim* ⟨zondaar⟩ ◆ **1.1** dat boek is terechtgebracht *that book has been found/has been brought back* **6.**¶ niet veel ~ **van** iets *not make much of/go very far with/have much success with sth.;* als zanger bracht Harry er niets **van** terecht *Harry didn't have much success as a singer/get very far as a singer, as a singer Harry was a (complete) failure/never came to much;* niets ~ **van** een klus make a mess/botch of/bungle a job, make a bad/botched job of it, mess/botch it up.

terechtkomen ⟨onov.ww.⟩ ⟨→sprw. 326⟩ **0.1** [op de juiste plaats komen] *arrive (at the right place)* ⇒*land, find o.s., end up (in/on/at* ⟨enz.⟩) **0.3** [slagen] *succeed* ⇒*find what one is looking for* **0.4** [teruggevonden worden] *turn/show up* ⇒*be found* **0.5** [goed worden] *turn out all right/* ⟨vnl. AE⟩ *fine* ◆ **1.4** het zoekgeraakte boek is terechtgekomen *the lost book has turned up again* **4.5** alles komt terecht *everything will be well/all right/fine, everything will turn out all right/for the best* **5.2** lelijk ~ *have/take a nasty/bad fall/a spill* **5.5** er komt niets van terecht *it will come to nothing, nothing will come of it;* hij is tenslotte nog goed terechtgekomen *he finally found his niche/place/got his feet on the ground/made his way/ dropped into place* **6.2** in het water ~ *land in the water;* ⟨piloot, vliegtuig⟩ *be ditched;* hij zal nog in de gevangenis/het ziekenhuis ~ *he will end/wind up in jail/in hospital;* in de sloot ~ *fall into/stumble into/ land in the ditch;* ⟨na ongeluk⟩ *come to rest in the ditch;* **in** een storm ~ *run into a storm;* ⟨fig.⟩ **op** zijn pootjes ~ *land on one's feet;* de brief kwam (weer) **op** mijn bureau terecht *the letter found its way (back) to my desk* **6.5** het komt vanzelf weer **op** zijn pootjes terecht *things will straighten themselves out/arrange themselves/run out all right/take care of themselves;* wat is er **van** hem terechtgekomen? *where did he wind/end up, what has happened to/become of him?.*

terechtkunnen ⟨onov.ww.⟩ **0.1** [toegang hebben] *go into* ⇒*enter* **0.2** [geholpen kunnen worden] *(get) help (from)* ◆ **5.2** beter ~ *do better;* ⟨financieel⟩ *buy more cheaply;* daarmee kun je overal terecht *that will do/be acceptable everywhere/serve everywhere* **6.2 bij** hem kun je niet terecht *he cannot help you, you won't get help from him;* ⟨inf.⟩ *he's not your man;* iedereen kan altijd **bij** hem ~ *everyone can call on him/drop in on him any time;* voor huishoudelijke artikelen kun je **in** die winkel terecht *for household articles you can find what you need in that shop/hardware store.*

terechtstaan ⟨onov.ww.⟩ **0.1** *stand trial* ⇒*be tried/(put) on trial, be brought to/up for trial* ◆ **3.1** iem. doen ~ *try s.o. do better;* ⟨fig.⟩ ~ **voor** moord *stand trial for murder;* ~ **wegens** diefstal *be tried for/* †*on a charge of theft.*

terechtstellen ⟨ov.ww.⟩ **0.1** *execute* ⇒*put/do to death.*

terechtstelling ⟨de (v.)⟩ **0.1** *execution* ◆ **3.1** de ~ zal in het openbaar plaatsvinden *the e. will be public.*

terechtwijzen ⟨ov.ww.⟩ **0.1** [op zijn fouten wijzen] *reprimand* ⇒*reprove, rebuke, censure,* ↓*put s.o. ine one's place* **0.2** [inlichtingen geven] *show* ⇒*help s.o. with* ⟨bv. studie⟩ **0.3** [de weg wijzen] *direct* ◆ **5.1** iem. scherp ~ ⟨ook⟩ ↓*give s.o. the (rough)/sharp edge of one's tongue/* ↓*a good talking-to/* ↓*a slap on the wrist/a rap over the knuckles/a severe scolding.*

terechtwijzing ⟨de (v.)⟩ **0.1** [het wijzen op fouten, vermaning] *reprimand* ⇒*reproof, rebuke, scolding,* ↓*slap on the wrist* **0.2** [verbeterende aanmerking] *admonition* ⇒*lecture.*

terechtzitting ⟨de (v.)⟩ ⟨jur.⟩ **0.1** *(court) session* ◆ **2.1** een openbare ~ *a public s./trial, an open-court s.* **3.1** naar de openbare ~ verwijzen *commit for trial, order to be tried, send to trial* **6.1** een ~ **met** gesloten deuren *a closed-door/an in-camera s., a s. behind closed doors;* **ter** ~ verschijnen *appear in court.*

teren
I ⟨onov.ww.⟩ **0.1** [leven van] *live (on/off)* **0.2** [verrotten] *rot* ⇒*decompose, waste away* ◆ **5.1** achteruit ~ *eat up one's capital* **6.1** op zijn vet ~ *l. off one's fat/on one's reserves;* **op** kosten van anderen ~ *l. off/ on/sponge on other people;* ⟨fig.⟩ **op** dat succes kan hij nog jaren ~ *he can l. on/make hay of/milk that success for years* **6.**¶ **van** de grote/ hoge boom ~ *live in grand/great style, lead an extravagant/a prodigal life;* ⟨vnl. AE;inf.⟩ *live high off/on the hog;*
II ⟨ov.ww.⟩ **0.1** [met teer bestrijken] *tar.*

tergen ⟨ov.ww.⟩ **0.1** *provoke (deliberately)* ⇒*badger, bait, needle, taunt, goad* ◆ **8.1** iem. zo ~ dat hij iets doet *p./taunt/goad s.o. into (doing) sth.*

tergend ⟨bn.,bw.;-ly⟩ **0.1** *provocative* ⇒*taunting, exasperating, vexing* ◆ **1.1** een ~e houding aannemen *assume a very p. manner, be very p.* **5.1** ~ langzaam *agonizingly/exasperatingly/distressingly/excruciatingly slow.*

terging ⟨de (v.)⟩ **0.1** *provocation, irritation* ⇒*exasperation,* ⟨inf.⟩ *aggravation.*

terhandstelling ⟨de (v.)⟩ **0.1** *handing over* ⇒*delivery.*

tering ⟨de (v.)⟩ ⟨vero.⟩ ⟨→sprw. 560⟩ **0.1** [uitgaven voor levensonderhoud] *expense(s)* **0.2** [vorm van tuberculose] *consumption* ⇒*phthisis, tuberculosis* ◆ **2.1** vrije ~ hebben *not bear the expense(s), get expenses;* ⟨pej.⟩ *be a freeloader* **2.2** vliegende ~ *galloping c.* **3.1** ~ hebben ⟨ook⟩ *be consumptive;* de ~ naar de nering zetten *cut one's coat according to one's cloth* **3.2** krijg de ~! *go to hell,* ↓*drop dead,* ↓*fuck off;* ⟨BE ook⟩ ↓*bugger off.*

teringkoorts ⟨de (v.)⟩ **0.1** *consumptive/hectic fever.*

teringlijder ⟨de (m.)⟩ **0.1** [lijder aan tuberculose] *(a) consumptive (patient)* **0.2** [als scheldwoord] *(rotten/fucking/lousy) bastard* ⇒⟨BE ook⟩ *sod.*

teringzooi ⟨de⟩ **0.1** *bloody/*^*goddam mess.*

terloops ⟨bn.,bw.;-ly⟩ **0.1** *casual* ⇒*passing, cursory* ⟨blik⟩ ◆ **1.1** ~e bezoeken *impromptu/unofficial/informal visits;* een ~e blik *a casual glance, a cursory look;* ~e mededelingen *unofficial statements, informal remarks, asides;* een ~e opmerking *a casual remark* **3.1** een onderwerp ~ behandelen ⟨ook⟩ *touch upon/deal briefly with a subject;* ~ opmerken dat ... ⟨ook⟩ *drop a remark/hint that ...* ¶**.1** ~ ter sprake brengen *bring up/mention casually/in passing;* ~ weze nog opgemerkt dat ...*let it be noted in passing that ....*

term ⟨de (m.)⟩ **0.1** [benaming] *term* ⇒*phrase, expression* **0.2** [⟨wisk.⟩] *term* **0.3** [aanleiding] *grounds* ⇒*reasons* **0.4** [stelling v.e. syllogisme] *term* ◆ **1.2** de ~ v.e. evenredigheid *the terms of a proportion* **2.1** in algemene ~en spreken *speak in general/broad terms;* in bedekte ~en iets meedelen *speak about sth. in guarded/covert terms;* de geijkte ~ *the proper/appropriate t., the set/stereotyped/stock phrase;* in juridische ~en *legal terms/terminology/parlance;* ⟨pej.⟩ *in legalese;* zich in krachtige ~en uitdrukken *express o.s. strongly/in no uncertain terms* **2.2** uiterste en middelste ~en *extremes and means;* voorgaande en volgende ~en *antecedent and consequent terms* **2.3** er zijn ~en aanwezig om het verzoek in te willigen *there are grounds for granting the request* **6.1** in ~en van winst of verlies spreken *(speaking) in terms of profits and losses;* **volgens** de ~en der wet *according to (the) law, as the law stands* **6.**¶ hij valt niet in de ~en *he is not eligible for* ⟨beurs, pensioen⟩;*is not considered for* ⟨promotie⟩.

termiet ⟨de (m.)⟩ **0.1** *termite* ⇒*white ant.*

termietenheuvel ⟨de (m.)⟩ **0.1** *termite hill.*

termijn ⟨de (m.)⟩ **0.1** [periode] *term* ⇒*period, time* **0.2** [vooraf vastgesteld tijdstip] *deadline* ⇒*time limit* **0.3** [deel van een schuld] *instalment,* ^*installment* ◆ **2.1** op korte/op lange ~ *in the short/long term, short-/long-term;* geldig voor onbepaalde ~ *open-ended, valid for an unlimited period* **3.1** een ~ gaat in/verstrijkt *a term begins/expires* **3.2** een ~ vaststellen *set a d.,* ↓*fix a time* **6.1** lening op lange ~ *long-term loan* **6.2** koffie/rubber op ~ *coffee/rubber futures;* olie **op** ~ kopen/ verkopen *buy/sell oil futures* **6.3 in/bij** ~en te voldoen *payable in instalments* ¶**.1** een ~ achter zijn *be behind with one instalment.*

termijnaankoop ⟨de (m.)⟩ **0.1** *forward purchase* ⇒⟨mv. ook⟩ *forward buying.*

termijnbetaling ⟨de (v.)⟩ **0.1** *instalment,* ^*installment plan/system* ◆ **6.1** kopen **op** ~ *buy/purchase on the i. p./s., buy by instalments;* ⟨inf.⟩ *buy on easy terms/on the never-never.*

termijncontract ⟨het⟩ **0.1** *forward contract*.

termijndeposito ⟨het⟩ **0.1** [het in bewaring geven van geld] *fixed (period) deposit* **0.2** [in bewaring gegeven geld] *fixed (period) deposit*.

termijnhandel ⟨de (m.)⟩ **0.1** *futures (dealings)* ◆ **6.1** ~ in olie/in graan *oil/grain futures*.

termijnkoers ⟨de (m.)⟩ **0.1** *forward rate (of exchange)*.

termijnlevering ⟨de (v.)⟩ **0.1** *forward delivery*.

termijnmarkt ⟨de⟩⟨geldw.⟩ **0.1** [plaats] *futures/forward market* ⇒*futures exchange* **0.2** [vraag en aanbod] *forward/futures market, market in futures* ◆ **1.2** de ~ voor goud *the forward market in gold, gold futures*.

termijnplanning ⟨de (v.)⟩ **0.1** *planning in stages/instalments*.

termijnrekening ⟨de (v.)⟩ ⟨hand.⟩ **0.1** *forward account (in connection with the forward exchange)*.

terminaal ⟨bn.⟩ **0.1** [aan het uiteinde gelegen] *terminal* **0.2** [tot het eindstadium behorend] *terminal* ⇒*final* ◆ **1.1** terminale cellen *terminal cells* **1.2** terminale zorg *t./final care, care/nursing of t. patients*.

terminal ⟨de (m.)⟩ **0.1** [begin/eindpunt] *terminal* **0.2** [⟨comp.⟩] *terminal* ◆ **3.2** een schrijvende ~ *a printer-t.*.

termineren ⟨ov.ww.⟩ ⟨schr.⟩ **0.1** *terminate*.

terminisme ⟨het⟩ **0.1** [⟨fil.⟩] *terminism* ⇒*nominalism* **0.2** [⟨theol.⟩] *terminism* ⇒*nominalism*.

terminografie ⟨de (v.)⟩ **0.1** *technical glossary*.

terminologie ⟨de (v.)⟩ **0.1** [termen v.e. vak] *terminology* ⇒*terms*, ⟨vaak pej.⟩ *jargon* **0.2** [woordkeus] *terminology* ⇒*phraseology* ◆ **2.1** de technische ~ *technical terminology*, (technical) *jargon* **3.2** ik zou liever een andere ~ kiezen *I would rather use a different t./other terms*.

terminologisch ⟨bn., bw.;-ly⟩ **0.1** *terminological*.

terminus ⟨de (m.)⟩ **0.1** *terminal* ⇒*terminus*.

ternair ⟨bn.⟩ **0.1** *ternary*.

ternauwernood ⟨bw.⟩ **0.1** *barely* ⇒*narrowly, scarcely, just, hardly* ◆ **2.1** het beeld was ~ herkenbaar *the picture was b./scarcely/hardly recognizable* **3.1** ~ ontkomen aan *b. escape*; hij ontkwam ~ *he had a narrow escape/* ⌊*squeak*.

terneder ⟨bw.⟩ ⟨schr.⟩ **0.1** *down* ⇒*under*.

terneerdrukken ⟨ov.ww.⟩ ⟨schr.⟩ **0.1** [omlaag drukken] *depress* ⇒*weigh down* **0.2** [bedrukt maken] *depress* ⇒*dispirit, distress* ◆ **1.2** ervaringen die mij ~ *depressing experiences*.

terneergedrukt ⟨bn.⟩ **0.1** *depressed* ⇒*disconsolate, woebegone, downcast, crestfallen, doleful* ◆ **6.1** ~ door de dood van haar vader *depressed by/over her father's death*.

terneergeslagen ⟨bn.⟩ **0.1** *depressed* ⇒*downcast, crestfallen, dejected, dispirited* ◆ **1.1** een ~ indruk maken ⟨ook⟩ *seem down (at the mouth)* **3.1** ~ raken ⟨ook⟩ *have one's spirits fall* **6.1** ~ door verdriet *weighed down/prostrate/stricken with grief*.

terneerliggen ⟨onov.ww.⟩ ⟨schr.⟩ **0.1** [uitgestrekt liggen] *lie prostrate* **0.2** [in krachteloze staat verkeren] *be downhearted* ⇒*be spiritless*.

terneerslaan ⟨ov.ww.⟩ ⟨schr.⟩ **0.1** *depress* ⇒*dishearten, dispirit*.

terneervallen ⟨onov.ww.⟩ ⟨schr.⟩ **0.1** *fall prostrate* ⇒*prostrate o.s.*.

terp ⟨de (m.)⟩ **0.1** *terp* ⇒*mound, knoll*.

terpaarde ⟨de⟩ **0.1** ≠*(rich) terp soil/mould* ^*mold*.

terpentijn ⟨de⟩ **0.1** [terpentijnolie] *(spirit/oil of) turpentine* ⇒ ⟨inf.⟩ *turps* **0.2** [vloeibare hars] *turpentine*.

terpentijnhars ⟨het, de (m.)⟩ **0.1** *turpentine* ⇒*cosin, colophony*.

terpentijnolie ⟨de⟩ **0.1** *turpentine(-oil)* ⇒*(oil of) turpentine*.

terpentine ⟨de⟩ **0.1** *white spirit*.

terpostbezorging ⟨de (v.)⟩ **0.1** *posting* ⇒*mailing* ◆ **1.1** bewijs van ~ *postal/mailing receipt*.

terra ⟨bn.⟩ **0.1** *terracotta*.

terracotta[1] ⟨het⟩ **0.1** [soort klei] *terracotta* **0.2** [voorwerp] *terracotta*.

terracotta[2] ⟨bn.⟩ **0.1** [van terracotta gemaakt] *terracotta* **0.2** [bruinrood] *terracotta*.

terra incognita ⟨het, de (v.)⟩ **0.1** *terra incognita*.

terrarium ⟨het⟩ **0.1** *terrarium*.

terras ⟨het⟩ **0.1** [mbt. een café] *pavement café* ⇒*outdoor café* **0.2** [horizontaal vlak als wandel/zitplaats] *terrace* ⇒*deck* ⟨van hout⟩, *patio* **0.3** [plat dak] *terrace* ⇒*sun roof* **0.4** [mbt. een helling] *terrace* ◆ **6.1** op een ~ je zitten *sit in a pavement/an outdoor café* **6.3** een slaapkamer met ~ *a (bed)room with a t./sun-roof, a bedroom-cum-t.* **6.4** een berg met ~ *sen a terraced mountain*.

terrascafé ⟨het⟩ **0.1** *pavement/* ^*sidewalk café* ⇒*café with a terrace*.

terrascultuur ⟨de (v.)⟩ **0.1** *terrace cultivation*.

terrasgewijs ⟨bn., bw.⟩ **0.1** *terraced* ⇒ ⟨bw.⟩ *in/with terraces* ◆ **3.1** ~ aanleggen *terrace*.

terrasland ⟨het⟩ **0.1** *terraced land*.

terrasseren ⟨ov.ww.⟩ **0.1** [in terrassen afdelen] *terrace* **0.2** [met opgeworpen aarde ondersteunen] *terrace* ◆ **1.2** een geterrasseerde muur *a wall backed up with earth*.

terrastuin ⟨de (m.)⟩ **0.1** *terraced garden*.

terrasvormig ⟨bn.⟩ **0.1** *terraced* ⇒*terrace-like* ◆ **1.1** een park met ~e aanleg *a terraced park, a park with terraces*.

terrazzo ⟨het⟩ **0.1** *terrazzo*.

terrein ⟨het⟩ **0.1** [stuk grond] *ground(s)* ⇒*land, territory*, ⟨wet.⟩ *terrain* ⟨ook mil.⟩, *plot* ⟨stuk grond⟩, *site* ⟨opgravingsterrein, bouwterrein⟩, *precincts, premises* ⟨van fabriek, zaak⟩, ⟨omheind, voor opslag⟩ *yard* **0.2** [⟨fig.⟩] *field* ⇒*ground, sphere, province, domain, scope, realm* ◆ **1.1** het ~ v.e. onderneming *factory grounds;* ⟨fig.⟩ *the scope/field of operation of a business;* het ~ v.d. strijd *battlefield, battle area* **2.1** zich op andermans ~ begeven *challenge/tackle s.o. on his own ground;* een bebouwd ~ *a built-up area;* een bedekt ~ *a built-on ground;* een doorsneden ~ *land/region/country crisscrossed/traversed by rivers, canals and waterways;* de voetbalclub speelde op eigen ~ *the football team played on home ground/turf;* eigen ~ / privé ~ *private property/estate;* ⟨sport⟩ op neutraal ~ spelen *play on neutral ground;* onbebouwd ~ *open land;* een open ~ *open terrain/territory/country, ground unbuilt on;* ⟨golf⟩ op ruw ~ *in the rough;* verboden ~ ⟨ook fig.⟩ *forbidden ground/territory, ground/territory that is off-limits/out-of-bounds;* ⟨alleen fig.⟩ *taboo;* ⟨alleen concr.⟩ *private property;* op vlak ~ *on even/flat ground* **2.2** zich op bekend ~ bevinden *be on/find o.s. on familiar ground/territory;* iem. op eigen ~ verslaan/bevechten *beat/fight s.o. on his own/home territory/ground;* een expert op financieel ~ *a financial expert;* zich op glibberig/gevaarlijk ~ begeven *be on slippery ground/on thin ice;* deze studie ontsluit een nieuw ~ *this study/project opens up new/fresh territory/ground;* zich op een nieuw ~ begeven *enter a new line/f./area, break fresh ground;* dat is voor mij onbekend ~ *that is unknown ground/territory for me;* op velerlei ~ *in many areas/fields/spheres* **3.1** ~ moeten prijsgeven *be forced to give up territory;* het ~ verkennen ⟨fig.⟩ *scout (out) the territory/terrain, see how the land lies, spy out the land;* ~ verliezen *lose ground;* ~ winnen *win ground* **3.2** iem. het ~ betwisten *challenge s.o.'s competence, tackle s.o. on one's own ground;* ⟨sport⟩ het ~ werd afgekeurd *the pitch was declared not fit to play on* **6.2** die activiteiten vallen **buiten** ons ~ *those activities are outside our bailiwick/beyond our scope/outside our province;* de huisarts kwam **op** het ~ v.d. apotheker *the G.P. infringed upon the pharmacist's territory;* onderzoek doen **op** een bepaald ~ *do research in a particular area/f.*.

terreinafscheiding ⟨de (v.)⟩ **0.1** *enclosure* ⇒*barrier*.

terreinkaart ⟨de⟩ **0.1** *topographical map*.

terreinknecht ⟨de (m.)⟩ **0.1** *groundsman* ⇒ ⟨golf⟩ *greenskeeper*.

terreinmeester ⟨de (m.)⟩ **0.1** *groundsman*.

terreinopzichter →*terreinmeester*.

terreinrit ⟨de (m.)⟩ **0.1** *cross-country ride* ⟨paard, motorfiets⟩ ⇒*drive through rough terrain* ⟨met landrover⟩.

terreinschets ⟨de⟩ **0.1** *topographical sketch* ⇒*sketch of the terrain*.

terreinverheffing ⟨de (v.)⟩ **0.1** *rise (in the ground)*.

terreinverkenning ⟨de (v.)⟩ **0.1** [onderzoek naar de mogelijkheden] *exploration* ⇒*investigation, survey* **0.2** [verkenning v.h. terrein] *exploration* ⇒ ⟨mil.⟩ *reconnoitring, scout(ing), reconnaissance* ⟨ook vanuit de lucht⟩.

terreinverlies ⟨het⟩ **0.1** [het verliezen van een deel van het terrein dat men al onder zijn beheer had] *loss of ground* ⇒*territorial loss(es)* **0.2** [positieverzwakking] *loss of ground* ⇒*lost ground, set-back*.

terreinvoertuig ⟨het⟩ **0.1** *cross-country vehicle* ⇒*land rover*.

terreinwinst ⟨de (v.)⟩ **0.1** *territorial gain* ⇒*ground gained* ◆ **3.1** ~ boeken *gain ground*.

terreur ⟨de⟩ **0.1** *terror* ◆ **3.1** een ware ~ uitoefenen (over) *terrorize, carry on a reign of t., keep under a reign of t.*.

terreuractie ⟨de (v.)⟩ **0.1** *terror(ist) act(ion)/operation/campaign* ⇒ ⟨pej.⟩ *act of terrorism*.

terreurbestrijding ⟨de (v.)⟩ **0.1** *control of terrorism* ⇒*anti-terrorist action/measures/campaign*.

terreurorganisatie ⟨de (v.)⟩ **0.1** *terror(ist) organization*.

terriër ⟨de (m.)⟩ **0.1** *terrier* ◆ **8.1** zich als een ~ in iets vastbijten *hang on/fight to the death/to the bitter end, never say die* ¶.**1** boston ~ *Boston t.;* airedale ~ *Airedale (t.)*.

terrine ⟨de (v.)⟩ **0.1** *tureen* ⇒*terrine*.

territoir ⟨de (v.)⟩ **0.1** *territory*.

territoriaal ⟨bn.⟩ **0.1** *territorial* ◆ **1.1** territoriale bevelhebber *t. commander;* territoriale onschendbaarheid *sovereignty;* territoriale troepen *t. troops/army,* [B]*Territorial and Army Volunteer Reserve* ⟨sedert 1967⟩; territoriale wateren *t. waters;* binnen/buiten de territoriale wateren *in t. waters/on the high seas, outside the t. waters*.

territorialiteit ⟨de (v.)⟩ **0.1** *territorialism*.

territorium ⟨het⟩ **0.1** [grondgebied] *territory* **0.2** [⟨biol.⟩] *territory* ⇒*habitat*.

territoriuminstinct ⟨het⟩ **0.1** *territorial instinct(s)* ⇒ ⟨wet. ook⟩ *territoriality*.

terrorisatie ⟨de (v.)⟩ **0.1** *terrorization* ⇒*intimidation*.

terroriseren ⟨ov.ww.⟩ **0.1** *terrorize* ⇒*intimidate* ◆ **1.1** een bevolking ~ *t. the population;* de hele buurt ~ *t. the whole neighbourhood/vicinity*.

terrorisme ⟨het⟩ **0.1** *terrorism* ◆ **2.1** het internationale ~ *international t.*.

terrorist ⟨de (m.)⟩ **0.1** *terrorist* ⇒*gunman*.

terroristisch ⟨bn., bw.;-ally⟩ **0.1** *terrorist(ic);* ⟨bw. ook⟩ *like terrorists* ◆ **1.1** een ~e aanslag *a t. attack;* ~e groeperingen *t. groups*.

tersluiks ⟨bw.⟩ **0.1** *stealthily* ⇒*furtively, covertly, surreptitiously* ◆ **3.1**

iem. ~ aankijken *steal a glance at s.o., look at s.o. out of the corner of one's eye, take a covert look at s.o., cast a furtive look at s.o..*

terstond ⟨bw.⟩ **0.1** [aanstonds] *at once* ⇒*immediately,* ⟨inf.⟩ *rightaway* **0.2** [zo meteen] *directly* ⇒*presently, soon, in a minute* ◆ **3.2** ik zal u ~ helpen *I'll be with you / help you at once / rightaway / in a minute* **5.1** ~ daarna *immediately afterwards.*

tertiaan ⟨de⟩ ⟨muz.⟩ **0.1** *tertian.*

tertiair ⟨bn.⟩ **0.1** [in de derde plaats] *tertiary* **0.2** [⟨geol.⟩] *tertiary* ◆ **1.1** ~e kleuren *t. colours;* ~ onderwijs *higher education;* de ~e sector *the service sector, (the) service industries;* ~e wegen *minor roads* **1.2** de ~e formaties *t. formations.*

Tertiair ⟨het⟩ ⟨geol.⟩ **0.1** *the Tertiary (period).*

tertiaris ⟨de (m.)⟩ ⟨r.k.⟩ **0.1** *tertiary.*

tertio ⟨bw.⟩ **0.1** *thirdly* ⇒*in the third place.*

terts ⟨de⟩ **0.1** [⟨muz.⟩ toon] *tierce* ⇒*third* **0.2** [⟨muz.⟩ interval] *tierce* ⇒ *third* **0.3** [tweede uur in het breviergebed] *terce, tierce* ◆ **2.2** grote ~ *major (third);* C grote ~ *C major;* kleine ~ *minor (third);* C kleine ~ *C minor.*

tertsfluit ⟨de⟩ **0.1** *f-flute.*

terug ⟨bw.⟩ **0.1** [achteruit] *back* **0.2** [naar het punt van vertrek] *back* **0.3** [weerom] *back* **0.4** [geleden] *back* ⇒*ago* **0.5** [⟨AZN⟩ weer, opnieuw] *again* ⇒*anew* ◆ **1.1** ⟨fig.⟩ we moeten allemaal een stapje ~ doen ⟨mbt. geld⟩ *we all have to do some belt-tightening, we all have to wear the belt one or two notches tighter* **1.2** de reis ~ *the trip b.* **1.3** hij wil zijn fiets ~ *he wants his bike b.;* niet goed, geld ~ *money b. if not fully satisfied* **1.4** enige jaren ~ *a few years b. / ago* **3.1** ⟨fig.⟩ niet ~ kunnen *not be able to go b. on one's word / promise, be committed* **3.2** wij moeten ~ *we have to / must go b.* **3.3** ik ben zo ~ *I'll be b. in a minute / in a jiffy, I'll be right back;* heb je ~ van 25 gulden? *do you have change for 25 guilders?;* geld ~ moeten hebben ⟨wisselgeld⟩ *want the change;* ⟨terugbetaling⟩ *want a refund;* hij is weer bij zijn vrouw ~ *he is b. with his wife again;* wij moeten morgen ~ zijn *we have to / must be b. tomorrow;* ze had al lang ~ moeten zijn *she should have been b. hours / long ago* **3.¶** daar heeft hij niet van ~ *that's too much for him, that is way beyond him, that has knocked him into a cocked hat* **4.1** ~ jij! *get b., stand clear* **5.2** heen en ~ *b. and forth, there and b.* **6.1** alle auto's van dit type moeten ~ naar de fabriek *all the cars of this model / description are being recalled* **6.2** ~ naar af *b. to square one* **6.3** ~ naar de natuur *b. to nature;* ~ uit het buitenland *b. / home from abroad;* ~ van weg geweest *be b. again;* ⟨fig.⟩ have made a *come-back.*

terugbellen ⟨onov., ov.ww.⟩ **0.1** *call / phone / ring back.*

terugbetalen ⟨onov., ov.ww.⟩ **0.1** [wat geleend / voorgeschoten is] *pay back* ⇒*refund, reimburse* **0.2** [wat te veel betaald is] *pay back* ⇒*refund* ◆ **1.1** de toegangsprijs ~ *give s.o. a refund / reimburse s.o. for the entrance price / admission-ticket* **6.¶** iem. met gelijke munt ~ *give s.o. a dose / taste of his own medicine, pay s.o. in one's own / the same coin.*

terugbetaling ⟨de (v.)⟩ **0.1** *repayment; reimbursement; refund(ing)* ⟨van gemaakte kosten enz.⟩ ◆ **6.1** tegen ~ *subject to repayment / reimbursement / refund(ing).*

terugbezorgen ⟨ov.ww.⟩ **0.1** *return* ⇒*restore* ◆ **4.1** iem. iets ~ *return sth. to s.o..*

terugblik ⟨de (m.)⟩ **0.1** *review* ⇒*lookback, retrospect(ive)* ◆ **6.1** een ~ op de ontwikkelingen v.d. laatste jaren *looking back on / a retrospective of the developments of the last years.*

terugblikken ⟨onov.ww.⟩ **0.1** *look back* ⇒*review* ◆ **3.1** aan het eind v.h. jaar gaan de mensen ~ *people look back (over events) at the end of the year* **6.¶** zij kan ~ op een welbesteed leven *she can look back on a life well spent.*

terugboeken ⟨ov.ww.⟩ **0.1** *repay* ⇒*pay back, reverse* ◆ **1.1** een post ~ *reverse an entry* **6.1** een bedrag ~ op / naar een rekening *repay / pay back a sum into an account.*

terugbrengen ⟨ov.ww.⟩ **0.1** [weer brengen naar het punt van vertrek] *bring / take back* ⇒*return* **0.2** [weer brengen bij de eigenaar] *bring / take back* ⇒*return* **0.3** [weer in de oorspronkelijke toestand brengen] *restore* ⇒*bring back* **0.4** [in omvang verminderen] *reduce* ⇒*cut back, lessen,* ⟨depreciëren⟩ *write down* ⟨aandelen⟩ **0.5** [herleiden] *reduce* ⇒*trace* ◆ **1.1** oma zal de kinderen ~ *grandma will bring / take the children back* **1.2** een geleend boek ~ *bring / take back / return a borrowed book* **1.4** de werkloosheid / inflatie ~ *r. unemployment / inflation* **6.3** iets in de oorspronkelijke staat ~ *r. sth. to its original state;* de oproerlingen tot gehoorzaamheid ~ *r. the insurgents;* iem. van een voornemen ~ *change s.o.'s mind about sth.* **6.4** de gewapende macht tot de helft ~ *r. the armed forces by half* **6.5** alle gevallen zijn tot dezelfde grondregel terug te brengen *all cases can be reduced / traced to the same principle.*

terugdeinzen ⟨onov.ww.⟩ **0.1** [achteruit gaan] *shrink* ⇒*recoil, wince, flinch, shy* ⟨van paard; ook fig.⟩ **0.2** [bang zijn voor] *shrink* ⇒*recoil, flinch* ◆ **6.2** je moet niet ~ voor de gevolgen *you mustn't shy away from about the consequences;* voor niets ~ *hesitate at nothing,* ᴮ*stick / stop at nothing, be ruthless;* hij deinst er niet voor terug geweld te gebruiken *he didn't s. / flinch from using force* **¶.1** vol afgrijzen ~ *recoil in horror.*

terugdenken

I ⟨onov.ww.⟩ **0.1** [denken aan iets in het verleden] *think back to* ⇒ *cast one's mind back to* ◆ **6.1** ~ aan zijn kinderjaren *think back to one's childhood;* als ik daar aan terugdenk *when I think back to that;* het geluid deed hem ~ aan zijn kindertijd *the sound carried him back to / reminded him of his childhood;* met plezier aan iets ~ ⟨ook⟩ *remember sth. with pleasure;*

II ⟨wk.ww.; zich ~⟩ **0.1** [zich in gedachten verplaatsen] *think back* ⇒ *go back in one's mind / thoughts* ◆ **6.1** zich in vroegere jaren ~ *go back in one's mind to earlier years.*

terugdoen ⟨ov.ww.⟩ **0.1** [weer steken (in)] *put back* **0.2** [als antwoord / compensatie doen] *return* ⇒*do back* **0.3** [terugbrengen] *bring / take back* ⇒*return* ◆ **1.2** doe hem de groeten terug *r. the compliments to him, send him my love* **1.¶** ⟨fig.⟩ financieel een stapje terug moeten doen *have to scale down financially, have to tighten / pull in one's belt* **4.2** nu zij zo hulpvaardig is geweest, moeten wij iets ~ *since she has been so helpful we should do sth. in return;* hij doet niets terug als hij geslagen wordt *he doesn't do anything back when you hit him.*

terugdraaien ⟨ov.ww.⟩ **0.1** [achteruit draaien] *turn back* **0.2** [ongedaan maken] *reverse* ⇒*cancel* ⟨koop⟩*, change, undo, take back* ◆ **1.1** het voorwiel ~ *turn the front wheel backwards;* (de wijzers van) de klok ~ ⟨fig.⟩ *turn the (hands of the) clock back* **1.2** een maatregel ~ *r. a measure;* je kunt de zaak nu niet meer ~ *you can't r. the matter anymore.*

terugdrijven ⟨ov.ww.⟩ **0.1** *drive / force back* ⇒*repel, repulse,* ⟨schr.⟩ *roll back* ◆ **1.1** de vijand / armoede ~ *roll back the enemy / poverty.*

terugdringen ⟨ov.ww.⟩ **0.1** [achteruit dringen] *push / drive back* ⇒*force back* ⟨tranen⟩ **0.2** [dringen naar het punt van vertrek] *push / drive / force back* **0.3** [doen verminderen] *push / drive back* ◆ **1.3** de inflatie / de werkloosheid ~ *push / drive back inflation / the unemployment figures.*

terugduwen ⟨ov.ww.⟩ **0.1** [achteruit doen gaan] *push / shove back* **0.2** [weer op zijn plaats steken] *push / put back.*

terugeisen ⟨ov.ww.⟩ **0.1** [met klem terugvragen] *demand back* ⇒*demand the return of* **0.2** [in rechte terugvorderen] *reclaim* ⇒*demand / claim back.*

terugfluiten ⟨ov.ww.⟩ **0.1** [⟨sport⟩] *blow the whistle on* **0.2** [⟨fig.⟩] *blow the whistle on* **1.1** [met een fluitje terugroepen] *whistle back* ◆ **1.2** de voltallige Tweede Kamer heeft de minister teruggefloten *the full House blew the whistle on the minister.*

teruggaaf ~ *teruggave.*

teruggaan ⟨onov.ww.⟩ **0.1** [achteruit gaan] *go back* ⇒*return* **0.2** [terugkeren] *go back* ⇒*return, retrace one's steps* **0.3** [ontstaan zijn uit] *go / date back (to)* ⇒*stem (from)* **0.4** [achteruitgaan in waarde] *go down* ⇒ *fall (off), drop, decline* ◆ **1.1** ~de stroom / beweging *a backward flow / movement* **1.2** sommige emigranten gaan terug *some emigrants are going back / returning* **1.4** de prijzen v.d. landbouwprodukten zijn teruggegaan *prices for agricultural products have fallen / declined / dropped* **6.1** ⟨fig.⟩ ~ in de geschiedenis *go back in history;* ⟨fig.⟩ ~ in de tijd *go back in time;* ⟨fig.⟩ in gedachten ~ naar (de plek van) zijn jeugd *go back / cast one's mind back to (the spot of) one's youth* **6.2** naar huis ~ *go back / return home;* het uitgangspunt ~ *go back to the starting point;* ⟨fig.; scherts.⟩ *return to one's muttons;* naar zijn plaats ~ *go back to one's seat;* misdrukken gaan terug naar de uitgever ⟨ook⟩ *rejects are sent back to the printer* **6.3** dit boek gaat terug op een werk uit de Middeleeuwen *this book goes / reaches back to a Medieval work;* de boekdrukkunst gaat terug tot de 15de eeuw *printing goes / dates back to the 15th century.*

teruggang ⟨de (m.)⟩ **0.1** [teruguitgang] *decline* ⇒*decrease, drop, fall,* ↑*retrogression* **0.2** [terugkeer] *return* ⇒*going back* ◆ **2.1** economische ~ *economic recession;* de grote ~ van de landbouwprijzen *the steep decline / big drop in farm prices* **6.1** ~ in zaken *decline in trade* **6.2** ⟨fig.⟩ de ~ naar de waarheid *r. to reality.*

teruggave ⟨de⟩ **0.1** *restoration* ⇒*return, refund, restitution, reimbursement, retrocession* ⟨van geannexeerd land⟩ ◆ **1.1** ~ v.d. belasting *income tax refund* **3.1** de ~ vorderen van *demand repayment, (make a) claim* **6.1** een eis tot ~ *a demand of restitution;* de ~ van in beslag genomen vee *the restitution of appropriated / seized cattle.*

teruggetrokken ⟨bn.⟩ **0.1** *retired* ⇒*withdrawn, solitary, retiring* ⟨aard / karakter⟩ ◆ **1.1** een ~ leerling *a withdrawn / shy student;* een ~ leven leiden *lead a retired / secluded /* ↑*sequestered l..*

teruggetrokkenheid ⟨de (v.)⟩ **0.1** *reservedness* ⇒*retiring nature,* ⟨pej.⟩ *unsociability.*

teruggeven ⟨ov.ww.⟩ **0.1** [weer aan de eigenaar geven] *give back* ⇒*return, restore, retrocede* ⟨land⟩ **0.2** [het teveel terugbetalen] *give (back)* ⇒*refund, reimburse* **0.3** [als antwoord / reactie geven] *return* ◆ **1.1** ik zal je het gehele bedrag ~ *I'll give / pay you back the whole sum;* iem. iets ~ ⟨ook⟩ ↑*make restitution of / return / restore sth. to s.o.;* deze crème geeft uw huid haar natuurlijke zachtheid terug *this cream will restore your skin's natural softness* **1.2** kun je mij wat kleingeld ~? *could you give me some change?* **1.3** als hij mij een klap geeft, geef ik hem een klap terug *if he hits me I'll hit him back* **5.2** iem. te weinig ~ *shortchange s.o.* **6.2** hij kon niet ~ van vijftig gulden *he couldn't* *change a fifty guilder bill* **6.¶** en dan geven we u nu terug **aan** de studio in Hilversum *and now back to our/the studio in Hilversum.*

teruggooien
I ⟨ov.ww.⟩ **0.1** [gooien naar het punt van vertrek] *throw/toss back* ◆ **1.1** wilt u die bal ~? *throw/toss the ball back, will you?;* gevangen vis ~ *throw/toss back a fish (that has been caught);*
II ⟨onov.ww.⟩ **0.1** [gooien als antwoord/als reactie] *throw/toss back.*

teruggrijpen ⟨onov.ww.⟩ **0.1** *go/hark back (to)* ⇒*revert (to), fall back (on)* ◆ **6.1** ~ **op** een vorig hoofdstuk *go back to an earlier chapter;* ~d **op** het onderzoek van zijn voorganger ... *going back to/falling back on the research of his predecessor, ...;* ~ **op** een oude(re) methode *fall back on/revive/restore an old(er) method.*

teruggroeten ⟨onov., ov.ww.⟩ **0.1** *greet back/in return* ⇒*return/acknowledge s.o.'s greeting* ◆ **5.1** hij groette ons vriendelijk terug *he returned our greeting amicably.*

terughalen ⟨ov.ww.⟩ **0.1** [terug laten keren] *call/fetch back* **0.2** [terugtrekken] *pull back* ⇒*withdraw, retrieve* **0.3** [ophalen] *recall* ⇒*call to mind* ◆ **5.2** zijn hand snel ~ *withdraw one's hand quickly, snatch one's hand away.*

terughouden ⟨ov.ww.⟩ **0.1** *hold/keep back* ⇒*retain, detain* ◆ **1.1** de angst hield mij terug *fear held me back* **4.1** zich niet laten ~ door een paar kleine tegenslagen *not (allow o.s. to) be held back/down/deterred by a few small setbacks* **6.1** ik wil u niet **van** uw plan ~ *I don't want to deter you from your plan.*

terughoudend ⟨bn.⟩ **0.1** *reserved* ⇒*distant, remote, unresponsive, aloof, detached* ◆ **2.1** de verkoper was ~ *the salesman was distant/aloof* **3.1** ~ zijn ⟨ook⟩ *be stiff/standoffish/unresponsive/* ⟨inf.⟩ *buttoned up* **6.1** zij was nogal ~ **over** de reden van haar vertrek *she was rather reticent about/(up)on the reason of her departure;* nogal ~ zijn **tegenover** vreemden *be rather r. with strangers.*

terughoudendheid ⟨de (v.)⟩ **0.1** *reserve* ⇒*restraint, reticence.*

terughouding ⟨de (v.)⟩ **0.1** *reservation* ⇒*aloofness, detachment, restraint.*

terugkaatsen
I ⟨onov., ov.ww.⟩ **0.1** [van richting (doen) veranderen] ⟨onov. ww.⟩ *be reflected,* ⟨ov.ww.⟩ *reflect* (licht, geluid, warmte) ⇒*reverberate* ⟨geluid, ook fig.⟩, *(re-)echo* (geluid), *cast/strike/fling back, rebound* (bal) ◆ **1.1** de slagen v.d. donder kaatsen honderdvoudig in de bergen terug *the thunder (claps) re-echo/reverberate 100 times in the mountains;*
II ⟨ov.ww.⟩ **0.1** [terugwerpen] *strike/hit back* ⇒*rebound* ◆ **1.1** de bal ~ *turn the tables (on), give tit for tat, retort (sharply);* ⟨fig.⟩ een beschuldiging ~ naar iem. *fling an accusation at s.o..*

terugkaatsing ⟨de (v.)⟩ ⟨nat.⟩ **0.1** *reflection* (licht, geluid, beeld, warmte) ⇒*echo, reverberation* (geluid), *rebounding* (bal).

terugkeer ⟨de (m.)⟩ **0.1** *return* ⇒*comeback, recurrence, turning back* ◆ **2.1** de geregelde ~ *regular recurrence* **6.1** ⟨ruim.⟩ bij de ~ **in** de dampkring *(up)on re-entry of/re-entering the atmosphere;* een ~ **tot** het verleden *a return/hark-back to the past;* ~ **tot** de oude politiek *return/reversion to old policies.*

terugkeren ⟨onov.ww.⟩ **0.1** [teruggaan] *return* ⇒*come/go back, turn back* ⟨ook schip⟩ **0.2** [wederom aanwezig zijn] *return* ⇒*come back, recur* ◆ **1.2** dagelijks ~d e irritaties *daily irritations;* de lente is teruggekeerd *spring is back/has come back/has returned;* de rust keerde terug *peace settled in/returned again* **2.2** jaarlijks/elk uur/maandelijks (enz.) ~d *(recurring) yearly/hourly/monthly* **6.1** ~ **bij** de eigenaar *r. / go back to its owner;* **naar** huis ~ *r. / go back home;* ⟨fig.⟩ **naar** zijn uitgangspunt ~ *r. / go back to one's starting point;* ⟨fig., scherts.⟩ *r. to one's muttons;* ⟨fig.⟩ **op** zijn schreden ~ *retrace one's steps;* **op** zijn basis ~ *r. / go back to one's base;* ⟨fig.⟩ **tot** het geloof ~ *r. to the faith/fold/flock/the bosom of the church.*

terugkijken ⟨onov.ww.⟩ **0.1** [kijken als reactie op iem. die kijkt] *look back* **0.2** [terugblikken] *look back (on/upon).*

terugkomen ⟨onov.ww.⟩ (~sprw. 565) **0.1** [weerkeren] *return* ⇒*come back* **0.2** [zich weer vertonen] *return* ⇒*come back* **0.3** [nog eens komen] *return* ⇒*come back* **0.4** [weer komen bij het uitgangspunt] *return* ⇒*come back, recur* ⟨ook v.e. ziekte⟩, *recrudesce* ⟨van zeer onaangename zaken/ziekten⟩ **0.5** [naar het vertrekpunt lopen; bij sport] weer een vroeger, beter peil bereiken] *come back* ⇒*make a come-back, return* ◆ **1.1** het water komt terug *the water is rising (again)* **1.2** het bewustzijn komt terug *consciousness is returning/coming back* **3.1** ze kan elk moment ~ *she may be here/back/may return (at) any moment* **3.3** u hoeft hier niet meer terug te komen *don't bother to come back, we don't want you here any more* **5.3** de klant zal morgen ~ *the customer will r. / come back tomorrow* **6.1 in** allerijl ~ *r. in all haste, hurry back;* ~ **van** kantoor *come home from the office* **6.4** weer ~ **bij** het begin *come full circle;* **op** zijn verklaring ~ *retract/recant one's statement;* ~ **op** een onderwerp *return/come/hark back to a subject, return to one's muttons;* daar kom ik nog **op** terug *I'll return/come back to that;* **op** zijn beslissing ~ *reconsider a decision;* steeds ~ **op** een bepaald onderwerp *keep harping on a (given) subject;* weer **op** een kwestie ~ *re-open/come back to a question;* **op** dit punt komen we later uitvoerig terug *this point will be elaborated on later/will be*

extensively/fully discussed later; zij kwam terug **op** haar ontslagaanvraag ⟨ook⟩ *she withdrew/changed her mind about her resignation;* wij willen niet meer **op** deze zaak ~ *we don't wish to re-open this case/matter;* **op/van** een belofte ~ *go back on/* ⟨inf.⟩ *rat on a promise;* ~ **van** een besluit *recede from/reverse/go back on/change a decision;* hij was zo'n fervent Renaultrijder, maar hij is er helemaal van teruggekomen *he used to be such a loyal Renault driver but has now renounced/given up this carmake;* hij is er **van** teruggekomen *he changed his mind;* men is **van** dat idee teruggekomen *people don't believe in that idea any more, it is an exploded/dated idea* **6.5** na een slecht seizoen is zij met een nieuw record/een nieuwe show teruggekomen *after a bad season she came back with a new record/with a new show.*

terugkomst ⟨de (v.)⟩ **0.1** *return* ◆ **6.1** iem. **bij** zijn ~ begroeten ⟨ook⟩ *welcome s.o. home/back;* **bij** zijn ~ *on his r..*

terugkopen ⟨ov.ww.⟩ **0.1** *buy back* ⇒*repurchase, redeem* ⟨pand, ook fig.⟩.

terugkoppelen ⟨ov.ww.⟩ **0.1** [terugschakelen] *change/gear/* ⟨vnl. AE⟩ *shift down* **0.2** [ter overleg voorleggen] *give feedback (information)(to)* ⇒*submit (to)* ◆ **6.1 van** de derde **naar** de tweede versnelling ~ *change/gear/shift (down) from third to second* **6.2** iets ~ **naar** de achterban *give feedback to the rank and file/grassroots.*

terugkoppeling ⟨de (v.)⟩ **0.1** [terugschakeling naar de vorige toestand] *return* ⇒ ⟨radio⟩ *reaction, back coupling* **0.2** [het ter beoordeling/overleg voorleggen] *feedback* ◆ **6.2** na een besloten vergadering zorgt de afgevaardigde voor de ~ **van** de standpunten *after the unofficial/private meeting the spokesman/delegate will take care of the feedback information about the (new) position/standpoints.*

terugkrabbelen ⟨onov.ww.⟩ **0.1** [(fig.) zich terugtrekken] *back out* ⇒*go back on* ⟨belofte⟩, ⟨sl.⟩ *cop/fink/opt out,* ⟨uitnodiging niet nakomen⟩ *cry off* **0.2** [scharrelend achteruitgaan] *scramble backwards* ◆ **¶.1** op het laatste moment krabbelde hij terug *he cried off/opted out at the last moment.*

terugkrijgen ⟨ov.ww.⟩ **0.1** [opnieuw in zijn bezit krijgen] *get back* ⇒*recover, regain, have back* **0.2** [als antwoord/reactie krijgen] *get in return* **0.3** [terugontvangen wat te veel betaald is] *get back* ⇒*receive* ◆ **1.1** zijn gezondheid ~ *regain one's health;* zijn goederen ~ *get one's goods/things back;* zijn verstand ~ *come to one's senses* **1.2** een klap ~ *get a slap/blow in return* **1.3** te weinig (wissel)geld ~ *be short-changed;* u krijgt nog één gulden terug *you get one more guilder back,* you have one more guilder coming to you **7.1** het ~ **van** zijn bezittingen *the recovery/restitution of one's possessions.*

terugleggen ⟨ov.ww.⟩ **0.1** [weer op de oorspronkelijke plaats leggen] *put back* ⇒*replace* **0.2** [⟨sport⟩] *pass back* ◆ **6.2** de bal ~ **op** de spits/de keeper *pass the ball back to the striker/the goal-keeper.*

teruglezen ⟨ov.ww.⟩ **0.1** [lezend ontcijferen] *read (back)* **0.2** [herlezen] *read over/again* ◆ **1.1** steno ~ *r. (back) s.o.'s shorthand* **6.1** een microkaart kan men ~ **met** een leesapparaat *a microfiche is read on a reader.*

terugloop ⟨de (m.)⟩ **0.1** [het teruglopen] *walking back* **0.2** [het achteruitlopen van een vuurwapen] *recoil* **0.3** [achteruitgang] *fall(ing-off)* ⇒*decrease.*

teruglopen ⟨onov.ww.⟩ **0.1** [achteruit lopen] *walk back* ⇒*flow back* ⟨vloeistoffen⟩ **0.2** [⟨fig.⟩ achteruitgaan] *drop* ⇒*fall, decline, decrease, recede* **0.3** [naar het vertrekpunt lopen] *walk back* ⇒*return, back* ⟨wind⟩ ◆ **1.2** het aantal kerkgangers loopt terug *church attendance is dropping/falling/declining;* de barometer loopt terug *the barometer is dropping/falling;* de dollar ligt nog verder terug *the dollar suffered a further setback;* de kleuren van de foto lopen terug *the colours in the picture fade out;* de uitvoer/koers liep terug *exports were/the market was declining/dropping/falling;* de vraag naar mijnaandelen is de laatste tijd behoorlijk teruggelopen ⟨ook⟩ *the rush for mining shares has eased off/up lately* **6.3** de wind liep weer terug **naar** het zuiden *the wind backed to the south;* de feestgangers liepen terug *the party-goers walked back home.*

teruglopend ⟨bn.⟩ **0.1** [achteruitgaand] *dropping* ⇒*declining, falling, decreasing, receding* **0.2** [⟨wisk.⟩] *decreasing* ⇒*diminishing* ◆ **1.1** ~e uitvoer *declining/dropping/falling/decreasing exports* **1.2** ~e reeks *decreasing (arithmetical) progression/series.*

terugluisteren ⟨ov.ww.⟩ **0.1** *play back.*

terugmars ⟨de⟩ **0.1** *march back/home* ⇒*return march.*

terugname ⟨de (v.)⟩ **0.1** *taking back* ⇒ ↑*withdrawal, retraction* ⟨verklaring⟩.

terugnemen ⟨ov.ww.⟩ **0.1** [herroepen] *take back* ⇒*revoke, recant, retract* ⟨verklaring⟩ **0.2** [nemen wat men eerst gegeven heeft] *take back* **0.3** [weer in bezit nemen] *take back* ◆ **1.1** je moet die belediging ~! *take that (insult) back;* zijn woorden ~ *take back one's words* **1.2** ⟨fig.⟩ je rijdt te hard, neem wat gas terug! *you're driving too fast, throttle down a bit/ease off the gas/pedal;* ⟨fig.⟩ gas ~ *ease up/off, go easy, take things easy* **3.3** haar ontslag is ongeldig, we moeten haar ~ *her dismissal has been nullified, we have to take her back/reinstate her.*

terugontvangen ⟨ov.ww.⟩ **0.1** [ontvangen wat men heeft weggestuurd] *receive/get back* **0.2** [ontvangen wat men te veel gegeven heeft] *re-*

ceive / get back **0.3** [weer ontvangen wat men geleend / voorgeschoten heeft] *receive / get back* ♦ **1.1** indien de kennisgeving niet binnen acht dagen na verzending is ~ *in case the notice isn't received (back) within 8 days from posting* ¶**.2** ik heb het teveel betaalde ~ *I got back the amount I overpaid.*

terugplaatsen 〈ov.ww.〉 **0.1** [achteruit plaatsen] *move down* **0.2** [in de vroegere toestand / op de vroegere plaats zetten] *replace* ⇒*put back, place back* ♦ **1.1** een scholier ~ *move a pupil down (to another class).*

terugploegen 〈ww.〉〈geldw.〉 **0.1** ≠*reappropriate*, ≠*rechannel.*

terugreis 〈de〉 **0.1** *return trip / voyage* 〈vnl. met boot〉 / *journey* ⇒*trip / voyage / journey back / home* ♦ **1.1** de heenreis en de ~ *the trip / voyage / journey (there) and back* **3.1** de ~ aanvaarden *set out / off on the return trip / journey back / voyage back* **6.1 op** de ~ zijn *be on one's journey / trip home;* geld voor de ~ 〈ook〉 *money back.*

terugreizen 〈onov.ww.〉 **0.1** *travel back* ⇒*return.*

terugrekenen 〈onov.ww.〉 **0.1** *calculate / reckon back(wards).*

terugrijden 〈onov.ww.〉 **0.1** *drive* 〈fiets, paard〉 *ride back.*

terugrit 〈de (m.)〉 **0.1** *ride / drive back.*

terugroepen 〈ov.ww.〉 **0.1** [door roepen terug laten komen] *call back* ⇒ *recall, call off* 〈honden〉 **0.2** [als antwoord roepen] *call / shout back / in response / return* ♦ **1.1** de acteurs werden tot driemaal toe teruggeroepen *the actors had three curtain calls;* een gezant ~ *recall an ambassador;* roep Jan terug *call John back* **1.2** 'houd je mond', riep de agent terug *'shut up', the policeman shouted in return* **6.1** 〈fig.〉 iets in het geheugen ~ *recall sth., call sth. back to mind;* een bewusteloze patiënt in het leven ~ *resuscitate / reanimate an unconscious patient;* in actieve dienst ~ *recall to active service;* **naar** huis ~ *call back / home.*

terugroeping 〈de (v.)〉 **0.1** *call-back* ⇒*recall* 〈ook van gezant〉, *curtain call* 〈theater〉.

terugschakelen 〈onov., ov.ww.〉 **0.1** [terugkoppelen] *switch back* **0.2** [in een lagere versnelling rijden] *change / gear* 〈vnl. AE〉 *shift down* ♦ **6.1** zij schakelen terug **naar** de studio in Hilversum *they are switching back to the studio in Hilversum* **6.2** ~ **van** zijn tweede **naar** zijn eerste *change / gear / shift down from second to first.*

terugschakeling 〈de (v.)〉 **0.1** 〈het terugschakelen〉 *changing- /* ^*shifting-down;* 〈één terugschakeling〉 *change- /* ^*shift-down.*

terugschelden 〈onov.ww.〉 **0.1** *swear back at (s.o.)* ⇒*give s.o. as good as one gets.*

terugschieten
I 〈onov.ww.〉 **0.1** [zich snel achteruit / naar een vorige plaats bewegen] *shoot back* ♦ **1.1** de hendel schoot plotseling terug *the handle suddenly shot back;*
II 〈onov., ov.ww.〉 **0.1** [schieten als antwoord] *shoot back / in return* **0.2** [〈sport〉] *kick / flick back* ♦ **6.2** ~ **op / naar** de keeper *kick / flick back the ball to the goal-keeper.*

terugschoppen
I 〈ov.ww.〉 **0.1** [achteruit schoppen] *kick back;*
II 〈onov., ov.ww.〉 **0.1** [(iem.) schoppen als antwoord] *kick back / in return.*

terugschrijven 〈onov., ov.ww.〉 **0.1** *write back* ♦ **8.1** zij schreef terug dat ze kwam *she wrote back (saying / to say) that she was coming.*

terugschrikken 〈onov.ww.〉 **0.1** [van schrik terugdeinzen] *recoil* ⇒*start, shy* 〈ook paard〉 **0.2** [〈fig.〉 bang zijn] *recoil* ⇒*baulk,* 〈AE vnl.〉 *balk,* 〈inf.〉 *boggle,* 〈schr.〉 *demur* ♦ **6.2** ~ **van** de hoge bouwkosten *baulk / boggle at the high / prohibitive construction costs;* ~ **van / voor** iets *be afraid of sth.;* nergens voor ~ *be afraid of / start / stop / stick at nothing.*

terugschroeven 〈ov.ww.〉〈fig.〉 **0.1** [tot een lager niveau terugbrengen] *scale back / down* ⇒*bring down, reduce,* 〈AE ook〉 *roll,* 〈door overheid〉 *back* **0.2** [ongedaan maken] *reverse* ⇒*change, take back* ♦ **1.1** de salarissen zijn teruggeschroefd tot het peil van vorig jaar *salaries have been scaled / brought down / reduced to last year's level* **1.2** een besluit ~ *r. a decision.*

terugslaan
I 〈onov.ww.〉 **0.1** [met slaan antwoorden] *hit / strike / beat back* **0.2** [〈fig.〉 verwijzen naar] *refer (to)* ⇒*make reference (to)* **0.3** [zich met kracht achteruit bewegen] *backfire* ⇒*backkick* **0.4** [zich met kracht terugbewegen] *blow / move back* ⇒*flash back* 〈vlam〉 **0.5** [zijn weerslag hebben] *cause a reaction / repercussions, react on* ♦ **1.3** de motor slaat terug *the engine backfires* **1.4** de rook slaat terug in de kamer *the smoke is driven back into the room* **5.1** je moet maar flink ~ als ze je wat doen *just hit back hard if they do anything to you;*
II 〈ov.ww.〉 **0.1** [slaan naar het punt vanwaar iets / iem. gekomen is] *hit / strike / beat back* ⇒〈mil.〉 *repel, repulse* **0.2** [met slaan antwoorden] *strike / hit back* **0.3** [omslaan, achteruit slaan] *toss / throw / turn back* ♦ **1.1** een aanval ~ *repel / repulse an attack;* een bal ~ *strike / hit a ball back;* de vijand ~ 〈ook〉 *hold off the enemy* **1.3** een teruggeslagen sluier *a turned back veil.*

terugslag 〈de (m.)〉 **0.1** slag die iem. of iets achteruit drijft, 〈meestal fig.〉 *recoil(ing)* ⇒*backfire, backkick* 〈motor〉, *backlash, backstroke* 〈roeien〉, 〈mil.〉 *counterblow* **0.2** [〈fig.〉 negatieve reactie] *reaction* ⇒ *setback, backlash, repercussion, reverse,* 〈inf.〉 *backwash* **0.3** [〈biol.〉] *throw-back* ⇒*reversion, atavism, regression* ♦ **2.2** de economische ~ van de jaren dertig *the Depression (of the 1930s)* **3.1** het geweer had

een ontzettende ~ *the gun had a terrible kick / recoil* **3.2** een ~ krijgen *be set back, experience a backlash / reverse / backwash;* ons bedrijf ondervindt daarvan de ~ *our firm has felt the repercussions* **6.1** de ~ in de huizenmarkt *slump / recession / stagnation in the housing market;* Duitsland leek een ~ van honderden jaren gekregen te hebben *Germany appeared to have been set back hundreds of years* **6.2** een ~ hebben **op** *cause a reaction / a setback / a backlash / repercussions, react on;* leugens hebben vaak hun ~ **op** de leugenaar *lies often recoil (up)on the lier.*

terugslagklep 〈de〉〈tech.〉 **0.1** *one-way valve.*

terugsluizen 〈onov., ov.ww.〉 〈geldw.〉 **0.1** *recycle* ⇒*pumb back (in).*

terugspeelbal 〈de (m.)〉〈sport〉 **0.1** *backward pass.*

terugspelen 〈ov.ww.〉 **0.1** [〈sport〉] *kick / flick / play back* **0.2** [geluids / videobanden] *replay* **0.3** [〈fig.〉 retourneren] *return* ♦ **6.1** de bal ~ **op / naar** de keeper *kick / flick the ball back to the goal-keeper* **6.3** een vraag **naar** de vragensteller ~ *answer the questioner with a question.*

terugspoelen 〈onov., ov.ww.〉 **0.1** *rewind* ⇒*wind back, run back.*

terugspringen 〈onov.ww.〉 **0.1** [achteruitspringen] *spring / leap back- (wards)* **0.2** [achter een bepaalde lijn liggen] *recede* **0.3** [weer naar het vertrekpunt springen] *recoil* ⇒*rebound, spring back, snap back, click back* ♦ **1.2** een ~ de setback; een ~ de muur *a receding wall* **1.3** door een veer springt het knipje terug *the click / catch is snapped back by the spring* **6.3** de bal sprong terug **van** de paal *the ball rebounded from the post.*

terugstellen 〈ov.ww.〉 **0.1** [achteruitstellen] *set back* ⇒*reset,* 〈comp.〉 *backspace* **0.2** [degraderen] *relegate, demote* ♦ **1.2** een luitenant ~ *d. a lieutenant.*

terugsteltoets 〈de (m.)〉 **0.1** *backspace key* ⇒*backspacer.*

terugstoot 〈de (m.)〉 **0.1** *recoil* ⇒*kick.*

terugstorten 〈onov., ov.ww.〉 **0.1** *refund* ⇒*repay.*

terugstorting 〈de (v.)〉 **0.1** *repayment* ⇒*refund.*

terugstromen 〈onov., ov.ww.〉 **0.1** *flow back.*

terugtellen 〈onov., ov.ww.〉 **0.1** *count backwards* ♦ **6.1** kun jij van honderd tot een ~? *can you count backwards from 100?.*

terugtocht 〈de (m.)〉 **0.1** [terugreis] *journey back / home* ⇒*trip back / home, voyage home* 〈zee〉 **0.2** [gedwongen aftocht, 〈ook fig.〉] *retreat* ⇒*withdrawal* ♦ **3.1** de ~ aanvaarden *set off on the journey / trip / voyage home* **3.2** 〈fig.〉 iem. de ~ afsnijden *cut off s.o.'s (line off) retreat;* de ~ blazen *beat a (hasty) retreat.*

terugtrappen
I 〈onov.ww.〉 **0.1** [achterwaarts trappen] *backpedal* **0.2** [naar het punt van vertrek terugkeren] *cycle /* 〈inf.〉 *bike back;*
II 〈onov., ov.ww.〉 **0.1** [een trap geven als antwoord] *kick back;*
III 〈onov.ww.〉 **0.1** [door trappen doen terugkeren] *kick back.*

terugtraprem 〈de〉 **0.1** *back-pedal(ling) brake* ⇒*hub brake, dynohub,* 〈AE ook〉 *coaster brake.*

terugtreden 〈onov.ww.〉 **0.1** [zich terugtrekken] *withdraw (from)* ⇒*draw back (from), pull back / out* **0.2** 〈schr.〉 achteruit treden] *step / stand back* ♦ **4.2** ontzet trad zij een stap terug *she stood / stepped back / recoiled in horror* ¶**.1** ten gunste van een opvolger ~ *w. / retire / take a back seat / stand down in favour of a successor.*

terugtrekken
I 〈onov.ww.〉 **0.1** [achterwaarts gaan] *withdraw* ⇒*draw back, back away, retreat* **0.2** [terugkrabbelen, inbinden] *back out (of)* ⇒*take the back track, climb down (from), retract* ♦ **1.1** een ~ de beweging maken *draw / move back, make motions of withdrawal* **3.1** een paar tanks laten ~ *pull back some tanks* **6.1** het verslagen leger trok **naar** het zuiden terug *the defeated / vanquished army withdrew / retreated to the south;*
II 〈ov.ww.〉 **0.1** [achteruit verplaatsen] *withdraw* ⇒*draw / pull back* **0.2** [weer naar de plaats van herkomst trekken] *draw / pull back* **0.3** [intrekken] *withdraw* ⇒*recall* ♦ **1.1** zijn arm ~ *w. / draw back one's arm;* troepen ~ *w. / draw / pull back troops* **1.3** 〈fig.〉 een belofte ~ *recall a promise;* 〈sport〉 de aanvoerder trok zijn team terug *the captain withdrew his team* **6.3** een paard **uit** een race ~ *scratch a horse from a race;*
III 〈wk.ww.; zich ~〉 **0.1** [naar een rustige plaats gaan] *retire* **0.2** [niet meer deelnemen, terugtreden] *withdraw (from)* ⇒*opt out (of)* ♦ **5.2** zich snel ~ *beat a hasty retreat* **6.1** zich **in** zijn slaapkamer ~ *r. to one's bedroom;* zich **in / op** zichzelf ~ *withdraw into o.s., turn inwards upon o.s.;* zich **op** het platteland *retreat to the country* **6.2** zich **bij / voor** een examen / sollicitatie ~ *w. from / opt out of an exam / application;* zich **uit** de zaken ~ *retire / w. from business;* zich **uit** een karwei ~ 〈ook, vnl. BE〉 *contract o.s. out of a job* **8.2** zich als kandidaat / gegadigde ~ *stand down / w. as a candidate / from a candidacy;*
IV 〈ov.ww.〉 **0.1** [coïtus interruptus toepassen] *perform coitus interruptus, practice withdrawal / the withdrawal method.*

terugtrekking 〈de (v.)〉 **0.1** *withdrawal* ⇒〈mil. ook〉 *disengagement,* 〈mil.; inf.〉 *pullout,* 〈verklaring enz. ook〉 *taking-back,* 〈vnl. mbt. kettelijk〉 *recantation.*

terugval 〈de (m.)〉 **0.1** *regression* ⇒*relapse, reversion,* 〈hand.〉 *spin* 〈in prijs / waarde enz.〉 ♦ **6.1** de ~ in het oude patroon *the reversion / relapse into the old pattern, reversion to type.*

terugvallen ⟨onov.ww.⟩ **0.1** [opnieuw vervallen tot] *revert (to)* ⇒ *(re)lapse (into), revert (to), slide back (into), backslide* **0.2** [(+op) een beroep doen op] *fall back on* **0.3** [teruggekaatst worden] *reflect* **0.4** [weer vallen naar de oorspronkelijke plaats] *fall / drop back* ⇒*return, rebound* **0.5** ⟨(sport⟩ achteruitgaan in prestatie] *give way* ⇒*give / gain / lose ground (to)* **0.6** [verminderen] *drop* ◆ **1.3** het v.d. spiegel ~de licht *the light reflecting from / reflected by / from the mirror* **5.5** na een goede start viel de jonge deelnemer sterk terug *after a good start the young contestant lost much ground* **6.1** telkens in dezelfde gewoonte / somberheid ~ *relapse into / revert to the same habit / lapse into gloominess again and again* **6.2** als hij ontslag neemt, kan hij niet **op** zijn oude baan ~ *if he resigns, he won't be able to fall back on his old job;* ~ **op** een uitkering *fall back on a benefit / an allowance;* hij kan bij dit werk ~ **op** zijn ruime ervaring *he brings his wide experience to the task* **6.4** ⟨fig.⟩ die schande zal **op** uzelf ~ *your sins will come home to roost; vice is its own punishment.*

terugvaren ⟨onov.ww.⟩ **0.1** *sail back* ◆ **6.1 naar** de haven ~ ⟨ook⟩ *put back (in) to port.*

terugverdienen ⟨ov.ww.⟩ **0.1** [verdienen zodat men iets terug kan betalen of geïnvesteerd geld terugkrijgt] *earn (enough) to repay* **0.2** [de kosten eruit halen] *recover the costs on* ◆ **¶.2** dat verdien je al in twee maanden terug *it pays for itself / you'll recover your costs in two months.*

terugveren ⟨onov.ww.⟩ **0.1** *spring back.*

terugverlangen
I ⟨onov.ww.⟩ **0.1** [verlangen naar] *recall longingly / with longing* ◆ **6.1 naar** iets ~ *think back nostalgically / longingly to sth.;* **naar** huis ~ *long to go back home;*
II ⟨ov.ww.⟩ **0.1** [terugvragen] *ask back.*

terugvertalen ⟨ov.ww.⟩ **0.1** *retranslate* ⇒*translate back* ◆ **6.1** een theorie **naar** de praktijk ~ *r. theory into practice.*

terugverwijzen ⟨onov., ov.ww.⟩ **0.1** [verwijzen naar een eerdere vermelding] *refer back (to)* **0.2** [verwijzen naar een eerdere instantie] *refer back (to)* ◆ **6.1** hiervoor verwijs ik terug **naar** hoofdstuk 2 *for this, I refer / you are referred to chapter 2.*

terugverwijzing ⟨de (v.)⟩ **0.1** *referring / referral / reference back.*

terugvinden ⟨ov.ww.⟩ **0.1** [weer vinden] *find again / back* ⇒*recover, retrieve,* ⟨opnieuw opsporen⟩ *retrace* **0.2** [aantreffen] *find / encounter again / anew* **0.3** [herkennen] *recognize* ◆ **1.1** ⟨fig.⟩ zijn evenwicht ~ *right o.s.; recover one's balance;* ⟨fig.⟩ zijn identiteit ~ *find one's identity again, regain one's identity;* het spoor ~ *pick up the trail* **6.2** deze gedachte vindt men **bij** Paulus terug *this thought / concept can also be found / can be traced back to St. Paul;* al die schatten vindt men **in** de musea terug *all of those valuable articles will come to light again in the museums.*

terugvliegen ⟨onov.ww.⟩ **0.1** [weer vliegen naar de plaats van herkomst] *fly back* **0.2** [snel terugkeren] *fly back.*

terugvloeien ⟨onov.ww.⟩ **0.1** [teruglopen] *run / drain / flow back* **0.2** [vloeien naar de plaats waar iets vandaan is gekomen enz.] *flow back* ◆ **1.2** ⟨fig.⟩ het kapitaal vloeit terug naar de investeerder *the capital finds its way back to the investor.*

terugvloeiing ⟨de (v.)⟩ **0.1** *flow-back* ⇒*backflow, reflow,* ⟨wet. ook⟩ *reflux.*

terugvoeren ⟨ov.ww.⟩ **0.1** [naar een vroegere tijd verplaatsen] *take / carry back* **0.2** [weer voeren naar de plaats van herkomst] *lead back* **0.3** [als oorzaak iets anders aanwijzen] *trace back (to)* **0.4** [reduceren] *retrace* ⇒*trace back* ◆ **6.1** dat voert ons terug **naar** de Middeleeuwen *that takes / carries us back to the Middle Ages* **6.2** dieren **naar** de stal ~ *lead animals back to the stable* **6.3** deze ontwikkeling kun je ~ **op** het kabinetsbeleid *this development has its origins in government policy* **6.4** een reeks problemen ~ **tot** de kern *follow a series of problems back to the / their source(s).*

terugvorderen ⟨ov.ww.⟩ **0.1** *re-claim* ⇒*claim back* ◆ **1.1** geleverde koopwaar ~ *re-claim / claim back merchandise previously delivered;* een lening ~ *call (in) a loan.*

terugvordering ⟨de (v.)⟩ ⟨jur.⟩ **0.1** *reclamation.*

terugvragen ⟨ov.ww.⟩ **0.1** [vragen iets terug te geven] *ask back* **0.2** [uitnodigen] *return an invitation.*

terugvuren ⟨onov.ww.⟩ **0.1** *fire back* ⇒*return fire.*

terugwedstrijd ⟨de (m.)⟩ ⟨AZN⟩ **0.1** *return match, rematch.*

terugweg ⟨de (m.)⟩ **0.1** [weg terug] *return road / route* **0.2** [het teruggaan] *return* ⇒*way back* ◆ **2.1** een andere ~ nemen *take a different way back* **3.1** de ~ is afgesneden ⟨fig.⟩ *there is no turning back* **6.2 op** de ~ gaan we bij oma langs *on the / our way back we shall call on / look / drop in on grandmother* **¶.2** de ~ viel hem langer dan de heenweg *the way back seemed longer to him than the journey outward.*

terugwensen ⟨ov.ww.⟩ **0.1** [opnieuw willen bezitten] *want back* **0.2** [wensen dat iets / iem. terug is] *wish back* ◆ **4.2** zij wensten zich terug in hun nauwe bovenhuis *they wished themselves back in / they were sorry for having left their narrow upstairs flat.*

terugwerken ⟨onov.ww.⟩ **0.1** [invloed achterwaarts doen voelen] *retroact* ⇒*be retroactive / retrospective* **0.2** [effect hebben] *react (on)* ⇒*reverberate (over / upon)* ◆ **1.1** met ~de kracht *in retroaction, with ret-*

roactive / retrospective effect; met ~de kracht in doen gaan *backdate;* de nieuwe overeenkomst zal met ~de kracht gelden vanaf 1 januari / zal ~de kracht hebben tot 1 januari *the new agreement will be retroactive from / to 1 January* **6.1** deze wet werkt terug **tot** 1960 *this law is retroactive to 1960* **6.2** de stijging v.d. olieprijs zal ~ **op** de inflatie *the price increase of oil will react on inflation.*

terugwerking ⟨de (v.)⟩ **0.1** *retrospective effect / action* ⇒*retroaction, retroactive effect.*

terugwerpen ⟨ov.ww.⟩ **0.1** [achteruit werpen] *throw back* ⇒*repel* ⟨aanvaller⟩ **0.2** [weer werpen naar de plaats van herkomst] *throw back* ⇒ *return* ⟨bal⟩, *retort* ⟨antwoord⟩ ◆ **1.1** ⟨fig.⟩ ~ *look back, take a retrospective view;* het front werd teruggeworpen *the front was thrown back* **6.2** ⟨fig.⟩ **op** zichzelf teruggeworpen worden *be thrown upon one's own resources.*

terugwijken ⟨onov.ww.⟩ **0.1** *fall / draw back* ⇒*withdraw, retreat,* ↑*recede,* ⟨plotseling⟩ *flinch* ◆ **1.1** ~de haargroei *a receding hairline;* het leger week terug *the army retreated;* hij week een paar passen terug *he drew back a few paces* **¶.1** ze week terug toen ze het koude water voelde *she flinched as she felt the cold water.*

terugwijzen
I ⟨onov.ww.⟩ **0.1** [wijzen in richting van herkomst] *point back* **0.2** [wijzen naar iets in het verleden] *recall* ◆ **6.1** de wegwijzer wees terug **naar** ons vertrekpunt *the signpost pointed back to where we had started;*
II ⟨ov.ww.⟩ **0.1** [weigeren, afwijzen] *reject* ⇒*refuse, repulse, repel, decline* **0.2** [weer doen gaan naar de plaats van herkomst] *refer back (to)* ⇒ ⟨jur.⟩ *remit, send back* ◆ **1.1** een kandidaat ~ *reject / turn down a candidate* **6.2** ⟨jur.⟩ een zaak **naar** een andere rechter ~ *remit a case / send a case back to another judge.*

terugwinnen ⟨ov.ww.⟩ **0.1** [weer in bezit krijgen] *win back* ⇒*regain, redeem, retrieve, recoup* ⟨verlies⟩ **0.2** [door een bewerking opnieuw winnen] *recover* ⇒*reclaim* ◆ **1.1** zijn geld weer ~ *win back / regain one's money;* zijn gezondheid ~ *regain / recuperate one's health;* zijn goede naam ~ *redeem one's reputation / character;* het verloren terrein weer ~ *recover lost ground* **6.2 uit** afval kunnen we kostbare grondstoffen ~ *from waste we can recover / reclaim valuable materials.*

terugzakken ⟨onov.ww.⟩ **0.1** [weer naar de oorspronkelijke plaats zakken] *sink back* **0.2** [achteruitgaan in prestatie] *fall back* ◆ **6.1** grootvader zakte terug **in** zijn stoel *grandfather sank back into his chair;* ⟨sport; fig.⟩ zich laten ~ **in** het peloton *drop back into the pack / bunch / main group* **6.2** Ajax is teruggezakt **naar** de derde plaats *Ajax has fallen back to third place.*

terugzeggen ⟨ov.ww.⟩ **0.1** *answer back* ⇒*come back (at)* ⟨gevat⟩ ◆ **4.1** alles moet je maar aanhoren en niets mag je ~ *you just have to listen and not answer back;* durf je nog wat terug te zeggen ook, brutale aap *and you have the gall / nerve to answer me back too, you little brat.*

terugzenden ⟨ov.ww.⟩ **0.1** [wegzenden] *turn back / away* **0.2** [weer zenden naar de plaats van herkomst] *send back, return* ⇒*re(com)mit* ⟨naar commissie enz.⟩ **0.3** [als antwoord zenden] *send back* ◆ **1.2** een wetsontwerp (voor hernieuwde bespreking) ~ *recommit a bill* **1.3** dankbaar zond hij hem een telegram terug *he sent him back a telegram in gratitude* **5.2** gelieve het bewijs franco terug te zenden *please send back / return the certificate* ᴮ*post-free /* ᴬ*postpaid* **6.1 bij** de poort werden wij teruggezonden *we were turned back / away at the gate.*

terugzetten ⟨ov.ww.⟩ **0.1** [achteruit zetten] *put / set back* **0.2** [weer zetten op de plaats van herkomst] *put / place back* ⇒*replace* **0.3** [degraderen] *move down* ⇒*demote, reduce, relegate, degrade* ◆ **1.1** ⟨fig.⟩ de klok ~ *put the clock back;* de wijzers ~ *put / move back the hands* **1.2** een boek ~ *put / place back / replace a book;* vis ~ *throw a fish back* **1.3** een leerling (een klas) ~ *move a pupil down / back (to an easier class)* **6.1** de teller ~ **op** nul *reset the counter* **6.3** iem. in rang ~ *reduce s.o. (in rank), demote s.o.;* iem. **in** salaris ~ *dock s.o.'s salary.*

terugzien
I ⟨onov.ww.⟩ **0.1** [terugblikken] *look back* ◆ **6.1** met genoegen **op** een verjaardag ~ *look back on a birthday with pleasure;* **op** zijn vroegere leven ~ *look back on / review one's life;*
II ⟨ov.ww.⟩ **0.1** [weerzien] *see again* ◆ **1.1** van dat geld zal ik nooit een cent ~ *I shall never see a cent of that money back;* zijn geboorteplaats ~ *see one's birthplace again* **4.1** wij zullen elkaar nooit ~ *we shall never see each other again;* dat we elkaar op deze manier ~! *what a way to see each other again!.*

terugzoeken ⟨ov.ww.⟩ **0.1** [weer trachten te vinden door terug te gaan] *go back and look (for)* ⇒*retrace* **0.2** [opnieuw trachten te vinden] *look for / up again* ⇒*seek again* ◆ **1.1** de weg ~ *retrace one's steps* **1.2** een plaats in een boek ~ *look up a passage in a book (again).*

terwijl ⟨vw.⟩ **0.1** [gedurende de tijd dat] *while* **0.2** [ofschoon] *whereas* ⇒ *while* ◆ **¶.1** ~ hij omkeek, ontsnapte de dief *w. he looked round / behind him, the thief escaped / made off* **¶.2** hij werkt over, ~ zijn vrouw vandaag jarig is *he is doing / working is / on overtime even though his wife is having her birthday today;* sommigen baden zich in weelde, ~ anderen vergaan van ellende *some people live in the lap of luxury, whereas / while others are perishing of want.;* ~ je donders goed weet dat het niet mag ... *when you know darn(ed) well that it is forbidden / not allowed / that you shouldn't / oughtn't.*

terzelfder ⟨schr.⟩ ◆ **1.**¶ ~ plaats *at the same place*; ~ tijd *at the same time*.

terzet ⟨het⟩ **0.1** [⟨muz.⟩] *terzetto* ⇒*terzet* **0.2** [⟨lit.⟩] *tercet*.

terzijde¹ ⟨het⟩ **0.1** [⟨dram.⟩] *aside* ⇒*stage whisper* **0.2** [zijdelingse opmerking/notitie] *aside*.

terzijde² ⟨bw.⟩ **0.1** [naar opzij] *aside* **0.2** [aan de zijkant] *to/at the side* ⇒ *beside* **0.3** [⟨dram.⟩] *aside* ◆ **3.1** ~ geschoven worden ⟨fig.⟩ *go by the wayside, be pushed aside/given the go-by, be disregarded*; iets ~ laten *leave sth. aside/out of the picture*; ~ leggen *put a., put on/to one side, set a.*; iets ~ schuiven ⟨afwijzen⟩ *push/brush sth. aside*; ⟨inf.⟩ *count sth. out*; ⟨BE; inf.⟩ *give the go-by to sth.*; ⟨trachten te vergeten⟩ *set sth. aside* ⟨bv. zorgen⟩; de stierenvechter sprong ~ *the bullfighter jumped a.*; iem. ~ staan *assist/stand by/support s.o.* **4.1** dit ~ *obiter dictum, by the way* **6.2** iem. **van** ~ opnemen/bekijken *look aside/sideways/sidelong/askance at s.o., look at s.o. from the corner/tail of one's eye*.

terzijdelating ⟨de (v.)⟩ **0.1** *disregard* ◆ **6.1 met** ~ **van** alles wat overbodig was in d. of/leaving/putting *aside/disregarding everything that is superfluous*.

terzine ⟨de (v.)⟩ ⟨lit.⟩ **0.1** *terza rima*.

test
I ⟨de (m.)⟩ **0.1** [toetsing] *test* ⇒*check, trial* ◆ **2.1** een mondelinge ~ *a quiz*; ⟨BE ook⟩ *viva (voce)* ⟨op school/universiteit⟩; een schriftelijke ~ *a (test) paper* **3.1** iem. een ~ afnemen *put s.o. to the test/through his paces, test s.o.*; de motor heeft de ~s goed doorstaan *the motor/engine has stood the tests/trials well* **6.1** een ~ **op** doping *a drug(ging) check (up)*;
II ⟨de⟩ **0.1** [hoofd] *noggin, conk* ⇒ ⟨sl.⟩ *nut, coco(nut)*, ⟨BE; sl.⟩ *napper*, ⟨AE; sl.⟩ *bean* **0.2** [oude vuurpot] *firepan*.

test. ⟨afk.⟩ **0.1** [testament] *T.* ⟨last) will⟩ **0.2** [testis] ⟨*witness*⟩.

testament ⟨het⟩ **0.1** [uiterste wil] *will* ⇒*last will (and testament)* **0.2** [geschrift] *testament* **0.3** [gedeelte v.d. bijbel] *Testament* ⇒ ⟨exemplaar ook⟩ *testament* ◆ **2.1** openbaar ~ *notarial w.* **2.2** het politiek ~ van Richelieu *the political t. of Richelieu* **2.3** lezing uit het Nieuwe Testament *second lesson*; het Oude en Nieuwe Testament *the Old and New T.*; lezing uit het Oude Testament *first lesson* **3.1** hij kan zijn ~ wel maken *he's done for (it), he's had it*; een ~ maken/herroepen *make/revoke a w.* **6.1** iets bij ~ vermaken *will/legate sth.*; iem. **in** zijn ~ zetten *remember s.o. in one's w.*; je staat niet in zijn ~ *you are not mentioned in his w.*; **volgens** het ~ van ...*under the w. of* ...; **zonder** ~ sterven *die intestate*.

testamentair ⟨bn., bw.⟩ **0.1** *testamentary* ◆ **1.1** de ~e bepalingen *the terms of a will*; een eigendom bij ~e beschikking vermaken *pass a property under will*; ~e beschikkingen *t. dispositions, devises*.

testapparaat ⟨het⟩ **0.1** *test(ing) apparatus/machine* ⇒*tester*.

testateur ⟨de (m.)⟩, **-trice** ⟨de (v.)⟩ **0.1** *testate* ⟨m., v.⟩ ⇒*testator* ⟨m.⟩, *testatrix* ⟨v.⟩, ⟨erflater⟩ *legator*.

testauto ⟨de (m.)⟩ **0.1** *test car*.

testbaan ⟨de⟩ **0.1** *test course*.

testbeeld ⟨het⟩ **0.1** *test card*.

test-case ⟨de (m.)⟩ **0.1** [proefproces] *test case* **0.2** [proef] *test (case)* ⇒ *experiment*.

testen ⟨ov.ww.⟩ **0.1** *test* ⇒*examine, check, pretest* ⟨vooraf⟩, ⟨tech.⟩ *prove* ⟨bv. geweer⟩ ◆ **1.1** zijn vaardigheid in iets ~ *try one's hand at sth.* **5.1** een motor nog uitgebreider ~ *put a motor to further trial* **6.1** in de praktijk ~ *field-test*; ⟨sport⟩ de renners ~ op doping *check the runners for (evidence of) drugs/drug-taking*; op de markt ~ *test-market*.

testeren ⟨ov.ww., onov.ww.⟩ **0.1** [bij beschikking vermaken] *bequeath (to)* **0.2** [getuigen] *attest*.

testikel ⟨de (m.)⟩ **0.1** *testicle* ⇒*testis*.

testimonium ⟨het⟩ **0.1** [getuigschrift] *testimonial* ⇒ ⟨BE ook⟩ *testamur* ⟨ihb. aan universiteit⟩ **0.2** [getuigenis] *testimony* ◆ **¶.1** ~ paupertatis *proof of indigence/financial need*.

testis ⟨de (m.)⟩ **0.1** *testis* ⇒*testicle*.

testmethode ⟨de (v.)⟩ **0.1** *test method* ⇒*method of testing*.

testosteron ⟨het⟩ ⟨med.⟩ **0.1** *testosterone*.

testpiloot ⟨de (m.)⟩ **0.1** *test pilot*.

testresultaat ⟨het⟩ **0.1** *test result*.

testrijder ⟨de (m.)⟩ **0.1** *test driver*.

teststraat ⟨de⟩ **0.1** *diagnostic centre*.

testvlucht ⟨de⟩ **0.1** *test flight*.

tetanie ⟨de (v.)⟩ ⟨med.⟩ **0.1** *tetany*.

tetanus ⟨de (m.)⟩ ⟨med.⟩ **0.1** [infectieziekte] *tetanus* ⇒*lockjaw* **0.2** [spierkramp] *tetanus*.

tetanusserum ⟨het⟩ **0.1** *tetanus serum/vaccine*.

tête-à-tête
I ⟨het⟩ **0.1** [gesprek] *tête-à-tête*;
II ⟨het, de (m.)⟩ **0.1** [tweezitsbankje] *tête-à-tête, love seat* **0.2** [series] *breakfast/coffee/tea set for two*.

tetra
I ⟨de (m.)⟩ **0.1** [tetrachloorkoolstof] *carbon tetrachloride*;
II ⟨de⟩ **0.1** [vochtabsorberend weefsel] ≠*gauze*.

tetracycline ⟨het⟩ ⟨bioch.⟩ **0.1** *tetracycline*.

tetraëder ⟨de (m.)⟩ ⟨wisk.⟩ **0.1** *(regular) tetrahedron*.

tetragonaal ⟨bn.⟩ **0.1** *tetragonal* ⇒ ⟨kristallografie ook⟩ *dimetric*.

tetragram ⟨het⟩ **0.1** *tetragram*.

tetralogie ⟨de (v.)⟩ **0.1** *tetralogy*.

tetrameter ⟨de (m.)⟩ **0.1** *tetrameter*.

tetrarch ⟨de (m.)⟩ ⟨gesch.⟩ **0.1** *tetrarch*.

tetteren ⟨onov.ww.⟩ ⟨inf.⟩ **0.1** [luid praten] *trumpet, blare* **0.2** [veel drinken] *booze* **0.3** [muziek maken] *toot(le)*.

teug ⟨de⟩ **0.1** *draught*, ^A*draft* ⇒*pull, gulp, drink*, ⟨inf.⟩ *swig* ◆ **2.1** met grote ~en drinken *drink deep, gulp (down), down*; met kleine ~jes drinken *sip*; met lange ~en drinken *take long draughts*; ⟨schr.⟩ *quaff*; hij ademde de vrije lucht met volle ~en in *he took (in) deep breaths of the fresh air*; ⟨fig.⟩ met volle ~en van iets genieten *enjoy sth. thoroughly/to the full* **3.1** een ⟨flinke⟩ ~ nemen van *pull at/on* **6.1** hij dronk het glas in één ~ leeg *he emptied/drained the glass at a/one draught, he tossed off his drink*.

teugel ⟨de (m.)⟩ **0.1** *rein* ⟨vaak mv.⟩ ⇒ ⟨van rijpaard ook⟩ *bridle rein* ◆ **1.1** ⟨fig.⟩ de ~s v.d. regering in handen hebben *hold the reins of government* **2.1** lichte ~ *bridoon*; met losse ~(s) rijden *ride with slack reins/on a long r.*; ⟨fig.⟩ zijn hartstochten de vrije ~ geven *give (free) r. to one's passions/feelings*; ⟨fig.⟩ iem. de vrije ~ laten *give free/full r. / give the reins to s.o., keep a slack/loose r. on s.o.*; een paard de vrije ~ geven/laten *give a horse the rein(s)/his head* **3.1** een paard de ~ aandoen *bridle a horse*; ⟨fig.⟩ de ~s aanhalen *tighten up, tighten the reins*; ⟨fig.⟩ de ~(s) afwerpen *slip the/one's collar, run wild*; ⟨fig.⟩ de ~ kort houden *maintain a strict rule, keep (s.o.) on a short/light r.*; ⟨fig.⟩ iem. de ~s uit handen nemen *take over the reins from s.o.*; ⟨fig.⟩ de ~s in handen nemen *take (up) the reins, assume control, take charge*; ⟨fig.⟩ de ~(s) vieren *give r., loosen/slacken the reins* **6.1** een paard **bij** de ~ leiden *lead a horse by the reins*.

teugelloos ⟨bn., bw.; -ly⟩ **0.1** [zonder teugel] *unbridled* **0.2** [⟨fig.⟩] *uncontrolled* ⇒*uncurbed, unbridled, rampant*.

teunisbloem ⟨de⟩ **0.1** *evening primrose*.

teut¹ ⟨de (m.)⟩ ⟨bel.⟩ **0.1** [treuzelaar] *dawdler* ⇒ ⟨inf.⟩ *slowcoach*, ⟨AE ook⟩ *slowpoke*, ⟨sl.⟩ *Weary Willie* **0.2** [zeur] *drivel(l)er* ⇒.

teut² ⟨bn.⟩ ⟨inf.⟩ **0.1** *tight* ⇒*lit up, heeled*, ⟨BE ook⟩ *blotto*, ⟨AE ook⟩ *cooked, boiled, sloshed* ◆ **3.1** een beetje ~ zijn ⟨AE ook⟩ *have a glow on*; ⟨sl.⟩ *be a bit on* **5.1** half/een beetje ~ ⟨BE ook⟩ *tiddl(e)y*.

teuten ⟨onov.ww.⟩ **0.1** [treuzelen] *dilly-dally, dawdle, potter* **0.2** [kletsen, zeuren] *drivel, chatter, blather*.

teuterig ⟨bn., bw.; -ly⟩ **0.1** *finicky, finical* ⇒*pernickety, fussy*.

Teutoons ⟨bn.⟩ **0.1** [als (van) de Teutonen] *Teutonic* **0.2** [Duits] *Teutonic* ⇒*Germanic*.

teveel ⟨het⟩ ⟨→sprw. 129⟩ **0.1** *surplus* ⇒*overplus, overspill* ◆ **6.1** een ~ **aan** groente *a s. / a glut of vegetables*.

tevens ⟨bw.⟩ **0.1** [daarbij] *also, besides* **0.2** [tegelijkertijd] *at the same time* **0.3** [samen] *as well as, likewise*.

tevergeefs¹
I ⟨bn.⟩ **0.1** [vergeefs] *in vain* ⇒*to no avail/effect* ◆ **1.1** al haar inspanningen waren ~ *all her efforts were in vain/to no avail*;
II ⟨bw.⟩ **0.1** [zonder succes] *in vain* ⇒*vainly* ◆ **3.1** ik heb ~ gezocht *I have searched in vain*.

tevergeefs² ⟨tw.⟩ **0.1** *in vain* ⇒*to no/without avail*.

tevoorschijn ⟨bw.⟩ **0.1** *out* ◆ **3.1** iets ~ halen om het te laten zien *bring out/take out/produce sth. to show*; als het donker wordt komen de vleermuizen ~ *when night falls the bats come out/emerge*.

tevoren ⟨bw.⟩ **0.1** [vroeger] *before, previously* **0.2** [vooraf] *beforehand* ◆ **1.1** een jaar ~ *a year b. / p. 5.1* kort ~ *lately*; meer dan ooit ~ *more than ever b., unprecedentedly* **6.2** van ~ *before(hand), in advance*.

tevreden ⟨bn.⟩ **0.1** [voldaan] *satisfied* ⇒*pleased, contented* **0.2** [genoegen nemend (met)] *satisfied* ⇒*pleased, contented* **0.3** [⟨AZN⟩] zijn zin schik] *delighted, pleased* ◆ **2.1** ik ben dik ~ *I am well pleased* **3.1** iem. ~ stellen *satisfy s.o., give s.o. satisfaction*; ~ zijn dat ...*be glad that* ... **3.2** zich ~ stellen met ...*content o.s. with/make the best of* ... **5.2** zij is snel ~ *she is easily s.* **6.1** ~ **met/over** zichzelf *self-satisfied/contented, patting o.s. on the back* **6.2** ~ **met** de voorgestelde regeling *be s. / pleased with the settlement proposed*; **met** weinig ~ moeten zijn *have to make do with little*.

tevredenheid ⟨de (v.)⟩ **0.1** [voldoening] *satisfaction* ⇒*contentment* **0.2** [instemming] *satisfaction* ⇒*satisfaction* ◆ **6.1 tot** ~ **van** allen *to everyone's s.* **6.2** reden **tot** ~ geven *give (cause for) s., be satisfactory*; dat stemt **tot** ~ *that is satisfactory/gratifying* **6.**¶ een boterham **met** ~ *just a crust*.

tevredenstellen ⟨ov.ww.⟩ **0.1** *satisfy* ⇒*please, content, meet* ⟨behoefte⟩, *indulge* ⟨wens⟩ ◆ **4.1** zich met iets ~ *content o.s. with/make the best of sth.*.

tewaterlating ⟨de (v.)⟩ **0.1** *launching*.

teweegbrengen ⟨ov.ww.⟩ **0.1** *bring about* ⇒*bring on* ⟨ziekte/beroerte enz.⟩, *effect, produce* ⟨verandering/onrust enz.⟩, *induce* ⟨slaap/ziekte/stemming⟩.

tewerkgestelde ⟨de (m.)⟩ **0.1** *employee* ⇒ ⟨handenarbeid ook⟩ *worker*.

tewerkstellen ⟨ov.ww.⟩ **0.1** *employ* ⇒*set to work, hire*.

tewerkstelling ⟨de (v.)⟩ **0.1** *employment*.

tewerkstellingsprogramma ⟨het⟩ **0.1** *(re)employment programme* ^Agram.

textiel[1]
 I ⟨het, de (m.)⟩ **0.1** [stof] *textile* ⇒*(textile) fabric* **0.2** [textielwaren]
 textiles ⇒*(textile) fabrics*, ⟨AE ook⟩ *dry goods;*
 II ⟨de⟩ **0.1** [industrie] *textile industry.*

textiel[2] ⟨bn.⟩ **0.1** *textile* ◆ **1.1** ~e kunst *textural art, fabric design;* docent
 ~e werkvormen *teacher of textural arts.*

textielarbeider ⟨de (m.)⟩ **0.1** *textile worker.*

textielbaron ⟨de (m.)⟩ **0.1** *textile baron/magnate.*

textieldruk ⟨de (m.)⟩ **0.1** *textile printing.*

textielfabriek ⟨de (v.)⟩ **0.1** *textile factory.*

textielindustrie, -nijverheid ⟨de (v.)⟩ **0.1** *textile industry.*

textielprodukt ⟨het⟩ **0.1** *textile (product/fabric).*

textielschool ⟨de⟩ **0.1** *college of textile marketing/technology.*

textielververij ⟨de (v.)⟩ **0.1** [handeling] *textile-dyeing* **0.2** [plaats] *dyeworks; dyehouse.*

textuur ⟨de (v.)⟩ **0.1** *texture* ⇒*grain, grit* ⟨van steen⟩, *wale* ⟨van tex-
 tiel⟩.

tezamen ⟨bw.⟩ **0.1** *together* ◆ **3.1** alles ~ genomen *all in all, when all is
 said and done.*

tg. ⟨afk.⟩ **0.1** [tangens] *tan.*.

TGG ⟨afk.⟩ ⟨taal.⟩ **0.1** [transformationeel-generatieve grammatica] *TG*
 ⟨*transformational grammar*⟩.

tgov. ⟨afk.⟩ **0.1** [tegenover] ⟨*as opposed to, against*⟩.

t-groep ⟨de⟩ **0.1** ≠*theory group* ⟨*technical school students studying mote
 theoretical subjects*⟩.

t.g.t. ⟨afk.⟩ **0.1** [te gelegener tijd] ⟨*in due time, in good season*⟩.

t.g.v. ⟨afk.⟩ **0.1** [ten gevolge van] ⟨*as a result of, in consequence of*⟩ **0.2**
 [ter gelegenheid van] ⟨*on the occasion of*⟩ **0.3** [ten gunste van] ⟨*in
 favour of*⟩.

t.h. ⟨afk.⟩ **0.1** [ten honderd] ⟨*per cent(um)*⟩.

T.H. ⟨de⟩ ⟨afk.⟩ **0.1** [Technische Hogeschool] ⟨*(technological) university, university of technology*⟩.

Thailand ⟨het⟩ **0.1** *Thailand.*

Thailander ⟨de (m.)⟩, **-landse** ⟨de (v.)⟩ **0.1** *Thai.*

thalassemie ⟨de (v.)⟩ ⟨med.⟩ **0.1** *thalassaemia.*

thalassotherapie ⟨de (v.)⟩ **0.1** *thalasso therapy* ⇒⟨inf.⟩ *sea-side cure.*

thalidomide ⟨het⟩ **0.1** *thalidomide.*

thallium ⟨het⟩ **0.1** *thallium.*

thanatologie ⟨de (v.)⟩ **0.1** [leer v.d. dood] *thanatology* **0.2** [tak v.d. psy-
 chologie] *thanatology.*

thans ⟨bw.⟩ ⟨schr.⟩ **0.1** [op dit ogenblik] *at present, now* ⇒⟨AE ook⟩
 presently **0.2** [tegenwoordig] *nowadays, at present* **0.3** [na wat voorafgegaan is] *now.*

thaumatologie ⟨de (v.)⟩ **0.1** *thaumatology.*

theater ⟨het⟩ **0.1** [schouwburg] *theatre* ⇒*playhouse, music hall, hippodrome* ⟨voor variété⟩, *flea-pit* ⟨goor/vuil/goedkoop⟩ **0.2** [artistieke
 produktie] *dramatic/performing arts* ⇒*(the) stage* **0.3** [aanstellerij]
 show ⇒*theatrics, dramatics, histrionics* ◆ **3.3** hou op met dat ~! *stop
 putting it on like that!* **6.1** die film draait op het moment in verschillende ~s *that film is currently running in several* ^Bcinemas/^Amovie
 theaters.*

theateragent ⟨de (m.)⟩ **0.1** *impressario.*

theaterbezoek ⟨het⟩ **0.1** ⟨alg.⟩ *theatregoing* ⇒*theatre attendance*, ⟨één
 bezoek⟩ *visit to a/the theatre.*

theaterbureau ⟨het⟩ **0.1** *theatrical agency.*

theaterstuk ⟨het⟩ **0.1** *(stage) play.*

theatertaxi ⟨de (m.)⟩ **0.1** *shared taxi/cab.*

theaterwetenschap ⟨de (v.)⟩ **0.1** *drama(turgy).*

theatraal
 I ⟨bn., bw.; -ly⟩ **0.1** [overdreven] *theatrical* ⇒*histrionic, showy, spectacular* ◆ **1.1** ~gedoe *theatric(al)s, dramatics, histrionics;* een theatra-
 le zet *a t./an impressive!* ⟨pej.⟩ *a ridiculous move* **3.1** ~ optreden *act/
 behave in an exaggerated way;*
 II ⟨bn.⟩ **0.1** [mbt. het toneel] *theatrical, dramatic.*

thé dansant ⟨het, de (m.)⟩ **0.1** *thé dansant* ⇒*tea dance,* ⟨studentenfuif⟩
 ball, disco, party.

thee ⟨de (m.)⟩ **0.1** [bladeren] *tea* **0.2** [drank] *tea* ⇒⟨BE; inf.⟩ *char* **0.3**
 [kop, glas] *tea* **0.4** [het drinken] *tea* **0.5** [handel] *tea (business/trade)* ◆
 1.2 een kopje ~ *a cup of t.;* ⟨BE; verk.; inf.⟩ *a cuppa/cupper;* ~ van
 lindebloesem *linden t., tilled;* ⟨vero.⟩ *tilly-t.* **2.1** (gerookte) Chinese ~
 China/smoky t., lapsang souchong; groene ~ *green* ~ **2.2** slappe ~
 weak/washy t. **3.1** ~ drogen *fire t.* **3.2** ~ drinken *drink/have/take t.;*
 ~ inschenken *pour out, be mother;* laat de ~ nog maar even trekken
 just let the t. brew/steep a bit longer; ~ zetten *make t., brew up, have a
 brew-up* **3.3** ik heb twee ~ besteld *I have ordered two teas/cups of t.*
 3.4 de congresleden een ~ aanbieden *entertain the members of the
 congress with tea* **6.4** aan/bij de ~ kwamen de gesprekken los *the t. loosened people's tongues;* op de ~ komen *come to t.* **6.5** in de ~ zitten *be
 in t./the t. business.*

theebeschuitje ⟨het⟩ **0.1** *tea biscuit/cracker.*

theebeurs ⟨de⟩ →**theemuts.**

theeblad ⟨het⟩ **0.1** [blad v.d. theestruik] *tea-leaf* **0.2** [stukje blad waarvan thee gezet wordt] *tea-leaf* **0.3** [dienblad] *tea-tray.*

theebon ⟨de (m.)⟩ **0.1** *tea voucher.*

theebuiltje ⟨het⟩ **0.1** *tea bag.*

theebus ⟨de⟩ **0.1** *tea-caddy.*

theecultuur ⟨de (v.)⟩ **0.1** *tea-culture/growing.*

theedoek ⟨de (m.)⟩ **0.1** ^Btea-towel/, ^Adishtowel* ⇒⟨BE ook⟩ *dishcloth,
 dishrag, tea-cloth.*

theedrinken ⟨onov.ww.⟩ **0.1** *have tea* ⇒*tea* ◆ **6.1** we hebben vaak bij
 hen theegedronken *we have often gone to/had tea with them.*

theeëi ⟨het⟩ **0.1** *tea ball.*

theeglas ⟨het⟩ **0.1** *tea-glass.*

theegruis ⟨het⟩ **0.1** *broken tea.*

theehuis ⟨het⟩ **0.1** [restaurant] *tearoom* ⇒*teashop, café* **0.2** [handels-
 huis] *tea-firm/merchant.*

theehuisje ⟨het⟩ **0.1** *summerhouse* ⇒*gazebo.*

theekast ⟨de⟩ **0.1** *tea-table with storage compartment for cups).*

theeketel ⟨de (m.)⟩ **0.1** *tea kettle* ⇒*(tea) urn* ⟨groot⟩.

theekop ⟨de (m.)⟩ **0.1** *teacup.*

theekransje ⟨het⟩ **0.1** *tea circle, tea-party.*

theelepeltje ⟨het⟩ **0.1** *teaspoon* ⇒⟨hoeveelheid⟩ *teaspoonful* ◆ **1.1** een
 ~ zuiveringszout *a teaspoonful of bicarbonate (of soda)/baking soda*
 2.1 een afgestreken ~ *a level teaspoon.*

theeleut ⟨de (m.)⟩ ⟨inf.⟩ **0.1** *tea drinker, tea-bibber.*

theelichtje ⟨het⟩ **0.1** *hot plate (for tea).*

theemeubel ⟨het⟩ **0.1** ≠*tea table.*

Theems ⟨de⟩ **0.1** *Thames.*

theemuts ⟨de⟩, **-beurs** ⟨de⟩ **0.1** *(tea-)cosy* ^Azy.

theepauze ⟨de⟩ **0.1** *tea-break.*

theeplanter ⟨de (m.)⟩ **0.1** *tea-grower.*

theepot ⟨de (m.)⟩ **0.1** *teapot.*

theeroos ⟨de⟩ **0.1** *tea rose.*

theeschenkerij ⟨de (v.)⟩ **0.1** *teashop* ⇒*tearoom, (roadside) (tea and)
 snack-bar.*

theeschepje ⟨het⟩ **0.1** *tea scoop.*

theeschoteltje ⟨het⟩ **0.1** *saucer* ◆ **8.1** ogen opzetten als ~s *have eyes like
 saucers.*

theeservies ⟨het⟩ **0.1** *tea service/set.*

theestruik ⟨de (m.)⟩ **0.1** *tea(shrub).*

theetafel ⟨de (m.)⟩ **0.1** *tea-table.*

theetante ⟨de (v.)⟩ **0.1** *gossip.*

theetegel ⟨de (m.)⟩ **0.1** *teapot stand.*

theetijd ⟨de (m.)⟩ **0.1** *tea-time.*

theetuin ⟨de⟩ **0.1** *teagarden* ⇒*pleasure garden.*

theevisite ⟨de⟩ **0.1** *tea(-party)* ⇒⟨inf.⟩ *tea-fight* ◆ **6.1** op ~ gaan bij iem.
 have/go/come to tea with s.o.

theewagen ⟨de (m.)⟩ **0.1** ^Btea-trolley, ^Atea wagon* ⇒⟨AE ook⟩ *teacart.*

theewater ⟨het⟩ **0.1** *tea-water* ◆ **3.1** het ~ opzetten *put the kettle on (for
 tea)* **6.¶** boven zijn ~ zijn *have had a drop too much;* ⟨inf.⟩ *be squiffy/
 under the influence;* ⟨vnl. BE⟩ *be tipsy.*

theeworstje ⟨het⟩ **0.1** *smoked (and spiced) sausage(-spread).*

theezakje ⟨het⟩ **0.1** *tea bag.*

theezeefje ⟨het⟩ **0.1** *teastrainer.*

theïsme ⟨het⟩ **0.1** *theism.*

theïst ⟨de (m.)⟩ **0.1** *theist.*

theïstisch ⟨bn.⟩ **0.1** *theistic(al).*

thema
 I ⟨het⟩ **0.1** [onderwerp] *theme* ⇒*subject (matter), topic* **0.2** [grondge-
 dachte, motief] *theme* **0.3** [⟨taal.⟩] *theme* ⇒*stem* ◆ **1.2** ⟨muz.⟩ herhaling van het ~ *recurrence/reappearance of the t.* **2.2** dat zijn maar
 nieuwe variaties op een oud t.; ⟨fig.⟩ *these are only variations on a t./
 an old t.;* ⟨inf.⟩ *basically it's the same old story/same old song (and
 dance)* **3.1** een ~ aansnijden *broach the subject of .../a subject* **6.2**
 ⟨muz.⟩ variaties op een ~ *maken make variations on a t.;* ⟨lit.⟩ het ~
 van de verloren zoon *the t. of the prodigal son;*
 II ⟨het, de⟩ **0.1** [te vertalen tekst] *translation exercise* ◆ **3.1** ~'s
 maken *do translation exercises.*

themaboek ⟨het⟩ **0.1** *book of translation exercises.*

themanummer ⟨het⟩ **0.1** *special issue* ⇒*special.*

thematiek ⟨de (v.)⟩ **0.1** [⟨lit.⟩] *theme(s)* ⇒*subject matter* **0.2** [⟨muz.⟩]
 theme(s).

thematisch
 I ⟨bn., bw.; -ally⟩ **0.1** [een onderwerp behandelend] *thematic* **0.2**
 [⟨muz.⟩] *thematic* **0.3** [⟨lit.⟩] *thematic* ◆ **1.1** een ~e aanpak *a t. approach;* een ~e analyse *a t. analysis;* een ~e bewerking *t. development, development of a theme;* ~e catalogus *subject catalogue* ^Alog;
 ⟨muz.⟩ *t. catalogue* ^Alog; ~e kaarten *t. charts;* ~ onderwijs *t. teaching*
 3.1 ~ gerangschikt *arranged by topic/subject;*
 II ⟨bn.⟩ **0.1** [⟨taal.⟩] *thematic* ◆ **1.1** ~e werkwoorden *t. verbs.*

thematologie ⟨de (v.)⟩ ⟨lit.⟩ **0.1** *theme/thematic study* ⇒*thematics.*

themavocaal ⟨de⟩ ⟨taal.⟩ **0.1** *thematic vowel.*

theocraat ⟨de (m.)⟩ **0.1** *theocrat.*

theocratie ⟨de (v.)⟩ **0.1** [staat] *theocracy* **0.2** [heerschappij van priesters]
 theocracy.

theocratisch ⟨bn., bw.; -ally⟩ **0.1** *theocratic.*

theogonie ⟨de (v.)⟩⟨rel.⟩ **0.1** *theogony*.

theologant ⟨de (m.)⟩ **0.1** *theological student, student of divinity, divinity student* ⇒*theologue*, ⟨AE;sl. ook⟩ *jasper*, ⟨vnl. r.k.⟩ *seminarist*, ᴬ*seminarian*.

theologie ⟨de (v.)⟩ **0.1** *theology* ⇒*divinity* ♦ **2.1** praktische ~ *practical*/ ⟨tech.⟩ *pastoral t.*.

theologiestudent ⟨de (m.)⟩ →**theologant**.

theologisch ⟨bn., bw.; -ly⟩ **0.1** *theological* ♦ **1.1** de ~e faculteit *the Theological*/*Theology*/*Divinity Department, the Faculty of Theology*/*Divinity*.

theologiseren ⟨onov. ww.⟩ **0.1** *theologize*.

theoloog ⟨de (m.)⟩, -**loge** ⟨de (v.)⟩ **0.1** [godgeleerde] *theologian* ⇒*theologist, theologue* **0.2** [student] ⟨→**theologant**⟩.

theonomie ⟨de (v.)⟩ **0.1** *theonomy*.

theorema ⟨het⟩ **0.1** *theorem*.

theoreticus ⟨de (m.)⟩, -**ca** ⟨de (v.)⟩ **0.1** [wetenschapper] *theoretician, theorist* **0.2** [iem. die geen rekening houdt met praktische uitvoerbaarheid] *theorizer, theorist* ⇒⟨inf.⟩ *closet*/*armchair thinker*, ⟨bel.⟩ *theory-monger*.

theoretisch

  I ⟨bn.⟩ **0.1** [mbt. de theorie, grondregels] *theoretic(al)* **0.2** [berustend op een theorie] *theoretic(al)* ⇒*speculative, hypothetical* **0.3** [zich niet in de praktijk voordoend] *theoretic(al)* ⇒*academic* ♦ **1.1** een ~ examen *a theory exam*; ~e kennis *theoretical knowledge*; ⟨pej.⟩ *bookish knowledge, book learning* **1.2** een ~e verklaring voor iets geven *give a theoretical explanation for sth.* **1.3** een ~ verschil *a theoretical*/*an academic difference*;

  II ⟨bw.⟩ **0.1** [wat de theorie betreft, volgens de theorie] *theoretically, in theory* ⇒⟨in abstracto ook⟩ *in the abstract* ♦ **2.1** dat is ~ verklaarbaar *that can be explained in theory* **3.1** een techniek ~ beheersen *have an armchair skill*; een mening ~ funderen *base an opinion on theory*.

theoretiseren ⟨onov. ww.⟩ **0.1** *theorize* ⇒*speculate*, ↑*conjecture*.

theorie ⟨de (v.)⟩ **0.1** [grondregels, beginselen] *theory* ⇒*theoretics* **0.2** [systeem van denkbeelden] *theory* ⇒*hypothesis* **0.3** [opvatting in het abstracte] *theory* ⇒*hypothesis* ♦ **1.3** ~ en praktijk *t. and practice* **2.2** fantastische ~ën ontwikkelen *develop fantastic*/*wild theories, fantasize, speculate wildly* **3.1** zijn ~ halen *pass one's theory test*; ~ hebben *have theory lessons* **3.2** een ~ opstellen/verdedigen *draw up*/*defend a theory* **3.3** dat is ~! *that is pure*/*mere*/*only t.*; dat zijn maar ~ën *that is mere t., those are mere theories* **6.3** in ~ is dat mogelijk *theoretically (speaking) that's possible*.

theorieles ⟨de⟩ **0.1** *theory lesson*.

theorievorming ⟨de (v.)⟩ **0.1** ⟨samenstellen⟩ *formulation*/⟨grondvesting⟩ *creation*/*establishment*/⟨ontwikkeling⟩ *development of a*/*the theory*/*of theories*.

theosofie ⟨de (v.)⟩ **0.1** *theosophy*.

theosofisch ⟨bn., bw.; -(al)ly⟩ **0.1** *theosophic(al)*.

theosoof ⟨de (m.)⟩, -**sofe** ⟨de (v.)⟩ **0.1** *theosophist* ⇒*theosoph(er)*.

therapeut ⟨de (m.)⟩, -**e** ⟨de (v.)⟩ **0.1** *therapist*.

therapeutisch ⟨bn., bw.; -(al)ly⟩ **0.1** *therapeutic(al)*.

therapie ⟨de (v.)⟩ **0.1** [geneeswijze] *therapy* ⇒*therapeutics* ⟨als discipline⟩ **0.2** [psychotherapie] *(psycho)therapy* ♦ **6.1** ⟨fig.⟩ een ~ voor het omgaan met lastige klanten *a recipe for dealing with tough customers* **6.2** in ~ zijn *be having*/*undergoing t.*.

thermaal ⟨bn.⟩ **0.1** *thermal*.

thermen ⟨zn.mv.⟩ **0.1** *thermae* ⇒*Roman baths*.

thermiek ⟨de (v.)⟩⟨meteo.⟩ **0.1** *thermal* ⇒*up-current, updraught* ᴬ*updraft*.

thermiekbel ⟨de⟩ →**thermiek**.

thermiet ⟨het⟩ **0.1** *thermit(e)*.

thermisch ⟨bn., bw.⟩ **0.1** [wat de warmte betreft] *thermal* **0.2** [met behulp van warmte] *thermal* ♦ **1.1** ~e behandeling *heat treatment, thermo-therapy*; ~e isolatie *t.*/*heat insulation* **1.2** ~ kraken *t. cracking*; ~e lans *thermic lance* **2.1** de ~e evenaar *the t. equator*; ~e verontreiniging *t. pollution* **2.2** ⟨schei.⟩ ~e analyse *t. analysis*; een ~e centrale *a t. power station* **3.2** ~ verzinken ⟨zelfst.⟩ *thermogalvanizing*.

thermobarometer ⟨de⟩ **0.1** *thermobarometer*.

thermochemie ⟨de (v.)⟩ **0.1** *thermochemistry*.

thermodiffusie ⟨de (v.)⟩ **0.1** *thermal diffusion*.

thermodynamica ⟨de (v.)⟩ **0.1** *thermodynamics*.

thermodynamisch ⟨bn., bw.; -ally⟩ **0.1** *thermodynamic*.

thermo-elektriciteit ⟨de (v.)⟩ **0.1** *thermoelectricity*.

thermo-elektrisch ⟨bn.⟩ **0.1** *thermoelectric*.

thermo-element ⟨het⟩ **0.1** *thermoelement*.

thermofiel ⟨bn., bw.⟩ **0.1** *thermophil(e), thermophilic, thermophilous*.

thermogeen ⟨bn.⟩ **0.1** *thermogenic*.

thermograaf ⟨de (m.)⟩ **0.1** *thermograph*.

thermografie ⟨de (v.)⟩ **0.1** ⟨med.⟩ *thermography* **0.2** [het in beeld brengen van temperatuurverschillen aan de oppervlakte] *thermography*.

thermogravimetrie ⟨de (v.)⟩⟨nat.⟩ **0.1** *thermogravimetry*.

thermoharder ⟨de (m.)⟩ **0.1** *thermosetting, thermohardening*.

thermokoppel ⟨het⟩ **0.1** [elektromotorische kracht] *thermoelectromotive force* **0.2** [toestel] *thermocouple*.

thermolabiel ⟨bn.⟩ **0.1** *thermolabile*.

thermoluminescentie ⟨de (v.)⟩⟨nat.⟩ **0.1** *thermoluminescence*.

thermomagnetisch ⟨bn.⟩ ♦ **1.¶** ~e verschijnselen *thermomagnetic phenomena*.

thermomagnetisme ⟨het⟩⟨nat.⟩ **0.1** *thermomagnetism*.

thermometer ⟨de (m.)⟩ **0.1** *thermometer* ⇒⟨zelfregistrerend⟩ *thermograph*, ⟨med.⟩ *(clinical) thermometer* ♦ **1.1** de ~ van Celsius *the Celcius*/*centigrade thermometer*; de ~ van Fahrenheit *the Fahrenheit thermometer* **3.1** de ~ aanleggen *take s.o.'s*/*one's temperature*; de ~ daalt/stijgt *the thermometer is falling*/*rising* **6.1** op de ~ kijken *read the thermometer*; de ~ stond op twintig graden Celsius/Fahrenheit *the thermometer read*/*stood at twenty degrees centigrade*/*Fahrenheit*.

thermometerbuis ⟨de⟩ **0.1** *thermometer tube*.

thermometerhut ⟨de⟩ **0.1** *thermometer shelter*.

thermometerstand ⟨de (m.)⟩ **0.1** *thermometer reading*.

thermometrie ⟨de (v.)⟩ **0.1** *thermometry*.

thermometrisch

  I ⟨bn.⟩ **0.1** [aangewezen door de thermometer] *thermometric(al)*;

  II ⟨bw.⟩ **0.1** [dmv. de thermometer] *thermometrically*.

thermonucleair ⟨bn.⟩ **0.1** *thermonuclear* ♦ **1.¶** ~e bom *t.*/*fusion bomb*.

thermopane ⟨de⟩ **0.1** *double-glazing*.

thermoplast ⟨de⟩ **0.1** *thermoplastic*.

thermoplastisch ⟨bn.⟩⟨nat.⟩ **0.1** *thermoplastic*.

thermoscoop ⟨de (m.)⟩ **0.1** [toestel dat temperatuurveranderingen aangeeft] *thermoscope* **0.2** [brandalarmtoestel] *fire detector*.

thermosfeer ⟨de⟩ **0.1** *thermosphere*.

thermosfles ⟨de⟩ **0.1** *thermos (flask)* ⇒⟨vacuum⟩ *flask*, ⟨vnl. AE⟩ *thermos*/*vacuum bottle*.

thermoskan ⟨de⟩ **0.1** *thermos (jug)* ⇒⟨met pompje⟩ *air pot*.

thermostaat ⟨de (m.)⟩ **0.1** [warmteregelaar] *thermostat* **0.2** [afgesloten ruimte] *incubator* ♦ **5.1** de ~ hoger zetten *turn up the t.*.

thermostabiel ⟨bn.⟩⟨schei.⟩ **0.1** *thermostable*.

thermostatisch ⟨bn., bw.; -ally⟩ **0.1** *thermostatic* ♦ **3.1** ~ geregeld *t., thermostatically controlled*.

thermotaxie ⟨de (v.)⟩ **0.1** *thermotaxis* ⇒⟨vnl. planten⟩ *thermotropism*.

thermotherapie ⟨de (v.)⟩ **0.1** *thermotherapy*.

thermoweerstand ⟨de (m.)⟩ **0.1** *thermistor* ⇒*thermal resistor*.

thermozuil ⟨de⟩ **0.1** *thermopile*.

thesaurie ⟨de (v.)⟩ **0.1** *treasury* ⇒⟨mbt. onderwijsinstelling of religieuze orde ook⟩ *bursary* ♦ **2.1** de stedelijke ~ raakte uitgeput *the municipal t. was running out of funds*.

thesaurier ⟨de (m.)⟩ **0.1** *treasurer* ⇒⟨ihb. van instellingen voor hoger onderwijs⟩ *bursar, purse bearer, controller, comptroller*.

thesaurier-generaal ⟨de (m.)⟩ **0.1** ≠*Comptroller and Auditor-General* ⇒ *chief treasurer*.

thesaurus ⟨de (m.)⟩ **0.1** *thesaurus*.

these ⟨de (v.)⟩ **0.1** *thesis* ⇒⟨niet bewezen⟩ *postulate, premise, proposition*.

thesis ⟨de (v.)⟩ **0.1** *thesis* ⇒⟨stelling ook⟩ *proposition*.

Thessalonicenzen ⟨zn.mv.⟩⟨bijb.⟩ **0.1** *Thessalonians*.

thetisch ⟨bn., bw.; -(al)ly⟩ **0.1** [v.d. aard v.e. these] *thetic(al)* **0.2** [stellend] *thetic(al)*.

Thomas ⟨de (m.)⟩ ♦ **2.¶** een ongelovige ~ *a doubting Thomas*.

thomasslakkenmeel ⟨het⟩ **0.1** *basic slag*.

thomisme ⟨het⟩ **0.1** *Thomism*.

thomist ⟨de (m.)⟩ **0.1** *Thomist*.

thomistisch ⟨bn.⟩ **0.1** *Thomist(ic(al))*.

thora ⟨de (v.)⟩ **0.1** [joods wetboek] *torah* ⟨ook T-⟩ **0.2** [de Mozaïsche wet] *torah* ⟨ook T-⟩ **0.3** [de joodse godsdienst] *torah* ⟨ook T-⟩.

thorax ⟨de (m.)⟩ **0.1** *thorax, ribcage* ⟨mens, dier⟩; *thorax* ⟨insekt⟩.

thoraxchirurgie ⟨de (v.)⟩ **0.1** *chest*/*thoracic surgery*.

thorium ⟨het⟩ **0.1** *thorium*.

thrombociet ⟨de (m.)⟩ **0.1** *thrombocyte* ⇒*platelet*.

thrombus ⟨de (m.)⟩ **0.1** *thrombus* ⇒*(blood)clot*.

t.h.t. ⟨afk.⟩ **0.1** [tenminste houdbaar tot] ⟨*use*/*best before*⟩.

thuis¹ ⟨het⟩ **0.1** *home* ⇒⟨fig.⟩ *hearth, (the) fireside* ♦ **3.1** zijn ~ hebben *live in*; hij heeft geen ~ *he has no home* **4.1** mijn ~ *my home* **6.1** bericht van ~ krijgen *receive news from home*; van ~ weg zijn *live away from home* **7.1** het is bijna een tweede ~ *it's a home away from home*.

thuis² ⟨bw.⟩ ⟨→sprw. 356,482⟩ **0.1** [naar huis] *home* **0.2** [in huis] *at home* ⇒*in*, ⟨in de huiselijke kring⟩ *en famille* **0.3** [aanwezig] *in* ♦ **1.2** ⟨fig.⟩ handen ~ ⟨*keep your*⟩ *hands off, lay off*; je bent zeker de lolligste ~ *I suppose you think you're amusing*/*funny*; verzorging/verpleging ~ *home nursing* **3.1** de artikelen worden kosteloos ~ bezorgd *the articles are delivered h. free* **3.2** ik zal ze ~ even bellen, ⟨inf.⟩ ik zal ~ even bellen *I'll give them a ring at home*; ⟨inf.⟩ *I'll give my folks a ring*; vanmiddag ben ik ~ *I'll be at home*/*in this afternoon*; voor jou ben ik altijd ~ *I'm always there for you*; zodra ik ~ ben, bel ik je even *I'll give you a call as soon as I'm home*; ik ben voor niemand ~ *I'm not at home*/*in to*/*for anyone, I'm out to everybody*; doe maar of je ~ bent *make yourself at home*/*comfortable*; ze doet ~ naaiwerk/vertaalwerk *she takes in sewing / translations;* zich ergens ~ gaan voelen *settle down / in;* hij gaf niet ~ *he backed out;* niet ~ geven *not answer (the bell / door / telephone);* is meneer ~? ja, hij is net ~ van jan kantoor *is the master in? yes; he's just returned from the office;* niet ~ slapen *sleep out;* ⟨sport⟩ spelen we zondag ~? *do we play a home match this Sunday?;* niemand ~ treffen *find nobody at home / in;* iem. (bij zich) ~ uitnodigen / ontvangen *ask s.o. round / to one's house, have s.o. in;* zich ergens ~ voelen *feel at home / ease somewhere, feel (as if) one belongs somewhere;* hij was niet ~ *he wasn't in / at home, he was out;* hij woont nog ~ *he's still living at home;* ⟨fig.⟩ ⟨AZN⟩ niet ~ zijn *be miles away;* ⟨fig.⟩ ergens ~ zijn *be at home / ease, belong somewhere;* voor donker ~ zijn *be home before dark* 5.1 ⟨fig.⟩ samen uit, samen ~ *we stick together, we're in this together;* wel ~! *safe journey!, get h. safe(ly)!* 5.2 weer ~ *home again* 6.2 bij ons ~ *at our place, in our home,* bach bonbon; *bij* jou ~ *(over) at your place;* ⟨fig.⟩ ergens **in** ~ raken *find one's feet, start to find / know one's way around in sth.;* ⟨fig.⟩ slecht ~ zijn **in** *not know much about, be out of one's depth in, not know one's way around;* ⟨fig.⟩ **in** iets (goed) ~ zijn *be well up in / on sth., be at home with / in / on sth., be familiar with sth., be well read / versed in sth.;* ⟨fig.⟩ **van** alle markten ~ zijn *know all the answers.*

thuisbank ⟨de⟩ **0.1** *home banking (system).*

thuisbankier ⟨de (m.)⟩ **0.1** *home-banker.*

thuisbasis ⟨de (v.)⟩ **0.1** *home base.*

thuisbevalling ⟨de (v.)⟩ **0.1** *home confinement* ⇒*delivery / birth at home.*

thuisbezorgen ⟨ov.ww.⟩ **0.1** *deliver (to the house / door).*

thuisbezorging ⟨de (v.)⟩ **0.1** *home delivery.*

thuisblijven ⟨onov.ww.⟩ **0.1** *stay at home / in* ◆ **1.1** een paar dagen ~ *lay off a couple of days* **3.1** ⟨fig.⟩ hij kan wel ~ *there's no point in his trying / coming* **5.1** de kinderen kunnen nog niet alleen ~ *the children can't be left on their own yet* ¶.¶ ⟨kaartspel⟩ hoog op of ~! *put up or shut up!, ≠a higher card takes the trick!*

thuisblijver ⟨de (m.)⟩, **-blijfster** ⟨de (v.)⟩ **0.1** *person who stays at home* ◆ **7.1** de ~s *those / ⟨voetbal ook⟩ fans who stay / stayed at home;* ⟨bij verkiezing⟩ *stay-at-home voters.*

thuisbrengen ⟨ov.ww.⟩ ⟨→sprw. 669⟩ **0.1** [naar / aan huis brengen] *bring / see home* ⇒⟨naar zijn eigen huis brengen⟩ *take home,* ⟨thuis / in-brengen⟩ *bring in* **0.2** [weten te plaatsen] *place* ⇒*identify,* ⟨herkennen⟩ *know* ◆ **1.1** de boodschappen ~ *take the shopping home;* de man werd ziek thuisgebracht *the man was brought home sick;* een meisje ~ ⟨ook⟩ *walk a girl home;* een leuk salaris ~ *bring in a decent salary;* ⟨AE;sl.⟩ *knock down a good salary* **3.2** ik kan haar niet precies ~ *I can't put a name to her;* iets / iem. niet thuis kunnen brengen *not be able to p. sth. / s.o.* **4.1** ⟨fig.⟩ het wordt hem thuisgebracht *it is presented to him on a platter* **6.2** iets ~ **onder** een rubriek *p. sth. in a column.*

thuisclub ⟨de⟩ **0.1** *home club / team / side.*

thuisfluiter ⟨de (m.)⟩ ⟨sport⟩ **0.1** *home referee.*

thuisfront ⟨het⟩ **0.1** [de mensen die thuis gebleven zijn] *home front* **0.2** [⟨mil.⟩] *home front* ◆ **6.1** nieuws van het ~ *news from the h. f..*

thuishalen ⟨ov.ww.⟩ **0.1** *bring / fetch home* ◆ **1.1** de Here heeft thuisgehaald *... the Lord has called ... unto his bosom / himself.*

thuishaven ⟨de⟩ **0.1** *home port, port of register / registry;* ⟨fig.⟩ *home base, haven.*

thuishonk ⟨het⟩ **0.1** *home (plate / base).*

thuishoren ⟨onov.ww.⟩ **0.1** [zijn plaats hebben] *belong* ⇒*go* **0.2** [afkomstig zijn van] *be / come from* ⇒*home,* ⟨van schip / persoon ook⟩ *hail from* ◆ **1.2** waar / in welke haven hoort dat schip thuis? *where is that ship registered at?, where does that ship hail from?, which port does that ship belong to?, what is that ship's home / port / port of registry?* **4.1** terechtkomen waar men thuishoort *find one's level* **4.2** waar hoort zij thuis? *where does she hail from?, where is her home?* **5.1** dat speelgoed hoort hier niet thuis *those toys don't b. here* **5.2** hoor je hier in de buurt thuis? *do you come from around here?, are you a native (of these parts)?* **6.1** dat hoort eigenlijk meer **bij** de taalkunde thuis *that is more properly dealt with / treated in linguistics, that is really the domain of linguistics;* woorden die niet ~ **in** het vocabulaire v.e. beschaafd iem. *words which don't b. in the vocabulary of a civilized person* **6.2** hij hoort **in** Amsterdam thuis *he hails from / is a native of Amsterdam;* dit soort plantjes hoort thuis **op** vochtige veengronden *these kinds of plants have their habitat in moist peatlands* ¶.1 waar hoort dat thuis? *where does that go?*

thuishouden ⟨ov.ww.⟩ **0.1** [in huis houden] *keep at home* **0.2** [bij zich houden] *keep / lay off* ◆ **1.1** een ziek kind een tijdje ~ *keep a sick child at home for a while* **1.2** zijn handen niet thuis kunnen houden *not be able to keep one's hands to s.o.;* hou je handen thuis! *keep / lay off me!, (keep your) hands off (me)!;* die griezel kon zijn poten niet ~ *the creep couldn't keep his hands off me.*

thuiskeer ⟨de (m.)⟩ ⟨schr.⟩ **0.1** *homecoming* ⇒*return.*

thuiskomen ⟨onov.ww.⟩ **0.1** *come home* ⇒*come / get back, return* ◆ **3.1** je moet ~ *you're wanted at home* **5.1** als ik te laat thuiskom, dan ... *if I'm late, then ...;* ik kom vanavond niet thuis *I'm stopping out / won't be in tonight* **5.¶** ⟨AZN⟩ daar ben ik van thuisgekomen *I've given that up;* hij is lelijk thuisgekomen *he got the short end of the stick* **6.1**

ik kom vaak **bij** hem thuis *I often go to his place / home* **6.¶ van** een koude kermis ~ *come home by Weeping Cross, meet with a rebuff, bring one's eggs / hogs to the wrong / a bad market;* ⟨AZN⟩ **van** een kale reis ~ *get a rough deal* ¶.1 wanneer kom je thuis? *when will you get / be back / home?;* altijd op tijd ~ ⟨ook⟩ *keep regular hours.*

thuiskomertje ⟨het⟩ **0.1** *spare (tyre* ^*tire) that will just get one home.*

thuiskomst ⟨de (v.)⟩ **0.1** *homecoming, return* ◆ **2.1** behouden ~ *safe r..*

thuiskrijgen ⟨ov.ww.⟩ **0.1** *have delivered (at home)* ◆ **1.1** ⟨fig.⟩ zijn trekken ~ *get one's due / deserts, get as good as one gives.*

thuisland ⟨het⟩ **0.1** *homeland.*

thuislaten ⟨ov.ww.⟩ **0.1** *leave at home* ◆ **1.1** de vrouw(en) ~ ⟨ook⟩ *go stag.*

thuisloos ⟨bn.⟩ **0.1** *homeless* ⇒*roofless, shelterless* ◆ **7.1** ⟨zelfst.⟩ de thuislozen *the h., derelicts.*

thuismarkt ⟨de⟩ **0.1** *domestic / home market.*

thuisreis ⟨de⟩ **0.1** *homeward journey, home passage / voyage / way* ◆ **6.1** hij is **op** de ~ *he's bound for home;* **op** de ~ stopten ze alleen in L. *on the home passage / way home they only stopped in L..*

thuistaal ⟨de⟩ **0.1** *(local) dialect / speech.*

thuisvloot ⟨de⟩ **0.1** *home fleet.*

thuisvlucht ⟨de⟩ **0.1** *return / homeward flight.*

thuiswedstrijd ⟨de (m.)⟩ **0.1** *home game / match / tie* ⇒*home.*

thuiswerk ⟨het⟩ **0.1** *outwork* ⇒⟨huisindustrie / nijverheid⟩ *cottage industry* ◆ **3.1** ~ doen *take in o..*

thuiswerker ⟨de (m.)⟩, **-ster** ⟨de (v.)⟩ **0.1** *outworker.*

thuiswijzen ⟨ov.ww.⟩ ⟨AZN⟩ **0.1** *class, classify.*

thuiszitten ⟨onov.ww.⟩ **0.1** ~ de bejaarden *housebound old people, shut-ins* **5.1** zij zit altijd maar thuis *she's a stay-at-home, she's a real homebird / homebody /* ^*housebody.*

thuiszorg ⟨de⟩ **0.1** *home / domiciliary care.*

thuja ⟨de (m.)⟩ **0.1** *thuja, thuya* ⇒*arborvitae.*

thulium ⟨het⟩ **0.1** *thulium.*

thymus ⟨de (m.)⟩ **0.1** *thymus (gland)* ⇒⟨eetbaar, van vee⟩ *sweetbread.*

thyrsusstaf ⟨de (m.)⟩ **0.1** *thyrsus.*

ti ⟨de⟩ ⟨muz.⟩ **0.1** *te.*

tiara ⟨de⟩ **0.1** *tiara.*

tibet ⟨het⟩ **0.1** *thibet.*

Tibet ⟨het⟩ **0.1** *Tibet.*

Tibetaan ⟨de (m.)⟩, **-se** ⟨de (v.)⟩ **0.1** *Tibetan.*

tic ⟨de (m.)⟩ **0.1** [zenuwtrekking] *tic* ⇒*jerk,* ⟨zenuwstuip(trekking)⟩ *nervous tremor* **0.2** [eigenaardig aanwensel] *trick* ⇒*quirk* **0.3** [scheutje sterke drank] *≠shot* ◆ **1.3** een tonic met een ~ *a tonic with a s. (of gin), a gin and tonic* **3.2** zij heeft een ~ om alles te bewaren *she's got a quirk of hoarding things* ¶.1 ~ douloureux *trigeminal / trifacial neuralgia.*

tichel ⟨de (m.)⟩ **0.1** *flag (stone)* ⇒*tile,* ⟨straatsteen⟩ *paving (stone).*

tichelaar ⟨de (m.)⟩ **0.1** *tilemaker* ⇒*brickmaker, brickfielder.*

tichelaarde ⟨de⟩ **0.1** *brick clay / earth.*

tichelen

I ⟨onov.ww.⟩ **0.1** [tichels vormen] *make flagstones / tiles / paving stones / bricks;*

II ⟨ov.ww.⟩ **0.1** [met tichels beleggen] *tile* ⟨vloer, muur⟩; *pave* ⟨straat⟩.

tich,eloven ⟨de (m.)⟩ **0.1** *brick-kiln.*

tichelwerk ⟨het⟩ **0.1** [werk van tichelaars] *tile setting, paving* ⇒*bricklaying* **0.2** [gemetseld werk] *tiling, paving* ⇒*brickwork, masonry.*

tie-break ⟨de (m.)⟩ ⟨sport⟩ **0.1** *tiebreak(er).*

tien[1] ⟨de⟩ **0.1** [cijfer] *ten* **0.2** [⟨kaartspel⟩] *ten* **0.3** [tiental] *ten* ◆ **2.1** een Romeinse ~ *a Roman t., the Roman numeral t.* **3.3** het kost twee ~en *it costs two tenners / tens;* eerst de enen en dan de ~en optellen *first add up the ones and then the tens* **6.1** een ~ **met** een griffel (en een zoen van de juffrouw) *top of the class, A plus gold star;* een ~ **voor** Engels *an A for English.*

tien[2] ⟨→sprw. 183,612⟩

I ⟨hoofdtelw.⟩ **0.1** *ten* ◆ **1.1** ~ fouten in ~ regels *t. mistakes in as many lines;* de ~ geboden *the Ten Commandments;* ⟨scherts.⟩ *one's paws;* in negen van de ~ gevallen *in nine out of t. cases;* zij is ~ jaar *she is t. years old / of age;* ~ jaar a decade; een man of ~ *about t. people;* ~ minuten pauze nemen *take t.* **4.1** wij waren met ons ~en *there were t. of us* **6.1** iets in ~en breken *break sth. into t. pieces;* kinderen onder de ~ *children under / younger than t.;* ~ **tegen** één dat ... *ten to one that ...;* hij ziet eruit of hij niet **tot** ~ kan tellen *he doesn't look very bright;* **van** ~ **tot** elf hebben we geschiedenis *we've got history from t. to eleven;* een briefje **van** ~ *a tenner, a ten-spot;* praats hebben **voor** ~ *be too big for one's boots / breeches /* ^*britches;* zij kreeg een ~ **voor** haar examen *she aced her exam;* het is ~ **voor / over** ~ *it's t. to / after (t.);*

II ⟨rangtelw.⟩ **1.1** ~ *tenth* ◆ **1.1** hoofdstuk ~ *chapter ten;* zijn verjaardag is ~ juli *his birthday is on July 10th;* hij woont op nummer ~ *he lives at number ten.*

tienarmig ⟨bn.⟩ **0.1** [met tien vangarmen] *decapod(al / an / ous)* **0.2** [met tien armen] *ten-armed / branched* ◆ **1.2** een ~e kandelaar *a t.-b. candelabrum* **7.1** ⟨zelfst.⟩ de ~en *the decapods.*

tiend ⟨het, de (m.)⟩ ⟨gesch.⟩ **0.1** *tithe* ⇒⟨Sch.E⟩ *teind* ◆ **3.1** ~en heffen op iets *tithe sth., levy a t. on sth..*

tiendaags 〈bn.〉 **0.1** [tien dagen durend] *ten days', ten-day* 〈alleen attr.〉 **0.2** [om de tien dagen terugkerend] *occurring every tenth day* ⇒*recurring at ten-day intervals* ◆ **1.1** de ∼e veldtocht *the ten days' campaign.*

tiende¹ 〈bn.〉 **0.1** *tenth* ⇒*tithe, deci-* ◆ **7.1** een drie∼baan *a job of three half-days per week;* een∼gedeelte; 〈zelfst.〉 een∼*a tenth (part), a tithe.*

tiende² 〈rangtelw.〉 **0.1** *tenth* ◆ **6.1** ten ⇒*tenthly* **7.1** Karel de∼*Charles the Tenth, Charles X.*

tiendelig 〈bn.〉 **0.1** [uit tien delen bestaand] *tenfold; ten-part* 〈alleen attr.〉; 〈boekwerk〉 *in ten volumes,* 〈attr.〉 *ten-volume* **0.2** [decimaal] *decimal* ◆ **1.1** een∼e serie *a series in ten parts* **1.2** 〈wisk.〉 ∼e breuk *a decimal (fraction).*

tienderlei 〈bn.〉 **0.1** *in ten varieties, in / of ten (different) kinds.*

tiendubbel 〈bn., bw.〉 **0.1** [in tien lagen] *ten-layered, in ten rows* **0.2** [tienvoudig] *tenfold* ◆ **3.2** ik zal het hem∼betaald zetten *I'll pay him back t..*

tienduizend¹ 〈het〉 **0.1** *ten thousand* ◆ **7.1** enige ∼en *some tens of thousands.*

tienduizend² **0.1** *ten thousand.*

tienduizendste¹ 〈bn.〉 **0.1** *ten thousandth.*

tienduizendste² 〈rangtelw.〉 **0.1** *ten thousandth.*

tienender 〈de (m.)〉 **0.1** *hart of ten.*

tiener 〈de (m.)〉 **0.1** *teen-ager,* ^A*teen* ⇒〈sl.; dweperig tienermeisje〉 *teenybopper,* 〈jonge tiener, tussen 10 en 13〉 *preteen.*

tieneridool 〈het〉 **0.1** *teen-age star / idol.*

tienerjaren 〈zn.mv.〉 **0.1** *teens.*

tienerprogramma 〈het〉 **0.1** *programme* ^A*gram for teenagers* ⇒*teenagers' programme* ^A*gram.*

tienertoerkaart 〈de〉 〈spoorwegen〉 **0.1** *teen(age) / student rover ticket.*

tienguldenstuk 〈het〉 **0.1** *ten-guilder / florin piece / coin.*

tienhelmig 〈bn.〉 〈biol.〉 **0.1** *decandrous.*

tienhoek 〈de (m.)〉 〈wisk.〉 **0.1** *decagon.*

tienhoekig 〈bn.〉 **0.1** *decagonal.*

tienjaarlijks 〈bn.〉 **0.1** *ten-year(ly)* ⇒〈zeldz.〉 *decennial* ◆ **1.1** ∼e herdenking / jubileumviering *tenth / ten-year anniversary.*

tienjarig 〈bn.〉 **0.1** *decennial* ⇒*ten-year* 〈alleen attr.〉 ◆ **1.1** een∼bestaan vieren / herdenken *celebrate / commemorate a d. / tenth anniversary;* op∼e leeftijd *at the age of ten;* een∼onderzoek *a d. / ten-year investigation / research project.*

tienkamp 〈de (m.)〉 **0.1** *decathlon.*

tienkamper 〈de (m.)〉 **0.1** *decathlete.*

tienman 〈de (m.)〉 〈Romeinse gesch.〉 **0.1** *decemvir.*

tienmanschap 〈het〉 **0.1** [samengesteld bestuur] *decemvirate* ⇒*commission / council / board of ten* **0.2** [〈Romeinse gesch.〉] *decemvirate.*

tienponder 〈de (m.)〉 **0.1** *ten pounder.*

tienpotig 〈bn.〉 **0.1** *ten-legged / footed.*

tienregelig 〈bn.〉 **0.1** *(consisting) of ten lines* ⇒*ten-line* 〈alleen attr.〉.

tienrittenkaart 〈de〉 **0.1** *ten-ride ticket / pass.*

tiental 〈het〉 **0.1** [de hoeveelheid tien als eenheid] *ten;* 〈periode van tien jaar ook〉 *decade* **0.2** [veelvoud van tien] *ten* ◆ **1.1** pakweg een∼dagen later *nine or ten days later, about ten days later;* na enkele∼len jaren *after a few decades* **1.2** ik kan zo∼len voorbeelden noemen *I can name dozens of examples off the top of my head.*

tientallig 〈bn.〉 **0.1** *decimal* ⇒*decadal, decadic,* 〈decimaal〉 *denary* ◆ **1.1** 〈wisk.〉 het∼stelsel *the ordinary / denary scale;* overgaan op het∼stelsel *go decimal.*

tientje 〈het〉 **0.1** [〈geldw.〉] *tenner* ⇒〈BE ook〉 *bonce,* 〈AE; sl.〉 *sawbuck* **0.2** [gebedje] *decade* ◆ **2.1** een gouden∼*a gold ten-guilder / florin piece / coin* **3.1** het kost maar een∼*it's only a t.* **3.2** ∼bidden *pray a d..*

tientjeslid 〈het〉 〈radio, t.v.〉 **0.1** *member on reduced subscription.*

tienvingersysteem 〈het〉 **0.1** *touch system.*

tienvlak 〈het〉 〈wisk.〉 **0.1** *decahedron.*

tienvoud 〈het〉 **0.1** [tienmaal zo grote hoeveelheid] *tenfold* ⇒*decuple* **0.2** [veelvoud van tien] *tenfold.*

tienvoudig
I 〈bn.〉 **0.1** [tienmaal zo veel / groot] *tenfold, ten times* ◆ **1.1** een∼e prijs *ten times the price;*
II 〈bw.〉 **0.1** [tienmaal] *tenfold* ◆ **3.1** iets∼kopiëren *make ten copies of sth..*

tienzijdig 〈bn.〉 **0.1** *decagonal* ◆ **1.1** een∼e veelhoek *a decagon.*

tier 〈de (m.)〉 **0.1** *growth* ◆ **7.1** ergens geen∼hebben *not (be able to) thrive somewhere;* er zit geen∼meer in die plant *that plant has stopped thriving.*

tiërceren 〈ov.ww.〉 **0.1** *reduce to one-third / by two-thirds.*

tierelantijn 〈de (m.)〉 **0.1** [versiersel] *frill* 〈ook muz.〉 ⇒*furbelow,* 〈muz. ook; inf.〉 *twiddley bits* **0.2** [uitvlucht] *frill* ◆ **3.2** maak nou maar geen ∼tjes, we begrijpen je best *forget all the frills, we know what you mean* **6.1** een jurk met ∼en *a dress with (all sorts of) frills.*

tierelieren 〈onov.ww.〉 **0.1** *twitter;* 〈schr.〉 *warble.*

tieren 〈onov.ww.〉 **0.1** [schreeuwen] *yell* ⇒*bawl, bluster, roar* 〈wind〉 **0.2** [woedend tekeergaan] *rage* ⇒*rant, rave* **0.3** [welig groeien] *thrive* ⇒*flourish* ◆ **1.1** de wind raast en tiert *the wind blusters and roars* **1.2**

een ∼de menigte *a raging crowd* **1.3** de handel tiert *trade is booming / thriving* **3.2** schelden en ∼ *rant and rave* **3.3** zij kan er niet ∼ *she doesn't t. there;* het wil met hem niet ∼ *he doesn't get anywhere* **5.3** die planten ∼ hier goed *those plants do well / t. / flourish here;* welig ∼ *flourish, be luxuriant;* 〈fig.〉 *be abundant /* 〈pej.〉 *rampant / rife;* welig ∼d onkruid *rampant / rank / thick(ly)-growing weeds.*

tierig 〈bn., bw.; -ly〉 **0.1** [welig opkomend] *thriving* ⇒*vigorous* **0.2** [levendig] *lively* ◆ **1.2** de kinderen zijn altijd even ∼ *the children are as l. as ever* **3.1** die planten groeien ∼ *those plants thrive / are vigorous.*

tierigheid 〈de (v.)〉 **0.1** *liveliness* ⇒*life* ◆ **7.1** alle ∼ is eruit, het beest is vast ziek *all the life's gone out of him, the creature must be sick.*

tiet 〈de〉 〈inf.〉 **0.1** [vrouwenborst] *boob* ⇒〈BE ook〉 *knocker,* ↓*tit* **0.2** [kluit] ↑*pile* ⇒ ↑*heap,* ↑*lump* ◆ **1.2** een hele ∼ geld *a great p. of money* **3.1** het kind een ∼ geven ↑*nurse / suckle / breast-feed the baby* **4.1** wat een ∼en heeft die meid! *she's got a nice pair of (boobs / knockers / tits)!* **6.1** het kind ligt **aan** de ∼ ↑*the baby's being nursed* **8.¶** lopen als een ∼ *run fast, hare (off);* 〈BE ook〉 *run like the clappers.*

tig 〈hoofdtelw.〉 〈inf.〉 **0.1** *umpteen;* 〈heel veel〉 *zillions* ◆ **1.1** ik heb het al ∼ keer gezegd *I've already said it u. times* **3.1** hij heeft er ∼ thuis liggen *he's got zillions of those at home.*

tij 〈de〉 〈→sprw. 32〉 **0.1** [periode waarin de zee opkomt / afloopt] *tide* **0.2** [stroming] *tide* **0.3** [hoog water] *tide* ◆ **2.1** dood ∼ *slack water;* 〈fig.〉 *(a) slack time;* het is hoog / laag ∼ *it's high / low t., the t. is in / out* **2.2** afgaand ∼ *outgoing / falling t.;* 〈fig.〉 gunstig ∼ *fair weather / wind;* het ∼ is gunstig *the wind is fair;* opkomend ∼ *incoming / rising t.* **3.2** 〈scheep.〉 het ∼ doodzeilen / stoppen *stem / go against the t.;* het ∼ keert / verloopt 〈ook fig.〉 *the t. turns;* 〈fig.〉 het ∼ laten verlopen *miss the boat / bus* **3.3** het ∼ afwachten *wait for the t..*

tijd 〈de (m.)〉 〈→sprw. 14,40,227,289, 561 - 569,626〉 **0.1** [als ononderbroken eenheid] *time* **0.2** [tijdstip] *time* **0.3** [het juiste / geschikte moment] *time* **0.4** [tijdsduur] *time* **0.5** [tijdvak] *time(s)* ⇒*period, age* **0.6** [seizoen] *season* ⇒*time* **0.7** 〈taal.〉 *tense* ◆ **1.1** het is een kwestie van ∼ *it's a question of t.;* in de loop der ∼ *in the course of t.* **1.2** de ∼ van aankomst *the t. of arrival;* de ∼ van Greenwich *Greenwich Mean Time, GMT* **1.3** hij heeft de ∼ en de gelegenheid voorbij laten gaan *he's missed his chance / opportunity* **1.4** hij heeft er ∼ en geld voor over *he's got both the t. and the money for it;* in de helft van de ∼ *in half the t.;* in een jaar ∼ *(with)in a year* **1.6** het is nu de ∼ van de haring *it's the herring s., herring's in s.* **1.7** voegwoorden / bepalingen van ∼ *temporal conjunctions, adjuncts of time* **2.2** vorig jaar om dezelfde ∼ *(at) the same t. last year;* de middelbare ∼ *mean t.;* de plaatselijke ∼ *local t.;* de ∼ is rijp om...*the t. is ripe to ...;* de ware ∼ *the apparent solar t.* **2.3** te gelegener ∼ *in due course, when appropriate;* het is hoog ∼ om te vertrekken *it's high t. we left;* en dat is hoog ∼ ook! *and about t. too!, and (it's) not a day / minute too soon (either)!;* het is de hoogste ∼! 〈in kroeg〉 *time, (gentlemen,) please!* **2.4** na bepaalde ∼ *after some / a t., eventually;* geruime ∼ *a considerable t., a good while;* een gouden ∼ *voor a golden age for;* de hele ∼ *all the t., the whole t.;* een hele ∼ geleden *quite a while ago;* een ∼ lang *for a while / t.;* ik heb haar lange ∼ niet gezien *I haven't seen her for / in ages / quite a while;* een lange / korte ∼ duren *last a long / short t.;* voor onbepaalde ∼ *indefinitely, for an indefinite period;* 〈jur.〉 *sine die;* voor onbepaalde ∼ uitgesteld *postponed indefinitely;* sedert onheuglijke ∼ *since t. immemorial / t. out of mind;* 〈sport〉 een scherpe ∼ neerzetten *record a fast t.;* vrije ∼ *spare / free t., t. off, leisure (t.)* **2.5** dat was zijn beste ∼ *he was at his peak then;* betere ∼en gekend hebben *have known better times / seen better days;* een dure ∼ *a time / period when the cost of living is high;* goede / slechte ∼en *good / bad times;* de laatste ∼ *lately, recently;* 〈schr.〉 *of late;* we hebben nog voor lange ∼ aardgas *we've still got (enough) natural gas for a long time (ahead);* hij heeft een moeilijke ∼ gehad *he's been through / had a hard time;* 〈gesch.〉 de nieuwste ∼ *recent years, the postwar period;* de goede oude ∼ *the good old days;* de Spaanse ∼ *the Spanish period, the period of Spanish rule;* dat is allemaal verleden ∼ *that's all in the past / water under the bridge* **2.6** gesloten ∼ *close /* 〈AE ook〉 *closed s.* **2.7** de tegenwoordige / verleden ∼ *the present / past t.;* 〈fig.〉 dat is voltooid verleden ∼ *that's over and done with, that's ancient history* **3.1** waar blijft de ∼? *where's the t. gone (to)?;* geen / genoeg ∼ hebben om ...*have no / enough t. to ...;* ∼ is geld *t. is money;* de ∼ staat niet stil *t. doesn't stand still;* de ∼ verstrijkt *t. passes;* de ∼ vliegt / gaat snel *t. flies / goes quickly;* de ∼ zal het leren *t. will tell* **3.2** heb je de ∼? *have you got?* ^A*do you have the t.?;* de ∼ vergeten *forget the t.;* de ∼ was goed / slecht gekozen *the timing was good / bad, it was well / badly-timed* 〈schr.〉 *ill-timed* **3.3** alles heeft zijn ∼ *there's a t. for everything;* 〈pregn.〉 het is ∼ *it's t.;* (tijd om te stoppen) *t.'s up;* 〈pregn.〉 als het mijn ∼ is *when my t. comes;* 't is allang geweest *it's long past!* 〈inf.〉 *way past / way over t.;* als de ∼ daar is *when the t. / day comes;* haar ∼ nadert *she is near her t. / near term;* wacht je ∼ af *bide your t.;* eindelijk! het werd ∼ *at last! it was about t. (too)!;* 〈pregn.〉 het wordt mijn ∼ *I must be off, it's t. for me to go* **3.4** iets een ∼je doen (ook) *take a turn at sth.;* het zal mijn ∼ wel duren *I won't be around to see it;* het duurde een ∼je voor ze eraan gewend was *it was / took a while before / until she got used to it;* de ∼ gaat nu in! *the / your t. is starting now!;* ik ben niet aan ∼ gebonden *I'm not pressed for* *t.;* ik geef je vijf seconden de ~ *I'm giving you five seconds;* je moet jezelf de ~ geven *take your t.;* iem. de ~ geven/gunnen *give s.o. time;* zich de ~ niet gunnen (om) *niet have t. (to);* heb je even ~? *have you got a moment/a sec?;* die ~ heb ik gehad *I'm past that now, I've been through that;* ~ genoeg hebben *have plenty of/enough t.;* de ~ hebben *have t.;* we hebben onze familie een ~ niet gezien *we haven't seen our family for a/some while/some t.;* we hebben de ~ aan onszelf *our t. is our own;* weinig ~ hebben *not have got much t., be pressed for t.;* we hebben ~ over *we've got t. to spare;* je hebt nog 14 dagen de ~ *you've got 14 days left;* dat heeft nog de ~ *it can wait;* dat heeft ~ tot morgen *it can wait till tomorrow;* ~ kosten *take t.;* iem. geen ~ laten *leave s.o. no t.;* als je geen ~ hebt, maak je maar ~ *if you haven't got t., make t.;* dat moet (zijn) ~ hebben *it'll take (some) t.;* de ~ nemen voor iets *take one's t. about/over sth.;* ~ opnemen *record the t.;* ~ rekken (sport) *play for time;* (pej.) *waste time;* (zelfst.) *time-wasting;* (AZN) zijn ~ uitdoen *serve one's t.;* zijn ~ uitzitten *serve/(inf.) do one's t.;* (in de gevangenis ook) *do/serve time;* de ~ valt mij lang *t. won't pass, t.'s hanging heavy on my hands;* de ~ verdrijven/korten/doden *kill t.;* er is geen ~ te verliezen *there's no t. to lose/to be lost;* zijn ~ verpraten *waste one's t. (in) talking;* de ~ voor iets vinden *find (the) t. for sth.;* dat was me nog eens een ~! *what a t. that was!, those were the days!;* ~ winnen *gain t.;* (bij gevaar ook) *play for t.;* mijn ~ zit erop ≠ *I've done my stint* 3.5 zijn (beste) ~ gehad hebben *be past one's best/prime, have seen better days, have had one's day;* (inf.) be past it, be over the hill; (van persoon ook) *be a has-been;* die ~ is geweest/'voorbij' *those days are gone/past/over;* er is een ~ geweest dat ...*there was a time when ..., time was that/when ...;* niet met zijn ~ meegaan *be behind the times;* zijn ~ overleven *outlive one's times/*(nuttigheid) *usefulness;* de ~en zijn veranderd *times have changed* 4.4 in de baas zijn ~ *during/on the boss's t.* 4.5 onze ~ is niet gunstig voor de kunstenaars *our times are not favourable to artists* 5.4 uw ~ is om *your t. is up* 5.5 zijn ~ (ver) vooruit zijn *be (far/well/(inf.) way) ahead of one's time* 6.1 met de ~ breidde de hongersnood zich uit *as t. went on the famine spread;* dit zal met de ~ wel beter gaan *it'll probably get better in t.;* als hij maar ~ van leven heeft *if only he'll wait;* (lang genoeg leven) *if only he lives long enough* 6.2 morgen/gisteren om deze ~ *(about/^around) this t. tomorrow/yesterday;* op vaste ~en *at set/fixed times;* op gezette ~en *at specified/set times;* rond de ~ *around then/that time;* te allen ~e *at all times;* te zijner ~ *in due course, when appropriate;* tegen die ~ *by that t., by then;* ten ~e van in de t. of; ten ~e van hun huwelijk *at the t. of their marriage;* ten ~e van Hendrik VIII *in the days/t. of age of Henry VIII;* terzelfder ~ *at the same t., simultaneously;* van ~ tot ~ *from t. to t.;* van die ~ af *from that t. (on/onward(s)/(schr.) forward), (ever) since (that t.);* warm voor de ~ v.h. jaar *warm for the/this t. of year* 6.3 bij ~ en wijle *now and again/then, occasionally;* ~ om te eten/te slapen *t. to eat/to go to bed;* (AZN) op ~ en stond *in due course, when appropriate;* net op ~ *just in t.;* alles op ~ zijn ~ *all in good t.;* ik kon op ~ remmen *I managed to brake in t.;* op ~ in t. (om iets te doen/voorkomen); on t. (volgens een bep. tijdsschema, afspraak e.d.); de bussen lopen precies op ~ *the buses run to/on t./schedule, the buses are (very) punctual;* hij kan op ~ zijn ~ heel moeilijk doen *he can be very awkward when he wants to/at times;* stipt op ~ *punctual;* (inf.) *on the dot;* ruim op ~ *with plenty of t. to spare;* op ~ naar bed gaan *not go to bed late;* zij is over ~ *she's late with her period, her period's late/overdue;* een ~ van komen en een ~ van gaan *nothing lasts forever;* oud zijn vóór zijn ~ *be prematurely aged;* sterven voor zijn ~ *die before one's t./prematurely;* het wordt ~ voor school *it's t. for school;* voor/over ~ komen *come/be early/late;* (over tijd ook) *be before t./previously it was a monastery;* dat was voor die ~ heel ongebruikelijk *in/for those days it was most unusual;* vóór de ~ van de auto *before the era of the car* 6.6 in de ~ van de oogst *at harvest-time* 7.4 je moet de eerste ~

nog rustig aandoen *to begin with/at first you must take it easy;* in minder dan geen ~ in *(less than) no t.* ¶.4 een ~je *a while;* veel ~ in beslag nemen *take up a lot of t.;* ~ te kort komen *run out/run short of t.*.

tijdaanwijzing (de (v.)) **0.1** *indication of time;* (zichtbaar) *time display.*

tijdaffaire (de) (hand.) **0.1** *transaction on credit* ⇒ *forward transactions,* (mv. ook) *(dealings/transactions in) futures.*

tijdberekening (de (v.)) **0.1** *calculation of (the) time.*

tijdbesparend (bn.) **0.1** *time-saving.*

tijdbesparing (de (v.)) **0.1** *time-saving* ⇒ *saving of time* ♦ **3.1** dat geeft ~ *that saves time.*

tijdbevrachting (de (v.)), **-charter** (het) (hand.) **0.1** *time charter.*

tijdbom (de) **0.1** [ontploffende bom] *time bomb* **0.2** [beraamde opzet] *time bomb* ♦ **3.1** er werden ~men gelegd *time bombs were planted.*

tijdcontrole (de) **0.1** *timekeeping.*

tijdeigen (het) (r.k.) **0.1** *Proper.*

tijdelijk
I (bn.) **0.1** [voorlopig] (van korte duur) *temporary;* (totdat er een definitieve regeling komt) *provisional;* (tussentijds) *interim* **0.2** [aards] *temporal* ⇒ *worldly* **0.3** [temporeel] *temporal* ⇒ *chronological* ♦ **1.1** een ~e aanstelling/uitkering/verblijfplaats *a t./p. appointment/allowance/place of residence;* deze maatregel heeft een ~ karakter *this measure is a t./p. one;* ~ personeel *t. staff* **1.2** ~e goederen *t./worldly goods* **1.3** de ~e werkelijkheid *temporality* **7.2** (zelfst.) het ~e met het eeuwige verwisselen *depart this life;*
II (bw.) **0.1** [voor enige tijd] (voor een korte duur) *temporarily;* (totdat er een definitieve regeling komt) *provisionally;* (tussentijds) *on an interim basis* **0.2** [mbt. de tijd] *in (terms of) time* ♦ **3.1** ~ een ambt waarnemen/ergens wonen *hold a post/live somewhere t./p./for the time being.*

tijdelijkheid (de (v.)) **0.1** [kortdurigheid] *temporariness* ⇒ (fil.) *transience* **0.2** [aards/wereldlijkheid] *temporality* ⇒ *worldliness* ♦ **1.1** de ~ van enthousiasme *the transience of enthusiasm.*

tijdeloos (bn., bw.; -ly) **0.1** *timeless* ⇒ *ageless* ♦ **1.1** het werk van Bach is ~ *Bach's work is t./ageless.*

tijdens (vz.) **0.1** *during* ♦ **1.1** ~ Napoleon *under Napoleon, in Napoleon's time;* ~ de oorlog/zijn leven/mijn afwezigheid *d./in the war/his lifetime/my absence.*

tijdfactor (de (m.)) **0.1** *time factor.*

tijdgebonden (bn.) **0.1** (zie 3.1) ♦ **3.1** (zeer) ~ zijn *be (very much) a product/products of the/its/their age/time(s), be (very) dated.*

tijdgebrek (het) **0.1** *lack of time* ♦ **6.1** wegens ~ *for lack of time, due/owing to lack of time.*

tijdgeest (de (m.)) **0.1** *spirit of the age/times* ♦ **6.1** met de ~ besmet *imbued with the spirit of the age/times.*

tijdgenoot (de (m.)) **0.1** *contemporary.*

tijdgrens (de) **0.1** *time limit.*

tijdig
I (bn.) **0.1** [op het juiste moment komend] *timely* ♦ **1.1** ~e hulp is veel waard *t. help is of great value;*
II (bw.) **0.1** [op tijd] *in time* (om iets te doen/voorkomen); *on time* (volgens een bep. tijdsschema) ♦ **3.1** niet ~ betaalde rekeningen *bills in arrears/not paid on time;* ~ opstaan *get up in/on time.*

tijding (de (v.)) **0.1** *news;* (vero. of scherts.) *tidings* ♦ **2.1** goede ~ brengen *bring good n., bring good/glad t.;* slechte ~(en) *bad n./t..*

tijdkaart (de) **0.1** [overzicht mbt. de geschiedenis] *time line/chart* **0.2** [mbt. prikklok] *timecard.*

tijdklok (de) **0.1** [prikklok] *time clock* **0.2** [tijdschakelklok] *automatic time switch* ⇒ *timer.*

tijdkorting (de (v.)) **0.1** *pastime* ⇒ *means of passing the time* ♦ **8.1** iets doen als ~ *do sth. to pass the time/* (minder gebruikelijk) *as a pastime.*

tijdkring (de (m.)) **0.1** [periode] *period* **0.2** [(ster.)] *period.*

tijdlang (bw.) **0.1** *while, spell* ♦ **7.1** een ~ hadden ze in onmin geleefd *for a w. they'd been at odds.*

tijdloep (de) **0.1** *slow-motion film.*

tijdloon (het) **0.1** *time-rate(s)* ⇒ *time-wage(s)* ♦ **6.1** in ~ betaald worden *be (paid) on a time-rate/on time-rates.*

tijdmaat (de) **0.1** *measure of time* ⇒ (tempo) *speed, time, tempo* ♦ **8.1** de seconde als ~ *the second as a measure of time.*

tijdmelding (de (v.)) **0.1** *speaking clock.*

tijdmeter (de (m.)) **0.1** [toestel dat de tijd meet] *chronometer* ⇒ *timekeeper* **0.2** [toestel om een tempo aan te geven] *metronome.*

tijdmeting (de (v.)) **0.1** [techniek van het meten van de tijd] *chronometry* ⇒ *timekeeping* **0.2** [het meten van de benodigde tijd] *timekeeping.*

tijdnood (de (m.)) **0.1** *lack/shortage of time;* (schaken, dammen) *time trouble/pressure* ♦ **6.1** in ~ komen *become pressed for time, run out of time;* (schaken, dammen ook) *get into time trouble;* in ~ zijn *be pressed for time;* uit ~ moest hij zijn rede bekorten *he ran out of time and had to cut his speech short.*

tijdnorm (de (v.)) **0.1** *standard time (for sth.).*

tijdontsteker (de (m.)) **0.1** *time fuse.*

tijdopname (de) **0.1** [(foto.)] *time-exposure* **0.2** [(sport)] *timing* ⇒ *timekeeping, recording of times* ♦ **3.1** een ~ maken *make a t.-e..*

tijdopnemer ⟨de (m.)⟩ **0.1** [⟨sport⟩ persoon] *timekeeper* **0.2** [⟨sport⟩ instrument] *timekeeper* **0.3** [iem. die de tijdsduur van arbeidsverrichtingen vaststelt] *timekeeper* ⇒ *≠efficiency expert.*

tijdopneming ⟨de (v.)⟩ **0.1** *timekeeping;* ⟨sport ook⟩ *timing, recording of times.*

tijdpassering ⟨de (v.)⟩ →*tijdkorting.*

tijdperk ⟨het⟩ **0.1** *period;* ⟨gesch.⟩ *age, era;* ⟨schr.⟩ *epoch* ◆ **1.1** het ~ v.d. computer *the age/era of the computer, the computer age/era* **2.1** het stenen ~ *the Stone Age.*

tijdregeling ⟨de (v.)⟩ **0.1** *division of time.*

tijdrekening ⟨de (v.)⟩ **0.1** *chronology;* ⟨christelijk, enz.⟩ *calendar* ◆ **2.1** de christelijke/joodse/mohammedaanse ~ *the Christian/Jewish/Mohammedan calendar.*

tijdrekenkunde ⟨de (v.)⟩ **0.1** *chronology* ⇒*timekeeping.*

tijdrekenkundig ⟨bn.⟩ **0.1** *chronological.*

tijdrekken ⟨ww.⟩ **0.1** *time-wasting;* ⟨milder⟩ *playing for time.*

tijdrijden ⟨ww.⟩ ⟨sport⟩ **0.1** *time-trialling.*

tijdrijder ⟨de (m.)⟩, -ster ⟨de (v.)⟩ ⟨sport⟩ **0.1** *racer in a time trial.*

tijdrit ⟨de (m.)⟩ ⟨sport⟩ **0.1** *time trial.*

tijdrovend ⟨bn.⟩ **0.1** *time-consuming* ◆ **3.1** dit is zeer ~ *this takes up a lot of time, this is very t.-c..*

tijdruimte ⟨de (v.)⟩ →*tijdsinterval.*

tijdsafstand ⟨de (m.)⟩ **0.1** *interval (of time).*

tijdsbeeld ⟨het⟩ **0.1** [factoren] *character of an/the age/era* **0.2** [beeld, schildering] *portrait of an/the era.*

tijdsbepaling ⟨de (v.)⟩ **0.1** [bepaling v.d. juiste tijd] *determination/* [berekening] *computation of (the) time* **0.2** [bepaling die iets aan tijd bindt] *stipulation as to time;* ⟨tijdslimiet⟩ *time-limit, deadline* **0.3** [taal.] *time adjunct* ⇒*adjunct/adverb of time, time adverb,* ⟨bijzin⟩ *adverbial clause of time, temporal clause.*

tijdsbestek ⟨het⟩ **0.1** *(space/period of) time* ◆ **2.1** in een kort ~ *in a short (space/period of) time* **6.1** binnen een ~ van *within (the space/period of).*

tijdschaal ⟨de⟩ **0.1** *time scale.*

tijdschakelaar ⟨de (m.)⟩ **0.1** *time switch.*

tijdschakelklok ⟨de⟩ **0.1** *timer, time/automatic switch.*

tijdscharen ⟨ww.⟩ ⟨comp.⟩ **0.1** *time-sharing.*

tijdschema ⟨het⟩ **0.1** *schedule* ⇒*timetable* ◆ **6.1** we lopen achter/voor op het ~ *we're (running) behind s./ ahead of s.;* volgens een strak ~ *according to a tight s..*

tijdschrift ⟨het⟩ **0.1** *periodical;* ⟨vaktijdschrift⟩ *journal;* ⟨mode, enz.⟩ *magazine* ◆ **6.1** ~en voor taalstudie/voor pedagogiek *linguistics/education journals.*

tijdschriftenbak ⟨de (m.)⟩ **0.1** *magazine rack.*

tijdschriftenportefeuille ⟨de (m.)⟩ **0.1** *≠magazine club selection* ⟨selection of popular magazines circulated under a single cover⟩.

tijdschrijver ⟨de (m.)⟩ **0.1** *timekeeper.*

tijdsdocument ⟨het⟩ **0.1** *period document/piece* ⇒*document of historical interest.*

tijdsdruk ⟨de (m.)⟩ **0.1** *pressure of time* ◆ **6.1** onder ~ werken *work under pressure (of time)/against the clock.*

tijdsduur ⟨de (m.)⟩ **0.1** *(length of) time* ⇒ ↑*duration.*

tijdseenheid ⟨de (v.)⟩ **0.1** [eenheid waarmee men de tijd meet] *unit of time* **0.2** [⟨dram.⟩] *unity of time.*

tijdsein ⟨het⟩ **0.1** *time-signal* ◆ **6.1** na het ~ van elf uur *after the eleven o'clock t.-s..*

tijdsgewricht ⟨het⟩ **0.1** *juncture* ⇒*time* ◆ **6.1** in dit ~ *at this j..*

tijdsinterval ⟨het⟩ **0.1** *interval/period (of time)* ⇒*space of time.*

tijdslimiet ⟨de (v.)⟩ **0.1** *time-limit* ◆ **3.1** de ~ overschrijden *exceed/* ⟨inf.⟩ *go over the t.-l.;* een ~ stellen *set a t.-l.;* aan het ultimatum was een ~ verbonden *a t.-l. was attached to the ultimatum.*

tijdslot ⟨het⟩ **0.1** *time-lock.*

tijdsluiter ⟨de (m.)⟩ **0.1** *delayed-action shutter.*

tijdsomstandigheden ⟨zn.mv.⟩ **0.1** *(current) circumstances/conditions* ◆ **6.1** naar de ~ iets beoordelen *judge sth. in the light of (current) circumstances.*

tijdsoverschrijding ⟨de (v.)⟩ **0.1** *exceeding/* ⟨inf.⟩ *going over one's time/ the alloted time* ◆ **6.1** hij werd gediskwalificeerd wegens ~ *he was disqualified for exceeding his time/the allotted time.*

tijdspanne ⟨de⟩ ⟨schr.⟩ **0.1** *(time) span.*

tijdspiegel ⟨de (m.)⟩ **0.1** *reflection of the age/time(s)* ⇒ ⟨schr.⟩ *mirror of the age.*

tijdstip ⟨het⟩ **0.1** *(point of/in) time* ⇒ ⟨tijdvak ook⟩ *period,* ⟨ogenblik ook⟩ *moment* ◆ **1.1** het ~ van vertrek *the time/moment/* ⟨minder duidelijk⟩ *point of departure* **2.1** een gunstig ~ kiezen *choose an opportune moment;* iets tot een later ~ uitstellen *postpone sth. (until later)* **6.1** op het ~ van zijn overlijden *at the time of his death;* op een onchristelijk ~ thuiskomen *come home at some ungodly hour.*

tijdstroom ⟨de (m.)⟩ **0.1** [de tijd als stroom] *river/(onward) flow of time* **0.2** [geestelijke stromingen in een periode] *trends of the age/times/ era.*

tijdstudie ⟨de (v.)⟩ **0.1** *time-and-motion study.*

tijdsverloop ⟨het⟩ **0.1** *period/interval (of time)* ⇒*space of time* ◆ **6.1** in

hetzelfde ~ *during/in the same period/interval (of time);* na/binnen een ~ van drie maanden *after (a lapse/period/an interval of)/within (a period/space of) three months.*

tijdsverschijnsel ⟨het⟩ **0.1** *feature/symptom of the age* ⇒*sign of the times.*

tijdsverschil ⟨het⟩ **0.1** *time difference* ⇒*difference in time.*

tijdtafel ⟨de⟩ **0.1** [jaartallenlijst] *chronological table* **0.2** [lijst met de tijd op verschillende plaatsen] *table of (international) time zones.*

tijdvak ⟨het⟩ **0.1** *period* ⇒ ⟨langer ook⟩ *age, era,* ⟨schr.⟩ *epoch.*

tijdverdrijf ⟨het⟩ **0.1** *pastime* ◆ **2.1** een onschuldig ~ *an innocent p.* **8.1** als ~ *as a means of passing the time, to pass the time.*

tijdverlies ⟨het⟩ **0.1** *loss/* ⟨door nalatigheid⟩ *wasting of time.*

tijdvers ⟨het⟩ **0.1** [chronogram] *chronogram* **0.2** [vers over de tijdsomstandigheden] *topical verse* ⇒*broadside.*

tijdverslindend ⟨bn.⟩ **0.1** *(extremely) time-consuming.*

tijdverspilling ⟨de (v.)⟩ **0.1** *time-wasting* ⇒*wasting of time.*

tijdverzuim ⟨het⟩ **0.1** *loss/* ⟨door nalatigheid⟩ *wasting of time.*

tijdvorm ⟨de (m.)⟩ ⟨taal.⟩ **0.1** *tense form/* ⟨uitgang⟩ *ending.*

tijdvulling ⟨de (v.)⟩ **0.1** *filling-in (of) time* ⇒ ⟨pej. ook⟩ *busy-work.*

tijdwaarnemer ⟨de (m.)⟩, -neemster ⟨de (v.)⟩ **0.1** [⟨sport⟩] *timekeeper* **0.2** [arbeidsanalist] *timekeeper.*

tijdwaarneming ⟨de (v.)⟩ ⟨sport⟩ **0.1** *timekeeping.*

tijdwinst ⟨de (v.)⟩ **0.1** *gain(ing) of/in time* ◆ **3.1** enige ~ boeken *gain some time.*

tijdzang ⟨de (m.)⟩ **0.1** *topical song* ⇒*broadside (ballad).*

tijdzone ⟨de⟩ **0.1** *time-zone.*

tijgen ⟨onov.ww.⟩ ⟨schr.⟩ **0.1** [zich begeven] *set forth* ⇒*proceed* **0.2** [beginnen] *set about* ⇒*set to* ◆ **6.2** aan het werk ~ *set about one's work, set to work.*

tijger ⟨de (m.)⟩, -in ⟨de (v.)⟩ **0.1** *tiger, tigress* ◆ **2.1** ⟨fig.⟩ een papieren ~ *a paper tiger* **2.¶** Tasmaanse ~ *Tasmanian wolf/tiger.*

tijgerachtig ⟨bn.⟩ **0.1** *tigerish/-like.*

tijgerbrood ⟨het⟩ **0.1** *≠bloomer.*

tijgeren ⟨onov.ww.⟩ ⟨mil.⟩ **0.1** *crawl, stalk.*

tijgerhaai ⟨de (m.)⟩ **0.1** *tiger shark.*

tijgerhout ⟨het⟩ **0.1** *tiger wood.*

tijgerkooi ⟨de⟩ **0.1** [kooi v.e. tijger] *tiger's cage* **0.2** [gevangenis] *tiger cage.*

tijgerlelie ⟨de⟩ **0.1** *tiger-lily.*

tijhaven ⟨de⟩ **0.1** *tidal port/harbour.*

tijk ⟨de (m.)⟩ **0.1** *tick(ing)* ⇒ ⟨van matras⟩ *mattress-cover,* ⟨van kussen⟩ *pillow-slip.*

tijloos ⟨de⟩ ⟨plantk.⟩ **0.1** ⟨herfsttijloos⟩ *autumn crocus, meadow saffron.*

tijm ⟨de (m.)⟩ **0.1** *thyme.*

tijstroom ⟨de (m.)⟩ **0.1** *race* ⇒*tidal current/stream.*

tik¹ ⟨de (m.)⟩ **0.1** *tap* ⇒ ⟨van hand⟩ *slap,* ⟨scherp, ook van stok⟩ *rap,* ⟨van zweep⟩ *flick,* ⟨van drank⟩ *shot,* ⟨van klok⟩ *tick* ◆ **3.1** iem. ~ken geven *slap s.o.;* ~ken krijgen *get/be slapped;* ergens een ~ van meekrijgen ⟨ook pej.⟩ *get a touch of sth.* **6.1** iem. een ~ om de oren/op de vingers geven *give s.o. a clip round the ear/a cuff on the ear/a rap on/over the knuckles;* een ~ op de deur a *t. at the door;* ⟨fig.⟩ een ~ van de molen hebben *be (slightly) cracked/touched* **6.¶** tonic met een ~ *gin and tonic, tonic with sth. in it/a shot (of gin).*

tik² ⟨tw.⟩ **0.1** [geluid v.e. lichte slag] *tap* ⇒ ⟨van hand⟩ *slap,* ⟨van zweep⟩ *flick* **0.2** [⟨sport⟩] *tag* ⇒*gotcha.*

tikfout ⟨de⟩ **0.1** *typing error/mistake.*

tikje ⟨het⟩ **0.1** [klopje] *touch* ⇒*clip* **0.2** [geringe hoeveelheid, mate] *touch* ⇒*shade* ◆ **1.2** een ~ jaloezie/geduld a *t. of jealousy; a little patience;* een ~ koorts a *t. of fever* **2.2** een ~ geïrriteerd zijn *be a mite/shade/just a little annoyed* **3.1** de bal een ~ geven *clip the ball* **3.2** hij heeft een tikje weg van ... *he's a bit like ... * **5.1** ⟨sport⟩ een tikkie terug *a (reverse) flick, a short back pass, a short pass back* **5.2** zich een ~ beter voelen *feel a shade better;* loop een ~ harder *run a shade harder* **¶.1** tikkie, jij bent 'm ⟨bij tikkertje spelen⟩ *tag, you're it!.*

tikjuffrouw ⟨de (v.)⟩ ⟨inf.⟩ **0.1** ↑*typist.*

tikkeltje ⟨het⟩ **0.1** *touch* ⇒*shade* ◆ **1.1** een ~ humor *a touch of humour;* een ~ mosterd *a dab/t. of mustard* **2.1** een ~ overdreven *a shade exaggerated, just a little exaggerated;* een ~ vervelend *a bit off* **5.1** een ~ maar *only a t..*

tikken ⟨→sprw. 356⟩
  I ⟨ov.ww.⟩ **0.1** [lichte klap geven] *tap* ⇒ ⟨hard⟩ *rap* ◆ **1.1** eieren ~ *crack eggs;* de maat ~ *t. (out) the beat;* Pietje heeft Marietje getikt ⟨in spel⟩ *Peter has tagged/touched Mary;* ruiten ~ *t. at/on windows* **6.1** iem. op de schouder ~ *tap s.o. on the shoulder, t. on s.o.'s shoulder, give s.o. a tap on the shoulder;* ⟨fig.⟩ iem. op de vingers ~ *rap s.o. over the knuckles, rap s.o.'s knuckles, give s.o. a rap over the knuckles;* de as van een sigaar ~ *flick the ash from/off one's cigar* **¶.1** ⟨fig.⟩ iets op de kop (weten te) ~ *(manage to) get hold of sth./ pick sth. up/come by sth.;*
  II ⟨onov., ov.ww.⟩ **0.1** [typen] *type* ◆ **1.1** een brief ~ *t. a letter;*
  III ⟨onov.ww.⟩ **0.1** [licht geluid geven] *tap* ⇒ ⟨mechanisch⟩ *tick, click, knock* ◆ **1.1** de regen tikt eentonig *the rain taps away monoto-*

nously; de wekker tikte niet meer *the alarm-clock had stopped ticking*
6.1 tegen het raam ~ *tap at/on the window.*
tikker ⟨de (m.)⟩ **0.1** [boorkever] *deathwatch beetle* **0.2** [iem. die typt] *typist* **0.3** [gonorrhoe] *(the) clap* **0.4** [toestel voor beursnoteringen] *ticker* **0.5** [⟨mbt.kinderspel⟩] *he* ⇒*it* **0.6** ⟨inf.⟩ horloge] *ticker* **0.7** ⟨inf.⟩ hart] *ticker.*
tikkertje ⟨het⟩ **0.1** [kinderspel] *tag* ⇒*he, it, touch, tick, tig* **0.2** [horloge] ⟨→tikker **0.6**⟩ **0.3** [⟨pregn.⟩ hart] ⟨→tikker **0.7**⟩ **0.4** [⟨pregn.⟩ geweten] *old conscience* ◆ **3.1** ~ spelen *play tag/he/it/touch.*
tikmachine ⟨de (v.)⟩ **0.1** *typewriter.*
tiksnelheid ⟨de (v.)⟩ **0.1** *typing speed.*
tiktafeltje ⟨het⟩ **0.1** *typing table.*
tiktak[1] ⟨de (m.)⟩ **0.1** *tick-tock.*
tiktak[2] ⟨tw.⟩ **0.1** *tick-tock* ◆ **3.1** de klok gaat ~, ~ *the clock goes t.-t..*
tiktakken ⟨onov.ww.⟩ **0.1** *tick* ⇒⟨inf.⟩ *go tick* ◆ **1.1** ik hoor de klok ~ *I hear the clock tick(ing)/go(ing) tick-tock.*
tik-tak-tor ⟨het⟩ **0.1** ≠*noughts and crosses,* ^*tic(k)-tac(k)-toe.*
tikwerk ⟨het⟩ **0.1** [typewerk] *typing* ⇒*typing work* **0.2** [tiksel] *typing.*
til
   I ⟨de (m.)⟩ **0.1** [het optillen] *lifting* ◆ **2.1** ergens een hele ~ aan hebben *have trouble l. sth.* **6.¶** er zijn grote veranderingen **op** ~ *there are big changes in the air/on the way/coming;*
   II ⟨de⟩ **0.1** [duivenhok] *dovecot(e).*
tilbaar ⟨bn.⟩ **0.1** [te tillen] *liftable* **0.2** [⟨jur.⟩ roerend] *movable.*
tilde ⟨de⟩ **0.1** *tilde.*
tillen
   I ⟨onov.ww.⟩ **0.1** [omhoogheffende beweging maken] *lift (a weight)* ◆ **5.1** ⟨fig.⟩ zwaar ~ aan *feel strongly about, worry about, make a fuss over;* ⟨fig.⟩ ergens niet (zo) zwaar aan ~ *not feel strongly about/have no strong feelings about/not worry about sth., make light of sth., gloss over sth.;*
   II ⟨ov.ww.⟩ **0.1** [opheffen] *lift* ⇒*raise* **0.2** [⟨fig.⟩ oplichten] *cheat* ⇒ *swindle,* ⟨BE;inf.⟩ *do, diddle* ◆ **4.1** ⟨fig.⟩ zich een breuk ~ *(nearly) rupture o.s. lifting sth.* **6.1** iem. **in** de hoogte ~ *lift s.o. up (in the air);* iem. **over** het paard ~ *make too much (fuss) of s.o.* **6.2** iem. **voor** 50 gulden ~ *take s.o. for 50 guilders, c./swindle/do s.o. out of 50 guilders.*
tilt ⟨de (m.)⟩ ◆ **6.¶ op** ~ staan/springen/slaan ⟨fig.⟩ *tilt;* ⟨fig.⟩ *hit the roof, go up the wall, blow one's top, lose/blow one's cool;* ⟨van machines⟩ *crash.*
timbre ⟨het⟩⟨muz.⟩ **0.1** *timbre.*
timen ⟨ov.ww.⟩ **0.1** [de tijdsduur opmeten] *en* **0.2** [goed instellen, laten verlopen] *time* ◆ **5.2** de operatie was goed getimed *the operation was well-timed;* een slecht getimede actie *a badly-timed action.*
timide ⟨bn., bw.; -ly⟩ **0.1** *timid* ⇒*shy, bashful,* ↑*diffident.*
timiditeit ⟨de (v.)⟩ **0.1** *timidity* ⇒*shyness, bashfulness,* ↑*diffidence.*
timmerdoos ⟨het⟩ **0.1** *tool-box* ⇒*carpentry kit.*
timmeren ⟨→sprw. 570⟩
   I ⟨onov.ww.⟩ **0.1** [slaan] *hammer* ⇒*knock, hit* ◆ **3.1** leren ~ *learn carpentry* **5.1** goed kunnen ~ *be good at carpentry;* erop los ~ *hit out (in all directions)* **6.¶ aan** de weg ~ *attract attention, be in the limelight;* iem. **op** zijn smoel ~ *smash s.o.'s face in* **¶.1** de hele boel in elkaar ~ *smash the whole place up;*
   II ⟨ov.ww.⟩ **0.1** [houten constructie bouwen] *build* ⇒*put/* ⟨inf.⟩ *knock together* ◆ **1.1** houten huisjes in elkaar ~ *b. wooden huts;* een kist/boekenkast ~ *b./put together a chest/bookcase.*
timmerfabriek ⟨de (v.)⟩ **0.1** *joinery works, joiner's.*
timmergereedschap ⟨het⟩ **0.1** *carpenter's/carpentry tools.*
timmerhout ⟨het⟩ ⟨→sprw. 304⟩ **0.1** *timber* ⇒⟨AE ook⟩ *lumber.*
timmerkist ⟨de⟩ **0.1** *(carpenter's) tool-box.*
timmerman ⟨de (m.)⟩ **0.1** *carpenter;* ⟨iem. die deuren, raamkozijnen, enz. maakt; vnl. BE⟩ *joiner.*
timmermansambacht ⟨het⟩ **0.1** *carpentry* ⇒*carpenter's trade.*
timmermanspotlood ⟨het⟩ **0.1** *carpenter's pencil.*
timmerwerf ⟨de⟩ **0.1** *carpenter's yard.*
timmerwerk ⟨het⟩ **0.1** [resultaat] *piece of carpentry/woodwork/* ⟨fijn⟩ *joinery* **0.2** [handeling] *carpentry, woodwork,* ⟨fijn⟩ *joinery* ◆ **2.1** machinaal ~ *machine-produced carpentry/woodwork/joinery.*
timocratie ⟨de (v.)⟩ **0.1** *timocracy.*
timp ⟨de (m.)⟩ **0.1** *tip* ⇒*tapering (point).*
timpaan ⟨het⟩⟨bouwk.⟩ **0.1** [deel van de gevel] *tympan(um)* **0.2** [ruimte boven een raam, deur] *tympan(um).*
tin ⟨het⟩ **0.1** [metaal] *tin* **0.2** [voorwerpen] *pewter, tinware* **0.3** [blikje] ⟨BE⟩ *tin;* ⟨vnl. AE⟩ *can.*
tinader ⟨de⟩ **0.1** *tin-lode* ⇒*tin-deposit/-vein.*
tinas ⟨de⟩ ⟨schei.⟩ **0.1** *stannic oxide, tin ash* ⇒*polijstmiddel⟩ putty (powder), jeweller's/jeweller's putty.*
tinctuur ⟨de⟩ **0.1** *tincture* ⇒*elixer.*
tinerts ⟨het⟩ **0.1** *tin ore.*
tinfolie ⟨het⟩ **0.1** *tinfoil.*
ting ⟨tw.⟩⟨geluid⟩ **0.1** *ding* ⇒⟨glas, kleine bel⟩ *ting.*
tingel ⟨de (m.)⟩ **0.1** [hechtlat voor stucwerk] *lath;* ⟨hecht-/panlat⟩ *batten.*

tingelen
   I ⟨onov.ww.⟩ **0.1** [heldere geluiden voortbrengen] *tinkle, jingle* ⇒ ⟨onaangenaam kletteren⟩ *jangle,* ⟨klinken⟩ *clink* **0.2** [pianospelen] *tinkle away* ◆ **1.1** een vrolijk ~d klokkenspel *(a) cheerfully tinkling/jingling carillon/chimes* **6.2** op de piano ~ *tinkle away at the piano;*
   II ⟨ov.ww.⟩ **0.1** [als getingel laten horen] *tingle* **0.2** [tengelen] *lath* ◆ **1.1** wijsjes ~ op een mandoline *strum/thrum/play tunes on the mandoline, be plucking/* ↓*touching the mandoline.*
tingeling ⟨tw.⟩ **0.1** *ting-a-ling(-a-ling).*
tingeltangel ⟨de (m.)⟩ **0.1** [café-chantant] ≠*honky-tonk* **0.2** [piano] *honky-tonk piano* ⇒⟨BE ook⟩ *ole joanna, pub piano.*
tinhoudend ⟨bn.⟩ **0.1** *tin-containing* ⇒*stanniferous, tin-bearing,* ⟨alleen ná zn.⟩ *containing/bearing tin* ◆ **1.1** een ~e legering *a tin alloy, an alloy containing/of tin;* een ~ mineraal *a t.-b. mineral.*
tinkelen ⟨onov.ww.⟩ **0.1** [mbt. geluid] *tinkle, jingle* ⇒⟨onaangenaam kletteren⟩ *jangle,* ⟨klinken⟩ *clink* **0.2** [mbt. licht] *twinkle* ⇒*sparkle.*
tinmerk ⟨het⟩ **0.1** *pewter mark.*
tinne ⟨de⟩ **0.1** [soort kanteel] ⟨eig.⟩ *merlon* ⇒⟨in mv. ook⟩ *battlements, crenellation* ^*elation* **0.2** [het hoogste gedeelte] *pinnacle.*
tinnef ⟨het⟩ **0.1** [mbt. goederen] *(absolute) trash, rubbish, junk* ⇒⟨vnl. AE ook⟩ *garbage* **0.2** [mbt. personen] *trash* ⇒*riff-raff, dregs, scum, rabble.*
tinnegieter ⟨de (m.)⟩ **0.1** *tinsmith.*
tinnegieterij ⟨de (v.)⟩ **0.1** *tinworks.*
tinnen ⟨bn.⟩ **0.1** *tin* ⇒*pewter* ⟨tinhoudende legering⟩ ◆ **1.1** ~ kroezen, soldaatjes *pewter mugs, t. soldiers.*
tinneroy ⟨de (v.)⟩ **0.1** *fine corduroy.*
tinpest ⟨de⟩ **0.1** *tin plague.*
tinsoldeer ⟨het, de (m.)⟩ **0.1** *soft solder.*
tinsteen ⟨het, de (m.)⟩ **0.1** *tinstone* ⇒*cassiterite.*
tint ⟨de⟩ **0.1** *tint* ⇒*hue, tone, shade (of colour), colour* ◆ **2.1** ⟨fig.⟩ iets een feestelijk ~je geven *give sth. a festive touch;* een frisse/gelige ~ hebben *have a fresh/sallow complexion;* halve ~ *half tone;* met een humoristisch/optimistisch ~je *with a touch of humour/optimism;* ⟨fig.⟩ een socialistisch ~je *a socialist tinge/touch, a dash/tinge/touch /flavour of socialism;* vlakke ~en *flat tints/hues/tones/shades;* warme ~en *warm tones* **6.1** een schilderij **in** bruine en grijze ~en *a painting in browns and greys/in various tones/shades of brown and grey;* **met** groene ~en *with green tints;* grauwig **van** ~ ⟨mbt. gezicht⟩ *greyish/ashen.*
tintel ⟨de (m.)⟩ **0.1** *tingle, tingling.*
tintelen ⟨onov.ww.⟩ **0.1** [geprikkeld worden] *tingle* ⇒⟨huid ook⟩ *prickle* **0.2** [flonkeren] *twinkle* ⟨ook sterren⟩ ⇒*sparkle* ⟨ook wijn, ogen⟩, ⟨flikkeren⟩ *flicker,* ⟨glinsteren⟩ *glimmer,* ↑*scintillate* **0.3** [⟨fig.⟩ sprankelen] *sparkle* ⇒↑*scintillate* ◆ **1.1** een ~d gevoel *a tingling/tingly feeling;* mijn vingers ~ (van de kou) *my fingers are tingling (with cold)* **1.2** de sterren ~ aan de hemel *the stars t. in the sky* **1.3** vol ~d leven *bubbling over with vitality* **3.1** de huid laten ~ *make the skin t., set the skin tingling/aglow* **6.2** haar ogen ~ **van** vreugde *her eyes sparkled/danced with/for joy.*
tintelig ⟨bn.⟩ **0.1** *tingly, tingling.*
tinteling ⟨de (v.)⟩ **0.1** [prikkeling] *tingle, tingling* ⇒⟨huid ook⟩ *prickle* **0.2** [fonkeling] *twinkle, twinkling* ⟨ook sterren⟩ ⇒*sparkle, sparkling* ⟨ook wijn, ogen⟩, ⟨flikkering⟩ *flicker(ing),* ⟨glinstering⟩ *glimmer(ing).*
tintelogen ⟨onov.ww.⟩ **0.1** ⟨zie **¶.1**⟩ ◆ **¶.1** hij tinteloogde *his eyes twinkled/sparkled, there was a twinkle in his eyes.*
tinten ⟨ov.ww.⟩ **0.1** *tint* ⇒*tinge* ⟨ook fig.⟩ ◆ **1.1** getint glas *tinted glass;* getint papier *tinted paper* **5.1** blauw getinte sneeuw *snow tinged with blue;* het artikel is sterk communistisch getint *the article has a strong communist slant/bias/oozes/strongly smacks of/is heavily slanted towards communism;* diep/helder/donker getint glas *lightly-/darkly-tinted glass;* licht/warm getinte muren *light-/warm-toned/-coloured walls,* ⟨ook⟩ *mellow walls;* Rooms/politiek getint *with a Roman-Catholic/political slant/bias;* een zacht getint plafond *a soft-toned/mellow ceiling.*
tinto ⟨de (m.)⟩ **0.1** *vino tinto.*
tinus ◆ **2.¶** slappe ~ *spineless individual/* ⟨BE ook⟩ *chap/* ⟨AE ook⟩ *guy;* ⟨BE; inf.⟩ *wet.*
tinwerk ⟨het⟩ **0.1** *tinwork* ⇒⟨hand. ook⟩ *tinware.*
tip ⟨de (m.)⟩ **0.1** [uiterste punt] *tip* ⇒⟨(zak)doek, sluier enz.⟩ *corner,* ↑*apex* **0.2** [fooi] *tip* **0.3** [inlichting] *tip* ⇒*lead, clue, hint,* ⟨vnl. politie⟩ *tip-off,* ⟨inf.⟩ *nod, wink* **0.4** [tikje] *tip* ⇒*touch, tap, pat,* ⟨fig.⟩ *rap* **0.5** [klein toefje] *a small dab/pat* ⟨slagroom/boter/jam⟩ ◆ **1.1** een ~je van de sluier oplichten ⟨fig.⟩ *lift/raise (a corner of) the veil* **2.3** een valse ~ *a false/wrong tip-off/lead/clue;* ⟨vnl. AE, inf. ook⟩ *a bum steer* **3.3** iem. een ~ geven *tip s.o. off, give s.o. a tip-off, tip s.o. the wink;* een ~ krijgen *get a tip(-off), be tipped (off)* **6.4 met** een ~ aanraken *tip/touch/finger/tap (gingerly);* ⟨balsport⟩ *strike lightly, flick.*
tipgeld ⟨het⟩ **0.1** *tip-off money.*
tipgever ⟨de (m.)⟩, **-geefster** ⟨de (v.)⟩ **0.1** ⟨mbt. politie⟩ *(police) informer* ⇒⟨mbt. gokkers/speculanten⟩ *tipster,* ⟨AE; sl.⟩ *canary,* ⟨mbt. politie; BE; sl.⟩ *grass, (copper's) nark,* ⟨BE; vnl. mbt. Noord-Ierland⟩ *supergrass.*

tippel ⟨de (m.)⟩ **0.1** *toddle* ⇒ ↑*walk* ♦ **2.1** dat is nog een hele ~ *that's still quite a walk, that's still a good(ish)/fair walk/way/stretch* **6.1** de hele dag **aan** de ~ zijn *be on the hop/trot/go all day*.

tippelaar ⟨de (m.)⟩ **0.1** *trotter* ⇒⟨ongemarkeerd⟩ *walker*, ⟨inf;mbt. kind⟩ *toddler*.

tippelaarster ⟨de (v.)⟩ **0.1** *streetwalker, streetgirl* ⇒ ↑*prostitute*, ⟨BE; pej.⟩ *scrubber*, ⟨vnl. AE ook⟩ *hustler*, ⟨jong⟩ *bat*.

tippelen ⟨onov.ww.⟩ **0.1** [(inf.) lopen] *toddle* ⇒*trot*, ⟨ongemarkeerd⟩ *walk* **0.2** [mbt. de prostitutie] *be on/walk the streets, solicit* ⇒⟨AE ook⟩ *hustle* **0.3** [⟨+op⟩ weg zijn van] *be infatuated/* ↑*smitten (with)* ⇒ *take a fancy (to), be keen (on)/fond (of)* ♦ **1.1** een eindje gaan ~ *go for a bit of a toddle/walk* **5.1** (inf./fig.) erin ~ *walk into it, walk into a /the trap;* ⟨toebijten/happen ook⟩ *rise to/take the bait* **7.1** het ~ *streetwalking, soliciting;* ⟨AE ook⟩ *hustling*.

tippelprostitutie ⟨de (v.)⟩ **0.1** *streetwalking*.

tippelverbod ⟨het⟩ **0.1** *ban on streetwalking/* ⟨jur.⟩ *soliciting*.

tippelzone ⟨de⟩ ⟨inf.⟩ **0.1** *streetwalkers' district*.

tippen
I ⟨onov.ww.⟩ **0.1** [eventjes aanraken] *tip* ⇒*touch/finger lightly, tip/ flick* ⟨bal⟩, ⟨med.⟩ *palpate lightly* ♦ **6.1 aan** een glas ~ *nip/sip at a glass, take a sip from a glass;* (fig.) **aan** iets/iem. niet kunnen ~ *not be able to touch/come near sth./s.o., have nothing on sth./s.o., not be a patch on sth./s.o., not be in the same street/league as sth./s.o., not come within miles/streets/a mile of sth./s.o.;*
II ⟨onov.,ov.ww.⟩ **0.1** [een inlichting geven] *tip (s.o.) off* ⇒ ⟨aan politie ook⟩ *finger* **0.2** [een fooi geven] *tip* **0.3** [als vermoedelijke winnaar aanwijzen] *tip (as);*
III ⟨ov.ww.⟩ **0.1** [aan een uiteinde merken] *mark (a/the tip(s)/corner(s) of)* **0.2** [de uiteinden verwijderen] *remove the tip(s) of; trim* ⟨haar⟩; *clip* ⟨vleugels⟩ ♦ **1.1** een speelkaart ~ *mark a card*.

tiptoets ⟨de (m.)⟩ **0.1** *touch control* ⇒ ⟨van computerklavier⟩ *touch-sensitive (membrane) key*.

tiptop ⟨bn., bw.⟩ **0.1** *tip-top* ⇒*A 1, top-notch, first-class/-rate/* ⟨vnl. AE⟩ *-string, five-star/* ↓*slap-up* ⟨maaltijd⟩ ♦ **1.1** ~ kwaliteit *t.-t./A 1/ first-class/-rate/top-notch/five-star quality* **2.1** ~ gekleed zijn *be elaborately/* ↑*punctiliously dressed;* ⟨inf.⟩ *be dressed up to the nines,* ⟨inf.⟩ *look spick and span* **3.1** ik voel me ~ *I feel great/fantastic/in perfect shape/* ⟨BE ook⟩ *nick* ¶.**1** ~ in orde *in apple-pie order, in t.-t./A 1/ first-class/-rate/ship-shape/mint condition*.

TIR ⟨afk.⟩ **0.1** [Transport International Route] *TIR* **0.2** [Transit International Routier] *TIR*.

tirade ⟨de (v.)⟩ **0.1** [woorden] *tirade* ⇒⟨aanval⟩ *diatribe, broadside*, ⟨heftige toespraak ook⟩ *harangue* **0.2** [⟨muz.⟩] *tirade* ⇒*run, roulade* ♦ **3.1** een ~ afsteken over *rant on about* **6.1** een ~ **over** iets *a t./ harangue about sth.;* een ~ **tegen** iem. *a t./ broadside/ diatribe against s.o.*

tirailleren ⟨onov.ww.⟩ **0.1** *skirmish*.

tirailleur ⟨de (m.)⟩ **0.1** *skirmisher* ⇒*tirailleur, sharp-shooter*.

tiran ⟨de (m.)⟩ **0.1** [despoot] *tyrant* ⇒*despot, dictator, oppressor*, ⟨voor familie, collega's, leerlingen enz. ook⟩ *bully, petty tyrant* **0.2** [⟨gesch.⟩] *tyrant*.

tirannie ⟨de (v.)⟩ **0.1** [⟨gesch.⟩] *tyranny* **0.2** [dwingelandij] *tyranny* ⇒ *despotism, oppression, dictatorship* **0.3** [machtswellust] *tyranny* ⇒ *despotism, authoritarianism*.

tiranniek ⟨bn., bw.; -ly⟩ **0.1** *tyrannical* ⇒*tyrannic, tyrannous, despotic, oppressive*, ⟨voor familie, collega's, leerlingen enz. ook⟩ *bullying* ♦ **1.1** een ~ baasje *a bully;* ⟨scherts.⟩ *a tin-pot tyrant;* ⟨kind⟩ *a little brute;* ~e maatregelen *tyrannical measures* **3.1** ~ optreden *act tyrannically/like a tyrant*.

tiranniseren ⟨ov.ww.⟩ **0.1** *tyrannize (over)* ⇒*domineer*, ⟨terroriseren⟩ *terrorize*, ⟨familie, collega's, leerlingen enz. ook⟩ *bully* ♦ **1.1** een volk ~ *tyrannize over a nation;* zijn vrouw ~ *tyrannize/bully one's wife*.

Tiroler ⟨de (m.)⟩ **0.1** *Tyrolean*.

tissue ⟨de (v.)⟩ **0.1** [stuk papier] *paper handkerchief, tissue* **0.2** [materiaal] *tissue paper*.

tit. ⟨afk.⟩ **0.1** [titulair] *tit.*.

titaan ⟨het⟩ ⟨schei.⟩ **0.1** *titanium*.

titan ⟨de (m.)⟩ **0.1** [⟨myth.⟩] *Titan* **0.2** [reusachtig figuur] *titan* ⇒*giant, colossus*.

titanenstrijd ⟨de (m.)⟩ **0.1** *titanic struggle*.

titanenwerk ⟨het⟩ **0.1** *titanic/gigantic/colossal job (of work)* ⇒*giant's labour*.

titaniet ⟨het⟩ **0.1** *titanite* ⇒*sphene*.

titanisch ⟨bn., bw.; -ally⟩ **0.1** [als (van) een titan] *titanic* **0.2** [reusachtig] *titanic* ⇒*colossal, gigantic* ♦ **1.1** ~e gebaren *t. gestures* **1.2** een ~ werk *a t./ gigantic/colossal job (of work), a giant's task*.

titanium ⟨het⟩ ⟨schei.⟩ **0.1** *titanium*.

titel ⟨de (m.)⟩ **0.1** [opschrift v.e. boek/plaat] *title* ⇒ ⟨van hoofdstuk/artikel ook⟩ *heading* **0.2** [waardigheid, rang] *title* ⇒ ⟨universitaire graad⟩ *(university) degree*, ⟨aanspreekvorm ook⟩ *form of address*, ⟨inf.⟩ *handle* **0.3** [kwalificatie] *title* **0.4** [⟨jur.⟩ onderdeel v.e. wet] *title* ⇒*heading, statute* **0.5** [⟨jur.⟩ rechtsgrond] *title* ⇒*(in)vestitive fact/*

event ♦ **1.2** de ~ van baron/hoogleraar *the t. of baron/professor* **1.5** ~ van eigendom *title, evidence of ownership* **2.1** courante ~ *running t.;* Franse ~ *half/bastard t.;* onverkoopbare ~s *unsal(e)able titles* **2.2** een academische ~ *a (university) degree;* een geërfde ~ *an inherited t.;* ⟨jur.⟩ *a t. by succession* **2.3** een adellijke ~ *a t. of nobility, a handle (to one's name);* op persoonlijke ~ *personally, speaking as a private person/strictly off the record* **2.5** eigendomsverkrijging onder algemene ~ *(right of) ownership under a universal t., ownership by/ under universal title* **3.2** een ~ behalen *take/gain a degree,* ⟨sport⟩ *win/gain a t.;* de ~ erven *inherit the t.; come into/accede to the t.;* een ~ geven/verlenen/ aannemen/voeren *give/bestow/accept/bear a t.;* een ~ (voor zijn naam) hebben *have a t./ handle to one's name;* welke ~ heeft zij? *what is her t.?* **3.3** ⟨sport⟩ de ~ veroveren/verdedigen *win/defend the t.* **6.1** zonder ~ ⟨ook⟩ *untitled* **6.2** personen met een ~ *titled persons* **6.3** onder de ~ van *under the t. of;* ⟨AZN⟩ ten ~ **van** *by way of*.

titelapparaat ⟨het⟩ **0.1** *titler* ⇒*title set, titling outfit*.

titelbeschrijving ⟨de (v.)⟩ **0.1** *bibliographical entry* ⇒*title description*.

titelblad ⟨het⟩ **0.1** *title page* ⇒*title*.

titelcatalogus ⟨de (m.)⟩ **0.1** *title catalogue* ^*log*.

titelgevecht ⟨het⟩ **0.1** *title fight*.

titelheld ⟨de (m.)⟩ **0.1** *hero referred to in the title;* ⟨schr.⟩ *titular hero*.

titelhouder ⟨de (m.)⟩, **-ster** ⟨de (v.)⟩ **0.1** *titleholder*.

titelinflatie ⟨de (v.)⟩ **0.1** *title inflation*.

titelkandidaat ⟨de (m.)⟩ **0.1** *competitor for a/the title* ⇒ ⟨inf.⟩ *title-chaser*.

titelnummer →**titelsong**.

titelpagina →**titelblad**.

titelplaat ⟨de⟩ ⟨boekw.⟩ **0.1** *frontispiece*.

titelprent ⟨de⟩ **0.1** *frontispiece*.

titelrol ⟨de⟩ **0.1** ⟨dram., film⟩ hoofdrol] *title role* ⇒*title name/part/ character,* ↑*eponymous role* **0.2** [⟨film⟩ lijst met namen] *credits* ⟨ww.mv.⟩ ⇒*credit titles,* ⟨vnl. AE; radio en t.v. ook⟩ *billboard*.

titelsong ⟨de (m.)⟩ **0.1** [mbt. een LP] *title track* **0.2** [mbt. een film] *title song*.

titelstrijd ⟨de (m.)⟩ **0.1** *championship match/race, title match/fight competition*.

titelverdediger ⟨de (m.)⟩, **-ster** ⟨de (v.)⟩ ⟨sport⟩ **0.1** *titleholder* ⇒*defender*.

titelverhaal ⟨het⟩ **0.1** *title story*.

titelvoerend ⟨bn.⟩⟨AZN⟩ **0.1** *titular* ⇒*nominal*.

titelwoord ⟨het⟩ **0.1** *headword* ⇒ ⟨taal.⟩ *lemma, ≠entry*.

titer ⟨de (m.)⟩ ⟨schei.⟩ **0.1** *titre* ⇒*strength (of a solution)*.

titoïsme ⟨het⟩ **0.1** *Titoism*.

titreren ⟨onov., ov.ww.⟩ ⟨schei.⟩ **0.1** *titrate*.

tittel ⟨de (m.)⟩ **0.1** [stipje] *dot* **0.2** [het allergeringste deel] *tittle* ⇒*jot, iota, whit* ♦ **4.1** de ~ op de i/op de j *the d. on the i/j* **7.2** er mag geen ~ aan ontbreken *not one/a jot or t. may be missing* ⟨vnl. mbt. geschrift⟩; hij weet er geen ~ of jota van *he doesn't know a thing about it, he knows not one iota/nothing about it*.

titulair ⟨bn.⟩ **0.1** [mbt. een persoon] *titular* ⇒*nominal*, ⟨honorair⟩ *honorary* **0.2** [mbt. een rang, positie] *titular* ⇒*nominal*, ⟨honorair⟩ *honorary* ♦ **1.1** een kolonel ~ *a brevet colonel* **1.2** een ~e rang verlenen *grant a t./ nominal/honorary rank;* ⟨mil.⟩ *brevet* **2.1** een ~ bisschop *a titular bishop* **2.2** ~e rangen *titular/nominal rank;* ⟨mil.⟩ *brevet rank*.

titularis ⟨de (m.)⟩ **0.1** *holder (of the/ an office)* ⇒*functionary, titular*, ⟨kerk ook⟩ *incumbent*.

titulatuur ⟨de (v.)⟩ **0.1** [betiteling] *(en)titling* **0.2** [titel] *title* ⇒*style, mode/form of address* **0.3** [gezamenlijke titels] *(system of) titles/ modes/forms of address*.

tja ⟨tw.⟩ **0.1** *well* ⇒*humph, h'm, indeed* ♦ ¶.**1** ~, het is mogelijk *well/ h'm, it's possible;* ~, wat nu? *well/ indeed, what now?*.

tjalk ⟨de⟩⟨scheep.⟩ **0.1** *tjalk ⟨Dutch sailing vessel with characteristic spritsail⟩*.

tjaptjoi ⟨de⟩ **0.1** *chop suey*.

Tjechoslowaak ⟨de (m.)⟩, **-se** ⟨de (v.)⟩ →*Tsjech*.

tjee ⟨tw.⟩ **0.1** *gosh* ⇒*wow*, ⟨AE ook⟩ *jeez*, ⟨BE;sl.⟩ *crikey, blimey, cor*.

tjiep ⟨tw.⟩ **0.1** *tweet*.

tjiftjaf ⟨de (m.)⟩ **0.1** *chiffchaff*.

tjilpen ⟨onov.ww.⟩ **0.1** *tweet, twitter* ⇒*cheep, chirrup, chirp*.

tjingelen ⟨onov.ww.⟩ **0.1** *tinkle* ⇒*jingle*.

tjirpen ⟨onov.ww.⟩ **0.1** *chirp, chirrup;* ⟨krekels ook⟩ *chirr*.

tjitjak ⟨de (m.)⟩ **0.1** *(tropical) gecko*.

tjoeke tjoeke ⟨tw.⟩ ⟨kind⟩ **0.1** ⟨trein⟩ *choo-choo;* ⟨vaartuig⟩ *chug-chug*.

tjokvol ⟨bn.⟩ **0.1** *chock-a-block, chock-full, chuck-full, choke-full* ⇒⟨BE; inf.⟩ *cramfull*, ⟨inf.⟩ *jam-full, jam-packed* ♦ **3.1** de kamers stonden ~ (met meubels) *the rooms were crammed (with furniture);* de zaal was ~ *the hall was jam-packed/chock-a-block;* de boot was ~ (met) toeristen *the boat was packed to the gunwales/overflowing with tourists*.

tjonge ⟨tw.⟩ **0.1** *boy* ♦ ¶.**1** ~ ~, wat is het heet! *wow!/my word! it's hot*.

t.k.a. ⟨afk.⟩ **0.1** [te koop aangeboden] ⟨for sale⟩.

T-kruising ⟨de (v.)⟩ **0.1** *T-junction*.

TL ⟨de⟩⟨afk.⟩ **0.1** [tube luminescent] ⟨strip/fluorescent light(ing)⟩.

TL-buis ⟨de⟩ **0.1** *strip light* ⇒*fluorescent/neon light/tube/lamp*.

t.l.v. ⟨afk.⟩ **0.1** [ten laste van] ⟨*at the expense of*⟩.

TL-verlichting ⟨de (v.)⟩ **0.1** *strip/fluorescent/neon light(ing)*.

t/m ⟨afk.⟩ **0.1** [tot en met] ⟨*until* ⇒⟨*inf.*⟩ *till*, ⟨*lett.*⟩ *up to and including, until/till/to … inclusive*, ^A*through*⟩ ◆ **1.1** maart ~ mei *March to May inclusive*, ^A*March through May*.

TM ⟨de (v.)⟩⟨afk.⟩ **0.1** [transcendentale meditatie] *TM*.

tmesis ⟨de (v.)⟩ ⟨taal.⟩ **0.1** *tmesis*.

TNO ⟨het⟩ ⟨afk.⟩ **0.1** [(Nederlands onderzoeksinstituut voor) Toegepast Natuurwetenschappelijk Onderzoek] ⟨*Dutch organization for Applied Scientific Research*⟩.

TNT ⟨het⟩⟨afk.⟩ **0.1** [trinitrotoluol] *T.N.T.*, *trinitrotoluene*, *trinitrotoluol*.

t.n.v. ⟨afk.⟩ **0.1** [ten name van] ⟨*in the name of*⟩.

t.o. ⟨afk.⟩ **0.1** [tegenover] *opp.* ⟨*opposite*⟩.

toasten ⟨onov.ww.⟩ **0.1** *toast* ◆ **6.1** ~ **op** *toast, drink (a t.) to*.

tobbe ⟨de⟩ **0.1** *tub* ◆ **6.1** aan de ~ staan *do the wash(ing)*.

tobben ⟨onov.ww.⟩ **0.1** [piekeren] *worry* ⇒*fret, brood* **0.2** [zwoegen] *plod on* ⇒*slave (away), toil, sweat* **0.3** [sukkelen] *struggle* ◆ **3.1** de hele nacht lag de minister te ~ *the minister lay worrying all night* **3.2** zij moeten vreselijk ~ om rond te komen *they really have to struggle to make ends meet/get by* **3.3** het blijft ~ *it's un uphill struggle, it doesn't get any easier* **6.1** over de godsdienst ~ *brood over religion* **6.3** met een zieke vrouw ~ *just about manage to keep going/have to battle/struggle on (somehow) with a sick wife*; op school met wiskunde ~ *(have a) struggle with/be floundering in maths at school*.

tobber ⟨de (v.)⟩, **-ster** ⟨de (v.)⟩ [stakker] *wretch* ⇒⟨vnl. vrouw⟩ *(old) soul* **0.2** [piekeraar] *worrier* ⇒*brooder*, ⟨inf.⟩ *worrywart, worryguts* ◆ **2.1** een armzalige ~ *a poor soul/miserable wretch*.

tobberig ⟨bn.⟩ **0.1** *worrying, worrisome* ⇒*brooding, fretting*.

tobberij ⟨de (v.)⟩ **0.1** [geploeter] *drudgery* ⇒*toil (and moil)* **0.2** [gepieker] *worrying* ⇒*brooding, fretting*.

tobogan ⟨de (m.)⟩ **0.1** *toboggan*; ⟨AE ook⟩ *coaster*.

toccata ⟨de⟩ **0.1** *toccata*.

toch ⟨bw.⟩ **0.1** [desondanks] *nevertheless, still, yet, all the same* **0.2** [eigenlijk] *rather* ⇒*actually, really* **0.3** [inderdaad] *indeed* ⇒*actually* **0.4** [ter versterking v.e. uitspraak] ⟨zie 3.4,5.4,¶.4⟩ **0.5** [uitdrukking van schrik/verbazing/ongeduld] ⟨zie 1.5,3.5,4.5,5.5,¶.5⟩ **0.6** [nu eenmaal] *anyway, anyhow* **0.7** [om aan te geven dat men bevestiging verwacht] ⟨zie 5.7,¶.7⟩ **0.8** [immers] *after all, since* **0.9** [per slot van rekening] *after all, all the same* ◆ **1.5** jongen ~, hoe kan je dat nou doen *good Lord/my dear boy/child whatever made you do it?* **3.1** hoe graag ik ook zou gaan, ik blijf ~ thuis *however much I'd like to go, I'll still stay in;* ⟨na een verbod⟩ ik doe het (lekker) ~ *I'll do it anyway/nonetheless, I'm jolly well going to do it (so there!)* **3.4** blijf ~ bij me *please stay with me;* sta ~ stil *do stand still, for goodness' sake stand still, stand still won't/will you* **3.5** ga ~ weg/fietsen *get away/on with you;* kom nou ~ *get away with you, don't (you) give me that; dat zegt hij* ~ *that's what he's saying* **4.5** waarom ~? *why ever/on earth?, but why?* **5.1** als het dan ~ moest *if it has to happen (at all)* **5.2** nee hoor, of ja, ~ wel *oh no, or rather, yes* **5.4** we hebben het ~ al zo moeilijk *it's difficult enough for us as it is;* ik ben ~ zo geschrokken *I got such a terrible fright* **5.5** nee ~!, hij is ~ niet dood? *no! he's not dead, is he?, never!, surely he can't be dead;* ~ niet! *surely not!, not really!, never!, no!;* nee, dat kan ~ niet! ~ wel! *no, that's impossible! oh no it isn't!* **5.7** je hebt het ~ niet koud? *you aren't cold are you?; dat kunnen ze ~ niet menen? surely they can't be serious?;* je gaat me ~ niet vertellen *you're not telling me …, you can't mean …* **8.1** en ~ is het waar *and y.~ it's true all the same* ¶**.1** maar ~ *(but) still, even so, and y.* ¶**.2** hoe heette dat nummer ~ ook al weer? *what was the name of that song again?* ¶**.3** ~ maar goed dat hij is meegegaan *just as well he came along* ¶**.4** kom ~ binnen! *do come in!* ¶**.5** waar was je ~? *wherever/where on earth were you/did you get to/have you been?;* zij had me ~ een wagen *you should have seen the car she had/her car;* laat-ie me nou ~ de eerste prijs winnen ^A*he's gone/been and won (the) first prize;* wat heb je ~? *what's bothering you?, what is it?;* ⟨sterker⟩ wat on earth is the matter?; het was me ~ koud *it wasn't half cold;* wat is me ~ klein *what/it's a small world (we live in)* ¶**.6** het wordt ~ niks *it won't work anyway;* het is nu ~ al te laat *it's too late now, anyhow;* als je er ~ langskomt, wil je dan …? *if you're passing the place anyway, could you …?;* nu we het daar ~ over hebben *while we're on the subject, for that matter;* nu je hier ~ bent *while you're here, by the way* ¶**.7** ja ~? *don't you think?, surely?;* dat is ~ belachelijk? *but that's ludicrous, isn't it?* ¶**.8** hij heeft me ~ geholpen *I trust him; a. a. he did help me;* ik heb ~ geld zat *but I've got plenty of money* ¶**.9** dat pand is ~ nog verkocht *that house has been sold a. a. / has* ⟨met klemtoon⟩ *been sold;* ~ is het geen vervelende kerel *all the same/still he's not a bad sort of chap, he's not too bad though;* ~ zijn ze niet stom *and yet they're not stupid*.

Tochaars ⟨het⟩ **0.1** *Tocharian*.

tocht ⟨de (m.)⟩ **0.1** [zuiging v.d. lucht] *draught*, ^A*draft* ⇒⟨windje⟩ *breeze* **0.2** [reis] *journey* ⇒⟨kort⟩ *trip*, ⟨lang⟩ *trek* **0.3** [van molen] *race* ◆ **2.2** zijn laatste ~ ⟨van dode⟩ *his last pilgrimage/final journey* **3.1** ~ voelen *feel a d.* **3.2** een ~ maken met de auto *go for a spin/drive*

in the car; een ~ maken met de fiets *go for a ride on one's bike/a bike ride;* een ~ maken/ondernemen *make/undertake a j.* **5.2** op de ~ ⟨komen te⟩ staan ⟨fig.⟩ *hang/be in the balance;* ⟨fig.⟩ een plan op de ~ zetten *jeopardize a plan;* op/niet op de ~ zitten *sit in a/out of the draught* **6.2** Napoleons ~ naar Rusland *Napoleon's Russian campaign;* een ~ naar de noordpool *an expedition to the North Pole*.

tochtband ⟨het⟩ **0.1** *weather strip/stripping* ⇒*draught/*^A*draft proofing*.

tochtdeur ⟨de⟩ **0.1** *swing/swinging door* ⇒*storm door*.

tochten

I ⟨onov.ww.⟩ **0.1** [tocht doorlaten] *be draughty/*^A*drafty* ⇒*let the draught/*^A*draft/wind through* ◆ **1.1** het raam tocht *the window's draughty;*

II ⟨onp.ww.⟩ ◆ **4.**¶ het tocht hier *there's a draught here;* ⟨je geeuwt te openlijk⟩ *mind you don't fall in;* ⟨je gulp staat open⟩ *your fly's undone*.

tochtgat ⟨het⟩ **0.1** [gat waardoor het tocht] *blowhole* ⇒*vent* **0.2** [ruimte, plaats] *draughty/*^A*drafty place/spot* **0.3** [windwak] *air hole* ◆ **2.2** dat plein is een verschrikkelijk ~ *it blows like crazy/it's pretty blowy/there's always a hell of a breeze in that square* **3.1** we stoppen met proppen papier de ~ en dicht *we stop up the draughts/*^A*drafts with wads of paper.*

tochtgenoot ⟨de (m.)⟩ **0.1** *fellow traveller* ⇒*(travelling) companion*.

tochtig ⟨bn.⟩ **0.1** [waarin het tocht] *draughty*, ^A*drafty* ⇒⟨winderig⟩ *breezy, blowy* **0.2** [tocht doorlatend] *draughty*, ^A*drafty* **0.3** [bronstig] ⟨mannetjesdieren⟩ *rutting, ruttish;* ⟨vrouwtjesdieren⟩ ^B*on/at/*^A*in heat, oestrous,* ^A*estrous* ◆ **1.3** een ~ e koe *a cow in heat*.

tochtigheid ⟨de (v.)⟩ **0.1** *draughtiness*, ^A*draftiness*.

tochtje ⟨het⟩ **0.1** *trip* ⇒⟨ritje⟩ *ride, drive, spin*, ⟨tochtje⟩ *tour* ◆ **3.1** een ~ maken met de auto *go for a spin in the car;* een ~ maken met de fiets *go for a ride on one's bike/a bike ride.*

tochtkanaal ⟨het⟩ **0.1** *air hole/* ⟨tech. ook⟩ *vent* ⇒*ventilation hole*.

tochtklep ⟨de⟩ **0.1** *draught/*^A*draft flap.*

tochtlat ⟨de⟩ **0.1** [raamlat tegen tocht] *weather/draught/*^A*draft strip* **0.2** [(mv./scherts.) bakkebaarden] *(side)burns* ⇒⟨BE ook⟩ *side-boards,* ⟨op de wangen⟩ *mutton-chops.*

tochtportaal ⟨het⟩ **0.1** *enclosed porch.*

tochtraam ⟨het⟩ **0.1** *double window.*

tochtscherm ⟨het⟩ **0.1** *draught-screen.*

tochtstrip ⟨de (m.)⟩ **0.1** *weather strip(ping).*

tochtvlaag ⟨de (v.)⟩ **0.1** *sudden draught/*^A*draft* ⇒*gust (of wind).*

tochtvrij ⟨bn.⟩ **0.1** *draught-/*^A*draft-free* ⟨ruimte⟩, *draught-/*^A*draft-proof* ⟨ramen, enz.⟩.

tochtwering ⟨de (v.)⟩ **0.1** ⟨abstr.⟩ *draught/*^A*draft exclusion* ⇒ ⟨concr.⟩ *draught/*^A*draft exclusion/antidraught/*^A*antidraft feature(s)*.

tochus →**tooches.**

tod ⟨de⟩ **0.1** *rag.*

toddik ⟨de (m.)⟩ **0.1** *(filthy/dirty) pig* ⇒⟨inf.⟩ *messy/mucky pup.*

toe[1] ⟨bw.⟩ **0.1** [in de richting naar] *to(wards)* **0.2** [gericht naar] *to(wards)* **0.3** [mbt. een bijvoeging] *too, as well* **0.4** [mbt. een betrekking] *to, for* **0.5** [dicht] *shut, closed* ⇒⟨deuren ook⟩ *to* ◆ **1.3** en nog een grote bek ~ *and a big mouth to boot;* al kreeg ik geld ~ *(not) even if you paid me;* hopjesvla ~ *butterscotch pudding for afters;* ⟨fig.⟩ op de koop ~ *into the bargain* **1.5** met de ogen ~ *with one's eyes closed* **2.**¶ ik was blij ~ dat het eerder afgelopen was *I wasn't half glad it finished early/before time* **3.3** wilt u nog iets ~? *would you like anything to follow/else?* **3.4** waar dient dat ~? *what's that for?, what's that in aid of?;* er het zwijgen ~ doen *keep silent;* dat doet er niet(s) ~ *that's beside the point/nothing to do with it/of no importance;* aan iets ~ komen *get (round) to sth.* **3.5** de deur is ~ *the door is c.* **3.**¶ hij kan met f 200,- in de week ~ *he can get by/manage on f 200,- a week;* er slecht aan ~ zijn *be badly off, be in a bad way* **6.1** hij komt naar mij ~ *he's coming to see me;* ergens naar ~ willen ⟨fig.⟩ *be aiming/driving/getting at sth.;* naar zich ~ rekenen *work it/things/make it come out in one's own favour;* waar gaan jullie naar ~ met vakantie? *where are you off to for your holidays?;* waar gaat dit pad naar ~? *where does this path lead (to)?;* waar moet dit naar ~? *where will it lead us?, what's the world coming to?* **6.2** met de rug naar de zon ~ *with one's back to the sun* **6.**¶ er (na) aan ~ zijn om … *have reached at the stage where …, be more or less …;* aan vakantie ~ zijn *be ready for/in need of a holiday;* we moeten weten waar we aan ~ zijn *we've got to know where we stand/are;* tot nu ~ *so far, up to now;* tot de brug ~ *as far as the bridge;* dat was nog tot daaraan ~ *there's no great harm in that, that doesn't matter so much;* tot boven (aan) ~ *up to the top;* tot driemaal ~ *(as much as) three times.*

toe[2] ⟨tw.⟩ **0.1** [vooruit] *come on* **0.2** [alstublieft] *please* ⇒*do* **0.3** [och kom] *come/go on* ⇒*come off it* **0.4** [kom kom] *there, there* ⇒*there now, now, now* ◆ **5.**¶ ~ maar ⟨doe het maar⟩ *go on/ahead;* ⟨zeg het maar⟩ *go ahead;* ⟨sl.⟩ *spit it out;* ⟨iron.;verbaasd⟩ *my goodness, good Lord* **9.3** ~ nou, wou je me dat wijsmaken? *come on/now/go on, who do you think you're fooling?* ¶**.1** ~, doe niet zo mal *come on, don't be so silly;* ~, help eens een handje *give me a hand, won't you?* ¶**.2** nee, asjeblieft niet ~ *no, please, don't;* ~ ⟨nou⟩, vertel het me *do/won't you tell me, oh please tell me* ¶**.4** ~, ~! de schade zal wel meevallen *there, there! it won't be too bad.*

toean ⟨de (m.)⟩ ⟨Maleisisch⟩ **0.1** *tuan.*

toebedelen ⟨ov.ww.⟩ **0.1** [na splitsing schenken] *apportion* ⇒*assign* **0.2** [toewijzen] *allot* ⇒*allocate, award, mete out* ⟨straf⟩ ◆ **1.1** de inkomsten werden jaarlijks aan ieder toebedeeld *the revenues were apportioned to everyone / all concerned every year* **1.2** dat lot werd mij toebedeeld *that fate was reserved for me, that / it was my appointed lot, that fell to me;* de mij toebedeelde taak *my allotted task* **5.2** karig ~ *skimp, stint.*

toebedeling ⟨de (v.)⟩ **0.1** *allocation* ⇒*allotment, apportionment, assignment.*

toebedenken →**toedenken.**

toebehoren[1] ⟨het⟩ **0.1** *accessories, appurtenances* ⇒*attachments* ⟨bv. van stofzuiger⟩, ⟨tech.⟩ *fittings* ◆ **6.1** een fototoestel met ~ *a camera with accessories;* een huis met ~ *a house with appurtenances;* compleet met alle ~ *complete with all fittings.*

toebehoren[2] ⟨onov.ww.⟩ **0.1** *belong to* ◆ **6.1** goederen die aan niemand ~ *unowned / unclaimed goods;* hij denkt dat ik hem met lichaam en ziel toebehoor *he thinks he owns me / I'm his body and soul.*

toebereiden ⟨ov.ww.⟩ **0.1** [gereed maken] *prepare* **0.2** [mbt. spijzen, dranken] *prepare* ⇒⟨inf.⟩ *fix, season* ⟨met kruiden⟩, *dress* ⟨salades⟩ ◆ **6.2** gehakt met uien en paprika toebereid [B]*mince* / [A]*minced meat with onions and peppers;* sla met olie en azijn ~ *dress salad with oil and vinegar.*

toebereiding ⟨de (v.)⟩ **0.1** *preparation* ⟨ook voedsel⟩.

toebereidselen ⟨zn.mv.⟩ **0.1** *preparations* ⇒*preliminaries* ◆ **3.1** ~ maken om *make preparations for, prepare / get ready for.*

toebijten
I ⟨onov.ww.⟩ **0.1** [overgaan tot bijten] *bite* ⟨vis⟩; *snap* ⟨hond⟩ **0.2** [⟨fig.⟩] *bite* ⇒⟨sl.⟩ *play, rise to the bait* ◆ **3.2** ze willen niet erg ~ *they're holding / hanging back, they won't play / rise to the bait*
II ⟨ov.ww.⟩ **0.1** [snauwend toespreken] *snarl / snap at* ◆ **1.1** iem. iets ~ ⟨ook⟩ *bite s.o.'s nose off;* iem. een verwijt ~ *snarl / hurl a reproach at s.o..*

toeblaffen
I ⟨onov.ww.⟩ **0.1** [tegen iem. blaffen] *growl, snarl;*
II ⟨ov.ww.⟩ **0.1** [toesnauwen] *growl / snarl at.*

toebrengen ⟨ov.ww.⟩ **0.1** *deal, inflict* ⇒*give, administer,* ⟨inf.⟩ *plant* ⟨steken, slagen⟩ ◆ **1.1** iem. letsel / een wond ~ *i. injury / a wound on s.o., injure / wound s.o.;* iem. nadeel / schade ~ *disadvantage / harm s.o.;* iem. een nederlaag ~ *i. defeat on s.o.;* iem. een steek / slag / stoot ~ *deal s.o. a stab / blow / punch;* de vijand zware verliezen ~ *i. severe losses on / administer severe losses to the enemy.*

toebrullen ⟨ov.ww.⟩ **0.1** *roar (out) to / at, bellow / thunder at.*

toebuigen
I ⟨onov.ww.⟩ **0.1** [nauwer toelopen] *taper (off);*
II ⟨ov.ww.⟩ **0.1** [buigend sluiten] ⟨zie 1.1⟩ ◆ **1.1** een ijzerdraad ~ *bend the ends of a wire together.*

toedekken ⟨ov.ww.⟩ **0.1** *cover up* ⇒⟨in bed stoppen⟩ *tuck in / up,* ⟨mbt. plant ook⟩ *mat up* ◆ **5.1** iem. warm ~ *muffle s.o. / tuck s.o. in cozily / nice and warm.*

toedenken ⟨ov.ww.⟩ **0.1** [de bedoeling hebben te geven] *intend for* ⇒ *earmark for, destine for, set aside for,* have in mind for **0.2** [toewensen] *wish* **0.3** [iem. tot iets in staat achten] *credit (with), think (of)* ◆ **1.1** de hem toegedachte erenaam *the honorary title reserved for him* **1.3** ik had jou meer begrip toegedacht *I would have credited you with more understanding, I would have believed / thought you to be more understanding* **8.2** hij had zichzelf dit meisje allang als vrouw toegedacht *he had long intended / wished this girl to be his wife.*

toedichten ⟨ov.ww.⟩ **0.1** *impute, foist* ⇒*father upon* ◆ **1.1** iem. kwade bedoelingen ~ *arrogate / attribute evil intent(ions) to s.o..*

toedienen ⟨ov.ww.⟩ **0.1** [ter consumptie, ten gebruik geven] *administer* ⇒*apply* **0.2** [bezorgen] *administer* ⇒*deal / hand out* ⟨slagen⟩ ◆ **1.1** de toegediende bemesting *the applied manure;* medicijnen ~ *give / administer medicine* **1.2** iem. de sacramenten ~ *a. the last sacraments to s.o.,* say the last rites over s.o.; iem. een pak slaag ~ *hand out punishment to s.o., give s.o. a thrashing.*

toediening ⟨de (v.)⟩ **0.1** *serving-up* ⟨voedsel⟩; *administration / administering (to)* ⟨geneesmiddel, straf⟩; ⟨straf ook⟩ *pej.⟩ infliction ((up)on).*

toedoen[1] ⟨het⟩ **0.1** [bemiddeling] *agency;* ⟨vnl., pej.⟩ *doing* ◆ **6.1** buiten zijn ~ *through no fault of his (own);* door ~ van zijn vrouw liep hij in de val *he was caught with the help of his wife;* dit is allemaal door jouw ~ gebeurd *this is all your d. / fault;* door ~ van vrienden *through / by the a. of friends;* zonder ~ van *through no fault of.*

toedoen[2] ⟨ov.ww.⟩ **0.1** [erbij doen] *add* **0.2** [dichtdoen] *close, shut; draw* ⟨gordijnen⟩ ◆ **1.2** ⟨fig.⟩ dat doet de deur toe *that (just about) puts the lid on it, that's the limit / it* **6.1** dit zal aan de zaak niets toe of af doen *this won't effect things / the matter either way* ¶**.1** dat doet er niets toe *that has nothing to do with it, that's irrelevant;* wat doet het er toe? *what does it matter?, what difference does it make?;* wat jij vindt, doet er niet toe *never mind what you think;* geef maar iets, het doet er niet toe wat *(just) give me sth., anything will do.*

toedracht ⟨de⟩ **0.1** *facts* ⇒*circumstances* ◆ **1.1** de gehele ~ v.d. zaak *the full facts of the case* **2.1** de ware ~ v.d. zaak *the fact of the matter, the rights and wrongs of the case.*

toedragen
I ⟨ov.ww.⟩ **0.1** [koesteren jegens] *bear* ◆ **1.1** iem achting ~ *hold s.o. in high esteem, esteem s.o.;* iem. geen kwaad hart ~ *bear s.o. no ill-will / malice, have no ill feeling for s.o.;* iem. een kwaad hart ~ *b. s.o. ill-will / malice / a grudge, b. a grudge against s.o.;* iem. vriendschap / een goed hart ~ *be / feel sympathetic towards s.o., bear affection / a warm heart towards s.o., have a soft spot for s.o.;*
II ⟨wk.ww.; zich ~⟩ **0.1** [gebeuren] *happen, come about* ◆ **1.1** de gebeurtenissen hebben zich aldus toegedragen *the events are as follows.*

toedrinken ⟨ov.ww.⟩ **0.1** [drinkend toewensen] *drink (to)* **0.2** [een dronk uitbrengen op (iem.)] *toast, drink to (s.o.)* ◆ **1.1** iem. gezondheid / voorspoed ~ *d. (to) s.o.'s health / to s.o.'s good fortune;* iem. een welkom ~ *d. to welcome s.o. / a toast in welcome, welcome s.o. with a toast.*

toedrukken ⟨ov.ww.⟩ **0.1** *close, shut* ◆ **1.1** iem. de ogen ~ ⟨fig.⟩ *shut s.o.'s eyes;* een oogje ~ ⟨fig.⟩ *turn a blind eye, close one's eyes (to).*

toeëigenen ⟨wk.ww.; zich ~⟩ **0.1** [onrechtmatig in bezit nemen] *appropriate* ⇒⟨naar zich toehalen⟩ *arrogate* ⇒[tot zijn eigendom maken] *appropriate* ⇒⟨zich aanmatigen⟩ *assume* ◆ **1.1** de dieven hebben zich bontmantels toegeëigend *the thieves have appropriated the fur coats* **1.2** ⟨fig.⟩ zich de naam van antirevolutionair ~ *claim (for o.s.) the title of contrarevolutionary* **5.1** zich wederrechtelijk ~ *misappropriate, convert.*

toeëigening ⟨de (v.)⟩ **0.1** *appropriation* ⇒*arrogation, assumption* ◆ **2.1** ⟨jur.⟩ wederrechtelijke ~ *misappropriation, conversion.*

toeëigeningsrecht ⟨het⟩ **0.1** *right of occupancy / occupation.*

toef ⟨de⟩ **0.1** [bosje, pluk] *tuft* ⇒⟨versiering⟩ *sprig* **0.2** [hoeveelheid uit een spuit] *blob* ◆ **1.1** een ~ haar *a t. of hair* **1.2** een ~ slagroom / aardappelpuree *a b. of cream / mash(ed potato).*

toefluisteren ⟨ov.ww.⟩ **0.1** *whisper (to)* ◆ **1.1** hij fluisterde haar een grapje toe *he whispered a joke in her ear.*

toegaan
I ⟨onp.ww.⟩ **0.1** [gebeuren] *happen* ⇒*go on* ◆ **4.1** het gaat er daar vreemd / ruig aan toe *there are strange / wild goings-on there;* zo gaat het in de wereld toe *that's how it goes, that's the way of the world* **5.1** kijken of alles behoorlijk toegaat *see if things are being done properly / everything's fair and square / above board;*
II ⟨onov.ww.⟩ **0.1** [gesloten worden] *shut, close* ◆ **1.1** de deur ging toe *the door shut / closed.*

toegang ⟨de (m.)⟩ **0.1** [het betreden van iets] *entrance, entry* **0.2** [mogelijkheid, verlof] *access* ⇒⟨toelating⟩ *admittance,* ⟨toegang(sgeld)⟩ *admission, entrance,* ⟨toegang, opening⟩ *door* **0.3** [toegangsweg] *entrance* ⇒⟨toegangsweg⟩ *approach,* ⟨fig.; weg, middel⟩ *avenue, key, passport* ◆ **1.2** bewijs van ~ *ticket (of admission), entrance ticket;* recht van ~ *right of access / entry* **2.1** verboden ~ *no admittance / entry;* een bordje 'verboden ~' *a 'no trespassing' sign, a 'no admittance / entrance' sign, a sign saying 'keep out' / 'private (property)';* vrije ~ *admission free;* vrije ~ hebben / krijgen tot *have / obtain free access to* **3.1** iem. de ~ ontzeggen / weigeren / beletten *refuse s.o. admittance / access, bar s.o.* **3.2** dit kaartje geeft ~ tot het concert *this ticket admits to the concert;* ~ geven tot *give entry / entrance to, open on(to);* ~ hebben bij iem. *have access to s.o.;* ⟨fig.⟩ ~ hebben tot bepaalde documenten *have access to certain documents;* ~ krijgen tot *come, gain access / admission to;* zich ~ verschaffen *gain access (to);* ⟨met geweld⟩ *force an entry, effect an entrance by force;* ~ vinden *gain admittance* **6.3** alle ~ en naar / tot het terrein waren afgezet *all entrances to the premises were blocked* ¶**.1** toegang: 5 gulden *admission: 5 guilders.*

toegangsbewijs ⟨het⟩ **0.1** *(admission) ticket* ⇒*pass,* ⟨om weer binnen te kunnen komen⟩ *pass-out (check),* ⟨toelatingsbewijs⟩ *order* ◆ **2.1** een geldig ~ *a valid t.;* een gratis ~ *a free pass.*

toegangsdeur ⟨de⟩ **0.1** *entrance (door).*

toegangsexamen ⟨het⟩ ⟨AZN⟩ →**toelatingsexamen.**

toegangskaartje ⟨het⟩ →**toegangsbewijs.**

toegangspoort ⟨de⟩ **0.1** [poort waardoor men naar binnen gaat] *entrance (gate)* ⇒*gateway* **0.2** [⟨fig.⟩] *gate(way)* ⇒*doorway* ◆ **2.1** een monumentale ~ *a grand e..*

toegangsprijs ⟨de (m.)⟩ **0.1** *entrance fee* ⇒*price of admission.*

toegangsweg ⟨de (m.)⟩ **0.1** [weg die toegang geeft] *access (road)* ⇒*approach,* ⟨vnl. BE, brede oprijlaan⟩ *avenue* **0.2** [route naar iets toe] *access* ⇒*entranceway* ◆ **3.1** alle ~ en werden afgezet *all access roads were blocked (off)* **6.2** de ~ over zee naar Rotterdam *the sea approach to Rotterdam.*

toegankelijk ⟨bn.⟩ **0.1** [bereikbaar] *accessible* ⇒*approachable,* ⟨inf.⟩ *come- / get-at-able* **0.2** [ontvankelijk voor] *accessible* ⇒⟨inf.⟩ *approachable, open, amenable (to), receptive* ◆ **3.1** ⟨fig.⟩ de literatuur over dit onderwerp is moeilijk ~ *the literature on this subject is not easily accessible;* een landgoed voor iedereen ~ maken *throw open an estate to the public;* een beroep voor vrouwen ~ maken *open up a profession to women;* ⟨fig.⟩ de literatuur ~ er maken voor het publiek *unlock literature to the public* **5.1** een winkel beter ~ maken *make a shop more accessible;* het terrein is moeilijk ~ *the grounds are difficult / hard to get at;* moeilijk / gemakkelijk ~ *difficult / easy of access;* het huis is niet ~ vanuit de tuin *there is no entry to the house from the gar-*

den; alle evenementen zijn voor iedereen vrij ~ *all events are free* **6.1** deze club is alleen ~ **voor** leden *this is a private club;* ~ **voor** het publiek *open to the public;* niet ~ **voor** kinderen *children not admitted, no admission for children* **6.2** de directeur is ~ **voor** nieuwe ideeën *the director is accessible / open / amenable to new ideas.*

toegankelijkheid ⟨de (v.)⟩ **0.1** [bereikbaarheid] *accessibility* ⇒*approachability* **0.2** [ontvankelijkheid voor] *accessibility* ⇒⟨inf.⟩ *approachability, openness,* ⟨ontvankelijkheid⟩ *receptivity* ◆ **2.1** ⟨comp.⟩ directe ~ *direct access (facilities).*

toegankelijkheidssymbool ⟨het⟩ **0.1** *invalid (access) symbol.*

toegedaan ⟨bn.⟩ **0.1** [gunstig gezind] *dedicated, devoted* ⇒⟨welwillend⟩ *well-disposed* **0.2** [het genoemde aanhangend] *dedicated, devoted* ◆ **1.1** ze is haar zusje erg ~ *she's very (much) devoted to her little sister* **1.2** bepaalde beginselen / een bepaald geloof ~ zijn *adhere to certain principles / a certain belief;* een mening ~ zijn *hold an opinion, hold / take a view;* dezelfde mening ~ zijn *be in / of the same / one / a mind about / on, consent, agree;* een andere / tegenovergestelde mening ~ zijn *be otherwise-minded, take a different / opposite view;* hij was de mening ~ dat ... *he was of the opinion that ..., in his opinion, ...;* een ieder die de zaak v.d. vrede is ~ *anyone who is dedicated to / professes the cause of peace.*

toegeeflijk ⟨bn.⟩ **0.1** *indulgent* ⟨ouders, onderwijzers⟩, *tolerant; lenient* ⟨rechter, criticus, enz.⟩, *clement;* ⟨volgzaam, meegaand⟩ *compliant, yielding, compliable;* ⟨verdraagzaam⟩ *forbearing, tolerant* ◆ **1.1** in een ~e bui *in a forbearing mood* **5.1** niet ~ zijn *be uncompromising / strict / unaccommodating;* al te ~ zijn *be overindulgent* **6.1** ~ zijn **tegenover** een kind *humour / indulge a child;* hij is nogal ~ **van** aard *he is of a yielding disposition;* ⟨inf.⟩ *he's inclined to give in (often).*

toegeeflijkheid ⟨de (v.)⟩ **0.1** *indulgence, tolerance; lenience, clemency; compliance; forbearance, tolerance* ◆ **3.1** ~ betrachten / tonen jegens iem. *make allowance(s) / an allowance for s.o., show consideration for s.o., show forbearance towards s.o.* **5.1** te grote ~ *overindulgence.*

toegenegen ⟨bn., bw.;-y⟩ **0.1** *affectionate* ⇒*tender, loving, fond* ◆ **1.1** uw ~ oom *your loving uncle* **3.1** iem. ~ zijn *be fond of s.o., feel affection for s.o..*

toegepast ⟨bn.⟩ **0.1** [⟨wet.⟩] *applied* **0.2** [op de praktijk gericht] *applied, practical* ◆ **1.1** ~e taalwetenschap *a. linguistics* **1.2** ~e kunst *a. art.*

toegespitst ⟨bn.⟩ **0.1** *tapering, tapered* ⇒*pointed,* ⟨biol.⟩ *acuminate.*

toegeven
I ⟨onov.ww.⟩ **0.1** [tegemoetkomend zijn voor] ⟨ov. ww.⟩ *indulge, humour* ⇒⟨al te veel toegeven⟩ *pamper, spoil, allow (for), take into account* **0.2** [geen weerstand bieden aan] *yield* ⇒*surrender, submit, give in,* ⟨bezwijken⟩ *give way* **0.3** [erkennen] *admit* ⇒*own* ◆ **1.1** kinderen moet je niet te veel ~ *one shouldn't pamper / overindulge / spoil children* **1.3** zoals die verdachte zelf toegeeft *by the suspect's own admission* **3.3** hij zou maar niet ~ *he wouldn't own up* **4.1** je moet haar wat ~ *you've got to make some allowances for her;* over en weer wat ~ *give and take, make mutual concessions* **5.1** ik moet eerlijk ~ dat ze hard gewerkt heeft *to do her justice, she worked very hard* **6.1 op** dit punt wilde hij niet ~ *he was firm on this issue, he would not compromise on this issue;* hij wilde het **tegenover** haar niet ~ *he wouldn't acknowledge it to her* **6.2 aan** zwaarmoedigheid ~ *give in to depression;* je moet **aan** die neiging niet ~ *you mustn't give way to that urge;* aan iemands grillen ~ *y. to s.o.'s whims;* **aan** een gewoonte ~ *give in to a habit;* ⟨weer toegeven⟩ *lapse into a habit* **6.3 onder** druk ~ *submit under pressure;* ⟨inf.⟩ *cave in, knuckle under / down;*
II ⟨ov.ww.⟩ **0.1** [als juist erkennen] *admit* ⇒*grant, concede, allow* **0.2** [extra geven] *throw in* ⇒*add* **0.3** [onderdoen voor] *yield* **0.4** [⟨AZN⟩ toeschrijven] *attribute* ⇒*ascribe* ◆ **1.1** zijn nederlaag ~ *admit / concede defeat* **3.1** ik moet ~ dat ... *I must admit ...;* hij is erg efficiënt, dat moet ik ~ *he's very efficient, I've got to hand it to him / I grant him that;* dat moet ik ~ *I must grant you that, I'll give you that;* ik wil wel ~ dat ... *I will grant that ..., I'll allow this much that ...;* ze vond hem aardiger dan ze wilde ~ *she was more taken with him than she cared to admit* **6.2 op** twee tubes tandpasta een borstel ~ *give a toothbrush free with every two tubes of toothpaste;* **op** de koop ~ *include in the bargain* **6.3** de oorlogvoerende partijen gaven in wreedheid elkaar niets toe *the belligerent parties matched each other in cruelty* **8.1** ik geef toe dat het een moeilijk probleem is *it's a difficult problem, I admit* **8.3** als dichter geeft hij zijn vader niet toe *as a poet he's his father's match* ¶ **.1** toegegeven! *granted!, all right!, point taken!.*

toe'gevend ⟨bn.⟩ **0.1** *indulgent* ⇒*lenient, tolerant,* ⟨meegaand⟩ *yielding, easy(-going)* ◆ **5.1** je kunt ook al te ~ zijn *you can also be too lenient;* niet erg ~ *be uncompromising / unyielding / unbending* **6.1** ~ te-genover iem. zijn *be lenient / tolerant with s.o..*

'toegevend ⟨bn.⟩ ⟨taal.⟩ **0.1** *concessive* ◆ **1.1** ~e voegwoorden *c. conjunctions.*

toegevendheid ⟨de (v.)⟩ **0.1** *indulgence* ⇒*lenience, tolerance.*

toegeving ⟨de (v.)⟩ **0.1** [het zich inschikkelijk betonen] *indulgence* ⇒*concession, allowance* **0.2** [concessie] *admission* ⇒*concession* ◆ **2.1** tot grotere ~ overhalen *persuade to greater concessions.*

toegevoegd ⟨bn.⟩ **0.1** [bij iem. / iets gevoegd] ⟨bijkomend⟩ *attached (to), added (to), associated (with), additive, additional;* ⟨aanvullend⟩ *supple-*

mental, supplementary, plus, extra **0.2** [aangewezen] *assigned, allocated* ◆ **1.1** een ~ officier *an adjutant;* belasting op de ~e waarde (b.t.w.) *value added tax, (VAT)* **1.2** een ~ verdediger ≠*legal-aid counsel, a public defender.*

toegewend ⟨bn.⟩ ⟨herald.⟩ **0.1** *guardant.*

toegewijd ⟨bn.⟩ **0.1** *devoted, dedicated* ⇒*committed,* ⟨gedienstig, ijverig⟩ *diligent, assiduous* ◆ **1.1** een ~ medewerker *a dedicated partner.*

toegift ⟨de⟩ **0.1** [extra nummer na een uitvoering] *encore* **0.2** [extraatje] *bonus* ⇒*giveaway* ◆ **3.1** een ~ geven *do an e.* **6.1 met** een ~ bedanken *render thanks with an e.* **8.1** twee nummers als ~ geven *play two numbers by way of e..*

toeglimmen ⟨onov.ww.⟩ **0.1** *glow / shine at* ◆ **1.1** het koperwerk glom hun toe *the brassware glowed / gleamed at them.*

toegooien ⟨ov.ww.⟩ **0.1** in iemands richting gooien] *throw at / to* ⇒*fling / cast at / to* **0.2** [dichtgooien] *slam* ⇒*throw shut,* ⟨van sloot enz.⟩ *fill up* ◆ **1.2** een deur ~ *s. a door (shut)* **4.1** iem. iets ~ *pitch sth. over to s.o., chuck s.o. sth..*

toegrijnzen ⟨ov.ww.⟩ **0.1** *grin at* ◆ **1.1** ⟨fig.⟩ een wreed lot grijnsde hun toe *a cruel fate awaited them.*

toegrijpen ⟨onov.ww.⟩ **0.1** *snatch / grab at.*

toegroeien ⟨onov.ww.⟩ **0.1** [dichtgroeien] *grow over* ⇒*be choked up* **0.2** [mbt. wonden] *close* ⇒*heal* ◆ **1.1** die sloot is toegegroeid *that ditch is overgrown / (all) choked up.*

toehalen ⟨ov.ww.⟩ **0.1** *tighten* ⇒*draw closer / tighter* ◆ **1.1** het net wordt dichter toegehaald ⟨fig.⟩ *the net is closing (in)* **6.1** de overwinning naar zich ~ *seize the victory.*

toehappen ⟨onov.ww.⟩ **0.1** [happend toebijten] *snap / bite at* **0.2** [⟨fig.⟩] *snap / jump at* ⇒*bite* ◆ **5.2** bij dat voorstel hapte zij gretig toe *she immediately snapped / jumped at the proposal.*

toehoorder ⟨de (m.)⟩, **-ster** ⟨de (v.)⟩ **0.1** [luisteraar] *listener* **0.2** [iem. die enkele lessen volgt] [A]*auditor* ◆ **2.1** zijn ~s waren doodstil *his audience was quiet as a mouse;* zeer geachte ~s *dear listeners* **8.2** zich als ~ inschrijven *register as an a.,* [B]≠*enrol as a non-examination student;* een cursus als ~ bijwonen [B]*sit in on a course,* [A]*audit a course.*

toehoren ⟨onov.ww.⟩ **0.1** [toeluisteren] *listen (to)* **0.2** [toebehoren] ⟨→**toekomen 0.1**⟩.

toehouden ⟨ov.ww.⟩ **0.1** *keep shut* ◆ **1.1** de mond / ogen ~ *keep the mouth / eyes shut.*

toejuichen ⟨ov.ww.⟩ **0.1** [juichend toeroepen] *cheer* ⇒*hurray, hooray, hurrah,* ⟨applaudiseren voor⟩ *clap, applaud* **0.2** [goedkeuren] *applaud* ⇒*acclaim,* ⟨verwelkomen⟩ *welcome* ◆ **1.2** een maatregel / besluit ~ *welcome a measure / decision;* zo'n wijziging zou ik alleen maar ~ *I would only applaud such an alteration* **3.2** dat valt alleen maar toe te juichen *that is only to be applauded / welcomed* **5.1** iem. uitbundig ~ *cheer s.o. to the echo / loudly, bring the house down* **5.1** een voorstel warm ~ *applaud / acclaim a motion warmly.*

toejuiching ⟨de (v.)⟩ **0.1** [juichen] *applause* ⇒*cheers* **0.2** [instemming] *acclaim* ⇒*approval* ◆ **1.1** een storm van ~en *a storm of a. / cheers, gales of a.* **2.1** onder uitbundige ~en v.h. publiek *under the enthusiastic cheers of the public.*

toekan ⟨de (m.)⟩ **0.1** *toucan.*

toekennen ⟨ov.ww.⟩ **0.1** [toeschrijven] *ascribe / attribute to* ⇒*attach (to)* **0.2** [toewijzen] *award* ⇒*grant,* ⟨van vergoeding e.d.⟩ *allow,* ⟨bestemmen⟩ *allot, allocate,* ⟨jur.⟩ *adjudge, adjudicate,* ⟨toebedelen⟩ *assign* ◆ **1.1** gewicht ~ aan een gebeurtenis *consider an event (to be) important;* groot gezag aan iem. ~ *assign great authority to s.o.;* schadevergoeding ~ aan iem. *allow s.o. compensation;* studiepunten ~ aan een cursus *credit a course;* enige waarde aan iets ~ *attach / assign some value to sth.* **1.2** de toegekende bedragen *the apportioned sums;* de eerste prijs ~ aan iem. *award s.o. first prize;* punten / cijfers ~ *award marks, mark (papers);* iem. een werkeloosheidsuitkering ~ *award s.o. unemployment pay* **6.2** een recht / macht ~ **aan** *assign a privilege to / authority to.*

toekenning ⟨de (v.)⟩ **0.1** [toeschrijving] *attribution* **0.2** [toewijzing] *award* ⇒*grant,* ⟨van vergoeding e.d.⟩ *allowance,* ⟨bestemming⟩ *allotment, allocation,* ⟨jur.⟩ *adjudgement, adjucation,* ⟨toebedeling⟩ *assignation, assignment.*

toekeren ⟨ov.ww.⟩ **0.1** *turn to* ◆ **1.1** iem. de rug ~ ⟨fig.⟩ *give s.o. the cold shoulder, turn one's back on s.o.;* ⟨inf.⟩ *coldshoulder s.o.;* ⟨fig.⟩ iem. de andere wang ~ *turn the other cheek.*

toekijken ⟨onov.ww.⟩ **0.1** [naar iets kijken] *look on* ⇒*watch,* [↑]*observe* **0.2** [niet meedoen] *sit by (and watch), sit out* ◆ **3.2** de kinderen mogen ~ *the children may only watch* **5.1** geamuseerd ~ *watch in amusement;* hulpeloos ~ *stand by helplessly;* werkeloos ~ *not lift a finger (to help), stand around watching (while s.o. drowns).*

toekijker ⟨de (m.)⟩ **0.1** *onlooker* ⇒*spectator,* ⟨niet-betrokkene⟩ *bystander,* ⟨vaak pej.⟩ *looker-on.*

toeknijpen ⟨ov.ww.⟩ **0.1** *wring* ◆ **1.1** zijn handen ~ *wring one's hands;* iem. de keel ~ *throttle / strangle s.o.;* de ogen ~ *screw up one's eyes, squint.*

toeknikken ⟨onov.ww.⟩ **0.1** *nod* ◆ **5.1** iem. bemoedigend ~ *give s.o. an encouraging nod.*

toekomen ⟨onov.ww.⟩⟨→sprw. 161, 359⟩ **0.1** [toebehoren] ⟨behoren

aan⟩ *belong to* ⇒*come to,* ⟨verschuldigd zijn⟩ *be due,* ⟨recht hebben op⟩ *be entitled to* **0.2** [iem./ iets bereiken, naderen] *approach* ⇒*come up to,* ⟨fig.⟩ *get (around/down) to* **0.3** [rondkomen] *get by* ⇒*manage (on), make do (with),* ⟨nauwelijks rondkomen⟩ *scrape along* **0.4** [toezenden] *send* **0.5** [⟨AZN⟩ aankomen] *arrive* ◆ **1.1** het haar ~ de deel *that which is hers by right;* iem. de eer geven die hem toekomt *do s.o. justice, give s.o. his due;* dat geld komt haar toe *that money belongs/ comes to her* **3.4** hierbij doe ik u het kaartje ~ *I hereby s. you the ticket;* iem. iets doen ~ *send s.o. sth.;* we laten u de factuur ~ *enclosed please find the invoice* **5.1** hij kreeg meer dan hem toekwam *he got more than his due/he deserved* **6.2** ⟨fig.⟩ niet **aan** ontspanning ~ *not get (around to) any relaxation;* ⟨fig.⟩ daar ben ik nog niet **aan** toegekomen *I haven't got round/down to that yet;* ⟨fig.⟩ een boek lezen? daar kom ik al lang niet meer **aan** toe *I haven't had time for that for a long time;* zij kwam vriendelijk **op** hem toe *she walked up to him in a friendly way* **6.3 met** weinig ~ *manage on/make do with little;* **met** salaris ~ *get by on one's salary* ¶ **.1** ere wie ere toekomt *honour where honour is due.*

toekomend ⟨bn.⟩ **0.1** [⟨AZN⟩ aanstaand] *next* ⇒*coming* **0.2** [⟨taal.⟩] *future* ◆ **1.1** de ~ e week *n./ coming week* **1.2** de ~ e tijd *the future (tense).*

toekomst ⟨de (v.)⟩ ⟨→sprw. 314⟩ **0.1** [tijd die komen moet] *future* **0.2** [gunstige vooruitzichten] *future* ⇒*prospects, perspective* ◆ **2.1** in de nabije/ verre ~ *in the near/distant f.;* in een ver verwijderde ~ *in a remote f.;* in de niet al te verre ~ *in the foreseeable f.* **3.1** je moet aan je ~ denken *you've got to make provisions for the f./ think ahead;* we kunnen niet in de ~ kijken *we can't look ahead/into the f., we can't foresee what's to come;* dat zal de ~ leren *that's for the f. to show;* zich op de ~ richten *look to the f./ ahead;* op de ~ gericht zijn *be forward-looking, look ahead;* we kunnen de ~ met vertrouwen tegemoet zien *we can feel secure about/ as to our f.;* een onzekere ~ tegemoetgaan *face an insecure f.;* de ~ voorspellen *tell fortunes, divine the f.* **3.2** dat bedrijf heeft geen ~ *there's no f. in that company, that company has no prospects;* er is een schitterende ~ voor hem weggelegd *there is a brilliant f. in store for him* **6.1 in** de ~ *in the f./ future times/ times to come* **6.2** er zit ~ **in** dat beroep *that profession has great possibilities* ¶ **.1** onze ~ staat op het spel *our f. is in the balance/ at stake.*

toekomstbeeld ⟨het⟩ **0.1** *picture/idea of the future* ⇒*futuristic view* ◆ **2.1** een somber ~ hebben/schilderen *have/paint a gloomy picture of the future.*

toekomstdroom ⟨de (m.)⟩ **0.1** *pipe dream* ⇒*castle in the air/in Spain.*

toekomstig ⟨bn.⟩ **0.1** [wat in de komende tijd zal optreden] *future* ⇒*coming,* ⟨gepland⟩ *intended,* ⟨in-de-dop⟩ *would-be,* ⟨te verwachten⟩ *will-be,* ⟨nog niet bestaand⟩ *unborn* **0.2** [mbt. personen] *future* ⇒ ⟨verwacht⟩ *prospective,* ⟨aanstaand⟩ *intended* ◆ **1.1** voor ~ gebruik *for f. use;* een ~ e verhoging *a prospective rise;* ⟨jur.⟩ ~ e zaken ⟨uit koopovereenkomst⟩ *f. goods;* ⟨verkregen na huwelijk bv.⟩ *f./ after-acquired property* **1.2** zijn ~ e echtenote *his bride-to-be/ betrothed/ intended (bride)/fiancée;* de ~ e eigenaar *the prospective owner;* ~ e generaties *f. generations.*

toekomstmogelijkheden ⟨zn.mv.⟩ **0.1** *perspective* ⇒*prospects, future* ◆ **6.1** een baan met ~ *a job with (career) prospects.*

toekomstmuziek ⟨de (v.)⟩ **0.1** ⟨zie 3.1⟩ ◆ **3.1** dat is nog ~ *that's still in the future.*

toekomstperspectief ⟨het⟩ **0.1** *perspective* ⇒*vista* ◆ **2.1** een mooi/somber ~ *a good/ gloomy p.* **6.1** er zit geen ~ **in** die baan *there's no future in that job.*

toekomstplan ⟨het⟩ **0.1** *plan for the future* ⇒⟨mv. ook⟩ *future plans* ◆ **3.1** ~ nen maken voor de kinderen *plan (for) the children's future.*

toekomstroman ⟨de (m.)⟩ **0.1** *science fiction novel* ⇒*SF/ sf novel.*

toekomststaat ⟨de (m.)⟩ **0.1** *future state* ⇒⟨ideale⟩ *Utopia.*

toekomstverwachting ⟨de (v.)⟩ **0.1** *expectation (for the future)* ⇒⟨voorspelling⟩ *projection.*

toekomstvisioen ⟨het⟩ **0.1** *vision of the future.*

toekunnen ⟨onov.ww.⟩ →**toekomen 0.3.**

toelaatbaar ⟨bn.⟩ **0.1** [toegelaten kunnende worden] *permissible, permitted* ⇒*allowable, acceptable* **0.2** [geoorloofd, toegestaan] *permitted* ⇒⟨duldbaar⟩ *tolerable,* ⟨jur. ook⟩ *admissible* ◆ **1.1** toelaatbare belasting *acceptable/ permissible/safe load* **3.2** overtredingen zijn natuurlijk niet ~ *infringements are naturally inadmissible* **7.2** op de grens van het toelaatbare komen *sail close to/ near the wind, be near the knuckle.*

toelaatbaarheid ⟨de (v.)⟩ **0.1** [toegelaten kunnende worden] *permissibility* ⇒*allowability, acceptability* **0.2** [geoorloofd; toegestaan] *permissibility* ⇒⟨duldbaarheid⟩ *tolerability,* ⟨jur. ook⟩ *admissibility.*

toelachen ⟨ov.ww.⟩ **0.1** [lachend aankijken] *smile at* **0.2** [gunstig gestemd zijn] *smile (up)on* **0.3** [aanlokken] *appeal to* ◆ **1.2** het geluk lacht ons toe *fortune smiles on us* **1.3** dat vooruitzicht lacht me niet toe *I don't relish the prospect.*

toelage ⟨de⟩ **0.1** [gift in geld] *allowance* ⇒⟨(studie)beurs⟩ *grant,* ⟨school.⟩ *fellowship,* ⟨subsidie⟩ *subsidy, maintenance* ⟨vnl. alimentatie⟩ **0.2** [toeslag] *allowance, bonus* ⇒⟨mil.;gezinstoelage⟩ *allotment,* ⟨gratificatie⟩ *gratification* ◆ **2.2** maandelijks een vaste ~ ontvangen

---

receive a monthly b. **3.1** een ~ aanvragen *apply for a grant;* iemands ~ stopzetten *stop/ cut off s.o.'s a.;* een ~ verstrekken *issue a grant* **6.1** hij kreeg een ~ **van** 1000 gulden voor boeken *he was allowed 1000 guilders for books.*

toelaten ⟨ov.ww.⟩ **0.1** [tolereren] *permit* ⇒*let, allow, tolerate,* ⟨goedkeuren⟩ *authorize* **0.2** [binnenlaten] *admit* ⇒*receive, let in,* ⟨als lid toelaten⟩ *enter, enroll* **0.3** [accepteren] *accept* ⇒*admit* ◆ **1.1** de reglementen laten geen persoonlijk eigendom toe *the rules do not p./ allow any personal property;* als de omstandigheden het ~ *if conditions are favourable/ permit;* zijn financiële positie laat dat niet toe *his financial position will not allow it/ won't stretch to it;* de scheidsrechter liet veel te veel toe *the referee was too tolerant;* als de tijd het toelaat *if time permits;* als het weer het toelaat *weather permitting* **1.2** ⟨fig.⟩ er werden drie kandidaten toegelaten en twee afgewezen *three candidates were passed while two were failed/* [B]*referred;* de koeien zijn bereid de stier toe te laten *the cows are ready to be served/ serviced by the bull* **5.1** een vergrijp oogluikend ~ *connive at/ turn a blind eye on an offence* **6.1** iem. **bij** een zieke ~ *admit s.o. to a patient, let s.o. see a patient* **6.2** niemand werd **bij** haar toegelaten *nobody was admitted to her/ allowed to see her;* immigranten ~ tot een land *allow immigrants to enter (a country);* zij werd niet **tot** de Bondsrepubliek toegelaten *she was refused entry to West Germany* **6.3** een leerling **op** een school ~ *admit a pupil to a school;* bewijsstukken die **tot** het proces zijn toegelaten *admissible evidence, evidence admitted to the trial;* iem. **tot** een examen ~ *grant s.o. permission to sit for an exam* **8.1** ik zou nooit ~ dat ze zo aanstellen *I would never let them make such fools of themselves* **8.3** iem. als lid ~ *incorporate/ enroll s.o..*

toelating ⟨de (v.)⟩ **0.1** [het tolereren] *permission* ⇒*leave,* ⟨vergunning⟩ *allowance,* ⟨goedkeuring⟩ *authorization,* ⟨inf.⟩ *say-so* **0.2** [het binnenlaten] *admittance* ⇒*entrance,* ⟨toegang(srecht)⟩ *access* **0.3** [het accepteren] *acceptance* ⇒*admission* ◆ **6.2** de ~ **van** oorlogsschepen in de territoriale wateren *the access of war ships to territorial waters* **6.3** aanvragen voor ~ **tot** een cursus *apply for admission to a course* **8.3** tegen zijn ~ als advocaat werd bezwaar ingebracht *people raised objections to his admission to the Bar.*

toelatingsbeleid ⟨het⟩ **0.1** *admittance/* ⟨mbt. buitenlanders ook⟩ *immigration policy.*

toelatingseis ⟨de (m.)⟩ **0.1** *entry/admission requirement.*

toelatingsexamen ⟨het⟩ **0.1** *entrance exam(ination)* ⇒⟨BE, voor het middelbaar onderwijs⟩ *eleven-plus* ◆ **3.1** een ~ afleggen *sit for an entrance exam(ination).*

toelatingsvoorwaarden ⟨zn.mv.⟩ **0.1** *conditions of entry/entrance/admission (to)* ⇒⟨tot beroep, examen, enz.⟩ *eligibility (for).*

toeleg ⟨de (m.)⟩ **0.1** *scheme* ⇒*design,* ⟨plannetje⟩ *game* ◆ **2.1** hij doorzag de hele ~ *he saw through the entire s..*

toeleggen

I ⟨ov.ww.⟩ **0.1** [erbovenop leggen] *add (to)* **0.2** [moeite doen] *be bent (on)* ⇒*set out (to), be determined to,* ⟨er op uit zijn⟩ *be out to* **0.3** [dichtleggen] *cover up* ⇒*fill up* ◆ **1.1** op iets geld moeten ~ *sacrifice on sth.;* hij moest er een tientje op ~ *he had to add a tenner to the price* **1.3** een graf ~ *cover/fill up a grave* **4.2** je legt het erop toe kwade vrienden te worden *you're out to stir up bad blood between us;* het ~ op het leven van de president *make an attempt on the president's life;*

II ⟨wk.ww.; zich ~⟩ **0.1** [zich bezighouden met] *apply o.s. (to)* ⇒*settle down (to), set o.s. (to),* ⟨zich serieus toeleggen op⟩ *buckle down (to), concentrate (on),* ⟨hard werken aan⟩ *plod away (at)* ◆ **6.1** zich ~ **op** de wiskunde *apply o.s. to mathematics;* zich speciaal ~ **op** het Keltisch *specialize on/ make a special study of Celtic.*

toeleven ⟨onov.ww.⟩ **0.1** *look forward to* ◆ **6.1** naar de vakantie ~ *look forward to the holidays.*

toeleveren ⟨ov.ww.⟩ **0.1** *supply* ⇒*deliver.*

toelevering ⟨de (v.)⟩ **0.1** *delivery.*

toeleveringsbedrijf ⟨het⟩ **0.1** *supplier, supply company.*

toelichten ⟨ov.ww.⟩ **0.1** [verklaren] *explain, expound;* ⟨uitweiden over⟩ *amplify;* ⟨duidelijk maken⟩ *elucidate;* ⟨verhelderen⟩ *throw light on, clarify, illuminate;* ⟨met vb. duidelijk maken⟩ *exemplify, illustrate* ◆ **1.1** de bedoeling van de wetgever ~ *elucidate the intention of the legislator;* zijn standpunt ~ *explain one's point of view;* een stelling met voorbeelden ~ ⟨ook⟩ *illustrate/ back up a theory with examples* **3.1** kunt u dat even ~? *could you explain that a bit?;* als ik dat even mag ~ *if I may illustrate/ go in to that briefly* **5.1** iets nader ~ *amplify on sth..*

toelichting ⟨de (v.)⟩ **0.1** [het toelichten] ⟨verklaring⟩ *explanation;* ⟨verduidelijking⟩ *elucidation;* ⟨verheldering⟩ *clarification, illumination,* ⟨met vb.⟩ *exemplification, illustration* **0.2** [geschrift] *commentary* ⇒ ⟨voetnoten, toelichting⟩ *gloss,* ⟨voorbeeld⟩ *illustration* ◆ **1.1** in de memorie van ~ *in the explanatory memorandum (of)* **2.1** een mondelinge ~ geven *give a verbal explanation;* voor nadere ~ zie onderaan *see below for details* **3.1** dat behoeft geen nadere ~ *it needs no explanation, it does not call for/ require any further comment;* een korte ~ geven *give a short explanation of, make a few explanatory remarks on, comment briefly on;* dat vereist enige ~ *that requires/ calls for* *some explanation/comment;* een voorstel voorzien van een uitvoerige schriftelijke ~ *a proposal supplied with extensive explanatory notes* **6.1** ter ~ van …*in explanation of* **6.2** een ~ **bij** deze nieuwe apparatuur *instructions/a manual for this new equipment.*

toelijken 〈onov.ww.〉 **0.1** *seem* ⇒*appear* ◆ **8.1** het lijkt me toe dat dat wel nodig is *it seems quite necessary to me.*

toelonken 〈onov.ww.〉 **0.1** *ogle (at)* ⇒*make/cast eyes at.*

toeloop 〈de (m.)〉 **0.1** *onrush* ⇒*rush, run,* 〈stormloop〉 *stampede,* 〈van menigte/massa〉 *concourse, flood,* 〈schr.〉 *confluence* ◆ **3.1** er ontstond een enorme ~ van cursisten *there was a flood of applicants* **6.1** een grote ~ **naar** het paleis *a great surge of people towards the palace.*

toelopen 〈onov.ww.〉 **0.1** [ergens heen lopen] *walk up to* ⇒*come up to,* 〈rennen〉 *come running to* **0.2** [samenkomen] *gather* **0.3** [uitlopen] *taper (off), come/run to a point* ◆ **3.1** hij kwam op haar ~ *he came (walking) up to her* **3.2** de voorbijgangers kwamen snel ~ *the passers-by quickly drew near* **5.3** spits/scherp/smal ~ *come to a point* 〈spits, scherp〉, *taper* 〈smal〉; taps ~ *taper* **6.1** de moeder liep **op** het kind toe *the mother walked up to the child.*

toeluisteren 〈onov.ww.〉 **0.1** *listen (to)* ◆ **5.1** aandachtig ~ *listen carefully/attentively.*

toemaat 〈de (m.)〉 **0.1** *aftergrass* ⇒*aftermath.*

toemaatje 〈het〉〈AZN〉 **0.1** [extraatje] *bonus* ⇒*extra* **0.2** [wat als reclame wordt toegegeven] *free gift* **0.3** [dessert] *dessert;* 〈BE ook〉 *sweet;* 〈BE;inf.〉 *afters* **0.4** [attentie] *N.B.* ⇒*please note.*

toemeten 〈ov.ww.〉 **0.1** *measure (out)* ⇒〈toebedelen〉 *allot, assign,* 〈schr.〉 *mete out* ◆ **1.1** binnen het ons toegemeten budget *within the budget allotted to us;* de voor dat doel toegemeten middelen *the means reserved for that end;* straf ~ *mete out punishment;* ieder zijn taak ~ *allot/assign each person his task, assign each person to his task;* 〈fig.〉 de ons toegemeten tijd *our allotted time, the time allotted to us* **4.1** zichzelf een salaris ~ *allot o.s. a salary.*

toen¹ 〈bw.〉 **0.1** [destijds] *then* ⇒*in those days, at the/that time* **0.2** [daarop] *then* ⇒*next* ◆ **3.1** ~ dachten we nog dat hij terug zou komen *at that stage we still thought he'd come back;* ik ben blij dat het ~ gebeurde *I'm glad it happened when it did* **5.1** ze was ~ al erg leergierig *even t.she had a passion for learning;* ik heb ~ nog een bloemetje gestuurd *I sent some flowers on that occasion;* van ~ af hebben we brieven gewisseld *from t. on/that time on we have been corresponding, we have been corresponding ever since* **8.2** en ~? *(and) t. what?, what happened next?* **¶.1** wat ~ zonde was, is het nu nog *what was a sin t.still is now;* wat was ik ~ gelukkig *how happy I was in those days;* er stond hier ~ een kerk *there used to be a church here* **¶.2** wat deed je ~? *what did you do t.?.*

toen² 〈vw.〉 **0.1** [ten tijde dat] *when* **0.2** [op het moment dat] *when* ⇒*as* ◆ **¶.1** ~ ik jong was *w. I was young* **¶.2** ~ hij in het ziekenhuis aankwam, was ze al overleden 〈ook〉 *by the time he got to the hospital she had already died;* hij was amper binnen ~ het begon te regenen *he had hardly got in w. it began to rain, no sooner was he in than it began to rain;* ~ hij binnenkwam *w. I as he came in.*

toenaam 〈de (m.)〉 **0.1** 〈achternaam〉 *surname* ⇒〈bijnaam〉 *nickname* ◆ **1.1** iem. met naam en ~ noemen *mention s.o. by name.*

toenadering 〈de (v.)〉 **0.1** 〈vaak mv.〉 *advance;* 〈ook romantisch〉 *approach, overture;* 〈pol. ook〉 *overture, rapprochement* ◆ **1.1** een poging tot ~ doen *make an attempt at conciliation* **3.1** hij zocht ~ tot haar *he was making advances to her;* ~ zoeken tot iem. *try to approach s.o.;* ~ zoeken tot het Oostblok *make overtures to/seek a rapprochement with the Eastern Bloc.*

toenaderingspoging 〈de (v.)〉 **0.1** *approach* ⇒*advance* 〈ook romantisch〉 〈pol. ook〉 *overtures* ◆ **3.1** ~ en doen *make an approach/advances/overtures.*

toename 〈de〉 **0.1** *increase* ⇒*growth,* 〈stijging〉 *rise* ◆ **1.1** een ~ v.h. verbruik *an i. in consumption;* de ~ v.h. aantal werklozen over de maand april *the i./growth/rise in the unemployment rate over the month of April* **2.1** een aanzienlijke ~ *a considerable i./growth/rise;* de ~ v.d. bevolking *the growth in population;* een geringe ~ *a slight i./growth/rise* **6.1** een ~ **met** 10%/50.000 *an i. of 10%/50,000.*

toendra 〈de〉 **0.1** *tundra.*

toenemen 〈onov.ww.〉 **0.1** [groter worden] *increase* ⇒*grow,* 〈in omvang〉 *expand* **0.2** [heviger worden] *increase* ⇒*rise,* 〈wind〉 *freshen* ◆ **1.1** het aantal inwoners neemt toe *the number of inhabitants is growing/increasing; is on the increase;* de belangstelling voor literatuur neemt toe *interest in literature is growing/increasing;* in ~de mate *increasingly, to an increasing extent/degree;* ~de onkerkelijkheid *increasing secularity;* een ~d verzet tegen loonmatiging *growing opposition to wage restraint;* bij een ~de vraag *with increasing/growing demand* **1.2** de pijn/koorts nam toe *the pain/fever increased/mounted;* de wind nam toe 〈ook〉 *the wind freshened/picked up;* ~de wind *rising/freshening wind* **5.1** door het sterk toegenomen aantal studenten *owing to the influx of students;* hun aantal neemt voortdurend toe *their number grows/increases all the time* **6.1** in omvang ~ *expand;* ~ **in** gewicht *put on/gain weight;* 〈zichtbaar〉 *fill out;* **in** kracht ~ *grow/i. in strength/force, strengthen;* het aantal werklozen neemt jaarlijks **met** 100.000 toe *the unemployment rate in-*

creases/rises by 100,000 a year **¶.1** het misbruik nam hand over hand toe *(the number of) instances of misuse increased hand over fist.*

toenmaals 〈bw.〉 **0.1** *then* ⇒*in those days, at the/that time.*

toenmalig 〈bn.〉 **0.1** *then* ◆ **1.1** de ~e koning *the king the/that time, the t. king;* de ~e regering *the t. government, the government of the day.*

toentertijd 〈bw.〉 **0.1** *then* ⇒*at the/that time, in those days.*

toepasbaar 〈bn.〉 **0.1** *applicable* ⇒*suitable,* 〈bruikbaar〉 *usable, utilizable,* 〈uitvoerbaar〉 *administrable, implementable.*

toepasselijk 〈bn.〉 **0.1** [passend] *appropriate* ⇒*suitable,* 〈treffend, toepasselijk〉 *apt, apposite,* 〈relevant〉 *relevant* **0.2** [van kracht] *applicable* ◆ **1.1** een ~ cadeautje *a very suitable/appropriate present;* een ~ spreekwoord *an appropriate/a suitable/relevant proverb, a proverb to suit the occasion;* een ~ woord tot iem. spreken *say sth. appropriate/*〈inf.〉 *the right thing to s.o.* **1.2** dit wetsartikel is hier ~ *this section of the law is applicable/applies here* **6.2** ~ zijn **op** *be applicable to, apply to.*

toepasselijkheid 〈de (v.)〉 **0.1** *appropriateness* ⇒*suitability,* 〈treffende toepasselijkheid〉 *aptness, appositeness,* 〈relevantie〉 *relevance* ◆ **1.1** de ~ van dit gezegde *the aptness of this saying.*

toepassen 〈ov.ww.〉 **0.1** [gebruiken] *use, employ;* 〈benutten〉 *utilize* **0.2** [in praktijk brengen] *apply* ⇒*adopt,* 〈uitvoeren〉 *administer, implement,* 〈wet ook〉 *enforce* ◆ **1.1** die bepaling wordt tegenwoordig weinig meer toegepast *that regulation is seldom enforced these days* **1.2** zijn kennis ~ *apply/use one's knowledge;* een methode ~ *use/apply/employ a method;* een theorie ~ *apply a theory;* de wet ~ *implement/administer/enforce the law, put the law into effect/force;* toegepaste wiskunde/psychologie/wetenschap *applied mathematics/psychology/science* **5.1** dit systeem wordt algemeen toegepast *this system has been universally adopted/is in general use* **5.2** een regel verkeerd ~ 〈ook〉 *misapply a rule* **6.1** disciplinaire straffen ~ **op** de opstandige gevangenen *administer disciplinary punishments to the rebellious prisoners* **6.2** in de praktijk ~ *use in (actual) practice.*

toepassing 〈de (v.)〉 **0.1** [het gebruiken, wijze van gebruiken] *use, employment, utilization* **0.2** [het in praktijk brengen] *application* ⇒*adoption, practice,* 〈uitvoering〉 *administration, implementation,* 〈wet ook〉 *enforcement* ◆ **1.2** één van de vele ~en v.d. kernenergie *one of the many applications/uses of nuclear energy;* iem. straffen met strikte ~ v.d. wet *punish s.o. to the full extent of the law* **2.1** een verkeerde ~ 〈ook〉 *a misapplication* **2.2** ruime ~ vinden *be widely used/applied, have been extensively adopted, find wide application* **3.1** ~ vinden *be used/employed* **3.2** ~ vinden/krijgen *be applied/adopted* **6.1** **door** de ~ van perslucht *by means of/using compressed air;* niet van ~ (n.v.t.) *not applicable;* **van** ~ zijn **op** *apply to, bear on;* 〈gelden;inf.〉 *go for;* **van** ~ verklaren **op** *declare applicable to* **6.2** in ~ brengen *put into practice;* de ~ **van** wetsartikelen *the implementation/enforcement of sections of the law.*

toepassingsgebied 〈het〉 **0.1** *field/area/range of application* ⇒*scope, connotation* 〈van woord〉.

toepassingsmogelijkheid 〈de (v.)〉 **0.1** 〈concr.〉 *use;* 〈abstr.〉 *applicability* ◆ **2.1** nieuwe toepassingsmogelijkheden voor bestaande produkten *new uses for existing products* **7.1** een materiaal met veel toepassingsmogelijkheden *a versatile/multi-purpose material.*

toeplooien 〈ov.ww.〉〈AZN〉 **0.1** *fold up.*

toer 〈de (m.)〉 **0.1** [reis] *trip* ⇒〈langere〉 *tour,* 〈met auto, (motor)fiets, paard〉 *ride,* 〈met auto ook〉 *drive,* 〈met auto,(motor)fiets ook;inf.〉 *spin* **0.2** [draai] *revolution* ⇒〈inf.〉 *rev* **0.3** [rij steken] *row* **0.4** [daad die behendigheid vereist] *feat* ⇒*trick, stunt* **0.5** [lastig werk] *job* ⇒*business* **0.6** [winding] *turn* ⇒*winding, coil* **0.7** 〈AZN〉 [beurt] *turn* **0.8** 〈[AZN] kuur] *whim* ⇒*fancy* **0.9** 〈[AZN] wandeling] *walk* ⇒〈lange wandel/trektocht〉 *hike* ◆ **2.2** op volle ~ *at full speed/blast/tilt, go flat out, be in top gear* **2.4** acrobatische ~en *acrobatic feats/stunts* **2.5** het invullen van die formulieren is een hele ~ *filling in*[A]*out those forms is quite a j./business* **2.¶** op de lollige ~ gaan *act the clown;* op de progressieve ~ gaan *turn progressive;* 〈pej.〉 *go all progressive;* ze zijn op de vegetarische ~ *they're into vegetarianism, they've gone* 〈pej.〉 *all) vegetarian* **3.2** de motor ~en laten maken *rev (up)/run up the engine* **3.4** een ~ maken *show off* **6.1** een ~tje **met** de auto *a drive/trip/run/spin in the car* **6.2** **op** ~en komen *reach full revs, rev (right) up;* iem. **op** ~ jagen *send s.o. into a state;* 〈inf.〉 *drive s.o. up the wall/round the bend;* 〈fig.〉 hij is een beetje **over** zijn ~en *he's a bit upset/on edge, he's in a bit of a state;* 〈fig.〉 ze was helemaal **over** haar ~en 〈ook〉 *she was under enormous strain/on the verge of a (nervous) breakdown;* 〈inf.〉 *she was coming apart at the seams/*〈heel erg〉 *cracking up* **7.2** een 33-toerenplaat *a 33 (record/disc), an LP (record);* duizend ~en per minuut *a thousand revolutions/revs per minute.*

toerbeurt 〈de〉 **0.1** *turn* ◆ **6.1** **bij** ~ *by/in rotation, by turns;* we doen dat **bij** ~ *we take turns at it.*

toercaravan 〈de (m.)〉 **0.1** [B]*caravan,* [A]*trailer.*

toereiken
I 〈onov.ww.〉〈schr.〉 **0.1** [voldoende zijn] *suffice* ⇒*be sufficient/enough* ◆ **1.1** zijn krachten reikten niet toe *his powers did not suffice/were not sufficient/enough;*

II ⟨ov.ww.⟩ **0.1** [aangeven] *hand* **0.2** [verschaffen] *offer* ⇒*extend* ♦ **1.1** de hand~*offer/extend one's hand;* hij reikte haar haar tasje toe *he handed her her bag.*

toereikend ⟨bn.⟩ **0.1** *sufficient* ⇒⟨voldoende, net goed genoeg⟩ *adequate,* ⟨voldoende, (goed) genoeg⟩ *satisfactory* ♦ **1.1** een~e brandstofvoorraad *an adequate supply of fuel;* de middelen zijn niet~*the means are inadequate;* de opbrengst was lang niet~om de onkosten te dekken ⟨ook⟩ *the proceeds went only a little way towards covering the expenses* **5.1** dat bedrag is daarvoor niet~⟨ook⟩ *that sum won't stretch to that.*

toereikendheid ⟨de (v.)⟩ **0.1** *sufficiency* ⇒*adequacy.*

toerekenbaar ⟨bn.⟩ **0.1** [mbt. persoon] *accountable* ⇒*responsible,* ⟨aansprakelijk⟩ *liable,* ⟨schuldig⟩ *culpable* **0.2** [mbt. zaak] ⟨jur.⟩ *imputable* ♦ **3.1** is hij wel helemaal~? *can he be held fully responsible (for his acts)?;* ⟨sl.⟩ *is he in his right mind/all there?.*

toerekenbaarheid ⟨de (v.)⟩ **0.1** *accountability* ⇒*responsibility, liability, culpability.*

toerekenen ⟨ov.ww.⟩ **0.1** [aanrekenen] *attribute to* ⇒*ascribe to,* ⟨vnl. jur.⟩ *impute to* **0.2** [toeschrijven] *ascribe* ⇒*attribute* ♦ **1.2** iem. alle eer~*give/allow s.o. all the honour* **8.1** iets als een fout~*account sth. an error.*

toerekening ⟨de (v.)⟩ **0.1** [het aanrekenen] *attribution* ⇒*ascribing,* ⟨vnl. jur.⟩ *imputation* **0.2** [⟨ec.⟩ het op rekening stellen van] *assignment (to)* ♦ **6.2** de~v.d. inkomsten v.d. vrouw *aan* de man *de man is verouderd the system of including a wife's income in that of her husband has been superseded.*

toerekeningsvatbaar ⟨bn.⟩ **0.1** *accountable* ⇒*responsible* ♦ **3.1** iem.~verklaren *declare s.o. to be legally a./to be fit to stand trial;* iem. niet ~verklaren ⟨ook⟩ *declare s.o. non compos mentis* **5.1** iem. verminderd~verklaren *declare s.o. to be in a state of diminished responsibility;* de verdachte was volkomen~*the suspect was fully a..*

toerekeningsvatbaarheid ⟨de (v.)⟩ **0.1** *accountability* ⇒*responsibility* ♦ **2.1** verminderde~*diminished responsibility.*

toeren ⟨onov.ww.⟩ **0.1** [uit rijden gaan] *go for a ride/*⟨auto ook⟩ *drive* ⇒⟨inf.⟩ *go for a spin* **0.2** [tochten maken] *go on/make a trip* ♦ **1.1** op zondag gaan ze vaak een eindje~met de auto/motor *on Sundays they often go for a spin in the car/on the motorbike* **6.2**~per boot *go on/make a boat-trip.*

toerenbouwer ⟨de (m.)⟩ **0.1** *lineshooter* ⇒*yarn-spinner.*

toerental ⟨het⟩ **0.1** *number of revolutions/*⟨inf.⟩ *revs* ♦ **2.1** een motor met een hoog/laag~*a high-/low-speed engine;* op zijn volle~lopen *go at full/maximum/top speed, go flat out.*

toerenteller ⟨de (m.)⟩ **0.1** *revolution/*⟨inf.⟩ *rev counter.*

toerfiets ⟨de⟩ **0.1** *tourer, touring/sports bicycle.*

toerisme ⟨het⟩ **0.1** *tourism.*

toerist ⟨de (m.)⟩, **-e** ⟨de (v.)⟩ **0.1** *tourist* ⇒*sightseer* ♦ **6.1** ze zijn daar helemaal niet op~en ingesteld *they're not at all geared towards/prepared for tourists/tourist-minded there.*

toeristenbelasting ⟨de (v.)⟩ **0.1** *tourist tax.*

toeristenbond ⟨de (m.)⟩ **0.1** *tourist association.*

toeristenindustrie ⟨de (v.)⟩ **0.1** *tourist industry* ⇒*tourism* ♦ **6.1** werkzaam zijn in de~*work/be in the tourist industry/in tourism.*

toeristenkaart ⟨de⟩ **0.1** [reisdocument] *tourist card/pass(port)* **0.2** [geografische kaart] *touring map.*

toeristenklasse ⟨de (v.)⟩ **0.1** *tourist/economy (class)* ♦ **6.1** in de~reizen *travel in tourist/economy (class).*

toeristenland ⟨het⟩ **0.1** *tourist country.*

toeristenmenu ⟨het⟩ **0.1** *tourist menu.*

toeristenplaats ⟨de⟩ **0.1** *tourist centre/*⟨bad-/skiplaats, enz. ook⟩ *resort;* ⟨inf.⟩ *tourist spot.*

toeristenseizoen ⟨het⟩ **0.1** *tourist season.*

toeristenstroom ⟨de (m.)⟩ **0.1** *stream/*⟨heel groot⟩ *flood of tourists.*

toeristisch ⟨bn.⟩ **0.1** *tourist, commercial* ⇒⟨pej.⟩ *touristy* ♦ **1.1** een~e rondrit maken *tour/see the town/area, go sightseeing/on a (sightseeing) tour;* een~e route *a tourist route;* de~e sector *the tourist sector;*~e tips *tourist tips/information;* een~e trekpleister *a tourist attraction/centre, a sightseeing centre* ¶**.1** die streek is mij te~*that area is far too touristy for me/for my liking.*

toerjacht ⟨het⟩ **0.1** *touring yacht.*

toermalijn
I ⟨de (m.)⟩ **0.1** [⟨voorwerpsnaam⟩] *tourmaline;*
II ⟨het⟩ **0.1** [⟨stofnaam⟩] *tourmaline.*

toernooi ⟨het⟩ **0.1** [⟨sport⟩] *tournament* ⇒⟨schr.⟩ *tourney* **0.2** [⟨gesch.⟩ steekspel] *tournament* ⇒*tourney, joust, tilt* ♦ **3.1** aan een~meedoen *be in/take part in a tournament;* inschrijven voor een~*enter for a tournament.*

toeroepen ⟨ov.ww.⟩ **0.1** *call/*⟨schr.⟩ *cry (out) to* ♦ **1.1** het terrorisme een halt~*call a halt to terrorism;* een ontwikkeling een halt~*halt/arrest/check a development, bring a development to a stop/halt;* hij riep haar een hartelijk welkom toe *he called out a friendly greeting to her.*

toeroperator ⟨de (m.)⟩ **0.1** *tour operator.*

toertocht ⟨de (m.)⟩ **0.1** *non-competitive/pleasure ride/drive/*⟨boot⟩ *voyage* ♦ **3.1** een~rijden *drive (a route) without competing.*

toeruitrusting ⟨de (v.)⟩ **0.1** *touring equipment/*⟨inf.⟩ *gear.*

toerusten ⟨ov.ww.⟩ **0.1** *equip* ⇒*fit out/up,* ⟨bevoorraden⟩ *furnish, stock,* ⟨scheep.⟩ *rig* ♦ **1.1** een leger~*e. an army* **4.1** zich voor een reis~*fit o.s. out for a journey;* zich ten strijde~⟨schr.⟩ *gird o.s./gird up one's loins for battle* **6.1** toegerust *met equipped/furnished/fitted out with;* voor zo'n onderzoek zijn ze daar niet toegerust *they're not equipped/fitted up for that kind of research over there.*

toerusting ⟨de (v.)⟩ **0.1** *equipment* ⇒⟨inf.⟩ *gear.*

toerwagen ⟨de (m.)⟩ **0.1** [B]*coach,* [A]*touring car* ⇒*tourer,* ⟨busje⟩ [B]*touring bus/van.*

toeschietelijk ⟨bn.⟩ **0.1** ⟨inschikkelijk⟩ *accommodating, obliging* ⟨ook pej. mbt. vrouwen⟩; ⟨meelevend⟩ *responsive;* ⟨toegankelijk⟩ *accessible;* ⟨pej.⟩ *unrestrained, forward* ♦ **3.1** hij is niet erg~*he's not very forthcoming* **5.1** ze is me iets te~*she's a bit (too) unrestrained/forward for me;* ⟨AE;sl.⟩ *she comes on too strong (for my liking).*

toeschietelijkheid ⟨de (v.)⟩ **0.1** *accommodating/obliging nature; responsiveness; accessibility.*

toeschieten
I ⟨onov.ww.⟩ **0.1** [snel naderbij komen] *rush/dash forward* ⇒⟨toespringen⟩ *pounce* **0.2** [⟨AZN⟩ rondkomen] *get by* ⇒*manage* ♦ **6.1** de zuster schoot toe om te hulp *the nurse rushed forward to help;* de slang schiet op haar prooi toe *the snake pounces on its prey;*
II ⟨ov.ww.⟩ **0.1** [in iemands richting schieten] *shoot/kick to* ♦ **1.1** iem. de bal~*shoot the ball to s.o..*

toeschijnen ⟨onov.ww.⟩ **0.1** *seem* ⇒*appear* ♦ **1.1** het scheen haar een eeuwigheid toe *it seemed an eternity to her* **8.1** het schijnt me toe dat …*it would s./appear to me that ….*

toeschoppen ⟨ov.ww.⟩ →**toeschieten.**

toeschouwer ⟨de (m.)⟩ **0.1** [iem. die naar iets kijkt] *spectator* ⇒*observer, watcher,* ⟨televisie⟩ *viewer,* ⟨schr.⟩ *beholder* **0.2** [persoon die een voorstelling bijwoont] *spectator* ⇒⟨mv. ook⟩ *audience* **0.3** [iem. die niet meedoet] *onlooker, looker-on* ⇒*bystander* ♦ **1.2** aantal~s ⟨toneel⟩ *size of the audience;* ⟨sport⟩ *size of the crowd, number of spectators;* ⟨BE; voetbal ook⟩ *gate* **2.1** voor de opmerkzame~was dit geen geheim *this was no secret to sharp observers/to those with eyes to see* **3.2** veel~s trekken *draw a large audience* **6.2** onder de~s bevonden zich enige vrienden *there were a few friends among the audience* **7.2** de wedstrijd werd door 20.000~s bijgewoond *20,000 people watched the match.*

toeschreeuwen ⟨ov.ww.⟩ **0.1** *shout/yell/*⟨AE ook⟩ *holler to/*⟨dreigend of hard⟩ *at.*

toeschrijven ⟨ov.ww.⟩ **0.1** [wijten] *blame, attribute* ⇒*put down* **0.2** [toekennen] *attribute* ⇒*ascribe* ♦ **1.2** iem. alle mogelijke deugden~*credit s.o. with all manner of virtues;* iem. bovennatuurlijke krachten~*attribute/ascribe supernatural powers to s.o.;* slaafsheid kun je hem niet~*you can't accuse him of servility* **6.1** een ongeluk~aan het slechte weer *b. an accident on/a. an accident to the weather;* waar schrijf je het aan toe dat je gezakt bent? *how do you account for the fact that you failed (your exam)?;* hij schreef het toe aan haar onwetendheid *he put it down to her ignorance;* de mislukking aan hem~*b. him for the failure, a. the failure on him* **6.2** dit schilderij schrijft men toe aan Vermeer *this painting is attributed to Vermeer;* welke waarde moet ik aan de verklaring~? *how much importance am I to attach to that statement?.*

toeschrijving ⟨de (v.)⟩ **0.1** *attribution* ⇒*ascribing,* ⟨schr.⟩ *imputation* ♦ **1.1**~van schuld *attribution of guilt.*

toeschuiven ⟨ov.ww.⟩ **0.1** [schuivend bewegen] *push/slide/*⟨inf.⟩ *shove over/across to* ⇒*push/slide/*⟨inf.⟩ *shove towards* **0.2** [sluiten] *draw* ⇒*close* ♦ **1.1** zwijgend werd hem de schuldbekentenis toegeschoven *the IOU was pushed/slid across to him in silence* **1.2** zij schoof de gordijnen toe *she drew the curtains.*

toeslaan
I ⟨onov.ww.⟩ **0.1** [raak slaan] *hit home* ⇒⟨hard toeslaan⟩ *pound, strike hard* **0.2** [zijn kans benutten] *strike* **0.3** [met een slag dichtgaan] *slam (shut)* ⇒*bang (door)* ♦ **1.1** de bokser sloeg hard toe *the boxer hit home/pounded his opponent* **1.2** de inbreker slaat opnieuw toe *the burglar strikes again* **6.2** bij zo'n mooi aanbod moet je snel~*you've got to act/move fast with such a marvellous offer;*
II ⟨ov.ww.⟩ **0.1** [met een slag sluiten] *slam (shut)* ⇒*bang (shut)* **0.2** [in iemands richting slaan] *hit to* **0.3** [dichtslaan] *shut* ⇒*slam shut* ♦ **1.1** de deur~*slam the door (shut)* **1.2** iem. de bal~*hit the ball to s.o.* **1.3** een boek~*shut a book, slam a book shut.*

toeslag ⟨de (m.)⟩ **0.1** [extra heffing] *surcharge* ⇒*premium charge* ⟨voor kleine hoeveelheden⟩ **0.2** [extra inkomen] *bonus* ⇒*extra allowance* **0.3** [mbt. veiling] *sale* ♦ **3.1**~moeten betalen *have to pay a s./*⟨mbt. vervoer ook⟩ *an additional fare* **6.1** een D-trein met~*an express train with a s.* **6.2** een extra~ontvangen op zijn salaris *receive a b./extra allowance on top of one's salary;* een~voor vuil/gevaarlijk werk *a b. for dirty/hazardous work;*~voor kosten van levensonderhoud *cost of living adjustment;* inclusief~het wonen in Londen *including London weighting.*

toeslagbiljet ⟨het⟩ **0.1** *additional charge/extra charge/supplementary charge/*⟨vervoer ook⟩ *extra fare/excess fare ticket.*

toesluiten ⟨ov.ww.⟩ **0.1** *shut* ⇒*close*, ⟨op slot doen⟩ *lock*.

toesmijten ⟨ov.ww.⟩ **0.1** [toegooien] *throw/fling/hurl to* **0.2** [toesnauwen] *snarl/snap/growl at* **0.3** [krachtig dichtslaan] *slam (shut)* ⇒*bang (shut)* ◆ **3.1** de hond krijgt een bot toegesmeten *the dog is thrown/ flung a bone*.

toesnauwen ⟨ov.ww.⟩ **0.1** *snarl/snap/growl at*.

toesnellen ⟨onov.ww.⟩ **0.1** *rush/run up/forward to/towards* ◆ **6.1** hij snelde toe **om** hulp te bieden *he rushed up/forward to offer help;* **op** iemand ~ *run/rush towards/up to s.o.*.

toesnijden ⟨ov.ww.⟩ **0.1** [door snijden de vereiste vorm geven] *cut to size* ⇒*trim* **0.2** [toespitsen (op)] *gear (to)* ⇒*tailor to* ◆ **6.2** een regeling toegesneden **op** de Nederlandse situatie *an arrangement geared/ tailored to conditions in the Netherlands*.

toespeld ⟨de⟩ ⟨AZN⟩ **0.1** *safety pin*.

toespelen ⟨ov.ww.⟩ **0.1** *pass (to)* ⟨ook fig.⟩ ⇒⟨onopvallend toespelen⟩ *slip (to)* ⟨ook fig.⟩ ◆ **1.1** ze speelden elkaar de voordeligste baantjes toe *they passed each other the plum jobs;* ⟨fig.⟩ elkaar de bal ~ *scratch each other's back;* iem. bepaalde gegevens ~ *pass certain information on to s.o.;* ⟨fig.⟩ iem. de zwartepiet ~ *pass the buck to s.o., put s.o. in the wrong, leave s.o. holding/carrying the baby;* ⟨fig.⟩ elkaar de zwartepiet ~ *(try to) blame each other/put each other in the wrong, pass the buck back and forth*.

toespeling ⟨de (v.)⟩ **0.1** *allusion* ⇒*reference*, ⟨bedekt⟩ *hint*, ⟨pej.⟩ *innuendo, insinuation* ◆ **2.1** een brief vol hatelijke ~en *a letter full of (nasty) innuendo/insinuations* **3.1** ~en maken *drop hints, make insinuations*.

toespijs ⟨de⟩ **0.1** [nagerecht] *dessert* ⇒⟨BE ook⟩ *pudding, sweet*, ⟨BE; inf.⟩ *afters* **0.2** [spijs ter aanvulling] *side-dish* ⇒*entremets* **0.3** [⟨AZN⟩ broodbeleg] *filling* ⇒⟨om te smeren⟩ *spread*.

toespitsen ⟨ov.ww.⟩ **0.1** [⟨fig.⟩] *aggravate* ⇒*heighten, deepen, intensify* **0.2** [specialiseren] *specialize* ⇒*concentrate (on)* **0.3** [⟨lett.⟩] *sharpen* ⇒*make pointed/sharp-*, ⟨schr.⟩ *acuminate* ◆ **1.1** een conflict /politieke tegenstellingen ~ *a./intensify a conflict, accentuate/polarize political differences* **4.1** het conflict spitst zich toe *the conflict is coming to a head/becoming acute* **4.2** de industrie gaat zich ~ op de toepassing van chips *(the) industry is specializing/concentrating on the application(s) of (micro)chips* **4.3** haar mondje spitst zich venijnig toe *her lips are viciously pursed*.

toespraak ⟨de⟩ **0.1** *speech* ⇒⟨officiële⟩ *address* ◆ **3.1** een ~ houden *make/deliver a s., speech;* een heftige ~ houden (tot) *harangue;* een officiële ~ houden *officiate as speaker, deliver an address;* een korte ~ houden *say a few words/sth.*.

toespreken ⟨ov.ww.⟩ **0.1** *speak to, address* ◆ **1.1** een menigte ~ *a. a crowd* **2.1** iem. ernstig ~ *s./talk to s.o. (seriously), have a serious word/talk with s.o.;* zijn gehoor neerbuigend ~ *talk down to/patronize one's audience* **5.1** iem. vriendelijk ~ *speak to s.o. kindly/in a friendly way*.

toespringen ⟨onov.ww.⟩ **0.1** [met een sprong naderen] *spring/leap/ jump forward, pounce (up)on* **0.2** [onverwachts dichtgaan ⟨van slot⟩] *snap shut/home* ◆ **6.1** ~ op *come down, bounding on, leap at, jump for*.

toestaan ⟨ov.ww.⟩ **0.1** [goedkeuren] *allow, permit* **0.2** [verlenen] *grant* ⇒*concede* ◆ **1.1** gelden ~ ⟨van parlement⟩ *vote/authorize/grant funds;* het toegestane krediet werd overschreden *go over one's credit limit;* uitstel/voorrechten/een verzoek ~ *grant a respite/privileges/a request* **1.2** amnestie/een gunst ~ *g. amnesty/a favour* **4.1** als u mij toestaat *if you don't mind ..., if you please ..., if you will p. me ...* **5.1** iets niet ~ *disallow sth.;* iets oogluikend ~ *connive/wink at/condone sth., close/shut one's eyes to sth.* **8.1** sta je toe dat hij dat doet? *are you going to/do you allow him to do that?* ¶.1 het is hier niet toegestaan te roken *smoking is prohibited here*.

toestand ⟨de (m.)⟩ **0.1** [situatie] *state* ⇒*condition, situation, position* **0.2** [verwarde/onaangename situatie] *commotion* ⇒*to-do, fuss, muddle* **0.3** [⟨inf.⟩ vreemd gevaarte] *affair* ◆ **1.1** de ~ v.d. patiënt is kritiek *the patient's condition is critical, the patient's life is hanging by a thread/is on a razor-edge;* de ~ van de wegen *the state of the roads* **2.1** een benarde/hopeloze ~ *a sorry/hopeless plight;* in bevelde ~ *in a state of intoxication, in a drunken stupor;* de 19e-eeuwse ~en die hier nog heersen *the 19th century conditions still prevailing here;* mijn financiële ~ *(the state of) my finances, my financial position;* een overzicht v.d. financiële ~ v.d. maatschappij *the company's statement of accounts/financial statement;* de gespannen ~ in de wereld *the tension /tense situation in the world;* in goede/slechte ~ (verkeren) *(be) in good/poor condition, (be) in (a) good/bad (state of) repair;* in opgewonden/verwarde ~ *in a state of excitement/confusion;* een pijnlijke/ rooskleurige/haveloze ~ *an embarrassing situation, a rosy state (of affairs), a shabby condition;* de politieke ~ *the political situation;* het oude pand verkeerde nog in uitstekende ~ *the old building was still in a perfect state of preservation;* in vaste/vloeibare/gasvormige ~ *(in a/ the) solid/liquid/gaseous state;* ⟨verz.⟩ het beschadigde weer in zijn vroegere ~ herstellen *reinstate the damaged property* **3.1** haar ~ is achteruitgegaan *she's been taken/got worse, she's taken a turn for the worse;* de ~ overzien/bekijken *take stock of the situation* **3.2** ~en

---

maken *make a (great) fuss/to-do (about);* ⟨fig.⟩ *make a song and dance (about);* het was een (hele) ~ *there/it was quite a fuss/to-do/ c.* **4.2** wat een ~ *what a muddle/fuss* **5.1** de ~ thuis was niet best *things / matters at home were far from promising* **6.1** de ~ **in** de wereld *the state of world affairs/the world today;* **in** deze ~ is onmiddellijk handelen geboden *this situation calls for immediate action;* **in** een ~ van gewichtloosheid/totale onverschilligheid *in a state/condition of weightlessness/state of total indifference* **6.2** wij zijn **in** zo'n ~ terechtgekomen dat ... *things have come to such a pass that ..., we have reached a/the state where ...* ¶.3 die sorbet was zo'n hele ~ *that [B]sundae/[A]sherbet was an enormous/a gigantic a./was quite sth.*.

toestappen ⟨onov.ww.⟩ ◆ **6.¶ op** iem. ~ *step/walk up to s.o.*.

toesteken
I ⟨ov.ww.⟩ **0.1** [aanreiken] *extend* ⇒*put/hold out*, ⟨schr.⟩ *proffer* **0.2** [⟨AZN⟩ overhandigen] *give* ◆ **1.1** de toegestoken hand weigeren ⟨fig.⟩ *refuse a helping hand;* de helpende hand ~ *e. a helping hand;* iem. de hand ~ *put out one's hand to (help) s.o.;* ⟨fig.⟩ ⟨AZN⟩ een hand(je) ~ *give a hand, lend a (helping) hand;*
II ⟨onov.ww.⟩ **0.1** [zo steken dat men treft] *stab, thrust*.

toestel ⟨het⟩ **0.1** [apparaat ⟨ook in samenst.⟩] *apparatus* ⇒*appliance,* ⟨fototoestel⟩ *camera,* ⟨radio/t.v.⟩ *set,* ⟨handig⟩ *contrivance, gadget* **0.2** [vliegtuig] *plane* ⇒*machine, aircraft* ◆ **1.1** gymnastiektoestel *gymnastic apparatus/equipment* **2.1** een draagbaar ~ *a portable (set);* een extra ~ *an (extra) extension;* een optisch ~ *an optical appliance/ instrument* **3.2** het ~ landt om tien uur *the p. lands at ten o'clock* **6.1** wilt u even **aan** het ~ blijven *will you hold the line?* **7.1** vraag om ~ *212 ask for extension 212*.

toestelnummer ⟨het⟩ **0.1** *extension (number)*.

toesteloefening ⟨de (v.)⟩ **0.1** *exercise on the apparatus;* ⟨mv. ook⟩ *apparatus work (gymnastics)*.

toestemmen ⟨onov.ww.⟩ (→sprw. 692) **0.1** *agree/consent (to)* ⇒*approve (of), assent (to),* ⟨vergunnen⟩ *permit* ◆ **1.1** een ~d gebaar/knikje *an affirmative gesture/nod* **3.1** ~d knikken *nod in agreement;* lachend ~ *smile (one's) consent, smilingly assent* **6.1** ~ in een verzoek/huwelijk *fall in with/agree to/grant a request, c./agree to a marriage* **8.1** erin ~ dat ... *agree that .../to (...ing)* ¶.1 wie zwijgt, stemt toe *silence implies consent*.

toestemming ⟨de (v.)⟩ **0.1** *agreement, consent* ⇒*approval (of), assent (to),* ⟨vergunning⟩ *permission* ◆ **2.1** een schriftelijke ~ *a permit/written authority, permission in writing* **3.1** iem. zijn ~ geven *om te komen suffer s.o. to come;* zijn ~ geven/verlenen/weigeren aan iem./tot iets *give/grant/refuse permission to s.o./sth., give/accord/refuse one's c. to s.o./sth.;* ⟨iemands⟩ ~ hebben *om te ... have s.o.'s permission to ...;* ~ krijgen (om ...) *receive permission/obtain leave (to ...);* ⟨inf.⟩ ~ get the nod/go-ahead (to ...);* iem. (om) ~ vragen *ask s.o.'s permission (to);* zonder zelfs maar ~ te vragen ⟨inf.⟩ *without so much as a 'by your leave'* **6.1** met ~ **van** *by courtesy of, with the permission/c. of;* met uw ~ *by/with your leave/with your permission;* ~ tot landen/opstijgen *clearance (for landing/take-off);* **zonder** ~ iets doen/andermans fiets gebruiken *do sth. without permission, make unauthorized use of s.o.'s bicycle*.

toestoppen ⟨ov.ww.⟩ **0.1** [stilletjes geven] *slip* **0.2** [instoppen] *tuck in/up* **0.3** [een opening dichtmaken] *stop (up)* ⇒⟨scheur/barst/spleet⟩ *fill (up/in), plug* ◆ **1.1** een kind een snoepje ~ *s. a child a sweet* **1.2** een kind ~ *tuck in a child* **1.3** zijn oren ~ *stop/hold/plug one's ears*.

toestormen ⟨onov.ww.⟩ **0.1** *come rushing (up/at/for)* ⇒*come dashing/ tearing (towards/up)* ◆ **6.1** ~ op iets/iem. *go for/run at sth./s.o.*.

toestoten ⟨onov./ov.ww.⟩ **0.1** [aanvallen] *shove/thrust/* ⟨mes⟩ *stab at* **0.2** [dichtduwen] *push to/closed/shut*.

toestromen ⟨onov.ww.⟩ **0.1** *stream to(wards)* ⇒*flow/flock/crowd to-(wards)* ◆ **1.1** het geld stroomde ons toe *money was showered upon us/came pouring in;* het publiek stroomde toe *the public came flocking (in)* **6.1** blijken van sympathie stroomden **van** alle kanten toe *expressions of sympathy poured in from all sides*.

toestroming ⟨de (v.)⟩ **0.1** *stream (towards)* ⇒*inflow, influx, flowing-/ flocking-/crowding-towards, pouring-in*.

toesturen ⟨ov.ww.⟩ **0.1** *send* ⇒*remit* ⟨geld⟩.

toet¹ ⟨de (m.)⟩ **0.1** [⟨inf.⟩ gezicht] *face* **0.2** [knoetje] *knot* ⇒⟨boven de nek⟩ *bun* **0.3** [⟨inf.⟩ groot toetje] ⟨zie 6.3⟩ ◆ **3.1** een ~ trekken *pull/ make a f.* **6.2** het haar in een ~ dragen *wear one's hair in a k./bun/ one's hair up* **6.3** ik wil een ~ **met** slagroom, niet zo'n klein geval *I want a big helping of sweet/[A]dessert with whipped cream, not such a piddly affair*.

toet² ⟨tw.⟩ **0.1** *toot, hoot, honk*.

toetakelen ⟨ov.ww.⟩ **0.1** [afranselen] *beat (up)* ⇒*knock about, manhandle, maul, batter* ⟨vnl. kinderen, vrouwen⟩ **0.2** [op vreemde wijze kleden/versieren] *rig out, dress/get up* ◆ **1.2** dat kind is me toch toegetakeld! *that child looks a sight/fright* **4.2** zich vreselijk ~ *make o.s. look a fright* **5.1** iem. danig ~ *make a picture of s.o.;* hij is lelijk toegetakeld *he has been badly beaten (up)/mauled/* ⟨BE ook⟩ *bashed about*.

toetasten ⟨onov.ww.⟩ **0.1** *take, seize* ⇒⟨mbt. eten⟩ *help o.s., dive in, fall to,* ⟨aanbod⟩ *accept* ◆ **5.1** tast maar flink toe *help yourself/your-*

selves, dive in, don't hold back **6.1 met** beide handen ~ *grab/seize with both hands, jump at.*

toeten ⟨onov.ww.⟩ **0.1** *toot, hoot, honk* ◆ **6.1** ⟨fig.⟩ **van** ~ noch blazen weten *not know the first thing about sth..*

toeter[1] ⟨de (m.)⟩ **0.1** [blaasinstrument] *blower* ⇒*tooter* **0.2** [claxon] *horn* ⇒ ⟨vnl. BE⟩ *hooter* **0.3** [⟨plantk.⟩] *cow parsley* **0.4** [⟨inf.⟩ mond] *trap* ◆ **1.1** ⟨fig.⟩ met allerlei ~s en bellen *with all the trimmings;* ⟨met veel drukte⟩ *with a lot of noise/fuss* **3.4** hou je ~ *shut your t., hold your gob.*

toeter[2] ⟨bn.⟩ ⟨inf.⟩ **0.1** *tight (as a drum)* ⇒*smashed,* ⟨sl.⟩ *pissed as a newt /out of one's head/mind,* ⟨BE;inf.⟩ *blotto, pickled, soused,* ⟨AE;sl.⟩ *flako, blue.*

toeteren
I ⟨onov.ww.⟩ **0.1** [claxonneren] *hoot, honk* **0.2** [op een toeter blazen] ⟨→**toeten**⟩;
II ⟨ov.ww.⟩ **0.1** [schetteren] *blast, bellow* ⇒*bawl, yell* ◆ **6.1** iem. iets in de oren ~ *bellow sth. in s.o.'s ear.*

toetje ⟨het⟩ ⟨inf.⟩ **0.1** [mbt. eten] *dessert* ⇒ ⟨zoet⟩ *sweet (course), pudding* **0.2** [gezichtje] *(pretty) little face* ◆ **8.1** als ~ hadden we vruchtenkwark *we had fruit and curds for sweet/dessert;* als ~ is er fruit/kaas ⟨enz.⟩ ⟨ook⟩ *there is/we have fruit/cheese* ⟨enz.⟩ *to follow.*

toetreden ⟨onov.ww.⟩ **0.1** [zich te voet begeven naar] *walk/step up to* **0.2** [deelnemer worden] *join* ⇒*become a party (to),* ⟨schr.⟩ *accede (to)* ◆ **6.1** op iem. / iets ~ *walk up to s.o. / sth.* **6.2** ~ **tot** een vereniging *j. a club;* **tot** de geestelijkheid ~ *profess, be ordained, go into the church;* ~ **tot** een verbond/verdrag *accede to a treaty.*

toetreding ⟨de (v.)⟩ **0.1** *joining* ⇒*entry (into),* ⟨schr.⟩ *accession,* ⟨tot de geestelijkheid⟩ *profession* ◆ **1.1** de ~ van Engeland tot de E.E.G. *England's entry into the E.E.C. / Common Market* **6.1** ~ **tot** een verdrag *accession to a treaty.*

toetrekken ⟨ov.ww.⟩ **0.1** *pull to/shut* ⇒ ⟨gordijnen ook⟩ *draw* ◆ **1.1** een deur achter zich ~ *pull a door to/shut behind/after one, close a door behind/after one.*

toets ⟨de (m.)⟩ **0.1** [test] *test* ⇒*check* **0.2** [mbt. instrumenten] *key* ⇒ ⟨van snaarinstrument⟩ *fingerboard,* ⟨van piano e.d. ook⟩ *note* **0.3** [penseelstreek] *stroke* ⇒*touch* **0.4** [manier van schilderen] *touch* **0.5** [proef om het metaalgehalte te bepalen] *assay* ◆ **1.1** een ~ Nederlands *a Dutch t.* **2.1** een schriftelijke ~ *a written test, a test paper* **2.3** de laatste ~ aanbrengen ⟨fig.⟩ *add the finishing t.* **2.4** deze schilder heeft een fijne ~ *this painter has a fine/delicate t.* **3.1** aan een ~ onderwerpen *put to the t., test, subject to a t.;* de ~ der kritiek kunnen doorstaan *bear (the scruting of)/stand the test of criticism* **3.2** een ~ aanslaan *strike a k.* / *note* **6.2** op ~ en/aan de ~ en Willie Lindo *at the keyboards /keys/on keyboards Willie Lindo.*

toetsbaar ⟨bn.⟩ **0.1** *testable* ⇒ ⟨op nauwkeurigheid⟩ *verifiable.*

toetsen ⟨ov.ww.⟩ **0.1** [onderzoeken] *test* ⇒*check* **0.2** [polsen] *sound (out)* **0.3** [mbt. edel metaal] *assay* ◆ **1.1** iemands betrouwbaarheid/ iem. op zijn betrouwbaarheid ~ *prove s.o.'s reliability;* kennis ~ t. *(s.o.'s) knowledge* **6.1** zijn idealen ~ aan de werkelijkheid *t. out one's ideals;* aan de praktijk/ervaring ~ *t. by practical experience, put on trial, give a trial, field-test;* een wet aan de grondwet ~ *t. a law/statute against the Constitution, examine a law/statute for compatibility with the Constitution,* ⟨USA⟩ *review the constitutionality of an Act of Congress* **6.2** iem. ~ **aangaande** zijn plannen *sound s.o. about his plans.*

toetsenbord ⟨het⟩ **0.1** *keyboard* ⇒*bank of keys, clavier,* ⟨orgel ook⟩ *manual,* ⟨machine ook⟩ *console.*

toetsenist ⟨de (m.)⟩ **0.1** *keyboard player* ⇒*keyboardist.*

toetsing ⟨de (v.)⟩ **0.1** [controle] *test(ing)* ⇒*check(ing)* **0.2** [⟨jur.⟩] *(judicial) review/examination* **0.3** [mbt. edel metaal] *assay* ◆ **2.2** marginale ~ *limited judicial review* **6.1** de ~ v.h. verhaal **aan** de feiten *the verification of the story.*

toetsinstrument ⟨het⟩ **0.1** *keyboard instrument* ⇒*clavier.*

toetsnaald ⟨de⟩ **0.1** *touch needle.*

toetssteen ⟨de (m.)⟩ **0.1** [proefsteen mbt. metalen] *touchstone* ⇒*Lydian stone* **0.2** [⟨fig.⟩] *touchstone* ⇒*test, criterion* **1.2** tegenspoed is de ~ v.d. vriendschap *adversity is the touchstone/test of friendship.*

toeval
I ⟨het, de (m.)⟩ **0.1** [aanval van vallende ziekte] *fit, attack* ⇒*(epileptic) fit/seizure* ◆ **3.1** last hebben van ~len, aan ~len lijden *be (an) epileptic, suffer from epilepsy/epileptic fits;* een ~ krijgen *have a f. / an a. / a seizure;*
II ⟨het⟩ **0.1** [geheel van omstandigheden] *coincidence* ⇒*accident, chance* ◆ **2.1** een gelukkig ~ *a lucky coincidence/chance;* door een ongelukkig ~ *by misadventure/mischance, through a mischance;* stom ~ *by sheer accident, quite by accident, by (the) mere(st) chance/coincidence;* ⟨stom geluk⟩ *(by) a (mere) fluke;* door stom ~ iets vinden/tegenkomen *blunder upon sth.;* het ~ wilde dat ...*it so happened that ...,* *chance/luck would have it that ...* **4.1** wat een ~! je hebt hetzelfde aan als ik *snap! you're wearing the same as me* **6.1** niets aan het ~ overlaten *leave nothing to chance, make doubly sure;* **bij** ~ *by accident/ chance, accidentally;* ik zat **bij** ~ op dezelfde boot *I chanced to be on the same boat;* **op** het ~ vertrouwen *trust to chance/luck* **7.1** die twee

bij elkaar, dat kan haast geen ~ zijn *those two together can hardly be accidental.*

toevallen ⟨onov.ww.⟩ **0.1** [te beurt vallen] *fall to* ⇒ ⟨winsten e.d.⟩ *accrue to,* ⟨erfdelen⟩ *devolve upon* **0.2** [zich vallend sluiten] *fall shut* ◆ **1.2** zijn ogen vallen toe van slaap *he is so sleepy that he can hardly keep his eyes open* **6.1** bezit **aan** iem. doen ~ *escheat property into s.o.'s hands/to s.o..*

toevallig
I ⟨bn.⟩ **0.1** [onvoorzien] *coincidental* ⇒*accidental, chance, casual, fortuitous* ◆ **1.1** ~e gebeurtenis *chance/accidental occurrence, accident;* een ~e ontmoeting *a chance meeting;* een ~ praatje *a casual talk/ chat;* een ~e voorbijganger *a passer-by, s.o. who happened to be passing* **3.1** het kon niet ~ zijn dat ...*it was no accident that ...* **4.1** wat ~, dat jij hier ook bent *what a coincidence meeting you here;*
II ⟨bw.⟩ **0.1** [bij toeval] *by (any) chance* ⇒*by accident* **0.2** [naar het geval wil] *as it happens* ◆ **3.1** bevindt hier zich ~ een medicus? *is there a doctor here by any chance?;* ~ kennismaken met *strike up an acquaintance with;* mocht er ~ iem. langskomen *if s.o. happens to/ should come round;* iem. ~ tegenkomen/ontmoeten *bump into/ happen to meet s.o.;* elkaar ~ treffen *meet by chance;* ~ vinden/aantreffen *come/stumble across/(up)on, chance/hit upon* **3.2** als je er ~ nog een thuis hebt liggen *if you happen to have one (lying around);* het trof ~ dat ze thuis waren *it so happened that they were at home/in* ¶**.2** ~ heb ik daar geen zin in *I just don't happen to be in the mood, as it happens, I am not in the mood (for it);* ~ is het ook nog eens zó *it also happens to be true.*

toevalligheid ⟨de (v.)⟩ **0.1** [gebeurtenis, omstandigheid] *coincidence* ⇒ *sth. accidental, accident* **0.2** [eigenschap, feit] *fortuity* ⇒*casualness* ◆ **1.1** een samenloop van toevalligheden *a series of coincidences.*

toevallijder ⟨de (m.)⟩ **0.1** *epileptic.*

toevalsfactor ⟨de (m.)⟩ **0.1** *chance (factor).*

toevalstreffer ⟨de (m.)⟩ **0.1** *chance hit, stroke of luck* ⇒*fluke,* ⟨biljart⟩ *scratch.*

toeven ⟨onov.ww.⟩ ⟨schr.⟩ **0.1** [verblijven] *stay* ⇒*abide* **0.2** [talmen] *tarry* ⇒*hesitate, linger* ◆ **5.1** het is daar goed ~ *it is a nice place to s.* **6.2** zonder ~ *without tarrying/delay.*

toeverlaat ⟨de (m.)⟩ **0.1** *support* ⇒*anchor, crutch, refuge, rock* ◆ **1.1** hij was hun steun en ~ *he was their help and stay.*

toevertrouwen ⟨ov.ww.⟩ **0.1** [met vertrouwen geven] *entrust* ⇒*consign, commit* **0.2** [in vertrouwen meedelen] *confide* ⇒*tell confidentially, unburden o.s., unbosom o.s.* ◆ **1.1** je kunt hem geen hoop geld ~ *he cannot be trusted with a lot of money* **1.2** iem. een geheim/zijn moeilijkheden ~ *c. a secret/one's troubles to s.o.* **4.1** dat is hem wel toevertrouwd *trust him for that, leave that to him;* zich aan iem. ~ *put o.s. in s.o.'s hands, throw o.s. (up)on s.o.* **6.1 aan** iemands zorg ~ *leave in the care of s.o., commend/consign to/put under s.o.'s care;* hij is **aan** de zorgen v.d. beste dokters toevertrouwd *he will be attended (on) by the best doctors;* zijn ziel **aan** God ~ *commend one's soul to God;* **aan** de (schoot der) aarde/de zee ~ *commit to the earth/sea;* de **aan** zijn zorg(en) toevertrouwde persoon *the person (put) under his care* **6.2** iets **aan** het papier ~ *commit sth. to paper* **8.1** het is hem wel toevertrouwd om ...*he may be relied upon/can be trusted to ....*

toevijzen ⟨ov.ww.⟩ ⟨AZN⟩ **0.1** *screw down.*

toevliegen
I ⟨onov.ww.⟩ **0.1** [toesnellen] *fly (to)* **0.2** [⟨AZN⟩ vliegende aankomen] *come flying to(wards)* **0.3** [met geweld dichtgaan] *slam to/shut;*
II ⟨ov.ww.⟩ ⟨AZN⟩ **0.1** [aanvallen] *fly at* ⇒*go for.*

toevloed ⟨de (m.)⟩ **0.1** *flow* ⇒*influx, affluence, concourse, rush* ◆ **1.1** een ~ van nieuwsgierigen *a rush of curious onlookers/of gapers.*

toevloeien ⟨onov.ww.⟩ **0.1** [toestromen] ⟨→**toestromen**⟩ **0.2** [⟨fig.⟩] *flow /pour in* ◆ **6.2** ~ **aan** ⟨van baten e.d.⟩ *accrue/fall to;* giften vloeiden **van** alle kanten toe *gifts came pouring in from all sides, we/they* ⟨enz.⟩ *were showered with gifts.*

toevlucht ⟨de⟩ **0.1** [persoon/zaak/plaats waar men bescherming zoekt] *refuge* ⇒*shelter, sanctuary* **0.2** [bescherming] *refuge* ⇒*resort, recourse* ◆ **2.1** dit middel was zijn laatste ~ *this (expedient) was his last resort* **3.1** zijn ~ zoeken in de drank *seek solace in drink, resort to drinking* **3.2** ~ zoeken bij *take refuge with;* ⟨jacht.⟩ zijn ~ zoeken in het water ⟨van wild⟩ *take soil* **3.¶** zijn ~ nemen tot (geweld) *resort to/ have recourse to (force);* zijn ~ nemen tot het gerecht *appeal to the courts, resort/have recourse to the law;* zijn ~ moeten nemen tot *be driven back on.*

toevluchtsoord ⟨het⟩ **0.1** *(port/house/haven of) refuge* ⇒*harbourage, retreat* ◆ **3.1** in ons land vonden de ballingen een ~ *the exiles found/ took refuge in our country* **6.1** een ~ **voor** onbehuisden *a shelter for the homeless.*

toevoegen ⟨ov.ww.⟩ **0.1** [tot vermeerdering bijvoegen] *add* ⇒ ⟨toelichting e.d.⟩ *append, annex,* ⟨er nog aan toevoegen⟩ *superadd* **0.2** [ten dienste stellen van] *appoint* ⇒*assign, attach, second* **0.3** [onvriendelijke woorden zeggen] *throw/snap (at)* **0.4** [dichtstoppen ⟨van naden/ voegen⟩] *point (up)* ⇒*grout, fill (up)* ◆ **1.1** suiker naar smaak ~ *add sugar to taste* **1.3** iem. een belediging ~ *toss/hurl an insult at s.o.* **6.1** iets **aan** de discussie ~ *add sth. to/* ⟨terloops⟩ *throw into the discus-*

sion; **aan** dit verhaal hoef ik niets toe te voegen *this story is self-explanatory* **8.1** ... is als bijlage toegevoegd ... *is annexed* **8.2** hij werd als raadsman toegevoegd *he was assigned as counsel.*

toevoeging ⟨de (v.)⟩ **0.1** [het toevoegen] *addition, adding* **0.2** [toevoegsel] *addition* ⇒*additive* ⟨o.a. in voedsel⟩, *extension* ⟨bv. aan gebouw/constructie⟩, *rider* ⟨aan officieel stuk⟩ **0.3** [⟨jur.⟩] *assignment* **0.4** [onvriendelijk woord] *comment, nasty/waspish remark* ♦ **2.2** een latere ~ *an afterthought* **3.3** de advocaat kreeg drie ~en *the lawyer was assigned three legal aid cases* **6.1** een jury versterken **door** ~ van experts *afforce a jury;* **door** ~ **van** (water/meel) *by adding (water/flour)* **6.2** brood **zonder** ~en *bread without additives.*

toevoegsel ⟨het⟩ **0.1** *addition, supplement* ⇒*appendix, appendage, addendum* ♦ **2.1** de gereconstrueerde tekst, ontdaan van alle latere ~s *the original text, stripped of all later additions.*

toevoer ⟨de (m.)⟩ **0.1** *supply* ⇒*input, flow* ♦ **6.1** de ~ van ponsstroken **aan** een machine *the input of punched tape/cards to a machine;* er was een grote ~ van levensmiddelen *there was a large s. of foodstuffs.*

toevoerbuis ⟨de⟩ **0.1** *supply-pipe/-tube* ⇒⟨van apparaat⟩ *feed-pipe/-tube,* ⟨van hoofdleiding in huis⟩ *service pipe.*

toevoeren ⟨ov.ww.⟩ **0.1** *supply* ⇒*feed, ventilate* ⟨zuurstof⟩, *energize* ⟨energie⟩ ♦ **6.1** grondstoffen **aan** een machine ~ *s. a machine with raw materials.*

toevoerkanaal ⟨het⟩ **0.1** *supply/* ⟨tech. ook⟩ *feed(er) channel/duct* ⇒*pipeline, feed.*

toevoerleiding ⟨de (v.)⟩ **0.1** *supply/* ⟨tech. ook⟩ *feed(er) pipe* ⇒*pipeline, feed.*

toevoerlijn ⟨de⟩ **0.1** *supply line.*

toevoerweg ⟨de (m.)⟩ **0.1** *supply line, feed.*

toevouwen ⟨ov.ww.⟩ **0.1** *fold (up)* ♦ **1.1** de handen ~ *fold one's hands.*

toewaaien
I ⟨ov.ww.⟩ **0.1** [door een luchtverplaatsing toevoeren] *fan, blow (on)* ♦ **1.1** iem. wind/koelte ~ *fan s.o.;*
II ⟨onov.ww.⟩ **0.1** [waaiende komen naar] *blow on/over* ⇒*waft towards)* **0.2** [dichtwaaien] *blow shut* ♦ **1.1** lieflijke geuren waaiden ons toe *sweet smells came wafting/wafted towards/over us* **4.1** het waait je zo maar niet toe ⟨fig.⟩ *it doesn't/won't just fall into your lap, you know.*

toewenden ⟨ov.ww.⟩ **0.1** *turn (to/towards)* ♦ **1.1** hij wendde mij de rug toe ⟨ook fig.⟩ *he turned his back on me;* ⟨fig.⟩ *he gave me the cold shoulder.*

toewenken ⟨ov.ww.⟩ **0.1** [wenken naar] *beckon to* **0.2** [te kennen geven] *beckon* ⇒*signal (to)* ♦ **3.2** hij wenkte mij toe te komen *he beckoned/signalled (to) me (to come)* **5.1** iem. bemoedigend ~ *b. encouragingly to s.o..*

toewensen ⟨ov.ww.⟩ **0.1** *wish* ♦ **1.1** iem. veel geluk/het beste ~ *wish s.o. much happiness/well/all the best;* iem. een lang leven ~ *wish s.o. long life;* dat zou ik mijn ergste vijand nog niet ~ *I wouldn't w. that on my worst enemy.*

toewerken ⟨onov.ww.⟩ **0.1** *work towards/up (to)* ⇒*work round (to)* ♦ **6.1** naar iets ~ *work up/round to (doing) sth..*

toewerpen ⟨ov.ww.⟩ **0.1** [werpen binnen het bereik van] *throw (to)* ⇒*cast, toss* **0.2** [doen toekomen] *throw into s.o.'s lap* ♦ **1.1** elkaar de bal ~ ⟨elkaar helpen⟩ *play into each other's hand;* ⟨de beslissing op elkaar afschuiven⟩ *blame each other;* iem. een vernietigende blik ~ *cast/give s.o. a withering glance/a crushing look;* iem. een kushand/een blik ~ *blow s.o. a kiss, kiss one's hand to s.o., t./cast a glance/look at s.o.* **1.2** die buitenkans werd hem toevallig toegeworpen *that bit of good luck came his way/fell into his lap by (pure) chance.*

toewijden ⟨ov.ww.⟩ **0.1** *devote* ♦ **6.1** zij was **aan** haar kinderen zeer toegewijd *she was very devoted to her children.*

toewijding ⟨de (v.)⟩ **0.1** [het zich geheel geven] *devotion, dedication (to)* ⇒*attachment (to)* **0.2** [devotie] *devotion (to)* ♦ **1.2** akte van ~ *act of d.* **6.1** de ~ van zijn echtgenote **aan** hun enige kind *his wife's devotion to their only child;* **met** grote ~ iets doen *do sth. with great devotion, give o.s. over/up to sth..*

toewijzen ⟨ov.ww.⟩ **0.1** [bij rechterlijk vonnis/van overheidswege toekennen] *award* ⇒*allow, adjudge, grant* **0.2** [toekennen] *assign* ⇒*grant, appropriate, allot* ⟨rol⟩, *award* ⟨prijs⟩, ⟨toedelen⟩ *allocate* ♦ **1.1** zijn beroep werd toegewezen *his appeal was allowed;* ⟨jur.⟩ de eis werd toegewezen *the claim was sustained/allowed, judgement was entered/found for the plaintiff* **1.2** een prijs ~ *award a prize;* een subsidie ~ *appropriate/allocate a subsidy;* iem. een werk/levering ~ *award/allot/assign a job/supply-contract to s.o.* **6.1** het kind werd na de scheiding **aan** de vader toegewezen *after the divorce the father was awarded/granted/given the custody of the child* **6.2** een rol ~ **aan** een acteur *cast an actor in a part.*

toewijzing ⟨de (v.)⟩ **0.1** [het toewijzen] *assignment* ⇒*allotment, allocation,* ⟨jur.⟩ *allowance, award,* ⟨comp.⟩ *reservation* **0.2** [wat toegewezen is] *assignment* ⇒*allotment, allocation, appropriation* ♦ **1.1** de ~ van een rol aan de acteur *the casting of an actor in a part* **2.1** openbare ~ *public allocation* **2.2** de nieuwe ~ bedroeg ƒ10.000 *the new allotment/appropriation amounted to Dfl 10,000.*

toewijzingsbeleid ⟨het⟩ **0.1** *allocation/licensing policy.*

toewuiven ⟨ov.ww.⟩ **0.1** [toezwaaien] *wave to* **0.2** [wuivend doen toekomen] *waft (towards/over to)* ♦ **1.1** hem werd een hartelijk welkom toegewuifd *they waved to him in welcome, a hearty/warm welcome was waved to him* **1.2** zich koelte ~ *fan o.s. (with cold air)* **6.1** iem. ~ **met** een zakdoek *w. a handkerchief at s.o., w. to s.o. with a handkerchief.*

toezeggen ⟨ov.ww.⟩ **0.1** *promise* ♦ **1.1** het toegezegde aandeel in de winst *the promised share in the profit(s);* hem was een woning toegezegd *he had been promised a house.*

toezegging ⟨de (v.)⟩ **0.1** *promise* ⇒*pledge, undertaking, commitment* ♦ **3.1** ~en doen *make promises/pledges, give undertakings;* de ~ doen dat ...*promise that ..., give the undertaking/pledge one's word that ....*

toezenden ⟨ov.ww.⟩ **0.1** *send (to)* ⇒*forward, remit* ⟨geld⟩.

toezending ⟨de (v.)⟩ **0.1** *sending* ⇒ ↑*dispatch(ing).*

toezicht ⟨het⟩ **0.1** *supervision* ⇒*surveillance, inspection* ♦ **1.1** ⟨jur.⟩ raad van ~ *supervisory board, board of supervision, trustees* **2.1** onder ouderlijk ~ *under parental control;* onder voortdurend ~ *under watch and ward* **3.1** ~ hebben/uitoefenen/houden over/op *supervise, oversee* ⟨personeel⟩, *monitor; police* ⟨gebied/straat enz.⟩; *superintend; look after* **6.1** onder ~ plaatsen/stellen *place/put under supervision/surveillance, bind over;* **onder** ~ staan van *be supervised by/under the supervision/surveillance of, be under the control of;* belast zijn met het ~ op *be in charge of;* **zonder** ~ *unattended, unwatched, unguarded.*

toezichthoudend ⟨bn.⟩ **0.1** *surveillant* ⇒*superintendent, supervisory* ♦ **1.1** het ~ personeel *the attendants, the supervisory staff.*

toezichthouder ⟨de (m.)⟩, **-houdster** ⟨de (v.)⟩ **0.1** *supervisor* ⇒*surveillant, superintendent.*

toezien ⟨onov.ww.⟩ **0.1** [toekijken] *look on* ⇒*watch* **0.2** [toezicht/opzicht houden] *oversee* ⇒*supervise, superintend* **0.3** [op zijn hoede zijn] *see* ⇒*take care, keep watch* ♦ **3.1** ik mocht ~ *I was left on the sidelines/out in the cold* **5.1** aandachtig ~ *look on attentively;* lijdelijk ~ *be/remain (a) passive (looker-on), stand by with folded arms;* machteloos ~ *stand by helplessly;* werkeloos ~ *stand by (idly)* **6.1** in ademloze spanning ~ *look on in breathless suspense* **6.2** hij moet **op** de fabriek ~ *he is/has to o./superintend the factory* **8.3** zie erop toe dat het kind niet wegloopt *s. to it/take care that the child doesn't run away* ¶**.1** ~ hoe iem. lijdt *see s.o. suffering.*

toeziend ⟨bn.⟩ ♦ **1.¶** ~ voogd *co-guardian, joint guardian.*

toeziener ⟨de (m.)⟩ ⟨AZN⟩ **0.1** [opzichter] *overseer, superintendent* **0.2** [toeziend voogd] *co-guardian, joint guardian.*

toezingen ⟨ov.ww.⟩ **0.1** [ter ere van iemand laten horen] *sing for* **0.2** [een zanghulde brengen] *sing to* ♦ **1.1** men zong hem een welkomstlied toe *they welcomed him/he was welcomed with a song* **1.2** de vogeltjes die ons uit de bomen ~ *the little birds singing to us from the trees.*

toezwaaien ⟨ov.ww.⟩ **0.1** [zwaaiend doen bewegen naar] ⟨zie 1.1⟩ **0.2** [toewuiven] *wave to* ♦ **1.1** ⟨fig.⟩ iem. lof ~ *sing s.o.'s praises;* iem. wierook ~ ⟨fig.⟩ *sing s.o.'s praises, eulogize s.o.* **1.2** zij zwaaide het publiek vriendelijk toe *she kindly waved to the public.*

tof ⟨bn., bw.;-ly⟩ ⟨inf.⟩ **0.1** [betrouwbaar] *decent* ⇒*kosher,* ⟨AE;inf.⟩ *regular, O.K., okay* **0.2** [fijn] *great* ⇒⟨BE;inf.⟩ *smashing, fabulous, terrif(ic)* ♦ **1.1** ~fe jongens *d. chaps, regular/good guys;* een ~fe meid *a d./an O.K. girl* **1.2** een ~feest *a g./smashing party* **3.2** dat gaat ~ *that goes/runs smoothly.*

toffee ⟨de (m.)⟩ **0.1** [B]*toffee,* [A]*taffy* ⇒*fudge* ⟨zacht⟩.

toffel ⟨de⟩ **0.1** ↑*slipper.*

toffelzaag ⟨de⟩ **0.1** *tenon saw.*

tofoe ⟨de⟩ ⟨cul.⟩ **0.1** *tofu* ⇒*bean curd.*

toga ⟨de⟩ **0.1** [ambtsgewaad] *gown* ⇒*robe* **0.2** [soutane] *cassock* **0.3** [⟨Rom. gesch.⟩] *toga* ♦ **1.1** ~ en bef *bands and g.* **6.1** een dominee/advocaat **in** ~ *a robed clergyman/lawyer.*

Togo ⟨het⟩ **0.1** *Togo.*

togus → **tooches.**

toilet ⟨het⟩ **0.1** [w.c.] *toilet* ⇒⟨vnl. BE⟩ *lavatory,* ⟨voor dames⟩ *ladies' room,* ⟨voor heren;inf.⟩ *gents* **0.2** [kleding] *dress* ⇒*gown, outfit* **0.3** [het zich kleden] *toilet* ♦ **2.1** een chemisch ~ *a chemical lavatory;* ⟨een⟩ openba(a)r(e) ~ ⟨ten⟩ [B]*public convenience(s),* [A]*comfort station, restroom* **2.2** een fraai/licht ~ *a fine/light gown* **3.3** ⟨zijn⟩ ~ maken *make one's t., dress* **6.1** naar het ~ gaan *go to the t.; leave the room, wash one's hands;* ⟨inf.⟩ spend a penny **6.2** **in** (groot) ~ *full-dress, in full dress/feather.*

toiletartikel ⟨het⟩ **0.1** *toiletry* ⇒⟨mv. ook⟩ *toilet requisites/things.*

toiletbenodigdheden ⟨zn.mv.⟩ **0.1** *toilet requisites/articles/* ↓*things* ⇒⟨hand.⟩ *toiletries.*

toiletblok ⟨het⟩ **0.1** [gebouw(tje)] *toilet block* **0.2** [combinatie van toiletpot met waterreservoir] *low-flush suite.*

toiletdoos ⟨de⟩ **0.1** *dressing case* ⇒*beauty case.*

toiletemmer ⟨de (m.)⟩ **0.1** *slop-pail/-bucket.*

toiletgarnituur ⟨het⟩ **0.1** *toilet set* ⇒*bathroom set.*

toiletjuffrouw ⟨de (v.)⟩ **0.1** *lavatory attendant.*

toiletmaken ⟨ww.⟩ **0.1** *dress, make one's toilet.*

toiletpapier ⟨het⟩ **0.1** *toilet/lavatory paper/tissue.*

toiletpoeder ⟨het, de (m.)⟩ **0.1** *talc(um powder)* ⇒*toilet powder.*

toiletpot ⟨de (m.)⟩ **0.1** *lavatory pan/bowl.*

toiletspiegel ⟨de (m.)⟩ **0.1** *toilet glass* ⇒⟨draaibaar⟩ *cheval glass.*

toilettafel ⟨de⟩ **0.1** *dressing table* ⇒*dresser, toilet table,* ⟨AE ook⟩ *vanity (table).*

toilettas ⟨de⟩ **0.1** *toilet bag* ⇒⟨BE ook⟩ *sponge-bag* ⟨klein⟩.

toiletteren
I ⟨ov.ww.⟩ **0.1** [het uiterlijk verzorgen] *dress* ⇒*clip* ⟨honden⟩, *groom* ⟨huisdieren⟩ ◆ **1.1** de honden ~ voor de tentoonstelling *clip the dogs for the exhibition* **4.1** zich ~ *d.., make one's toilet;*
II ⟨onov.ww.⟩ **0.1** [⟨scherts.⟩ naar het toilet gaan] *wash one's hands, leave the room; powder one's nose* ⟨vrouwen⟩.

toiletverfrisser ⟨de (m.)⟩ **0.1** *toilet/lavatory freshener.*

toiletzeep ⟨de⟩ **0.1** *toilet soap* ◆ **1.1** een stukje ~*a bar of t. s..*

toiletzitting ⟨de (v.)⟩ **0.1** *toilet/lavatory seat.*

toi-toi-toi ⟨tw.⟩ **0.1** *good luck!, all the best!.*

tok ⟨tw.⟩ **0.1** *cluck.*

tokkelen
I ⟨ov.ww.⟩ **0.1** [bespelen] *pluck, strum* ⇒*thrum* ⟨ritmisch en eentonig⟩, ⟨AE ook⟩ *pick,* ⟨inf.⟩ *plunk* ◆ **1.1** de luit ~ *pluck/strum the lute;*
II ⟨onov., ov.ww.⟩ **0.1** [mbt. de melodie] *strum* ⇒*thrum* ⟨ritmisch en eentonig⟩, ⟨inf.⟩ *plunk, plonk* **0.2** [zenden] *radio* ◆ **1.1** een lied ~*s. a song, plunk/plonk (out) a song* **6.1** op een gitaar ~*s. a guitar.*

tokkelinstrument ⟨het⟩ **0.1** *plucked instrument.*

tokken ⟨onov.ww.⟩ **0.1** *cluck.*

toko ⟨de (m.)⟩ **0.1** [winkel met Indonesische artikelen] *Indonesian shop/* ⟨AE ook⟩ *store/grocer's* **0.2** [winkel waar van alles te koop is] *general shop/store* ◆ **3.2** een ~ houden *keep a g. s. / s., be a general dealer.*

tokohouder ⟨de (m.)⟩ **0.1** *keeper of an/the Indonesian shop/* ⟨niet Indisch⟩ *of a/the general store.*

toktok ⟨bn.⟩ ⟨inf.⟩ **0.1** *dotty* ⇒*touched, cracked,* ⟨BE; inf.⟩ *potty* ◆ **3.1** die vent is ~*that bloke/guy is a little touched/a bit cracked/not all there.*

tol ⟨de (m.)⟩ **0.1** [speelgoed] *top* **0.2** [tolgeld] *toll* ⇒*tollage, tribute* **0.3** [plaats] *toll bar/gate/house* ◆ **1.2** ⟨fig.⟩ de ~ der/ aan de natuur betalen *pay the debt of/one's debt to nature* **2.3** de ~ is open *the tollgate is open* **3.1** een ~ opzetten *spin a t.* **3.2** ergens ~ voor moeten betalen ⟨ook fig.⟩ *have to pay toll to sth.; ~* betalen *pay a toll (on);* ⟨fig.⟩ de vooruitgang eist zijn ~*progress takes its toll; ~* heffen *levy/take (a) toll (on)* **8.1** mijn hoofd draait als een ~*my head is spinning;* zo dronken als een ~ *(as) drunk as a lord;* ronddraaien als een ~ *spin round like a t..*

tolbaas ⟨de (m.)⟩ **0.1** *toll collector.*

tolbeambte ⟨de⟩ **0.1** *toll collector* ⇒*toller, toll-gatherer, tollman.*

tolboom ⟨de (m.)⟩ **0.1** *toll bar* ⇒*tollgate, turnpike.*

tolbrug ⟨de⟩ **0.1** *toll bridge.*

toldienst ⟨de (m.)⟩ ⟨AZN⟩ **0.1** *customs.*

tolerabel ⟨bn.⟩ **0.1** *tolerable.*

tolerant ⟨bn., bw.; -ly⟩ **0.1** *tolerant* ⇒*forbearing, lenient* ◆ **1.1** een ~e houding *a t. attitude.*

tolerantie ⟨de (v.)⟩ **0.1** [verdraagzaamheid] *tolerance* ⇒*forbearance* **0.2** [⟨tech.⟩ toegestane afwijking] *tolerance* **0.3** [⟨med.⟩ mate waarin bepaalde stoffen worden verdragen] *tolerance* **0.4** [⟨biol.⟩] *tolerance* ◆ **2.1** repressieve ~ *repressive t..*

tolereren ⟨ov.ww.⟩ **0.1** *tolerate* ⇒*put up with* ⟨gedrag, enz.⟩.

tolgeld ⟨het⟩ **0.1** *toll, tollage.*

tolheffing ⟨de (v.)⟩ **0.1** *toll collection* ⇒⟨alg.⟩ *levying/charging of a toll/ of tolls.*

tolhek ⟨het⟩ **0.1** *toll bar, tollgate* ⇒⟨gesch.⟩ *turnpike.*

tolhuis ⟨het⟩ **0.1** [huis van een tolbeambte] *tollhouse* **0.2** [kantoortje bij een tol] *tollbooth.*

tolk ⟨de (m.)⟩ **0.1** [vertaler] *interpreter* **0.2** [woordvoerder] *mouthpiece* ⇒*spokesman* ⟨m.⟩, *spokeswoman* ⟨v.⟩ ◆ **1.2** ⟨fig.⟩ de ogen zijn de ~ en van het hart *the eyes are the m. of the heart;* de ~ zijn van veel mensen *be the m. / speak for/on behalf of many (people), give expression to the feeling/sentiment of a lot of people* **2.1** een vrouwelijke ~*a female interpreter* **8.1** als ~ fungeren/ optreden *act as i..*

tolkantoor ⟨de (m.)⟩ ⟨AZN⟩ **0.1** *tollhouse.*

tolken ⟨onov.ww.⟩ **0.1** *interpret* ◆ **6.1** uit het Italiaans ~ *i. from Italian.*

tolk-vertaler ⟨de (m.)⟩ **0.1** *interpreter-translator.*

tollen ⟨onov.ww.⟩ **0.1** [met een tol spelen] *play with/spin/whip a top* **0.2** [snel ronddraaien] *spin* ⇒*whirl, twirl* **3.2** doen ~ *whirl, twirl* **5.2** ⟨fig.⟩ mijn hoofd tolt ervan *it makes my head s. / reel/ whirl* **6.2** over de grond ~ *tumble across the floor/ about;* ⟨fig.⟩ zij stond te ~ van de slaap *she was reeling with sleep.*

tollenaar ⟨de (m.)⟩ ⟨bijb.⟩ **0.1** *publican.*

tolplichtig ⟨bn.⟩ **0.1** *liable/subject to toll/* ⟨douanerecht⟩ *duty* ⇒⟨douanerecht ook⟩ *dutiable.*

tolrecht ⟨het⟩ **0.1** [als tol geheven gelden/rechten] *toll(age)* ⇒*customs duty* **0.2** [recht om tol te heffen] *tollage* ◆ **1.1** tarief van de ~en *toll rate.*

tolueen ⟨het⟩ ⟨schei.⟩ **0.1** *toluene* ⇒*toluol.*

tolunie ⟨de (v.)⟩ **0.1** *customs union.*

tolvlucht ⟨de⟩ **0.1** *spin.*

tolvrij ⟨bn.⟩ ⟨→sprw. 172⟩ **0.1** *toll-free, nontariff* ⇒*duty-free* ◆ **1.1** gedachten zijn ~ *thought is free, thoughts pay no toll;* ~e waren *nontariff/ duty-free wares/goods;* ~e zone *nontariff/ duty-free zone.*

tolvrijdom ⟨de (m.)⟩ **0.1** *exemption/ freedom from toll(s)/ duty.*

tolweg ⟨de (m.)⟩ **0.1** *toll road;* ⟨AE; snelweg⟩ *(turn)pike.*

tolwezen ⟨het⟩ **0.1** *toll regulations/ matters.*

tom. ⟨afk.⟩ **0.1** [tomus] ⟨tome⟩.

tomaat ⟨de⟩ **0.1** [vrucht] *tomato* **0.2** [plant] *tomato* ◆ **2.1** gepelde tomaten *peeled tomatoes;* gevulde tomaten *stuffed tomatoes.*

tomahawk ⟨de (m.)⟩ **0.1** *tomahawk* ⇒*war-axe* **3.1** slaan/ verwonden/ doden met een ~ *tomahawk.*

tomatenketchup ⟨de⟩ **0.1** *(tomato) ketchup.*

tomatenpuree ⟨de (v.)⟩ **0.1** *tomato purée* ◆ **1.1** een blikje ~ *a tin of t. p..*

tomatensalade →**tomatensla**.

tomatensaus ⟨de⟩ **0.1** *tomato sauce.*

tomatensla ⟨de⟩ **0.1** *tomato salad.*

tomatensoep ⟨de⟩ **0.1** *tomato soup* ⇒⟨AE; sl.⟩ *red noise.*

tomatesap ⟨het⟩ **0.1** *tomato juice* ◆ **1.1** een flesje ~*a bottle of t. j..*

tombe ⟨de⟩ **0.1** *tomb* ⇒*sepulchre, shrine* ⟨v.e. heilige⟩.

tombola ⟨de (m.)⟩ **0.1** *tombola.*

tomeloos ⟨bn., bw.; -ly⟩ **0.1** *unbridled* ⇒*uncontrolled, uncurbed, unrestrained* ◆ **1.1** ~ geweld *unbridled/ uncontrolled violence;* in tomeloze vaart *at a tearing/ headlong pace, at breakneck speed, (at) full tilt* **2.1** hij was ~ eerzuchtig *he was overweeningly ambitious.*

tomen ⟨ov.ww.⟩ **0.1** [bedwingen] *bridle* ⇒*curb, restrain* **0.2** [optuigen] *bridle* ⇒*rein* ◆ **1.1** zijn begeerte/ hartstochten ~ *control one's desire, curb one's passions* **6.2** zij toomt haar paarden *met* teugel en bit *she curbs her horses with bridle and bit.*

tommy ⟨de (m.)⟩ ⟨inf.⟩ **0.1** ⟨BE; inf.⟩ *tommy, Tommy Atkins.*

tomografie ⟨de (v.)⟩ **0.1** *tomography.*

tompoes ⟨de (m.)⟩ **0.1** [B]*millefeuille,* [A]*napoleon* ⇒⟨BE ook⟩ *cream slice.*

ton ⟨de⟩ **0.1** [vat] *cask* ⇒*barrel,* ⟨tech.⟩ *tun, butt* ⟨voor regen⟩, ⟨hoeveelheid⟩ *barrelful* **0.2** [100.000 gulden] *a hundred thousand guilders* **0.3** [gewichtsmaat] *(metric) ton, tonne* **0.4** [inhoudsmaat] *(register) ton* ⟨100 kubieke meter⟩ **0.5** [boei] *(nun-)buoy* ⇒*can buoy* ⟨stompe⟩, *conical buoy* ⟨spitse⟩ ◆ **1.1** een ~ wijn/bier *a c./ butt/tun of wine/ beer, a barrel(ful) of beer* **1.3** een ~ boter *160 kg of butter;* een ~ steenkool *a ton of coal* **3.2** dat huis kost ~nen *that house costs tons/ loads/a barrel of money* **3.¶** die vrouw is een (dikke) ~ ⟨inf.⟩ *she's a fatty* **6.1** als haringen in een ~ zitten *be packed like sardines, be packed cheek by jowl* **7.3** een schip van 300 ~ *a ship weighing 300 (metric) tons* **7.4** een mailboot van 80.000 ~ *an 80,000-ton(ne) mailboat, a mailboat of 80,000 ton(ne)s;* dat is een vrachtwagen van 10 ~ *that's a 10-ton lorry/ a 10-tonner* **8.1** zo rond als een ~ *like the side of a house.*

tonaal ⟨bn.⟩ ⟨muz.⟩ **0.1** [mbt. de toonsoort] *tonal* **0.2** [mbt. de toon] *tonal.*

tonaliteit ⟨de (v.)⟩ ⟨muz.⟩ **0.1** *tonality.*

tondel ⟨het, de (m.)⟩ **0.1** [ontvlambare stof] *tinder* **0.2** [tondeldoos] *tinderbox.*

tondeldoos ⟨de⟩ **0.1** *tinderbox.*

tondelzwam ⟨de⟩ **0.1** *punk.*

tondeuse ⟨de (v.)⟩ **0.1** *(pair of) clippers* ⇒*trimmers,* ⟨voor schapen⟩ *shears* ◆ **7.1** twee ~s *two pairs of clippers.*

toneel ⟨het⟩ **0.1** [podium] *stage* **0.2** [⟨dram.⟩ deel van een bedrijf] *scene* **0.3** [theater] *theatre* ⇒*stage,* ⟨literair genre⟩ *drama* **0.4** [wat zich voor iemands ogen voltrekt] *scene, spectacle* **0.5** [plaats waar iets voorvalt] *scene* ⇒⟨film⟩ *set* **0.6** [komedie] *play-acting* **0.7** [spel] *theatre* ◆ **1.5** het ~ v.d. oorlog *the theatre/seat of war;* het ~ van de strijd *the scene of the battle* **2.4** er speelden zich afgrijselijke/ beschamende tonelen af *there were terrible/ embarrassing scenes* **2.5** het politieke ~ *the political scene* **2.7** absurd(istisch) ~ *t. of the absurd;* experimenteel ~ *experimental/ avant-garde t.;* ⟨vnl. AE⟩ *little t.* **3.1** het ~ betreden *appear on the s., come on, enter;* het ~ stelt een bos voor *the s. represents a wood;* het ~ verlaten *go off, exit* **3.6** dat is allemaal ~! *that is nothing but p.-a., that's mere show* **6.1** achter het ~ *behind the scenes, backstage;* op het ~ verschijnen *enter/appear on the s., come on the scene;* enter the field ⟨van tegenstander/concurrent⟩; op het ~ staan *be on;* iets ten tonele voeren *stage sth., put sth. on the scene;* ten tonele brengen *put on the stage, produce;* van het ~ verdwijnen ⟨fig.⟩ *quit the scene, drop out of the picture, make one's exit;* vóór het ~ *downstage, upstage* **6.3** aan het ~ verbonden zijn *be on the stage;* bij het ~ gaan *go on the stage;* het ~ in de 16de eeuw *sixteenth-century drama, the sixteenth-century stage;* een verhaal voor het ~ bewerken *adapt a story for the stage, dramatize a story* **7.2** het eerste bedrijf, derde ~ *(the) first act, third s..*

toneelaanwijzing ⟨de (v.)⟩ **0.1** *stage direction.*

toneelaspiraties ⟨zn.mv.⟩ **0.1** ↓*stage fever, acting ambitions* ◆ **3.1** ~hebben *be stagestruck, have s. f., be an aspiring actor.*

toneelbewerking ⟨de (v.)⟩ **0.1** *stage adaptation.*

toneelclub ⟨de⟩ **0.1** *drama club.*

toneeldebuut ⟨het⟩ **0.1** *stage début.*

toneeldécor ⟨het⟩ **0.1** *(stage) scenery* ⇒*(stage) decor/décor, stage setting.*

toneeleffect ⟨het⟩ **0.1** *stage/theatrical effect.*

toneelgezelschap ⟨het⟩ **0.1** *theatrical/theatre company* ⇒*troupe* ⟨ihb. rondreizend⟩.

toneelgroep ⟨de⟩ **0.1** *theatre/drama group.*

toneelkapper ⟨de (m.)⟩ **0.1** *make-up man/artist.*

toneelkijker ⟨de (m.)⟩ **0.1** *(pair of)(opera) glasses* ⇒*opera glass, (pair of) binoculars,* ⟨inf.⟩ *binocs* ♦ **7.1** twee ~s *two pairs of (opera) glasses/binoc(ular)s.*

toneelknecht ⟨de (m.)⟩ **0.1** *stagehand* ⇒*property man, propman, scene-shifter,* ⟨AE ook⟩ *grip.*

toneelkring ⟨de (m.)⟩ **0.1** *the theatre world* ⇒⟨mv.⟩ *theatre circles* ♦ **6.1** in ~en is dat een publiek geheim *in theatre circles that is an open secret.*

toneelkritiek ⟨de (v.)⟩ **0.1** *drama criticism.*

toneelkunst ⟨de (v.)⟩ **0.1** [mbt. de samenstelling en opvoering] *stagecraft* **0.2** [toneelspeelkunst] *dramatic art* ⇒*the drama, the Thespian art.*

toneellaars ⟨de⟩ **0.1** *cothurnus, buskin.*

toneelliefhebber ⟨de (m.)⟩, **-ster** ⟨de (v.)⟩ **0.1** *theatre-lover.*

toneellit(t)eratuur ⟨de (v.)⟩ **0.1** *dramatic literature.*

toneelmeester ⟨de (m.)⟩ **0.1** *stage manager.*

toneelnaam ⟨de (m.)⟩ **0.1** *stage name.*

toneelopvoering ⟨de (v.)⟩ **0.1** *theatrical performance.*

toneelrecensent ⟨de (m.)⟩ **0.1** *drama/theatre/stage critic.*

toneelregie ⟨de (v.)⟩ **0.1** *direction of a/the play* ⇒[materieel] *stage production/management, staging.*

toneelregisseur ⟨de (m.)⟩ **0.1** *(stage) director* ⇒*stage manager, producer.*

toneelschool ⟨de⟩ **0.1** *school of acting, school/academy of dramatic art.*

toneelschrijver ⟨de (m.)⟩ **0.1** *playwright* ⇒*dramatist.*

toneelseizoen ⟨het⟩ **0.1** *theatrical season.*

toneelspel ⟨het⟩ **0.1** [toneelstuk] *play* **0.2** [aanstellerij] *play-acting* ⇒*affectation, pose, histrionics* **0.3** [het toneelspelen] *acting.*

toneelspelen ⟨onov.ww.⟩ **0.1** [acteren] *act* ⇒*play* **0.2** [zich aanstellen] *play-act* ⇒*dramatize, put on airs, pose, posture* ♦ **3.2** wat kun jij ~! *what a play-actor/dramatizer you are!.*

toneelspeler ⟨de (m.)⟩ **0.1** [acteur] *actor* ⇒*player, performer* **0.2** [aansteller] *play-actor* ⇒*dramatizer, poseur.*

toneelstuk ⟨het⟩ **0.1** *play* ⇒*stage play, drama* ♦ **3.1** een ~ opvoeren/brengen *perform/stage a play.*

toneeltechniek ⟨de (v.)⟩ **0.1** *stagecraft* ⇒*dramatic technique.*

toneeltje ⟨het⟩ **0.1** [klein toneel] *small stage* **0.2** [tafereel] *scene* ⇒*tableau.*

toneeluitvoering ⟨de (v.)⟩ **0.1** *(dramatic/theatrical/stage) performance.*

toneelvereniging ⟨de (v.)⟩ **0.1** *drama club/society.*

toneelvoorstelling ⟨de (v.)⟩ **0.1** *theatrical performance.*

toneelwereld ⟨de⟩ **0.1** *theatrical world, (world of) the theatre.*

toneelwerk ⟨het⟩ **0.1** *(stage) play* ⇒*theatrical production, drama* ⟨ook ontelbaar⟩, *dramatic work* ♦ **1.1** het ~ van Vondel *the plays of Vondel, Vondel's drama.*

toneelwisseling ⟨de (v.)⟩ **0.1** *change of scene(ry)* ⇒*scene shifting.*

toneelzaal ⟨de⟩ **0.1** *theatre* ⇒*auditorium.*

toneelzolder ⟨de (m.)⟩ **0.1** *flies* ⟨mv.⟩.

tonen
I ⟨ov.ww.⟩ **0.1** [laten zien] *show* ⇒⟨tentoonstellen⟩ *display* **0.2** [aantonen] *show* ⇒*demonstrate, reveal, give proof of, prove* **0.3** [betonen] *show* ⇒*display* ♦ **1.1** zijn ware aard ~ *s./declare o.s., s. one's (true) colours;* een beeld ~ *give a picture/description;* iem. een boek/vuist ~ *show s.o. a book/one's fist;* zijn kaartje/paspoort ~ *produce/s. one's ticket/passport;* ⟨scheep.⟩ een vlag/zijn kleuren ~ *display a flag/one's colours* **1.3** zijn belangstelling ~ *s. one's interest;* weer belangstelling ~ voor *zijn omgeving begin to take notice; sit up and take notice* ⟨van zieke⟩; zijn genegenheid ~ *demonstrate one's affection;* zijn medeleven ~ *express one's sympathy;* moed ~ *s./display courage;* vreugde ~ *s./express/manifest joy;*
II ⟨onov.ww.⟩ **0.1** [een indruk geven] *look* ♦ **5.1** dat toont beter *that makes a better show;*
III ⟨wk.ww.; zich ~⟩ **0.1** [betonen] *show, prove* ♦ **1.1** toon u een man *prove yourself a man;* zich een vriend ~ *prove o.s. (to be) a friend* **5.1** zich boos/bang ~ *look cross/frightened.*

tong ⟨de⟩ ⟨→sprw. 571⟩ **0.1** [orgaan] *tongue* **0.2** [persoon]⟨zie 2.2⟩ **0.3** [vlees] *tongue* **0.4** [vis] *sole* ⇒*lemon sole* **0.5** [wat op een tong lijkt] *tongue* ⟨van schoen/vlam/wissel/gesp⟩; *reed* ⟨in blaasinstrument/accordeon⟩; ⟨van orgel ook⟩ *languet; bolt* ⟨van slot⟩ ♦ **1.1** ⟨fig.⟩ niet het achterste van zijn ~ laten zien *refrain from committing s.o., not speak one's true mind, underplay one's hand* **2.1** ⟨fig.⟩ met dubbele/dikke ~ spreken *speak thickly/with a thick t.;* ⟨fig.⟩ een fijne ~ hebben *have a smooth/an oily t.;* een gespleten ~ *a forked t.;* ⟨fig.;schijnheilig⟩ a double t.; ⟨fig.⟩ een gladde ~ hebben *be fine-spoken, have* an oily t.; ⟨fig.⟩ een lange ~ hebben *have a long t.;* ⟨fig.⟩ een scherpe/bitse ~ hebben *have a sharp/caustic t., be sharp-tongued* **2.2** boze/kwade ~en beweren *it is rumoured that* **2.3** gerookte ~ *smoked t.* **3.1** ze bijten nog liever hun ~ af *they'd rather/sooner bite their tongues off;* een naam waar je ~ op breekt *a name you can't get your t. round;* ⟨inf.⟩ *a crackjaw name, a real mouthful;* heb je je ~ verloren? *have you lost your t.?, has the cat got your t.?;* zijn ~ hing hem op de schoenen *he was dog-tired/deadbeat/fagged out;* ⟨fig.⟩ zijn ~ in toom houden *bridle one's t., keep a tight rein on one's t.;* ⟨AZN⟩ zijn ~ inslikken, intrekken *break/go back on one's word;* de ~en kwamen los/in beweging *the tongues were loosened, beards/chins/jaws/tongues were wagging;* de wijn maakte haar ~ los *the wine loosened her t.;* zijn ~ slaat dubbel *he speaks thickly/with a thick t.;* steek je ~ eens uit *just put out/show me your t.;* dat streelt de ~ *that is pleasing to the palate;* zijn ~ uitsteken tegen iem. *put out one's t. at s.o.* **6.1** klakken met de ~ *clack one's t.;* met de ~ uit de mond/bek *with one's t. out; with a lolling t.* ⟨mbt. hond⟩; op zijn ~ bijten ⟨ook fig.⟩ *bite one's t.;* het vlees smelt op je ~ *the meat melts in the mouth;* ⟨fig.⟩ het ligt vóór op mijn ~ *it's on the tip of my t.;* ⟨fig.⟩ zijn hart op de ~ dragen *wear one's heart on one's sleeve;* ⟨fig.⟩ iem. over de ~ laten gaan/over de ~ halen *backbite s.o.,* ⟨AE ook⟩ *chew s.o. out;* ⟨fig.⟩ over de ~ gaan *be on many lips, be the talk of the town, be talked about, have one's name bandied about;* rad/rap van ~ zijn *have a glib/ready t., have the gift of the gab, be eloquent* ¶ **.4** ~ Picasso *s. Picasso.*

Tonga ⟨het⟩ **0.1** *Tonga.*

tongbeen ⟨het⟩ **0.1** *tongue bone, hyoid (bone).*

tongblaar ⟨de⟩ **0.1** *glossanthrax.*

tongetje ⟨het⟩ **0.1** *tonguelet* ⇒⟨plantk.⟩ *ligule.*

tongewelf ⟨het⟩ ⟨bouwk.⟩ **0.1** *barrel/wagon vault(ing).*

tongeworst ⟨de⟩ **0.1** *tongue sausage.*

tongfilet ⟨het, de (m.)⟩ **0.1** *fillet of sole.*

tongklank ⟨de⟩ ⟨taal.⟩ **0.1** *lingual (sound).*

tongkus ⟨de⟩ **0.1** *French kiss* ⇒*soul/deep kiss.*

tongpijp ⟨de⟩ ⟨muz.⟩ **0.1** *reed pipe* ⇒⟨in mv. ook⟩ *reed stop.*

tongpunt ⟨de⟩ **0.1** *tip of the/one's tongue* ⇒*tongue-tip.*

tongriem ⟨de⟩ ⟨med.⟩ **0.1** *string/fr(a)enum of the tongue* ⇒*lytta* ⟨van hond en andere carnivoren⟩ ♦ **6.1** ⟨fig.⟩ goed van de ~ gesneden zijn *have a ready tongue, have the gift of the gab, speak with facility, be a voluble speaker.*

tongschar ⟨de⟩ **0.1** *lemon dab* ⇒*lemon sole, whiff.*

tongspatel ⟨de⟩ **0.1** *(tongue) depressor/blade* ⇒*spatula.*

tongval ⟨de (m.)⟩ **0.1** [accent] *accent* **0.2** [dialect] *dialect* ♦ **2.1** met een lichte/zware ~ *with a mild/broad a..*

tongvaren ⟨de (m.)⟩ **0.1** *tongue fern* ⇒*hart's tongue.*

tongvormig ⟨bn.⟩ **0.1** *tongue-shaped* ⇒⟨wet.⟩ *linguiform.*

tongzenuw ⟨de⟩ **0.1** ⟨med.⟩ *lingual nerve.*

tongzoen ⟨de (m.)⟩ **0.1** *French kiss* ⇒*soul/deep kiss.*

tonica ⟨de (v.)⟩ ⟨muz.⟩ **0.1** *tonic* ⇒*keynote.*

tonicstamper ⟨de (m.)⟩ **0.1** *lemon-slice squeezer.*

tonicum ⟨het⟩ **0.1** *tonic.*

tonijn ⟨de (m.)⟩ **0.1** *tunny(fish),* [A]*tuna (fish).*

tonisch ⟨bn.⟩ **0.1** [opwekkend] *tonic* ⇒*fortifying* ⟨drankje⟩ **0.2** [⟨med.⟩ spanning vertonend] *tonic* **0.3** [⟨taal.⟩] *tonic* ⇒*accented* ♦ **1.1** ~e middelen *t. drugs/medicines, tonics.*

toninstok ⟨de (m.)⟩ **0.1** *tonkin cane.*

tonmolen ⟨de (m.)⟩ **0.1** *Archimedean screw.*

tonnage ⟨de (v.)⟩ **0.1** [grootte/inhoud v.e. schip] *tonnage* ⇒*burden* **0.2** [scheepsruimte] *tonnage* ♦ **2.1** bruto/netto ~ *gross/net t.* **3.2** de ~ die deze haven aandoet *the t. this port.*

tonnenmaat ⟨de⟩ **0.1** [grootte/inhoud v.e. schip] *tonnage* ⇒*burden* **0.2** [scheepsruimte] *tonnage* ♦ **3.1** de ~ bepalen *estimate the t..*

tonnetje ⟨het⟩ **0.1** [kleine ton] *small cask/barrel* ⇒*firkin, keg* ⟨5 à 10 gallons⟩, ⟨watervaatje⟩ *breaker* **0.2** [pop van insekten] *cocoon.*

tonnetjerond ⟨bn.⟩ ⟨inf.⟩ **0.1** *rotund* ⇒*fat as a barrel.*

tonrond ⟨bn.⟩ **0.1** [zo rond als een ton] *tubby* ⇒*roly-poly, rotund* **0.2** [met een ronde welving] *cambered* ⇒*arched* ♦ **1.1** een ~ ventje *a t. little/roly-poly chap, a roly-poly, a little Humpty-Dumpty* **1.2** een ~e brug *a barrel-arch bridge;* een ~ wegdek *a c. road surface.*

tonrondte ⟨de (v.)⟩ **0.1** *camber.*

tonsil ⟨de⟩ ⟨med.⟩ **0.1** *tonsil.*

tonsillectomie ⟨de (v.)⟩⟨med.⟩ **0.1** *tonsillectomy.*

tonsillitis ⟨de (v.)⟩⟨med.⟩ **0.1** *tonsillitis.*

tonsillotomie ⟨de (v.)⟩⟨med.⟩ **0.1** *tonsillotomy.*

tonsureren ⟨ov.ww.⟩⟨r.k.⟩ **0.1** *tonsure.*

tonsuur ⟨de (v.)⟩⟨r.k.⟩ **0.1** [het scheren v.d. hoofdkruin] *tonsure* **0.2** [geschoren kruin] *tonsure.*

tonus ⟨de (m.)⟩ **0.1** *tone, tonicity* ♦ **2.1** musculaire ~ *muscular tone/tonus.*

tooches ⟨de (m.)⟩ ⟨inf.⟩ **0.1** *behind* ⇒*bottom,* ⟨sl.⟩ *tush,* ⟨vnl. BE;sl.⟩ *bum,* ⟨vulg.;sl.⟩ [B]*arse,* [A]*ass.*

toog ⟨de (m.)⟩ **0.1** [soutane] *cassock, soutane* **0.2** [tapkast] *bar* **0.3** [toonbank] *counter.*

tooi ⟨de (m.)⟩ **0.1** *decoration(s), ornament(s)* ⇒*plumage* ⟨vogel⟩, ⟨opschik⟩ *finery.*

tooien ⟨ov.ww.⟩ **0.1** *adorn* ⇒*dress (out), deck (out), decorate, ornament* ⟨zaken⟩ ◆ **1.1** een bruid ~ *dress a bride* **4.1** zich ~ met *adorn o.s.* / *deck o.s. (out) with* ⟨bloemen⟩; *attire o.s. in* ⟨kleren⟩; ⟨fig.⟩ zich ~ met fraaie titels *adorn o.s. with grand* / *fine titles* **6.1** getooid **met** vlaggen *decked in* / *decorated with flags, gay* / *dressed with flags, flag-decked*.

tooisel ⟨het⟩ **0.1** *adornment*.

toom ⟨de (m.)⟩ **0.1** [teugel] *bridle* ⇒*reins* **0.2** [troep dieren] ⟨zie 1.2⟩ ◆ **1.2** een ~ biggen *a litter of pig(let)s, a farrow;* een ~ eenden ⟨koppel⟩ *a brace of duck;* ⟨vlucht⟩ *a flight of duck(s);* een ~ kippen ⟨broedsel⟩ *a brood of chickens* **6.1** een paard **bij** de ~ leiden *lead a horse by the b.;* ⟨fig.⟩ **in** ~ houden *(keep in) check, keep under control, put a sharp curb on; tutor, contain* ⟨gevoelens⟩; *bridle* ⟨tong/hartstochten⟩.

toon ⟨de (m.)⟩ **0.1** [klank] *tone* ⇒*sound* **0.2** [⟨muz.; fig.)] *tone* ⇒*note* **0.3** [manier van spreken] *tone* ⇒*note* **0.4** [manier waarop men zich gedraagt] *tone* **0.5** [geluid van een stem, instrument] *tone* ⇒*tone colour, timbre,* ⟨toonhoogte⟩ *pitch* **0.6** [het tonen] ⟨zie 6.6⟩ **0.7** [kleurschakering] *tone* ⇒*colouring,* ⟨nuance⟩ *shade* **0.8** [⟨foto.)] *tone* **0.9** [accent] *accent, stress* ⇒*intonation* ◆ **2.1** hoge/lage/heldere/volle tonen *high/low/clear/full tones* **2.2** een andere ~ aanslaan *sing a different/another tune, change one's tune;* een halve ~ *a semitone/half step;* ⟨AE ook⟩ *a half t.;* een hele ~ *a full/whole t.* **2.3** op barse/hoge/vertrouwelijke ~ *in harsh/high/confidential tones;* fluisterende tonen *whispering tones/notes, whispers;* op fluisterende ~ *in a whisper;* op gedempte ~ spreken *speak in a low voice, keep one's voice down;* op hoge ~ spreken *speak in a high t. / haughtily;* een hoge ~ aanslaan (tegen iem.) *take a high t. (with s.o.), be/get on one's high horse;* ⟨fig.⟩ de juiste ~ aanslaan ⟨fig.⟩ *strike the right note;* op luide ~ *in a loud voice, in loud tones* **2.5** die cello heeft een mooie ~ *that cello has a beautiful tone* **3.2** de ~ aangeven ⟨fig.⟩ *lead/set the t., set the pace (for) / the trend (towards);* ⟨in mode⟩ *set the fashion;* ⟨van kleur enz.⟩ *be predominant;* een ~ aanslaan ⟨fig.⟩ *take a high t. (with), get on one's high horse, be high and mighty, adopt an arrogant t.;* Parijs geeft de ~ aan op modegebied *Paris sets the trend in fashion;* (geen) ~ kunnen houden *(not) be able to hold a note;* een ~tje lager zingen ⟨fig.⟩ *pipe / climb down, sing another tune* **3.4** boeken ademen een ~ *books breathe class* **5.2** iem. een ~tje lager laten zingen *bring/take s.o. down a peg (or two), cut s.o. down to size, make s.o. sing another tune* **6.2** uit de ~ vallen *be bad style / incongruous;* ⟨mbt. persoon⟩ *be the odd man out* **6.5** op de tonen van het orgel / de muziek *to the strains of the organ / music* **6.6** waren ten ~ stellen *display goods / wares;* zijn kwaliteiten ten ~ spreiden *display one's good points* **6.9** goed op ~ lezen *read with a good / the correct intonation.*

toonaangevend ⟨bn.⟩ **0.1** *authoritative* ⇒*leading, trend-setting, prominent* ◆ **3.1** ~ zijn *set the tone.*

toonaard ⟨de (m.)⟩ ⟨muz.⟩ **0.1** *key* ⇒*tonality, mode* ◆ **2.1** iets in alle ~en ontkennen *deny sth. most emphatically;* ⟨fig.⟩ in alle / in velerlei ~en *in all kinds of / a variety of ways, in every possible way.*

toonafstand ⟨de (m.)⟩ **0.1** *interval.*

toonbaar ⟨bn.⟩ **0.1** *presentable* ⇒*fit to be seen* ◆ **1.1** nu was het weer een ~ geheel *now the whole thing was p. / fit to be seen again.*

toonbank ⟨de⟩ **0.1** *counter* ⇒*showcase* ⟨glazen⟩ ◆ **6.1** (van) **onder** de ~ verkopen *sell under the c.;* **over** (de) ~ verkopen *sell across / over the c..*

toonbeeld ⟨het⟩ **0.1** *model* ⇒*pattern, paragon, example, (the) picture (of)* ⟨gezondheid / verwaarlozing enz.⟩ ◆ een **van** deugd *a paragon / model of patience / virtue;* een ~ **van** ijver *a m. / paragon of diligence, the very picture of diligence.*

toondemper ⟨de (m.)⟩ ⟨muz.⟩ **0.1** *mute* ⇒⟨vnl. mbt. piano⟩ *damper.*

toonder ⟨de (m.)⟩ **0.1** *bearer* ◆ **6.1** een cheque **aan** ~ *a cheque (payable) to b., a b. cheque;* betaalbaar **aan** ~ *payable to b..*

toonderpapier ⟨het⟩ **0.1** *bearer paper.*

toondichter ⟨de (m.)⟩ **0.1** *composer.*

toondoof ⟨bn.⟩ **0.1** *tone-deaf.*

toonfysiologie ⟨de (v.)⟩ **0.1** *acoustic physiology.*

toongat ⟨het⟩ **0.1** *(finger)hole.*

toongenerator ⟨de (m.)⟩ **0.1** *tone generator.*

toongeving ⟨de (v.)⟩ **0.1** [het geven v.d. toon] ⟨muz.⟩ *tonality;* ⟨aan lettergreep⟩ *accentuation* **0.2** [wijze van voortbrenging v.d. tonen] *(tone-)production.*

toonhoogte ⟨de (v.)⟩ **0.1** *pitch* ◆ **2.1** de juiste ~ hebben *be at the right p..*

toonkamer ⟨de⟩ →**toonzaal.**

toonkunst ⟨de (v.)⟩ **0.1** *music.*

toonkunstenaar ⟨de (m.)⟩, -**nares** ⟨de (v.)⟩ **0.1** *musician* ⇒⟨componist⟩ *composer.*

toonladder ⟨de⟩ ⟨muz.⟩ **0.1** *scale* ⇒⟨modus⟩ *mode* ◆ **2.1** een grote ~ *a major s.* **3.1** ~s spelen *play / practise scales.*

toonloos ⟨bn.⟩ **0.1** [zonder nadruk] *toneless* ⇒*flat* **0.2** [onbeklemtoond] *unstressed, unaccented* ◆ **1.1** een toonloze stem *a t. / flat voice* **1.2** toonloze klinkers *indeterminate vowels.*

toonregeling ⟨de (v.)⟩ **0.1** *tone control.*

toonschaal ⟨de⟩ **0.1** [toonladder] ⟨→**toonladder**⟩ **0.2** [kleurschakeringen] *palette.*

---

toonsleutel ⟨de (m.)⟩ **0.1** *clef.*

toonsoort ⟨de⟩ ⟨muz.⟩ **0.1** *key* ⇒*tonality,* ⟨modus⟩ *mode.*

toonstelsel ⟨het⟩ ⟨muz.⟩ **0.1** *system of notes.*

toonsterkte ⟨de (v.)⟩ **0.1** *volume.*

toonsysteem ⟨het⟩ →**toonstelsel.**

toontaal ⟨de⟩ **0.1** *tone language.*

toonteken ⟨het⟩ **0.1** ⟨mol⟩ *flat;* ⟨kruis⟩ *sharp.*

toontje ⟨het⟩ **0.1** ⟨manier van spreken⟩ *tone* ◆ **¶.1** een ~ lager zingen ⟨fig.⟩ *change one's tune, climb down a peg (or two), sing another time;* dat ~ van jou bevalt me niet *I don't like your t., don't take that t. with me!;* ⟨fig.⟩ iem. een ~ lager doen zingen *make s.o. change his / sing another tune, take s.o. down a peg (or two), cut s.o. down to size.*

toonval ⟨de (m.)⟩ **0.1** [wijze waarop men intoneert] *tone (of voice), intonation* **0.2** [intonatie] *intonation* ⇒*cadence* ⟨vnl. als men poëzie leest⟩.

toonvast ⟨bn.⟩ ⟨muz.⟩ **0.1** *in / keeping tune* ◆ **3.1** ~ zijn *be in / keep tune.*

toonzaal ⟨de⟩ **0.1** *showroom.*

toonzetten ⟨onov., ov.ww.⟩ **0.1** *compose* ⇒⟨ov. ww. ook⟩ *set to music* ◆ **1.1** een gedicht ~ *set a poem to music.*

toonzetter ⟨de (m.)⟩ →**toondichter.**

toonzetting ⟨de (v.)⟩ **0.1** *composition* ⇒*(musical) setting.*

toop ⟨de (m.)⟩ **0.1** *topos.*

toorn ⟨de (m.)⟩ ⟨→sprw. 684⟩ **0.1** *wrath* ⇒*rage, ire, fury, choler* ◆ **3.1** zijn ~ doen neerkomen op iem. *pour out / visit one's w. (up)on s.o.;* de ~ van iem. opwekken *incur / arouse / kindle s.o.'s w., incense / enrage s.o.* **6.1** in ~ raken / ontsteken / ontbranden *become wrathful,* ↓*fly into a passion / rage* **¶.1** de ~ Gods *the w. of God, divine w..*

toornen ⟨onov.ww.⟩ ⟨schr.⟩ **0.1** *be wrathful* ⇒*fulminate, seethe (with rage)* ◆ **6.1** tegen iem. ~ *be wrathful at s.o., fulminate against s.o..*

toornig ⟨bn., bw.⟩ ⟨schr.⟩ **0.1** *wrathful* ⇒*irate, ireful, furious,* ⟨snel boos wordend⟩ *choleric.*

toorts ⟨de⟩ **0.1** [fakkel] *torch* ⇒ ↑*brand, flaming torch* **0.2** [plant] *mullein.*

toortsdrager ⟨de (m.)⟩ **0.1** *torch-bearer.*

toortslicht ⟨het⟩ **0.1** *torchlight.*

toost ⟨de (m.)⟩ **0.1** [heildronk] *toast* ⇒*health* **0.2** [geroosterd brood] *piece / slice of toast* ◆ **3.1** een ~ (op iem.) uitbrengen / instellen *propose a t. (to s.o.), drink (to) s.o.'s health* **6.1** een ~ **op** uw gezondheid *here's to your health.*

toosten ⟨onov.ww.⟩ **0.1** *toast, drink a toast / health (to), drink to (s.o.).*

tooster ⟨de (m.)⟩ **0.1** *toaster* ⇒⟨persoon ook, mbt. drinken⟩ *drinker of a / the toast.*

toostje ⟨het⟩ **0.1** *piece of (Melba) toast.*

toot ⟨de⟩ ⟨AZN⟩ **0.1** *kiss.*

top[1] ⟨de (m.)⟩ **0.1** [bovenste gedeelte] *top* ⇒*tip,* ⟨van berg ook⟩ *peak, summit,* ⟨van heuvel / golf ook⟩ *crest,* ⟨wisk.: van piramide⟩ *apex, vertex* ⟨van driehoek⟩ **0.2** [hoogtepunt] *top* ⇒*peak, height,* ⟨mbt. ziekte⟩ *climax,* ⟨mbt. reputatie, macht⟩ *pinnacle* **0.3** [voorste uiteinde] *tip* ⇒*end* **0.4** [hoogste groep] *top* **0.5** [⟨in samenst.)] *top* **0.6** [conferentie] *summit* ◆ **1.3** de ~ van p.v.d. vingers *the finger tips* **1.4** we bereikten de ~ v.d. heuvel *we topped / crested the hill, we rounded the t. of the hill;* de ~ v.h. leger *the army t.;* ⟨inf.⟩ de t. brass **2.4** de liberale ~ *the liberal (party) t., (the) leading liberals;* ⟨pej.⟩ *the mandarins of the liberal party* **3.4** de ~ bereiken *get to the top; reach the t.* ⟨ook fig.⟩; ⟨fig. ook⟩ *break into the big time* **6.1** ⟨fig.⟩ **aan** / **op** de ~ staan *be at the top;* ⟨inf.⟩ **to** de big time; de vlag **in** ~ hijsen *hoist the flag to the mast-head;* iem. van ~ **tot** teen opnemen *look s.o. up and down (from top to toe / head to foot), take stock of s.o.;* **van** ~ tot teen *from top to toe, from head to foot* **6.2** ⟨fig.⟩ wielrenners **aan** de ~ *leading / top-class racing cyclists;* zijn weg **naar** de ~ *his way to the t.;* de ellende steeg ten ~ *the situation reached an all-time low;* zij voert de besnoeiingen ten ~ *she is carrying economies to extremes;* de spanning steeg ten ~ *(the) tension mounted to / reached fever pitch;* mijn auto heeft een ~ **van** 200 km per uur *my car tops / has a t. speed of 200 k.p.h.;* hij had de ~ **van** zijn kunnen bereikt *he had reached the height of his powers* **6.4** zich **naar** de ~ werken *works one's way (up) to the t.* **¶.5** drie plaatsen gestegen in de top-veertig *up three notches in the t. forty;* ~ / ≠ the charts; de Amerikaanse top-honderd *the all-American hot one hundred / 100* **¶.¶** hij is op en ~ een Engelsman *he's thoroughly English, he's an Englishman through and through / to his fingertips.*

top[2] ⟨tw.⟩ **0.1** *it's a deal / bargain, you're on, done* ⇒⟨weddenschap ook⟩ *taken.*

topaas ⟨de (m.)⟩ **0.1** [halfedelsteen] *topaz* **0.2** [kleur] *topaz* ◆ **2.1** valse / Boheemse ~ *citrine, false t..*

topadviseur ⟨de (m.)⟩ **0.1** *senior adviser.*

topambtenaar ⟨de (m.)⟩ →**topman.**

topartiest ⟨de (m.)⟩ **0.1** *leading / top-ranking / major artist(e).*

topas ⟨de⟩ **0.1** *normal axis.*

topatleet ⟨de (m.)⟩ **0.1** *top-class / first-class / top-flight athlete.*

topazen ⟨bn.⟩ **0.1** [van topaas] *topaz* **0.2** [met de kleur van topaas] *topaz(-coloured).*

topconditie ⟨de (v.)⟩ **0.1** *(tip-)top condition / form* ⇒⟨mbt. gezondheid⟩ *fit as a fiddle* ◆ **6.1** in ~ zijn *be in (tip-)top condition / form.*

topconferentie ⟨de (v.)⟩ **0.1** *summit (conference/meeting)* ⇒⟨gesprekken⟩ *summit/top-level talks* ◆ **1.1** deelnemer aan een ~ *delegate to a summit.*

topdag ⟨de (m.)⟩ **0.1** *big/great day* ⇒*a red-letter day.*

topdrukte ⟨de (v.)⟩ **0.1** *rush hour.*

topfiguur ⟨de (v.)⟩ **0.1** *leading figure/light* ⇒⟨inf.⟩ *boss, topdog.*

topfunctie ⟨de (v.)⟩ **0.1** *top/leading position* ⇒⟨inf.⟩ *big-time/top job.*

topfunctionaris ⟨de (m.)⟩ →**topman**.

topgevel ⟨de (m.)⟩ **0.1** *gable (end), apex of the gable.*

tophit ⟨de (m.)⟩ **0.1** *smash/big hit, chart-topper* ◆ ¶**.1** ~ nummer één *top of the pops, number one smash hit.*

tophoek ⟨de (m.)⟩⟨wisk.⟩ **0.1** *vertex/apex/apical angle.*

tophypotheek ⟨de (v.)⟩⟨geldw.⟩ **0.1** *second mortgage.*

topi ⟨de⟩ **0.1** *topee* ⇒*pith helmet.*

topic ⟨de⟩ **0.1** *topic* ⇒*subject, theme.*

topica[1] ⟨zn.mv.⟩⟨med.⟩ **0.1** *topical remedies.*

topica[2] ⟨de (v.)⟩ **0.1** *topics.*

topinamboer ⟨de (m.)⟩ **0.1** *Jerusalem artichoke.*

topisch ⟨bn.⟩ **0.1** *topical* ◆ **1.1** ⟨med.⟩ ~e middelen *t. remedies/medication.*

topjaar ⟨het⟩ **0.1** *bumper/great/peak year.*

topje ⟨het⟩ **0.1** [kleine top] *tip* **0.2** ⟨inf.⟩ truitje] *top* ◆ **1.1** het ~ v.d. ijsberg *the tip of the iceberg* ⟨vnl. fig.⟩.

topklasse ⟨de (v.)⟩ **0.1** *top class* ◆ **6.1** ze zit in de ~ v.d. mannequins *she's a top model;* een hotel van ~ *a top-class/five-star hotel.*

topkring ⟨de (v.)⟩⟨aardr.⟩ **0.1** *azimuth circle* **0.2** [⟨mv.⟩ hoogste kringen] *highest/leading circles* ◆ **6.2** in ~en beweert men ...*the top people are saying that* ....

topkwaliteit ⟨de (v.)⟩ **0.1** *top/(the) highest quality* ◆ **1.1** een stem van ~ ⟨ook⟩ *a first-rate voice.*

topman ⟨de (m.)⟩ **0.1** *top/senior man/executive* ⇒*top-ranking/senior official,* ⟨vnl. pej.⟩ *mandarin* ◆ **1.1** ~ in het bedrijfsleven ⟨ook⟩ *captain of industry.*

topogeen ⟨bn.⟩⟨biol.⟩ **0.1** *topogen.*

topograaf ⟨de (m.)⟩ **0.1** *topographer.*

topografie ⟨de (v.)⟩ **0.1** [plaatsbeschrijving] *topography* **0.2** [leer v.d. ligging v.d. weefsels] *topography* ⇒*topology, regional anatomy.*

topografisch ⟨bn., bw.; -(al)ly⟩ **0.1** [plaatsbeschrijvend] *topographic(al)* **0.2** [de ligging v.d. weefsels betreffend] *topographic(al)* ⇒*topologic(al)* ◆ **1.1** ~e dienst *Ordnance Survey;* een ~e kaart *topographic(al)/base map;* ~e opmeting/verkenning/waarneming *topographical surveying/reconnaissance/observation.*

topologie ⟨de (v.)⟩ **0.1** ⟨wisk.⟩ mbt. meetkundige figuren] *topology* **0.2** ⟨wisk.⟩ mbt. verzamelingen] *topology* **0.3** ⟨theol.⟩] *topics.*

topologisch ⟨bn., bw.; -ly⟩ **0.1** *topological.*

toponiem ⟨het⟩ **0.1** *toponym.*

topontmoeting ⟨de (v.)⟩ →**topconferentie**.

toponymie ⟨de (v.)⟩ **0.1** *toponymy.*

toponymisch ⟨bn.⟩ **0.1** *toponymic(al).*

toponymist ⟨de (m.)⟩ **0.1** *toponymist.*

topos ⟨de (m.)⟩⟨lit.⟩ **0.1** [vaste uitdrukking] *topos* **0.2** [terugkerend motief] *topos.*

topoverleg ⟨het⟩ **0.1** *top-level/* ⟨pol. ook⟩ *summit talks.*

toppen ⟨ov.ww.⟩ **0.1** [inkorten] *top* ⇒*head* ⟨planten⟩, *pollard* ⟨knotwilgen⟩, *cut back* ⟨struiken ter bevordering v.d. groei⟩ **0.2** [⟨scheep.⟩] *peak* ◆ **1.1** bomen ~ *poll trees;* het haar ~ *trim s.o.'s/one's hair;* planten ~ *t./head plants* **1.2** de ra's ~ *p. the yards.*

topper ⟨de (m.)⟩ **0.1** [hoogtepunt] *top* ⇒*high point, peak,* ⟨uitblinker⟩ *cracker, corker* **0.2** [lied, plaat, boek] *hit* ⇒⟨plaat ook⟩ *chart-topper,* ⟨sterker⟩ *smash (hit),* ⟨toneelstuk ook⟩ *box-office success,* ⟨boek ook⟩ *bestseller* **0.3** [wedstrijd] *top(-class) match* ⇒*highlight/attraction (of the season)* **0.4** [topfiguur] →**topfiguur** **0.5** [vogel] *scaup (duck)* ⇒⟨AE ook⟩ *bluebill, broadbill.*

toppositie ⟨de (v.)⟩ **0.1** [hoogste plaats op een ranglijst] *top/leading position* ⇒*first position* **0.2** [functie v.d. hoogste rang] *top/leading position* ◆ **3.1** de ~ innemen *be in top/first position, be placed first, lead/head the field* **3.2** zij bekleedt een ~ *she has a top/leading position.*

topprestatie ⟨de (v.)⟩ **0.1** *top/record performance* ⇒⟨mbt. machine/auto⟩ *peak performance* ◆ **3.1** een ~ leveren *turn in a top/record/top-notch performance.*

topproduktie ⟨de (v.)⟩ **0.1** *top/record production* ⇒*peak.*

toppunt ⟨het⟩ **0.1** [uiterste] *height* ⇒*top, highest point, summit, pinnacle, climax, acme, peak* **0.2** [bovenste punt] *top, highest point* ⇒⟨meetkunde⟩ *apex, vertex,* ⟨ster.⟩ *culminating point, zenith,* ⟨berg ook⟩ *summit, peak* ◆ **1.1** het ~ van zijn carrière *the culmination/pinnacle/high-water mark of his career;* het ~ (op het gebied) van comfort *the last word/the ultimate in comfort;* hij is het ~ van gezondheid *he is in the pink (of condition/health);* het absolute ~ van domheid *unmitigated/sheer stupidity;* het ~ van ellende *the h./depths of misery;* het ~ van gelukzaligheid *the h./pinnacle/acme of bliss;* het ~ van goedheid/schoonheid *the perfection/acme of kindness/beauty;* in die jaren was hij op het ~ van zijn kunnen *in that period he was at the h. of his powers/he was in his heyday;* het ~ van perfectie *the acme/*

pink/peak of perfection; op het ~ van zijn roem *at the h./pinnacle/zenith/peak of his fame, in his heyday;* het ~ van waanzin *sheer/utter madness* **2.1** jij bent het absolute ~! *you (really) are the (giddy) limit!* **3.1** het ~ bereiken *reach the/its/one's h./highest point/summit/climax/peak;* dat is het ~! *that's the (giddy) limit!, that beats everything!, that's the last straw!,* [B]*that takes the biscuit/cake!*

tops ⟨bn.⟩ **0.1** *pointed.*

topsalaris ⟨het⟩ **0.1** *top salary.*

topscorer ⟨de (m.)⟩⟨sport⟩ **0.1** *top scorer.*

topsnelheid ⟨de (v.)⟩ **0.1** *top speed* ⇒[†]*maximum speed* ◆ **6.1** op ~ rijden *drive* ⟨auto⟩/*ride* ⟨(motor)fiets⟩ *at t.s./* ⟨inf.⟩ *(at) full tilt, hell for leather.*

topspeler ⟨de (m.)⟩, **-speelster** ⟨de (v.)⟩⟨sport⟩ **0.1** *top(-class) player* ⇒⟨inf.⟩ *ace, crack, big-time player, big-timer.*

topspin ⟨de (v.)⟩⟨sport⟩ **0.1** *top(spin)* ◆ **3.1** ~ geven aan een bal *put t. on a ball, topspin a ball.*

topsport ⟨de (v.)⟩ **0.1** *top-class sport* ⇒⟨inf.⟩ *big-time sport.*

topsporter ⟨de (m.)⟩ **0.1** *top(-class) sportsman* ⇒*sports ace/star.*

topstandig ⟨bn.⟩⟨plantk.⟩ **0.1** *apical.*

topvoetballer ⟨de (m.)⟩ **0.1** *top(-class) football-player* ⇒⟨inf.⟩ *big-time football-player.*

topvorm ⟨de (m.)⟩ **0.1** *top(-class) form* ◆ **6.1** in ~ zijn *be in top form.*

topzeil ⟨het⟩⟨scheep.⟩ **0.1** *topsail.*

topzwaar ⟨bn.⟩ **0.1** *top-heavy* ◆ **1.1** onze organisatie is ~ ⟨inf. ook⟩ *there are too many chiefs and not enough indians in our organization* **3.1** ⟨fig.⟩ hij is ~ *he's had a few/a drop (too many), he's a bit the worse for drink.*

toque ⟨de⟩ **0.1** *toque.*

tor ⟨de⟩ **0.1** *beetle* ⇒⟨AE ook⟩ *bug* ◆ **2.1** gouden ~ *rose-chafer/-beetle;* **8.1** zo dronken als een ~ *as drunk as a lord, pickled, soused (to the gills), blind (drunk);* ⟨AE; sl.⟩ *canned, blasted;* ⟨BE; vulg.⟩ *as pissed as a newt/fart.*

toreador ⟨de (m.)⟩ **0.1** *toreador.*

toren ⟨de (m.)⟩ **0.1** [hoog bouwwerk] *tower* ⇒⟨spitse kerktoren⟩ *steeple,* ⟨torenspits⟩ *spire,* ⟨klokketoren⟩ *belfry, turret* ⟨klein⟩ **0.2** [⟨tech.⟩] *tower* ⇒⟨mil.; geschutstoren⟩ *turret* **0.3** [spits voorwerp] *steeple, spire* **0.4** [bouwsel van opeengestapelde zaken] *tower* **0.5** [schaakstuk] *rook* ⇒*castle* ◆ **2.1** ⟨fig.⟩ ~s hoog liegen *lie one's head off;* ⟨fig.⟩ in een ivoren ~ zitten *live in an ivory tower;* de scheve ~ van Pisa *the Leaning Tower of Pisa* **3.1** ik hoor de ~ *I can hear the (tower)bells* **6.1** met ~s snoeven; ⟨fig.⟩ hoog van de ~ blazen *beat the (big) drum;* ⟨snoeven⟩ *blow one's own trumpet; be demanding/exacting, wish for the moon* ⟨veeleisend⟩.

torenen ⟨onov.ww.⟩⟨schr.⟩ **0.1** ~ *tower* ⇒*soar.*

torenflat ⟨de (m.)⟩ **0.1** *high-rise flat(s)* ⇒*tower block, multi-storey block.*

torenhoog ⟨bn.⟩ **0.1** *towering* ⇒⟨hemelhoog⟩ *sky-high,* ⟨schr.⟩ *lofty* ◆ **1.1** torenhoge golven *mountainous/t. waves* **3.1** ~ uitsteken boven ⟨ook fig.⟩ *tower above/over.*

torenkamer ⟨de⟩ **0.1** *turret room.*

torenklok ⟨de⟩ **0.1** [luiklok] *(tower/church) bell* **0.2** [uurwerk] *tower clock.*

torenkraai ⟨de⟩ **0.1** *jackdaw, crow.*

torenoffer ⟨de (m.)⟩⟨schaken⟩ **0.1** *rook sacrifice.*

torenspits ⟨de⟩ **0.1** *steeple, spire* ◆ **6.1** een stad met veel ~en *a spired/spiry/steepled town.*

torenspringen ⟨het⟩ **0.1** *platform diving.*

torentje ⟨het⟩ **0.1** [kleine toren] *turret* **0.2** [slakkehuis] *turreted shell.*

torenuil ⟨de (m.)⟩ **0.1** *barn owl.*

torenvalk ⟨de⟩ **0.1** *kestrel;* ⟨BE; inf.⟩ *windhover.*

torenzwaluw ⟨de⟩ **0.1** *swift.*

torero ⟨de (m.)⟩ **0.1** *torero.*

torisch ⟨bn.⟩ **0.1** *toric.*

torkruid ⟨het⟩ **0.1** *dropwort.*

torment ⟨het⟩ **0.1** *torment* ⇒*anguish, agony, torture.*

tormenteren ⟨ov.ww.⟩ **0.1** ⟨doen lijden⟩ *torment;* ⟨folteren⟩ *torture;* ⟨kwellen⟩ *pester, plague;* ⟨plagen⟩ *tease.*

torn ⟨de⟩ **0.1** *split* ⇒*rip* ◆ **2.**¶ een hele/zware ~ *quite a job, a tough job* **6.1** een ~ in een rok *a rip/tear in a skirt.*

tornado ⟨de⟩ **0.1** *tornado* ⇒*cyclone* ◆ **8.1** als een ~ *like a t./whirlwind.*

tornen
I ⟨onov.ww.⟩ **0.1** [losgaan aan de naden] *come unstitched/undone* ◆ **6.**¶ ergens aan ~ *meddle/tamper with sth.;* er valt aan deze beslissing niet te ~ *this decision is fixed/settled/final, there's no going back on this decision;*
II ⟨ov.ww.⟩ **0.1** [losmaken] *unsew, unstitch, unpick* ◆ **6.1** de voering uit een jurk ~ *rip/pull the lining out of a dress.*

tornmesje ⟨het⟩ **0.1** *ripper.*

torpederen ⟨ov.ww.⟩ **0.1** [met een torpedo treffen] *torpedo* ⇒*submarine* **0.2** [figuur] *torpedo* ⇒*wreck, scotch* ⟨onwaarheden e.d.⟩, ⟨BE; inf.⟩ *scupper* ⟨vnl. lijdende vorm⟩.

torpedist ⟨de (m.)⟩ **0.1** *member of the torpedo corps.*

torpedo ⟨de⟩ **0.1** *torpedo.*

torpedoboot ⟨de⟩ **0.1** *torpedo-boat, submarine*.

torpedobootjager ⟨de (m.)⟩ **0.1** *torpedo-boat destroyer* ⇒⟨mil.⟩ *destroyer, flivver*.

torpedojager ⟨de (m.)⟩ **0.1** *torpedo-boat / submarine chaser*.

torpedonaaf ⟨de⟩ **0.1** *coaster brake*.

torpedonet ⟨het⟩ **0.1** *torpedo net(ting)*.

torpide ⟨bn.⟩ ⟨med.⟩ **0.1** *torpid* ⇒*sluggish, lazy,* ⟨vooral dieren na de winter⟩ *numb*.

torpiditeit ⟨de (v.)⟩ **0.1** *torpidity, torpor* ⇒*sluggishness, laziness,* ⟨vooral dieren na de winter⟩ *numbness*.

tors →*torso*.

torsen ⟨ov.ww.⟩ **0.1** [met grote moeite dragen] *haul (away / at / on)* ⇒ ⟨BE; inf.⟩ *hump, lug* **0.2** [gebukt gaan onder] *bear, suffer* **0.3** [torderen] *twist* ◆ **1.2** een niet te ~ schuldenlast / leed *an unbearable debt / grief* **1.3** getorste zuilen / kolommetjes *twisted pillars / columns*.

torsie ⟨de (v.)⟩ **0.1** [het wringen] *torsion* ⇒*torque* **0.2** [daarbij optredende spanning] *torsion* **0.3** [gedraaide vorm] *torsion* ⇒*torque* ⟨vooral metaal⟩ ◆ **1.3** ⟨wisk.⟩ de ~ van een ruimtekromme *the torsion af a three-dimensional curve*.

torsiebalans ⟨de⟩ **0.1** *torsion balance*.

torsieveer ⟨de⟩ **0.1** *torsion spring*.

torso ⟨de (m.)⟩ **0.1** [romp] *torso* **0.2** [beeld] *torso* **0.3** [onvoltooid werkstuk] *torso*.

tortelduif ⟨de⟩ **0.1** [wilde duif] *turtledove* **0.2** [zinnebeeld van verliefdheid] *turtledove, lovebird* **0.3** [troetelnaampje] *lovey (dovey)* ⇒⟨BE; inf.⟩ *duck(ie)*.

tortelen ⟨onov.ww.⟩ **0.1** *bill and coo* ⇒*smooch, kiss and cuddle, pet*.

tortilla ⟨de⟩ **0.1** *tortilla*.

tortueus ⟨bn.⟩ **0.1** [bochtig] *tortuous* ⇒*winding, twisted* **0.2** [onoprecht] *tortuous* ⇒*devious, deceitful, deceiving*.

Toscaan ⟨de (m.)⟩ **0.1** *Tuscan*.

tossen ⟨onov.ww.⟩ ⟨sport⟩ **0.1** *toss (up / for)*.

tosti ⟨de (m.)⟩ **0.1** *toasted sandwich*.

tostiapparaat ⟨het⟩ **0.1** *(sandwich) toaster*.

tosti-ijzer ⟨het⟩ **0.1** *(sandwich) toaster*.

tot¹ ⟨vz.⟩ **0.1** [zover als] *(up) to* ⇒*as far as* **0.2** [mbt. een punt in de tijd] *to* ⇒*until, till* **0.3** [mbt. een maat / graad / hoeveelheid] *to* **0.4** [naar] *to* **0.5** [mbt. een bestemming / bedoeling] *to(wards)* ⇒*at* **0.6** [mbt. een toestand / vorm / functie] *to* **0.7** [tegen] *at* ◆ **1.1** de trein rijdt ~ Amsterdam *the train goes as far as / to / stops at Amsterdam;* van huis ~ huis gaan *go from door to door* **1.2** van dag ~ dag *from day to day;* ~ morgen! *see you / until tomorrow!;* hij ging van uur ~ uur achteruit *he got worse by the hour;* van week ~ week *from week to week;* ~ zaterdag! *see you on Saturday!* **1.3** ~ bladzijde drie *up to page three* **1.4** in betrekking ~ *with regard to, regarding;* ⟨in een toneelaanwijzing⟩ Victor ~ Emma *Victor to Emma;* ~ mijn verwondering *to my surprise* **1.5** aanleiding geven ~ *give rise to;* ~ iemands beschikking staan *be at s.o.'s disposal / service;* iem. iets ~ eer / schande aanrekenen *count sth. to s.o.'s honour / shame;* middelen ~ herstel *means towards recovery;* het teken ~ de aanval *the signal for the attack* **1.6** ~ antwoord geven *give in answer;* ~ eer strekken *do sth. / s.o. credit, do credit to;* ~ functie hebben *serve as;* iets ~ gruis slaan *beat sth. to a pulp;* hij nam haar ~ vrouw *he took her for his wife* **1.7** ~ elke prijs *at any price* **2.2** ~ de volgende keer *untill / till next time* **2.3** ~ de laatste man *to the last man (jack)* **3.3** ~ barstens / walgens (toe) *to bursting point, ad nauseam* **3.4** iets ~ zich nemen *consume /* ↑*imbibe sth.* **3.5** gebruiken / zich lenen ~ *use / lend o.s. / itself for* **3.6** iem. aannemen / aanstellen ~ engage / appoint s.o. as;* iem. ~ president kiezen *elect s.o. (for) president;* iem. opleiden ~ monteur *train s.o. to be a mechanic* **4.1** ~ hoever / waar? *how far?* **4.2** ~ wanneer? *till when?* **5.1** een rok ~ beneden de knieën *a skirt below / above the knees;* ~ bovenaan toe (right) to the top;* ~ hier toe *so far, up to here;* het zit me ~ hier *I've had it (up) to here, enough is enough, I can't take any / much more;* ~ hier en niet verder! *thus far and no further!* **5.2** ~ dusver *so far;* ~ nog / nu toe *so far;* ~ spoedig *see you soon;* ~ straks *see you (later)* **5.3** temperaturen ~ 30° *temperatures above 30° / from 30 to on;* dat is ~ daar aan toe *that's alright as far as it goes* **6.1** ~ aan de kerk wandelen *walk until the church;* ~ aan de grond afbreken *pull down to the ground, level with the ground;* hij was nat ~ op de huid *he was soaked to the skin / wet through* **6.2** ~ in de dood *until death;* ~ diep in de nacht *far into the night;* ~ op heden / vandaag *to the present day;* ~ voor twee jaar kon dat nog *up to / untill / till two years ago that was still possible* **6.3** ~ in tienduizendsten nauwkeurig *accurate to / within tens of thousands;* ~ op de cent *to the penny;* ~ op korte afstand *up to / within a short distance* ¶ **.2** ~ en met 31 december *up to and including 31st December, up to 31st December inclusive;* van 3 ~ 12 uur *from 3 till 12 o'clock;* van maandag ~ met zaterdag *from Monday to Saturday (inclusive),* ⟨AE ook⟩ *Monday through Saturday* ¶ **.3** ~ en met pagina 8 *up to and including page 8 / page 8 inclusive;* pervers ~ en met *kinky as hell, an out-and-out pervert, perverted to the core, a real screw-ball / nutcase;* drie maal toe *up to three times;* vertragingen van 10 ~ 50 minuten *delays from 10 (up) to 50 minutes;* brieven ~ en met 20 gram *letters not over 20 grammes*.

tot² ⟨vw.⟩ **0.1** *until.*

totaal¹ ⟨het⟩ **0.1** *(sum) total, (total) amount;* ↑*aggregate* ◆ **2.1** algemeen ~, ~ generaal *grand t.* **3.1** het ~ bedraagt / beloopt 367 *the t. comes out at / amounts to 367;* het ~ opmaken / vaststellen van *total, tot up* **6.1** het ~ aan waardepapier *the t. / sum in securities;* in ~ *in all / sum, in t.;* zijn schuld bedraagt / beloopt in ~ 100.000 pond *his debts total / come up to / tot up to 100,000 pounds*.

totaal² ⟨bn., bw.; -ly⟩ **0.1** *total* ⇒*complete, entire* ◆ **1.1** totale anesthesie *general anaesthetic;* het totale bedrag *the t. amount;* de totale kosten v.h. project *the all-in / t. costs of the project;* de totale lengte *the overall length;* een totale ommekeer / ommezwaai *an about-turn / about-face;* totale oorlog *t. / all-out / universal war;* totale uitverkoop ᴮ*clearance sale,* ᴬ*close-out;* een totale zonsverduistering a *t. eclipse of the sun;* ⟨tech.⟩ *totality* **2.1** iets ~ anders *sth. completely / utterly different;* de voorraad is ~ uitgeput *the stocks are completely exhausted / all cleared out* **3.1** ik ben ~ op *I'm exhausted /* ⟨BE; inf.⟩ *fagged (out) / dead-beat;* het is ƒ33,- ~ *it's Dfl 33 in all;* iets ~ vergeten *forget sth. entirely, completely forget sth.; slip clean / clear out of s.o.'s mind* **5.1** ~ niet *absolutely / certainly / definitely not;* ze kon ~ niet zingen ⟨BE; inf.⟩ *she couldn't sing for nuts / toffee, she couldn't sing to save her life;* het kon hem ~ niets schelen *he didn't give a fig, he couldn't care less, he didn't care one way or another / a tinker's cuss;* ik begrijp er ~ niets van *I'm completely in the dark / all at sea / completely at a loss / totally lost* **7.1** er bestaat ~ geen kans meer op *there's no earthly chance left;* ⟨inf.⟩ *there's not a snowball's chance in hell*.

totaalbedrag ⟨het⟩ **0.1** *total (sum / amount)*.

totaalbeeld ⟨het⟩ **0.1** *overall picture*.

totaalindruk ⟨de (m.)⟩ **0.1** *overall / general impression*.

totaalkolom ⟨de⟩ **0.1** *total column*.

totaalprogramma ⟨het⟩ ⟨com.⟩ **0.1** *balanced programming / programme* ᴬ*gram*.

totaaltheater ⟨het⟩ **0.1** *total theatre*.

totaalvoetbal ⟨het⟩ ⟨sport⟩ **0.1** *total soccer /* ⟨BE ook⟩ *football*.

totaalwasmiddel ⟨het⟩ **0.1** *complete / all-in-one detergent*.

totaalweigeraar ⟨de (m.)⟩ **0.1** *total objector* ⇒*extreme / hard-line conscientious objector*.

totalisator ⟨de (m.)⟩ **0.1** [machine die totalen berekent] *tote* ⇒*totalizator, totalizer,* ⟨AE; bij wedden⟩ *pari-mutuel (machine)* **0.2** [systeem van wedden] *totalizator, totalizer,* ᴬ*pari-mutuel* **0.3** [regenmeter] *pluviometer* ⇒*rain gauge*.

totaliseren ⟨ov.ww.⟩ **0.1** [het totaal opmaken van] *totalize* **0.2** [tot een totaliteit maken] *totalize*.

totalitair ⟨bn., bw.⟩ **0.1** ⟨bn.⟩ *totalitarian* ⇒*autarchic(al),* ⟨bw.⟩ *in a totalitarian way* ◆ **1.1** de ~e staat *the t. state, the autarchy*.

totalitarisme ⟨het⟩ **0.1** *totalitarianism*.

totaliteit ⟨de (v.)⟩ **0.1** *totality* ⇒*entirety* ◆ **6.1** de kerk in zijn ~ *the church in its entirety / at large*.

totaliter ⟨bw.⟩ **0.1** *totally* ⇒*utterly, completely, entirely, absolutely*.

total loss¹ ⟨de (m.)⟩ **0.1** ⟨verz.⟩ *total loss* ⇒*write-off* ⟨vooral auto e.d.⟩ ◆ **2.1** aangenomen ~ *constructive total loss*.

total loss² ⟨bn.⟩ **0.1** ⟨zie 3.1⟩ ◆ **3.1** een auto ~ rijden *smash (up) / wreck a car*.

totdat ⟨vw.⟩ **0.1** *until* ⇒*till*.

totebel ⟨de⟩ **0.1** [scheldnaam] *dingbat, slattern, sloven, slut* ⇒⟨goedmoedig⟩ *hussy* **0.2** [visnet] *square net*.

totem ⟨de (m.)⟩ **0.1** *totem*.

totemisme ⟨het⟩ **0.1** *totemism*.

totemistisch ⟨bn., bw.; -ally⟩ **0.1** [tot het totemisme behorend] *totemic, totemistic* **0.2** [het totemisme aanhangend] *totemic, totemistic*.

totempaal ⟨de (m.)⟩ **0.1** *totem pole*.

tot en met¹ ⟨bw.⟩ **0.1** *very* ◆ **2.1** hij is gierig ~ *he isn't half stingy /* ⟨inf.⟩ *mingy / penny-pinching*.

tot en met² ⟨vz.⟩ **0.1** *up to and including, inclusive;* ⟨AE ook⟩ *through* ◆ **1.1** deze aanbieding is geldig ~ aanstaande donderdag *this offer runs / lasts to / is on until / till next Thursday*.

toto ⟨de (m.)⟩ **0.1** ⟨paardenrennen⟩ *tote;* ⟨voetbal⟩ ⟨ᴮ*football*⟩ *pools* ◆ **6.1** in de ~ geld winnen *win money on the pools*.

totobureau ⟨het⟩ **0.1** *bookmaker's* ⇒⟨inf.⟩ *betting shop,* ⟨schr.⟩ *turf accountant's*.

totoformulier ⟨het⟩ **0.1** ᴮ*(football) pool(s) coupon,* ᴬ*booking / betting sheet*.

totstandkoming ⟨de (v.)⟩ **0.1** *coming about* ⇒*materialization, realization, establishment,* ⟨langzaam⟩ *development*.

totteren ⟨onov.ww.⟩ ⟨AZN⟩ **0.1** [buitelen] *tumble* ⇒*roll (over)* **0.2** [botsen] *bump* ⇒*bang* **0.3** [prutsen] *tinker* ⇒*fumble* **0.4** [stotteren] *stammer* ⇒*stutter*.

touchant ⟨bn.⟩ **0.1** *moving, touching*.

touche ⟨de⟩ **0.1** ⟨schermsport⟩ *aanraking*] *touch(é)* **0.2** [betasting] *touch* **0.3** [penseelstreek] *touch* ⇒*stroke*.

touché ⟨bn.⟩ ⟨sport⟩ **0.1** ⟨schermsport⟩ *touch(é)*.

tou'cher ⟨de⟩ **0.1** [aanslag] *touch* **0.2** [⟨biljart⟩] *touch*.

'toucher ⟨het⟩ ⟨muz.⟩ **0.1** *touch*.

toucheren ⟨ov.ww.⟩ **0.1** [inwendig onderzoeken] *perform an internal ex-*

amination, touch **0.2** [in ontvangst nemen] *draw, receive* **0.3** [⟨sport⟩] *hit* **0.4** [aantasten] *touch* ⟹*insult, offend* **0.5** [treffen] *touch* ⟹*move* ◆ **1.2** dividenden~ *r. dividends;* een honorarium~ *d. a salary.*

touperen ⟨ov.ww.⟩ **0.1** *backcomb, tease* ◆ **1.1** een getoupeerd kapsel ⟨inf.⟩ *a flicked-up/bouffant hairdo.*

toupet ⟨de (m.)⟩ **0.1** [haarstukje] *toupee* ⟹*hairpiece* **0.2** [hoge kuif] *high forelock.*

tour ⟨de (m.)⟩ **0.1** [kunstje] *trick* ⟹⟨kneepje⟩ *knack,* ⟨stunt⟩ *stunt* **0.2** [uitstapje] *outing* ⟹*trip, excursion* **0.3** [beurt] *turn* **0.4** [rondgang] *tour* **0.5** [valse haarlok] *switch* ◆ **3.1** ⟨inf.⟩ een~ bouwen *show off, beat the (big) drum* **6.4** een~ **door** het gebouw *a t. round the building* ¶**.1** ~ de force *tour de force, feat of strength* ¶**.4** ⟨wielersport⟩ de Tour de France *Tour de France;* ~ de chant *parade of songs.*

tourauto ⟨de (m.)⟩ →**toerwagen.**

tour de force ⟨de (m.)⟩ **0.1** *tour de force, feat.*

touringcar ⟨de⟩ **0.1** *(motor) coach.*

tournedos ⟨de (m.)⟩ **0.1** *tournedos* ⟹≠*fillet steak.*

tournee ⟨de (v.)⟩ **0.1** [rondreis] *tour* ⟹*tour of inspection* ⟨inspectiereis⟩ **0.2** [rondje] *round* ◆ **3.1** een~ maken door/ in Duitsland *go on a t. of Germany, tour Germany* **3.2** een~ geven *stand a r. (of drinks)* **6.1** op ~zijn/ gaan *be on t.;* ⟨inf.⟩ *be on the road* ⟨vnl. musici⟩.

tournesol ⟨het, de (m.)⟩ **0.1** [verfstof] *turnsole* ⟹*litmus* **0.2** [plant] *turnsole.*

tourniquet ⟨het, de (m.)⟩ **0.1** [draaikruis] *turnstile* ⟨draaihek⟩; *revolving door(s)* ⟨draaideur⟩ **0.2** [afknelband gebruikt bij slagaderlijke bloedingen] *tourniquet.*

tourniquetdeur ⟨de⟩ **0.1** *revolving door(s).*

tournure ⟨de (schr.)⟩ **0.1** [wending, draai] *turn* ⟹*change (for the worse)* ⟨ziekte⟩, *spin* ⟨cricketbal⟩ **0.2** [zinswending] *turn* ⟹*turns of sentence /speech/ phrase* **0.3** [⟨muz.⟩ wending] *turn* ⟹*tournure* **0.4** [houding] *manner* ⟹*attitude* **0.5** [opgevulde drapering] *bustle* ⟹*tournure.*

touw ⟨het⟩ **0.1** [stofnaam] *rope* ⟨dik⟩; *cord* ⟨koord⟩; *string* ⟨dun⟩ ⟹ *twine* ⟨twijn⟩ **0.2** [voorwerpsnaam] *rope* ⟨dik⟩; *(piece of) cord* ⟨koord⟩; *piece of string* ⟨dun⟩ ⟹*piece of twine* ⟨twijn⟩ **0.3** [weefgetouw] *loom* ◆ **1.1** ~ en blok *block and tackle;* een eind~ *a piece/ length of rope/ cord/ string;* een klosje/ kluwen~ *a reel/ ball of string* **1.2** de~ en van een boksring *the ropes of a boxing ring* **2.1** zwaar/ dik ~ *heavy/ thick rope* **3.2** ⟨fig.⟩ het~ laten vieren *slack(en)/ ease off, take it easy, take off the pressure;* ⟨scheep.⟩ *cast off;* ⟨fig.⟩ daar is geen~ aan vast te knopen/ vast te maken *it doesn't make sense, there's neither rhyme nor reason to it;* ⟨fig.⟩ ik kan er geen~ aan vastmaken/ vastknopen *I can't make head (n)or tail of it, I can't make it out, I don't get it* **3.**¶ een~ aan het verkeerde eind/ het pluiseind aanpakken ⟨fig.⟩ *let one's tongue run away with one* **6.2** de bal ging in de~ en *the ball went into/ hit the net;* ⟨bokssport⟩ in de ~en werken, **tegen** de~ en slaan *knock into the ropes;* iets **met** (een) ~(en) vastbinden *tie sth. (up)* **6.**¶ **in** ~ zijn *be in harness, be hard at it/ busy;* iets **op** (het)~ zetten *set sth. on foot, plan/ start sth.; launch sth.* ⟨campagne⟩.

touwbaan ⟨de⟩ →**touwslagerij 0.2.**

touwbrug ⟨de (v.)⟩ **0.1** *rope bridge.*

touwen[1] ⟨bn.⟩ **0.1** *rope.*

touwen[2] ⟨ov.ww.⟩ **0.1** [kloppen om te bewerken] *curry* **0.2** [slaan] *rope's-end* ⟹*flog/ beat with a rope's-end* **0.3** [⟨scheep.⟩] *tow* ⟹*take in tow.*

touwklimmen ⟨ww.⟩ ⟨sport⟩ **0.1** *rope-climbing.*

touwladder ⟨de⟩ **0.1** *rope ladder* ⟹*Jacob's ladder* ⟨jakobsladder, met houten sporten⟩.

touwpers ⟨de (m.)⟩ **0.1** *straw baler/ press.*

touwslaan ⟨ww.⟩ **0.1** *twist/ make (a) rope(s).*

touwslager ⟨de (m.)⟩ ⟨amb.⟩ **0.1** *rope-maker.*

touwslagerij ⟨de (v.)⟩ **0.1** [het touwslaan] *ropemaking* **0.2** [touwfabriek] *rope-yard* ⟹*ropery, ropewalk.*

touwtje ⟨het⟩ **0.1** *piece/ bit/ length of string* ⟹*string* ⟨van pop⟩ ◆ **3.1** de touwtjes in handen hebben *be pulling the strings/ running the show;* de ~s om een pakje losmaken *untie a parcel;* de ~s in handen nemen *take charge/ over* **6.1** ⟨fig.⟩ **aan** de ~s lopen *be under s.o.'s thumb, be kept in leading-strings;* ⟨fig.⟩ **aan** de ~s trekken *pull the strings;* ⟨fig.⟩ zij die **aan** de ~s trekken *those who pull the strings, those in control;* een pakje **met** een ~ dichtbinden *tie up a parcel (with (a piece of) string).*

touwtjespringen ⟨ww.⟩ ⟨sport⟩ **0.1** *(rope-)skipping.*

touwtrekken ⟨ww.⟩ **0.1** [⟨sport⟩] *tug-of-war* **0.2** [⟨fig.⟩] *tug-of-war* ⟹ *tussle, struggle, tug-of-love* ⟨om voogdij van kind bij scheiding⟩ ◆ **6.2** het~ **om** de macht *the tug-of-war/ tussle/ struggle for power.*

touwtruc ⟨de (m.)⟩ **0.1** *Indian rope-trick.*

touwwerk ⟨het⟩ **0.1** [allerlei soorten touw] *rope(s)* **0.2** [alle nodige touwen] *ropes (and wires)* ⟹⟨scheep.⟩ *rigging, cordage* ⟨want, tuig(age)⟩ ◆ **2.2** ⟨scheep.⟩ oud~ *old ropes* **3.2** lopend~ *running rigging;* staand ~ *standing rigging.*

t.o.v. ⟨afk.⟩ **0.1** [ten opzichte van] ⟨with respect/ regard to⟩ **0.2** [ten overstaan van] ⟨before, in the presence of⟩.

tovenaar ⟨de (m.)⟩ **0.1** [iem. die tovert] *magician, sorcerer, wizard* ⟹*enchanter, necromancer* **0.2** [⟨fig.⟩] *wizard* ⟹*magician.*

tovenares ⟨de (v.)⟩ **0.1** [vrouwelijke tovenaar] *magician, sorceress* ⟹*enchantress, necromancer* **0.2** [heks] *witch.*

tovenarij →**toverij.**

toverachtig ⟨bn., bw.; -ly⟩ **0.1** [feeëriek] *enchanting* ⟹*magic(al), fairy-like* **0.2** [ongelooflijk] *magical* ⟹*prodigious* ◆ **1.1** een~ landschap *an enchanting/ a magic landscape.*

toverbal ⟨de (m.)⟩ **0.1** ≠*bull's-eye* ⟹⟨BE⟩ *gobstopper,* ⟨vnl. AE⟩ *jaw-breaker, jawcracker.*

toverbeeld ⟨het⟩ **0.1** [vertoning dmv. toverij] *(magic) vision* **0.2** [droombeeld] *vision.*

toverboek ⟨het⟩ **0.1** *conjuring book.*

tovercirkel ⟨de (m.)⟩ **0.1** *magic/ charmed circle.*

toverdokter ⟨de (m.)⟩ **0.1** *witch doctor* ⟹*medicine man.*

toverdrank ⟨de (m.)⟩ **0.1** *magic potion* ⟹*philtre* ⟨minnedrank⟩, *elixir.*

toveren

I ⟨onov.ww.⟩ **0.1** [vreemde werkingen tot stand weten te brengen] ['echt' toveren] *work magic/ charms/ spells* ⟹*practise* ᴬ*ce sorcery/ witchcraft,* ⟨goochelen⟩ *conjure, do magic/ conjuring tricks* **0.2** [prachtige effecten weten te bereiken] *work magic* ◆ **3.1** ik kan niet ~, hoor! *I'm not a magician, you know!, I can't work wonders/ miracles, you know!;* ⟨fig.⟩ je zou er~ leren *it's enough to put you to sleep (there);*

II ⟨ov.ww.⟩ **0.1** [door goochelarij op een plaats, in een toestand brengen] *conjure (up)* ◆ **1.1** een konijn uit een hoed~ *c. / pull a rabbit out of a hat* ¶**.1** ⟨fig.⟩ iem. iets voor ogen~ *conjure up a picture of sth. (in s.o.'s mind);* iets ter voorschijn~ *conjure up sth..*

toverfee ⟨de (v.)⟩ **0.1** *fairy.*

toverfluit ⟨de (v.)⟩ **0.1** *magic flute.*

toverformule ⟨de⟩ **0.1** *(magic) spell, (magic) charm, magic word(s)* ⟹*incantation, conjuration.*

toverheks ⟨de (v.)⟩ **0.1** [vrouwelijke tovenaar] *sorceress, magician* ⟹*enchantress, necromancer* **0.2** [oud wijf] *witch.*

toverij ⟨de (v.)⟩ **0.1** [het toveren] *magic, sorcery* ⟹*necromancy, witchcraft* ⟨hekserij⟩, *sympathetic magic* ⟨op afstand⟩, *white magic* ⟨goed⟩, *black art/ magic* ⟨slecht⟩ **0.2** [toepassing] *piece of magic* ⟹ *magic trick/ spell.*

toverkijker ⟨de (m.)⟩ **0.1** *kaleidoscope.*

toverkol →**toverheks.**

toverkracht ⟨de⟩ **0.1** [magisch vermogen] *magic (power)* **0.2** [betoverende werking, (ook fig.)] *magic* ⟹*enchantment.*

toverkunst ⟨de (v.)⟩ →**toverij.**

toverlantaarn ⟨de (v.)⟩ **0.1** *magic lantern.*

tovermiddel ⟨het⟩ **0.1** [middel waardoor men kan toveren] *(magic) spell /charm* ⟨formule⟩; *magic brew/ potion* ⟨drank⟩ **0.2** [middel tegen ziekte, ongeluk] *(lucky) charm* ⟹*talisman, amulet.*

toverprins ⟨de (m.)⟩, **-es** ⟨de (v.)⟩ **0.1** *fairy prince* ⟨m.⟩, *fairy princess* ⟨v.⟩.

toverslag ⟨de (m.)⟩ **0.1** *wave of a/ the/ his* ⟨enz.⟩ *magic wand* ◆ **6.1** als **bij** ~ *like magic, as if by magic.*

toverspiegel ⟨de (m.)⟩ **0.1** [spiegel met toverkracht] *magic mirror* **0.2** [lachspiegel] *distorting mirror.*

toverspreuk ⟨de⟩ **0.1** *(magic) spell, (magic) charm, magic word(s)* ⟹*incantation.*

toverstaf ⟨de (m.)⟩ →**toverstokje.**

toverstokje ⟨het⟩ **0.1** *magic wand* ⟹*magic rod/ staff* ◆ ¶**.1** zijn~ te voorschijn halen *produce/ wave one's m. w..*

tovervierkant ⟨het⟩ **0.1** *magic square.*

toverwereld ⟨de⟩ **0.1** [wereld van de toverij] *world of magic/ sorcery* **0.2** [betoverend mooie wereld] *fairyland* ⟹*enchanted world.*

toverwoord ⟨het⟩ **0.1** *magic word(s)* ⟹*(magic) spell, (magic) charm.*

toxemie ⟨de (v.)⟩ **0.1** *toxaemia* ⟹*blood-poisoning.*

toxiciteit ⟨de (v.)⟩ **0.1** *toxicity.*

toxicologie ⟨de (v.)⟩ **0.1** *toxicology.*

toxicologisch ⟨bn., bw.; -ly⟩ **0.1** *toxicological.*

toxicoloog ⟨de (m.)⟩ **0.1** *toxicologist.*

toxicomanie ⟨de (med.)⟩ **0.1** *toxicomania.*

toxicose ⟨de (m.)⟩ **0.1** *toxicosis.*

toxicum ⟨het⟩ **0.1** *toxicant* ⟹*poison.*

toxine ⟨het, de⟩ **0.1** *toxin* ⟹*ptomaine(s)* ⟨zeer giftig⟩.

toxisch ⟨bn.⟩ **0.1** [vergiftig] *toxic* ⟹*poisonous* **0.2** [gekenmerkt door vergiftiging] *toxic* ◆ ¶**.1** ⟨med.⟩ ~ shock syndroom *t. shock syndrome.*

toxoplasmose ⟨de (v.)⟩ **0.1** *toxoplasmosis.*

tra ⟨de⟩ **0.1** *firebreak* ⟹*fire lane* ⟨weg⟩.

traag ⟨bn., bw.; -ly⟩ **0.1** [langzaam mbt. het voortgaan] *slow* ⟹⟨schr.⟩ *languid, sluggish* ⟨vnl. mbt. rivier/ pols/ lever⟩, *tardy* ⟨vooruitgang⟩ **0.2** [langzaam mbt. het handelen] *slow* ⟹*sluggish, lazy, slothful* ⟨lui⟩, *inactive, passive* ⟨inactief⟩ **0.3** [⟨nat.⟩] *inert* ◆ **1.1** met trage schreden gaan *go slowly, go/ walk with dragging steps;* een~ vuur(tje) *a slow fire* **1.2** een trage betaler *a slow/ tardy payer;* de handel was~ vandaag *trade was slack today;* een trage markt *a slack/ dull/ sluggish market;* een~ mens *a slowcoach/ laggard;* ⟨AE ook⟩ *a slowpoke* **1.3** trage stof *i. substance* **3.1** een~ stromende rivier *a sluggish/*

slow-moving river **3.2** ~ werken *slack, take it easy* **6.2** ~ **van** begrip zijn *be slow(-witted), be slow on the uptake/ of comprehension;* 〈inf.〉 *have a thick skull* **8.1** zo ~ als een slak *like a snail* ¶**.2** ~ op gang komen *get off to a slow start*.

traagheid 〈de (v.)〉 **0.1** [langzaamheid in beweging] *slowness* ⇒*sluggishness* 〈vnl. mbt. rivier/ pols/ lever〉 **0.2** [langzaamheid in handeling] *slowness* ⇒*sluggishness, laziness, sloth* 〈luiheid〉 **0.3** [het lang uitblijven] *delay(s)* ⇒*lateness,* 〈vnl. AE ook〉 *tardiness* **0.4** [〈nat.〉] *inertia* ◆ **2.2** geestelijke ~ *mental inertia* **6.2** de ~ **van** geest *slowness (of mind), slowwittedness, dullness (of mind), obtusity;* de ~ **van** de ambtelijke molens *the slow-moving wheels of bureaucracy;* ~ **van** begrip *slowness of comprehension;* 〈pej.〉 *denseness; dense mind* **6.3** ~ **in** de bestellingen *delay(s) in/ lateness/ tardiness of delivery*.

traagheidskracht 〈de〉 **0.1** *force of inertia*.

traan
I 〈de〉 **0.1** [oogvocht] *tear* ⇒*teardrop* ◆ **2.1** hete/ bittere tranen *hot/ bitter tears* **3.1** iemands tranen drogen 〈ook fig.〉 *dry s.o.'s eyes;* hij probeerde zijn tranen in te houden/ te bedwingen *he tried to force/ hold back his tears;* de tranen kwamen/ sprongen hem in de ogen, zijn ogen schoten vol tranen *his eyes filled with tears, tears came/ rose to his eyes, tears welled up in his eyes;* zich tranen lachen *laugh till one cries, die laughing, split one's sides (laughing);* dikke tranen schreien *cry/* ↑*weep bitterly, cry one's heart out;* de tranen stonden hem in de ogen *there were tears in his eyes, his eyes were full of/ brimming with tears;* tranen storten/ laten *shed tears, weep;* ↓*cry;* een ~ wegpinken *dash/ wipe away a t.* **6.1** lachen door z'n tranen heen *smile through one's tears;* **in** tranen uitbarsten *burst into tears, burst out crying;* **in** tranen zijn *be in tears, be crying/* ↑*weeping;* **in** tranen doen uitbarsten *reduce to tears;* zij stond op het punt **in** tranen uit te barsten *she was on the verge of tears/ near to tears/ almost in tears, she came near to tears;* zij antwoordde **in/ met/ onder** tranen *she answered tearfully/ in tears;* **met** tranen in de ogen *with tears in one's eyes;* tranen **met** tuiten huilen *cry buckets, cry one's head off;* 〈fig.〉 **met** tranen in de stem spreken *speak with tears in one's voice;* **tot** tranen bewogen/ geroerd *moved to tears* **7.1** geen ~ om iemand laten *not weep over s.o.;* geen ~ om iets laten *not weep over/ about sth., not shed tears over/ about sth.* ¶**.1** z'n tranen de vrije loop laten *cry/* ↑*weep bitterly, cry one's eyes/ heart out;*
II 〈de (m.)〉 **0.1** [olie] *whale oil/ train* 〈walvistraan〉; *cod-liver oil.*

traanbeen 〈het〉 〈med.〉 **0.1** *lacrimal/ lachrymal bone.*

traanbuis 〈de〉 **0.1** *tear-duct* ⇒〈med.〉 *lachrymal duct.*

traangas 〈het〉 **0.1** *tear gas* ⇒*CS gas, (chemical) Mace, lacrimator, lachrymator.*

traangasbom 〈de〉 **0.1** *tear-gas bomb/ grenade.*

traankanaal 〈het〉 **0.1** *lacrimal/ lachrymal canal/ passage.*

traanklier 〈de〉 **0.1** *tear-gland* ⇒〈med.〉 *lachrymal gland.*

traankokerij 〈de (v.)〉 **0.1** *try-house* ◆ **2.1** drijvende ~ *factory-/ whaling-ship.*

traanogen 〈onov.ww.〉 **0.1** 〈zie 3.1,4.1〉 ◆ **3.1** uien schillen laat je ~ *peeling onions makes your eyes water/ makes you cry* **4.1** hij traanoogde *his eyes watered.*

traanoog 〈het〉 **0.1** [tranend oog] *watering/ watery/ weeping eye* **0.2** [〈schr.〉 betraand oog] *eye full of tears* 〈meestal mv.〉.

traanvocht 〈het〉 **0.1** *tear-water* ⇒*tears.*

traanzak 〈de (m.)〉 **0.1** *tear-bag/ -sac/ -pit* ⇒〈med.〉 *lacrimal/ lachrymal sac.*

tracé 〈het〉 **0.1** [afgebakende weg] *traced out/ marked out road (section)* **0.2** [〈spoorw.〉] *line* **0.3** [〈wwb.〉 afgetekende aslijn] *location line* **0.4** [〈wwb.〉 ontwerp, schets] *mapped out/ plotted road/ motorway* ⇒*trace* 〈fortificatie〉, *ground-plan* 〈gebouw〉 ◆ **6.2** op het ~ Amsterdam-Haarlem *on the l. from Amsterdam to Haarlem.*

traceerbaar 〈bn.〉 **0.1** *traceable.*

traceerijzer 〈het〉 **0.1** *tracer.*

traceerwerk 〈het〉 **0.1** [het traceren] *tracing* ⇒*plotting, mapping out* **0.2** [gemetselde versiering] *tracery* ◆ **6.2** met ~ versierd *traceried.*

tracer 〈de (m.)〉 〈nat.; schr.〉 **0.1** *tracer (element).*

traceren 〈ov.ww.〉 **0.1** [〈wwb.〉] *trace out* ⇒*mark out* **0.2** [een schets maken] *trace (out)* ⇒*plot, plan, map out* **0.3** [nasporen] *trace* ◆ **1.3** zijn voorouders ~ *t. one's ancestors.*

tracering →*traceerwerk.*

trachea 〈de (v.)〉 〈med.〉 **0.1** *trachea* ⇒*windpipe.*

tracheaal 〈bn.〉 **0.1** *tracheal.*

trachee 〈de (v.)〉 **0.1** [luchtpijp] *trachea* ⇒*windpipe* **0.2** [houtvat] *trachea.*

tracheotomie 〈de (v.)〉 **0.1** *tracheotomy.*

trachiet 〈het〉 **0.1** *trachyte.*

trachoom 〈het〉 **0.1** *trachoma.*

trachten 〈ov.ww.〉 **0.1** [pry] *attempt, endeavour, seek, strive* ◆ **3.1** ~ aan te tonen dat *t./ attempt/ endeavour/ seek/ strive to prove that;* getracht zal worden de overlast zo veel mogelijk te beperken *every effort will be made to minimize the annoyance* **8.1** een onderzoek waarmee men tracht aan te tonen dat *an investigation which tries/ attempts to show that* ¶**.1** men heeft nog tot het laatst getracht hem op andere gedach-

ten te brengen *till the very end, attempts were made to change his mind.*

tractie 〈de (v.)〉 **0.1** [het voorttrekken] *traction* ⇒*haulage* **0.2** [〈spoorw.〉] *locomotive department* **0.3** [〈med.〉] *traction* ◆ **1.2** de afdeling ~ en rollend materieel *the locomotive and rolling stock department* **2.2** lichte/ zware ~ *light/ heavy locomotives.*

tractus 〈de (m.)〉 **0.1** [liturgisch gezang] *tract* **0.2** [〈med.〉] *tract.*

tractuur 〈de (v.)〉 〈muz.〉 **0.1** *action.*

traditie 〈de (v.)〉 **0.1** [het overleveren] *tradition* **0.2** [wat overgeleverd is] *tradition* ⇒〈handelwijze〉 *custom, unwritten law* **0.3** [〈jur.〉] *tradition* ◆ **2.1** daar is een lange ~ aan verbonden *that has a long history* **2.2** getrouw aan de ~ *true to t.;* kerkelijke ~s *ecclesiastical traditions* **3.2** aan ~s hechten *cling to traditions;* een ~ doorbreken *break with t./ precedent;* een ~ in ere houden *uphold/ honour/ sustain a t.* **6.2** tegen alle ~ *in the face of t.;* een man **van** ~s *a man of tradition(s), a man of the old school/ guard;* **volgens** (de) ~ *by t..*

traditiegebonden 〈bn.〉 **0.1** *traditional* ⇒*tradition-bound.*

traditiegetrouw 〈bn., bw.; -ly〉 **0.1** *traditional* ⇒〈pred.〉 *true/ faithful to tradition.*

traditionalisme 〈het〉 **0.1** *traditionalism.*

traditionalist 〈de (m.)〉 **0.1** *traditionalist* ⇒〈mv. ook〉 *the old guard/ school.*

traditionalistisch 〈bn.〉 **0.1** *traditionalistic.*

traditioneel 〈bn., bw.; -ly〉 **0.1** [een traditie uitmakend] *traditional* **0.2** [gebruikelijk] *traditional* ⇒*customary, conventional, time-honoured* ◆ **1.1** de traditionele dodenherdenking *the t. commemoration of the dead* **1.2** de traditionele rolpatronen bevestigen/ doorbreken *reinforce/ break with the t. role models* **3.1** ze trouwen heel ~ *they're having a very t. wedding, they are getting married the old-fashioned way* **3.2** dat gebeurt ~ in september *that traditionally/ customarily happens in September;* dat is ~ een mannenberoep *that is traditionally/ by tradition a male profession/ a man's job.*

trafiek 〈de (v.)〉 **0.1** [industrieel bedrijf] *processing industry* **0.2** [lijndienst] *regular service.*

tragedie 〈de (v.)〉 **0.1** [〈dram.〉] *tragedy* **0.2** [droevige gebeurtenis] *tragedy* ⇒*calamity, catastrophe* ◆ **2.1** de Griekse ~ *Greek t.* **3.2** het huis waarin de ~ zich heeft voltrokken *the scene of the t..*

tragédienne 〈de (v.)〉 **0.1** *tragedienne.*

tragicus 〈de (m.)〉 **0.1** *tragedian.*

tragiek 〈de (v.)〉 **0.1** [het tragische] *tragedy* **0.2** [leer v.d. tragedie] *tragedy* ◆ **1.1** de ~ v.h. geval *the t. of the case, the tragic part/ side of the affair.*

tragikomedie 〈de (v.)〉 **0.1** [toneelstuk met tragische en komische taferelen] *tragicomedy* **0.2** [zowel tragisch als komisch geheel van voorvallen] *tragicomedy.*

tragikomisch 〈bn.〉 **0.1** *tragicomic.*

tragisch
I 〈bn.〉 **0.1** [treurig] *tragic* ⇒*tragical, catastrophic,* 〈zielig〉 *woeful, heartbreaking* **0.2** [eigen aan een tragedie] *tragic* ◆ **1.1** een ~ einde/ verhaal *a tragic ending/ story;* een ~e figuur *a tragic figure* **3.1** iets niet ~ opvatten *not cry over sth., not make a fuss over/ about sth.* **7.1** het ~e is *the tragedy of it is …;*
II 〈bw.〉 **0.1** [treurig] *tragically* ⇒*catastrophically* ◆ **3.1** ~ aflopen *end in tragedy/ catastrophe;* doe niet zo ~ *don't be so tragic about it.*

trailer 〈de (m.)〉 **0.1** [oplegger] *trailer* **0.2** [kampeerwagen] B*caravan,* A*trailer* **0.3** [〈film.〉] *trailer.*

trainen
I 〈onov.ww.〉 **0.1** [〈sport〉] *train* ⇒*work out, exercise* 〈voor conditie〉, *train down* 〈om gewicht te verliezen〉 ◆ **3.1** (weer) gaan ~ *go into training (again);* ik moet/ ga morgen ~ *I must/ I'm going to train/ practise tomorrow* **6.1** ~ **op** de backhand *t./ practise one's backhand;*
II 〈ov.ww.〉 **0.1** [〈sport〉] *train* ⇒*coach* **0.2** [oefenen in een vaardigheid] *train* ⇒*practise, exercise, drill* **0.3** [ontwikkelen] *train* ◆ **1.1** een elftal ~ *t./ coach a team;* een paard ~ *t. a horse;* dit team wordt getraind door een ervaren trainer *this team is trained/ coached by an experienced trainer/ coach* **1.3** zijn geheugen ~ *t. one's memory;* een getraind lichaam *a trained/ athletic body;* getrainde spieren *trained muscles* **4.2** zich ~ in iets *t. for/ practise sth.* **6.2** kaderleden ~ **in** vergadertechniek *t. executives in meeting techniques;* die hond is getraind **op** het opsporen van drugs *that dog is trained to sniff out drugs.*

trainer 〈de (m.)〉 〈sport〉 **0.1** *trainer* ⇒*coach.*

traineren
I 〈onov.ww.〉 **0.1** [treuzelen] *procrastinate* ⇒*stall, play a waiting game, play for time* **0.2** [blijven slepen] *hang fire* ⇒*be hung up, drag along* ◆ **1.2** de kwestie heeft lang getraineerd *that matter hung fire/ was hung up for ages* **6.1** met iets ~ *keep sth. hanging fire, delay/ stall sth.;*
II 〈ov.ww.〉 **0.1** [vertragen] *delay* ⇒〈uitspinnen〉 *protract, stall,* 〈uitstellen〉 *hold over, postpone* ◆ **1.1** hij probeert de zaak alleen maar te ~ *he's just dragging his feet.*

training 〈de (v.)〉 **0.1** [het trainen] *training* ⇒*practice, exercise* **0.2** [keer dat men traint] *workout* ◆ **2.2** een zware ~ *a heavy/ tough w.* **3.1** de ~ hervatten *resume t., go back into t.* **6.1** **in** ~ zijn *be in t..*

trainingskamp ⟨het⟩ **0.1** *training camp*.

trainingspak ⟨het⟩ **0.1** *tracksuit* ⇒*jogging suit*, ⟨AE ook⟩ *sweatsuit*, *warmups*.

trait-d'union ⟨het, de (m.)⟩ **0.1** [verbindingsstreepje] *hyphen* ⇒*dash* **0.2** [⟨fig.⟩ zaak, persoon] *link*; ⟨tussenpersoon⟩ *go-between*.

traite ⟨de⟩ **0.1** *draft*.

traiteur ⟨de (m.)⟩ **0.1** *domestic caterer*.

traject ⟨het⟩ **0.1** [wegverbinding] *route* ⇒*stretch*, ⟨stuk spoorlijn⟩ *section*, ⟨af te leggen afstand⟩ *distance, haul* **0.2** [⟨sport⟩] *course* ⇒*route* ◆ **2.¶** het kritisch ~ *the critical path* **3.2** het hele ~ afleggen *stay the c.* **6.1** een versperring op het ~ Groningen-Haren *an obstruction on the section between Groningen and Haren;* een ~ van vijf kilometer *a five-kilometre haul.*

trajectkaart ⟨de⟩ **0.1** *season ticket.*

trajectorie ⟨de (v.)⟩ ⟨wisk.⟩ **0.1** *trajectory.*

traktaat ⟨het⟩ **0.1** [verdrag] *treaty* ⇒*convention* **0.2** [verhandeling] *tract* ⇒*treatise* ◆ **6.1** bij ~ *by t..*

traktaatje ⟨het⟩ **0.1** *tract* ⇒*pamphlet.*

traktatie ⟨de⟩ **0.1** [feestelijk onthaal] *treat* **0.2** [lekkernij] *treat* ◆ **6.2** dat is een ~ voor mij *that's a t. for me.*

traktement ⟨het⟩ **0.1** *salary* ⇒*pay.*

trakteren ⟨onov., ov.ww.⟩ **0.1** [onthalen op lekkernijen] *treat* ⇒*feast, regale* **0.2** [aanbieden] *treat* ⇒*stand (treat)* ◆ **6.1** ~ op gebakjes/hartige hapjes *treat s.o. to cake/snacks, regale s.o. with cake/snacks;* ⟨iron.⟩ iem. op een pak slaag ~ *give s.o. a proper hiding* **6.2** ~ op een bioscoopje *t. to a film, stand treat for a film;* iem. op een dinertje ~ *treat s.o. to a dinner, stand s.o. a dinner, wine and dine s.o.* **¶.2** ik trakteer *this is my treat, this one's on me, I'm standing treat.*

tralala ⟨tw.⟩ **0.1** [reeks klanken] *trala(la)* **0.2** [wijze van zingen] *trala-(la).*

tralie
I ⟨de (v.)⟩ **0.1** [metalen spijl] *bar* ◆ **3.1** de vensters zijn van ~s voorzien *the windows are barred* **6.1** achter de ~s zitten *be behind bars;* iem. achter de ~s zetten *put s.o. behind bars, lock s.o. up, clap s.o. in(to) prison/jail, put s.o. under lock and key;*
II ⟨het, de (v.)⟩ ⟨nat.⟩ **0.1** [spiegelplaat] *grating.*

traliebrug ⟨de⟩ **0.1** *lattice bridge.*

traliedeur ⟨de⟩ **0.1** *barred door.*

traliehek ⟨het⟩ **0.1** *railings* ⟨hekwerk⟩.

tralieluik ⟨het⟩ **0.1** *grating.*

traliën ⟨ov.ww.⟩ **0.1** *bar* ⇒*grate, cross-bar, trellis* ⟨met latwerk⟩.

tralievenster ⟨het⟩ **0.1** ⟨met tralies ervoor⟩ *barred window;* ⟨(glas-in-lood) raam met gekruiste tralies⟩ *lattice window.*

traliewerk ⟨het⟩ **0.1** *lattice(-work)* ⇒*grating*, ⟨latwerk⟩ *trellis.*

tram ⟨de (m.)⟩ **0.1** [openbaar vervoermiddel] B*tram*, A*streetcar* ⇒⟨BE ook⟩ *tramcar*, ⟨AE ook⟩ *surface car* **0.2** [tramlijn] B*tram*, A*streetcar, route* **0.3** [tramwagen] B*tram*, A*streetcar* ⇒⟨BE ook⟩ *tramcar*, ⟨AE ook⟩ *surface car* **0.4** [dienst, bedrijf] B*tramway/* A*streetcar service* ⇒⟨BE ook⟩ *tramways* ◆ **3.1** de ~ pakken *take the/go by tram/streetcar* **6.1** met de ~ gaan *take the/go by tram/streetcar* **6.4** bij de ~ zijn *work on the tram/streetcar* **7.2** ~ twee gaat naar de haven *r. two/the number two tram goes to the harbour.*

tramabonnement ⟨het⟩ **0.1** B*tram/*A*streetcar season ticket.*

trambaan ⟨de⟩ **0.1** B*tram(way) track*, B*tramlines*, A*streetcar track.*

trambestuurder ⟨de (m.)⟩ **0.1** B*tramdriver*, A*streetcar driver* ⇒⟨AE ook⟩ *carman* ⟨m.⟩, *motorman* ⟨m.⟩, *carwoman* ⟨v.⟩.

trambeugel ⟨de (m.)⟩ **0.1** *pantograph.*

trambiljet ⟨het⟩ **0.1** B*tram(way) ticket*, A*streetcar ticket.*

tramconducteur ⟨de (m.)⟩, -**trice** ⟨de (v.)⟩ **0.1** B*tram/*A*streetcar conductor* ⟨m.⟩*/conductress* ⟨v.⟩ ⇒⟨AE ook⟩ *carman, carwoman* ⟨v.⟩.

tramhalte ⟨de⟩ **0.1** B*tramstop*, A*car-stop; cars stop here* ⟨bord⟩.

tramhuisje ⟨het⟩ **0.1** B*tram-/*A*streetcar-shelter.*

traminer ⟨de (m.)⟩ **0.1** *Traminer.*

tramkaart ⟨de⟩ **0.1** B*tramcard*, A*streetcar season ticket.*

tramkaartje ⟨het⟩ **0.1** B*tram(way)/*A*streetcar ticket.*

tramlijn ⟨de⟩ **0.1** [tramverbinding] B*tram/*A*streetcar route/service/line* **0.2** [tramweg] B*tramway*, B*tramlines*, B*tram track*, A*streetcar track.*

trammaatschappij ⟨de (v.)⟩ **0.1** B*tramway/*A*streetcar company.*

trammelant ⟨de⟩ ⟨inf.⟩ **0.1** [moeilijkheden] *trouble* **0.2** [ruzie] *rumpus* ⇒⟨BE ook⟩ *shindy* ◆ **3.1** dat geeft alleen maar een hoop ~ *that will cause nothing but t.;* daar krijg je ~ mee *that will give you no end of t., that is going to give you nothing but t.* **3.2** ze hebben weer ~ gehad *they've been at it/at each other's throats again;* ~ maken/schoppen *kick up a r./shindy* **¶.1** zich ~ op de hals halen *get o.s. into t., get into hot water.*

trammen ⟨onov.ww.⟩ **0.1** B*tram, take a* B*tram/*A*streetcar* ◆ **5.1** heen en terug ~ *(take the) tram/streetcar there and back.*

tramnet ⟨het⟩ **0.1** [tramlijnen] B*tramway/*A*streetcar system* **0.2** [stroomen ophangdraden] B*tram/*A*streetcar cables.*

tramontane ⟨de⟩ **0.1** *pole star* ⇒*North star* ◆ **3.1** ⟨fig.⟩ zijn ~ kwijt raken/verliezen *be at sea, lose one's bearings.*

trampoline ⟨de (v.)⟩ **0.1** *trampoline.*

trampolinespringen ⟨ww.⟩ **0.1** *trampolining.*

trampvaart ⟨de⟩ **0.1** *tramp shipping/trade.*

tramrail ⟨de⟩ **0.1** B*tram/*A*streetcar line/rail.*

tramremise ⟨de (v.)⟩ **0.1** ⟨vnl. BE⟩ *(tram) depot*, ⟨vnl. AE⟩ *carbarn.*

tramwagen ⟨de (m.)⟩ **0.1** B*tram(car)*, A*streetcar.*

tramweg ⟨de (m.)⟩ **0.1** B*tramway*, A*streetcar track* ⇒⟨BE ook⟩ *tramlines, tram(way) track.*

trance ⟨de⟩ **0.1** [toestand van gewijzigd bewustzijn] *trance* **0.2** [extase] *trance* ⇒*ecstasy, rapture* ◆ **6.1** in ~ raken *fall/go into a t.;* iem. in ~ brengen *send s.o. into a t., entrance s.o..*

tranche ⟨de⟩ **0.1** *portion; parcel, block, line* ⟨aandelen⟩.

trancheermes ⟨het⟩ **0.1** *carving knife.*

trancheervork ⟨de⟩ **0.1** *carving fork.*

trancheren ⟨onov., ov.ww.⟩ **0.1** [in plakken/stukken snijden] *carve* **0.2** [beslissing nemen] *decide* ⇒*come to/reach a decision/conclusion, make up one's mind.*

tranen ⟨onov.ww.⟩ **0.1** [traanvocht afscheiden] *run* ⇒*water, tear* **0.2** [druppels afscheiden] *weep, bleed* ◆ **1.1** ~de ogen *running/watering eyes;* ⟨vaak tranend⟩ *watery/runny eyes;* van uien gaan mijn ogen ~ *onions make my eyes water.*

tranendal ⟨het⟩ **0.1** *vale of tears* ◆ **2.1** het aardse ~ *this/the v. of tears.*

tranenkruikje ⟨het⟩ **0.1** *lachrymal vase* ⇒*lachrymatory.*

tranenlach ⟨de (m.)⟩ **0.1** *tearful smile.*

tranentrekker ⟨de (m.)⟩ **0.1** *tear-jerker* ⇒*sob story.*

tranenvloed ⟨de (m.)⟩ **0.1** [grote hoeveelheid tranen] *flood of tears* **0.2** [ziekelijke afscheiding van tranen] *excess lacrimation* ◆ **3.1** de ~ proberen te stuiten *try to stem the f. of tears.*

tranig ⟨bn.⟩ **0.1** *train-oily* ⟨als van walvistraan⟩ ◆ **1.1** een ~e smaak *a taste like train-oil.*

tranquillamente ⟨bw.⟩ ⟨muz.⟩ **0.1** *tranquillamente.*

tranquillizer ⟨de (m.)⟩ **0.1** *tranquillizer* ⇒*calmative, sedative, ataractic* ◆ **6.1** ⟨inf.⟩ onder de ~s zitten ⟨ook⟩ *be on downers.*

trans ⟨de (m.)⟩ **0.1** [borstwering] *battlement(s)* ⇒*rampart(s)* **0.2** [kooromgang] *gallery* **0.3** [⟨schr.⟩ hemel] *firmament* ⇒*vault of heaven.*

transactie ⟨de (v.)⟩ **0.1** [handelsovereenkomst] *transaction* ⇒*deal, bargain* **0.2** [uitwisseling van zaken of rechten] *(out-of-court) settlement/compromise* **0.3** [⟨jur.⟩ afkoop van rechtsvervolging] *discharge of liability to conviction by payment of a fixed penalty* ◆ **2.1** financiële ~s *financial transactions, banking operations* **3.1** een ~ afsluiten *conclude/effect a t., make/bring off/pull off/do a deal;* ⟨inf.⟩ *make/strike a bargain.*

transalpijns ⟨bn.⟩ **0.1** *transalpine.*

transatlantisch ⟨bn.⟩ **0.1** [aan de andere zijde v.d. Atlantische Oceaan] *transatlantic* **0.2** [over de Atlantische Oceaan] *transatlantic* ◆ **1.2** een ~e vlucht *a t. flight.*

transcendent ⟨bn.⟩ **0.1** [bovenzinnelijk] *transcendent* ⇒*transcendental*, ⟨soms pej.⟩ *otherworldly* **0.2** [transcendentaal] *transcendental* **0.3** [⟨theol.⟩] *transcendent* **0.4** [⟨wisk.⟩] *transcendent* ⇒*transcendental* ◆ **1.1** een ~e ervaring *a transcendental experience* **1.2** ~e meditatie *t. meditation.*

transcendentaal ⟨bn.⟩ **0.1** [bovenzinnelijk] *transcendental* **0.2** [⟨fil.⟩] *transcendental* **0.3** [⟨wisk.⟩] *transcendental* ⇒*transcendent.*

transcendentalisme ⟨het⟩ **0.1** *transcendentalism.*

transcendentie ⟨de (v.)⟩ **0.1** [bovenzinnelijkheid] *transcendence* ⇒*transcendency*, ⟨soms pej.⟩ *otherworldliness* **0.2** [⟨theol.⟩] *transcendence* ⇒*transcendency.*

transcenderen ⟨ov.ww.⟩ **0.1** [te boven gaan] *transcend* **0.2** [verheffen] *transcend* ⇒*exalt, elevate, transfigure.*

transcontinentaal ⟨bn.⟩ **0.1** *transcontinental* ◆ **1.1** transcontinentale luchtverbindingen *t. air routes.*

transcriberen ⟨ov.ww.⟩ **0.1** [overbrengen in een andere vorm] *transcribe* ⇒*(letters/tekens ook) transliterate* **0.2** [⟨radio⟩] *transcribe* ◆ **6.1** in het latijnse alfabet ~ *romanize, Latinize.*

transcript ⟨het⟩ **0.1** *transcript* ⇒*copy.*

transcriptie ⟨de (v.)⟩ **0.1** [mbt. letters/tekens] *transcription* ⇒*transliteration* **0.2** [⟨muz.⟩] *transcription* **0.3** [mbt. andere informatie] *transcription* ◆ **2.1** fonetische ~ *phonetic transcription.*

transcultureel ⟨bn.⟩ **0.1** *transcultural.*

transept ⟨het⟩ **0.1** *transept.*

transferaanvraag ⟨de⟩ **0.1** *transfer request/* ⟨krantentaal⟩ *demand* ⇒*application/request for transfer.*

transferabel ⟨bn.⟩ ⟨jur.⟩ **0.1** *transferable.*

transferbalie ⟨de (v.)⟩ **0.1** *transfer counter.*

transferbureau ⟨het⟩ **0.1** [⟨sport⟩] *transfer agency* **0.2** [⟨ec.⟩] *academic liaison office.*

transfereren ⟨ov.ww.⟩ **0.1** [⟨sport⟩] *transfer* **0.2** [⟨geldw.⟩] *transfer* **0.3** [uitstellen] *postpone.*

transferlijst ⟨de⟩ ⟨sport⟩ **0.1** *transfer list.*

transfermarkt ⟨de⟩ **0.1** *transfer market.*

transferperiode ⟨de (v.)⟩ ⟨sport⟩ **0.1** *transfer period.*

transferpunt ⟨het⟩ **0.1** *scientific advice/information centre.*

transfersom ⟨de⟩ **0.1** *transfer fee.*

transfiguratie ⟨de (v.)⟩ **0.1** [verheerlijkende vervorming] *transfiguration* **0.2** [voorstelling daarvan] *transfiguration.*

transfigureren ⟨ov.ww.⟩ **0.1** *transfigure* ⇒*glorify*.
transformatie ⟨de (v.)⟩ **0.1** [gedaanteverwisseling] *transformation* **0.2** [⟨nat.⟩] *transformation* **0.3** [⟨schei.⟩] *transformation* **0.4** [⟨wisk.⟩] *transformation* **0.5** [⟨taal.⟩] *transformation*.
transformationalisme ⟨het⟩ **0.1** *transformationalism*.
transformationeel ⟨bn.⟩ **0.1** *transformational* ◆ **2.1** de ~-generatieve grammatica *t.-generative grammar*.
transformator ⟨de (m.)⟩ **0.1** *transformer*.
transformatorhuisje ⟨het⟩ **0.1** *transformer kiosk*.
transformeren ⟨ov.ww.⟩ **0.1** [van gedaante doen veranderen] *transform in(to)* **0.2** [⟨elek.⟩] *transform*.
transformisme ⟨het⟩ ⟨biol.⟩ **0.1** *transformism*.
transfusie ⟨de (v.)⟩ ⟨med.⟩ **0.1** *transfusion*.
transgressie ⟨de (v.)⟩ **0.1** [overschrijding] *transgression* ⇒*breach (of), infringement* **0.2** [⟨geol.⟩] *transgression* ◆ **2.2** mariene ~ *marine t.*.
transigeren ⟨onov.ww.⟩ **0.1** *make a compromise* ⇒*effect / arrange a compromise*.
transistor ⟨de (m.)⟩ **0.1** [⟨elek.⟩] *transistor* **0.2** [radio] *transistor (radio)*.
transit ⟨de (m.)⟩ **0.1** [doorvoer] *transit* **0.2** [tussenstop] *stopover*.
transitie ⟨de (v.)⟩ **0.1** [overgang] *transition* ⇒*passage* **0.2** [⟨muz.⟩] *transition*.
transitief¹ ⟨het⟩ **0.1** *transitive*.
transitief² ⟨bn.⟩ **0.1** [⟨taal.⟩] *transitive* **0.2** [⟨wisk.⟩] *transitive* ◆ **1.1** transitieve werkwoorden *t. verbs, transitives*.
transitiviteit ⟨de (v.)⟩ **0.1** *transitiveness* ⇒*transitivity*.
transito ⟨het, de (m.)⟩ **0.1** *transit*.
transitogoederen ⟨zn.mv.⟩ **0.1** *transit goods* ⇒*goods in transit*.
transitohandel ⟨de (m.)⟩ **0.1** *transit trade*.
transitohaven ⟨de⟩ **0.1** *transit port* ⇒*port of transit*.
transitoir ⟨bn.⟩ **0.1** *transitory* ⇒*temporary, provisional* ◆ **1.1** ~e bepalingen *temporary provisions*.
transitorisch ⟨bn.⟩ **0.1** [voorbijgaand] *transitory* ⇒*transient, temporary* **0.2** [voordraagbaar] *transitory* ◆ **1.2** ~e posten *t. items*.
transitorium ⟨het⟩ **0.1** *temporary accomodation*.
transitvisum ⟨het⟩ **0.1** *transit visa*.
translatie ⟨de (v.)⟩ **0.1** [overbrenging] *translation* ⇒*transfer, conveyance* **0.2** [⟨jur.⟩] *translation* ⇒*transfer* **0.3** [⟨wisk.⟩] *translation* **0.4** [⟨bioch.⟩] *translation* **0.5** [overbrenging van relieken] *translation*.
translatief ⟨bn.⟩ ⟨jur.⟩ **0.1** *translative, derivative* ◆ **1.1** translatieve rechtverkrijging *d. acquisition, acquisition of right by transfer / assignment*.
translitteratie ⟨de (v.)⟩ **0.1** *transliteration*.
translocatie ⟨de (v.)⟩ **0.1** [verplaatsing] *translocation* ⇒*conduction* **0.2** [biochemie] *translocation*.
transmigratie ⟨de (v.)⟩ **0.1** [verhuizing v.e. bevolkingsgroep] *(trans)migration* **0.2** [zielsverhuizing] *transmigration* ⇒*metempsychosis*.
transmissie ⟨de (v.)⟩ **0.1** [overdracht] *transmission* **0.2** [overbrenging van kracht / beweging / informatie] *transmission* **0.3** [machinedelen] *transmission* ⇒*gear, gearing, gearbox* **0.4** [⟨nat.⟩] *transmission*.
transmissieas ⟨de⟩ **0.1** *transmission shaft*.
transmitteren ⟨ov.ww.⟩ **0.1** *transmit*.
transmutabel ⟨bn.⟩ **0.1** *transmutable*.
transmutatie ⟨de (v.)⟩ **0.1** [overbrenging, het overgaan in een andere soort] *transmutation* **0.2** [⟨schei.⟩] *transmutation* **0.3** [⟨biol.⟩] *transmutation*.
transmutatietheorie ⟨de (v.)⟩ **0.1** *transmutation theory*.
transmuteren ⟨ov.ww.⟩ **0.1** *transmute*.
transparant¹ ⟨het⟩ **0.1** [voorwerp / scherm dat doorschijnt] *transparent screen* ⇒*transparency* **0.2** [blad met lijnen als onderlegger] *line guide, ruled sheet (placed under writing paper)* **0.3** [afbeelding op doorschijnende ondergrond] *transparency*.
transparant² ⟨bn.⟩ **0.1** [doorzichtig] *transparent* ⇒*clear, pellucid* **0.2** [doorschijnend] *transparent* ⇒*translucent* ◆ **1.2** ~e kleuren *transparent / translucent colours*.
transparantie ⟨de (v.)⟩ **0.1** [het transparant zijn] *transparency* **0.2** [⟨nat.⟩] *transmittance*.
transparantje ⟨het⟩ **0.1** *transparent sheet*.
transpiratie ⟨de (v.)⟩ **0.1** [het zweten] *perspiration* ⇒⟨med.⟩ *transpiration* **0.2** [mbt. planten] *transpiration* **0.3** [zweet] *perspiration,* ↓*sweat*.
transpiratiegeur ⟨de (m.)⟩ **0.1** *body / perspiration odour;* ⟨inf⟩ *B.O.*.
transpiratievlek ⟨de (v.)⟩ **0.1** *perspiration mark*.
transpiratievocht ⟨het⟩ **0.1** *perspiration*.
transpireren ⟨onov.ww.⟩ **0.1** [zweten] *perspire* ⇒ ↓*sweat,* ⟨med.⟩ *transpire* **0.2** [mbt. planten] *transpire*.
transplantaat ⟨het⟩ **0.1** *transplant* ⇒*graft*.
transplantatie ⟨de (v.)⟩ **0.1** ⟨n.-telb.⟩ *transplantation;* ⟨ook telb.⟩ *transplant;* ⟨operatie ook⟩ *grafting* ◆ **1.1** hij heeft een ~ van de alvleesklier ondergaan *he has had a pancreas transplant*.
transplanteren ⟨ov.ww.⟩ **0.1** *transplant* ⇒*graft* ◆ **1.1** een nier ~ *t. a kidney*.
transpolair ⟨bn.⟩ **0.1** *transpolar*.
transponeren ⟨de (m.)⟩ **0.1** [overzetten] *transpose* **0.2** [⟨muz.⟩] *transpose* **0.3** [omzetten] *transpose* **0.4** [overbrengen in ander verband] *transfer* ⇒*transpose*.

transport ⟨het⟩ **0.1** [vervoer] *transport* ⇒*conveyance, haulage, carriage,* ⟨vnl. AE⟩ *transportation* **0.2** [keer dat vervoer plaats heeft] *transport* **0.3** [⟨boekhouden⟩] *balance (brought) forward* ⇒*carry-forward / -over, brought-forward (figure)* **0.4** [⟨jur.⟩] *transfer* ⇒*conveyance* **0.5** [lading] *cargo, freight* **0.6** [kosten van vervoer] *freight (charges)* ⇒*carriage, haulage* **0.7** [⟨geol.⟩] *transportation* **0.8** [⟨plantk.⟩] *transport, conduction* ◆ **1.2** ~en van gevangenen *transportations of prisoners* **1.4** brieven / akten van ~ *letters / deeds of t. / conveyance, conveyances* **1.5** een ~ troepen / levensmiddelen *a convoy of troops / cargo of food* **6.1** op ~ stellen *dispatch;* tijdens het ~ in / *during transit*.
transportabel ⟨bn.⟩ **0.1** *transportable* ⇒*portable*.
transportakte ⟨de⟩ **0.1** *(deed of) conveyance / transfer*.
transportarbeider ⟨de (m.)⟩ **0.1** *transport worker*.
transportatie ⟨de (v.)⟩ **0.1** [het transporteren, getransporteerd worden] *transport;* ⟨AE vnl.⟩ *transportation* ⇒*conveyance, carriage, haulage* **0.2** [deportatie] *transportation* ⇒*deportation*.
transportband ⟨de (m.)⟩ **0.1** [band tot vervoer van materiaal] *conveyer or (belt)* ⇒*band / belt conveyer* **0.2** [installatie met zo'n band] *conveyor (belt)* ⇒*band / belt conveyor*.
transporteerbaar ⟨bn.⟩ **0.1** *transportable* ⇒*portable,* ↑*conveyable*.
transporteren
  I ⟨ov.ww.⟩ **0.1** [vervoeren] *transport* ⇒*convey, carry* **0.2** [overdragen] *convey* ⇒*transfer* **0.3** [⟨boekhouden⟩] *carry forward / over* ⇒ *bring forward* ◆ **1.1** een zieke / gevangene ~ *move a patient / t. a prisoner;*
  II ⟨onov., ov.ww.⟩ **0.1** [⟨foto⟩ doordraaien] *wind (the film)(on)*.
transporteur ⟨de (m.)⟩ **0.1** [ondernemer] *carrier* ⇒*conveyer / or,* ⟨mbt. wegtransport⟩ ᴮ*haulier,* ᴬ*hauler* **0.2** [toestel voor verplaatsing] *transporter* ⇒⟨band⟩ *conveyor (belt),* ⟨laadbrug⟩ *loading bridge* **0.3** [graadboog] *protractor* **0.4** [onderdeel v.e. machine] *transmission*.
transportfiets ⟨de⟩ **0.1** *carrier bicycle*.
transportkosten ⟨zn.mv.⟩ **0.1** *transport / ⟨AE ook⟩ transportation costs / charges* ⇒*cost(s) of transport / ⟨jur. ook⟩ carriage,* ⟨bij wegvervoer ook⟩ *haulage (costs / charges)*.
transportmiddel ⟨het⟩ **0.1** *(means of) transport;* ⟨voertuig⟩ *vehicle;* ↑*conveyance* ◆ **2.1** eigen ~ *own transport*.
transportonderneming ⟨de (v.)⟩ **0.1** *transport undertaking* ⇒*transport concern / agency, carrying / carrier's business,* ⟨wegvervoer ook⟩ *haulage business*.
transportrecht ⟨het⟩ **0.1** [verschuldigd bedrag] *carriage (fee)* ⇒*handling costs* **0.2** [recht betreffende vervoer] *law of carriage* ⇒*law of goods*.
transportschip ⟨het⟩ **0.1** *transport (ship);* ⟨van troepen⟩ *troopship*.
transporttoestel ⟨het⟩ **0.1** *transport (plane) / ↑ aircraft)*.
transportvliegtuig ⟨het⟩ **0.1** *transport aircraft* ⇒*transport (plane),* ⟨mil. ook⟩ *troop carrier*.
transportwagen ⟨de (m.)⟩ **0.1** ᴮ*lorry, van,* ᴬ*truck*.
transportwezen ⟨het⟩ **0.1** *transport* ⇒⟨AE ook⟩ *transportation*.
transpositie ⟨de (v.)⟩ **0.1** [omzetting] *transposition* **0.2** [verplaatsing] *transposition*.
transseksisme ⟨het⟩ **0.1** *transsexualism*.
transseksualisme, transseksualiteit →*transseksisme*.
transseksueel¹ ⟨de (m.)⟩ **0.1** *transsexual*.
transseksueel² ⟨bn.⟩ **0.1** *transsexual*.
transsiberisch ⟨bn.⟩ **0.1** *Trans-Siberian*.
transsistorradio ⟨de (m.)⟩ **0.1** *transistor (radio);* ⟨BE; inf.⟩ *tranny*.
transsubstantiatie ⟨de (v.)⟩ ⟨r.k.⟩ **0.1** *transsubstantiation*.
transsubstantiëren ⟨onov.ww.⟩ **0.1** *transsubstantiate*.
Transvaal ⟨het⟩ **0.1** *(the) Transvaal*.
Transvaals ⟨bn.⟩ **0.1** *Transvaal* ⇒*Transvaalian*.
transvers ⟨bn.⟩ **0.1** *transverse* ⇒*transversal* ◆ **1.1** de ~e as v.e. hyperbool *the transverse (axis) of a hyperbola*.
transversaal¹
  I ⟨de⟩ **0.1** [⟨wisk.⟩] *transversal;*
  II ⟨de (m.)⟩ **0.1** [⟨geneal.⟩] *collateral*.
transversaal²
  I ⟨bn.⟩ **0.1** [dwars] *transverse* ⇒*transversal* **0.2** [⟨wisk.⟩] *transversal* ◆ **1.1** transversale golf *transverse wave;*
  II ⟨bn., bw.; -ly⟩ **0.1** [⟨geneal.⟩] *collateral*.
transvestie ⟨de (v.)⟩ →*travestie* **0.1**.
transvestiet ⟨de (m.)⟩ →*travestiet*.
transvestitisme →*transvestie*.
trant ⟨de (m.)⟩ ⟨→sprw. 382⟩ **0.1** [manier] *style* ⇒*manner, fashion* **0.2** [soort] *kind* ⇒*sort, type* ◆ **6.1** schilderen in de ~ van Rubens *paint in / after the s. / manner of Rubens;* in dezelfde ~ *(all) in the same key;* in de middeleeuwse ~ opgevoerd *performed in the medieval manner* **6.2** iets in die ~ *something of the k. / sort, something like that;* hij zei iets in de ~ van 'laat maar zitten' *he said 'forget it' or sth. to that effect;* ik zoek iets in de ~ van luxaflex *I'm looking for sth. like a Venetian blind*.
trap ⟨de (m.)⟩ **0.1** [constructie van treden] *(flight of) stairs* ⇒*staircase, stairway, (flight of) steps* ⟨steen⟩, ⟨keukentrap⟩ *stepladder* **0.2** [schop] *kick* **0.3** [het trappen op de fiets] *pedalling* ᴬ*ling* **0.4** [graad,

mate] *level* ⇒*degree, plane, grade* **0.5** [stadium] *stage* ⇒*phase, step* **0.6** [trede] *step* ⇒*stair, tread, rung* ⟨van ladder⟩ **0.7** [⟨taal.⟩] *degree* **0.8** [deel van een raket] *stage* **0.9** [⟨muz.⟩] *tone* ⇒⟨AE ook⟩ *step* ♦ **1.5** de drie ~pen v.d. mystiek *the three stages of enlightenment* **1.7** de ~pen van vergelijking *the degrees of comparison* **2.1** een Amerikaanse ~ *a stepladder, (a pair of) steps*; ⟨fig.⟩ zij woont drie ~pen hoog *she lives three stairs/floors up, she lives on the third floor/storey*; een steile ~ *steep stairs, a steep staircase*; een vaste ~ *a fixed staircase* **2.2** ⟨sport⟩ vrije ~ *free/onside k.* **2.3** het was een hele ~ *it was quite a pull/haul* **2.4** op een hoge ~ van beschaving/ontwikkeling staan *have reached a high degree of civilization/stage of development* **2.6** ⟨fig.⟩ op de hoogste ~ v.d. maatschappelijke ladder staan *be at the top of the (social) ladder/tree/totempole* **2.7** de stellende/vergrotende/overtreffende ~ *the positive/comparative/superlative d.* **3.1** de ~ afgaan *go down(stairs)*; de ~ afhollen *charge/run down the stairs*; iem. de ~ afschoppen *kick s.o. downstairs*; ~ pen lopen *go up and down stairs/upstairs and downstairs*; de ~ opgaan/oprennen/opstormen *go upstairs, go up/mount/climb the stairs* ⟨gaan⟩; *run/tear up the stairs* ⟨stormen⟩ **3.2** iem. een ~ geven *kick s.o. ('s behind), give s.o. a k. in the pants/*[B]*arse/*[A]*ass*; een ~ v.e. paard krijgen *get a k. from/be kicked by a horse*; iem. een ~ nageven ⟨fig.⟩ *hit s.o. when he's down* **3.5** een zekere ~ bereiken *reach a certain stage* **5.2** hij kreeg nog een ~ na *they kicked him when he was down, he received a parting/Parthian shot/shaft* **6.1** boven/onder/beneden **aan** de ~ *at the head/at the foot/bottom of the stairs;* ⟨fig.⟩ op één ~ wonen *live on the same landing*; al die schoenen **op** de ~ is levensgevaarlijk *it's very dangerous to leave all those shoes on the stairs*; hij is **van** de ~ gevallen ⟨fig.⟩ *he's just been shorn/cropped*; **van** de ~ vallen *fall/tumble downstairs/down the stairs.*

trapas ⟨de⟩ **0.1** *crank axle* ⇒*crankshaft.*
trapauto ⟨de (m.)⟩ **0.1** ≠*kiddie-car.*
trapboom ⟨de (m.)⟩ **0.1** *stringboard.*
trapdeur ⟨de⟩ **0.1** ⟨door at the head/foot of a flight of stairs⟩.
trapeze ⟨de⟩ **0.1** [zweefrek] *trapeze* **0.2** [mbt. een zeilboot] *trapeze.*
trapezewerker ⟨de (m.)⟩ **0.1** *trapeze artist.*
trapezium ⟨het⟩ **0.1** [vierhoek] [B]*trapezium*, [A]*trapezoid* **0.2** [handwortelbeentje] *trapezium (bone).*
trapeziumvormig ⟨bn.⟩ **0.1** *trapezial*, [A]*trapezoid(al).*
trapezoïde ⟨de (v.)⟩ **0.1** [B]*trapezoid*, [A]*trapezium.*
trapgang ⟨de (m.)⟩ **0.1** ≠*stairwell* ⟨trappenhuis⟩.
trapgans ⟨de⟩ **0.1** *bustard.*
trapgat ⟨het⟩ **0.1** [opening waardoor men de trap bereikt] *(stair)well* ⇒*wellhole* **0.2** [gat waarin een trap is geplaatst] *(stair)well* ⇒*wellhole.*
trapgevel ⟨de (m.)⟩ **0.1** *(crow-)stepped gable* ⇒*step-roof/-gable, corbie-gable/-steps* ♦ **6.1** een huis met een ~ *step-roofed/-gabled house.*
traphekje ⟨het⟩ **0.1** *stair gate.*
trapjaar ⟨het⟩ **0.1** ⟨last of seven/nine/ten consecutive years⟩.
trapkast ⟨de⟩ **0.1** [kast onder een trap] *stair cupboard* ⇒*broom closet* **0.2** [ruimte waarin een trap is geplaatst] *(stair)well* ⇒*wellhole.*
trapkruk ⟨de⟩ **0.1** *low stepladder.*
trapleer ⟨de⟩ **0.1** *stepladder* ⇒⟨BE; inf.⟩ *steps.*
trapleuning ⟨de (v.)⟩ **0.1** *(stair) handrail* ⇒*ban(n)ister* ⟨met spijlen⟩.
traploper ⟨de (m.)⟩ **0.1** *stair carpet* ⇒*runner.*
trapnaaimachine ⟨de (v.)⟩ **0.1** *treadle sewing-machine.*
trappelen ⟨onov.ww.⟩ **0.1** [de voeten oplichten en weer neerzetten] *stamp* ⇒*dance, tap one's foot,* ⟨fig.⟩ *fret and fume* **0.2** [de benen optrekken en weer uitstrekken] *kick* ♦ **1.1** ~ de paarden *stamping (and pawing) horses* **3.1** ⟨fig.⟩ ik sta niet te ~ om het te doen *I'm not so keen on doing it*; de kinderen stonden te ~ ⟨fig.⟩ *the children were straining at the leash/raring to go/all on edge to go* **6.1** met de voeten ~ *s. one's feet*; staan te ~ **om** te vechten *be raring to fight, be spoiling for a fight*; ~ **van** de kou *s. one's feet with cold*; ~ **van** woede/pijn *dance with rage/pain*, *s. one's feet with rage*; ~ **van** ongeduld *strain at the leash; be itching/dying (to do sth./go somewhere)* ⟨enz.⟩).
trappelzak ⟨de (m.)⟩ **0.1** *infant's sleeping bag,* [A]*bunting.*
trappen ⟨→sprw. 142⟩
I ⟨onov.ww.⟩ **0.1** [de voet neerzetten] *step* ⇒*tread* **0.2** [de voet drukken] *step* ⇒*stamp, trample* ⟨hard⟩ **0.3** [fietsen] *pedal* ♦ **5.1** ⟨fig.⟩ ergens in ~ *fall for sth., rise to the bait, buy sth.* **6.1** in de poep ~ *step on/in a (dog's) turd;* ⟨fig.⟩ daar trap ik niet **in** *I'm not having any, I won't buy that;* **in** een stuk glas ~ *s. on a piece of glass;* iem. **op** de tenen/hielen ~ *s./tread on s.o.'s toes/heels;* ⟨fig.⟩ *tread/s. on s.o.'s toes/coins* **6.2** **op** een pedaal ~ *step on a pedal;* ⟨fig.⟩ (gauw) **op** zijn tenen getrapt zijn *be in a huff/* ⟨inf.⟩ *miffed;* ⟨gauw⟩ *be touchy, be quick to take offence;* naar de rem/het rempedaal ~ *slam the brakes on* **6.3** hij is alleen **naar** huis getrapt *he pedalled* [A]*aled home alone;*
II ⟨onov.ww., ov.ww.⟩ **0.1** [schoppen] *kick* ⇒⟨inf.⟩ *boot*, ⟨paard, enz. ook⟩ *fling/lash out* ♦ **5.1** trap niet zo gemeen *stop that kicking, you're hurting me* **6.1** in iemands maag ~ *grind one's foot into s.o.'s stomach;* je trapte **tegen** mijn been *you kicked (against) my leg;* **tegen** een bal ~ *k. a ball;* ⟨fig.⟩ **tegen** alles ~ wat katholiek is *hit out at everything Catholic;*
III ⟨ov.ww.⟩ **0.1** [door trappen op een plaats/in een toestand brengen] *kick* ⇒*tread* ⟨klei, druiven⟩, *trample* ⟨stampen⟩ ♦ **1.1** een balletje ~ *have a game of football;* het orgel ~ *blow the organ, blow/ply the bellows* **1.¶** keet/rotzooi/herrie ~ *horse/lark about/around, skylark* ⟨ongein⟩; *kick up a rumpus/* ⟨BE ook⟩ *shindy* ⟨herrie⟩; lol ~ *horse/lark about/around, skylark* **2.1** een deur kaal ~ *k. the paint off a door;* een kistje stuk ~ *k. a crate to pieces* ⟨schoppend⟩; *trample a crate to pieces* ⟨vertrappen⟩ **5.1** ⟨fig.⟩ eruit getrapt zijn *have got/been given the boot/sack* ⟨ontslagen⟩; *have been kicked out* ⟨klas⟩; iem. het huis uit ~ ⟨fig.⟩ *kick/* ⟨inf.⟩ *boot s.o. out of the house* **6.1** een stuk hout **in** de grond ~ *stamp a piece of wood into the ground.*
trappenhuis ⟨het⟩ **0.1** *(stair)well* ⇒*staircase.*
trappenlopen ⟨ww.⟩ **0.1** *going up and down (the) stairs/using the stairs, stair-climbing, climbing (of) stairs* ♦ **4.1** drie etages; dat betekent heel wat ~ *three floors - that means a lot of stair-climbing/a lot of stairs* **¶.1** ~ gaat nog moeilijk na de operatie *using the stairs is still difficult after the operation.*
trapper ⟨de (m.)⟩ **0.1** [pedaal] *pedal* ⇒*treadle* **0.2** [⟨inf.⟩ schoen] ⟨ongemarkeerd⟩ *shoe* **0.3** [pelsjager] *trapper* **0.4** [iem. die trapt] *treadler* ⟨orgel, naaimachine⟩ ⇒⟨BE; voetbal⟩ *kick* ♦ **6.1** op de ~s gaan staan *throw one's weight on the pedals, stand on the pedals, put on a burst of speed.*
trapperon ⟨de (m.)⟩ **0.1** *place-mat.*
trappist ⟨de (m.)⟩ **0.1** *Trappist* ⇒*Cistercian.*
trappistenbier ⟨het⟩ **0.1** *Trappist beer.*
trapportaal ⟨het⟩ **0.1** *landing* ⇒*stairhead* ⟨bovenaan trap⟩.
traproede ⟨de⟩ **0.1** *stair rod* ⇒*carpet rod.*
trapsgewijs ⟨bn., bw.; -ly⟩ **0.1** *gradual* ⇒*step-by-step* ♦ **1.1** trapsgewijze plaatsing *phased placement* ⟨van wapens⟩ *deployment;* een trapsgewijze toename *a g. increase;* trapsgewijze vermindering *de-escalation;* trapsgewijze voortgang/ontwikkeling *step-by-step progress/development* **3.1** ~ opklimmen *climb gradually/step by step;* ~ verminderen/verlagen *step down, de-escalate.*
trapspijl ⟨de⟩ **0.1** *(upright of a/the) banister;* ⟨gedraaid zuiltje⟩ *baluster* ⇒*banister upright.*
trapstarter ⟨de (m.)⟩ **0.1** *kick-start(er).*
trapstoel ⟨de⟩ **0.1** *step stool.*
traptrede ⟨de⟩ **0.1** *step* ⇒*stair, tread, rung* ⟨van ladder⟩.
trapveldje ⟨het⟩ **0.1** *grassplot* ⇒*empty lot,* ⟨AE ook⟩ *sandlot.*
trapvormig ⟨bn.⟩ **0.1** *step-like.*
trapzaal ⟨de⟩ ⟨AZN⟩ **0.1** *(stair)well* ⇒*staircase.*
tras
I ⟨het, de (m.)⟩ **0.1** [tufsteen] *trass* ⇒*tarras* ♦ **6.1** met ~ metselen *cement with trass;*
II ⟨de (m.)⟩ **0.1** [uitgeperst suikerriet] *trash.*
trasraam ⟨het⟩ ⟨bouwk.⟩ **0.1** *damp(-proof) course.*
trassaat ⟨de (m.)⟩ ⟨hand.⟩ **0.1** *drawee.*
trassant ⟨de (m.)⟩ ⟨hand.⟩ **0.1** *drawer.*
trassen ⟨onov., ov.ww.⟩ **0.1** *cement with trass/tarras* ⇒*lay with trass/tarras,* ⟨bestrijken⟩ *cover/coat with trass/tarras.*
trasseren ⟨onov., ov.ww.⟩ ⟨hand.⟩ **0.1** *draw.*
trassi ⟨het⟩ **0.1** ⟨Indonesian condiment prepared from pulverized dried fish and/or shrimps⟩.
trauma ⟨het, de⟩ **0.1** [⟨psych.⟩] *trauma* **0.2** [verwonding] *trauma* ♦ **3.1** dat ongeluk heeft bij hem een ~ veroorzaakt *that accident gave him a t..*
traumateam ⟨het⟩ **0.1** *(mobile) accident/emergency unit.*
traumatisch ⟨bn.⟩ **0.1** *traumatic* ♦ **1.1** ~ e neurose *t. neurosis.*
traumatiseren ⟨onov., ov.ww.⟩ **0.1** *traumatize.*
traumatologie ⟨de (v.)⟩ **0.1** [⟨psych.⟩] *traumatology* **0.2** [⟨med.⟩] *traumatology* **0.3** [afdeling in ziekenhuis] *traumatology.*
traumatologisch ⟨bn.⟩ ⟨med.⟩ **0.1** *traumatological.*
travee ⟨de (v.)⟩ **0.1** [gewelfvak] *bay* **0.2** [vlak v.e. gevel/wand] *bay.*
traveller cheque ⟨de⟩ **0.1** [B]*traveller's cheque,* [A]*traveler's check.*
traverse ⟨de (v.)⟩ **0.1** [mbt. wegen] *(urban section of a) through road* **0.2** [stroomgebied v.e. overlaat] *traverse* **0.3** [⟨paardendressuur⟩] *traverse* **0.4** [dwarsconstructie aan een draagmast] *crossbeam* **0.5** [⟨bergsport⟩] *traverse* **0.6** [passage] *passage(way)/arcade* ⟨met winkels⟩.
traverseren ⟨onov.ww.⟩ **0.1** [mbt. paarden] *traverse* **0.2** [⟨schermsport⟩] *traverse* **0.3** [⟨bergsport⟩] *traverse.*
traverso ⟨de (m.)⟩ ⟨muz.⟩ **0.1** *transverse flute.*
travertijn ⟨het, de (m.)⟩ **0.1** *travertine.*
travesteren ⟨ov.ww.⟩ **0.1** [verkleden] *travesty* **0.2** [iets ernstigs belachelijk maken] *travesty.*
travestie ⟨de (v.)⟩ **0.1** [verkleding] *transvestism* ⇒⟨med.⟩ *eonism* **0.2** [vervorming] *disguise* **0.3** [lachwekkende voorstelling van iets ernstigs] *travesty* ♦ **6.1** in ~ ⟨sl.⟩ *in drag* ⟨alleen v.e. man die vrouwenkleren draagt⟩.
travestierol ⟨de⟩ **0.1** *female impersonation* ⟨door man van vrouw⟩, *male impersonation* ⟨door vrouw van man⟩ ⇒*trouser role* ⟨jongeman gespeeld door vrouw⟩ ♦ **1.1** speler/speelster van ~(len) *a female/male impersonator;* ⟨gesch., bv. vrouwenrollen in Shakespeare⟩ *boy actor.*
travestiet ⟨de (m.)⟩ **0.1** *transvestite* ⇒⟨man als vrouw verkleed; sl.⟩ *drag queen.*

trawant ⟨de (m.)⟩ **0.1** [handlanger] *henchman* ⇒*hanger-on*, ⟨AE; inf.⟩ *cohort* **0.2** [bijplaneet] *satellite* **0.3** [zwam] *symbiotic fungus*.
trawlen ⟨onov.ww.⟩ **0.1** *trawl*.
trawlnet ⟨het⟩ **0.1** *trawl (net)*.
trecento ⟨het⟩ **0.1** *trecento* ◆ **6.1** kunstenaar uit het ~*trecentist*.
trechter ⟨de (m.)⟩ **0.1** [toestel om stoffen door een nauwe opening te gieten] *funnel*; ⟨voor afval⟩ *chute; hopper* ⟨voor a molen⟩ **0.2** [trechtervormig voorwerp] *funnel*; ⟨door granaatinslag⟩ *crater, shell-hole* ◆ **8.1** de handen als een~aan de mond zetten *cup the hands around one's mouth.*
trechtermond ⟨de (m.)⟩ **0.1** [opening v.e. trechter] *mouth (of a funnel)* **0.2** [uitmonding v.e. rivier] *estuary.*
trechtervormig ⟨bn.⟩ **0.1** [funnel-shaped; ⟨anatomie⟩ *infundibular.*
tred ⟨de (m.)⟩ **0.1** *step* ⇒*pace, tread, gait* ◆ **2.1** gelijke~houden ⟨ook fig.⟩ *keep pace/(in) s.*; ⟨fig.⟩ geen gelijke~houden met *lag/fall behind, fall out of s. with*; ⟨fig.⟩ gelijke~houden met *keep pace/(in) s. with*, keep abreast of; met kwieke/veerkrachtige/verende~lopen *have/take one's full swing, have a swinging/jaunty s.*; met vaste~*at a good/round/brisk pace, with unfaltering steps*; met zware/vederlichte~*heavy-/light-footed* **3.1** zijn~versnellen *quicken/mend one's pace.*
trede ⟨de⟩ **0.1** [deel van trap] *step* ⇒*stair, tread(board), rung* ⟨van ladder⟩ **0.2** [opstapje, treeplank] *step* ⇒*footboard, running-board* **0.3** [stap] *step* ⇒*stride* **0.4** [hefboom] *treadle* ◆ **2.1** ⟨fig.⟩ de hoogste~op de maatschappelijke ladder *the top of the (social) ladder/tree/totempole*; smalle/brede/uitgesleten~n *narrow/broad/worn steps/stairs/treads/treadboards* **3.1** een paar~n opgaan/afgaan *ascend/descend a few steps*; ⟨fig.⟩ een~teruggaan op de maatschappelijke ladder ⟨ook⟩ *lose caste* **5.3** enige~n voorwaarts doen *take a few steps forward* **6.1** met twee, drie~n tegelijk de trap opstormen *take the stairs two/three at a time.*
treden
   I ⟨onov.ww.⟩ **0.1** [gaan] *step* ⇒*walk*, ⟨op iets ook⟩ *tread* ◆ **5.1** naderbij~*step forward, approach*; iets tegemoet~*approach/meet sth.*; ⟨moedig ook⟩ *face up to sth.* **6.1** aan het licht~*come to light*; de rivier is buiten haar oevers getreden *the river has burst its banks/overflowed (its banks)/flooded*; in iemands voetstappen~*follow/*⟨schr. ook⟩ *tread in s.o.'s footsteps*; in bijzonderheden~*go/enter into detail(s), be (more) specific, specify*; in het klooster~*enter a monastery/convent*; in de plaats~van *replace, take the place of, supersede*; in onderhandeling~*enter into negotiations*; in dienst~*take up one's duties*; in werking~*go/enter into operation/service*; ⟨wet, enz.⟩ become *effective*; in iemands rechten~*take over/acquire/*⟨onrechtmatig⟩ *usurp s.o.'s rights*; in contact~met iem. *contact s.o., enter into contact with s.o.*; voor iem. in het krijt~*take up arms/*⟨vero.⟩ *the cudgels on s.o.'s behalf/for s.o.*; in het huwelijk~(met) *be/get married (to s.o.), marry s.o.*; al te veel in details~*overspecify, overparticularize, go into excessive/too great detail*; met iem. over iets in debat~*(enter into) debate with s.o. about sth.*; naar voren~⟨lett.⟩ *come forward*; ⟨fig.⟩ *stand out, come into relief/to the fore*; op de voorgrond~⟨fig.⟩ *stand out, come into relief/to the fore, dominate (the scene)*; uit de regering~*leave/withdraw from the government* **¶.1** te voorschijn~*appear*; ⟨scherts.⟩ *surface*;
   II ⟨ov.ww.⟩ **0.1** [overtreden] *trample/tread (on)* **0.2** [de voet zetten op] *tread* **0.3** [bespringen] *tread* ◆ **1.2** druiven~*t. grapes*; klei~*t. clay* **6.1** iets met voeten~*trample on/violate sth..*
tredmolen ⟨de (m.)⟩ **0.1** *treadmill* ◆ **6.1** in de~lopen ⟨fig.⟩ *be caught in the daily grind/in a rut, be like a cog in a machine.*
tree →**trede.**
treedsel ⟨het⟩ **0.1** *cicatricle* ⇒*blastodisc.*
treefje ⟨het⟩ **0.1** *pan-stand/mat.*
treeft ⟨de⟩ **0.1** *trivet.*
treeplank ⟨de⟩ **0.1** [opstapplank] *footboard* ⇒*running-board* **0.2** [plank om iets in beweging te brengen] *treadle.*
tref ⟨de (m.)⟩ **0.1** *stroke/bit/piece of luck* ◆ **3.1** het is een~u nog thuis te vinden *I'm lucky to find you still at home, I'm in luck/that's a stroke/bit of luck, finding you still at home* **4.1** wat een~! *what a stroke/bit of luck!.*
trefbaar ⟨bn.⟩ **0.1** *strikable* ⇒⟨kwetsbaar⟩ *vulnerable.*
trefbal ⟨het⟩ ⟨sport⟩ **0.1** *hit ball, game in which players of two teams try to reduce the number of opponents by hitting them with a ball.*
trefcentrum ⟨het⟩ **0.1** *meeting place.*
treffelijk ⟨bn., bw.; -ly⟩ ⟨AZN⟩ **0.1** *respectable* ⇒*decent.*
treffen[1] ⟨het⟩ **0.1** [gevecht] *encounter* ⇒*clash*, ⟨schr.⟩ *engagement* **0.2** [samenkomst] *meeting* **0.3** ⟨sport⟩ wedstrijd] *encounter* ⇒*clash* ◆ **2.1** een beslissend~*a showdown*; het kwam tot een bloedig~*there was/it ended in bloodshed, a bloody encounter/clash ensued*; een kort~met iem./iets *a brush with s.o./sth..*
treffen[2] (→sprw. 154)
   I ⟨ov.ww.⟩ **0.1** [raken] *hit* ⇒[strike] **0.2** [ontmoeten, aantreffen] *meet* (⟨AE ook⟩ *with*) ⇒*come across/upon* **0.3** [mbt. gevoelens] *touch, affect* ⇒*move* **0.4** [betreffen, aangaan] *concern, affect* **0.5** (⟨met 'het'⟩)

boffen] *be lucky/in luck* **0.6** [mbt. iets onaangenaams] *hit, strike* ⇒*overtake*, ⟨schr.⟩ *visit* **0.7** [tot stand brengen] *make* ⇒*reach* ⟨overeenkomst⟩, *take* ⟨maatregelen⟩ ◆ **1.1** het schot trof doel *the shot hit/found its mark/home/*⟨v.e. bal ook⟩ *went home/*⟨fig.⟩ *struck home*; ⟨fig.⟩ dat trof mijn oog *that caught my eye*; de juiste toon~*hit/strike the right note* ⟨ook fig.⟩; *strike the right chord* **1.3** de muziek trof mij zeer *I was very moved by the music* **1.4** mij treft geen blaam/geen enkel verwijt *no blame attaches to me/I am not to blame* **1.6** de zwaar getroffen gebieden/industrieën *the badly/hard hit areas/industries* **1.7** maatregelen~*take measures, deal with the matter/*⟨inf.⟩ *things*; ⟨wetten⟩ *legislate*; een regeling~*make an arrangement*; een vergelijk~*come to/reach an agreement, reach a settlement*, ⟨financieel⟩ *make a transaction*; voorbereidingen~*make preparations* **1.¶** het schilderij/portret was bijzonder goed getroffen *the painting/portrait was an extremely good likeness* **4.2** zij troffen elkaar daar ⟨toeval⟩ *they came across/happened upon each other there*; ⟨ook met opzet⟩ *they met (each other) there*; goed dat ik u tref *I'm lucky to catch/come across you* **4.5** je treft het (goed) *you're lucky/fortunate/in luck, your's luck's in*; het slecht~⟨ook; schr.⟩ *fare ill*; het slecht getroffen hebben met iem./ iets *strike unlucky with s.o./ sth.*; hij had het slechter kunnen~met zijn werk *he could have fared worse/been worse off with his work* **5.2** niemand thuis~*find nobody (at) home* **5.3** hun dood heeft ons allen diep getroffen *their death was a great shock to us all* **5.6** de zwaar getroffen ouders *the distressed/*⟨schr.⟩ *stricken parents* **6.1** getroffen door de bliksem *struck/hit by lightning*; de kogel trof haar in de borst *the bullet hit/struck her in the chest* **6.3** onaangenaam getroffen door het nieuws van ...*it was with great regret that I/we heard, deeply sorry to hear (the news) that/of ...*; hij was pijnlijk getroffen door haar opmerking *he was pained/hurt by her remarks* **6.5** zij hebben het met elkaar getroffen *they are happy with one another, they get on like a house on fire* **6.6** hij was getroffen door een hartinfarct *he had suffered a heart attack*; getroffen worden door *meet with, be visited by* ⟨ongelukken, rampen⟩; *be visited by/smitten with* ⟨ziekten, epidemieën⟩; *be involved in* ⟨een faillissement⟩;
   II ⟨onov.ww.⟩ **0.1** [(goed) uitkomen] *turn out (well), be (lucky)* ◆ **4.1** dat treft slecht *that is bad luck/unlucky/unfortunate*; dat treft (goed) *what luck!, how fortunate!, lucky for me/us!, that's lucky!*; het trof dat ik wel geld bij me had *as luck would have it/by a lucky chance I had some money on me*; als het zo treft moet je eens langskomen *(you should) come round some time if you can (manage to)).*
treffend ⟨bn., bw.; -ly⟩ **0.1** [raak, frappant] ⟨frappant⟩ *striking* ⇒↑*arresting, salient,* ⟨raak⟩ *apt, telling, well-spoken/-chosen,* ↑*apposite,* ↑*felicitous*, ⟨na zn. ook⟩ *to the point* **0.2** [ontroerend] ⟨zielig⟩ *touching, moving*; ⟨boeiend⟩ *(soul-)stirring* ◆ **1.1** een~e gelijkenis *a striking likeness/similarity*; een~e vergelijking *a telling comparison*; een~verschil tussen hen *a striking/graphic contrast between them* **1.2** ~e woorden *moving/(soul-)stirring words* **3.1** iets~weergeven/uitdrukken *put/express sth. aptly, find a well-chosen/felicitous expression for sth..*
treffer ⟨de (m.)⟩ **0.1** [raak schot] *hit* ⇒*strike*, ⟨kegelspel⟩ *toucher*, ⟨AE; inf.⟩ *hit* **0.2** [geluksig toeval] *stroke/bit/piece of luck* ◆ **3.1** ⟨fig.⟩ een~plaatsen *score (a hit).*
trefkans ⟨de (m.)⟩ **0.1** [kans om zijn doel te treffen] *chance/probability/likelihood of hitting the one's target* **0.2** [kans om getroffen te worden] *chance/probability/likelihood of being hit.*
trefpunt ⟨het⟩ **0.1** [plaats van samenkomst] *meeting place/point* ⇒*crossroads* ⟨van culturen⟩, *haunt* ⟨v.e. bepaalde groep mensen⟩ **0.2** [punt dat getroffen wordt] *point of impact/collision.*
trefwoord ⟨het⟩ **0.1** [lemma, ingang] *headword* ⇒*(main) entry*, ⟨in register ook⟩ *keyword* **0.2** [karakteriserend woord] *catchword* ⇒⟨register⟩ *keyword* ◆ **6.1** iets onder een bepaald~opzoeken *look sth. up under a particular headword/reference.*
trefwoordencatalogus ⟨de (m.)⟩ **0.1** *subject catalogue/*^*log.*
trefzeker ⟨bn., bw.; -ly⟩ **0.1** [doelgericht] *accurate* ⇒*well-aimed* **0.2** [het juiste woord wetende te kiezen] *well-chosen/-spoken* ⇒*apt,* ↑*apposite* ◆ **1.1** een~e bal *a good shot, an a. ball*; iem. met een~schot *a good/confident/an a. shot* **3.2** ~spreken *speak in well-chosen/apt/apposite terms, find the exact words (to ...).*
trefzekerheid ⟨de (v.)⟩ **0.1** [zekerheid dat het doel getroffen wordt] *accuracy* ⇒*precision* **0.2** [vermogen het juiste te zeggen] *ability to speak aptly/to the point/to find the right words.*
treil ⟨de (m.)⟩ **0.1** *trawl(-net).*
treilen
   I ⟨onov.ww.⟩ **0.1** [met de treil vissen] *trawl*;
   II ⟨ov.ww.⟩ ⟨scheep.⟩ **0.1** [slepen] *tug* ⇒*tow.*
treiler ⟨de (m.)⟩ **0.1** [sleepboot] *tug(boat)* ⇒*towboat* **0.2** [trawler] *trawler.*
treillogger ⟨de (m.)⟩ **0.1** *motor trawler* ⇒*lugger.*
trein ⟨de (m.)⟩ **0.1** *train* ⇒⟨als vervoermiddel ook⟩ *rail(way/*^*road)*, ⟨gevolg ook⟩ *retinue, following* ◆ **2.1** extra~en inzetten *lay on/put on extra trains*; op een rijdende~springen ⟨fig.⟩ *jump on the bandwagon* **3.1** deze~gaat naar Polen ⟨ook⟩ *this t. is bound for Poland*; deze~gaat elk heel uur *this t. leaves everyhour on the hour*; de~ha-

len *catch*/⟨nét halen⟩ *make the t.*; in Utrecht die ~ naar Amsterdam **nemen** *in Utrecht, catch*/*take*/*board the t. for Amsterdam*/*the Amsterdam t.* **6.1 in** de ~ stappen *get on(to)*/*board the t.*; iets in de ~ laten liggen *leave sth. in*/*on the t.*; ik ga weg **met** de ~ van 2 over 12 *I'm leaving on*/*by the 12.02 t.*; iem. **naar** de ~ brengen *take s.o. to the station*; de ~ **naar**/**uit** Londen/de stad ⟨BE ook⟩ *the up*/*down train*; iem. **op** de ~ zetten *put s.o. on*/*see s.o. onto the t.*; **per** ~ reizen *go by t.*/*rail, take the t.*; goederen **per** ~ verzenden/versturen *despatch*/*send goods by rail(way)*/^*road*); **uit** de ~ stappen *get off*/⟨schr.⟩ *alight from the t.*; de ~ van 11 uur *the eleven o'clock t.*; iem. **van** de ~ halen *meet*/*collect s.o. off*/*from the t.* / *at the station*; zich **voor** de ~ gooien *throw o.s. under a t.* **8.1** dat loopt als een ~ *it's going like a bomb, there's no stopping it.*
treinbestuurder ⟨de (m.)⟩ **0.1** *train driver.*
treinboek ⟨het⟩ ⟨AZN⟩ **0.1** *train*/*railway*/^*railroad timetable.*
treinconducteur ⟨de (m.)⟩, **-trice** ⟨de (v.)⟩ **0.1** ^B*guard*, ^A*conductor.*
treinen ⟨onov.ww.⟩ **0.1** *go*/*travel by train*/*rail*/⟨BE ook⟩ *railway*/⟨AE ook⟩ *railroad.*
treinenloop ⟨de (m.)⟩ **0.1** *train service.*
treinkaartje ⟨het⟩ **0.1** *train*/*railway*/^*railroad ticket.*
treinkaping ⟨de (v.)⟩ **0.1** *train hijack(ing).*
treinongeval ⟨het⟩ **0.1** *train*/*rail*/⟨BE ook⟩ *railway*/⟨AE ook⟩ *railroad accident.*
treinrail ⟨de⟩ **0.1** *rail.*
treinramp ⟨de⟩ **0.1** *train*/*rail*/⟨BE ook⟩ *railway*/⟨AE ook⟩ *railroad disaster.*
treinreis ⟨de⟩ **0.1** *train*/*rail journey.*
treinreiziger ⟨de (m.)⟩ **0.1** *train*/*rail passenger*/*traveller*/^*eler.*
treinstel ⟨het⟩ **0.1** *train.*
treinstudent ⟨de (m.)⟩ **0.1** *non-resident*/*commuting student* ⇒*student who commutes by train.*
treinverbinding ⟨de (v.)⟩ **0.1** *train*/*rail connection.*
treinverkeer ⟨het⟩ **0.1** *train*/*rail*/⟨BE ook⟩ *railway*/⟨AE ook⟩ *railroad traffic.*
treinwachter ⟨de (m.)⟩ ⟨AZN⟩ →**treinconducteur.**
treiteraar ⟨de (m.)⟩, **-ster** ⟨de (v.)⟩ **0.1** *tormentor.*
treiterachtig →**treiterig.**
treiteren ⟨onov., ov.ww.⟩ **0.1** *torment* ⇒*bait, provoke,* ⟨inf.⟩ *plague* ◆ **1.1** zijn kleine broertje ~ *t. one's little brother.*
treiterig ⟨bn., bw.⟩ **0.1** [tot treiteren geneigd] *tormenting* ⇒*provoking* **0.2** [treiterend] *tormenting* ⇒*provoking, nagging, tantalizing, annoying* ◆ **1.2** hij heeft een ~ lachje *he has a nasty way of laughing* **5.2** ~ langzaam *naggingly*/*tantalizingly*/*provokingly*/*annoyingly slow.*
treiterij ⟨de (v.)⟩ **0.1** *tormenting* ⇒*baiting.*
trek ⟨de (m.)⟩ **0.1** [het trekken] *pull* ⇒*haul, heave* **0.2** [een keer trekken] *pull* ⇒⟨ook hengel⟩ *haul,* ⟨snel⟩ *jerk, tug,* ⟨inf.⟩ *yank* **0.3** [haal met een pen] *stroke* ⇒*line,* ⟨snel⟩ *dash* **0.4** [gelaatstrek] *feature* ⇒*line,* ⟨snel⟩ *twist* **0.5** [kenmerkende eigenschap] *(characteristic) feature* ⇒^*trait, streak* ⟨van humeur⟩ **0.6** [luchtstroom] *draught,* ^A*draft* **0.7** [één keer zuigen] *puff* ⇒*pull, draw,* ⟨inf.⟩ *drag* **0.8** [eetlust, begeerte] ⟨vnl. eetlust⟩ *appetite* ⇒*fancy, inclination* **0.9** [het begeerd worden] *popularity* ⇒*demand* **0.10** [massale reis/verhuizing ⟨ihb. van vogels⟩] *migration* ⇒⟨van mensen ook⟩ *move, trek,* ⟨langzaam⟩ *drift* **0.11** [het trekken als kracht] *traction* ⇒*pull* **0.12** [kaartspel] *trick* **0.13** [mbt. vuurwapen] *groove* ◆ **2.1** dat is een hele ~ voor de paarden *that is a real haul for the horses* **2.3** ⟨fig.⟩ iets in grote ~ken vertellen *give a broad outline of sth.* **2.4** een spottende/minachtende ~ om de mond *a nocking*/*contemptuous twist to his*/*her mouth, a mocking*/*contemptuous sneer* **2.5** dat is een akelig ~je van haar *that is a nasty trait*/*f. of hers;* een typisch Engels ~je *a typical piece of English behaviour;* een paar menselijke ~jes hebben *have a touch of humanity;* onsympathieke ~ken hebben *have unattractive features*/*traits* **2.6** natuurlijke ~ ⟨zuid.⟩/valse ~ *false d.* **2.10** ⟨gesch.⟩ de Grote Trek *the Great Trek* **3.1** ⟨AZN⟩ ~ hebben ⟨have (got)/^*gotten*⟩ *a bite* **3.4** dezelfde harde ~ken hebben als zijn vader *have the same hard features as one's father, be hard-featured like one's father;* ⟨inf.⟩ *be a chip off the old block* **3.7** een ~je nemen van iem. ⟨aan zijn sigaret⟩ *have a puff at*/*from s.o.'s cigarette;* ⟨sl.⟩ *take a drag from s.o.* **3.8** ik zou nu best ~ hebben in een borrel *I feel like*/*could do with*/*fancy a drink;* er weinig ~ in hebben om dat te doen *not feel much like*/*not much fancy (doing) that, have little mind to do that;* ~ hebben *feel*/*be hungry, have an appetite,* ⟨inf.⟩ *feel peckish;* (nog) weinig ~ hebben *not feel like (eating) anything*/*have no appetite*/*not be very hungry (yet);* ergens ~ in hebben/krijgen *feel like*/*(take a) fancy (to)*/*have a. for sth.;* heeft u ~ in een kopje koffie? *do you feel like*/*would you care for a cup of coffee?* **3.11** ~ uitoefenen *exert traction* **3.12** een ~/vier ~ken maken *make*/*win a t.*/*four tricks* **3.9**¶ hij zal zijn ~ken thuiskrijgen *his chickens will come home to roost, he will get his just deserts*/*what's coming to him!* ⟨inf.⟩ *his come-uppance* **6.3 in** grote ~ken *in broad outline, roughly, by and large;* **in** grote ~ken aangeven *outline, sketch* **6.6** er zit weinig ~ in de schoorsteen *the chimney doesn't draw very well;* **op** de ~ zitten *sit in a t.* **6.7** een ~ **aan** een sigaar doen *take*/*have a puff*/*pull at a cigar, puff at*/*on a cigar* **6.9 in** ~ zijn *be popular*/

sought after/*in demand*/*in vogue;* zeer **in** ~ zijn (bij ...) *be extremely popular (among*/*with ...)*/*much appreciated (by ...);* niet meer **in** ~ zijn *be out of fashion*/*vogue,* ⟨sl.⟩ *be*/*have gone out;* (weer) **in** ~ raken (bij ...) *become popular (again)*/*(with*/*among ...), come (back) into favour (with*/*among ...);* zeer **in** ~ raken *win great popularity, gain great*/*considerable favour;* deze kroeg is zeer **in** ~ bij studenten ⟨ook⟩ *this pub*/*bar is much frequented*/*patronized by students* **6.10** de ~ **naar** de grote stad *the drift to the city;* de ~ **naar** de kust/de goudvelden *the rush to the seaside, the goldrush;* die vogels zijn hier **op** de ~ *those birds are visitors to these parts, those birds are migrating* **6.12** (niet) **aan** zijn ~ken komen ⟨fig.⟩ *(not) come into one's own;* ⟨lett.⟩ *(not) make one's tricks;* ⟨fig.⟩ zorgen dat iem. **aan** zijn ~ken komt *see s.o. right.*
trekautomaat ⟨de (m.)⟩ **0.1** ≠*slot-machine.*
trekbal ⟨de (m.)⟩ ⟨sport⟩ **0.1** *back spinner.*
trekbank ⟨de (m.)⟩ **0.1** [om metaaldraad te maken] *draw(ing) bench* **0.2** [voor trekproeven] *tensile testing machine.*
trekbeen ⟨het⟩ **0.1** *dragging*/⟨inf.⟩ *gammy leg.*
trekdier ⟨het⟩ **0.1** [dier dat iets moet trekken] *draught animal* **0.2** [dier dat naar andere streken trekt] *migratory animal*/⟨schr.⟩ *beast* ◆ **2.1** voorste ~ *leader* **3.1** de ~en voor de kar spannen *yoke the animals to the cart.*
trekgat ⟨het⟩ **0.1** [tochtgat] *draught-*/^*draft-hole* **0.2** [luchtgat] *vent* ⇒ *draught-*/^*draft-*/*air-hole* **0.3** [uitgebaggerde diepte] *hole dug out*/*excavated in a*/*the marsh.*
trekhaak ⟨de (m.)⟩ **0.1** *(draw-)hook* ⇒⟨aan auto enz.⟩ *towing hook, caravan*/^*trailer coupling.*
trekharmonika ⟨de (v.)⟩ **0.1** *accordion* ⇒⟨kleiner, voor op de schoot⟩ *concertina.*
trekhout ⟨het⟩ **0.1** *wooden handle*/*rod (for pulling).*
trekkas ⟨de⟩ **0.1** *hothouse* ⇒*forcing-house.*
trekkast ⟨de⟩ **0.1** *pinball (machine)* ⇒⟨BE ook⟩ *pintable.*
trekkebekken ⟨onov.ww.⟩ **0.1** [mbt. duiven] *bill (and coo)* **0.2** [een raar gezicht zetten] *pull a (funny) face* ⇒*screw up one's face,* ⟨met afschuw, enz.⟩ *grimace.*
trekkebekkerij ⟨de (v.)⟩ **0.1** [mbt. duiven] *billing (and cooing)* **0.2** [het maken van grimassen] *pulling (funny) faces* ⇒⟨met afschuw, enz.⟩ *grimacing.*
trekkebenen ⟨onov.ww.⟩ **0.1** *drag one's*/*a leg (behind one)* ⇒*limp.*
trekken
I ⟨onov.ww.⟩ **0.1** [kracht uitoefenen op iets] *pull* ⇒ ↑*draw* **0.2** [in een bepaalde richting gaan] *go, move;* ⟨reizen⟩ *travel; migrate* ⟨vogels, stammen, enz.⟩ **0.3** [spierbewegingen maken] *stretch* **0.4** [luchtstroom doorlaten] *draw* **0.5** [in een richting getrokken worden] *pull* **0.6** [lijken (op)] *be like* ◆ **1.1** de zee trekt *the sea has an undertow* **1.2** de zwaluwen ~ al *the swallows have started migrating* **1.5** die jas trekt onder de oksel *that coat pulls under the arm*/*is tight under the arm* **3.1** ⟨fig.⟩ de politie moest ~ om iets uit hem te krijgen *the police had to work hard to get anything out of him* **3.5** de was in het sop laten ~ *let the laundry soak, give the laundry a soak* **3.¶** thee laten ~ *brew tea;* thee te laten ~ *stew tea* **5.1** ⟨fig.⟩ er hard aan ~ *put one's back into it, keep at it* **5.2** ze trokken weer verder *they moved on*/*pressed on*/*pushed on again* **5.4** de kachel trekt goed *the stove draws well* **5.5** krom ~ *p. crooked;* ⟨draaien⟩ *twist;* ⟨gebogen worden⟩ *warp* **6.1** ⟨fig.⟩ **aan** de bel ~ *sound the alarm;* **aan** een sigaar ~ *p.*/*puff at*/*draw a cigar;* ⟨vulg.⟩ **aan** de lange stok ~ ^B*wank,* ^A*jerk*/*jack off,* ⟨fig.⟩ ^B*wank*/*piss*/*fart about;* de hond trok **aan** de lijn *the dog strained*/*pulled at the leash* **6.2 door** Frankrijk ~ *travel through*/*about France;* de optocht trok **door** de stad *the procession passed*/*moved through the town;* de wijde wereld **in** ~ *travel the world;* **in** een huis ~ *move into a house;* de storm trekt **naar** het noorden *the storm is moving northwards;* **over** een rivier ~ *cross a river;* **over** de bergen ~ *cross the mountains;* **ten** strijde/**te** velde ~ *go into battle, take up arms* **6.3 met** zijn been ~ *walk with a stiff leg, drag one's leg* **6.5** de inkt trekt in het papier *the ink soaks into the paper;* de kinderen ~ nogal **naar** hun vader *the children take more to their father* **6.4** de kleur trekt naar blauw *that colour tends towards blue*/*is bluish;* ⟨AZN⟩ dat trekt **op** niets *that's a dead loss*/*useless* **6.¶ van** leer trekken tegen iem. *pitch into s.o., attack s.o.*
II ⟨onov., ov.ww.⟩ **0.1** [tussen iets anders uitnemen] *draw* ⇒⟨tandarts enz.⟩ *extract, pull (out)* **0.2** [aantrekken] *draw* ⇒*pull* **0.3** [als zijn deel ontvangen] *draw* ⇒*get* ◆ **1.1** ⟨AZN⟩ amandelen ~ *extract*/*remove tonsils;* een kaart ~ *d. a card;* loten ~ *d. lots;* een prijs ~ *d. a prize;* die tandarts trekt bij het eerste pijntje *that dentist pulls teeth out at the first sign of pain* **1.2** publiek/kopers ~ *d. an audience*/*customers;* volle zalen ~ *play to*/*d. full houses* **1.3** loon/rente/een uitkering ~ *d. get wages*/*interest*/*benefit* **3.2** die stad blijft ~ *that town still draws people* **6.3 van** de steun ~ ^B*d. unemployment benefit,* ^A*be on welfare;*
III ⟨ov.ww.⟩ **0.1** [in genoemde toestand/op genoemde plaats brengen] *pull* ⇒ ↑*draw* **0.2** [slepen] *pull* ⇒*draw* **0.3** [naar zich toehalen, ⟨ook fig.⟩ *draw* **0.4** [aftrekken maken van] *make* **0.5** [eruit halen, afleiden] *draw* ⇒⟨wisk.⟩ *extract* ⟨wortel⟩ **0.6** [doen ontstaan] *draw*

0.7 [uit een plaats vandaan halen] *get* **0.8** [door spierbewegingen doen ontstaan] *make* ⇒*pull* **0.9** [⟨AZN⟩⟨het⟩ volhouden] *keep (it) up* **0.10** [⟨AZN⟩ fotograferen] *snap* ⇒*take* ◆ **1.1** men moest het antwoord uit hem ~ *the answer had to be dragged out of him;* de deur in het slot ~ *p. the door closed / shut;* ⟨fig.⟩ zich de haren uit het hoofd ~ *kick o.s.;* een kurk uit een fles ~ *p. / draw a cork (out of a bottle);* ⟨fig.⟩ iem. het vel over de oren ~ *fleece s.o.;* ⟨inf.⟩ *diddle s.o.;* ⟨BE ook⟩ *do s.o.* **1.2** de auto moest getrokken worden *the car had to be towed;* 100 kilo ~ *p. 100 kilos;* paarden trokken de wagen *the wagon was drawn / pulled by horses* **1.3** de aandacht ~ *d. / attract attention;* zij weet de mannen te ~ *she knows how to catch a man's eye;* ⟨AZN⟩ de ogen op zich ~ *d. attention, become the centre of interest* **1.4** soep / bouillon ~ *make soup / stock* **1.5** een conclusie ~ *d. a conclusion;* een horoscoop ~ *cast a horoscope;* kopieën ~ *make copies, run off copies;* lering ~ uit iets *learn (a lesson) from sth.;* een single van een elpee ~ *make a single from an LP;* ⟨wisk.⟩ de wortel uit een getal ~ *find / extract the (square / cube / ⟨enz.⟩) root of a number* **1.6** een cirkel ~ *d. / trace / ⟨wisk. ook⟩ describe a circle;* we moeten ergens een grens ~ *we must d. the line somewhere;* kaarsen ~ *make candles;* een lijn ~ *d. / trace a line;* ⟨fig.⟩ één lijn ~ *fall in with / line up with / fall in line with (s.o.);* ⟨fig.⟩ parallellen ~ *d. parallels;* ⟨AZN⟩ een streep onder iets ~ ⟨ook fig.⟩ *underline sth.;* ⟨fig.⟩ *stress / emphasize sth.* **1.7** een mes / pistool ~ tegen *pull a knife / gun on s.o.;* sigaretten ~ *g. cigarettes (from a / the machine)* **1.8** gezichten ~ *m. / pull (silly) faces;* rimpels ~ *wrinkle, get wrinkled* **1.¶** belletje ~ *ring and run;* partij voor iem. ~ *take s.o.'s side, take sides with s.o., side with s.o., back s.o. up;* planten ~ *bring on / force plants;* ⟨druk.⟩ proeven ~ *pull proofs;* voordeel ~ uit iets *take advantage of sth., turn sth. to one's advantage;* een wissel op iem. ~ *draw (a bill) on s.o.* **2.1** iets stuk ~ *p. sth. apart* **3.2** ⟨fig.⟩ dat kan bruin(tje) niet ~ *I can't afford that,* [B] *the exchequer won't allow it* **5.1** iets omver ~ *p. sth. over;* iets strak ~ *tighten sth. (up)* **6.1** iem. aan zijn haar ~ *p.s.o.'s hair;* iem. aan zijn mouw ~ *p. / tug / pluck (at) s.o.'s sleeve,* ⟨fig.⟩ *p. / tug / pluck s.o. by the sleeve;* iem. aan de oren ~ *p. / tweak s.o.'s ears;* zijn hoed over de oren ~ *p. one's hat down over one's ears* **6.3** de staat trok het energiebeleid aan zich *the State took over energy policy* **6.5** iets uit de muur ~ *g. sth. / a snack from a machine* **6.¶** iets in twijfel ~ *cast doubt(s) on sth., query / question sth.;* iets in het belachelijke ~ *ridicule sth., pour ridicule on sth., make sth. look ridiculous* **¶.1** ⟨fig.⟩ iets naar zich toe ~ *get involved in sth.* **¶.¶** ⟨AZN⟩ iets ter harte ~ *take sth. to heart.*

trekker ⟨de (m.)⟩ **0.1** [persoon die iets voorttrekt] ⟨persoon⟩ *puller* ⇒ *hauler* **0.2** [iem. op trektocht] *hiker* ⇒*rambler, backpacker,* ⟨de herbergen gebruikt⟩ *(youth) hosteller* [A]*eler* **0.3** [⟨in samenst.⟩ iem. die een uitkering trekt] *person / s.o. drawing ...* ⇒ [†]*recipient (of ...)* **0.4** [iem. die een wissel afgeeft] *drawer* **0.5** [trekvogel] *migratory / migrating bird* **0.6** [ketting aan een stortbak] *chain* **0.7** [mbt. een vuurwapen] *trigger* **0.8** [mbt. een vrachtwagen] [B]*lorry,* [A]*truck* **0.9** [tractor] *tractor* **0.10** [trekpleister] *draw* ⇒*pull, crowd-puller, (tourist) attraction* **0.11** [rubber veger] *squeegee* ⇒*wiper* **0.12** [lus aan laars] *tab* ◆ **1.8** ~ met oplegger *lorry / [A]truck and trailer* **3.7** de ~ overhalen *pull / squeeze the t.* **6.7** met zijn vinger aan de ~ *with one's finger on the t..*

trekkerstent ⟨de⟩ **0.1** *hiking tent.*

trekking ⟨de (v.)⟩ **0.1** [het trekken / getrokken worden] *pulling* ⟨ook kies⟩ *drawing,* ⟨van kies⟩ *extraction,* ⟨mbt. schoorsteen⟩ *draught,* ⟨wissels⟩ *drawing* **0.2** [uitloting] *draw* **0.3** [samentrekking van een spier] *cramp* ⇒*convulsion,* ⟨v.h. gezicht ook⟩ *contortion* ◆ **1.2** de ~ v.d. staatsloterij *the State Lottery d.* **6.3** ~ en in het been hebben *have cramp in one's leg.*

trekkingsdatum ⟨de (m.)⟩ **0.1** *the date / day of the draw.*

trekkingslijst ⟨de⟩ **0.1** *list of winning numbers / of lots drawn.*

trekkingsrecht ⟨het⟩ **0.1** *drawing right.*

trekkoord ⟨het⟩ **0.1** [voor aansnoeren] ⟨aan tas / japon / enz.⟩ *drawstring* **0.2** [voor bel / schakelaar] *pull* ⇒*cord* **0.3** [voor parachute] *ripcord.*

trekkracht ⟨de⟩ **0.1** [vermogen om te trekken] *tractive / pulling power* **0.2** [kracht waarmee getrokken wordt] *traction* ⇒*tractive force* **0.3** [treksterkte] *tractive power / force* ⇒⟨v.e. magneet⟩ *attraction,* ⟨van metaal⟩ *tensile strength.*

treklijn ⟨de⟩ **0.1** [jaaglijn] *tow-line / -rope* **0.2** [tros] *hawser* ⇒*haulage-rope / -line.*

trekmes ⟨het⟩ **0.1** *drawknife.*

treknet ⟨het⟩ **0.1** [net om vogels te vangen] *dragnet* **0.2** [visnet] *dragnet* ⇒*seine, trawl(net), townet.*

trekorgel ⟨de (m.)⟩ ⟨AZN⟩ **0.1** *accordion* ⇒*piano accordion, concertina.*

trekpaard ⟨het⟩ **0.1** *cart / draught* [A]*draft horse.*

trekpad ⟨het⟩ **0.1** [jaagpad] *tow-path* **0.2** [pad waarlangs dieren trekken] *track, trail.*

trekpen ⟨de⟩ **0.1** *ruling-pen* ⇒*drawing-pen.*

trekpleister ⟨de⟩ **0.1** [attractie] *draw, attraction* ⇒*(crowd-)puller, magnet* **0.2** [blaartrekkende pleister] *blister(ing plaster)* ⇒*epispastic (bandage / plaster)* ◆ **2.1** een toeristische ~ *a tourist draw / attraction.*

trekpop ⟨de⟩ **0.1** *jumping jack.*

trekschakelaar ⟨de (m.)⟩ **0.1** *pull switch.*

trekschuit ⟨de⟩ **0.1** *track boat* ⇒*tow(ing) barge, canalboat.*

treksel ⟨het⟩ **0.1** [ihb. thee] *brew;* ⟨kruiden, planten⟩ *decoction, infusion.*

trekslot ⟨het⟩ **0.1** *drawback lock* ⇒*spring lock.*

treksluiting ⟨de (v.)⟩ **0.1** ⟨vnl. BE⟩ *zip-fastener;* ⟨inf.⟩ *zip;* ⟨vnl. AE⟩ *zipper.*

trekspier ⟨de⟩ ⟨med.⟩ **0.1** *contractor, constrictor.*

trekstoot ⟨de (m.)⟩ ⟨biljart⟩ **0.1** *screw shot.*

trektang ⟨de⟩ ⟨AZN⟩ **0.1** *(pair of) pincers.*

trektijd ⟨de (m.)⟩ **0.1** *migrating time / season.*

trektocht ⟨de (m.)⟩ **0.1** *hike, hiking tour / trip* ⇒⟨met wagon ook⟩ *trek,* ⟨op ponies⟩ *ponytrekking,* ⟨schr.⟩ *peregrination.*

trekvaart ⟨de⟩ **0.1** *(barge- / boat-)canal.*

trekveer ⟨de⟩ **0.1** [veer] *tension spring* **0.2** [hulpmiddel bij het doortrekken van elektrische draden] *fish tape, fishing wire* ⇒*snake (wire).*

trekvermogen ⟨het⟩ **0.1** *haulage capacity, traction / tractive power, pull.*

trekvis ⟨de (m.)⟩ ⟨ook coll.⟩ **0.1** *migratory fish.*

trekvogel ⟨de (m.)⟩ **0.1** [dier] *migratory bird* ⇒*bird of passage, migrant,* ⟨gast⟩ *visitant* **0.2** [⟨fig.⟩ persoon] *bird of passage* ⇒*rolling stone, wanderer, migrant, visitor.*

trekvrij ⟨bn.⟩ **0.1** *warp-proof.*

trekzaag ⟨de⟩ **0.1** *crosscut saw, whipsaw* ⇒*two-handed saw,* ⟨voor ruw hout ook⟩ *pitsaw,* ⟨schulpzaag⟩ *ripsaw.*

trekzalf ⟨de⟩ **0.1** *salve.*

trem(-) →tram(-).

trema ⟨het⟩ **0.1** *diaeresis* ◆ **6.1** Brontë wordt geschreven met een ~ op de e *Brontë is written with two dots / a d. over the e.*

trembleren ⟨onov.ww.⟩ **0.1** [⟨muz.⟩] *use / play tremolo;* ⟨van zang⟩ *trill, use vibrato* **0.2** [tremblé-lijn trekken] *draw a wavy line.*

tremel ⟨de (m.)⟩ **0.1** *hopper.*

tremmen
I ⟨ov.ww.⟩ **0.1** [in elkaar timmeren] *pulverize, beat up* ⇒*trim;*
II ⟨onov.ww.⟩ **0.1** [trammen] *go by tram;* ⟨BE ook⟩ *tram.*

tremoliet ⟨het⟩ **0.1** *tremolite.*

tremolo[1] ⟨het, de (m.)⟩ ⟨muz.⟩ **0.1** [triller] *tremolo* ⇒*shake, trill* **0.2** [orgelregister] *tremolo (stop)* ⇒*tremulant.*

tremolo[2] ⟨bw.⟩ ⟨muz.⟩ **0.1** *tremolo.*

tremor ⟨de (m.)⟩ ⟨med.⟩ **0.1** *tremor* ⇒*shake.*

tremplin ⟨de (m.)⟩ **0.1** *springboard.*

tremulant ⟨de (m.)⟩ ⟨muz.⟩ **0.1** [orgelregister] *tremulant* ⇒*tremolo (stop)* **0.2** [triltoon] *tremolo.*

tremuleren ⟨onov.ww.⟩ **0.1** *use / play tremolo.*

trend ⟨de (m.)⟩ **0.1** [ontwikkelingslijn] *trend* ⇒*tendency* **0.2** [nieuwe mode] *trend* ⇒*rage, fashion* ◆ **1.1** de ~ van de lonen *the wage trend* **3.2** een ~ volgen *follow a t..*

trendbeleid ⟨het⟩ ⟨pol.⟩ **0.1** *≠index-related wages policy.*

trendgevoelig ⟨bn., bw.⟩ **0.1** *subject to trends / (changing) fashion(s).*

trendvolger ⟨de (m.)⟩, **-volgster** ⟨de (v.)⟩ **0.1** [mbt. lonen] *s.o. whose salary is linked to civil service scales* ⟨m., v.⟩ **0.2** [mbt. een mode] *follower of fashion / trends.*

trens ⟨de⟩ **0.1** [paardebit] *snaffle (bit)* ⇒*bridoon,* ⟨bij uitbreiding⟩ *curb (bit)* **0.2** [lus, oogje van garen] *loop* **0.3** [afhechtsel tegen scheuren] ⟨breien⟩ *casting-off loop;* ⟨naaien⟩ *securing stitch / loop.*

trenzen ⟨onov., ov.ww.⟩ ⟨AZN⟩ **0.1** *plait, braid.*

trepaan ⟨de (m.)⟩ ⟨med.⟩ **0.1** *trepan* ⇒⟨verbeterde versie⟩ *trephine.*

trepanatie ⟨de (v.)⟩ ⟨med.⟩ **0.1** *trephination* ⇒*trepanation.*

trepaneren ⟨onov., ov.ww.⟩ ⟨med.⟩ **0.1** *trephine* ⇒*trepan.*

tres ⟨de⟩ **0.1** [boordsel] *braid(ing)* ⇒*lace* **0.2** [streng, lok haar] *tress;* ⟨vlecht ook⟩ *braid, plait, coil* ◆ **6.1** een uniformjas met ~sen *a uniform jacket with braiding.*

tressen ⟨ov.ww.⟩ ⟨AZN⟩ **0.1** *plait, braid* ⇒*tress.*

treurberk ⟨de (m.)⟩ **0.1** *weeping birch.*

treurbeuk ⟨de (m.)⟩ **0.1** *weeping beech.*

treurboom ⟨de (m.)⟩ **0.1** *weeping tree.*

treurdicht ⟨het⟩ **0.1** *elegy* ⇒*elegiac poem* ◆ **3.1** een ~ schrijven (op / over ...) *elegize ((up)on).*

treurdichter ⟨de (m.)⟩, **-es** ⟨de (v.)⟩ **0.1** *elegist.*

treuren ⟨onov.ww.⟩ **0.1** [bedrukt zijn] *be sorrowful / mournful* **0.2** [vervuld zijn van droefheid] *sorrow, mourn, grieve* ⇒*lament, weep (for)* **0.3** [kwijnen] *droop, languish* ⇒*drop, hang* ◆ **1.2** zijn ~de broers *his sorrowing / mourning / grieving brothers* **5.1** daarom niet getreurd *never mind that;* het heeft geen zin daarover te ~ *it's no good lamenting it / weeping over it* **6.2** zij treurde om de dood van haar broer *she grieved for / about / sorrowed over / lamented her brother's death;* ~ om / over een verlies *lament / mourn / bewail a loss, grieve over / about a loss.*

treures ⟨de (m.)⟩ **0.1** *weeping ash.*

treurig ⟨bn., bw.; -ly⟩ **0.1** [verdrietig] *sad, mournful, doleful* ⇒*melancholy, gloomy* **0.2** [droefheid veroorzakend] *sad, pathetic* ⇒*tragic, sorry* **0.3** [hard, bitter] *sad, unfortunate, unhappy* ⇒*gloomy, sorry* **0.4** [erbarmelijk slecht] *pathetic* ⇒*miserable, appalling, pitiful, woeful* ◆ **1.1** een ~ gezicht *a sorry / gloomy sight;* ⟨gelaat⟩ *a sad / dejected / woe-*

begone/ Lenten face **1.2** een~ ongeval *a tragic accident* **1.3** een~e afloop *a sad*/*unhappy*/*sorry end(ing)*; een~lot/ uiteinde *an unhappy fate* **2.1** ~ gestemd zijn *be in a melancholy mood, be lachrymose*/ *heavy-hearted*/*dolorous*/*doleful* ⟨inf.⟩ *blue* **3.2** het is~maar waar *it is sad but true* **3.4** zijn lezen is~*his ability to read is pathetic*; het ziet er~voor ons uit *it looks gloomy*/*things look pretty dismal for us*.

treurigheid ⟨de (v.)⟩ **0.1** [droefheid] *sorrow, sadness* ⇒*gloom* **0.2** [iets dat droevig is] *tragedy, misfortune* **0.3** [akeligheid] *misfortune* **0.4** [droefgeestigheid] *melancholy*.

treurlied ⟨het⟩ **0.1** *dirge, elegy* ⇒*lament*.

treurmars ⟨de⟩ ⟨muz.⟩ **0.1** *funeral march* ⇒*dead march*.

treurmuziek ⟨de (v.)⟩ **0.1** *funeral music*.

treurniet ⟨de⟩ **0.1** *blithe spirit* ⇒*happy-go-lucky person*.

treurnis ⟨de (v.)⟩ ⟨schr.⟩ **0.1** [droefheid, rouw] *sorrow* ⇒*sadness*, *mournfulness* **0.2** [neerslachtigheid] *melancholy* ⇒*dejection* **0.3** [tragiek] *tragedy, misfortune*.

treurroos ⟨de⟩ **0.1** *weeping rose*.

treurspel ⟨het⟩ **0.1** [toneelstuk] *tragedy* **0.2** [voorval] *tragedy*.

treurspeldichter ⟨de (m.)⟩ **0.1** *tragic poet* ⇒*writer of tragedies, tragedian*.

treurspelspeler ⟨de (m.)⟩, **-speelster** ⟨de (v.)⟩ **0.1** *tragic actor* ⟨m.⟩/*actress* ⟨v.⟩ ⇒*tragedian* ⟨m.⟩, *tragedienne* ⟨v.⟩.

treurwilg ⟨de (m.)⟩ **0.1** *weeping willow*.

treurzang ⟨de (m.)⟩ **0.1** [treurlied] *elegy, dirge* ⇒*epicedium* **0.2** [relaas van droevige voorvallen] *tragedy*.

treuzel→**treuzelaar**.

treuzelaar ⟨de (m.)⟩, **-ster** ⟨de (v.)⟩ **0.1** *dawdler* ⇒*laggard, loiterer*, ⟨inf.⟩ ᴮ*slowcoach*, ᴬ*slowpoke, snail*.

treuzelachtig ⟨bn., bw.;-ly⟩ **0.1** *dawdling* ⇒*slow, lingering*.

treuzelen ⟨onov.ww.⟩ **0.1** *dawdle* ⇒*(dilly-)dally, linger, loiter, tarry* ◆ **6.1** treuzel niet zo **met** je eten *stop dawdling over your food;* ~ **met** zijn werk *dawdle*/*loiter*/*linger over one's work*.

treuzelig→**treuzelachtig**.

trezoor ⟨het⟩ **0.1** *treasury*.

trezorie ⟨de (v.)⟩ **0.1** *treasury;* ⟨BE ook⟩ *exchequer*.

tri ⟨het⟩ ⟨afk.⟩ **0.1** [trichloorethyleen] ⟨trichloroethylene⟩.

triade ⟨de (v.)⟩ **0.1** [groep van drie] *triad* **0.2** [theol.] *triad* ⇒*trinity* **0.3** [⟨schei.⟩] *triad*.

triage ⟨de (v.)⟩ **0.1** *triage*.

triakel ⟨de⟩ ⟨med.⟩ **0.1** *theriac(a)*.

triangel ⟨de (m.)⟩ **0.1** [driehoek] *triangle* **0.2** [slaginstrument] *triangle*.

triangulair ⟨bn.⟩ **0.1** *triangular* ◆ **1.1** ~e getallen *t. numbers*.

triangulatie ⟨de (v.)⟩ **0.1** *triangulation*.

trianguleren ⟨onov.,ov.ww.⟩ **0.1** [opmeten] *triangulate* ⇒*survey by triangulation* **0.2** [enten] *graft using triangular cut*.

triarchie ⟨de (v.)⟩ **0.1** *triarcy* ⇒*triumvirate, troika*.

trias ⟨de (v.)⟩ **0.1** *triad* ⇒*trio* ◆ **¶.1** ~ politica *the three powers of the state;* ⟨als begrip⟩ *separation of powers*.

triathlonner ⟨de (m.)⟩ **0.1** *competitor in a triathlon*.

triatleet ⟨de (m.)⟩, **-lete** ⟨de (v.)⟩ **0.1** *triathlete*.

triatlon ⟨de (m.)⟩ ⟨sport⟩ **0.1** *triathlon*.

tribaal ⟨bn.⟩ **0.1** *tribal*.

tribade ⟨de (v.)⟩ **0.1** *tribade*.

tribadie ⟨de (v.)⟩ **0.1** *tribadism*.

tribadisme→**tribadie**.

tribunaal ⟨het⟩ **0.1** [rechtbank] *tribunal* ⇒*court (of justice)* **0.2** [⟨AZN⟩ rechtszitting] *trial* ⇒*court session*/*hearing*/*sitting* **0.3** [⟨AZN⟩ bekeuring] *summons*.

tribunaat ⟨het⟩ ⟨gesch.⟩ **0.1** [ambt] *tribunate* **0.2** [ambtstijd] *tribunate*.

tribune ⟨de⟩ **0.1** [oplopende rijen zitplaatsen] *stand, bleachers* ⟨overdekt⟩ *grandstand* **0.2** [afgezonderde plaats voor het publiek] *gallery* **0.3** [het spreken in een openbare vergadering] *forum* **0.4** [spreekgestoelte] *platform, tribune* ⇒*dais, rostrum, podium* ◆ **2.1** een overdekte~*a covered stand, a grandstand* **2.2** voor de publieke ~ spreken *address the g.;* de publieke/ officiële ~ *the public*/*official g.;* ⟨BE; Lagerhuis⟩ *strangers' g.;* ⟨AE; Congres⟩ *visitor's g.* **2.3** de vrije~*the open f..*

tribuneplaats ⟨de⟩ **0.1** [sportveld] *seat in the stands* **0.2** [parlement] *gallery seat* ⇒*seat in a*/*the gallery*.

tribus ⟨de (m.)⟩ ⟨gesch.⟩ **0.1** *tribe*.

tribuun ⟨de (m.)⟩ ⟨Rom. gesch.⟩ **0.1** *tribune*.

trichine ⟨de⟩ ⟨biol.⟩ **0.1** *trichina*.

trichlooret(h)yleen ⟨het⟩ **0.1** *trichloroethylene*.

trichomoniasis ⟨de⟩ ⟨med.⟩ **0.1** *trichomoniasis*.

tricolor ⟨bn.⟩ **0.1** *tricolour(ed)*.

tricolore ⟨de⟩ **0.1** *tricolour*.

tricot
I ⟨het⟩ **0.1** [stof] *tricot* ⇒*jersey, stockinet(te);*
II ⟨het, de (m.)⟩ **0.1** [kledingstuk] *leotard* ⇒*unitard*, ⟨maillot⟩ *tights*, ⟨vleeskleurig⟩ *fleshings*.

tricotage ⟨de (v.)⟩ **0.1** [gebreide stoffen] *(machine)knitted fabric, knitwear* **0.2** [het machinaal vervaardigen van gebreide stoffen] *machine*/ *mechanical knitting*.

tridimensionaal ⟨bn.⟩ **0.1** *three-dimensional*.

triduüm ⟨het⟩ **0.1** [drie dagen] *triduum* **0.2** [geestelijke oefening] *triduum*.

triëder ⟨de (m.)⟩ **0.1** *trihedron*.

trieermachine ⟨de (v.)⟩ **0.1** *sorting machine*.

triefelaar ⟨de (m.)⟩ **0.1** *cheat*.

Trien ◆ **2.¶** onnozele trien *ninny*.

triënnium ⟨het⟩ **0.1** *triennium*.

Trier ⟨het⟩ **0.1** *Trier* ⇒⟨gesch.⟩ *Treves*.

triest ⟨bn., bw.;-ly⟩ **0.1** [treurig] *sad* ⇒*dejected, gloomy, melancholy, triste, mournful* **0.2** [droevig stemmend] *melancholy, depressing, dreary* ⇒*dismal* ⟨uitzicht⟩, *dull, murky* ⟨dag⟩ ◆ **1.1** een~e glimlach *a s.*/ *joyless*/*cheerless*/*triste smile* **5.2** het is diep~*it is truly sad*/*deeply sorrowful*.

triestheid ⟨de (v.)⟩ **0.1** [droefheid] *melancholy, sadness* ⇒*gloominess, dejection* **0.2** [droefgeestigheid] *gloominess* ⇒*dreariness, melancholy*.

triestig ⟨bn., bw.;-ly⟩ **0.1** [treurig] ⟨→triest **0.1**⟩ **0.2** [droevig stemmend] ⟨→triest **0.2**⟩ **0.3** [bedroevend] *sad, sorrowful, mournful* ◆ **1.2** het is~weer *it is dreary weather* **3.1** iem. ~ aankijken *look mournfully at s.o..*

triglief ⟨de (m.)⟩ **0.1** *triglyph*.

trigonaal ⟨bn.⟩ **0.1** *trigonal* ⇒*triangular* ◆ **1.1** trigonale getallen *triangular numbers;* ~ stelsel *trigonal system*.

trigonometrie ⟨de (v.)⟩ **0.1** [driehoeksmeting] *trigonometry* **0.2** [les] *trigonometry* ◆ **2.1** vlakke en bolvormige ~ *plane and spherical t..*

trigonometrisch ⟨bn., bw.;-(al)ly⟩ **0.1** *trigonometric(al)*.

trijntje ⟨het⟩ **0.1** *Kate(y), Kitty* ◆ **1.1** ⟨scherts.⟩ van wijntje en~houden *be fond of wine, women and song*.

trijp ⟨het⟩ **0.1** *moquette* ⇒*mock-velvet*.

trijpen ⟨bn.⟩ **0.1** *moquette* ⇒*mock-velvet*.

trijsen ⟨ov.ww.⟩ **0.1** *trice (up)* ⇒*hoist*.

triktrak ⟨het⟩ **0.1** *backgammon* ⇒*tric(k)trac(k)*.

triktrakbord ⟨het⟩ **0.1** ≠*backgammon board*.

triktrakken ⟨onov.ww.⟩ **0.1** *play backgammon*/*tric(k)trac(k)*.

trilateraal ⟨bn.⟩ **0.1** *trilateral* ◆ **1.1** ~ overleg *t. talks*/*discussion(s)*/*conference(s);* een ~ verdrag *a t. treaty*.

trilbeton ⟨het⟩ **0.1** *vibrated concrete*.

trilgras ⟨het⟩ **0.1** *quaking grass* ⟨genus Briza⟩.

trilhaardiertje ⟨het⟩ **0.1** *ciliate (organism)*.

trilhaartje ⟨het⟩ **0.1** *cilium;* ⟨zweep haartje⟩ *flagellum*.

trilhaarworm ⟨de (m.)⟩ **0.1** *turbellarian*.

trilineair ⟨bn.⟩ **0.1** *trilinear*.

triljard ⟨het⟩ **0.1** ᴮ*a thousand quadrillions*, ᴬ*octillion*.

triljoen ⟨het⟩ **0.1** ᴮ*trillion*, ᴬ*quintillion*.

trillen ⟨onov.ww.⟩ **0.1** [zich snel heen en weer bewegen] *vibrate* ⇒⟨huizen/ enz. ook⟩ *tremble, shake*, ⟨lucht ook⟩ *quiver*, ⟨tongpunt⟩ *trill* **0.2** [beven] *tremble* ⇒*shake, quake, shudder* **0.3** [⟨muz.⟩] *vibrate* ⇒*trill* ◆ **1.1** de ruiten trilden door de ontploffing *an explosion shook the windows* **1.2** met~de stem *with*/*in a tremulous voice* **6.1** de lucht trilt **van** de hitte *the air quivers*/*vibrates with (the) heat* **6.2** ik sta te ~ **op** mijn benen *my legs are trembling under me, I am shaking*/*shivering in my shoes;* ~ **van** angst/ woede *tremble*/*quake with fear*/*rage;* ~ **van** emotie *quiver with emotion* **8.2** ~ als een juffershondje/ een espeblad *tremble like a jelly*/*an aspen leaf*.

triller ⟨de (m.)⟩ **0.1** [voorwerp dat trilt, dat iets doet trillen] *vibrator* **0.2** [⟨muz.⟩] *trill* ⇒*shake* ◆ **3.2** ~s zingen *sing trills, trill*.

trillerig ⟨bn.⟩ **0.1** *shaky* ⇒*trembly, quivery, quavery* ⟨stem⟩.

trilling ⟨de (v.)⟩ **0.1** [het trillen] *vibration* ⇒*trembling* **0.2** [heen- en weergaande beweging] *vibration* ⇒⟨nat.⟩ *cycle, tremor* ⟨aardbeving⟩ **0.3** [siddering, beven] *trembling* ⇒*shaking, quivering, quaking, tremor* ⟨van stem⟩ ◆ **2.2** ⟨nat.⟩ periodieke/ longitudinale/ transversale ~en *periodic(al)*/*longitudinal*/*transversal vibrations;* ⟨nat.⟩ vrije/ gedempte/ gedwongen ~en *free*/*damped*/*forced vibrations*/*resonance* **6.1** in ~ raken *start vibrating;* **in** ~ brengen *set vibrating*/*into vibration* **6.2** ⟨nat.⟩ 300 ~en **per** seconde *300 cycles per second*/*CPS*/ *hertz*.

trillingsduur ⟨de (m.)⟩ **0.1** *period of vibration*/ ⟨elek.⟩ *oscillation*.

trillingsgetal ⟨het⟩ **0.1** *frequency* ⇒⟨muz.⟩ *vibration number*.

trillingsmeter ⟨de (m.)⟩ **0.1** *seismometer* ⇒*geophone*.

trillingstijd ⟨de (m.)⟩ **0.1** *period of vibration*.

trilogie ⟨de (v.)⟩ **0.1** *trilogy*.

trilvrij ⟨bn., bw.;-ly⟩ **0.1** *vibrationless* ⇒*vibration-free*/*proof, damped*.

trim. ⟨afk.⟩ **0.1** [trimester] ⟨trimester⟩.

trimaran ⟨de (m.)⟩ **0.1** *trimaran*.

trimbaan ⟨de⟩ **0.1** *training circuit*.

trimcentrum ⟨het⟩ ⟨sport⟩ **0.1** *fitness centre*.

trimester ⟨het⟩ **0.1** *trimester* ⇒*quarter, three months, term* ⟨school⟩, ⟨AE ook⟩ *trimester* ◆ **5.1** midden in het ~ *(in) midterm* **7.1** het eerste / tweede/ derde~*the first*/*second*/*third term*.

trimestrieel ⟨bn.⟩ ⟨AZN⟩ **0.1** *three-monthly* ⇒⟨schr.; zeldz.⟩ *trimestr(i)al* ◆ **1.1** trimestriële examens *end-of-term examinations*.

trimeter ⟨de (m.)⟩ **0.1** *trimeter*.

trimfiets ⟨de⟩ **0.1** [hometrainer] *stationary bike* **0.2** [sportfiets] *sports*/ *touring bike*.

trimmen
I ⟨onov.ww.⟩ **0.1** [zich fit houden] *do keep-fit exercises* ⇒*jog, work out;*
II ⟨ov.ww.⟩ **0.1** [haar bijknippen] *trim* ⇒*clip* **0.2** [lading stuwen] *trim* **0.3** [stellen, regelen] *trim.*
trimmer ⟨de (m.)⟩ **0.1** *trimmer* ⇒*jogger.*
trimoefening ⟨de (v.)⟩ **0.1** *(keep-fit) exercise.*
trimpak ⟨het⟩ **0.1** *tracksuit* ⇒*jogging suit,* ⟨vnl. AE⟩ *sweat suit.*
trimparcours→**trimbaan.**
trimschoen ⟨de (v.)⟩ **0.1** *training / jogging shoe.*
trimtoestel ⟨het⟩ **0.1** *exerciser.*
Trinidad en Tobago ⟨zn.mv.⟩ **0.1** *Trinidad and Tobago.*
trinitair ⟨bn.⟩ **0.1** *Trinitarian.*
triniteit ⟨de (v.)⟩ **0.1** *trinity.*
trio ⟨het⟩ **0.1** [drietal] *trio* **0.2** [muziek-, zangstuk] *trio* **0.3** [mbt. paardenrennen] *triple* **0.4** [mbt. seks] *trio, sex à trois, troilism.*
triode ⟨de (v.)⟩ **0.1** *triode.*
triolet ⟨het, de m.⟩ **0.1** *triolet.*
triomf ⟨de (m.)⟩ **0.1** [zegepraal] *triumph* **0.2** [succes] *triumph* **0.3** [(gevoel van) vreugde] *triumph* ⇒*exultation* **0.4** [feestbetoon] *triumph* ◆ **1.1** de ~ behalen *gain the t.* **3.2** ~en vieren *score triumphs* **6.4** iem. in ~ inhalen *receive s.o. in t..*
triomfaal ⟨bn.⟩ **0.1** *triumphal.*
triomfalisme ⟨het⟩ **0.1** *triumphalism* ⇒*megalomania, self-aggrandizement.*
triomfalistisch ⟨bn.⟩ **0.1** *triumphalist* ⇒*megalomaniacal, self-glorifying.*
triomfantelijk ⟨bn., bw. ; -ly⟩ **0.1** *triumphant* ⇒⟨mbt. blik / woorden / enz. ook⟩ *exultant* ◆ **1.1** een ~e blik in de ogen *a t. / exultant look in the eyes;* een ~e intocht *a triumphal entry* **3.1** ~ ingehaald worden *be received triumphantly / in triumph;* ~ rondkijken *look about triumphantly.*
triomfator ⟨de (m.)⟩ **0.1** [overwinnaar] *victor* **0.2** [⟨Rom. gesch.⟩] *triumphator.*
triomfboog ⟨de (m.)⟩ **0.1** *triumphal arch.*
triomferen ⟨onov.ww.⟩ **0.1** *triumph* ◆ **1.1** de ~de kerk *the Church triumphant* **6.1** over zijn vijanden ~ *t. over one's enemies.*
triomfkreet ⟨de (m.)⟩ **0.1** *cry / shout of triumph* ⇒*triumphant / jubilant cry / shout.*
triomflied ⟨het⟩ **0.1** *song of triumph* ⇒*triumphal song.*
triomfmars ⟨de⟩ **0.1** *triumphal march.*
triomfpoort ⟨de⟩ **0.1** *triumphal arch.*
triomftocht ⟨de (m.)⟩ **0.1** *triumphal procession.*
triomfwagen ⟨de (m.)⟩ **0.1** *triumphal carriage / chariot.*
triool ⟨de⟩ ⟨muz.⟩ **0.1** *triole* ⇒*triplet.*
trioseks ⟨de (m.)⟩ **0.1** *trio sex* ⇒⟨inf.⟩ *trio.*
triosonate ⟨de⟩ **0.1** *trio sonata.*
trioxyde ⟨het⟩ **0.1** *trioxide.*
trip[1] ⟨de (m.)⟩ **0.1** [uitstapje] *trip* ⇒*tour* **0.2** [mbt. drugs] *(acid) trip* ◆ **2.2** een goede / slechte ~ *a good / bad t.* **3.1** een ~ maken *trip, tour, go on / make a trip* **3.2** een ~ maken *trip.*
trip[2] ⟨tw.⟩ ◆ **9.¶** ~ trap gaan de voetjes *the feet go pitapat.*
tripartiet ⟨bn.⟩ **0.1** *tripartite* ◆ **1.1** ~ overleg *t. talks / discussion(s).*
Triple ⟨bn.⟩ ◆ **1.¶** ~ Alliantie *Triple Alliance;* ~ Entente *Triple Entente.*
tripleren
I ⟨ov.ww.⟩ **0.1** [verdrievoudigen] *triple* ⇒*treble, triplicate;*
II ⟨onov.ww.⟩ **0.1** [⟨biljart⟩] *overtake three abreast* **0.2** [⟨verkeer⟩] *overtake three abreast.*
triple-sec ⟨de (m.)⟩ **0.1** *triple sec.*
triplet ⟨het, de m.⟩ **0.1** *triplet.*
triplex[1] ⟨het, de (m.)⟩ **0.1** *plywood* ⇒*three-ply wood.*
triplex[2] ⟨bn.⟩ **0.1** [van triplex] *plywood* **0.2** [drievoudig] *triplex* ⇒*threefold.*
triplexglas ⟨het⟩ **0.1** *triplex (glass)* ⟨vaak ook Triplex⟩, *safety glass.*
triplexplaat ⟨de⟩ **0.1** *plywood sheet / board.*
tripliceren ⟨ov.ww.⟩ **0.1** *triplicate.*
tripliek ⟨de (v.)⟩ **0.1** ⟨jur.⟩ *surrejoinder.*
triplo ◆ **6.¶** in ~ *in triplicate.*
tripmiddel ⟨het⟩ **0.1** *hallucinogenic (substance), psychedelic (substance).*
Tripolis ⟨het⟩ **0.1** *Tripoli.*
trippelen ⟨onov.ww.⟩ **0.1** *trip* ⇒*patter.*
trippelmaat ⟨de⟩ **0.1** ⟨versmaat⟩ *amphibrach.*
trippelpasje ⟨het⟩ **0.1** *tripping-step* ⇒⟨pej.⟩ *mincing step.*
trippeltrappel **0.1** *clip-clop* ⇒*pitapat.*
trippen ⟨onov.ww.⟩ **0.1** [trippelen] *trip* **0.2** [een trip maken, ook mbt. drugs] *trip (out)* ◆ **6.1** de mussen ~ **over** het dak *the sparrows are tripping over / across the roof* **6.2** ⟨fig.⟩ hij tript **op** hardrockmuziek *he gets off on hard rock (music).*
triptiek ⟨de (v.)⟩ **0.1** [schilderij] *triptych* **0.2** [document] *triptyque.*
triptrap ⟨de (m.)⟩ **0.1** ⟨kindervoeten⟩ *pitter-patter* ⇒*pitapat,* ⟨paardehoeven enz.⟩ *clip(pety-)clop.*
tritheïsme ⟨het⟩ **0.1** [driegodendom] *tritheism* **0.2** [⟨theol.⟩] *tritheism.*
triton

triton
I ⟨de (m.)⟩ **0.1** [⟨myth.⟩] *triton;*
II ⟨het⟩ **0.1** [atoomkern] *triton.*
tritonshoorns ⟨zn.mv.⟩ **0.1** *triton* ⇒*triton / trumpet-shell.*
trits ⟨de⟩ **0.1** *triplet* ⇒*set of three* ◆ **3.1** ⟨kaarten⟩ een ~ in handen hebben *have a trio in hand.*
triumviraat ⟨het⟩ **0.1** *triumvirate.*
trivalent ⟨bn.⟩ ⟨schei.⟩ **0.1** *trivalent.*
triviaal ⟨bn.⟩ **0.1** [gewoon] *trivial* ⇒*commonplace, trite* **0.2** [platvloers] *vulgar* ⇒*coarse* **0.3** [zonder wezenlijke betekenis] *trivial* ⇒*vapid* ◆ **1.3** triviale naam ⟨schei.⟩ *t. name.*
triviaalliteratuur ⟨de (v.)⟩ **0.1** ≠*light fiction* ⇒⟨pej.⟩ *pulp fiction.*
trivialiteit ⟨de (v.)⟩ **0.1** *triviality* ⇒⟨abstr. ook⟩ *triteness,* ⟨platvloersheid⟩ *vulgarity.*
trivium ⟨het⟩ **0.1** *trivium.*
trochee ⟨de (m.)⟩ ⟨lit.⟩ **0.1** *trochee.*
trocheïsch ⟨bn.⟩ **0.1** *trochaic.*
troebel ⟨bn.⟩ ⟨→sprw. 638⟩ **0.1** [mbt. vloeistoffen] *turbid* ⇒*cloudy, muddy* **0.2** [duister] *turbid* ⇒*murky, muddy* ◆ **1.1** in ~ water vissen *fish in troubled waters* **1.2** een ~e blik *a sombre / shadowy / dark look / gaze;* een ~e sfeer *a troubled atmosphere* **3.2** zich ~ in zijn hoofd voelen *feel confused / muddled (in one's head).*
troebelen ⟨zn.mv.⟩ ⟨schr.⟩ **0.1** *riots.*
troebelheid ⟨de (v.)⟩ **0.1** *turbity* ⇒*turbidness.*
troebeling ⟨de (v.)⟩ **0.1** ⟨water enz.⟩ *cloudiness, turbidity* ⟨troebel zijn⟩; *clouding* ⟨troebel maken⟩.
troef ⟨de⟩ ⟨sport⟩ **0.1** [kaarten waarmee andere genomen kunnen worden] *trumps* **0.2** [kaart v.d. kleur / soort die troef is] *trump (card)* ◆ **1.1** welke kleur is ~? *what suit is ~?* **2.2** ⟨fig.⟩ hij is onze grootste ~ in deze Ronde van Frankrijk *he is our trump card in this Tour de France;* een hoge ~ uitspelen ⟨ook fig.⟩ *produce / play one's trump card / master card;* zijn laatste ~ uitspelen ⟨ook fig.⟩ *play one's last trump* **3.1** ~ bekennen *follow suit;* ~ keren / draaien *turn up t.;* ~ spelen *play t. / trump;* geen ~ verzaken ⟨fig.⟩ *call a spade a spade* **3.2** veel troeven in handen hebben ⟨ook fig.⟩ *hold the trumps / winning cards;* zijn troeven openleggen ⟨ook fig.⟩ *lay / put one's cards on the table;* alle troeven zijn eruit *all the trumps are drawn* **3.¶** iem. ~ geven *give s.o. a beating / licking;* het is er armoe ~ *they are poor as church-mice.*
troefaas ⟨het, de (m.)⟩ **0.1** *ace of trumps.*
troefkaart ⟨de⟩ **0.1** *trump (card)* ⇒*leading card* ◆ **3.1** zijn ~ uitspelen *bring out / play one's trump (card).*
troefkleur ⟨de⟩ **0.1** *trump suit* ⇒⟨inf.⟩ *trumps* ◆ **3.1** de ~ noemen *declare trumps.*
troel ⟨de (v.)⟩ **0.1** [⟨als liefkozingswoord⟩] *sweetie* ⇒*baby* **0.2** [meid] *slut* ⇒*bitch.*
troela ⟨de (v.)⟩ **0.1** ⟨troetelnaam⟩ *sweet thing;* ⟨pej.⟩ *cow* ◆ **2.1** malle ~ *silly (old) cow / ⟨*BE ook⟩ *moo.*
troep ⟨de (m.)⟩ **0.1** [groep] *troop* ⇒*band, pack* ⟨wolven⟩, *flock* ⟨vee⟩, *herd* ⟨schapen⟩ **0.2** [rommel] *mess* ⇒*muddle, clutter* **0.3** [⟨mil.⟩] *troop* ⇒*body (of soldiers)* **0.4** [gezelschap toneelspelers] *company* ⇒*troupe* ⟨acrobaten⟩ **0.5** [verkenners in de padvinderij] *troop* ◆ **1.1** een ~ nieuwsgierigen *a bunch / batch of gapers* **2.2** gooi de hele ~ maar weg *just get rid of the whole lot / caboodle;* wat een saaie ~! *what a dull affair / lot, how dull it is here!;* waardeloze ~ *trash, junk, rubbish* **2.3** bereden ~en *horse, cavalry;* vreemde / buitenlandse ~en *foreign troops / forces* **3.2** het is me daar een ~! *they are a nice set!, what a set!;* ik lust die ~ niet *I don't want / like that junk / stuff;* ~ maken *make a mess;* ergens een ~ van maken *make a mess of sth.;* de ~ opruimen *clear (away) the mess* **3.3** ~en hergroeperen *redeploy / regroup troops / forces;* ~en ronselen *recruit troops* **4.2** wat een ~! *what a mess* **6.1** ⟨dierk.⟩ **in** ~en leven *live in herds;* **in** ~en rondtrekken *wander about in troops, troop along* **6.2** wat moet ik **met** die ~? *what can I do / what am I supposed to do with that trash?* **6.3** ⟨AZN⟩ **bij** de ~ zijn *be in the army, do one's military service* **¶.3** ~en te velde *troops in the field.*
troepenaantal ⟨het⟩ **0.1** *number of troops* ⇒*strength.*
troepenbeweging ⟨de (v.)⟩ ⟨mil.⟩ **0.1** *troop movement* ⟨meestal mv.⟩, *movement of troops.*
troepenconcentratie ⟨de (v.)⟩ ⟨mil.⟩ **0.1** *troop concentration* ⇒*concentration of troops.*
troepencontingent ⟨het⟩ ⟨mil.⟩ **0.1** *contingent of troops.*
troepenmacht ⟨de⟩ **0.1** *(military) force.*
troepentransportschip ⟨het⟩ **0.1** *troop-ship* ⇒*transport.*
troepenvervoer ⟨het⟩ **0.1** *transport / ⟨*AE ook⟩ *transportation of troops.*
troepleider ⟨de (m.)⟩, **-ster** ⟨de (v.)⟩ **0.1** *scoutmaster* ⟨m.⟩, *scoutmistress* ⟨v.⟩.
troetel ⟨de (m.)⟩ **0.1** *darling* ⇒*pet.*
troeteldier ⟨het⟩ **0.1** *cuddly / soft toy* ⇒⟨beer⟩ *Teddy (bear).*
troetelen ⟨ov.ww.⟩ **0.1** [liefkozen] *pet* ⇒*cuddle, fondle* **0.2** [vertroetelen] *pet* ⇒*pamper, spoil.*
troetelkind ⟨het⟩ **0.1** *(darling) pet* ⇒*(mother's) darling, spoiled / pampered child* ◆ **1.1** een ~ van de fortuin *a favoured child of fortune;* het leger is het ~ van de regering *the army is the pampered child of the government.*

troetelnaam ⟨de (m.)⟩ **0.1** *pet name*.

troetelschijf ⟨de⟩ ⟨muz.⟩ **0.1** *(today's / this week's / month's) favourite (record / single)*.

troetelwoord ⟨het⟩ **0.1** *pet word* ⇒*endearing word* ◆ **¶.1** ~*jes sweet nothings*.

troeven ⟨kaartspel⟩ ⟨→sprw. 7⟩
I ⟨onov.ww.⟩ **0.1** [een troefkaart spelen] *play trumps* ◆ **¶.1** heen en weer~*crossruff*;
II ⟨onov., ov.ww.⟩ **0.1** [met een troefkaart andere kaarten nemen] *(over)trump*.

trofee ⟨de (v.)⟩ **0.1** [⟨sport⟩] *trophy* ⇒⟨beker ook⟩ *cup* **0.2** [⟨gesch.⟩] *trophy*.

troffel ⟨de (m.)⟩ **0.1** *trowel*.

troffelzaag →toffelzaag.

trog ⟨de (m.)⟩ **0.1** [voerbak] *trough* ⇒*manger* **0.2** [kneedbak] *trough* **0.3** [⟨geol.⟩] *trough* ⇒*(geo)syncline* **0.4** [⟨meteo.⟩] *trough*.

troggelaar ⟨de (m.)⟩, **-ster** ⟨de (v.)⟩ **0.1** *cajoler* ⇒*weedler*.

troggelen ⟨ov.ww.⟩ **0.1** *wheedle* ⇒*coax, cajole*.

troglodiet ⟨de (m.)⟩ **0.1** *troglodyte*.

trogvormig ⟨bn.⟩ **0.1** *trough-shaped* ⇒*V-shaped*.

Trojaans ⟨bn.⟩ ⟨gesch.⟩ **0.1** *Trojan* ◆ **1.1** de ~e oorlog *the T. war;* ⟨fig.⟩ het ~e paard *the wooden horse of Troy;* het paard van Troje inhalen *drag / let in the T. horse*.

Troje ⟨het⟩ **0.1** *Troy*.

trojka ⟨de⟩ **0.1** [rijtuig] *troika* **0.2** [paardendressuurnummer] *troïka* **0.3** [driemanschap] *troika* ⇒*triumvirate*.

trol ⟨de (m.)⟩ **0.1** *troll*.

trolley ⟨de (m.)⟩ **0.1** [wagentje] *trolley* **0.2** [elektr. contactstang] *trolley* **0.3** [bus, tram] *trolley (bus / car)* **0.4** [kar met etenswaar] *(tea)* [B]*trolley /* [A]*wagon*.

trolleybus ⟨de⟩ **0.1** *trolley bus*.

trom ⟨de⟩ **0.1** *drum* ◆ **2.1** op de grote ~ slaan ⟨ook fig.⟩ *beat the big d.;* een grote / Turkse ~ *a big / bass d.;* een kleine ~ *a little d., a snare / side-d.;* met stille ~ vertrekken *leave quietly / without d. or trumpet;* ⟨BE; sl.⟩ *shoot the moon* **3.1** met slaande ~ en vliegende vaandels *with drums beating and colours flying;* de ~ slaan / roeren ⟨ook fig.⟩ *beat / bang the d..*

trombocyt ⟨de (m.)⟩ ⟨biol.⟩ **0.1** *thrombocyte* ⇒*blood platelet*.

trombone ⟨de⟩ **0.1** [blaasinstrument] *trombone* **0.2** [trombonist] *trombone* **0.3** [orgelregister] *trombone* ⇒*posaune*.

trombonist ⟨de (m.)⟩ **0.1** *trombonist*.

trombose ⟨de (v.)⟩ **0.1** *thrombosis*.

trombosedienst ⟨de (m.)⟩ **0.1** *intensive care for thrombotic patients*.

tromgeroffel ⟨het⟩ **0.1** *drumroll* ⇒*roll of drums* ◆ **6.1** door ~ doorgeven *drum out (a message);* onder ~ *with roll of drums*.

trommel ⟨de⟩ **0.1** [slaginstrument] *drum* **0.2** [blikken doos] *box* ⇒*canister* ⟨koffie, thee, enz.⟩, *tin* ⟨koekjes⟩, *bin* ⟨brood⟩ **0.3** [cilinder] *drum* ⇒*barrel* **0.4** [holte in het oor] *drum of the ear* ⇒*tympanic cavity* ◆ **2.2** een blikken ~ (tje) *a tin box / case* **3.1** de ~ slaan / roeren *beat the d..*

trommelaar ⟨de (m.)⟩, **-ster** ⟨de (v.)⟩ **0.1** *drummer*.

trommeldroger ⟨de (m.)⟩ **0.1** *tumbler (drier)* ⇒*tumble drier*.

trommelen
I ⟨onov.ww.⟩ **0.1** [op de trommel slaan] *drum* ⇒*beat / play the drum* **0.2** [tikken, slaan] *drum* ⇒*beat* ◆ **6.2** op de tafel ~ *d. (on) the table;* op de deur ~ *beat / bang the door;* op een piano ~ *thrum / strum (on) the piano;*
II ⟨ov.ww.⟩ **0.1** [door trommelen oproepen] *drum (up)* ⇒*beat up* **0.2** [ten gehore brengen] *play on a drum* ◆ **6.1** ⟨fig.⟩ iem. uit zijn bed ~ *rout s.o. out* **¶.1** ⟨fig.⟩ een groep mensen bij elkaar~ *. / beat / whip up a group of people.*

trommelholte ⟨de (v.)⟩ **0.1** *tympanic cavity.*

trommelrem ⟨de⟩ **0.1** *drum brake.*

trommelslag ⟨de (m.)⟩ **0.1** *drumbeat* ◆ **6.1** bij ~ bekend maken *beat a drum to announce sth..*

trommelslager ⟨de (m.)⟩ **0.1** *drummer.*

trommelstok ⟨de (m.)⟩ **0.1** *drumstick.*

trommelvel ⟨het⟩ **0.1** *drumhead.*

trommelvlies ⟨het⟩ ⟨med.⟩ **0.1** *eardrum* ⇒*tympanum, tympanic membrane.*

trommelvliesontsteking ⟨de (v.)⟩ **0.1** *tympanitis* ⇒*myringitis.*

trommelvuur ⟨het⟩ **0.1** *drumfire* ⇒*constant barrage.*

trommelwagen ⟨de (m.)⟩ **0.1** *tumbler* [B]*dustcart /* [A]*garbage truck.*

trommelwasmachine ⟨de (v.)⟩ **0.1** *tumbler washing machine.*

trommelzaag ⟨de⟩ **0.1** *cylinder saw;* ⟨kroonzaag⟩ *crown saw.*

trommelzucht ⟨de⟩ **0.1** *bloat.*

tromp ⟨de⟩ **0.1** [van kanon] *mouth* **0.2** [van geweer] *muzzle* **0.3** [van brandslang] *nozzle.*

trompe-l'oeil ⟨de (m.)⟩ **0.1** *trompe l'oeil.*

trompet ⟨de⟩ **0.1** [blaasinstrument] *trumpet* **0.2** [orgelregister] *trumpet* ⇒*tromba* **0.3** [spreekhoorn] *(speaking) trumpet* ⇒⟨elektronisch versterkt⟩ *megaphone,* ⟨BE ook⟩ *loud-hailer,* ⟨AE ook⟩ *bullhorn* ◆ **3.1** ⟨mil.⟩ de ~ steken *blow the t.* **6.1** op de ~ blazen *blow / sound the t..*

trompetbloem ⟨de⟩ **0.1** [⟨verz. naam⟩] *trumpet flower* ⇒*bignonia* **0.2** [Campsis radicans] *trumpet creeper / vine* **0.3** [Salpiglossis] *salpiglossis.*

trompetboom ⟨de (m.)⟩ **0.1** *catalpa* ⇒*bean tree.*

trompetdiertje ⟨het⟩ **0.1** *stentor.*

trompetgeschal ⟨het⟩ **0.1** *sound /* ⟨plechtig⟩ *flourish /* ⟨pej.⟩ *blare of trumpets* ⇒*fanfare.*

trompetnarcis ⟨de⟩ **0.1** *(trumpet) daffodil* ⇒*trumpet narcissus.*

trompetsignaal ⟨het⟩ **0.1** *trumpet-call.*

trompetten
I ⟨onov.ww.⟩ **0.1** [mbt. olifanten] *trumpet* **0.2** [op een trompet blazen] *trumpet* ⇒*blow a trumpet* **0.3** [luidruchtig tekeergaan] *trumpet;*
II ⟨ov.ww.⟩ **0.1** [op een trompet ten gehore brengen] *trumpet* ◆ **1.1** ⟨fig.⟩ iemands lof ~ *t. (forth) / sound s.o.'s praises.*

trompetter ⟨de (m.)⟩ **0.1** *trumpeter.*

trompetteren →trompetten.

trompet(ter)vogel ⟨de (m.)⟩ **0.1** *agami.*

trompettist ⟨de (m.)⟩ **0.1** *trumpet (player).*

trompetvis ⟨de (m.)⟩ **0.1** *trumpet-fish.*

trompetvormig ⟨bn.⟩ **0.1** *trumpet-shaped.*

tronen
I ⟨onov.ww.⟩ **0.1** [breeduit zitten] *throne* ⇒*sit enthroned* **0.2** [op een troon zetelen] *throne* ⇒*sit enthroned;*
II ⟨ov.ww.⟩ **0.1** [door vleiende aandrang ergens toe brengen] *allure* ⇒*entice.*

tronie ⟨de (v.)⟩ ⟨pej.⟩ **0.1** *mug* ⇒⟨vnl. BE⟩ *phiz.*

tronk ⟨de (m.)⟩ **0.1** *trunk.*

troon ⟨de (m.)⟩ **0.1** [staatsiezetel] *throne* **0.2** [koningschap] *throne* ◆ **3.1** de ~ beklimmen / bestijgen *mount / ascend the t.* **6.1** op de ~ zitten *sit on the t., reign;* op de ~ zetten *enthrone,* put on the t.; op de ~ komen *come to the t.;* ⟨scherts.⟩ God van zijn ~ bidden *pray God from his t.;* iem. van de ~ stoten *dethrone s.o.* **6.2** tot de ~ geroepen worden *he called to the t.* **¶.2** afstand doen v.d. ~ *abdicate / ((from) the t.).*

troonhemel ⟨de (m.)⟩ **0.1** *canopy.*

troonopvolger ⟨de (m.)⟩, **-volgster** ⟨de (v.)⟩ **0.1** [v.e. vorst] *heir* ⟨m.⟩ */ heiress* ⟨v.⟩ *to the throne* ⇒*successor to the throne* ⟨m., v.⟩ **0.2** [van andere leiders] *successor* ⟨m., v.⟩ ◆ **2.1** rechtmatige ~ *heir apparent (to the throne);* vermoedelijke ~ *heir presumptive (to the throne).*

troonopvolging ⟨de (v.)⟩ **0.1** *succession (to the throne).*

troonpretendent ⟨de (m.)⟩ **0.1** *pretender to a / the throne.*

troonrede ⟨de⟩ **0.1** *speech / address from the throne* ⇒*King's / Queen's speech* ⟨bij nieuwe zitting v.d. wetgevende vergadering⟩.

troonsafstand ⟨de (m.)⟩ **0.1** *abdication (of the throne).*

troonsbestijging ⟨de (v.)⟩ **0.1** *accession (to the throne)* ◆ **1.1** verjaardag v.d. ~ *regnal day.*

troonswisseling ⟨de (v.)⟩ **0.1** *succession.*

troonzaal ⟨de⟩ **0.1** *throne room / hall.*

troop ⟨de (m.)⟩ **0.1** *trope.*

troost ⟨de (m.)⟩ ⟨→sprw. 100⟩ **0.1** [vertroosting] *comfort* ⇒*consolation, solace* **0.2** [middel daartoe] *comfort* ⇒*consolation, solace* ◆ **1.2** een bakje ~ *that cheers* **2.1** dat is een hele ~ *that is quite a comfort;* dat is een schrale ~ *that is cold / scant comfort / consolation* **2.2** de boeken zijn mijn enige ~ *books are my only solace / (source of) comfort;* hij is mijn enige ~ *he is my only comfort* **3.1** iem. ~ bieden *comfort s.o.;* ~ putten uit de gedachte *find comfort / solace in the idea,* derive comfort from the idea; ~ zoeken / vinden bij iem. / in iets *seek / find comfort with s.o. / in sth.* **3.2** ~ zoeken / vinden in de alcohol *seek / find solace in alcohol.*

troostbrief ⟨de (m.)⟩ **0.1** *letter of sympathy / consolation /* ⟨rouwbeklag⟩ *condolence.*

troosteloos ⟨bn., bw.; -ly⟩ **0.1** [mistroostig] *disconsolate* ⟨vnl. van mensen⟩ ⇒*comfortless, cheerless* **0.2** [ontroostbaar] *disconsolate* ⇒*inconsolable* ◆ **1.1** een troosteloze aanblik bieden *look a vision of dreariness, present a cheerless prospect;* troosteloze armoede *abject poverty;* een ~ landschap *a dreary / desolate / d. part of the country;* in een troosteloze toestand verkeren *find o.s. in a dismal situation;* ~ watervlak *dreary waste of waters, watery waste* **¶.2** er ~ bij zitten *sit disconsolate.*

troosteloosheid ⟨de (v.)⟩ **0.1** [verslagenheid] *disconsolateness* **0.2** [mistroostigheid] *desolation* ⇒*gloom.*

troosten ⟨ov.ww.⟩ **0.1** [geestelijke steun geven] *comfort* ⇒*console, solace* **0.2** [opbeuren] *comfort* ⇒*cheer up* ◆ **3.2** wees getroost! *be comforted;* ⟨bijb.⟩ *comfort ye* **4.2** zich ~ met iets *take / find comfort / consolation in sth.;* hij troostte zich met de gedachte dat ... *he comforted / consoled himself with the idea that ...* **5.1** zij was niet te ~ *she was beyond (all) consolation.*

troostend ⟨bn., bw.; -ly⟩ **0.1** *comforting* ⇒*consoling.*

trooster ⟨de (m.)⟩, **-es** ⟨de (v.)⟩ **0.1** *comforter* ⇒*consoler,* ⟨bijb., Heilige Geest⟩ *(the) Paraclete.*

troostprijs ⟨de (m.)⟩ **0.1** *consolation prize.*

troostrijk ⟨bn.⟩ **0.1** *comforting* ⇒*consolatory* ◆ **1.1** een ~e gedachte *a consolation.*

troostwoord ⟨het⟩ **0.1** *word of comfort / consolation* ⇒*comforting / consoling word.*

trope →troop.

tropen ⟨zn.mv.⟩ **0.1** [keerkringen] *tropics* **0.2** [keerkringslanden] *tropics* ◆ **6.2** aan de ~ aanpassen *tropicalize* ⟨bv. machines⟩.

tropencursus ⟨de (m.)⟩ **0.1** *(introductory) course on the tropics.*
tropengordel ⟨de (m.)⟩ **0.1** ⟨mv.⟩ *tropics* ⇒*torrid zone.*
tropenhelm ⟨de (m.)⟩ **0.1** *topee, topi* ⇒*sun/pith helmet.*
tropenkolder ⟨de (m.)⟩ **0.1** *tropical frenzy/madness.*
tropenpak ⟨het⟩ **0.1** *lightweight suit.*
tropenrooster ⟨het⟩ **0.1** ⟨*work schedule suited to a tropical climate*⟩.
tropenuitrusting ⟨de (v.)⟩ **0.1** *tropical gear/* ⟨vnl. kleding⟩ *outfit* ◆ **3.1** een nieuwe ~ kopen *buy new t. g. / a new t. o..*
tropenziekte ⟨de (v.)⟩ **0.1** *tropical disease.*
tropie ⟨de (v.)⟩ **0.1** *tropism.*
tropisch ⟨bn., bw.; -ly⟩ **0.1** [gelegen tussen de keerkringen] *tropical* **0.2** [in de keerkringslanden voorkomend] *tropical* ◆ **1.1** de ~e zone/gordel *the t. / torrid zone* **1.2** een ~ aquarium *a t. aquarium*, ⟨meteo.⟩ een ~e dag *a t. day, a broiler/scorcher;* ~e geneeskunde/hygiëne *t. medicine/hygiene;* ⟨aardr.⟩ ~ jaar *t. year;* ~onweer *arched squall;* ~e ziekten *t. diseases* **2.2** ~ heet *torrid, stiflingly hot* **3.2** het is hier ~ *it's sweltering here.*
tropisme ⟨het⟩ ⟨biol.⟩ **0.1** *tropism.*
troposfeer ⟨de⟩ **0.1** *troposphere.*
troppo ⟨bw.⟩ ⟨muz.⟩ **0.1** *troppo.*
tros ⟨de (m.)⟩ **0.1** [bloeiwijze] *raceme* **0.2** [vruchten] *cluster* ⇒*bunch* ⟨druiven, bananen⟩, *string* ⟨bessen⟩ **0.3** [touw, kabel] *hawser* **0.4** [⟨gesch.; mil.⟩] *train* ◆ **3.3** ⟨scheep.⟩ de ~sen losgooien *cast off, unmoor* **6.2** in ~sen groeiende planten *gregarious plants.*
trosnarcis ⟨de⟩ **0.1** *polyanthus narcissus.*
trosvormig ⟨bn.⟩ **0.1** *bunched, clustered;* ⟨plantk.⟩ *racemose;* ⟨als druiventros⟩ *aciniform.*
trots¹ ⟨de (m.)⟩ **0.1** [hoogmoed] *pride* ⇒*haughtiness* **0.2** [fierheid] *pride* **0.3** [persoon/zaak waarop men trots is] *pride* ⇒*glory, boast* ◆ **1.2** dat gaf haar een gevoel van ~ *that gave her a feeling of p.* **1.3** ze is de ~ van haar ouders *she is the p. of her parents/her parents' p. and joy* **2.2** gekrenkte/gedeukte ~ *hurt p.;* misplaatste ~ *false p.* **3.2** zijn ~ inslikken/overwinnen *put one's p. in one's pocket, swallow one's p.;* zijn ~ prijsgeven *give over one's p..*
trots² ⟨bn., bw.; -ly⟩ **0.1** [fier] *proud* **0.2** [hoogmoedig] *proud* ⇒*haughty* **0.3** [tevreden] *proud* **0.4** [indrukwekkend] *proud* ⇒*glorious, splendid, stately* ◆ **1.3** het dorp is de ~e bezitter v.e. openbaar zwembad ⟨ook⟩ *the village boasts a public swimming pool;* hij is de ~e bezitter/in het ~e bezit v.e. nieuwe auto *he is the p. owner of a new car* **6.3** ~ op zijn kinderen *p. of one's children;* ~ op zijn geld *purse-p.;* daar kan hij ~ op zijn *he may be p. of* **8.2** zo ~ als een pauw/als een aap *as p. as a peacock/as Punch.*
trots³ ⟨vz.⟩ ⟨schr.⟩ **0.1** *despite* ⇒*in spite of* ◆ **1.1** ~ alle goede voornemens *d. all good intentions.*
trotseren ⟨ov.ww.⟩ **0.1** [het hoofd bieden] *defy* ⇒*face, brave* **0.2** [bestand zijn tegen] *stand up (to)* ◆ **1.1** de blik(ken) ~ (van) *outface, outstare;* de dood ~ *d. death, trifle with death;* het gevaar ~ *d. danger;* alle weer ~ *face all weather* **1.2** de eeuwen (kunnen) ~ *stand the test of time.*
trotsering ⟨de (v.)⟩ **0.1** *defiance* ⇒*braving, challenging.*
trotskisme ⟨het⟩ **0.1** *Trotskyism.*
trotskist ⟨de (m.)⟩ **0.1** *Trotskyist* ⇒⟨ook pej.⟩ *Trotskyite,* ⟨inf.; pej.⟩ *Trot.*
trotten ⟨onov.ww.⟩ ⟨AZN⟩ **0.1** *trot* ⇒*walk briskly.*
trottoir ⟨het⟩ **0.1** *pavement,* ᴬ*sidewalk* ⇒*footpath.*
trottoirband ⟨de (m.)⟩ **0.1** *kerb,* ᴬ*curb* ⇒*kerb/*ᴬ*curbstone.*
trottoirtegel ⟨de (m.)⟩ **0.1** *paving-stone.*
trottoirtekenaar ⟨de (m.)⟩ **0.1** *pavement artist* ⇒⟨AE ook⟩ *sidewalk artist.*
trotyl ⟨het⟩ ⟨schei.⟩ **0.1** *trotyl* ⇒*TNT, trinitrotoluene, trinitrotoluol.*
troubadour ⟨de (m.)⟩ **0.1** [⟨gesch.⟩] *troubadour* ⇒*jongleur* ⟨in middeleeuws Frankrijk⟩, *mistrel* **0.2** [rondtrekkende liedjeszanger] *troubadour* ⇒*itinerant singer, wandering minstrel.*
trouvaille ⟨de⟩ **0.1** *flash of brilliance/inspiration, stroke of genius* ⇒*brain wave/storm, brilliant idea, happy find.*
trouw¹
 I ⟨de⟩ **0.1** [het zich houden aan een verbintenis] *fidelity* ⇒*loyalty, faith(fulness), allegiance* ⟨aan land/partij⟩, ⟨gesch.⟩ *fealty* ⟨aan leenheer⟩ **0.2** [volharding] *dedication* ⇒*staunchness, fidelity, allegiance, piety* ⟨in religie⟩ **0.3** ⟨schr.⟩ gegeven woord] *pledge* ⇒*promise,* ⟨gesch.⟩ *fealty* ⟨aan leenheer⟩, *vow* ⟨ihb. bij huwelijk⟩ **0.4** [het overeenkomen met een voorbeeld/de waarheid] *fidelity* ⇒*likeness* ⟨mbt. iets visueels⟩ ◆ **2.1** goede ~ *good faith,* ⟨jur.⟩ *bona fides;* te goeder ~ zijn *be bona fide/clean-fingered/in good faith;* huwelijkse ~ *(marital) fidelity/faithfulness;* te kwader ~ *mala fide, in bad faith* **3.1** ~ zweren *swear (an oath of) allegiance;* ⟨Angl.⟩ *plight one's troth* ⟨formele uitdrukking bij huwelijksceremonie⟩ **3.3** zijn ~ breken *break one's pledge/promise/vow* **6.2** de ~ aan beginselen *d. /allegiance to principles* **6.3** een ring in ~ geven *give a ring as a token of the marriage vows;*
 II ⟨de (m.)⟩ **0.1** [huwelijkssluiting] *marriage* ⟨formeel⟩; *wedding* ⟨gebeurtenis⟩ ◆ **1.1** een kostuum voor rouw en ~ *a suit for weddings and funerals.*

trouw² ⟨bn., bw.; -ly⟩ **0.1** [getrouw] *faithful* ⇒*true, loyal* **0.2** [volhardend] *dedicated* ⇒*staunch, stalwart* ⟨aanhanger⟩, *pious, regular* ⟨mbt. kerkgang⟩, *steadfast, true* ⟨aan principes⟩ **0.3** [nauwkeurig] *conscientious* ⇒*precise, exact, dedicated* **0.4** [⟨iron.⟩ onveranderlijk] *regular* ⇒*consistent, constant* ◆ **1.1** de hond is een ~ dier *the dog is a f. animal;* ~e onderdanen *loyal subjects;* een ~e vriend *a true/loyal friend* **1.2** het zijn ~e kerkgangers *they attend church regularly* **3.1** elkaar ~ blijven *be/remain f. / true to each other, stick/hang together;* iem. ~ blijven *remain loyal/constant to s.o.;* zijn beloften ~ nakomen *fulfil one's promises faithfully* **3.3** een medicijn ~ innemen *take a medicine regularly/conscientiously;* de voorschriften ~ opvolgen *follow the regulations conscientiously/precisely* **3.4** ~ te laat komen *be invariably/consistently late* **6.2** ~ aan zijn beginselen blijven *stick to/stand by one's principles.*
trouwakte ⟨de⟩ **0.1** *marriage certificate* ⇒⟨inf.⟩ *marriage lines.*
trouwbelofte ⟨de (v.)⟩ **0.1** *promise of marriage* ⟨vooraf⟩; *marriage vows* ⟨in huwelijksceremonie⟩ ◆ **3.1** een ~ doen/aangaan/geven *give one's promise/marriage vows;* ⟨vero. en Angl.⟩ *plight one's troth;* de ~ verbreken *break one's promise of marriage; break one's marriage vows* ⟨door overspel⟩.
trouwbijbel ⟨de (m.)⟩ **0.1** *family Bible.*
trouwboek ⟨het⟩ **0.1** *marriage register, register of marriages* ⟨document bij burgerlijke stand⟩.
trouwboeket ⟨het⟩ **0.1** *bride's/bridal bouquet.*
trouwboekje ⟨het⟩ **0.1** ≠*marriage certificate;* ⟨inf.⟩ *marriage lines.*
trouwbreuk ⟨de⟩ **0.1** *breach of faith* ⇒*(act of) infidelity* ⟨echtbreuk⟩.
trouwdag ⟨de⟩ **0.1** *wedding day* ⇒*wedding anniversary* ⟨dag waarop men getrouwd is⟩ ◆ **3.1** zijn ~ vieren *celebrate one's wedding anniversary/-day.*
trouweloos ⟨bn., bw.; -ly⟩ **0.1** [ontrouw] *perfidious* ⇒*faithless, disloyal, untrue, unfaithful* **0.2** [perfide, vals] *perfidious* ⇒*treacherous, traitorous, disloyal* ◆ **1.1** een ~ karakter *a p. character* **1.2** trouweloze daden *p. / treacherous/disloyal deeds/acts.*
trouweloosheid ⟨de (v.)⟩ **0.1** *faithlessness* ⇒*disloyalty, perfidy,* ⟨echtbreuk⟩ *infidelity,* ⟨handeling⟩ *breach of faith, act of faithlessness* ⟨handeling⟩.
trouwen ⟨~⇒sprw. 113, 249, 572⟩
 I ⟨onov.ww.⟩ **0.1** [huwen] *get married* ⇒*marry,* ⟨inf.⟩ *get hitched/spliced,* ⟨schr. en fig.⟩ *wed* ◆ **5.1** ⟨fig.⟩ ik ben er niet mee getrouwd *I'm not wedded/tied to it;* ⟨fig.⟩ zo zijn we niet getrouwd *that's not on, that was not in the bargain* **6.1** in de kerk ~ *get married in church;* met iem. v.e. ander geloof ~ *marry out of one's faith, make a mixed marriage;* ze trouwde met een arts *she married a doctor;* hij is geen man om te ~ *he is not a marrying man/the marrying type!*zon't; om het geld ~ *marry for money;* voor de wet ~ *get married in a registry office* ¶.1 boven/beneden zijn stand ~ *marry above/beneath o.s.;*
 II ⟨ov.ww.⟩ **0.1** [ten huwelijk nemen] *marry* ⇒⟨schr.⟩ *wed* **0.2** [in de echt verbinden] *marry* ⟨schr.⟩ *join/unite in marriage/wedlock* ◆ **1.1** ⟨fig.⟩ een fortuin ~ *m. a fortune.*
trouwens ⟨bw.⟩ **0.1** [overigens] *anyway/how* ⇒*indeed, for that matter, as a matter of fact, actually* ⟨als zinsvulling⟩ **0.2** [afgezien daarvan] *besides* ⇒*after all, incidentally, by the way* ◆ ¶.1 ik kon ~ niet anders doen *anyway/actually I couldn't do anything else;* dat verwondert mij ~ niet *actually/as a matter of fact that doesn't surprise me;* hij komt niet; ik ~ ook niet *he isn't coming; neither/nor am I for that matter;* wat doet het er ~ toe? *what does it matter after all?* ¶.2 ~, ik snap toch niet waarvan hij dat doet *by the way/incidentally, I don't understand how he does that;* hij moest ~ om zes uur thuis zijn *b., he should have been home at six o'clock.*
trouwerij ⟨de (v.)⟩ **0.1** [⟨inf.⟩ het trouwen] *wedding* ⇒*marriage* **0.2** [trouwpartij] *wedding (party).*
trouwfeest ⟨het⟩ **0.1** *wedding (celebrations/party).*
trouwfoto ⟨de⟩ **0.1** *wedding photo.*
trouwhartig ⟨bn., bw.; -ly⟩ **0.1** [trouw van aard] *faithful* ⇒*logal, time-hearted* **0.2** [eerlijk] *frank* ⇒*candid, plain, straightforward* ◆ **1.1** zijn ~e vriend *his f. friend* **1.2** een ~e verklaring *a f. / candid statement.*
trouwhartigheid ⟨de (v.)⟩ **0.1** [trouw, oprechtheid] *true-heartedness* ⇒*faithfulness* **0.2** [openhartigheid] *open-heartedness* ⇒*candour.*
trouwjurk ⟨de⟩ **0.1** *wedding dress* ⇒⟨schr.⟩ *bridal gown.*
trouwkaart ⟨de⟩ **0.1** *wedding-card* ⟨uitnodiging aan vrienden⟩.
trouwlustig ⟨bn.⟩ **0.1** *eager to marry* ⇒*keen on marrying.*
trouwpak ⟨het⟩ **0.1** *wedding suit/clothes.*
trouwpartij ⟨de (v.)⟩ **0.1** [huwelijksfeest] *wedding (party)* **0.2** [plechtigheid] *wedding/marriage ceremony* **0.3** [trouwstoet] *wedding/bridal party* ⇒*wedding procession.*
trouwplannen ⟨zn. mv.⟩ ◆ **3.**¶ ~ hebben *be getting married, be going/planning to get married.*
trouwplechtigheid ⟨de (v.)⟩ **0.1** *wedding/marriage ceremony.*
trouwregister ⟨het⟩ **0.1** *register of marriages* ⇒*marriage register.*
trouwring ⟨de (m.)⟩ **0.1** *wedding ring.*
trouwstoet ⟨de (m.)⟩ **0.1** *wedding procession.*
trouwzaal ⟨de⟩ **0.1** *wedding room.*

truc 〈de (m.)〉 **0.1** [handigheid] *trick* ⇒〈inf.〉 *dodge, gimmick, stunt* 〈ihb. mbt. reclame〉, 〈inf.〉 *wangle, device, twist* **0.2** [kunstgreep] *trick* ⇒〈inf.〉 *wrinkle, gimmick, ruse* ♦ **1.2** de ~ met kaarten *a card t.* **1.¶** 〈inf.〉 dat is de ~ *that's the secret* **2.1** een smerige ~ *a dirty / snide t.* **3.2** een ~ je doen *perform a t.*, *pull a stunt* **6.1** met die ~ jes moet je bij mij niet aankomen *you mustn't try those tricks on me, don't try to come that dodge over me*; dat is een ~ **om** ons weg te krijgen *that is a t. to get rid of us* **6.2** ~ s op de film *gimmicks in the film*.

trucage 〈de (v.)〉 **0.1** [het toepassen van trucs] *trickery* ⇒*stunts, gimmicks*, 〈AE〉 *gismos* 〈in film〉 **0.2** [kunstgreep] *trick* ⇒*ruse*, 〈inf.〉 *wrinkle*.

trucbom 〈de〉 **0.1** *booby trap*.

trucfilm 〈de (m.)〉 **0.1** *special effects film* / ^movie ⇒〈inf.〉 *gimmicky film, spectacular*.

trucfoto 〈de〉 **0.1** *trick photo*.

truck 〈de (m.)〉 **0.1** [draaibaar onderstel] *truck* ⇒*bogie* / -*gy* **0.2** [vracht-auto met draaibaar onderstel] ^articulated *lorry*, ^trailer *truck* **0.3** [open vrachtauto] *truck* ⇒〈BE ook〉 *lorry* **0.4** [heftruck] *fork-lift truck*.

trucker 〈de (m.)〉〈inf.〉 **0.1** ^lorry-driver, ^trucker, ^teamster.

truc-opname 〈de〉 **0.1** *special effect* ⇒*piece of trick photography*.

truffel 〈de〉 **0.1** [paddestoel] *truffle* **0.2** [lekkernij van chocolade] *truffle* ♦ **3.1** ~ s zoeken *look for truffles; root for truffles* 〈door zwijnen〉.

trui 〈de〉 **0.1** [jumper] *jumper* ⇒*jersey, woolly, sweater* **0.2** [〈wieler-sport〉] *jersey* ♦ **2.1** ze droeg een strak ~ tje *she wore a tight jumper / jersey / sweater* **2.2** de gele ~ *the yellow j.*.

truïsme 〈het〉 **0.1** *truism*.

trukendoos 〈de〉 **0.1** [doos met goochel-attributen] *box of tricks* **0.2** [wat iem. gebruikt om de aandacht te trekken of om iets voor elkaar te krijgen] *box of tricks* ♦ **3.2** zijn ~ opengooien / opentrekken *open up one's box of tricks*.

truqueren
I 〈onov.ww.〉 **0.1** [trucs gebruiken] *use / employ tricks* ⇒*perform stunts, use gimmicks*;
II 〈ov.ww.〉 **0.1** [door trucs tot stand brengen] *fix* ⇒*doctor* ♦ **1.1** getruqueerde scènes in een film *stunt scenes in a film*.

trust 〈de (m.)〉 **0.1** [bedrijfsconcentratie] *trust* ⇒*cartel, syndicate* **0.2** [vorm van beheer] *trust* ♦ **3.1** een ~ oprichten / vormen *set up / form a t., trustify* **6.2** in / onder ~ in t..

trustakte 〈de〉 **0.1** *trust-deed* ⇒*deed of trust*.

trustgebied 〈het〉 **0.1** *trust territory*.

trustmaatschappij 〈de (v.)〉 **0.1** *trust company / corporation*.

trustvorming 〈de (v.)〉 **0.1** *formation / establishment of a trust / of trusts*.

trut 〈de〉 **0.1** [als scheldwoord] *goat, trout* ⇒〈sl.〉 *cunt, twat*, 〈BE; sl.〉 *moo* **0.2** [onaantrekkelijk / zeurig persoon] *frump* ⇒^lemon, ^dog (biscuit) **0.3** [〈vulg.〉 vagina] *cunt* ♦ **2.1** stomme ~! *silly moo / cow!* **2.2** een stijve ~ *an old frump, a frumpy old thing, a starchie*.

truttig 〈bn., bw.; -ly〉 **0.1** [treuzelig] *slow* ⇒*dawdling, silly, simple*, ^sappy **0.2** [stijf] *frumpy* / -*pish* ⇒*drab, dowdy*, 〈inf.〉 *starchy*.

truuk → *truc*.

try-out 〈de〉 **0.1** [repetitie met publiek erbij] ^public *rehearsal*, ^tryout **0.2** [uitprobeersel] *try out*.

tsaar 〈de (m.)〉 **0.1** *tsar, czar*.

tsarendom 〈het〉 **0.1** *tsar / czardom*.

tsarevitsj 〈de (m.)〉 **0.1** *tsarevi(t)ch, czarevi(t)ch*.

tsarina 〈de (v.)〉 **0.1** *tsarina, czarina*.

tsarisme 〈het〉 **0.1** [regeringsstelsel] *tsarism, czarism* **0.2** [tsarenbewind] *tsarism, czarism*.

tsaristisch 〈bn.〉 **0.1** [als tijdens het bewind v.d. tsaren] *tsarist, czarist* **0.2** [het tsarisme aanhangend] *tsarist, czarist*.

tseetseevlieg 〈de (v.)〉 **0.1** *tsetse / tzetze (fly)*.

T-shirt 〈het, de (m.)〉 **0.1** [onderhemd] *T- / tee shirt* **0.2** [mouwloos T-shirt / topje] *tank top*.

Tsjaad 〈het〉 **0.1** *Chad*.

Tsjech 〈de (m.)〉, -**ische** 〈de (v.)〉 **0.1** *Czech*.

Tsjechisch 〈bn.〉 **0.1** *Czech*.

Tsjechoslowaaks 〈bn.〉 → *Tsjechisch*.

Tsjecho-slowakije, Tsjechoslovakije 〈het〉 **0.1** *Czechoslovakia*.

tsjilpen 〈onov.ww.〉 **0.1** *chirp* 〈vogels, krekels〉 ⇒*cheep, peep* 〈jonge vogels〉, *chipper, twitter, tweet, tweedle* 〈melodieus〉.

T-stuk 〈het〉 **0.1** *T., tee, t.* ⇒*T-plate* (balkconstructie).

t.t. 〈afk.〉〈Lat.〉 **0.1** [totus tuus] 〈entirely yours〉.

tuba 〈de (m.)〉 **0.1** [blaasinstrument] *tuba* **0.2** [〈Rom. gesch.〉] *tuba* ⇒ *straight trumpet*.

tubaspeler 〈de (m.)〉 **0.1** *tuba-player*.

tube
I 〈de〉 **0.1** [buisje, kokertje] *tube* ⇒*cylinder, container*;
II 〈de (m.)〉 **0.1** [bandje van racefiets] *sew-up*.

tubeless 〈bn.〉 **0.1** *tubeless (tyre* ^tire*)*.

tuberculeus 〈bn.〉 **0.1** [vol tuberkels] *tubercular* ⇒*tuberculate(d)* **0.2** [v.d. aard van tuberculose] *tubercular* ⇒*tuberculous, tuberculose* **0.3** [aan tuberculose lijdend] *tubercular* ⇒*tuberculous, tuberculose* ♦ **1.1** tuberculeuze haarden *tubercular nidi / foci* **1.2** tuberculeuze aandoeningen *tubercular diseases / infections* **1.3** ~ vee *tubercular cattle*.

tuberculine 〈het, de〉 **0.1** *tuberculin*.

tuberculoos 〈bn.〉 → *tuberculeus* **0.3.**

tuberculose 〈de (v.)〉 **0.1** *tuberculosis* ⇒*T.B.*.

tuberculose-lijder 〈de (m.)〉 **0.1** *tubercular (patient)* ♦ **1.1** een herstellingsoord voor ~s *a sanatorium*; 〈AE ook〉 *a sanitarium*.

tuberculose-onderzoek 〈het〉 **0.1** *examination / test for tuberculosis*.

tuberkel 〈de (m.)〉 **0.1** *tubercle*.

tuberkelbacterie 〈de (v.)〉 **0.1** *tubercle bacillus*.

tucht 〈de〉 **0.1** [discipline] *discipline* ⇒*order, constraint, regimentation* 〈ihb. militair〉 **0.2** [voorschriften, maatregelen] *regulations* ⇒*law, rules, discipline* 〈kerk.〉 ♦ **2.1** harde / strenge ~ *hard / strict / stern d.* **2.2** kloosterlijke / kerkelijke ~ *monastic / clerical discipline* **3.1** soldaten aan ~ wennen *regiment soldiers*; de ~ handhaven *maintain / keep d.* **6.1** onder ~ staan *be under d.*; een tijd **zonder** ~ en moraal *indisciplined and immoral times*.

tuchtcollege 〈het〉 **0.1** *disciplinary tribunal* ⇒〈jur.〉 *domestic tribunal*.

tuchtcommissie 〈de (v.)〉 → *tuchtraad*.

tuchteloos 〈bn., bw.〉 **0.1** [geen tucht kennende] *in / undisciplined* ⇒*lawless, unruly, insubordinate* **0.2** [onzedelijk] *dissolute* ⇒*law, debauched, profligate, loose* ♦ **1.1** een tuchteloze bende *a lawless gang* **1.2** een ~ leven leiden *lead a dissolute / dissipated / debauched life*.

tuchteloosheid 〈de (v.)〉 **0.1** [gebrek aan tucht] *indiscipline* ⇒*unruliness* **0.2** [blijk van verzet] *insubordination* ⇒*lawlessness*.

tuchthuis 〈het〉 **0.1** [tuchtschool] 〈→**tuchtschool**〉 **0.2** [gevangenis] 〈gesch.〉 *house of correction, bridewell, detention centre*.

tuchtigen 〈ov.ww.〉 **0.1** [door bestraffing trachten te verbeteren] *discipline* ⇒*punish*, 〈relig.〉 *mortify (the flesh)*, 〈schr.〉 *chastise* 〈streng〉 **0.2** [door een militaire expeditie straffen] *send a punitive expedition*; 〈euf.〉 *pacify*.

tuchtiging 〈de (v.)〉 **0.1** [handeling] *discipline* ⇒*punishment*, 〈schr.〉 *chastisement*, 〈rel.〉 *mortification (of the flesh)* **0.2** [keer] *punishment* ⇒〈schr.〉 *chastisement*.

tuchtmaatregel 〈de (m.)〉 **0.1** *disciplinary measure*.

tuchtraad 〈de (m.)〉 **0.1** *disciplinary committee / council / board*.

tuchtrecht 〈het〉 **0.1** [regels betreffende de tucht] *disciplinary rules* **0.2** [recht tot uitoefening van tucht] *disciplinary jurisdiction / powers*.

tuchtrechtelijk 〈bn., bw.〉 **0.1** *disciplinary* ⇒*corrective*.

tuchtschool 〈de〉 **0.1** *community home / school* ⇒^Borstal *(home / institution)*, ^reform(atory) *school* ♦ **6.1** iem. naar de ~ sturen *send s.o. to a c.h. /* (a) *Borstal (home)*.

tuchtstraf 〈de〉 **0.1** *disciplinary punishment*.

tuchtwet 〈de〉 **0.1** *disciplinary rules*.

Tudorstijl 〈de (m.)〉 **0.1** *Tudor style* ♦ **6.1** een huis in ~ *a Tudor house; a mock-Tudor house* 〈namaak; vaak pej.〉.

tuf 〈de (m.)〉 **0.1** *tuff, tufa*.

tuffen 〈onov.ww.〉 **0.1** [tuffend geluid maken] *chug* ⇒*chuff* 〈motor, trein〉, *puff* 〈stoomtrein〉 **0.2** [in een auto rijden] *motor* ⇒*drive*, 〈inf.〉 *tootle (along / around)* **0.3** [〈kind.〉 spuwen] *spit* ♦ **5.1** een boot tuft voorbij *a boat chugs past*.

tufsteen 〈het, de (m.)〉 **0.1** [steensoort] *tuff* ⇒*tufa* **0.2** [stuk steen] *tuff / tufa stone / rock*.

tui 〈de〉 **0.1** [touw om iets vast te zetten] *guy (rope)* ⇒*tether* 〈dier aan paaltje〉, *stay* 〈scheepsmast〉 **0.2** [〈scheep.〉] *painter* ⇒*mooring-rope*.

tuibrug 〈de〉 **0.1** *rope / cable bridge*.

tuidraad 〈de (m.)〉 **0.1** *guy (rope / line / wire)*.

tuien 〈onov., ov.ww.〉 **0.1** [afmeren] *moor* ⇒*tie up, fasten* **0.2** [met tuien vastzetten] *guy* 〈mast, paal〉 ⇒*secure / steady with guys, tether, picket* 〈dier〉, *stay* 〈scheepsmast〉 ♦ **6.2** een paard **aan** een hek ~ *tether a horse to a fence*.

tuieren 〈ov.ww.〉 **0.1** *tether* 〈aan iets vastmaken〉 ⇒*picket* 〈aan paal vastmaken〉.

tuig 〈het〉 **0.1** [nodige werktuigen / onderdelen] *gear* ⇒*equipment, tools, tackle* **0.2** [mbt. trekdieren] *harness* ⇒*tack* 〈voor rijpaard〉, 〈gesch.〉 *caparison* 〈versierd tuig〉 **0.3** [troep] *rubbish* ⇒*trash*, 〈inf.〉 *punk*, 〈vnl. AE〉 *garbage*, 〈pej.〉 *tack* **0.4** [slecht volk] *riffraff* ⇒*rabble, scum, ragtag (and bobtail)* **0.5** [〈scheep.〉] *rigging* **0.6** [〈vis.〉] *tackle* ♦ **1.4** ~ v.d. richel *scum of the earth, ragtag (and bobtail)* **2.¶** onder zijn beste ~ liggen *be in full fig / rig / regalia, be dressed in one's Sunday best* **3.2** het ~ aandoen / afdoen *put on / take off h.* **3.5** het ~ afnemen / neerhalen / uitschieten *pull down / veer the r.* **3.6** een ~ verspelen *lose a t.*.

tuigage 〈de (v.)〉 **0.1** *rig(ging)*.

tuigen 〈ov.ww.〉 **0.1** [〈paard〉] *harness* 〈trekpaard〉; *tackle (up)* 〈rijpaard〉; *bridle* 〈alleen hoofdstel〉 **0.2** [〈scheep.〉] *rig*.

tuighuis 〈het〉 **0.1** *arsenal* ⇒*armoury*.

tuigje 〈het〉 **0.1** *safety harness* ⇒*safety belt* 〈alleen riem om taille〉.

tuigleer 〈het〉 **0.1** *saddle / tack leather*.

tuil 〈de (m.)〉 **0.1** *bouquet* ⇒↓*bunch, posy* 〈klein〉, *nosegay* 〈klein, om in hand te dragen〉.

tuimelaar 〈de (m.)〉 **0.1** [deel v.e. geweer] *tumbler* **0.2** [duif] *tumbler (pigeon)* ⇒*roller*, ^turner 〈tam〉 **0.3** [zeeptuimelaar] *soap dispenser* **0.4**

[speelgoed] *tumbler* ⇒*wobbly clown/man* **0.5** [dolfijn] *bottle nose (dolphin)* **0.6** [⟨AZN⟩ buiteling] *tumble* ⇒*fall, spill* ⟨paard, fiets⟩.

tuimelblad ⟨het⟩ **0.1** *(hinged) flap.*

tuimelen ⟨onov.ww.⟩ **0.1** [vallen] *tumble* ⇒*fall, topple* ⟨vooral bij topzwaar zijn⟩, *stumble* ⟨ergens overheen⟩ **0.2** [zwenkende bewegingen maken] *tumble* ⟨dolfijn in water, vogels in lucht⟩ **0.3** [omklappen] *pivot* ◆ **6.1** uit een raam ~ *tumble/fall/topple out of a window;* van de trap ~ *tumble/fall/topple down the stairs;* ⟨fig.⟩ van de troon/van zijn voetstuk ~ *topple from the throne/one's pedestal;* van een paard ~ *have/take a tumble/spill, be spilt/separated from one's horse, take a toss.*

tuimelglas ⟨het⟩ **0.1** *tumbler.*

tuimeling ⟨de (v.)⟩ **0.1** *tumble* ⇒*fall, spill* ⟨paard, fiets⟩, *somersault* ⟨acrobatiek⟩, ⟨BE; inf.⟩ *purl(er)* ◆ **3.1** een ~ maken *have a t. / fall, tumble, fall, topple, come a cropper/purler, take a tumbler/spill/toss/header/purler.*

tuimelraam ⟨het⟩ **0.1** *pivot(al) window.*

tuimelschakelaar ⟨de⟩ **0.1** *tumbler/rocker (switch)* ⇒*toggle switch.*

tuin ⟨de (m.)⟩ ⟨→sprw. 573⟩ **0.1** *garden* ⇒⟨vnl. AE ook⟩ *yard* ⟨ihb. gazon/gras⟩ ◆ **1.1** ⟨fig.⟩ een ~ van Eden the *g. of Eden, Paradise* **2.1** botanische/zoölogische ~ *botanical/zoological gardens* **3.1** de ~ doen *garden;* ieder moet z'n eigen ~tje wieden *we must all cultivate our own g. / look after our own affairs/mind our own shop* **6.**¶ iem. om de ~ leiden *lead s.o. up the garden path, dupe/hoax/hoodwink s.o.;* ⟨inf.⟩ *bamboozle s.o..*

tuinaanleg ⟨de (m.)⟩ **0.1** *laying-out of a/the garden/of (the) gardens.*

tuinaardbei ⟨de⟩ **0.1** *wild strawberry.*

tuinaarde ⟨de⟩ **0.1** *garden mould* ^*mold/soil.*

tuinafval ⟨het⟩ **0.1** *garden waste/refuse* ⇒⟨inf.⟩ *garden rubbish.*

tuinameublement ⟨het⟩ **0.1** *garden furniture.*

tuinarchitect ⟨de (m.)⟩ **0.1** *landscape architect/gardener.*

tuinarchitectuur ⟨de (v.)⟩ **0.1** *landscape architecture/gardening.*

tuinbank ⟨de⟩ **0.1** *garden seat/bench.*

tuinbed ⟨het⟩ **0.1** *(flower) bed.*

tuinbloem ⟨de⟩ **0.1** *garden flower.*

tuinboon ⟨de⟩ **0.1** *broad bean* ⇒*horse/windsor bean.*

tuinbouw ⟨de (m.)⟩ **0.1** *horticulture* ⇒*market-gardening* ⟨beroepshalve⟩.

tuinbouwbedrijf ⟨het⟩ **0.1** [beroepshalve beoefende tuinbouw] *market-gardening* **0.2** [onderneming] *market garden* ⟨sla, tomaten, bloemen⟩; *fruit farm* ⟨fruit⟩.

tuinbouwcentrum ⟨het⟩ **0.1** *horticulture centre.*

tuinbouwgebied ⟨het⟩ **0.1** *market-gardening district/area.*

tuinbouwgrond ⟨de (m.)⟩ **0.1** *horticultural land.*

tuinbouwkunde ⟨de (v.)⟩ **0.1** *horticulture.*

tuinbouwkundige ⟨de (m.)⟩ **0.1** *horticulturalist* ⇒*horticultural expert.*

tuinbouwprodukt ⟨het⟩ **0.1** *horticultural product* ⇒⟨mv. ook⟩ *(market) garden produce.*

tuinbouwschool ⟨de⟩ **0.1** *horticultural school/* ⟨hogere⟩ *college.*

tuinbouwtentoonstelling ⟨de (v.)⟩ **0.1** *horticultural show/exhibition.*

tuinbouwveiling ⟨de (v.)⟩ **0.1** [het veilen] *(flower, fruit, vegetable) auction* **0.2** [bedrijf] *(flower, fruit, vegetable) auctioneer's* **0.3** [gebouw] *auction (hall).*

tuinbroek ⟨de⟩ **0.1** *dungarees* ⇒*overalls.*

tuincentrum ⟨het⟩ **0.1** *garden centre* ⇒*nursery* ⟨planten, struiken, bomen⟩.

tuinder ⟨de (m.)⟩ **0.1** *market gardener* ⇒*nurseryman* ⟨planten, bomen⟩.

tuinderij ⟨de (v.)⟩ **0.1** [het tuinbouwbedrijf] *market gardening* ⟨sla, tomaten, bloemen⟩; *fruit farming* ⟨fruit⟩ **0.2** [onderneming v.e. tuinder] *marker garden* ⟨sla, tomaten, bloemen⟩; *fruit farm* ⟨fruit⟩; *nursery* ⟨planten, struiken, bomen⟩.

tuindeur ⟨de⟩ **0.1** *garden door* ◆ **2.1** openslaande ~en *French windows;* ⟨AE ook⟩ *French doors.*

tuindorp ⟨het⟩ **0.1** *garden village.*

tuinen
I ⟨onov.ww.⟩ ⟨inf.⟩ ◆ **5.**¶ erin ~ *fall for sth., get caught, be hoaxed/duped;*
II ⟨ov.ww.⟩ **0.1** [met vlechtwerk omgeven] ⟨flessen⟩ *encase in/cover with wickerwork.*

tuinfeest ⟨het⟩ **0.1** *garden party* ⇒⟨groot, vnl. openbaar⟩ *garden fête.*

tuinfluiter ⟨de (m.)⟩ **0.1** *garden warbler.*

tuingeranium ⟨de⟩ **0.1** *geranium* ⇒*pelargonium.*

tuingereedschap ⟨het⟩ **0.1** *garden(ing) tools.*

tuingewas ⟨het⟩ **0.1** *garden plant(s)* ⇒*garden crop(s)* ⟨tuinbouwgewas⟩.

tuingrond ⟨de (m.)⟩ **0.1** [tuinaarde] ⟨→tuinaarde⟩ **0.2** [terrein, geschikt voor tuinbouw] ⟨→tuinbouwgrond⟩.

tuinhek ⟨het⟩ **0.1** [omheining] *garden fence* **0.2** [ingang] *garden gate.*

tuinhuis ⟨het⟩ **0.1** *garden house.*

tuinhuisje ⟨het⟩ **0.1** *summer-house* ⇒↑*bower* ⟨beschaduwd prieel⟩.

tuinier ⟨de (m.)⟩ **0.1** [tuinman] *gardener* **0.2** [liefhebber van tuinieren] *gardener* ⇒*horticulturalist.*

tuinieren ⟨onov.ww.⟩ **0.1** [als beroep] *be a (market) gardener* **0.2** [uit liefhebberij] *garden* ⇒*practise* ^*ce horticulture/gardening.*

---

tuinkabouter ⟨de (m.)⟩ **0.1** *garden gnome.*

tuinkamer ⟨de⟩ **0.1** *sun room/lounge* ⇒*glazed verandah* ⟨serre⟩, *room overlooking/opening out onto the garden* ⟨gewone kamer met een bep. aspect⟩.

tuinkers ⟨de⟩ **0.1** *(garden) cress* ⇒*garden peppercress/peppergrass.*

tuinknecht ⟨de (m.)⟩ **0.1** *(under)gardener* ⇒*garden hand.*

tuinkruid ⟨het⟩ **0.1** *garden herb* ⇒*potherb.*

tuinman ⟨de (m.)⟩ **0.1** *gardener* ⇒⟨AE ook⟩ *yardman* ⟨vooral grasonderhoud⟩, *groundsman* ⟨sportvelden⟩.

tuinmeubelen ⟨zn.mv.⟩ **0.1** *garden furniture.*

tuinpad ⟨het⟩ **0.1** *garden path.*

tuinschaar ⟨de⟩ **0.1** *garden shears* ⇒*secateurs* ⟨klein⟩, *pruning shears* ⟨bomen⟩, *trimmer* ⟨heg⟩, *edging shears* ⟨voor gras⟩ ◆ **7.1** twee tuinscharen *two pairs of garden shears.*

tuinschuur ⟨de⟩ **0.1** *garden/potting shed.*

tuinslak ⟨de⟩ **0.1** *garden snail* ⟨zonder huisje⟩ *slug.*

tuinslang ⟨de⟩ **0.1** *(garden) hose.*

tuinsproeier ⟨de (m.)⟩ **0.1** *(garden/lawn) sprinkler* ⇒*(garden) engine* ⟨grote tuinsproeier met pomp⟩.

tuinstad ⟨het⟩ **0.1** *garden city* ⇒*suburb.*

tuinstoel ⟨de (m.)⟩ **0.1** *garden chair.*

tuit ⟨de⟩ **0.1** [schenkpijp] *spout* **0.2** [spits toelopend einde] *nozzle* ⇒*nose(pipe)* ⟨van slang, buis⟩ **0.3** [puntzak] *cornet* ◆ **1.1** de ~ v.e. melkkan the *s. of a milk jug* **6.**¶ tranen met ~en huilen *cry one's eyes out, cry buckets/bitterly, weep one's heart out.*

tuitelig ⟨bn.⟩ **0.1** [duizelig] *dizzy* ⇒*giddy, lightheaded* **0.2** [wankel, wiebelig] *wobby* ⇒*rickety* ⟨meubels⟩, *wiggly* ◆ **3.1** ~ zijn *be/feel d. / giddy/lightheaded.*

tuiten
I ⟨ov.ww.⟩ **0.1** [tot een tuit maken] *purse* ⇒*pout* ⟨verongelijkt⟩, *prim* ⟨afkeurend⟩ ◆ **1.1** de lippen ~ *purse/pout one's lips;*
II ⟨onov.ww.⟩ **0.1** [suizen] *tingle* ⇒*ring, burn, sing* **0.2** [een tuit vormen] *protrude* ⇒*stick out, jut out* ◆ **1.1** mijn oren ~ *my ears burn* **1.2** het balkon tuit uit de muur the *balcony protrudes from/sticks/juts out of the wall.*

tuitouw ⟨het⟩ **0.1** *guy rope* ⇒*stay* ⟨scheepsmast⟩.

tuitstuk ⟨het⟩ **0.1** *nozzle* ⇒*joint jet* ⟨stofzuiger⟩, *accessory* ⟨stofzuiger e.d.⟩.

tuk[1] ⟨de (m.)⟩ **0.1** *nap* ⇒*catnap,* ⟨inf.⟩ *forty winks,* ⟨BE; inf.⟩ *zizz, (a bit of a) snooze/shut-eye, doss,* ⟨AE; sl.⟩ *ca(u)lk* ◆ **3.1** een ~ je doen *have a n. / zizz/ a bit of a shut-eye/snooze a kip-down, take forty winks* **3.**¶ ~ hebben *get hold of, have a bite/ rise* ⟨vis⟩; iem. ~ nemen/hebben *pull s.o.'s leg, make a fool of s.o., have s.o. on* **6.**¶ er is ~ aan de hengel *I've got a bite/rise.*

tuk[2] ⟨bn.⟩ **0.1** *keer (on)* ⇒*mad (on/about/over), eager (for), enthusiastic (about), thirsty (for)* ⟨macht⟩ ◆ **5.1** daar ben ik niet ~ op *I'm k. on/mad about that* **6.1** zijn is ~ op *geld she has an itch for money.*

tukken ⟨onov.ww.⟩ **0.1** *nap* ⇒*doze, snooze,* ⟨BE; inf.⟩ *zizz,* ⟨AE ook⟩ *ca(u)lk.*

tukker ⟨de (m.)⟩ **0.1** [⟨met hoofdl.⟩ Twentenaar] *Tukker* **0.2** [putter] *goldfinch* **0.3** [kneu] *linnet.*

tulband ⟨de (m.)⟩ **0.1** [hoofddeksel] *turban* ⇒*pugg(a)ree* **0.2** [soort gebak] ≠*(turban-shaped) fruit-cake.*

tule ⟨de⟩ **0.1** *tulle* ⇒*bobbinet* ⟨kant⟩.

tulen ⟨bn.⟩ **0.1** *tulle* ⇒*bobbinet* ⟨kant⟩ ◆ **1.1** ~ gordijnen *t. (net) curtains.*

tulp ⟨de⟩ **0.1** *tulip.*

tulpebol ⟨de (m.)⟩ **0.1** *tulip bulb.*

tulpeboom ⟨de (m.)⟩ **0.1** *tulip tree* ⇒*saddle tree,* ⟨AE ook⟩ *poplar.*

tulpenbed ⟨het⟩ **0.1** *tulip-bed* ⇒*bed of tulips.*

tulpglas ⟨het⟩ **0.1** *tulip-shaped glass.*

tumescentie ⟨de (v.)⟩ ⟨med.⟩ **0.1** *tumescence.*

tumor ⟨de (m.)⟩ **0.1** *tumour* ⇒*growth,* ⟨med.⟩ *neoplasm* ◆ **2.1** kwaadaardige/goedaardige ~ *malignant/benign t. / growth.*

tumtum ⟨het, de (m.)⟩ **0.1** [gerecht van bananen] *tumtum* **0.2** [snoepgoed] *dolly-mixture.*

tumult ⟨de (m.)⟩ **0.1** *tumult* ⇒*uproar, commotion, pandaemonium* ⟨chaotische verwarring⟩, ⟨inf.⟩ *brouhaha, hullabaloo* ⟨geschreeuw⟩.

tumultueus ⟨bn.⟩ **0.1** *tumultuous* ⇒*uproarious, unruly* ⟨vergadering⟩, *rowdy, riotous* ⟨klas⟩, *convulsive* ⟨verandering⟩, *turbulent* ⟨tijdperk⟩.

tune ⟨de (m.)⟩ **0.1** *tune* ⟨melodie⟩ ⇒*signature tune* ⟨herkenningsmelodie⟩.

tuner-versterker ⟨de (m.)⟩ **0.1** *tuner-amplifier.*

Tunesië ⟨het⟩ **0.1** *Tunisia.*

Tunesiër ⟨de (m.)⟩, **-ische** ⟨de (v.)⟩ **0.1** *Tunesian.*

Tunesisch ⟨bn.⟩ **0.1** *Tunisian.*

tunica ⟨de (v.)⟩ **0.1** [⟨Rom. gesch.⟩] *tunic* **0.2** [⟨r.k.⟩] *tunic.*

tuniek ⟨de (v.)⟩ **0.1** [korte uniformjas] *tunic* ⇒⟨AE ook⟩ *blouse* ⟨in leger⟩ **0.2** [dameskledingstuk] *tunic* ⇒⟨gesch.; mode⟩ *kirtle.*

tuniekpak ⟨het⟩ **0.1** *tunic suit/ensemble.*

tunnel ⟨de (m.)⟩ **0.1** *tunnel* ⇒*underpass, fly-under* ⟨onder de weg⟩, ^B*subway* ⟨voor voetgangers bij stations en onder wegen⟩ ◆ **3.1** een

~ graven *tunnel, cut/scoop out/drive a t.* **6.1** de ~ **onder** het Kanaal *the Chunnel.*

tunnelbouw ⟨de (m.)⟩ **0.1** *tunnel construction* ⇒*tunnel-building.*

turbine ⟨de (v.)⟩ **0.1** *turbine.*

turbinestraalmotor ⟨de (m.)⟩ **0.1** *turbojet (engine).*

turbo ⟨de⟩ **0.1** [⟨tech.⟩ krachtversterker] *turbo((super)charger)* **0.2** [auto] *turbo(-car)* **0.3** [⟨in samenst.⟩ als aanduiding bij apparaten om extra kracht te suggereren] ⟨zie 1.3⟩ ◆ **1.3** turbo-cassettedeck *high-performance cassette deck;* turbo-stofzuiger *high-powered vacuum cleaner.*

turbocompressor ⟨de (m.)⟩ ⟨tech.⟩ **0.1** *turbo((super) charger).*

turbodiesel ⟨de (m.)⟩ **0.1** *turbo-diesel.*

turbo-elektrisch ⟨bn., bw.; -ly⟩ **0.1** *turboelectric.*

turbogenerator ⟨de (m.)⟩ **0.1** *turbogenerator.*

turbotrein ⟨de (m.)⟩ **0.1** *turbo-train.*

turbulent ⟨bn.⟩ **0.1** *turbulent* ⇒*riotous* ⟨menigte⟩, *jostling, bustling* ⟨mensen⟩, *tempestuous* ⟨mbt. leven, verloop van iets⟩ ◆ **1.1** het ~e stadsleven *the turmoil of city life.*

turbulentie ⟨de (v.)⟩ **0.1** [onrust] *turbulence/-cy* ⇒*restlessness, tempestuousness* **0.2** [wervelende beweging] *turbulence/-cy.*

tureluur ⟨de (m.)⟩ **0.1** *redshank* ⇒*red-legs.*

tureluurs ⟨bn.⟩ **0.1** *mad* ⇒*round the bend, frantic,* ⟨inf.⟩ *w(h)acky, crazy, bonkers, crackers* ◆ **3.1** het is om ~ te worden *it's enough to drive anybody m./up the wall/round the bend/frantic/crazy/whacky.*

turen ⟨onov.ww.⟩ **0.1** *peer* ⇒*peek, gaze, stare, squint* ⟨met toegeknepen ogen⟩, *goggle* ⟨open ogen van verbazing⟩ ◆ **3.1** zitten ~ *stare, look vacantly/with unseeing eyes* **6.1** in de verte ~ *stare/gaze into the distance;* **op/naar** iets ~ *pare over/(up)on/at sth..*

turf ⟨de (m.)⟩ **0.1** [veen als brandstof] *peat* ⇒⟨IE⟩ *turf* **0.2** [stuk gedroogd veen] *(a brick/block/lump of) peat* **0.3** [groep van vijf streepjes] *tally* **0.4** [dik boek] *tome* ◆ **2.1** korte ~ *fenland/bog(land) p.;* lange ~ *moor(land) p.;* as is verbrande ~ *if ifs and ans were pots and pans (there would be no use for tinkers)* **2.2** een kleine ~ *a little fellow/chap* **3.1** ~ steken/trekken *cut/dig/cast p.;* ⟨fig.⟩ ~ naar de venen sturen *carry coals to Newcastle* **6.2** de turven **op** het vuur *the peats in the fire* **7.2** ⟨fig.⟩ toen hij nog maar drie turven hoog was *when he was just knee-high (to a grasshopper).*

turfaarde ⟨de⟩ **0.1** *peat soil/mould* ^*mold.*

turfachtig ⟨bn.⟩ **0.1** *peaty* ⇒*peat-like.*

turfmolm ⟨het, de (m.)⟩ **0.1** *peat dust* ⇒*mull.*

turfpotje ⟨het⟩ **0.1** *peat pot.*

turfschip ⟨het⟩ **0.1** *peat boat/barge.*

turfsteken ⟨ww.⟩ **0.1** *cut peat.*

turfsteker ⟨de (m.)⟩ **0.1** *peat-cutter.*

turfstrooisel ⟨het⟩ **0.1** *peat dust* ⇒*mull.*

turftrapper ⟨de⟩ **0.1** [arbeider] *peat stamper/man* **0.2** [lompe schoen] *beetle-crusher* ⇒*clodhopper.*

turfveen ⟨het⟩ **0.1** *peat moor* ⟨hoge veen⟩; *peat bog* ⟨lage veen⟩.

Turijn ⟨het⟩ **0.1** *Turin.*

Turk ⟨de (m.)⟩, **-se** ⟨de (v.); alleen in o., o.⟩ **0.1** [bewoner van Turkije] *Turk* ⇒*Turki* **0.2** [mohammedaan] *Turk* ⇒*Ottoman, Ottomite, Ottamite, Osmanli,* ⟨vero.⟩ *Moor* **0.3** [Turks restaurant] *Turkish restaurant* ◆ **3.2** ⟨fig.⟩ aan de ~en overgeleverd zijn *suffer at the hands of the Lluns.*

turken ⟨ov.ww.⟩ **0.1** *badger* ⇒*bait.*

Turkije ⟨het⟩ **0.1** *Turkey.*

turkoois

I ⟨de (m.)⟩ **0.1** [edelsteen] *turquoise* ◆ **2.1** dierlijke of fossiele ~ *animal or fossilized t.;*

II ⟨het⟩ **0.1** [edelgesteente] *turquoise* **0.2** [kleur] *turquoise.*

turkooizen ⟨bn.⟩ **0.1** [met de kleur van turkoois] *turquoise (blue/green)* **0.2** [van turkoois] *turquoise.*

Turks[1] ⟨het⟩ **0.1** *Turkish.*

Turks[2] ⟨bn.⟩ **0.1** *Turkish* ⇒⟨taal. ook⟩ *Turki(c), Turco-* ⟨in samenst.⟩ ◆ **1.1** ~ bad *Turkish bath;* ~ leer *morocco/Turkey leather, shagreen;* ~e pijp *narghile/-gile/-gileh, hooka(h), water pipe, Kalian;* ⟨inf.⟩ *hubble-bubble;* ~e sabel *a scimitar;* ~e tarwe *maize, Indian/Turkey corn;* ~e trom *big/bass drum* **2.1** ~ rood/blauw *Turkey red/blue* ¶**.1** liever ~ dan paaps *sooner Muslim than Catholic.*

turnbroekje ⟨het⟩ **0.1** *gym shorts.*

turnen ⟨onov.ww.⟩ **0.1** *practise* ^*ce/perform gymnastics.*

turner ⟨de (m.)⟩ **0.1** *gymnast* ⇒⟨AE ook⟩ *turner.*

turnpakje ⟨het⟩ **0.1** *(gymnast's) tights.*

turnschool ⟨de⟩ **0.1** *school for gymnasts.*

turnzaal ⟨de⟩ **0.1** *gymnasium.*

turven ⟨onov.ww.⟩ **0.1** [tellen door streepjes te zetten] *tally* ⇒*score, keep a tally, count in fives* **0.2** [turf trekken/drogen/stapelen] *dig/stack/make peat* ◆ **5.2** ⟨fig.⟩ goed geturfd hebben *have feathered one's nest, have made one's pile.*

tussen[1] ⟨bw.⟩ ⟨altijd in combinatie met er/daar⟩ ◆ **5.**¶ er lelijk ~ zitten *be in a hole/scrape/nasty predicament/tight corner/bad mess;* iem. er (mooi) ~ nemen *have s.o. on, take s.o. in, catch/get s.o.;* ⟨inf.⟩ er niet

van ~ kunnen *be unable to opt/get out of it;* er geen woord ~ kunnen krijgen *be unable to get a word in edgeways;* als er maar niets ~ komt *if only there are no hitches/foul-ups/difficulties;* mag ik er even ~ komen? *can I bult in/chip in/* ⟨AE; inf.⟩ *chime in?;* als er niets ~ komt, dan ... *if nothing intervenes/prevents, if there are no foul-ups, unless something unforeseen should occur;* ⟨inf.⟩ ervan ~ gaan *clear out/off, do a bunk/scoot* ⟨vooral mbt. misdaad⟩; *skedaddle.*

tussen[2] ⟨vz.⟩ **0.1** [mbt. een plaats] *between* ⇒*among(st)* ⟨ook mogelijk voor meer dan twee plaatsen/mensen⟩ **0.2** [mbt. een tijdstip] *between* **0.3** [te midden van] *among* ⇒*amongst,* ↑*amid(st)* ◆ **1.1** zijn vinger ~ de deur klemmen *shut one's finger in the door;* ~ hemel en aarde *b. heaven and earth;* ⟨fig.⟩ ~ hoop en vrees zweven *hover/waver b. hope(s) and fear(s);* ⟨fig.⟩ de betrekkingen ~ de mogendheden *the relations b. the powers;* ⟨fig.⟩ ~ de regels (door) lezen *read b. the lines;* ⟨fig.⟩ ~ twee vuren *b. the devil and the deep blue sea/b. two evils* **1.2** ~ de bedrijven door *meanwile, incidentally, in odd moments;* ~ licht en donker *in the half light/twilight;* ⟨fig.⟩ ~ mal en dwaas *at the awkward/in-between age;* ~ de middag *at lunchtime;* ~ het publiek b. *Easter and Whitsun* **1.3** het huis stond ~ de bomen *in the house stood among(st) the trees;* er groeit onkruid ~ het gras *there are weeds growing in the grass;* ~ vier muren *within four walls;* ~ het publiek bevond zich een onruststoker *there was a troublemaker among/in the public/audience* **4.1** hij ging ~ hen in zitten *he sat down b. them;* dat blijft ~ ons (tweeën) *that's b. you and me, don't let it go any further* **7.1** ~ de 10 en 100 gulden kosten *cost anything b. 10 and 100 guilders* **7.2** het is ~ elf en twaalf *it's b. eleven and twelve (o'clock).*

tussenbeide ⟨bw.⟩ **0.1** [tussen beide partijen] *between* ⇒*in* ⟨vaak in combinatie met ww.⟩ **0.2** [nu en dan] *now and then/again, once in a while, occasionally* **0.3** [niet slecht en niet goed] *so-so, middling* ◆ **3.1** ~ komen *interrupt, butt in* ⟨verbaal⟩; *step in/intervene/come between* ⟨actie⟩; *intercede* ⟨bemiddelend⟩; ⟨inf.⟩ *chip in;* ⟨vnl. AE ook⟩ *chime in* **3.2** het regent ~ *it rains now and then/again, it rains occasionally* **3.3** ik vind het niet mooi en niet lelijk, zo ~ *I think it's fair to middling/so-so/average/fairish.*

tussenberm ⟨de (m.)⟩ **0.1** *(soft) verge* ⇒*soft shoulder.*

tussenbouw ⟨de (m.)⟩ **0.1** [gebouw] *intermediate/linking building/structure* **0.2** [verbouw van gewas] ⟨→**tussencultuur**⟩.

tussencultuur ⟨de (v.)⟩ **0.1** *intercrop* ⇒*catch crop.*

tussendek ⟨het⟩ ⟨scheep.⟩ **0.1** [scheepsdek onder het hoofddek] *between-decks* ⇒*'tween-decks, steerage* ⟨mbt. passagiersaccommodatie⟩ **0.2** [ruimte onder het tussendek] *between-decks.*

tussendeks ⟨bw.⟩ **0.1** *between-decks* ⇒*'tween deck(s).*

tussendeur ⟨de⟩ **0.1** *communicating/dividing door.*

tussendoor ⟨bw.⟩ **0.1** [tussen twee zaken heen] ⟨zie 3.1⟩ **0.2** [tussentijds] *between times/whiles* ⇒*(in) between* ◆ **3.1** hij ging daar ~ *he went through it/between them* ⟨twee dingen⟩; een apart verhaal dat daar ~ loopt *a separate story that runs through it* **3.2** ~ ging hij naar de kapper *between times he went to the hairdresser's;* een hapje ~ nemen *get/have/grab a snack/* ⟨BE; sl.⟩ *nosh;* ⟨AE ook⟩ *snack;* proberen ~ wat te slapen *try to snatch/tear off some sleep.*

tussendoortje ⟨het⟩ **0.1** [hapje] *snack* ⇒*refreshment, bite to eat* **0.2** [vrijpartij] *quickie.*

tussengas ⟨het⟩ ◆ **3.**¶ ~ geven *double-declutch,* ^*double-clutch.*

tussengebied ⟨het⟩ **0.1** *intervening/border area* ⇒*enclave* ⟨tussen twee andere landen in⟩.

tussengelegen ⟨bn.⟩ **0.1** *intervening* ⟨gebied, tijd⟩; *intermediate* ⟨plaatsen, gebeurtenissen⟩.

tussengeneratie ⟨de (v.)⟩ **0.1** *in-between generation.*

tussengerecht ⟨het⟩ **0.1** *entremets* ⇒*side-dish, intermediate course.*

tussengezang ⟨het⟩ **0.1** *inserted song.*

tussenhandel ⟨de (m.)⟩ **0.1** *distributive trade(s).*

tussenhandelaar ⟨de (m.)⟩ **0.1** *middleman.*

tussenhersenen ⟨zn.mv.⟩ **0.1** *midbrain.*

tussenhuis ⟨het⟩ **0.1** [rijtjeshuis] *terraced house* ⟨oude wijken⟩; *town house* ⟨nieuwbouw⟩ **0.2** [gedeelte v.e. huis] *middle (part of the) house* ⇒⟨gang⟩ *connecting hall/corridor/passageway.*

tussenin ⟨bw.⟩ **0.1** *in between* ⇒*between the two, in the middle* ◆ **5.1** je hebt goede en slechte leerlingen, hij zit er zo'n beetje ~ *there are good pupils and bad pupils, he's in between/more or less in the middle/average/fairish.*

tussenklank ⟨de (m.)⟩ ⟨taal.⟩ **0.1** *intermediate sound.*

tussenklasse ⟨de (v.)⟩ **0.1** *intermediate class.*

tussenkleur ⟨de⟩ **0.1** *intermediate/* ⟨inf.⟩ *in-between colour.*

tussenkomend ⟨bn.⟩ **0.1** *intervening* ⇒*intercurrent, inter-/supervenient* ◆ **1.1** ~e moeilijkheden *intervening/intercurrent problems/difficulties;* ⟨jur.⟩ ~e partij *intervener.*

tussenkomst ⟨de (v.)⟩ **0.1** [inmenging] *intervention* ⇒*interference* ⟨in gewenst⟩, *interposition* ⟨ongewenst⟩ **0.2** [bemiddeling] *mediation* ⇒*intercession, intermediation* **0.3** [⟨hand.⟩] *intervention* ◆ **2.1** gewapende ~ *military intervention* **3.2** iemands ~ inroepen *call for s.o.'s m./intercession* **6.2** door iemands ~ iets verkrijgen *get sth. from s.o.'s m./interposition;* **door** ~ **van** *by/through the agency/medium of, through;* een overeenkomst **zonder** ~ v.h. gerecht *an out-of-court settlement.*

tussenlaag ⟨de⟩ **0.1** *intermediate layer* ⇒⟨geol. ook⟩ *intermediate bed/ stratum*.

tussenlanding ⟨de (v.)⟩ **0.1** *stop (over)* ⇒*intermediate landing* ◆ **6.1** een vlucht **met** twee ~en *a flight in three hops/stages/legs;* **zonder** ~(en) naar H. vliegen *fly non-stop to H.;* een vlucht **zonder** ~en *a non-stop flight*.

tussenlassen ⟨ov.ww.⟩ **0.1** *insert* ⇒*sandwich (between), put/fit in*.

tussenliggend ⟨bn.⟩ **0.1** *intervening* ⟨tijd, gebied⟩; *intermediate, in-between* ⟨plaatsen, gebeurtenissen⟩; ⟨schr.⟩ *interjacent* ⟨landen⟩ ◆ **1.1** in de ~e maanden *in the intervening months;* de ~e plaatsen *the inter-mediate places, the places in-between*.

tussenmaaltijd ⟨de (m.)⟩ **0.1** *snack (between meals)*.

tussenmaat ⟨de⟩ **0.1** *in-between size*.

tussenmuur ⟨de (m.)⟩ **0.1** [tussen vertrekken] *partition* ⇒*dividing wall* **0.2** [tussen huizen] *dividing wall* ⇒⟨jur.⟩ *party wall,* ⟨AE ook⟩ *common wall*.

tussenoplossing ⟨de (v.)⟩ **0.1** *compromise* ◆ **3.1** een ~ vinden *compromise, find a c..*

tussenperiode ⟨de (v.)⟩ **0.1** *intervening period* ⇒*interval* ⟨ihb. waarin weinig gebeurt⟩, *interregnum* ⟨tussen twee koningen/regeringsperio-den⟩.

tussenpersoon ⟨de (m.)⟩ **0.1** *go-between* ⇒*intermediary, middleman* ⟨ook in handel⟩, *agent* ⟨zakelijk gebied⟩, *mediator* ⟨verzoenend⟩, *broker* ⟨beurs, verzekeringen⟩, ↓*fixer* ⟨onwettige zaken⟩ ◆ **3.1** als ~ fungeren *act as an intermediary* **6.1** via een ~ *through an agent, by proxy;* ⟨schr.⟩ *per procurationem* **7.1** ⟨in advertenties⟩ geen tussen-personen *no agents*.

tussenpoos ⟨de⟩ ◆ **2.¶** met korte tussenpozen *in quick succession, at short intervals, with short breaks;* met lange tussenpozen *at long inter-vals* **6.¶** bij/met tussenpozen *every so often/now and again, on and off, by/in fits and starts;* **met** tussenpozen slapen *sleep in snatches/by fits and starts;* **met** tussenpozen van een week/een halve dag *at weekly intervals, at twelve-hour intervals;* **zonder** tussenpozen *together, at once/a time, consecutively.*

tussenpositie ⟨de (v.)⟩ **0.1** *intermediate/middle position* ◆ **3.1** een ~ in-nemen *be/stand midway between, take up a middle(-of-the-road) po-sition.*

tussenrapport ⟨het⟩ **0.1** *interim report*.

tussenregering ⟨de (v.)⟩ **0.1** *interim government* ⇒*interregnum, caretak-er government* ⟨in afwachting van nieuwe verkiezingen⟩.

tussenruimte ⟨de (v.)⟩ **0.1** *space* ⇒*interspace, interstice* ⟨nauw⟩, *gap, in-terval* ◆ **6.1** met ~s van 30 centimeter *at intervals of 30 cm/o cm in-tervals, 30 cm apart;* **met** kleine/grote/gelijke ~s plaatsen *space close-ly/widely/evenly.*

tussenschakel ⟨de⟩ **0.1** *link* ⇒*intermediary*.

tussenschot ⟨het⟩ **0.1** *partition* ⇒⟨biol.⟩ *septum* ⟨tussen holtes ihb. v.d. neus⟩.

tussensoort ⟨het, de⟩ **0.1** *medium/average/middle sort/quality/grade.*

tussenspel ⟨het⟩ **0.1** [⟨muz.⟩] *intermezzo* ⇒*interlude* **0.2** [⟨dram.⟩] *entr'acte* ⇒⟨ook fig.⟩ *interlude.*

tussensprint ⟨het⟩ **0.1** *(short) dash/burst; surge* ⟨bij lange afstand⟩.

tussenstadium ⟨het⟩ **0.1** *intermediate/halfway/middle/* ⟨inf.⟩ *in-between stage.*

tussenstand ⟨de (m.)⟩ **0.1** ≠*halfway/half-time score* ⇒*running score, score to date/so far.*

tussenstation ⟨het⟩ **0.1** [station tussen twee hoofdstations] ≠*minor sta-tion,* ^*way station* **0.2** [⟨fig.⟩ overgangsfase] *transitional/intermediate stage* **0.3** [station tussen begin- en eindpunt] *intermediate station.*

tussenstuk ⟨het⟩ **0.1** [verloopstuk] *joint* ⇒*connection, connecting-piece* **0.2** [vulstuk] *filler* **0.3** [⟨muz.⟩, dram.] *interlude* ⇒*intermediate piece,* ⟨muz. ook⟩ *intermezzo.*

tussentijd ⟨de (m.)⟩ **0.1** *interim* ⇒*interval, interspace* ◆ **6.1** in die ~ *in the meantime, meantime, meanwhile.*

tussentijds

  I ⟨bn.⟩ **0.1** [tussen twee tijdstippen] *interim* ⇒*intervening* ◆ **1.1** ~e aflossing *accelerated repayment/redemption;* ~ dividend *interim divi-dend;* een ~e vacature *a premature/casual vacancy;* ~e verkiezingen *by(e)-elections* **3.1** ~ kan hij niet ontslagen worden *he can't be prema-turely dismissed;* hij slaapt bijna nooit ~ *he hardly ever sleeps in the daytime/out of hours;*

  II ⟨bw.⟩ **0.1** [tussendoor] *between times/whiles* ◆ **3.1** ~ eet ik nooit *I never eat between meals.*

tussenuit ⟨bw.⟩ **0.1** *out (from between two things)* ◆ **3.1** daar steekt een papier ~ *there's a paper sticking out* **3.¶** er ~ knijpen *do a bunk, cut and run, decamp;* ⟨vnl. BE⟩ *levant, do a (moonlight) flit* ⟨mbt. schul-den⟩; ⟨AE;inf.⟩ *weasel out* **5.¶** je moet er eens ~ *you should get away from it all;* laten wij er even/een weekje ~ gaan *let's take some time/a week off, let's get away for a while/a week.*

tussenuur ⟨het⟩ **0.1** [uur zonder bezigheid] *free/odd hour* **0.2** [vrij les-uur] *free period/hour.*

tussenverdieping ⟨de (v.)⟩ **0.1** *intermediate/* ⟨inf.⟩ *in-between floor/sto-rey* ⇒⟨vnl. in winkels⟩ *mezzanine (floor).*

tussenvoegen ⟨ov.ww.⟩ **0.1** *insert* ⇒*intercalate* ⟨mbt. kalender⟩, *interline*

⟨tussen de regels door⟩, *interpolate* ⟨in debat/tekst⟩, *parenthesize* ⟨in conversatie/tekst⟩, ⟨inf.⟩ *throw in, put in.*

tussenvoeging ⟨de (v.)⟩ **0.1** *insertion* ⇒*intercalation* ⟨mbt. kalender⟩, *interlining/-lineation* ⟨tussen de regels door⟩, *interpolation* ⟨in debat /tekst⟩, *gag* ⟨als grappige opmerking⟩, *parenthesis* ⟨tekst, gesprek⟩.

tussenvoegsel ⟨het⟩ **0.1** [inlas] *insert(ion)* ⇒*intercalation* ⟨mbt. kalen-der⟩, *interlining/-lineation* ⟨tussen de regels⟩, *interpolation* ⟨in debat /tekst⟩ **0.2** [⟨taal.⟩] *parenthesis* ⇒*infix* ⟨in woord⟩, *parenthetic/com-ment clause.*

tussenvonnis ⟨het⟩ **0.1** ⟨jur.⟩ *interlocutory (decree)* ⇒*interlocutory in-junction/judgement/order.*

tussenvoorstel ⟨het⟩ **0.1** [voorstel tijdens de behandeling v.h. hoofd-voorstel] *suspensive/suspensory proposal* **0.2** [compromisvoorstel] *compromise (proposal).*

tussenvorm ⟨de (m.)⟩ **0.1** *intermediate form* ⇒*hybrid (form).*

tussenwand ⟨de (m.)⟩ **0.1** *partition* ⇒*partitioning wall.*

tussenweg ⟨de (m.)⟩ **0.1** *middle course* ⇒*mean, medium, compromise* ◆ **¶.1** een ~ is er niet *there is no middle course.*

tussenwerpsel ⟨het⟩ ⟨taal.⟩ **0.1** *interjection.*

tussenwervelschijf ⟨de⟩ **0.1** *(intervertebral) disc* ^*disk.*

tussenwoning ⟨de (v.)⟩ **0.1** *terraced house* ⟨oude stadswijken⟩; *town house* ⟨modern huis⟩.

tussenzang ⟨de (m.)⟩ **0.1** [tussengezang] ⟨→**tussengezang**⟩ **0.2** [⟨rel.⟩] ≠*hymn* ◆ **6.2** een lange preek **met** ~en *a long sermon punctuated with hymns.*

tussenzetsel ⟨het⟩ **0.1** *insert(ion)* ⇒*inset.*

tussenzin ⟨de (m.)⟩ **0.1** *parenthesis* ⇒*parenthetic/comment clause.*

tut

  I ⟨de (v.)⟩ ⟨pej.⟩ **0.1** [trut] ⟨→**trut**⟩;

  II ⟨de⟩ **0.1** [radijs] *(sort of) radish.*

tutoyeren ⟨onov., ov.ww.⟩ **0.1** *be on first-name terms/on a first-name basis* ⇒*call s.o. by his/her first name.*

tuttebel ⟨de (m.)⟩ ⟨inf.⟩ **0.1** [pietluttig] *ditherer, fussy;* ⟨mbt. kleding/ uiterlijk⟩ *frump;* ⟨preuts⟩ *prude;* ⟨mbt. jongen⟩ *sissy.*

tutten ⟨onov.ww.⟩ **0.1** *niggle* ⇒*fiddle about/around, fuss.*

tutterig ⟨bn.⟩ ⟨inf.⟩ **0.1** *niggling* ⇒⟨pej.⟩ *cosy* ^*cozy, niminy-piminy, fussy, finicky.*

tutti ⟨bw.⟩ ⟨muz.⟩ **0.1** *tutti.*

tuttifrutti ⟨de (m.)⟩ **0.1** *tutti-frutti* ⇒*mixed dried fruit* ◆ **1.1** ~ ijs *tutti-frutti (ice-cream);* ~ pudding *tutti-frutti blancmange.*

tuttig ⟨bn.⟩ ⇒*tutterig.*

tut tut ⟨tw.⟩ **0.1** *now, now* ⇒*tut-tut* ⟨vermanend⟩.

tuurlijk ⟨bw.⟩ ⟨inf.⟩ **0.1** *course.*

tuut ⟨tw.⟩ **0.1** *toot.*

TV ⟨de (v.)⟩ **0.1** *T.V.* ⇒*television,* ⟨inf.⟩ *(goggle) box, telly,* ⟨AE; inf.⟩ *tele* ◆ **1.1** (commerciële) radio en ~ *(commercial) broadcasting/ Radio and T.V.* **3.1** ~ kijken *watch T.V., teleview* **6.1** wat komt er vanavond **op** (de) ~? *what's on (T.V.) tonight?;* die wedstrijd wordt niet **op** ~ uitgezonden *the match won't be broadcast/telecast;* live **op** de ~ *live on T.V., on camera.*

TV-cursus ⟨de (m.)⟩ **0.1** *TV course.*

T-vormig ⟨bn.⟩ **0.1** *T-shaped* ⇒*T-,* ⟨herald.⟩ *potent.*

tw. ⟨afk.⟩ ⟨taal.⟩ **0.1** [tussenwerpsel] *interj.* **0.2** [telwoord] *num..*

t.w. ⟨afk.⟩ **0.1** [te weten] *namely* ⇒⟨schr.⟩ *viz.,* ⟨vero.; jur.⟩ *to wit.*

twaalf¹ ⟨de⟩ **0.1** [cijfercombinatie] *twelve* **0.2** [twaalftal] *twelve* ⇒*dozen* ◆ **6.1** de grote wijzer staat al bijna **op** de ~ *the big hand is nearly on the t.* **6.2** iets **bij** twaalven aftellen/klaar leggen *count out/put out sth. in twelves/dozens.*

twaalf² ⟨→sprw. 13⟩

  I ⟨hoofdtelw.⟩ **0.1** *twelve* ◆ **1.1** de ~ apostelen *the Twelve (Apostles);* ~ dozijn *gross;* ~ gros *great gross;* klokke ~, op slag van twaalven *on the stroke of t.;* het is ~ uur *it's t. o'clock;* om ~ uur 's nachts *at mid-night;* ~ uur 's middags *t. o'clock noon/midday* **3.1** het sloeg ~ *op de kerkklok the church clock struck t.* **6.1** iets **in** twaalven verdelen *di-vide sth. into t. pieces/portions/parts;* wij waren **met** ons twaalven *there were t. of us;* dat kind loopt **naar** de ~ *that child is nearly t.;* het loopt al **tegen** twaalven *it's getting/going on for t., it's nearly t. o'clock;* het is vijf **voor** ~ *we are on the brink/verge of disaster/utter ruin;*

  II ⟨rangtelw.⟩ **0.1** *twelve* ⇒*twelfth* ◆ **1.1** aflevering ~ *part twelve; epi-sode twelve* ⟨van vervolgverhaal⟩; ~ december *the twelfth of Decem-ber, 12 December;* ⟨vnl. AE ook⟩ *December(,) 12.*

twaalfdaags ⟨bn.⟩ **0.1** [twaalf dagen durend] *twelve-day* **0.2** [twaalf dagen oud] *twelve-day-old* **0.3** [om de twaalf dagen] *every twelve days.*

twaalfde¹ ⟨bn.⟩ **0.1** *twelfth* ◆ **1.1** een ~ deel *a twelfth* **7.1** ⟨zelfst.; muz.⟩ een ~ *a doffed quaver,* ^*a twelfth note;* ⟨zelfst.⟩ vijf~, vijf~n *five twelfths.*

twaalfde² ⟨rangtelw.⟩ **0.1** *twelfth* ◆ **1.1** de ~ dezer *the t. inst. / instant;* de ~ v.d. volgende maand *(on) the twelfth next month;* ⟨hand.⟩ *the t. proximo* **6.1** ten ~ *in the t. place;* ⟨schr.⟩ *twelfthly* ⟨in contracten⟩ **7.1** de ~ *the t..*

twaalfhoek ⟨de (m.)⟩ **0.1** *dodecagon.*

twaalfjarig ⟨bn.⟩ **0.1** [twaalf jaar oud] *twelve-year-old* **0.2** [twaalf jaar durend] *twelve-year* ♦ **1.1** een ~ kind *a twelve-year-old (child)* **1.2** het ~ Bestand *the Twelve-Year Truce* ⟨Ned. gesch.⟩ **7.1** ⟨zelfst.⟩ een ~e *a twelve-year-old.*

twaalfmaal ⟨bw.⟩ **0.1** *twelve times.*

twaalftal ⟨het⟩ **0.1** *dozen* ⇒*twelve.*

twaalftallig ⟨bn.⟩ **0.1** *duodecimal* ♦ **1.1** ⟨wisk.⟩ het ~ stelsel *the d. system.*

twaalfuurtje ⟨het⟩ **0.1** *midday snack/meal* ⇒*lunch.*

twaalfvingerig ⟨bn.⟩ ♦ **1.¶** ~e darm *duodenum;* van de ~e darm *duodenal.*

twaalfvoud ⟨het⟩ **0.1** [veelvoud van twaalf] *multiple of twelve* **0.2** [iets twaalfmaal genomen] *twelvefold* ⇒*twelve times.*

twaalfvoudig ⟨bn., bw.⟩ **0.1** *twelvefold* ⇒*duodenary.*

twee¹ ⟨de⟩ ⟨→sprw. 337⟩ **0.1** [cijfer] *two* **0.2** [speelkaart] *two* ⇒⟨vero.⟩ *deuce* **0.3** [zijde van een dobbelsteen] *two* ⇒*deuce* **0.4** [tweetal] *two* ⇒*pair* ⟨roeisport⟩ ♦ **1.2** schoppen ~ *t. of spades* **3.1** hij kreeg een ~ voor zijn repetitie *≠he got an F/^a low grade for his test; he scored a t. for his test* (in Ned. cijferstelsel) **3.3** zij gooide alsmaar ~ *she kept throwing twos* **6.4** iets **aan** ~ën leggen *place things in pairs/twos;* ~ **aan** ~ in twos, t. by t.; ~ **aan** ~ opstellen *line up in twos/t. by t.;* met **zonder** stuurman *coxed/coxswainless pair.*

twee² ⟨→sprw. 261,292,315,325,423,447,461,574,575,626,677⟩
I ⟨hoofdtelw.⟩ **0.1** *two* ♦ **1.1** ~ boezemvrienden *t. bosom fiends;* met ~ brandpunten/blaadjes/lippen (enz.) *bifocal/bifoli(ol)ate, bilabial;* ~ dagen tevoren *t. days before(hand);* ~ dingen/mensen uit elkaar kunnen houden *know one thing/person from the other, tell t. things/people apart;* dat kost ~ gulden *that costs t. guilders;* ~ keer per maand /week *twice a week/a month;* kies één v.d. ~ kleuren *choose either (one) of the colours;* om de ~ maanden/jaren *bimonthly, biyearly;* met ~ m's *with double m;* om ~ redenen bezorgd *doubly troubled, worried for t. reasons;* een stuk of ~ *a couple of;* ~ weken *fortnight, t. weeks* **2.1** ik heb ze alle ~ gezien *I've seen both of them/them both* **3.1** bier en bier is ~ *there's beer and beer;* waar ~ kijven hebben er ~ schuld *it takes t. to make/have a quarrel;* toen hij ~ was *at the age of t., when he was t.;* jij en ik zijn ~ *your opinion is as good as mine* **4.1** hij lust melk of vla, het kan hem om het even welke v.d. ~ *he likes milk or custard, I've forgotten which* **5.1** dat is zo zeker als tweemaal ~ vier *is that's as sure as t. and t. are four/eggs is eggs* **6.1** iets in ~ën breken *break sth. in(to) t. (parts);* hij zou een cent in ~ën bijten *he'd sell his grandmother to the devil;* hij deed het in ~ën *he did it in t. gos;* in ~ën delen *bisect* (vooral wiskunde); halve ⟨etenswaren, geld⟩; *share* (ook iets concrete dingen); *divide in two;* met zijn ~ën in een bed slapen *share one bed, sleep double;* op ~ na de beste *third best;* van ~ën één *(it's) one or the other;* op slag van ~ *on the stroke of t.;* je gaat mee of je blijft thuis, één van de ~/één van ~ën *you can come with us or stay at home, one or the other/take your pick/yes or no;* het is kwart **voor** ~ *it's a quarter to t.;* hij eet en drinkt **voor** ~ *he eats and drinks (enough) for t.;*
II ⟨rangtelw.⟩ **0.1** *two* ⇒*second* ♦ **1.1** bladzijde ~ *page t.;* ~ februari *the second of February, February the second;* ⟨BE ook⟩ *2 February;* ⟨vnl. AE⟩ *February(,) 2;* ⟨fig.⟩ dat is vers ~ *that's quite another thing/matter.*

tweearmig ⟨bn.⟩ **0.1** *two-armed* ⇒*two-branched* ⟨mbt. dingen⟩.

tweeassig ⟨bn.⟩ **0.1** [van voertuigen] *two-/double-axled* **0.2** [van kristallen] *biaxial.*

tweebaansweg ⟨de (m.)⟩ **0.1** [met 2 rijstroken] *two-lane road* **0.2** [met gescheiden rijbanen] *dual carriageway, ^divided highway.*

tweebenig ⟨bn.⟩ **0.1** *two-legged* ⇒⟨wet. ook⟩ *bipedal.*

tweebladig ⟨bn.⟩ **0.1** *two-leaved* ⇒⟨wet.⟩ *bifoli(ol)ate, two-/double-bladed* ⟨schroef⟩.

tweecellig ⟨bn.⟩ **0.1** *two-celled* ⇒⟨wet.⟩ *bicellular.*

tweecomponentenlijm ⟨de (m.)⟩ **0.1** *epoxy.*

tweed¹ ⟨het⟩ **0.1** *tweed* ♦ **6.1** in ~, ~ dragend *(dressed) in t.; tweedy* ⟨vooral van iem. die het vaak draagt⟩.

tweed² ⟨bn.⟩ **0.1** *tweed* ♦ **1.1** een ~ mantel/pak *a t. coat/suit.*

tweedaags ⟨bn.⟩ **0.1** [twee dagen durend] *two-day* **0.2** [twee dagen oud] *two-day-old* **0.3** [om de twee dagen] *every two days* ⇒*every other/second day.*

tweede¹
I ⟨het⟩ **0.1** [half] *half* ♦ **7.1** anderhalf is gelijk aan drie ~n *one and a half is the same as three halves;*
II ⟨de (v.)⟩ **0.1** [tweede klas] *second form/year.*

tweede² ⟨rangtelw.⟩ ⟨→sprw. 225⟩ **0.1** *second* ♦ **1.1** een ~ baan *a s. job, a side-line* ⟨bijbaan⟩; ~ brief/bezoek *follow-up (letter/visit);* de ~ dag na zijn terugkomst *the s. day after his return;* een ~ exemplaar *a (s.) copy;* het ~ halfjaar *the latter part/second half of the year;* de ~ Kamer *the (Dutch) Lower House/Chamber;* ~ keus *s. rate, seconds;* (export) *rejects* (goederen in uitverkoop); ten ~ male *for the s. time;* gewoonte is een ~ natuur *habit is s. nature;* op de ~ plaats/als ~ eindigen *finish s.; be runner-up* (in wedstrijd); ⟨fig.⟩ een of ~ best; hij kent die ~ schilderij dat hem zo ontroert *he knows (of) no painting that touches him so deeply;* ~ secretaris *undersecretary, assistant secretary;* waar is de ~ sok? *where is the other sock/fellow?;* de ~ stuurman *the s. mate;*

zijn ~ vaderland *his s. home (land);* een ~ woning *a s. house/home* **3.1** of het ook leuk is, is een ~ *whether or not it's nice is quite another matter/another matter altogether* **6.1** in zijn ~ zetten, **naar** zijn ~ schakelen *put it/her in s., change to s. gear;* **ten** ~ *in the s. place, secondly* **7.1** Willem de ~ *William II;* er is geen ~ zoals hij *there's no one/none like him, he's unique.*

tweedegraads ⟨bn.⟩ **0.1** *second-degree* ♦ **1.1** ~ verbranding *s.-d. burn.*

tweedehands ⟨bn., bw.⟩ **0.1** *second-hand* ♦ **1.1** ~ kleding *s.-h. clothes* (gekocht), ^reach-me-downs, ^hand-me-downs (vooral doorgegeven); ~e spullen *s.-h. stuff/things; jumble* (voor bazaar); ⟨pej.⟩ *junk;* een ~ winkel, een winkel in ~ spullen *a s.-h./thrift/nearly-new shop* **3.1** iets ~ kopen *buy sth. s.-h..*

tweedejaars¹ ⟨de (m.)⟩ **0.1** *second-year student* ⇒⟨vnl. AE⟩ *sophomore.*

tweedejaars² ⟨bn.⟩ **0.1** *second-year* ⇒⟨vnl. AE⟩ *sophomoric(al).*

Tweede-Kamerlid ⟨het⟩ **0.1** *member of the Lower House.*

tweedekansonderwijs ⟨het⟩ **0.1** *≠education for mature students, adult education.*

tweedekker ⟨de (m.)⟩ **0.1** *biplane.*

tweedeklasser ⟨de (m.)⟩ **0.1** [speler] *≠second-division player* **0.2** [team] *≠second-division team* **0.3** [leerling] *second-former/classer, ^second-grader* (basisschool).

tweedeklastarief ⟨het⟩ **0.1** *second-class tariff/rates; second-class fare* (vervoer).

tweedelig ⟨bn.⟩ **0.1** *two-piece* ⇒⟨biol.⟩ *bipartite* ⟨blad.⟩, ⟨biol.⟩ *dimerous* ⟨mbt. dieren/bloemen⟩, *two-* (in combinaties), *double* ♦ **1.1** een ~ badpak *a t.-p. snit;* een ~ kostuum *a t.-p. (suit);* een ~ pakje *a t.-p. (suit);* een ~ woordenboek *a two-volume dictionary.*

tweedelijns ⟨bn.⟩ **0.1** *second-line* ♦ **1.1** ~ gezondheidszorg *s.-l. medical care.*

tweedeling ⟨de (v.)⟩ **0.1** *split* ⇒*divide,* ⟨schr.⟩ *dichotomy* ♦ **6.1** de ~ tussen oosterse en westerse culturen *the dichotomy between Eastern and Western cultures.*

tweederangs ⟨bn.⟩ **0.1** *second-class* (ook lett.) ⇒*second-rate, inferior,* ⟨inf.⟩ *second-chop, middling,* ⟨AE ook⟩ *second-string* ♦ **1.1** ~ burgers *second-class citizens;* een ~ hotel *a second-class hotel* (classificatie); *a second-rate/^-string hotel* (waardeoordeel); een ~ schrijver *a second-rate/an inferior writer;* ⟨vero.; pej.⟩ *quill driver* **3.1** dat is toch maar ~ *that's only second-chop/second-rate/middling.*

tweedeurs¹ ⟨de (m.)⟩ →**tweedeursauto.**

tweedeurs² ⟨bn.⟩ **0.1** *double-doored* (waar ze samen functioneren); *two-doored* (twee aparte deuren).

tweedeursauto ⟨de (m.)⟩ **0.1** *coupé* ⇒*two-door car/saloon/^sedan.*

tweedimensionaal ⟨bn., bw.; -ly⟩ **0.1** *two-dimensional* ♦ **1.1** een tweedimensionale kromme *a t.-d. curve.*

tweedraads ⟨bn.⟩ **0.1** *two-ply* ⇒*twofold.*

tweedracht ⟨de⟩ **0.1** *discord* ⇒*dissension, division, disunity, disharmony, rift* (vooral in politiek) ♦ **1.1** het zaad der ~ *the seeds of dissension* **3.1** ~ zaaien *sow discord/dissension, disharmony, make mischief* **6.1** in ~ leven *live in disunity/disharmony.*

tweedrachtig ⟨bn., bw.; -ly⟩ **0.1** *disunited* ⇒*divided* ♦ **1.1** een ~ volk *a divided nation* **3.1** ~ leven *live in disunity/disharmony.*

tweedrank ⟨de (m.)⟩ **0.1** *mixed fruit juice* ⇒*two-in-one.*

tweedubbel ⟨bn., bw.⟩ **0.1** *double.*

tweeduizend
I ⟨hoofdtelw.⟩ **0.1** *two thousand* ♦ **1.1** periode van ~ jaar *bimillennium, bimillenary;*
II ⟨rangtelw.⟩ **0.1** *two thousand(th)* ♦ **1.1** het jaar ~ *the year t. t..*

tweeëenheid ⟨de (v.)⟩ **0.1** *twofoldness* ⇒⟨nat., chem.⟩ *dyad, duality.*

tweeëiig ⟨bn.⟩ **0.1** *bi(n)ovular* ⇒*double-ovum, dizygotic* ♦ **1.1** ~e tweelingen *b. double-ovum/dizygotic twins, fraternal twins.*

tweeënhalf ⟨hoofdtelw.⟩ **0.1** *two and a half.*

tweeërhande ⟨bn.⟩ →**tweeërlei.**

tweeërlei ⟨bn.⟩ **0.1** *dual* ⇒*double, twofold, of two sorts/kinds.*

tweefasenstructuur ⟨de (v.)⟩ **0.1** *≠bipartite/two-phase structure.*

tweegesprek ⟨het⟩ **0.1** *dialogue,* ⟨AE ook⟩ *dialog* ⇒*conversation (between two people), tête-à-tête* ⟨intiem gesprek⟩, ⟨lit.⟩ *colloquy, duologue* (ook toneel).

tweegestreept ⟨bn.⟩ ⟨muz.⟩ **0.1** *twice-accented, two-line* ♦ **1.1** d ~ *d two.*

tweegevecht ⟨het⟩ **0.1** *man-to-man fight* ⇒*duel,* ⟨mil.⟩ *single combat,* ⟨gesch.⟩ *wager of battle,* ↑*affaire d'honneur* ♦ **3.1** iem. tot een ~ uitdagen *challenge s.o. to a man-to-man fight/duel.*

tweehandig ⟨bn., bw.; -ly⟩ **0.1** [met twee handen (geschiedend)] *two-handed* ⇒⟨wet.⟩ *bimanal/manous* **0.2** [zowel links- als rechtshandig] *ambidextigrous* ♦ **3.1** ~ stoten/trekken *(clean and) jerk/snatch* (gewichtheffen) **7.1** ⟨zelfst.⟩ een ~e, de ~en ⟨biol.⟩ *a bimane, the bimana.*

tweeheid ⟨de (v.)⟩ **0.1** *twoness* ⇒*duality,* ⟨scherpe splitsing⟩ *dichotomy.*

tweehoevig ⟨bn.⟩ **0.1** *cloven-hoofed/-footed* ⇒⟨wet.⟩ *didactyl(ous), bisulcate* ♦ **1.1** ~e zoogdieren *c.-h./didactylous mammals.*

tweehonderd

I ⟨hoofdtelw.⟩ **0.1** *two hundred;*
II ⟨rangtelw.⟩ **0.1** *two hundred(th)* ◆ **1.1** bladzijde ~ *page two hundred.*

tweehonderdjarig ⟨bn.⟩ **0.1** *two-hundred-year* ⇒*bicentenary,* ⟨vnl. AE⟩ *bicentennial,* ⟨boom enz.⟩ *two-hundred-year-old.*

tweehonderdste ⟨rangtelw.⟩ **0.1** *two-hundredth* ◆ **1.1** ~ verjaardag *t.-h. anniversary, bicentenary;* ⟨vnl. AE⟩ *bicentennial.*

tweehoofdig ⟨bn.⟩ **0.1** *two-headed* ⇒⟨med.⟩ *bicephalous/-alic, bicipital* ⟨ook mbt. spier⟩ ◆ **1.1** de ~e armspier *the biceps;* ~ bestuur *committee of two, diarchy,* ⟨vnl. AE⟩ *dyarchy* ⟨ihb. van regeringsvorm⟩; een ~ monster *a t.-h. monster.*

tweehoog ⟨bw.⟩ **0.1** *on the second floor* ◆ **5.1** ~ achter ≠*back two-pair.*

tweehuizig ⟨bn.⟩ ⟨plantk.⟩ **0.1** *di(o)ecious* ◆ **1.1** ~e planten *d. plants.*

tweejaarlijks ⟨bn.⟩ →**tweejarig 0.3.**

tweejarig ⟨bn.⟩ **0.1** [twee jaar oud] *two-year (-old)* **0.2** [twee jaar durend] *biennial;* ⟨ook mbt. planten⟩ **0.3** [om de twee jaar] *biennial* ⇒ *two-year(ly)* ◆ **1.1** een ~ kind *a two-year-old (child), a child of two* **1.2** ~e planten *biennials, b. plants* **1.3** een ~ feest *a biennial.*

tweekaart ⟨de⟩ **0.1** *two of one suit* ◆ **1.1** een ~ schoppen *a pair of spades.*

tweekamerstelsel ⟨het⟩ **0.1** *bicameral system.*

tweekamerwoning ⟨de (v.)⟩ **0.1** *two-room flat.*

tweekamp ⟨de (m.)⟩ **0.1** [reeks wedstrijden] *twosome* **0.2** [tweegevecht] ⟨→**tweegevecht**⟩.

tweeklank ⟨de (m.)⟩ ⟨taal.⟩ **0.1** *diphthong.*

tweekleppig ⟨bn.⟩ **0.1** *two-/double-valved* ⟨dierk.⟩ *bivalve(d).*

tweekleurig ⟨bn.⟩ **0.1** *two-colour/-tone* ⇒*duotone, dicolour(ed),* ⟨biol.⟩ *dichromatic.*

tweekoppig ⟨bn.⟩ **0.1** *two-headed* ⇒⟨biol.⟩ *bicephalous/-alic, bicipital.*

tweekwartsmaat ⟨de⟩ **0.1** *two-four time* ⇒*binary measure.*

tweeledig ⟨bn., bw.;-ly⟩ **0.1** [uit twee delen bestaand] *bipartite* ⇒*dual, double, twofold,* ⟨biol.⟩ *dimerous, two-jointed* (stengel) **0.2** [dubbelzinnig] *ambiguous* ⇒*equivocal, double entendre* ⟨opmerking⟩ ◆ **1.1** een ~e verrekijker *(a pair of) binoculars* **1.2** een ~ antwoord *an a./ equivocal answer* **3.1** dit begrip is ~ *this is a twofold/dual concept* **3.2** men kan dat ~ opvatten *that can be taken two ways, that is a..*

tweeledigheid ⟨de (v.)⟩ **0.1** *duality* ⇒*ambiguity* ⟨dubbelzinnigheid⟩.

tweelettergrepig ⟨bn.⟩ **0.1** *dis(s)yllabic* ◆ **1.1** een ~ woord *a d. word, a dis(s)yllable.*

tweeling ⟨de (m.)⟩ **0.1** [twee gelijk geboren kinderen] *twins* **0.2** [één kind v. e. tweeling] *twin* **0.3** [sterrenbeeld] *Gemini, Twins* ◆ **2.1** een-eiige/tweeëiige ~ *identical/binovular t.;* ⟨biol.⟩ *uniovular, single-ovum, monozygotic/binovular, double-ovum, dizygotic t.;* Siamese ~ en *Siamese t.* **3.1** een ~ verwachten/krijgen *expect/carry/have t..*

tweelingbaan ⟨de⟩ **0.1** *twin job* ⇒*shared job.*

tweelingbroer ⟨de (m.)⟩ **0.1** *twin brother.*

tweelingzuster ⟨de (v.)⟩ **0.1** *twin sister.*

tweelobbig ⟨bn.⟩ **0.1** *bilobate(d)* ⇒*bilobed,* ⟨tweezaadlobbig⟩ *dicotyledonous.*

tweeloops ⟨bn.⟩ **0.1** *double-barrelled/* ⟨AE ook⟩ *-barreled* ◆ **1.1** een ~ jachtgeweer *a d.-b. gun.*

tweeluik ⟨het⟩ **0.1** *diptych.*

tweemaal ⟨bw.⟩ ⟨→sprw. 165⟩ **0.1** *twice* ◆ **3.1** zich wel ~ bedenken *think t.;* iem. die ~ veroordeeld/gescheiden is *a two-time loser/divorcee.*

tweemaandelijks ⟨bn.⟩ **0.1** [om de twee maanden] *bimonthly* ⇒*bimestrial* **0.2** [twee maanden durend] *two-month* ⇒*bimestrial* ◆ **1.1** een ~ tijdschrift *a bimonthly.*

tweemanschap ⟨het⟩ **0.1** [twee personen aan de leiding] *joint leadership* ⇒⟨gesch.⟩ *duumvirate* **0.2** [bewind, leiding] *joint leadership* ⇒ ⟨gesch.⟩ *duumvirate.*

tweemaster ⟨de (m.)⟩ **0.1** *two-master.*

tweemotorig ⟨bn.⟩ **0.1** *twin-engined* ⇒*bimotored, double-engined* ◆ **1.1** een ~ straalvliegtuig *a twinjet.*

tweepartijenstelsel ⟨het⟩ **0.1** *bi/two-party system.*

tweepersoonsbed ⟨het⟩ **0.1** *double bed.*

tweepersoonskamer ⟨de⟩ **0.1** *double(-bedded) room* ⟨met één bed⟩; *twin-bedded room* ⟨met twee bedden⟩.

tweepits ⟨bn.⟩ **0.1** *twin-burner* ◆ **1.1** een ~ gasstel *a t.-b. (gas-stove).*

tweepitter ⟨de (m.)⟩ **0.1** [toestel met twee pitten] *twin-burner* **0.2** [tweecilindermotor] *twin-cylinder engine.*

tweeploegenstelsel ⟨het⟩ **0.1** *two-shift/double-shift system.*

tweepolig ⟨bn.⟩ **0.1** *two-pole* ⇒*bi/dipolar* ◆ **1.1** ~e stekker *two-pin plug.*

tweepoot ⟨de (m.)⟩ ⟨inf.⟩ **0.1** *bipod.*

tweeregelig ⟨bn.⟩ **0.1** *two-line* ◆ **1.1** ~ vers *couplet, distich.*

tweerichtingsverkeer ⟨het⟩ **0.1** *two-way traffic.*

tweern ⟨de (m.)⟩ →**twijn.**

tweernen ⟨onov., ov.ww.⟩ →**twijnen.**

tweeslachtig ⟨bn.⟩ **0.1** [hermafrodiet] *bisexual* ⇒*hermaphrodite/-ditic(al)* ⟨mbt. mensen, ook biol.⟩, ⟨biol.⟩ *homogamous/-mic, androgyne /-gynous* ⟨mbt. planten⟩ **0.2** [dualistisch] *equivocal* ⇒*ambiguous, dual(ist), double, ambivalent* ⟨gevoelens, emoties⟩ **0.3** [op het land en in het water levend] *amphibian/-bious* ◆ **1.1** ~e dieren/bloemen

homogamous/hermaphroditic animals, homogamous/hermaphroditic/androgynous flowers **1.2** een ~ karakter *an e. person(ality), neither fish, flesh nor fowl;* een ~(e) voorstelling/boek *an e. performance/ book* **1.3** kikkers zijn ~e dieren *frogs are a. animals/amphibians.*

tweeslachtigheid ⟨de (v.)⟩ **0.1** *equivocality/-cacy* ⇒*ambiguity, dualism, ambivalence.*

tweeslagstelsel ⟨het⟩ **0.1** *alternate rotation.*

tweesnijdend ⟨bn.⟩ **0.1** *double-/two-edged* ⇒⟨biol.⟩ *ancipital/-tous* ⟨gras⟩ ◆ **1.1** een ~ zwaard *a d.-e. sword.*

tweesoortig ⟨bn.⟩ **0.1** *of two sorts/kinds/types.*

tweespalt ⟨de⟩ **0.1** *discord* ⇒*dissension, division, disunity, conflict, rift* ⟨politieke partij⟩.

tweespan ⟨het⟩ **0.1** [twee paarden/trekdieren] *pair (of horses)* ⇒*team (of horses), yoke (of oxen)* **0.2** [twee mensen] *pair* ⇒*couple, duo* **0.3** [wagen met twee trekdieren] *carriage and pair* ⇒*pair-horse carriage* ⟨paardenspan⟩.

tweespraak ⟨de⟩ →**tweegesprek.**

tweesprong ⟨de (m.)⟩ **0.1** *fork* ⇒*crossroads/-ways, parting (of the ways)* ⟨ook fig.⟩ ◆ **6.1** ⟨fig.⟩ op de ~ van zijn leven(sweg) *at the crossroads in one's career/life.*

tweesteensmuur ⟨de (m.)⟩ **0.1** *two-brick wall.*

tweestemmig ⟨bn., bw.⟩ **0.1** *in two voices* ⇒*two part* ⟨muziekstuk⟩, *for two voices* ⟨lied⟩ ◆ **1.1** een ~ lied/gezang/stuk *a two-part song/hymn/piece* **3.1** zij zongen ~ *they sang in two voices.*

tweestrijd ⟨de (m.)⟩ **0.1** [tweegevecht] ⟨→**tweegevecht**⟩ **0.2** [inwendige strijd] *internal/inward conflict* ⇒*dilemma, indecision* ◆ **6.2** in ~ staan *be torn between (two things), be in two minds (about sth.), waver (between two things), be on the horns of a dilemma.*

Tweestromenland ⟨het⟩ **0.1** *Mesopotamia.*

tweetaktmotor ⟨de (m.)⟩ **0.1** *two-stroke motor/engine,* ^*two-cycle motor/engine.*

tweetal ⟨het⟩ **0.1** *pair* ⇒*couple, duo* ⟨ihb. mbt. muziek/theater⟩, *twosome.*

tweetalig ⟨bn.⟩ **0.1** [bilinguaal] *bilingual* **0.2** [in twee talen] *bilingual* ◆ **1.1** België en Canada zijn ~e landen *Belgium and Canada are b. countries.*

tweetaligheid ⟨de (v.)⟩ **0.1** *bilingualism.*

tweetallig ⟨bn.⟩ ⟨wisk.⟩ *binary.*

tweetandig ⟨bn.⟩ **0.1** *two-toothed* ⇒*two-pronged* ⟨vork⟩, ⟨wet.⟩ *bidentate.*

tweetjes ⟨hoofdtelw.⟩ ◆ **4.¶** wij ~ *we two* **6.¶** met ons ~ zijn/ons/hun ~ *the two of us/them.*

tweetonig ⟨bn.⟩ **0.1** *two-tone* ◆ **1.1** een ~ signaal *a t.-t. signal;* een ~e toeter *a t.t. horn/hooter.*

tweetrapsraket ⟨de⟩ ⟨ruim.⟩ **0.1** *two-stage rocket.*

tweeverdiener ⟨de (m.)⟩ **0.1** *either one of a (married) couple both of whom are wage earners* ⇒⟨mv.⟩ *earning (married) couple.*

tweevlakkig ⟨bn.⟩ ⟨wisk.⟩ **0.1** *di(h)edral.*

tweevlakshoek ⟨de (m.)⟩ ⟨wisk.⟩ **0.1** *dihedral (angle).*

tweevleugelig ⟨bn.⟩ **0.1** *two-winged* ⇒⟨biol.⟩ *dipterous* ⟨mbt. insekten/zaden/vruchten⟩, *dipteran* ⟨mbt. insekten⟩.

tweevleugeligen ⟨zn.mv.⟩ **0.1** *diptera.*

tweevoetig ⟨bn.⟩ **0.1** *two-footed* ⇒⟨biol.⟩ *biped(al)* ◆ **1.1** ~e dieren *bipeds;* een ~ vers *a dimeter.*

tweevoud ⟨het⟩ **0.1** [het dubbele] *double* ⇒*duplicate* **0.2** [door twee deelbaar getal] *binary* ⇒*double (of a number)* **0.3** [⟨taal.⟩] *dual (number)* ◆ **6.1** in ~ *in duplicate.*

tweevoudig ⟨bn., bw.⟩ **0.1** [dubbel] *double* ⇒*twofold, dual, duplicate* **0.2** [tweeledig] *double* ⇒*twofold, dual, bipartite, binary* ⟨ihb. mbt. wiskundige begrippen⟩ ◆ **1.2** een ~e uitlegging *a dual interpretation.*

tweewaardig ⟨bn.⟩ ⟨schei.⟩ **0.1** *bi/divalent.*

tweewegsysteem ⟨het⟩ ⟨audio⟩ **0.1** *two-way system.*

tweewerf ⟨bw.⟩ ⟨schr.⟩ →**tweemaal.**

tweewieler ⟨de (m.)⟩ **0.1** *two-wheeler* ⇒*bicycle* ⟨fiets⟩.

tweewielig ⟨bn.⟩ **0.1** *two-wheeled* ◆ **1.1** een ~ karretje *a t.-w. cart, a dog-cart;* een ~ rijtuig *a t.-w. carriage.*

tweewoonst ⟨de (v.)⟩ ⟨AZN⟩ **0.1** *two-family house.*

tweezijdig
I ⟨bn.⟩ **0.1** [bilateraal] *two-sided* ⇒*bilateral* ⟨verdrag, symmetrisch⟩, *bipartite* ⟨overeenkomst⟩, *double-edged* ⟨zwaard, iets met positieve en negatieve kanten⟩ ◆ **1.1** ~e ontwapening *bilateral disarmament;* een ~e overeenkomst *a bipartite agreement;*
II ⟨bw.⟩ **0.1** [aan/naar twee zijden] *bilaterally* ⇒⟨jur.⟩ *bipartirely, zygo-* ⟨in combinaties⟩ ◆ **2.1** ~ symmetrisch *zygomorphic/-phous.*

tweezitsbank ⟨de⟩ **0.1** *two-person/-seater settee/sofa.*

twen ⟨de (m.)⟩ →**twintiger.**

twijfel ⟨de (m.)⟩ **0.1** [onzekerheid] *doubt* ⇒*doubtfulness, incertitude, uncertainty* **0.2** [scepsis] *doubt* ⇒*scepticism, mistrust* ◆ **1.1** iem. het voordeel v.d. ~ geven *give s.o. the benefit of the doubt* **2.2** gerechtvaardigde ~ *justified misgivings/qualms* **3.1** er is ~ gerezen omtrent *doubts have arisen about/concerning;* het lijdt geen ~ *it is beyond doubt* **3.2** ~ koesteren *entertain/have doubts* **6.1** aan ~ onderhevig zijn *be questionable/open to question/doubt;* boven (alle) ~ verheven zijn *indubitable, beyond all doubt, without a shadow of doubt;* **buiten/zonder** ~ *without doubt, allright* ⟨als eind v.e. zin⟩; *unquestionably;* **in** ~ staan/verkeren *be doubtful/uncertain, feel dubious;* iets **in** ~ trekken *cast doubt on/throw doubt upon sth., query/dispute/impugn/contest/question sth., call sth. into question* **6.2 door** ~s verscheurd *torn by d.;* hij heeft zo zijn ~s **over** *he has his doubts/feels dubious about it* **7.1** er is geen ~ aan dat ...*there is no mistaking/question that* ....

twijfelaar ⟨de (m.)⟩ **0.1** [iem. zonder vast beginsel] *sceptic,* ⟨AE sp. ook⟩ *skeptic* **0.2** [iem. die in twijfel staat] *doubter* ⇒*unbeliever* **0.3** [ledikant] *three-quarter bed.*

twijfelachtig ⟨bn.,bw.;-ly⟩ **0.1** [onzeker] *doubtful* ⇒*uncertain, questionable, dubious, problematic(al)* **0.2** [dubieus] *dubious* ⇒*doubtful, suspect, equivocal* **0.3** [zwak] *uncertain* ⇒*dim* ⟨licht⟩, *weak* ♦ **1.1** een ~ geval *a dubious/questionable/problematic case;* de overwinning was ~ *the victory hung in the balance/was not yet certain* **1.2** de ~e eer hebben om ...*have the dubious honour of (doing sth.);* vlees van ~e kwaliteit *dubious/suspect meat;* een ~e reputatie *a dubious/shady reputation;* iem. van ~e zeden *s.o. of dubious/questionable morals* **1.3** een ~ licht/schijnsel *a dim/weak light* **3.1** ~ blijven *remain doubtful/uncertain;* het is ~ of ...*it's doubtful/uncertain/questionable whether ...;* ~ over iets spreken *express one's doubts about sth.*.

twijfelachtigheid ⟨de (v.)⟩ **0.1** *doubtfulness* ⇒*dubiousness.*

twijfelen ⟨onov.ww.⟩ **0.1** [besluiteloos zijn] *doubt* ⇒*be doubtful/in doubt, be indecisive* **0.2** [de waarheid/juistheid onzeker achten] *doubt* ⇒*question, have doubts, have misgivings* ♦ **3.1** staan te ~ *be in doubt/doubtful/indecisive/in two minds* **6.2** ~ **aan** de juistheid van een verhaal *d./question the correctness of a story;* daar valt niet **aan** te ~ *that is beyond (all) doubt, there's no question about that, that's for sure* **8.1** ~ of men iets zal doen/ergens naar toe zal gaan enz. *not know/not be sure whether to do sth./go somewhere* **8.2** ik twijfel niet, of ...*I don't d. that/* ↑*that* ....

twijfelgeval ⟨het⟩ **0.1** *dubious/doubtful case* ⇒*in-between.*

twijfeling ⟨de (v.)⟩ **0.1** *hesitance/-cy* ⇒*hesitation, uncertainty, indecision, vacillation.*

twijfelmoedig ⟨bn.,bw.;-ly⟩ **0.1** *irresolute* ⇒*vacillating, wavering, double-minded, indecisive.*

twijfelzucht ⟨de⟩ **0.1** *scepticism,* ⟨AE sp. ook⟩ *skepticism* ⇒*scepsis,* ⟨AE sp. ook⟩ *skepsis.*

twijg ⟨de⟩ **0.1** *twig* ⇒*sprig, spray* ⟨met knopjes, bloemen of bessen⟩, *shoot* ⟨jonge tak⟩, *scion* ⟨om te enten⟩, *stick* ⟨niet meer aan de boom⟩.

twijn ⟨de (m.)⟩ **0.1** *twine* ⇒*twist.*

twijndraad ⟨de (m.)⟩ **0.1** *twine* ⇒*twisted yarn.*

twijnen ⟨onov.ww.,ov.ww.⟩ **0.1** *twine* ⇒*twist,* ⟨ind.⟩ *throw* ♦ **1.1** getwijnd garen *twisted yarn, twine.*

twinkelen ⟨onov.ww.⟩ **0.1** [fonkelen] *twinkle* ⇒*sparkle,* ↑*scintillate* **0.2** [mbt. de ogen] *twinkle* ⇒*sparkle, shine* ♦ **1.1** de sterren ~ in de winternacht *the stars twinkled/scintillated/sparkled in the winter sky.*

twinkeling ⟨de (v.)⟩ **0.1** [het twinkelen] *twinkling* ⇒*sparkling* **0.2** [mbt. de ogen] *twinkling* ⇒*sparkling, shining.*

twinkellichtje ⟨het⟩ **0.1** *twinkling light.*

twintig

I ⟨hoofdtelw.⟩ **0.1** *twenty* ♦ **1.1** ik heb je dat al ~ keer gezegd *I've told you that t. times/a dozen times* **6.1** zij was in de ~ *she was in her twenties;* er waren er **in** de ~ *there were t. odd;*

II ⟨rangtelw.⟩ **0.1** *twenty/-tieth* ♦ **1.1** de jaren ~ *the Twenties* ⟨920's.

twintiger ⟨de (m.)⟩ **0.1** *person in his/her twenties* ♦ **1.¶** ⟨druk.⟩ ~ formaat *twentymo* **2.1** hij is een goede ~ *he's well into his twenties/a good twenty,* ⟨pej.⟩ *he's pushing thirty.*

twintigjarig ⟨bn.⟩ **0.1** [twintig jaar oud] *twenty-year(-old)* **0.2** [twintig jaar durend] *vicennial* ⇒*for twenty years* **0.3** [om de twintig jaar] *vicennial* ⇒*every twenty years.*

twintigmaal ⟨bw.⟩ **0.1** *twenty times.*

twintigste[1] ⟨bn.⟩ **0.1** *twentieth* ♦ **1.1** een oude shilling was een ~ pond *an old shilling was a t. of a pound* **7.1** ⟨zelfst.⟩ drie ~ v.d. bevolking *three twentieths of the population.*

twintigste[2] ⟨rangtelw.⟩ **0.1** *twentieth* ♦ **1.1** voor de ~ maal *for the t. time* **7.1** het is vandaag de ~ *it's the t. today.*

twintigtal ⟨het⟩ **0.1** [hoeveelheid van twintig] *score* **0.2** [ongeveer twintig] *about/roughly twenty* ♦ **1.2** een ~ mensen *some twenty people.*

twintigvoud ⟨het⟩ **0.1** [twintigmaal zo groot getal/zo grote hoeveelheid] *twenty times* **0.2** [door twintig deelbaar getal] *multiple of twenty* ♦ **1.1** het ~ v.d. waarde *t. t. the value* **6.1** dat geld krijg je in ~ terug *you'll get that money back t. t. over.*

twist ⟨de (m.)⟩ **0.1** [onenigheid] *quarrel* ⇒*dispute, discord, strife, dissension, wrangle, row, argument* **0.2** [dans] *twist* ♦ **2.1** binnenlandse ~en *internal dissension(s);* huiselijke ~en *domestic strife/quarrels* **3.1** een ~ bijleggen *settle a q./dispute, make it up;* hij had die ~ gezocht *the q. was not of his own seeking;* ~ krijgen *fall out (with), come to words (with), quarrel (with), cross swords (with);* ~ zaaien *sow discord;* ~ zoeken met *start/pick a q./fight with* **6.1 in** ~ leven *be forever at odds (with)/always quarrelling.*

twistappel ⟨de (m.)⟩ **0.1** [⟨myth.⟩] *apple of discord* **0.2** [⟨fig.⟩] *apple of discord* ⇒*bone of contention.*

twisten ⟨onov.ww.⟩ ⟨→sprw. 539⟩ **0.1** [redetwisten] *dispute* ⇒*argue, debate* **0.2** [de twist dansen] *twist* **0.3** [onenigheid hebben] *quarrel* ⇒*dispute, argue, altercate, wrangle* ♦ **1.3** de ~de partijen *the disputing/contending parties, the disputants/contestants* **5.1** daarover wordt nog getwist *that is still a moot point/in dispute* **6.1 over** deze vraag valt te ~ *this is a debatable/disputable/arguable question* **6.3** ~ **om** een kleinigheid *q./wrangle/argue over/about a trifle;* daar valt niet **over** te ~ *there's no arguing about that, that is indisputable.*

twistgesprek ⟨het⟩ **0.1** *argument* ⇒*dispute, wrangle, altercation.*

twistpunt ⟨het⟩ **0.1** *moot point* ⇒*point of contention/controversy, point at issue, matter in dispute.*

twistvraag ⟨de⟩ **0.1** *question at issue* ⇒*disputed question, issue/subject of contention/controversy.*

twistziek ⟨bn.⟩ **0.1** *quarrelsome* ⇒*contentious, belligerent, pugnacious, cantankerous* ♦ **1.1** een ~ persoon *a quarrelsome/q.a. person.*

twistzoeker ⟨de (m.)⟩ **0.1** *quarreller* ⇒*quarrelsome person/* ⟨inf.⟩ *type.*

t.w.v. ⟨afk.⟩ **0.1** [ter waarde van] ⟨*to the value of*⟩.

tyfeus ⟨bn.⟩ **0.1** *typhoid* ♦ **1.1** tyfeuze koorts *typhoid/enteric fever.*

tyfoon ⟨de (m.)⟩ **0.1** *typhoon.*

tyfus ⟨de (m.)⟩ **0.1** *typhus (fever).*

tyfuslijder ⟨de (m.)⟩ **0.1** [⟨lett.⟩] *typhoid patient/sufferer* **0.2** [scheldwoord] *filthy bastard.*

tympanie ⟨de (v.)⟩ ⟨med.⟩ **0.1** *tympany.*

type ⟨de⟩ **0.1** [persoon] *type* ⇒*figure,* ⟨pej.⟩ *character, customer* **0.2** [model] *type* **0.3** [grondvorm] *type* ⇒*prototype* **0.4** [drukletter] *type* **0.5** [⟨theol.⟩ voorteken] *type* ⇒*token, prefiguration* ♦ **1.1** hij is het ~ v.e. schoolmeester *he is a typical schoolmaster* **2.1** een donker/slank ~ *a dark/slim t. of man/woman;* een onguur/verdacht ~ *a shady customer, a disreputable character;* een raar ~ *an odd/a queer character/customer;* een Spaans/zuidelijk ~ *a Spanish/southern t.;* verschillende ~n stofzuigers/boerenhuizen *various types of vacuum cleaners/farmhouses;* een vlot/dichterlijk ~ *an easy mixer/a poetic sort of person* **3.1** ⟨pregn.⟩ hij is een ~ hoor! *he's quite a character, you know!* **4.1** hij is mijn ~ niet *he's not my t./kind/sort.*

typediploma ⟨het⟩ **0.1** *typing diploma* ♦ **3.1** zijn ~ halen *get one's t. d..*

typefout ⟨de⟩ **0.1** *typing error.*

typekamer ⟨de⟩ **0.1** *typing pool.*

typemachine ⟨de (v.)⟩ **0.1** *typewriter.*

typen ⟨onov.,ov.ww.⟩ **0.1** *type* ♦ **1.1** een getypte brief *a typed/typewritten/typescript letter;* getypt schrift *typescript* **2.1** blind ~ *touch-type* **3.1** kun je ~? *can you t.?* **6.1 met** een doorslag ~ *t. with carbon (paper).*

typeren ⟨ov.ww.⟩ **0.1** *typify* ⇒*characterize* ♦ **4.1** dat typeert haar *that is typical of her/her all over/just like her.*

typerend ⟨bn.⟩ **0.1** *typical* ⇒*characteristic* **6.1** zoiets is ~ **voor** de tijdgeest *that is t./characteristic of the spirit of the time.*

typering ⟨de (v.)⟩ **0.1** [het typeren] *characterization* ⇒*typification* **0.2** [karakterschets] *profile* ⇒ ⟨lit.⟩ *cameo.*

typevaardigheid ⟨de (v.)⟩ **0.1** *proficiency at typing* ⇒*typing skill.*

typisch ⟨bn.,bw.;-ly⟩ **0.1** [kenmerkend] *typical* ⇒*characteristic, representative, especial, true to type* **0.2** [eigenaardig] *peculiar* ⇒*curious, odd, queer, quaint* ⟨gebruik,huisje⟩ ♦ **1.1** dat is ~ mijn vader *that's t./characteristic of my father, that's just like my father, that's my father all over;* ~e verschijnselen *t. phenomena;* dat is een ~ voorbeeld van ...*that is an example in point of ..., that is a textbook/casebook/classic/typical example of ..., that is a case in point of ...* **1.2** een ~e vent *a(n) p./funny/odd/queer/strange sort of fellow* **2.1** ~ Amerikaans *typically American, as American as apple pie* **6.1** dat is ~ **voor** hem *that's t./characteristic of him, that's just like him, that's him all over, that's quite in character* **7.1** het ~e v.d.zaak *the curious part of the matter.*

typist ⟨de (m.)⟩,**-e** ⟨de (v.)⟩ **0.1** *typist* ⟨m.,v.⟩.

typograaf ⟨de (m.)⟩ **0.1** [boekdrukker] *typographer* ⇒*printer,* ⟨inf.⟩ *typo* **0.2** [letterzetter] *typographer* ⇒*typesetter* **0.3** [typografisch ontwerper] *typographer* ⇒*compositor,* ⟨inf.⟩ *typo.*

typografie ⟨de (v.)⟩ **0.1** [boekdrukkunst] *typography* **0.2** [wijze van drukken, vormgeving] *typography.*

typografisch

I ⟨bn.⟩ **0.1** [tot de boekdrukkerij behorend] *typographic(al)* **0.2** [de vormgeving betreffend] *typographic(al)* ♦ **1.1** ~e maten *sizes of type* **1.2** de ~e verzorging van een boek *the typography of a book;*

II ⟨bw.⟩ **0.1** [uit een oogpunt van drukkunst] *typographically* ♦ **3.1** de uitgave is ~ goed verzorgd *the typography of the edition is good.*

typologie ⟨de (v.)⟩ **0.1** [karakterschildering] *typology, characterization* **0.2** [⟨theol.⟩] *typology* **0.3** [⟨biol.⟩] *typology* ♦ **2.1** een rake ~ *a pointed c.* ⟨treffend⟩; *a true-to-life/lifelike c.* ⟨levensecht⟩; een vage ~ *a vague c..*

typologisch ⟨bn.⟩ **0.1** [mbt. de typologie] *typological* **0.2** [mbt. de typen] *typological* ♦ **1.2** de ~e methode in de archeologie *the t. method of archeology;* ⟨biol.⟩ ~e rangschikking *t. classification, typology.*

typoscript ⟨het⟩ **0.1** *typescript* ⇒*typescript.*

Tyrrheens ⟨bn.⟩ **0.1** *Tyrrhenian* ♦ **1.1** ~e Zee *T. Sea.*

t.z. ⟨afk.⟩ **0.1** [terzake] ⟨*to the point*⟩ **0.2** [ter zee] ⟨*of the navy*⟩.
t.z.p. ⟨afk.⟩ **0.1** [te zelfder plaatse] *ib.*, *ibid.*, *in the same place.*
t.z.t. ⟨afk.⟩ **0.1** [te zijner tijd] ⟨*in due time, in due course*⟩.
t.z.v. ⟨afk.⟩ **0.1** [ter zake van] ⟨*on account of*⟩.

u¹ ⟨de⟩ **0.1** [letter, klank] *u, U* **0.2** [namen/woorden beginnend met u] *u, U* **0.3** [iets met de vorm v.e. u] *u.*
u² ⟨pers.vnw.⟩ ⟨→sprw. 330⟩ **0.1** [voorwerpsvorm] *you* ⇒⟨vero., bijb., dicht., gew.⟩ *thee* **0.2** [aanspreek- en onderwerpsvorm] *you* ⇒⟨vero., bijb., dicht., gew.⟩ *thou* ◆ **3.1** als ik ~ was *if I were y.* **3.2** ~ tegen iem. zeggen *address s.o. politely/formally;* ⟨fig.⟩ een machine waar je U tegen zegt *an impressive/a formidable/an awesome/awe-inspiring machine;* ~ zegt/zei?, zei U wat? *says y., did I hear y. say anything?, that's strange, I seem to have heard y. say sth.* **6.1** is dit van ~? *is this yours?, does this belong to y.?.*
U.A. ⟨afk.⟩ **0.1** [uitgesloten aansprakelijkheid] ⟨*without reserve liability*⟩.
U.B. ⟨de (v.)⟩ ⟨afk.⟩ **0.1** [universiteitsbibliotheek] ⟨*university library*⟩.
überhaupt ⟨bw.⟩ **0.1** *at all* ⇒⟨trouwens⟩ *anyway* ◆ **3.1** hij begrijpt ~ niet waar het om gaat *he has no idea of what it's all about;* hij heeft ~ geen zin in die studie *that subject isn't at all to his liking, he doesn't fancy that subject a bit/at all;* ze zei heel weinig, als ze ~ al wat zei *she spoke very little, if she spoke at all* ¶.**1** waar heeft hij ~ een auto voor nodig? *what does he need a car for, anyway?.*
Übermensch ⟨de (m.)⟩ **0.1** *superman* ⇒*overman.*
U-boot ⟨de⟩ **0.1** *U-boat.*
uche ⟨tw.⟩ **0.1** *ahem!.*
U.D.C. ⟨afk.⟩ **0.1** [universele decimale classificatie] *U.D.C.* ⟨*universal decimal classification*⟩.
ugli ⟨de⟩ **0.1** *ugli (fruit).*
ui ⟨de (m.)⟩ **0.1** [bolgewas] *onion* **0.2** [bol als voedsel] *onion* **0.3** [grap] *joke* ◆ **1.2** een bos/streng ~en *a bunch/string of onions* **3.3** ~en tappen/vertellen *tell/crack jokes* **8.2** zo vol als een ~ *packed, chock-full, chock-a-block, crowded* ⟨kamer⟩; *stuffed, gorged, fit to burst* ⟨persoon⟩.
u.i. ⟨afk.⟩ **0.1** [ut infra] ⟨*as stated below*⟩.
uiachtig ⟨bn.⟩ **0.1** *onion-like* ⇒*oniony* ⟨smaak, geur⟩, *tasting/smelling of onions.*
uienbrood ⟨het⟩ **0.1** *onion-bread.*
uiensnijder ⟨de (m.)⟩ **0.1** *onion slice/chopper.*
uiensoep ⟨de⟩ **0.1** *onion soup.*
uientaart ⟨de⟩ **0.1** *onion tart/pie.*
uieplant ⟨de⟩ **0.1** *onion (plant).*
uier ⟨de (m.)⟩ **0.1** *udder* ⇒*bag, dug* ◆ **2.1** een zware/volle ~ *a heavy/full u..*
uierboord ⟨het⟩ **0.1** *udder.*
uieschil ⟨de⟩ **0.1** *onion peel.*

uiesmaak ⟨de (m.)⟩ **0.1** *taste of onions* ⇒*oniony taste* ◆ **6.1** met ~ *with (an) onion flavour, onion-flavoured.*

uiig ⟨bn.⟩ ⟨inf.⟩ **0.1** *funny* ◆ **1.1** het is een~e vent *he's a f. fellow, he's a barrel of laughs, he's a scream/card, he's a bundle of fun.*

uil ⟨de (m.)⟩ ⟨→sprw. 576⟩ **0.1** [nachtvogel] *owl* **0.2** ⟨(inf.) sukkel⟩ *oaf, fool* ⇒*blockhead, dunce, dolt, dunderhead, ninny* **0.3** [nachtvlinder] *moth* ⇒*noctuid,* ^A*owlet-moth* ◆ **3.¶** in het jaar nul, als de ~en preken *in the year dot* **8.2** zo dom als een ~ *as dumb as an ox, as thick as two (short) planks* **¶.1** ~en naar Athene dragen *carry/take coals to Newcastle.*

uilachtig, uilig ⟨bn., bw.; -ly⟩ **0.1** *owlish* ⟨mbt. uitzicht⟩; ⟨dom⟩ *doltish, brainless, foolish, moronic* ◆ **3.1** ~ uit zijn ogen kijken *have a stupid look on one's face;* met zijn grote ronde bril zag hij er ~ uit *his large round glasses made him look o. / like an owl.*

uilebal ⟨de (m.)⟩ **0.1** [bal van veren en toedselresten] *cast* ⇒*casting* **0.2** [⟨inf.⟩ maf persoon] *ninny* ⇒*dunce, dimwit, nitwit, noodle, fathead, nincompoop, num(b)skull.*

uilebril ⟨de (m.)⟩ **0.1** *owlish spectacles/glasses* ⇒⟨BE; sl.⟩ *goggles.*

uilenspiegel ⟨de (m.)⟩ **0.1** *clown* ⇒*comedian, (practical) joker, fool.*

uilezeik ⟨de (m.)⟩ ⟨sl.⟩ ◆ **3.¶** dat smaakt naar ~ *it tastes like horse-piss.*

uilskuiken ⟨het⟩ **0.1** [jong v.e. uil] *owlet* **0.2** [⟨inf.⟩ domoor] *ninny* ⇒*dunce, dimwit, nitwit, noodle, fathead, nincompoop, num(b)skull.*

uiltje ⟨het⟩ **0.1** [kleine uil] *owlet* **0.2** [nachtvlinder] *moth* ⇒*noctuid,* ^A*owlet-moth* ◆ **3.¶** een ~ vangen/knappen *have a kip, snatch/grab forty winks/some sleep, nod off for a while.*

uit[1]

I ⟨bw.⟩ **0.1** [mbt. een richting naar buiten] *out* **0.2** [mbt. een bestemming/beweging] ⟨zie 1.2, ¶.2⟩ **0.3** [mbt. een doorlopen v.e. tijdruimte] *out* **0.4** [⟨+er/daar⟩] ⟨zie 5.4,6.4⟩ ◆ **1.1** als de kinderen de deur/het huis ~ zijn *when the children have gone/left home;* mijn huis ~! *get o. of/leave my house!, clear o.!;* hij liep de kamer ~ *he walked o. of the room* **1.2** moet je ook die kant ~? *are you going that way, too?* **1.3** dag in, dag ~ *day in, day o., day after day;* het zal mijn tijd wel ~ duren *it will last (o.) my time* **3.1** ~ eten gaan *go o. for dinner;* ze is met hem ~ geweest *she has gone o. with him;* ~ logeren gaan *stay/go (and) stay (the night) (with s.o.);* Ajax speelt volgende week ~ *Ajax are playing away next week;* ~ werken gaan *go (out) to work* **5.1** het was ~ en thuis zestig kilometer *it was sixty kilometers there and back* **5.4** ik ben er helemaal ~ ⟨ik heb het opgelost⟩ *I've solved that problem;* ⟨ik begrijp het helemaal⟩ *I'm in the picture now, I see the ins and outs of it now;* ik zou er graag eens ~ willen zijn *I would like to get away for a while;* zijn geld er ~ krijgen *get/earn one's money back, get value for money/a bargain;* er ~ stappen ⟨fig.⟩ *end it all, do away with o.s.;* hij kreeg zijn investering er niet ~ *his investment didn't pay (off);* de aankoop heb je er na een jaar ~ *the purchase will save its cost in a year* **5.¶** ik kan er niet over~ *I can't believe it, I'm all agog* **6.4** ⟨AZN⟩ daar kan ik niet **aan** ~ *I don't get/understand it, I can't figure/work it out, I'm all at sea there* **¶.2** voor zich ~ praten *talk/mumble to o.s.;* voor zich ~ zitten kijken *sit staring into space/in front of/before one;*

II ⟨bn., niet attr.⟩ **0.1** [elders, niet thuis] *out* ⇒*away* **0.2** [afgelopen] *over* **0.3** [niet brandend] *(gone) out* ⇒⟨vuur ook⟩ *dead* **0.4** [bedacht op, zoekend naar] *out* ⇒*after* **0.5** [ouderwets] *out* **0.6** [verschenen, gepubliceerd] *out* **0.7** [in bloei] *out* ⇒*in bloom* ◆ **3.1** zij had haar schoenen ~ *she had her shoes off;* de bal is ~ *the ball is o.* **3.2** ⟨kaartspel⟩ ik ben ~ *I'm out;* de kerk/de school gaat/is ~ *church/school is o.;* school is out ⟨einde v.h. schooljaar⟩; het is ~ tussen hen *it is finished/all over between them, they're finished, their engagement is off;* het verhaal/spel is ~ *the story/game is o. / finished;* en nu is 't ~! nou moet het ~ zijn! *this has got to stop!, this is the last straw!, enough's enough!;* voor de week ~ is *before the week is out;* dat geroddel moet nu eens ~ zijn *there must be an end to (all) this gossip, this gossip has got to stop; (now,) that's enough gossip for the time being, if you don't mind* **3.3** de kachel is ~ *the stove is out/has gone dead/out;* de lamp is ~ *the light is out/off* **3.5** een vetkuif is ~ *greasy forelocks are o.* **3.¶** het boek is ~ *the book is o.* ⟨uitgeleend, verschenen⟩; *the book is finished* ⟨uitgelezen⟩; goedkoop ~ zijn *have got a good bargain/value for money* **5.1** die vlek gaat er niet ~ *that stain won't come o. / off* **5.2** over en ~ *o. and out!* **6.2** het is ~ **met** de pret *the game is o. now* **6.4** op iets ~ zijn *be o. for/after sth.;* **op** een betrekking ~ zijn *be bent on/after/on the lookout for/seeking a job;* hij is er alleen maar **op** ~ om te winnen *his sole aim is to win* **9.2** ⟨AZN⟩ amen en ~! *that's that/flat! so there!* **¶.1** ~, goed voor u *get away from it all!, a day/evening out will do you a world of good!* **¶.2** ~! het daarmee ~! *that's that/flat! so there's/let there be an end to it!;* ik doe het niet, punt ~! *I won't do it, so that's it/so you can put that in your pipe and smoke it!/and that's all there is to it!;* ⟨vnl. AE⟩ *I won't do it, period!* **¶.¶** iets ~ en terna kennen *know sth. down to the finest detail/thoroughly.*

uit[2] ⟨vz.⟩ ⟨→sprw. 362,475⟩ **0.1** [niet in] *out (of)* ⇒*from* **0.2** [verwijderd van] *off* **0.3** [te buiten, te boven gaand] *out of* **0.4** [om te] *out* **0.5** [afkomstig van, door middel van] *(out) of* **0.6** [vanwege] *out of* ⇒*from* ◆ **1.1** ~ een fles schenken *pour from a bottle,* ⟨fig.⟩ ~ het hoofd *by heart* ⟨weten⟩; *from memory* ⟨aanhalen⟩; ~ het raam kijken *look out (of)*

the window; ~ school komen *come home from school;* een speler ~ het veld sturen *order a player off (the field)* **1.2** 2 km ~ de kust/het strand *2 kilometres o. shore/the coast* **1.3** ~ den boze *altogether wrong, absolutely forbidden/out of the question;* ~ de mode *out of fashion, out;* ~ de tijd *behind the times, old-fashioned* **1.5** ~ uw brief vernam ik ... *I gathered from your letter that ...;* ~ betrouwbare bron is vernomen *we have it/it is reported on good authority;* stoffen ~ Engeland *fabrics from England, English fabrics;* iets ~ ervaring kennen *know sth. from/by experience;* ~ kind ~ zijn eerste huwelijk *a child of/by his first marriage;* ~ een kopje drinken *drink out of/from a glass;* een vrouw ~ de massa schreeuwde *a woman in the crowd screamed;* ~ één stuk *(all) of a piece;* ⟨fig.⟩ een kerel ~ één stuk *a mountain of a man, he's all of a piece;* bier ~ een vat tappen *draw beer from a cask, pull beer on draught/tap;* een volbloed ~ Gipsy en Lorna Blue *a thoroughbred by Gipsy ex Lorna Blue;* John McEnroe ~ de V.S. *John McEnroe from/of the U.S.* **1.6** ~ beleefdheid/nieuwsgierigheid/wraak *out of politeness/curiosity/revenge;* ~ bewondering *out of/in admiration;* ~ genegenheid/dankbaarheid *out of/from affection, out of gratitude;* ~ hoofde van zijn functie als burgemeester *in his function/capacity as mayor;* zij trouwden ~ liefde *they married for love;* ~ onwetendheid *from/out of/through ignorance;* ~ plichtsgevoel *from a sense of duty;* ~ veiligheidsoverwegingen *for safety('s sake);* ~ voorzorg *by way of precaution;* ~ vrees voor straf *out of fear/from fear/for fear of punishment;* ~ vriendschap *in friendship* **3.1** ~ de sleur breken *get out of a rut;* vertellen ~ zijn jeugd *tell stories from his youth* **3.5** bestaan ~ *consist of;* geboren ~ rijke ouders *born of wealthy parents;* kiezen ~ drie mogelijkheden *choose from three possibilities;* ik kom ~ Alkmaar *I come from Alkmaar* **4.1** ik kan de tweeling niet ~ elkaar houden *I can't tell which of the twins is which, I can't tell the twins apart/from each other;* ~ elkaar vallen *fall in/break to pieces, smash to smithereens* **4.2** ~ elkaar gaan *separate* ⟨ook mbt. relatie⟩; ⟨relatie ook⟩ *split up;* ⟨lett.⟩ *each go his own way* **4.5** ~ zichzelf *of itself* ⟨ding⟩; *of one's own accord/free will* ⟨persoon⟩ **5.1** boven ~ de schoorsteen komt rook *there's smoke coming out of the chimney;* je hoorde hem boven alle anderen ~ *you heard him above all the others, his voice thundered above/drowned all others* **7.5** één ~ de twintig/duizend *one in twenty/a thousand;* zo'n pianist is slechts één ~ velen *a pianist like that is just one among many.*

uitademen ⟨ov.ww.⟩ **0.1** [adem uitblazen] *breathe out* ⇒*exhale* ◆ **.1** met kracht ~ *breathe out/exhale vigorously, blow out (strongly);* **II** ⟨ov.ww.⟩ **0.1** [uitwasemen ⟨ook fig.⟩] *breathe (out)* ⇒*exhale, exude* ◆ **1.1** rook ~ *exhale smoke;* het bos ademde een sfeer uit van rust *the forest breathed (out)/exuded an atmosphere of peace;* zijn laatste snik ~ *b. one's last; expire* ⟨lit.⟩.

uitademing ⟨de (v.)⟩ **0.1** [het uitademen] *exhalation* **0.2** [een keer uitademen] *exhalation* ⇒*breath* **0.3** [het uitgeademde] *exhalation* ⇒*breath.*

uitbaggeren ⟨ov.ww.⟩ **0.1** *dredge.*

uitbakken ⟨ov.ww.⟩ **0.1** *fry (up).*

uitbal ⟨de (m.)⟩ ⟨sport⟩ **0.1** *ball out of play.*

uitbalanceren ⟨ov.ww.⟩ **0.1** *balance* ⇒^↑*equilibrate* ⟨twee dingen⟩ ◆ **1.1** een uitgebalanceerd dieet *a balanced diet;* een wiel ~ *b. a wheel.*

uitbannen ⟨ov.ww.⟩ **0.1** [verbannen] *banish, exile* ⟨vnl. uit land⟩ ⇒*ban, expel* ⟨uit school e.d.⟩, ⟨weigeren mee om te gaan⟩ *ostracize* **0.2** [verdrijven] *drive out/away, expel* ⇒*exorcize* ⟨boze geest⟩, ⟨wegjagen⟩ *drive off, repel* ◆ **1.2** de oorlog ~ *outlaw/ban war;* hun twijfels ~ *expel/quieten their doubts.*

uitbanning ⟨de (v.)⟩ **0.1** [verbanning] *banishment* ⇒*expulsion* **0.2** [verdrijving] *driving out/away, expulsion* ⇒*exorcism, exorcizing* ⟨van geesten⟩.

uitbarsten ⟨onov.ww.⟩ **0.1** [plotseling fel uiten] *burst out* ⇒*burst (into), break out, explode* **0.2** [plotseling uitbrekend zich vertonen; vuur spuwen] *break out* ⇒*erupt* ⟨vulkaan⟩, *burst (out/through/into)* ◆ **6.1** in verwensingen ~ *burst into/let loose a torrent of abuse;* in woede ~ *explode with fury, fly into a passion, blow one's top, go beserk;* ↓*flip (one's lid);* **in** lachen ~ *burst/break into laughter/a laugh, burst out laughing, explode with laughter;* **in** tranen/snikken ~ *burst/break into tears/sobs, burst out crying.*

uitbarsting ⟨de (v.)⟩ **0.1** [felle uiting] *outburst* ⇒*burst (of), fit (of), paroxysm (of), explosion* **0.2** [het uitbarsten] *bursting out* ⇒*breaking out, eruption* ⟨vulkaan⟩ **0.3** [keer] *outburst* ⇒*outbreak, explosion, eruption* ⟨vulkaan⟩ ◆ **1.1** een ~ van woede *a(n) o. / burst/fit/paroxysm/explosion/blaze of rage, a spurt of anger* **1.3** een ~ van opstand *an outbreak of rebellion;* een ~ van polio *an outbreak of polio* **3.2** tot een ~ komen *come to a head/crisis, boil over* **6.3** de vulkaan kwam **tot** ~ *the volcano broke into (an) eruption/erupted.*

uitbaten ⟨ov.ww.⟩ ⟨AZN⟩ **0.1** [exploiteren] *run* **0.2** [uitbuiten] *make the most of* ⇒⟨pej.⟩ *exploit, use, sweat* ◆ **1.1** een zaak ~ *r. a business/an establishment.*

uitbater ⟨de (m.), -s⟩, **-baatster** ⟨de (v.)⟩ **0.1** *manager;* ⟨v. ook⟩ *manageress.*

uitbazuinen ⟨ov.ww.⟩ **0.1** *trumpet* ⇒*blaze (about)* ⟨vnl. pass.⟩, *broad-*

cast, put about, ↑*proclaim* ◆ **1.1** iemands lof ~ *t. / sound / sing s.o.'s praises;* zijn eigen lof ~ *blow one's own trumpet;* hij moest dat nieuws overal ~ *he just had to go and blaze / put the news about / t. / broadcast the news / shout the news from the rooftops* **3.1** je moet dat niet ~ *don't let this get any further, this is strictly between you and me / strictly confidential, don't go blazing this about / blabbing this to all and sundry.*

uitbeelden ⟨ov.ww.⟩ **0.1** *portray,* **represent** ⇒ ↑*depict* ◆ (iem.) nadoen) *impersonate* ◆ **1.1** een verhaal ~ *act out a story* **6.1** iets in gebarentaal ~ *represent / express sth. through / by means of sign-language, gesticulate;* een persoon / een rol in een toneelstuk ~ *act a part /* ↑*render a character / role in a play.*

uitbeelding ⟨de (v.)⟩ **0.1** [het uitbeelden] *portrayal* ⇒*representation,* ↑*depiction,* (nadoen van iem.) *impersonation* **0.2** [voorstelling in beeld] *portrayal* ⇒*portrait, picture* **0.3** [vertolking in een rol] *performance* ⇒ ↑*rendering.*

uitbeenmes ⟨het⟩ **0.1** *boning knife.*

uitbeitelen ⟨ov.ww.⟩ **0.1** *chisel (out)* ⇒*carve (out)* (ook in hout) ◆ **6.1** een opschrift in steen ~ *chisel / carve an inscription (out) in stone.*

uitbenen ⟨ov.ww.⟩ **0.1** *bone* ◆ **1.1** hammen ~ *b. hams;* (fig.) een onderwerp ~ *labour a subject;* ↑*flog a subject to death;* (fig.) een persoon ~ *bleed / milk / exploit / use / fleece s.o., take advantage of s.o.; give s.o. a hard time at the exams.*

uitbesteden ⟨ov.ww.⟩ **0.1** [elders in de kost doen] *board out, put out to board* **0.2** [aan anderen overdoen] *farm out* ⇒*put out (to contract), contract (out)* ◆ **1.1** de kinderen een week ~ *board the children out for a week* **1.2** het schilderwerk ~ *farm / put / contract out the painting* **6.2** een werk **aan** een onderaannemer ~ *put out a job to a subcontractor.*

uitbetalen ⟨onov., ov.ww.⟩ **0.1** *pay (out)* ⇒*pay over,* ↑*disburse,* (cheque, wissel ook) *cash* ◆ **1.1** gestorte en uitbetaalde bedragen *sums paid in and paid out;* een cheque ~ *honour / cash a cheque;* loon ~ *p. (out / over) wages;* schade ~ *settle a claim* **5.1** overuren worden dubbel uitbetaald *overtime is paid double* **6.1** ~ **aan** iem. *p.s.o. (out);* een bedrag ~ **in** peseta's *p. (out) a sum in pesetas;* iem. **per** uur / **per** giro ~ *p.s.o. by the hour / by giro.*

uitbetaling ⟨de (v.)⟩ **0.1** *payment* ⇒ ↑*disbursement* (vnl. pensioen, fonds), (inf.) *pay-off,* (bankoverschrijving) *transfer* ◆ ¶**.1** opdracht tot ~ *order to pay.*

uitbetalingsloket ⟨het⟩ **0.1** *pay-counter* ⇒ (raampje) *pay-window.*

uitbijten
I ⟨ov.ww.⟩ **0.1** [door een bijtende stof verwijderen] *eat away* ⇒*corrode / erode (away)* **0.2** [met de tanden wegnemen uit] *bite (out)* ◆ **1.1** in een etsplaat uitgebeten lijnen *lines eaten into an etching-plate;*
II ⟨onov., ov.ww.⟩ **0.1** [door een bijtende werking aantasten] *corrode / erode (away),* (bleken) *bleach* ◆ **1.1** pas op, dat zuur bijt uit! *be careful / watch out, that acid is corrosive;* sommige plekken op het tafelblad zijn uitgebeten *some spots on the tabletop are bleached.*

uitblazen
I ⟨ov.ww.⟩ **0.1** [door blazen naar buiten brengen] *blow (out)* ⇒ (uitademen) *breathe out, exhale* **0.2** [doven] *blow out* ⇒*puff out* **0.3** [ten einde blazen] *finish (blowing)* ◆ **1.1** de laatste adem ~ *breathe one's last, gasp one's life away / out;* ↑*expire;* (BE;sl.) *snuff it;* een ei ~ *b. an egg;* rookwolkjes ~ *b. out puffs of smoke, puff out clouds of smoke* **1.3** zijn deuntje ~ *finish one's tune, play one's tune to the finish / end;*
II ⟨onov.ww.⟩ **0.1** [op adem komen] *take a breather* ⇒*catch one's breath* ◆ **5.1** ik moet even ~ *I've got to take a spell off / breather for a while / have a little rest / breathing spell.*

uitblijven ⟨onov.ww.⟩ **0.1** [wegblijven] *stay away* ⇒*fail to come,* (van huis) *stay out* **0.2** [niet gebeuren] *fail to occur / appear* **0.3** [uitgeschakeld blijven] *stay off* ◆ **1.1** de koorts is uitgebleven *the fever has remained at bay* **1.2** het antwoord bleef uit *the / an answer remained forthcoming;* de gevolgen bleven niet uit *the consequences (soon) made themselves felt / known;* de voorspelde economische groei is uitgebleven *the predicted economic growth has failed to materialize / appear;* protesten bleven uit *there were no protests, no protests were made;* reacties konden niet ~ *there were bound to be reactions, reactions were bound to come;* de regen / de oorlog bleef uit *the rain / war kept / held off;* resultaat bleef uit *no results followed;* ze hoopte op een uitnodiging, maar deze bleef uit *she hoped for an invitation, but none came / was forthcoming* **4.2** dat kon niet ~ *that was bound to happen / come, it had to come to this in the end* **5.2** hulp bleef (niet) lang uit *help was (not) long in coming;* de koortsaanvallen bleven steeds langer uit *the attacks of fever appeared at longer and longer intervals / lessened continually;* ongelukken kunnen niet ~ *accidents are bound to follow / happen.*

uitblinken ⟨onov.ww.⟩ **0.1** *excel* ⇒*be conspicuous / outstanding,* (persoon ook) *(out)shine* ◆ **6.1** bij een examen ~ *shine / excel at an exam;* hij blonk **boven** allen uit *he outshone / eclipsed everyone / stood head and shoulders above the rest;* zij blonk niet uit **door** netheid *she wasn't remarkable for neatness;* een roman die niet uitblinkt **door** psychologisch inzicht *a novel unremarkable for psychological insight;* ~ **in** *shine / be strong / excel in;* ik blink niet uit **in** wiskunde *I'm not strong in math(s), math(s) is not (exactly) my forte / strong point.*

uitblinker ⟨de (m.)⟩, **-blinkster** ⟨de (v.)⟩ **0.1** *brilliant person* ⇒*star, giant, egghead* (op school) ◆ **3.1** toen had je nog ~s! *there were still / you still had giants in those days* **6.1** zij kon niet leren, maar in schaken was zij een ~ *she wasn't much of a scholar, but she shone in chess; although she wasn't much of a / was no scholar, she was brilliant at chess* **7.1** in sport was hij geen ~ *he did not shine in sports, sports was never his forte.*

uitbloeien ⟨onov.ww.⟩ **0.1** *leave off flowering* ⇒*finish flowering, run / go to seed* (ook mbt. mensen) ◆ **1.1** de rozen zijn uitgebloeid *the roses have left off / finished flowering / are past flowering / are overblown.*

uitblussen ⟨ov.ww.⟩ **0.1** *extinguish, put out* ◆ **1.1** een uitgebluste blik in de ogen *a weary / faded look in one's eyes;* haar levenslust is uitgeblust *her zest for life has died / is gone;* uitgeblust zijn *be extinguished / quenched* (ook fig.).

uitboeken ⟨ov.ww.⟩ **0.1** *book out* ⇒*check out* (mbt. hotel).

uitboenen ⟨ov.ww.⟩ **0.1** *scrub (out)* ⇒*scour (out),* (blinken) *polish (up).*

uitboren ⟨ov.ww.⟩ **0.1** [borend uithollen] *drill / bore / hollow out* **0.2** [door boren wijder / groter maken] *drill wider* ⇒*overdrill* **0.3** [door boren verwijderen] *drill out* ◆ **1.1** een staaf koper ~ *bore out a copper rod.*

uitborstelen ⟨ov.ww.⟩ **0.1** [door borstelen reinigen] *brush off / down* (kleren) *sweep (out)* (kamer) **0.2** [met een borstel uitwrijven] *brush out* ◆ **1.1** (fig.) iem. de mantel ~ *haul s.o. over the coals / carpet, tell s.o. off, give s.o. a piece of one's mind / a ticking-off / dressing-down, sweep the carpet with s.o..*

uitbotten ⟨onov.ww.⟩ **0.1** *bud* ⇒*sprout, shoot, come into bud* ◆ **3.1** (fig.) het meisje begint al aardig uit te botten *that girl is beginning to b. / develop / mature / blossom out.*

uitbouw ⟨de (m.)⟩ **0.1** [aanbouwsel] *extension* ⇒*addition* **0.2** [het uit- / aanbouwen] *extension* ⇒*addition* **0.3** [⟨fig.⟩] *development* ⇒ (uitbreiding) *expansion.*

uitbouwen ⟨ov.ww.⟩ **0.1** [naar buiten bouwen] *build out* ⇒*extend,* (huis ook) *add on to* **0.2** [verder ontwikkelen] *develop* ⇒*extend, expand* ◆ **1.2** een redenering / stelling ~ *expand a theory / hypothesis;* een stad ~ *extend (on) / develop / enlarge a town;* zijn talenten ~ *d. / build on one's talents;* een verhaaltje ~ *fill out / expand a story.*

uitbraak ⟨de⟩ **0.1** *break* ⇒*jailbreak,* [B]*goalbreak, breakout* ◆ **3.1** (sport) een ~ forceren *force a break(-away), make / mount a counter-attack.*

uitbraaksel ⟨het⟩ **0.1** *vomit;* ↓*sick.*

uitbraden ⟨ov.ww.⟩ **0.1** *fry.*

uitbraken ⟨ov.ww.⟩ **0.1** *vomit, be sick* ⇒*throw / bring up,* ↓*spew (out)* ↑*regurgitate* ◆ **1.1** zijn gal (tegen iem.) ~ *spit one's venom, vent one's spleen / gall (on s.o.);* de vulkaan braakt lava uit *the volcano is belching out / vomiting lava;* (fig.) gemene taal ~ *vomit / use foul language;* (fig.) verwensingen ~ *pour out / vomit (a stream / torrent of) abuse.*

uitbranden
I ⟨onov.ww.⟩ **0.1** [opbranden] *burn up* **0.2** [door vuur verwoest worden] *be burnt down / out* ⇒*be gutted, be burnt to a cinder / reduced to ashes* ◆ **1.1** (fig.) haar kaarsje is uitgebrand *she has paid her debt to nature* **1.2** het pand brandde geheel uit *the house was completely burnt out / gutted / was burnt (down) / reduced to a shell / burnt away to nothing;*
II ⟨ov.ww.⟩ **0.1** [door vuur verwoesten] *burn / down out* ⇒*gut* **0.2** [met vuur een gloeiend voorwerp verwijderen] *burn out / away* ⇒*cauterize* (wond) ◆ **1.1** uitgebrande lucifers *burnt / spent matches* **1.2** een wespennest ~ *burn / smoke out a wasps' nest;* wratten ~ *burn out / away warts.*

uitbrander ⟨de (m.)⟩ **0.1** *dressing-down* ⇒*scolding, telling-off / ticking, roasting,* [B]*wigging, a rap over the knuckles* ◆ **2.1** hij kreeg een flinke ~ van zijn vader *he got a hard rap over the knuckles from his father, his father took him apart / to task* **3.1** iem. een ~ geven *give s.o. a good d.-d. / telling-off / roasting / wigging, give s.o. the rough / sharp edge of one's tongue / a rap over the knuckles;* een ~ krijgen *be on the carpet, get a going-over / d.-d. /* [B]*rocket.*

uitbreiden
I ⟨ov.ww.⟩ **0.1** [vergroten] *extend* ⇒*enlarge, add to, increase, expand, widen, develop* **0.2** [uitstrekken] *spread* ⇒ (armen ook) *open* ◆ **1.1** (taal.) ~ de bijzin *nonrestrictive / amplifying clause;* een campagne ~ *step up a campaign;* zijn kennis ~ *extend / enlarge / increase one's knowledge;* zijn vriendenkring ~ *widen the circle of one's friends;* het wagenpark ~ *augment / increase the fleet;* zijn werkzaamheden ~ *expand / widen one's activities;* een ziekenhuis ~ *extend / add to a hospital* **6.1** zijn collectie ~ **met** een nieuwe plaat *add a new record to one's collection;* een maatregel / een clausule ~ **tot** ...*extend a measure / clause to ...,* enlarge a clause to include ...; het aantal bestuursleden ~ **tot** acht *increase the number of board members to eight;*
II ⟨wk.ww.;zich ~⟩ **0.1** [groeien] *extend* ⇒*expand, increase, grow, spread* (ziekte, gewoonte, brand, enz.) ◆ **1.1** de staking breidde zich steeds meer uit *the strike spread further and further / went from strength to strength;*
III ⟨onov.ww.⟩ **0.1** [vergroten] *expand, enlarge, build out, add on* ◆ ¶**.1** wij breiden uit! (bv. mbt. een winkel) *we are expanding.*

uitbreiding ⟨de (v.)⟩ **0.1** [het (zich) uitbreiden] *extension* ⇒*expansion,* *enlargement, increase,* ⟨groei⟩ *growth* **0.2** [gedeelte waarmee uitgebreid is] *extension* ⇒*addition,* ⟨stadswijk⟩ *development* ♦ **6.1** bij ~ wordt het woord ook gebruikt voor andere werktuigen *by extension the word is also used for other tools, the usage of the word is extended to other tools;* **wegens** ~ **van** zaken *owing to the expansion of our business* **6.2** een welkome ~ **van** mijn bibliotheek *a welcome addition to my library;* ~ **van** de epidemie kon worden voorkomen *a further spread of the epidemic could be prevented, the epidemic could be brought under control.*

uitbreidingsplan ⟨het⟩ **0.1** *development plan / scheme.*

uitbreken
I ⟨onov.ww.⟩ **0.1** [ontsnappen] *break out* ⇒*escape,* ⟨AE;sl.⟩ *bust out* **0.2** [plotseling zich vertonen] *break out* **0.3** [in alle hevigheid beginnen] *break out* ⇒*break loose* **0.4** [lucht geven aan] *break out* ♦ **1.2** het angstzweet brak hem uit *he broke out in a cold sweat* **1.3** er is brand / een epidemie uitgebroken *a fire / epidemic has broken out;* de oorlog brak uit *war broke out* **3.1** proberen uit te breken *try to break out /* ⟨fig.⟩ *away, try to break one's bonds* **6.1** ~ **uit** de gevangenis *b. (out of) prison / jail /* [B]*gaol* **6.3** bij het ~ v.d. oorlog was ik twee jaar *at / on the outbreak of the war, I was two years old* **6.4 in** klachten ~ *b. out in complaints* ¶.**1** breek er eens *take a day off;*
II ⟨ov.ww.⟩ **0.1** [door breken wegnemen] *break out* ⇒*break away* ♦ **1.1** de kamer ~ *knock down (a part of) a wall in a room;* stenen ~ *b. out / away stones.*

uitbreker ⟨de (m.)⟩, **-breekster** ⟨de (v.)⟩ **0.1** *jailbreaker,* [B]*gaolbreaker* ⇒*prisonbreaker.*

uitbrengen ⟨ov.ww.⟩ **0.1** [van zich doen uitgaan] *bring out* ⇒*say, speak, utter* **0.2** [kenbaar maken] *make* ⇒*give* **0.3** [openbaren] *disclose* ⇒*reveal, make public / known,* ↓*put about,* ⟨geheim ook⟩ *betray* **0.4** [op de markt brengen] *bring out* ⇒*put out, launch,* ⟨publiceren⟩ *publish, issue* ♦ **1.1** een toost ~ op de jubilaris *propose / give a toast / drink to s.o. on his anniversary;* hij kon geen woord ~ *he couldn't b. out / utter a word, the words stuck in his throat, he was beyond speech / incapable of speech / tongue-tied; he was all choked up* ⟨door emotie, woede⟩; hij kon maar enkele woorden ~ *he could only pant / gasp / wheeze out a few words* **1.2** advies ~ aan de minister *advise the minister;* ⟨jur.⟩ een akte ~ *produce a document for inspection;* zijn stem ~ op een kandidaat *vote for a candidate, give one's vote to a candidate;* zijn stem gaan ~ *go to the polls;* verslag ~ van een vergadering *g. / render an account of a meeting, report on a meeting* **1.3** een geheim / een samenzwering ~ *d. / reveal a secret / conspiracy; betray a secret* **1.4** grammofoonplaten / boeken / nieuwe modellen ~ *bring out / put out / launch records / books / new models, publish / issue books, put records / new models on the market* **3.1** het duurde even voordat hij weer iets kon ~ *it took some time before he found his voice / tongue again* ¶.**1** iets met moeite ~ *force sth. out.*

uitbroeden ⟨ov.ww.⟩ **0.1** [laten uitkomen] *hatch (out)* ⟨in broedmachine⟩ **0.2** [⟨fig.; scherts.⟩] *hatch (up)* ⇒*brew (up), concoct* ♦ **1.1** eieren ~ *h. (out) eggs;* hij zit een idee uit te broeden *he's brooding over / about an idea;* er zijn 10 kuikens uitgebroed *ten chicks have hatched (out)* **1.2** boze plannen ~ *brew mischief, scheme, h. (up) evil plans* **3.1** eieren laten ~ ⟨tech. ook⟩ *set eggs.*

uitbrullen ⟨ov.ww.⟩ **0.1** *roar* ⇒*howl, bellow, yell* ♦ **1.1** bevelen ~ *bawl out orders;* een lied ~ *belt out a song* **6.1** het ~ **van** de pijn *r. / howl / bellow / scream with pain.*

uitbuigen ⟨onov., ov.ww.⟩ **0.1** *bend outwards.*

uitbuiten ⟨ov.ww.⟩ **0.1** *exploit* ⇒*use, take advantage of, sweat* ⟨arbeiders⟩, ↓*cash in on* ♦ **1.1** het is iem. die zijn collega's uitbuit *he's s.o. who battens on / uses his colleagues;* gastarbeiders / de armen ~ *e. / sweat migrant workers / the poor, grind the faces of the poor;* een gelegenheid ~ *make the most of an opportunity;* een vergissing ~ *make (great) play with / take advantage of / make capital (out) of / capitalize on / cash in on a mistake;* een voordeel ten volle ~ *e. / press home / make the most of / follow up an advantage.*

uitbuiter ⟨de (m.)⟩ **0.1** *exploiter* ⇒ ⟨uitzuiger⟩ *leech,* ⟨slavendrijver⟩ *sweater,* ⟨woekeraar⟩ *extortioner / ist.*

uitbuiting ⟨de (v.)⟩ **0.1** *exploitation* ⇒ ⟨afpersing⟩ *extortion.*

uitbundig ⟨bn., bw., -ly⟩ **0.1** [bovenmatig] *exuberant* ⇒*profuse, lavish,* ⟨overdreven⟩ *effusive, excessive* **0.2** [uitgelaten] *exuberant* ⇒*ebullient, excited, elated, effervescent, in high spirits* ♦ **3.1** iem. ~ prijzen *praise / exalt / extol s.o. to the skies, lavish praise on s.o.;* dat gaan we ~ vieren *we're going to whoop it up;* ⟨BE;inf.⟩ *we're going to paint the town red / push the boat out for this* **3.2** ~ dansen *dance with abandon / in gay abandon;* ~ vertellen *tell enthusiastically.*

uitbundigheid ⟨de (v.)⟩ **0.1** *exuberance* ⇒ ⟨overdrevenheid⟩ *effusiveness,* ⟨uitgelatenheid⟩ *high spirits, enthusiasm.*

uitchecken ⟨onov.ww.⟩ ⟨verkeer⟩ **0.1** *check out.*

uitcijferen ⟨ov.ww.⟩ **0.1** [uitrekenen] *figure / reckon out* ⇒*calculate, compute* **0.2** [uitvlakken] *ignore* ⇒*forget, set aside* **0.3** [nauwkeurig onderzoeken] *figure out* ⇒*work out, puzzle out.*

uitclub ⟨de⟩ ⟨sport⟩ **0.1** *visiting /* ⟨inf.⟩ *away team* ⇒ ⟨inf.⟩ *visitors.*

uitdagen ⟨ov.ww.⟩ **0.1** *challenge* ⇒ ⟨tarten⟩ *dare, defy,* ⟨uit de tent lokken⟩ *provoke,* ⟨seksueel⟩ *flirt with* ♦ **3.1** de andere jongens daagden

hem uit een punaise op haar stoel te leggen *the other boys dared / defied him to put a thumbtack on her chair* **6.1** iem. **tot** een wedstrijd om de titel ~ *c. s.o. for the title;* **tot** de strijd ~ *c. to the fight;* **tot** een duel ~ *c. s.o. to a duel, fling / throw down the gage / gauntlet.*

uitdagend ⟨bn., bw., -ly⟩ **0.1** *defiant* ⇒*provocative, daring* ♦ **1.1** een ~e houding *a defiant / belligerent attitude* **3.1** iem. ~ aankijken *look at s.o. defiantly* ¶.**1** ~ gekleed gaan *be dressed provocatively.*

uitdager ⟨de (m.)⟩, **-daagster** ⟨de (v.)⟩ **0.1** *challenger* ⇒ ⟨sport ook⟩ *contender.*

uitdaging ⟨de (v.)⟩ **0.1** [het uitdagen] *challenge* ⇒*provocation* **0.2** [zaak, daad, uiting] *challenge* ⇒*provocation, dare* ♦ **3.1** een ~ aannemen *take up / accept a c., take up the gage / gauntlet;* een ~ afwijzen *refuse to take up a c. / the gage / gauntlet* **6.2** ⟨fig.⟩ een ~ **aan** de wetenschap *a c. to science;* die nieuwe baan is **voor** haar een ~ *that new job is a real c. to her.*

uitdampen ⟨onov., ov.ww.⟩ **0.1** *evaporate* ⇒*air* ⟨wasgoed⟩ ♦ **1.1** het wasgoed dampt uit *the washing is airing;* het wasgoed ~ *air the washing.*

uitdelen ⟨ov.ww.⟩ **0.1** *distribute* ⇒*hand out, serve* ↓*dish out* ⟨eten⟩, *dole out, dispense* ♦ **1.1** geld / snoep ~ aan de kinderen *d. money / sweets among the children, hand out money / sweets to the children;* ⟨fig.⟩ handjes ~ *shake hands / everyone's hand;* klappen ~ *deal / deliver blows, lay about one;* rake klappen ~ *give hard knocks, pack quite a punch;* een ieder zijn portie ~ *parcel / portion / measure / dole / ration out to reach his fair share;* proefwerkblaadjes ~ *dish / hand / pass out /* [A]*pass round test papers;* standjes ~ *administer rebukes;* straf ~ *deal out / mete out / administer punishment, dish it out.*

uitdelgen ⟨ov.ww.⟩ **0.1** [⟨vnl. rel.⟩ uitwissen] *blot out* ⇒*purge (away / off / out)* ⟨zonden⟩ **0.2** [door delging tenietdoen] *pay off* ⇒ ⟨geldw.⟩ *amortize.*

uitdeling ⟨de (v.)⟩ **0.1** *distribution* ⇒*dispensation, issue, allottment,* ⟨hand.⟩ *dividend* ♦ **2.1** de eerste en enige ~ ⟨bij faillissement⟩ *the first and final dividend* **3.1** ~ houden *hand sth. out / round* **6.1** hij heeft vooraan gestaan **bij** de ~ *he was first in line when they were handing out noses.*

uitdenken ⟨onov., ov.ww.⟩ **0.1** *invent* ⇒*devise, think up /* ⟨vnl. AE⟩ *contrive* ♦ **1.1** een middel / plan ~ *i. / devise / think up a means / plan* **3.**¶ men raakt daar niet over uitgedacht *that remains food for thought* **4.1** dit heeft Mark uitgedacht *this was an idea of Mark's* **5.1** een goed uitgedacht plan *a carefully thought-out plan.*

uitdeuken ⟨ov.ww.⟩ **0.1** *beat out (a dent / dents)* ♦ **1.1** een spatbord ~ *beat dents / a dent out of a mudguard.*

uitdienen ⟨onov.ww.⟩ **0.1** [ten einde dienen] *serve out* **0.2** [door lang gebruik onbruikbaar worden] *have (had) one's day* ⇒*be played out* ♦ **1.1** zijn tijd ~ *s. (out) one's time;* het zal mijn / onze tijd wel ~ *it will last my / your time* **4.2** dat heeft uitgediend *that has had its day / has served its purpose / is played out* ⟨ook fig.⟩ **5.2** ⟨fig.⟩ hij heeft daar uitgediend *he is through there, he has had his day there.*

uitdiepen ⟨ov.ww.⟩ **0.1** [dieper maken] *deepen* **0.2** [diepgaand onderzoeken] *study in depth* ♦ **1.2** personages in een roman ~ *give depth to characters in a novel, make characters in a novel round.*

uitdijen ⟨onov.ww.⟩ **0.1** *expand* ⇒*swell, grow* ♦ **1.1** het ~d heelal *the expanding universe;* de stad dijt naar alle kanten uit *the town is spreading / sprawling in all directions.*

uitdoen ⟨ov.ww.⟩ **0.1** [uittrekken] *take off* ⇒*pull off, remove* **0.2** [doven] *turn off* ⇒*switch off,* ⟨licht ook⟩ *extinguish, turn / put out* **0.3** [reinigen] *do out* ⇒*clean* **0.4** [schrappen] *cross out* ⇒*strike out, scratch* ♦ **1.1** zijn kleren / schoenen ~ *take / pull off one's clothes / shoes;* ⟨kleren ook⟩ *peel off (one's clothes)* **1.2** het licht ~ *turn off / switch off / turn out / put out the light* **1.4** een post op een rekening ~ *cross / strike out an item on the bill* **3.4** je kunt haar wel ~ *you can count her out.*

uitdokteren ⟨ov.ww.⟩ ⟨inf.⟩ **0.1** *work out* ⇒*figure out, think up / of, puzzle out.*

uitdossen ⟨ov.ww.⟩ **0.1** *dress up* ⇒*deck out, trick out / up, rig out,* ↓*tog up / out, doll up* ♦ **4.1** zich ~ *dress / tog / doll / trick (o.s.) up, deck / trick / rig / tog o.s. out* **5.1** zich piekfijn ~ *put on one's (Sunday) best /* ↓*one's best togs;* hij was wonderlijk uitgedost *he was oddly rigged out / had a very odd / quaint rig-out.*

uitdossing ⟨de⟩ **0.1** *attire* ⇒*dress,* ⟨inf.⟩ *get-up, gear.*

uitdoven
I ⟨ov.ww.⟩ **0.1** [doven] *extinguish* ⇒ ⟨vuur ook⟩ *put out, snuff out* ⟨kaars⟩, ⟨sigaret ook⟩ *stub out* **0.2** [tenietdoen] *extinguish* ⇒*quench, smother;*
II ⟨onov.ww.⟩ **0.1** [zijn gloed verliezen] *go out* ⇒*die (out)* ♦ **1.1** ⟨fig.⟩ een uitgedoofde geest *a subdued / crushed spirit;* een uitgedoofde vulkaan *an extinct volcano.*

uitdraai ⟨de (m.)⟩ **0.1** *print-out.*

uitdraaien
I ⟨ov.ww.⟩ **0.1** [⟨fig.⟩ ten einde draaien] *end* ⇒*turn out, come to* ♦ **5.1** het draaide erop uit dat zij het vergeten was *it turned out that she had forgotten it;* het draaide erop uit dat ik moest rijden *it ended in my having to drive, as things turned out I had to drive;* waar moet dat

op ~? *where is this going to end?, what will be the end of it?, what will it come to?* **6.1** het zal wel weer **op** niets ~ *nothing will probably come of it, it will probably come to nothing;* het plan draaide **op** niets uit *the plan fell through / fizzled out / miscarried / came to nothing;*
II ⟨ov.ww.⟩ **0.1** [door draaien uithalen] *unscrew* **0.2** [uitdoen] *turn off* ⇒*switch off,* ⟨licht ook⟩ *extinguish, turn / put out* **0.3** [⟨comp.⟩] *print out* ◆ **1.1** ⟨fig.⟩ ergens zijn gat ~ *wriggle / worm (o.s.) out of sth.,* shirk sth.; een schroef ~ *loosen a screw* **1.2** het gas ~ *turn off the gas;* het licht ~ *turn off / switch off / turn out / put out /* ↑*extinguish the light.*

uitdragen ⟨ov.ww.⟩ **0.1** [naar buiten dragen] *carry out* **0.2** [verbreiden] *propagate* ⇒*spread,* ↑*disseminate* ◆ **1.1** ⟨fig.⟩ een huis ~ *auction the inventory of a house;* een lijk / een dode ~ *carry a corpse / a dead person out to burial.*

uitdrager ⟨de (m.)⟩, **-draagster** ⟨de (v.)⟩ **0.1** *secondhand dealer* ⇒*junk shop keeper,* ⟨vodden ook⟩ *slop / old-clothes dealer, marine-store dealer* ⟨dump⟩.

uitdragerij ⟨de (v.)⟩ **0.1** *secondhand shop* ⇒*junk shop,* ^*secondhand / junk store.*

uitdragerswinkel ⟨de (m.)⟩ **0.1** *secondhand shop* ⇒*junk shop,* ^*secondhand / junk store* ◆ **3.1** het lijkt hier wel een ~ *this place is awfully cluttered up with junk / looks like a junk shop.*

uitdrijven
I ⟨ov.ww.⟩ **0.1** [verjagen] *drive out* ⇒*expel, chase away, cast out,* ⟨kwade geest ook⟩ *exorcize* **0.2** [mbt. (edel)metalen] *engrave* ⇒*emboss,* ⟨tech.⟩ *chase* ◆ **1.1** de duivel ~ uit / bij iem. *exorcize s.o., exorcize the devil from s.o., drive the devil out of s.o.;* vee ~ *pasture cattle, put cattle out to pasture;*
II ⟨onov.ww.⟩ **0.1** [op de stroom verder drijven] *drift* ⇒*float.*

uitdrijving ⟨de (v.)⟩ **0.1** *expulsion* ⇒*exorcism* ⟨van boze geest⟩.

uitdrinken ⟨ov.ww.⟩ **0.1** [leegdrinken] *finish* ⇒*empty, drain, drink / toss off (at a draught)* ⟨in één teug⟩ **0.2** [opdrinken] *finish (up)* ⇒*drink up* ◆ **1.1** zijn glas ~ *f. / empty / drain one's glass* **1.2** de wijn ~ *drink up / finish (up) the wine* ¶.**1** drink eens uit! *drink up!.*

uitdrogen
I ⟨onov.ww.⟩ **0.1** [droog worden] *dry out* ⇒*dry up* ⟨rivier, vijver⟩, ⟨stroom ook⟩ *run dry,* ⟨med.⟩ *dehydrate, become dehydrated* ◆ **6.1** ⟨fig.⟩ **in** een provinciestadje ~ *waste / pine away in some country town;*
II ⟨ov.ww.⟩ **0.1** [droog maken] *dry out* ⇒*dry up* ⟨rivier, vijver⟩, *wipe up* ⟨met droogdoek⟩.

uitdroging ⟨de (v.)⟩ ⟨med.⟩ **0.1** *dehydration.*

uitdruipen ⟨onov.ww.⟩ **0.1** *drain (dry)* ⇒*drip* ⟨paraplu⟩, *drip-dry* ⟨druipnat opgehangen kleding⟩.

uitdrukkelijk ⟨bn., bw.; -ly⟩ **0.1** *explicit* ⇒*express, distinct, specific* ◆ **1.1** een ~ bevel *an express command, a direct order;* op ~ verzoek v.h. slachtoffer is zijn naam niet vermeld *the victim's name was withheld at his / by special request;* het was zijn ~ wens *it was his express wish* **3.1** zich ~ distantiëren van iets *openly dissociate o.s. from sth.;* hij heeft ~ verklaard, dat …*he stated explicitly / expressly / specifically that …;* iets ~ verbieden *definitely forbid sth.* ¶.**1** behalve wanneer ~ anders is bepaald *unless specifically / explicitly stated otherwise.*

uitdrukken ⟨ov.ww.⟩ **0.1** [onder woorden brengen] *express* ⇒*convey, put, voice* **0.2** [uitknijpen] *squeeze (out)* ⇒*press out* **0.3** [doven] *snub out* ⇒*stub / put out* **0.4** [naar buiten drukken] *squeeze out* ⇒*press out* ◆ **1.1** angst ~ *suggest fear;* zijn gedachten / zijn gevoelens ~ *e. / convey / state / voice one's thoughts / feelings, frame one's thoughts;* de hoop ~ *e. the hope;* een plompe manier van ~ *a bluff / blunt way of expressing sth.* **1.4** de tandpasta ~ *s. out the toothpaste* **4.1** zich ~ *e. o.s.* **5.1** eenvoudig uitgedrukt / om het eenvoudig uit te drukken *in plain terms, to put it plainly / simply;* iets juist / scherp / vaag / ongelukkig ~ *phrase / put sth. succinctly / sharply / vaguely / clumsily;* het een beetje te kras ~ *pitch it a bit too strong;* zich nauwkeurig / zeer zorgvuldig ~ *speak by the book, pick one's words carefully;* dat is sterk uitgedrukt *that's putting it strongly;* om het zachtjes uit te drukken *to put it mildly, to say* **the** *least;* om het nu zo eens uit te drukken *so to say / speak;* dat is nog zwak uitgedrukt *that's putting it mildly, and that's an understatement* **6.1** de tijd die hij eraan besteed had was niet **in** uren uit te drukken *the time he had put in could not be measured in hours;* de waarde v.h. erfstuk was voor haar niet **in** geld uit te drukken *the heirloom was beyond a price / priceless to her* **6.**¶ de waarde van iets **in** geld ~ *express the value of sth. in terms of money;* uitgedrukt **in** Amerikaanse dollar *in terms of US dollars.*

uitdrukking ⟨de (v.)⟩ **0.1** [gezegde] *expression* ⇒*idiom, phrase, turn of phrase / speech,* ⟨benaming⟩ *term* **0.2** [sprekende gelaatstrek] *expression* ⇒*look* **0.3** [uiting] *expression* ⇒*utterance, statement* ◆ **2.1** gangbare ~en *current expressions / phrases / idioms;* lege ~en *empty phrases;* een vaste / staande ~ *a fixed e., a set phrase* **2.2** een verwilderde ~ in zijn ogen *a wild / haggard look in his eyes* **3.3** ~ geven aan *give voice / vent to, express, voice;* dat komt niet in haar brief tot ~ *that is not expressed / reflected in her letter, that does not appear from her letter;* tot ~ komen in *find e. in, be expressed in;* ~ vinden in *find e. in, be expressed in* **6.2** zijn gezicht bleef **zonder** ~ *his face remained expressionless / without e. / blank / inscrutable / impassive* **6.3** tot ~ brengen *give e. to, express.*

---

uitdrukkingsloos ⟨bn., bw.; -ly⟩ **0.1** *expressionless* ⇒*inscrutable, impassive, without expression, vacant, blank,* ↓*deadpan.*

uitdrukkingsvaardigheid ⟨de (v.)⟩ **0.1** *ability to express o.s.* ⇒*fluency, clarity of expression.*

uitdrukkingsvermogen ⟨het⟩ **0.1** *power of expression* ⇒*ability to express o.s..*

uitdrukkingsvol ⟨bn., bw.⟩ **0.1** *expressive* ⇒*full of expression.*

uitdrukkingsvorm ⟨de (m.)⟩ **0.1** *form of expression* ◆ **1.1** poëzie als ~ van emoties *poetry as a vehicle for emotions.*

uitdrukkingswijze ⟨de⟩ **0.1** *turn of phrase* ⇒*way of expressing o.s. / putting sth., phrasing, diction.*

uitduiden ⟨ov.ww.⟩ **0.1** *indicate* ⇒*show, explain, point out,* ⟨overdreven⟩ *spell out* ◆ **1.1** iem. de weg ~ ⟨uitleggen⟩ *tell s.o. the way;* ⟨meelopen⟩ *show s.o. the way* **6.1** iets **met** gebaren ~ *show sth. by gesturing, gesticulate.*

uitdunnen
I ⟨ov.ww.⟩ **0.1** [⟨landb.⟩] *thin (out)* **0.2** [dunner maken] *thin (out)* ⇒*deplete* ◆ **1.1** het leger werd door de grote verliezen uitgedund *the forces were depleted by the large number of casualties;*
II ⟨onov.ww.⟩ **0.1** [dunner worden] *thin (out)* ⇒*become / get thin.*

uiteen ⟨bw.⟩ **0.1** *apart.*

uiteenbarsten ⟨onov.ww.⟩ **0.1** *burst (apart)* ⇒*explode.*

uiteendrijven ⟨onov., ov.ww.⟩ **0.1** *scatter* ⇒*disperse, dissipate, break up* ◆ **1.1** de menigte ~ *s. / disperse / break up / dissipate the crowd;* hun meningsverschil dreef ze uiteen *their difference of opinion drove them apart.*

uiteengaan ⟨onov.ww.⟩ **0.1** *separate* ⇒*disperse, part (company), go separate ways, break up* ◆ **1.1** het echtpaar ging uiteen *the couple separated / split up / broke up;* het hof ging om 6 uur uiteen *the court adjourned at 6 o'clock;* het Parlement gaat uiteen *Parliament is adjourned /* ↑*rises;* het toneelgezelschap ging uiteen *the theatrical company disbanded;* de vergadering ging uiteen *the meeting broke up / separated / dispersed;* hier gaan onze wegen uiteen *here our paths s., from here we each go our separate ways.*

uiteenhouden ⟨ov.ww.⟩ **0.1** *keep apart / separately* ⟨fig. ook⟩ *distinct* ⇒⟨fig.⟩ *distinguish* ◆ **4.1** ik kan hen niet ~ *I can't tell them apart / distinguish (between) them / tell between them / tell which is which.*

uiteenleggen ⟨ov.ww.⟩ **0.1** *unfold.*

uiteenlopen ⟨onov.ww.⟩ **0.1** [niet in dezelfde richting lopen] *diverge* **0.2** [verschillen] *vary* ⇒*differ, diverge* ◆ **1.1** ⟨fig.⟩ hun wegen liepen uiteen *their paths separated* **1.2** de meningen liepen zeer uiteen *there was much diversity of opinion, opinions greatly differed / varied, opinions were much divided;* de schattingen lopen uiteen van zes tot tien miljoen *estimates v. from six to ten million* **5.2** sterk ~ v. / *differ widely, be worlds / poles apart.*

uiteenlopend ⟨bn.⟩ **0.1** *various* ⇒*diverse, varied, divergent, different* ◆ **1.1** ~e belangen *a diversity of interests;* ~e berichten *varied / various / varying reports;* een ~ gezelschap *a heterogeneous* ⟨vnl. pej.⟩ *motley company;* ~e meningen *a division of opinion, a diversity of opinions;* essays over ~e onderwerpen *miscellaneous essays;* storm uit ~e richtingen *variable high winds;* in het reservaat leven zeer ~e vogels *a wide range / variety of birds lives in the sanctuary* **5.1** sterk ~e karakters *widely divergent characters, opposite natures* ¶.**1** ~ van aard *diverse in character.*

uiteenrafelen ⟨ov.ww.⟩ **0.1** [ontwarren] *unravel* **0.2** [⟨fig.⟩] *unravel.*

uiteenrukken ⟨ov.ww.⟩ **0.1** *pull / tear / rip apart /* ↑*asunder* ◆ **1.1** het gezin werd uiteengerukt *the family was torn apart.*

uiteenspatten ⟨onov.ww.⟩ **0.1** *burst (apart)* ⇒*burst / fly into pieces, shatter, explode, blow to bits* ◆ **1.1** de bom spatte uiteen in / tot talloze deeltjes *the bomb burst / exploded / blew / shattered into a million pieces / to smithereens.*

uiteenstuiven ⟨onov.ww.⟩ **0.1** *scatter* ⇒*fly apart.*

uiteenvallen ⟨onov.ww.⟩ **0.1** *fall apart* ⇒*fall to pieces, disintegrate, crumble, break up* ⟨gezin, vereniging⟩ ◆ **6.1** ⟨fig.⟩ de organisatie is uiteengevallen **in** drie groeperingen *the organization has broken up into three groups;* affixen vallen uiteen **in** drie soorten uiteen *affixes are divisible into three groups.*

uiteenzetten ⟨ov.ww.⟩ **0.1** [van elkaar verwijderd zetten] *set / place / put apart* ⇒*separate* **0.2** [verklaren] *explain* ⇒*expound, state, set out / forth,* ⟨duidelijk⟩ *enunciate* ◆ **1.2** zijn doelstellingen ~ *state one's aims;* de grote lijnen ~ *give / tell the long and short of sth., put sth. in a nutshell;* zijn mening ~ *expound / set forth one's views;* de principes ~ *state /* ↑*explicate the principles;* een theorie ~ *expound a theory;* ik zal u de zaak ~ *I shall e. the matter to you.*

uiteenzetting ⟨de (v.)⟩ **0.1** [uitlegging] *explanation* ⇒*statement, account, discussion* **0.2** [het uiteenzetten] *explaining* ⇒*exposition, setting out / forth, stating,* ⟨duidelijk⟩ *enunciation* ◆ **3.1** een ~ geven / houden over een kwestie *discuss / explain a matter, hold / have a discussion about a certain matter.*

uiteinde ⟨het⟩ **0.1** [uiterste punt] *tip, (far) end* ⇒*extremity, tail end, terminus* **0.2** [afloop] *end, close* ⇒⟨jaareinde⟩ *end of the year, year-end* ◆ **2.2** iem. een zalig ~ wensen ≠*wish s.o. a happy New Year;* ⟨Sch.E⟩ *wish s.o. a happy Old and New.*

uiteindelijk
I ⟨bn., bw.; -ly⟩ **0.1** [aan het einde] *final, ultimate* ⇒*last, eventual,* ⟨onmkeerbaar⟩ *definitive* ◆ **1.1** de ~e beslissing *the f. decision;* mijn ~e doel *my u. goal/last aim;* de ~e oorzaak *the u. cause;* het ~e resultaat *the net/f./u. result* **3.1** het ~ uit te keren bedrag *the amount to be paid out eventually;*
II ⟨bw.⟩ **0.1** [ten slotte] *finally* ⇒*eventually, in the end/* ↓*long run, ultimately* ◆ **3.1** ~ belandde ik in Rome *(eventually,) I ended/landed up in Rome;* ~ draaide het erop uit dat geen enkele beslissing werd genomen *as it turned out, no decision was reached after all;* ~ liep ze van huis weg *she ended up running away from home;* hij zal ~ wel toegeven *he'll come round in the end, (eventually,) he'll end up giving in, he'll see reason in the long run.*

uiten
I ⟨ov.ww.⟩ **0.1** [doen horen] *utter* ⇒*speak, express* ⟨gevoelens⟩, *voice* ⟨mening, protest⟩ ◆ **1.1** bedreigingen ~ aan het adres van *launch/u. threats at;* kritiek ~ op *criticize, voice/vent criticism on;* een mening/wens ~ *express/voice an opinion, u. a wish;* een vermoeden ~ *express/voice a suspicion;* zij uitte geen woord *she didn't speak a word* **6.1** zijn verdriet niet kunnen ~ **in** woorden *she unable to express one's grief in words/to find words for one's grief;*
II ⟨wk.ww.; zich ~⟩ **0.1** [zich uitlaten] *express o.s.* ⇒*talk* **0.2** [tot uitdrukking komen] *show/reveal/express itself* ⇒*become evident* ◆ **6.2** een ziekte uit zich **in** bepaalde symptomen *an illness shows itself in certain symptoms.*

uit-en-te(r)-na ⟨bw.⟩ **0.1** [telkens] *endlessly* ⇒*forever, ceaselessly, over and over again, repeatedly* **0.2** [grondig] *down to the finest detail* ⇒ *thoroughly.*

uitentreuren ⟨bw.⟩ ⟨pej.⟩ **0.1** *over and over again* ⇒*eternally, forever, continually* ◆ **3.1** ~ hetzelfde verhaal vertellen ⟨ook⟩ *flog a story to death.*

uiteraard ⟨bw.⟩ **0.1** [vanzelfsprekend] *of course, obviously, indeed, apparently;* ⟨van nature⟩ *naturally.*

uiterlijk¹ ⟨het⟩ **0.1** [voorkomen] *appearance, looks* ⇒*exterior, air, aspect* ⟨van zaken⟩ **0.2** [schijn] *(outward) appearance* ⇒*show* ◆ **3.1** hij heeft zijn ~ niet mee *his l. are against him* **4.1** zijn ~ *his a. l./l.;* ⟨inf.⟩ *the cut of his jib* **6.1** ik kan het **aan** je ~ zien *I can tell by your l.;* **naar** zijn ~ te oordelen *to look at him;* mensen **op** hun ~ beoordelen *judge people by their exteriors* **l.6.2** dat is alleen maar **voor** het ~ *that's just for appearance' sake/for show.*

uiterlijk² ⟨→sprw. 577⟩
I ⟨bn.⟩ **0.1** [uitwendig] *outward, external* ⇒*exterior* ◆ **1.1** de ~e gedaante van iets *the o. appearance of sth.;* ~e kentekenen *external features/characteristics;* op de ~e schijn afgaan *judge by appearances;*
II ⟨bw.⟩ **0.1** [naar buiten toe] *outwardly* ⇒*from the outside, externally, apparently* **0.2** [op zijn laatst] *at the (very) latest* ⇒*not later than* ◆ **2.1** ~ scheen hij kalm *he appeared undisturbed, o. he seemed calm enough* **6.2** ~ (op) 1 november *not later than November 1;* ~ **over** 14 dagen *within 14 days (at the most)* **¶.1** ~ in goede staat *in apparent good condition.*

uiterlijkheid ⟨de (v.)⟩ **0.1** [⟨concr.⟩] *outward appearance* ⇒⟨mv. ook⟩ †*externals* **0.2** [⟨abstr.⟩] *externality* ◆ **3.1** aan uiterlijkheden hechten *set great store by outward appearances/externals* **¶.1** op grond van uiterlijkheden oordelen *judge by outward appearances/externals.*

uitermate ⟨bw.⟩ **0.1** *extremely* ⇒*greatly, extraordinarily, uncommonly, exceedingly* ◆ **2.1** ~ verheugd/bedroefd zijn *be overjoyed, be grief-stricken/extremely sad* **3.1** dat verheugt mij ~ *I am greatly/exceedingly pleased.*

uiterst
I ⟨bn.⟩ **0.1** [het meest verwijderd] *far(thest)* ⇒*extreme, utmost, terminal* **0.2** [hoogst] *greatest* ⇒*top, highest, utmost* **0.3** [laagst] *lowest* ⇒ *(rock-)bottom* **0.4** [laatst] *final* ⇒*last* ◆ **1.1** met een ~e krachtsinspanning *with all one's might;* het ~e puntje *the (extreme) tip, the far end* **1.2** v.h. ~e belang *of the utmost importance;* zijn ~e best doen om te slagen *do one's level best to succeed/pass, bend over backwards to succeed;* in het ~e geval *if the worst comes to the worst;* een ~e poging *an all-out effort;* de ~e voorzichtigheid betrachten *exercise extreme caution/the greatest care* **1.3** het ~e minimum *the bare minimum;* dat is mijn ~e prijs *that is my final bid* **1.4** op het ~e ogenblik *at the (very) last moment, in the nick of time;* ~e verkoopdatum ⟨als aanduiding op verpakking⟩ *sell before/by;* de ~e wil ⟨beschikking⟩ *the last will (and testament)* **2.1** ⟨fig.⟩ ~ rechts *(the) far right;*
II ⟨bw.⟩ **0.1** [in de hoogste mate] *extremely* ⇒*most, exceedingly, exceptionally, highly* ◆ **2.1** een ~ moeilijke taak *an exceedingly difficult task;* hij was ~ verbaasd *he was highly surprised;* dit is ~ zeldzaam *this is e. rare/highly exceptional.*

uiterste ⟨het⟩ **0.1** [het hoogste in zijn soort, het meest uiteenliggende] *extreme* ⇒*top, utmost, limit, ultimate* **0.2** [mbt. een rangorde/intensiteit] *utmost* ⇒*extreme, last, limit, edge* **0.3** [einde] *extremity* ⇒*end* ◆ **3.1** de ~n raken elkaar *the extremes meet* **3.2** het ~ wagen *go to the limit* **6.1** tot ~n vervallen *go to extremes;* het ~ **van** afgunst *the ultimate in jealousy;* **van** het ene ~ in het andere (vervallen) *go from one e. to the other* **6.2** zich **tot** het ~ verdedigen *defend o.s. for all one is*

worth, fight to the last ditch; de prijs **tot** het ~ opdrijven *push up the price beyond all limits;* iem. **tot** het ~ brengen *drive s.o. to extremes,* put s.o. to his/her trumps; bereid zijn **tot** het ~ te gaan *be prepared to go to any e. / length;* **tot** het ~ gespannen *at full strain, at concert pitch;* zich **tot** het ~ inspannen *do one's utmost, strain every nerve.*

uiterwaard ⟨de⟩ **0.1** *(river) foreland* ⇒^holm(e), water meadow, washland.*

uiteten
I ⟨ov.ww.⟩ **0.1** [leeg eten] *finish* ⇒*eat up, empty* **0.2** [arm maken] *eat (s.o.) out of house and home, eat s.o.'s head off;*
II ⟨onov.ww.⟩ **0.1** [ten einde eten] *finish (eating/one's dinner)* ⇒*have enough, clear one's plate* ◆ **5.1** we hebben ~ *I have finished eating now, I have had enough (to eat) now;* ↓*I'm full up now.*

uitfaden ⟨ww.⟩ ⟨film.⟩ **0.1** *fade out.*

uitfilteren ⟨ov.ww.⟩ **0.1** *filter out* ◆ **1.1** ruis ~ *filter out hiss/noise.*

uitflappen ⟨ov.ww.⟩ **0.1** *blurt out* ⇒(let) slip out, blab ⟨geheim⟩ ◆ **4.1** er alles ~ *say anything that comes to mind.*

uitfloepen ⟨onov.ww.⟩ **0.1** *go out, fail* ⟨licht⟩; ⟨ergens uitkomen⟩ *pop out.*

uitfluiten ⟨ov.ww.⟩ **0.1** [door fluiten afkeuren] *hiss (at)* ⇒*catcall, give (s.o.) the bird* **0.2** [ten einde fluiten] *finish whistling.*

uitfoeteren ⟨ov.ww.⟩ **0.1** *tell/tick off* ⇒^bawl out, storm at.*

uitfreaken, uitfrieken ⟨onov.ww.⟩ ⟨inf.⟩ **0.1** [op drugs trippen] *freak out* **0.2** [zeer prettige ervaringen ondergaan] *freak out* **0.3** [zwaar teleurgesteld raken (over), afknappen (op)] *freak (out)* ◆ **6.2** ~ **op** *freak out over/* ⟨drug⟩ *on.*

uitfrezen ⟨ov.ww.⟩ **0.1** *mill* ⇒*remove with a milling cutter.*

uitgaaf→uitgave.

uitgaan ⟨onov.ww.⟩ **0.1** [naar buiten gaan] *go/get out* ⇒*leave, go off* **0.2** [van huis gaan om zich te vermaken] *go out* **0.3** [doven] *go out* ⇒*be extinguished, fail, give out, expire* **0.4** [verlaten worden] *be over/out* ⇒*break up* ⟨vergadering, school⟩, *go out* **0.5** [als uitgangspunt nemen] *start/depart (from)* ⇒*take for granted, assume* **0.6** [verspreid worden] *emanate* ⇒*radiate, go out* **0.7** [georganiseerd worden] *be organized/ staged/produced by, originate (with/in)* **0.8** [ten einde gaan] *go to the end of* ⟨iets⟩ **0.9** [uitgetrokken kunnen worden] *come off* ◆ **1.1** ⟨fig.⟩ goedkoop de deur ~ *go cheap;* ⟨fig.⟩ niet weten hoeveel geld er uitgaat *not know how much money is going out/being paid out/being spent;* het huis/de deur ~ *leave/stir from the house;* de kamer ~ *leave the room* **1.2** een avondje ~ *have a night out* **1.4** de school/de kerk/ de bioscoop gaat uit *school/mass/the film is over* **1.¶** ⟨fig.⟩ de pijp ~ *snuff it, kick the bucket;* die vlekken gaan er niet uit *these spots won't come off/out* **3.6** een brief (met richtlijnen e.d.) doen ~ naar de afdelingen *send out a letter (containing guidelines etc.) to the departments* **5.5** je mag er niet van ~ dat je meteen een lift krijgt *you can't expect to get a lift at once;* men is ervan uitgegaan dat ...*it has been assumed that ..., it has been taken for granted that ...* **6.1 op** ontdekking ~ *explore, set out to discover sth.;* **op** informatie ~ *make inquiries* **6.2** met een meisje ~ *go out with a girl, take a girl out, date a girl* **6.5** ~ de **van** de laatste opiniepeilingen *judging by/on the strength of the latest opinion polls;* **van** een vooronderstelling ~ *make an assumption;* **van** een gedachte ~ *depart from an idea;* altijd gaat ie uit **van** het oude Vlaamse particularisme *he is always thinking in terms of the old Flemish particularism;* men mag niet **van** de vooronderstelling ~ dat ...*one cannot take it for granted that ... One* **6.6** onze gelukwensen gaan uit **naar** je broer *we extend our congratulations to your brother;* er gaat iets **van** hem uit *he shows no strength, there's no push in him;* er gaat een ongemene kracht **van** hem uit *he radiates an unusual power;* er gaat een geweldige invloed **van** haar uit *she emanates/exerts/wields an enormous influence* **6.7** deze concerten gaan uit **van** een vereniging *these concerts are organized/staged by a society;* het plan ging uit **van** de regering *the plan originated with the Government;* het verzoek/initiatief gaat uit **van** de directie *the request/initiative stems from/originated with the management* **6.¶** dat gaat **boven** de enge partijpolitiek uit *that transcends the narrow bonds of party politics;* zijn belangstelling gaat uit **naar** Middeleeuwse geschiedenis *he takes an interest in Mediaeval History;* onze gedachten gaan uit **naar** de nabestaanden *our thoughts go out to the relatives;* onze gedachten gaan uit **naar** een Perzisch tapijt *we are thinking of/considering a Persian rug;* **op** een jurk ~ *shop for a dress.*

uitgaand ⟨bn.⟩ **0.1** [vertrekkend] *outgoing, outward* ⇒⟨schepen, verkeer ook⟩ *outbound, outward bound* **0.2** [voor zijn plezier weggaand] *pleasure-seeking* ◆ **1.1** ~e brieven/post *outgoing/outward letters/ post;* ~e goederen *outgoing goods;* ~e rechten *export duties;* ~ verkeer *outbound traffic* **1.2** het ~ publiek/de ~e wereld *the pleasure-seeking public.*

uitgaander ⟨de (m.)⟩ **0.1** *pleasure-seeker* ⇒ ↓*gadabout,* ⟨rijk⟩ *playboy.*
uitgaansavond ⟨de (m.)⟩ **0.1** *(regular) night out.*
uitgaanscentrum ⟨het⟩ **0.1** [(deel van een) stad] *entertainment centre/* ⟨deel van stad⟩ *district* **0.2** [complex] *entertainment centre.*
uitgaansdag ⟨de (m.)⟩ **0.1** *(regular) day off.*
uitgaansgelegenheid ⟨de (v.)⟩ **0.1** *place of entertainment.*
uitgaanskleding ⟨de (v.)⟩ **0.1** *smart clothes* ⇒*evening/party clothes/* ↑*wear/* ↑*dress.*

uitgaansverbod ⟨het⟩ **0.1** *curfew* ♦ **3.1** een~ afkondigen/uitvaardigen *impose a c..*

uitgalmen ⟨ov.ww.⟩ **0.1** *blare/bellow/bawl/peal out.*

uitgang ⟨de (m.)⟩ **0.1** [opening] *door* ⇒*gate, exit* **0.2** [uitweg] *way out* ⇒ *(means of) exit, outlet,* ↑*egress* **0.3** [het uitgaan] *going out* ⇒*leaving,* ⟨uitje, vrije dag⟩ *outing* **0.4** ⟨(taal.⟩ einde] *ending* ♦ **1.2** recht van~ *right of way, egress* **2.2** ⟨med.⟩ een kunstmatige~ *a stoma.*

uitgangspositie ⟨de (v.)⟩ **0.1** *point of departure.*

uitgangspunt ⟨het⟩ **0.1** [punt van uitgang] *point of departure, starting-point* ⇒*base, basis* **0.2** [beginsel] *point of departure* ⇒*starting-point, basic assumption, principle, keynote* ♦ **3.1** op zijn~ terugkeren *return to where one started from.*

uitgangsstelling ⟨de (v.)⟩ **0.1** [oorspronkelijke positie] *original position, point of departure* **0.2** [grondstelling] *basic/underlying assumption/ thesis, hypothesis, premise.*

uitgangsvermogen ⟨het⟩⟨audio⟩ **0.1** *output.*

uitgave ⟨de⟩ **0.1** [het uitgeven van geld] *spending* ⇒↑*expenditure,* ↑*disbursement* **0.2** [uitgegeven geld] *expense(s)* ⇒*cost(s), expenditure, outlay* **0.3** [het laten drukken van boeken] *publishing* **0.4** [druk] *edition* ⇒*issue* ⟨ihb. van tijdschrift⟩ **0.5** [exemplaar] *copy* ⇒*book* **0.6** [publicatie] *publication, production* ♦ **1.2** de~n voor defensie *the expenditure for defence* **2.2** grote~n *considerable/great expenses, large expenditure*; allerlei kleine~n *all kinds of small/petty expenses* **2.5** ⟨fig.⟩ hij is een verkleinde ~ van zijn vader *he is a miniature of his father,* ↓*he's a chip off the old block* **3.2** ~n doen *spend, go to expenses* **6.2** op de ~n besnoeien *curtail one's spending, cut one's expenses (down);* ~n *voor* schoeisel en kleding *cost of footwear and clothing* **6.6** (nieuwe) ~n op het gebied v.d. taal- en letterkunde *(new) publications in the field of linguistics and literature.*

uitgebreid ⟨bn., bw.; -ly⟩ **0.1** [uitgestrekt] *extensive* ⇒*large, wide, spacious* **0.2** [veelomvattend] *extensive, comprehensive* ⇒*elaborate, full, broad, widespread* **0.3** [uitvoerig] *extensive, elaborate* ⇒*detailed* ⟨onderzoek⟩ ♦ **1.2** een~e kennis van iets hebben *have an extensive/ comprehensive knowledge of sth., be widely read in sth.* **3.3** iets~ behandelen *discuss sth. at length/in great detail;* ~ dineren *wine and dine, dine sumptuously;* een motor/machine~ testen *(field-)test an engine/a machine extensively;* een theorie~ toelichten *enlarge/dilate (up)on/expound a theory* ¶.**3** ~ aan bod komen *receive ample treatment.*

uitgebreidheid ⟨de (v.)⟩ **0.1** [grootte] *extent* ⇒*size, dimension* **0.2** [oppervlakte] *area* ⇒*extent, expanse* **0.3** [grote omvang] *largeness* ⇒*extensiveness, expanse, spaciousness* **0.4** [uitvoerigheid] *elaborateness, extensiveness* ⇒*comprehensiveness.*

uitgehongerd ⟨bn.⟩ **0.1** [door honger verteerd] *starved* ⇒*famished* **0.2** [zeer hongerig] *famished* ⇒*starving, ravenous.*

uitgekiend ⟨bn.⟩ **0.1** *sophisticated* ⇒*cunning,* ⟨vaak pej.⟩ *slick.*

uitgekookt ⟨bn.⟩ **0.1** *sly, cunning* ⇒*shrewd, smart, crafty* ♦ **1.1** een~e jongen *a deep one, an old hand, a sly dog, a wheeler-dealer.*

uitgelaten ⟨bn., bw.; -ly⟩ **0.1** *elated* ⇒*exuberant, high-spirited, wild, hilarious, exalted,* ⟨BE; inf.⟩ *rumbustious* ♦ **1.1** een~ stemming *an elated mood* **3.1** ~ zijn *feel on top of the world, be in high spirits/* ↓*cock-a-hoop (about sth.)* **6.1** ~ van blijdschap *overjoyed, wild with joy.*

uitgelatenheid ⟨de (v.)⟩ **0.1** *elation, exuberance* ⇒*high spirits,* ⟨BE; inf.⟩ *rumbustiousness.*

uitgeleefd ⟨bn.⟩ **0.1** *decrepit, worn out, effete.*

uitgeleide ⟨het⟩ **0.1** *send-off, escort* ♦ **3.1** iem. ~ doen *see s.o. off/out.*

uitgelezen ⟨bn.⟩ **0.1** *exquisite* ⇒*superior* ⟨wijn⟩, *select* ⟨gezelschap⟩, *choice* ⟨bv. fruit⟩, *elite* ⟨troepen⟩, *dainty* ⟨eten⟩ ♦ **1.1** een~ gezelschap ⟨ook⟩ *a galaxy;* ~ troepen *elite/crack troups;* een~ wijn *a superior/select wine.*

uitgemaakt ⟨bn.⟩ **0.1** *established, settled* ⇒*decided, foregone* ♦ **1.1** dit is een~e zaak *that is a foregone conclusion/an open-and-shut case.*

uitgemergeld ⟨bn.⟩ **0.1** *emaciated, starved(-looking)* ⇒*gaunt, haggard, wasted (away).*

uitgenomen ⟨vw.⟩⟨schr.⟩ **0.1** *apart from/except for the fact that* ⇒*except that* ♦ **1.1** het was prachtig weer, ~ dat het 's middags even regende *the weather was fine, except for/apart from a little rain in the afternoon.*

uitgeput ⟨bn.⟩ **0.1** [doodop] *exhausted, worn out* ⇒*spent, tired out, weary,* ⟨pred.⟩ ↓*all in* **0.2** [leeg] *exhausted, empty* ⇒*flat* ⟨batterij⟩ **0.3** [op] *exhausted, gone* ⇒*finished, run down, at an end* ♦ **1.3** onze voorraden zijn~ *our supplies have run out/are exhausted* **3.1** hij was uitgeput v.d. marathonloop ⟨ook⟩ *the marathon left him all in* **3.3** ons geduld raakt ~ *our patience is running out, we have no more patience left* **6.1** ~ *door* ontbering zonk hij ineen *worn out by hardship, he collapsed.*

uitgerekend
I ⟨bn.⟩ **0.1** [uitgekookt] *shrewd, calculating* ⇒*smart, cunning, sly* ♦ **1.1** een~e tante *a shrewd/sharp lady, a lady who never misses a trick;*
II ⟨bw.⟩ **0.1** [juist] *precisely, of all (people/things), very* ♦ **1.1** ~ zijn spilzucht ruïneerde hem *it was p. his extravagance which ruined him* **4.1** ~ hem moest dat weer treffen! *it had to happen to him (again)!;* ~

jij! *you of all people!* **5.1** ~ nu kom je me lastig vallen! *do you have to trouble me at this time of all times?;* ~ vandaag *today of all days* **6.1** ~ op een moment als dit/op die dag *on this moment/day of all moments /days.*

uitgescheten ⟨bn.⟩⟨inf.⟩ **0.1** [veracht] *given the cold shoulder* ⇒ ↑*despised,* ↑*scorned,* ↑*held in contempt* **0.2** [uitgeput] *washed-out, pooped-out* ⇒[B]*buggered,* [B]*knackered* ♦ **3.1** zij is daar echt ~ *she is thoroughly scorned/ostracized/frozen out/cold-shouldered there, she really gets the cold shoulder there;* ↓*she's been kicked out on her* [B]*arse* /[A]*ass.*

uitgeslagen ⟨bn.⟩ **0.1** *mouldy* ⟨met schimmel⟩; *sweating* ⟨met vocht⟩, *dusted* ⟨met poeder⟩.

uitgeslapen ⟨bn.⟩ **0.1** [pienter] *smart, clever* ⇒*shrewd, longheaded* **0.2** [uitgerust] *wide awake, rested* ♦ **1.1** hij is een~ iemand *he knows a thing or two/a few tricks, he never misses a trick;* een ~ vent *an old hand, a sly dog.*

uitgesloten ⟨bn.⟩ **0.1** [onmogelijk] *impossible* ⇒*out of the question* **0.2** [buiten een kring geplaatst] *barred, expelled* ⇒*locked/left out, excepted* ♦ **1.2** ~ aansprakelijkheid *limited liability* **3.1** iets~ achten *consider sth. (to be) i.;* dat is ~! *that's out of the question;* ↓*that's not on the map;* het is ~ dat hij komt *there's no possibility/chance of his coming;* vergissingen zijn~ *there's no room for mistakes.*

uitgesproken ⟨bn., bw.; -ly⟩ **0.1** *marked* ⇒*clear(-cut), definite, explicit, distinct, pronounced* ♦ **1.1** ze doet dat met de~ bedoeling (om) te ... *she does so with the explicit aim to ...;* een~ favoriet *an odds-on favourite;* er een~ mening op nahouden *hold strong views;* ze is een~ persoonlijkheid *she is a woman of m. individuality;* een~ voorkeur *a m. preference* **2.1** hij is~ lelijk *he is undeniably/definitely ugly.*

uitgestorven ⟨bn.⟩ **0.1** [zonder leven] *deserted, desolate* ⇒*lifeless* **0.2** [niet meer bestaand] *extinct.*

uitgestreken ⟨bn.⟩ **0.1** *straight* ⇒*deadpan, wooden, stolid* ♦ **1.1** met een ~ gezicht vroeg zij het mij *she asked me it with a deadpan expression/ straightfaced,* ↓*butter would not have melted in her mouth when she asked me it.*

uitgestrekt ⟨bn.⟩ **0.1** *vast, extensive* ⇒*large, ample, spacious, expansive.*

uitgestrektheid ⟨de (v.)⟩ **0.1** [eigenschap een lengte/oppervlak te beslaan] *extent* ⇒*size, dimension(s), breadth, width* **0.2** [oppervlak] *extent* ⇒*area, expanse, stretch, sweep* **0.3** [uitgebreidheid] *extensiveness* ⇒*vastness, expanse.*

uitgestudeerd ⟨bn.⟩ ♦ **3.**¶ is ze nu nog niet ~? *hasn't she finished her studies/left school yet?;* daar raak je nooit op ~ *there are always new things to learn/new aspects to be discovered in that;* als leerjongen/ meisje ~ zijn *have served one's apprenticeship* **5.**¶ ik ben er al lang op ~ *I know all about it, I've seen it all.*

uitgeteld ⟨bn.⟩ **0.1** [uitgeput] *exhausted* ⇒*dead to the world, at the end of one's tether,* ↓*dead beat,* ⟨sport⟩ *(counted) out* **0.2** [mbt. de zwangerschap] ⟨zie 3.2⟩ ♦ **3.1** ~ op de bank liggen *lie on the couch, dead to the world/utterly exhausted* **3.2** wanneer ben je ~? *when is your baby due?*

uitgeven ⟨ov.ww.⟩ **0.1** [besteden] *spend* ⇒*pay,* ↓*lay out,* ↑*disburse* **0.2** [in omloop brengen] *issue* ⇒*emit,* ⟨tech.⟩ *utter* ⟨(vals) geld⟩ **0.3** [in druk] *publish* ⇒*bring/put out, release, issue* ⟨brochures⟩ **0.4** [voor publicatie geschikt maken] *edit* **0.5** [laten doorgaan voor] *pass off (as)* ⇒*represent, pose as, set up (as/to be), claim to be,* ↓*palm (o.s.) off (as)* **0.6** [verstrekken] *hand/give out* ⇒*distribute, grant* ♦ **1.1** geld aan boeken~ *s. money on books;* geld ~ als water *squander money, spend money like water/like it grows on trees;* je kunt je geld maar één keer ~ *you can't eat your cake and have it/have your cake and eat it* **1.2** aandelen ~ *i. shares;* vals geld ~ *pass spurious/counterfeit money;* een lening ~ *float a loan;* onderdelen/materialen ~ *distribute/i. parts/materials;* een verklaring ~ *i. a statement* **1.3** een krant ~ *publish a newspaper* **1.4** een middeleeuwse tekst ~ *e. a mediaeval text* **1.6** grond ~ *grant land* **4.5** zich voor iem. anders ~ *personate s.o. else, pose as s.o. else;* zich voor dokter ~ *pose as/pass o.s. off as/set up as a doctor* **6.1** minder geld ~ aan kleren/eten *s. less money on/cut down on clothes/ food* **6.5** iets voor waar(heid) ~ *pass sth. off as (the) truth, let sth. pass for truth* **6.6** grond ~ in erfpacht *grant/give land in hereditary tenure* **7.1** je moet proberen minder uit te geven dan je verdient *you must try to live within your means/cut your coat according to your cloth;* te veel/te weinig ~ *overspend, be no spender.*

uitgever ⟨de (m.)⟩ **0.1** [boekproducent] *publisher* **0.2** [uitgeverij] *publisher('s), publishing house/compagny; press* ⟨vooral in namen⟩ **0.3** [tekstverzorger] *editor* **0.4** [verkwister] *(big) spender* ⇒*squanderer, spendthrift.*

uitgeverij ⟨de (v.)⟩ **0.1** [het uitgeven van boeken] *publishing (trade)* **0.2** [uitgeverszaak] *publishing house/company* ⇒*publisher('s), press.*

uitgeversbedrijf ⟨het⟩ **0.1** [het uitgeven van boeken] *publishing (trade)* **0.2** [uitgeverszaak] *publishing company/house/concern* ⇒*publisher('s), press.*

uitgeversfirma ⟨de⟩ **0.1** *publishing house/company/firm* ⇒*(firm of) publishers.*

uitgeversfonds ⟨het⟩ **0.1** *(total) publications.*

uitgeversmaatschappij ⟨de (v.)⟩ **0.1** *publishing-company/house/firm* ⇒ *publisher(s).*

uitgeverszaak ⟨de⟩ **0.1** *publishing house/company*.
uitgewekene ⟨de (m.)⟩ **0.1** *emigré* ⇒⟨vluchteling⟩ *refugee*, ⟨balling⟩ *exile*, ⟨emigrant⟩ *expatriate*.
uitgewerkt ⟨bn.⟩ **0.1** [geheel bewerkt] *elaborate* ⇒*detailed*, *(completely) worked-out* **0.2** [niet meer werkend] *spent; flat, dead* ⟨batterij, bier⟩; *extinct* ⟨vulkaan⟩ ◆ **1.1** een ~ plan *a detailed/an elaborate plan*; ~e sommen *detailed sums/calculations*.
uitgewoond ⟨bn.⟩ **0.1** *run-down* ⇒*dilapidated, decrepit, in a state of disrepair* ◆ **1.1** een ~ huis *a r.-d./ delapidated house* **5.1** dat huis is helemaal ~ *that house is badly in need of repair/is a ruin* **5.¶** ⟨inf.⟩ na zo'n koers ben je wel helemaal ~ *a course like that leaves you completely pooped-out/fagged out*.
uitgezakt ⟨bn.⟩ **0.1** *flopped out* ⇒*collapsed* ◆ **3.1** ~ in een luie stoel zitten *be (sitting) flopped/* ⟨inf.⟩ *flaked out in an armchair*.
uitgezocht ⟨bn.⟩ **0.1** *choice* ⇒*select, superior, excellent, perfect, exquisite* ◆ **1.1** een ~e dag *a day to order*; een ~e gelegenheid *an excellent opportunity*; het is een ~ weertje *the weather is perfect*.
uitgezonderd[1] ⟨vz.⟩ **0.1** *except for* ⇒*apart from, bar(ring), with the exception of, save* ◆ **1.1** ~ zijn neus lijkt hij sprekend zijn vader *apart from his nose, he's the spitting image of his father* **4.1** niemand ~ *with no exceptions, bar none*.
uitgezonderd[2] ⟨vw.⟩ **0.1** *except(ing), apart from* ⇒*but, except for the fact that* ◆ **4.1** iedereen ging mee, ~ hij *everyone went (along), except for him/but not him*.
uitgieren ⟨ov.ww.⟩ **0.1** *scream/shriek (with)* ◆ **4.1** zij gierden het uit van pret *they screamed with laughter*.
uitgieten ⟨ov.ww.⟩ **0.1** *pour (out)* ⇒*empty (out), tip out* ◆ **6.1** ⟨fig.⟩ zijn gramschap over iem. ~ *pour (the vials of) one's wrath over s.o., vent one's anger on s.o.*.
uitgifte ⟨de (v.)⟩ **0.1** [verstrekking van goederen] *issue, distribution* ⇒*granting* ⟨grond⟩ **0.2** [het in omloop brengen] *issue* **0.3** [het in druk bekendmaken] *publication* **0.4** [⟨AZN⟩ officieel afschrift] *certified/authenticated copy* ◆ **1.2** de koers van ~ *the rate of i..*.
uitgillen ⟨ov.ww.⟩ **0.1** *scream/shriek (out)* ◆ **1.1** zij gilde haar boosheid uit *she screamed out her anger* **4.1** hij gilde het uit van de pijn *he screamed with pain*.
uitglijden ⟨onov.ww.⟩ **0.1** [van zijn plaats glijden] *slip (away)* ⇒*slide, slither* **0.2** [glijdend vallen] *slip (and fall)* ⇒*lose one's footing* **0.3** [⟨fig.⟩] *blunder* ⇒*slip up* ◆ **1.1** de ladder gleed uit *the ladder slipped (away)* **3.3** iem. laten ~ *trip s.o. up* **6.2** ik gleed uit door de modder *I slipped in the mud*; ~ over een bananeschil *s. on a banana peel*.
uitglijder ⟨de (m.)⟩ **0.1** *blunder* ⇒*slip(-up)*, ⟨inf.⟩ *boob, goof*.
uitgloeien ⟨ov.ww.⟩ **0.1** *anneal* ⟨staal⟩ ◆ **1.1** giftige grond ~ *scorch/burn polluted soil*.
uitgommen ⟨ov.ww.⟩ **0.1** *erase, rub out*.
uitgooien ⟨ov.ww.⟩ **0.1** [uitwerpen] *throw/cast out* ⇒*eject (from)*, ↓*chuck out* **0.2** [nonchalant uitdoen] *throw/fling off* **0.3** [al gooiend legen] *empty* ⇒*throw out* **0.4** [⟨sport⟩] *throw out* ◆ **1.1** een anker ~ *cast out an anchor*; ⟨fig.⟩ een visje ~ *put out feelers* **1.2** zijn schoenen ~ *whip/kick off one's shoes* **1.3** een kom (met) waswater ~ *e. a washing basin*.
uitgraven ⟨ov.ww.⟩ **0.1** [naar boven halen] *dig up, excavate* ⇒*mine* ⟨erts⟩, *quarry* ⟨zand, steen, enz.⟩, *exhume, untomb, disinter* ⟨lijk⟩ **0.2** [gravend dieper maken] *dig out* ⇒*deepen, excavate* ◆ **1.1** grond ~ *excavate the soil*; schatten ~ *excavate treasures* **1.2** een sloot ~ *deepen/dig out a ditch*.
uitgraving ⟨de (v.)⟩ **0.1** [handeling] *digging out/up* ⟨ook lijk⟩, *excavation* ⇒*exhumation* ⟨van lijk⟩ **0.2** [plaats] *excavation site*.
uitgroeien ⟨onov.ww.⟩ **0.1** [ontwikkelen] *grow (into)* ⇒*develop (into), blossom/bloom (into)* **0.2** [groeiende boven iets komen] *outgrow* ◆ **6.1** het bedrijf is uitgegroeid tot het grootste van Europa *the company has become/is now the largest in Europe*; onder zijn leiding groeide het bedrijf uit tot de huidige omvang *under his management the company expanded to its present size* **6.2** ⟨fig.⟩ hij is boven zijn omgeving uitgegroeid *he has outgrown/risen above his surroundings* **¶.1** hij is nog lang niet uitgegroeid *he won't stop growing for a long time yet*.
uithaal ⟨de (m.)⟩ **0.1** [het uitstrekken v.e. arm, been] *swipe* ⟨arm⟩, *swing* ⟨arm, been⟩, *kick* ⟨been⟩ **0.2** [het aanhouden v.e. toon] ⟨muz.⟩ *holding/sustained note*; ⟨schreeuw⟩ *howl, bellow* **0.3** [praal, ophef] *display* ⇒*pomp*, ⟨op tafel⟩ *spread* **0.4** [⟨sport⟩ hard schot] *hard shot* ⇒*hard-hit ball*, ⟨sl.⟩ *scorcher* **0.5** [venijnige opmerking] *(side-)swipe (at)* ⇒*stab (at)*.
uithakken ⟨ov.ww.⟩ **0.1** [hakkend wegnemen] *chop/cut/hack away* **0.2** [door hakken vormen] *cut out* ◆ **5.2** ruw uitgehakt *rough-hewn*.
uithalen
  I ⟨ov.ww.⟩ **0.1** [uitnemen] *take/pull out, remove* ⇒*unpick/undo* ⟨breiwerk⟩, *extract* ⟨bv. tand⟩, *draw* ⟨met moeite⟩ **0.2** [leeghalen] *empty* ⇒*clear/clean out, turn out, draw* ⟨gevogelte⟩ **0.3** [uitvoeren] *play* ⇒*make, do, execute* **0.4** [baten] *be of use/useful* ⇒*help, work (out), effect* **0.5** [besparen] *save* ◆ **1.1** eieren ~ *steal/pilfer eggs*; een lade ~ *pull out a drawer*; rijgdraden ~ *pick out tacking-threads*; een steek ~ *unpick/take out a stitch* **1.2** een kachel/een lade ~ *clean out a*

stove/drawer; een slachtdier/een vis ~ *clean/paunch/gut/* [1] *eviscerate a (slaughtered) animal, gill/clean a fish;* een vogelnest ~ *take the eggs from a bird's nest, go (bird's-)nesting* **1.3** een grap met iem. ~ *play a joke on s.o.;* een stomme streek ~ *blunder, do sth. foolish* **4.4** als het nu nog iets uithaalde *if it were to do any good;* het haalt niets uit *it is no use/all in vain/to no purpose, it won't do any good/make any difference* **5.3** wat heb je nu weer uitgehaald! *what have you been up to now!, now what have you done!* **7.4** het haalde weinig uit *it didn't help much, it wasn't much use;*
  II ⟨onov.ww.⟩ **0.1** [een arm/been uitstrekken] *(take a) swing* ⇒*swipe, lash/kick out* **0.2** [kritiek leveren] *lash out (at)* ⇒*take a swing/swipe (at), hit out (at)* **0.3** [zich flink inspannen] *give one's all* ⇒⟨bij feest⟩ *entertain lavishly, do (s.o.) proud* ◆ **5.3** PSV haalde weer eens ouderwets uit *PSV really struck out again the way they used to do* **6.1** ~ in de richting van de bal *take a swing/swipe at the ball;* zij haalde stevig uit met haar vrije arm *she took a powerful swing with her free arm;* de kat haalde naar hem uit *the cat lashed out at him;* met een mes naar iem. ~ *jab/stab at s.o. with a knife* **6.2** naar/tegen iem. ~ *let fly/lash out at s.o.* **6.3** ~ bij een verjaardag *entertain lavishly/make a big display at one's birthday;*
  III ⟨onov., ov.ww.⟩ **0.1** [galmend zingen] *belt out, howl/bellow (out)*.
uithangbord ⟨het⟩ **0.1** *sign(board)* ◆ **3.1** ⟨fig.⟩ die firmanaam is maar een ~ *that company name is just a front/cover;* ⟨scherts.⟩ mijn arm is geen ~ *I can't hold this forever*.
uithangen
  I ⟨onov.ww.⟩ **0.1** [naar buiten hangen] *hang out* **0.2** [zich bevinden] *be* ⇒*reside, hang out* ◆ **1.1** de vlag hangt uit *the flag is hanging out/has been struck* **1.¶** het keel uit te hangen *I'm getting fed up with it;* het hangt me (mijlen ver/danig) de keel uit *I've had it up to here* **5.2** waar heb jij uitgehangen? *where have you been (hanging out)?, what have you been up to?;*
  II ⟨ov.ww.⟩ **0.1** [naar buiten hangen] *hang/put out* **0.2** [in zijn volle lengte ophangen] *hang out* **0.3** [zich voordoen als] *play* ⇒*act, pretend to be, affect* ◆ **1.2** het wasgoed ~ om te drogen *hang the washing out to dry* **1.3** de beest ~ *horse/mess/muck about;* de idioot ~ *act/play the fool, play the giddy goat;* de grote meneer/de rijke patser ~ *play the big shot, squire it*.
uithangteken →**uithangbord**.
uitharden ⟨ww.⟩ ⟨tech.⟩ **0.1** *cure, harden, set*.
uitheems ⟨bn.⟩ **0.1** *exotic, foreign* ⇒⟨pej.⟩ *outlandish* ◆ **1.1** ~e planten/dieren *e. plants/animals;* ~e zeden/gewoonten *f. manners/habits* **3.1** ~ gekleed gaan *wear e. clothes, be exotically dressed*.
uithoek ⟨de (m.)⟩ **0.1** *far(-off)/remote corner* ⇒*back of beyond, middle of nowhere* ◆ **2.1** tot in de verste ~en v.h. land *to the farthest corners of the country* **6.1** in een ~ wonen *live in an out-of-the-way*.
uithof ⟨de (m.)⟩ ⟨gesch.⟩ **0.1** *outlying farm (buildings);* ⟨ruimer⟩ *outbuilding, outhouse*.
uithollen
  I ⟨ov.ww.⟩ **0.1** [hol maken] *scoop/hollow out, excavate* ⇒*erode (away)* **0.2** [⟨fig.⟩] *erode* ⇒*undermine, sap* ◆ **1.1** een boomstam ~ *hollow out a tree trunk* **1.2** de democratie ~ *undermine/e. democracy;* iemands macht ~ *e. /undermine/sap s.o.'s power;*
  II ⟨onov.ww.⟩ **0.1** [hollend uitgaan] *rush/run/hurry out of* ⇒*run from* **0.2** [hollend tot de drang daartoe voorbij is] *run to one's heart's content* ◆ **1.1** de kinderen holden de school uit *the children rushed out of the school* **1.2** de paarden zijn eindelijk uitgehold *the horses have finally stopped running/got tired of running*.
uitholling ⟨de (v.)⟩ **0.1** [handeling] *excavation* ⇒*hollowing-out, erosion* **0.2** [resultaat] *excavation, hollow* ⇒*recess, depression* ⟨in landschap⟩, *(con)cavity* ◆ **1.1** de ~ v.d. democratie *the undermining/erosion of democracy;* de ~ v.d. inkomens en vermogens door de inflatie *the depreciation of incomes and fortunes by inflation* **2.2** de natuurlijke ~en in de bodem *the natural depressions/hollows in the ground* **5.2** ~ overdwars ⟨verkeer⟩ *'uneven road'*.
uithongeren ⟨ov.ww.⟩ **0.1** *starve (out)* ◆ **1.1** de vijand ~ *s. the enemy out/into submission/into surrender*.
uithongering ⟨de (v.)⟩ **0.1** *starvation* ⇒*starving (out)* ◆ **6.1** zij werden door ~ tot overgave gedwongen *they were starved into surrender*.
uithoren ⟨ov.ww.⟩ **0.1** [uitvragen] *interrogate* ⇒*question, draw/sound out*, ↓*pump (dry)* **0.2** [ten einde horen] *hear out/to the end* ⇒*bear with* ⟨iem.⟩, *let finish* ◆ **1.2** een radioprogramma ~ *hear a radio programme to the end/out*.
uithouden ⟨ov.ww.⟩ **0.1** [verdragen] *stand, endure* ⇒*bear, tolerate* **0.2** [volhouden] *stick (it) out, hold out* ⇒*stand* **0.3** [uitgespreid houden] *hold/stretch out* ◆ **3.1** hij hield het niet langer ~ *he could not take/endure/stand it any longer* **5.2** het ergens lang ~ *stay/stick it out somewhere for a long time* **6.1** de hitte was niet om uit te houden *the heat was unbearable*.
uithoudingsproef ⟨de⟩ **0.1** *endurance test* ⇒*fatigue test* ⟨op metaal e.d.⟩.
uithoudingsvermogen ⟨het⟩ **0.1** *stamina* ⇒*endurance, staying power* ◆ **7.1** geen ~ hebben *lack s..*.
uithouwen ⟨ov.ww.⟩ **0.1** [door houwen vormen] *carve/hack/hew/cut*

out ⇒*sculpt(ure)* **0.2** [houwend wegnemen] *hack/cut away/out* ◆ **1.1** traptreden ~ *carve out steps;* een weg ~ door een bos *hew (out)/clear a road through a forest* **1.2** een bos ~ *clear/thin out a forest.*

uithuilen
I ⟨onov.ww.⟩ **0.1** [huilen tot het over is] *cry to one's heart's content, have a good cry* ◆ **5.1** huil maar eens lekker uit *why don't you have a good cry?* **6.1** bij iem. gaan ~ *cry on s.o.'s shoulder, go to s.o. for a good cry* ¶**.1** ~ en opnieuw beginnen *pick up the pieces and start all over again;* ⟨als uitroep⟩ *back to the drawing board!, well, it's no good crying over spilt milk;*
II ⟨ov.ww.⟩ **0.1** [huilend uiten] *weep/cry (out)/sob with* ◆ **1.1** hij huilde zijn droefheid uit *he sobbed out his grief.*

uithuizig ⟨bn.⟩ **0.1** *gadabout* ◆ **1.1** een ~ mens *a gadabout* **3.1** hij is vaak ~ *he is rarely (at) home.*

uithuizigheid ⟨de (v.)⟩ **0.1** *(habit of) going out* ◆ **3.1** het verenigingsleven bevordert de ~ *the existence of clubs encourages people to get out of the house/to go out.*

uithuwelijken ⟨ov.ww.⟩ **0.1** *marry off* ⇒*give in marriage* ◆ **6.1** zijn dochter ~ *give one's daughter to s.o. in marriage.*

uithuwelijking ⟨de (v.)⟩ **0.1** *marrying(-off)* ⇒*giving in marriage.*

uiting ⟨de (v.)⟩ **0.1** [het uiten] *utterance* ⇒*expression, manifestation, airing* **0.2** [wat men uit] *utterance* ⇒*expression, manifestation, statement, word(s)* ◆ **3.1** ~ geven aan zijn tevredenheid/ongenoegen *express one's satisfaction/displeasure;* ~ geven aan zijn gevoelens *express/vent/air one's feelings;* ~ geven aan zijn grieven/ideeën *voice/air one's grievances/ideas;* tot ~ komen (in/door) *manifest/reveal itself in/by, take shape in* **6.1** het gedicht waarin die gedachte het best **tot** ~ komt *the poem which expresses this idea best* **6.2** ~en van onbehagen *manifestations/demonstrations of unease;* een ~ **van** wantrouwen *a sign of distrust;* een ~ **van** genegenheid *a sign of affection, an endearment.*

uitingsmogelijkheid ⟨de (v.)⟩ **0.1** *means of expression* ⇒*outlet (for).*

uitjanken ⟨inf.⟩
I ⟨onov.ww.⟩ **0.1** [uithuilen] *cry to one's heart's content, have a good cry;*
II ⟨ov.ww.⟩ **0.1** [jankend uiten] *cry/howl (out) with/in* ◆ **4.1** hij jankte het uit van ellende *he howled out his misery.*

uitje ⟨het⟩ **0.1** [uitstapje] *outing* ⇒*(pleasure) trip, excursion* **0.2** [zilverui] *(small/pickled) onion* ◆ **3.1** een ~ hebben *go on an o..*

uitjoelen ⟨ov.ww.⟩ **0.1** *jeer at* ⇒*boo, hoot (at),* ⟨sport ook⟩ *barrack, catcall.*

uitjouwen ⟨ov.ww.⟩ **0.1** *boo, hiss at* ⇒*hoot/jeer at, catcall,* ↓*give the bird* ◆ ¶**.1** hij werd uitgejouwd *he was booed;* ⟨inf.⟩ *they gave him the bird.*

uitjubelen ⟨ov.ww.⟩ **0.1** *sing/cry/shout (out)* ◆ **4.1** het ~ (van vreugde) *s. (out) (with joy).*

uitkafferen ⟨ov.ww.⟩ ⟨inf.⟩ **0.1** *tell/tick off* ⇒*bite (s.o.'s) head off,* ↑*lash out at,* ↑*scold,* ⟨sl.⟩ *give it to* ◆ **3.1** ⟨iron.⟩ ik laat me daar een beetje ~ *I won't be told off by the likes of him, who's he to yell at me?.*

uitkakken ⟨inf.⟩
I ⟨ov.ww.⟩ **0.1** [uitschijten] *shit (out)* **0.2** [een hekel hebben aan] *be pissed off/with ~ with ~ s. (s.o.'s) guts;*
II ⟨onov.ww.⟩ ◆ **3.**¶ uitgekakt zijn (niets meer te vertellen hebben) *have shot one's load/* ⟨AE ook⟩ *wad;* ⟨doodmoe zijn⟩ *be washed-out/pooped-out/fucked/* ⟨BE ook⟩ *buggered/knackered.*

uitkammen ⟨ov.ww.⟩ **0.1** [doorzoeken] *comb (out)* ⇒*search, beat* **0.2** [kammend zuiveren] *comb (out)* **0.3** [met een kam uit iets wegnemen] *comb out.*

uitkauwen ⟨ov.ww.⟩ **0.1** *chew (up)* ◆ **1.1** een uitgekauwd stukje vlees *a chewed-up piece of meat;* ⟨fig.⟩ een uitgekauwd verhaaltje *a tame/feeble story.*

uitkeren ⟨ov.ww.⟩ **0.1** *pay (out)* ⇒*remit* ⟨ihb. via post⟩, ⟨afdragen⟩ *make over,* ⟨winst, dividend ook⟩ *distribute, grant* ⟨subsidie⟩ ◆ **1.1** maandelijks wordt een vast bedrag uitgekeerd *a fixed amount will be paid (out)/remitted each month;* een dividend ~ *p. out a dividend;* een ~de instantie *an issuing/awarding authority;* rente ~ *pay interest* **5.1** de hoofdprijs wordt belastingvrij uitgekeerd *the first prize is paid out free of tax.*

uitkering ⟨de (v.)⟩ **0.1** [het uitkeren] *payment* ⇒*remittance, distribution* ⟨winsten, dividenden⟩ **0.2** [uitgekeerd bedrag] *payment* ⇒*remittance,* ⟨sociaal⟩ *benefit, allowance, pension* ◆ **1.1** ~ van dividend *distribution of dividends* **1.2** recht hebben op een ~ *be entitled to benefit;* een ~ van Sociale Zaken *a social security benefit* **2.2** een aanvullende ~ *a supplementary benefit;* een eenmalige ~ *a single p., a lump sum;* een maandelijkse ~ *a monthly allowance* **3.1** tot ~ overgaan *pay out,* start *p.* **3.2** een ~ aanvragen *apply for a benefit/pension;* een ~ hebben/genieten/trekken *receive/enjoy/get a benefit/pension* **5.2** een ~ ineens *a p. in full/in a lump sum* **6.1** ~ **bij** zwangerschap *a maternity allowance* **6.2** een ~ **bij** overlijden *a funeral benefit;* **van** een ~ leven *live on social security,* ↓*be on the dole;* in aanmerking komen **voor** een ~ *qualify for benefit* ¶**.2** werken met behoud van ~ *work without loss of (unemployment) benefit.*

uitkeringsduur ⟨de (m.)⟩ **0.1** *duration of (the) benefit/allowance.*

uitkeringsgerechtigd ⟨bn.⟩ **0.1** *entitled to (a) benefit/benefits/an allowance.*

uitkeringstrekker ⟨de (m.)⟩ **0.1** *person drawing benefit(s)/an allowance.*

uitkermen ⟨ov.ww.⟩ **0.1** *groan/moan/cry out (with)* ◆ **4.1** zij kermde het uit (van pijn) *she moaned/cried out with pain.*

uitketteren ⟨ov.ww.⟩ ⟨inf.⟩ **0.1** *tell/tick off* ⇒*bite (s.o.'s) head off,* ↑*lash out at,* ↑*scold,* ⟨sl.⟩ *give it to.*

uitkiemen ⟨onov.ww.⟩ **0.1** *germinate* ⟨zaden; ook fig.⟩ ⇒*bud* ⟨knoppen⟩*, sprout, shoot* ⟨ook fig.⟩.

uitkienen ⟨ov.ww.⟩ ⟨inf.⟩ **0.1** *figure/reason/think/plan/puzzle out.*

uitkiezen ⟨ov.ww.⟩ **0.1** *choose* ⇒*pick, select* ◆ **6.1** iets met zorg ~ *select sth. carefully, handpick sth.;* er is van alles, je hebt het maar **voor** het ~ *we've got everything, you can take your pick.*

uitkijk ⟨de (m.)⟩ **0.1** [het uitkijken] *lookout, watch* **0.2** [uitzicht] *view* ⇒*outlook, prospect* ⟨vnl. van hoger op⟩ **0.3** [plaats vanwaar men uitkijkt] *lookout* ⇒*observation post* ⟨voor de vijand⟩*, crow's nest* ⟨op schip⟩ **0.4** [persoon] *watch(man)* ⇒*lookout,* ⟨vaak in samenst.⟩ *spotter* ◆ **3.2** men heeft hier niet veel ~ *there's not much of a v. here* **6.1** op de ~ staan *be on the watch/l. (for), keep watch (for).*

uitkijken ⟨onov.ww.⟩ **0.1** [oppassen] *watch/look out* ⇒*mind, be careful* **0.2** [uitzicht hebben] *overlook, look out on/over* **0.3** [voortdurend kijken] *look out/watch (for)* ⇒*be on the lookout/keep an eye out (for)* **0.4** [verlangend wachten] *look forward (to)* ⇒*watch out (for)* **0.5** [kijken tot men er genoeg van heeft] *tire (of sth.)* ◆ **1.3** ⟨fig.⟩ zijn ogen ~ *stare one's eyes out/till one's eyes pop out* **5.1** goed ~ hoor! *be careful now!,* ↓*keep your eyes peeled!;* ik kijk wel (linker) uit *I wouldn't touch it with a barge pole/*^ten-foot-pale **6.1** ~ met oversteken *take care crossing the street;* kijk uit met vuurwerk *be careful with fireworks* **6.2** wij kijken uit **op** een druk plein *we look out on a busy square;* dit raam (deze kamer) kijkt uit **op** de zee *this window/room overlooks the sea* **6.3** naar iem. ~ *watch out for s.o.;* **naar** iets ~ ⟨ook fig.⟩ *be on the look-out for sth.;* **naar** een andere baan/een tweedehands auto ~ *watch/look out for a new job/a second-hand car* **6.4** **naar** de vakantie ~ *look forward to the holidays* **6.5** gauw uitgekeken zijn **op** iets/iem. *quickly tire/get tired of sth./s.o.* ¶**.1** kijk uit (met) wat je doet *watch/mind what you're doing* ¶**.3** kijk uit! *watch it!, look/watch out!.*

uitkijkpost ⟨de (m.)⟩ **0.1** *lookout, vantagepoint, point of vantage* ⇒*observation post* ⟨voor de vijand⟩*, crow's nest* ⟨op schip⟩*, observatory* ⟨voor sterren⟩.

uitkijktoren ⟨de (m.)⟩ **0.1** *watch tower* ⇒*observation tower* ⟨voor de vijand⟩*, observatory* ⟨sterren⟩.

uitklapbaar ⟨bn.⟩ **0.1** *folding, collapsible* ⇒*convertible* ◆ **1.1** deze stoel is ~ tot een bed *this chair converts into a bed* **3.1** ~ zijn fold-out.

uitklaphoes ⟨de⟩ **0.1** *fold-out record sleeve.*

uitklappen
I ⟨ov.ww.⟩ **0.1** [naar buiten opendoen] *fold (out) convert;*
II ⟨onov.ww.⟩ **0.1** [naar buiten opengaan] *fold out, convert.*

uitklaren ⟨ov.ww.⟩ **0.1** *clear (through customs)* ⇒*arrange customs clearance* ◆ **1.1** goederen ~ *clear goods (through customs).*

uitklaring ⟨de (v.)⟩ **0.1** [handeling] *clearance* **0.2** [akte] *clearance certificate/papers.*

uitklauteren ⟨onov.ww.⟩ **0.1** *clamber/scramble/climb out of.*

uitkleden ⟨ov.ww.⟩ **0.1** [v.d. kleren ontdoen] *undress, strip (off), peel off* **0.2** [afzetten] *rob, plunder* ⇒*fleece* ◆ **1.1** ⟨fig.⟩ een bouwplan ~ *cut back on/make cuts in/trim down a plan (for building);* ⟨fig.⟩ een voorstel ~ *cut a proposal down to the bone* **1.2** zijn advocaat heeft hem echt uitgekleed *his lawyer has really fleeced him* **4.1** zich ~ *undress, get undressed, strip (off);* ⟨fig.⟩ zich niet ~ voor men naar bed gaat *not give away one's possessions before dying* **6.2** iem. **tot op** het hemd ~ *fleece s.o./rob/plunder, take s.o. to the cleaner's.*

uitklimmen ⟨onov.ww.⟩ **0.1** *climb out of.*

uitklinken ⟨onov.ww.⟩ **0.1** *reverberate, echo* ⇒*die(away).*

uitkloppen ⟨ov.ww.⟩ **0.1** [ontdoen van stof] *beat/shake (out); knock out* **0.2** [verwijderen] *beat/shake out* **0.3** [uitdrijven] *knock/hammer/beat /drive out* **0.4** [groter van oppervlakte maken] *beat/hammer out* ◆ **1.1** ⟨fig.⟩ iem. ~ *rob/plunder/fleece s.o.;* een kleed/de matjes ~ *beat out a dress, shake out the rugs;* zijn pijp ~ *knock the ashes from/out of one's pipe, knock out one's pipe* **1.2** het stof ~ *beat/shake out the dust* **1.3** deuken ~ *beat out dents;* een spijker ~ *drive out a nail* **1.4** een stuk blik ~ *hammer out a piece of tin.*

uitknijpen ⟨ov.ww.⟩ **0.1** [uitpersen] *squeeze (out/dry)* **0.2** [laten uitvloeien] *squeeze out* ⟨schr.⟩ *express* **0.3** [doven] *pinch out* ⇒*extinguish, snuff* ⟨kaars⟩ ◆ **1.1** een puistje ~ *s. out a pimple;* een uitgekneipen tube *a squeezed-out tube* **1.2** uitgeknepen sap *squeezed juice* **8.1** ⟨fig.⟩ iem. als een citroen ~ *squeeze s.o. dry, bleed s.o. (dry/white).*

uitknippen ⟨ov.ww.⟩ **0.1** [met een schaar wegnemen] *cut/clip/scissor* **0.2** [knippend vormen] *cut/clip out* **0.3** [mbt. een schakelaar] *click/switch off* ◆ **1.1** een jurk ~ *cut (out) a dress;* prentjes ~ *cut out pictures* **1.3** het licht ~ *switch off the light.*

uitknipsel ⟨het⟩ **0.1** *cutting,* ^*clipping.*

uitknobbelen ⟨ov.ww.⟩ ⟨inf.⟩ **0.1** *figure/reason/think/puzzle out.*

uitknokken ⟨ov.ww.⟩ **0.1** *fight out* ◆ **1.1** een kwestie met iem. ~ *fight a matter out with s.o..*

uitkoken
I ⟨ov.ww.⟩ **0.1** [door koken reinigen] *boil* ⟨textiel⟩; *scald* ⟨ketel, in- strumenten⟩ **0.2** [ontdoen van wat er in zit] *boil down* **0.3** [afzonde- ren] *boil down, extract by boiling; try* ⟨vet⟩ ♦ **1.1** instrumenten/een ketel ~ *scald instruments/a kettle;* linnengoed ~ *boil linen* **1.2** het vlees is helemaal uitgekookt *the meat is overboiled/has boiled to rags /has gone all stringy* **1.3** het uitgekookte vet *the boiled-out lard;* II ⟨onov.ww.⟩ **0.1** [uitlopen] *run out* ♦ **1.1** het ei is uitgekookt *the egg has run out (when boiling).*

uitkomen ⟨onov.ww.⟩ **0.1** [terechtkomen, arriveren] *end up* ⇒*arrive at, come (out)* **0.2** [toegang geven tot] *lead (to), open (out), give out (into, onto)* **0.3** [uitspruiten] *come out* ⇒*bud, sprout* **0.4** [uit het ei komen] *hatch (out)* **0.5** [bekend worden] *be revealed/disclosed* ⇒*come/get out, transpire, emerge* **0.6** [bekennen] *admit* **0.7** [kloppen] *prove true/correct, come out/true* ⇒⟨berekening⟩ *come/work out, be right* **0.8** [⟨sport⟩] ⟨in wedstrijd⟩ *play, start play;* ⟨kaartspel⟩ *lead* **0.9** [ver- schijnen] *appear* ⇒*be published, come out* **0.10** [tot slot, resultaat hebben] *turn/work out;* ⟨schikken⟩ *suit, be convenient* **0.11** [rondko- men] *manage, (be able to) live* **0.12** [waarneembaar zijn] *show up, stand/come out* ⇒*be apparent* ♦ **1.4** de eieren komen uit *the eggs are hatching/coming out;* een pas uitgekomen kuikentje *a newly-hatched chicken* **1.7** de deling komt uit *the division works out;* die som komt niet uit *that sum won't come right;* mijn voorspelling kwam uit *my prediction proved correct/came true* **1.9** ik heb de roman gekocht op de dag dat hij uitkwam *I bought this novel on the day of its issue/the day it came out* **3.7** dat zal wel ~ *it'll all work/* ↓*pan out* **3.8** wie moet er ~ *whose lead is it?* **3.9** een nieuw tijdschrift laten ~ *publish a new magazine* **3.10** bedrogen ~ *be deceived, buy a pup* **3.12** het beste in iem. doen ~ *bring out the best in s.o.;* beter doen ~ *be a foil to;* sterk doen ~ *accentuate, emphasize, bring/throw into strong/bold/sharp relief;* iets laten ~ *show sth. up, bring sth. out;* iets goed laten ~ *show sth. to advantage* **5.10** het kwam heel anders uit *it came/turned out quite differently, it didn't work out that way at all;* dat komt goed uit *that suits me/us fine, that fits in very well;* dat komt beter uit *that works out cheaper;* dat komt mij net goed/niet zo goed uit *that suits me fine, that's not very convenient to me;* wanneer het hem zo uit- kwam *in his own good time, whenever the mood seized him, as the mood took him* **6.1** toen ze de poort door waren, kwamen ze uit op de binnenplaats *after going through the gate they found themselves in the court-yard;* ⟨fig.⟩ na optelling van die cijfers kom ik uit op *after add- ing up all these figures I arrive at;* op de hoofdweg ~ *join (onto) the main road* **6.2** die deur komt uit op de straat ~ *this door opens (out) onto the street;* het pad komt op een drukke weg uit *the path/leads to/ joins a busy road;* een steegje dat op het plein uitkomt *an alley off the square* **6.6** voor zijn mening durven ~ *not be afraid to utter one's views, not hide one's views;* ⟨openlijk⟩ voor iets ~ *be open about sth., not be secretive about sth.;* eerlijk ~ voor *admit openly, be honest about, not mince words/matters* **6.8** Ajax komt uit met drie buiten- landse spelers *Ajax are playing with three foreign players;* met klave- ren/troef ~ *lead clubs/trumps;* ~ voor het nationale elftal *play in the national team* **6.10** het kwam volgens zijn woorden uit *it happened (just) as he had said it would* **6.11** met zijn salaris/het huishoudgeld ~ *manage (to live) on one's salary/the housekeeping money, make ends meet;* ik moet met 50 gulden ~ I (*'ll*) *have to make do with 50 guilders* **6.12** tegen de lichte achtergrond komen de figuren/de kleuren goed uit *the figures/colours show up/stand out well against the light back- ground* ¶**.5** het kwam uit *it was revealed, it transpired.*

uitkomst ⟨de (v.)⟩ **0.1** [einde] *outcome* ⇒(*end/final/net*) *result* **0.2** [red- ding] *way out, solution* ⇒*relief* **0.3** [resultaat] (*end/final/net*) *result, outcome* ⇒*upshot,* ⟨van berekening ook⟩ *answer* ♦ **1.3** de ~ v.d. de- sprekingen *the o./ upshot of the negotiations;* ⟨rekenk.⟩ de ~ van de de- ling *the quotient;* de ~ en van een wetenschappelijk onderzoek *the re- sults/o. of a scientific investigation* **2.2** een ware ~ *a perfect godsend, a real boon* **3.1** de ~ zal het leren *time will tell, we'll have to await the outcome* **3.2** ~ brengen *relieve, bring help/relief;* geen ~ meer zien *see no way out/solution anymore.*

uitkopen ⟨ov.ww.⟩ **0.1** *buy out* ♦ **1.1** een compagnon ~ *buy a part- ner* **4.1** zich ~ *buy o.s. out.*

uitkotsen ⟨ov.ww.⟩ ⟨inf.⟩ **0.1** *throw up* ⇒ ↓*spew up,* ↓*puke up,* ⟨AE ook⟩ ↓*upchuck* ♦ **1.1** ⟨fig.⟩ ik kan die school wel ~ *that school makes me want to throw up/to puke;* ⟨fig., stud.⟩ die vent wordt daar uitge- kotst *that bloke/*^*guy gets the cold shoulder from everyone there.*

uitkraaien ⟨ov.ww.⟩ **0.1** *crow, caw* ⟨cock⟩ ♦ **4.1** het kind kraaide het uit van plezier *the child crowed with delight.*

uitkrabben ⟨ov.ww.⟩ **0.1** *scratch out* ⇒⟨schoonmaken⟩ *scrape out* ♦ **1.1** iem. de ogen ~ *scratch s.o.'s eyes out.*

uitkramen ⟨ov.ww.⟩ **0.1** *reel off, gibber, jabber away* ♦ **1.1** geleerdheid ~ *show off/parade one's learning,* ↓*be a smart alec(k)/alick;* onzin ~ *talk nonsense/* ⟨sl.⟩ (*a load of*) *crap/* ⟨BE; sl.⟩ *rot.*

uitkrassen ⟨ov.ww.⟩ **0.1** *erase, scratch out.*

uitkrijgen ⟨ov.ww.⟩ **0.1** [erin slagen uit te trekken] *get off/out of* **0.2** [ten einde lezen] *finish* ⇒*get to the end of* **0.3** [erin slagen op te los- sen] *get right/out* ♦ **1.1** ik kreeg mijn jas met moeite uit *I had trouble*

getting out of my coat/getting my coat off; zijn laarzen niet ~ *not be able to get one's boots off;* een vent waar je geen woord uitkrijgt *a tight-lipped fellow;* ik kreeg er geen woord uit *I couldn't get a word out* **1.3** een som ~ *find the answer to a sum.*

uitkrijsen ⟨ov.ww.⟩ **0.1** *squeal, scream, yell* ♦ **4.1** hij krijste het uit van de pijn *he screamed/squealed with pain.*

uitkristalliseren ⟨onov.ww.⟩ **0.1** *crystallize (out)* ♦ **3.1** ⟨fig.⟩ haar ideeën moeten nog ~ *her ideas still have to c. out/take shape.*

uitkuisen ⟨ov.ww.⟩⟨AZN⟩ **0.1** [schoonmaken] *clean out* **0.2** [uiteten] *eat/drink up, polish off.*

uitlaat ⟨de (m.)⟩ **0.1** [mbt. gassen/vloeistoffen] *exhaust (pipe)* ⟨van auto⟩; *outlet* ⟨van reservoir⟩ ⇒*outfall* ⟨van riool⟩, *sluice gate/valve* ⟨van sluis⟩, *funnel,* ^*smoke stack* ⟨van locomotief⟩ **0.2** [⟨fig.⟩] *outlet* ⇒*vent, release* ♦ **2.1** een verstopte ~ *a blocked exhaust (pipe).*

uitlaatcenter ⟨het⟩ ⟨auto.⟩ **0.1** *exhaust centre.*

uitlaatgas ⟨het⟩ **0.1** *exhaust fumes/gas.*

uitlaatklep ⟨de⟩ **0.1** [mbt. vloeistoffen/gassen] *outlet/discharge valve* ⟨vloeistof⟩; *exhaust/escape valve* ⟨gas⟩; *safety valve* ⟨veiligheid⟩ **0.2** [⟨fig.⟩] *outlet* ⇒*vent, release, safety valve* ♦ **3.2** zij is zijn enige ~ *she is the only one to whom he can vent his feelings;* de muziek vormt een ~ voor haar *music is a way of release for her.*

uitlaatpijp ⟨de⟩ ⟨auto.⟩ **0.1** *exhaust pipe.*

uitlachen
I ⟨ov.ww.⟩ **0.1** [bespotten] *laugh/jeer at* ⇒*deride, scoff (at), ridicule* ♦ **5.1** iem. smalend ~ *jeer at s.o., laugh s.o. to scorn* **6.1** iem. in zijn gezicht ~ *laugh in s.o.'s face, laugh at s.o.;* II ⟨onov.ww.⟩ **0.1** [ten einde lachen] *have one's laugh (out), finish laughing.*

uitladen ⟨ov.ww.⟩ **0.1** *unload* ⇒*discharge* ⟨schip⟩, *land* ⟨vanuit schip⟩.

uitlaten
I ⟨ov.ww.⟩ **0.1** [naar buiten laten] *show/see out/to the door* ⇒*let out, discharge* ⟨ook gevangene⟩ **0.2** [niet aandoen] *leave off* **0.3** [niet aan- steken] *leave unlit* ♦ **1.1** een bezoeker ~ *show a visitor to the door/ out;* een hond ~ *take out/walk/air a dog;* II ⟨wk.ww.; zich ~⟩ **0.1** [zich uiten] *express (o.s.), speak (out)* ⇒*give one's opinion (on/of), comment (on)* ♦ **5.1** zich niet ~ over *be silent upon, have nothing to say on/about, express/venture no opinion on;* zich optimistisch ~ *express an optimistic view (of), optimize (about), be optimistic (about)* **6.1** zich gunstig/ongunstig over iets/iem. ~ *ex- press a favourable/unfavourable opinion on sth., comment favour- ably/unfavourably on sth.;* zich niet over iets ~ *be reticent/non-com- mittal about sth.;* zich lovend over iem. ~ *speak highly of s.o..*

uitlating ⟨de (v.)⟩ **0.1** *remark* ⇒*utterance, statement, comment.*

uitleenbalie ⟨de (v.)⟩ **0.1** *lending counter.*

uitleenbibliotheek ⟨de (v.)⟩ **0.1** *lending library;* ⟨USA; bibliotheek die boeken uitleent tegen vergoeding⟩ *rental library.*

uitleenbureau ⟨het⟩ **0.1** *loan/lending/department.*

uitleendiscotheek ⟨de (v.)⟩ **0.1** *record library.*

uitleenexemplaar ⟨het⟩ **0.1** *loan/lending copy.*

uitleentermijn ⟨de (m.)⟩ **0.1** *lending period.*

uitleg ⟨de (m.)⟩ **0.1** *explanation, clarification* ⇒*reading, interpretation, account* ⟨van gedrag⟩, *exegesis* ⟨ihb. van bijbel⟩ ♦ **1.1** iem. tekst en ~ geven *give s.o. a full explanation/account* **2.1** voor verkeerde ~ vat- baar *open to misinterpretation/misconstruction* **6.1** haar ~ van wat er gebeurd was *her account of what had happened/explanation of the events;* zonder verdere ~ *without further explanation.*

uitleggen ⟨ov.ww.⟩ **0.1** [uiteenzetten] *explain* ⇒*interpret, construe, read, expound* ⟨theorie⟩ **0.2** [vergroten] *let out* ⟨kleding⟩; *extend, enlarge* ⟨stad, tuin⟩ **0.3** [uitspreiden] *spread (out), lay out* ♦ **1.1** de bijbel/dro- men ~ *interpret the Bible/dreams* **1.2** een broek/jas enz. ~ *let out a pair of trousers/a coat, etc.* **1.3** kleren ~ *spread/lay out clothes* **5.1** ver- keerd ~ *misinterpret, misconstrue, misread* **8.1** ~ als *construe/take/in- terpret sth. as* ¶**.1** hoe moet ik dat nu ~? *how am I supposed to read/ take this?, what am I supposed to mean?*

uitlegger ⟨de (m.)⟩ **0.1** *interpreter, explainer* ⇒*commentator, expounder* ♦ **1.1** ieder is de beste ~ van zijn (eigen) woorden *everyone is his own best i..*

uitlegkunde ⟨de (v.)⟩ **0.1** *hermeneutics; exegesis* ⟨ihb. van bijbel⟩.

uitleiden ⟨ov.ww.⟩ **0.1** [naar buiten leiden] *show out* **0.2** [over de grens zetten] *deport* ⇒*expel* ♦ **1.1** het nest is uitgeleid *the young birds have left their nest.*

uitlekken ⟨onov.ww.⟩ **0.1** [bekend worden] *come/get out* ⇒*leak out, fil- ter through, get about* **0.2** [uitdruipen] *drain* ⇒*drip dry* ⟨wasgoed⟩ **0.3** [wegsijpelen] *leak (out)* ⇒⟨door poriën⟩ *ooze/filter out, exude, percolate (through)* ♦ **1.1** het plan is uitgelekt *the plan has got/leaked out* **1.3** de wijn lekt uit *the wine is leaking/oozing out* **3.2** een schaal ~ *drain a dish;* groente laten ~ *drain vegetables;* een dweil laten ~ *let a cloth drip dry.*

uitlenen ⟨ov.ww.⟩ **0.1** *lend (out),* ^*loan.*

uitlepelen ⟨ov.ww.⟩ **0.1** *spoon/ladle out.*

uitleven ⟨wk.ww.; zich ~⟩ **0.1** *live it up* ⇒*indulge, enjoy (o.s.), have one's fling, let one's hair down* ♦ **1.1** kinderen moeten zich kunnen ~ *children must be free to enjoy themselves/be given a free rein* **4.1** zich ~ *live one's life to the full, do one's own thing.*

uitleverbaar ⟨bn.⟩ **0.1** *extraditable.*

uitleveren ⟨ov.ww.⟩ **0.1** *extradite* ⟨naar ander land⟩ ⇒*hand over, deliver up* ◆ **1.1** de gevangene ~ *hand over/deliver up the prisoner* **6.1** iem. **aan** de politie ~ *hand s.o. over/turn s.o. in/over to the police;* ⟨vnl. BE⟩ *give s.o. in charge.*

uitlevering ⟨de (v.)⟩ **0.1** [het overgeven van personen] *extradition* **0.2** [het ter-beschikking-stellen v.d. rechthebbende(n)] *handing over* **0.3** [het overgeven van zaken] *surrender, handing over, delivery.*

uitleveringsverdrag ⟨het⟩ **0.1** *extradition treaty.*

uitleveringsverzoek ⟨het⟩ **0.1** *request for extradition.*

uitlezen ⟨ov.ww.⟩ **0.1** [geheel lezen] *read to the end* ⇒*read through, finish (reading)* **0.2** [⟨comp.⟩] *read out* ◆ **1.1** een roman helemaal ~ ⟨ook⟩ *read a novel from cover to cover* **1.2** het geheugen v.e. computer ~ *read out a computer's memory.*

uitlichten ⟨ov.ww.⟩ **0.1** [uit iets lichten] *lift out (from)* ⇒*take out (of), delete (from)* ⟨clausule uit contract⟩, ⟨apart zetten⟩ *single out* **0.2** [⟨film., dram.⟩] *spotlight* ◆ **1.1** een deur ~ *lift out/unhinge a door* **1.2** een acteur ~ *s. an actor, put the spotlight on an actor* **6.1** ⟨fig.⟩ een passage ~ *uit* een geschrift *single out a passage from some writing.*

uitlijnen ⟨ov.ww.⟩ **0.1** [mbt. auto's] *align* **0.2** [⟨tech.⟩] *align, line up.*

uitlikken ⟨ov.ww.⟩ **0.1** [leegmaken] *lick clean/out* **0.2** [zuiveren] *lick clean* ◆ **1.1** een stroopkan/suikerpot ~ *lick out a sirup jar/sugar bowl* **1.2** honden likken hun wonden uit *dogs lick their wounds clean.*

uitlogen ⟨ov.ww.⟩ **0.1** [oplosbare stoffen afscheiden] *leach (out/away)* ⇒*extract, lixiviate* **0.2** [met loog reinigen] *lye-wash* ◆ **1.1** as/zout ~ *leach ashes/salt (out/away);* hout/boomstammen ~ *leach wood/tree trunks* **6.1** suiker ~ **uit** bietensnijsels *extract sugar from beet cuttings.*

uitlokken ⟨ov.ww.⟩ **0.1** [het doen van iets bevorderen] *provoke* ⇒*elicit, stimulate, encourage, invite, induce* **0.2** [verleiden] *allure* ⇒*tempt, seduce, entice* ◆ **1.1** het ene woord lokte het andere uit *one word led to another;* een antwoord ~ *elicit an answer;* een bekentenis ~ *encourage/draw out an admission;* een besluit ~ *force a decision;* een conflict ~ *p. a conflict;* een discussie ~ *p. a discussion;* ⟨jur.⟩ een strafbaar feit ~ *abet a punishable offence;* kritiek ~ *invite/provoke criticism;* het plan lokte veel kritiek uit *the plan came in for a good deal of criticism/was heavily criticized;* daarmee lok je dat soort reacties uit *that's just asking for this sort of reaction;* ruzie ~ *pick a quarrel;* een uitspraak/vonnis ~ *elicit a judgement;* iets doen om een vonnis/uitspraak uit te lokken *make a test-case of sth.* **4.1** hij lokt het zelf uit *he is asking for it/trouble;* de verkrachter beweerde dat zijn slachtoffer het zelf had uitgelokt *the rapist claimed that his victim had given him provocation/the come-on.*

uitlokking ⟨de (v.)⟩ **0.1** *provocation, provoking* ⇒*inducement, invitation* ⟨kritiek⟩, *elicitation* ⟨antwoord⟩ ◆ **6.1** ⟨jur.⟩ ~ **tot** meineed *incitement to (commit) perjury, subornation.*

uitloop ⟨de (m.)⟩ **0.1** [mogelijkheid tot meer] *extension* **0.2** [plaats om uit te lopen] ⟨tennis⟩ *runback* **0.3** [opening] *outlet, outflow* **0.4** [afstand, nodig om tot stilstand te komen] *braking distance* **0.5** [riviermond] *river mouth* ◆ **6.1** een ~ **tot** vier jaar *an e. to four years;* de vergadering duurt tot vier uur, met een ~ **tot** half vijf *the meeting will last until four, with a possible e. to half past four* **6.2** de ~ **rond** de tennisbaan *the back room/runback.*

uitloopmogelijkheid ⟨de (v.)⟩ **0.1** *maximum (salary).*

uitlooppoging ⟨de (v.)⟩ ⟨sport⟩ **0.1** *attempted break(-away).*

uitloopstrook ⟨de⟩ ⟨verk.⟩ **0.1** ᴮ*slip road,* ᴬ*acceleration lane.*

uitlopen

I ⟨onov.ww.⟩ **0.1** [lopend uitgaan] *run out (of)* ⇒*walk out (of), leave* **0.2** [geleidelijk snelheid verliezen] *slow down* ⇒*come to a halt* **0.3** [uitbotten] *sprout* ⇒*bud, shoot, come out, germinate* ⟨zaad⟩ **0.4** [uitkomen op] *end in, lead to* ⇒*(rivieren)* **0.5** [leiden tot] *result in* ⇒*lead to, end in, turn out to be, come to* **0.6** [⟨sport⟩ een voorsprong nemen] *outrun* ⇒*draw ahead (of), gain/take a lead* **0.7** [meer tijd in beslag nemen] *draw out* ⇒*overrun its/one's time* **0.8** [meer ruimte in beslag nemen] *spread (out)* ⇒*widen, flare* ⟨broekspijpen⟩ **0.9** [mbt. schoeisel] *be walked/worn/broken in* **0.10** [door wrijving uitslijten] *wear out* **0.11** [een bepaald eind hebben] *end in* **0.12** [met een doel ergens heengaan] *go/come out* ⇒*turn out* ⟨bevolking⟩, *put out (to sea)* ⟨schepen⟩ **0.13** [uitvloeien] *run/flow out* ⇒*discharge, empty (itself)* **0.14** [⟨sport⟩ door te lopen zich ontspannen] *run easy (to recover)* ◆ **1.1** de kamer/het gebouw ~ *walk/run out of/leave the room/building;* de straat ~ *walk down the street* **1.6** hij is al 20 sec. uitgelopen *he has already taken a 20-second lead, he's already in the lead by 20 seconds* **1.7** de receptie liep uit *the reception overran its time/lasted longer than expected* **1.8** een japon met ~de mouwen *a dress with flaring/batwing sleeves* **1.11** uitgelopen lagers, cilinders *worn-out bearings/cylinders* **1.12** het hele dorp is uitgelopen *the whole village has turned out;* de vissersvloot is uitgelopen *the fishing fleet has put out to sea* **1.13** uitgelopen oogschaduw *smeared/smudged eye shadow;* de verf is uitgelopen *the paint has run (out)* **1.14** na de training gingen de atleten ~ *after training the athletes ran easy (to cool down)/did some easy running* **3.1** bij iem. in- en ~ *be in and out of s.o.'s place all the time* **3.2** een auto laten ~ *let a car slow down, bring a car to a halt* **3.7** zo'n vergadering wil nog wel eens ~ *these meetings tend to overrun their*

schedule **3.**¶ een lijn uit laten lopen *run out a line* **5.1** de straat helemaal ~ *walk to the end of the street;* ⟨sport⟩ de keeper liep te vroeg uit *the goalkeeper left his goal too early* **5.5** ik ben benieuwd waar dat op uit zal lopen *I'd like/I'm curious to know where all this is going to end/is coming to* **5.8** wijd ~de broekspijpen *flares, bell-bottoms* **5.11** puntig ~de messen *(sharp-)pointed knives* **6.4** de rivieren die **in** de Rijn ~ *the rivers which join the Rhine;* dit straatje loopt **op** de markt uit *this alley leads (on) to the market place;* het salaris kan ~ **tot** ƒ3500,- *the salary can go up to ƒ3,500.-* **6.5** dat loopt **op** een ramp/**op** ruzie uit *that is going to end in disaster/a fight;* dat maakt ruzie uit *that will come to nothing;* **op** een mislukking ~ *fail, end in failure;* die ruzie liep uit **op** een gevecht *the quarrel ended in a fight;* **op** een volslagen fiasco ~ *turn out (to be) a complete failure* **6.6** de thuisclub liep uit **naar** 6-0 *the home team increased its lead to 6-0;* de kopgroep loopt steeds verder uit **op** het peloton *the break-aways are increasing their lead over the main group all the time* **¶.1** liep hier maar in en uit you just walk in and out here regardless, I don't keep open house here you know;

II ⟨ov.ww.⟩ **0.1** [ten einde lopen] *finish* **0.2** [groter maken] *walk/wear/break in* ◆ **1.1** een wedstrijd ~ *f. a race* **1.2** schoenen ~ *walk/wear/break in shoes.*

uitloper ⟨de (m.)⟩ **0.1** [tak v.e. bergketen] ⟨vooral mv.⟩ *foothill* ⇒*embranchment, spur* ⟨loodrecht op keten⟩ **0.2** [⟨plantk.⟩] *runner, stolon* ⟨nieuwe planten vormend⟩; *sucker* ⟨wortelscheut⟩; *(off)shoot, bourgeon* ⟨uitspruitsel⟩; *stool, tiller* ⟨uit stomp⟩ **0.3** [⟨sport⟩ iem. die een voorsprong heeft] *leader* ⇒*s.o. in the lead* ◆ **1.**¶ de ~ van die depressie zal regen brengen *the tail end of this depression will bring rain.*

uitloten ⟨ov.ww.⟩ **0.1** [door loting uitsluiten] *eliminate by lottery* **0.2** [door loting trekken] *draw* ⇒*select* ◆ **1.2** de volgende nummers zijn uitgeloot *the following numbers have been drawn;* obligaties ~ *redeem bonds, d. bonds for redemption;* uitgelote schuldbekentenissen *drawn bonds, bonds drawn for redemption* **6.1** ze is al drie keer uitgeloot **voor** medicijnen *she has been turned down for medical school for the third time.*

uitloting ⟨de (v.)⟩ **0.1** *drawing by lot* ⇒⟨van obligaties ook⟩ *redemption drawing* ◆ **1.1** verzekering tegen ~ *insurance against drawings/loss on drawn debentures.*

uitloven ⟨ov.ww.⟩ **0.1** *offer* ⇒*promise, put up* ◆ **1.1** een beloning/prijs ~ *o./put up a reward/prize.*

uitluiden

I ⟨ov.ww.⟩ **0.1** [door klokgelui het einde aankondigen van] *ring out* **0.2** [het einde vieren van] *celebrate the end of* ◆ **1.1** ⟨fig.⟩ iem. ~ *give s.o. a send-off/farewell;* het oude jaar ~ *r./see out the old year* **1.2** het schooljaar ~ met een sportdag *c. the end of term with a day of sports;* **II** ⟨onov.ww.⟩ **0.1** [ten einde luiden] *sound* ⇒*reverberate, echo.*

uitluisteren ⟨ov.ww.⟩ **0.1** *hear out* ⇒*listen to the end* ◆ **1.1** de toespraak ~ *hear out the speech.*

uitmaken ⟨ov.ww.⟩ **0.1** [verbreken] *break off* ⟨relatie⟩ ⇒⟨beëindigen ook⟩ *finish, terminate* **0.2** [vormen] *constitute* ⇒*form, make up, comprise* ⟨omvatten⟩ **0.3** [van belang zijn] *matter* ⇒*be of importance* **0.4** [beslissen] *determine* ⇒*establish,* ⟨ontcijferen⟩ *make out, distinguish* **0.5** [noemen] *call* ⇒*brand* **0.6** [blussen] *put out* ⇒*extinguish* ◆ **1.1** een partij ~ *finish a game;* een verloving ~ *break off an engagement* **1.2** salarissen maken 90% v.d. begroting uit *salaries account for 90% of the budget;* deel ~ van *be (a) part of;* een belangrijk deel v.d. kosten ~ *form/represent/constitute a large part of the costs;* de waarde van iets ~ *determine the value of sth.* **1.4** de dienst ~ *be in charge, make the decisions;* het hof heeft uitgemaakt dat *the court has ruled/laid down that;* dat is een uitgemaakte zaak *that is an established fact, that has already been decided;* dat is nog lang geen uitgemaakte zaak *that remains to be seen/decided* **4.1** het ~ *break off the engagement;* ⟨mbt. paar⟩ *break up;* ⟨sport⟩ nu kan hij het ~ *now he can finish it off* **4.3** het maakt mij niet(s) uit *it is all the same to me, I don't care;* wat maakt dat uit? *what does that matter?, what difference does it make?;* heel wat ~ *make a world of/a big/all the difference;* weinig ~ *make little difference* **4.4** dat maakt hij toch niet uit *that's not for him to decide;* ik kan niet ~ wat daar staat *I cannot make out what is says;* dat maak ik altijd zelf nog uit *let me be the judge of that* **6.3** wat maakt nu ƒ10,- **op** de hele rekening uit? *what is ƒ10 when considering the total bill?;* **voor** hem maakt dat niets uit *it makes no difference to him* **6.4** dat moet ieder **voor** zich/**met** zichzelf ~ *that is sth. everyone must decide for himself* **6.5** iem. **voor** dief/leugenaar ~ *call s.o./brand s.o. a thief/liar;* iem. ~ **voor** al wat lelijk is *scold s.o. soundly, abuse s.o. roundly;* iem. **voor** rotte vis ~ *abuse s.o., pour scorn on s.o.* **¶.4** dat moeten ze onder elkaar maar ~ *they'll have to sort that out among themselves.*

uitmalen ⟨ov.ww.⟩ **0.1** [naar buiten malen] *drain off* **0.2** [droogmalen] *drain* ◆ **1.1** polderwater ~ *drain off water from a polder* **1.2** een plas ~ *d. a lake.*

uitmelken ⟨ov.ww.⟩ **0.1** [melkend legen] *milk dry/out* ⇒*finish milking, strip* ⟨laatste restje uitmelken⟩ **0.2** [droogmalen] ᴮ*strip bare, rack-rent* ⟨met huur⟩ ◆ **1.2** iem. ~ *bleed s.o. dry/white, fleece s.o.;* een onderwerp ~ *milk (out) a subject, squeeze a subject dry, flog a subject to death.*

uitmergelen ⟨ov.ww.⟩ **0.1** *emaciate* ⇒*starve, exhaust* ◆ **1.1** een akker ~ *exhaust/starve a field;* een uitgemergeld paard *a wasted/spent/emaciated horse.*

uitmesten ⟨ov.ww.⟩ **0.1** [van mest reinigen] *clean out* ⇒*muck out* **0.2** [ontdoen van rommel] *clean/tidy up* ⇒*clean/turn out* ◆ **1.1** de konijnen ~ *clean out the rabbits' cage;* een stal ~ *muck out a stable* **1.2** een kast/een kamer ~ *tidy up/clear out a cupboard/room.*

uitmeten ⟨ov.ww.⟩ **0.1** [uitvoerig bespreken] *make much of* ⇒*enlarge/ expatiate (up)on* **0.2** [afmeten] *measure (out)* ⇒*take the measure of* ◆ **3.¶** ze uitgemeten krijgen *be soundly rated/scolded, get what's coming to one* **5.1** een gebeurtenis breed ~ *make much/the most of an event;* de voordelen van iets breed ~ *make much of/enlarge (up)on the advantages of sth..*

uitmiddelpuntig ⟨bn.⟩ **0.1** [zonder gemeenschappelijk middelpunt] *eccentric* ⟨ook fig.⟩ **0.2** [draaiend om een punt buiten het middelpunt] *eccentric.*

uitmikken ⟨ov.ww.⟩ ⟨inf.⟩ **0.1** [afpassen] *get (exactly) right* ⇒ ⟨mbt. tijdstip⟩ *time,* ⟨mbt. plaats⟩ *aim* **0.2** [regelen] *contrive* ⇒*see to it (that), fix* ◆ **5.1** ik kon het niet zo precies ~ *I couldn't get it exactly right* **5.2** het zó ~ dat *see to it that, fix it so that.*

uitmonden ⟨onov.ww.⟩ **0.1** [uitlopen in] *flow (out), discharge (itself)* ⇒ *run into, empty (itself)* **0.2** [uitlopen op] *lead to* ⇒*end in, turn into, result in* ◆ **6.1** een rivier die in zee uitmondt *a river which flows (out)/ discharges into the sea* **6.2** het gesprek mondde uit in een enorme ruzie *the conversation ended in/developed into a fierce quarrel.*

uitmonding ⟨de (v.)⟩ **0.1** [het uitmonden] *discharge/(out)flow (into);* ⟨fig.⟩ *resulting (in)* **0.2** [monding (van rivier, riool)] *mouth* ⟨van rivier⟩; *outlet* ⟨van riool⟩.

uitmonsteren ⟨ov.ww.⟩ **0.1** [uitdossen] *dress/doll up* ⇒*array, attire* ⟨personen⟩, *deck out* ⟨ook straat e.d.⟩ **0.2** [voorzien van garnering] *trim* ⇒*decorate* **0.3** [uitrusten met] *fit up (with), equip* ⇒*fit out, furnish, kip up/out* ◆ **4.1** zich ~ *dress/doll o.s. up* **5.1** fraai uitgemonsterd zijn *be beautifully dressed (up)/arrayed.*

uitmonstering ⟨de (v.)⟩ **0.1** [tooi] *dress* ⇒*attire, array, livery* **0.2** [kraag en opslagen op uniformen] *trimming* **0.3** [benodigde uitrusting] *equipment, outfit* ⇒*kit.*

uitmoorden ⟨ov.ww.⟩ **0.1** *massacre* ⇒*butcher* ◆ **1.1** een heel dorp/hele stad *m. an entire village/town.*

uitmunten ⟨onov.ww.⟩ **0.1** *stand out* ⇒*excel* ◆ **6.1** boven allen ~ *be above all others;* hij munt uit *door* zijn gedrag en zijn bekwaamheid *he stands out because of his behaviour and abilities, he is conspicuous for his behaviour and abilities;* in iets ~ *excel/be an expert in sth.;* een artikel dat nou niet bepaalt uitmunt in helderheid *an article not exactly noteworthy/conspicuous for its clarity.*

uitmuntend ⟨bn., bw.:-ly⟩ **0.1** *excellent* ⇒*first-rate, outstanding, perfect, consummate* ◆ **1.1** een ~ gelegenheid! *an e. / a golden opportunity.*

uitneembaar ⟨bn.⟩ **0.1** [uitgenomen kunnende worden] *removable* ⇒*detachable, separable* **0.2** [demontabel] *collapsible* ⇒*jointed, sectional* ⟨kast, bank⟩ ◆ **1.1** met uitneembare bijlage *with pullout, pullout included;* met uitneembare hoedenplank *with r. / detachable hatrack.*

uitnemen ⟨ov.ww.⟩ **0.1** *remove* ⇒*take out.*

uitnemend ⟨bn., bw.⟩ ~*uitmuntend.*

uitnemendheid ⟨de (v.)⟩ **0.1** *excellence* ⇒*perfection* ◆ **6.1** bij ~ *par e..*

uitnodigen ⟨ov.ww.⟩ **0.1** [inviteren] *invite, ask* ⇒ ⟨schr.⟩ *bid* **0.2** [verleiden] *invite* ⇒*tempt, entice* ◆ **3.1** zij nodigde me uit met haar naar de schouwburg te gaan *she invited/asked me to go to the theatre with her;* hij nodigde haar uit het woord te nemen *he invited her/called on her to speak* **6.1** iem. bij zich thuis ~ *ask s.o. round/to one's home;* iem. op een feestje ~ *i. / ask s.o. to a party;* we hebben haar **voor** een paar dagen uitgenodigd *we have asked her over/to stay with us for a few days* **6.2** het fraaie weer nodigt uit *tot* wandelen *the fair weather tempts one to go for a walk.*

uitnodiging ⟨de (v.)⟩ **0.1** *invitation* ⇒*request* ⟨verzoek⟩ ◆ **3.1** een ~ aannemen/afslaan *accept/turn down an i.;* ik neem uw ~ graag aan *I shall be happy to accept your i.;* een ~ aan iem. richten *extend an i. to s.o.;* een ~ versturen/ontvangen *send (out)/receive an i.* **6.1** op ~ van *at the i. of;* een ~ tot lezing houden **op** ~ *be invited to give a lecture;* een ~ **voor** de lunch/**voor** een borrel *an i. to lunch/to a drink* **8.¶** mannen vatten zo'n opmerking meteen op als een ~ *men inevitably take a remark like that as/to mean an i. / ⟨inf.⟩ a come-on.*

uitoefenen ⟨ov.ww.⟩ **0.1** [bedrijven] *practise* ^ce ⇒*pursue, be engaged in* **0.2** [laten gelden] *exert* ⇒*bring to bear* ⟨druk⟩, *exercise* ⟨gezag⟩, *wield* ⟨macht⟩, *enforce, assert* ⟨rechten⟩ ◆ **1.1** een ambt ~ *hold (down) an office;* een beroep ~ *practise a profession, follow/practise a trade;* bij het ~ van zijn beroep *in the exercise of his duty;* praktijk ~ *practise* **1.2** een sterke aantrekkingskracht ~ op vrouwen *be very attractive to women;* druk ~ op *bear down on, bring pressure to bear on, exert/put pressure on;* invloed ~ op *influence;* kritiek ~ op *criticize, censure, pass stricture upon;* macht/gezag ~ *wield power, exercise authority;* een recht ~ *exercise/assert a right.*

uitoefening ⟨de (v.)⟩ **0.1** *exercise* ⟨controle, macht, recht⟩ ⇒ ⟨macht ook⟩ *exertion, practice* ^se ⟨beroep, kunst⟩, *performance, discharge* ⟨plicht⟩, *conduct* ⟨zaken⟩ ◆ **1.1** een wagen voor de ~ van zijn be-

roep *a car for professional purposes;* de ~ van macht *the exercise/ exertion of power* **6.1** ⟨schr.⟩ bij de ~ van zijn beroep *in pursuance of one's profession;* iem. **in** de ~ van zijn ambt hinderen *hinder s.o. in the performance/discharge/exercise of his duties;* omkomen **tijdens** de ~ van zijn dienst/plicht *die in the course of one's duties/(while) performing/discharging one's duties;* ongevallen **tijdens** de ~ v.h. beroep *accidents sustained in the course of one's work, occupational accidents;* letsel opgelopen **tijdens** de ~ v.h. beroep *injury received in the course of one's work, occupational injury.*

uitpakken

I ⟨ov.ww.⟩ **0.1** [uit de verpakking nemen] *unwrap* ⇒*unpack* **0.2** [van zijn inhoud ontdoen] *unpack* ⇒ ⟨koffer ook⟩ *turn out* ◆ **1.2** zijn koffers/een doos ~ *u. one's suitcases/a box;*

II ⟨onov.ww.⟩ **0.1** [aflopen] *finish* ⇒*end (up), turn out* **0.2** [royaal voor de dag komen] *entertain lavishly* ⇒*spare no expense, be generous, lavish* **0.3** [zijn gemoed luchten] *unload/unburden one's mind* ◆ **5.1** anders ~ dan men hoopte *turn out differently from what one had hoped;* als dat maar goed uitpakt *let's hope it turns/works out all right;* maatregelen die ongunstig ~ voor alleenstaanden *measures which work out unfavourably for singles;* verkeerd ~ *turn out wrong, take a wrong turning* **5.3** eens flink ~ *let fly/loose, go at it hammer and tongs* **6.2** ~ **voor** iemands verjaardag *spare no expense for s.o.'s birthday* **6.3** **tegen** iem. ~ *lash out/let fly at/against s.o., vent one's anger on s.o..*

uitpersen ⟨ov.ww.⟩ **0.1** [door persen van vocht ontdoen] *squeeze* ⟨citroen⟩ ⇒*crush* ⟨druiven, olijven⟩, ⟨schr.⟩ *express* ⟨sap⟩ **0.2** [afpersen] *bleed (white/dry), strip (bare)* ⇒*plunder, milk, fleece.*

uitpeuteren ⟨ov.ww.⟩ **0.1** *pick* ⟨ook neus⟩ ⇒*prize out* ⟨ook fig.⟩, *winkle out.*

uitpikken ⟨ov.ww.⟩ **0.1** [uitkiezen] *pick out* ⇒*select, choose, single out* ⟨voor speciale behandeling⟩ **0.2** [pikkend wegnemen uit] *peck (off/ away/up)* **0.3** [door pikken laten uitkomen] *peck out* ◆ **4.1** er zo maar eentje ~ *choose one at random.*

uitplanten ⟨ov.ww.⟩ **0.1** *plant/put out* ⇒*set/bed out* ⟨zaailingen⟩.

uitpluizen ⟨ov.ww.⟩ **0.1** [onderzoeken] *unravel* ⟨geheimen⟩ ⇒*sift (out/ through)* ⟨feiten⟩, *thrash out* **0.2** [uit elkaar pluizen] *pick* ⟨wol⟩; *disentangle, unravel* ⟨verwarde draden⟩ ◆ **1.1** een zaak ~ *clear up/u. a matter* **1.2** oud touw/wol ~ *pick old rope/wool* **5.1** iets helemaal ~ *get to the bottom of sth..*

uitplussen ⟨ov.ww.⟩ ⟨inf.⟩ **0.1** *puzzle/work/figure out* ⇒*find/think out.*

uitpoepen

I ⟨ov.ww.⟩ **0.1** [uit de darm ontlasten] [defecate ⇒ ⟨vulg.⟩ *shit out* **0.2** [een hekel hebben aan] *execrate;*

II ⟨onov.ww.⟩ ⟨inf.⟩ **0.1** [ten einde poepen] *finish one's crap/shit* ◆ **¶.1** ⟨fig.⟩ uitgepoept zijn [have nothing more to say; be played/ washed out;* ⟨BE;sl.⟩ *be fagged/* ⟨AE;sl.⟩ *pooped (out).*

uitpoetsen ⟨ov.ww.⟩ **0.1** [mbt. schoenen] *shine* ⇒*polish (up)* **0.2** [van binnen zuiveren] *clean out* **0.3** [wegvegen] *erase* ⇒*rub out, obliterate, wipe off/away* **5.3** ⟨inf.⟩ dat moet je niet ~ ⟨fig.⟩ *that's not to be sneezed at/no laughing matter.*

uitpompen ⟨ov.ww.⟩ **0.1** [legen] *pump out/dry* ⇒*empty* **0.2** [naar buiten brengen] *pump out* ◆ **1.1** de maag ~ *pump out the stomach, apply a stomach pump* **1.2** water ~ *pump out water.*

uitponden ⟨ov.ww.⟩ ⟨hand.⟩ **0.1** *sell off individually/in single units/in smaller lots* ◆ **1.1** flats/gebouwencomplexen ~ *sell off flats individually/building complexes in single units;* medicijnen ~ *sell off medicine in small doses.*

uitpraten

I ⟨onov.ww.⟩ **0.1** [ten einde praten] *finish* ⇒*have one's say* ◆ **3.1** laat me nou ~ *will you let me f.;* iem. laten ~ *let s.o. finish, hear s.o. out;* hij liet haar niet ~ *he cut her short/interrupted her;* daar raakt hij nooit over uitgepraat *he can go on indefinitely about that, he never stops talking about it* **5.1** ze was gauw uitgepraat *she had little to say, she soon ran out of things to say;* hij was nog niet uitgepraat of *hardly he had stopped talking/finished his sentence when* **¶.1** uitgepraat zijn *have no more to discuss/talk about, have nothing more to say/discuss;* nou, dan zijn we uitgepraat *in that case there's nothing more to be said;*

II ⟨ov.ww.⟩ **0.1** [tot een oplossing brengen] *talk out/over* ⇒*have out, discuss, clear up* ◆ **1.1** ze hebben de zaak uitgepraat *they've cleared up/settled the matter* **4.1** we moeten het ~ *we'll have to talk this out/ over, we'll have to clear this up* **6.1** het met iem. ~ *have it out with s.o..*

uitproberen ⟨ov.ww.⟩ ⟨inf.⟩ **0.1** *try (out)* ⇒*test* ◆ **1.1** een nieuwe leraar ~ *try a new teacher, give a new teacher a real try-out;* een nieuw produkt ~ *try (out)/test a new product;* een nieuwe show ~ *try out a new show, give a new show a trial run/try-out* **6.1** iets **op** iem. ~ *try out sth. on s.o..*

uitproesten ⟨ov.ww.⟩ **0.1** *burst out* ⇒*snort* ◆ **4.1** het ~ *burst out laughing.*

uitpuffen ⟨onov.ww.⟩ ⟨inf.⟩ **0.1** *catch one's breath* ⇒*pant* ◆ **5.1** hèhè, even ~ *let me just catch my breath.*

uitpuilen ⟨onov.ww.⟩ **0.1** *bulge (out)* ⇒*protrude,* ⟨ogen ook⟩ *goggle, pop* ◆ **1.1** ~ de ogen *bulging/protruding eyes;* met ~ de ogen *goggle-/*

pop-eyed; zijn zakken/ogen puilden uit *his pockets/eyes were bulging.*

uitputten ⟨ov.ww.⟩ **0.1** [opmaken, legen] *exhaust* ⇒*deplete, empty, finish (up)* **0.2** [afmatten] *exhaust* ⇒*wear out, work to the bone/to death* **0.3** [puttend leegmaken] *drain* ♦ **1.1** de krachten zijn uitgeput *the forces are spent/exhausted;* daarmee zijn de mogelijkheden nog niet uitgeput *that does not exhaust the possibilities;* een ~ de opsomming *an exhaustive enumeration;* de oorlog putte de staatskas uit *the war depleted the public funds* **3.1** een onderwerp ~d behandelen *give a subject an exhaustive treatment, exhaust/flog a subject;* de voorraad raakt uitgeput *the supply is running out* **4.1** (fig.) zich ~ in verontschuldigingen *apologize profusely, eat humble pie;* (fig.) zich ~ in lofprijzingen *sing the praises of* **4.2** zich ~ *wear o.s. out/thin.*

uitputting ⟨de (v.)⟩ **0.1** [grote vermoeidheid] *exhaustion* ⇒*fatigue* **0.2** [het uitputten] *exhaustion* ⇒*depletion* ♦ **1.2** de ~ v.d. olievoorraden *the depletion of oil supplies* **2.1** de totale ~ nabij zijn *be nearly spent/finished* **6.1** haast omvallen **van** ~ *be completely washed/fagged out, be reaqdy to drop with fatigue/tiredness, be worn to a frazzle;* sterven **van** ~ *die of e..*

uitputtingsoorlog ⟨de (m.)⟩ **0.1** *war of attrition.*

uitputtingsslag ⟨de (m.)⟩ **0.1** [gevecht] *battle of attrition* ⇒*bruising battle, fight to the finish/death* **0.2** [bezigheid] *marathon session.*

uitpuzzelen ⟨ov.ww.⟩ (inf.) **0.1** *puzzle/figure out.*

uitrafelen
I ⟨onov.ww.⟩ **0.1** [in rafels uiteengaan] *fray, become frayed* ⇒*ravel;*
II ⟨ov.ww.⟩ **0.1** [uitpluizen] *unravel* ⇒*pick* ♦ **1.1** (fig.) gevoelens ~ *u./analyse/probe feelings.*

uitrangeren ⟨ov.ww.⟩ **0.1** [buiten het spoor brengen] *side-track* ⇒*shunt* **0.2** [uitschakelen] *side-track* ⇒*shunt, shelve* ♦ **5.2** hij is helemaal uitgerangeerd *he has been completely shunted off/put out of action.*

uitrazen ⟨onov.ww.⟩ **0.1** *rage out* ⇒*spend one's/its fury, blow out* ⟨storm⟩ ♦ **1.1** eindelijk was de storm uitgeraasd *at last the storm had spent itself/blown out* **3.1** laat hem maar even ~ *just let him blow off steam/rage out;* de kinderen laten ~ *let the children have their fling.*

uitreiken ⟨ov.ww.⟩ **0.1** *distribute* ⇒*give out, present* ⟨prijs, medaille, enz.⟩, *issue* ⟨document⟩ ♦ **1.1** de communie ~ *administer/give communion;* diploma's ~ *grant diplomas;* iem. een onderscheiding ~ *confer a distinction on s.o..*

uitreiking ⟨de (v.)⟩ **0.1** *distribution* ⇒*presentation* ⟨prijs, medaille, enz.⟩ ♦ **6.1** de ~ **van** de diploma's *the granting of the diplomas.*

uitreisvisum ⟨het⟩ **0.1** *exit visa.*

uitrekenen ⟨ov.ww.⟩ **0.1** *calculate* ⇒*compute,* ⟨inf.⟩ *figure/work out* ♦ **1.1** een som ~ *work out a sum* **1.¶** zij is begin maart uitgerekend *she is due at the beginning of March* **3.1** dan moet jij eens ~ hoeveel dat niet kost *then you should figure out just how much it costs* **¶.1** iets uit het hoofd ~ *work sth. out in one's head.*

uitrekken
I ⟨ov.ww.⟩ **0.1** [langer/breder maken] *stretch (out)* ⇒*elongate* ⟨langer⟩, *crane* ⟨nek⟩ ♦ **1.1** een elastiek ~ tot het knapt *s./strain a rubber band to breaking-point;* leer/schoenen ~ *s. leather/shoes* **4.1** zich ~ *stretch o.s.* (out); zich eens lekker ~ *have a good stretch* **5.1** iets te ver ~ *overstretch sth.;*
II ⟨onov.ww.⟩ **0.1** [langer worden] *stretch* ♦ **1.1** de trui is in de was uitgerekt *the sweater has stretched in the wash.*

uitrichten ⟨ov.ww.⟩ **0.1** [doen] *do* ⇒*accomplish* **0.2** [in de lijn plaatsen] *align* ♦ **1.1** niet veel goeds ~ *get up to mischief* **7.1** dat zal niet veel ~ *that won't help/accomplish much.*

uitrijden
I ⟨onov.ww.⟩ **0.1** [ten einde rijden] *drive to the end/out* ⟨auto, bus, enz.⟩; *ride to the end/out* ⟨fiets, paard⟩ **0.2** [⟨sport⟩ rijdend herstellen] *ride easy (to cool down)* **0.3** [rijden zonder inspanning] *freewheel* ♦ **1.1** de stad ~ *ride/drive out of the town;* u moet deze straat ~ en dan rechtsaf *you drive down/to the end of this street and then turn (to the) right;* de trein reed langzaam het station uit *the train pulled slowly out of the station;*
II ⟨ov.ww.⟩ **0.1** [ten einde rijden] *drive* ⟨auto, motor⟩ *to the finish/end; ride* ⟨fiets, paard⟩ *to the finish/end* ⇒*finish the race.*

uitrijstrook ⟨de⟩ **0.1** *deceleration lane.*

uitrijzen ⟨onov.ww.⟩ **0.1** *rise/tower above* ⇒*transcend* ♦ **6.1** de torens die **boven** de stad ~ *the towers that dominate/rise above the town;* hoog~d **boven** zijn omgeving *towering above/over the surroundings;* (fig.) rising high above/transcending one's environment.*

uitrit ⟨de (m.)⟩ **0.1** *exit* ♦ **3.1** ~ vrijhouden s.v.p. *please keep (the) e. clear.*

uitroeien
I ⟨ov.ww.⟩ **0.1** [rooien] *uproot, root up* **0.2** [verdelgen] *exterminate* ⇒ *wipe out, extirpate* ⟨ras, volk, soort enz.⟩, *eradicate* ⟨zaken⟩, *stamp out* (misbruik, slechte gewoonte) **0.3** [ten einde roeien] *row to the finish* ♦ **1.1** (fig.) het kwaad ~ *root out/eradicate (all) evil* **1.2** ideeën met wortel en tak ~ *eradicate ideas root and branch;* ongedierte ~ *exterminate vermin;* de walvissen lopen gevaar uitgeroeid te worden *whales are in danger of being extirpated/annihilated/becoming extinct* **1.3** een wedstrijd ~ *row a race to the finish* **5.2** niet uit te roeien *ineradicable;*

II ⟨onov.ww.⟩ **0.1** [weg, naar buiten roeien] *row out of* **0.2** [op de stroom verder roeien] *row down.*

uitroeier ⟨de (m.)⟩, **-ster** ⟨de (v.)⟩ **0.1** *exterminator* ⇒*destroyer, eradicator,* ⟨schr.⟩ *extirpator.*

uitroeiing ⟨de (v.)⟩ **0.1** *extermination* ⇒ ⟨mbt. ras, volk, soort enz. ook⟩ *extirpation, annihilation, extinction,* ⟨mbt. zaken ook⟩ *eradication* ♦ **3.1** een met ~ bedreigde diersoort *a species threatened with extinction* **6.1** de ~ **van** al het kwaad *the eradication of all evil.*

uitroep ⟨de (m.)⟩ **0.1** *exclamation* ⇒*cry, shout,* ⟨schr.⟩ *ejaculation* ♦ **2.1** verwonderde ~en *cries/exclamations of surprise* **6.1** een ~ **van** vreugde *a shout of joy.*

uitroepen ⟨ov.ww.⟩ **0.1** [roepend uiten] *exclaim* ⇒*shout, cry/call (out),* ⟨schr.⟩ *ejaculate* **0.2** [afkondigen] *call* ⇒*declare* **0.3** [proclameren] *proclaim* ♦ **1.2** zijn onschuld ~ *declare one's innocence;* een staking ~ *c. a strike* **1.3** de republiek ~ *p. the republic* **6.1** het ~ **van** vreugde *shout for joy* **6.2** hij werd tot winnaar uitgeroepen *he was declared/ voted the winner* **6.3** iem. **tot** (als) koning/keizer~*p. s.o. king/emperor;* ze werd **tot** Miss World uitgeroepen *she was acclaimed/proclaimed Miss World;* **tot** de beste speler worden uitgeroepen *he was acclaimed as/voted the best player.*

uitroeping ⟨de (v.)⟩ **0.1** [exclamatie] *exclamation* **0.2** [afkondiging] *declaration* **0.3** [proclamatie] *proclamation.*

uitroepteken ⟨het⟩ **0.1** *exclamation mark/^point.*

uitroken
I ⟨onov.ww.⟩ **0.1** [ten einde roken] *finish/stop smoking* ♦ **1.1** zijn pijp ~ *finish (smoking) one's pipe;* eindelijk was het vuur uitgerookt *finally the fire stopped smoking;*
II ⟨ov.ww.⟩ **0.1** [door roken verdrijven] *smoke out* **0.2** [zuiveren] *fumigate* ⇒*smoke out* ♦ **1.1** vossen/dassen ~ *smoke out foxes/badgers.*

uitrollen ⟨ov.ww.⟩ **0.1** [los-/openrollen] *unroll* **0.2** [door rollen uitspreiden] *roll out* ♦ **1.1** een stuk stof ~ *u. a piece of cloth;* de tuinslang ~ *unreel the garden hose* **1.2** deeg ~ *roll out pastry;* een kaart ~ *roll out a map.*

uitruimen ⟨ov.ww.⟩ **0.1** *clear out* ⇒*tidy/turn out* ♦ **1.1** een kast/kamer ~ *tidy/turn out a cupboard, clear out a room.*

uitrukken
I ⟨ov.ww.⟩ **0.1** [trekkend verwijderen uit] *tear/pull out* ♦ **1.1** bomen/planten ~ *root up/uproot trees/plants;* zich de haren ~ *tear/rend one's hair;*
II ⟨onov.ww.⟩ **0.1** [naar buiten rukken] *turn out* ♦ **1.1** de brandweer rukte uit met groot materieel *the fire-brigade turned out with heavy equipment;* de wacht moet ~ *the guard must turn out* **3.1** de oproerpolitie laten ~ *order/call out the riot police;* de brandweer moest drie keer ~ *the fire-brigade had to answer three calls* **¶.1** (inf.) ruk uit! *clear out! quick march! scram!.*

uitrusten
I ⟨onov.ww.⟩ **0.1** [rusten tot men niet moe meer is] *rest* ⇒*repose* ♦ **5.1** even ~! *let's have/take a rest!, let's have a breather!;*
II ⟨ov.ww.⟩ **0.1** [van het nodige voorzien] *equip* ⇒*fit out, kit out, outfit, rig out* ♦ **1.1** een schip ~ *apparel a ship;* goed uitgeruste troepen *well-equipped troops* **4.1** zich ~ met *equip/outfit o.s. with, kit o.s. out with* **6.1** goed uitgerust **voor** de voettocht *well equipped for the hike.*

uitrusting ⟨de (v.)⟩ **0.1** [outillage] *equipment* ⇒*outfit* ⟨mbt. kleding/reis⟩, *kit* ⟨mbt. leger/sport⟩ **0.2** [het uitrusten] *resting* ♦ **1.1** de ~ v.e. soldaat *a soldier's kit* **2.1** zijn mentale ~ *his intellectual baggage* **3.1** ze waren voorzien van de modernste ~ *they were fitted out with the latest e.* **6.1** in volle ~ *in panoply/full kit/dress;* een ~ **voor** de tropen *a tropical outfit.*

uitschakelen ⟨ov.ww.⟩ **0.1** [door schakeling buiten werking stellen] *switch off* ⇒*disconnect* **0.2** [⟨fig.⟩] *eliminate* ⇒*rule out, cut out* ⟨tegenstander, concurrentie⟩, ⟨sport⟩ *knock out* ♦ **1.1** de motor ~ *cut/stop the engine;* de stroom/het licht/een toestel ~ *switch off/disconnect the current/light/a set* **1.2** een concurrent ~ *cut out a competitor;* iedere mogelijkheid ~ *rule out every possibility;* het parlement ~ *rule out parliament* **6.2** **door** ziekte uitgeschakeld zijn *be out of circulation through ill-health;* de tegenpartij ~ *voor* de strijd om de Europacup *e. the opposing team in the Europe Cup contest.*

uitschateren ⟨onov.ww.⟩ **0.1** *roar, scream* ♦ **4.1** het ~ v.h. lachen *r./s. with laughter;* zij schaterden het uit *they roared/screamed with laughter/ split their sides laughing.*

uitscheiden
I ⟨ov.ww.⟩ **0.1** [afzonderen] *isolate* ⇒*segregate* ⟨vooral mbt. sociale groepen⟩ **0.2** [naar buiten afscheiden] *secrete* ⇒*excrete, eliminate* ⟨afvalstoffen⟩;
II ⟨onov.ww.⟩ **0.1** [ophouden] *stop* ⇒*leave off, cease (to, -ing)* ♦ **3.1** als je het zo doet, kun je beter ~ *if you go about it like that, you might just as well stop/not bother* **5.1** ik schei er mee uit *I've had enough/it* **5.¶** schei toch uit! hij komt altijd te laat *oh do dry up/leave it/stop! he's always late* **6.1** ~ **met** werken *knock off work* **¶.1** schei uit! *stop (it)!;* ⟨inf.⟩ *cut it out!;* ⟨sl.⟩ *knock it off!.*

uitscheidingsorgaan ⟨het⟩ **0.1** *excretory/eliminatory organ.*

uitschelden ⟨ov.ww.⟩ **0.1** *abuse* ⇒*call names, curse, cuss,* ⟨schr.⟩ *revile* ♦ **3.1** ik laat me niet ~ *I won't let myself be abused* **6.1** iem. ~ **voor** al

wat lelijk is *call s.o. all sorts of names, tear into s.o.*; iem. ~ **voor** dief/
verrader *call s.o. a thief/traitor*.
uitschenken ⟨ov.ww.⟩ **0.1** [leegschenken] *pour out* ⇒*empty out* **0.2**
[schenkend laten uitvloeien] *pour out*.
uitscheppen ⟨ov.ww.⟩ **0.1** [leegscheppen] *empty (out)* **0.2** [scheppend
verwijderen] *scoop/dig out* ⟨met schop, enz.⟩ ⇒*ladle out* ⟨met lepel⟩
◆ **1.1** een boot ~ *bail out a boat*; een vat/een put ~ *empty out a barrel
/well*.
uitscheren ⟨ov.ww.⟩ **0.1** *shave* ◆ **1.1** de nek ~ *s. the back of the neck*.
uitscheuren
 I ⟨ov.ww.⟩ **0.1** [scheurend wegnemen] *tear out* ◆ **1.1** een bladzij ~
 tear a page out;
 II ⟨onov.ww.⟩ **0.1** [scheurend van elkaar gaan] *tear* ◆ **1.1** het
 knoopsgat is uitgescheurd *the buttonhole is torn*.
uitschieten
 I ⟨ov.ww.⟩ **0.1** [plotselinge beweging maken] *shoot/dart out* **0.2**
 [heftig uitvallen] *lash out* ⇒*fly off the handle* **0.3** [mbt. de wind] *veer*
 0.4 [uitlopen] *shoot* ⇒*bud, sprout* **0.5** [uitsteken] *rise above, transcend*
 ◆ **1.1** mijn hand/het mes schoot uit *my hand/the knife slipped* **1.4** de
 aardappels schieten uit *the potatoes are sprouting* **6.2 tegen** iem. ~
 lash out at s.o., *let fly at s.o.* **6.5** hij schiet ver uit **boven** zijn klasgenoten *he stands head and shoulders above his classmates*;
 II ⟨ov.ww.⟩ **0.1** [haastig uittrekken] *slip off* ⇒*throw off* **0.2** [door
 schieten wegnemen] *shoot out* **0.3** [naar buiten werpen] *throw out* ◆
 1.2 een oog ~ *shoot s.o.'s eye out* **1.3** ballast ~ *throw out ballast*;
 een kabel ~ *veer away/out a cable*;
 III ⟨onov., ov.ww.⟩ **0.1** [⟨sport⟩] *punt* ⇒*kick a long distance* ◆ **5.1**
 die keeper schiet ver uit *that goalkeeper is a good punter/kicks a long
 distance*.
uitschieter ⟨de (m.)⟩ **0.1** *peak* ⇒*high-light*, ⟨sl.⟩ *sizzler*, ⟨vnl. AE; sl.⟩
 gasser ◆ **2.1** een slecht seizoen met een enkele ~ *a bad season with a
 few peaks* **6.1** ~s **naar** boven en **naar** beneden *ups and downs*.
uitschijten ⟨ov.ww.⟩⟨vulg.⟩ **0.1** [lozen via anus] *shit, crap* **0.2** [niet meer
 laten meetellen] ⟨zie 5.2⟩ **0.3** [een hekel hebben aan] *be pissed off by/
 with* ~*hate s.o.'s guts* ◆ **4.3** ik schijt hem uit ⟨ook⟩ *I think he's a shit/
 an* B*arsehole*/A*asshole, he heads my shitlist* **5.2** hij is daar volkomen
 uitgescheten *he's been kicked out on his* B*arse*/A*ass*.
uitschoppen ⟨ov.ww.⟩ **0.1** *kick out*.
uitschot ⟨het⟩ **0.1** *offal* ⇒*refuse*, ⟨ook mbt. mensen⟩ *trash*, ⟨mbt. men-
 sen⟩ *scum, ragtag and bobtail* ◆ **1.1** het ~ van de maatschappij *the
 dregs of society*; ~ van sigaren *cigar o..*.
uitschrapen ⟨ov.ww.⟩ **0.1** *scrape out*.
uitschreeuwen ⟨ov.ww.⟩ **0.1** *cry out* ⇒*shout/yell/bellow (out)* ◆ **1.1** zij
 had haar geluk wel kunnen ~ *she could have shouted out her happiness* **4.1** het ~ van woede *scream with rage*; het ~ van pijn *cry out/yell
 /bellow with pain*.
uitschrijven ⟨ov.ww.⟩ **0.1** [op schrift uitwerken] *write/copy out* **0.2** [uit-
 vaardigen] *call* ⟨vergadering, verkiezing⟩; *issue, float* ⟨lening⟩; *hold,
 organize* ⟨wedstrijd⟩ **0.3** [schrappen uit een register] *strike off, delete
 from* **0.4** [invullen, ondertekenen] *write out* ⟨cheque⟩ ⇒*make out*
 ⟨factuur, enz.⟩ ◆ **1.1** aantekeningen ~ *write out notes*; een muziek-
 partij ~ *write out a musical score* **1.4** een recept ~ *write out a prescription*; een hoge rekening ~ *overcharge, add to the bill*; rekeningen ~
 make out accounts **4.3** zich laten ~ uit Oldenzaal *have one's name removed from the municipal register at Oldenzaal* **8.3** iem. als lid ~
 strike s.o.'s name off the membership list.
uitschudden ⟨ov.ww.⟩ **0.1** [door schudden afscheiden] *shake (out)* **0.2**
 [leegschudden] *shake (out)*, ⟨inf.⟩ *strip* ⇒*clean (out)*,
 fleece, take (s.o.) to the cleaner's ◆ **1.2** dekens ~ *shake out blankets*.
uitschuifbaar ⟨bn.⟩ **0.1** *extending* ~ ⟨tech. ook⟩ *telescopic* ◆ **1.1** een uit-
 schuifbare antenne *a telescopic aerial*/⟨AE ook⟩ *antenna*; een uit-
 schuifbare ladder *an e./extension ladder*.
uitschuifblad ⟨het⟩ **0.1** *leaf*.
uitschuifladder ⟨de⟩ **0.1** *extension ladder*.
uitschuiftafel ⟨de⟩ **0.1** *extension table*.
uitschuiven ⟨ov.ww.⟩ **0.1** [naar buiten schuiven] *slide/pull out* **0.2** [door
 uit elkaar te schuiven vergroten] *extend* ◆ **1.1** een la ~ *slide/pull a
 drawer out* **1.2** een statief ~ *e. a (telescopic) stand*; een tafel ~ *e./pull
 out a table*.
uitschuren
 I ⟨onov.ww.⟩ **0.1** [uitgehold worden] *wear away* ⇒*erode (away)*;
 II ⟨ov.ww.⟩ **0.1** [uithollen] *wear (away)* ⇒*erode (away)* **0.2** [schoon-
 maken] *scour* ⟨vuil⟩.
uitserveren ⟨onov., ov.ww.⟩ **0.1** [opdienen] *serve (up), dish out/up* **0.2**
 [⟨sport⟩] *serve out*.
uitslaan
 I ⟨ov.ww.⟩ **0.1** [van zich af slaan] *spread* ⇒*strike out* **0.2** [door slaan
 uitdrijven] *drive/knock out* **0.3** [door slaan verwijderen] *beat/strike
 out* **0.4** [zuiveren] *shake/beat out* **0.5** [uitvouwen] *unfold* ⇒*open out*
 0.6 [pletten] *hammer/beat (out)* **0.7** [uiten] *utter, talk* **0.8** [buiten het
 speelveld slaan] *strike/hit out* ◆ **1.1** de armen ~ *spread one's arms*;
 flink de benen ~ *strike out one's legs*; de vleugels ~ ⟨fig.⟩ *spread/
 stretch one's wings* **1.2** een spijker ~ *drive out a nail*; iem. een tand ~

knock *s.o.'s tooth out* **1.3** het stof ~ *beat/shake out the dust* **1.4** koren
 ~ *thresh corn*; een stofdoek ~ *shake out a duster* **1.6** lood/tin ~ tot
 bladlood/bladtin *hammer/beat lead/tin into sheet-lead/tin-plate* **1.7**
 vuile taal/onzin ~ *talk smut/rot*;
 II ⟨onov.ww.⟩ **0.1** [naar buiten komen] *break/burst out* **0.2** [bedekt
 worden met aanslag] *grow/become mouldy* ⇒*sweat* ⟨muren⟩, ⟨tech.⟩
 effloresce ⟨muren⟩ **0.3** [ten einde slaan] *finish striking* ◆ **1.1** een ~ de
 brand *a blaze/conflagration*; de vlammen slaan uit *the flames are
 breaking out* **1.2** mijn schoenen zijn helemaal uitgeslagen *my shoes
 are all mildewed* **5.2** dat boek is groen uitgeslagen *that book has
 turned green*.
uitslag ⟨de (m.)⟩ **0.1** [wat uit een vast oppervlak te voorschijn komt]
 ⟨mbt. huid⟩ *rash, eruption;* ⟨schimmel⟩ *mildew;* ⟨vocht⟩ *damp;*
 ⟨tech.⟩ *efflorescence* **0.2** [afloop] *result* ⇒*issue, outcome* **0.3** [mbt.
 een wijzer] *deflection* **0.4** [het uitslaan] ⟨balsport⟩ *service;* ⟨cricket⟩
 bowling ◆ de ~ v.d. verkiezingen, v.h. examen, v.e. onderzoek *the
 r. of the elections/examination/a study* **1.¶** de ~ v.h. water uit het gemaal *the discharge of the water from the pump(ing) station* **2.1** een
 droge/schilferachtige ~ *a dry/scaly e./rash* **2.2** goede/gunstige ~
 good results, favourable r./outcome **3.1** ~ hebben *have a r.*; daar
 krijg ik ~ van op mijn handen *that causes a r. on my hands, that brings
 out a rash out on my hands* **5.1** hij zit vol ~ *he has come out in a rash,
 he is covered in spots*.
uitslagenbord ⟨het⟩ ⟨sport⟩ **0.1** *scoreboard*.
uitslapen
 I ⟨onov.ww.⟩ **0.1** [lang doorslapen] *have a long lie-in* ⇒*have one's
 sleep out, sleep late* ◆ **3.1** ik kan nooit ~ *I can never sleep late* **5.1** goed
 uitgeslapen zijn ⟨fig.⟩ *be strewd/wide awake, have a good head on
 one's shoulders* **6.1 tot** 10 uur ~ *stay in bed/sleep until 10 o'clock*;
 II ⟨ov.ww.⟩ ◆ **1.¶** zijn roes ~ *sleep off one's hangover*.
uitsliepen ⟨ov.ww.⟩ **0.1** *jeer* ⇒*sneer at, jibe, scoff* ◆ **¶.1** sliep uit! ≠*sold/
 done again!, nuts to you!*.
uitslijten
 I ⟨onov.ww.⟩ **0.1** [afslijten] *wear away/out*;
 II ⟨ov.ww.⟩ **0.1** [door slijten doen verdwijnen] *wear away/out/down*.
uitsloven ⟨wk.ww.; zich ~⟩ **0.1** *put o.s. out* ⇒*lean over backwards, go
 out of one's way* ◆ **6.1** zich **voor** iem. ~ *work o.s. to death/the bone
 for s.o..*.
uitslover ⟨de (m.)⟩ **0.1** [iem. die zich uitslooft] *eager beaver, showboat,
 show-off* **0.2** [strooplikker] *toady*.
uitsloverig ⟨bn.⟩ **0.1** †*over-zealous* ◆ **3.1** hij doet altijd zo ~ *he's one of
 those eager beavers, he's such a show-off*.
uitsloverij ⟨de (v.)⟩ **0.1** *showing-off* = †*over-zealousness*.
uitsluiten ⟨ov.ww.⟩ **0.1** [buitensluiten] *shut out* ⇒*lock out*, ⟨fig.⟩ *debar*
 0.2 [onmogelijk maken] *exclude* ⇒*rule out, preclude* ⟨van tevoren⟩
 0.3 [uitzonderen] *exclude* ⇒*except (from)* ◆ **1.1** de politie sluit niet
 uit dat er misdrijf in het spel is *the police do not rule out foul play* **1.2**
 het één sluit het ander niet uit *the one does not e. the other*; dit mogelijkheid kunnen we niet ~ *that is a possibility we can't rule out/ignore*;
 ⟨sport⟩ een speler voor drie wedstrijden ~ *disqualify a player for
 three matches*; om vergissingen/misverstanden uit te sluiten *so as to
 preclude errors/misunderstandings* **4.2** dat is uitgesloten *that is out of
 the question* **6.1** zij wordt **van** verdere deelname uitgesloten *she has
 been debarred from further participation/has been disqualified*
 ⟨sport⟩ **6.3** dit risico is uitgesloten **van** de dekking *this risk is not covered by/is excluded from the insurance* **8.1** het is niet geheel uitgesloten dat …*it is (quite) possible that …, it is not impossible that …*.
uitsluitend ⟨bn., bw.; -ly⟩ **0.1** [enkel en alleen] *exclusive* ⇒*sole, pure*
 ⟨vnl. na zn.⟩ **0.2** [bij uitsluiting] *exclusive* ◆ **1.1** ~ kennis *knowledge
 pure and simple*; ~ volwassenen *adults only* **1.2** ~ recht *e. right* **¶.1** ~
 met het doel om …*for the sole purpose of …*.
uitsluiting ⟨de (v.)⟩ **0.1** [het uitsluiten] *exclusion* ⇒*preclusion* ⟨van te
 voren⟩, ⟨sport⟩ *disqualification* **0.2** [uit-, afzondering] *exclusion* ⇒
 exception ◆ **6.2 bij** ~ *exclusively*; **met** ~ *van exclusive of, to the exclusion of*; **met** ~ **van** al het andere/alle anderen *to the exclusion of everything else/all others*.
uitsluitsel ⟨het⟩ **0.1** *decisive/definite answer* ⇒*explanation* ◆ **3.1** ~ geven over *give a decisive answer about*; daarover kan ik u nog geen ~
 geven *as yet I cannot give you a definite answer*.
uitsmeren ⟨ov.ww.⟩ **0.1** *spread (out)* ◆ **1.1** pindakaas ~ *s. peanut butter*
 6.1 ⟨fig.⟩ de kosten ~ **over** drie jaar *s. the costs over three years*.
uitsmijter ⟨de (m.)⟩ **0.1** [persoon] *bouncer* **0.2** [gerecht] *'uitsmijter'*
 (slice of bread and ham with fried egg(s) on top) **0.3** [slotnummer]
 final number of a show.
uitsnijden ⟨ov.ww.⟩ **0.1** [door snijden wegnemen] *cut (out)* ⇒ ⟨med.⟩
 excise, ⟨med.⟩ *resect* **0.2** [een deel wegsnijden] *cut (out)* **0.3** [door
 snijden vormen] *cut (out)* ⇒*carve (out)* ⟨hout⟩ **0.4** [mbt. vlees] *cut,
 carve* ◆ **1.1** een gezwel ~ *excise a tumour* **5.3** een laag uitgesneden
 japon *a low-cut/necked dress* **6.3** figuren ~ **uit** karton *cut figures out
 of cardboard*.
uitsnijding ⟨de (v.)⟩ **0.1** [handeling] *cutout* ⇒*cutting out*, ⟨med.⟩ *exci-
 sion*, ⟨med.⟩ *resection* **0.2** [resultaat] *cutout* **0.3** [plaats] *cutout*.
uitspannen ⟨ov.ww.⟩ **0.1** [uit het gareel losmaken] *unharness* ⟨paar-

den); *unyoke* ⟨ossen⟩ **0.2** [uitstrekken] *extend* ⇒*spread* ◆ **1.2** de vingers ~ *e. / spread one's fingers.*

uitspanning ⟨de (v.)⟩ **0.1** *café* ⇒*pub, bar.*

uitspansel ⟨het⟩ ⟨schr.⟩ **0.1** *firmament, welkin* ⇒*heavens* ⟨mv.⟩.

uitsparen ⟨ov.ww.⟩ **0.1** [besparen] *save (on)* ⇒*economize (on)* **0.2** [openlaten] *leave blank / open* ◆ **1.1** dertig gulden ~ *s. thirty guilders;* moeite ~ *s. trouble* **1.2** openingen ~ *leave open spaces;* uitgespaarde plekken *blanks, blank spaces.*

uitsparing ⟨de (v.)⟩ **0.1** [besparing] *saving* **0.2** [opengelaten ruimte] *cut-away;* ⟨inkeping⟩ *notch.*

uitspatten ⟨onov.ww.⟩ **0.1** [spattend uiteen vliegen] *splash / burst out* **0.2** [losbandig zijn] *splurge* ⇒*live it up, go to town, run riot* **0.3** [naar buiten spatten] *spurt out* ◆ **1.3** ~de vonken *flying sparks.*

uitspatting ⟨de (v.)⟩ **0.1** *excess, splurge;* ⟨financieel⟩ *extravagance* ◆ **3.1** zich overgeven aan ~en *indulge in excesses, splurge.*

uitspelen ⟨ov.ww.⟩ **0.1** [ten einde spelen] *finish* ⇒*play out* **0.2** [in het spel werpen] *play* ⇒*lead* **0.3** [⟨sport⟩ geen kans geven] *outplay* ◆ **1.1** haar rol is uitgespeeld *her part is played (out)* **1.2** een troef ~ *p. a trump (card)* **1.3** een tegenstander ~ *o. an opponent* **6.2** ⟨fig.⟩ iets ~ tegen iem. *play off / use sth. against s.o.;* mensen tegen elkaar ~ *p. people off against one another.*

uitspellen ⟨ov.ww.⟩ **0.1** *spell out.*

uitspinnen
I ⟨onov.ww.⟩ **0.1** [veel opleveren bij het spinnen] *spin out;*
II ⟨ov.ww.⟩ **0.1** [uitvoerig behandelen] *spin out* ⇒*draw out, belabour* ◆ **1.1** een gebeurtenis ~ *spin out an event;* een uitgesponnen geschiedenis *a long-drawn-out story.*

uitspitten ⟨ov.ww.⟩ **0.1** [spittend uithalen] *dig up* **0.2** [⟨fig.⟩] *unravel* ◆ **6.2** een geval / zaak tot op de bodem ~ *get down to the bottom / ⟨inf.⟩ nitty-gritty of a case / matter.*

uitsplitsen ⟨ov.ww.⟩ **0.1** [uit elkaar werken] *split (up)* **0.2** [in onderdelen uit elkaar halen] *itemize* ⇒*break down* ◆ **1.1** een draad ~ *s. a thread* **1.2** een totaalbedrag ~ per artikel *i. a total amount.*

uitsplitsing ⟨de (v.)⟩ **0.1** [het uit elkaar werken] *splitting up* **0.2** [het in onderdelen uit elkaar halen] *itemization* ⇒*itemizing, breakdown.*

uitspoelen ⟨ov.ww.⟩ **0.1** [reinigen] *rinse / wash (out)* ⇒⟨med.⟩ *irrigate* **0.2** [doorspoelen] *flush away* **0.3** [uithollen] *wash away / out* ⇒*erode, wear away* ◆ **1.1** een hemd ~ *r. (out) a floor-cloth* **1.2** uitgespoelde oevers *washed away / evaded banks.*

uitspoken ⟨ov.ww.⟩ ⟨inf.⟩ **0.1** *be / get up to* ◆ **6.1** wat ben je daar aan het ~? *and just what do you think you're doing there?.*

uitspraak ⟨de⟩ **0.1** [wijze van uitspreken] *pronunciation* ⇒*enunciation, accent* **0.2** [oordeel] *pronouncement* ⇒*judg(e)ment* **0.3** [uitlating] *saying* ⇒*statement, enunciation, utterance* **0.4** [⟨jur.⟩] *judg(e)ment* ⇒*sentence, verdict* ⟨mbt. jury⟩ ◆ **1.1** de ~ v.e. klank / v.h. Frans *the p. of a sound / French* **2.1** een vreemde ~ *a strange accent* **2.3** een cryptische ~ *a cryptic remark;* een rake ~ doen *turn a phrase* **3.2** ergens geen ~ over kunnen doen *be unable to pronounce upon sth.;* een ~ doen in een zaak *give a verdict / decision on a case* **3.4** ~ doen *pass j., pass / pronounce s.;* ~ volgt *j. was reserved.*

uitspraakleer ⟨de⟩ **0.1** *phonetics* ⇒⟨zeldz.⟩ *orthoepy.*

uitspraakwoordenboek ⟨het⟩ **0.1** *pronouncing dictionary* ⇒*dictionary of pronunciation.*

uitspreiden ⟨ov.ww.⟩ **0.1** [vaneen spreiden] *spread (out)* **0.2** [uit elkaar strekken] *spread* ⇒*stretch (out), expand* **0.3** [over een oppervlakte verbreiden] *spread* ⇒*strew, distribute, scatter* ◆ **1.1** een jas op de grond ~ *s. out a coat on the ground* **1.2** de benen ~ *spread the legs;* uitgespreide vleugels *outspread / outstretched wings* **4.1** zich in alle richtingen ~ *s. out in all directions* **6.3** mest over een akker ~ *spread fertilizer over a field.*

uitspreken
I ⟨ov.ww.⟩ **0.1** [sprekend laten horen] *pronounce* ⇒*articulate* ⟨duidelijk uitspreken⟩, *enunciate* **0.2** [uiten] *speak, say* ⇒*express, utter* **0.3** [bekendmaken] *declare* ⇒*pronounce* **0.4** [uitpraten] *talk over* ⇒ ⟨inf.⟩ *have out* ◆ **1.1** hoe moet je dit woord ~? *how do you p. this word?* **1.2** een gebed ~ *say a prayer;* een irritatie ~ *give vent to one's irritation;* een rede ~ *deliver / give a speech;* zijn veto over iets ~ *put a veto on sth., veto sth.;* zijn waardering ~ *express one's appreciation;* ik spreek de wens uit dat ... *I express the wish that ...* **1.3** een vonnis ~ *pronounce judgement* **1.¶** met de uitgesproken bedoeling om *with the declared intention / avowed object / of;* een uitgesproken voordeel *a distinct advantage;*
II ⟨wk.ww.; zich~⟩ **0.1** [zich verklaren] *speak out* ⇒*pronounce, give one's opinion* ◆ **5.1** zich openlijk ~ tegen / voor *declare o.s. openly against / in favour of* **6.1** zich ~ voor / tegen kernenergie *declare o.s. openly against / in favour of nuclear energy;*
III ⟨onov.ww.⟩ **0.1** [ten einde spreken] *finish (speaking)* ◆ **3.1** iem. laten ~ *let s.o. have his say, hear s.o. out.*

uitspringen ⟨onov.ww.⟩ **0.1** [vooruitsteken] *stick / jut out* ⇒*project, protrude* **0.2** [springend buiten iets raken] *jump / leap / bounce out* **0.3** [opvallen] *stand out* ◆ **1.1** die twee huizen springen een eindje uit *those two houses jut out a little* **1.2** ⟨sport⟩ de bal is uitgesprongen *the ball bounced out* **5.2** ⟨fig.⟩ ergens mooi ~ *come off well, get a good deal* **6.3** zij is er **bij** de selectie uitgesprongen *she stood out at the selection.*

uitspringend ⟨bn.⟩ **0.1** *sticking / jutting out* ⇒*projecting, protruding* ◆ **1.1** een ~ gedeelte *a projecting / protruding part;* ⟨wisk.⟩ ~e hoek *salient angle;* ~ venster *bay-window* ⟨met 3 zijden⟩; *bow-window* ⟨in een boog⟩.

uitspringer ⟨de (m.)⟩ **0.1** ⟨iets⟩ *highlight, peak;* ⟨iem.⟩ *high-flyer.*

uitspruiten ⟨onov.ww.⟩ **0.1** *sprout (out)* ⇒*bud, shoot* ◆ **1.1** de aardappels spruiten uit *the potatoes are sprouting.*

uitspruitsel ⟨het⟩ **0.1** *sprout* ⇒*shoot.*

uitspugen ⟨ov.ww.⟩ **0.1** *spit out.*

uitspuiten ⟨ov.ww.⟩ **0.1** *squirt (out); syringe* ⟨oren⟩; *put out* ⟨vuur⟩.

uitspuwen ⟨ov.ww.⟩ **0.1** *spit out* ◆ **1.1** ⟨fig.⟩ zijn gal / zijn venijn (over iets) ~ *vent one's spleen.*

uitstaan
I ⟨onov.ww.⟩ **0.1** [uitsteken] *stand / stick / jut out* ⇒*protrude, project* **0.2** [uitgezet zijn] ⟨zie 1.2,6.2⟩ **0.3** [te doen hebben] *be connected with* ◆ **1.2** ik heb nog veel geld ~ *I have a lot of money out (at interest);* ~de rente *unpaid interest, interest owing;* ~de vorderingen *outstanding debts* **6.2** geld staat uit tegen 10% *money is put out at 10%* **6.3** wij hebben niets **met** elkaar uit te staan *we have nothing to do with each other;*
II ⟨ov.ww.⟩ **0.1** [verduren, verdragen] *stand* ⇒*endure, bear,* ⟨inf.⟩ *stick* ◆ **1.1** doodsangsten ~ *suffer agonies;* veel pijn ~ *e. a lot of pain* **3.1** koude / hitte / lawaai niet kunnen ~ *not be able to e. / stand / bear the cold / heat / noise;* iem. niet kunnen ~ ⟨inf.⟩ *hate s.o.'s guts.*

uitstalkast ⟨de⟩ **0.1** *show / display case.*

uitstallen ⟨ov.ww.⟩ **0.1** *display* ⇒*expose (for sale),* ⟨fig.⟩ *show off* ◆ **1.1** hij heeft weer eens zijn geleerdheid uitgestald *he's been showing off his learning again;* uitgestalde koopwaren *displayed articles.*

uitstalling ⟨de (v.)⟩ **0.1** *display.*

uitstalraam ⟨het⟩ **0.1** *show / display window.*

uitstamelen ⟨ov.ww.⟩ **0.1** *stammer (out).*

uitstapje ⟨het⟩ **0.1** [pleizierreis] *trip* ⇒*outing, excursion, jaunt* **0.2** [beschouwing] *excursion* ◆ **3.1** een ~ maken *take / make a t., go on an outing / excursion* **3.2** een ~ buiten zijn vakgebied maken *make an excursion outside one's discipline.*

uitstappen ⟨onov.ww.⟩ **0.1** [uitstijgen] *get off / down* ⇒*step / get out,* ↑*alight* **0.2** [⟨inf.⟩ overlijden] *peg out, pop off* ◆ **7.1** allemaal ~ *all change (here)!.*

uitsteeksel ⟨het⟩ **0.1** *projection* ⇒*protuberance, protrusion* ◆ **1.1** ~s van de ruggegraat *spinal processes* **2.1** gevaarlijke ~s *dangerous projections / protrusions.*

uitstek ⟨het⟩ ◆ **6.¶ bij** ~ *pre-eminently;* een voorbeeld **bij** ~ van *an outstanding example of.*

uitsteken
I ⟨onov.ww.⟩ **0.1** [naar buiten steken] *stick / jut out* ⇒*project, protrude* **0.2** [reiken, komen] *stand out* ◆ **1.1** ~de jukbeenderen *salient / prominent check-bones* **6.2** de toren steekt **boven** de huizen uit *the tower rises (high) above the houses / dominates the houses;* **boven** alle anderen ~ ⟨ook fig.⟩ *tower above all the others;* met kop en schouders ~ **boven** *stand head and shoulders above;*
II ⟨ov.ww.⟩ **0.1** [naar buiten steken] *hold / put out;* ⟨snel⟩ *shoot out* **0.2** [uitstrekken] *reach / stretch out* **0.3** [stekend verwijderen] *cut out* **0.4** [⟨AZN⟩ een streek uithalen] *be up to* ◆ **1.1** zijn hand ~ *hold out / extend one's hand;* tegen iem. de tong ~ *stick out one's tongue at s.o.;* de vlag ~ *put out the flag;* zijn voelhorens ~ *put out (one's) feelers* **1.2** zijn hand naar iem. ~ *extend one's hand to s.o.;* ergens geen hand / vinger naar ~ *not lift a finger for sth., not do a hand's turn for sth.* **1.3** een figuur ~ *cut out a figure;* iem. de ogen ~ *put / gouge out s.o.'s eyes;* ⟨fig.⟩ *make s.o. jealous / green with envy.*

uitstekend ⟨bn., bw.; -ly⟩ **0.1** *excellent* ⇒*first-rate, high-class, four-star* ⟨attr.⟩, *crack* ⟨speler⟩ ◆ **1.1** in ~e conditie *in fine fettle;* een ~ jaar / wijnjaar *a vintage year / wine;* van ~e kwaliteit *of high quality;* een ~ orkest *a (first) class orchestra* **3.1** ~ voordragen *recite excellently / extremely well* **¶.1** ~! *e.!, first-rate!, thumbs up!.*

uitstel ⟨het⟩ ⟨→sprw. 578,579⟩ **0.1** *delay* ⇒*postponement, respite* ⟨graag gewild⟩, *deferment* ◆ **1.1** ~ van betaling *postponement / extension of payment;* ~ van militaire dienst *deferment;* dat is slechts ~ van executie *that is only a reprieve, that is only putting off the evil hour* **3.1** ~ geven / verlenen *grant a postponement / respite / reprieve;* deze zaak kan geen ~ lijden *this matter brooks no d.;* ~ vragen *ask for (a) postponement / a respite* **6.1** zonder ~ *without d..*

uitstellen ⟨ov.ww.⟩ ⟨→sprw. 550⟩ **0.1** *put off* ⇒*postpone, delay, defer, leave over* ◆ **1.1** de voltrekking van een vonnis ~ *defer / postpone execution* **5.1** voortdurend ~ *keep putting off;* ⟨schr.⟩ *procrastinate* **6.1** stel niet uit **tot** morgen, wat je vandaag kunt doen *never put off till tomorrow what you can do today, there is no time like the present;* **voor** onbepaalde tijd / **tot** nadere datum ~ *postpone indefinitely.*

uitsterven ⟨onov.ww.⟩ **0.1** *die (out)* ⇒⟨geslacht, diersoort, enz. ook⟩ *become extinct* ◆ **1.1** ~de dieren *animals threatened with extinction;* uitgestorven dieren *extinct animals;* het dorp was uitgestorven *the village was deserted;* zijn linie is uitgestorven *his line has run out;* zij horen tot een ~d ras *they are of a type almost vanished, such people are (becoming) scarce* **3.1** ⟨fig.⟩ een functie laten ~ ≠*not fill a vacancy.*

uitstijgen ⟨onov.ww.⟩ **0.1** [⟨schr.⟩ uitstappen] *alight* **0.2** [overtreffen] *surpass* ⇒*rise above*, ⟨inf.⟩ *be a cut above* ◆ **6.2** een prestatie die ver uitstijgt **boven** het gemiddelde *a performance which far surpasses/is a cut above the average;* **boven** zichzelf ~ *s. o.s..*

uitstippelen ⟨ov.ww.⟩ **0.1** *outline* ⇒*map/trace out, delineate* ◆ **1.1** een plan/methode/beleid ~ *o. / delineate a plan/method/policy;* een route ~ *map out a route.*

uitstomen ⟨ov.ww.⟩ **0.1** *dry-clean.*

uitstoot ⟨de (m.)⟩ **0.1** [wat wordt uitgestoten] *discharge(s)* ⇒⟨tech. ook⟩ *emissions* **0.2** [aantal werknemers dat ontslagen wordt] *(number of) redundancies,* ^*dismissals;* ⟨niet meer opgevulde vacatures⟩ *unfilled vacancies/posts.*

uitstorten ⟨ov.ww.⟩ **0.1** [stortend ledigen] *pour out/forth* ⇒*empty (out),* ⟨vloeistof ook⟩ *effuse* **0.2** [uiten] *pour out* ◆ **1.1** een mand met cadeaus ~ *empty/tip out a basket of presents;* zaad ~ *ejaculate* **1.2** ⟨fig.⟩ bij iem. zijn gemoed/hart ~ *pour out/unburden/open one's heart to s.o.;* klachten ~ *pour out complaints;* zijn woede ~ over *vent one's rage upon s.o.* **4.1** de rivier stort zich uit in de Rijn *the river empties/discharges itself/flows into the Rhine.*

uitstorting ⟨de (v.)⟩ **0.1** [het (zich) uitstorten] *pouring out* ⇒*outpouring,* ⟨vloeistof ook⟩ *effusion, ejaculation* ⟨sperma⟩ **0.2** [mbt. bloed] *effusion, extravasation* ◆ **1.1** ⟨rel.⟩ de ~ v.d. Heilige Geest *the descent of the Holy Ghost.*

uitstoten ⟨ov.ww.⟩ **0.1** [verstoten] *expel* ⇒*turn/cast out, banish, ostracize* **0.2** [hortend uiten] *emit* ⇒*utter, gasp (out), discharge* **0.3** [door/ met stoten verwijderen] *push/thrust/knock out* **0.4** [naar buiten stoten] *eject* ⇒*emit* ⟨rook, gassen, enz.⟩, ⟨uitbraken⟩ *disgorge, belch* ⟨rook, stoom⟩ ◆ **1.2** onverstaanbare klanken ~ *e. / utter unintelligible sounds;* kreten ~ *utter screams;* een reeks vloeken ~ *e. / discharge a string of oaths* **1.3** een ruit ~ *shatter a window* **1.4** verbrandingsgassen ~ *emit combustion fumes* **6.1** iem. ~ **uit** de groep *e. / banish s.o. from the group.*

uitstralen
I ⟨ov.ww.⟩ **0.1** [van zich laten uitgaan] *radiate* ⇒*give/send/throw out, emit* **0.2** [⟨fig.⟩] *radiate* ⇒*exude* ◆ **1.1** warmte ~ *r. warmth* **1.2** goedkeuring ~ *beam out approval;* zelfvertrouwen ~ *r. / exude/ooze self-confidence;*
II ⟨onov.ww.⟩ **0.1** [(als) stralen uitgaan van] *radiate* **0.2** [⟨fig.⟩] *radiate* ⇒*emanate* ◆ **1.1** ~ de pijn *radiating pain.*

uitstraling ⟨de (v.)⟩ **0.1** [het uitstralen] *radiation* ⇒*emanation, emission* **0.2** [wat uitgestraald wordt] *radiation* ⇒*emanation, emission* **0.3** [⟨fig.⟩] *aura* ⇒*effluvium* ◆ **3.3** een enorme ~ hebben ≠*possess charisma, have a certain magic* **6.1** warmteverlies **door** ~ *heat loss through r..*

uitstralingsvermogen ⟨het⟩ **0.1** *radiating power.*

uitstralingswarmte ⟨de (v.)⟩ **0.1** *radiant heat.*

uitstrekken
I ⟨ov.ww.⟩ **0.1** [zo ver mogelijk strekken] *stretch/reach (out)* ⇒*extend* **0.2** [doen reiken] *extend* ◆ **1.1** met uitgestrekte armen *with outstretched arms;* de hand ~ *extend/reach/put out one's hand* **1.2** zijn macht verder ~ *e. one's power* **4.1** zich op de grond ~ *lie down at full length, stretch out on the ground* **6.1** de armen **naar** iets ~ *extend/ stretch out one's arms to sth.;*
II ⟨wk.ww.; zich ~⟩ **0.1** [de genoemde lengte/oppervlakte beslaan] *extend* ⇒*stretch (out)* **0.2** [gelden] *extend* ◆ **6.1** zich ~ **over** *e. over;* zich ~ **over** verscheidene jaren/eeuwen *range over/span several years /centuries;* deze wouden strekken zich uit **tot** ... *these forests e. / stretch out as far as ...* **6.2** deze bepaling strekt zich niet uit **tot** ... *this stipulation does not e. to ....*

uitstrijk ⟨de (m.)⟩, **uitstrijkje** ⟨het⟩ ⟨med.⟩ **0.1** *smear, swab* ◆ **3.1** een ~ maken *take/make a smear.*

uitstrijken ⟨ov.ww.⟩ **0.1** [verspreiden over een oppervlak] *spread* ⇒*smear* **0.2** [spreiden over een termijn] *spread* ◆ **1.1** verf/boter ~ *spread paint/butter (evenly)* **6.2** terugbetaling ~ **over** vier jaar *s. repayment over four years.*

uitstrijkpreparaat ⟨het⟩ **0.1** *smear, swab.*

uitstromen ⟨onov.ww.⟩ **0.1** [stromend naar buiten komen] *stream/pour out* ⇒*rush/gush out,* ⟨schr.⟩ *effuse, extravasate* ⟨bloed, lava⟩ **0.2** [uitmonden] *flow/discharge/empty into* ◆ **1.1** het ~ de bloed *the gushing/ outrushing blood;* ⟨fig.⟩ het hele dorp stroomde uit *the whole village turned out;* het publiek stroomde uit het voetbalstadion *the spectators came pouring/streaming out of the football stadium* **6.2** veel rivieren stromen **in** zee uit *many rivers flow/empty into the sea.*

uitstroming ⟨de (v.)⟩ **0.1** *outpouring* ⇒*streaming/pouring/gushing out, outrush,* ⟨schr.⟩ *offusion, efflux.*

uitstrooien ⟨ov.ww.⟩ **0.1** [strooiend verspreiden] *strew* ⇒*scatter, spread, distribute, disseminate* **0.2** [overal vertellen] *spread* ⇒*circulate, put about, broadcast* ◆ **1.1** zaad ~ *scatter seed, seed* **1.2** praatjes/valse geruchten ~ *s. gossip/rumours* **6.1** pepernoten **over** de vloer ~ *scatter gingerbread nuts over the floor.*

uitstroom ⟨de (m.)⟩ **0.1** [wat wegvloeit] *(out)flow* ⇒⟨schr.⟩ *efflux* **0.2** [wat zich in stromen verspreidt] *(out)flow.*

uitstuffen ⟨ov.ww.⟩ **0.1** *rub out* ⇒*erase.*

uitstulpen ⟨onov.ww.⟩ **0.1** *bulge (out).*

uitstulping ⟨de (v.)⟩ **0.1** [plaats] *bulge* **0.2** [handeling] *bulging.*

uitsturen ⟨ov.ww.⟩ **0.1** *send out* ◆ **1.1** iem. de kamer/klas ~ *order/send/* ⟨inf.⟩ *boot s.o. out of the room/classroom;* iem. de laan ~ *fire/sack s.o., send s.o. packing, give s.o. the sack/boot* **6.1** iem. **op** iets ~ *send s.o. for sth..*

uittekenen ⟨ov.ww.⟩ **0.1** *draw* ⇒*delineate, trace out* ◆ **1.1** ik kan die plaats wel ~ *I know every detail of that place.*

uittellen ⟨ov.ww.⟩ **0.1** [uitbetalen] *pay (out)* **0.2** [⟨bokssport⟩] *count out* **0.3** [ten einde tellen] ⟨zie 6.3⟩ ◆ **1.1** ik heb hem zijn geld uitgeteld *I have paid him his money* **1.¶** tel uit je winst ⟨iron.⟩ *it won't take you long to figure out your profit* **3.¶** uitgeteld zijn ⟨niet meer meetellen⟩ *be completely finished/all washed-up;* ⟨doodmoe⟩ *be (completely) fagged/washed-out/deadbeat* **6.3** ze is **in** september uitgeteld *she is due in September.*

uitteren
I ⟨ov.ww.⟩ **0.1** [doen vermageren] *emaciate* ⇒*macerate* ◆ **1.1** de ziekte teerde hem uit *the disease emaciated him;*
II ⟨onov.ww.⟩ **0.1** [vermageren] *waste away* ⇒*macerate* ◆ **5.1** langzaam teerde hij uit *he was slowly wasting away.*

uittesten ⟨ov.ww.⟩ **0.1** *test/try (out)* ⇒*put to the test* ◆ **1.1** een computerprogramma ~ *test/try out a computer programme* ^*gram.*

uittikken ⟨ov.ww.⟩ **0.1** *type out.*

uittillen ⟨ov.ww.⟩ **0.1** [uitlichten] *lift out* **0.2** [tot een hoger niveau brengen] *raise (up)* ◆ **6.2** deze regisseur tilt zijn film uit **boven** de massa *this director raises his film above the common run.*

uittocht ⟨de (m.)⟩ **0.1** *exodus* ⇒*trek* **2.1** het was een hele ~ *it was a complete e.;* de jaarlijkse ~ naar de kust *the yearly trek to the sea* **6.1** ⟨bijb.⟩ de ~ **uit** Egypte *the e. from Egypt.*

uittorenen ⟨onov.ww.⟩ **0.1** *tower* ◆ **6.1** hoog **boven** iem. ~ *t. high above/ over s.o.;* een flatgebouw dat uittorent **boven** de oude stad *a block of flats towering above/over the old town.*

uittrap ⟨de (m.)⟩ ⟨sport⟩ **0.1** *goal kick.*

uittrappen
I ⟨ov.ww.⟩ **0.1** [uitdoen] *kick off* **0.2** [doven] *stamp/tread out;* ⟨een lucifer enz.⟩ *crush, underfoot* ◆ **1.1** zijn schoenen ~ *k. o. one's shoes* **1.2** zijn sigaret in het tapijt ~ *grind one's cigarette into the carpet;* vuur ~ *s. o. a fire;*
II ⟨ov.ww.⟩ ⟨voetbal⟩ **0.1** [(de bal) door een uittrap in het spel brengen] *kick (the ball) out/into play;*
III ⟨ov.ww.⟩ ⟨voetbal⟩ **0.1** [uit het speelveld trappen] *put out of play/ into touch/over the line.*

uittreden ⟨onov.ww.⟩ **0.1** [mbt. functie] *resign (from)* ⇒⟨ook mbt. pensionering⟩ *retire* **0.2** [mbt. lidmaatschap] *resign (from)* ⇒*withdraw (from), secede (from)* ⟨een (politieke) unie⟩ **0.3** [mbt. priesterschap] *leave* ⇒*abandon* **0.4** [⟨parapsych.⟩] *leave* ⇒*depart (from)* ◆ **1.3** een uitgetreden priester *s.o. who has left/abandoned the priesthood, an ex-/a former priest* **2.1** vervroegd ~ *resign before one's term is up;* ⟨met pensioen gaan⟩ *retire early, take early, take early retirement* **6.2** ~ **uit** een vereniging *r. from/r. one's membership of an association.*

uittreding ⟨de (v.)⟩ **0.1** [mbt. functie] *resignation* ⇒⟨ook mbt. pensionering⟩ *retirement* **0.2** [mbt. lidmaatschap] *resignation* ⇒*withdrawal, secession* ⟨een (politieke) unie⟩ **0.3** [mbt. priesterschap] *leaving* ⇒*abandonment* **0.4** [⟨parapsych.⟩] *leaving (of)* ⇒*departure (from).*

uittredingsregeling ⟨de (v.)⟩ **0.1** *procedures for* ⟨vervroegde uittreding⟩ *early retirement/* ⟨vrijwillig ontslag⟩ *voluntary severance.*

uittrekbaar ⟨bn.⟩ **0.1** *extendable, extendible, extensible* ◆ **1.1** een tafel met ~ blad *a table with a draw-leaf/an extension, an extending table;* een uittrekbare ladder ⟨ook⟩ *an extending/extension ladder.*

uittrekken
I ⟨ov.ww.⟩ **0.1** [uitdoen] *take off* ⇒⟨(hand)schoenen/sokken ook⟩ *pull off* **0.2** [door trekken verwijderen] *pull out* ⇒*extract, remove,* ⟨planten ook⟩ *uproot, pull/pluck up* **0.3** [bestemmen] *part/set aside* ⇒*allot,* ⟨AE ook⟩ *appropriate* **0.4** [uittreksel maken] *(make an) excerpt (from)* ⇒*make an extract from, abstract* **0.5** [uithalen] *unpick* **0.6** [naar buiten trekken] *pull out* **0.7** [onttrekken aan] *extract* ⇒*draw out* **0.8** [langer maken] *draw out* ◆ **1.1** zijn jas ~ *t. o. one's jacket, take one's jacket off;* zijn kleren ~ *t. o. one's clothes, take one's clothes off, undress* **1.2** zich de haren ~ *tear one's hair;* onkruid ~ *weed, pull up weeds, do the weeding;* een tand ~ *pull (out)/take out/extract a tooth* **1.3** een bedrag op de begroting ~ *voor allocate/earmark part of the budget for,* ^*appropriate a sum for* **1.6** een lade ~ *p. o. a drawer;* ⟨verk.⟩ een trein ~ *spread a train;* een uitschuiftafel ~ *p. o. an extending table* **1.7** kruiden ~ *make herbal extracts/infusions;* vocht ~ *e. moisture* **6.3** een bedrag **voor** iets ~ *p. / s. aside a sum (of money) for sth.;* een halve dag ~ **voor** iets *allot half a day for sth.;* twee weken ~ **voor** een project *allot two weeks to a project* **6.8** iets **tot** een draad ~ *draw sth. (out) into wire;*
II ⟨onov.ww.⟩ **0.1** [naar buiten trekken] *go/march out* ⇒*leave* ◆ **1.1** de stad ~ *march out of/leave (the) town* **5.1** erop ~ *om set out to.*

uittreksel ⟨het⟩ **0.1** *excerpt, extract* ◆ **6.1** een ~ **uit** het bevolkingsregister ≠*birth/death certificate, certificate of residence,* ⟨enz.⟩.

uittypen ⟨ov.ww.⟩ **0.1** *type out* ◆ **1.1** zij moest de brief nog ~ *she still had to t. the letter out/t. o. the letter.*

uitvaagsel ⟨het⟩ **0.1** *dregs* ⇒⟨mbt. mensen ook⟩ *scum.*
uitvaardigen ⟨ov.ww.⟩ **0.1** *issue* ⇒*put out*, ⟨wet, decreet ook⟩ *make*, †*promulgate*, ⟨wet ook⟩ †*enact* ◆ **1.1** ⟨jur.⟩ een arrestatiebevel tegen iem. ~ *a warrant against s.o. / for s.o.'s arrest*; een bevel ~ *make / i. / promulgate an order*; een verbod / een voorschrift ~ *i. a prohibition / regulation*; een wet ~ *make / enact / promulgate a law.*
uitvaardiging ⟨de (v.)⟩ **0.1** *issue* ⇒*issuance*, ⟨wet, decreet ook⟩ *promulgation*, ⟨wet ook⟩ *enactment.*
uitvaart ⟨de⟩ **0.1** *funeral / burial (service)* ⇒*interment*, ⟨schr.; mv.⟩ *obsequies.*
uitvaartdienst ⟨de (m.)⟩ **0.1** *funeral / burial service.*
uitvaartmis ⟨de⟩ **0.1** *funeral mass* ⇒⟨vnl. mbt. grote figuur⟩ *requiem (mass).*
uitvaartplechtigheid ⟨de (v.)⟩ **0.1** *funeral ceremony.*
uitvaartstoet ⟨de (m.)⟩ **0.1** *funeral procession* ⇒*cortège.*
uitvaartverzorging ⟨de (v.)⟩ **0.1** *undertaking* ⇒*arranging / management of a / the funeral / of funerals.*
uitval ⟨de (m.)⟩ **0.1** [losbarsting in woorden] *outburst* ⇒*explosion, eruption*, ⟨hevig⟩ *paroxysm* **0.2** [het uitvallen van haar] *(hair) loss* ⇒ *shedding, falling-out* **0.3** [aanval op de belegeraars] *sortie* ⇒*sally, break-out* **0.4** [⟨schermsport⟩] *lunge* ⇒*thrust* ◆ **1.1** een ~ van woede *an o. / explosion of anger, a paroxysm of rage* **2.1** een ruwe ~ *a violent o.* **3.3** een ~ doen *make a sortie / sally* **3.4** een ~ doen naar *make a l. / thrust at.*
uitvalarm ⟨de (m.)⟩ →**uitvalsweg.**
uitvallen ⟨onov.ww.⟩ **0.1** [losbarsten in woorden] *burst out* ⇒*explode, erupt*, ⟨inf.⟩ *blow up, let fly* **0.2** [losgaande vallen] *fall / drop / come out* **0.3** [wegvallen] *drop / fall out* ⇒⟨verbinding⟩ *breakdown*, ⟨trein enz.⟩ *be cancelled* **0.4** [het genoemde resultaat hebben] *turn / come / work out* **0.5** [de genoemde aard hebben] *turn out* ⇒*be* **0.6** [een vinnig doen] *make a sally / sortie*; ⟨schermen⟩ *make a lunge / thrust* ◆ **1.2** zijn tanden / haren vallen uit ⟨ook⟩ *he's losing his teeth / hair* **1.3** Els valt uit *Els is dropping out*; ⟨begint niet eens⟩ *Els has been scratched*; de radioverbinding is uitgevallen *the radio connection has broken down*; de stroom is uitgevallen *there's a power failure, the power's failed /* ⟨inf.⟩ *gone* **1.4** we weten niet hoe de stemming zal ~ *we don't know how / which way the vote will go* **2.5** hij is niet mak uitgevallen *he's no meek soul, he's by no means docile* **5.4** zijn onderneming viel goed uit *his enterprise turned / worked out well* **6.3** er zijn drie man **bij** die race uitgevallen *three people have dropped out of the race* **6.4 in** iemands voordeel ~ *turn / work out in s.o.'s favour / to s.o.'s advantage.*
uitvaller ⟨de (m.)⟩, **-ster** ⟨de (v.)⟩ **0.1** *person who drops out* ⇒⟨inf.⟩ *casualty*, ⟨iem. die uitvalt voor begin v.d. wedstrijd⟩ *non-starter* ◆ **7.1** er zijn vijf ~s *five have dropped out*; ⟨beginnen niet eens⟩ *there are five non-starters, five have been scratched.*
uitvalsweg ⟨de (m.)⟩ **0.1** *exit road.*
uitvangen ⟨ov.ww.⟩ ⟨sport⟩ **0.1** *catch (out)* ◆ **1.1** een slagman ~ *catch a batsman (out).*
uitvaren ⟨onov.ww.⟩ **0.1** [tieren] (→**uitveteren**) **0.2** [naar zee varen] *sail* ⇒*put out) to sea, leave (the) port.*
uitvechten ⟨ov.ww.⟩ **0.1** *fight / battle out* ⟨ook fig.⟩ ⇒⟨met geweer ook⟩ *shoot out* ◆ **6.1** iets **met** iem. ~ ⟨fig.⟩ *f. / b. / have / thrash sth. out with s.o.*; de zaak **tot** het bittere einde ~ *fight the matter out to the bitter end*; ⟨inf.⟩ *slog the matter out.*
uitvegen ⟨ov.ww.⟩ **0.1** [door vegen reinigen] *sweep /* ⟨wissen⟩ *wipe out* ⇒*clean out* **0.2** [door vegen wegmaken] ⟨wissen⟩ *wipe /* ⟨wrijven⟩ *rub out* ⇒⟨vnl. AE⟩ *erase* **0.3** [vegend verwijderen] *wipe / rub away / out* ◆ **1.1** een kast / een gang ~ *s. /* ⟨met doek⟩ *w. out a cupboard / corridor*; ⟨fig.⟩ iem. de mantel ~ *haul s.o. over the coals, give s.o. a dressing-down* **1.2** een woord op het schoolbord ~ *w. / r. out a word on /* ⟨AE⟩ *erase the blackboard.*
uitverdedigen ⟨onov.ww.⟩ ⟨sport⟩ **0.1** *attack on the break, launch counter-attacks, counter-attack.*
uitvergroten ⟨ov.ww.⟩ **0.1** *enlarge* ⇒*magnify*, ⟨inf.⟩ *blow up* ◆ **1.1** een detail ~ *blow up a detail.*
uitvergroting ⟨de (v.)⟩ **0.1** *enlargement* ⇒⟨inf.⟩ *blow-up.*
uitverkiezen ⟨ov.ww.⟩ **0.1** *choose* ⇒*pick out, select*, ⟨tot functie⟩ *elect.*
uitverkiezing ⟨de (v.)⟩ **0.1** [het verkiezen uit] *choice* ⇒*selection*, ⟨tot functie⟩ *election* **0.2** [⟨prot.⟩] *election.*
uitverkocht ⟨bn.⟩ **0.1** [niet meer verkrijgbaar] *sold out* ⇒⟨bepaalde druk van boek enz. ook⟩ *exhausted* **0.2** [vol] *sold / booked out* ⇒*fully booked, full* **0.3** [alles verkocht hebbend] *sold out* ◆ **1.1** onze kousen zijn ~ ⟨ook⟩ *we have sold out / we are out / we have run out of stockings*; mijn voorraad is ~ *my stock is s.o. / exhausted* **1.2** alle plaatsen zijn ~ *every seat is booked (up) / sold / has gone*; het voetbalstadion was ~ ⟨ook⟩ *the football stadium was filled to capacity*; voor een ~e zaal spelen *play to a full house* **3.3** ⟨fig.⟩ hij is ~ *he's got nothing left*; ⟨bezit niets meer, ook⟩ *he's (been) cleaned out*; wij zijn totaal ~ *we are completely s.o..*
uitverkoop ⟨de (m.)⟩ **0.1** *(clearance / bargain) / sale* ◆ **3.1** ~ houden *hold / have a s.*; volgende week is het ~ *the sales are on next week* **6.1** een artikel **in** de ~ doen *put an article in the s., reduce an article*; heb je dat **in** de ~ gekocht? *did you get that in the sale(s) / on sale?*; ~ **wegens**

brand- en waterschade *c. / s. / reductions due to fire and water damage.*
uitverkoopprijs ⟨de (m.)⟩ **0.1** *sale / clearance price.*
uitverkopen ⟨ov.ww.⟩ **0.1** *sell off, clear* ⇒⟨hele voorraad⟩ *sell out.*
uitverkoren ⟨bn.⟩ (→sprw. 218) **0.1** *chosen* ⇒⟨schr.⟩ *elect*, ⟨geliefd⟩ *favourite, special, particular* ◆ **1.1** zijn ~ plekje *his favourite / particular spot*; Gods ~ volk *God's c. people / race, God's elect*; ~ zoon *favourite son.*
uitverkorene ⟨de (m.)⟩ **0.1** [iem. die uitverkoren is] *chosen one* **0.2** [geliefde] *favourite* ⇒*beloved* ◆ **2.1** de weinige ~n *the chosen few* **3.2** hij is de ~ *he is the apple of his / her eye, he is the light of his / her life* **7.1** de ~n *the chosen / elect.*
uitveteren ⟨ov.ww.⟩ ⟨inf.⟩ **0.1** *let fly at* ⇒*blow up at*, ⟨sl.⟩ *let (s.o.) have it, jump on, have a go at.*
uitvieren ⟨ov.ww.⟩ **0.1** [laten uitwerken] *allow (sth.) to / let (sth.) run its course* **0.2** [mbt. een touw] *pay out* ⇒*allow to / let run out* ◆ **1.1** een ziekte goed ~ *nurse an illness thoroughly / well.*
uitvinden ⟨ov.ww.⟩ (→sprw. 138) **0.1** [voor het eerst vinden] *invent* ⇒ *coin* ⟨term, cliché, uitdrukking⟩ **0.2** [te weten komen] *find out* ⇒*discover* ◆ **1.1** ⟨fig.⟩ hij heeft het buskruit niet uitgevonden *he's no Einstein, he's no great brain.*
uitvinder ⟨de (m.)⟩, **-vindster** ⟨de (v.)⟩ **0.1** *inventor* ⇒⟨fig., vaak scherts.⟩ *father*, ⟨term, cliché, uitdrukking⟩ *coiner*, ⟨v., zeldz.⟩ *inventress* ◆ **1.1** de ~ van de verrekijker *the i. of the telescope.*
uitvinding ⟨de (v.)⟩ **0.1** *invention* ⇒⟨mengsel, idee⟩ *concoction*, ⟨ding⟩ *gadget, contraption, contrivance* ◆ **2.1** de nieuwste ~ *the latest gadget* **3.1** een ~ doen *invent sth..*
uitvissen ⟨ov.ww.⟩ ⟨inf.⟩ **0.1** *dig / fish / ferret out* ◆ **5.1** hoe heb je dat uitgevist? *how did you d. that o.?.*
uitvlakken ⟨ov.ww.⟩ **0.1** *wipe /* ⟨met gom⟩ *rub out* ⇒⟨met gom ook, vnl. AE⟩ *erase* ◆ **5.1** ⟨fig.⟩ dat moet je niet ~ *that's not peanuts, that's not to be sneezed at.*
uitvliegen ⟨onov.ww.⟩ **0.1** *fly out /* ⟨weg⟩ *away* ◆ **1.1** ⟨fig.⟩ de jeugd vliegt uit *the young ones leave the nest* **5.1** ⟨fig.⟩ eens ~ *stretch one's wings (once in a while).*
uitvloeien ⟨onov.ww.⟩ **0.1** [vloeiend zich verspreiden] *flow / spread out* ⇒⟨inkt⟩ *run* **0.2** [langzaam stromen uit] *flow / seep out* ⇒⟨schr.⟩ *issue (forth)* ◆ **1.2** het na de insnijding ~de vocht *the liquid seeping out / escaping after the incision* **6.1** op ongegomd papier vloeit inkt uit *ink runs on unsized paper*; **over** een grote oppervlakte ~ *s. p. over a large area.*
uitvloeier ⟨de (m.)⟩ ⟨film⟩ **0.1** *fade-out.*
uitvloeisel ⟨het⟩ **0.1** *consequence* ⇒*result* ◆ **1.1** een ~ van deze visie *a c. of this view.*
uitvloeren ⟨ov.ww.⟩ **0.1** *floor* ⇒*knock flat* ◆ **3.1** uitgevloerd liggen *lie flat out.*
uitvlooien ⟨ov.ww.⟩ ⟨inf.⟩ →**uitvissen.**
uitvlucht ⟨de⟩ **0.1** [verzinsel] *excuse* ⇒*pretext, evasion*, ⟨'achterdeurtje'⟩ *loop-hole* **0.2** [vlucht vanuit de basis] *outward flight* ◆ **2.1** een armzalige ~ *a sorry / thin / lame excuse* **3.1** ~en zoeken ⟨ook⟩ *prevaricate*; *stall, quibble*, *(try to) dodge / evade a / the question* **6.2 op** de ~ *outward bound, on the flight out / o. f..*
uitvoer ⟨de (m.)⟩ **0.1** [export] *export* **0.2** [wat uitgevoerd wordt] *exports* **0.3** [uitvoering] *execution* **0.4** [⟨comp.⟩] *output* ◆ **1.1** invoer en ~ *import and e.* **6.3** een opdracht **ten** ~ brengen / leggen *carry out an instruction, carry out / execute an order, perform a task*; iemands bevelen **ten** ~ brengen *do s.o.'s bidding, carry out s.o.'s orders*; een wet **ten** ~ brengen *enforce / implement / give effect to a law*; een plan **ten** ~ brengen *carry out / implement a plan, put / carry a plan into effect.*
uitvoerartikel ⟨het⟩ **0.1** *export product / article / commodity /* ⟨mv. ook⟩ *goods.*
uitvoerbaar ⟨bn.⟩ **0.1** *performable* ⇒*workable, feasible, practicable*, ⟨inf.⟩ *do-able* ◆ **1.1** een uitvoerbare opdracht *a performable task* **3.1** dit plan is in dat land niet ~ *this plan is not feasible / practicable in that country* **6.1** ⟨jur.⟩ ~ **bij** voorraad *provisionally enforceable.*
uitvoerbaarheid ⟨de (v.)⟩ **0.1** *workability, feasibility, practicability.*
uitvoerbelasting ⟨de (v.)⟩ **0.1** *export tax / duty.*
uitvoerbeperking ⟨de (v.)⟩ **0.1** *restriction on export(s)* ⇒*export restriction* ◆ **1.1** de ~ van katoen *restriction on the export of cotton / on cotton exports.*
uitvoerder ⟨de (m.)⟩, **-ster** ⟨de (v.)⟩ **0.1** ⟨toneel, muziek⟩ *performer*; ⟨van een bouwwerk⟩ *works foreman*; ⟨van testament / vonnis⟩ *executor.*
uitvoeren ⟨ov.ww.⟩ **0.1** [exporteren] *export* **0.2** [verrichten] *do* **0.3** [volbrengen] *execute* ⇒*carry out, implement* ⟨ook wet⟩, ⟨wet ook⟩ *enforce* **0.4** [vertonen] *perform* ⇒⟨muziekstuk ook⟩ *execute* **0.5** [bewerken] *produce* ⇒*finish*, ⟨kunstwerk⟩ *execute* ◆ **1.3** een bestelling ~ *carry out / execute / fill an order*; een experiment ~ *p. / carry out /* ⟨inf.⟩ *do an experiment*; herstelwerkzaamheden ~ *carry out repairs*; een ontwerp ~ *execute a design*; een operatie ~ *carry out / perform an operation*; plannen / bevelen ~ *e. / implement / carry out plans / orders, bring / carry / put plans into effect* **1.4** ~de kunst / kunstenaars *performing art / artists* **4.2** hij voert niets uit *he doesn't do a thing / a stroke*

(of work) / *doesn't get anything done* / *doesn't lift a finger;* wat voer je daar uit? *what are you up to there?, what are you getting up to?* 5.5 het boekje is goed uitgevoerd *the booklet is nicely* / *well-made* / *produced* 6.3 iets op *een voortreffelijke manier~ do sth. to perfection* 6.5 een sieraad in goud *~a piece of jewellery wrought in gold;* uitgevoerd in hout *made of* / *designed in wood.*

uitvoerend ⟨bn.⟩ **0.1** *executive* ⇒*executory, performing* ⟨kunsten⟩ ◆ **1.1** de ~e macht *the executive.*

uitvoerhandel ⟨de (m.)⟩ **0.1** *export trade.*

uitvoerhaven ⟨de⟩ **0.1** *port of export* / *shipment* ⇒*shipping port.*

uitvoerig ⟨bn., bw.⟩ **0.1** ⟨volledig⟩ *comprehensive, full, exhaustive, thorough;* ⟨gedetailleerd⟩ *elaborate, detailed;* ⟨overvloedig⟩ *ample, copious;* ⟨te lang⟩ *verbose* (antwoord, toespraak) ◆ **1.1** ~e aantekeningen / voorbereidselen *copious notes, elaborate preparations;* ~e inhoudsopgave *detailed table of contents;* een ~e uiteenzetting *a detailed* / *thorough* / *comprehensive* / *full analysis* 3.1 iets~ beschrijven / bespreken *describe* / *discuss sth. at (great* / *some) length* / *fully* / *in detail, elaborate on sth..*

uitvoerigheid ⟨de (v.)⟩ **0.1** ⟨volledigheid⟩ *comprehensiveness, thoroughness;* ⟨gedetailleerdheid⟩ *elaborateness, (fullness of) detail;* ⟨overvloed⟩ *copiousness;* ⟨te grote lengte⟩ *verbosity.*

uitvoering ⟨de (v.)⟩ **0.1** ⟨voltrekking⟩ *execution, realisation* ⇒⟨ook wet⟩ *implementation,* ⟨wet ook⟩ *administration, enforcement* **0.2** [het spelen] *performance* ⇒⟨muziekstuk ook⟩ *execution* **0.3** [wijze van bewerking] *design, construction* ⟨v.e. machine⟩ ~ ⟨mbt. kwaliteit v.h. werk⟩ *workmanship,* ⟨afwerking⟩ *finish* ◆ **1.1** de~ v.h. bouwwerk is al begonnen *work on the building project is already in progress* / *in hand* / *being carried out* **2.3** in lichte / zware / goedkopere ~ *in a light* / *heavy* / *cheaper version* **3.1** ~ geven aan een plan *carry out* / *implement a plan, put* / *carry a plan into effect* **6.1** werk in ~ *road works (ahead), men at work;* ⟨jag.⟩ *work in progress;* bij de~ van een besluit *the implementation of a decision* / *decree* **6.2** naar een ~ gaan *go to a show* / ⟨muziek⟩ *concert;* de ~ **van** het toneelstuk was schitterend *the play was brilliantly performed* **6.3** wij hebben deze auto in twee ~en *we have two models* / *versions of this car.*

uitvoeringsbesluit ⟨het⟩ **0.1** *implementing order* ⇒*order in pursuance (of)* ◆ **3.1** de minister vaardigde een ~ uit voor de nieuwe wet *the minister made an order implementing* / *in pursuance of the new law.*

uitvoeroverschot ⟨het⟩ **0.1** *export surplus* ⇒*surplus in* / *on the balance of trade.*

uitvoerrecht ⟨het⟩ **0.1** *export duty* ⇒*duty on exports.*

uitvoerverbod ⟨het⟩ **0.1** *prohibition of* / *ban on export(s)* ◆ **3.1** een ~ leggen op varkensvlees *ban* / *prohibit exports* / *the export of pork.*

uitvoervergunning ⟨de (v.)⟩ **0.1** *export licence* ᴬ*se.*

uitvogelen ⟨ov.ww.⟩ ⟨inf.⟩ →**uitvissen.**

uitvorsen ⟨ov.ww.⟩ ⟨schr.⟩ **0.1** *get at the root of* ⇒ ↓*get to the bottom* ◆ **1.1** een geheim / iemands bedoelingen ~ *get at the root* / *to the bottom of a secret* / *s.o.'s intentions.*

uitvouwen ⟨ov.ww.⟩ **0.1** *unfold* ⇒*fold out, spread out.*

uitvragen
I ⟨ov.ww.⟩ **0.1** [uithoren] *question* ⇒⟨ondervragen⟩ *interrogate,* ⟨inf.⟩ *pump, grill* ◆ **1.1** een krijgsgevangene ~ *interrogate a prisoner-of-war;*
II ⟨onov.ww.⟩ **0.1** [ten einde vragen] ⟨zie 5.1⟩ ◆ **5.1** ik ben nu uitgevraagd *I have no more* / *further questions (to put* / *ask).*

uitvreten ⟨ov.ww.⟩ ⟨inf.⟩ **0.1** [uitspoken] *be up to* **0.2** [op iemands kosten leven] *sponge on* **0.3** [uithollen] *eat away at* **0.4** [uitbijten] *corrode* ⇒*eat away (at)* ◆ **1.3** de muizen hebben de kaas uitgevreten *the mice have been eating away at the cheese* **1.4** de roest vreet het staal uit *the rust is corroding the steel.*

uitvreter ⟨de (m.)⟩ **0.1** *sponger* ⇒*parasite, scrounger.*

uitwaaien
I ⟨onov.ww.⟩ **0.1** [gedoofd worden] *blow out* ⇒*be blown out* **0.2** [een frisse neus halen] *get a breath of (fresh) air* **0.3** [naar buiten gaan staan] *blow out* / *open* **0.4** [ophouden met waaien] *stop blowing* ⇒*calm* / *die down* ◆ **1.1** de vlam wooi uit *the flame blew out* **1.3** de vlaggen waaien uit *the flags are fluttering in the wind* **1.4** de wind is uitgewaaid *the wind has stopped blowing* / *has blown itself out;*
II ⟨ov.ww.⟩ **0.1** [blazen] *blow out.*

uitwaaieren ⟨onov.ww.⟩ **0.1** *fan out* ⇒⟨jurk enz.⟩ *flare (out)* ◆ **1.1** een ~de plooirok *a pleated skirt which flares (out)* **6.1** de startbanen waaieren **naar** alle richtingen uit *the runways fan out in all directions.*

uitwalsen ⟨ov.ww.⟩ **0.1** *roll out* ◆ **6.1** blokken staal ~ **tot** staalplaat *r. o. steel ingots into plate* / *sheet.*

uitwandelen ⟨ov.ww.⟩ **0.1** *walk right along* / *all the way along* / *to the end of* ◆ **1.1** een laan ~ *walk to the end of the lane;* de vierdaagse ~ *complete the four days' walking event.*

uitwas ⟨het, de (m.)⟩ **0.1** [ongewenste ontwikkeling] *excrescence* **0.2** [uitgroeisel] *growth* ⇒*outgrowth* ◆ **1.1** ~sen v.d. beschaving *excrescences of civilization.*

uitwasemen
I ⟨onov.ww.⟩ **0.1** [als wasem naar buiten komen] *emanate* ⇒*evaporate* **0.2** [damp afgeven] ⟨waterdamp⟩ *steam;* ⟨andere damp⟩ *fume* ⇒

⟨van huid⟩ *perspire,* ⟨plantk.⟩ *transpire* ◆ **1.2** een ~de zieke *a perspiring patient;*
II ⟨ov.ww.⟩ **0.1** [als wasem verspreiden] *exhale.*

uitwaseming ⟨de (v.)⟩ **0.1** [het uitwasemen] *emanation* ⇒*evaporation,* ⟨plantk.⟩ *transpiration,* ⟨geur enz.⟩ *exhalation* **0.2** [wat uitgewasemd wordt] *emanation* ⇒*fumes* ⟨mv.⟩, ⟨plantk.⟩ *transpiration,* ⟨huid⟩ *perspiration,* ⟨geur enz.⟩ *exhalation.*

uitwassen
I ⟨ov.ww.⟩ **0.1** [reinigen] *wash (out)* / *swab (out)* ⟨een wond⟩; *scald (out)* ⟨met kokend water⟩ **0.2** [doen verdwijnen] *wash out* / *away* ◆ **1.1** boter ~ *process butter* **1.2** vlekken ~ *w. out* / *away stains.*
II ⟨onov.ww.⟩ **0.1** [tot zijn volle lengte komen] *grow fully* / *to one's full length* ⇒*develop (fully)* **0.2** [uitlopen] *sprout* **0.3** [uit iets opgroeien] *grow out.*

uitwateren ⟨onov.ww.⟩ **0.1** *drain, discharge its water* ◆ **1.1** het kanaal waarop de polder uitwatert *the canal into which the polder drains* **6.1** rivieren die **in** de Oostzee ~ *rivers discharging their water into the Baltic.*

uitwatering ⟨de (v.)⟩ **0.1** [plaats waar een polder uitwatert] *outlet* **0.2** [het uitwateren] *discharge* ⇒*drainage, outflow* **0.3** [spuigat] *scupper* **0.4** [afstand tussen dek en waterspiegel] *freeboard* ◆ **1.2** recht van ~ *right of drainage, right to discharge water (over s.o. else's land).*

uitwateringskanaal ⟨het⟩ **0.1** *drainage canal.*

uitwateringssluis ⟨de⟩ **0.1** *outlet* / *discharge sluice.*

uitwedstrijd ⟨de (m.)⟩ ⟨sport⟩ **0.1** *away match* / *game.*

uitweg ⟨de (m.)⟩ **0.1** [uitkomst] *way out* ⇒⟨oplossing, ook⟩ *answer, solution* **0.2** [uitgang] *way out* ⇒*exit,* ⟨jur. ook⟩ *egress,* ⟨van gassen, water⟩ *outlet* **0.3** [gelegenheid tot uiting] *outlet* ◆ **1.2** recht van ~ hebben *right of exit* / ⟨jur. ook⟩ *egress* **2.1** als laatste ~ *as a last resort* **3.1** iem. geen andere ~ laten *leave s.o. no other choice* / *way out* / *opening;* hij wist een ~ *he had an answer* / *a solution;* hij zag geen andere ~ meer dan onder te duiken *he had no choice but to* / *he saw no other course than to go into hiding* **6.1** een ~ **uit** de moeilijkheden *a way out of the difficulties* **6.3** een ~ **voor** opgekropte gevoelens *an outlet for* / *an opportunity to vent (one's) pent-up emotions.*

uitwegen
I ⟨ov.ww.⟩ **0.1** [afwegen] *weigh out* **0.2** [bij gewicht verkopen] *sell by weight* / ⟨niet verpakt⟩ *loose* ◆ **1.2** kersen ~ *sell cherries by weight;* uitgewogen speculaas *loose biscuits;*
II ⟨onov.ww.⟩ **0.1** [veel volume hebben voor zijn gewicht] *weigh little* ⇒*be light.*

uitweiden ⟨onov.ww.⟩ **0.1** *dwell, enlarge, expand;* ⟨lang spreken⟩ *hold forth* ⇒⟨afdwalen⟩ *digress* ◆ **5.1** niet ~ *stick to the point* **6.1** over een onderwerp ~ *dwell* / *enlarge* / *elaborate on a subject;* te lang **over** iets ~ *dwell too long* / *at great length on sth., enlarge on sth. in too much detail.*

uitweiding ⟨de (v.)⟩ **0.1** *elaboration* ⇒*digression.*

uitwendig
I ⟨bn., bw.; -ly⟩ **0.1** [uiterlijk] *external* ⇒*outward, outer, exterior,* ⟨bw. ook⟩ *outside* ◆ **1.1** ~e diameter *outside* / *external diameter;* een geneesmiddel voor ~ gebruik *a medicine for external use* / *for outward application* / *that is not to be taken;* de ~e gehoorgang *the external auditory canal* / *meatus;* ⟨theol.⟩ de ~e mens *outward man* **3.1** ~ bespeurt men geen verandering *there is no noticeable external* / *outward change, externally* / *outwardly you can see no change* **7.1** aan het ~e blijven hangen *stay on the surface, not penetrate* / *get through* / *get down to the core* / *to the heart of the matter;* het ~e (deel) *the exterior* / *outside;*
II ⟨bn.⟩ **0.1** [van buiten komend] *external, outward* ◆ **1.1** ~e oorzaken *e. causes.*

uitwendigheid ⟨de (v.)⟩ **0.1** [⟨concr.⟩] *outward appearance* ⇒⟨mv. ook⟩ *externals* **0.2** [⟨abstr.⟩] *externality.*

uitwerken
I ⟨ov.ww.⟩ **0.1** [in bijzonderheden bewerken] *work out, elaborate* ⇒⟨opstellen⟩ *draw up* **0.2** [helemaal berekenen] *work out* ⇒↑*compute* **0.3** [bewerkstelligen] *bring about* ⇒*produce* **0.4** [figuren snijden in] *work (in relief)* ⇒⟨hout⟩ *carve* ◆ **1.1** zijn aantekeningen ~ *work up one's notes;* met uitgewerkte plannen voor de dag komen *come up with detailed plans;* een plot voor een roman / een idee ~ *develop a plot for a novel* / *an idea;* steno-aantekeningen ~ *transcribe* / *type out shorthand (notes)* **1.2** sommen / een formule ~ *w. out sums* / *a formula* **1.4** een uitgewerkte rand *a carved* / ⟨metaal⟩ *wrought edge* **6.1** aantekeningen **tot** een toespraak ~ *w. up* / *out notes into a speech;*
II ⟨onov.ww.⟩ **0.1** [zijn volle werking hebben] *wear off* ⇒⟨geen kracht meer hebben;* meestal voltooide tijd⟩ *have spent one's force, have exhausted one's strength,* ⟨van hout⟩ *season,* ⟨van vulkaan⟩ *become extinct* **0.2** [uitgisten] *complete* / *cease fermentation, be fermented* ◆ **1.1** de batterij is uitgewerkt *the battery is flat* / *has run down;* het effect v.d. devaluatie is uitgewerkt *the effect of the devaluation has worn off;* ~ katalysator / loogoplossing *spent catalyst* / *lye;* de verdoving is uitgewerkt *the effect* / *the anaesthetic has worn off.*

uitwerking ⟨de (v.)⟩ **0.1** [resultaat] *effect, result* ⇒*consequence* **0.2** [bewerking] *working-out, elaboration* ⇒*execution, development* **0.3** [be-

rekening] **working-out** ⇒ [1] *computation* ◆ 1.2 deze verhandeling is de
~ v.e. voordracht *this treatise is based on a lecture;* de ~ v.e. voorstel
further details of a proposal 2.1 een averechtse ~ hebben ⟨ook⟩ *be
counterproductive,* ⟨inf.⟩ *backfire* 3.1 de beoogde ~ hebben *have the
desired/intended e., be effective;* dat zal zijn ~ niet missen *that won't
fail/will work/will be effective;* zijn ~ missen ⟨ook⟩ *misfire* 7.1 de
medicijnen hadden geen ~ *the medicines had no e./ didn't work.*

uitwerpen
I ⟨ov.ww.⟩ 0.1 [naar buiten werpen] *throw out* ⇒ ⟨vnl. schr.⟩ *cast out*
0.2 [door werpen verwijderen] *throw out* ⇒ [1] *eject,* ⟨zijn eten⟩ *throw
up,* ⟨fig. ook⟩ *spew (up)* 0.3 [uitstoten] *throw out;* ⟨schr.⟩ *eject, cast
out* ⟨ook boze geesten⟩ ◆ 1.1 een anker ~ *(drop/cast) anchor;* het
dieplood ~ *drop the plumb-line;* zijn netten/hengel ergens ~ *cast
one's nets/line somewhere;* het vliegtuig wierp voedsel uit *the aeroplane dropped food* 1.2 de vulkaan wierp as en lava uit *the volcano
ejected/erupted ash and lava* 7.3 een uitgeworpene *an outcast;*
II ⟨onov., ov.ww.⟩ 0.1 [⟨sport⟩] *throw (out).*

uitwerpsel ⟨het⟩ 0.1 *(piece of) excrement* ⇒ ⟨mv. ook⟩ *excreta,* ⟨van
mensen ook; med.⟩ *stool, faeces, motion,* ⟨van dieren ook; mv.⟩ *droppings.*

uitwieden ⟨ov.ww.⟩ 0.1 *weed out* ⇒ *pull up* ◆ 1.1 het onkruid ~ *pull up
the weeds.*

uitwijkeling ⟨de (m.)⟩ ⟨AZN⟩ 0.1 *refugee* ⇒ ⟨vnl. mbt. Rusland⟩ *émi-
gré* ⟨m.⟩, *émigrée* ⟨v.⟩.

uitwijken ⟨onov.ww.⟩ 0.1 [uit de weg gaan] *turn aside,* ⟨auto⟩ *swerve*
0.2 [noodgedwongen verhuizen] *flee* ⇒ *emigrate,* ⟨schr.⟩ *fly* 0.3 [uit
elkaar wijken] ⟨twee lijnen⟩ *diverge;* ⟨muur, enz.⟩ *bulge* ◆ 1.3 zijn
knieën wijken uit *he is bow-legged* 3.1 het schip moest ~ *the ship had
to sheer away/give way* 5.1 rechts ~ *s. to the right* 6.1 vanwege de mist
liet men het luchtverkeer naar Oostende ~ *owing to the fog air traffic
was diverted to Ostend;* **voor** een auto ~ *s. to avoid a car;* **voor** een slag
~ *dodge/* ⟨bukken ook⟩ *duck (to avoid)/* ⟨opzij gaan ook⟩ *sidestep a
blow* 6.2 ⟨fig.⟩ toen het zaaltje te klein bleek, zijn we uitgeweken
naar de sporthal *the hall turned out to be too small, se we moved/went
to the gymnasium instead.*

uitwijkhaven ⟨de⟩ 0.1 [verbreding in een kanaal] *passing place* 0.2
[luchthaven] *alternative airport.*

uitwijking ⟨de (v.)⟩ 0.1 *flight* ⇒ *emigration.*

uitwijkmanoeuvre ⟨het, de⟩ 0.1 ⟨lett.⟩ *swerve;* ⟨fig.⟩ *evasive manoeuvre/
[A]maneuver* ⇒ *(piece of) evasive action.*

uitwijkmogelijkheid ⟨de (v.)⟩ 0.1 [mogelijkheid om uit te wijken naar
elders] *alternative (arrangement)* ⇒ ⟨inf.⟩ *fall-back arrangement* 0.2
[mogelijkheid om een naderende gebeurtenis te voorkomen] *chance
of escape, escape route.*

uitwijzen ⟨ov.ww.⟩ 0.1 [aantonen] *show* ⇒ *reveal* 0.2 [uit het land zet-
ten] ⟨mbt. vreemdelingen⟩ *deport* ⇒ *expel,* ⟨mbt. burgers v.h. land
zelf; ook gesch.⟩ *banish, exile* 0.3 [beslissen] *decide* ◆ 1.1 de tijd/
nader onderzoek zal het ~ *time will tell, further/closer investigation
will show it* 4.1 dat zal zich spoedig ~ *that will soon come to light* 4.3
de rechter moet het maar ~ *the judge will have to decide (the case)* 7.2
een uitgewezene ⟨vreemdeling⟩ *a deportee,* ⟨landgenoot⟩ *an exile.*

uitwijzing ⟨de (v.)⟩ 0.1 ⟨mbt. vreemdelingen⟩ *deportation* ⇒ *expulsion,*
⟨mbt. burgers v.h. land zelf⟩ *banishment, exile.*

uitwijzingsbesluit, -bevel ⟨het⟩ 0.1 *deportation/expulsion order.*

uitwinnen ⟨ov.ww.⟩ ⟨jur.⟩ 0.1 *sell off s.o.'s goods/property.*

uitwisbaar ⟨bn.⟩ 0.1 *erasable.*

uitwisselbaar ⟨bn.⟩ 0.1 *interchangeable* ⇒ *exchangeable* ◆ 1.1 uitwissel-
bare onderdelen *i. parts/components.*

uitwisselen ⟨ov.ww.⟩ 0.1 *exchange* ⇒ ⟨inf.⟩ *swap,* ⟨vnl. AE ook⟩ *trade,*
⟨vnl. mbt. ideeën enz.⟩ *interchange* ◆ 1.1 beleefdheden/vriendelijk-
heden ~ *e. civilities/cordialities;* ervaringen/meningen/indrukken ~
e./swap/trade/interchange experiences/views/ideas, ⟨inf.⟩ *compare
notes* ⟨alle bet.⟩; krijgsgevangenen ~ *e. prisoners of war.*

uitwisseling ⟨de (v.)⟩ 0.1 *exchange* ⇒ ⟨vnl. mbt. ideeën, enz.⟩ *interchange,* ⟨inf.⟩ *swap,* ⟨vnl. AE ook⟩ *trade* ◆ 2.1 de culturele ~ *the cultural e..*

uitwisselingsverdrag ⟨het⟩ 0.1 *exchange treaty/agreement.*

uitwissen ⟨ov.ww.⟩ 0.1 [laten verdwijnen] *wipe out* ⇒ *wipe away/off,
erase, blot out,* ⟨vnl. fig.⟩ *efface* 0.2 [reinigen] *clean, cleanse* ◆ 1.1
⟨fig.⟩ zijn nederlaag ~ *make up for/atone for/make good one's defeat;* sporen ~ *erase/cover up one's tracks;* tekst op een schoolbord/
de opname op een magneetband ~ *wipe/rub out/erase sth. written on
the blackboard/the recording on a magnetic tape;* vlekken ~ *w. away
stains;* ⟨fig.⟩ zijn zonden ~ *atone for/make good one's sins* 1.2 zich de
ogen ~ *cleanse one's eyes* 5.1 een half uitgewist opschrift *a half-oblit-
erated inscription.*

uitwoeden ⟨onov.ww.⟩ 0.1 *subside* ⇒ *burn/blow o.s. out* ◆ 1.1 de brand
was uitgewoed *the fire had burnt itself out;* de epidemie is uitgewoed
the epidemic has run its course; zijn passie is uitgewoed *his passion is
spent/has subsided;* de storm was uitgewoed *the storm had subsided/
had blown itself out.*

uitwonen ⟨ov.ww.⟩ 0.1 ⟨zie 5.1⟩ ◆ 5.1 zij hebben het huis totaal uitgewoond *they've really let the house (get) run down/neglected the house
/ruined the house by not looking after it.*

uitwonend ⟨bn.⟩ 0.1 [niet thuis wonend] *(living) away from home* 0.2
[extern] *non-resident* ◆ 1.1 twee studerende, ~e dochters *two daughters studying and living away from home* 1.2 een ~ assistent *a n.-r. assistant;* een ~ grondbezitter *an absentee landlord;* een ~ leerling *a
day-boy/-girl/-pupil.*

uitworp ⟨de (m.)⟩ 0.1 [⟨sport⟩] *throw(-out)* 0.2 [wat uitgestoten wordt]
emission ⇒ *release, discharge* ◆ 1.2 de ~ van zwaveldioxide [B]*sulphur
[A]sulfur dioxide e..*

uitwrijven ⟨ov.ww.⟩ 0.1 [reinigen] *rub* ⇒ ⟨schoenen, enz.⟩ *polish (up)*
0.2 [uitspreiden] *spread* ⇒ *rub over* ◆ 1.1 zijn ogen ~ *r. one's eyes* 4.1
⟨fig.⟩ zich de ogen ~ *r. one's eyes with astonishment.*

uitwringen ⟨ov.ww.⟩ 0.1 *wring out* ◆ 3.1 ⟨iron.⟩ je kunt hem wel ~ *he's
wringing wet/soaked through/to the skin, you can wring him out.*

uitwuiven ⟨ov.ww.⟩ 0.1 *see (s.o.) off* ⇒ *wave (s.o.) goodbye.*

uitzaaien
I ⟨ov.ww.⟩ 0.1 [zaaiend verspreiden] *sow* ⇒ ⟨fig. ook⟩ *disseminate* ◆
1.1 zaaioesters ~ *plant seed oysters;*
II ⟨ov.ww.; zich ~⟩ 0.1 [⟨med.⟩] *spread* ⇒ *disseminate,* ⟨over het
hele lichaam⟩ *become generalized* ◆ 1.1 de kanker had zich uitge-
zaaid *the cancer had spread/disseminated/formed secondaries/* ⟨med.
ook⟩ *metastases/become generalized.*

uitzaaiing ⟨de (v.)⟩ 0.1 [het uitzaaien] *sowing* ⇒ ⟨fig. ook⟩ *dissemination* 0.2 [⟨med.⟩ proces] *spread* ⇒ *dissemination, formation of secondaries,* ⟨med. ook⟩ *metastasis* 0.3 [⟨med.⟩ resultaat] *secondary (tumour)* ⇒ ⟨med. ook⟩ *metastasis.*

uitzagen ⟨ov.ww.⟩ 0.1 [door zagen verwijderen] *saw out* ⇒ ⟨bevrijden⟩
saw free 0.2 [door zagen vormen] *saw out.*

uitzakken ⟨onov.ww.⟩ 0.1 [buiten iets komen] *protrude* ⇒ ⟨med. ook⟩
prolapse 0.2 [uit het lood zakken] *bulge (out)* 0.3 [uit zijn vorm zak-
ken] *sag (out)* ⇒ *give way* 0.4 [⟨med.⟩] *prolapse* ◆ 1.1 de endeldarm is
uitgezakt *the rectum is protruding/has prolapsed* 1.2 de muur is uitgezakt *the wall is bulging* 1.3 een uitgezakt lichaam *a sagging body.*

uitzakking ⟨de (v.)⟩ 0.1 [⟨med.⟩ het uitzakken] *prolapse* 0.2 [plaats
waar iets uitgezakt is] *collapse* ⇒ *sag.*

uitzege ⟨de⟩ ⟨sport⟩ 0.1 *away win/victory.*

uitzeilen ⟨onov.ww.⟩ 0.1 [wegzeilen] *sail (away/off)* ⇒ *set sail, put out
(to sea)* 0.2 [ten einde zeilen] *sail the length of/to the end of/all the
way along/down/up.*

uitzendbureau ⟨het⟩ 0.1 *(temporary) employment/* ⟨BE; inf.⟩ *temp(ing)
agency* ◆ 1.1 ~ voor typisten/typistes *secretarial agency* 6.1 **voor** een
~ werken ⟨BE; inf.; ook⟩ *temp, do temping.*

uitzenden
I ⟨onov., ov.ww.⟩ 0.1 [⟨com.⟩] *broadcast* ⇒ *transmit* ◆ 1.1 golven ~
transmit waves; stralen ~ *emit rays;* de TV zendt de wedstrijd uit
⟨ook⟩ *the match will be televised* 5.1 opnieuw ~ *re-broadcast, repeat;*
wanneer zendt de KRO uit? ⟨ook⟩ *when is the KRO on the air?* 6.1
iets over de radio ~ *broadcast/transmit sth. by/over the radio,* ⟨bood-
schap, enz. ook⟩ *radio sth.;*
II ⟨ov.ww.⟩ 0.1 [met een opdracht wegzenden] *send out* ⇒ *dispatch,*
⟨naar het buitenland ook⟩ *post (abroad)* 0.2 [rondzenden] *bring
round* ⇒ *deliver* ◆ 1.1 tijdelijk personeel, uitgezonden door gespecialiseerde bemiddelingsbureaus *temporary staff deployed by specialized agencies* 1.2 diners ~ *bring round/deliver dinners/meals* 6.1 iem.
om boodschappen ~ *send s.o. on errands.*

uitzending ⟨de (v.)⟩ 0.1 [⟨com.⟩ programma] *broadcast* ⇒ *programme
[A]gram, transmission* 0.2 [het uitzenden] *broadcast(ing)* ⇒
transmission 0.3 [het sturen met een opdracht] *dispatching* ⇒ *sending
(out)* ◆ 2.1 een rechtstreekse ~ *a direct/live b.* 6.2 hij zit in de ~ *he's
on the air.*

uitzendkracht ⟨de (m.)⟩ 0.1 *temporary worker/employee,* ⟨BE; inf.⟩
temp ◆ 1.1 de Raad heeft een aantal ~en in dienst *the Board employs
a number of agency staff.*

uitzet ⟨het, de (m.)⟩ 0.1 *outfit;* ⟨van bruid⟩ *trousseau;* ⟨voor baby⟩
layette, ⟨inf., mbt. ongetrouwde vrouw⟩ [B]*bottom drawer,* [A]*hope chest.*

uitzetten
I ⟨ov.ww.⟩ 0.1 [buiten iets zetten] *throw/put out* ⇒ *expel,* ⟨uit land⟩
deport, ⟨inf.⟩ *throw out* 0.2 [uitspreiden] *spread (out)* 0.3 [verspreid
zetten] *set/spread (out)* 0.4 [op interest zetten] *place, put out* 0.5 [bui-
ten werking stellen] *switch/turn off* 0.6 [uitmeten, aftekenen] *measure (out)* ⇒ *plot, trace, mark off/out* 0.7 [in omvang doen toenemen]
expand ⇒ *enlarge,* ⟨langer maken⟩ *extend* ◆ 1.1 de sloepen ~ *put out
the life boats, lower/launch the boats;* ongewenste vreemdelingen ~
deport/expel undesirable aliens 1.2 de zeilen ~ *s. the sails* 1.3 planten
~ *put plants out, plant seedings out;* pootvis ~ *plant fry;* schildwachten
~ *post sentries/guards, set a watch;* visnetten/zetlijnen ~ *put out/set
fishing nets/night-lines* 1.4 geld ~ *put out money* 1.5 het gas/de televisie ~ *switch/turn the gas/television off, switch/turn off the gas/televi-
sion* 1.6 een grafiek/kromme ~ *plot a graph/curve;* een koers ~ *plot/
chart a course;* een spoorbaan ~/ een parcours voor de marathon ~
plot the course of a railway line/a course for the marathon; ⟨wisk.⟩ op
de lijn AC een stuk AD ~, gelijk aan PQ *mark off/measure on line
AC a segment AD, equal to PQ* 1.7 de borst ~ *expand one's chest;*
II ⟨onov.ww.⟩ 0.1 [in volume toenemen] *expand* ⇒ *swell,* ⟨wet.⟩ *di-*

late ◆ **1.1** een uitgezet hart *a dilated heart;* ~de kracht/~d vermogen *expansive force, expansibility;* door warmte zetten de meeste stoffen uit *heat causes most materials to expand, most materials are dilated by heat;*

III ⟨wk.ww.; zich~⟩ **0.1** [in omvang toenemen] *expand* ⇒*swell.*

uitzetting ⟨de (v.)⟩ **0.1** [verwijdering] *ejection* ⇒*expulsion,* ⟨uit land ook⟩ *deportation,* ⟨uit huis⟩ *eviction* **0.2** [zwelling] *swelling* ⟨ook tech.⟩; *distension* ⟨van blaas, buik⟩; *dilatation* ⟨van hart, maag⟩ **0.3** [vergroting] *expansion* ⟨in volume⟩; *extension* ⟨in lengte⟩ **0.4** [ontscheping] *casting away/ashore* ◆ **1.1** een bevel tot ~ *an eviction/expulsion order* **2.3** lineaire/kubieke ~ *(linear) extension, (cubic) expansion.*

uitzettingsbevel ⟨het⟩ **0.1** *expulsion/* ⟨uit land ook⟩ *deportation/* ⟨uit huis ook⟩ *eviction order* ◆ **3.1** een ~ aan de bewoners betekenen *serve an eviction order/serve notice of eviction on the occupants.*

uitzettingscoëfficiënt ⟨de (m.)⟩ ⟨nat.⟩ **0.1** *coefficient of expansion.*

uitzettingsvermogen ⟨het⟩ **0.1** *expansibility* ⇒*capacity for expansion,* ⟨holte⟩ *dilatability.*

uitzicht ⟨het⟩ **0.1** [gelegenheid om naar buiten te zien] *view* ⇒*prospect* **0.2** [datgene waar men op uitkijkt] *view* ⇒*vista, panorama, prospect* **0.3** [vooruitzicht] *prospect* ⇒*outlook* ◆ **2.1** vrij ~ *unobstructed view* **2.2** v.e. mooi ~ genieten *have/enjoy a wonderful view/panorama;* een wijds ~ ⟨ook⟩ *a commanding view/vista/panorama* **3.1** iem. het ~ belemmeren/benemen *block/obstruct/cut off/interrupt s.o.'s view;* dat raam geeft een ~ over de stad *that window has/commands/gives/provides a view of/over/across the town* **3.3** deze politiek biedt geen ~ op succes *this policy has no p. / chance of success;* ~ geven op promotie *hold out prospects/a the p. of promotion* **6.1** de speler was in zijn ~ belemmerd *the player was unsighted, the player had his view obstructed;* met ~ op *with a view of, overlooking, looking (out) onto;* een suite met ~ *a suite with a view, a vistaed suite.*

uitzichtloos ⟨bn.⟩ **0.1** *hopeless* ⇒*dead-end, futureless, blind-alley* ◆ **1.1** ~ beleid/baantje *dead-end/blind-alley policy/job;* een uitzichtloze situatie *a h. / dead-end/blind-alley situation, a cul-de-sac;* een ~ (ziekte)geval *a h. / an incurable case, a case beyond human aid.*

uitzieken ⟨onov.ww.⟩ ◆ **3.¶** je moet goed ~ voordat je weer aan het werk gaat *you have to be sure your illness has run itself out/you have fully recovered before you go back to work;* dat moet eerst ~ *that has to run/work itself out first/run its course first.*

uitzien
I ⟨onov.ww.⟩ **0.1** [verlangend wachten] *look forward to* **0.2** [proberen te krijgen] *be on the lookout for* ⇒*look/watch for* **0.3** [tot uitzicht hebben] *face* ⇒*front, look out (up)on* ◆ **6.1** ~ naar de vakantie *be looking forward to the holidays;* vol verlangen ~ naar *eagerly look forward to, yearn for;* met smart ~ naar *ache/pine for* **6.2** naar een gelegenheid ~ *be on the lookout/watch for an opportunity;* naar een betrekking ~ *be looking for a position;* naar een reisgenoot ~ *be looking for a travel companion* **6.3** een kamer die op zee uitziet *a room with a view of the sea/facing the sea;* ~ op het westen *look out on/face/front the west, have a western exposure;*
II ⟨onov.ww.⟩ **0.1** [ten einde zien] *watch through (to the end)* ◆ **1.1** een toneelstuk ~ *watch a play to the end.*

uitzingen ⟨ov.ww.⟩ **0.1** [volhouden] *hold out* ⇒*manage* **0.2** [ten einde zingen] *sing out/to the end* **0.3** [zingend uiten] *sing out* ◆ **1.2** een lied ~ *finish a song* **4.1** ik kan het nog wel een paar dagen ~ *I can manage for a few days;* wij hebben nog voldoende geld om het deze week uit te zingen *we've got enough money to see this week out* **4.3** zij zongen het uit van blijdschap *they sang for joy/sang out in joy.*

uitzinnig ⟨bn., bw.; -ly⟩ **0.1** *frenzied* ⇒*furious, delirious, wild, frantic, frenetic* ◆ **1.1** een ~e menigte *a frenzied/hysterical crowd;* ~e woede *wild rage* **3.1** ~ tekeergaan *go on a rampage/wild, run amok/amuck* **6.1** ~ van vreugde *mad/wild/delirious with joy;* ~ van verdriet *distraught with grief.*

uitzinnigheid ⟨de (v.)⟩ **0.1** [geestestoestand] *frenzy* ⇒*delirium, hysteria, ecstasy* ⟨vreugde⟩ **0.2** [daad] *frenzy* ◆ **6.1** in wanhoop ~ doodde zij haar kinderen *in a f. of utter despair she killed her children.*

uitzitten ⟨ov.ww.⟩ **0.1** *sit out (to the end)* ⇒*stay until the end* ◆ **1.1** het oude jaar ~ *sit out/see out the old year;* zijn tijd ~ *sit out/wait out one's time;* ⟨in gevangenis⟩ *serve one's time;* ik heb de vergadering niet helemaal uitgezeten *I didn't sit out/sit through the whole meeting.*

uitzoeken ⟨ov.ww.⟩ **0.1** [uitkiezen] *select* ⇒*choose, pick out* **0.2** [sorteren] *sort (out)* **0.3** [uitpuzzelen] *sort out* ⇒*figure out, work out, solve* ◆ **1.2** de was ~ *sort the laundry* **1.3** een kwestie ~ *sort out/work out/figure out a problem* **3.1** je mag ~ *you may have your pick/choice* **4.3** dat moeten zij zelf maar ~ *they have to sort/work/figure that out for themselves;* ze zoeken het maar uit *that is their worry/problem, I don't care, I wash my hands of it, let them get on with it* **5.3** ik ga dit grondig ~ *I'm going to get to the bottom of this.*

uitzonderen ⟨ov.ww.⟩ **0.1** *except* ⇒*exclude, debar* ◆ **4.1** de wet zondert niemand uit *the law makes an exception of no-one/no exception for anyone;* niemand uitgezonderd *barring none* **6.1** dit geval is van die regel uitgezonderd *this case is an exception to the rule.*

uitzondering ⟨de (v.)⟩ ⟨→sprw. 580⟩ **0.1** [handeling] *exception* **0.2** [geval van buitensluiting] *exception* ◆ **3.1** een ~ maken voor *make an e. for* **3.2** daar heb je de ~ die de regel bevestigt *that is the e. which proves the rule;* dat is een ~ *that is an e.;* dat vormt een gunstige ~ *that is a favourable e.* **6.1** bij ⟨hoge⟩ ~ *very exceptionally, only (very) rarely;* met ~ van *with the e. of, excepting, save;* iedereen zonder ~ *everyone without e., bar(ring) none* **6.2** geen regel zonder ~ *there is an e. to every rule.*

uitzonderingsbepaling ⟨de (v.)⟩ **0.1** [⟨alg.⟩] *exception(al provision)* **0.2** [in contract] *saving clause* ◆ **2.1** er zijn enige ~en gemaakt *a number of exceptions have been introduced/allowed.*

uitzonderingsgeval ⟨het⟩ **0.1** *exception(al case)* ⇒*isolated case.*

uitzonderingspositie ⟨de (v.)⟩ **0.1** *exceptional/special/unique position* ◆ **6.1** zich in een ~ bevinden *be in/occupy an exceptional/a special/unique position, an e. to the general rule.*

uitzonderingstoestand ⟨de (m.)⟩ **0.1** *(national) emergency* ◆ **3.1** de ~ afkondigen *declare/proclaim a state of national emergency.*

uitzonderlijk ⟨bn., bw.; -ly⟩ **0.1** *exceptional* ⇒*singular, unique, phenomenal, uncommon* ◆ **1.1** van ~ belang *of singular/particular importance;* een ~e ervaring/kracht *a phenomenal experience/strength;* een man van ~ formaat *a man of e. stature;* ~e gevallen *e. cases;* een man met ~e talenten *a man of unique/uncommon/singular talents/gifts* **2.1** ~ begaafd *exceptionally gifted.*

uitzoomen ⟨ww.⟩ ⟨film.⟩ **0.1** *zoom out.*

uitzuigen ⟨ov.ww.⟩ **0.1** [uitbuiten] *squeeze/bleed dry* ⇒*exploit, extort* **0.2** [ontdoen, zuigend legen] *suck out* ⇒*drain* ⟨met medisch zuigapparaat⟩ **0.3** [zuigend reinigen] *vacuum out* ◆ **1.0** de armen ~ *grind the faces of the poor;* iemand ~ ⟨ook⟩ *bleed s.o. white;* het volk ~ *squeeze/bleed the population dry, exploit the people* **1.2** het sap ~ *suck out the juice;* een wond ~ *suck out a wound* **1.3** een kast ~ *vacuum out a cupboard/closet.*

uitzuiger ⟨de (m.)⟩, **-zuigster** ⟨de (v.)⟩ **0.1** *blood-sucker* ⇒*extortioner, extortionist, vampire* ⟨chantage⟩.

uitzuigerij ⟨de (v.)⟩ **0.1** *blood-sucking* ⇒*exploitation, extortion.*

uitzwaaien ⟨ov.ww.⟩ **0.1** *send off* ⇒*wave good-bye to, give a send-off to* ◆ **1.1** een oude makker hartelijk ~ *give an old mate a rousing send-off;* vrienden ~ *wave good-bye to friends.*

uitzwavelen ⟨ov.ww.⟩ **0.1** *fumigate* ⇒*sulphur* ^*fur, sulphurate* ^*furate, gas.*

uitzwemmen
I ⟨ov.ww.⟩ **0.1** [ten einde zwemmen] *swim to the end* ⇒*finish* ◆ **1.1** zij heeft de hele wedstrijd uitgezwommen *she finished the swimming race;*
II ⟨onov.ww.⟩ **0.1** [rustig verder zwemmen] *have an easy swim* ◆ **1.1** vier baantjes ~ *swim four easy laps.*

uitzwenken ⟨onov.ww.⟩ **0.1** *swing/swerve out* ⇒*jackknife* ⟨scharende oplegger⟩.

uitzwermen ⟨onov.ww.⟩ **0.1** [in een zwerm uitvliegen] *swarm out/off* **0.2** [naar alle kanten uittrekken] *swarm (around/about)* ⇒*hive off* **0.3** [tirailleren] *fan out/disperse/tail out (in skirmishing order)* ◆ **1.1** de bijen zwermden uit *the bees swarmed out;* een ~de bijenkorf *a swarmer* **1.2** ~de vakantiegangers *holidaymakers leaving in swarms.*

uitzweten ⟨ov.ww.⟩ **0.1** [verdrijven] *sweat out* **0.2** [vocht afdrijven] *sweat* ⇒*perspire, secrete/lose sweat* ◆ **1.1** een verkoudheid ~ *sweat out a cold* **1.2** de mens zweet per dag ongeveer 600 g vocht uit *man secretes/loses about 600 grams of sweat a day;* de muren zweten vocht uit *the walls are sweating.*

uk ⟨de (m.)⟩ **0.1** *toddler* ⇒*kiddy, chit,* ⟨vnl. AE ook⟩ *tyke* ◆ **6.1** die ~ken van kinderen *those little toddlers/kiddies/nippers.*

ukelele ⟨de (m.)⟩ **0.1** *ukelele* ⇒⟨inf.⟩ *uke.*

ukkepuk ⟨de (m.)⟩ →**uk.**

ulevel ⟨de⟩ **0.1** ≠*motto-caramel,* ^*motto-kiss.*

ulo ⟨gesch.⟩ **0.1** ⟨*advanced primary education*⟩.

ulterieur ⟨bn.⟩ **0.1** *subsequent* ⇒*ulterior, posterior.*

ultiem ⟨bn.⟩ **0.1** *ultimate* ⇒*last-minute, last-ditch* ⟨wanhopig⟩ ◆ **1.1** ~e pogingen *last-ditch/all-out/final efforts;* ~e wapens *u. weapons;* ~e wijzigingen *last-minute amendments.*

ultimatief ⟨bn.⟩ **0.1** *ultimatum-like* ⇒⟨zeldz.⟩ *ultimative* ◆ **1.1** een ultimatieve nota *an ultimatum.*

ultimatum ⟨het⟩ **0.1** *ultimatum* ◆ **1.1** een ~ stellen *deliver/state/present an u.;* een ~ laten verlopen *let an u. run out.*

ultimo ⟨bn.⟩ **0.1** *at the end of* ◆ **1.1** ~ januari *at the end of January.*

ultra ⟨de (m.)⟩ **0.1** *ultra* ⇒*extremist, radical, out-and-outer, bitter-ender.*

ultracentrifuge ⟨de⟩ **0.1** *ultracentrifuge.*

ultrakort ⟨bn.⟩ ⟨com.⟩ **0.1** *ultrashort* ◆ **1.1** de ~e golf *the u. wave;* ~e radiogolven *u. radio waves.*

ultralicht ⟨bn.⟩ **0.1** *ultralight* ◆ **1.1** ~e metalen *u. metals.*

ultramarijn[1] ⟨het⟩ **0.1** *ultramarine.*

ultramarijn[2] ⟨bn.⟩ **0.1** *ultramarine.*

ultramicroscoop ⟨de (m.)⟩ **0.1** *ultramicroscope.*

ultramicroscopisch ⟨bn.⟩ **0.1** [met een ultramicroscoop uitgevoerd] *ultramicroscopic* **0.2** [met een ultramicroscoop waarneembaar] *ultramicroscopic.*

ultrarechts ⟨bn., bw.⟩ **0.1** *ultraright(-wing)*.
ultrasnel ⟨bn., bw.⟩ **0.1** *ultra-fast/-rapid* ⇒*high-speed* ◆ **1.1** ~le fotografie *u.-f. photography;* ~le trein *high-speed/* ⟨vnl. in Japan⟩ *bullet train*.
ultrasonisch ⟨bn.⟩ **0.1** *ultrasonic*.
ultrasonoor ⟨bn.⟩ **0.1** [voor het menselijk oor onhoorbaar] *ultrasonic* ⇒ *supersonic* **0.2** [werkend met ultrasone trillingen] *ultrasonic* ⇒*supersonic* ◆ **3.2** ~ reinigen/lassen *u. cleaning/welding*.
ultrasoontrilling ⟨de (v.)⟩ ⟨nat.⟩ **0.1** *ultrasonic vibration*.
ultrastraling ⟨de (v.)⟩ **0.1** *cosmic radiation* ⇒*cosmic rays*.
ultrastructuur ⟨de (v.)⟩ **0.1** *ultrastructure*.
ultraviolet ⟨bn.⟩ **0.1** *ultraviolet* ◆ **1.1** ~te stralen *u. rays* **7.1** het ~ *u.*.
umlaut ⟨de (m.)⟩ ⟨taal.⟩ **0.1** [teken] *umlaut (mark)* **0.2** [klankwijziging] *umlaut* ⇒*vowel mutation*.
umlautsfactor ⟨de (m.)⟩ **0.1** *umlaut factor*.
umlautsteken ⟨het⟩ →umlaut **0.1**.
unaniem ⟨bn., bw.;-ly⟩ **0.1** *unanimous* ◆ **1.1** ~e bijval *u. approval* **3.1** ~ aangenomen *adopted unanimously; carried unanimously* ⟨een motie⟩; zij verklaarden ~ ... *they declared with one voice/accord/assent/consent* **6.1** ~ voor iets stemmen ⟨ook⟩ *go solid for sth.;* ~ vóór/tegen iets zijn *be unanimously for/against sth.*.
unanimiteit ⟨de (v.)⟩ **0.1** *unanimity* ⇒*consensus (of opinion)*.
unanimiteitsbeginsel ⟨het⟩ **0.1** *principle of unanimity*.
unciaal ⟨de⟩ ⟨druk.⟩ **0.1** *majuscule* ⇒*uncial* ⟨handschrift⟩.
undulatie ⟨de (v.)⟩ **0.1** *undulation* ⇒*perm(anent wave)* ⟨haar⟩.
unduleren
I ⟨onov.ww.⟩ **0.1** [golven] *undulate* ⇒ ⟨BE; inf.⟩ *perm* ⟨haar⟩;
II ⟨ov.ww.⟩ **0.1** [golfvorm geven aan] *undulate* ⇒*wave* ⟨haar⟩, ⟨BE; inf.⟩ *perm*.
unfair ⟨bn., bw.;-ly⟩ **0.1** *unfair* ⇒*unsporting, unsportsmanlike* ◆ **3.1** iem. ~ behandelen *treat s.o. unfairly;* ⟨inf. ook⟩ *hit s.o. below the belt;* dat is ~ *that is foul play/dirty dealing/not cricket/not good sportsmanship*.
uni ⟨bn.⟩ **0.1** *unicolour(ed)* ⇒*unicolorous,* ↑*monochromatic* ◆ **1.1** ~ stoffen ⟨ook⟩ *plain/unpatterned fabrics*.
unicaat ⟨het⟩ **0.1** *unique/single/only copy*.
uniciteit ⟨de (v.)⟩ **0.1** *unicity* ⇒*oneness, uniqueness, singularity*.
unicum ⟨het⟩ **0.1** [iets unieks] *unique/singular event/thing* **0.2** [enig exemplaar] *unique/single/only copy* ◆ **6.1** dit is een ~ in de geschiedenis v.d. sport *this is unique/a unique event/unparalleled in the history of sports*.
unie ⟨de (v.)⟩ **0.1** [vereniging, verbond] *union* ⇒*association, coalition* **0.2** [aaneensluiting van staten] *union* ◆ **1.2** de ~ van socialistische Sovjetrepublieken (USSR) *the U. of Soviet Socialist Republics* **2.2** personele ~ *personal u.;* ⟨BE; gesch.⟩ *the Union (of the Crowns)*.
uniek ⟨bn., bw.;-ly⟩ **0.1** [enig] *unique* ⇒*only, singular, unparalleled, incomparable, inimitable* **0.2** [heerlijk, kostelijk] *wonderful* ⇒*marvellous, delightful, fabulous, terrific, splendid* ◆ **1.1** een ~e gelegenheid ⟨ook⟩ *the chance of a lifetime;* een ~ gezicht *a u. / an unusual face* **3.2** ik vond het ~ *I thought it was w./ marvellous/delightful*.
uniëren ⟨ov.ww.⟩ **0.1** *unite*.
unificatie ⟨de (v.)⟩ **0.1** *unification*.
unificeren ⟨ov.ww.⟩ **0.1** *unify*.
uniform¹ ⟨het⟩ **0.1** *uniform* ◆ **3.1** een ~ dragen *wear a u.* **6.1** in ~ zijn *be in u.;* in volledig ~ *in full regimentals;* politie in ~ *uniformed police;* ⟨AE; inf.⟩ *bluecoats*.
uniform² ⟨bn., bw.;-ly⟩ **0.1** [gelijkvormig] *uniform* ⇒*consistent* **0.2** [wisk.) gelijkmatig] *uniform* **0.3** [⟨wisk.⟩ eenwaardig] *uniform* ◆ **1.1** ~e prijzen *u. prices;* een ~ tarief *a flat/single rate* **2.2** ~ convergent *uniformly convergent*.
uniformeren ⟨ov.ww.⟩ **0.1** *make uniform* ⇒*uniformize*.
uniformering ⟨de (v.)⟩ **0.1** *uniformization* ⇒*regimentation*.
uniformiteit ⟨de (v.)⟩ **0.1** *uniformity* ◆ **1.1** ~ van papierformaat *uniform/standard paper size*.
uniformjas ⟨de⟩ **0.1** *uniform coat* ⇒⟨kort⟩ *tunic, uniform jacket*.
unilateraal ⟨bn., bw.;-ly⟩ **0.1** *unilateral*.
unipolair ⟨bn.⟩ ⟨nat.⟩ **0.1** *unipolar*.
uniseks ⟨bn.⟩ **0.1** *unisex*.
unisono ⟨bw.⟩ ⟨muz.⟩ **0.1** *in unison* ◆ **3.1** ~ spelen *play in unison*.
unitair ⟨bn.⟩ **0.1** *unitary* ⇒*unitarian, unital*.
unitariër ⟨de (m.)⟩ **0.1** [voorstander van eenheid] *unitarian* ⇒*unitarist* **0.2** [⟨theol.⟩] *unitarian*.
unitarisme ⟨het⟩ **0.1** *unitarianism*.
unitaristisch ⟨bn.⟩ **0.1** *unitarian*.
uniteit ⟨de (v.)⟩ **0.1** *unity*.
universalia ⟨zn.mv.⟩ **0.1** *universals* ◆ **2.1** ⟨taal.⟩ syntactische ~ *syntactic u.*.
universalisme ⟨het⟩ **0.1** [algemeenheid] *universality* **0.2** [⟨theol.⟩] *universalism* ⇒*university* **0.3** [⟨fil.⟩] *universalism*.
universalist ⟨de (m.)⟩ **0.1** *universalist*.
universalistisch ⟨bn.⟩ **0.1** *universalist(ic)*.
universaliteit ⟨de (v.)⟩ **0.1** [alomvattendheid] *universality* **0.2** [algemeenheid] *universality* **0.3** [⟨jur.⟩] *universality*.

universeel ⟨bn., bw.;-ly⟩ **0.1** [alles omvattend] *universal* **0.2** [algemeen geldend/voorkomend] *universal* **0.3** [voor/in alle gevallen bruikbaar] *universal* ⇒*all-/general-purpose* **0.4** [⟨elek.⟩] *AC/DC* ◆ **1.1** ~ erfgenaam *u. legatee/successor;* een ~ genie *a u. genius* **1.2** de universele rechten v.d. mens *the u. rights of man* **1.3** ~ gereedschap *all-/general-purpose tools/equipment;* ~e schaaf *universele plane;* een ~ zelfbouwsysteem *an all-purpose DIY system*.
universitair ⟨bn.⟩ **0.1** *university* ◆ **1.1** een ~e graad *a u./an academic/* ⟨AE ook⟩ *a college degree;* het ~e onderwijs *higher education;* iem. met een ~e opleiding *s.o. with a u. education, a u./* ⟨AE ook⟩ *college graduate*.
universiteit ⟨de (v.)⟩ **0.1** [instelling] *university* **0.2** [gebouw] *university* ◆ **2.1** de Open Universiteit *the Open U.* **3.1** de ~ verlaten *leave u./* ⟨AE ook⟩ *college* **6.1** aan een ~ studeren *study at a u.;* hoogleraar aan de ~ van/te Oxford *(full) professor at Oxford U.;* naar de ~ gaan *go to u./* ⟨AE ook⟩ *college;* hij is op de ~ *he is (studying) at the u.*.
universiteitsbestuur ⟨het⟩ **0.1** *university board/administration* ⇒*governing body of a/the university*.
universiteitsbibliotheek ⟨de (v.)⟩ **0.1** *university library*.
universiteitsdocent ⟨de (m.)⟩ **0.1** *university lecturer*.
universiteitsgebouw ⟨het⟩ **0.1** *university building*.
universiteitsgids ⟨de (m.)⟩ **0.1** *university guide/handbook*.
universiteitskliniek ⟨de (v.)⟩ **0.1** *teaching hospital/clinic*.
universiteitsraad ⟨de (m.)⟩ **0.1** ≠*university council*.
universiteitsstad ⟨de⟩ **0.1** *university/* ⟨AE ook⟩ *college town* ◆ **3.1** de ~ verlaten [B]*go down* **6.1** naar de ~ gaan/komen [B]*go up*.
universum ⟨het⟩ **0.1** [heelal] *universe* **0.2** [geheel van punten] *universe*.
UNO ⟨de (v.)⟩ **0.1** *U.N.O., UNO* ⇒*U.N., UN*.
unster ⟨de⟩ **0.1** *steelyard* ⇒*weighbeam*.
updaten ⟨ww.⟩ **0.1** *update*.
uppie ⟨het⟩ ⟨inf.⟩ ◆ **6.¶** in z'n ~ *on/by one's lonesome, all by o.s.*.
uranium ⟨het⟩ ⟨schei.⟩ **0.1** *uranium* ◆ **2.1** verrijkt ~ *enriched u.*.
uraniumhoudend ⟨bn.⟩ **0.1** *uranium-bearing* ⇒⟨vnl. met hoge valentie⟩ *uranic,* ⟨vnl. met lage valentie⟩ *uranous*.
uraniumsplijting ⟨de (v.)⟩ **0.1** *uranium fission* ⇒*fission of uranium*.
uraniumverrijking ⟨de (v.)⟩ ⟨nat.⟩ **0.1** *uranium enrichment*.
uraniumwinning ⟨de (v.)⟩ **0.1** *uranium extraction* ⇒*extraction of uranium*.
uranografie ⟨de (v.)⟩ **0.1** *uranography*.
uranologie ⟨de (v.)⟩ **0.1** *astronomy* ⇒⟨zelden⟩ *uranology, uranography*.
urbaan ⟨bn.⟩ **0.1** [mbt. het stadsleven] *urban* **0.2** [wellevend] *urbane* ⇒*suave*.
urbanisatie ⟨de (v.)⟩ **0.1** [verstedelijking] *urbanization* ⇒*citi/cityfication* **0.2** [trek naar de stad] *urbanization* ⇒*migration into cities* **0.3** [⟨AZN⟩ ruimtelijke ordening] *(town and country) planning*.
urbanisatiegraad ⟨de (m.)⟩ **0.1** *degree of urbanization*.
urbaniseren ⟨ov.ww.⟩ **0.1** *urbanize* ⇒*citify/cityfy*.
urbanisering ⟨de (v.)⟩ ⇒**urbanisatie 0.1**.
urbanisme ⟨het⟩ **0.1** [stadscultuur] *urbanism* **0.2** [studie v.d. stad] *urbanology* ⇒*urbanism*.
urbanistisch ⟨bn.⟩ **0.1** *urban*.
urbaniteit ⟨de (v.)⟩ **0.1** [stedelijk karakter] *urban character* **0.2** [wellevendheid] *urbanity* ⇒*suavity*.
ure ⟨de⟩ ⟨schr.⟩ **0.1** *hour* ◆ **6.1** in de ~ des gevaars *in the/one's h. of danger;* te(r) elfder ~ *at the eleventh h., at the last moment*.
urenlang ⟨bn., bw.⟩ **0.1** *interminable* ⇒*endless* ◆ **1.1** een ~e vergadering *an i./endless meeting* **3.1** er werd ~ vergaderd *the meeting went on for hours*.
ureter ⟨de (m.)⟩ ⟨med.⟩ →urineleider.
urethra ⟨de (v.)⟩ ⟨med.⟩ →urinebuis.
ureum ⟨het⟩ **0.1** *urea*.
urgent ⟨bn.⟩ **0.1** *urgent* ⇒*pressing* ◆ **3.1** een zaak ~ verklaren *declare a matter u.;* ~ zijn *be u./ pressing*.
urgentie ⟨de (v.)⟩ **0.1** [het spoedeisende] *urgency* ⇒*immediacy* **0.2** [dringende noodzaak] *urgency*.
urgentielijst ⟨de⟩ **0.1** *priority list*.
urgentieplan ⟨het⟩ **0.1** *(set/list of) priorities* ◆ **3.1** wat is uw ~? *what are your priorities?*.
urgentieprogramma ⟨het⟩ **0.1** *high-priority/urgent/emergency/* ⟨inf.⟩ *crash programme* [A]*gram*.
urgentieverklaring ⟨de (v.)⟩ **0.1** *certificate of urgency/need*.
urinaal ⟨het⟩ **0.1** *urinal*.
urine ⟨de⟩ **0.1** *urine*.
urineblaas ⟨de⟩ **0.1** *(urinary) bladder* ⇒*vesica*.
urinebuis ⟨de⟩ **0.1** *urethra*.
urineleider ⟨de (m.)⟩ **0.1** *ureter*.
urinelozing ⟨de (v.)⟩ **0.1** *urination* ⇒*urine discharge,* ⟨med. ook⟩ *micturition*.
urinemonster ⟨het⟩ **0.1** *urine sample*.
urineonderzoek ⟨het⟩ **0.1** *urine analysis* ⇒⟨med. ook⟩ *urinalysis*.
urineren ⟨onov.ww.⟩ **0.1** *urinate* ⇒⟨med.⟩ *micturate*.
urinewegen ⟨zn.mv.⟩ **0.1** *urinary passages*.

urinoir ⟨het⟩ **0.1** *urinal* ⇒*pissoir*.
urmen ⟨onov.ww.⟩ **0.1** *fret* ⇒*worry*, ⟨dreinend⟩ *snivel, whine*.
urn ⟨de⟩ **0.1** *urn* ◆ **6.1** in een ~ plaatsen/doen *inurn, put in an u.*.
urnenveld ⟨het⟩ **0.1** *urnfield*.
urologie ⟨de (v.)⟩ ⟨med.⟩ **0.1** *urology*.
urologisch ⟨bn.⟩ **0.1** *urologic(al)*.
uroloog ⟨de (m.)⟩ **0.1** *urologist*.
uroscopie ⟨de (v.)⟩ **0.1** *uroscopy*.
Uruguay ⟨het⟩ **0.1** *Uruguay*.
u.s. ⟨afk.⟩ **0.1** [ut supra] *u.s.* **0.2** [ut semper] ⟨*as always*⟩.
USA ⟨de (v.)⟩ ⟨afk.⟩ **0.1** [United States of America] *U.S.A., USA*.
usance ⟨de⟩ **0.1** *custom* ⇒*common practice* ◆ **3.1** het is ~ om ... *it is customary/common practice/the custom to* ....
usantie ⟨de (v.)⟩ ⇒**usance**.
USSR ⟨de (v.)⟩ ⟨afk.⟩ **0.1** [Unie der Socialistische Sovjetrepublieken] *U.S.S.R., USSR*.
usueel ⟨bn., bw.;-ly⟩ **0.1** *usual* ⇒*normal*.
usurpatie ⟨de (v.)⟩ **0.1** *usurpation*.
usurpator ⟨de (m.)⟩ **0.1** *usurper*.
usurperen ⟨ov.ww.⟩ **0.1** *usurp*.
usus ⟨de (m.)⟩ **0.1** [zede, gewoonte] *custom* **0.2** [⟨jur.⟩] *use, usus*.
ut ⟨de⟩ ⟨muz.⟩ **0.1** *ut* ⇒*do(h)*.
uterus ⟨de (m.)⟩ ⟨med.⟩ **0.1** *uterus*.
utilisatie ⟨de (v.)⟩ **0.1** *utilization*.
utiliseren ⟨ov.ww.⟩ **0.1** *utilize*.
utilistisch ⟨bn., bw.⟩ **0.1** *utilitarian* ⇒*pragmatic, expedient*.
utilitair ⟨bn.⟩ **0.1** *utilitarian*.
utiliteit ⟨de (v.)⟩ **0.1** [nut] *utility* **0.2** [voorwerp van nut] *utility*.
utiliteitsbouw ⟨de (m.)⟩ **0.1** ⟨*building of factories, public utilities etc. as opposed to housebuilding*⟩.
Utopia ⟨het⟩ **0.1** *Utopia*.
utopiaans ⟨bn.⟩ **0.1** *utopian*.
utopie ⟨de (v.)⟩ **0.1** [droombeeld] *utopia* **0.2** [geschrift] *utopia*.
utopisch ⟨bn.⟩ **0.1** [niet te verwezenlijken] *utopian* **0.2** [gericht op verandering v.d. bestaande orde] *utopian*.
utopisme ⟨het⟩ **0.1** *utopia* ⇒*utopian scheme*.
utopist ⟨de (m.)⟩ **0.1** *utopian(ist)* ⇒*utopist, idealist, dreamer, visionary*.
utopistisch ⟨bn.⟩ **0.1** *utopistic*.
uur ⟨het⟩ **0.1** [tijdmaat] *hour* **0.2** [lesuur] *hour* ⇒*period*, ⟨vnl. BE⟩ *lesson* **0.3** [punt op een wijzerplaat] *o'clock* **0.4** [ogenblik] *hour* ⇒*moment* **0.5** [afstandsmaat] *hour* ◆ **1.1** een ~ van geluk *a moment of happiness* **1.4** het ~ des onheils nadert *the ill-fated h. is approaching/imminent*; het uur v.d. waarheid is aangebroken *and now we have reached the moment of truth, and now for the moment of truth* **2.1** aanwezige uren *working hours*; een half ~ *a half h.*; het laatste ~ *one's final h.*; lange uren maken *put in/work long hours*; verloren ~(tje) *spare time/h.*; een vol ~ *a full/solid h.*; in zijn vrije uren *in his free/spare time* **2.3** elk half ~/ om het half ~ gaat er een trein *a train leaves every half h. / half-hourly*; op het hele/het halve ~ *on the h. / the half h.*; op dit late ~ *at this late h.*; zich aan vaste uren houden *keep regular hours* **2.4** het kan elk ~ gebeuren *it can happen at any moment/time*; elk ~ v.d. dag *every h. / moment of the day*; zijn laatste ~ heeft geslagen ⟨inf.⟩ *his time is up*; in het nachtelijk ~ *at night(time)*; op de meest onmogelijke uren *at the most unseemly hours* **3.1** het duurde uren *it went on for hours*; ik heb een ~ gewandeld *I walked (for) an h.* **3.3** kunnen we een ~ afspreken? *can we agree to/arrange/set a time?* **3.4** toen haar ~ gekomen was *when her time had come* **3.5** het is een ~ rijden *it is an hour's drive* **5.1** ruim een ~ *well over an h.* **5.5** twee ~ gaans *two hours' walk* **6.1** met het ~ beter worden *get better by the h.*; na/over een ~ *after/in an h.*; f22,50 per ~ verdienen *earn 22.50 guilders an h.*; met een snelheid van 100 kilometer **per** ~ *with a speed of 100 kilometers per h.*; **per** ~ betaald worden *be paid by the h.*; **per** ~ betaald werk *hourly paid work, work paid by the h.*; sedert een ~ *for an h.* **6.2** wij geven op deze school uren **van** 45 minuten *at this school we have 45-minute periods/classes* **6.3** op ~ en tijd *at the fixed/established time*; (tot) **op** het ~ af voorspeld *predicted/foretold to the very h.*; hij kwam **tegen** drie ~ *he came around/about 3 o'c.*; **van** ~ noch tijd weten *pay no attention to time*; **van** ~ **tot** ~ *from h. to h.*; een kwartier **vóór** het ~ *a quarter of the h.* **6.4** **tot op** dit ~ *up to this (very) h.* **6.5** een ~ **in** de wind stinken *stink to high heaven* **7.1** klokslag 12 ~ *on the stroke of 12, at twelve sharp*; een symfonie die één ~ duurt *a one-h. symphony*; ik houd het geen ~ meer met hem uit *I can't stand/bear another minute of him*; kun je hier binnen twee ~ zijn? *can you be here within two hours?* **7.2** de stad lag op twee ~ afstand *the city was two hours away* **7.3** omstreeks acht ~ *round about eight (o'c.)*; het is drie ~ *it is three o'c.*; om negen ~ *at nine o'c.*; om negen ~ precies/stipt *at nine o'c. exactly/sharp/on the dot*; het is bijna tien ~ *it is almost ten (o'c.)* **7.4** ⟨fig.⟩ de werkers van het eerste ~ *the workers from the (very) beginning* **7.¶** te elfder ure *at the eleventh hour* **¶.1** een ~ of twee *an h. or two* **¶.3** rond een ~ of twee *about two (o'c.)* **¶.4** het ~ U/nul *H-hour, zero hour*.
uurcirkel ⟨de (m.)⟩ **0.1** [⟨aardr.⟩] *hour circle* ⇒*meridian circle* **0.2** [cijferrand op een klok] *hour plate*.

uurdienst ⟨de (m.)⟩ **0.1** *hourly service*.
uurdocent ⟨de (m.)⟩ **0.1** *à la carte teacher* ⇒≠*part-time teacher, contract teacher*.
uurgemiddelde ⟨het⟩ **0.1** *average per hour* ◆ **6.1** hij had een ~ van 32 km *he averaged 20 miles per hour, he managed an average speed of 20 miles per hour*.
uurglas ⟨het⟩ **0.1** *hourglass*.
uurloner ⟨de (m.)⟩ **0.1** *hourly-paid worker* ⇒*timeworker*.
uurloon ⟨het⟩ **0.1** [beloning voor een uur arbeid] *hourly wage/pay* ⇒*time wage* **0.2** [loon naar uren] *hourly rate* ⇒*time rate* ◆ **6.2** zij werkt **op** ~ *she is on timework/a timeworker*; **op** ~ werkend personeel *hourly-paid staff/workers*.
uurrad ⟨het⟩ **0.1** *hour wheel*.
uurrecord ⟨het⟩ ⟨sport⟩ **0.1** *(1-)hour record* ◆ **¶.1** het ~ staat op naam van deze wielrenner *the cyclist holds the record for the hour*.
uursnelheid ⟨de (v.)⟩ **0.1** *speed per hour*.
uurtje ⟨het⟩ **0.1** *hour* ◆ **2.1** ⟨fig.⟩ in de kleine ~s thuiskomen *come home in the wee/small hours/with the milk*; tot in de kleine ~s werken *work into the wee/small hours, burn the midnight oil*; de stille ~s *the still/dead hours of the night*; tot in de vroege ~s *until long/far into the night, until the wee hours (of the night)*.
uurwerk ⟨het⟩ **0.1** [klok] *clock* ⇒*timepiece* **0.2** [binnenwerk v.e. klok] *clockwork* ⇒*movement, works* **0.3** [veermotor] *works*.
uurwijzer ⟨de (m.)⟩ **0.1** *hour hand*.
uvd ⟨afk.⟩ **0.1** [uiterste verkoopdatum] ⟨*sell before*⟩.
U-vormig ⟨bn., bw.⟩ **0.1** *U-shaped* ⇒*horseshoe(-shaped)*.
uvulair ⟨bn.⟩ ⟨taal.⟩ **0.1** *uvular*.
uw ⟨bez.vnw.⟩ **0.1** *your* ◆ **7.1** ⟨zelfst.⟩ beste groeten aan u en de ~en *greetings to you and yours*; dankbaar de ~e *with thanks*; ⟨zelfst.⟩ het ~e *yours*.
uwent ⟨schr.⟩ ◆ **6.¶** **te(n)** ~ *at your house/place*.
uwentwege ⟨bw.⟩ ⟨schr.⟩ ◆ **6.¶** **van** ~ *on your behalf, in your name*.
uwerzijds ⟨bw.⟩ **0.1** *on your part*.
uzi ⟨de (v.)⟩ **0.1** *uzi*.

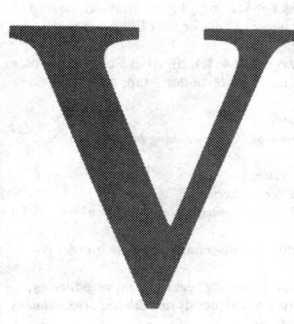

v ⟨de⟩ **0.1** [letter, klank] *v*, *V* **0.2** [namen/woorden beginnend met v] *v*, *V* **0.3** [iets met de V-vorm] *V*.
v. ⟨afk.⟩ **0.1** [⟨Lat.⟩ vide] *v*. **0.2** [⟨Lat.⟩ verte] *p.t.o.* **0.3** [vrouwelijk] *f*. **0.4** [van] ⟨*of*⟩ **0.5** [voor] ⟨*for; before* ⟨tijd⟩⟩ **0.6** [vers] *v., vs.* ◆ ¶.5 ~ Chr. *B.C.*.
V 0.1 [volt] *V* **0.2** [volume] *v.;* ⟨symbool⟩ *V* **0.3** [Romeins cijfer] *V* **0.4** [overwinnings-, vredessymbool] *V* **0.5** [wapen] *V* ◆ ¶.5 V-I *V-I;* ⟨inf.⟩ *doodlebug, buzzbomb*.
v.a. ⟨afk.⟩ **0.1** [vanaf] ⟨*from, since*⟩ **0.2** [volgens anderen] ⟨*according to others*⟩.
vaag ⟨bn., bw.; -ly⟩ **0.1** [mbt. zien] *vague* ⇒*faint, hazy, dim, blurred* **0.2** [onduidelijk] *vague* ⇒*faint, dim, hazy, indefinite* ◆ **1.2** een ~ antwoord *a v. / a hazy / an airy-fairy answer;* een ~ idee *a v. / dim / hazy idea / notion;* een ~ plan ⟨ook⟩ *a sketchy plan;* vage termen / bewoordingen / beloften *v. / loose terms / statements / promises;* ik heb zo'n ~ vermoeden dat ... *I have a hunch / a sneaking suspicion / an inkling that ...* **3.1** ik kan me ~ herinneren dat ... *I can vaguely remember that ..., I have a faint recollection of (s.o. doing sth.);* ~ maken ⟨ook⟩ *blur* **3.2** ~ blijven *remain v. / hazy / ambiguous;* het doet ~ denken aan ... *it is vaguely / mildly reminiscent of ...;* iets / iem. ~ kennen ⟨ook⟩ *have a nodding / bowing acquaintance with sth. / s.o.* ¶.2 ~ van plan zijn om ... *have a v. / faint notion to ...*.
vaagheid ⟨de (v.)⟩ **0.1** [het vaag zijn] *vagueness* ⇒*faintness, dimness, haziness* **0.2** [niet scherp gedefinieerde uitspraak] *vagueness* ⇒*vague / woolly statement*.
vaagjes ⟨bw.⟩ **0.1** [niet duidelijk] *vaguely* ⇒*faintly, dimly, hazily* **0.2** [zwak] *weakly* ⇒*faintly, dimly* ◆ **3.1** ~ antwoorden *give an evasive answer, answer in vague terms / v.* **3.2** ~ schijnen *glimmer*.
vaaglijk →**vagelijk**.
vaak[1] ⟨de (m.)⟩ **0.1** *sleep, sleepiness, drowsiness* ◆ **1.**¶ Klaas Vaak komt *the Sandman's coming* **3.1** de ~ uit de ogen wrijven *rub the sleep out of one's eyes* **6.1** ⟨fig.⟩ praatjes **voor** de ~ *idle talk, airy chatter;* ⟨bedrieglijk⟩ *eyewash;* ⟨fig.⟩ praatjes **voor** de ~ houden *pull the wool over s.o.'s eyes*.
vaak[2] ⟨bw.⟩ ⟨→sprw. 56⟩ **0.1** *often* ⇒*frequently* ◆ **2.1** zeer, heel ~ *very o. / frequently, as o. as not* **3.1** dat gebeurt niet ~ *that doesn't happen very o.;* je vergeet / ziet / denkt ~ ... ⟨ook⟩ *you tend to forget / find / think ...;* een ~ verteld verhaal *a story as old as the hills;* ⟨schr.⟩ *an oft-told story;* ~ voorkomend *frequently occurring;* iem. vaker willen zien ⟨ook⟩ *want to see more of s.o.;* ~ zingen / vloeken ⟨inf.⟩ *sing / swear a lot* **4.1** hoe ~ heb ik het (je) niet gezegd? *how o. / how many times have I told you?, if I've told you once, I've told you a hundred*

times **5.1** ik heb dat al vaker gezien ⟨ook iron.⟩ *I've seen that (one) before;* maar al te ~ *all / only too o. / frequently;* niet ~ ⟨ook⟩ *infrequently;* vaker wel dan niet *more o. than not* ¶.1 ik ben daar ik-weet-niet-hoe-~ geweest *I don't know how many times I've been there*.
vaal ⟨bn.⟩ **0.1** [mbt. de kleur] *faded* ⇒*pale, dingy, dull, drab* **0.2** [mbt. het licht] *pale* ⇒*dull, dun* **0.3** [mbt. de gelaatskleur] *sallow* ⇒*ashen, wan, pallid,* ⟨zeldz.⟩ *lurid* **0.4** [mbt. paarden] *dun* **0.5** [grijs, grauw] *greyish* [A]*grayish* ⇒*ashen, mous(e)y* **0.6** [⟨schr.⟩ eentonig] *dull* ◆ **1.1** een vale spijkerbroek *a f. pair of blue jeans, f. jeans* **1.5** vale gier *griffon vulture;* vale lijster *eyebrowed / dark thrush* **1.6** de vale eenzaamheid *dull / dreary loneliness* **3.3** ~ (doen) worden ⟨zeldz.⟩ *sallow* **7.1** ⟨zelfst.⟩ het ~ van dat blauw *the dullness of that blue*.
vaalblauw ⟨bn.⟩ **0.1** *grey(ish) /* [A]*gray(ish) blue*.
vaalbleek ⟨bn.⟩ **0.1** *sallow* ⇒*ashen, pallid*.
vaalbont ⟨bn.⟩ **0.1** [mbt. koeien] *yellow / blond / fawn pied* **0.2** [met verschoten tinten] *in / with faded colours*.
vaalbruin ⟨bn.⟩ **0.1** *drab* ⇒*dun*.
vaalgeel ⟨bn.⟩ **0.1** *buff* ⇒*sallow*.
vaalgrijs ⟨bn.⟩ **0.1** *dull grey* [A]*gray* ⇒*greyish* [A]*grayish,* ⟨zeldz.⟩ *dun(-coloured)*.
vaalgroen ⟨bn.⟩ **0.1** *grey- /* [A]*gray-green*.
vaalheid ⟨de (v.)⟩ **0.1** *fadedness* ⇒*sallowness, ashenness* ⟨gelaat⟩, *dinginess*.
vaalrood ⟨bn.⟩ **0.1** *dull* ⇒ ⟨verbleekt⟩ *faded red*.
vaalt ⟨de⟩ **0.1** *dung-heap / -hill*.
vaalwit ⟨bn.⟩ **0.1** *greyish- /* [A]*grayish-white, off-white* ⇒ ⟨zeldz.⟩ *hoar*.
vaam →**vadem**.
vaan ⟨de⟩ **0.1** [vaandel] *banner* ⇒*flag, standard,* ⟨van sportclub⟩ *pennant, pennon* **0.2** [⟨r.k.⟩ *vexillum* ⇒*banner* **0.3** [vijf streepjes] *tally* ⇒*≠fire* ◆ **3.1** ⟨fig.⟩ de ~ van de opstand planten *raise the standard / flag of revolt* **6.1** onder iemands ~ *under s.o.'s b.*.
vaandel ⟨het⟩ **0.1** [vlag] *banner* ⇒*flag, standard, pennant, pendant* **0.2** [veldteken] *regimental colours* ⟨mv.⟩ */ flag* **0.3** [⟨fig.⟩] ⟨zie 6.3⟩ ◆ **2.2** met vliegend ~ (en slaande trom) *with flying colours* **3.1** het ~ planten *plant the flag* **6.1** onder iemands ~ strijden *fight under s.o.'s b. / standard / colours;* zich onder iemands ~ scharen *rally to s.o.'s call;* onder ~ varen *show the flag / one's colours* **6.3** iets in het ~ hebben (staan) *feel very strongly about sth., consider sth. of paramount importance*.
vaandeldrager ⟨de (m.)⟩, **-draagster** ⟨de (v.)⟩ **0.1** [⟨mil.⟩] *colour- / flag- / standard- / ensign-bearer* **0.2** [mbt. muziekkorps] *banner-bearer*.
vaandelstok ⟨de (m.)⟩ **0.1** *flagstaff*.
vaandelwacht ⟨de⟩ **0.1** *colour guard*.
vaandelzwaaien ⟨ww.⟩ **0.1** [⟨lett.⟩] ⟨→**vendelzwaaien**⟩ **0.2** [mannelijk exhibitionisme] *flash*.
vaandelzwaaier ⟨de (m.)⟩ **0.1** [⟨lett.⟩] ⟨→**vendelzwaaier**⟩ **0.2** [mannelijk exhibitionist] *flasher*.
vaandrig ⟨de (m.)⟩ **0.1** [⟨mil.⟩] *reserve officer candidate* **0.2** [⟨padvinderij⟩] *troop leader*.
vaanstand ⟨de (m.)⟩ ◆ **6.**¶ in ~ *feathered;* in ~ zetten *feather*.
vaantje ⟨het⟩ **0.1** [klein vaandel] *small flag* ⇒*pennon* ⟨lans⟩, *pennant* ⟨sportclub⟩ **0.2** [windwijzer] *(weather) vane* ⇒*weathercock* ⟨weerhaan⟩ ◆ **3.1** ⟨sport⟩ ~s uitwisselen *exchange pennants* **6.**¶ ⟨AZN⟩ naar de ~s zijn *be gone / lost forever;* ⟨BE;sl.⟩ *gone for a Burton;* ⟨inf.⟩ *be up the spout*.
vaar ⟨bn.⟩ **0.1** *barren, unserved;* ⟨geen melk gevend⟩ *dry*.
vaarbaar ⟨bn.⟩ **0.1** *navigable*.
vaarbereik ⟨het⟩ **0.1** *radius*.
vaarbewijs ⟨het⟩ **0.1** *navigation licence* [A]*se*.
vaarboom ⟨de (m.)⟩ **0.1** *(barge- / punting-)pole*.
vaardag ⟨de (m.)⟩ **0.1** *sailing day*.
vaardiepte ⟨de (v.)⟩ **0.1** *(navigable) depth*.
vaardig ⟨bn., bw.⟩ **0.1** [behendig] *skilful* [A]*skillful, skilled* ⇒*proficient (at / in), competent, deft* **0.2** [vlug] *nimble* ⇒*quick, adroit (at / in)* **0.3** [tot iets bereid] *ready (for)* **0.4** [⟨mil.⟩] *ready* ◆ **1.2** een ~ brein / geheugen *a quick / sharp mind / memory* **6.1** ~ zijn in iets *be skilled / proficient in sth., be a dab hand at sth.;* ~ in het Engels *proficient / fluent in English;* ~ met de pen zijn *wield / have a facile pen, be deft with a pen;* ~ met naald en draad *deft with needle and thread* ¶.¶ als de geest ~ wordt over hem *when the spirit moves him*.
vaardigheid ⟨de (v.)⟩ **0.1** [behendigheid] *skill* ⇒*skilfulness,* ⟨ihb. mbt. vreemde talen⟩ *proficiency, competence,* ⟨handigheid⟩ *deftness* **0.2** [vlugheid] *cleverness* ⇒*nimbleness, quickness* ◆ **1.1** gebrek aan ~ *lack of s.* **2.1** sociale vaardigheden *social skills;* technische vaardigheden *technical skill(s) / expertise / know-how* **6.1** ~ in het schrijven *writing skill;* ~ in het sociale verkeer ⟨ook⟩ *polish* **6.2** ~ van begrip / van geest *quick-wittedness* ¶.1 ~ te water *watercraft*.
vaardigheidsproef ⟨de⟩ **0.1** *proficiency test* ⇒*test of (one's) skill / proficiency*.
vaargeld ⟨het⟩ **0.1** ⟨mv.⟩ *canal-dues*.
vaargeul ⟨de⟩ **0.1** [vaarwater tussen twee zandbanken] *channel* ⇒*waterway* **0.2** [diepere gedeelte v.e. rivier / kanaal] *channel* ⇒*fairway,*

⟨naar de zee ook⟩ *seaway* 0.3 [doorvaart in een mijnenveld/ijsveld] *lane*.

vaarklaar ⟨bn.⟩ 0.1 ⟨pred.⟩ *ready to sail* ⇒⟨mil.⟩ *in commission*.

vaarkoe →**varekoe**.

vaarplan ⟨het⟩ 0.1 *(sailing) schedule*.

vaarplicht ⟨de⟩ 0.1 *injunction to continue sailing*.

vaarroute ⟨de⟩ 0.1 *course (of navigation)* ⇒*itinerary*.

vaars ⟨de (v.)⟩ 0.1 *heifer*.

vaarschema ⟨het⟩ 0.1 *sailing schedule* ⇒*timetable, (list of) departures*, ⟨mbt. reis⟩ *itinerary*.

vaarseizoen ⟨het⟩ 0.1 *(sailing) season*.

vaarskalf ⟨het⟩ 0.1 *heifer (calf)*.

vaarsnelheid ⟨de (v.)⟩ 0.1 *speed*.

vaart ⟨de⟩ 0.1 [snelheid] *speed* ⇒*rate*, ⟨ook fig.⟩ *pace, tempo*, ⟨tech.⟩ *momentum* 0.2 [het varen] *navigation* ⇒*trade* 0.3 [zeereis] *voyage* ⇒ *crossing* 0.4 [kanaal] *canal* ⇒*waterway* 0.5 [(vaar)route] *course* ⇒ *way* 0.6 [koers] *course (of navigation)* ⇒*itinerary* 0.7 [gelegenheid om te varen] *passage* ◆ 2.1 ⟨scheep.⟩ economische ~ *service speed;* de bal had niet genoeg ~ *the ball ran out of steam;* zeeman v.d. grote~ *sea-faring/ocean-going sailor;* in razende/vliegende ~ *at breakneck s., headlong,* ⟨zel.⟩ *at full s., at a furious/wild rate;* met/in vliegende ~ ⟨ook⟩ *like a bat out of hell;* met/in volle ~ tegen iets op rijden *drive into sth. at full s.;* in volle ~ *(at) full s. / tilt* 2.2 de ~ is goed *the going is good;* de grote ~ *(the) sea-/ocean-going trade, lang-haul trade;* de kleine ~ *(the) short-haul trade;* de ~ is weer open/vrij *n. is possible again;* de vaste ~ *liner shipping;* de vrije ~ garanderen *guarantee free n.;* de wilde ~ *tramp shipping* 2.3 een voorspoedige/behouden ~ *a prosperous/safe v.* 3.1 wat meer~ geven *open the throttle a bit,* ⟨auto ook⟩ *put one's foot down;* veel/weinig~ hebben/zetten *travel slowly;* ⟨ook scheep.⟩ *make little headway;* de ~ erin houden *keep up the pace, keep it going/moving;* ~ krijgen *gather/gain/pick up s.; gather/ gain momentum* ⟨zware voorwerpen⟩; ⟨fig.⟩ het zal zo'n ~ niet lopen *it won't come to that/ get that bad;* ~ maken *make a good s. / tempo/ pace;* ~ minderen *reduce (one's) s., slow down, slacken s. / one's pace,* ⟨ook scheep.⟩ *ease down; decelerate;* ⟨fig.⟩ ergens ~ achter zetten *hurry/speed things up/along, push ahead, press on/ahead, get a move on;* er zit geen ~ in het verhaal *the story doesn't go anywhere* 3.5 de ~ wordt door ijsbrekers opengehouden *ice-breakers are keeping the channels open* 6.1 iets in zijn ~ stuiten *arrest the development/growth of sth.;* met ~ *fast, speedily, in all haste, with all speed;* het schip liep **met** een ~ van 9 knopen *the ship travelled at a s. / rate of 9 knots; did 9 knots* 6.2 een schip **in** de ~ brengen *put a ship into service/* ⟨mil. ook⟩ *in(to) commission;* veel schepen **in** de ~ hebben *run/operate a large fleet;* de ~ **op** Spanje *(the) Spanish trade, (the) trade with Spain;* een schip **uit** de ~ halen, nemen *take a ship out of service/* ⟨mil. ook⟩ *commission;* ⟨voor onderhoud⟩ *lay a ship up* 7.1 geen ~ hebben *have no s. / momentum;* ⟨scheep. ook⟩ *make no headway*.

vaartijd ⟨de (m.)⟩ 0.1 *crossing/sailing time*.

vaartje ⟨het⟩ 0.1 [vrij grote snelheid] *speed* ⇒*whirl* 0.2 [kleine waterloop] *small canal/stream* 0.3 [vadertje] ⟨zie ¶.3⟩ ◆ ¶.3 hij heeft een aardje naar zijn ~ *he's a chip off the old block*.

vaartuig ⟨het⟩ 0.1 *vessel* ⇒*craft, ship, boat* ◆ 2.1 een scherp ~ *a fast ship*.

vaartvermindering ⟨de (v.)⟩ 0.1 *deceleration*.

vaarverbod ⟨het⟩ 0.1 *closing/closure of a waterway* ⇒*injunction forbidding the use of a waterway,* ⟨mbt. maatschappij, kapitein⟩ *licence* [A]*se suspension*.

vaarwater ⟨het⟩ 0.1 [water waarin men vaart] *water(s)* 0.2 [waterweg] *waterway* ⇒*fairway* ◆ 2.1 (een) gevaarlijk ~ *hot/deep water;* ⟨BE ook⟩ *a sticky wicket;* in rustig ~ in/on smooth water(s) 6.1 ⟨fig.⟩ in iemands ~ komen, zitten ⟨op zijn gebied komen⟩ *poach on s.o.'s preserve(s)/territory;* ⟨hem dwars zitten⟩ *get under s.o.'s skin;* ⟨fig.⟩ elkaar in het ~ zitten *be in each other's hair, be at cross-purposes;* ⟨fig.⟩ blijf **uit** mijn ~ *stay out of my way*.

vaarweg ⟨de (m.)⟩ 0.1 [waterweg] *waterway* ⇒*fairway* 0.2 [vaarroute] *seaway* ⇒*sealane*.

vaarwel[1] ⟨het⟩ ⟨schr.⟩ 0.1 *farewell* ◆ 2.1 iem. het laatste~ toeroepen *bid s.o. f. / adieu*.

vaarwel[2] ⟨tw.⟩ 0.1 *farewell* ⇒*goodbye* ◆ 3.1 iem. ~ toeroepen/zeggen/ groeten *bid s.o. farewell/adieu, wish s.o. goodbye, say goodbye to s.o.;* ~ zeggen *say goodbye to sth., give sth. up, stop doing sth.*.

vaarwelzeggen ⟨ov.ww.⟩ 0.1 [afscheid nemen van] *bid farewell/adieu* ⇒ *say goodbye to* 0.2 [verlaten] *take leave of* ⇒*give up, renounce* 0.3 [berusten in de afwezigheid] *say/wave goodbye (to)* ⇒*kiss goodbye* ◆ 1.2 de balie ~ *retire from/leave the bar;* het geloof ~ *give up/renounce the faith;* dat idee kun je wel ~ *you can give that idea up;* ~ voor goed *get that idea;* de studie ~ *give up/drop/* ⟨inf.⟩ *throw up/* ⟨inf.⟩ *chuck in one's studies;* de wereld ~ ⟨ook⟩ *withdraw/retire from/renounce the world* 1.3 die fiets kun je wel ~ *you can forget about that bike/ kiss that bike good-bye*.

vaas ⟨de⟩ 0.1 *vase*.

vaasvormig ⟨bn.⟩ 0.1 *vase-like* ⇒*vase-shaped, vasiform*.

vaat ⟨de⟩ 0.1 [af te wassen vaatwerk] *washing-up* ⇒⟨vnl. AE⟩ *dishes*

0.2 [het afwassen] *washing-up* ⇒⟨vnl. AE⟩ *washing/doing the dishes* ◆ 2.1 een grote ~ *a lot/pile of w.-u. (to be done), a lot of dishes (to be washed)* 3.1 de ~ wassen/doen *do the dishes, wash up* 6.2 ik was nog **aan** de ~ *I was still busy with/still doing the dishes/w.-u.;* helpen **bij** de ~ *help with the dishes/the w.-u.*.

vaataandoening ⟨de (v.)⟩ 0.1 *vascular disease/disorder*.

vaatbundel ⟨de (m.)⟩ 0.1 *vascular bundle*.

vaatcel ⟨de⟩ 0.1 *vascular cell*.

vaatchirurgie ⟨de (v.)⟩⟨med.⟩ 0.1 *vascular surgery*.

vaatdoek ⟨de (m.)⟩ 0.1 *dishcloth* ◆ 8.1 ⟨fig.⟩ hij is/voelt zich zo slap als een ~ *he is/feels as weak as water/a pup, he feels like a wet rag*.

vaatgezwel ⟨het⟩ 0.1 *angioma*.

vaatje ⟨het⟩ 0.1 *small barrel/keg/cask* ◆ 1.1 ⟨fig.;bel.⟩ een ~ zuur bier *an old maid, a spinster* 2.1 ⟨fig.⟩ uit een ander ~ tappen *change one's tune*.

vaatkramp ⟨de⟩ 0.1 *angiospasm*.

vaatkwast ⟨de (m.)⟩ 0.1 *washing-up/* [A]*dishwashing brush* ⇒*dishrag, dishcloth*.

vaatstelsel ⟨het⟩ 0.1 *vascular system*.

vaatverkalking ⟨de (v.)⟩ 0.1 *arteriosclerosis*.

vaatvernauwend ⟨bn.⟩⟨med.⟩ 0.1 *vasoconstrictive* ◆ 1.1 een ~ middel *a vasoconstrictor*.

vaatvernauwing ⟨de (v.)⟩⟨med.⟩ 0.1 *vasoconstriction* ⇒*vascular constriction*.

vaatverwijdend ⟨bn.⟩ 0.1 [vaatvernauwing tegengaand] *vasodilating, vasodilatory* 0.2 [de bloedvaten verwijdend] *vasodilating, vasodilatory* ◆ 1.1 een ~ medicijn *vasodilator*.

vaatverwijding ⟨de (v.)⟩⟨med.⟩ 0.1 *vasodilation* ⇒*vascular dilatation*.

vaatvlies ⟨het⟩ 0.1 [van oog] *choroid (coat/membrane)* 0.2 [⟨dierk.⟩] *chorion*.

vaatwand ⟨de (m.)⟩⟨med.⟩ 0.1 *vascular wall*.

vaatwasmachine ⟨de (v.)⟩ 0.1 *dishwasher* ⇒*dishwashing machine*.

vaatwasser ⟨de (m.)⟩ 0.1 *dishwasher* ⇒*dishwashing machine*.

vaatweefsel ⟨het⟩⟨biol.⟩ 0.1 *vascular tissue*.

vaatwerk ⟨het⟩ 0.1 [tafel/keukenservies] *dinnerware* ⇒*kitchenware, kitchen utensils, pots and pans* 0.2 [tonnen] *casks* ◆ 2.1 tinnen~ *pewterware;* zilveren~ *silverware, silver plate* 2.¶ liturgisch ~ *altar plates*.

vaatziekte ⟨de (v.)⟩ 0.1 *vascular disease* ⇒*angiopathy*.

va-banque 0.1 *all or nothing* ◆ 3.¶ ~ spelen *go for broke, put up/stake everything, play all or nothing, put all one's eggs in one basket*.

va-banquepolitiek ⟨de (v.)⟩ 0.1 *make-or-break policy* ⇒*policy of putting all one's eggs in one basket, go-for-broke policy*.

vac. ⟨afk.⟩ 0.1 [vacature] ⟨*vacancy*⟩.

vacant ⟨bn.⟩ 0.1 *vacant, free* ⇒*open* ◆ 1.1 een ~ betrekking *a vacancy, an opening,* ⟨schr.⟩ *situation (v.); a v. post;* wij hebben een ~e betrekking *we have a vacancy (for);* er was een goede betrekking ~ *there was a good position open, available/* ⟨inf.⟩ *a good job going* 3.1 ~ maken *vacate;* ~ worden *become v. / f. / open,* ⟨schr.⟩ *fall v.*.

vacatie ⟨de (v.)⟩ 0.1 [het vacant zijn van een ambt] *vacancy* 0.2 [gerechtelijke handeling] *attendance* ⇒*sitting* 9.3 [vergoeding voor zitting] *fee*.

vacatiegeld ⟨het⟩ 0.1 [vergoeding toegekend voor een vacatie] *fee attendance money* 0.2 [zitgeld] *fee*.

vacature ⟨de (v.)⟩ 0.1 [openstaande betrekking] *vacancy* ⇒*opening,* ⟨mv.; advertentierubriek⟩ *situations (vacant)* 0.2 [het onbezet zijn van een betrekking] *vacancy* 0.3 [⟨schei.⟩] *vacancy* ⇒*Schottky defect* ◆ 3.1 door zijn vertrek ontstaat er een ~ *a v. has arisen/occurred as a result of his departure, his departure/resignation creates a v.;* voorzien in een ~ *fill a v.*.

vacaturebank ⟨de⟩ 0.1 *vacancy section/department*.

vacaturenummer ⟨het⟩ 0.1 *vacancy number*.

vacaturestop ⟨de (m.)⟩ 0.1 *halt on (advertising of) vacancies*.

vaccin ⟨het⟩ 0.1 *vaccine* ⇒*inoculum, inoculant*.

vaccinaal ⟨bn.⟩ 0.1 *vaccinal* ⇒*vaccine*.

vaccinatie ⟨de (v.)⟩ 0.1 *vaccination* ⇒*inoculation, immunization* ◆ 6.1 ~ tegen tuberculose *tuberculosis/* ⟨inf.⟩ *T.B. v.*.

vaccinatiebewijs ⟨het⟩ 0.1 *vaccination certificate*.

vaccine ⟨de⟩ 0.1 [entstof] *vaccine* 0.2 [koepokken] *cowpox* ⇒⟨med. ook⟩ *vaccinia*.

vaccineren ⟨ov.ww.⟩ 0.1 [met een vaccin inenten] *vaccinate* ⇒*inoculate, immunize* 0.2 [inenten met koepokstof] *vaccinate* ⇒⟨vero.⟩ *variolate*.

vaceren ⟨onov.ww.⟩⟨schr.⟩ 0.1 [onbezet zijn] *be vacant* 0.2 [zitting houden] *sit* ⇒*hold a sitting* ◆ 1.1 hier vaceert de betrekking van notaris *the position of notary (public) is vacant here* 1.¶ ~d goed *vacant property* 3.1 komen te ~ *fall vacant*.

vacht ⟨de⟩ 0.1 [wol op een schaap] *fleece* 0.2 [haarbedekking van andere dieren] *fur* ⇒*coat (of fur), jacket* 0.3 [geprepareerde schapehuid] *sheepskin* ⇒⟨op de vloer⟩ *sheepskin rug* 0.4 [pels] *fur* ⇒*pelt,* ⟨schr.⟩ *fell* 0.5 [laag die wollig aandoet] *(woolly) layer* ◆ 1.4 de ~ van een beer *a bearskin* 2.2 een ruige/dikke/dunne/glanzende ~ *a shaggy/ thick/thin/shiny coat* 2.5 een dikke ~ van mos *a thick layer of moss* 3.2 weer een mooie ~ krijgen *grow/get a nice coat again;* de hond schudde zijn ~ *the dog shook its coat/winnowed its hair* **6.3** een baby **op** een ~ je *a baby on a s. rug.*

vacuole ⟨de⟩ **0.1** *vacuole.*

vacuüm ⟨het⟩ **0.1** [luchtledige ruimte] *vacuum* **0.2** [ruimte met lage druk] *vacuum* **0.3** [⟨fig.⟩ leegte] *vacuum* ⇒*void.* **0.4** [tijdelijke afwezigheid] *vacuum* ⇒*void* ◆ **1.2** het ~ van Torricelli *Torricellian v.* **2.4** een politiek ~ *a political vacuum* **3.1** een ~ trekken *create/form a v.;* ⟨tech.⟩ *apply v.;* ~verpakt *v.-packed/-sealed;* ~ zuigen *create/form a v.* **6.2** diksap **onder** ~ koken *boil a concentrate in a v.* **6.3** een ~ **in** verstand en hart *a total lack of understanding and feeling.*

vacuümafsluiter ⟨de (m.)⟩ **0.1** *safety valve.*

vacuümbuis ⟨de⟩ **0.1** *vacuum tube* ⇒[B]*valve,* [A]*tube* ⟨radio⟩.

vacuümglas ⟨het⟩ **0.1** *vacuum/Dewar vessel.*

vacuümkamer ⟨de⟩ **0.1** *vacuum chamber.*

vacuümlamp ⟨de⟩ **0.1** *vacuum lamp.*

vacuümmeter ⟨de (m.)⟩ **0.1** *vacuum gauge/gage.*

vacuümpan ⟨de⟩ **0.1** *vacuum pan.*

vacuümpomp ⟨de⟩ **0.1** *vacuum pump.*

vacuümrem ⟨de⟩ **0.1** *vacuum brake.*

vacuümverpakking ⟨de (v.)⟩ **0.1** *vacuum packaging.*

vacuümverpakt ⟨bn.⟩ **0.1** *vacuum-packed.*

VAD ⟨afk.⟩ **0.1** [vermogensaanwasdeling] ⟨*capital growth sharing*⟩.

vadem ⟨de (m.)⟩ **0.1** [lengtemaat van zes voet] ≠*fathom* **0.2** [afstand tussen de handen bij zijwaarts gestrekte armen] ⟨vero.⟩ *fathom* **0.3** [inhoudsmaat voor hout; 0.56 m³] ≠*cord* ⟨ 3.62 m³⟩ **0.4** [stapel] ≠*cord* ◆ **1.¶** op geen voeten of vamen na *not by a long shot* **2.1** de Amsterdamse/Rijnlandse ~ *the Amsterdam/Rhineland f..*

vademecum ⟨het⟩ **0.1** *handbook, manual* ⇒*basic guide,* ⟨vero.⟩ *vade mecum* ◆ **2.1** bouwkundig/elektrotechnisch ~ *h./m. of/basic guide to structural/electrical engineering.*

vademen
I ⟨onov.ww.⟩ **0.1** [een aantal vademen bedragen] *fathom;*
II ⟨ov.ww.⟩ **0.1** [opstapelen] *cord* ⟨hout⟩.

vader ⟨de (m.)⟩ (→sprw. 581,646) **0.1** [verwekker van kinderen] *father* ⇒(ihb. van paarden) *sire* **0.2** [God] *Father* **0.3** [grondlegger] *father* ⇒*prime mover, architect, originator, creator, inventor* **0.4** [huisvader] *father* **0.5** [aanspreektitel] *Father* ⇒⟨inf.⟩ *dad,* ⟨bij vermaning⟩ *Sir,* ⟨Be;iron.⟩ *mate,* ⟨AE;iron.;sl.⟩ *buster, buddy* **0.6** [man die als een vader zorgt] *father* ⇒*uncle, warden* ⟨jagdherberg⟩, *master* ⟨rasphuis⟩ **0.7** [eretitel] *Father* ◆ **1.1** iemands vaders ~ *one's father's f./grandfather;* je bent een echte ~ *you are a true son of your f./chip off the old block* **1.2** het Onze Vader *the Lord's Prayer* **1.3** de ~ van die wet *the prime mover/framer of that law* **1.4** ~tje en moedertje spelen *play house* **1.6** ~tje Staat *the State;* ⟨AE ook⟩ *Uncle Sam;* ~tje Tsaar *F. Czar;* de Vader des Vaderlands *the f. of one's country/pater patriae, William of Orange;* de ~ van een weeshuis *the f./master of an orphanage* **1.7** ~tje Tijd *(Old) F. Time;* ~ Cats *F. Cats* **2.1** daar helpt geen lieve ~ of moeder aan *(I'll have) no ifs and/or buts, it's got to be done, it can't be helped;* natuurlijke/wettelijke ~ *natural/legal f.* **2.2** de Hemelse Vader *the Heavenly F.* **2.3** de geestelijke ~ *the spiritual f., the inventor/architect/author/creator/maker/originator/prime mover* **2.7** de Heilige Vader *the Holy F.* **3.1** hij zou zijn ~ wel kunnen zijn *he could be/he is old enough to be his f.;* hij werd voor de tweede maal ~ *he became a f. for the second time* **3.6** hij is (als) een ~ voor haar *he is (like) a f. to her* **4.2** onze Vader *Our F.* **6.1** van ~ op zoon *from f. to son* **8.1** zo ~, zo zoon *like f. like son ¶.2* in naam van de Vader, de Zoon en de Heilige Geest *in the name of the F., the Son and the Holy Spirit/* ⟨vero.⟩ *Ghost ¶.5* dat is boven je macht, ~ *that is beyond your control, Old Man/* ⟨AE ook⟩ *buddy;* nee, ~, dat zal je niet glad zitten *no, sir, I can't allow that;* hoe gaat het, ~tje? *how's it going, my man/* ⟨eigen vader⟩ *daddy-dear?.*

vader-abt ⟨de (m.)⟩ **0.1** *father abbot.*

vaderbeeld ⟨het⟩ **0.1** *father image.*

vaderbinding ⟨de (v.)⟩ ⟨psych.⟩ **0.1** *father fixation.*

vadercomplex ⟨het⟩ ⟨psych.⟩ **0.1** *father complex* ⇒(*paternal*) *Oedipus complex.*

vaderdag ⟨de (m.)⟩ **0.1** *father's day.*

vaderdier ⟨het⟩ **0.1** *sire* ⇒*father.*

vaderen¹ ⟨zn.mv.⟩ **0.1** (*fore*)*fathers* ◆ **2.¶** de beschreven ~ *the conscript fathers;* de vroede ~ *the City/Town Fathers* **4.1** het erf onzer ~ *the land of our forefathers/ancestors* **6.1** tot de ~ gaan/vergaderd worden *be gathered to one's fathers.*

vaderen² ⟨onov.ww.⟩ **0.1** *be a/act as a father to* ◆ **6.1** hij vaderde **over** zijn jongere broer *he was as a father to his younger brother.*

vaderfiguur ⟨de (v.)⟩ **0.1** *father figure.*

vaderhart ⟨het⟩ **0.1** [liefhebbend hart] *a father's heart* **0.2** [vaderlijke liefde] *a father's heart.*

vaderhuis ⟨het⟩ ⟨schr.⟩ **0.1** [huis waarin vader woont] *father's/paternal home/house* **0.2** [hemel] (*one's*) *Father's house.*

vaderimago ⟨het⟩ ⟨psych.⟩ **0.1** *father image.*

vaderland ⟨het⟩ **0.1** [geboorteland] (*native/mother*) *country* ⇒⟨geestelijk⟩ *home,* ⟨ihb. mbt. Duitsland, Nederland⟩ *fatherland* **0.2** [land van herkomst] (*native/mother*) *country* ⇒⟨ihb. mbt. Duitsland, Ne-

derland⟩ *fatherland, homeland, motherland* **0.3** [hemel] (*heavenly*) *home* ◆ **1.1** voor vorst en ~ *for king and country* **2.1** Canada is zijn nieuwe ~ *Canada is his new/adopted country/home/his country of adoption* **3.1** voor het ~ sterven *die for one's country;* naar het ~ terugkeren *return home/to one's native land/country;* naar het ~ terugroepen *call home;* hij vindt overal zijn ~ *he's at home everywhere* **6.2** Nederland is het ~ **van** de godsdienstvrijheid *the Netherlands is the cradle/birthplace/motherland of religious freedom* **6.¶** voor het ~ weg ⟨zomaar⟩ *randomly, haphazardly;* ⟨ongegeneerd⟩ *unblushingly, unblinkingly, shamelessly* **7.1** een tweede ~ *a second home.*

vaderlander ⟨de (m.)⟩ **0.1** *patriot* ◆ **2.1** een goed ~ *a loyal p..*

vaderlievend →**vaderlandslievend.**

vaderlands ⟨bn.⟩ **0.1** [eigen aan het vaderland] *national* ⇒*native* **0.2** [nationaal] *national* **0.3** [vaderlandslievend] *patriotic* ◆ **1.1** de ~e bodem/grond *native ground/soil;* de ~e driekleur *the national flag;* ~e gebruiken *national customs;* de ~e geschiedenis *Dutch/English/American* ⟨enz.⟩ *history, the country's history, national history* **1.2** de ~e staatsinstellingen *the n. institutions* **1.3** een ~e daad *a p. deed/act;* ~e liederen *national songs.*

vaderlandsgezind ⟨bn.⟩ **0.1** *patriotic.*

vaderlandsliefde ⟨de (v.)⟩ **0.1** *patriotism* ⇒*love of (one's) country.*

vaderlandslievend ⟨bn., bw.⟩ **0.1** [zijn vaderland beminnend] *patriotic* **0.2** [van vaderlandsliefde getuigend] *patriotic* ◆ **1.2** een ~e daad *a p. deed/act.*

vaderlief ⟨tw.⟩ **0.1** *dear father, father dear* ⇒⟨inf.⟩ *ol'/old man* ◆ **3.1** ~ zit weer te drinken *the old man is drinking again.*

vaderliefde ⟨de (v.)⟩ **0.1** (*father*) *paternal love.*

vaderlijk ⟨bn., bw.; -(al)ly⟩ **0.1** [van vader] *paternal* ⇒*of a father* **0.2** [als (van) een vader] ⟨bn.⟩ *fatherly* ⇒*paternal,* ⟨bw.⟩ *in a fatherly way, like a father* **0.3** [gezaghebbend] ⟨bn.⟩ *fatherly* ⇒*paternal,* ⟨bw.⟩ *in a fatherly way* **0.4** [bemoeiziek] *paternalistic* ◆ **1.1** het ~ erfdeel *patrimony;* het ~ gezag *p. authority;* het ~ huis *the p./ancestral home;* ~e zorgen *p. care* **1.2** iem. een ~ schouderklopje geven *give s.o. a f. pat on the shoulder;* ~e tederheid/vermaningen *f. tenderness/admonitions* **3.2** iem. ~ behandelen/toespreken *deal with/speak to s.o. in a f./paternal/avuncular manner.*

vaderlijkheid ⟨de (v.)⟩ **0.1** *fatherliness* ◆ **6.1** met ~ in zijn stem ⟨ook⟩ *in a fatherly tone.*

vaderloos ⟨bn.⟩ **0.1** [zonder vader] *fatherless* **0.2** [onwettig] *illegitimate.*

vadermoord ⟨de⟩ **0.1** *patricide.*

vadermoordenaar ⟨de (m.)⟩ **0.1** [iem. die zijn vader vermoord heeft] *patricide* ⇒*father-killer* **0.2** [⟨(mv.), punten van een) ouderwetse herenhalsboord] (*gills of a*) *stick-up/stand-up collar/choker.*

vaderpaard ⟨het⟩ **0.1** *sire.*

vaderplicht ⟨de⟩ **0.1** *paternal/fatherly duty* ◆ **3.1** de ~ verzaken *neglect/fail in one's paternal duty.*

vaderrecht ⟨het⟩ **0.1** [recht op de kinderen] *paternal right* **0.2** [patriarchaat] *patriarchy* ⇒*patriarchate.*

vaderrechtelijk ⟨bn.⟩ **0.1** *patriarchal.*

vaderschap ⟨het⟩ **0.1** *paternity* ⇒*fatherhood* ◆ **1.1** ⟨fig.⟩ het ~ van een geschrift loochenen *deny the p./authorship of a document;* onderzoek naar het ~ *inquiries into (s.o.'s) p.;* vaststelling v.h. ~ *establishment of (s.o.'s) p.;* ⟨jur. ook⟩ *affiliation;* wet op het ~ *law of affiliation* **2.1** het juridische/biologisch ~ *legal/biological p.* **3.1** hij weigerde het ~ v.h. kind te erkennen *he refused to recognize the child, he would not own the child.*

vaderschapsonderzoek ⟨het⟩ **0.1** *paternity test* ⇒*determination of paternity.*

vaderschapsverlof ⟨het⟩ **0.1** [rondom de geboorte van zijn kind] *paternity leave* **0.2** [om meer tijd te kunnen besteden aan zijn opgroeiend(e) kind(eren)] *paternity leave* ⇒⟨verlof wegens familieomstandigheden⟩ *compassionate leave.*

vaderskant →**vaderszijde.**

vaderskind ⟨het⟩ **0.1** [lieveling van vader] *daddy's boy/girl* **0.2** [kind dat op zijn vader gesteld is] *daddy's boy/girl.*

vadersnaam ⟨de (m.)⟩ **0.1** *father's name* ⇒*patronymic (name).*

vaderstad ⟨de⟩ **0.1** *home town.*

vaderszijde ⟨de⟩ **0.1** *father's/paternal side* ◆ **6.1** van ~ was hij nogal rijk *he was quite rich on his father's side;* grootvader **van** ~ *paternal grandfather.*

vadertrots ⟨de (m.)⟩ **0.1** *fatherly/paternal pride.*

vadervreugd ⟨de (v.)⟩ **0.1** *pleasures/joys of fatherhood* ◆ **3.1** ~ smaken *taste the joys of fatherhood.*

vaderzorg ⟨de⟩ **0.1** *paternal/fatherly care* ◆ **3.1** van ~ vervuld *filled with p./f.c..*

vadoek ⟨de (m.)⟩ **0.1** *dishcloth.*

vadsig ⟨bn., bw.; -ly⟩ **0.1** *flabby* ⇒*bloated, lazy* ◆ **1.1** een ~e patser *a fat ponce (of a guy/bloke) with money to burn.*

vadsigheid ⟨de (v.)⟩ **0.1** *flabbiness* ⇒*bloatedness, laziness.*

va-et-vient ⟨het⟩ **0.1** *coming and going* ◆ **2.1** een voortdurend ~ *a constant coming and going.*

vagant ⟨de (m.)⟩ ⟨gesch.⟩ **0.1** *wandering scholar* ⇒*itinerant priest, goliard* ◆ **1.1** de poëzie van de ~en *the poetry of wandering scholars.*

vagebond ⟨de (m.)⟩ **0.1** [zwerver] *vagabond* ⇒*vagrant, tramp,* ⟨AE ook⟩ *hobo* **0.2** [schurk] *vagabond* ⇒*rogue, ruffian, cad.*

vagebonderen ⟨onov.ww.⟩ **0.1** *be a tramp* / ⟨AE ook⟩ *hobo* ⇒*roam* / *wander (around)* / ⟨BE ook⟩ *about)* ◆ **1.1** ~de stroom *stray current, vagabond* / *leakage current.*

vagelijk ⟨bw.⟩ **0.1** *vaguely* ⇒*indistinctly, faintly, aimly.*

vagevuur ⟨het⟩ **0.1** [⟨r.k.⟩] *purgatory* **0.2** [⟨fig.⟩] *purgatory.*

vagina ⟨de⟩ **0.1** *vagina.*

vaginaal ⟨bn.⟩ **0.1** *vaginal.*

vaginisme ⟨het⟩ ⟨med.⟩ **0.1** *vaginismus.*

vaginitis ⟨de (v.)⟩ **0.1** *vaginitis.*

v.a.g.v. ⟨afk.⟩ **0.1** [van alle gemakken voorzien] ⟨*(with) all modern conveniences* / [B]*mod cons*⟩

vak ⟨het⟩ **0.1** [begrensd vlak] *section* ⇒*square, panel* ⟨plafond⟩, *plot* ⟨begraafplaats⟩, *space, bay* ⟨parkeerplaats⟩, ⟨vakje⟩ *box* ⟨formulier, puzzel⟩ **0.2** [deel van een kast, doos] *compartment* ⇒*partition,* ↓*cubbyhole,* ⟨ihb. postvak⟩ *pigeonhole, shelf* ⟨winkel, bibliotheek⟩ **0.3** [beroep] ⟨lager⟩ *trade,* ⟨hoger⟩ *profession* **0.4** [tak van wetenschap, bedrijf] *subject* ⇒*field* **0.5** [perk] *bed* **0.6** [afgeperkt deel] *section* ⇒*stretch,* ⟨mil.⟩ *sector* ◆ **1.1** de ~ken van een schaakbord *the squares of a chessboard* **1.2** de ~ken van een letterkast / een aktentas *the compartments of a typecase* / *briefcase* **1.3** een man van het ~ zijn *be an expert* / *a specialist* **1.5** een ~rozen *a rose b., a b. of roses* **1.6** de ~ken van een brug *the sections of a bridge* **2.2** een kast met geheime ~ken *a chest* / *cupboard* / *closet with secret compartments* **2.3** hij beoefent dit ~ al 20 jaar *he has been in this business* / *field* / *line for 20 years* **2.4** exacte ~ken *s. (subjects),* (exact) *sciences;* ⟨op school ook⟩ *s. and maths* / [A]*math;* een verplicht ~ *a compulsory* / *required s.* **3.1** het ~je rood maken / openlaten *colour the space* / *square red, leave the space* / *square blank* **3.2** de ~ken bijvullen *fill the shelves* **3.3** dat is mijn ~ niet *that's not (in) my line* / *field;* ⟨scherts.⟩ liegen is ook een ~ *lying is an art too;* een ~ leren *learn a t.;* zijn ~ maken van *make a business* / *t. of* ~ uitoefenen *carry on* / *practise,* [A]*ice! be (engaged) in a t.* / *business;* zijn ~ verstaan *understand one's business* / *t.* / *p.;* ⟨inf.⟩ *know one's stuff* / *onions;* zij volgt slechts enkele ~ken *she is only taking a few subjects* / *courses* **3.4** taalkunde is mijn ~ *linguistics is my speciality* / [A]*specialty* / *department* **4.3** ieder zijn ~ *every man to his trade* **4** in de ~ken parkeren *park(ing) only in the marked spaces* / *bays;* een zoldering met ~ken *a panelled* / [A]*paneled ceiling* **6.2** post in iemands ~je stoppen *put mail in s.o.'s pigeonhole* / *box* / *slot* / *cubby-hole,* ⟨fig.⟩ altijd alles in ~jes willen stoppen *always want to put a label on* / *to pigeonhole things;* een doos met ~jes ⟨ook⟩ *a sectioned box* **6.3** toen hij in het ~ kwam *when he first got into* / *started in the business* / *field;* zij heeft het alleen maar over haar ~ *she is always talking shop;* hij is dokter / slager van zijn ~ *he is a doctor by p.* / *a butcher by t.* **6.4** in welk ~ geef jij les? *what s. do you teach?* **6.6** we zaten in ~E *we were (sitting) in section E* **7.4** in acht ~ken eindexamen doen *take eight subjects in one's final exams.*

vakantie ⟨de (v.)⟩ **0.1** *holiday(s)* ⇒*vacation* ⟨parlement, universiteit⟩, ⟨vnl. AE⟩, *(kort) time off,* ⟨inf.⟩*schooltaal) hols,* [A]*vac* ◆ **1.1** een dag / week ~ *a day's* / *week's holiday* / [A]*vacation* **2.1** een doorbetaalde ~ *holidays* / [A]*vacation with pay, paid holidays* / [A]*vacation;* de grote ~ *the summer holidays,* [A]*the long vacation;* ~! *have a nice holiday* / [A]*vacation!;* een geheel verzorgde ~ *a package holiday* / *tour* / [A]*vacation* **3.1** ~ hebben / krijgen *have* / *get a holiday* / [A]*vacation;* ~ nemen / geven *take* / *give a holiday* / [A]*vacation* / *time off;* ~ nemen *be on holiday* / [A]*vacation, be holidaying* / [A]*vacationing;* de ~ was begonnen ⟨mbt. school⟩ *school had broken up* **6.1** met ~ thuiskomen *come home for the holidays* / [A]*vacation;* met ~ zijn / gaan *be* / *go on holiday* / [A]*vacation.*

vakantieadres ⟨het⟩ **0.1** *holiday* / [A]*vacation address.*

vakantiebestemming ⟨de (v.)⟩ **0.1** *holiday* / [A]*vacation place* / ⟨waar men heen reist ook⟩ *destination.*

vakantieboerderij ⟨de (v.)⟩ **0.1** *holiday farm,* [A]*dude ranch.*

vakantiebon ⟨de (m.)⟩ **0.1** *(voucher received by employees in order to avoid loss of income during holidays* / [A]*vacations).*

vakantiecursus ⟨de (m.)⟩ **0.1** *holiday* / [A]*vacation course* ⇒*summer school.*

vakantiedag ⟨de (m.)⟩ **0.1** [dag van / tijdens de vakantie] *(day of one's) holiday* / [A]*vacation* **0.2** [vrije dag] *day off, holiday* / [A]*vacation* ◆ **3.2** alle ~en opmaken *use up all one's holiday(s)* / *vacation* **7.2** ik heb dit jaar 24 ~en *I've got 24 days' holiday* / *vacation this year.*

vakantiedrukte ⟨de (v.)⟩ **0.1** *holiday* / [A]*vacation rush.*

vakantieganger ⟨de (m.)⟩ **0.1** *holidaymaker,* [A]*vacationer, vacationist* ⇒*tourist.*

vakantiegeld ⟨het⟩ **0.1** *holiday allowance* / *pay* ⇒⟨AE ook⟩ *vacation bonus.*

vakantiehuis ⟨het⟩ **0.1** *holiday home* / *cottage* ⇒⟨huisje in kamp ook⟩ *chalet.*

vakantiehulp ⟨de (m.)⟩ **0.1** [B]*holiday replacement,* ≠*au pair.*

vakantiekamp ⟨het⟩ **0.1** *holiday camp* ⇒*summer camp.*

vakantiekleding ⟨de (v.)⟩ **0.1** *holiday* / [A]*vacation clothes* / *clothing* / ⟨vnl. reclametaal⟩ *wear.*

vakantiekolonie ⟨de (v.)⟩ **0.1** *(state-subsidized) holiday home* / *camp for children.*

vakantieland ⟨het⟩ **0.1** *holiday* / [A]*vacation spot (abroad).*

vakantiemaand ⟨de⟩ **0.1** *holiday* / [A]*vacation month.*

vakantieoord ⟨het⟩ **0.1** [plaats waar men zijn vakantie doorbrengt] *holiday* / [A]*vacation spot* / *area* **0.2** [toeristenoord] *(holiday) resort* / *centre* ⇒ ⟨vnl. AE⟩ *vacation spot.*

vakantiepiek ⟨de⟩ **0.1** *holiday* / [A]*vacation peak* / *rush* ⇒*peak* / *height of the holiday* / [A]*vacation season.*

vakantieplan ⟨het⟩ **0.1** ⟨vnl. mv.⟩ *holiday* / [A]*vacation plan.*

vakantiereis ⟨de⟩ **0.1** *holiday trip* ⇒*pleasure trip,* [A]*vacation.*

vakantiespreiding ⟨de (v.)⟩ **0.1** *staggering of holidays* / [A]*vacation* ⇒*staggered holidays* / [A]*vacation.*

vakantiestemming ⟨de (v.)⟩ **0.1** *holiday* / [A]*vacation mood* / *spirit.*

vakantietijd ⟨de (m.)⟩ **0.1** [tijd waarin men vakantie heeft] *holiday(s),* [A]*vacation* ⇒*holiday* / [A]*vacation period* **0.2** [tijd waarin de meeste mensen vakantie hebben] *holiday* / [A]*vacation season* / *period.*

vakantietoeslag ⟨de⟩ **0.1** →**vakantiegeld.**

vakantieuittocht ⟨de (m.)⟩ **0.1** *holiday* / [A]*vacation exodus* / *rush.*

vakantiewerk ⟨het⟩ **0.1** *holiday* / [A]*vacation job.*

vakantiezegel ⟨de (m.)⟩ **0.1** →**vakantiebon.**

vakarbeider ⟨de (m.)⟩ **0.1** *skilled worker* / *workman* ⇒*craftsman.*

vakbekwaam ⟨bn.⟩ **0.1** *skilled* ⇒*competent,* ⟨ambachtelijk⟩ *workmanlike.*

vakbekwaamheid ⟨de (v.)⟩ **0.1** *(professional) skill* / *competence* / *ability* ⇒ ⟨handwerk⟩ *craftsmanship.*

vakbeurs ⟨de⟩ **0.1** *specialized fair.*

vakbeweging ⟨de (v.)⟩ **0.1** [de vakorganisaties] *trade* / [A]*labor unions* ⇒ ⟨vnl. BE⟩ *trades unions* **0.2** [streven om zich te organiseren] *trade* / [A]*labor union movement* ⇒ ⟨vnl. BE⟩ *(trade) unionism* ◆ **6.1** actief zijn in de ~ *be active in the trade* / [A]*labor union, be an active (trade) unionist.*

vakbibliotheek ⟨de (v.)⟩ **0.1** *specialist library.*

vakblad ⟨het⟩ **0.1** *specialist journal* ⇒ ⟨technisch⟩ *technical* / ⟨natuurwetenschappelijk⟩ *scientific* / ⟨academisch ook⟩ *professional* / ⟨mbt. beroep, bedrijfstak⟩ *trade journal.*

vakbond ⟨de (m.)⟩ **0.1** [vakorganisatie] *(trade* / [A]*labor) union* ⇒⟨BE ook⟩ *trades union* **1.2** ⟨inf.⟩ *vakcentrale) union* ◆ **1.1** acties v.d. ~ *industrial action;* lid v.e. ~ zijn ⟨ook⟩ *be a union member* / *unionist.*

vakbondsbestuur ⟨het⟩ **0.1** *(trade* / [A]*labor) union executive* / ⟨mv.⟩ *leaders.*

vakbondsbonze ⟨de (m.)⟩ ⟨scherts.⟩ **0.1** *union boss.*

vakbondsleider ⟨de (m.)⟩ **0.1** *(trade* / [A]*labor) union leader.*

vakbondslid ⟨het⟩ **0.1** *(trade* / [A]*labor) unionist* ⇒*(trade* / [A]*labor) union member.*

vakbondsvertegenwoordiger ⟨de (m.)⟩ **0.1** *(trade* / [A]*labor) union representative* ⇒⟨in bedrijf door werknemers gekozen⟩ *shop steward.*

vakbroeder ⟨de (m.)⟩ ⟨schr.⟩ **0.1** [I]*confrère* ⇒*colleague.*

vakcentrale ⟨de⟩ **0.1** *trade* / [A]*labor union federation* ⇒⟨AE ook⟩ *federation of labor,* ⟨GB⟩ *Trades Union Congress, T.U.C.,* ⟨USA⟩ *A.F.L.-C.I.O..*

vakchauvinisme ⟨het⟩ **0.1** *professional chauvinism* ⇒*exaggerated pride in one's profession* / *subject.*

vakcongres ⟨het⟩ **0.1** *specialist conference.*

vakdidacticus ⟨de (m.)⟩ **0.1** *(History* / *English* / ⟨enz.⟩) *teaching methodologist* ⇒*lecturer in (History* / *English* / ⟨enz.⟩) *teaching methodology.*

vakdidactiek ⟨de (v.)⟩ **0.1** *(History* / *English* / ⟨enz.⟩) *teaching methodology.*

vakdiploma ⟨het⟩ **0.1** *(professional) diploma, certificate of proficiency.*

vakdocent ⟨de (m.)⟩, -e ⟨de (v.)⟩ **0.1** *specialist* / *subject teacher.*

vake ⟨de (m.)⟩ ⟨AZN⟩ **0.1** *dad(dy);* ⟨AE ook⟩ *pop(pa).*

vakfederatie →**vakcentrale.**

vakgebied ⟨het⟩ **0.1** *field (of study)* ⇒*speciality* [A]*specialty, province, domain* ◆ **3.1** dat behoort niet tot mijn ~ *that's outside my f.* / *province, that's not in my domain.*

vakgeleerde ⟨de (m.)⟩ **0.1** *specialist.*

vakgenoot ⟨de (m.)⟩ **0.1** *colleague* ⇒⟨mbt. vaklieden⟩ *fellow craftsman* / *worker,* ⟨mbt. academische beroepen ook⟩ *confrère* ◆ **¶.1** de (verzamelde) vakgenoten ⟨mbt. academische beroepen⟩ *the profession;* ⟨mbt. vaklieden⟩ *the craft.*

vakgericht ⟨bn.⟩ **0.1** *subject-oriented* ⇒*specialized.*

vakgroep ⟨de⟩ **0.1** [onderdeel van een faculteit] ≠*department* ⇒*section, study group, research group* ⟨voor onderzoek⟩ **0.2** [deel van een vakvereniging] [B]*union branch,* [A]*local (union),* [B]*chapel* ⟨bij drukkerij, krant⟩ ◆ **1.1** de ~ Engelse letterkunde *the English literature department.*

vakidioot ⟨de (m.)⟩ **0.1** *blinkered* / *narrow-minded specialist* ⇒*history* / *chemistry* ⟨enz.⟩ *freak* ◆ **2.1** hij is een echte ~ *he's blinkered when it comes to his job.*

vakjargon ⟨het⟩ **0.1** *(technical) jargon* ⇒*lingo.*

vakje ⟨het⟩ **0.1** [van portemonnee, lade, zaadhuls, de geest] *compartment* **0.2** [van puzzel, formulier] *box* ⇒*square* **0.3** [van buro e.d., vaste plaats in geheugen] *pigeonhole.*

vakkennis ⟨de (v.)⟩ **0.1** *professional/expert knowledge/skill* ⇒⟨praktisch⟩ *know-how, craftmanship* ◆ **3.1** op dit gebied ontbreekt het ons aan ~ we lack the necessary know-how in this field; dat werk vereist ~ *that's an expert job.*

vakkenpakket ⟨het⟩ **0.1** *subjects chosen (for* [B]*'O'-/'A'-levels/*[A]*graduation).*

vakkleding ⟨de (v.)⟩ **0.1** *working clothes* ⇒*uniform, professionaql dress* ⟨mbt. advocaat e.d.⟩.

vakkring ⟨de (m.)⟩ ◆ **6.¶** in ~en *in professional circles, among experts,* ⟨mbt. bedrijfstak⟩ *in the trade.*

vakkundig ⟨bn., bw.⟩ **0.1** [mbt. personen] ⟨bn.⟩ *skilled* ⇒*competent, skilful* [A]*skillful, expert, proficient,* ⟨bw.⟩ *competently, with great skill* **0.2** [mbt. zaken] *professional* ⇒*competent, expert* ◆ **1.1** een ~ automonteur *a skillful/skilled car mechanic;* een ~ onderwijzer *a competent teacher* **1.2** ~ advies *expert advice;* ~e explicaties *expert explanations* **3.1** het is ~ gerepareerd *it's been expertly repaired/competently done;* hij is zeer ~ *he's an expert/very good (at his job);* ⟨scherts.⟩ iets ~ kapotmaken *ruin sth. completely.*

vakkundigheid ⟨de (v.)⟩ **0.1** *(professional) skill/competence/ability* ⇒*proficiency,* ⟨handwerk⟩ *craftsmanship, workmanship.*

vakleerkracht →**vakleraar.**

vakleraar ⟨de (m.)⟩, **-lerares** ⟨de (v.)⟩ **0.1** *subject teacher* ⟨secundair onderwijs⟩; *special(ist) teacher* ⟨basisschool⟩; *technical teacher* ⟨technisch onderwijs⟩.

vakliteratuur ⟨de (v.)⟩ **0.1** *specialist/professional literature* ◆ **3.1** de ~ bijhouden *keep up withread the specialist literature/professional journals* **6.1** in de ~ ⟨ook⟩ *in the literature.*

vaklokaal ⟨het⟩ **0.1** *subject room.*

vakman ⟨de (m.)⟩, **vakvrouw** ⟨de (v.)⟩ **0.1** *expert* ⇒*professional, specialist,* ⟨arbeider/ster⟩ *skilled worker, craftsman,* ⟨bw.⟩ *craftswoman* ◆ **2.1** een echte ~ *a master craftsman* ⟨m.⟩ / *past master;* wetenschappelijk geschoolde vakmensen *academically trained specialists;* een goed ~ *a (highly) skilled worker/craftsman* **6.1** dat is alleen werk voor vaklui *that's a job for experts/professionals (only).*

vakmanschap ⟨het⟩ **0.1** *skill* ⇒⟨vaardigheid⟩ *workmanship, craftsmanship,* ⟨mbt. hogere beroepen ook⟩ *professional skill, expertise* ◆ **3.1** het ontbreekt hem aan~ *he lacks s.;* niet van ~ getuigend *unskilful, unskilled.*

vakonderwijs ⟨het⟩ **0.1** *vocational education/training.*

vakonderwijzer ⟨de (m.)⟩, **-es** ⟨de (v.)⟩ →**vakleraar.**

vakopleiding ⟨de (v.)⟩ **0.1** *vocational training* ⇒⟨hogere beroepen⟩ *professional training.*

vakorgaan ⟨het⟩ →**vakblad.**

vakorganisatie ⟨de (v.)⟩ →**vakvereniging.**

vakpers ⟨de⟩ **0.1** *trade press, specialist publications.*

vakschool ⟨de⟩ **0.1** *vocational school* ⇒*trade school,* ⟨technisch⟩ *industrial/technical school.*

vakstudie ⟨de (v.)⟩ **0.1** *specialist study.*

vaktaal ⟨de⟩ **0.1** *technical language/terminology* ⇒⟨vaak pej.⟩ *(technical/professional) jargon, lingo.*

vaktechnisch ⟨bn.⟩ **0.1** *technical* ◆ **1.1** een ~e scholing *a technical training.*

vakterm ⟨de (m.)⟩ **0.1** *technical term* ⇒*professional/specialist term.*

vakterminologie ⟨de (v.)⟩ **0.1** *technical/professional/specialist terminology.*

vaktijdschrift →**vakblad.**

vakverbond ⟨het⟩ →**vakcentrale.**

vakvereniging ⟨de (v.)⟩ **0.1** [van werknemers] ⟨→**vakbond 0.1**⟩ **0.2** [van werkgevers] *employer's organization/association* ⇒⟨GB⟩ *Confederation of British Industry, C.B.I..*

vakvrouw →**vakman.**

vakwerk ⟨het⟩ **0.1** [werk van een vakman] *craftmanship, workmanship* **0.2** [bouwconstructie] [metselwerk] *brick nogging* **0.3** [draagconstructie van staven] *truss, frame(work)* ◆ **1.1** dat is een knap staaltje ~ *that's a fine piece of w.!* of het is ~ *work* **3.1** ~ afleveren *produce excellent work;* ~! *do a first-class/great/professional job;* dat is ~! *nice/good work!;* ⟨inf.⟩ *that's quite a job of work there!* **6.2** een huis in ~ *a (half-)timbered house;* ⟨USA⟩ *a frame house.*

vakwerkbouw ⟨de (m.)⟩ **0.1** *half-timbering, timber framing.*

vakwetenschap ⟨de (v.)⟩ **0.1** *discipline* ⇒*branch of science/learning.*

vakwoord ⟨het⟩ **0.1** *technical term* ⇒*professional/specialist term.*

vakwoordenboek ⟨het⟩ **0.1** *technical/specialist dictionary.*

vakwoordenlijst ⟨de⟩ **0.1** *list of technical/specialist terms.*

val ⟨→sprw. 296⟩

I ⟨de (m.)⟩ **0.1** [het door de lucht omlaag gaan] *fall* **0.2** [het onvrijwillig op de grond terechtkomen] *fall (off, from)* ⇒⟨misstap⟩ *trip,* ⟨van fiets, paard ook⟩ *spill* **0.3** [hoogte waaruit iets valt] *drop* **0.4** [ondergang] *(down)fall* ⇒*collapse* **0.5** [zondeval] *fall* **0.6** [wijze van neerhangen] *hang, drape* **0.7** [daling] *fall* ⇒*drop,* ⟨sterker⟩ *slump, rake* ⟨mast, podium⟩, ⟨helling⟩ *slope* **0.8** [fruit] *windfall* ◆ **1.5** Adams ~ *Adam's Fall* **1.7** de ~ v.e. rivier *the f. of a river* **2.1** de wetten van de vrije ~ *the laws governing free f.;* ⟨fig.⟩ in een vrije ~ raken *plummet;* een vrije ~ maken *skydive* **2.2** hij maakte een lelijke ~ *he had a nasty*

f.; ⟨inf.⟩ *he came an awful cropper* **3.1** een ~ van 4 meter maken *f. 4 metres* **3.2** de val van iem./iets breken *break s.o.'s f./the f. of sth.* **3.7** het dak heeft geen ~ genoeg *the roof does not slope enough* **5.2** een ~ achterover *a f. (over) backwards/flat on one's back;* een ~ voorover *a headlong f., a f. forward* **6.1** ⟨nat.⟩ de ~ van lichamen *in het luchtledige the f. of bodies in a vacuum* **6.2** ten ~ komen *fall (down), have a fall;* ⟨struikelen⟩ *trip up;* iem. ten ~ brengen ⟨ook sport⟩ *bring s.o. down; overthrow/overturn/topple/unhorse/unseat s.o.;* ⟨inf.⟩ *knock s.o. off his pins* **6.4** ten ~ komen *be overthrown/overturned;* de regering ten ~ brengen *overthrow/bring down the government;* de ~ van Parijs *the f. of Paris;* de ~ van het Romeinse Rijk *the collapse/f. of the Roman Empire* **6.7** de ~ van de dollar *the f./drop/⟨zware teruggang⟩ slump of the dollar;*

II ⟨de⟩ **0.1** [toestel om dieren te vangen] *trap* ⇒⟨strik⟩ *snare, pitfall,* ⟨voor grote dieren⟩ *deadfall* **0.2** [⟨fig.⟩ hinderlaag] *trap* ⇒⟨inf.⟩ *frame-up,* ⟨AE; inf.⟩ *set-up* **0.3** [afhangende zoom] *valance* **0.4** [⟨AZN⟩ klep, deur] *trapdoor* ◆ **3.1** een ~ zetten/opzetten *set/lay a t./snare* **6.1** ratten in de ~ vangen *catch rats in the t.;* als een rat in de ~ zitten *be trapped like a rat* **6.2** in de ~ lopen ⟨fig.⟩ *walk/fall into a t.;* ⟨ook lett.⟩ *get caught in a t., get trapped/ensnared;* ⟨erin lopen⟩ *rise to/swallow the bait, put one head into the noose;* iem. in de ~ lokken *trick s.o.;* ⟨vnl. BE; inf.⟩ *catch s.o. out;*

III ⟨het⟩ ⟨scheep.⟩ **0.1** [touw] *halyard, halliard;*

IV ⟨het, de⟩ **0.1** [vloer v.e. ophaalbrug] *flooring/deck/road(way)(of bridge).*

val. ⟨afk.⟩ **0.1** [valuta] ⟨currency⟩.

valabel ⟨bn.⟩ **0.1** *valid* ⇒*feasible* ◆ **1.1** een ~e reden *a v. reason.*

valappel ⟨de (m.)⟩ **0.1** *windfall (apple).*

valavond ⟨de (m.)⟩ ⟨AZN⟩ **0.1** *dusk.*

valbeweging ⟨de (v.)⟩ ⟨nat.⟩ **0.1** *falling motion.*

valbijl ⟨de⟩ **0.1** *guillotine.*

valblok ⟨het⟩ **0.1** [heiblok] *monkey, tup, ram* **0.2** [hijsblok] *pulley block.*

val(breek)oefening ⟨de (v.)⟩ **0.1** *falling exercise* ⇒⟨mbt. judo⟩ *breakfall practice* [A]*se/training,* ⟨Japans⟩ *ukemi.*

valbrug ⟨de⟩ **0.1** *drawbridge* ◆ **3.1** een ~ ophalen/neerlaten *pull up/let down a d..*

valdeur ⟨de⟩ **0.1** [scharnierend luik] *trap(door)* **0.2** [sluisdeur] *lock-gate.*

valentie ⟨de (v.)⟩ **0.1** *valency,* [A]*valence* ◆ **2.¶** ⟨taal.⟩ morfologische ~ *morphological v.* **6.1** elementen met dezelfde ~ *elements with the same v..*

valentiegetal ⟨het⟩ **0.1** *valency/*[A]*valence number.*

Valentijnsdag ⟨de (m.)⟩ **0.1** *(St.) Valentine's Day.*

valeriaan

I ⟨de⟩ **0.1** [plant] *valerian, garden heliotrope;*

II ⟨het, de⟩ **0.1** [drank] *valerian* ◆ **3.1** ~ innemen tegen de zenuwen *take v. for the nerves.*

valeriaanwortel ⟨de (m.)⟩ **0.1** *valerian.*

valeriaanzuur ⟨het⟩ **0.1** *valeric acid.*

valgordijn ⟨het, de⟩ **0.1** ⟨binnen⟩ *blind;* ⟨buiten⟩ *shutters* ⟨mv.⟩.

valhamer ⟨de (m.)⟩ **0.1** *drop hammer.*

valhek ⟨het⟩ **0.1** *portcullis.*

valhelm ⟨de (m.)⟩ **0.1** *(crash) helmet* ⇒⟨BE; inf. ook⟩ *skidlid.*

valhoek ⟨de (m.)⟩ **0.1** *angle of incidence.*

valhoogte ⟨de (v.)⟩ **0.1** [⟨nat.⟩] *drop* **0.2** [afstand] *(height of) drop* **0.3** [hoogte van waaruit iets langs een helling naar beneden komt] *slope.*

valide ⟨bn.⟩ **0.1** [tot werken in staat] *able-bodied* **0.2** [van kracht zijnde] *valid* ◆ **1.2** ~ argumenten *v. arguments* **2.1** minder ~ arbeidskrachten *(semi-)invalid workers.*

valideren

I ⟨onov.ww.⟩ **0.1** [van kracht zijn] *be valid* **0.2** [in rekening gebracht worden] *be accredited (to)* **0.3** [opwegen tegen] *counterbalance, offset* **0.4** [⟨schei.⟩] *be equivalent* ◆ **4.2** het zal u/mij ~ *it will be passed to the credit of/be accredited to you/my account;*

II ⟨ov.ww.⟩ **0.1** [geldig verklaren] *validate* ⇒*render valid* **0.2** [in rekening brengen] *accredit* **0.3** [de geldigheid beoordelen van] *validate* ⇒*verify.*

validiteit ⟨de (v.)⟩ **0.1** [lichamelijke geschiktheid] *ability (to work)* ⇒*fitness (for work)* **0.2** [geldigheid] *validity.*

valies ⟨het⟩ **0.1** [reistas] *travelling/*[A]*traveling bag, holdall, grip,* ⟨vero.⟩ *valise;* ⟨koffer⟩ *(suit)case.*

valig ⟨bn.⟩ **0.1** *faded* ⇒*dullish, drab, sallowy* ⟨huidskleur⟩.

valium ⟨het⟩ **0.1** *valium* ⇒*diazepam.*

valk ⟨de⟩ ⟨→sprw. 576⟩ **0.1** *falcon* ⇒⟨vnl. AE⟩ *hawk,* ⟨ongetemd⟩ *haggard* ◆ **2.1** jonge ~ ⟨ook⟩ *eyes* **2.¶** kleine ~ ⟨klopekster⟩ *great grey shrike;* ⟨grauwe klauwier⟩ *red-backed shrike* **3.1** met ~en jagen *(go) hawk(ing).*

valkeblik ⟨de (m.)⟩ **0.1** *hawk-/eagle-eye.*

valkejacht ⟨de⟩ **0.1** *falconry* ⇒*hawking* ◆ **6.1** op de ~ gaan *go hawking.*

valkekap ⟨de⟩ **0.1** *falcon's/hawk's hood.*

valkenhof ⟨het⟩ **0.1** *hawk/falcon house* ⇒*hawkery.*

valkenier ⟨de (m.)⟩, **-ster** ⟨de (v.)⟩ **0.1** [valkenafrichter] *falconer* **0.2** [iem. die met valken jaagt] *falconer* ⇒*hawker.*

valkeoog ⟨het⟩ **0.1** [oog van een valk] *falcon's/hawk's eye* **0.2** [oog dat scherp ziet] *hawk-/eagle-eye* **0.3** [doordringende blik] *hawk-/eagle-eye* ◆ **6.3** met ~ *haw-/eagle-/falcon-eyed.*

valkerij ⟨de (v.)⟩ **0.1** [kunst om valken af te richten] *falconry* **0.2** [valkejacht] *falconry* ⇒ *hawking.*

valkhof → **valkenhof.**

valkruid ⟨het⟩ **0.1** *arnica montana, mountain tobacco.*

valkuil ⟨de (m.)⟩ **0.1** [gecamoufleerde kuil] *pitfall* ⇒ *trap, trapfall* **0.2** [⟨fig.⟩] *pitfall* ⇒ *trap* ⟨valstrik⟩ *catch, snag, snare.*

vallei ⟨de⟩ **0.1** *valley* ⇒ ⟨schr.⟩ *vale,* ⟨Noord-Engeland⟩ *dale,* ⟨kustvallei⟩ *coomb, combe,* ⟨nauw; in Schotland, Ierland⟩ *glen.*

vallen ⟨onov.ww.⟩ **0.1** [neervallen] *fall* ⇒ *drop, come/go down,* ⟨aftuimelen⟩ *tumble,* ⟨inf.⟩ *take a fall/spill, come a cropper* **0.2** [omvallen] *fall (over)* ⇒ *topple over,* ⟨struikelen⟩ *trip up, stumble* **0.3** [terechtkomen] *fall* ⇒ *come, land* **0.4** [plaatshebben op] *fall* **0.5** [los neerhangen] *fall* ⇒ *hang* **0.6** [tot stand komen, ontstaan] ⟨zie 1.6,3.6,6.6⟩ **0.7** [op een bepaalde manier zijn] ⟨zie 3.7,6.7,8.7⟩ **0.8** [in een situatie terechtgekomen zijn] *come, fall* **0.9** [sneuvelen] *fall (in battle)* ⇒ *be killed/* ⟨schr.⟩ *slain* **0.10** [van zijn macht, invloed beroofd worden] *fall* ⇒ *be a failure* **0.11** [in een toestand, omstandigheid terechtkomen] *fall* **0.12** [gewaardeerd worden] ⟨zie 5.12,8.12⟩ **0.13** [verloren gaan] *drop* **0.14** [zich aangetrokken voelen tot] *go (for), take (to)* ⇒ ⟨vnl. BE⟩ *fancy* **0.15** [zakken] *fall* ⇒ *drop, go down,* ⟨hellen⟩ *slope (down),* ⟨water ook⟩ *subside* **0.16** [mbt. de wind] *drop* ⇒ *abate, subside, die down* **0.17** [uitmonden in] *run (into)* ⇒ ⟨vallen in⟩ *join, meet* ⟨een andere waterloop⟩ **0.18** [⟨kaartsp.⟩] *be laid/played* ◆ **1.1** de bladeren ~ *the leaves are falling/ dropping;* het doek valt ⟨ook fig.⟩ *the curtain falls/drops/comes down;* ⟨fig., inf. ook⟩ *it's curtains;* er valt sneeuw/hagel *snow/hail is falling, it's snowing/hailing* **1.2** een gat in zijn knie ~ *f. and cut one's knee* **1.5** die rok valt niet goed *that skirt does not hang/fit well/sit well on you* **1.6** de avond valt *evening/night falls;* het ~ v.d. avond *nightfall;* ⟨schr.⟩ *evenfall;* het besluit viel om in te grijpen *they took the decision to intervene/step in;* er vielen doden/gewonden *there were fatalities/casualties;* er viel een schot *there is a shot, a shot is fired/rings out;* er viel een stilte *there was a hush, silence fell;* het vonnis valt vandaag *judg(e)ment will be given today, sentence will be passed today;* toen zijn er (tussen hen) enkele woorden gevallen *then (angry) words were bandied between them* **1.10** het kabinet is gevallen *the cabinet has fallen/collapsed;* het toneelstuk is gevallen *the play has been a failure/flopped;* de vesting is gevallen *the fortress has fallen* **1.15** ⟨fig.⟩ de aandelen zijn tien procent gevallen *the shares have fallen/ slid/gone down/eased off ten percent;* ~ de mijngangen *sloping galleries;* ~ d tij ebb-tide, ebbing/falling tide;* het water is veel gevallen *the water has fallen/dropped/gone down a foot* **1.16** de wind valt *the wind is dropping/subsiding/dying down* **3.1** hij laat alles ~ *he is a butterfingers/butterfingered;* het hert laat zijn gewei ~ *the deer sheds its antlers;* het anker/het gordijn laten ~ *drop anchor/the curtain;* bommen laten ~ *drop bombs* **3.2** iem. doen ~ *make s.o. fall;* ⟨doen struikelen⟩ *trip s.o. up;* zij kwam te ~ *she had/took a fall/tumble/spill;* zich laten ~ *fall, drop;* met ~ en opstaan ⟨fig.⟩ *by trial and error;* ⟨lett.⟩ *by falling over and picking o.s. up again* **3.3** een blik laten ~ op *cast a glance/an eye at;* zijn zinnen laten ~ op *take a fancy to, set one's heart/mind on* **3.6** een woord laten ~ *slip sth. out, slip out/drop/let fall a remark* **3.7** daar valt niet aan te denken *there is no question of that, that is out of the question/not worth considering;* het valt niet mee/om te lachen *this is no laughing matter;* het valt niet te ontkennen dat …*there is no denying the fact that …, it cannot be denied that …;* met hem valt te praten *he is a reasonable man;* met haar valt niet te praten *there is no talking to her, she can't be reasoned with, she's not amenable to reason;* daar valt wel over te praten *that is worth talking about, that is a negotiable matter;* wat valt er te vertellen/te doen? *what is there to tell/what can one do?;* er valt wel iets voor te zeggen om …*there is sth. to be said for …/a case for …* **3.10** het kabinet doen ~ *bring the cabinet down* **3.13** een kandidaat laten ~ *drop/dispense with a candidate;* iets laten ~ van de prijs *knock sth. off the price;* een eis laten ~ *drop/relinquish/abandon a claim/demand;* iem. laten ~ *drop/ditch s.o., give s.o. the push;* hij liet de aanklacht ~ *he dropped his accusation/the charge* **5.1** kapot ~ *f. to pieces/smithereens;* het vliegtuig viel loodrecht/plotseling *the aircraft plummeted/* ⟨dook⟩ *nosedived;* pijlsnel ~ *plummet, plunge* **5.11** laag gevallen zijn *have sunk low* **5.12** dat valt goed/verkeerd ⟨gewaardeerd worden⟩ *that goes down well/badly,* ⟨uitvallen⟩ *that turns out well/badly;* de tijd valt mij te lang ⟨the⟩ *time seems to drag with me, time hangs heavy on my hands;* het viel hem zwaar *he found it hard going/difficult* **5.¶** ⟨AZN⟩ erdoor ~ *be out of tune, be off key;* ⟨afgaan⟩ *cut a poor/sorry figure* **6.1** ter aarde ~ *fall to the ground;* ⟨uit de lucht ook⟩ *fall to earth;* ⟨neerstorten⟩ *crash to the ground/to earth* **6.2** ⟨sport⟩ in het (start)schot ~ *be quick off the mark, get a flier, get off to a flying start;* hij viel languit op de grond *he fell headlong to the ground, he went/ fell sprawling (to the ground);* ⟨inf.⟩ *he took a header/spill/dive/purler;* ⟨fig.⟩ op/over een woord ~ *take offence/umbrage at a word, quibble over a word;* over een steen ~ *trip over a stone;* ⟨fig.⟩ hij valt niet

over f100,- *f100 will not break/kill him;* van de trap ~ *fall/tumble down the stairs;* van zijn fiets ~ *f. from/off one's bike* **6.3** het kasteel viel aan hem *the castle went to him, he inherited the castle;* op elk aandeel valt een dividend van dertig gulden *each share qualifies for a dividend of thirty guilders, a dividend of thirty guilders accrues to each share;* de verantwoordelijkheid/de schuld/de verdenking valt op …*the responsibility/the blame/the suspicion falls on …;* haar aandacht viel plotseling op die man *her attention was suddenly drawn to that man;* de keuze viel op haar *the choice fell on her;* de klemtoon valt op de eerste lettergreep *the stress falls on the first syllable* **6.4** Kerstmis valt op een woensdag *Christmas (Day) falls on/is a Wednesday* **6.6** uit de lucht (komen) ~ *(come) (right) out of the blue, (come) out of thin air, out of a clear (blue) sky* **6.7** buiten het kader van iets ~ *be/fall outside the scope of sth., not be covered by sth., be beyond the scope of sth.* **6.8** binnen/buiten iemands bereik ~ *fall within/beyond s.o.'s reach;* dat valt buiten zijn bevoegdheid *that is/falls outside his authority/jurisdiction;* in de belasting ~ *be liable to taxation;* in een bepaalde categorie ~ *fall/come in/under a particular category;* dat valt niet onder het contract *that does not come/fall under/within the contract, that is not covered by the contract* **6.9** voor het vaderland ~ *f. in the name of one's country, give one's life for one's country* **6.11** hij viel van de ene verbazing in de andere *he went from one surprise to the next;* in slechte handen ~ *f. into bad hands* **6.14** zij valt op donkere mannen *she goes for dark men;* niet op elkaar ~ *not take to one another, not fancy each/one another* **6.17** de Main valt in de Rijn *the Main joins/meets the Rhine* **6.¶** iem. in de armen ~ *fall into s.o.'s arms* **7.9** de gevallenen *the fallen, the slain* **8.7** de dingen nemen zoals ze ~ *take things as they come* **8.12** je moet het leven nemen zoals het valt *you have to take the rough with the smooth* **¶.1** uit elkaar/aan stukken ~ *fall apart/to pieces, disintegrate* **¶.2** ik zou hem/haar niet kennen al zou ik over hem/haar ~ *I wouldn't know him/her from Adam* **¶.¶** iem. lastig ~ *bother/trouble/* ⟨sterker⟩ *annoy/pester/harry s.o.;* ⟨seksueel⟩ *harass s.o.*

vallend ⟨bn.⟩ ◆ **1.¶** ~ gesteente! *danger, falling rocks;* ⟨ster.⟩ ~e ster *shooting/falling star;* ⟨med.⟩ ~e ziekte *falling sickness, epilepsy;* lijder/lijdend aan ~e ziekte *epileptic;* een aanval van ~e ziekte *an epileptic fit.*

valletje ⟨het⟩ **0.1** *pelmet* ⇒ *valance, rabat.*

vallicht ⟨het⟩ **0.1** [raam in het dak] *skylight (window)* **0.2** [bovenlicht] *slanting (sun) light/(sun) rays.*

valling ⟨de (v.)⟩ **0.1** *slope* ⇒ *gradient, rake* ⟨mast⟩.

valluik ⟨het⟩ **0.1** [scharnierend luik] *trapdoor* ⇒ *hatch, drop* ⟨galg⟩ **0.2** [opening] *hatch* ⇒ *hatchway,* ⟨opening door een valdeur⟩ *trap(door), trap-hole* **0.3** [gecamoufleerd luik] *trapdoor* ⇒ *trap(fall).*

valnet ⟨het⟩ **0.1** [⟨vis.⟩] *net* **0.2** [vangnet voor wilde dieren] *clap-net* **0.3** [vangnet in een circus] *safety net.*

valorisatie ⟨de (v.)⟩ **0.1** [⟨geldw.⟩] *valorization* **0.2** [⟨ec.⟩] *valorization.*

valoriseren ⟨ov.ww.⟩ **0.1** *valorize.*

valpartij ⟨de (v.)⟩ **0.1** *spill, pile-up* ⇒ *fall.*

valproef ⟨de⟩ **0.1** *drop test.*

valput ⟨de (m.)⟩ **0.1** *trap, pit(fall).*

valreep ⟨de (m.)⟩ **0.1** [afhangend touw] *rope ladder* ⇒ *rope* ⟨een effen touw⟩ **0.2** [opening in de verschansing] *gangway* **0.3** [scheepstrap] *gangway* **0.4** [loopplank] *gangplank, gangboard* ◆ **2.¶** grote ~ *main gangway, accomodation ladder* **6.¶** op de ~ *right at the end, at the final/last moment;* op de ~ staan *be on the point of departure/leaving, be about to leave;* een (glaasje) op de ~ *one for the road, a stirrup cup;* ⟨Sch.E⟩ *a d(e)och-an-doris.*

valrichting ⟨de (v.)⟩ **0.1** *direction of fall.*

vals

I ⟨bn., bw.;-ly⟩ **0.1** [bedrieglijk] *false* ⇒ ⟨bn.⟩ *fake, spurious, fraudulent,* ⟨bn.; inf.⟩ *phoney* **0.2** [ongegrond] *false* ⇒ *baseless* **0.3** [foutief] *false* ⇒ *wrong, mistaken* **0.4** [⟨muz.⟩] ⟨te laag; bn. en bw.⟩ *flat,* ⟨te hoog; bn. en bw.⟩ *sharp* ⇒ ⟨bn. en bw.⟩ *false, out of tune,* ⟨pred.⟩ *off key,* ⟨uit de maat⟩ *out of time* **0.5** [gemeen] *false* ⇒ *mean, nasty, spiteful, malicious* ◆ **1.1** ~ alarm *false alarm;* een ~e beschuldiging *a false accusation, a trumped-up charge;* een ~e broeder *a snake in the grass, a Judas;* ⟨een verklikker⟩ *a sneak;* ⟨bijb.; mv.⟩ *false brethren;* een ~e getuige *a false witness;* een ~e getuigenis *false witness;* een ~e naam *a false/fictitious/an assumed name;* ~e schijn *deceptive appearances;* ⟨inf.⟩ *sham;* ~ spel *cheating, foul play;* een ~e (kaart)speler *a (card)sharp(er);* ~e vlag *spurious/bogus flag;* een ~e voorstelling/ vertoon *a charade, a masquerade* **1.2** ~e bescheidenheid/hoop *f. modesty/hope* **1.3** ⟨fig.⟩ iets in een ~(e) d(a)glicht plaatsen/stellen *put/ show sth. in a bad light;* ~ licht *poor/bad light;* een ~ plooi/vouw *a wrong fold, a crease;* een ~ spoor *a false trail, a red herring;* ⟨sport⟩ een ~e start *a f. start* **1.4** een ~e piano *an out of tune piano* **1.5** een ~ beest *a v. animal;* een ~ lachje *a wicked laugh* **3.1** iem. ~ beschuldigen *accuse s.o. unjustly/wrongly, frame s.o.;* ⟨inf.⟩ *fit/set s.o. up;* ~ getuigen *bear false witness;* ~ spelen *cheat, fiddle* **3.4** ~ klinken *be/sound out of tune/off key, jar;* ⟨mbt. woorden⟩ *ring false, strike a false note;* eentonig ~ zingen *croon;* ~ zingen *sing out of tune/off key;* ⟨uit de maat⟩ *sing out of time* **3.5** iem. ~ aankijken *give s.o. a mean/nasty* *look;* om iets ~ worden *become/get/turn nasty/vicious/bitchy about sth.* **8.5** hij is zo ~ als een kat *I wouldn't trust him an inch/wouldn't trust him as far as I could throw him;*

II ⟨bn.⟩ **0.1** [vervalst] *forged* ⇒*fake, false, counterfeit, bogus,* ⟨inf.⟩ *dud* **0.2** [kunst-, namaak-] *false, artificial* ⇒*synthetic,* ⟨attr.⟩ *mock, imitation,* ⟨inf.⟩ *dud* **0.3** [onecht] *false* ⇒*fake,* ⟨inf.⟩ *sham, phoney,* ⟨attr.⟩ *pseudo-* **0.4** [onwaar] *false* ⇒*spurious, fallacious,* ⟨verzonnen⟩ *apocryphal* **0.5** [uiterlijk gelijkend] *false* ⇒⟨attr.⟩ *mock* ◆ **1.1** ~e balans ⟨inf.⟩ *cooked balance sheet, cooked books;* ~e dobbelstenen *loaded dice;* ~ geld *forged/counterfeit money;* ⟨inf.⟩ *bad/dud money;* ~ goud *false/fake gold;* ~e munt *base/false/counterfeit coin;* een ~ persoonsbewijs *a forged/false/bogus identity document;* een ~e Vermeer *a forged/fake Vermeer* **1.2** ~e borsten ⟨inf.⟩ *falsies;* ~ haar *false hair;* ~e romantiek *mock/pasteboard/pseudo-romanticism;* ~e tanden/kiezen *false teeth/dentures* **1.3** ~e profeten *false prophets;* ~e tranen *mock/crocodile tears;* ~e vrienden ⟨ook taal.⟩ *false friends* **1.4** een ~e leer *a false/spurious/fallacious doctrine* **1.5** ~e kiezen ⟨med.⟩ *premolars, bicuspids;* ~e pokken *chickenpox;* ⟨med.⟩ *varicella;* ~e ribben *floating ribs.*

valsaard ⟨de (m.)⟩ ⟨schr.⟩ **0.1** *false friend* ⇒⟨verrader⟩ *treacherous/perfidious person, Judas, viper,* ⟨bedrieger⟩ *imposter,* †*cozener, skulker.*

valscherm ⟨het⟩ **0.1** [parachute] *parachute* **0.2** [scherm bij een steigerwerk] *fan/screen/to a scaffold.*

valschermspringer ⟨de (m.)⟩ **0.1** *parachutist.*

valschermsprong ⟨de (m.)⟩ **0.1** *parachute jump.*

valselijk ⟨bw.⟩ **0.1** *falsely* ⇒*wrong(ful)ly, fraudulently* ⟨opgeven, verklaren⟩ *deceitfully* ◆ **3.1** iem. ~ beschuldigen *accuse s.o. falsely/wrongly, libel s.o..*

valsemunter ⟨de (m.)⟩ **0.1** *counterfeiter* ⇒*forger,* ⟨BE ook⟩ *coiner.*

valsemunterij ⟨de (v.)⟩ **0.1** *counterfeiting, forgery* ⇒⟨BE ook⟩ *coining.*

valserik ⟨de (m.)⟩ **0.1** ⟨bedrieger⟩ *cheat, trickster, fraud, con-artist;* ⟨gemenerik⟩ *mean/vicious character;* ⟨hypocriet⟩ *sham, hypocrite, phoney;* ⟨verklikker⟩ *sneak.*

valshartig ⟨bn., bw.;-ly⟩ **0.1** *treacherous* ⇒⟨inf.⟩ *sneaky,* ⟨schr.⟩ *perfidious.*

valsheid ⟨de (v.)⟩ **0.1** [het vervalst zijn] *spuriousness* ⇒↓*phoneyness* **0.2** [het vervalsen] *forgery* ⇒*fraud, counterfeiting* **0.3** [oneerlijkheid] *treacherousness* ⇒*dishonesty, fraudulence,* ⟨schr.⟩ *perfidy* **0.4** [oneerlijke handeling] *fraud(ulence), treachery* ⇒*falsehood, deception* **0.5** [het schijnbaar, onecht zijn] *falseness* ⇒*falsity, fallacy,* ⟨inf.⟩ *phoneyness* **0.6** [gemeenheid] *viciousness* ⇒*meanness, nastiness, spitefulness, maliciousness* ◆ **6.1** overtuigd v.d. ~ van het schilderij *convinced that the painting is a fake* **6.2** ~ in geschrifte *forgery;* ~ in geschrifte plegen *forge, commit forgery.*

valslot ⟨het⟩ **0.1** *spring lock.*

valsmunter →**valsemunter.**

valsnelheid ⟨de (v.)⟩ **0.1** *speed of fall.*

valstrik ⟨de (m.)⟩ **0.1** [(fig.) hinderlaag] *snare, trap* ⇒*pitfall, ambush,* ⟨in vraag ook⟩ *catch* **0.2** [strik om iets mee te vangen] *snare* ◆ **3.1** een ~ leggen/spannen/zetten voor iem. *lay a snare/set a trap for s.o.* **6.1** iem. in een ~ lokken *lead/lure s.o. into a trap, decoy/ensnare/entrap s.o.;* in een ~ lopen *fall/walk into a trap/snare.*

valtijd ⟨de (m.)⟩ **0.1** *time of fall.*

valuatie ⟨de (v.)⟩ **0.1** *valuation.*

valuta ⟨de⟩ **0.1** [geldig betaalmiddel] *currency* **0.2** [vervaldag] *value (date)* ⇒*due date* **0.3** [dag vanaf welke men rente ontvangt, betaalt] ⟨zie 5.3⟩ **0.4** [koers] *rate of exchange, exchange rate* ⇒*valuta, value* **0.5** [deviezen] *currency* ⇒*valuta, value* ◆ **2.1** harde/zachte ~ *hard/soft c.* **5.3** wij crediteren u ~ vandaag *we credit you value/per today.*

valuta-aankoop ⟨de (m.)⟩ **0.1** *purchase of (foreign) currency.*

valutabeperking ⟨de (v.)⟩ **0.1** *(foreign) exchange/currency restriction* ⟨meestal mv.⟩.

valutabeurs ⟨de⟩ **0.1** *currency exchange/market/foreign exchange market.*

valutaclausule ⟨de⟩ **0.1** ⟨alg.⟩ *currency clause* ◆ **6.1** obligatie met ~ *debenture repayable according to a particular foreign currency value.*

valutadag, -datum ⟨de (m.)⟩ **0.1** *value date;* ⟨mbt. lening⟩ *due date.*

valutadekking ⟨de (v.)⟩ **0.1** *currency coverage.*

valutahandel ⟨de (m.)⟩ **0.1** *(foreign) exchange dealings* ⟨mv.⟩.

valutahandelaar ⟨de (m.)⟩ **0.1** *(foreign) exchange/currency dealer* ⇒*cambist.*

valutakoers ⟨de (m.)⟩ **0.1** *rate of exchange, exchange rate.*

valutamarkt ⟨de⟩ **0.1** *(foreign) exchange/currency market.*

valuta-optie ⟨de (v.)⟩ **0.1** *(foreign) exchange/foreign currency option.*

valutaschommeling ⟨de (v.)⟩ **0.1** *(foreign) exchange/currency fluctuation* ⇒*fluctuation in (foreign) exchange/currency rates.*

valutaverkeer ⟨het⟩ **0.1** *foreign exchange/(foreign) currency traffic/dealings.*

valuteren ⟨ov.ww.⟩ **0.1** *enter into/credit to an account.*

valwet ⟨de⟩ **0.1** *law of falling bodies.*

valwind ⟨de (m.)⟩ **0.1** [neerslaande landwind] *fall wind* ⇒*katabatic wind* **0.2** [wind door een dalende beweging van de lucht] *fall wind* ⇒*descending wind.*

---

valsaard - van

valzweven ⟨ww.⟩ **0.1** *paraglide.*

vamen →**vademen.**

vamp ⟨de (v.)⟩ **0.1** *femme fatale* ⇒⟨vnl. 1920-1930⟩ *vamp.*

vampier ⟨de (m.)⟩ **0.1** [dode die mensenbloed uitzuigt] *vampire* **0.2** [vleermuis] *vampire (bat).*

vampirisme ⟨het⟩ **0.1** *vampirism.*

van[1] ⟨bw.⟩ **0.1** [weg] *of, from* **0.2** [mbt. een beginpunt] *from* **0.3** [mbt. de oorzaak] *by, from* **0.4** [mbt. het voorwerp van een gedachte, gevoel] *of, about* **0.5** [mbt. een al genoemde zaak] ⟨zie 5.5⟩ ◆ **5.1** je kunt er wel een paar ~ nemen *you can have some/take a few (of those)* **5.3** onze tanden zijn daar stomp ~ geworden *it has blunted our teeth* **5.4** wat zeg je daar nu ~? *what/how about that?, what do you say to that then?;* hij weet er alles ~ *he knows all about it* **5.5** daar komt niets ~! *forget it!;* daar is niets ~ aan *there's no truth in/to that, there's nothing in it;* het heeft er iets ~ *it looks/sounds a bit like it.*

van[2] ⟨vz.⟩ **0.1** [(mbt. plaats) vanaf] *from* ⇒*off* **0.2** [(mbt. tijd) vanaf, sinds] *from* **0.3** [(mbt. handelingen, gebeurtenissen) (van)uit] *from* ⇒*off* **0.4** [(mbt. oorsprong) afkomstig uit] *from* ⇒*of* **0.5** [(mbt. (bezits)relatie) behorend bij, aan] *of* **0.6** [gemaakt, bestaande uit] *(made /out) of* **0.7** [(mbt. oorzaak) door] *of* ⇒*with* **0.8** [mbt. veroorzaker, maker] door] *by* ⇒*of* **0.9** [(mbt. die, dat een handeling ondergaat)] *of* **0.10** [(mbt. middel) met] *of* ⇒*with* **0.11** [mbt. tijd] vanaf] *from* **0.12** [(mbt. kwaliteit)] *of* **0.13** [voor zover het ... betreft] *of* ⇒*by* **0.14** [wat betreft, over] *of* **0.15** [als beeld van] *of* ◆ **1.1** ~ dorp tot dorp *from one village to another;* ~ hand tot hand *from hand to hand;* een knoop ~ een jas snijden *cut a button off a coat;* ~ top tot teen *from head to foot/toe, from top to toe* **1.2** ~ dag tot dag *day by day;* ~ de vroege morgen tot de late avond *from (the) early morning till late at night* **1.3** de kippen zijn ~ de leg *the hens have stopped laying;* ~ vader op zoon *from father to son* **1.4** hij is ~ Amsterdam *he's from Amsterdam;* hij is ~ een oud geslacht *he belongs to an old race* **1.5** het gewicht ~ hun bagage *the weight of their luggage;* het hoofd ~ de school *the head(master) of the school;* de inwoners ~ Rotterdam *the inhabitants of Rotterdam;* een kind ~ zijn tijd *a child of his time;* dat kind ~ Rutgers *that Rutgers child;* kracht ~ wet hebben *have force of law;* de universiteit ~ Utrecht *the University of Utrecht, Utrecht university;* de trein ~ 9.30 uur *the 9.30 train;* een foto ~ mijn vader ⟨eigendom⟩ *a picture of my father's;* ⟨hem voorstellend⟩ *a picture of my father;* de villa ~ de familie C. *the C. family's villa;* geen zweem ~ angst *not a trace of fear* **1.6** een geslacht ~ planten *a genus of plants;* een som ~ duizend gulden *a sum of a thousand guilders;* een tafel ~ hout *a wooden table* **1.7** sidderen ~ angst *shake with fear;* ze zag blauw ~ de kou *she was white/blue with cold;* de opwinding ~ de jacht *the thrill of the hunt* **1.8** dat wil ik me ~ die idioot niet laten zeggen *I won't take that from this idiot;* dat was niet slim ~ Jan *that was not such a clever move of Jan's/not such a clever thing for Jan to do;* ⟨inf.⟩ *that was rather daft of Jan;* de komst ~ zijn kleinzoon *the arrival of his grandson;* het volgende nummer is ~ X *the next number/song is by X;* bij ontstentenis ~ *in the absence of;* een plaat ~ de Rolling Stones *a Rolling Stones record, a record by the Rolling Stones;* een doek ~ Rembrandt *a painting by Rembrandt;* een foto ~ mijn vader *a picture of my father's* **1.9** het beleg ~ Haarlem *the siege of Haarlem* **1.10** ~ dat geld kon hij een auto kopen *the money enabled him to buy a car/bought him a car, he was able to buy a car with that money* **1.11** een handvol ~ die kersen *a handful of these cherries;* de jongste ~ zijn zoons *the youngest of his sons;* ~ twee kwaden moet men het minst erge kiezen *one must choose the lesser of (the) two evils;* ~ de partij zijn *join in;* ~ de pers zijn *be a member of the press (corps)* **1.12** ~ adel zijn *be of noble stock, belong to the nobility, have blue blood in one's veins;* een dorp ~ nog geen drieduizend inwoners *a village of/with less than three thousand inhabitants;* sigaren ~ vijf gulden *five guilder cigars;* ~ kracht zijn *be in force, be operative;* een man ~ eer *a man of honour, an honourable man;* ~ oordeel zijn, mening zijn *understand, be of the opinion (that);* ~ plan, zins zijn *intend, plan;* ~ toepassing zijn *apply, be applicable* **1.13** in staat ~ beleg, ontbinding *in a state of siege/decay;* ~ beroep was hij schaapherder *he was a shepherd by trade;* de dag ~ gisteren *yesterday;* blij ~ geest *of a joyous disposition/happy carefree nature;* in geval ~ nood *in case of (an) emergency;* iem. alleen ~ gezicht kennen *know s.o. only by face, have only a nodding acquaintance with s.o.;* ik ben ~ 't jaar nog geen dag thuis geweest *I haven't been home a single day this year;* de kunst ~ het improviseren *the art of improvisation;* ~ mijn leven niet *never in my life;* levendigheid ~ geest *vivacity of mind;* zij heeft geen recht ~ klagen *she has no right to complain;* verschil ~ mening *difference (of opinion);* bij wijze ~ spreken *in a manner of speaking, by way of speaking;* ⟨als stopwoord⟩ *virtually, in a sense;* bij wijze ~ proef *by way of experiment* **1.14** er is sprake ~ *there is talk of, there seems to be a possibility of;* het sprookje ~ Hans en Grietje *the fairytale of Hansel and Gretel* **1.15** een beest ~ een vent *a beast/bear of a man* **1.¶** ten dienste ~ *for the purpose/use of;* op grond ~ deze feiten *on the basis of these facts;* iem. ~ Jetje geven *lash out/let fly at s.o.,* iem of s.o.;* in de maand ~ mei *in the month of May;* ter wille ~ de lieve vrede *for the sake of peace* **2.3** los, ontbloot, verstoken, vrij ~ *apart/divorced from, devoid of, de-*

prived of, free of **2.7** hij was zwart ~ het roet *he was black with soot* **2.8** zij is zwanger ~ hem *she is pregnant by him* **2.10** ~ brood verzadigd *satiated with bread* **2.13** bewust, zeker ~ *aware/certain of;* gauw ~ vergeten *short of memory;* groot ~ stuk *tall of build;* vies zijn ~ *be disgusted with* **3.1** iets ~ een bepaalde kant bezien *look at sth. from a particular point of view/ angle;* ~ een bord eten *eat off/from a plate;* iem. ~ de straat houden *keep s.o. off the streets;* ik kom ~ kantoor *I've just come from the office;* ~ tafel opstaan *leave/ ⟨schr.⟩ rise from the table* **3.3** ~ de schrik bekomen *get over the (first) shock;* iem. genezen ~ *cure s.o. of;* ~ de jacht terugkeren *return from the hunt* **3.4** ik wil niets slechts ~ mijn zus horen *I won't hear any detracting stories about /anything against my sister;* ik weet het ~ mijn broer *I heard it from/ through my brother* **3.5** ~ wie is dit boek? het is ~ mij *whose book is this? it's mine* **3.7** bevallen ~ een kind *be delivered of a child;* krioelen ~ de drukfouten *be riddled with printing errors;* schrikken ~ *be frightened by;* weergalmen ~ geroep *resound with cries* **3.8** ~ wie is dit boek? het is ~ Orwell *who wrote this book/ who is this book by? it's by Orwell* **3.10** gebruikmaken, zich bedienen ~ *make use of; avail o.s. of* ⟨gelegenheid⟩; zich voorzien ~ *provide o.s. with, acquire* **3.11** drinken ~ de wijn *drink of the wine;* niet terughebben ~ iets *be taken aback by sth., not know what to say to sth.* **3.13** ~ betrekking veranderen *change one's job/ position* **3.14** beschuldigen, betichten ~ *accuse of;* ~ geluk mogen spreken *count o.s. lucky* **3.¶** het gaat ~ rikketikketik *it goes tic-tac-tic-tac* **4.11** hij kwam ~ alles tegen *he encountered all sorts of things* **4.13** hij is wat verlegen ~ zichzelf *he is a little shy by nature* **5.1** een eind ~ de weg af *some way off the road* **5.2** ~ tevoren *beforehand, in advance;* ~ toen af *from then on, from that day/ time (on);* ~ voren af aan *all over again, right from scratch* **5.4** ~ huis uit *in / of origin, by birth, originally* **5.7** daar niet ~ *that's not the point* **5.13** ~ achter *from behind;* ~ buiten kennen *know by heart;* ~ nabij *at close range;* de politieke toestand ~ tegenwoordig *the present/ current political situation;* zijn armoede ~ toen *his poverty of those days;* herinneringen ~ toen hij nog klein was *memories of his childhood days* **5.¶** ik geloof ~ niet *I don't think so;* ik verzeker u ~ wel *I assure you I do;* het lijkt ~ wel *it seems/ looks like it* **6.2** ~ kindsbeen af *from one's (early) youth, even as a child, from childhood on* **7.11** drie ~ de vier *three out of four* **¶.7** plezier ~ een aankoop hebben *find one's purchase useful* **¶.8** ~ Lotje getikt zijn *be off one's nut/ rocker, be batty/ barmy* **¶.11** een jas met ~ die koperen knopen *a coat with some of/ those brass buttons* **¶.13** begrippen ~ twee eeuwen geleden *ideas going back two centuries* **¶.14** veel werk maken ~ het eten *put a lot of work into (the preparation of) the dinner* **¶.¶** het was een feest ~ je-welste *it was quite a party.*

vanachter ⟨bw.⟩ **0.1** [van een achterwaarts gelegen plaats weg] *from behind* **0.2** [aan de achterzijde] *at the back/ rear.*

vanaf ⟨vz.⟩ **0.1** [mbt. een plaats] *from* **0.2** [met ingang van] *from* ⇒*as from/ ^of, beginning, commencing, since* ⟨punt in het verleden⟩ **0.3** [mbt. een volgorde] *from* ⇒*over* ◆ **1.2** ~ het jaar 1900 tot aan zijn dood *from the year 1900 until the time of his death, ever since 1900 until the day he died;* ~ 1 januari zal de wet van kracht worden *the law will come into force (as) from January 1st* **1.3** prijzen ~ ... *prices (range) from* ... **5.2** ~ vandaag *as from/ of today* **7.3** mensen ~ 60 jaar *people aged 60 and over;* bloemen ~ f5,- *flowers from f5.*

vanavond ⟨bw.⟩ **0.1** *tonight* ⇒*this evening.*

vanbinnen ⟨bw.⟩ **0.1 (on the) inside.**

vanboven ⟨bw.⟩ **0.1** [aan de bovenkant] *on the top/ upper surface, on top, above* **0.2** [van een hoger punt] *from above.*

vanbuiten ⟨bw.⟩ **0.1** [van de buitenzijde af] *from the outside* **0.2** [aan de buitenzijde] *on the outside* **0.3** [uit het hoofd] *by heart* ◆ **3.3** iets ~ kennen/ leren *know/ learn sth. by heart.*

vandaag ⟨bw.⟩ **0.1** *today* ◆ **1.1** ~ de dag *nowadays, these days, currently;* ⟨vaak in negatieve contex⟩ *in this day and age;* tot op de dag van ~ *to this day, to date;* de dag van ~ *this day, t.* **1.¶** ~ of morgen *one of these (fine) days, soon* **3.1** ~ een week geleden *a week ago now;* het is ~ driehonderd jaar geleden dat ... *it is three hundred years ago t. that ...;* ~ is het maandag *t. is Monday;* kom ik er ~ niet, dan kom ik er morgen wel *what cannot be done t. can be done tomorrow* **4.1** wat is het ~, maandag of dinsdag? *what day of the week is t., Monday or Tuesday?* **6.1** ~ over een week *in a week from now/ t., t. week, a week t.;* iem. niet van ~ of gisteren kennen *have known s.o. long enough;* ⟨AZN⟩ de dag van ~ *nowadays, these days;* dat is niet van ~ of gisteren *this hasn't just sprung up overnight, this has been going on for some time, this wasn't thought of on the spur of the moment;* van ~ op morgen *overnight, from one day to the next;* het Engels van ~ *present-day/ current English;* het nieuws/ de krant van ~ *today's news/ paper* **¶.1** beter/ liever ~ dan morgen *as soon as possible, if not sooner.*

vandaal ⟨de (m.)⟩ **0.1** *vandal* ⇒*hooligan, hoodlum.*

vandaan ⟨bw.⟩ **0.1** [weg van] *away, from* **0.2** [uit] *out of* ⇒*from* **0.3** [mbt. de plaats van herkomst] *from* ⇒*out of* **0.4** [mbt. de plaats vanwaar een handeling uitgaat] *from* **0.5** [verwijdered] *from* ◆ **3.1** we moeten hier ~! ⟨inf. ook⟩ *let's get out of here!* **3.2** kom uit die kast ~ *come out of that cupboard* **3.3** ⟨fig.⟩ waar haalt hij het ~? *where on earth does*

he get that idea from?, whoever put that idea into his head?; vijftig gulden? waar moet ik dat ~ halen? *fifty guilders? (and) where am I supposed to get that?;* waar heb je die oude klok ~? *where did you get/ pick up that old clock?;* waar kom/ ben jij ~? *where are you from?;* het land waar zij ~ komen *their country of origin, the country they come from* **3.5** blijf bij/ van de reling ~! *stay away from/ stand clear of the railing!* **5.3** nergens ~ *from/ out of nowhere;* ⟨schr.⟩ *nowhence* **5.4** een plekje dat nergens ~ gezien kan worden *a little place which cannot be seen from anywhere* **5.5** het is 5 mijlen hier ~ *it's five miles off/ from here/ away;* is Bergen op Zoom ver ~? *is Bergen op Zoom a long way from here/ a long way off?;* hij woont overal ver ~ *he lives miles from anywhere/ in the middle of nowhere* **6.1** ze gingen om twaalf uur bij mij ~ *they left me at twelve.*

vandaar ⟨bw.⟩ **0.1** [mbt. plaats] *from there* ⇒*from that point,* ⟨schr.⟩ *thence* **0.2** [mbt. oorzaak] *therefore* ⇒*that's why,* ⟨schr.⟩ *hence* ◆ **3.1** ~ is het nog een uur lopen *it's an hour's walk from there* **8.2** hij heeft geërfd, ~ dat hij zo rijk is *he's had an inheritance, that's why he's so rich* **9.2** o ~! *oh, (so) that explains it/ that's why! I see!.*

vandalisme ⟨het⟩ **0.1** *vandalism* ⇒*hooliganism.*

vandalistisch ⟨bn., bw.⟩ **0.1** ⟨bn.⟩ *vandal(ic), vandalistic;* ⟨bw.⟩ *like vandals/ hooligans.*

vandehands ⟨bw.⟩ **0.1** ⟨vnl. BE⟩ *off* ◆ **1.1** het ~e paard *the o. horse.*

vandoor ⟨bw.⟩ **0.1** *off* ⇒*away* ◆ **5.1** hij is er met de vrouw van een ander ~ *he has run off/ run away/* ⟨schr.⟩ *absconded with another man's wife;* ik moet er weer ~ *I have to be off, I must be going;* hij is er met het geld ~ *he has run off/* ⟨schr.⟩ *absconded with the money;* er snel ~ gaan *make a bolt/ dash for it;* er heimelijk ~ gaan *steal away, sneak off;* ⟨inf.⟩ *do a bunk.*

vang
I ⟨de (m.)⟩ **0.1** [wat men bij dieren grijpt om de vetheid te beoordelen] *flank* **0.2** [vlees uit de liesstreek] *flank* **0.3** [poten en klauwen van roofvogels] *talons* ⟨mv.⟩ ⇒*claws* ⟨mv.⟩ **0.4** [bek, muil] *fangs* ⟨mv.⟩; **II** ⟨de (m.)⟩ **0.1** [rem mbt. windmolens] *brake, curb plate.*

vangarm ⟨de (m.)⟩ **0.1** *tentacle* ⇒*arm.*

vangbaar ⟨bn.⟩ **0.1** [gevangen kunnende worden] *catchable* **0.2** [⟨jacht⟩ kunnende vangen] *ready/ suitable for the catch* ⟨mbt. jachttuig⟩.

vangbal ⟨de (m.)⟩ **0.1** ⟨sport⟩ **0.1** *catch.*

vangband ⟨de (m.)⟩ **0.1** *insect trap.*

vangdraad ⟨de (m.)⟩ **0.1** [mbt. een spoor] *trap-line* **0.2** [mbt. poliepen] *tentacle* **0.3** [⟨elek.⟩] *guard wire* ⇒*false wire.*

vangen ⟨ov.ww.⟩ ⟨→sprw. 76, 111, 261, 286, 361, 608, 613, 620⟩ **0.1** [grijpen] *catch* ⇒⟨gevangennemen ook⟩ *capture,* ⟨in een val⟩ *(en)trap,* ⟨met een net⟩ *net,* ⟨vis ook⟩ *land* **0.2** [opvangen] *catch* **0.3** [mbt. zaken, bemachtigen] *get hold of, lay hold on* ⇒*secure, pick up* **0.4** [betekenis vatten] *capture* **0.5** [beetnemen] *catch (out), trap* **0.6** [⟨scheep.⟩] *secure* ⇒*make fast, belay* ⟨een touw⟩ **0.7** [⟨inf.⟩ verdienen] *make* ⇒*pick up, net* ◆ **1.1** een dief ~ ⟨inf.⟩ *cop/ nab/ nick a thief;* men moet dieven met dieven ~ *set a thief to catch a thief* **1.2** iemands blik ~ *c.s.o.'s eye;* de wieken ~ goed wind *the sails c. the wind well* **1.6** de ra's in kettingen ~ *s. the yards with chains, chain down the yards;* een zeil/ anker ~ *s. a sail/ an anchor* **1.7** twintig piek per uur ~ *pick up / m.* [B]*five quid/* [A]*ten bucks an hour* **3.3** al wat men grijpen en ~ kan *anything one can lay hold on* **3.5** zij liet zich niet ~ *she wasn't to be caught out/ trapped, she did not walk/ she avoided falling into a trap* **4.1** heel wat ~ ⟨ook⟩ *make a good catch/* ⟨wild⟩ *get a good bag/ haul* **6.4** zij weet de schoonheid v.d. natuur **in** poëzie te ~ *she knows how to c. nature's beauty in poetry;* twee begrippen **onder** één woord ~ *c. two senses in one word.*

vanger ⟨de (m.)⟩ **0.1** [iem. die een persoon in zijn macht krijgt] *captor* **0.2** [iem. die iets opvangt] *catcher* **0.3** [iem. die een dier vangt] *catcher* **0.4** [mbt. een piano] *check-action, check (of piano)* ◆ **2.2** ⟨sport⟩ een goede ~ *a good/ safe catch(er), a safe pair of hands;* ⟨sport⟩ een slechte ~ *a poor catcher;* ⟨inf.⟩ *a butterfingers.*

vangertje ⟨het⟩ **0.1** *catch* ⇒*tag, catchings, catch-me, touch.*

vanggaas ⟨het⟩ **0.1** *safety/ protective (wire) netting.*

vanghaak ⟨de (m.)⟩ **0.1** *(catching) hook.*

vanghaar ⟨het⟩ **0.1** *stigmatic hair/ papilla.*

vanghek ⟨het⟩ **0.1** *safety barrier/ fence* ⇒⟨mbt. autorennen ook⟩ *crash barrier.*

vanghut ⟨de⟩ **0.1** *hide.*

vangkooi ⟨de⟩ **0.1** *trap-cage.*

vangkuil ⟨de (m.)⟩ **0.1** *pit* ⇒⟨valkuil⟩ *trap(fall), pitfall, fall-trap.*

vanglijn ⟨de⟩ **0.1** [meerlijn] ≠*painter,* ≠*mooring-rope* **0.2** [sleeplijn op een sloep] *boatrope* **0.3** [aan een persoon] *lifeline.*

vangnet ⟨het⟩ **0.1** [net om dieren te vangen] *(trap-)net* **0.2** [net om mensen op te vangen] *safety net* **0.3** [⟨elek.⟩] *guard network.*

vangrail ⟨de⟩ **0.1** *crash barrier.*

vangsnoer ⟨het⟩ **0.1** [koord ter versiering] *aiguilette* ⇒⟨n.-telb.⟩ *braid,* ⟨aan kolbak⟩ *busby lines/ cords* ⟨mv.⟩ **0.2** [onderdeel van een parachute] *shroud (line).*

vangspel ⟨het⟩ **0.1** *cops and robbers* ◆ **3.1** een ~ spelen *play (at) cops and robbers.*

vangst ⟨de (v.)⟩ **0.1** [het vangen] *catching* ⇒*capture* **0.2** [keer] *catch* ⇒

capture **0.3** [opbrengst] *catch* ⇒*take*, ⟨buit⟩ *haul*, ⟨inf.⟩ *bag*, ⟨hoeveelheid vissen in één trek;bijb.⟩ *draught* ◆ **3.2** de heroïnebrigade deed een goede ~ *the drugs squad made a good catch/capture/haul.*

vangstcijfer ⟨het⟩ **0.1** *(total) catch (in figures).*

vangtijd ⟨de (m.)⟩ **0.1** *open season.*

vangverbod ⟨het⟩ **0.1** *hunting/fishing/* ⟨enz.⟩ *ban* ⇒⟨periode⟩ *close/* ⟨vnl. AE⟩ *closed season.*

vangzeil ⟨het⟩ **0.1** *jumping sheet* ⇒*jumping net.*

vanhier ⟨bw.⟩ **0.1** *from here* ◆ **3.1** toen hij ~ vertrok *when he left here.*

vanille ⟨de⟩ **0.1** [vrucht] *vanilla* **0.2** [plant] *vanilla (plant).*

vanilleachtig ⟨bn.⟩ **0.1** *vanilla-like.*

vanilleijs ⟨het⟩ **0.1** *vanilla ice-cream.*

vanillestokje ⟨het⟩ **0.1** *vanilla pod.*

vanillesuiker ⟨de (m.)⟩ **0.1** [met suiker fijngewreven vanille] *vanilla sugar* **0.2** [suiker met vanilline] *vanilla sugar.*

vanillevla ⟨de⟩ **0.1** ≠*vanilla custard.*

vanilline ⟨de⟩ **0.1** *vanillin.*

vankrachtwording ⟨de (v.)⟩ **0.1** *coming into effect/force* ⇒⟨tijdstip⟩ *effective date.*

vanmiddag ⟨bw.⟩ **0.1** *this afternoon.*

vanmorgen ⟨bw.⟩ **0.1** *this morning* ⇒⟨later in de dag gezegd;ook⟩ *in the morning* ◆ **5.1** ~ vroeg *early this morning, early in the morning, first thing (this morning).*

vannacht ⟨bw.⟩ **0.1** ⟨deze of de komende nacht⟩ *tonight* ⇒⟨de afgelopen nacht⟩ *last night* ◆ **3.1** je kunt ~ blijven slapen, als je wil *you can stay the night, if you like;* hij kwam ~ om twee uur thuis *he came home at two o'clock in the morning;* om drie uur ~ vertrekken we *we are leaving at three o'clock in the morning* ¶**.1** ik heb ~ geen oog dichtgedaan *I didn't get a wink of sleep last night.*

vanochtend ⟨bw.⟩ →*vanmorgen.*

vanonder ⟨bw.⟩ **0.1** *from below/under.*

vanouds ⟨bw.⟩ **0.1** *of old, traditionally* ⇒*of yore* ◆ **1.1** ⟨bijb.⟩ gedenk aan de dagen ~ *remember the days of old* **2.1** een ~ bestaande zaak *an old-established firm, a long-standing business;* een ~ gebruikelijke processie *a traditional/long-standing procession, a procession of long standing* **8.1** als ~ *as of old, by tradition.*

vanuit ⟨vz.⟩ **0.1** [mbt. de plaats van herkomst] *from* ⇒⟨door iets heen⟩ *out of,* ^*out* **0.2** [mbt. de plaats vanwaar een handeling uitgaat] *from* ⇒⟨door iets heen⟩ *out of,* ^*out* **0.3** [uitgaande van] *starting/going/proceeding from* ◆ **1.2** ik keek ~ mijn venster naar beneden *I looked down from/out of my window.*

vanwaar ⟨bw.⟩ **0.1** [mbt. de plaats van herkomst] *from where* ⇒⟨schr.⟩ *whence* **0.2** [mbt. de plaats vanwaar een handeling uitgaat] *from where* ⇒⟨schr.⟩ *whence* **0.3** [om welke reden] *why* ◆ **1.3** ~ die haast? *what's the hurry/rush?, why (are you) in such a hurry?*

vanwege ⟨vz.⟩ **0.1** [wegens] *because of* ⇒*owing/due to, on account of,* ⟨mbt. handeling, eigenschap⟩ *for* **0.2** [schr.] door] *by* ⇒⟨van de kant van⟩ *on the part of* **0.3** [⟨schr.⟩ namens] *on behalf of* ◆ **1** iem. berispen ~ nalatigheid *reprimand s.o. for negligence;* ~ de pijn *because of the pain;* ~ vals spel *for cheating.*

vanzelf ⟨bw.⟩ **0.1** [uit zichzelf] *by/of o.s.* ⇒*of one's own accord, automatically* **0.2** [automatisch] *as a matter of course* ⇒⟨automatisch⟩ *automatically,* ⟨moeiteloos⟩ *straightforwardly,* ⟨spontaan⟩ *spontaneously* **0.3** [natuurlijk] *of course* ⇒*obviously, naturally* ◆ **1** veranderingen die ~ ontstaan/plaatsvinden *changes which occur automatically* **3.2** dat gaat ~ *that is straightforward, there is nothing to it;* alles ging / liep als ~ *everything went smoothly;* de rest komt/volgt dan ~ wel *the rest follows as a matter of course, the rest will take care of itself;* dat spreekt ~ *that is a matter of course, that goes without saying, that's obvious/understood.*

vanzelfsprekend ⟨bn., bw.; -ly⟩ **0.1** *obvious, natural* ⇒*self-evident,* ⟨bn.⟩ *matter-of-course,* ⟨bw.⟩ *of course* ◆ **3.1** als ~ aannemen/beschouwen *take sth. for granted* **4.1** dat is iets ~ *it is a matter of course, that is self-evident/understood.*

vanzelfsprekendheid ⟨de (v.)⟩ **0.1** [iets dat vanzelf spreekt] *sth. that goes without saying* ⇒*sth. obvious/natural* **0.2** [vanzelfsprekende aard of wijze] *casualness* ⇒*naturalness* ◆ **3.1** het was toch een ~ dat we ...*it was only natural that we ...* **5.2** de ~ waarmee hij ons aanbod accepteerde *the casualness with which he accepted our offer.*

vaporisator ⟨de (m.)⟩ **0.1** *atomizer* ⇒*spray, nebulizer* ⟨heel fijn⟩, *vaporizer* ⟨hete stoom, medicijnen⟩.

vaporiseren ⟨ov.ww.⟩ **0.1** *spray* ⇒*atomize, vaporize.*

V.A.R. ⟨de (v.)⟩ ⟨afk.⟩ **0.1** [Verenigde Arabische Republiek] *U.A.R..*

varekoe ⟨de (v.)⟩ **0.1** ≠*heifer.*

varen[1] ⟨de⟩ ⟨plantk.⟩ **0.1** [plant] *fern* ⇒⟨heidevaren;telb. en verz.n.⟩ *bracken* **0.2** [⟨mv.⟩ klasse] *ferns* ⇒⟨heidevarens⟩ *bracken* ◆ **1.1** leer der ~s ⟨plantk.⟩ *pteridology* **2.1** rijk aan ~s *fern-covered, ferny.*

varen[2]

I ⟨onov.ww.⟩ **0.1** [zich ergens heen begeven] *sail* **0.2** [zich door het water bewegen] *sail* **0.3** [als zeeman dienst doen] *sail* ⇒*be a sailor* **0.4** [scheepvaart uitoefenen] *sail* ⇒*navigate* **0.5** [zich begeven] *ascend* ⟨ten hemel⟩; *go* ⟨ter helle⟩ **0.6** [vlug plaatshebben] *go, get* **0.7** [mbt. de lucht] *float, drift* **0.8** [aflopen] *get on* ⇒⟨schr.;zeldz.⟩

---

fare **0.9** [met een luchtballon vliegen] *fly, sail* ◆ **1.1** ⟨fig.⟩ een veilige koers ~ *steer a safe course* **1.2** het schip vaart 10 knopen *the ship travels at 10 knots;* in een boot(je) gaan ~ *go boating/punting;* het is vijf dagen ~ *it is five days' sail* **3.3** hij wil gaan ~ *he wants to go to sea/be a sailor* **3.8** hoe zal dat ~? *what will come of that?* **3.¶** laat je twijfels toch ~ *put aside/cast aside/throw off/dismiss your/any doubts;* een plan laten ~ *abandon/drop/give up/scrap a plan;* alle hoop laten ~ *give up/abandon all hope;* alle voorzichtigheid laten ~ *throw/fling all caution to the wind(s)* **5.8** ergens wel bij ~ *do well by/out of sth., be the better for sth.;* wel ~ *get on (well)* **5.¶** ⟨AZN⟩ ergens goed/slecht ~ *be well/poorly received/treated somewhere* **6.1** onder de Nederlandse/onder vreemde vlag ~ *sail under the Dutch/under a foreign flag;* ⟨fig.⟩ op één kompas ~ *follow a steady/straight course* **6.2** langs de kust ~ *s. down/up the coast, skirt the coast, coast;* om een kaap ~ *round/double a headland/cape;* ⟨rond⟩om de wereld ~ *s. round the world;* ⟨schr.⟩ *circumnavigate the world* **6.3** ~ voor matroos *be a sailor, be in the navy,* ⟨BE ook⟩ *sail/serve as a (naval) rating, be a naval rating* **6.4** op de oost ~ *s. (the trade route) to the East;* op een kanaal ~ *sail down/navigate a canal;* het veer vaart tussen A en B *the ferry plies between A and B* **6.5** ten hemel ~ *a. to heaven* **6.6** een siddering voer hem **door** de leden *a shudder went/ran through his bones;* de duivel is in hem gevaren *the devil has got into him;* wat is **er** in dat kind gevaren *what has got into that child?* ¶**.8** laat me maar eens horen hoe je gevaren bent *tell me how you got on;*

II ⟨ov.ww.⟩ **0.1** [per schip vervoeren] *carry* ⇒*transport, convey* ◆ **1.1** hout/stukgoed ~ *carry wood/general cargo* **6.1** passagiers **over** een rivier ~ *carry/ferry/take passengers across a river.*

varenachtig ⟨bn.⟩ **0.1** *ferny.*

varenblad ⟨het⟩ **0.1** *(fern-)frond.*

varensgast →*varensman.*

varensman ⟨de (m.)⟩ **0.1** *seafaring man* ⇒*seafarer, sailor(man), mariner, seaman.*

varia ⟨zn.mv.⟩ **0.1** ⟨verz.n.;enk.⟩ *miscellany* ⇒⟨mv.⟩ *miscellanea, sundries,* ⟨telb.;enk.⟩ *potpourri, medley.*

variabel ⟨bn.⟩ **0.1** *variable* ⇒*flexible* ◆ **1.1** ~e budget *et;* ⟨statistiek⟩ ~e hoeveelheid *v. amount, variate;* ~e kosten *v. / direct costs;* ~e schaal *sliding scale;* ~e soorten *v. types;* ~e werktijden *flexible working hours;* ⟨inf.⟩ *flex(i)time.*

variabele ⟨de⟩ **0.1** [⟨wisk., statistiek⟩] *variable* **0.2** [⟨comp.⟩] *variable* ⇒*identifier* ◆ **1.1** ⟨statistiek⟩ waarde *v.e.* ⇒⟨ook⟩ *variate (value)* **2.1** (on)afhankelijke ~ *(in)dependent variable;* stochastische ~ *stochastic v.* **2.2** numerieke ~ *numerical v..*

variabiliteit ⟨de (v.)⟩ **0.1** *variability* ⇒*flexibility.*

variant ⟨de⟩ **0.1** [afwijkende vorm] *variant* ⇒*version, variation* **0.2** [gewijzigde lezing] *variant* ⇒*version, alternative reading* **0.3** [⟨dammen, schaken⟩] *variant* **0.4** [veranderlijk iets] *variable* **0.5** [⟨wisk.⟩] *variate* ◆ **6.1** een ~ **op** a *variant/version of, a variation on.*

variantenuitgave ⟨de⟩ **0.1** *variorum (edition).*

variantie ⟨de (v.)⟩ **0.1** *variance* ◆ **6.1** **binnen** de groepen *within-group v.;* ~ **tussen** de groepen *between-group v..*

variatie ⟨de (v.)⟩ **0.1** [het veranderen] *variation* ⇒*change,* ⟨afwijking⟩ *deviation, divergence* **0.2** [afwisseling] *variation* ⇒*change,* ⟨schr.⟩ *diversification* **0.3** [verscheidenheid] *variety* ⇒⟨n.-telb.⟩ *diversity, assortment, range* **0.4** [⟨muz.⟩] *variation* **0.5** [omschrijvende herhaling] *variation* **0.6** [mbt. coïtus] [positie] *position,* ⟨alternatieve positie⟩ *variation* ◆ **2.1** biologische ~ *biological v. / deviation* **3.2** ergens ~ in brengen *bring some v. into sth., ring the changes on sth.* **6.2** **voor** de ~ *for a change* **6.5** ~ **op** een thema *v. on a theme.*

variatiecoëfficiënt ⟨de (m.)⟩ **0.1** *coefficient of variation.*

variëren

I ⟨onov.ww.⟩ **0.1** [veranderen] *vary* ⇒*differ,* ⟨veranderen⟩ *alter, change,* ⟨schommelen⟩ *fluctuate* **0.2** [⟨muz.⟩] *vary* ⇒*make variations* **0.3** [uiteenlopen] *vary* ⇒*differ,* ⟨uiteenlopen⟩ *diverge, range* ◆ **1.1** sterk ~ de prijzen *widely differing prices;* een ~ de stemming *a changeable mood* **1.3** de prijzen ~ van 15 tot 20 pond *prices v. / range from 15 to 20 pounds/between 15 and 20 pounds;*

II ⟨ov.ww.⟩ **0.1** [veranderen] *vary* ⇒⟨doen uiteenlopen⟩ *diversify, change* **0.2** [⟨muz.⟩] *vary* ⇒*make variations on.*

variété ⟨het⟩ **0.1** [voorstelling] *variety show;* ⟨theater⟩ *variety theatre;* ⟨ouderwets;verz.n.⟩ *music hall,* ^*vaudeville.*

variétéartiest ⟨de (m.)⟩ **0.1** *variety/vaudeville artist(e)/entertainer.*

variétégezelschap ⟨het⟩ **0.1** *variety company* ⇒*troupe.*

variëteit ⟨de (v.)⟩ **0.1** [verscheidenheid] *variety* ⇒*diversity, assortment* **0.2** [⟨biol.⟩] *variety* ⇒*type, breed.*

variéténummer ⟨het⟩ **0.1** *variety/vaudeville act.*

variététheater ⟨het⟩ **0.1** *variety/vaudeville theatre* ⇒⟨BE ook⟩ *music-hall.*

variétévoorstelling ⟨de (v.)⟩ **0.1** *variety/vaudeville show/performance.*

variola ⟨zn.mv.⟩ **0.1** *variola (major)* ⇒*smallpox* ◆ ¶**.1** ~ minor *variola minor, alastrim.*

variometer ⟨de (m.)⟩ **0.1** *variometer.*

varken ⟨het⟩ ⟨~sprw. 583 - 585⟩ **0.1** [dier] *pig* ⇒⟨gew.⟩ *swine,* ⟨gecastreerd of zwaar mestvarken⟩ *hog* **0.2** [als scheldwoord] *swine* ⇒*pig,* *hog* 0.3 [spaarpot] *piggy bank* ◆ **2.1** schreeuwen als een mager ~ *squeal like a (bleeding) p.;* vetgemeste ~s porkers; wild ~ *wild boar* **2.2** een vuil ~ *a filthy s., a dirty pig* **3.1** ~s kelen *stick pigs;* 〈fig.〉 wij zullen als ~(tje) wel wassen *we'll soon sort that one out, we'll deal with that (little) matter, we'll get that one sorted out* **6.1** zich als een ~ gedragen *behave like a p., make a p. of o.s.* **8.1** zo lui als een ~ *bone idle/lazy;* snurken als een ~ 〈vero.〉 *be driving one's pigs to market; be driving them home, be sawing logs/wood.*

varkensachtig 〈bn.〉 **0.1** *pig-like* ⇒〈pej.〉 *piggy, piggish,* 〈schr.〉 *porcine.*

varkensbak 〈de (m.)〉 **0.1** *pig trough* ⇒*swill trough/tub.*

varkensblaas 〈de〉 **0.1** *pig's/hog's bladder.*

varkensfilet 〈het, de (m.)〉 **0.1** *tenderloin/fillet of pork.*

varkensfokker 〈de (m.)〉 **0.1** *pig breeder/farmer* ⇒〈AE ook〉 *hog farmer.*

varkensfokkerij 〈de (v.)〉 **0.1** [het fokken] *pig breeding/raising* ⇒〈AE ook〉 *hog breeding/raising* **0.2** [bedrijf] *pig farm* ⇒*piggery,* 〈AE ook〉 *hog farm.*

varkensgehakt 〈het〉 **0.1** *minced/*[A]*ground pork.*

varkensgras 〈het〉 **0.1** *knotgrass* ⇒*allseed.*

varkenshaar 〈het〉 **0.1** *pig's/hog's bristles* 〈mv.〉.

varkenshaas 〈de (m.)〉 **0.1** *pork tenderloin.*

varkenshoeder 〈de (m.)〉 **0.1** *swineherd.*

varkenshok 〈het〉 **0.1** *pigsty* ⇒*pigpen,* 〈AE ook〉 *hogpen.*

varkenskervel 〈de (m.)〉 **0.1** *hog's fennel.*

varkenskot 〈het〉 **0.1** [stal] *(pig)sty,* [A]*pigpen* ⇒*hogpen* **0.2** [bouwval] *(pig)sty* ⇒*shambles* ◆ **6.1** in een ~ opsluiten/verblijven *sty, pen up.*

varkenskotelet 〈de〉 **0.1** *pork chop.*

varkenslapje 〈het〉 **0.1** *(pork) steak/chop* ⇒[B]*griskin.*

varkensleer 〈het〉 **0.1** *pigskin.*

varkenslever 〈de〉 **0.1** *pig's liver.*

varkensmesterij 〈de (v.)〉 **0.1** *pig feeding* ⇒〈bedrijf〉 *pig farm,* [B]*piggery,* 〈AE ook〉 *hog farm.*

varkensoogjes 〈zn.mv.〉 **0.1** *piggy eyes* ◆ **6.1** met ~ *pig-eyed.*

varkenspest 〈de〉 **0.1** *swine fever,* [A]*hog cholera.*

varkenspoot 〈de (m.)〉 **0.1** *(pig's) trotter* ⇒〈voedsel ook〉 *pettitoes* 〈mv.〉.

varkensrib 〈de〉 **0.1** *pork rib* ◆ **2.1** magere ~(ben) *spare ribs.*

varkensrollade 〈de (v.)〉 **0.1** *(piece of) rolled pork.*

varkensstal 〈de (m.)〉 **0.1** 〈ook fig.〉 *pigsty* ⇒〈lett.〉 *pigpen,* 〈AE ook〉 *hogpen,* 〈modern〉 *pig/*[A]*hog house.*

varkensvet 〈het〉 **0.1** *lard* ◆ **6.1** bedekken/besmeren met ~ *lard (with).*

varkensvlees 〈het〉 **0.1** *pork* ⇒〈BE ook〉 *pigmeat* ◆ **2.1** gevuld ~ *a stuffed joint of pork.*

varkensvoer 〈het〉 **0.1** [voer voor varkens] *pigfeed* ⇒〈vloeibaar〉 *(pig)swill, pig's wash, slop(s)* 〈enk.〉 **0.2** [oneetbaar voedsel] 〈slappe kost〉 *slop(s), food not fit for pigs.*

varkentje 〈het〉 **0.1** *little pig* ⇒*piglet,* 〈kind.〉 *piggy(-wiggy)* ◆ **3.1** 〈fig.〉 ik zal dat ~ wel even wassen *leave that to me, I'll take care of/deal with that.*

vasculair 〈bn.〉 〈med., biol.〉 **0.1** *vascular.*

vasectomie 〈de (v.)〉 **0.1** *vasectomy.*

vaseline 〈de〉 **0.1** *vaseline* ⇒*petroleum/mineral jelly, petrolatum.*

vasoligatuur 〈de (v.)〉〈med.〉 **0.1** *(vaso)ligature, (vaso)ligation* ⇒*ligation of a vessel.*

vasomotie 〈de (v.)〉〈med.〉 **0.1** *vasomotion.*

vasomotoren 〈zn.mv.〉 **0.1** *vasomotor nerves.*

vasomotorisch 〈bn.〉 **0.1** *vasomotor* ◆ **1.1** ~e reacties/zenuwen *v. reactions/nerves.*

vasopressine 〈de〉〈med.〉 **0.1** *vasopressin.*

vasotomie 〈de (v.)〉〈med.〉 **0.1** *vasectomy.*

vast

I 〈bn., bw.; -ly〉 **0.1** [niet beweeglijk, verplaatsbaar] *fixed* ⇒〈werktafel ook〉 *fitted, immovable,* 〈tech.〉 *irremovable* **0.2** [niet van plaats, richting veranderend] *fixed* ⇒*stationary* **0.3** [niet gemakkelijk te onderbreken, niet vervloeiend] *fixed* ⇒*stationary* **0.4** [niet weifelend] *firm* ⇒*steady, unwavering, stable* **0.5** [onwankelbaar] *firm* ⇒*unfaltering, settled* **0.6** [onbetwijfelbaar] *certain* ⇒*definite, fixed* **0.7** [onveranderlijk] *fixed* ⇒*settled, invariable* **0.8** [permanent] *permanent* ⇒*established, regular* 〈werk〉, 〈vriendin〉 **0.9** [compact] *solid* ⇒*tight,* 〈massief〉 *concrete,* 〈samengeperst〉 *compact* **0.10** [goed houdend] *firm* ⇒*retentive* **0.11** [stevig] *firm* ⇒*fast* **0.12** [goed bevestigd] *tight* ⇒*firm* **0.13** [niet slap] *firm, solid* ⇒*hard* **0.14** [van kracht blijvend] *permanent* ⇒*lasting, standing* ◆ **1.1** 〈hand.〉 ~e activa *immovable assets;* een ~e brug *a fixed bridge;* ~e goederen *real estate/property, realty;* een ~e kast *a built-in/fitted cupboard;* 〈landmeetkunde〉 een ~ punt *a bench mark;* 〈mil.〉 een ~e schijf *a stationary target;* ~e sterren *fixed stars;* een ~ tapijt *a fitted carpet;* een ~e uitdrukking *a set/stock phrase, a fixed expression;* ~e vloerbedekking *wall-to-wall carpet(ing)* **1.2** met ~e blik *with a steady/f. gaze;* ~ kapitaal *f. capital;* een ~e satelliet in een *a stationary satellite in a stationary orbit;* zonder ~e woon- of verblijfplaats *of no f. abode* **1.4** met ~e hand *with a steady/sure/tight hand;* met ~e stem *with a steady voice* **1.5** een ~ vooropgesteld doel *a set purpose;* een ~ geloof/besluit

a firm/unfaltering faith/resolve; een ~ karakter *a strong/stable character;* ~e overtuiging *f. conviction;* ~ voornemen, ~e wil *f./fixed/set intention/determination* **1.7** een ~ bedrag/tarief *a flat rate;* ~e datum *fixed date;* een ~e feestdag *an immovable feast(day);* ~e gebeden *set prayers;* een ~e halte/stopplaats *a compulsory stop;* ~e inkomsten *a f./regular income;* ~e kleuren *fast/non-fading/durable colours;* 〈hand.〉 ~e kosten *f./standing charger;* 〈mbt. bedrijf〉 [B]*overheads,* [A]*overhead; overhead costs;* een ~e markt *a steady/firm market;* ~e maten *standard sizes;* ~e onkosten *fixed/standing charges;* een ~e prijs *a f./set price;* 〈vast tarief〉 *a flat rate;* ~ recht *f. charge, flat/standing rate;* 〈douane〉 *f. duty;* aan de beurs heerst een ~e stemming *there's a firm tendency on the exchange;* met ~e tussenpozen *at regular intervals;* dat gebeurt op een ~ uur *it takes place at a f. hour;* een ~e verbinding *a regular connection;* 〈bv. over het Kanaal〉 *a f. (cross-Channel) link;* ~ weer *settled/stable weather* **1.8** een ~e aanstelling/betrekking *a p. appointment/position;* 〈vnl. AE〉 *tenure;* ~ adres/tehuis *fixed address/settled home;* de ~e bevolking *the resident population;* een ~e commissie *a p./standing committee;* een ~e dienst 〈lijndienst〉 *a regular service;* in ~e dienst zijn *hold a permanent appointment;* 〈vnl. AE〉 *have tenure;* een ~e gast *a regular guest;* een ~e gewoonte *a set/fixed habit;* de ~e kern (v.h. personeel) *the skeleton staff;* ~e klanten *regulars;* 〈schr.〉 *frequenters, habitués (of);* ~ personeel *p. staff;* een ~e plaats hebben *have a place of one's own/a regular place;* ~e planten *perennials, perennial plants;* ~e rente/schuld *fixed interest/debt;* een ~e schotel *a standing dish;* ~ werk *a steady/regular job* **1.9** ~e delen/lichamen *s. parts/bodies, solids;* ~ gesteente *rock, bedrock;* de ~e korst van de aarde *the s. crust of the earth, the earth's lithosphere;* een ~e massa/stof *a s. mass/substance;* ~ voedsel, ~e spijzen *s. food/fare* **1.10** een ~ geheugen hebben *have a retentive memory;* een ~e greep *a f. grip* **1.11** een ~e constructie/grondslag *a firm construction/basis;* een ~e greep houden op *keep a firm grip/hold/hand on;* 〈fig.〉 ~e vorm geven *put shape into* **1.12** 〈tech.〉 ~e koppeling *t. coupling;* 〈druk.〉 ~e rug *t. spine* **1.14** een ~e afspraak *a standing arrangement/agreement;* een ~ gebruik *a (set) custom;* een ~e regel *a fixed/set/hard-and-fast rule* **2.5** er ~ van overtuigd zijn *be firmly convinced of* **3.2** ~ op de weg liggen *hold the road (well);* ~ liggen/zitten 〈mbt. wild〉 *squat;* het schip ligt ~ op het water *the ship lies steady in the water;* sta ~ *hold tight;* 〈jachthond〉 ~ staan *point* **3.3** ~ omlijnd *definite, clear-cut;* ~ slapen *sleep soundly* **3.5** ik ben er ~ van overtuigd dat ... *I'm firmly convinced/it is my firm conviction that ...;* hij rekende ~ op succes *he was confident/sure/certain of success;* zich ~ voornemen iets niet meer te doen *be resolved never to do sth. again* **3.7** de oliewaarden waren ~ *oil prices ruled firm/remained steady* **3.8** iem. ~ aanstellen/benoemen *engage/appoint s.o. permanently* **3.9** ~(er) maken *fix, harden, stiffen (up);* ~(er) worden *shape up, take shape, stiffen (up)* **3.10** iets ~ omklemd houden *clench/grip sth. (tightly)* **5.12** stevig ~ *tight, vicelike* **6.2** niet meer ~ op zijn benen (kunnen) staan *not be able to walk steady, be unsteady on one's feet* **6.3** ~ in slaap *sound asleep* **6.4** ~ in de leer *f. of faith* **6.8** voor ~ *for good, permanently, on a permanent basis* **6.10** iets ~ in handen hebben *have a tight/firm grip/hold on sth.;* 〈hand.〉 iets ~ in handen *sure bid* **6.11** het zit ~ in elkaar *it is firmly/solidly made* **8.1** dat staat zo ~ als een rots/als een huis *it's as sure as death/fate;* 〈inf.〉 *hell* ¶**.5** ~ op iets aan kunnen *be able to rely/depend/count on sth.;* u kunt er ~ van op aan *you may depend on it;* iets ~ in zijn hoofd/voor ogen hebben *be clear about/as to/on sth., be single-minded about sth.;*

II 〈bw.〉 **0.1** [stellig] *certainly* ⇒*for certain/sure, surely, definitely* **0.2** [alvast] *for the time being/the present* ◆ **3.1** iets ~ beloven *promise sth. definitely;* hij doet het ~! *I bet he'll do it!;* dat is ~ niet te veel *that's certainly not too much;* hij is het ~ vergeten *he must have forgotten;* hij zal het ~ al weten *he's certain/bound to know it already* **3.2** begin maar ~ met eten *you'd better start on your dinner;* ik ben maar ~ begonnen *I thought I might as well start;* hier heb je ~ een gulden *here's a guilder to be going on with/to keep you going* **5.1** ~ wel *he's/they're* 〈enz.〉 *bound to be, I'm sure!* 〈inf.〉 *I bet you do/will* 〈enz.〉; ~ en zeker *definitely, certainly* **5.2** als ik te laat kom begin dan maar ~ *if I'm late you can start/go ahead without me;* ga jij maar ~ ontbijten *you can have breakfast meanwhile* ¶**.1** jij bent er ~ van op de hoogte *you must be aware/have heard of it.*

vastbakken 〈onov.ww.〉 **0.1** [aanbakken] *burn (black), stick (to), cake* **0.2** [〈fig.〉] *be stuck on* ◆ **6.1** de vis bakt aan de pan vast *the fish sticks to the pan* **6.2** vastgebakken zitten aan *be stuck/hooked on.*

vastberaden 〈bn., bw.; -ly〉 **0.1** *resolute, determined* ⇒*firm,* 〈vastbesloten〉 *resolved (on),* 〈ferm〉 *unflinching, uncompromising* ◆ **1.1** een ~ houding aannemen *make a resolute/firm stand;* 〈krachtig optreden〉 *put one's foot down; not stand for any nonsense* **3.1** ~ antwoorden/handelen *answer/act with determination/resolutely/single-mindedly;* zich ~ tonen *show determination;* 〈zich flink houden〉 *keep a stiff upperlip;* ~ zijn 〈ook; inf.〉 *mean business, dig one's heels/toes in.*

vastberadenheid 〈de (v.)〉 **0.1** *determination* ⇒*resoluteness, resolution, firmness/strength (of purpose), resolve.*

vastbesloten 〈bn.〉 **0.1** *determined, resolved* ⇒*resolute* ◆ **3.1** ~ zijn om 〈ook〉 *be bent/set on going somewhere.*

vastbijten ⟨wk.ww.; zich ~⟩ **0.1** [zich vasthechten] *fasten one's teeth in(to)* ⇒*sink one's teeth into* **0.2** [⟨fig.⟩] *cling to* ⇒ ↓*hang onto,* ⟨standhouden⟩ *dig one's heels/toes in* ◆ **4.2** zich ~ *fasten one's teeth;* ⟨niet willen opgeven⟩ *hang on by the/one's eyeballs/eyebrows/eyelashes;* ⟨zich vastklampen⟩ *hang/hold on/cling like a limpet/leech* **6.2** zich in een onderwerp ~ *get/sink one's teeth into a subject.*

vastbinden ⟨ov.ww.⟩ **0.1** *tie (up/down), bind (up)* ⇒*fix, fasten,* ⟨met riem⟩ *strap (up),* ⟨dier ook⟩ *hitch, tether* ◆ **1.1** zijn armen werden vastgebonden *his arms were tied/bound (up);* een hond ~ *tether a dog* **5.1** stevig ~ (aan) *bind fast, lash (to)* **6.1** iets **met** een touw ~ *tie/bind sth. with a rope, rope sth..*

vastdraaien ⟨ov.ww.⟩ **0.1** [draaiend vastmaken] *tighten* ⇒*screw up/down, turn home/tight* **0.2** [dichtdraaien] *lock.*

vastdrukken ⟨ov.ww.⟩ **0.1** *press together/tight/down (tightly).*

vasteland ⟨het⟩ **0.1** [landmassa] *continent* **0.2** [de vaste wal] *mainland;* ⟨vasteland van Europa⟩ *Continent.*

vastelandsklimaat ⟨het⟩ **0.1** *continental climate.*

vasten¹ ⟨de (m.)⟩ **0.1** [kerkelijk gebod] *fast* **0.2** [periode] *Lent* **0.3** [het zich onthouden van voedsel] *fast* ⇒*fasting* ◆ **2.2** de grote/de veertigdaagse ~ *Lent* **3.1** de ~ onderhouden/breken *keep/observe/break the fast.*

vasten² ⟨onov.ww.⟩ **0.1** [zich onthouden van voedsel] *fast* **0.2** [⟨rel.⟩] *fast* ◆ **¶.2** ~ op water en brood *fast on water and bread.*

vastenactie ⟨de (v.)⟩ ⟨r.k.⟩ **0.1** *Lenten fund-raising appeal for missionary activities in developing countries).*

vastenavond ⟨de (m.)⟩ **0.1** *Shrove Tuesday* ⇒⟨inf.⟩ *Pancake Day/Tuesday, Mardi Gras.*

vastenbrief ⟨de (m.)⟩ **0.1** *Lent(en) pastoral letter.*

vastendag ⟨de (m.)⟩ **0.1** *fast day* ⇒*day of fasting.*

vastenmaand ⟨de⟩ **0.1** [maand waarin de vasten valt] *Lent* **0.2** [negende maand van het mohammedaanse jaar] *Ramadan.*

vastenpreek ⟨de⟩ **0.1** *Lent(en) sermon.*

vastentijd ⟨de (m.)⟩ **0.1** [⟨kerk.⟩] *Lent* ⇒⟨schr.⟩ *Lenten season* **0.2** [⟨alg.⟩] *fast* ⇒*time of fasting.*

vastentrommel ⟨de⟩ ⟨r.k.⟩ **0.1** *Lent(en) sweet tin.*

vastgespen ⟨ov.ww.⟩ **0.1** *buckle (up/together)* ⇒*clasp* ◆ **1.1** een autogordel ~ *fasten a seat belt;* ⟨inf.⟩ *buckle up;* een riem ~ *buckle (up) a belt* **4.1** zich ~ *strap o.s. in, buckle o.s. up.*

vastgoed ⟨het⟩ **0.1** *real estate/property* ⇒⟨jur.⟩ *realty, immov(e)able property, immov(e)ables* ◆ **6.1** makelaars in ~ *real estate agents, ^realtors.*

vastgrijpen ⟨ov.ww.⟩ **0.1** *grasp, clasp* ⇒*clutch, seize* ◆ **4.1** elkaar ~ *clutch/clasp eachother; clinch* ⟨boksers⟩; de drenkeling greep zich aan de reddingsboei vast *the drowning man clung to/clutched the life buoy* **5.1** iets stevig ~ *grip/grasp/clench sth. (firmly/tightly);* iets steviger ~ ⟨ook⟩ *tighten one's grasp on sth..*

vastgroeien ⟨onov.ww.⟩ **0.1** *grow together* ◆ **1.1** de takken waren vastgegroeid *the branches had grown together.*

vasthaken ⟨onov., ov.ww.⟩ **0.1** *hitch (together)* ⇒*hook (together),* ⟨per ongeluk⟩ *catch,* ↑*snag,* ⟨met haaknaald⟩ *crochet (together)* ◆ **3.1** haar jurk bleef in de struiken ~ *her dress* (⟨inf.⟩ *got) caught/snagged in the bushes* **6.1** een kampeerwagen aan de auto ~ *hitch a caravan (on)to the car.*

vasthechten ⟨ov.ww.⟩ **0.1** *fasten on* ⇒*attach to, clip/fix on(to)* ◆ **4.1** zich aan iets/iem. ~ *cling to sth./s.o.;* klimplanten hechten zich vast aan boomstammen *climbers cling to the trunks of trees* **6.1** iets ~ **aan** iets *piece/clip sth. onto sth., fix/attach sth. to sth.;* ⟨schr.⟩ *accrete sth. to sth..*

vastheid ⟨de (v.)⟩ **0.1** *firmness* ⇒⟨stabiliteit⟩ *fixity,* ⟨onveranderlijkheid⟩ *invariability, permanence,* ⟨compactheid⟩ *solidity,* ⟨vnl. van vloeistoffen⟩ *consistency, buoyancy* ⟨beurs⟩ ◆ **1.1** ~ van blik/van stem/van hand/van karakter *firmness/steadiness of gaze/voice/hand, strength of character;* de ~ van geloof *the strength of faith;* de ~ van een pudding *the consistency of a pudding;* ~ van traditie *the permanence/durability/solidity of tradition;* de ~ van de wind *the stiffness of the wind.*

vasthouden

I ⟨ov.ww.⟩ **0.1** [beethouden] *hold (fast)* ⇒⟨stevig vasthouden⟩ *grip, grasp, clasp, clench,* ⟨in arrest houden⟩ *detain* **0.2** [⟨sport⟩] *hold(ing)* **0.3** [in zijn bezit houden] *retain* ⇒*keep, hold up* ⟨goederen⟩, ⟨inf.⟩ *hang/hold on to* **0.4** [blijven aanhangen] *follow* ⇒*adhere to* ◆ **1.1** ⟨muz.⟩ een akkoord ~ *h. a chord;* geen hamer kunnen ~ *not be able to h. a hammer;* iemands hand ~ ⟨ook fig.⟩ *h.s.o.'s hand* **1.3** zijn aandelen ~ *hold/hang onto one's shares;* deze verpakking houdt het aroma vast *this packing preserves the flavour/seals the flavour in;* dit zal de warmte ~ *this will r. the warmth* **4.1** ⟨fig.⟩ hou je vast! *brace yourself (for the shock)!,* hold onto your hat/seat!; hou me goed vast *hold on to me!, stick with me!, hold me tight!* **5.1** houd het touw goed/stevig vast *keep a firm grip/hold on the rope;* ⟨fig.⟩ iem. goed/stevig ~ *keep a firm grip/hold of s.o., clasp s.o. tightly, latch onto s.o.;* hou je goed/stevig vast! *hold tight! hang on tight!* **6.1** iem. bij zijn arm ~ *hold onto s.o.'s arm* **6.3** hou dat **voor** mij vast *hold/hang onto/keep that for me* **¶.1** ~ wat men heeft *hold on to what one's got;*

II ⟨onov.ww.⟩ **0.1** [vast blijven zitten] *stick to* **0.2** [⟨fig.⟩] *hold (on) to* ⇒*stand by* ◆ **6.2** aan een beginsel/aan zijn overtuiging/aan de voorschriften ~ *hold on to a principle/one's conviction; stick to the regulations;* aan een besluit/beslissing ~ *hold to a resolution/decision.*

vasthoudend ⟨bn.⟩ **0.1** [volhardend] ↑*tenacious* ⇒⟨niet aflatend⟩ *persistent,* ⟨volhardend⟩ *perseverant, dogged* **0.2** [conservatief] *conservative, tenacious* ⇒⟨inf.⟩ *stick-in-the-mud.*

vasthoudendheid ⟨de (v.)⟩ **0.1** ↑*tenacity, tenaciousness* ⇒*persistence,* ⟨volhardendheid⟩ *perseverance,* ⟨pej.⟩ *pertinacious.*

vastigheid ⟨de (v.)⟩ **0.1** *certainty, security.*

vastketenen ⟨ov.ww.⟩ **0.1** *fetter* ⇒*chain.*

vastkitten

I ⟨ov.ww.⟩ **0.1** [met lijm vastmaken] *glue* ⇒*bond (together);*

II ⟨onov.ww.⟩ **0.1** [door kleven vast gaan zitten] *stick.*

vastklampen ⟨wk.ww.; zich ~⟩ **0.1** *cling* ⇒*clutch,* ⟨inf.⟩ *latch onto* ◆ **6.1** ⟨fig.⟩ zich **aan** een strohalm ~ *catch/clutch/grasp at a straw;* ⟨fig.⟩ zich aan een traditie ~ *cling to a tradition;* zich uit alle macht/wanhopig (aan iem./iets) ~ *hang on (to s.o./sth.) like grim death/for dear life.*

vastklemmen

I ⟨ov.ww.⟩ **0.1** [vastzetten] *clench* ⇒⟨met klem⟩ *clip (on),* ⟨vastzetten⟩ *lock,* ⟨vastklemmen/draaien⟩ *tighten,* ⟨vastwiggen⟩ *wedge,* ⟨vastklampen⟩ *clamp* ◆ **1.1** de deur zat vastgeklemd *the door was jammed;*

II ⟨wk.ww.; zich ~⟩ **0.1** [zich krampachtig vasthouden] *cling (to)* ⇒*clasp, clench, hang on to* ◆ **6.1** zij klemt zich wanhopig vast **aan** haar familie *she desperately clings to her family;* zich **aan** de reling ~ *hold/hang onto the railing;* ⟨fig.⟩ zich **aan** iets ~ *cling to/hang/latch onto sth.,* ⟨gefixeerd zijn⟩ *have a fixation on sth..*

vastkleven

I ⟨ov.ww.⟩ **0.1** [klevend aaneenhechten] *glue* ⇒*paste, stick (on), bond (together);*

II ⟨onov.ww.⟩ **0.1** [plakken] *stick (to)* ◆ **6.1** je kleeft er vast **aan** het vuil *you'll get stuck to the dirt over there.*

vastklinken ⟨ov.ww.⟩ **0.1** *rivet (together)* ◆ **1.1** twee stukken ijzer aan elkaar ~ *r. two pieces of iron together.*

vastknopen ⟨ov.ww.⟩ **0.1** [knopend vastmaken] *button (up)* **0.2** [met een knoop verbinden] *knot* ⇒*tie* **0.3** [door middel van een touw vastmaken] *knot, tie* **0.4** [⟨fig.⟩ verbinden] *tack, tag* ◆ **6.2** ⟨fig.⟩ ik kan er geen touw aan ~ *I can't make head or tail/any sense of it, it's beyond me;* ⟨fig.⟩ er is geen touw **aan** vast te knopen! *it (just) doesn't make sense!* **6.4** er een moraal **aan** ~ *tag a moral (on)to it;* er een dagje **aan** ~ *stay on for another day;* ergens een vraag **aan** ~ *follow sth. up with a question.*

vastkoeken ⟨onov.ww.⟩ **0.1** *cake (on).*

vastkoppelen ⟨ov.ww.⟩ **0.1** *couple* ⇒*link/fasten/hitch/hook (together),* ⟨ruim.⟩ *dock* ◆ **6.1** ~ **aan** *couple with/to, link to/with, fasten/hitch/hook to.*

vastleggen ⟨ov.ww.⟩ **0.1** [vastmaken] *tie (up)* ⇒*secure, fasten,* ⟨van boot⟩ *moor, cable,* ⟨dieren⟩ *tether* **0.2** [mbt. kapitaal] *tie/lock up* **0.3** [registreren] *set down* ⇒*record, capture* **0.4** [door omschrijving bepalen] *lay down* ⇒*establish, fix,* ⟨van datum, tijd⟩ *appoint, assign* ◆ **1.1** duinen ~ *fix/grass over dunes;* een hond ~ *tie up/tether a dog* **1.3** regels/normen in wetten ~ *lay down/fix/establish rules/standards in laws* **1.4** beginselen ~ *lay down/establish principles* **4.2** zich ~ op tie *o.s. down to, commit o.s. to* **5.3** iets schriftelijk ~ *put/lay sth. down in writing, commit sth. to paper* **6.2** zich niet ~ **op** iets, zich nergens **op** ~ *refuse to commit o.s., leave/keep one's options open;* ⟨zich vrijblijvend opstellen⟩ *be non-committal* **6.3** iets **in** zijn geheugen ~ *fix sth. in one's memory;* **in** de grondwet vastgelegd *constitutionalized;* ⟨pred. ook⟩ *part of the constitution;* **op** een plaat/band/film ~ *register on record/tape/film;* iets **voor** het nageslacht ~ *record sth. for posterity* **6.4** in het contract werd vastgelegd dat ... *it was stated in the contract that ....*

vastliggen ⟨onov.ww.⟩ **0.1** [aan een touw gebonden zijn] *be tied up* ⇒⟨van schip⟩ *be moored up* **0.2** [zo liggen dat verplaatsing moeilijk is] *be tied down* **0.3** [vastgelegd zijn] *be tied/locked up* ⇒*be fixed* ◆ **1.3** mijn geld ligt vast *my money's tied/locked up* **6.1** het schip ligt vast **aan** de kade *the ship is moored to the quay;* het schip ligt vast **in** het ijs *the ship is stuck (fast) in the ice/is ice-bound* **6.3** die clausules liggen vast **in** het contract *those clauses are fixed/have been laid down in the contract.*

vastlijmen ⟨ov.ww.⟩ **0.1** *bond* ⇒*glue/stick/paste (together).*

vastlopen ⟨onov.ww.⟩ **0.1** [in zijn beweging gestuit worden] (*get*) *jam(med), (get) lock(ed), seize (up)* ⟨machine, motor⟩; *run aground, (get) strand(ed)* ⟨schip⟩; *(get) jam(med), (get/be) snarl(ed) up* ⟨verkeer⟩; ⟨in de⟩ ⟨modder⟩ *get bogged down* **0.2** [⟨fig.⟩] *get stuck* ⇒*be deadlocked, be bogged down, be snarled (up)* ◆ **1.1** het schip is vastgelopen *the ship has run aground;* een schip vast laten lopen *run a ship aground;* het verkeer liep helemaal vast *traffic got completely jammed/snarled up* **1.2** hun huwelijk is ~ *their marriage is in a rut;* de onderhandelingen zijn vastgelopen *negotiations have come to/reached a deadlock/have come to a standstill/have foundered* **3.2** dat deed de onderhandelingen ~ *it deadlocked the negotiations, it brought the negotiations to a stalemate / standstill.*

vastmaken ⟨ov.ww.⟩ **0.1** [vasthechten] *fasten, fix (onto)* ⇒*tie / moor up* ⟨boot⟩, *tie / do / lace up, bind* ⟨veter, pakje⟩, *do / button up* ⟨jas⟩, ⟨stevig⟩ *secure* **0.2** [⟨AZN⟩ sluiten] *lock* ⇒*fasten, bolt* ◆ **1.1** ⟨scheep.⟩ de sleepboot maakte vast *the tugboat made fast;* een touw ~ (aan) *tie a rope (to)* **5.1** iets stevig ~ *make sth. fast, secure sth. firmly* **6.1** iets **aan** een touwtje / een spijker ~ *fasten sth. to a string / nail.*

vastmeren ⟨ov.ww.⟩ **0.1** *moor* ⇒*make fast.*

vastnaaien ⟨ov.ww.⟩ **0.1** *sew together / up;* ⟨snel⟩ *run up* ◆ **6.1** iets ~ **aan** / **op** sew sth. onto sth..

vastnagelen ⟨ov.ww.⟩ **0.1** [vastspijkeren] *nail (down)* ⇒*rivet, spike* **0.2** [vastzetten] *pin down* ◆ **6.1** hij stond **aan** de grond vastgenageld *he stood riveted / rooted to the ground / to the spot.*

vastnieten ⟨ov.ww.⟩ **0.1** *staple* ⟨⟨aan elkaar⟩ *together*⟩.

vastomlijnd ⟨bn.⟩ **0.1** [duidelijk] *clear-cut* ⇒*well-defined, definite, concrete* ⟨idee⟩ ◆ **1.1** een ~ plan *a c.-c. plan.*

vastpakken ⟨ov.ww.⟩ **0.1** *grip* ⇒*grasp,* ⟨vastgrijpen⟩ *grab, clasp* ◆ **5.1** hij pakte haar flink / stevig vast *he squeezed / gripped / clasped her tightly, he took / grabbed hold of her.*

vastpinnen ⟨ov.ww.⟩ **0.1** *pin / peg down* ◆ **6.1** ⟨fig.⟩ iem. **op** een uitspraak ~ *pin / peg s.o. down to / fasten s.o. down on a statement.*

vastplakken
I ⟨ov.ww.⟩ **0.1** [met kleefstof vastmaken] *stick / glue / paste together* ⇒ *gum / paste down, bond (together)* ◆ **1.1** een envelop ~ *fasten / stick an envelope;* een postzegel ~ *gum down a stamp;*
II ⟨onov.ww.⟩ **0.1** [vast blijven kleven] *be stuck to* ◆ **6.1** het leek of hij **op** zijn stoel zat vastgeplakt *it was as if he was glued to his seat, he seemed to be glued / stuck to his seat.*

vastpraten ⟨ov.ww.⟩ **0.1** *corner* ⇒⟨inf.⟩ *stump* ◆ **4.1** hij praatte zich volledig vast *he got completely caught / tied up in his own words, he twisted himself in knots.*

vastprikken ⟨ov.ww.⟩ **0.1** *pin (up)* ⇒ iets dat moeilijk te vangen is) *pin down,* ⟨als⟩ met een vleespen⟩ *skewer.*

vastraken ⟨onov.ww.⟩ **0.1** *get stuck / caught / jammed* ⇒⟨klem zitten⟩ *stick, catch, jam* ◆ **6.1** het schip raakte vast **in** het ijs *the ship got jammed / caught in the ice;* †*became icebound;* de kar raakte vast **in** de modder *the cart got stuck in the mud.*

vastrechttarief ⟨het⟩ **0.1** *reduced rate for those paying standing charges.*

vastroesten ⟨onov.ww.⟩ **0.1** *rust* ◆ **6.1** ⟨fig.⟩ **in** vooroordelen vastgeroest zijn *be rooted in prejudices;* vastgeroest **in** gewoontes *in a rut, set in (one's) ways / habits.*

vastschroeven ⟨ov.ww.⟩ **0.1** [door rond te draaien, vastmaken] *screw (down / on)* **0.2** [met een schroef vastmaken] *screw (down / on / together)* **0.3** [in een bankschroef vastklemmen] *vice* ^A*se.*

vastsjorren ⟨ov.ww.⟩ **0.1** *lash (up)* ⟨touw⟩ ⇒*lash down* ⟨lading⟩.

vastslaan ⟨ov.ww.⟩ **0.1** *knock /* †*strike into place* ⟨plank, enz.⟩; *naildown, drive home* ⟨spijker⟩.

vastspelden ⟨ov.ww.⟩ **0.1** *pin (down).*

vastspijkeren ⟨ov.ww.⟩ **0.1** *nail (down), rivet* ⇒*tack* ⟨met duimspijkertjes⟩, *fasten (down)* ⟨van vloerkleed bv.⟩, *spike* ⟨planken⟩, *nail home* ⟨balken⟩.

vaststaan ⟨onov.ww.⟩ **0.1** [niet wankelen] *stand / be firm / steady* **0.2** [zeker zijn] ⟨geheel zeker zijn⟩ *be certain,* ⟨nauwkeurig vaststaan⟩ *be specific* **0.3** [onveranderlijk zijn] *be fixed* ⇒*be definite / set / settled* ◆ **1.1** die ladder staat niet vast *that ladder is unsteady / wobbly /* ⟨inf.⟩ *dicky* **1.3** zijn besluit staat vast *his mind is made up, his decision is made, he is determined /* †*resolved;* de prijs staat vast *the price is fixed / has been settled* **4.2** dat staat vast *that is firmly established / definite / definitely so / the case;* het staat nu vast, dat *it is now definite / certain that* **5.2** de datum stond nog niet vast *the date was still uncertain / not settled (upon) yet* **6.2** dat staat **voor** mij vast *it's a dead certainty to me, there are no two ways about it for me* ¶.2 het stond al van te voren vast *it was a foregone conclusion, it was already decided beforehand.*

vaststaand ⟨bn.⟩ **0.1** [niet betwist wordend] *certain* ⇒*indisputable, self-evident, conclusive* ⟨feiten⟩, *final* ⟨beslissing⟩ **0.2** [definitief] *definite, fixed* ⇒ ⟨nauwkeurig vastgesteld⟩ *specific* **0.3** [permanent bevestigd] *steady, firm* ◆ **1.1** een ~ feit *an established / recognized fact, a certainty;* wij kunnen als ~ feit aannemen, dat *we may take it for granted / accept as a fact that;* een ~ iets *a certainty / certitude* **1.2** ~e prijzen *fixed prices;* een ~e conclusie *a foregone conclusion;* in bepaalde ~e gevallen *in certain specific cases* **1.3** ~e prijs *fixed price, put / set a price on;* ⟨begroten⟩ *cost;* ⟨prijzen⟩ *price;* de vastgestelde tijd en plaats *the appointed time and place;* de

vaststellen ⟨ov.ww.⟩ **0.1** [afspreken, bepalen] *fix, determine* ⇒*settle, arrange,* ⟨van datum, tijd ook⟩ *appoint, assign* **0.2** [voorschrijven, besluiten] *decide (on), decree* ⇒*specify, lay down, provide (for),* †*enact* ⟨wetten⟩, *set down* ⟨een termijn⟩ **0.3** [constateren] *find* ⇒*state, record,* ⟨diagnosticeren⟩ *diagnose, assess* ⟨waarde⟩ **0.4** [zich zekerheid verschaffen over] *determine* ⇒*asses, ascertain* ⟨feiten⟩ ◆ **1.1** een datum ~ *fix / settle (up) a date;* een dividend ~ *declare a dividend;*

trouwdag ~ *name the day;* een vergadering ~ *book / arrange a meeting* **1.2** de burgemeester stelt het aantal exploitanten vast *the mayor decides on the number of licensees;* een norm ~ *set up a standard;* de vastgestelde tekst *the stipulated text;* binnen een vastgestelde tijd *within a specified / specific / stated time;* op vastgestelde tijden *at stated times / intervals* **1.4** de doodsoorzaak ~ *establish / determine the cause of death;* de identiteit ~ *van identify, establish the identity of;* de oorzaak van de brand is nog niet vastgesteld *the cause of the fire has not yet been determined;* de schade ~ *assess the damage* **5.1** laten we nauwkeurig ~ *let's narrow down;* ⟨precies vaststellen⟩ *let's nail down* **6.2** dat is **bij** de wet / **bij** besluit vastgesteld *it has been decreed by law / resolution* **8.3** ik stel vast dat er nog niets veranderd is *I find / have come to the conclusion / concluded that there have been no changes made as yet.*

vaststelling ⟨de (v.)⟩ **0.1** [afspraak, bepaling] *arrangement, settlement* ⇒ *appointment* ⟨van afspraak⟩, *assignation, assignment* ⟨van dag / tijd⟩ **0.2** [bepaling, besluit] *decree, assessment* ⇒⟨jur., verordening⟩ *enactment* **0.3** [constatering] *conclusion.*

vasttrappen ⟨ov.ww.⟩ **0.1** *stamp / tread down.*

vastvijzen ⟨ov.ww.⟩ ⟨AZN⟩ **0.1** *screw (down / on).*

vastvriezen ⟨onov.ww.⟩ **0.1** *freeze (fast / in)* ⇒⟨ingevroren raken⟩ *get / become icebound* ◆ **6.1** ~ **aan** *freeze on to.*

vastwerken ⟨wk.ww.;zich ~⟩ **0.1** ⟨fig. ook⟩ *become entangled;* ⟨fig.⟩ *get into a fix, get into hot / deep water.*

vastzetten ⟨ov.ww.⟩ **0.1** [vast doen staan] *fix, fasten* ⇒⟨goed vast doen staan⟩ *secure, chock (up)* ⟨van wiel bv.⟩, ⟨blokkeren⟩ *lock, stall* ⟨van auto⟩, *block, clog (up)* **0.2** [⟨geldw.⟩ *tie / lock up* ⇒*settle (on)* **0.3** [in de gevangenis zetten] *lock up* ⇒*put in prison / behind bars* **0.4** [⟨schaaksport, damsport⟩ *block up (the position of)* **0.5** [klempraten] *corner* ⇒⟨inf.⟩ *stump,* ⟨in de war brengen⟩ *throw* ◆ **1.1** de remmen ~ *lock the brakes* **1.2** geld op iem. ~ *settle money on s.o.* **4.1** het sediment heeft zich vastgezet *the sediment has bedded, settled (itself);* ⟨fig.⟩ zich in het geheugen ~ *become planted / fixed in the memory.*

vastzitten ⟨onov.ww.⟩ **0.1** [niet verder kunnen] *be stuck* ⇒⟨van deur bv. ook⟩ *be jammed* **0.2** [vastgehecht zijn] *be stuck / fixed / fastened* **0.3** [in gevangenschap zitten] *be locked up* ⇒*be behind bars* **0.4** [in moeilijkheden zitten] *be in deep / hot water / a fix, be over a barrel* ⇒⟨financieel vastzitten⟩ *be on the rocks, hit rock-bottom, be hard up* **0.5** [gebonden zijn aan] *be tied (down)(to)* ⇒*be committed (to)* ◆ **1.1** de deur zat vast *the door was stuck / jammed;* het schip zit vast aan de grond *the ship is (fast) aground / has been grounded* **1.2** die spijker zit behoorlijk vast *that nail is stuck / fast / won't budge (an inch)* **1.3** hij heeft een jaar vastgezeten *he's been inside for a year* **3.4** hij kwam vast te zitten *he was lost / stumped (for an answer); he hit rock-bottom, ended up on the rocks* **5.2** ⟨fig.⟩ daar zit heel wat aan vast *there's (a lot) more to it (than meets the eye);* de problemen die eraan ~ *the problems attached to it / which it entails* **5.5** hij heeft het beloofd; nu zit hij eraan vast *he made that promise, he's pledged / committed / tied to it now / he can't get out of it now* **6.1 in** het ijs / **in** de modder ~ *be icebound, be stuck in the mud;* ~ **in** de file *be stuck in the traffic jam / a snarl-up;* ~ **in** de sneeuw *be snowbound / snowed up* **6.2** er zit een groot risico **aan** vast *it involves a great risk;* het vruchtvlees zit **om** de pit vast *the flesh clings to the stone.*

vastzuigen ⟨wk.ww.;zich ~⟩ **0.1** *attach o.s. firmly (to).*

vat ⟨→sprw. 586-588,608⟩
I ⟨de (m.)⟩ **0.1** [greep] *hold, grip* ⇒⟨handgreep⟩ *handle,* ⟨land, positie⟩ *tenure* ◆ **3.1** ~ op zich geven *lay o.s. open to (criticism), show one's weak side, expose o.s. to (criticism);* onze waarschuwingen hebben geen ~ op hem *our warnings are lost / wasted on him;* niets heeft ~ op haar *nothing makes an impression / has a(ny) hold on her; it's like water of a duck's back (with her)* **6.1** ⟨fig.⟩ geen ~ **op** iem. hebben *have no hold over s.o., not be able to get at s.o.;* ~ **op** iem. krijgen *get a hold over / grip on s.o., get one's claws / teeth into s.o.;*
II ⟨het⟩ **0.1** [ton] *barrel;* ⟨groot⟩ *tun* ⇒⟨fust⟩ *cask, vat,* ⟨tobbe⟩ *tub,* ⟨vloeistoffen⟩ *dip,* ⟨om stoffen te verven⟩ *kier,* ⟨van ijzer⟩ *drum* **0.2** [⟨nat.⟩] *vessel* ⇒⟨kamer, vat⟩ *chamber* **0.3** [stuk vaatwerk] *dish,* †*vessel, (kitchen)utensil* **0.4** [⟨biol.⟩] *vessel* ⇒⟨in dierlijk lichaam⟩ *pipe* ◆ **1.1** ⟨myth.⟩ het ~ der Danaïden *the vessel of the Danaides;* een ~ petroleum *a petrol drum* **2.1** houten / ijzeren ~en *wooden casks / iron drums* **2.3** een aarden ~ *an earthen vessel;* ⟨r.k.⟩ heilige ~en *sacred / holy vessels;* zilveren / gouden ~en *silver / gold vessels, silver / gold ware* **3.2** communicerende ~en *communicating vessels* **6.1** ⟨fig.⟩ hij heeft bij mij nog iets **in** het ~ *he still owes me one / sth.;* **naar** het ~ smaken *taste of the cask;* wijn, bier **op** ~en leggen *cask wine / beer;* bier tappen **uit** het ~ *pull draught beer on tap;* bier **van** het ~ *tap / draught beer, beer on draught / tap;* wijn **van** het ~ *wine from the wood, cashed wine* **6.3** ik weet niet **in** welk ~ ik het zal / moet gieten *I don't know how to go about it / can't make head or tail of it* ¶.¶ een ~ vol tegenstrijdigheden *a bundle of contradictions, a walking contradiction.*

vatbaar ⟨bn.⟩ **0.1** [gemakkelijk aangetast kunnende worden] *susceptible to* ⇒*subject to, liable to, prone to* **0.2** [ontvankelijk] *amenable (to), susceptible (to), open to, subject; impressionable* ⟨van indrukken⟩ **0.3**

[geschikt] *capable (of)* ⇒*admitting of, allowing* ◆ 3.1 ~ zijn *be susceptible/prone to* 6.1 hij is zeer ~ **voor** kou *he's very prone/liable to colds* 6.2 ~ zijn **voor** rede *open/amenable to reason;* deze feiten zijn maar **voor** één interpretatie ~ *these facts admit of/allow one interpretation only;* hij is niet **voor** rede ~ *he's impervious/not open to reason;* ~ **voor** indrukken *impressionable* 6.3 ~ **voor** verbetering *c. of improvement;* zijn woorden zijn niet **voor** herhaling ~ *his words won't/don't bear repeating/repetition.*

vatbaarheid ⟨de (v.)⟩ 0.1 *susceptibility* ⇒*liability, capacity,* ⟨→vatbaar⟩ ◆ 6.1 ~ **voor** kouvatten *s. to colds;* ~ **voor** verbetering *c. for improvement;* ~ **voor** beïnvloeding *impressionability.*

Vaticaan ⟨het⟩ 0.1 [paleis van de paus] *Vatican* 0.2 [pauselijke residentie] *Vatican* 0.3 [pauselijke regering] *Vatican.*

Vaticaans ⟨bn.⟩ 0.1 *Vatican* ◆ 1.1 het eerste/tweede ~ concilie *the first/second Vatican council.*

Vaticaanstad ⟨de⟩ 0.1 *Vatican City.*

vatten ⟨ov.ww.⟩ ⟨→sprw. 359⟩ 0.1 [aangetast worden] *catch* 0.2 [beetpakken] *grasp, catch (hold of)* ⇒*grab, clutch, clench* 0.3 [begrijpen] *grasp* ⇒ *(inf.) get, see, twig, understand* 0.4 [omsluiten met] *set, mount* ⇒*case, embed* 0.5 [vangen] *catch* ⇒*seize* ◆ 1.1 kou ~ *c. cold* 1.2 ⟨inf.⟩ er eentje ~ *grab/nab a drink/pint/quick one;* ⟨fig.⟩ moed ~ *take heart/courage, buck up (one's spirits), pick up courage;* ⟨fig⟩ de slaap niet kunnen ~ *not be able to catch some sleep/go to sleep* 1.3 de bedoeling ~ *catch the meaning/get the drift (of)* 1.5 dat zeil wil geen wind ~ *that sail just won't c. the wind* 4.3 vat je? *see?, (do you) get it?, understand?* 6.2 iem. bij de hand ~ *grasp s.o.'s hand;* iem. in zijn kraag ~ ⟨BE;sl.⟩ *nick/nab s.o.;* ⟨AE;inf.⟩ *haul s.o. in;* iem. om het middel ~ *clutch/grab s.o. around the waist* 6.4 ⟨fig.⟩ dat is niet in woorden te ~ *it's impossible to put into words, it's beyond words;* een schilderij in een lijst/edelstenen in goud ~ *mount a picture in a frame /jewels in gold.*

vatting ⟨de (v.)⟩ 0.1 *mounting* ⇒*setting.*

vaudeville ⟨de (m.)⟩ 0.1 *vaudeville* ⇒*variety (show).*

vazal ⟨de (m.)⟩ 0.1 [leenman] *vassal* ⇒ ⟨vero.⟩ *liegeman* 0.2 [vazalstaat] *vassal* 0.3 [iem. die economisch afhankelijk is] *dependant, dependent* ⇒ (meer zoals een slaaf) *vassal.*

vazalstaat ⟨de (m.)⟩ 0.1 *vassal state* ⇒*satellite/* ⟨pej.⟩ *puppet state.*

v.b.¹ ⟨afk.⟩ 0.1 [van boven] ⟨*on top, above*⟩.

v.b.² ⟨de (v.)⟩ ⟨afk.⟩ ⟨school.⟩ 0.1 [volledige betrekking] ⟨*full-time post /appointment*⟩.

v. Chr. ⟨afk.⟩ 0.1 [voor Christus] *B.C..*

VCR ⟨afk.⟩ 0.1 [Videocassette-recording] ⟨*Videocassette-recording*⟩.

v.d.e.n. ⟨afk.⟩ 0.1 [voor dag en nacht] ⟨*day and night*⟩.

v.d.j. ⟨afk.⟩ 0.1 [van dit jaar] ⟨*this year*⟩.

v.d.S. ⟨afk.⟩ 0.1 [van de schrijver] ⟨*with the author's compliments*⟩.

vdt. ⟨afk.⟩ 0.1 [videlicet] *viz..*

vechten ⟨onov.ww.⟩ ⟨→sprw. 292⟩ 0.1 [strijden] *fight* ⇒ ⟨bestrijden⟩ *combat, do battle* 0.2 [zich weren voor, tegen] *fight (for/against)* ⇒ *battle (for/against), strive (for)* 0.3 [wedijveren] *fight (for)* ⇒*struggle (against), scramble (for), contend (against/for/with)* ◆ 3.1 hij moest ~ om er te komen *he had to fight his way up/to the top* 4.1 zich dood ~ *f. to the death/bitter end/finish* 6.1 wij moesten ~ **om** in de trein te komen *we had to f. our way into the train;* **op** leven en dood ~ *f. a life-and-death battle, f. for (one's) life, f. against death;* ~ **over** woorden *quarrel/haggle over words;* **tegen/met** iem. ~ *f. against/with s.o.;* **tegen/met** een schaduw/een hersenschim ~ *f. against a shadow/chimera, grapple with a shadow/chimera, tilt against windmills* 6.2 **tegen** de slaap ~ *f. off sleep;* **voor** dat ideaal heeft zij altijd gevochten *she has always fought/battled/put up a fight for that ideal* 6.3 ~ **om** een betrekking *scramble for a job* 8.1 hij vocht als een leeuw *he fought like a Trojan/lion.*

vechter ⟨de (m.)⟩, **vechtster** ⟨de (v.)⟩ 0.1 [iem. die taai volhoudt] *fighter* ⟨m.,v.⟩ ⇒*survivor* ⟨m.,v.⟩ 0.2 [iem. die vecht] *fighter, combatant* ⟨m.,v.⟩.

vechtersbaas ⟨de (m.)⟩ 0.1 *hooligan, hoodlum* ⇒⟨sl.⟩ *basher,* ⟨vechtersbaasje⟩ *bantam.*

vechtfilm ⟨de (m.)⟩ 0.1 *action film/* ^*movie* ⇒*battle film/* ^*movie.*

vechthaan ⟨de (m.)⟩ 0.1 ⟨ook fig.⟩ *fighting cock* ⇒*game cock/fowl.*

vechtjas →**vechtersbaas.**

vechtlust ⟨de (v.)⟩ 0.1 *fight* ⇒*fighting spirit,* ⟨aggressiviteit⟩ *truculence,* ↑*pugnacity.*

vechtlustig ⟨bn.⟩ 0.1 *truculent* ⇒ ↑*pugnacious,* ⟨pred.⟩ *keen on a fight/ on fighting.*

vechtpartij ⟨de (v.)⟩ 0.1 *fight, brawl* ⇒*fray, scrimmage,* ⟨vechtpartijtje⟩ *scrap, scuffle, tussle,* ⟨inf.;algemene vechtpartij⟩ *free-for-all, free fight.*

vechtpet ⟨de⟩ ⟨mil.⟩ 0.1 *garrison/service cap.*

vechtsport ⟨de⟩ 0.1 *combat sport.*

vector ⟨de (m.)⟩ 0.1 [grootheid] *vector* 0.2 [drager van besmetting] *vector* ⇒*carrier.*

veda ⟨de⟩ 0.1 *Veda.*

vedel ⟨de⟩ ⟨muz.⟩ 0.1 *viol.*

vedelen ⟨onov.ww.⟩ 0.1 *play the viol.*

---

vatbaarheid - veel

vederachtig ⟨bn.⟩ 0.1 *feathery, feather-like* ⇒ ↑*plume-like,* ⟨wet. ook⟩ *plumose.*

vederbos ⟨de (m.)⟩ 0.1 ⟨op helm, enz.⟩ *plume* ⇒*crest, panache.*

vederdistel ⟨de⟩ 0.1 *plume(d) thistle.*

vedergewicht
I ⟨het⟩ 0.1 [gewichtsklasse] *featherweight;*
II ⟨de (m.)⟩ 0.1 [bokser] *featherweight.*

vederkruid ⟨het⟩ 0.1 *water milfoil.*

vederlicht ⟨bn.,bw.;-ly⟩ 0.1 *feathery* ⇒*airy* ◆ 1.1 haar ~e stap *her light-footed/airy step.*

vederwolk ⟨de⟩ 0.1 *cirrus* ⇒*colt's tail,* ⟨lage vederwolk⟩ *stratocirrus,* ⟨lange vederwolk⟩ *mare's tail.*

vedette ⟨de (v.)⟩ 0.1 [ster] *star* 0.2 [prominente figuur] *celebrity.*

vedetteneigingen ⟨zn.mv.⟩ 0.1 *delusions of grandeur, pretence* ^*se at stardom* ⇒*airs.*

vee ⟨het⟩ 0.1 *cattle* ⇒*livestock* ◆ 1.1 een kudde ~ *a herd of c.;* een stuk ~ *one/a head of c.* 2.1 ⟨schr.⟩ gewold/geschubd/gevederd ~ *wooly/ scaly/feathered tribe/herd* 3.1 grazend ~ *c. at graze/pasture;* ~ houden *keep/raise/breed c..*

veearts ⟨de (m.)⟩ 0.1 *veterinary (surgeon)* ⇒⟨AE⟩ *veterinarian,* ⟨inf.⟩ *vet.*

veeartsenijkunde ⟨de (v.)⟩ 0.1 *veterinary medicine.*

veeartsenijkundig ⟨bn.⟩ 0.1 *veterinary.*

veeboer, -in →**veehouder.**

veedief ⟨de (m.)⟩ 0.1 *cattle-thief/-stealer/* ⟨AE ook⟩ *-rustler.*

veedrijver ⟨de (m.)⟩ 0.1 *cattle-driver* ⇒*(cattle-)drover, cattleman,* ⟨AE ook⟩ *cowboy,* ⟨inf.⟩ *cowpuncher.*

veefokker →**veehouder.**

veefokkerij →**veehouderij.**

veeg¹ ⟨de⟩ 0.1 [het vegen] *wipe* ⇒*sweep,* ⟨lik, veeg⟩ *lick, whisk* 0.2 [klap] *swipe* ⇒*box, slap, clout,* ⟨snelle harde slag⟩ *whack, thwack* 0.3 [vlek, streep] *streak* ⇒ ⟨vlek⟩ *smudge, smear, blur, splodge* ^*otch* ◆ 2.3 vuile vegen op het papier *dirty smudges/smudgy streaks on the paper;* er zat een zwarte ~ op je gezicht *there's a black smudge on your face* 3.1 geef hier nog een ~(je) *give it another whisk/wipe/lick here* 3.2 iem. een ~ geven *swipe (at) s.o., box/slap/clout s.o.* 6.¶ een ~ **uit** de pan krijgen *get a lashing/licking;* een ~ **uit** de pan geven *lash/ swipe/lam (into) s.o..*

veeg² ⟨bn., bw.;-ly⟩ 0.1 [de dood nabij] *fatal, doomed* 0.2 [onheilspellend] *ominous* ⇒*fateful* ◆ 1.1 het vege lijf redden *escape by the skin of one's teeth/in the nick of tune* 1.2 dit is een ~ teken *this is a fateful sigh/bad omen.*

veegmachine ⟨de (v.)⟩ 0.1 *street cleaning machine, street sweeper/cleaner.*

veegsel ⟨het⟩ 0.1 *sweepings.*

veegwagen ⟨de (m.)⟩ 0.1 *road sweeper* ⇒*(road-)sweeping lorry/* ^*truck.*

veehandel ⟨de (m.)⟩ 0.1 *cattle trade.*

veehandelaar ⟨de (m.)⟩ 0.1 *cattle-dealer.*

veehoeder ⟨de (m.)⟩ 0.1 *cattle-herder* ⇒*cattleman,* ⟨Austr.E⟩ *stockman,* ⟨vero.⟩ *cowherd, oxherd.*

veehouder ⟨de (m.)⟩, **-houdster** ⟨de (v.)⟩ 0.1 *cattle-breeder/-farmer* ⟨m.,v.⟩ ⇒*stockbreeder* ⟨m.,v.⟩, *stockman* ⟨m.⟩, ^B*herdsman* ⟨m.⟩ ^A*herder* ⟨m.,v.⟩.

veehouderij ⟨de (v.)⟩ 0.1 [handeling] *cattle-breeding/-raising* ⇒*stock-breeding, livestock breeding/industry* 0.2 [bedrijf] *cattle farm* ⇒*stockfarm,* ⟨AE ook⟩ *cattle ranch,* ⟨vnl. Austr.E⟩ *(cattle) station.*

veekering ⟨de (v.)⟩ 0.1 ⟨rooster⟩ *cattle grid;* ⟨omheining⟩ *cattle fence.*

veekoek ⟨de (m.)⟩ 0.1 *cattle cake* ⇒*oil cake.*

veel¹ ⟨bw.⟩ ⟨→sprw. 270,627⟩ 0.1 [in grote mate] *much* ⇒*a lot/great deal* 0.2 [vaak] *much* ⇒*a lot* ◆ 2.1 hij was kwaad, maar zij was nog ~ kwader *he was angry, but she was even more so, he was angry, but nothing like as m. as she* 3.1 ze lijken ~ op elkaar *they are very m. alike* 3.2 hij is ~ thuis *he stays in m./most of the time/a lot;* dat komt ~ **voor** *that happens a lot/frequently* 5.1 dat is ~ en ~ beter *that's much better by far/ever so m. better/a sight better;* ik blijf ~ liever thuis *I'd m. rather stay in;* hij is ~ te goed (voor deze wereld) *he's m. too good (for this world).*

veel² ⟨onb.vnw.⟩ ⟨→sprw. 200,203,221,255,351⟩ 0.1 *much, many* ⇒*(a) lot(s),* ⟨inf.;overvloedig⟩ *plenty* ◆ 1.1 ~ geluk! *good luck!;* ~ waarde aan iets hechten *set a high value on/great store by sth.* 3.1 drink niet te ~ *don't drink too much;* het heeft er ~ van dat *it looks very much like...;* dat kost ~ *that's dear a lot of money, that costs a lot;* vind je dat niet ~? *don't you think it's a bit too much/a bit over the top?;* ⟨inf.⟩ weet ik ~ *well I don't know/how should I know* 5.1 het doet erg ~ pijn *it hurts like anything/nothing on earth/* ⟨inf.⟩ *hell;* zij is hier te ~ *she's one too many here;* ⟨ongewenst derde persoon bij koppel⟩ *she's a bit of a playing/gooseberry here;* dat was haar te ~ *that was more than she could take;* veel te ~ *far too much/many;* één keer te ~ *(just) once too often;* vijf dollars te ~ **voor** iets vragen *overcharge by five dollars;* het te ~ betaalde *the excess/overpaid amount, the sum overpaid, the overpayment;* niets is hem te ~ *nothing is too much (trouble) for him;* hij is te ~ individualist om ... *he's too much of an individualist to ...;* zonder al te ~ moeite te doen *without (taking) undue/too* *much trouble, without bothering too much* ¶.1 jij hebt ook niet ~ meer nodig *you've goofed / gaffed a bit there, haven't you?*.

veel³ ⟨hoofdtelw.⟩ ⟨→sprw. 216,218⟩ **0.1** *many* ⇒*a lot / great deal, a great many* ◆ **1.1** ~ mensen zien *see a lot / great deal of / m. people* **3.1** het zijn er ~ *there's a lot of them* **6.1** velen met mij *m. others with me.*

veelal ⟨bw.⟩ **0.1** [gewoonlijk] *usually* ⇒*often, commonly, as a rule* **0.2** [grotendeels] *mostly* ⇒*for the most / greater part.*

veelbeduidend ⟨bn., bw.; -ly⟩ **0.1** *significant* ⇒*meaningful, pregnant, important.*

veelbegeerd ⟨bn.⟩ **0.1** *coveted* ⟨prijs⟩; *much-desired* ⟨vrede⟩; *much sought-after* ⟨artikel⟩.

veelbelovend ⟨bn., bw.; -ly⟩ **0.1** *promising* ⇒⟨gunstig⟩ *fair, favourable,* ⟨goeds voorspellend⟩ †*auspicious,* ⟨hoopvol, veelbelovend⟩ *hopeful* ◆ **1.1** een ~e leerling *a likely / p. pupil;* een ~ meisje *an up-and-coming girl, a gril full of promise* **3.1** ~ zijn *show great promise.*

veelbesproken ⟨bn.⟩ **0.1** *much-discussed, much talked-of* ◆ **1.1** een ~ kwestie *a vexed question.*

veelbetekenend ⟨bn., bw.⟩ **0.1** *meaning(ful)* ⇒*knowing, telling, significant* ◆ **1.1** een ~e blik *a m. / knowing look, a look of deep significance;* een ~ gebaar ⟨ook⟩ *an expressive gesture;* een ~ zwijgen *a pregnant silence / pause;* ⟨slecht voorteken⟩ *a portentous / ominous silence* **3.1** ~ aankijken *give s.o. a m. look.*

veelbewogen ⟨bn.⟩ **0.1** *eventful* ⇒⟨hectic, turbulent, stirring ⟨tijden⟩, chequered ⟨leven, loopbaan⟩ ◆ **1.1** een ~ leven *an e. / chequered life;* ~ tijden *stirring / ⟨pej.⟩ troubled times.*

veelbezocht ⟨bn.⟩ **0.1** *much-visited* ⇒*(much) frequented* ◆ **1.1** een vroeger door haar ~ plekje *an old haunt of hers.*

veelbloemig ⟨bn.⟩ **0.1** *many- / multiflowered / -bloomed.*

veelcellig ⟨bn.⟩ **0.1** *multicellular* ⇒*many- / multicelled.*

veeldelig ⟨bn.⟩ **0.1** ⟨alleen ná zn.⟩ *containing / having / made up of /* ↑ *comprising many parts;* ⟨schr.⟩ *multipartite.*

veeleer ⟨schr.⟩ **0.1** *rather* ⇒⟨bij keuze uit twee kwaden ook⟩ *sooner,* ⟨met bn. ook⟩ *more* ◆ **2.1** hij was ~ kwaad dan bang *he was more angry than frightened / angry r. than frightened* **3.1** ik geloof ~ dat *I r. think / r. I think that ...;* hij zou ~ armoe lijden dan iemands gunst te vragen *he would r. / sooner live in poverty than ask anyone for favours.*

veeleisend ⟨bn.⟩ **0.1** *demanding* ⇒*exacting,* ⟨kieskeurig⟩ *particular (about / over), fastidious, hard to please,* ⟨inf.; pej.⟩ *fussy,* ⟨schr.; pej.⟩ *exigent* ◆ **3.1** hij is ~ voor zijn personeel *he makes high demands on / demands / expects a lot from his employees.*

veeleisendheid ⟨de (v.)⟩ **0.1** *exactingness* ⇒*demanding / exacting nature, fastidiousness,* ⟨inf.; pej.⟩ *fussiness.*

veelgeprezen ⟨bn.⟩ **0.1** *much-praised* ⇒⟨iron.⟩ *much-vaunted / -boasted,* ⟨inf.⟩ *famous.*

veelgevraagd ⟨bn.⟩ **0.1** *much sought-after* ⇒⟨pred. ook⟩ *in great demand, much in demand.*

veelgodendom ⟨het⟩ **0.1** *polytheism.*

veelgoderij ⟨de (v.)⟩ *veelgodendom.*

veelheid ⟨de (v.)⟩ **0.1** [⟨wisk.⟩] *set* **0.2** [groot aantal] *multitude* ⇒*abundance, multiplicity, plurality* **0.3** [het samengesteld zijn, samengesteld iets] *complexity, multiplicity* ⇒⟨veelsoortigheid⟩ *diversity, variety* ◆ **1.2** ~ van woorden *wealth / abundance of words.*

veelhoek ⟨de (m.)⟩ **0.1** [⟨wisk.⟩] *polygon* **0.2** [voorwerp] *polygon.*

veelhoekig ⟨bn.⟩ **0.1** *polygonal* ⇒*mult(i)angular.*

veeljarig ⟨bn.⟩ **0.1** ⟨attr.⟩ *many years';* ⟨pred.⟩ *of many years* ◆ **1.1** ~e ervaring *many years of / many years' experience;* een ~ verblijf in het buitenland *a story of many years / years' duration abroad, a long-term stay abroad.*

veelkleurendruk ⟨de (m.)⟩ **0.1** *multicolour / polychrome printing.*

veelkleurig ⟨bn.⟩ **0.1** *multicoloured* ⇒*varicoloured, parti-coloured, colourful, variegated* ⟨bloem, blad⟩ ◆ **1.1** een ~e shawl *a m. / parti-coloured / colourful / fancy shawl.*

veelkoppig ⟨bn.⟩ **0.1** [met veel koppen] *many-headed* **0.2** [uit veel hoofden bestaand] *large* ◆ **1.1** een ~ monster *a m.-h. monster* **1.2** een ~e menigte *a l. crowd / throng / multitude.*

veellettergrepig ⟨bn.⟩ **0.1** *polysyllabic.*

veelmannerij ⟨de (v.)⟩ **0.1** *polyandry.*

veelmeer ⟨bw.⟩ **0.1** *rather.*

veelomstreden ⟨bn.⟩ **0.1** *much-disputed* ⇒*controversial* ◆ **1.1** een ~ kwestie ⟨ook⟩ *a vexed question.*

veelomvattend ⟨bn.⟩ **0.1** *comprehensive* ⇒*extensive, wide(-ranging), sweeping* ◆ **1.1** een ~e bibliotheek *an extensive library;* een ~e taak *a vast task.*

veelprater ⟨de (m.)⟩, **-praatster** ⟨de (v.)⟩ **0.1** *great / nonstop talker* ⇒⟨schr.⟩ *loquacious person,* ⟨pej.⟩ *garrulous person, chatterer, chatterbox, voluble speaker.*

veelschrijver ⟨de (m.)⟩, **-schrijfster** ⟨de (v.)⟩ **0.1** *hack* ⇒*voluminous writer,* ⟨inf.⟩ *ink-slinger,* ⟨positief⟩ *prolific writer* ◆ **2.1** hij is een echte ~ *he churns out one novel / poem* ⟨enz.⟩ *after the other.*

veelschrijverij ⟨de (v.)⟩ **0.1** *hack writing* ⇒⟨inf.⟩ *ink-slinging.*

veelsnarig ⟨bn.⟩ **0.1** *many- / multistringed.*

veelsoortig ⟨bn.⟩ **0.1** [veel soorten tellend] *multifarious* ⇒*omnifarious*

0.2 [behorend tot velerlei soorten] *multifarious* ⇒⟨schr.⟩ *manifold, varied, diverse, multiple* ◆ **1.1** een ~ plantengeslacht *a m. botanical genus* **1.2** ~e bezigheden hebben *be engaged in multifarious / various / multiple activities;* het ~e werk dat zij doet *the variety of work she does.*

veelsoortigheid ⟨de (v.)⟩ **0.1** *variety* ⇒ ↑ *multiplicity, multifariousness.*

veelstemmig ⟨bn.⟩ **0.1** [⟨muz.⟩] *polyphonic, polyphonous* **0.2** [door veel stemmen geuit] *many-voiced* ◆ **1.1** een ~ lied *a p. song* **1.2** een ~ geklaag *m.-v. complaining / lamentation(s).*

veelstemmigheid ⟨de (v.)⟩ **0.1** *polyphony.*

veelszins ⟨bw.⟩ **0.1** [veelal] *often* ⇒*mostly, as a rule, in many cases* **0.2** [in meer dan één opzicht] *in many respects / ways.*

veeltalig ⟨bn.⟩ **0.1** [veel talen kennend] *multilingual* ⇒*polyglot* **0.2** [veel talen omvattend] *multilingual* ⇒*polyglot* **0.3** [waar veel talen gesproken worden] *multilingual* ⇒*polyglot.*

veeltaligheid ⟨de (v.)⟩ **0.1** *multilingualism* ⇒⟨mbt. persoon ook⟩ *command of many languages, polyglottism.*

veelterm ⟨de (m.)⟩ ⟨wisk.⟩ **0.1** [grootheid] *polynomial, multinomial* **0.2** [uitdrukking] *polynomial, multinomial.*

veeltijds ⟨bw.⟩ **0.1** *frequently, often.*

veelvermogend ⟨bn.⟩ **0.1** *powerful* ⇒*influential,* ⟨schr.⟩ *mighty.*

veelvlak ⟨het⟩ ⟨wisk.⟩ **0.1** *polyhedron* ◆ **2.1** een regelmatig ~ *a regular p., a platonic body / solid.*

veelvlakkig ⟨bn.⟩ **0.1** *polyhedral.*

veelvlakshoek ⟨de (m.)⟩ **0.1** *polyhedral angle.*

veelvormig ⟨bn.⟩ **0.1** *varied in shape (and form), variously shaped* ⇒⟨schr.⟩ *multiform,* ⟨biol.; schei.⟩ *polymorphous, polymorphic.*

veelvormigheid ⟨de (v.)⟩ **0.1** *variety of form(s) / in shape and form* ⇒*multiformity, multiplicity,* ⟨wet.⟩ *polymorphism.*

veelvoud ⟨het⟩ **0.1** [getal] *multiple* **0.2** [bedrag, grootheid] *multiple* ◆ **2.1** gemeen ~ *common m.;* kleinste gemene ~ *lowest common m.;* ⟨afk.⟩ *LCM* **6.1** een ~ van 30 *a m. of 30* **6.2** zijn salaris bedraagt een ~ van het hare *his salary is many times larger than hers.*

veelvoudig

I ⟨bn.⟩ **0.1** [meervoudig] *multiple* ⇒⟨tech.⟩ *multiplex* **0.2** [veelvuldig] *multiple* ⇒*frequent, repeated,* ⟨vele⟩ *manifold* **0.3** [gevarieerd] *varied* ⇒*manifold, multifarious* ◆ **1.1** ~e dopvrucht *m. pod* **1.2** een ~ miljonair *a multimillionaire;* ~ wereldkampioen *a world champion several times over* **1.3** een ~ thema *a v. theme;*

II ⟨bw.⟩ **0.1** [zo dat er een veelvoud ontstaat] *in abundance / great number* ◆ **3.1** ~ vrucht dragen *bear fruit in abundance.*

veelvraat ⟨de (m.)⟩ ⟨→sprw. 589⟩ **0.1** [persoon] *glutton* ⇒*gourmand, stuffer,* ⟨inf.⟩ *greedy-guts, hog* **0.2** [dier] *glutton, wolverine.*

veelvuldig

I ⟨bn., bw.; -ly⟩ **0.1** [talrijk] *frequent* ⇒*multiple, manifold* **0.2** [gevarieerd] *varied* ◆ **1.1** ~e betrekkingen / contacten / botsingen *f. relations / contacts / clashes;* ~ bezoek *f. visits, many visitors;* op ~ verzoek *at the request of many people;*

II ⟨bw.⟩ **0.1** [dikwijls] *frequently, often* ◆ **3.1** ~ voorkomen ⟨ook; schr.⟩ *be prevalent;* ⟨mbt. ziekte, geweld⟩ *be rife.*

veelvuldigheid ⟨de (v.)⟩ **0.1** [talrijkheid] *multiplicity* **0.2** [het zich vaak herhalen] *frequency* **0.3** [veelvormigheid] *multiformity.*

veelwetend ⟨bn.⟩ **0.1** *learned* ⇒*scholarly, erudite, polymath.*

veelweter ⟨de (m.)⟩ **0.1** [polyhistor] *polymath, polyhistor* **0.2** [⟨pej.⟩] *know(-it)-all, pedant.*

veelwijverij ⟨de (v.)⟩ **0.1** *polygamy* ⇒*polygyny.*

veelzeggend ⟨bn.⟩ **0.1** *telling* ⇒*revealing, significant, meaning(ful), pregnant* ◆ **1.1** ~e cijfers *t. / revealing figures;* een ~ gebaar *an expressive / a meaning gesture* **3.1** dat is ~ ⟨ook⟩ *that is saying a lot, that tells a tale / its own story.*

veelzijdig ⟨bn.⟩ **0.1** [naar, van vele zijden] *many-sided* ⇒*versatile, all-round, multifaceted* **0.2** [⟨wisk.⟩] *many-sided, multilateral* ◆ **1.1** haar ~e belangstelling *her varied interests;* een ~ geest *a many-sided / versatile mind;* ~e kennis *universal / miscellaneous knowledge;* ~e ontwikkeling *broad / all-round education;* een ~e smaak *a catholic taste;* ~e talenten *a wide range of / varied talents;* ~e toepassing vinden *have a wide range of applications;* een ~ verdrag *a multilateral treaty.*

veem ⟨het⟩ **0.1** [onderneming] *warehousing / storage company* ⇒*forwarding agency / company, forwarder* **0.2** [gebouw] *warehouse* ⇒⟨vooral Azië⟩ *godown.*

veemarkt ⟨de (m.)⟩ **0.1** [(ver)koop] *cattle / livestock market* **0.2** [plaats] *cattle market* **0.3** [dorp, stad] ⟨zie 2.3⟩ ◆ **2.3** Purmerend is een belangrijke ~ *Purmerend has an important cattle market* **3.1** ~ houden *have a c. / l. m.*

veen ⟨het⟩ **0.1** [aard-, grondsoort] *peat* **0.2** [turfland] ⟨laag⟩ *peat bog;* ⟨hoog⟩ *peat moor* ◆ **3.1** het ~ aansnijden *cut p., cut out turves.*

veenachtig ⟨bn.⟩ **0.1** *boggy, peaty.*

veenbes ⟨de⟩ **0.1** *cranberry* ⇒*fen-berry.*

veenbrand ⟨de (m.)⟩ **0.1** *moorland / peatmoor fire.*

veenderij ⟨de (v.)⟩ **0.1** [werk] *peatery* ⇒*peat-cutting* **0.2** [plaats] *peatery* ⇒*peat pit.*

veengrond ⟨de (m.)⟩ **0.1** [grond die uit veenaarde bestaat] *peat* ⇒*peaty soil* **0.2** [stuk veenland] *peat bog / moor.*

veenkolonie ⟨de (v.)⟩ **0.1** *(former) fen community* ⇒⟨mv.⟩ *peat district.*
veenlaag ⟨de⟩ **0.1** *layer/* ⟨geol. ook⟩ *stratum of peat.*
veenland ⟨het⟩ **0.1** *peat bog/moor.*
veenmol ⟨de (m.)⟩ **0.1** *mole cricket.*
veenmos ⟨het⟩ **0.1** *peat/bog moss* ⇒*sphagnum.*
veenpolder ⟨de (m.)⟩ **0.1** *peat polder.*
veepest ⟨de⟩ **0.1** *cattle plague, rinderpest.*
veer (→sprw. 338,597)
I ⟨de⟩ **0.1** [mbt. vogels] *feather* ⇒ ⟨slag/staart/vleugelpen⟩ *quill,* ⟨mv. ook⟩ *plumage* **0.2** [schrijfgereedschap] *quill (pen)* **0.3** [draad van veerkrachtig materiaal] *spring* ⇒⟨van uurwerk ook⟩ *mainspring, ring* ⟨zuiger⟩ **0.4** ⟨(mv.) bed] *bed* **0.5** [jonge stek] *cutting* **0.6** [strook hout tussen twee planken] *tongue* ◆ **1.3** de veren van een horloge *the springs in a watch* **3.1** ⟨fig.⟩ een ~ laten *have to settle for less than (one) bargained for;* ⟨fig.⟩ een (behoorlijke) ~ moeten laten *singe one's wings (quite badly), not come off/escape unscathed* **6.1** ⟨fig.⟩ met andermans veren pronken *strut with borrowed plumes/ plumage;* ⟨fig.⟩ iem. een ~ op de hoed zetten/steken *put/stick a f. in s.o.'s cap;* een tooi van veren *plumage* **6.3** de veren in stoelzittingen *the springs in the seats of chairs* **6.4** vroeg uit de veren *up early/with the lark* **8.1** zo licht als een ~tje *as light as a f.;*
II ⟨het⟩ **0.1** [plaats waar overgezet wordt] *ferry* **0.2** [veerboot] *ferry-(boat)* **0.3** [beurtvaart] *(regular) ferry (service)* **0.4** [plaats van vertrek, aankomst van beurtschepen] *ferry (terminal/port).*
veerbalans ⟨de⟩ **0.1** *spring balance/*ᴬ*scale.*
veerboot ⟨de⟩ **0.1** *ferry(boat).*
veerdam ⟨de (m.)⟩ **0.1** *ferry causeway.*
veerdienst ⟨de (m.)⟩ **0.1** *ferry (service/line).*
veergeld ⟨het⟩ **0.1** *fare on a/the ferry.*
veerkracht ⟨de⟩ **0.1** [nat.] *elasticity* ⇒*resilience, spring, give* **0.2** [⟨fig.⟩] *resilience* ⇒*elasticity, give, buoyancy* ◆ **1.1** de ~ van een 2CV *the suspension of a 2CV* **1.2** de ~ van de jeugd *youth's r., the r. of the young* **3.2** geen ~ hebben *lack r.;* ⟨inf.⟩ *not have any bounce.*
veerkrachtig ⟨bn.⟩ **0.1** [met veerkracht] *elastic* ⇒*springy, resilient* **0.2** [⟨fig.⟩] *resilient* ⇒*buoyant,* ⟨inf.⟩ *corky* ◆ **1.1** met ~e tred *with a springy/swinging step, with a swing/spring in one's step* **1.2** een ~ volk *a r./buoyant people.*
veerman ⟨de (m.)⟩ **0.1** *ferryman.*
veermechanisme ⟨het⟩ **0.1** *spring mechanism.*
veerpasser ⟨de (m.)⟩ **0.1** *spring cal(l)iper* ⇒*spring dividers* ⟨mv.⟩.
veerplank ⟨de⟩ **0.1** *springboard.*
veerpont ⟨de⟩ **0.1** *ferry(boat).*
veerring ⟨de (m.)⟩ **0.1** *spring washer* ⇒*lock washer.*
veerslot ⟨het⟩ **0.1** *spring lock.*
veerstoep ⟨de⟩ **0.1** *dike ramp.*
veertien¹ ⟨de⟩ **0.1** [teken] *fourteen* **0.2** [veertiental] *fourteen* ◆ **6.2** deel dat in ~en *divide that into fourteen parts;* met zijn/met ons ~en *the f. of them/us;* deel dat onder u ~en *divide that among the f. of you.*
veertien²
I ⟨hoofdtelw.⟩ **0.1** *fourteen* ◆ **1.1** dinsdag over ~ dagen *two weeks on Tuesday;* ⟨vnl. BE⟩ *Tuesday fortnight, a fortnight on Tuesday;* vandaag over ~ dagen *in two weeks/two weeks' time, two weeks from today;* ⟨vnl. BE⟩ *today fortnight, a fortnight from today;* om de ~ dagen *every two weeks;* ⟨vnl. BE⟩ *every fortnight; biweekly;* ~ dagen *f. days, two weeks;* ⟨vnl. BE⟩ *a fortnight* **3.1** het zijn er ~ *there are f. (of them)* ¶.1 een dag of ~ *about two weeks;* ⟨vnl. BE⟩ *about a fortnight;*
II ⟨rangtelw.⟩ **0.1** *fourteen(th)* ◆ **1.1** ~ mei *May (the) 14th, the fourteenth of May.*
veertiendaags ⟨bn.⟩ **0.1** [om de veertien dagen terugkerend] *biweekly;* ⟨vnl. BE⟩ *fortnightly* **0.2** [veertien dagen durend] ⟨attr.⟩ *two-week, fourteen-day* **0.3** [veertien dagen oud] *two weeks/fourteen days/* ⟨vnl. BE⟩ *a fortnight old* ◆ **1.1** een ~ tijdschrift *a b./f. (magazine).*
veertiende¹ ⟨het⟩ **0.1** *fourteenth* ◆ **7.1** drie ~/ drie ~n *three fourteenths, three over fourteen.*
veertiende² ⟨rangtelw.⟩ **0.1** [komend na de/het dertiende] *fourteenth* **0.2** [het gelijke een geheel vormend] *fourteenth* ◆ **1.1** de ~ eeuw *the f. century* **1.2** een ~ deel *a f. part* **3.1** het is nu de ~ *it is the f. today, today is the f.* **7.1** Lodewijk de ~ (XIV) van Frankrijk *Louis the f. (XIV) of France.*
veertiende-eeuws ⟨bn.⟩ **0.1** *fourteenth-century.*
veertig¹ ⟨de⟩ **0.1** [teken] *forty* **0.2** [veertigtal] *forty* ◆ **6.2** deel dat in ~en *divide that into forty parts;* met ons/zijn ~en ~en *the f. of us/them; ze waren met zijn ~en there were f. of them.*
veertig²
I ⟨hoofdtelw.⟩ **0.1** *forty* ◆ **2.1** ~ gelijk *f. all;* ⟨tennis⟩ *deuce* **6.1** diep in de ~ *well on in one's forties;* een man van in de ~ *a man in his forties;* hij loopt naar de ~ *he is pushing/getting on for/going on for f.;* om en bij de ~ *about f., f. or so;* ⟨leeftijd⟩ *fortyish;* een man van ~ *a f.-year-old man* **7.1** nog geen ~ ⟨ook⟩ *on the sunny/better side of f.* ¶.1 ~ plus *more than 40% fat;*
II ⟨rangtelw.⟩ **0.1** *fortieth, forty* ◆ **1.1** hij is van het jaar ~ *he was born in nineteen forty;* in de jaren ~ *in the forties; maat ~ hebben take (continental) size forty.*

veertigdagentijd ⟨de (m.)⟩ ⟨r.k.⟩ **0.1** *Lent.*
veertiger¹ ⟨de (m.)⟩ **0.1** [persoon] *man of forty* ⇒*quadragenarian* **0.2** [wijn] *a (wine of) vintage forty* ◆ **2.1** hij is een goede ~ *he is somewhere in his forties.*
veertiger² ⟨bn.⟩ ◆ **1.¶** de ~ jaren *the forties.*
veertigjarig ⟨bn.⟩ **0.1** [veertig jaren durend] *forty years', fortieth* **0.2** [om de 40 jaar terugkerend] *recurring every forty years* **0.3** [veertig jaar oud] *forty-year-old* ⇒*forty years of age* ◆ **1.1** het ~ bestaan vieren *celebrate the fortieth anniversary;* ~e bruiloft *fortieth wedding anniversary; ruby wedding.*
veertigste¹ ⟨het⟩ **0.1** *fortieth.*
veertigste² ⟨rangtelw.⟩ **0.1** [komend na de/het 39ste] *fortieth* **0.2** [met 39 andere delen een geheel vormend] *fortieth* ◆ **1.1** zij stierf in haar ~ jaar *she died in her f. year* **1.2** een ~ gedeelte *one fortieth.*
veertigtal ⟨het⟩ **0.1** *forty* ⟨ongeveer⟩ *about/roughly forty.*
veertigurengebed ⟨het⟩ ⟨r.k.⟩ **0.1** *Forty Hours Vigil.*
veertigurig ⟨bn.⟩ **0.1** *forty-hour* ◆ **1.1** de ~e werkweek *the f.-h. week.*
veerverbinding ⟨de (v.)⟩ **0.1** *ferry connection/link.*
veesoort ⟨het⟩ **0.1** *breed of cattle/livestock.*
veest ⟨de (m.)⟩ **0.1** *wind* ⇒⟨vulg.⟩ *fart* ◆ **3.1** ⟨fig.⟩ 't is maar een ~ ↑*it's of no moment, it doesn't matter a bit;* een ~ laten *break w.;* ⟨vulg.⟩ *fart.*
veestal ⟨de (m.)⟩ **0.1** *cowshed* ⇒*cowhouse.*
veestapel ⟨de (m.)⟩ **0.1** *(live)stock.*
veesten ⟨onov.ww.⟩ **0.1** *break wind* ⇒⟨vulg.⟩ *fart.*
veeteelt ⟨de⟩ **0.1** *stock/cattle breeding* ⇒ ⟨vnl. AE⟩ *animal husbandry* ⟨vak, wetenschap⟩.
veetransport ⟨het⟩ **0.1** *transport(ation) of livestock.*
veevervoer ⟨het⟩ **0.1** *transport of livestock/* ⟨rundvee⟩ *cattle* ⇒*livestock/ cattle transport.*
veevoeding ⟨het⟩ **0.1** *feeding of cattle/livestock* ⇒ ⟨in wei⟩ *livestock/ cattle pasture.*
veevoer ⟨het⟩ **0.1** *feed* ⇒*pasture* ⟨vers gras⟩, *fodder, provender, cattle cake* ⟨droog⟩, *silage* ⟨ingekuild/gefermenteerd; in winter⟩.
veevoergewas ⟨het⟩ **0.1** *fodder plant.*
veewagen ⟨de (m.)⟩ **0.1** ᴮ*cattle-truck,* ᴬ*stock car.*
veeziekte ⟨de (v.)⟩ **0.1** *cattleplague* ⇒*murrain, rinderpest.*
veganisme ⟨het⟩ **0.1** *veganism.*
vegen (→sprw. 57)
I ⟨onov., ov.ww.⟩ **0.1** [met een bezem schoonmaken of tewerk gaan] *sweep* ⇒*brush* ◆ **1.1** de baan~s. *the ice (track);* ⟨fig.⟩ *make room, clear the way;* de schoorsteen~s. *the chimney;* de stoep~s. *the pavement (clean)* **2.1** de straat schoon ~ ⟨fig.⟩ *clear the street* **6.1** de kruimels van de tafel~s. *brush/flick the crumbs off the table;*
II ⟨onov.ww.⟩ **0.1** [strijken, glijden] *brush* ⇒*sweep, run* **0.2** [zich snel voortbewegen] *fly/whisk (along)* **0.3** [neuken] ⟨sl.⟩ *knock (it) off (with)* ⇒⟨BE;sl.⟩ *have it off/away (with)* ◆ **1.1** herten~hun gewei *the deer fray their antlers* **6.1** met de hand over/langs de muur/zijn mond ~ b. */sweep/run one's hand over/across/along the wall/over one's mouth;*
III ⟨ov.ww.⟩ **0.1** [afvegen, schoonmaken] *wipe* **0.2** [mbt. mijnen] *sweep* ◆ **1.1** zijn neus ~ w. / blow one's nose;* voeten ~ a.u.b. *wipe your feet please;* zich het zweet van zijn voorhoofd ~ *w. the sweat from one's forehead* **6.1** zijn broek/gat/zolen aan iem./iets ~ *not care/give a rap/fig for s.o./sth.;* de tranen uit de ogen ~ *brush away/ w. the tears from one's eyes.*
veger ⟨de (m.)⟩ **0.1** [borstel] *(sweeping) brush* **0.2** [persoon] *sweeper* ⇒ ⟨inf.⟩ *sweep* ⟨ihb. schoorsteen-/straatveger⟩ ◆ **1.1** ~en blik *dustpan and brush.*
vegetabiliën ⟨zn.mv.⟩ **0.1** [planten] *plants* ⇒⟨zeldz.⟩ *vegetable/plant kingdom* **0.2** [plantaardige spijzen] *vegetables* ⇒⟨inf.⟩ *greens.*
vegetariër ⟨de (m.)⟩ **0.1** *vegetarian.*
vegetarisch ⟨bn.⟩ **0.1** *vegetarian* ◆ **1.1** een ~ restaurant *a v. restaurant* **3.1** ~ eten *have/have a v. meal;* ⟨als regel⟩ *be a vegetarian;* hij kookt ~ *he cooks v. meals.*
vegetarisme ⟨het⟩ **0.1** *vegetarianism.*
vegetatie ⟨de (v.)⟩ **0.1** [het groeien; plantenleven] *vegetation* **0.2** [planten] *vegetation* **0.3** ⟨med.⟩ *vegetation.*
vegetatief ⟨bn.⟩ **0.1** [de groei betreffend] *vegetative* **0.2** [ongeslachtelijk] *vegetative* **0.3** [plantaardig] *vegetal* ◆ **1.1** het vegetatieve zenuwstelsel *the neurovegetative system, the autonomic nervous system* **1.2** ⟨biol.⟩ vegetatieve vermeerdering *v. reproduction.*
vegeteren ⟨onov.ww.⟩ **0.1** *vegetate* ⇒⟨fig. ook⟩ *be a vegetable/cabbage, lead a vegetable/vegetative life* ◆ **6.1** op iem. ~ *sponge on s.o..*
vehikel ⟨het⟩ **0.1** [voertuig] *vehicle* **0.2** [verdunningsvloeistof] *vehicle* ◆ **2.1** een oud ~ *an old jalopy;* ⟨BE;inf.⟩ *an old crock/banger.*
veil ⟨bn.⟩ **0.1** [te koop] *for sale* **0.2** [ter beschikking] *available* **0.3** [omkoopbaar] *corrupt(ible)* ⇒*open to bribery, brib(e)able, mercenary,* ↑*venal* **0.4** [verdorven] *corrupt* ⇒*depraved,* ↑*venal* ◆ **1.4** een ~ stad *a c./*↑*venal city* **3.1** iets ~ bieden *put sth. up for sale* **3.2** zijn leven voor het vaderland ~ hebben *be ready to lay down/sacrifice one's life for one's country* **6.3** hij is voor alles ~ *he will do anything for money.*
veildag ⟨de (m.)⟩ **0.1** *auction-day.*
veilen ⟨ov.ww.⟩ **0.1** *sell by/put up for auction, auction* ⇒*bring under the*

hammer ◆ **1.1** antiek/huizen ~ *sell antiques/houses by auction, auction antiques/houses.*

veilheid ⟨de (v.)⟩ **0.1** *bribability* ⇒↑*corruptibility, venality.*

veilig ⟨bn., bw.; -ly⟩ **0.1** [buiten gevaar] *safe* ⇒*secure, out of danger* **0.2** [beschermd tegen gevaar] *safe* ⇒*secure (from/against), protected from danger* **0.3** [zonder risico] *safe* ⇒*without danger* **0.4** [aanduidend dat er geen gevaar is] *(all-)clear* **0.5** [gevaar voorkomend] *safe* ⇒*secure* ◆ **1.2** in ~e haven komen *arrive safe and sound* **1.3** ~ verkeer ≠*road safety* **1.5** ~e afsluitingen *safety fence;* in ~e bewaring *in safe keeping* **3.1** hier zijn we ~ *we are safe here, we are out of danger/harm's way here* **3.2** iets ~ opbergen *put sth. in a safe place, lock/seal sth. up, shut sth. away/up;* iets ~ stellen *safeguard/secure sth.;* zijn toekomst ~ stellen *provide for the future, save for a rainy day;* ~ thuiskomen *return home safe(ly)/safe and sound;* ik voel me ~ bij hem *he makes me feel secure;* zich bij iem./ergens ~ voelen *feel secure/safe near s.o./somewhere* **3.3** je kunt dat ~ doen *you may safely do that;* men kan ~ zeggen …*it is s. to say …, it may safely be said …* **5.1** ~ en wel *safe and sound* **5.2** zo ~ als wat *(as) safe as houses/anything* **6.1** ~ voor alle vervolging *safe/secure from all persecution* **6.2** niets is ~ voor hem ~ *nothing is sacred for/safe from him* **6.4** het sein op ~ stellen *give the green light/go-ahead;* de seinpaal staat op ~ *the signal is at clear.*

veiligheid ⟨de (v.)⟩ **0.1** [staat, toestand] *safety* ⇒*security* **0.2** [inrichting, voorwerp] *safety device/valve/lock* (enz.) ⇒⟨elek.⟩ *fuse, cutout* **0.3** [mbt. een vuurwapen] *safety (catch)* ◆ **2.1** de openbare ~ *public security* **6.1** iets in ~ brengen *bring/take/carry sth. to (a place of) safety, secure/safeguard sth.;* in ~ zijn *be out of danger/harm's way;* ~ op de weg ≠*road sense/safety;* voor de ~ *for safety('s sake), for reasons/the sake of safety/security, for security reasons.*

veiligheidsadviseur ⟨de (m.)⟩ **0.1** [⟨pol.⟩] *security adviser* **0.2** [⟨verz.⟩] *security adviser.*

veiligheidsagent ⟨de (m.)⟩ **0.1** *security officer/* ⟨inf.⟩ *man/woman.*

veiligheidsbril ⟨de (m.)⟩ **0.1** *safety/protective goggles.*

veiligheidsdienst ⟨de (m.)⟩ **0.1** *security forces* (leger, politie) ⇒*security police, intelligence (service/department)* ⟨nationale⟩ ◆ **2.1** binnenlandse ~ *(counter)intelligence;* particuliere ~ *private security company.*

veiligheidseis ⟨de (m.)⟩ **0.1** *safety requirement/* ↑*stipulation.*

veiligheidsglas ⟨het⟩ **0.1** *safety/shatterproof glass.*

veiligheidsgordel ⟨de (m.)⟩ **0.1** [beschermgordel] *safety belt* ⇒⟨autogordel ook⟩ *seat belt* **0.2** [zwemvest] *life belt.*

veiligheidsgrendel ⟨de (m.)⟩ **0.1** *safety catch.*

veiligheidshalve ⟨bw.⟩ **0.1** *for reasons of safety/security* ⇒*for safety's/security's sake.*

veiligheidsinrichting ⟨de (v.)⟩ **0.1** *safety device.*

veiligheidskettinkje ⟨het⟩ **0.1** *guard/safety chain* ⇒*guard, keeper.*

veiligheidskeuring ⟨de (v.)⟩ **0.1** *safety test.*

veiligheidskleding ⟨de (v.)⟩ **0.1** *protective clothing.*

veiligheidsklep ⟨de⟩ **0.1** [klep in een reservoir, leiding] *safety valve* **0.2** [⟨fig.⟩] *safety valve.*

veiligheidskooi ⟨de⟩ **0.1** *safety cage.*

veiligheidslamp ⟨de⟩ **0.1** *safety lamp.*

veiligheidsmaatregel ⟨de (m.)⟩ **0.1** *security measure* ⇒*safety measure* ⟨in bedrijf⟩, *precaution, precautionary measure, safeguard* ⟨veiligstelling⟩.

veiligheidsmarge ⟨de⟩ **0.1** *safety factor/margin* ⇒*factor/margin of safety.*

veiligheidsoverweging ⟨de (v.)⟩ **0.1** *security reason* ◆ **6.1** uit ~en *for security reasons/reasons of security/safety, as a safety measure.*

veiligheidspal ⟨de (m.)⟩ **0.1** *safety catch.*

veiligheidspolitie ⟨de (v.)⟩ **0.1** *security police.*

veiligheidsraad ⟨de (m.)⟩ **0.1** [raad die toezicht houdt op de veiligheid] *security council/board* **0.2** [orgaan van de V.N.] *Security Council.*

veiligheidsriem ⟨de (m.)⟩ **0.1** *safety belt* ⇒⟨autogordel ook⟩ *seat belt.*

veiligheidsscheermes ⟨het⟩ **0.1** *safety razor.*

veiligheidsscheermesje ⟨het⟩ **0.1** *(safety) razor-blade.*

veiligheidsslot ⟨het⟩ **0.1** *safety lock* ◆ **6.1** een ketting met een ~je *a chain with a s.l.;* een fiets met ~ *a bicycle with a s.l..*

veiligheidsspeld ⟨de⟩ **0.1** *safety pin.*

veiligheidsvoorschrift ⟨het⟩ **0.1** *safety regulation/rule.*

veiligheidswet ⟨de⟩ **0.1** *law on/concerning public security.*

veiling ⟨de (v.)⟩ **0.1** [openbare verkoop] *auction* ⇒*public sale* **0.2** [gelegenheid] *auction* ⇒*sale by auction* **0.3** [plaats, gebouw] *auction-mart* ⇒*auction room(s)/hall* ◆ **1.1** ~ van huizen/inboedels/boeken/groenten/vis *a. of houses/household effects/books/vegetables/fish* **2.1** publieke/openbare ~ *public a./sale* **3.1** een ~ houden *hold/conduct an a.* **6.1** iets in ~ brengen *put sth. up for a., sell sth. by a.* **6.2** iets op een ~ kopen *buy sth. at an a..*

veilingcatalogus ⟨de (m.)⟩ **0.1** *auction catalogue* ^*log.*

veilinggebouw ⟨het⟩ **0.1** *auction rooms.*

veilinghal ⟨de⟩ **0.1** *auction hall.*

veilinghuis ⟨het⟩ **0.1** *auctioneering firm* ⇒*firm of auctioneers, auctioneer's.*

veilingklok ⟨de⟩ **0.1** *auction clock/indicator.*

veilingkosten ⟨zn.mv.⟩ **0.1** *auction(eer's) fees.*

veilinglokaal ⟨het⟩ **0.1** *auction-room(s)* ⇒*mart.*

veilingmeester ⟨de (m.)⟩ **0.1** *auctioneer.*

veilingnotering ⟨de (v.)⟩ **0.1** *market price list.*

veilingwezen ⟨het⟩ **0.1** *system/world of auctions.*

veine ⟨de⟩ **0.1** *luck* ◆ **3.1** ~ hebben *be in l./in l.'s way;* ⟨AE ook⟩ *strike lucky;* voortdurend ~ hebben *have a run of l., be born lucky.*

veinzen

I ⟨onov.ww.⟩ **0.1** [huichelen] *pretend* ⇒*feign, sham, dissemble,* ↓*fox,* ⟨schr.⟩ *dissimulate;*

II ⟨ov.ww.⟩ **0.1** [valselijk doen blijken] *feign* ⇒*simulate* **0.2** [het genoemde voorgeven] *feign* ⇒*fake, pretend, sham,* ↓*fox* ◆ **1.1** liefde, vriendschap ~ f./simulate love/friendship* **3.2** ~ te slapen *fake/feign/sham sleep, pretend to be asleep* ¶ **.2** ~ ziek te zijn *sham/fake/feign/fox illness, feign/pretend that one is ill.*

veinzer ⟨de (m.)⟩, -es ⟨de (v.)⟩ **0.1** *sham,* ⟨huichelaar⟩ *hypocrite* ⇒ ⟨schr.⟩ *dissembler.*

veinzerij ⟨de (v.)⟩ **0.1** *pretence* ⇒*simulation, sham,* ↑*foxing,* ⟨huichelarij⟩ *insincerity, hypocrisy.*

vel ⟨het⟩ **0.1** [huid] *skin* ⇒*pelt, hide* ⟨dier⟩ **0.2** [huidschilfer] *skin* **0.3** [vlies] *skin* **0.4** [blad papier] *sheet* ⇒*form* ⟨voorgedrukt⟩ **0.5** [omhulsel] *skin* ◆ **1.4** een ~ tekenpapier *a s. of drawing paper* **2.1** ⟨fig.⟩ iem. het ~ over de oren halen/trekken *fleece s.o.;* ⟨inf.⟩ *bleed s.o. dry/white* **2.4** iets op een los ~letje schrijven *put sth. down on a notelet* **3.1** ik heb het ~ van mijn arm geschaafd *I skinned my arm, I grazed (the skin of) my arm* **3.2** het ~letje eraf trekken *pull/tear off the s.* **6.1** ⟨fig.⟩ (van woede) uit zijn ~ springen *be beside o.s. (with rage), go off the deep end;* ⟨AE;inf.⟩ *blow a fuse;* ⟨vnl. AE;inf.⟩ *blow one's stack;* ⟨sl.⟩ *flip one's lid;* het is om uit je ~ te springen *it is enough to drive you crazy/wild/up the wall/round the bend, it is enough to provoke a saint* **6.3** een ~ op de melk *a s. on the milk* **6.5** een ~letje om de worst *a s. round the sausage* ¶ **.1** ⟨fig.⟩ ~ over been zijn *be a bag of bones/all skin and bone, be scraggy/scrawny.*

velaar¹ ⟨de (m.)⟩ ⟨taal.⟩ **0.1** *velar.*

velaar² ⟨bn.⟩ ⟨taal.⟩ **0.1** *velar.*

veld ⟨het⟩ **0.1** [open land] *open country/fields* **0.2** [akker] *field* **0.3** [afgeperkt terrein] *field* ⇒*pitch, grounds* **0.4** [plaats van onderzoek/praktijk] *field* **0.5** [slagveld] *(battle)field* **0.6** [⟨nat.⟩] *field* **0.7** [begrensd vlak] *field* ⇒*square* ⟨schaakbord⟩, ⟨fig.⟩ *domain* **0.8** [⟨herald.⟩] *field* **0.9** [deelnemers aan een sportprestatie] *field* ◆ **1.1** in geen ~en of wegen was er iem. te zien *there was no sign of anyone anywhere, the place was utterly deserted* **1.3** ⟨fig.⟩ het ~ van zijn activiteiten verruimen *widen/broaden the scope of one's activities* **1.7** de ~en van een dam-/schaakbord *the squares of a draught-/chessboard* **2.1** in het open/het vrije ~ wandelen *ramble in the o.c./fields/in the open/the outdoors* **2.6** magnetisch ~ *magnetic f.* **2.7** sociale ~en *domains of social activity* **3.5** het ~ ruimen *abandon/leave the f. (to);* ⟨voor iem. anders ook⟩ *step down/aside;* ⟨fig.⟩ ~ winnen *gain ground;* ⟨fig.⟩ die mening won/verloor meer en meer ~ *that opinion gained/lost more and more ground* **3.9** het ~ was sterk bezet *it was a strong f.* **6.1** de schapen naar het ~ drijven *drive the sheep to pasture, pasture the sheep* **6.2** op het ~ werken *work in the fields;* het koren staat te ~e *the corn is still standing* **6.3** in het ~ gaan/komen/zijn go/come into be in the f.;* een speler uit het ~ sturen *send/order a player off (the f.)* **6.4** ⟨fig.⟩ de mensen uit het ~ *the people in the f.* **6.5** troepen in het ~ brengen *bring/put troops into the f.;* op het ~ van een gevecht *field of battle;* het leger te ~e *the army in the f., active troops/forces;* tegen iets te ~e trekken *be up in arms against sth., fight/combat sth.;* ⟨fig.⟩ zich nergens door uit het ~ laten slaan *not be daunted by/afraid of anything* ¶ uit het ~ slaan *⟨fig.⟩ embarrass/discomfit/confuse s.o., take s.o. aback;* niet uit het ~ geslagen *undaunted, unabashed, not taken aback.*

veldartillerie ⟨de (v.)⟩ **0.1** [geschut] *field artillery* **0.2** [militairen] *field artillery* **0.3** [afdeling] *field artillery.*

veldbed ⟨het⟩ **0.1** [opvouwbaar bed] *camp bed* ⇒⟨AE ook⟩ *cot* **0.2** [kermisbed] *shakedown, makeshift bed* ⇒⟨strozak/-matras⟩ *pallet.*

veldbies ⟨de⟩ **0.1** *wood rush.*

veldbloem ⟨de⟩ **0.1** *wild flower.*

veldboeket ⟨het, de (m.)⟩ **0.1** *bouquet of wild flowers.*

veldfles ⟨de⟩ **0.1** *water bottle* ⇒*flask, canteen.*

veldgeschut ⟨het⟩ **0.1** *field guns/artillery/ordnance.*

veldgewas ⟨het⟩ **0.1** *(field) crop(s).*

veldheer ⟨de (m.)⟩ **0.1** [legeraanvoerder] *general* **0.2** [strateeg] *strategist.*

veldheersblik ⟨de (m.)⟩ **0.1** *shrewd/appraising glance* ◆ **6.1** hij overzag de situatie met een ~ *he grasped the situation at once, he took in the situation at a glance.*

veldhockey ⟨het⟩ ⟨sport⟩ **0.1** *field hockey* ⇒*hockey.*

veldhoen ⟨het⟩ **0.1** [vogel] *partridge* **0.2** [⟨mv.⟩ onderfamilie] *phasianidae.*

veldhospitaal ⟨het⟩ **0.1** *field hospital.*

veldkers ⟨de⟩ **0.1** *meadow cress* ⇒*cuckoo flower, cardamine.*

veldkeuken ⟨de⟩ **0.1** *field/mobile kitchen.*
veldkijker ⟨de (m.)⟩ **0.1** *(pair of) field-glasses/binoculars.*
veldkorfbal ⟨het⟩⟨sport⟩ **0.1** *outdoor korfball.*
veldkrekel ⟨de (m.)⟩ **0.1** *field cricket.*
veldloop ⟨de (m.)⟩ **0.1** *cross-country (race/run).*
veldloper ⟨de (m.)⟩ **0.1** *cross-country runner.*
veldmaarschalk ⟨de (m.)⟩ **0.1** *field marshal* ⇒⟨BE; mil.⟩ *Field Marshal,* ⟨AE; mil.⟩ *General of the Army.*
veldmuis ⟨de⟩ **0.1** *field vole* ⇒⟨alg.⟩ *field mouse* ◆ **2.1** grote~*wood mouse.*
veldoverwicht ⟨het⟩⟨sport⟩ **0.1** ⟨voetbal⟩ *territorial superiority, outfield supremacy;* ⟨rugby⟩ *territorial advantage.*
veldpartij ⟨de (v.)⟩⟨sport⟩ **0.1** *fielding side.*
veldpost ⟨de⟩ **0.1** *forces/army postal/mail service.*
veldprediker ⟨de (m.)⟩ **0.1** *(army) chaplain* ⇒⟨AE; inf.⟩ *padre.*
veldrat ⟨de⟩ **0.1** *water vole* ⇒*waterrat.*
veldrijden ⟨ww.⟩⟨sport⟩ **0.1** *cyclo-cross (race/racing).*
veldrijder ⟨de (m.)⟩, **-ster** ⟨de (v.)⟩⟨sport⟩ **0.1** *cyclo-cross rider/competitor.*
veldrit ⟨de (m.)⟩⟨sport⟩ **0.1** *cyclo-cross competition.*
veldsla ⟨de⟩ **0.1** *lamb's lettuce* ◆ **2.1** gewone~*corn salad.*
veldslag ⟨de (m.)⟩⟨→sprw. 600⟩ **0.1** *(pitched) battle* ◆ **2.1** een geregelde ~*a pitched battle;* ⟨fig.⟩ een politieke~*a political battle/set-to* **3.1** een~leveren/winnen *fight/win a battle.*
veldspaat ⟨het⟩ **0.1** *fel(d)spar* ⇒⟨parelgrijs⟩ *moonstone,* ⟨kalive ldspaat⟩ *orthoclase (felspar).*
veldspel ⟨het⟩ **0.1** *outdoor game.*
veldspeler ⟨de (m.)⟩ **0.1** *fielder* ⇒*fieldsman.*
veldsport ⟨de⟩ **0.1** *open-air/outdoor sports.*
veldsterkte ⟨de (v.)⟩⟨nat.⟩ **0.1** *field intensity* ⇒*field strength.*
veldtelefoon ⟨de (m.)⟩ **0.1** *field telephone.*
veldtenue ⟨het⟩ **0.1** *battle dress.*
veldtocht ⟨de (m.)⟩ **0.1** [⟨mil.⟩] *campaign* ⇒⟨vaak overzees⟩ *expedition,* ⟨Griekse gesch.⟩ *anabasis* **0.2** [⟨fig.⟩] *campaign (against)* ⇒*crusade (against)* ◆ **3.1** een~meemaken *join/be in a c.* **6.1** op~*on a c., campaigning, in the field.*
velduitrusting ⟨de (v.)⟩ **0.1** [benodigdheden] *field equipment* **0.2** [tenue] *battle dress* ⇒*battle kit/gear.*
veldvrucht ⟨de⟩ **0.1** [vrucht v.e. veldgewas] *produce of the field* ⇒*crops* **0.2** [graan] *corn, grain.*
veldwachter ⟨de (m.)⟩ **0.1** [⟨vero.⟩ politieagent op het platteland] ≠*country/rural policeman/constable* ⇒⟨BE ook; ongemarkeerd⟩ *village policeman/constable,* ⟨BE ook; inf.⟩ *village bobby* **0.2** [boswachter] *forester* ⇒*forestry official/officer.*
veldwerk ⟨het⟩ **0.1** [⟨sport⟩] *fielding* **0.2** [praktijkwerk] *fieldwork* **0.3** [schets met meetgetallen] *draft survey* ⇒*field notes* **0.4** [arbeid op de akker] *work in the field, farm labour* ◆ **3.4** het~verrichten ⟨fig.⟩ *do the donkey work/spadework/legwork.*
velen ⟨ov.ww.⟩ **0.1** [verdragen] *stand, bear* ⇒*endure, tolerate, abide* **0.2** [bestand zijn tegen] *stand, take* **0.3** [toelaten] *stand (-ing), bear (-ing/to)* ⇒*abide (-ing)* **0.4** [houden van] *like* ◆ **1.2** een stootje kunnen~*be able to t. a (few) knock(s)* **3.2** de zieke kan niets~*the patient cannot t. much/is very weak/vulnerable* **3.3** hij kan niet~, dat een ander iets heeft dat hij niet bezit *he can't stand s.o. else having what he hasn't got, he can't b./abide seeing s.o. else with sth. (that) he hasn't got, he can't b. to see that s.o. else has got sth. he hasn't got.*
velerhande ⟨bn.⟩ **0.1** *all sorts of, a variety of.*
velerlei ⟨bn.⟩ **0.1** *many* ⇒*multifarious, all kinds of, a variety of, sundry* ◆ **1.1** ~activiteiten *multifarious activities;* ~aspecten van dit probleem zijn onbesproken gebleven *sundry aspects of this problem have not been considered;* op~gebied *in many fields/areas;* ~oorzaken *various/a variety of causes.*
velg ⟨de⟩ **0.1** *rim.*
velgrem ⟨de⟩ **0.1** *rim-brake.*
velijn ⟨het⟩ **0.1** [fijn perkament] *vellum* **0.2** [gladde papiersoort] *vellum* ⇒*wove paper.*
vellen ⟨ov.ww.⟩ **0.1** [omhakken] *cut down* ⇒*fell,* ⟨met bijl⟩ *chop down* **0.2** [neerslaan] *bring down* ⇒*chop/hack down, fell, lay low,* ⟨alsof met zeis⟩ *scythe/mow down* **0.3** [doden] *slay* ⇒*strike down* **0.4** [uitspreken] *pass, pronounce* ⇒*give* ◆ **1.1** een mast~*take down/dismantle a mast;* bomen~*cut down trees* **1.2** zijn tegenstander~*bring down one's opponent* **1.4** ⟨fig.⟩ een oordeel over iets~*pass judg(e)ment on sth.* **1.¶** met gevelde bajonet *with fixed bayonet(s)* **6.3** door verradershand geveld *slain/struck down by the hand of treachery.*
velo ⟨de (m.)⟩⟨AZN⟩ **0.1** ⟨inf.⟩ *bike* ⇒*(bi)cycle.*
vélocipède ⟨de⟩ **0.1** *velocipede* ⇒⟨inf.⟩ *boneshaker,* ⟨hoog⟩ [B]*penny-farthing, ordinary.*
velodroom ⟨het, de (m.)⟩ **0.1** *velodrome.*
velours[1] ⟨het, de (m.)⟩ **0.1** *velour(s)* ⇒⟨fluweel⟩ *velvet,* ⟨pluche⟩ *plush* ◆ **¶.1** ~d'Utrecht *Utrecht velvet.*
velours[2] ⟨bn.⟩ **0.1** *velour(s)* ⇒⟨fluwelen⟩ *velvet,* ⟨van pluche⟩ *plush.*
velours-chiffon ⟨het, de (m.)⟩ **0.1** *chiffon velvet.*

velouté-papier ⟨het⟩ **0.1** *flock paper.*
velouté-saus ⟨de⟩ **0.1** *velouté.*
velouté(-soep) ⟨de⟩ **0.1** *velouté.*
velum ⟨het⟩ **0.1** [dekkleed] *awning* ⇒⟨zeildoek⟩ *canvas,* ⟨presenning ook⟩ *tarpaulin,* ⟨Romeins theater⟩ *velarium* **0.2** [⟨r.k.⟩] *veil* **0.3** [zachte gehemelte] *velum* ⇒*soft palate.*
velvet ⟨het⟩ **0.1** [zijden kettingfluweel] *(silk) velvet* **0.2** [fluweelachtige stof] *velvet.*
ven ⟨het⟩ **0.1** [meertje] *mere* ⇒⟨klein⟩ *pool,* ⟨droog⟩ *hollow* **0.2** [door uitvening ontstane plas] *pool* ⇒*(flooded) pit,* ⟨in Oost-Engeland⟩ *broad* **0.3** [⟨mv.⟩ streek] ⟨Oost-Engeland⟩ *the Broads,* ⟨ong.; Cambridgeshire⟩ *the Fens;* ⟨vnl. zuiden USA⟩ *glade;* ⟨Florida⟩ *the Everglades.*
vena ⟨de (v.)⟩ **0.1** *vena* ⇒*vein.*
vendelzwaaien ⟨ww.⟩ **0.1** *flag-/banner-waving.*
vendetta ⟨de⟩ **0.1** *vendetta* ⇒*blood feud.*
vendu ⟨het, de (m.)⟩ **0.1** [openbare verkoping] *auction* ⇒*sale,* ⟨AE ook⟩ *vendue* **0.2** [veilinggebouw] *auctioneer's* ⇒*auction/sale rooms, auction-mart* ◆ **3.1** (een)~houden *hold an a./a sale by a..*
venduhouder ⟨de (m.)⟩ **0.1** [iem. die zich met veilingen belast] *auctioneer* **0.2** [iem. die vendu houdt] *seller/vendor by auction.*
venduhuis ⟨het⟩ **0.1** ~vendu **0.2.**
vendumeester ⟨de (m.)⟩ **0.1** *auctioneer.*
venerabel ⟨bn.⟩ **0.1** *venerable.*
venerisch ⟨bn.⟩ **0.1** *venereal* ◆ **1.1** ~e ziekten *v. disease(s);* ⟨inf.⟩ *V.D..*
venerologie ⟨de (v.)⟩ **0.1** *venereology.*
Venetiaans ⟨bn.⟩ **0.1** *Venetian* ◆ **1.1** ~glas *V. glass;* ~krijt *French chalk;* ~rood *V. red.*
Venetië ⟨het⟩ **0.1** *Venice.*
veneus ⟨bn.⟩ **0.1** *venous* ◆ **1.1** het veneuze bloed *v. blood.*
Venezolaan ⟨de (m.)⟩, **-se** ⟨de (v.)⟩ **0.1** *Venezuelan.*
Venezuela ⟨het⟩ **0.1** *Venezuela.*
venijn ⟨het⟩⟨→sprw. 590⟩ **0.1** [gif] *poison* ⇒*venom* **0.2** [⟨fig.⟩] *venom* ⇒*poison, vitriol, virulence, gall* ◆ **1.2** een stuk~*a nasty piece of work* **3.1** ~spuwen *spit venom, spread poison;* zijn~op iem. uitbraken *vent one's spleen on s.o.;* het~zit in de staart *the sting is in the tail.*
venijnig ⟨bn., bw.; -ly⟩ **0.1** [lasterlijk, kwaadaardig] *vicious* ⇒*venomous* ⟨kritiek⟩, *spiteful* ⟨opmerking⟩, *vitriolic, malignant* ⟨blik⟩, *malicious* ⟨roddel⟩ **0.2** [gemeen] *vicious* ⇒*nasty, bitter* ⟨kou⟩ **0.3** [vergiftig] *venomous* ⇒*poisonous* ◆ **1.1** ~e blikken *vicious/murderous/daggers-drawn looks, malignant glances;* de gesprekstoon wordt~*there is an element of needle/malice creeping into the conversation;* ~e kritiek *venomous/vitriolic/scathing criticism;* een~e opmerking *a scathing/spiteful/vicious/stinging/venomed/vitriolic remark;* een laatste~e opmerking *a Parthian shot/shaft, a paring shot;* ~e tongen *malicious tongues* **1.2** een~e klap/trap/beet *a v./nasty kick/blow/bite;* een~e spijker *a nasty nail* **2.2** het is~koud *it is bitterly cold* **3.1** hij keek me ~aan *he looked daggers at me* **5.2** dat kan zo~zeer doen *that can hurt deeply, that can cut to the quick.*
venijnigheid ⟨de (v.)⟩ **0.1** [het venijnig zijn] *venomousness* ⇒⟨gemeenheid⟩ *nastiness, viciousness* **0.2** [venijnig iets] *vicious/spiteful/malicious/nasty things/remarks* ◆ **3.2** iem. venijnigheden zeggen *say malicious/nasty things to s.o..*
venkel ⟨de⟩ **0.1** [plant] *fennel* **0.2** [zaad] *fennel seed* ◆ **2.1** zoete~*sweet fennel.*
venkelknol ⟨de (m.)⟩ **0.1** *fennel root.*
Venndiagram ⟨het⟩ **0.1** *Venn diagram.*
vennoot ⟨de (m.)⟩ **0.1** *partner* ⇒*associate* ◆ **2.1** beherend~*managing p.;* commanditair, slapende of stille~*limited, sleeping or silent/dormant p.;* jongste/oudste~*junior/senior p.* **3.1** werkend~*acting/active/general/ordinary/working p..*
vennootschap ⟨de (v.)⟩ **0.1** [overeenkomst op burgerlijk gebied] *partnership* ⇒*co-partnership,* ⟨jur.⟩ *firm,* ⟨AE ook⟩ *company* **0.2** [overeenkomst op handelsgebied] *trading partnership* ⇒⟨naamloos, besloten⟩ [B]*company,* [A]*corporation* ◆ **1.2** inbreng/aandeel in een~*investment/share in a partnership/company;* ~van koophandel *trading partnership* **2.1** burgerlijke~*professional/non-trading p.* **2.2** besloten ~⟨2-50 leden⟩ *private limited company;* ⟨vijf of minder leden⟩ [B]*close company/corporation;* commanditaire~*limited partnership;* ⟨buiten GB ook⟩ *commandite partnership;* naamloze~*limited liability company/corporation, public limited company/corporation* **3.2** een~aangaan met iem. *enter into partnership with s.o.* **¶.2** bij wijze van geldschieting *partnership limited partnership;* ⟨buiten GB ook⟩ *commandite partnership;* ~en commandite *limited partnership;* ⟨buiten GB ook⟩ *commandite partnership.*
vennootschapsakte ⟨de⟩ **0.1** *deed of partnership.*
vennootschapsbelasting ⟨de (v.)⟩ **0.1** *corporation tax* ⇒*company/corporate tax.*
venster ⟨het⟩⟨→sprw. 26⟩ **0.1** [raam] *window* **0.2** [ruit] *window* **0.3** [opening waardoor men in iets kan kijken] *window* **0.4** [mbt. een fluit] *window* **0.5** [mbt. het raam] *fenestra* ◆ **2.1** een blind~*a blank w.;* getraliede~s *barred/grilled windows;* een Saksisch~*a gabled window* **6.1** iets door het~gooien *throw sth. through the w.* **6.2** de regen

slaat **tegen** het ~ *the rain is driving against/pattering on the w.* **6.¶** je zit hier geen boer in het ~ *you're not in anyone's way here.*

vensterbank ⟨de⟩ **0.1** window-sill ⇒window-ledge, ⟨zitplaats⟩ *window-seat* ♦ **6.1** planten in de ~ zetten *put flowers on the window-sill;* **in** de ~ zitten *sit on the window-sill/in the window-seat.*

vensterenveloppe ⟨de⟩ **0.1** *window envelope.*

venstergat ⟨het⟩ **0.1** *window opening/gap.*

vensterglas ⟨het⟩ **0.1** [glas voor vensterruiten] *window glass* ⇒⟨gewalst⟩ *sheet glass* **0.2** [glas v.e. venster] *window glass, window-pane.*

vensterkozijn ⟨het⟩ **0.1** *window-frame.*

vensterluik ⟨het⟩ **0.1** *(window-)shutter.*

vensterraam ⟨het⟩ **0.1** *window-frame.*

vensterruit ⟨de⟩ **0.1** *window-pane.*

vent ⟨de (m.)⟩ **0.1** [kerel] *fellow* ⇒⟨vnl. BE ook;inf.⟩ *bloke, chap,* ⟨vnl. AE ook⟩ *guy,* ⟨sl.⟩ *geezer,* ⟨Austr.E⟩ *sport* **0.2** [⟨inf.⟩ echtgenoot] *man* ⇒⟨vnl. BE ook⟩ *bloke,* ⟨vnl. AE ook⟩ *guy,* ⟨vnl. BE;inf.⟩ *hubby* **0.3** [jochie] *son(ny), lad(die)* ⇒*chappie* ♦ **2.1** een aardige ~ *a nice chap/f./bloke/guy;* een fijne ~ ⟨ook pej.⟩ *a fine f.;* een flinke ~ *a fine/stout/staunch f., a great guy, a good bloke;* een gemene/lelijke ~ *a rotten/nasty/ugly/horrible bloke/guy;* een jofele ~ *a stirling/good/jolly good chap/f.;* een leuke ~ ⟨aantrekkelijke⟩ *a dishy bloke/guy,* ↓a bit of alright; een nette ~ *a smart chap, a decent sort/f.;* een onuitstaanbare ~ *an insufferable bloke/guy;* een rare ~ *a rum bloke, an odd sort/specimen/bod;* een snaakse/lollige ~ *a jolly/jocular chap/sort;* een toffe ~ *a good chap/bloke/egg, a fine/stirling f., a regular guy;* een erg vervelende ~ *a terrible bore* **3.1** ⟨pregn.⟩ dat is nog eens een ~ *he is a stirling f., he is an excellent/first-rate chap/guy;* ⟨pregn.⟩ wees een ~! *show you're a man!, face up to it like a man!* **4.1** wat een ~! *what a/some bloke/guy!;* ⟨pej.;sl.⟩ *what a bastard!;* ⟨bewonderend;sl.⟩ *a hell-of-a-guy!* **4.2** haar/mijn ~ *her/my m./bloke/guy* **6.1** een ~ **van** niets *a worthless/useless bloke/guy/object, not much of a bloke* **7.1** je bent geen ~! *you're only half a man!* **¶.1** hij is een ~ uit één stuk *there's no nonsense about him, he's a no-nonsense f.* **¶.3** wat scheelt eraan, ~? *what's the matter, mate/guy?*

venten ⟨onov., ov.ww.⟩ **0.1** *hawk* ⇒*peddle, sell on the street* ⟨met een karretje⟩ *from a barrow,* ⟨opdringerig of achterbaks⟩ *tout,* ⟨roepend⟩ *cry* ♦ **1.1** appelen/vis ~ *h. apples/fish, sell apples/fish on the street* **6.1** met fruit ~ *h. fruit around.*

venter ⟨de (m.)⟩ **0.1** *street-trader* ⇒*hawker, pedlar,* ⟨met een karretje⟩ *barrow-boy,* ⟨BE ook⟩ *costermonger* (fruit, groente, vis).

ventiel ⟨het⟩ **0.1** [luchtklep] *(air) valve* **0.2** [inrichting in geluidgevende buizen] *ventil* **0.3** ⟨cilinder in blaasinstrumenten⟩ *valve* ⇒*stop, ventil* ♦ **1.1** het ~ v.e. fietsband/luchtbed *the valve of a bicycle tube/an airbed* **1.2** het ~ v.e. orgelpijp *the v. of an organ-pipe* **1.3** de ~ en v.e. hoorn *the stops/valves of a horn.*

ventieldop ⟨de (m.)⟩ **0.1** *valve cap.*

ventielklep ⟨de⟩ **0.1** *valve.*

ventielslang ⟨de⟩ **0.1** *valve rubber.*

ventilatie ⟨de (v.)⟩ **0.1** *ventilation* ♦ **2.1** in deze school is een goede ~ *there is good v. in this school, this school is well ventilated/aired.*

ventilatierooster ⟨het⟩ **0.1** [in muur] *register* **0.2** [voor warmteafvoer uit apparaat] *ventilation grille.*

ventilator ⟨de (m.)⟩ **0.1** *fan* ⇒⟨aanjager⟩ *blower.*

ventilatorkachel ⟨de⟩ **0.1** *fan heater.*

ventilatorriem ⟨de (m.)⟩ **0.1** *fan belt.*

ventileren
I ⟨onov.ww.⟩ **0.1** [de lucht verversen] *air* ♦ **3.1** zullen we een beetje ~? *shall we have/let in some fresh air/a. the room a bit?;*
II ⟨ov.ww.⟩ **0.1** [de lucht verversen in] *ventilate* ⇒*air* **0.2** [uiten] *ventilate* ⇒*give, give vent to* ⟨gevoelens⟩ ♦ **1.2** zijn mening/grieven ~ *ventilate/air one's opinion/grievances.*

ventje ⟨het⟩ **0.1** *chappie* ⇒*little man/bloke/guy/fellow,* ⟨pej.;sl.⟩ *(little) squirt* ♦ **3.¶** he's back to one's old self.

ventriculair ⟨bn.⟩ ⟨biol.⟩ **0.1** *ventricular.*

ventrikel ⟨het⟩ ⟨biol.⟩ **0.1** [hartkamer] *ventricle* **0.2** [lichaamsholte] *ventricle.*

ventriloquist ⟨de (m.)⟩ **0.1** *ventriloquist.*

ventvergunning ⟨de⟩ **0.1** *street-trader's licence.*

ventweg ⟨de (m.)⟩ **0.1** *service road,* ᴬ*frontage road.*

Venus ⟨de (v.)⟩ **0.1** [godin] *Venus* ⇒*Aphrodite* **0.2** [beeld] *Venus* **0.3** [schoonheid] *Venus* **0.4** [geslachtelijke liefde] *Eros* ⇒*carnal/sensual love* ♦ **1.1** de gordel van ~ *V.'s/Aphrodite's girdle, the certus* **3.4** aan ~ offeren *worship/be devoted to E., worship/sacrifice at the shrine of love/E..*

venusberg ⟨de (m.)⟩ →venusheuvel.

venushaar ⟨het⟩ **0.1** [plant] *Venus' hair* ⇒*maidenhair* **0.2** [kerstboomversiering] *angel hair.*

venusheuvel ⟨de (m.)⟩ **0.1** *mons Veneris* ⇒*mount of Venus.*

venusschelp ⟨de⟩ **0.1** *Venus's-shell.*

venusschoen ⟨de⟩ **0.1** *Venus's slipper* ⇒*Lady's slipper (orchid).*

Venustempel ⟨de (m.)⟩ **0.1** [aan Venus gewijde tempel] *temple of Venus* **0.2** [bordeel] *temple of love, ≠house of pleasure.*

ver ⟨→sprw. 18,99,591⟩

I ⟨bw.⟩ **0.1** [op grote afstand] *far* ⇒*a long way* ⟨ook →verder⟩ **0.2** [op zekere afstand] *far* **0.3** [op grote afstand in de tijd] *far* ⇒*a long way (off)* **0.4** [over een grote afstand] *far* ⇒*a long way* ⟨ook →verder⟩ **0.5** [op/tot een gevorderd punt van voortgang] *far* ⇒*a long way* **0.6** [op/tot een ver gevorderd punt in de tijd] *far* ⇒(*a long) way* **0.7** [in hoge mate] *far, way* ⇒⟨na ww.⟩ *by far/a long way* ♦ **1.2** een sprong v.e. meter ~ *a jump of one metre in length* **3.1** hij blijft ~ achter bij zijn voorgangers *he's nowhere up to the level/standard of his predecessors;* ~ komen *go f./a long way, get f.;* ~ te zoeken zijn *be miles away;* ⟨fig.⟩ *not be about/around;* ⟨fig.⟩ je hoeft niet ~ te zoeken *you haven't got f. to look* **3.3** de vakantie is nog ~ *the holiday is still a long way off* **3.4** mijn stem reikt niet ~ *my voice does not carry f.* **3.5** ben je gisteravond nog ~ gekomen met je werk? *did you get on well/get far with your work yesterday?;* het nooit ~ brengen *never get on, go nowhere, never get anywhere;* het ~ brengen/schoppen *go f./a long way, get on, go places, get anywhere;* iets te ~ drijven *take/carry sth. too f.;* ~ gevorderd zijn *be well advanced;* met 10 gulden kom je niet ~ *you won't get (very) f. on/with 10 guilders, 10 guilders won't get/take you very f., 10 guilders doesn't go very f./a long way;* met iets komen *get f./a long way/get on well with sth.;* het zou te ~ voeren om …*it would be going too f. to …* **3.6** ~ vooruitzien *look well/way ahead, take the long view* **3.7** iem. ~ overtreffen *easily surpass s.o., surpass s.o. by far* **5.1** ~ weg *a long way away/off, f. away/off;* ergens ~ weg *somewhere f. off/at the back of beyond;* ⟨op het platteland⟩ somewhere out in the sticks/woods; het kan niet meer zo ~ zijn *it can't be (all that) much further/farther* **5.2** hoe ~ is het nog? *how much further is it?* **5.5** nu ga je erg ~ *now you're taking things/going to great/considerable lengths;* we zijn nog even ~ *we're no further than we were, we're back where we started/back at square one, it leaves us where we are, we're no wiser;* hoe ~ ben je met je huiswerk? *how f. have you got with your homework?;* hoe ~ zijn jullie met Engels? ⟨ook⟩ *what level/stage are you at with English?;* ze keken hoe ~ ze met me konden gaan *they were trying to see how f. they could go with me;* ⟨BE ook⟩ *they were trying it on with me;* in hoe ~ (in) how f., to what extent; nu ga je te ~! *now you're going too f.!, now you're taking/carrying/pushing things too f.!;* te ~ gegaan ⟨ook⟩ *you've let it go too f., you've pushed your luck too f., you've overdone it well into the afternoon;* dat gaat te ~! ⟨ook⟩ *that is overstepping the mark!, that is the limit!, that is beyond the pale/a joke!, that is over the top!;* regen vind ik niet erg, maar sneeuw, dat gaat me te ~! *I don't mind rain, but I draw the line at snow;* je zoekt het te ~ *you're missing the point;* hij drijft de zaak te ~ *door he carries/pushes/forces the matter too f.;* we hadden nooit gedacht dat het zo ~ zou komen *we never thought things would come to this/to such a pass;* het was zo ~ gekomen dat …*things had gone so f./come to such a pass that …;* het is zo ~! *here we go, this is it, the time's come, we've reached that point;* maar zo ~ zijn we nog (lang) niet *but we haven't reached that stage yet (by a long chalk), but that day/time has not yet arrived yet, but that is still a long way off;* als het zo ~ is, dan … *when we reach/get to that stage, then …, when the time comes (for that), then …;* dat kom je wel te weten als het zo ~ is *you'll find that out when the time comes;* dat het zo ~ met iem. kan komen *that s.o. could reach such a state* **5.6** ~ terug in het verleden *way back in the past* **5.7** ⟨fig.⟩ ~ heen zijn *be f. gone;* zijn tijd ~ vooruit zijn *be f./way ahead of one's time* **6.1** ~ in zee gaan *go f. out to sea;* **tot** ~ **in** het binnenland *well inland, deep into the interior;* ~ **uit/van** elkaar liggen *lie f. apart;* **van** ~ komen *come a long way from afar/from f. afield/from distant parts;* ze woont vrij ~ **van** haar werk *she lives quite a long way/distance from her work;* **van** tamelijk ~ komen *come a good/fair way* **6.3** ~ **na** middernacht *long/way after/past midnight* **6.5** dat is ~ **van** perfect, that is a long way from being perfect **6.6** die dagen liggen ~ achter ons *those days are way/long past, we have come a long way since those days;* ~ boven de vijftig *way past fifty, well on in his fifties;* ~ **in** de middag *well into the afternoon;* het is al ~ **in** het jaar *it is well/some way into the year;* **tot** ~ **in** de nacht *f. into the night* **6.7** ~ **in** de minderheid blijven *remain well/greatly in the minority* **¶.1** is het nog ~? *is it much further/farther?, is it still a long way to go?;*

II ⟨bn.⟩ **0.1** [op grote afstand gelegen] ⟨vnl. attr.⟩ *distant;* ⟨vnl. pred.⟩ *far* ⇒⟨attr.⟩ *far-off/-away,* ⟨pred.⟩ *far off/away, a long way off/away* **0.2** [op grote afstand in de tijd] ⟨vnl. attr.⟩ *distant;* ⟨vnl. pred.⟩ *far* ⇒⟨attr.⟩ *far-off/-away, remote,* ⟨pred.⟩ *far off/away, a long way off/away* **0.3** [niet spoedig vervulbaar] ⟨vnl. attr.⟩ *distant;* ⟨vnl. pred.⟩ *far* ⇒⟨attr.⟩ *far-off/-away, remote,* ⟨pred.⟩ *far off/away, a long way off/away* **0.4** [zich uitstrekkend over een grote afstand] ⟨vnl. attr.⟩ *distant;* ⟨vnl. pred.⟩ *far* ⇒⟨na ww.⟩ *a long way off/away* **0.5** [komend van verre] *distant* **0.6** [niet nauw verwant] *distant* ♦ **1.1** ~re landen *d./far-off/far-away countries;* het ~re Oosten *the Far East* **1.2** de ~re toekomst *the d. future;* in een ~ verleden *in some d. / remote past;* ze woont vrij ~ voorvader *a d. ancestor* **1.3** een ~ vooruitzicht *a d./remote prospect* **1.4** een ~re reis *a long/d. journey* **1.5** ~re bezoekers *visitors from far away/afar/d. parts* **1.6** een ~re neef *a d. cousin.*

veraangenamen ⟨ov.ww.⟩ **0.1** *sweeten* ⇒*make more pleasant/comfortable, add/give zest to* ♦ **1.1** dat veraangenaamt het leven *that makes life more pleasant/comfortable/sweetens life.*

verabsoluteren ⟨ov.ww.⟩ **0.1** *make (sth.) absolute* ⇒*make an absolute (law/truth* ⟨enz.⟩*) of (sth.).*
verabsolutering ⟨de (v.)⟩ **0.1** [het verabsoluteren] *making (sth.) absolute* **0.2** [het verabsoluteerde] *absolute (expression).*
veraccijnzen ⟨ov.ww.⟩ **0.1** [accijns leggen op] *charge/levy excise on* **0.2** [accijns betalen van] *pay excise on.*
veracht ⟨bn.⟩ **0.1** *despised* ⇒*disdained, scorned.*
verachtelijk ⟨bn., bw.; -ly⟩ **0.1** [verachting tonend, vol verachting] *contemptuous* ⇒*scornful, disdainful,* ⟨schr.⟩ *opprobrious* ⟨woorden, taal⟩ **0.2** [laag] *despicable* ⇒*contemptible, detestable, vile, abject* ⟨wezens⟩ ◆ **1.1** iem. ~e blikken toewerpen *cast c. glances at s.o. / a c. eye on s.o.* **1.2** een ~e daad van liefdeloosheid *a despicable act of unkindness, a detestable show of meanness;* een ~e figuur *a despicable figure;* ⟨inf.⟩ *a worm* **3.1** iem. ~ toespreken *speak scornfully to s.o., pour scorn on s.o.* **3.2** zich door zijn gedrag ~ maken *make o.s. despicable by one's conduct, make o.s. an object of contempt by one's behaviour, fall into contempt by one's behaviour.*
verachtelijkheid ⟨de (v.)⟩ **0.1** *despicability* ⇒*contemptibility.*
verachten ⟨ov.ww.⟩ **0.1** [minachten] *despise, scorn* ⇒*disdain, hold (s.o. / sth.) in contempt,* ⟨schr.⟩ *contemn* **0.2** [trotseren] *scorn* ⇒*be scornful of* ◆ **1.2** de dood ~ *s. / be scornful of death.*
verachting ⟨de (v.)⟩ **0.1** *contempt* ⇒*scorn, disdain, despite* ◆ **2.1** slechts de grootste ~ hebben/tonen voor iets/iem. *think sth. / s.o. beneath c.* **6.1** een aanbod met ~ van de hand wijzen *spurn an offer, reject an offer with scorn.*
verademen ⟨onov.ww.⟩ **0.1** [herademen] *breathe again* **0.2** [tot rust komen] *calm down* ⇒*get one's breath back.*
verademing ⟨de (v.)⟩ **0.1** *relief* ⇒*respite, reprieve* ◆ **2.1** dat bericht betekende een hele ~ *that report provided much relief/a considerable respite* **3.1** het is een ~ om hier te zijn *it is a relief to be here.*
veraf ⟨bw.⟩ **0.1** [ver verwijderd] *far away/off, a long way away/off* ⇒*distant, remote* **0.2** [ver in de toekomst] *far away/off, a long way away/off* ⇒*distant, remote* ◆ **3.2** die verhuizing/de vakantie is nog zo ~ *that move/the holiday is still such a long way off.*
verafgelegen ⟨bn.⟩ **0.1** ⟨attr.⟩ *far-away/-off;* ⟨pred.⟩ *far away/off* ⇒*remote, (far) distant, far-flung, outlying* ◆ **1.1** ~ huizen/landen *far-away/-off houses/countries.*
verafgoden ⟨ov.ww.⟩ **0.1** *idolize* ⇒*adore, worship.*
verafgoding ⟨de (v.)⟩ **0.1** *idolization* ⇒*idolatry.*
verafschuwen ⟨ov.ww.⟩ **0.1** *loathe* ⇒*detest, have a horror of,* ⟨schr.⟩ *abhor, abominate.*
veralgemenen ⟨ov.ww.⟩ **0.1** [generaliseren] *generalize* **0.2** [tot de hoofdkenmerken terugbrengen] *consider/treat in a general way/from the general aspect* ◆ **1.1** verschillende gevallen ~ *bring individual cases under one/the same heading* **1.2** laten we deze zaak eens ~ *let's consider this in a general way/from the general aspect.*
veralgemening ⟨de (v.)⟩ **0.1** *generalization* ⇒*generality* ◆ **2.1** een sterke ~ *a broad generalization.*
veralgemeniseren →**veralgemenen 0.1.**
veramerikaansen
I ⟨onov.ww.⟩ **0.1** [Amerikaans worden] *Americanize;*
II ⟨ov.ww.⟩ **0.1** [Amerikaans doen worden] *Americanize* ⇒⟨inf.⟩ *Yankeefy.*
veranda ⟨de (v.)⟩ **0.1** *veranda(h)* ⇒⟨vnl. AE⟩ *porch.*
veranderen ⟨→sprw. 569⟩
• **I** ⟨ov.ww.⟩ **0.1** [wijzigen] *alter* ⇒*change, modify* **0.2** [in het genoemde overbrengen] *change* ⇒*alter, turn (into), transform (into), convert (into)* ◆ **1.1** een jurkje ~ *a. a dress;* de pas ~ *change step;* zijn stem ~ *a. / change/disguise one's voice;* ⟨jur.⟩ een straf ~ *a. a punishment;* ⟨verzachten⟩ *commute a sentence;* het toneel ~ *move/shift the scene(ry);* ⟨ook fig.⟩ *change/shift the scene/setting;* dat verandert de zaak *that alters/changes things, that puts a different complexion on things/ the matter* **5.1** hij verandert altijd/voortdurend (van) alles *he is always/constantly chopping and changing (things)/changing things* **6.1** daar is niets meer aan te ~ *nothing can be done about that;* dat verandert niets aan de situatie *that does not a. the situation one bit* **6.2** een o in een 8 ~ *change/alter an o to an 8;* Jezus veranderde water in wijn *Jesus turned water into wine;*
II ⟨onov.ww.⟩ **0.1** [anders worden] *change* ⇒*alter* **0.2** [wisselen (van)] *change* ⇒*switch* **0.3** [metamorfoseren] *turn* ⇒*change* ◆ **1.1** de mode is veranderd *fashions have changed;* de tijden ~ *times are changing;* het weer verandert *the weather is changing/turning* **6.2** van woning/van baan ~ *c. address/job;* van mening ~ *c. (one's) opinion/mind, shift one's ground;* van huisarts ~ *c. one's doctor, c. / switch doctors;* van eigenaar ~ *c. ownership/hands;* van partij ~ *c. / switch sides,* ⟨naar de parlementaire oppositie⟩ *cross the floor (of the House);* ⟨fig.⟩ van koers ~ *c. course/tack;* van onderwerp ~ *c. the subject;* van plaats ~ *c. position, move, shift;* iem. van mening doen ~ *change s.o.'s mind* **6.3** de prins veranderde in een kikker *the prince turned/was transformed into a frog.*
verandering ⟨de (v.)⟩⟨→sprw. 592,593⟩ **0.1** [het veranderen] *change* ⇒*alteration, transformation, conversion* **0.2** [afwisseling] *change* ⇒*variation, variety* **0.3** [wijziging] *alteration* ⇒*change, amendment* ⟨van

voorschriften⟩, *commutation* ⟨van vonnis⟩ ◆ **1.2** ~ van omgeving *c. of scene(ry)* **2.3** een ingrijpende ~ *a radical/sweeping change* **3.1** een ~ toejuichen *welcome a change* **3.2** van ~ houden *like/be fond of c. / variation/variety* **3.3** een ~ aanbrengen *make an alteration;* ~ brengen in *change, alter* **6.1** weinig hoop op ~ geven *provide little hope of change, bring little promise of change* **6.2** voor de ~ *for a c.;* ⟨ook⟩ *by way of a c.* ¶**.1** alle ~ is nog geen verbetering *not every change is for the better, some things are better left as they are.*
veranderlijk ⟨bn.⟩⟨→sprw. 594⟩ **0.1** [geneigd tot veranderen] *changeable, variable* ⇒⟨wispelturig⟩ *fickle, unreliable,* ⟨onbestendig⟩ *unsettled* **0.2** [anders kunnende worden] *variable* ⇒*inconstant* ◆ **1.1** een ~ humeur hebben *be moody/temperamental;* een ~ man *a man of moods;* het weer is ~ *the weather is unsettled/v.;* ~e wind *v. / choppy wind* **1.2** een ~e grootheid *a v. amount* **5.1** hij is erg ~ *he is very v. / unreliable/fickle;* ⟨inf.⟩ *he keeps chopping and changing* ¶**.1** niets is ~er dan een mens *nothing is more fickle than man.*
veranderlijkheid ⟨de (v.)⟩ **0.1** *changeability* ⇒*variability,* ⟨pej.⟩ *instability, inconstancy, fickleness.*
verankeren ⟨ov.ww.⟩ **0.1** [stevig vastmaken] *anchor* ⟨ook tech.⟩ ⇒*cramp* ⟨met muurankers⟩, ⟨ruimer⟩ *tie, fasten, secure, fix, truss* ⟨dak, brug⟩ **0.2** [vastleggen dmv. ankers] *anchor* **0.3** [⟨fig.⟩] *embed* ⇒*anchor, establish, ground* ◆ **1.1** spouwmuren ~ *tie cavity walls* **1.3** een hecht verankerd vertrouwen *a firmly-embedded/-held faith, a deep-seated trust, an unshakeable trust* **5.3** diep verankerd ⟨ook⟩ *firmly-fixed/-rooted, deep-rooted* **6.3** dat ligt in ons bestaan verankerd *that is embedded/entrenched in our existence.*
verankering ⟨de (v.)⟩ **0.1** [het stevig vastmaken] *anchoring* ⇒*cramping,* ⟨→verankeren⟩ **0.2** [dmv. ankers] ⟨handeling⟩ *anchoring;* ⟨resultaat⟩ *anchorage* **0.3** [⟨fig.⟩] ⟨handeling⟩ *embedding* ⇒*anchoring, establishing, grounding,* ⟨resultaat⟩ *embedment, (firm/permanent) establishment.*
verantwoord ⟨bn.⟩ **0.1** [veilig] *safe* ⇒*sound, reliable, solid,* ⟨verstandig⟩ *sensible, wise* **0.2** [weloverwogen] *well-considered* ⇒*sound,* ⟨gefundeerd⟩ *well-founded* ◆ **1.1** een artistieke ~e expositie *an artistically sound exhibition* **1.2** een ~e beslissing *a sound decision;* een ~ plan *a well-considered scheme/plan;* een ~ standpunt *a well-considered viewpoint;* ~e voeding *a well-balanced/sound/proper/sensible diet* **3.1** iets ~ achten *consider sth. safe/sensible;* dat is economisch niet ~ *financially it's not wise, we shouldn't/can't take that financial risk;* het is niet ~ dat je met deze gladheid met de auto gaat *it's not sensible/ safe/a good idea/⟨verwijtend⟩ it's irresponsible to drive in these slippery conditions;* ik vind het wel ~ *I think it makes sense.*
verantwoordelijk ⟨bn.⟩ **0.1** [aansprakelijk] *responsible* ⇒*answerable, accountable, amenable,* ⟨vnl. financieel, jur.⟩ *liable* **0.2** [verplicht te zorgen voor] *responsible* **0.3** [verantwoordelijkheid meebrengend] *responsible* ◆ **1.1** de ~e minister *the minister r.* **1.3** een ~e baan/positie *a r. job/post* **3.1** iem. voor iets ~ stellen *hold s.o. responsible for sth.;* zich ~ stellen *hold o.s. responsible/liable, take responsibility* **5.1** hij is hiervoor ~ *he is r. for this, this is his responsibility;* ⟨mbt. schuld⟩ *he is to blame for/behind/at the bottom of this* **6.1** ieder mens is ~ voor zijn eigen daden *each person is r. for his own actions;* ~ zijn voor *be r. for;* ⟨schuldig⟩ *be to blame for;* ⟨het beheer voerend over⟩ *be in charge of* **6.2** zij is ~ voor de salarisadministratie *she is r. for/in charge of wages administration;* ik ben ~ voor mijn gezin *I am r. for my family.*
verantwoordelijkheid ⟨de (v.)⟩ **0.1** [aansprakelijkheid] *responsibility* ⇒*accountability,* ⟨vnl. financieel, jur.⟩ *liability* **0.2** [taak, plicht te zorgen voor] *responsibility* **0.3** [risico] *responsibility* ⇒*risk* ◆ **2.1** ministeriële ~ *ministerial r. / accountability* **2.2** dat is een hele ~ *that is quite a/ some r.* **2.3** op eigen ~ *on one's own responsibility, at one's (own) risk/peril* **3.1** de ~ niet aankunnen *not be able to take the r.;* de ~ op iem. afschuiven *pass/shift/devolve/unload the r. onto s.o., pass the buck to s.o.;* de ~ afwijzen *decline/refuse any r.;* ⟨mbt. schuld⟩ *deny/disclaim all/any r.;* de ~ voor iets dragen/op zich nemen *bear/accept/take/assume/shoulder (the) r. for sth.;* ⟨inf.⟩ *carry the can for sth.;* de ~ voor een aanslag opeisen *claim r. for an attack;* zij werd van de ~ ontheven *she was relieved of the r.* **4.3** op jouw ~ *at your (own) risk/ peril, on your own responsibility* **6.1** dat valt niet onder mijn ~ *that does not come within my area of r. / that is not the compass of my r. / my province* **6.2** de ~ voor de planning berust bij haar *r. for planning is in her hands/charge, she is in charge of planning;* de ~ voor de kinderen hebben *bear r. for/be in charge of the children, be in charge of the children* ¶**.1** zijn verantwoordelijkheden uit de weg gaan *shirk/avoid/evade one's responsibilities;* afstand doen van zijn ~ *abdicate one's r..*
verantwoordelijkheidsgevoel ⟨het⟩ **0.1** *sense/feeling of responsibility* ◇ **1.1** gebrek aan ~ *irresponsibility, lack of responsibility.*
verantwoorden
I ⟨ov.ww.⟩ **0.1** [rekenschap afleggen van] *justify, account for* ⇒*answer for, give account of, rouch for* ◆ **1.1** bedragen ~ *j. / account for amounts;* zijn optreden ~ *j. / account for one's action(s)* **6.1** ik kan dit niet tegenover mijzelf ~ *I cannot square this with my own conscience;*
II ⟨wk.ww.; zich~⟩ **0.1** [rekenschap afleggen] *justify* ⇒*give account of, answer (to s.o. for sth.)* ◆ **3.1** je zult je daarvoor moeten ~ *you will have to j. / give account of yourself for that, you will have to an-*

swer for that, you will be brought to book / account for that **6.1** zich **voor** de rechter ~ *answer to the judge;* hij moest zich **wegens** diefstal ~ *he had to face / answer an accusation / a charge of theft, he was brought to book / account for larceny / theft.*

verantwoording ⟨de (v.)⟩ **0.1** [rekenschap] *account* ⇒ *justification* **0.2** [verantwoordelijkheid] *responsibility* ◆ **3.1** ~ afleggen *give a.;* aan iem. ~ verschuldigd zijn *be accountable / answerable / responsible to s.o.* **3.2** ~ dragen *bear r.;* de ~ op zich nemen *accept / assume / take / bear the r.;* ⟨inf.⟩ *carry the can* **6.1** iem. **ter** ~ roepen *call s.o. to a. / book* **6.2 op** jouw ~ *on your head be it, you take the r., at your risk / peril.*

verarmen ⟨sprw. 2⟩
I ⟨onov.ww.⟩ **0.1** [arm(er) worden] *become impoverished / pauperized* ⇒ *sink into / be reduced to poverty* **0.2** [achteruitgaan in kwaliteit] *become impoverished* ⇒ *deteriorate (in quality)* ◆ **1.1** in verarmde omstandigheden *in reduced / straitened circumstances* **1.2** zonder bemesting verarmt de grond *without fertilization the ground becomes impoverished;* zijn taalgebruik verarmt *his language is deteriorating* **5.1** zij zijn totaal verarmd *they have become completely impoverished / destitute / pauperized, they have sunk into / been reduced to absolute poverty;*
II ⟨ov.ww.⟩ **0.1** [arm(er) maken] *impoverish* ⇒ *reduce to poverty, beggar, pauperize* **0.2** [waarde / kracht verminderen van] *impoverish* ⟨ook mbt. grond⟩ ⇒ ⟨taal e.d. ook⟩ *corrupt, debase* ◆ **1.2** dat verarmt de stijl *that weakens / impairs the style.*

verarming ⟨de (v.)⟩ **0.1** [het arm(er) worden] *impoverishment* ⇒ *pauperization* **0.2** [achteruitgang in kwaliteit] *deterioration* ⇒ *impoverishment* ⟨mbt. grond⟩.

verassen ⟨ov.ww.⟩ **0.1** [tot as doen overgaan] *incinerate* ⇒ ⟨schei. ook⟩ *calcine* **0.2** [cremeren] *cremate.*

verassing ⟨de (v.)⟩ **0.1** [het verassen, het verast worden] *incineration* ⇒ ⟨schei. ook⟩ *calcination* **0.2** [crematie] *cremation.*

verb. ⟨afk.⟩ **0.1** [verbinding] *con.* **0.2** [verbum] *vb., v..*

verbaal[1] ⟨het⟩ **0.1** [proces-verbaal] *booking* ⇒ *ticket* ⟨bekeuring⟩ **0.2** [woordelijk verslag] *(verbatim) report* ⇒ *(verbatim) account* ◆ **3.1** een ~ opmaken tegen iem. wegens te hard rijden *book s.o. on a charge of / for speeding;* een ~ opmaken tegen iem. *take s.o.'s name (and address), report s.o..*

verbaal[2]
I ⟨bn.⟩ **0.1** [mondeling] *verbal* ⇒ *oral* **0.2** [door spreken tot stand komend] *verbal* ⇒ *oral* **0.3** [⟨taal.⟩] *verbal* ◆ **1.1** ~ verslag *v. report / account* **1.2** verbale communicatie *v. communication;* ~ geweld *v. assault, v. overkill;*
II ⟨bn., bw.; -ly⟩ **0.1** [wat het spreken betreft] *verbal* ⇒ *articulate* ◆ **2.1** zij is ~ bijzonder begaafd *she is a very articulate speaker, she has great v. skills;* ⟨inf.⟩ *she has the gift of the gab.*

verbaasd ⟨bn.⟩ **0.1** *surprised* ⇒ *astonished, astounded, amazed* ◆ **1.1** een ~e uitdrukking op zijn gezicht *a s. expression / a look of amazement on his face* **3.1** ~ staan kijken *look on in amazement / surprise / wonderment* **6.1** ik ben ~ **over** haar vorderingen *I'm amazed at her progress;* ~ **van** iets staan, ~ zijn **over** iets *be s. / amazed at sth., wonder at sth.* **8.1** ik ben ~ dat je zo haastig vertrekt *I'm s. that you are / at your leaving so hastily.*

verbaasdheid ⟨de (v.)⟩ **0.1** *astonishment, amazement* ⇒ *surprise.*

verbalisant ⟨de (m.)⟩ **0.1** *officer taking s.o.'s name (and address) / giving s.o. a ticket.*

verbaliseren ⟨ov.ww.⟩ **0.1** [proces-verbaal opmaken] *book* ⇒ *take s.o.'s name (and address)* **0.2** [onder woorden brengen] *put in(to) words* ⇒ ⟨schr.⟩ *verbalize* **0.3** [⟨taal.⟩] *verbalize* ⇒ *make a verb of* ◆ **1.2** de emoties in dit stuk zijn moeilijk te ~ *the emotions in this piece are difficult to put in(to) / to express in words.*

verbalisme ⟨het⟩ **0.1** *verbosity, verbiage* ⇒ *verbalism.*

verband ⟨het⟩ **0.1** [zwachtel, windsel] *bandage* ⇒ *dressing,* ⟨mitella⟩ *sling* **0.2** [samenhang] *connection* ⇒ *bond* ⟨mbt. metselwerk⟩, ⟨verbinding⟩ *joint, correlation* **0.3** [geestelijke samenhang] *connection* ⇒ *link,* ⟨kader; zinsverband⟩ *context,* ⟨samenhang⟩ *coherence, cohesion* **0.4** [betrekking, contact] *connection* ⇒ ⟨betrekking⟩ *relation(ship), association,* ⟨vlak⟩ *level* **0.5** [verbintenis] *contract, engagement* ⇒ *(binding) agreement* **0.6** [maandverband] *sanitary towel* ⇒ ⟨vnl. AE⟩ *sanitary napkin,* ⟨inwendig⟩ *tampon* **0.7** [⟨jur.⟩] *security, surety* ◆ **2.3** het causaal ~ *the causal connection;* onderling ~ *interrelationship, interconnection;* in ruimer ~ *in a wider context* **2.4** in landelijk / Europees ~ *on a national / European level;* een tijdelijk ~ *a temporary association / appointment* **2.5** kort ~ *short-service c. / e.* **3.1** een ~ aanleggen *put on / apply a b.* **3.3** ~en aantonen *demonstrate connections / links;* geen ~ houden met iets *have no connection with / be unconnected with / be unrelated to sth., have no bearing on sth.;* ~ houden met iets *be connected / linked / associated / tied in with sth., tie up with sth.;* ~ leggen tussen twee feiten *link up / tie in / find a connection between two facts;* ik zie het ~ niet *I can't / fail to see the connection* **6.1** zijn arm in een ~ dragen *carry one's arm in a sling;* iemands arm in het ~ leggen *bandage (up) s.o.'s arm;* zijn knie zat in het ~ *his knee was in a b. / bandaged (up) / strapped up* **6.2 in** ~ metselen *bond;* een construc-

tie **uit** zijn ~ rukken / trekken *pull a structure out of (its) joint* **6.3 in** welk ~ werd dat gezegd? *in what connection was that said?, what was the context?;* **in** dit ~ wil ik nog opmerken ... *I would like to note in this respect, in this connection / context I'd like to say ...;* dingen met elkaar **in** ~ brengen *interrelate / coordinate / connect things, link things up / together;* iets met iets anders **in** ~ brengen *connect sth. with / associate sth. with / link sth. to / tie sth. in with / tie sth. up with;* **in** ~ **met** *in connection with, with reference to, in conjunction with, concerning, as regards;* **in** (nauw) ~ staan met *be (closely) connected / linked / tied in with;* als je het een met het ander **in** ~ brengt ⟨ook⟩ *if you put two and two together;* iets **uit** zijn ~ rukken *take sth. out of context;* **zonder** ~ *unconnected, unrelated;* ⟨geen samenhang vertonend⟩ *incoherent, disconnected* **6.7 onder** ~ stellen *put / place (sth.) under surety.*

verbandcursus ⟨de (m.)⟩ **0.1** ≠ *first-aid course / class.*

verbanddoos ⟨de⟩ **0.1** *first-aid box / kit.*

verbandgaas ⟨het⟩ **0.1** ⟨elastisch⟩ *gauze (roller-bandage).*

verbandkamer ⟨de⟩ **0.1** *first-aid room.*

verbandmateriaal ⟨het⟩ **0.1** *dressing material* ⇒ *bandages, dressings* ⟨op wond⟩.

verbandspray ⟨de (m.)⟩ ⟨med.⟩ **0.1** *spray-on dressing.*

verbandtrommel ⟨de (m.)⟩ **0.1** *first-aid kit / box* ⇒ *dressing case, band-aid box.*

verbandwatten ⟨zn.mv.⟩ **0.1** [B]*surgical cottonwool,* [A]*absorbent cotton* ⇒ *cottonwool dressings.*

verbannen ⟨ov.ww.⟩ **0.1** [in ballingschap zenden] *banish, exile* ⇒ *expel, deport* **0.2** [⟨fig.⟩] *banish* ⇒ *relegate* ◆ **3.1** ~ zijn ⟨ook⟩ *be under a ban* **6.1** de dissident werd **uit** de hoofdstad ~ *the dissident was banished / exiled from the capital* **6.2** hij werd **naar** Siberië ~ ⟨ook⟩ *he was deported to Siberia;* zij verbande dat idee **uit** haar gedachten *she banished that idea from her thoughts, she put that idea (right) out of her mind / head.*

verbanning ⟨de (v.)⟩ **0.1** [het verbannen] *banishment, exile* ⇒ *expulsion, deportation* **0.2** [ballingschap] *banishment, exile* ⇒ ⟨periode van ballingschap⟩ *ban.*

verbanningsoord ⟨het⟩ **0.1** *place of exile.*

verbasteren
I ⟨onov.ww.⟩ **0.1** [vervormd worden] *be corrupted* **0.2** [ontaarden] *degenerate* ⇒ ⟨onzuiver worden⟩ *be corrupted, be adulterated* ◆ **1.1** een in het Nederlands verbasterd woord van Franse herkomst *a corrupted Dutch word of French origin;*
II ⟨ov.ww.⟩ **0.1** [vervormen] *corrupt.*

verbastering ⟨de (v.)⟩ **0.1** [vervorming] *corruption* ⇒ ⟨ontaarding⟩ *degeneration,* ⟨onzuiver worden⟩ *adulteration, bastardization* **0.2** [verbasterd woord] *corruption.*

verbazen
I ⟨ov.ww.⟩ **0.1** [verwonderen] *amaze, surprise* ⇒ *astonish, astound, startle* ◆ **1.1** haar gedrag verbaast mij zeer *her behaviour really amazes me* **3.1** dat hoeft je niet te ~ *that shouldn't cause you any surprise, you shouldn't be surprised by / at that;* het zou me niet ~ als ... *I shouldn't be surprised if ..., I shouldn't wonder if ...* **4.1** dat verbaast me niets *that doesn't surprise me in the least, that doesn't come as a surprise to me* **8.1** het verbaast me dat zij te laat is *I'm surprised that she is / at her being late;*
II ⟨wk.ww.; zich ~⟩ **0.1** [zich verwonderen] *be surprised / amazed (at)* ⇒ *be astonished / astounded, wonder (at).*

verbazend ⟨bn., bw.; -(al)ly⟩ **0.1** [verbazingwekkend] *surprising, amazing* ⇒ *astonishing, astounding, startling* **0.2** [enorm] *huge* ⇒ *terrific, terrible, immense, mind-boggling* ◆ **2.2** hij had (een) ~ grote honger *he was terrifically / ⟨vnl. BE⟩ ever so hungry;* een ~ lekkere maaltijd *a mighty good meal* **5.2** ~ veel eten *eat a h. / a terrific / an immense / a phenomenal amount;* ⟨vnl. BE⟩ *eat ever so much;* ~ veel geld *a h. / a terrific / an immense / a phenomenal amount of money;* ⟨inf.⟩ *no end of / ⟨vnl. BE⟩ ever so much money;* er is ~ weinig verkeer *there is precious little traffic.*

verbazing ⟨de (v.)⟩ **0.1** *surprise, amazement* ⇒ *astonishment,* ⟨verwondering⟩ *wonder(ment)* ◆ **3.1** dat wekte ~ *that came as a s., that was a matter of s.;* wat nog meer ~ wekte was ... *what was even more surprising / amazing was ...* **5.1** vol ~ *in s. / amazement, full of s.* **6.1** tot ~ *to everybody's s. / amazement / astonishment;* **tot** mijn stomme ~ *to my utter amazement;* **tot** mijn ~ hoorde ik ... *I was surprised / amazed to hear ...;* omvallen **van** ~ *be staggered / bowled over / completely taken aback / baffled;* **van** de ene ~ **in** de andere vallen *go from one s. to the next;* zij stond sprakeloos **van** ~ *she was lost for words, she stood speechless with s., she was dumbstruck / dumbfounded / flabbergasted / stupefied / ↓ flummoxed / stunned / tonguetied* ¶**.1** één en al ~ zijn *be lost in amazement.*

verbazingwekkend ⟨bn., bw.; -ly⟩ **0.1** *astonishing, amazing* ⇒ *surprising,* ⟨sterker⟩ *astounding, stunning.*

verbeelden
I ⟨wk.ww.; zich ~⟩ **0.1** [zich inbeelden] *imagine* ⇒ *fancy* **0.2** [zich voorstellen] *imagine* ⇒ *fancy* ◆ **5.1** dat verbeeld je je maar *you are (just) imagining it / things, it is all in your imagination* ¶**.1** hij verbeeldt zich heel wat *he thinks a lot of himself, he fancies himself, he is very*

vain, he is big-headed / pretentious, he thinks he's the cat's whiskers; verbeeld je maar niets! *don't go getting ideas (into your head)!, don't put on airs!;* wat verbeeldt ze zich wel! *she thinks a lot of herself, she does!; how she fancies herself!; how pretentious she is!;* wat verbeeld je je wel! ⟨ook⟩ *who do you think you are* ¶.2 verbeeld je! *just i.;*
II ⟨ov.ww.⟩ **0.1** [uitbeelden] *represent ⇒be meant / supposed to be* ◆ **1.1** het toneel verbeeldde een bos *the scene represents a wood* **3.1** dat moet een badkamer∼! *that 's / is that meant / supposed to be a bathroom!, (you) call that a bathroom!;* ⟨erg pej.⟩ *that's only an apology for a bathroom.*

verbeelding ⟨de (v.)⟩ **0.1** [fantasie] *imagination ⇒fancy, illusion* **0.2** [inbeelding] *imagination ⇒fancy* **0.3** [verwaandheid] *conceit(edness)* ⇒ *pretension, presumption, vanity* **0.4** [uitbeelding] *representation, image* ◆ **1.4** de ∼ v.d. dood *the i. of death* **2.1** een levendige ∼ *a vivid / lively imagination* **3.1** zijn ∼ laten werken *use / exercise one's imagination;* de ∼ prikkelen / sterk aanspreken *fire / stir / quicken the imagination;* dat spreekt tot de ∼ *that appeals to one's imagination;* die geheimzinnige omgeving werkt op mijn ∼ *that mysterious setting plays on my imagination / mind* **3.2** dat is maar ∼ *that is only / just i. / mere fancy* **3.3** ∼ hebben *be conceited / pretentious / presumptuous / big-headed, think a lot of o.s., put on airs* ¶.1 daartoe is heel wat ∼ nodig *that really stretches the imagination;* ⟨inf.⟩ *the mind boggles* ¶.3 wat een ∼! *how conceited / pretentious / presumptuous!, what a big-head!.*

verbeeldingskracht ⟨de⟩ **0.1** *imagination ⇒power(s) of imagination, imaginative power, power of fancy.*

verbeeldingswereld ⟨de⟩ **0.1** ⟨de verbeelding⟩ *realms / world of the / one's imagination;* ⟨verbeelde wereld⟩ *imaginary world.*

verbeiden ⟨ov.ww.⟩ ⟨schr.⟩ **0.1** *await* ◆ **5.1** lang verbeid *long awaited; long-awaited eagerly awaited* ⟨attr.⟩.

verbenen ⟨onov.ww.⟩ **0.1** *ossify* ⟨ook fig.⟩.

verbening ⟨de (v.)⟩ **0.1** *ossification.*

verbergen ⟨ov.ww.⟩ **0.1** [verstoppen] *hide ⇒conceal, secrete, harbour* ⟨misdadigers⟩, ⟨maskeren⟩ *disguise* **0.2** [achterhouden] *hide ⇒conceal, cover up* ◆ **1.1** zijn hoofd in zijn handen ∼ *bury one's head in one's hands;* zij hebben joden verborgen in de oorlog *they hid Jews in the war;* ze kon haar teleurstelling / ongeduld nauwelijks ∼ *she could scarcely hide / conceal / disguise her disappointment / impatience* **3.1** zij hield iets voor hem verborgen *she was holding sth. back from him* **3.2** deze malversaties heb je ten onrechte verborgen gehouden *you have falsely concealed / covered up these malpractices / misappropriations of funds;* iets / niets te ∼ hebben *have sth. / nothing to h.* **4.1** zich ∼ (o.s.), *conceal o.s.;* ⟨op schip, in vliegtuig⟩ *stow away* **6.1** zich **achter** iem. ∼ ⟨ook fig.⟩ *hide behind s.o.;* zich **achter** zijn krant ∼ *be buried in one's newspaper.*

verberging ⟨de (v.)⟩ **0.1** *hiding ⇒concealment,* ↑*dissimulation* ⟨vnl. van gevoelens⟩.

verbeten ⟨bn.⟩ **0.1** [ingehouden] *pent-up ⇒bottled-up* **0.2** [fel] *grim ⇒ dour, dogged, determined* ◆ **1.1** met ∼ woede *with pent-up rage* **1.2** met ∼ gezichten *grim-faced;* een ∼ strijd *a g. / dour / dogged struggle;* een ∼ trekje om de mond *a g. and determined expression about one's mouth.*

verbetenheid ⟨de (v.)⟩ **0.1** [ingehouden woede] *pent-up* / ⟨inf.⟩ *bottled-up anger / rage* **0.2** [felheid] *grimness ⇒doggedness.*

verbeteren
I ⟨ov.ww.⟩ **0.1** [beter maken] *improve ⇒better,* ⟨schr.⟩ *ameliorate,* ⟨zedelijk⟩ *reform, reclaim* ⟨zondaar⟩ **0.2** [herstellen] *correct ⇒ amend, rectify* ⟨fout⟩, ⟨verhelpen⟩ *remedy* **0.3** [corrigeren] *correct ⇒ emend* ⟨tekst⟩, *revise* ⟨uitgave⟩ **0.4** [overtreffen] *beat ⇒better, improve on* ◆ **1.1** zijn Engels ∼ *i. / brush up one's English;* de kwaliteit van produkten ∼ *i. / raise the quality of products;* landbouwgrond ∼ *i. agricultural land;* de levensstandaard ∼ *i. / raise the standard of living;* het onderwijs ∼ *i. education;* een verbeterde versie v.e. motor *an improved version of an engine;* verbeter de wereld, begin bij jezelf *if you want to reform / change the world, start with yourself* **1.2** fouten ∼ *rectify errors / mistakes;* mankementen ∼ *remedy defects* **1.3** drukproeven ∼ *c. proofs;* iem. ∼ *correct s.o.* **1.4** een record ∼ *beat / break a record* **3.4** dat kun je haar niet ∼ *you couldn't have improved on her there, you couldn't have done that better than her* **4.1** zich ∼ *improve o.s.;* ⟨mbt. positie⟩ *better o.s.;* ⟨zedelijk⟩ *reform o.s., mend one's ways, turn over a new leaf* ¶.4 het iem. ∼ ⟨ook⟩ *go one better than s.o.;*
II ⟨onov.ww.⟩ **0.1** [beter worden] *improve ⇒get better* ◆ **1.1** in verbeterde werkomstandigheden *in improved working conditions.*

verbetering ⟨de (v.)⟩ **0.1** [verhoging v.d. kwaliteit] *improvement ⇒betterment,* ⟨zedelijk⟩ *reform,* ⟨schr.⟩ *amelioration* **0.2** [vooruitgang] *improvement ⇒advance, change for the better* **0.3** [correctie] *correction ⇒amendment,* ⟨van fouten ook⟩ *rectification, marking,* ᴬ*grading* ⟨van huiswerk, examens⟩ ◆ **3.2** dat is een hele ∼ *that is quite an i. / an advance / a change for the better;* het is een hele ∼ vergeleken met / ten opzichte van ... *it's a great i. on ...* **3.3** ∼en aanbrengen *make corrections* **6.1** voor ∼ vatbaar zijn *be capable of / open to i., have / leave room for i.*.

verbeteringsgesticht ⟨het⟩ **0.1** ᴮ*approved school,* ᴬ*reformatory,* ᴬ*reform school* ⇒ ⟨BE ook⟩ *borstal,* ⟨vero.; schr.⟩ *house of correction.*

verbeurbaar ⟨bn.⟩ **0.1** *confiscable ⇒forfeitable, seizable.*

verbeurdverklaren ⟨ov.ww.⟩ **0.1** [in beslag nemen] *seize, confiscate ⇒ impound,* ⟨schr.⟩ *sequestrate, sequester, distrain* ⟨bezittingen⟩ **0.2** [ontnemen] *confiscate ⇒expropriate.*

verbeurdverklaring ⟨de (v.)⟩ **0.1** *seizure, confiscation ⇒* ⟨schr.⟩ *sequestration,* ⟨inbeslagneming⟩ *impoundment, impoundage, distraint* ⟨van bezittingen⟩ ◆ **1.1** ∼ van goederen *seizure / impoundage of goods; distraint on goods.*

verbeuren ⟨ov.ww.⟩ **0.1** *forfeit* ◆ **1.1** zijn borgtocht ∼ *f. (one's) bail;* ⟨door aan de haal te gaan⟩ *jump bail;* zijn reputatie / iemands vertrouwen ∼ *f. one's reputation / s.o.'s trust.*

verbeuzelen ⟨ov.ww.⟩ **0.1** *fritter away ⇒squander, waste, dally away, dawdle (away)* ◆ **1.1** zijn tijd ∼ *fritter / dally / dawdle / fool / moon / toy away one's time.*

verbieden ⟨ov.ww.⟩ **0.1** *forbid ⇒ban* ⟨film, boek⟩, *suppress* ⟨publikatie⟩, ⟨schr.⟩ *prohibit,* ⟨jur.; kerk.⟩ *interdict* ◆ **1.1** een krant / partij / film ∼ *ban a paper / party / film;* de publikatie van iets ∼ *ban / suppress publication of sth.;* iem. het roken ∼ *ban s.o. from smoking, forbid s.o. to smoke;* verboden toegang *no entrance;* de wet verbiedt dat *the law prohibits that, the law won't allow that* **3.1** het is verboden de voorwerpen aan te raken *do not touch (the items), touching the items is not allowed;* verboden aan te plakken *(post / stick) no bills;* verboden in te rijden *no entry;* keren verboden *no turning, no U-turns;* verboden op het gras / gazon te lopen *keep off the grass;* verboden te parkeren *no parking / waiting;* verboden te roken *no smoking;* verboden afval te deponeren *no tipping;* streng verboden te roken *smoking strictly prohibited;* ⟨iron.⟩ verboden te roken *no don'ts;* verboden te wateren *no urinating* **6.1** bij de Nederlandse wet verboden *forbidden by / under Dutch law;* verboden **voor** onbevoegden *no unauthorized entry;* verboden **voor** trespassers *trespassers will be prosecuted;* verboden **voor** personen onder de achttien jaar *persons under eighteen not admitted* ¶.1 dat verbied ik je *I f. you to do / have that, I won't allow you to do / have that;* ⟨mbt. een plaats⟩ *I put that out of bounds to you.*

verbijsterd ⟨bn.⟩ **0.1** *dazed ⇒bewildered, bemused,* ⟨in de war⟩ *confounded, baffled* ◆ **3.1** ik stond ∼ *I stood in a daze, I was struck all of a heap* **6.1** hij was totaal ∼ door de schok *he was completely d. / overcome by the shock;* ⟨inf.⟩ *he was knocked sideways by the shock.*

verbijsteren ⟨ov.ww.⟩ **0.1** *bewilder, baffle ⇒perplex, dazzle, daze,* ⟨verwarren⟩ *confound* ◆ **1.1** zijn tempo verbijsterde mij *his pace dazzled me / left me in a daze / knocked me out.*

verbijsterend ⟨bn., bw.; -ly⟩ **0.1** *bewildering, amazing ⇒baffling, dazzling,* ⟨ontstellend⟩ *disconcerting, perplexing* ◆ **1.1** een ∼ vertoon *a dazzling display* **2.1** ∼ knap *amazingly clever* **3.1** ik vind het ∼ *I find it bewildering / perplexing;* ⟨inf.⟩ *my mind boggles.*

verbijstering ⟨de (v.)⟩ **0.1** *bewilderment, amazement ⇒bafflement, perplexity,* ⟨ontsteltenis⟩ *dismay* ◆ **2.1** in volkomen ∼ *in blank a.* **6.1** met ∼ constateerde hij dat ... *he noted with a. that ..., he was astonished to find that ....*

verbijten
I ⟨ov.ww.⟩ **0.1** [met moeite inhouden] *suppress, hold back ⇒* ⟨lach / kuch ook⟩ *stifle, swallow* ⟨woede⟩, *bottle up* ⟨emoties⟩ ◆ **1.1** de pijn ∼ *fight off the pain;* zijn tranen ∼ *fight back one's tears;*
II ⟨wk.ww.; zich ∼⟩ **0.1** [zich met moeite inhouden] *be (almost) bursting ⇒* ⟨op zijn lippen bijten⟩ *bite one's lips,* ⟨op zijn tanden bijten⟩ *clench one's teeth* ◆ **3.1** zij stond zich te ∼ van woede *she was bursting / fuming with rage;* hij stond zich te ∼ over het uitstel *he chafed at the delay;* hij stond zich te ∼ van ongeduld *he was in a fume of impatience.*

verbijzonderen ⟨ov.ww.⟩ **0.1** *particularize ⇒differentiate.*

verbinden
I ⟨ov.ww.⟩ **0.1** [samenvoegen] *join (together) ⇒connect (to / with), link (up) (to / with),* ⟨combineren⟩ *combine (with)* **0.2** [in samenhang brengen] *connect ⇒link, associate, combine* **0.3** [omzwachtelen] *bandage ⇒dress, bind (up),* ⟨stevig⟩ *strap up* **0.4** [door een overeenkomst / band koppelen aan] *connect, attach ⇒link, join (up), associate* **0.5** [telefonisch aansluiten] *connect (with) ⇒put through (to)* ◆ **1.1** ⟨muz.⟩ twee noten ∼ *combine / slur two notes;* de stijlen worden door dwarsbalken verbonden *the posts are joined (together) by crossbeams* **1.2** zijn naam aan iets ∼ *put / attach one's name to sth.;* woorden tot zinnen ∼ *combine / connect up words into sentences* **1.3** een arm ∼ *bandage an arm;* iemands wonden ∼ *bandage / bind up s.o.'s wounds* **5.5** ik ben verkeerd verbonden *I have been wrongly connected / misconnected, I have got a wrong number;* (sorry, u bent) verkeerd verbonden! *(I'm sorry, (but) you've got the) wrong number!* **6.1** ∼ **met** *join to, connect to / with, link (up) to / with, combine with* **6.2** aan de proefles zijn geen kosten verbonden *there is no charge for / attached to the trial lesson, no charge is made for the trial lesson;* deze feiten zijn nauw **met** elkaar verbonden *these facts are closely connected / linked* **6.4** aan iets verbonden zijn *be at / attached to an institution;* hij is **aan** 'De NRC' verbonden *he is on / he works for / on / he is attached to the NRC;* zijn er voordelen **aan** verbonden? *are there advantages attached to it?;* er zijn geen kosten **aan** verbonden *there are*

no expenses involved; welk salaris is **aan** deze betrekking verbonden? *what is the salary attached to this post?, what salary goes with this post?;* er is één enkele voorwaarde **aan** verbonden *there is one single condition attached;* **door** gemeenschappelijke belangen verbonden zijn *be joined/linked/united by common interests;* een man met een vrouw in de echt ~ *join a man to a woman in marriage/matrimony;* Japan verbond zich **met** Duitsland *Japan allied itself/entered into an alliance/compacted with Germany;* zijn naam bleef verbonden **met** de arbeidswetten van 1970 *his name was always associated with the labour laws of 1970;* zijn lot **met** iem./ **aan** iets ~ *throw in one's lot with s.o./sth.;* het verbindt u tot niets *it does not commit you to anything* **6.5** kunt u mij **met** de heer X. ~? *could you put me through to Mr. X?* ¶**.5** u bent verbonden *you're through/connected;* **II** 〈wk.ww.; zich ~〉 **0.1** [zich verplichten] *commit o.s. (to) ⇒bind/tie o.s. (to),* 〈schr.〉 *pledge (o.s.), undertake/agree (to do)* 〈een opdracht〉 **0.2** [〈schei.〉] *combine (together) ⇒unite* ◆ **4.1** zich ~ om werk te doen *undertake/agree/contract to do work* **5.1** hij heeft zich schriftelijk verbonden om *he has given a written undertaking to* **6.1** zich voor twee jaar **aan** een baan ~ *tie o.s. to a job for two years;* zich **door** een handtekening ~ *sign an undertaking, commit o.s. / bind o.s. / tie o.s. (down) with a signature;* zich **tot** een taak/opdracht voor een bepaald bedrag ~ *undertake/agree to do a job of work for a certain sum;* zich **voor** een bepaald bedrag ~ *commit/pledge o.s. (in return) for a particular/certain amount* **6.2** water verbindt zich niet **met** olie *water does not combine with oil.*

verbindend 〈bn.〉 **0.1** [verplichtend] *binding ⇒obligatory,* 〈jur. ook〉 *mandatory* **0.2** [een binding vormend] *connecting ⇒linking* ◆ **1.2** ~e tekst 〈t.v., film〉 *linking text, narrative* **6.1** voor alle partijen ~ *b. on all parties.*

verbindendverklaring 〈de (v.)〉 **0.1** *declaration of binding force* ◆ **2.1** algemeen ~ *declaration of 'generally binding'.*

verbinding 〈de (v.)〉 **0.1** [samenvoeging] *connection ⇒link,* 〈combinatie〉 *combination,* 〈weg〉 *joint,* [het verbonden worden/zijn] *attachment* **0.2** [relatie] *connection ⇒contact, communication,* 〈betrekking〉 *relation, association* **0.3** [mogelijkheid tot verkeer] *connection* **0.4** [〈schei.〉] 〈resultaat〉 *compound;* 〈proces〉 *combination* **0.5** [〈AZN〉 overstapje] *change* **0.6** [〈taal.〉] *collocation ⇒* 〈samenstelling〉 *compound* **0.7** [mbt. telefoon] *connection* ◆ **2.3** een directe ~ *direct connection;* 〈trein ook〉 *a through train;* een geregelde ~ *a regular c.;* een plaats met goede ~en *a place with good communications* 〈telegraaf, radio〉 **2.4** binaire ~ *binary compound* **2.6** vaste ~en *fixed collocations* **2.7** de ~ is slecht *the line is bad;* verkeerde ~ *wrong number;* 〈dubbele〉 *crossed line* **3.2** een ~ leggen met ... *make/provide a c./link to/with* **3.7** heeft u ~? *are you through?;* geen ~ kunnen krijgen *not be able to get through;* de ~ verbreken *disconnect, break the c.;* de ~ werd verbroken 〈ook〉 *we/they were cut off* **6.1** de ~ van woorden tot zinnen *the combination of words into sentences/to form sentences* **6.2** zich **in** ~ stellen met *get in touch/contact with, communicate with, contact;* mensen met elkaar **in** ~ brengen *put people in touch/contact/communication with one another;* met iem. **in** ~ staan *be in touch/contact/communication with s.o.* **6.3** de keuken staat **in** ~ met de garage *the kitchen leads (through) into/gives access to the garage, the kitchen connects/is connected/communicates with the garage;* de twee kamers staan met elkaar **in** ~ *the two rooms (inter)connect/give access to one another;* staat dit kanaal **in** ~ **met** de zee? *does this canal give access to the sea?, is this canal connected to the sea?;* de ~en met de stad zijn uitstekend 〈het vervoer〉 *connections with the city are excellent* **6.**¶ 〈hand.〉 zonder ~ *without obligation, under no obligation* ¶.**1** een ~ tot stand brengen *establish/make a connection/link.*

verbindingsdeur 〈de〉 **0.1** *connecting/communicating door.*

verbindingsdienst 〈de (m.)〉 〈mil.〉 **0.1** *signals unit ⇒corps of signals,* ᴬsignal corps.*

verbindingskanaal 〈het〉 **0.1** *connecting/linking canal/duct ⇒* 〈fig.〉 *channel of communication.*

verbindingsklank 〈het, de (m.)〉 **0.1** *linking/connective sound.*

verbindingslijn 〈de〉 **0.1** *line of communication ⇒lifeline.*

verbindingsman 〈de (m.)〉 **0.1** *contact (man) ⇒liaison (man), intermediary* ◆ **8.1** hij functioneert als ~ met de plaatselijke overheid *he liaises with the local authorities.*

verbindingsofficier 〈de (m.)〉 **0.1** *liaison officer.*

verbindingsspoor 〈het〉 **0.1** *linking/connecting line.*

verbindingsstuk 〈het〉 **0.1** *connector, joint ⇒union, connecting piece,* 〈buis〉 *coupling unit.*

verbindingsteken 〈het〉 **0.1** *hyphen.*

verbindingstroepen →verbindingsdienst.

verbindingsvliegtuig 〈het〉 〈mil.〉 **0.1** *contact aircraft ⇒* 〈schr.〉 *liaison aircraft, relay communications aircraft.*

verbindingsweg 〈de (m.)〉 **0.1** *connecting road ⇒* 〈mv.〉 *communications* ◆ **2.1** een land met slechte ~en *a country with poor communications* **6.1** een ~ **tussen** twee steden *a road connecting/linking/between two cities.*

verbintenis 〈de (v.)〉 **0.1** [verplichting] *obligation ⇒commitment, under-*

taking, bond **0.2** [dienstcontract] *agreement, contract ⇒engagement, undertaking* **0.3** [persoonlijke band, verhouding] *association ⇒* 〈verhouding〉 *relationship,* 〈verbond〉 *alliance, union, bond* ◆ **2.3** een harmonische ~ *a happy/harmonious association/relationship* **3.1** een ~ aangaan/op zich nemen *make an undertaking;* een ~ nakomen/vervullen *honour/meet/fulfil an o.* **3.2** een ~ aangaan *enter into/make an a./a contract, make an undertaking;* een ~ aangaan om iets te doen 〈ook〉 *undertake/contract to do sth.;* een ~ opstellen/sluiten *draw up/terminate an a.* **3.3** een ~ bekrachtigen *affirm/cement an association/relationship, ratify an alliance.*

verbintenissenrecht 〈het〉 **0.1** *law of obligations ⇒* 〈Anglo-Am. recht〉 ≠ *law of contract(s).*

verbitterd 〈bn., bw.〉 **0.1** *bitter/embittered (at/by) ⇒sour (about), acrimonious, acerbic, rancorous* ◆ **1.1** een ~ gemoed *b./hard feelings;* een ~ mens *an e. person* **1.**¶ ~e gevechten *bitter/envenomed/fierce fights* **6.1** ~ op/over iets zijn 〈ook〉 *bear a grudge about sth..*

verbitteren 〈ov.ww.〉 **0.1** [vergallen] *embitter* 〈persoon〉; **(turn)** *sour* (leven) **0.2** [vertoornen] *exasperate ⇒poison, exacerbate, irk* 〈sfeer〉, 〈inf.〉 *rile* ◆ **1.1** dat verbittert mij het leven *that leaves a bitter taste in my mouth, that leaves me feeling bitter* **6.2** iem. **tegen** zich ~ *make s.o. bitter towards one, arouse s.o.'s animosity towards one.*

verbittering 〈de (v.)〉 **0.1** *bitterness ⇒embitterment.*

verbleken 〈onov.ww.〉 **0.1** [bleek/bleker worden] **(turn/go)** *pale ⇒turn/go white, blanch* **0.2** [mbt. kleuren] *fade ⇒lose colour* **0.3** [〈fig.〉 dof worden] *fade ⇒grow dull/dim* **0.4** [〈fig.〉 vervagen] *fade ⇒(grow) pale* ◆ **1.2** de kleuren ~ in de was *the colours f. in the wash* **1.3** zijn ster verbleekt *his star is fading/falling/on the wane* **1.4** de herinnering daaraan is verbleekt *the memory of it has faded* **3.3** iets doen ~ *dull sth.* **6.1** hij verbleekte **van** schrik *he turned/went pale/white with fear, his face blanched with fear* **6.4** alle vroegere prestaties ~ **bij** deze *all previous achievements pale before this one.*

verblijden 〈→sprw. 407〉 **I** 〈ov.ww.〉 **0.1** [een genoegen doen] *gladden ⇒gratify, make happy, cheer,* 〈verheugen〉 *delight, rejoice* ◆ **1.1** met verblijd hart *with rejoicing/joyful heart;* het nieuws verblijdde ons enigszins *the news gave us some cheer;* het zien v.d. kinderen verblijdde zijn vaderhart *the sight of the children gladdened/rejoiced/cheered his father's heart* **2.1** bijzonder verblijd zijn *be particularly pleased/very glad* **6.1** iem. **met** iets ~ *make s.o. happy with sth.;* **II** 〈wk.ww.; zich ~〉 〈schr.〉 **0.1** [zich verheugen] *rejoice* ◆ **6.1** zich **over** iets ~ *r./be exhilarated at sth..*

verblijf 〈het〉 **0.1** [het verblijven] *stay ⇒* 〈schr.〉 *sojourn* **0.2** [onderkomen] *residence ⇒* 〈tijdelijk ook〉 *accommodation,* 〈woning〉 〈schr.〉 *dwelling,* 〈jur.〉 *abode, domicile* **0.3** [het wonen] *residence* ◆ **2.1** een langdurig ~ in de tropen *a long stay in the tropics* **2.2** een geriefelijk ~ *a comfortable r., comfortable accommodation* **3.1** ergens ~ houden *be resident/reside somewhere* **3.3** zijn ~ hebben/houden *reside, dwell;* zijn ~ nemen *take up r.* **6.2** de verblijven **voor** de bemanning/het personeel *the crew's/servants' quarters.*

verblijfkosten 〈zn.mv.〉 **0.1** *accommodation expenses* ◆ **1.1** reis- en verblijfkosten worden geheel vergoed *travel and a. e. are refunded in full.*

verblijfplaats 〈de〉 **0.1** *(place of) residence ⇒address,* 〈logies〉 *accommodation,* 〈schr.〉 *abode,* 〈waar men zich bevindt〉 *whereabouts, quarters* ◆ **1.1** toewijzing van een ~ *allocation of accommodation;* iem. zonder vaste woon- of ~ *s.o. with no permanent/settled home or address, s.o. of no fixed abode* **2.1** zijn huidige ~ is nog onbekend *his present whereabouts is/are still unknown.*

verblijfsvergoeding 〈de (v.)〉 **0.1** *accommodation expenses/allowance.*

verblijfsvergunning 〈de (v.)〉 **0.1** *residence permit.*

verblijven 〈onov.ww.〉 **0.1** [vertoeven] *stay ⇒stop,* 〈schr.〉 *sojourn* **0.2** [onderdak hebben, wonen] *live ⇒be accommodated* ◆ **5.**¶ inmiddels verblijf ik, hoogachtend ... *remaining yours faithfully* ... **6.1** hij verbleef enkele maanden in Japan *he stayed in Japan for several months* **6.2** bij familie ~ *l. with one's family* **6.**¶ in afwachting van uw brief verblijf ik ... *in anticipation of your letter I remain* ...; met dank verblijf ik ... *I remain gratefully yours* ...; ik verblijf **met** de meeste hoogachting ... *I remain yours faithfully* ....

verblikken 〈onov.ww.〉 ◆ **3.**¶ ~ noch verblozen *not turn a hair, not bat an eyelid, keep a straight face, be as cool as a cucumber* **6.**¶ zonder te ~ (of verblozen) *without blanching, without turning a hair/batting an eyelid, as cool as a cucumber.*

verblinden 〈ov.ww.〉 **0.1** [voor een ogenblik blind maken] *dazzle ⇒ blind* **0.2** [〈fig.〉] *dazzle ⇒blind* ◆ **1.1** de koplampen v.d. tegenligger verblindden me *the headlights of the oncoming vehicle were dazzling me* **1.2** een ~de schoonheid *a dazzling/stunning/ravishing/enchanting beauty* **3.2** zich door illusies laten ~ *(let o.s.) be dazzled by illusions* **6.2** verblind **door** hartstocht *blinded by passion;* verblind **door** liefde 〈ook〉 *besotted/infatuated with love.*

verblindheid 〈de (v.)〉 **0.1** *dazzle(ment) ⇒blindness, infatuation* 〈door liefde〉.

verblinding 〈de (v.)〉 **0.1** *blinding ⇒* 〈door fel licht ook〉 *dazzle, dazzling.*

verbloemd ⟨bn., bw.⟩ **0.1** *veiled* ⇒*disguised, covert,* ⟨eufemistisch⟩ *euphemistic* ◆ **1.1** een ~e bedreiging *a v.*/ *disguised threat;* een ~e bekentenis *a v.*/ *covert confession;* een ~e benaming ⟨ook⟩ *a euphemism* **3.1** iem. ~ de waarheid zeggen *tell s.o. the truth in a v.*/ *disguised manner, hint at the truth.*

verbloemen ⟨ov.ww.⟩ **0.1** [niet laten merken] *disguise* ⇒*veil, camouflage, cloak, dissemble* ⟨gevoelens⟩ **0.2** [niet ronduit zeggen/noemen] *disguise* ⇒*cover up, veil,* ⟨vergoelijken⟩ *put a gloss on, gloss*/ *varnish over, palliate* ◆ **1.1** hij kon zijn afschuw niet ~ *he could not d. his horror* **1.2** iemands fouten ~ *gloss over*/ *paper over*/ *paste over*/ *cover up s.o.'s mistakes;* ~ de termen *euphemistic terms;* de ware toestand ~ *d. the true position;* de waarheid ~ *d.*/ *veil the truth;* ze probeerde zijn wangedrag te ~ *she tried to put a gloss on*/ *varnish over his misconduct;* de zaak niet ~ *not mince matters.*

verblozen ⟨onov.ww.⟩ **0.1** *blush* ⇒*go red* ◆ **3.1** zonder te verblikken of ~ *without turning a hair*/ *batting an eyelid, as cool as a cucumber.*

verbluffen ⟨ov.ww.⟩ **0.1** *stagger* ⇒*astonish, astound, stun,* ⟨in verwarring⟩ *baffle* ◆ **3.1** ik was/stond verbluft *I was staggered*/ *dumbfounded*/ *flabbergasted.*

verbluffend ⟨bn., bw.; -ly⟩ **0.1** *staggering* ⇒*astounding, stunning, astonishing, amazing* ◆ **1.1** met ~e nauwgezetheid *with amazing*/ *incredible precision;* een ~e uitslag *a staggering result* **5.1** ~ snel handelen *act astonishingly*/ *amazingly*/ *incredibly quickly.*

verbluft ⟨bn.⟩ **0.1** *staggered* ⇒*stunned, dumbfounded, flabbergasted, nonplussed, bowled over* ◆ **3.1** ~ staan kijken *look on in a daze.*

verbod ⟨het⟩ **0.1** *ban* ⇒⟨schr.⟩ *prohibition,* ⟨vnl. rel.⟩ ⟨jur.⟩ *injunction,* ⟨mbt. handel ook⟩ *embargo* ◆ **1.1** allerlei geboden en ~en ⟨inf.⟩ *all sorts of do's and don'ts* **2.1** een officieel ~ *an official b.;* ⟨jur.⟩ *a banning order;* een uitdrukkelijk ~ *an explicit b. on* (...-*ing*) **3.1** een ~ negeren *ignore*/ *disregard a b.;* een ~ uitvaardigen *impose*/ *declare a b.* **6.1** een ~ **op** het gebruik van alcohol *a b. on the use of alcohol.*

verboden ⟨bn.⟩ ⟨→sprw. 595⟩ **0.1** *forbidden, banned* ⇒⟨schr.⟩ *prohibited,* ⟨inf.⟩ *out* ⟨pred.⟩, ⟨ook →verbieden⟩ ◆ **1.1** tot ~ gebied verklaren *declare*/ *put out of bounds;* de lijst van ~ middelen *the list of f. drugs;* ~ terrein *out of bounds!, no trespassers!;* ~ toegang *no admittance, no trespassing;* ⟨inf.⟩ *keep out;* een ~ vrucht *a f. fruit;* ~ waar *banned articles*/ *items;* ~ wapenbezit *illegal possession of arms.*

verbodsbepaling ⟨de (v.)⟩ **0.1** *prohibition* ⇒*prohibitory*/ *prohibitive order*/ *rule,* ⟨in contract⟩ *prohibitory clause.*

verbodsbord ⟨het⟩ **0.1** *prohibition sign.*

verbolgen ⟨bn.⟩ **0.1** *enraged (by*/*at)* ⇒*incensed (by*/*at about), furious*/ *livid (at*/*about)* ◆ **3.1** ~ zijn over *fume at* **5.1** ik ben zeer ~ ⟨ook⟩ *I am very angry.*

verbolgenheid ⟨de (v.)⟩ **0.1** *anger, rage* ⇒*outrage.*

verbond ⟨het⟩ **0.1** [verdrag] *treaty* ⇒*pact, concord, agreement,* ⟨tussen kerk en staat⟩ *concordat* **0.2** [vereniging] *union* ⇒*league, association* **0.3** [⟨bijb.⟩] *covenant* ⇒⟨deel v.d. bijbel⟩ *testament* **0.4** [vereniging van politieke machten] *alliance* ⇒*union, league, confederation* ⟨van staten⟩, *coalition* ⟨van regeringspartijen⟩ ◆ **2.1** ~ *an offensive*/ *defensive t.*/ *pact* **2.3** het Oude en het Nieuwe Verbond *the Old and the New Testament* **3.1** een ~ schenden *break*/ *violate a t.*/ *pact;* een ~ sluiten/aangaan *met make*/ *conclude*/ *enter into a t.*/ *pact with, conpact with* **3.4** een ~ sluiten/aangaan met *form*/ *strike an a. with, ally o.s. to;* een ~ versterken *strengthen*/ *reinforce*/ *cement an a..*

verbonden ⟨bn.⟩ **0.1** [verplicht] *committed* ⇒*bound* **0.2** [verenigd] *allied* ⇒*joined (together), combined, linked* **0.3** [met verband omzwachteld] *bandaged* ⇒*dressed* **0.4** [geboden] *joined (to), united (with)* ⇒*bound*/ *wedded (to)* ⟨bv. aan beroep⟩ ◆ **1.2** de ~ mogendheden *the a. powers* **5.¶** ⟨com.⟩ verkeerd ~ *wrong number*/ *connection* **6.1** tot iets ~ zijn *be c.*/ *(duty-)bound to sth.* **6.4** de **aan** deze functie ~ perks *the perks this position offers*/ *that go with this position;* **door** het huwelijk ~ *j. united*/ ⟨pej.⟩ *yoked in marriage, wedded;* zich **met** iem. ~ voelen *feel a bound with s.o.;* ⟨pej.⟩ *feel tied to s.o..*

verbondenheid ⟨de (v.)⟩ **0.1** *solidarity (with)* ⇒*alliance (with), connection* ◆ **1.1** een gevoel van ~ *a feeling of s.* **6.1** ~ **met** de arbeiders *s. with the workers.*

verbondsark ⟨de⟩ ⟨rel.⟩ **0.1** *Ark of the Covenant.*

verborgen ⟨bn.⟩ **0.1** [verscholen] *hidden* ⇒*concealed, secret* **0.2** [niet openlijk/algemeen bekend] *hidden* ⇒*secret, cryptic, dormant* ⟨talenten⟩, *latent* ◆ **1.1** een ~ camera *a concealed*/ *h.*/ *candid camera;* ~ gebreken *h. faults;* een ~ microfoontje *a bug;* een ~ schuilhoek *a secret hiding-place;* ~ toespelingen *veiled allusions, (secret*/*veiled) hints;* ~ werkloosheid *lurking unemployment* **1.2** een ~ betekenis *h.*/ *secret meaning* **3.1** iets voor iem. ~ houden *keep sth. (back) from s.o., keep s.o. in the dark about sth.* **7.1** in het ~(e) *in secret, secretly, covertly;* ⟨inf.⟩ *on the sly.*

verborgenheid ⟨de (v.)⟩ **0.1** [het raadselachtig zijn] *mysteriousness* **0.2** [geheim, mysterie] *mystery* ⇒*secrecy* ◆ **1.2** ⟨bijb.⟩ de verborgenheden Gods *God's mysteries.*

verbouw ⟨de (m.)⟩ **0.1** [het telen] *cultivation* ⇒*growth, growing, culture* **0.2** [het veranderen v.e. bouwwerk] *alteration* ⇒⟨renoveren⟩ *reno-*

vation, ⟨herbouwen⟩ *rebuilding,* ⟨verandering van functie⟩ *conversion* ◆ **6.1** de ~ **van** suikerriet *the cultivation*/ *growing of sugarcane, the sugarcane culture* **6.2** de ~ **van** de zolderetage *the renovation*/ *relaying*/ *conversion of the attic-floor.*

verbouwen ⟨ov.ww.⟩ **0.1** [kweken] *cultivate* ⇒*grow* **0.2** [anders bouwen] *alter* ⇒*rebuild, renovate, convert (into), re-model* ◆ **1.1** aardappels/graan ~ *grow potatoes*/ *grain* **3.2** zijn huis laten ~ *have one's house rebuilt*/ *renovated*/ *converted*/ *altered.*

verbouwer ⟨de (m.)⟩ **0.1** *cultivator* ⇒*grower.*

verbouwereerd ⟨bn.⟩ **0.1** *bewildered* ⇒*dazed, dumbfounded, flabbergasted, astounded* ◆ **3.1** hij was er ~ **van** *it bowled him over*/ *struck him dumb*/ *rendered him speechless.*

verbouwereerdheid ⟨de (v.)⟩ **0.1** *bewilderment* ⇒*dumbfoundedness, perplexity.*

verbouwing ⟨de (v.)⟩ **0.1** *alteration* ⇒*conversion, rebuilding, structural alterations, renovation* ◆ **3.1** de ~ heeft kapitalen gekost *the rebuilding*/ *conversion has cost loads of money*/ *a fortune* **6.1** gesloten **wegens** ~ *closed for repairs*/ *alterations.*

verbouwingsuitverkoop ⟨de (m.)⟩ **0.1** *conversion sale.*

verbrandbaar ⟨bn.⟩ **0.1** *combustible.*

verbranden
I ⟨ov.ww.⟩ **0.1** [door branden vernietigen] *burn (down)* ⇒*incinerate* ⟨afval⟩, *cremate* ⟨lijk⟩ **0.2** [verwonden] *burn* ⇒*scald* ⟨hete vloeistof⟩ **0.3** [mbt. huid] *burn* **0.4** [door bijtende stoffen bederven] *burn* ◆ **1.1** afval ~ *incinerate rubbish, b. rubbish up;* heksen ~ *b. witches (at the stake);* hout tot as ~ *b. wood to ashes* **1.3** zijn gezicht is door de zon verbrand *his face has been burnt by the sun*/ *is sunburnt;*
II ⟨onov.ww.⟩ **0.1** [door vuur verteerd worden] *burn down*/ *up* **0.2** [aanbranden] *burn* ⇒*scorch* ⟨oppervlakte⟩ **0.3** [mbt. de huid] *burn* ◆ **1.2** het vlees staat te ~ *the meat is burning* **1.3** mijn moeder is erg verbrand *my mother has been severely burnt* **5.1** hij is bij dat ongeluk levend verbrand *he was burnt alive in that accident.*

verbranding ⟨de (v.)⟩ **0.1** [vernietiging door vuur] *burning* ⇒*incineration* ⟨vuilnis⟩, *cremation* ⟨lijk⟩ **0.2** [verwonding, beschadiging] *burn* ⇒*scald* ⟨door vloeistof⟩ **0.3** [⟨schei.⟩] *combustion* **0.4** [stofwisseling] *combustion* ⇒*metabolism* ◆ **1.1** ~ **van** lijken *cremation of the dead* **1.4** ~ **van** vetten in het lichaam *c. of fats in the body* **2.2** ze is met derdegraads ~en opgenomen in een ziekenhuis *she has been taken to hospital with third-degree burns.*

verbrandingsgas ⟨het⟩ **0.1** *combustion gas.*

verbrandingsinstallatie ⟨de (v.)⟩ **0.1** *incineration plant, incinerator.*

verbrandingskamer ⟨de⟩ **0.1** *combustion chamber.*

verbrandingsmotor ⟨de (m.)⟩ **0.1** *(internal) combustion engine.*

verbrandingsoven ⟨de (m.)⟩ **0.1** *incinerator* ⇒*combustion furnace.*

verbrandingsprodukt ⟨het⟩ **0.1** *combustion product* ⇒*product of combustion.*

verbrandingswarmte ⟨de (v.)⟩ **0.1** *heat of combustion.*

verbrassen ⟨ov.ww.⟩ **0.1** *squander, dissipate* ⇒*revel*/ *riot away.*

verbreden
I ⟨ov.ww.⟩ **0.1** [breder maken] *broaden* ⇒*widen* **0.2** [⟨fig.⟩] *broaden* ◆ **1.2** die boeken hebben mijn blik/visie verbreed *those books have broadened my view;*
II ⟨wk.ww.; zich⟩ **0.1** [breder worden] *broaden (out)* ⇒*spread out, splay (out)* ⟨aan 1 kant⟩ ◆ **1.1** de weg verbreedt zich daar *the road broadens (out) there.*

verbreid ⟨bn.⟩ **0.1** *widespread* ⇒*popular* ◆ **1.1** algemeen ~e denkbeelden *w.*/ *popular ideas;* een zeer ~ gebruik *a w.*/ *popular custom* **2.1** deze misvatting is wijd ~ *this is a widely popular misunderstanding.*

verbreiden
I ⟨ov.ww.⟩ **0.1** [verspreiden] *spread* ⇒*distribute* **0.2** [bekend maken] *spread* ⇒*circulate, put about,* ⟨op grote schaal⟩ *propagate,* ⟨schr.⟩ *disseminate* ◆ **1.1** foldertjes ~ *distribute leaflets* **1.2** een gerucht ~ *s.*/ *circulate*/ *put about a rumour;* de leer/het evangelie ~ *propagate*/*s. the doctrine*/ *the gospel;*
II ⟨wk.ww.; zich⟩ **0.1** [bekend worden] *spread* ⇒*get (a)round*/ *about* ⟨gerucht⟩ ◆ **4.1** die planten ~ zich steeds meer *those plants are getting more and more popular*/ *in demand;* het nieuwtje verbreidde zich razendsnel *the news spread like wildfire.*

verbreiding ⟨de (v.)⟩ **0.1** [handeling] *spread(ing)* ⇒*propagation,* ⟨schr.⟩ *dissemination, distribution* **0.2** [toestand] *spread* ⇒*diffusion* ◆ **2.2** de algemene ~ van deze denkbeelden *the generalization*/ *general s. of these ideas.*

verbreken ⟨ov.ww.⟩ ⟨→sprw. 253⟩ **0.1** [stukbreken] *break (up)* **0.2** [afbreken] *break (off)* ⇒*sever* **0.3** [schenden] *break* ⇒*violate, run* ⟨blokkade⟩ ◆ **1.1** zijn boeien/een zegel ~ *break*/ *burst one's chains*/ *break a seal* **1.2** de betrekkingen/een relatie ~ *break off relations*/ *a relation;* het contact met iem. ~ *break off*/ *sever relations*/ *contact with s.o.;* het evenwicht ~ *upset the balance;* het stilzwijgen rond een kwestie ~ *break silence on a matter* **1.3** een contract ~ *b. a contract;* een testament ~ *revoke*/ *repeal*/ *rescind a will;* een verdrag/verbond/eed ~ *violate a treaty*/ *a pact*/ *break an oath.*

verbreking ⟨de (v.)⟩ **0.1** *breaking* ⇒⟨wet.⟩ *rupture,* ⟨fig.⟩ *severance, interruption.*

verbrijzelen ⟨ov.ww.⟩ **0.1** *shatter* ⇒*crush, smash (in/up), batter (in)*, ⟨inf.⟩ *pulverize* ◆ **1.1** zijn been werd door de klap verbrijzeld *his leg was shattered/crushed by the blow, the blow smashed (up)/shattered his leg;* haar schedel werd verbrijzeld *her skull was battered in/crushed;* een stuk steen ~ *shatter/crush a block of stone, pound a piece of stone to pieces/smithereens.*

verbrijzeling ⟨de (v.)⟩ **0.1** *smashing* ⇒*shattering,* ⟨med. ook⟩ *comminuted fracture* ⟨van bot⟩.

verbroddelen ⟨ov.ww.⟩ **0.1** *bungle* ⇒*spoil,* ⟨inf.⟩ *foul up, botch/goaf (up)* ◆ **1.1** een breiwerkje ~ *bungle a piece of knitting, make a hash/mess of a piece of knitting.*

verbroederen
I ⟨onov., ov.ww.⟩ **0.1** [verzoenen] *reconcile* ⇒*bring together* ◆ **3.1** een gemeenschappelijk belang werkt ~d *a common interest can bring people closer/together, a common interest breaks down all barriers between people;*
II ⟨onov.ww.⟩ **0.1** [goede vrienden worden] *fraternize (with);*
III ⟨wk.ww.; zich ~⟩ ◆ **4.¶** zich met elkaar ~ *fraternize.*

verbroedering ⟨de (v.)⟩ **0.1** *fraternization.*

verbrokkelen
I ⟨ov.ww.⟩ **0.1** [in stukjes breken] *crumble* ⟨ook fig.⟩ ◆ **1.1** ⟨fig.⟩ de aandacht ~ *disperse attention;*
II ⟨onov.ww.⟩ **0.1** [afbrokkelen] *crumble* ⟨ook fig.⟩.

verbruien ⟨onov.ww.⟩ **0.1** *bungle* ⇒⟨inf.⟩ *botch/goaf (up)* ◆ **1.1** hij heeft die zaak verbruid *he has bungled/botched up that business, he's made a mess/hash of that job* **4.1** hij heeft het bij mij verbruid *he's really in my bad books now, I wash my hands of him now.*

verbruik ⟨het⟩ **0.1** [het verbruiken] *consumption* ⇒⟨schr.⟩ *expenditure, using up, spending* **0.2** [hoeveelheid die opgemaakt wordt] *consumption* ⇒⟨schr.⟩ *expenditure, using up* ◆ **1.1** door het ~ van organische grondstoffen raakt de bodem uitgeput *the c./spending of raw materials is exhausting the soil* **1.2** het afnemend ~ van aardgas *the diminishing c. of natural gas.*

verbruikbaar ⟨bn.⟩ **0.1** *consumable* ⇒*expendable* ⟨ook mensen⟩, *usable* ◆ **1.1** ⟨jur.⟩ verbruikbare zaken *fungibles.*

verbruiken ⟨ov.ww.⟩ **0.1** [opmaken, verteren] *consume* ⇒*use up* **0.2** [verspillen] *waste* ◆ **1.1** deze auto verbruikt te veel benzine *this car uses up too much fuel;* al het papier is verbruikt *all the paper has been used up* **1.2** aan dat gezeur heb ik al mijn tijd verbruikt *I have been wasting all my time on that drivel.*

verbruiker ⟨de (m.)⟩ **0.1** [iem. die iets verbruikt] *consumer* ⇒*user* **0.2** [⟨AZN⟩ consument] *consumer.*

verbruikersmarkt ⟨de⟩ **0.1** *cash and carry (store)* ⇒*wholesale store.*

verbruiksbelasting ⟨de (v.)⟩ **0.1** *consumer tax.*

verbruikscoöperatie ⟨de (v.)⟩ **0.1** *(consumers') co-operation society.*

verbruiksfilm ⟨de (m.)⟩ **0.1** *popular film* ⇒*box-office success.*

verbruiksgoederen ⟨zn.mv.⟩ **0.1** *consumable/non-durable goods/items* ⇒*consumables, non-durables.*

verbruikskrediet ⟨het⟩ **0.1** *consumer credit.*

verbuigbaar ⟨bn.⟩ ⟨taal.⟩ **0.1** *declinable.*

verbuigen ⟨ov.ww.⟩ **0.1** [ombuigen] *bend* ⇒*vervormen ook⟩ twist, wind* ⟨weg e.d.⟩ **0.2** [⟨taal.⟩] *inflect* ⇒*conjugate* ⟨werkwoord⟩, *decline* ⟨(voor)naamwoord⟩.

verbuiging ⟨de (v.)⟩ **0.1** [⟨taal.⟩ declinatie] *declension* **0.2** [⟨taal.⟩ paradigma] *paradigm* **0.3** [het buigen] *bending.*

verbuigingsvorm ⟨de (m.)⟩ **0.1** *inflection(al form)* ⇒⟨van zn./bn. ook⟩ *declension(al) form, declension.*

verbum ⟨het⟩ **0.1** [woord] *word* **0.2** [werkwoord] *verb.*

verburgerlijken
I ⟨onov.ww.⟩ **0.1** [burgerlijk worden] *become (a)/turn bourgeois* ⇒*become middle-class, adopt a middle-class outlook;*
II ⟨ov.ww.⟩ **0.1** [burgerlijk maken] *make bourgeois/middle-class.*

verchipping ⟨de (v.)⟩ ⟨tech.⟩ ⟨vaak pej.⟩ **0.1** ≠*computerization* ⇒≠*robotization.*

verchromen ⟨ov.ww.⟩ **0.1** *chrome* ⇒*chromium-plate* ◆ **1.1** een stoel met verchroomde poten *a chair with chrome/chromium-plated legs.*

vercommercialiseren ⟨pej.⟩
I ⟨onov.ww.⟩ **0.1** [commercieel worden] *become commercialized;*
II ⟨ov.ww.⟩ **0.1** [commercieel maken] *commercialize.*

vercommercialisering ⟨de (v.)⟩ ⟨pej.⟩ **0.1** *commercialization.*

vercooksen ⟨onov., ov.ww.⟩ **0.1** *coke.*

verdacht
I ⟨bn.⟩ **0.1** [onder verdenking staand] *suspected* **0.2** [verdenking wekkend] *questionable, suspect,* ⟨inf.⟩ *shady,* ⟨sl.⟩ *fishy* **0.3** [voorbereid op] *prepared for* ⇒*expect* ◆ **1.2** ~e individuen *suspicious/shady characters;* een ~e plaats ⟨lit.⟩ *an apocryphal passage;* een ~ zaakje *a questionable/shady/fishy (little) business* **3.1** iem. ~ maken *discredit/disparage/smear s.o.;* ⟨AE ook⟩ *slur s.o., cast a slur/smear on s.o.* **3.2** dat is zeer ~! *that is very suspicious/fishy!, that is definitely open to suspicion/not above board;* dat komt mij ~ voor *it looks suspicious to me;*
II ⟨bw.⟩ **0.1** [op verdenking wekkende wijze] *suspiciously* ◆ **2.1** de kinderen zijn ~ stil *the children are strongly/s. quiet* **3.1** dat lijkt ~

veel op ... *that looks s. like ...;* zich ergens ~ ophouden *be skulking somewhere s..*

verdachte ⟨de (m.)⟩ **0.1** *suspect* ⇒*suspected person,* ⟨jur.⟩ *accused, defendant, culprit.*

verdachtmaking ⟨de (v.)⟩ **0.1** *imputation* ⇒⟨bedekte toespeling⟩ *insinuation, slur,* ⟨inf.⟩ *smear.*

verdagen ⟨ov.ww.⟩ **0.1** *adjourn* ⇒⟨pol.⟩ *prorogue, hold over,* ⟨vnl. AE ook⟩ *recess* ◆ **1.1** een zitting ~ *a./prorogue a session.*

verdaging ⟨de (v.)⟩ **0.1** *postponement* ⇒⟨mbt. iets wat al begonnen is⟩ *adjournment.*

verdampen
I ⟨onov.ww.⟩ **0.1** [in damp opgaan] *evaporate* ⇒*vaporize;*
II ⟨ov.ww.⟩ **0.1** [in damp doen opgaan] *evaporate* ⇒*vaporize.*

verdamper ⟨de (m.)⟩ **0.1** *evaporator;* ⟨toestel⟩ *humidifier.*

verdamping ⟨de (v.)⟩ **0.1** *evaporation* ⇒*vaporization.*

verdampingsmeter ⟨de (m.)⟩ **0.1** *(e)vaporimeter.*

verdampingsoppervlak ⟨het⟩ **0.1** *evaporation surface.*

verdedigbaar ⟨bn.⟩ **0.1** [houdbaar] *defensible* ⇒*tenable* **0.2** [te rechtvaardigen] *defensible* ⇒*justifiable, valid, arguable,* ⟨jur.⟩ *sustainable* ◆ **1.1** een goed verdedigbare vesting *a well/highly d./tenable fortress* **1.2** uw gedrag is niet ~ *your behaviour is indefensible/unjustifiable;* een zeer verdedigbare opvatting *a very d./valid/justifiable point of view.*

verdedigen ⟨ov.ww.⟩ **0.1** [de aanval trachten af te weren] *defend* **0.2** [pleiten voor] *defend, support* ⇒*stand up for, speak out for, uphold* **0.3** [de juistheid aantonen, rechtvaardigen] *defend* ⇒*maintain, uphold, justify* ◆ **1.1** het doel ~ *keep goal, d. the goal;* een ~de houding aannemen *be on the defensive* **1.2** zijn belangen ~ *stand up for/d./uphold one's interests;* een verdachte ~ *d. a suspect;* een zaak ~ *conduct a case, put up a case (for), speak out for a case* **1.3** een proefschrift ~ *d./uphold a thesis* **4.2** zich ~ *d./justify o.s.* **5.2** zulke dingen zijn niet te ~ *such things are indefensible/insupportable, there is no justification for such things* **6.1** zich tot de laatste man ~ *defend o.s./fight to the last man/the death.*

verdediger ⟨de (m.)⟩, **-ster** ⟨de (v.)⟩ **0.1** [beschermer, voorstander] *defender* ⇒*supporter, advocate, vindicator, upholder* **0.2** [advocaat] *counsel (for the defence)* ⇒*defender* **0.3** [⟨sport⟩] *defender* ⇒*back* ◆ **1.1** ~ v.h. geloof *Defender of the Faith* **2.3** achterste ~ *safety* ⟨Am. voetbal⟩; centrale ~ *centre-back;* vrije ~ *libero.*

verdediging ⟨de (v.)⟩ **0.1** [het verdedigen] *defence* **0.3** [betoog] *defence* **0.4** [advocaat] *counsel (for the defence)* ⇒*defence* **0.5** [⟨sport⟩ achterhoede] *defence* ◆ **1.1** iets in staat van ~ brengen *put sth. in a position/state of d./on the defensive* **2.5** de ~ is zeer zwak *the d. is very weak* **3.3** zijn eigen ~ voeren *conduct one's own d.* **6.1** in de ~ schieten *be (put) on the defensive,* ⟨sport⟩ in de ~ gaan *go on the defensive* **6.2** iets tot iemands ~ aanvoeren *urge sth. in s.o.'s d./favour* **6.4** het woord is aan de ~ *the word is with the d..*

verdedigingslinie ⟨de (v.)⟩ **0.1** *line of defence* ^*se* ⇒⟨waarop men blindelings vertrouwt⟩ *Maginot line.*

verdedigingsmiddel ⟨het⟩ **0.1** *(means of) defence* ^*se.*

verdedigingsoorlog ⟨de (m.)⟩ **0.1** *defensive war* ⇒*war of defence* ^*se.*

verdedigingswapen ⟨het⟩ **0.1** *defensive weapon* ◆ **8.1** laserstralen als ~ tegen raketten *laser beams as a shield/a defence against missiles.*

verdedigingswerken ⟨zn.mv.⟩ **0.1** *defences* ^*ses* ⇒*defensive works.*

verdeelbaar ⟨bn.⟩ **0.1** [opsplitsbaar] *divisible* **0.2** [uit te delen] *distributable.*

verdeelcentrum ⟨het⟩ **0.1** [distributiecentrum] *distribution centre* **0.2** [groothandel] *wholesale store.*

verdeeld
I ⟨bn.⟩ **0.1** [niet eensgezind] *divided* **0.2** [⟨hand.⟩] *mixed* ⇒*irregular* ◆ **1.1** ⟨bijb.⟩ een huis dat tegen zichzelf ~ is, zal niet bestaan *a house divided against itself shall not stand;* hierover zijn de meningen ~ *opinions are d. on this (problem/issue/question)* **1.2** de stemming (op de beurs) was ~ *trading was m.;*
II ⟨bw.⟩ [verschillend] *differently* ◆ **2.1** het is ongelijk ~ in de wereld *inequality rules/governs the world* **3.1** daar wordt nog ~ over gedacht *there still is a disagreement/dissension/division of opinion on that, there are mixed opinions about that.*

verdeeldheid ⟨de (v.)⟩ **0.1** *discord* ⇒*dissension, division, disagreement* ◆ **3.1** een land waar ernstige ~ heerst *a country where disruption/disunity/dissension/division is rife;* er heerst ~ binnen de partij *the party is divided among/against itself;* ~ zaaien *spread discord/dissension, bring disruption* **6.1** er is enige ~ in de familie ontstaan *some discord/dissension/has arisen (with)in the family.*

verdeeldoos ⟨de (v.)⟩ **0.1** *junction box* ⇒*distributor.*

verdeelkast ⟨de⟩ **0.1** *distribution box.*

verdeelsleutel ⟨de (m.)⟩ **0.1** *distribution/distributive code.*

verdeelstekker ⟨de (m.)⟩ **0.1** *adapter* ⇒⟨met 2~ uitgangen⟩ *two/three-way adapter.*

verdekt ⟨bn.⟩ **0.1** [verborgen] *concealed* ⇒*under cover* ⟨pred.⟩, *hidden* **0.2** [onzichtbaar] *invisible* ⇒*hidden* **0.3** [⟨scheep.⟩] *decked* ◆ **1.2** een ~e ritssluiting *an i./hidden zip (fastener)/*^*zipper* **3.1** zich ~ opstellen *conceal o.s., take cover;* ⟨mil.⟩ *lie/wait in ambush.*

verdelen

I ⟨ov.ww.⟩ **0.1** [splitsen] *divide* ⇒*split (up)* **0.2** [in delen afmeten] *divide (up)* **0.3** [uitdelen] *divide (up)* ⇒*parcel/portion out, distribute, apportion* **0.4** [evenwichtig spreiden] *spread* ⇒*share (out)* **0.5** [in partijen delen] *divide* **0.6** [twist zaaien] *divide* ◆ **1.3** de buit ~ *divide the loot (up);* ⟨inf.⟩ *divvy up the loot* **1.4** de risico's ~ *spread the risks;* de taken ~ *allocate/spread/share (out) the tasks* **6.1** een appel in vieren ~ *quarter an apple* **6.2** de meter wordt in honderd centimeter verdeeld *the metre is divided up/segmented into one hundred centimetres* **6.3** een erfenis onder de erfgenamen ~ *divide a legacy among the heirs* **6.4** het werk over een paar jaar ~ *spread the work over a few years* ¶**.6** verdeel en heers *d. and rule;*
II ⟨wk.ww.; zich ~⟩ **0.1** [splitsen] *divide* ⇒*split (up)* ◆ **6.1** zij verdeelden zich in drie groepen *they split up into three groups;* de rivier verdeelt zich hier in twee takken *the river divides/forks here.*

verdelgen ⟨ov.ww.⟩ **0.1** *exterminate* ⇒*eradicate, root out* ⟨ook fig.⟩, *destroy,* ⟨schr.⟩ *extirpate* ◆ **1.1** ⟨fig.⟩ het kwaad proberen te ~ *try to eradicate/root out evil;* onkruid ~ *kill/eradicate weeds;* ratten ~ *exterminate rats.*

verdelging ⟨de (v.)⟩ **0.1** *extermination* ⇒*destruction, eradication,* ⟨schr.⟩ *extirpation.*

verdelgingsmiddel ⟨het⟩ **0.1** ⟨tegen schadelijke dieren⟩ *pesticide;* ⟨tegen insekten⟩ *insecticide;* ⟨tegen onkruid⟩ *weedkiller, herbicide;* ⟨alg.; wet.⟩ *biocide.*

verdelgingsoorlog ⟨de (m.)⟩ **0.1** *war of extermination.*

verdeling ⟨de (v.)⟩ **0.1** [opsplitsing] *division* ⇒*partition, segmentation* **0.2** [uitdeling] *distribution* ⇒*share-out, portion* **0.3** [resultaat, mbt. een maat/schaal] *partition* ⇒*unit* ◆ **1.2** een rechtvaardige ~ v.d. rijkdom *a just d. of wealth* **2.1** hoofdelijke ~ ≠*apportionment* **2.2** slechte ~ *muldistribution.*

verdenken ⟨ov.ww.⟩ **0.1** *suspect (of)* ◆ **5.1** ik verdenk hem ervan dat hij het expres deed *I s. him of having done it on purpose;* zij wordt ervan verdacht, dat ...*she is under the suspicion of ...* **6.1** iem. van diefstal ~ *suspect s.o. of theft;* iem. van willekeur/winstbejag ~ *suspect s.o. of arbitrariness/of pursuit of gain, s. that s.o. is acting arbitrarily/only for profit.*

verdenking ⟨de (v.)⟩ **0.1** [achterdocht] *suspicion* **0.2** [het verdacht worden] *suspicion* ◆ **3.1** ~ koesteren/opvatten tegen iem. *suspect s.o., start to suspect s.o.;* de ~ op zich laden *call s. on o.s., incriminate o.s.* **3.2** de ~ valt op hem *s. has fallen/fastened on him, he is suspected/under s.* **4.1** boven ~ verheven zijn *be above/beyond all s.;* iem. in hechtenis nemen op ~ van moord *arrest s.o. on s. of murder* **6.2** onder ~ staan *be suspected/under s..*

verder

I ⟨bn.⟩ **0.1** [wat rest(te) van] **(the)** *rest of* **0.2** [nader] *further* ⇒*subsequent, additional* **0.3** [overig] *further* ⇒**(the)** *rest of,* **(the)** *remaining* ◆ **1.1** zijn ~e leven bleef hij alleen *he remained alone/single for the rest of his life* **1.2** zijn er nog ~e mededelingen gedaan? *were there any f. announcements?* **1.3** de ~e details zal ik je besparen *I'll spare you the remaining/the rest of the/f. l. the other details;*
II ⟨bw.⟩ **0.1** ⟨vergrotende trap van ver⟩] *farther, further* **0.2** [vervolgens] *further* **0.3** [voorts] *further* ⇒*furthermore, in addition, moreover, besides* **0.4** [overigens] *for the rest* ⇒*apart from that* **0.5** [mbt. het voortzetten v.d. handeling] *further, farther* ◆ **1.1** tien huizen ~ *ten doors away/(further) down/off/farther down;* twee regels ~ *two lines farther/(further) down;* drie straten ~ *three streets off/farther on/down* **1.4** veel plezier ~ *have fun though* **1.¶** we zijn weer een jaartje ~ *another year is over* **3.2** hoe ging het ~? *how did it go on?* **3.3** ~ verklaarde zij ... *she went on/proceeded to say ... 3.4* is er ~ nog iets? *anything else?;* ~ kan ik niets doen *apart from that/beyond this I cannot do anything, there is nothing further I can do* **3.5** hij drong niet ~ aan *he did not insist any further/farther/more;* we gaan ~ *we go on, let's go on/continue;* ~ lezen/spelen/vertellen *go on/continue reading/playing/speaking, read/play/speak on* **3.¶** iets ~ vertellen *make sth. known, pass on sth., spread sth., blab sth.* **¶.1** ⟨fig.⟩ dan ben je nog ~ van huis *that gets you nowhere, that takes you even further off course/out of your way/farther afield, that is a step in the wrong direction* **¶.4** ~ nog iets van uw dienst? *anything else you need?;* ze maakte zich ~ geen zorgen *apart from that she did not worry (anymore), she stopped worrying (after that).*

verderf ⟨het⟩ **0.1** *ruin* ⇒*destruction, undoing, fall, doom* ◆ **1.1** dood en ~ zaaien *spread death and destruction;* ⟨bijb.⟩ engel des ~s *angel of doom/death* **6.1** iem. in het ~ storten *ruin/bring r. upon/be the r. of/undo s.o., bring s.o. to rack and r..*

verderfelijk ⟨bn.⟩ **0.1** *pernicious* ⇒*baneful,* ⟨schr.⟩ *noxious, unwholesome, poisonous* ◆ **1.1** een ~e gewoonte *a depraved/perverse/wicked habit, a vice;* ~ gezelschap *unwholesome/wicked company;* ~e invloeden *baneful influences;* ~e lectuur *unwholesome/poisonous reading (matter);* een ~e leer *a pernicious/poisonous doctrine.*

verderfengel ⟨de (m.)⟩ ⟨bijb.⟩ **0.1** *angel of doom/death.*

verderop ⟨bw.⟩ **0.1** *further/farther on(wards)/down/up* ⇒⟨in tekst⟩ *infra, hereafter,* ⟨schr.; jur.⟩ *hereinafter* ◆ **1.1** zij woont vier huizen ~ *she lives four houses (further) down* **3.1** hij woont nog een stuk ~ *he*

lives a bit further/farther down/on **6.1** ~ in de straat *down/up the street.*

verderven ⟨ov.ww.⟩ **0.1** [totaal bederven] *deprave* ⇒*corrupt, pervert* **0.2** [te gronde richten] *ruin* ⇒*be the ruin of, undo.*

verdicht ⟨bn.⟩ **0.1** *fictitious* ⇒*invented,* ⟨naam ook⟩ *assumed* ◆ **1.1** een ~ verhaal *a f. story, fiction.*

verdichten

I ⟨ov.ww.⟩ **0.1** [⟨nat., schei.⟩] *condense* ⇒*compress (into)* **0.2** [⟨lit.⟩] *invent* ⇒⟨leugens ook⟩ *fabricate;*
II ⟨onov.ww., wk.ww.; zich ~⟩ **0.1** [⟨nat., schei.⟩] *condense* ⇒*be condensed* ◆ **6.1** de dampen ~ zich tot fijne druppels *the vapours c. to tiny drops.*

verdichting ⟨de (v.)⟩ **0.1** [⟨nat., schei.⟩] *condensation* **0.2** [⟨fig.⟩] *condensing* **0.3** [het bedenken] *inventing* **0.4** [verzinsel] ⟨→verdichtsel⟩ ◆ **6.2** ~ van betekenis *narrowing-down of meaning.*

verdichtsel ⟨het⟩ **0.1** *invention* ⇒*fiction,* ⟨vaak pej.⟩ *fabrication, fable, figment (of the imagination).*

verdiend

I ⟨bn.⟩ **0.1** [terecht ontvangen] *deserved* ◆ **1.1** zijn ~e loon hebben/krijgen *get/receive one's just deserts/reward/* ⟨AE; inf.⟩ *come-uppance, get what's coming to o.s.;* zijn ~e loon *that serves him right, he had it coming to him, he only has himself to blame* **5.1** volkomen ~ *richly d.;*
II ⟨bw.⟩ **0.1** [terecht] *deservedly* ◆ **1.1** de thuisclub won ~ met 3-1 *the home team won d. by 3 to 1.*

verdienen ⟨~⇒sprw. 185,493⟩

I ⟨ov.ww.⟩ **0.1** [in geld verwerven] *earn* ⇒*gain, get, make, be paid,* ⟨schr.⟩ *realize* **0.2** [waard zijn] *deserve* ⇒*merit* ◆ **1.1** een goed salaris ~ e. *a good salary* **1.2** afkeuring/een pak slaag ~ *merit/d. disapproval/a beating;* lof/dank/aanmoediging ~ *d./be worthy of praise/gratitude/encouragement;* dat voorbeeld verdient geen navolging *that example does not call for imitations/ought not to be followed;* zijn sporen ~ *win one's spurs* **4.1** ik weet hoeveel hij verdient *I know how much he earns/what his earnings are* **5.1** goed ~ e./make good money;* zuur verdiend *hard-earned/-won* **5.2** hij verdient niet beter *he does not d. any better, that serves him right;* hij heeft het ruim verdiend *he richly/really deserved it* **6.1** zij hebben veel aan de gasten verdiend *they made a good deal of money out of their guests;* daar is niets aan te ~ *there is no money in that;* hij weet overal wat aan te ~ *he will squeeze money out of a stone/everything/every transaction;* er iets aan/mee ~ *make sth. on it, gain sth. by it;* op die auto heb ik f 1000,- verdiend *I made (a profit of)/gained 1000 guilders on that car* **6.2** ⟨iron.⟩ dat heeft hij niet aan haar verdiend *he did not d. that at her hands;*
II ⟨onov.ww.⟩ **0.1** [salaris ontvangen] *earn* ⇒*make money* **0.2** [salaris opleveren] *pay* ◆ **5.1** zij verdient uitstekend *she is making a lot of money;* ⟨inf.⟩ *she is making heaps of money/a packet/a pile, she's earning money hand over fist* **5.2** dat baantje verdient slecht *that job does not pay well.*

verdienste ⟨de (v.)⟩ **0.1** [loon] ⟨loon⟩ *wages, pay, earnings;* ⟨salaris⟩ *salary;* ⟨winst⟩ *profit, gain* **0.2** [aanspraak op het ontvangen van iets] *merit* ⇒*deserts* **0.3** [verdienstelijkheid] *merit* ⇒*virtue, worth* ◆ **1.3** de ~ van dit boek *the m. / virtue of this book;* lid van ~ *honorary member* **3.1** daar zit geen ~ op *there is no money in it, no profit can be made on it* **6.1** zonder ~ n zijn *be out of a job, earn no money* **6.2** iem. naar ~ belonen/straffen *reward/punish s.o. according to his/her deserts/m.;* een man van ~/met ~ *a man of (great) m.* **6.3** zich iets tot (als) een ~ aanrekenen *give o.s./claim/take credit for sth..*

verdienstelijk ⟨bn., bw.; -jy⟩ **0.1** [erkentelijkheid verdienend] *deserving* ⇒*creditable, (praise)worthy,* ⟨schr.⟩ *meritorious* **0.2** [vrij goed] *reasonable* ⇒*fair* ◆ **1.1** een ~ streven *a meritorious/creditable aspiration, d./worthy endeavours/efforts;* ~ werk *meritorious/creditable work* **1.2** een ~e poging *a r./fair attempt;* een ~ schilder *a fairly good painter* **3.1** zij heeft zich jegens haar medegevangenen ~ gemaakt *she has deserved well of her fellow prisoners;* zich ~ maken *make o.s. useful.*

verdienstelijkheid ⟨de (v.)⟩ **0.1** *deservingness* ⇒*creditableness, praiseworthiness,* ⟨schr.⟩ *meritoriousness.*

verdiep ⟨het⟩ ⟨AZN⟩ **0.1** [verdieping] *floor* ⇒*storey* ^ry, *level* **0.2** [in een huis] **(first)** *floor.*

verdiepen

I ⟨wk.ww.; zich ~⟩ **0.1** [zich overgeven aan] *go (deeply) into* ⇒*lose/steep o.s. in, pore over* ⟨boek⟩ *, be absorbed/engrossed/wrapped up in* ◆ **6.1** ik zal mij niet in die materie ~ *I will not go (deeply) into that subject;* verdiept zijn in *be caught up/wrapped up/engrossed/absorbed/immersed in;* zich in een boek/de studie ~ *bury o.s. in a book/one's studies;*
II ⟨ov.ww.⟩ **0.1** [dieper maken] *deepen* **0.2** [⟨fig.⟩] *deepen, broaden* ⇒*make profounder/more profound/more penetrating* ◆ **1.2** zijn kennis ~ *gain more in-depth knowledge;* de leerstof ~ *offer a more comprehensive curriculum;* zijn leven ~ *lead a more profound life, d./broaden the meaning of one's life.*

verdieping ⟨de (v.)⟩ **0.1** [etage] *floor* ⇒*story* ^ry, *level,* ⟨van bus⟩ *deck*

0.2 [het verdiepen] *deepening* **0.3** [het zich verdiepen] *going (deeply) into* ⇒*losing/burying o.s. in* **0.4** [perspectief naar achteren] *depth* ⇒ *background* **0.5** [laag] *layer* ⇒*level* ◆ **3.1** een ~ huren *rent a f.* **6.1** een huis met drie/zes~en *a three-/six-storeyed ᴬried house;* **op** de eerste/tweede ~ *on the first/second f.,* ᴬ*on the second/third f.* **6.2** ⟨fig.⟩ ~ van *begrip/inzicht d. of understanding/insight* **6.5** een bruidstaart **met** vier ~en *a four-tier wedding cake.*

verdiepingseigendom ⟨de (m.)⟩ ⟨jur.⟩ **0.1** ᴬ*condominium.*

verdiepingshuis ⟨het⟩ **0.1** *multi-storeyed* ᴬ*ried house.*

verdiepschaaf ⟨de⟩ **0.1** *router/grooving plane.*

verdierlijken
  I ⟨ov.ww.⟩ **0.1** [tot dier maken] *brutalize* ⇒*animalize, bestialize, imbrute;*
  II ⟨onov.ww.⟩ **0.1** [tot dier worden] *imbrute* ⇒*get animalized/brutalized/bestialized, become a brute* ◆ **3.1** honger en ellende deden hem meer en meer~ *hunger and misery turned him gradually into an animal/a brute.*

verdietsen ⟨ov.ww.⟩ ⟨schr.⟩ **0.1** [Nederlands maken] *dutchify* **0.2** [verduidelijken] *clarify* ⇒*illuminate,* ⟨schr.⟩ *elucidate.*

verdietsing ⟨de (v.)⟩ ⟨schr.⟩ **0.1** [handeling] *dutchifying* ⇒*translating/rendering into Dutch* **0.2** [resultaat] *dutchification* ⇒*translation/rendition into Dutch.*

verdikkeme ⟨tw.⟩ **0.1** *(damn) blast!* ⇒*damn!,* ⟨BE ook⟩ *(cor)blimey!, oh bother!.*

verdikken
  I ⟨onov.ww.⟩ **0.1** [dikker worden] *thicken* ⇒*become thicker* **0.2** [⟨AZN⟩ mbt. personen] *put on/gain weight* ◆ **1.1** verdikte melk *condensed milk;*
  II ⟨ov.ww.⟩ **0.1** [dikker maken] *thicken;*
  III ⟨wk.ww.;zich~⟩ **0.1** [dikker worden] *thicken* ⇒*become thicker* ◆ **1.1** de spieren ~ zich in het midden *the muscles are becoming thicker/thickening in the middle.*

verdikking ⟨de (v.)⟩ **0.1** [plaats] *thickening* ⇒*bulge, swelling* **0.2** [het dikker worden] *thickening.*

verdisconteren ⟨ov.ww.⟩ **0.1** [incalculeren] *discount* ⇒*calculate, take into account, allow for* **0.2** [⟨hand.⟩] *discount, negotiate* ◆ **5.1** dat is erin verdisconteerd *that has already been discounted/calculated/taken into account, allowance has already been made for that.*

verdobbelen ⟨ov.ww.⟩ **0.1** [met dobbelen verliezen] *dice/gamble away* **0.2** [dobbelen om] *(throw) dice for* ◆ **1.2** we zullen de opbrengst~ *we'll (throw) dice/toss for the proceeds.*

verdoeken ⟨ov.ww.⟩ **0.1** *re-canvas.*

verdoemd ⟨bn.⟩ **0.1** *damned* ⇒ ⟨vnl. scherts.⟩ *reprobate* **7.1** ⟨zelfst.⟩ de~en *the d..*

verdoemelijk ⟨bn.⟩ **0.1** *damnable* ⇒*cursed, damned.*

verdoemen ⟨ov.ww.⟩ **0.1** [voor eeuwig veroordelen] *damn* ⇒*pronounce (s.o.'s) doom,* ⟨schr.⟩ *reprobate* **0.2** [vervloeken] *damn* ⇒*curse.*

verdoemenis ⟨de (v.)⟩ ⟨schr.⟩ **0.1** *damnation* ⇒⟨schr.⟩ *reprobation* ◆ **2.1** de eeuwige~ *eternal d., everlasting death* **3.1** loop naar de ~*go to blazes/hell/hell and blazes.*

verdoen
  I ⟨ov.ww.⟩ **0.1** [verspillen] *waste/fritter (away)* ⇒*squander, dissipate* ◆ **1.1** ik zit hier mijn tijd te ~ *I am wasting my time here, this is just a waste of my time;*
  II ⟨wk.ww.;zich~⟩ **0.1** [zelfmoord plegen] *do away with o.s.* ⇒ ⟨sl.⟩ *do o.s. in, commit suicide.*

verdoezelen
  I ⟨ov.ww.⟩ **0.1** [verbloemen] *blur* ⟨indrukken, principes, verschillen⟩; *obscure* ⟨feiten⟩; *disguise* ⟨waarheid⟩; *gloss over* ⟨fouten⟩ ◆ **1.1** de ware toedracht~ *gloss over/obscure/disguise the real facts;*
  II ⟨onov.ww.⟩ **0.1** [vervagen] *blur* ⇒*become blurred/hazy/vague* ◆ **1.1** de grenzen zijn verdoezeld *the boundaries have (become) blurred/indistinct.*

verdoktering ⟨de (v.)⟩ ⟨pej.⟩ **0.1** *medicalization* ⇒⟨ongemarkeerd⟩ *health consciousness.*

verdolen ⟨onov.ww.⟩ ⟨schr.⟩ **0.1** [verdwalen] *go astray* ⇒*lose one's way* **0.2** [⟨fig.⟩] *stray* ⇒*be lost/at a loss* ◆ **6.2** ~ **in** de voorschriften *be lost in/be not able to make head or tail of the regulations.*

verdomboekje ⟨het⟩ ⟨inf.⟩ ◆ **6.¶** in het~staan (bij iem.) *be in s.o.'s black/bad books, be not able to do a thing right with s.o..*

verdomd¹ ⟨inf.⟩
  I ⟨bn., bw.⟩ **0.1** [afschuwelijk] *(god)damn(ed)* ◆ **1.1** ik heb er een~e hekel aan *I damn well hate that, I loathe that;* ~e pech *damn(ed) bad luck;* ⟨BE ook⟩ *bloody luck;* die ~e sommen *those damn(ed)* ⟨BE ook⟩ *bloody sums* **2.1** ~ duur *damn(ed)/dead expensive;* dat is ~ lastig/handig *that is damn/awfully difficult/handy* **7.1** je hebt (wel) ~ veel lef *you do have a hell of a cheek;*
  II ⟨bw.⟩ **0.1** [als krachtige bevestiging] *(god)damn(ed)* ◆ **2.1** ~waar *damn(ed)/* ⟨BE ook⟩ *bloody true* **¶**.¶ ~ als het niet waar is *I'll be damned/* ⟨euf.⟩ *darned if it is not true.*

verdomd² ⟨tw.⟩ ⟨inf.⟩ **0.1** *damnation, damn* ⇒*(bloody) hell,* ⟨euf.⟩ *darn(ed), shit,* ⟨euf.⟩ *shoot,* ↓*fuck it* ◆ **¶**.¶ ~! ze heeft gelijk *damn (blast/bloody) hell! she's right!;* ~ nog (a)an toe *damnation!, blast!, damn/darn it!, shit!, (oh) bloody hell!.*

verdomhoekje ⟨het⟩ ⟨inf.⟩ ◆ **6.¶** in het ~ zitten (bij iem.) *be not able to do a thing right (with s.o.), be in s.o.'s black/bad books.*

verdomme ⟨tw.⟩ ⟨inf.⟩ **0.1** [krachtterm] *damn(ed)* ⇒*goddamn(ed), dammit, damnation, hell, shit,* ↓*fuck it* **0.2** [versterking v.e. bewering] *damn/bloody well* ◆ **3.2** ik wil ~ dat je je mond houdt *for Christ's sake, shut up!; shut your gob/goddamn mouth!; will you damn/bloody well shut your mouth!* **¶**.¶ ~, het lukt niet *damnation/dammit, it won't work!;* de melk is ~ overgekookt *the milk has boiled over, goddamned!, the damn(ed)/bloody milk has boiled over.*

verdommeling ⟨de (m.)⟩ ⟨bel.⟩ **0.1** *rotter* ⇒*stinker, bastard, son of a bitch/gun.*

verdommen ⟨ov.ww.⟩ ⟨inf.⟩ **0.1** [vertikken] *flatly refuse* ⇒*refuse point-blank* **0.2** [schelen] ⟨zie **¶**.2⟩ ◆ **4.1** dat verdom ik te enen male *I am damn well not going to do that, I simply won't do it, I am/I'll be blowed/damned if I do it;* m'n auto verdomt 't *my car won't budge/has given up the ghost* **¶**.2 't kan me niks~ *I don't give/care a damn, I couldn't care less.*

verdommenis ⟨de (v.)⟩ ⟨inf.⟩ **0.1** *damnation* ◆ **6.1** loop naar de ~*go to hell/ blazes/hell and blazes!,* ↓*fuck off!;* iets naar de ~ helpen *ruin/vandalize sth.;* iem. naar de ~ helpen ⟨te gronde richten⟩ *put the skids on/under s.o., ruin/undo s.o., bring s.o. to (rack and) ruin;* ⟨vermoorden⟩ *do s.o. in* **6.¶** iem. een pak **op** z'n ~ geven *give s.o. a good/sound spanking/thrashing, tan s.o.'s hide.*

verdonkeremanen ⟨ov.ww.⟩ **0.1** *embezzle* ⟨geld⟩ ⇒*spirit away/off* ⟨personen, zaken⟩, *suppress, stifle* ⟨bewijs, rapport⟩.

verdonkeren
  I ⟨ov.ww.⟩ **0.1** [donker(der) maken] *darken* ⇒*cloud* ◆ **1.1** ⟨fig.⟩ dit bericht verdonkerde zijn levensavond *these tidings cast a gloom over/clouded/darkened the autumn of his life;*
  II ⟨onov.ww.⟩ **0.1** [donker(der) worden] *darken* ⇒*cloud* ◆ **1.1** ⟨fig.⟩ haar gelaat verdonkerde *her face darkened/clouded;*
  III ⟨wk.ww.;zich~⟩ **0.1** [donker(der) worden] *darken.*

verdoofd ⟨bn.⟩ **0.1** *stunned, stupefied* ⇒*numb, dazed,* ⟨door kou ook⟩ *benumbed.*

verdoold ⟨bn.⟩ ⟨schr.⟩ ⟨verdwaald⟩ *stray(ed)* ⇒*straying* **0.2** [in moreel/religieus opzicht] *stray(ed)* ⇒*straying, misguided.*

verdord ⟨bn.⟩ **0.1** *shriveled* ⇒ ⟨verwelkt⟩ *withered, wilted, parched, arid* ⟨streek⟩, ⟨verschroeid⟩ *scorched* ◆ **1.1** de bladeren *withered/shriveled leaves;* ~e gewassen *withered/scorched/blighted crops;* ~e takken *shriveled branches.*

verdorie ⟨tw.⟩ ⟨inf.⟩ **0.1** *darned* ⇒*doggone it, blast* ◆ **¶**.¶ dat is me ~ wat moois *bless my eyes/me, that doesn't look too good!.*

verdories ⟨bn., bw.⟩ ⟨inf.⟩ **0.1** *doggone(d), darn(ed)* ⇒*blow, blessed* ◆ **1.1** die ~e rotjongens! *these doggone(d)/darn(ed)/blessed little pests!* **2.1** dat is ~ moeilijk *that's doggone(d)/darn(ed) difficult.*

verdorren
  I ⟨onov.ww.⟩ **0.1** [dor worden] *shrivel up* ⇒*parch* ⟨verschroeien⟩ *scorch,* ⟨verwelken⟩ *wither (up), wilt,* ⟨wet.⟩ *dehydrate* ◆ **1.1** deze rozen~ ook vlug! *these roses do wither/wilt fast!;*
  II ⟨ov.ww.⟩ **0.1** [dor maken] *shrivel* ⇒*sear, parch,* ⟨verschroeien⟩ *scorch,* ⟨doen verwelken⟩ *wither, wilt,* ⟨wet.⟩ *dehydrate* ◆ **1.1** de hitte verdorde alle gewassen *the heat scorched/withered all the crops.*

verdorven ⟨bn.⟩ **0.1** *depraved* ⇒*perverted, wicked, corrupt* ◆ **1.1** zijn geest was~ *his mind was perverted/d.;* de ~maatschappij *the decadent/wicked society;* een ~ mens *a wicked person, a pervert, a person full of vice.*

verdorvenheid ⟨de (v.)⟩ **0.1** [zedenbederf] *depravation* ⇒*perversity, corruption, turpitude, vice* **0.2** [geval, uiting] *depravity* ⇒*perversity.*

verdoven
  I ⟨ov.ww.⟩ **0.1** [bedwelmen] *stun, stupefy* ⇒*render insensible, benumb* ⟨door kou; geest⟩, ⟨med.⟩ *anaesthetize* ◆ **1.1** een kies ~ *anaesthetize a tooth;* de klap verdoofde haar *the blow left her stunned/stupefied;* ~de middelen ⟨genotmiddel⟩ *(narcotic) drugs, narcotic(s),* ⟨inf.⟩ *dope;* ⟨med.⟩ *anaesthetics, narcotic(s);* ⟨fig.⟩ het verdriet verdoofde hem *he was stupefied/stunned/numb(ed) with grief* **5.1** de patiënt wordt plaatselijk verdoofd *the patient receives a local anaesthetic;*
  II ⟨onov.ww.⟩ ⟨fig.⟩ **0.1** [verflauwen] *fade* ⇒*die out.*

verdoving ⟨de (v.)⟩ **0.1** [het verdoven] *anaesthesia* ⇒*anaesthetic* **0.2** [gevoelloosheid] *stupefaction* ⇒*stupor,* ⟨vnl. dieren ook⟩ *torpor,* ⟨door kou ook⟩ *numbness* **0.3** [narcotisch middel] *anaesthetic* ⇒*narcotic(s)* ◆ **1.2** een toestand van ~ *a stupor* **2.1** plaatselijke/algemene ~*local/general anaesthesia/anaesthetic* **3.2** uit zijn ~ ontwaken *shake off one's lethargy/stupor* **3.3** de ~ is uitgewerkt *the effect of the a. has ceased/passed off.*

verdovingsmiddel ⟨het⟩ ⟨med.⟩ **0.1** *anaesthetic.*

verdraaglijk ⟨bn.⟩ **0.1** *bearable* ⇒*tolerable.*

verdraagzaam ⟨bn.⟩ **0.1** *tolerant* ⇒ ⟨geduldig⟩ *forbearing,* ⟨vnl. pej.⟩ *permissive* ◆ **6.1** ~ jegens elkaar zijn *be t. of each other.*

verdraagzaamheid ⟨de (v.)⟩ **0.1** *tolerance* ⇒ ⟨geduld⟩ *forbearance,* ⟨vnl. pej.⟩ *permissiveness.*

verdraaid¹
  I ⟨bn.⟩ **0.1** [vervelend] *darn(ed)* ⇒*doggone(d), damn(ed), blasted* **0.2**

[kapot gedraaid] *twisted* ⇒*wrenched* **0.3** [van zijn plaats/uit zijn fatsoen gebracht] *twisted* ⇒*distorted* **0.4** [vals voorgesteld/toegepast] *distorted, twisted* ⇒*warped, garbled* ◆ **1.1** die ~e meiden *these darned / blasted girls* **1.2** een ~e deurknop *a t. / wrenched doorknob* **1.4** met een ~e hand geschreven *written in a disguised hand;*
II 〈bw.〉 **0.1** [als krachtige bevestiging] *darn(ed)* ⇒*doggone(d), damn(ed), blast(ed)* ◆ **2.1** ~ aardig *damn / darn nice.*

verdraaid² 〈tw.〉 〈inf.〉 **0.1** *darn(ed), blast* ⇒*damn(ed)* ◆ **9.1** wel ~! *darned! I'll be damned! damn!* /ᴮ*jiggered!* ¶.1 ~! hij heeft gelijk *he is darn right!, blow me if he isn't right!.*

verdraaien
I 〈ov.ww.〉 **0.1** [draaiend verplaatsen] *turn* **0.2** [stuk maken] *wrench* ⇒*twist,* 〈verwringen〉 *contort* 〈gezicht〉, *distort* 〈lichaam, gezicht〉 **0.3** [verkeerd voorstellen, weergeven] *distort* ⇒〈woorden ook〉 *twist, garble* 〈rapport〉, *corrupt* 〈weergave〉, *pervert* 〈feiten, wet〉, *wrest* 〈wet, tekst, feiten〉 **0.4** [opzettelijk anders voordoen] *disguise* **0.5** 〈〈inf.〉 weigeren te *refuse flatly / point-blank* ◆ **1.1** zijn ogen ~ *roll one's eyes* **1.2** zij verdraaide haar pols/knie *she wrenched her wrist / knee;* een slot ~ *w. / force a lock* **1.3** de waarheid ~ *stretch / strain / d. the truth, give the truth a twist* **1.4** zijn stem/handschrift ~ *disguise / mask one's voice / handwriting;*
II 〈onov.ww.〉 **0.1** [zich draaiend verplaatsen] *turn / move (round)* ◆ **1.1** de wijzer is een heel eind verdraaid *the (minute / hour) hand has moved (round) quite a bit.*

verdraaiing 〈de (v.)〉 **0.1** [het verdraaien] *turn(ing) / moving (round)* ⇒ 〈om een as〉 *rotation* **0.2** [verkeerde uitleg] *distortion* ⇒*twist, wrench, perversion* **0.3** [mbt. gewrichten] *twist* ⇒*wrench* ◆ **1.2** dat is een ~ v.d. feiten *that's a perversion / d. of the facts.*

verdrag 〈het〉 **0.1** *treaty* ⇒*agreement,* 〈schr.〉 *convention, pact,* 〈tech.〉 *compact* ◆ **1.1** het ~ van Rome *the Treaty of Rome* **2.1** een pauselijk ~ *a papal t. / convention,* 〈concordaat〉 *a concordat* **3.1** een ~ sluiten *enter into / conclude / make a t., come to an agreement.*

verdragen 〈ov.ww.〉 〈→sprw. 635〉 **0.1** [verduren] *bear* ⇒〈bestand zijn tegen ook〉 *endure, stand, suffer, support, sustain,* 〈schr.〉 *abide* **0.2** [velen, uithouden] *bear* ⇒*stand,* 〈inf.〉 *stand for, put up with, take,* 〈inf.; alleen ontkennend〉 *stick, tolerate* **0.3** [gebruiken zonder er last van te hebben] *tolerate* ⇒*digest* **0.4** [versjouwen] *remove* ⇒*shift* ◆ **1.1** hij kan de gedachte niet ~, dat ... *he cannot bear / stand the idea that ...;* honger en dorst moeten ~ *endure / suffer hunger and thirst;* kou en hitte kunnen ~ *be able to endure / take / stand / face the cold and the heat* **1.2** ik kan geen domheid ~ *I can't stand stupidity / suffer fools gladly* **1.3** koolraap verdraag ik niet *kohlrabi does not agree with me;* geen pillen kunnen ~ *be intolerant of pills* **4.1** je moet elkaar ~ *you must b. / put up with each other* **7.2** ik kan veel ~, maar nu is 't genoeg *I can stand / take / tolerate a lot, but enough is enough.*

verdragend 〈bn.〉 **0.1** [met grote reikwijdte] *long-range* **0.2** [ver hoorbaar] *carrying* ⇒*penetrating* ◆ **1.1** ~ geschut *l.-r. artillery* **1.2** een ~ geluid *a c. / penetrating sound.*

verdragsbepaling 〈de (v.)〉 〈pol.〉 **0.1** *provision of a treaty / pact.*

verdragsorganisatie 〈de (v.)〉 ◆ **2.¶** de Noordatlantische ~ *the North Atlantic Treaty Organization.*

verdriet 〈het〉 **0.1** *grief* / 〈veel〉 *distress (at / over)* ⇒*sorrow (at), trouble* ◆ **1** stuk ~! 〈*you) misery!* **2.1** overmand door ~ *plunged into / stricken by g.,* be *heartbroken / brokenhearted / distraught* **3.1** iem. ~ doen / aandoen *distress s.o., give s.o. pain / sorrow;* ~ hebben *be in d., be grieved / distressed / troubled, grieve, sorrow;* ~ hebben over *grieve for;* zijn ~ verdrinken *drown one's sorrows / g. in drink* **6.1** tot mijn ~ *to my sorrow;* ze stierf van ~ *she died of g..*

verdrietelijk 〈bn.〉 **0.1** *saddening, distressing, distressful,* 〈vervelend〉 *troublesome, annoying, vexatious,* 〈heel erg〉 *heartrending, heartbreaking.*

verdrieten 〈ov.ww.〉 **0.1** [leed doen] *grieve* ⇒*sadden, distress* **0.2** [vervelen] *vex* ⇒*annoy, nettle, trouble* ◆ **1.1** het verdriet me zeer, dat je er zo over denkt *it grieves / saddens / distresses me a lot that you should think like that about it.*

verdrietig 〈bn.〉 **0.1** [verdriet hebbend] *sad* ⇒*distressed, grieved, mournful,* 〈erg〉 *heartbroken* **0.2** [van verdriet getuigend] *sad* ⇒*sorrowful, mournful, woeful, woebegone* **0.3** [verdriet veroorzakend] *sad* ⇒*distressful, distressing, saddening, mournful,* 〈vervelend〉 *annoying, vexatious, troublesome,* 〈heel erg〉 *heartrending, heartbreaking* ◆ **1.2** een ~e aanblik bieden *look full of sorrow / mournful / sad / woeful / woebegone* **1.3** een ~ bericht *a sad / distressing / an annoying message* **3.1** ~ maken *sadden* **3.3** dat is erg ~ voor je *that is very sad for / annoying to you.*

verdrievoudigen
I 〈ov.ww.〉 **0.1** [driemaal zo groot maken] *triple, treble* ⇒*triplicate;*
II 〈onov.ww.〉 **0.1** [driemaal zo groot worden] *triple, treble* ◆ **3.1** de winst is verdrievoudigd *(the) profit has tripled / trebled.*

verdrievoudiging 〈de (v.)〉 **0.1** *tripling, trebling* ⇒*threefold increase,* 〈zeldz.〉 *triplication.*

verdrijven 〈ov.ww.〉 **0.1** [verjagen] *drive / chase away* ⇒*dispel, oust* 〈levendwezen〉, 〈jur.; uit een huis, e.d.〉 *evict* **0.2** [doen verdwijnen] *drive / chase away* ⇒*dispel, dissipate* **0.3** [doorbrengen] *w(h)ile* /ᴬ*pass*

---

away ◆ **1.1** boze geesten ~ uit iem. / een plaats *exorcize evil spirits from s.o. / a place, exorcize s.o. / a place of evil spirits;* de rook ~ *dispel / dissipate the smoke;* de vijand ~ *drive away / oust the enemy;* 〈uit een stelling〉 *dislodge the enemy* **1.2** de koorts ~ *drive away / dispel the fever;* de pijn ~ *dispel / banish the pain;* zijn zorgen / de verveling ~ *drive / chase away / dispel one's cares / boredom* **1.3** de tijd ~ *w(h)ile away / beguile the time, pass / kill the time* **6.1** uit zijn huis verdreven worden door een overstroming / rook / brand / bommen *be flooded / smoked / burnt / bombed out of one's house.*

verdrijving 〈de (v.)〉 **0.1** *expulsion* ⇒*driving-out / -away,* ↑*ejection,* 〈pol.〉 *ousting,* 〈jur.; AE ook〉 *ouster.*

verdringen
I 〈ov.ww.〉 **0.1** [wegdringen] *push away / aside* ⇒*elbow out / through* **0.2** [de plaats innemen van] *oust* ⇒〈vnl. pos.〉 *supersede,* 〈vnl. neg.〉 *supplant, displace, push out* **0.3** [naar de achtergrond verdrijven] *shut out* ⇒〈psych. ook〉 *repress* 〈onbewust〉, *suppress* 〈bewust〉, *cut out* 〈iem.〉 ◆ **1.1** de ramp verdrong al het andere nieuws van de voorpagina's *the disaster pushed all the other news off the front pages* **1.2** een concurrent ~ *o. a competitor* **1.3** zijn problemen / verdriet ~ *repress / suppress one's problems / grief* **4.1** de kinderen verdrongen elkaar voor de glijbaan *the children jostled one another in front of the slide / to get on the slide;* de supporters verdrongen elkaar om kaartjes te bemachtigen *the supporters scrambled / jostled for tickets* **6.2** hij verdrong zijn rivaal van de eerste plaats *he supplanted / displaced his rival at the top;*
II 〈wk.ww.; zich ~〉 **0.1** [elkaar van de plaats dringen] *crowd (round)* ⇒*press, jostle* ◆ **6.1** de menigte verdrong zich voor de etalage *the crowd pressed about / people crowded round the shopwindow.*

verdringing 〈de (v.)〉 **0.1** *displacement* ⇒*dislodg(e)ment, elimination,* 〈psych.〉 *repression,* 〈bewust ook〉 *suppression.*

verdrinken 〈→sprw. 171,323,596〉
I 〈onov.ww.〉 **0.1** [in het water omkomen] *drown* **0.2** 〈[(fig.)] *drown* ◆ **6.2** hij verdrinkt in die jas *that coat is miles too big for him, he can swim in that coat;* ~ in het materiaal / de feiten *drown in / be drowned in / be swamped by the material* 〈the facts **8.1** 〈fig.〉 ~ eer men water gezien heeft *succumb quickly to temptation (unbeknown to s.o.);*
II 〈ov.ww.〉 **0.1** [door drinken doen verdwijnen] *drink away* 〈geld, bezit〉; *drown* 〈zorgen, verdriet enz.〉 **0.2** [in het water doen omkomen] *drown* ◆ **1.1** zijn zorgen / verdriet ~ *drink away / drown one's sorrows / grief, drown one's sorrows / grief in drink* **4.2** zich ~ *drown o.s..*

verdrinkingsdood 〈de〉 **0.1** *death by drowning.*

verdrogen
I 〈onov.ww.〉 **0.1** [uitdrogen] *dry out / up* ⇒*dehydrate, parch* **0.2** [door droogte tenietgaan] *shrivel (up)* ⇒*wither (away / up)* 〈bladeren, bloemen〉, 〈verschroeien〉 *scorch* ◆ **1.1** de beek is verdroogd *the ditch has dried out / up, the ditch has run dry;* dat brood is helemaal verdroogd *that loaf (of bread) has completely dried out* **1.2** de gehele oogst verdroogde *the whole crop was scorched, the whole crop was destroyed by excessive drought;*
II 〈ov.ww.〉 **0.1** [doen uitdrogen] *dry (up / out)* ⇒*parch, wither, shrivel* 〈blaren, bloemen, planten〉, 〈verschroeien〉 *scorch.*

verdromen 〈ov.ww.〉 **0.1** *dream away.*

verdronken 〈bn.〉 **0.1** *submerged* ⇒*flooded, drowned* 〈ook fig.〉, *inundated* ◆ **1.1** ~ land *s. / flooded land.*

verdrukken 〈ov.ww.〉 **0.1** *oppress* ⇒*repress.*

verdrukking 〈de (v.)〉 **0.1** [onderdrukking] *oppression* ⇒*repression* **0.2** [knel] 〈zie 6.2〉 **0.3** 〈[(geol.)] *depression* ⇒*rift valley* ◆ **6.2** in de ~ raken / komen 〈fig.〉 *get into hot water / a scrape / hole! (tight) corner;* tegen de ~ in *in spite of (considerable) opposition.*

verdrukte 〈de〉 **0.1** *oppressed, underdog* ◆ **7.1** de ~n the o., the underdogs.*

verdubbelen
I 〈onov.ww.〉 **0.1** [tweemaal zo groot worden] *double* ⇒*redouble* ◆ **1.1** met verdubbelde energie *with twice the energy;* haar salaris was binnen de kortste tijd verdubbeld *her salary doubled in no time;*
II 〈ov.ww.〉 **0.1** [vertweevoudigen] *double* ⇒*redouble* **0.2** [dubbel maken] *double* ⇒*duplicate* ◆ **1.1** hij verdubbelde zijn bod *he doubled his offer;* zijn inspanningen ~ *redouble one's efforts.*

verduidelijken 〈ov.ww.〉 **0.1** *explain* ⇒*make (more) clear,* 〈schr.〉 *elucidate,* 〈ophelderen〉 *clarify,* 〈met voorbeeld ook〉 *exemplify, illustrate* ◆ **1.1** zijn mening / woorden ~ *clarify one's opinion / words, make one's opinion / words clear.*

verduidelijking 〈de (v.)〉 **0.1** [het verduidelijken] *explanation* ⇒〈schr.〉 *elucidation,* 〈met voorbeeld ook〉 *exemplification, illustration* **0.2** [opheldering] *clarification* ⇒*enlightenment* ◆ **6.1** ter ~ by way of illustration.*

verduisteraar 〈de (m.)〉 **0.1** *embezzler* ⇒*defalcator, defaulter,* 〈schr.〉 *peculator.*

verduisteren
I 〈ov.ww.〉 **0.1** [donker maken] *darken* ⇒*obscure, dim,* 〈ster.〉 *eclipse, occult,* 〈schr.〉 *obfuscate* **0.2** [achteroverdrukken] *embezzle* ⇒ 〈schr.〉 *peculate* ◆ **1.1** die zware gordijnen ~ de kamer *these heavy*

curtains darken/dim the room; tranen verduisterden haar ogen *her eyes were dimmed with tears, tears clouded her eyes;* de zon ~ *blot out the sun* **1.2** gelden ~ *e. money, misappropriate funds, defalcate;* **II** ⟨onov.ww.⟩ **0.1** [duister worden] *darken* ⇒*grow/get/become dark* ◆ **1.1** de hemel verduistert *the sky is clouding over;* ⟨fig.⟩ zijn verstand was verduisterd *his mind was clouded;* de zon verduistert ⟨ster.⟩ *the sun eclipses/has eclipsed;* ⟨door wolken⟩ *the sun is obscured/hidden;* **III** ⟨onov., ov.ww.⟩ **0.1** [alle lichtopeningen afsluiten] *black out.*
verduistering ⟨de (v.)⟩ **0.1** [het donker maken] *darkening* ⇒*obscuration,* ⟨schr.⟩ *obfuscation* **0.2** [⟨ster.⟩] *eclipse* ⇒⟨vnl. van planeet, door maan⟩ *occultation* **0.3** [mbt. goed, geld] *embezzlement* ⇒*defalcation,* ⟨schr.⟩ *peculation, misappropriation of funds* **0.4** [mbt. lichtwering] *blackout* ◆ **3.3** ~ plegen *defalcate, embezzle money, misappropriate funds* **3.4** ~ aanbrengen *black out, obscure.*
verduisteringsgordijn ⟨het, de⟩ **0.1** *blackout curtain.*
verduitsen
I ⟨ov.ww.⟩ **0.1** [Duitse vorm geven] *germanize* ⟨ook G-⟩;
II ⟨onov.ww.⟩ **0.1** [Duits worden] *germanize* ⟨ook G-⟩ ⇒*germanify* ⟨ook G-⟩.
verduiveld[1]
I ⟨bn.⟩ **0.1** [vervloekt] *devilish* ⇒*damn(ed), darn(ed)* ◆ **1.1** ~e kwajongen *damn(ed) little pest/holy terror;* een ~ lawaai *one hell/devil of a noise;*
II ⟨bw.⟩ **0.1** [uitermate] *devilishly* ⇒*damn(ed), awfully, darn(ed),* ⟨inf.⟩ *devilish* ◆ **2.1** ~ aardig *awfully nice/kind;* ⟨BE ook⟩ *jolly nice/kind;* dat is ~ duur/moeilijk/zwaar *that's damn(ed)/awfully expensive/difficult/heavy;* dat is ~ knap *that's damn(ed) clever* **5.1** ~ weinig *precious little/few.*
verduiveld[2] ⟨tw.⟩ **0.1** *the devil* ⇒*darn(ed), blast, damn/dash it* ◆ **9.1** wel ~! dat is een tegenvaller *that's a/one hell of a (bitter) disappointment.*
verduizendvoudigen
I ⟨ov.ww.⟩ **0.1** [duizendmaal zo groot maken] *multiply by a/one thousand* **0.2** [veel groter maken] *magnify* ⇒*blow up;*
II ⟨onov.ww.⟩ **0.1** [duizendmaal zo groot worden] *increase a thousandfold* **0.2** [veel groter worden] *mushroom* ⇒*balloon.*
verdulleme ⟨tw.⟩ **0.1** *darn(ed)* ⇒*dashed, blast, damn(ed).*
verdunnen
I ⟨ov.ww.⟩ **0.1** [concentratie verlagen] *thin* ⇒⟨schr.; tech.⟩ *attenuate,* ⟨vloeistof ook⟩ *dilute, rarefy* ⟨vnl. gas, lucht⟩, ⟨met water⟩ *water/thin down* **0.2** [omvang verminderen] *thin* ⇒*thin out* ⟨planten⟩ ◆ **1.1** de lucht ~ *rarefy the air;* melk met water ~ *t. /dilute milk with water, water down milk;* verdunde oplossing *dilute solution, dilution;* wijn/verf/een oplossing ~ *t. /dilute wine/paint/a solution;*
II ⟨onov.ww.⟩ **0.1** [mbt. gas] *rarefy* ⇒*thin* **0.2** [slijten] *wear thin* ⇒*get thinner* ◆ **1.1** de lucht verdunt *the air is rarefying.*
verdunner ⟨de (m.)⟩ **0.1** ⇒**verdunningsmiddel.**
verdunning ⟨de (v.)⟩ **0.1** [het verdunnen] *thinning* ⇒*dilution,* ⟨aanlenging⟩ *thinning down* **0.2** [graad] *dilution* **0.3** [verdunde vloeistof] *dilution* ⇒*solution* **0.4** [verdunde plaats] *threadbare patch* ◆ **6.2** een ~ van **I** op **10** *a d. of one part to ten* **6.4** een ~ in een stof *a threadbare patch.*
verdunningsmiddel ⟨het⟩ **0.1** ⟨viscositeitsverlager⟩ *thinner;* ⟨concentratieverlager⟩ *diluent.*
verduren ⟨ov.ww.⟩ **0.1** *bear* ⇒⟨bestand zijn tegen ook⟩ *endure, stand, tolerate* ⟨gedrag⟩, *suffer* ◆ **1.1** pijn/koude/hitte ~ *endure/stand pain /cold/heat* **3.1** heel wat moeten ~ *have to put up with/suffer/stand/ tolerate a great deal;* veel te ~ hebben *have to endure much/to stand hard/rough usage;* het hard/zwaar te ~ hebben ⟨kritiek krijgen⟩ *be at/on the receiving end of severe complaints, get/be put through the hoop(s), take a beating/some hard knocks, have a hard time of it;* ⟨in moeilijkheden⟩ *have a hard/rough time of it, be hard pressed;* ⟨ontberen⟩ *suffer heavily/great hardships.*
verduurzamen ⟨ov.ww.⟩ **0.1** *preserve* ⇒*cure* ⟨door zouten, roken of drogen⟩, ⟨door zouten ook⟩ *salt (down)* ◆ **1.1** verduurzaamde levensmiddelen *preserved foods/food products;* ⟨fruit⟩ *preserves;* verduurzaamde melk *preserved milk;* verduurzaamde vleeswaren *preserved/cured meat (products).*
verduurzaming ⟨de (v.)⟩ **0.1** *preservation* ⇒*conservation.*
verduveld ⇒**verduiveld.**
verduwen ⟨ov.ww.⟩ **0.1** ⟨vnl. met ontkenning⟩ *stomach, digest* ⟨eten, moeilijkheden⟩ ⇒*swallow* ⟨beledigingen⟩, *tolerate* ⟨gedrag⟩ ◆ **3.1** hij kon het niet ~, dat hij zonder werk zat *he could not s. /bear the fact that he was out of work;* wij hebben tijdens de bezetting heel wat moeten ~ *during the occupation we had to swallow a great deal.*
verdwaald ⟨bn.⟩ **0.1** *lost* ⇒⟨van dieren ook⟩ *stray* ◆ **1.1** een ~ kind *a l. child;* een ~e kogel *a stray bullet;* het ~e schaap *is terecht* ⟨fig.⟩ *the l. sheep has been found* **3.1** ~ raken *lose one's/the way; go astray* ⟨ook fig.⟩.
verdwaasd ⟨bn.⟩ **0.1** *foolish* ⇒⟨uitzinnig⟩ *infatuated, bemured,* ⟨verdoofd⟩ *groggy* ◆ **3.1** ~ voor zich uit staren *look dazed/stare vacantly into space.*
verdwaasdheid ⟨de (v.)⟩ **0.1** *foolishness* ⇒*folly, stupidity* ◆ **1.1** ze sloeg

hem in een ogenblik van ~ *she hit him in a moment of folly/* [†]*aberration.*
verdwalen ⟨onov.ww.⟩ **0.1** [van de weg af raken] *lose one's/the way* ⇒*get lost,* ⟨ook fig.⟩ *go astray,* ⟨fig.⟩ *stray* **0.2** [⟨fig.⟩ van zijn plaats raken] *stray* ⇒*go astray* ◆ **3.1** in een vreemde stad kan men makkelijk ~ *it's easy to get lost/lose o.'s way in a strange town* **3.2** hoe komt dat boek hier verdwaald? *how does that book come to be here/find itself here? how did that book land/get here?.*
verdwazen ⟨onov.ww.⟩ **0.1** *turn/become (more) foolish* ⇒⟨uitzinnig worden/zijn⟩ *become/be infatuated/bemured.*
verdwazing ⟨de (v.)⟩ **0.1** *foolishness, stupidity* ⇒⟨uitzinnigheid⟩ *infatuation.*
verdwijnen ⟨onov.ww.⟩ **0.1** *disappear* ⇒⟨vlug, geheimzinnig⟩ *vanish,* ⟨langzaam⟩ *fade away, evanesce* ⟨vegetatie⟩ ◆ **1.1** een verdwenen beschaving *a vanished/lost civilization;* een verdwenen boek *a missing/lost book;* mijn kiespijn is verdwenen *my toothache has worn off/ disappeared;* deze maatregelen moeten ~ *these regulations must go;* de vlekken zijn verdwenen *the spots have disappeared/vanished* **4.1** alles verdwijnt hier *everything seems to get lost/d. /vanish here* **5.1** geleidelijk ~ *fade out/away, melt away, drift off/away;* spoorloos ~ *go /vanish without (leaving) a trace, d. /vanish/melt into thin air, vanish into space;* stilletjes ~ *sneak/steal away;* dat gezwel verdwijnt vanzelf *that tumor will go away/d. by itself* **¶.1** verdwijn! *be off!, get out of my sight!, beat it!, scram!, buzz off!, get lost!.*
verdwijning ⟨de (v.)⟩ **0.1** *disappearance* ⟨ook pol.⟩ ⇒*vanishing.*
verdwijnpunt ⟨het⟩ **0.1** *vanishing point* ◆ **3.¶** zijn ~ zoeken *leave, disappear.*
veredelen ⟨ov.ww.⟩ **0.1** [edeler maken] *ennoble, elevate* ⟨persoon, geest⟩ ⇒*refine* ⟨geest, gevoelens, manieren, smaak⟩, *improve* ⟨vee, gewassen⟩, ⟨vee ook⟩ *grade up, upgrade* **0.2** [⟨ec.⟩] *finish (off)* ⇒ *process* ◆ **1.1** metalen ~ *refine metals;* een schaperas ~ *grade up/improve/upgrade a breed of sheep;* ⟨tech.⟩ staal ~ *refine steel;* wijn ~ *improve wine;* ⟨fig.⟩ vergiffenis veredelt de ziel *forgiveness ennobles the soul.*
veredeling ⟨de (v.)⟩ **0.1** *refinement* ⇒⟨tech. ook⟩ *improvement, upgrading,* ⟨scherts.⟩ *glorification.*
veredelingsbedrijf ⟨het⟩ **0.1** [⟨landb.⟩] *breeding station* **0.2** [⟨ec.⟩] *(company/business in the) finishing industry/trade.*
veredelingsprodukt ⟨het⟩ ⟨ec.⟩ **0.1** *finished/processed product.*
vereelt ⟨bn.⟩ **0.1** [tot eelt geworden] *callous* ⇒*horny* **0.2** [⟨fig.⟩] *callous* ⇒*hard(ened), unfeeling* ◆ **1.2** een ~ gemoed *a c. /unfeeling heart, a heart of stone.*
vereelten
I ⟨onov.ww.⟩ **0.1** [een eeltlaag krijgen] *become/grow callous/horny* **0.2** [⟨fig.⟩] *grow/become callous/unfeeling* ⇒*harden;*
II ⟨ov.ww.⟩ **0.1** [eeltig maken] *make callous/horny* **0.2** [⟨fig.⟩] *make callous* ⇒*harden* ◆ **1.2** gierigheid heeft zijn hart vereelt *avarice has turned his heart to stone.*
vereenvoudigen ⟨ov.ww.⟩ **0.1** *simplify* ◆ **1.1** een breuk ~ *reduce/cancel a fraction;* de vereenvoudigde spelling *simplified spelling;* deze bekentenis vereenvoudigt de zaak *this confession simplifies the matter.*
vereenvoudiging ⟨de (v.)⟩ **0.1** *simplification* ⇒*reduction* ⟨breuk⟩.
vereenzamen ⟨onov.ww.⟩ **0.1** *grow/become lonely.*
vereenzaming ⟨de (v.)⟩ **0.1** *(social) isolation* ⇒*(enforced) loneliness.*
vereenzelvigen ⟨ov.ww.⟩ **0.1** *identify* ◆ **1.1** twee begrippen ~ *i. two concepts* **4.1** zij vereenzelvigde zich met de filmster *she identified herself with the filmstar* **6.1** iem. /iets ~ *met identify s.o. /sth. with.*
vereenzelviging ⟨de (v.)⟩ **0.1** *identification.*
vereerder, -ster ⟨de (m.)⟩, **-ster** ⟨de (v.)⟩ **0.1** [bewonderaar] *worshipper* ⇒*admirer, fan devotee* **0.2** [minnaar, -nares] *worshipper* ⇒*admirer, lover* ◆ **2.1** een groot ~ van Goethe *a great admirer/devotee/w. of Goethe.*
vereeuwigen ⟨ov.ww.⟩ **0.1** [eeuwig doen zijn] *perpetuate* ⟨toestand⟩; *immortalize* ⟨persoon⟩ **0.2** [uitbeelden] *immortalize* ◆ **1.1** zijn naam ~ *i. one's name* **3.2** ⟨scherts.⟩ zich laten ~ *have o.s. immortalized* **6.2** iem. /iets door de graveerstift/met de penseel ~ *have s.o. /sth. immortalized in copper/paint.*
vereeuwiging ⟨de (v.)⟩ **0.1** *perpetuation* ⇒⟨onsterfelijk maken⟩ *immortalization,* ⟨zeldz.⟩ *eternalization.*
vereffenaar ⟨de (m.)⟩, **-ster** ⟨de (v.)⟩ ⟨jur.⟩ **0.1** *liquidator* ⟨m., v.⟩ ⇒ ⟨van nalatenschap ook⟩ *administrator, executor, executrix* ⟨v.⟩ ◆ **1.1** de ~ v.e. vennootschap *the l. of a company.*
vereffenen ⟨ov.ww.⟩ **0.1** [voldoen] *settle, square* ⟨rekening⟩; *pay off* ⟨schulden⟩; *liquidate* ⟨boedel⟩ **0.2** [schikken, bijleggen] *settle* ⇒*adjust, accommodate, smooth out* ⟨verschillen⟩ ◆ **1.1** een boedel/nalatenschap ~ *liquidate/wind up/* ⟨bij nalatenschap ook⟩ *administer/execute an estate;* ⟨fig.⟩ een oude rekening ~ *pay off an old score/grudge/debt;* zijn schulden ~ *clear/pay off one's debts* **1.2** een geschil ~ *settle a dispute, settle/square accounts* **3.2** iets/een rekening met iem. te ~ hebben *have to settle an account/to get even/to square one's account with s.o..*
vereffening ⟨de (v.)⟩ **0.1** *settlement* ⟨rekening, geschil⟩; *payment* ⟨rekening, schulden⟩; ⟨rekening ook⟩ *balancing; adjustment* ⟨schade⟩.
vereisen ⟨ov.ww.⟩ **0.1** *require* ⇒*demand, call for* ⟨actie⟩ ◆ **1.1** ervaring

vereist *experience required;* de nood/wet vereist het *necessity/the law calls for/demands/requires it;* de omstandigheden ~ dat ...*circumstances r./demand that ...;* dat vereist veel tijd *that takes/requires a lot of time;* in de vereiste vorm *in the required/requisite form;* de vereiste zorg aan iets besteden *give the necessary care/attention to sth.;* de vereiste zorgvuldigheid in acht nemen *use/take the necessary care.*

vereiste 〈het, de (v.)〉 **0.1** *requirement, requisite* ◆ **1.1** de ~n v.e. examen *the requisites for an exam* **2.1** wettelijke ~n *statutory/legal requirements* **3.1** aan de ~n voldoen *meet/fulfil the requirements,* have the qualifications **7.1** dat is een eerste ~ *that is a prerequisite* 〈inf.〉 *must;* dat was geen ~ *that was not required* **8.1** wat zijn de ~n om mee te doen aan dit toernooi? *what is the qualification/are the qualifications for entering this tournament?.*

veren[1] 〈bn.〉 **0.1** *feather* ◆ **1.1** een ~ bed/kussen *a f. bed/pillow;* een ~ hoofdtooi *a f. headdress;* een ~ pen *a quill (pen).*

veren[2] 〈onov.ww.〉 **0.1** [veerkrachtig zijn] *be springy* ⇒*be elastic* **0.2** [zich elastisch bewegen] *be springy* **0.3** [zich bewegen als door een veer] *spring* ⇒*bounce* ◆ **3.2** ~d laten veren *a springy step/a spring in one's step* **5.1** het veert niet mee *it has lost its spring/bounce;* die plank veert sterk *that board is very springy* **5.3** overeind ~ *s. to one's feet.*

verend 〈bn.〉 **0.1** *springy* ⇒*elastic, resilient, bouncy* ◆ **1.1** (goed) ~e auto's *(well-)sprung cars;* een ~ matras *a s./bouncy mattress;* met ~e tred *with a spring in one's step, with a s./buoyant step.*

verenen 〈ov.ww.〉〈schr.〉 **0.1** *unite* ⇒*combine, join* ◆ **1.1** met vereende krachten *with united/combined forces;* vereende pogingen *united/combined efforts.*

verengelsen
 I 〈ov.ww.〉 **0.1** [Engels maken] *anglicize;*
 II 〈onov.ww.〉 **0.1** [Engels worden] *anglicize* ⇒*become anglicized/English* ◆ **1.1** zijn Nederlands is verengelst *his Dutch has anglicized* **6.1** hij verengelst *door* het wonen in Londen *he is becoming anglicized through living in London.*

verengen 〈ov.ww.〉 **0.1** *narrow* 〈ook fig.〉 ⇒*constrict* ◆ **1.1** een begrip ~ *n. down a concept;* een weg ~ *constrict a road.*

verenging 〈de (v.)〉 **0.1** *narrowing* ⇒*constriction.*

verenigbaar 〈bn.〉 **0.1** *compatible (with)* ⇒〈niet strijdig ook〉 *consistent;* 〈schr.〉 *consonant (with),* 〈tegelijk mogelijk ook〉 *reconcilable (with)* ◆ **1.1** die ambten zijn niet ~ *those posts may not be held by the same person;* die verklaringen waren niet ~ *those statements were irreconcilable/not reconcilable/incompatible/contradictory,* the one statement ruled out the other **6.1** dat is niet ~ met zijn principes 〈ook〉 *that is incompatible/inconsistent with/contrary to his principles.*

verenigbaarheid 〈de (v.)〉 **0.1** *compatibility* ⇒*reconcilability.*

verenigd 〈bn.〉 **0.1** *united* ⇒*allied,* 〈fig.;pol. ook〉 *unified* ◆ **1.1** een ~ Duitsland *a unified Germany;* Verenigde Naties *United Nations.*

Verenigde Arabische Emiraten 〈zn.mv.〉 **0.1** *United Arab Emirates.*
Verenigde Staten (van Amerika) 〈zn.mv.〉 **0.1** *United States (of America).*
Verenigd Koninkrijk 〈het〉 **0.1** *United Kingdom.*

verenigen
 I 〈onov.ww.〉 **0.1** [samenkomen] *unite* ⇒*combine, join;*
 II 〈ov.ww.〉 **0.1** [samenvoegen] *unite (with)* ⇒*combine, join (to/with)* **0.2** [in overeenstemming brengen] *reconcile* **0.3** [doen samenkomen] *unite* ⇒*combine, join* ◆ **1.1** laten we onze krachten ~ *let's link up forces/join forces/hands;* een verenigde zitting *a joint session* **3.1** twee partijen proberen te ~ *try to bring two parties together* **4.1** de arbeiders hebben zich in een vakbond verenigd *the workers have united/have joined forces in a union;* deze rivieren ~ zich hier *these rivers flow together/join/u. here;* de studenten verenigden zich om te betogen *the students banded (themselves) together to demonstrate;* de troepen verenigden zich met de guerillastrijders *the troops allied with/joined forces with/lined up behind the guerrillas* **4.2** zich niet (kunnen) ~ met iets/iem. *dissociate o.s. from sth./s.o., not (be able to) agree with/to sth./s.o.;* zich (kunnen) ~ met de voorwaarden/de voorgestelde wijzigingen/haar opinie/deze visie *here agree to the conditions/to the proposed changes/with her opinion/with this point of view* **5.2** deze uitspraken zijn niet te ~ *these statements are irreconcilable/are not reconcilable/contradict each other* **6.1** verenigd *door* de band v.h. huwelijk *united by the bond of matrimony,* be joined in marriage; **in** de echt ~ *u./join in matrimony/marriage, wed;* het nuttige met het aangename ~ *mix/combine business with pleasure* **6.2** dat kan ik niet met mijn principes ~ *I cannot r. that with my principles* **6.3** zij verenigt alle goede eigenschappen in zich *she combines/unites all the good qualities in (herself);* deze producten ~ alle voordelen in zich *these products incorporate all the advantages.*

vereniging 〈de (v.)〉 **0.1** [club] *club, association, society* ⇒〈voor speciale vakbelangen ook〉 *union, guild, fellowship* **0.2** [samenvoeging] *union* ⇒*association, combination, joining, junction* 〈vnl. plaats〉 *amalgamation* 〈ook groepen e.d.〉 **0.3** [samenkomst, samenwerking] *association* ◆ **1.1** de ~ van oud-leerlingen *the former students' a.;* 〈vnl. AE〉 *the alumni a.* **1.3** het recht van ~ en vergadering *the right of a. and assembly* **2.1** coöperatieve ~ *a cooperative s.* **6.2** het leven **in** ~ met God *life in conjunction with God;* de verlangde ~ van Ulster met de Ierse Re-

publiek *the desired u. of Ulster with the Irish Republic;* een ~ *van* twee legers *a joining of two armies* **6.3** alleen of **in** ~ *single or accompanied;* **in** ~ met anderen *in conjunction/in a./together with others.*

verenigingsbestuur 〈het〉 **0.1** *club's/association's/society's officers.*
verenigingsgebouw 〈het〉 **0.1** *club(house), club building* ⇒*association's/society's building.*
verenigingsleven 〈het〉 **0.1** *club life* ⇒*social life.*
verenigingsraad 〈de (m.)〉 **0.1** *club's/association's/society's committee/board.*
verenigingswerk 〈het〉 **0.1** *club work/activities* ⇒*work for the association/society.*

verenkleed 〈het〉 **0.1** *plumage* ◆ **2.1** een bont ~ *(a) variegated/many-/parti-coloured/motley p..*

vereren 〈ov.ww.〉 **0.1** [aanbidden] *worship* ⇒*adore, revere, venerate* 〈groot man/grote vrouw〉 **0.2** [de eer aandoen van] *honour (with)* ⇒*favour (with)* ◆ **1.1** hij vereerde zijn beide dochters *he adored/worshipped/idolized his two daughters;* een heilige/Godheid ~ *w./venerate/adore a saint/deity* **5.2** zeer vereerd *very honoured* **6.2** iem. met een bezoek ~ *do s.o. the honour of visiting him/her/of a visit, h./favour s.o. with a visit;* ~ **met** zijn tegenwoordigheid *h./grace (sth.) with one's presence.*

verergeren
 I 〈ov.ww.〉 **0.1** [erger maken] *worsen, make worse* ⇒*aggravate* 〈ziekte, pijn, toestand〉, 〈schr.〉 *exacerbate* 〈pijn, ziekte e.d.〉 ◆ **1.1** iemands pijn/verdriet ~ *aggravate s.o.'s pain/grief, rub salt into a wound;* dat verergert de toestand nog *that only aggravates the situation,* makes things even worse/more complicated;
 II 〈onov.ww.〉 **0.1** [erger worden] *worsen, become/grow worse* ⇒*deteriorate, take a change/turn for the worse* ◆ **1.1** de toestand verergert *the situation is deteriorating/growing worse;* de ziekte verergert *the illness is taking a change/turn for the worse/is growing worse.*

verergering 〈de (v.)〉 **0.1** *worsening* ⇒*change for the worse (in), aggravation, deterioration,* 〈schr.〉 *exacerbation.*

verering 〈de (v.)〉 **0.1** [het vereren] *worship* ⇒*veneration, reverence, adoration, idolatry* **0.2** [〈r.k.〉] *devotion* ⇒*cult* ◆ **1.1** de ~ v.d. Beatles *the Beatles cult* **1.2** de ~ van Maria *the d. to/cult of Maria, the Maria cult* **3.1** wij hebben grote ~ voor deze man *we hold this man in great veneration/reverence.*

vererven
 I 〈onov.ww.〉 **0.1** [bij erfenis overgaan] *pass/devalue (to)* ⇒*descend (to), be inherited (by)* ◆ **6.1** de ouderlijke bezittingen zullen ~ **aan** de kinderen *the parental possessions will be transmitted/will pass/will devolve to/will be inherited by the children;*
 II 〈ov.ww.〉 **0.1** [door erfenis verkrijgen] *inherit* ◆ **1.1** een recht ~ *i. a privilege.*

vererving 〈de (v.)〉 **0.1** *inheritance.*
veretteren 〈onov.ww.〉 **0.1** *fester* ⇒*suppurate.*
vereuropesen 〈onov.ww.〉 **0.1** *become Europeanized* ◆ **3.1** doen ~ *Europeanize.*
verevening 〈de (v.)〉 **0.1** [het verevenen] *settlement, payment* **0.2** [in evenwicht brengen van inkomsten en uitgaven] *balancing, equalization.*
vereveningsbijdrage 〈de〉 **0.1** *deduction for national insurance.*

verf 〈de〉 **0.1** *paint* ⇒〈voor stoffen〉 *dye,* 〈voor schilderij ook〉 *colour* ◆ **3.1** de ~ bladdert af *the p. is peeling;* dat mag wel een ~je hebben *that is badly in need/that badly wants a coat/lick of p.;* ~ mengen/aanmaken *mix p./colours;* de ~ dik opbrengen *lay on the p. thick;* pas op voor de ~! *(watch out -) fresh/wet p.!;* ~ uitstrijken *spread the p. evenly* **6.1** 〈fig.〉 de deur staat in de ~ *the door is freshly painted;* het huis zit nog goed **in** de ~ *the paintwork (on the house) is still good;* de betekenis v.h. gedicht kwam niet goed **uit** de ~ *the meaning of the poem was not brought out/expressed well* **6.¶** niet **uit** de ~ komen *not live up to its promise, not come into its own.*

verfbad 〈het〉 **0.1** *dyebath.*
verfbom 〈de〉 **0.1** *paint bomb.*
verfdoos 〈de〉 **0.1** *paint box, (box of) paints.*
verffabriek 〈de (v.)〉 **0.1** *paint factory.*
verfhandelaar 〈de (m.)〉 **0.1** *paint dealer.*
verfijndheid 〈de (v.)〉 **0.1** *refinement* ⇒*delicacy, elegance.*
verfijnen 〈ov.ww.〉 **0.1** *refine* ◆ **1.1** de verfijnde elegantie *refined elegance;* verfijnde genoegens *sophisticated pleasures;* zijn techniek ~ *r./polish (up) one's technique.*
verfijning 〈de (v.)〉 **0.1** *refinement* ⇒〈abstr. ook〉 *sophistication,* 〈concr. ook〉 *nicety* 〈ook pej.〉.
verfilmen 〈ov.ww.〉 **0.1** *film* ⇒*turn/make into a film/*[A]*movie* ◆ **1.1** een roman ~ *f. a novel, turn a novel into a film, adapt a novel for the screen.*
verfilming 〈de (v.)〉 **0.1** [het verfilmen] *filming* **0.2** [verfilmde versie] *film/screen/*〈BE ook〉 *cinema version.*
verfkrabber 〈de (m.)〉 **0.1** *scraper.*
verfkuip 〈de〉 **0.1** *dyeing-vat/tub.*
verfkwast 〈de (m.)〉 **0.1** *paintbrush.*
verflaag 〈de〉 **0.1** *coat/layer of paint* ◆ **2.1** bovenste ~ *topcoat;* de eerste

~ *the first coat / layer of paint, the undercoat* **3.1** een ~ opbrengen *put on a coat / layer of paint.*

verflauwen ⟨onov.ww.⟩ **0.1** [flauw(er) worden] *fade* ⟨kleuren, licht, geluid e.d.⟩ ⇒⟨licht ook⟩ *dim, blur* ⟨lijn⟩ **0.2** [verminderen] *fade* ⇒ *lag, weaken, flag, slacken* ⟨ook geldw. / hand.⟩, *slacken* ⟨snelheid⟩ ◆ **1.1** de wind verflauwt *the wind is abating / dying down* **1.2** de markten ~ *the markets are growing dull / flagging / slackening* **3.2** zijn ijver / belangstelling / vriendschap begint te ~ *his zeal / interest / friendship is beginning to fade / wear off / cool / flag / wane / is on the wane.*

verflauwing ⟨de (v.)⟩ **0.1** [het flauw(er) worden] *fading* ⇒*dimming, blurring, abatement* ⟨wind⟩ **0.2** [vermindering] *fading* ⇒*weakening, flagging, slackening.*

verflensen ⟨onov.ww.⟩ **0.1** *wither* ⇒*wilt, fade.*

verflucht ⟨de⟩ **0.1** *smell / [†] odour of paint* ⇒⟨inf.⟩ *painty smell.*

verfmes ⟨het⟩ **0.1** *painting / palette knife* ⇒*spatula.*

verfoeien ⟨ov.ww.⟩ **0.1** *loathe, detest, abhor* ⇒*abominate,* ⟨schr.⟩ *execrate* ⟨vaak passief⟩ ◆ **1.1** ik verfoei vet eten *I detest /* ⟨inf.⟩ *can't stand / can't stick fat food;* oneerlijkheid ~ *abhor / detest dishonesty;* een verfoeid systeem *an abhorrent / abominable / a detestable system.*

verfoeiing ⟨de (v.)⟩ **0.1** *loathing, detestation, abhorrence* ⇒*abomination,* ⟨schr.⟩ *execration.*

verfoeilijk ⟨bn., bw.; -ly⟩ **0.1** *odious, ugly* ⇒*detestable, abominable, abhorrent,* ⟨schr.⟩ *execrable* ◆ **1.1** een ~e misdaad *a detestable / an abominable / u. / unspeakable crime.*

verfomfaaien
I ⟨ov.ww.⟩ **0.1** [toetakelen] *crumple (up), rumple* ⇒*tousle* ⟨vnl. mbt. haar⟩ ◆ **1.1** zijn kleren ~ *r. / crumple (up) one's clothes;*
II ⟨onov.ww.⟩ **0.1** [in wanorde raken] *crumple (up), rumple* ⇒*tousle* ⟨vnl. mbt. haar⟩ ◆ **3.1** er verfomfaaid uitzien *look dishevelled / tousled / rumpled / bedraggled / windswept / slightly out at elbows / scruffy.*

verfpot ⟨de (m.)⟩ **0.1** *paint pot.*

verfprodukt ⟨het⟩ **0.1** *paint* ⇒⟨voor stoffen⟩ *dye,* ⟨voor schilderij ook⟩ *colour.*

verfraaien ⟨ov.ww.⟩ **0.1** *embellish (with)* ⟨ook fig.⟩ ⇒*beautify* ◆ **1.1** een huis ~ *e. a house;* een kamer ~ *adorn / decorate a room;* de stad ~ *beautify the town;* zijn stijl ~ *e. one's style.*

verfraaiing ⟨de (v.)⟩ **0.1** [het verfraaien] *embellishment* ⇒*beautification* ⟨ook scherts.⟩, ⟨vnl. pej.⟩ *prettification* **0.2** [versiering] *embellishment* ⇒⟨inf.; scherts.⟩ *face-lift.*

verfransen
I ⟨ov.ww.⟩ **0.1** [Frans maken] *frenchify* ⇒*gallicize;*
II ⟨onov.ww.⟩ **0.1** [Frans worden] *frenchify* ⇒*gallicize, become french(ified)* ◆ **5.1** hij is helemaal verfranst *he has / is completely frenchified.*

verfrest ⟨de⟩ **0.1** [overblijfsel v.e. verflaag] *remaining paint; trace / dab of paint* ⟨meestal mv.⟩ **0.2** [overgebleven verf] *leftover / remaining paint.*

verfrissen ⟨ov.ww.⟩ **0.1** [opfrissen] *refresh* ⇒*freshen up* **0.2** [verversen] *refresh* ◆ **1.1** een flinke ruzie kan de geest ~ *a good fight may clear / r. the mind;* het onweer verfrist de lucht *the thunderstorm has cleared the air* **1.2** de lucht in een kamer ~ *r. the air in a room, ventilate a room* **4.1** zich ~ ⟨iets gebruiken⟩ *take some refreshment, refresh o.s.;* ⟨zich wassen / verkleden⟩ *freshen up, refresh (o.s.).*

verfrissend ⟨bn.⟩ **0.1** *refreshing* ⇒*invigorating* ◆ **1.1** een ~ bad *a r. / an invigorating bath;* ⟨fig.⟩ zijn naïviteit was ~ *his naiveté was r.; ~e regen r. rain.*

verfrissing ⟨de (v.)⟩ **0.1** [het verfrissen] *refreshment* ⇒*refreshing* **0.2** [wat verfrist] *refreshment* ◆ **1.2** enige ~en gebruiken *take / have some refreshments.*

verfrol ⟨de⟩ **0.1** *paint roller.*

verfroller →verfrol.

verfrommelen ⟨ov.ww.⟩ **0.1** *crumple / rumple (up)* ⇒*crush* ◆ **1.1** een zakdoek / stuk papier ~ *scrumple up a handkerchief / piece of paper.*

verfschraper →verfkrabber.

verfspuit ⟨de⟩ **0.1** *paint spray(er), spray gun;* ⟨vnl. mbt. foto⟩ *airbrush.*

verfstof ⟨de⟩ **0.1** *paint* ⇒⟨voor materiaal / stoffen⟩ *dye (base), dyestuff,* ⟨voor schilderij ook⟩ *colour(ing),* ⟨grondstof⟩ *pigment* ◆ **2.1** natuurlijke en synthetische ~fen *natural and synthetic paints / dyes / pigments;* organische en anorganische ~fen *organic and anorganic paints / dyes / pigments.*

verfverdunner ⟨de (m.)⟩ **0.1** *thinner.*

verfwaren ⟨zn. mv.⟩ **0.1** [grondstoffen] *pigments* ⇒*dyes, dyestuffs, dye bases* **0.2** [verfstoffen als artikel] *paints* ⇒⟨voor materiaal / stoffen⟩ *dyes, dyestuffs, dye bases,* ⟨voor schilderij⟩ *colours.*

verfwerk ⟨het⟩ **0.1** [verflaag] *paintwork* **0.2** [werk bestaande in verven] *painting job* ◆ **3.1** het ~ ziet er nog goed uit *the p. still looks good.*

verfwinkel ⟨de (m.)⟩ **0.1** *paint shop.*

verg. ⟨afk.⟩ **0.1** [vergelijk] *cp.* ⇒*cf..*

vergaan ⟨onov.ww.⟩ ⟨→sprw. 471,687⟩ **0.1** [voorbijgaan] *fare* ⇒ ↓*turn out,* ↓*happen* **0.2** [vergaan] *perish, perish, decay* ⇒*rot, waste away, putrefy, moulder (away)* **0.4** [ten onder gaan] *perish* ⇒⟨fig.⟩ *be consumed with,* ⟨scheep. ook⟩ *be wrecked / lost, founder* ◆ **1.1** vergane glorie *lost / faded glory;* vergane tijden

times long gone **1.2** de lust vergaat mij *I have lost all inclination for it,* [B]*my fancy for it is gone;* schoonheid vergaat *beauty perishes / never lasts* **1.3** dat hout is ~ *that wood has decayed / rotted / mouldered* **1.4** de wereld vergaat binnenkort volgens sommigen *according to some, the world will soon p. / end* **3.1** ik weet niet hoe het hem is ~ *I don't know what has become of him* **5.1** het zal hem slecht ~ *he will f. badly, it will go hard for him;* ⟨inf.⟩ *he will come to a sticky end* **6.4** door het zwaard ~ *p. / die by the sword,* ⟨fig.⟩ je vergaat er van de stank *there's an unbearable stench in there;* ⟨BE; inf.⟩ *it doesn't half pong in there;* ⟨fig.⟩ ik verga van de kou *I am freezing to death; ~ van* (de) honger ⟨lett.⟩ *p. with / die of hunger, starve to death;* ⟨fig.⟩ *be starving to death; ~ van* (de) dorst ⟨lett.⟩ *p. with / die of thirst;* ⟨fig.⟩ *be dying of thirst;* ⟨fig.⟩ *~ van* de pijn / hoofdpijn *be racked with pain, have a racking / splitting headache* **¶.1** hoe is het jou ~? *how have you fared / been?* **¶.2** horen en zien vergaat je erbij *it's an infernal noise, the noise is enough to waken the death.*

vergaand ⟨bn.⟩ **0.1** *far-reaching* ⇒*sweeping, drastic, extreme* ◆ **1.1** ~e bezuinigingen *drastic cuts; ~e* maatregelen *drastic / f.-r. / extreme measures; ~e* plannen *f.-r. / sweeping plans.*

vergaarbak ⟨de (m.)⟩ **0.1** [reservoir] *receptacle* ⇒*repository, reservoir* ⟨van vloeistoffen⟩ **0.2** [⟨fig.⟩] *reservoir, repository* ⇒⟨vnl. pej.⟩ *catchall* ◆ **6.1** een ~ voor gevonden voorwerpen *a repository for lost property* **6.2** een ~ van meningen *a reservoir / repository of opinions.*

vergaarbekken ⟨het⟩ **0.1** [vergaarbak] *basin, reservoir* **0.2** [⟨fig.⟩] *reservoir, repository* ⇒⟨vnl. pej.⟩ *catchall* ◆ **6.2** de Verenigde Staten zijn een ~ van allerlei rassen *the United States is a melting pot.*

vergaarmachine ⟨de (v.)⟩ ⟨druk.⟩ **0.1** *gathering machine.*

vergaderen
I ⟨onov.ww.⟩ **0.1** [in vergadering bijeenkomen] *meet* ⇒*assemble, sit, be in session* ⟨officieel orgaan⟩ ◆ **1.1** hij heeft al de hele ochtend vergaderd *he has been in conference all morning;* de raad vergaderde twee uur lang *the council sat for two hours;* de raad van bestuur vergadert vandaag *the board of directors is meeting / assembling today;*
II ⟨ov.ww.⟩ ⟨schr.⟩ **0.1** [bijeenzamelen] *gather* ⇒*assemble, collect* ◆ **6.1** ⟨bijb.⟩ tot zijn vaderen vergaderd worden *be gathered to one's fathers.*

vergadering ⟨de (v.)⟩ **0.1** [georganiseerde bijeenkomst] *meeting* ⇒*assembly, conference, session, sitting* **0.2** [de vergaderde personen] *meeting* ⇒*assembly, conference* **0.3** [het vergaderen] *meeting* ⇒*assembly* ◆ **1.1** ~ van aandeelhouders *m. of shareholders, shareholders' meeting;* het verslag v.e. ~ *the minutes of a m.* **1.3** recht van ~ *right of assembly* **2.1** gewone / algemene ~ *general m. / assembly;* Nationale ~ *National Assembly;* een plenaire ~ *a plenary session* **2.2** Geachte ~! ⟨*Mr. / Mrs. Chairman), Ladies and Gentlemen* **3.1** de ~ begint om 10 uur *the m. begins / convenes at 10 o'clock, the chair will be taken at 10 o'clock;* een ~ bijeenroepen / beleggen / uitschrijven / vaststellen *call / arrange / convene / book a m.;* een ~ bijwonen *attend a m.;* een ~ houden *hold a m.;* een ~ openen / voor geopend verklaren *open a m., call a m. to order;* een ~ schorsen *adjourn a m.;* de ~ sluiten / voor gesloten verklaren *close / conclude the m. / proceedings, leave the chair, declare the m. / proceedings closed;* een ~ voorzitten / leiden *chair a m., preside at / over a m.* **3.2** de ~ ging uiteen *the m. broke up* **6.1** in ~ bijeen zijn *sit, be in session / conference, hold a m.;* op / tijdens de ~ *at / during the m.; staande* de ~ *at / during the m..*

vergadertafel ⟨de⟩ **0.1** *conference table.*

vergaderzaal ⟨de⟩ **0.1** *meeting hall* ⇒*assembly / conference room.*

vergallen ⟨ov.ww.⟩ **0.1** *spoil, mar* ⇒⟨leven ook⟩ *embitter* ◆ **1.1** iem. het leven ~ *embitter / s. / mar s.o.'s life;* iemands plezier ~ *s. / mar s.o.'s pleasure, be a spoilsport.*

vergalopperen ⟨wk.ww.; zich ~⟩ ⟨fig.⟩ **0.1** [overijld handelen] *overplay one's hand (in), overreach o.s. (in / with regard to), act (too) hastily;* ⟨blunder begaan⟩ *blunder (with), put one's foot in it / one's mouth.*

vergankelijk ⟨bn.⟩ **0.1** *transitory, transient* ⇒*passing, fleeting* ⟨leven, schoonheid, roem enz.⟩, *mortal* ⟨mens⟩, *perishable* ⟨concrete dingen⟩ ◆ **1.1** ~e goederen *perishable goods;* het ~e leven *transitory / transient life* **3.1** roem is ~ *fame is transitory / short-lived / brittle / ephemeral;* de mens is ~ *man is mortal.*

vergankelijkheid ⟨de (v.)⟩ **0.1** *transitoriness, transience* ⇒⟨sterfelijkheid⟩ *mortality.*

vergapen
I ⟨wk.ww.; zich ~⟩ **0.1** [met verwondering kijken naar] *gaze / gape* ⇒⟨inf.⟩ *goggle at, stare,* [A]*rubberneck* ◆ **6.1** zich ~ aan een motor *gape (in admiration) at a motorbike;* ⟨fig.⟩ zich ~ aan de schijn *take the shadow for the substance, be deceived by appearances, take the glitter for the gold;*
II ⟨ov.ww.⟩ **0.1** [verdoen] *waste (away)* ⇒*fritter away* ◆ **1.1** zit je tijd niet te ~, en ga aan het werk! *don't waste (away) your time and start working!, don't just sit there staring (into space) - get going / a move on!.*

vergaren ⟨ov.ww.⟩ ⟨→sprw. 549⟩ **0.1** [verzamelen] *gather* ⇒*amass, collect, accumulate, store up* **0.2** [⟨boek.⟩] *gather* ◆ **1.1** gegevens ~ *g. / collect / compile / accumulate data;* veel geld ~ ⟨ook⟩ *rake it in, earn money hand over fist;* kennis / wijsheid ~ *store up / g. / amass knowl-*

edge/wisdom; zijn paperassen ~ *g. up one's papers, collect one's papers together;* rijkdom/een fortuin ~ *amass/accumulate wealth/a fortune.*

vergassen
I ⟨onov.ww.⟩ **0.1** [tot gas worden] *gasify* ⇒*vaporize;*
II ⟨ov.ww.⟩ **0.1** [met gas doden] *gas* **0.2** [in gas omzetten] *gasify* ⇒ *vaporize* ◆ **1.2** kolen ~ *g./vaporize coal.*

vergasser ⟨de (m.)⟩ **0.1** ⟨petroleumvergasser⟩ *oil burner,primus;* ⟨in motor⟩ *carburettor ^etor.*

vergassing ⟨de (v.)⟩ **0.1** [mbt. stoffen] *gasification* **0.2** [mbt. mensen] *gassing.*

vergasten ⟨ov.ww.⟩ ⟨vaak iron.⟩ **0.1** *regale (with/on), treat (to)* ◆ **4.1** zich aan iets ~ *feast (up)on/take delight in/regale o.s. on/with sth.* **6.1** iem. **op** een fijn diner ~ *regale s.o. on/with a fine dinner, wine and dine s.o.;* hij heeft ons **op** een redevoering vergast *he treated us to a speech.*

vergeeflijk ⟨bn.⟩ **0.1** [te vergeven] *forgivable* ⇒ ↑*pardonable,* ⟨onbetekenend⟩ *venial* **0.2** [vergevingsgezind] *forgiving.*

vergeeflijkheid ⟨de (v.)⟩ **0.1** [te vergeven zijn] *forgivableness* ⇒ ↑*pardonableness, venialness, veniality* **0.2** [vergevensgezindheid] *forgiving /↑pardoning nature.*

vergeefs
I ⟨bw.⟩ **0.1** [tevergeefs] *in vain* ⇒*vainly, to no purpose, unavailingly* ◆ **3.1** ~ zoeken *look in vain;*
II ⟨bn.⟩ **0.1** [vruchteloos] *vain* ⇒*useless, unavailing, futile,* ⟨pred. ook⟩ *in vain, of no avail, to no purpose* ◆ **1.1** ~e moeite *v./lost/ wasted trouble;* ~e pogingen *v./futile/useless/fruitless/abortive attempts;* een ~e reis *a futile/useless/an unavailing journey.*

vergeestelijken
I ⟨ov.ww.⟩ **0.1** [een geestelijke zin geven aan] *spiritualize* ⇒*etherealize;*
II ⟨onov.ww.⟩ **0.1** [meer geestelijk worden] *become spiritualized* ⇒ *become etherealized* ◆ **1.1** een vergeestelijkt gezicht *a spiritual face.*

vergeestelijking ⟨de (v.)⟩ **0.1** *spiritualization.*

vergeetachtig ⟨bn.⟩ **0.1** [zwak van geheugen] *forgetful* **0.2** [vaak iets vergetend] *forgetful* ⇒*absent-minded* ◆ **3.1** ~ zijn *be f., have a short memory.*

vergeetal ⟨de (m.)⟩ **0.1** *forgetful person* ◆ **3.1** wat ben jij een ~ *how (terribly) forgetful you are;* hij is zo'n ~ *he's got a memory like a sieve.*

vergeetboek ⟨het⟩ ◆ **6.¶** in het ~ raken *sink/fall/pass into oblivion;* **in** het ~ geraakt zijn ⟨ook⟩ *be completely/totally/entirely forgotten.*

vergeet-mij-niet ⟨de⟩ **0.1** *forget-me-not* ⇒*myosotis, myosote, scorpion grass.*

vergefelijk →**vergeeflijk.**

vergelden ⟨ov.ww.⟩ **0.1** *repay* ⇒⟨schr.⟩ *requite,* ⟨belonen⟩ *reward,* ⟨ook uit wraak⟩ *pay back/out/* ⟨inf.⟩ *off, serve out,* ⟨wraaknemen⟩ *revenge on* ◆ **3.1** ik zal het moeten ~ ⟨boeten⟩ *I'll have to pay for this;* ⟨vergoeden⟩ *I'll have to reward this* **4.1** God vergelde het U *may God reward you for it!* **6.1** kwaad **met** kwaad ~ *pay back/retaliate/return/repay evil with evil;* kwaad **met** goed ~ *return/render good for evil, reward evil with good.*

vergelding ⟨de (v.)⟩ **0.1** *repayment* ⇒⟨schr.⟩ *requital,* ⟨beloning⟩ *reward,* ⟨uit wraak⟩ *revenge,* ⟨oog om oog⟩ *retaliation,* ⟨schr.; verdiend⟩ *retribution* ◆ **1.1** de dag v.d. ~ *the day of reckoning* **6.1** ter ~ werden krijgsgevangenen doodgeschoten *prisoners of war were shot in retaliation/reprisal/as a reprisal;* **ter** ~ van bewezen diensten *in return for services rendered.*

vergeldingsaanval ⟨de (m.)⟩ **0.1** *reprisal/retaliatory attack.*

vergeldingsactie ⟨de (v.)⟩ **0.1** *retaliatory action* ⇒⟨pol. ook⟩ *reprisal.*

vergeldingsmaatregel ⟨de (m.)⟩ **0.1** *reprisal* ⇒*retaliatory measure/action* ◆ **8.1** als ~ besloten zij ... *in retaliation/as a reprisal they decided to ....*

vergelen ⟨onov.ww.⟩ **0.1** *yellow* ⇒*go/turn yellow,* ⟨mbt. huidskleur ook⟩ *sallow* ◆ **1.1** oude vergeelde papieren *old yellowed papers.*

vergelijk ⟨het⟩ **0.1** [overeenkomst] *agreement* ⇒*settlement, compromise, accommodation* **0.2** ⟨jur.⟩ *settlement* ⇒*compromise* **0.3** [het vergelijken] ⟨→**vergelijking 0.1**⟩ ◆ **3.1** tot een ~ komen *come to/ make terms (with), compromise, come to/reach an agreement* **3.2** een ~ treffen/maken/met zijn schuldeisers sluiten *reach a s./compound with one's creditors.*

vergelijkbaar ⟨bn.⟩ **0.1** *comparable* ⇒*similar,* ⟨schr.⟩ *commensurable, analogous* ◆ **1.1** meelsoorten en vergelijkbare produkten *types of flour and similar products* **3.1** ~ zijn *compare, be comparable (with/to)* **6.1** ~ **met** *parallel/comparable to, commensurable with.*

vergelijken ⟨ov.ww.⟩ **0.1** *compare (with/to)* ⇒*equate (to/with), parallel (with), liken (to),* ⟨mbt. geschriften⟩ *collate (with)* ◆ **1.1** vergelijk artikel 12, tweede lid *see/cf. article 12, subsection two;* gebeurtenissen ~ *compare events* **3.1** het laat zich ~ *met it bears comparison with, it may/can be compared to* **6.1** dit is niets vergeleken **bij** de hoofdstad *this is nothing to/beside/compared to the capital;* een goed acteur zijn vergeleken **bij** anderen *a good actor as actors go/compared with the rest;* een vertaling **met** het oorspronkelijk ~ *compare/collate a translation with the original;* niet te ~ zijn **met** *not be in the same class as, be*

no comparison with, not be comparable to, not be a patch on; vergeleken **met** vroeger is er veel veranderd *compared with/by contrast with the past a lot has changed.*

vergelijkend ⟨bn.⟩ **0.1** *comparative* ◆ **1.1** ~e anatomie/fysiologie *c. anatomy/physiology;* een ~ examen *a competitive exam;* ⟨taal.⟩ de ~e trap *the c. (degree).*

vergelijkenderwijs ⟨bw.⟩ **0.1** *comparatively* ⇒*in/by comparison.*

vergelijking ⟨de (v.)⟩ **0.1** [het vergelijken] *comparison* ⇒*parallel, likening (to)* **0.2** [opsomming van de overeenkomsten en verschillen] *comparison* ⇒*parallel,* ⟨overeenkomsten⟩ *analogy,* ⟨mbt. geschriften⟩ *collation* **0.3** [⟨lit.⟩] *comparison* ⇒*simile, metaphor* **0.4** [⟨wisk.⟩] *equation* **0.5** [⟨schei.⟩] *(chemical) equation* ◆ **1.1** ⟨taal.⟩ de trappen van ~ *the degrees of c.* **1.1** ~ v.d. eerste/tweede/derde graad *linear/quadratic/cubic e.* **2.1** een treffende ~ *a striking c.* **2.3** een homerische ~ *a Homeric simile* **3.1** de ~ doorstaan *stand/bear c.* **3.2** een ~ maken /trekken *make/draw a comparison, draw an analogy/a parallel* **3.3** elke ~ gaat mank *any c. won't hold (water)* **6.1** bij ~ blijkt het verschil niet groot te zijn *on c. the difference turns out to be small/there appears to be hardly any difference;* in ~ **met** *in/by c. with.*

vergelijkingsmateriaal ⟨het⟩ **0.1** *reference material, material for comparison* ◆ **8.1** met onbehandelde olie als ~ *with untreated oil as a reference.*

vergelijkingspunt ⟨het⟩ **0.1** [punt ten opzichte waarvan men kan meten] *point of comparison* **0.2** [punt van vergelijking] *similarity* ⇒*resemblance, correspondence.*

vergelijkingstabel ⟨de⟩ **0.1** *table of comparison.*

vergemakkelijken ⟨ov.ww.⟩ **0.1** *simplify* ⇒*ease, make easy/easier, make more comfortable, facilitate* ◆ **1.1** dat dient om het leven te ~ *that serves to make life easier/more comfortable;* nieuwe uitvindingen hebben het huishoudelijk werk vergemakkelijkt *new inventions have facilitated housework.*

vergemakkelijking ⟨de (v.)⟩ **0.1** *simplification* ⇒*easing (of), facilitation* ◆ **6.1 ter** ~ *for simplicity's sake, to simplify matters/things;* ⟨inf.⟩ *to make things easier.*

vergen ⟨ov.ww.⟩ **0.1** *demand* ⇒*require, ask,* ⟨belasten⟩ *tax,* ⟨beproeven⟩ *test* ◆ **1.1** dat vergt een enorme inspanning *that requires/demands/takes an enormous effort;* het uiterste ~ van *strain/tax/try s.o. /sth. to the limit/utmost* **6.1** hoe kunt u dat **van** mij ~? *how can you d./ask that of me/ask me to do that?;* te veel **van** zijn krachten ~ *overtax /overstrain/overtask o.s., overdo it/things, take it out of o.s.;* veel **van** iemands geduld ~ *tax/try/test/strain s.o.'s patience;* ze kunnen niet **van** haar ~ dat zij dat doet *it's asking too much of her/she can't be expected/it's too much to expect her to do that* **7.1** dat vergt veel van mijn middelen *that's a heavy drain/that puts a severe strain on my resources.*

vergenoegd ⟨bn.⟩ **0.1** *content* ⇒⟨voldaan⟩ *contented, satisfied,* ⟨opgeruimd⟩ *pleased, cheerful* ◆ **1.1** een ~ gezicht *a contented/cheerful/ happy face;* een ~ leven leiden *lead a contented life* **3.1** ~ lachen *laugh happily;* er ~ uitzien *look content/cheerful/pleased.*

vergenoegdheid ⟨de (v.)⟩ **0.1** *contentment* ⇒⟨voldaanheid⟩ *contentedness, satisfaction,* ⟨opgeruimdheid⟩ *cheerfulness.*

vergenoegen ⟨ov.ww.⟩ **0.1** *content* ⇒*satisfy* ◆ **4.1** zich ~ **met** *content o.s. with sth.., be content with sth..*

vergépapier ⟨het⟩ **0.1** *laid/wove paper.*

vergetelheid ⟨de (v.)⟩ **0.1** [het vergeten zijn] *oblivion* ⇒⟨mbt. schrijvers e.d.⟩ *obscurity, silence* **0.2** [het vergeten] *oblivion* ⇒*forgetfulness* ◆ **3.2** ~ zoeken in de alcohol *seek o./forgetfulness in alcohol* **6.1** **aan** de ~ prijsgeven *bury in/relegate to oblivion;* **aan** de ~ onttrekken/ontrukken *rescue/save from oblivion/obscurity;* **in** de ~ geraken *be(come) forgotten, fall/sink/pass into oblivion;* deze gewoonte is **in** de ~ geraakt ⟨ook⟩ *this custom has fallen into disuse.*

vergeten¹ ⟨bn.⟩ **0.1** *forgotten* ⇒*obscure,* ⟨geen aandacht krijgen⟩ *neglected* ◆ **1.1** ~ minderheid/groep *neglected minority/group;* ~ schrijvers/boeken *f. writers/books, obscure writers, dusty books.*

vergeten² ⟨→sprw. 206⟩
I ⟨ov.ww.⟩ **0.1** [niet meer kennen/weten] *forget* ⇒*slip one's mind/ memory,* ⟨AE, IE ook⟩ *disremember,* ⟨tijdelijk vergeten⟩ *escape (one's mind)* **0.2** [verzuimen te doen/noemen] *forget* ⇒*miss out, overlook, pass by/over* **0.3** [van zich afzetten] *forget* ⇒*put out of one's mind, shake off, banish* **0.4** [laten liggen] *forget* ⇒*leave behind* ◆ **1.2** je hebt mevrouw B. ~ *you have forgotten/missed out/overlooked Mrs. B.;* ze waren zijn naam op de lijst ~ *his name was missed out on the list* **1.3** laten we de verschillen ~ *let's sink the difference;* zijn zorgen ~ *f./banish one's worries, put one's cares out of one's mind* **3.1** hoe kunnen we hen dit ooit doen ~? *how can we ever make up to them for this?;* alles is ~ en vergeven *everything is forgiven and forgotten, (there are) no hard feelings* **3.3** iem. kunnen ~ *get over s.o.* **4.1** alles ~ *oblivious of/forgetting everything* **4.2** o ja, vóór ik het vergeet ...*oh yes, before I f.* **4.3** ⟨fig.⟩ vergeet het maar! *no fear!, not on your life!, f. it!, no way!* **5.1** glad ~ *clean forgot(ten), (sth.) went clear out of one's mind;* niet ~ *don't f., (be sure to) remember, keep in mind;* opdat wij het niet ~ *lest it be forgot, before/lest we f.;* dat is om nooit te ~! *that is unforgettable!, never to be forgotten!* **5.2** niet te ~

not forgetting/omitting; ⟨bij lijst⟩ *last but not least;* men moet niet ~ dat *it mustn't be forgotten that, it should be remembered/borne in mind that* ¶.1 dat kun je wel ~ *you can kiss/say goodbye to that!,* you *can put that right out of your head;*
II ⟨wk.ww.; zich ~⟩ 0.1 [buiten zichzelf raken] *forget o.s.* ⇒*lose control of o.s. / one's self-control.*

vergeven ⟨ov.ww.⟩ 0.1 [kwijtschelden] *forgive* ⇒*excuse,* ⟨ook jur.⟩ *pardon,* ⟨door priester⟩ *absolve* 0.2 [vergiftigen] *poison* 0.3 [uitdelen] *give (away)* 0.4 [⟨kaartspel⟩] *misdeal* ◆ 1.1 iemands zonden ~ *forgive s.o. for his sins, absolve s.o. of his sins* 1.3 er zijn nog drie agentschappen te ~ *there are still three agencies available;* er zijn nog twee banen te ~ *there are still two jobs/posts open/unfilled* 3.3 zij heeft zes vrijkaartjes te ~ *she has six free tickets to g. away* 4.1 vergeef het mij *f. me (for) that;* ik kan mezelf nooit ~, dat ik … *I can never f. myself for (…ing);* vergeef mij! *f. / pardon/excuse me* 4.2 zich ~ *poison o.s.* 6.2 ⟨fig.⟩ van iets ~ zijn *be infested/alive/crawling with/overrun by;* ⟨fig.⟩ het huis is ~ **van** de stank *the house is filled with/pervaded by the stench;* ~ **van** de luizen *lice-ridden, crawling/alive with lice.*

vergevensgezind ⟨bn.⟩ 0.1 *forgiving* ⇒*lenient, quick to forgive, merciful,* ᵗ*appeasable.*

vergevensgezindheid ⟨de (v.)⟩ 0.1 *forgiving/lenient/merciful nature.*

vergeving ⟨de (v.)⟩ 0.1 [kwijtschelding] *forgiveness* ⇒⟨ook jur.⟩ *pardon,* ⟨door priester⟩ *absolution,* ⟨rel.⟩ *remission* 0.2 [het weggeven] *giving away* ⇒⟨kerkelijk ambt⟩ *collation* 0.3 [vergiftiging] ⟨~**vergiftiging**⟩ ◆ 1.1 de ~ van de zonden *the remission of sins* 3.1 iem. ~ schenken *grant s.o. forgiveness/pardon, pardon/forgive s.o.;* ~ tonen ⟨ook⟩ *show mercy!;* iem. om ~ vragen (voor iets) *ask s.o.'s f. / pardon (for sth.).*

vergevorderd ⟨bn.⟩ 0.1 *(far) advanced* ⇒⟨mbt. ziekte ook⟩ *far gone* ◆ 1.1 op ~e leeftijd *at an a. / ripe old/a great age;* het werk is ~ *the work is at an a. stage/in an a. phase;* (pas) op een ~ uur werd men vrolijk *as the night wore on they got quite merry;* hij kwam (pas) op een ~ uur *he came at a very late hour.*

vergewissen ⟨wk.ww.; zich ~⟩ 0.1 *ascertain* ⇒*make certain/sure* ◆ 6.1 zich van iets ~ *make certain/persuade o.s. of sth.* 8.1 zich ervan ~ dat … a. / make certain/sure that, persuade/satisfy o.s. that.*

vergezellen ⟨ov.ww.⟩ 0.1 [begeleiden] *accompany* ⇒*bear/keep (s.o.) company,* ⟨volgelingen⟩ *attend ((up)on)* 0.2 [gelijk optreden met] *accompany* ⇒ ◆ 1.1 iem. **op** (de) reis ~ *a. / bear/keep s.o. company on a journey;* vergezeld **van** zijn trouwe hond *accompanied by his faithful dog.*

vergezicht ⟨het⟩ 0.1 [panorama] *(panoramic/wide) view* ⇒*vista, panorama, prospect* 0.2 [schilderij] *view* ⇒⟨land/sea/city ⟨enz.⟩⟩ *scape* ◆ 2.1 op die heuvel heeft men een mooi ~ *one has a splendid/fine view from this hill, there is a beautiful vista/panorama/prospect from this hill, that hill commands a fine view* 6.1 een ~ **op** de rivier *a wide view of the river.*

vergezocht ⟨bn.⟩ 0.1 *far-fetched* ⇒⟨pred. gebruikt⟩ *stretched,* ⟨pej.; schr.⟩ *casuistic(al)* ◆ 1.1 ~e interpretatie *a f.-f. / strained interpretation;* ~e tegenargumenten *f.-f. counter-arguments* 3.1 dat is nogal ~ *that's rather stretched/f.-f., that's stretching it a bit.*

vergiet ⟨het, de⟩ 0.1 *colander, cullender* ⇒*drainer,* ⟨vloeistoffen⟩ *strainer* ◆ 8.1 zo lek als een ~ *as leaky as a sieve;* hij heeft een geheugen als een ~ *he's got a head/memory/mind like a sieve.*

vergieten ⟨ov.ww.⟩ 0.1 *shed* ⇒*spill* ◆ 1.1 bloed ~ *shed/spill blood;* tranen ~ *shed/weep tears, weep.*

vergif ⟨~**vergift**.

vergiffenis ⟨de (v.)⟩ →**vergeving** 0.1.

vergift ⟨het⟩ 0.1 [gif] *poison* ⇒*toxicant,* ⟨mbt. dieren⟩ *venom,* ⟨mbt. bacteria⟩ *toxin* 0.2 [⟨fig.⟩] *poison* ⇒*venom* ◆ 1.1 een stuk ~ *a nasty piece of work, a real pain in the neck!* ⟨bel.⟩ *arse* 2.1 dodelijk ~ *lethal/deadly p.;* minerale/dierlijke/plantaardige ~ en *mineral/animal/vegetable poisons/toxins* 3.1 ⟨fig.⟩ de afloop daarvan kun je ~ nemen *you can bet your life on/be sure/certain of/about that;* een snel/langzaam werkend ~ *a quick/slow p.* 6.2 vroeger noemde men die boeken ~ **voor** de jeugd *people used to say those books poisoned young people's minds.*

vergiftenleer ⟨de⟩ 0.1 *toxicology.*

vergiftig ⟨bn.⟩ 0.1 *poisonous* ⇒*toxic(ant),* ⟨mbt. dieren⟩ *venomous* ◆ 1.1 ~e paddestoelen *p. mushrooms;* ~e slangen *p. / venomous snakes* 5.1 niet ~ *non-poisonous/-venomous/-toxic.*

vergiftigen ⟨ov.ww.⟩ 0.1 [met vergif doden] *poison* 0.2 [als gif werken op/in] *poison* ⇒⟨dicht.⟩ *envenom,* ⟨mbt. medicijnen⟩ *intoxicate* 0.3 [vergiftig maken] *poison* ⇒*make poisonous,* ⟨dicht.⟩ *envenom* ◆ 1.2 die propaganda vergiftigt de betrekkingen tussen de volken *that propaganda is poisoning/ruining/corrupting relations between the nations;* zijn lichaam is door alcohol en nicotine vergiftigd *his body has been poisoned by alcohol and nicotine* 1.3 voedsel/pijlen ~ *p. food/arrows.*

vergiftiging ⟨de (v.)⟩ 0.1 *poisoning* ◆ 6.1 hij stierf **door** ~ *he died of p.* ¶.1 ~ en *cases of p..*

vergiftigingsdood ⟨de⟩ 0.1 *death from/by poisoning.*

vergiftigingsverschijnsel ⟨het⟩ 0.1 *poisoning symptom* ⇒*symptom of poisoning.*

vergiftigingswaan ⟨de (m.)⟩ 0.1 *delusion/mania of being poisoned.*

vergiftkast ⟨de⟩ 0.1 *poison(s) cupboard/cabinet.*

vergissen ⟨wk.ww.; zich ~⟩ ⟨→sprw. 598⟩ 0.1 *be mistaken/wrong* ⇒*make a mistake, err, slip/trip up,* ⟨mbt. rekenen⟩ *miscalculate* ◆ 2.1 ~ is menselijk *we all make mistakes, to err is human* 5.1 daarin vergist u zich *that's where you're wrong, you're wrong about that;* zich lelijk ~ *be greatly mistaken, make a blunder/a big mistake/a grave error;* vergis je niet *make no mistake;* als ik mij niet vergis *if I'm not wrong/mistaken, unless I'm very much mistaken* 6.1 zich **bij** het spreken ~ *make a slip of the tongue;* zich **in** de persoon ~ *mistake s.o.;* zich **in** iem. ~ *be mistaken/wrong about s.o., misjudge s.o., be deceived by s.o.* 8.1 als hij dat denkt, vergist hij zich *if he thinks that he'll have to think again.*

vergissing ⟨de (v.)⟩ 0.1 *mistake* ⇒*error, slip,* ⟨mbt. rekenen⟩ *miscalculation* ◆ 2.1 een grove ~ *a gross error, a blunder* 3.1 een ~ maken/begaan/herstellen/goedmaken *make/commit/rectify/correct/redeem a mistake/error* 6.1 iets **bij/per** ~ doen *do sth. by mistake/inadvertently.*

verglazen ⟨ov.ww.⟩ 0.1 [met glazuur bedekken] *glaze* 0.2 [in glas veranderen] *vitrify* ◆ 1.¶ verglaasde ogen *glassy eyes.*

verglazing ⟨de (v.)⟩ 0.1 [het bedekken met glazuur] *glazing* 0.2 [het in glas veranderen] *vitrification.*

verglijden ⟨onov.ww.⟩ 0.1 *go/slip/pass by* ⇒*lapse* ◆ 1.1 de dagen vergleden *the days slipped/went by.*

vergoddelijken ⟨ov.ww.⟩ 0.1 *deify* ⇒*apotheosize,* ⟨als godheid eren ook⟩ *divinize,* ⟨overdreven vereren ook⟩ *idolize, worship* ◆ 1.1 de Grieken vergoddelijkten hun helden *the Greeks deified/divinized their heroes.*

vergoddelijking ⟨de (v.)⟩ 0.1 *deification* ⇒*apotheosis,* ⟨als godheid vereren ook⟩ *divinization,* ⟨overdreven vereren ook⟩ *idolism, idolatry, idolization* ◆ 1.1 de ~ van de heerser/van het koningschap *the deification/idolization/apotheosis/divinization of the ruler/kingship.*

vergoden ⟨ov.ww.⟩ 0.1 *idolize.*

vergoeden ⟨ov.ww.⟩ 0.1 [terugbetalen] *make good* ⇒*compensate for, refund, reimburse, (re)pay,* ⟨schr.⟩ *indemnify* 0.2 [als compensatie dienen voor] *compensate* ⇒*make up (for)* 0.3 [als loon geven voor] *pay* ⇒⟨schr.⟩ *remunerate, recompense* ◆ 1.1 onkosten ~ *pay expenses;* iem. gemaakte onkosten ~ *refund/repay s.o.'s expenses, reimburse s.o. (for) expenses;* onrecht ~ *make good/amends for an injury;* iem. de schade ~ *compensate/pay s.o. for the damage, reimburse s.o. (for) the damage;* een verlies ~ *make good/recoup/offset/cover a loss* 1.3 iem. de gewerkte uren ~ *p. / remunerate s.o. for the hours worked* 3.1 dat moet hij ~ *he'll have to repay that* 7.1 dat vergoedt veel *that makes up for a lot.*

vergoeding ⟨de (v.)⟩ 0.1 [schadeloosstelling] *compensation* ⇒*recompense, reimbursement, refund(ing), remuneration, redress,* ⟨schr.⟩ *indemnity* 0.2 [bedrag] *allowance* ⇒*fee, pay(ment), expenses* ⟨voor gemaakte onkosten⟩ *damages,* ⟨hand.⟩ *bonus* ⇒*extra remuneration* ◆ 1.1 ~ van geleden oorlogsschade *(c. for) war damages* 2.2 tegen een geringe ~ *for a small fee/consideration* 3.1 ~ eisen *claim damages;* ~ krijgen voor de onkosten *be paid expenses, be reimbursed/recouped (for the cost);* ik moet een ~ ontvangen *I must get a quid pro quo/c. / damages* 6.1 **voor** ~ in aanmerking komen *come in for/have a right to/qualify for c. / indemnity* 6.2 een ~ van twintig gulden *an a. / a fee of twenty guilders;* een ~ **voor** verblijfkosten *(an a. for) hotel expenses* 8.1 als ~ voor *as c. / in recompense for.*

vergoelijken ⟨ov.ww.⟩ 0.1 *gloss/smooth over* ⇒⟨inf.; ook pol.⟩ *whitewash,* ⟨schr.⟩ *extenuate, explain away* ⟨fouten⟩ ◆ 1.1 zijn tekortkomingen ~ *gloss/varnish over one's shortcomings* 3.1 'hij meent het niet zo kwaad', zei hij ~d *he doesn't mean it so badly, he said, trying to make things seem better/to put a good face on it* 5.1 de zaak niet ~ *not mince matters.*

vergoelijking ⟨de (v.)⟩ 0.1 *glossing-/smoothing-over;* ⟨inf.; ook pol.⟩ *whitewashing;* ⟨schr.⟩ *extenuation; explaining-away* ⟨fouten⟩.

vergokken ⟨ov.ww.⟩ 0.1 *gamble away* ⇒*bet away,* ⟨schr.⟩ *game away.*

vergooien
I ⟨ov.ww.⟩ 0.1 [verloren doen gaan] *throw away* ⇒*waste,* ⟨inf.⟩ *chuck/fling/fritter away,* ⟨mbt. tijd⟩ *idle away,* ⟨mbt. geld⟩ *squander* ◆ 1.1 zijn geluk ~ ⟨ook⟩ *sin one's mercies;* zijn eer ~ *throw/chuck/fling away/lose one's honour;* hij vergooide zijn jeugd aan dwaze genoegens *he misspent his youth in foolish pleasures;* zijn leven ~ *throw/cast/fritter away one's life* 4.1 zich ~ ⟨fig.⟩ *cheapen/prostitute o.s.* 6.1 zich aan iem. ~ *throw o.s. away on s.o.;*
II ⟨wk.ww.; zich ~⟩ 0.1 [verkeerd gooien] *throw a bad ball* ⇒*be a bad throw.*

vergrendelen ⟨ov.ww.⟩ 0.1 *bolt* ⇒*(double) lock.*

vergrijp ⟨het⟩ 0.1 *offence* ⇒*transgression,* ⟨mbt. manieren⟩ *breach* ◆ 1.1 diefstal is een ~ *theft is a (criminal) o.* 2.1 een licht/gering ~ *a slight/minor o., a misdemeanour;* opzettelijk ~ *premeditated crime;* een zwaar ~ *a serious o. / crime, an outrage* 6.1 ~ **tegen** de goede zeden/de eerbaarheid *breach of good manners/decency;* een ~ **tegen** de goede smaak/de traditie *a breach of good taste/tradition, an outrage to good taste;* een ~ **tegen** de wet *an o. against/a transgression/violation of the law.*

vergrijpen ⟨wk.ww.;zich~⟩ **0.1** *assault* ⇒⟨schenden⟩ *violate*, ⟨verkrachten⟩ *rape* ◆ **6.1** zich **aan** iem. ~ *a.* / *lay violent hands on s.o.*; hij vergreep zich **aan** onze rechten *he violated/interfered with our rights*; zich ~ **aan** een meisje *a.* / *molest/* ⟨euf.⟩ *interfere with/* ⟨euf.⟩ *violate a girl*; zich ~ **aan** iemands geld *embezzle/misappropriate s.o.'s money*; zich **aan** iemands leven ~ *make an attempt on s.o.'s life.*

vergrijzen ⟨onov.ww.⟩ **0.1** *age* ⇒*go grey, get/grow old* ◆ **1.1** een ~de bevolking *an ageing population*; Nederland vergrijst *the population of Holland is ageing* **6.1 in** de dienst vergrijsd *grown old/grey in the service (of)*; vergrijsd **in** het vak *veteran/* ⟨vnl.BE⟩ *old-timer/old stager.*

vergrijzing ⟨de (v.)⟩ **0.1** *ageing* ⇒⟨schr.;med.⟩ *senescence* ◆ **2.1** de toenemende/sterke ~ v.d. bevolking *the proportional/strong increase of the ageing population.*

vergroeien ⟨onov.ww.⟩ **0.1** [aan elkaar groeien] *grow together* ⇒*fuse, knit*, ⟨plantk.⟩ *fasciate* **0.2** [krom groeien] *grow crooked* ⇒*become gnarled/bent*, ⟨mbt. mensen ook⟩ *grow/become deformed* **0.3** [verdwijnen] *disappear* ◆ **1.2** die oude man is helemaal vergroeid *that old man has become quite deformed/bent/gnarled*; vergroeide takken *crooked/gnarled branches* **1.3** dat litteken/die scheve knie zal wel ~ *that scar/crooked knee will d. in time* **6.1** de meeldraden zijn met elkaar vergroeid *the stamens have fasciated/become connate*; ⟨fig.⟩ **met** een bedrijf vergroeid zijn *have grown together/become one with a business*; ⟨fig.⟩ **met** zijn omgeving vergroeid zijn *have become fused/one/blended in with one's environment*; **met** iem. vergroeid zijn *have become very close with/to s.o.* **7.1** het ~ van fractuurstukken *the knitting together of fractured bones.*

vergroeiing ⟨de (v.)⟩ **0.1** [het aan elkaar groeien] *growing together* ⇒*fusion*, ⟨schr.⟩ *coalescence*, ⟨biol.⟩ *concrescence*, ⟨med.⟩ *adhesion, intergrowth* **0.2** [het krom groeien] *crooked growth* ⇒*deformity*, ⟨med.⟩ *curvature* **0.3** [kromgegroeide plaats] *deformity* ◆ **1.2** ~ van de ruggegraat *curvature of the spine* **6.3** de ~en **op** de huid *deformities/blemishes on the skin.*

vergrootglas ⟨het⟩ **0.1** *magnifying glass* ⇒*magnifier*, ⟨van juwelier e.d.⟩ *loupe* ◆ **6.1** ⟨fig.⟩ iets **met** een ~ bekijken *go over sth. with a fine-tooth comb*; ⟨inf.;pej.⟩ *nitpick at sth./pick sth. to pieces.*

vergroten
I ⟨ov.ww.⟩ **0.1** [vermeerderen] *increase* ⇒*multiply, add to, extend*, ⟨schr.⟩ *augment* **0.2** [groter maken] *enlarge* ⇒*augment, expand* **0.3** [overdrijven] *exaggerate* ⇒*magnify, intensify* ◆ **1.1** de kansen/risico's~ *i. the chances/risks*; kennis/ervaring ~ *i. add to knowledge/experience*; de moeilijkheden (nog) ~ *blow up the difficulties (even) further*; ⟨taal.⟩ de ~de trap *the comparative (degree)*; zijn voorsprong ~ *i. one's lead* **1.2** de kamer ~ *extend/enlarge the room*; zijn kennissenkring ~ *i. extend one's/add to one's circle of acquaintances*;
II ⟨onov.,ov.ww.⟩ **0.1** [groter weergeven] *magnify* ⇒*enlarge*, ⟨zeer sterk vergroten van foto's;ook fig.⟩ *blow up* ◆ **1.1** ~de brilleglazen *glasses with magnifying lenses*; foto's ~ *enlarge/blow up photos*; deze microscoop vergroot 300 maal *this microscope has a magnification of three hundred* **3.1** iets vergroot weergeven *show sth. enlarged/magnified* **5.1** een kijker die sterk vergroot *a high-powered telescope, high-powered binoculars.*

vergroting ⟨de (v.)⟩ **0.1** [het vermeerderen/vermeerderd worden] *increase* ⇒*multiplication, addition, extension, augmentation* **0.2** [het groter maken/worden] *enlargement* ⇒*extension, expansion*, ⟨med.; mbt. bloedvat, pupil⟩ *dilation* **0.3** [resultaat van vergroting o.2] *enlargement* ⇒*extension, expansion*, ⟨mbt. geldwaarde⟩ *increment*, ⟨med.;mbt. bloedvat, pupil⟩ *dilation*, ⟨vnl. negatief⟩ *aggrandizement* **0.4** [vergrote weergave] *magnification* **0.5** [vergroot weergegeven foto] *enlargement* ⇒*blow up* ◆ **1.1** een ~ v.h. hart ⟨med.⟩ *cardiac hypertrophy, an enlarged heart*; ~ v.d. omzet *i. / extension/rise in the turnover* **1.3** ~ v.d. lever *enlargement of the liver.*

vergrotingsapparaat ⟨het⟩ ⟨foto.⟩ **0.1** *enlarger.*

vergruizen
I ⟨onov.ww.⟩ **0.1** [tot gruis worden] *pulverize* ⇒*be crushed, be pounded*, ⟨schr.⟩ *be comminuted*;
II ⟨ov.ww.⟩ **0.1** [tot gruis maken] *pulverize* ⇒*crush, pound*, ⟨schr.⟩ *comminute*, ⟨fijnstampen⟩ *bray, triturate* ◆ **1.1** stenen ~ *pulverize/crush stones.*

vergruizing ⟨de (v.)⟩ **0.1** *pulverization* ⇒*crushing, pounding*, ⟨schr.⟩ *comminution.*

verguizen ⟨ov.ww.⟩ **0.1** *abuse* ⇒*malign*, ⟨schr.⟩ *revile, vilify, decry* ◆ **1.1** de schrijver werd unaniem verguisd *the writer was unanimously abused/reviled*; de vaak verguisde verdediger *the much abused/maligned defender.*

verguizing ⟨de (v.)⟩ **0.1** *abuse* ⇒*maligning*, ⟨schr.⟩ *revilement, vilification.*

verguld ⟨bn.⟩ **0.1** [met (blad)goud bedekt] *gilded* ⇒*gilt, gold-plated*, ⟨schr.⟩ *aureate* **0.2** [gevleid] *pleased, flattered* ⇒⟨sterker⟩ *elated, delighted, thrilled* ◆ **1.1** een ~ gezicht *a radiant face*; een van binnen ~e kelk *a parcel-gilt goblet* **3.2** daar ben ik erg ~ mee *I'm very p./thrilled /delighted/flattered at/about that*; ze was er vreselijk mee ~ *she was ever so p. / over the moon with it/absolute delighted with it* **¶.1** ~ op snee *gilt-edged.*

vergulden ⟨ov.ww.⟩ **0.1** [met bladgoud bedekken] *gild* ⇒*overgild, gold-plate*, ⟨mbt. metaal⟩ *wash/paint with gold* **0.2** [blij maken] *please* ⇒*elate, delight, thrill* ◆ **1.1** boekbanden ~ *gild book covers*; ⟨fig.⟩ de pil ~ *gild/sugar/sweeten/sugarcoat the pill* **6.2** iem. ~ **met** een cadeau *p. / delight/thrill s.o. with a present.*

verguldsel ⟨het⟩ **0.1** *gilt* ⇒*gilding*, ⟨bladgoud⟩ *gold-leaf*, ⟨goudpleet⟩ *gold-plating/-plate.*

vergunnen ⟨ov.ww.⟩ **0.1** *permit* ⇒*allow, grant*, ⟨schr.⟩ *suffer* ◆ **¶.1** het was hem niet vergund de overwinning mee te maken *he didn't live to see the victory*; het zij mij vergund op te merken dat ... *may/might I be permitted/allowed/be so bold as/take the liberty to say that ...*; dat zal mij wel niet meer vergund zijn *I shan't be allowed/permitted (to do/say* ⟨enz.⟩ *) that any longer.*

vergunning ⟨de (v.)⟩ **0.1** [toestemming] *permission* ⇒*allowance, leave* **0.2** [officiële machtiging] *permit* ⇒⟨mbt. drank, vuurwapens, vervoer⟩ *licence* ^*se*, ⟨land, goed e.d.⟩ *concession* ◆ **2.2** een café zonder volledige ~ *a partially licensed café*; een restaurant met volledige ~ *a fully licensed restaurant* **3.1** ~ verlenen/vragen/krijgen *grant/apply for/receive p. / a permit* **3.2** iem. een ~ geven voor de bouw v.e. huis *give/grant s.o. a p. to build a house*; een ~ verlenen/intrekken *grant/ suspend a licence* **6.2** hij heeft een ~ **voor** een vuurwapen *he has a gun licence/p.* **6.¶** daar heb je ~ **voor** nodig *you need a licence/permit for that* **¶.2** in het bezit zijn van een ~ *have a licence.*

vergunninghouder ⟨de (m.)⟩ **0.1** *licensee* ⇒*licence/^se-holder.*

verhaal ⟨het⟩ **0.1** [mondeling verslag] *story* ⇒*tale, narrative (account), report*, ⟨schr.⟩ *recital* **0.2** [schriftelijke vastlegging] *story* ⇒*record, narration, report* **0.3** [schadeloosstelling] *redress* ⇒*recoupment, recourse, recovery* ◆ **1.1** de draad van het ~ weer oppakken *pick up the thread of the s., get back to the point, return to one's muttons*; de kern v.h. ~ *the point of the s., the heart of the matter* **2.1** ik heb hele andere verhalen over hem gehoord *I've heard quite other/different stories about him*; dat is een heel ~ *that's a long/quite a s.*; dat was een heel ~ *that was quite a speech/some s.*; een ingewikkeld ~ ophangen *shoot a complicated line*; om een lang ~ kort te maken *to cut a long s. short, in short*; een lang ~ van mislukkingen *a saga of misfortune*; ⟨iron.⟩ een mooi ~! *a likely s.*; een onwaarschijnlijk ~ *an improbable/fishy s.*; een opgeklopt ~ *a claptrap/an embellished s.*; sterke verhalen *tall/ cock and bull stories, stretchers*; sterke verhalen vertellen ⟨ook⟩ *boast, romance*; een waar gebeurd ~ *a true s.* **2.¶** het is weer het bekende ~ *the same old s. / wheeze/chestnut*; een lang ~ houden *spin a yarn, give a long-winded account (of sth.)*; het is een treurig ~ *this is a sad/sob story/a tear-jerker/weepie*; een zwak ~ *a lame story* **3.1** iemands ~ bevestigen *corroborate/confirm s.o.'s s.*; hij kwam met het ~ dat hij beroofd was *he told (us/me) that he had been robbed*; zijn ~ doen *tell/relate one's s., give one's account of*; het ~ gaat over een of andere arts *the s. concerns/is about some doctor*; het ~ gaat dat ... *the s. goes/word has it*; daar heb ik al verhalen van gehoord *I've heard stories/things about that*; de wethouder hield een uitstekend ~ over de drugsproblematiek *the councillor discoursed excellently/ made an excellent speech/spoke very well on the drugs problem*; een verward ~ houden *over iets tell a confused tale about sth., make a confused speech about sth.*; dat ~ ken ik intussen wel! *I know that s. by now*; ~tjes vertellen *tell tales*; een ~tje vertellen/voorlezen voor het slapen gaan *tell/read a bedtime s. (aloud)*; ik wil niet op mijn ~ vooruitlopen *I won't anticipate*; ... zo wil het ~ ... *as the s. goes* **3.2** een bundel verhalen publiceren *publish a collection of (short) stories* **3.3** ~ halen (op) *recover/recoup losses (from)* **6.1** kom op **met** je ~! *out with it, let's hear what you've got to say*; verhalen **uit** een ver verleden *tales from a distant past/long ago, ancient tales* **6.3** ~ **op** iem. / **op** iemands bezittingen krijgen *have redress/recourse against s.o. / s.o.'s property* **6.¶** iem. **op** ~ laten komen *let s.o. recover/get one's breath back, give s.o. breathing space/a breather*; om weer wat **op** ~ te komen *to recover, to have some breathing-space/a breather* **¶.1** ⟨fig.⟩ daar is het ~ nog niet mee uit *that's not the end of the s., that's not the last you'll hear of it*; het ~ is nog niet af *there's more to it/the s..*

verhaalbaar ⟨bn.⟩ **0.1** *recoverable.*

verhaaltechniek ⟨de (v.)⟩ ⟨lit.⟩ **0.1** *narrative technique.*

verhaaltrant ⟨de (m.)⟩ **0.1** (*narrative*) *style* ⇒⟨inf.⟩ *way of telling a story.*

verhaasten ⟨ov.ww.⟩ **0.1** *hasten* ⇒*accelerate, quicken, speed up, hurry (up)*, ⟨mbt. dood, een ramp⟩ *precipitate* ◆ **1.1** iemands dood ~ *hasten /precipitate/accelerate s.o.'s death*; zijn tred ~ *quicken/mend one's pace*; dat heeft de zaken verhaast *that's speeded/hurried/quickened things up, that has hastened/* ⟨schr.⟩ *expedited matters.*

verhaasting ⟨de (v.)⟩ **0.1** *hastening* ⇒*speeding-up*, ⟨·⟩ *acceleration*, ⟨schr.⟩ *precipitation.*

verhakstukken →**verhapstukken.**

verhalen
I ⟨onov.ww.⟩ **0.1** [vertellen] *tell* ⇒*recount, narrate*, ⟨schr.⟩ *discourse ((up)on), relate* ◆ **5.1** omstandig/uitvoerig ~ hoe ... *tell in detail/at length how ..., spin out the story of how ...* **6.1** **over / van** vroeger ~ *t. about/of the past*;
II ⟨ov.ww.⟩ **0.1** [zich schadeloosstellen] *recover* ⇒*recoup* **0.2** [ver

plaatsen] *shift* ◆ **1.2** een schip ~ *s.* / ⟨met touwen⟩ *warp a ship* **6.1** de schade op iem. / de verzekeringsmaatschappij ~ *recover* / *recoup the damage from s.o.* / *the insurance company;* en die verhaalt het weer **op** de consument *and they pass the cost on to the consumer.*

verhalend ⟨bn.⟩ **0.1** *narrative* ◆ **1.1** ~e poëzie *n.* / *epic poetry.*

verhandelbaar ⟨bn.⟩ **0.1** [verkoopbaar] *marketable* ⇒*salable, merchantable* **0.2** [overdraagbaar] *negotiable* ⇒*transferable.*

verhandelbaarheid ⟨de (v.)⟩ **0.1** [verkoopbaarheid] *marketability* ⇒*salability, merchantability* **0.2** [overdraagbaarheid] *negotiability* ⇒*transferability.*

verhandelen ⟨ov.ww.⟩ **0.1** [handel drijven in] *trade (in)* ⇒*sell, deal in,* ⟨vnl. drugs e.d.⟩ *traffic,* ⟨sjacheren⟩ *tout* **0.2** [behandelen] *discuss* ⇒*treat, debate* ◆ **1.1** er werden weinig/veel aandelen verhandeld *a few* / *many shares were traded* / *changed hands, there was little* / *a lot of business in shares;* er werden heel wat aardappelen verhandeld *a lot of potatoes were sold* / *marketed;* koffie werd niet veel verhandeld *little business was done in coffee, there were few transactions in coffee;* vreemde valuta ~ *trade foreign currencies.*

verhandeling ⟨de (v.)⟩ **0.1** [het handel drijven] *trading (in)* ⇒*sale (of), dealing in,* ⟨vnl. drugs e.d.⟩ *peddling,* ⟨sjacheren⟩ *touting,* ⟨mbt. aandelen e.d.⟩ *negotiation* **0.2** [betoog] *discussion* ⇒*debate,* ⟨bespreking⟩ *discourse, lecture,* ⟨schriftelijk⟩ *treatise, essay, dissertation,* ⟨soms pej.⟩ *disquisition* ◆ **2.2** ⟨scherts.⟩ zij hield een hele ~ *she gave quite a disquisition (on …)* **3.2** een ~ houden over iets *hold a discourse on sth., give a lecture* / *talk on sth.;* haar ~en zijn gebundeld verschenen *a collection of her lectures has been published* **6.1** aandelen, **ter** ~ op de beurs aangeboden *shares, offered for negotiation on the stock market.*

verhang ⟨het⟩ **0.1** *drop* ⇒*fall.*

verhangen
I ⟨ov.ww.⟩ **0.1** [elders/anders (op)hangen] *rehang* ⇒*hang elsewhere* / *differently* ◆ **1.1** na de rust waren de bordjes verhangen ⟨fig.⟩ *after the break the tables were turned* / *the position was reversed* / *the boot was on the other foot* / *leg* / *the laugh was on the other side;*
II ⟨wk.ww.; zich ~⟩ **0.1** [zich ophangen] *hang o.s..*

verhanging ⟨de (v.)⟩ **0.1** [het elders/anders ophangen] *rehanging* ⇒*hanging elsewhere* / *differently* **0.2** [zelfmoord] *hanging o.s..*

verhapstukken ⟨ov.ww.⟩ ⟨inf.⟩ **0.1** *settle* ⇒*do, finish (off)* ◆ **6.1 aan** dat wetsontwerp viel nog heel wat te ~ *that bill needed a great deal done to it* / *a lot of revision;* ⟨fig.⟩ ik heb **met** jou nog iets te ~ *I've got sth. (else) to s. with you, I've got a bone to pick with you.*

verhard ⟨bn.⟩ **0.1** [hard gemaakt] *hard* ⇒⟨mbt. grond⟩ *metalled, paved, asphalted* **0.2** [hard geworden] *hard* ⇒*callous, horny* **0.3** [⟨fig.⟩] *hardened* ⇒*hard-hearted, callous,* ⟨schr.⟩ *obdurate, indurate, intransigent* ◆ **1.1** een ~ trainingsveld *a(n) h.* / *metalled* / *asphalted training course;* ~e wegen *metalled* / *asphalted* / *macadamized roads* **1.3** een ~ geweten *a seared* / *steely* / *cauterized conscience;* ~e standpunten *hardened* / *obdurate* / *intransigent* / *inflexible points of view* **6.3** ~ in het kwaad *callously* / *hard-heartedly* / *indurately evil.*

verharden
I ⟨onov.ww.⟩ **0.1** [hard worden] *harden* ⇒*set,* ⟨mbt. lijm, beton e.d.⟩ *dry, solidify* **0.2** [⟨fig.⟩] *harden* ⇒*grow* / *become hard, harshen,* ⟨schr.⟩ *indurate, ossify* ◆ **1.1** deze lijm verhardt snel *this glue hardens* / *dries fast* **6.2** in het kwaad ~ *become hardened to evil;*
II ⟨ov.ww.⟩ **0.1** [hard maken] *harden* ⇒⟨mbt. grond⟩ *metal, pave, asphalt, cement, macadamize* ⟨van wegen⟩ **0.2** [⟨fig.⟩] *harden* ⇒*harshen, sear,* ⟨schr.⟩ *indurate* ◆ **1.1** een tuinpad ~ *pave* / *cement a garden path* **1.2** zijn hart tegen iem. ~ *harden one's heart against s.o.;* de tegenslagen hadden hem totaal verhard *the setbacks had hardened him completely.*

verharding ⟨de (v.)⟩ **0.1** [het hard maken] *hardening* ⇒⟨mbt. grond⟩ *metalling, asphalting, paving, cementing* **0.2** [waarmee verhard is] *hardener* ⇒⟨mbt. grond⟩ *metalling, paving, cement, asphalt* **0.3** [het hard worden] *hardening* ⇒⟨med.⟩ *sclerosis* ⟨weefsel⟩ *, callosity* ⟨mbt. huid⟩ *, setting, drying* ⟨mbt. cement, lijm⟩ **0.4** [verharde plaats] *callosity, callus* ◆ **1.1** ~ van wegen *(the) metalling* / *asphalting (of) roads* **1.2** de ~ van de weg was kapot *the metalling* / *asphalt on the road was cracked* **1.3** ⟨fig.⟩ een ~ van standpunten *a h. in points of view, a polarization* **6.4** een ~ **onder** de voet *a callus on the sole of the foot.*

verharen ⟨onov.ww.⟩ **0.1** [de haren verliezen] *moult* ^*molt* ⇒⟨van dieren⟩ *be in moult, lose its coat* / *hair,* ⟨pels, kleed⟩ *shed (hair)* **0.2** [⟨AZN⟩ schraal worden] *get* / *become chapped* ◆ **1.1** die hond verhaart te veel *that dog is moulting too much* **6.1** de poes is **aan** het ~ *the cat is moulting* / *in moult.*

verhaspelen ⟨ov.ww.⟩ **0.1** *mangle* ⇒*fluff* ⟨toneeltekst⟩ *, spolt, make a mess of,* ⟨bewust⟩ *garble* ◆ **1.1** een verhaspeld bericht/verslag *a garbled message* / *account;* een verhaspeld citaat *a mangled quotation;* een naam ~ *m. a name;* woorden/zinnen ~ *m. words* / *sentences.*

verheerlijken ⟨ov.ww.⟩ **0.1** [prijzen] *glorify* ⇒*praise, worship, extol, exalt,* ⟨iets beter maken dan het is⟩ *idolize, glamourize* **0.2** [verblijden] *delight* ⇒*elate, thrill, please* ◆ **1.1** het leven in de grote stad ~ *glamourize life in the city;* de zanger werd als een afgod verheerlijkt

the singer was worshipped like an idol / *idolized* **1.2** met verheerlijkte gezichten *with delighted* / *radiant* / *enraptured faces* **6.2** ze was verheerlijkt **met** de publieksprijs *she was delighted* / *elated with the prize.*

verheerlijking ⟨de (v.)⟩ **0.1** *glorification* ⇒⟨rel. ook⟩ *exaltation,* ⟨iets beter maken dan het is⟩ *idolization,* ⟨mbt. handelwijze⟩ *glamorization* ◆ **1.1** de ~ van geweld *the glamorization of violence* **¶ .1** de ~ op de berg ⟨bijb.⟩ *the Transfiguration on the mountain.*

verheffen
I ⟨ov.ww.⟩ **0.1** [opheffen] *raise* ⇒*lift, elevate* **0.2** [in een hogere rang/positie brengen] *raise* ⇒*elevate,* ⟨mbt. smaak, moraliteit⟩ *uplift, lift up, exalt, proclaim* ⟨iem. tot een bepaalde positie⟩ **0.3** [⟨wisk.⟩] *raise* **0.4** [doen toenemen] *raise* ⇒*involve, carry* ◆ **1.1** verheft uw harten *lift up your hearts;* zijn hoofd ~ *r.* / *lift one's head* **1.2** godsdienst verheft de mens *religion uplifts man* **1.4** ⟨fig.⟩ zijn stem tegen iets/iem. ~ *r. one's voice* / *speak out against sth.* / *s.o.* **5.2** iets **tot** regel ~ *make* / *proclaim sth. the rule, make sth. into a rule, r. sth. to a rule;* een wetsvoorstel **tot** wet ~ *legislate, pass a bill, enact* **6.3** een getal **tot** een macht ~ *r. a number to a certain power;* **tot** de tweede/derde macht ~ *square* / *cube sth.;*
II ⟨wk.ww.; zich ~⟩ **0.1** [zich verheffen] *rise* ⇒*ascend, rear, soar* **0.2** [trots zijn] *pride o.s. (on sth.)* ⇒*be proud of, glory in* ◆ **1.1** haar stem verhief zich meer en meer *her voice rose continually* / *steadily* **4.1** zich ~ boven de middelmaat *raise o.s.* / *rise above the crowd, rise above mediocrity;* de toren verheft zich boven de stad *the tower rears up into the sky* **5.1** zich hoog ~ boven de stad *rise* / *tower above the city.*

verheffend ⟨bn.⟩ **0.1** *elevating* ⇒*improving, uplifting, edifying* ◆ **1.1** dat was geen ~ gezicht *it was no elevating* / *improving sight* / *not a very elevating* / *uplifting* / *edifying sight;* die godslasterlijke praat is weinig ~ *that blasphemy is not very elevating* / *edifying;* weinig ~e zaken *murky* / *shady affairs* **5.1** een weinig ~ schouwspel *an unedifying spectacle.*

verheffing ⟨de (v.)⟩ **0.1** [het verheffen, verheven worden] *raising* ⇒*lifting up,* ⟨fig. ook⟩ *elevation* **0.2** [hoogte] *rise* ⇒*elevation* **0.3** [verbetering] *uplifting* ⇒*elevation, edification* ◆ **1.1** de Verheffing v.h. Kruis *the Exaltation of the Cross;* met ~ van stem spreken *speak in* / *with a raised voice* **2.3** zedelijke ~ *moral uplift(ing), edification* **6.1** ~ **tot** de adelstand *elevation to the nobility* / ⟨BE ook⟩ *peerage;* ⟨schr.⟩ *ennoblement.*

verheimelijken ⟨ov.ww.⟩ **0.1** *conceal* ⇒*hide, make a secret of, cover up,* ⟨mbt. gevoelens ook⟩ *disguise, dissemble* ⟨ware gevoelens, bedoelingen⟩ ◆ **1.1** zijn gevoelens ~ *conceal* / *hide* / *disguise one's feelings* **5.1** ik wil dat niet ~ ⟨ook⟩ *I don't want to hush that up;* dat verheimelijkt ze ook niet *she makes no secret of that, she doesn't* / *conceal* / *hide* / *cover that up.*

verhelderen
I ⟨onov.ww.⟩ **0.1** [opklaren] *clear (up)* ⇒*light up, brighten (up),* ⟨ook fig.⟩ *lighten* ◆ **1.1** ⟨fig.⟩ haar gezicht verhelderde *her face cleared* / *brightened* / *lit up;* de lucht verhelderde *the sky cleared* / *brightened up* / *lightened;*
II ⟨ov.ww.⟩ **0.1** [verduidelijken] *clarify* ⇒*explain, enlighten, illustrate,* ⟨mbt. geest⟩ *clear,* ⟨schr.⟩ *elucidate* ◆ **1.1** een ~d antwoord *an explanatory* / *illuminating* / *enlightening* / *clarifying* / *clear* / *plain answer;* de situatie ~ *clarify* / *explain the situation;* illustraties ~ de ingewikkelde tekst *illustrations clarify* / *elucidate the complicated text* **3.1** zo'n gesprek werkt ~d *a talk like that clarifies matters.*

verheldering ⟨de (v.)⟩ **0.1** [opklaring] *clearing-up* ⇒*brightening-up,* ⟨ook fig.⟩ *lightening* **0.2** [verduidelijking] *clarification* ⇒*explanation, enlightenment, illustration,* ⟨mbt. geest⟩ *illumination,* ⟨schr.⟩ *elucidation.*

verhelen ⟨ov.ww.⟩ **0.1** *conceal* ⇒*hide, keep secret* / *dark,* ⟨mbt. gevoelens⟩ *disguise, dissemble* ⟨ware gevoelens, bedoelingen⟩ ◆ **6.1** iets ~ **voor** iem. *c.* / *hide sth. from s.o.* **8.1** ik wil je niet ~ dat …*I don't want to c.* / *hide from you that* …. *I don't want to pretend to you that* ….

verheling ⟨de (v.)⟩ **0.1** *concealment* ⇒⟨jur.⟩ *misprision* ◆ **1.1** ~ van misdaad/verraad *misprision of felony* / *treason.*

verhelpen ⟨ov.ww.⟩ **0.1** *put right* ⇒*set to rights, remedy, repair,* ⟨mbt. gebreken⟩ *correct,* ⟨mbt. een probleem/situatie⟩ *rectify* ◆ **1.1** na ruim twaalf uur was de storing verholpen *after more than twelve hours the defect* / *technical failure was repaired* / *remedied* / *put right* **3.1** dat is te ~ *that can be mended* / *rectified* / *remedied* / *put right* / *set to rights* / *corrected* **5.1** dat is gemakkelijk/moeilijk te ~ *that's easy* / *hard to put right* / *set to rights* / *rectify* / *remedy* / *repair* / *correct;* niet te ~ *irremediable, past* / *beyond repair* / *remedy, past mending.*

verhemelte ⟨het⟩ **0.1** [gehemelte] *palate* ⇒*roof of the mouth* **0.2** [overdekking] *canopy* ⇒⟨ihb. van hemelbed⟩ *tester* ◆ **2.1** een gespleten ~ *a cleft p.;* het harde ~ *the hard p.;* het zachte ~ *the soft p.;* ⟨wet.⟩ *velum.*

verheugd ⟨bn.⟩ **0.1** *glad* ⇒*pleased, joyful, happy,* ⟨zeer⟩ *delighted, overjoyed, elated* ◆ **1.1** een ~ kind *a g.* / *pleased* / *joyful child* **3.1** zich bijzonder ~ tonen (over iets) *hang the flags out, take great pleasure in sth., be over the moon with sth.;* ⟨erover⟩ ~ zijn dat …*be g.* / *pleased that* … **6.1 over** iets ~ zijn *be g.* / *pleased about sth., be g.* / *pleased at sth., be happy with sth.;* ~ **van** hart *g. at heart.*

verheugen

I ⟨wk.ww.; zich~⟩ **0.1** [blij zijn] *be glad* ⇒*be pleased / joyful / happy,* ⟨zeer⟩ *be delighted / overjoyed / elated,* ⟨schr.⟩ *rejoice* ◆ **6.1** zich in een goede gezondheid (mogen) ~ *boast / enjoy good health;* zich **in** een grote belangstelling mogen ~ *attract a lot of / much attention;* ze had er zich zo **op** verheugd *she had been so eagerly looking forward to it;* ik verheug me er nu al **op** *I can't wait to go / start, I'm eagerly looking forward to it;* zich ~**over** iets *b. glad / rejoice about sth.;*
II ⟨ov.ww.⟩ **0.1** [verblijden] *make glad / happy* ⇒*please,* ⟨zeer⟩ *delight,* ⟨schr.⟩ *rejoice, gladden, gratify* ◆ **4.1** het bericht verheugde ons zeer *that news made us very glad / happy / pleased us greatly,* we *rejoiced greatly at that news* **5.1** ik kan je niet zeggen hoezeer mij dat verheugt *I can't tell you how glad that makes me / how much that pleases / delights me* ¶**.1** ⟨schr.⟩ het verheugt ons te vernemen / u te kunnen meedelen *we rejoice to hear, we are pleased to hear / to be able to tell you.*

verheugend ⟨bn.⟩ **0.1** *joyful* ⇒*joyous, gratifying, delightful* ◆ **1.1** ~ nieuws *joyful / glad tidings, good / joyful / joyous news;* een ~e ontwikkeling *a happy / agreeable / fortunate / satisfying development;* een ~ verschijnsel / teken *a good symptom / sign* **3.1** ⟨schr.⟩ het is ~ te horen *it is gratifying / satisfying to hear.*

verheugenis ⟨de (v.)⟩ ⟨schr.⟩ **0.1** [wat verheugt] *joy* ⇒*source of happiness / rejoicing, delectation* **0.2** [het zich verheugen] *joy* ⇒*gladness, happiness, bliss, felicity.*

verheven ⟨bn.⟩ **0.1** [zich boven het gewone verheffend] *elevated* ⇒*exalted, sublime, lofty* **0.2** [boven de omgeving uitstekend] *raised* ⇒⟨mbt. gebouwen⟩ *towering,* ⟨mbt. decoratieve hout- en steenwerk⟩ *embossed* **0.3** [⟨fig.⟩] *above / superior (to)* ◆ **1.1** ~ gedachten / denkbeelden *exalted / great / lofty thoughts / images;* een ~ stijl *a lofty / elevated / grand style* **1.2** ⟨bk.⟩ ~ beeldwerk *relief, relievo, rillevo;* met ~ rand *with a r. edge* **5.2** ⟨bk.⟩ laag-~ *bas relief, basso relievo / rillevo* **6.3 boven** alle lof / twijfel / verdenking ~ *beyond all praise / doubt / above suspicion;* hij denkt dat hij **boven** alles / iedereen ~ is *he thinks himself above it all / superior to everybody* **7.1** het is slechts een stap van het ~e naar het lachwekkende *it is but a step from the sublime to the ridiculous.*

verhevenheid ⟨de (v.)⟩ **0.1** [het verheven zijn] *elevation* ⇒*loftiness, exaltation, sublimity* **0.2** [hoge plaats] *elevation* ⇒*rise, embossment, relief* ⟨mbt. beeldhouwwerk, kantwerk⟩ ◆ **1.1** ~ van stijl *loftiness / grandness of style* **6.1** de ~**boven** het alledaagse *the exaltation / elevation above the pedestrian* **6.2 op** een ~ *staan stand on an elevation / rise / mound.*

verhevigen
I ⟨ov.ww.⟩ **0.1** [heviger maken] *intensify* ⇒⟨mbt. spanning, problemen ook⟩ *heighten,* ⟨mbt. gevoelens ook⟩ *deepen,* ⟨mbt. gevecht, problemen⟩ *escalate,* ⟨vnl. BE; inf.⟩ *hot up* ◆ **1.1** aanvallen ~ *i. / escalate attacks;* gevoelens ~ *i. / deepen feelings;* het verschijnsel doet zich dan in verhevigde mate voor *the phenomenon is getting worse;*
II ⟨onov.ww.⟩ **0.1** [heviger worden] *intensify* ⇒*build up, mount,* ⟨mbt. gevoelens ook⟩ *deepen,* ⟨mbt. spanning, probleem ook⟩ *heighten,* ⟨mbt. gevecht, problemen⟩ *escalate* ◆ **1.1** een verhevigde belangstelling *an increased / heightened interest;* de verhevigde concurrentie *the intensified / heightened / mounting competition.*

verheviging ⟨de (v.)⟩ **0.1** *intensification* ⇒⟨mbt. spanning, hoop ook⟩ *heightening,* ⟨mbt. gevoelens ook⟩ *deepening,* ⟨mbt. gevecht, problemen⟩ *escalation,* ⟨BE; inf.⟩ *hotting-up.*

verhinderen ⟨ov.ww.⟩ **0.1** *prevent* ⇒*stop,* ⟨mbt. plannen⟩ *foil, avert* ⟨ramp⟩, ⟨schr.⟩ *preclude, hinder* ◆ **1.1** iemands plannen ~ *obstruct / ba(u)lk / foil / stymie / disappoint / block s.o.'s plans* **3.1** voor ik het kon ~ *before I could stop / prevent it;* dat moeten we zien te ~ *we must make sure we stop / prevent that* **8.1** ~ dat het recht zijn loop heeft *prevent / hinder the course of justice;* dat zal mij niet ~ om tegen te stemmen *that won't prevent / stop / keep me from voting against it / him* ⟨enz.⟩ ¶**.1** verhinderd zijn *have a previous engagement, be unable to come / attend;* de heer B., die vandaag verhinderd is *Mr. B., who cannot be with us / is unable to be here today;* (is Jan er niet?) die zal verhinderd zijn *(isn't John here?) he must be unavoidably detained.*

verhindering ⟨de (v.)⟩ **0.1** [het verhinderen] *prevention* ⇒*hindrance, impediment, obstruction* **0.2** [hindernis] *obstacle* ⇒*obstruction, ban,* ⟨abstract⟩ *impediment, hindrance* **0.3** [het verhinderd zijn] *absence* ⇒*inability to come* ◆ **1.3** bericht van ~ is ontvangen van *notice of a. has been received from;* afwezig met / zonder bericht van ~ *absent with / without notice* **6.3** bij ~ v.d. voorzitter leidt de secretaris de vergadering *in case of a.* **; bij** ~ v.d. voorzitter leidt de secretaris de vergadering *in case of a. of the chairman the secretary will take the chair.*

verhip ⟨tw.⟩ **0.1** [verbazing] *gosh, why, gracious;* ⟨ergernis⟩ *bother, blast, blow, the devil, dam', dash it all.*

verhippen ⟨onov.ww.⟩ ⟨inf.⟩ **0.1** [in verwensing] *go to blazes / hell / the devil;* ⟨vergaan⟩ *perish* ◆ **3.1** hij kan ~ *he can go to blazes / hell / the devil* **6.1** we verhipten in dat zaaltje **van** de kou *we were perishing cold in that room.*

verhipt ⟨inf.⟩
I ⟨bn.⟩ **0.1** [vervelend] *wretched* ⇒*bothersome, tiresome, annoying, exasperating* ◆ **1.1** die ~e vent *that w. / bothersome / tiresome / exasperating fellow, that bore;*

II ⟨bw.⟩ **0.1** [in te hoge mate] *devilish* ⇒*frightfully, dreadfully, mighty, very, darned* ◆ **2.1** het is hier ~ warm ⟨ook⟩ *it's baking / boiling in here.*

verhit ⟨bn.⟩ **0.1** [heet geworden] *hot* ⇒⟨mbt. gezicht⟩ *flushed* **0.2** [⟨fig.⟩] *heated* ◆ **1.1** een ~ gezicht *a h. / flushed face* **1.2** ~te discussies *h. discussions, battles royal;* ⟨inf.⟩ *ding-dongs, uproars;* in een ~te strijd met iem. gewikkeld zijn *get into a h. argument / battle / a real ding-dong* **3.1** er ~ uitzien *look (all) h. (and bothered)* **3.2** het gesprek raakte ~ *the discussion got / became h.;* de gemoederen raakten ~ *feelings were running high* **6.2 door** de drank ~ *flushed with drink* ¶**.2** het gaat er ~ aan toe *feelings are running high here.*

verhitten ⟨ov.ww.⟩ **0.1** [heet maken] *heat* ⇒*broil, ignite* **0.2** [⟨fig.⟩] *inflame* ⇒*incite, stir / whip / work up, fire* ⟨verbeelding⟩ ◆ **1.1** frituurvet ~ *h. (the) frying fat* **1.2** dat verhitte de gemoederen *that made feelings run high, that heated things up, that inflamed passions, that wipped up feeling* **4.1** zich ~ *get hot / heated (up)* **4.2** zich ~ *get worked up (about), become heated (over), get hot* **5.1** iets te sterk ~ *overheat sth..*

verhitting ⟨de (v.)⟩ **0.1** *heating(-up).*

verhoeden ⟨ov.ww.⟩ **0.1** *prevent* ⇒*stop,* ⟨mbt. een wens⟩ *forbid,* ⟨voorkomen⟩ *ward / head off* ◆ **1.1** als ik nog eens moet, wat God verhoede, neem ik de trein *if I have to do that again, God / Heaven forbid, I'll go by train* **8.1** om te ~ dat hij eraf viel, hield ik hem vast *to p. / stop him falling off I held him tight;* God verhoede dat je ziek wordt *God forbid that you should be ill.*

verhogen ⟨ov.ww.⟩ **0.1** [hoger maken] *raise* ⇒*heighten,* ⟨mbt. kwaliteit⟩ *grade up,* ⟨mbt. spanning, hoop⟩ *elevate,* ⟨mbt. aanbod; inf.⟩ *up* **0.2** [vermeerderen] *increase* ⇒*raise,* ⟨mbt. bedrag⟩ *put up,* ⟨mbt. activiteit⟩ *step up,* ⟨mbt. waarde⟩ *enhance* **0.3** [⟨muz.⟩] *sharpen* ⇒⟨AE ook⟩ *sharp* **0.4** [sterker doen uitkomen] *heighten* ⇒*enhance, add (relish) to, emphasize, intensify,* ⟨schr.⟩ *augment* ◆ **1.1** een dijk ~ *raise a dike, make a dike higher;* een verhoogde pols hebben *have an accelerated pulse rate;* een verhoogde temperatuur hebben *run / have a temperature* **1.2** de belastingen ~ *i. / raise taxes, i. taxation;* de prijzen ~ *mark up / put up / raise / i. prices;* de produktie ~ *i. / step up / up production;* een groep met een verhoogd risico *a high-risk group, a group at risk;* verhoogde toegangsprijzen *increased entry prices;* dubbel glas verhoogt het wooncomfort *double glazing enhances the comfort of a house / increases the amenities of a house* **1.3** een noot een halve toon ~ *sharpen / sharp (a note)* **1.4** het gedempte licht verhoogde het effect *the dim light heightened / enhanced / intensified the effect* **6.1** ⟨fig.⟩ iem. in rang ~ *promote / advance s.o.* **6.2** ~ **met** 10 procent *i. / raise / put up by 10 per cent.*

verhoging ⟨de (v.)⟩ **0.1** [het hoger maken] *raising* ⇒*heightening,* ⟨mbt. kwaliteit⟩ *upgrading,* ⟨mbt. spanning, hoop⟩ *elevation,* ⟨in rang⟩ *promotion, advancement* **0.2** [verhoogde plaats] *elevation* ⇒*dais, platform, podium,* ⟨mbt. grond⟩ *rise* **0.3** [het vermeerderen] *increase* ⇒*rise,* ⟨mbt. prijs, concurrentie⟩ *boost,* ⟨mbt. waarde, smaak⟩ *enhancement,* ⟨AE ook⟩ *hike, raise* **0.4** [bedrag] *increase* ⇒*rise, increment,* ⟨schr.⟩ *advance* **0.5** [hogere lichaamstemperatuur] *temperature* ⇒*fever* ◆ **1.1** de ~ v.d. toren *the r. / elevation of the tower* **1.3** een ~ van de belasting op tabakswaren *a tax hike / raise on tobacco products;* ter ~ van de feestvreugde *to enhance the party mood, to add to the festivities* **2.4** een jaarlijkse ~ van 150 gulden *an annual increment of 150 guilders;* periodieke ~en *periodical increases / rises / increments* **3.5** ik had wat ~ *I had / was running a slight t.* **6.2** de spreker stond **op** een ~ *the speaker stood on a (raised) platform / dais.*

verhogingsteken ⟨het⟩ ⟨muz.⟩ **0.1** *sharp (sign).*

verholen ⟨bn.⟩ **0.1** [verborgen gehouden] *concealed* ⇒*hidden, disguised, veiled* **0.2** [steels] *secret* ⇒*stealthy, surreptitious, furtive* ◆ **1.1** een ~ dreigement *a veiled threat;* een ~ glimlach *a secret smile;* nauwelijks ~ vijandigheid / afkeer *scarcely / barely c. / suppressed / ill-disguised animosity / disgust* **1.2** ~ blikken *stealthy / furtive / surreptitious glances* **5.1** nauw ~ woede *ill-concealed / thinly disposed / barely suppressed anger;* met nauw ~ bewondering *with scarcely / barely c. / hardly disguised admiration.*

verhollandsen
I ⟨onov.ww.⟩ **0.1** [Hollands worden] *become dutchified* ◆ **5.1** ze is helemaal verhollandst *she has become altogether dutchified;*
II ⟨ov.ww.⟩ **0.1** [Hollands maken] *dutchify.*

verhonderdvoudigen
I ⟨ov.ww.⟩ **0.1** [honderdmaal zo groot maken] *increase a hundredfold* ⇒*multiply by a hundred, make a hundred times greater / larger / bigger, centuplicate* **0.2** [⟨fig.⟩] *increase a hundredfold* ⇒*multiply by a hundred, make a hundred times greater / larger / bigger;*
II ⟨onov.ww.⟩ **0.1** [honderdmaal zo groot worden] *increase a hundredfold* ⇒*become a hundred times greater / larger / bigger, centuple* **0.2** [⟨fig.⟩] *increase a hundredfold* ⇒*become a hundred times greater / larger / bigger.*

verhongeren
I ⟨onov.ww.⟩ **0.1** [door honger omkomen] *starve (to death)* ⇒*die of starvation, die of / with hunger* **0.2** [erge honger lijden] *starve* ⇒*go hungry, be famished* ◆ **3.2** zijn kinderen laten ~ *s. one's children, leave one's children to s., let one's children go hungry;*

II ⟨ov.ww.⟩ **0.1** [uithongeren] *starve (to death)* ◆ **5.1** de kinderen waren half verhongerd *the children were famished / half starved.*

verhongering ⟨de (v.)⟩ **0.1** *starvation.*

verhoogd ⟨bn.⟩ **0.1** [hoger geworden] *increased* ⇒*raised* ⟨belasting, zitplaats⟩, *elevated* ⟨spoorweg⟩ **0.2** [intenser] *heightened* ⇒*intensified, enhanced* ◆ **1.1** de ~e belangstelling voor historische literatuur *the i. interest in historical literature;* ~e bloeddruk *high blood pressure;* ⟨abnormaal hoog⟩ *hypertension;* met ~e inzet *with an i. effort;* een ~e kans op hart- en vaatziekten *an i. / higher / greater risk of developing cardiovascular diseases* **1.2** met ~e kleur *with a h. / high colour, with a blush / flush, blushing, flushing;* ~e waakzaamheid is geboden *one must be on the alert;* ⟨inf.⟩ *watchfulness ought to be stepped up.*

verhoor ⟨het⟩ **0.1** [⟨jur.⟩]⟨ondervraging⟩ *interrogation, examination, cross-examination* ⟨door tegenpartij⟩ **0.2** [scherpe ondervraging] *interrogation, cross-examination* ⇒ ⟨inf.⟩ *the third degree* ⟨hardhandig, ihb. door politie⟩, *grilling* ⟨vooral door politie⟩, *screening* ⟨om tot iets toegelaten te worden⟩ ◆ **3.1** een ~ afnemen *hold an interrogation / examination, interrogate / (cross-)examine / question (s.o.), subject (s.o.) to an interrogation / examination;* een ~ ondergaan *be examined / interrogated, undergo interrogation* **3.2** iem. een ~ afnemen *take a statement from s.o.* ⟨van verdachte / slachtoffer / getuige door politie⟩ **6.1** iem. in ~ nemen *interrogate / examine / question s.o., take s.o. in for questioning;* ~ **op** vraagpunten *interrogation;* ⟨GB en USA⟩ ≠*delivery of interrogatories.*

verhoorder ⟨de (m.)⟩, **-hoorster** ⟨de (v.)⟩ **0.1** *interrogator* ⇒*examiner,* ⟨van tegenpartij⟩ *cross-examiner.*

verhoorkamer ⟨de⟩ **0.1** *interrogation room.*

verhoornen ⟨onov.ww.⟩ **0.1** *undergo keratinization.*

verhoorning ⟨de (v.)⟩ **0.1** *keratinization* ⇒*conversion into horny tissue.*

verhoren ⟨ov.ww.⟩ **0.1** [ondervragen] *interrogate* ⇒*question, examine, cross-examine* ⟨tegenpartij; zeer streng⟩, *hear* ⟨getuigen, partijen⟩ **0.2** [toestaan, vervullen] *hear* ⇒*answer, grant* ⟨wens⟩ ◆ **1.1** getuigen ~ *hear witnesses* **1.2** een gebed / bede ~ *answer / h. a prayer* **4.2** wij bidden U, verhoor ons *Lord h. our prayer.*

verhouden ⟨wk.ww.; zich ~⟩ **0.1** *be as* ⇒*be in the proportion / ratio of* ◆ **6.1** de lengte verhoudt zich **tot** de breedte als 3 tot 2 *the length is in the proportion / ratio of 3 to 2 to the breadth, the length and the breadth are in the proportion of 3 to 2;* hoe verhoudt dat aantal zich **tot** het totaal? *what proportion does this number bear to the total?;* hoe ~ die verklaringen zich **tot** elkaar? *how do these accounts lie to each other?;* 60 verhoudt zich **tot** 12 als 5 tot 1 *60 is to 12 as 5 to 1.*

verhouding ⟨de (v.)⟩ **0.1** [betrekking van grootheden onderling] *relation* ⇒*ratio, proportion* **0.2** [relatie] *relation(ship)* **0.3** [liefdesbetrekking] *(love) affair* ⇒*(illicit) romance, liaison,* ⟨pej.⟩ *entanglement* **0.4** [evenredigheid] *relation* ⇒*proportion* **0.5** [⟨mv.⟩ afmetingen] *proportions* ◆ **1.2** de ~ v.d. partijen in de gemeenteraad *the balance of parties in the town council* **2.2** een gespannen ~ *strained relations;* de internationale ~en *international relations;* maatschappelijke / menselijke ~en *social / human relationships;* de onderlinge ~en *(the) mutual relations;* zo liggen de politieke ~en *that's the political set-up, that's how the political parties are balanced;* in vriendschappelijke ~ staan met *be on good terms with, have friendly relations with* **2.4** in een juiste ~ staan tot *bear a proper proportion to, be in the right proportion to;* in een vaste ~ staan tot *bear a fixed proportion to, bear a constant r. / ratio to* **3.2** de ~en waren grondig verziekt *relations were completely fouled up, they were totally at odds with one another* **5.4** de ~en waren volkomen zoek ⟨ook fig.⟩ *it lacked all proportion* **6.1** in de ~ **van** twee staat tot drie *in the proportion of two to three;* de ~ **tussen** lonen en prijzen *the proportion / ratio between wages and prices, the relation / ratio of wages to prices* **6.2** de ~ **tussen** de sexen *intersexual relations;* de ~ **tussen** moeder en dochter was slecht / goed *the relationship between mother and daughter / the mother-daughter relationship was good / bad* **6.3** een ~ hebben met iem. *have an a. / a liaison / romance with s.o., be involved with s.o.;* ze gaven toe dat ze een ~ hadden met elkaar *they admitted (that) they were lovers / having an a.* **6.4** zo'n reactie is toch **buiten** alle ~ *a reaction like that is surely out of all proportion;* dat staat in geen ~ ⟨tot...⟩ / is buiten alle ~ *that bears no r. (to ...), that is out of all proportion (to ...);* in ~ **tot** in proportion to; dat moet je in ⟨zijn⟩ ~ (en) zien *you must view that in its true perspective / proportions;* het aantal jongens in ~ **tot** het aantal meisjes *the proportion of boys to girls;* in gelijke ~en vertegenwoordigd zijn *be represented proportionally;* de winst wordt verdeeld **naar** ~ v.d. inleggelden *the profit is divided in proportion to the stakes;* **naar** ~ is dat duur *that is comparatively expensive;* alles is **naar** ~ *everything is in proportion;* de thuisploeg won **tegen** de ~ in *the home team won, against all odds / notwithstanding the odds (against them);* er bestaat geen enkele ~ **tussen** prestatie en beloning *there is no correspondence between merit and reward;* gevoel **voor** ~en bezitten *have a sense of proportion.*

verhoudingsgetal ⟨het⟩ **0.1** *ratio.*

verhoudingsgewijs ⟨bw.⟩ **0.1** *comparatively* ⇒*relatively,* ⟨volgens dezelfde verhouding⟩ *proportionately, proportionally, correspondingly* ◆ **2.1** ~ goedkoop / gemakkelijk *comparatively / relatively cheap / easy*

3.1 het aantal arbeidsplaatsen neemt (niet) ~ toe *the number of jobs is (not) increasing proportionately / correspondingly.*

verhuis →*verhuizing.*

verhuisauto →*verhuiswagen.*

verhuisbedrijf ⟨het⟩, **verhuisonderneming** ⟨de (v.)⟩ **0.1** *removal /* ⟨inf.⟩ *moving firm / company* ⇒*movers.*

verhuisdrukte ⟨de (v.)⟩ **0.1** *work and trouble involved in the (actual) business of moving.*

verhuiskaart ⟨de⟩ **0.1** *change of address card.*

verhuiskosten ⟨zn.mv.⟩ **0.1** *moving expenses* ⇒*cost of moving,* ⟨BE ook⟩ *removal expenses.*

verhuiswagen ⟨de (m.)⟩ **0.1** *moving van* ⇒ ⟨BE ook⟩ *removal van, pantechnicon.*

verhuizen ⟨→sprw. 599⟩

I ⟨onov.ww.⟩ **0.1** [van huis veranderen] *move (house)* ⇒ ⟨schr.⟩ *remove* **0.2** [verplaatst worden] *be moved* ◆ **5.1** toen ze hierheen / daarheen verhuisden *when they moved here / there* **6.1** (van)uit een dorp ~ naar de hoofdstad *m. from a village to the capital* **6.2** dit bureau moet ~ naar de kamer hiernaast *this desk has got to be moved to the next room;*

II ⟨ov.ww.⟩ **0.1** [de inboedel overbrengen] *move* ⇒ ⟨schr.⟩ *remove* ◆ **1.1** ⟨inf.⟩ iem. ~ *move i.s.o.*

verhuizer ⟨de (m.)⟩ **0.1** *mover, moving man;* ⟨BE ook⟩ *remover.*

verhuizing ⟨de (v.)⟩ **0.1** [het verhuizen, keer] *move* ⇒*removal,* ⟨migratie⟩ *migration* **0.2** [het overbrengen van iemands inboedel] *moving* ⇒ *removal* **0.3** [algemene verplaatsing] *move.*

verhullen ⟨ov.ww.⟩ ⟨schr.⟩ **0.1** *veil* ⇒*cloak, shroud, conceal (from), mask* ⟨vnl. gevoelens⟩ ◆ **1.1** een verhuld dreigement *a veiled threat;* in ~de termen *in veiled / cloaked / masked terms;* de waarheid ~ *conceal / hide the truth* **4.1** niets ~de foto's / beelden *revealing photos / pictures* **6.1** verhuld **voor** het menselijk oog *veiled / concealed from the human eye / from human eyes.*

verhuren ⟨→sprw. 285⟩

I ⟨ov.ww.⟩ **0.1** [verpachten] [B]*let* ⟨huis⟩; [A]*rent* ⇒*lease out* ⟨land / huis op contract⟩, [B]*hire* ⟨kleding, boot, auto⟩, [B]*let out* ⟨kamer, deel v.e. huis; ook paard, boot enz.⟩ ◆ **1.1** fietsen ~ *hire out / rent out bicycles;* kamers aan studenten ~ *let out / rent out rooms to students, take in students;* vakantiehuisjes ~ *let / rent out holiday cottages* **6.1** die huizen worden verhuurd **voor** ƒ1000,- per maand *those houses are (to) let / rented out for 1000 guilders a month;*

II ⟨wk.ww.; zich ~⟩ **0.1** [in betrekking gaan] *hire o.s. out* ◆ **8.1** zich als landarbeider ~ *hire o.s. out as a field hand.*

verhuur ⟨de (m.)⟩ **0.1** [B]*letting,* [A]*rental* ⇒ ⟨BE ook⟩ *hiring out, hire* ⟨auto, boot, kleding⟩ ◆ **1.1** huur en ~ van bedrijfsruimte *leasing and letting of business sites* **6.1** ~ **van** fietsen *bicycles for* [B]*hire /* [A]*rent;* huizen bouwen bestemd **voor** de ~ *houses built for leasing /* [A]*rental purposes.*

verhuurbaar ⟨bn.⟩ **0.1** [B]*lettable,* [A]*rentable* ⇒ ⟨huis ook⟩ *tenantable.*

verhuurbedrijf ⟨het⟩ **0.1** *leasing company;* ⟨vnl. BE ook⟩ *hire company / firm;* ⟨vnl. AE ook⟩ *rental company.*

verhuurder ⟨de (m.)⟩, **-ster** ⟨de (v.)⟩ **0.1** [B]*letter,* [A]*renter* ⇒*landlord, landlady* ⟨land, huis e.d.⟩, ⟨op huurcontract⟩ *lessor.*

verhuurkantoor ⟨het⟩ **0.1** ⟨voor personeel⟩ *employment agency;* ⟨voor huizen⟩ [B]*lettings office,* [A]*rental agency.*

verhypothekeren ⟨ov.ww.⟩ **0.1** *mortgage.*

verificateur ⟨de (m.)⟩ **0.1** *verifier* ⇒ ⟨accountant⟩ *auditor, appraiser inspector* ⟨ook douane⟩ ◆ **1.1** ~ van invoerrechten en accijnzen *customs inspector.*

verificatie ⟨de (v.)⟩ **0.1** [onderzoek naar de echtheid / juistheid] *verification* ⇒ ⟨adm.⟩ *examination, audit, adjustment* ⟨kompas⟩ **0.2** [gerechtelijke deugdelijkverklaring] *proof* **0.3** [geding over de (on)echtheid van geschriften] *probate* ◆ **1.1** de gerechtelijke ~ van een testament *the proving of a will, the probate.*

verifieerbaar ⟨bn.⟩ **0.1** *verifiable* ⇒*capable of proof, provable* ⟨schuld⟩.

verifiëren ⟨ov.ww.⟩ **0.1** [de echtheid / juistheid onderzoeken / vaststellen] *verify* ⇒*check (up on),* ⟨adm.⟩ *examine, audit, prove* ⟨schuld, testament⟩, *adjust* ⟨kompas⟩ **0.2** [mbt. een afschrift] *certify, verify, authenticate* ◆ **1.1** verstrekte gegevens ~ v. / *check (up on) supplied information;* een testament ~ *prove /* [A]*probate a will;* vorderingen ~ ⟨goedkeuren⟩ *prove claims, admit claims to proof;* ⟨onderzoeken⟩ v. / *investigate / examine claims* **1.2** geverifieerd afschrift *certified / true copy.*

verijdelen ⟨ov.ww.⟩ **0.1** [tegenhouden] *frustrate, defeat* ⇒*foil* ⟨vaak pass.⟩, *thwart, ba(u)lk* **0.2** [teniet doen, teleurstellen] *frustrate* ⇒*shatter, ba(u)lk, disappoint* ◆ **1.1** een aanslag ~ *thwart / foil an attempt on s.o.'s life;* iemands plannen ~ *frustrate / upset / foil / blight / ↑quash s.o.'s plans, spike s.o.'s guns;* ⟨inf.⟩ *knock s.o.'s plans on the head;* ⟨inf.⟩ *hit s.o.'s plans for six;* zijn pogingen om de vergadering te saboteren werden verijdeld *his attempts to sabotage the meeting were frustrated / thwarted* **1.2** verijdelde hoop *shattered / dashed hopes.*

verijdeling ⟨de (v.)⟩ **0.1** *frustration* ⇒ ⟨hoop ook⟩ *disappointment,* ⟨plannen ook⟩ *thwarting, foiling.*

verindustrialisering ⟨de (v.)⟩ **0.1** *industrialization.*

vering ⟨de (v.)⟩ **0.1** [samenstel dat dient voor het veren] *springs* ⇒ ⟨auto⟩ *suspension* **0.2** [het veren] *spring action* ◆ **2.1** een stugge/soepele ~ *a stiff/smooth suspension.*

verinnerlijken
I ⟨ov.ww.⟩ **0.1** [minder oppervlakkig maken] *interiorize* ⇒*integrate, internalize* ⟨principe, gedragspatroon e.d.⟩, *give depth to* ⟨karakter⟩ ◆ **1.1** zijn leven ~ *give depth/meaning to one's life;*
II ⟨onov.ww.⟩ **0.1** [tot iets innerlijks worden] *become internalized* ⇒ *become interiorized/integrated.*

verinnigen
I ⟨ov.ww.⟩ **0.1** [inniger maken] *make closer/more intimate;*
II ⟨onov.ww.⟩ **0.1** [inniger worden] *become closer/more intimate.*

verisme ⟨het⟩ **0.1** *verism.*

verjaard ⟨bn.⟩ **0.1** *prescribed* ⇒*statute-barred, lapsed, out of date* ⟨coupon⟩ ◆ **1.1** een ~e cheque *a stale cheque;* een ~e vordering/schuld *a (statute-/time-)barred claim/debt, a stale claim/debt.*

verjaardag ⟨de (m.)⟩ **0.1** [mbt. persoon] *birthday* **0.2** [mbt. gebeurtenis] *anniversary* ◆ **1.2** de ~ van de republiek *the a. of the republic;* we vieren vandaag de honderdste ~ v.d. revolutie *today is the* [B]*centenary/*[A]*centennial/the centennial a. of the revolution* **3.1** vandaag is het mijn ~ *today is my b.;* hij viert volgende week zijn veertigste ~ *he is celebrating his fortieth b./will be forty next week* **6.1** iem. **met** zijn ~ gelukwensen *congratulate s.o. on his b.;* iem. **met** zijn ~ een cadeau geven *give s.o. a present for his b./a b. present;* we moeten **naar** een ~ *we have to go to a b. party.*

verjaardagscadeau ⟨het⟩ **0.1** *birthday present.*
verjaardagsgeschenk →verjaardagscadeau.
verjaardagskalender ⟨de (m.)⟩ **0.1** *birthday calendar.*
verjaardagspartij ⟨de (v.)⟩, **verjaardagsfeestje** ⟨het⟩ **0.1** *birthday party.*
verjaarsfeest ⟨het⟩ **0.1** *birthday party.*
verjaarswens ⟨de (m.)⟩ **0.1** *congratulations on s.o.'s birthday, birthday congratulations.*

verjagen ⟨ov.ww.⟩ **0.1** *drive/chase away/off* ⇒⟨inf.⟩ *shoo away* ⟨kinderen, insekten, vogels enz.⟩, *dispel* ⟨angsten e.d.⟩ ◆ **1.1** sombere gedachten ~ *dispel/banish gloomy thoughts;* muggen/vliegen ~ *drive off/shoo away mosquitoes/flies;* spreeuwen ~ *scare/shoo away starlings* **6.1** de vijand **uit** zijn stellingen ~ *dislodge the enemy from his fortifications;* iem. **uit** zijn schuilplaats ~ *flush s.o. out of his hiding place;* iem. **van** de troon ~ *drive s.o. from the throne, dethrone s.o..*

verjaren ⟨onov.ww.⟩ **0.1** [jarig zijn] *celebrate one's birthday* **0.2** [⟨jur.⟩] *become prescribed* ⇒*become (statute-)barred, become out-of-date, lapse* ⟨coupons⟩, *be precluded by the lapse of time* ⟨strafvordering⟩ ◆ **1.2** een schuld/dividend kan ~ *a debt/dividend can become prescribed/barred (by lapse of time/by limitation)* **5.1** hij verjaart vandaag *it's his birthday today* **5.2** sommige misdrijven ~ niet *for some crimes no limitation applies;* die rechten ~ niet *those rights cannot be barred (by prescription)/by limitation/are imprescriptible).*

verjaring ⟨de (v.)⟩ **0.1** [⟨jur.⟩] *prescription* ⟨van recht⟩; *limitation* ⟨van vordering⟩ **0.2** [verjaardag] *birthday* ◆ **1.1** de ~ van rechtsvorderingen *the l. of actions;* de ~ van strafvorderingen *the preclusion of criminal proceedings by (reason of) lapse of time* **2.1** acquisitieve ~ *acquisitive/positive/creative p.;* extinctieve ~ *extinctive/negative p.* **3.1** zich op ~ beroepen *plead the statute of l.* **6.1** dat recht is niet **aan** ~ onderhevig *this right is not liable/subject to p./is imprescriptible* ¶**.1** rechten ontstaan op grond van ~ *prescriptive rights, rights acquired/created by p..*

verjaringsfeest ⟨het⟩ **0.1** *birthday party.*
verjaringstermijn ⟨de (m.)⟩ **0.1** *(period/term of) limitation, limitation period* ⟨van vordering⟩;*period of prescription, prescriptive period* ⟨van recht⟩ ◆ **3.1** de ~ van oorlogsmisdaden verlengen *extend the period of limitation for war crimes.*

verjongen
I ⟨ov.ww.⟩ **0.1** [jonger maken] *rejuvenate* ⟨vaak pass.⟩ ⇒*restore to youth, make young, regenerate* ⟨bos⟩ ◆ **1.1** een sterk verjongd elftal *a greatly rejuvenated team;* een elftal ~ *build up a younger team* **4.1** zich ~ *rejuvenate o.s., make o.s. young (again);*
II ⟨onov.ww.⟩ **0.1** [jonger worden] *rejuvenate* ⇒*become young again.*

verjonging ⟨de (v.)⟩ **0.1** *rejuvenation* ⇒*rejuvenescence, regeneration* ⟨bos⟩ ◆ **1.1** de ~ v.h. eerste elftal *the rejuvenation of the first team/* [A]*A-team.*

verjongingskuur ⟨de⟩ **0.1** *rejuvenation/rejuvenating cure* ◆ **3.1** een ~ ondergaan hebben ⟨fig.⟩ *have undergone rejuvenation, be revitalized.*

verkalken ⟨onov.ww.⟩ **0.1** [kalkachtig worden] *calcify* ⇒*harden* ⟨bloedvaten⟩, *ossify* ⟨kraakbeen⟩ **0.2** [⟨fig.⟩] *ossify* ◆ **1.2** verkalkte opvattingen/theorieën *ossified/rigid opinions/theories.*

verkalking ⟨de (v.)⟩ **0.1** *calcification* ⇒*hardening* ⟨bloedvaten⟩, *ossification* ⟨kraakbeen; ook fig.⟩ ◆ **3.1** aan ~ in de slagaderen lijden *suffer from hardening of the arteries/from arteriosclerosis.*

verkankelemienen ⟨ov.ww.⟩ ⟨inf.⟩ **0.1** *mess up* ⇒*botch (up), make a hash of (sth.),* ↓*screw/crap up,* [B] ↓*bugger/muck up.*

verkankeren
I ⟨onov.ww.⟩ **0.1** [door kanker uitteren] *be eaten away with/con-*

sumed by/*riddled with cancer* ⇒*canker* ⟨plant, dier⟩ **0.2** [⟨fig.⟩] *go to the dogs* ⇒*go to pot* ◆ **3.2** de hele maatschappij dreigt te ~ *society is going all to pot/to the dogs;*
II ⟨ov.ww.⟩ ⟨inf.⟩ **0.1** [verpesten] *mess up* ⇒*botch (up), make a hash of,* ↓*screw/crap up,* [B] ↓*muck/bugger up.*

verkapt ⟨bn.⟩ **0.1** *veiled* ⇒*masked, disguised, concealed* ◆ **1.1** een ~ dreigement *a v. threat;* een ~e Liberaal *a Liberal in disguise, a crypto-Liberal;* die onkostenregeling is een ~e loonsverhoging *that expense arrangement is a v./disguised/masked raise/a raise in disguise;* een ~e vorm van discriminatie *a disguised/masked form of discrimination;* een ~e waarschuwing *a v./fortive warning.*

verkassen ⟨onov.ww.⟩ ⟨inf.⟩ **0.1** *relocate* ⇒ ↑*move (about/around), be/get transplanted.*

verkavelen ⟨ov.ww.⟩ **0.1** [in percelen verdelen] *parcel out* ⇒*(sub)divide, cut up into lots, lot (out), partition (into)* **0.2** [in partijen verdelen] *divide into lots, allot, allocate.*

verkaveling ⟨de (v.)⟩ **0.1** [het verkavelen] *allotment* ⇒*subdivision, allocation* **0.2** [het graven van sloten] *parcelling (out), parcellation* ⇒*land division, cutting up into lots, lotting (out).*

verkeer ⟨het⟩ **0.1** [het gaan en komen over de openbare wegen] *traffic* **0.2** [voertuigen, personen] *traffic* **0.3** [omgang] *association* ⇒*(social/sexual) intercourse* **0.4** [het gaan en komen] *movement* ⇒*comings and goings* **0.5** [verzending] *traffic* ⇒*(tele)communication(s)* ◆ **1.1** handel en ~ *trade/t. and commerce* **1.2** ⟨fig.⟩ een heer in het ~ *a gentleman driver* **1.3** in het maatschappelijk ~ *in society* **2.1** geen doorgaand ~ ⟨bord⟩ *no through road/t., no thoroughfare;* druk ~ *heavy t.;* het financiële ~ *financial transactions/dealings;* veilig ~ *road safety* **2.2** achteropkomend/langzaam rijdend ~ *rear/slow t.;* langzaam/gemotoriseerd ~ *slow/motorized t.;* er was weinig ~ op de weg *the t. was light, there was little t. on the road* **2.3** in het dagelijks ~ *in everyday life;* kost en inwoning met huiselijk ~ *room and board as a member of the family/in a family atmosphere;* in het huiselijk ~ *at home, in home life;* maatschappelijk ~ *social intercourse, association(s);* seksueel ~ *(sexual) intercourse* **2.4** er bestaat vrij ~ tussen de 2 landen *there is freedom of m. between the two countries;* ⟨scheep.⟩ een schip toelaten tot het vrije ~ *release a ship from quarantine* **2.5** het tarief voor het lokale/interlokale ~ *rates for local/long-distance calls;* het telegrafisch ~ *telegraphic communications* **2.**¶ ⟨hand.⟩ de waarde in het economisch ~ *the economic value (of a product/transaction (enz.)* **3.1** het ~ belemmeren *cause an obstruction, hold up the t.;* het doorgaand ~ is gestremd *through t. is held up/obstructed* **3.2** het ~ omleiden *divert t.;* het ~ regelen *regulate (the) t.* **3.2** voorrang geven aan ~ **van** rechts *give priority to the right;* een weg **voor** alle ~ afsluiten *close a road to all t.;* een weg **voor** het ~ openstellen *open a road to t.* ¶**.2** het overige ~ in gevaar brengen *be a danger to other road-users.*

verkeerd
I ⟨bn.⟩ **0.1** [fout, onjuist] *wrong* ⇒⟨fout⟩ *mistaken,* ⟨vol fouten⟩ *faulty* **0.2** [omgekeerd] *wrong* ⇒*reverse,* ⟨binnenste buiten⟩ *inside/wrong side out, seamy* ⟨slechte kant; fig.⟩ ◆ **1.1** een ~ antwoord geven *give a w. answer;* een ~ beeld van iets schetsen *misrepresent sth.;* ⟨sport⟩ het ~e been *the weak foot;* ⟨sport⟩ een verdediger/de verdediging op het ~e been zetten/de ~e kant op sturen *sell a dummy;* een ~ beleid voeren *follow a bad policy;* een ~e diagnose *a faulty diagnosis;* hij zal beslist geen ~e dingen zeggen *he won't put a foot wrong;* de ~e dingen zeggen/doen *say/do the w. things, put one's foot in it, blunder* **1.**¶ als je denkt dat ik dat doe, dan heb je het bij het ~e eind *if you think I'm going to do that, you've got another think/guess/thing coming* **1.1** dat zou hem maar op ~e ideeën brengen *that would just put ideas into his head;* de ~e kant/weg opgaan ⟨ook fig.⟩ *go the w. way/in the w. direction;* ⟨fig. ook⟩ *go to the bad/dogs, end up in the gutter;* het eten kwam in mijn ~e keelgat *the food went down the w. way;* een ~e naam ⟨ook⟩ *a misnomer;* op het ~e pad terechtkomen ⟨fig.⟩ *go to the bad/dogs, go astray, fall for the seamy side of life;* ⟨fig.⟩ op het ~e pad ⟨crimineel⟩ *off the track, astray, off the straight and narrow;* ⟨verkeerde kant opgaand⟩ *on the w. track;* op een ~e spoor zitten ⟨fig.⟩ *be on the w. track, bark up the w. tree, be on a false/w. scent;* een ~e voorstelling van zaken geven *misrepresent the situation;* op de ~e weg zijn *do sth. along/on the w. lines;* je hoeft maar één ~ woord te zeggen *you can't afford to put a foot wrong, all it takes is one w. word;* er viel nooit een ~ woord tussen de twee *the two never had a cross word;* dat is ~e zuinigheid *that is false/bad economy* **1.2** een trui met de ~e kant naar buiten dragen *wear a sweater inside/wrong side out* **1.**¶ het bij het ~e eind hebben *get hold of the wrong end of the stick;* koffie ~ *coffee with (a lot of) hot milk, hot milk with coffee* **3.1** hij was in de oorlog ~ *he stood on/supported the w. side during the war, he corroborated during the war* **4.1** hij had iets ~s gegeten *sth. he had eaten had upset him;* heb ik iets ~s gezegd? *have I said sth. wrong?, have I dropped a brick/put my foot in it/gaffed?;* daar zie ik niets ~s in *I can't see anything w. with/about that, I see nothing out of the way in it* **5.1** dat zou niet ~ zijn *that wouldn't be amiss, it would be well (that …), that wouldn't do any harm* **7.1** je hebt de ~e voor *you've mistaken your man, you've got the w. sow by the ear, you're barking up the w. tree, you've come to the w. shop;*

⟨zelfst.⟩ dat is de ~e *that's the w. one;* ⟨zelfst.⟩ het ~e van zijn daad inzien *realize the wrongness of one's actions;*
II ⟨bw.⟩ **0.1** [fout, onjuist] *wrong* ⇒⟨fout⟩ *mistakenly,* ⟨vol fouten⟩ *faultily* **0.2** [omgekeerd] *wrong* ⇒⟨binnenste buiten⟩ *wrong side/inside out* ◆ **3.1** iets ~ aanpakken/behandelen *go/set about sth. the wrong way, go the wrong way about sth., set off on the wrong foot;* zij had het helemaal ~ begrepen *she had got it all w.;* begrijp me niet ~ *don't get me w.;* elkaar ~ begrijpen *talk at cross purposes;* iemands bedoelingen ~ begrijpen *mistake s.o.'s meanings;* ⟨sport⟩ een bal ~ beoordelen *misread a ball;* dacht je dat ik je helpen zou? dan dacht je ~ *so you thought I would help you? well, you thought w. then;* je deed er ~ aan hem te waarschuwen *it was wrong of you to warn him, you were/did wrong in warning him/to warn him;* hij kan bij haar niets ~ doen *he can do no wrong with her;* hij doet alles ~ *he can't do a thing right;* pardon, u gaat ~ *pardon me, but you're going in the wrong direction/the wrong way;* iets ~ gebruiken *misuse sth., use sth. wrongly;* daar zijn we ~ gegaan *that's where we lost/missed the/our way;* ~ gokken/raden *guess w., make a bad shot;* hij houdt zijn pen ~ vast *he's holding his pen w.;* het liep ~ met hem af *he came to grief/to a bad/sticky end;* het loopt ~ af *it will turn out badly;* iets ~ opnemen *take sth. amiss;* het pakte ~ uit *it went all w. / awry;* ~ parkeren *unauthorized parking;* iets ~ spellen/uitspreken/vertalen/voorstellen/toepassen *misspell/mispronounce/mistranslate/misrepresent/misapply sth.;* zijn woorden werden ~ uitgelegd *his words were misconstrued;* ~ verbonden zijn *have dialed a wrong number;* iets ~ verstaan/begrijpen *misunderstand sth., get sth. wrong;* dat zie je ~ *that's not the way to look at it;* we zitten ~ *we must be wrong, this is not right* **3.2** zijn kousen ~ aantrekken *put on one's socks wrong side/inside out;* ⟨fig.⟩ zijn handen staan ~ *he's/his fingers are all thumbs, he has two left hands* ¶**.1** ⟨inf.⟩ ~ bezig zijn *be on the wrong track* ¶**.2** ~ om *the other way round;* ⟨onderste boven⟩ *upside down;* iets ~ om aanhebben *have sth. on back to front* ⟨bv. trui⟩.
verkeersaanbod ⟨het⟩ **0.1** *volume/amount of traffic* ◆ **3.1** het ~ niet/gemakkelijk kunnen verwerken *be unable to/easily absorb the volume/amount of traffic.*
verkeersacademie ⟨de (v.)⟩ **0.1** *Traffic Academy.*
verkeersader ⟨de⟩ **0.1** *main road, arterial road, artery.*
verkeersagent ⟨de (m.)⟩, -e ⟨de (v.)⟩ **0.1** *traffic policeman/policewoman/constable.*
verkeersapparaat ⟨het⟩ **0.1** *traffic.*
verkeersbord ⟨het⟩ **0.1** *road/traffic sign.*
verkeersbrigadiertje ⟨het⟩ **0.1** ⟨schoolchild acting as [B]lollipop man/lady⟩.
verkeerscentrale ⟨de⟩ **0.1** *(road) traffic control centre.*
verkeerschaos ⟨de (m.)⟩ **0.1** *traffic chaos* ⇒*chaos on the roads.*
verkeerscontrole ⟨de (v.)⟩ **0.1** *(road) traffic surveillance* ⇒*surveillance of road users/traffic.*
verkeersdelict ⟨het⟩ **0.1** *traffic offence.*
verkeersdichtheid ⟨de (v.)⟩ **0.1** *traffic density.*
verkeersdienst ⟨de (m.)⟩ **0.1** *traffic department.*
verkeersdiploma ⟨het⟩ **0.1** *road safety certificate.*
verkeersdiscipline ⟨de (v.)⟩ **0.1** *traffic discipline.*
verkeersdode ⟨de⟩ **0.1** *traffic fatality.*
verkeersdrempel ⟨de (m.)⟩ **0.1** *speed ramp;* ⟨BE; inf.⟩ *sleeping policeman.*
verkeersdrukte ⟨de (v.)⟩ **0.1** *(amount of) traffic* ⇒*heavy traffic* ◆ **2.1** er heerste een enorme ~ *there was an enormous amount of traffic;* geringe ~ *light traffic.*
verkeersexamen ⟨het⟩ **0.1** ≠[B]*Highway Code examination.*
verkeersinformatie ⟨de (v.)⟩ **0.1** ⟨mbt. opstoppingen e.d.⟩ *traffic information; motoring information* ⟨mbt. interlokaal verkeer⟩.
verkeersinspectie ⟨de (v.)⟩ **0.1** *traffic licensing authority.*
verkeersknooppunt ⟨het⟩ **0.1** *(traffic) junction/intersection; (traffic) interchange* ⟨snelwegen enz.⟩; ⟨klaverblad⟩ *cloverleaf.*
verkeersleider ⟨de (m.)⟩ **0.1** *air-traffic controller.*
verkeersleiding ⟨de (v.)⟩ **0.1** [het regelen v.h. verkeer] *traffic control* **0.2** [orgaan] *traffic department* ⇒⟨luchtv.⟩ *air-traffic/ground control.*
verkeerslicht ⟨het⟩ **0.1** *traffic lights* ⇒*traffic (control) signal* ◆ **3.1** het ~ springt op groen *the t. l. have turned green.*
verkeersmiddel ⟨het⟩ **0.1** [middel voor het transport] *means of transport* **0.2** [middel tot geestelijk contact] *means of communication.*
verkeersongeval, -ongeluk ⟨het⟩ **0.1** *road/traffic accident* ◆ **6.1** een ~ met dodelijke afloop *a road death, a fatal traffic accident.*
verkeersopstopping ⟨de (v.)⟩ **0.1** *traffic jam* ⇒*congestion, buildup of traffic,* [B]*traffic block, traffic tie-up,* ⟨vnl. AE⟩ *snarl-up.*
verkeersovertreding ⟨de (v.)⟩ **0.1** *traffic offence* [A]*se.*
verkeerspaaltje ⟨het⟩ **0.1** [B]*bollard.*
verkeersplein ⟨het⟩ **0.1** *roundabout,* [A]*rotary (intersection)* ⇒⟨AE ook⟩ *traffic circle.*
verkeerspolitie ⟨de (v.)⟩ **0.1** *traffic police.*
verkeersregel ⟨de (m.)⟩ **0.1** *traffic rule* ⇒*traffic regulation* ◆ **3.1** zich aan de ~s houden *stick to/obey/heed the traffic rules.*
verkeersreglement ⟨het⟩ →**verkeersvoorschriften**.

verkeersslachtoffer ⟨het⟩ **0.1** *road casualty/victim* ◆ **1.1** het aantal ~s is dit jaar groter ⟨ook⟩ *the toll on the road(s)/the traffic toll/the road accident toll is higher this year.*
verkeersstroom ⟨de (m.)⟩ **0.1** *flow/* ⟨concr. ook⟩ *stream of traffic.*
verkeersteken ⟨het⟩ **0.1** *traffic/road sign.*
verkeerstoren ⟨de (m.)⟩ **0.1** *control tower.*
verkeerstunnel ⟨de (m.)⟩ **0.1** *road tunnel* ⇒⟨onder andere weg, enz.⟩ *underpass.*
verkeersveiligheid ⟨de (v.)⟩ **0.1** *road/traffic safety.*
verkeersvliegtuig ⟨het⟩ **0.1** *commercial/civil/passenger aircraft/plane.*
verkeersvoorschriften ⟨zn.mv.⟩ **0.1** *traffic regulations* ⇒⟨BE ook⟩ *Highway Code.*
verkeersvrij ⟨bn.⟩ ◆ **1.**¶ een ~e zone *a pedestrian zone/precinct* **3.**¶ een gebied ~ maken *ban vehicles from an area.*
verkeerswaarde ⟨de (v.)⟩ **0.1** ⟨*value (of premises/building) derived from a position close to a (main access) road*⟩.
verkeersweg ⟨de (m.)⟩ **0.1** *traffic route* ⇒⟨in stad ook⟩ *thoroughfare, highway.*
verkeerswisselaar ⟨de (m.)⟩ ⟨AZN⟩ **0.1** *cloverleaf.*
verkeerszuil ⟨de⟩ **0.1** [B]*bollard.*
verkenmerk ⟨het⟩ **0.1** *bench mark.*
verkennen ⟨ov.ww.⟩ **0.1** [op verkenning gaan] *explore* ⇒*investigate, scout (out),* ⟨mil.⟩ *reconnoitre* **0.2** [aanlopen na een zeereis] *put in* ◆ **1.1** de boel ~ *e. the place, go exploring; case the joint* ⟨dieven voor beroving⟩; de markt ~ *test/feel out the market;* ⟨fig.⟩ een situatie ~ *spy out the land, put out feelers;* een ~de studie *an exploratory/tentative/pilot study;* het terrein ~ *e./scout (out)/reconnoitre the area; spy out the land* ⟨ook fig.⟩; ⟨fig. ook⟩ *feel one's way, put out feelers* **1.2** land ~ *make a landfall.*
verkenner ⟨de (m.)⟩ **0.1** [iem. die op verkenning uitgaat] *scout* **0.2** [vliegtuig] *air scout* ⇒*scouting plane* **0.3** [padvinder] *(Boy) Scout;* ⟨AE; v.⟩ *Girl Scout* ⇒⟨BE v. ook⟩ *Girl Guide.*
verkennerij ⟨de (v.)⟩ **0.1** *scouting* ⇒*(Boy) Scouts,* ⟨meisjes⟩ [B]*Girl Guides,* [A]*Scouts.*
verkenning ⟨de (v.)⟩ **0.1** [het verkennen] *exploration* ⇒*investigation, scout(ing), reconnaissance, reconnoitre* **0.2** [⟨scheep.⟩ *sighting of land* ⇒*spying of land* **0.3** [⟨amb.⟩ *versspringing] break joint* **0.4** [⟨mil.⟩] *reconnaissance* ⇒*reconnoitre, observations* ◆ **2.1** sociaal-economische ~en *socio-economic enquiries/investigations/studies;* een topografische ~ *a topographical survey* **6.1** op ~ uitgaan ⟨mil.⟩ *go out scouting; go out exploring* ⟨streek, stad⟩; *go and see how the land lies, go out to spy the land* ⟨ook fig.⟩.
verkenningspatrouille ⟨de⟩ **0.1** *reconnaissance patrol.*
verkenningstocht ⟨de (m.)⟩ **0.1** *exploration* ⇒*reconnaissance, reconnoitring/scouting expedition* ◆ **3.1** een ~ ondernemen *go on a reconnoitring/scouting expedition* **6.1** een ~ door de wereldstad *an exploration of the metropolis.*
verkenningsvliegtuig ⟨het⟩ **0.1** *reconnaissance plane/aircraft* ⇒*spotter.*
verkenningsvlucht ⟨de⟩ **0.1** *reconnaissance flight.*
verkeren ⟨onov.ww.⟩ **0.1** [zich bevinden] *be* ⇒*find o.s.* **0.2** [zich bewegen (in)] *be (in)* ◆ **6.1** in ballingschap/in gevaar ~ *b. in exile/danger;* in moeilijke omstandigheden ~ *b. in dire straits/deep water;* in de veronderstelling ~ dat *b. under the impression that;* in de gelukkige omstandigheid ~ dat *b. in the fortunate position that;* in geldnood ~ *he had pressed for money;* in onzekerheid ~ over iemands lot *b. uncertain/unsure as to s.o.'s fate* **6.2** in goed/slecht gezelschap ~ *be in good/bad company;* in de hoogste kringen ~ *move in the best circles;* in het gezelschap ~ v.d. groten der aarde *rub shoulders with the great.*
verkering ⟨de (v.)⟩ **0.1** *courtship* ⇒*courting* ◆ **2.1** vaste ~ hebben *go steady* **3.1** toen ze ~ hadden *in their courting days;* ze hebben al zes jaar ~ *they've been going together/courting for six years;* ~ hebben met iem. *court s.o.;* ⟨inf.⟩ *go with s.o.;* hij kan geen ~ krijgen *he can't find (himself) a girl;* ~ krijgen met iem. *start going out with s.o.* **5.1** de ~ is uit *it is all over/finished between them/us, we/they have broken/split up.*
verkerven ⟨ov.ww.⟩ ◆ **6.**¶ het bij iem. ~/ verkorven hebben *get into/be in s.o.'s bad/black books.*
verketteren ⟨ov.ww.⟩ **0.1** [heftig veroordelen] *execrate* ⇒*decry, revile, denounce* **0.2** [tot ketter verklaren] *charge with heresy* ⇒*brand/condemn as a heretic.*
verkettering ⟨de (v.)⟩ **0.1** *denunciation* ⇒*condemnation.*
verkiesbaar ⟨bn.⟩ **0.1** *eligible (for election)* ◆ **1.1** op een verkiesbare plaats staan ⟨GB⟩ ≠*stand for a safe seat* **3.1** zich niet meer ~ stellen *no longer offer o.s. for reelection;* zich ~ stellen als president *run for the presidency/for president;* zich ~ stellen *offer o.s./stand as a candidate, stand for office;* zich weer ~ stellen *offer o.s. for/seek reelection;* ~ zijn *be/come up for election.*
verkiesbaarheid ⟨de (v.)⟩ **0.1** *eligibility.*
verkieslijk ⟨bn.⟩ **0.1** *preferable* ◆ **3.1** ik vind dit ~er *I prefer this, I think this is p..*
verkiezen ⟨ov.ww.⟩ **0.1** [prefereren] *prefer (to)* ⇒*choose* **0.2** [liever willen] *choose* ⇒*like* **0.3** [door keuze aanwijzen] *elect* ⇒*choose* ◆ **3.2** hij verkiest het niet te doen *he chooses not to do it, he would rather not*

do it; ik verkies niet uitgelachen te worden *I don't like being laughed at* **6.1** iets **boven** alles ~ *prefer sth. above all else;* thee **boven** koffie/ lopen **boven** fietsen ~ *prefer tea to coffee/walking to cycling* **6.3** iem. **tot** lid v.d. Tweede Kamer ~ *return s.o. to Parliament;* ⟨USA⟩ *elect s.o. a member of the House of Representatives;* iem. **tot** lid v.d. gemeenteraad/kerkeraad ~ *e.s.o. (as) a member of the Town/Church Council* **8.2** zoals u verkiest *as you wish/please/c.,* ↓*please/suit yourself.*

verkiezing ⟨de (v.)⟩ **0.1** [het door keuze aanwijzen] *election* **0.2** [het door keuze aangewezen worden] *election* ⇒*return* ⟨tot parlement⟩ **0.3** [keuze, voorkeur] *choice* ⇒⟨keuze⟩ *selection,* ⟨voorkeur⟩ *preference* ◆ **2.1** algemene ~en *general elections;* geheime ~ *secret ballot;* getrapte ~ *indirect e.;* openbare/rechtstreekse ~ *public/direct e.;* tussentijdse ~en ≠*by(e)-elections* ⟨om opengevallen plaats op te vullen⟩ **2.3** uit eigen ~ *of one's own free will, by one's own choice;* het is zijn vrije ~ *he's doing this of his own free will* **3.1** ~en houden *hold elections;* ~en uitschrijven *order/call (for) an e.;* ⟨vnl. BE⟩ *go/appeal to the country;* de ~en winnen/verliezen *win/lose the election(s)* **6.1** vóór de ~en gedane beloftes *preelection/campaign promises;* ~en voor de Provinciale Staten *provincial election(s);* ≠^{B}*county council election(s);* ≠^{A}*state election(s);* een ~ **zonder/met** tegenkandidaten *an uncontested/contested e.* **6.2** zijn ~ **tot** voorzitter *his e. to the chair/ as chairman;* de ~ **van** mijnheer X **tot** lid v.d. Tweede Kamer *the e./ return of Mr. X to Parliament/* ⟨USA⟩ *the House of Representatives, the e. of Mr. X as an* ^{B}*MP/*^{A}*a representative.*

verkiezingsaffiche ⟨de (v.)⟩ **0.1** *election bill/poster.*
verkiezingsbelofte ⟨de (v.)⟩ **0.1** *election promise/pledge.*
verkiezingsbijeenkomst ⟨de (v.)⟩ **0.1** *election/electoral meeting* ⇒*election rally.*
verkiezingsbiljet ⟨het⟩ **0.1** *election bill/poster.*
verkiezingscampagne ⟨de⟩ **0.1** *election campaign* ⇒*political/electoral campaign,* ⟨USA; presidentiele campagne ook⟩ *swing round the circle* ◆ **6.1** op ~ gaan *electioneer.*
verkiezingsdag ⟨de (m.)⟩ **0.1** *polling day* ⇒⟨USA: nationale verkiezingen⟩ *Election Day.*
verkiezingsfonds ⟨het⟩ **0.1** *election fund.*
verkiezingsfraude ⟨de⟩ **0.1** *electoral fraud* ⇒*rigging of/interfering with an/the election/(the) elections.*
verkiezingsjaar ⟨het⟩ **0.1** *election year.*
verkiezingsleus ⟨de⟩ **0.1** *campaign/electoral slogan* ⇒*battle cry.*
verkiezingslijst ⟨de⟩ **0.1** *list of candidates.*
verkiezingsnederlaag ⟨de⟩ **0.1** *election/electoral defeat.*
verkiezingsoverwinning ⟨de (v.)⟩ **0.1** *election/electoral victory.*
verkiezingsprogramma ⟨het⟩ **0.1** *(electoral) platform* ⇒*election/electoral programme* ^{A}*gram* ◆ **6.1** iets als punt in het ~ opnemen *make sth. a plank in one's platform;* een belangrijk punt in hun ~ *a major plank in their platform, a keystone in their election programme.*
verkiezingsstrijd ⟨de (m.)⟩ **0.1** *electoral/election struggle/contest/battle* ◆ **3.1** zich in de ~ werpen *throw one's hat into the ring.*
verkiezingsstunt ⟨de (m.)⟩ **0.1** *(pre-)election/electoral stunt.*
verkiezingssysteem ⟨het⟩ **0.1** *electoral system.*
verkiezingstijd ⟨de⟩ **0.1** *election time.*
verkiezingstoespraak ⟨de⟩ **0.1** *election speech* ⇒*stump speech.*
verkiezingstournee ⟨de (v.)⟩ **0.1** *election tour* ⇒⟨USA; presidentiele campagne ook⟩ *swing round the circle, whistle-stop tour* ⟨USA; door platteland⟩.
verkiezingsuitslag ⟨de (m.)⟩ **0.1** *election result* ⇒*outcome/result of the/ an election/a poll* ◆ **3.1** de ~ bekendmaken ⟨ook⟩ *declare the poll.*

verkijken
I ⟨wk.ww.; zich ~⟩ **0.1** [verkeerd kijken] *misjudge* **0.2** [zich vergissen] *make a mistake* ⇒*be mistaken, misjudge* ◆ **6.1** zich **bij** het aflezen v.d. meter ~ *misread the meter;* ik heb me op de afstand verkeken *I have misjudged the distance;* daar kun je je lelijk **op** ~ *that is easily underestimated, that could be much worse/harder than you thought;* ⟨sport⟩ zich **op** een bal ~ *misread a ball* **6.2** ik heb me **op** hem verkeken *I have been mistaken in/misjudged him;* zich ~ **op** de eetlust v.d. gasten ⟨onderschatten⟩ *underestimate/* ⟨overschatten⟩ *overestimate the guests' appetites;*
II ⟨ov.ww.⟩ **0.1** [verloren, voorbij laten gaan] *give away* ⇒*let go by, lose* ◆ **1.1** de kans is verkeken *that chance has gone by/is lost.*
verkikkerd ⟨bn.⟩ ⟨inf.⟩ **0.1** *nuts (on/about/over)* ⇒*gone (on),* ⟨persoon ook⟩ *sweet/spoony/goofy (on)* ◆ **6.1** ~ **op** iets zijn *be n. /gone on sth., be dead keen on sth.;* ~ **op** iem. zijn ⟨ook⟩ *have a crush on s.o.;* ~ raken **op** iem. *fall for s.o., get sweet on s.o.;* ze zijn allemaal ~ **op** hem *they all run after him, they're all crazy/potty about him.*
verkillen
I ⟨onov.ww.⟩ **0.1** [killer worden] *chill* ⇒*cool (down)* **0.2** [mbt. gevoelens] *cool (off)* ⇒*become chilly* ◆ **1.2** de gevoelens zijn wat verkild *feelings have become somewhat chilly;*
II ⟨ov.ww.⟩ **0.1** [kil maken] *chill* ◆ **1.1** de ~de adem des doods *Death's chilling breath.*
verklaarbaar ⟨bn.⟩ **0.1** *explicable* ⇒*explainable,* ⟨begrijpelijk⟩ *understandable, natural* ◆ **1.1** een verklaarbare afkeer *a natural/an under-*

standable aversion; om verklaarbare redenen *for obvious reasons* **3.1** dat is nogal ~ *that is quite natural;* hoe is het ~ dat ...*how can it be explained that ...;* hoe is het anders ~ dat ...*what other explanation can there be for the fact that ...*
verklaarbaarheid ⟨de (v.)⟩ **0.1** *explicability* ⇒⟨begrijpelijkheid⟩ *understandability, naturalness.*
verklaard ⟨bn.⟩ **0.1** *avowed* ⇒*declared, professed, admitted, (self-)confessed* ◆ **1.1** een ~ vijand *an avowed/a declared enemy;* een ~ voorstander/tegenstander *an avowed/admitted/a declared supporter/opposer.*
verklanken ⟨ov.ww.⟩ **0.1** *give voice to* ◆ **1.1** een gedachte ~ *give poetic/ musical expression to a thought;* ~ de woorden *onomatopoeic words.*
verklanking ⟨de (v.)⟩ **0.1** [handeling] *musical/poetic expression* **0.2** [resultaat] *musical/poetic expression.*
verklappen ⟨ov.ww.⟩ **0.1** *give away* ⇒*let out, tell/spill, blab* ◆ **1.1** een geheim ~ *give away/tell a secret, let the cat out of the bag, spill the beans, give the show away;* iem. ~ *give s.o. away;* ⟨inf.⟩ *split on s.o.* **3.1** dat mag ik u niet ~ *I'm not allowed to tell* ◆ **4.1** ik verklap het toch niet *my lips are sealed;* heb je het weer verklapt? *have you blabbed again?* **5.1** denk erom; niets ~! ⟨ook⟩ *remember; mum's the word!* **8.1** verklap niet (aan hem) dat je het al weet *don't let on (to him) that you already know about it.*
verklaren
I ⟨ov.ww.⟩ **0.1** [uitleggen] *explain* ⇒*make clear, account for, explicate, elucidate* **0.2** [plechtig uitspreken] *declare* ⇒*state, pronounce,* ⟨officieel⟩ *certify,* ⟨plechtig⟩ *attest* ◆ **1.1** een droom ~ *interpret/explain a dream;* iemands gedrag ~ *account for s.o.'s conduct;* een raadsel ~ *explain/unravel/clear up a mystery;* de Schrift ~ *expound/interpret the Scripture;* een tekst ~ *interpret/elucidate a text* **1.2** zijn liefde ~ *d. one's love;* ⟨iem.⟩ de oorlog ~ *d. war (on s.o.), levy war on/ against s.o.* **2.2** zich met iets akkoord ~ *agree to sth.;* iem. gezond ~ *give s.o. a clean bill of health;* iem. krankzinnig ~ *certify/attest s.o. insane;* ⟨BE; inf.⟩ *certify s.o.;* iets nietig/ongeldig ~ *d./pronounce sth. void/invalid, nullify sth.;* een huis onbewoonbaar ~ *condemn a house;* stemmen ongeldig ~ *d. votes invalid;* iem. schuldig ~ *find/pronounce s.o. guilty* **3.1** zoiets kan ik niet ~ *it beats me, it's beyond me;* dat laat zich ~ ⟨begrijpelijk⟩ *that is quite understandable/natural,* ⟨een reden is makkelijk aan te wijzen⟩ *that is easily accounted for/ explained* **5.2** ⟨schr.⟩ hierbij verklaar ik dat ...*this is to state that ..., I hereby do d. that ..., I hereby certify that ...;* een brief waarin hij verklaarde ...*a letter stating (that) ..., a letter to the effect (that) ...* **6.2** onder ede ~ *d./affirm/state on/under oath;* een vergadering voor geopend/gesloten ~ *d. a meeting open/closed* **8.2** de getuige verklaarde dat hij haar gezien had *the witness testified/bore witness to having seen her* ¶.2 hij verklaarde van niets te weten *he professed his ignorance;*
II ⟨wk.ww.; zich ~⟩ **0.1** [zijn mening te kennen geven] *declare (o.s.)* **0.2** [zijn bedoeling duidelijk maken] *explain o.s.* ◆ **2.1** zich onbevoegd ~ *declare o.s. incompetent* **5.2** verklaar je nader *explain yourself* **6.1** zich **voor/tegen** iem. ~ *declare (o.s.) for/against s.o..*
verklarend ⟨bn.⟩ **0.1** *explanatory* ⇒*explicative, elucidatory* ◆ **1.1** ~e aantekeningen *explanatory notes, glosses;* een ~e toelichting *an elucidation;* een ~ woordenboek *an explaining dictionary;* een ~e woordenlijst *a glossary.*
verklaring ⟨de (v.)⟩ **0.1** [het uitleggen] *explanation* ⇒*explication, elucidation* **0.2** [aanzegging] *declaration* ⇒*pronouncement* **0.3** [uitleg] *explanation* ⇒*account, explication, elucidation, interpretation* **0.4** [handeling van iets mee te delen] *statement* ⇒*declaration,* ⟨vnl. onder ede⟩ *testimony* **0.5** [manifest] *certificate* ◆ **1.2** een ~ van oorlog *a d. of war* **1.3** ⟨mbt. kaart⟩ ~ der symbolen *legend* **1.5** een ~ van goed gedrag *c. of moral conduct;* ~ van overlijden *death certificate;* de Universele Verklaring v.d. Rechten v.d. Mens *the Universal Declaration of Human Rights* **2.3** een onduidelijke ~ *an obscure/ambiguous explanation* **2.4** een beëdigde ~ *a sworn s.;* ⟨schr.⟩ *an affidavit;* een belastende ~ afleggen *make an incriminating/implicating s.;* een bezwarende ~ *an implicating/incriminating s.;* een schriftelijke/mondelinge ~ *a written/oral s.;* valse ~en afleggen *make false statements; bear false witness/testimony* ⟨voor rechtbank⟩; een valse ~ afleggen *give a false testimony* **2.5** een geneeskundige ~ *overleggen produce a doctor's/medical c.;* de debiteur moet een schriftelijke ~ geven *the debtor must give a written undertaking/must bind himself in writing* **3.1** dit vraagt om enige ~ *this requires a word of explanation* **3.3** dat behoeft geen nadere ~ *that needs no further explanation, that is self-explanatory;* kunt u daar een ~ voor geven? *can you account for that? /explain that?* **3.4** een ~ afleggen *make/give a s.* **3.5** een ~ overleggen *produce a c.* **6.1** de ~ **van** die verschijnselen is niet eenvoudig *those phenomena are not so easy to account for/explain* **6.3** ter ~ **van** *in explanation of;* **tot** ~ diene dat ...*in explanation may it be stated that ...* **6.4** volgens hun eigen ~ *according to their own testimony/statement* **7.3** daar heb ik geen ~ voor *I can't explain that, it beats me, it's beyond me* ¶.3 ik ben u een ~ schuldig *I owe you an explanation.*
verkleden ⟨ov., wk.ww.⟩ **0.1** [omkleden] *change (one's clothes)* ⇒*dress* **0.2** [vermommen] *dress up* ⇒*disguise* ◆ **1.1** de kleintjes moeten nog

verkleed worden *the children('s clothes) have still got to be changed* **3.1** zij waren al verkleed *they had already changed (their clothes), they had / were already dressed* **4.1** ik ga me ~ *I'm going to c. (my clothes) / to get dressed;* zich ~ voor het eten *dress for dinner* **8.2** hij was als vrouw verkleed *he was dressed up as a woman, he was in drag.*

verkleedpartij ⟨de (v.)⟩ **0.1** [het zich verkleden] *dressing up* **0.2** [partij] *costume ball* ⇒ *fancy dress party / ball.*

verkleinbaar ⟨bn.⟩ **0.1** *reducible* ◆ **1.1** ⟨wisk.⟩ een niet verkleinbare breuk *an irreducible fraction.*

verkleinen ⟨ov.ww.⟩ **0.1** [kleiner maken] *reduce* ⇒ *make smaller,* ⟨kledingstuk innemen ook⟩ *take in, narrow, cut down to s.o.'s size,* ⟨op schaal⟩ *scale down* **0.2** [verminderen] *reduce* ⇒ *diminish, lessen, minimize* ⟨gevaar, fout⟩, *extenuate* ⟨fout, schuld⟩ **0.3** [kleineren] *belittle* ⇒ *depreciate, denigrate, disparage, detract from* ⟨schuld⟩ ◆ **1.1** deze bril verkleint *these glasses r.;* een verkleind model *a scale model;* op verkleinde schaal *on a reduced scale;* een tekening ~ *scale down a drawing;* de winstmarge ~ *cut the profit margin* **1.2** zijn aanzien ~ *weaken one's standing, diminish one's reputation;* zijn kansen zijn verkleind ⟨ook⟩ *his chances have dwindled* **1.3** iemands roem / daden ~ *b. / disparage / detract from / depreciate s.o.'s fame / deeds.*

verkleinglas ⟨het⟩ **0.1** *reducing glass.*

verkleining ⟨de (v.)⟩ **0.1** [het verkleinen] *reduction* ⇒ *diminishing, diminution, minimization* ⟨gevaar, fout⟩, *extenuation* ⟨fout, schuld⟩ **0.2** [⟨taal.⟩] *diminutive* **0.3** [minachting] *belittlement* ⇒ *disparagement, depreciation, denigration* **0.4** [verkleiningsfactor] *reduction factor.*

verkleiningsfactor ⟨de (m.)⟩ **0.1** *reduction factor.*

verkleiningsuitgang ⟨de (m.)⟩ **0.1** *diminutive suffix.*

verkleiningsvorm ⟨de (m.)⟩ **0.1** *diminutive (form).*

verkleinwoord ⟨het⟩ **0.1** *diminutive.*

verkletsen

  I ⟨ov.ww.⟩ **0.1** [met kletsen doorbrengen] *chatter away* ⇒ *gab(ble) / gossip away,* ⟨sl.⟩ *gas away;*

  II ⟨wk.ww.; zich ~⟩ **0.1** [zich verpraten] *let one's mouth run away with one* ⇒ ⟨iets pijnlijks zeggen⟩ *put one's foot in it, drop a brick,* ⟨een geheim verklappen⟩ *let the cat out of the bag, give the show away.*

verkleumd ⟨bn.⟩ **0.1** *numb (with cold)* ⇒ *chilled, frozen* ◆ **1.1** met ~e handen *with n. / benumbed hands* **3.1** ik ben helemaal ~ *I am frozen* **6.1** tot op de botten ~ *chilled / frozen to the bone / marrow;* ~ van de kou *n. / benumbed / pinched with cold.*

verkleumen ⟨onov.ww.⟩ **0.1** *grow numb* ⇒ *chill, freeze* ◆ **3.1** we staan / zitten hier te ~ *we are freezing in / out here.*

verkleuren ⟨onov.ww.⟩ **0.1** [de kleur verliezen] *discolour, lose colour* ⇒ ⟨verbleken⟩ *fade* **0.2** [van kleur veranderen] *colour* ⇒ ⟨bladeren ook⟩ *turn colour, tarnish* ⟨edelmetaal⟩ ◆ **1.1** die japon zal gauw ~ *that dress will lose colour / fade quickly;* verkleurde tanden *discoloured / stained teeth* **1.2** de jongen verkleurde, toen hij dat hoorde ⟨blozen⟩ *the boy coloured / blushed / reddened when he heard that;* ⟨verbleken⟩ *the boy paled when he heard that* **4.1** het verkleurt niet *it will keep it's colour, it is colourfast.*

verkleuring ⟨de (v.)⟩ **0.1** [verandering van kleur] *discoloration* **0.2** [verbleking] *fading.*

verklikken ⟨ov.ww.⟩ **0.1** *give away* ⇒ *tattle,* ⟨inf.⟩ *squeal / snitch / rat on* ⟨iem.⟩ ◆ **1.1** iem. ~ ⟨sl. ook⟩ *blow the gaff on s.o.,* [B]*grass on s.o.;* iets ~ *tattle / blab sth., spill the beans, give sth. away* **4.1** die jongen verklikt alles *that boy tattles / blabs everything.*

verklikker ⟨de (m.)⟩ **0.1** [persoon] *telltale, tattler,* ⟨spion v.d. politie⟩ *informer;* ⟨verrader⟩ *snitch, squealer, stool(pigeon);* ⟨AE; sl.⟩ *fink* **0.2** [toestel] *telltale* ⇒ *indicator, detector.*

verkloten ⟨ov.ww.⟩ ⟨vulg.⟩ **0.1** *fuck up* ⇒ ⟨BE ook⟩ [B]*bugger up.*

verklungelen ⟨ov.ww.⟩ **0.1** *trifle away* ⇒ *fritter / idle away, waste (away).*

verknallen ⟨ov.ww.⟩ **0.1** [bederven] *blow* ⇒ *botch (up), muff, screw up* **0.2** [aan vuurwerk verschieten] *let off* ◆ **1.1** een kans ~ *blow / muff a chance* **5.1** ⟨iron.⟩ je hebt het mooi verknald *you blew / botched it* **6.1** zij heeft het bij hem verknald *she has got into his bad / black books* **6.2** voor achthonderd gulden aan vuurwerk ~ *let off 800 guilders' worth of fireworks.*

verkneukelen ⟨wk.ww.; zich ~⟩ **0.1** *verkneuteren* ⟨exult (over) ⇒ *gloat (over), revel (in), chuckle, hug o.s.* **0.2** [zich de handen wrijven] *rub one's hands (together)* ◆ **6.1** hij verkneukelde zich al bij de gedachte alleen *he gloated / hugged himself / chuckled (to himself) at the very thought.*

verkneuteren ⟨wk.ww.; zich ~⟩ **0.1** *exult (over)* ⇒ *gloat (over), revel (in), chuckle, hug o.s.* ◆ **6.1** ik verkneuter mij al bij die gedachte *I have to chuckle at the very thought, merely thinking of it makes me chuckle.*

verkniezen ⟨wk.ww.; zich ~⟩ **0.1** *pine* ⇒ ⟨inf.⟩ *mope away.*

verknippen ⟨ov.ww.⟩ **0.1** [door knippen verdelen] *cut up* ⇒ *cut (in)to pieces* **0.2** [knippend bederven] *spoil in cutting* ⇒ *cut to waste* ◆ **1.1** een krant tot snippers ~ *cut a newspaper to bits / pieces;* een lijst ~ *cut up a list* **1.2** een lap stof voor een jurk ~ *spoil a piece of material for a dress in cutting.*

verknipt ⟨bn.⟩ ⟨inf.⟩ **0.1** *hung up* ⇒ *kooky, queer, loony, nutty* ◆ **1.1** een

stelletje ~e ambtenaren *a bunch of hung-up civil servants;* een ~e figuur *a weirdo / kook / nut(case) / loony(bin) / screwball* **5.1** seksueel ~ *kinky.*

verknocht ⟨bn.⟩ **0.1** [innig gehecht aan] *devoted (to)* ⇒ *attached (to)* **0.2** [⟨jur.⟩] *related, connected* ◆ **6.1** aan iem. ~ zijn *be d. to s.o.;* ⟨inf.⟩ *be crazy about s.o.;* zeer aan iets ~ zijn *be attached to sth.;* ⟨inf.⟩ *be wedded to sth..*

verknochtheid ⟨de (v.)⟩ **0.1** [innige gehechtheid] *(utter) devotion / attachment (to)* **0.2** [⟨jur.⟩] *connexity.*

verknoeien ⟨ov.ww.⟩ ⟨→sprw. 48⟩ **0.1** [verprutsen] *botch (up)* ⇒ *spoil, mess up, bungle, foul up* **0.2** [verspillen] *waste away* ⇒ *trifle / fritter away* ◆ **1.1** de boel / de zaak ~ *blow / muff it, make a mess / hash of things;* ⟨sport⟩ zijn kansen ~ *muff one's chances;* het schilderij is bij de restauratie geheel verknoeid *the painting was spoiled / ruined during the restoration* **1.2** zijn geld ~ ⟨ook⟩ *squander one's money;* zijn tijd ~ ⟨aan iets⟩ *waste / trifle / fritter away one's time (on sth. / doing sth.)* **5.1** de boel lelijk ~ *make a fine / pretty / glorious mess / hash of things.*

verknollen ⟨ov.ww.⟩ ⟨inf.⟩ **0.1** *blow* ⇒ *botch (up), muff, mess up, make a hash / mess of* ◆ **6.1** het bij iem. verknold hebben *blow it with s.o., be in s.o.'s bad / black books.*

verkoelen

  I ⟨onov.ww.⟩ **0.1** [koeler worden] *cool (down / off)* ⇒ *chill* **0.2** [⟨fig.⟩] *cool* ⇒ *chill* ◆ **1.1** de atmosfeer is verkoeld *the atmosphere has cooled / chilled, the atmosphere has become cool / chilly* **1.2** hun vriendschap is verkoeld *their friendship has cooled, they have cooled towards each other, a coolness / coldness / chill has sprung up between them;*

  II ⟨ov.ww.⟩ **0.1** [koeler maken] *cool* ⇒ *chill, refrigerate* ⟨in koelkast⟩, *ice* ⟨in ijssemmer⟩.

verkoelend ⟨bn.⟩ **0.1** *cooling* ⇒ *refreshing* ◆ **1.1** ~e dranken / vruchten *c. / refreshing drinks / fruits;* ⟨drankjes⟩ *coolers.*

verkoeling ⟨de (v.)⟩ **0.1** [het verkoelen] *cooling* **0.2** [⟨fig.⟩] *cooling* ⇒ *chill, coolness* ◆ **3.2** er trad een ~ in in de betrekkingen tussen de twee landen *a coolness / chill sprang up / arose between the two countries.*

verkoken

  I ⟨onov.ww.⟩ **0.1** [verdampen] *boil away* ⇒ ⟨inkoken⟩ *boil down* **0.2** [kapot koken] *overcook* ◆ **3.2** het vlees laten ~ *o. the meat, let the meat o.;*

  II ⟨ov.ww.⟩ **0.1** [indampen] *boil down* ◆ **6.1** een oplossing tot op de helft verkoken *boil a solution down to half the quantity.*

verkokeren ⟨onov.ww.⟩ **0.1** *divide along social / class* ⟨rel.⟩ *sectarian lines.*

verkokering ⟨de (v.)⟩ **0.1** *social / class* ⟨rel.⟩ *sectarian division(s) / segregation.*

verkolen

  I ⟨onov.ww.⟩ **0.1** [tot kool worden] *carbonize* ⇒ ⟨door verbranding⟩ *char* ◆ **1.1** een verkoold lichaam *a charred body;* verkoolde planten *carbonized plants;*

  II ⟨ov.ww.⟩ **0.1** [tot houtskool maken] *char* ⇒ *carbonize.*

verkoling ⟨de (v.)⟩ **0.1** *carbonization.*

verkommeren ⟨onov.ww.⟩ **0.1** *languish* ⇒ *pine away,* ⟨inf.⟩ *go to pot* ◆ **1.1** een paar ~de struikjes *a few whitering bushes* **3.1** een kind laten ~ *neglect a child.*

verkondigen ⟨ov.ww.⟩ **0.1** *proclaim* ⇒ *put forward, propound, enunciate* ⟨theorie, hypothese⟩, ⟨prediken⟩ *preach* ◆ **1.1** het Evangelie ~ *preach the Gospel;* iemands lof ~ *sing s.o.'s praises;* zijn mening ~ *over voice / put forward / offer one's opinion on;* onwaarheden ~ *state / peddle untruths;* ⟨iron.⟩ nu verkondig je grote onzin *now you're talking absolute nonsense;* hij hield niet op zijn theorieën te ~ ⟨ook⟩ *he never stopped peddling his theories* **5.1** iets luidkeels / wijd en zijd ~ *shout sth. from the rooftops.*

verkondiger ⟨de (m.)⟩, **-ster** ⟨de (v.)⟩ **0.1** *proclaimer* ⇒ ⟨prediker⟩ *preacher* ◆ **6.1** ~ van Gods Woord *preacher of the Word of God, evangelist, gospel(l)er;* ~ van gemeenplaatsen *a platitudinarian.*

verkondiging ⟨de (v.)⟩ **0.1** *proclamation* ⇒ ⟨prediken⟩ *preaching.*

verkoop ⟨de (m.)⟩ **0.1** [het verkopen] *sale(s)* **0.2** [transactie] *sale* ◆ **1.1** ~ bij afslag *Dutch auction;* bevordering v.d. ~ *sales promotion;* koop en ~ *buying and selling / purchase and sale;* ~ bij opbod *(sale by) auction* **2.2** blanco ~ *selling short* **3.1** de ~ loopt terug *sales are declining* **6.1** iets in de ~ brengen *put sth. up for sale / on the market;* de ~ van dit artikel is verboden *the sale of this article is prohibited, this article may not be sold.*

verkoopafdeling ⟨de (v.)⟩ **0.1** *sales department.*

verkoopakte ⟨de (v.)⟩ **0.1** *sales document* ⇒ ⟨jur.⟩ *deed of sale.*

verkoopapparaat ⟨het⟩ **0.1** *sales organization.*

verkoopbaar ⟨bn.⟩ **0.1** [geschikt om te verkopen] *sal(e)able* ⇒ *marketable* **0.2** [aanvaardbaar] *acceptable* ◆ **3.1** deze artikelen zijn het hele jaar door ~ *these articles command a sale / market all year round* **5.1** dit artikel is moeilijk ~ *this article is hard to sell, there is little market / demand for this article* **5.2** deze maatregel is niet ~ aan onze achterban *we can't sell this measure to our grass roots.*

verkoopbaarheid ⟨de (v.)⟩ **0.1** *sal(e)ability* ⇒ *marketability.*

verkoopchef ⟨de (m.)⟩ **0.1** *sales manager.*
verkoopcijfers ⟨zn.mv.⟩ **0.1** *sales figures.*
verkoopdatum ⟨de (m.)⟩ **0.1** *date of sale* ◆ **2.1** uiterste ~ *sell-by date.*
verkoopleider ⟨de (m.)⟩ **0.1** *sales manager.*
verkoopmethode ⟨de (v.)⟩ **0.1** *sales/selling method* ⇒*method of sale/ selling.*
verkoopnet ⟨het⟩ **0.1** *distribution network.*
verkooppraatje ⟨het⟩ ⟨pej.⟩ **0.1** *sales pitch* ⇒ *(piece of) sales talk.*
verkooppunt ⟨het⟩ **0.1** *(sales) outlet.*
verkoopresultaat ⟨het⟩ **0.1** *sales figure/result* ⟨vaak mv.⟩.
verkoopsdruk ⟨de (m.)⟩ **0.1** *selling pressure.*
verkoopsgolf ⟨de (m.)⟩ **0.1** *sales rush* ⇒*buyers' market.*
verkoop(s)prijs ⟨de (m.)⟩ **0.1** *selling price* ⇒*sales price.*
verkooptechniek ⟨de (v.)⟩ **0.1** *salesmanship.*
verkooptruc ⟨de (m.)⟩ **0.1** *sales stunt/trick/dodge/gag.*
verkoopwaarde ⟨de (v.)⟩ **0.1** *selling/market/sal(e)able value.*
verkopen ⟨→sprw. 36,366⟩
 I ⟨onov.ww.⟩ **0.1** [verkocht worden] *sell* ◆ **5.1** het boek verkoopt slecht *the book sells poorly/finds few buyers;* deze overhemden ~ uitstekend *these shirts are real sellers/s. like hotcakes;*
 II ⟨ov.ww.⟩ **0.1** [tegen een prijs overdoen] *sell* ⇒ ⟨langs de deur, in kraampje⟩ *hawk, peddle,* ⟨op straat⟩ *vend* ⟨ook jur.⟩ **0.2** [toedienen] *give* **0.3** [ten beste geven] ⟨zie 1.3⟩ **0.4** [geloofwaardig maken] *sell* ⇒ *peddle* ◆ **1.1** drugs ~ *peddle/push drugs;* verkoopt u ook schriften? *do you also s./stock/carry/keep notebooks?;* de hele voorraad/al zijn aandelen ~ *s. off the whole stock, s. out all his shares;* zijn zaak ~ en ophouden met werken *s. out/up and retire* **1.2** iem. een dreun/opstopper ~ ⟨inf.⟩ *whack s.o.,* ⟨sl.⟩ *clobber/ᵃcrock s.o.* **1.3** grappen ~ *crack/tell jokes;* onzin ~ *talk/babble nonsense, talk through one's hat;* praatjes ~ *have a big mouth, be a loud mouth;* smoesjes ~ *tell fibs, make excuses* **3.1** iemands bezittingen laten ~ ⟨bij schulden⟩ *sell s.o. up* **3.4** zijn beleid goed weten te ~ *succeed in selling one's policy* **3.¶** als je dat doet, ben je verkocht *if you do that, you're done for/lost/a goner;* na één proefrit was hij meteen verkocht *after only one trial drive he was completely sold (on the car)* **4.4** zichzelf weten te ~ *know how to sell o.s.* **5.1** gerechtelijk ~ *s. under execution;* goedkoop verkocht worden *go cheap;* nee ~ *give (s.o.) no for an answer* **6.1** met winst/verlies ~ *s. at a profit/loss, s. to (dis)advantage;* het wordt per pond verkocht *it is sold by the pound;* ~ voor ƒ2,50 per dozijn *s. at ƒ2.50 the dozen;* verkocht worden voor 10 gulden *go at/for 10 guilders* **¶.1** éénmaal! andermaal! verkocht! *going! going! gone!*
verkoper ⟨de (m.)⟩, **-koopster** ⟨de (v.)⟩ **0.1** *salesman/woman, seller* ⇒ ⟨in winkel ook⟩ *shop assistant,* ⟨reizend ook⟩ *sales representative,* ⟨in kraampje⟩ *vendor* ⟨ook jur.⟩ ◆ **2.1** hij is een goed ~ *he's a good salesman;* openbare ~ *auctioneer.*
verkoperen ⟨ov.ww.⟩ **0.1** ⟨met koperpleet⟩ *copper-plate;* ⟨pan enz.⟩ *copper;* ⟨met messing⟩ *brass.*
verkoping ⟨de (v.)⟩ **0.1** [het verkopen] *(public) sale* ⇒*auction* **0.2** [gelegenheid, bijeenkomst] *(public) sale* ⇒*auction* ◆ **2.1** bij openbare ~ *by auction.*
verkoren ⟨bn.⟩ ⟨schr.⟩ **0.1** ⟨ongemarkeerd⟩ *chosen* ⇒*elect* ◆ **1.1** ⟨zelfst.⟩ gij, ~e des Heren *you, the Lord's c. (one).*
verkorrelen
 I ⟨onov.ww.⟩ **0.1** [tot korrels worden] *granulate;*
 II ⟨ov.ww.⟩ **0.1** [korrels vormen] *granulate* ⇒*grain, corn, pelletize.*
verkort¹ ⟨het⟩ ◆ **6.¶** iets in het ~ zien *see sth. foreshortened.*
verkort² ⟨bn.⟩ **0.1** [beknopt, beperkt] *shortened* ⇒*abridged, condensed, abbreviated* **0.2** [vereenvoudigd] *contracted* **0.3** [korter van duur gemaakt] *shortened* ⇒*reduced, curtailed* ◆ **1.1** een ~e balans *an abridged/a condensed/summarized balance;* een ~ overzicht *a condensed summary;* in ~e vorm *in s./condensed/abridged form* **1.2** ~e deling/worteltrekking *a c. division/evolution;* ~ schrift *shorthand, stenography* **1.3** ~e arbeidstijd *shorter working hours.*
verkorten
 I ⟨onov.ww.⟩ **0.1** [korter worden] *shorten* ⇒*become shorter* ◆ **1.1** de dagen ~ *the days are drawing in;*
 II ⟨ov.ww.⟩ **0.1** [korter maken] *shorten* ⇒*abridge, condense, reduce* **0.2** [korter van duur maken] *shorten* ⇒*reduce, curtail* **0.3** [benadelen] *harm, injure* ◆ **1.1** een boek ~ *condense/abridge a book;* een touw ~ *s. a rope* **1.2** zijn leven ~ *s. one's life;* de reis ~ *s./curtail/cut short one's journey;* de tijd ~ *while away the time* **1.3** een kind ~ *reduce a child's legal portion* **6.3** iem. in zijn belangen/rechten ~ *injure, harm s.o.'s interests.*
verkorting ⟨de (v.)⟩ **0.1** [het verkorten] *shortening* ⇒*reducing, reduction, curtailment* **0.2** ⟨taal.⟩ *contraction* **0.3** [kort begrip, overzicht] *summary* ⇒*abstract, abridg(e)ment, extract, outline.*
verkortingsteken ⟨het⟩ ⟨taal.⟩ **0.1** *apostrophe.*
verkouden ⟨bn.⟩ ⟨zie 3.1,6.1⟩ ◆ **3.1** ~ worden *catch (a) cold, get a cold, come down with a cold;* erg ~ zijn *have a nasty/streaming cold* **6.1** ~ in het hoofd zijn *have a cold in the head/a head cold;* ~ op de borst zijn *have a cold in/on the chest, have a chest cold.*
verkoudheid ⟨de (v.)⟩ **0.1** *(common) cold* ◆ **3.1** een ~ opdoen *catch (a) cold, get a cold* **6.1** hij heeft me aangestoken met zijn ~ *he gave me his cold;* vatbaar zijn voor ~ *be prone to colds.*

verkrachten ⟨ov.ww.⟩ **0.1** [mbt. personen] *rape* ⇒*(sexually) assault,* ↑*ravish,* ↑*violate* **0.2** [mbt. zaken] *violate* ⇒*desecrate,* ⟨slecht vertolken⟩ *murder* ◆ **1.2** het oude Sinatranummer werd door Lee Towers verkracht *the old Sinatra song was murdered by Lee Towers;* de wet/ heiligste rechten ~ *v. the law/holiest rights.*
verkrachter ⟨de (m.)⟩ **0.1** *rapist* ⇒*raper,* ⟨euf.;fig.⟩ *violator* ◆ **3.1** het is een ~ *he's a rapist.*
verkrachting ⟨de (v.)⟩ **0.1** [mbt. personen] *rape* ⇒ ⟨jur.⟩ *indecent assault* **0.2** [mbt. zaken] *violation* ⟨wet, regel, recht⟩ ⇒*desecration, rape* ⟨mbt. bos/gebied⟩, ⟨slechte vertolking⟩ *murder* ◆ **1.2** de ~ v.d. Nederlandse taal *the desecration/murder of the Dutch language.*
verkrampen ⟨onov.ww.⟩ **0.1** *go tense, tense up* ⇒*clench (up)* ⟨handen⟩, ⟨gezicht ook⟩ *convulse.*
verkrampt ⟨bn.⟩ **0.1** *contorted* ⇒⟨fig.⟩ *constrained, contorted, convulsed* ◆ **1.1** een ~ gezicht *a contorted face;* een ~e houding *a contorted/ twisted posture,* ⟨fig.⟩ *a constrained demeanour;* een ~e schrijfstijl *a laborious/forced/cramped style of writing.*
verkregen ⟨bn.⟩ **0.1** *vested* ◆ **1.1** ⟨jur.⟩ ~ recht *v. right.*
verkreukelen
 I ⟨onov.ww.⟩ **0.1** [kreukels krijgen] *wrinkle* ⇒*crease* ◆ **1.1** een verkreukeld pak *a wrinkled/crumpled/creased/rumpled suit;*
 II ⟨ov.ww.⟩ **0.1** [door kreuken bederven] *wrinkle/crumple (up), crease* ⇒⟨kleding ook⟩ *rumple* ◆ **1.1** papier ~ *crumple up paper.*
verkreuken→**verkreukelen.**
verkrijgbaar ⟨bn.⟩ **0.1** *available* ⇒*obtainable, to be had, on sale* ◆ **3.1** dit mantelpak is ~ in twee maten *this suit is a./comes in two sizes* **5.1** niet meer ~ *out of stock, no longer a./obtainable/on sale;* overal ~ *on sale everywhere* **6.1** ~ bij/via de boekhandel *on sale at your local bookseller's, to be obtained through the booksellers;* op aanvrage ~ *to be had/obtainable/a. on request;* (alleen) op recept ~ *only to be had on prescription;* zonder recept/bij de drogist ~ *over-the-counter.*
verkrijgen ⟨ov.ww.⟩ **0.1** [ontvangen] *receive* ⇒*get* **0.2** [kopen] *obtain* ⇒ *acquire* **0.3** [bemachtigen] *obtain* ⇒*come by, acquire, gain, procure* **0.4** [door een bewerking komen tot] *obtain* ⇒ ⟨uitkomst ook⟩ *arrive at* ◆ **1.1** eindelijk verkreeg hij zijn rechtmatig erfdeel *he finally came into his own;* een gunst ~ *be granted a favour;* zijn inkomsten ~ uit *make a living out of* **1.2** die boeken kun je hier ~ *those books are obtainable/on sale/to be had here;* een betere positie ~ *secure a better position* **1.4** uit bieten kan men suiker ~ *sugar can be obtained/extracted from beets* **3.3** schadevergoeding proberen te ~ *try to recover damages* **4.3** zelf verkregen *self begotten* **5.3** dat is eerlijk verkregen *that is honestly come by;* moeilijk te ~ *hard to come by* **¶.2** dit model is niet meer te ~ *this model is no longer available/obtainable/is out of stock.*
verkrijging ⟨de (v.)⟩ **0.1** *acquisition* ⇒*obtaining, acquiring,* ⟨inf.⟩ *getting.*
verkrimpen ⟨onov.ww.⟩ **0.1** *writhe* ⟨van pijn⟩; *cringe* ⟨van angst⟩ ◆ **6.1** van pijn ~ *writhe/double up with pain.*
verkrommen
 I ⟨onov.ww.⟩ **0.1** [krom worden] *bend* ⇒*twist;*
 II ⟨ov.ww.⟩ **0.1** [krom maken] *bend* ⇒*twist.*
verkromming ⟨de (v.)⟩ **0.1** [plaats] *bend* ⇒*twist, curve, curvature* **0.2** [het verkrommen] *bend* ⇒*twist(ing), curvature* ◆ **1.1** ⟨med.⟩ ~ v.d. ruggegraat *curvature of the spine.*
verkroppen ⟨ov.ww.⟩ **0.1** *stomach* ⇒*swallow, digest* ◆ **3.1** dat kan zij niet ~ *it sticks in her throat, she can't stomach it, she can't get over it;* iets niet kunnen ~ *be unable to stomach/swallow/digest/get over sth..*
verkrotten ⟨onov.ww.⟩ **0.1** *decay* ⇒*become run-down/dilapidated/ slummy* ◆ **1.1** verkrotte huizen *slummy/dilapidated/run-down houses* **3.1** laten ~ *allow to become run-down/dilapidated/slummy.*
verkrotting ⟨de (v.)⟩ **0.1** *dilapidation* ⇒*decay.*
verkruien
 I ⟨onov.ww.⟩ **0.1** [zich kruiend verplaatsen] ≠*drift* ◆ **3.1** het ijs begint te ~ ≠*ice floes are starting to drift;*
 II ⟨ov.ww.⟩ **0.1** [kruiend verplaatsen] *wheelbarrow* ◆ **1.1** stenen/zakken ~ *trundle stones/bags in a wheelbarrow.*
verkruimelen
 I ⟨onov.ww.⟩ **0.1** [tot kruimels worden] *crumble;*
 II ⟨ov.ww.⟩ **0.1** [tot kruimels maken] *crumble* **0.2** [te klein verdelen] *fritter away* ◆ **1.1** zijn boterham ~ *c. one's sandwich* **1.2** verkruimelde stijl *fragmentary/choppy style;* zijn tijd ~ *fritter away one's time.*
verkwanselen ⟨ov.ww.⟩ **0.1** [versjacheren] *bargain/barter/fritter away* ⇒ ⟨BE;sl.⟩ *flog* **0.2** [aan beuzelarijen uitgeven] *squander* ⇒*waste, trifle/throw/fritter away* ◆ **1.1** zijn talent ~ *bargain/barter/fritter away one's talent;* ⟨oneerbare winst eruit halen⟩ *prostitute one's talent;* ⟨aan iets onwaardigs wijden⟩ *waste one's talent* **1.2** zijn geld ~ ⟨ook⟩ *play ducks and drakes with one's money.*
verkwijnen ⟨onov.ww.⟩ **0.1** [minder worden] *decline;* ⟨wegkwijnen⟩ *pine/waste away* ◆ **1.1** de handel verkwijnt *trade is declining/slumping/in a decline/slump.*
verkwikkelijk ⟨bn.⟩ **0.1** *exhilarating* ⇒*cheering, stimulating, animating, invigorating* ◆ **1.1** dat is geen erg ~e aangelegenheid *that is a rather unsavoury/unpalatable business;* ~e gesprekken *stimulating conversations.*

verkwikken ⟨onov., ov.ww.⟩ **0.1** *refresh* ⇒*stimulate, animate, invigorate* ◆ **6.1** iem./ zich~ **met** een glas water *refresh s.o. / o.s. with a glass of water.*

verkwikkend ⟨bn.⟩ **0.1** *refreshing* ⇒*invigorating, stimulating, bracing* ⟨klimaat⟩, *brisk* ⟨wandeling, bries⟩ ◆ **1.1** een~e regen a *r. shower;* een~e slaap a *r. sleep;* een~e tijding *comforting news.*

verkwikking ⟨de (v.)⟩ **0.1** [het verkwikken] *refreshment* ⇒*freshening up* **0.2** [wat verkwikt] *refreshment* ⇒⟨fig.⟩ *comfort, relief* ◆ **6.2** ~ **voor** de geest *comfort to the soul.*

verkwisten ⟨ov.ww.⟩ **0.1** *waste* ⇒⟨geld ook⟩ *squander, trifle/ throw/ fritter away* ◆ **1.1** ik zal daar geen papier meer aan~ *I will w. no more paper on that;* zijn vermogen/ zijn geld~ *squander/ run through/ dissipate one's fortune/ money.*

verkwistend ⟨bn.⟩ **0.1** [spilziek] *prodigal* ⇒*profligate, spendthrift, extravagant* **0.2** [verspillend] *wasteful* ⇒*uneconomic(al)* ◆ **1.2** een~ gebruik v.h. leidingwater *w. use/ waste of tap water* **3.1** vroeger was hij ~, nu is hij zuinig *he used to be a bigspender/ spendthrift, now he's thrifty.*

verkwister ⟨de (m.)⟩ **0.1** *squanderer* ⇒*waster, prodigal, profligate,* ⟨mbt. geld ook⟩ *spendthrift.*

verkwisting ⟨de (v.)⟩ **0.1** *waste(fulness)* ⇒*squandering, prodigality, extravagance* ◆ **2.1** het is pure~ *it's an utter/ a complete and utter waste.*

verlaat ⟨het⟩ **0.1** *overfall* ⇒*overflow,* ⟨tech.⟩ *waste weir.*

verladen ⟨ov.ww.⟩ **0.1** *ship* ⇒⟨overladen⟩ *load onto other wagon/ ship.*

verlagen ⟨ov.ww.⟩ **0.1** [lager maken] *lower* ⇒⟨verminderen ook⟩ *reduce, cut down,* ⟨prijzen ook⟩ *mark down* **0.2** [zedelijk laag doen staan] *lower* ⇒*cheapen, degrade, debase, demean* ◆ **1.1** de druk~ *l. / reduce/ decrease the pressure;* de koers~ van *depreciate;* de spanning ~ *bring down/ l. tension;* een verlaagde taille a *low/ dropped waistline;* het tarief/ de salarissen~ *l. / cut down/ reduce the rate/ salaries;* ⟨muz.⟩ een halve toon~ *flat* **1.2** dergelijke hartstochten~ de mens *such passions degrade/ debase/ l. / cheapen man* **4.2** zich~ tot *stoop to, l. / demean o.s.* to **5.1** prijzen drastisch~ *slash/ cut prices* **6.1** iets **in** prijs~ *mark sth. down;* iem. in rang~ *downgrade/ demote s.o.* **7.1** (met) 30%~ *l. / reduce by 30%.*

verlaging ⟨de (v.)⟩ **0.1** [het lager maken/ worden] *lowering* ⇒*vermindering ook⟩ reduction, cut(back),* ⟨muz.⟩ *flat* **0.2** [ontering] *degradation* ⇒*debasement, cheapening, lowering* **0.3** [waardevermindering] *depreciation* ⇒⟨vnl. geld⟩ ◆ **2.1** een plotselinge~ v.h. wegdek a *sudden dip in the road surface* **6.1** een~ **in** rang a *demotion;* een~ **van** de investeringen a *cutback/ slump in investments* **6.3** ~ **van** de munt d. *of the currency.*

verlakken ⟨ov.ww.⟩ **0.1** [⟨inf.⟩ bedriegen] *hoodwink* ⇒*bamboozle, flimflam, diddle, spoof* **0.2** [met lak overdekken] *lacquer* ⇒*varnish, japan* ⟨ihb. leer⟩ ◆ **3.1** ik laat me niet~ *I wasn't born yesterday, no one is going to pull the wool over my eyes, you won't catch me hopping.*

verlakkerij ⟨de (v.)⟩ **0.1** *swindle* ⇒*monkey business, flimflam, spoof, skullduggery* ◆ **2.1** dat is toch je reinste~ ⟨nep⟩ *that's all eyewash/ a fake;* [bedrog] *it's a sell/ swindle/ rip-off.*

verlakt ⟨het⟩ **0.1** *lacquered, varnished* ◆ **2.1** dit is echt Chinees~ *this is real Chinese lacquer.*

verlamd ⟨bn.⟩ **0.1** *paralysed* ⇒*paralytic* ⟨ook fig.⟩, *numb* ⟨van kou/ schok⟩ ◆ **1.1** een~e voet a *paralysed foot* **3.1** hij is geheel~ *he is completely paralysed, he is a total paralytic* **5.1** gedeeltelijk~ *crippled, paretic* **6.1** ~ **door** de schrik *paralysed/ numb/ petrified with fright;* ~ **in** de onderste ledematen *paraplegic.*

verlammen
I ⟨onov.ww.⟩ **0.1** [lam worden] *become paralysed/ numb/ benumbed* ⇒*freeze* ⟨fig.⟩ **0.2** [veerkracht verliezen] *lose resilience* ◆ **1.1** hij is aan de rechterzijde verlamd *he is paralysed on the right side* **1.2** dat doet de energie~ *it saps one's energy;* die veer is verlamd *that spring has lost its resilience/ tension;*
II ⟨ov.ww.⟩ **0.1** [lam maken] *paralyse* ^A*ze* ⇒⟨fig. ook⟩ *cripple, benumb* ⟨door angst, koude⟩ **0.2** [⟨inf.⟩ vertikken, weigeren] *flatly refuse* ⇒*refuse point-blank* ◆ **1.1** de schrik verlamde mij *fear paralysed me, I was paralysed/ numb/ petrified with fear;* het verkeer~ p. *traffic.*

verlammend ⟨bn., bw.⟩ **0.1** *paralysing* ⇒*paralytic, crippling, immobilizing, benumbing* ◆ **1.1** een~e angst a *paralysing/ paralytic/ crippling fear;* een~e invloed a *paralysing/ paralytic/ mesmerizing influence* **3.1** dat werkt~ op het betalingsverkeer *that paralyses/ immobilizes/ cripples the transfer of payments.*

verlamming ⟨de (v.)⟩ **0.1** [lamheid] *paralysis* ⇒⟨med. ook⟩ *palsy* **0.2** [het verlammen] *paralysing* ⇒*immobilization* ◆ **2.1** eenzijdige~ *hemiplegia;* gedeeltelijke~ *paresis;* geleidelijke~ *creeping paralysis.*

verlangen[1] ⟨het⟩ **0.1** *longing* ⇒*desire, wish,* ⟨sterk verlangen⟩ *craving, yearning* ◆ **2.1** zij heeft een rusteloos~ om te reizen *she has an itch to travel* **3.1** aan iemands~ voldoen *comply with s.o.'s wish* **6.1** iets **met** ~/ **vol** ~ tegemoet zien *look forward to sth., await sth. eagerly, long for sth.;* een~ **naar** macht a *lust/ craving for power;* **op** ~ **van** *on the wish of, at the demand;* **op** ons uitdrukkelijk~ *by our express wish;* het liedje van~ zingen *draw/ spin out the time;* ik brand **van** ~ om dat eens te zien *I am dying to see it.*

verlangen[2]

I ⟨onov.ww.⟩ **0.1** [⟨+naar⟩ vervuld zijn v.e. begeerte] *long* ⇒*yearn, ache, crave, hanker after/ for* ◆ **5.1** ik verlang ernaar je te zien *I l. to see you;* ⟨sterker⟩ *I'm dying/ aching to see you* **6.1** **naar** huis/ **naar** rust~ *l. / yearn/ hanker for home/ peace;* het deed hem **naar** meer~ *it whetted his appetite;*
II ⟨ov.ww.⟩ **0.1** [begeren] *want* ⇒*wish for,* ⟨schr.⟩ *desire,* ⟨eisen⟩ *demand,* ⟨vereisen⟩ *require* ◆ **1.1** geld~ *demand money;* ik verlang rust *I want/ wish for some peace and quiet* **3.1** alles wat men maar kan~ *all that can be desired, one's heart's desire* **5.1** wat kun je nog meer~ *what more can you ask/ wish for?* **6.1** te veel **van** iem. ~ *expect too much of s.o.;* dat kunt u niet **van** mij~ *you can't expect me to do that.*

verlanglijst ⟨de⟩ **0.1** *list of gifts wanted* ⇒*list of suggested gifts, wish list* ◆ **1.1** korter werken staat bovenaan het~je v.d. vakbeweging *shorter hours is top priority for the trade union* ¶**.1** de verbouwing van ons huis staat bovenaan ons~je *the alteration of our house is our biggest wish/ what we'd most want.*

verlappen ⟨ov.ww.⟩ **0.1** *patch (up).*

verlaten[1] ⟨bn.⟩ **0.1** [waar niemand aanwezig is] *deserted* ⇒*desolate, lonely, abandoned* **0.2** [eenzaam, afgelegen] *desolate* ⇒*lonely* **0.3** [achtergelaten] *abandoned* ⇒*deserted, forsaken* ◆ **1.1** een~ huis a *deserted/ abandoned/ derelict house* **1.2** een~ buurt a d. *neighbourhood* **1.3** ~ goederen a. / *derelict goods;* een~ kind *an a. child;* een~ schip a *derelict ship.*

verlaten[2]

I ⟨ov.ww.⟩ **0.1** [uit/ van een plaats weggaan] *leave* ⇒⟨AE ook⟩ *quit* **0.2** [vertrekken van] *leave* **0.3** [in de steek laten] *abandon, leave* ⇒*desert, forsake* **0.4** [niet meer toepassen] *abandon* ◆ **1.1** de Kamer/ Partij v.d. Arbeid~ *walk out of the House/ Labour party;* het land~ l. *the country, emigrate, expatriate o.s.;* de marine~ *retire from/ l. the navy;* de school~ l. *school;* ⟨BE ook⟩ *pass out* ⟨ihb. mil. academie⟩; de stad~ l. *(the) town;* de universiteit~ ⟨BE ook⟩ *go/ come down* **1.2** het vliegtuig verliet de formatie voor een aanval *the aircraft peeled off for an attack;* de haven~ *clear the harbour;* de premier moest onder boegeroep het podium~ *the prime minister was booed/ hooted off the platform;* het toneel~ ⟨tijdens/ na het stuk⟩ *go off(-stage);* de trein~ l. / *get off the train;* hij verliet zijn woning om 8 uur *he left home/ his house at 8 o'clock* **1.3** mijn krachten~ mij *my strength is failing/ deserting me;* vrouw en kinderen~ l. / *abandon/ desert one's wife and children* **1.4** dit procédé heeft men~ *this process/ technique has been abandoned* **6.3** **door** de geliefde~ *lovelorn;*
II ⟨onov.ww., wk.ww.; zich~⟩ **0.1** [te laat komen] *be late/ overdue* ◆ **1.1** de trein is verlaat *the train is late/ overdue* **4.**¶ zich~ **op** *rely/ lean (up)on.*

verlatenheid ⟨de (v.)⟩ **0.1** *desolation, abandonment* ◆ **1.1** een gevoel van ~ a *feeling of d. / a..*

verlating ⟨de (v.)⟩ **0.1** *abandonment* ⇒*desertion* ◆ **2.1** kwaadwillige~ *desertion/ a. (with malicious intent).*

verleden[1] ⟨het⟩ **0.1** [tijd die voorbij is] *(the) past* ⇒*bygone days* **0.2** [historie] *past* ◆ **2.2** het recente~ *the recent p., yesterday, the other day* **3.1** het~ begraven *wipe the slate clean, clean the slate;* dat behoort tot het~ *that belongs to the p., that is a thing/ are things of the p.;* het~ laten rusten *let bygones be bygones* **3.2** dat soort wantoestanden behoort gelukkig al tot het~ *fortunately, such abuses have now become a thing of the p.;* een~ hebben *have a p.;* bestuderen *study the p.;* een~ hebben ⟨gunstig⟩ *have a fine/ clean record,* ⟨ongunstig⟩ *have a bad record/ a p.;* have a history (of doing sth.) **6.1** teruggaan **in** het~ *go back in time/ over the years;* in het verre/ grijze~ *in the distant/ remote p., in times long past, in ancient times* **6.2** de vlucht **in** het~ *the escape into the p., taking refuge in the p.;* een vrouw **met** een~ a *woman with a p.;* helden **uit** het~ *heroes of old.*

verleden[2] ⟨bn.⟩ **0.1** *past* ◆ **1.1** ⟨taal.⟩ het~ deelwoord *the p. participle,* ⟨taal.⟩ de~ tijd *the p. tense, the preterit(e) (tense);* ⟨taal.⟩ onvoltooid/ voltooid~ tijd *imperfect (tense), (past) perfect/ pluperfect (tense);* ⟨fig.⟩ dat is (voltooid)~ tijd *that is p. / ancient history, that is (all) over and done with, that is water under the bridge/ over the dam;* ~ week ⟨vorige week⟩ *last week;* ⟨een week geleden⟩ a *week ago.*

verlegen ⟨bn., bw.; -ly⟩ **0.1** [schuchter] *shy* ⇒*timid, bashful, diffident* **0.2** [geen raad ergens mee wetend] *embarrassed (with)* ⇒*perplexed, at a loss* ⟨alleen pred.⟩, *puzzled* ⟨mbt. probleem⟩, *nonplussed* **0.3** [⟨+'om'⟩] *in need/ want of* ⇒*at a loss for, pressed for* **0.4** [door lang liggen bedorven] ^B*shopsoiled,* ^A*shopworn* ◆ **1.1** een~ persoon ⟨iron. ook⟩ a *blushing/ shrinking violet* **3.1** om niet te laten merken dat ze~ is *(so) that no-one notices her shyness;* zij is toch niet gauw~ ⟨yet⟩ *she is not easily put out;* maak hem niet~ *spare his blushes;* iem. ~ maken *embarrass s.o., make s.o. (feel) uncomfortable, cause s.o. embarrassment;* zeer~ zijn *be painfully/ rather shy* **3.3** dringend/ erg~ zitten om ...*be in urgent/ sore need/ great want of ..., be hard pushed/ pressed/ up for ..., be embarrassed for ...* **3.2** ~ zijn **tegenover** meisjes *be s. with girls;* iedereen keek naar hem, hij werd er~ **van** *he was quite e. with/ abashed by everyone staring at him* **6.2** **met** zijn figuur~ zijn *be self-conscious;* ~ zijn **met** iets/ iem. *be at a loss/ not know what to do with sth. / s.o.;* **met** zijn tijd~ zijn *be at* ^B*a loose end/* ^A*loose ends* **6.3** ergens **om** ~ zijn/ zitten *be pressed/ pushed/ stuck for sth.* ⟨bv.

geld;*be gravelled for sth.* ⟨bv. woorden⟩;nooit **om** een antwoord~ zijn *be never at a loss for an answer, always have an answer ready;* ik zit niet **om** werk~ *I have my work cut out as it is;* **om** een praatje~ zijn *be at a loss for words, feel like talking;* **om** tijd/geld~zitten *be short of/ pushed for time/ money.*

verlegenheid ⟨de (v.)⟩ **0.1** [het verlegen zijn] *shyness* ⇒*timidity, bashfulness, diffidence, embarrassment* **0.2** [moeilijke omstandigheid] *embarrassment* ⇒*trouble, quandary,* ⟨inf.⟩ *scrape* ◆ **3.1** iem. zijn~doen vergeten *help/make s.o. forget his s.* **6.1 uit**~een andere kant opkijken *look away in embarrassment/ confusion* **6.2** in~zijn *be hard up/ a bit short (of money);* **in**~brengen *embarrass, discomfit;* **in**~verkeren *be in trouble/ a scrape/ tight corner/ fix;* **in**~raken/gebracht worden *get into trouble/ a scrape because of/ through.*

verleggen ⟨ov.ww.⟩ **0.1** [anders leggen] *move* ⇒*shift, reposition* **0.2** [elders leggen] *move* ⇒*shift, transfer, displace* ◆ **1.1** zijn hoofd~*m. / shift one's head* **1.2** ⟨fig.⟩ de aandacht~*shift the/ one's attention;* zijn boeken~*m. one's books;* mislay one's books* ⟨op onvindbare plaats⟩; troepen~*m. redeploy troops* **6.2** ~**naar** *remove/ transfer/ shift to.*

verlegging ⟨de (v.)⟩ **0.1** *shift(ing)* ⇒*moving,* ⟨verplaatsing ook⟩ ↑*transfer.*

verleidelijk ⟨bn., bw.;-ly⟩ **0.1** *tempting* ⇒*inviting, enticing, alluring, seductive* ◆ **1.1** dat aanbod was~*that offer was t., that was a t. / an attractive offer;* een~e glimlach ⟨inf.⟩ *a come-hither smile;* ~e ogen *seductive/ inviting eyes;* een~plekje *an inviting spot.*

verleidelijkheid ⟨de (v.)⟩ **0.1** ⟨wat verleidelijk is⟩ *temptation, attraction;* ⟨het verleidelijk zijn⟩ *attractiveness, allure, seductiveness.*

verleiden ⟨ov.ww.⟩ **0.1** [op de slechte weg leiden] *lead astray* ⇒*seduce* **0.2** [verlokken] *tempt, invite* ⇒*attract, entice, seduce, allure* ⟨ihb. in ongunstige zin⟩ **0.3** [brengen tot geslachtsgemeenschap] *seduce* ⇒*debauch* ◆ **3.1** zich door mooie beloften laten~*(allow o.s. to) be led astray/ seduced by fair promises* **3.2** zich tot een wandelingetje laten ~*let o.s. be talked/ enticed into going for a walk;* zich laten~*we gaan naar de film* *give in to the temptation to go to the film/ cinema too* **5.2** iem. ertoe~om/te…, iem.~tot iets/iets te doen *t. / entice/seduce/ beguile s.o. into doing sth..*

verleidend ⟨bn.⟩ **0.1** *seductive* ⇒*enticing, alluring, tempting* ◆ **1.1** zijn~gefluister *his s. whispers.*

verleider ⟨de (m.)⟩,**-ster** ⟨de (v.)⟩ *seducer* ⟨m., v.⟩ ⇒⟨m. ook⟩ *tempter,* ⟨v. ook⟩ *temptress* ◆ **2.1** ⟨reclame⟩ verborgen~s *hidden persuaders.*

verleiding ⟨de (v.)⟩ **0.1** *temptation* ⇒*lure, enticement,* ⟨het verleiden⟩ *seduction* ◆ **2.1** de~was groot *the t. was strong* **3.1** de~niet kunnen weerstaan *be unable to resist (the) t., yield to (the) t.* **6.1 aan** de~weerstand bieden *resist (the) t.;* in de~komen (om) *feel/ be tempted (to);* sterk **in** de~/ in grote~(gebracht) om het toch te doen *sorely tempted/ strongly inclined to do it after all;* **voor** de~is zij bezweken *she (has) yielded/ gave way to (the) t..*

verlekkerd ⟨bn., bw.;-ly⟩ **0.1** *keen (on)* ⇒*mad/ wild/ crazy (about)* ◆ **3.1** ~kijken naar iets/iem. *leer at sth. / s.o..*

verlekkeren ⟨ov.ww.⟩ **0.1** *tempt, entice* ⇒*whet s.o.'s appetite* ◆ **6.1** hij zat zich te~**aan** het langswandelend vrouwelijk schoon/ het dure speelgoed in de etalage *he was sitting/ sat ogling all the pretty girls going past/ was gloating over/ drinking in the expensive toys in the window;* iem. **met** een mooi aanbod~*tempt s.o. / whet s.o.'s appetite with a good offer.*

verlenen ⟨ov.ww.⟩ **0.1** [schenken] *grant* ⇒*confer, bestow, extend* **0.2** [verschaffen] *lend* ⇒*give, render* ◆ **1.1** gunsten/gratie~*g. favours/ amnesty;* ⟨gratie verlenen ook⟩ *pardon;* hulp/faciliteiten~*extend help/ facilities (to);* iem. hulp~*assist s.o.;* iem. krediet~*give s.o. credit, extend credit to s.o.;* iem. onderdak~*take s.o. in, give s.o. shelter; harbour s.o.* ⟨misdadiger⟩; iem. een titel/ridderorde~*confer a title/ knighthood on s.o.;* iem. toegang~*tot permit s.o. access to;* voorrang ~*give way/ priority,* ⟨verkeer⟩ *give right of way,* ᴬ*yield* **1.2** een vrolijk aanzien~*give l. a merry/ cheerful look/ appearance;* glans~aan iets *l. lustre to sth..*

verlengbaar ⟨bn.⟩ **0.1** *extendible* ⇒*renewable* ⟨paspoort enz.⟩ ◆ **1.1** het abonnement is slechts eenmaal~*the subscription/ season ticket may be renewed once only.*

verlengde ⟨het⟩ **0.1** *extension* ⇒*continuation, prolongation* ◆ **1.1** het~van die lijn *the produced part of that line* **6.1** de Bergsingel ligt **in** het ~van de Noordsingel *the Bergsingel is a continuation of the Noordsingel,* ⟨fig.⟩ die opmerking ligt in het~van deze redenering *that remark follows naturally from this line of argument;* in elkaars~liggen *be in line; register* ⟨mechanische onderdelen⟩.

verlengen ⟨ov.ww.⟩ **0.1** [langer maken] *extend, lengthen* ⇒*continue,* ⟨mbt. tijd ook⟩ *prolong* **0.2** [langer laten duren] *extend* ⇒*prolong* **0.3** [verder doen strekken] *pass on* ⇒⟨met hoofd ook⟩ *flick on* ◆ **1.1** een lijn/weg~*e. / continue a line/road* **1.2** een (huur)contract~*renew a lease, e. the term of a lease;* een octrooi~*regrant/ renew a patent;* zijn paspoort laten~*have one's passport renewed;* een termijn met twee maanden~*e. a term by two months;* zijn verblijf~*prolong one's stay,* ⟨hand.⟩ een wissel~*e. a bill of exchange* **1.3** ⟨sport⟩ een bal~*pass a ball on* **3.2** verlengd worden ⟨wedstrijd⟩ ᴮ*go into extra/ injury time,* ᴬ*go (into) overtime.*

verlenging ⟨de (v.)⟩ **0.1** [dat waarmee iets verlengd is] *extension* ⇒ ⟨sport⟩ ᴮ*extra/ injury time,* ᴬ*overtime* **0.2** [het verlengen] *lengthening* ⇒*extension, continuation, prolongation* ⟨bezoek enz.⟩ ◆ **1.1** een~v.h. contract met twee jaar *a two-year e. of (the) contract* **1.2** ~v.e. paspoort aanvragen *apply to have one's/ a passport renewed;* ~v.e. traject *extension/ continuation of a section/ stretch/ line* **6.1** ⟨sport⟩ **in** de~werd eenmaal gescoord *there was one score in extra time/ overtime.*

verlengsnoer ⟨het⟩ **0.1** *extension lead/ cord.*

verlengstuk ⟨het⟩ **0.1** *extension (piece)* ⇒*continuation,* ⟨opzetstuk⟩ *elongation, allonge* ⟨aan wissel⟩ ◆ **3.1** ergens een~aanzetten *extend / lengthen sth.;* ⟨fig.⟩ het~zijn van *be a continuation of* **6.1** ⟨fig.⟩ dat is een visite met een~*that is an interminable visit.*

verlening ⟨de (v.)⟩ **0.1** *grant* ⇒*conferment* ⟨vnl. v.e. titel⟩, *bestowal* ⟨v.e. geschenk enz.⟩ ◆ **1.1** ~van krediet *g. of credit;* ~v.e. volmacht *delegation, delegacy, giving (of) a mandate.*

verleppen ⟨onov.ww.⟩ **0.1** *wither* ⇒*wilt, fade.*

verlept ⟨bn.⟩ **0.1** *withered* ⇒*wilted, faded* ◆ **1.1** een~gezicht *a withered face;* een~e schoonheid *a withered/ faded beauty* **3.1** er~uitzien *look withered/ faded.*

verleren ⟨ov.ww.⟩ **0.1** *forget* ⟨how to⟩ ⇒*lose the knack/ hang of, get out of the way of,* ⟨opzettelijk⟩ *unlearn* ◆ **1.1** ik heb/ben het Frans geheel verleerd *I have completely forgotten my French;* je bent het schaken blijkbaar een beetje verleerd *your chess seems a bit rusty* **5.1** om het niet (helemaal) te~*in order to/ just to keep one's hand in/ not to lose one's touch/ skill (entirely), not to get (completely) out of the way of it.*

verlet ⟨het⟩ **0.1** [beletsel] *delay* ⇒*stoppage, holdup* **0.2** [tijdverlies] *time lost* **0.3** [uitstel] *delay* ◆ **2.3** de zaak lijdt geen langer~*the matter brooks no further d.* **3.2** ik heb vandaag veel~gehad *I have lost a lot of time today* **6.3** zonder~*without d..*

verletten ⟨ov.ww.⟩ **0.1** [verhinderen] *prevent* **0.2** [verzuimen] *lose (time)* ◆ **3.2** ik heb niets te~*my time is my own, I am in no hurry* **4.1** geldgebrek verlette alles *the whole thing was hindered by/ foundered due to lack of funds.*

verleuteren ⟨ov.ww.⟩ **0.1** *waste (one's) time (talking)* ◆ **6.1** hij verleuterde zijn tijd **met** uit het raam kijken *he wasted his time looking out of the window.*

verlevendigen
I ⟨ov.ww.⟩ **0.1** [levendig(er) maken] *revive* ⇒*enliven* ⟨voordracht/ lessen enz.⟩, ⟨opvrolijken⟩ *animate,* ⟨AE; inf.⟩ *juice up* ◆ **1.1** een glimlach verlevendigde haar gezicht *a smile lit (up) her face;* de hoop/ de moed~*r. / quicken hope/ courage;* ⟨bk.⟩ kleuren~*touch/ freshen up colours;* zijn redevoering~met enige sappige anekdotes *liven up/ enliven one's speech with a few juicy anecdotes.*
II ⟨onov.ww.⟩ **0.1** [levendig(er) worden] *revive* ⇒*liven up, quicken* ◆ **1.1** de handel is verlevendigd *trade has picked up/ revived/ quickened.*

verlevendiging ⟨de (v.)⟩ **0.1** *revival* ⟨ook van hoop, moed, enz.⟩ ⇒*enlivenment, animation,* ⟨vero.⟩ *quickening.*

verlezen ⟨wk.ww.; zich~⟩ **0.1** *make a mistake in reading, misread a word.*

verlicht
I ⟨bn.⟩ **0.1** [v.e. last bevrijd] *relieved, lightened* **0.2** [door licht beschenen] *lit (up), lighted* ⇒*illuminated* **0.3** [waarin lichten schijnen] *lit (up), lighted* ⇒*illuminated* ◆ **1.1** met~gemoed *with (a) lighten heart* **1.2** een~plekje *a lit-up/ an illuminated spot* **1.3** de stad was~*the town/ city was illuminated/ lit up* **5.2** hel~*ablaze with light;* helder~*well-lit, brightly lit* **6.2** door de maan/ sterren/ zon~*moonlit, starlit, sunlit;*
II ⟨bn., bw.⟩ **0.1** [het juiste inzicht hebbend] *enlightened* ◆ **1.1** ~e despoten *e. despots;* ~e leiders *men of light and leading* **3.1** ~denken *have e. ideas.*

verlichten ⟨ov.ww.⟩ **0.1** [van licht voorzien] *light* ⇒*illuminate* ⟨ihb. voor bep. gelegenheid/ op bep. plaats⟩ **0.2** [⟨vnl. fig.⟩ minder zwaar maken] *relieve, lighten* ⇒*mitigate* **0.3** [inzicht brengen tot/ in] *enlighten* ◆ **1.1** de zon verlicht de aarde *the sun lights the earth* **1.2** dat verlicht de pijn *that relieves/ eases/ alleviates the pain;* iemands straf~*lighten s.o.'s punishment/ penalty;* de toelatingseisen~*relax/ diminish entry requirements;* iem. het werk/iemands taak~*make s.o.'s work/ task easier/ lighter* **5.1** zwak~*l. dimly* **6.1** ~met een kaars/TL-buis *l. with a candle/ fluorescent lamp.*

verlichting ⟨de (v.)⟩ **0.1** [licht] *light(ing)* **0.2** [⟨gesch.⟩] *Enlightenment, Age of Reason* **0.3** [opbeuring] *relief* **0.4** [opluchting] *relief* **0.5** [het van licht voorzien] *lighting* ⇒*illumination* ⟨ihb. voor bep. gelegenheid/op bep. plaats⟩ **0.6** [het minder zwaar maken] *lightening, mitigation* ◆ **1.6** ~van straf *m. of punishment* **3.1** de~aandoen/ ontsteken *have/ put/ turn/ switch the light(s) on;* ⟨ontsteken ook⟩ *light up* **3.3** dat geeft wat~*that gives/ brings some r. / alleviation, that relieves a little;* ~zoeken/ vinden *seek/ find r.* **3.4** ~brengen in de gespannen situatie *relieve/ ease the tension* **6.5** kaarsen gebruiken **als**~/ **voor** de~*burn candles for light.*

verlichtingsinstallatie ⟨de (v.)⟩ **0.1** *lighting system/ equipment/ goods.*
verlichtingstechniek ⟨de (v.)⟩ **0.1** *lighting (technique).*

verliederlijken ⟨ov.ww., onov.ww.⟩ **0.1** ⟨ov. ww.⟩ *degrade, corrupt, debauch;* ⟨onov. ww.⟩ *become degraded/corrupted/debauched.*

verliefd
I ⟨bn.⟩ **0.1** [vervuld van liefdegevoelens] *in love (with)* ⇒⟨inf.⟩ *sweet (on), soft (on/about)* **0.2** [van verliefdheid blijkgevend] *amorous, loving* ◆ **1.1** een ~ paar *a loving couple, a pair of lovers/turtle doves* **1.2** ~e blikken *a./l. looks* **2.1** zwaar ~ zijn *be madly/deeply in love;* ⟨sl.⟩ *be hard hit* **3.2** ~ doen *show/behave as if one is in love, be all over s.o. /one another* **6.1** ⟨fig.⟩ hij is ~ **op** zijn boot *he is in love with his boat;* niet meer ~ zijn **op** iem. *be/fall out of love with s.o.;* **op** elkaar ~ zijn *be in love with each other;* gauw ~ worden/zijn **op** iem. *(tend to) fall in love easily, be of an amorous disposition;*
II ⟨bw.⟩ **0.1** [op verliefde wijze] *amorously, lovingly* ◆ **3.1** iem. ~ aankijken *make (streep's) eyes at s.o., give s.o. a fond/loving look.*
verliefdheid ⟨de (v.)⟩ **0.1** [het verliefd zijn] *being in love* ⇒*amorousness, lovesickness* **0.2** [geval, keer] *love* ⇒*infatuation,* ⟨hevig⟩ *crush.*
verlies ⟨het⟩ **0.1** [het verliezen/verloren worden] *loss* ⇒*bereavement* ⟨v.e. dierbare⟩ **0.2** [wat verloren gaat] *loss* ⇒*casualty* **0.3** [nadeel, schade] *loss* ◆ **1.1** het ~ v.h. gehoor *(the) l. of hearing, hearing l.;* het ~ v.e. kind *the l. of/losing a child* **2.1** een onherstelbaar/smartelijk ~ *an irreparable/sad/painful l.* **2.2** met grote verliezen teruggeslagen worden *be thrown back with heavy losses/casualties* **3.3** de firma leed ~/onherstelbare verliezen op de fabriek in K. *the firm suffered/sustained/made/incurred (irrecoverable/irreparable) losses on the factory in K.;* ~ lijden/opleveren/toebrengen *suffer/leave/inflict a l.;* het ~ voor zijn rekening nemen, het ~ dragen *bear/stand the l.* **6.2** het ~ **aan** mensenlevens *the l. of human lives/life, the cost of/in human lives* **6.3** het ~ **aan/in** gewicht *the l. in/of weight, (the) weight l.;* **met** ~ spelen *play at a l.;* **met** ~ verkopen *sell at a l./sacrifice;* **met** ~ werken /draaien enbsp;maken *a l. business, work/run at a l.;* niet **tegen** (zijn) ~ kunnen *be a bad loser;* ik kan heel goed **tegen** mijn ~ *I am a very good loser;* zijn vertrek is geen groot ~ **voor** de firma *his departure is no great l. to the firm;* zijn dood betekent een zwaar ~ **voor** mij *I am the poorer for his death;* **zonder** ~ werken *pay one's way, work without l..*
verliescijfer ⟨het⟩ **0.1** *loss(es)* ⇒*loss-figure(s),* ⟨mbt. omgekomenen ook⟩ *casualty figure(s), number(s) of casualties.*
verliescompensatie ⟨de (v.)⟩ ⟨ec.⟩ **0.1** *setting-off/set-of of losses.*
verliesgevend ⟨bn.⟩ **0.1** *loss-making* ◆ **1.1** een ~e bedrijfstak *a branch of industry that loses money/makes a loss.*
verlieslijdend ⟨bn.⟩ **0.1** *losing, loss-making.*
verlieslijst ⟨de⟩ **0.1** *casualty list.*
verliespost ⟨de (m.)⟩ **0.1** *loss-making sector/product/division/activity.*
verliezen ⟨→sprw. 312,336,618⟩
I ⟨ov.ww.⟩ **0.1** [ongemerkt laten vallen] *lose* **0.2** [kwijtraken] *lose* **0.3** [niet meer kunnen doen gelden] *lose, forfeit* **0.4** [nadeel lijden] *lose* **0.5** [ongebruikt laten voorbijgaan] *lose* ⇒*miss* ◆ **1.1** zijn kleur/bladeren ~ ⟨ook⟩ *decolourize, defoliate;* een mast ~ *l./spend a mast* **1.2** hij verloor er zijn baantje door *it cost him his job;* zijn geduld ~ *l. one's patience;* het gezichtsvermogen/gehoor ~ *l. one's (eye)sight/hearing;* zijn hoofd/verstand ~ *l. one's head;* ⟨inf.⟩ *l. one's cool;* het leven ~ *l. one's life;* de macht ~ *fall from power;* zijn scherpte ~ *go out of focus;* terrein ~ *l. ground;* vaart/hoogte ~ *l. way/height;* in hem verloor hij een zeer goede vriend *in him he lost a very good friend* **1.3** zijn rechten/aanspraken ~ *l./f. one's rights/claims* **1.5** zonder tijd te ~ *without loss of time/delay;* geen tijd ~ **met** *l./waste no time in;* er is geen tijd te ~ *there is no time to l./to be lost* **3.2** niets te ~ hebben *have (got) nothing to l.* **4.2** alles ~ wat men heeft ⟨inf.⟩ *l. one's shirt/all one has* **6.2** daar heb je niets **bij** te ~ *you can't l., you'll l. nothing by it* **6.4** (geld) ~ **bij** de paardenrennen *l. money on the horses;* er 200 gulden **op/bij** ~ ⟨ook⟩ *be 200 guilders out of pocket/poorer by it;*
II ⟨onov., ov.ww.⟩ **0.1** [de mindere blijken] *lose* ◆ **1.1** de ~de partij *the losing party/side;* ⟨in proces ook⟩ *the unsuccessful party in a process* — *l. a case/lawsuit, be unsuccessful/not succeed in an action;* een wedstrijd/weddenschap ~ *l. a game/bet* **3.1** niet winnen en niet ~ *break even, draw, tie* **6.1** met drie-een ~ *l./be beaten three (to) one/by three (goals/points) to one;* **op** punten ~ *l. be beaten on points;* ~ **van** de wereldkampioen *l. to the world champion;*
III ⟨ww.; zich ~⟩ **0.1** [opgaan] *lose o.s. (in)* ◆ **6.1** zich ~ **in** iets *lose o.s. in sth., be completely bound up in sth..*
verliezer ⟨de (m.)⟩ **0.1** *loser* ◆ **2.1** een goede/slechte ~ *a good/bad l..*
verliggen ⟨onov.ww.⟩ **0.1** *shift (one's body)* ⇒*move, turn over* ◆ **3.1** de zieke ging ~ *the patient shifted/moved (over).*
verlijden ⟨ov.ww.⟩ ⟨jur.⟩ **0.1** *execute* ⇒*draw up.*
verlinken ⟨ov.ww.⟩ ⟨inf.⟩ **0.1** *tell on* ⇒ ⟨sl.⟩ *blow the gaff(e) on,* ⟨BE ook⟩ *grass on,* ⟨BE;sl.⟩ *nark, shop,* ⟨AE;sl.⟩ *fink on* ◆ **1.1** de hele zaak/alles ~ *give the game away, blow the gaff(e) (on everything/the whole thing/business).*
verlinker ⟨de (m.)⟩ ⟨inf.⟩ **0.1** *squealer* ⇒⟨vnl. AE⟩ *stool-pigeon,* ⟨BE ook⟩ *grass,* ⟨AE ook⟩ *stoolie,* ⟨AE;sl.⟩ *fink* ◆ **7.1** ik ben geen ~ ⟨BE ook⟩ *I don't shop my mates.*
verlinksen ⟨onov.ww.⟩ ⟨pol.⟩ **0.1** *move/shift to the left.*
verloden ⟨ov.ww.⟩ **0.1** *lead.*
verloederen ⟨onov.ww.⟩ **0.1** *degenerate* ⇒⟨inf.⟩ *go to the dogs/to pot* ◆

1.1 een verloederd type/mens *a degenerate, a depraved/debauched character.*
verloedering ⟨de (v.)⟩ **0.1** *corruption* ⇒*degradation, degeneration* ◆ **1.1** de ~ v.d. taal *the c. of the language* **3.1** de ~ ingaan *go to rack and ruin /to the dogs/to pot.*
verlof ⟨het⟩ **0.1** [toestemming] *leave* ⇒*permission* **0.2** [vergunning om niet te werken] *leave (of absence)* ⇒⟨mil. ook⟩ *furlough, sabbatical (leave)* ⟨van universitair docent⟩ **0.3** [verloftijd] *leave* ⇒⟨mil. ook⟩ *furlough, sabbatical (leave/year)* ⟨van universitair docent⟩, *holiday* ◆ **1.2** een maand ~ krijgen/nemen *get/take a month's leave* **2.1** rechterlijk/schriftelijk ~ *legal/written permission* **2.2** betaald ~ *paid leave/ holiday/*[A]*vacation;* buitengewoon ~ *special leave;* educatief ~ *study leave;* groot ~ *long furlough;* met klein ~ *on short leave;* onbetaald ~; ⟨AZN⟩ ~ zonder wedde *unpaid/unsalaried/terminal leave* **3.1** ~ krijgen om ... *obtain permission/be allowed to ...;* ~ vragen *ask permission, beg l.* **3.2** het ~ intrekken *suspend/cancel leave;* ~ krijgen/vragen *get/receive/request/put in for leave (of absence);* alle verloven zijn ingetrokken *(all) leave has been suspended* **5.3** mijn ~ is om *my l. has run out/is over* **6.1** ~ **geven** om te/tot... *give/grant permission/l. to ...;* met uw ~ *maar ik ben het daar niet mee eens if you will forgive me for saying so, I do not agree with that; I beg l. to disagree with that;* ~ **om** aan wal te gaan *shore l.;* **zonder** ~ v.h. terrein afgaan *break bounds* ⟨van soldaten/schoolkinderen⟩ **6.2** **met** ~ zijn *be on leave;* ⟨vnl. AE⟩ *furlough;* ~ **wegens** familieomstandigheden *compassionate leave* **¶.1** ~ A *licence(d) for the sale of beer, ≠table-licence;* ~ B *licence(d) for the sale of non-alcoholic beverages.*
verlofaanvraag ⟨de⟩ **0.1** *application for leave (of absence)/* ⟨mil. ook⟩ *furlough.*
verlofdag ⟨de (m.)⟩ **0.1** *day off, day of leave* ⇒*free day.*
verlofganger ⟨de (m.)⟩ ⟨mil.⟩ **0.1** *soldier on furlough.*
verlofpas ⟨de (m.)⟩ **0.1** ⟨mil.⟩ *bewijs van verlof] furlough-pass* **0.2** [stuk bij voorwaardelijke invrijheidstelling] *leave-pass.*
verlofregeling ⟨de (v.)⟩ **0.1** *leave arrangements/conditions.*
verloftijd ⟨de (m.)⟩ **0.1** *leave* ⇒⟨mil. ook⟩ *furlough,* ⟨sl.⟩ *street time* ⟨van gevangene⟩.
verlokkelijk ⟨bn., bw.; -ly⟩ **0.1** *tempting* ⇒*enticing, seductive* ◆ **1.1** ~e aanbiedingen *t. /enticing offers;* ~ weertje *t. weather.*
verlokkelijkheid ⟨de (v.)⟩ **0.1** *temptation* ⇒*enticement, lure.*
verlokken ⟨ov.ww.⟩ **0.1** *tempt* ⇒*entice, allure, lure (into)* ◆ **3.1** zich laten ~ tot iets/door iets *let o.s. be enticed into/by sth.;* iem. ~ **aan** iets mee te doen *entice s.o. into joining in sth.* **6.1** ⟨fig.⟩ het mooie weer verlokt **tot** wandelen *the fine weather tempts (one/us) out for a walk.*
verlokkend ⟨bn.⟩ **0.1** *tempting* ⇒*enticing, seductive.*
verlokking ⟨de (v.)⟩ **0.1** *temptation* ⇒*enticement, allurement.*
verloochenaar ⟨de (m.)⟩, **-ster** ⟨de (v.)⟩ **0.1** *denier.*
verloochenen ⟨ov.ww.⟩ ⟨→sprw. 441⟩ **0.1** *deny* ⇒*disavow, repudiate, renounce* ◆ **1.1** zijn afkomst/geloof ~ *renounce one's origins/faith;* God/zijn vaderland ~ *renounce God/one's native country* **4.1** zijn aard/de natuur verloochent zich niet *what's bred in the bone will come out in the flesh;* afkomst verloochent zich niet *blood will show;* zichzelf ~ ⟨tegen zijn eigen gemoed handelen⟩ *belie one's nature;* ⟨onzelfzuchtig handelen⟩ *deny o.s..*
verloochening ⟨de (v.)⟩ **0.1** *denial* ⇒*disavowal, repudiation, renouncement.*
verloofd ⟨bn.⟩ **0.1** *engaged (to)* ⇒⟨schr.⟩ *betrothed.*
verloofde ⟨de (m.)⟩ **0.1** *fiancé* ⟨m.⟩ *fiancée* ⟨v.⟩.
verloop ⟨het⟩ **0.1** [het verstrijken] *course* ⇒*passage, lapse* **0.2** [ontwikkeling, afloop] *course* ⇒*progress, development* **0.3** [wisselingen binnen een kring] *turnover, wastage* **0.4** [het minder bezocht/beoefend worden] *decline* ⇒*decay* **0.5** [(be)loop] *course* ⇒*path* **0.6** [geleidelijke versmalling] *taper(ing/ness), narrowing, reduction* **0.7** [verandering in de loop] *change (in/of direction)* **0.8** ⟨⟨druk.⟩⟩ *overrun* ◆ **1.1** het ~ van de gestelde termijn *the expiry/expiration of the agreed term/fixed time* **1.2** voor een vlot ~ v.d. besprekingen/zaken *for a smooth working/proceeding of the talks/of affairs;* het langzame ~ v.d. ontwapeningsonderhandelingen *the slow development/progress of the disarmament negotiations/arms talks;* het ~ v.e. verhaal *the development/ thread of a story/plot;* het verdere ~ v.d. zaak afwachten *await (further) developments in the matter/the further c. of events;* het ~ v.e. ziekte/affaire *the c. of an illness/affair* **1.5** het ~ van die buizen *the c. /direction of those pipes* **1.6** het ~ v.e. schoorsteen *the taper(ing) of a chimney* **1.7** het ~ v.h. tij/vloed *the c. of the tide/flood tide* **2.2** een geanimeerd/flauw/traag ~ hebben ⟨van markt⟩ *have a brisk tendency/ show a dull trend/be slow;* een grillig ~ vertonen *show an erratic c.;* je ziekte moet zijn normale ~ hebben *your illness must run its c.* **2.3** natuurlijk ~ *natural w.* **3.2** het partijcongres had een zeer verward ~ *(the) proceedings at the party congress were very confused;* een noodlottig ~ hebben *end fatally;* een normaal ~ hebben ⟨van reis e.d.⟩ *proceed normally* **6.1** **na** ~ van tijd *in time, with the lapse/passage of time, as time goes by;* **na** ~ van enkele tientallen jaren *after several decades* **6.3** er is veel ~ **bij** dat bedrijf *that film has a large t. (of labour/ staff);* het ~ **in** het abonneebestand is vrij groot *the variation in the number of subscribers is considerable.*

verloopknie ⟨de⟩ **0.1** *reducing bend*.
verloopstekker ⟨de (m.)⟩ **0.1** *adapter*.
verloopstuk ⟨het⟩ **0.1** *adapter* ⇒*reducer, reducing coupling*.
verlopen¹ ⟨bn.⟩ **0.1** [verstreken] *expired* **0.2** [niet meer geldig] *expired* **0.3** [verliederlijkt] *shabby* ⇒*raffish, sleazy,* ⟨inf.⟩ *seedy,* ⟨AE; inf.⟩ *tacky* ◆ **1.1** een ~ termijn *an e. term* **1.2** een *e. pass(port);* mijn rijbewijs is ~ *my driving licence has expired* **1.3** een ~ kerel *a shabby/ raffish/ seedy fellow;* ⟨inf.⟩ *a down-and-out.*
verlopen² ⟨onov.ww.⟩ ⟨→sprw. 32⟩ **0.1** [verstrijken] *(e)lapse* ⇒*go by, pass* **0.2** [vervallen] *expire* **0.3** [zijn beloop nemen] *go (off), pass off* ⇒ *run, work out* **0.4** [minder bezocht/beoefend worden] *drop/fall off* ⇒ *go down(hill), decay, decline, go/run to seed* **0.5** [van profiel veranderen] *taper (off), narrow* **0.6** [van loop/richting veranderen] *change (course/direction)* **0.7** [⟨druk.⟩] *be overrun* ◆ **1.2** dit kaartje is nog niet ~ *this ticket has not yet expired/ is still valid;* mijn pas verloopt morgen *my pass(port) expires tomorrow* **1.3** een ~ kerel *a shabby/ raffish/ seedy fellow;* ⟨inf.⟩ *a down-and-out.*
verloren ⟨bn.⟩ ⟨→sprw. 151,565,600⟩ **0.1** [kwijt geraakt] *lost* ⇒*missing* **0.2** [niet (terug) te vinden] *lost* **0.3** [vergeefs, nutteloos] *lost* **0.4** [eenzaam] *lost, forlorn* **0.5** [wat men moet missen] *lost* **0.6** [zedelijk verdwaald] *lost* ◆ **1.1** een ~ boek *a l. / missing book* **1.2** een ~ hoek *an odd/ out-of-the-way corner* **1.3** ~ geld *wasted money, money thrown away;* ~ moeite *wasted labour/ effort, a l. cause;* een ~ ogenblik *an odd/ spare moment;* voor een ~ zaak vechten *fight for/ defend a l. cause, fight a losing battle, play a losing game* **1.6** ⟨fig.⟩ de ~ zoon *the prodigal son* **3.1** ⟨AZN⟩ ~ lopen *get l., stray* **3.2** in de menigte ~ gaan *get l. in the crowd* **3.3** geen tijd ~ laten gaan *lose/ waste no time* **3.4** ~ ronddwalen *wander around like a l. soul;* ~ in een hoekje zitten *sit forlorn(ly) in a corner* **3.5** iets ~ geven *give sth. up (for l.)* **3.6** (voor eeuwig) ~ zijn/gaan *be l. (for all eternity).*
verlosbed ⟨het⟩ **0.1** *delivery couch.*
verloskamer ⟨de⟩ **0.1** *delivery room.*
verloskunde ⟨de (v.)⟩ **0.1** *obstetrics* ⇒*midwifery.*
verloskundig ⟨bn.⟩ **0.1** *obstetric* ◆ **1.1** ~e hulp/bijstand verlenen *assist at a delivery/ at childbirth.*
verloskundige ⟨de (m.)⟩ **0.1** [accoucheur] ⟨vroedvrouw⟩ *midwife;* ⟨schr.⟩ *accoucheur* ⟨m.⟩, *accoucheuse* ⟨v.⟩ **0.2** [specialist] *obstetrician.*
verlossen ⟨ov.ww.⟩ **0.1** [bevrijden] *deliver/ release (from)* ⇒*save (from), free (from), rescue, set free* **0.2** [bij een bevalling helpen] *deliver (of)* ◆ **1.1** ⟨fig.⟩ het ~de woord spreken *save the situation (by saying sth.)* **1.2** een vrouw ~ *d. a woman* **6.1** een dier uit zijn lijden ~ *release an animal from/ put an animal out of its misery/ pain;* verlos ons van het kwade *d. us from evil;* iem. van zijn boeien ~ *d. / release s.o. from his fetters/ bonds.*
verlosser ⟨de (m.)⟩ **0.1** *saviour, rescuer* ◆ **¶.1** de Verlosser *our Saviour, the Redeemer.*
verlossing ⟨de (v.)⟩ **0.1** [bevrijding] *deliverance, release* ⇒*liberation, rescue* **0.2** [⟨theol.⟩] *redemption, salvation* **0.3** [bevalling] *delivery* ⇒ *birth,* ⟨schr.⟩ *accouchement.*
verlostang ⟨de⟩ **0.1** *(obstetric) forceps.*
verloten ⟨ov.ww.⟩ **0.1** *raffle (off), put up for raffle.*
verloting ⟨de (v.)⟩ **0.1** [handeling] *raffling* **0.2** [gelegenheid] *raffle, lottery.*
verloven
I ⟨wk.ww.; zich ~⟩ **0.1** [zich door trouwbelofte verbinden] *get/ become engaged (to)* ⇒*be betrothed;*
II ⟨onov.ww.⟩ **0.1** [zich met elkaar verloven] *get/ become engaged* ⇒ *be betrothed* ◆ **3.1** zij gaan ~ *they are getting e..*
verloving ⟨de (v.)⟩ **0.1** [handeling] *engagement* ⇒*betrothal* **0.2** [toestand] *engagement* **0.3** [feest] *engagement party* ◆ **3.2** zijn ~ verbreken *break off one's/ the e..*
verlovingskaart ⟨de⟩ **0.1** *engagement card/ announcement.*
verlovingsring ⟨de (m.)⟩ **0.1** *engagement ring.*
verluchten ⟨ov.ww.⟩ **0.1** *illuminate* ⟨handschrift⟩; *illustrate* ⟨geschrift⟩ ◆ **1.1** een fraai verluchte uitgave *a beautifully illustrated edition.*
verluchtigen ⟨ov.ww.⟩ **0.1** [opwekken, opvrolijken] *brighten/ lighten up* ⇒*cheer (up), enliven* **0.2** [lichter maken] *brighten up* ◆ **1.2** een kamer ~ *lighten/ brighten up a room* **3.1** hij moet wat verluchtigd worden *he needs (a bit of) cheering/ brightening up.*
verluchting ⟨de (v.)⟩ **0.1** *illumination* ⟨handschrift⟩; *illustration* ⟨geschrift⟩.
verluchtingskunst ⟨de (v.)⟩ **0.1** *art of illumination/ illustration.*
verluiden ⟨onov., ov.ww.⟩ **0.1** *be reported* ◆ **3.1** ik heb horen ~, dat *I am told that, I understand that, I have heard it said that/ heard tell that;* zich laten ~ *make (it) clear, let it be known* **6.1** naar verluidt/verluid wordt *according to reports.*
verluieren ⟨ov.ww.⟩ **0.1** *idle away* ⇒⟨inf.⟩ *laze away* ◆ **1.1** ik zit hier mijn tijd te ~ *I'm idling/ lazing/ frittering away my time here.*
verlullen ⟨inf.⟩

I ⟨ov.ww.⟩ **0.1** [verkletsen] *rattle on/ away, jaw on/ away* **0.2** [verlinken] *tell on* ⇒*give away,* ⟨sl.⟩ *blow the gaff(e) on,* ⟨BE; sl.⟩ *nark, shop,* ⟨AE; sl.⟩ *fink on* ◆ **1.1** zijn tijd ~ *waste (one's) time talking/ chatt(er)ing/ nattering;*
II ⟨wk.ww.; zich ~⟩ **0.1** [zijn mond voorbijpraten] *make a slip of the tongue* ⇒*let the cat out of the bag, give the game away, spill the beans.*
verlummelen ⟨ov.ww.⟩ **0.1** *fritter away* ⇒*idle/ lounge/ laze away, waste.*
verlustigen ⟨ov.ww.⟩ **0.1** *divert, amuse* ⇒*entertain* ◆ **4.1** zich ~ in *exult/ delight/ revel in; wallow in* ⟨zinnelijke geneugten⟩; zich ~ in de aanblik van *feast one's eyes on, gloat at/ over.*
verlustiging ⟨de (v.)⟩ **0.1** *diversion, amusement.*
vermaagschappen ⟨wk.ww.; zich ~⟩ ⟨schr.⟩ ◆ **6.¶** zich ~ aan *become related to, marry into (s.o.'s) family.*
vermaagschapt ⟨bn.⟩ ⟨schr.⟩ **0.1** [verwant] *related/ allied (by marriage)* **0.2** [nauw verbonden met] *closely related/ allied to.*
vermaak ⟨het⟩ **0.1** [genoegen, plezier] *amusement, enjoyment* ⇒*pleasure, entertainment, diversion, fun* **0.2** [handeling] *amusement* ⇒*entertainment, diversion* ◆ **1.2** de vermaken v.d. jacht *the joys/ pleasures of hunting* **2.2** een onschuldig ~ *a harmless pleasure* **3.1** ~ hebben/ zoeken/ vinden *have/ seek fun/ find entertainment;* ~ scheppen in *take/ find pleasure (take) delight in* **6.1** tot ~ dienen *be for a. / enjoyment/ entertainment.*
vermaakscentrum ⟨het⟩ **0.1** *entertainment district.*
vermaard ⟨bn.⟩ **0.1** *renowned/ celebrated (for)* ⇒*famous (for), illustrious* ◆ **1.1** ~e personen *famous people, people of (great) renown* **6.1** een streek ~ om haar schoonheid *a district r. for its beauty.*
vermaardheid ⟨de (v.)⟩ **0.1** [hoedanigheid] *renown, fame* ⇒*celebrity, repute* **0.2** [persoon] *celebrity* ⇒*star, famous name.*
vermaatschappelijking ⟨de (v.)⟩ **0.1** [winnende invloed v.h. alg. belang] *socialization* **0.2** [integratie in de maatschappij] *socialization* **0.3** [het overgaan in handen v.d. samenleving] *nationalization* ⇒*communalization.*
vermageren
I ⟨onov.ww.⟩ **0.1** [afslanken] *lose weight, become/ get thin(ner)* ⇒⟨als kuur⟩ *slim,* ⟨AE ook⟩ *reduce, get one's weight down* ◆ **5.1** sterk vermagerd *emaciated, wasted;* hij vermagert zienderogen *he is visibly losing weight/ getting thinner;*
II ⟨ov.ww.⟩ **0.1** [mager maken] *emaciate, make lean* ⇒*waste* ◆ **1.1** ⟨landb.⟩ een akker ~ *overcultivate/ overcrop/ exhaust a field;* de koorts heeft de patiënt vermagerd *the fever has emaciated the patient.*
vermageringsdieet ⟨het⟩ **0.1** *slimming/ reducing diet* ◆ **3.1** een ~ volgen *be on a (slimming/ reducing) diet.*
vermageringskuur ⟨de⟩ **0.1** *(slimming/* ⟨med.ook⟩ *slimming/* ⟨AE ook⟩ *reducing regime(n)* ◆ **3.1** een ~ ondergaan *be/ go on a (slimming/ reducing) diet, (be) slim(ming)/ reducing, reduce.*
vermageringsmiddel ⟨het⟩ **0.1** *slimming product/ agent.*
vermakelijk ⟨bn.; bw.; -ly⟩ **0.1** *amusing, entertaining* ⇒*diverting* ◆ **3.1** hij zat ~ te vertellen *he was telling a delightful story.*
vermakelijkheid ⟨de (v.)⟩ **0.1** [hoedanigheid] *pleasure, amusing/ entertaining/ diverting nature* **0.2** [wat vermaakt] *amusement, entertainment* ⇒*attraction* ◆ **2.2** openbare/ publieke vermakelijkheden *open/ public entertainments/ amusements.*
vermakelijkheidsbelasting ⟨de (v.)⟩ **0.1** *entertainment(s) tax.*
vermaken ⟨ov.ww.⟩ **0.1** [genoegen geven] *amuse, entertain* ⇒*divert* **0.2** [bij testament toewijzen] *bequeath, will, make over* ⇒⟨jur. ook⟩ *devise* **0.3** [anders maken] *alter* ⇒*turn (into), remodel, make over* ⟨bv. kleren⟩ ◆ **1.3** een pak laten ~ *have a suit altered/ remodelled/ made over* **4.1** zich ~ *enjoy/ amuse o.s., have fun; disport (o.s.)* ⟨op strand/ijsbaan enz.⟩; zich ~ met *amuse o.s. with/ (by) doing (sth.);* zich buitengewoon ~ *have the time of one's life;* ⟨inf.⟩ *have a whale of a time;* zich ~ ten koste van *amuse o.s. / have a good time at the expense of* **6.2** het huis vermaakte zij aan haar neef *she bequeathed/ willed/ left her house to her nephew/ cousin.*
vermaking ⟨de (v.)⟩ **0.1** [legatering] *bequest* ⇒⟨jur. ook⟩ *demise, testation* **0.2** [legaat] *legacy, bequest.*
vermaledijd ⟨bn.⟩ **0.1** *(ac)cursed, damned* ⇒*damnable.*
vermaledijen ⟨ov.ww.⟩ **0.1** *curse, damn.*
vermalen ⟨ov.ww.⟩ **0.1** *grind, mill, crush, pulverize,* ⟨eten ook⟩ *mince* ◆ **1.1** kruit ~ g. *(gun)powder;* het voedsel ~ *masticate/ chew (one's food)* **6.1** koren tot meel ~ g. */ mill grain into flour.*
vermanen ⟨ov.ww.⟩ **0.1** *admonish, caution* ⇒*exhort, warn* ◆ **1.1** de predikant vermaande de gemeente *the preacher admonished/ exhorted his parish;* een lastige leerling ~ *a. / c. / warn a troublesome pupil* **3.1** iem. ~d toespreken *speak severely/ preach to s.o., sermonize s.o..*
vermaning ⟨de (v.)⟩ **0.1** *admonition* ⇒*warning, exhortation, expostulation,* ⟨jur. ook⟩ *caution* ◆ **2.1** een ernstige ~ *a stern a. / exhortation/ warning* **3.1** iem. een ~ geven *caution/ admonish s.o..*
vermannelijken ⟨onov.ww.⟩ **0.1** [mbt. de aard/ houding] *become more manly/ virile* ⇒*mature* **0.2** [mbt. geslachtskenmerken] *become virilized* ⇒*take on male sex characteristics/ (secondary) male characters.*
vermannen ⟨wk.ww.; zich ~⟩ **0.1** *screw up one's/ take courage, take heart* ⇒*brace/ nerve o.s. (to/ for).*

vermeend ⟨bn.⟩ **0.1** *supposed, alleged* ⇒*reputed, putative* ⟨vader enz.⟩ ◆ **1.1** de ~e erfgenaam *the a.* / *reputed* / *putative heir;* ~ recht *fancied right.*

vermeerderen
I ⟨ov.ww.⟩ **0.1** [vergroten] *increase* ⇒*augment, enlarge, add to, enhance* ⟨iets goeds⟩ ◆ **1.1** derde, vermeerderde druk *third enlarged edition;* de kosten ~ *i.* / *add to* / ⟨inf.⟩ *bump up the costs* / *expense;* dat vermeerdert de problemen *that (only) adds to the problems;* zijn snelheid ~ *i.* / *pick up speed* **4.1** de bevolking vermeerderde zich snel *the population increased* / *multiplied quickly* **6.1** ~ met 25% *i.* / *grow* / *rise by 25 per cent;*
II ⟨onov.ww.⟩ **0.1** [groter worden] *increase* ⇒*grow, rise* ◆ **1.1** de vermeerderde vraag naar een artikel *(the) increased demand for an article.*

vermeerdering ⟨de (v.)⟩ **0.1** *increase (in)* ⇒↑ *augmentation (of).*

vermeien ⟨wk.ww.; zich ~⟩ ⟨schr.⟩ **0.1** *enjoy* / *amuse o.s.* ⇒*disport o.s.* ⟨op strand / ijsbaan enz.⟩ ◆ **6.1** zich in iets ~ *delight* / *revel in, take delight in.*

vermelden ⟨ov.ww.⟩ **0.1** [berichten] *mention* **0.2** [aangeven] *state, give* ◆ **1.1** dat vermeldt de historie niet *history does not record that* / *is silent on that point* **1.2** zijn naam / leeftijd ~ *g.* / *s. one's name* / *age* **5.1** iem. eervol ~ *give s.o. an honourable mention;* ⟨mil.⟩ *cite s.o., mention s.o. in (the) dispatches* **5.2** opnieuw ~ *restate;* uitdrukkelijk ~ *s. expressly.*

vermeldenswaard(ig) ⟨bn.⟩ **0.1** *worth mentioning, worthy of mention* ⇒ *worth stating.*

vermelding ⟨de (v.)⟩ **0.1** *mention* ⇒*statement, record, entry* ⟨in gids⟩, *listing* ⟨in lijst⟩ ◆ **2.1** bijzondere ~ verdienen *deserve special m.;* eervolle ~ *honourable m.;* ⟨mil.⟩ *citation* **6.1** onder ~ van ... *giving* / *stating* / *mentioning ....*

vermengen
I ⟨ov.ww.⟩ **0.1** [samenmengen] *mix* ⇒*(inter)mingle, blend* ⟨thee, koffie, tabak⟩ ◆ **1.1** verschillende theesoorten ~ *blend different kinds of tea* **6.1** in dit bericht is waarheid met fantasie vermengd *in this story* / *report truth is (inter)mixed* / *mingled with fantasy;*
II ⟨wk.ww.; zich ~⟩ **0.1** [een mengsel vormen] *mix* ⇒*(inter)mingle, blend, fuse, become fused* **0.2** [kruisen] *mix, interbreed* ◆ **1.1** water en olie ~ zich niet *water and oil do not m., oil does not m.* / *intermingle with water* **1.2** die rassen hebben zich vermengd *those races have mixed* / *interbred.*

vermenging ⟨de (v.)⟩ **0.1** [handeling, toestand] *mix(ture)* ⇒*mixing, blend(ing), mingling, fusion* **0.2** [kruising] *cross-breeding, hybridization, mix* **0.3** [⟨jur.⟩] *confusion, merger.*

vermenigvuldigbaar ⟨bn.⟩ **0.1** *multipli(c)able.*

vermenigvuldigen
I ⟨ov.ww.⟩ **0.1** [tot een veelvoud maken] *duplicate* ⇒*manifold* **0.2** [⟨wisk.⟩] *multiply* ◆ **1.1** een werk (door de drukpers) ~ *duplicate a work (by press)* **6.2** vermenigvuldig dat getal met 8 *m. that number by 8;* iets ~ met twee / drie / vier / vijf ⟨ook⟩ *double* / *treble* / *quadruple* / *quintuple sth.;*
II ⟨wk.ww.; zich ~⟩ **0.1** [talrijker worden] *multiply, increase* ⇒ ⟨snel⟩ *proliferate* **0.2** [zich voortplanten] *multiply* ⇒*reproduce,* ⟨door kruising⟩ *hybridize* ◆ **4.1** de moeilijkheden ~ zich *the difficulties are increasing* / *growing* **4.2** gaat heen en vermenigvuldigt u *go forth and m..*

vermenigvuldiger ⟨de (m.)⟩ ⟨wisk.⟩ **0.1** *multiplier.*

vermenigvuldiging ⟨de (v.)⟩ **0.1** [vermeerdering] *multiplication, increase* **0.2** [⟨wisk.⟩] *multiplication* **0.3** [voortplanting] *multiplication, increase* ◆ **1.2** tafel van ~ *m. table.*

vermenigvuldigingsfactor ⟨de (m.)⟩ **0.1** *multiplier, coefficient.*

vermenigvuldigsom ⟨de⟩ **0.1** *multiplication (sum).*

vermenigvuldigtal ⟨het⟩ **0.1** *multiplicand.*

vermenselijken
I ⟨ov.ww.⟩ **0.1** [menselijke vormen geven] *humanize,*
II ⟨onov.ww.⟩ **0.1** [menselijke vormen aannemen] *humanize, become human* **0.2** [menselijker worden] *humanize, become (more) human(e).*

vermenselijking ⟨de (v.)⟩ **0.1** [humanisering] *humanization, becoming* / *making (more) human(e)* **0.2** [het aannemen van menselijke vormen] *humanization* ◆ **1.1** de ~ v.h. regime *the h. of the regime.*

vermetel ⟨bn., bw.; -ly⟩ **0.1** *daring, audacious* ⇒*bold,* ⟨overmoedig, roekeloos⟩ *reckless, rash, foolhardy* ◆ **1.1** een ~ jongmens *a d.* / *reckless* / *rash young man* / *youngster;* een ~ soldaat *an a.* / *a reckless* / *hardy soldier* ¶ **.1** ~ te werk gaan *proceed boldly* / *daringly* / *recklessly* / *rashly.*

vermetelheid ⟨de (v.)⟩ **0.1** [stoutmoedigheid] *audacity, daring* ⇒*boldness,* ⟨roekeloosheid⟩ *recklessness, rashness, foolhardiness* **0.2** [vermetele daad] *a daring* / *an audacious* / *bold deed* ⇒ ⟨mv. ook⟩ *deeds of derring-do.*

vermeten ⟨wk.ww.; zich ~⟩ **0.1** [zich vergissen] *measure wrong* / *incorrectly* **0.2** [durven] *be (so)* / *make bold, dare* ⇒*have the face (to).*

vermicelli ⟨de⟩ **0.1** *vermicelli.*

vermicellisoep ⟨de⟩ **0.1** *vermicelli soup.*

vermijdbaar ⟨bn.⟩ **0.1** *avoidable* ◆ **1.1** dergelijke fouten zijn toch makkelijk ~ *such errors* / *faults are easily a., aren't they?* / *can easily be avoided, surely.*

---

vermijden ⟨ov.ww.⟩ **0.1** [ontwijken] *avoid* ⇒*keep away (from), keep off* **0.2** [voorkomen] *avoid* ⇒*prevent* **0.3** ⟨zich onthouden van⟩ *avoid* ⇒ *keep off* ◆ **1.1** vermijd de verleiding ~ *(the) temptation* **3.2** dat is moeilijk te ~ *that is hard to avoid;* ⟨dat gebeurt nu eenmaal⟩ *it is just one of those things;* niet als ik het kan ~ *not if I can help it, only if I can't a. it;* men moet zien te ~ dat ... *one should try and a.* / *prevent ...(-ing)* **4.3** vermijd alles wat de maag prikkelt *a.* / *keep off anything which irritates the stomach* **5.1** angsvallig ~ *shun, fight shy of.*

vermijding ⟨de (v.)⟩ **0.1** *avoidance* ⇒ ⟨vnl. pej.⟩ *evasion* ◆ **6.1** ter ~ van (in order) to avoid / evade.

vermiljoen[1] ⟨het⟩ **0.1** *vermil(l)ion, cinnabar.*

vermiljoen[2] ⟨bn.⟩ **0.1** *vermil(l)ion* ⇒*vermeil.*

verminderd ⟨bn., bw.⟩ **0.1** *diminished* ⇒*reduced* ◆ **1.1** ⟨muz.⟩ ~e kwint *d. fifth;* ~e toerekeningsvatbaarheid *d. responsibility* **2.1** ~ toerekeningsvatbaar *not fully accountable for one's actions.*

verminderen
I ⟨ov.ww.⟩ **0.1** [kleiner maken] *decrease* ⇒*diminish, reduce, lessen, ease* ⟨pijn, spanning⟩, *cut (back)* ⟨produktie, prijs⟩, *lower* ⟨prijs, weerstand⟩ ◆ **1.1** de druk ~ *reduce* / *lower the pressure;* wij hebben onze prijzen sterk verminderd *we have slashed* / *greatly reduced our prices;* snelheid ~ *reduce* / *slacken speed, slack up* / *off, slow down, ease off;* de uitgaven ~ *reduce (one's) expenditure, cut (back on) expenses* **6.1** u krijgt het bedrag verminderd met 5% provisie *you will receive the sum less 5% commission;*
II ⟨onov.ww.⟩ **0.1** [kleiner worden] *decrease* ⇒*diminish, lessen, fall* / *drop off* ⟨prijzen, belangstelling enz.⟩, *abate* ⟨storm⟩, ⟨sterk verminderen⟩ *dwindle, ease (off)* ⟨spanning⟩ ◆ **1.1** de bevolking vermindert *the population is decreasing* / *declining;* mijn inkomsten ~ *my income is falling off* / *decreasing;* verminderde weerstand *low* / *little resistance.*

vermindering ⟨de (v.)⟩ **0.1** [het verminderen] *decrease* ⇒*diminution, reduction, decline* **0.2** [dat waarmee iets vermindert] *decrease* ⇒*reduction* ◆ **1.1** ~ van inkomstenbelasting *tax cut* / *relief;* een merkbare ~ v.d. koorts *a marked regression of the fever;* ~ van straf *moderation* / *reduction of (a) sentence;* de ~ v.d. vraag *the reduction in demand.*

verminderingskaart ⟨de⟩ ⟨AZN⟩ **0.1** *reduced-fare card* / *pass.*

verminken ⟨ov.ww.⟩ **0.1** [mbt. personen] *mutilate* ⇒*maim, cripple* **0.2** [mbt. zaken] *mutilate* **0.3** [mbt. een tekst] *mutilate* ⇒*garble* ◆ **1.1** men trof daar de verminkte lichamen van ... *the mangled* / *mutilated bodies of ... were found there;* de in de oorlog verminkte soldaten *the soldiers maimed* / *crippled* / *disabled in the war* **3.3** het telegram is verminkt overgekomen *the telegram was garbled in transmission.*

verminking ⟨de (v.)⟩ **0.1** [opzicht waarin iem. / iets verminkt is] *mutilation* **0.2** [het verminken / verminkt zijn] *mutilation* ◆ **3.1** hij heeft diverse ~en opgelopen in het gezicht *his face has been badly mutilated.*

vermissen ⟨ov.ww.⟩ **0.1** *miss* ◆ **1.1** er wordt tien miljoen vermist na de overval *after the hold-up ten million (pounds) are reported stolen;* na de scheepsramp werden acht opvarenden vermist *after the shipping disaster eight crewmen were (found to be) misssing* **8.1** iem. / iets als vermist opgeven *report s.o. missing* / *sth. lost.*

vermissing ⟨de (v.)⟩ **0.1** *loss* ⇒*absence* ⟨ook persoon⟩ ◆ **1.1** verliezen door dood en ~ *people (reported) killed or missing* **4.1** zijn ~ bleek pas de volgende dag *his absence was not noticed until the following day.*

vermiste ⟨de (m.)⟩ **0.1** *missing person.*

vermits ⟨vw.⟩ **0.1** *since, as, because.*

vermoedelijk ⟨bn., bw.; -ly⟩ **0.1** *supposed* ⇒*probable,* ⟨jur.⟩ *presumptive* ◆ **1.1** de ~e dader *the suspect, the suspected thief* / *killer* ⟨enz.⟩; de ~e erfgenaam / oorzaak *the heir presumptive, the probable cause;* de ~e vader *the putative father* **3.1** de trein zal ~ een half uur te laat komen *the train is expected to be* / *will probably be half an hour late.*

vermoeden[1] ⟨het⟩ **0.1** [gissing] *conjecture* ⇒*surmise,* ⟨veronderstelling⟩ *assumption* **0.2** [gedachte] *suspicion* ⇒*notion* **0.3** ⟨jur.⟩ *presumption (of fact)* ◆ **2.2** een bang ~ *a misgiving* / *qualm;* een flauw ~ *an inkling* / *idea;* ik had er geen flauw ~ van *I had no idea, I didn't have the slightest* / *remotest s.* / *the faintest idea* **3.1** een ~ opperen *surmise, make a c.* / *an assumption;* het zijn maar ~s, hoor *this is pure c., you understand* **3.2** ik had al zo'n ~, ik had er al een ~ van *I had my suspicions (all along), I thought* / *suspected as much* **5.2** mijn ~s waren juist / zijn juist gebleken *my suspicions were correct* / *proved (to be) correct* **6.3** bewijs door ~s *circumstantial* / *presumptive evidence.*

vermoeden[2] ⟨ov.ww.⟩ **0.1** [waarschijnlijk achten] *suspect* ⇒*suppose, presume, imagine,* ⟨gissen⟩ *surmise, conjecture* **0.2** [bedacht zijn op] *suspect* ◆ **1.2** kwaad ~ *have one's suspicions, be suspicious* / *on one's guard* **3.1** deze vondst doet ~ dat het gebied al in de oudheid bewoond was *this find leads one to suspect* / *makes it likely that the area was inhabited in ancient times* **3.2** dit heb ik nooit kunnen ~ *this is the last thing I expected* **4.2** de niets ~de leraar trapte erin *the unwary* / *unsuspecting teacher fell for it* **8.1** ik vermoed dat u gelijk heeft *I have a suspicion* / *I suspect you're right.*

vermoeid ⟨bn.⟩ **0.1** [moe zijnd] *tired* ⇒ ⟨zeer moe⟩ *weary,* ⟨schr.⟩ *fatigued* **0.2** [mat] *tired* ⇒*weary,* ⟨loom⟩ *listless* ◆ **1.1** de ~e ogen sluiten *close one's weary eyes* **1.2** met ~e stem iets voorlezen *read sth. out with a weary* / *t.* / *listless voice* **2.1** dodelijk ~ *dead beat* / *tired, complete-*

ly worn-out; ⟨inf.⟩ *whacked (out);* ⟨BE;inf.⟩ *fagged (out), shattered;* ⟨BE;sl.⟩ *knackered* **3.1** er ~ uitzien *look t.* / *weary* **6.1** ~ zijn **door** het vele werken/ het lange staan *be worn-out by hard work/ being on one's feet so long.*

vermoeidheid ⟨de (v.)⟩ **0.1** [het mee eens zijn] *tiredness* ⇒⟨grote vermoeidheid⟩ *weariness, fatigue* **0.2** [matheid] *spleen* ⇒⟨loomheid⟩ *listlessness,* ⟨schr.⟩ *lassitude* **0.3** [mbt. materialen] *fatigue* ◆ **1.1** ~ v.d. ogen *eyestrain;* verschijnselen van ~ vertonen *show signs of weariness/ fatigue.*

vermoeidheidsverschijnselen ⟨zn.mv.⟩ **0.1** *fatigue phenomena/ symptoms.*

vermoeien ⟨ov.ww.⟩ **0.1** *tire (out)* ⇒⟨afmatten⟩ *weary, fatigue, wear out,* ⟨uitputten⟩ *exhaust* ◆ **1.1** de ogen ~ *try one's/ the eyes;* de wandeling heeft hem vermoeid *the walk has tired/ worn him out* **4.1** vermoei u niet te veel *don't tire yourself out;* ⟨iron.⟩ *don't exhaust yourself, will you* **6.1** ⟨fig.⟩ hij vermoeide mij **met** details *he tired/ wearied/ overloaded me with details.*

vermoeiend ⟨bn.⟩ **0.1** *tiring* ⇒*wearying,* ⟨schr.⟩ *fatiguing,* ⟨vervelend ook⟩ *wearisome, tiresome,* ⟨zeer vermoeiend⟩ *gruelling, exhausting, strenuous* ◆ **1.1** een ~e stijl *a wearisome style.*

vermoeienis ⟨de (v.)⟩ **0.1** *fatigue.*

vermoeiing ⟨de (v.)⟩ ⟨schr.⟩ **0.1** [het vermoeid maken] *tiring* ⇒*wearying,* ⟨schr.⟩ *fatiguing* **0.2** [het vermoeid worden] *exhaustion* ⇒*fatigue* ⟨ook mbt. materialen⟩.

vermoeilijken ⟨AZN⟩
I ⟨ov.ww.⟩ **0.1** [moeilijker maken] *make (more) difficult* ⇒*hamper, hinder, thwart, obstruct;*
II ⟨onov.ww.⟩ **0.1** [moeilijker worden] *become/ grow (more) difficult.*

vermoeren ⟨ov.ww.⟩ ⟨inf.⟩ **0.1** *botch, bust, mess/ muck up* ⇒⟨ongemarkeerd⟩ *destroy, ruin, wreck,* ⟨vulg.⟩ *fuck/ screw/ crap up.*

vermogen¹ ⟨het⟩ **0.1** [rijkdom, bezit] *fortune* ⇒*riches, wealth,* ⟨bezit⟩ *property,* ⟨geldw.⟩ *capital,* ⟨draagkracht⟩ *means* **0.2** [capaciteit] *power, capacity* **0.3** [macht, kracht] *power* ⇒*ability, capability* ◆ **1.2** het ~ v.e. sluis *the c. of a lock* **2.1** het eigen ~ *property of one's own;* ⟨v.e. echtgenote⟩ *separate property;* het zuiver ~ *net assets/ worth, shareholders' equity* **2.2** elektrisch ~ *load, (electric) potential;* met groot ~ *high-powered;* het nuttig ~ *the useful effect;* ⟨nat.⟩ het werkzaam ~ *active p.* **2.3** naar mijn beste ~ *to the best of my ability, as best I can;* de verstandelijke ~s *the intellectual powers/ faculties* **3.1** ⟨pregn.⟩ dat kost een ~ *that costs a f.* **6.1** naar ~ **bijdragen** *contribute according to (one's) means/ ability* **6.2** een ~ **van** 60 pk *sixty horsepower;* een kachel met een ~ **van** 8 kilowatt *a heater with a c. of 8 kilowatt* **6.3** boven iemands ~ gaan *be beyond s.o.'s power(s);* doen wat in zijn ~ is *do all/ everything in one's p. / all one can;* haar ~ **tot** relativeren *her ability to see things in their proper perspective.*

vermogen² ⟨ov.ww.⟩ ⟨schr.⟩ ⟨→sprw. 204⟩ **0.1** [de macht hebben tot] *be in a position to* ⇒*have power to, be capable of* **0.2** [gedaan weten te krijgen] *have great influence* **0.3** [kunnen] *be able to* ◆ **1.2** de veel ~bezittende minister *the highly influential minister* **3.3** zij vermocht niet te komen *she was unable to come* **4.1** God vermag alles *God is all-powerful/ omnipotent;* de medische wetenschap vermag hier niets *medical science is powerless here* **7.2** zij vermag veel bij hem *she has great influence with/ over him;* een beetje vriendelijkheid vermag veel bij hen *a little kindness goes a long way with them.*

vermogend ⟨bn.⟩ **0.1** [rijk] *rich, wealthy* ⇒*substantial* **0.2** [invloedrijk] *influential* **0.3** [⟨AZN⟩ solvabel] *solvent* ◆ **1.1** ~e mensen *people of substance;* ⟨schr.⟩ *men of property.*

vermogensaanwas ⟨de (m.)⟩ **0.1** [het groter worden v.h. vermogen] *capital gain* ⇒*capital accretion/ appreciation/ growth* **0.2** [datgene waarmee het vermogen toegenomen is] *capital goin(s)* ◆ **6.1** belasting **op** de ~ *capital gains tax/ levy.*

vermogensaanwasdeling ⟨de (v.)⟩ **0.1** *capital growth sharing.*

vermogensaftrek ⟨de (m.)⟩ **0.1** *wealth-tax allowance/ relief.*

vermogensbelasting ⟨de (v.)⟩ **0.1** *wealth tax* ⇒*capital levy.*

vermogensdelict ⟨het⟩ **0.1** *offence/ crime against property.*

vermogensheffing ⟨de (v.)⟩ **0.1** ≠*capital levy.*

vermogensrecht ⟨het⟩ **0.1** *law/ right of property* ⇒⟨aanspraak⟩ *proprietary/ property right.*

vermogensstraf ⟨de⟩ **0.1** *financial penalty* ⇒*fine.*

vermogensvergelijking ⟨de (v.)⟩ **0.1** *comparison of assets, property comparison.*

vermogenswinstbelasting ⟨de (v.)⟩ **0.1** *capital gains tax.*

vermolmd ⟨bn.⟩ **0.1** *mouldered* ^*moldered* ⇒*decayed, rotten,* ⟨door houtworm⟩ *worm-eaten.*

vermolmen ⟨onov.ww.⟩ **0.1** [tot molm vergaan] *moulder (away)* ⇒*decay, rot away* **0.2** [⟨fig.⟩] *decay, rot* ◆ **1.2** de maatschappij is vermolmd *society is rotten to the core.*

vermommen ⟨ov.ww.⟩ **0.1** [verkleden] *disguise* ⇒*dress up* **0.2** [⟨fig.⟩] *disguise* ⇒*camouflage, conceal, mask* ⟨vnl. gevoelens⟩ ◆ **1.2** dat dient slechts om de ware strekking te ~ *that is merely meant to d./ conceal the real purport, that is only a blind* **4.1** zich ~ *dress (o.s) up, disguise o.s.* **8.1** vermomd als *disguised as;* ⟨schr.⟩ *in the (dis)guise of;* ⟨inf.; met grime⟩ *made up as.*

vermomming ⟨de (v.)⟩ **0.1** [het vermommen] *disguise* **0.2** [wat dient om te vermommen] *disguise* ⇒⟨schr.⟩ *guise* **0.3** [wijze waarop men vermomd is] *disguise.*

vermoorden ⟨ov.ww.⟩ **0.1** [ombrengen] *murder* ⇒*assassinate* ⟨ihb. prominenten⟩ **0.2** [⟨fig.⟩] *murder* ◆ **1.2** een muziekstuk ~ *m. a piece of music;* de vermoorde onschuld spelen *play the holy innocent* **4.1** je hebt haar vermoord ⟨fig.⟩ *you sent her to her grave/ drove her to her death;* ⟨scherts.⟩ als je dat doet, vermoord ik je *you do that and I'll m./ brain/ kill you;* ⟨fig.⟩ hij vermoordt zichzelf *he is killing himself/ working himself to death* **7.1** de vermoorde *the murder victim.*

vermorsen ⟨ov.ww.⟩ **0.1** *waste* ⇒⟨verkwisten⟩ *squander,* ⟨verdoen⟩ *fritter away, idle (away)* ◆ **1.1** het eten/ teveel inkt ~ *w. food, spill ink;* geld ~ *squander money (on sth.);* hij heeft zijn leven/ tijd vermorst in het zoeken naar de waarheid *he wasted his life/ time (in) searching for the truth.*

vermorzelen ⟨ov.ww.⟩ **0.1** [geheel stukslaan/ stukdrukken] *crush* ⇒*dash (to pieces), smash (up),* ⟨inf.⟩ *pulverize* **0.2** [⟨fig.⟩] *crush* ⇒*murder, wipe the floor with* ⟨tegenstander⟩, *tear to pieces* ⟨betoog⟩ ◆ **1.2** een record ~ *smash a record* **6.1** een steen **met** een hamerslag ~ *c. a stone with one blow of a hammer;* hij werd vermorzeld **tussen** twee wagens *he was crushed between two cars.*

vermorzeling ⟨de (v.)⟩ **0.1** [verbrijzeling] *crushing* ⇒*smash-up,* ⟨tech.⟩ *pulverization* **0.2** [⟨fig.⟩] *crushing* ⇒*pulverization.*

vermout ⟨de (m.)⟩ **0.1** *vermouth* ⇒⟨Italiaanse⟩ *martini,* ⟨droge⟩ *French (vermouth).*

vermunten ⟨ov.ww.⟩ **0.1** [muntende verbruiken] *coin* ⇒*convert into coin* **0.2** [hermunten] *recoin.*

vermurwen
I ⟨ov.ww.⟩ **0.1** [vertederen] *mollify* ⇒*melt/ soften s.o.'s heart* ⟨week mens⟩ *soften* ◆ **3.1** hij was niet te ~ *he refused to be mollified, he was relentless/ inexorable, he was/ remained adamant* **6.1** iem. **door** smeekbeden ~ *mollify s.o. by entreaties;* hij heeft zich laten ~ **door** haar tranen *her tears made him relent;*
II ⟨onov.ww.⟩ **0.1** [week worden] *soften* ◆ **6.1** ijzer kan in het vuur ~ *iron is softened by heat.*

vernachelen ⟨ov.ww.⟩ ⟨inf.⟩ **0.1** [beetnemen] *bamboozle, take in, take for a ride;* ⟨voor de gek houden⟩ *make a fool of, make (s.o.) look ridiculous;* ⟨bedriegen⟩ *swindle, diddle.*

vernagelen ⟨ov.ww.⟩ **0.1** [vastspijkeren] *nail down* **0.2** [dichtspijkeren] *nail up* ⇒⟨met planken⟩ *board up* ◆ **5.1** een vloer blind ~ *blind-nail a floor.*

vernalisatie ⟨de (v.)⟩ **0.1** *vernalization.*

vernauwen
I ⟨ov.ww.⟩ **0.1** [nauwer maken] *narrow (down)* ⇒*constrict, contract* ◆ **1.1** een kledingstuk ~ *take in a garment* **4.1** de weg vernauwt zich verderop *the road narrows further on;*
II ⟨onov.ww.⟩ **0.1** [nauwer worden] *narrow* ⇒*contract* ◆ **1.1** vernauwd bewustzijn *narrow/ blinkered mind, narrow-mindedness.*

vernauwing ⟨de (v.)⟩ **0.1** [het nauwer worden] *narrowing* ⇒*constriction,* ⟨med.⟩ *stenosis, stricture* **0.2** [het nauwer maken] *narrowing* ⇒*constriction* **0.3** [nauwte] *narrowing* ⇒*constriction, narrow (part)* ◆ **1.1** ~ v.d. bloedvaten *stricture/ stenosis/ constriction of the blood vessels* **1.2** ⟨fig.⟩ een ~ v.d. betekenis *a narrowing-down of the meaning.*

vernederen ⟨ov.ww.⟩ **0.1** [nederig maken] *humble, take down,* ⟨krenkend behandelen⟩ *humiliate,* ⟨onteren⟩ *degrade, debase, demean* ◆ **3.1** vernederd worden *be brought down (a peg or two), (have to) eat humble pie;* ik zou mij nooit ~ om haar zoiets aan te doen *I would never stoop/ descend to doing anything like that to her* **4.1** zich voor iem. ~ *humble o.s. before* ⟨god⟩, ⟨kruipen⟩ *grovel/ cringe to/ before* **5.1** diep vernederd *be deeply humiliated, be mortified* **6.1** iem. **tot** zijn slaaf ~ *reduce s.o. to the level of a slave, make a slave of s.o..*

vernederend ⟨bn.⟩ **0.1** *humiliating* ⇒*degrading* ⟨straf enz.⟩, ⟨onterend ook⟩ *demanding,* ⟨beschamend ook⟩ *mortifying,* ⟨(terecht) op zijn nummer gezet⟩ *humbling* ◆ **1.1** ik vond de situatie nogal ~ *I found the position I was in rather degrading* **6.1** dat was ~ **voor** hem *that was humiliating for him, it was a comedown for him.*

vernedering ⟨de (v.)⟩ **0.1** [het vernederen] *humiliation* ⇒*debasement, degradation, mortification* **0.2** [waardoor men vernederd wordt] *humiliation* ⇒*indignity* ◆ **3.2** een ~ ondergaan *suffer a h./ an indignity.*

vernederlandsen
I ⟨onov.ww.⟩ **0.1** [mbt. personen] *dutchify* **0.2** [⟨taal.⟩] *dutchify* ◆ **5.1** hij is ontzettend vernederlandst *he's become more Dutch than the Dutch, he's turned into a real little Dutchman;*
II ⟨ov.ww.⟩ **0.1** [⟨taalk.⟩] *dutchify.*

verneembaar ⟨bn.⟩ **0.1** *perceptible, audible.*

vernemen ⟨ov.ww.⟩ **0.1** [horen] *hear* **0.2** [te weten komen] *learn* ⇒*hear, understand, be told/ informed (of)* ◆ **1.2** een bericht ~ *receive a report, be informed* **6.2** hij is, **naar** wij ~, reeds naar Afrika vertrokken *word has reached us/ we have been told that he has already left for Africa;* **uit** een brief ~ wij *from your letter we understand/ gather/ infer;* iets **uit** de krant moeten ~ *have to learn sth. from the newspaper;* iets **van/ via** iem. ~ *be told/ informed of sth. by s.o., l. of sth. from s.o., hear about sth. from s.o..*

verneuken ⟨vulg.⟩
I ⟨ov.ww.⟩ 0.1 [belazeren] *shaft, screw, con* ⇒⟨lullig behandelen ook⟩ *fuck/piss about/around, shit on* ◆ 3.1 zeg, laat je niet ~ *don't let them fuck you about/shit on you* ¶.1 je wordt verneukt waar je bij staat ⟨sl.⟩ *it's a rip-off/con;* ⟨vulg.⟩ *they'd as soon shit on you as look at you;*
II ⟨onov.ww.⟩ 0.1 [verdommen]⟨zie 3.1⟩ ◆ 3.1 dat kan mij niets ~ *I don't give/care a shit/fuck/(tuppenny) damn/fig.*

verneukeratief ⟨bn., bw.⟩ ⟨inf.⟩ 0.1 *dirty* ⇒*rotten, mean,* ⟨ongemarkeerd⟩ *dishonest, sharp, deceitful* ◆ 1.1 verneukeratieve reclame *misleading/sharp advertisements.*

verneukerij ⟨de (v.)⟩ ⟨inf.⟩ 0.1 *rip-off* ⇒*swindle, diddle,* ⟨sl.⟩ *con.*

verneuriën ⟨ov.ww.⟩ ⟨inf.⟩ →**vernachelen.**

vernevelen
I ⟨ov.ww.⟩ 0.1 [als nevel doen verstuiven] *atomize* ⇒*spray;*
II ⟨onov.ww.⟩ 0.1 [als nevel verstuiven] *atomize* ⇒*spray.*

vernielachtig ⟨bn.⟩ 0.1 *destructive.*

vernielal ⟨de (m.)⟩ →**vernieler.**

vernielen ⟨ov.ww.⟩ 0.1 *destroy* ⇒*wreck,* ⟨opzettelijk⟩ *vandalize,* ⟨met geweld⟩ *smash (up),* ⟨verwoesten⟩ *devastate, lay waste/in ruins* ◆ 1.1 de regen heeft de oogst vernield *the rain has flattened the crops/ruined the harvest;* de stad werd door brand vernield *the city was destroyed/devasted/laid in ruins by fire* 3.1 ⟨scherts.⟩ ik zou hem kunnen ~ *I could kill/murder him/break his neck.*

vernielend ⟨bn.⟩ 0.1 *destructive* ⇒*devastating.*

vernieler ⟨de (m.)⟩, **-ster** ⟨de (v.)⟩ 0.1 *destroyer* ⇒⟨opzettelijk⟩ *vandal,* ⟨inf.⟩ *smasher, wrecker,* ⟨AE ook⟩ *trasher.*

vernieling ⟨de (v.)⟩ 0.1 [handeling] *destruction* ⇒*devastation, vandalism, vandalizing, wrecking* 0.2 [resultaat] *destruction* ⇒*devastation, vandalism, wreck, havoc, ruins* ◆ 3.2 ~en aanrichten *create havoc, cause devastation* 6.1 in de ~ gaan/geholpen worden *be ruined;* ⟨mbt. dingen ook⟩ *be wrecked; go to rack and ruin;* geestelijk *in de ~ raken/zitten become/be a mental wreck;* ⟨inf.⟩ zij ligt volkomen in de ~ *she's broken every bone in her body, she's a complete wreck.*

vernielziek ⟨bn.⟩ 0.1 *destructive.*

vernielzucht ⟨de⟩ 0.1 *destructiveness* ⇒*destructive mania, love of destruction.*

vernielzuchtig ⟨bn.⟩ 0.1 *destructive.*

vernietigbaar ⟨bn.⟩ 0.1 [vernietigd kunnende worden] *destructible* 0.2 [nietig verklaard kunnende worden] *defeasible* ⟨grondbezit⟩; ⟨zie 1.2⟩ ◆ 1.2 dat vonnis is niet ~ *that verdict cannot be reversed/quashed.*

vernietigen ⟨ov.ww.⟩ 0.1 [verwoesten] *destroy* ⇒*devastate, ruin, wreck, dash, shatter* ⟨hoop⟩, ⟨totaal wegvagen⟩ *annihilate, obliterate, wipe out* 0.2 [teniet doen] *nullify, annul* ⇒*make invalid, reverse* ⟨besluit⟩, *set aside, quash* ⟨vonnis⟩, *rescind, cancel* ⟨contract, regeling⟩ ◆ 1.1 ⟨fig.⟩ iemands hoop/verwachtingen ~ *dash/shatter s.o.'s hopes/expectations;* ⟨fig.⟩ iemands reputatie ~ *destroy/ruin/wreck s.o.'s reputation;* de stuwraket moest worden vernietigd ^A*the booster rocket had to be destructed* 4.1 dit cassettebandje vernietigt zichzelf na gebruik *this cassette tape self-destructs after use.*

vernietigend ⟨bn., bw.; -ly⟩ 0.1 *destructive* ⇒*devastating, annihilating,* ⟨fig.⟩ *crushing, damning* ◆ 1.1 ⟨fig.⟩ een ~ antwoord/oordeel *a crushing reply/scathing judgment;* ⟨fig.⟩ een ~ bewijs *(a) damning (piece of) evidence;* ⟨fig.⟩ een ~e blikken *withering/scathing/devastating looks;* ⟨fig.⟩ een ~e kritiek *devastating/scathing/destructive criticism;* een ~e nederlaag *a crushing defeat;* de uitwerking van die bom is ~ *the effects of that bomb are devastating;* ~ vuur *all-consuming/devastating fire* 3.1 ⟨fig.⟩ iem. ~ aankijken *wither s.o. with one's looks, look scornfully at s.o.;* hij liet zich zeer ~ uit over mijn roman ⟨inf.⟩ *he did a hatchet job on my novel, he pulled/ripped my novel to pieces* ¶.1 het vuur greep ~ om zich heen *the fire spread, destroying everything in sight.*

vernietiging ⟨de (v.)⟩ 0.1 [het vernietigen] *destruction* ⇒*devastation, ruin, wrecking, dashing* ⟨hoop, reputatie⟩, ⟨totaal wegvagen⟩ *annihilation, obliteration* 0.2 [tenietdoening] *nullification, annulment* ⇒*reversal* ⟨besluit⟩, *quashing* ⟨vonnis⟩, *rescission, cancellation* ⟨contract, regeling⟩ ◆ 1.2 ~ v.h. vonnis *setting aside/quashing/annulment of a judgment; the reversal* ⟨in hoger beroep⟩ *cassation* ⟨in hoogste instantie⟩ *of the judgment.*

vernietigingskamp ⟨het⟩ 0.1 *extermination camp.*

vernietigingskracht ⟨de (v.)⟩ 0.1 [vermogen om te vernietigen] *destructive power* 0.2 [mbt. wapens] *destructive power.*

vernietigingsrecht ⟨het⟩ ⟨jur.⟩ 0.1 *power of annulment.*

vernietigingswapen ⟨het⟩ 0.1 *weapon of destruction* ⇒⟨inf.⟩ *doomsday machine.*

vernieuwbouw ⟨het⟩ 0.1 *renovation (work).*

vernieuwen ⟨ov.ww.⟩ 0.1 [moderniseren] *renew* ⇒*modernize, renovate* ⟨gebouw⟩, *rebuild,* ⟨inf.⟩ *revamp, update* 0.2 [vervangen] *renew* ⇒*restore, repair, revive* ⟨belofte⟩, ⟨fysiek en geestelijk⟩ *rejuvenate, replace, change* ⟨onderdelen⟩ ◆ 1.1 een huis ~ *modernize/renovate/build a house* 1.2 ⟨fig.⟩ met vernieuwde kracht *with renewed vigour/revived force;* een overeenkomst ~ *r. a treaty* 4.1 een kunstenaar die zich vernieuwt *an artist who renews/revamps his work.*

vernieuwer ⟨de (m.)⟩ 0.1 [iem. die vernieuwt] *renewer* ⇒⟨van gebouw enz.⟩ *renovator* 0.2 [iem. met nieuwe ideeën] *innovator.*

vernieuwing ⟨de (v.)⟩ 0.1 [het moderniseren] *renewal* ⇒*modernization, renovation* ⟨gebouw⟩, *rebuilding, revamping* 0.2 [het vervangen] *renewal* ⇒*restoration, revival* ⟨beweging, vitaliteit⟩, ⟨fysiek en geestelijk⟩ *rejuvenation, replacement* 0.3 [aangebrachte aanpassing] *modernization* ⇒*renovation, restoration, replacement, innovation* ⟨in werkwijze, organisatie e.d.⟩, *reform* ⟨onderwijs⟩ ◆ 3.1 ~en uitvoeren aan een huis *renovate a house, carry out renovation work on a house* 3.3 allerlei ~en aanbrengen *carry out all sorts of modernizations/renovations* ⟨huis⟩; *bring in innovations* ⟨bv. in organisatievorm⟩.

vernieuwingsdrang ⟨de (m.)⟩ 0.1 *neophilia* ⇒*desire/urge for innovation.*

vernieuwingsgedachte ⟨de (v.)⟩ 0.1 *innovatory attitude* ⇒*innovatory train of thought.*

vernikkelen
I ⟨ov.ww.⟩ 0.1 [met nikkel overtrekken] *nickel(-plate)* 0.2 [⟨inf.⟩ bedriegen] *dupe* ⇒*take (s.o.) in, have (s.o.) on, bamboozle, hoodwink,* ⟨sl.⟩ *hornswoggle, take s.o. for a ride* ◆ 1.1 vernikkelde munten *nickel-clad coins;* vernikkelde schroeven *nickel-plated/-coated screws;*
II ⟨onov.ww.⟩ ⟨inf.⟩ 0.1 [verkleumen] *perish (with cold)* ⇒*freeze, be numbed (with cold).*

vernis ⟨het, de (m.)⟩ 0.1 [lak] *varnish* ⇒*finish, lacquer, lacker, glaze* ⟨op aardewerk⟩ 0.2 [laagje lak] *(layer of) varnish* ⇒*(layer of) lacquer/lacker, finish, glaze, veneer* 0.3 [⟨fig.⟩] *veneer* ⇒*top dressing, varnish* ◆ 2.3 haar wellevendheid is slechts een ~ *her v. is only a varnish/veneer of good manners* 3.2 iets een ~ je geven *veneer sth., put a veneer/top dressing on sth..*

vernislaag ⟨de⟩ 0.1 *(coat of) varnish.*

vernissage ⟨de (v.)⟩ 0.1 *vernissage* ⇒*varnishing day, preview, private view.*

vernissen ⟨ov.ww.⟩ 0.1 *varnish* ⇒*lacquer, lacker, glaze* ⟨aardewerk⟩, *finish.*

vernoemen ⟨ov.ww.⟩ 0.1 *name/call after* ◆ 1.1 al mijn grootouders zijn vernoemd *all my grandparents have grandchildren called after them/namesakes/name-children* 6.1 een kind *naar* iem. ~ *name/call a child after s.o..*

vernuft ⟨het⟩ 0.1 *ingenuity* ⇒*genius, contrivance,* ⟨geestigheid⟩ *wit, sagacity* ◆ 2.1 het menselijk ~ *human i./contrivance* 2.¶ vals ~ *false wit, laboured/far-fetched witticism(s)* 6.1 een. **van**/met veel ~ *a genius, a (man of) genius, a brilliant/clever man, a man of great resource/sagacity.*

vernuftig ⟨bn., bw.; -ly⟩ 0.1 [mbt. personen] *ingenious* ⇒*clever,* ⟨geestig⟩ *witty, inventive, resourceful* 0.2 [mbt. zaken] *ingenious* ⇒*cunning, clever, subtle* ⟨woorden, vergelijking⟩, *sagacious* ⟨plan, idee⟩ ◆ 3.1 ~ uitgedacht/gevonden *ingeniously thought out/devised/contrived.*

vernuftigheid ⟨de (v.)⟩ 0.1 [scherpzinnigheid] *ingenuity* ⇒*cleverness, inventiveness* 0.2 [iets vernuftig] [↑]*contrivanee* ⇒⟨inf.⟩ *gadget.*

vernummeren ⟨ov.ww.⟩ 0.1 *renumber.*

veronaangenamen ⟨ov.ww.⟩ 0.1 *make (sth.) unpleasant.*

veronachtzamen ⟨ov.ww.⟩ 0.1 *neglect* ⇒*omit (to do),* ⟨euf.⟩ *forget,* ⟨opzettelijk⟩ *disregard,* ⟨opzettelijk iets anders doen⟩ *slight, ignore* ⟨regels⟩ ◆ 1.1 iemands belangen/zijn gezondheid ~ *neglect s.o.'s interests/one's health;* zijn taak ~ *n. forget one's task/duty, be negligent of one's duty/duties* 4.1 zichzelf ~ *neglect o.s./one's appearance* 5.1 iem. opzettelijk ~ *slight/cut s.o..*

veronachtzaming ⟨de (v.)⟩ 0.1 *disregard* ⇒*neglect, ignoring.*

veronderstellen ⟨ov.ww.⟩ 0.1 [vermoeden] *suppose* ⇒*assume, believe, expect, presume* 0.2 [als uitgangspunt nemen] *(pre)suppose* ⇒*hypothesize, posit* ◆ 3.2 men mag wel ~ dat zij zullen protesteren *we can assume/presume/take it (for granted) that they will protest;* u wordt verondersteld de wet te kennen *you are assumed to know the law* 5.1 ik veronderstel van ja/wel *I s./imagine presume so* 6.1 naar verondersteld wordt gaf hij dat bevel *it must be assumed that/supposedly/assumedly he gave that order* 8.1 iets als bekend ~ *assume that everybody knows sth.;* het wordt als vanzelfsprekend verondersteld ... *it is taken for granted that ...;* ik veronderstel dat je het weet *I assume/expect/presume/take it you know* 8.2 veronderstel eens dat je die baan kunt krijgen, wat doe je dan? *(just) supposing/let us assume you can get the job, what will you do then?*

veronderstelling ⟨de (v.)⟩ 0.1 [het vermoeden] *supposition* ⇒*assumption, impression, belief, presumption* 0.2 [hypothese] *(pre)supposition* ⇒*hypothesis, theory, assumption* ◆ 2.1 loze ~ *figment* 2.2 een redelijke ~ *a reasonable assumption/s.* 3.2 v.d. ~ uitgaan dat ... *start from the assumption/work on the basis/take it that ...* 6.1 in de ~ verkeren/leven dat ... *be under the impression/in the belief that ...* 6.2 in de ~ dat ... *under the impression that ..., in/on the s. that ...* ¶.1 die ~ ligt voor de hand *it's obvious that.*

verongelijkt ⟨bn., bw.; -ly⟩ 0.1 *aggrieved* ⇒*injured, wronged, discontented,* ⟨inf.⟩ *huffy* ◆ 1.1 met een ~ gevoel *under a sense of wrong;* een ~ gezicht zetten *put on an a. expression;* de ~e partij *the injured party*

3.1 doe nu niet zo ~ *please, don't act the injured party;* ⟨inf.⟩ *don't huff;* zich ~ voelen *feel wronged / injured.*

verongelukken ⟨onov.ww.⟩ **0.1** [mbt. personen] *have an accident* ⇒ *come to grief, be lost / killed* ⟨mensen bij vliegramp / schipbreuk⟩ **0.2** [mbt. vervoermiddelen] *(have a) crash* ⇒ *be wrecked / lost* ⟨schip⟩, ⟨BE;sl.⟩ *prang* ⟨auto, vliegtuig⟩, ⟨AE;sl.⟩ *stack up* ⟨auto⟩ ◆ **1.2** het vliegtuig verongelukte *the plane crashed* **3.2** wat deed het vliegtuig ~? *what wrecked the plane?, what caused the aircrash?* **6.1** ~ **bij** een brand / vliegramp *be killed in a fire / an aircrash.*

veronica ⟨de⟩ **0.1** ⟨⟨plantk.⟩ ereprijs] *veronica* ⇒ *speedwell* **0.2** [Christuskop] *veronica* ⇒ *sudarium.*

verontheiligen ⟨ov.ww.⟩ **0.1** *desecrate* ⟨plaatsen⟩; *profane* ⟨namen⟩; *blaspheme* ⟨God⟩.

verontreinigen ⟨ov.ww.⟩ **0.1** *pollute* ⇒ *poison, contaminate* ⟨ihb. radioactiviteit⟩, ⟨fig.⟩ *vitiate, corrupt, defile, foul* ⟨ihb. hondepoep⟩ ◆ **1.1** ⟨milieu⟩ ~ de stof *pollutant, contaminant;* door honden verontreinigde straten *streets fouled / dirtied by dogs;* het water is door afval / olie verontreinigd *the water has been polluted / poisoned by waste / oil.*

verontreiniger ⟨de (m.)⟩ **0.1** *polluter* ⟨persoon⟩ ⇒ *pollutant* ⟨stof⟩.

verontreiniging ⟨de (v.)⟩ **0.1** [het verontreinigen] *pollution* ⇒ *contamination, defilement, vitiation, fouling* **0.2** [waarmee iets verontreinigd is] *pollutant* ⇒ *contaminant,* ⟨licht⟩ *impurity* ◆ **1.1** de ~ v.h. milieu *environmental p..*

verontrust ⟨bn.⟩ **0.1** *alarmed* ⇒ *worried, agitated, concerned, upset, perturbed* ◆ **1.1** ~ e burgers *vigilantes;* ~ e leden / ouders *concerned members / parents.*

verontrusten ⟨ov.ww.⟩ **0.1** *alarm* ⇒ *worry, agitate, disturb, distress, upset,* ⟨schr.⟩ *perturb* ◆ **4.1** zich ~ over iets *be alarmed / disturbed / perturbed / upset / worried by / about sth., to worry over / about sth., be alarmed at sth..*

verontrustend ⟨bn.⟩ **0.1** *alarming* ⇒ *worrying, disturbing, disquieting, perturbing,* ⟨bezorgd en ongelukkig makend⟩ *distressing* ◆ **1.1** ~ e berichten *a. / disturbing / distressing / disquieting news* **4.1** dat is niets ~ s *that's not at all a. / worrying / disturbing / perturbing, that's no cause for concern.*

verontrusting ⟨de (v.)⟩ **0.1** *alarm* ⇒ *anxiety, discomposure, worry, perturbation, uneasiness, unease, agitation* ◆ **6.1** met ~ de ontwikkelingen gadeslaan *observe developments in alarm / with anxiety / with discomposure.*

verontschuldigen
I ⟨ov.ww.⟩ **0.1** [van schuld vrijspreken] *excuse* ⇒ *pardon,* ⟨van blaam zuiveren⟩ *exonerate, exculpate, vindicate, beg off* ⟨voor vergadering⟩ ◆ **1.1** iem. ~ *excuse s.o.* **3.1** haar gedrag / die daad is niet te ~ *her behaviour / that deed cannot be pardoned / excused / exonerated / is inexcusable / unpardonable;*
II ⟨wk.ww.; zich ~⟩ **0.1** [excuses aanbieden] *apologize* ⇒ *excuse, beg off* ⟨voor vergadering⟩ ◆ **3.1** zich laten ~ ⟨formeel, bij vergadering⟩ *beg to be excused; send one's regrets / excuses / apologies;* 'dat bedoelde ik niet' zei hij ~ d *'I didn't mean that' he said apologetically* **4.1** zich bij iem. ~ voor iets *a. / make excuses to s.o. for sth., make / offer an apology to s.o. for sth.;* zich vanwege ziekte ~ *excuse o.s. on account of illness.*

verontschuldiging ⟨de (v.)⟩ **0.1** [het van schuld vrijspreken] *exoneration* ⇒ *pardon, exculpation, vindication* **0.2** [het aanbieden van excuses] *apology* **0.3** [rechtvaardiging] *excuse* ⇒ *justification, defence* **0.4** [excuus] *excuse* ⇒ *apology* ◆ **3.4** ~ en aanbieden *apologize, offer one's apologies / excuses* **6.1** ter ~ voerde hij aan *... in his defence he brought forward / said that ...;* wat heb je ter ~ aan te voeren? *what have you got to say for yourself / in your defence?* **6.4** zonder ~ afwezig zijn *be absent without an e.* **8.3** iets als ~ aanvoeren *put forward sth. in one's defence / by way of an e..*

verontwaardigd ⟨bn., bw.; -ly⟩ **0.1** *indignant (about / at)* ⇒ *incensed / outraged / scandalized (about / at)* ◆ **3.1** men was bijzonder ~ over het gebeurde ⟨ook⟩ *feelings over the incident ran high;* zeer ~ zijn over iets *be up in arms about / over sth., be highly indignant / extremely offended / outraged / incensed / scandalized at sth..*

verontwaardigen ⟨ov.ww.⟩ **0.1** *make indignant* ⇒ *fill with indignation, offend, incense* ◆ **4.1** zich ~ over *be filled with indignation / be outraged / be incensed at sth..*

verontwaardiging ⟨de (v.)⟩ **0.1** *indignation* ⇒ *outrage, outcry* ◆ **1.1** een storm van ~ *a storm of i.* (broke loose) **2.1** algemene ~ over iets *general / public i. / a general / public outcry over sth.;* tot grote ~ van *... to one's great i.;* selectieve ~ *selective i..*

veroordeelde ⟨de (m.)⟩ **0.1** *condemned man / woman* ⇒ *convict* ◆ **2.1** een voorwaardelijk ~ *a probationer* ¶ **.1** een ter dood ~ *condemned man / woman;* een cel voor ter dood ~ *n a condemned / death cell.*

veroordelen ⟨ov.ww.⟩ **0.1** [oordeel uitspreken over] *condemn* ⇒ ⟨jur.⟩ *sentence,* ⟨straf bepalen⟩ *pass sentence on,* ⟨schuldig bevinden⟩ *find guilty, convict* **0.2** [afkeuren] *condemn* ⇒ *censure, denounce* ⟨iem., gedrag⟩, ⟨sterk⟩ *damn* ◆ **1.2** ~ de bewoordingen *condemnatory / deprecatory / abusive terms;* iemands gedrag ~ *condemn / censure / denounce s.o.'s behaviour* **2.1** voorwaardelijk veroordeeld *be given a suspended sentence, be put on probation* **2.2** openlijk / publiek ~ *(publicly) de-*

nounce / denunciate **6.1** de rechtbank veroordeelde hem tot publikatie v.h. vonnis *the court ruled that the sentence (should) be published;* ~ **tot** de betaling v.d. kosten *order (s.o.) to pay costs, award costs against (s.o.);* ⟨fig.⟩ iem. **tot** de reservebank ~ *relegate s.o. to the reserves;* iem. **tot** gevangenisstraf ~ *sentence s.o. to imprisonment, give s.o. a prison sentence;* iem. **tot** een geldboete van 50 pond ~ *fine s.o. to* ᴮ50, *impose a fine of* ᴮ50 *on s.o., sentence s.o. to a fine of* ᴮ50; hij is **vroeger** al veroordeeld wegens *... he has had previous convictions for ....*

veroordeling ⟨de (v.)⟩ **0.1** [het uitspreken v.e. oordeel] *sentence* ⇒ *conviction, condemnation* **0.2** [het afkeuren] *condemnation* ⇒ *disapproval,* ⟨openlijk⟩ *denunciation, censure* **0.3** [vonnis] *sentence* ⇒ *conviction* **0.4** [afkeuring] *condemnation* ⇒ *disapproval,* ⟨openlijk⟩ *denunciation, censure* ◆ **2.1** voorwaardelijke ~ *suspended s.; probationership* (vnl. voor een eerste overtreding); voorwaardelijke ~ tot zes maanden met een proeftijd van twee jaar *given a suspended six-month s. with a two-year probationary period* **6.1** ~ **tot** levenslang *life s.;* ⟨sl.⟩ *lifer.*

veroorloven ⟨ov.ww.⟩ **0.1** *permit* ⇒ *allow, afford* ⟨mbt. aanschaf⟩ ◆ **1.1** zich een opmerking ~ *venture a remark* **3.1** is het veroorloofd (om) ...? *(am I / is he* ⟨enz.⟩ *) allowed to ...?, may I ...?, do you mind?* **4.1** voor zover zijn toestand het veroorlooft *as far as his condition will allow;* voor zover het weer / jaargetijde het veroorlooft *weather / season permitting;* zo'n dure auto kunnen wij ons niet ~ *we can't afford such an expensive car, such an expensive car is beyond our means;* zich veel ~ *allow o.s. a lot of things* ⟨materieel, mbt. gedrag⟩; *presume a great deal, take many liberties* ⟨mbt. gedrag⟩; zich de weelde van iets ~ p. / *allow o.s. / indulge in the luxury of sth.;* zich vrijheden tegenover iem. ~ *take liberties with s.o., be cheeky to s.o.;* zich ~ iets te vragen *make bold / free to ask / take the liberty of asking sth.;* wat de jeugd van tegenwoordig zich allemaal veroorlooft! *the things young people get up to nowadays!.*

veroorloving ⟨de (v.)⟩ **0.1** *permission* ⇒ *leave.*

veroorzaken ⟨ov.ww.⟩ **0.1** *cause* ⇒ *bring about, bring on* ⟨problemen⟩, *occasion, create, produce* ⟨effect⟩, *raise* ⟨problemen, moeilijkheden⟩ ◆ **1.1** moeilijkheden ~ *cause / occasion / create / give rise to / provoke problems;* schade ~ *cause / bring about damage;* zijn verbittering wordt veroorzaakt door zijn teleurstellingen *his bitterness stems from / is rooted in all his disappointments;* dat veroorzaakt veel verdriet *that brings about / occasions / causes a lot of sorrow;* die ziekte is veroorzaakt door *... that illness is caused by ...* **4.1** zelf veroorzaakt *self-kindled / -occasioned.*

veroorzaker ⟨de (m.)⟩, **-zakster** ⟨de (v.)⟩ **0.1** *cause* ⇒ *causer,* ⟨pej.⟩ ↑ *provoker,* ↑ *perpetrator,* ⟨voortbrenger⟩ *originator,* ↑ *author.*

veroorzaking ⟨de (v.)⟩ **0.1** *causing* ⇒ *bringing-about,* ↑ *causation,* ↑ *inducement,* ⟨pej.⟩ ↑ *provoking,* ↑ *perpetration.*

verootmoedigen ⟨wk.ww.; zich ~⟩ ⟨bijb.⟩ **0.1** *humble* ⇒ *mortify.*

verorberen ⟨ov.ww.⟩ **0.1** *consume* ⇒ *dispatch,* ⟨inf.⟩ *polish off, demolish,* ⟨scherts.⟩ *partake of,* ⟨AE;sl.⟩ *knock over* ◆ **5.1** snel ~ *bolt, make short work of* **7.1** veel ~ *tuck / put away a lot of food.*

verordenen ⟨ov.ww.⟩ **0.1** [wettelijk bepalen] *decree* ⇒ *ordain, prescribe, enact, provide* **0.2** [bij verordening vaststellen] *rule* ⇒ *decree, ordain, enact* **0.3** [bevelen] *order* ⇒ *decree* ◆ **1.2** ~ de bevoegdheid *statutory powers* **1.4** de wet verordent niets daaromtrent *the law provides for nothing like this;* ⟨inf.⟩ *the law says nothing about this.*

verordening ⟨de (v.)⟩ **0.1** *regulation(s)* ⇒ *ordinance, provision, order, statute,* ⟨van lage overheid⟩ *by-law* ◆ **2.1** gemeentelijke ~ en *by(e)-laws, local acts* **3.1** een ~ uitvaardigen *adopt / pass / issue a bye-law* **6.1** dit is **bij** ~ vastgesteld *this has been laid down / determined by order.*

verordineren ⟨ov.ww.⟩ **0.1** *decree* ⇒ *rule, prescribe, institute, ordain* ◆ **5.1** dat is zo verordineerd *that is so decreed / prescribed, that is settled / organized like that.*

verordonneren ⟨ov.ww.⟩ **0.1** *order* ⇒ *prescribe, decree, command* ◆ **1.1** de dokter had het verordonneerd *the doctor had ordered it, it was on doctor's orders.*

verouderd ⟨bn.⟩ **0.1** [in onbruik geraakt] *obsolete* ⇒ *antiquated, out-of-date, extinct, old-fashioned, archaic, superannuated* **0.2** [niet modern] *old-fashioned* ⇒ *(out)dated, out-of-date, outmoded, passé, outworn, superseded* **0.3** [oud geworden] *antiquated* ⇒ *old-fashioned, archaic, rusty, musty, moth-eaten* ◆ **1.1** een ~ gebruik *an obsolete / antiquated / out-of-date / a dated practice;* ~ e opvattingen *antiquated / superannuated / old-fashioned ideas / views;* ⟨in de wetenschap⟩ *exploded ideas / notions;* een ~ woord *an archaic / obsolete / a dated / fossilized word, an archaism* **1.2** een ~ e druk *an outdated impression;* een ~ e methode *a superseded / an outdated method.*

verouderen
I ⟨ov.ww.⟩ **0.1** [oud maken] *age* ⇒ *date, fossilize* ◆ **5.1** kunstmatig verouderde meubels *distressed furniture;*
II ⟨onov.ww.⟩ **0.1** [buiten gebruik raken] *become obsolete* ⇒ *get out of date, become antiquated* **0.2** [niet meer aan de eisen v.d. tijd voldoen] *date* ⇒ *get / go out of date, become antiquated* **0.3** [oud worden] *age* ⇒ *get / grow / become old* ◆ **1.1** een ~ d woord *obsolescent word*

1.2 encyclopedieën ~ snel *encyclopaedias d. fast* **1.3** oma veroudert zienderogen *grandmother is ageing visibly* **5.3** een nooit ~ de actrice *an ageless actress;* vroegtijdig ~ *grow old before one's time.*

veroudering ⟨de (v.)⟩ **0.1** [het ouder worden] *ageing* ⇒ *growing/ getting old,* ⟨schr.; med.⟩ *senescence* **0.2** [het in onbruik raken] *obsolescence* ⇒ *getting/ becoming out of date* **0.3** [het niet meer aan de eisen v.d. tijd voldoen] *obsolescence* ⇒ *getting/ becoming out of date/ outmoded / old-fashioned* ◆ **2.1** sterke ~ v.d. bevolking *strong/ disproportionate increase in the percentage of old people/ senior citizens;* ⟨inf.⟩ *granny boom.*

verouderingsproces ⟨het⟩ **0.1** *ageing (process)* ◆ **6.1** onderzoek **naar** het ~ *research into ag(e)ing/ into the a. p..*

verouwelijken ⟨inf.⟩
I ⟨onov.ww.⟩ **0.1** [er ouder uit gaan zien] *age* ⇒ *grow/ get older* ◆ **5.1** ze is dit jaar erg verouwelijkt *she's grown old (fast) this year;*
II ⟨ov.ww.⟩ **0.1** [ouwelijk maken] *date* ⇒ *make (s.o. look) older.*

veroveraar ⟨de (m.)⟩, **-ster** ⟨de (v.)⟩ **0.1** [iem. die verovert] *conqueror* ⇒ *captor, vanquisher,* ⟨gesch.⟩ *conquistador* ⟨ihb. m.b.t. Spanje⟩, *victor* **0.2** [mbt. liefde] *seducer* ⟨m.⟩, *seductress* ⟨v.⟩ ⇒ ⟨m. ook⟩ *lady-killer, Casanova, philanderer, Don Juan,* ⟨inf.⟩ *chaser, womanizer* ◆ **1.1** ⟨gesch.⟩ Willem de Veroveraar *William the Conqueror.*

veroveren ⟨ov.ww.⟩ **0.1** [bemachtigen] *conquer* ⇒ *capture, overrun, win* ⟨ook in geestelijk opzicht⟩, *take, reduce* ⟨stad, streek⟩ **0.2** [mbt. liefde] *capture* ⇒ *make a conquest, win (s.o.'s heart)* ◆ **1.1** ⟨fig.⟩ de computer verovert Nederland *the computer is overrunning/ sweeping through Holland/ taking Holland by storm;* ⟨fig.⟩ met een produkt de markt ~ *sweep the market with a product;* ⟨fig.⟩ de eerste plaats ~ in de wedstrijd *take the lead;* een woordenboek dat zich een blijvende plaats heeft weten te ~ *a dictionary that has come to stay;* de wereld stormenderhand ~ *carry all/ the world before one* **1.2** harten ~ *make many conquests* ⟨liefde⟩; *win the hearts (and minds)* ⟨politicus, acteur, e.d.⟩ **3.1** ⟨fig.⟩ een goed plaatsje weten te ~ *manage to secure/ get hold of a good position* **6.1** land **op** de zee ~ *reclaim land from the sea.*

verovering ⟨de (v.)⟩ **0.1** [handeling] *conquest* ⇒ *capture, reduction* ⟨stad, versterking⟩, *winning* **0.2** [resultaat] *conquest* ⇒ *capture, win* ⟨vnl. sport⟩ **0.3** [persoon] *conquest* ⇒ *capture, catch.*

veroveringsoorlog ⟨de (m.)⟩ **0.1** *war of conquest.*

veroveringstocht ⟨de (m.)⟩ **0.1** *campaign of conquest.*

verpachten ⟨ov.ww.⟩ **0.1** *lease (out)* ⇒ *let (out), farm out* ⟨land, rechten, werk aan een ander geven⟩, ^Arent out* ◆ **1.1** verpachte grond *land on lease, outland;* publiek ~ *put up to/ let by auction;* ⟨gesch.⟩ tollen/ de belastingen ~ *farm out tolls/ the taxes.*

verpachter ⟨de (m.)⟩, **-ster** ⟨de (v.)⟩ **0.1** *lessor* ⟨m., v.⟩ ⇒ *landlord* ⟨m.⟩ */ landlady* ⟨v.⟩.

verpachting ⟨de (v.)⟩ **0.1** *leasing* ⇒ *letting (out), farming out,* ⟨AE ook⟩ *renting out.*

verpakken
I ⟨ov.ww.⟩ **0.1** [emballeren] *pack (up)* ⇒ *do up* ⟨cadeau⟩, *wrap up* ⟨met papier⟩, *package,* ⟨fig.⟩ *cloak,* ⟨schr.; fig.⟩ *caparison* ◆ **1.1** een cadeau in papier ~ *wrap a present in paper;* verpakte geneesmiddelen *patent/ over-the-counter medicines;* verpakte melk *pre-packaged milk* **5.1** waterdicht ~ *put up in watertight containers/ packaging* **6.1** ⟨fig.⟩ zijn kritiek **in** milde termen ~ *cloak/ disguise one's criticism in mild/ bland terms;* iets **in** houtwol/ watten ~ *pack sth. up in wood shavings/ cotton wool/ ^Aabsorbent cotton;*
II ⟨onov.ww.⟩ **0.1** [anders vastpakken] *take another hold of/ on* ⇒ *change one's hold (of/ on).*

verpakker ⟨de (m.)⟩ **0.1** *packer* ⇒ ⟨kleine verpakkingen ook⟩ *packager.*

verpakking ⟨de (v.)⟩ **0.1** [middel] *packing* ⇒ *paper, packaging* ⟨meer dan papier⟩, *wrapping, container* ⟨vooral mbt. scheepsvervoer⟩ **0.2** [wijze] *packing* ⇒ *packaging, wrapping* **0.3** [handeling] *packing* ⇒ *packaging, wrapping, containerization* ⟨ihb. voor scheepsvervoer⟩.

verpakkingsmateriaal ⟨het⟩ **0.1** *packing material* ⇒ *wrapping(s) packaging, barrier material* ⟨vloeistof-/ gasdicht materiaal⟩.

verpanden ⟨ov.ww.⟩ **0.1** *pawn* ⇒ *pledge* ⟨ook fig.⟩, *mortgage* ⟨onroerend goed⟩, ⟨inf.⟩ *hock,* ⟨jur.⟩ *hypothecate,* ⟨BE; sl.⟩ *pop* ◆ **1.1** effecten ~ *pledge securities;* een horloge ~ *pawn a watch, put a watch in hock;* ⟨fig.⟩ zijn woord/ eer ~ *pledge one's word/ honour, give one's word* **4.1** ⟨fig.⟩ zich **aan** de duivel ~ *sell one's soul to the devil* **6.1** ⟨fig.⟩ zijn hart ~ **aan** iets *give/ sell one's heart to sth..*

verpanding ⟨de (v.)⟩ **0.1** *pawn(ing), pawnage* ⇒ *pledge,* ⟨jur.⟩ *hypothecation,* ⟨BE; sl.⟩ *pop, mortgage, mortgaging* ⟨onroerend goed⟩.

verpatsen ⟨ov.ww.⟩ ⟨inf.⟩ **0.1** *flog* ⇒ *sell out* ⟨alles⟩, ⟨AE; sl.⟩ *move.*

verpauperen ⟨onov.ww.⟩ **0.1** *impoverish* ⇒ *go down (in the world), pauperize* ⟨mensen⟩, *be reduced to poverty, run down, go to seed* ◆ **1.1** een verpauperde stad *a run-down town.*

verpaupering ⟨de (v.)⟩ **0.1** *deterioration* ⇒ *impoverishment, pauperization* ⟨mensen⟩, *decline, dilapidation, decay* ⟨stad, gebouw⟩ ◆ **1.1** de algehele ~ v.d. binnensteden *the general deterioration/ decay/ shoddiness of the inner cities.*

verpersoonlijken ⟨ov.ww.⟩ **0.1** *personify* ⇒ *embody,* ⟨schr.⟩ *incarnate,*

personate, personalize, epitomize ◆ **1.1** de verpersoonlijkte haat *hate incarnate/ personified.*

verpersoonlijking ⟨de (v.)⟩ **0.1** *personification* ⇒ *embodiment,* ⟨schr.⟩ *incarnation, epitome, apotheosis.*

verpesten ⟨ov.ww.⟩ **0.1** *poison* ⇒ *contaminate, infect, spoil,* ⟨inf.⟩ *mess/ muck/ botch up,* ⟨sl.⟩ *louse/ ball up* ◆ **1.1** ⟨fig.⟩ verpeste atmosfeer *miasma;* iem. het leven ~ *lead s.o. a terrible/ dog's life, pester s.o. (to death);* verpeste lucht *foul/ polluted/ poisoned/ contaminated air;* de sfeer ~ *spoil/ ruin the atmosphere* **5.1** je hebt het totaal verpest *you've blown/ completely ruined it* **6.1** ik heb het totaal **bij** haar/ hem verpest *I've really balled it up/ made a complete mess of things/ made a real hash up with her/ him.*

verpestend ⟨bn.⟩ **0.1** *pestilent(ial)* ⇒ *miasmic, pernicious, pestiferous, baneful* ◆ **1.1** ⟨fig.⟩ een ~ e invloed *a pestilent/ corrupting/ pernicious / baneful influence;* een ~ e stank *a foul/ pestilential sterch.*

verpieteren ⟨onov.ww.⟩ **0.1** [mbt. voedsel] *overcook* ⇒ *cook to pulp* ⟨met koken⟩, *frizz(le) up* ⟨met braden⟩, *cook away* **0.2** [verkommeren] *wither* ⇒ *waste away, wilt, droop,* ⟨verslonzen⟩ *go to seed/ downhill* ◆ **1.1** verpieterd spek *frizz(l)ed up bacon* **1.2** de plantjes ~ *the plants are withering/ drying up/ wilting;* een verpieterd ventje *a puny/ scrubby/ scraggy chap, a scrub of a fellow* **3.2** er verpiesterd uitzien *look scruffy/ scrubby/ scraggy/ haggard/ wizened/ seedy/ scrawny.*

verpinken ⟨onov.ww.⟩ ⟨AZN⟩ ◆ **6.¶** zonder te ~ *without batting an eyelid.*

verplaatsbaar ⟨bn.⟩ **0.1** *movable* ⇒ ⟨draagbaar⟩ *portable, mobile* ⟨grote machines⟩, *transportable* ⟨grote voorwerpen⟩, *on castors* ⟨verrijdbaar meubilair⟩, *transferable* ◆ **1.1** zijn activiteiten ~ *shift one's activities; dat is de moeilijkheden* ~ *that's transferring/ putting off/ shunting the difficulties;* het tijdstip van aanvang ~ ⟨later⟩ *adjourn/ postpone a meeting;* ⟨eerder⟩ *bring a meeting forward;* woorden in een zin ~ *transpose words in a sentence* **1.2** een schip verplaatst water *a ship displaces water;*
II ⟨wk.ww.; zich ~⟩ **0.1** [zich voortbewegen] *move* ⇒ *shift,* ⟨reizen⟩ *travel, change places* **0.2** [zich inleven] *project o.s.* ⇒ *put o.s. in another position, enter into* ⟨mbt. gevoelens⟩, *put o.s. in s.o. else's shoes* ◆ **6.1** zich **per** vliegtuig ~ *travel by plane* **6.2** zich **in** iemands positie ~ *put/ place o.s. in s.o. else's position/ place/ shoes;* zich **in** het verleden terug ~ *project one's mind/ transport o.s. mentally into the past, take o.s. back to/ imagine o.s. back in the past.*

verplaatsing ⟨de (v.)⟩ **0.1** [het verplaatsen] *moving, movement* ⇒ *removal, transfer(ence), shifting, transposition* ⟨woorden, letters, cijfers, muziek⟩, *displacement* ⟨water⟩ **0.2** [plaatsverandering] *move* ⇒ *removal, relocation, transposition* ⟨letters, cijfers⟩, *transfer* **0.3** ⟨wisk.⟩ *permutation.*

verplaatsingskosten ⟨zn.mv.⟩ **0.1** *relocation costs/ allowance* ⇒ *moving costs/ expenses.*

verplaatsingsteken ⟨het⟩ ⟨muz.⟩ **0.1** *accidental* ◆ **6.1** zonder ~ *natural.*

verplantbaar ⟨bn.⟩ **0.1** *transplantable* ⇒ *able to be transplanted.*

verplanten ⟨ov.ww.⟩ ⟨→ sprw. 75⟩ **0.1** *transplant* ⟨ook fig.⟩ ⇒ *plant out* ⟨zaailingen, jonge gewassen⟩, *repot* ⟨potplanten⟩.

verpleegdag ⟨de (m.)⟩ **0.1** *patient-day* ⇒ *treatment day, day of hospitalization.*

verpleegde ⟨de (m.)⟩ **0.1** *patient* ⇒ *inmate* ⟨in verpleeghuis/ gesticht⟩.

verpleeghuis ⟨het⟩ **0.1** *nursing home* ⇒ *convalescent home.*

verpleeghulp
I ⟨de (m.)⟩ **0.1** [persoon] *nurse's/ nursing aide* ⇒ *nursing auxiliary, medical orderly* ⟨meestal man⟩;
II ⟨de⟩ **0.1** [hulp bij het verplegen] *nursing help/ assistance* ⇒ *help/ assistance with nursing.*

verpleegkosten ⟨zn.mv.⟩ **0.1** *nursing/ hospital charges/ fees/ costs.*

verpleegkunde ⟨de (v.)⟩ **0.1** *nursing.*

verpleegkundig ⟨bn.⟩ **0.1** *nursing* ⇒ *medical.*

verpleegkundige ⟨de (m., v.)⟩ **0.1** *nurse* ⟨m., v.⟩; ⟨m. ook⟩ *male nurse* ⇒ ⟨schr.⟩ *nursing officer, health visitor* ⟨bij huisbezoek⟩ ◆ **2.1** gediplomeerd ~ *trained/ qualified/ ^Agraduate nurse;* ⟨BE⟩ ⟨State⟩ *Registered Nurse, S.R.N..*

verpleegstersopleiding ⟨de (v.)⟩ **0.1** *training in nursing/ as a nurse* ⇒ ⟨cursus⟩ *nursing course, course in nursing, nurse's training course* ◆ **3.1** ze heeft een ~ *she is a trained nurse;* ze volgt de ~ *she is being trained as a nurse course/ course in nursing/ nurse's training, she is training to be a nurse.*

verpleegstersuniform ⟨het⟩ **0.1** *nurse's uniform.*

verpleegtehuis → verpleeghuis.

verplegen ⟨ov.ww.⟩ **0.1** *nurse* ⇒ *care for, look after, tend* ◆ **1.1** dieren ~ *look after/ take care of animals;* ~ d personeel *nursing staff;* zieken ~ n. / *care for/ look after/ tend the sick.*

verpleger ⟨de (m.)⟩, **-pleegster** ⟨de (v.)⟩ **0.1** *nurse* ⟨m.,v.⟩; ⟨m. ook⟩ *male nurse* ⇒⟨mil.⟩ *orderly* ⟨man⟩ ♦ **2.1** gediplomeerd ~ *trained/qualified/^graduate nurse;* ⟨BE⟩ *State Registered Nurse, S.R.N.;* ongediplomeerd ~ *unqualified/practical nurse.*

verpleging ⟨de (v.)⟩ **0.1** [het verplegen/verpleegd worden] *nursing* ⇒ *tending, care* **0.2** [ziekenzorg] *nursing* ⇒ *care* **0.3** [⟨landb.⟩] *nursing* **0.4** [verplegend personeel] *nursing staff* ⇒ *nursing profession* ♦ **2.1** een goede ~ genieten *be well cared for/looked after/nursed, receive proper care/attention;* intensieve ~ *intensive care* **5.2** ~ thuis *domiciliary care, being nursed/cared for at home* **6.2** zij gaat in de ~ *she's going into n./to become a nurse;* allen die in de ~ werkzaam zijn *all those who care for/look after the sick.*

verplegingskosten →verpleegkosten.

verpletteren ⟨ov.ww.⟩ **0.1** [te pletter slaan/drukken] *crush* ⇒*flatten, steamroller, squash, smash* ⟨ook sport⟩ **0.2** [⟨fig.⟩] *shatter* ⇒*overwhelm, crush,* ⟨inf.⟩ *knock out* ♦ **1.1** de trein verpletterde de man *the train crushed the man* **1.2** dit bericht verpletterde haar *the news shattered/overwhelmed her/knocked her out.*

verpletterend ⟨bn.,bw.;-ly⟩ **0.1** *crushing* ⇒*overwhelming, shattering* ⟨bericht⟩, *devastating, stunning* ⟨ook fig.⟩ ♦ **1.1** een ~(e) antwoord/opmerking *a squelch, squashing/c./devastating answer/remark;* een ~ bewijs *a damning proof;* een ~e blik *a c./devastating/killing/murderous/daggers-drawn look;* een ~e meerderheid *an overwhelming/a sweeping majority;* een ~e nederlaag *a c. defeat, a Waterloo;* ~ nieuws *haymaker, stunning/c. news;* een ~e overwinning *a clean sweep, a sweeping victory/a landslide (victory)* ⟨bij verkiezingen⟩; een ~e slag *a haymaker, a dire/c. blow* **3.1** iem. ~ verslaan *skin s.o., give s.o. a drubbing;* ⟨inf.⟩ *trim s.o.;* ⟨AE;sl.⟩ *way s.o.; beat s.o. hollow.*

verplicht ⟨bn.,bw.⟩ **0.1** [genoodzaakt] *compelled* ⇒*forced, obliged,* ⟨alleen pred.⟩ *imperative* **0.2** [voorgeschreven] *compulsory* ⇒*obligatory,* ⟨officieel⟩ *mandatory* **0.3** [erkentelijk] *obliged* ⇒*indebted,* ⟨schr.⟩ *beholden, grateful* ♦ **1.1** ~e militaire dienst *conscription, ^draft;* ~e feestdag/ ⟨r.k.⟩ *heiligdag obligatory holiday;* ⟨r.k. ook⟩ *day of obligation* **1.2** een ~e bijdrage *c. contribution* ⟨voor club⟩; *mandatory contribution* ⟨mbt. de politiek⟩; ~e boeken *set/prescribed books;* ~e lectuur *set/required/c. reading (matter);* ~e leervakken *c. subjects* **2.2** ~ verzekerd zijn *be compulsorily insured* **3.1** zich ~ voelen om *feel c./forced/obliged/called upon to;* zich ~ zien om *be compelled to* **3.2** een soldaat is ~ (om) te gehoorzamen *a soldier is duty-bound to obey, it is a soldier's duty to obey, a soldier must/has to obey;* iets ~ stellen *make sth. compulsory* **5.1** ergens toe ~ zijn *be bound/under an obligation to;* moreel ~ *morally obliged/bound, honour bound, on one's honour* **5.2** ik ben contractueel ~ om te blijven *I'm under contract/contracted/I've contracted myself to remain;* wettelijk ~ zijn *be a statutory requirement, be liable/legally bound* **5.3** ik ben u zeer ~ *I'm much o./indebted to you* **6.2** aan zichzelf/iem. ~ zijn *owe it to o.s./s.o.;* ~ tot geheimhouding *bound (over)/sworn to secrecy* **6.3** aan iem. veel ~ zijn *owe much/a great deal to s.o., be greatly indebted to s.o.*

verplichten ⟨ov.ww.⟩ ⟨→sprw.8⟩ **0.1** [noodzaken] *oblige* ⇒*compel, force, necessitate, constrain,* ⟨schr.⟩ *coerce* **0.2** [door dienst verbinden] *oblige* ⇒*bind, pledge, commit* ♦ **4.1** hij verplichtte mij hem behulpzaam te zijn *he forced/compelled me to help him;* de wet verplicht ons daartoe *the law obliges/compels/makes it mandatory upon/for us to do that;* zich ~mee te werken/tot medewerking *bind o.s./undertake to co-operate;* zich ~iets te doen *undertake to do sth.* **5.1** zich contractueel ~ om/tot *contract to/for* **5.2** u zou ons door uw bestelling zeer ~ *we should be much obliged/indebted to you for your order* **6.1** u kunt vrijblijvend rondkijken, het verplicht u **tot** niets *please look round, it commits you to nothing/no commitment to buy;* zich **tot** iets ~ *commit s.o. to doing sth.* **6.2** iem. **(aan** zich) ~ *place s.o. in one's debt, oblige s.o., put s.o. under an obligation.*

verplichtend ⟨bn.⟩ **0.1** *binding* ⇒*obliging* ♦ **1.1** dit aanbod is mij te ~ *this offer puts too many obligations on me/puts me under too many obligations/ties me down too much;* een ~e afspraak *a b. agreement;* een ~e belofte *a b. promise/pledge.*

verplichting ⟨de (v.)⟩ **0.1** [het verplichten/verplicht zijn] *obligation* ⇒ *compulsion, commitment, constraint, liability* ⟨ihb. wettelijk⟩ **0.2** [noodzaak] *obligation* ⇒*commitment, duty, necessity, engagement,* ⟨financieel⟩ *liability* **0.3** [het gebonden zijn door ontvangen dienst] *obligation* ⇒*indebtedness, burden, duty,* ⟨schr.⟩ *incumbency* ♦ **2.2** sociale ~en *social duties;* een wettelijke ~ *a liability, a legal commitment, a statutory obligation/duty* **2.3** financiële ~en *financial/pecuniary liabilities/obligations/commitments/responsibilities* **3.2** ~en aangaan/op zich nemen *enter into obligations/a contract, take on commitments;* zijn ~en nakomen *meet/satisfy/fulfil/discharge one's obligations, meet one's liabilities/commitments;* zijn ~en jegens iem. niet nakomen *welsh (on) s.o.;* iem. ~en ontheffen/ontslaan *release s.o. from an obligation,* ⟨com.;schr.⟩ *affranchise s.o.;* iem. een ~opleggen *put s.o. under an o., oblige s.o.* **3.3** dat schept ~en *that creates obligations* **6.2** verhinderd zijn **wegens** ~en *be unable to come/attend due to a previous engagement/other engagements* **6.3** ~en hebben **jegens** iem. *have obligations/be indebted to s.o.;* de auto is een week van u, **zonder** enige ~ *you can use/have the car a week, with no obligation to buy.*

verpolitieken ⟨ov.ww.⟩ **0.1** *politicize* ⇒*politicalize* ♦ **1.1** een verpolitiekt ambtenaar *a placeman* **5.1** hij is helemaal verpolitiekt *he only talks politics.*

verpoppen ⟨wk.ww.;zich ~⟩ **0.1** *pupate* ⇒*cocoon.*

verpopping ⟨de (v.)⟩ **0.1** *pupation.*

verpoten ⟨ov.ww.⟩ **0.1** [zijn ment] *transplant* ⇒*plant out* ⟨zaailingen⟩.

verpotten ⟨ov.ww.⟩ **0.1** *repot.*

verpozen ⟨wk.ww.;zich ~⟩ ⟨schr.⟩ **0.1** *repose* ⇒*rest, relax, recreate.*

verpozing ⟨de (v.)⟩ **0.1** *repose* ⇒*rest, relaxation, recreation, diversion.*

verpraten

I ⟨ov.ww.⟩ **0.1** [met praten doorbrengen] *waste (one's time) talking* ⇒ *talk away (the/one's time), fritter away (the time) talking/chatting, forget (the time) chatting* ♦ **1.1** we hebben de hele middag verpraat *we wasted/frittered away the whole afternoon talking/chatting;*
II ⟨wk.ww.;zich ~⟩ **0.1** [zijn mond voorbijpraten] *shoot one's mouth off* ⇒*let one's tongue run away (with one), talk out of turn,* ⟨inf.⟩ *blab, put one's foot in it, let the cat out of the bag.*

verprutsen ⟨ov.ww.⟩ **0.1** *bungle* ⇒⟨inf.⟩ *botch, foul/louse up, muck/mess (things) up* ♦ **1.1** zijn tijd ~ *dawdle/fritter/dally/trifle away/waste one's time;* hij heeft het werk verprutst *he (has) bungled the job.*

verpulveren ⟨onov.,ov.ww.⟩ **0.1** *pulverize* ⇒⟨ov.ww.ook⟩ *crush* ⟨ook fig.⟩, *pound, bray, levigate, triturate, comminute* ♦ **1.1** ⟨fig.⟩ het record ~ *smash the record.*

verraad ⟨het⟩ **0.1** [het verraden] *treason* ⇒*treachery, betrayal,* ⟨ongewild⟩ *give-away* **0.2** [trouweloosheid] *disloyalty* ⇒*perfidy, sell-out, treacherousness, faithlessness* ♦ **2.1** schuldig aan ~ *be guilty of treason, be treasonable/treasonous* **3.1** ~ plegen *commit treason* ⟨tegen land⟩; *sell out* ⟨gebrek aan trouw⟩; *turn traitor;* ~ plegen jegens zijn bondgenoten *betray one's allies.*

verraden ⟨ov.ww.⟩ **0.1** [in handen van de vijand spelen] *betray* ⇒*commit treason, sell out, sell down the river,* ⟨inf.⟩ *rat on* **0.2** [verklappen] *betray* ⇒*blab(ber),* ⟨inf.⟩ *blow, give away,* ⟨inf.⟩ *squeak* ⟨ihb. aan politie⟩, ⟨inf.⟩ *split (on)* ⟨kinderen⟩ **0.3** [kenbaar maken] *betray* ⇒*give (o.s./the game) away, show, reveal,* ⟨schr.⟩ *bespeak* ♦ **1.2** een geheim ~ *betray/give away/let out a secret;* de goede zaak ~ *sell the pass* **1.3** uw stem verraadt u *your voice betrays/gives you away* **4.2** niets ~, hoor! *don't say/breathe a word!, mum's the word!* **6.1** iem. **aan** de politie ~ *squeak/rat on s.o., give s.o. away/up to the police* **8.3** zijn achternaam verried dat hij uit Friesland kwam *his surname showed/revealed/indicated that he came from Friesland.*

verrader ⟨de (m.)⟩, **-raadster** ⟨de (v.)⟩ **0.1** *traitor* ⇒⟨v. ook⟩ *traitress, betrayer,* ⟨sl.⟩ *rat, squealer, ^squeaker, (super)grass* ⟨aan politie⟩, *Judas,* ⟨Austr.E⟩ *dingo.*

verraderij ⟨de (v.)⟩ **0.1** [het plegen van verraad] *treachery* ⇒*treason, betrayal, double-dealing, sell-out* **0.2** [verraderlijke handeling] *treachery* ⇒*treason, betrayal, double-dealing, sell-out.*

verraderlijk ⟨bn.,bw.;-ly⟩ **0.1** [als een verrader] *treacherous* ⇒*traitorous, treasonable,* ⟨schr.⟩ *treasonous, faithless* **0.2** [als bij verraad] *treacherous* ⇒⟨schr.⟩ *perfidious,* ⟨ongezien, onverhoeds⟩ *insidious, false* ⟨dingen⟩, *false-hearted* ⟨mensen⟩, *viperish, viperous* **0.3** [verraad latende blijken/vermoeden] *treacherous* ⇒*telltale, catchy, telling* ♦ **1.2** een ~ bocht *a t. bend;* een ~ geschenk *a Grecian/Greek gift;* een ~e ziekte *an insidious disease* **1.3** ~ ijs/ ~e machine *treacherous ice/machine;* een ~ trekje om de mond *a treacherous/telltale touch around the mouth.*

verraderlijkheid ⟨de (v.)⟩ **0.1** *treacherousness* ⇒*deceitfulness,* ⟨schr.⟩ †*perfidiousness, guile.*

verradersloon ⟨het⟩ **0.1** *traitor's money* ⇒*Judas money.*

verramsjen ⟨ov.ww.⟩ **0.1** *sell off cheap* ⇒*sell for knockdown prices.*

verrassen ⟨ov.ww.⟩ **0.1** [betrappen] *take by surprise* ⇒*catch unawares/* ⟨inf.⟩ *on the hop* **0.2** [onverhoeds aanvallen] *surprise* ⇒*take by surprise/off his/her guard, spring a surprise on* **0.3** [onverwacht treffen] *take by surprise* ⇒*trick, confound, catch off his/her guard* **0.4** [onverwacht komen] *surprise* ⇒*take by surprise* **0.5** [onverwacht verblijden] *surprise (pleasantly)* ♦ **1.1** een dief ~ *take a thief by surprise* **1.2** een stad ~ *take a town by surprise* **1.3** de dood verraste hem tijdens zijn werk *death overtook him suddenly at work* **5.4** onaangenaam verrast zijn *be startled/taken aback* **6.3** door noodweer verrast *caught in a thunderstorm* **6.4** hij verraste het publiek **door** zijn overwinning *he sprang a surprise on everyone with his win/victory* **6.5** iem. **met** een geschenk ~ *surprise s.o. pleasantly/give s.o. a pleasant surprise with a present.*

verrassend

I ⟨bn.,bw.;-ly⟩ **0.1** [onverwacht komend] *surprising* ⇒*startling, unexpected* **0.2** [onverwacht en verwonderlijk] *surprising* ⇒*amazing, startling, refreshing* ♦ **1.1** een ~e wending nemen *take an unexpected turn* **1.2** een ~e winnaar ⟨sport⟩ *a surprise winner* **7.2** het ~e ervan is ... *the surprising thing about it is ...;*
II ⟨bw.⟩ **0.1** [in een mate die verrast] *surprisingly* ⇒*startlingly, refreshingly* ♦ **3.1** ~ geschreven *refreshingly written.*

verrassing ⟨de (v.)⟩ **0.1** [het verrassen/verrast worden] *surprise* **0.2**

[wat onverwacht komt, surprise] *surprise* ⇒*jolt*, ⟨onaangenaam⟩ *shock*, ⟨inf.⟩ *turn-up* **0.3** [verwondering] *surprise* ⇒*amazement, wonder(ment)* ◆ **2.2** een kleine ~ voor iem. kopen *buy a little sth. for s.o. as a surprise;* onaangename ~ *shock, bombshell; jar* ⟨ihb. (zenuw)schok⟩; *galère* ⟨situatie⟩ **3.2** iem. een ~ bereiden / bezorgen *have a surprise in store for s.o., give s.o. a surprise, spring a surprise on s.o.;* het was voor ons geen ~ meer *it didn't come as a surprise to us* **6.2 bij** ~ *by surprise* **6.3 tot** mijn ~ bemerkte ik ... *I was surprised to see / find that ...;* **tot** mijn grote ~ bemerkte ik ... *much to my s. I noticed ...*

verrassingsaanval ⟨de (m.)⟩ **0.1** *surprise* / ⟨inf.⟩ *sneak attack.*
verrassingseffect ⟨het⟩ **0.1** *effect of surprise.*
verrassingselement ⟨het⟩ **0.1** *element of surprise.*
verrassingspakket ⟨het⟩ **0.1** *surprise package / packet.*
verrast ⟨bn., bw.; -ly⟩ **0.1** *surprised* ⇒*open-mouthed / -eyed,* ⟨inf.⟩ *jiggered,* ⟨verwonderd⟩ *amazed,* ⟨bw.⟩ *in wonder(ment)* ◆ **3.1** ~ keek hij op *he looked up in surprise.*
verre[1] ~*ver.*
verre[2] ⟨bw.⟩ **0.1** [allesbehalve] *far (from)* ⇒*anything but, none too, not at all* **0.2** [verreweg] *by far* ⇒*easily, far / out and away* **0.3** [ver] *afar* ⇒ *far away / afield* ◆ **3.2** ~ de voorkeur verdienen boven ... *be far (and away) preferable to ...* **6.1** hij is ~ **van** knap *he's far from / anything but / none too clever;* het is ~ **van** eenvoudig *it's anything out / not at all / far from simple / easy;* ~ **van** dat! *far from it!* **6.3** van ~ komen *come from a. / far away / afield* ¶.**2** de begroting ~ te boven gaan *easily exceed the budget, exceed the budget by far.*
verrechtsen ⟨onov.ww.⟩ ⟨pol.⟩ **0.1** *move / shift to the right.*
verregaand ⟨bn., bw.; -ly⟩ **0.1** *far-reaching* ⇒*excessive, exceeding, extreme, gross* ⟨onwetendheid, egoïsme⟩, ⟨te veel⟩ *outrageous, radical* ⟨ideeën, verandering⟩, *thoroughgoing* ⟨samenwerking⟩ ◆ **1.1** ~e bevoegdheden *f.-r. / wide / extensive / large powers;* ~e hervormingen / maatregelen *radical / f.-r. reforms / measures;* een ~e moed *excessive courage;* ~e onbeschaamdheid *gross / rank / flagrant impertinence;* ~e overeenstemming *a large degree of agreement;* in ~e staat van ontbinding *in an advanced state of decomposition.*
verregenen ⟨onov.ww.⟩ **0.1** *spoil by rain* ⇒ ⟨uitgesteld / stopgezet wegens regen⟩ *rain off, wash out,* ⟨heel nat worden⟩ *bedraggle, drench* ◆ **1.1** het feest is verregend *the party has been rained off / spoilt / ruined by rain;* verregende feestversiering *bedraggled / rain-drenched / washed out decorations;* een verregende zomer *a(n exceedingly) wet / rainy summer.*
verreikend ⟨bn.⟩ **0.1** *far-reaching* ⇒*far-ranging, sweeping* ⟨eisen, veranderingen⟩, *comprehensive* ⟨plan, hervormingen⟩, *(very) ambitious* ⟨doel, plan⟩ ◆ **1.1** een ~ doel / plan *a very / an ambitious objective / scheme;* ⟨fig.⟩ dat heeft ~e gevolgen *that will have far-reaching consequences;* een ~e invloed hebben ⟨ook⟩ *have a long arm.*
verreisd ⟨bn.⟩ **0.1** *travel-worn* ⇒*wayworn, tired with travel / from travelling* [A]*eling.*
verreizen ⟨ov.ww.⟩ **0.1** *spend (in) travelling* [A]*eling* ⟨tijd⟩; *spend on travelling* ⟨geld⟩ ◆ **1.1** veel geld ~ *spend a lot of money / a fortune on travelling;* veel tijd ~ *spend a lot of time / hours travelling.*
verrek ⟨tw.⟩ ⟨inf.⟩ **0.1** *gosh* ⇒*(good) gracious, damn, holy cow / mackerel / Moses / smoke,* ⟨AE; euf.⟩ *goldarn,* [B]*by gum.*
verrekenen

I ⟨ov.ww.⟩ **0.1** [vereffenen] *settle* ⇒⟨vnl. BE⟩ *clear* ⟨cheques⟩, *deduct, adjust,* ⟨crediteren⟩ *credit to an account,* ⟨debiteren⟩ *debit to an account,* ⟨uitbetalen⟩ *pay out* ◆ **6.1** verliezen worden **bij** de aangifte verrekend *losses will be taken into account in the return;* voorheffingen worden verrekend **met** de belastingaanslag *previously paid tax will be deducted in the final assessment;* iets **met** iets ~ *balance sth. with sth., offset sth. against sth.;*
II ⟨wk.ww.; zich ~⟩ **0.1** [zich vertellen] *miscalculate* ⇒*be out (in one's calculation(s))* **0.2** [bedrogen uitkomen] *make a mistake / an error* ⇒*be mistaken, misjudge* ◆ **1.1** hij heeft zich vijf pond verrekend *he was out by five pounds / five pounds out (in his calculation).*
verrekening ⟨de (v.)⟩ **0.1** [het verrekenen] *settlement* ⇒*clearance, adjustment, deduction* ⟨wanneer te veel is betaald⟩, ⟨creditering⟩ *crediting to an account,* ⟨debitering⟩ *debiting to an account* **0.2** [misrekening] *miscalculation* ⇒*misjudg(e)ment.*
verrekeningscheque ⟨de (m.)⟩ **0.1** [B]*crossed / non-negotiable cheque,* [A]*voucher check.*
verrekeningskamer ⟨de⟩ **0.1** *clearing house.*
verrekenprijs ⟨de (m.)⟩ **0.1** *standard price;* ⟨ivm. deviezenmarkt⟩ *transfer price.*
verrekijker ⟨de (m.)⟩ **0.1** [optisch instrument] *telescope* ⟨één lens⟩ ⇒ ⟨klein⟩ *spyglass,* ⟨met twee lenzen⟩ *binoculars,* ⟨inf.⟩ *binocs, field glass(es), glass* ⟨ook toneelkijker⟩ **0.2** [sterrenbeeld] *Telescopium* ◆ **2.1** aardse ~ *telescope, spyglass;* astronomische ~ *astronomical t.* **6.1** (de hemel) met een ~ afspeuren *glass / scan (the sky).*
verrekkeling ⟨de (m.)⟩ ⟨inf.⟩ **0.1** *bastard* ⇒*cad, rotter,* ⟨sl.; vulg.⟩ *shit.*
verrekken

I ⟨ov.ww.⟩ **0.1** [ontwrichten] *strain* ⇒*pull* ⟨spier⟩, *twist, wrench,* [B]*(w)rick* ⟨ihb. enkel, pols⟩, *crick* ⟨nek⟩, ⟨verstuiken⟩ *sprain* ◆ **1.1**

een arm ~ *wrench / (w)rick / s. an arm;* een enkel ~ *sprain / twist an ankle;* een pees ~ *stretch a tendon;* een spier ~ *s. / pull / twist a muscle* **4.1** zich ~ *strain o.s., overstrain, overstretch;*
II ⟨onov.ww.⟩ ⟨inf.⟩ **0.1** [sterven] *die* ⇒[I]*perish, kick the bucket,* ⟨fig.⟩ *damn, be damned* **0.2** [verdommen] *be damned* ⇒*be blowed, drop dead, get lost* ◆ **3.1** ⟨fig.⟩ je kunt ~! *go hang yourself!, take a long walk off a short pier!, get lost!;* ⟨fig.⟩ laat hem ~! *let him stew in his own juice / get on with it / bloody well die;* mensen lagen op straat te ~ *people were dying in the street* **3.2** het kan me niets ~ *I don't care / give a damn;* ⟨fig.⟩ ik mag ~ als het niet waar is! *I'll be damned / blowed if it's not true* **4.2** ⟨fig.⟩ hij verrekte het om mij te helpen *he damn well / bloody well refused to help me* **6.1** ~ **van** de honger *starve to death;* ~ **van** de pijn *be groaning / contorted with pain;* ~ **van** de kou *perish with cold.*
verrekking ⟨de (v.)⟩ **0.1** [het verrekken] *straining* ⇒*twisting, wrenching, (w)ricking, spraining* **0.2** [ontwrichting] *strain* ⇒*wrench, twist, (w)rick, crick, sprain.*
verrekt ⟨bn., bw.; -ly⟩ **0.1** [ontwricht] *strained* ⇒*twisted, wrenched, pulled* **0.2** [ellendig] *damned* ⇒⟨BE ook⟩ *bloody, blasted,* ⟨AE ook⟩ *doggone(d), Goddamn(ed), goddam(n),* ⟨BE ook⟩ *deuced* ◆ **1.2** die ~e sommen! *those damned / bloody / doggone sums* **2.2** het is ~ koud *it's bloody / Goddamn / deuced / perishing cold.*
verreweg ⟨bw.⟩ **0.1** *(by) far* ⇒*far / out and away, much, easily* ⟨+overtreffende trap⟩ ◆ **1.1** ⟨fig.⟩ **3.1** dat is ~ het beste / verkieslijkste *that's easily / much the best, that's far preferable;* hij is ~ de sterkste / knapste *he's easily / by far / far and away the strongest / cleverest;* hij is ~ de beste ⟨ook⟩ *he is head and shoulders above the rest* ¶.**1** ~ het grootste deel *by far the biggest part.*
verrichten ⟨ov.ww.⟩ **0.1** *perform* ⇒*do* ⟨een daad⟩, *conduct* ⟨onderzoek, zaken⟩, *execute* ⟨taak, reparatie⟩, *carry out* ⟨onderzoek, zaken, reparatie⟩, *accomplish* ⟨grote hoeveelheid werk⟩ ◆ **1.1** betalingen ~ *make payments;* een boodschap ~ *run an errand, (go and) get sth. from the* [B]*shop(s) /* [A]*store(s);* formaliteiten ~ *go through formalities;* wonderen ~ *conjure, do / work marvels / wonders, work / p. miracles.*
verrichting ⟨de (v.)⟩ **0.1** [uitvoering] *performance* ⇒*execution* **0.2** [werkzaamheid] *action* ⇒⟨medisch, zakelijk⟩ *operation,* ⟨zakelijk ook⟩ *transaction, achievement* ⟨bij voltooiing⟩, ⟨alg.⟩ *activity* ◆ **1.2** de ~en v.d. commissie *the proceedings of the committee;* de ~en van een orgaan *the functions of an organ* **2.1** ⟨fig.⟩ bijzondere ~en ⟨bij rij-examen⟩ *special manoeuvres* [A]*maneuvers* **2.2** de gewone / dagelijkse ~en *ordinary / daily / routine activities / tasks;* voor de meeste ~en berekent de bank geen kosten *the bank makes no charges for most services.*
verrichtingsleer ⟨de⟩ **0.1** *physiology.*
verrijdbaar ⟨bn.⟩ **0.1** *wheeled* ⇒*rolling, on wheels, mobile, on castors.*
verrijden ⟨ov.ww.⟩ **0.1** [rijdend verplaatsen] *move* ⇒*shift,* ⟨duwend⟩ *wheel, drive* ⟨besturen⟩ **0.2** [voor rijden uitgeven] *spend on travel(ling)* **0.3** [rijden om] *compete in / for* ⇒*ride (in)* ⟨op fiets, paard, motor⟩ ◆ **1.1** verrijd die kar een eindje om mij door te laten *m. the cart aside a bit to let me through* **1.2** wij hebben *f*15,- verreden *we've spent 15 guilders on travelling* [A]*eling* **1.3** een kampioenschap ~ *compete / ride in a championship* **3.3** een beker / wedstrijd laten ~ *run off a cup / a race.*
verrijken ⟨ov.ww.⟩ **0.1** [rijker maken] *enrich* ⇒⟨fig.⟩ *improve, increase* ⟨verzameling, kennis⟩, ⟨verzameling ook⟩ *enlarge* **0.2** [mbt. isotopen] *enrich* ◆ **1.1** iemands kennis ~ *improve one's knowledge;* verrijkt voedsel *fortified food* **1.2** uranium ~ *e. uranium* **4.1** zich ~ ten koste van een ander *enrich o.s. / get rich / feather one's nest / line one's pockets at the expense of s.o. else* **6.1** de collectie is verrijkt **met** ... *the collection has been increased / enlarged with ...;* het mengsel **met** zuurstof ~ *add oxygen to the mixture.*
verrijking ⟨de (v.)⟩ **0.1** [het verrijken] *enrichment* ⇒⟨fig.⟩ *improvement, fortification* ⟨mbt. voedsel⟩, *increase* ⟨verzameling, kennis⟩, ⟨verzameling ook⟩ *enlargement* **0.2** [dat waarmee men / iets verrijkt is] *enrichment.*
verrijzen ⟨onov.ww.⟩ **0.1** [oprijzen] *(a)rise* ⇒*get / stand up, spring up* ⟨gebouw⟩, ⟨heel snel⟩ *shoot up* ⟨ook paddestoelen⟩, *mushroom* ⟨gebouw, stad⟩ **0.2** [opstaan] *resurrect* ⇒*arise (from the dead)* **0.3** [opkomen] *rise* ⇒⟨snel⟩ *spring / shoot up, emerge* **0.4** [gaan optreden] *arise* ◆ **1.1** een uit de grond verrezen stad *a boom town* **3.3** doen ~ *build up* ⟨huis⟩; *raise* ⟨iem. / iets van de grond⟩ **6.1** de zon verrijst boven de kim *the sun rises / comes up above the horizon* **6.2** uit de dood ~ *arise from the dead;* **van** het ziekbed ~ *get up / arise from the sickbed;* ⟨scherts.⟩ *be resurrected from the sickbed* ¶.**2** Hij (Christus) zal ten derden dage ~ *He shall rise again on the third day.*
verrijzenis ⟨de (v.)⟩ **0.1** *resurrection* ⇒*rising,* ⟨ook fig.⟩ *resurgence* ◆ **1.1** het feest v.d. ~ des Heren *the celebration / Feast of the Resurrection of the Lord;* ⟨r.k.⟩ de ~ v.h. lichaam *the resurrection of the body.*
verroeien ⟨ov.ww.⟩ ⟨sport⟩ **0.1** *row* ⇒*row in* ⟨kampioenschap⟩, *row for* ⟨beker⟩ ◆ **1.1** een wedstrijd ~ *r. a race.*
verroeren ⟨ov.ww.⟩ **0.1** *stir* ⇒*move, budge, shift* ◆ **1.1** geen vin ~ *not stir / move at all, not move an inch / a muscle;* ⟨inf.⟩ *lie doggo;* geen vinger verroeren om iem. te helpen *not lift / stir / raise a finger to help s.o.*

3.1 je kunt je hier nauwelijks ~ *you can hardly move in here* **4.1** verroer je niet *don't move, keep/sit/stand still, sit tight;* geen blaadje verroert zich *not a leaf is stirring;* zich ~ *stir, move, budge.*

verroest¹ ⟨bn.⟩ **0.1** *rusty* ⇒*rust-eaten, corroded.*

verroest² ⟨tw.⟩ ⟨inf.⟩ **0.1** *what the deuce/devil/hell* ⇒*gosh, (good) gracious, holy cow/mackerel/Moses/smoke,* ⟨BE ook⟩ *by gum,* ⟨AE; euf.⟩ *goldarn* ◆ **¶.1** ~, wat doe jij hier? *what the deuce/devil/hell are you doing here?.*

verroesten ⟨onov.ww.⟩ **0.1** [met roest overdekt worden] *rust* ⇒*get/ grow rusty, become rust-eaten, corrode* **0.2** [vastroesten] *rust (away)* ⇒*corrode* ◆ **1.1** verroest ijzer *rusty iron* **1.2** het slot is verroest *the lock has rusted away/is rusty* **3.¶** hij kan ~ *he can go to blazes/hell.*

verroken ⟨ov.ww.⟩ **0.1** *spend on smoking/cigarettes/tobacco.*

verrolbaar ⟨bn.⟩ **0.1** *on wheels* ⇒*mov(e)able, on castors.*

verrollen ⟨onov., ov.ww.⟩ **0.1** *roll (away)* ⇒ ⟨ov.ww. ook⟩ *move on rollers* ⟨grote meubels⟩ ◆ **1.1** een zware kast ~ *move a large cupboard on rollers.*

verronselen ⟨ov.ww.⟩ **0.1** *recruit* ⇒*pressgang* ⟨voor leger/marine⟩, *shanghai* ⟨zeelieden⟩, *crimp* ⟨door dwang/list⟩ ◆ **4.1** zich ~ *be recruited/pressganged/shanghaied/crimped.*

verrot¹
I ⟨bn.⟩ **0.1** [bedorven] *rotten* ⇒*decayed, bad* ⟨appel, tand⟩, *putrid/ -refied* ⟨mbt. organische stoffen⟩ **0.2** [gesloopt, zeer slecht] *rotten* ⇒ *decomposed, putrid/-refied* ⟨mbt. organische stoffen⟩, ⟨fig.⟩ *terrible, dreadful, awful* **0.3** [ellendig] *rotten* ⇒*wretched, confounded, damned, beastly* ◆ **1.1** ~te appels *r./ bad apples* **1.2** een ~ lichaam *a ruined body;* ~te toestanden *r./ dreadful/terrible/awful conditions* **1.3** die ~te radio *that r./ confounded/damn(ed)/beastly/lousy radio* **3.2** iem. ~ slaan/schoppen *knock the (living) daylights out of s.o., kick the bejesus out of s.o.* **5.1** door en door ~ *r. to the core;*
II ⟨bw.⟩ ⟨inf.⟩ **0.1** [verrekt] *damned,* ᴮ*bloody,* ᴬ*goddamn(ed),* ᴬ*doggone(d)* ◆ **2.1** dat is ~ lastig *that's damned/bloody/goddamn/doggone awkward.*

verrot² ⟨tw.⟩ ⟨inf.⟩ **0.1** *damn* ⇒*blast, bloody hell,* ⟨BE ook⟩ *blimey.*

verrotten ⟨onov.ww.⟩ **0.1** [door rotting aangetast worden] *rot* ⇒*decay, decompose, putrefy* ⟨organische stoffen⟩, *fester* ⟨weefsel, bloemen⟩ **0.2** [schelen] *give a damn* ⇒*care a bit/jot/fig/hoot/rap* ⟨vnl. ontkennend⟩ ◆ **3.1** doen ~ *rot (down)* ⟨composthoop⟩; *decay* ⟨ihb. tanden⟩; ⟨fig.⟩ wat mij betreft kan hij ~ *he can perish, for all I care* **3.2** het kan mij niet(s) ~ *I don't give/care a damn.*

verrotting ⟨de (v.)⟩ **0.1** *rot(ting)* ⇒*decay* ⟨ook tanden⟩, *putrefaction* ⟨organische stoffen⟩, *decomposition* ⟨lichaam⟩ ◆ **6.1** dit hout is **tegen** ~ bestand *this wood is treated for rot/is rotproof.*

verrottingsproces ⟨het⟩ **0.1** *process of rotting/decay/decomposition/putrefaction.*

verruilen ⟨ov.ww.⟩ **0.1** *(ex)change* ⇒ ⟨inf.⟩ *swap, swop, shift* ⟨vnl. fig⟩ ◆ **6.1 van** plaats ~ *change/swap places.*

verruiling ⟨de (v.)⟩ **0.1** *(ex)change* ⇒ ⟨inf.⟩ *swapping, swopping, shift* ⟨vnl. fig.⟩.

verruimen ⟨onov., ov.ww.⟩ **0.1** *widen* ⇒*enlarge, broaden* ⟨ook fig.⟩, *liberalize* ⟨mening, maatregel⟩, *extend* ⟨macht, begrip⟩ ◆ **1.1** ⟨fig.⟩ zijn blik ~ *w./ enlarge/broaden/liberalize one's outlook;* zijn geest ~ *w./ broaden/enlarge/liberalize one's mind;* de geldmarkt ~ *expand the capital market;* ⟨fig.⟩ dar verruimt het hart *that is a comfort/warms the cockles of the heart;* ⟨fig.⟩ mogelijkheden ~ *increase/extend/enlarge (the) possibilities;* een pad ~ *w./ broaden a path;* ⟨fig.⟩ de werkgelegenheid ~ *increase employment.*

verruiming ⟨de (v.)⟩ **0.1** *widening* ⇒*broadening, enlargement* ⟨ook fig.⟩, *liberalization* ⟨mbt. mening/maatregel⟩, *extension* ⟨mbt. macht /begrip⟩ ◆ **1.1** ~ v.d. inhoud v.e. begrip *broadening/extension of a concept* **2.1** morele ~ *moral liberalization.*

verrukkelijk ⟨bn., bw.; -ly⟩ **0.1** *delightful* ⇒*gorgeous, divine, enchanting, delicious, delectable* ⟨mbt. voedsel⟩ ◆ **1.1** ~e aardbeien *delicious /delectable/* ⟨kind.⟩ *yummy strawberries;* een ~ gerecht/meisje *a luscious dish/girl;* een ~ gezicht *a delightful/gorgeous sight/spectacle;* deze ~e stilte *this blissful silence;* ~ weer *delightful/gorgeous weather* **3.1** zij zingt/tekent ~ *she sings/draws divinely.*

verrukken ⟨ov.ww.⟩ **0.1** *delight* ⇒*thrill,* ↑*enchant,* ↑*enrapture,* ↑*entrance* ◆ **6.1** verrukt zijn **over** *be delighted with, be thrilled with/at, be enraptured at/by, be enchanted/entranced by/with.*

verrukking ⟨de (v.)⟩ **0.1** [het verrukt zijn] *delight* ⇒*bliss, rapture,* ↑*entrance* **0.2** [wat verrukkelijk is] *delight* ⇒*pleasure, joy, thrill* ◆ **6.1** in ~ *in ecstasy/raptures;* ⟨schr.⟩ *in a transport of d.;* *elated.*

verrukt ⟨bn.⟩ **0.1** *delighted (with)* ⇒*thrilled (with/at), overjoyed (at/ with),* ↑*enraptured (at/by),* ↑*elated (with/by)* ◆ **6.1** zij is ~ **van/over** haar nieuwe fiets *she's d./ thrilled with her new bike.*

verrundering ⟨de (v.)⟩ ⟨pej.⟩ **0.1** *(increasing(ly)) herd-/cattle-/ sheep-like behaviour, reduction to the level of automatons.*

verruwen
I ⟨onov.ww.⟩ **0.1** [ruwer worden] *coarsen* ⇒*harshen, become vulgar* ⟨persoon, taal⟩, *become brutalized* ⟨op moreel gebied⟩ ◆ **1.1** haar taalgebruik verruwt *her language is coarsening/becoming vulgar;*
II ⟨ov.ww.⟩ **0.1** [ruwer maken] *coarsen* ⇒*harshen, vulgarize* ⟨persoon, manieren⟩, *brutalize* ⟨op moreel gebied⟩.

verruwing ⟨de (v.)⟩ **0.1** *coarsening* ⇒*harshening, vulgarization* ⟨persoon, manieren⟩, *brutalization* ⟨op moreel gebied⟩ ◆ **2.1** de algemene ~ v.d. omgangsvormen *the general c./ vulgarization of manners.*

vers¹ ⟨het⟩ **0.1** [regel] *verse* **0.2** [couplet] *verse* ⇒*stanza,* ⟨twee regels⟩ *couplet, stave* **0.3** [gedicht] *verse* ⇒*poem,* ⟨rijmpje⟩ *rhyme, song* **0.4** [dichtvorm] *verse* ⇒*poetry* ◆ **2.1** slepend/staand ~ *feminine/masculine rhyme;* een vijfvoetig/blank ~ *a pentameter, blank v.* **6.1** een verklaring in verzen *a v. translation* **6.4** iets in ~ brengen *put sth. into v./ poetry, versify sth.* **7.1** ⟨bijb.⟩ Lukas 6, ~ 10 *St. Luke, chapter 6, v. 10* **7.2** gezang 12, ~ 3 *psalm 12, v. 3;* ⟨fig.⟩ dat is ~twee *that's quite another story/thing/matter/a different kettle of fish.*

vers² ⟨bn., bw.; -ly⟩ **0.1** [fris, nieuw] *fresh* ⇒*new* **0.2** [niet lang geleden ontstaan] *fresh* ⇒*new, hot* ⟨spoor⟩, *raw* ⟨pleisterwerk⟩, *green* ⟨wond, hout⟩ **0.3** [ongebruikt] *fresh* ⇒*new* ◆ **1.1** ~ bloed *f./ young/ new blood;* ~e eieren *new-laid eggs;* ~e groenten *f./ crisp vegetables;* ~e koffie *f./ new coffee;* ~e vis *f./ wet fish;* ~e vlees/brood *f. bread/ meat* **1.2** ~e sneeuw *f./ new-fallen/ virgin snow;* ~e sporen v.e. dier *f. tracks of an animal;* een ~e wond *a f./ green wound* **1.3** ~e paarden *f. horses, remounts;* ~e troepen *f./ new troops* **3.1** ~ blijven *keep f./ good* **6.1** ~ van de pers *hot from the press;* ~ **van** school *new from school* **6.2** dat ligt nog ~ **in** het geheugen *that's still f. in my mind/ memory.*

versaagd ⟨bn.⟩ **0.1** *faint-hearted* ⇒*despondent,* ⟨schr.⟩ *pusillanimous.*

versagen ⟨onov.ww.⟩ **0.1** [bang worden] *flinch* ⇒*blench, quail,* ⟨vero.⟩ *faint* **0.2** [de moed verliezen] *despond* ⇒*despair, lose heart/ courage* ◆ **5.1** hoewel de dood nabij scheen, versaagde hij niet *although death seemed near he did not f./ blench* **5.2** in het ongeluk moet men niet ~ *one mustn't despair/lose heart in misfortune/bad luck.*

versbouw ⟨de (m.)⟩ **0.1** *versification* ⇒*metrical structure/composition* ◆ **1.1** de leer v.d. ~ *metrics, prosody.*

versch. ⟨afk.⟩ **0.1** [verschillende] *diff.* **0.2** [verschijnt, verschenen] *to be publ., publ..*

verschaffen ⟨ov.ww.⟩ **0.1** *provide (with)* ⇒*supply (with), furnish (with), get,* ⟨schr.⟩ *afford* ◆ **1.1** iem. geld ~ *p./ supply/furnish s.o. with money, finance s.o.;* iem. hulp ~ *give s.o. help, provide s.o. with help, render s.o. assistance;* iem. raad ~ *give s.o. advice, supply s.o. with advice;* zich toegang ~ *let o.s. in(to);* ⟨formeel⟩ *gain access to;* zich met geweld toegang ~ *force one's way in/an entry;* het leger verschafte hem een complete uitrusting *the army issued him with a complete kit/ a complete kit to him;* planten die ons voedsel ~ *plants that p./ supply us with food* **4.1** wat verschaft hem het recht om ...? *what gives him the right to ...?;* wat verschaft mij het genoegen? *to what do I owe the honour/pleasure?;* zich zekerheid ~ omtrent *make sure/certain of.*

verschaffing ⟨de (v.)⟩ **0.1** *provision* ⇒*supply, furnishing.*

verschalen ⟨onov.ww.⟩ **0.1** *go/become stale* ⇒*go/become flat* ⟨vnl. koolzuurhoudende dranken⟩, *deaden, stale, flatten* ⟨bier⟩ ◆ **1.1** verschaald bier *stale/flat beer.*

verschalken ⟨ov.ww.⟩ **0.1** [nuttigen] *polish off* ⇒*demolish, put away* **0.2** [te slim af zijn] *outwit* ⇒*outmanoeuvre* ᴬ*neuver, outsmart, (out)fox* ◆ **1.1** een paar glaasjes ~ *put away a few drinks* **1.2** de dood ~ *cheat death;* de keeper ~ *outmanoeuvre the keeper, catch the keeper on the wrong foot;* een visje ~ *catch a fish* **3.2** zich laten ~ *be outsmarted/ outwitted/hoodwinked;* de vis liet zich niet in 't net ~ *the fish wouldn't mesh/be caught.*

verschansen
I ⟨wk.ww.; zich ~⟩ **0.1** [bescherming zoeken] *entrench* ⇒*barricade, take cover* ◆ **6.1** ⟨scherts⟩ zich **achter** zijn bureau ~ *ensconce o.s. behind one's desk;* zich **achter** een muurtje ~ *take cover behind a parapet;* zich in zijn kamer ~ ⟨ook⟩ *barricade o.s. in one's room;* de vijand heeft zich **op** de berg verschanst *the enemy have entrenched themselves on the hill;*
II ⟨ov.ww.⟩ ⟨mil.⟩ **0.1** [tot schansen versterken] *entrench* ⇒*retrench, fortify, bulwark* ◆ **1.1** een stad/legerplaats ~ *e. a town/an encampment.*

verschansing ⟨de (v.)⟩ **0.1** [handeling] *entrenchment* ⇒*barricading* **0.2** [resultaat] *entrenchment* ⇒*bulwark(s), fortification, barricade, parapet* ⟨tot borsthoogte⟩ **0.3** [reling] *bulwarks* ⇒*rail(s), railing* ⟨open⟩ ◆ **6.3 over** de ~ hangen *hang over the rail/railing/overside.*

verscheiden¹ ⟨het⟩ ⟨schr.⟩ **0.1** *departure* ⇒*decease, demise, passing* ◆ **6.1** bij zijn ~ *on his departure from life/decease/demise.*

verscheiden² ⟨bn.⟩ **0.1** *various* ⇒*different, diverse, varied.*

verscheiden³ ⟨onov.ww.⟩ ⟨schr.⟩ **0.1** *depart (this life)* ⇒*decease, pass away/over, demise,* ⟨euf.⟩ *go hence.*

verscheiden⁴ ⟨hoofdtelw.⟩ **0.1** *several* ⇒*various, different, miscellaneous* ◆ **1.1** ik hem hem ~ e malen gesproken *I've spoken to him s. times/on various occasions;* ~e mensen hebben het gezien *s./ various/some people have seen it.*

verscheidenheid ⟨de (v.)⟩ **0.1** [verschil] *variety* ⇒*diversity* **0.2** [verzameling van verschillende eenheden] *variety* ⇒*assortment, range, medley, miscellany* **0.3** ⟨mv.⟩ zaken/beschouwingen van verschillende aard] *miscellanea* ⇒*collection, miscellanies* **0.4** ⟨biol.⟩ *variety* ⇒*subspecies, breed* ◆ **6.2** een grote ~ **aan** ideeën *a multiplicity of ideas;* een grote ~ **van** prijzen *a great v./ assortment of prizes.*

verschenken ⟨ov.ww.⟩ **0.1** [uitschenken] *pour out* **0.2** [leegschenken] *empty* **0.3** [wegschenken] *give away* ⇒*donate* ◆ **1.3** zij heeft al haar geld verschonken *she has given away all her money.*

verschepen ⟨ov.ww.⟩ **0.1** [overladen] *reship* ⇒*transship* **0.2** [met schepen verzenden] *ship (off/out)* ⇒*lade, boat, transport* ⟨gevangenen⟩.

verscheper ⟨de (m.)⟩ **0.1** *shipper.*

verscheping ⟨de (v.)⟩ **0.1** [het overladen] *reshipment* ⇒*transshipment, overloading* **0.2** [het per schip verzenden] *shipping* ⇒*lading, transportation* ⟨mbt. gevangenen⟩.

verschepingsdatum ⟨de (m.)⟩ **0.1** *date of shipment.*

verschepingsdocument ⟨het⟩ **0.1** *shipping document.*

verscheren ⟨ov.ww.⟩ ⟨scheep.⟩ **0.1** *reeve.*

verscherpen
 I ⟨ov.ww.⟩ **0.1** [strenger maken] *tighten (up)* ⇒*sharpen* **0.2** [verergeren] *aggravate* ⇒*exacerbate* **0.3** [mbt. een paard] *calk* ⇒*frost(nail)* ◆ **1.1** het toezicht ~ *tighten up/increase control;* voorschriften ~ *tighten up regulations, make regulations stricter/more stringent;* de wet ~ *tighten/sharpen up the law, put new teeth into a law* **1.2** dat verscherpt de situatie alleen maar *that only aggravates the situation;*
 II ⟨onov.ww.⟩ **0.1** [ernstiger worden] *intensify* ⇒*worsen, escalate* **0.2** [⟨taal.⟩] *become sharp/voiceless* ⇒*be devoiced/devocalized/unvoiced.*

verscherping ⟨de (v.)⟩ **0.1** *sharpening (up)* ⟨ook fig.⟩ ⇒ ⟨fig. ook⟩ *intensification, escalation* ⟨mbt. conflict⟩, *tightening up* ⟨mbt. maatregelen⟩.

verscheurdheid ⟨de (v.)⟩ **0.1** *division* ⇒*disunity, schism* ⟨ihb. in kerk⟩ ◆ **2.1** innerlijke ~ *inner conflict.*

verscheuren[1] ⟨bn.⟩ **0.1** *carnivorous* ◆ **1.1** de ~e dieren *the big carnivores.*

verscheuren[2] ⟨ov.ww.⟩ **0.1** [in/aan stukken scheuren] *tear (up)* ⇒*rend* ⟨ihb. kleren⟩, *shred* ⟨in kleine stukjes⟩, *rip (up)* ⟨met kracht⟩ **0.2** [met de tanden vaneenrijten] *maul* ⇒*mangle, tear in pieces/apart, lacerate* **0.3** [pijnlijk aandoen] *lacerate* ⇒*grate/jar on* **0.4** [tot verdeeldheid brengen] *divide* ⇒*tear (apart/asunder/in two), disunite* ⟨partij, volk⟩ ◆ **1.1** ⟨fig.⟩ zijn hart wordt verscheurd door verdriet *his heart is being torn/rent by grief/is riven by sorrow;* papier/oud linnengoed ~ *tear up paper/old linen;* een gil verscheurde de stilte *a scream rent the silence* **1.4** een verscheurd land *a strife-torn/disunited country;* een verscheurd mens *a(n inwardly) torn man;* twijfel verscheurde hem *he was torn (apart) by doubt(s);* de tweedracht die dit volk steeds verscheurde *the discord which kept dividing the people/nation.*

verschiet ⟨het⟩ **0.1** [verte, horizon] *distance* ⇒*horizon* **0.2** [perspectief] *perspective* **0.3** [toekomst] *prospect* ⇒*outlook, future* ◆ **2.3** ⟨schr.⟩ een donker ~ *a dark p./outlook/future* **6.1** in het ~ *in the d., on the horizon* **6.2** in het ~ tekenen *draw in p.* **6.3** dat lag in het verre ~ *that's a distant p./far ahead;* bezit in het ~ *property in expectation;* er ligt voor haar iets **moois** in het ~ *there's sth. good in store/the offing for her.*

verschieten
 I ⟨ov.ww.⟩ **0.1** [schietend verbruiken] *shoot (off/away)* ⇒*use up* ⟨munitie⟩;
 II ⟨onov.ww.⟩ **0.1** [verbleken] *fade* ⇒*lose colour, discolour, come out* ⟨kleur⟩ **0.2** [mbt. mensen] *blanch* ⇒*change colour, go/turn pale* **0.3** [wegschieten] *shoot (away/off)* ⇒*dash/tear (away/off)* ◆ **1.1** zijn jas is verschoten *his coat has faded/lost its colour/is discoloured;* die kleuren ~ *those colours f.* **1.3** ~de sterren *shooting stars* **5.1** niet ~de stoffen *fast(-dyed) materials* **5.2** zij verschoot ervan *she blanched/went pale at the thought.*

verschijndag ⟨de (m.)⟩ **0.1** [vervaldag v.e. schuld] *due date* ⇒*expiry date, (date of) maturity* **0.2** [⟨jur.⟩] *date of appearance in court* ◆ **6.1** **op** de ~ betalen *pay on the due date/date of maturity/when due/at maturity.*

verschijnen ⟨onov.ww.⟩ **0.1** [zich vertonen] *appear* ⇒*put in an appearance, surface, emerge* ⟨uit iets⟩, *manifest* ⟨geest⟩ **0.2** [komen opdagen] *appear* ⇒*turn up, show up* **0.3** [uitkomen] *appear* ⇒*come out, be published* ⟨boeken, tijdschriften enz.⟩ **0.4** [vervallen] *fall due* ⇒*be due, expire* ⟨termijn⟩ ◆ **1.3** dat boek is pas verschenen *that book has just come out/been published/is just out* **1.4** de verschenen termijn *the expired term* **4.1** er verscheen hem een engel *an angel appeared unto him* **5.1** zij verscheen niet *she failed to turn up* **5.3** te ~ boeken *forthcoming books* **6.1** voor 't eerst ~ *make one's first appearance* **6.2** **voor** de rechter ~ *a. before the judge.*

verschijning ⟨de (v.)⟩ **0.1** [het verschijnen] *appearance* ⇒*emergence, publication* ⟨mbt. boeken⟩ **0.2** [persoon] *figure* ⇒*person, personality, presence* **0.3** [bovennatuurlijk verschijnsel] *apparition* ⇒*manifestation, materialization* ◆ **2.2** een elegante ~ *an elegant f.;* een indrukwekkende ~ *a commanding/imposing presence/personality;* ze is een statige ~ *she's a stately appearance;* een sympathieke ~ *a sympathetic person* **3.3** ~en hebben *see/be visited by apparitions/ghosts.*

verschijningsdatum ⟨de (m.)⟩ **0.1** *date of issue* ⟨boek⟩ *publication* ◆ **2.1** verwachte/geplande ~ *expected/planned date of issue/publication.*

verschijningsverbod ⟨het⟩ **0.1** *publication ban* ⇒*prohibition/ban on publication* ◆ **3.1** een ~ krijgen/opleggen *be banned/ban from publication, be suppressed/suppress.*

verschijningsvorm ⟨de (m.)⟩ **0.1** *manifestation* ⇒*form,* ⟨fil.⟩ *phenomenon,* ⟨taal.⟩ *representation.*

verschijnsel ⟨het⟩ **0.1** *phenomenon* ⇒*symptom* ⟨van ziekte/problemen⟩, *sign* ◆ **1.1** leer der ~en *phenomenology;* ~en van verrotting vertonen *show signs/symptoms of decay* **2.1** een eigenaardig ~ *a strange p.;* dat is een normaal ~ *that is a normal p.* **3.1** het ~ doet zich voor, dat ...*it sometimes happens that* ...**6.1** de ~en **in** de dampkring *phenomena in the atmosphere.*

verschikken
 I ⟨ov.ww.⟩ **0.1** [anders schikken] *rearrange* ⇒*move about/around, shift* ◆ **1.1** zijn boeken/de meubelen ~ *r. one's books/the furniture;*
 II ⟨onov.ww.⟩ **0.1** [opschuiven] *move* ⇒*shift,* ⟨inf.⟩ *shove up/over* ◆ **1.1** verschik een eindje *please, move up/over a bit, shift a bit.*

verschikking ⟨de (v.)⟩ **0.1** *shifting* ⇒*moving, rearrangement.*

verschil ⟨het⟩ **0.1** [onderscheid] *difference* ⇒*contrast, dissimilarity, disparity, distinction* **0.2** [uitkomst v.e. aftrekking] *difference* ⇒*reminder* ◆ **1.1** ~ van mening *a difference of opinion, a disagreement, a clash of opinions;* een wereld van ~ *a world of/a vast difference, poles apart* **2.1** een subtiel ~ *a fine distinction, a slight difference* **3.1** dat maakt geen ~ *that makes no difference/odds;* hij maakt geen ~ tussen de kinderen *he does not discriminate between the children;* ~ maken *make a difference* **3.2** het ~ delen *divide the d.;* ⟨mbt. geld⟩ *split the d., meet s.o. halfway* **6.1** ~ **in** karakter/leeftijd *difference/disparity/discrepancy in character/age;* dat ~, dat ... *with this difference/distinction that ...;* het ~ **met** 2 jaar geleden *the difference/change from 2 years ago* **6.2** een ~ **van** 3 cm *a d. of 3 cm.*

verschillen ⟨onov.ww.⟩ ⟨~sprw. 540⟩ **0.1** [zich onderscheiden] *differ* ⇒*be different/distinct from, diverge, vary* ⟨ook mening⟩ **0.2** [als verschil hebben] *differ* ⇒*vary (from/between)* ◆ **1.1** hun reacties verschilden *their reactions varied* **1.2** die prijzen ~ een gulden *prices d. by a guilder between the prices* **5.1** hemelsbreed ~ *be poles apart, be as like/different as chalk and cheese* **6.1** in karakter ~ *differ in character;* dat verschilt nogal **met**/van de vorige uitkomst *that rather diverges/is rather different from/rather contrasts with the previous result;* **van** mening ~ (met iem.) *disagree (with s.o.), differ/dissent (from s.o.), be at variance (with s.o.)* ¶ **1.** dat verschilt, dat is ~d *it differs/varies.*

verschillend[1] ⟨bn., bw.; -ly⟩ **0.1** *different (from)* ⇒*dissimilar (from/to), distinct (from), divergent, various* ◆ **1.1** ~e oplossingen *different solutions* **3.1** ergens ~ over denken *disagree about sth., differ over sth.;* daar kun je ~ over denken *it's a matter of opinion/open to discussion, it is an arguable point* **1.1** ~ van *alien/different from, other than.*

verschillend[2] ⟨hoofdtelw.⟩ **0.1** *several* ⇒*various, different,* ⟨schr.⟩ *sundry* ◆ **1.1** bij ~e gelegenheden *on different/sundry/various occasions;* ~e toehoorders verlieten de zaal *several/various members of the audience left the room.*

verschilpunt ⟨het⟩ **0.1** *dissimilarity* ⇒*point of difference.*

verschimmelen ⟨onov.ww.⟩ **0.1** *go/grow/become mouldy* ᴬ*moldy* ⟨ihb. etenswaren⟩; *become mildewed* ⟨papier, leer enz.⟩.

verscholen ⟨bn.⟩ **0.1** *hidden* ⇒*concealed, secluded* ⟨attr.; plekje⟩, *sequestered* ⟨attr.⟩ ◆ **1.1** een ~ hoekje in *a h. corner* **2.1** de hut lag diep ~ in het bos *the hut was h. deep in the wood* **3.1** zich ~ houden *remain perdu/in hiding, lie low;* het huis lag ~ achter de bomen *the house was tucked away behind the trees;* ~ liggen/zijn ⟨ook⟩ *lie perdu(e).*

verschonen ⟨ov.ww.⟩ **0.1** [van schoon goed voorzien] *change* **0.2** [⟨schr.⟩ excuseren] *excuse* ⇒*condone, explain away, extenuate* ⟨vergrijp⟩ **0.3** [ontzien] *spare* ⇒*save (from)* ◆ **1.1** de baby ~ *change the baby's nappy;* de bedden ~ *c./put clean sheets on the bed* **1.2** iemands gedrag ~ *excuse/condone/explain away s.o.'s conduct* **3.3** ik wens van dit soorty grappen verschoond te blijven *I wish to be spared this sort of jokes, I want none of your jokes* **4.1** zich ~ *change one's linen clothes, put on clean clothes* **4.3** de dood verschoont niemand *death spares nobody.*

verschoning ⟨de (v.)⟩ **0.1** [het voorzien van schoon goed] *change* **0.2** [schoon ondergoed] *change of underclothes/linen* **0.3** [het verontschuldigen] *excuse* ⇒*apology, extenuation* ⟨van overtreding⟩ **0.4** [⟨schr.⟩ excuus] *excuse* ⇒*apology, extenuation* ⟨van overtreding⟩ ◆ **1.3** ⟨jur.⟩ van getuigen/rechters *exemption of witnesses/judges* **3.4** om ~ vragen *beg to be excused* **6.3** ter ~ *by way of/as an excuse.*

verschoningsrecht ⟨het⟩ **0.1** *right/privilege of non-disclosure;* ⟨mbt. getuigen⟩ *right of refusal to testify, right to refuse information.*

verschoppeling ⟨de (m.)⟩, -e ⟨de (v.)⟩ **0.1** *outcast* ⇒*parish,* ⟨zwerver⟩ *derelict.*

verschoppen ⟨ov.ww.⟩ **0.1** [wegschoppen] *kick away* ⇒*spurn* ⇒*reject, cast out* ⟨vnl. passief⟩ **0.3** [verwerpen] *spurn* ⇒*reject, scorn, repudiate* ◆ **1.3** zijn kansen ~ *scorn/spurn one's chances.*

verschot ⟨het⟩ **0.1** [sortering] *assortment* ⇒*range, choice, variety* **0.2** [voorschot] *advance* ⇒*(out-of-pocket) expenses* ◆ **2.1** een ruim ~ van iets hebben *have a large a./wide range/choice/variety of sth.* **3.2** ~ten maken *incur expenses.*

verschralen

I ⟨onov.ww.⟩ **0.1** [mbt. kwaliteit] *decrease* ⇒*become/grow poorer/ scantier/leaner* **0.2** [mbt. het weer] *vecome bleaker/colder* ⇒*become more cutting/biting* ⟨wind⟩ **0.3** [mbt. de huid] *become chapped/sore* ◆ **1.1** verschraald bier *thin beer;*

II ⟨ov.ww.⟩ **0.1** [doen afnemen] *decrease* ⇒*make poorer/scantier/ leaner* ⟨mbt. eten/geld⟩ ◆ **1.1** de kooplui verschraalden het aanbod *the merchants decreased the supply.*

verschrijven

I ⟨ov.ww.⟩ **0.1** [schrijvend verbruiken] *use up (in) writing* **0.2** [over-boeken] *transfer* ◆ **1.1** veel inkt ~ *use up a lot of ink writing;*

II ⟨wk.ww.;zich~⟩ **0.1** [zich schrijvend vergissen] *make a slip of the pen* ⇒*make a writing/clerical error, make a mistake in writing.*

verschrijving ⟨de (v.)⟩ **0.1** [schrijffout] *slip of the pen* ⇒*mistake/error (in writing)* **0.2** [overboeking] *transfer.*

verschrikkelijk

I ⟨bn.,bw.;-ly⟩ **0.1** [schrikbarend] *terrible* ⇒*dreadful, awful, devas-tating* ⟨ramp,nieuws⟩, *excruciating* ⟨pijn,lawaai⟩ ◆ **1.1** een ~e hon-gersnood *a devastating famine;* hij is een~e leugenaar/opschepper *he's an awful/dreadful liar/show-off;* een~e moord *a dreadful/horri-ble/ghastly murder;* ~e sneeuwman *abominable snowman, yeti* **5.1** hij is~slecht in wiskunde *he is t. at math* **7.1** het ~e ervan *the t./dreadful thing about it, the t./dread part of it;*

II ⟨bw.⟩ **0.1** [in hoge mate] *terribly* ⇒*dreadfully, awfully, frightfully, terrifically* ⟨mbt. iets positiefs⟩ ◆ **2.1** een ~ mooi doelpunt *a terrific/ fantastic goal* **3.1** zij genoten~ *they enjoyed it enormously;*

III ⟨bn.⟩ **0.1** [zeer hevig] *tremendous* ⇒*terrific, unholy, ungodly* ⟨tijd, lawaai,rommel⟩, *horrendous* ◆ **1.1** een~ hitte *a tremendous/ter-rific heat;* een ~ kabaal *an unholy/ungodly row, an infernal racket.*

verschrikken

I ⟨ov.ww.⟩ **0.1** [schrik aanjagen] *frighten* ⇒*startle, give (s.o.) a start/ shock, scare* ◆ **3.1** zij werd verschrikt wakker *she woke with a start;*

II ⟨onov.ww.⟩ **0.1** [schrikken] *be frightened* ⇒*be startled, be given a start/shock.*

verschrikking ⟨de (v.)⟩ **0.1** [iets verschrikkelijks] *terror* ⇒*horror* **0.2** [het aanjagen van schrik] *frightening* ⇒*startling* **0.3** [het verschrikt worden] *terror* ⇒*horror, fright* ◆ **1.1** de~en v.d. oorlog *the horrors/ scourges/dogs of war* **6.1** het examen was een ~ **voor** hem *the thought of the exam filled him with dread.*

verschroeien

I ⟨ov.ww.⟩ **0.1** [door schroeien bederven] *scorch* ⇒*parch* ⟨door ge-brek aan water⟩,*singe* ⟨stof⟩,*char* ⟨papier,hout,botten⟩,*sear, blister* ⟨zon⟩ ◆ **1.1** de tactiek v.d. verschroeide aarde *scorched earth policy;* ⟨fig.⟩ een ~de dorst *a parching thirst;* een ~de hitte *a scorching/ parching heat;*

II ⟨onov.ww.⟩ **0.1** [door schroeien bedorven raken] *be scorched* ⇒*be parched/singed/charred/seared* ◆ **1.1** de velden~ *the fields were parched.*

verschrompelen

I ⟨onov.ww.⟩ **0.1** [door uitdroging rimpelig worden] *shrivel (up)* ⇒ *wither, dry up* **0.2** [ineenschrompelen] *shrivel (up)* ⇒*wither, atrophy* ⟨orgaan⟩, *wilt* ⟨planten⟩ ◆ **1.1** dit fruit is verschrompeld *this fruit is shrivelled/dried up;* een verschrompeld gezicht *a wizened/shrunken face* **1.2** een verschrompeld oud vrouwtje *a shrivelled/wizened old woman;*

II ⟨ov.ww.⟩ **0.1** [door uitdroging in elkaar doen trekken] *shrivel* ⇒ *wilt, blast* ⟨planten⟩, *atrophy* ⟨orgaan⟩, *parch, wither.*

verschroten ⟨ov.ww.⟩ **0.1** ⟨*turn/* ↑*convert into⟩ scrap.*

verschuifbaar ⟨bn.⟩ **0.1** *slid(e)able* ⇒*sliding* ⟨ihb. deur⟩, *shiftable, mov-able, adjustable.*

verschuilen ⟨wk.ww.;zich~⟩ **0.1** *hide (o.s.)* ⇒*conceal o.s., lurk, skulk* ⟨met slechte bedoelingen⟩ ◆ **6.1** ⟨fig.⟩ zich **achter** zijn opdrachtge-ver~ *take refuge/h. behind one's principal/client;* zich **in** een hoek~ *hide (o.s.) in a corner.*

verschuiven

I ⟨ov.ww.⟩ **0.1** [verplaatsen] *move* ⇒*shift,* ↑*displace,* ⟨opzij schui-ven⟩ *shove aside/away* **0.2** [opschorten] *postpone* ⇒*put off,* ↑*defer, leave/carry over* ⟨zaken,deel v.d. agenda⟩ ◆ **1.1** een damsteen~ *m. a draughtsman/*^*checkerman* **1.2** een afspraak ~ *postpone/put off/ defer an appointment;* een datum~ *move a date forward, p./put off/ defer the date of sth.;*

II ⟨onov.ww.⟩ **0.1** [opschuiven] *shift* ⇒*move,* ⟨opschikken⟩ *move up,* ↓*shove up* ◆ **1.1** ⟨geol.⟩ een verschoven afzetting/anticlinaal *a faulted deposit/anticline.*

verschuiving ⟨de (v.)⟩ **0.1** [het verschoven worden] *shift* ⇒*move, mov-ing, shifting,* ↑*displacement* **0.2** [opschorting] *postponement* ⇒*putting off,* ↑*deferment* **0.3** [verplaatsing] *displacement* ⇒*heave* **0.4** [⟨geol.⟩ breukvlak] *fault* ⇒*shift* ◆ **1.3** ~ van de aardkorst *a shift in the earth's crust* **2.1** er heeft een grote~ plaatsgehad in de samenstel-ling v.h. parlement *there's been a big shift/swing in the composition of parliament* **6.1** een ~ **op** rechts *a swing to the right* **6.4** een ~ **op** twintig meter diepte *a f. at a depth of twenty metres.*

verschuldigd ⟨bn.⟩ **0.1** [die/dat men schuldig is] *due* ⇒*owing, payable,*

indebted ⟨ook mbt. hulp,diensten enz.⟩ **0.2** [waartoe men verplicht is] *due* ◆ **1.1** ik ben u veel dank verschuldigd voor uw hulp *I am greatly indebted/owe much gratitude to you for your help;* het ~e geld *the money d./owing/payable;* ~e *accrued interest;* bij vooruit-betaling ~ *payable in advance* **1.2** met ~e eerbied *with d. respect;* met ~e hoogachting *yours respectfully/obediently;* rekenschap verschul-digd zijn aan *be accountable/answerable to* **3.1** iem. iets ~ zijn *be under an obligation/indebted to s.o.* **6.2** dat is hij **aan** zijn naam~ *he owes it to himself.*

verschut ⟨bn.⟩⟨inf.⟩ **0.1** *foolish* ⇒*stupid, silly, idiotic, ridiculous* ◆ **3.1** iem. ~ zetten *make s.o. look silly/ridiculous/a fool, make a laugh-ing-stock of s.o..*

verschutten ⟨ov.ww.⟩ **0.1** [met een afscheiding omgeven] *fence in* ⇒*en-close* **0.2** [door een schutsluis brengen] *lock (through)* **0.3** [voor schut zetten] *make look silly/ridiculous/a fool, make a laughing-stock of.*

versheid ⟨de (v.)⟩ **0.1** *freshness* ⇒*newness.*

versie ⟨de (v.)⟩ **0.1** *version.*

versierder ⟨de (m.)⟩,**-ster** ⟨de (v.)⟩ **0.1** ⟨iem. die verfraait⟩ *decorator;* ⟨regelaar⟩ *organizer,* ↓*Mr/Mrs Fixit;* ⟨verleider⟩ *lady-killer, lover-boy,*^*stud,* ↑*philanderer,* ↑*seducer;* ⟨verleidster⟩ *flirt,* ↓*man trap,* ↑*seductress* ◆ **2.1** daar komt de grote ~ *here comes Casanova;* hij is een onverbeterlijke ~ *he's an incorrigible womanizer/one for the girls.*

versieren ⟨ov.ww.⟩ **0.1** [opschikken, verfraaien] *decorate* ⇒*embellish, adorn, deck (out), garnish* ⟨gerecht⟩ **0.2** [sieren] *embellish* ⇒*beautify* **0.3** [voor elkaar krijgen] *fix* ⇒*organize, manage,* ↓*wangle, knock up* ⟨maaltijd⟩ **0.4** [op slinkse wijze verkrijgen] *get hold of* ⇒*fix, arrange,* ↓*wangle* **0.5** [verleiden] *pick up* ⇒⟨BE;flirten met⟩ *chat up,* ⟨BE;'t aanleggen met iem.⟩ *get off with,* ⟨avances maken⟩ *make a pass at, make eyes at* ◆ **1.1** de kerstboom ~ *decorate/trim the Christmas tree;* straten ~ *decorate/deck the streets* **1.2** die bomen ~ het plantsoen *those trees e. the park* **3.4** hier valt niets meer te ~ *nothing doing here, no joy here* **3.5** zij probeert alle jongens te ~ *she tries it on with/ chases everything in trousers/*^*pants* **4.1** zich met iets ~ *adorn o.s. with sth., deck o.s. out with sth.* **4.3** dat versier ik even *I'll see to that, I'll wangle/f. that, leave that to me* **4.4** valt er nog wat te ~? *anything doing?, any joy?, anything left?.*

versiering ⟨de (v.)⟩ **0.1** [het versieren] *decoration* ⇒*embellishment, adornment* **0.2** [wat dient om te versieren] *decoration* ⇒*embellish-ment, adornment, ornament(ation)* **0.3** [⟨muz.)] *grace (note)* ⇒*orna-mentation* ◆ **1.1** men is bezig met de ~ v.d. straat *people are busy dec-orating the street* **6.3** een aria **zonder** ~ en zingen *sing an aria straight.*

versieringskunst ⟨de (v.)⟩ **0.1** *decorative art.*

versiersel ⟨het⟩ **0.1** *decoration* ⇒*ornament, adornment, embellishment* ◆ **1.1** de ~ en v.e. ridderorde *the decorations/insignia of an order of knighthood.*

versiertoer ⟨de (m.)⟩⟨inf.⟩ ◆ **6.¶** op de ~ zijn/gaan *try to pick up/make* ↓*pull s.o./* ⟨sl.⟩ *sth..*

versificatie ⟨de (v.)⟩ **0.1** [toegepaste versvorm] *versification* **0.2** [het in verzen brengen] *versification* ⇒*metrification.*

versificeren ⟨ov.ww.⟩ **0.1** *versify* ⇒*metrify.*

versimpelen

I ⟨ov.ww.⟩ **0.1** [simpel maken] *(over)simplify* ◆ **1.1** problemen/moei-lijkheden ~ *o. problems/difficulties;*

II ⟨onov.ww.⟩ **0.1** [simpel worden] *go simple, become simple-minded* ⇒⟨inf.⟩ *go soft in the head, go gaga.*

versjacheren ⟨ov.ww.⟩ **0.1** [verkwanselen] *squander* ⇒*barter/bargain/ fritter away* **0.2** [tot voorwerp van handel maken] *peddle* ⇒*hawk,* ⟨BE;inf.⟩ *flog.*

versjofeld ⟨bn.⟩ **0.1** *ragged* ⇒*shabby, tattered.*

versjouwen ⟨ov.ww.⟩ **0.1** *drag away* ⇒*heave* ◆ **4.¶** zich ~ *go to pot,* ↑*ruin one's health.*

versjteren ⟨ov.ww.⟩ **0.1** *screw/* ↑*mess up* ⇒⟨vulg.⟩ *cock/ball up,* ⟨vulg; sl.⟩ *bollix up* ◆ **1.1** hij heeft de hele boel versjteerd *he's made a right cock-up (of it), he's screwed it up.*

verskunst ⟨de (v.)⟩ **0.1** *versification* ⇒*poetics.*

verslaafd ⟨bn.⟩ **0.1** *addicted (to)* ⇒*dependant (on),* ↓*hooked (on),* ⟨sl.⟩ *strung out (on)* ⟨ihb. mbt. verdovende middelen⟩ ◆ **3.1** hij is eraan ~ *he can't leave it alone;* ⟨mbt. verdovende middelen ook⟩ *he's become dependent on it;* ~ raken aan drugs *contract the drug habit* **6.1 aan** de drank/het roken/het spel/de vrouwen ~ zijn *be a. to drink/smoking/ gambling/women, be a compulsive drinker/smoker/gambler/wom-anizer;* zij is ~ **aan** haar werk *she's a workaholic.*

verslaafde ⟨de (m.)⟩ **0.1** ⟨mbt. drank⟩ *alcoholic;* ⟨mbt. drugs⟩*(drug) ad-dict, drug fiend;* ⟨mbt. heroïne⟩ *junkie* ◆ **6.1** een **aan** hasj/LSD ~ ⟨sl.⟩ *a pot/an acid head/freak.*

verslaafdheid ⟨de (v.)⟩ **0.1** *addiction* ⇒*(drug-)dependence.*

verslaan

I ⟨ov.ww.⟩ **0.1** [overwinnen] *defeat* ⇒*beat* ⟨ihb. sport⟩, ⟨vijand ook⟩ ↑*vanquish, conquer* ⟨land,volk⟩ **0.2** [verslag maken van] *write an ac-count of* ⇒*report,* ⟨mbt. journalisten⟩ *cover,* ⟨notuleren⟩ *take the minutes* **0.3** ⟨schr.⟩⟨dorst⟩ lessen] *quench, slake* ◆ **1.1** ons elftal werd met 2 tegen 1 verslagen *our team was beaten 2 (to) 1* **1.2** een

wedstrijd / vergadering ~ *cover a match, report (the proceedings of) a meeting* **5.1** helemaal verslagen *all shot to pieces;* na het slechte nieuws waren wij totaal verslagen *after hearing the bad news we were absolutely crushed / dismayed / prostrate;* volkomen ~ *clobber, drub, skin, slaughter* **6.1** iem. ~ **met** schaken *defeat s.o. at chess;*
II ⟨onov.ww.⟩ **0.1** [verschalen] *go flat / stale.*

verslag ⟨het⟩ **0.1** *report* ⇒*record, account, statement* ⟨mbt. financiën⟩, *commentary* ⟨op radio / t.v.⟩ ◆ **1.1** de ~en v.d. kamerzittingen *parliamentary protocols / reports;* ~ v.d. toestand v.d. geldmiddelen *a financial statement, a statement of accounts* **2.1** een direct ~ v.d. wedstrijd *a live / running commentary of the match;* een uitgebreid ~ *a complete run-down;* een woordelijk ~ *a verbatim account* **3.1** ~ geven / uitbrengen / doen *report, make a report of, give an account of;* het ~ opmaken / samenstellen *make / draw up a report / an account* **6.1** ~ **over** het jaar 1984 *a report for / covering the year 1984.*

verslagen ⟨bn.⟩ **0.1** [overwonnen] *defeated* ⇒*beaten* **0.2** [terneergeslagen] *dismayed* ⇒*prostrate, crushed, disheartened* ◆ **1.2** een ~ hond *a cowed dog* **3.1** zij wisten zich ~ *they knew they were beaten / had lost* **3.2** ~ staan *be dismayed / crushed / prostrate.*

verslagenheid ⟨de (v.)⟩ **0.1** *dismay (at)* ⇒*consternation (at), dejection, despondency.*

verslaggever ⟨de (m.)⟩, **-geefster** ⟨de (v.)⟩ **0.1** *reporter* ⇒*journalist, commentator* ⟨op radio / t.v.⟩, *correspondent* ⟨in andere plaats / ander land⟩.

verslaggeving ⟨de (v.)⟩ **0.1** *(press) coverage* ⇒*commentary* ⟨op radio / t.v.⟩ ◆ **2.1** betrouwbare / juiste ~ *reliable / true reports.*

verslagjaar ⟨het⟩ **0.1** *year under review.*

verslaglegging ⟨de (v.)⟩ **0.1** *report(ing)* ⇒*making / writing / compiling a report.*

verslampampen ⟨ov.ww.⟩ ⟨pej.⟩ **0.1** *squander* ⇒*waste, throw away,* [†]*dissipate* ◆ **1.1** zijn geld / leven ~ *throw away / waste one's money / life.*

verslapen
I ⟨wk.ww.; zich ~⟩ **0.1** [te lang slapen] *oversleep* ◆ **1.1** hij had zich drie uur ~ *he overslept and was three hours late;*
II ⟨ov.ww.⟩ **0.1** [met slapen doorbrengen] *sleep away / through* ⇒ *doze / slumber away* **0.2** [door slapen verdrijven] *sleep off* ◆ **1.1** zijn tijd ~ *sleep away one's time* **1.2** zijn hoofdpijn / zorgen ~ *sleep off one's headache / worries.*

verslappen
I ⟨ov.ww.⟩ **0.1** [slap maken] *relax* ⇒*slacken, loosen (up),* ⟨verzwakken⟩ *weaken;*
II ⟨onov.ww.⟩ **0.1** [slap worden] *relax* ⇒*loosen (up), slacken, become slack* **0.2** [minder intensief worden] *slacken* ⇒*get weak(er), weaken, flag, wane* ⟨aandacht, belangstelling⟩ ◆ **1.2** de handel verslapt *trade is slackening;* de pols verslapt *the pulse is getting weaker / fainter* **6.2** wij mogen niet **in** onze pogingen ~ *we must not r. / slacken in our efforts.*

verslapping ⟨de (v.)⟩ **0.1** [het slap worden] *relaxation* ⇒*slackening,* ⟨verzwakking⟩ *weakening* **0.2** [het minder intensief worden] *slackening* ⇒*weakening, flagging, waning* ⟨van aandacht⟩.

verslaven ⟨wk.ww.; zich ~⟩ **0.1** *addict* ⇒*enslave* ◆ **6.1** zich **aan** de drank / het spel ~ *become addicted to drink / gambling.*

verslavend ⟨bn., bw.⟩ **0.1** *addictive* ⇒*habit-forming,* ⟨med.⟩ *habituating* ◆ **1.1** ~e geneesmiddelen *a. / habituating drugs* **3.1** videospelletjes werkten ~ op hem *video games had a fatal fascination for him, he was a compulsive / an obsessive video-game player* **6.1** heroïne is ~ **voor** iedereen *heroin is an a. / a habit-forming drug.*

verslaving ⟨de (v.)⟩ **0.1** *addiction* ⇒*enslavement, (drug-)dependence,* ⟨obsessie⟩ *obsession.*

verslavingsverschijnsel ⟨het⟩ **0.1** *symptom of addiction / dependence* ◆ **3.1** ~en vertonen *show symptoms of addiction / dependence.*

verslavingsziekte ⟨de (v.)⟩ **0.1** *drug-related disease / illness.*

verslavingszorg ⟨de (v.)⟩ **0.1** *care and treatment of drug addicts.*

verslechteren ⟨onov.ww.⟩ **0.1** *get worse* ⇒*worsen, deteriorate* ◆ **1.1** ondanks haar zorgen verslechterde zijn gezondheidstoestand *despite her care his health declined / deteriorated / got worse;* de toestand verslechtert zienderogen *the situation is perceptibly deteriorating / is taking a turn for the worse.*

verslechtering ⟨de (v.)⟩ **0.1** *worsening (of / in)* ⇒*deterioration (of / in), change for the worse (in),* ⟨statistiek ook⟩ *downswing (in).*

versleer ⟨de⟩ **0.1** *prosody* ⇒*poetics, metrics.*

verslepen ⟨ov.ww.⟩ **0.1** *drag (off / away); tow (away)* ⟨met sleepboot / takelwagen enz.⟩ ◆ **6.1** het wrak werd **naar** Vlissingen versleept *the wreck was towed to Flushing.*

versleten ⟨bn.⟩ **0.1** [afgesleten] *worn(-out)* ⇒*threadbare* ⟨kleed, stof⟩, *shabby, hackneyed* ⟨taalgebruik⟩, *timeworn* ⟨grap, uitdrukking⟩ **0.2** [afgeleefd] *worn-out* ⇒*broken-down* ⟨paard, machine⟩, *burnt-out* ⟨mens, dier⟩ ◆ **1.1** ~ kleren *worn-out clothes,* ⟨fig.⟩ ~ uitdrukkingen *outworn / hackneyed / trite expressions* **1.2** een ~ paard *a broken-down horse, an old nag* **6.1** tot op de draad ~ *threadbare, worn to shreds / to a frazzle.*

verslibben ⟨onov.ww.⟩ **0.1** *silt up* ⇒*fill up with mud / silt / sludge.*

verslijten
I ⟨ov.ww.⟩ **0.1** [doen slijten] *wear out* ⟨ook fig.⟩ ⇒⟨snel⟩ *get / go through* **0.2** [doorbrengen] *spend* ⇒*while away, pass* ⟨om de tijd te verdrijven⟩ **0.3** [⟨+voor⟩ houden voor] *take s.o. for* ⇒*put s.o. down as* ◆ **1.1** ⟨scherts.⟩ hij had al drie echtgenotes versleten *he had already worn out / got through three wives;* kleren ~ *wear out clothes* **5.1** iets vlug ~ *be hard on sth., go through sth. fast* **6.3** hij werd daar **voor** gek versleten *there they took him for / thought he was a fool;*
II ⟨onov.ww.⟩ **0.1** [slijten] *wear out / away* ⇒*wear off* ⟨mbt. gevoelens⟩ ◆ **1.1** de tijd verslijt *time slips away / passes quickly.*

verslikken ⟨wk.ww.; zich ~⟩ **0.1** [verkeerd slikken] *choke* ⇒*swallow the wrong way* **0.2** [blijken onderschat te hebben] *underrate, underestimate* ⇒*bite off more than one can chew* ◆ **4.1** pas op, hij verslikt zich *watch out, it's gone down the wrong way;* ⟨fig.⟩ zij verslikte zich in haar woorden *the words stuck in her throat* **6.1** ⟨fig.⟩ daar zullen we ons niet **aan** ~ *that's not going to give us much trouble;* zich in een graat ~ *c. on a bone;* ⟨fig.⟩ wat een lang woord, daar zou je je **in** ~ *that long word is quite a mouthful / a tongue twister.*

verslinden ⟨ov.ww.⟩ **0.1** *devour* ⇒*bolt, wolf (down)* ⟨eten⟩, *eat up* ⟨winst, afstanden⟩, *run away with, eat, swallow (up)* ⟨geld⟩ ◆ **1.1** die auto verslindt benzine *that car drinks / slurps petrol / [A]gas, [A]that car's a real gas-guzzler;* een boek ~ *d. a book;* ⟨fig.⟩ hij's een voracious reader **6.1** hij werd **door** een tijger verslonden *he was devoured by a tiger;* ⟨fig.⟩ iem. **met** de ogen ~ *devour s.o. with one's eyes.*

verslingerd ⟨bn.⟩ **0.1** *mad (about)* ⇒*crazy (about), sold (on), gone (on),* ⟨verliefd ook⟩ *soft / sweet (on)* ◆ **6.1** zij is ~ **aan** slagroomgebakjes *she's mad about / she's got this thing about cream cakes.*

verslingeren
I ⟨onov.ww.⟩ **0.1** [verloren gaan] ≠ ↓*go to pot* ◆ **3.1** kleren laten ~ *let clothes get into a mess / go to pot;*
II ⟨wk.ww.; zich ~⟩ **0.1** [verzot worden op] *throw o.s. away (on)* ⇒ *waste o.s. (on), become nuts / crazy / goofy about* ◆ **6.1** zich **aan** iets ~ *throw o.s. away on sth., waste o.s. / one's talents on sth.;* zich ~ **aan** iem. *throw o.s. away on s.o..*

versloffen
I ⟨onov.ww.⟩ **0.1** [in het honderd lopen] ⟨zie 3.1⟩ ◆ **3.1** zijn zaken laten ~ *let one's affairs get in a mess, let things go / slide;*
II ⟨ov.ww.⟩ **0.1** [verwaarlozen] *neglect* ⇒ ↓*make a mess of.*

verslonzen ⟨ov.ww.⟩ **0.1** *neglect* ⇒*be careless / slovenly / sloppy about, spoil, ruin* ◆ **1.1** zijn kleren ~ *be careless about one's clothes* **3.1** er verslonsd uitzien *look dishevelled / slovenly.*

versluieren ⟨ov.ww.⟩ **0.1** *veil* ⇒*obscure, cover up,* ⟨fig.⟩ *obfuscate, disguise* ◆ **1.1** ~de taal *veiled language.*

versluiting ⟨de (v.)⟩ **0.1** *customs seal* ◆ **6.1** goederen **onder** ~ doorzenden *send goods under c.s..*

versmaat ⟨de⟩ **0.1** *metre* ◆ **2.1** de jambische ~ *iambic m..*

versmachten ⟨onov.ww.⟩ **0.1** [omkomen] *die (of)* ⇒*perish* **0.2** [hevig lijden door] *be dying (of)* ⟨dorst, honger⟩; *be consumed (by / with)* ⟨liefde, zorgen⟩; *eat one's heart out (with)* ⟨verdriet⟩ **0.3** [verkwijnen] *pine away* ⇒*languish* ◆ **6.1** van dorst / honger ~ *die of hunger / thirst* **6.3 in** verdriet / de gevangenis ~ *languish in one's grief / in prison.*

versmaden ⟨ov.ww.⟩ **0.1** [afwijzen] *scorn* ⇒*spurn,* [†]*disdain* ⟨aanbod⟩ **0.2** [beneden zich achten] *despise* ⇒*look down on, disdain, contemn* ◆ **1.1** het heerlijkste eten versmaadt hij *he scorns the most delicious food;* een geschenk ~ *spurn a gift;* iemands hulp ~ *spurn s.o.'s help;* iemands liefde ~ *scorn / spurn s.o.'s love* **5.1** dat is niet te ~ *that's not to be sneezed at / despised.*

versmallen
I ⟨ov.ww.⟩ **0.1** [smaller maken] *narrow* ⇒*make narrow(er)* ◆ **1.1** een marge ~ *reduce a margin, make a narrower margin;*
II ⟨wk.ww.; zich ~⟩ **0.1** [smaller worden] *narrow* ⇒*become narrow(er), contract;*
III ⟨onov.ww.⟩ **0.1** [smaller worden] *narrow* ⇒*become narrow(er), contract* ◆ **1.1** ginds versmalt de weg *the road narrows / gets narrow(er) there.*

versmalling ⟨de (v.)⟩ **0.1** [handeling] *narrowing* ⇒*contraction* **0.2** [plaats] *constriction* ⇒*narrow(s)* ⟨mbt. rivier / stroom / zee⟩, *waist* ⟨mbt. viool / zandloper⟩, *taper* ⟨taps⟩.

versmelodie ⟨de (v.)⟩ **0.1** *melody / rhythm of a poem.*

versmelten
I ⟨ov.ww.⟩ **0.1** [samensmelten] *melt together* ⇒*merge, amalgamate* ⟨bedrijven, instellingen⟩, *fuse* ⟨vnl. metalen⟩, *blend* ⟨kleuren⟩ **0.2** [omsmelten] *melt (down)* **0.3** [onmerkbaar in elkaar doen overgaan] *blend* ⇒*merge, gradate* ⟨kleuren⟩ **0.4** [smeltend gebruiken] *melt (down)* ◆ **1.3** kleuren / tonen ~ *b. colours / sounds* **6.1** goud **met** koper ~ *fuse gold and copper;*
II ⟨onov.ww.⟩ **0.1** [in elkaar over-, opgaan] *blend* ⇒*merge, fuse* **0.2** [wegsmelten] *melt (away)* ⇒*dissolve* ⟨ook fig.⟩ ◆ **1.1** eicel en zaadcel ~ *ovum and sperm fuse* **6.2 in** tranen ~ *dissolve in tears.*

versmoren
I ⟨ov.ww.⟩ **0.1** [door verstikking ombrengen] *smother* ⇒*stifle, suffocate* **0.2** [onderdrukken] *stifle* ⇒*throttle, suppress, stamp out* ⟨on-

rust),*smother* ♦ **1.1** iem. ~ *smother/stifle/suffocate s.o.* **1.2** een kreet /klachten ~ *stifle/suppress/smother a cry/complaints;*
II ⟨onov.ww.⟩ **0.1** [omkomen door verstikking] *suffocate* ⇒*stifle, be suffocated/stifled* ♦ **6.1** in het moeras ~ *suffocate/be suffocated in the swamp;* van hitte ~ *be suffocated/stifled by the heat.*

versnapering ⟨de (v.)⟩ **0.1** *snack* ⇒⟨lichte maaltijd⟩ *refreshment* ⟨vnl. mv.⟩, ⟨lekkernij⟩ *titbit* ^*tidbit,* ⟨humoristisch⟩ ⟨dainty⟩ *morsel.*

versneld ⟨bn.⟩ **0.1** *faster, quicker* ⇒*accelerated, quickened, stepped up* ⟨produktie, handelingen⟩ ♦ **1.1** ⟨nat.⟩ een eenparig~e beweging *uniformly accelerated motion;* met ~e pas ⟨mil., ook iron.⟩ *at/on the double; double quick.*

versnellen
I ⟨onov., ov.ww.⟩ **0.1** [snelheid verhogen] *quicken* ⇒*accelerate, speed up, step up* ⟨produktie, handelingen⟩, *increase the pace of,* ⟨bevorderen⟩ *expedite* ♦ **1.1** de atleet versnelde *the athlete increased/quickened his pace;* een chemische reactie ~ *accelerate a chemical reaction;*
II ⟨wk.ww.; zich~⟩ **0.1** [sneller worden] *accelerate* ⇒*get quicker, speed up, gain/gather speed* ⟨ibh. vervoermiddelen⟩, *quicken* ♦ **1.1** de stroom v.h. water versnelt zich hier *the current accelerates/gathers momentum here.*

versneller ⟨de (m.)⟩ **0.1** [zaak die iets versnelt] *accelerator* ⇒⟨katalysator⟩ *catalyst* **0.2** [toestel] *accelerator.*

versnelling ⟨de (v.)⟩ **0.1** [het sneller maken/worden] *acceleration* ⇒ *speed(ing) up, quickening, stepping up* ⟨produktie, handelingen⟩, *increase* ⟨tempo⟩ **0.2** [mechanisme] *gear* ⇒⟨mbt. fiets ook⟩ *speed* **0.3** [schakelinrichting] *gear* ⇒⟨bak⟩ *gearbox, transmission* ♦ **2.2** in de hoogste/laagste ~ rijden *drive in top/bottom (g.)* **2.3** een auto met automatische ~ *a car with automatic transmission/gear-change* **6.1** ⟨nat.⟩ de ~ v.d. **zwaartekracht** *the a. of gravity* **6.2** in de eerste ~ zetten *put into/engage first g.,* ↓*put her into first;* hier moet je in een lagere ~ terugschakelen *you have to change down here;* in een hogere ~ schakelen *change up/move into g.* ⟨ook fig.⟩; ik krijg hem niet in de ~ *I can't get her into g.* **6.3** een fiets **met** tien ~en *a ten-speed bike* **7.2** naar de derde ~ schakelen *change/^shift into third (g.).*

versnellingsbak ⟨de (m.)⟩ **0.1** *gearbox* ⇒⟨van machine ook⟩ *gear housing* ♦ ¶**.1** deze auto kan ook met een vijfversnellingsbak geleverd worden *this car also is available with a five-speed gearbox.*

versnellingshandel ⟨de (m.)⟩ →**versnellingspook.**
versnellingsmachine ⟨de (v.)⟩ **0.1** *accelerator.*
versnellingsmeter ⟨de (m.)⟩ **0.1** *accelerometer.*
versnellingsnaaf ⟨de⟩ **0.1** *gear hub.*
versnellingspook ⟨de (m.)⟩ **0.1** *gearlever/stick,* ^*gearshift.*

versnijden ⟨ov.ww.⟩ **0.1** [in stukken snijden] *cut up* ⇒*cut to pieces, chop up* **0.2** [aanmengen] *adulterate* ⇒*doctor,* ⟨verdunnen⟩ *water (down), dilute,* ⟨versterken met alcohol⟩ *fortify* **0.3** [door verkeerd snijden bederven] *spoil/ruin (in) cutting* ⇒*cut about* ♦ **1.2** verf ~ *extend paint;* wijn ~ *a. wine* **1.3** die jas is versneden *that coat has been spoiled /ruined* **6.1** stro **tot** haksel ~ *cut/chop straw up into chaff, turn straw into chaff.*

versnipperen
I ⟨ov.ww.⟩ **0.1** [in snippers snijden] *cut up (into pieces)* ⇒*shred* ⟨groente, stof⟩, *snip* ⟨papier⟩ **0.2** [in te veel delen verdelen] *fragment* ⇒*split* ⟨groepering⟩, *split up, parcel out* ⟨grond⟩, *dissipate, fritter away* ⟨tijd, energie⟩ ♦ **1.2** zijn aandacht ~ *not concentrate (on one thing at a time), allow o.s. to be sidetracked;* het is gevaarlijk je tijd en krachten te zeer te ~ *it's dangerous to spread yourself too thin/to squander your energies;*
II ⟨onov.ww.⟩ **0.1** [in stukjes uiteenvallen] *split up* ⇒*disintegrate, break up, fall apart, shatter* ♦ **1.1** het rijk versnipperde *the empire disintegrated.*

versnoepen ⟨ov.ww.⟩ **0.1** *spend on sweets* ♦ **1.1** hij kijkt of hij zijn laatste oortje versnoept heeft *he looks as if he's lost a pound and found a penny;* Martijn heeft al zijn zakgeld versnoept *Martin has spent all his pocket money on sweets.*

verso ⟨bw.⟩ **0.1** *verso* ⇒⟨vel papier⟩ *back,* ⟨muntstuk⟩ *reverse* ♦ **7.1** het staat op folio twee ~ *it's on the v. of the second folio.*

versoberen
I ⟨onov., ov.ww.⟩ **0.1** [soberder inrichten] *economize* ⇒*cut back, cut down (on expenses), make economies, retrench, lead a simple(r) life,* ⟨rustig aan doen⟩ *slow down, take things easier* ♦ **1.1** het huishouden ~ *cut down on the housekeeping* **3.1** zij moesten ~ *they had to e. / cut down (on expenses) / tighten their belts;*
II ⟨onov.ww.⟩ **0.1** [soberder worden] *sober down* ⇒*be(come) sober / austere.*

versobering ⟨de (v.)⟩ **0.1** *austerity* ⇒*retrenchment, economizing, economies* ♦ **3.1** streven naar ~ *economize, retrench, try to achieve economies.*

versoepelen
I ⟨ov.ww.⟩ **0.1** [soepeler maken] *relax* ⇒*make more flexible/supple,* ⟨wet/ideeën ook⟩ *liberalize* ♦ **1.1** kredietbeperkingen ~ *ease credit restrictions;* de wetgeving ~ *relax the law(s);*
II ⟨onov.ww.⟩ **0.1** [soepeler worden] *relax* ⇒*become more pliable/ more supple/less rigid, ease.*

versomberen
I ⟨ov.ww.⟩ **0.1** [somber(der) maken] *darken* ⇒*make gloomy/sombre, cast a shadow/gloom on/over* ♦ **1.1** armoe versomberde haar bestaan *poverty darkened/cast a shadow over her life;*
II ⟨onov.ww.⟩ **0.1** [somber(der) worden] *darken* ⇒*become gloomy, grow dark/sombre* ♦ **1.1** zijn gelaat versomberde *his face grew sombre/darkened.*

versozijde ⟨de⟩ **0.1** ⟨muntstuk⟩ *reverse;* ⟨vel papier⟩ *back.*

verspaansen
I ⟨ov.ww.⟩ **0.1** [Spaans(er) maken] *make (more) Spanish;*
II ⟨onov.ww.⟩ **0.1** [Spaans(er) worden] *become (more) Spanish.*

verspanen ⟨onov., ov.ww.⟩ **0.1** *machine* ⇒*remove metal* ♦ **1.1** de ~de metaalbewerking *(metal) machining operation, metal removing operation.*

verspelen ⟨ov.ww.⟩ **0.1** [door eigen schuld verliezen] *forfeit* ⇒*gamble/ throw away, lose,* ⟨inf.⟩ *blow* ⟨geld, kans⟩, *bargain away* ⟨voordeel⟩ **0.2** [met spelen verliezen] *gamble away* **0.3** [spelend doorbrengen] *spend (one's time) playing* ⇒*waste, throw away* ⟨tijd⟩ ♦ **1.1** een kans ~ *throw away/blow a chance;* zijn rechten ~ *f. one's rights;* zijn reputatie ~ *blot one's copybook, lose one's reputation* **1.2** zijn geld en goed ~ *gamble away all one's worldly goods/all one has.*

verspenen ⟨ov.ww.⟩ **0.1** *prick/plant out* ⇒*bed (out).*

versperren ⟨ov.ww.⟩ **0.1** *block* ⇒*obstruct, bar* ⟨weg⟩, ⟨opzettelijk⟩ *barricade,* ⟨afsluiten⟩ *close (off)* ♦ **1.1** de massa versperde de straten *the crowds jammed/blocked the streets;* de uitgangen waren versperd *the exits were blocked;* iem. de weg ~ *bar s.o.'s way, be/get in s.o.'s way;* de weg ~ *block the road* **6.1** een kanaal **met** gezonken schepen ~ *block up/close off a canal with sunken ships.*

versperring ⟨de (v.)⟩ **0.1** [handeling, toestand] *blocking (up)* ⇒*barring, obstruction* **0.2** [middel] *barrier* ⇒*obstruction,* ⟨barricade⟩ *barricade, barrage, boom* ⟨in havenmond/rivier⟩, ⟨politiecontrole⟩ *roadblock,* ⟨mil.⟩ *entanglement* ⟨van prikkeldraad⟩.

versperringsballon ⟨de (m.)⟩ **0.1** *barrage balloon.*
versperringsvuur ⟨het⟩ **0.1** *barrage.*

verspieden ⟨onov., ov.ww.⟩ **0.1** *spy out* ⇒*scout, reconnoitre* ⟨terrein⟩ ♦ **1.1** de vijand ~ *spy on the enemy.*

verspieder ⟨de (m.)⟩ **0.1** *spy.*

verspillen ⟨ov.ww.⟩ **0.1** *waste* ⇒⟨verkwisten⟩ *squander,* ↑*dissipate,* ⟨verdoen⟩ *fritter away, idle (away)* ♦ **1.1** energie ~ *w. (one's) energy;* verspilde moeite *wasted effort, a waste of effort* **3.1** verspild worden *go/run to waste,* ↓*go down the drain* **6.1** ik zal er geen woorden meer **aan** ~ *I won't w. any more words/breath on it;* goede raad is **aan** hem verspild *good advice is wasted on him;* daar ga ik mijn tijd niet **aan** ~ *I'm not going to w. my time on that/dissipate my time in that.*

verspiller ⟨de (m.)⟩ **0.1** *waster* ⇒*squanderer,* ⟨mbt. geld ook⟩ *spendthrift.*

verspilling ⟨de (v.)⟩ **0.1** [het verspillen] *wasting* ⇒*squandering, dissipation* **0.2** [geval van verspillen] *waste* ⇒*dissipation, extravagance* ♦ **1.1** ~ van energie *w. energy/dissipation of energy* **1.2** de ~en v.h. hof onder Lodewijk XV *the extravagance of Louis XV's court* **4.2** wat een ~! *what a w.!.*

versplinteren
I ⟨ov.ww.⟩ **0.1** [tot splinters maken] *smash* ⇒*shatter* ⟨ook glas⟩, *splinter* ⟨ook hout⟩, ↑*break into shivers* **0.2** [⟨fig.⟩] *split (up)* ⇒ *smash, shatter, fragment;*
II ⟨onov.ww.⟩ **0.1** [tot splinters worden] *smash* ⇒*shatter, splinter* ⟨bot, hout⟩ **0.2** [⟨fig.⟩] *fall to pieces* ⇒*be smashed/shattered* ♦ **1.1** die plank is versplinterd *the plank has splintered.*

versplintering ⟨de (v.)⟩ **0.1** [het tot splinters maken/worden] *smashing* ⇒*shattering, splintering, fragmentation* **0.2** [⟨fig.⟩] *fragmentation* ♦ **1.2** de ~ v.h. wetenschappelijk onderzoek *the f. of scientific research.*

verspoeling ⟨de (v.)⟩ ⟨geol.⟩ **0.1** *undermining* ⟨door water⟩ ⇒*erosion.*

verspreid ⟨bn.⟩ **0.1** [hier en daar voorkomend] *scattered* ⇒⟨sporadisch⟩ *sporadic, occasional, stray,* ⟨alg.⟩ *widespread, common(ly held)* ⟨opvatting⟩ **0.2** [niet aaneengesloten] *scattered* ⇒⟨uiteengedreven⟩ *dispersed,* ⟨dun verspreid⟩ *sparse, spread out* ♦ **1.1** ~e geschriften *stray notes;* enkele ~ staande hutten *a few scattered cottages;* een over het hele land ~e organisatie *a nation-/country-wide organization* **1.2** een ~e bevolking *a scattered/sparse population;* ⟨mil.⟩ in ~e orde *in extended order* **2.1** er worden ~ voorkomende buien verwacht *scattered/occasional showers are expected* **3.1** haar speelgoed lag ~ over de vloer *her toys lay about/all over the floor, the floor was littered/strewn with her toys* **3.2** erg ~ liggen *be very far apart, lie scattered* **5.2** wijd ~ *widespread; widely/commonly held* ⟨opvatting⟩; ⟨uiteengedreven⟩ *flung far and wide* **6.1** over de hele aarde ~ zijn *be worldwide, be spread/scattered all over the world.*

verspreiden
I ⟨ov.ww.⟩ **0.1** [uitzenden] *spread* ⇒⟨zonder opzet ook⟩ *scatter, strew,* ⟨gerucht ook⟩ *circulate, put about, disperse, distribute, circulate* ⟨geschriften, informatie⟩, ↑*diffuse* ⟨kennis, informatie, licht⟩ **0.2** [uiteen doen gaan] *disperse* ⇒*scatter* ⟨vaak met geweld⟩ ♦ **1.1** het Evangelie ~ *propagate/spread the gospel;* geruchten ~ *spread/circulate/broadcast/put about rumours;* een kwalijke geur ~ *give out/off a*

ghastly smell; licht ~ *give out / shed light;* warmte ~ *radiate / give off* heat **1.2** een volksmenigte ~ *d. / scatter a crowd* **6.1** een reclamefolder **op** ruime schaal ~ *distribute / circulate an advertizing brochure on a wide scale;*
II ⟨wk.ww.; zich ~⟩ **0.1** [zich verbreiden] *spread* ⇒ *get about / around, travel* ⟨ook gerucht⟩ **0.2** [uiteen gaan] *spread out* ⇒ *disperse, scatter* ⟨menigte⟩, ⟨in waaiervorm⟩ *fan out* ◆ **1.1** nieuws verspreidt zich snel *news travels / gets around fast* **1.2** de menigte verspreidde zich *the crowd dispersed* **6.1** zich **over** de hele aarde ~ *s. worldwide / all over the world.*
verspreider ⟨de (m.)⟩ **0.1** *distributor* ⇒ *circulator,* ↑ *propagator,* ↑ *disseminator.*
verspreiding ⟨de (v.)⟩ **0.1** [het verspreiden / verspreid worden] *spread* ⇒ *circulation* ⟨krant, gerucht⟩, *diffusion* ⟨kennis, licht⟩, *dissemination, propagation* ⟨ideeën, kennis⟩, *scatter(ing)* **0.2** [manier waarop iets verspreid is] *distribution* ⇒ *spread* ◆ **1.2** de ~ van planten *spread / d. of plants* **2.1** de vrije ~ van informatie *the free dissemination of information* **2.2** de geografische ~ v.d. Nederlandse familienamen *the geographical d. of Dutch surnames* **6.1** de ~ v.d. wetenschappen **over** alle rangen v.d. maatschappij *the spread / dissemination of knowledge to all layers of the population.*
verspreidingsareaal ⟨het⟩ → *verspreidingsgebied.*
verspreidingsecologie ⟨de (v.)⟩ **0.1** *distribution ecology.*
verspreidingsgebied ⟨het⟩ **0.1** *area / range of distribution.*
verspreidingslens ⟨de⟩ **0.1** *diverging lens.*
verspreken ⟨wk.ww.; zich ~⟩ **0.1** [klanken verwisselen] *make a slip / mistake* ⇒ ⟨verkeerd uitspreken ook⟩ *pronounce a word wrongly, trip over a word, make a slip of the tongue* **0.2** [zich iets laten ontvallen] *let one's tongue run away with one* ⇒ ⟨iets verklappen⟩ *let the cat out of the bag,* ⟨door praten in moeilijkheden komen; inf.⟩ *put one's foot in it / one's mouth.*
verspreking ⟨de (v.)⟩ **0.1** [verwisseling van klanken] *slip (of the tongue)* **0.2** [geval dat men zich iets laat ontvallen] *slip* ⇒ *mistake, blunder.*
ver'springen ⟨onov.ww.⟩ **0.1** [springend van plaats veranderen] *jump* ⇒ *spring,* ⟨overslaan ook⟩ *be left out, be omitted* **0.2** [op een andere dag vallen] *change date* ⇒ *move, vary* **0.3** [niet in één lijn liggen] *stagger* ◆ **1.1** na deze alinea moet je een regel ~ *you should leave a line after this paragraph* **1.2** het paasfeest verspringt elk jaar *Easter varies each year, Easter is a movable feast* **1.3** ~ de naden *staggered seams* **6.1** mijn horloge verspringt automatisch **naar** de juiste datum *my watch jumps to the right date / changes the date automatically.*
'verspringen ⟨de (m.)⟩ ⟨sport⟩ **0.1** *do the long jump /* ^*broad jump* ◆ **1.1** zij sprong zes meter ver *she jumped six metres* **3.1** oefeningen in hoog- en ~ *high and long / broad jump exercises.*
verspringer ⟨de (m.)⟩, **-ster** ⟨de (v.)⟩ ⟨sport⟩ **0.1** *long-jumper /* ^*broad-jumper.*
versregel ⟨de (m.)⟩ **0.1** *line (of poetry).*
verssnede ⟨de⟩ **0.1** *caesura.*
verssoort ⟨de⟩ **0.1** *kind of poetry* ⇒ *metre.*
verst ⟨bn., bw.⟩ **0.1** *furthest, farthest* ⇒ ⟨verst verwijderd ook⟩ *furthermost, farthermost* ◆ **1.1** de ~e kant v.h. huis *the far(ther) side of the house;* het ~e punt *the farthest / farthermost point;* in de ~e verte niet *not remotely, by no manner of means, nowhere near;* dat is in de ~e verte niet mijn bedoeling *that's the last thing I intended* **6.1** om het ~ springen *see who can jump furthest / farthest.*
verstaan
I ⟨ov.ww.⟩ **0.1** [horen] *(be able to) hear* ⇒ *catch,* ↓ *get* **0.2** [begrijpen] *understand* ⇒ *grasp,* ↑ *comprehend,* ↓ *get, take* ⟨wenk⟩ **0.3** [als betekenis hechten aan] *understand, mean* **0.4** [goed kennen] *know* ⇒ *understand* ◆ **1.1** helaas verstond ik zijn naam niet *unfortunately I didn't catch his name;* ik versta geen woord! *I can't hear a word that's / of what's being said* **1.2** een taal ~ *u. a language* **1.4** zijn vak ~ *k. one's trade, k. what one is doing* **3.3** hoe moet hij dat ~? *how was he supposed to take that?* **4.1** hij kon zichzelf nauwelijks ~ *he could hardly hear himself speak* **4.2** elkaar ~ *u. each other;* jij blijft thuis, versta je? *you stay at home, u.? / do you hear (me)? / got it?* **5.1** iem. goed / half ~ *understand s.o. well, half understand s.o.;* spreek wat harder, ik versta je niet *speak up, I can't hear you / what you're saying;* sorry, ik verstond je niet *sorry, I didn't catch what you said* **5.2** heb ik goed ~ dat ... *did I hear you right / u. you to say that ...;* versta me goed *don't get me wrong, don't misunderstand me;* een grap verkeerd ~ *misunderstand / not get a joke;* wel te ~ *that is (to say)* **5.3** wat versta jij daaronder? *what do you u. / m. by that / take that to m.?, how do you interpret that?* **6.2** te ~ geven *give (s.o.) to u. (that);* men gaf hem **te** ~ *he was given to u.* **6.3** wat verstaat men **onder** die uitdrukking? *what is meant by that expression?;* **onder** dit woord wordt ~ ... *this word is understood to mean ...;*
II ⟨onov.ww.⟩ **0.1** [door te lang staan verloren gaan] ⟨zie 1.1⟩ ◆ **1.1** dit pand is ~ *this is a forfeited / unredeemed pledge;*
III ⟨wk.ww.; zich ~⟩ **0.1** [in overleg treden] *consult* ⇒ *come to an agreement / understanding* ◆ **6.1** zich **met** elkaar ~ *com. with each other* ⟨elkaar raadplegen⟩ *consult.*

verstaanbaar ⟨bn., bw.; -ly⟩ **0.1** [duidelijk] *audible* ⇒ *intelligible, clear* **0.2** [begrijpelijk] *understandable* ⇒ *intelligible, comprehensible,* ⟨duidelijk⟩ *plain, clear* ◆ **1.2** verstaanbare taal *u. / plain language;* kun je mij in verstaanbare taal uitleggen waarom ... *can you explain to me in words of one syllable why ...* **3.1** ~ spreken *speak audibly / clearly* **3.2** zich ~ maken ⟨in een vreemde taal⟩ *make o.s. understood;* ⟨bij veel lawaai⟩ *make o.s. heard;* hij kon zich niet ~ maken voor de mensen achteraan *he wasn't able to project (his voice) to the people at the back.*
verstaanbaarheid ⟨de (v.)⟩ **0.1** [duidelijkheid] *audibility* ⇒ *intelligibility, clarity* **0.2** [begrijpelijkheid] *intelligibility* ⇒ *comprehensibility,* ⟨duidelijkheid⟩ *clarity.*
verstaander ⟨de (m.)⟩ ⟨→ sprw. 601⟩ **0.1** *listener.*
verstadsen → *versteedsen.*
verstaging ⟨de (v.)⟩ ⟨scheep.⟩ **0.1** *stay.*
verstajem ⟨het⟩ ⟨inf.⟩ **0.1** ⟨zie 7.1⟩ ◆ **7.1** daar heb ik absoluut geen ~ van *I haven't got the foggiest idea (about it), I don't know the first thing about it, I haven't a clue.*
verstalen
I ⟨ov.ww.⟩ **0.1** [tot staal maken] *(turn / make into) steel* ⇒ ⟨fig.⟩ *steel, harden,* ⟨metallurgie⟩ *caseharden* ◆ **1.1** ijzer ~ *turn iron into steel* **4.1** ⟨fig.⟩ zich ~ *steel / harden one's heart, become callous;*
II ⟨onov.ww.⟩ **0.1** [tot staal worden] *turn to steel* ⇒ ⟨fig.⟩ *harden* ◆ **6.1** ⟨fig.⟩ in de ondeugd ~ *be hardened by vice.*
verstand ⟨het⟩ ⟨→ sprw. 473, 602, 603⟩ **0.1** [denkvermogen] *(power of) reason* ⇒ ⟨intellect⟩ *mind, intellect,* ⟨bevattingsvermogen⟩ *(powers of) comprehension,* ⟨hersenen⟩ *brain(s), wit(s)* **0.2** [vermogen om te oordelen] *(powers of) judgment* ⇒ *understanding, knowledge* **0.3** [begrip] *understanding* ◆ **1.1** hij heeft geen greintje ~ *he hasn't got a grain of common sense, there isn't an atom of common sense in him* **2.1** gezond ~ *common / horse sense;* een scherp ~ *a keen mind / intellect* **3.1** gebruik toch je ~! *use your brains / head!, have some sense!;* een goed ~ hebben *have a good head on one's shoulders, have brains / a good mind;* dieren hebben geen ~ *animals have no / can't reason;* praten naar men ~ heeft *talk according to one's lights;* hij heeft zijn ~ verloren *he has taken leave of his senses, he's gone out of his mind / off his head, he's not in his right mind;* hoe kan ik je dit aan je ~ peuteren! *how can I get this into your thick skull!;* zijn ~ verliezen *lose one's r., go out of one's mind* **3.2** ~ hebben *van know about, understand, be a good judge of;* ~ genoeg hebben om dat te laten *have enough sense / be intelligent enough not to do that;* het ~ ontwikkelen *develop the intellect* **5.1** zijn ~ erbij houden *keep a level head, keep one's wits about one* **6.1** iem. iets **aan** het ~ brengen *bring / drive sth. home to s.o., get s.o. to understand / see sth., get sth. through to s.o. /* ⟨inf.⟩ *into s.o.'s head;* **bij** zijn ⟨volle⟩ ~ *in full possession of one's faculties, sane, in one's right mind /* ↑ *compos mentis;* hij is niet goed **bij** zijn ~ *he's mad / out of his mind, he's taken leave of his senses;* **met** ~ aan het werk gaan *go to work intelligently / sensibly* **6.2** zij loste het probleem **met** ~ op *she solved the problem with discretion* **6.3** **met** dien ~ e *on the u. that, provided (that);* **tot** goed ~ **van** de zaak ... *for a correct / proper u. of the matter* **7.2** daar heb ik geen ~ van *I don't know the first thing / anything about that, I haven't a clue about that* ¶ **.1** dat gaat mijn ~ te boven *that's beyond me / my comprehension,* ↓ *it beats me (why ...).*
verstandelijk
I ⟨bn.⟩ **0.1** [intellectueel] *intellectual* ⇒ ⟨koel, analytisch⟩ *cerebral,* ⟨schr.⟩ *noetic* ◆ **1.1** ~ e ontwikkeling / leeftijd *i. development, mental age;* een ~ type *an intellectual (type);* ~ e vermogens *intellect, i. powers / faculties;*
II ⟨bw.⟩ **0.1** [met het verstand] *rationally* ⇒ *intellectually, reasonably* ◆ **3.1** iets ~ beredeneren *approach sth. rationally, intellectualize sth.*
verstandeloos ⟨bn., bw.; -ly⟩ **0.1** *senseless* ⇒ *mindless, foolish, stupid* ◆ **3.1** hoe kun je zo ~ spreken / handelen *how can you talk / act so stupidly* ¶ **.1** ~ te werk gaan *set to work without thinking.*
verstandhouding ⟨de (v.)⟩ **0.1** *understanding* ⇒ ⟨contacten, betrekkingen⟩ *relations, relationship* ◆ **1.1** een blik van ~ *a knowing glance / look / nod;* een teken van ~ *an understanding look / wink /* ⟨schr.⟩ *look / glance* **2.1** een goede ~ bevorderen *promote goodwill / good relations;* een goede / slechte ~ hebben met *be on good / bad terms with, be on a good / bad footing with;* wederzijdse ~ *mutual u.* **3.1** de ~ verbeteren *improve relations* **6.1** in geheime ~ staan met *collude with, maintain secret relations with;* in goede ~ leven *be in harmony, maintain cordial relations (with);* in goede ~ met *in rapport / at peace with;* ze staan met elkaar **in** ~ *they are in league with each other / in collusion.*
verstandig ⟨bn., bw.; -ly⟩ **0.1** [verstand hebbend] *sensible* ⇒ *wise, prudent,* ⟨schrander⟩ *intelligent, clever, shrewd* **0.2** [doordacht] *sensible* ⇒ *wise, prudent, shrewd,* ⟨weloverwogen⟩ *judicious, well-advised* ◆ **1.1** een ~ meisje *a sensible / wise girl,* ↑ *a shrewd young lady* **1.2** een ~ plan *a sensible / shrewd plan* **3.1** iets ~ aanpakken *tackle sth. intelligently, go about sth. sensibly / in a sensible way;* hij is te ~ om ... *he has too much sense to ...;* ~ zijn *act / be wise;* een ~ s head / a man's head screwed on straight / the right way;* zo ~ zijn nee te zeggen *be wise enough / have enough wit / have the wits / the sense to say no;* wel zo ~

zijn iets te laten *know better than to do sth.* **3.2** doe je daar wel ~ aan? *is that wise (of you)?, is that a good idea?;* ~ praten *talk sense;* wees toch ~ *do be sensible,* ↓ *wise up* **6.1** ~ **voor** zijn leeftijd *wise for one's age.*

verstandshuwelijk ⟨het⟩ **0.1** *marriage of convenience.*

verstandskies ⟨de⟩ **0.1** *wisdom tooth* ◆ **3.1** bij mij komt een ~ door *I'm cutting a w. t.*.

verstandsmens ⟨de (m.)⟩ **0.1** *rational person* ⇒*cerebral/intellectual person, intellectualist.*

verstandspoëzie ⟨de (v.)⟩ **0.1** *intellectual poetry* ⇒*poetry of the head.*

verstandsverbijstering ⟨de (v.)⟩ **0.1** *madness* ⇒*insanity, lunacy, mental derangement* ◆ **1.1** handelen in een vlaag van ~ *act in a fit of m. / insanity;* ⟨jur.⟩ *do sth. whilst of unsound mind* **2.1** tijdelijke ~ *temporary insanity/unbalance* **3.1** hij lijdt aan ~ *he's mentally deranged.*

verstandsvraag ⟨de⟩ **0.1** *poser, puzzler.*

verstappen

I ⟨onov.ww.⟩ **0.1** [stappend van plaats veranderen] *step/walk (over/ across);*

II ⟨wk.ww.;zich~⟩ **0.1** [verkeerde stap doen] *stumble, jar one's leg.*

verstarren

I ⟨ov.ww.⟩ **0.1** [stijf maken] *stiffen* ⇒*make rigid, rigidify,* ⟨fig. ook⟩ *numb, ossify, fossilize* ◆ **3.1** ⟨fig.⟩ ~d werken op *paralyze, have a paralyzing effect on;*

II ⟨onov.ww.⟩ **0.1** [star worden] *become rigid* ⇒⟨fig.⟩ *fossilize, become/grow fixed* ⟨blik;ook fig.⟩, *become/grow set* ⟨gewoontes⟩ ◆ **1.1** zijn blik verstarde *his look grew fixed, his eyes became glassy;* verstarde tradities *fossilized traditions.*

verstarring ⟨de (v.)⟩ **0.1** *rigidity* ⇒⟨fig. ook⟩ *fossilization, ossification.*

verstechniek ⟨de (v.)⟩ **0.1** *poetic technique.*

verstechnisch ⟨bn., bw.;-ly⟩ **0.1** *poetic* ⇒*technical* ◆ **1.1** zijn weergaloos ~ vermogen *his unrivalled p. technique* ¶**.1** ~ laat hij wel eens een steekje vallen *technically his poetry isn't perfect.*

verstedelijken ⟨onov.ww.⟩ **0.1** [mbt. personen] *urbanize;* **0.2** [mbt. plaatsen/gebieden] *urbanize; citify* ⟨vaak pej.⟩.

verstedelijking ⟨de (v.)⟩ **0.1** [mbt. plaatsen/gebieden] *urbanization* **0.2** [mbt. personen] *urbanization; citification* ⟨vaak pej.⟩ ◆ **1.2** de ~ v.d. totale bevolking *the u. of the entire population.*

versteedsen

I ⟨ov.ww.⟩ **0.1** [steeds maken] *citify* ⇒*urbanize, townify;*

II ⟨onov.ww.⟩ **0.1** [steeds worden] *be(come) citified/urbanized.*

versteend ⟨bn.⟩ **0.1** [tot steen geworden] *petrified* ⇒*mineralized, fossilized* ⟨ook fig.⟩, ⟨fig. ook⟩ *ossified* **0.2** [verstijfd] *petrified* ⇒*terrified, rigid, frozen* ⟨van angst⟩, *stiff, numb* ⟨van kou⟩ **0.3** [ongevoelig] *of/ turned to stone, numb* ◆ **1.1** ⟨fig.⟩ ~e begrippen *fossilized/ossified ideas;* ~e dieren *p. / fossilized animals;* ~ hout *p. wood* **1.3** een ~ hart *a heart of stone* **6.2** van schrik ~ *p. / rigid with fear.*

versteendheid ⟨de (v.)⟩ ⟨fig.⟩ **0.1** *rigidity.*

verstek ⟨het⟩ **0.1** [⟨jur.⟩] *default (of appearance)* ⇒*non-appearance, absence* **0.2** [mbt. planken] *mitre (joint)* ◆ **3.1** ~ laten gaan ⟨jur.⟩ *(make/ go by) default;* ⟨alg.⟩ *be absent, fail to appear;* ~ verlenen *enter a d. (against), declare in d.* **6.1** bij ~ veroordelen *sentence by d. / in absentia;* bij ~ verdaagd worden *go by d.* **6.2** iets met ~ zagen *mitre sth.*.

verstekbak ⟨de (m.)⟩ →**verstekblok.**

verstekblok ⟨het⟩ ⟨amb.⟩ **0.1** *mitre box/block/board.*

verstekeling ⟨de (m.)⟩, **-e** ⟨de (v.)⟩ **0.1** *stowaway.*

versteken ⟨ov.ww.⟩ **0.1** [anders/elders steken] *move, stick elsewhere* **0.2** [verbergen] *hide* ⇒*conceal, put away* ◆ **1.1** een speld ~ *m. a pin* **4.2** zich ergens ~ *h. somewhere;* ⟨aan boord⟩ *stow away* **6.2** geld in een matras ~ *h. / put away money in a mattress.*

verstekhaak ⟨de (m.)⟩ **0.1** *mitre square.*

verstekproces ⟨het⟩ **0.1** ⟨jur.⟩ *default/undefended case* ⇒*proceedings upon default (of appearance).*

verstekzaag ⟨de⟩ **0.1** *mitre (box) saw.*

verstelbaar ⟨bn.⟩ **0.1** *adjustable* ⇒*adaptable, moveable* ◆ **1.1** tafel met ~ blad *table with an adjustable/moveable top;* een verstelbare lamp *an adjustable lamp.*

versteld ⟨bn.⟩ **0.1** *stunned* ⇒*staggered, dumbfounded, stupified, amazed* ◆ **3.1** iem. ~ doen staan *astonish s.o.;* ~ staan (van iets) *be dumbfounded/amazed.*

verstelgoed ⟨het⟩ **0.1** *mending (work).*

verstellen ⟨ov.ww.⟩ **0.1** [stand veranderen] *adjust* ⇒*adapt, change, shift, move* **0.2** [repareren] *mend* ⇒*patch (up), repair, piece (up)* ◆ **1.1** schroeven ~ *adjust screws* **1.2** kant ~ *m. lace.*

versteller ⟨de (m.)⟩, **-ster** ⟨de (v.)⟩ **0.1** *mender* ⇒*patcher.*

verstelwerk ⟨het⟩ **0.1** *mending.*

verstenen

I ⟨onov.ww.⟩ **0.1** [tot steen worden] *petrify* ⇒*mineralize, fossilize* [⟨fig.⟩] *harden* ⇒*ossify* ◆ **1.1** een ~de bron *a petrifying well;*

II ⟨ov.ww.⟩ **0.1** [tot steen maken] *petrify* ⇒*fossilize, mineralize* **0.2** [⟨fig.⟩] *harden* ⇒*turn to stone.*

verstening ⟨de (v.)⟩ **0.1** [het verstenen] *petrifaction* ⇒*mineralization, fossilization* ⟨ook fig.⟩, ⟨fig. ook⟩ *ossification* **0.2** [⟨med.⟩] *concretion* **0.3** [fossiel] *petrifaction, fossil* ◆ **1.1** ⟨fig.⟩ de ~ v.h. Gooi *the building-up of the Gooi area.*

versterf ⟨het⟩ **0.1** [necrose] *necrosis* ⇒*mortification, gangrene* **0.2** [overgang door sterven] *law, intestacy, descent* **0.3** [erfdeel] *inheritance, portion* ⇒*patrimony* ⟨van vader⟩ ◆ **2.1** droog ~ *dry gangrene* **6.2** ⟨jur.⟩ bij ~ *at law, statutory, intestate,* ↑*ab intestato;* erfgenaam bij ~ *heir at law, legal/statutory/intestate heir, heir apparent;* overgaan op ~ *be transferred/descend by inheritance/intestate succession.*

versterfrecht ⟨het⟩ **0.1** [erfrecht] *law of succession* **0.2** [recht van erfopvolging] *right of succession.*

versterken ⟨ov.ww.⟩ **0.1** [krachtiger maken] *strengthen* ⇒*boost, reinforce, enhance, intensify* ⟨licht, gevoelens⟩ **0.2** [tegen aanvallen bestand maken] *fortify* ⇒*strengthen, wall, armour* **0.3** [talrijker maken] *reinforce* ⇒*add to, enlarge, increase* **0.4** [bekrachtigen] *confirm* ⇒*affirm, deepen, boost, endorse* ⟨opvatting⟩ ◆ **1.1** geluid ~ *amplify sound;* de indruk ~, dat *reinforce/s. the impression that;* de inwendige mens ~ *fortify the inner man* **6.4** iets door een eed ~ *confirm sth. by (means of) an oath.*

versterkend ⟨bn.⟩ **0.1** *restorative, strengthening* ⇒*nourishing, sustaining, cordial* ◆ **1.1** een ~ middel *a restorative/tonic/cordial;* ~ voedsel *nourishing/strengthening/sustaining food.*

versterker ⟨de (m.)⟩ **0.1** [toestel] *amplifier* **0.2** [stof] *booster* **0.3** [⟨foto.⟩] *intensifier.*

versterking ⟨de (v.)⟩ **0.1** [het versterken] *strengthening, reinforcement* ⇒*intensification* ⟨licht⟩, *amplification* ⟨geluid⟩ **0.2** [middel dat versterkt] *reinforcement* ⇒*strengthener, restorative* **0.3** [aanvulling] *reinforcement* ⇒*extension, enlargement, augmentation* **0.4** [het sterker (doen) worden] *strengthening* ⇒*reinforcement, increase, boost, improvement* **0.5** [hartsterking] *pick-me-up* ⇒*cordial* **0.6** [fortificatie] *fortification* ⇒*bastion* ◆ **2.2** duurzame/tijdelijke ~en *permanent/ temporary reinforcements* **3.3** het leger kreeg ~ *the army was reinforced.*

versterkingsfactor ⟨de (m.)⟩ **0.1** *amplification* ⇒*gain.*

versterkingswerken ⟨zn.mv.⟩ **0.1** *fortifications.*

versterven

I ⟨onov.ww.⟩ **0.1** [teloorgaan] *die (out)* ⇒*wither, wilt* **0.2** [bij erfenis overgaan] *descend* ⇒*devolve* ◆ **1.1** roem die nooit zal ~ *undying/immortal fame* **1.2** verstorven goederen *goods descended;*

II ⟨wk.ww.;zich~⟩ **0.1** [ascese beoefenen] *mortify the flesh/o.s.*.

versterving ⟨de (v.)⟩ **0.1** [ascese] *mortification* **0.2** [legaat] *succession, descent* **0.3** [het teloorgaan] *dying (out)* ⇒*withering, wilting.*

verstevigen

I ⟨ov.ww.⟩ **0.1** [steviger maken] *strengthen, consolidate* ⇒*stiffen, fortify,* ⟨stutten⟩ *prop up, brace* ◆ **1.1** een muur ~ *brace a wall;* zijn positie ~ *c. one's position;* de vriendschapsbanden ~ *strengthen the bonds of friendship;*

II ⟨wk.ww.;zich~⟩ **0.1** [steviger worden] *be strengthened/consolidated/fortified* ⇒*(be) deepen(ed)* ◆ **4.1** ons inzicht verstevigt zich *our insight is deepened.*

versteviger ⟨de (m.)⟩ ⟨vooral in samenst.⟩ **0.1** *stiffener.*

versteviging ⟨de (v.)⟩ **0.1** [handeling] *strengthening, confirmation* ⇒*consolidation, stiffening, fortification* **0.2** [middel] *fortification, consolidation* ⇒⟨stut⟩ *brace, prop* ◆ **6.1** ter ~ *for strength/confirmation.*

verstieren ⟨ov.ww.⟩ ⟨inf.⟩ **0.1** *muddle (up)* ⇒*mix up,* ⟨vulg.⟩ *ball/cock/* ⟨BE;sl.⟩ *bugger up.*

verstijfd ⟨bn.⟩ **0.1** *frozen, rigid (with)* ⇒*petrified/stiff (with)* ◆ **6.1** ~ van ouderdom/reumatiek *stiff with old age/rheumatism;* ~ van kou *numb /stiff with cold;* ~ zijn van angst *be r. / petrified with fear.*

verstijven

I ⟨onov.ww.⟩ **0.1** [stijf worden] *stiffen* ⇒*freeze, petrify, grow stiff/ rigid* ◆ **3.1** die opmerking deed haar ~ *that remark made her freeze (up)* **6.1** ~ van koude *grow numb with cold;* ~ van schrik *grow rigid with fear;*

II ⟨ov.ww.⟩ **0.1** [steviger maken] *stiffen* ⇒*fortify, brace.*

verstikken

I ⟨ov.ww.⟩ **0.1** [doen stikken] *smother, choke* ⇒*strangle, stifle, suffocate* ◆ **1.1** de vlammen ~ *extinguish/smother the flames;* de weiden zijn verstikt door het onkruid *the pastures are choked with weeds;*

II ⟨onov.ww.⟩ **0.1** [door stikken omkomen] *choke, suffocate;* ⟨med. ook⟩ *asphyxiate.*

verstikkend ⟨bn.⟩ **0.1** *suffocating* ⇒*stifling, choking,* ⟨med. ook⟩ *asphyxiating* ◆ **1.1** ~e greep ⟨ook⟩ *stranglehold;* ~e lucht/hitte *stifling atmosphere/heat.*

verstikking ⟨de (v.)⟩ **0.1** *suffocation* ⇒*choking,* ⟨med. ook⟩ *asphyxiation.*

verstikkingsdood ⟨de (m.)⟩ **0.1** *(death by) suffocation/* ⟨med. ook⟩ *asphyxiation.*

verstillen ⟨onov.ww.⟩ ⟨schr.⟩ **0.1** *(grow) still, quiet down.*

verstoffelijken ⟨ov.ww.⟩ **0.1** *materialize* ◆ **5.1** hij is helemaal verstoffelijkt *he has become completely materialistic.*

verstoken¹ ⟨bn.⟩ **0.1** *deprived (of)* ⇒*denied, excluded (from), cut off (from), devoid (of)* ◆ **1.1** van alle hoop ~ *bereft off all hope* **6.1** van iets ~ zijn *be deprived of/denied sth.*.

verstoken² ⟨ov.ww.⟩ **0.1** [brandstof verbruiken] *burn (up)* ⇒*use (up), consume* **0.2** [aan brandstof uitgeven] *spend on heating* ◆ **4.2** wat verstook jij per maand? *what do you spend on heating a month?.*

verstokken
 I ⟨ov.ww.⟩ **0.1** [ongevoelig maken] *harden* ⇒*(be)numb;*
 II ⟨onov.ww.⟩ **0.1** [ongevoelig worden] *harden* ⇒*grow hard / numb.*

verstokt ⟨bn.⟩ **0.1** *(case)hardened, confirmed* ⇒*inveterate, incurable, obdurate* ◆ **1.1** ~e alcoholisten *incurable / inveterate alcoholics;* een~e drinker *a confirmed / an inveterate drunkard;* een ~ hart *a hard(ened) / insensitive heart;* een~e misdadiger *a (case)hardened / an incorrigible criminal;* een~e vrijgezel *a confirmed bachelor.*

verstolen ⟨bn., bw.; -ly⟩ **0.1** *furtive* ⇒*stealthy* ◆ **1.1** een ~ blik *a f. glance* **3.1** ~ glimlachen *smile furtively.*

verstomd ⟨bn.⟩ ◆ **3.¶** ~ doen staan *strike dumb, stupefy, astound;* ~ staan *be dumbfounded / flabbergasted / stupefied / astounded / open-mouthed / ⟨inf.⟩ jiggered;* ze stonden als ~ *they were struck silent / flabbergasted / stood rooted to the ground.*

verstommen
 I ⟨onov.ww.⟩ **0.1** [stom worden] *fall / become / grow silent* ⇒*cease, subside, die down* ◆ **1.1** het lawaai / applaus verstomde *the noise / applause died down / tailed off* **5.1** plotseling verstomde hij *suddenly, he stopped / ceased;*
 II ⟨ov.ww.⟩ **0.1** [doen zwijgen] *hush, strike dumb* ⇒*silence* ◆ **1.1** die woorden schenen hem te ~ *these words seemed to silence him / strike him dumb.*

verstomming ⟨de (v.)⟩ **0.1** [het verstommen] *dying down, falling / growing silent* ⇒*subsiding* **0.2** [sprakeloosheid] *perplexity* ⇒*dumbfoundedness.*

verstoord ⟨bn.⟩ **0.1** *annoyed, upset* ⇒⟨geërgerd⟩ *vexed, ruffled,* ⟨boos⟩ *angry.*

verstoorder ⟨de (m.)⟩, **-ster** ⟨de (v.)⟩ **0.1** *disturber* ⇒*killjoy, spoilsport* ⟨van pret⟩, ⟨AE⟩ ↓*party-pooper* ◆ **1.1** de ~ v.h. spel *the spoilsport;* de ~ v.d. vrede *the d. of the peace.*

verstoordheid ⟨de (v.)⟩ **0.1** *annoyance* ⇒*displeasure,* ⟨ergernis⟩ *vexation,* ⟨boosheid⟩ *anger.*

verstoppen ⟨ov.ww.⟩ **0.1** *hide* ⇒*conceal, put away* ◆ **1.1** zijn geld ~ *h. / stash away one's money* **4.1** zich achter de deur ~ *h. behind the door.*

verstoppertje ⟨het⟩ **0.1** *hide-and-seek* ◆ **3.1** ⟨fig.⟩ de maan speelt ~ *the moon is (in) hiding / hidden;* ~ spelen *play (at) hide-and-seek;* ⟨fig.⟩ geen ~ spelen *not beat about the bush.*

verstopping ⟨de (v.)⟩ **0.1** [het verstopt zijn] *blockage* ⇒*stoppage, obstruction* **0.2** [opstopping] *block* ⇒*clog, foul, obstacle, stop(page)* **0.3** [obstipatie] *constipation* **0.4** [verkoudheid] *stoppage.*

verstopt ⟨bn.⟩ **0.1** [dicht zittend] *blocked (up)* ⇒*clogged (up), foul, obstructed, choked* **0.2** [lijdend aan obstipatie] *constipated* ◆ **1.1** ⟨fig.⟩ zijn bronnen zijn ~ *his cash supply has dried up;* een ~ hoofd hebben *have a clogged(-up) / stuffy head;* mijn neus is ~ *my nose is all stuffed up;* het riool is ~ *the sewer is obstructed / clogged / blocked* **3.1** ~ raken *clog / foul up, become choked (up), stuff up* ⟨neus⟩.

verstoren ⟨ov.ww.⟩ **0.1** *disturb* ⇒*disrupt, upset, interrupt, interfere with* ◆ **1.1** het evenwicht ~ *upset the balance;* niets kon hun geluk ~ *nothing could mar / ruffle their happiness;* de rust / openbare orde ~ *disturb the peace / public order;* de stilte ~ *break the silence.*

verstoring ⟨de (v.)⟩ **0.1** [het verstoren / verstoord worden] *disruption* ⇒*disturbing, upsetting, interruption* **0.2** [stoornis] *disturbance* ⇒*disruption, interference, perturbation* ◆ **1.1** de ~ van zijn innerlijk evenwicht *the disruption / upsetting of his inner balance;* ~ v.d. openbare orde *violation of civil / public order, disorderly conduct, breach of the peace.*

verstorven ⟨bn.⟩ **0.1** [⟨jur.⟩] *descended* ⇒*devolved,* ⟨ongemarkeerd⟩ *inherited* **0.2** [v.d. wereld afgestorven] *ascetic* ◆ **1.2** een ~ mens *an ascetic.*

verstorvene ⟨de (m.)⟩ **0.1** *deceased.*

verstoteling ⟨de (m.)⟩, **-e** ⟨de (v.)⟩ **0.1** *outcast* ⇒*castaway, pariah, orphan* ◆ **1.1** een ~ v.d. maatschappij *an outcast of society.*

verstoten ⟨ov.ww.⟩ **0.1** *cast off / out / away* ◆ **1.1** een kind ~ *disown a child;* de vluchtelingen werden overal ~ *the refugees were turned away everywhere;* een vrouw ~ *repudiate a wife.*

verstotene ⟨de (m.)⟩ **0.1** *outcast* ⇒*castaway, pariah, orphan.*

verstouten ⟨schr.⟩
 I ⟨ov.ww.⟩ **0.1** [moed geven] *encourage, embolden* ⇒*make bold, give courage* ◆ **4.1** dat verstoutte mij *that gave me (the) courage (to);*
 II ⟨wk.ww.; zich ~⟩ **0.1** [moed krijgen] *make bold, take heart* ⇒*dare, presume, pluck up / muster courage* ◆ **4.1** zich ~ om te *make so bold as to.*

verstouwen ⟨ov.ww.⟩ **0.1** [anders stouwen] *re-stow, shift* ⇒*re-pack, re-load* **0.2** [verwerken] *digest, take* ⇒*stomach, stow away* ◆ **3.2** heel wat kunnen ~ ⟨veel kunnen eten⟩ *be able to put away a vast amount;* ⟨een groot incasseringsvermogen hebben⟩ *be able to take a lot.*

verstraallamp ⟨de⟩ →*verstraler.*

verstrakken
 I ⟨onov.ww.⟩ **0.1** [strakker worden] *tighten* ⇒*harden, set* ⟨gezicht⟩ ◆ **1.1** zijn gezicht verstrakte *his face set, his expression hardened;*
 II ⟨ov.ww.⟩ **0.1** [strakker maken] *tighten* ⇒*pull tight, harden, tauten.*

verstraler ⟨de (m.)⟩ **0.1** *distance / high-beam headlamp.*

verstrammen

 I ⟨ov.ww.⟩ **0.1** [strammer maken] *stiffen* ⇒*make stiff / rigid;*
 II ⟨onov.ww.⟩ **0.1** [strammer worden] *stiffen* ⇒*grow stiff.*

verstrekken ⟨ov.ww.⟩ **0.1** [verschaffen] *supply / provide with;* ⟨uitdelen⟩ *distribute, hand out; issue* ⟨bonnen, kleding⟩ ◆ **1.1** wat verstrekt mij de eer? *to what do I owe the honour?;* gegevens ~ voor een statistiek *provide data for statistics;* iem. de nodige gelden ~ *provide / supply / furnish s.o. with the necessary funds;* hulp ~ *render aid / assistance;* inlichtingen ~ *supply / give information;* de bank zal hem een lening ~ *the bank will accommodate / grant him with a loan.*

verstrekkend ⟨bn.⟩ **0.1** *far-reaching* ⟨gevolgen⟩; *sweeping* ⟨bevoegdheden⟩; *consequential* ⟨beslissing⟩ ◆ **1.1** dat heeft ~e gevolgen *that will have far-reaching / important consequences.*

verstrekking ⟨de (v.)⟩ **0.1** [handeling] *supply(ing), provision* ⇒*distribution, issuing, dispensation* **0.2** [het verstrekte] *supply* ⇒*ration, provision, issue, allowance.*

verstrengelen ⟨ov.ww.⟩ **0.1** *entwine* ⇒*intertwine, entangle, enlace, interweave, knot.*

verstrengeling ⟨de (v.)⟩ **0.1** *entanglement, entwining* ⇒*enlacing, interwovenness, linkage* ◆ **1.1** ⟨fig.⟩ een ~ v.d. motieven *a complex of motives.*

verstrijken ⟨onov.ww.⟩ **0.1** *go by* ⇒*pass (by), wear on, progress,* ⟨voorbijgaan⟩ *elapse,* ⟨aflopen⟩ *expire* ◆ **1.1** er is weer een dag verstreken *another day has passed / gone by;* er waren jaren verstreken *years had lapsed / gone by;* de maanden verstreken ongemerkt *the months stole by;* je tijd is verstreken *your time's up;* naarmate de uren verstreken *as the hours went by / wore on / passed* **6.1** de termijn / geldigheid verstrijkt **op** 1 juli *the term / validity expires on the 1st of June.*

verstrikken ⟨ov.ww.⟩ **0.1** [in een strik vangen] *snare* ⇒*(en)trap, catch* ⟨in one's net(s) / meshes⟩ **0.2** [doen vastlopen] *entangle* ⇒*enmesh, trap* ◆ **3.1** ⟨fig.⟩ in iemands netten verstrikt raken *be caught up in s.o.'s snare(s) / meshes* **3.2** zich laten ~ *let o.s. be trapped;* in iets verstrikt raken *get caught up / entangled in sth.* **6.1** ⟨fig.⟩ iem. **in** zijn netten ~ *draw s.o. into one's meshes* **6.2** zich in zijn eigen woorden ~ *get caught in one's own words.*

verstrooid ⟨bn., bw.⟩ **0.1** [her en der verspreid] ⟨bn.⟩ *scattered, dispersed* ⇒*diffused,* ⟨bw.⟩ *in a scattered / dispersed / diffuse way* **0.2** [afwezig] ⟨bn.⟩ *absent-minded* ⇒*woolgathering,* ⟨bw.⟩ *absent-mindedly* ◆ **1.2** de ~e professor *the absent-minded / forgetful professor.*

verstrooidheid ⟨de (v.)⟩ **0.1** [afwezigheid van geest] *absent-mindedness* ⇒*forgetfulness, woolgathering* **0.2** [geval daarvan] *absent-minded mistake* ◆ **6.1 in / uit** ~ iets doen *do sth. from absent-mindedness.*

verstrooien ⟨ov.ww.⟩ **0.1** [afleiden] *entertain* ⇒*divert, amuse* **0.2** [uiteendrijven, verspreiden] *scatter, disperse* ⇒*diffuse* ◆ **1.2** het vijandelijke leger ~ *s. the enemy's troops* **4.1** zich ~ *amuse o.s.* **4.2** zich ~ *disperse itself, scatter.*

verstrooiing ⟨de (v.)⟩ **0.1** [afleiding] *entertainment, diversion* ⇒*amusement, distraction* **0.2** [verspreiding, uiteendrijving] *scattering, dispersion* ⇒*diffusion, dispersal* ⟨bv. zaden⟩ **0.3** [het verspreid zijn] *dispersion* ⇒*scatteredness* **0.4** [afdwaling v.d. geest] *absent-mindedness* ⇒*forgetfulness, woolgathering* ◆ **1.3** de ~ der joden *the Diaspora* **3.1** ~ zoeken *seek diversion / distraction* **6.1 ter ~ van** *for the e. of.*

verstrooiingslens ⟨de⟩ **0.1** *scattering lens.*

verstuiken ⟨ov.ww.⟩ ⟨→sprw. 167⟩ **0.1** *sprain* ⇒*twist, wrench,* ⟨BE ook⟩ *rick* ◆ **1.1** ik heb mijn voet verstuikt *I've sprained my foot / ankle.*

verstuiking ⟨de (v.)⟩ **0.1** *sprain* ⇒*wrench.*

verstuiven
 I ⟨onov.ww.⟩ **0.1** [stuivend uiteengaan] *be blown off / away / out* ⇒*be dispersed by the wind* ◆ **1.1** naakte duinen ~ *unplanted dunes erode by the wind* **8.1** als kaf ~ ⟨fig.⟩ *be scattered to the four winds;*
 II ⟨ov.ww.⟩ **0.1** [tot / als stof doen vervliegen] *atomize* ⇒*vaporize, nebulize, spray* ◆ **1.1** parfum ~ *spray / a. perfume.*

verstuiver ⟨de (m.)⟩ **0.1** *(air) spray* ⇒*atomizer, vaporizer, nebulizer.*

verstuiving ⟨de (v.)⟩ **0.1** [het verstuiven] *dispersion, atomization* ⇒*spray(ing), vaporization* **0.2** [verstuivend terrein] *sand-drift* ⇒*shifting (sand), movement* ◆ **6.2** de ~en in de duinen *the sand-drifts in the dunes.*

versturen ⟨ov.ww.⟩ **0.1** *send (off)* ⇒*despatch* ◆ **6.1 naar** iem. iets ~ *send s.o. sth.,* send sth. off to s.o.; **per** post ~ *mail.*

verstuwen ~ →**verstouwen.**

versuffen
 I ⟨onov.ww.⟩ **0.1** [suf worden] *grow dull / dim / numb* ⇒*be in one's dotage* ⟨van ouderdom⟩, *be(come) dazed / stunned* ⟨door schok⟩ ◆ **3.1** versuft bleef hij na het ongeluk liggen *after the accident he lay dazed / in a daze;* hij schijnt te ~ *his mind seems to be going, he seems to be in his dotage;*
 II ⟨onov., ov.ww.⟩ **0.1** [suf maken] *have a stupefying / numbing effect (on), (make) dull / numb* ◆ **1.1** aanhoudende geestelijke arbeid versuft ⟨een mens⟩ *incessant spiritual toil dulls the mind.*

versuft ⟨bn.⟩ **0.1** *dizzy, dazed, stunned, stupefied* ⟨door schok⟩; *doting* ⟨door ouderdom⟩ ◆ **1.1** een ~e grijsaard *an old dotard* **3.1** ~ raken *be stunned / dazed,* ⟨geleidelijk⟩ *grow dim;* ~ rondstaren *look around in a daze.*

versuftheid 〈de (v.)〉 **0.1** *daze(dness)* ⇒*dullness (of mind)*, 〈inf.〉 *dopeyness*, ↑*dotage* 〈bejaarden〉.

versuikeren 〈onov.ww.〉 **0.1** *candy* ⇒*run to/be converted into sugar* ◆ **1.1** de honing versuikert *the honey is going sugary/is running to sugar*.

versuikering 〈de (v.)〉〈schei.〉 **0.1** *saccharification*.

versukkelen
I 〈onov.ww.〉 **0.1** [een kwijnend bestaan leiden] *pine away* ⇒*be ailing, go/run to seed, (fall into) a) decline* ◆ **6.1** in armoede ~ *pine away/languish in poverty;*
II 〈ov.ww.〉 **0.1** [sukkelend doorbrengen] *idle/lounge away* ⇒*waste* ◆ **1.1** zijn tijd ~ *idle away one's time*.

versukkeling 〈de (v.)〉 **0.1** *decline* ◆ **6.1** in de ~ raken *be ailing, fall into a decline*.

versus 〈vz.〉 **0.1** *versus* ⇒*against* ◆ **1.1** Amerika ~ Rusland *America v. Russia*.

versvoet 〈de (m.)〉 **0.1** *(metrical) foot*.

versvorm 〈de (m.)〉 **0.1** [dichtvorm] *verse (form)* ⇒*poetic/metrical/rhymed form* **0.2** [vorm waarin verzen geschreven kunnen worden] *verse form/type* **2.2** hij hanteert met groot gemak de gangbare ~en *he handles modern verse forms with great skill* **6.1** een verhandeling **in** ~ *a treatise in verse/in poetic form*.

vert. 〈afk.〉 **0.1** [vertegenwoordiger] *rep(r)*. **0.2** [vertaler] *tr*. **0.3** [vertaling] *tr(ansl)*. **0.4** [vertaald] *tr(ansl)*..

vertaalafdeling 〈de (v.)〉 **0.1** *translation department/section/* 〈groter〉 *division*.

vertaalbaar 〈bn.〉 **0.1** *translatable* ⇒*interpretable* 〈ihb. door tolk〉.

vertaalbureau 〈het〉 **0.1** *translation/translating bureau/agency*.

vertaalcomputer 〈de (m.)〉 **0.1** *computer translator* ⇒*translation computer*.

vertaaldienst 〈de (m.)〉 **0.1** *translation/translating service/department/office*.

vertaalfout 〈de〉 **0.1** *mistranslation* ⇒*translation error, mistake/error in translation*.

vertaalkunde 〈de (v.)〉 **0.1** *translation science*.

vertaaloefening 〈de (v.)〉 **0.1** *translation exercise* ⇒*exercise in translation*.

vertaalprogramma 〈het〉〈comp.〉 **0.1** *translation programme* ^*gram*.

vertaalrecht 〈het〉 **0.1** *translation right(s)*.

vertaalwerk 〈het〉 **0.1** *translation (job)*.

vertaalwoordenboek 〈het〉 **0.1** *bilingual/* 〈voor meerdere talen〉 *multilingual dictionary*.

vertakken
I 〈ov.ww.〉 **0.1** [uitsplitsen] *split up, (sub)divide* ◆ **1.1** de elektrische leiding ~ *subdivide the electrical wiring;*
II 〈wk.ww.; zich ~〉 **0.1** [zich uitsplitsen] *branch (off)* ⇒*ramify, split up, fork*, ↑*bifurcate* ◆ **4.1** de rivier vertakt zich daar in vele stromen *at that point the river branches off into many streams*.

vertakking 〈de (v.)〉 **0.1** [splitsing in takken] *branching (off)*, ↑*bifurcation* ⇒*ramification* **0.2** [onderafdeling] *ramification* ⇒*(sub)division, branch* ◆ **7.2** een organisatie met vele ~en *an organisation with many branches*.

vertakkingspunt 〈het〉 **0.1** *fork* ⇒ ↑*bifurcation*, 〈comp.〉 *branchpoint*, 〈bij supergeleiding〉 *jump point*.

vertakt 〈bn.〉 **0.1** *branched* ⇒ ↑*bifurcated, ramified, subdivided* ◆ **1.1** een ~e bliksemstraal *a streak of forked lightning;* een dicht ~ wegennet *a complex network of roads*.

vertalen 〈ov.ww.〉 **0.1** [in een andere taal overbrengen] *translate* ⇒*render, put, interpret* 〈ihb. door tolk〉, *transcribe* 〈in ander codesysteem〉 **0.2** [weergeven in een andere vorm] *translate, convert* ⇒*transform* ◆ **2.1** letterlijk ~ *translate literally/word for word* **5.1** vrij ~ *give a free translation, translate freely* **6.1** deze uitdrukking is niet te ~ 〈ook〉 *this expression does not translate/cannot be translated* **6.5** het geleerde ~ **naar** de eigen praktijksituatie *apply in practice what one has learned (in theory)*.

vertaler 〈de (m.)〉, **vertaalster** 〈de (v.)〉 **0.1** *translator* ⇒〈tolk〉 *interpreter* ◆ **2.1** beëdigd ~ *sworn t.*.

vertaling 〈de (v.)〉 **0.1** [het vertalen] *translation* ⇒*rendering, interpretation* 〈door tolk〉, *transcription* 〈in ander codesysteem〉 **0.2** [vertaald geschrift] *translation* ⇒*rendering, version, transcription* 〈in ander codesysteem〉 ◆ **2.1** automatische ~ *machine translation* **2.2** een letterlijke ~ *a literal/word-for-word translation;* een slechte ~ *a bad/poor/graceless translation;* een vrije ~ *a free translation* **3.1** een ~ maken *do a translation* **6.1** ~ **naar** de praktijk *practical application* **6.2** een ~ **uit** het Grieks *a translation/translated from the Greek*.

verte 〈de (v.)〉 **0.1** *distance* ◆ **2.1** 〈fig.〉 verre ~n 〈wijde horizon〉 *wide vista(s);* 〈ver verschiet〉 *remote perspective;* 〈fig.〉 ik denk er in de verste ~ niet aan *I wouldn't dream of it, I'll do nothing of the sort;* in de verste ~ niet *not remotely, by no manner of means, nowhere near* **6.1 in** de ~ *in the d., far away, far off, afar;* 〈fig.〉 het lijkt er in de ~ op *there is a slight resemblance/a remote likeness;* 〈fig.〉 **in** de ~ zijn zij familie *they are distantly related;* **uit** de ~ *from afar, from the d..*

vertebraal 〈bn.〉 **0.1** *vertebral, spinal* ◆ **1.1** het vertebrale stelsel *the s. nervous system, the s. chord and s. nerves*.

vertebraat 〈de (m.)〉 **0.1** *vertebrate*.

vertechniseren 〈onov.ww.〉 **0.1** *technologize* ⇒*technicalize, technicize*.

vertederen
I 〈ov.ww.〉 **0.1** [teder maken] *soften* ⇒*endear, mollify, move, melt (s.o.'s heart)* ◆ **1.1** haar openheid vertederde mij *her frankness/candidness moved me/melted my heart;* een ~d tafereel *a moving sight* **3.1** zij keek het kind vertederd aan *she gave the child a tender look* **6.1** hij raakte **door** Jane vertederd *he was moved by Jane, Jane endeared herself to him;*
II 〈onov.ww.〉 **0.1** [teder worden] *grow soft/tender, be mollified/endeared/moved*.

vertedering 〈de (v.)〉 **0.1** [het vertederen, vertederd zijn] *endearment, softening* ⇒*mollification, melting (heart)* **0.2** [gemoedsstemming] *tenderness* ⇒*endearment, softness* ◆ **6.2** iem. **met** ~ aankijken *look at s.o. tenderly/with endearment*.

verteerbaar 〈bn.〉 **0.1** *digestible* ⇒〈fig. ook〉 *palatable, acceptable* ◆ **1.1** licht ~ voedsel *light/easily d./digested food* **6.1** 〈fig.〉 dat is **voor** de vakbond niet ~ *that is unacceptable to the trade union*.

verteerbaarheid 〈de (v.)〉 **0.1** *digestibility*.

vertegenwoordigen 〈ov.ww.〉 **0.1** [handelen voor] *represent* ⇒*act for* **0.2** [equivalent zijn met] *represent* ⇒*constitute, stand for, be representative of* ◆ **1.1** de afgevaardigden ~ het volk *the delegates/representatives r. the people* **1.2** die verzameling vertegenwoordigt een aanzienlijke waarde *this collection represents a considerable sum* **5.1** 〈fig.〉 goed vertegenwoordigd zijn *be well represented, be out/present in force/numbers*.

vertegenwoordiger 〈de (m.)〉, **-ster** 〈de (v.)〉 **0.1** [afgevaardigde] *representative* ⇒*delegate, assignee, agent, exponent* 〈van beweging〉 **0.2** [agent] *(sales) representative, salesman, agent* ⇒*dealer* ◆ **1.1** de ~s v.h. hoogste gezag *the representatives/agents of the supreme authority* **6.2** een ~ in schoenen *a shoe salesman*.

vertegenwoordiging 〈de (v.)〉 **0.1** [het vertegenwoordigen] *representation* ⇒*agency* **0.2** [personen] *delegation* ⇒*representatives* ◆ **6.1** ~ **in** belastingzaken *r. on tax affairs;* 〈jur.〉 ~ **in** rechte *r. at law*.

vertekend 〈bn.〉 **0.1** *distorted* ⇒*biased* 〈afschildering〉 ◆ **1.1** een ~ beeld van iets krijgen/geven 〈fig.〉 *get a d./biased view/picture of sth..*

vertekenen
I 〈ov.ww.〉 **0.1** [verkeerd tekenen] *draw wrong, make an incorrect drawing of;*
II 〈onov., ov.ww.〉 **0.1** [vervormd weergeven] 〈ook fig.〉] *distort* ⇒*misrepresent*, 〈fig.;sterk〉 *travesty* ◆ **1.1** deze lens vertekent (het beeld) sterk *this lens gives a high degree of distortion (to the image)*.

vertekening 〈de (v.)〉 **0.1** *distortion* ⇒*misrepresentation*, 〈statistiek〉 *bias*.

vertelkunst 〈de (v.)〉 **0.1** *narrative art/skill/power* ⇒*storytelling* ◆ **2.1** meesters der Franse ~ *masters of the French narrative art*.

vertellen
I 〈ov.ww.〉 **0.1** [mondeling meedelen] *tell* ⇒*relate, recount, report* ◆ **3.1** dat kan ik je wél ~ *I can t. you that!;* ik heb mij laten ~, dat *I've been told that;* (en dat) moet jij me ~! *look who's talking!, and you of all people should t. me this!;* moet je mij ~! *you're telling me!;* dat wordt verteld *that's the story, so they say;* zal ik je eens wat ~? *you know what t.?;* 〈dreigend〉 ik zal je wat t. you sth. **3.¶** hij heeft niets te ~ 〈ook〉 *he cannot call his soul his own;* niet veel te ~ hebben *not have a lot to say;* 〈weinig macht hebben〉 *have no great authority* **4.1** wat vertel je me nou? *you don't say!, are you serious?* **5.1** je kunt me nog meer ~ 〈fig.〉 *t. me another (one);* iets verder ~ aan anderen *pass sth. on/report sth. to others;* vertel het maar niet verder *let this stay between us, don't t. this to anyone else* **¶.1** vertel op! *let's have it!;* 〈AE; inf.〉 *shoot!;*
II 〈onov., ov.ww.〉 **0.1** [in verhaaltrant meedelen] *tell (stories)* ⇒〈ov.ww. ook〉 *narrate, relate, report* ◆ **1.1** een mop ~ *crack a joke* **5.1** zij kan leuk ~ *she's a great storyteller;*
III 〈wk.ww.; zich ~〉 **0.1** [zich in het tellen vergissen] *miscount* ⇒*make a mistake in one's counting/in adding up/reckoning*.

verteller 〈de (m.)〉, **-ster** 〈de (v.)〉 **0.1** [iem. die vertelt] *narrator* ⇒*storyteller, raconteur* 〈m.〉, *raconteuse* 〈v.〉, *relater* **0.2** [schrijver] *narrator* ⇒*storyteller* ◆ **2.2** een roman met een alwetende ~ *a novel with an omniscient n..*

vertelling 〈de (v.)〉 **0.1** [verhaal] *story* ⇒*tale, narrative, narration* **0.2** [mondeling verslag] *story* ⇒*report* **0.3** [vergissing bij het tellen] *miscount* ⇒*mistake (in counting/adding up/reckoning)* ◆ **2.1** dichterlijke ~ *narrative poem, poetic narrative*.

vertelsel 〈het〉 **0.1** *story* ⇒*fairytale* ◆ **3.1** dat zijn allemaal ~tjes 〈fig.〉 *those are all fairytales*.

verteltechniek 〈de (v.)〉 **0.1** *narrative technique*.

verteltrant 〈de (m.)〉 **0.1** *narrative style*.

verteren
I 〈ov.ww.〉 **0.1** [als voedsel verwerken] *digest* **0.2** [uitgeven] *spend* ⇒*go through* **0.3** [doen vergaan, vernielen] *consume, eat away* ⇒*corrode (away), decay* **0.4** [met de geest verwerken] *digest* ◆ **1.1** zijn maag verteert deze spijzen moeilijk *he has trouble digesting these*

foods **1.2** veel geld ~ *s. a great deal of money* **1.3** door nijd/jaloezie/verdriet verteerd worden *be eaten up/eat one's heart out with envy/jealousy/grief* **3.4** dat boek is niet te ~ *that book is indigestible/unpalatable/too heavy (going);* die opmerking is niet te ~ *that remark sticks in my throat* **6.1** niet te ~ *indigestible* **6.4** zwaar te ~ *kost strong meat;* **II** ⟨onov.ww.⟩ **0.1** [als voedsel verwerkt worden] *(be) digest(ed)* **0.2** [vergaan] *be consumed/eaten away, decay, decompose, perish, waste away* **0.3** [consumpties gebruiken] *spend money* ⇒*wine and dine, partake of refreshments* ♦ **1.1** die graten ~ wel *those fishbones will digest* **1.2** dat laken verteert door het vocht *that sheet is mouldering away with the damp.*

vertering ⟨de (v.)⟩ **0.1** [het verwerken] *digestion* ⟨ook met geest⟩ **0.2** [consumptie] *food, drink(s)* ⇒*refreshment, what one consumes/has consumed,* ⟨bij uitbr.; uitgaven⟩ *expenses* **0.3** [het vergaan] *decomposition, decay, corrosion.*

verteuten ⟨ov.ww.⟩ **0.1** *idle/lounge/fritter away* ⇒*waste* ♦ **1.1** zijn tijd ~ *idle away one's time.*

vertex ⟨de (m.)⟩ ⟨ster.⟩ **0.1** [hoogste punt v.d. maan/een planeet] *vertex* **0.2** [punt aan de hemel] *vertex.*

verticaal[1] ⟨de⟩ **0.1** [loodlijn] *vertical, perpendicular* **0.2** [hoogtecirkel] *vertical circle* ⇒*azimuth circle* **0.3** [richting v.d. zwaartekracht] *perpendicular* ⇒*upright.*

verticaal[2] ⟨bn., bw.;-ly⟩ **0.1** [loodrecht] *vertical* ⇒*perpendicular, plumb, upright, erect* **0.2** [in op-/afgaande richting] *vertical* ⇒*up-and-down,* ⟨bw.⟩ *straight up(ward)/down(ward)* ♦ **1.1** een verticale lijn *a v./plumb line;* in verticale stand *in (an) upright/erect position* **1.2** verticale bedrijfsorganisatie *v. (business) organisation/combination;* een verticale beweging *a v./an up-and-down movement;* verticale prijsbinding *resale price maintenance* **3.1** ~ omhooggaan *go straight up; take off vertically* ⟨ihb. vliegtuig⟩.

verticalisme ⟨het⟩ **0.1** *verticality, verticalism.*

verticuteerhark ⟨de⟩ **0.1** *aerator.*

verticuteren ⟨ov.ww.⟩ **0.1** *aerate.*

vertienvoudigen ⟨onov., ov.ww.⟩ **0.1** *multiply by ten* ⇒*increase tenfold,* ⟨zeldz.⟩ *decuple.*

vertier ⟨het⟩ **0.1** *amusement, diversion, entertainment* ⇒*fun, pleasure* ♦ **3.1** hij moet wat ~ hebben *he needs some d.* **7.1** er is hier veel ~ *there's a lot of e. here.*

vertikken
I ⟨ov.ww.⟩ **0.1** [weigeren te doen] *refuse (flatly)* ⇒*balk (at)* **0.2** [niet functioneren] *refuse to work* ⇒*have broken down* ♦ **4.2** de motor vertikt het *the engine won't go* **8.1** ik vertik het om mee te doen *I won't join in (and that's final);*
II ⟨wk.ww.;zich ~⟩ **0.1** [een tikfout maken] *make a typing error* ⇒*type wrong(ly).*

vertillen
I ⟨ov.ww.⟩ **0.1** [tillend verplaatsen] *lift over/away* ⇒*move (by lifting), lift and move;*
II ⟨wk.ww.;zich ~⟩ **0.1** [boven zijn kracht tillen] *strain o.s. (in) lifting* ♦ **6.1** zich aan iets ~ ⟨fig.⟩ *bite off more than one can chew.*

vertimmeren ⟨ov.ww.⟩ **0.1** [verbouwen] *alter, renovate* ⇒*do up* **0.2** [timmerend verbruiken] *use up* **0.3** [aan verbouwingen besteden] *spend on renovations/alterations* ♦ **1.3** veel geld aan een huis ~ *spend a lot of money on house alterations.*

vertinnen ⟨ov.ww.⟩ **0.1** *(plate with) tin* ⇒*tin-plate, blanch.*

vertoeven ⟨onov.ww.⟩ **0.1** *stay, be* ⇒*sojourn, abide, dwell* ♦ **6.1** in het buitenland ~ *be (staying/travelling) abroad.*

vertolken ⟨ov.ww.⟩ **0.1** [vertalen] *interpret* ⇒*translate* **0.2** [tot uitdrukking brengen] *express, voice* ⇒*represent, expound* **0.3** [uitbeelden] *play, do, render, interpret, perform; sing* ⟨rol in opera⟩ *impersonate* ♦ **1.2** hij vertolkte de gevoelens/mening v.h. personeel *he voiced the feelings/opinion of the staff* **1.3** hij vertolkte de rol van Odysseus *he played the role of/impersonated/was Ulysses;* een symfonie van Beethoven ~ *play/interpret/render a Beethoven symphony.*

vertolker ⟨de (m.)⟩, **-ster** ⟨de (v.)⟩ **0.1** [vertaler, -taalster] *interpreter* ⇒*translator* **0.2** [interpreet] *interpreter, performer, executant* ⟨kunst⟩; *exponent, mouthpiece* ⟨van ideeën/gevoelens⟩ ♦ **1.2** de ~s v.h. levenslied *the performers/interpreters of the popular ballad.*

vertolking ⟨de (v.)⟩ **0.1** [het vertalen/vertaald worden] *interpreting* ⇒*translation* **0.2** [interpretatie] *interpretation* ⇒*rendering, rendition, performance* **0.3** [weergave v.d. meningen] *voicing* ⇒*expression, exposition* ♦ **2.2** een meesterlijke ~ van ... *a masterly i./performance of* ....

vertonen
I ⟨ov.ww.⟩ **0.1** [doen blijken/zien] *show* ⇒*give evidence of, display, exhibit* **0.2** [een voorstelling geven] *show, present* ⇒*produce, do, screen* ⟨film⟩ **0.3** [voorstellen] *represent* ⇒*show* ♦ **1.1** geen gelijkenis ~ met *s./bear no resemblance to;* tekenen ~ van *s. signs/give evidence of* **1.2** kunsten ~ *do tricks* **1.¶** processtukken ~ *produce evidence;*
II ⟨wk.ww.;zich ~⟩ **0.1** [zich laten zien] *show (o.s.), show one's face, show/turn up* ⇒*appear, manifest* ♦ **6.1** je kunt je zo niet ~ in het openbaar *you're not fit to be seen/to appear in public (like this)* **¶.1** ik durf me daar niet meer te ~ *I'm afraid to show my face there now.*

vertoning ⟨de (v.)⟩ **0.1** [het vertonen/vertoond worden] *show(ing), presentation* ⇒*production, exhibition, screening* ⟨film⟩ **0.2** [wat vertoond wordt] *show, production* ⇒*performance, spectacle, display* ♦ **2.2** het was een grappige ~ *it was a curious/comic spectacle;* ⟨iron.⟩ een mooie ~! *a sight to behold!;* ⟨inf.⟩ *a nice how-do-you-do!* **3.1** veel ~ maken *put on a great display, show off* **3.2** het was een ~! *it was quite a display/an exhibition.*

vertoog ⟨het⟩ **0.1** *exposition, exposé* ⇒*expostulation, oration,* ⟨protest⟩ *remonstrance, representation* ♦ **3.1** een ~ tot iem. richten ⟨als protest⟩ *make representations to s.o..*

vertoon ⟨het⟩ ⟨→sprw. 577⟩ **0.1** [het vertonen] *showing, producing* ⇒*presentation, sight* **0.2** [tentoonspreiding] *display, affectation* ⇒*show(ing off), histrionics* ♦ **2.2** louter ~ ⟨ook⟩ *mere window-dressing;* uiterlijk ~ *outward show, play-acting, ostentation* **3.2** ~ maken van *affect, make a show of* **6.1** op ~ van een identiteitsbewijs *on production/presentation of an ID/a proof of identity;* betaalbaar op ~ *payable on demand/on presentation/at sight* **6.2** met veel ~ *with great ostentation/a lot of showing off* **¶.2** het was een en al ~ *it was all outward show.*

vertoonbaar ⟨bn.⟩ **0.1** *presentable* ⟨op toneel ook⟩ *performable,* ⟨geschikt om te vertonen⟩ *fit to be shown/displayed/presented/* ⟨inf.⟩ *seen.*

vertoornd ⟨bn.⟩ **0.1** *irate* ⇒*enraged, incensed, wrathful, angered.*

vertoornen ⟨ov.ww.⟩ **0.1** *anger, incense, enrage.*

vertraagd ⟨bn.⟩ **0.1** [waarvan de loop trager wordt] *slowing/slowed down* ⇒*slackening, slackened, decelerating, decelerated, retarding, retarded* **0.2** [met oponthoud] *delayed, held up* ⇒*tardy, late, bogged down* ⟨werk⟩ ♦ **1.1** een ~e beweging *a retarded/decelerated movement* **1.2** een ~e brief/trein *a d. letter/train* **1.¶** een ~e filmopname *a slow-motion film scene.*

vertragen
I ⟨ov.ww.⟩ **0.1** [trager maken] *slow down* ⇒*slacken, decelerate, retard* **0.2** [uitstellen] *delay* ⇒*put off* **0.3** [(sport)] *slow down* ⇒*hold up, use delaying tactics* ♦ **1.1** zijn gang ~ *slow down;* een uurwerk ~ *slow down/put back a clock* **1.2** het vertrek werd een dag vertraagd *the departure was delayed by a day* **1.3** na de rust vertraagde de thuisclub het spel *in the second half the home team used delaying tactics;*
II ⟨onov.ww.⟩ **0.1** [trager worden] *slow/gear down* ⇒*slacken (the pace), decelerate* ♦ **1.1** de snelheid vertraagde *the pace slackened* **6.1** in zijn ijver ~ *lose one's enthusiasm.*

vertraging ⟨de (v.)⟩ **0.1** [het vertragen] *slowing down, deceleration* ⇒*slackening, retarding* **0.2** [oponthoud] *delay* ⇒*hold-up, retardation, tardiness* **0.3** [(tech.)] *speed reduction* ♦ **3.2** het vliegtuig had tien minuten ~ *the plane was ten minutes late;* ~ ondervinden *be delayed/held up* **6.2** hun aanbod kwam met ~ *their offer was delayed;* een ~ van drie kwartier *a d. of three quarters of an hour.*

vertrappen ⟨ov.ww.⟩ **0.1** [stuktrappen] *tramp(le)/tread on/down/underfoot* ⇒*crush* **0.2** [schenden] *tread on* ⇒*tramp(le) into the mud* **0.3** [onderdrukken] *tread underfoot* ⇒*crush, ride roughshod over* ♦ **1.1** bloemen ~ *tread/trample on flowers* **1.2** rechten ~ *tread on rights* **1.3** een overwonnen volk ~ *trample a conquered people underfoot.*

vertreden
I ⟨wk.ww.;zich ~⟩ ⟨schr.⟩ **0.1** [lopen] *stretch one's legs* ⇒*go for a stroll* ♦ **3.1** ik ga mij wat ~ *I'll go stretch my legs a bit;*
II ⟨ov.ww.⟩ **0.1** [vertrappen] *trample, tread down/underfoot* ♦ **1.1** het gras was ~ *the lawn/grass had been trampled/trodden down.*

vertrek ⟨het⟩ **0.1** [het vertrekken] *departure* ⇒*start, leaving, sailing* ⟨boot⟩ **0.2** [verhuizing] *leave* ⇒*moving, move* **0.3** [kamer] *room* ♦ **2.3** een somber ~ *a dark r.* **6.1** bij zijn ~ *upon his d.;* uur/plaats van ~ *time/place of d.* **6.2** bij ~ *uit de gemeente upon l. the district* **¶.1** op het punt van ~ staan *be about to leave/depart.*

vertrekhal ⟨de⟩ **0.1** *departure hall* ⇒*departure wing/concourse.*

vertrekken
I ⟨onov.ww.⟩ **0.1** [afreizen] *leave* ⇒*depart, set off, sail* ⟨boot⟩ **0.2** [een plaats verlaten] *leave* ⇒*move* ♦ **5.1** wij ~ morgen *we leave/(set) sail tomorrow* **6.1** wij ~ morgen naar Londen *we're off to London tomorrow* **6.2** met ~ de noorderzon ~ *skip town/out, take French leave, do a (moonlight) flit;*
II ⟨ov.ww.⟩ **0.1** [andere stand doen aannemen] *pull* ⇒*draw, distort, contort, twist* ♦ **1.1** het gezicht van zijn ~ *distort/contort one's face in pain, wince/grimace with/in pain;* een van woede/angst vertrokken gezicht *a face contorted/distorted/twisted with anger/fear;* de mond tot een grijns ~ *grimace;* zonder een spier te ~ *without twitching (a muscle)/flinching.*

vertrekpremie ⟨de (v.)⟩ **0.1** *repatriation grant.*

vertrekpunt ⟨het⟩ **0.1** [punt van vertrek] *start(ing point)* ⇒*point of departure* **0.2** [⟨fig.⟩] *start(ing point)* ⇒*point of departure.*

vertreksein ⟨het⟩ **0.1** *starting signal* ⇒*signal for departure.*

vertrektijd ⟨de (m.)⟩ **0.1** *time of departure* ⇒*departure time, starting time,* ⟨van schip ook⟩ *sailing time.*

vertreuzelen ⟨ov.ww.⟩ **0.1** *dawdle/idle away.*

vertroebelen
I ⟨ov.ww.⟩ **0.1** [troebel maken] *cloud* ⇒*darken, obfuscate, muddy, obscure* ♦ **1.1** dat vertroebelt onze verhouding *that casts a cloud*

upon our relationship; dat vertroebelt de zaak *that confuses / clouds / obscures the issue;*
II ⟨onov.ww.⟩ **0.1** [troebel worden] *become / get muddy / turbid / clouded* ◆ **1.1** het water vertroebelt *the water is getting muddy / turbid / clouded.*

vertroetelen ⟨ov.ww.⟩ **0.1** *baby* ⇒*pamper, indulge, spoil,* ⟨pej.⟩ *(molly)coddle.*

vertroosten ⟨ov.ww.⟩ **0.1** *comfort* ⇒*console, solace* ◆ **1.1** God vertroost ons in al onze verdrukking *God is our comfort in all our sorrows.*

vertroosting ⟨de (v.)⟩ **0.1** [hetgeen vertroost] *comfort* ⇒*consolation, solace, relief* **0.2** [het vertroosten / vertroost worden] *comfort* ⇒*consolation, solace, relief.*

vertrossing ⟨de (v.)⟩ **0.1** *commercialization* ⇒*increasing slickness.*

vertrouwd ⟨bn.⟩ **0.1** [met wie men intiem omgaat] *reliable* ⇒*trustworthy, trusted, trusty* **0.2** [op de hoogte] *familiar* (with) ⇒*acquainted (with)* **0.3** [wat men gewend is] *familiar* **0.4** [veilig, zeker] *safe* ◆ **1.1** een ~ persoon *a trusted person* **1.3** in zijn ~e omgeving *in his f. surroundings* **1.4** in ~e handen zijn *be in s. hands* **3.2** zich ~ maken met die problemen / technieken *familiarize o.s. with those problems / techniques;* ~ raken met *familiarize o.s. with, become f. with* **3.4** dat is niet ~! *that is not s.!.*

vertrouwdheid ⟨de (v.)⟩ **0.1** *familiarity* ⇒⟨van kennis ook⟩ *acquaintaceship,* [†]*intimacy.*

vertrouwelijk ⟨bn., bw.⟩ **0.1** [van vertrouwen blijk gevend] *intimate* ⇒*familiar, private* **0.2** [wat niet bekend mag worden] *confidential* ⇒*personal, private* ◆ **1.1** een ~ gesprek *an i. / a private conversation;* in ~e kring *confidentially* **1.2** een ~e brief *a c. / personal letter* **2.2** een ~e mededeling *a c. / priveleged communication* **3.1** ~ met iem. omgaan *be i. with s.o. / close to s.o.;* ~ met elkaar praten *have a heart-to-heart talk* **5.2** strikt ~ *strictly c..*

vertrouwelijkheid ⟨de (v.)⟩ **0.1** *confidentiality* ⇒⟨intimiteit⟩ *intimacy.*

vertrouweling ⟨de (m.)⟩, -e ⟨de (v.)⟩ **0.1** *confidant* ⟨m.⟩, *confidante* ⟨v.⟩.

vertrouwen[1] ⟨het⟩ **0.1** [geloof in iemands trouw en oprechtheid] *confidence* ⇒*trust, faith* **0.2** [⟨pol.⟩] *vote of confidence* ◆ **2.1** op goed ~ *on trust* **3.1** ~ genieten *enjoy s.o.'s confidence / trust;* er geen ~ in hebben / stellen *have no faith in, not trust, not believe in;* het ~ in het bestuur opzeggen *vote against the board / committee;* iem. zijn ~ schenken *put one's trust in s.o.;* ~ wekken *inspire c.* **3.2** de regering kreeg het ~ v.d. Kamer *the government got the support of the Chamber;* ⟨AE; fig.⟩ *executive branch got a vote of confidence from the House* **5.1** vol ~ zijn *be confident* **6.1** iem. in ~ nemen *take s.o. into one's c.;* iem. iets in ~ zeggen *tell s.o. sth. in c.;* goed van ~ zijn *be (too) trusting.*

vertrouwen[2] (→sprw. 630)
I ⟨onov. ww.⟩ **0.1** [rekenen op] *trust* ⇒*rely (on),* ⟨inf.⟩ *bank (on)* ◆ **6.1** op zijn intuïtie ~ *t. one's intuition;* op God ~ *t. in God;* je kunt die man op zijn woord ~ *you can take that man at his word, that man is as good as his word, that man's word is his bond;* je kunt niet op die remmen ~ *you can't bank on those brakes;*
II ⟨ov.ww.⟩ **0.1** [betrouwbaar achten] *trust* ◆ **1.1** ik vertrouw het weer niet ⟨ook⟩ *I don't like the look of the weather* **2.1** iem. blindelings ~ *trust s.o. blindly* **3.1** hij is voor geen cent te ~ *he's as slippery as an eel / as they come;* hem kun je ~ ⟨ook; inf.⟩ *he's okay, you can t. him* **5.1** iets niet ~ *not trust sth., have an uneasy feeling about sth.* **6.1** iem. voor geen cent ~ *not trust s.o. an inch, trust s.o. as far as one can throw him.*

vertrouwensarts ⟨de (m.)⟩ **0.1** *medical examiner.*

vertrouwensbasis ⟨de (v.)⟩ **0.1** *basis for trust.*

vertrouwensberoep ⟨het⟩ **0.1** *profession involving confidentiality.*

vertrouwenscrisis ⟨de (v.)⟩ **0.1** *crisis of confidence.*

vertrouwensfunctie ⟨de (v.)⟩ **0.1** *position involving confidentiality.*

vertrouwenskwestie ⟨de (v.)⟩ **0.1** [⟨pol.⟩] *motion of no confidence* **0.2** [zaak van vertrouwen] *matter of confidence* ◆ **3.1** de ~ stellen *ask for a vote of confidence.*

vertrouwensman ⟨de (m.)⟩ **0.1** [zaakbehartiger] *agent* **0.2** [tussenpersoon] *agent* ⇒*mediator.*

vertrouwenspositie ⟨de (v.)⟩ **0.1** *position of trust / confidence* ⇒*sensitive position / post* ◆ **6.1** dit bericht moet afkomstig zijn van iem. in een ~ *this news must come from s.o. (who is) on the inside / in the know.*

vertrouwensrelatie ⟨de (v.)⟩ **0.1** *relationship based on (mutual) trust.*

vertrouwensvotum ⟨het⟩ **0.1** *vote of confidence.*

vertrouwenwekkend ⟨bn.⟩ **0.1** *inspiring confidence.*

vertrutting ⟨de (v.)⟩ **0.1** *palling* ⇒*dulling, Edith Bunkerizing.*

vertuien ⟨ov.ww.⟩ ⟨scheep.⟩ **0.1** *moor between two anchors* ◆ **3.1** ⟨fig.⟩ ergens vertuid liggen *have got s.o. in a fix.*

vertwijfeld ⟨bn., bw.⟩ **0.1** *despairing* ⇒*desperate* ◆ **3.1** ~ handelen *be in a panic (about);* ~ raken *(be driven) to despair;* iets ~ uitroepen *yell sth. in despair.*

vertwijfelen ⟨onov.ww.⟩ **0.1** *become / grow desperate.*

vertwijfeling ⟨de (v.)⟩ **0.1** *despair* ⇒*desperation* ◆ **6.1** in ~ in *desperation / despair, in an agony of doubt.*

veruit ⟨bw.⟩ **0.1** *by far* ◆ **1.1** ~ de beste zijn *outrank s.o. by a long* [B]*chalk / shot;* ~ iemands meerdere zijn *outrank s.o. by far / miles, be head and shoulders above s.o..*

veruiterlijken ⟨onov.ww.⟩ **0.1** *externalize* ⇒*exteriorize.*

vervaard ⟨bn.⟩ **0.1** *alarmed* ⇒*frightened, afraid, scared* ◆ **6.1** voor geen klein geruchtje / kleintje ~ zijn *not easily alarmed / frightened.*

vervaardheid ⟨de (v.)⟩ **0.1** *alarm* ⇒*fear, fright.*

vervaardigen ⟨ov.ww.⟩ **0.1** *make* ⇒*construct, manufacture, prepare, fabricate* ◆ **1.1** hij vervaardigt het speelgoed zelf *he makes the toy(s) himself* **6.1** met de hand vervaardigd *made / constructed by hand;* deze tafel is van hout vervaardigd *this table is made of / manufactured in wood.*

vervaardiging ⟨de (v.)⟩ **0.1** *manufacture* ⇒*manufacturing, construction, preparation, fabrication.*

vervaarlijk ⟨bn., bw.;-ly⟩ **0.1** *tremendous* ⇒*awful, frightful, whopping, huge* ◆ **1.1** een ~ geschreeuw / onweer *a t. / an awful yell / storm* **2.1** ~ groot *tremendously large* **3.1** ~ tekeergaan *carry on frightfully;* er ~ uitzien *look huge / enormous.*

vervagen
I ⟨onov.ww.⟩ **0.1** [vaag worden] *become faint / blurred* ⇒*blur, darken,* ⟨licht ook⟩ *dim,* ⟨zwakker worden⟩ *fade (away)* ◆ **1.1** die indrukken ~ op den duur *those impressions will fade in time;* zijn schoolkennis is al lang vervaagd *what he learned in school has long grown dim;*
II ⟨ov.ww.⟩ **0.1** [vaag maken] *blur* ⇒*darken, dim, dissolve, obscure* ◆ **1.1** de tijd heeft die herinneringen vervaagd *time has blurred / dimmed those memories.*

vervaging ⟨de (v.)⟩ **0.1** ⟨onduidelijk worden⟩ *blurring;* ⟨zwakker worden⟩ *fading (away);* ⟨licht ook⟩ *dimming* ◆ **1.1** ~ v.h. normbesef *blurring / decay of moral principles / standards.*

verval ⟨het⟩ **0.1** [het vervallen / afnemen] *decline* ⇒*falling-off, decay, deterioration* **0.2** [het niet meer gelden] *lapsing* ⇒*dissolution* **0.3** [verschil in hoogte v.d. waterspiegel] *fall* ⇒*drop* ◆ **1.1** het ~ v.d. handel *the decline in the trade;* ~ van krachten *decline in strength;* het ~ v.d. goede zeden *the deterioration of morals* **1.2** het ~ v.e. recht *the dissolution of a right* **1.3** het ~ v.d. Rijn *the Rhine's f. / drop* **6.1** in ~ raken ⟨bouwvallige staat⟩ *deteriorate, decay, become dilapidated, fall into disrepair;* ⟨aan invloed inboeten⟩ *decline;* in ~ *declining.*

vervaldag ⟨de (m.)⟩ **0.1** *day / date of maturity* ⇒*due / expiration / expiry date* ◆ **6.1** op de ~ *when due, upon / at maturity.*

vervaldatum ⟨de (m.)⟩ → **vervaldag.**

vervalen
I ⟨onov.ww.⟩ **0.1** [valer worden] *fade* ⇒*become drab / faded / yellow(ed);*
II ⟨ov.ww.⟩ **0.1** [valer maken] *fade* ⇒*dull, yellow.*

vervallen[1] ⟨bn.⟩ **0.1** [niet onderhouden] *dilapidated* ⇒*tumble-down, ramshackle, run-down, slummy, seedy, dumpy* **0.2** [armoedig] *ravaged* ⇒*wasted, bedraggled* **0.3** [afgeschaft] *lapsed* ⇒*defunct* **0.4** [verstreken] *expired* ⇒*due, mature* **0.5** [afgezet] *deposed* ⇒*dethroned* ◆ **1.1** een ~ huis *a d. / tumble-down / ramshackle / run-down house* **1.2** een ~ gezicht *a r. / wasted face;* een ~ uiterlijk *a bedraggled exterior* **1.3** een ~ recht *a l. / defunct right* **1.4** ~ octrooi *e. patent;* een ~ wissel / termijn *an e. draft / period* **3.5** een vorst ~ verklaren v.d. troon *depose / dethrone a monarch.*

vervallen[2] ⟨onov.ww.⟩ **0.1** [bouwvallig worden] *fall into disrepair / decay* ⇒*go to ruin, be on the downgrade* **0.2** [afnemen] *decline* ⇒*wane, diminish* **0.3** [raken / komen tot] *lapse* ⇒*fall* **0.4** [niet meer gelden] *expire* ⇒*be cancelled, lapse, run out, terminate* **0.5** [invorderbaar worden] *mature* ⇒*fall due, become payable* **0.6** [van eigenaar verwisselen] *fall to* ◆ **1.4** die mogelijkheid vervalt *that possibility is no longer open / is gone;* uw redenering vervalt *your argument is invalid / doesn't hold any water;* de vergadering vervalt *the meeting has been cancelled* **6.3** in oude fouten ~ *fall / slip back / l. into old mistakes;* tot zonde ~ *fall from grace;* tot misdaden ~ *fall / be reduced to crime* **6.6** goederen die aan de kroon ~ *goods that fall to the crown.*

vervalputje ⟨het⟩ **0.1** *drain.*

vervalsen ⟨ov.ww.⟩ **0.1** [met oneerlijke bedoelingen namaken] *forge* ⇒*counterfeit,* [↓]*fake* **0.2** [met boze opzet veranderen] *falsify* ⇒ [↓]*fake, tamper (with), load* ⟨dobbelstenen⟩ **0.3** [met vreemde bestanddelen vermengen] *tamper with* ⇒[↓]*adulterate,* ⟨inf.⟩ *doctor* ◆ **1.1** een handtekening / schilderij / bankbiljetten ~ *forge a signature / painting / banknotes* **1.2** de boeken ~ *tamper with / doctor the books;* een check ~ *forge a cheque;* een rekening ~ *tamper with / salt an account;* een tekst ~ *tamper with a text;* iemands woorden ~ *misrepresent s.o.* **1.3** wijn / eetwaren ~ *tamper with / doctor wine / food.*

vervalser ⟨de (m.)⟩ **0.1** *forger* ⇒*counterfeiter,* ⟨zeldz.⟩ *falsifier.*

vervalsing ⟨de (v.)⟩ **0.1** [handeling] *forgery* ⇒*counterfeiting,* [↓]*faking,* ⟨met boze opzet ook⟩ *falsification,* ⟨vermenging ook⟩ [†]*adulteration* **0.2** [resultaat] *forgery* ⇒*counterfeit,* [↓]*fake,* [↓]*fraud,* [↓]*sham.*

vervaltijd ⟨de (m.)⟩ → **vervaldag.**

vervangbaar ⟨bn.⟩ **0.1** *replaceable* ◆ **1.1** zo'n kracht is moeilijk ~ *such an employee / person will be difficult / hard to replace.*

vervangen ⟨ov.ww.⟩ **0.1** [de plaats innemen van] *replace* ⇒*take the place of, substitute, stand in for* **0.2** [de plaats laten innemen van] *replace* ⇒*substitute* ◆ **1.1** hij vervangt zijn broer tijdens diens ziekte *he is replacing his brother / taking his brother's place / filling in* ⟨inf.⟩ *subbing for his brother while he is ill /* [A]*sick;* een toneelspeler ~ *stand* in for an actor 6.1 niet te ~ irreplaceable 6.2 een woord door een ander ~ r. one word with another, substitute one word for another.

vervanger ⟨de (m.)⟩, **-ster** ⟨de (v.)⟩ **0.1** replacement ⇒substitute, surrogate, alternate, ⟨dram.⟩ understudy, stand-in, ⟨voor arts/geestelijke⟩ locum (tenens) ◆ **1.1** de ~ v.d. minister the substitute minister.

vervanging ⟨de (v.)⟩ **0.1** replacement ⇒substitution, supercession ◆ **3.1** (een) ~ regelen voor iem. arrange/find a r. for s.o. **6.1 ter ~ van** instead of, in (the) place of, in substitution for, standing for; een ~ **voor** 24 uur per week a temporary fill-in job for 24 hours a week.

vervangingsinvestering ⟨de (v.)⟩ ⟨ec.⟩ **0.1** replacement investment, capital replacement.

vervangingsmiddel ⟨het⟩ **0.1** replacement ⇒substitute, surrogate, alternate.

vervangingsreserve ⟨de⟩ ⟨ec.⟩ **0.1** capital replacement reserve; ⟨GB; voor fiscus⟩ capital allowance.

vervangingswaarde ⟨de (v.)⟩ **0.1** replacement value.

vervatten ⟨ov.ww.⟩ **0.1** contain ⇒incorporate, embody, imply, couch ◆ **5.1** hierin is alles vervat everything is included in this, inclusive **6.1** het geschrijf was in deze bewoordingen vervat the document was couched in these terms/was worded in this way; een steen vervat in een zilveren omlijsting a stone set in a silver mount/mounted in a silver setting/set/mounted in silver.

verve ⟨de⟩ **0.1** verve ⇒fervour ◆ **6.1** iets met veel ~ vertellen tell sth. with a great deal of v./animation.

verveeld ⟨bn.⟩ **0.1** blasé ⇒weary ◆ **1.1** een ~ gebaar a weary gesture **3.1** hij voelde zich enigszins ~ he felt somewhat b./dulled **5.1** ~ toekijken watch indifferently.

verveelvoudigen ⟨ov.ww.⟩ **0.1** multiply ⇒⟨zeldz.⟩ manifold.

vervelen
I ⟨onov., onw.ww.⟩ **0.1** [verveling veroorzaken] bore ⇒annoy, ⟨ov. ww. ook⟩ aggravate, irritate ◆ **4.1** je verveelt me! you're annoying me; ⟨inf.⟩ you bug me, I'm fed up with you **5.1** iem. dodelijk/stierlijk ~ bore s.o. stiff/silly; dat zal gauw ~ that will soon grow old/stale **6.1 tot** ~s toe ad nauseam, over and over (again); iets **tot** ~s toe herhalen/doen run sth. into the ground, beat sth. to death;
II ⟨wk.ww.; zich ~⟩ **0.1** [niet weten wat te doen] be(come) bored ◆ **5.1** ik verveel me dood/kapot I am bored stiff/bored out of my mind.

vervelend
I ⟨bn., bw.⟩ **0.1** [saai] boring ⇒tiresome, dull, tedious **0.2** [onaangenaam] annoying ⇒bothersome, tedious, unpleasant, provoking **0.3** [onhebbelijk] annoying ⇒bothersome, tedious ◆ **1.1** een ~ boek a b./dull book **1.2** een ~ karwei an onerous task, a chore, a ⁺corvee; in een ~e situatie verkeren be in a nasty situation/a sorry plight **1.3** wat een ~e vent what a tiresome fellow/a bore **3.3** ~ doen be a bore/bother/nuisance; wees nu niet zo ~ don't be such a nuisance/so tedious **4.2** wat ~! what a nuisance/bore!, how annoying/unpleasant/tedious!; ⟨sl.⟩ what a drag! **5.1** het was stierlijk ~ ⟨sl.⟩ it was a real drag/dead boring; zo ~ als maar kan boring as can be to the nth degree **7.2** ⟨zelfst.⟩ het ~e v.d. zaak is the a./irritating thing about the matter is;
II ⟨bn.⟩ **0.1** [niet lekker] uncomfortable ⇒unpleasant ◆ **1.1** een ~ gevoel an uncomfortable/unpleasant feeling **3.1** zich ~ voelen feel/be uncomfortable.

verveling ⟨de (v.)⟩ **0.1** boredom ⇒weariness, tedium ◆ **3.1** de ~ was van zijn gezicht af te lezen you could see the b. on his face **6.1** louter **uit** ~ out of pure b.; gapen **van** ~ yawn from/with b..

vervellen ⟨onov.ww.⟩ **0.1** peel ⇒slough, shed, moult ᴬmolt ◆ **1.1** slangen ~ jaarlijks snakes shed their skin every year; mijn voeten ~ my feet are peeling.

vervelling ⟨de (v.)⟩ **0.1** [mbt. mens] peeling ⇒⟨med.⟩ desquamation **0.2** [mbt. dieren] sloughing (of one's skin) ⇒⟨wet.⟩ ecdysis.

verveloos ⟨bn.⟩ **0.1** paintless ⇒bare, colourless ◆ **1.1** een verveloze deur a bare door **3.1** het ziet er ~ uit (it looks as if) it could do with a fresh coat of paint.

verveloosheid ⟨de (v.)⟩ **0.1** lack of paint.

verven ⟨onov., ov.ww.⟩ **0.1** [schilderen] paint **0.2** [met kleurstof bewerken] dye ⇒colour **1.2** wollen goed ~ d. woollen material; zijn haar ~ d./colour/tint one's hair; zijn kleren rood ~ d. one's clothes red; geverfde lippen painted/made-up lips **4.1** zich ~ put one's face, paint o.s./one's face, put on one's make-up/⟨scherts.⟩ war paint **6.1** dit oppervlak is moeilijk te ~ this surface is hard to p. **6.¶** door de wol geverfd zijn be dyed in the wool/hardened.

vervenen
I ⟨onov.ww.⟩ **0.1** [tot veen worden] turn to peat;
II ⟨ov.ww.⟩ **0.1** [veengrond uitgraven] cut/dig (out).

vervening ⟨de (v.)⟩ **0.1** [het vervenen] turning to peat **0.2** [veenderij] peat cutting/digging/excavation/extraction.

ververij ⟨de (v.)⟩ **0.1** [het verven] dyeing **0.2** [plaats] dyeing room, dye works.

verversen ⟨ov.ww.⟩ **0.1** [weer vers maken] refresh ⇒freshen, renew **0.2** [door nieuwe vervangen] change ⇒freshen ◆ **1.1** brood ~ freshen bread; ⟨fig.⟩ de herinnering aan iets ~ refresh one's memory **1.2** de lucht ~ freshen the air; olie ~ c. oil.

verversing ⟨de (v.)⟩ **0.1** [het verversen] replacement **0.2** [waarmee men

zich ververst] refreshment ◆ **3.2** de kinderen kregen een ~ the children received/were given refreshments.

verversingshaven ⟨de⟩ **0.1** staging post.

vervetten ⟨onov.ww.⟩ **0.1** [het zich afzetten van vet] render fat **0.2** [in vet overgaan] turn to fat.

vervetting ⟨de (v.)⟩ **0.1** [afzetting van vet] fat rendering, fatty degeneration **0.2** [het in vet overgaan] turning to fat ◆ **1.1** de ~ v.h. hart fatty degeneration of the heart.

verviervoudigen ⟨onov., ov.ww.⟩ **0.1** quadruple ⇒multiply by four, increase fourfold.

vervijfvoudigen ⟨onov., ov.ww.⟩ **0.1** multiply by five ⇒increase fivefold, ⟨zeldz.⟩ quintuple.

vervilten ⟨onov.ww.⟩ **0.1** felt ⇒mat, become matted ◆ **6.1** wollen weefsels ~ door veel wassen wool(len) fabric becomes matted after a lot of washing.

vervlaamsen
I ⟨onov.ww.⟩ **0.1** [Vlaams worden] become/turn Flemish;
II ⟨ov.ww.⟩ **0.1** [Vlaams maken] make/turn Flemish.

vervlakken ⟨onov., ov.ww.⟩ **0.1** [vlak/effen maken] (make) smooth/even **0.2** [afstompen] dull ⇒blur, become blurred/dull/numb **0.3** [verflauwen] fade ◆ **1.2** de drank/dat verdriet vervlakte hem alcohol/that sorrow numbed him **1.3** zijn aandacht/enthousiasme vervlakte op den duur his attention/enthusiasm waned eventually; ~ de kleuren faded colours **7.2** ⟨zelfst.⟩ het ~ der zeden moral decay.

vervlechten ⟨ov.ww.⟩ **0.1** (inter)weave ⇒knit ◆ **1.1** hun levens zijn zeer vervlochten their lives are closely interwoven.

vervlieden ⟨onov.ww.⟩ ⟨schr.⟩ **0.1** slip away ⇒go by.

vervliegen ⟨onov.ww.⟩ **0.1** [snel verdwijnen] fly; ⟨ook →vervlogen⟩ **0.2** [in damp opgaan] evaporate ◆ **1.1** de dagen ~ the days f. by **1.2** alcohol vervliegt snel alcohol evaporates quickly; ⟨fig.⟩ mijn hoop is vervlogen my hope has evaporated/is gone **6.2 in** rook ~ go up in smoke; ⟨fig.⟩ hun verwachtingen zijn in rook vervlogen their expectations went up in smoke.

vervloeien ⟨onov.ww.⟩ **0.1** [wegvloeien] run **0.2** [in vloeistof overgaan] melt ⇒deliquesce ◆ **1.1** op ongelijmd papier vervloeit de inkt ink runs on untreated paper; ~ de tinten colours that have run **1.2** de kristallen ~ the crystals m./deliquesce.

vervloeken ⟨ov.ww.⟩ **0.1** curse ⇒damn ◆ **1.1** hij zal die dag ~! he shall rue the day!; iem. ~ curse s.o. (out); hij vervloekte het ogenblik waarin hij dit besluit genomen had he cursed the day he had made this decision **4.1** zich ~ curse o.s..

vervloeking ⟨de (v.)⟩ **0.1** [het vervloeken] cursing ⇒profanation, profanity **0.2** [vloek] curse ⇒profanity, imprecation, malediction ◆ **2.1** ⟨r.k.⟩ kerkelijke ~ anathema; openlijke ~ public profanity **3.2** een ~ uitspreken curse, pronounce a c..

vervloekt¹
I ⟨bn.⟩ **0.1** [ellendig] cursed ⇒ ↓damn(ed), ⟨euf.⟩ darn(ed), ᴮdashed, infernal ◆ **1.1** een ~ daad a dreadful/an infernal deed; ~ de kerel that blasted fellow; waar is die ~e vulpen? where is that darn/c./ ↓blasted fountain pen?;
II ⟨bw.⟩ **0.1** [in hoge mate] damn(ed) ⇒bloody, ⟨euf.⟩ darn(ed), ᴮdashed ◆ **2.1** dat is ~ lastig that is damned troublesome/bothersome.

vervloekt² ⟨tw.⟩ **0.1** damn ⇒ ⟨euf.⟩ darn(ed), (ac)cursed, wretched, ⟨sl.⟩ bloody ◆**.¶.1** ~! dat is lelijk damn! that's nasty; ~ jij! curses on you!.

vervlogen ⟨bn.⟩ **0.1** departed ⇒bygone ◆ **1.1** ~ grootheid/glorie/geluk d. greatness/glory/happiness; ~ hoop long gone hope; ~ illusies evaporated illusions; in lang ~ tijden in days long gone/past; ⟨schr.⟩ in the days of yore; in far-off days, in ancient times, in long-ago days.

vervluchtigen ⟨onov.ww.⟩ **0.1** evaporate ⇒volatilize ⟨olie, benzine⟩ ◆ **1.1** zijn bezwaar/ergernis vervluchtigde his objection/annoyance evaporated/vanished/disappeared **5.1** etherische oliën ~ snel volatile oils e. quickly, ethereal oils volatilize quickly.

vervoegbaar ⟨bn.⟩ ⟨taal.⟩ **0.1** conjugable ⇒capable of conjugation ◆ **1.1** een ~ werkwoord a verb that can be conjugated/is capable of conjugation.

vervoegen
I ⟨ov.ww.⟩ **0.1** [⟨taal.⟩] conjugate;
II ⟨wk.ww.; zich ~⟩ **0.1** [zich begeven naar] apply (at) ⇒report/go to, call at ◆ **6.1** u dient zich te ~ **bij** … application should be made/call at ⟨plaats⟩/report to ⟨mens⟩; zich ~ **ten** kantore van X/ten gemeentehuize a. at the office of X/at the town hall/ᴬat city hall.

vervoeging ⟨de (v.)⟩ ⟨taal.⟩ **0.1** conjugation.

vervoer ⟨het⟩ **0.1** [transport] transport ⇒conveyance, haulage ⟨zwaar vrachtvervoer⟩, ⟨het vervoeren⟩ transportation **0.2** [vervoermiddel] transport, ᴬtransportation ⇒conveyance ◆ **2.1** het openbaar ~ public transport; vrij ~ hebben have free transport/passage/a free ticket **3.1** bloemen kunnen slecht tegen ~ flowers don't travel well/travel badly **3.2** ik kon geen ~ krijgen I couldn't get/find any transport/ ⟨sl.⟩ wheels **6.1** het ~ **over** lange afstanden long-distance/-haul transport; **tijdens** het ~ beschadigde goederen goods damaged in transit; het ~ **van** en **naar** Rotterdam transport to and from Rotterdam; voor ~ **van** en **naar** het station zal gezorgd worden transport to and from the station/pick up and delivery to the station will be provided **¶.1** ~ te water en te land land and sea transport.

vervoerbaar 〈bn.〉 **0.1** *transportable* ⇒*conveyable, moveable* 〈patiënt〉.
vervoerbedrijf 〈het〉 **0.1** *transport* / [A]*transit company* ⇒*haulier* [A]*hauler*, 〈transportbedrijf〉 *haulage firm, carrier, conveyor, transporter* ◆ **2.1** het gemeentelijk ~ *public* / *city t. c.* / *bus line.*
vervoerbewijs 〈het〉〈mil.〉 **0.1** *railway pass, travel warrant.*
vervoerbiljet 〈het〉 **0.1** *waybill* ⇒*(transport) permit* 〈douane〉.
vervoerder 〈de (m.)〉 **0.1** *transporter* ⇒*conveyor* / *er*, 〈jur.〉 *carrier*, 〈wegvervoer ook〉 *haulier* [A]*hauler.*
vervoeren 〈ov.ww.〉 **0.1** [transporteren] *transport* ⇒*convey, carry*, 〈verhuizen〉 *move*, 〈ook patiënt〉 *travel* 〈vee〉 **0.2** [meeslepen] *carry away* ◆ **1.1** het schip kan 1200 passagiers ~ *the ship can t.* / *carry 1200 passengers* **3.2** zich door woede / jaloezie laten ~ *be carried away with anger* / *jealousy* **6.1** door de lucht ~ *carry through the air, transport by air;* **per** luchtbrug ~ *airlift.*
vervoering 〈de (v.)〉 **0.1** [transport] ~*rapture, ecstasy, entrancement, exaltation* ◆ **2.1** dichterlijke ~ *poetic t.* / *rapture* / *ecstasy* **6.1** in ~ raken *be transported* / *enthralled* / *entranced* / *ecstatic, go into raptures (over), be carried away (by);* iem. **in** ~ brengen *impassion* / *intoxicate* / *thrill s.o..*
vervoerkaart 〈de〉 ◆ **2.¶** openbaar ~ *public transport pass.*
vervoerkosten 〈zn.mv.〉 **0.1** *transport charges* / *costs* ⇒*cost(s) of transport, (cost of) carriage.*
vervoermiddel 〈het〉 **0.1** *(means of) transport* / *conveyance* / [A]*transportation* ◆ **2.1** openbare ~ en *public (service) vehicles.*
vervoersdeskundige 〈de (m.)〉 **0.1** *transportation expert.*
vervoersdienst 〈de (m.)〉 **0.1** *transport(ation) service* ◆ **2.1** de centrale ~ *the central transport(ation) service* / *department.*
vervoersdocument 〈het〉 **0.1** *transportation document* / *paper.*
vervoersonderneming 〈de (v.)〉 **0.1** *transport* / *moving* / *shipping company* ⇒*haulage firm* 〈ihb. van zwaar wegvervoer〉.
vervoerspersoneel 〈het〉 **0.1** *(public) transport employees* / *personnel.*
vervoerstaking 〈de (v.)〉 **0.1** *transport strike.*
vervoerstarief 〈het〉 **0.1** *transport charge* ⇒〈personen ook〉 *fare*, 〈jur.〉 *carriage rate.*
vervoersverbod 〈het〉 **0.1** *ban on (the) transport (of)* ⇒*standstill order* 〈vee〉.
vervoerswezen 〈het〉 **0.1** *transport (system)* ⇒〈AE; in stad〉 *transit system.*
vervolg 〈het〉 **0.1** [volgende tijd] *future* **0.2** [supplement] *continuation (of)* ⇒*supplement, sequel (to)* **0.3** [het vervolgen] *continuation* ◆ **3.3** die zaak heeft later nog een ~ gehad *that business had a sequel* **6.1** in / **voor** het ~ *in the f., henceforth* **6.2** dit boek is een ~ **op** een eerder verschenen werk *this book is a c.* / *sequel to an earlier work* **6.3** ~ **op** blz. 10 *continued on page 10;* 〈schr.〉 **ten** ~ e **op** mijn schrijven van *with (further) reference to* / *in connection with my letter of.*
vervolgbaar 〈bn.〉 **0.1** *suable* ⇒*indictable, prosecutable* 〈strafbare zaken〉 ⇒〈strafrechtelijk〉 *liable to suit* / *indictment* / *prosecution, actionable.*
vervolgblad 〈het〉 **0.1** *continuation* ⇒*second* / *further page.*
vervolgcursus 〈de (m.)〉 **0.1** *follow-up course.*
vervolgen 〈ov.ww.〉 **0.1** [verder volgen] *continue* ⇒*proceed on* **0.2** [voortzetten] *continue* ⇒*pursue* **0.3** [achtervolgen] *pursue* ⇒*follow, persecute* 〈ihb. vanwege opvattingen / ras〉 **0.4** [aanklagen] *sue* 〈civiele zaken〉; *prosecute* 〈straf zaken〉 ⇒*bring action against, institute proceedings against* ◆ **1.1** zijn weg ~ *c. on one's way, push on* **5.4** iem. gerechtelijk ~ *take legal action* / *institute legal* / *criminal proceedings against s.o.; bring* / *press charges against s.o.* 〈straf zaken〉 **6.2** zij vervolgde **met** te zeggen *she went on to say* **6.3** iem. **vanwege** zijn geloof ~ *persecute s.o. for his religious beliefs* **¶.2** wordt vervolgd *to be continued.*
vervolgens 〈bw.〉 **0.1** *then* ⇒*next, further, subsequently,* [↑]*thereupon* ◆ **¶.1** ~ gaat u linksaf *after that* / *then you turn left;* ~ zei / vroeg hij 〈ook〉 *he went on to say* / *ask.*
vervolger 〈de (m.)〉, **-ster** 〈de (v.)〉 **0.1** *pursuer* ⇒*persecutor* 〈vanwege opvattingen / ras〉, *prosecutor* 〈gerechtelijk〉.
vervolging 〈de (v.)〉 **0.1** [het achtervolgen] *pursuit* ⇒*chase* **0.2** [het vervolgd worden] *persecution* **0.3** [rechtsvervolging] *legal action* / *proceedings* ⇒*suit* 〈civiele zaken〉, *prosecution* 〈strafzaken〉, *charges* ◆ **3.2** aan ~ blootstaan *suffer* / *undergo p.* **3.3** zich aan ~ blootstellen *be liable to suit* / *prosecution;* in een zaak afzien van ~ *drop charges* / *a suit;* een ~ tegen iem. instellen *bring action* / *institute proceedings against s.o.; tot* ~ overgaan *(decide to) prosecute* / *bring to trial* **6.3** iem. **buiten** ~ stellen *dismiss (the charges against)* / *discharge s.o..*
vervolgingswaanzin 〈de (m.)〉 **0.1** *paranoia* ⇒*persecution mania.*
vervolgoefening 〈de (v.)〉〈mil.〉 **0.1** *retraining exercise.*
vervolgonderwijs 〈het〉 **0.1** *secondary education.*
vervolgverhaal 〈het〉 **0.1** *serial (story)* ◆ **6.1** een roman als ~ publiceren *publish a novel in serial form* / *as a serial* / *in instalments, serialize a novel.*
vervolledigen 〈ov.ww.〉 **0.1** *complete* ⇒*round out, supplement* ◆ **1.1** zijn kennis ~ *round out one's knowledge;* dat vervolledigt de overeenkomst *that completes the agreement* / *pact* / *treaty.*
vervolmaken 〈ov.ww.〉 **0.1** *(make) perfect* ⇒*consummate, make complete* ◆ **1.1** iemands geluk ~ *make s.o.'s happiness complete.*

vervolmaking 〈de (v.)〉 **0.1** *perfection* ⇒*completion.*
vervormen
I 〈onov.ww.〉 **0.1** [andere vorm aannemen] *transform* ⇒*change* **0.2** [afwijkend klinken] *be distorted* ◆ **1.2** het geluid vervormt *the sound is distorted;*
II 〈ov.ww.〉 **0.1** [andere vorm geven] *transform* ⇒*reform, recast*, 〈misvormen〉 *deform, disfigure* **0.2** [afwijkend doen klinken] *distort* ⇒*scramble* ◆ **1.2** 〈com.〉 vervormde spraak *scrambled speech* **3.2** geluid vervormd weergeven *d. a sound.*
vervorming 〈de (v.)〉 **0.1** [het vervormen / vervormd worden] *transformation* ⇒*remodelling*, 〈misvorming〉 *disfiguring, deforming, distortion* **0.2** [wat vervormd is] *transformation* ⇒*remodelling*, 〈misvorming〉 *disfigurement, deformation, distortion.*
vervrachten 〈ov.ww.〉 **0.1** [in vracht vervoeren] *ship* ⇒*freight, transport* **0.2** [voor vracht verhuren] *lease* / *charter (out) for freight* ◆ **1.2** een schip geheel ~ *lease* / *charter a ship out completely for freight.*
vervrachter 〈de (m.)〉, **-ster** 〈de (v.)〉 **0.1** *shipper* ⇒*freighter.*
vervrachting 〈de (v.)〉 **0.1** *shipping* ⇒*freighting.*
vervreemdbaar 〈bn.〉〈jur.〉 **0.1** *alienable* ◆ **1.1** dat recht is niet ~ *that is an inalienable right.*
vervreemden
I 〈ov.ww.〉 **0.1** [overdragen] *alienate* ⇒*transfer* **0.2** [vreemd / afkerig maken] *alienate* ⇒*estrange* ◆ **1.1** dat eigendom kan uitsluitend door overdracht vervreemd worden *that property lies in grant* **4.2** zich ~ van *alienate o.s. from;*
II 〈onov.ww.〉 **0.1** [vreemd worden aan] *become estranged* / *alienated* ◆ **3.1** van zijn werk vervreemd raken *lose touch with one's work* **6.1** de kinderen zijn **van** hem vervreemd *the children have slipped away from him;* **van** elkaar ~ 〈ook〉 *drift* / *draw apart, become strangers to one another.*
vervreemdend 〈bn.〉 **0.1** *alienating.*
vervreemding 〈de (v.)〉 **0.1** *alienation* ⇒*estrangement* ◆ **3.1** er ontstond een ~ tussen hen *a breach came between them, they were alienated* / *estranged, they became strangers to each other.*
vervroegen 〈ov.ww.〉 **0.1** [vroeger doen zijn] *advance* ⇒*(move* / *put* / *bring) forward, move up, antedate* 〈dagtekening〉, *accelerate* 〈betaling, vertrek〉 **0.2** [mbt. tuinbouwgewassen] *force (the growth of)* ◆ **1.1** het aanvangstijdstip ~ *a.* / *move up the starting date;* vervroegde aflossingen *accelerated* / *early payment, pre-payment (on a note* / *mortgage);* vervroegde afschrijving *early write-off;* bij vervroegde betaling *in the case of pre-payment;* 〈jur.〉 de rechtsdag ~ *a.* / *move up the trial date;* vervroegde uittreding *early retirement;* gebruik maken v.d. mogelijkheid tot vervroegde uittreding *take advantage of the early retirement option;* vervroegde verkiezingen *snap elections;* vervroegde winkelsluiting *early closing (time* / *day).*
vervroeging 〈de (v.)〉 **0.1** *bringing forward* ⇒ [↑]*advancing.*
vervrouwelijken
I 〈onov.ww.〉 **0.1** [vrouwelijk(er) worden] *become (more) feminine* / *effeminate;*
II 〈ov.ww.〉 **0.1** [vrouwelijk(er) maken] *feminize* ⇒*make effeminate, womanize.*
vervuild 〈bn.〉 **0.1** [door vuil overwoekerd] *filthy* ⇒*sordid, squalid, dungy* 〈met drek〉 **0.2** [verontreinigd] *polluted* ⇒*contaminated, dirtied, foul, mucky* ◆ **1.1** ~ e kinderen *f. children;* ~ e krotten *f.* / *squalid hovels* **1.2** ~ e rivieren *p. rivers;* ~ e smeerolie *dirty* / *black oil;* ~ water *contaminated water.*
vervuilen
I 〈onov.ww.〉 **0.1** [door vuil overwoekerd worden] *become filthy* / *dirty* ⇒*become infected* 〈wond〉 ◆ **1.1** de Rijn vervuilt *the Rhine is becoming filthy;* de wond vervuilt *the wound is becoming* / *getting dirty* / *infected;*
II 〈ov.ww.〉 **0.1** [vervuiling veroorzaken] *pollute* ⇒*make filthy, contaminate, poison, foul* 〈straten door hondepoep〉, *dirty, soil* ◆ **1.1** 〈fig.〉 taalgebruik dat de atmosfeer vervuilt *language that pollutes* / *poisons the atmosphere;* sterk ~ de benzine *highly polluting* [B]*petrol* / [A]*gasoline;* ~ de stoffen *contaminants, pollutants.*
vervuiler 〈de (m.)〉, **-ster** 〈de (v.)〉 **0.1** *polluter* ⇒*contaminator* ◆ **3.1** de ~ betaalt *the p. pays.*
vervuiling 〈de (v.)〉 **0.1** *pollution* ⇒*contamination, filthiness* 〈toestand〉 ◆ **1.1** de ~ v.h. milieu *environmental p.;* iem. aantreffen in een verregaande staat van ~ *find s.o. in an extremely filthy state* **2.1** visuele ~ *visual p.* **6.1** de ~ van onze rivieren **door** afvalprodukten *the p. of our rivers by waste (products).*
vervulbaar 〈bn.〉 **0.1** 〈zeldz.〉 *fulfillable* ◆ **1.1** uw wens is ~ *your wish can be fulfilled.*
vervullen 〈ov.ww.〉 **0.1** [vol maken] *fill* **0.2** [voldoen aan] *fulfil* [A]*ill* ⇒*satisfy, perform* 〈taak〉, *discharge* 〈plicht〉, *execute, implement* **0.3** [verwezenlijken] *fulfil* [A]*ill* ⇒*fulfil(uate), realize, accomplish* **0.4** [bekleden] *fill* ◆ **1.1** een vacature ~ *f. a vacancy* **1.2** een belangrijke taak ~ bij de verkiezingen *play an important role in the elections* **1.3** zijn hoop vervuld zien *see one's hopes fulfilled* / *answered;* iemands wensen ~ *comply with s.o.'s wishes* **1.4** een betrekking ~ *f. a position* / *post* **6.1** **met** ontzag vervuld *filled with awe, awe-stricken* /

-struck; dat vervult ons **met** zorg *that fills us with concern;* iem. **met** schrik ~ *strike terror into (the heart of) s.o.;* ⟨fig.⟩ **van** iets vervuld zijn *be full of sth.;* zij was geheel **van** dat denkbeeld vervuld *the idea had taken a hold of her, the idea completely possessed her;* **van** verdriet vervuld zijn *be grief-stricken* **7.2** tijdens het ~ van zijn plicht *in the discharge/pursuance/performance of his duty.*

vervulling ⟨de (v.)⟩ **0.1** *fulfilment* ^Aillment ⇒*execution, performance, discharge* ⟨van plichten⟩, *realization* ⟨van dromen⟩ ◆ **1.1** de ~ v.d. dienstplicht *the f. of one's compulsory military service*/^BNational Service;* ⟨bijb.⟩ zo is dan de liefde de ~ der wet *therefore love is the fulfilling of the law* **6.1** haar liefste wens ging **in** ~ *her fondest dream was fulfilled/realized/became (a) reality;* een droom ging **in** ~ *a dream came true;* eindelijk gingen mijn verwachtingen/plannen **in** ~ *at last my hopes/expectations/plans came to fruition.*

verwaaid ⟨bn.⟩ **0.1** *windblown* ⇒*windswept,* ⟨scheepv.⟩ *windbound* ◆ **1.1** je haar is helemaal ~ *your hair is completely windblown/windswept/tousled* **3.1** er ~ uitzien *look windblown/windswept/tousled/rumpled/dishevelled.*

verwaaien ⟨onov.ww.⟩ **0.1** [wegwaaien] *blow away/about* **0.2** [in wanorde gebracht worden] *be blown about* ◆ **1.1** het hooi verwaait *the hay is blowing away* **1.2** die tuin is verwaaid *the garden has been blown about/is topsy-turvy.*

verwaand ⟨bn., bw.; -ly⟩ **0.1** *conceited* ⇒*arrogant, supercilious, stuck-up, cocky,* ⟨inf.⟩ *snooty* ◆ **1.1** ~e kwast *conceited/stuck-up/overweening puppy;* ⟨inf.⟩ *bighead, prig;* ⟨sl.⟩ *bullshitter;* ⟨schr.⟩ *jackanapes, coxcomb;* een ~ nest *a conceited/stuck-up girl/thing;* een ~ ventje *a conceited/arrogant little fellow, a whipper-snapper;* ⟨inf.⟩ *a swellhead* **3.1** doe niet zo ~ ⟨ook⟩ *don't be so snotty/snooty, don't put on such airs;* ~ spreken *talk arrogantly/in a conceited/supercilious/stuck-up/* ⟨inf.⟩ *lah-di-dah way;* ~ zijn *be conceited/stuck-up.*

verwaandheid ⟨de (v.)⟩ **0.1** *conceit(edness)* ⇒*arrogance, superciliousness, cockiness, vanity* ◆ **6.1** naast zijn schoenen lopen **van** ~ *be filled with conceit, have one's nose so high in the air that one can't see the ground, be too big for one's boots/breeches* ^Abritches.

verwaardigen ⟨ov.ww.⟩ **0.1** *condescend* ⇒*deign, stoop, vouchsafe* ◆ **4.1** zich niet ~ iem. te antwoorden *not c./deign/stoop to answer s.o.* **6.1** iem. **met** geen blik ~ *not deign to look at s.o..*

verwaarloosbaar ⟨bn.⟩ **0.1** *negligible* ⇒*inappreciable, fractional* ⟨verschil⟩, ⟨inf.;pej.⟩ *piddling, trifling.*

verwaarloosd ⟨bn.⟩ **0.1** *neglected* ◆ **1.1** een ~e auteur *a n./forgotten writer;* een ~e baard ⟨ook⟩ *shaggy beard;* in een ~e conditie *in bad shape;* ~e kinderen ⟨ook⟩ *uncared-for children;* ~ land ⟨ook⟩ *shaggy land;* een ~ uiterlijk *a n./unkempt/scruffy/* ⟨AE;inf.⟩ *tacky appearance.*

verwaarlozen ⟨ov.ww.⟩ **0.1** *neglect* ⇒ ⟨buiten beschouwing laten⟩ *ignore, disregard, discount, dilapidate* ⟨opbouwen⟩ ◆ **1.1** zijn gezondheid ~ ⟨ook⟩ *pay no attention to/not care for one's health;* zijn plicht/zaken ~ *n. one's duty/business;* de studie van familienamen is hier lang verwaarloosd *the study of family names has long been neglected/ignored here;* zijn tuin ~ *let one's garden go;* zijn uiterlijk ~ *let one's appearance go, n.o.s./one's appearance;* zijn zaakjes ~ ⟨ook⟩ *let things slide* **4.1** zich ~ n.o.s./one's appearance* **5.1** een niet te ~ factor *not a negligible factor* **6.1** zo'n bedrag is niet **te** ~ *such an amount is not to be sniffed/sneezed at.*

verwaarlozing ⟨de (v.)⟩ **0.1** *neglect* ⇒*negligence* ⟨toestand⟩, *abandonment* ⟨kinderen⟩, *dereliction, dilapidation* ⟨gebouwen⟩ ◆ **6.1 met** ~ **van** to the neglect of.

verwachten ⟨ov.ww.⟩ (→sprw. 320) **0.1** [rekenen op] *expect* ⇒*anticipate, look for, count on, await* **0.2** [zwanger zijn] *expect* ⇒*be expecting* ◆ **1.1** we ~ onze gast vanavond *we e. our guest tonight;* van haar hoef je geen hulp te ~ *you can't e. any help from her, don't look to her for any help;* van ~ *count on her to help you;* men verwacht moeilijkheden met de bonden *trouble with the (trade) unions is foreseen/anticipated;* een telefoontje ~ *e. a telephone call;* we ~ hier zorg voor at wat leeft en groeit *here we e. care/concern for all living things* **1.2** ze verwacht een baby *she is expecting (a baby)/is in the family way/is expectant;* ⟨sl.⟩ *she is a member of the club/in the club* **3.1** dat kun je van zo iemand ~ *that is to be expected from s.o. like that* **4.1** daar moet je ook niet alles van ~ *don't set your hopes/expectations too high* **5.1** lang verwacht *long-awaited;* op plaatsen waar je ze helemaal niet verwacht *in the most unlikely places;* dat had ik niet meer verwacht *I had given up hope of that;* dat had ik wel verwacht *that was just what I had expected, I expected as much* **6.1** verwacht **in** dit theater *coming/appearing soon in this theatre;* dat was **te** ~ *that was only to be expected;* gezien de **te** ~ belangstelling *given the anticipated interest;* zij heeft niets **te** ~ *she has no expectations;* van hem is er niet veel goeds **te** ~ *no good can come of him;* veel **van** iem. ~ *e. a lot of/from s.o.;* ik verwacht **van** u geen aanmerkingen *I e. no comments/commentary from you;* dat had ik **van** haar niet verwacht ⟨gunstig⟩ *she has gone beyond my expectations, she surprised me;* ⟨ongunstig⟩ *I hadn't expected that from her, that surprises me from her* **7.1** ik verwacht er veel **van** *I have high hopes/expectations* **8.1** men verwacht dat hij morgen zal vertrekken *he is expected/supposed*

to leave tomorrow; hij had niet verwacht dat zij nog bij hem langs zou komen ⟨ook⟩ *he had not bargained for her calling on him* ¶.1 daar verwacht ik niet veel van *I don't e. much from/much to come of that;* ik had het al half en half verwacht *I had half expected it.*

verwachting ⟨de (v.)⟩ **0.1** [het verwachten] *anticipation* ⇒*expectancy* **0.2** [dat wat men verwacht] *expectation* ⇒*hope, prospect, outlook* ⟨van weer⟩ ◆ **2.1** in blijde ~ zijn *be expecting/expectant/in a state of happy expectancy/in an interesting condition;* in gespannen ~ *with great a./tense expectancy* **2.2** de algemene ~ is ... *the general e. is ...;* hoge ~en omtrent/van iets/iem. hebben *have high hopes/expectations for sth./s.o.;* de ~en waren hoog gespannen *expectations ran high;* het overtrof haar stoutste ~en *it surpassed/went beyond/exceeded her wildest expectations/dreams* **3.2** niet aan de ~en beantwoorden *fall short of expectations;* grote ~en koesteren voor de toekomst *cherish ambitions for the future;* geen ~en koesteren/hebben *entertain/have/nourish no hope;* de ~en overtreffen *exceed/surpass one's expectations;* ~en wekken *arouse (one's) hopes;* dat wekt alleen maar ~en *that just stirs up/awakens/arouses false expectations/hopes* **5.1** vol ~ klopte ons hart *our hearts raced with anticipation, we were all excited/agog* **5.2** beneden de ~en blijven *fall short of expectations, underachieve, disappoint* **6.1** in ~ zijn *be expecting/an expectant mother* **6.2 aan** de ~ **beantwoorden** *come up to one's expectations;* **boven/tegen** alle ~ *contrary to/against all expectations;* **buiten** ~ *beyond all hope/expectations;* **naar** ~ *zal het bedrijf morgen worden heropend expectations are that the business will reopen tomorrow* ¶.2 je moet je ~en niet te hoog spannen *you mustn't set your hopes too high/get your hopes up (too high);* de ~en waren (zeer) hoog gespannen *e. was wound up to a high pitch.*

verwachtingspatroon ⟨het⟩ **0.1** *expectations* ⟨mv.⟩.

verwachtingsvol ⟨bn.⟩ **0.1** *expectant* ⇒*hopeful, full of expectation.*

verwant[1] ⟨de (m.)⟩ **0.1** *relative* ⇒*relation* ◆ **1.1** vrienden en ~en *friends and relatives, kith and kin* **2.1** onze naaste ~en *our closest relatives/own flesh and blood/kinsfolk;* de naaste ~en werden op de hoogte gesteld *the next of kin were informed;* verre ~en *distant relatives/relations.*

verwant[2] ⟨bn.⟩ **0.1** [geparenteerd] *related (to)* **0.2** [overeenkomend in karakter/opvattingen] *kindred* ⇒*allied* **0.3** [tot elkaar in nauwe betrekking staand] *related* ⇒*allied, connected, cognate, akin* ⟨alleen pred.⟩ ◆ **1.1** paarden en ezels zijn ~e diersoorten *horses and donkeys are r. animals* **1.2** ~e geesten/zielen *kindred souls/spirits, twin souls* **1.3** ~e talen/wetenschappen *r. allied/cognate languages/sciences;* ⟨muz.⟩ ~e tonen *r. tones;* een ~ woord *a cognate word* **3.2** daar voel ik me niet mee ~ *I feel no affinity for/with that* **5.1** nauw ~ zijn *be close relatives* **6.1** zij zijn niet **aan** elkaar ~ *they are not r..*

verwantschap ⟨de (v.)⟩ **0.1** [het verwant zijn] *relation(ship)* ⇒*kinship, consanguinity, sib* **0.2** [overeenkomst] *relationship* ⇒*affinity, connection, congeniality* ⟨karakter⟩, *kinship* ◆ **3.2** daartussen bestaat geen ~ *there is no connection between the two;* hun werk vertoonde een sterke ~ met dat van Hockney *their work demonstrated a strong affinity to/with that of Hockney* **6.1** ~ **in** de eerste/tweede graad *relatives in the first/second degree;* ~ **tussen** en tijgers *relationship between lions and tigers* **6.2** de ~ **tussen** de Romaanse talen *the affinity between the Romance languages.*

verwantschapsbetrekking ⟨de (v.)⟩ **0.1** *family relationship.*

verwantschapsnaam ⟨de (m.)⟩ **0.1** *kinship term.*

verward ⟨bn., bw.; -ly⟩ **0.1** [in de war, door elkaar] *confused* ⇒(en)tangled, tousled,* ⟨haar⟩, *dishevelled, mussed* **0.2** [niet duidelijk] *confused* ⇒*disordered, muddled, chaotic, incoherent, jumbled, foggy* **0.3** [verlegen] *confused* ⇒*embarrassed, perplexed, flustered, bewildered* ◆ **1.1** een ~e geest *a disturbed/kinky/deranged mind;* ~ geschreeuw *uproar, hurly-burly, confused shouts;* met ~e haren *with tangled/dishevelled/tousled/mussed/wild hair* **1.2** ~e denkbeelden *confused/muddled/jumbled/foggy ideas;* een ~ verhaal *a confused/muddled/fuzzy story;* een ~e zaak *a confused/an unclear/intricate affair* **3.1** ~ door elkaar liggen *be all jumbled together;* haar kleren zaten ~ *her clothes were all mussed* **3.2** ~ spreken *speak/talk confusedly/incoherently/unintelligibly, ramble.*

verwardheid ⟨de (v.)⟩ **0.1** [onordelijkheid] *confusion* ⇒*disorder, jumble, tangle, dishevelment, muddle* **0.2** [onduidelijkheid] *confusion* ⇒*jumble, chaos, fogginess, disorganization, muddle, incoherence* **0.3** [verlegenheid] *confusion* ⇒*embarrassment, perplexity, bewilderment.*

verwarmen ⟨ov.ww.⟩ **0.1** *warm* ⇒*heat* ◆ **1.1** ⟨fig.⟩ de overweldigende belangstelling heeft ons verwarmd *we were warmed by the overwhelming interest;* een verwarmd buitenbad *a heated outdoor swimming-pool;* de kamer was niet verwarmd *the room was unheated;* een glas hete melk zal je wat ~ *a glass of hot milk will warm you up;* een verwarmde tribune *heated stands* **4.1** ze verwarmde zich aan het kacheltje *she warmed herself by the stove* **5.1** een slecht verwarmd vertrek *a badly heated room.*

verwarming ⟨de (v.)⟩ **0.1** [het verwarmen/verwarmd worden] *heating* ⇒*warming* **0.2** [installatie] *heating (system)* ⇒*heater,* ⟨radiator⟩ *radiator* ◆ **2.2** centrale ~ aanleggen *put in/install central heating;* de ~ hoger/lager zetten *turn the heat up/down, raise/lower the tempera-*

ture; de ~ is stuk *the heating is broken* **3.2** de ~ afzetten *turn off the heater/radiators* **6.1** brandstoffen **voor** ~ *h. fuels.*

verwarmingsbuis ⟨de⟩ **0.1** *heating pipe.*

verwarmingselement ⟨het⟩ **0.1** [element in verwarmings- en kooktoestellen] *(heating) element* **0.2** [radiator] *radiator.*

verwarmingsinstallateur ⟨de (m.)⟩ **0.1** *heating installer/engineer.*

verwarmingsinstallatie ⟨de (v.)⟩ **0.1** *heating system.*

verwarmingsketel ⟨de (m.)⟩ **0.1** *(central heating) boiler.*

verwarmingskosten ⟨zn.mv.⟩ **0.1** *heating costs/charges* ⇒*cost(s) of heating.*

verwarmingsmonteur ⟨de (m.)⟩ **0.1** *heating engineer.*

verwarmingsoppervlak ⟨het⟩ **0.1** *heating surface.*

verwarmingstoestel ⟨het⟩ **0.1** *heater* ⇒*(piece of) heating-apparatus/equipment, heating appliance.*

verwarren ⟨ov.ww.⟩ **0.1** [in de war brengen] *tangle (up)* ⇒*confuse, tousle, ruffle (up)* ⟨haar⟩ **0.2** [met elkaar verwarren] *confuse* ⇒*mistake, mix up* **0.3** [verlegen maken] *confuse* ⇒*embarass, perplex, befuddle, fluster, bewilder* ◆ **1.1** garen ~ *tangle up yarn;* iemands haar ~ *ruffle/tousle s.o.'s hair;* iemands hoofd/zinnen ~ *confuse/bewilder s.o., mix s.o. up;* ~de indrukken *confusing impressions* **3.1** in iets verward raken *get tied up/entangled/snarled up in sth.;* ~d werken *lead to confusion* **5.1** hopeloos verward raken *become hopelessly confused/entangled, get o.s. in a hopeless muddle/mess* **6.2** u verwart hem **met** zijn broer *you mistake him for/you are confusing him with his brother;* ik verwar die twee altijd **met** elkaar *I always confuse the two/mix the two up;* niet **te** ~ **met** *not to be confused with* **6.3 met** zoveel complimentjes zult u haar ~ *you'll c./embarrass/overwhelm her with all your compliments.*

verwarring ⟨de (v.)⟩ **0.1** [het verwarren] *entanglement* ⇒*confusion* **0.2** [het verward zijn] *confusion* ⇒*chaos, disorder/organization, muddle, jumble, tangle* **0.3** [verlegenheid] *confusion* ⇒*embarassment, bewilderment, perplexity* ◆ **1.1** ~ van namen/zaken en personen *confusion over names/things and people* **2.2** een Babylonische ~ *a Tower of Babel;* de ~ was compleet *it was total confusion/chaos;* in opperste ~ verlieten zij hun huis *they left him at home in total confusion/in a daze/in utter perplexity/bewilderment* **3.2** er onstond enige ~ over zijn identiteit *some confusion arose concerning as to his identity;* ~ stichten *cause confusion* **3.3** iem. in ~ brengen *embarass/disconcert s.o., throw s.o. into c.* **6.1** ⟨fig.⟩ dit kan aanleiding geven **tot** ~ *this could lead to/cause confusion* **6.2 in** ~ raken *become confused* ¶**.2** van de ~ gebruik maken *take advantage of the confused.*

verwasemen ⟨onov.ww.⟩ **0.1** *evaporate.*

verwaten ⟨bn., bw.⟩ **0.1** *arrogant* ⇒*haughty, overbearing, self-important, presumptuous, overweening* ◆ **1.1** ~ blikken *haughty glances/looks* **3.1** ~ op iem. neerzien *look down on s.o. haughtily.*

verwatenheid ⟨de (v.)⟩ **0.1** *arrogance* ⇒*presumption, self-conceit, overweening pride, self-importance,* ⟨lit.⟩ *hubris.*

verwaterd ⟨bn.⟩ **0.1** [door te veel water verslapt] *watery* ⇒*diluted, watered-down* **0.2** [⟨fig.⟩] *watered-down* ◆ **1.1** een ~ soepje *a watery soup;* ~vlees *tasteless meat* ⇒*christendom a watered-down Christianity;* een ~e stijl *a watered-down/debased style, milk-and-water style;* een ~e versie *a watered-down version.*

verwateren
I ⟨onov.ww.⟩ **0.1** [waterig worden] *become watery/diluted* **0.2** [slap worden] *become diluted/watered down* ⇒*peter out, lose momentum* ⟨van (politieke) beweging⟩ ◆ **1.2** de vriendschap tussen ons verwatert *our friendship is disintegrating;*
II ⟨ov.ww.⟩ **0.1** [waterig maken] *dilute* ⇒*make watery* **0.2** [slap maken] *dilute* ⇒*water down, debase, impoverish* **0.3** [vers water geven] *change the water* ◆ **1.2** zijn stijl ~ *water down/debase one's style* **1.3** haring ~ *change the herring's water;* mosselen ~ *move mussels to fresh-water beds/banks.*

verwatering ⟨de (v.)⟩ **0.1** *watering-down* ⟨ook fig.⟩ ⇒*dilution.*

verwedden ⟨ov.ww.⟩ **0.1** [tot inzet v.e. weddenschap maken] *bet* ⇒*gamble, wager, stake, lay a bet/wager,* ⟨AE;sl.⟩ *ante* **0.2** [door wedden verliezen] *gamble away* ⇒*lose in betting,* ⟨schr.⟩ *game away* ◆ **1.1** daar wil ik mijn laatste gulden om ~ *I'd stake my last dime on that, I'll bet my bottom dollar on it, I'll put my shirt on it* **3.1** daar zou ik mijn hoofd om durven ~ *I'd stake my life/head on it/that, I swear on my head that ...* **4.1** ik wil er alles om ~ dat ... *I'll bet you anything that ....*

verweer ⟨het⟩ **0.1** [tegenstand, verdediging] *defence* ^se ⇒*resistance,* ⟨jur.ook⟩ *plea* **0.2** [mbt. bacteriën] *resistance* ◆ **2.1** dat is geen geldig ~ *that is no good/proper/tenable d.* **3.1** daarop had hij geen ~ *he had no d. for that;* ~ voeren *defend/fight the case, put up/forward a d.;* ⟨jur.⟩ zijn ~ schriftelijk voordragen *turn in/make a written plea* **7.1** geen ~ hebben *have no d.* **8.1** iets als ~ aanvoeren *set up sth./put sth. forward as a d..*

verweerd ⟨bn.⟩ **0.1** *weather-beaten* ⇒*weathered, weather-stained* ⟨glas, verf⟩,*cragged* ⟨mannelijk gezicht⟩ ◆ **1.1** een ~ gezicht *a weather-beaten face;* een ~ muur *an old weather-beaten wall.*

verweerder ⟨de (m.)⟩,-**ster** ⟨de (v.)⟩ ⟨jur.⟩ **0.1** *defendant* ⇒*defender, counsel* ⟨voor iem. anders⟩,*appellee* ⟨in hoger beroep⟩.

verweermiddel ⟨het⟩ **0.1** *means of defence* ^se.

---

verweerschrift ⟨het⟩ **0.1** *defence* ^se ⇒⟨jur. ook⟩ *pleading,* ⟨lit.⟩ *apologia.*

verweesd ⟨bn.⟩ **0.1** *orphaned* ⇒⟨fig.⟩ *abandoned, deserted.*

verwekelijken
I ⟨onov.ww.⟩ **0.1** [zwakker worden] *become/grow soft* ◆ **1.1** zijn lichaam/gestel verwekelijkt *his body is getting soft;*
II ⟨ov.ww.⟩ **0.1** [zwakker maken] *weaken* ⇒*make soft,* ⟨schr.⟩ *enervate,* ⟨vertroetelen⟩ *cosset, pamper* ◆ **1.1** een verwekelijkt iemand *a weakling;* ⟨inf.⟩ *a softie;* centrale verwarming verwekelijkt de mens *central heating makes you soft;* een verwekelijkt moederskindje *a molly coddled/pampered/cosseted mother's boy.*

verwekelijking ⟨de (v.)⟩ **0.1** *(increasing) effeminacy/flabbiness;* ⟨schr.⟩ *enervation.*

verweken ⟨onov.ww.⟩ **0.1** *soften* ⇒*grow/become soft/brittle, weaken* ◆ **1.1** het been verweekt *the bone is weakening/getting brittle;* zijn hersenen ~ *his brain is softening.*

verweking ⟨de (v.)⟩ **0.1** *softening.*

verwekken ⟨ov.ww.⟩ **0.1** [doen ontstaan] *beget* ⇒*engender, father, sire* ⟨ihb. van paard⟩ **0.2** [opwekken, veroorzaken] *create* ⇒*cause, produce, provoke, engender, give rise to* ◆ **1.1** kinderen ~ *b./father children* **1.2** angst ~ *create/inspire/cause fear;* koorts ~ *cause a fever;* opschudding ~ *cause/create a commotion;* een ziekte ~ *cause a sickness* **6.1** een kind ~ **bij** een vrouw/iem. *b. a child by a woman, father a child on s.o..*

verwekker ⟨de (m.)⟩ **0.1** [mbt. voortplanting] *begetter* ⇒*procreator, father, sire* ⟨paard⟩ **0.2** [veroorzaker] *originator* ⇒*cause, author,* ⟨med.⟩ *pathogen(e)* ⟨ziektekiem⟩ ◆ **1.1** de ~ v.h. kind *the child's natural father* **1.2** de bacterie die de ~ is van de cholera *the bacteria that is the cause/the causative agent of cholera.*

verwekking ⟨de (v.)⟩ **0.1** *generation* ⟨ook fig.⟩ ⇒ ↑*procreation,* ⟨fig. ook⟩ *arousing, provoking.*

verwelken ⟨onov.ww.⟩ **0.1** [verleppen] *wilt* ⇒*wither, fade* **0.2** [⟨fig.⟩] *fade* ⇒*droop, wither, wilt* ◆ **1.1** bloemen/groenten ~ *wilted/withered flowers/vegetables* **1.2** ~de schoonheid *fading/wilting beauty* **2.2** verwelkte borsten *drooping/fallen/sagging breasts.*

verwelking ⟨de (v.)⟩ **0.1** *withering* ⇒*fading(-away), wilting,* ⟨plantenziekte⟩ *wilt.*

verwelkomen ⟨ov.ww.⟩ **0.1** *welcome* ⇒*greet,* ⟨schr.⟩ *hail,* ⟨(be)groeten⟩ *salute* ◆ **5.1** iem. hartelijk ~ *give s.o. a hearty welcome;* officieel verwelkomd worden *be officially welcomed/greeted, be extended/accorded an official welcome;* iem. uitbundig ~ *welcome s.o. heartily/enthusiastically, give s.o. a hearty/rousing/an enthusiastic welcome* **6.1** aan boord **met** ceremonieel gefluit ~ *pipe the side/aboard* ¶**.1** het is mij een voorrecht u hier te mogen ~ *it is a privilege for me to w. you here, I have the privilege of welcoming you here.*

verwelkoming ⟨de (v.)⟩ **0.1** *welcome* ⇒*greeting* ⟨ter begroeting⟩,*salute* ⟨ceremonieel⟩ ◆ **2.1** een hartelijke/koele ~ *a cordial/frosty w.* **6.1** iem. **ter** ~ de hand schudden *shake s.o.'s hand in w., welcome s.o. with a handshake;* duizenden fans waren **ter** ~ **van** de filmster naar het vliegveld gekomen *thousands of fans had turned out to welcome/greet the star at the airport.*

verwelven ⟨ov.ww.⟩ **0.1** *vault.*

verwend ⟨bn.⟩ **0.1** *spoilt* ⇒*overindulged, pampered,* ⟨pej.⟩ *(molly)coddled, cosseted,* ⟨schr.⟩ *sybaritic* ⟨mondain⟩, *discriminating* ⟨smaak, klant⟩ ◆ **1.1** een ~ kind *a spoilt child;* het is een ~ nest *she's a spoilt brat;* een luxe cruise voor onze zeer ~e passagiers ⟨ook⟩ *a luxurious cruise for our sybaritic passengers;* een ~ publiek *a discriminating public/audience;* een zeer ~ zondagskind *a spoilt child of fortune* **5.1** zij is door en door ~ *she is thoroughly/completely spoilt;* zelfs de meest ~e vakantiegangers/luisteraars *even the most spoilt/pampered travellers/listeners.*

verwennen ⟨ov.ww.⟩ **0.1** [door toegeeflijkheid bederven] *spoil* ⇒*overindulge* **0.2** [te goed doen] *spoil* ⇒*baby, indulge, pamper,* ⟨pej.⟩ *coddle* **0.3** [op seksueel gebied van dienst zijn] *indulge* ⇒*be nice to* ◆ **1.1** iem. (tot) in de grond (toe) ~ *spoil s.o. rotten/to death* **3.5** Lola wil u graag ~ *Lola would like to fulfil your every fantasy/whim* **4.2** zichzelf ~ *indulge/pamper o.s.* **5.2** ⟨fig.⟩ in dat opzicht zijn we niet verwend *in that regard we are not spoiled.*

verwennerij ⟨de (v.)⟩ **0.1** *spoiling* ⇒*overindulgence, pampering.*

verwensen ⟨ov.ww.⟩ **0.1** *curse* ◆ **1.1** iem. ~ *curse s.o.;* die verwenste kerel *that cursed/confounded/wretched/darned/dashed fellow* **4.1** zich ~ *curse o.s..*

verwensing ⟨de (v.)⟩ **0.1** [het verwensen] *cursing* ⇒*profanation, vituperation* **0.2** [vloek] *curse* ⇒*profanity, swearword, expletive,* ⟨schr.⟩ *imprecation, malediction* ◆ **1.2** een stortvloed van ~en *a flood of profanity, a string/hail of curses/swearwords, a stream of abuse* **3.2** een ~ uiten *(utter/pronounce a) curse* ¶**.2** iem. ~en naar het hoofd slingeren *hurl curses/abuse at s.o., heap abuse upon s.o..*

verwereldlijken
I ⟨ov.ww.⟩ **0.1** [wereldlijk maken] *secularize* ⇒*laicize, deconsecrate* ◆ **1.1** kerkelijke goederen ~ *s. church property;*
II ⟨onov.ww.⟩ **0.1** [wereldlijk worden] *become secularized* ◆ **1.1** de verwereldlijkte geestelijkheid *the secularized clergy.*

verwereldlijking 〈de (v.)〉 **0.1** *secularization* ⇒*laicization*.

verweren
I 〈onov.ww.〉 **0.1** [door weersinvloeden veranderen] *weather* ⇒*disintegrate, erode* 〈rotsen〉, *become weather-beaten, become weather-stained* 〈verf, glas〉 **0.2** [eeltig worden] *weather* ◆ **1.1** de rotsen~ *the rocks/cliffs are eroding* **1.2** zijn handen ~ *his hands are weathering /becoming weathered*;
II 〈wk.ww.; zich~〉 **0.1** [zich verdedigen] *defend* ⇒*resist,* 〈fysiek〉 *put up a fight,* 〈verbaal〉 *speak up for o.s.,* 〈sport〉 *counter* ◆ **3.1** voor hij zich kon~ *before he could d./speak up for himself* **5.1** zich krachtig/flink/dapper/hardnekkig~ *defend o.s. strongly/courageously/stubbornly, put up a strong/tough/brave/stubborn fight* **6.1** zij verweerde zich **met** een venijnige schop 〈sport ook〉 *she countered with a flying/vicious kick;* zich **tegen** een aantijging~ *defend o.s. against an accusation/allegation.*

verwering 〈de (v.)〉 **0.1** [〈geol.〉] *erosion* ⇒*disintegration,* 〈schei.〉 *efflorescence* **0.2** [aantasting door weersinvloeden] *weathering* **0.3** [verdediging] *defence* [A]*se.*

verwerkbaar 〈bn.〉 **0.1** *processable* ⇒*digestible* 〈ook fig.〉, *millable* 〈in hout-en katoenfabriek〉 ◆ **1.1** door de computer verwerkbare gegevens *data that can be processed by (the) computer/be computerized, computerizable data;* dit materiaal is gemakkelijk~ *this material is easy to process/work with* **5.1** machinaal verwerkbare produkten *products that can be processed by machine.*

verwerkelijken
I 〈onov.ww.〉 **0.1** [werkelijkheid worden] *realize* ⇒*materialize, become real,* 〈dromen ook〉 *come true* ◆ **1.1** zijn dromen zijn niet verwerkelijkt *his dreams were not realized/did not come true/did not materialize;*
II 〈ov.ww.〉 **0.1** [tot werkelijkheid maken] *realize* ⇒*make real, concretize, actualize, fulfil* ◆ **1.1** een droom/wens~ *make a dream/wish come true, turn a dream/wish into (a) reality;* een plan/gedachte~ *put a plan/an idea into action/effect, translate a scheme/an idea into action* **4.1** kinderen~ zich in hun spel *children fulfil/actualize themselves in their play.*

verwerken 〈ov.ww.〉 **0.1** [werkend verbruiken] *process* ⇒*handle, consume* **0.2** [maken tot] *process* ⇒*convert,* [A]*manufacture/work (into)* **0.3** [bij het bewerken opnemen] *incorporate* ⇒*assimilate, digest, work* **0.4** [psychisch verduwen] *deal with* ⇒*cope with, get over* **0.5** [aankunnen, opnemen] *absorb* ⇒*cope with, digest, handle* ◆ **1.1** zijn maag kon het niet~ *his stomach couldn't digest it;* een stof waarin verschillende materialen verwerkt zijn *a material that incorporates various substances* **1.3** de nieuwste gegevens zijn erin verwerkt *the latest data are incorporated (in it)/have been assimilated;* gegevens statistisch~ *i. / handle data statistically;* het geleerde moet men~ *one has to internalize/digest/assimilate what one has studied/learned* **1.4** ze heeft haar plotselinge succes nog niet kunnen~ *she can't come to grips with her sudden success;* ze heeft haar verdriet nooit echt goed verwerkt *she has never really come to terms with her sorrow* **1.5** de haven verwerkt jaarlijks duizenden schepen *the harbour handles thousands of ships every year;* stadscentra kunnen zoveel verkeer niet ~ *city centres cannot absorb/digest/cope with so much traffic* **3.4** tegenslag te~ krijgen *have to deal/cope with a setback, have to face setbacks* **3.5** een enorme toeloop te~ krijgen *get a/have to deal with a (sudden) rush of people* **6.2** huisvuil **tot** compost~ *convert/p./turn household waste into compost, compost household waste* ¶**.4** ik heb tijd nodig om dat te~ *I need time to deal with that.*

verwerking 〈de (v.)〉 **0.1** *processing* ⇒*handling, digestion* 〈ook fig.〉, *assimilation, incorporation* ◆ **6.1** bij de~ van deze gegevens *in p./handling these data;* informatie gereedmaken voor~ **door** de computer *prepare information for p. (by the computer).*

verwerkingsbedrijf 〈het〉 **0.1** *processing company/firm/* 〈gebouw〉 *plant /factory.*

verwerkingseenheid 〈de (v.)〉 〈comp.〉 ◆ **2.¶** de centrale~ *the mainframe/processor.*

verwerkingstechnologie 〈de (v.)〉 **0.1** *processing technology.*

verwerkingstijd 〈de (m.)〉 **0.1** [tijd tussen het aanmaken en verwerken] *setting time* 〈mbt. lijm, enz.〉 **0.2** [〈comp.〉] *processing time* ◆ **2.1** lijm met een korte~ *quick-set(ting) adhesive.*

verwerpelijk 〈bn.〉 **0.1** *reprehensible* ⇒*objectionable, culpable, discreditable, blameworthy, improper* ◆ **1.1** een~e gedachte *a distasteful/repugnant/obnoxious thought;*~ gedrag *r./objectionable/condemnable/discreditable/exceptionable/censurable conduct;* zijn gedrag is zeer~ 〈ook〉 *his conduct is highly improper;* een~ standpunt *a r. point of view;* ik vind het een uiterst~e zaak dat ... *I think it is highly improper that ....*

verwerpen 〈ov.ww.〉 **0.1** [van zich afwerpen] *reject* ⇒*dismiss, condemn* 〈methode, opvattingen〉 **0.2** [afwijzen] *reject* ⇒*turn down, dismiss, repudiate, refuse,* 〈schr.〉 *renounce* 〈officieel en publiekelijk〉, *disclaim* 〈gezag, beschuldiging〉 **0.3** [afkeuren bij stemming] *reject* ⇒*defeat* 〈motie〉, *vote/turn down, negative* **0.4** [ontijdig werpen] *lose* ◆ **1.1** een gedachte onmiddellijk weer~ *immediately dismiss an idea again* **1.2** 〈jur.〉 een cassatieberoep~ *turn down/dismiss an appeal;*

een nalatenschap~ *refuse/turn down/renounce an inheritance* **1.3** een voorstel/wetsontwerp~ *r. / vote/turn down/defeat/throw out/ shut the door on a proposal/bill* **1.4** de koe heeft het kalf verworpen *the cow lost the calf.*

verwerping 〈de (v.)〉 **0.1** *rejection* ⇒*defeat, dismissal, renunciation, condemnation* 〈methode, opvattingen〉 ◆ **1.1** de~ v.e. wetsvoorstel *the r. / defeat of a bill.*

verwerven 〈ov.ww.〉 **0.1** *obtain* ⇒*acquire, achieve* 〈roem〉, *earn, win* 〈eer〉, *gain* 〈vertrouwen〉 ◆ **1.1** inkomen~ uit arbeid *o./acquire money for work(ing);* een kapitaaltje~ 〈ook〉 *build up a nest egg;* kennis~ *acquire knowledge;* verworven rechten aantasten *try to take away acquired rights/be exclusieve rechten~ voor de verkoop v.e. produkt o./acquire (the) exclusive sales rights of/to a product;* zich een reputatie~ *win/make/earn a reputation for o.s.;* subsidie~ *get/ acquire a subsidy;* vaardigheden~ *acquire skills* **4.1** zich iets~ o./acquire sth..*

verwerving 〈de (v.)〉 **0.1** *acquisition* ⇒*obtaining,* [↑]*procurement.*

verwestersen
I 〈onov.ww.〉 **0.1** [westers worden] *become westernized;*
II 〈ov.ww.〉 **0.1** [westers maken] *westernize* ⇒*Occidentalize.*

verweven 〈ov.ww.〉 **0.1** [wevend verbruiken] *(inter)weave* ⇒*interlace* **0.2** [〈fig.〉 wevend verbinden] *(inter)weave* ⇒*interlace, interrelate, intertwine* ◆ **5.2** hun belangen zijn nauw~ *their interests are closely knit* **6.2** met iets~ zijn *be tied up/interwoven with sth.;* **met** elkaar~ zijn *be interwoven/tied together.*

verwezen[1] 〈bn.〉 **0.1** *dazed* ⇒*dumbfounded, thunderstruck,* 〈inf.〉 *flabbergasted* ◆ **3.1** ~ staan kijken *look on in a daze;* hij staarde mij geheel~ aan *he stared at me quite dumbfounded/thunderstruck/flabbergasted.*

verwezen[2] 〈onov.ww.〉 〈schr.〉 **0.1** *be orphaned* ⇒*become an orphan*.

verwezenlijken 〈ov.ww.〉 **0.1** *realize* ⇒*fulfil* 〈hoop, wens〉, *achieve* 〈doel〉, *actualize, effect(uate), implement* 〈ideeën〉 ◆ **1.1** zijn doel~ *achieve one's goal, effect one's purpose;* zijn hoop is niet verwezenlijkt *his hope never became (a) reality/never came true/was not fulfilled;* plannen/voornemens~ *r. one's plans/intentions, translate one's plans/intentions into action* **3.1** dat is niet te~ *that can't be done;* zijn plannen/dromen werden nooit verwezenlijkt *his plans/dreams were never realized/fulfilled/put into effect/never materialized.*

verwezenlijking 〈de (v.)〉 **0.1** *realization* ⇒*fulfilment, accomplishment, actualization, materialization, implementation.*

verwijden 〈ov.ww.〉 **0.1** *widen* ⇒〈kleren ook〉 *let out, dilate* 〈pupil, ader〉, 〈bouwk.〉 *ream* 〈gat〉 ◆ **1.1** de mouwen v.e. jas~ *w. the sleeves of a jacket* **4.1** zich~ (tot) *widen (into).*

verwijderd 〈bn.〉 **0.1** *remote* ⇒*distant, removed, (far) off* ◆ **1.1** 〈fig.〉 ~e oorzaken *remote causes/consequences/effects;* op dergelijke~e plaatsen *in such remote/faraway/far-off/out-of-the-way places* **3.1** 〈steeds verder〉 van elkaar~ raken *drift (further and further) apart* **5.1** het verst v.h. vasteland~e eiland *the furthest (removed) island from the mainland* **6.1** een kilometer **van** het dorp~ *a kilometre out of/(removed) from the village;* twee meter **van** elkaar~ *two metres apart (from one another).*

verwijderen
I 〈ov.ww.〉 **0.1** [verder plaatsen] *remove* ⇒*move (away), take away* 〈voorwerp〉 **0.2** [wegnemen] *remove* ⇒*move/take/clear away, eliminate* 〈oorzaak〉, *dislodge* 〈vastzittend voorwerp〉 ◆ **2.1** oude verflagen~ *r. old (layers of) paint* **5.2** niet~! *do not r.!;* een gezwel/blindedarm operatief~ *surgically remove a tumour/an appendix* **6.1** deze boeken worden **uit** de bibliotheek verwijderd *these books are being removed from the library;* dit voorval heeft die jongens zeer **van** elkaar verwijderd *this incident put a great distance between the boys;* vrienden **van** zich~ *alienate/estrange friends (from o.s.)* **6.2** iem. **met** geweld~ *remove s.o. forcibly, push/* 〈sl.〉 *muscle s.o. out;* iem. **uit** de klas~ *r. / dismiss s.o. from the class, send s.o. out of the class;* iem. **uit** zijn huis~ *evict s.o., throw s.o. out of his/one's house;* iem. **van** het veld~ *send s.o. off (the field),* 〈sport〉 *dismiss s.o.;*
II 〈wk.ww.; zich~〉 **0.1** [weggaan] *go away* ⇒*leave, remove, recede* 〈geluid, kustlijn〉, *retire* 〈vergadering〉, 〈pregnant〉 *withdraw* ◆ **1.1** langzaam verwijderde de boot zich *the boat receded/moved off slowly into the distance;* de politie gelastte de demonstranten zich te~ *the police ordered the demonstrators to leave/clear the area/to disperse;* zich~ de voetstappen *receding footsteps* **3.1** mag ik mij even~? *can I be excused for a minute?, may I wash my hands?* **6.1** zich **van** elkaar~ *drift/draw apart;* zich **van** iem. / iets~ *move away from s.o. / sth..*

verwijdering 〈de (v.)〉 **0.1** [handeling] *removal* ⇒*expulsion* 〈van school〉, 〈schr.〉 *rustication* 〈van univeriteit〉, *dismissal, elimination* 〈van oorzaken〉, 〈huisuitzetting〉 *eviction* **0.2** [toestand, 〈ook fig.〉] *estrangement* ⇒*alienation* ◆ **3.2** er ontstond een~ tussen hen *they drifted/drew apart* **6.1** ~ **van** school/de universiteit *expulsion from school/university.*

verwijding 〈de (v.)〉 **0.1** [het wijder maken] *widening* ⇒〈med.〉 *dila-(ta)tion* 〈pupil, bloedvat〉 **0.2** [plaats] *widening.*

verwijfd 〈bn.〉 **0.1** *effeminate* ⇒*womanish, unmanly, sissy, prissy,* 〈schr.〉 *epicene* ◆ **1.1** een~e homo *a queen;* ~e kerels *e. fellows,* *limp-wristed guys, sissies;* ⟨mil.; bel.⟩ *poofs;* ⟨inf.⟩ *softies, mollies, pantywaists, lilies* 3.1 zich ~ aanstellen ⟨sl.⟩ *swish, ponce about/ around.*

verwijfdheid ⟨de (v.)⟩ **0.1** *effeminacy* ⇒*effeminateness, unmanliness, femininity.*

verwijl ⟨het⟩ ⟨schr.⟩ **0.1** *demur* ⇒*delay, procrastination* ◆ **6.1** zonder ~ *without demur/ delay, forthwith, promptly.*

verwijlen ⟨onov.ww.⟩ ⟨schr.⟩ **0.1** *sojourn* ⇒*repose,* ⟨dralen⟩ *linger, tarry* ◆ **6.1** ⟨fig.⟩ lang **bij** een onderwerp ~ *dwell at length/ dilate/ expatiate on a subject.*

verwijsbriefje ⟨het⟩ **0.1** *(doctor's) referral (letter).*

verwijskaart ⟨de⟩ **0.1** [systeemkaart] *cross-reference card* ⇒*index card* **0.2** [verwijsbriefje] *(doctor's) referral (slip/letter).*

verwijt ⟨het⟩ **0.1** *reproach* ⇒*reproof, blame,* ⟨wederzijds⟩ *recrimination,* ⟨inf.⟩ *twit,* ⟨veeg; inf.⟩ *swipe* ◆ **3.1** elkaar ~ en maken *reproach/ blame one another; zichzelf* een ~ maken over iets *reproach o.s. with sth., blame o.s. for sth.;* iem. ~ en maken *reproach s.o.;* iem. met ~ en overstelpen *heap reproaches upon s.o.;* ons treft geen ~ *we are not at fault/to blame, it's not our fault* **8.1** dat is niet als ~ bedoeld *that isn't meant/ intended as a reproach* ¶.1 elkaar ~ en naar het hoofd slingeren *hurl reproaches at one another.*

verwijtbaar ⟨bn.⟩ **0.1** *blameworthy* ⇒*reprehensible,* ⟨jur.⟩ *culpable* ◆ **1.1** verwijtbare nalatigheid *culpable negligence.*

verwijten ⟨ov.ww.⟩ ⟨→sprw. 502⟩ **0.1** *reproach* ⇒*reprove, upbraid, blame,* ⟨inf.⟩ *twit* ◆ **1.1** iem. fouten uit het verleden ~ *cast/ fling/ throw the past in s.o.'s teeth;* iem. iets ~ *reproach s.o. with sth., blame s.o. for sth.* **3.1** dat moet je mij niet ~ *you mustn't blame me for that;* het werd haar verweten ⟨ook⟩ *the responsibility/ blame was laid at her door;* dat wordt haar nog steeds verweten *she is still blamed for that, they are still holding that against her* **4.1** zij hebben elkaar niets te ~ *they have been tarred with the same brush* **6.1** ik heb mijzelf niets **te** ~ ⟨ook⟩ *my conscience is clear, I have nothing to reproach myself with* **8.1** men verwijt hem dat ... *it's held against him that ....*

verwijtend ⟨bn., bw.; -ly⟩ **0.1** *reproachful* ⇒*reproving* ◆ **1.1** ~ e blikken ⟨ook⟩ *looks of reproach;* iets op ~ e toon zeggen *say sth. in a tone of reproach* **3.1** iem. ~ aankijken *look at s.o. with reproach (in one's eyes)/ reproachfully.*

verwijzen

I ⟨ov.ww.⟩ **0.1** [week maken] *(make) effeminate* ⇒*soften, womanize,* ⟨schr.⟩ *emasculate;*

II ⟨onov.ww.⟩ **0.1** [week worden] *become effeminate/ soft.*

verwijzen ⟨ov.ww.⟩ **0.1** *refer* ⇒*relegate, consign, send, commit* ⟨wetsvoorstel⟩, *denote* ⟨aanduiden⟩ ◆ **3.1** er wordt herhaaldelijk naar verwezen *repeated references are made to it* **6.1** een zaak naar de terechtzitting ~ *commit to trial, send s.o. for trial;* voor een samenvatting zij verwezen **naar** het aanhangsel *for a summary the reader is referred to/ please refer to the appendix;* iets **naar** het land der fabelen ~ *relegate sth. to the realm of fiction/ fancy;* iem. ~ **naar** de tweede plaats ⟨sport⟩ *relegate s.o. to second place;* iets **naar** de prullenmand ~ *relegate sth. to the wastepaper basket/* ⟨scherts.⟩ *the circular file;* iem. **naar** het tweede plan ~ *refer s.o. to the second division, place s.o. on the second row, make s.o. take a back seat;* **naar** een andere rechter ~ *refer to another court.*

verwijzigingsteken ⟨het⟩ **0.1** *reference (symbol/ sign/ mark).*

verwijzing ⟨de (v.)⟩ **0.1** [het verwijzen] *reference* ⇒*relegation,* ⟨briefje voor specialist⟩ *referral, committal* **0.2** [aanwijzing] *(cross-)reference* ◆ **3.2** dit artikel in het woordenboek is alleen een ~ *this entry in the dictionary only refers to another entry* **6.1** onder ~ naar *with reference to, referring to.*

verwikkelen ⟨ov.ww.⟩ **0.1** *involve* ⇒*implicate, entangle, mix up,* ⟨schr.⟩ *embroil* ⟨in schandaal⟩ ◆ **3.1** in iets verwikkeld raken *become involved/ mixed up/ entangled/ embroiled in sth.* **6.1** iem. mede in een zaak ~ *implicate s.o. in a matter;* **in** een bloedige strijd verwikkeld zijn *be involved/ locked in a bloody battle;* plotseling **in** een oorlog verwikkeld raken *be plunged into war;* verwikkeld raken **in** een schandaal *become mixed up/ involved/ be embroiled in a scandal.*

verwikkeling ⟨de (v.)⟩ **0.1** [het verwikkelen/ verwikkeld worden] *involvement* ⇒*implication, entanglement, mix-up, confusion* **0.2** [moeilijkheid] *entanglement* ⇒⟨pol.⟩ *imbroglio,* ⟨schandaal⟩ *embroilment, complication* **0.3** [⟨lit.⟩] *plot* ⇒*intrigue, intricacy (of plot)* ◆ **6.3** de ~ in een roman *the p. of a novel* **7.3** na vele ~ en wordt de held gered *after many intrigues/ adventures the hero is saved.*

verwilderd ⟨bn.⟩ **0.1** [wild geworden] *wild* ⇒*neglected, gone wild* ⟨alleen pred.⟩ **0.2** [uit fatsoen gebracht] *wild* ⇒*unkempt, dishevelled* **0.3** [woest] *wild* ⇒*mad, distraught* ⟨door angst/ twijfel⟩ ◆ **1.1** een ~ e boomgaard *a neglected/ an overgrown orchard;* een ~ e tuin/ hond *a wild garden/ dog; a garden run wild, a dog gone wild* **1.2** met ~ e haren *with w./ dishevelled hair* **1.3** met een ~ e blik in de ogen *with a w. look in one's eyes* **3.3** er ~ uitzien *look w./ haggard.*

verwilderen

I ⟨onov.ww.⟩ **0.1** [wild worden] *run wild* ⇒*become overgrown, overgrow, go wild* ⟨plant, dier⟩, *escape* ⟨plant⟩ **0.2** [losbandig worden] *run wild* ⇒*go to ruin, go to the bad* ◆ **1.2** verwilderde zeden *corrupt-*

---

ed/ depraved morals, moral degradation/ degeneration/ decadence, demoralization **3.1** een tuin laten ~ *let a garden run/ go wild;*

II ⟨ov.ww.⟩ **0.1** [losbandig maken] *brutalize* ⇒*brutify, degrade, dehumanize, bestialize, animalize* ◆ **1.1** de oorlog heeft veel mensen verwilderd *the war has brutalized/ brutified/ degraded/ dehumanized many people.*

verwildering ⟨de (v.)⟩ **0.1** [het verwilderen/ verwilderd zijn] *brutalization* ⇒*degeneration, brutification, degradation, dehumanization, lawlessness* **0.2** [verwilderd geheel] *wild mess* ⇒*wilderness, waste* **0.3** [wild laten groeien] *running wild* ◆ **1.1** de ~ v.d. straatjeugd *the increasing lawlessness of city teenagers* **1.3** de ~ van tuingewassen *the running wild of garden plants.*

verwinnen ⟨ov.ww.⟩ ⟨schr.⟩ **0.1** *vanquish* ⇒*surmount* ⟨problemen⟩.

verwinteren ⟨onov.ww.⟩ **0.1** *(spend the) winter* ⇒*overwinter,* ⟨winterslaap houden⟩ *hibernate.*

verwisselbaar ⟨bn.⟩ **0.1** *exchangeable* ⇒*convertible, switchable* ◆ **5.1** onderling ~ *interchangeable.*

verwisselen ⟨ov.ww.⟩ **0.1** [ten opzichte van elkaar wisselen] *(ex)change* ⇒*shift, switch, swap, swop* **0.2** [verwarren] *mistake* ⇒*confuse* ◆ **1.1** ⟨wisk.⟩ ~ de binnen- en buitenhoeken *alternate inside and outside angles;* letters ~ in een woord *transpose letters in a word;* ⟨scheep.⟩ de wacht ~ *shift/ change watch* **6.1** het tijdelijke **met** het eeuwige ~ *go to glory, go on his last journey;* ⟨inf.⟩ *hand/ pass/ cash in one's chips;* boeken **tegen** schilderijen ~ *e. books for paintings;* **van** eigenaar/ hand ~ *c. hands;* ze had haar broek **voor** een rok verwisseld *she changed out of trousers into a skirt* **6.2** ik had u **met** uw broer verwisseld *I had mistaken you for your brother, I thought you were your brother.*

verwisseling ⟨de (v.)⟩ **0.1** [het verwisselen/ verwisseld worden] *(ex)change* ⇒*(ex)changing, interchange, shift, swop, swap, switch* **0.2** [verandering, ruil] *(ex)change* ⇒*transposition, interchange.*

verwittigen ⟨ov.ww.⟩ **0.1** *inform* ⇒*advise, notify, apprise* ⟨vnl. passief⟩ ◆ **4.1** iem. ~ van iets *i. / advise/ notify s.o. of sth..*

verwittiging ⟨de (v.)⟩ **0.1** [het verwittigen] *information* ⇒*notification* **0.2** [mededeling] *information* ⇒*communication, notice,* ⟨hand.⟩ *(letter of) advice.*

verwoed ⟨bn., bw.; -ly⟩ **0.1** [met woede] *fierce* ⇒*rabid, fanatic, furious, grim* **0.2** [hartstochtelijk] *fierce* ⇒*ardent, rabid* ⟨politicus⟩, ⟨onverbeterlijk⟩ *inveterate, enthusiastic, keen, frantic* ⟨poging⟩ ◆ **1.2** een ~ jager *a hunting fanatic;* een ~ lezer *a voracious/ an avid reader;* een ~ liefhebber van sport *an ardent sports fan, a very keen sportsman, a sports fanatic;* ⟨sl.⟩ *a sports nut/ freak;* ~ e pogingen doen *make frantic efforts/ frenetic attempts.*

verwoedheid ⟨de (v.)⟩ **0.1** [woede] *fury* ⇒*fierceness, rage* **0.2** [hartstocht] *fierceness* ⇒*ardency.*

verwoest ⟨bn.⟩ **0.1** *destroyed* ⇒*ruined, devastated, ravaged, wrecked* ◆ **1.1** ~ e gebieden ⟨ook⟩ *blighted areas;* het door de brand totaal ~ e gebouw *a building totally destroyed by fire, a gutted building;* een ~ e gezondheid *ruined health;* een ~ land *a devastated/ ravaged land.*

verwoesten ⟨ov.ww.⟩ **0.1** *destroy* ⇒*devastate, lay waste, ruin, ravage, wreck, shatter* ⟨gezondheid⟩ ◆ **1.1** zijn gezondheid ~ *wreck/ ruin/ destroy one's health;* huizen/ de oogst ~ *destroy/ ruin/ devastate houses/ the crops;* iemands leven ~ *destroy/ ruin/ wreck s.o.'s life* **5.1** het centrum werd door de bombardementen totaal verwoest *the city centre was completely destroyed/ was devastated by the bombings.*

ver'woestend ⟨bn., bw.⟩ **0.1** *devastating* ⇒*destructive* ◆ **1.1** de ~ e kracht v.e. kernbom *the devastating power of a nuclear bomb;* ⟨sport⟩ een ~ schot in de benen hebben *be/ have a killing shot;* ⟨sport⟩ hij heeft een ~ e service ⟨ook⟩ *his serve is a killer;* een ~ vuur *a devastating fire* **3.1** ⟨sport⟩ ~ uithalen *lash out viciously.*

verwoestijning ⟨de (v.)⟩ **0.1** *desertification.*

verwoesting ⟨de (v.)⟩ **0.1** [handeling] *devastation* ⇒*ravaging,* ⟨mv. ook⟩ *ravages,* ⟨vernieling⟩ *destruction* **0.2** [resultaat] *devastation* ⇒⟨ontreddering⟩ *havoc,* ⟨vernieling⟩ *destruction* ◆ **1.1** de ~ van Carthago *the destruction of Carthage;* de ~ en van tijd *the ravages of time* **3.2** ~ en aanrichten *cause havoc;* ~ en aanrichten bij/ onder *devastate, cause havoc among;* ⟨fig.⟩ *play havoc with.*

verwonden ⟨ov.ww.⟩ **0.1** [met opzet] *wound;* ⟨zonder opzet⟩ *injure* ⇒ ⟨inf.⟩ *hurt* ◆ **4.1** zich aan het hoofd ~ *i. one's head* **6.1** hij verwondde zijn tegenpartij **aan** de arm *he wounded/ injured his opponent's arm, he wounded/ injured his opponent in the arm.*

verwonderd ⟨bn.⟩ **0.1** *surprised* ⇒⟨sterker⟩ *amazed, astonished* ◆ **1.1** ~ e gezichten *s. / astonished faces* **3.1** ~ kijken *look s. / amazed.*

verwonderen

I ⟨ov.ww.⟩ **0.1** [verbazen] *surprise* ⇒⟨sterker⟩ *amaze, astonish* ◆ **3.1** het zou mij niet(s) ~ als *I would/* ⟨BE ook⟩ *should not be at all/ a bit/ in the least surprised if* **5.1** is het dan te ~ dat ... *is it any wonder that ...;* het is niet te ~ dat ... *it is not surprising/ no surprise that ..., no wonder ..., small wonder that ...* **6.1** dat verwondert me **van** hem *I am surprised at him;*

II ⟨wk.ww.⟩ **0.1** [verbaasd zijn] *be surprised (at)* ⇒⟨sterker⟩ *be amazed/ astonished (at).*

verwondering ⟨de (v.)⟩ **0.1** *surprise* ⇒⟨sterker⟩ *amazement, astonishment* ◆ **2.1** tot mijn grote ~ *to my great s. / amazement/ astonishment*

3.1 op zijn gezicht stond ~ te lezen *his face showed/* ↑*registered s., his expression was one of s.;* zijn ~ te kennen geven *express one's s.;* het hoeft geen ~ te wekken dat *... it comes as no s./ it's no wonder that ...;* dat wekte ~ *it caused s./ astonishment.*

verwonderlijk ⟨bn.⟩ **0.1** *surprising* ⟹⟨sterker⟩ *amazing, astonishing* ◆ **3.1** het is niet ~ *it is not s./ no surprise* **5.1** het meest ~ e is echter dat *...the main surprise/ the most s. thing, however, is that ....*

verwonding ⟨de (v.)⟩ **0.1** [handeling] *injury* ⟹⟨moedwillig⟩ *wounding* **0.2** [beschadigde plaats/toestand] *injury* ⟹*wound* ◆ **2.2** lichte ~en *slight/ minor injuries;* zware ~en *serious/ major injuries* **3.2** aan zijn ~en bezwijken *succumb to one's injuries;* haar ~en bleken mee te vallen *her injuries were less serious than first appeared/ than they seemed;* ~en oplopen *receive/* ↑*sustain injuries, be/* ⟨inf.⟩ *get injured;* iem. een ~ toebrengen *inflict an i. on s.o., wound/ injure s.o..*

verwonen ⟨ov.ww.⟩ **0.1** *pay* ⟨bedrag⟩ *(in) rent, pay rent at* ⟨bedrag⟩ ◆ **1.1** vijfhonderd gulden per maand ~ *pay five hundred guilders a month (in) rent, pay rent at five hundred guilders a month* **4.1** hoeveel verwoon jij? *how much rent do you pay?, how much do you pay in rent?.*

verwoorden ⟨ov.ww.⟩ **0.1** *put (in(to) words)* ⟹*phrase, express* ⟨ook uiten⟩, ⟨uiten ook⟩ *articulate* ◆ **3.1** die gevoelens laten zich moeilijk ~ *such feelings are difficult to put into words/ to express* **5.1** iets diplomatiek ~ ⟨ook⟩ *couch sth. in diplomatic terms;* zijn ideeën helder ~ *express/ articulate one's ideas clearly;* iets treffend ~ *put sth. aptly.*

verworden ⟨onov.ww.⟩ **0.1** [anders worden] *change* ⟹*alter* **0.2** [ontaarden] *degenerate, deteriorate* ⟹*decay* ◆ **1.1** het worden en ~ van onze taal *the birth and development of our language.*

verwording ⟨de (v.)⟩ **0.1** [het verworden] *change* ⟹*alteration* **0.2** [ontaarding] *degeneration, degeneracy, deterioration* ⟹*decay* ◆ **2.2** morele / seksuele ~ *moral/ sexual degeneration/ degeneracy/ decay.*

verworpeling ⟨de (m.)⟩, **-e** ⟨de (v.)⟩ **0.1** *outcast* ⟹*reject* ◆ **2.1** moordenaars, dieven en andere ~en ⟨schr. ook⟩ *murderers, thieves and others who are beyond the pale (of society).*

verworpen ⟨bn.⟩ **0.1** *vile, detestable* ⟹⟨verdorven⟩ *depraved,* ⟨schr.⟩ *base, reprobate.*

verworvenheid ⟨de (v.)⟩ **0.1** *attainment* ⟹*achievement,* ⟨aanwinst⟩ *acquisition* ◆ **2.1** de sociale voorzieningen behoren tot de belangrijkste verworvenheden van ons land *social services are among this country's most important achievements;* oude verworvenheden loslaten *relinquish/ forgo former attainments/ achievements* **6.1** de verworvenheden van de welvaartsstaat *the achievements of the welfare state.*

verwringen ⟨ov.ww.⟩ **0.1** *twist* ⟨ook fig.⟩ ⟹⟨vnl. fig.⟩ *distort, contort* ⟨lichaam⟩ ◆ **1.1** iemands polsen ~ *twist s.o.'s wrists;* de sleutel is verwrongen *the key is/ has got twisted;* een verwrongen voorstelling v.d. waarheid *a distortion/ slanted view/ misrepresentation of the truth;* een verwrongen voorstelling v.d. feiten geven *give a distorted/ slanted account of the facts, misrepresent the facts;* iemands woorden ~ *t. / distort s.o.'s words* **6.1** een van pijn verwrongen gezicht *a face contorted with pain.*

verwurgen ⟨ov.ww.⟩ **0.1** *strangle;* ⟨met wurgijzer/ paal/ touw⟩ *gar(r)otte;* ⟨AE ook⟩ *garrote.*

verwurging ⟨de (v.)⟩ **0.1** [het verwurgen] *strangling;* ⟨med., jur. ook⟩ *strangulation;* ⟨met wurgijzer/ paal/ touw⟩ *gar(r)otting,* ⟨AE ook⟩ *garroting* **0.2** [⟨sport⟩] *stranglehold.*

verzachten ⟨ov.ww.⟩ **0.1** ⟨minder hard maken⟩ *soften;* ⟨minder zwaar maken⟩ *ease;* ⟨minder moeilijk maken⟩ *alleviate, relieve;* ⟨minder krachtig maken⟩ *tone down,* ⟨schr.⟩ *attenuate;* ⟨minder driftig maken⟩ *mollify;* ⟨matigen⟩ *moderate, modify, mitigate, extenuate* ◆ **1.1** ⟨fig.⟩ om de pijn wat te ~ *to soften the blow, to draw the sting;* pijn / iemands leed ~ *ease/ relieve/ alleviate pain/ s.o.'s suffering;* een vonnis ~ *commute a sentence;* een wet ~ *tone down/ moderate a law.*

verzachtend ⟨bn.⟩ **0.1** [verlichtend] *mitigating, extenuating* **0.2** [zachter makend] *soothing* ⟹*alleviating,* ⟨med. ook⟩ *palliative, emollient* ◆ **1.1** ~e omstandigheden *m. / e. circumstances;* iets als ~e omstandigheid aanvoeren *put sth. forward/ plead sth. in mitigation/ extenuation;* iets als ~e omstandigheid laten gelden *claim in mitigation/ extenuation* **1.2** ~e middelen *s. agents/ products, emollients;* een ~e uitdrukking *a s. expression.*

verzachting ⟨de (v.)⟩ **0.1** [het verzachten] *softening* ⟹⟨med.⟩ *soothing,* ↑*emollient* **0.2** [leniging] *mitigation* ⟨van schuld⟩ ⟹*extenuation.*

verzadigbaar ⟨bn.⟩ **0.1** *satisfiable* ⟨persoon⟩; ⟨nat., schei.⟩ *saturable* ⟹ ⟨schr.⟩ *satiable* ⟨eten⟩.

verzadigd ⟨bn.⟩ **0.1** [genoeg gegeten hebbend] *satisfied* ⟹⟨inf.⟩ *full (up),* ⟨schr.⟩ *sated, replete* **0.2** [alles opgenomen hebbend] *saturated* ◆ **1.2** een ~e arbeidsmarkt *a s. labour market;* ~e oplossingen/ vetzuren/ damp *s. solutions/ fatty acids/ steam* **3.1** ik ben ~ *I'm full (up), I've had my fill;* ~ raken *get/ become full up.*

verzadigen ⟨ov.ww.⟩ **0.1** [naar begeerte voeden, ⟨ook fig.⟩] *satisfy* ⟹ *fill,* ⟨schr.⟩ *sat(iat)e* **0.2** [⟨nat.⟩] *saturate* **0.3** [⟨schei.⟩] *saturate* ◆ **1.1** zodra zijn lusten verzadigd waren *as soon as his desires had been satisfied;* de maag ~ *fill/ satisfy the stomach* **1.2** een oplossing ~ *s. a solution* **3.1** zijn eerzucht is niet te ~ *his ambition is insatiable;* hij was spoedig verzadigd *he was soon satisfied/ sated;* hij was niet te ~ *he was*

not to be satisfied **4.1** hij verzadigde zich aan het overvloedige maal *he ate his fill of the lavish meal.*

verzadiging ⟨de (v.)⟩ **0.1** ⟨mbt. eten; ook fig.⟩ *satisfaction* ⟹⟨schr.⟩ *satiation,* ⟨het verzadigd zijn; schr.⟩ *satiety,* ⟨nat., schei.⟩ *saturation.*

verzadigingspunt ⟨het⟩ **0.1** *saturation point* ◆ **3.1** bij de boekenclubs lijkt het ~ bereikt *book clubs appear to have reached (the/ their) s. p..*

verzagen ⟨ov.ww.⟩ **0.1** [zagend vormen/ verbruiken] *saw (up)* **0.2** [bederven door verkeerd zagen] *saw badly/ wrongly* ◆ **1.2** planken ~ *saw planks badly/ wrongly* **5.1** dit hout is gemakkelijk te ~ *this wood is easy to saw (up)/ saws (up) easily.*

verzakelijken

I ⟨ov.ww.⟩ **0.1** [worden tot iets zakelijks] *become/ grow/* ⟨inf.⟩ *get practical/ pragmatic/ objective/ businesslike/ professional* **0.2** [alleen zakelijke aspecten laten gelden] *be practical/ pragmatic/ objective/ businesslike/ professional* ⟹⟨inf.⟩ *get down to brass tacks;*

II ⟨ov.ww.⟩ **0.1** [zakelijk maken] *make practical/ pragmatic/ objective/ businesslike/ professional* ⟹⟨beroepsmatig ook⟩ *professionalize* ◆ **1.1** de verhouding tussen arts en patiënt is geheel verzakelijkt *the relationship between doctor and patient has been put on a business footing.*

verzakelijking ⟨de (v.)⟩ **0.1** *pragmatization, objectivization, professionalization;* ⟨vercommercialisering⟩ *commercialization.*

verzaken

I ⟨ov.ww.⟩ **0.1** [ontrouw worden aan] *renounce* ⟨geloof⟩; *go back on,* ↓*reneg(u)e on* ⟨overeenkomst enz.⟩; ⟨verlaten⟩ *forsake, desert;* ⟨prijsgeven⟩ *abandon;* ⟨afvallen⟩ *betray* ~ in plicht ~ *neglect one's/ fail in one's duty;* zijn principes ~ *betray one's principles;* een vriend ~ *turn one's back on/ abandon/ desert/* ⟨inf.⟩ *drop a friend* **6.1** verzaakt gij **aan** de duivel *renounce the devil;*

II ⟨onov., ov.ww.⟩ **0.1** [⟨kaartspel⟩] *revoke,* ^*reneg(u)e, fail to follow suit* ◆ ¶**.1** ze heeft verzaakt! *she revoked!.*

verzaker ⟨de (m.)⟩, **-zaakster** ⟨de (v.)⟩ **0.1** *renouncer* ⟨geloof⟩; *reneg(u)er* ⟨overeenkomst enz.⟩; ⟨verlater⟩ *forsaker, deserter;* ⟨afvallige⟩ *traitor,* ⟨rel.⟩ *apostate.*

verzaking ⟨de (v.)⟩ **0.1** *renunciation* ⟨geloof⟩; *reneg(u)ing* ⟨overeenkomst enz.⟩; ⟨verlating⟩ *desertion, abandonment;* ⟨veronachtzaming⟩ *neglect;* ⟨afvalligheid⟩ *betrayal,* ⟨rel.⟩ *apostasy* ◆ **1.1** ~ van plicht *dereliction of duty.*

verzakken ⟨onov.ww.⟩ **0.1** *subside* ⟹⟨bezinken⟩ *settle, sink, cave in* ⟨dak⟩, ⟨doorzakken⟩ *sag* ◆ **1.1** de bodem bij Slochteren is drie meter verzakt *the ground at Slochteren has subsided/ sunk three metres;* de dijk verzakt *the dike collapses;* de grond verzakt *the ground subsides;* oude verzakte huisjes *old subsiding cottages.*

verzakking ⟨de (v.)⟩ **0.1** [het ver-, doorzakken] *subsidence* ⟹*collapse,* ⟨bezinking⟩ *settling, sinking, caving-in* ⟨dak⟩, ⟨doorzakking⟩ *sagging* **0.2** [verzakte plaats] *subsidence* ⟹*collapse,* ⟨aardverschuiving⟩ *landslide, landslip,* ⟨holle plek⟩ *hollow, dip, hole, cave-in* ⟨dak⟩, ⟨doorzakking⟩ *sag* **0.3** [⟨med.⟩] *prolapse* ◆ **1.1** een ~ v.d. tuin *subsidence in the garden;* de ~ v.d. zeedijk *the subsidence of the seawall* **3.1** er treden herhaaldelijk ~en op *subsidence occurs repeatedly.*

verzaligd ⟨bn., bw.⟩ **0.1** *blissful(ly happy).*

verzamelaar ⟨de (m.)⟩, **-ster** ⟨de (v.)⟩ **0.1** *collector* ⟹⟨samenbrenger; oogster⟩ *gatherer,* ⟨samensteller⟩ *compiler,* ⟨opeenhoper⟩ *accumulator.*

verzamelband ⟨de (m.)⟩ **0.1** *binder.*

verzamelbedrijf ⟨het⟩ **0.1** *hunting and fishing.*

verzamelbegrip ⟨het⟩ **0.1** *collective term.*

verzamelbekken ⟨het⟩ **0.1** *reservoir.*

verzamelbundel ⟨de (m.)⟩ **0.1** *collection* ⟹*anthology.*

verzamelelpee ⟨de (m.)⟩ **0.1** *collection (album)* ⟹*sampler.*

verzamelen

I ⟨ov.ww.⟩ **0.1** [bijeenbrengen] *collect* ⟹ ⟨samenbrengen, oogsten⟩ *gather,* ⟨samenstellen⟩ *compile,* ⟨opeenhopen⟩ *accumulate* **0.2** [uit liefhebberij bijeenbrengen] *collect* ⟹⟨sparen⟩ *save* ◆ **1.1** zijn gedachten ~ *collect/ gather one's thoughts;* ⟨fig.⟩ krachten ~ *summon up (one's) strength;* ⟨fig.⟩ moed ~ *pluck up (one's) courage;* ⟨schr.⟩ *gird up one's loins;* steun ~ *rally support, muster (up) support;* de verzamelde vakgenoten *the assembled colleagues;* de verzamelde werken van ... *the collected works of ...* **1.2** postzegels/ boeken ~ *c. stamps/ books* **1.¶** ⟨paardensport⟩ verzamelde draf/ galop *collected trot/ canter;*

II ⟨onov., ov.ww.⟩ **0.1** [bijeenbrengen/ -komen] *gather (together)* ⟹ *assemble, meet* ⟨met opzet⟩, ⟨mil.⟩ *muster* ⟨voor inspectie⟩, *rally* ⟨ihb. na tijdelijke nederlaag⟩ ◆ **3.1** er werd 'verzamelen' geblazen *'rally'/ 'assembly' was sounded* **4.1** zich ~ *gather, assemble,* ⟨losser⟩ *congregate;* zich rond iem. / iets ~ *g. / rally round s.o. / sth.* **6.1** we verzamelden op het plein *we assembled/ met in the square.*

verzamelgesprek ⟨het⟩ ⟨com.⟩ **0.1** *conference call.*

verzamelgirobiljet ⟨het⟩ **0.1** *collective list of postal transfers.*

verzamelhandschrift ⟨het⟩ **0.1** *miscellany.*

verzameling ⟨de (v.)⟩ **0.1** [handeling] *collection* ⟹⟨samenbrenging⟩ *gathering, assembly,* ⟨samenstelling⟩ *compilation,* ⟨opeenhoping⟩ *accumulation* **0.2** [resultaat] *collection* ⟹⟨samenkomst⟩ *gathering,*

assembly, ⟨samenstelling⟩ *compilation*, ⟨opeenhoping⟩ *accumulation* **0.3** [⟨wisk.⟩] *set* ◆ **2.2** een bonte ~ boeken *a motley collection/selection of books;* een bonte ~ aanhangers *a motley collection of followers,* a motley crew **2.3** een lege ~ *an empty set* **3.2** een ~ aanleggen *build up/put together a collection.*

verzamelingenleer ⟨de⟩ ⟨wisk.⟩ **0.1** *set theory.*

verzamelkamp ⟨het⟩ **0.1** *assembly/transit camp.*

verzamelnaam ⟨de (m.)⟩ **0.1** [⟨taal.⟩] *collective noun* **0.2** [naam waaronder gelijksoortige begrippen worden gevat] *collective/generic term/name* ◆ **1.2** een groep geneesmiddelen waaraan men de ~ 'anti-biotica' geeft *a group of medicines known collectively as 'antibiotics'.*

verzamelobject ⟨het⟩ **0.1** *collector's item.*

verzamelplaat ⟨de⟩ → verzamelelpee.

verzamelplaats ⟨de⟩ **0.1** *meeting place/point* ⟨mensen⟩ ⇒ *assembly point,* point of assembly ⟨dingen;schr., mensen;ook mbt. schepen in noodgevallen⟩, ⟨bergplaats⟩ *depot.*

verzamelstaat ⟨de (m.)⟩ **0.1** *summary (list/table).*

verzamelwerk ⟨het⟩ **0.1** *collection* ⇒ *anthology.*

verzamelwoede ⟨de (v.)⟩ **0.1** *collector's mania* ⇒ *passion/obsession/mania for collecting things.*

verzanden ⟨onov.ww.⟩ **0.1** [⟨fig.⟩] *get bogged down* **0.2** [⟨lett.⟩] *silt up* ◆ **6.1** de discussie verzandde in een eindeloos herhalen van argumenten *the discussion got bogged down in endlessly repetitious arguing.*

verzanding ⟨de (v.)⟩ **0.1** [handeling] *silting(-up)* **0.2** [plaats] *sandbank* ⇒ ⟨bij monding van rivier/AE ook langs kust⟩ *sandbar.*

verzegelen ⟨ov.ww.⟩ **0.1** *put/set a seal on,* ⟨langzaam⟩ *seal down,* ⟨dichtmaken⟩ *seal up* ◆ **1.1** iemands papieren/nalatenschap ~ *(put a) seal (on) s.o.'s papers/effects;* ⟨bijenteeld⟩ alle secties waren vol en bijna verzegeld *all the sections were full and almost sealed;* een woning ~ *s. a house, put a house under seal* **6.1** een brief met lak ~ *s. (up/down) a letter with wax.*

verzegeling ⟨de (v.)⟩ **0.1** [handeling] *sealing* **0.2** [zegel] *seal* ◆ **3.2** een ~ aanbrengen/verbreken *affix/break a s..*

verzeggen ⟨ov.ww.⟩ **0.1** *promise* ⇒ ⟨bespreken⟩ *reserve,* ⟨inf.⟩ *book* ◆ **1.1** de plaatsen zijn verzegd *the seats are reserved/booked/taken/spoken for.*

verzeilen
I ⟨ov.ww.⟩ **0.1** [zeilen tot er een winnaar is] *hold* ⟨wedstrijd⟩; *sail for* ⟨prijs⟩ **0.2** [door verkeerd zeilen missen] *miss* ⇒ *sail off course from;* **II** ⟨onov.ww.⟩ **0.1** [zeilend geraken] *sail* ⇒ ⟨fig.⟩ *end up, land* ◆ **3.1** ⟨fig.⟩ hoe kom jij hier verzeild? *what brings you here?/are you doing here?, how did you end up here?;* ⟨fig.⟩ ergens verzeild raken *end up/land somewhere;* ⟨fig.⟩ in slecht gezelschap verzeild raken *fall into/get mixed up with/end up in bad company;* ⟨fig.⟩ in moeilijkheden verzeild raken *run into/hit trouble, run into difficulties.*

verzekeraar ⟨de (m.)⟩ **0.1** *insurer* ⇒ ⟨vnl. mbt. zeeverzekering⟩ *underwriter.*

verzekerbaar ⟨bn.⟩ ◆ **1.¶** ~ belang *insurable interest.*

verzekerd ⟨bn.⟩ **0.1** [zeker] *assured (of)* ⇒ *confident (of)* **0.2** [⟨verz.⟩] *insured* ⇒ ⟨vnl. mbt. zeeverzekering⟩ *underwritten* ◆ **1.1** succes ~! *success guaranteed!* **1.2** het ~e bedrag *the sum i.;* het ~e risico *the risk i.;* de ~e waarde *the insurance value* **1.¶** ⟨jur.⟩ in ~e bewaring nemen *take into custody* **3.1** u kunt ervan ~ zijn dat *you may rest a. that* **5.2** niet ~ zijn ⟨ook⟩ *be uninsured* **6.1** van iets ~ zijn *be positive about sth., be a./confident of sth.* **6.2** tegen brandschade ~ zijn *be i. against fire (damage);* voor f 100.000,- zijn *be i. for 100,000 guilders.*

verzekerde ⟨de (m.)⟩ **0.1** *insured person, policyholder* ⇒ ⟨verz. ook⟩ *insured, insurant* ◆ **2.1** iedere ~ *each/every insured person, all persons insured.*

verzekeren
I ⟨ov.ww.⟩ **0.1** [zeker maken van] *ensure;* ⟨AE vnl.⟩ *insure* ⇒ *assure* ⟨personen⟩ **0.2** [bevestigen, garanderen] *guarantee, assure* **0.3** [assureren] *insure* ⇒ ⟨BE ook;vnl. levensverzekering⟩ *assure,* ⟨vnl. zeeverzekering⟩ *underwrite* **0.4** [vastzetten] *secure* ⇒ *fasten, fix* ◆ **1.1** de rust v.e. land ~ *e. the peace of a country* **1.2** een inkomen ~ *guarantee s.o. an income, ensure s.o. of an income* **1.4** de luiken worden verzekerd *the shutters are secured* **4.1** hij wilde zich er eerst van ~ dat ... *he wanted to e./make sure/make certain/ascertain for third-party risk beforehand that ...* **4.2** hij krijgt er nog wel eens spijt van, dat verzeker ik je *he will be sorry for it, I can a. you;* men had haar verzekerd dat ... *she had been assured that ...* **4.3** zich ~ *insure o.s.;* zich ~ tegen *insure (o.s.) against* **5.3** iets te hoog/laag ~ *overinsure/underinsure sth.* **6.1** iem. van iets ~ *assure s.o. of sth.* **6.3** de oogst tegen hagelschade ~ *i. the harvest against hail (damage)* **8.2** iets ~ dat goed voor gezorgd zal worden *I can a. you that that will be well taken care of;*
II ⟨wk.ww.;zich ~⟩ **0.1** [voor zijn gebruik verwerven] *secure* ⇒ *ensure, assure o.s. of, make sure/certain of,* ⟨AE vnl.⟩ *insure* ◆ **6.1** zich van iemands medewerking ~ *secure s.o.'s cooperation;* zich van een goede plaats ~ *s. a good place (for o.s.);* door uw lidmaatschap verzekert u zich van de volgende voordelen *your membership gives you/secures you the following benefits;* zich van een zorgeloze oude dag ~ *e. a carefree old age for o.s., assure o.s. of a carefree old age;* zich tijdig van plaatskaarten ~ *get hold of tickets in good time.*

verzekering ⟨de (v.)⟩ **0.1** [bevestiging, garantie] *assurance* ⇒ *guarantee,* ⟨het zeker maken⟩ *insurance* **0.2** [assurantie] *insurance* ⇒ ⟨BE ook; vnl. levensverzekering⟩ *assurance,* ⟨vnl. zeeverzekering⟩ *underwriting,* ⟨polis⟩ *insurance (policy)* **0.3** [verzekeringsmaatschappij] *insurance* **0.4** [hechtenis, beslag] ⟨hechtenis⟩ *custody, detention;* ⟨beslag⟩ *seizure, impoundment* ◆ **2.2** een gemengde ~ *endowment i.;* sociale ~ *national i., social security* **3.1** ik kan u de ~ geven, dat ... *I can give you an a. that ...* **3.2** een ~ aangaan/afsluiten *take out i./an i. policy;* de ~ dekt de schade *the i. covers the damage;* ~ en bij een maatschappij hebben lopen *be insured by/with a company* **6.2** ~ tegen brand *i. against fire, fire i.* **6.3** dat krijgt hlj terug van de ~ *he'll get that back/recover that from the i.* **6.4** iem. in ~ nemen *take s.o. into custody, detain s.o.;* iets in ~ nemen *seize/impound sth.;* tot ~ as security **¶.2** een all-risk ~ *(full/fully) comprehensive i., a comprehensive i. policy.*

verzekeringsadviseur ⟨de (m.)⟩, **-euse** ⟨de (v.)⟩ **0.1** *insurance adviser.*

verzekeringsagent ⟨de (m.)⟩ **0.1** *insurance agent.*

verzekeringsbank ⟨de⟩ **0.1** *insurance institute* ◆ **2.1** de Sociale Verzekeringsbank ≠ *the National Insurance Institute.*

verzekeringscontract ⟨het⟩ **0.1** *insurance contract/* ⟨polis⟩ *policy.*

verzekeringsexpert ⟨de (m.)⟩ **0.1** *insurance expert.*

verzekeringsgeld ⟨het⟩ **0.1** *insurance (money/payment).*

verzekeringsgeneeskundige ⟨de (m.)⟩ **0.1** *medical adviser of an/the insurance company.*

verzekeringskantoor ⟨het⟩ **0.1** *insurance office.*

verzekeringsmaatschappij ⟨de (v.)⟩ **0.1** *insurance company* ◆ **2.1** de grote ~ en *the big insurance companies.*

verzekeringsnemer ⟨de (m.)⟩, **-neemster** ⟨de (v.)⟩ → vezekerde.

verzekeringsplaatje ⟨het⟩ **0.1** *insurance plate.*

verzekeringsplicht ⟨de⟩ **0.1** *compulsory insurance* ◆ **3.1** voor elke automobilist geldt de ~ *insurance is compulsory for every driver.*

verzekeringsplichtig ⟨bn.⟩ **0.1** *liable for insurance, required to pay insurance/to be insured* ⟨pred. of na zn.⟩ ◆ **1.1** dat bedrijf is krachtens de ongevallenwet ~ *that company is required to pay insurance under the industrial accidents law.*

verzekeringspolis ⟨de⟩ **0.1** *insurance policy.*

verzekeringspremie ⟨de (v.)⟩ **0.1** *insurance premium.*

verzekeringsrecht ⟨het⟩ ⟨jur.⟩ **0.1** *insurance law* ⇒ *law of insurance.*

verzekeringswet ⟨de⟩ **0.1** *national insurance/social security law/* ⟨GB, USA⟩ *act* ◆ **2.1** de sociale ~ en *the national insurance/social security laws.*

verzekeringswezen ⟨het⟩ **0.1** *insurance (business)* ⇒ *world of insurance.*

verzekeringswiskunde ⟨de (v.)⟩ **0.1** *actuarial mathematics.*

verzekeringswiskundige ⟨de (m.)⟩ **0.1** *actuary.*

verzelfstandiging ⟨de (v.)⟩ **0.1** [het verzelfstandigen] ⟨het zelfstandig maken⟩ *liberation, emancipation;* ⟨het zelfstandig worden⟩ *gaining (of) independence/self-sufficiency* **0.2** [⟨theol.⟩] *transsubstantiation* ◆ **2.1** de financiële ~ v.d. vrouw *the financial i. l. e. of women.*

verzenbundel ⟨de (m.)⟩ **0.1** *book/volume of poetry/verse.*

verzendboekhandel ⟨de (m.)⟩ **0.1** *mail-order bookdealer/bookseller.*

verzenden ⟨de (v.)⟩ **0.1** *send* ⇒ *mail, forward, dispatch, remit* ⟨geld⟩, *ship* ⟨goederen⟩ ◆ **1.1** pakjes ~ *send/mail/ship packages/parcels;* de uitnodigingen zijn verzonden *the invitations have been sent out* **6.1** per schip ~ *ship.*

verzender ⟨de (m.)⟩, **-ster** ⟨de (v.)⟩ **0.1** [afzender] *sender* ⇒ *shipper, consignor* **0.2** [expediteur] *sender* ⇒ *shipper.*

verzendhuis ⟨het⟩ **0.1** *mail-order company/firm.*

verzending ⟨de (v.)⟩ **0.1** [het verzenden] *sending* ⇒ *mailing, dispatch, shipping, forwarding, remittance* ⟨geld⟩ **0.2** [wat verzonden wordt] *shipment* ⇒ *consignment, remittance* ⟨geld⟩.

verzendkantoor ⟨het⟩ **0.1** *dispatch/* ⟨post ook⟩ *mailing office.*

verzendklaar ⟨bn.⟩ **0.1** *ready for shipping/mailing* ◆ **3.1** een pakje ~ maken *get a package/parcel ready for shipping/mailing/ready to ship /mail.*

verzendkosten ⟨zn.mv.⟩ **0.1** *shipping/mailing/postage costs* ◆ **5.1** f 54,- inclusief ~ *54 guilders, including shipping (costs).*

verzendlijst ⟨de⟩ **0.1** *dispatch/* ⟨post vnl.⟩ *mailing list.*

verzenen ⟨zn.mv.⟩ ◆ **3.¶** ⟨bijb.⟩ de ~ tegen de prikkels slaan *kick against the pricks.*

verzengen
I ⟨onov., ov.ww.⟩ **0.1** [door zengen beschadigen] *scorch* ⇒ *singe* ⟨vnl. haar⟩ ◆ **1.1** het haar ~ *singe one's hair;* ⟨aardr.⟩ de verzengde luchtstreek *the torrid zone;* een ~ de zon *a scorching/burning/blistering sun;*
II ⟨onov.ww.⟩ **0.1** [door zengen beschadigd worden] *become scorched/singed* ◆ **1.1** het gras verzengt *the grass is becoming/getting scorched.*

verzenmaker ⟨de (m.)⟩, **-maakster** ⟨de (v.)⟩ **0.1** *versifier* ⇒ *versificator, rhymster.*

verzepen
I ⟨ov.ww.⟩ **0.1** [tot zeep doen overgaan] *saponify;*
II ⟨onov.ww.⟩ **0.1** [in zeep veranderen] *saponify* ◆ **1.1** vele vetten ~ op den duur vanzelf *many fats s. on their own in time.*

verzepingsgetal ⟨het⟩ **0.1** *saponification number.*

verzesvoudigen ⟨onov., ov.ww.⟩ **0.1** *multiply by six* ⇒*increase sixfold;* ⟨zeldz.⟩ *sextuple.*

verzet ⟨het⟩ **0.1** [weerstand, tegenstand] *resistance* ⇒*protest, revolt, opposition* **0.2** [ontspanning] *diversion* **0.3** [verzetsbeweging] *resistance* ⇒*underground* **0.4** [fietsversnelling] *gear ratio* ◆ **2.1** lijdelijk ~ *passive resistance* **2.4** een groot ~ gebruiken *use a high g. r.* **3.1** ⟨jur.⟩ ~ aantekenen tegen iets *make/enter a(n official) protest;* ~ bieden/plegen *offer resistance, resist* **6.1** in ~ komen *offer resistance, resist;* ⟨fig.⟩ zijn gevoel komt daartegen in ~ *his feelings rebel against it;* ⟨jur.⟩ ~ tegen een veroordeling bij verstek *opposition/objection to/appeal against/from a judgment (given/rendered/entered by default/in absentia)* **6.3** in het ~ gaan *enter the r..*

verzetje ⟨het⟩ **0.1** *diversion* ⇒*recreation, distraction* ◆ **¶.1** hij heeft een ~ nodig *he needs some/a diversion/a break.*

verzetsbeweging ⟨de (v.)⟩ **0.1** *resistance (movement)* ⇒*underground.*

verzetsgroep ⟨de⟩ **0.1** *resistance group.*

verzetshaard ⟨de (m.)⟩ **0.1** *pocket/centre/hotbed of resistance.*

verzetsheld ⟨de (m.)⟩ **0.1** *resistance hero.*

verzetsman ⟨de (m.)⟩, **-vrouw** ⟨de (v.)⟩ **0.1** *resistance fighter* ⇒*member of the resistance/underground.*

verzetsmonument ⟨het⟩ **0.1** *monument/memorial to/honouring the resistance.*

verzetsstrijder ⟨de (m.)⟩, **-ster** ⟨de (v.)⟩ **0.1** *resistance fighter* ⇒*member of the resistance/underground.*

verzetten ⟨→sprw. 32,75,209⟩
I ⟨ov.ww.⟩ **0.1** [verplaatsen] *move (around)* ⇒*shift* **0.2** [verdrijven] *put/set aside* ⇒*forget* **0.3** [ontspannen] *divert* ◆ **1.1** ⟨fig.⟩ bergen kunnen ~ *be able to move mountains;* diamanten ~ *reset diamonds;* de klok ~ *put the clock* ⟨terug⟩ *back/* ⟨vooruit⟩ *forward;* geen poot ~ ⟨fig.⟩ *not lift a finger;* het schip was door de storm verzet *the ship was driven/blown off course by the storm;* een vergadering ~ *put off/reschedule a meeting;* geen voet kunnen ~ *not be able to do a thing/to walk/to move an inch;* heel wat werk ~ *be able to take on/do/shift a lot of work* **1.2** zijn droefheid/zorgen ~ *forget one's sorrow/worries* **1.3** zoiets verzet de zinnen *sth. like that is diverting/a good diversion* **3.1** hij kan veel werk ~ *he's a devil for work* **4.1** zich ~ *move, shift, change one's position* **4.3** zich ~ *relax, divert o.s;*
II ⟨wk.ww.; zich⟩ **0.1** [tegenstand bieden] *resist* ⇒*offer resistance/opposition, oppose* ◆ **5.1** bij zijn arrestatie verzette hij zich heftig *he resisted stubbornly/put up a stubborn resistance/* ⟨inf.⟩ *fought tooth and nail when they tried to arrest him;* zich niet ~ *offer no resistance,* ↓*not put up a fight.*

verzevenvoudigen ⟨onov., ov.ww.⟩ **0.1** *multiply by seven* ⇒*increase sevenfold,* ⟨zeldz.⟩ *septuple.*

verzieken
I ⟨onov.ww.⟩ **0.1** [ontaarden] *degenerate* ⇒*become corrupt* ◆ **1.1** de verziekte politiek *corrupt politics;*
II ⟨ov.ww.⟩ **0.1** [bederven] *spoil* ⇒*ruin,* ↓*screw/foul/* ↓*bugger up* ◆ **1.1** de boel ~ *spoil everything, screw/foul/bugger everything up;* een verziekte sfeer *a ruined atmosphere.*

verziend ⟨bn.⟩ **0.1** *long-sighted,* ⟨vnl. AE⟩ *far-sighted* ⇒⟨med. ook⟩ *presbyopic, hyperopic.*

verziendheid ⟨de (v.)⟩ **0.1** *longsightedness,* ⟨vnl. AE⟩ *farsightedness;* ⟨med. ook⟩ *presbyopia, hyper(metr)opia.*

verzilten
I ⟨ov.ww.⟩ **0.1** [zout maken] *make brackish/briny/salty* ◆ **1.1** verzilt grasland *brackish grassland, salt meadows;* de overstroming heeft de polder verzilt *the flooding has left/made (the ground in) the polder brackish;*
II ⟨onov.ww.⟩ **0.1** [zout worden] *become brackish/briny/salty* ◆ **1.1** de polder verzilt steeds meer *the polder is becoming more and more brackish/salty.*

verzilting ⟨de (v.)⟩ **0.1** *becoming brackish/briny/salty.*

verzilverbaar ⟨bn.⟩ **0.1** *exchangeable/redeemable for cash* ⇒*redeemable, cashable.*

verzilveren ⟨ov.ww.⟩ **0.1** [met zilver overtrekken] *(plate with) silver, silver-plate* **0.2** [innen] *cash* ⇒*convert into/redeem for cash* **0.3** [kapitaliseren] *cash (in)* ⇒*liquidify* ◆ **1.1** ⟨fig.⟩ de maan verzilverde het landschap *the moon cast a silver(y) sheen on the landscape;* verzilverde lepels *plate spoons;* een ring ~ *plate a ring (with silver), silver a ring* **1.2** effecten ~ *cash (in)/sell stocks;* een postwissel ~ *cash (in) a postal order* **1.3** zijn vermogen ~ *cash in/realize one's assets.*

verzinkboor ⟨de⟩ **0.1** *countersink.*

verzinken
I ⟨onov.ww.⟩ **0.1** [zinkend verdwijnen] *sink (down/away)* ⇒*submerge* **0.2** [mbt. een gemoedsgesteldheid] *sink* ◆ **6.1** ⟨fig.⟩ in het niet ~ bij *be nothing compared to;* ⟨fig.⟩ in het niet doen ~ *dwarf* **6.2** in gedachten ~/ verzonken zitten *be sunk/plunged/lost/deep in thought;*
II ⟨ov.ww.⟩ **0.1** [diep inslaan] *countersink* **0.2** [met een zinklaag bedekken] *zinc* ⇒*galvanize* ◆ **1.1** een spoor ~ *sink a rail.*

verzinkkop ⟨de (m.)⟩ **0.1** *countersunk head.*

verzinnebeelden ⟨ov.ww.⟩ **0.1** *symbolize* ◆ **1.1** een anker verzinnebeeldt de hoop *an anchor symbolizes hope.*

verzinnelijken ⟨ov.ww.⟩ **0.1** *make/render perceptible to the senses* ⇒ ⟨zeldz.⟩ *sensualize* ◆ **1.1** een begrip met behulp v.e. beeld ~ *symbolize/allegorize a concept.*

verzinnen ⟨ov.ww.⟩ **0.1** [bedenken] *invent* ⇒*think/make up, devise* **0.2** [⟨pej.⟩] *think/make/dream/* ⟨inf.⟩ *cook up* ⇒*devise, contrive, invent* ◆ **1.1** een middel ~ *i. a means;* die kinderen ~ altijd weer nieuwe spelletjes *children are always thinking/making up new games* **1.2** dat excuus heb je maar verzonnen *you've invented that excuse;* een smoesje ~ *think/cook up an excuse;* een verzonnen verhaal *an invented/a concocted story* **4.2** hoe verzint hij het! *how did he come up with such a thing!* **6.1** ik zal er iets op ~ *I'll think/dream up sth. (for it).*

verzinsel ⟨het⟩ **0.1** *fabrication* ⇒*concoction, invention, figment of one's imagination.*

verzitten
I ⟨ov.ww.⟩ **0.1** [zittend doorbrengen] *spend sitting (down)* **0.2** [voor een zitplaats betalen] *spend/pay for a seat* ◆ **1.1** ik heb mijn hele morgen verzeten *I have been sitting (down) the whole morning, I have spent the whole morning sitting down* **1.2** je verzit er drie gulden *the seat costs 3 guilders;*
II ⟨onov.ww.⟩ ◆ **3.¶** gaan ~ ⟨anders gaan zitten⟩ *change position, shift one's position;* ⟨elders gaan zitten⟩ *change seats.*

verzoek ⟨het⟩ **0.1** [vraag om iets te doen] *request* ⇒*appeal,* ↑*petition,* ⟨jur. of vero.⟩ *behest* **0.2** [verzoekschrift] *petition* ⇒*appeal* **0.3** [dat wat verzocht wordt] *request* ◆ **2.1** dringend ~ *urgent r., entreaty;* op speciaal ~ *by special r.* **3.2** een ~ indienen *petition, appeal, make a p./ an appeal* **6.1** ik heb aan ~ **aan** u *I have a r. to make to you;* een ~ **om** prijsopgave *a r. for an estimate;* een ~ **om** gratie *an appeal for clemency/pardon;* **op** ~ **van** mijn broer *at my brother's r.;* de catalogus wordt **op** ~ gratis toegezonden *the catalogue will be forwarded free of charge upon r.;* halte **op** ~ *r. stop.*

verzoeken
I ⟨onov., ov.ww.⟩ **0.1** [vragen] *request* ⇒*petition* ⟨per verzoekschrift⟩, *ask, beg,* ⟨schr.⟩ *entreat* ◆ **3.1** de heren wordt/ worden verzocht hierheen te komen *the gentlemen are kindly requested to come here;* men wordt verzocht hier niet te roken *no smoking please, we r. that you do not smoke* **5.1** dringend ~ *urge (strongly)* **6.1** ik verzoek om stilte *I ask for silence;*
II ⟨ov.ww.⟩ **0.1** [uitnodigen] *invite* **0.2** [beproeven] *tempt* ◆ **1.2** zo iets noem ik God ~ *I call that tempting fate* **3.1** mag ik u ~? *please.*

verzoeker ⟨de (m.)⟩, **-ster** ⟨de (v.)⟩ **0.1** [iem. die iets verzoekt] *requestor* ⇒⟨aanvrager⟩ *applicant* **0.2** [inzender v.e. verzoekschrift] *petitioner* **0.3** [verleider] *tempter* ◆ **1.3** de ~ (der mensen) *the Tempter/ Devil.*

verzoeking ⟨de (v.)⟩ **0.1** [verleiding] *temptation* **0.2** [geval van bekoring] *temptation* ⇒*seduction* ◆ **1.2** de ~ van de H. Antonius *the t. of St. Anthony* **2.2** aan zware ~en blootstaan *be exposed to great t.* **3.1** onder de ~ bezwijken *yield to t.* **6.1** [bijb.] leid ons niet **in** ~ *lead us not into t.;* [bijb.] de ~ **en** in de woestijn *the t./ forty days in the wilderness;* **in** ~ brengen *tempt, seduce;* **in** (de) ~ komen *feel/be tempted to.*

verzoeknummer ⟨het⟩ **0.1** *request.*

verzoekplaat ⟨de⟩ **0.1** *request.*

verzoekplatenprogramma ⟨het⟩ **0.1** *request show/programme* [A]*gram.*

verzoekschrift ⟨het⟩ **0.1** *petition* ⇒*appeal* ◆ **1.1** een ~ indienen *turn in/ file a p./ an appeal* **3.1** reageren op een ~ *respond to/answer a p./ an appeal;* een ~ richten tot ... *address a p./ an appeal to ....*

verzoendag ⟨de (m.)⟩ **0.1** *day of reconciliation* ◆ **2.1** Grote Verzoendag *Day of Atonement, Yom Kippur* **2.¶** ⟨inf.⟩ grote ~ houden *have one's weekly bath.*

verzoenen ⟨ov.ww.⟩ **0.1** [weer tot vrede brengen] *reconcile* ⇒*appease, placate, pacify, conciliate* **0.2** [goedmaken] *reconcile* ⇒*atone, accommodate* ◆ **1.1** God ~ *appease/propitiate God* **1.2** ⟨fig.⟩ tegenstellingen ~ *r./ accommodate differences (of opinion)* **4.1** ⟨fig.⟩ ik kan mij er best mee ~ *I can live with it* **6.1** zich met iem. ~ *become reconciled with s.o., make up with s.o.;* de rechter verzoende de partijen met elkaar *the judge reconciled the two parties;* zich ~ met zijn lot *resign o.s. to one's fate.*

verzoenend ⟨bn., bw.⟩ **0.1** *conciliatory* ⇒*expiatory, placative* ◆ **1.1** een ~ gebaar *a gesture of conciliation;* ~e maatregelen *c. measures* **3.1** ~ optreden *act as a mediator.*

verzoener ⟨de (m.)⟩ **0.1** *reconciler* ⇒*conciliator.*

verzoenfeest ⟨het⟩ **0.1** *day of reconciliation.*

verzoening ⟨de (v.)⟩ **0.1** [het weer tot vrede brengen/gebracht worden] *reconciliation* ⇒*appeasement, conciliation, rapprochement* **0.2** [het goedmaken] *reconciliation* ⇒*atonement, expiation* **1.2** de ~ van tegenstellingen *the r. of differences;* ~ van zonden *expiation of sins* **6.1** tot ~ komen *be(come) reconciled;* partijen tot ~ brengen *reconcile opposing parties* **¶.1** een ~ tot stand brengen *bring about a reconciliation.*

verzoeningscomparitie ⟨de (v.)⟩ ⟨jur.⟩ **0.1** *reconciliation hearing.*

verzoeningsdood ⟨de (m.)⟩ **0.1** *expiatory death.*

verzoeningsgezind ⟨bn.⟩ **0.1** *conciliatory.*

verzoeningspoging ⟨de (v.)⟩ **0.1** *attempt at (re)conciliation.*

verzoeningspolitiek ⟨de (v.)⟩ **0.1** *policy of conciliation* ⇒*conciliatory policy,* ⟨pej.⟩ *appeasement (policy).*

verzoeningsprocedure ⟨de⟩ ⟨jur.⟩ **0.1** *reconciliation proceedings.*

verzoeningstheorie ⟨de (v.)⟩ ⟨theol.⟩ **0.1** *doctrine/theory of atonement.*

verzoeten ⟨→sprw. 194⟩
I ⟨ov.ww.⟩ **0.1** [zoet maken] *sweeten* **0.2** [⟨fig.⟩] *sweeten* ⇒*lighten, ease* ◆ **1.2** geld verzoet de arbeid *money makes work easier;* iemands leed ~ *ease s.o.'s pain;*
II ⟨onov.ww.⟩ **0.1** [zoeter worden] *become sweeter.*

verzolen ⟨ov.ww.⟩ **0.1** [van nieuwe zolen voorzien] *(re)sole* **0.2** [mbt. autobanden] *retread* ◆ **1.1** ⟨inf.; fig.⟩ iem. ~ *beat the living daylights out of s.o.;* schoenen ~ *r. shoes.*

verzorgd ⟨bn.⟩ **0.1** *well-cared-for* ⇒*well/carefully kept/tended* ◆ **1.1** goed ~e gazons *a manicured lawn;* een man met ~e kleding *a well-groomed man;* ~ taalgebruik *polished speech;* een ~e uitgave *a beautiful edition, a carefully edited edition* **3.1** er ~ uitzien *be immaculately dressed/groomed;* de maaltijden zijn er zeer ~ *the food is excellent here* **5.1** slecht ~ *badly/ill-cared-for, badly/ill-kept, unkempt.*

verzorgen ⟨ov.ww.⟩ **0.1** [zorgen voor] *look after* ⇒*(at)tend to, care for, take care of* **0.2** [in goede staat houden] *look after* ◆ **1.1** de ~de bedrijven *service industries;* zijn nagels ~ *manicure one's nails* **4.2** zich (goed) ~ *look after/take care of o.s.* **5.1** zijn kinderen zijn goed verzorgd *his children are well cared for;* slecht ~ *fail to look after/take care of, not take good care of, not look after, neglect* **6.1** tot in de puntjes verzorgd *taken care of down to the last detail.*

verzorger ⟨de (m.)⟩, **-ster** ⟨de (v.)⟩ **0.1** *attendant* ⇒*caretaker* ◆ **1.1** ouders, voogden of ~s *parents or guardians* **2.1** die bokser heeft zijn eigen ~ *that boxer has his own a.* / *valet* **6.1** de ~s in een dierentuin *caretakers in a zoo, zookeepers.*

verzorging ⟨de (v.)⟩ **0.1** *care* ⇒*maintenance, nursing* ◆ **1.1** huisvesting en ~ *lodging and c.;* de ~ v.d. patiënten *the c. / treatment of patients* **2.1** medische ~ *medical c.;* sociale ~ *welfare;* de uiterlijke ~ *external c..*

verzorgingscentrum ⟨het⟩ **0.1** [plaats, stad] *nursing/rest home* **0.2** [gebouw] *nursing/rest home.*

verzorgingsflat ⟨de (m.)⟩ **0.1** [superscript]B[/superscript]*warden-assisted flat,* [superscript]A[/superscript]*retirement home with nursing care.*

verzorgingsindustrie ⟨de (v.)⟩ **0.1** *service industry.*

verzorgingsmaatschappij ⟨de (v.)⟩ **0.1** *welfare state.*

verzorgingsplicht ⟨de⟩ **0.1** *obligation/liability to pay/provide maintenance/to pay alimony.*

verzorgingsstaat ⟨de (m.)⟩ **0.1** *welfare state.*

verzorgingstehuis ⟨het⟩ **0.1** ~ voor ~ [bejaardentehuis] *home for the elderly, old people's/* ⟨inf.⟩ *folks' home, rest home.*

verzot ⟨bn.⟩ **0.1** *crazy (about)* ⇒*mad (about/for), nuts (on/about/over), (dead) keen (on), wild (about)* ◆ **1.1** ik ben ~ op het spel/**op** kersen *I love/adore the game/cherries, I'm c. / mad/wild/nuts about the game/cherries;* hij is ~ **op** dat meisje *he's enamoured of that girl, he's nuts/gone/sweet/goofy on that girl, he's smitten/struck with that girl, he has a crush on that girl;* haar tantes waren allemaal ~ **op** haar *all her aunts doted on her.*

verzotheid ⟨de (v.)⟩ **0.1** *passion* ⇒⟨inf.⟩ *craze,* ⟨persoon ook⟩ *infatuation.*

verzuchten
I ⟨ov.ww.⟩ **0.1** [klagend uiten] *sigh* ◆ ¶**.1** dat is nog zo lang, verzuchtte zij *that is such a long time, she sighed;*
II ⟨onov.ww.⟩ **0.1** [smachten naar] *sigh (for).*

verzuchting ⟨de (v.)⟩ **0.1** *sigh* ⇒⟨klacht⟩ *lament(ation), complaint* ◆ **3.1** ~en slaken *heave sighs.*

verzuild ⟨bn.⟩ **0.1** *segregated, compartmentalized, pigeonholed;* ⟨pej.⟩ *sectarian.*

verzuilen ⟨onov.ww.⟩ **0.1** *segregate, compartmentalize, pigeonhole.*

verzuiling ⟨de (v.)⟩ **0.1** *segregation, compartmentalization, sectarianism* ◆ **1.1** de ~ van de omroepwereld *the compartmentalization of the broadcasting world/in broadcasting circles.*

verzuim ⟨het⟩ **0.1** [het verzuimen] *omission* ⇒⟨nalatigheid⟩ *oversight, neglect, non-attendance, absence* ⟨wegblijven⟩ **0.2** [gevallen van verzuiming] *omission* ⇒⟨nalatigheid⟩ *oversight, neglect, non-attendance, absence* ⟨wegblijven⟩ **0.3** [uitstel] *delay* ◆ **1.1** ~ van aangifte *omission of declaration* ⟨belasting⟩; *omission of information* ⟨aanklacht⟩ **2.2** het ~ is groot *there is a great deal of absenteeism* **3.1** een ~ herstellen/goedmaken *rectify an omission* **6.1** door een ~ is de bestelling niet uitgevoerd *the order was not carried out through an oversight;* ⟨jur.⟩ **in** ~ zijn *be in default* **6.2** ~ **wegens** ziekte *absence due to illness.*

verzuimdag ⟨de (m.)⟩ **0.1** *day of/day's (unexplained) absence.*

verzuimen
I ⟨ov.ww.⟩ **0.1** [nalaten] *omit* ⇒*neglect, fail* **0.2** [laten voorbijgaan] *miss* ⇒*let pass, let ship, pass over/over* ◆ **1.1** zijn plicht ~ *be neglectful of/neglect one's duty* **1.2** de gelegenheid ~ *m. / pass up/pass over an opportunity, let an opportunity slip/pass (by)* **6.1** ~ **te** betalen *fail to pay, make default in payment;*
II ⟨onov., ov.ww.⟩ **0.1** [niet komen waar men verwacht wordt] *be absent* ⇒*fail to attend, absent o.s.* ◆ **1.1** een dag ~ *lose/miss a day;* een les ~ *cut/skip (a) class;* de vergadering/de school ~ *be absent from/miss school/a meeting* **5.1** hij verzuimt zelden *he is seldom absent.*

---

verzuipen ⟨inf.⟩ ⟨→sprw. 501⟩
I ⟨onov.ww.⟩ **0.1** [verdrinken] ⟨ongemarkeerd⟩ *drown* ⇒*be drowned* ◆ **1.1** eruit zien als een verzopen kat *look like a drowned rat, look bedraggled* **3.1** ⟨fig.⟩ het is zwemmen of ~ *it's sink or swim* **6.1** ⟨fig.⟩ zij verzuipt in het werk *she's up to her ears/eyebrows in work;* ⟨fig.⟩ mijn **voeten** ~ in die schoenen *my feet are wallowing in these shoes;*
II ⟨ov.ww.⟩ **0.1** [verdrinken] ⟨ongemarkeerd⟩ *drown* **0.2** [in drank verteren] *booze away* ⇒ [superscript]↑[/superscript]*drink away* **0.3** [te veel van een vloeistof toevoeren] *flood* ◆ **1.3** kalk ~ *overslake lime;* een verzopen motor *a flooded engine* **4.1** zich ~ *drown o.s.* **4.2** zich ~ *drink o.s. to death.*

verzuren ⟨→sprw. 587⟩
I ⟨onov.ww.⟩ **0.1** [zuur worden] *sour* ⇒*turn/go/become sour,* ⟨melk ook⟩ *turn, go off, become/grow acid* ⟨bodem⟩, ⟨schei.⟩ *acidify* **0.2** [een zuurpruim worden] *sour* ⇒*turn/go/become sour/bitter* ◆ **1.1** verzuurde bossen *forests affected by acid rain;* verzuurde grond *acid soil;* die wijn is verzuurd *that wine has gone to vinegar* **3.1** ⟨scheep.⟩ het weer begint te ~ *the weather is taking a turn for the worse;*
II ⟨ov.ww.⟩ **0.1** [zuur maken] *sour* ⇒*turn/make sour,* ⟨melk ook⟩ *turn* ◆ **1.1** ⟨fig.⟩ iem. het leven ~ *lead s.o. a dog's life, make life a burden to s.o..*

verzwageren ⟨ov.ww.⟩ **0.1** *ally/relate by mariage* ◆ **6.1** zich **met** iem. ~ *become allied/related to s.o. by marriage;* ⟨inf.⟩ *become s.o.'s in-law* ¶**.1** verzwagerd zijn *be in affinity, be allied/related by marriage;* ⟨inf.⟩ *be in-laws.*

verzwakken
I ⟨ov.ww.⟩ **0.1** [zwak(ker) maken] *weaken* ⇒*enfeeble* ⟨persoon, economie⟩, ⟨aantasten⟩ *impair,* ⟨foto.⟩ *reduce* ◆ **1.1** zo'n griep verzwakt je *flu like that knocks the stuffing out of you;*
II ⟨onov.ww.⟩ **0.1** [zwak(ker) worden] *weaken* ⇒*grow weak, diminish, fail* ◆ **1.1** zijn lichaam is verzwakt door de koorts *his body is weakened by fever.*

verzwakking ⟨de (v.)⟩ **0.1** *weakening* ⇒*enfeeblement, debilitation,* ⟨zwakker maken ook⟩ *impairment,* ⟨zwakker worden ook⟩ *failure.*

verzwaren
I ⟨ov.ww.⟩ **0.1** [zwaarder maken] *make heavier* ⇒*weight* ⟨met gewichten⟩, *load* ⟨dobber⟩ **0.2** [⟨fig.⟩ versterken, vergroten] *make heavier* ⇒*increase,* ⟨sterker maken⟩ *strengthen, reinforce,* ⟨erger maken⟩ *aggravate* ◆ **1.1** exameneisen ~ *make the requirements of an exam more severe, make an examination stiffer, raise the level of an exam;* dat feit verzwaart zijn schuld/straf ⟨schuld⟩ *that aggravates his guilt;* ⟨straf⟩ *that makes his punishment more severe, that increases/augments his penalty;* iemands taak ~ *make s.o.'s task more arduous* **6.1** **met** lood ~ *load;*
II ⟨onov.ww.⟩ **0.1** [zwaarder worden] *become heavier* ⇒*gain (in) weight* **0.2** [⟨fig.⟩ groter/sterker worden] *strengthen* ⇒*grow stronger, increase,* ⟨erger worden⟩ *aggravate.*

verzwarend ⟨bn.⟩ **0.1** *aggravating* ◆ **1.1** diefstal met ~e omstandigheden *aggravated theft;* ~e omstandigheden *a. circumstances.*

verzwaring ⟨de (v.)⟩ **0.1** ⟨zwaarder maken⟩ *weighting;* ⟨sterker maken⟩ *strengthening, reinforcement;* ⟨moeilijker maken⟩ *complication, toughening;* ⟨erger maken⟩ *aggravation, increasing.*

verzwelgen ⟨ov.ww.⟩ **0.1** [opslorpen] *guzzle* ⇒⟨eten⟩ *gobble up, wolf down,* ⟨drinken⟩ *swill down* **0.2** [doen verdwijnen, opnemen] *devour* ⇒*swallow (up), engulf* ⟨door golven⟩ ◆ **1.1** de riolen konden het regenwater niet ~ *the gutters were unable to cope with the rain (water)* **1.2** de slang verzwelgt haar prooi in zijn geheel *the snake devours its prey whole;* de zee heeft heel wat schepen verzwolgen *the sea has swallowed up many a ship.*

verzwelging ⟨de (v.)⟩ **0.1** *swallowing(-up)* ⇒⟨gulzig ook⟩ *gulping-down,* ⟨schr.⟩ *ingurgitation,* ⟨fig.⟩ *engulfing.*

verzwendelen ⟨ov.ww.⟩ **0.1** *be swindled out of* ⇒*be done/cheated out/defrauded of.*

verzweren ⟨onov.ww.⟩ **0.1** *fester, go septic* ⇒*ulcerate, suppurate.*

verzwering ⟨de (v.)⟩ **0.1** [het verzweren] *festering* ⇒*ulceration, suppuration* **0.2** [plaats] *ulcer* ⇒*sore, abcess, boil.*

verzwijgen ⟨ov.ww.⟩ **0.1** *keep silent about* ⇒⟨niet mededelen⟩ *withold, suppress,* ⟨niet opgeven⟩ *conceal* ◆ **1.1** een geheim ~ *keep a secret;* iets voor iem. ~ *keep/conceal sth. from s.o.;* verzwegen inkomsten *undeclared/undisclosed income;* bepaalde inkomsten ~ *fail to return certain earnings;* de krant verzweeg enkele details *the newspaper suppressed a few details;* een schandaal ~ *hush up a scandal* **3.1** niets te ~ hebben *have nothing to hide/conceal* **8.1** de bijstandstrekker verzweeg dat hij een kostganger had *the welfare recipient concealed the fact that he had a boarder.*

verzwijging ⟨de (v.)⟩ **0.1** [het verzwijgen] *concealment* ⇒*suppression* **0.2** [⟨lit.⟩] *aposiopesis.*

verzwikken ⟨ov.ww.⟩ **0.1** *sprain* ⇒*twist, turn* ◆ **1.1** zijn enkel ~ *s. / twist/turn one's ankle.*

verzwikking ⟨de (v.)⟩ **0.1** *dislocation.*

vesper ⟨de⟩ **0.1** [gebed] *vespers* ⇒*evening prayer* **0.2** [avonddienst] *vespers* ⇒*evening prayer, evensong* **0.3** [klok] *vesper(-bell)* **0.4** [planeet Venus] *Vesper* ⇒*Evening Star, Hesperus* ◆ **1.1** de ~ der doden of overledenen *the v. for the dead* **3.3** de ~ luiden *ring the v.* **6.2** **naar** de ~ gaan *go to v.* **7.1** eerste/tweede ~ *first/second v..*

vest¹
I ⟨het⟩ 0.1 [kledingstuk zonder mouwen] *waistcoat* ⇒⟨AE en handelsjargon⟩ *vest* 0.2 [gebreid jasje] *cardigan* 0.3 [⟨AZN⟩ colbert] *jacket* ◆ 6.1 een pak met ~ *a three-piece suit*; iem. op zijn~je spuwen ⟨fig.⟩ *step/tread on s.o.'s toes/corns, spit in s.o.'s face*;
II ⟨de⟩ 0.1 [gracht] *moat.*
vest² →**veste.**
Vestaals ⟨bn.⟩ 0.1 *Vestal* ◆ een ~e maagd ⟨ook fig.⟩ *a V. virgin.*
veste ⟨de⟩ 0.1 [⟨mv.⟩ verdedigingswerken] *ramparts* 0.2 [versterkte plaats] *stronghold* ⇒*fortress, fastness* ⟨op berg⟩.
vesten ⟨ov.ww.⟩ ⟨vero.⟩ 0.1 ⟨ongemarkeerd⟩ *found* ⇒*base, build* ◆ 1.1 ⟨fig.⟩ de grond waarop ik mijn oordeel ~ moet *the grounds on which I must f. / base my judgement.*
vestiaire ⟨de (m.)⟩ 0.1 *cloakroom.*
vestibulair ⟨bn.⟩ ⟨biol.⟩ 0.1 *vestibular* ◆ 1.1 het ~e stelsel *the v. system*; ~e zenuw *v. nerve.*
vestibule ⟨de (m.)⟩ 0.1 *hall(way)* ⇒*entrance hall, vestibule* ⟨in groot gebouw⟩, *booking hall* ⟨station⟩.
vestigen ⟨ov.ww.⟩ 0.1 [richten] *direct, focus* 0.2 [stichten] *establish* ⇒*set up, found* 0.3 [nederzetten] *settle* 0.4 [ingang doen vinden] *establish* ⇒⟨naam, reputatie ook⟩ *make* ◆ 1.2 een leerstoel/staatsvorm ~ *found/e. a chair, form a government*; deze zaak is in 1860 gevestigd *this business was founded/established in 1860* 1.4 een gevestigde mening *a fixed/firm opinion*; zijn naam ~ *make one's name, make a name for o.s.*; een gevestigd recht *a vested/established right*; een gevestigde reputatie *an established reputation* 4.3 zich ergens ~ *s. somewhere, take up one's residence/abode somewhere*, ^locate somewhere 6.1 aller ogen ~ zich op hem *all eyes are upon him*; ⟨bijb.⟩ zijn hoop op God ~ *wait on God, put one's hopes in God* 6.3 de maatschappij is in A. gevestigd *the company has its seat/* ⟨jur.⟩ *is domiciled in A.*; de mensen gevestigd in de voorsteden *the people resident/residing/living in the suburbs* 8.3 zich als arts ~ *establish o.s./set up (shop) as a doctor, put up one's plate, establish o.s. in practice, set up a practise, start to practise*; ⟨AE; inf.⟩ *hang out/hang up/put up one's shingle.*
vestiging ⟨de (v.)⟩ 0.1 [het vestigen] *establishment* ⇒⟨gaan wonen ook⟩ *settlement* 0.2 [filiaal, bedrijf] *establishment* ⇒*office,* ⟨filiaal⟩ *branch,* ⟨verkooppunt⟩ *outlet* 0.3 [nederzetting] *settlement* ◆ 1.1 de ~ v.e. hypotheek *the creation of a mortgage*; de ~ v.e. leerstoel/bedrijf *the e./foundation of a chair/business* 2.1 permanente ~ *permanent residence*; vrije ~ *freedom of e.* 6.2 onze ~ in Amsterdam *our e./office/branch in Amsterdam, our Amsterdam e./office/branch.*
vestigingseisen ⟨zn.mv.⟩ 0.1 *business licensing conditions/requirements.*
vestigingsfactor ⟨de (m.)⟩ 0.1 *factor determining the location of a business.*
vestigingskosten ⟨zn.mv.⟩ 0.1 *costs of establishment.*
vestigingsoverschot ⟨het⟩ 0.1 *positive balance of migration/population shift.*
vestigingsplaats ⟨de⟩ 0.1 ⟨bedrijf⟩ *place of business* ⇒*registered office, seat,* ⟨persoon⟩ *place of residence,* ⟨jur. ook⟩ *domicile.*
vestigingspremie ⟨de (v.)⟩ 0.1 *(business) establishment grant.*
vestigingsverbod ⟨het⟩ 0.1 ⟨abstr.⟩ *prohibition of/* ⟨concr.⟩ *order prohibiting establishment (of a/the business);* ⟨persoon⟩ ⟨abstr.⟩ *prohibition of/* ⟨concr.⟩ *order prohibiting residence.*
vestigingsverdrag ⟨het⟩ 0.1 *immigration treaty.*
vestigingsvergunning ⟨de (v.)⟩ 0.1 *licence/permit to establish a business* ⇒⟨woonvergunning⟩ *residence permit, permit to take up residence,* ⟨(tand)arts⟩ *licence to set up as a doctor/dentist.*
vesting ⟨de (v.)⟩ 0.1 *fortress* ⇒*fort, stronghold, fastness* ⟨op berg⟩, *citadel* ⟨bij/boven stad⟩, ⟨garnizoen⟩ *garrison* ◆ 3.1 een ~ bestormen *storm/rush/assault a fortress*; een ~ innemen *take/carry/capture/reduce a fortress.*
vestingbouw ⟨de (m.)⟩ 0.1 ⟨abstr.⟩ *fortification;* ⟨concr.⟩ *building/construction of a/the fortress, fortress-construction/building.*
vestinggracht ⟨de⟩ 0.1 *moat.*
vestingstad ⟨de (v.)⟩ 0.1 *fortified city/town* ⇒*fortress.*
vestingwal ⟨de (m.)⟩ 0.1 *rampart.*
vestingwerk ⟨het⟩ 0.1 [werk tot versterking van een plaats] *fortification* 0.2 [⟨mv.⟩ militaire versterkingen] *fortifications.*
vestzak ⟨de (m.)⟩ 0.1 *waistcoat pocket, watch pocket* ⇒⟨AE en handelsjargon⟩ *vest pocket* ◆ 1.1 ⟨fig.⟩ dat is vestzak-broekzak *that's just a shifting of funds* 6.1 ⟨fig.⟩ dat stop je gemakkelijk in je ~ *that's small enough for you to carry in your pocket, that is pocket-size(d).*
vestzakformaat ⟨het⟩ 0.1 *pocket-size.*
vet¹ ⟨het⟩ 0.1 [organische stof] *fat* ⇒⟨vloeibaar⟩ *oil,* ⟨smeer⟩ *grease, tallow* ⟨voor zeep-en kaarsenbereiding⟩, ⟨druipvet⟩ *dripping,* ⟨reuzel⟩ *lard* 0.2 [weefsel tussen vlees] *fat* 0.3 [bestanddeel van melk] *fat* 0.4 [weefsel mbt. de mens] *fat* 0.5 [stof tussen ongereinigde schapewol] *grease* ◆ 1.1 ~ten en eiwitten *fats and proteins* 2.1 dierlijk ~ *animal f.*; ⟨biol.⟩ *adipose*; mineraal ~ *grease* 2.2 laat hem in zijn eigen ~ gaar worden/koken ⟨fig.⟩ *let him stew (in his own juice)*; zich met zijn eigen ~ bedruipen ⟨fig.⟩ *pay one's way, shift for o.s.* 3.2 ⟨fig.⟩ het ~ eruit braden *live it up*; ⟨altijd⟩ *live off the f. of the land*; ⟨fig.⟩ het ~ druipt van de trap *it's an eldorado, they're wallowing in it*; ~ smelten

render (down) f. 3.¶ iemand zijn ~ geven *give s.o. a piece of one's mind, settle s.o.'s hash*; hij krijgt zijn ~ *he'll catch it, he'll get what he deserves/what is coming to him* 6.1 iets in het ~ zetten *grease sth.* 6.2 iets in ~ bakken *fry sth.* 6.4 hij teert op zijn ~ ⟨fig.⟩ *he's living on his means* 6.¶ nog wat in het ~ hebben *have sth. in store, have a bone to pick* ¶.1 het ~ is er v.d. ketel ⟨fig.⟩ *the cream has been skimmed* ¶.4 ⟨fig.⟩ het ~ zit hem niet in de weg *he's as lean as a rake/thin as a lath, he's (all) skin and bone.*
vet² ⟨bn., bw.;-ly⟩ ⟨→sprw. 168,477,533,585,668⟩ 0.1 [rijk aan vet, niet mager] *fat* ⇒⟨melk ook⟩ *rich, creamy* 0.2 [met veel vet bereid] *fatty* ⇒*greasy, rich* 0.3 [vruchtbaar] *fat* ⇒⟨winstgevend⟩ *fat* ⇒*plum(my)* ⟨baantje⟩, *juicy* ⟨contract, overeenkomst⟩ 0.5 [met vet verontreinigd] *greasy* ⇒*oily* 0.6 [goed gevuld] *fat* 0.7 [dik door veel inkt/verf] *fat* ⇒*bold, thick, heavy* 0.8 [herinnerend aan iets vets] ⟨zie 1.8⟩ ◆ 1.1 een ~te bankrekening *a f. bank account*; ~te olie *fatty/fixed oil;* ⟨fig.⟩ de os is er ~ *they keep a good table* 1.3 ~ gras *lush grass*; een ~te grond *rich soil, f./rich land* 1.4 een ~te buit *rich spoils;* ⟨kaartspel⟩ een ~te slag *a valuable trick* 1.5 de bougie is ~ *the spark-plug is coked up*; een ~te huid/~ haar *a.g./oily skin, g./oily hair*; ~te vingers op het papier *g. fingermarks on the paper*; ~te wol *g. wool, wool in the grease* 1.6 een ~te portemonnaie *a.f. purse* 1.7 ~te letters *bold/thick/heavy type*; een ~ penseel ⟨lett.⟩ *a thick/heavy brush*; ⟨fig.⟩ een ~te lach *a fruity laugh* 3.1 hij is ~ *he is well-oiled/tight;* † *inebriated/pickled*; ~ maken *fatten* 3.2 het ~ hebben *live well* 3.4 ⟨iron.⟩ daar ben ik ~ mee/zal ik ~ van worden *a f. lot of good/use that is/that will do me!*; het is er niet ~ *they barely manage to make ends meet/to keep the wolf from the door* 3.7 ~ gedrukt (printed) in *bold/heavy/thick type*; ~ schrijven *write in bold letters* 7.3 het ~te der aarde *the f. of the land.*
vetachtig ⟨bn.⟩ 0.1 *fatty* ⇒*greasy, sebaceous* ◆ 1.1 die zeep is ~ *that soap is creamy.*
vetarm ⟨bn.⟩ 0.1 *low-fat* ◆ 1.1 een ~ dieet *a l.-f. diet.*
vetbladig ⟨bn.⟩ ⟨biol.⟩ 0.1 *succulent.*
vetbol ⟨de (m.)⟩ 0.1 [uit vet bestaande bol] *ball of fat* ⇒⟨reuzel⟩ *ball of lard* 0.2 [voedselbol voor vogels] *fat ball.*
vetbolletje ⟨het⟩ 0.1 [klompje vet] *fat globule* 0.2 [vetcel] *fat cell.*
vetbult ⟨de (m.)⟩ 0.1 *hump* ⟨kameel enz.⟩ ◆ 6.1 ~jes in het gezicht *fatty bumps on the face.*
vete ⟨de⟩ 0.1 *feud* ⇒*vendetta.*
vetemulsie ⟨de (v.)⟩ 0.1 *fat emulsion.*
veter ⟨de (m.)⟩ 0.1 *lace* ⇒⟨van schoen⟩ *shoelace,* ⟨van laars⟩ *bootlace,* ⟨van korset⟩ *corset-lace* ◆ 1.1 een paar ~s *a pair of laces/shoelaces/bootlaces/corset-laces* 3.1 zijn ~s vast/losmaken/strikken *tie/untie one's shoelaces*; je ~ zit los! *your shoelace is undone!*
veteraan ⟨de (m.)⟩ 0.1 [oud soldaat] *veteran* ⇒*old soldier,* ⟨AE; inf.⟩ *vet* 0.2 [iem. met lange ervaring] *veteran* ⇒*old soldier/hand/campaigner, old-timer/-stager* 0.3 [⟨sport⟩] *veteran* ◆ 6.1 een ~ in het reizen *a seasoned traveller* 6.2 een ~ in de kunst/het vak *a v. in the art/trade.*
veteranenziekte ⟨de (v.)⟩ ⟨med.⟩ 0.1 *Legionnaire's disease.*
veterdrop ⟨het, de⟩ 0.1 *shoestring licorice.*
veteren ⟨ov.ww.⟩ 0.1 *veto.*
vetergat ⟨het⟩ 0.1 *eyelet(-hole), eye(hole)* ⇒*lace-hole.*
veterinair¹ ⟨de (m.)⟩ 0.1 *veterinary surgeon* ⇒↓*vet,* ⟨vnl. AE⟩ *veterinarian.*
veterinair² ⟨bn.⟩ 0.1 *veterinary* ◆ 1.1 de ~e dienst/inspectie *v. service/inspection*; ~e hulp *v. help.*
veterschoen ⟨de (m.)⟩ 0.1 *lace-up (shoe)* ⇒⟨AE ook⟩ *tie.*
vetgedrukt ⟨bn.⟩ 0.1 *in bold/heavy type* ⇒⟨druk. ook⟩ *(in) bold (face).*
vetgehalte ⟨het⟩ 0.1 *fat content* ⇒*percentage of fat* ◆ 2.1 met een hoog/laag ~ *high-fat, low-fat* 6.1 op ~ onderzoeken *test for fat/for total fatty matter*; een ~ van 40% *a f.c. of 40%*; magere yoghurt heeft een ~ van 0,05% *low-fat yoghurt contains 0.05% fat.*
vetgezwel ⟨het⟩ 0.1 *fatty tumour* ⇒*lipoma.*
vetheid ⟨de (v.)⟩ 0.1 [het vet zijn] *fatness* ⇒⟨van gerecht⟩ *fattiness, richness,* ⟨verontreinigd⟩ *greasiness* 0.2 [dikte] *fatness* ⇒*fleshiness, corpulence, overweight, obesity* 0.3 [vetgehalte] *fat content* 0.4 [mbt. grond] *richness.*
vethuishouding ⟨de (v.)⟩ 0.1 *fat-metabolism.*
vetkaars ⟨de⟩ 0.1 *tallow candle* ⇒(*tallow*) *dip.*
vetklier ⟨de⟩ 0.1 *sebaceous gland* ⇒⟨bij vogels⟩ *oil gland.*
vetkolen ⟨zn.mv.⟩ 0.1 *bituminous coal* ⇒*fat/soft/rich coal.*
vetkrijt ⟨het⟩ 0.1 *pastel crayon.*
vetkrijtje ⟨het⟩ 0.1 *pastel crayon.*
vetkruid ⟨het⟩ 0.1 *sedum.*
vetkuif
I ⟨de⟩ 0.1 [haardracht] *greased quiff;*
II ⟨de (m.)⟩ 0.1 [persoon] *rocker.*
vetkussen ⟨het⟩ 0.1 *roll of fat;* ⟨scherts.⟩ *spare tyre* ^*tire* ⟨maag⟩.
vetkwab ⟨de⟩ 0.1 *roll/* ⟨hangend⟩ *lobe of fat.*
vetlaag ⟨de⟩ 0.1 [uit vet bestaande laag] *layer of fat* 0.2 [in een laag aangebrachte vet] *layer of grease.*

vetleer ⟨het⟩ **0.1** *greased leather.*

vetleren ⟨bn.⟩ **0.1** *greased leather* ◆ **1.1** ⟨scherts.⟩ een ~ medaille *a tin medal, a tuppenny decoration.*

vetmesten ⟨ov.ww.⟩ **0.1** *fatten (up)* ⇒*feed up* ⟨zieke, wees⟩, *cram* ⟨pluimvee⟩ ◆ **1.1** een vetgemest kalf *a fatted calf;* ossen ~ *fatten oxen* **4.1** zich ~ ⟨fig.⟩ *fatten, batten,* ⟨fig.⟩ zich ~ ten koste v.d. arbeider *batten on the working man.*

veto ⟨het⟩ **0.1** *veto* ◆ **1.1** het recht van ~ hebben *possess / have the right of v. / the power of v.* **2.1** een indirect ~ *indirect* / ᴬ*pocket v.;* een opschortend / suspensief ~ *suspensive v.* **3.1** zijn ~ over iets uitspreken *veto sth., put a / one's v. on sth., exercise one's v. against sth., pronounce a v. on sth..*

vetoën ⟨onov., ov.ww.⟩ **0.1** *(exercise one's) veto.*

vetoogje ⟨het⟩ **0.1** *drop of fat, fat globule.*

vetorecht ⟨het⟩ **0.1** *veto* ⇒*power / right of veto.*

vetplant ⟨de⟩ **0.1** [plant van de familie van de Crassulaceae] *succulent* ⇒*crassula* **0.2** [succulent] *succulent.*

vetpot ⟨de (m.)⟩ ◆ **3.¶** het is geen ~ ⟨fig.⟩ *you won't exactly make a fortune, there's not much in it for you.*

vetpuistje ⟨het⟩ **0.1** *blackhead* / ⟨med.⟩ *comedo.*

vetrand ⟨de (m.)⟩ **0.1** ⟨van vlees⟩ *fat;* ⟨in pan⟩ *line of grease.*

vetrijk ⟨bn.⟩ **0.1** *rich in fat* ⇒⟨gerecht ook⟩ *rich, greasy, high-fat* ⟨dieet⟩.

vetrol ⟨de⟩ **0.1** *roll of fat* ◆ **6.1** ~ len op de heupen hebben *have rolls of fat around one's hips.*

ve-tsin ⟨het⟩ **0.1** *monosodium glutamate* ⇒*MSG.*

vetspuit ⟨de⟩ **0.1** *grease gun.*

vetsteen → **speksteen.**

vetstift ⟨de⟩ **0.1** *grease pencil.*

vetten ⟨onov.ww.⟩ ⟨vulg.⟩ **0.1** *jerk off* ⇒*jack off, toss off.*

vettig ⟨bn., bw.; -ly⟩ **0.1** [enigszins vet] *fatty* ⇒⟨vet bevattend⟩ *greasy, oily,* ⟨dikkig⟩ *fattish, fleshy* **0.2** [met vet bedekt] *greasy* ⇒⟨haar, huid ook⟩ *oily* ◆ **1.1** een ~ e glans *an oily sheen* **1.2** een ~ e huid *an oily skin;* een ~ e jas / kraag *a g. coat / collar* **3.1** ~ aanvoelen *feel greasy / sticky.*

vettigheid ⟨de (v.)⟩ **0.1** [het vettig zijn] *fattiness* ⇒⟨vet bevattend⟩ *greasiness, oiliness,* ⟨gerecht⟩ *richness,* ⟨dikte⟩ *fleshiness* **0.2** [rijkdom / gehalte aan vet] *fat content* **1.3** het vette] *fat* ⇒*fatty / greasy food(s)* ◆ **1.3** ⟨bijb.⟩ de vettigheden der aarde *the fat of the land* **3.3** hij zet nooit ~ *he never eats fat / fatty foods / greasy foods.*

vetvanger ⟨de (m.)⟩ **0.1** [mbt. afvalwater] *grease trap* **0.2** [kandelaar] *candle-ring.*

vetvlek ⟨de⟩ **0.1** *grease spot* ⇒*greasy spot, grease / greasy stain / mark* ◆ **5.1** vol ~ ken *grease-stained, stained with grease.*

vetvorming ⟨de (v.)⟩ **0.1** *formation of fat* ⇒⟨biol.⟩ *lipogenesis* ◆ **6.1** ~ rond het middel ⟨scherts.⟩ *middle-age spread.*

vetvrij ⟨bn.⟩ **0.1** [tegen verontreiniging door vet bestand] *greaseproof* **0.2** [geen vet (meer) bevattend] *fat-free* ⇒*non-fat* ◆ **1.1** ~ papier *g. paper.*

vetweefsel ⟨het⟩ **0.1** *fatty* / ⟨med., dierk. ook⟩ *adipose tissue.*

vetweiden ⟨onov., ov.ww.⟩ **0.1** *fatten (up)* ⇒*feed.*

vetweider ⟨de (m.)⟩ **0.1** [boer] *grazier* **0.2** [stuk vee] *feeder,* ᴬ*stocker.*

vetweiderij ⟨de (v.)⟩ **0.1** *graziery* ⇒*cattlefeeding,* ᴬ*stockfarm.*

vetzak ⟨de (m.)⟩ ⟨pej.⟩ **0.1** *Fatso* ⇒*fatty.*

vetzucht ⟨de (v.)⟩ **0.1** *fatty degeneration* ⇒(morbid) *obesity.*

vetzuur¹ ⟨het⟩ ⟨schei.⟩ **0.1** *fatty acid* ◆ **2.1** verzadigde / onverzadigde vetzuren *saturated / unsaturated fatty acids.*

vetzuur² ⟨bn.⟩ ⟨schei.⟩ **0.1** *fatty* ◆ **1.1** een ~ zout *f. salt.*

veugelen ⟨onov.ww.⟩ ⟨inf.⟩ **0.1** *paw* ⟨aan iem.⟩ ⇒*fumble, fiddle* ⟨iets⟩ ◆ **6.1** zit niet zo aan me te ~ *stop pawing me (about);* ze zat de hele tijd aan haar ketting te ~ *she kept fiddling with her necklace all the while.*

veulen¹ ⟨het⟩ **0.1** [jong v.e. hoefdier] *foal* ⇒⟨hengst, als het bij moeder vandaan is⟩ *colt,* ⟨idem, merrie⟩ *filly* **0.2** [dartel kind] *frolicsome child* ⇒*lively / playful child,* ⟨jongen, vaak pej.⟩ *colt* **0.3** [bont of haar v.e. veulen] *foalskin* ◆ **3.1** een ~ werpen / krijgen *foal* **¶.1** een ~: vader Rocket, moeder Spring *a foal by Rocket out of Spring.*

veulen² ⟨bn.⟩ **0.1** *foalskin.*

veulenen ⟨onov.ww.⟩ **0.1** *foal.*

vexatie ⟨de (v.)⟩ ⟨schr.⟩ **0.1** [het plagen] ⟨ongemarkeerd⟩ *vexation* ⇒*harassment, annoyance* **0.2** [het kwetsen] *affliction* ⇒⟨vero.⟩ *vexation* **0.3** [het knevelen] ⟨ongemarkeerd⟩ *extortion* **0.4** [⟨jur.⟩] *vexation.*

vexatoir ⟨bn.⟩ **0.1** *vexatious* ◆ **1.1** ~ e maatregelen nemen *take v. measures.*

vexeren ⟨ov.ww.⟩ ⟨schr.⟩ **0.1** [plagen] ⟨ongemarkeerd⟩ *vex* ⇒*harass, annoy* **0.2** [kwetsen] *afflict, grieve* ⇒⟨vero.⟩ *vex* **0.3** [knevelen, onderdrukken] ⟨ongemarkeerd⟩ *extort.*

vezel ⟨de⟩ **0.1** *fibre* ⇒⟨van weefsel ook⟩ *thread, filament* ⟨vnl. in plant of dier⟩, *staple* ⟨van katoen / wol, ter bepaling van kwaliteit⟩ ◆ **1.1** ~ s v.d. spieren / het zenuwweefsel *muscle fibres / the nerve tissue, muscular / nervous fibre;* een ~ tje vlees *a piece of meat* **2.1** stof met korte / lange ~ *long- / short-staple fabric;* ruwe / onverteerbare ~ s *cellulose, indigestible fibre.*

---

vezelachtig ⟨bn.⟩ **0.1** [als een vezel] *fibrous* ⇒*fibriform* **0.2** [bestaande uit vezels] *fibrous* ⇒⟨med.⟩ *fibroid.*

vezelen
I ⟨ov.ww.⟩ **0.1** [rafelen] *fray;*
II ⟨onov., ov.ww.⟩ **0.1** [fluisteren] *whisper.*

vezelig ⟨bn.⟩ **0.1** [uit vezels bestaande] *fibrous* ⇒*stringy* ⟨vlees⟩, ⟨med.⟩ *fibroid* **0.2** [⟨plantk.⟩] *fibrous* ◆ **1.1** ~ papier / linnen *coarse-grained paper, coarse-fibred linen;* ~ e structuur *fibrous structure* **1.2** ~ e bladen *f. leaves;* ~ e wortels *f. roots.*

vezelplaat ⟨de⟩ **0.1** *fibreboard.*

vezelrichting ⟨de (v.)⟩ **0.1** *direction of fibre(s)* ⇒*grain* ⟨hout, metaaloppervlak, vlees⟩.

vezelstof ⟨de⟩ **0.1** [⟨biol.⟩] *fibrous tissue* **0.2** [uit vezels vervaardigde stof] *fibre* ◆ **2.2** dierlijke / plantaardige / kunstmatige ~ fen *animal / vegetable / man-made fibres.*

vezelvlies ⟨het⟩ **0.1** *facing.*

v.g.a. ⟨afk.⟩ **0.1** [verzoeke gaarne antwoord] ⟨*awaiting your reply*⟩.

v.g.g.v. ⟨afk.⟩ **0.1** [van goede getuigschriften voorzien] ⟨*with good references*⟩.

v.g.h. ⟨afk.⟩ **0.1** [van goede huize] ⟨*of a good family*⟩.

vgl. ⟨afk.⟩ **0.1** [vergelijk] *cf..*

v.h. ⟨afk.⟩ **0.1** [van het] ⟨*of the*⟩ **0.2** [voorheen] ⟨*late*⟩ **0.3** [voor het] ⟨*for the*⟩.

V-hals ⟨de (m.)⟩ **0.1** *V-neck* ◆ **1.1** een trui met ~ *a V-neck(ed) pullover.*

v.i. ⟨de (v.)⟩ ⟨afk.⟩ **0.1** [voorwaardelijke invrijheidstelling] ⟨*conditional release, (release on) parole;* ⟨*BE*⟩ *ticket of leave*⟩.

via ⟨vz.⟩ **0.1** [over, langs] *via* ⇒*by way of, through* **0.2** [door bemiddeling van] *via* ⇒*through, by way of, by,* ⟨door middel van⟩ *by means of* ◆ **1.1** ⟨fig.⟩ de smetstof komt ~ de mond en de neus in het lichaam *the infection enters the body through the mouth and nose;* ~ de snelweg komen *take the motorway /* ᴬ*expressway* **1.2** verkrijgbaar ~ de boekhandel *available from your local bookseller;* ik hoorde ~ mijn zuster, dat... *I heard from / through my sister that ...* **¶.2** ~ ~ indirectly, in a roundabout way, on / through the grapevine.*

viaduct ⟨het, de (m.)⟩ **0.1** *viaduct* ⇒ᴮ*fly-over,* ᴮ*crossover,* ᴬ*overpass.*

viaticum ⟨het⟩ **0.1** [reispenning] *viaticum* **0.2** [r.k.] *viaticum.*

vibrafonist ⟨de (m.)⟩ **0.1** *vibraphonist* ⇒*vibraphone player.*

vibrafoon ⟨de (m.)⟩ **0.1** *vibraphone* ⇒⟨inf.⟩ *vibes.*

vibratie ⟨de (v.)⟩ **0.1** [trilling] *vibration* ⇒⟨slingering ook⟩ *oscillation* **0.2** [wijze van masseren] *vibro-massage.*

vibrato¹ ⟨het⟩ **0.1** *vibrato* ⇒*tremolo, trill, quaver* ◆ **2.1** een mooi ~ hebben *have a beautiful v. / tremolo.*

vibrato² ⟨bw.⟩ **0.1** *vibrato* ◆ **3.1** ~ spelen / zingen *quaver, trill.*

vibrator ⟨de (m.)⟩ **0.1** [trillend lichaam] *vibrator* **0.2** [toestel voor sensuele prikkeling] *vibrator.*

vibreren
I ⟨onov.ww.⟩ **0.1** [trillen] *vibrate* **0.2** [met vibrato spelen / zingen] *quaver* ⇒*trill* **0.3** [vervuld zijn van inwendige spanning] *vibrate* ⇒*quiver, tremble;*
II ⟨ov.ww.⟩ **0.1** [doen trillen, trillend bewerken] *vibrate.*

vicares ⟨de (v.)⟩ **0.1** *deaconess.*

vicariaat ⟨het⟩ **0.1** [plaatsvervanging] *vicariate* **0.2** [ambt, rechtsgebied] *vicariate* ⇒*vicarship* **0.3** [bisdom in missieland] *vicariate apostolic* ◆ **2.2** ⟨r.k.⟩ apostolisch ~ *vicariate apostolic.*

vicaris ⟨de (m.)⟩ **0.1** [⟨r.k.⟩] *vicar* **0.2** [⟨prot.⟩] *vicar* ◆ **2.1** apostolisch ~ *v. apostolic.*

vicaris-generaal ⟨de (m.)⟩ **0.1** *vicar-general* ⇒*provisor.*

vice-admiraal ⟨de (m.)⟩ **0.1** *vice-admiral.*

vice-consul ⟨de (m.)⟩ **0.1** *vice-consul.*

vice-premier ⟨de (m.)⟩ **0.1** *vice-premier.*

vice-president ⟨de (m.)⟩ **0.1** *vice-president,* ⟨van bedrijf ook⟩ *vice- / deputy-chairman.*

vice versa ⟨bw.⟩ **0.1** [heen en terug] *vice versa* **0.2** [over en weer] *vice versa.*

vice-voorzitter ⟨de (m.)⟩ **0.1** *vice- / deputy-chairman.*

vicieus ⟨bn.⟩ **0.1** *vicious* ⇒*deviant* ◆ **1.¶** een vicieuze cirkel *a v. circle.*

Victoriaans ⟨bn.⟩ **0.1** *Victorian* ◆ **1.1** ~ e preutsheid *V. prudery.*

victorie ⟨de (v.)⟩ **0.1** *victory* ◆ **3.1** ~ roepen / kraaien *shout v., jubilate, triumph, exult.*

victorieus ⟨bn., bw.; -ly⟩ ⟨schr.⟩ **0.1** ⟨ongemarkeerd⟩ *victorious* ⇒*triumphant.*

victualie ⟨de (v.)⟩ **0.1** *victual* ⟨meestal mv.⟩ ⇒⟨mv. ook⟩ *provisions.*

vid. ⟨afk.⟩ **0.1** [vide, videatur] *vid..*

vide ⟨het, de (v.)⟩ **0.1** *empty / vacant space* ⇒*void.*

video ⟨de⟩ **0.1** [systeem] *video* **0.2** [apparaat] *video (machine)* ⇒*video-player* **0.3** [videoband] *video (tape)* ◆ **6.3** iets op ~ zetten *record sth. on v.;* een op ~ opgenomen programma *a canned / (v.) taped programme.*

videoafspeelapparatuur ⟨het⟩ **0.1** *video player.*

videoband ⟨de (m.)⟩ **0.1** *videotape* ⇒*video cassette* ⟨op cassette⟩.

videobeeld ⟨het⟩ **0.1** *video picture / image.*

videoboek ⟨het⟩ **0.1** *videobook.*

videocamera ⟨de⟩ **0.1** *video camera.*

videocassette ⟨de (v.)⟩ **0.1** *video cassette.*
videocassetterecorder ⟨de (m.)⟩ **0.1** *video cassette recorder.*
videoclip ⟨de⟩ **0.1** *video clip.*
videoclub ⟨de⟩ **0.1** *video club.*
videofilm ⟨de (m.)⟩ **0.1** [(speel)film om mbv. een video(cassette)recorder af te spelen] *video (film/* ⟨AE ook⟩ *movie)* **0.2** [met een videocamera opgenomen film] *video (film/recording)* ◆ **3.1** ~s huren *hire/* ^Arent *videos.*
videofoon ⟨de (m.)⟩ **0.1** *video(tele)phone.*
videogame ⟨de⟩ **0.1** *video game.*
videografie ⟨de (v.)⟩ **0.1** *video technology.*
video-opname ⟨de (v.)⟩ **0.1** *video recording.*
videoplaat ⟨de⟩ **0.1** *videodisc.*
videorecorder ⟨de (m.)⟩ **0.1** *video (recorder), VCR* ⇒*video cassette recorder.*
videospel ⟨het⟩ **0.1** *video game.*
videotex ⟨de⟩ ⟨com.⟩ **0.1** *viewdata/videotex.*
videotheek ⟨de (v.)⟩ **0.1** *videotheque.*
viditel ⟨de⟩ ⟨com.; tel.⟩ **0.1** *viewdata/videotex.*
vief ⟨bn., bw.⟩ **0.1** *lively* ⇒*energetic, alert, sprightly, spry* ⟨oudje⟩ ◆ **1.1** een~ ventje *a(n) l./energetic/alert/sprightly/spry chap* **3.1** hij is niet meer zo~ als vroeger *he's not as full of pep as he used to be.*
vier[1] ⟨de⟩ **0.1** [teken] *four* **0.2** [waarde] *four* ◆ **1.**¶ (fig.) met veel~en en vijven *with (a) bad grace,* ^Bwith *much humming and hawing;* ⟨fig.⟩ veel~en en vijven (hebben) *be hard to please, be very exacting/demanding* **2.1** een Romeinse ~ *a Roman f.* **3.1** hij kreeg een~ voor wiskunde *he got a f./* ^Aan *F for math(s)* **3.2** een~ uitspelen/opgooien *play/lead a f.;* hij wierp twee~en *he threw two fours.*
vier[2]
I ⟨hoofdtelw.⟩ **0.1** *four* ◆ **1.1** met~ handen, voor~ spelers *fourhanded, for f. hands/players;* ~ jaar durend/eens in de ~ jaar voorkomend *quadrennial;* een gesprek onder~ ogen *a private conversation, a tête-à-tête;* span van/rijtuig met~ paarden *f.-in-hand;* ~ pennies kostend *f.-penny* **2.1** de grote Vier *the Big Four* **3.1** zo zeker als tweemaal twee~ is *as sure as fate/as eggs is eggs/as I'm standing here* **5.1** half~ *half past three* **6.1** zij gingen~ **aan** ~ *they went f. by/and f.;* **bij/rond/voor/na** ~ *in close upon/around/before/after f.;* iets **in** ~en verdelen *quarter sth., divide sth. in f.;* iets **in** ~en doen *do sth. in f. stages;* iets **in** ~en vouwen *fold sth. in f.;* **met** ons/z'n~en *with the f. of us/them,* the f. of us/them together; ze kwamen **met** z'n~en binnen *the f. of them came in together;* ⟨roeien⟩ de~ **met/zonder** stuurman *the f. with/without a cox, the coxed/uncoxed f.;* iets **onder** u~en verdelen *divide sth. among the f. of you;*
II ⟨rangtelw.⟩ **0.1** *four* ◆ **1.1** ~ mei *the fourth of May;* ⟨AE⟩ *May fourth.*
vierbaans ⟨bn.⟩ **0.1** *four-lane* ◆ **1.1** ~ snelweg *f.-l. motorway/* ^Ahighway.
vierbaansweg ⟨de (m.)⟩ **0.1** *f.-l. motorway* ⇒^Bdual *carriageway,* ^Adivided *highway.*
vierblad ⟨het⟩ **0.1** ⟨(plantk.)⟩ *herb paris* **0.2** ⟨(herald.)⟩ *quatrefoil.*
vierbladig ⟨bn.⟩ **0.1** ⟨(plantk.)⟩ *four-leaved* **0.2** [van propeller] *four-bladed.*
viercilinder(motor) ⟨de (m.)⟩ **0.1** *four-cylinder (engine).*
vierdaags ⟨bn.⟩ **0.1** [vier dagen durend] *four days'* ⇒*four-day* **0.2** [vier dagen oud] *four days'* ⇒*four-day-old* ◆ **1.1** een ~e reis *a four-day/four days' journey, a journey of four days* **7.1** ⟨zelfst.⟩ de ~e *Annual Four Day Walking Event.*
vierde[1] ⟨de⟩ **0.1** *fourth* ⇒*quarter* ◆ **1.1** een~ deel *a f. (part), a quarter* **5.1** ⟨zelfst.⟩ voor een~ vol *a quarter full* **7.1** ⟨zelfst.⟩ drie~ *three fourths/quarters.*
vierde[2] ⟨rangtelw.⟩ **0.1** *fourth* ◆ **1.1** de~ klas *the f.* ^Bform/^Agrade; de~ macht *the f. estate;* ⟨wisk.⟩ de~ macht *the f. power, the power of four, the biquadratic, the square of the square;* de~ man *the f. (hand);* wie wil~ man zijn? *who'll be f.?/make up a four?;* de~ wereld *the Fourth World* **6.1** ⟨zelfst.⟩ **ten** ~ *fourthly, in the f. place* **7.1** ⟨zelfst.⟩ het is vandaag de~ *today is the f.* **8.1** ⟨zelfst.⟩ als~ eindigen/aankomen *come in f..*
vierdelig ⟨bn.⟩ **0.1** *four-part* ⇒*quadripartite, four-piece* ⟨suite, servies enz.⟩, ⟨werk ook⟩ *four-volume.*
vierdemachtsvergelijking ⟨de (v.)⟩ **0.1** *biquadratic (equation)* ⇒*quartic equation.*
vierdemachtswortel ⟨de (m.)⟩ **0.1** *fourth root.*
vierderangs ⟨bn.⟩ **0.1** *fourth-rate.*
vierdimensionaal ⟨bn.⟩ **0.1** *four-dimensional.*
vierdraads ⟨bn.⟩ **0.1** *four-ply* ⇒*four-stranded.*
vierdubbel ⟨bn., bw.⟩ **0.1** [viermaal] *four times* ⇒*quadruple* **0.2** [uit vier eenheden bestaand] *fourfold* ⇒*four times, quadruple* ◆ **1.2** een ~e beveiliging *a fourfold safety device* **7.1** het ~e v.d. waarde *four times/quadruple the value.*
vieren ⟨ov.ww.⟩ **0.1** [feestelijk gedenken] *celebrate* ⇒*observe* ⟨feestdag, zondag⟩, ⟨herdenken⟩ *commemorate* **0.2** [eer bewijzen aan] *celebrate* ⇒*honour, fête* **0.3** [laten schieten] *pay out* ⇒*veer out, ease, slacken* **0.4** [laten gaan] *give (free) rein to* ⇒*let go, let out* ◆ **1.1** de mis

~ *celebrate/solemnize the mass* **1.2** een gevierd man *a celebrated/acclaimed man* **1.3** een boot~ *lower a boat;* een touw (laten)~ *pay out/veer (out)/* ⟨scheep.⟩ *render/* ⟨scheep.⟩ *ease (off) a rope;* een zeil~ *ease a sail* **3.1** dat gaan we~ *this calls for a celebration,* ⟨drinken⟩ *we'll drink to that.*
vierendelen ⟨ov.ww.⟩ **0.1** [in vieren verdelen] *quarter* ⇒*divide in(to) four (parts)* **0.2** [met vier paarden uiteentrekken] *draw and quarter* ◆ **¶.1** ⟨herald.⟩ *gevierendeeld quartered.*
viergestreept ⟨bn.⟩ ⟨muz.⟩ **0.1** *four-times-accented, four-line.*
vierhandig
I ⟨bn.⟩ **0.1** [⟨muz.⟩] *fourhanded* **0.2** [vier handen hebbend] *fourhanded* ⇒*quadrumanous, quadrumane* ◆ **1.2** een ~ zoogdier *a quadrumane, a quadrumane animal;*
II ⟨bw.⟩ ⟨muz.⟩ **0.1** [met vier handen] *fourhanded(ly).*
vierhoek ⟨de (m.)⟩ **0.1** [⟨wisk.⟩] *quadrangle* ⇒*quadrilateral, tetragon* **0.2** [plaats, vak, ruimte] *quadrangle, rectangle, square.*
vierhoekig ⟨bn.⟩ **0.1** *quadrangular* ⇒*quadrilateral, tetragonal.*
vierhonderdjarig ⟨bn.⟩ **0.1** *four-hundred-year-old* ⟨attr.⟩; *four hundred years old* ⟨na zn.⟩ ◆ **1.1** ~ bestaan *quatercentenary, four-hundredth anniversary.*
viering ⟨de (v.)⟩ **0.1** [het vieren/gevierd worden] *celebration* ⇒*observance* ⟨mbt. feestdag, zondag⟩, ⟨herdenking⟩ *commemoration,* ⟨rel.⟩ *service* **0.2** [ruimte in een kruiskerk] *crossing* ◆ **2.1** plechtige~ *solemnization* **6.1** ter~ van *in celebration of.*
vierjaarlijks ⟨bn.⟩ **0.1** *four-yearly* ⇒⟨zeldz.⟩ *quadrennial.*
vierjarig ⟨bn.⟩ **0.1** *four-year-old* ⟨attr.⟩; *four years old* ⟨na zn.⟩; ⟨vier jaren durend⟩ *four-year(s');* ⟨vierjaarlijks⟩ *four-yearly.*
vierkamp ⟨de (m.)⟩ ⟨sport⟩ **0.1** *four-event match, four-event competition* ⇒*tetrathlon.*
vierkant[1] ⟨het⟩ **0.1** [⟨wisk.⟩] *square* **0.2** [figuur, opstelling] *square* ⇒*quadrangle* **0.3** [militaire formatie] *square* **0.4** [kwadraat] *square* ◆ **6.4** in het~ brengen *square.*
vierkant[2]
I ⟨bn.⟩ **0.1** [met de vorm van een gelijkzijdige rechthoek] *square* ⇒*foursquare* **0.2** [⟨+lengte-eenheid⟩] *square* **0.3** [rechthoekig] *square* ⇒*rectangular, angular* **0.4** [massief, fors] *square* ⇒*foursquare,* ⟨persoon ook⟩ *squarely-built, stocky* **0.5** [kwadratisch] *square* ◆ **1.1** een ~e tafel *a s. table* **1.3** ~e haak *bracket;* een~ handschrift *s. handwriting* **3.1** ~ maken *square (off/up)* **6.1** ⟨zelfst.⟩ de kamer meet drie meter in het~ *the room is three metres s./three metres each way/on each side;*
II ⟨bw.⟩ **0.1** [ronduit] *squarely* ⇒*decidedly, outright, flatly* ⟨weigeren⟩ ◆ **3.1** iem.~ de deur uit gooien *chuck s.o. out;* ⟨sl.⟩ *give s.o. the bum's rush;* iem.~ uitlachen *laugh at s.o. outright;* iets~ weigeren *refuse sth. flatly/outright;* zijn voorstel werd~ geweigerd *his proposal met with a flat refusal;* iem.~ de waarheid zeggen *tell s.o. the truth straight out, give it to s.o. straight from the shoulder* **6.1** zich~ **tegen** iets verklaren *declare o.s. dead set against sth..*
vierkantsvergelijking ⟨de (v.)⟩ **0.1** *quadratic equation.*
vierkantswortel ⟨de (m.)⟩ **0.1** *square root* ◆ **3.1** de~ trekken uit *extract the square root of* **6.1** de~ **uit/van** 36 is 6 *the square root of 36 is 6.*
vierkleurendruk ⟨de (m.)⟩ **0.1** [handeling] *four-colour printing* **0.2** [resultaat] *four-colour print* ◆ **6.2** een catalogus in ~ *a four-colour/full-colour catalogue.*
vierkleurig ⟨bn.⟩ **0.1** *four-coloured.*
vierkwartsmaat ⟨de⟩ **0.1** *four four/quadruple time* ⇒*common time/measure.*
vierledig ⟨bn.⟩ **0.1** *four-part* ⇒*quadripartite,* ⟨wisk.⟩ *quadrinomial, consisting of/in four parts* ⟨alléén pred.⟩ ◆ **1.1** een~ doel *a fourfold aim.*
vierlettergrepig ⟨bn.⟩ **0.1** *four-syllabled* ⇒ ⟨schr.⟩ *quadrisyllabic, tetrasyllabic* ◆ **1.1** ~ woord ⟨ook⟩ *quadrisyllable, tetrasyllable.*
vierling ⟨de (m.)⟩ **0.1** [alle vier de kinderen/jongen] *quadruplets* ⇒ ⟨inf.⟩ *quads* **0.2** [één kind/jong] *quadruplet* ⇒ ⟨inf.⟩ *quad* ◆ **3.1** ze kreeg een ~ *she had quadruplets/* ⟨inf.⟩ *quads.*
viermaal ⟨bw.⟩ **0.1** *four times* ◆ **3.1** ~ kopiëren *quadruplicate;* een~ per jaar verschijnend tijdschrift *a quarterly magazine* **5.1** zijn inkomen is~ zo groot geworden *his income has quadrupled.*
viermanschap ⟨het⟩ **0.1** ⟨gesch.⟩ *quadrumvirate* ⇒*tetrarchy, tetrarchate.*
viermotorig ⟨bn.⟩ **0.1** *four-engine(d).*
vierpotig ⟨bn.⟩ **0.1** *four-legged* ⟨dierk. ook⟩ *four-footed* ⇒⟨dierk.⟩ *quadrupedal,* ⟨zeldz.⟩ *tetrapod(ous)* ◆ **1.1** ~ dier ⟨ook⟩ *quadruped.*
vierregelig ⟨bn.⟩ **0.1** *four-line.*
vierschaar ⟨de⟩ ⟨gesch.⟩ **0.1** [rechtbank] *tribunal* ⇒*judgement seat* **0.2** [rechtszaal] *tribunal* ⇒*court of justice* ◆ **3.1** ⟨fig.⟩ de~ spannen over *sit/stand in judgement over.*
viersnarig ⟨bn.⟩ **0.1** *four-stringed* ◆ **1.1** ~ instrument ⟨ook; zeldz.⟩ *tetrachord.*
vierspan ⟨het⟩ **0.1** [span van vier trekdieren] *four* ⇒*four-in-hand* ⟨mbt. paarden⟩ **0.2** [rijtuig, wagen] *four-in-hand* ⇒*coach-and-four.*
viersprong ⟨de (m.)⟩ **0.1** *crossroads* ◆ **6.1** ⟨fig.⟩ op de~ van het leven staan *be at the crossroads, be at the parting of the ways.*
vierstemmig ⟨bn.⟩ **0.1** *four-part* ⇒*for four voices* ⟨na zn.⟩, *in four parts.*

viertaktmotor ⟨de (m.)⟩ **0.1** *four-stroke engine / motor* ⇒*four-cycle engine, Otto engine.*

viertal ⟨het⟩ **0.1** *(set of) four* ⇒⟨mensen ook⟩ *foursome* ◆ **1.1** een ~ jaren *(some) four years* **2.1** het vrolijke ~ *the merry four(some).*

viertalig ⟨bn.⟩ **0.1** *in four languages* ⟨ná zn.⟩ ⇒*quadrilingual.*

viertallig ⟨bn.⟩ **0.1** [uit viertallen bestaand] *quaternary* **0.2** [met vier als grondtal] *quaternary* ◆ **1.2** het ~ stelsel *the q. scale (of notation).*

vieruurtje ⟨het⟩ ⟨AZN⟩ **0.1** ⟨vnl. BE⟩ *(afternoon) tea.*

viervlak ⟨het⟩ **0.1** *tetrahedron.*

viervlakkig ⟨bn.⟩ **0.1** *tetrahedral.*

viervoeter ⟨de (m.)⟩ **0.1** [viervoetig dier] *four-footed animal* ⇒*tetrapod* **0.2** [rijdier] *mount* ⇒*horse* ◆ **2.1** zijn trouwe ~ ⟨hond⟩ *man's best friend;* ⟨paard⟩ *one's trusty steed.*

viervoetig **0.1** [mbt. dieren] *four-footed, quadruped* ⇒*tetrapod* **0.2** [mbt. gedicht] *tetrameter* ◆ **1.1** ~e dieren *quadrupeds, four-footed animals / beasts, tetrapods* **1.2** ~e verzen *tetrameters.*

viervoud ⟨het⟩ **0.1** [iets dat viermaal zo veel is] *quadruple* **0.2** [door vier deelbaar getal] *quadruple* ◆ **3.1** van een hoeveelheid / een getal het ~ nemen *multiply a number / an amount by four, quadruple / quadruplicate a number / amount* **6.1** in ~ kopiëren *copy in quadruplicate.*

viervoudig ⟨bn.⟩ **0.1** *fourfold* ⇒*quadruple* ◆ **1.1** hij gaf me een ~ afschrift *he gave me four copies, he gave it to me in quadruplicate.*

vierwielig ⟨bn.⟩ **0.1** *four-wheel(ed).*

Vierwoudstedenmeer ⟨het⟩ **0.1** *Lake (of) Lucerne.*

vierzijdig ⟨bn.⟩ **0.1** *four-sided* ⇒⟨wisk. ook⟩ *quadrilateral.*

vies ⟨→sprw. 585⟩
I ⟨bn., bw.; -ly⟩ **0.1** [vuil] *dirty* ⇒*filthy, grimy, squalid,* ⟨inf.⟩ *grubby* **0.2** [onsmakelijk] *nasty* ⇒*foul, vile, loathsome, unsavoury* **0.3** [weerzin oproepend / uitdrukkend] *nasty* ⇒*dirty, foul, sordid, revolting* **0.4** [schunnig] *dirty* ⇒*nasty, filthy, smutty, blue* ⟨film⟩ **0.5** [mbt. het weer] *filthy* ⇒*nasty, foul, dirty* **0.6** [kieskeurig] *fussy* ⇒*particular, fastidious* ◆ **1.2** een ~ drankje *a n. / vile mixture;* ~e vile / revolting food **1.3** een ~ gezicht trekken / zetten *grimace, turn up one's nose, make a (wry) face;* een vieze lucht *a n. / foul smell;* een tegenstander op een vieze manier onderuithalen *trip up an opponent in a d. / nasty / low-down way* **1.4** vieze praatjes *d. / rude / vulgar talk, smut* **1.¶** er wordt een ~ spelletje gespeeld *there's dirty work afoot;* bij een ~ zaakje betrokken zijn *be involved in dirty / crooked / funny business* **3.1** ~ maken *dirty, make d.;* ⟨inf.⟩ *muck up;* ~ raken / worden *get d.* **3.3** ~ ruiken *smell, stink;* ⟨BE; sl.⟩ *pong;* het ziet er ~ uit *it looks n.* **3.6** ik ben er ~ van *it makes me sick, it disgusts me* **3.¶** ergens niet ~ van zijn *not be averse to sth.* **5.1** ik vind het te ~ om aan te raken *I wouldn't touch it with a barge-pole;*
II ⟨bw.⟩ ◆ **3.¶** dat valt me ~ tegen *you've let me down;* die film viel ~ tegen *that film was a real let-down;* hij dacht dat het gemakkelijk zou zijn, maar dat viel ~ tegen *he thought it would be easy, he had another think coming* **5.¶** er ~ bij zijn *be caught red-handed* ⟨sl.⟩ *with one's pants down* **6.¶** ~ bij *wide-awake, bright, sharp, quick-witted.*

viesheid ⟨de (v.)⟩ **0.1** [walgelijkheid] *dirtiness* ⇒*filthiness, nastiness, vileness, foulness* **0.2** [iets dat vies is] *dirt* ⇒*filth* ⟨ook schunnigheid⟩, *grime, squalor,* ⟨schunnigheid⟩ *smut.*

viespeuk ⟨de (m.)⟩ **0.1** *pig* ⇒⟨inf.⟩ *mucky / messy pup,* [B]*grub* ◆ **2.1** een oude ~ *a dirty old man.*

Vietnam ⟨het⟩ **0.1** *Vietnam, Viet Nam* ⇒⟨AE; inf.⟩ *Nam.*

Vietnamees¹ ⟨de (m.)⟩, -ese ⟨de (v.)⟩ **0.1** *Vietnamese.*

Vietnamees² ⟨het⟩ **0.1** *Vietnamese.*

vietnamiseren ⟨ov.ww.⟩ **0.1** *Vietnamize.*

vieux ⟨de (m.)⟩ **0.1** [drank] *brandy* **0.2** [glaasje] *brandy.*

viewfoon ⟨de⟩ ⟨com.⟩ **0.1** *videophone.*

viezerik ⟨de (m.)⟩ **0.1** [iem. die er vuil uitziet] *pig* ⇒*slob,* [B]*dirty sod* **0.2** [iem. die vies doet] *pig* ⇒*slob,* [B]*dirty sod,* ⟨seksueel⟩ *pervert.*

viezigheid ⟨de (v.)⟩ **0.1** [het vies zijn] *dirtiness* ⇒*filthiness, griminess, squalor,* ⟨inf.⟩ *grubbiness* **0.2** [iets dat vies is] *dirt* ⇒*grime, filth, muck* **0.3** [iets dat schunnig is] *filth* ⇒*smut* ◆ **6.2** trap niet in die ~ *don't step in that muck.*

vigeren ⟨onov.ww.⟩ **0.1** *be in force* ⇒*be current / operative / in operation / prevailing* ◆ **1.1** de ~ de wet / opvattingen *the current / prevailing law / opinions.*

vigeur ⟨de (m.)⟩ **0.1** *operation* ◆ **6.1** onder ~ van *under (the o. of).*

vigilant ⟨bn., bw.; -ly⟩ **0.1** *vigilant* ⇒*watchful, (on the) alert, on one's guard.*

vigileren ⟨onov.ww.⟩ **0.1** *be vigilant* ⇒*be watchful / on the alert / on one's guard.*

vigilie ⟨de (v.)⟩ **0.1** [nachtwake] *vigil* ⇒*watch,* ⟨bij dode ook⟩ *wake* **0.2** [⟨r.k.⟩] *vigil* ◆ **3.1** de ~ bij een overledene houden *hold a wake.*

vignet ⟨het⟩ **0.1** [boekversiering] *vignette* **0.2** [versiering in borduurwerk] *device* **0.3** [handelsmerk] *device, logo* ⇒*emblem.*

vigoroso ⟨bw.⟩ ⟨muz.⟩ **0.1** *vigoroso.*

vigoureus ⟨bn., bw.; -ly⟩ **0.1** [krachtig] *vigorous* ⇒*energetic, forceful, strong* **0.2** [⟨fig.⟩] *vigorous* ⇒*energetic, forceful, strong.*

vigueur →*vigeur.*

vijand ⟨de (m.)⟩ ⟨→sprw. 52⟩ **0.1** [persoon die haat en dat toont] *enemy* ⇒*adversary,* ⟨schr.⟩ *foe* **0.2** [⟨fig.⟩ tegenstander] *enemy* ⇒*antagonist, adversary* **0.3** [troepen van een staat] *enemy* ⇒⟨schr⟩ *foe,* ⟨inf.⟩ *the other side* **0.4** [de satan] *Enemy* ⇒*Adversary* ◆ **2.1** zo iets gun ik mijn ergste ~ niet *I wouldn't wish that on my worst e.;* zij zijn gezworen ~en *they are sworn / mortal enemies* **3.1** hebt uw ~en lief *love thy enemy* **6.1** iem. tot ~ maken *make an e. of s.o., antagonize s.o.* **6.3** naar de ~ overlopen *go over to the e. / other side.*

vijandelijk ⟨bn., bw.⟩ **0.1** *enemy* ⇒*hostile* ◆ **1.1** de ~e aanval *the e. offense;* op ~e bodem *on e. / hostile soil;* ~e inval *(an) e. foray / raid / inroad;* het ~e leger *the e. forces;* ~ vliegtuig *e. plane, raider;* ⟨mil.; sl.⟩ *bogey, bandit, angel;* ~ vuur *e. fire.*

vijandelijkheid ⟨de (v.)⟩ **0.1** *hostility* ⇒*act of war, enmity, animosity* ◆ **3.1** de vijandelijkheden staken *suspend hostilities.*

vijandig ⟨bn., bw.; -ly⟩ **0.1** [vijandschap toedragend] *hostile* ⇒*inimical* **0.2** [⟨fig.⟩] *hostile* ⇒*antagonistic, opposed, ill-disposed, adverse* ◆ **1.1** een ~e daad *a h. act;* ~e gezindheid *hostility, animosity, enmity;* ~e legers *opponent armies* **3.1** ~ gestemd *h.;* iem. ~ gezind zijn *be h. towards s.o., bear ill-will towards s.o.* **3.2** ~ tegenover iets staan *be h. / opposed / ill-disposed / adverse to sth.* **4.1** er klonk iets ~s in zijn stem *there was a h. note in his voice* **6.2** ~ jegens de godsdienst *h. to religion.*

vijandigheid ⟨de (v.)⟩ **0.1** [het vijandig zijn] *hostility* ⇒*animosity, enmity* **0.2** [vijandige daad] *hostility.*

vijandin ⟨de (v.)⟩ **0.1** [persoon die haat en dat toont] *enemy* ⇒*adversary,* ⟨schr.⟩ *foe* **0.2** [⟨fig.⟩ tegenstandster] *enemy* ⇒*antagonist, adversary.*

vijandschap ⟨de (v.)⟩ **0.1** *enmity* ⇒*hostility, animosity, antagonism* ◆ **3.1** iem. ~ toedragen *bear ill-will / -feeling towards s.o.* **6.1** in ~ leven *be at e. / odds (with);* ~ tegen de religie *hostility to religion;* iets uit ~ doen *do sth. out of e. / hostility;* een daad van ~ *an act of hostility, a hostility.*

vijf¹ ⟨de⟩ **0.1** [teken] *five* **0.2** [waarde] *five* ⇒⟨dobbelsteen ook⟩ *cinq(ue)* ◆ **1.2** een briefje van ~ *a five(r)* ⟨pond, gulden, dollar enz.⟩; *a f. pound note; a f. dollar bill;* ruiten ~ *f. of diamonds* **1.¶** na veel vijven en zessen *after a great deal of shilly-shallying* [B]*humming and hawing* **2.1** een Romeinse ~ *a Roman f.* **3.1** een ~ voor zijn werk krijgen *get a f. for one's work.*

vijf²
I ⟨hoofdtelw.⟩ **0.1** *five* ◆ **1.1** om de ~ minuten *every f. minutes* **3.1** ⟨zelfst.; inf.⟩ geef mij de ~ *put it there!, shake!;* ik zie er ~ *I see f.* **6.1** ~ aan ~ *f. by f.;* iets in vijven delen *divide sth. into f. parts;* zij kwamen met z'n vijven binnen *the f. of them came in together;* verdeel dit onder u vijven *divide this between the f. of you;* het is over vijven *it is past / gone f.* **7.¶** hij heeft ze alle ~ op een rijtje / bij elkaar *he wasn't born yesterday;* hij heeft ze niet alle ~ op een rijtje / bij elkaar *he has got a screw / tile loose* **¶.1** een stuk of ~ *about f., some f., f. or so, f.-odd;*
II ⟨rangtelw.⟩ **0.1** *five* ◆ **1.1** ~ december *the fifth of December, December (the) fifth.*

vijfdaags ⟨bn.⟩ **0.1** *five-day-old* ⟨attr.⟩; *five days old* ⟨ná zn.⟩; ⟨vijf dagen durend⟩ *five-day* ◆ **1.1** ~e koorts *trench fever;* de ~e werkweek *the five-day (working) week.*

vijfde¹ ⟨bn.⟩ **0.1** *fifth* ◆ **1.1** een ~ deel *one / a fifth (part)* **7.1** ⟨zelfst.⟩ zes en drie ~(n) *six and three fifths.*

vijfde² ⟨rangtelw.⟩ **0.1** *fifth* ◆ **1.1** de ~ colonne *the f. column;* auto met ~ deur *hatchback, estate, five-door car;* ⟨schermen⟩ ~ parade *quinte;* ⟨fig.⟩ het ~ wiel / rad aan de wagen *a / the f. wheel, the odd man out* **6.1** ten ~ *fifthly, in the f. place* **7.1** het is vandaag de ~ *today is the f.;* hij zit in de ~ *he's in the f.* [B]*form /* [A]*grade* **8.1** als ~ eindigen *come in f..*

vijfenzestigpluskaart ⟨de⟩ **0.1** *senior citizen's / over-65 /* ⟨BE ook⟩ *pensioner's card.*

vijfenzestigplusser ⟨de (m.)⟩ **0.1** *senior citizen* ⇒*pensioner.*

vijfhoek ⟨de (m.)⟩ **0.1** *pentagon.*

vijfhoekig ⟨bn.⟩ **0.1** *pentagonal.*

vijfhonderdjarig ⟨bn.⟩ **0.1** *five-hundred-year-old* ⟨attr.⟩; *five hundred years old* ⟨ná zn.⟩ ◆ **1.1** ~ bestaan *five-hundredth anniversary, quincentenary;* ⟨zeldz.⟩ *quinquecentennial.*

vijfjarenplan ⟨het⟩ **0.1** *Five-Year Plan.*

vijfjarig ⟨bn.⟩ **0.1** *five-year-old* ⟨attr.⟩; *five years old* ⟨ná zn.⟩; ⟨vijf jaren durend⟩ *five year(s');* ⟨vijfjaarlijks⟩ *five-yearly.*

vijfje ⟨het⟩ **0.1** [bankbiljet] *five(r)* ⇒*five pound note* ⟨pond⟩, *five dollar bill* ⟨dollar⟩ **0.2** [lot] *fifth part of a lottery ticket* **0.3** [voetbal] *(number) five.*

vijfkaart ⟨de⟩ **0.1** *quint* ◆ **6.1** ~ met aas *q. major.*

vijfkamp ⟨de (m.)⟩ **0.1** [atletiekwedstrijd] *pentathlon* **0.2** [biljartwedstrijd] ≠*billiards pentathlon.*

vijfkamper ⟨de (m.)⟩, -ster ⟨de (v.)⟩ **0.1** *pentathlete.*

vijfkant ⟨de (m.)⟩ **0.1** *pentagon.*

vijfling ⟨de (m.)⟩ **0.1** [alle vijf de kinderen / jongen] *quintuplets, quins* **0.2** [één kind / jong] *quintuplet, quin* ◆ **3.1** zij kreeg een ~ *she had quintuplets / quins.*

vijfmaal ⟨bw.⟩ **0.1** *five times.*

vijftal ⟨het⟩ **0.1** *(set of) five* ◆ **1.1** een ~ jaren *(some) f. years* **2.1** het vrolijke ~ *the merry fivesome.*

vijftallig ⟨bn.⟩ **0.1** *quinary* ⇒⟨biol.⟩ *pentamerous* ◆ **1.¶** ~stelsel *q. scale (of notation)*.

vijftien
I ⟨hoofdtelw.⟩ **0.1** *fifteen* ◆ **1.1** rugnummer ~ *number f.* **6.1** we zaten met z'n ~en in één tent *the f. of us were crammed into one tent* **¶.1** een man of ~ *some / about f. people*;
II ⟨rangtelw.⟩ **0.1** *fifteen* ◆ **1.1** hoofdstuk ~ *chapter f.;* ~ mei *the fifteenth of May, May (the) fifteenth.*

vijftig
I ⟨hoofdtelw.⟩ **0.1** *fifty* ◆ **1.1** een briefje van ~ *a fifty;* temperaturen van boven de ~ graden *temperatures in the fifties;* de jaren ~ *the fifties;* er is ~ procent kans *there is a f. percent / a f. -f. / an even chance, there are even odds, the odds are even* **3.1** het zijn er ~ *there are f.* **6.1** iets in ~ verdelen *divide sth. into f. (parts);* hij is in de ~ *he is in his fifties;* wij zijn met z'n ~en *we are f., there are f. of us;* over de ~ zijn *be gone f.;* tegen de ~ lopen *be getting on for / edging / pushing f.* **7.1** nog geen ~ zijn *be under f., have not yet turned f.;*
II ⟨rangtelw.⟩ **0.1** *fifty.*

vijftiger ⟨de (m.)⟩ **0.1** *s.o. in his fifties* ⇒⟨zeldz.⟩ *quinquagenarian / nary.*

Vijftiger ⟨de (m.)⟩ ⟨lit.⟩ **0.1** '*Vijftiger*' ⟨*s.o. belonging to the group of experimental Dutch poets in the fifties*⟩.

vijftigjarig ⟨bn.⟩ **0.1** [50 jaren oud] *fifty-year-old* ⟨attr.⟩; *fifty years old* ⟨na zn.⟩ **0.2** [alle 50 jaren terugkerend] *every fifty years* ⇒*bi-centennial* ◆ **1.¶** een ~huwelijksfeest *a fiftieth wedding anniversary.*

vijfvingerkruid ⟨het⟩ **0.1** *cinquefoil* ⇒*potentilla, five-finger.*

vijfvlak ⟨het⟩ ⟨wisk.⟩ **0.1** *pentahedron.*

vijfvoetig ⟨bn.⟩ **0.1** *five-footed* ◆ **1.1** ~e jambe *(iambic) pentameter.*

vijg
I ⟨de⟩ **0.1** [vrucht] *fig* **0.2** [paardevijg] *horse dung* **0.3** [⟨AZN⟩ oorveeg] *box on / clip round the ears* ◆ **6.¶** ~en na Pasen *too late to be of any use;*
II ⟨de (m.)⟩ **0.1** [boom] *fig (tree).*

vijgeblad ⟨het⟩ **0.1** [blad van de vijgeboom] *fig leaf* **0.2** [⟨fig.⟩ iets dat iets onzedigs moet bedekken] *fig leaf* **0.3** [⟨fig.⟩ uitvlucht] *excuse* ⇒ *pretext, subterfuge.*

vijgeboom ⟨de (m.)⟩ **0.1** *fig (tree)* ◆ **2.1** Indische ~ *pipal, peepal, peepul;* wilde ~ *sycamore (fig)* **6.1** ⟨bijb.⟩ onder zijn ~ zitten / wonen *be free from care;* ⟨inf.⟩ *be on velvet.*

vijl ⟨de⟩ **0.1** *file* ◆ **1.1** de ~ erover halen / erover laten gaan ⟨fig.⟩ *polish sth.* **2.1** driekante / platte / ronde / halfronde ~ *three-square / flat / round / half round f..*

vijlen
I ⟨onov., ov.ww.⟩ **0.1** [met de vijl vormen] *file* ⇒⟨ruw⟩ *rasp* ◆ **1.1** nagels ~ *f. one's nails* **6.1** aan iets ~ ⟨fig.⟩ *polish / perfect sth.;*
II ⟨onov.ww.⟩ **0.1** [door wrijving stukgaan] *chafe* ⇒*wear.*

vijlsel ⟨het⟩ **0.1** *filings* ⟨mv.⟩.

vijs ⟨de⟩ ⟨AZN⟩ **0.1** *screw* ◆ **3.1** een ~ kwijtraken *go gaga* **5.1** een ~ los hebben *have a s. loose.*

vijver ⟨de (m.)⟩ **0.1** *pond* ⇒⟨groot⟩ *lake* ◆ **2.1** ⟨scherts.⟩ de grote ~ ᴮ*the pond;* ⟨AE;inf.⟩ *the Big Ditch;* ⟨AE;sl.⟩ *the big drink* **6.1** in zulke ~s vangt men zulke vissen ⟨fig.⟩ *that's what you get, that was to be expected;* een steen in een ~ gooien ⟨fig.⟩ *cause a stir.*

vijzel
I ⟨de (m.)⟩ **0.1** [vat] *mortar;*
II ⟨de⟩ **0.1** [krik] *jack(screw)* ⇒*screw jack* **0.2** [schroef van Archimedes] *Archimedean / Archimedes' screw.*

vijzelen ⟨ov.ww.⟩ **0.1** *jack / screw up.*

vijzen ⟨ov.ww.⟩ ⟨AZN⟩ **0.1** *screw.*

viking ⟨de (m.)⟩ **0.1** *Viking.*

vikingschip ⟨het⟩ **0.1** *Viking ship* ⇒*longship.*

vilder ⟨de (m.)⟩ **0.1** [iem. die dieren vilt] *flayer* ⇒*skinner,* ⟨BE ook⟩ *knacker* **0.2** [⟨scherts.⟩] ⟨zie 6.2⟩ ◆ **6.2** hij ziet eruit alsof hij bij de ~ is geweest *he looks as if he's been shaved with a meat-axe / with hedge clippers.*

vilein ⟨bn., bw.⟩ ⟨schr.⟩ **0.1** *villainous* ⇒*nefarious, vicious, infamous.*

villa ⟨de⟩ **0.1** *villa* ⇒*residence* ◆ **2.1** dubbele ~ *two-family villa / residence.*

villadorp ⟨het⟩ **0.1** ≠*exurb* ⇒⟨BE ook⟩ *villadom.*

villapark ⟨het⟩ **0.1** *residential neighbourhood / area.*

villawijk ⟨de⟩ **0.1** *residential neighbourhood / area.*

villen ⟨ov.ww.⟩ **0.1** [de huid afstropen] *skin* ⇒*flay, strip* **0.2** [geld afpersen] *fleece* ⇒*skin, shear,* ⟨inf.⟩ *shave* ◆ **1.¶** het vlees ~ *butcher the meat* **3.1** ⟨fig.⟩ ik kon hem wel ~ *I could have killed / strangled him* **4.1** ⟨scherts.⟩ ik zal je ~ *I'll get you / tan your hide (for this)* **5.1** schreeuwen alsof men levend gevild wordt *scream blue murder;* ⟨fig.⟩ zij vilt ons levend *she'll skin us alive.*

vilt ⟨het⟩ **0.1** [stof] *felt* **0.2** [lap] *felt* **0.3** [⟨plantk.⟩] *pubescence.*

vilten¹ ⟨bn.⟩ **0.1** *felt.*

vilten²
I ⟨ov.ww.⟩ **0.1** [tot vilt maken] *(make into) felt;*
II ⟨onov.ww.⟩ **0.1** [tot vilt worden] *turn into / become felt.*

vilthoed ⟨de (m.)⟩ **0.1** *felt hat* ◆ **2.1** slappe ~ *Homburg;* ⟨vnl. BE⟩ *trilby.*

viltig ⟨bn., bw.⟩ **0.1** [viltachtig] *feltlike, felty* **0.2** [⟨plantk.⟩] *tomentose, tomentous.*

viltje ⟨het⟩ **0.1** [klein stukje vilt] *piece of felt* **0.2** [bierviltje] *beer mat* ⇒ *coaster.*

viltkruid ⟨het⟩ **0.1** *cotton rose* ⇒*filago, cudweed.*

viltpapier ⟨het⟩ **0.1** *underfelt.*

viltpen ⟨de⟩ **0.1** *felt-tip (pen).*

viltstift ⟨de⟩ →**viltpen.**

vim ⟨het, de⟩ **0.1** *scouring powder.*

vin ⟨de⟩ **0.1** [zwemorgaan] *fin* ⇒*finlet, pinnule,* ⟨van zeehond⟩ *flipper, paddle* **0.2** [schildmerk] *fin* ⇒⟨schoep⟩ *vane,* ⟨van auto⟩ ⟨AE; sl.⟩ *fishtail* **0.3** [puist] *pimple* ⇒*pustule* **0.4** [blaasworm] *hydatid* **0.5** [mbt. bladeren] *pinna* ◆ **3.1** ⟨fig.⟩ geen ~ verroeren *not stir a finger, stand stock-still;* ⟨fig.⟩ niemand durfde een ~ te verroeren *nobody dared to make a move* **3.¶** de wind steekt de ~nen op *the wind is picking up* **6.1** met (een) ~(nen) *finned;* zonder ~nen *finless.*

vinaigrette ⟨de⟩ **0.1** *vinaigrette.*

vindbaar ⟨bn.⟩ **0.1** [gevonden kunnende worden] *findable* ⇒*traceable* **0.2** [terug te vinden] *retraceable.*

vindelig ⟨bn.⟩ ⟨plantk.⟩ **0.1** *pinnatisect.*

vinden ⟨ov.ww.⟩ ⟨→sprw. 243,283, 369,632, 666,682⟩ **0.1** [aantreffen, verkrijgen] *find* ⇒*discover, come across,* ⟨olie ook⟩ *strike* **0.2** [aantreffen, ontwaren] *find* ⇒*discover* **0.3** [bedenken, uitdenken] *find* ⇒ *think of, figure out* **0.4** [achten, oordelen] *think* ⇒*find* **0.5** [ondervinden, ten deel krijgen] *find* ⇒*take, get, receive* **0.6** [komen tot gelijke gezindheid] ⟨zie 3.6,4.6⟩ ◆ **1.1** dat huis vindt moeilijk kopers / huurders *that house doesn't sell / rent easily;* hij vindt overal zijn kost / zijn brood *he can earn a living anywhere;* het lijk is nog niet gevonden ⟨ook⟩ *the body has not yet been recovered* **1.3** ik kon er geen woorden voor ~ *words failed me* **1.5** gehoor ~ *f. a sympathetic ear / listener;* navolging ~ *be imitated;* zijn oorsprong in iets ~ *originate in / from, stem from;* zijn voordeel erbij ~ *be benefited by sth.* **2.2** iem. tot iets bereid ~ *find s.o. ready to do sth.* **2.4** iets goed / best ~ *approve of sth.;* ik vind het vandaag koud *I t. it's / I find it cold today;* ik zou het prettig ~ als ... *I'd appreciate it if ...* **3.1** zij heeft het helemaal gevonden *she has found her groove;* dat boek is niet / nergens te ~ *that book is not to be found anywhere;* hij heeft het nog niet kunnen ~ ⟨ook⟩ *he hasn't been able to locate it yet;* ik zal hem weten te ~ *I'll get / teach him, he hasn't seen / heard the last of me (yet)* **3.2** ergens te ~ zijn *be around somewhere;* ⟨fig.⟩ ergens voor te ~ zijn *be ready to do sth., be up / in / game for sth.;* er niet voor te ~ zijn om *be unwilling to* **3.6** ik kan het niet met hem ~ *I can't seem to get along with him;* ⟨inf.⟩ *I can't hit it off with him;* het met iem. kunnen ~ *get on / along with s.o.;* zich ergens in kunnen ~ *agree with sth.* **4.1** ⟨fig.⟩ hij kan het nergens ~ *he can't seem to settle down* **4.2** zich wel / goed (bij / met iets) ~ *feel comfortable with sth.;* zich bedrogen ~ *f. / discover that one has been cheated;* zich verplicht / vereerd / gelukkig ~ *be obliged / honoured / happy* **4.4** hoe vind je dat? *what do you t. of that?, how do you like that?, how does that strike you?;* hoe zou je het ~ als je naar Londen kon? *what would you t. if / how would you like it if you could go to London?* **4.6** zij hebben elkaar gevonden ⟨zijn het eens⟩ *they have come to terms (over it);* ⟨ze vormen een paar⟩ *they have found one another* **5.1** er is niets beters te ~ *it's the best thing around* **5.2** iem. / iets toevallig ~ *happen / stumble / chance upon s.o. / sth.* **5.3** dat is aardig gevonden *that's nicely / cleverly done / said, how clever of you;* heb je er al iets op gevonden? *have you figured out / come up with sth. yet?* **5.4** iem. aardig ~ *like s.o., take to s.o.;* doe maar wat je het beste vindt *do as you see fit / t. best, suit yourself;* zou je het erg ~ als ...? *would you mind if ...?;* hij vindt haar geweldig *he thinks the world of her;* ik vind het goed *that's fine by me, it suits me fine;* hij vond dat ook niet goed *he didn't like that either;* iets heerlijk ~ *love sth.;* iets jammer ~ *regret sth.;* vind je (ook) niet? *don't you think?;* wij vonden het niet nodig een taxi te nemen *we didn't t. it necessary to take a taxi;* iets terecht ~ *agree with the way sth. has been done, consider sth. right / appropriate;* het welletjes ~ *call it a day;* ik vond het toen welletjes *I thought it had gone far enough;* ik vind het maar zo-zo *I'm lukewarm / not all that excited about it* **6.4** daar vind ik niets aan *it doesn't do a thing for me, I don't care for it at all;* wat vind je van een biertje? *how about a beer?* **7.2** het ~ van verloren voorwerpen *the retrieval of lost objects* **¶.1** wat je vindt mag je houden *you may keep what you f.;* ⟨kind.⟩ *finders, keepers,* ᴮ*finding's keeping* **¶.4** ⟨inf.⟩ zij vond mijn nieuwe auto helemaal te gek *she flipped when she saw my new car.*

vinder ⟨de (m.)⟩, **vindster** ⟨de (v.)⟩ **0.1** *finder* ⇒*discoverer* ◆ **2.1** de eerlijke ~ *the real / true finder.*

vindersrecht ⟨het⟩ **0.1** *finder's right.*

vindicatie ⟨de (v.)⟩ **0.1** [⟨jur.⟩] *vindication* **0.2** [terugvordering, redding] *vindication* **0.3** [het wraaknemen] *avengement* ⇒*retaliation, revenge.*

vindicatief ⟨bn.⟩ **0.1** [straffend] *vindicatory* ⇒*retributive* **0.2** [wraakzuchtig] *vindictive* ⇒*(re)vengeful.*

vindiceren ⟨ov.ww.⟩ **0.1** [⟨jur.⟩] *claim* ⇒*demand* **0.2** [aanspraak maken op] *vindicate* ⇒*assert, lay claim to.*

vinding ⟨de (v.)⟩ **0.1** [het vinden] *find(ing)* **0.2** [het vinden door redenering] *invention* ⇒*conception* **0.3** [uitdenking, uitvinding] *invention* ⇒ *discovery* ◆ **1.1** de ~ van het Kruis *the finding of the Cross* **2.3** is dat iets van eigen ~? *is that your own i. / discovery?, did you think of that?* **3.3** een ~ doen *make a discovery.*

vindingrijk ⟨bn.⟩ (→sprw. 401) **0.1** *ingenious* ⇒*inventive, creative, resourceful, imaginative* ◆ **1.1** een ~ geest *a fertile / creative / an imaginative mind;* een ~ mens *an inventive / ingenious / a creative / resourceful / an imaginative person;* een ~e oplossing *an ingenious solution.*

vindingrijkheid ⟨de (v.)⟩ **0.1** *ingenuity* ⇒*inventiveness, resourcefulness.*

vindingskracht ⟨de⟩ **0.1** *ingenuity* ⇒*inventiveness, creativity, resourcefulness, imagination.*

vindloon ⟨het⟩ **0.1** *finder's reward* ⇒*reward for the finder.*

vindplaats ⟨de⟩ **0.1** *place / spot where sth. is found* ⇒*site, location* ◆ **1.1** ~en van bauxiet *bauxite deposits;* ~en van fossielen *fossile sites.*

vinger ⟨de (m.)⟩ (→sprw. 388,604) **0.1** [deel v.d. hand] *finger* **0.2** [deel v.e. handschoen] *finger* **0.3** [afdruk v.e. vinger] *fingermark* ⇒*(finger)print* **0.4** [maat] *finger* ⇒*half an inch* **0.5** [beeld v.d. werking van een hogere macht] *finger* ◆ **1.1** een kunstenaar tot in de toppen van zijn ~s *an artist through and through* **1.5** de ~ Gods *God's hand, the f. of God* **2.1** een dreigende / dreigend opgeheven ~ *a warning f., a f. raised in warning;* ⟨fig.⟩ groene ~s hebben *have a green thumb / ⟨BE ook⟩ green fingers;* lange ~s hebben ⟨fig.⟩ *have sticky fingers;* ⟨fig.⟩ met de natte ~ werken, iets met de natte ~ doen *do sth. off the top of one's head;* zij is met een natte ~ te lijmen *she doesn't have to be asked twice;* de voorste ~ *the index f.* **2.3** er staan vuile ~s op there *are fingermarks on it* **2.4** een ~ dik *half an inch thick;* een ~ lang/breed *half an inch long / wide* **2.¶** lange ~s *sponge-fingers* **3.1** iets om je ~s bij af te likken *it's finger-licking / lip-smacking good;* zijn ~s erbij aflikken ⟨fig.⟩ *lick one's fingers / lips;* ⟨inf.⟩ *drool at / over;* zich de ~s branden ⟨fig.⟩ *burn one's fingers, get one's fingers burnt;* ⟨fig.⟩ als men hem een ~ geeft, neemt hij de hele hand *give him an inch and he'll take a mile / ⟨BE ook⟩ an ell;* hij heeft zich in de ~s gesneden ⟨fig.⟩ *he burned his fingers, he got burned;* ⟨fig.⟩ zijn ~s niet thuis kunnen houden *not be able to keep one's hands to o.s. / at home;* ⟨fig.⟩ de ~s jeuken mij *I'll have to sit on my hands, I'm itching to get at him;* ergens de ~s voor durven opsteken ⟨fig.⟩ *be willing to swear to (the truth of) sth.;* de ~ opsteken *put up / raise one's hand* **6.1** ⟨fig.⟩ zij heeft er **aan** elke ~ ~ één! *she has them coming and going, she's got one for every day of the week;* een ~ **aan** de pols houden ⟨fig.⟩ *have a f. on the pulse;* ⟨fig.⟩ een ~**achter** iets (weten te) krijgen *get sth. under control;* ⟨fig.⟩ iets **door** de ~s zien *wink at / overlook sth.;* ⟨fig.⟩ je moet met hem iets **door** de ~s zien *you have to make allowances for him;* ⟨fig.⟩ iets **door** de ~s laten glippen *let sth. slip through one's fingers;* ⟨fig.⟩ iets **in** de / zijn ~s hebben *be a natural at sth.;* pas op als ik je **in** mijn ~s krijg! *better stay out of my way, just don't let me get hold of you;* een ~ **in** de pap hebben ⟨fig.⟩ *have a f. in the pie;* **met** de ~s knippen *snap one's fingers;* **met** de ~s eten *eat with one's fingers;* **met** de ~ wijzen *point at;* iem. **met** de ~ dreigen *shake / wag one's f. at s.o.;* iets als **met** de ~ aanwijzen *paint a picture of sth.;* iem. **met** de ~(s) nawijzen ⟨fig.⟩ *point one's f. at s.o.;* blijf eraf **met** je ~s! *keep your hands off that;* hij had haar nog **met** geen ~ aangeraakt *he hadn't put / laid a f. on her;* spreken **met / op** de ~s *use sign language;* ⟨fig.⟩ hij is er de ~ **naast** de duim *he is indispensible;* ⟨fig.⟩ zij kan hem **om** haar ~ winden *she can twist / wind him around her little f.;* **op** de ~s van een hand te tellen zijn *be able to count sth. on the fingers of one hand;* **op** zijn ~s bijten *bite one's f., pinch o.s. (to keep from laughing);* de ~ **op** de mond / de lippen leggen *put / place a / one's f. to one's lips;* ⟨zwijgen; fig.⟩ *seal one's lips;* de ~ **op** de wond leggen ⟨fig.⟩ *put / lay one's f. on the problem / (sore) spot;* iem. **op** de ~s zien ⟨fig.⟩ *keep a tight rein / close eye on s.o., breathe down s.o.'s neck;* ⟨fig.⟩ dat had je **op** je ~s kunnen natellen *you could have known that, that was to be expected;* er moet wat **uit** zijn ~s komen *he's going to have to do sth. / come up with sth.* **7.1** geen ~ voor iets of iem. uitsteken *not lift / raise a f. for sth. / s.o.;* de twee ~s opsteken *swear to, put one's hand across / on one's heart* **7.4** twee ~s brandewijn *two fingers of brandy;* twee ~s schuim *two fingers of head* **¶.1** je zult er je ~s niet aan vuil maken ⟨fig.⟩ *it won't hurt you.*

vingerafdruk ⟨de (m.)⟩ **0.1** *fingerprint* ◆ **2.1** vuile / vieze ~ken *dirty fingerprints / fingermarks* **3.1** vuile ~ken achterlaten op *leave dirty fingerprints / fingermarks on;* ~ken nemen (van) *fingerprint s.o., take s.o.'s fingerprints.*

vingeralfabet ⟨het⟩ **0.1** *manual / finger alphabet.*

vingerbreed[1] ⟨bn.⟩ **0.1** *finger (breadth), digit* ◆ **7.1** ⟨fig.⟩ ik leg u geen ~ in de weg *I'm not standing in your way, I won't stand in your way / hold you back.*

vingerbreed[2] ⟨bn.⟩ **0.1** *finger (wide).*

vingerdik ⟨bn.⟩ **0.1** *as thick as a finger* ⇒*an inch thick* ◆ **3.1** het vuil zit er ~ op *the dirt is an inch thick.*

vingerdoekje ⟨het⟩ **0.1** *napkin* ⇒ ⟨BE; Can.E ook⟩ *serviette.*

vingeren ⟨onov., ov.ww.⟩ ⟨inf.⟩ **0.1** *finger.*

vingergras ⟨het⟩ **0.1** [Panicum] *panic grass* **0.2** [Digitaria] *crabgrass.*

vingerhoed ⟨de (m.)⟩ **0.1** [vingerdopje] *thimble* **0.2** [kleine hoeveelheid] *thimble(ful).*

vingerhoedskruid ⟨het⟩ **0.1** *foxglove* ⇒*Digitalis, fingerflower.*

vingerkommetje ⟨het⟩ **0.1** *finger bowl.*

vingerkootje ⟨het⟩ **0.1** *phalanx.*

vingerling ⟨de (m.)⟩ **0.1** [wijsvinger] *index finger* ⟨in kinderversjes⟩ **0.2** [overtrekje voor een vinger] *fingerstall, cot.*

vingeroefening ⟨de (v.)⟩ **0.1** [lenigheidsoefening] *finger exercise* **0.2** [mbt. het bespelen van een muziekinstrument] *finger exercise* **0.3** [⟨fig.⟩] *finger exercise.*

vingerplant ⟨de⟩ **0.1** *Fatsia* ⟨Fatsia japonica⟩.

vingerspraak ⟨de⟩ **0.1** *sign / hand language* ⇒*dactylology.*

vingertaal →**vingerspraak.**

vingertechniek ⟨de (v.)⟩ ⟨muz.⟩ **0.1** *fingering (technique).*

vingertop ⟨de (m.)⟩ **0.1** *finger tip* ◆ **6.1** ⟨fig.⟩ iets in de ~pen hebben *have sth. down pat / at one's finger tips, be a natural at sth.;* ⟨fig.⟩ tot in zijn ~pen *(right down) to one's finger tips.*

vingertoppengevoel ⟨het⟩ **0.1** *sensitivity.*

vingervaardigheid ⟨de (v.)⟩ **0.1** *agility* ⇒*nimbleness.*

vingerverf ⟨de⟩ **0.1** *finger-paint.*

vingervlug ⟨bn.⟩ **0.1** [vlug met de vingers] *nimble- / light-fingered* **0.2** [⟨pej.⟩] *sticky- / light-fingered.*

vingervlugheid ⟨de (v.)⟩ **0.1** [bij het goochelen] *sleight-of-hand* ⇒*legerdemain* **0.2** [handvaardigheid] *dexterity.*

vingerwijzing ⟨de (v.)⟩ **0.1** *hint, clue* ⟨teken, wenk⟩ ◆ **3.1** iem. een ~ geven *give s.o. a h..*

vingerzetting ⟨de (v.)⟩ ⟨muz.⟩ **0.1** [plaatsing van de vingers] *fingering* **0.2** [tekens] *fingering* ◆ **3.2** van ~ voorzien (zijn) *finger.*

vink ⟨de⟩ **0.1** [zangvogel] *(chaf)finch* **0.2** [tekentje] *check (mark)* ◆ **2.1** ⟨fig.⟩ doorslaan als een blinde ~ *blabber on, talk a lot of nonsense, drivel (on), twaddle* **2.¶** blinde ~en ≠*veal olives* **8.1** ⟨fig.⟩ zo helder als een ~ zijn *be sharp (as a tack).*

vinkentouw ⟨het⟩ **0.1** *fowling net* ◆ **6.1** ⟨fig.⟩ op het ~ zitten *lie in wait (for).*

vinlobbig ⟨bn.⟩ ⟨plantk.⟩ **0.1** *pinnately lobed.*

vinnervig ⟨bn.⟩ ⟨plantk.⟩ **0.1** *pinnate(d).*

vinnig
I ⟨bn., bw.; -ly⟩ **0.1** [venijnig] *sharp* ⇒*biting, stinging, cutting, caustic* **0.2** [⟨AZN⟩ wakker] *sharp* ⇒*alive, bright* ◆ **1.1** een ~ antwoord *a sharp / heated answer;* een ~ debat *a heated debate;* ~e woorden *sharp / biting / stinging / cutting words* **2.1** het is ~ koud *it is bitter(ly) cold, the cold is piercing* **3.1** ~ antwoorden *answer sharply, retort caustically;* ~ kijken *look angry;*
II ⟨bn.⟩ ◆ **6.¶** ~ **op** iets zijn *be keen on sth..*

vinnigheid ⟨de (v.)⟩ **0.1** *sharpness* ⇒⟨van persoon ook⟩ *acidness, tartness.*

vinpotig ⟨bn.⟩ **0.1** *fin- / flipper-footed* ⇒⟨dierk. ook⟩ *pinniped* ◆ **1.1** ~ dier *pinniped.*

vinvis ⟨de (m.)⟩ **0.1** *rorqual* ⇒*finback, fin whale, finner* ◆ **2.1** de blauwe ~ *the blue whale.*

vinvormig ⟨bn.⟩ **0.1** *fin-shaped / -like.*

vinyl ⟨het⟩ **0.1** *vinyl.*

vinylgroep ⟨de⟩ ⟨schei.⟩ **0.1** *vinyl group.*

v.i.o. ⟨afk.⟩ **0.1** [vereniging in oprichting] ⟨*incipient / beginning organization*⟩.

viola ⟨de⟩ **0.1** [oud strijkinstrument] *viola* **0.2** [altviool] *viola* ⇒*tenor / alto violin* **0.3** [orgelregister] *viola* ◆ **¶.1** ~ d'amore *v. d'amore;* ~ da braccio *v. da braccio;* ~ da gamba *viol, v. da gamba.*

violatie ⟨de (v.)⟩ **0.1** [overweldiging] *violation* ⇒⟨mbt. vrouw⟩ *rape,* ⟨mbt. kerk e.d.⟩ *desecration* **0.2** [schending] *violation.*

violent ⟨bn., bw.; -ly⟩ **0.1** [onstuimig] *violent* **0.2** [mbt. pijn] *violent.*

violentie ⟨de (v.)⟩ **0.1** *violence.*

violeren ⟨ov.ww.⟩ **0.1** [met kracht overweldigen] *violate* ⇒*desecrate* ⟨kerk, religie⟩, *rape* ⟨vrouw e.d.⟩ **0.2** [schenden] *violate.*

violet ⟨bn.⟩ **0.1** [paars] *violet* **0.2** [⟨nat.⟩] *violet* ◆ **7.1** ⟨zelfst.⟩ het ~ *violet.*

violier ⟨de⟩ **0.1** *stock.*

violist ⟨de (m.)⟩ **0.1** *violinist* ⇒⟨inf.⟩ *fiddler* ◆ **2.1** eerste ~ ⟨concertmeester⟩ *first v.,* [B]*leader,* [A]*concert master;* ⟨lid v.d. groep eerste violen⟩ *first violin.*

violoncel ⟨de⟩ **0.1** *(violin)cello.*

violoncellist ⟨de (m.)⟩ **0.1** *(violin)cellist.*

viool ⟨de⟩ **0.1** [strijkinstrument] *violin* ⇒⟨inf.⟩ *fiddle* **0.2** [violist] *violin* ◆ **2.1** ⟨fig.⟩ op de grote ~ spelen *play the first fiddle / big man* **3.1** de ~ bespelen, (op de) ~ spelen *play the v.;* ⟨inf.⟩ *fiddle;* op de ~ krassen / zagen *twang on / saw at the fiddle* **6.1** dat heb ik nog nooit **op** de ~ horen spelen ⟨fig.⟩ *I've never heard the likes of that / anything so crazy* **7.1** eerste ~ *first v.;* hij speelt de eerste ~ ⟨fig.⟩ *he is / plays (the) first fiddle;* tweede ~ *second v.;* ⟨fig.⟩ tweede ~ spelen bij iem. *play / be second fiddle to s.o.* **7.2** hij is eerste ~ ⟨concertmeester⟩ *he is first v. / is* [B]*leader/* [A]*concert master;* ⟨lid v.d. groep eerste violen⟩ *he plays first violin.*

vioolbouwer ⟨de (m.)⟩ **0.1** *violin maker.*

vioolconcert ⟨het⟩ **0.1** *violin concerto.*

vioolhars ⟨het, de (m.)⟩ **0.1** *(violin) rosin.*

vioolkast 〈de〉 **0.1** *violin body* ⇒*body (of a violin).*

vioolkist 〈de〉 **0.1** *violin-case.*

vioolmuziek 〈de (v.)〉 **0.1** [door violen voortgebrachte muziek] *violin music* **0.2** [muziekstukken] *violin music.*

vioolpartij 〈de (v.)〉 **0.1** *violin part.*

vioolsleutel 〈de (m.)〉 **0.1** [g-sleutel] *G/violin clef* **0.2** [schroef om de snaar te spannen] *tuning peg/pin.*

vioolspel 〈het〉 **0.1** *violin playing.*

viooltje 〈het〉 **0.1** *violet* ◆ **2.1** het driekleurig ~ *wild pansy, heartsease, love-in-idleness,* [A]*Johnny-jump-up;* Kaaps ~ *saintpaulia;* maarts/welriekend ~ *Parma/sweet violet.*

viraal 〈bn.〉 **0.1** *viral.*

virago 〈de (v.)〉 **0.1** [manwijf] *Amazon* **0.2** [helleveeg] *virago* ⇒*shrew, termagant.*

virga 〈de〉 **0.1** *virga.*

virginaal[1] 〈het〉〈muz.〉 **0.1** *virginal* 〈vaak mv.〉 ◆ **6.1** op het ~ spelen *play the virginals* **7.1** een ~ *a pair of virginals.*

virginaal[2] 〈bn.〉 **0.1** [maagdelijk] *virginal* **0.2** [zedig] *virginal.*

virginiteit 〈de (v.)〉 **0.1** [maagdelijkheid] *virginity* **0.2** [ongehuwde staat] *unmarried/single state* ⇒*singleness,* 〈jur.〉 *spinster* 〈v.〉, *bachelor* 〈m.〉.

virgo 〈de (v.)〉〈med.〉 **0.1** *virgin* ◆ **¶.1** ~ intacta *virgo intacta.*

Virgo 〈de (v.)〉〈astrol.〉 **0.1** *Virgo* ⇒*the Virgin.*

viriel 〈bn.〉 **0.1** *virile* ⇒*manly,* 〈inf.〉 *red-blooded,* 〈pej.〉 *macho.*

viriliteit 〈de (v.)〉 **0.1** *virility.*

virologie 〈de (v.)〉 **0.1** *virology.*

viroloog 〈de (m.)〉 **0.1** *virologist.*

virtualiteit 〈de (v.)〉 **0.1** *virtuality.*

virtueel
  I 〈bn.〉 **0.1** [denkbeeldig] *virtual* ◆ **1.1** ~ beeld *v. image;* ~ brandpunt *v. focus;*
  II 〈bn., bw.; -ly〉 **0.1** [potentieel] *virtual* ⇒*potential.*

virtuoos[1] 〈bn., bw.〉 **0.1** *virtuoso* ◆ **1.1** een ~ in het verzinnen van uitvluchten *a mastermind when it comes to/an expert in finding excuses.*

virtuoos[2] 〈bn., bw.〉 **0.1** *virtuoso* ◆ **3.1** ~ gespeeld *a v. performance.*

virtuositeit 〈de (v.)〉 **0.1** *virtuosity.*

virulent 〈bn.〉〈med.〉 **0.1** *virulent.*

virulentie 〈de (v.)〉〈med.〉 **0.1** *virulence.*

virus 〈het〉 **0.1** *virus.*

virusinfectie 〈de (v.)〉〈med.〉 **0.1** *virus/viral infection.*

virusziekte 〈de (v.)〉 **0.1** *virus disease.*

vis 〈de (m.)〉〈→sprw. 170,605-607〉 **0.1** [dier] *fish* **0.2** [als voedsel] *fish* **0.3** 〈(astrol.) persoon〉 *Pisces* ◆ **1.1** een mand ~ *a basket off.;* school ~sen *school of f.* **1.2** 〈fig.〉 men weet niet of men ~ of vlees aan hem heeft *one never knows, where one stands/where one is/stands with him* **2.1** jonge ~sen *small fry* **2.2** iem. uitmaken voor rotte/vuile/stinkende ~ 〈fig.〉 *call s.o. every name in the book* **3.1** 〈fig.〉 een ~je uitgooien *put out feelers;* ~ uitzetten in *seed f.;* 〈collectief〉 er zit hier veel ~ *the fishing's good here* **3.2** 〈scherts.〉 ~ moet zwemmen *here is sth. to keep it company/wash it down;* 〈fig.〉 ~ wordt duur betaald *that has taken its toll* **4.1** 〈fig.〉 op/in zulke waters vangt men zulke ~ *you should have expected as much, that's what you get (from such business/company), you got what you asked for there; you made your bed and will have to lie on it now* **8.1** hij kan zwemmen als een ~ *he swims like a f., he's a real water rat/dog;* hij is zo gezond als een ~ *he's fit as a fiddle/healthy as an ox/in sound health;* zich voelen als een ~ in het water *feel/be like a f. in water;* zich voelen als een ~ op het droge *feel/be like a f. out of water.*

visaas 〈het〉 **0.1** *fish-bait.*

visafslag 〈de (m.)〉 **0.1** [afslag van vis] *fish auction* **0.2** [dienst, plaats] *fish market.*

visafval 〈het, de (m.)〉 **0.1** *fish-offal* ⇒ 〈als meststof〉 *pomace.*

visagist 〈de (m.)〉 **0.1** *cosmetician* ⇒*beauty specialist, beautician.*

visakte 〈de〉 **0.1** *fishing license.*

visarend 〈de (m.)〉 **0.1** *osprey* ⇒*fish-eagle/-hawk.*

vis-à-vis[1] 〈de (m.)〉 **0.1** *vis-à-vis.*

vis-à-vis[2] 〈bw.〉 **0.1** *vis-à-vis.*

visbank 〈de〉 **0.1** [bank, standplaats op de vismarkt] *fish stall* **0.2** [gebouw] *fish market (hall).*

visben 〈de〉 **0.1** *fish basket* ⇒*creel.*

visblaas 〈de〉 **0.1** *swim/air bladder.*

visboer 〈de (m.)〉 **0.1** 〈vnl. BE〉 *fishmonger;* 〈AE ook〉 *fish dealer.*

visbroed(sel) 〈het〉 **0.1** (eieren) 〈(fish-)spawn;* 〈jongen〉 *fry.*

visburger 〈de (m.)〉 **0.1** *fish fillet.*

visceraal 〈bn.〉 **0.1** *visceral.*

visconserven 〈zn.mv.〉 **0.1** [B]*tinned/*[A]*canned fish.*

viscose 〈de (v.)〉 **0.1** [grondstof voor kunstvezels] *viscose* **0.2** [viscosezijde] *viscose.*

viscosemeter 〈de (m.)〉 **0.1** *viscometer* ⇒*viscosimeter.*

viscosimetrie 〈de (v.)〉 **0.1** *viscometry* ⇒*viscosimetry.*

viscositeit 〈de (v.)〉 **0.1** [dikvloeibaarheid] *viscosity* ⇒*vicidity* **0.2** [kracht/mate van samenhang] *viscosity.*

viscouvert 〈het〉 **0.1** *fish knife and fork* ⇒ 〈BE ook〉 *fish eaters.*

visdag 〈de (m.)〉 **0.1** [dag waarop men vist] *fishing day* ⇒ 〈dag vissen〉 *day's fishing* **0.2** [dag waarop men vis eet] *fish day* **0.3** [onthoudingsdag] *fish day.*

visdiefje 〈het〉 **0.1** *common tern, sea swallow* ⇒ 〈BE ook〉 *scray.*

viseren
  I 〈onov., ov.ww.〉 **0.1** [voor gezien tekenen] *initial* **0.2** [met één oog kijken langs] *sight along* ⇒*gauge (straightness, levelness)* 〈enz.〉 *(with one eye closed)* **0.3** [met een schietwapen mikken] *sight* ⇒*aim;*
  II 〈ov.ww.〉 **0.1** [beogen] *aim at* ⇒*have in view, make one's target.*

visetend 〈bn.〉 **0.1** *fish-eating* ⇒ 〈wet.〉 *ichthyophagous, piscivorous.*

viseter 〈de (m.)〉 **0.1** *fish-eater* ⇒ 〈wet.〉 *ichthyophagist.*

visfilet 〈het, de (m.)〉 **0.1** *fillet of fish.*

visgraat 〈de〉 **0.1** [been van vissen] *fish bone* **0.2** [visgraatdessin] *herringbone* **0.3** [weefsel, kledingstuk] *herringbone (cloth).*

visgraatdessin 〈het〉 **0.1** *herringbone (pattern).*

visgrom 〈het〉 **0.1** *fish guts.*

visgrond 〈de (m.)〉 **0.1** *fishing ground* ⇒*fishery.*

vishaak 〈de (m.)〉 **0.1** *(fish)hook* ◆ **6.1** aan de ~ bijten 〈fig.〉 *rise to/take the bait.*

vishal 〈de〉 **0.1** [marktgebouw] *covered fish market* **0.2** [viswinkel] *fish shop* ⇒ 〈BE ook〉 *fishmonger's (shop).*

vishandel 〈de (m.)〉 **0.1** *fish trade* ⇒ 〈winkel〉 *fish* [B]*shop/*[A]*dealer,* 〈vnl. BE〉 *fish monger's (shop).*

vishandelaar 〈de (m.)〉 **0.1** [B]*fishmonger,* [A]*fish dealer.*

visibel 〈bn.〉 **0.1** [zichtbaar] *visible* **0.2** [gekleed] *presentable.*

visie 〈de (v.)〉 **0.1** [mening] *view* ⇒*outlook, point of view* **0.2** [wijze van zien] *vision, perception* **0.3** [inzage] *inspection, examination* ◆ **2.1** hij heeft daar een heel andere ~ op *he takes quite a different v. on that;* bekrompen ~ *short(sighted) v., shortsightedness;* een goede ~ op *a clear v./perception of* **6.1** een man met ~ *a man of vision;* mijn ~ op deze problematiek *my v. on this issue* **6.3** ter ~ liggen/leggen *be/leave open to/available for inspection/examination;* 〈leggen ook; jur.〉 *deposit for inspection/examination.*

visioen 〈het〉 **0.1** [innerlijk gezicht van profetische aard] *vision* **0.2** [verschijning] *vision* **0.3** [droombeeld] *vision* ◆ **3.1** een ~ ontvangen *see/have/receive a v.* **3.3** een ~ oproepen van gelijkheid *conjure up a v. of equality;* ~en zien *see/have visions;* 〈inf.〉 *see things* **6.3** iets in een ~ zien *see sth. in a v.;* ~ van zonnige stranden *have/see sunny visions of sunny beaches.*

visionair[1] 〈de (m.)〉 **0.1** *visionary.*

visionair[2] 〈bn.〉 **0.1** [van de aard van visioenen] *visionary* ⇒*visional* **0.2** [gepaard gaand met visioenen] *visionary* **0.3** [visioenen hebbend] *visionary.*

visitatie 〈de (v.)〉 **0.1** [onderzoek, inspectie] *search* ⇒*visit* 〈ihb. van schepen〉 **0.2** [onderzoek mbt. kerkelijke functionarissen] *visitation* **0.3** 〈(r.k.) bezoek〉 *visitation* ◆ **1.3** O.L.V.-visitatie *Visitation* **2.2** bisschoppelijke ~ *episcopal visitations* **3.1** iem. aan een ~ onderwerpen *search s.o.* **3.2** ~ doen/houden *conduct a v..*

visitator 〈de (m.)〉 **0.1** *visitator.*

visite 〈de〉 **0.1** [bezoek] *visit* ⇒*call* 〈kort〉 **0.2** [personen op bezoek] *visitors* ⇒*guests* **0.3** [ambtelijk bezoek] *visit* ⇒*call* ◆ **3.1** ~s afleggen/maken *pay visits/calls* **3.2** hij heeft ~ *he has company/v./guests;* ~ krijgen *have v. coming* **3.3** dokters maken ~s *doctors go (on)/do/make their rounds/pay calls* **6.1** bij iem. op ~ gaan *pay s.o. a visit, call on/visit s.o.;* we komen wel eens bij elkaar op ~ *we are on visiting terms;* mijn ouders komen op ~ *my parents are coming (to visit).*

visitekaartje 〈het〉 **0.1** [naamkaartje] *visiting card* ⇒ 〈AE ook〉 *calling card, carte de visite, card, business card* 〈van zakenman〉, [B]*trade card* 〈van handelaar〉 **0.2** [〈fig.〉] *frontpiece* ⇒*showpiece* ◆ **3.1** zijn ~ achterlaten 〈fig.〉 *leave one's (visiting) card/marks, leave a memento of one's passing* **6.1** met ~s smijten 〈fig.; scherts.〉 *throw/fling/chuck a few well-chosen/Anglo-Saxon words about, turn the air blue.*

visiteren 〈ov.ww.〉 **0.1** *examine, inspect* ⇒*search* 〈ihb. aan den lijve〉 ◆ **6.1** iem. ~ op verdovende middelen *search s.o. for narcotics/drugs.*

visiteur 〈de (m.)〉, **-teuse** 〈de (v.)〉 **0.1** *searcher* 〈m., v.〉, *female/woman searcher* 〈v.〉 ⇒*search officer* 〈m., v.〉, *female/woman searcher of ficer* 〈v.〉.

visjesvreter 〈de (m.)〉 ◆ **2.¶** een dooie ~ *a(n utter) bore;* 〈sl.〉 *a drag.*

viskaar 〈de〉 **0.1** *creel* ⇒*well, bin.*

viskeus 〈bn.〉 **0.1** *viscous* ⇒*viscid* ◆ **1.1** viskeuze stroming *viscous flow.*

viskom 〈de〉 **0.1** *fish bowl.*

viskuit 〈de〉 **0.1** *roe.*

viskwekerij 〈de (v.)〉 **0.1** *fish farm* ⇒*fishery.*

visliefhebber 〈de (m.)〉, **-ster** 〈de (v.)〉 **0.1** [viseter] *liker/lover of fish* **0.2** [liefhebber van vissen] *keen fisherman* 〈m.〉 / **-woman** 〈v.〉 ⇒*fishing enthusiast.*

vislift 〈de (m.)〉 **0.1** *fish lock.*

vislijm 〈de (m.)〉 **0.1** *fish glue* ⇒*isinglass.*

vislijn 〈de〉 **0.1** *fishing line* ⇒*sea line* 〈lang〉 ◆ **3.1** de ~ uitwerpen *cast (the line).*

vislood 〈het〉 **0.1** *sinker* ⇒*weight.*

vislucht 〈de〉 **0.1** *smell/*[↑]*odour of fish* ⇒ 〈inf.〉 *fishy smell.*

vismarkt 〈de〉 **0.1** *fish market* ◆ **6.1** je bent hier niet op de ~ 〈tegen iem. die scheldt⟩ *mind your language!, keep a civil tongue in your head;* ⟨tegen iem. die schreeuwt⟩ *all right, I/we can hear you!/I'm/ we're not deaf!;* je hebt het grootste gelijk **van** de ~ *shouting won't get you anywhere.*

vismeel ⟨het⟩ **0.1** [fijngemalen gedroogde vis] *fishmeal* **0.2** [meelachtige substantie] *fish flour.*

vismijn ⟨de⟩ **0.1** *fish market (on the docks/wharf).*

visnet ⟨het⟩ **0.1** *fish/fishing net* ✦ **3.1** ~ten uitgooien/uitzetten *cast/put out (fishing) nets.*

visofoon ⟨de (m.)⟩ **0.1** *videophone.*

visooglens ⟨de⟩ **0.1** *fish-eye lens.*

visotter ⟨de (m.)⟩ **0.1** *otter.*

vispastei ⟨de⟩ **0.1** *fish pie.*

visperspectief ⟨het⟩ **0.1** *worm's-eye view.*

visplaats ⟨de⟩ **0.1** [fishing (place)] ⇒*fishery, piscary, pitch* ⟨in rivier⟩.

visrecht ⟨het⟩ **0.1** *fishing right* ⇒⟨jur.⟩ *fishery, piscary.*

visreiger ⟨de (m.)⟩ **0.1** *common/gray heron.*

visrestaurant ⟨het⟩ **0.1** *seafood restaurant.*

visrijk ⟨bn.⟩ **0.1** [veel vis bevattend] *full/* ↑*abundant in/with fish* **0.2** [veel vis opleverend] *yielding plenty of fish* ⇒*full of fish* **0.3** [veel visdelen bevattend] *containing plenty/a good deal of fish* ⇒*full of fish* ✦ **1.1** een ~e rivier *a river full of fish, a well-stocked river.*

visschotel ⟨de (m.)⟩ **0.1** [gerecht] *fish dish* **0.2** [schotel voor vis] *fish dish/platter.*

visschub ⟨de⟩ **0.1** *fish scale.*

vissebloed ⟨het⟩ **0.1** *fish blood* ✦ **3.1** ~ hebben ⟨het koud hebben⟩ *feel the cold;* ⟨koudbloedig zijn⟩ *be a cold fish.*

visseizoen ⟨het⟩ **0.1** *fishing/* ⟨sport ook⟩ *angling season.*

vissen ⟨→sprw. 638⟩

I ⟨onov.ww.⟩ **0.1** [vis vangen] *fish* ⇒⟨sport ook⟩ *angle* **0.2** [dreggen] *drag* ⇒*dredge* **0.3** [trachten te weten te komen] *fish, angle* ✦ **6.1** ⟨fig.⟩ achter het net ~ *miss the bus/boat, come after the day of the fair;* **met** het werpnet ~ *f. with a cast-net;* **op** haring ~ *f. for herring* **6.2** **naar** een drenkeling ~ *drag for a drowned person* **6.3** bij iem. **naar** iets ~ *f./a. for sth., try to find sth. out from s.o.;* **naar** een complimentje ~ *f./a. for a compliment;*

II ⟨ov.ww.⟩ **0.1** [uit het water ophalen] *fish* **0.2** [uit een vloeistof halen] *fish* ✦ **1.1** parels/sponzen ~ *dive/f. for pearls/sponges* **6.2** een vlieg **uit** zijn bier ~ *f. a fly out of one's beer;*

III ⟨onov., ov.ww.⟩ **0.1** ⟨(sport)⟩ *fish.*

Vissen 0.1 *Pisces* ⇒⟨zeldz.⟩ *the Fishes.*

visser ⟨de (m.)⟩ **0.1** [persoon] *fisher, fisherman* ⇒⟨hengelaar ook⟩ *angler* **0.2** [dier] *fish-eater* ⇒*fish-eating/* ⟨schr.;zeldz.⟩ *piscivorous animal* ✦ **2.1** arme ~s *poor fisherfolk* **6.1** ⟨bijb.⟩ ~s **van** mensen *fishers of men.*

visserij ⟨de (v.)⟩ **0.1** *fishing* ⇒*fisheries, fishery.*

visserijband ⟨de (m.)⟩⟨com.⟩ **0.1** *maritime band.*

visserijgolf ⟨de⟩⟨com.⟩ **0.1** *maritime wave(length/band).*

visserijwet ⟨de⟩ **0.1** *Fisheries Law/* ⟨in GB, USA⟩ *Act.*

visserman ⟨de (m.)⟩ [visser] *fisherman* **0.2** [boot] *fisherman* ⇒*fishing vessel.*

vissersboot ⟨de⟩ **0.1** *fishing boat.*

vissersdorp ⟨het⟩ **0.1** *fishing village.*

vissersgaren ⟨het⟩ **0.1** *netting twine.*

vissershaven ⟨de⟩ **0.1** *fishing port.*

visserslatijn ⟨het⟩ **0.1** *fisherman's yarn(s)* ⇒*fishing stories.*

vissersring ⟨de (m.)⟩ **0.1** *fisherman's ring.*

vissersschip ⟨het⟩ **0.1** *fishing vessel/boat/craft.*

vissersteek ⟨de (m.)⟩ **0.1** *fisherman's bend* ⇒*anchor bend.*

vissersvloot ⟨de⟩ **0.1** *fishing fleet.*

vissig ⟨bn.⟩ **0.1** *fish-like* ⇒*fishy,* ⟨schr.;zeldz.⟩ *piscine.*

vissmaak ⟨de (m.)⟩ **0.1** *taste/flavour of fish* ⇒⟨inf.⟩ *fishy taste/flavour.*

vissnoer ⟨het⟩ **0.1** *fishing line.*

vissoep ⟨de⟩ **0.1** *fish soup.*

visstand ⟨de (m.)⟩ **0.1** *fish stock.*

vissterfte ⟨de (v.)⟩ **0.1** *death of fish* ⇒*fish mortality* ✦ **2.1** massale ~ *massive fish mortality.*

visstick ⟨de⟩ **0.1** ⟨vnl. BE⟩ *fish finger;* ⟨vnl. AE⟩ *fish stick.*

visstoeltje ⟨het⟩ **0.1** *light folding chair/stool.*

vista ⟨het⟩ **0.1** ⟨zie ¶.1⟩ ✦ ¶**.1** ⟨geldw.⟩ wissel a~ *sight bill/* ⟨vnl. AE⟩ *draft;* ⟨muz.⟩ a prima~ *prima facie;* ⟨geldw.⟩ per ~ *at sight.*

visteelt ⟨de⟩ **0.1** *fish culture* ⇒*aquaculture,* ↑*pisciculture* ⟨als bedrijf⟩ *fish farming* ✦ **2.1** kunstmatige ~ *aquaculture, pisciculture.*

vistijd ⟨de (m.)⟩ **0.1** *fishing season* ✦ **2.1** gesloten/open ~ *close/open season (for fishing).*

vistraan ⟨de (m.)⟩ **0.1** *fish oil.*

vistrap ⟨de (m.)⟩ **0.1** *fish ladder.*

vistuig ⟨het⟩ **0.1** *fishing tackle/gear.*

visualisatie ⟨de (v.)⟩ **0.1** *visualization.*

visualiseren ⟨ov.ww.⟩ **0.1** [zichtbaar maken] *display* ⇒*visualize* **0.2** [zich een duidelijke voorstelling vormen van] *visualize* ⇒*picture, envisage* ✦ **1.1** gegevens ~ in een grafiek *visualize data in a diagram;* een schaakwedstrijd ~ op een demonstratiebord *d. a chess match on a demonstration board* **6.2** iets **voor** zichzelf ~ *v./envisage sth..*

visueel ⟨bn., bw.⟩ **0.1** [mbt. het zien] *visual* **0.2** [waarbij de nadruk valt op het zien] *visual* ⇒*ocular* ✦ **1.1** de visuele pers *the v. press* **2.1** ~ gehandicapt *visually handicapped.*

visum ⟨het⟩ **0.1** [mbt. reizen] *visa* **0.2** [paraaf, stempel e.d.] ⟨paraaf⟩ *initials,* ⟨stempel⟩ *stamp* ✦ **3.1** een ~ aanvragen *apply for a v.;* een ~ verstrekken *issue a v.* **3.2** ⟨zijn⟩ ~ op een stuk plaatsen *put one's initials/stamp on a document.*

visumplicht ⟨de⟩ **0.1** *visa requirement* ✦ **6.1** voor … bestaat ~ … *requires a visa.*

visus ⟨de⟩⟨med.⟩ **0.1** *vision.*

visvangst ⟨de (v.)⟩ **0.1** [handeling] *fishing* ⇒*catching of fish* **0.2** [opbrengst] *catch* ✦ **2.2** ⟨bijb.⟩ de wonderbaarlijke ~ *the miraculous draught* [A]*draft of fishes* **6.1** van de ~ leven *fish for one's living.*

visverband ⟨het⟩ **0.1** *herringbone bond/work.*

visvergunning ⟨de (v.)⟩ **0.1** *fishing/* ⟨hengel⟩ *angling licence* [A]*se/permit.*

visverkoop ⟨de (m.)⟩ **0.1** *fish sales, sale of fish.*

visvijver ⟨de (m.)⟩ **0.1** *fishpond* ⇒*fishpool.*

visvrouw ⟨de (v.)⟩ **0.1** [female/woman] *fish seller* ⇒⟨schr.; vaak pej.⟩ *fishwife.*

viswater ⟨het⟩ **0.1** [water waarop men vist] *fishing ground(s)/water(s)* **0.2** [water waar vis in gekookt is] *fish stock.*

viswedstrijd ⟨de (m.)⟩ **0.1** *angling/fishing match/competition.*

visweer ⟨het⟩ **0.1** *fishing weather.*

viswijf ⟨het⟩⟨bel.⟩ **0.1** *fishwife* ✦ **8.1** schreeuwen/schelden als een ~ *swear/scream/yell like a f..*

viswinkel ⟨de (m.)⟩ **0.1** *fish* [B]*shop/* [A]*dealer* ⇒⟨BE ook⟩ *fishmonger's (shop)* ✦ **6.1** in de ~ *at the fish shop/fishmonger's.*

vita ⟨de (v.)⟩ **0.1** ⟨zie ¶.1⟩ ✦ ¶**.1** attestatie de ~ *life certificate, certificate of existence.*

vitaal ⟨bn.⟩ **0.1** [energiek] *vigorous* ⇒*vital,* ⟨inf.⟩ *sprightly* **0.2** [primair] *vital* **0.3** [voor het leven kenmerkend] *vital* **0.4** [in levende toestand] *vital* ✦ **1.2** dit is van ~ belang *this is v., this is of v. importance/vitally important/a matter of life and death;* vitale (onder)delen *v. parts;* ⟨schr.; mbt. mensen⟩ *vitals;* vitale verbindingslijn *lifeline, v. line of communication* **1.3** ⟨med.⟩ vitale capaciteit *v. capacity;* vitale warmte *v. heat* **1.4** ⟨med., biol.⟩ vitale kleuring van cellen *v. staining of cells* **6.1** hij is nog erg ~ voor zijn leeftijd *he's still very alive, considering his age.*

vitalisme ⟨het⟩ **0.1** [literaire stroming] ⟨*current of thought in Dutch literature from 1920 to 1933, focussing on the importance of vitality*⟩ **0.2** [⟨fil.⟩] *vitalism.*

vitaliteit ⟨de (v.)⟩ **0.1** [energie] *vitality* ⇒*vigour, energy, spirit* **0.2** [levendigheid] *vitality* ✦ **3.1** ~ uitstralen *radiate vitality.*

vitamine ⟨de⟩ **0.1** *vitamin* ✦ **6.1** rijk aan ~ *rich in vitamins, vitamin-rich.*

vitaminegebrek ⟨het⟩ **0.1** *lack/deficiency of vitamins, vitamin deficiency.*

vitamineren ⟨ov.ww.⟩ **0.1** *vitaminize.*

vitaminerijk ⟨bn.⟩ **0.1** *rich in vitamins* ⇒*vitamin-rich.*

vitaminestoot ⟨de (m.)⟩ **0.1** *heavy/large dose of vitamins.*

vitaminetablet ⟨het, de⟩ **0.1** *vitamin tablet/pill.*

vitiligo ⟨de⟩⟨med.⟩ **0.1** *vitiligo.*

vitrage ⟨het, de⟩ **0.1** [stof] *marquisette, net* ⇒⟨AE ook⟩ *lace* **0.2** [gordijn] *net/* ⟨AE ook⟩ *lace curtain.*

vitreus ⟨bn.⟩ **0.1** *vitreous.*

vitrine ⟨de (v.)⟩ **0.1** [glazen kast] *(glass/display) case* ⇒*showcase,* ⟨BE ook⟩ *show glass* **0.2** [etalage] *shop/* [A]*store window* ⇒*show window* **0.3** [⟨AZN⟩ glasraam] *(shop/café* ⟨enz.⟩*) window.*

vitriool ⟨het, de (m.)⟩ **0.1** [zwavelzuur] *vitriol* **0.2** [⟨fig.⟩ bijtende woorden] *vitriol* **0.3** [sulfaat] *vitriol.*

vitrioolachtig ⟨bn.⟩ **0.1** *vitriolic.*

vitrocultuur ⟨de⟩ **0.1** *in vitro cultivation.*

vitten ⟨onov.ww.⟩ **0.1** *carp (at)* ⇒*find fault (with), cavil (at/about),* ⟨inf.⟩ *nitpick* ✦ **6.1** op iem. ~ *pick at/on s.o., carp at s.o.;* op iets ~ *carp at sth., cavil at/about sth..*

vitter ⟨de (m.)⟩ **0.1** *faultfinder* ⇒*caviller,* ⟨inf.⟩ *nitpicker.*

vitterig ⟨bn.⟩ **0.1** *faultfinding* ⇒*carping,* ↑*captious,* ↑*censorious,* ⟨inf.⟩ *nitpicking.*

vitterij ⟨de (v.)⟩ **0.1** *faultfinding* ⇒*carping,* ↑*captiousness,* ↑*censoriousness,* ⟨inf.⟩ *nitpicker.*

vitzucht ⟨de⟩ **0.1** *faultfinding* ⇒*carping,* ↑*captiousness,* ↑*censoriousness.*

vivace ⟨bw.⟩⟨muz.⟩ **0.1** *vivace.*

vivarium ⟨het⟩ **0.1** *vivarium.*

vivipaar ⟨bn.⟩⟨biol.⟩ **0.1** *viviparous.*

vivisectie ⟨de (v.)⟩ **0.1** [het nemen van proeven] *vivisection* **0.2** [proef] *vivisection* ✦ **1.1** voorstander/tegenstander van ~ *vivisectionist/anti-vivisectionist.*

vivo ⟨bw.⟩⟨muz.⟩ **0.1** *vivo.*

vizier

I ⟨de (m.)⟩ ⟨gesch.⟩ **0.1** [grootwaardigheidsbekleder] *vizier, vizir.*

II ⟨het⟩ **0.1** [richttoestel op een schietwapen] *sight* ⇒*backsight* **0.2** [optisch richtmiddel] *sight* **0.3** [klep, schuif aan een helm] *visor* ⇒ ⟨gesch.⟩ *beaver* **0.4** [kijkgat] *visor (in a bee veil)* ✦ **2.3** iem. met open

~ bestrijden *fight s.o. openly* 3.1 het ~ instellen op 450 m *adjust/set the sights to 450 metres* 6.1 iets/iem. in het ~ hebben/nemen/krijgen *have spotted/spot sth./s.o., catch sight of sth./s.o..*

vizierhoek ⟨de (m.)⟩ 0.1 *angle of sight.*

vizierkeep ⟨de⟩ 0.1 *notch.*

vizierkijker ⟨de (m.)⟩ 0.1 *telescopic sight.*

vizierkorrel ⟨de (m.)⟩ 0.1 *bead, foresight, front sight.*

vizierlijn ⟨de⟩ 0.1 *line of sight.*

vla ⟨de⟩ 0.1 [toetje] ≠*custard* 0.2 [vlaai] *flan.*

vlaag ⟨de⟩ 0.1 [windstoot] *gust* ⇒*squall* 0.2 [aanval] *fit* ⇒*burst, bout, flurry* ◆ 1.2 een ~ van opwinding/energie *a flurry of excitement, a burst/spurt of energy;* in een ~ van verstandsverbijstering *in a frenzy, in a fit of insanity;* een ~ van wanhoop/interesse ⟨ook⟩ *a frenzy of despair/surge of interest;* een ~ van woede *in a fit/burst/surge of anger;* †in a fit/paroxysm of rage 6.2 bij vlagen *by/in fits and starts, by/in spurts, in bursts;* met vlagen werken *work in snatches/bursts.*

vlaai ⟨de⟩ 0.1 *flan* ◆ 6.1 ⟨fig.⟩ kermis, zonder ~ *(like) Christmas without a/the turkey.*

Vlaams[1] ⟨het⟩ 0.1 *Flemish* ◆ 2.1 in plat ~ *plainly, outright, bluntly.*

Vlaams[2] ⟨bn.⟩ 0.1 *Flemish* ◆ 1.1 de ~e beweging *the F. movement;* de ~e Leeuw *the F. Lion, the Lion of Flanders* 1.¶ ~ e gaai *jay* 6.1 op z'n ~ *(in) the F. way, (in a/the) F. style, in a/the F. manner.*

Vlaamse ⟨de (v.)⟩ 0.1 *Flemish girl/woman.*

vlaamsgezinde ⟨de (m.)⟩ 0.1 *pro-Flemish person, pro-Fleming* ⇒*supporter of the Flemish movement.*

Vlaanderen ⟨het⟩ 0.1 ⟨ihb. gesch.⟩ *Flanders* ⇒⟨mbt. Nederlandstalig België ook⟩ *Dutch-/Flemish-speaking Belgium.*

vlaflip ⟨de (m.)⟩ 0.1 *'vlaflip'* ⟨*dessert made of custard, yoghurt and a flavouring syrup*⟩.

vlag ⟨de⟩ 0.1 [doek] *flag* ⇒⟨van schip ook⟩ *colours,* ⟨vnl. scheep.; mil.⟩ *ensign* 0.2 [dwarsstreepje] *hook;* ⟨muz. ook⟩ *flag* 0.3 [aanhangsel v.e. poststempel] *cachet* ⇒*postmark ad(vertisement), special postmark* 0.4 [⟨plantk.⟩] *standard* ⇒*vexillum, banner* ◆ 1.1 met ~ en wimpel *with flying colours* 2.1 de Amerikaanse ~ *the Stars and Stripes;* ⟨inf.⟩ *Old Glory;* de Britse ~ *the Union Jack;* onder goedkope ~ *varen sail under/fly a f. of convenience;* ⟨fig.⟩ onder valse ~ *varen sail under false colours;* ⟨fig. ook⟩ *wear false colours;* schepen onder vreemde ~ *ships under foreign colours* 3.1 de ~ dekt de lading niet ⟨fig.⟩ *appearances are deceptive, he/she* ⟨enz.⟩ *is sailing under false colours;* ⟨fig.⟩ kijken hoe de ~ erbij hangt *see which way the wind blows/how the land lies;* de ~ is gehesen *the f. is up;* ⟨fig.⟩ de ~ voor iem. (moeten) strijken *(have to) haul down one's colours for s.o.;* (have to) *strike/lower the f. for s.o.;* de ~ in top voeren *fly the f. at full-mast;* de ~ voeren *fly the f.;* ⟨de baas zijn⟩ *rule the roost;* het hoogste woord voeren *do most of the talking;* ⟨fig.⟩ welke ~ voert hij? *which colours does he sail under?* 3.¶ ⟨schaken⟩ de ~ valt *the flag falls* 6.1 zwaaien met een ~ *wave a f.;* er werd saluut gegeven met de ~ *the f. was dipped;* met de ~ salueren *dip the f./colours;* met ~gen versieren *flag, deck out with flags/bunting* 8.1 dat staat als een ~ op een modderschuit *it's quite out of place, that looks quite ridiculous.*

vlagbevoorrechting ⟨de (v.)⟩ 0.1 *flag discrimination.*

vlag(ge)doek ⟨het, de (m.)⟩ 0.1 *bunting.*

vlaggelijn ⟨de⟩ 0.1 *halyard.*

vlaggeman ⟨de (m.)⟩ 0.1 [aanvoerder] *standard-bearer* 0.2 [⟨inf.⟩ man die signalen geeft] *flagman.*

vlaggemast ⟨de (m.)⟩ 0.1 *flagpole* ⇒*flagstaff.*

vlaggen ⟨onov.ww.⟩ 0.1 [de vlag uitsteken] *put/hang out the flag(s)* 0.2 [als een vlag uithangen] ⟨zie ¶.2⟩ 0.3 [⟨sport⟩] *raise one's flag* ◆ 3.1 er werd overal gevlagd *flags were/had been put out everywhere* 6.3 ~ voor buitenspel *raise one's flag for offside* ¶.2 je vlagt *your slip is showing.*

vlaggenkunde ⟨de (v.)⟩ 0.1 *(the) study of flags* ⇒⟨zeldz.⟩ *vexillology.*

vlaggenparade ⟨de (v.)⟩ 0.1 *flag parade.*

vlaggeparade ⟨de (v.)⟩ 0.1 *raising of the flag/colours.*

vlaggeschip ⟨het⟩ 0.1 [schip dat de vlag voert] *flagship* 0.2 [grootste schip v.e. rederij] *flagship* 0.3 [⟨fig.⟩] *flagship* ⇒*showpiece.*

vlaggespraak ⟨de⟩ 0.1 *flag-signalling* ^*aling* ⇒⟨mil.⟩ *semaphore (signalling).*

vlaggestok ⟨de (m.)⟩ 0.1 [stok waaraan een vlag hangt] *flagpole* ⇒*flagstaff* 0.2 [⟨golfsport⟩] *pin.*

vlaggetjesdag ⟨de⟩ 0.1 *'vlaggetjesdag'* ⟨*day before the Dutch herring fleet puts out to sea; all vessels are decked*⟩.

vlagofficier ⟨de (m.)⟩ 0.1 *flag officer.*

vlagsignaal ⟨het⟩ 0.1 *flag/* ⟨mil.⟩ *semaphore signal.*

vlagstempel ⟨het, de (m.)⟩ 0.1 *cachet* ⇒*postmark ad(vertisement), special commemorative postmark.*

vlagvertoon ⟨het⟩ 0.1 *showing (of) the flag.*

vlak[1] ⟨het⟩ 0.1 [platte kant] *surface* ⇒*face, level* 0.2 [niveau, gebied] *area, sphere, field* 0.3 [⟨wisk.⟩] *plane* ◆ 1.1 het ~ v.d. hand *the flat of the/one's hand* 1.2 een schuin ~ *a slanting/sloping* ⟨wet. ook⟩ *oblique s.;* het voorste/achterste ~ *the front/rear face* 2.2 dat ligt op een ander ~ *that's another field/area;* in het culturele/het politieke ~ *in the cultural/political sphere;* op het menselijke ~ *in the human*

sphere 2.3 een hellend ~ *an inclined p.;* ⟨fig.⟩ op een hellend ~ raken *get on (to) a slippery slope* 6.1 de geslepen ~ken v.e. diamant *the polished facets of a diamond.*

vlak[2]
I ⟨bn.⟩ 0.1 [effen, glad] *flat, level* ⇒*even* 0.2 [⟨wisk.⟩] *plane* 0.3 [ondiep] *flat* ⇒*shallow* 0.4 [met weinig contrasten] *flat* ◆ 1.1 de ~ke bovenkant v.d. steen *the f./l. surface of the stone;* ⟨wielrennen⟩ een ~ke etappe *a section on the flat;* iem. slaan met de ~ke hand *hit s.o. with the flat of the/one's hand/with a f. hand;* op de ~ke hand liggen *be easygoing;* het ~ke land (bij de zee) *(the) flats;* het ~ke veld *the open field* 1.3 een ~ke schotel *a f./shallow dish* 3.1 iets ~ maken/strijken *level off sth., level sth. out, flatten sth. (out/down);* ⟨strijken ook⟩ *smooth sth. down* 6.4 ~ van kleur/van toon *f. in colour/tone;*
II ⟨bw.⟩ 0.1 [zonder helling] *flat* 0.2 [recht] *right* ⇒*straight, just, immediately, directly* 0.3 [zonder tussenruimte/tussenpoos] *close* ◆ 3.1 ⟨luchtv.⟩ ~ gaan liggen *flatten out;* dat blad moet ~ liggen *that leaf should lie f.* 5.2 de wind is ~ west *the wind is due west* 5.3 ~ langszij *c./hard aboard* 6.2 iem. ~ in het gezicht slaan *hit s.o. right/straight full in the face;* hij zei het me ~ in het gezicht *he told me so to my face;* ~ in 't midden/'t begin *in the very/right in the centre; at the very/right at the beginning;* ik kreeg de bal ~ tegen mijn voorhoofd *the ball hit/struck me r./straight/full/* ⟨inf.⟩ *bang on the/my forehead;* ~ tegenover elkaar *right/straight opposite each other;* ⟨mbt. personen ook; inf.⟩ *eyeball to eyeball;* ~ voor de wind zeilen *sail dead before the wind;* ~ voor je uit *straight/dead ahead of you* 6.3 ~ achter je *right/just behind you;* ~ achter/na elkaar *right/straight after one another, in quick succession;* ~ bij de school *c. by/to the school, right by the school;* ~ bij de oever *within an inch of the bank;* hij woont ~ bij het plein *he lives just off/close/right by the square;* het is ~ bij *it's no distance at all/practically on one's/the doorstep/only a stone's throw away;* de volgende stad is ~ bij *the next town is c. by;* het is hier ~ in de buurt *it's just round/* ^*around the corner;* de dood van zijn zoon, ~ na zijn eigen ziekte, werd de oude man teveel *his son's death, coming on top of his own illness, was too much for the old man;* ~ om de hoek *just around the corner;* ~ tegen *right/straight up against;* ~ voor mijn neus/onder mijn ogen *right under my very nose/eyes;* het ligt ~ voor je neus *it is staring you in the face, it's right under your nose* 6.¶ ⟨inf.⟩ ik ben er ~ voor/tegen *I am all for it/dead against it* ¶.3 ~ (van) tevoren *just before.*

vlakaf ⟨bw.⟩ ⟨AZN⟩ 0.1 *plainly, bluntly, outright, flatly, straight out.*

vlakbank ⟨de (m.)⟩ 0.1 *surface planing table.*

vlakcoördinaten ⟨zn.mv.⟩ ⟨wisk.⟩ 0.1 *plane coordinates.*

vlakdruk ⟨de (m.)⟩ ⟨druk.⟩ 0.1 *planography.*

vlakgom ⟨het, de (m.)⟩ ⟨BE ook⟩ *rubber.*

vlakhamer ⟨de (m.)⟩ 0.1 *flatting hammer.*

vlakheid ⟨de (v.)⟩ 0.1 *flatness* ⟨ook fig.⟩ ⇒⟨tech.⟩ *planeness, levelness.*

vlakken ⟨ov.ww.⟩ 0.1 *flatten/level (out)* ⇒⟨zuiver vlak maken⟩ *plane (down).*

vlakliggend ⟨bn.⟩ 0.1 *flat(-lying).*

vlakmaken → **vlakken.**

vlakmeter ⟨de (m.)⟩ 0.1 *planimeter.*

vlakogig ⟨bn.⟩ 0.1 *flat-eyed.*

vlakschaaf ⟨de⟩ 0.1 *smoothing/smooth plane.*

vlakschuurmachine ⟨de (v.)⟩ 0.1 *sander.*

vlakspoeler ⟨de (m.)⟩ 0.1 *platform toilet/flush.*

vlakte ⟨de (v.)⟩ 0.1 *plain* ◆ 2.1 een golvende ~ *a rolling p.;* een kale/uitgestrekte ~ *a bare/vast p.* 6.1 ⟨fig.⟩ zich op de ~ houden *not commit o.s., leave/keep one's options open;* ⟨inf.⟩ *pussyfoot;* iem. tegen de ~ slaan *knock s.o. down, lay s.o. out;* tegen de ~ liggen *be smashed up;* alles ging tegen de ~ *everything was smashed (up)/reduced to rubble;* tegen de ~ gaan ⟨neergeslagen worden⟩ *be knocked down;* ⟨flauwvallen⟩ *keel over.*

vlaktemaat ⟨de⟩ 0.1 *surface measurement.*

vlaktemeting ⟨de (v.)⟩ 0.1 *planimetry.*

vlakuit ⟨bw.⟩ 0.1 *flatly* ⇒*roundly, outright, bluntly* ◆ 3.1 iets ~ weigeren *refuse sth. f./outright.*

vlakverdeling ⟨de (v.)⟩ 0.1 [indeling van een vlak] *division (of a surface)* 0.2 [⟨wisk.⟩] *cover (of the plane).*

vlakvijl ⟨de⟩ 0.1 *flat file.*

vlakvulling ⟨de (v.)⟩ 0.1 *filling-/painting-in.*

vlakweg → **vlakuit.**

vlam ⟨de⟩ 0.1 [verbrandingsverschijnsel] *flame* 0.2 [gloed, hartstocht] *flame* 0.3 [⟨mv.⟩ tekening] *grain* 0.4 [⟨inf.⟩ geliefde] *flame* ◆ 1.1 ⟨fig.⟩ in vuur en ~ zijn *be afire (about)/(all) in a flame (for), be afire/fired/burning with enthusiasm;* alles in vuur en ~ zetten ⟨fig.⟩ *set the world on fire;* een zee van ~men *a sea of fire* 3.1 de ~men bedwingen *bring the fire under control;* ⟨fig.⟩ de ~ in de pijp houden *keep the pot boiling;* de ~ sloeg in de pan ⟨fig.⟩ *the fat was in the fire;* de ~men sloegen uit het dak *the flames spurted from/shot out of the roof;* ⟨fig.⟩ de ~men sloegen mij uit *was my face red!;* ~ vatten *catch/take fire, catch alight, burst into flames;* ⟨fig.⟩ *fire (up)* 6.1 aan de ~men prijsgeven *commit to the flames;* in ~men opgaan *go up in flames;* in ~ staan *be on fire* ⟨ook fig.⟩; het huis ging in ~men op *the house was* *burnt down;* in ~men doen opgaan *send up in flames* **6.2** iemands hart in ~ zetten *set s.o.'s heart on fire.*

vlambloem 〈de〉 **0.1** *phlox.*

vlamboog 〈de (m.)〉 **0.1** *arc.*

Vlaming 〈de (m.)〉 **0.1** *Fleming* ♦ **3.1** het is een ~ 〈ook〉 *he's Flemish.*

vlamisme 〈het〉 **0.1** *Flemish turn of phrase.*

vlamkolen 〈zn.mv.〉 **0.1** *flaming coal.*

vlammen
I 〈onov.ww.〉 **0.1** [vlammen vertonen] *flame, kindle* **0.2** [〈fig.)] *flame* ⇒*blaze* **0.3** [zich als vlammen vertonen] *flame* ⇒*blaze* ♦ **1.1** nat hout vlamt niet *wet wood will not catch (fire)* **6.2** haat vlamde in zijn blik *his glance/gaze was aflame with/flamed/burned (on) with hatred;* zijn ogen vlamden van woede *her eyes flamed/blazed with anger/rage;* ~ van woede *burning with anger.*
II 〈ov.ww.〉 **0.1** [met vlammen beschilderen] *grain, stain* **0.2** [moireren] *water, wave.*

vlammend 〈bn.〉 **0.1** [opvlammend] *flaming, blazing* **0.2** [fonkelend] *flaming, blazing* **0.3** [vol vervoering] *flaming, fiery, burning* **0.4** [zich als in vlammen vertonend] *fiery, blazing, burning* **0.5** [〈fig.〉] gloeiend, brandend] *flaming, burning* ⇒*searing* 〈pijn〉 ♦ **1.1** een ~ houtvuur *a b. wood fire* **1.2** ~e ogen/blikken *f./b. eyes/looks, glaring eyes* **1.3** een ~ protest *a burning protest* **2.5** ~ rood *flaming red* **6.5** ~ van woede *burning with anger.*

vlammenwerper 〈de (m.)〉 **0.1** *flame-thrower* ⇒*flame-projector.*

vlammenzee 〈de〉 **0.1** *sea of flame(s).*

vlammetje 〈het〉 **0.1** *light.*

vlamoven 〈de (m.)〉 **0.1** *reverberatory (furnace), reverberating-furnace.*

vlampijp 〈de〉 **0.1** *fire tube* ⇒*tube, flue.*

vlampijpketel 〈de (m.)〉 **0.1** *tubular boiler.*

vlampunt 〈het〉 **0.1** *flash(ing) point.*

vlamreactie 〈de (v.)〉 **0.1** *flame test.*

vlamvatten 〈ww.〉 **0.1** *catch/take fire* ⇒*catch alight, ignite.*

vlamverdeler 〈de (m.)〉 **0.1** [element van een gasfornuis] *burner (plate)* **0.2** [los plaatje] *flame-tamer.*

vlas 〈het〉 **0.1** [plantengeslacht] *flax* **0.2** [ongesponnen vezels] *flax* **0.3** [〈scherts.〉 baardhaar] *peach-fuzz* **2.1** blauw ~ *blue flax* **3.1** ~ beuken/braken *break/scutch f.;* ~ roten *steep/ret f.* **6.1** [〈fig.〉] men kan van alle ~ geen goed garen spinnen *you can't make a silk purse out of a sow's ear.*

vlasachtig 〈bn.〉 **0.1** *flax-like* ⇒*flaxy,* 〈kleur〉 *flaxen.*

vlasbaard 〈de (m.)〉 **0.1** [eerste baardharen] *down* ⇒〈scherts.〉 *peach-fuzz* **0.2** [jongen] *shaver* ⇒*youngster, lad.*

vlasbek 〈de (m.)〉 **0.1** [vlasbaard] *shaver* ⇒*youngster, lad* **0.2** [〈plantk.〉] *toadflax* ⇒*butter-and-eggs, monkey flower.*

vlasblond 〈bn.〉 **0.1** *flaxen, tow-coloured* ⇒*towheaded.*

vlasbouw 〈de (m.)〉 **0.1** *flax culture/cultivation/growing.*

vlascultuur 〈de (v.)〉 **0.1** *flax culture.*

vlasdot 〈de〉 **0.1** *bundle of flax, flax bundle.*

vlasdraad 〈de (m.)〉 **0.1** *flaxen/linen thread.*

vlashaar 〈het〉 **0.1** [eerste baardhaar] *down* ⇒〈scherts.〉 *peach-fuzz* **0.2** [lichtblond haar] *flaxen/tow-coloured hair.*

vlashekel 〈de (m.)〉 **0.1** *flax comb/heckle* ⇒*heckle,* 〈repel〉 *ripple.*

vlaskam →**vlashekel.**

vlaskleur 〈de〉 **0.1** *peanut, pebble.*

vlaskleurig 〈bn.〉 **0.1** *flaxen* ⇒*tow-coloured.*

vlaskop 〈de (m.)〉 〈inf.〉 **0.1** 〈ongemarkeerd〉 *towhead.*

vlasleeuwebek 〈de (m.)〉 **0.1** *toadflax* ⇒*butter-and-eggs, monkey flower.*

vlaslinnen 〈het〉 **0.1** *linen.*

vlasscheven 〈zn.mv.〉 **0.1** *flax waste/straw.*

vlassen¹ 〈bn.〉 **0.1** *flaxen* ♦ **1.1** ~ garen *f. yarn/thread, linen thread.*

vlassen² 〈onov.ww.〉 **0.1** 〈met 'op'〉 *be eager for* ⇒*look forward to* ♦ **3.¶** 〈AZN〉 we zullen moeten ~ om er te geraken *to get there we shall have to put our backs/hearts into it/go all out for it.*

vlasser 〈de (m.)〉, **-ster** 〈de (v.)〉 **0.1** [vlasarbeider/beidster] *flaxworker* **0.2** [boer(in), handelaar(ster)] 〈boer(in)〉 *flax grower/farmer;* 〈handelaar〉 *flax dealer/merchant.*

vlasserij 〈de (v.)〉 **0.1** [handeling] *flax industry* **0.2** [bedrijf] *flax-processing/-retting plant.*

vlassig 〈bn.〉 **0.1** *flaxen, flaxy* ⇒*downy* 〈haartjes〉.

vlasspinner 〈de (m.)〉 **0.1** *flax spinner.*

vlasspinnerij 〈de (v.)〉 **0.1** *flax mill.*

vlasteelt 〈de〉 **0.1** *flax culture.*

vlasvezel 〈de〉 **0.1** [vezel v.d. vlasplant] *flax fibre* **0.2** [uit vlasvezels bestaand materiaal] *flax (fibre).*

vlasvink 〈de〉 〈dierk.〉 **0.1** [groenling] *green linnet, greenfinch* **0.2** [barmsijsje] *redpoll (linnet).*

vlaswiek 〈de〉 **0.1** *bundle of flax.*

vlaszaad 〈het〉 **0.1** *flaxseed, linseed.*

vlecht 〈de〉 **0.1** [gevlochten hoofdhaar] *braid, plait* ⇒*tress* **0.2** [streng van gevlochten touw] *plait* **0.3** [bloedvat, zenuw] *plexus* ♦ **2.1** een valse ~ *a switch, a tress of false hair* **3.1** ~en breien *braid (hair).*

vlechtband 〈het〉 **0.1** *strap-work.*

vlechtdraad 〈het〉 **0.1** [draad waarmee gevlochten wordt] *(braiding/plaiting) strand* ⇒*ply* **0.2** [gaas van gevlochten ijzerdraad] *wire netting* ⇒*chicken wire.*

vlechten 〈ov.ww.〉 **0.1** [buigzame voorwerpen over en door elkaar slaan] *braid, plait* ⇒*twine, twist, weave* **0.2** [vervaardigen op genoemde manier] *braid, plait* ⇒*twine, weave, wreathe* (tot een krans) ♦ **1.1** een band door het haar ~ *p./b. a band/ribbon through the hair;* 〈textiel〉 gevlochten band *rickrack;* koord ~ *twine/twist cord;* papier ~ *p. (strips of) paper;* 〈fig.〉 zaken in elkaar ~ *interweave things, weave things together* **1.2** een krans ~ *make a wreathe.*

vlechthout 〈het〉 **0.1** *fascine wood* ⇒*osiers.*

vlechting 〈de (v.)〉 **0.1** [slag waarmee men vlecht] *twine, twist* **0.2** [het gevlochtene] *braid(ing), plait(ing)* **0.3** [plexus] *plexus.*

vlechtriet 〈het〉 **0.1** *rush.*

vlechtwerk 〈het〉 **0.1** *plaiting, interweaving* ⇒*interlacement,* 〈mandwerk〉 *wickerwork, basketwork, wattle* (ihb. voor hek).

vleermuis 〈de〉 **0.1** *bat* ♦ **2.1** de gewone of vale ~ *European Little Brown Bat.*

vleermuisbrander 〈de (m.)〉 **0.1** *fishtail burner* ⇒〈rondstraalbrander〉 *fantail.*

vlees 〈het〉 〈→sprw. 179〉 **0.1** [spierweefsel] *flesh;* 〈voedsel〉 *meat* **0.2** [lichaam] *flesh* **0.3** [de mens] *flesh* **0.4** [mbt. vruchten/paddestoelen] *flesh, pulp* ♦ **1.1** een mens van ~ en bloed 〈levensecht〉 *a man of f. and blood;* 〈een menselijke zwakheden〉 *a man of common day;* dat is ~ noch vis *that is neither fish, f., nor good red herring/neither one thing nor the other* **1.2** mijn eigen ~ en bloed *my own f. and blood* **2.1** 〈fig.〉 in eigen ~ snijden *queer one's own pitch;* groot ~ ≠*joint;* mager /vet/gezouten/gebraden ~ *lean/fat/salt/roast m.;* een broodje warm ~ *a hot m. roll;* wild ~ *proud f.;* 〈wet.〉 *granulation tissue* **2.3** 〈bijb.〉 de geest is gewillig, maar het ~ is zwak *the spirit is willing, but the f. is weak* **3.2** de ~ geworden afgunst *envy incarnate, the personification/picture of envy* **6.1** de kogel is in het ~ blijven steken *the bullet has stuck/lodged in the f.;* een ~ in ~ gegroeide nagel *an ingrown nail;* goed in het ~ zijn/zitten *be well-fleshed;* 〈scherts〉 *be well-upholstered;* geen ~ zonder been *nothing is perfect, no rose without thorn* **7.2** 〈bijb.〉 man en vrouw zullen één ~ zijn *man and wife shall be one f.* **¶.1** weten wat voor ~ men in de kuip heeft *know s.o. for what he/she is;* 〈inf.〉 *be on to s.o., know one's bird.*

vleesaanvoer 〈de (m.)〉 **0.1** *meat supply.*

vleesafval 〈het, de (m.)〉 **0.1** *meat scraps.*

vleesafzet 〈de (m.)〉 **0.1** *sale of meat.*

vleesatlas 〈de (m.)〉 **0.1** *butcher's chart.*

vleesboom 〈de (m.)〉 **0.1** *myoma, fibroid.*

vleesbord 〈het〉 **0.1** *meat plate.*

vleesbouillon 〈de (m.)〉 **0.1** *meat stock/broth.*

vleesconserven 〈zn.mv.〉 **0.1** *canned/〈*BE ook*〉 tinned meat.*

vleesetend 〈bn.〉 **0.1** *carnivorous* ♦ **1.1** ~e dieren *c. animals, carnivores;* ~e planten *c. plants.*

vleeseter 〈de (m.)〉 **0.1** [carnivoor] *meat-eater;* 〈vnl. mbt. dieren〉 *carnivore* **0.2** [iem. die (graag) vlees eet] *meat-eater.*

vleesextract 〈het〉 **0.1** *extract of meat, meat/beef extract/essence.*

vleesfondue 〈de〉 **0.1** *meat fondue* ⇒*fondue bourguignonne.*

vleesgerecht 〈het〉 **0.1** *meat course/dish.*

vleesgeworden 〈bn.〉 **0.1** *incarnate* 〈na zn.〉, *embodied* 〈na zn.〉 ♦ **1.1** het ~ kwaad *the incarnation of evil;* hij is de ~ luiheid *he is byword for laziness;* de ~ stomheid/gierigheid *stupidity/avarice incarnate/embodied.*

vleeshaak 〈de (m.)〉 **0.1** *meat hook.*

vleesindustrie 〈de (v.)〉 **0.1** *meat industry.*

vleeskant 〈de (m.)〉 **0.1** *flesh side.*

vleeskeuring 〈de (v.)〉 **0.1** [handeling] *meat inspection* **0.2** [dienst] *meat inspection (department).*

vleeskeuringsdienst 〈de (m.)〉 **0.1** *government meat inspection (department/board).*

vleeskleur 〈de〉 **0.1** [kleur van vlees/de huid] *flesh-colour, flesh tint* **0.2** [kleurstof] *flesh-coloured dye, incarnadine.*

vleeskleurig 〈bn.〉 **0.1** *flesh-coloured* ⇒*nude* 〈vnl. kousen〉 ♦ **1.1** ~e dophei *spring heath;* ~e kousen *f.-c./nude stockings/tights.*

vleesklomp
I 〈de〉 **0.1** [groot stuk vlees] *lump of meat;*
II 〈de (m.)〉 **0.1** [zwaar mens] *a great hulk/a mountain of a man/woman/boy/girl.*

vleesloos 〈bn.〉 **0.1** *meatless* ♦ **1.1** vleesloze dagen 〈rel.〉 *days of abstinence;* een ~ dieet *a m./meat-free diet.*

vleesmachine 〈de (v.)〉 **0.1** *meat slicer.*

vleesmes 〈het〉 **0.1** *carving knife.*

vleesmolen 〈de (m.)〉 **0.1** *mincer, meat grinder.*

vleesnat 〈het〉 **0.1** *broth, stock* ⇒*bouillon.*

vleespen 〈de〉 **0.1** [stalen prikker] *skewer, spit* **0.2** [pin in een rollade] *skewer.*

vleespot 〈de (m.)〉 **0.1** *jar of potted meat* ♦ **1.1** terugverlangen naar de ~ten van Egypte 〈fig.〉 *hanker after the fleshpots of Egypt.*

vleesschotel 〈de (m.)〉 **0.1** [schotel] *meat dish* **0.2** [gerecht] *meat course/dish.*

vleessnijmachine 〈de (v.)〉 **0.1** *meat slicer.*

vleestomaat 〈de〉 **0.1** *beefsteak tomato.*

vleesvergiftiging ⟨de (v.)⟩ **0.1** *meat poisoning* ⇒*food poisoning.*
vleesverwerkend ⟨bn.⟩ **0.1** *meat-packing* ♦ **1.1** ~e industrie *m.-p. industry.*
vleesvlieg ⟨de⟩ **0.1** *flesh fly, meat fly, blowfly* ♦ **2.1** blauwe ~ *bluebottle.*
vleesvork ⟨de⟩ **0.1** *carving fork.*
vleesvorkje ⟨het⟩ **0.1** ≠*cocktail fork.*
vleeswaren ⟨zn.mv.⟩ **0.1** *meat products, meats* ♦ **2.1** fijne ~ *cold cuts.*
vleeswond ⟨de⟩ **0.1** *flesh-wound.*
vleeswording ⟨de (v.)⟩ **0.1** [⟨prot.⟩] *Incarnation* **0.2** [verpersoonlijking] *incarnation* ⇒*embodiment.*
vleeszijde →*vleeskant.*
vleet ⟨de⟩ **0.1** [drijfnet] *drift net, herring-net* **0.2** [hoeveelheid] *netful* ♦ **3.1** de ~ inhalen *draw in the h.-n.* **6.1** aan de ~ liggen *be fishing* **6.**¶ hij heeft geld / boeken **bij** de ~ *he has (got) lots / heaps of money / books, he has money / books galore.*
vlegel ⟨de (m.)⟩ **0.1** [lompe vent] *boor* ⇒*hobbledehoy* **0.2** [kwajongen] *brat* ⟨jonger⟩ ⇒*punk* ⟨ouder⟩ **0.3** [stok] *flail.*
vlegelachtig ⟨bn., bw.; -ly⟩ **0.1** *insolent* ⇒*impertinent, impudent, outrageous, boorish.*
vlegeljaren ⟨zn.mv.⟩ **0.1** *awkward age / stage / years.*
vleien
  I ⟨onov., ov.ww.⟩ **0.1** [flemen] *flatter* ⇒⟨inf.⟩ *butter up, soft-soap,* ⟨AE; inf.⟩ *apple-polish, sweet-talk,* ⟨overhalen⟩ *coax, wheedle* **0.2** [aangenaam aandoen] *flatter* **0.3** [aanhalig zijn] *be affectionate* **0.4** [iem. mooier maken dan hij is] *flatter* ♦ **1.4** de spiegel vleit niet *the mirror isn't flattering / doesn't f.* **3.3** ~d sloeg ze de arm om hem heen *she put her arm around him affectionately* **1.**¶ .2 ik voelde me gevleid door haar antwoord *I was / felt flattered by her answer;*
  II ⟨wk.ww.; zich ~⟩ **0.1** [zichzelf hoop geven] *flatter o.s. (that)* ♦ **6.1** ze vleide zich **met** de hoop dat ... *f. / indulge o.s. with the hope that ....*
vleiend ⟨bn., bw.; -ly⟩ **0.1** *flattering* ⇒*coaxing, wheedling* ♦ **3.1** ~ spreken / iets vragen *speak / ask for sth. coaxingly;* ⟨vragen ook⟩ *try to wheedle sth. (out of s.o.)* **6.1** ⟨euf.⟩ die uitlating is niet zeer ~ **voor** hem *the statement isn't very f. for him.*
vleier ⟨de (m.)⟩, **-ster** ⟨de (v.)⟩ **0.1** *flatterer* ⇒*coaxer, wheedler,* ↓*toady,* ⟨inf.⟩ *smoothie,* ⟨AE; inf.⟩ *apple-polisher.*
vleierig ⟨bn., bw.; -ly⟩ **0.1** *coaxing* ⇒*unctuous, sugary, candied, sugar-coated.*
vleierij ⟨de (v.)⟩ **0.1** [het vleien, gevleid worden] *flattery* ⇒*cajoling,* ⟨inf.⟩ *buttering-up,* ⟨AE; inf.⟩ *apple-polishing* **0.2** [compliment] *flattery* ⇒*cajolery, blandishment,* ⟨inf.⟩ *blarney* ♦ **6.1** iem. **door** ~ tot iets brengen *flatter s.o. into sth.;* **met** ~ kom je nergens *f. will get you nowhere;* **zonder** ~ honestly.
vleinaam ⟨de (m.)⟩ **0.1** *pet name.*
vleitaal ⟨de⟩ **0.1** *flattery* ⇒*flattering words / talk,* ↑*blandishments* ⟨mv.⟩, ⟨AE; inf.⟩ *sweet talk.*
vleiwoord ⟨het⟩ **0.1** *pet word.*
vlek ⟨→sprw. 360⟩
  I ⟨het⟩ **0.1** [gehucht] *township* ⇒*townlet.*
  II ⟨de⟩ **0.1** [vuile plek] *spot* ⇒*stain, smudge* **0.2** [anders gekleurde plek] *spot* ⇒*mark,* ⟨blauwe plek⟩ *bruise,* ⟨huidvlek⟩ *macula, blotch* ⟨door ziekte, koorts⟩ **0.4** [⟨fig.⟩ smet] *blot* ⇒*spot, blemish, stain* ♦ **2.**¶ blinde ~ (in het oog) *blind s. (in the eye);* gele ~ *macula (lutea)* **3.1** die ~ gaat er in de was wel uit *that spot will wash out / will come out in the wash;* inkt maakt gemakkelijk ~ken *ink smudges easily* **6.1** maak geen ~ken **op** je kleren *don't get your clothes dirty* **6.2** de ~ken **op** de zon *sun spots* **6.3** ~ken **in** het gezicht *blotches on one's face;* ~ken **van** de koorts *fever blotches, rash* **6.4** een ~ **op** iemands karakter *a blot / blemish / stain on s.o.'s character.*
vlekkeloos ⟨bn.⟩ **0.1** [volkomen zuiver] *spotless* ⇒*immaculate, untainted, perfect, flawless* **0.2** [zonder verontreiniging] *spotless* ⇒*immaculate, untainted, unblemished, unstained, unsullied* ♦ **1.1** een ~ gedrag / leven *perfect behaviour / a perfect life;* het ~ lam *the Lamb (of God);* een vlekkeloze vertaling *a flawless / perfect translation* **2.2** ~ wit papier *s. white paper* **3.1** iets ~ laten verlopen *grease the wheels.*
vlekkeloosheid ⟨de (v.)⟩ **0.1** *spotlessness* ⇒*stainlessness,* ⟨fig.⟩ *flawlessness, faultlessness,* ↑*immaculateness.*
vlekken ⟨onov.ww.⟩ **1** [vlekken teweegbrengen] *spot* ⇒*stain, blemish, soil, smudge* **0.2** [vlekken krijgen] *spot* ⇒*stain, blemish, soil, smudge* ♦ **1.1** gemorst bier vlekt nauwelijks *beer hardly stains at all* **1.2** zwarte stof vlekt gemakkelijk *black material spots easily.*
vlekkenmiddel ⟨het⟩ **0.1** *spot / stain remover.*
vlekkentest ⟨de (m.)⟩ ⟨psych.⟩ **0.1** *Rorschach / ink-blot test.*
vlekkenwater ⟨het⟩ **0.1** *spot / stain remover.*
vlekkenziekte ⟨de (v.)⟩ **0.1** *spots.*
vlekkerig ⟨bn.⟩ **0.1** [vol vlekken] ⟨bn., bw.⟩ *spotted* ⇒*full of spots,* *splodgy* [A]*tchy, smudgy, spotty* **0.2** [gauw vlekken krijgen] ⟨bn.⟩ *easily spotted / stained* ⇒*susceptible to spots / stains* ♦ **1.2** die stof is erg ~ *that material stains / spots easily.*
vlekkig ⟨bn.⟩ **0.1** *spotted;* ⟨met kleine vlekken⟩ *specked.*
vlekkoorts ⟨de⟩ **0.1** *scarlet fever.*
vlektyfus ⟨de (m.)⟩ **0.1** *typhus (fever)* ⇒*spotted fever,* ⟨bij varkens⟩ [B]*swine fever,* [A]*hog cholera.*

vlekvrij ⟨bn.⟩ **0.1** [ontdaan van vlekken] *spot-free* ⇒*spotless* **0.2** [geen vlekken krijgend] *stainless* ⇒*spot / stain resistant* ♦ **3.2** veel kunststoffen zijn ~ *many synthetics are spot / stain resistant.*
vlekziekte ⟨de (v.)⟩ **0.1** [varkensziekte] [B]*swine fever,* [A]*hog cholera* **0.2** [vlekkenziekte] ⟨→**vlekkenziekte**⟩.
vlerk
  I ⟨de (m.)⟩ **0.1** [kinkel] *boor* ⇒*cad, punk,* ⟨sl.⟩ *jerk;*
  II ⟨de⟩ **0.1** [vleugel] *wing* ⇒⟨dicht.⟩ *pinion* **0.2** [hand] *paw* ⇒*mitt* **0.3** [drijver] *outrigger* ♦ **3.1** ⟨fig.⟩ iem. de ~en laten hangen *droop, be droopy* **6.2** blijf er met je ~en af *(keep your) paws / mitts off* **6.**¶ iem. **bij** zijn ~en pakken *collar s.o..*
vlerkachtig ⟨bn.⟩ **0.1** *insolent* ⇒*impertinent, impudent, outrageous, boorish.*
vleselijk ⟨bn., bw.; -ly⟩ **0.1** [lichamelijk] *physical* **0.2** [zinnelijk] *carnal* ⇒*fleshly, animal* **0.3** [bloedeigen] ⟨zie 1.3⟩ ♦ **1.1** ~e aanwezigheid *p. presence;* ~e gemeenschap tussen man en vrouw *(sexual) intercourse* **1.2** ~e liefde *physical / sexual love;* ~e lusten *c. / animal lust / desires* **1.3** mijn ~e broeders *my natural / blood brothers.*
vleselijkheid ⟨de (v.)⟩ **0.1** *carnality.*
vlet ⟨de⟩ **0.1** [vrachtvaartuig] *flatboat, scow, barge* **0.2** [platboomd vaartuig] *punt.*
vleug ⟨de⟩ **0.1** *nap* ♦ **1.1** de ~ van het fluweel *the n. of velvet* **6.1** tegen de ~ ⟨fig.⟩ *unruly.*
vleugel ⟨de (m.)⟩ ⟨→sprw. 15⟩ **0.1** [vlerk] *wing* ⇒⟨dicht.⟩ *pinion* **0.2** [draagvlak van een vliegtuig] *wing* **0.3** [zijlinie, zijdeel] *wing* ⇒*ear, side, blade* ⟨ventilator⟩ **0.4** [deel van een bouwwerk] *wing* **0.5** [piano] *grand piano* **0.6** [deur, raam, paneel] *leaf* ⇒*section* ♦ **1.1** onder moeders ~s *under Mother's wing* **2.2** vliegende ~ *flying wing* **2.3** de linker ~ / de rechter ~ ⟨ook sport⟩ *the left / right w.* **2.5** kleine ~ *baby grand* **3.1** de angst gaf haar ~s ⟨dicht.⟩ *fear gave wings to her feet;* mijn geld heeft ~tjes gekregen *my money disappears into thin air, I go through my money in no time flat;* ⟨fig.⟩ ~s krijgen *sprout / grow wings;* de ~s laten hangen *droop;* de ~s uitslaan *spread one's wings* **6.1** met de ~s klappen *flap one's wings;* ⟨fig.⟩ iem. **onder** zijn ~s nemen *take s.o. under one's w.;* die vogels zijn gauw **op** de ~s *those birds are jumpy / skittish;* ⟨fig.⟩ **op** de ~s van de wind *carried away by the wind* **6.3** ⟨sport⟩ **over** de ~s spelen *play down the wings.*
vleugelboot ⟨de⟩ **0.1** *hydrofoil.*
vleugeldeur ⟨de⟩ **0.1** [helft van een dubbele deur] *panel* ⇒*section* **0.2** [paneel, deur voor een orgel, meubel, altaar] *panel* ⇒*door* **0.3** [dubbele deur] *folding door(s).*
vleugelklep ⟨de⟩ ⟨verkeer⟩ **0.1** (*wing*) *flap.*
vleugellam ⟨bn.⟩ **0.1** *broken-winged* ⇒*with a broken wing* ♦ **3.1** iem. ~ maken *paralyze s.o., render s.o. powerless, put s.o. in the deepfreeze;* ~ zijn *be paralyzed / in the deepfreeze.*
vleugellozen ⟨zn.mv.⟩ **0.1** *wingless insects.*
vleugelmoer ⟨de⟩ **0.1** *wing / butterfly nut* ⇒*thumb-nut.*
vleugeloppervlak ⟨het⟩ **0.1** *wing surface.*
vleugelpiano ⟨de⟩ **0.1** *grand piano.*
vleugelraam ⟨het⟩ **0.1** *casement window.*
vleugelschild ⟨het⟩ **0.1** *wing-case* ⇒*shard, sherd, elytron.*
vleugelschroef ⟨de⟩ **0.1** *wing screw / bolt.*
vleugelslag ⟨de (m.)⟩ **0.1** [slag bij het vliegen] *wingbeat* **0.2** [het slaan met de vleugels] *wingbeat(s)* ♦ **2.2** met forse ~ *with powerful wing-beats.*
vleugelspeler ⟨de (m.)⟩ **0.1** (*left / right*) *winger.*
vleugeltjesbloem ⟨de⟩ **0.1** *milkwort* ⇒*rogation flower.*
vleugelverdediger ⟨de (m.)⟩, **-digster** ⟨de (v.)⟩ ⟨sport⟩ **0.1** *wing defender.*
vleugelvormig ⟨bn.⟩ **0.1** *wing-shaped / -like.*
vleugelwijdte ⟨de (v.)⟩ **0.1** *wingspan* ⟨vliegtuig⟩ *wingspread* ⟨vogel, insekt⟩.
vleugje ⟨het⟩ **0.1** [lichte vlaag] *breath* ⇒*touch, dash* **0.2** [even merkbaar verschijnsel] *tinge* ⇒*flicker, spark, shade* ♦ **1.1** een ~ hoop *a spark of hope;* een ~ romantiek / ironie *a romantic / an ironic flavour;* met een ~ wanhoop *with a touch of despair;* er is geen ~ wind *there isn't a b. / puff of wind* **1.2** groen met een ~ geel *green with a yellow cast;* een ~ kleur / vorst *a touch of colour / frost;* een ~ kwaadaardigheid *a touch / tinge / shade of malice;* een ~ parfum *a whiff / waft of perfume.*
vlezer ⟨de (m.)⟩ ⟨amb.⟩ **0.1** *flesher.*
vlezig ⟨bn.⟩ **0.1** [bestaande uit vlees] *fleshy* ⇒*meaty* **0.2** [goed in het vlees] *fleshy* ⇒*meaty, plump* **0.3** [met veel vruchtvlees] *plump* ⇒*meaty* ♦ **1.1** een ~e uitwas *a f. growth* **1.2** een ~e koe *a meaty cow, a cow with a lot of meat;* een ~e hengel / kerel / nek *a plump* / ⟨scherts.⟩ f. *girl / meaty* / ⟨pej.⟩ *porky fellow / f. neck.*
vlg. ⟨afk.⟩ **0.1** [volgend(e)] ⟨*following*⟩ **0.2** [volgens] ⟨*according to*⟩, *acc. to.*
vlgg. ⟨afk.⟩ **0.1** [volgende(n)] *foll..*
vliedberg ⟨de (m.)⟩ **0.1** ⟨→**vliedheuvel**⟩.
vlieden ⟨schr.⟩
  I ⟨onov.ww.⟩ **0.1** [vluchten] *flee* **0.2** [voorbijgaan] *fleet* ♦ **1.2** de tijd vliedt *time is flying / flies* **6.1** wie **tot** Hem vliedt *whoever flees / runs to Him;* **voor** iets / iem. ~ *f. from sth. / s.o.;*

II ⟨ov.ww.⟩ **0.1** [mijden] *flee* ⇒*avoid, shun* ♦ **1.1** de ledigheid ~ *shun idleness*.

vliedheuvel ⟨de (m.)⟩ **0.1** *terp* ⇒*refuge mound*.

vlieg ⟨de⟩ ⟨→sprw. 608⟩ **0.1** [insekt] *fly* **0.2** [kunstaas] *fly* ♦ **3.1** ⟨fig.⟩ iem. een ~ afvangen *score off s.o., steal a march on s.o., get the jump on s.o.*; ik ben hier niet om ~en te vangen ⟨fig.⟩ *I'm not here for my health/for nothing*; een arend vangt geen ~en ⟨fig.⟩ *a star doesn't play in the little league, important people are above such trivial matters*; ⟨fig.⟩ ~ wil ook vogel zijn *every sparrow wants to be an eagle, everybody wants to be a star* **5.1** niets afslaan behalve ~en *not say no* **7.1** twee ~en in één klap (slaan) ⟨fig.⟩ *kill two birds with one stone* ¶ **1** hij doet geen ~ kwaad *he wouldn't harm a f.*.

vliegafstand ⟨de (m.)⟩ **0.1** *flying distance*.

vliegangst ⟨de (m.)⟩ **0.1** *fear of flying*.

vliegas ⟨de⟩ **0.1** *fly ash*.

vliegbasis ⟨de (v.)⟩ **0.1** *air base*.

vliegbereik ⟨het⟩ **0.1** *range* ⇒*radius*.

vliegbiljet ⟨het⟩ **0.1** *airline/*⟨BE ook⟩*(aero)plane/*⟨AE ook⟩*(air)plane ticket*.

vliegboot ⟨de⟩ **0.1** *flying boat*.

vliegbrevet ⟨het⟩ **0.1** *pilot's/flying licence* [A]*se* ♦ **3.1** zijn ~ halen ⟨ook⟩ *qualify as a pilot, get one's wings*.

vliegbril ⟨de (m.)⟩ **0.1** *(pair of) flying-goggles*.

vliegclub ⟨de⟩ **0.1** *flying-club*.

vliegdek ⟨het⟩ **0.1** *flight deck*.

vliegdekschip ⟨het⟩ **0.1** *(aircraft) carrier*.

vliegdienst ⟨de (m.)⟩ **0.1** [luchtvaartdienst] *flight service* **0.2** [dienst van een vlieger] *service* **0.3** [vliegers] *air corps*.

vliegeëi ⟨het⟩ **0.1** *fly's egg* ⇒*flyblow*.

vliegemepper ⟨de (m.)⟩ **0.1** *(fly) swatter*.

vliegen ⟨→sprw. 26,567⟩
I ⟨onov.ww.⟩ **0.1** [zich in de lucht voortbewegen] *fly* **0.2** [een vliegtuig besturen; met een vliegtuig vervoerd worden] *fly* **0.3** [snel voorbijgaan] *fly* ⇒*race* **0.4** [(zich) snel voortbewegen, verwijderen] *fly* ⇒*race* **0.5** [wapperen] *fly* ⇒*flap* **0.7** [vooroverhellen] *lean* ♦ **1.1** met ~de vaandels *with flying colours*; alle vogels ~ ≠*Simon says* **1.3** de dagen ~ (om) *the days f./race by;* zoals altijd vloog de vakantie om *the* [B]*holidays/*[A]*vacation raced by as always* **1.4** het bloed vloog haar naar het gezicht *the blood rushed to her face;* de jongen vloog de straat over *the boy tore across the street;* ⟨fig.⟩ de vogel is gevlogen *the bird has/is flown; he/she/enz. has vanished/* ⟨sl.⟩ *flown the coop* **1.7** de muur/dat huis vliegt *the wall/that house is leaning* **3.1** ⟨fig.⟩ hij wil ~ voor hij vleugels heeft *he tends to bite off more than he can chew;* ⟨mbt. peuters ook⟩ *he wants to run before he can walk;* hij ziet ze ~ *he's got bats in the belfry/got a screw loose (somewhere), he's off his rocker* **3.6** ⟨scheep.⟩ de schoot laten ~ *let the sheet fly* **5.1** werken dat de stukken eraf ~ *work with a vengeance;* erin ~ [zich laten beetnemen] *fall for sth.;* ⟨tegen de lamp lopen⟩ *get caught;* hoger (willen) ~ dan men kan *(want to) spend more than one can afford, live beyond one's means;* ⟨ook⟩ *shoot a bridge* **5.4** ze vloog het huis binnen *she darted into the house;* eruit ~ ⟨fig.⟩ *get sacked/the sack;* ⟨AE;sl.⟩ *get canned;* de prijzen ~ omhoog *prices are skyrocketing/rocketing (up);* iem. tegemoet ~ *f./race to meet s.o.* **6.2** met PAN AM ~ *f. Pan Am* **6.4** elkaar in de haren ~ ⟨fig.⟩ *be at each other's throats;* de kogels vlogen ons om de oren *the bullets whizzed past our ears;* op iemands wenken/voor iem. ~ *be at s.o.'s beck and call;* zijn ogen vlogen over de regels *his eyes sped/raced over the lines;* over de weg ~ *f./race/tear along/down a road;* uit de rails ~ *jump the rails;* de bijl vloog van de steel *the ax(head) flew off the handle* **6.5** de vonken vlogen in het rond *the sparks flew about* **6.¶ in** brand ~ *burst into flames;* in de lucht ~ *explode* **8.1** ⟨fig.⟩ als warme broodjes de winkel uit ~ *sell like hot cakes;*
II ⟨ov.ww.⟩ **0.1** [door de lucht vervoeren] *fly* **0.2** [besturen] *fly* **0.3** [door vliegen in een toestand brengen] *fly and/until* ♦ **4.3** zich moe ~ *f. until (one is) exhausted*.

vliegend ⟨bn.⟩ ⟨→sprw. 369⟩ **0.1** [zich op vleugels voortbewegend] *flying* ⇒*winged* **0.2** [zich door de lucht voortbewegend] *flying* ⇒ *winged* **0.3** [wapperend] *flying* ⇒*fluttering, waving* **0.4** [zich snel verplaatsend, snel verplaatsbaar] *flying* ⇒*racing, tearing* **0.5** [zeer vluchtig] *flying* ⇒*racing* **0.6** [niet vast] *temporary* ♦ **1.1** ~e draak *f. dragon/lizard* ⟨Draco sp.⟩; ~e mier *winged/flying ant; het* ~e paard *the winged horse, Pegasus;* ~ wild *feathered game* **1.2** ~e bom *f./robot/* ⟨inf.⟩ *buzz bomb;* ⟨vnl. BE;inf.⟩ *doodlebug;* ~e forten *F. Fortresses;* ~ tapijt *f. carpet* **1.3** ~e haren *flying hair;* met ~ vaandel *with flying colours* **1.4** in ~e haast *at a tear* **1.5** ~e geest *ammonia* **1.6** ~e winkel *t.* [B]*shop/*[A]*store*.

vliegendood ⟨de (m.)⟩ **0.1** [verdelger] *fly spray* **0.2** [zwam] *fly agaric*.

vliegengaas ⟨het⟩ **0.1** *screen(ing)*.

vliegengordijn ⟨het⟩ **0.1** *fly/bug curtain*.

vliegenier ⟨de (m.)⟩, **-ster** ⟨de (v.)⟩ **0.1** *flyer* ⇒*aviator*.

vliegenkast ⟨de⟩ **0.1** *meat safe*.

vliegenlijm ⟨de (m.)⟩ **0.1** *fly glue*.

vliegenplaag ⟨de⟩ **0.1** *plague of flies*.

---

vliegensvlug ⟨bn., bw.⟩ **0.1** ⟨bn.⟩ *double-quick;* ⟨bw.⟩ *in double-quick time, like (greased) lightening*.

vliegenvanger ⟨de (m.)⟩ **0.1** [voorwerp] *flycatcher* **0.2** [zangvogel] *flycatcher*.

vliegenzwam ⟨de⟩ **0.1** *fly agaric*.

vlieger ⟨de (m.)⟩ **0.1** [speelgoed] *kite* **0.2** [piloot] *flyer, airman* ⇒*pilot,* ⟨vero.⟩ *aviator* **0.3** [dier] *flyer* **0.4** ⟨scheep.⟩ *flying jib* ♦ **2.3** meeuwen zijn uitstekende ~s *gulls are excellent flyers* **3.1** ⟨fig.⟩ die ~ gaat niet op *that won't wash, that's (simply) not on;* een ~ oplaten *fly a k.;* ⟨fig.⟩ *put out a feeler;* de ~ staat/hangt *the k. is flying/holding*.

vliegeren ⟨onov.ww.⟩ **0.1** *fly kites/a kite*.

vliegerij ⟨de (v.)⟩ **0.1** *flying* ⇒*aviation*.

vliegertouw ⟨het⟩ **0.1** *kite string*.

vliegfeest ⟨het⟩ **0.1** *flying show* ⇒*flight exhibition,* ⟨parade⟩ [B]*flypast,* [A]*flyby*.

vlieggat ⟨het⟩ **0.1** [mbt. een bijenkorf] *entrance* **0.2** [mbt. een duiventil] *loft entrance*.

vlieggewicht
I ⟨het⟩ **0.1** ⟨sport⟩ *flyweight* **0.2** [gewicht van een vliegtuig] *all-up weight;*
II ⟨de (m.)⟩ ⟨sport⟩ **0.1** [persoon] *flyweight*.

vlieghoogte ⟨de (v.)⟩ **0.1** *altitude*.

vliegkamp ⟨het⟩ **0.1** ⟨kleiner⟩ *airfield;* ⟨groter, met reparatiewerkplaats e.d.⟩ *air station/base*.

vliegkampschip ⟨het⟩ **0.1** *(aircraft) carrier*.

vliegkunst ⟨de (v.)⟩ **0.1** [kunst van het vliegen] *art of flying* ⇒*aviation* ⟨alleen van de mens⟩ **0.2** [(mv.) kunstige verrichting] *aerobatics, aviation/flying acrobatics*.

vliegmachine ⟨de (v.)⟩ **0.1** [B]*aeroplane,* [A]*airplane* ⇒*aircraft, flying machine,* ⟨inf.⟩ *plane*.

vliegnet ⟨het⟩ **0.1** *flight network*.

vliegopening →vliegeat.

vliegplan ⟨het⟩ **0.1** *flight plan*.

vliegramp ⟨de⟩ **0.1** *air(craft)/*⟨BE ook⟩*(aero)plane/*⟨AE ook⟩*(air)plane disaster* ⇒*plane crash, aircrash, aviation disaster*.

vliegreis ⟨de⟩ **0.1** ⟨trip including air travel⟩ ⇒*air journey*.

vliegroute ⟨de⟩ **0.1** *air(craft)/flying route* ⇒*flight path,* ⟨van trekvogels⟩ *flyway*.

vliegschool ⟨de⟩ **0.1** *flying school*.

vliegsnelheid ⟨de (v.)⟩ **0.1** [snelheid waarmee gevlogen wordt] *flying speed;* ⟨tov. lucht⟩ *airspeed;* ⟨tov. grond⟩ *groundspeed* **0.2** [snelheid die een vliegtuig moet hebben om in de lucht te blijven] *stalling speed*.

vliegsport ⟨de (v.)⟩ **0.1** *aviation* ⇒*flying*.

vliegstoel →vliegtuigstoel.

vliegtechniek ⟨de (v.)⟩ **0.1** [luchtvaarttechniek] *flying technique* **0.2** [bekwaamheid] *flying technique*.

vliegterrein ⟨het⟩ **0.1** *airfield* ⇒⟨BE ook⟩ *aerodrome,* ⟨AE ook⟩ *airdrome,* ⟨alléén landingsbaan⟩ *airstrip*.

vliegtuig ⟨het⟩ **0.1** [B]*aeroplane,* [A]*airplane* ⇒*aircraft,* ⟨inf.⟩ *plane* ♦ **3.1** ~jes vouwen *make/fold paper aeroplanes/airplanes* **6.1** met het ~ reizen *fly, go/travel by air/plane*.

vliegtuigbemanning ⟨de (v.)⟩ **0.1** *aircrew, plane crew* ⇒*aircraft crew*.

vliegtuigbenzine ⟨de⟩ **0.1** *aviation spirit/*[B]*petrol/*[A]*gasoline*.

vliegtuigbouw ⟨de (m.)⟩ **0.1** *aircraft construction/-building*.

vliegtuigbouwer ⟨de (m.)⟩ **0.1** *aircraft constructor/-builder*.

vliegtuigbouwkundig ⟨bn.⟩ **0.1** *aviation* ⇒*aero-* ♦ **1.1** ~ ingenieur/constructeur *aviation engineer/airplane designer/builder*.

vliegtuigelektronika ⟨de (v.)⟩ **0.1** *avionics*.

vliegtuigfabriek ⟨de (v.)⟩ **0.1** *aircraft factory*.

vliegtuigindustrie ⟨de (v.)⟩ **0.1** *aircraft industry*.

vliegtuigkaper ⟨de (m.)⟩, **-kaapster** ⟨de (v.)⟩ **0.1** ⟨ [B]*aeroplane/*[A]*airplane* ⟩ *hijacker* ⇒*skyjacker*.

vliegtuigkaping ⟨de (v.)⟩ **0.1** ⟨ [B]*aeroplane/*[A]*airplane* ⟩ *hijack(ing)* ⇒ ⟨inf.⟩ *skyjacking*.

vliegtuigloods ⟨de⟩ **0.1** *hangar*.

vliegtuigmodelbouw ⟨de (m.)⟩ **0.1** *model* [B]*aeroplane/*[A]*airplane building*.

vliegtuigmoederschip ⟨het⟩ **0.1** *aircraft carrier*.

vliegtuigmotor ⟨de (m.)⟩ **0.1** *aircraft engine* ⇒*aero-engine*.

vliegtuigongeluk ⟨het⟩ **0.1** *plane crash, aircrash*.

vliegtuigopname ⟨de (v.)⟩ **0.1** *aerial photograph*.

vliegtuigstoel ⟨de (m.)⟩ **0.1** [B]*(aero)plane/*[A]*(air)plane/aircraft seat*.

vliegtuigtrap ⟨de (m.)⟩ **0.1** *aircraft steps* ⟨mv.⟩ ⇒*ramp*.

vlieguur ⟨het⟩ **0.1** *flying/flight hour*.

vliegvakantie ⟨de (v.)⟩ **0.1** *holiday (going) by air*.

vliegveld ⟨het⟩ **0.1** *airport* ⇒⟨kleiner⟩ *airfield*.

vliegverbinding ⟨de (v.)⟩ **0.1** *flight/airline/*[B]*aeroplane/*[A]*airplane connection*.

vliegverbod ⟨het⟩ **0.1** *grounding* ⟨van piloot, vliegtuig⟩ ⇒*flight restriction, denied clearance* ⟨over een bep. gebied⟩.

vliegverkeer ⟨het⟩ **0.1** *air traffic*.

vliegvissen ⟨ww.⟩ **0.1** *fly-fish*.

vliegvuur ⟨het⟩ **0.1** ⟨fire spread by wind⟩.

vliegwedstrijd ⟨de (m.)⟩ **0.1** *aerial* / ᴮ*aeroplane* / ᴬ*airplane* / *aircraft competition*.

vliegweer ⟨het⟩ **0.1** *flying-weather*.

vliegwerk ⟨het⟩ ◆ **1.¶** met kunst- en vliegwerk *with spit and string*.

vliegwiel ⟨het⟩ **0.1** *fly(wheel)* ⇒*driving* / *drive wheel*.

vliem → **vlijm**.

vlier ⟨de (m.)⟩ **0.1** [struik] *elder* **0.2** [bloesem, vruchten] *elderberry* ◆ **1.2** een kop ~ *a cup of e. tea*.

vlierbes ⟨de⟩ **0.1** *elderberry*.

vlierboom ⟨de (m.)⟩ **0.1** *elderberry*.

vlierbos(je) ⟨het⟩ **0.1** *elder(berry) bush* / *tree*.

vliering ⟨de⟩ **0.1** *attic* ⇒*loft, garret* ◆ **6.1** het spookt bij hem op de ~ ⟨fig.⟩ *he's got a screw loose (somewhere), he's got bats in the belfry, he's off his rocker, he's bananas* / *bonkers* / *balmy*.

vlierthee ⟨de (m.)⟩ **0.1** *elderberry tea*.

vlies ⟨het⟩ **0.1** [dun laagje op een vloeistof] *film* ⇒*skin* (op melk), ⟨onzuiverheden⟩ *scum, coat(ing), pellicle* **0.2** [⟨biol.⟩] *membrane* ⇒*pellicle* **0.3** [schapevacht] *fleece* **0.4** [vel om vruchten, zaden] *skin* ⇒*pellicle* ◆ **1.2** het breken van de vliezen *breaking of the waters* **2.3** ⟨myth.⟩ het Gulden Vlies *the Golden Fleece;* de orde van het Gulden Vlies *the Order of the Golden Fleece* **6.2** de vliezen in een ei *the membranes in an egg;* vliezen om de spieren *membranes around the muscles* **6.4** het ~ je van / om een pinda / een bes *the skin of* / *around a peanut* / *a berry*.

vliesachtig ⟨bn.⟩ **0.1** *filmy* ⇒*membran(e)ous*.

vliesdun ⟨bn.⟩ **0.1** *paper thin* ◆ **1.1** het ijs is nog ~ *the ice is still p. t.*.

vlieseline ⟨de⟩ **0.1** *interfacing*.

vliespinda ⟨de⟩ **0.1** *unskinned peanut*.

vliesvleugeligen ⟨zn.mv.⟩ **0.1** *hymenoptera*.

vlieswol ⟨de⟩ **0.1** *fleece*.

vliet ⟨de (m.)⟩ **0.1** [klein stromend water] *brook* ⇒*rivulet, stream,* ⟨AE, Austr. E. ook⟩ *creek* **0.2** [ondiep water] *shoal* ◆ **2.1** aan de oever van een snelle ~ *on the bank of a swift stream*.

vlieten ⟨onov.ww.⟩ ⟨schr.⟩ **0.1** [stromen] *flow* ⇒*stream* **0.2** [snel voorbijgaan] *fleet* ⇒*hasten* ◆ **1.1** het snel ~de water *swiftly flowing water* **1.2** het ~de ogenblik *the fleeting moment*.

vliezig ⟨bn.⟩ **0.1** [lijkend op een vlies] *membran(e)ous* ⇒*pellicular* **0.2** [bestaande uit een vlies] *membran(e)ous* ⇒*pellicular* **0.3** [⟨plantk.⟩] *membran(e)ous* ◆ **1.1** ~e vleugels *m. wings* **1.2** het ~e labyrint van het oor *the m.* / *pellicular labyrinth of the ear* **1.3** ~e bladeren / vruchten / wortels *m. leaves* / *fruits* / *roots*.

vlijen ⟨ov.ww.⟩ **0.1** [ordelijk neerleggen] *lay down* ⇒*arrange, (put in) order* **0.2** [zacht neerleggen] *lay* ⇒*put, pillow, cushion* ◆ **1.1** hout / turf op een stapel ~ *stack wood* / *peat (in a pile)* **4.2** zich aan iemands voeten ~ *nestle at s.o.'s feet;* zich ter ruste ~ *l.* / *put o.s. to rest* **6.2** zij vlijde haar hoofd op zijn schouder *she nestled* / *pillowed her head on his shoulder*.

vlijlaag ⟨de⟩ **0.1** *base course*.

vlijm ⟨de⟩ **0.1** *lancet* ⇒ ⟨veeartserij⟩ *fleam*.

vlijmen ⟨ov.,ov.ww.⟩ **0.1** [(open)snijden] *lance* ⟨abces⟩ ⇒*cut* **0.2** [⟨fig.;schr.⟩] *pierce, stab* ◆ **6.2** door het hart ~ *p. through the heart*.

vlijmend ⟨bn., bw.⟩ **0.1** *stabbing* ⇒*piercing,* ⟨bw.⟩ *piercingly* ◆ **1.1** een ~e pijn *a s. pain;* een ~e wind *a piercing wind;* ~e woorden *piercing* / *burning words*.

vlijmscherp ⟨bn.⟩ **0.1** [zeer scherp] *razor-sharp* **0.2** [⟨fig.⟩] *razor-sharp* ⇒*biting, cutting, burning* ◆ **1.2** ~e kritiek *biting* / *caustic criticism;* een ~ vernuft *a (razor-)sharp wit;* ~e woorden *biting* / *cutting words*.

vlijt ⟨de (v.)⟩ **0.1** *diligence* ⇒*industry, application* ◆ **2.1** van eigen ~ ziet men de schoorsteen roken ≠*the early bird catches the worm,* ≠*success never comes easily* **6.1** met ~ studeren / werken *study* / *work diligently, apply o.s. to one's studies* / *work;* een tien voor ~ *A for effort*.

vlijtig ⟨bn., bw.;-ly⟩ **0.1** [ijverig] *diligent* ⇒*industrious, assiduous* **0.2** [met vlijt verricht] *diligent* ⇒*industrious, assiduous* ◆ **1.1** een ~ kind *a d. child* **1.¶** ⟨plantk.⟩ ~ Liesje *impatiens* **5.1** hij studeert altijd zeer ~ *he studies diligently, he is a d. student, he applies himself to his studies*.

vlinder ⟨de (m.)⟩ **0.1** [insekt] *butterfly* **0.2** [veranderlijk mens] *fickle* / *flighty person* ◆ **6.1** ⟨fig.⟩ ~s in mijn buik *butterflies in my stomach*.

vlinderachtig ⟨bn., bw.;-ly⟩ **0.1** [als een vlinder] *butterfly-like* ⇒ ⟨plantk.⟩ *papilionaceous* **0.2** [⟨fig.⟩] *flitting* ⇒*dancing, flighty,* ⟨lichtzinnig⟩ *fickle* ◆ **1.2** een ~ wezentje *a bright, flitting creature*.

vlinderbloem ⟨de⟩ **0.1** *papilionaceous flower*.

vlinderdas ⟨de⟩ **0.1** *bow tie*.

vlinderen ⟨onov.ww.⟩ **0.1** [⟨schr.⟩ fladderen] *flutter* ⇒*flit* **0.2** [luchtig door het leven gaan] *flit* ⇒*dance* **0.3** [zwemmen] *(do the) butterfly*.

vlinderpop ⟨de⟩ **0.1** *(butterfly) pupa*.

vlinderslag ⟨de (m.)⟩ **0.1** *butterfly stroke*.

Vlissingen ⟨het⟩ **0.1** *Vlissingen* ⇒ ⟨vnl. gesch.⟩ *Flushing*.

vlizotrap ⟨de (m.)⟩ **0.1** *loft ladder, (folding) attic steps*.

v.l.n.r. ⟨afk.⟩ **0.1** [van links naar rechts] *(from left to right)*.

vlo ⟨de⟩ ⟨→sprw. 290,673⟩ **0.1** [insekt] *flea* **0.2** [⟨spel⟩] *tiddlywink(s disc)* ◆ **2.1** ⟨fig.⟩ men wordt het hardst gebeten door zijn eigen

---

vlooien ⟨*it's the ones closest to you who hurt you most*⟩ **3.1** vlooien hebben *have fleas* **6.1** onder de vlooien zitten *be flea-ridden* / *-infested*.

vloed ⟨de (m.)⟩ ⟨→sprw. 609⟩ **0.1** [hoog getijd] *(high) tide* ⇒*flood (tide), rising tide* **0.2** [stroom] *stream* ⇒*river,* ⟨dicht.⟩ *flood* **0.3** [overstelpende massa] *flood* **0.4** [overstroming] *flood(ing)* **0.5** [⟨med.⟩] *flow* ⇒*discharge* ◆ **2.5** rode ~ *red discharge, spotting* **3.1** het is nu ~ *the tide is in;* de ~ keert / kentert / loopt af *the tide is turning* / *turning* / *receding;* de ~ komt opzetten *the tide is coming in;* na eb komt ~ *after ebb there is flow* / *flood;* het wordt / het is ~ *it's getting to be* / *it is h. t.* **8.1** werelds goed is (als) eb en ~ *temporal* / *worldly goods come and go like the tide*.

vloeddeur ⟨de⟩ **0.1** *floodgate*.

vloedgolf ⟨de⟩ **0.1** [golf van de vloed] *ground swell* **0.2** [bij ingang van een rivier] *bore* **0.3** [door natuurramp veroorzaakte golf] *tidal wave* **0.4** [⟨fig.⟩] *tide*.

vloedhaven ⟨de⟩ **0.1** *tidal harbour*.

vloedhoogte ⟨de (v.)⟩ **0.1** *high tide level*.

vloedlicht ⟨het⟩ **0.1** *floodlight*.

vloedlijn ⟨de⟩ **0.1** [mbt. het hoogste punt van de vloed] *swash mark, landwash* ⇒*floodmark, high-water line* / *mark, tide line, tidemark* **0.2** [mbt. plaatsen die op dezelfde tijd hoog water hebben] *cotidal line*.

vloedplank ⟨de⟩ → **vloeiplank**.

vloedstand ⟨de (m.)⟩ **0.1** *high-water mark*.

vloedstroom ⟨de (m.)⟩ **0.1** *tidal flow* ⇒*flow of the tide* ◆ **2.1** er stond een sterke ~ *the sea ran high, the tide ran strong*.

vloedwater ⟨het⟩ **0.1** *tidewater* ⇒ ⟨overstroming⟩ *floodwater*.

vloei ⟨het⟩ **0.1** [zijdepapier] *tissue paper* ⇒ ⟨voor sigaretten⟩ *cigarette paper* **0.2** [papier voor het drogen van inktschrift] *blotting paper* ◆ **1.2** een blad / een stuk ~ *a blotter, a piece of b. p.* **6.1** een pakje shag met ~ *(a packet of) rolling tobacco and cigarette papers;* ⟨AE, Austr. E. ook⟩ *makings, rollings*.

vloeibaar ⟨bn.⟩ **0.1** [kunnende vloeien] *liquid* ⇒*fluid* **0.2** [gesmolten] *liquid* ⇒*fluid, liquefied* **0.3** [mbt. kleurovergang] *liquid* ◆ **1.1** de vloeibare staat / toestand *the l. condition* / *state;* ~ voedsel *l. food;* ⟨inf.⟩ *spoon-meat* **1.2** ~ ruw ijzer *molten iron;* vloeibare kristallen *liquid crystals* **1.3** ~ goud ⟨(effect van) zonlicht⟩ *melting* / *molten* / *l. gold* **3.1** gassen ~ maken *liquefy* / *liquify* / *liquidize gases;* ~ worden *liquefy, liquify*.

vloeibaarheid ⟨de (v.)⟩ **0.1** *liquidity* ⇒*fluidity*.

vloeiblad ⟨het⟩ **0.1** [blad vloeipapier] *blotter* ⇒*piece of blotting paper* **0.2** [onderlegger] *blotter* ⇒*desk mat* / *pad*.

vloeiblok ⟨het⟩ **0.1** *blotter* ⇒*(blotting) pad*.

vloeien ⟨onov.ww.⟩ **0.1** [stromen] *flow* ⇒*stream, run, course* **0.2** [uitstromen] *flow* ⇒*well, spring,* ⟨met kracht⟩ *gush, run off* / *out* **0.3** [soepel lopen] *flow* **0.4** [goed vloeibaar zijn] *flow* **0.5** [als een vloeistof stromen] *flow* ⇒*stream, run* **0.6** [mbt. papier] *blot* ⇒*smudge, spot, run* **0.7** [vaginaal bloeden] *flow* ⇒ ⟨meer dan normaal⟩ *flood* ◆ **1.2** er vloeide bloed ⟨fig.⟩ *there was bloodshed, blood was shed* **1.3** die verzen ~ niet *these lines do not run smoothly* / *f. well* **6.2** ⟨fig.⟩ in een ~ en een zucht *overnight, in two shakes (of a lamb's tail), in nothing flat*.

vloeiend ⟨bn., bw.;-ly⟩ **0.1** [zich als een vloeistof bewegend] *flowing* ⇒*liquid* **0.2** [gelijkmatig en harmonisch] *flowing, smooth, fluent* **0.3** [onvast] *shifting, fluctuating, floating* ◆ **1.1** ~e kleuren *blending colours* **1.2** ⟨taal.⟩ ~e klanken *liquid consonants, liquids;* een ~e flowing line;* een ~e stijl *a smooth* / *flowing style;* ~e verzen *smooth* / *flowing* / *fluent verse;* ~e vormen *flowing forms* **1.3** de grenzen zijn ~ *the borders are fuzzy* / *vague* **3.2** hij spreekt ~ Engels *he is fluent in English, he speaks English fluently*.

vloeiing ⟨de (v.)⟩ **0.1** *flood* ⇒*(heavy* / *profuse* / *abnormal) bleeding, haemorrhage,* ⟨tussen menstruaties⟩ *metrorrhagia*.

vloeimest ⟨de (m.)⟩ **0.1** *liquid fertilizer* / ⟨organisch ook⟩ *manure*.

vloeimiddel ⟨het⟩ **0.1** [bij solderen, lassen] *flux* **0.2** [in verf] *flow-control* / *-promoting agent*.

vloeipapier ⟨het⟩ **0.1** [om inktschrift te drogen] *blotting paper* **0.2** [dun papier] *tissue paper* ⇒ ⟨voor sigaretten⟩ *cigarette paper*.

vloeiplank ⟨de⟩ **0.1** *flashboard*.

vloeistof ⟨de⟩ **0.1** *liquid* ⇒*fluid*.

vloeitje ⟨het⟩ **0.1** [sigarettenpapier] *cigarette paper* **0.2** [viltje] *beer mat* **0.3** [stukje vloeipapier] *small piece of blotting paper* ⇒*blotter*.

vloeiweide ⟨de⟩ **0.1** *sewage farm*.

vloek ⟨de (m.)⟩ **0.1** [verwensing] *curse* ⇒*malediction, imprecation* **0.2** [krachtterm] *curse* ⇒*oath, swearword,* ⟨inf.⟩ *swear, cuss,* ⟨AE⟩ *cussword* **0.3** [⟨fig.⟩] *curse* ⇒*bane, plague* ◆ **3.1** ⟨fig.⟩ er ligt een ~ op dat huis *a c. rests on that house, that house is (ac)cursed;* een ~ uitspreken *curse s.o.* / *sth.;* lay a c. upon s.o.* / *sth.* **6.2** ⟨fig.⟩ in een ~ en een zucht *overnight, in two shakes (of a lamb's tail), in nothing flat*.

vloeken ⟨onov.ww.⟩ **0.1** [krachttermen gebruiken] *curse, swear* ⇒ ⟨inf.⟩ *cuss* **0.2** [verwensen] *curse* / *swear (at)* **0.3** [contrasteren] *swear (at), clash* / *jar (with)* ◆ **3.1** hij liep de hele weg naar huis te ~ en te schelden *he was effing and blinding all the way home* **5.1** hij vloekte zachtjes *he muttered an oath, he swore under his breath* **6.2 op** iets ~ *c. / s. at sth., damn / curse sth.* **6.3** die kleuren ~ **met** elkaar *those colours are mismatched / c. badly / s. at each other / j. with each other / mismatch* **8.1** ~ als een ketter / als een ketellapper *s. like a lord / trooper.*

vloer ⟨de (m.)⟩ **0.1** [bodem van een vertrek] *floor* ⇒ *flooring, ground* **0.2** [onderkant] *bottom* ⇒*floor* ◆ **2.1** planken ~ *planking, strip flooring;* stenen ~ *paving, tile floor* **3.1** ⟨fig.⟩ met iem. de ~ ⟨aan⟩vegen / dweilen *mop / wipe the floor with s.o., walk all over s.o.;* ⟨BE ook⟩ knock spots off *s.o.;* een ~ leggen *construct a floor, floor;* ⟨houten⟩ plank, ⟨met tegels⟩ *pave, flag* **3.2** ⟨fig.⟩ een ~ in de markt / in de prijzen leggen *establish a floor under prices* **6.1 door** de ~ gaan *fall through the floor;* veel mensen **over** de ~ hebben *keep open house, have many visitors;* hij komt daar **over** de ~ *he is a regular visitor there, he is in and out of that place a great deal;* ⟨fig.⟩ je kunt er **van** de ~ eten *it is all spick-and-span there, you could eat your dinner off the floor there* **7.2** te weinig ~ *the bottom crust baked too lightly.*

vloerbalk ⟨de (m.)⟩ **0.1** *(floor-)joist.*
vloerbedekking ⟨de (v.)⟩ **0.1** *floor covering.*
vloerbrood ⟨het⟩ **0.1** ⟨bread baked on the floor of the oven (, not in a tin)⟩.
vloerconvector ⟨de (m.)⟩ **0.1** *underfloor heater / convector.*
vloerdeel ⟨het⟩ **0.1** *floorboard* ⇒⟨BE ook⟩ *woodblock.*
vloeren[1] ⟨bn.⟩ ⟨AZN⟩ **0.1** *velvet.*
vloeren[2] ⟨ov.ww.⟩ **0.1** *floor* ⇒ *knock down / out, lay low* ◆ **1.1** ⟨sport⟩ de midvoor ~ *f. the centre forward.*
vloerkleed ⟨het⟩ **0.1** *carpet* ⇒⟨klein⟩ *rug.*
vloerlamp ⟨de⟩ **0.1** *floor / standing / upright lamp,* ⟨BE ook⟩ *standard lamp.*
vloermat ⟨de⟩ **0.1** *floor mat* ◆ **6.1** iem. op de ~ laten staan ⟨fig.⟩ *give s.o. the cold shoulder, coldshoulder s.o..*
vloermozaïek ⟨het⟩ **0.1** *floor mosaic.*
vloeroefening ⟨de (v.)⟩ ⟨sport⟩ **0.1** *ground exercise* ⇒⟨mv.⟩ *ground work.*
vloeroppervlak ⟨het⟩ **0.1** *floor area.*
vloerschakeling ⟨de (v.)⟩ **0.1** *stick shift* ⇒⟨AE;inf.⟩ *far on the floor.*
vloersteen ⟨de (m.)⟩ **0.1** *floor(ing)-slab* ⇒⟨kleiner⟩ *paving-stone.*
vloertegel ⟨de (m.)⟩ **0.1** *(paving) tile / stone* ◆ **3.1** ~s leggen *pave, lay (paving) tiles.*
vloerverwarming ⟨de (v.)⟩ **0.1** *underfloor heating.*
vloerwrijver ⟨de (m.)⟩ **0.1** *floor-polisher.*
vlok ⟨de⟩ **0.1** [plukje] *flock* ⇒⟨haar ook⟩ *tuft, lock,* ⟨pluisje ook⟩ *floccule* **0.2** [sneeuwvlok] *(snow)flake* **0.3** [iets met de vorm van een vlok] *flake* ◆ **1.1** ~ken stof *whirls of dust, dust mice;* een ~ je watten *a fluff of [B]cotton wool / [A]cotton* **6.1** het stof lag **in** ~ken onder het bed *the dust was thick under the bed* **6.3** ~ken **op** brood *chocolate flakes.*
vlokkig ⟨bn., bw.;-ly⟩ **0.1** [met (dichte) vlokken bezet] *flocky* **0.2** [(als) uit vlokken bestaand] *flocky* ⟨weefsel, haar⟩ *flaky* ⟨zeep⟩ ⇒⟨luchtig⟩ *fluffy, flocculent* ⟨neerslag⟩ **0.3** [⟨plantk.⟩] *floccose* ⇒*flocculent* ◆ **1.2** ~ schuim *flaky / fluffy foam.*
vlonder ⟨de (m.)⟩ **0.1** [losse houten vloer] *(wooden) platform, planking* **0.2** [pallet] *pallet* **0.3** [slootplank] *plank bridge* **0.4** [waterstoep] *apron.*
vlooiebeet ⟨de (m.)⟩ **0.1** [beet van een vlo] *fleabite* **0.2** [spoor, bultje] *fleabite.*
vlooien
I ⟨onov., ov.ww.⟩ **0.1** [van vlooien reinigen] *flea;*
II ⟨onov.ww.⟩ **0.1** [het vlooienspel spelen] *play (at) tiddlywinks.*
vlooienband ⟨de (m.)⟩ **0.1** *flea collar.*
vlooienmarkt ⟨de⟩ **0.1** *flea market.*
vlooienpoeder ⟨het, de (m.)⟩ **0.1** *flea powder.*
vlooienspel ⟨het⟩ **0.1** [vlooientheater] *flea-circus* **0.2** [gezelschapsspel] *tiddlywinks;* ⟨AE ook⟩ *tiddledywinks.*
vlooientheater ⟨het⟩ **0.1** *flea circus.*
vloot ⟨de (m.)⟩ **0.1** [bij elkaar horende schepen] *fleet* ⇒⟨van kleine schepen ook⟩ *flotilla, pack* ⟨gevechtsvliegtuigen, onderzeeërs⟩ **0.2** [oorlogsmacht ter zee] *fleet* ⇒*navy* **0.3** [de schepen van een natie, maatschappij] *fleet* ⇒*marine* **0.4** [vliegtuigen] *fleet* ◆ **2.2** ⟨gesch.⟩ de Onoverwinnelijke ~ *the (Spanish) Armada* **3.3** een ~ uitrusten / toerusten / bouwen *fit out a f.* **6.1** een ~ **van** honderd zeilen *a fleet of hundred sails* **6.2 bij** de ~ dienen *be in the navy.*
vlootbasis ⟨de (v.)⟩ **0.1** *naval base.*
vlootdemonstratie ⟨de (v.)⟩ **0.1** *naval pageant* ⇒*naval review.*
vlooteenheid ⟨de (v.)⟩ **0.1** *naval unit.*
vlooteskader ⟨het⟩ **0.1** *naval squadron.*
vlootmanoeuvres ⟨zn.mv.⟩ **0.1** *naval / fleet manoeuvres* [A]*neuvers.*
vlootschouw ⟨de (m.)⟩, **-revue** ⟨de⟩ **0.1** *naval review* ⇒⟨parade ook⟩ *naval pageant.*
vlootsterkte ⟨de (v.)⟩ **0.1** *naval / fleet strength.*
vlootvoogd ⟨de (m.)⟩ **0.1** *admiral.*
vlos ⟨het⟩ **0.1** *floss silk.*
vlossig ⟨bn., bw.;-ly⟩ **0.1** *flossy* ◆ **1.1** ~e wol *f. wool.*
vloszij(de) →**vlos.**
vlot[1] ⟨het⟩ **0.1** [vaartuig] *raft* ⇒*float* **0.2** [opblaasbare reddingsboot] *raft* ⇒*life raft* **0.3** [over water te vervoeren stammen, balken] *raft*

0.4 [drijvende steiger] *raft* ⇒*float* ◆ **6.1 op** een ~ de rivier oversteken *raft across the river.*
vlot[2]
I ⟨bn., bw.;-ly⟩ **0.1** [gemakkelijk vloeiend] *facile* ⟨pen⟩; *fluent, smooth* ⟨stijl⟩ **0.2** [zonder oponthoud] *smooth* ⇒*ready* ⟨antwoord⟩, *prompt* ⟨betaling⟩, *brisk* ⟨handel⟩ **0.3** [gemakkelijk in de omgang] *easy* ⇒*easy-mannered,* ⟨ongedwongen⟩ *easygoing,* ⟨sociabel⟩ *sociable,* ⟨coulant⟩ *accommodating* **0.4** [niet stijf] *easy* ⇒*comfortable* ◆ **1.1** een ~ te pen *a facile / ready pen, a facile hand;* een ~ te prater *a smart / good / fluent speaker;* een ~ te stijl *a smooth / fluent / flowing style* **1.2** een ~ antwoord *a ready / quick-witted answer, an early reply;* ⟨inf.⟩ een ~ te kans *a good / fair chance;* een ~ te prijs *a good deal / price;* een ~ verloop *a s. / easy course* **1.3** een ~ persoon *a jovial person;* ⟨sociabel⟩ *an easy / good mixer* **1.4** een ~ hoedje *a smart / saucy* ⟨AE ook⟩ *sassy little hat;* een ~ model *a stylish / smart / e. / comfortable cut* **3.1** dat boek laat zich ~ lezen *the book reads smoothly / is easy reading;* een les ~ opzeggen *reel off a lesson pat / without hesitation;* ~ spreken *speak fluently / with facility* **3.2** een zaak ~ afwikkelen *settle a matter promptly;* het gaat nog niet erg ~ *it is still somewhat difficult;* het ging heel ~ *it passed / went off without a hitch / like clockwork;* ⟨AE;inf.⟩ *it went like sixty;* ~ verkocht worden *sell readily /* ⟨inf.⟩ *like hot cakes, be brisk / a brisk sell;* het verliep ~ *it passed / went off swimmingly / smoothly / well;* ~ van begrip zijn *be quick-witted / sharp, be quick on / sharp at the uptake* **3.3** hij is wat ~ ter geworden *he loosened up a little, he became more relaxed* **3.4** hij kleedt zich heel ~ *he is a sharp dresser;*
II ⟨bn.⟩ **0.1** [drijvend] *afloat* ◆ **3.1** een schip ~ brengen / trekken *get / set a vessel a., (re)float a vessel.*
vlotbrug ⟨de⟩ **0.1** *floating bridge* ⇒*pontoon bridge.*
vlotgaand ⟨bw.⟩ **0.1** *shallow-draught /* [A]*-draft* ◆ **1.1** een ~ schip *a s.-d. vessel.*
vlotheid ⟨de (v.)⟩ **0.1** *smoothness* ⇒⟨mbt. stijl ook⟩ *fluency,* ⟨in omgang⟩ *ability to mix, clubbability, sociability,* ⟨vlugheid⟩ *briskness, swiftness.*
vlothout ⟨het⟩ **0.1** *raft(ed) / float(ed) timber, raft wood, floating timber.*
vlotjes ⟨bw.⟩ **0.1** *smoothly* ⇒*easily,* ⟨vlug⟩ *promptly* ◆ **3.1** alles ~ laten verlopen *oil the wheels, have things run smoothly.*
vlotlezend ⟨bn.⟩ **0.1** ⟨zie 1.1⟩ ◆ **1.1** een ~ artikel *an article that reads well / smoothly.*
vlotten
I ⟨onov.ww.⟩ **0.1** [voorspoedig verlopen] *go / proceed smoothly* **0.2** [drijven] *float* ◆ **1.1** het gesprek vlotte niet erg *the conversation dragged / was rather sticky / flagged;* de onderhandelingen ~ nogal *the negotiations are getting on rather well, considerable headway is made at the negotiations;* het werk vlotte goed *work was bowling along* **3.1** het werk wil niet ~ *we are not making progress / headway, we are not getting anywhere* **3.2** ⟨fig.⟩ de boel laten ~ *give up / drop the whole thing* **6.2** ⟨fig.⟩ alles is **aan** het ~ geraakt *everything is slipping / drifting;*
II ⟨ov.ww.⟩ **0.1** [in vlotten vervoeren] *raft* ⇒*float.*
vlottend ⟨bn.⟩ **0.1** [na eenmalig gebruik verdwijnend] *floating* **0.2** [onvast] *floating* **0.3** [telkens wisselend] *floating* **0.4** [drijvend] *floating* ◆ **1.1** ~ kapitaal *working / circulating / f. capital;* ~e middelen *f. / current assets;* ~e schuld *f. / unfunded debt* **1.2** de betekenis van deze woorden is tamelijk ~ *the meaning of these words is fairly fluid;* een ~e kiezer *a f. / undecided voter;* ~e polis *f. policy* **1.3** een ~e bevolking *a f. population;* ~e kopers *occasional customers / clients* **1.4** ~e bies *f. scirpus;* ~e waterranonkel *long-leaved water crowfoot;* ~ zand *shifting sand(s), quicksand.*
vlotter ⟨de (m.)⟩ **0.1** [drijflichaam] *float* **0.2** [persoon] *raftsman, rafter* ◆ **1.1** de ~ van een stoomketel *the f. of a steam boiler.*
vlotweg ⟨bw.⟩ **0.1** *smoothly* ⇒*easily,* ⟨direct⟩ *promptly.*
vlucht ⟨de⟩ **0.1** [het vluchten voor dreigend gevaar] *flight* ⇒*escape* **0.2** [het proberen te ontsnappen aan arrestatie] *flight* ⇒*escape* **0.3** [het zich onttrekken aan iets onaangenaams] *flight* ⇒*escape* **0.4** [het vliegen] *flight* **0.5** [wijze van vliegen] *flight* **0.6** [tocht met een vliegtuig] *flight* **0.7** [troep vogels] *flight, flock* ⇒*bevy* ⟨leeuweriken, kwartels⟩, *covey* ⟨patrijzen⟩, *gaggle* ⟨ganzen⟩, *skein* ⟨wilde ganzen / eenden⟩ **0.8** [afstand tussen de uiterste punten] *span* ⇒*wingspread* ⟨vogel⟩, *wingspan* ⟨vliegtuig⟩, *reveal* ⟨deur⟩ ◆ **1.7** een ~ patrijzen / regenwulpen *a flight / flock /* ⟨kleiner⟩ *covey of partridges / a flight of whimbrels* **1.8** de ~ van een hert *the s. of a deer's antlers* **2.1** een overhaaste ~ *a headlong f., a scramble* **2.4** een vogel in volle ~ *a bird on the wing* **2.5** de grote ~ van zijn fantasie *the high f. / broad sweep of his imagination;* een hoge ~ nemen ⟨fig.⟩ *boom, expand enormously* **2.6** een korte ~ *a short f.;* ⟨inf.⟩ in volle ~ *bijtanken refuel in midair / in f.* **3.2** iem. de ~ beletten *prevent s.o. from escaping, foil / thwart s.o.'s escape* **6.1** zijn heil **in** de ~ zoeken *seek refuge in f.;* **op** de ~ slaan *flee, take (to) f. /* to one's heels, run (for it); iem. **op** de ~ jagen / drijven *put s.o. to f., rout s.o.* **6.2** voor de politie **op** de ~ zijn *be on the run / fly / flee from the police* **6.3** ~ **in** goederen / **in** goud *f. into goods / gold;* de ~ **in** het verleden *the escape into the past;* een ~ **uit** de werkelijkheid *an escape from / out of reality;* een ~ **uit** de dollar *a f. from the dollar;* ~ **van**

kapitaal *f. of capital* **6.8** een kraan met een ~ **van** 12 m *a crane with a radius (of action) of 12 metres.*

vluchtberm ⟨de (m.)⟩ **0.1** ᴮ*hard shoulder,* ᴬ*shoulder.*

vluchteling ⟨de (m.)⟩ **0.1** [iem. die vlucht] *fugitive* ⇒*escapee,* ⟨pol., mbt. natuurramp⟩ *refugee* **0.2** [voortvluchtige] *fugitive* ⇒*runaway, escapee* ◆ **2.1** een politieke ~ *a political refugee.*

vluchtelingenhulp ⟨de⟩ **0.1** *aid to refugees* ⇒*refugee aid.*

vluchtelingenkamp ⟨het⟩ **0.1** *refugee camp.*

vluchtelingenstatus ⟨de (m.)⟩ **0.1** *refugee status* ◆ **3.1** iem. de ~ toekennen *grant s.o. refugee status;* de ~ verkrijgen *obtain refugee status.*

vluchtelingenverdrag ⟨het⟩ **0.1** *refugee treaty.*

vluchtelingenvraagstuk ⟨het⟩ **0.1** *refugee question / issue / problem.*

vluchten ⟨onov.ww.⟩ **0.1** [ontvluchten] *flee* ⇒*escape,* ⟨inf.⟩ *run away,* ⟨schr.⟩ *fly* **0.2** [een toevlucht zoeken] *flee* ⇒*take refuge* **0.3** [zich onttrekken aan onaangename dingen] *escape* ⇒*take refuge* **0.4** [(wieler)sport)] *break away* ⇒*make a break* ◆ **5.2** een bos in ~ *take to / take refuge in / flee into the woods* **6.1** ~ **uit** het land ~ *flee (from) the country;* voor de vijand uit ~ ⟨schr. ook⟩ *run before the enemy;* ~ **voor / naar** *flee from / to* **6.3** ~ **in** een boek *take refuge in a book;* ~ **voor** de werkelijkheid *e. from reality.*

vluchthaven ⟨de⟩ **0.1** [noodhaven] *port of refuge* **0.2** [(fig.)] *(port of) refuge* **0.3** [vluchtstrook] ᴮ*hard shoulder,* ᴬ*shoulder.*

vluchtheuvel ⟨de (m.)⟩ **0.1** [verhoogd gedeelte op de rijweg] *refuge,* ᴬ*safety island* ⇒*(traffic) island* **0.2** [terp] *refuge* ⇒*mound, rise.*

vluchtig ⟨bn., bw.;-ly⟩ **0.1** [licht en vlug] ⟨kort⟩ *brief* ⇒⟨pej.⟩ *cursory,* ⟨vlug⟩ *quick, fast,* ⟨ook pej.⟩ *hasty,* ⟨oppervlakkig⟩ *superficial,* ⟨terloops⟩ *casual* **0.2** [snel vervliegend] *volatile* ⟨alleen bn.⟩ **0.3** [snel voorbijgaand] *fleeting* ⇒*passing,* ⟨schr.⟩ *transient, transitory* ◆ **1.1** een ~ e blik op iets slaan *cast a brief / quick / casual glance at sth.,* peek / *peep at sth.,* have / *take a peek / peep at sth.;* een ~ e indruk krijgen *receive a fleeting impression;* ~ e kennismaking *superficial / casual acquaintance;* een ~ onderzoek *a quick / hasty / cursory survey, a perfunctory inspection;* een ~ e schets *a quick / hasty / cursory sketch* **1.2** ~ e olie *v. / essential oil;* ~ e stoffen ⟨ook⟩ *volatiles* **1.3** ons ~ bestaan *our transitory / f. existence;* een ~ bezoekje *a flying / brief / f. / hasty visit* **3.1** iets ~ doorlezen *glance (rapidly) over / through / skim (over / through) / scan sth.,* iets ~ inzien *glance (rapidly) through / over sth.,* cast one's eye down / over / through sth..

vluchtigheid ⟨de (v.)⟩ **0.1** [van vloeistoffen] *volatility* **0.2** [kortstondigheid] *fleetingness* ⇒⟨schr.⟩ *transience, evanescence* **0.3** [oppervlakkigheid] *cursoriness* ⇒*casualness, hastiness.*

vluchtindeling ⟨de (v.)⟩ ⟨verkeer⟩ **0.1** *flight schedule.*

vluchtinstructies ⟨zn.mv.⟩ **0.1** *(pre-flight) briefing.*

vluchtleider ⟨de (m.)⟩ ⟨ruim.⟩ **0.1** *flight controller.*

vluchtleiding ⟨de (v.)⟩ ⟨ruim.⟩ **0.1** *flight / mission control (team).*

vluchtleidingscentrum ⟨het⟩ ⟨ruim.⟩ **0.1** *flight / mission control (centre).*

vluchtnabootser ⟨de (m.)⟩ **0.1** *flight simulator / trainer.*

vluchtoord ⟨het⟩ **0.1** *(place of) refuge* ⇒*(place of) shelter.*

vluchtplaats ⟨de⟩ ⇒*vluchtoord.*

vluchtregeling ⟨de (v.)⟩ **0.1** *flight plan / schedule.*

vluchtregistrator ⟨de (m.)⟩ **0.1** *flight recorder.*

vluchtschema ⟨het⟩ **0.1** *flight schedule* ⇒*air service timetable.*

vluchtspecialist ⟨de (m.)⟩ ⟨ruim.⟩ **0.1** *flight expert / specialist.*

vluchtstrook ⟨de⟩ **0.1** ᴮ*hard shoulder,* ᴬ*shoulder.*

vluchtweg ⟨de (m.)⟩ **0.1** *escape route.*

vlug ⟨bn., bw.⟩ ⟨→sprw. 206⟩ **0.1** [snel voortgaand] *fast* ⇒*quick, rapid, swift* **0.2** [vrij snel] *quick* ⇒*rapid, swift, fast,* ⟨vnl. van bewegingen⟩ *nimble, agile* **0.3** [spoedig] *quick* ⇒*fast, prompt, rapid* **0.4** [snel verlopend / op elkaar volgend] *quick* ⇒*swift, rapid* **0.5** [snel reagerend] *quick* ⇒*sharp, alert, smart* **0.6** [bevattelijk] *quick* ⇒*sharp, alert, smart* **0.7** [vliegvlug] ⟨van jonge vogels⟩ *(fully- / ᴬfull-)fledged* ◆ **1.1** ~ ge paarden *f. / swift horses* **1.2** ~ ge vingers *q. / swift / nimble fingers* **2.3** hij was ~ klaar *he was soon ready* **3.1** ~ lopen *run f. / quickly;* ~ ter been zijn *be q. on one's feet,* be light- / swift-footed **3.3** iets ~ doornemen / bekijken *run / glance over / through sth.;* ~ iets eten *have a q. snack, snatch a meal;* je moet er ~ bij zijn *you have to be q. / fast (if you want it)* **3.3** wil je het niet erg ~, hij behoort niet tot de ~ sten *he's none too q.;* hij was er al ~ bij *he was q. at everything* **5.3** hé, niet zo ~ *wait a minute / for me!, hang on!* **6.2** hij is niet ~ **met** betalen *he's none too q. at paying bills* **6.5** ~ in rekenen *q. at sums* **6.6** ~ **van** begrip zijn *be q. on the uptake,* be q. (-witted) **7.1** het is een ~ ge *he is a fast worker* **8.2** zo ~ als water *(as) q. as lightning,* ⟨lenig⟩ *swift-moving, agile, nimble* **¶.1** iem. te ~ af zijn *be too quick for / steal a march on;* *be a sight too clever for / fox s.o.* **¶.3** ~ naar huis! *get home fast / quickly!;* ~ wat! *be q.!, double-q.!, look sharp!, hurry up!, make it snappy!* **¶.4** ~ in zijn werk gaan *happen quickly.*

vluggerd ⟨de (m.)⟩ **0.1** *fast / ⟨vlug van begrip⟩ quick / sharp one.*

vluggeren ⟨onov.ww.⟩ ⟨schaken⟩ **0.1** *play (a game of) lightning chess / ᴬrapid transit.*

vluggertje ⟨het⟩ **0.1** [vlug gespeelde partij] *quickie* **0.2** [geslachtsgemeenschap] *quickie* ◆ **3.2** een ~ maken *have a q..*

vlugschrift ⟨het⟩ **0.1** *pamphlet* ⇒*leaflet,* ⟨AE ook⟩ *flyer, flier.*

vlugzout ⟨het⟩ **0.1** *sal volatile* ⇒⟨reukzout⟩ *smelling-salts* ⟨mv.⟩.

v.m. ⟨afk.⟩ **0.1** [voormiddag] *a.m..*

VN ⟨zn.mv.⟩ **0.1** [Verenigde Naties] *UN.*

VN-dag ⟨de (m.)⟩ **0.1** *UN Day.*

vnl. ⟨afk.⟩ **0.1** [voornamelijk] ⟨*mainly, chiefly, primarily*⟩.

vnw. ⟨afk.⟩ **0.1** [voornaamwoord] *pron..*

vocaal¹ ⟨de⟩ **0.1** [klank] *vowel (sound)* **0.2** [teken] *vowel* ◆ **6.1** ⟨in de zang⟩ oefenen **op** vocalen *vocalize.*

vocaal² ⟨bn.⟩ **0.1** [tot de stem behorend] *vocal* **0.2** [uitgevoerd door de stem] *vocal* ◆ **1.1** zijn gebrekkige vocale middelen *his poor v. qualities / abilities, his poor voice* **1.2** ~ concert ⟨koor ook⟩ *choral concert;* vocale muziek *v. music, music for voice(s).*

vocaalstam ⟨de (m.)⟩ ⟨taal.⟩ **0.1** *vowel stem.*

vocabulaire ⟨het⟩ **0.1** [vertalende woordenlijst] *vocabulary* ⇒⟨op bep. vakgebied ook⟩ *lexicon* **0.2** [woordenschat] *vocabulary* ◆ **6.2** dat woord komt in mijn ~ niet voor *that word isn't part of / doesn't figure in my v. / isn't in my dictionary.*

vocabularium ⟨het⟩ **0.1** *vocabulary* ⇒⟨op bep. vakgebied ook⟩ *lexicon.*

vocalisatie ⟨de (v.)⟩ **0.1** [het aangeven van de vocalen] *vocalization* ⇒*vowelling* ᴬ*voweling* **0.2** ⟨taal.⟩ *vocalization* **0.3** ⟨muz.⟩ *vocalization* ◆ **6.1** zonder ~ ⟨ook⟩ *unpointed.*

vocalise ⟨de (v.)⟩ **0.1** *vocalise.*

vocaliseren
I ⟨onov.ww.⟩ **0.1** [vocalises uitvoeren] *vocalize.*
II ⟨ov.ww.⟩ **0.1** [vocaaltekens aanbrengen in] *vocalize* ⇒*vowel(ize)* **0.2** [stemhebbend maken] *vocalize* ⇒*voice.*

vocalisme ⟨het⟩ **0.1** [aard en verhouding van de vocalen] *vocalism* **0.2** [het zingen] *vocalism.*

vocalist ⟨de (m.)⟩,-e ⟨de (v.)⟩ **0.1** *vocalist.*

vocaliter ⟨bw.⟩ **0.1** *vocally (speaking).*

vocatie ⟨de (v.)⟩ **0.1** [beroeping van een predikant] *call, invitation* **0.2** [roeping] *vocation* ⇒*calling, call.*

vocatief ⟨de (m.)⟩ ⟨taal.⟩ **0.1** *vocative (case).*

vocht
I ⟨het⟩ **0.1** [vloeistof] *liquid* ⇒⟨tech., med. ook⟩ *fluid,* ⟨sap ook⟩ *juice* ◆ **2.1** het edele ~ *the juice of the grape;* geestrijk ~ *spirits* ⟨mv.⟩; het glasachtig ~ in het oog *the vitreous humour* **3.1** ~ afscheiden *discharge* ⟨klier, enz.⟩ *secrete fluid;* te veel ~ verliezen *lose too much liquid / f., dehydrate* **6.1** ~ **uit** de neus *nasal mucus;* er komt nog ~ **uit** de wond *the wound is still oozing* / ⟨med. ook⟩ *discharging;*
II ⟨het, de⟩ **0.1** [vochtigheid] *moisture* ⇒*damp(ness),* ⟨nat⟩ *wet(ness)* ◆ **1.1** de hoeveelheid ~ in de lucht *the humidity in the air* **6.1** bestand **tegen** ~, vochtbestendig *moistureproof, dampproof, moisture- / damp-resistant;* de muur is zwart **van** het ~ *the wall is black with m..*

vochtabsorberend ⟨bn.⟩ **0.1** *absorbent* ⇒*absorptive* ◆ **1.1** ~ papier / vermogen *absorbent paper, absorptive capacity.*

vochtbestendig ⟨bn.⟩ **0.1** *moisture-proof.*

vochthoudend ⟨bn.⟩ **0.1** *humid,* ⟨ná zn.⟩ *containing moisture.*

vochthuishouding ⟨de (v.)⟩ **0.1** *water balance.*

vochtig ⟨bn.⟩ **0.1** *damp* ⇒*moist,* ⟨wet.⟩ *humid,* ⟨nat.⟩ *wet,* ⟨muf⟩ *dank* ◆ **1.1** een ~ e doek *a d. / moist cloth;* een ~ klimaat *a d. / moist* / ⟨benauwd⟩ *humid climate;* de lucht is ~ *the air is d. /* ⟨benauwd⟩ *humid;* ~ e muren *d. walls;* door zijn verhaal zat iedereen met ~ e ogen *his story brought tears to everyone's eyes / drew tears;* het schrift is nog ~ *the writing is still wet;* ~ e warmte *humid heat* **3.1** iets ~ maken *moisten / dampen / wet sth.;* ~ spreken *spit;* zijn ogen worden ~ *his eyes misted over / became / grew moist / misty;* ~ worden *grow / become d. / moist.*

vochtigheid ⟨de (v.)⟩ **0.1** [het vochtig zijn] *moistness* ⇒*dampness,* ⟨natheid⟩ *wetness* **0.2** [gehalte aan vocht] *moisture* ⇒⟨lucht vnl.⟩ *humidity* **0.3** [vocht] *moisture* ⇒*damp(ness),* ⟨nat⟩ *wet(ness)* ◆ **2.2** relatieve ~ *relative humidity.*

vochtigheidsgraad ⟨de (m.)⟩ **0.1** *humidity (level)* ⇒*degree / level of humidity.*

vochtigheidsmeter ⟨de (m.)⟩ **0.1** *hygrometer.*

vochtkring ⟨de (m.)⟩ **0.1** *moisture stain, ring of moisture.*

vochtmeter ⟨de (m.)⟩ **0.1** *hygrometer.*

vochtvrij ⟨bn.⟩ **0.1** [beschermd tegen vocht] *moisture-free, free of / from moisture* **0.2** [bestand tegen vocht] *moistureproof, dampproof* ⇒*moisture- / damp-resistant* **0.3** [geen vocht bevattend] *moisture-free, free of / from moisture* ◆ **3.1** ~ bewaren *keep free of / from moisture.*

vochtweger ⟨de (m.)⟩ **0.1** *hydrometer* ⇒*areometer.*

vochtwerend ⟨bn.⟩ **0.1** *moistureproof, dampproof* ⇒*moisture- / damp-resistant* ◆ **1.1** ~ laag *damp(proof) course;* ~ verf *m. / dampproof paint.*

vod ⟨het, de⟩ **0.1** [oude lap] *rag* ⇒*tatter* **0.2** [prul] ⟨verz.n.⟩ *trash, rubbish, junk* ◆ **1.1** een ~ je papier *a scrap of paper* **3.1** ~ den rapen *collect / gather (up) rags* **6.1** een oude man met alleen maar ~ den **aan** zijn lijf *a ragged old man;* een ~ **van** een handdoek *a ragged / tattered / threadbare towel* **6.2** een ~ **van** een boek *some trashy book, some junk* **6.¶** iem. **achter** de ~ den zitten *keep s.o. (hard) at it;* iem. **bij** zijn ~ den pakken *catch hold of / collar s.o.* **8.2** hij heeft me als een ~ behandeld *he (has) treated / has been treating me like dirt.*

voddegoed 〈het〉 **0.1** [oude lappen] *rags* 〈mv.〉 **0.2** [mbt. tabaksplanten] *trash*.

voddenbaal 〈de〉 **0.1** [zak met vodden] *ragbag* **0.2** [prul] *(piece of) trash/ rubbish* **0.3** [slordig uitziend mens] ^B*rag-and-bone man,* ^A*junkman; slut* 〈v.〉.

voddenboer 〈de (m.)〉 **0.1** *old-clothes-man* ⇒〈vnl. BE〉 *rag-and-bone man*.

voddenman 〈de (m.)〉 →**voddenboer**.

voddenmand 〈de〉 **0.1** *basket/container for rags*.

vodderig 〈bn.〉 **0.1** *ragged* ⇒*tattered* ◆ **1.1** ~e kleren *r. / tattered / threadbare clothes*.

voddig 〈bn., bw.;-ly〉 **0.1** *ragged* ⇒*tattered* ◆ **1.1** 〈fig.〉 een~e kerel *a slob;* ~e kleren *r. / tattered / threadbare clothes;* een ~ stukje papier *a r. / scrappy piece of paper*.

vodka →**wodka**.

voeden
I 〈ov.ww.〉 **0.1** [voedsel geven aan] *feed* ⇒〈schr.〉 *nourish, nurture* **0.2** [zogen] *feed* ⇒*nurse, suckle* **0.3** [voorzien van wat voor de werking nodig is] *feed* ⇒〈met brandstof ook〉 *fuel* **0.4** [〈fig.〉] *nourish* ⇒*foster, feed,* 〈schr.〉 *nurture* ◆ **1.1** een goede wei kan veel koeien~ *rich meadows can support/f. many cows* **1.2** zij voedt haar kind zelf *she breast-feeds her baby* **1.3** een computer~*feed a computer* **4.1** die vogels~zich met insekten/met zaden *these birds f. on insects/seeds* **5.1** overmatig/onvoldoende~*overfeed, underfeed;*
II 〈onov.ww.〉 **0.1** [voedzaam zijn] *be nourishing/nutritious/nutritive*.

voeder 〈het〉 **0.1** *fodder* ⇒*feed, forage*.

voederbiet 〈de〉 **0.1** *mangel-wurzel* ⇒*mangold*.

voederen 〈ov.ww.〉 **0.1** *feed* ⇒〈vee ook; zeldz.〉 *fodder* ◆ **1.1** (met) graan/maïs~*corn-feed;* (met) gras~*grass-feed*.

voedergewas 〈het〉 **0.1** *feed/fodder crop/plant*.

voederwaarde 〈de (v.)〉 **0.1** *food/nutritional value (of fodder/feed)*.

voeding 〈de (v.)〉 **0.1** [het voeden/gevoed worden] *feeding* ⇒*nourishment,* 〈wet. ook〉 *nutrition* **0.2** [keer dat een baby gevoed wordt] *feed* **0.3** [voedsel] *food* ⇒*nourishment,* 〈voor dieren〉 *feed* **0.4** [〈tech.〉] 〈onderdeel v.e. machine〉 *power supply;* 〈toevoer〉 *feeding, input, supply* ◆ **2.3** eenzijdige~*an unbalanced diet;* gezonde/natuurlijke~ *health/natural food;* slechte/verkeerde~*poor/incorrect diet,* 〈med.〉 *malnutrition* **3.2** de baby krijgt vijf~en per dag *the baby is on/gets five feeds a day/gets fed five times a day*.

voedingsapparaat 〈het〉 **0.1** [mbt. bioindustrie, steengruis, steenkool] *feeder* ⇒*feeding apparatus,* 〈tech.; om te doseren〉 *doser, dosing equipment* **0.2** [〈elek.〉] *mains adaptor*.

voedingsbodem 〈de (m.)〉 **0.1** [substraat] *(nutrient) medium* ⇒*substrate,* 〈voor fungi〉 *matrix,* 〈voor bacteriën/weefsels ook〉 *culture medium* **0.2** [〈fig.〉] *breeding ground* ⇒*soil, seed-bed*.

voedingscrème 〈de〉 **0.1** *nourishing/nutrient lotion/crème/cream*.

voedingsdeskundige 〈de (m.)〉 **0.1** *nutritionist* ⇒*dietician, dietitian*.

voedingsdraad 〈de (m.)〉 **0.1** *supply lead/wire*.

voedingsgewoonte 〈de (v.)〉 **0.1** *eating/* 〈wet. ook〉 *dietary habit*.

voedingsindustrie 〈de (v.)〉 **0.1** *food industry*.

voedingskabel 〈de (m.)〉 **0.1** *supply/feeder cable* ⇒*feeder*.

voedingskraan 〈de〉 **0.1** *supply tap/cock*.

voedingsleer 〈de〉 **0.1** *dietetics, (science of) nutrition*.

voedingsmiddel 〈het〉 **0.1** *food* ⇒〈vaak mv.〉 *foodstuff* ◆ **2.1** gezonde ~en *healthy/wholesome foods/foodstuffs*.

voedingspatroon 〈het〉 **0.1** *eating/feeding/dietary pattern*.

voedingsproces 〈het〉 **0.1** *nutritional process*.

voedingsstof 〈de〉 **0.1** *nutrient* ⇒*nutritious/nutritive substance,* 〈ihb. voor planten〉 *nutriment*.

voedingswaarde 〈de (v.)〉 **0.1** *food/nutritional value* ◆ **6.1** met een hoge ~*highly nutritious/* 〈wet.〉 *nutritive;* zonder ~*unnutritious*.

voedingswater 〈het〉 **0.1** *feedwater*.

voedsel 〈het〉 **0.1** [eten] *food* ⇒*nourishment* **0.2** [wat het verbrandingsproces onderhoudt] *fuel* ◆ **2.1** 〈fig.〉 dat gaf zijn jaloezie nieuw~*that added fresh fuel to/that rekindled his jealousy;* plantaardig ~*vegetable f., a vegetable diet* **3.1** naar~zoeken *look for f., forage;* ~ tot zich nemen *take f./nourishment;* zij nemen voor drie dagen ~ mee *they take along f./provisions for three days;* de zieke kan geen ~ meer verdragen *the patient cannot take f./nourishment any longer* **6.1** ~ **voor** de geest *mental nourishment;* een week zonder ~ 〈schr.; ook〉 *a week without sustenance*.

voedselhulp 〈de〉 **0.1** *food aid*.

voedselketen 〈de〉 **0.1** *food chain*.

voedselpakket 〈het〉 **0.1** [pakket voedingsmiddelen] *food parcel* **0.2** [assortiment aan voedingsmiddelen] *food range* ⇒*range of food(s)*.

voedselschaarste 〈de〉 **0.1** *food shortage* ⇒*scarcity/shortage of food*.

voedselvergiftiging 〈de (v.)〉 **0.1** *food poisoning*.

voedselvoorraad 〈de (m.)〉 **0.1** *food stock(s)* ⇒*stock(s) of food, provisions*.

voedselvoorziening 〈de (v.)〉 **0.1** *food supply*.

voedster 〈de (v.)〉 〈ook fig.〉 **0.1** [vrouw die voedt] *wet nurse* ⇒〈ook fig.〉 *foster mother* **0.2** [vrouwelijke haas of konijn] *doe*.

voedzaam 〈bn.〉 **0.1** *nutritious, nourishing;* 〈wet.〉 *nutritive;* 〈ook fig.〉 *substantial*.

voeg
I 〈de〉 **0.1** [naad, reet] *joint* ⇒*join, junction,* 〈naad〉 *seam* **0.2** [mbt. een constructie] *joint* ◆ **1.1** de~en van een muur dichtmaken/aanstrijken *point (the brickwork of) a wall* **2.1** 〈amb.〉 doorgaande~en *continuous joints;* 〈amb.〉 liggende/strekse~en *bed joints;* 〈amb.〉 staande~en *head joints* **3.1** uit zijn~en barsten *come apart at the seams* **6.1** ~en **in** verstek *mitre joints* **6.2** het schip kraakt **in** zijn~en *the ship is creaking everywhere;* iets **uit** zijn~en rukken 〈ook fig.〉 *put/wrench sth. out of joint;* 〈fig. ook〉 *disrupt sth.;*
II 〈de (m.)〉 ◆ **7.¶** dat geeft geen ~ *that is not the proper thing to do, that's not proper*.

voege 〈de〉 **0.1** [wijze] *manner* ⇒*fashion, way* **0.2** [〈AZN〉 zwang] *fashion* ⇒*vogue, craze* ◆ **6.1 in** dier/dezer~*in that/this m./fashion/ way;* **in** ~ dat *so that, in such a m./fashion/way that*.

voegen (→sprw. 348)
I 〈ov.ww.〉 **0.1** [verbinden] *join* ⇒*connect* **0.2** [verenigen met] *join (up)* **0.3** [toevoegen] *add* **0.4** [opvullen met specie] *point* ◆ **1.2** hierbij voeg ik een biljet van f 100,- *I enclose a 100 guilder* ^B*note/* ^A*bill* **4.2** zich bij iem. ~*join s.o.* **6.1** planken **in/aan** elkaar~*j. planks together, joint planks* **6.2** 〈fig.〉 de daad **bij** het woord~*suit the action to the word;* stukken **bij** een dossier~*add documents to a file* **6.3** dit gegeven, gevoegd **bij** ...*this fact, combined with ...;* nog een paar stuks **bij** een partij goederen~*throw in a few more items with a lot;*
II 〈wk.ww.; zich ~〉 **0.1** [zich in vorm aanpassen] *adjust (o.s.)* **0.2** [zich schikken] *comply (with)* ⇒*conform (to)* **0.3** [〈AZN〉 zich passend gedragen] *behave (properly)* ⇒〈schr.〉 *conduct o.s.* ◆ **6.2** zich **naar** iem./iets~*comply with/conform to s.o.'s wishes/sth.;*
III 〈onov.ww.〉 **0.1** [betamen] *become* ⇒〈schr.〉 *befit* **0.2** [gelegen komen] *suit* ⇒*be convenient for/to* ◆ **1.1** zo'n toon voegt u niet *that sort of tone does not become you* **4.2** kom zodra het u voegt *come at your earliest convenience*.

voegenmes 〈het〉 **0.1** *pointer*.

voeger 〈de (m.)〉 **0.1** *jointer*.

voegijzer 〈het〉 **0.1** *jointer*.

voeging 〈de (v.)〉 **0.1** [aansluiting bij een partij] *joining (as party to an action)* **0.2** [verenigde behandeling] 〈verschillende feiten, zelfde persoon〉 *joinder of charges;* 〈verschillende personen, zelfde feit〉 *joinder of offenders* ◆ **1.1** ~ van partijen *joinder of parties;* ~ van zaken *j. of causes of action*.

voegwerk 〈het〉 **0.1** [resultaat] *pointing* ⇒*jointing* **0.2** [handeling] *pointing*.

voegwoord 〈het〉 〈taal.〉 **0.1** *conjunction* ◆ **1.1** ~ van tijd *temporal c.* **2.1** nevenschikkende en onderschikkende ~en *coordinating and subordinating conjunctions*.

voegwoordelijk 〈bn., bw.;-ly〉 **0.1** *conjunctive* ◆ **1.1** ~ bijwoord *c. adverb*.

voegzaam 〈bn., bw.;-ly〉 〈schr.〉 **0.1** [passend] *appropriate* ⇒*apposite, suitable* **0.2** [betamelijk] *seemly* ⇒*becoming, proper, befitting* ◆ **3.2** ~ spreken/handelen/optreden *speak/act/behave with propriety/in a seemly manner*.

voelbaar 〈bn., bw.;-ly〉 **0.1** [voor het gevoel waarneembaar] *tangible* ⇒*perceptible* **0.2** [als pijn/druk waarneembaar] *noticeable* ⇒〈schr.〉 *perceptible* **0.3** [〈fig.〉] *palpable* ⇒〈schr.〉 *perceptible* ◆ **1.3** de gevolgen worden~*the consequences are making themselves felt/becoming apparent* **2.1** het ijzer wordt~warmer *the iron is getting perceptibly hotter* **3.1** 〈fig.〉 iets~maken *get sth. over/across (to s.o.)*.

voelboek 〈het〉 **0.1** *relief book*.

voelen (→sprw. 302)
I 〈ov.ww.〉 **0.1** [met de tastzin gewaarworden] *feel* **0.2** [innerlijk gewaarworden] *feel* ⇒*sense* **0.3** [aanvoelen] *feel* ⇒*sense,* 〈schr.〉 *be sensible of* **0.4** [tastend onderzoeken] *feel (for/after)* ◆ **1.1** grond~*touch bottom;* leven~*f. the baby move;* 〈fig.〉 nattigheid~*smell a rat, realize sth's up* **1.4** iem. de pols~*feel s.o.'s pulse* **3.1** de handen ~ jeuken 〈fig.〉 *be itching to (do sth.);* de grond onder je voeten ~ wegglijden/ wegzakken 〈ook fig.〉 *f. the earth slip from under one's feet* **3.2** zijn invloed doen ~*make one's influence felt;* de crisis doet zich zelfs bij de rijksten ~*the recession is even beginning to hit the/to make itself felt among the very rich;* zich geroepen ~ tot het priesterschap *have a calling/vocation to become a priest;* ik zal het hem eens goed laten ~ *I'll show him (what's what);* als je niet wil luisteren, moet je maar ~ *(you'd better) feel or else!* **3.3** zoiets moet je ~ *things like that must be felt* **3.4** laat mij eens ~ *let me (have a) feel* **4.1** dat voel ik! 〈pijn〉 *that hurts!* **4.3** voelt u wat ik bedoel? *do you see what I mean?;* 〈inf.〉 *do you get my drift?* **8.3** hij voelde dat het waar was en bleek het te zijn *he sensed that sth. was coming* **¶.3** 〈inf.〉 voel je (hem)? *get it?, see (the point)?;*
II 〈wk.ww.; zich ~〉 **0.1** [in een toestand verkeren] *feel* ⇒*feel o.s.* ◆ **2.1** voel je je wel lekker? 〈fig.〉 *have you no sense of the ridiculous?, don't you think you're being just a little silly?* **4.1** zich onbehaaglijk/ niet op zijn gemak ~*f. ill at ease;* zich lekker~*f. good/fine/well/on top of the world;* zich tot iets verplicht/genoodzaakt ~*f. bound/forced to do sth.;* zich beter/op zijn gemak/ergens thuis ~*f. better/at ease/at home somewhere* **4.¶** hij voelt zich heel wat/een

hele Piet *he thinks the world of himself/thinks no end of himself/rather fancies himself;*
III ⟨onov.ww.⟩ **0.1** [de genoemde indruk maken] *feel* **0.2** [genegenheid kennen] *be fond (of)* ⇒*like* **0.3** [aantrekkelijk achten] *feel (like)* ⇒*fancy, like the idea (of)* ◆ **2.1** het voelt hard/ruw/week *it feels hard/rough/soft* **6.2** iets gaan ~ **voor** iem. *grow fond of/warm to(wards)* s.o. **6.3** veel **voor** de verpleging ~ *like the idea of nursing, fancy nursing;* ik voel er niet veel **voor** *I don't much like/fancy the idea;* ik voel meer **voor** Spanje *I prefer the idea of Spain, I fancy Spain more;* hij begon meer en meer te ~ **voor** die theorie *he grew more and more keen on that theory;* ik voel wel iets **voor** dat plan *I rather like that plan, I'm rather in favour of that plan;* men voelt weinig **voor** dat voorstel *that proposal has little appeal;* ik voel er niet veel **voor** (om) te komen *I don't feel like/don't fancy coming;* ik voel wel iets **voor** een hapje *I wouldn't mind/I could do with/I rather fancy a bite (to eat).*

voelhoorn ⟨de (m.)⟩ **0.1** *feeler* ⇒⟨van insekt/schaaldier ook⟩ *antenna* ◆ **3.1** zijn voelhorens uitsteken ⟨fig.⟩ *put out feelers, feel one's way.*

voeling ⟨de (v.)⟩ **0.1** *touch* ⇒*contact* ◆ **3.1** ~ hebben met *be on the same wavelength as, be tuned in to;* geen ~ (meer) hebben met *be out of/have lost t. with;* ~ houden met *maintain contact with;* ~ krijgen met *get on(to) the same wavelength as, get tuned in to;* ~ onderhouden / in ~ blijven met *keep in t./in contact with.*

voer ⟨het⟩ **0.1** [voedsel voor dieren] *feed* ⇒⟨ook fig.⟩ *food,* ⟨veevoer ook⟩ *forage,* ⟨ook pej.⟩ *fodder* **0.2** [⟨vis.⟩] *bait* ◆ **2.1** ingekuild ~ *silage* **3.1** ~ geven *feed* **6.1** ⟨fig.⟩ ~ **voor** de geest *food for thought;* ~ **voor** een psycholoog *food for a psychologist.*

voerautomaat ⟨de (m.)⟩ **0.1** *(automatic) feeder, feeding-machine.*

voerbak ⟨de (m.)⟩ **0.1** *(feeding-)trough* ⇒*manger.*

voeren
I ⟨onov., ov.ww.⟩ **0.1** [leiden] *lead* ⇒*guide* ◆ **1.1** het pad voerde de berg af *the path led down the mountain(side)* **4.1** wat voert u hierheen? *what brings you here?* **5.1** dat zou (mij) te ver ~ *that would be getting too far off the subject/would lead (me) too far afield* **6.1** de rollen ~ de band **door** de machine *the rollers guide the belt through the machine;* de reis voert **naar** Rome *the trip goes to Rome/ends in Rome;*
II ⟨ov.ww.⟩ **0.1** [vervoeren] *transport* **0.2** [verrichten, bezigen] ⟨zie 1.2⟩ **0.3** [dragen, meevoeren] ⟨zie 1.3,6.3⟩ **0.4** [hanteren] *handle* ⇒⟨vero./dicht.⟩ *wield* **0.5** [van voering voorzien] *line* **0.6** [geven] *feed* **0.7** [⟨inf.⟩ op stang jagen] *bait* ⇒*badger, plague, torment* ◆ **1.1** de rivier voert water naar de zee *the river carries water (down) to the sea* **1.2** een bewijs ~ *provide evidence;* een harde politiek ~ *pursue a tough policy;* een proces ~ *go to court (over)* **1.3** een valse naam ~ *use a false name* **1.4** het penseel ~ *h. the brush* **1.5** ⟨amb.⟩ een koperen ketel ~ *tin-line a copper kettle/cauldron* **1.6** eendjes (brood) ~ *f. (bread to) the ducks;* de kleine moet nog gevoerd worden *the baby still has to be fed;* ⟨fig.⟩ de vissen ~ *feed the fishes* **2.6** iem. dronken ~ *get/make s.o. drunk* **6.3** ⟨fig.⟩ iets **in** zijn schild ~ *be up to sth..*

voergang ⟨de (m.)⟩ **0.1** *feed alley,* ^A*feedway.*

voering ⟨de (v.)⟩ **0.1** [van stof] *lining* **0.2** [van metaal] *lining* ◆ **2.1** dikke ~ *thick l.;* losse ~ *detachable l..*

voerman ⟨de (m.)⟩ ⟨→sprw. 610⟩ **0.1** [menner] *driver* ⇒⟨van boerenwagen ook⟩ *wag(g)oner* **0.2** [⟨ster.⟩] *Auriga* ⇒*(the) Charioteer.*

voerstek ⟨de (m.)⟩ **0.1** *pitch* ⇒⟨inf.⟩ *cast.*

voertaal ⟨de⟩ **0.1** *language/medium of communication/*⟨onderwijs⟩ *of instruction,* ⟨op congres, enz.⟩ *official language* ◆ **1.1** de ~ is hier Nederlands *the official language here is Dutch.*

voertuig ⟨het⟩ **0.1** [vervoermiddel] *vehicle* ⇒⟨jur.⟩ *conveyance* **0.2** [⟨fig.⟩] *vehicle* ⇒*medium* ◆ **1.2** de taal is het ~ der gedachten *language is the v. of thought.*

voet ⟨de (m.)⟩ ⟨→sprw. 316⟩ **0.1** [lichaamsdeel] *foot* **0.2** [onderste gedeelte] *foot* ⇒*bottom, base* **0.3** [versvoet] *foot* **0.4** [grondslag] *footing* ⇒*basis, terms* ⟨mv.⟩ **0.5** [deel van een kous] *foot* **0.6** [afdruksel] *footprint* **0.7** [bewegingsorgaan bij weekdieren] *foot* **0.9** [kwart v.e. stuk slachtvee] *quarter* ◆ **1.1** zich met handen en ~en tegen iets verzetten *resist sth. with everything one has got/with all one's might (and main);* aan, met handen en ~en gebonden zijn ⟨fig.⟩ *have one's hands tied* **1.2** ⟨plantk.⟩ de ~ van een bol *the collet/collar of a bulb;* de ~ van een glas *the stem/base of a glass;* de ~ van een zuil/een lamp *the base/f. of a column/a lamp* **1.7** de ~ van een mossel *the beard of a mussel* **2.1** op blote ~en *barefoot, on bare feet;* ⟨fig.⟩ op staande ~ *on the spot, then and there;* ⟨fig.⟩ iem. op vrije ~en stellen *set s.o. free;* ⟨inf.⟩ turn s.o. *loose* **2.4** op bescheiden ~ leven *live modestly;* op gelijke ~ met elkaar omgaan *be on equal terms/on an equal footing;* op gespannen ~ staan met iem. *be at odds/at loggerheads with s.o.;* zij staan op goede/vriendschappelijke ~ met elkaar *they are on good/friendly terms (with each other);* op grote ~ leven *live in (great) style;* op te grote ~ leven *live beyond one's means, overspend;* de zaken op de oude ~ voortzetten *continue business as before;* op vertrouwelijke ~ staan met iem. *be on familiar terms with s.o.* **2.6** vuile ~en op een kleed maken *leave dirty footprints on a carpet* **2.7** de slijmerige ~ van de slak *the snail's slimy f.* **2.¶** de belastingvrije ~

tax-free foot; ⟨BE ook⟩ *personal (tax) allowance* **3.1** ⟨fig.⟩ dat gaat zover als het ~en heeft *that's all very well as far as it goes/all very well up to a point;* ⟨fig.⟩ ergens (vaste) ~ krijgen *gain a (firm) foothold somewhere;* ⟨iron.⟩ de overwonnenen de ~en spoelen *consign the vanquished to the deep;* de ~en vegen *wipe one's feet;* hem werd de ~ gelicht (lett.) *he was tripped up;* ⟨fig.⟩ *he was supplanted/cut out/*↑*ousted;* ⟨fig.⟩ iem. de ~ dwars zetten *put a spoke in s.o.'s wheel;* ⟨fig.⟩ iem. de ~ op de nek zetten *have s.o. over a barrel* **6.1 aan** iemands ~en liggen ⟨ook fig.⟩ *lie at s.o.'s feet;* ~ **aan** wal zetten *set f. ashore;* met het geweer **bij** de ~ *with arms ordered/at the order;* ⟨fig.⟩ *ready for the fray, fighting fit;* ⟨fig.⟩ dat heeft heel wat ~en **in** de aarde *that'll take some doing, we'll/you'll have our/your work cut out with that;* ⟨fig.⟩ de wet **met** ~en treden *ride roughshod over the law, fly in the face of the law;* een paard **met** witte ~en *a horse with white stockings;* ⟨fig.⟩ de grond wordt mij te heet **onder** de ~en *things are getting too hot for me here;* **onder** de ~ gelopen worden *be trampled (underfoot);* ⟨fig.⟩ *be overrun;* iem. **op** de ~ volgen *follow in s.o.'s footsteps;* ⟨fig.⟩ een betoog/de gebeurtenissen/de ontwikkelingen **op** de ~ volgen *keep (a close) track of a reasoning/events/developments;* ⟨fig.⟩ de straf volgde de misdaad **op** de ~ *punishment was swift (to follow);* **te** ~ gaan *walk, go on f.;* het leger **te** ~ *the infantry;* (voor) iem. **te** ~ vallen *fall at s.o.'s feet;* ⟨bk.⟩ een portret **ten** ~en uit *a full-length portrait;* ⟨fig.⟩ dat is hem **ten** ~en uit *that's (so) typical of him, that's him all over;* iem. van het hoofd **tot** de ~ en gewapend *armed to the teeth;* iem. van het hoofd **tot** de ~ en opnemen *look s.o. up and down;* ⟨fig.⟩ zich **uit** de ~en maken *take to one's heels, show a clean pair of heels;* nog goed **uit** de ~en kunnen *still be steady on one's legs/* ⟨inf.⟩ *pins;* ⟨fig.⟩ met iets **uit** de ~en kunnen *be able to manage with/take care of sth.;* iem. iets **voor** de ~en gooien ⟨fig.⟩ *throw sth. in s.o.'s face, fling sth. in s.o.'s teeth;* **voor** de ~(en) weg *off-hand, at random;* iem. **voor** de ~en lopen *hamper s.o., get under s.o.'s feet;* ~(je) **voor** ~(je) *step by step, inch by inch* **6.4** de zaken **op** dezelfde ~ voortzetten *continue business (on the same footing/terms) as before;* **op** ~ van oorlog leven *be on a war footing;* **op** ~ **van** gelijkheid *on equal terms;* **op** ~ **van** wederkerigheid *on a mutual/reciprocal basis;* iedereen **op** dezelfde ~ behandelen *treat everyone on the same basis/ footing/terms* **7.1** de zieke kan geen ~ verzetten *the patient cannot get up/is too weak to move;* ik kan geen ~ verzetten of hij bemoeit zich er mee *I can't lift a finger without him butting in;* geen ~ buiten de deur zetten *not set f. outside the door;* ik zet daar geen ~ meer in huis/over de drempel *I won't ever set f. in that house again;* ⟨fig.⟩ geen ~ aan de grond krijgen *make no headway;* iem. geen ~ op straat zetten *he didn't want to set f. outdoors again* **¶.1** ⟨fig.⟩ ~ bij stuk houden *stick to one's guns.*

voetafdruk ⟨de (m.)⟩ **0.1** *footmark, footprint* ⇒*footstep.*

voetangel ⟨de (m.)⟩ **0.1** ≠*mantrap;* ⟨gesch.⟩ *caltrop* ◆ **1.1** ⟨fig.⟩ een onderwerp vol ~s en klemmen *a subject full of/bristling with pitfalls, a touchy subject.*

voetbad ⟨het⟩ **0.1** [het baden van de voeten] *foot-bath* **0.2** [teiltje] *foot-bath* **0.3** [⟨scherts.⟩] *puddle* ◆ **3.1** een ~ nemen *take/have a f.-b.;* bathe one's feet **6.3** thee met een ~ *tea slopped into the saucer.*

voetbal
I ⟨de (m.)⟩ **0.1** [bal] *football;*
II ⟨het⟩ **0.1** [tak van sport] *soccer;* ⟨BE vaak ook⟩ *football* ⇒ ↑*Association Football* ◆ **2.1** Amerikaans ~ ^B*American football,* ^A*football;* betaald ~ *paid/professional football,* ^A*professional soccer.*

voetbalbericht ⟨het⟩ **0.1** *soccer/*⟨BE vaak ook⟩ *football news.*

voetbalbond ⟨de (m.)⟩ **0.1** *(national) soccer/*⟨BE vaak ook⟩ *football association/league.*

voetbalbroek ⟨de⟩ **0.1** *soccer/*⟨BE vaak ook⟩ *football shorts.*

voetbalclub ⟨de⟩ **0.1** *soccer/*⟨BE vaak ook⟩ *football club.*

voetbalcompetitie ⟨de (v.)⟩ **0.1** *soccer/*⟨BE vaak ook⟩ *football competition.*

voetbalelftal ⟨het⟩ **0.1** *soccer/*⟨BE ook⟩ *football team;* ⟨in samenst.⟩ *eleven* ◆ **1.1** het ~ van Anderlecht *the Anderlecht eleven/team.*

voetbalfan, -liefhebber ⟨de⟩ **0.1** *soccer/*⟨BE vaak ook⟩ *football fan.*

voetbalkalender ⟨de (m.)⟩ **0.1** *soccer/*⟨BE vaak ook⟩ *football calendar/schedule.*

voetbalknie ⟨de⟩ **0.1** *cartilage trouble* ⇒*(a) torn cartilage.*

voetballen ⟨onov.ww.⟩ **0.1** [het voetbalspel spelen] *play soccer/*⟨BE ook⟩ *football* **0.2** [schoppen] *kick around* ⇒*play football (with)* ◆ **3.1** ik kan niets van ~ *I'm no good at football* **6.2** met iets ~ *kick sth. around, play football with sth..*

voetballer ⟨de (m.)⟩, **-ster** ⟨de (v.)⟩ **0.1** *soccer player;* ⟨BE ook⟩ *footballer, football player.*

voetballerij ⟨de (v.)⟩ **0.1** [het voetballen] *soccer;* ⟨BE ook⟩ *football* **0.2** [de voetbalwereld] *soccer;* ⟨BE ook⟩ *football* ⇒*the football scene.*

voetbalpool ⟨de (m.)⟩ **0.1** *(football) pools* ⟨mv.⟩.

voetbalprof ⟨de (m.)⟩ **0.1** *pro soccer player/*⟨BE vaak ook⟩ *footballer* ⇒*soccer/football pro.*

voetbalschoen ⟨de (m.)⟩ **0.1** *soccer/*⟨BE vaak ook⟩ *football boot.*

voetbalshirt ⟨het⟩ **0.1** *soccer/*⟨BE vaak ook⟩ *football jersey/shirt.*

voetbalstadion 〈het〉 **0.1** *soccer* / 〈BE vaak ook〉 *football stadium.*

voetbalsupporter 〈de (m.)〉 **0.1** *soccer* / 〈BE vaak ook〉 *football supporter* / 〈inf.〉 *fan.*

voetbaltoernooi 〈het〉 **0.1** *football tournament.*

voetbaltrui 〈de〉 **0.1** *soccer* / 〈BE vaak ook〉 *football jersey.*

voetbaluitslagen 〈zn.mv.〉 **0.1** *soccer* / 〈BE vaak ook〉 *football results.*

voetbalvandalisme 〈het〉 **0.1** *soccer* / 〈BE vaak ook〉 *football hooliganism* / *rowdyism* / *vandalism.*

voetbalveld 〈het〉 **0.1** [B]*football* / *soccer pitch,* [A]*soccer field.*

voetbalwedstrijd 〈de (m.)〉 **0.1** *soccer* / 〈BE vaak ook〉 *football match* / *game.*

voetbank 〈de〉 **0.1** *footstool* ⇒*foot-rest.*

voetbediening 〈de (v.)〉 **0.1** *foot-control* / *-operation.*

voetbeentje 〈het〉 **0.1** 〈alg.〉 *bone in the* / *one's foot;* 〈med.〉 *tarsal bone.*

voetbesturing 〈de (v.)〉 **0.1** *foot(-operated) controls* 〈mv.〉.

voetbeweging 〈de (v.)〉 **0.1** *movement of the foot.*

voetboei 〈de〉 **0.1** *fetter* ⇒*leg-iron, shackle.*

voetboog 〈de (m.)〉 **0.1** *arbalest.*

voetbreed 〈het〉 **0.1** *foot's breadth* ◆ **7.1** hij wijkt geen ~ *he won't budge an inch.*

voeteneind 〈het〉 **0.1** *foot.*

voetenwerk 〈het〉 〈sport〉 **0.1** *footwork.*

voetenzak 〈de (m.)〉 **0.1** *foot-muff.*

voetfout 〈de〉 〈sport〉 **0.1** *foot fault.*

voetganger 〈de (m.)〉 **0.1** *pedestrian;* 〈op schip〉 *foot-passenger* ◆ **2.1** roekeloze ~s worden meteen op de bon geslingerd *jaywalkers are fined on the spot.*

voetgangersbrug 〈de〉 **0.1** *footbridge, pedestrian bridge.*

voetgangersgebied 〈het〉 **0.1** *pedestrian precinct* / *area* ⇒*pedestrians-only area.*

voetgangerslicht 〈het〉 **0.1** *(pedestrian-)crossing lights.*

voetgangersoversteekplaats 〈de〉 **0.1** [B]*pedestrian* / [B]*zebra crossing,* [A]*crosswalk* ⇒〈vnl. BE〉 *pelican crossing* 〈met door de voetganger te bedienen verkeerslichten〉.

voetgangerspromenade 〈de (v.)〉 **0.1** *pedestrian precinct* ⇒*promenade, pedestrians-only street, street closed to traffic.*

voetgangerstraverse 〈de (v.)〉 **0.1** *pedestrian passage(way).*

voetgangerstunnel 〈de (m.)〉 **0.1** [B]*subway,* [A]*(pedestrian) underpass.*

voetgangerszone 〈de〉 →**voetgangersgebied.**

voetje 〈het〉 **0.1** *(little* / *small) foot* ◆ **2.¶** een wit ~ bij iem. hebben *be in s.o.'s good books* / [↑]*good graces, be on the right side of s.o.;* bij iem. een wit ~ proberen te halen halen *butter s.o. up, soft-soap s.o., try to get in s.o.'s good books* / [↑]*good graces* / *on the right side of s.o.* **3.1** 〈fig.〉 iem. een ~ geven *give s.o. a leg up;* ~ vrijen *play footsie;* ~s warmen *have a cuddle (in bed)* **6.1** ~ *voor* ~ lopen / vooruitkomen *go very slowly* / 〈voorzichtig〉 *gingerly* / 〈aarzelend〉 *hesitantly* / *reluctantly, inch along* / *forward;* ~ *voor* ~ *inch by inch, foot by foot.*

voetjevrijen 〈ww.〉 〈inf.〉 **0.1** *play footsie.*

voetklavier 〈het〉 **0.1** *pedal keyboard.*

voetknecht 〈de (m.)〉 〈gesch.〉 **0.1** *foot-soldier* ⇒*footman, infantryman.*

voetkus 〈de (m.)〉 **0.1** [kus op de voet] *kiss on the foot* **0.2** [kus op het schoeisel van de paus] *kiss on the foot* ◆ **3.2** tot de ~ toegelaten worden *be permitted to kiss the Pope's foot.*

voetlicht 〈het〉 **0.1** *footlights* 〈mv.〉 ⇒〈dram.〉 *floats* 〈mv.〉 ◆ **6.1** 〈fig.〉 dat komt niet goed over het ~ *it doesn't come across well;* voor het ~ komen *appear in front of the f.* / *on the boards;* 〈fig.〉 *make a public appearance;* 〈fig.〉 iets voor het ~ brengen *bring sth. out into the open* / *into the limelight.*

voetmaat 〈de〉 **0.1** [schoenmaat] *shoe* / *foot size* **0.2** [in voeten uitgedrukte maat] *foot measure* **0.3** [metrum] *metre.*

voetmat 〈de〉 **0.1** *doormat.*

voetnoot 〈de〉 **0.1** [noot onder aan een bladzijde] *footnote* **0.2** [kanttekening] *note in the margin* ⇒*(critical) remark* / *comment, marginalia* 〈mv.〉 **0.3** [bijkomstigheid] *side-issue.*

voetpad 〈het〉 **0.1** *footpath* ⇒*footway,* 〈langs kanaal〉 *towpath.*

voetpedaal 〈het, de (m.)〉 **0.1** *pedal.*

voetplaat 〈de〉 **0.1** *base-plate.*

voetpomp 〈de〉 **0.1** *foot-pump.*

voetprent 〈de〉 〈jacht〉 **0.1** *footprint* ⇒〈van kat- / hondachtigen ook〉 *pawmark, pug(mark),* 〈mv. ook〉 *spoor, track.*

voetpunt 〈het〉 **0.1** 〈wisk.〉 *foot* **0.2** 〈ster.〉 *nadir.*

voetpuntsdriehoek 〈de (m.)〉 **0.1** *pedal triangle.*

voetreis 〈de〉 **0.1** *walking-trip* / *-tour* ⇒*hike, hiking tour.*

voetrem 〈de〉 **0.1** *footbrake.*

voetschakelaar 〈de (m.)〉 **0.1** *foot(-operated) switch.*

voetschilder 〈de (m.)〉, **-es** 〈de (v.)〉 **0.1** *foot-painter.*

voetschimmel 〈de (m.)〉 **0.1** *athlete's foot.*

voetspoor 〈het〉 **0.1** *footprint* ⇒*footmark,* 〈mv. ook〉 *track, trail, spoor* ◆ **3.1** iemands ~ volgen 〈fig.〉 *follow in s.o.'s footsteps, imitate s.o.* **6.1** in zijn voetsporen treden 〈fig.〉 *follow in his footsteps;* 〈fig.〉 in / op het ~ van *in the wake of, on the heels of.*

voetstand 〈de (m.)〉 **0.1** *foot position, position of the feet.*

voetstap 〈de (m.)〉 **0.1** [stap] *(foot)step* ⇒*tread* **0.2** [geluid] *footstep* ⇒

---

footfall **0.3** [spoor] *footprint* ⇒*footmark,* 〈mv. ook〉 *track, trail* ◆ **3.2** ik hoor ~pen naderen *I can hear footsteps approaching* **3.3** iemands ~pen drukken 〈fig.〉 *follow in s.o.'s footsteps;* ik heb daar heel wat ~pen liggen *I've walked a good deal there* **6.1** bij elke ~ *at every step.*

voetstappentoilet 〈het〉 **0.1** *squatting* / *squat-down toilet* / [↑]*lavatory.*

voetsteun 〈de (m.)〉 **0.1** *footrest.*

voetstoots 〈bw.〉 **0.1** [klakkeloos] *without further ado,* ⌞*just like that, without question, unquestioningly* **0.2** [zonder nadere bepaling] *as it is* / *stands;* 〈hand.〉 *with all faults, at the buyer's risk* ◆ **3.1** ik kan dat niet ~ aanvaarden *I can't accept it just like that* **3.2** iets ~ verkopen ≠*take the first offer, sell sth. with all faults* / *at the buyer's risk.*

voetstuk 〈het〉 **0.1** [onderstel] *base* ⇒*foot,* 〈hoog〉 *pedestal,* 〈van standbeeld〉 *plinth* **0.2** [onderstuk van een kast] *base* ⇒*foot* ◆ **6.1** 〈fig.〉 iem. op een ~ plaatsen *put* / *place* / *set s.o. on a pedestal;* 〈fig.〉 zich op een ~ plaatsen *put* / *set o.s. (up) on a pedestal;* 〈fig.〉 iem. van zijn ~ stoten *knock s.o. off his pedestal;* 〈fig.〉 van zijn ~ vallen *fall from one's pedestal.*

voettocht 〈de (m.)〉 **0.1** *walking* / *hiking tour* / *trip* ⇒*hike, walk.*

voetval 〈de (m.)〉 **0.1** *prostration* ⇒〈knieval〉 *genuflection,* 〈Chinese〉 *kowtow* ◆ **3.1** voor iem. een ~ doen 〈ook fig.〉 *prostrate o.s. before s.o., fall at s.o.'s feet, fall on one's knees before s.o..*

voetveeg 〈de〉 ◆ **3.¶** 〈fig.〉 iemands ~ zijn *be s.o.'s doormat, let o.s. be walked (all) over.*

voetverzorging 〈de (v.)〉 **0.1** *foot-care* ⇒*care of the feet,* 〈zeldz.〉 *pedicure,* 〈med.〉 *chiropody,* 〈AE ook〉 *podiatry.*

voetvolk 〈het〉 **0.1** [infanterie] *foot-soldiers* 〈mv.〉 ⇒*infantry,* 〈gesch.〉 *footmen* 〈mv.〉 **0.2** [het gewone volk] *(the) rank and file, (the) masses.*

voetvormig 〈bn.〉 **0.1** *foot-shaped* ⇒*pedate* 〈blad〉.

voetvrij 〈bn.〉 **0.1** *ankle-length* ◆ **3.1** men draagt de rokken ~ *skirts are worn a.-l.* / *down to the ankle.*

voetwassing 〈de (v.)〉 **0.1** *(ceremony of) washing of (the* / *one's* / *s.o.'s) feet* ⇒〈rel.〉 *pedilavium.*

voetwortelbeentje 〈het〉 **0.1** *tarsal (bone).*

voetzoeker 〈de (m.)〉 **0.1** *jumping jack* ⇒≠*firecracker,* ≠*squib.*

voetzool 〈de (m.)〉 **0.1** *sole (of the* / *one's foot).*

voetzoolreflexmassage 〈de (v.)〉 **0.1** *foot reflex massage.*

vogel 〈de (m.)〉 〈→sprw. 597,611-613〉 **0.1** [dier] *bird* ⇒〈schr., biol., jagerstaal〉 *fowl* **0.2** [persoon] *customer* ⇒*character, type,* 〈AE; sl.〉 *dude, cat* **0.3** [namaakvogel] *bird(ie)* ◆ **2.2** het is een hippe ~ *he's really hip, he's into the scene;* het is een rare / een gladde / een slimme ~ *he's an odd character* / *a slippery customer* / *a crafty customer;* een vrije ~ *s.o. who does his own thing,* [↑] *an independent type;* het is een vroege ~ *he* / *she's an early bird* **3.1** de ~ is gevlogen 〈fig.〉 *the b. has flown (the coop)* **4.1** 〈fig.〉 zulke ~s, zulke veren *fine feathers make a fine b.* **6.1** ~s van diverse pluimage 〈fig.〉 *a motley crew, a mixed bag;* een ~ voor de kat zijn 〈fig.〉 *be for the high jump, have had one's chips* **8.1** zo vrij als een ~ *as free as a b.* **¶.1** de ~ is graag daar waar hij gebroed is *there's no place like home.*

vogelaar 〈de (m.)〉 **0.1** [vogelvanger] *bird-catcher* ⇒*fowler* **0.2** [vogelwaarnemer] *bird-watcher* **0.3** [verleider] *charmer;* 〈inf.〉 *smooth talker, smoothie.*

vogelbek 〈de (m.)〉 **0.1** *bill* 〈ihb. van duif, eend〉; *(bird's) beak* 〈ihb. van roofvogel〉.

vogelbekdier 〈het〉 **0.1** *(duck-billed) platypus.*

vogelcholera 〈de〉 **0.1** *fowl cholera.*

vogelen

I 〈onov., ov.ww.〉 〈inf.〉 **0.1** [geslachtsgemeenschap hebben] *have it off,* ⌞*screw,* ⌞*fuck;*

II 〈onov.ww.〉 **0.1** [vogels vangen] *catch birds* ⇒*fowl.*

vogelgezang 〈het〉 **0.1** *birdsong* ⇒*(the) song* / *singing of birds.*

vogelhandelaar 〈de (m.)〉 **0.1** *bird-seller* / *-dealer.*

vogelhuis 〈het〉 **0.1** *aviary,* 〈in dierentuin ook〉 *bird-house;* 〈vogelkastje〉 *bird-* / *nesting-box;* 〈voedertafel〉 *birdtable.*

vogeljacht 〈de〉 **0.1** *shooting (of) birds* ⇒*fowling.*

vogelkastje 〈het〉 **0.1** *nesting-box.*

vogelkenner 〈de (m.)〉 **0.1** *ornithologist* ⇒*bird-watcher.*

vogelkers 〈de〉 **0.1** *bird cherry.*

vogelkooi 〈de〉 **0.1** *birdcage.*

vogelkop 〈de (m.)〉 **0.1** *bird's head.*

vogelkunde 〈de (v.)〉 **0.1** *ornithology;* 〈vero.〉 *birdlore.*

vogelliefhebber 〈de (m.)〉 **0.1** *bird-lover* / *-fancier.*

vogellijm 〈de (m.)〉 **0.1** [plant] *mistletoe* **0.2** [kleverige stof] *bird lime.*

vogelmelk 〈de〉 **0.1** *Star-of-Bethlehem* 〈Ornithogalum umbellatum〉.

vogelnest 〈het〉 **0.1** [nest van een vogel] *bird's nest* 〈ook als voedsel〉 **0.2** [〈plantk.〉] *bird's nest orchid* ◆ **2.1** eetbare ~en *edible birds' nests* **3.1** ~en uithalen *go (bird-)nesting.*

vogelnesthang 〈het〉 〈sport〉 **0.1** *nest hang.*

vogelperspectief 〈het〉 **0.1** *bird's-eye view* ◆ **6.1** hij heeft deze stad in ~ getekend *he has drawn a bird's-eye view of the town.*

vogelpest 〈de〉 **0.1** *fowl pest* / *plague* ⇒*Newcastle disease.*

vogelpik 〈de (m.)〉 〈AZN〉 **0.1** [dartspel] *darts* **0.2** [dartschijf] *dartboard.*

vogelpoep 〈de (m.)〉 **0.1** *bird* [↑]*droppings* / ⌞*shit.*

vogelreservaat ⟨het⟩ **0.1** *bird sanctuary*.
vogelschieten ⟨ww.⟩ **0.1** *≠popinjay shooting*.
vogelschrik ⟨de (m.)⟩ **0.1** *scarecrow*.
vogelslag
  I ⟨de (m.)⟩ **0.1** [vogelgezang] *birdsong*;
  II ⟨het, de (m.)⟩ **0.1** [vogelval] *bird-snare/-trap*.
vogelspin ⟨de⟩ **0.1** *bird spider*.
vogelstand ⟨de (m.)⟩ **0.1** *bird population/fauna* ⇒*birdlife, avifauna, number of birds/species* ◆ **1.1** de ~ van een streek *the b. p./birdlife of an area*.
vogelteelt ⟨de⟩ **0.1** *bird-breeding/-rearing* ⇒⟨schr.⟩ *aviculture*.
vogeltje ⟨het⟩ (→sprw. 365,614,615) **0.1** *(little/small) bird*; ⟨inf.⟩ *birdie*; ⟨kind.⟩*(little) dickybird* ◆ **3.**¶ kijk eens naar het ~/ even naar het ~ kijken *watch the birdie!, say cheese!*.
vogeltjeszaad ⟨het⟩ **0.1** *birdseed* ◆ **2.1** zwart ~ *(oilseed) rape, colza, cole*.
vogeltrek ⟨de (m.)⟩ **0.1** *bird migration* ⇒*migration of birds*.
vogelvanger ⟨de (m.)⟩ **0.1** *bird-catcher* ⇒*fowler*.
vogelverschrikker ⟨de (m.)⟩ **0.1** [pop, gestel met wapperende lappen] *scarecrow* **0.2** [knalpatronen] *bird scarer* ◆ **8.1** je ziet eruit als een ~ *you look like a scarecrow, you look a sight/fright/mess*.
vogelvlucht ⟨de⟩ **0.1** [het vliegen van vogels] *bird-flight* **0.2** [vogelperspectief] *bird's-eye view* ⇒*aerial view* **0.3** [troep vogels] *flight/flock of birds* ◆ **6.2** ⟨fig.⟩ iets in ~ behandelen *sketch sth. briefly, describe sth. in a nutshell*; iets in ~ tekenen *draw a bird's-eye view of sth.*.
vogelvrij ⟨bn.⟩ **0.1** *outlawed* ◆ **3.1** iem. ~ verklaren *outlaw s.o., declare s.o. an outlaw*.
vogelvrijverklaarde ⟨de (m.)⟩ **0.1** *outlaw*.
vogelvrijverklaring ⟨de (v.)⟩ **0.1** *outlawing*.
vogelwacht ⟨de⟩ **0.1** *ornithological station*.
vogelwachter ⟨de (m.)⟩ **0.1** [opzichter over een vogelreservaat] *keeper of a/the bird sanctuary* **0.2** [iem. die een vogelwacht bezet] *bird-watcher*.
vogelwet ⟨de⟩ **0.1** *Birds Protection Act*.
vogelwichelaar ⟨de (m.)⟩ **0.1** *augur* ⇒*ornithoscopist*.
Vogezen ⟨zn.mv.⟩ **0.1** *Vosges*.
vogue ⟨de⟩ ◆ **¶.**¶ en ~ *in vogue*.
voilà ⟨tw.⟩ **0.1** *voilà* ⇒*lo and behold*, ⟨asjeblieft⟩ *here you are (then)* ◆ **¶.1** even vouwen, plakken, en ~! *just fold it, a bit of glue and there you are!/* ⟨BE;inf.⟩ *and Bob's your uncle!*.
voile ⟨de (m.)⟩ **0.1** ⟨sluier⟩ *veil;* ⟨stof⟩ *voile*.
vol ⟨bn., bw.;-ly⟩ (→sprw. 146,258) **0.1** [geheel gevuld] *full (of)* ⇒*filled (with), fraught (with)* ⟨gevaar, verdriet⟩ **0.2** [over de hele oppervlakte bedekt] *full (of)* ⇒*covered (with/in)* **0.3** [gevuld] *full* **0.4** [waaraan niets ontbreekt] *complete* ⇒*whole,* ⟨mbt. tijdeenheden ook⟩ *clear* **0.5** [geheel zijnde wat het zn. noemt] *full* ⇒*rich,* **0.6** [mbt. geluiden] *full* ⇒*rich, mellow* **0.7** [mbt. kleuren] *deep* ⇒*rich, intense, full-blooded* **0.8** [mbt. een greep] *complete* ⇒*all-out, firm, vigorous* ◆ **1.1** ⟨fig.⟩ zij luisterde ~ aandacht naar zijn woorden ⟨ook⟩ *she hung on(to) his every word;* ⟨fig.⟩ elk woord in dit gedicht zit ~ betekenis *every word in this poem is pregnant with meaning;* ⟨fig.⟩ ~ bewondering *filled with wonder;* zakken ~ bloem *sacksful/sackfuls of flour;* de verhandeling zat ~ fouten ⟨ook⟩ *the paper was riddled with errors;* voorbereidingen in ~le gang *preparations at/in full blast;* ~ gaten ⟨ook⟩ *in holes;* ⟨fig.⟩ hij zit ~ gekheid *he's always fooling around, he's full of fun/crazy ideas;* een reis ~ gevaren *a hazardous/perilous journey, a journey fraught with danger;* ⟨fig.⟩ in ~le glorie *in full glory/splendour;* ⟨fig.⟩ hij zit ~ grappen *he's a (great) joker, he's always joking (around);* vis ~ graten ⟨ook⟩ *bony fish;* ⟨fig.⟩ ik heb mijn handen ~ aan dat kind *I've got my hands full with that child, that child's a handful;* ⟨fig.⟩ het hoofd ~ hebben *have plenty on one's mind;* ~ nieuwe ideeën ⟨ook⟩ *teeming with new ideas;* een huis ~ mensen *a house full of people;* ⟨fig.⟩ ~ goede moed *cheerful, in high spirits, reassured;* met een ~le mond/met de mond ~ praten *talk with one's mouth full;* ⟨fig.⟩ ~ ongeduld zijn *be all impatience;* ⟨fig.⟩ ~ ontzetting/afgrijzen/strijdlust *in dismay/in horror/fighting fit;* een kamer ~ rook *a room thick with smoke;* wolken ~ sneeuw *clouds heavy with snow;* zij zaten daar ~ spanning/nieuwsgierigheid *they sat there all agog (with excitement/curiosity);* de tram is ~ *the tram is full (up);* haar ogen schoten ~ tranen *her eyes brimmed with tears;* ⟨fig.⟩ ~ verlangen uitkijken *look longingly;* ⟨fig.⟩ ~ vuur/pit zitten *be full of energy/fire/zip/go/* ⟨AE ook⟩ *get-up-and-go;* ⟨fig.⟩ die jongen is ~ zelfvertrouwen ⟨ook⟩ *that young fellow oozes confidence* **1.2** een weide ~ bloeiende paardebloemen *a meadow full of/* ⟨schr.⟩ *abloom with dandelions;* een neus ~ sproeten *a freckled nose;* hij zit ~ uitslag *he's covered in a rash* **1.3** een ~ gezicht/een ~le boezem *a f./chubby face, a f. bosom;* de maan is ~ *the moon is f.* **1.4** ~ bewijs *complete proof, unassailable evidence;* de boom staat in ~le bloei *the tree is in full bloom;* een ~le dagtaak *a full day's work;* ⟨fig. ook⟩ *a full-time job;* in ~le draf/galop *at full trot /gallop;* in ~le ernst *in all seriousness;* ~ gas geven *give full throttle,* ⟨inf.⟩ *put one's foot (right) down;* het ~le gezicht op iets hebben *have a full view of sth.;* een ~ jaar garantie *a full-year/a full year's guarantee;* in het ~le licht komen te staan *come into full view;* het ~le loon

full pay; de ~le maat/het ~le gewicht hebben *contain the full/entire measure/weight;* ~ pension *full board;* met het ~ste recht/in het ~ste vertrouwen *quite rightly/in complete confidence;* je hebt het ~ste recht om ...*you have every right to ..., you're completely within your rights to ...;* zijn termijn is ~ *his time is up;* in ~le uitrusting *fully-equipped;* ⟨soldaat⟩ *in full (fighting) kit;* een ~ uur *a full hour;* de toekomst ~ vertrouwen tegemoet zien *feel secure about the future;* een ~le week/~le acht dagen de tijd hebben *have a full/clear/whole week* **1.5** ~le broer *f. brother, brother german;* zij is een ~le nicht van me *she's my first cousin* **2.1** ~ en zat *replete, full* **3.1** doe ze nog eens ~! *fill 'em up again!, same again!;* de hele stad is er ~ van ⟨fig.⟩ *it's the talk of the town, it's all over town;* iets ~ maken/gieten/stoppen *fill sth. up;* ⟨bijvullen⟩ *top up;* het was er ~ *it was full/crowded (there);* het zit er ~ van *it's/the place is full of it/them, they're as thick as flies* **3.2** de tafel ligt ~ boeken *the table is covered with books;* een muur ~ plakken met posters *cover a wall with posters;* de kranten staan er ~ van *the papers are full of it* **3.**¶ ~ aankijken/aanzien *look directly at s.o., look/stare s.o. full in the face* **5.1** helemaal ~ *full up, packed, stuffed* **5.3** ⟨scheep.⟩ ~ en bij *clean f., f. and by* **6.1** ⟨fig.⟩ ~ van iets zijn *be full of sth.* **6.2** de tafel stond ~ met cadeaus *the table was loaded/groaning with presents* **6.4** ten ~le *fully, entirely, wholly, completely* **6.**¶ iem. voor ~ aanzien *take s.o. seriously*.
vol. ⟨afk.⟩ **0.1** [volumen] *vol.* **0.2** [volume] *vol.*.
volant ⟨de (m.)⟩ **0.1** *flounce* ◆ **6.1** een jurk met ~s *a flounced dress*.
volautomatisch ⟨bn.⟩ **0.1** *fully automatic* ◆ **1.1** een ~e wasmachine *a f. a. washing machine*.
vol-au-vent ⟨de (m.)⟩ **0.1** *vol-au-vent*.
volbloed¹ ⟨de (m.)⟩ **0.1** *thoroughbred* ◆ **2.1** Arabische ~ *Arab (t.)*.
volbloed² ⟨bn., alleen attr.⟩ **0.1** [van onvermengd ras] *full-blood(ed);* ⟨dieren ook⟩ *pedigree, pure(-blood)* **0.2** [mbt. paarden] *thoroughbred* ⇒*pedigree* **0.3** [geheel de genoemde gezindheid hebbend] *full-blooded* ⇒*out and out, dyed-in-the-wool* ◆ **1.1** een ~ Europeaan *a full-blood(ed)/hundred per cent European;* ~ rundvee *pedigree cattle* **1.2** een ~ merrie *a t. mare;* een ~ paard *a thoroughbred;* ⟨mv. ook⟩ *bloodstock* **1.3** een ~ liberaal/conservatief *a dyed-in-the-wool liberal/a true-blue conservative*.
volbloedig ⟨bn.⟩ **0.1** *full-blooded*.
volbouwen ⟨ov.ww.⟩ **0.1** *build over* ⇒*cover/fill with buildings* ◆ **1.1** een plein ~ *build over a square*.
volbrengen ⟨ov.ww.⟩ **0.1** [ten einde toe uitvoeren] *complete* ⇒*accomplish, achieve* **0.2** [ten uitvoer brengen] *perform* ⇒*accomplish, carry out, fulfil* ^A*ill,* ↑*execute* ◆ **1.1** zijn (dag)taak ~ ⟨ook⟩ *do one's daily stint;* een reis ~ *c./accomplish a journey* **1.2** een opdracht ~ *p. a task* **¶.1** ⟨bijb.⟩ het is volbracht *it is done*.
volbrenging ⟨de (v.)⟩ **0.1** *accomplishment* ⇒*completion, fulfilment, achievement*.
voldaan ⟨bn.⟩ **0.1** [tevreden] *satisfied* ⇒*content(ed), fulfilled* **0.2** [betaald] *paid* ⇒*settled,* ⟨onder rekening ook⟩ *received with thanks* **0.3** [verzadigd] *satisfied* ◆ **1.1** een ~ gevoel *a sense/feeling of satisfaction* **6.1** ~ over iets *be s./content with sth.* **6.2** voor ~ tekenen *receipt, sign for receipt*.
voldaanheid ⟨de (v.)⟩ **0.1** *satisfaction* ⇒*content(edness)*.
volder ⟨de (m.)⟩ **0.1** *fuller*.
voldoen
  I ⟨ov.ww.⟩ **0.1** [betalen] *pay* ⇒*settle* **0.2** [voor voldaan tekenen] *receipt* ⇒*sign for receipt* ◆ **1.1** een rekening/de kosten ~ *pay/settle a bill/the costs* **1.2** een nota ~ *r. a bill;*
  II ⟨onov.ww.⟩ **0.1** [geheel beantwoorden] *satisfy, meet* ⟨voorwaarde, eis⟩;*fulfil* ⟨verwachtingen, verplichting⟩; *come up to* ⟨verwachtingen⟩;*carry out, perform* ⟨plichten⟩; *comply with* ⟨wet, regels⟩;*answer* ⟨op adequate manier⟩ **0.2** [tevreden] *satisfy* **0.3** [beantwoorden aan de verwachting, eis] *be satisfactory* ⇒ ↑*give satisfaction,* ↓*come up to scratch* **0.4** [betalen] *satisfy* ◆ **1.2** dat antwoord voldoet mij *I'm satisfied with that answer* **1.3** deze machine/deze methode voldoet niet *this machine/method is not satisfactory;* de nieuwe typist voldoet heel goed *the new typist is most satisfactory* **1.4** zijn schuldeisers ~ s./pay one's creditors* **5.3** deze machine voldoet goed *this machine is highly/most satisfactory* **6.1** aan de wet ~ *comply with the law;* aan de behoeften v.d. markt ~ *meet the needs of the market;* niet ~ aan ⟨ook⟩ *fall/come short of;* hij is moeilijk te ~ *he is not easily satisfied;* ⟨inf.⟩ *he's hard to please* **6.3** hij voldoet in alle opzichten *he is satisfactory in every way/respect*.
voldoende¹ ⟨het, de⟩ **0.1** *pass (mark)* ⇒⟨net voldoende⟩ *b/beta minus* ◆ **6.1** een ~ halen voor wiskunde *pass (one's)* ^B*maths/*^A*math*.
voldoende²
  I ⟨bw.⟩ **0.1** [genoeg] *sufficiently* ⇒*enough* ◆ **3.1** heb je je ~ voorbereid? *have you done enough preparation?;* het gebouw kan niet ~ verwarmd worden *the heating is inadequate for the building;*
  II ⟨bn.⟩ **0.1** [toereikend] *sufficient* ⇒*adequate, satisfactory, up to the mark,* ⟨genoeg⟩ *enough* ◆ **1.1** een ~ antwoord *a satisfactory answer;* een ~ cijfer *a pass (mark);* ~ kennis v.h. Spaans *adequate knowledge of Spanish;* er was geen ~ meerderheid voor het voorstel *there was not a sufficient majority in favour of the proposal* **3.1** één blik op hem

is~om ...*one look at him is sufficient/enough to ...;* het is voor mij ~ 〈bv. examen〉 *I am satisfied;* 〈inf.〉 *that will do (me);* £10 is niet ~ ^B*10 is not enough/* ↑*sufficient;* jouw examen was net ~ *you only just scraped through/passed your exam* 5.1 het is niet ~ om van te leven *it is not enough/* ↑*sufficient to live on;* ruimschoots ~ *ample, more than enough* 6.1 een volle tank is ~ **voor** 1000 km *a full tank will take you/ is enough for 1000 km.*

voldoende³ 〈hoofdtelw.〉 **0.1** *sufficient* ⇒*enough* ◆ **1.1** er zijn ~ deelnemers *there are enough/sufficient participants* **3.1** dat is ~ *that's s./ enough.*

voldoening 〈de (v.)〉 **0.1** [tevredenheid] *satisfaction* ⇒*pleasure* **0.2** [het voldoen, betaling] *payment* ⇒*settlement,* 〈jur., wegens schade〉 *reparation* ◆ **3.1** het werk gaf/schonk hem geen ~ *the work gave him no s., he got no s. out of the work;* dat stemt tot ~ *that's satisfying* **3.2** ~ geven voor aangedane smaad *make reparation for defamation of character;* ~ vragen *demand satisfaction* **6.2** 〈theol.〉 de ~ **door** Christus *the Atonement;* betaling **ter** ~ v.e. rekening *p. / settlement of a bill.*

voldongen 〈bn.〉 **0.1** *accomplished* ⇒*done,* 〈beslist〉 *decided, settled* ◆ **1.1** het is een ~ feit *it's an accomplished fact/already decided, it can't be changed now,* ↑*it's a fait accompli;* voor een ~ feit geplaatst worden *be presented with a fait accompli;* iem. voor een ~ feit stellen *confront s.o. with a fait accompli* **3.1** het pleit is ~ *the case has been decided/settled;* 〈fig.〉 *everything's arranged.*

voldragen 〈bn.〉 **0.1** *full-term* ⇒ 〈fig.〉 *mature, well-considered* 〈plan〉 ◆ **1.1** een ~ kind *a full-term baby, a baby born at term* **5.1** half ~ *carried halfway to term,* 〈fig.〉 *half-gestated,* ↓*half-baked* 〈plan〉; het kind was niet~ *the child was born prematurely/was premature.*

voleinden 〈ov.ww.〉 **0.1** *complete* ⇒*accomplish, achieve.*

voleinding 〈de (v.)〉 〈schr.〉 **0.1** *completion.*

volgaarne 〈bw.〉 〈schr.〉 **0.1** *with great pleasure, most willingly* ◆ **3.1** wij zullen uw advies ~ opvolgen *we shall be pleased/shall gladly follow your advice.*

volgapparatuur 〈de (v.)〉 **0.1** *tracking system/equipment.*

volgauto 〈de (m.)〉 **0.1** [auto in een stoet] *car in a/the (funeral/wedding) procession* ⇒*funeral/wedding car* **0.2** [auto in een wedstrijd] *(official) following car.*

volgbod 〈het〉 〈bridge〉 **0.1** *response.*

volgboot 〈de〉 **0.1** *dinghy, jolly boat* 〈achter schip voortgesleept〉; 〈sport〉 *escort* 〈bij lange-afstand zwemmen〉; *umpire's launch* 〈bij roeiwedstrijd〉.

volgbriefje 〈het〉 〈hand.〉 **0.1** [machtiging] *requisition form* **0.2** [acceptatie tot levering] *delivery order.*

volgeboekt 〈bn.〉 **0.1** [alle plaatsen verhuurd hebbend] *fully booked, booked up;* 〈attr.〉 *fully-booked, booked-up* **0.2** [alle tijd gevuld hebbend] *fully booked, booked up* ◆ **1.1** een ~ vliegtuig *a fully-booked plane* **1.2** mijn agenda is ~ *I'm fully booked.*

volgeling 〈de (m.)〉 **0.1** *follower* ⇒ ↑*adherent,* 〈rel.; fil. ook〉 *disciple* ◆ **1.1** de eerste ~en van Christus *the earliest followers/disciples of Christ;* ~en van Darwin *followers of Darwin, Darwinists* **2.1** een slaafse ~ *a toady/lickspittle/lackey/* ↑*creature.*

volgen 〈→sprw. 521,616〉
I 〈ov.ww.〉 **0.1** [achternagaan] *follow* ⇒*follow up* 〈informatie, tip〉, *shadow, tail* 〈verdachte〉, *monitor* 〈met apparatuur〉, *track* 〈satelliet〉 **0.2** [gaan langs, aanhouden] *follow* **0.3** [geregeld bijwonen] *follow* ⇒*attend* **0.4** [de voortgang, ontwikkeling bijhouden] *follow* ⇒ *keep up with* **0.5** [handelen naar] *follow* ⇒ ↑*pursue* 〈koers, beleid〉 **0.6** [navolgen] *follow* ◆ **1.2** 〈fig.〉 een dieet (gaan) ~ *be/go on a diet;* 〈fig.〉 een harde lijn ~ *pursue a hard line;* een spoor ~ *f. a trail/track* **1.4** die nieuwe t.v.-serie volg ik niet *I'm not following that new TV series* **1.5** een ingeving/zijn hart ~ *act on a hunch, f. the dictates of one's heart;* een nieuwe methode ~ *f. / adopt a new method;* iemands voorbeeld ~ 〈ook〉 *take s.o.'s lead, follow suit* **3.1** wij laten de lijst met de namen hieronder ~ *the names are listed below* **3.2** iem. een nieuwe koers doen ~ *make s.o. change course* **3.4** ik kan je niet ~ *I don't f. you;* ik heb het niet meteen kunnen ~ 〈ook〉 *I didn't catch on immediately* **6.1** iem. op de voet ~ *lag after s.o., follow on s.o.'s heels;* 〈fig.〉 iets op de voet ~ (er niet van afwijken) *stick closely to sth.;* 〈bijhouden〉 *keep track of sth.* **6.4** 〈jur.〉 een zaak **voor** een derde ~ *a case on s.o. else's behalf* **6.6 in** die opvatting kan ik u niet ~ *I cannot share that view;*
II 〈onov.ww.〉 **0.1** [later komen] *follow;* 〈in reeks〉 *be next* **0.2** [voortvloeien] *follow (on)* ⇒ ↑*ensue* **0.3** [mbt. een rang] *come/rank after* ◆ **1.1** betaling volgt *payment follows;* nadere instructies ~ *further instructions will f.;* hier ~ de namen v.d. winnaars *the following are the names of the winners, the names of the winners are as follows;* uitspraak volgt *judgement was/is reserved* **3.2** zij liet er dadelijk op ~ dat ...*she quickly added that ..., she followed this up with the remark that ...* **4.1** wie volgt? *who's next?* **6.1** op elkaar ~ *follow one another* **6.2** dat volgt logisch uit het voorafgaande *that follows logically from what has already been said/done* **6.3** als haven volgt Antwerpen **op** Rotterdam *(the port of) Antwerp comes after/comes next to Rotterdam in size* **8.1** als volgt ... *as follows* **8.2** daaruit volgt dat ... *it follows that ....*

volgend 〈bn.〉 **0.1** [na iets komend] *following* ⇒*next* **0.2** [verder] *following* ⇒*ensuing, subsequent* ◆ **1.1** dat behandelen we in een ~e aflevering *we will discuss that in another/a later instalment;* dat is voor een ~e keer *it'll have to be some other time;* de ~e keer *next time* (^B*round* /^A*around*); 〈de〉 ~e keer meer *more next time;* de twaalfde v.d. ~e maand *the twelfth of next month;* 〈hand.; vero.〉 *the twelfth proximo;* de ~e patiënt *next (patient) please* **1.2** de dan ~e ontwikkeling *the subsequent/ensuing development;* je moet f1,- bijbetalen voor elk ~ woord *you must pay one guilder for each additional word* **4.1** wat is het ~e? *what's/what comes next?* **5.1** de daarop ~e maat is te groot *the next size (up)/the next larger size is too big* **6.1** de week ~e op de zestiende *the week following the 16th* **7.1** het gaat om het ~e *things are as follows;* daar heb ik het ~e op gevonden *what I thought was as follows/the following, I thought of the f. solution* **8.1** artikel 58 en ~e *article 58 and the following/58 ff. / et seq..*

volgens 〈vz.〉 **0.1** *according to;* 〈in overeenstemming met, ook〉 *in accordance with* ◆ **1.1** ~ advies *as advised;* ~ artikel zoveel *in accordance with article such-and-such;* ~ de laatste berichten *according to the latest reports;* u betaalt port ~ het gewicht *you pay postage according to weight;* ~ mijn horloge is het drie uur *by my watch it's three o'clock;* ~ instructies 〈ook〉 *as per instructions;* ~ ingesloten kopie van uw order *as per your order (copy enclosed);* ~ die methode kan het niet *it won't work by that method;* ~ Engels recht moet u betalen *under English law you must pay;* ~ de regels spelen *play by the rules;* de trein rijdt ~ het tijdschema *the train is running (according) to schedule/on time;* ~ de wet *in law, under the law* **4.1** ~ hem *in his view/opinion, he says, according to him;* ~ mij *I think, in my opinion, to my mind.*

volger 〈de (m.)〉 **0.1** *follower* ⇒〈politieman〉 *shadow, tail.*

volgieten 〈ov.ww.〉 **0.1** *fill (up)* ◆ **4.1** zich ~ *get (o.s.) tanked (up).*

volgkaart 〈de〉〈kaartspel〉 **0.1** *following/next card;* 〈mv.〉 *sequence of cards* ◆ **2.1** mooie ~en hebben *have a nice sequence.*

volgkaravaan 〈de〉〈sport〉 **0.1** *train of cars/motorcycles/* 〈enz.〉.

volgkoets 〈de〉 **0.1** *coach/carriage in a/the (funeral/wedding) procession* ⇒*funeral/wedding coach/carriage.*

volgnummer 〈het〉 **0.1** [nummer] *serial number* **0.2** [papiertje] *(serial) number* ◆ **3.2** een ~tje trekken *take a number.*

volgooien 〈ov.ww.〉 **0.1** [vullen] *fill (up/in)* **0.2** [geheel vullen] *fill (up)* ◆ **1.2** de tank ~ *fill up the tank, fill her/it up.*

volgorde 〈de〉 **0.1** *order;* 〈mbt. nummers vnl. / ook〉 *sequence* ◆ **1.1** de ~ van nummers *the s. of numbers* **2.1** in alfabetische ~ *in alphabetical o.;* in de juiste ~ steken/leggen *put in the right o.;* in willekeurige ~ *at random, in random o.,* ↓*as they come* **3.1** de ~ bepalen van ...*determine the o. of ...* **6.1** de aanvragen worden in ~ van binnenkomst behandeld *applications are dealt with in the o. (in which) they come in;* in ~ nummeren *number consecutively/in s.;* in/op ~ *in o.;* niet in/op ~ *out of/not in o.,* ↓*mixed up.*

volgreeks 〈de〉 **0.1** *series* ⇒*succession,* 〈van zaken ook〉 *sequence.*

volgrijtuig 〈het〉 ~**volgkoets.**

volgroeid 〈bn.〉 **0.1** *full(y)-grown* ⇒ 〈bloem ook〉 *full-blown, mature,* 〈volwassen〉 *adult* ◆ **1.1** een ~e boom *a mature tree;* ~e vruchten *ripe fruit* **5.1** niet ~ 〈ook〉 *undergrown.*

volgroeien 〈onov.ww.〉 **0.1** *grow to (one's) full size/height/* 〈enz.〉 ⇒ *reach (full) maturity, ripen.*

volgstation 〈het〉 **0.1** *tracking station.*

volgwagen 〈de (m.)〉 **0.1** [bijwagen] *trailer* (〈van trein ook〉 ^B*-coach/* ^A*-car*) **0.2** [volgauto] 〈→**volgauto**〉.

volgzaam 〈bn.〉 **0.1** *obedient* ⇒*docile, meek,* 〈onderdanig〉 *submissive, subservient* ◆ **1.1** een ~ kind *a docile child.*

volgzaamheid 〈de (v.)〉 **0.1** *obedience* ⇒*docility, meekness,* 〈onderdanigheid〉 *submissiveness,* 〈schr.〉 *tractability.*

volharden 〈onov.ww.〉 **0.1** *persevere* ⇒*persist* ◆ **6.1 in** zijn onschuld ~ *insist on one's innocence;* ~ **in/bij** wat men begonnen *is persevere with/in what one has started;* **in/bij** een weigering ~ *persist in a refusal.*

volhardend 〈bn., bw.;-ly〉 **0.1** *persevering* ⇒〈koppig ook〉 *persistent, dogged,* ↑*tenacious.*

volharding 〈de (v.)〉 **0.1** *perseverance* ⇒*persistence, tenacity,* 〈schr.〉 *assiduousness, pertinacity.*

volhardingsvermogen 〈het〉 **0.1** [kracht om te volharden] *perseverance* ⇒〈koppigheid ook〉 *persistence, doggedness,* ↑*tenacity* **0.2** [〈nat.〉] *inertia.*

volheid 〈de (v.)〉 **0.1** [het vol zijn] *fullness* ⇒*abundance,* 〈schr.〉 *plenitude* **0.2** [vervulling] *completion* ⇒*fulfilment* ◆ **1.1** de ~ der genade Gods *the plenitude of the grace of God* **1.2** de ~ der tijden *the fullness of times* **6.1** uit de ~ van zijn gemoed/zijn hart *from the f. of one's/his heart.*

volhouden
I 〈ov.ww.〉 **0.1** [doorgaan met] *maintain* ⇒*sustain,* ↓*carry on,* ↓*keep up* **0.2** [blijven beweren] *maintain* ⇒*insist, contend, stick to one's point, stand by one's opinion* **0.3** [consequent voorstellen] *sustain* ⇒ *keep up* ◆ **1.1** de strijd ~ *carry on/keep up the fight* **1.2** die bewering is niet meer vol te houden *that claim is untenable;* zijn onschuld ~ *in-*

sist on one's innocence **1.3** een rol/een karakter goed ~ *sustain a role/ a character well* **3.1** dit is niet vol te houden *we can't keep this up* **5.1** zo kan ik het niet langer ~ *I can't go on like this* **5.2** iets hardnekkig ~ *stubbornly m. sth., stick to one's point* **6.1** tegen die aanval konden zij het niet ~ *they couldn't hold out against such an attack* **8.2** ze hield vol dat ze van niets wist *she insisted that she knew nothing;* **II** ⟨onov.ww.⟩ **0.1** [doorgaan] *persevere* ⇒⟨inf.⟩ *keep/carry on, keep going* ◆ **3.1** je moet ~ *you must persist/persevere/keep/carry on/ keep going;* we zijn ermee begonnen, nu moeten we ~ *now we've started we must see it through/go through with it* **6.1** ~ **tot** het uiterste *keep right on to the (bitter) end, last/go/stay the distance, stay the course/pace, see it through* ¶**.1** ~! *keep it up!, keep going!,* ⟨AE;sl.⟩ *hang (on) in there!.*

volhouder ⟨de (m.)⟩, **-houdster** ⟨de (v.)⟩ **0.1** *stayer.*
volière ⟨de⟩ **0.1** *aviary;* ⟨in dierentuin ook⟩ *birdhouse.*
volièrevogel ⟨de (m.)⟩ **0.1** *aviary bird.*
volijverig ⟨bn.⟩ **0.1** *diligent* ⇒*zealous, assiduous, full of zeal.*
voljarig ⟨bn.⟩ **0.1** *adult* ⇒*full(y)-grown, mature,* ⟨na zn.⟩ *in the prime of life.*
volk ⟨het⟩ ⟨→sprw. 104⟩ **0.1** [gemeenschap van verwante bewoners] *people* ⇒*nation, race* **0.2** [bewoners van een landstreek] *people* ⇒ *race,* ⟨stam⟩ *tribe* **0.3** [de onderdanen] ⟨verz.n.⟩ *people* ⇒*nation* **0.4** [lagere sociale klasse] ⟨verz.n.⟩ *people* ⇒*populace, (the) masses* **0.5** [menigte] ⟨verz.n.⟩ *people* **0.6** [slag van mensen] ⟨verz.n.⟩ *people* ⇒ *folk* **0.7** [bezoek] ⟨verz.n.⟩ *people* ⇒*visitors* **0.8** [mbt. bijen] *colony* ◆ **1.1** het ~ van God *the Chosen People, God's (own) People* **1.3** ~ en regering *p. and government* **2.1** een zeevarend/een handeldrijvend ~ *a seafaring/commercial p. / nation/race* **2.6** het gemene ~ *the rabble, the plebs, the mob;* het gewone ~ *the common p.;* het jonge ~(je) *young p.;* het mindere ~ *the lower classes* **3.5** het circus trekt altijd veel ~ *the circus always draws a crowd* **3.7** er is ~ binnen *we've got p. visiting/visitors* **6.4** een man uit het ~ *a working(-class) man;* ⟨ook pej.⟩ *a lower-class man* ¶**.2** de Engelsen zijn een ~ op zich *the English are a race apart* ¶**.7** ~! *hallo (there)!, anybody home?;* ⟨in winkel⟩ *shop!.*
volkenbond ⟨de (m.)⟩ **0.1** [verbond van volken] *league/alliance (of nations)* **0.2** [⟨gesch.⟩] *League of Nations.*
volkenkunde ⟨de⟩ **0.1** *cultural anthropology* ⇒*ethnology* ◆ **2.1** beschrijvende ~ *ethnography;* vergelijkende ~ *ethnology.*
volkenmoord ⟨de⟩ **0.1** *genocide.*
volkenrecht ⟨het⟩ **0.1** *international law* ◆ **3.1** het ~ schenden *violate i. l..*
volkenrechtelijk
I ⟨bn.⟩ **0.1** [mbt. het volkenrecht] ⟨na zn.⟩ *of/in/under/according to international law/* ⟨vero.⟩ *the law of nations* ◆ **1.1** ~ probleem/standpunt *problem/point of view of i. l.;* van ~ standpunt bekeken *in/according to/under i. l.;* ~ verdrag/besluit *treaty/decision under i. l.;* **II** ⟨bw.⟩ **0.1** [mbt. het volkenrecht] *by/according to/under/in international law/* ⟨vero.⟩ *the law of nations* ◆ **3.1** ~ bindend zijn *be binding under/in i. l.;* ~ oplossen *settle according to i. l.;* ~ regelen/besluiten *regulate/decide by/according to i. l..*
volkomen
I ⟨bw.⟩ **0.1** [geheel] *completely* ⇒*quite, perfectly, absolutely* ◆ **2.1** dat is ~ juist/waar *that's perfectly true, you're quite right;* het is ~ zeker dat …*it's quite/absolutely/*⟨inf.⟩ *dead certain that …;* **II** ⟨bn.⟩ **0.1** [volledig] *complete* ⇒*total* **0.2** [volmaakt] *perfect* ◆ **1.1** ⟨biol.⟩ ~ blad *complete leaf;* ⟨biol.⟩ ~ bloem *a c. flower;* u hebt ~ vrijheid *you have total freedom* **1.**¶ ⟨wisk.⟩ een ~ getal *a perfect number.*
volkomenheid ⟨de (v.)⟩ **0.1** *perfection* ⇒*completeness.*
volkorenbrood ⟨het⟩ **0.1** B*wholemeal bread,* A*whole-wheat bread* ◆ **7.1** één ~/twee volkorenbroden graag *one loaf/two loaves of wholemeal /whole-wheat bread please.*
volkorenkoekje ⟨het⟩ **0.1** B*wholemeal/*A*whole-wheat biscuit* ⇒⟨BE ook⟩ *digestive (biscuit).*
volkrijk ⟨bn.⟩ **0.1** *populous.*
volks ⟨bn.⟩ **0.1** *popular* ⇒*common,* ⟨na zn.⟩ *of the (common) people* ◆ **1.1** een ~ naam voor een plant *a vernacular/popular name for a plant;* een ~e vrouw *a common woman, a woman of the people;* ~e wijsheid *popular wisdom.*
volksaard ⟨de (m.)⟩ **0.1** *national character.*
volksballade ⟨de (v.)⟩ **0.1** *folk ballad.*
volksbelang ⟨het⟩ **0.1** *national/public interest* ◆ **2.1** grote ~en staan daarbij op het spel *major national/public interests are involved/ major issues of national importance are involved in this* **6.1** een goede gezondheidszorg is van ~ *good health care is in the national/public interest.*
volksbesef ⟨het⟩ **0.1** *national/public consciousness.*
volksbeweging ⟨de (v.)⟩ **0.1** [uit het volk komende beweging] *popular movement* ⇒⟨v.h. hele volk⟩ *national movement* **0.2** [opschudding] *civil/public disorder/unrest.*
volksbewustzijn ⟨het⟩ **0.1** *national/public consciousness.*
volksbijgeloof ⟨het⟩ **0.1** *popular superstition.*
volksboek ⟨het⟩ ⟨gesch.⟩ **0.1** *chapbook.*

volksbuurt ⟨de⟩ **0.1** *working-class area/district.*
volkscommune ⟨de⟩ **0.1** *people's commune.*
volkscongres ⟨het⟩ **0.1** *people's congress.*
volksdans ⟨de (m.)⟩ **0.1** *folk dance* ⇒⟨vnl. GB ook⟩ *country dance.*
volksdansen[1] ⟨het⟩ **0.1** *folk dancing* ⇒⟨vnl. GB ook⟩ *country dancing* ◆ **1.1** hun hobby is ~ *their hobby is f. d., they go (in for)/do f. d..*
volksdansen[2] ⟨onov.ww.⟩ **0.1** *engage in/practise folk dancing* ◆ **3.1** zij gaat ~ *she goes/does folk dancing.*
volksdeel ⟨het⟩ **0.1** *part of the nation* ⇒*section of the community* ◆ **2.1** het katholieke ~ in Nederland *the Catholic part of the Dutch nation, Dutch catholics, catholics in the Netherlands.*
volksdemocratie ⟨de (v.)⟩ **0.1** [opvatting] *people's democracy* **0.2** [staat] *people's democracy.*
volksdichter ⟨de (m.)⟩ **0.1** *popular poet* ⇒⟨v.h. hele volk⟩ *national poet.*
volksdracht ⟨het⟩ **0.1** *national costume/dress* ⇒*traditional costume/ dress.*
volksdrank ⟨de (m.)⟩ **0.1** *national drink/beverage* ⇒⟨populair⟩ *popular /everybody's drink.*
volkseigen ⟨het⟩ **0.1** *national character/customs/tradition.*
volksepos ⟨het⟩ **0.1** *folk epic* ⇒⟨nationale epos⟩ *national epic* ⟨meestal de oorsprong en/of grote helden(daden) v.h. volk beschrijvend⟩ ◆ **1.1** de Kalevala is het ~ van de Finnen *the Kalevala is the Finnish national epic.*
volksetymologie ⟨de (v.)⟩ ⟨taal.⟩ **0.1** [vervorming van vreemde woorden] *folk/popular etymology* **0.2** [vervormd woord] *(case of) folk/popular etymology* **0.3** [niet-wetenschappelijke verklaring] *folk/popular etymology* ◆ ¶**.2** 'sparrowgrass' ⟨ipv. 'asparagus'⟩ is een ~ *'sparrowgrass' is a (case of) folk etymology.*
volksfeest ⟨het⟩ **0.1** *national/popular festival/feast(day).*
volksfront ⟨het⟩ **0.1** *people's/popular front.*
volksgebruik ⟨het⟩ **0.1** *popular/folk/national custom* ⇒*popular tradition.*
volksgeest ⟨de (m.)⟩ **0.1** *national spirit/mind.*
volksgeloof ⟨het⟩ **0.1** [bijgeloof] *popular belief/superstition* **0.2** [volksreligie] ⟨v.h. gewone volk⟩ *popular/folk religion;* ⟨v.h. hele volk⟩ *national religion.*
volksgemeenschap ⟨de (v.)⟩ **0.1** *national community* ⇒*nation.*
volksgerecht ⟨het⟩ **0.1** ⟨gebruikelijk gerecht⟩ *popular dish;* ⟨nationaal gerecht⟩ *national dish.*
volksgericht ⟨het⟩ **0.1** *people's/popular tribunal/court* ⇒⟨pej.;schertsgericht⟩ *kangaroo court.*
volksgezondheid ⟨de (v.)⟩ **0.1** *public/national health* ◆ **1.1** inspecteur v.d. ~ *(public) health inspector/officer;* de minister van ~ *the minister of (public) health, the health minister;* ministerie van ~ *ministry of (public) health, (public) health department.*
volksgodsdienst ⟨de (m.)⟩ **0.1** ⟨v.h. gewone volk⟩ *popular/folk religion;* ⟨v.h. gehele volk⟩ *national religion.*
volksgroep ⟨de⟩ **0.1** *part of the nation* ⇒*section of the public/community, population group.*
volksgunst ⟨de (v.)⟩ **0.1** *popular/public favour, popularity* ◆ **3.1** naar de ~ streven *court popular favour.*
volkshogeschool ⟨de⟩ **0.1** ≠*adult education centre.*
volkshuishouding ⟨de (v.)⟩ **0.1** *national economy.*
volkshuisvesting ⟨de (v.)⟩ **0.1** [het verschaffen van woningen aan het volk] *public housing* ⇒*housing of the people/population, provision of housing for the people/population* **0.2** [dienst] *(public) housing department* **0.3** [manier waarop het volk gehuisvest is] *public housing* ◆ **1.1** ministerie van ~ en Ruimtelijke ordening *Ministry of (Public) Housing and (Physical) Planning.*
volksinvloed ⟨de (m.)⟩ **0.1** *popular/public influence.*
volksjongen ⟨de (m.)⟩ **0.1** *working-class/ordinary boy/lad.*
volkskarakter ⟨het⟩ **0.1** *national character.*
volkskind ⟨het⟩ **0.1** *working-class child.*
volksklasse ⟨de (v.)⟩ **0.1** [arbeidersklasse] *working class* ⇒⟨snobistisch⟩ *lower orders,* ⟨proletariaat⟩ *proletariat* **0.2** [klasse van het volk] *class (of the people/population)* ◆ **2.2** de lagere ~n *the lower orders, the proletariat* **6.2** bij alle ~n was hij populair *he was popular with all classes of the people/population).*
volkskredietbank ⟨de⟩ **0.1** ≠*municipal credit bank.*
volkskunde ⟨de (v.)⟩ **0.1** *folklore.*
volkskunst ⟨de (v.)⟩ **0.1** *folk art* ⇒*primitive art.*
volksleger ⟨het⟩ **0.1** *people's army.*
volksleider ⟨de (m.)⟩ **0.1** [leider v.h. volk] ⟨v.h. hele volk⟩ *national leader* ⇒⟨van gedeelte v.h. volk⟩ *popular leader, leader of the people* **0.2** [demagoog] *demagogue* ⇒*agitator, mob orator, rabble-rouser.*
volkslied ⟨het⟩ **0.1** [nationaal lied] *national anthem* **0.2** [traditioneel lied dat leeft bij het volk] *folk song.*
volksliteratuur ⟨de (v.)⟩ **0.1** *popular literature.*
volksmenner ⟨de (m.)⟩ ⟨pej.⟩ **0.1** *demagogue* ⇒*agitator, mob orator, rabble-rouser.*
volksmilitie ⟨de (v.)⟩ **0.1** *people's militia.*
volksmond ⟨de (m.)⟩ ◆ **6.**¶ in de ~ *in popular speech/parlance;* ↑*in the*

vernacular; **in** de ~ heet dit *this is popularly called/termed, in the vernacular this is called.*

volksmuziek ⟨de (v.)⟩ **0.1** *folk music* ⇒*traditional music* ◆ **1.1** studie v.d. ~ *ethnomusicology.*

volksnaam ⟨de (m.)⟩ **0.1** *popular/common/everyday name;* ⟨niet-wetenschappelijk⟩ *trivial/non-scientific name.*

volksoploop ⟨de (m.)⟩ **0.1** *tumult, commotion.*

volksoproer ⟨het⟩ **0.1** *(popular)(up)rising/rebellion/revolt;* ⟨schr.⟩ *insurrection* ⇒⟨rel⟩ *riot.*

volksopstand ⟨de (m.)⟩ →volksoproer.

volksoverlevering ⟨de (v.)⟩ **0.1** *popular tradition/legend.*

volkspartij ⟨de (v.)⟩ **0.1** *people's party.*

volksraadpleging ⟨de (v.)⟩ **0.1** *referendum, plebiscite* ◆ **3.1** een ~ houden over iets *hold a r./take a p. on sth.;* ↓go to the people over sth..

volksrecht ⟨het⟩ **0.1** *popular/people's law.*

volksregering ⟨de (v.)⟩ **0.1** *democracy* ⇒*government by the people, people's/popular government.*

volksrepubliek ⟨de (v.)⟩ **0.1** *people's republic* ◆ **1.1** de Volksrepubliek China *the People's Republic of China.*

volksschrijver ⟨de (m.)⟩ **0.1** *popular author.*

volkssoevereiniteit ⟨de (v.)⟩ **0.1** *popular sovereignty.*

volkssport ⟨de⟩ **0.1** *national sport* ⇒*popular sport* ◆ **3.1** schaatsen is ~ nummer één in Nederland *ice-skating is the Dutch national sport.*

volkssprookje ⟨het⟩ **0.1** *folk-tale* ⇒*popular (fairy)tale.*

volksstam ⟨de (m.)⟩ **0.1** [primitief georganiseerde groep mensen] *tribe* ⇒⟨ras⟩ *race* **0.2** [menigte] *crowd, horde* ◆ **2.2** er zijn hele ~men die dat nooit leren *there are masses of people/whole hordes of people who will never learn that.*

volksstemming ⟨de (v.)⟩ →volksraadpleging.

volkstaal ⟨de⟩ **0.1** [nationale taal]⟨alg.⟩ *national language* ⇒⟨gesch., tov. het Latijn⟩ *vernacular* **0.2** [informele taal] *vernacular, everyday/ordinary language* ◆ **6.2** een woord **uit** de ~ *an (ordinary) everyday word, an ordinary word, a colloquialism;* ⟨vulgair woord⟩ *a vulgar word, a vulgarism.*

volkstelling ⟨de (v.)⟩ **0.1** *census* ◆ **3.1** er werd een ~ gehouden *a c. was taken/carried out.*

volksterm ⟨de (m.)⟩ **0.1** *popular term/name.*

volkstoneel ⟨het⟩ **0.1** *popular drama/theatre* ⇒⟨amateurtoneel⟩ *amateur dramatics.*

volkstribuun ⟨de (m.)⟩ ⟨gesch.⟩ **0.1** *tribune (of the plebs/people).*

volkstuin ⟨de (m.)⟩ **0.1** *allotment (garden).*

volkstuinder ⟨de (m.)⟩ **0.1** *allotment holder/gardener.*

volksuniversiteit ⟨de (v.)⟩ **0.1** ≠*adult education centre;* ⟨onderdeel van universiteit⟩ *university department of extramural studies;* ⟨'s avonds ook⟩ *night school* ◆ **1.1** cursussen v.d. ~ *adult education/night school courses, evening classes* **6.1** zij leert Frans **op** de ~ *she's doing an adult education course/an evening class/a night school course in French.*

volksvergadering ⟨de (v.)⟩ ⟨antr.⟩ **0.1** *tribal meeting.*

volksverhaal ⟨het⟩ **0.1** *folk tale* ⇒*popular legend/story.*

volksverhuizing ⟨de (v.)⟩ **0.1** [het trekken naar een ander woongebied] ⟨van één volk⟩ *migration/wandering of a nation;* ⟨tijdperk⟩ *migration/wandering of nations/peoples* **0.2** ⟨grootscheepse verplaatsing van mensen⟩ *(mass) migration* ◆ **2.1** de periode v.d. Germaanse ~en *the (period of the) migration of the Germanic peoples.*

volksverlakker ⟨de (m.)⟩ **0.1** *deceiver (of the public).*

volksverlakkerij ⟨de (v.)⟩ **0.1** *deception (of the public).*

volksvermaak ⟨het⟩ **0.1** *public/popular amusement/entertainment.*

volksvertegenwoordiger ⟨de (m.)⟩ **0.1** *representative (of the people), delegate (of the people)* ⇒⟨alg., maar bv. niet in USA⟩ *member of parliament, M.P.,* ⟨USA ook⟩ *Congressman.*

volksvertegenwoordiging ⟨de (v.)⟩ **0.1** [parlement] *house/chamber of representatives* ⇒⟨alg., maar bv. niet in USA⟩ *parliament, representative body (of the people)* **0.2** [het vertegenwoordigen, vertegenwoordigd zijn] *representation of the people* ⇒*popular representation* ◆ **1.1** lid van de ~ ⟨→volksvertegenwoordiger⟩.

volksverzekering ⟨de (v.)⟩ **0.1** *national/social insurance.*

volksvijand ⟨de (m.)⟩ **0.1** *public enemy, enemy of the people* ◆ **¶.1** roken is ~ nummer één *smoking is public enemy number one.*

volksvoedsel ⟨het⟩ **0.1** *popular food/* ⟨gerecht⟩ *dish.*

volksvrouw ⟨de (v.)⟩ **0.1** *working(-class) woman* ⇒*woman of the people/masses,* ⟨pej. ook⟩ *lower-class woman.*

volkswagen ⟨de (m.)⟩ **0.1** *Volkswagen, VW* ⇒⟨inf.⟩ *beetle.*

volkswijsheid ⟨de (v.)⟩ **0.1** ⟨abstr.⟩ *conventional wisdom* ◆ **¶.1** een ~ a *piece of c.w./proverbial wisdom, a proverb, a (popular/proverbial) dictum/saying, a maxim.*

volkswoede ⟨de (m.)⟩ **0.1** *popular fury/anger.*

volkszang ⟨de (m.)⟩ **0.1** *community singing;* ⟨in kerk⟩ *singing by the congregation.*

volkszanger ⟨de (m.)⟩ **0.1** *popular singer* ⇒*singer of popular songs.*

volksziekte ⟨de (v.)⟩ **0.1** *common disease* ⇒*epidemic disease* ◆ **3.1** influenza is nog altijd een ~ *influenza is still very common;* AIDS dreigt een ~ te worden *AIDS is threatening to assume epidemic proportions.*

volledig ⟨bn., bw.;-ly⟩ **0.1** [compleet] *full, complete* ⇒*entire, exhaustive,*

---

comprehensive ⟨lijst, overzicht⟩ **0.2** [alle beschikbare tijd/ruimte vullend] *full* ⇒*full-time* ⟨mbt. tijd⟩, *full-scale* **0.3** [volkomen] *complete, full* ⇒*outright, perfect* ◆ **1.1** ~e aflossing *f. repayment, repayment in full;* een ~e bekentenis afleggen *make a f. confession;* ~e betaling *f. payment, payment in full;* graag een ~ stel monsters *a.u.b.! a complete set/f. range of samples, please* **1.2** ~e (dienst)betrekking *full-time job;* ~e werkgelegenheid *full employment* **1.3** dat geldt als een ~ bewijs *that counts as conclusive evidence;* eigendom in ~ bezit *freehold estate/property;* ~e eigenaar *freeholder;* ~ succes *unqualified success;* ~ verlies *total loss* **2.1** een ~ bevoegde leraar a *fully-qualified teacher* **3.1** ik lees u de titel ~ voor *I'll read you the title in full* **3.3** het schip is ~ uitgebrand *the ship was completely burnt out.*

volledigheid ⟨de (v.)⟩ **0.1** *completeness* ⇒*fullness, comprehensiveness, perfection, entirety* ◆ **6.1** geen aanspraak (kunnen) maken **op** ~ *make no claim to be exhaustive.*

volledigheidshalve ⟨bw.⟩ **0.1** *for the sake of completeness.*

volleerd ⟨bn.⟩ **0.1** ⟨met alle diploma's⟩ *fully-qualified;* ⟨fig.⟩ *accomplished* ⇒⟨fig. ook⟩ *consummate, perfect, expert, fully-fledged* ◆ **1.1** hij is een ~ bakker *he is a fully-qualified baker;* ⟨BE ook⟩ *he has served his time as a baker;* een ~ bankwerker *an accomplished/fully-qualified fitter;* een ~e schurk *an out-an-out villain;* ⟨misdadiger ook⟩ *a master crook* **6.1** hij is ~ in het kwaad *he is as evil as they come, he knows all there is to know about evil;* ~ **in** *accomplished/proficient/expert/a past master* ⟨m.⟩*/past mistress* ⟨v.⟩ *in.*

vollemaan ⟨de⟩ **0.1** [stand van de maan] *full moon* **0.2** [kaal hoofd] *bald pate* ⇒⟨baldy head⟩ ◆ **3.1** morgen is het ~ *tomorrow is (the) f. m.* **6.1** bij ~ *when the moon is full, at f. m.* **¶.2** heb je die ~ van hem gezien? ⟨ook⟩ *look at his head, it's as bald as an egg/a billiard ball, look at him, he's as bald as a coot.*

vollemaansgezicht ⟨het⟩ **0.1** *moonface* ◆ **6.1** met een ~ *moonfaced.*

vollen ⟨onov., ov.ww.⟩ **0.1** *full* ⇒*mill, walk.*

voller ⟨de (m.)⟩ **0.1** *fuller.*

volleren ⟨onov.ww.⟩ ⟨sport⟩ **0.1** *volley.*

volleybal
  I ⟨de (m.)⟩ **0.1** [bal] *volleyball;*
  II ⟨het⟩ **0.1** [balspel] *volleyball.*

volleyballen ⟨onov.ww.⟩ **0.1** *play volleyball.*

volleyen ⟨onov.ww.⟩ **0.1** [volleybal spelen]⟨ongemarkeerd⟩ *play volleyball* **0.2** [volleren] *volley.*

vollopen ⟨onov.ww.⟩ **0.1** *fill up* ◆ **1.1** de kerk loopt vol *the church is filling up;* het ruim liep vol *the hold was flooded;* het schip liep vol *the ship filled with water/became waterlogged/got swamped;* de zaal begon vol te lopen *the hall got crowded/became thronged with people* **3.1** een bad laten ~ *fill (up)/run a bath;* zich laten ~ *get boozed/tanked up,* ⟨BE; sl.⟩ *get sloshed.*

volmaakt ⟨→sprw. 446⟩
  I ⟨bn.⟩ **0.1** [zonder gebrek] *perfect* ⇒*complete, absolute, faultless, consummate* ◆ **1.1** ⟨muz.⟩ ~ akkoord *major common chord;* ⟨muz.⟩ ~e consonanten *p. consonances;* hij is een ~ diplomaat *he is a diplomat all over/every inch a diplomat;* een ~ geluk genieten *be consummately happy;*
  II ⟨bw.⟩ **0.1** [ten volle] *perfectly* ⇒*wholly, fully, completely, absolutely* ◆ **2.1** ik ben ~ gezond/~ gelukkig *I am in perfect health/perfectly happy.*

volmaaktheid ⟨de (v.)⟩ **0.1** *perfection* ⇒*faultlessness, completeness* ◆ **3.1** naar ~ streven *strive for/aim at p.* **6.1** iets **tot** ~ brengen *bring sth. to p., perfect sth..*

volmacht ⟨de⟩ **0.1** [machtiging] *power, mandate, authority* ⇒⟨vnl. BE⟩ *licence,* ⟨vnl. verkiezing⟩ *proxy* **0.2** [schriftelijk bewijs] *warrant, authorization* ⇒⟨vnl. BE⟩ *licence,* ⟨vnl. verkiezing⟩ *proxy* ◆ **2.1** onbeperkte ~ *unlimited/full/plenary power(s)* **3.1** ~ geven/verstrekken/hebben *give/grant/have power(s)/authority/a mandate* **3.2** zijn ~ tonen *show one's w./licence* **6.1** bij ~ huwen *marry by proxy;* ⟨vnl. AZN⟩ bij ~ regeren *govern with unlimited/full power(s).*

volmaken ⟨ov.ww.⟩ **0.1** *bring to perfection, perfect.*

volmatroos ⟨de (m.)⟩ **0.1** *able(-bodied) seaman.*

volmondig ⟨bn., bw.;-ly⟩ **0.1** *whole-hearted* ⇒*unhesitating, frank, full* ◆ **1.1** een ~ ja *a staightforward/heartfelt 'yes'* **3.1** ~ iets bekennen/verklaren/toegeven *confess sth. frankly, declare sth. whole-heartedly, admit sth. frankly/unhesitatingly.*

volontair ⟨de (m.)⟩ **0.1** *volunteer.*

volop ⟨bw.⟩ **0.1** *in abundance, plenty, a lot of, enough and to spare* ⇒⟨inf.⟩ *galore, lots/heaps of* ◆ **1.1** ~ ruimte *ample room;* ik had ~ werk *I had all the work I could handle;* het is ~ zomer *it is the height of summer* **3.1** we hebben ~ genoten *we enjoyed ourselves to our hearts' content;* er was ~ te eten *there was food in abundance, there were heaps/loads of food.*

vol-plané ⟨de⟩ **0.1** *glide, volplane.*

volpompen ⟨ov.ww.⟩ **0.1** *fill* ⇒*pump up/full* ◆ **6.1** ⟨fig.⟩ de leerlingen worden volgepompt **met** feitenkennis *the pupils are being stuffed/crammed with factual knowledge.*

volprijzen ⟨ov.ww.⟩ ⟨schr.⟩ **0.1** *land* ⇒⟨ongemarkeerd⟩ *give sufficient praise* ◆ **1.1** de nooit volprezen deugd *virtue beyond praise.*

volproppen ⟨ov.ww.⟩ **0.1** *cram* ⇒⟨eten⟩ *gorge, stuff*, ⟨zaal enz.⟩ *pack, overcrowd* ◆ **1.1** je moet je mond niet zo ~ *don't stuff/c. your mouth like that, stop cramming your face with food!;* volgepropte trams *packed/overcrowded/* ⟨inf.⟩ *jam-packed trams* **4.1** zich ~ *stuff/gorge o.s..*

volrijp ⟨bn.⟩ **0.1** *fully ripe(ned).*

volschenken ⟨ov.ww.⟩ **0.1** *fill (up/to the brim).*

volschieten ⟨onov.ww.⟩ **0.1** *fill (up)* ◆ **1.1** mijn gemoed schoot vol *my heart was fit to burst, my eyes filled with tears.*

volslagen ⟨bn., bw.;-ly⟩ **0.1** *complete, utter* ⇒*total, entire* ◆ **1.1** ~ anarchie *c./total anarchy;* een ~ idioot *an u./out-and-out fool;* een ~ onbekende *a total stranger;* ~ onzin *u. nonsense* **2.1** ~ belachelijk *totally/utterly ridiculous;* het was ~ donker *it was completely dark/as black/dark as pitch;* hij is ~ gek *he is utterly/completely/raving mad.*

volslank ⟨bn.⟩ **0.1** *plump* ⇒⟨positief⟩ *well-rounded, buxom.*

volstaan ⟨onov.ww.⟩ **0.1** [voldoende zijn] *be enough/sufficient, do* ⇒⟨schr.⟩ *suffice, serve* **0.2** [zich beperken tot] *confine/limit o.s. (to)* ◆ **4.1** dat volstaat *that will do, enough's enough* **6.2** je kunt met een enkel woord ~ ⟨schr.⟩ *a few words will do/suffice;* ⟨inf.⟩ *you only have to say a few words.*

volstorten ⟨ov.ww.⟩ **0.1** [door storten vol maken] *fill (up)* **0.2** [mbt. aandelen] *pay up in full.*

volstrekt ⟨bn., bw.;-ly⟩ **0.1** [onbeperkt, beslist] *total, complete* ⇒*positive, outright, absolute* **0.2** [absoluut] *absolute* ⇒*overall* ◆ **2.1** het is ~ niet nodig *it is absolutely unnecessary, there's no need whatsoever* **5.1** ik wil het ~ niet hebben *I won't have it (by any means);* ik ben het ~ niet met hem eens *I disagree entirely with him.*

volstromen ⟨onov.ww.⟩ **0.1** *fill up* ◆ **1.1** het bad/de zaal stroomt vol *the bath/hall is filling up.*

volt ⟨de (m.)⟩ **0.1** *volt.*

voltage ⟨het, de (v.)⟩ **0.1** *voltage.*

voltallig ⟨bn.⟩ **0.1** *complete, full* ⇒*entire,* ⟨pred.⟩ *up to strength, all there* ◆ **1.1** het ~e bestuur *the entire committee;* de ~e vergadering *the plenary session* **3.1** een leger ~ maken *bring an army up to strength;* wij waren ~ *we were all there/present.*

voltameter ⟨de (m.)⟩ **0.1** *voltameter* ⇒*coulometer.*

voltampère ⟨de (m.)⟩ **0.1** *volt-ampere.*

volte
I ⟨de⟩ **0.1** [wending] *turn* ⇒*change, swing, reversal* **0.2** [⟨paardesport⟩] *volt(e)* **0.3** [⟨schermsport⟩] *volt(e);*
II ⟨de (v.)⟩ **0.1** [volheid] *fullness* ⇒⟨gedrang⟩ *crush, press, crowd.*

volte face ⟨de⟩ **0.1** *volte-face* ⇒⟨vnl. AE⟩ *about-face/*⟨vnl. BE⟩ *-turn,* ⟨pol. ook;inf.⟩ *U-turn* ◆ **3.1** ~ maken *make/do an about-face/-turn/ a U-turn.*

voltekend ⟨bn.⟩ ◆ **1.¶** de lening was ~ *the loan was fully subscribed.*

voltige ⟨de⟩ **0.1** [dans] *tightrope (walking) act* **0.2** [het voltigeren] *trick riding, performing tricks on horseback.*

voltigeren ⟨onov.ww.⟩ **0.1** [voltes maken] *do trick riding, perform tricks on horseback* **0.2** [kunstige sprongen maken] *do acrobatics.*

voltijds ⟨bn.⟩ ⟨AZN⟩ **0.1** *full-time.*

voltmeter ⟨de (m.)⟩ **0.1** *voltmeter.*

voltooid ⟨bn.⟩ **0.1** *complete, finished* ⇒*definite, accomplished,* ⟨taal.⟩ *perfect* ◆ **1.1** ⟨taal.⟩ een ~ deelwoord *a past/perfect participle;* het is een ~ gezin *the/their family is (now) c.* **2.1** ⟨taal.⟩ de ~e tijden *the perfect tenses.*

voltooien ⟨ov.ww.⟩ **0.1** *complete, finish* ⇒*accomplish, perfect, fulfil* ^Aful-fill ◆ **1.1** een werk ~ ⟨ook⟩ *push/carry a job through.*

voltooiing ⟨de (v.)⟩ **0.1** *completion* ⇒*fulfilment, finish, perfecting* ◆ **3.1** dat werk nadert zijn ~ *that work is nearing its c..*

voltreffer ⟨de (m.)⟩ **0.1** *direct hit* ◆ **3.1** een ~ plaatsen ⟨ook⟩ *strike home.*

voltrekken
I ⟨ov.ww.⟩ **0.1** [ten uitvoer brengen] *execute* ⟨vonnis, besluit⟩; *celebrate, perform* ⟨huwelijk⟩; *complete* ⟨overeenkomst⟩ ◆ **1.1** een huwelijk ~ *perform/celebrate a marriage, marry two people;* een vonnis ~ *execute a sentence;*
II ⟨wk.ww.;zich~⟩ **0.1** [zijn beloop nemen] *take place* ⇒*occur, come about, develop* ◆ **1.1** er zal zich een ramp ~ *a disaster will occur/come about* **3.1** die ontwikkeling/dat proces heeft zich ongemerkt voltrokken *that development/process has taken place unnoticed.*

voltrekking ⟨de (v.)⟩ **0.1** *execution* ⟨van vonnis⟩; *celebration, performing* ⟨huwelijk⟩; *completion* ⟨overeenkomst⟩.

voluit ⟨bw.⟩ **0.1** *in full* ~ ⟨ongeremd⟩ *at full speed/force/length* ◆ **3.1** ~ bekennen *make a full confession;* ~ schrijven *write in full/at length;* zijn naam ~ zetten *write one's name in full, sign one's full name;* ~ zingen *sing at the top of one's voice.*

volume ⟨het⟩ **0.1** [inhoud] *volume* ⇒*capacity, size, content* **0.2** [hoeveelheid] *volume* ⇒*mass, bulk, quantity* **0.3** [sterkte] *volume* ⇒*loudness.*

volumeknop ⟨de (m.)⟩ **0.1** *volume control/knob.*

volumemeter ⟨de (m.)⟩ **0.1** *volumeter* ⟨om brandstofverbruik te meten⟩.

volumen ⟨het⟩ **0.1** *volume* ⇒*book,* ⟨lit.;vnl. scherts.⟩ *tome.*

volumetrie ⟨de (v.)⟩ **0.1** *volumetry* ⇒⟨vnl. titreermethode⟩ *volumetric analysis.*

volumineus ⟨bn.⟩ **0.1** *voluminous* ⇒*bulky,* ⟨schr.⟩ *capacious.*

voluntair ⟨bn.⟩ **0.1** *voluntary.*

voluntarisme ⟨het⟩ **0.1** *voluntarism.*

voluptueus ⟨bn.⟩ **0.1** *voluptuous* ⇒*sensuous, sensual.*

voluut ⟨de⟩ **0.1** *volute* ⇒⟨spiral⟩ *scroll, helix.*

volvet ⟨bn.⟩ **0.1** *full-cream.*

volvoeren ⟨ov.ww.⟩ **0.1** *execute, carry out* ⇒*accomplish, perform, complete* ◆ **1.1** de opdracht is volvoerd *the mission has been accomplished;* een plan ~ *e./carry out a plan.*

volvoering ⟨de (v.)⟩ **0.1** *accomplishment* ⇒*execution, completion.*

volwaardig ⟨bn.⟩ **0.1** *full* ⇒*valuable, fully fledged, skilled, able(-bodied)* ⟨arbeidskracht⟩ ◆ **1.1** een ~e arbeidsplaats *a full-time job;* een ~ bestaan leiden *have a fulfilling/satisfactory existence, lead a fulfilling/satisfactory life;* een ~ lid *a full member;* ~ voedsel *nourishing/sustaining food.*

volwassen ⟨bn., bw.⟩ **0.1** ⟨bn.⟩ *adult, grown-up, mature* ⟨mensen⟩; *fully-grown/-developed, full-grown, ripe* ⟨dieren, planten⟩; ⟨bw.⟩ *in an adult/mature/grown-up way/fashion* ◆ **1.1** ⟨fig.⟩ een ~ auto *a real car;* ~ gedrag *mature/adult behaviour;* ~ personen *adults, grown-ups* **3.1** zich ~ gedragen *behave like an adult, be one's age;* toen zij/hij ~ werd *on reaching (wo)manhood, when she/he came of age;* word toch eens ~! *why don't you grow up!, why can't you be your age!;* ~ worden *grow to maturity/manhood/womanhood, grow up.*

volwassene ⟨de (m.)⟩ **0.1** *adult, grown-up* ◆ **1.1** onderwijs voor ~n *a. education* **6.1** alleen voor ~n *(for) adults only.*

volwasseneneducatie ⟨de (v.)⟩ **0.1** *adult education.*

volwassenenwerker ⟨de (m.)⟩ **0.1** *adults social worker* ⇒*social worker for/involved with adults.*

volwassenheid ⟨de (v.)⟩ **0.1** *adulthood, maturity* ⇒*(wo)manhood.*

volzin ⟨de (m.)⟩ **0.1** *sentence* ⇒⟨taal.⟩ *period* ◆ **6.1** spreken in (prachtige) ~nen *use well-turned phrases/sentences.*

vomeren ⟨onov.ww.⟩ **0.1** *disgorge* ⇒*vomit.*

v.o.n. ⟨afk.⟩ **0.1** [vrij op naam] ⟨no legal/transfer costs⟩.

vondeling ⟨de (m.)⟩ **0.1** *abandoned child* ⇒⟨vnl. lit.⟩ *foundling* ◆ **6.1** een kind te ~ leggen *abandon a child.*

vonder ⟨de (m.)⟩ **0.1** *plank bridge* ⇒*duckboards.*

vondst ⟨de (v.)⟩ **0.1** [ontdekking, trouvaille] *invention, discovery* **0.2** [omstandigheid dat men iets vindt] *discovery, find(ing)* **0.3** [gevonden voorwerp] *treasure, find* ⇒*catch* ◆ **2.1** er staan in het boek wel enkele aardige ~en *the book contains some clever/* ⟨schr.⟩ *felicitous phrases/ideas;* een gelukkige ~ *a lucky strike, a windfall* **2.3** een enorme ~ verdovende middelen *an enormous drug catch* **3.2** een ~ doen *make a (real) find, strike lucky* **6.3** zij gingen met hun ~ naar huis *they went home with their t..*

vonk ⟨de⟩ ⟨→sprw. 88⟩ **0.1** [vuursprank] *spark* **0.2** [greintje] *spark, grain* ⇒*atom, whit* ◆ **1.2** hij heeft geen ~ je moed/eergevoel *he hasn't a s./an atom/ounce of courage/honour, he hasn't one jot or title of courage/honour* **2.1** elektrische ~en *electric sparks* **3.1** ~en schieten *spark(le), throw out/shoot sparks;* ⟨fig.⟩ zijn ogen schoten ~en *his eyes flashed fire;* de ~ sloeg over *⟨fig.⟩ the audience caught on;* een ~ trekken *produce a s..*

vonkbrug ⟨de (m.)⟩ **0.1** [in bougie] *spark-gap* **0.2** ⟨vonkoverslag⟩ *flash-over.*

vonken ⟨onov.ww.⟩ **0.1** *spark(le)* ⇒*throw out/shoot/produce sparks, shoot fire,* ⟨vnl. lit.⟩ *scintillate* ◆ **1.1** ⟨fig.⟩ ze keek me met ~de ogen aan *she looked at me with eyes flashing/ablaze/shooting fire;* een ~d vuur *a spark(l)ing fire.*

vonkenregen ⟨de (m.)⟩ **0.1** *shower of sparks.*

vonkenvanger ⟨de (m.)⟩ **0.1** *spark arrester* ⇒⟨locomotief⟩ *bonnet.*

vonkvrij ⟨bn.⟩ **0.1** *sparkless* ◆ **1.1** ~e lucifers *impregnated/safety matches.*

vonnis ⟨het⟩ **0.1** [rechterlijke uitspraak] *judgement* ⇒*court order, decree,* ⟨in strafzaken⟩ *sentence, conviction,* ⟨schuldig of onschuldig⟩ *verdict* **0.2** [veroordelende uitspraak] *verdict* ⇒*sentence, judgement* ◆ **3.1** ⟨fig.⟩ hij heeft zijn ~ getekend *he has sealed his doom;* een ~ vellen/wijzen/strijken/uitspreken (over) *pass/pronounce/give j. (on);* een ~ vernietigen *reverse a j./verdict;* een ~ voltrekken *execute/carry out a sentence* **6.1** bij rechterlijk ~ *by a j./an order of the court, by judicial decision.*

vonnissen ⟨onov., ov.ww.⟩ **0.1** ⟨ov. ww⟩ (pass) *sentence (on), convict, judge, condemn;* ⟨onov. ww.⟩ *pass/pronounce/give judgement/sentence* ◆ **3.1** gevonnist worden *be sentenced.*

vont ⟨de (v.)⟩ **0.1** *font.*

voodoo ⟨de⟩ **0.1** *voodoo.*

voogd ⟨de (m.)⟩, **-es** ⟨de (v.)⟩ **0.1** [verzorger/verzorgster van minderjarigen] *guardian* ⇒⟨jur. ook⟩ *tutor* **0.2** [bestuurder] *custodian, warden* ⇒*keeper, governor* ◆ **2.1** administrerende ~ *acting g.;* testamentaire ~ *testamentary g., g. by will, tutor dative;* toeziende ~ *supervising g.* **6.1** ~ zijn over iem. *be g. to s.o., be s.o.'s g..*

voogdij ⟨de (v.)⟩ **0.1** *guardianship* ⇒⟨fig.⟩ *tutelage, custody* ◆ **3.1** de ~ aan iem. opdragen *appoint s.o. guardian, entrust the g. to s.o.* **6.1** onder ~ staan/plaatsen *be/place under g./in wardship/under tutelage;* uit de ~ ontzet worden *be deprived/relieved of g., loose g..*

voogdijkind ⟨het⟩ **0.1** *child in ward* ⇒*ward of court.*

voogdijraad ⟨de (m.)⟩ **0.1** *Guardianship Board.*
voogdijschap ⟨het⟩ **0.1** [functie/waardigheid van voogd] *guardianship* ⇒⟨fig.⟩ *tutelage, custody* **0.2** [mandaat uitgeoefend door de VN] *trusteeship.*
voogdijschapsraad ⟨de (m.)⟩ **0.1** *trusteeship council.*
voor[1]
  I ⟨het⟩ **0.1** [wat ten gunste van iets pleit] *pro(s)* ⇒*advantage, merit* ◆ **1.1** het ~ en tegen v.e. voorstel *the pros and cons / advantages and disadvantages / merits and demerits of a proposition;*
  II ⟨de⟩ **0.1** [ploegsnede] *furrow* **0.2** [rimpel] *furrow, wrinkle* ⇒*line* ◆ **3.1** voren trekken *make / plough furrows, wrinkle, furrow* **6.2** een gezicht **met** voren en rimpels *a furrowed / wrinkled face.*
voor[2] (bw.) **0.1** [aan de voorzijde] *in (the) front, on the front (side)* **0.2** [mbt. een volgorde] *ahead, in the lead, first* **0.3** [mbt. een gezindheid] *for, in favour* **0.4** [meer dan] *ahead, in front* ◆ **1.1** ten noorden en ten slab~ *a child wearing a bib;* vrijwilligers~! *volunteers forward!* **1.2** het horloge loopt ~ *the watch is fast;* het is meneer ~ en meneer na *it's Sir this and Sir that* **1.4** vier punten ~ *four points ahead;* een streepje ~ hebben *be privileged, be in s.o.'s favour / good grace / good books* **3.1** de auto staat ~ *the car is waiting / is at the door* **3.2** zij zijn ons ~ geweest *they got (t)here before / ahead of us* **3.¶** ~ geweest zijn *have been tried / ⟨van zaak ook⟩ heard* **5.3** ik ben er niet ~ *I'm not in favour of that / don't much fancy that;* argumenten ~ en tegen *arguments for and against* **6.1** hij is ~ **in** de dertig *he is in his early thirties;* ~ **in** het boek *in / near the beginning of the book.*
voor[3] (vz.) ⟨→sprw. 301⟩ **0.1** [niet achter] *before* ⇒*in front of* **0.2** [in tegenwoordigheid van] *before, for* **0.3** [vroeger dan] *before* ⇒*ahead of* **0.4** [gedurende] *for, during* **0.5** [ten aanzien van] *for* **0.6** [mbt. een volg/rangorde] *before* ⇒*by* **0.7** [om wille van] *for* **0.8** [met betrekking tot] *for* **0.9** [in de plaats van] *for* ⇒*instead of* **0.10** [ten voordele/behoeve van] *for* ⇒*in favour of, for the sake / benefit of* **0.11** [mbt. een gelijkstelling] *for* **0.12** [het genoemde in aanmerking genomen] *for* ◆ **1.1** ik heb nog een lange dag ~ mij *I have a long day ahead of / in front of / b. me;* ~ het raam zitten *sit at the window;* ⟨van prostituée⟩ ~*walk the streets* **1.2** zich verbergen ~ een persoon *hide from a person;* ~ een vergadering spreken *address a meeting;* ~ een voorbijganger de hoed afnemen *take off one's hat to a passer-by* **1.3** ~ een paar dagen *a few days ago;* ~ zondag / Pasen *b. seven (o'clock) / Sunday / Easter* **1.4** ~ zijn leven geborgen zijn *be in f. life* **1.5** zich ~ zo'n daad wachten / hoeden *be on one's guard f. / steer clear of such a deed;* ~ zijn geloof lijden *suffer f. one's faith;* borg blijven ~ een gevangene *stand surety / bail f. a prisoner* **1.7** gevoel ~ het esthetische *a sense of the aesthetic;* stof ~ een japon *material f. a dress* **1.8** zij is een goede moeder ~ haar kinderen *she is a good mother to her children* **1.9** er werd ~ ƒ100.000,- schade aangericht *ƒ100.000.- worth of damage was done* **1.11** wat zijn het ~ mensen? *what sort of people are they?, what are they like?* **1.12** ~ een arbeiderswoning was het huis behoorlijk groot *the house was fairly big as labourer's cottages go;* ~ zijn leeftijd is hij nog kras *he is still going strong f. his age* **3.1** de dagen die ~ ons liggen *the days (that lie) ahead of us* **3.6** kapitein komt ~ majoor *a captain comes before a major* **3.7** iem. ~ zijn gedrag prijzen / straffen *praise / punish s.o. for his behaviour* **3.9** ik zal ~ mijn zoon betalen *I'll pay f. my son;* ik krijgt hij ~ zijn moeite? *what does he get f. his trouble?* **3.10** ik ben ~ X *I'm (all) f. / in favour of X;* ~ de minister / een wet stemmen *vote f. / in favour of a minister / a bill;* het brood ~ zijn gezin verdienen *earn a living f. / support one's family* **4.7** ik doe het ~ jou *I'm doing this f. your sake* **4.8** dat is goed genoeg ~ hem *that is good enough f. him;* dat is net iets ~ hem ⟨passend⟩ *that is just the thing f. him;* ⟨te verwachten⟩ *that is just like him, that is him all over / to a tee;* dat is niets ~ mij *that is not f. me, that's not my cup of tea* **4.¶** ik ~ mij *I for my part* **5.1** vlak ~ Leiden gebeurde het *it happened just b. / short of Leiden* **5.4** ik zeg u ~ eens en altijd *I'll say this to you once and f. all / and once only* **5.7** waar doet hij het ~? *why does he do it?, what does he do it f.?* **¶.3** tien ~ zeven *ten to seven* **¶.11** wat is dat ~ een ding? *what kind of thing is that?, what on earth is that?*
voor[4] (vw.) **0.1** *before* ◆ **¶.1** ~ hij vertrok, was ik al weg *I was already gone b. he left;* ~ je het weet, heb je een verkoudheid te pakken *b. you know it, you've caught a cold;* ~ ik het vergeet *b. / ⟨BE; schr., AE⟩ lest I forget.*
vooraan (bw.) **0.1** *in (the) front* ◆ **3.1** ~ lopen *walk up front;* iets ~ zetten *put / place sth. (up) in front* **6.1** hij is ~ **in** de veertig ⟨40,41 of 42⟩ *he's in his early forties;* ⟨net 40⟩ *he's just turned forty.*
vooraanduiding ⟨de (v.)⟩ **0.1** *early warning sign / notice.*
vooraanstaand (bn.) **0.1** *prominent* ⇒*leading, notable, foremost, front-rank* ◆ **1.1** een ~e figuur *a p. / leading figure;* een ~ musicus *a p. / foremost musician;* een ~e plaats innemen *occupy a p. / leading position.*
vooraanzicht ⟨het⟩ **0.1** *front / frontal view.*
vooraf (bw.) **0.1** *beforehand* ⇒*in advance, previously* ◆ **1.1** een verklaring ~ *an explanation in advance* **3.1** je moet ~ goed bedenken wat je gaat doen *you need to think ahead about what you're going to do;* ~ betalen *pay in advance, prepay;* wilt u iets ~? ⟨aperitief⟩ *would you*

like a before-dinner drink / an aperitif; ⟨voorgerecht⟩ *would you like an appetizer / a hors d'oeuvre;* dat had je ~ moeten zeggen *you should have said that / so b. / to begin with.*
voorafbetaling ⟨de (v.)⟩ **0.1** *advance payment.*
voorafgaan ⟨onov.ww.⟩ **0.1** [voor iets anders komen] *precede* ⇒*go / come before / in front (of)* **0.2** [gaan vóór anderen] *precede* ⇒*go before / in front (of)* ◆ **1.2** de stoet werd voorafgegaan door drie herauten *the procession was headed by three heralds* **3.1** iets door een inleiding laten ~ *preface sth.* **6.1** al wat aan de oorlog is voorafgegaan *everything that preceded the war / came prior to / before the war;* de weken, ~ de **aan** de gebeurtenis *the weeks previous / prior to / preceding the event* **7.1** ⟨zelfst.⟩ na het ~ de *after the foregoing / preceding.*
voorafgaand (bn.) **0.1** *preceding, foregoing* ⇒*introductory, preparatory* ◆ **1.1** de ~e bepalingen *premises;* ~ e kennisgeving *previous / prior notice;* de ~ e werkzaamheden / gesprekken *the preceding / preparatory activities / talks.*
voorafje ⟨het⟩ **0.1** *appetizer, hors d'oeuvre.*
voorafschaduwing ⟨de (v.)⟩ **0.1** *foreshadowing* ⇒*prefiguration,* ↑*adumbration.*
vooral (bw.) **0.1** [in het bijzonder] *especially* ⇒*particularly, chiefly* **0.2** [in hoofdzaak] *especially* ⇒*particularly, chiefly* ◆ **3.1** dat moet je ~ doen *do that / go ahead by all means;* ga ~ vroeg naar bed *be sure to go to bed early;* maak haar ~ niet wakker *don't wake her up whatever you do* **4.1** ~ dit was een reden om ...*this e. / in particular was a reason to ...* **5.1** vergeet het ~ niet *whatever you do / for pity's sake, don't forget it;* ~ nu moet ieder voorzichtig zijn *everyone has to be careful, e. / particularly now* **¶.2** ~ omdat *e. / particularly / chiefly because.*
vooraleer ⟨vw.⟩ ⟨schr.⟩ **0.1** *afore* ⇒⟨ongemarkeerd⟩ *before* ◆ **¶.1** ik ga niet weg, ~ u toegestemd hebt *I refuse to leave until you have given your permission / without your leave.*
vooralsnog (bw.) **0.1** *as / just yet, for the time being* ◆ **¶.1** ~ is er geen haast *bij for the time being / as yet, there's no hurry.*
voorarm ⟨de (m.)⟩ **0.1** *forearm.*
voorarrest ⟨het⟩ **0.1** *remand, custody* ⇒*detention* ◆ **3.1** het ~ v.e. gevangene verlengen *r. the prisoner, recommit the prisoner (in) to c.* **6.1** in ~ zitten *be on r. / in c.;* **in** ~ gehouden worden *be taken into / placed / put remanded in c..*
vooravond ⟨de (m.)⟩ **0.1** [avond vóór iets gewichtigs] *eve* **0.2** [eerste deel van de avond] *early evening* ◆ **6.1** ⟨fig.⟩ wij staan **aan** de ~ van grote gebeurtenissen *we are on the e. / threshold of great events* **6.2** hij kwam in de ~ *he came early in the evening;* **op** de ~ v.h. feest *on the evening before / the evening of the party.*
voorbaat ⟨de⟩ ◆ **6.¶** **bij** ~ dank *thank / thanking you in advance;* **bij** ~ kansloos zijn *not stand a(/ an earthly) chance from the very start;* al **bij** ~ verloren hebben *be fighting a lost cause / losing battle;* al **bij** ~ gewonnen hebben *be sure to win hands down;* ⟨sl.⟩ *have things in the bag.*
voorbakken ⟨ov.ww.⟩ **0.1** *pre-fry* ◆ **1.1** voorgebakken patat *pre-fried potatoes.*
voorbalkon ⟨het⟩ **0.1** *front platform* ⟨tram⟩; *front balcony* ⟨huis⟩.
voorband ⟨de (m.)⟩ **0.1** *front tyre.*
voorbank ⟨de⟩ **0.1** *front seats;* ⟨in schouwburg ook⟩ *tier / row (of seats).*
voorbarig ⟨bn., bw.; -ly⟩ **0.1** [te vroeg] *premature* **0.2** [onbezonnen] *rash, hasty* ⇒↑*previous* ◆ **1.1** ~e conclusies trekken *jump to conclusions* **1.2** een ~ kereltje *a r. little fellow* **3.1** ~ spreken / antwoorden *speak / answer too soon / prematurely;* je was hiermee wel wat ~ *you were a little too h. / a bit previous here.*
voorbedacht ⟨bn.⟩ ⟨jur.⟩ ◆ **1.¶** met ~en rade *premeditated; deliberately, intentionally,* ⟨jur.⟩ *with malice afore thought;* moord met ~en rade *premeditated /* [B]*wilful* [A]*willful murder.*
voorbede ⟨de⟩ **0.1** [voorafgaand gebed] *prayer (preceding the service)* **0.2** [aanroeping van de heiligen] *invocation* **0.3** [gebed ten behoeve van anderen] *intercession, petitionary / intercessory prayer* ◆ **6.3** de ~ voor de zieken *the intercession for the sick.*
voorbeding ⟨de⟩ **0.1** *stipulation, condition* ⇒*proviso* ◆ **6.1** onder ~ van *with the proviso / under the c. that.*
voorbedingen ⟨ov.ww.⟩ **0.1** *stipulate.*
voorbeeld ⟨het⟩ **0.1** [iets waarnaar men zich richt] *example* ⇒*model, pattern* **0.2** [iets ter verduidelijking] *example* ⇒*specimen, instance,* ⟨monster⟩ *sample* ◆ **2.1** een afschrikwekkend ~ *a warning;* een lichtend ~ *a shining e.* **3.1** het ~ geven voor anderen *set an e. / a good e. to others;* aan iem. een ~ nemen *use s.o. as a model, pattern o.s. on s.o.;* een ~ stellen *make an e. of s.o.;* iemands ~ volgen *follow s.o.'s lead / e.* **5.2** India is hiervan een ~ *India is a case in point / an e. / instance of this* **6.1** schrijven / tekenen **naar** een ~ *write / draw according to a model;* **naar** het ~ van ...*after the e. of;* **ten** ~ gesteld worden *be held up as an e.;* **tot** ~ dienen *serve as an e. / a model for;* dat is **zonder** ~ *that is without e. / precedent* **6.2** **bij** ~ *for e. / instance;* iets door ~en toelichten *illustrate an explanation with examples, exemplify an explanation.*
voorbeeldig ⟨bn., bw.⟩ **0.1** *exemplary* ⇒*model* ◆ **1.1** een ~ echtgenoot *an e. / a model husband;* een ~ gedrag *e. conduct;* een ~ kind *an e. / a model child* **3.1** dat is ~ geschreven *that is written in an e. way.*

voorbeeldzin ⟨de (m.)⟩ **0.1** *sample sentence* ⇒*sentence used as an example.*

voorbeen ⟨het⟩ **0.1** *front leg* ◆ **1.1** het~v.e. paard *a horse's foreleg.*

voorbehandeling ⟨de (v.)⟩ **0.1** *preliminary treatment.*

voorbehoedend ⟨bn.⟩ **0.1** *preventive* ⇒*prevenient* ◆ **1.1** ~e maatregelen /geneesmiddelen *preventive measures/medecines.*

voorbehoedmiddel ⟨het⟩ **0.1** [anticonceptiemiddel] *contraceptive* ⇒ ↑*prophylactic* **0.2** [voorbehoedend middel] *preven(ta)tive.*

voorbehoud ⟨het⟩ **0.1** [beperking] *restriction* ⇒*reservation* **0.2** [voorwaarde] *condition* ⇒*qualification, reservation* ◆ **2.2** met het gebruikelijke ~ *with the usual reservation* **3.2** een ~ maken *make a reservation* **6.1** iets onder ~ meedelen *communicate sth. with reservation;* iets **onder** ~ beloven *make a conditional promise;* **zonder** ~ *without reservations.*

voorbehouden ⟨ov.ww.⟩ **0.1** *reserve* ◆ **1.1** hem was de eer ~ *the honour was all his;* hij behield zich (het recht) voor, daarop later terug te komen *he reserved the right to come back to that at a later date;* alle rechten ~ *all rights reserved* **1.¶** onvoorziene omstandigheden ~ *barring unforeseen circumstances, unforeseen circumstances excepted.*

voorbereiden ⟨ov.ww.⟩ **0.1** [van te voren klaarmaken] *prepare* ⇒*get/ make ready* **0.2** [behoedzaam op de hoogte brengen] *prepare* ◆ **1.1** ⟨sport⟩ een doelpunt ~ *lay on/set up a goal;* lessen ~ *prepare (one's) lessons* **4.1** zich ~ op een examen *prepare o.s. for an exam* **5.1** ik was daarop voorbereid *I was prepared/ready for it* **6.1** op alles voorbereid zijn *be prepared/ready for anything;* de leerlingen ~ **voor** een examen *p. the pupils/get the pupils ready for an exam* **6.2** iem. **op** de dood van zijn vader ~ *prepare s.o. for his father's death.*

voorbereidend ⟨bn.⟩ **0.1** *preparatory* ◆ **1.1** ~ onderwijs *nursery/preschool education;* ~ wetenschappelijk onderwijs *pre-university education;* ⟨jur.⟩ ~ onderzoek *preliminary investigation/inquiry;* ~e werkzaamheden *groundwork, spadework, preliminary work.*

voorbereiding ⟨de (v.)⟩ **0.1** [het (zich) voorbereiden, voorbereid worden] *preparation* **0.2** [godsdienstoefening] *preparation* ◆ **1.1** een commissie van ~ *a preparatory committee* **3.1** ~en treffen *make preparations* **6.1** een herziene uitgave is **in** ~ *a revised edition is in p.;* **ter** ~ (dienen) op/voor *in p. to/for.*

voorbereidingstijd ⟨de (m.)⟩ **0.1** *preparation time* ⇒*preparatory period.*

voorbereidselen ⟨zn.mv.⟩ **0.1** *preparations* ⇒*preparatives* ◆ **3.1** ~ treffen *make preparations* **6.1** de ~ **voor/tot** een offensief *the preparations/preparatives for an offensive.*

voorbericht ⟨het⟩ **0.1** [mbt. een boek] *preface* ⇒⟨lang⟩ *introduction,* ⟨minder formeel⟩ *foreword* **2** [mbt. een telefoongesprek] *preliminary call.*

voorbeschikken ⟨ov.ww.⟩ **0.1** *predestine, predetermine* ⇒↑*foreordain, preordain* ⟨vnl. mbt. God/lot⟩ ◆ **6.1** voorbeschikt **om** te ... *predestined/fated to ...* **¶.1** zo was het voorbeschikt *it had to happen this way, it was fated to happen this way.*

voorbeschikking ⟨de (v.)⟩ **0.1** *predestination* ⇒*preordination* ⟨vnl. mbt. God/lot⟩.

voorbeschouwen ⟨ww.⟩ **0.1** *(give a) preview (of).*

voorbeschouwing ⟨de (v.)⟩ **0.1** *preview.*

voorbespeeld ⟨bn.⟩ ⟨audio, video⟩ **0.1** *pre-recorded* ◆ **1.1** een ~e cassette *a p.-r. cassette.*

voorbespreking ⟨de (v.)⟩ **0.1** [gesprek] *preliminary/preparatory talk* **0.2** [recensie] *preliminary/advance/prior review* **0.3** [plaatsbespreking] *booking* ⇒*reservation.*

voorbestaan ⟨het⟩ **0.1** *preexistence.*

voorbestemmen ⟨ov.ww.⟩ **0.1** *predestine, predetermine* ⇒⟨schr., dicht.⟩ *predestinate* ◆ **6.1** voorbestemd zijn **om** te ... *predestined/fated to ....*

voorbestemming ⟨de (v.)⟩ **0.1** *predestination* ⇒*predetermination,* ↑*preordainment.*

voorbeurs ⟨de⟩ ⟨geldw.⟩ **0.1** *(stock-exchange) dealings before official hours.*

voorbewerken ⟨ov.ww.⟩ **0.1** *pretreat* ⇒*do preparatory/preliminary work on.*

voorbewerking ⟨de (v.)⟩ **0.1** *pretreatment* ⇒*preparatory/preliminary treatment.*

voorbidden
 I ⟨onov.ww.⟩ **0.1** [ten gunste van iem. bidden] *pray for s.o.;*
 II ⟨onov.ww.⟩ **0.1** [voorgaan in het gebed] *lead in prayer.*

voorbij¹
 I ⟨bn.⟩ **0.1** [afgelopen] *past* ⇒⟨pred.⟩ *over, gone, finished, done (with)* ◆ **1.1** de herfst is ~ *the autumn/ᴬfall has passed/come to an end;* die tijd is ~ *that time is p./ over and done, those days are gone;* ~ tijden *bygone times;*
 II ⟨bw.⟩ **0.1** [voor iets/iem. langs] *past, by* **0.2** [verder dan] *beyond, past* ◆ **1.2** hij is die leeftijd al lang ~ *he's way p. that age* **3.1** wacht tot de trein ~ is *wait until the train has passed/gone;* het onweer trekt~ *the thunderstorm is passing b./ blowing over* **3.2** je bent er al ~ *you've already passed it;* ⟨fig.⟩ schieten *overreach one's goal.*

voorbij² ⟨vz.⟩ **0.1** [verder dan] *beyond, past* **0.2** [langs] *past* ◆ **1.1** we zijn al ~ Amsterdam *we've already passed Amsterdam;* even ~ het kruispunt *just b./ p. the intersection* **1.2** hij ging ~ het huis *he went p. the house* **6.1 tot** ~ ... *to ... and b..*

voorbijflitsen ⟨onov.ww.⟩ **0.1** *flash past/by.*

voorbijgaan ⟨onov.ww.⟩ **0.1** [passeren] *pass/go by* ⇒*slip by* **0.2** [verstrijken] *pass/go by* ⇒*pass away,* ↑*elapse* **0.3** (⟨+aan⟩ niet opgemerkt worden door] *pass by* **0.4** (⟨+aan⟩ geen aandacht besteden aan] *pass over* ◆ **1.1** iem. ~ *pass s.o. by;* dat gaat (aan) jouw neus voorbij *you've lost your chance now* **1.2** de jaren gingen voorbij *the years passed/went/slipped by* **3.1** de gelegenheid (onbenut) laten ~ *miss the opportunity, allow the opportunity to pass* **6.1 met** ~ **van** *without regard to, ignoring* **6.3** wat er gezegd wordt gaat volkomen **aan** hem voorbij *everything that's said passes him by completely, he's oblivious to everything that's said* **6.4** stilzwijgend ~ **aan** *pass over in silence, ignore;* ~ **aan** details *pass over/skip the details;* **aan** iem. ~ *pass s.o. over* **7.1** ⟨zelfst.⟩ **in** het ~ *incidentally, by the way, in passing.*

voorbijgaand ⟨bn.⟩ **0.1** *transitory, passing* ⇒*fleeting, momentary,* ↑*evanescent* ◆ **1.1** dat is van ~e aard *that is only a fleeting/p. thing/a thing of the moment* **5.1** snel ~ *fleeting, momentary.*

voorbijganger ⟨de (m.)⟩, **-gangster** ⟨de (v.)⟩ **0.1** *passer-by.*

voorbijkomen ⟨onov., ov.ww.⟩ **0.1** *come past/by, pass (by).*

voorbijlopen ⟨onov.ww.⟩ **0.1** *pass (by)* ⇒*walk past* ◆ **¶.1** iem. straal ~ *walk straight/right past s.o.,* ↓*cut s.o. dead.*

voorbijmarcheren ⟨onov.ww.⟩ **0.1** *march past/by.*

voorbijpraten ⟨onov.ww.⟩ ◆ **1.¶** zijn mond ~ *spill the beans, shoot one's mouth off.*

voorbijrijden ⟨onov., ov.ww.⟩ **0.1** *drive/* ⟨op fiets, paard⟩ *ride past* ⇒*pass,* ⟨inhalen ook⟩ *overtake.*

voorbijschieten ⟨onov.ww.⟩ **0.1** *whiz(z) by* ⇒*dash/rush past* ◆ **1.1** zijn doel ~ *overshoot/overleap/overreach o.s..*

voorbijsnellen
 I ⟨onov.ww.⟩ **0.1** [snel voorbij gaan] *rush/fly/shoot/* ⟨inf.⟩ *whizz past /by* ◆ **1.1** de tijd snelt voorbij *time flies, time rushes by;*
 II ⟨ov.ww.⟩ **0.1** [snellend voorbijgaan] *rush/shoot past/by.*

voorbijsteken ⟨ov.ww.⟩ ⟨AZN⟩ **0.1** *overtake, pass.*

voorbijstreven ⟨onov.ww.⟩ **0.1** *outstrip* ⇒*outpace, outrun, outdistance, surpass.*

voorbijtrekken ⟨onov.ww.⟩ **0.1** *pass* ⇒*march/file past* ◆ **1.1** het onweer trok voorbij *the thunderstorm blew over* **6.1** hij zag zijn leven **aan** zijn oog ~ *he saw his life p. before his eyes.*

voorbijvaren ⟨onov., ov.ww.⟩ **0.1** *sail past/by* ⇒*pass.*

voorbijvliegen ⟨onov.ww.⟩ **0.1** [snel verstrijken] *fly (by)* ⇒*slip by* **0.2** [snel passeren] *fly (by)* ⇒*whiz(z)/rush past, flash* ◆ **1.1** de weken vlogen voorbij *the weeks just sped by/flew (by).*

voorbijzien ⟨ov.ww.⟩ **0.1** *overlook, miss* ⇒*disregard* ◆ **1.1** een fout ~ *o./ m. a mistake.*

voorbinden ⟨ov.ww.⟩ **0.1** *tie/put on* ◆ **1.1** een schort/slabbetje ~ *put on an apron/a bib.*

voorbode ⟨de (m.)⟩ **0.1** *forerunner, herald* ⇒⟨dicht.⟩ *harbinger, portent, presage,* ⟨fig.;voorteken⟩ *omen* ◆ **1.1** de ~ van de crisis *the f./ precursor of the crisis;* de zwaluwen zijn de ~n van de lente *the swallows are the heralds of spring;* dat was een ~ van de storm *that was a f. of the storm.*

voorboren ⟨onov., ov.ww.⟩ **0.1** *rough-drill/-bore* ◆ **1.1** een gat ~ *rough-drill/-bore a hole.*

voorbouw ⟨de (m.)⟩ **0.1** ⟨landb.⟩ *catch crop* ⇒⟨als systeem⟩ *catch cropping, catch crop system* **0.2** [bouwsel] *front(al) extension* ⇒*avant corpse.*

voorbrengen ⟨ov.ww.⟩ **0.1** [voor iets brengen] *bring up* ⟨bv. misdadiger⟩;*bring round* ⟨bv. auto⟩ **0.2** [te berde brengen] *bring forward* ⇒*produce, put forward,* ↑*adduce* ◆ **1.1** ⟨jur.⟩ een getuige ~ *produce a witness* **6.2** iets **tot** zijn verontschuldiging ~ *put sth. forward in one's defence.*

voorcalculatie ⟨de (v.)⟩ **0.1** *cost-estimation, pre-production costing, estimate.*

voorchristelijk ⟨bn.⟩ **0.1** *pre-Christian.*

voord →voorde.

voordansen ⟨onov., ov.ww.⟩ ⟨→sprw. 371⟩ **0.1** *demonstrate a dance.*

voordat ⟨vw.⟩ **0.1** [mbt. een nog niet bereikt tijdstip] *before* ⇒⟨met ontkenning e.d. in hoofdzin⟩ *until, till* **0.2** [alvorens] *before (that)* ◆ **¶.1** ~ ik je brief kreeg, wist ik er niets van *I knew nothing about it until/ till I got your letter.*

voorde ⟨de⟩ **0.1** *ford.*

voordeel ⟨het⟩ **0.1** [winst, baat] *advantage* ⇒*benefit, profit* **0.2** [gunstige eigenschap/omstandigheid] *advantage* ⇒*plus-point* **0.3** [⟨tennis⟩] *advantage* ⇒⟨BE ook⟩ *vantage,* ⟨BE;inf.⟩ *van,* ⟨AE;inf.⟩ *ad* ◆ **1.2** de voor- en nadelen *the advantages and disadvantages, the pros and cons, the merits and demerits* **3.1** zijn ~ met iets doen *take a. of sth., turn sth. to account/profit;* ~ hebben bij *profit/benefit from;* het heeft het ~ van dichtbij te zijn *it has the a. of being close;* ik zie daar geen ~ in *I don't see the a. of it/how one can gain/benefit by it* **3.2** een ~ behalen *gain an a.;* er zijn alleen maar voordelen aan verbonden *it can only be to your a., you can only profit by it* **6.1** ⟨fig.⟩ hij is in zijn ~ veranderd *he's changed for the better;* ⟨sport⟩ 3-0 in het ~ van Nederland *3-0 in favour of the Netherlands;* de situatie was in zijn ~ *the situation was to his a./ advantageous to him;* **ten** voordele **van** *for the ben-*

efit of, in aid / favour of; iem. het ~ van de **twijfel** gunnen *give s.o. the benefit of the doubt* 6.3 Wilander staat **op** ~ *advantage Wilander.*

voordeelregel ⟨de (m.)⟩ ⟨sport⟩ **0.1** *advantage rule* ◆ **3.1** de ~ toepassen *play the advantage rule.*

voordeeltje ⟨het⟩ **0.1** *windfall* ⇒ *bit / piece of luck* ◆ **3.1** ~s behalen *have a w., have a piece of luck come one's way.*

voordeelverpakking ⟨de (v.)⟩ **0.1** *economy size / pack(age).*

voordek ⟨het⟩ **0.1** *foredeck* ⇒ *forward deck.*

voordelig ⟨bn., bw.; -ly⟩ **0.1** [rendabel] *advantageous* ⇒ *profitable, lucrative,* ⟨bw. ook⟩ *to (great) advantage* **0.2** [zuinig, goedkoop] *economical* ⇒ *cheap, inexpensive* **0.3** [gunstig] *advantageous* ⇒ *favourable, beneficial,* ⟨bw. ook⟩ *to (great) advantage* ◆ **1.1** een ~ saldo *a favourable (credit) balance;* op ~e voorwaarden *on good / favourable terms;* een ~e zaak *a profitable / lucrative business* **1.3** een ~e wind *a favourable wind* **3.1** ~ kopen *get a bargain / good deal* **3.2** ~er zijn *be cheaper / more economical* **3.3** er ~ uitzien *look one's best;* hij zag er op zijn ~st uit *he appeared to great advantage, he looked his best* **6.2** ~ **in** het gebruik *be e. / inexpensive in use, go far / a long way.*

voordeur ⟨de⟩ **0.1** *front door.*

voordeurdelers ⟨zn.mv.⟩ **0.1** *people / persons living under one roof / a single roof.*

voordewind ⟨bw.⟩ **0.1** *before the wind* ⇒ *down wind* ◆ **3.1** (fig.) het gaat hem ~ *he's doing well, life is being good to him;* ~ zeilen *sail before / with the wind, have the wind aft.*

voordezen ⟨bw.⟩ ⟨schr.⟩ **0.1** ⟨ongemarkeerd⟩ *before.*

voordien ⟨bw.⟩ **0.1** *before that, previously, beforehand.*

voordoen
I ⟨ov.ww.⟩ **0.1** [doen als voorbeeld] *show* ⇒ *demonstrate* **0.2** [omdoen] *put on* ◆ **1.1** een oefening ~ *demonstrate an exercise;* iem. een truc ~ show s.o. (how to do) a trick;
II ⟨wk.ww.; zich ~⟩ **0.1** [optreden] *arise* ⇒ *occur, come / turn / crop up* **0.2** [het voorkomen aannemen van] *act, appear, pose* ◆ **1.1** er deed zich een moeilijkheid voor *a difficulty arose;* als die omstandigheden zich ~ *if those conditions occur / crop up, under those conditions* **2.2** zich flink voordoen *put on a bold front* **5.2** hij weet zich goed voor te doen *he knows how to make a good impression / impress people* **8.2** zich ~ als inspecteur *pose as an inspector.*

voordracht ⟨de⟩ **0.1** [lezing] *lecture* ⇒ *reading, speech, discourse* **0.2** [opgevoerd / gereciteerd stuk] *recitation* ⇒ *recital* **0.3** [wijze van declameren] *delivery* ⇒ *execution, presentation, diction* **0.4** [aanbevelingslijst] *list of recommendations / nominees / candidates,* [B]*short list* **0.5** [aanbeveling] *nomination, recommendation* ◆ **2.3** een goede / duidelijke ~ hebben *have a good / clear delivery* **3.1** een ~ houden over *read / submit a paper on, give a l. on* **6.4** als nummer één **op** de ~ staan *be number one on / be at the top of the list of recommendations /* [B]*short list;* iem. op de ~ plaatsen *place s.o.'s name in nomination* **6.5** op ~ **van** on the r. of.

voordrachtskunst ⟨de (v.)⟩ **0.1** *declamation* ⇒ *rhetoric, art of speech-making.*

voordrachtskunstenaar ⟨de (m.)⟩ **0.1** *elocutionist* ⇒ *reciter.*

voordragen
I ⟨onov., ov.ww.⟩ **0.1** [declameren] *recite* ⇒ *declaim,* ⟨muz.⟩ *render, execute* ◆ **1.1** iets ~ *put on a little show / act;*
II ⟨ov.ww.⟩ **0.1** [als kandidaat voorstellen] *nominate* ⇒ *recommend, propose, submit* **0.2** [voorleggen, toelichten] *state* ⇒ *present* ◆ **1.1** een opvolger ~ *n. / recommend a successor* **6.1** iem. ter benoeming ~ *submit s.o.'s name / propose s.o. for appointment* **8.1** iem. ~ als presidentskandidaat *nominate s.o. for President / the Presidency.*

voordrager ⟨de (m.)⟩ **0.1** [van literair werk] *reciter* **0.2** [van iem. voor functie] *proposer* ⇒ *nominator.*

voordringen ⟨onov.ww.⟩ **0.1** *push forward / past / ahead* ⇒ *jump the queue.*

voordruk ⟨de (m.)⟩ **0.1** ⟨voorafdruk⟩ *preprint* ⟨ook van te houden voordracht⟩.

voorechtelijk ⟨bn.⟩ **0.1** *premarital* ◆ **1.1** ~ geslachtsverkeer *p. sex(ual) intercourse).*

vooreerst ⟨bw.⟩ **0.1** *as yet, for the present / time being* ◆ ¶.**1** daar kan ~ geen sprake van zijn *it's impossible for the time being.*

voorfilm ⟨de (m.)⟩ **0.1** *short.*

voorflap ⟨de (m.)⟩ **0.1** ⟨boek.⟩ *jacket flap* **0.2** [flap aan de voorzijde] *front flap.*

voorgaan ⟨onov.ww.⟩⟨→sprw. 319,616⟩ **0.1** [voor iem. gaan] *go ahead / before* ⇒ *precede, lead (the way)* **0.2** [prioriteit hebben] *take precedence* ⇒ *come first* **0.3** [mbt. een uurwerk] *be fast* ◆ **1.1** dames gaan voor *ladies first* **3.1** iemand laten ~ *let s.o. go first* **3.2** het belangrijkste moet ~ *the most important has to come first* **6.1** (fig.) in het gebed ~ *lead s.o. in prayer;* (fig.) ~ in een (kerk)dienst *conduct a service* ¶.**1** gaat u voor! *after you!, lead the way, you first.*

voorgaand ⟨bn.⟩ **0.1** *preceding, former, last, previous* ◆ **6.1** een ~e bepaling *a previous regulation / stipulation;* op de ~e **bladzijde** *on the preceding page* **7.1** 't ~e *the foregoing, what precedes.*

voorganger ⟨de (m.)⟩ **0.1** [degene die men opgevolgd heeft] *leader* **0.2** [degene die men navolgt] *predecessor* **0.3** ⟨rel.⟩ *pastor, minister* ◆ **8.3** als ~ optreden *take the pulpit.*

voorgebergte ⟨het⟩ **0.1** *promontory, headland* ⇒ *cape.*

voorgeborchte ⟨het⟩⟨r.k.⟩ **0.1** *limbo* ◆ **6.1** in het ~ der hel ⟨ook fig.⟩ *in l..*

voorgefabriceerd ⟨bn.⟩ **0.1** *prefabricated* ⇒ ⟨attr.⟩ *prefab.*

voorgekookt ⟨bn.⟩ **0.1** *pre-cooked* ⇒ *parboiled* ◆ **1.1** ~e aardappelen *p.-c. potatoes;* ~e rijst *parboiled rice* **3.1** (fig.) het was allemaal ~ *it was all pre-arranged / fixed beforehand.*

voorgeleiden ⟨ov.ww.⟩ **0.1** *bring in.*

voorgeleiding ⟨de (v.)⟩ **0.1** *arraignment* ◆ **1.1** wordt verzocht opsporing en ~ van N.N. *it is requested that NN be apprehended and brought before the law.*

voorgelijmd ⟨bn.⟩ **0.1** *(pre-)gummed* ⇒ *adhesive.*

voorgemeld, voorgenoemd ⟨bn.⟩ **0.1** *above-mentioned.*

voorgenomen ⟨bn.⟩ **0.1** *intended* ⇒ *proposed, contemplated* ◆ **1.1** ons ~ huwelijk *our i. marriage;* de ~ maatregelen *the proposed measures.*

voorgerecht ⟨het⟩ **0.1** *first course* ⇒ ⟨BE ook⟩ *entrée,* ↓*starter.*

voorgeschiedenis ⟨de (v.)⟩ **0.1** [geschiedenis van het voorafgaande] ⟨mbt. zaken⟩ *previous history;* ⟨mbt. een ziekte⟩ *anamnesis;* ⟨mbt. personen⟩ *ancestry, past history* **0.2** [prehistorie] *prehistory.*

voorgeschreven ⟨bn.⟩ **0.1** *prescribed* ⇒ *obligatory, required, expected, dictated* ◆ **1.1** de ~ houding *the p. / expected attitude;* de ~ maatregelen *the required measures.*

voorgeslacht ⟨het⟩ **0.1** *ancestry.*

voorgespannen ⟨bn.⟩ **0.1** *prestressed* ◆ **1.1** ~ beton *p. concrete.*

voorgevallene ⟨het⟩ **0.1** *that which has happened / occurred.*

voorgevel ⟨de (m.)⟩ **0.1** [mbt. een gebouw] *face* ⇒ *façade, frontage* **0.2** [⟨inf.⟩ boezem] *boobs* ⇒ ⟨BE;sl.⟩ *knockers* **0.3** [⟨inf.⟩ neus] *snout, proboscis* ⇒ ⟨AE;sl.⟩ *schnozzle* ◆ **2.2** ze heeft een fraaie ~ ⟨ook⟩ *she has quite a bust line; she's quite bosomy, she's top-heavy.*

voorgeven ⟨onov., ov.ww.⟩ **0.1** [beweren, voorwenden] *pretend* ⇒ *profess, purport* **0.2** [mbt. spel] *give points / odds (to), give away* ⇒ *grant a handicap* ◆ **6.1** ⟨zelfst.⟩ **volgens** zijn ~ ... *according to what he claims* ¶.**1** hij gaf voor, ziek te zijn *he claimed to be ill,* ↑*he affected illness.*

voorgevoel ⟨het⟩ **0.1** *premonition* ⇒ *presentiment, foreboding, hunch, apprehension* ⟨van iets slechts⟩ ◆ **2.1** een angstig ~ *an anxious foreboding;* ik heb een bang ~ *I have a scarey feeling* **3.1** ergens een ~ van hebben *have a premonition about sth..*

voorgevormd ⟨bn.⟩ **0.1** *preformed.*

voorgewend ⟨bn.⟩ **0.1** *affected* ⇒ *professed, sham,* ↓*put-on,* ⟨sl.⟩ *phon(e)y.*

voorgift ⟨de⟩ **0.1** *odds, handicap* ⇒ *allowance* ◆ **6.1** zonder ~ beginnen *start from scratch.*

voorgloeien ⟨onov.ww.⟩ **0.1** *pre-heat.*

voorgoed ⟨bw.⟩ **0.1** *for good* ⇒ *once and for all, forever, permanently* ◆ **3.1** ~ blijven *stay put;* zij gaat nu ~ weg *she's leaving now for good;* dat is nu ~ voorbij *that's over and done with now;* de tekst is nu ~ vastgesteld *the text has been established once and for all;* ~ verloren *beyond / past retrieval* **5.1** eens en ~ *once and for all.*

voorgrond ⟨de (m.)⟩ **0.1** *foreground* ◆ **6.1** (fig.) op de ~ treden, zich **op** de ~ plaatsen, *come to the front / into prominence / the fore, stand out, push o.s. forward / in the f.;* (fig.) dat staat bij mij **op** de ~ *that comes first with me / is first on my list;* (fig.) iets **op** de ~ plaatsen *put / place sth. in the forefront, bring sth. into prominence / to the fore;* (fig.) hij dringt zich altijd **op** de ~ *he always pushes himself forward;* (fig.) **op** de ~ staan *be prominent, hold a prominent place.*

voorhal ⟨de⟩ **0.1** *(entrance / front) hall.*

voorhamer ⟨de (m.)⟩ **0.1** *sledge(-hammer).*

voorhand ⟨de⟩ **0.1** *forehand* ◆ **6.**¶ **aan** de ~ zijn / zitten ⟨kaartspel⟩ *(have the) lead, play first, be the eldest hand;* (fig.) *have the preference;* **op** ~ *beforehand, in advance.*

voorhanden ⟨bn.⟩ **0.1** *on hand* ⇒ *in stock / store, present, available* ◆ **1.1** opruiming van alle ~ goederen *clearance of all stock on hand* **3.1** er was nog wat geld ~ *we still had some money at our disposal* **5.1** niet meer ~ *sold out, out of stock, unavailable.*

voorhangen
I ⟨ov.ww.⟩ **0.1** [voor iets ophangen] *hang (up) in front* ⇒ *hang before* **0.2** [⟨fig.⟩ als nieuw lid voorstellen] *put up* ⇒ *propose;*
II ⟨onov.ww.⟩ **0.1** [kandidaat zijn] *be put up / proposed.*

voorhangsel ⟨het⟩ ⟨schr.⟩ **0.1** *curtain* ⇒ *veil* ◆ **1.1** ⟨bijb.⟩ het ~ v.d. tempel scheurde *the veil of the temple was rent.*

voorhaven ⟨de⟩ **0.1** *outport.*

voorhebben ⟨ov.ww.⟩ **0.1** [voor het lijf hebben] *have on* ⇒ *wear* **0.2** [tegenover zich hebben] *have in front of* **0.3** [als voordeel hebben] *have the / an advantage of* **0.4** [van plan zijn] *mean, intend* **0.5** [mbt. snel] *have a head start of, have the advantage of* ◆ **1.1** een schort ~ *have on / wear an apron* **1.2** de verkeerde ~ *have got the wrong one (in mind)* **4.2** je vergeet wie je voorhebt *you're forgetting who I am / who you're talking to* **4.4** wat heeft hij met hem voor? *what is he planning / what does he intend to do with him?* **5.4** het goed met iem. ~ *m. well by a person, wish a person well* **6.3** iets ~ **op** iem. *have the advantage of / over s.o.* **7.3** het heeft veel voor *there's much to be said for it, it has much in its favour / many advantages.*

voorheen ⟨bw.⟩ **0.1** *formerly, in the past* ⇒ *in former days.*

voorheffing 〈de (v.)〉 **0.1** *advance tax payment* ⇒*advance levy*, 〈AE ook; mbt. inkomstenbelasting〉 *withholding tax* ◆ **6.1** een ~ **op** de inkomstenbelasting 〈ook〉 *a withholding tax on income.*

voorhistorisch 〈bn.〉 **0.1** [mbt. de prehistorie] *prehistoric* **0.2** [zeer ouderwets] *prehistoric* ⇒*ancient* ◆ **1.1** het ~ onderzoek *p. research;* ~e oudheden *p. antiquities;* de ~e tijd *p. times* **1.2** een ~ model *a p. model.*

voorhoede 〈de〉 **0.1** 〈(sport)〉 *forward line* **0.2** [〈mil.〉] *advance guard* ⇒ *vanguard* **0.3** [〈scherts.〉 voorste deel v.e. gezelschap] *advance guard, vanguard* **0.4** [〈fig.〉 meest actieve voorvechters] *vanguard, spear head, leading edge, hard core.*

voorhoedegevecht 〈het〉 **0.1** *spearhead/advance-guard engagement/* 〈alg.〉 *fighting.*

voorhoedespeler 〈de (m.)〉, **-speelster** 〈de (v.)〉 **0.1** *forward* ⇒*attacker, striker.*

voorhof 〈de (v.)〉〈schr.〉 **0.1** *forecourt* ⇒*vestibule, parvise.*

voorhoofd 〈het〉 **0.1** *forehead* ⇒*brow, front* ◆ **2.1** een hoog/breed/gewelfd ~ *a high/broad/curved forehead* **6.1** rimpels in het ~ trekken *wrinkle one's brow;* 〈fig.〉 dat staat **op** zijn ~ te lezen *it's written all over his face;* **tegen** zijn ~ tikken/**op** zijn ~ wijzen *tap/point to one's forehead.*

voorhoofdsbeen 〈het〉 **0.1** *frontal/coronal bone.*

voorhoofdsholte 〈de (v.)〉 **0.1** *sinus cavity.*

voorhoofdsholteontsteking 〈de (v.)〉 **0.1** *sinusitis.*

voorhouden 〈ov.ww.〉 **0.1** [houden voor] *hold up/before* ⇒*present* 〈geweer〉, *keep on* 〈schort〉 **0.2** [wijzen op] *represent* ⇒*confront,* ↑*impress* **0.3** [〈scheep.〉 aanhouden] *stand (on)* ◆ **1.1** een kind een koekje ~ *hold a cookie out to a child* **1.2** iem. zijn slechte gedrag ~ *remonstrate with/confront s.o. with his bad conduct* **4.2** doe wat je anderen voorhoudt *practice what you preach.*

voorhuid 〈de〉 **0.1** *foreskin* ⇒*prepuce* ◆ **1.1** besnijding v.d. ~ *circumcision.*

voorhuidvernauwing 〈de (v.)〉 **0.1** *phimosis* ⇒*tight foreskin.*

voorhuis 〈het〉 **0.1** *(entrance) hall* ⇒*vestibule.*

voorin 〈bw.〉 **0.1** *in (the) front* 〈in bus, trein〉; *at the beginning* 〈in boek〉 ◆ **3.1** ~ zitten *sit in the front.*

Voor-Indië 〈het〉 **0.1** 〈aardr.〉 *(the) Indian subcontinent;* 〈pol.〉(〈gesch.〉 *British) India.*

vooringenomen 〈bn.〉 **0.1** *biased* ⇒*prejudiced, predisposed, partial* ◆ **6.1** ~ zijn tegen iem. *be b./prejudiced against s.o..*

vooringenomenheid 〈de (v.)〉 **0.1** *prejudice* ⇒*bias, partiality.*

voorinstelling 〈de (v.)〉〈audio, video〉 **0.1** *pre-setting* ⇒*pre-tuning.*

voorintekening 〈de (v.)〉 **0.1** *subscription.*

voorjaar 〈het〉 **0.1** *spring* ⇒*spring time* ◆ **3.1** het ~ in het hoofd hebben *be full of the joys of s., have springtime on one's brain.*

voorjaarsbeurs 〈de〉 **0.1** *spring fair/show.*

voorjaarsbui 〈de〉 **0.1** *April shower.*

voorjaarsmoeheid 〈de (v.)〉 **0.1** *springtime fatigue.*

voorjaarsnachtevening 〈de (v.)〉 **0.1** *spring/vernal equinox.*

voorjaarsnota 〈de〉〈ec., pol.〉 **0.1** *interim budget report.*

voorjaarsopruiming 〈de (v.)〉 **0.1** *spring sale(s).*

voorjaarsschoonmaak 〈de (m.)〉 **0.1** *spring clean(ing).*

voorkajuit 〈de〉 **0.1** *forecabin.*

voorkamer 〈de〉 **0.1** *front room/parlour.*

voorkant 〈de (m.)〉 **0.1** *front* ⇒*face* 〈van document/kaartje〉 ◆ **1.1** de ~ v.e. auto *the front of a car;* de ~ v.e. huis *the front of a house* **6.1** een jurk met een sluiting **aan** de ~ *a dress which fastens in the f..*

voorkauwen 〈ov.ww.〉 **0.1** [van tevoren kauwen] *pre-chew* **0.2** [uitvoerig voorzeggen] *repeat over and over* ◆ **1.2** men moet hem alle antwoorden ~ *the answers have to be repeated/explained to him over and over again;* dat hebben ze de getuige voorgekauwd *the witness has been primed to say that;* voorgekauwde opinies *ready-made opinions.*

voorkennis 〈de (v.)〉 **0.1** *foreknowledge* ⇒*prescience* ◆ **6.1** dat gebeurde **buiten** mijn ~ *that happened without my knowledge/knowing it.*

voorkeur 〈de (v.)〉 **0.1** [keuze voor het een boven het ander] *preference* ⇒ *partiality, inclination* **0.2** [het kiezen voor iem. anders] *preference* ⇒ *priority* ◆ **1.2** recht van ~ *right of preference, preferential right, priority claim* **2.1** een uitgesproken ~ voor *a strong/distinct preference for, a partiality for* **3.1** mijn ~ gaat uit naar *I (would) prefer, I have a preference for;* de ~ geven aan ... *give preference to;* ik heb geen ~ *I have no preference;* de ~ verdienen boven *be preferable to* **3.2** de ~ geven aan kwantiteit boven kwaliteit *prefer quantity to quality;* als ik het huis verkoop, heeft hij de ~ *if I sell the house, he has first refusal* **6.1 bij** ~ *preferably;* **voor** ~ tonen *show a preference for sth..*

voorkeursbehandeling 〈de (v.)〉 **0.1** *preferential treatment.*

voorkeurspelling 〈de (v.)〉 **0.1** *preferred spelling.*

voorkeursrecht 〈het〉 **0.1** [recht van voorkeur] *priority rights* **0.2** [〈hand.〉] *preferential duty.*

voorkeurstem 〈de〉 **0.1** *write-in (vote).*

voorkeurtarief 〈het〉 **0.1** *preferential tariff.*

voorkeurtoets 〈de (m.)〉〈audio, video〉 **0.1** *automatic tuning control.*

voorkiem 〈de〉〈plantk.〉 **0.1** *prothallium* ⇒*prothallus.*

voorkind 〈het〉 **0.1** [kind uit een vroeger huwelijk] *child by a previous marriage* **0.2** [onecht kind] *illegitimate child.*

voorklinker 〈de (m.)〉〈taal.〉 **0.1** *front vowel.*

voorkoken 〈ov.ww.〉 **0.1** [〈cul.〉] *pre-cook* ⇒〈kort〉 *blanch* **0.2** [een voorbereidende behandeling geven] *pre-digest.*

'voorkomen[1] 〈het〉 **0.1** [uiterlijk] *appearance* ⇒*look(s), aspect, air, presence, bearing* **0.2** [het aangetroffen worden] *occurrence, incidence* ⇒ *appearance* ◆ **1.1** het ~ v.e. plant/v.e. dier *the characteristics of a plant/an animal* **2.1** nu krijgt de zaak een geheel ander ~ *things are now looking a lot different, matters are now taking on a completely new appearance/countenance;* hij heeft een representatief ~ *he has a presentable appearance* **2.2** het regelmatig ~ van ongeregeldheden *the recurrence of disturbances* **3.1** het ~ hebben van *bear the semblance of.*

'voorkomen[2] 〈onov.ww.〉 **0.1** [vóór iem./iets anders komen] *get/draw ahead, draw out in front* **0.2** [gebeuren] *occur, happen* **0.3** [aangetroffen worden] *occur, be found/met with* **0.4** [voor het gerecht verschijnen] *appear* ⇒*be brought up, come before, come on/up* 〈ihb. mbt. zaak〉 **0.5** [toeschijnen] *seem, appear, look to* **0.6** [voor het huis komen] *come round, drive up* ◆ **1.4** vandaag komt de zaak van V. voor *V.'s case will be heard today* **2.5** dat komt mij bekend voor *that rings a bell/sounds familiar* **3.4** hij moet ~ *he has to a. in court* **3.5** het is niet zo goed als hij laat ~ *it's not as good as he'd have you believe;* het laten ~ alsof ... *make it appear/seem as if ...* **3.6** een auto voor laten komen *have a car come round, order a car* **4.5** het komt mij voor, dat ... *it seems/appears/looks to me that ..., in my opinion ...* **5.3** die planten komen overal voor *those plants grow/are found everywhere.*

voor'komen 〈ov.ww.〉 〈→sprw. 621〉 **0.1** *prevent* ⇒*avert, preclude, obviate, anticipate* ◆ **1.1** om misverstanden te ~ *to prevent (any) misunderstandings;* iemands wensen ~ *anticipate/forestall s.o.'s wishes.*

voor'komend 〈bn., bw.; -ly〉 **0.1** *obliging* ⇒*attentive, considerate, complaisant, courteous* ◆ **1.1** een ~ man *a(n) o./considerate man* **3.1** ik werd ~ ontvangen *I was courteously received.*

'voorkomend 〈bn.〉 **0.1** *occurring* ◆ **5.1** algemeen ~ *common, widespread;* dagelijks ~e zaken *daily (recurrent) matters/things;* een veel ~ probleem *a frequent/common problem;* zelden ~ *unusual, rare, infrequently/seldom seen* **6.1 bij** ~e gelegenheid *if the opportunity/occasion presents itself/arises;* **in** ~e gevallen *as the occasion arises, should the occasion arise, in such cases.*

voorkomendheid 〈de (v.)〉 **0.1** *obligingness* ⇒*complaisance, amiability, courtesy.*

voorkoming 〈de (v.)〉 **0.1** *prevention* ⇒*preclusion* ◆ **6.1 ter** ~ **van** ongelukken/**van** misverstanden *to prevent accidents/misunderstandings.*

voorkoop 〈de (m.)〉 **0.1** *purchase ahead;* 〈jur.〉 *pre-emption* ◆ **1.1** recht van ~ hebben *op* have an option/the right of pre-emption on **6.1** iets **in** ~ nemen *buy sth. ahead.*

voorl. 〈afk.〉 **0.1** [voorlopig] *temp.* **0.2** [voorletter] 〈*initial*〉.

voorlaatst 〈bn.〉 **0.1** *last but one, all but last; penultimate* 〈lettergreep〉 ◆ **1.1** de ~e bladzij *the second last page, the last page but one;* op de ~e dag van het jaar *on the next-to-last day of the year;* het ~e huis *the last house but one;* het accent valt op de ~e lettergreep *the stress falls on the penultimate syllable/on the penult(ima).*

voorlader 〈de (m.)〉 **0.1** [video/cassetterecorder, wasmachine] *front-loader* **0.2** [vuurwapen] *muzzle loader.*

voorland 〈het〉 **0.1** [bestemming] *future* **0.2** [buitendijks land] *foreshore, foreland* ◆ **3.1** dat is ook haar ~ *that's also in store for her, that's awaiting her, too.*

voorlangs 〈bw.〉 **0.1** *along the front (of sth.)* ⇒*across in front/the front (of sth.)* ◆ **3.1** 〈sport〉 de bal ~ schieten *shoot across the goal(-mouth).*

voorlaten 〈ov.ww.〉 **0.1** *allow to precede/go first, give precedence to.*

voorleden 〈bn.〉〈schr.〉 **0.1** *before last* ◆ **1.1** ~ vrijdag *Friday before last.*

voorleggen 〈ov.ww.〉 **0.1** [voor iem. neerleggen] *lay/place/put in front of /before* **0.2** [uiteenzetten] *present* ⇒*submit, put to* ◆ **1.2** een idee ~ *present an idea;* iem. een plan ~ *place/put a plan before s.o., present s.o. with a plan;* iem. een vraag ~ *put a question to s.o., present s.o. with a question* **6.1** een stuk **ter** tekening ~ *give/hand s.o. a document to sign* **6.2** een zaak **aan** de rechter ~ *bring a case before the/to court;* een voorstel **aan** de vergadering ~ *present/put a proposal to the assembly;* **ter** goedkeuring ~ *submit for approval.*

voorlegging 〈de (v.)〉 **0.1** *presentation* ⇒〈aanvraag enz. ook〉 *submission.*

voorleiden 〈ov.ww.〉 **0.1** [voor iem. brengen] *bring/take before* **0.2** [〈jur.〉] *bring/take before, bring up.*

voorletter 〈de〉 **0.1** *initial (letter)* ◆ **4.1** wat zijn uw ~s? *what are your initials?.*

voorlezen 〈onov., ov.ww.〉 **0.1** [hardop lezen] *read (aloud/out loud)* **0.2** [voorbidden] *lead in prayer* ⇒*say the prayers* ◆ **1.1** de aanklacht ~ *r. the charge;* iem. een brief/de krant ~ *r. a letter/the newspaper to s.o.;* een verhaal ~ *r. a story* **3.1** kinderen houden van ~ *children like to be read to* **5.1** zij kan goed ~ *she reads well* **6.1** ~ **uit** een boek *r. from a book.*

voorlezing 〈de (v.)〉 **0.1** [het voorlezen] *reading aloud* **0.2** [voordracht] *lecture* ⇒*speech* ◆ **3.2** ~en houden *give lectures/speeches, lecture, speak* **6.1 na** ~ van het vonnis *after (the) reading (of) the sentence.*

voorlichten ⟨ov.ww.⟩ **0.1** [onderrichten] *inform* ⇒*advise, counsel, enlighten* **0.2** [seksuele voorlichting geven] *tell (s.o.) the facts of life/ about the birds and the bees* ◆ **3.1** zich goed laten ~ *seek good/expert advice* **5.1** we zijn verkeerd voorgelicht *we were misinformed.*

voorlichting ⟨de (v.)⟩ **0.1** *information* ⇒*advice, counsel(ing), education, teaching* ◆ **1.1** de afdeling ~ ⟨v.e. bedrijf⟩ *public relations department;* ⟨v.d. overheid⟩ *Information Service* **2.1** objectieve ~ *objective i.;* seksuele ~ *sex education* **3.1** goede ~ *geven give good advice.*

voorlichtingsambtenaar ⟨de (m.)⟩ **0.1** *public information/ relations officer* ⇒*spokesman/woman.*

voorlichtingsdienst ⟨de (m.)⟩ **0.1** *(public) information service.*

voorlichtingsfilm ⟨de (m.)⟩ **0.1** *information film* ⇒⟨over bv. leger ook⟩ *publicity film,* ⟨seksuele voorlichting⟩ *sex education film.*

voorliefde ⟨de (v.)⟩ **0.1** *predilection* ⇒*preference, penchant, fondness* ◆ **2.1** een sterke ~ hebben voor *have a great fancy for;* ⟨inf.⟩ *have a/this thing about* **3.1** een ~ krijgen voor *acquire a taste for, take a fancy for/ to* **6.1** ~ voor iets hebben *be partial to sth., have a penchant/fancy for sth.;* een ~ voor de Franse keuken *a partiality/preference for French cuisine.*

voorliegen ⟨onov., ov.ww.⟩ **0.1** *lie to.*

voorliggend ⟨bn.⟩ **0.1** *at hand* ⇒*before (one), this, present.*

voorligger ⟨de (m.)⟩ **0.1** *car/vehicle in front (of one)* ◆ **6.1** te dicht op een ~ zitten *tailgate (the car in front of one).*

voorlijk ⟨bn., bw.⟩ **0.1** *forward* ⇒*advanced, precocious, early* ⟨plant⟩ ◆ **1.1** een ~ kind *a precocious child;* ⟨inf.; scherts.⟩ *an early-ripe* ⟨seksueel⟩.

voorlijkheid ⟨de (v.)⟩ **0.1** *precocity* ⇒*forwardness.*

voorloop ⟨de (m.)⟩ **0.1** *forerunnings, first runnings, heads.*

voorlopen ⟨onov.ww.⟩ **0.1** [voorop lopen] *walk/go/run in front* **0.2** [te snel lopen] *run/be fast* ⇒*gain* ◆ **1.2** mijn horloge loopt voor *my watch is fast;* de klok loopt vijf minuten per dag voor *the clock gains five minutes a day.*

voorloper ⟨de (m.)⟩ **0.1** [voorbode] *precursor* ⇒*forerunner, predecessor, trendsetter* **0.2** [schaaf] *jack-plane* ◆ **1.1** de ~s van de romantiek *the precursors/forerunners of romanticism.*

voorlopig

I ⟨bn., bw.⟩ **0.1** [nog niet definitief] *temporary* ⇒*provisional, interim, tentative, make-shift* ◆ **1.1** een ~e aanslag *an estimated tax assessment;* een ~e aanstelling *a temporary/provisional/an interim appointment;* de ~e conclusie luidt dat ...*it is tentatively concluded that* ...; een ~e oplossing *a make-shift solution;* een ~e regeling *a temporary/provisional/an interim ruling/regulation;* de ~e regering *the provisional government;* ~ verslag *interim report;* een ~ vonnis *provisional judg(e)ment/sentence* **3.1** de procedure is ~ goedgekeurd *the procedure has been approved on an interim basis;* de uitslag is ~ *these are preliminary results;*

II ⟨bw.⟩ **0.1** [voorshands] *temporarily* ⇒*for the time being, for the moment/present, until further notice* ◆ **3.1** hij zal het ~ accepteren *he will accept it provisionally* **5.1** ~ niet *not until further notice, not for the moment, not for some time;* ~ kan ik nog niet komen *for some time I'll be unable to come* **6.1** ~ voor een maand *for a month to begin with.*

voorm. ⟨afk.⟩ **0.1** [voormalig] ⟨*former*⟩ **0.2** [voormiddag] *a.m..*

voormaag ⟨de⟩ **0.1** [mbt. herkauwers] *rumen* **0.2** [mbt. vogels] *gizzard.*

voormalig ⟨bn.⟩ **0.1** *former* ⇒*late, one-time, sometime, ex-* ◆ **1.1** de ~e bezitters *the f. owners;* in de ~e dierentuin ⟨ook⟩ *in what used to be the Zoo;* de ~e president *the f./ex-president.*

voorman ⟨de (m.)⟩ **0.1** [ploegbaas] *foreman* ⇒*overseer* **0.2** [mbt. een rij] *man/person in front of one* **0.3** [leider] *leader* ⇒*leading man* ◆ **1.3** de ~nen v.d. beweging *the leaders/leading lights of the movement* **3.2** de ~ moet geven ⟨bridge⟩ *the person preceding the bidder has to deal* **6.2** zijn ~ dekken ⟨mil.⟩ *put the blame on one's superior;* ⟨alg.⟩ *pass the baby/buck;* iem. op zijn ~ zetten *put s.o. in his place.*

voormeld ⟨bn.⟩ **0.1** *above-/afore-/before-mentioned* ⇒⟨vnl. jur.⟩ *aforesaid* ◆ **1.1** de ~e personen dienen zich te melden *the above-mentioned/aforesaid persons should present themselves* **8.1** als ~ *as mentioned above.*

voormelk ⟨de⟩ **0.1** *colostrum* ⇒*beestings* ^*beastings* ⟨ww. enk.⟩.

voormelken ⟨onov.ww.⟩ **0.1** *prime.*

voormiddag ⟨de (m.)⟩ **0.1** [ochtend] *morning* ⇒*forenoon* **0.2** [begin v.d. middag] *early afternoon.*

voorn ⟨de (m.)⟩ **0.1** *rock-bass* ⇒*redeye.*

'voornaam ⟨de (m.)⟩ **0.1** *first/Christian/* ⟨AE ook⟩ *given name* ◆ **3.1** zij heeft drie voornamen *she has three given names* **6.1** iem. **bij** zijn ~ noemen *call s.o. by his first name.*

voor'naam ⟨bn.⟩ **0.1** [aanzienlijk] *distinguished* ⇒*prominent, eminent, notable, respectable* **0.2** [belangrijk] *main* ⇒*principal* ◆ **1.1** een voorname buurt *a distinguished/an aristocratic neighbourhood;* de ~ste ingezetenen *the most eminent citizens;* voorname lieden *de people/folks, people of rank;* een ~ voorkomen *a dignified/d. appearance/bearing* **1.2** de ~ste dagbladen *the leading dailies;* dat is een ~ ding *that's a*

weighty matter; ⟨sl.⟩ *that's a big/heavy mother;* de ~ste feiten *the m./ broad facts;* een voorname plaats innemen *occupy a prominent place, loom large;* een voorname rol spelen *play an important role;* de ~ste stroming in de literatuur *the literary mainstream, the mainstream of literature;* onze ~ste zorg *our m./primary concern* **3.1** ~ doen *be high and mighty, put on airs;* ~ uitziende dames *distinguished-looking ladies* **7.2** ⟨zelfst.⟩ het ~ste *the m./principal thing.*

voornaamheid ⟨de (v.)⟩ **0.1** *distinction* ⇒*eminence, prominence.*

voornaamwoord ⟨het⟩ ⟨taal.⟩ **0.1** *pronoun.*

voornaamwoordelijk ⟨bn.⟩ **0.1** *pronominal.*

voornacht ⟨de (m.)⟩ **0.1** *first part of the night* ⇒⟨early⟩ *evening.*

voornamelijk ⟨bw.⟩ **0.1** *mainly, chiefly, principally* ⇒*primarily, particularly.*

voornemen[1] ⟨het⟩ ⟨→sprw. 644.⟩ **0.1** *intention* ⇒*plan* ◆ **2.1** zij is vol goede ~s *she is full of good intentions, she (always) means well;* goede ~s hebben *have good intentions;* het vaste ~ iets te bereiken *the determination to achieve sth.;* met het vaste ~ om *determined to, with the firm i./resolve to* **3.1** een ~ opvatten *conceive a plan* **6.1** het lag in haar ~ om *she intended/meant/planned to;* iem. **van** zijn ~ afbrengen *dissuade s.o. from his purpose.*

voornemen[2] ⟨wk.ww.; zich ~⟩ **0.1** *resolve* ⇒*determine, make up one's mind, plan* ◆ **5.1** hij had het zich vast/heilig voorgenomen *he had firmly resolved to do so/it* ¶**.1** zich iets in stilte ~ *quietly r. to do sth.;* zij bereikte wat ze zich voorgenomen had *she achieved what she had set out/planned to do.*

voornemens ⟨bn.⟩ **0.1** *intending* ⇒*planning, with the intention (of)* ◆ **3.1** ik ben niet ~ het haar te vertellen *I don't propose/mean to tell her;* ~ zijn *intend, plan/propose/mean* ¶**.1** ~ hem nu eens de waarheid te zeggen, ging hij op weg *with the intention of giving him a piece of his mind at last, he set off.*

voornoemd ⟨bn.⟩ **0.1** *afore-/above-mentioned* ⇒[1] *aforesaid* ◆ **1.1** ~e bezwaren *the afore-/above-mentioned objections;* de minister ~ *the minister mentioned before/above.*

vooroefening ⟨de (v.)⟩ **0.1** *preliminary exercise* ⇒⟨mil.⟩ *basic training.*

vooronder ⟨het⟩ **0.1** *fore-cabin* ⇒*forecastle, fo'c'sle.*

vooronderstellen ⟨ov.ww.⟩ **0.1** *(pre)suppose* ⇒*presume, postulate* ◆ **3.1** kwaadwilligheid kan ik niet ~ *I cannot presuppose ill intent.*

vooronderstelling ⟨de (v.)⟩ **0.1** [hypothese] *presupposition* ⇒*premise* **0.2** [voorwaarde, vereiste] *prerequisite* ⇒*condition* ◆ **3.1** ik ga van de ~ uit, dat ... *I take/assume as a premise that, I start from the assumption that* **6.1** bij ~ *presupposing (that).*

vooronderzoek ⟨het⟩ **0.1** *preliminary investigation/inquiry/examination* ◆ **2.1** ⟨jur.⟩ gerechtelijk ~ *hearing, inquest.*

voorontsteking ⟨de (v.)⟩ **0.1** *pre-ignition.*

voorontwerp ⟨het⟩ **0.1** *rough draft* ⇒*preliminary sketch/design.*

vooroordeel ⟨het⟩ **0.1** *prejudice* ⇒*preconception, bias, preconceived notion/idea* ◆ **3.1** zijn vooroordelen opzij zetten *put aside one's prejudices, disabuse o.s. of one's prejudices;* een ~ hebben over *be prejudiced against;* dat is een ~ van je *that is a prejudice you have;* een ~ koesteren *have a prejudice/bias* **6.1 met** allerlei vooroordelen behept zijn *be loaded with all sorts of prejudices, be terribly prejudiced;* vooroordelen **over** vreemdelingen *mistaken ideas about foreigners;* een ~ **tegen** links *a prejudice/bias against the left;* **zonder** vooroordelen *unbiased, unprejudiced.*

vooroorlogs ⟨bn.⟩ **0.1** *prewar.*

voorop ⟨bw.⟩ **0.1** [aan de voorzijde op iets] *in front* **0.2** [aan het hoofd] *in front* ⇒*first, in the lead, leading* **0.3** [in de eerste plaats] *first* ◆ **1.2** ~ de tamboer-majoor *the drum major in front* **3.1** een kind ~ de fiets nemen *carry/take a child in a seat on the handlebars (of a bicycle);* het nummer staat ~ *het bankbiljet the number is on the front of the banknote* **3.3** ~ staat, dat ...*the main thing/the first matter of importance is that* ....

vooropgaan ⟨onov.ww.⟩ **0.1** [aan het hoofd gaan] *lead (the way)* ⇒*walk in front* **0.2** [als eerste gebeuren] *take place/occur first.*

vooropleiding ⟨de (v.)⟩ **0.1** *(preliminary/preparatory) training* ◆ **2.1** de degelijke ~ *a thorough training/grounding* **3.1** wat heeft u voor ~ gehad? *what sort of training have you had?* **6.1 zonder** ~ *without previous training.*

vooroplopen ⟨onov.ww.⟩ **0.1** [aan het hoofd lopen] *walk/run in front* **0.2** [het voorbeeld geven] *lead (the way)* ⇒*be at the forefront* ◆ **6.2** deze ontwerper loopt voorop **in** de modewereld *this designer is a trendsetter in the fashion world.*

vooropstellen ⟨ov.ww.⟩ **0.1** [ervan uitgaan] *assume* ⇒*postulate, presuppose* **0.2** [als belangrijkste beschouwen] *put first (and foremost)* ◆ **1.2** zijn eigen belang ~ *put one's own interests first;* de volksgezondheid ~ *put public health first (and foremost)* **8.1** ik stel voorop, dat hij altijd eerlijk is geweest *I take it for granted that he has always been honest;* vooropgesteld dat ...*assuming that;* ik stel voorop dat u hiermee accoord gaat *I a. that you agree with this.*

vooropzetten ⟨ov.ww.⟩ **0.1** *preconceive* ⇒*assume* ◆ **1.1** een vooropgezette mening *a preconceived idea/opinion.*

voorouders ⟨zn.mv.⟩ **0.1** *ancestors* ⇒*forefathers, forbears.*

voorover ⟨bw.⟩ **0.1** *headfirst* ⇒*headlong, face/head forward, face down*

◆ **3.1** met het gezicht ~ liggen *lie face down(ward), lie prostrate;* ~ tuimelen *fall / tumble headfirst / headlong / forward.*

vooroverbuigen ⟨onov.ww.⟩ **0.1** *bend / stoop forward.*

vooroverhellen ⟨onov.ww.⟩ **0.1** *lean forward / over.*

vooroverleg ⟨het⟩ **0.1** *preliminary / previous consultation* ⇒*preliminary talks.*

voorpagina ⟨de⟩ **0.1** *front page* ◆ **3.1** de ~'s halen / niet halen *make / not make the front pages;* de ramp verdrong al het andere nieuws van de ~'s *the disaster crowded / pushed all other news off the front pages.*

voorpaginanieuws ⟨het⟩ **0.1** *front page news.*

voorpand ⟨het⟩ **0.1** *front.*

voorplecht ⟨de⟩ **0.1** *forecastle* ⇒*foc's'le, forward deck.*

voorplein ⟨het⟩ **0.1** *forecourt* ⇒*castle / palace yard.*

voorpoot ⟨de (m.)⟩ **0.1** [mbt. een dier] *foreleg* ⇒*forepaw, forequarter* **0.2** [mbt. een meubel] *front leg.*

voorportaal ⟨het⟩ **0.1** *vestibule* ⇒*porch, hall* ◆ **1.1** ⟨fig.⟩ een ~ v.d. hel *the gate of hell, hell's gate.*

voorpost ⟨de (m.)⟩ ⟨mil.⟩ **0.1** *outpost.*

voorpremière ⟨de⟩ **0.1** *preview, advance performance / showing.*

voorpret ⟨de⟩ **0.1** *anticipation* ⇒*excitement, looking forward.*

voorproefje ⟨het⟩ **0.1** *(fore)taste* ◆ **3.1** een ~ krijgen / geven van *get / give a (fore)taste of* **6.1** een ~ je wat ons nog te wachten staat *a taste of what's in store for us.*

voorproeven ⟨ov.ww.⟩ **0.1** *taste beforehand.*

voorprogramma ⟨het⟩ **0.1** ⟨theater⟩ *curtain-raiser* ⇒*supporting* [B]*programme /* [A]*gram,* ⟨bioscoop⟩ *shorts,* ≠*newsreel* ◆ **6.1** een concert van Tom Waits met Ricky Lee Jones in het ~ *a concert of Tom Waits with Ricky Lee Jones as supporting act.*

voorprogrammeren ⟨ov.ww.⟩ **0.1** ⟨comp.⟩ *preprogram* **0.2** ⟨fig.⟩ *(pre)program* ⇒*precondition* ◆ **¶.2** voorgeprogrammeerd applaus *canned applause.*

voorpublikatie ⟨de (v.)⟩ **0.1** *prepublication.*

voorraad ⟨de (m.)⟩ **0.1** [voorhanden hoeveelheid voor verkoop] *stock* ⇒*supply, store* **0.2** [levensmiddelen, provisie] *supplies* ⇒*stock(s), stores,* ⟨scherts.⟩ *rations* **0.3** [hoeveelheid waarvan men gebruiken kan] *supply* ⇒*quantity* **0.4** ⟨jur.⟩ *anticipation* ◆ **1.1** de ~ goud *the gold supply / reserve(s)* **1.3** hoe staat het met je ~ wijn? *how are you up / fixed for wine?* **2.1** de handelaar met de grootste ~ schoolboeken in de stad ⟨ook⟩ *the town's largest stockist of textbooks;* een te grote ~ hebben *be overstocked;* ijzeren ~ *emergency stock;* een toereikende ~ *a sufficiency* ⟨fig.⟩; zichtbare / onzichtbare voorraden *visible / invisible supplies* **2.3** militaire voorraden *military stores;* strategische voorraden vormen *build up / accumulate strategic reserves, stockpile* **3.1** de ~ aanvullen *replenish the supply / stock;* ~ inslaan *lay in stock;* zo lang de ~ strekt *as long as / while supplies / stocks last, subject to stock being unsold* **3.2** een hele ~ blikjes aanleggen *store up a lot of* [B]*tins /* [A]*cans;* ~ inslaan voor de winter *lay in supplies for the winter* **6.1** niet meer in ~ zijn *not be in stock anymore;* de goederen in ~ *the goods in stock / on hand;* ik heb dit boek niet meer in ~ *I am / I have sold out of this book;* in ~ nemen *stock;* uit ~ leverbaar *deliverable / available from stock* **6.2** we zijn door onze ~ heen *we have gone through our supplies, our supply is exhausted / has run out;* we hebben altijd een hoop blikjes in ~ *we always keep a large store of* [B]*tins /* [A]*cans* **6.4** uitvoerbaar bij ~ *executable / enforceable by a..*

voorraadadministratie ⟨de (v.)⟩ **0.1** ⟨abstr.⟩ *stockkeeping* **0.2** ⟨concr.⟩ *stock records.*

voorraadaftrek ⟨de (m.)⟩ **0.1** *unsold-stock allowance.*

voorraadhoudend ⟨bn.⟩ **0.1** *keeping a stock.*

voorraadkamer ⟨de⟩ **0.1** *storeroom, storage room* ⇒⟨levensmiddelen⟩ *pantry.*

voorraadkast ⟨de⟩ **0.1** *store cupboard /* [A]*closet.*

voorraadschuur ⟨de⟩ **0.1** [gebouw] *storehouse* ⇒*shed* **0.2** ⟨fig.⟩ land⟩ *storehouse.*

voorraadtank ⟨de (m.)⟩ **0.1** ⟨storage⟩ *tank.*

voorraadvorming ⟨de (v.)⟩ **0.1** [van overheidswege] *stockpiling* **0.2** [bedrijfsleven] *building-up of a stock / stocks.*

voorradig ⟨bn.⟩ **0.1** *in stock / store* ⇒*on hand* ◆ **6.1** in alle kleuren ~ *available in all colours.*

voorrang ⟨de (m.)⟩ **0.1** ⟨verkeer⟩ *right of way, priority* ⇒*precedence* **0.2** [prioriteit] *priority* ⇒*preference, precedence* ◆ **1.2** recht van ~ (hebben) *(have) preference / priority / (right of) precedence* **3.1** ~ hebben op *have right of way over;* verkeer van rechts heeft ~ *traffic from the right has right of way / priority;* ~ / geen ~ krijgen *be given / not be given priority;* geen ~ verlenen *fail to yield / give (right of) way, fail to give priority / precedence;* ~ verlenen aan verkeer van rechts *give way / yield to the right* **3.2** ~ geven aan het werkgelegenheidsbeleid *give priority / precedence to the employment policy;* ⟨de⟩ ~ hebben (boven) *have / take priority / precedence (over);* de ~ verlenen aan iem. ⟨ook⟩ *make place for s.o.* **6.2** met ~ behandelen *give preferential treatment.*

voorrangsbord ⟨het⟩ **0.1** *right-of-way sign.*

voorrangskruising ⟨de (v.)⟩ **0.1** *intersection with main / major road.*

voorrangsregel ⟨de (m.)⟩ **0.1** *right-of-way rule.*

voorrangsweg ⟨de (m.)⟩ **0.1** *main / major road.*

---

voorrecht ⟨het⟩ **0.1** [privilege] *privilege* ⇒*right, freedom, perquisite* **0.2** [omstandigheid waardoor men begunstigd is] *privilege* ⇒*honour* ◆ **1.1** de ~ en v.d. adel *the privileges of the nobility, noble privileges* **2.2** gezondheid is een groot ~ *health is a great p. / gift* **3.1** het ~ hebben / genieten om … *be privileged to, have / enjoy the privilege of …;* een ~ verlenen *grant a privilege* **3.2** ik had het ~ hem te verwelkomen *I had the hounour / p. of welcoming him;* het is mij een ~ u hier als eerste te mogen begroeten *it is a p. / an honour for me to be the first to welcome / greet you.*

voorrede ⟨de⟩ **0.1** *preface, introduction* ⇒*foreword, prologue.*

voorrekenen ⟨ov.ww.⟩ **0.1** *figure / work out.*

voorrijden ⟨onov.ww.⟩ **0.1** [voor de deur / ingang komen] *drive up to the front / entrance / door* **0.2** [mbt. reparaties aan huis] *(make a) house call* **0.3** [voorop rijden] *drive / ride at / in (the) front / in the lead / at the head* ◆ **1.1** de auto ~ *drive the car out / up in front, pull up to / at the front.*

voorrijm ⟨het⟩ ⟨taal.⟩ **0.1** *alliteration.*

voorronde ⟨de⟩ **0.1** *qualifying / preliminary / first round, preliminary.*

voorruim ⟨het⟩ **0.1** *forward hold* ⇒*forehold.*

voorruit ⟨de⟩ **0.1** [B]*windscreen,* [A]*windshield.*

voorruitontdooier ⟨de (m.)⟩ **0.1** [B]*windscreen de-icer,* [A]*(windshield) defroster.*

voorruitverwarming ⟨de (v.)⟩ **0.1** [B]*(windscreen) demister,* [A]*(windshield) defroster.*

voorschieten
I ⟨ov.ww.⟩ **0.1** [betalen voor een ander] *advance* ⇒*lend, loan* **0.2** [alvast verstrekken] *advance* ◆ **5.1** ik zal het even ~ *I'll lend you the money* **6.2** iem. een bedrag op zijn loon ~ *give s.o. an advance on his salary;*
II ⟨onov.ww.⟩ **0.1** [plotseling snel vooruit komen] *shoot forward / out / ahead* ◆ **4.1** hij is mij voorgeschoten *he shot out in front of me;*
III ⟨onov., ov.ww.⟩ **0.1** [een voorzet geven] *lay the ball on, feed* ⇒*pass / give the ball.*

voorschijn ◆ **6.¶** te ~ *forth;* te ~ komen *appear, show / turn up; come out* ⟨sterren⟩; *emerge* ⟨uit een tunnel⟩; *make one's appearance;* te ~ brengen *produce, bring / get out;* zijn zakdoek te ~ halen *take out one's handkerchief;* een konijn te ~ toveren *produce / pull / conjure a rabbit out of a hat;* de zon kwam achter een wolk te ~ *the sun came / peeked out from behind a cloud;* te ~ roepen *call up / forth, call into play, evoke;* te ~ schieten *dart out, come shooting out.*

voorschip ⟨het⟩ **0.1** [voorste deel v.e. schip] *forward / fore part of a ship, fore* **0.2** [schip dat voor andere uitzeilt] *first / leading ship.*

voorschoot ⟨het, de (m.)⟩ **0.1** *apron* ⇒*pinafore.*

voorschot ⟨het⟩ **0.1** [wat men voorschiet] *advance* ⇒*loan* **0.2** [het voorschieten] *advance* ⇒*loan* ◆ **2.1** een renteloos ~ *an interest-free loan* **3.1** iem. een ~ geven *give s.o. an a. / a loan;* een ~ vragen *ask for an a. / a loan* **6.1** ~ in geld *cash a.;* ~ in lopende rekening *overdraft;* een ~ op het loon / salaris geven / ontvangen ⟨BE; inf.; ook⟩ *sub* **6.2** in ~ staan *have received an a.;* geld op ~ nemen *take an a..*

voorschotelen ⟨ov.ww.⟩ **0.1** *dish / serve up* ◆ **1.1** ⟨fig.⟩ onzin ~ *come out with / dish up nonsense.*

voorschotregeling ⟨de (v.)⟩ **0.1** *loan scheme.*

voorschrift ⟨het⟩ **0.1** [het voorschrijven] *prescription* ⇒*order(ing), direction, instruction* **0.2** [wat voorgeschreven is] *regulation, rule* ⇒*precept* ⟨voor gedrag⟩, *prescription* ⟨v.e. dokter⟩ ◆ **2.2** een dwingend ~ *a strict order / regulation* **3.2** aan de ~ en voldoen *satisfy / meet the requirements* **6.1** op ~ v.d. dokter *on doctor's orders* **6.2** iets met de ~ en in overeenstemming brengen *bring sth. in(to) line with (the) regulations, regularize;* volgens ~ *as prescribed / outlined / instructed / directed.*

voorschrijven ⟨ov.ww.⟩ **0.1** [gelasten] *prescribe* ⇒*outline, require* **0.2** [als voorbeeld schrijven] *write (out)* ◆ **1.1** iem. antibiotica ~ *prescribe s.o. antibiotics, p. antibiotics for s.o.;* het gebruik daarvan is in het contract voorgeschreven *its use is outlined in the contract;* rust ~ *p. rest, order (s.o.) to rest;* de wettelijk voorgeschreven termijn *the legally required period, the period laid down by law;* op de voorgeschreven tijd *at the appointed time* **3.1** wij laten ons niets ~ *we won't be told what to do* **8.1** als voorgeschreven in de wet / het contract *as laid down in the law / contract.*

voorseizoen ⟨het⟩ **0.1** *preseason.*

voorselectie ⟨de (v.)⟩ **0.1** *preselection.*

voorshands ⟨bw.⟩ **0.1** *for the time being / the present / the moment / now.*

voorslaan
I ⟨onov.ww.⟩ **0.1** [het eerst slaan] *hit / strike first;*
II ⟨ov.ww.⟩ **0.1** [voorstellen] *put forward* ⇒*propose, suggest* **0.2** [voordoen met slaan] *beat* ⇒*strike, hit* ◆ **1.2** iem. de maat ~ *b. time for s.o..*

voorslag ⟨de (m.)⟩ **0.1** [voorstel] *proposal* ⇒*suggestion* **0.2** ⟨muz.⟩ *grace note* **0.3** [eerste slag] *first hit / strike* **0.4** [klokken] *warning* ◆ **2.2** korte ~ *acciaccatura;* lange ~ *appoggiatura* **3.1** iem. een ~ doen *make s.o. a p.* **3.3** de ~ hebben *be in / up first; be the first batter* ⟨honkbal⟩ **6.1** op ~ van … *at the suggestion of.*

voorsluiting ⟨de (v.)⟩ **0.1** *front fastening / closing* ◆ **6.1** een bustehouder met ~ *a front-fastening brassiere.*

voorsmaak ⟨de (m.)⟩ **0.1** *foretaste*.
voorsnijcouvert ⟨het⟩ **0.1** *carving-set* ⇒*carving knife and fork*.
voorsnijden ⟨onov., ov.ww.⟩ **0.1** *carve (up)* ⇒*cut* ◆ **1.1** het vlees ~ *carve the meat*.
voorsorteerstrook ⟨de⟩ ⟨verkeer⟩ **0.1** *lane*.
voorsorteren ⟨onov., ov.ww.⟩ **0.1** [vooraf sorteren] *presort* ⇒ ⟨voorlopig⟩ *sort provisionally* **0.2** [⟨verkeer⟩] *get in lane* ◆ **5.2** links / rechts ~ *get in the left- / right-hand lane, pull over to the left / right*.
voorspan ⟨het⟩ **0.1** *leader(s)* ◆ **6.1** ⟨fig.⟩ twee locomotieven **in** ~ *two locomotives in tandem / one in front of the other*.
voorspannen ⟨ov.ww.⟩ **0.1** [voor iets spannen] *hang in front (of)* ⇒*hitch (up)* ⟨paard⟩ **0.2** [van te voren spannen] *prestress* ◆ **1.1** een doek ~ *hang a cloth in front (of sth.)* **1.2** voorgespannen beton *prestressed concrete* **4.¶** zich ergens ~ *take sth. in hand, set o.s. to do sth.*.
voorspel ⟨het⟩ **0.1** [⟨dram., muz.⟩] ⟨muz.⟩ *prelude* ⇒⟨muz.⟩ *overture*, ⟨dram.⟩ *prologue* **0.2** [het voorafgaande] *prelude, overture, prologue (to)* **0.3** [inleiding tot coïtus] *foreplay* ◆ **1.2** het ~ van de oorlog *the prelude to the war, the events leading up to the war*.
voorspelbaar ⟨bn.⟩ **0.1** *predictable* ◆ **3.1** dat was ~ *that was to be expected, one could see that coming*.
voorspelbaarheid ⟨de (v.)⟩ **0.1** *predictability*.
voorspelden ⟨ov.ww.⟩ **0.1** *pin on (the front) / at the front*.
voorspelen
　I ⟨onov.ww.⟩ **0.1** [in de voorhoede spelen] *play forward* **0.2** [eerst spelen] *lead, have the lead*;
　II ⟨onov., ov.ww.⟩ **0.1** [tot voorbeeld spelen] *play* ◆ **1.1** een muziekstuk ~ *p. a piece of music*; een acteur een scene ~ *walk an actor through a scene*.
voorspeler ⟨de (m.)⟩, **-speelster** ⟨de (v.)⟩ **0.1** [⟨sport⟩] *forward* **0.2** [iem. die eerst / voor anderen speelt] *play (first / for)*.
voor'spellen ⟨ov.ww.⟩ **0.1** [profeteren] *predict* ⇒*foretell, prophesy, augur* **0.2** zijn prognose geven over] *predict, forecast* **0.3** [beloven] *promise* ⇒*bode, augur* ◆ **1.1** ~de dromen *portentous dreams*; iem. de toekomst ~ *predict s.o.'s future, read / tell s.o. his future* **1.2** iem. een gouden toekomst ~ *p. a rosy future for s.o.* **1.3** dat voorspelt niet veel goeds *that doesn't bode well, that looks / sounds bad*; goeds / kwaads ~ (voor) *bode / augur well / ill (for)*; die wolken ~ regen *those clouds mean rain* **3.2** dat valt nog niet te ~ *that remains to be seen* **4.2** ik heb het u wel voorspeld *I told you so*.
'voorspellen ⟨ov.ww.⟩ **0.1** *spell (aloud / out loud)*.
voorspelling ⟨de (v.)⟩ **0.1** [het voorspellen] *prophecy* ⇒*divination, prophesying* **0.2** [profetie] *prophecy* ⇒*prediction, divination* **0.3** [prognose] *prediction* ⇒*forecast, prognosis* ◆ **1.1** de gave der ~ hebben *have the gift of prophecy* **2.2** een uitgekomen ~ *a prophecy fulfilled* **¶.3** de ~ en voor morgen *the forecast for tomorrow*.
voorspiegelen ⟨ov.ww.⟩ **0.1** *delude (with visions / images of …)* ◆ **1.1** hij spiegelde hem grote winsten voor *he conjured up visions of great gain before him, he held up the prospect of great gain to him* **4.1** iem. iets ~ *hold out false hopes to s.o., delude s.o. with false hopes*; zich iets ~ *indulge in illusions*.
voorspiegeling ⟨de (v.)⟩ **0.1** *(false) hope(s) / promises*.
voorspinnen ⟨ov.ww.⟩ **0.1** *rove* ⇒*slub*.
voorspoed ⟨de (m.)⟩ **0.1** *prosperity* ◆ **1.1** in voor- en tegenspoed *for better or (for) worse, through thick and thin / fair and foul, for good or ill*; voor- en tegenspoed *ups and downs*; een tijd van ~ *a time of p.*, a *prosperous time* **3.1** ~ genieten *enjoy p. / good fortune, prosper*; iem. ~ toewensen *wish s.o. godspeed / all the best*.
voorspoedig ⟨bn., bw.; -ly⟩ **0.1** [gunstig verlopend] *successful* ⇒*prosperous* **0.2** [voorspoed genietende] *prosperous* ⇒*thriving* ◆ **1.1** een ~e bevalling *a safe / s. delivery*; een ~ leven *a s. / prosperous life*; een ~e reis *a s. trip* **1.2** een ~ kind *a thriving child* **3.1** het gaat nog niet erg ~ *it's not going so well, it's not exactly thriving (yet)*; alles verliep ~ *everything went (off) as it should, it all went off well*; de tocht werd ~ volbracht *the trip was brought to a successful conclusion / was a success* **3.2** ~ zijn *be thriving, thrive*.
voorspraak ⟨de⟩ **0.1** [het voorspreken] *intercession* ⇒*mediation, advocacy*, ⟨inf.⟩ *good word* **0.2** [persoon] *intercessor* ⇒*mediator, advocate* ◆ **6.1** een bevordering gebeurt vaak met ~ *promotion often goes by favours*; op zijn ~ *at his i.* **¶.1** dank zij uw ~ … *thanks to your i. / mediation …*.
voorspreken
　I ⟨onov.ww.⟩ **0.1** [ten gunste van iem. spreken] *speak (up) for* ⇒*speak in / on s.o.'s behalf, take s.o.'s part* ◆ **1.1** hij spreekt zijn broer voor *he speaks up for his brother / on his brother's behalf, he takes his brother's part*;
　II ⟨ov.ww.⟩ **0.1** [als voorbeeld spreken] *say (aloud)* ◆ **1.1** kinderen iets ~ en laten nazeggen *say sth. for children to repeat*.
voorsprong ⟨de (m.)⟩ **0.1** [head] *start, lead* ⇒*jump, edge* **2.1** hij won met grote ~ *he won by a large margin*, ⟨inf.⟩ *by miles*; met een kleine ~ *with a small l. / edge / start, with a slight edge*; de wet van de remmende ~ *the dialectics of progress* **3.1** hij gaf hem 50 m ~ *he gave me 50 m start, he conceded me 50 m*; ⟨fig.⟩ dat geeft haar een hele ~ *that gives her a great advantage*; iem. een ~ geven *give s.o. a headstart*; een

~ hebben / verkrijgen op zijn tegenstanders *have / get the jump on / l. on one's opponents*; ~ op iem. krijgen *get an edge* ⟨AE; sl.⟩ *the bulge on s.o.*; ~ kwijtraken *lose one's l. / edge, lose position* **6.1** een ~ **op** iem. nemen *pull / draw away from / ahead of s.o., pick up a l. on s.o.*.
voorst
　I ⟨bn.⟩ **0.1** [zich vooraan bevindend] *first* ⇒*front* ⟨rij⟩, *foremost* **0.2** [eerste] *first* ◆ **1.1** op de ~e bank zitten *be / sit in the front row*; het ~e gedeelte v.e. trein / schip *the fore / forward part of a ship, the front of a train*; in het ~e gelid marcheren ⟨ook fig.⟩ *be in the front rank, be at the forefront*; het ~ v.d. stoet *the head of the procession* **1.2** op de ~e pagina *on the f. / ⟨krant⟩ front page* **7.1** hij is altijd haantje de ~e *he always has to be top dog / first*;
　II ⟨bn.⟩ [eerst] *first* ◆ **3.1** dit komt het ~ *this comes f.*.
voorstaan ⟨onov.ww.⟩ **0.1** [voor iets staan] *stand / be in front* **0.2** [heugen] *remember, recall* **0.3** [verdedigen] *support, champion* ⇒*be / stand for, advocate* ◆ **1.1** de auto staat voor *the car is (out) at the front / ^out front* **1.3** de vrije handel ~ s. / *believe in free trade*; een methode / plan ~ *advocate a method / plan* **1.¶** nu de zaken er zo ~ *such being the case, as things stand / are* **3.¶** hij laat er zich niet op ~ ⟨ook⟩ *he is not stuck up about it*; hij laat zich op niets ~ ⟨ook⟩ *he's an unassuming person*; zich op zijn geld laten ~ *boast about one's money*; zich op zijn kennis / geboorte laten ~ *pride o.s. on one's knowledge / birth* **5.¶** hij staat er financieel goed voor *financially he's in good shape / ⟨inf.⟩ he's sitting pretty*; er goed / slecht ~ ⟨mbt. zaken⟩ *look / not look promising*; ⟨mbt. personen⟩ *be doing well / be in a bad way*.
voorstad ⟨de⟩ **0.1** *suburb*.
voorstadium ⟨het⟩ **0.1** *preliminary / early / first stage(s)*.
voorstander ⟨de (m.)⟩, **-standster** ⟨de (v.)⟩ **0.1** *supporter, champion* ⇒*advocate, proponent, adherent* ◆ **1.1** voor- en tegenstanders *supporters / advocates and opponents* **2.1** ik ben er een groot ~ van *I'm all for it* **6.1** een ~ **van** algemeen kiesrecht *a champion / an advocate of general suffrage*; ik ben geen ~ **van** die politiek *I do not adhere to that policy*; ik ben geen ~ **van** de doodstraf *I do not believe in / agree with / I am against / not in favour of / I am not an advocate of capital punishment* **7.1** ik ben er geen ~ van *I'm against it*.
voorstanderklier ⟨de⟩ ⟨biol.⟩ **0.1** *prostate (gland)*.
voorste →*voorst*.
voorsteken ⟨onov.ww.⟩ **0.1** [voor iets steken] *stick / pin in front (of)* **0.2** [aan de voorzijde steken] *stick / pin on the front (of)* **0.3** [⟨AZN⟩ inhalen] *pass, overtake* ⇒*get in front / ahead of*.
voorstel ⟨het⟩ **0.1** [wat men voorstelt, plan] *proposal* ⇒*suggestion, proposition, offer, motion* ⟨in een vergadering⟩, *resolution* ⟨besloten door een vergadering⟩ **0.2** [het voorstellen / aanraden] *proposal* ⇒*suggestion, offering, move, moving, resolving* ◆ **3.1** een ~ aanhouden *hold / carry over a motion / proposal*; een ~ ter tafel brengen *submit / present / ⟨BE ook⟩ table a proposal*; iem. een ~ doen *make s.o. a proposal / proposition*; een ~ indienen tot uitbreiding van het kapitaal *make a proposal to expand capital* **6.1** een ~ tot wetswijziging *a bill* **6.2** op ~ van *at the suggestion of, on the p. / motion of*.
voorstelbaar ⟨bn.⟩ **0.1** *imaginable, conceivable* ◆ **3.1** de afmetingen van het heelal zijn niet ~ *the size of the universe is unimaginable / inconceivable / is beyond our conception*.
voorstellen
　I ⟨ov.ww.⟩ **0.1** [introduceren] *introduce* ⇒*present* **0.2** [opperen] *suggest, propose* ⇒*put forward* **0.3** [de rol spelen van] *represent* ⇒*play, impersonate* **0.4** [een beeld geven van] *represent* ⇒*depict* ◆ **1.3** hij stelt in dat stuk Othello voor *he plays (the part of) Othello in that play* **1.4** het schilderij stelt een huis voor *the painting depicts / is of a house* **1.¶** en dat moest een maaltijd ~ *and that was supposed to be a meal, and that was what they ~* called a meal **3.1** zich laten ~ *have o.s. introduced* **3.4** wat moet dat ~? *what does that / is that supposed to mean?, what is all that about?* **4.1** mag ik u even ~? *may I i. you to s.o. / (s.o.) to you* **4.¶** dat stelt niets voor *that doesn't amount to anything, that's hopeless, nowhere near / nothing (like it)* **5.4** de feiten mooier ~ dan ze zijn *make things out to be / things seem better than they really are*; iets schematisch ~ *represent sth. in a diagram, make a diagram of sth.* **6.4** iets **in** tekening / **op** het bord ~ *depict / demonstrate sth. in a drawing / on the board* **8.1** hij stelde zich voor als de nieuwe inspecteur *he introduced himself as the new inspector* **8.4** het is niet zo slecht als hij het voorstelt *it's not as bad as he makes (it) out / it out to be* **¶.2** ~ de debatten af te breken *move to end the debate*;
　II ⟨wk.ww.; zich ~⟩ **0.1** [zich een denkbeeld vormen van] *imagine* ⇒*conceive, picture (to o.s.), visualize* **0.2** [van plan zijn] *propose* ⇒*intend, plan* ◆ **1.1** ik kan mij zijn gezicht niet meer ~ *I can't picture / visualize his face anymore, I can't recall his face*; stel u mijn verbazing voor! *(just) i. / picture my surprise!*; men moet zich de zaken goed ~ *make no mistake about it* **3.2** ik stel mij voor u dat later uitvoeriger uiteen te zetten *I propose / intend / plan to explain that to you in greater detail later* **4.1** daar stel ik me weinig van voor *I don't i. / expect much will come of that* **5.1** ik heb me haar altijd anders voorgesteld *I always imagined / pictured her differently, that can't be her as I can i. (that)*; zich iets levendig kunnen ~ *be able to i. / picture sth. vividly*, ⟨kunnen begrijpen⟩ *really be able to understand* **8.1** ik stel mij voor

dat het zo best zou lukken *I think / i. it might well work that way;* ik kan me goed ~ dat ... *I can quite well i. / understand that ...* **¶.1** stel je daar maar niet veel van voor *don't get your hopes up (too high);* stel je voor! *just imagine!, just to think of it!.*

voorstelling ⟨de (v.)⟩ **0.1** [vertoning] *show(ing), performance* ⇒*production* **0.2** [afbeelding] *representation* ⇒*depiction* **0.3** [denkbeeld] *impression* ⇒*idea, image, conception* **0.4** [introductie] *introduction* ◆ **2.1** doorlopende ~ *non-stop / continuous performance* **2.2** een grafische ~ *a diagram, a graphic, graphics;* een schematische ~ van de werking van een machine *a diagram of (the workings of) a machine;* een zinnebeeldige ~ *an allegory* **2.3** een valse ~ van zaken *a false impression of things;* verkeerde ~en van iets hebben *have a false idea / impression of sth.;* dat is een verkeerde ~ van zaken *that is a misrepresentation* **3.1** een ~ geven voor de kinderen *give / put on a show for the children* **3.2** ergens een ~ van maken *represent / depict sth.* **3.3** zich een ~ van iets maken *picture / visualize sth., form an idea of sth.* **6.2** de ~ op de affiches *the things shown / depicted on the posters* **7.1** er zullen tien ~en v.h. stuk gegeven worden *the show will run for ten performances.*

voorstellingsvermogen ⟨het⟩ **0.1** *(power(s) of) imagination, imaginative powers.*

voorstellingswereld ⟨de⟩ **0.1** *conceptual universe.*

voorstemmen ⟨onov.ww.⟩ **0.1** *vote for.*

voorstemmer ⟨de (m.)⟩ **0.1** *person (voting) in favour* ⇒⟨mv. ook⟩ *those (voting) in favour,* ⟨in parlement ook⟩ *the ayes* ◆ **1.1** er waren maar een paar ~s *there were only a few in favour /* ⟨inf.⟩ *a few fors* **¶.1** willen ~s hun hand opsteken? *those in favour, please put up your / their hands.*

voorsteven ⟨de (m.)⟩ **0.1** *stem* ⇒*prow, head.*

voorstoot ⟨de (m.)⟩ **0.1** [eerste stoot] *first stroke* ⇒⟨om te bepalen wie er begint⟩ *lag, string* **0.2** [stopwas] *propolis, bee glue.*

voorstopper ⟨de (m.)⟩ ⟨sport⟩ **0.1** *centre half.*

voorstudie ⟨de (v.)⟩ **0.1** [voorafgaande studie] *preliminary / preparatory study* **0.2** [inleidend geschrift] *preliminary study* **0.3** ⟨bk.⟩ *preliminary study / sketch.*

voorstuk ⟨het⟩ **0.1** [voorste gedeelte] *front (part / end)* ⇒*forward part / end* **0.2** [toneelstuk] *curtain raiser* ◆ **1.1** het ~ v.e. kanon *the front / forward end / the muzzle of a cannon / (mounted) gun.*

voort¹ ⟨bw.⟩ **0.1** *on(wards), forward* ⇒*forth, along* ◆ **3.1** ik kan niet ~ *I can't go on;* wij moeten nog ~ *we must / have to go on* **5.1** en zo ~ *and so forth / on.*

voort² ⟨tw.⟩ **0.1** *on, forward* ◆ **1.1** ⟨inf.⟩ vort paard! *giddy-up, giddap (horse).*

voortaan ⟨bw.⟩ **0.1** *from now on* ⇒*henceforth.*

voortand ⟨de (m.)⟩ **0.1** *front tooth.*

voortbestaan ⟨het⟩ **0.1** *(continued) existence / life, survival* ◆ **6.1** het ~ na de dood *life after death.*

voortbewegen
I ⟨ov.ww.⟩ **0.1** [doen voortgaan] *drive, move on / forward* ⇒*propel* ◆ **6.1** het karretje werd door stroom voortbewogen *the wagon / cart / little car was driven by electricity;*
II ⟨wk.ww.; zich ~⟩ **0.1** [voortgaan] *move on / forward* ◆ **5.1** de stoet bewoog zich langzaam voort *the procession moved on / forward slowly.*

voortbeweging ⟨de (v.)⟩ **0.1** *locomotion* ◆ **1.1** wijzen van ~ *modes of progression* **6.1** ~ door electriciteit *electromotion.*

voortborduren ⟨onov.ww.⟩ **0.1** *embroider* ⇒*elaborate* ◆ **6.1** ⟨fig.⟩ op een thema ~ *elaborate / embroider on a theme.*

voortbrengen ⟨ov.ww.⟩ **0.1** [te voorschijn brengen] *produce* ⇒*create, bear* ⟨vruchten⟩, ⟨schr.⟩ *beget* **0.2** [opleveren] *produce* ⇒*bring forth* **0.3** [veroorzaken] *bring about* ⇒*generate* ◆ **1.1** kinderen ~ *p. children;* kunstwerken ~ *p. / create works of art;* een land dat olijven voortbrengt *an olive-producing country* **1.2** de 17de eeuw heeft vele grote mannen voortgebracht *the seventeenth century produced / brought forth many great men* **1.3** rampen ~ *bring about / create disasters / catastrophes.*

voortbrengsel ⟨het⟩ **0.1** *product* ⇒*production.*

voortdrijven
I ⟨ov.ww.⟩ **0.1** [wegdrijven] *drive on* ⇒*spur / urge on, propel* ⟨gassen e.d.⟩ **0.2** [opdrijven] *spur / urge on;*
II ⟨onov.ww.⟩ **0.1** [wegdrijven] *float / drift off / along* ◆ **1.1** ~de wolken *floating / drifting clouds.*

voortduren ⟨onov.ww.⟩ **0.1** *continue* ⇒*go / wear / drag on, endure, persist* ◆ **3.1** iets eindeloos laten ~ *let sth. drag on endlessly* **7.1** het ~ van ... *(the) continuing.*

voortdurend ⟨bn., bw.; -ly⟩ **0.1** [aanhoudend] *constant, continual, unremitting;* ⟨onafgebroken⟩ *continuous, permanent* ◆ **1.1** een ~e bron van ergernis *a constant source of irritation, a thorn in one's side;* een ~e dreiging *a constant threat / menace* **3.1** haar naam duikt ~ op in de krant *her name keeps cropping up in the (news)papers;* een ~ groeiende angst *an ever-growing fear;* hij loopt ~ te klagen *he's always complaining, he complains constantly / the whole time;* de produktie neemt ~ toe *production continues to increase / is increasing all the time /* ⟨inf.⟩ *is on the up and up.*

voortduring ⟨de (v.)⟩ **0.1** *continuation* ◆ **6.1** onze zetel blijft bij ~ Den Haag *our headquarters remains / continues to be The Hague;* bij ~ *continuously.*

voortduwen ⟨ov.ww.⟩ **0.1** *push ahead / on / along.*

voorteelt ⟨de⟩ **0.1** *early cultivation / planting.*

voorteken ⟨het⟩ **0.1** *omen* ⇒*portent, presage, sign* ◆ **2.1** een goed / slecht ~ *a good / bad o. / portent;* een goed / slecht ~ zijn voor ⟨ook⟩ *bode well / ill for;* een gunstig ~ zijn ⟨ook⟩ *augur / bode well* **3.1** als de ~en niet bedriegen *if things are as they seem, if the signs do not deceive us;* alle ~en wijzen er op dat ... *according to all indications ...;* een ~ zijn van iets ⟨ook⟩ *portend / bode sth..*

voortent ⟨de⟩ **0.1** *front bell (end), (front) extension;* ⟨voor caravan⟩ *awning.*

voortentamen ⟨het⟩ **0.1** *preliminary examination.*

voortterrein ⟨het⟩ **0.1** *forecourt.*

voortgaan ⟨onov.ww.⟩ **0.1** [voorwaarts gaan] *continue* ⇒*go on / ahead / forward, advance, proceed, progress* **0.2** [voortzetten] *continue* ⇒*go on, proceed* ◆ **1.1** een ~de beweging *a continuous motion* **3.1** het ~ werd ons belet *passage was denied us* **5.1** langzaam / moeizaam ~ *creep / inch forward / along* **6.1** op dezelfde weg / voet ~ ⟨fig.⟩ *c. along the same lines* **6.2** met zijn werk / met vertellen ~ *c. with one's work / one's story.*

voortgang ⟨de (m.)⟩ **0.1** [vooruitgang] *progress* ⇒*headway* **0.2** [het voorwaarts gaan] *progress* ⇒*going on, moving ahead* **0.3** [voortzetting, vervolg] *continuation* ⇒*advance(ment),* ⟨vervolg ook⟩ *sequel* ◆ **3.1** ~ boeken *(make) progress;* ~ met iets maken *make headway / strides / get on with sth.* **3.3** de zaak zal geen ~ hebben *the matter will not go any further / proceed;* ~ hebben / vinden *proceed, go on / forward;* iets ~ laten hebben *proceed with sth., allow sth. to proceed / go on / continue.*

voortgangsverslag ⟨het⟩ **0.1** *progress report.*

voortgezet ⟨bn.⟩ **0.1** *continued* ⇒*further* ◆ **1.1** ~ onderwijs *secondary education;* een ~te studie *an advanced study.*

voorthelpen ⟨ov.ww.⟩ **0.1** *help along / forward* ◆ **6.1** iem. in de wereld ~ *help s.o. along in the world, support s.o..*

voortijd ⟨de (m.)⟩ **0.1** *prehistoric times / era.*

voortijdig ⟨bn., bw.; -ly⟩ **0.1** *premature* ⇒*untimely* ◆ **1.1** een ~ einde vinden *come to an untimely end* **3.1** de vlucht moest ~ afgebroken worden ⟨van vliegtuig / raket⟩ *the flight had to be aborted / cancelled;* ~ beginnen *start early;* zijn leven werd ~ afgebroken *his life was cut short / ended prematurely* **¶.1** ~ klaar zijn *be finished ahead of time / early.*

voortijlen ⟨onov.ww.⟩ **0.1** *hurry / speed / hasten along.*

voortjagen
I ⟨ov.ww.⟩ **0.1** [opjagen] *hurry / drive along / on;*
II ⟨onov.ww.⟩ **0.1** [rusteloos bezig zijn] *be (constantly) on the go /* ⟨inf.⟩ *on the hop.*

voortkomen ⟨onov.ww.⟩ **0.1** [⟨+uit⟩ voortvloeien] *stem (from)* ⇒*flow (from), follow (from)* **0.2** [⟨+uit⟩ ontspruiten] *spring (from)* ⇒*arise (from)* **0.3** [⟨+uit⟩ afkomstig zijn] *emanate (from)* ⇒*issue (from), originate (from), stem (from)* ◆ **5.1** de daaruit ~de misstanden *the resulting / consequent abuses* **6.1** de middenschool is voortgekomen uit ... *the comprehensive school evolved out of / developed from ...* **6.2** uit hun huwelijk zijn vier kinderen voortgekomen *their marriage has produced four children;* uit zichzelf voortgekomen *self-starting* **6.3** ~ uit een bepaald milieu *come from a given / certain milieu / (social) class.*

voortleven ⟨onov.ww.⟩ **0.1** *live on* ◆ **1.1** gevoelens die tot op de dag van vandaag ~ ⟨ook⟩ *feelings that carry through to the present;* de herinnering daaraan leeft nog steeds voort ⟨ook⟩ *the memory of it (still) lingers on* **3.1** de angst bleef ~ (in haar geest) *fear continued to haunt her* **6.1** ~ door / in zijn werk *live on through / in his work;* ⟨fig.⟩ ~ in onze herinnering *live on in one's memory.*

voortmaken ⟨onov.ww.⟩ **0.1** *hurry up* ⇒*make haste, hasten* ◆ **3.1** we moeten ~ willen we om 5 uur thuis zijn *we'll have to hurry (up) / get a move on if we want to be home by 5* **6.1** maak wat voort met je werk *get on with your work / with it.*

voortoneel ⟨het⟩ **0.1** *downstage area;* ⟨gedeelte vóór gordijnen⟩ *proscenium* ◆ **6.1** op het ~ staan *stand downstage.*

voortouw ⟨het⟩ ◆ **3.¶** het ~ nemen *take the lead.*

voortoveren ⟨ov.ww.⟩ **0.1** *conjure up.*

voortplanten
I ⟨wk.ww.; zich ~⟩ **0.1** [zich vermenigvuldigen] *reproduce, multiply* ⇒*breed, procreate, propagate* **0.2** [zich verbreiden] *propagate* ⇒*be transmitted, travel* ◆ **5.1** zich ~ raszuiver ~ *breed pure / true* **6.1** zich ~ door celdeling *replicate* **6.2** het geluid en het licht planten zich voort in golven *sound and light are transmitted / travel in waves;*
II ⟨ov.ww.⟩ **0.1** [voortelen] *propagate* **0.2** ⟨fig.⟩ *propagate* ⇒*spread, transmit* ◆ **1.1** zijn geslacht ~ *further the race.*

voortplanting ⟨de (v.)⟩ **0.1** [vermenigvuldiging] *reproduction* ⇒*multiplication, breeding, procreation, propagation* **0.2** [verbreiding] *propagation* ⇒*transmission, reproduction* ◆ **2.1** geslachtelijke ~ *sexual r.;* ongeslachtelijke ~ *asexual r., agamogenesis;* ⟨van dieren ook⟩ *monogenesis; parthenogenesis* ⟨van bloemen en sommige insekten⟩.

voortplantingsorgaan ⟨het⟩ **0.1** *reproductive organ.*

voortploeteren ⟨onov.ww.⟩ **0.1** *plod along* ⇒*struggle on/along.*

voortredeneren ⟨onov.ww.⟩ **0.1** [voortgaan met redeneren] *argue on* ⇒ *continue to argue* **0.2** [de redenering voortzetten] *reason* ⇒*follow a line of reasoning* ♦ **5.2** aldus~d komt men tot de conclusie dat ...*following this line of reasoning one comes to the conclusion that ....*

voortreffelijk ⟨bn., bw.; -ly⟩ **0.1** *excellent* ⇒*outstanding, superb, superlative* ♦ **1.1** ~e kwaliteit *outstanding quality;* een ~ maal *an e. / a superb meal;* een ~ mens ⟨ook⟩ *an outstanding/extraordinary person;* een ~ muzikant ⟨ook⟩ *a superlative/an accomplished musician;* een ~ werk *an e. / a superb work* **3.1** hij danst~ *he dances superbly/exquisitely.*

voortreffelijkheid ⟨de (v.)⟩ **0.1** *excellence.*

voortrekken ⟨ov.ww.⟩ **0.1** *favour* ⇒*give preference to/preferential treatment to* ♦ **3.1** zij werden altijd voorgetrokken *they were always given/shown preferential treatment* **6.1** de een *boven* de ander ~ *f. one person above another.*

voortrekker ⟨de (m.)⟩ **0.1** [baanbreker] *pioneer* **0.2** [padvinder] [B]*Venture Scout,* [A]*Explorer* ⇒ ⟨BE ook⟩ *Venturer,* ⟨BE; vero.⟩ *Rover (Scout).*

voortrekkersfunctie ⟨de (v.)⟩ ♦ **3.¶** een~vervullen *act/serve as/be a pioneer.*

voorts ⟨bw.⟩ **0.1** *furthermore* ⇒*moreover, besides* ♦ **5.1** en zo~ *and so on* **¶.1** ~ heb je ook nog ...*and then (again) there is/are ....*

voortschrijden ⟨onov.ww.⟩ **0.1** [⟨schr.⟩ verder lopen] *stride along/on* **0.2** [⟨fig.⟩] *make strides/progress* ⇒*progress, advance* ♦ **1.2** de ~de medische wetenschap *advancing medical science* **7.2** met het~der jaren *with advancing years, as time goes on.*

voortsjokken ⟨onov.ww.⟩ **0.1** *plod/slog on/along.*

voortslepen
I ⟨ov.ww.⟩ **0.1** [verder slepen] *drag along* ♦ **4.1** zich~ *toil/plod/trudge along/on, drag o.s. along, plod one's weary way;*
II ⟨wk.ww.; zich~⟩ **0.1** [voortduren] *drag on* ⇒*linger* ♦ **5.1** een zich al jarenlang~de kwestie *a lingering question.*

voortspoeden ⟨wk.ww.; zich~⟩ ⟨schr.⟩ **0.1** *make haste* ⇒*hasten/hurry on/along.*

voortspruiten ⟨onov.ww.⟩ **0.1** *come/spring/result (from)* ♦ **6.1** ~uit een adellijk geslacht *come of a noble family/line;* daar kan niets dan ongeluk uit ~ *only unhappiness will come of that.*

voortstrompelen ⟨onov.ww.⟩ **0.1** *stumble/blunder on/along.*

voortstuwen ⟨ov.ww.⟩ **0.1** *push/drive on/along.*

voortstuwing ⟨de (v.)⟩ **0.1** *propulsion* ⇒*impulsion.*

voortstuwingsmechanisme ⟨het⟩ **0.1** *propulsion mechanism.*

voortsukkelen ⟨onov.ww.⟩ **0.1** [verder sukkelen] *plod/trudge/labour on/along* ⇒*linger (on)* ⟨ook v.e. zieke⟩ **0.2** [voortgaan met talmen] *dawdle/linger on.*

voorttobben ⟨onov.ww.⟩ **0.1** *struggle/plod along/on.*

voorttrekken
I ⟨onov.ww.⟩ **0.1** [verder trekken] *move/march on/forward;*
II ⟨ov.ww.⟩ **0.1** [vooruit trekken] *draw, pull* ⇒*drag.*

voortuin ⟨de (m.)⟩ **0.1** *front garden* ⟨AE ook⟩ *yard.*

voortvarend ⟨bn., bw.; -ally⟩ **0.1** *energetic* ⇒*dynamic* ♦ **1.1** een zeer ~ iemand *s.o. with a lot of drive/go/zip* **5.1** dat is wat al te~ *that is going a bit too far/is a bit brash/too much.*

voortvarendheid ⟨de (v.)⟩ **0.1** *energy* ⇒*drive,* ⟨inf.⟩ *go, zip.*

voortvloeien ⟨onov.ww.⟩ **0.1** [voortkomen, volgen] *result (from), arise (from/out of)* ⇒*ensue (from)* **0.2** [verder vloeien] *flow on* ♦ **1.1** de daaruit ~de bepalingen ⟨bv. v.e. wet⟩ *the resulting decisions, the decisions resulting/deriving from this* **5.1** en de eruit ~de wantoestanden *and the resulting/resultant abuses* **6.1** dit vloeit voort uit de nieuwe wetgeving *this is a result of/this stems from the new legislation;* ~ uit a./r./follow/stem from; ~d *uit stemming/arising/resulting/ensuing from;* logisch ~ *uit be a logical result/consequence of, follow/stem naturally from.*

voortvloeisel ⟨het⟩ **0.1** *result, consequence.*

voortvluchtig ⟨bn.⟩ **0.1** ⟨alleen attr.⟩ *fugitive* ⇒⟨niet attr.⟩ *on the run* ♦ **7.1** de ~e *the fugitive.*

voortwoekeren ⟨onov.ww.⟩ **0.1** *spread (insidiously).*

voortzeggen ⟨ov.ww.⟩ **0.1** *repeat* ⇒*tell, make known* ♦ **4.1** zeg het voort *spread the word (around), pass it on.*

voortzetten ⟨ov.ww.⟩ **0.1** *continue* ⇒*carry on/forward, pursue* ♦ **1.1** een gesprek later/elders ~ *continue a conversation later/elsewhere;* de kennismaking ~ *pursue the acquaintance;* voortgezette onderzoekingen *extended/continued/further research/investigation;* hij zette zijn pogingen voort om ...*he pursued/continued his efforts to ...;* de reis ~ in een andere wagen *continue the trip/go on in another car;* een traditie/iemands werk ~ *carry on a tradition/s.o.'s work.*

voortzetting ⟨de (v.)⟩ **0.1** [het voortzetten] *continuation* ⇒*continuance, carrying on, resumption* ⟨na een onderbreking⟩ **0.2** [vervolg] *continuation* ♦ **2.2** ik wens u een smakelijke ~ *enjoy your next course/the rest of your meal* **3.2** de ~ van het gevecht *the c. of, continue* **6.1** door ~ van deze oorlog *in/by continuing this war.*

vooruit¹ ⟨bw.⟩ **0.1** [verder] *ahead* ⇒*further* **0.2** [van tevoren] *before-*

(hand) ⇒*in advance* **0.3** [naar voren gericht] *forward* ⇒*out* ♦ **1.1** een spectaculaire stap~ ⟨ook⟩ *a quantum leap* **1.3** met het hoofd~ *head-first* **3.1** hij is ons een heel eind~ *he is way a. of us;* ⟨fig.⟩ met dit voorraadje kan ik weer een tijdje ~ *this (supply) will keep me going/will do (me) for a while* **3.2** dat had je~ kunnen weten *you could have foreseen that, you might have known/guessed that;* ik moet u~ zeggen, dat ik het gevaarlijk vind *I have to say right away that I think it's dangerous;* zijn tijd ~ zijn *be born before/be ahead of one's time* **5.1** niet voor- of achteruit kunnen ⟨ook fig.⟩ *be stuck, not be able to move in any direction* **5.2** ver~ *well in advance.*

vooruit² ⟨tw.⟩ **0.1** *get going* ⇒*let's go, come/go on* ♦ **6.1** ~ met de geit ⟨fig.⟩ *let's get moving, let's get this show on the road/the ball rolling* **¶.1** ~! aan je werk *O.K./all right, time for work;* ~ dan toch! *get going, get on with it;* ~, de kamer uit *that's it, out you go;* nou, ~ dan maar *all right then/let's do it/(I'll) do it;* ⟨ga je gang⟩ *go ahead;* ~, zeg op, wie heeft het gedaan? *out with it, who did it?;* ~, zeg het dan *shoot, spit it out;* ~, het is bedtijd ⟨ook⟩ *off to bed now.*

vooruitbestellen ⟨ov.ww.⟩ **0.1** *order in advance.*

vooruitbetalen ⟨ov.ww.⟩ **0.1** *prepay, pay in advance* ♦ **1.1** het vooruitbetaalde bedrag *the prepayment* **4.1** u hoeft niets vooruit te betalen *no prepayment necessary, no down payment, nothing down.*

vooruitbetaling ⟨de (v.)⟩ **0.1** *payment in advance, advance payment, pre-payment* ♦ **6.1** een artikel *bij* ~ leveren *deliver an item cash in advance.*

vooruitdenken ⟨onov.ww.⟩ **0.1** *think ahead.*

vooruitgaan ⟨onov.ww.⟩ **0.1** [vóór het genoemde gaan] *lead* ⇒*go (on) ahead* **0.2** [van tevoren gaan] *go on ahead* **0.3** [voorwaarts gaan] *progress, go forward* **0.4** [vorderingen maken, beteren] *progress, improve* ♦ **1.2** het nieuws van hun komst was reeds vooruitgegaan *the news of their arrival had preceded them* **1.3** morgennacht gaan alle klokken een uur vooruit *all clocks go on an hour tomorrow* **1.4** zijn gezondheid gaat vooruit *his health is improving, he is rallying, he's picking up (again);* zijn Nederlands is met sprongen vooruitgegaan *his Dutch has improved by leaps and bounds, has made tremendous strides in/with his Dutch* **5.4** er financieel op~ *be better off/profit (financially);* niet meer~ *be at/have come to a standstill; have broken down* ⟨machine, auto⟩ **6.4** die buurt is er niet erg op vooruitgegaan *it hasn't improved/helped that neighbourhood much, that neighbourhood has gone downhill (because of it);* hij is er in de loop der jaren niet op vooruitgegaan *he is rather/much the worse for wear* ⟨mbt. uiterlijk⟩ **¶.4** we gaan nog steeds vooruit *we are getting better and better/better all the time.*

voor'uitgang ⟨de (m.)⟩ **0.1** [vordering, verbetering] *progress* ⇒*advance-(ment),* ⟨verbetering ook⟩ *improvement* **0.2** [het voorwaarts gaan] *progress* ⇒*advance* ♦ **2.1** het is een hele ~ vergeleken met de vorige situatie *it is a tremendous improvement on the previous situation* **3.1** geen~ boeken *make no headway, be at a standstill;* ~ boeken/maken met ...*make headway with, (make) progress with ....*

'**vooruitgang** ⟨de (m.)⟩ **0.1** *front exit/door.*

vooruithelpen ⟨ov.ww.⟩ **0.1** *help (on/forward)* ♦ **5.1** dat helpt me weinig vooruit *that won't/doesn't get me (very) far, that's not much good to me, I'm none the better for it.*

vooruitkijken ⟨onov.ww.⟩ **0.1** *look ahead.*

vooruitkomen ⟨onov.ww.⟩ **0.1** [vorderen] *get on/ahead/somewhere* ⇒ *make headway, be on the move, advance* **0.2** [vóór de anderen komen] *be/get ahead/in front (of)* **0.3** [naar voren komen] *come/move/step forward* ♦ **5.1** moeizaam ~ *progress with difficulty, plod/trudge along;* niet ~ *get nowhere, make no headway, stand still;* slechts stapvoets ~ ⟨in file⟩ *make little headway, crawl along* **6.1** in de wereld/de maatschappij ~ *get on/ahead in the world/in society.*

vooruitlopen ⟨onov.ww.⟩ **0.1** [vóór anderen lopen] *walk (on)/run (on) ahead/in front (of)* **0.2** [anticiperen] *anticipate* ⇒*be ahead (of)* **0.3** [eerder/sneller gaan] *go on ahead* ♦ **6.2** op de gebeurtenissen/de beslissing ~ *a. / be ahead of events/the decision;* ik wil niet (op mijn verhaal) ~ *I won't a., I mustn't get ahead of myself/my story;* op de zaak ~ *run ahead of things;* ⟨in zijn mening⟩ *prejudge a case.*

vooruitrijden ⟨onov.ww.⟩ **0.1** [vóór anderen rijden] *drive* ⟨met voertuig⟩ */ride* ⟨te paard⟩*(on) ahead* **0.2** [in de richting naar voren rijden] *drive/ride forward/straight on.*

vooruitspringen ⟨onov.ww.⟩ **0.1** [naar voren springen] *jump out, leap forward* **0.2** [naar voren steken] *stick/jut out* ⇒*protrude* ♦ **1.2** ~de rotspunt *jutting promontory.*

vooruitstrevend ⟨bn.⟩ **0.1** *progressive* ⇒⟨modern⟩ *advanced, revolutionary.*

vooruitstrevendheid ⟨de (v.)⟩ **0.1** *progressiveness.*

vooruitwerpen ⟨ov.ww.⟩ **0.1** *cast ahead/forward/out in front* ♦ **1.1** het werpt zijn schaduw vooruit *its shadow precedes it, it casts its shadow before (it).*

voor'uitzicht ⟨het⟩ **0.1** [het zien naar wat in de toekomst ligt] *prospect* ⇒*outlook* **0.2** [wat in de toekomst ligt] *prospect* ⇒*outlook* ♦ **2.2** goede~en hebben *have good prospects/a future;* ik vind het geen prettig ~ *I don't relish the p. / idea* **6.1** iem. iets in het~stellen *hold out the p. of sth. to s.o.;* in het ~ **van, met** het ~ **op** *in anticipation of,* *with the p. of;* het ~ **op** iets hebben, iets **in** het ~ hebben *have the p. of sth., have one's eye on sth.* **6.2** de ~en **voor** donderdag en vrijdag zijn: mooi lenteweer *the outlook for Thursday and Friday is pleasant spring weather.*

'**vooruitzicht** 〈het〉 **0.1** *view/outlook (at the front/in front).*

vooruitzien
I 〈onov.ww.〉 **0.1** [naar voren kijken] *look ahead/forward* **0.2** [zien naar het toekomstige] *look ahead/forward* ◆ **3.2** regeren is ~ *foresight is the essence of government* **5.2** ver ~ *look far/look a long way ahead;*
II 〈ov.ww.〉 **0.1** [voorzien] *foresee* ◆ **5.1** dat kon men reeds lang ~ *that could be foreseen long ago.*

vooruitziend 〈bn.〉 **0.1** *far-sighted* ⇒*forward-looking,* 〈met visie〉 *visionary,* 〈vooruitwetend〉 [prescient](#) ◆ **1.1** een ~e blik *foresight, vision;* niet bepaald een ~e blik hebben *not be able to see beyond today/tomorrow/* 〈inf.〉 *the end of one's nose.*

vooruitziendheid 〈de (v.)〉 **0.1** *foresight* ⇒*providence.*

voorvader 〈de (m.)〉 **0.1** *ancestor* ⇒*forefather* ◆ ¶.**1** de ~en *the ancestors/forefathers.*

voorvaderlijk 〈bn.〉 **0.1** *ancestral.*

voorval 〈het〉 **0.1** *incident* ⇒*event, occurrence* ◆ **2.1** een onaangenaam ~ 〈ook〉 *(a piece of) unpleasantness.*

voorvallen 〈onov.ww.〉 **0.1** *occur* ⇒*happen, take place* ◆ **6.1** niet weten wat er **tussen** die twee is voorgevallen 〈ook〉 *not know what passed/* 〈vaak ook, maar niet alg.〉 *transpired between them.*

voorvechter 〈de (m.)〉 **0.1** *champion* ⇒*advocate, supporter,* [protagonist](#) ◆ **1.1** een ~ van de vrede *a c. of peace.*

voorverbranding 〈de (v.)〉 **0.1** *precombustion.*

voorverkiezing 〈de (v.)〉 **0.1** *preliminary election* ⇒*(s)election of candidates,* 〈AE; mbt. het presidentschap〉 *primary (election).*

voorverkoop 〈de (m.)〉 **0.1** [van toegangskaartjes] *advance booking/ sale(s)* **0.2** [in warenhuizen] *advance sale(s)* ⇒*presale* ◆ **6.1** de kaarten **in** de ~ zijn iets goedkoper *the tickets are a bit cheaper if you buy them in advance.*

voorverkopen 〈ov.ww.〉 **0.1** *sell in advance.*

voorverpakt 〈bn.〉 **0.1** *prepacked* ⇒*prepackaged.*

voorversterker 〈de (m.)〉 **0.1** 〈tech.〉 *preamplifier* ⇒〈inf.〉 *preamp.*

voorvertoning 〈de (v.)〉 **0.1** *preview* ⇒*advance/preliminary showing.*

voorvertrek 〈het〉 **0.1** [kamer aan de voorzijde] *front room* **0.2** [kamer gelegen voor een ander vertrek] *anteroom,* [antechamber.](#)

voorverwarmen 〈ov.ww.〉 **0.1** *preheat.*

voorvoegen 〈ov.ww.〉 **0.1** *put/place/add in front/ahead* ⇒〈taal.〉 *prefix.*

voorvoegsel 〈het〉 **0.1** *prefix.*

voorvoelen 〈ov.ww.〉 **0.1** *sense (in advance/beforehand)* ⇒*anticipate.*

voorvork 〈de (m.)〉 **0.1** *fork.*

voorw. 〈afk.〉 **0.1** [voorwaardelijk] 〈*conditional*〉 **0.2** [voorwerp] *obj..*

voorwaar 〈bw.〉 **0.1** *indeed* ⇒*truly, to be sure,* 〈vero.〉 *forsooth,* 〈bijb.〉 *verily* ◆ ¶.**1** ~, ik zeg u *verily I say unto you.*

voorwaarde 〈de (v.)〉 **0.1** [voorafgaande beperking/beding] *condition* ⇒*stipulation, provision* **0.2** [factor die iets mogelijk maakt] *condition* **0.3** [〈jur.〉] 〈*condition*〉 **0.4** [〈hand.〉] 〈*condition* ⇒〈mv. ook〉 *terms* ◆ **2.2** de elementaire ~n van het bestaan *the basic necessities/requirements of existence;* een noodzakelijke ~ voor, een allereerste ~ voor *a necessary c. for, a precondition/prerequisite for* **2.3** ontbindende ~ *resolutive c.* **3.1** aan de ~n voldoen *fulfil the conditions/stipulations;* aan iemands ~n tegemoetkomen *meet/fulfil s.o.'s conditions/terms/ demands;* de ~ / als ~ stellen dat *lay down/make the c. that, stipulate that;* achteraf/van te voren te vervullen ~ *subsequent/prior c.* **3.4** zo gunstig mogelijke ~n bedingen *make the best terms one can;* wat zijn uw ~n? *what are your terms?* **6.1** ik sta het u toe, **onder** ~ dat ... *I'll let you, provided that .../on c. that ...;* **onder** aantrekkelijke ~n *under favourable conditions;* **onder** geen enkele ~ *on no account, under no circumstances;* **onder** uitdrukkelijke ~ *under the express c.;* **op** één ~ *with/on one c.;* zich **op/onder** bepaalde ~n overgeven *surrender under/on certain conditions/conditionally* **6.2** de ~n **voor** succes *the conditions/prerequisites for/of success* **8.1** iets als ~ stellen *state/stipulate sth. as a c.*

voorwaardelijk 〈bn., bw.; -ly〉 **0.1** *conditional* ⇒*provisional* ◆ **1.1** ~e acceptatie *c. acceptance;* 〈jur.〉 ~e invrijheidstelling *(release on) parole;* ~e reflexen *conditioned reflexes;* een ~ veroordeelde *probationer;* de ~e wijs *the c. (mood).* **3.1** hij is ~ overgegaan *he has been put in the next class/* ^A*grade provisionally/on probation;* ~ veroordelen *give a suspended sentence;* 〈met proeftijd〉 *put on probation* ¶.**1** ~ in vrijheid stellen 〈veroordeelde〉 *release conditionally/* 〈uit gevangenis〉 *on parole;* 〈met proeftijd〉 *put on probation, give a suspended sentence;* een ~ in vrijheid gestelde 〈uit gevangenis ook〉 *a parolee.*

voorwaardelijkheid 〈de (v.)〉 **0.1** *conditionality* ⇒〈straf enz.〉 *conditional nature.*

voorwaardenscheppend 〈bn.〉 **0.1** *favourable* ⇒*encouraging, stimulating* ◆ **1.1** een ~ beleid voeren *adopt a f. policy (towards ...).*

voorwaarts[1] 〈bn., bw.〉 **0.1** *forward(s)* ⇒*onward(s),* 〈bw.ook〉 *on,* 〈bw. ook; schr.〉 *forth* ◆ **1.1** een ~e beweging *a forward movement;* in ~e richting *in a forward direction;* een stap ~ *a step forward(s).*

voorwaarts[2] 〈tw.〉 **0.1** *forward* ◆ **9.1** ~ mars! *f. march!.*

voorwas 〈de (m.)〉 **0.1** *prewash.*

voorwedstrijd 〈de (m.)〉 **0.1** *preliminary competition* ⇒*preliminary round/heat* 〈ronde〉, *preliminary match/game* 〈spel〉.

voorwenden 〈ov.ww.〉 **0.1** [doen alsof, veinzen] *pretend* ⇒*feign, simulate, affect* **0.2** [als verontschuldiging/smoes gebruiken] *plead* ◆ **1.1** belangstelling ~ *feign interest;* een voorgewende naam *an alias, an assumed/a false name;* voorgewende onverschilligheid/verbazing/onwetendheid *feigned indifference/surprise/ignorance;* ziekte ~ *p. to be/play sick, feign illness* **1.2** ziekte/onwetendheid ~ *p. illness/ignorance.*

voorwendsel 〈het〉 **0.1** *pretext* ⇒*excuse, pretence, alibi* ◆ **2.1** onder valse ~s *under false pretences* **3.1** elk ~ aangrijpen om *seize (at) any pretext to;* het zijn allemaal maar ~s *those are just excuses, that is just sham/* [pretext](#) **6.1** onder ~s weten te verkrijgen *manage to get sth. under a pretext/under false pretences;* **onder** ~ **van, met** het ~ dat *under the pretext of, with the pretext that* **8.1** iets als ~ gebruiken *use sth. as an excuse/a pretext.*

voorwereldlijk 〈bn.〉 **0.1** [antediluviaans] *prehistoric* ⇒*antediluvian* **0.2** [zeer ouderwets] *ancient* ⇒〈scherts.〉 *prehistoric, antediluvian* **0.3** [mbt. de tijd vóór de schepping] 〈alleen ná zn.〉 *prior to (the) creation* ◆ **1.2** een brandkast van ~ *model a strong-box of ancient/prehistoric/ antediluvian design* **1.3** 〈theol.〉 het ~ bestaan van Christus *the existence of Christ prior to (the) creation.*

voorwerk 〈het〉 **0.1** [〈boek.〉] *preliminary matter/pages* **0.2** [voorbereidend werk] *preliminary work* **0.3** [mbt. horloge] *face* ⇒*dial* **0.4** [mbt. vesting] *outwork.*

voorwerker 〈de (m.)〉 **0.1** *foreman.*

voorwerp 〈het〉 **0.1** [zaak, object] *object* **0.2** [zaak waarop een handeling of werking gericht is] *object* **0.3** [〈taal.〉] *object* ◆ **1.2** het ~ zijn van veel discussie *be the subject of much discussion;* het ~ van mijn onderzoek *the o./subject of my investigation* **2.3** het lijdend/belanghebbend/oorzakelijk ~ *the direct/indirect/direct o.* **3.1** gevonden ~en *lost and found.*

voorwerpen 〈ov.ww.〉 **0.1** [verwijten] *accuse (of)* ⇒[reproach (with)](#) **0.2** [toewerpen] *throw to* ◆ ¶.**1** iem. van alles ~ *accuse s.o. of everything (imaginable).*

voorwerpglas 〈het〉 **0.1** *object glass;* 〈van objectief〉 *object lens.*

voorwerpsnaam 〈de (m.)〉 **0.1** *name of an/the object.*

voorwerpszin 〈de (m.)〉 **0.1** *objective clause.*

voorwetenschappelijk 〈bn., bw.; -ly〉 **0.1** *pre-scientific.*

voorwiel 〈het〉 **0.1** *front wheel.*

voorwielaandrijving 〈de (v.)〉 **0.1** *front-wheel drive* ◆ **6.1** een auto **met** ~ *a front-wheel-drive car.*

voorwielophanging 〈de (v.)〉 **0.1** *front suspension* ◆ **2.1** onafhankelijke ~ *independent front suspension.*

voorwind 〈de (m.)〉 **0.1** *tailwind.*

voorwinter 〈de (m.)〉 **0.1** *beginning of/early winter.*

voorwoord 〈het〉 **0.1** *foreword* ⇒*preface.*

voorz. 〈afk.〉 **0.1** [voorzitter] 〈*chairman*〉 **0.2** [voorzetsel] *prep..*

voorzaat 〈de (m.)〉 〈schr.〉 **0.1** *ancestor* ⇒*forefather.*

voorzanger 〈de (m.)〉 **0.1** [iem. die in het gezang voorgaat] *precentor* **0.2** [mbt. een Joodse gemeente] *cantor.*

voor'zeggen 〈ov.ww.〉 **0.1** *predict* ⇒*forecast,* 〈schr.〉 *prophesy, foretell.*

'**voorzeggen**
I 〈onov., ov.ww.〉 **0.1** [influisteren] *prompt* ◆ **1.1** het antwoord ~ *whisper the answer* ¶.**1** niet ~! *no prompting!;*
II 〈ov.ww.〉 **0.1** [tot voorbeeld zeggen] *say (aloud).*

voorzegger 〈de (m.)〉, **-ster** 〈de (v.)〉 **0.1** [iem. die voorzegt] *prompter* **0.2** [iem. die voorspelt] *predictor* ⇒*forecaster,* 〈schr.〉 *prophet, prophesier.*

voorzeil 〈het〉 **0.1** *headsail.*

voorzeker 〈bw.〉 〈schr.〉 **0.1** *truly* ⇒*to be sure,* 〈vero.〉 *forsooth,* 〈bijb.〉 *verily.*

voorzet 〈de (m.)〉 〈sport〉 **0.1** [slag, worp, trap] *pass, ball* ⇒*shot (in front of (the) goal/the target)* **0.2** [eerste zet] *first move* ◆ **3.1** iem. een goede ~ geven *feed s.o. a good shot, lay the ball on beautifully for s.o.* **3.2** wit heeft de ~ 〈ook〉 *white opens;* iem. de ~ laten *give s.o. (the) first move, let s.o. go first/s.o. open.*

voorzetlens 〈de〉 **0.1** *close-up/ancillary lens* ⇒*lens attachment.*

voorzetraam 〈het〉 **0.1** *double (window) frame.*

voorzetsel 〈het〉 **0.1** *preposition.*

voorzetselbepaling 〈de (v.)〉 **0.1** *prepositional clause/phrase.*

voorzetselvoorwerp 〈het〉 **0.1** *object of a/the preposition.*

voorzetten
I 〈ov.ww.〉 **0.1** [voor iets/iem. zetten] *put/place in front (of)* **0.2** [voor laten lopen] *put/set forward/* 〈klok ook〉 *ahead* **0.3** [vooruitzetten] *put forward* **0.4** 〈sport〉 een voorzet geven] *feed* ◆ **1.1** iem. iets ~ *put/place sth. (down) in front of/before s.o.;* 〈eten ook〉 *dish s.o. up with sth.;*
〈onov.ww.〉 **0.1** [〈sport〉] *open* ⇒*make the first/opening move.*

voorzichtig 〈bn., bw.; -ly〉 **0.1** [behoedzaam] *careful* ⇒*cautious,* 〈ver­standig〉 *prudent,* 〈achterdochtig〉 *wary,* [circumspect](#) **0.2** [met voorzichtigheid gebeurend] *cautious* ⇒⟨tactvol⟩ *discreet* ◆ **1.2** een in zeer ~e bewoordingen opgestelde verklaring a *most carefully-worded statement* **2.1** ~! breekbaar! *fragile! handle with care!* **3.1** (uiterst/zeer)~ aanraken *touch gingerly;* ~ oversteken *cross with care;* de sleutel heel~ in het slot steken ⟨ook⟩ *ease the key into the lock;* iem. het nieuws~ vertellen *break the news gently to s.o.;* wees~! *be careful!;* ⟨pregn.⟩ ~ zijn *take precautions, be careful* **3.2** iem. heel~ aanpakken ⟨ook⟩ *handle s.o. with kid gloves;* ~ naar iets informeren *ask discreetly about sth., make discreet inquiries (about sth.)* **5.1** te ~ *overcautious, overcareful* **9.1** ~ (hoor)! *careful!, watch/mind out!* ¶**.1** ~ te werk gaan *proceed with caution/cautiously, pick one's way (carefully);* zich~ een weg banen ⟨ook⟩ *nose one's way carefully;* ~, het is hier glad *mind/watch your step, it's slippery here.*

voorzichtigheid ⟨de (v.)⟩ (→sprw. 617) **0.1** *caution* ⇒*care, prudence,* †*circumspection,* ⟨achterdocht⟩ *wariness,* ⟨tact⟩ *tact(fulness)* ◆ **3.1** ~ is geboden *prudence is called for/is in order;* alle ~ laten varen/overboord gooien *throw caution to the winds;* tot ~ manen *urge/recommend caution* ¶**.1** ~ vóór alles *safety first.*

voorzichtigheidshalve ⟨bw.⟩ **0.1** *as a/by way of precaution* ⇒⟨inf.⟩ *to be on the safe side.*

voorzien[1] ⟨bn.⟩ **0.1** *provided* ◆ **3.1** wij zijn al ~ *we have been taken care of/seen to, we've got what we need* **5.1** goed~ zijn (van) ⟨ook⟩ *be well off for;* van alles goed~ *well provided for;* een goed~e winkel a *well-stocked/-supplied shop/*^store; een goed~e keuken a *well-equipped kitchen;* rijkelijk/ruim~ zijn van *amply provided for/stocked with, overflowing with;* slecht~ zijn van ⟨ook⟩ *be badly off for,* be ill-provided with **6.1** ~ van *fitted/furnished/supplied/equipped/complete with;* niet~ **van** ⟨ook⟩ *lacking;* ⟨scherts.⟩ *unblessed with.*

voorzien[2] ⟨ov.ww.⟩ **0.1** [van tevoren zien] *foresee* ⇒*anticipate* **0.2** [(+in) zorgen] *provide (for)* ⇒*see to* **0.3** [(+van) verschaffen] *provide (with)* ⇒*equip (with)* **0.4** [in orde brengen] *attend/see to* ◆ **1.1** de ~e moeilijkheden *the difficulties foreseen/anticipated* **3.4** het dak laten ~ *have the roof seen to/attended to* **3.¶** ik heb het niet op hem ~ *I don't trust him;* het op iemand ~ hebben *be after s.o., be aiming for s.o.* **4.3** zich ~ van *p. supply o.s. with* **5.1** hij had zoveel gasten niet ~ *he hadn't expected/anticipated/planned on so many guests;* het was allemaal niet te ~ *it was quite unforeseeable* **5.2** wij zullen daarin ~ *we'll see to that, we'll deal with that;* in de gevallen waarin de wet niet voorziet *in cases not covered by/provided for in/by the law* **6.1** dat was **te** ~ *that was to be expected* **6.2** in een tekort/een leemte/een behoefte ~ *fill a lack/a gap/a need;* in eigen behoefte/in zijn onderhoud kunnen ~ *be able to support o.s./p. for o.s., be self-supporting* **6.3** iem. **van** geld/levensmiddelen ~ *provide s.o. with money/food;* het huis is ~ **van** centrale verwarming *the house is equipped/provided with central heating;* de bakker voorziet zijn klanten **van** brood *the baker supplies his customers with bread;* in drievoud ~ **van** naam, adres en datum *in triplicate along with/and bearing one's name and address and the date.*

voorzienigheid ⟨de (v.)⟩ **0.1** *providence* ◆ **1.1** Gods ~ *divine p.* ¶**.1** de Voorzienigheid *Providence.*

voorziening ⟨de (v.)⟩ **0.1** [maatregel, zorg] *supply* ⇒*provision, facility, service* **0.2** [het voorzien, ⟨vnl. in samenst.⟩] *provision* ⇒*supply(ing), furnishing* ◆ **2.1** culturele ~en *cultural facilities;* sanitaire ~en *bathroom/sanitary facilities;* sociale ~en *social services;* een tijdelijke ~ a *temporary supply* **3.1** ~en treffen *make arrangements;* wettelijke ~en treffen (voor/in zake) *make legal/statutory provision (for)* **6.1** ~ in een vacature *filling of a position/vacancy;* een huis met alle ~en a *house with all conveniences/*⟨BE;inf.⟩ *mod cons;* een stad **met** alle ~en a *town with all amenities;* bouwgrond **met** alle services, serviced land* **6.2** ter ~ in het levensonderhoud *to provide for one's upkeep/sustenance;* **ter** ~ in de kosten *to meet costs.*

voorzijde ⟨de⟩ **0.1** *front (side)* ◆ **6.1** aan de ~ **van** *at the front of, on the front side of.*

voorzin ⟨de (m.)⟩ **0.1** ≠*protasis.*

voorzingen ⟨onov./ov.ww.⟩ **0.1** [als voorbeeld zingen] *sing* **0.2** [zingen voor] *sing (to)* **0.3** [voorgaan in het zingen] ⟨onov.ww.⟩ *lead the singing;* ⟨ov.ww.⟩ *lead in song* ◆ **.2** dat is hem niet in de wieg voorgezongen *he didn't think he would come to this;* ⟨het heeft hem veel moeite gekost⟩ *he wasn't cut out for this.*

voorzitten

I ⟨onov./ov.ww.⟩ **0.1** [presideren] *chair* ⇒†*preside* ◆ **1.1** hij was~d burgemeester *he was presiding (as) mayor;* een vergadering ~ *c. a meeting* **3.1** wie wil (er) ~? *who'll be (the) chairman/chairwoman?, who wants to c. the meeting?;*

II ⟨onov.ww.⟩ **0.1** [vooraan zitten] *sit in front/at the front/*⟨inf.⟩ *up front* **0.2** [beoogd zijn] *be the intention* **0.3** [⟨sport⟩ open ⇒ (p)lay the first card* ◆ **5.2** wat heeft daarbij voorgezeten? *what was the idea?/intention?;* de bedoeling, die hierbij voorzit is dat ... *the idea/intention here is that ....*

voorzitter ⟨de (m.)⟩, -**ster** ⟨de (v.)⟩ **0.1** *chairman* ⟨m.⟩, *chairwoman* ⟨v.⟩ ⇒*chair,* ⟨zeldz.⟩ *chairperson,* ⟨House of Commons/Representatives⟩ *Speaker* ◆ **1.1** ~ van een jury *foreman/forewoman of a jury;* mijnheer/mevrouw de ~ *Mr. Chairman, Madam Chairman/Chair-*

woman **3.1** (tot)~ maken ⟨ook⟩ *put in the chair;* zich tot de ~ richten *address the chair;* tot~ kiezen *elect as chairman/chairwoman/chairperson;* ~ zijn be a/ *the chairman/chairwoman/chairperson, chair a/the meeting* **6.1** ~ **voor** het leven *life chairman/chairwoman/chairperson* **8.1** aftreden als ~ *resign the/one's chair(manship), resign as chairman/chairwoman/chairperson.*

voorzitterschap ⟨het⟩ **0.1** [betrekking] *chair(wo)manship* ⇒*chair* **0.2** [tijd] *chair(wo)manship* ◆ **3.1** het ~ bekleden *fill the chairmanship* **6.2** dat was nog **onder** zijn ~ *that was still under/during his chairmanship.*

voorzittershamer ⟨de (m.)⟩ **0.1** *chairman's/chairwoman's/chairperson's gavel/hammer* ◆ **3.1** de ~ hanteren ⟨fig.⟩ *wield/hold the gavel.*

voorzitting ⟨de (v.)⟩ **0.1** *chairmanship* ◆ **6.1** onder ~ van ⟨ook⟩ ...*presiding.*

voorzomer ⟨de (m.)⟩ **0.1** *early summer.*

voorzorg ⟨de⟩ **0.1** *precaution* ◆ **2.1** de vereiste ~en nemen *take the necessary precautions* **6.1** uit ~ iets doen *do sth. as a precaution(ary measure)/by way of precaution/* ⟨inf.⟩ *just in case/* ⟨inf.⟩ *to be on the safe side.*

voorzorgsmaatregel ⟨de (m.)⟩ **0.1** *precaution(ary measure)* ⇒*safety measure* ◆ **3.1** zijn ~en genomen hebben *have taken precautions/precautionary/safety measures;* ~en nemen *tegen* take precautions against;* ~en nemen/treffen *take precautionary measures/precautions.*

voos ⟨bn.⟩ **0.1** [zonder stevig vlees] *dried-out* ⇒*withered* **0.2** [zonder innerlijke kracht] *hollow* ⇒*unsound* **0.3** [bedorven] *rotten* ◆ **1.1** voze radijs *d.-o. radish* **1.2** een voze redenering a *h. argument* **1.3** voze toestanden *r. conditions* **2.3** zij zijn tegen alles wat vies en ~ is *they're against filth, they're great ones for moral purity.*

voraciteit ⟨de (v.)⟩ **0.1** *voraciousness* ⇒*voracity.*

vorderbaar ⟨bn.⟩ **0.1** [opeisbaar] *claimable* ⇒*demandable,* ⟨mil.; alleen ná zn.⟩ *liable to be commandeered* **0.2** [te vergen] *demandable* ⇒ ⟨geld ook⟩ *payable, due.*

vorderen

I ⟨onov.ww.⟩ **0.1** [verderkomen] *(make) progress* ⇒*move forward, make headway,* ⟨inf.⟩ *get on* ◆ **1.1** naarmate de dag vorderde *as the day progressed/wore on* **5.1** de plannen zijn al zo ver gevorderd dat ...*plans have progressed to/reached the point where ...;*

II ⟨ov.ww.⟩ **0.1** [eisen] *demand* ⇒*claim* **0.2** [opeisen] *requisition* ⇒ ⟨vnl. mbt. voertuigen⟩ *commandeer* ◆ **1.1** het te ~ bedrag is ... *the amount due is ...;* betaling/rekenschap/recht ~ d. *payment/an account(ing)/justice;* geld ~ van iem. d. *money from s.o.* **6.1** zij kunnen niets **van** mij ~ *they have no claim against me.*

vordering ⟨de (v.)⟩ **0.1** [vooruitgang] *progress* ⇒*advance* ⟨vnl. mv.⟩, *headway* **0.2** [eis] *demand* ⇒*claim* **0.3** [het opeisen] *requisitioning* ⇒ ⟨vnl. mbt. voertuigen⟩ *commandeering* **0.4** [wat opgeëist wordt] *claim* ◆ **1.2** ~ van boete *d. for a fine* **2.1** hoe groot is die ~? *how much of/big a claim is it?;* oninbare ~en *doubtful/bad/irrecoverable debts;* ⟨jur.⟩ publieke ~ *sentence demanded by the prosecution* **3.1** ~en maken *(make) p., make headway/strides, move forward* **3.2** de ~ van iem. afwijzen ⟨ook⟩ *find/decide against s.o.;* een ~ hebben voor 3.000 gulden *have a claim of 3,000 guilders;* een ~ indienen/aanmelden *file a claim;* een van rechtswege toegewezen ~ *judgement debt;* de ~ van iem. toewijzen ⟨ook⟩ *find/decide for s.o./in favour of s.o.* **3.4** de ~en komen slechts langzaam binnen *the claims are only coming in slowly* **6.2** ~ **op** iem. *claim against s.o.* **6.3** ~ **tot** terbeschikkingstelling van goederen voor de staat *r. for the state.*

voren[1] →**voorn.**

voren[2] ⟨bw.⟩ **0.1** [aan de voorkant] ⟨zie 1.1, 6.1⟩ **0.2** [eerder] ⟨zie 6.2, 8.2⟩ ◆ **6.1** kom wat naar ~ *come closer/up here a bit;* trek je stoel wat **naar** ~ *pull your chair a bit forward;* **naar** ~ komen ⟨lett.⟩ *come forward;* ⟨fig.⟩ *come up/to the fore, emerge;* **naar** ~ brengen ⟨lett.⟩ *bring/move forward;* ⟨fig.⟩ *bring/put forward, bring up/to the fore;* **naar** ~ brengen ⟨theorie⟩ *advance* ⟨bezwaar, punt⟩; **van** ~ *from/on the front (side);* de vijand **van** ~ aanvallen *attack the enemy head-on;* ⟨fig.⟩ hij weet **van** ~ niet dat hij van achteren leeft ⟨dom⟩ *he is too stupid to come in out of the rain, he's as thick as two planks;* ⟨razend druk⟩ *he is on the merry-go-round;* ⟨scheep.⟩ **van** ~ en van achteren losgooien! *let go fore and aft!* **6.2** van te ~ *in advance, ahead, beforehand;* zoals nooit **te** ~ *as never before;* **van** ~ af *an from the beginning;* ⟨opnieuw⟩ *all over again;* **van** ~ af aan beginnen *start afresh/all over again* **8.2** als ~ *as above.*

vorenstaand ⟨bn.⟩ ⟨schr.⟩ **0.1** *afore-mentioned* ◆ **7.1** ⟨zelfst.⟩ het ~e *the foregoing/above.*

vorig ⟨bn.⟩ **0.1** [onmiddellijk voorafgaand] *last* ⇒*previous, preceding* **0.2** [vroeger] *earlier, former* ⇒*previous, past* ◆ **1.1** de ~e avond *the night before, the previous night;* ~e dinsdag *l. Tuesday;* in het ~e hoofdstuk *in the preceding/l. chapter;* het ~e jaar *l. year;* de ~e keer *(the) l. time;* uw brief v.d. derde van ~e maand *your letter of the 3rd ultimo;* de ~e paragraaf *the above section;* ~e week dinsdag *on (the) Tuesday of last week, Tuesday l.* **1.2** haar ~e man *het f. husband.*

vork ⟨de⟩ (→sprw. 297) **0.1** [getand werktuig] *fork* **0.2** [vorkvormig onderdeel] *fork* **0.3** [splitsing in tweeën] *fork, furcation* **0.4** [⟨schaken⟩] *fork* ◆ **1.1** met mes en ~ eten *eat with knife and f.;* een ~ (met) rijst a *forkful of rice* **6.1** ⟨fig.⟩ te veel hooi **op** zijn ~ nemen *bite off more than one can chew;* **op** de ~ nemen *fork (up)* **¶.1** ⟨fig.⟩ weten hoe de ~ in de steel zit *know the ins and outs of the matter, know how the matter stands.*

vorkheftruck ⟨de (m.)⟩ **0.1** *forklift (truck).*

vorkvormig ⟨bn., bw.⟩ **0.1** *forked, forklike* ◆ **2.1** ~ vertakte wegen *forked roads.*

vorm ⟨de (m.)⟩ **0.1** [uiterlijke gedaante] *form, shape* ⇒*outline* **0.2** [voorwerp waarmee men vormt] *mould* [A]*mold, form* ⇒*matrix* **0.3** [de juiste gestalte/samenstelling] *(right/correct/due/proper) form* ⇒ *make, style,* ⟨fysiek⟩ *shape, build* **0.4** [omgangsvorm] *manner(s)* ⇒ *convention, formality* **0.5** [⟨wisk.⟩] *form* **0.6** [⟨taal.⟩] *form* ◆ **1.1** afpersing is een ~ van geweld *extortion is a f. of violence;* het heeft de ~ v.e. rechthoek *it is shaped like a rectangle, it is rectangular in s., it has the s. of a rectangle* **2.1** in beknopte ~ *in a nutshell;* discriminatie in zijn ergste ~ *discrimination at its worst/of the worst kind;* een vrouw met fraaie, volle ~en *a buxom/shapely/curvaceous woman;* in zijn huidige ~ *as it stands now;* mijn ideeën beginnen ~ te krijgen *my ideas are beginning to take s./ to jell;* een nieuwe ~ geven *reshape, restyle, refashion* **2.2** ⟨fig.⟩ iets in een andere ~ gieten *cast sth. in a different mould, reshape sth.* **2.4** goede ~en *good manners, decency;* hij heeft nette ~en *he is well-mannered* **2.6** duratieve/progressieve ~ *continuous/progressive (f.);* verkorte ~ *shortening, shortened f.* **3.1** ⟨vaste⟩ ~ aannemen *take (definite) s., crystallize;* ~ geven aan een gedachte/gevoelen *express/shape a thought/feeling, give s. to a thought/feeling;* iets een vaste(re) ~ geven *crystallize/fix/shape/harden sth.* **3.4** hij is zeer gehecht aan ~ *he stands on ceremony;* de ~en in acht nemen *observe the conventions* **3.6** de bedrijvende/de lijdende ~ van een werkwoord *the active/passive voice of a verb* **4.1** onder/in welke ~ dan ook *in any s.* **6.1** een gebouw in de ~ van een hoefijzer *a building shaped like a horse shoe;* **naar** ~ en inhoud *in f. and content;* **uit** de ~ raken *lose s., become shapeless* **6.3** in ~ zijn *be in (good) shape/ trim/f./ condition;* iets in de juiste ~ brengen *shape/fashion sth.;* ⟨inf.⟩ knock sth. into shape **6.4 voor** de ~ iem. vragen *ask s.o. for the sake of formality/for form's sake;* iem. **zonder** ~en *an ill-mannered/unmannered person* **6.¶ zonder** (enige) ~ van proces *without any (form of) trial/form of justice.*

vormbaar ⟨bn.⟩ **0.1** *mouldable* [A]*moldable* ⇒*shap(e)able,* ⟨vnl. fig.⟩ *formable,* ⟨vatbaar voor onderwijs⟩ *trainable.*

vormelijk ⟨bn., bw.; -(al)ly⟩ **0.1** [volgens de vorm] *formal, proper* ⇒*in due form, correct* **0.2** [gehecht aan vormen] *formal, ceremonious* ⇒ *conventional,* ⟨inf.⟩ *starchy* **0.3** [formalistisch] *formalistic* ⇒*nominal* ◆ **1.1** ~e kleding *f. dress* **1.3** ~ christendom *f. / nominal Christianity* **2.1** ~ gekleed *formally dressed* **3.1** een verzoek ~ opstellen *draw up a request in due form* **3.2** hij is altijd zo ~ ⟨inf. ook⟩ *he is always so (prim and) proper.*

vormeling ⟨de (m.)⟩ **0.1** [te bakken steen] *unfired brick* **0.2** [⟨r.k.⟩] *confirmand.*

vormeloos →**vormloos.**

vormen ⟨ov.ww.⟩ **0.1** [een vorm geven] *shape, form* ⇒*mould* [A]*mold, fashion, model* **0.2** [doen ontstaan] *form* ⇒*make/build (up), set up, generate* **0.3** [de genoemde vorm vertonen] *make up, form* **0.4** [uitmaken] *make up, constitute* ⇒*be, form, comprise* **0.5** [opvoeden, ontwikkelen] *educate* ⇒*train* **0.6** [het vormsel toedienen] *confirm* ◆ **1.2** zich een denkbeeld/oordeel ~ *f. an idea, visualize, conceptualize; f. an opinion;* die delen ~ een geheel *those parts make up a whole;* kapitaal ~ *build up/raise capital;* nieuwe woorden ~ door samenstelling en afleiding *coin/f. new words by making compounds and derivations* **1.4** een bedreiging ~ voor iets *pose/constitute a threat to sth.;* zij ~ een goed paar *they make (up) a good couple;* een uitzondering ~ *be/constitute an exception* **1.5** iemands karakter ~ *mould s.o.'s character* **4.2** de klei vormt zich uit bezinkingen *the clay is formed/built up from sediments* **5.1** opnieuw ~ *re-form* **5.5** academisch gevormde *university graduates* **6.1** gevormd **naar** dit voorbeeld *modelled on this example* **7.4** de arbeiders ~ twee derde v.h. personeel *the workers account for two thirds of the staff* **¶.2** de letters d-o-g ~ 'dog' *the letters d-o-g spell 'dog'.*

vormend ⟨bn.⟩ **0.1** [de geest vormend] *formative* ⇒*educating, educational* **0.2** [voortbrengend] *formative* ⇒*forming, creative* ◆ **1.1** een ~e invloed/waarde *a f./ an educational influence/value;* algemeen ~ onderwijs *general/non-vocational education* **1.2** een ~ element *a formative element;* de ~e kracht v.d. planten *the creative power of plants.*

vormfout ⟨de⟩ **0.1** *technicality.*

vormgever ⟨de (m.)⟩, **-geefster** ⟨de (v.)⟩ **0.1** *designer* ⇒*stylist, modeller.*

vormgeving ⟨de (v.)⟩ **0.1** [het brengen tot een vorm] *design(ing)* ⇒ *style, styling, model(ling)* **0.2** [⟨jur.⟩] *specificatio(n)* ◆ **2.1** hij zoekt naar een eigen ~ *he is searching for a personal/an individual style;* grafische ~ *graphic design/styling;* industriële ~ *industrial design.*

vorming ⟨de (v.)⟩ **0.1** [het ontstaan] *formation* ⇒*creation, generation* **0.2** [geestelijke ontwikkeling] *education* ⇒*training, formation* **0.3** [het vormen] *forming, formation* ⇒*constitution, creation, moulding* [A]*molding* ◆ **¶.2** ~ buiten schoolverband *out-of-school education.*

vormingscentrum ⟨het⟩ **0.1** [B]*(socio-cultural) training/ education centre,*

[A]*sociological training/ education center* ⇒⟨mbt. partiële leerplicht⟩ [B]*day release centre,* [A]*≠job corps center.*

vormingscursus ⟨de (m.)⟩ **0.1** [B]*socio-cultural training course,* [A]*course in social studies/ sociological training;* ⟨mbt. partiële leerplicht⟩ [B]*day-release course, ≠* [A]*job corps course.*

vormingsklas ⟨de (v.)⟩ **0.1** [B]*basic training course,* [A]*economics/ social studies.*

vormingsleider ⟨de (m.)⟩, **-leidster** ⟨de (v.)⟩ →**vormingswerker.**

vormingstheater ⟨het⟩ **0.1** ⟨mbt. politiek bewustzijn⟩ *consciousness-raising theatre;* ⟨mbt. persoonlijke ontwikkeling⟩ *sociodrama.*

vormingswerk ⟨het⟩ **0.1** *work in* [B]*(socio-cultural)/* [A]*sociological training/ education* ⇒⟨mbt. partiële leerplicht⟩ *work in* [B]*day-release courses/* [A]*job corps program.*

vormingswerker ⟨de (m.)⟩, **-werkster** ⟨de (v.)⟩ **0.1** *worker in* [B]*socio-cultural training/* [A]*sociological training.*

vormleer ⟨de⟩ **0.1** [⟨taal.⟩] *morphology* **0.2** [⟨muz.⟩] *theory of musical form(s)* **0.3** [⟨bouwk.⟩] *theory of form(s)* **0.4** [⟨biol.⟩] *morphology.*

vormloos ⟨bn.⟩ **0.1** [zonder vorm] *formless, shapeless* ⇒*unshapen, amorphous* **0.2** [plomp] *shapeless, graceless* ◆ **1.1** een vormloze klomp *a s./ an amorphous lump;* ⟨jur.⟩ vormloze overeenkomst *informal agreement, agreement requiring no set formalities.*

vormloosheid ⟨de (v.)⟩ **0.1** *shapelessness* ⇒⟨vnl. fig.⟩ *formlessness,* ⟨wet.⟩ *amorphousness.*

vormsel ⟨het⟩ **0.1** [sacrament] *confirmation* **0.2** [iets dat gevormd is] *shape, formation.*

vormvariant ⟨de⟩ ⟨taal.⟩ **0.1** *morphological variant.*

vormvast ⟨bn.⟩ **0.1** *retaining its form/ shape* ⇒*inflexible, unalterable, fixed* ◆ **3.1** ~ zijn *retain its/ their shape/ form.*

vormverandering ⟨de (v.)⟩ **0.1** *transformation, deformation* ⇒*metamorphosis.*

vormzand ⟨het⟩ **0.1** *moulding* [A]*molding sand* ⇒*green sand.*

vorsen ⟨onov.ww.⟩ **0.1** *research, study* ⇒*explore, delve (into)* ◆ **1.1** met ~de blik *with a searching/scrutinizing look* **6.1** naar iets ~ *r. sth..*

vorser ⟨de (m.)⟩ **0.1** *researcher, explorer* ⇒*scientist.*

vorst[1]

I ⟨de (m.)⟩ **0.1** [het vriezen, vriezend weer] *frost* ⇒⟨periode van vorst⟩ *freeze* ◆ **1.1** vier graden ~ *four degrees below zero* **2.1** ruige ~ *rime, hoarfrost, white frost;* strenge ~ *hard/sharp frost* **3.1** we krijgen ~ *there's (a) frost coming;* de ~ zit nog in de grond *the ground is still frosted over/frostbound* **5.1** de ~ is over/ voorbij *the frost has broken/ is giving* **6.1** ~ **aan/in** de grond *ground frost;* **bij** ~ *in frosty weather, in case of frost;* **boven** de grond *air frost;* er zit/ hangt ~ **in** de lucht *there is a touch/nip of frost in the air;* **tegen** ~ bestande planten *frostproof plants;*

II ⟨de⟩ **0.1** [nok] *ridge.*

vorst[2] ⟨de (m.)⟩ **0.1** *sovereign, monarch* ⇒*prince, ruler, lord,* ⟨koning⟩ *king* ◆ **1.1** dronk op de ~ *loyal toast;* ⟨fig.⟩ de ~ van de duisternis *the Prince of Darkness;* de ~ van Monaco *the Prince of Monaco* **2.1** een absoluut ~ *an absolute ruler;* ⟨vnl. gesch.⟩ *a potentate;* een inlands ~ *a native ruler;* ⟨in India⟩ *a nabob* **8.1** als een ~ gekleed *dressed like a prince/king;* iem. als een ~ onthalen *entertain s.o. like a prince;* leven als een ~ *live like a prince/princess;* ⟨inf.⟩ *live in (the) clover.*

vorstbalk ⟨de (m.)⟩ **0.1** *ridge-pole/-beam/ -piece.*

vorstelijk ⟨bn., bw.⟩ **0.1** *princely, royal, regal, lordly* ◆ **1.1** een ~e gift *a princely gift;* ~ paleis *regal/ stately palace;* ~e personen *royalty;* ⟨inf.⟩ *royals;* een ~ salaris *a p. salary* **3.1** iem. ~ belonen *reward s.o. generously;* iem. ~ onthalen *give s.o. a royal welcome, receive s.o. royally;* je zit daar ~ *you've really got it made there.*

vorstendom ⟨het⟩ **0.1** *principality* ⇒*princedom.*

vorstengeslacht ⟨het⟩ **0.1** *race of kings* ⇒⟨vorstenhuis⟩ *dynasty, royal house.*

vorstenhuis ⟨het⟩ **0.1** *dynasty, royal house.*

vorstgrens ⟨de⟩ **0.1** *frost limit* ⇒*frostline.*

vorstin ⟨de (v.)⟩ **0.1** [echtgenote van een vorst] *queen, princess, sovereign's/ ruler's wife* **0.2** [vrouwelijke vorst] *sovereign, ruler, monarch, queen* ◆ **1.1** ⟨fig.⟩ de ~ van de nacht *the queen of the night.*

vorstpan ⟨de⟩ **0.1** *ridge tile.*

vorstperiode ⟨de (v.)⟩ **0.1** *spell/ period of frost* ⇒*frosty spell/ period,* ⟨inf.⟩ *freeze(-up).*

vorstschade ⟨de⟩ **0.1** *frost damage.*

vorstverlet ⟨het⟩ **0.1** *loss of working hours/ hold-ups due to frost.*

vorstvrij ⟨bn.⟩ **0.1** *frost-free* ⟨van ruimte/produkt⟩; *frostproof* ⟨van ruimte/materiaal⟩ ◆ **1.1** ~e kelders *frost-free/ frostproof cellars;* op een ~e plaats *in a frost-free place.*

vort ⟨tw.⟩ **0.1** ⟨vooruit⟩ *giddap, giddyap, giddyup;* ⟨weg⟩ *shoo, clear out.*

vos ⟨de (m.)⟩ ⟨→sprw. 618-620⟩ **0.1** [dier] *fox* **0.2** [sluw mens] *fox* ⇒*slyboots,* ⟨AE ook⟩ *wheeler-dealer* **0.3** [bont] *fox (fur/stole)* **0.4** [paard] *sorrel, chestnut* **0.5** [vlinder] *tortoiseshell (butterfly)* ◆ **1.1** troep ~sen *a pack of foxes* **2.1** Europese ~ *red f.* **2.2** een oude ~ *an old hand/stager;* een sluwe ~ *a crafty/sly (old) f./ dog* **¶.1** Reinaert de Vos *Reynard.*

VOS-cursus ⟨de (m.)⟩ **0.1** *women-and-society course.*

voshaai ⟨de (m.)⟩ **0.1** *thresher (shark)* ⇒*swingletail, fox shark, sea fox.*

voskleurig ⟨bn.⟩ **0.1** *sorrel* ⇒*cinnamon(-coloured)*.

vossebes ⟨de⟩ **0.1** *cowberry* ⇒⟨AE ook⟩ *foxberry, mountain cranberry, lingonberry*.

vossebont ⟨het⟩ **0.1** *fox (fur)*.

vossegat ⟨het⟩ **0.1** [vossehol]⟨→**vossehol**⟩ **0.2** [put voor een kelderraam] *(cellar) airhole, (cellar) venthole*.

vossehuid ⟨de⟩ **0.1** *fox('s) skin* ♦ **3.1** ⟨fig.⟩ de ~ aan de leeuwehuid naaien *add brain to brawn* **6.1** ⟨fig.⟩ in een ~ steken *be as sly / crafty as a fox*.

vossejacht ⟨de⟩ **0.1** [groepsspel] *treasure hunt* **0.2** [jacht op een vos] *fox-hunt(ing), fox chase* ♦ **6.2** op ~ gaan/ zijn *go fox-hunting, ride to/ follow the hounds*.

vosseklem ⟨de⟩ **0.1** *fox trap*.

vossen ⟨onov.ww.⟩ **0.1** [onafgebroken studeren] *grind* ⇒*bone*, ᴮ*swot* **0.2** [een verborgen zender opzoeken] *fox-hunt* ♦ **6.1** op iets ~ *g. away at/ bone up on/ swot up sth*..

vossestaart ⟨de (m.)⟩ **0.1** [staart v.e. vos] *foxtail* ⇒*brush* **0.2** [⟨plantk.⟩] *foxtail (grass)*.

vota →**votum**.

voteren ⟨ov.ww.⟩ **0.1** *vote* ⇒*grant*.

votiefbeeld ⟨het⟩ **0.1** *votive statue*.

votiefkaars ⟨de⟩ **0.1** *votive candle*.

votiefmis ⟨de⟩ **0.1** *votive mass*.

votieftafel ⟨de⟩ **0.1** *votive tablet*.

votomachine ⟨de (v.)⟩ **0.1** *voting machine*.

votometer ⟨de (m.)⟩ →**votomachine**.

votum ⟨het⟩ **0.1** [gelofte] *vow* **0.2** [uitspraak] *vote* ♦ **1.2** ~ van afkeuring *v. of censure;* ~ van vertrouwen/ wantrouwen *v. of confidence/ no-confidence* ¶.**2** ~ consultativum *advisory voice;* pia vota *pious wishes*.

voucher ⟨de (m.)⟩ **0.1** *coupon* ⇒*ticket, voucher*.

vouw ⟨de (m.)⟩ **0.1** *crease, fold* ⇒*pleat* ♦ **2.1** een scherpe ~ *a sharp c.* **3.1** de ~en uit iets strijken *iron out the creases from sth.* **6.1** een ~ in een boek/ een blad *a c. in a book/ sheet of paper;* een ~ in iets maken *fold sth., make a c. in sth.;* het document was versleten op zijn ~en *the document was worn at the folds;* iem. de ~en uit de broek rijden *barely miss s.o.;* zo gaat je broek uit de ~ *that will take the c. out of your trousers*.

vouwbaar ⟨bn.⟩ **0.1** *foldable*.

vouwbeen ⟨het⟩ **0.1** *paper knife/ cutter*.

vouwblad ⟨het⟩ **0.1** *folder* ⇒*circular, pamphlet*.

vouwcaravan ⟨de (m.)⟩ **0.1** *folding/ collapsible* ᴮ*caravan/* ᴬ*trailer* ⇒ ⟨AE ook⟩ *tent trailer*.

vouwdak ⟨het⟩ **0.1** *folding roof* ⇒*hood,* ⟨BE ook⟩ *drophead* ♦ **6.1** auto met ~ *convertible;* ⟨BE ook⟩ *drophead (coupé)*.

vouwdeur ⟨de⟩ **0.1** *folding/ articulated door*.

vouwdoos ⟨de⟩ **0.1** *folding box*.

vouwen
I ⟨onov.ww.⟩ **0.1** [gevouwen worden] *fold, be folded* ♦ **5.1** dit linnen vouwt niet gemakkelijk *this linen does not f. easily;*
II ⟨ov.ww.⟩ **0.1** [vouwen leggen in] *fold* ⇒*crease* **0.2** [door vouwen vormen] *fold* ♦ **1.1** de handen ~ ⟨lett.⟩ *join (one's) hands;* ⟨fig.⟩ *f. / join (one's) hands (in prayer)* **5.1** dubbel ~ *f. double/ in two/ up, double (up);* ⟨fig.⟩ zich dubbel ~ *bend over backwards* **6.1** in drieën ~ *f. in three;* **naar** binnen ~ *infold, f. in(wards); turn in* ⟨zoom⟩.

vouwfiets ⟨de⟩ **0.1** *folding/ collapsible bike*.

vouwlijn ⟨de⟩ **0.1** *folding line*.

vouwscherm ⟨het⟩ **0.1** *folding screen/ partition*.

vouwstoel ⟨de (m.)⟩ **0.1** *folding/ collapsible chair, campchair, deckchair*.

vouwtafel ⟨de⟩ **0.1** *folding/ collapsible table*.

vox ⟨de (v.)⟩ **0.1** *vox* ⇒*voice* ♦ ¶.**1** ~ humana *vox humana*.

voyant ⟨bn.⟩ **0.1** *loud, glaring, garish, gaudy, flashy*.

voyeur ⟨de (m.)⟩ **0.1** *voyeur, peeping Tom* ⇒*peeper*.

voyeurisme ⟨het⟩ **0.1** *voyeurism*.

vozen ⟨onov.ww.⟩ **0.1** *frig, fuck, stuff, screw*.

VPRO ⟨de (m.)⟩ ⟨voorheen afk.⟩ **0.1** [Vrijzinnig-Protestantse Radio-Omroep] *VPRO* ⟨*Dutch broadcasting organization*⟩.

vr. ⟨afk.⟩ **0.1** [vrouwelijk] *fem.* **0.2** [vraag, vragend] *q., qu.*.

vraag ⟨de⟩ **0.1** [handeling van vragen] *question* ⇒*(en)query,* ⟨verzoek⟩ *request, petition,* ⟨onderzoek⟩ *inquiry* **0.2** [kooplust] *demand* ⇒*call* **0.3** [opgave] *question, problem, assignment* **0.4** [vraagstuk] *question* ⇒ *issue, problem, topic* ♦ **1.2** ~ en aanbod *d. and supply* **1.4** in verband met de vragen van ons bestaan *concerning the whys (and wherefores) of our existence* **2.1** ⟨taal.⟩ directe/indirecte ~ *direct/ indirect question;* een gekke ~ *a silly question;* een onbescheiden ~ *an indiscrete/ impertinent question;* een pijnlijke ~ stellen *ask a painful/ an embarrassing question;* een schriftelijke ~ *a written question;* een suggestieve ~ *a leading question;* en nu de volgende ~ *and now for the next question/ point* **2.4** de cruciale ~ *the crucial q., the crux (of the matter);* dat is de grote ~ *that's the grand/ sixty-four thousand dollar q.;* dat blijft een open ~ *that remains a moot/ debatable q. / point, that is open to discussion* **3.1** dat is ook een ~! *what kind of (a) question is that!, what a question!;* na de uiteenzetting was er gelegenheid tot vra-

gen stellen *after the lecture question time was granted;* vragen stellen/ beantwoorden *ask / answer questions;* vragen uitlokken *invite/ lead to questions* **3.2** niet aan de ~ kunnen voldoen *be unable to meet the d.;* er was minder ~ *d. was down* **3.4** dat is de ~ *niet that's not/ beside the q. / point;* dat is zeer de ~ *that is highly doubtful/ debatable/ questionable, that's by no means certain;* het is nog de ~, of …*it remains to be seen whether* … **6.1** voor jou een ~, voor mij een weet *that's for you to ask and for me to know;* een ~ zonder antwoord *an unanswered question, a question without answer* **6.2** er is veel ~ **naar** tulpen *tulips are in great d., there's great d. / call for tulips;* er is grote ~ **naar** koper/ zijn laatste roman *there's a run on copper/ his latest novel* **7.1** 'wie bent u?', was zijn eerste ~ *'who are you?' was the first thing he asked* ¶.**4** ik stond voor de ~ wat er verder moest gebeuren *I was faced with the q. / problem (of) what to do*.

vraagachtig ⟨bn.⟩ **0.1** *inquisitive* ⇒⟨vnl. pej.⟩ *nosy, prying*.

vraagal ⟨de (m.)⟩ **0.1** *nosy Parker* ⇒⟨schr.⟩ *inquisitive person*.

vraagbaak ⟨de⟩ **0.1** [persoon] *oracle, walking encyclopedia* **0.2** [boekwerk] *handbook, encyclopedia* ⇒*vade mecum*.

vraaggesprek ⟨het⟩ **0.1** *interview* ♦ **6.1** een ~ **met** de minister *an i. with the minister*.

vraagogen ⟨zn.mv.⟩ **0.1** *questioning eyes*.

vraagprijs ⟨de (m.)⟩ **0.1** *asking price, ask price* ⇒*price asked/ quoted, recommended price*.

vraagpunt ⟨het⟩ **0.1** *moot point* ⇒*point of discussion/ in question, (question/ point at) issue* ♦ **6.1** ⟨jur.⟩ verhoor op ~en *≠delivery of interrogatories*.

vraagrecht ⟨het⟩ **0.1** *right to ask questions, right of interpellation*.

vraagschaal ⟨de⟩ ⟨ec.⟩ **0.1** *demand curve*.

vraagsgewijs ⟨bw.⟩ **0.1** *by means of questions and answers, catechetically*.

vraagspel ⟨het⟩ **0.1** *quiz*.

vraagsteller ⟨de (m.)⟩, **-stelster** ⟨de (v.)⟩ **0.1** *questioner, interviewer* ⇒ ⟨schr.⟩ *interrogator*.

vraagstelling ⟨de (v.)⟩ **0.1** ⟨formulering⟩ *phrasing/* ⟨aan de orde stellen⟩ *presentation of a/ the question*.

vraagstuk ⟨het⟩ **0.1** [probleem] *problem* ⇒*issue, topic* **0.2** [opgave] *problem* ⇒*question, assignment* ♦ **1.1** het ~ van de woningnood *the p. of housing shortage* **1.2** de oplossing van een ~ *the solution to a p.* **2.1** sociale ~ken *social problems/ issues* **2.2** algebraïsche ~ken *algebra(ic) problems* **3.1** zich in een ~ verdiepen *delve into/ study/ tackle a p.*.

vraagteken ⟨het⟩ **0.1** [leesteken] *question mark* ⇒⟨minder gebruikelijk⟩ *interrogation mark, query* **0.2** [onopgeloste vraag] *question mark, mystery* ♦ **1.1** ⟨fig.⟩ hier passen een paar ~s *a few question marks/ queries are in order here* **2.2** de toekomst van Europa is een groot ~ *Europe's future is one big q. m.* **3.1** ⟨fig.⟩ een ~ plaatsen/ zetten bij iets *query sth., put sth. in doubt, cast (a) doubt on sth.*.

vraaguitval ⟨de (m.)⟩ ⟨ec.⟩ **0.1** *fall/ collapse/ drop in demand*.

vraagwoord ⟨het⟩ **0.1** *interrogative word*.

vraagzin ⟨de (m.)⟩ **0.1** *interrogative sentence*.

vraat ⟨de (m.)⟩ **0.1** [het aanvreten, aangevreten worden] *damage (by insects* ⟨enz.⟩*)* **0.2** [gulzigaard] *glutton, pig* **0.3** [voedsel] ⟨wilde dieren⟩ *food, feed;* ⟨huisdieren⟩ *fodder*.

vraatlust →**vraatzucht**.

vraatziekte ⟨de (v.)⟩ **0.1** *bulimia* ⇒*polyphagia*.

vraatzucht ⟨de⟩ **0.1** *gluttony* ⇒⟨schr.⟩ *voracity,* ⟨ziekelijk⟩ *bulimia,* ⟨vnl. scherts.⟩ *edacity*.

vraatzuchtig ⟨bn., bw.; -ly⟩ **0.1** *gluttonous, greedy* ⇒⟨schr.⟩ *voracious,* ⟨vnl. scherts.⟩ *edacious*.

vracht ⟨de⟩ **0.1** [lading] *freight(age), cargo* ⇒⟨wagen, trein⟩ *load* **0.2** [last] *load, burden* ⇒*weight* **0.3** [hoeveelheid] ⟨cart⟩*load, haul, shipment* **0.4** [groot aantal] ⟨cart⟩*load, ton(s)* ⇒⟨inf.⟩ *lashings* **0.5** [vervoerloon] ⟨vliegtuig, schip; AE ook land⟩ *freight(age);* ⟨land⟩ *carriage, cartage;* ⟨trein ook⟩ *haulage* ♦ **2.2** daar heb je een hele/ zware ~ aan *that's quite a l. / weight* **3.1** ~ innemen *take in c. / f.;* zijn ~ lossen ⟨lett.⟩ *unload one's c.;* ⟨scherts.⟩ *ease nature* **3.2** ~ken meekrijgen ⟨fig.⟩ *get a good scolding, catch it* **3.5** de ~en zijn gestegen *freight rates have gone up, freightage has gone up* **6.2** onder de ~ bezwijken *succumb under the b.;* een ~ op de rug hebben *have a b. / pack on one's back* **6.5** op ~ *at freight;* schepen op ~ laten varen *use ships as freighters*.

vrachtauto →**vrachtwagen**.

vrachtboot →**vrachtschip**.

vrachtbrief ⟨de (m.)⟩ **0.1** *waybill* ⇒⟨schip, trein, vliegtuig⟩ *consignment note,* ⟨schip⟩ *bill of lading,* ⟨bij bestelling⟩ *delivery/ forwarding note,* ⟨jur.⟩ *contract/ bill of carriage*.

vrachtcedel →**vrachtbrief**.

vrachtdienst ⟨de (m.)⟩ **0.1** *freight/ cargo service*.

vrachteenheid ⟨de (v.)⟩ **0.1** *unit of freight(age)*.

vrachtgeld ⟨het⟩ **0.1** *freightage* ⇒⟨schip, vliegtuig⟩ *freight (rate),* ⟨land⟩ *carriage (rate),* ⟨trein⟩ *haulage (rate)*.

vrachtgoed ⟨het⟩ **0.1** [goederen die vervoerd worden] *freight(age), goods, cargo* **0.2** [⟨spoorw.⟩] *goods by slow/ (ordinary) goods/* ᴬ*freight train*.

vrachtje ⟨het⟩ **0.1** [taxipassagier] *fare* **0.2** [last] *load* ◆ **2.2** een heel~ *quite a l..*

vrachtkosten ⟨zn.mv.⟩ **0.1** [mbt. schip/vliegtuig] *freight (charges/costs)* **0.2** [mbt. weg/trein] *carriage (charges/costs)*.

vrachtlijst ⟨de⟩ **0.1** *freight list;* ⟨mbt. weg/spoorverkeer⟩ *waybill;* ⟨mbt. schip⟩ *manifest.*

vrachtloon →**vrachtgeld.**

vrachtovereenkomst ⟨de (v.)⟩ **0.1** *freight/carriage contract.*

vrachtprijs ⟨de (m.)⟩ **0.1** *freightage* ⇒⟨schip, vliegtuig⟩ *freight (rate),* ⟨land⟩ *carriage (rate),* ⟨trein⟩ *haulage (rate).*

vrachtrijder ⟨de (m.)⟩ **0.1** *carrier,* Blorry/Atruck driver ⇒*haulier* Ahaul- *er,* ⟨BE ook⟩ *van-driver,* ⟨AE;inf.⟩ *trucker.*

vrachtruimte ⟨de (v.)⟩ **0.1** *cargo/freight space/hold* ⇒⟨afmetingen⟩ *tonnage.*

vrachtschip ⟨het⟩ **0.1** *freighter, cargo ship.*

vrachtstuk ⟨het⟩ **0.1** *item of freight* ⇒*packet, parcel.*

vrachttarief ⟨het⟩ **0.1** *freightage* ⇒⟨schip, vliegtuig⟩ *freight rate,* ⟨land⟩ *carriage rate,* ⟨trein⟩ *goods rate, haulage.*

vrachtvaarder ⟨de (m.)⟩ **0.1** [schip] *freighter, cargo ship* **0.2** [persoon] *(sea) carrier.*

vrachtvaart ⟨de (v.)⟩ **0.1** *(general) cargo trade.*

vrachtverdeling ⟨de (v.)⟩ **0.1** *allocation of cargo(es).*

vrachtverkeer ⟨het⟩ **0.1** [vrachtvervoer] *cargo trade, cargo/goods transport(ation)* **0.2** [verkeer van vrachtauto's] Blorry/Atruck traffic.

vrachtverlies ⟨het⟩ **0.1** *loss of freight.*

vrachtvervoer ⟨het⟩ **0.1** *goods carriage* ⇒*cargo transport(ation), freight traffic,* ⟨land⟩ *haulage.*

vrachtverzekering ⟨de (v.)⟩ **0.1** *freight/cargo insurance.*

vrachtvliegtuig ⟨het⟩ **0.1** *cargo-plane/-aircraft* ⇒*airfreighter.*

vrachtvlucht ⟨de (v.)⟩ **0.1** *cargo/freight flight.*

vrachtvoorwaarden ⟨zn.mv.⟩ **0.1** *freight/carrying conditions.*

vrachtvrij ⟨bn.⟩ **0.1** *freight/carriage paid;* ⟨per post⟩ *post(age) paid.*

vrachtwagen ⟨de (m.)⟩ **0.1** Blorry, Atruck ⇒⟨klein⟩ van.

vrachtwagenchauffeur ⟨de (m.)⟩ **0.1** Blorry-driver, Atruck-driver, Atruck- *er,* Ateamster.

vrachtwagencombinatie ⟨de (v.)⟩ **0.1** Barticulated lorry, Atrailer truck ⇒ ⟨BE;inf.⟩ artic.

vragen ⟨→sprw. 138,183,622⟩
I ⟨onov., ov.ww.⟩ **0.1** [een vraag stellen] *ask (for)* ⇒*query, question,* ⟨schr.⟩ *inquire (after)* **0.2** [verzoeken] *ask, demand* ⇒*request, invite* **0.3** [ondervragen] *ask* ⇒*interrogate* ◆ **1.1** een politieagent de weg~ *a. a policeman the way/to show one the way* **1.2** ⟨kaartspel⟩ er wordt harten gevraagd *hearts are being led/called, the lead is hearts;* een lift~ *thumb/hitch a ride;* de rekening~ *a./call for the bill* **3.1** je hebt er maar om te~ *it's yours for the asking;* dat hoef je niet te~ *that's obvious/as clear as daylight;* als ik ~mag, bent u getrouwd? *may I a. whether you are married?;* zou ik u iets mogen~? *would you mind if I asked you a question?;* ⟨inf.⟩ *can I a. you sth.?* **4.1** daar vraag je wat *you've got me there, now you're asking;* nu vraag ik je! *I a. you!, really (now)!* **5.1** je moet niet ~hoe/vraag niet hoe *don't a. (me) how, don't a. me* **5.3** hij vraagt moeilijk *he asks hard/tough questions* **6.1** door ~ komt men overal *asking questions will get you everywhere;* met klem ~a. *emphatically, insist (on)* **6.2** hij vraagt je om te komen *he is asking you to come;* om een onderhoud~ *a. for an interview* **8.1** als je het mij vraagt *if you a. me/want my opinion* ¶.1 ~hoe laat het is *a. (for) the time;* zomaar wat~ *a. questions at random, a. just anything/off the cuff, a. for the sake of asking;*
II ⟨ov.ww.⟩ **0.1** [uitnodigen] *ask, invite* **0.2** [verlangen] *ask, request* ⇒*demand* **0.3** [nodig hebben] *ask, demand* ⇒*need, want* **0.4** [verlangen tonen om te bezitten] *demand* ⇒*ask* ◆ **1.2** van iem. het onmogelijke ~*demand/expect the impossible from s.o.;* een lagere prijs~dan de concurrentie *undercut/undersell one's competitors;* hoge prijzen~ *overcharge, overprice;* stemming~ *call for the question, call/demand a vote;* gevraagd: typiste *wanted: typist* **1.3** veel aandacht~d./need/ a. a great deal of attention;* kinderen~geduld *one has to be patient/ have patience with children* **1.4** dat boek wordt veel gevraagd *this book is in great demand* **5.2** je vraagt te veel van jezelf *you're asking too much of/overtaxing yourself* **6.2** dat mag ik niet van u~ *I couldn't a. you to do that, I couldn't a. that of you;*
III ⟨onov.ww.⟩ **0.1** [informeren] *ask (after/about), inquire (after/ about)* **0.2** [het onvermijdelijk maken] *ask (for)* ⇒*call (for)* **0.3** [kaartspel] een bod doen] *bid, call* ◆ **5.1** niemand vraagt daarnaar ⟨ook⟩ *nobody wants to know* **5.2** erom ~a. for it, court/invite it* **6.1** naar iemands gezondheid~ *i. after s.o.'s health;* naar de prijs van een artikel~ *a. i. about the price of an article;* hij vraagt altijd naar de kinderen *he is always asking about/after the children;* naar iem.~a. for s.o.;* naar de bekende weg~ *a. what one already knows/for the sake of asking;* daar wordt niet naar gevraagd *that's of no interest to anybody, that's beside the point* **6.2** dat is om moeilijkheden~ *that's asking for trouble.*

vragenboek ⟨het⟩ **0.1** *questions/problems/assignments book, workbook;* ⟨rel.⟩ *catechism.*

vragenbus ⟨de⟩ **0.1** [bus om vragen te deponeren] *question(s) box* **0.2**

[rubriek] *questions and answers, answers/replies to correspondents;* ⟨persoonlijke kwesties⟩ *agony column.*

vragend
I ⟨bn., bw.⟩ **0.1** [verwondering uitdrukkend] *questioning* ⇒*querying, inquiring* ◆ **1.1** ~e blikken *questioning glances* **3.1** iem.~ aanzien *give s.o. a questioning look;* ~ de wenkbrauwen optrekken *raise one's eyebrows inquiringly;*
II ⟨bn.⟩ **0.1** [⟨taal.⟩] *interrogative* ◆ **1.1** een~ voornaamwoord/bijwoord *an i. pronoun/adverb;* een ~e zin *an i. sentence.*

vragendag ⟨de⟩ **0.1** *question day.*

vragenderwijs ⟨bw.⟩ **0.1** *interrogatively, inquiringly* ⇒*by way of question(ing).*

vragenlijst ⟨de⟩ **0.1** *list of questions;* ⟨formulier⟩ *questionnaire, query sheet, question/inquiry form.*

vragensteller ⟨de (m.)⟩ **0.1** *questioner* ⇒*inquirer, enquirer,* ⟨interview⟩ *interviewer.*

vragenuurtje ⟨het⟩ **0.1** *question time.*

vrager ⟨de (m.)⟩, **vraagster** ⟨de (v.)⟩ **0.1** [iem. die een vraag stelt] *questioner, inquirer* ⇒⟨interview⟩ *interviewer* **0.2** [eiser] *claimant, plaintiff* **0.3** [examinator] *questioner;* ⟨bij verhoor⟩ *interrogator.*

vrede ⟨de⟩ **0.1** [toestand dat er niet gevochten wordt] *peace* **0.2** [toestand van rust] *peace, quiet(ude)* **0.3** [vredesverdrag] *peace (treaty)* ◆ **1.1** een man van de~ *a man of (the) p., a peace-loving man* **1.2** zij leefden in rust en~ *they lived in p. and quiet* **2.1** gewapende~ *armed p.* **2.2** de huiselijke~ *domestic p. (and quiet)* **3.1** ~sluiten met *conclude the p. with;* ~stichten *make p.* **3.2** ~met iets hebben *be resigned/ reconciled to sth., accept sth., acquiesce in sth., reconcile o.s. to sth., make one's p. with sth.;* de~herstellen *pacify, restore the p.;* ~zij met u *p. be with you* **3.3** een afzonderlijke~sluiten *conclude a separate p. (t.)* **6.1** de Nobelprijs voor de Vrede *the Nobel Peace Prize* **6.2** zij ruste in~ *may she rest in p.* ¶.1 ~op aarde *p. on earth* ¶.2 ter wille van de (lieve)~/om des~s wille *for the sake of p. (and quiet).*

vredebode ⟨de (m.)⟩ **0.1** [bode van de vrede] *messenger of peace, peace-maker* **0.2** [iem. die een vredesaanbod overbrengt] *messenger of peace* ⇒*peace-messenger.*

vredebreuk ⟨de⟩ **0.1** *breach of the peace.*

vredegerecht ⟨het⟩ ⟨AZN⟩ **0.1** *justice of the peace court.*

vredekus ⟨de (m.)⟩ **0.1** [verzoeningskus] *kiss of reconciliation* **0.2** [⟨rel.⟩] *kiss of peace, pax.*

vredelievend ⟨bn., bw.;-ly⟩ **0.1** *peaceful* ⇒*peace-loving, peaceable* ◆ **1.1** een~vorst *a peace-loving ruler* **3.1** ~optreden *act peaceably.*

vredelievendheid ⟨de (v.)⟩ **0.1** *peaceableness, peacefulness* ⇒*love of peace.*

vredeoffer ⟨het⟩ **0.1** *peace offering* ⇒*olive branch.*

vrederechter ⟨de (m.)⟩ ⟨AZN⟩ **0.1** *justice of the peace.*

vredesaanbod ⟨het⟩ **0.1** *peace offer.*

vredesactivist ⟨de (m.)⟩, -e ⟨de (v.)⟩ **0.1** *peace activist.*

vredesakkoord ⟨het⟩ **0.1** *peace agreement/treaty.*

vredesapostel ⟨de (m.)⟩ **0.1** *apostle of peace.*

vredesbesprekingen ⟨zn.mv.⟩ **0.1** *peace talks/negotiations.*

vredesbeweging ⟨de (v.)⟩ **0.1** *peace movement.*

vredesconferentie ⟨de (v.)⟩ **0.1** [over een te sluiten vrede] *peace conference/negotiations/talks* **0.2** [ter bevordering van de wereldvrede] *peace conference/congress.*

vredescongres ⟨het⟩ **0.1** *peace congress.*

vredesdemonstratie ⟨de (v.)⟩ **0.1** *peace demonstration.*

vredesduif ⟨de⟩ **0.1** *dove of peace.*

vredeskans ⟨de⟩ **0.1** *chance of peace.*

vredesluiting ⟨de (v.)⟩ **0.1** *conclusion of (the) peace, pacification.*

vredesmacht ⟨de⟩ **0.1** *peacekeeping force.*

vredesmars ⟨de⟩ **0.1** *peace march.*

vredesnaam ⟨f⟩ ◆ **6.¶** hoe is het in~mogelijk *how on earth is that possible/can that be, for goodness'/God's sake/for crying out loud, how is that possible?.*

vredesoffensief ⟨het⟩ **0.1** *peace offensive/initiative.*

vredesonderhandelingen ⟨zn.mv.⟩ **0.1** *peace negotiations/talks* ◆ **3.1** ~ voeren ⟨ook⟩ *parley.*

Vredespaleis ⟨het⟩ **0.1** *Peace Palace.*

vredespijp ⟨de⟩ **0.1** *peace pipe, pipe of peace, calumet* ◆ **3.1** de~aanbieden/roken ⟨fig.⟩ *offer/smoke the pipe of peace, keep the/make peace.*

vredesplan ⟨het⟩ **0.1** *peace plan.*

vredespoging ⟨de (v.)⟩ **0.1** *peace effort/initiative/move/overture.*

vredespolitiek ⟨de (v.)⟩ **0.1** *policy of peace, peace policy* ◆ **3.1** een~voeren *pursue a policy of peace.*

vredespreliminairen ⟨zn.mv.⟩ **0.1** *peace preliminaries.*

vredesprijs ⟨de (m.)⟩ **0.1** *peace prize.*

vredessterkte ⟨de⟩ **0.1** *peacetime strength/establishment.*

vredestichter ⟨de (m.)⟩, -stichtster ⟨de (v.)⟩ **0.1** *peacemaker* ⇒*pacifier.*

vredestijd ⟨de (m.)⟩ **0.1** *peacetime* ⇒*time(s) of peace.*

vredestraktaat ⟨het⟩ **0.1** *peace treaty.*

vredesverdrag ⟨het⟩ **0.1** *peace treaty.*

vredesvoorstel ⟨het⟩ **0.1** *peace proposal* ⇒*proposition of peace.*

vredesvoorwaarde ⟨de (v.)⟩ **0.1** *condition/term of peace* ⇒*peace term.*

vredeteken ⟨het⟩ **0.1** *sign of peace* ⇒⟨met twee vingers⟩ *peace/pax sign.*

vredevlag ⟨de⟩ **0.1** *peace flag, white flag.*

vredevorst ⟨de (m.)⟩ **0.1** [vredestichter] *peacemaking/*⟨vreedzaam (regerend) vorst⟩ *peaceful/peaceloving prince/ruler* **0.2** [Christus] *Prince of Peace.*

vredevuur ⟨het⟩ **0.1** *bonfire (lit.) in honour of/to celebrate peace.*

vredig ⟨bn., bw.; -ly⟩ **0.1** *peaceful* ⇒*quiet, tranquil, restful, serene.*

vree →**vrede.**

vreedzaam
I ⟨bn.⟩ **0.1** [vredelievend] *peaceful, peaceable* ⇒*peace-loving* ♦ **1.1** de bewoners zijn ~ van aard *the inhabitants are of a peaceable disposition;*
II ⟨bn., bw.; -ly⟩ **0.1** [zonder geweld] *peaceful* ⇒*non-violent* **0.2** [vredig, rustig] *peaceful* ⇒*tranquil, calm, quiet* ♦ **1.1** vreedzame coëxistentie (p.) coexistence; naar een vreedzame oplossing zoeken *seek a p. solution;* langs vreedzame weg *by p./non-violent means.*

vreedzaamheid ⟨de (v.)⟩ **0.1** *peacefulness* ⇒*peaceableness.*

vreemd
I ⟨bn.⟩ **0.1** [uitheems] *foreign, exotic* ⇒*strange, alien* **0.2** [van elders gekomen] *foreign* ⇒*strange, imported, extraneous, introduced* ⟨planten, dieren⟩ **0.3** [niet bekend/vertrouwd] *strange* ⇒*unfamiliar, alien* **0.4** [niet van eigen familie] *strange, outside, other* **0.5** [van andere/onbekende soort] *foreign* ♦ **1.1** ~ geld *f. currency;* ~e landen/volken *e. lands/peoples;* ~e talen *f. languages;* ~e vruchten *e. fruit(s);* ~e woorden *f. words, foreignisms* **1.2** ~ kapitaal gebruiken *use outside/borrowed capital* **1.3** in een ~ bed slapen *sleep in a s. bed* **1.4** in ~e handen overgaan *pass into the hands of strangers* **1.5** ~e bestanddelen *f. elements;* ~e vlekken op een foto *strange spots on a photograph* **3.2** zij is hier ~ *she is a stranger here* **3.3** alle grootspraak is haar ~ *all boasting is foreign to her (nature);* die stem is mij ~ *that voice is unfamiliar/unknown to me;* die heer is mij ~ *that gentleman is a stranger to me, I don't know the gentleman;* hij voelt zich hier ~ *he feels a stranger/out of place here* ¶**.3** daar sta ik ~ tegenover *that's unfamiliar to me, I'm not used to that* ¶**.4** dat heeft ze van niemand ~ *it's obvious who she got that from, it runs in the family, she's a chip off the old block;*
II ⟨bn., bw.; -ly⟩ **0.1** [ongewoon] *strange, odd* ⇒*unusual, weird, queer* **0.2** [verbaasd] *surprised* ♦ **1.1** een ~ gewoonte *an o./a s. habit, an ideosyncrasy, a quirk;* een ~ kind *an o. child* **3.1** ~ doen *behave in an unusual way, show/display o. behaviour* **4.1** hij heeft iets ~s *there's sth. o. about him, there's a queer streak in him;* wat ~! *how extraordinary/o./peculiar!* **5.1** ~ genoeg scheen haar dat niet te hinderen *strangely enough/s. to say, it didn't seem to bother her* **7.1** het ~e is, dat…the o./s./funny thing is that …;* het ~e van die opmerking *the s./funny thing about that remark* ¶**.1** het is mij ~ te moede *I am in a s. mood;* ~ dat jij dat zegt! *s./funny you should say that!.*

vreemde
I ⟨de (m.)⟩ **0.1** [vreemdeling] *foreigner* ⇒*stranger,* ⟨buitenaards ook⟩ *alien* **0.2** [geen familielid] *stranger, outsider* ♦ **6.2** dat hebben ze van geen ~ *it's obvious who they got that from/where they learnt that* **8.2** iem. als een ~ behandelen *treat s.o. as a s., make a s. of s.o.;*
II ⟨het⟩ ♦ **6.1** in den ~ *abroad, in foreign parts, in a foreign country;* in den ~ geboren ⟨ook⟩ *foreign-born.*

vreemdeling ⟨de (m.)⟩ **0.1** [buitenlander] *foreigner* ⇒*stranger,* ⟨niet genaturaliseerd; buitenaards ook⟩ *alien* **0.2** [iem. die ergens niet bekend is] *stranger* **0.3** [iem. die niet thuis is in iets] *stranger* ♦ **2.1** ongewenste ~en *undesirable aliens* **6.1** hij is een ~ in zijn eigen land *he is a stranger in his own country* **6.3** hij is geen ~ in deze tak van sport *he is no s. to this (branch of) sport.*

vreemdelingenangst ⟨de (m.)⟩ **0.1** *xenophobia.*

vreemdelingenbureau ⟨het⟩ **0.1** *tourist office.*

vreemdelingendienst ⟨de (m.)⟩ **0.1** *aliens (registration) office/bureau/department.*

vreemdelingenhaat ⟨de (m.)⟩ **0.1** *xenophobia* ⇒*hatred of foreigners/strangers.*

vreemdelingenhater ⟨de (m.)⟩ **0.1** *xenophobic person* ⇒⟨zeldz.⟩ *xenophobe* ♦ **3.1** het zijn ~s *they hate foreigners, they're xenophobic.*

vreemdelingenheerschappij ⟨de (v.)⟩ **0.1** *foreign rule.*

vreemdelingenindustrie ⟨de (v.)⟩ **0.1** *tourism* ⇒*tourist industry.*

vreemdelingenlegioen ⟨het⟩ **0.1** *foreign legion.*

vreemdelingenpolitie ⟨de (v.)⟩ **0.1** *aliens police* ⇒*aliens (registration) office/bureau/department.*

vreemdelingenverkeer ⟨het⟩ **0.1** *tourism, tourist traffic* ⇒⟨als bedrijf ook⟩ *tourist industry* ⟨ook →VVV-kantoor⟩.

vreemdelingenwet ⟨de⟩ **0.1** *Aliens Act.*

vreemdgaan ⟨onov.ww.⟩ **0.1** *have an (extramarital) affair* ⇒⟨inf.⟩ *mess about, sleep around.*

vreemdheid ⟨de (v.)⟩ **0.1** *strangeness, oddity* ⇒*novelty, peculiarity.*

vreemdsoortig ⟨bn.⟩ **0.1** *peculiar, strange, odd, exotic.*

vreemdtalig ⟨bn.⟩ **0.1** *in a foreign language.*

vrees ⟨de⟩ **0.1** [angst voor iets dreigends] *fear, fright* ⇒⟨lichte angst⟩ *apprehension, anxiety,* ⟨sterk⟩ *terror, dread* **0.2** [angst voor iets onaangenaams] *fear* **0.3** [fobie] *fear, phobia* ⇒*dread* **0.4** [eerbied] *fear* ⇒*awe* ♦ **1.4** de vreze des Heren *the f. of the Lord* **2.1** gegronde/ongegronde ~ hebben *have well-founded/unfounded fears* **3.1** iem. ~ aanjagen *frighten s.o.;* ⟨sterker⟩ *put the fear of God into s.o.;* ~ inboezemen *frighten;* ⟨sterker⟩ *terrify, strike terror into;* ~ koesteren *be afraid, fear, entertain anxieties* **3.2** geen ~ kennen *be fearless, know no f.* **6.1** met ~ en beven *in fear and trembling;* uit ~ voor een epidemie *for fear of an epidemic;* ~ voor spoken/onweer *fear/dread of ghosts/thunder(storms);* het gevaar zonder ~ tegemoetzien *face the danger without fear/fearlessly;* een ridder zonder ~ of blaam *a knight without fear or reproach* **6.2** hij greep haar vast uit ~ dat hij zou vallen/uit ~ te vallen *he grabbed hold of her for f./lest he should fall.*

vreesaanjagend →**vreeswekkend.**

vreesaanjaging ⟨de (v.)⟩ **0.1** *intimidation* ⇒*terror(ism).*

vreesachtig ⟨bn., bw.; -ly⟩ **0.1** *timid, fearful* ⇒⟨pej.⟩ *faint-hearted, cowardly.*

vreesachtigheid ⟨de (v.)⟩ **0.1** *fearfulness* ⇒*timidity, faint-heartedness.*

vreeslijk →**vreselijk.**

vreeslijkheid →**vreselijkheid.**

vreeswekkend ⟨bn., bw.; -ly⟩ **0.1** *frightening* ⇒*frightful, terrifying.*

vreetijzer ⟨de (m.)⟩ ⟨vulg.⟩ **0.1** [fork.

vreetpartij ⟨de (v.)⟩ ⟨inf.⟩ **0.1** *blow-out.*

vreetzak ⟨de (m.)⟩ ⟨inf.⟩ **0.1** *glutton* ⇒*gourmand, greedy-guts, pig.*

vrek ⟨de (m.)⟩ **0.1** *miser* ⇒*skin-flint, niggard, Scrooge.*

vrekachtig →**vrekkig.**

vrekkig ⟨bn., bw.⟩ **0.1** *miserly, niggard(ly), stingy* ⇒⟨schr.⟩ *avaricious.*

vrekkigheid ⟨de (v.)⟩ **0.1** *stinginess* ⇒*close-/tight-fistedness, miserliness,* ⟨schr.⟩ *avarice, parsimony.*

vreselijk[1]
I ⟨bn., bw.⟩ **0.1** [enorm] *terrible, awful* ⇒*frightful, enormous, dreadful* **0.2** [afschrikwekkend] *terrifying, horrible* ⇒*frightful, fearful, ghastly, shocking* ♦ **1.1** ~e honger hebben *have a ravenous appetite, be ravenous;* een ~e wind *a mad wind* **1.2** een ~e moord *a shocking/h. murder* **3.1** we hebben ~ gelachen *we nearly died laughing/split our sides laughing;* het stormt ~ *there's t./frightful storm* **7.1** het ~e is, dat …*the frightful/shocking thing about it is that …;*
II ⟨bw.⟩ **0.1** [in hoge mate] *terribly, awfully, frightfully* ⇒*enormously, shockingly, dreadfully* ♦ **2.1** ~ gezellig *awfully nice;* een ~ goed verhaal *a terrific/stupendous story;* zo ~ moeilijk is het nu ook weer niet *it's not all that difficult/not as difficult as all that;* het is ~ slecht weer *the weather is shocking/terrible.*

vreselijk[2] ⟨tw.⟩ **0.1** *terrible, dreadful* ⇒*shocking, awful* ♦ ¶**.1** ~, wat is het koud! *d., this cold!.*

vreselijkheid ⟨de (v.)⟩ **0.1** [ijselijkheid] *terror, ghastliness, horror, dreadfulness* **0.2** [iets vreselijks] *terror, horror.*

vreten[1] ⟨het⟩ **0.1** [voer voor dieren] *fodder* ⟨voor vee e.d.⟩*;food* ⟨voor huisdieren/wilde dieren⟩*;forage* ⟨voor paarden/koeien e.d.⟩; ⟨van afval⟩ *slops* **0.2** ⟨vulg.⟩ [eten] *grub, stuff* ⇒*tack, chow* ♦ **1.¶** ⟨fig.⟩ een raar stuk ~ *a rum customer, a right one.*

vreten[2] ⟨→sprw. 71⟩
I ⟨onov., ov.ww.⟩ **0.1** ⟨vulg.⟩ mbt. personen/eten] *feed* **0.2** ⟨inf.⟩ gulzig eten] *stuff/cram/gorge (o.s.), scoff* **0.3** [mbt. dieren, eten] *feed* ⇒*eat* ♦ **1.2** die gulzigaard eet niet, hij vreet *that doesn't eat, he just stuffs himself* **3.1** dat is niet te ~! *that's not fit for pigs!;* krijgen we nog iets te ~? *what's keeping/where's the grub?* **5.3** de varkens willen niet ~ *the pigs are off their feed* ¶**.2** zich te barsten ~ *stuff o.s. to the gullet/sick/stupid;*
II ⟨ov.ww.⟩ **0.1** [verslinden] *eat (up)* ⇒*lap up, devour* **0.2** [accepteren] *swallow* ⇒*stomach, take* ♦ **1.1** kilometers ~ *burn up the road;* het publiek vréét die schandaalverhaaltjes *the public simply laps up these scandals;* dat toestel vréét stroom *this machine eats up current;*
III ⟨onov.ww.⟩ **0.1** [knagen] *eat (away), gnaw (at), prey (on)* ♦ **1.1** diep in zijn hart vrat de spijt *deep down he was torn/eaten up with regret/ate his heart out over it* **6.1** het verdriet/het schuldbesef vrat aan haar *the grief/sense of guilt gnawed at her heart.*

vreter ⟨de (m.)⟩, **vreetster** ⟨de (v.)⟩ **0.1** ⟨inf.⟩ gulzige eter, eetster] *glutton* ⇒*greedy-guts, gourmand, pig* **0.2** ⟨vnl. in samenst.⟩ gezworen vijand] ⟨zie 1.2⟩ ♦ **1.2** hij is een communistenvreter/moffenvreter *he/she hates the Communists's/Jerries'/*[A]*Krauts' guts.*

vreterij ⟨de (v.)⟩ **0.1** ⟨inf.⟩ vreetpartij] *blow-out* **0.2** [schade aan gewassen] *damage (by insects/animals* ⟨enz.⟩).

vreugd →**vreugde.**

vreugde ⟨de (v.)⟩ ⟨→sprw. 45,679⟩ **0.1** [blijdschap] *joy, delight* ⇒*gladness, pleasure, bliss* **0.2** [het uiten van blijdschap] *merriment* ⇒*pleasure, gaiety, joy, rejoicing* **0.3** [wat/wie blijdschap veroorzaakt] *joy, delight* ⇒*pleasure* **0.4** [ogenblik van blijdschap] *(moment of) joy* ♦ **1.3** de ~n van het leven *the joys/pleasures of life;* hij is de ~ van zijn ouders *he is his parents' pride and j.* **1.¶** Vreugde der Wet ⟨joodse feestdag⟩ *Rejoicing of the Law* **2.1** gedeelde ~ is dubbele ~ *a pleasure shared is a pleasure multiplied* **3.3** aan iem./iets ~ beleven *take pleasure in s.o., enjoy sth., delight in s.o./sth.;* niet veel ~ hebben in het leven *get little pleasure out of life* **6.1** in ~ en verdriet *in j. and in sorrow;* met ~ delen wij u mee *it is our pleasure to inform you;* met ~/tot mijn~hoor ik *I am pleased to hear;* de~**over** dit weerzien *the gladness/rejoicing at/over this reunion;* opspringen **van** ~ *jump (up) for/with j.;* dol **van** ~ *wild/delirious/mad with j., on top of the world* **7.4** de zeven~n van Maria *the Seven Joys of Mary.*

vreugdebetoon ⟨het⟩ **0.1** *rejoicing(s)* ⇒*merriment, jubilation.*

vreugdedronken ⟨bn.⟩ **0.1** *drunk/wild/mad with joy* ⇒*exhilarated, elated, joyful.*

vreugdekreet ⟨de (m.)⟩ **0.1** *cry/shout of joy* ⇒⟨uitbundig⟩ *whoop of delight,* ⟨mv. ook⟩ *cheers.*

vreugdeloos ⟨bn., bw.; -ly⟩ **0.1** *joyless, cheerless* ⇒*mirthless.*

vreugdetraan ⟨de (m.)⟩ **0.1** *tear of joy.*

vreugdevol ⟨bn., bw.; -ly⟩ **0.1** *joyful, merry, gleeful* ⇒ ⟨pred.⟩ *full of joy,* ⟨dicht.⟩ *joyous.*

vreugdevuur ⟨het⟩ **0.1** *bonfire.*

vreze ⟨de⟩ ⟨schr.⟩ **0.1** *fear, dread* ◆ **1.1** in angst en~ *in d. and f.* **¶.1** de~ Gods *the f. of God.*

vrezen ⟨→sprw. 245,406⟩
I ⟨ov.ww.⟩ **0.1** [bang zijn voor] *fear, dread* ⇒*be afraid/frightened of* **0.2** [bang zijn dat iets zal plaatshebben] *fear, be afraid (that)* **0.3** [ontzag hebben voor] *fear, respect* ◆ **1.1** de dood~ *be afraid of dying;* ik vrees zijn komst niet *I am not afraid of/do not f. his coming* **1.2** ik vrees het ergste *I f. the worst* **1.3** God, zijn ouders~ *f. God/one's parents* **3.1** niets te~hebben *have nothing to f./to be afraid of* **6.1** een zeer te~ziekte *a much-dreaded disease;* ik vrees **van** niet *I'm afraid not;* ik vrees **van** wel *I'm afraid so* **6.2 naar** iets vrees *as I f.* **8.2** het is te~dat *... it is to be feared that, it looks as if ...;* ik vrees dat hij niet komt *I'm afraid he won't come/show up;* zij vreesde dat hij haar zou verlaten *she was afraid that/lest he should leave her* **¶.2** ik vrees u te moeten teleurstellen *I'm afraid I have to disappoint you;*
II ⟨onov.ww.⟩ **0.1** [rekening houden met een slechte afloop] *fear (for), tremble (for)* ⇒*stand in fear of* ◆ **6.1** ik vrees **voor** de zieke *I f. for the patient;* **voor** zijn leven wordt gevreesd *his life is being feared for, his condition is critical;* ik vrees **voor** mijn leven *I stand/go in fear for my life, I f. for my life.*

V-riem ⟨de (m.)⟩ **0.1** *V-belt.*

vriend ⟨de (m.)⟩ ⟨→sprw. 99,201,458,623-625⟩ **0.1** [makker] *friend* ⇒ ⟨BE ook⟩ *chum,* ⟨AE ook⟩ *buddy, pal, companion* **0.2** [geliefde] *(boy/girl)friend* **0.3** [bondgenoot] *friend, ally* **0.4** [liefhebber] *friend* ⇒ *lover* **0.5** [⟨aanspreekvorm⟩] *my friend* ◆ **1.1** ~Hein ⟨fig.⟩ *the grim reaper;* ~en en verwanten *kith and kin;* ~en en vriendinnen! *friends!* **1.3** ~en vijand *f. and foe* **1.4** hij is een~van opera *he is a f. of the opera/an opera-lover* **2.1** dikke/grote~en zijn *be (very) close friends /* ⟨inf.⟩ *good mates;* wij zijn gezworen~en *we are sworn/the best of friends;* als goede~en scheiden *part as friends/on good terms;* even goede~en *no hard feelings, no offence;* goede~en worden met *make /become good friends with, take up with;* weer goede~en worden/ zijn met *make it up/have made it up with;* goede~en trachten te blijven met de politie *try to keep on the right side of the police;* kwade ~en zijn *have fallen out;* kwade~en worden met *fall out/quarrel with;* een trouwe~*a loyal/faithful f.* **2.2** een vaste~hebben *have a steady boyfriend, go steady* **3.1** beide partijen te~willen houden *run with the hare and hunt with the hounds;* (zich) veel~en maken *make many friends;* een~zijn voor *be a f. to, befriend* **3.2** ze heeft een~(je) *she has a boyfriend* **6.1 zonder**~en *friendless, unbefriended* **6.¶** iem. **te**~houden *remain on good terms with s.o.* **¶.1** van je~en moet je het maar hebben *with friends like that you doesn't need enemies;* een ~van me die dokter is *a doctor/^physician f. of mine.*

vriendelijk
I ⟨bn., bw.⟩ **0.1** [innemend, hartelijk] *friendly, kind* ⇒*amiable, affable* **0.2** [aangenaam] *pleasant* ◆ **1.1** een~e glimlach *an affable/amiable/a pleasant smile;* een~e handdruk *a glad hand;* ~e woorden / k. *words* **3.1** ~bedankt! ⟨ook iron.⟩ *thank you very much/kindly!;* ⟨iron.⟩ *thanks awfully/ever so much;* kijk toch wat~er! *why don't you look a bit more f.?, what's eating you?;* ~lachen *smile affably, give a f. smile;* iem. ~terechtwijzen *correct s.o. gently/goodnaturedly;* ⟨iron.⟩ mag ik u~verzoeken dat voortaan te laten? *I'll thank you not to do that again;* iem. iets~vragen *ask s.o. sth. in a f. tone* **3.2** het zonnetje schijnt~*the sun is shining pleasantly* **5.1** overdreven~*silky, swarmy* **6.1** ~zijn **tegen** de mensen *be f. with/k. to people;*
II ⟨bn.⟩ **0.1** [gunstig gezind] *kind, friendly* **0.2** [hulpvaardig] *kind* ◆ **3.1** zou u zo~willen zijn om ... *would you be k. enough/so k. as to ...* **3.2** dat is erg~van u *that's very/most k. of you;* ik zou het erg~vinden als ... *I would consider it a kindness if ...* **6.1** ~**voor** dieren *k. to animals.*

vriendelijkheid ⟨de (v.)⟩ **0.1** [innemendheid] *friendliness, kindness* ⇒ *amiability, affability* **0.2** [het aangenaam zijn] *pleasantness* ⇒*amenity* **0.3** [gunstige gezindheid] *kindness* **0.4** [hulpvaardigheid] *kindness* ◆ **6.4 uit**~*out of/in k.*

vriendendienst ⟨de (m.)⟩ **0.1** *friendly/kind turn* ⇒*kindness (among friends).*

vriendenkring ⟨de (m.)⟩ **0.1** *circle of friends* ⇒⟨nauw⟩ *inner circle,* ⟨inf.⟩ *gang.*

vriendenloos, vriendeloos ⟨bn.⟩ **0.1** *friendless* ⇒*unbefriended.*

vriendenpaar ⟨het⟩ **0.1** [stel vrienden] *pair/couple of friends/pals/* ⟨BE⟩ *chums* **0.2** [homofiel paar] *homosexual/gay couple* ⇒⟨pair of/ two⟩ *lovers* ◆ **7.2** het is een~ *they're lovers/a gay couple.*

vriendenprijsje ⟨het⟩ **0.1** *give-away* ⇒*sacrificial price* ◆ **3.1** iem. een~ rekenen *charge s.o. the minimum/a concessionary rate* **6.1 voor** een~ *for next to nothing.*

vriendenschaar ⟨de⟩ **0.1** *band/gang of friends.*

vriendentrouw ⟨de⟩ **0.1** *loyalty of/among friends.*

vriendin ⟨de (v.)⟩ **0.1** [makker] *(girl/lady) friend* ⇒*companion* **0.2** [geliefde] *girl(friend)* ◆ **2.1** zij zijn dikke/grote~nen *they're the best of/ great/bosom friends;* ⟨van oudere dames⟩ *they're old cronies* **2.2** een vaste~hebben *have a steady g. (f.), go steady.*

vriendjespolitiek ⟨de (v.)⟩ **0.1** *favouritism* ⇒*nepotism, old-boy network,* ⟨BE ook⟩ *old school tie.*

vriendlief ⟨de (m.)⟩ ⟨iron.⟩ **0.1** *my good friend/man;* ⟨vnl. AE⟩ *pal.*

vriendschap ⟨de (v.)⟩ ⟨→sprw. 514⟩ **0.1** [betrekking] *friendship* ⇒*fellowship, comradeship* **0.2** [daad, uiting] *friendly/good turn/act* ⇒⟨act of⟩ *friendship* ◆ **3.1** de~met iem. beëindigen ⟨ook; inf.⟩ *part brass rags with s.o.;* ~voor iem. koesteren *feel friendship/cherish feelings of friendship for s.o.;* ~opvatten voor iem. *take a liking to s.o.;* de~ opzeggen *break up with s.o.;* ~sluiten *make/become friends, strike up a friendship* **3.2** iem. ~bewijzen *extend one's friendship to s.o.* **6.1 in**~leven met ⟨ihb. van staten⟩ *live in amity with;* **uit**~iets doen *do sth. out of/for the sake of friendship* **¶.2** de ene~is de andere waard *one good turn deserves another.*

vriendschappelijk ⟨bn., bw.⟩ **0.1** ⟨bn.⟩ *friendly, amicable,* ⟨inf.⟩ *matey, pally;* ⟨bw.⟩ *in a friendly way, on a friendly footing, amicably* ◆ **1.1** ~e betrekkingen onderhouden *maintain friendly relations, be on friendly terms;* op~e voet samenwerken *work together on a friendly footing/ amicably;* ~e wedstrijd *friendly match* **3.1** iem. ~behandelen *treat s.o. amicably;* ~met elkaar omgaan *be on friendly terms;* ⟨inf.; soms pej.⟩ *hobnob (together/with);* hij was me~gezind *he was friendly to me.*

vriendschappelijkheid ⟨de (v.)⟩ **0.1** *friendliness* ⇒⟨schr.⟩ *amicability.*

vriendschapsband ⟨de (m.)⟩ **0.1** *tie/bond of friendship* ⇒*friendly relation(ship)* ◆ **3.1** de~nauwer aanhalen *tighten the bond(s) of friendship;* ~en aanknopen *make friends, strike up a friendship, establish friendly relations.*

vriendschapsbetuiging ⟨de (v.)⟩ **0.1** *profession/protestation of friendship.*

vriendschapsverdrag ⟨het⟩ **0.1** *treaty/pact of friendship.*

vriesblauw ⟨bn.⟩ **0.1** *frosty blue.*

vriescel ⇒*vrieskamer.*

vriesdrogen ⟨ww.⟩ **0.1** *freeze-dry* ⇒*lyophilize.*

vrieshuis ⟨het⟩ **0.1** *cold store, cold-storage warehouse.*

vriesinstallatie ⟨de (v.)⟩ **0.1** *freezing plant/unit, freezing equipment.*

vrieskamer ⟨de⟩ **0.1** *cold-storage room/chamber* ⇒*freezer, deep freeze.*

vrieskast ⟨de⟩ **0.1** *(cabinet-type) freezer* ⇒*deep freeze.*

vrieskist ⟨de⟩ **0.1** *(chest-type) freezer* ⇒*deep freeze.*

vrieskou ⟨de (v.)⟩ **0.1** *frost, frosty cold/air/weather* ⇒*nip* ◆ **2.1** de eerste~ *the first nip of winter.*

vrieslichaam ⟨het⟩ **0.1** *cooling element.*

vriespunt ⟨het⟩ **0.1** *freezing (point)* ◆ **6.1** temperaturen **boven/onder/ op/rond** het~ *temperatures above/below/at/about f. (p.);* ⟨onder ook⟩ *subzero temperatures.*

vriesruimte ⟨de (v.)⟩ **0.1** *freezing chamber, freezer.*

vriestreiler ⟨de (m.)⟩ **0.1** *freezer trawler.*

vriesvak ⟨het⟩ **0.1** *freezing compartment* ⇒*freezer.*

vriesweer ⟨het⟩ **0.1** *frosty/freezing weather* ⇒⟨inf.; periode⟩ *freeze.*

vriezen
I ⟨onp.ww.⟩ **0.1** [⟨meteo.⟩] *freeze* ◆ **1.1** het vriest vijf graden *it's five (degrees) below zero, there are five degrees of frost* **3.1** het zal gaan~ *we're in for a frost, it's going to f.;* het hield op met~ *the frost gave/ ended* **5.1** het vriest hard *it's freezing hard, there's a sharp/severe frost* **8.1** het vriest dat het kraakt *there's a sharp frost/a nip in the air;*
II ⟨onov.ww.⟩ **0.1** ⟨schr.⟩ *bevriezen] freeze.*

vriezend ⟨bn.⟩ ◆ **1.¶** ~weer *frosty/freezing weather.*

vriezer ⟨de⟩ **0.1** *freezer* ⇒*deep freeze.*

vrij
I ⟨bn., bw.; -ly⟩ **0.1** [onbeperkt, onbelemmerd] *free* ⇒*open, unrestricted,* ⟨onversperd⟩ *clear,* ⟨onbelemmerd⟩ *wide* **0.2** [gratis] *free* ⇒ *complimentary* ◆ **1.1** ⟨rel.⟩ een~e gemeente *an open community;* ~e handel *f. trade;* een~e hemel/lucht *an open sky/air;* ⟨sport⟩ ~e oefeningen *rhythmic/free-style gymnastics;* een etage met~e opgang *a self-contained flat;* ⟨sport⟩ de~e slag ⟨zwemmen⟩ *free-style;* ~spel hebben *have an open field;* de wind heeft daar~spel *the place is exposed to the wind;* je hebt~spel *the field is yours;* een~uitzicht hebben *have a clear/an open/unobstructed view;* een~e val *a f. fall;* het ~e veld *the open field;* ~e verzen *vers libre/f. verse;* de weg/doorgang is~*the road/access is clear* **1.2** ~e toegang *f. entrance, entrance f.* **3.1** we konden weer~ademhalen *we were able to breathe freely again;* je bent hier niet~*you can't do what you like here;* zich~kunnen bewegen *f. to do as one likes;* dat staat u~*it's open to you;* ~tekenen *draw*

free-hand; ~ vertalen *translate freely* **3.2** zij kunnen ~ reizen *they can travel f. (of charge)* **6.1** ~ **naar** Shakespeare *adapted/freely rendered from Shakespeare* ¶.**2** een huis ~ op naam kopen *purchase a house where the vendor pays the legal/transfer costs* ¶.¶ levering ~ langs boord *F.A.S., f.a.s., free alongside ship/steamer;*
II ⟨bn.⟩ **0.1** [in vrijheid, onafhankelijk] *free* **0.2** [nog beschikbaar] *free* ⇒*vacant, unengaged* **0.3** [zonder taak] *free* **0.4** [niet onderhevig aan, ongevoelig voor] *free* ⇒*insensitive* **0.5** [openhartig, vrijmoedig] *free* = ⟨los⟩ *easy,* ⟨ongeremd⟩ *uninhibited,* ⟨inf.; brutaal⟩ *fresh* ◆ **1.1** de ~e beroepen *the (liberal) professions;* een ~e jongen *the unattached young man/boy;* ⟨jonge ondernemer⟩ *young entrepreneur;* ⟨gladakker⟩ *wheeler-dealer;* de ~e sector *the f. sector;* iem. op ~e voeten stellen *release s.o.;* weer op ~e voeten zijn *be outside again* **1.2** die W.C. is ~ *that lavatory/toilet/W.C. /* ⟨BE; inf.⟩ *loo is f. /* *vacant/unoccupied* **1.3** een ~e dag *a day off, a f. day;* een ~ uur *a spare/f. hour;* zij kregen twee weken ~ *they got two weeks off* **1.5** een al te ~ gebruik van iets maken *make free with sth., take liberties with sth.* **1.**¶ de Vrije School *the anthroposophic/Rudolph Steiner school* **3.1** hij was gepakt, maar is nu weer ~ *he got nicked, but he's outside again* **3.2** de handen ~ hebben *have a f. hand/one's hands f.;* een stoel ~ houden *reserve a seat* **3.3** vandaag heb ik ~ *I'm off today, I've got a day off today;* zondags zijn de meeste mensen ~ *most people are f. / off on Sundays* **3.5** ~ met iem. omgaan *have an easy way with s.o.;* mag ik zo ~ zijn? *may I be so bold?;* ik zal zo ~ zijn het niet te doen *I'll take the liberty of declining/to decline* **5.5** niet te ~, hè *go easy, will you* **6.3** ~ van dienst zijn *be exempt from service* **6.4** ~ **van** zorgen *carefree, without a care in the world;* ~ van schuld *clear(ed) of guilt, guiltless* **8.1** zo ~ als een vogeltje in de lucht *as f. as air, footloose and fancy-free;*
III ⟨bw.⟩ **0.1** [tamelijk] *quite* ⇒*fairly, reasonably, tolerably, rather, somewhat,* ⟨inf.⟩ *pretty* ◆ **2.1** dit artikel is ~ lang *this article is a fair length/q. a length/pretty long* **5.1** het komt ~ vaak voor *it occurs q. / fairly often, it's not uncommon;* hij gaat er ~ vaak 's avonds naar toe *he goes there q. a lot/fairly frequently/a good deal in the evenings;* dat zie je ~ veel *you see that q. often.*
vrijaf ⟨bn.⟩ **0.1** *off* ◆ **1.1** een halve dag ~ *a half-holiday* **3.1** ~ geven *give a holiday/some time o.;* wij hebben een dag per week ~ *we have a weekly day o. / one day a week o.;* ~ hebben/krijgen *have/get a holiday/a day o.;* ~ nemen *take a holiday, take a day/some time o..*
vrijage ⟨de (v.)⟩ **0.1** *courtship* ⇒⟨vrijerij⟩ *love-making* ◆ **6.1** (fig.) een ~ **tussen** liberalen en socialisten *a flirtation between liberals and socialists.*
vrijbankvlees ⟨het⟩ **0.1** ≠*cheap meat.*
vrijblijvend ⟨bn., bw.⟩ **0.1** *without/free of obligations/engagement* ⇒*noncommittal, informal* ◆ **1.1** een ~ gesprek *an informal talk, a talk with no strings attached;* een ~e houding/opstelling *a noncommittal attitude, a straddle;* een ~e offerte doen *make an offer free of engagement;* ~e wetten *permissive legislation* **3.1** u kunt ~ een proefrit maken *you are free to test-drive it (without any obligations).*
vrijbrief ⟨de (m.)⟩ **0.1** [verlofbrief] *permit,* [B]*licence* [A]*ense* ⇒*charter* **0.2** [⟨fig.⟩] [B]*licence* [A]*ense* ⇒*charter* ◆ **6.2** dat geeft je nog geen ~ **voor** allerlei willekeur *that does not mean you're free to do as you like/feel.*
vrijbuiten ⟨onov.ww.⟩ **0.1** *freeboot.*
vrijbuiter ⟨de (m.)⟩ **0.1** [zeerover] *freebooter* ⇒*buccaneer, pirate, pillager* **0.2** [⟨fig.⟩ avonturier] *freebooter* ⇒*adventurer* **0.3** [⟨fig.; pej.⟩ iem. die zich moeilijk aan wetten onderwerpt] ⟨mbt. moraliteit⟩ *libertine, free spirit;* ⟨AE; inf.⟩ *scofflaw.*
vrijbuiteren ⟨onov.ww.⟩ **0.1** *freeboot.*
vrijbuiterij ⟨de (v.)⟩ **0.1** [⟨gesch.⟩ kaapvaart] *freebooting* ⇒*piracy, buccaneering* **0.2** [het zoeken naar avontuur] *freebooting* ⇒*adventure-/thrill-seeking.*
vrijdag ⟨de (m.)⟩ **0.1** *Friday* ◆ **2.1** Goede Vrijdag *Good F.* **6.1** als Pasen en ~ op één dag vallen *pigs might fly!, when hell freezes over, when two Sundays come together.*
vrijdags ⟨bn., bw.⟩ **0.1** ⟨bn.⟩ *Friday;* ⟨bw.⟩ *(on a/the) Friday;* ⟨steeds⟩ *(on) Fridays* ◆ **1.1** de ~e markt *the Friday market* **3.1** hij komt altijd ~ *he always comes on Fridays, he comes every Friday.*¶.¶ ik vroeg haar ~ of ze zondags kon komen *I asked her on the Friday if she could come on the Sunday.*
vrijdenker ⟨de (m.)⟩, **-denkster** ⟨de (v.)⟩ **0.1** *freethinker* ⇒*secularist.*
vrijdenkerij ⟨de (v.)⟩ **0.1** *freethinking, free thought* ⇒*secularism.*
vrijdingen ⟨ov.ww.⟩ ⟨schr.⟩ **0.1** *exculpate, exonerate.*
vrijdom ⟨de (m.)⟩ **0.1** [⟨schr.⟩ ontheffing] *exemption, immunity* ⇒*freedom,* ⟨hist.⟩ *franchise* **0.2** [⟨gesch.⟩ voorrecht] *privilege* ⇒*liberty, franchise* **0.3** [⟨gesch.⟩ rechtsgebied] *jurisdiction, liberty, liberties* ◆ **1.1** ~ van belasting *tax i. / e., freedom from tax(es);* ~ van port *freedom from postage.*
vrijdragend ⟨bn.⟩ ⟨bouwk.⟩ **0.1** *cantilever(ed)* ◆ **1.1** ~e balk/ligger *cantilever.*
vrije
I ⟨de (m.)⟩ **0.1** [niet-slaaf] *freeman/woman.*
II ⟨het⟩ **0.1** [het open veld] *open (air/country)* ⇒*outdoors* ◆ **6.1** in het ~ *(out) in the open.*

vrijelijk ⟨bw.⟩ **0.1** *freely* ⇒*without restraint, without let or hindrance* ◆ **3.1** ~ over iets kunnen beschikken *have the free disposal of sth.;* zich ~ kunnen/mogen bewegen *have the (free) run (of sth.).*
vrije-markteconomie ⟨de (v.)⟩ **0.1** *(free) market economy.*
vrijen ⟨onov.ww.⟩ ⟨→sprw. 113,626⟩ **0.1** [minnekozen] *neck, pet* ⇒*bill and coo, (kiss and) cuddle* **0.2** [geslachtsgemeenschap hebben] *make love* ⇒*go to bed, sleep* **0.3** [verkering hebben] *have a boy/girlfriend, be courting, be seeing/going out (with s.o.), go steady (with s.o.)* **0.4** [⟨vero.⟩ het hof maken] *court, woo* ◆ **1.3** zij ~ al vier jaar *they've been going steady for four years now* **3.1** die twee zitten lekker te ~ *those two are having a nice cuddle* **5.2** wij ~ niet meer samen *we no longer make love* **6.3** zij vrijt met de buurjongen *she's going out/steady with the boy next door* **6.4** ~ **naar** iem. *c./w.s.o..*
vrijer ⟨de (m.)⟩ ⟨→sprw. 530⟩ **0.1** [geliefde] *boyfriend, lover* ⇒*sweetheart, (young) man,* ⟨vero.⟩ *suitor* **0.2** [vrijgezel] *bachelor* **0.3** [iem. die vrijt] *lover* **0.4** [sinterklaaspop] *gingerbread man* ◆ **2.1** haar vaste ~ *her steady (boyfriend).*
vrijerij ⟨de (v.)⟩ **0.1** *courting, courtship* ⇒*love-making.*
vrijersvoeten ⟨zn.mv.⟩ ◆ **6.**¶ op ~ gaan *go (out) courting.*
vrijetijdsbesteding ⟨de (v.)⟩ **0.1** *leisure activities* ⇒*recreation.*
vrijetijdskleding ⟨de (v.)⟩ **0.1** *leisure/casual clothes/clothing /* ⟨vnl. reclametaal⟩ *wear.*
vrijetijdsprobleem ⟨het⟩ **0.1** *leisure problem* ◆ **3.1** arbeidstijdverkorting schept een ~ *working shorter hours gives rise to the problem of how to spend one's leisure.*
vrijgeboren ⟨bn.⟩ ⟨gesch.⟩ **0.1** *freeborn.*
vrijgeborene ⟨de (m.)⟩ ⟨gesch.⟩ **0.1** *freeborn (wo)man, free (wo)man.*
vrijgeest →**vrijdenker.**
vrijgelatene ⟨de (m.)⟩ ⟨gesch.⟩ **0.1** *freed (wo)man.*
vrijgeleide ⟨het⟩ **0.1** [⟨gesch.⟩] *(letter of) safe-conduct, safeguard* **0.2** [vrije doortocht/aftocht] *(letter of) safe-conduct, safeguard, pass(port), permit* **0.3** [gewapend geleide] *(protective) escort/convoy* ◆ **6.3** onder ~ varen *sail under e. / in (a) c..*
vrijgeleidebrief ⟨de (m.)⟩ **0.1** *letter of safe-conduct.*
vrijgemaakt ⟨bn., bw.⟩ **0.1** *orthodox Reformed* ◆ **2.1** ~ gereformeerd *o. R.* **7.1** ⟨zelfst.⟩ de Vrijgemaakten *the o. R..*
vrijgestelde ⟨de (m.)⟩ **0.1** *salaried trade union officer* ◆ **2.**¶ ⟨scherts.⟩ de nieuwe ~n *young urban professionals, yuppies.*
vrijgeven
I ⟨onov.ww.⟩ **0.1** [vrijaf geven] *give time/the day off, give a holiday/leave of absence* ◆ **1.1** de commandant gaf de compagnie vrij *the commander relieved the company from their duties;*
II ⟨ov.ww.⟩ **0.1** [vrijlaten] *release* **0.2** [het gebruik toestaan] *release* ⇒*unblock,* ⟨vnl. uit regeringscontrole⟩ *decontrol* ◆ **1.1** benzine werd weer vrijgegeven ⟨na rantsoenering⟩ *petrol was derationed;* de handel op Zuid-Afrika wordt voorlasnog niet vrijgegeven *trade with South Africa will not be released for the time being;* de handel ~ *decontrol the trade;* het lijk werd vrijgegeven *the body was handed over;* de buitgemaakte schepen ~ *r. the captured ships* **6.2** iets **voor** publikatie ~ *r. sth. for publication.*
vrijgevig ⟨bn., bw.; -ly⟩ **0.1** *generous, magnanimous* ⇒*liberal, open-handed, munificent, be free/liberal with* ◆ **6.1** ~ zijn **met** *be free/liberal with.*
vrijgevigheid ⟨de (v.)⟩ **0.1** *generosity, magnanimity* ⇒*open-handedness, liberality, munificence.*
vrijgevochten ⟨bn.⟩ **0.1** [ongebonden] *free(-and-easy)* ⇒*easy-going, unconventional,* ⟨maatsch.⟩ *permissive* **0.2** [⟨pej.⟩] *licentious, lawless* ⇒*undisciplined,* ⟨moreel⟩ *libertine* ◆ **1.1** een ~ vrouw *a free/an unconventional/a liberated woman* **1.2** een ~ boel *Liberty Hall, a go-as-you-please.*
vrijgezel[1] ⟨de (m.)⟩ **0.1** *bachelor, single* ◆ **2.1** een verstokte ~ *a confirmed/an old b.* **8.1** als een ~ leven ⟨inf.⟩ *bach (it).*
vrijgezel[2] ⟨bn.⟩ **0.1** *single, unmarried, bachelor.*
vrijgezellenavond ⟨de (m.)⟩ **0.1** [avond vóór iemands huwelijksfeest] ⟨mannen⟩ *stag night;* ⟨vrouwen; AE; Austr.E⟩ ≠*shower* **0.2** [voor alleenstaanden georganiseerde avond] *singles night.*
vrijgezellenflat ⟨de (m.)⟩ **0.1** *bachelor flat.*
vrijgezellentijd ⟨de (m.)⟩ **0.1** *bachelorhood.*
vrijhandel ⟨de (m.)⟩ **0.1** *free trade* ⇒⟨tussen landen ook⟩ *open-border trade, open-door policy.*
vrijhandelaar ⟨de (m.)⟩, **-ster** ⟨de (v.)⟩ **0.1** *free-trader.*
vrijhandelsassociatie ⟨de (v.)⟩ **0.1** *free trade association.*
vrijhandelsgebied ⟨het⟩ **0.1** *free-trade zone/area.*
vrijhandelstelsel ⟨het⟩ **0.1** *free-trade system, system of free-trade, open-door policy.*
vrijhandelszone →**vrijhandelsgebied.**
vrijhaven ⟨de⟩ **0.1** *free port.*
vrijheid ⟨de (v.)⟩ **0.1** [het vrij zijn] *freedom* ⇒*liberty* **0.2** [vrijmoedigheid] *liberty* ⇒*freedom* **0.3** [het niet vallen onder zekere regels] *freedom* ⇒*exemption* **0.4** [daad die van de gewone regel afwijkt] *liberty* ⇒*licence* [A]*se* **0.5** [privilege] *privilege* ⇒*right, prerogative* ◆ **1.1** ~ van beroep/bedrijf *free choice/f. of choice of profession/occupation;* het is hier ~, blijheid *it's Liberty Hall here;* ~, gelijkheid en broederschap

liberty, equality, fraternity; ~ *van geweten/gedachte/onderzoek f. of conscience/thought/investigation,* 〈geweten ook〉 *liberty of conscience;* ~ *van godsdienst/meningsuiting/drukpers f. of religion/speech/the press;* iem. volledige ~ *van handelen geven give s.o. complete f. of action/an entirely free hand;* ~ *van de zee f. of the seas* 1.2 de ~ *van zijn optreden the l. of his action* 1.5 de vrijheden van de adel *the privileges/rights of the nobility* 2.1 geestelijke ~ *f. of thought;* een aantasting v.d. persoonlijke ~ *an infringement of personal f./liberty* 2.4 dichterlijke ~ *poetic licence* ^se 3.1 kinderen veel ~ geven *give/allow children a lot of f./scope/latitude;* iem. meer ~ laten *give s.o. a freer hand, allow s.o. more latitude* 3.2 ik neem de ~, u te herinneren aan ... *I take the l. of reminding you ..., I make so bold as to remind you that ...* 3.4 zich vrijheden veroorloven *take liberties (with), allow o.s./take the l. of (...ing)* 6.1 iem. **in** ~ stellen *set s.o. free/at liberty, free/release/* 〈schr.〉 *liberate s.o.;* **in** ~ zijn *be free, be at large/* 〈ihb. mbt. wild dier/crimineel〉 *on the loose* ¶.1 de ~ op sexueel gebied *sexual f.;* 〈pej.〉 *sexual permissiveness.*

vrijheidlievend 〈bn.〉 0.1 *freedom-loving.*

vrijheidsbeeld 〈het〉 0.1 *statue of liberty* ⇒〈in New York〉 *Statue of Liberty.*

vrijheidsbeperking 〈de (v.)〉 0.1 *restriction of freedom* ⇒*restraint.*

vrijheidsberoving 〈de (v.)〉 0.1 *deprivation of liberty/freedom* ♦ 2.1 〈jur.〉 wederrechtelijke ~ *unlawful detention.*

vrijheidsbeweging 〈de (v.)〉 0.1 *liberation/freedom movement.*

vrijheidsboom 〈de (m.)〉 0.1 *tree of liberty.*

vrijheidsgeest 〈de (m.)〉 0.1 *spirit of freedom/liberty.*

vrijheidsgezind 〈bn.〉 0.1 *libertarian.*

vrijheidsgraad 〈de (m.)〉 0.1 *degree* ⇒〈ook wisk.〉 *measure of freedom.*

vrijheidsideaal 〈het〉 0.1 *ideal of freedom.*

vrijheidsliefde 〈de (v.)〉 0.1 *love of freedom/liberty.*

vrijheidsoorlog 〈de (m.)〉 0.1 *war of liberation/independence.*

vrijheidsstraf 〈de〉 0.1 *imprisonment* ⇒*detention* ♦ 3.1 een ~ opleggen *sentence (s.o.) to i..*

vrijheidsstrijder 〈de (m.)〉 0.1 *freedom fighter.*

vrijheidszin →vrijheidsgeest.

vrijhouden 〈ov.ww.〉 0.1 [voor een ander betalen] *pay (for)* ⇒〈inf.〉 *stand (s.o. sth.)/* 〈vnl. maaltijd, uitspatting〉 0.2 [openhouden] *keep (free)* ⇒*reserve,* 〈mbt. dag, tijd, geld ook〉 *set aside, keep open/clear* 〈weg, doorgang〉 0.3 [〈scheep.〉] *keep ready* ⇒*keep handy/within reach* 〈iets kleins〉 ♦ 1.2 een dag ~ *k. a day free, reserve a day, set a day aside;* een plaats ~ *k. a place/seat (free), reserve/hold a place/seat;* een uurtje voor iem. ~ *k. an hour free/reserve an hour/set an hour aside for s.o.;* de weg ~ *keep the road open/clear* 6.3 een schip **van** water ~ *keep a ship afloat.*

vrijkaart 〈de〉 0.1 [gratis toegangsbiljet] *free/* ↑*complimentary ticket* 0.2 [〈kaartspel〉] *high card.*

vrij-katholiek 〈bn.〉 0.1 *Free Catholic.*

vrijkomen 〈onov.ww.〉 0.1 [ontslagen worden] *come/* 〈inf.〉 *get out* ⇒*be set free/released* 〈uit gevangenis〉 0.2 [van iets afkomen] *get off/away* 0.3 [loskomen] *be released* 〈ook als resultaat van chemische reactie〉 ⇒*be set free,* 〈gas ook〉 *be given off* 0.4 [beschikbaar komen] *be(come) free/* 〈ook mbt. mensen/geld〉 *available* ⇒〈mbt. mensen/geld ook〉 *be released,* 〈mbt. grond〉 *become/fall vacant* ♦ 1.3 de bij die reactie ~de energie *the energy released in that reaction* 1.4 de ~de capaciteit voor een ander doel aanwenden *use the capacity/power made available for another purpose, turn the capacity/power made available to another use;* op de ~de grond *on the vacant ground;* zodra er een plaats vrijkomt *as soon as there is a vacancy/place, as soon as a place comes free.*

vrijkopen 〈ov.ww.〉 0.1 [iemands vrijheid kopen] *buy/* ↑*purchase (s.o.'s) freedom* ⇒〈gijzelaar, enz. ook〉 *ransom,* 〈slaaf ook〉 *redeem* 0.2 [door afkoop vrijmaken] *redeem* ⇒*buy/pay off* ♦ 4.1 zich ~ *buy/purchase one's freedom* 7.2 het ~ van een rente *redemption of an annuity.*

vrijkorps 〈het〉 0.1 *volunteer corps.*

vrijkous 〈de (m.)〉 〈inf.〉 0.1 *smoocher.*

vrijlaten 〈ov.ww.〉 0.1 [de vrijheid geven] *release* ⇒*set free/at liberty,* 〈inf.〉 *let go/* 〈gevangene〉 *out,* 〈mbt. slaven ook〉 *liberate, emancipate* 0.2 [niet binden] *leave free* ⇒*leave clear* 〈mbt. open ruimte〉 0.3 [openlaten] *leave free* ⇒*put no pressure on (s.o.), put no control(s) on/exercise no control over (sth.)* ♦ 1.2 de leden v.d. fractie ~ om voor of tegen te stemmen *leave members of the parliamentary party free to vote as they choose, give members of the parliamentary party a free vote;* iem. de handen ~ *leave s.o.'s hands free/untied;* 〈fig.〉 *give s.o. a free hand* 1.3 deze ruimte ~ s.v.p. *please leave this room vacant/this space clear* 6.1 iem. **op** borgtocht ~ *release s.o. on bail, give/grant s.o. bail.*

vrijloop 〈de (m.)〉 0.1 *neutral* ♦ 6.1 hij had de motor in de ~ gezet *he had put the engine in n./out of gear,* 〈bij het rijden〉 *he was coasting/free-wheeling.*

vrijlopen 〈onov.ww.〉 0.1 *not be covered/be unmarked* ⇒〈atletiek〉 *run clear.*

vrijloten 〈onov.ww.〉 0.1 *be released by/in a/the draw.*

vrijmacht 〈de〉 0.1 *absolute power* ⇒〈schr.〉 *omnipotence.*

vrijmachtig 〈bn.〉 0.1 *all-powerful* ⇒〈schr.〉 *omnipotent.*

vrijmaken 〈ov.ww.〉 0.1 [bevrijden van een last, verplichting] *(make/set) free* ⇒*release, liberate* 〈van heerschappij/slavernij〉, *emancipate, enfranchise* 〈van slavernij〉, *clear* 〈mbt. importgoederen/de weg〉, *deregulate* 〈mbt. handel, enz.〉, 〈inf.〉 *get off/out/away* 0.2 [〈schei.〉] *release* ⇒*set free,* 〈gas ook〉 *give off* 0.3 [reserveren] *reserve* ⇒*keep (free)* ♦ 1.1 zijn arm ~ *free/* ↑*disengage one's arm;* 〈hand.〉 ingevoerde goederen ~ *clear imported goods;* de weg ~ **voor** *clear the way for* 1.3 tijd ~ *make time (for)* 3.1 ik kan me vanmiddag niet ~ *I can't get off/away/* ↑*I can't disengage myself this afternoon* 4.1 zich ~ van buitenlandse invloed *shake off/free o.s. from foreign influence.*

vrijmaking 〈de (v.)〉 0.1 *liberation* ⇒*emancipation* ♦ 1.1 de ~ v.d. vrouw *women's liberation, emancipation of women.*

vrijmetselaar 〈de (m.)〉 0.1 *freemason* ⇒〈vaak met hoofdletter〉 ⇒*Mason.*

vrijmetselaarsloge 〈de〉 0.1 *freemasons'/masonic lodge.*

vrijmetselaarsteken 〈het〉 0.1 *masonic symbol/emblem.*

vrijmetselarij 〈de (v.)〉 0.1 *Freemasonry* ⇒*Masonry.*

vrijmoedig 〈bn., bw.; -ly〉 0.1 *frank* ⇒*candid, open(-hearted),* 〈vaak te vrijmoedig ook〉 *outspoken* ♦ 1.1 een ~ antwoord *an outspoken/a confident answer;* een ~e kerel *a frank/candid/an open/honest/outspoken fellow* 3.1 ~ spreken *speak frankly/candidly/openly/honestly, speak one's mind.*

vrijmoedigheid 〈de (v.)〉 0.1 *frankness* ⇒*candour, open(-hearted)ness,* 〈vaak te veel ook〉 *outspokenness.*

vrijpartij 〈de (v.)〉 0.1 *petting* ⇒*necking* ♦ 2.1 een stevige ~ *heavy p..*

vrijplaats 〈de〉 0.1 [wijkplaats] *refuge* ⇒*sanctuary, asylum* 0.2 [〈gesch.〉] *sanctuary* ⇒〈city/port of〉 *refuge.*

vrijpleiten 〈ov.ww.〉 0.1 *clear (of)* ⇒*exonerate (from),* 〈ook rel.〉 *absolve (from/of),* 〈schr.〉 *exculpate (from)* ♦ 6.1 hij is **van** hebzucht niet geheel vrij te pleiten *he cannot be quite/completely cleared of/absolved from/of the charge of greed.*

vrijpostig 〈bn., bw.; -ly〉 0.1 *impertinent* ⇒*impudent, saucy,* ^*sassy,* 〈minder pej.〉 *bold, forward,* 〈vnl. mbt. meisjes/jonge vrouwen; niet pej.〉 *pert* ♦ 3.1 iem. ~ antwoorden *answer s.o. impertinently/impudently/pertly/boldly.*

vrijpostigheid 〈de (v.)〉 0.1 [te grote vrijmoedigheid] *impertinence* ⇒*impudence, sauce,* 〈AE; inf.〉 *sass,* 〈minder pej.〉 *boldness, forwardness,* ↑*audacity* 0.2 [uiting] *(piece of) impertinence* ⇒*piece of impudence/sauce/audacity, liberty* ♦ 3.2 ik houd niet van die vrijpostigheden *I don't like such impertinence/liberties.*

vrijspraak 〈de〉 0.1 *acquittal* ⇒*discharge,* 〈ook rel.〉 *absolution* ♦ 3.1 ~ vragen voor een cliënt *request that a client be acquitted/discharged.*

vrijspreken 〈ov.ww.〉 0.1 *acquit (from)* ⇒*discharge, clear,* 〈ook rel.〉 *absolve* ♦ 6.1 vrijgesproken worden **van** een beschuldiging *be cleared of/be acquitted on/of a charge.*

vrijstaan 〈onov.ww.〉 0.1 [geoorloofd zijn] *be free (to)* ⇒*be allowed/permitted/at liberty (to)* 〈persoon〉, *be open (to)* 〈zaak〉 0.2 [losstaan] *stand apart (from)* ⇒*be detached* 〈mbt. een huis〉, *be/stand clear (of)* 0.3 [〈sport〉] *not be covered* ♦ 1.1 het staat de minister vrij de prijs niet toe te kennen *it's open to the minister/it's at the discretion of the minister not to award the prize* 4.1 het staat jullie vrij dit huis te bezichtigen *you are free/at liberty to view this house* 5.1 dat staat u geheel vrij *you are entirely free/at liberty in the matter.*

vrijstaand 〈bn.〉 0.1 [losstaand] *apart* ⇒*free, detached* 〈huis〉, *freestanding* 〈bouwwerk〉 0.2 [〈sport〉] *not covered* ♦ 1.1 een ~ huis *a detached house* 1.2 de bal naar een ~e man spelen *play the ball to an unmarked man/s.o. who is not covered.*

vrijstaat 〈de (m.)〉 0.1 *free state.*

vrijstad 〈de〉 0.1 *free city* ⇒*city state.*

vrijstellen 〈ov.ww.〉 0.1 *exempt* 〈van belasting/dienst/enz.〉 ⇒*excuse* 〈van lessen〉, *free* 〈van betaling, routine〉, *release* 〈v.e. plicht〉, 〈rel.〉 *give/grant dispensation, dispense,* 〈inf.〉 *let off* ♦ 6.1 iem. **van** de voogdij ~ *emancipate s.o., release s.o. from guardianship* ¶.1 hij is vrijgesteld (van militaire dienst) *he is exempt/* 〈na al een tijdje gediend te hebben〉 *has been released from military service.*

vrijstelling 〈de (v.)〉 0.1 [het vrijstellen] *exemption* ⇒*release, dispensation, freeing* 0.2 [het vrijgesteld zijn] *exemption* ⇒*release, dispensation,* 〈jur.〉 *indemnity* 〈van schuld/vervolging〉, *freedom* 0.3 [geval van vrijstellen] *exemption* ⇒*dispensation,* 〈jur.〉 *indemnity* 〈van schuld/vervolging〉 ♦ 1.3 ~ van belasting/schoolgeld krijgen *be exempted from taxation/school fees* 3.3 ~ aanvragen/verlenen voor een examenonderdeel *request/grant e. from part of the exam* 6.3 een ~ hebben **voor** wiskunde *be exempted from the maths exam.*

vrijster 〈de (v.)〉 ⇒sprw. 530〉 0.1 *spinster* ♦ 2.1 een oude ~ *an old s./maid.*

vrijuit 〈bw.〉 0.1 *freely* ⇒*frankly, openly* ♦ 3.1 spreek ~ *speak up/out/freely;* u kunt ~ spreken *you can speak freely/frankly/openly* 3.¶ ~ gaan 〈schuldeloos zijn〉 *not be to blame;* 〈ongestraft blijven〉 *get off/go scot-free, go clear/free,* 〈inf.〉 *get away with it;* hieruit blijkt dat zij ook niet ~ gaat *it appears from this that she deserves some of the blame, too.*

vrijvechten ⟨ov.ww.⟩ **0.1** *fight for (and win) the freedom/ liberty of* ⇒*liberate (by fighting)* ◆ **4.1** zich ~ *fight one's way to freedom/* ⟨uit een menigte⟩ *one's way free/ clear;* ⟨uit een menigte ook⟩ *fight clear.*

vrijverklaren ⟨ov.ww.⟩ **0.1** [onschuldig verklaren] *declare/ proclaim (s.o.) innocent* ⇒*proclaim the innocence of* **0.2** [onafhankelijk verklaren] *declare/ proclaim (s.o./ sth.) free* ⇒*proclaim the freedom/ liberty of.*

vrijwaren ⟨ov.ww.⟩ **0.1** *(safe)guard (against)* ⇒*protect (from/ against),* *screen (from),* ⟨gevaar ook⟩ *shield (from),* *secure (against),* ⟨jur. ook⟩ *indemnify (against/ from)* ◆ **3.1** gevrijwaard blijven van blessures *remain free from injury* **4.1** zich ~ tegen aanspraken *indemnify/ protect o.s. against claims* **6.1** iem. ~ tegen wettelijke aansprakelijkheid *indemnify/ protect s.o. against third-party liability;* gevrijwaard **tegen** *protected from/ against, free from, immune to;* iem./ iets **voor** iets ~ *guard s.o./ sth. against/ protect s.o./ sth. from/ against sth., screen s.o./ sth. from sth..*

vrijwaring ⟨de (v.)⟩ **0.1** [het vrijwaren] *protection (from/ against)* ⇒*freedom (from),* *(safe)guarding (against),* *indemnification, indemnity* ⟨mbt. schadevergoeding⟩ **0.2** [⟨jur.⟩ garantie] *warranty* **0.3** [⟨jur.⟩ procedure] *third-party action/ proceedings* ◆ **6.2** ~ **voor** uitwinning *w. against eviction* **6.3** iem. in ~ oproepen *serve a third-party notice on s.o..*

vrijwel ⟨bw.⟩ **0.1** *nearly* ⇒*almost, practically, virtually,* ⟨schr.⟩ *well-nigh,* ⟨inf.⟩ *pretty well/ nearly, all but* ◆ **2.1** dat is ~ hetzelfde *that's n./ almost/ practically/ virtually the same;* ~ volmaakt ⟨ook⟩ *near-perfect* **4.1** hij kreeg ~ alles wat hij vroeg *he got pretty much/ pretty well/ practically/ virtually everything he asked for;* ~ niets ⟨ook⟩ *hardly anything, next to nothing* **5.1** ~ tegelijk aankomen/ vertrekken *arrive/ depart almost simultaneously/ together;* hij wist ~ zeker dat … *he was almost/ nearly as good as certain/ almost sure that …* **¶.1** het komt ~ op hetzelfde neer *it's pretty much the same (thing), it comes (down) to/ boils down to/ amounts to the same thing.*

vrijwillig ⟨bn., bw.; -ly⟩ **0.1** *voluntary* ⇒⟨uit vrijwilligers bestaand, ook⟩ *volunteer,* ⟨bw. ook⟩ *of one's own free will/ one's own volition* ◆ **1.1** ~e rechtspraak *non-contentious/ voluntary jurisdiction* **3.1** zich ~ aanmelden *volunteer (for);* ~ afstand doen van *give up voluntarily/ of one's own free will;* een taak die men ~ op zich genomen heeft *a self-imposed task;* ~ iets nemen *volunteer to do sth., take on sth. voluntarily;* ⟨mil.⟩ ~ dienst nemen *volunteer (for military service)* **¶.1** ~ ontslag nemen *resign, hand in one's resignation/* ⟨inf.⟩ *one's cards.*

vrijwilliger ⟨de (m.)⟩ **0.1** [iem. die vrijwillig iets op zich neemt] *volunteer* ⇒*voluntary worker* **0.2** [⟨mil.⟩] *volunteer* ◆ **3.1** er hebben zich nog geen ~s gemeld voor dit werk *so far nobody has volunteered for this job* **8.1** als ~ dienst doen *serve as a volunteer, do voluntary work* **8.2** als ~ dienst nemen *volunteer (for military service).*

vrijwilligerscollectief ⟨het⟩ **0.1** *volunteer group.*

vrijwilligerswerk ⟨het⟩ **0.1** *voluntary/ volunteer work* ◆ **3.1** ~ doen *do v. w..*

vrijwilligheid ⟨de (v.)⟩ **0.1** *voluntariness.*

vrijzetten ⟨ov.ww.⟩ **0.1** [iets zó zetten dat het vrijstaat] *set/ stand/ place (sth.) clear* **0.2** [⟨bosb.⟩] *clear the undergrowth away round.*

vrijzinnig ⟨bn., bw.; -ly⟩ **0.1** *liberal* ⇒*free-thinking,* ⟨zeldz.; mbt. religie⟩ *latitudinarian* ◆ **1.1** ~e opvattingen *liberal views;* het ~ protestantisme *liberal Protestantism* **3.1** ~ denken *liberal/ free thinking* **7.1** ⟨zelfst.⟩ de ~en *free-thinkers;* ⟨vaak ook, maar dubbelzinnig⟩ *liberals.*

vrijzinnigheid ⟨de (v.)⟩ **0.1** *free-thinking/ -thought* ⇒*liberalism,* ⟨zeldz.⟩ *latitudinarianism.*

vrille ⟨de (v.)⟩ ⟨verk.⟩ **0.1** *(tail)spin.*

vrind ⟨de (m.)⟩ **0.1** ⟨BE⟩ *chum, pal,* ⟨AE⟩ *pal, buddy, fella* ⇒⟨BE, deftiger⟩ *old chap/ fellow,* ⟨pej. ook⟩ *buster, brother* ◆ **¶.1** zeg eens, ~ *look, mate!/ pal!/ buddy!/ fella!.*

vrindje ⟨het⟩ **0.1** [vriendje] *pal* ⟨niet als aanspreekvorm in BE⟩ ⇒⟨BE ook⟩ *chum, mate,* ⟨AE ook⟩ *buddy* **0.2** [minnaar] *boy-friend* ⇒*lover, friend* ⟨mbt. oudere mensen⟩ ◆ **1.1** de ~s van haar man *her husband's pals/ chums/ mates/ buddies.*

v.r.n.l. ⟨afk.⟩ **0.1** [van rechts naar links] *(from right to left).*

vroed ⟨bn., bw.⟩ ◆ **1.¶** de ~e vaderen ⟨gemeentebestuur⟩ *the city fathers.*

vroedkunde ⟨de (v.)⟩ **0.1** *midwifery* ⇒*obstetrics.*

vroedkundig ⟨bn.⟩ **0.1** *obstetric(al).*

vroedmeesterpad ⟨de (m.)⟩ **0.1** *nurse-frog.*

vroedschap ⟨de (v.)⟩ ⟨gesch.⟩ **0.1** *town/ city council/ corporation* ⇒*(the) city fathers.*

vroedvrouw ⟨de (v.)⟩ **0.1** *midwife* ◆ **6.1** bij een ~ bevallen *be delivered by a m..*

vroeg ⟨bn., bw.⟩ ⟨→sprw. 452,516,613,615,627⟩ **0.1** [aan het begin van de dag] *early* **0.2** [tijdig] *early* **0.3** [aan het begin] *early* ⇒⟨mbt. mensen ook⟩ *young* **0.4** [eerder dan verwacht] *early* ⇒⟨mbt. mensen ook⟩ *young,* ⟨ihb. mbt. geboorte en dood⟩ *premature,* ⟨alleen na zn.⟩ *ahead of time* ◆ **1.1** in de ~e morgen *in the e. morning;* tot in de ~e uurtjes *till the e./ small hours, till well/ long/ far into the night;* ⟨fig.⟩

een ~e vogel *an e. bird* **1.3** de ~ste geschiedenis van de mensheid *the dawn of human history;* zijn ~ste jaren bracht hij in een dorp door *he spent his earliest/ youngest years in a village;* de ~e middeleeuwen *the e. middle ages;* deze prent behoort tot het ~ste werk van Seghers *this print is one of Seghers' earliest works* **1.4** een ~e lente/ Pasen *an e. spring/ Easter* **2.1** op een belachelijk ~ uur *at an/ some unearthly/ ungodly hour;* van ~ tot laat *from dawn till dusk/ dark* **2.3** ~ of laat moet het toch gebeuren *sooner or later it has to happen* **2.4** een te ~ geboren kind *a premature baby;* ik ben vandaag ~ klaar *I'm/ I'll be off/ finished early today* **3.1** ⟨fig.⟩ als je mij in de maling wil nemen, moet je ~ opstaan, vader *you('ll) have to be out of bed/ be up/ get up e. if you want to catch me napping,* ᴮ*mate/* ^*buddy;* ~ vertrekken ⟨ook⟩ *make an early start* **3.2** je moet er ~ bij zijn *you've got to get in quickly, you've got to be quick about it/ quick off the mark;* dat moet je ~ leren *you have to learn that young* **3.3** daar kom je wel wat ~ mee *you're a bit premature/ e. with that;* hij toonde al ~ tekentalent *he showed artistic talent at an e. age;* Pasen valt ~ dit jaar *Easter falls/ is e. this year* **3.4** ~ sterven *die young, die a premature/ an e. death* **5.1** het is nog ~ ⟨mbt. dag; scherts.⟩ *the day is still young;* ⟨mbt. avond⟩ *the night is still young;* 's morgens ~ *e. in the morning* **5.2** hij was er ~ genoeg bij *he was there in good time;* volgende week is ~ genoeg *next week is soon enough;* je moet niet te ~ juichen *don't count your chickens (until/ before they're hatched), don't rejoice/ start cheering/ celebrate too soon;* geen dag te ~ *not a day too soon, none too soon* **5.3** al ~ *e. on;* niet ~er dan *not before, … at the earliest;* de mensen trouwen steeds ~er *people get married younger and younger;* het is nog te ~ om er iets zinnigs over te zeggen *it's e. days yet/ too soon yet/ still premature to say anything useful about it;* haar te ~e dood *her untimely/ premature death* **5.4** vijf minuten/ een uur te ~ *five minutes/ an hour (too) e. ahead of time;* te ~ sterven ⟨schr. ook⟩ *come to an untimely/ a premature end* **6.2** hij kan op zijn vroegst om zeven uur hier zijn *he can't be here before seven o'clock (at the earliest)* **6.3** ~ in de geschiedenis *e. on in history;* ergens ~ in mei *sometime at the beginning of May* **¶.2** ~ uit de veren zijn *rise with the lark, get up/ be up bright and early/ at (the) crack of dawn.*

vroegbloeier ⟨de (m.)⟩ **0.1** *early flowerer.*

vroegchristelijk ⟨bn.⟩ **0.1** *early Christian.*

vroeger ⟨bn., bw.; -ly⟩ **0.1** [voorheen] *former* ⇒*past, previous,* ⟨mbt. tijd ook⟩ *bygone,* ⟨bw.⟩ *before, previously, formerly* **0.2** [vorig] *previous* ⇒*former,* ⟨schr.⟩ *prior* ◆ **1.1** in ~ dagen/ jaren *in former days/ years, formerly, in days/ years past, in bygone days;* de ~e middeleeuwen *the e. middle ages;* ~ hoogleraar in de Engelse letterkunde *Mr. B., former(ly) professor of English literature;* in ~ tijden *in days of old/* ⟨schr.⟩ *yore, in (the) older days, in bygone days,* ⟨schr.⟩ *in times past* **1.2** in zijn ~e functie *in his former/ previous position;* zijn ~e leermeester *his former/ ex-/ old teacher;* zijn ~e verklaringen *previous/ earlier statements;* zijn ~e verloofde *his former/ ex-fiancée;* zijn ~e vrienden *his former/ old-time friends* **3.1** men dacht ~ dat *people used to think that;* ~ heb ik ook wel gerookt *I used to smoke;* ~ stond hier een kerk *there used to be a church here;* ~ was zij erg driftig *she used to be very quick-tempered* **5.1** daar heb ik ~ nog ooit op school gezeten *I used to go to school there, once upon a time I went to school there* **6.1** als herinnering **aan** ~ *for old times' sake;* ⟨zelfst.⟩ van ~ vertellen *tell/ talk about the (good) old days;* het Londen **van** ~ *London, as it used to be/ once was, old London,* ↑*the London of old;* de gevierde schoonheid **van** ~ *the celebrated beauty of old/ she was/ used to be;* ik kan me zijn ~ herinneren dat *I can still remember (about that time) that* **8.1** niet zoveel als ~ *not so/ as much as I/ you/* ⟨enz.⟩ *used to;* hij is niet meer zo goed als ~ *he isn't as good as he used to be/ was, he isn't what he used to be;* zoals ~ *as in the old days, as/ the way it used to be;* het zal nooit meer zijn zoals het ~ was *things will never be the way/ what they used to be/ the same again.*

vroegertje ⟨het⟩ **0.1** *early start/ finish/* ⟨enz.⟩ ◆ **3.1** we hebben een ~ vandaag *we're finished nice and early today;* het was een ~ vanochtend *we had an early start this morning.*

vroeggeboorte ⟨de (v.)⟩ **0.1** *premature birth.*

vroegmis ⟨de⟩ ⟨r.k.⟩ **0.1** *early mass.*

vroegrijp ⟨bn.⟩ **0.1** *precocious* ⇒*forward* ⟨kind, meisje⟩, *early-ripening* ⟨vrucht⟩, ⟨AE ook⟩ *rareripe* ⟨vrucht⟩ ◆ **1.1** ~e druiven *early-ripening grapes;* ~e kinderen *p./ forward children* **3.1** hij was erg ~ *he was very p./ forward, he had an old head on young shoulders.*

vroegrijpheid ⟨de (v.)⟩ **0.1** *precociousness* ⇒*precocity.*

vroegte ⟨de (v.)⟩ ◆ **6.¶** in de ~ *early in the morning, at an early hour;* ⟨heel vroeg⟩ *in the early hours;* in alle ~ *at (the) crack of dawn, bright and early.*

vroegtijdig ⟨bn., bw.⟩ **0.1** [bijtijds] *early* ⇒*timely,* ⟨bw. ook⟩ *in the good time* **0.2** [eerder dan gewoonlijk] *early* ⇒*premature,* ⟨pej. ook⟩ *untimely* ⟨bv. dood⟩.

vroegtijds ⟨bw.⟩ **0.1** *early in the morning at an early hour.*

vrolijk ⟨bn., bw.; -ly⟩ **0.1** [blij] *cheerful* ⇒*merry, jolly, lively* **0.2** [waarin, waarover men zich vermaakt] *cheerful* ⇒*merry* **0.3** [aangenaam stemmend] *cheerful* ⇒*cheery* ⟨ook mbt. vuur⟩ **0.4** [druk] *bustling* ⇒*lively,* ⟨persoon ook⟩ *brisk* **0.5** [onverstoorbaar] *cheerful* ⇒ ↑*imper-*

turbable ◆ **1.1** iets doen in een ~e bui *do sth. in a burst of liveliness;* een ~e Frans ᴮ*a bright spark;* ⟨vero. of scherts., maar meestal dubbelzinnig⟩ *a gay dog/cat;* een ~ hart hebben *be a c./merry/jolly/lively soul;* een ~ mens *a c./merry/jolly/lively person* **1.2** het was er een ~e boel *they were a merry crowd, it was a lively place;* ⟨iron.⟩ ~e boel is het hier *c./lively lot/bunch, aren't you?, c./lively place, isn't it?;* een ~ leventje leiden *lead a merry life;* voor de ~e noot zorgen *provide (some) light/comic relief/a cheerful note* **1.3** ~ behang *cheerful/bright wallpaper* **1.4** een ~e straat *a bustling street* **3.1** zich over iets/iem. ~ maken *laugh at/about/joke about sth./s.o.;* ⟨mbt. persoon ook⟩ *laugh/joke at s.o.'s expense;* ~worden *get (a bit/rather) merry;* ~ zingen *sing merrily/gaily/cheerfully* **3.2** het ging er ~ toe *they were having a merry (old) time* **5.1** ⟨inf.⟩ even (zo) ~ *cheerful(ly);* hij kijkt niet al te ~ *he looks none too c., he doesn't look too/all that c..*

vrolijkheid ⟨de (v.)⟩ **0.1** [het vrolijk zijn] *cheerfulness* ⇒*gaiety, jollity, liveliness, mirth, joviality* **0.2** [vermaak] *mirth* ⇒*merriment, hilarity,* ⟨ook leedvermaak⟩ *glee* ◆ **2.1** dolle ~ *glee; geforceerde* ~ *forced c.; onderdrukte* ~*suppressed mirth* **3.1** haar opmerking verwekte enige ~ *her remark caused some hilarity/merriment/mirth.*

vrome ⟨de (v.)⟩ **0.1** *pious/devout/godly/god-fearing/saintly person* ◆ **2.1** een valse ~ *a hypocrite* **3.1** de ~ uithangen/ spelen *play the/pretend to be a saint, act holy;* ⟨BE ook⟩ *polish one's halo.*

vroom ⟨bn., bw.; -ly⟩ **0.1** [godvruchtig] *pious* ⇒*devout, godly, god-fearing, saintly* **0.2** [onvervulbaar] *pious* ◆ **1.2** een ~ bedrog (leugen) *a white lie;* ⟨vnl. rel.⟩ *a p. fraud;* vrome wensen *p. hopes, wishful thinking.*

vroomheid ⟨de (v.)⟩ **0.1** [godsdienstigheid] *piety* ⇒*devoutness, godliness,* ⟨schr.⟩ *devotion* **0.2** [het vroom zijn] *piety* ⇒*devoutness, godliness,* ⟨schr.⟩ *devotion.*

vrouw ⟨de (v.)⟩ **0.1** [vrouwelijk persoon] *woman* ⇒⟨jur. of pej. ook⟩ *female,* ⟨eerbiedig⟩ *lady* **0.2** [echtgenote] *wife* ⇒⟨jur.; scherts.⟩ *spouse* **0.3** [speelkaart] *queen* **0.4** [aanspreektitel] *Mrs.* ⇒⟨vero.⟩ *Mistress,* ⟨vero., mbt. anderstalige vrouwen⟩ *Madam(e)* **0.5** [bazin] *mistress* ⇒*lady* ◆ **1.1** ~en en kinderen eerst *women and children first;* een ~ van lichte zeden *w. of easy virtue* **1.2** man en ~ *husband/* ⟨rel.⟩ *man and w.* **1.5** de ~ des huizes *lady/m. of the house* **2.1** een alleenstaande ~ *a single/an unattached w., a w. alone/on her own;* de gehuwde werkende ~ *working wives;* een gescheiden ~ *a divorced w./divorcee;* de moderne ~ *the modern w., modern women;* ze is een volwassen ~ geworden *she's grown into a w.* **2.2** een rijke ~ trouwen *marry a rich woman/(into) money* **3.1** achter de ~en aanzitten *chase (after)/go after women/* ⟨deftiger⟩ *the ladies, womanize;* een ~ begeren *desire/lust for/after a w.;* een ~ versieren *get off with/make up to/chat up a girl/bird;* de werkende ~ *working women;* ⟨vrouwen die voor een carrière kiezen ipv. een gezin⟩ *career women/* ⟨vaak neerbuigend door mannen gebruikt⟩ *girls* **3.2** hoe gaat het met je ~? *how's your w./* ⟨sl.⟩ *the missus/missis?;* een ~ onderhouden *keep a wife* ⟨getrouwd⟩ */woman* ⟨niet getrouwd⟩; iem. tot ~ nemen *take s.o. as one's w./* ⟨vero.⟩ *to w.;* iem. tot zijn ~ maken *make s.o. one's wife* **6.2** een dochter als ~ eerste ~ *a daughter by his first w.;* ze zal een goede ~ voor je zijn *she'll make you a good wife* ¶.**1** Onze-Lieve-Vrouw *Our Lady;* een ~ zwanger maken ⟨ook⟩ *get a w. into trouble/in the family way;* ⟨AE; sl.⟩ *knock a w. up;* een te jong geklede ~ *mutton dressed up as lamb;* een ~ achter het stuur *a w. driver* ¶.**2** zijn ~ in de steek laten *abandon/walk out on one's w., leave one's w. in the lurch* ¶.**4** Vrouwe Justitia *Lady Justice;* Vrouwe Fortuna *Lady Luck.*

vrouwelijk ⟨bn.⟩ **0.1** [v.h. geslacht v.d. vrouw] *female* ⟨ook plantk.⟩ ⇒⟨mbt. beroep ook⟩ *woman,* ⟨vaak neerbuigend door mannen gebruikt⟩ *lady* **0.2** [eigen aan de vrouwen] ⟨passend en kenmerkend⟩ *feminine* ⇒⟨passend bij⟩ *womanly,* ⟨mbt getrouwde vrouw⟩ *wifely* **0.3** [⟨taal.⟩] *feminine* **0.4** [mbt. rijm] *feminine* ◆ **1.1** een ~e arts/minister *woman/f./* ⟨neerbuigend⟩ *lady doctor/minister;* de ~e hoofdrol *the leading lady/woman/f. role/part;* een ~e kandidaat/sollicitant *a woman/f. candidate/applicant;* een ~e kat *a f. cat;* verwanten in de ~e lijn *relations on the wife's/* ⟨schr.⟩ *distaff side;* een ~e monteur/bankdirecteur *a woman/f./* ⟨neerbuigend⟩ *lady mechanic/bank director;* vereniging van ~e studenten *association of f./ women students;* ⟨AE ook⟩ *sorority* **1.2** ~e charme *f./ womanly charm;* ~e gevoelens/tederheid *f./womanly feelings/tenderness;* een ~ handschrift *f. (hand)writing, (a) woman's handwriting;* de ~e intuïtie *f./ woman's intuition;* ~e manieren hebben *have f./womanly/ womanish ways;* gevoelig zijn voor ~ schoon *be susceptible to f. beauty* **1.3** v.h. ~ geslacht van de f. *gender* **3.2** ⟨mbt. man⟩ zich ~ kleden *have a f. style of dressing* **4.1** iets ~s over zich hebben *have sth. feminine about one* **5.2** typisch ~ *that's women all over, that's typical of a woman* **6.3** in het ~ *in the f. (form)* **7.2** ⟨zelfst.⟩ het eeuwig ~e *the eternal f.;* ⟨zelfst.⟩ het ~e in haar *the woman in her, her f. side.*

vrouwelijkheid ⟨de (v.)⟩ **0.1** [het vrouwelijk zijn] *femininity* ⇒*womanliness,* ⟨het v.h. vrouwelijke geslacht zijn] *femaleness,* ⟨mbt. mensen ook⟩ *womanhood,* ⟨mbt. getrouwde vrouwen⟩ *wifeliness,* ⟨vaak pej.⟩ *womanishness* **0.2** [geslachtsdelen] *female parts* ⇒⟨schr.; zeldz.⟩ *femininity.*

vrouwenafdeling ⟨de (v.)⟩ **0.1** *women's/female department/section/ branch* ⇒⟨zaal in ziekenhuis⟩ *women's/female ward.*

vrouwenarbeid ⟨de (m.)⟩ **0.1** *female/women's labour.*

vrouwenarts ⟨de (m.)⟩ **0.1** *gynaecologist* ᴬ*gynecologist.*

vrouwenbeweging ⟨de (v.)⟩ **0.1** *feminist movement* ⇒*women's (rights) movement.*

vrouwenblad ⟨het⟩ **0.1** *women's magazine/* ⟨nieuwsblad⟩*(news)paper.*

vrouwenboekhandel ⟨de (m.)⟩ **0.1** *women's bookshop.*

vrouwenbond ⟨de (m.)⟩ **0.1** *women's association/federation.*

vrouwenborst ⟨de⟩ **0.1** *(woman's/female) breast* ⇒*(woman's/female) bust* ⟨vaak euf., bv. in kledingzaak⟩.

vrouwencafé ⟨het⟩ **0.1** *women's pub/*ᴬ*bar.*

vrouwendienst ⟨de (m.)⟩ ⟨gesch.⟩ **0.1** *courtly love.*

vrouweneethuis ⟨het⟩ **0.1** *women's restaurant.*

vrouwenemancipatie ⟨de (v.)⟩ **0.1** *emancipation of women* ⇒⟨moderne beweging⟩ *women's liberation/* ⟨inf.; ook pej.⟩ *lib.*

vrouwenfilm ⟨de (m.)⟩ **0.1** *women's film/*ᴬ*movie* ⇒*feminist film/*ᴬ*movie.*

vrouwengek ⟨de (m.)⟩ **0.1** ↓*skirt-chaser* ⇒ ↑*ladies' man, womanizer* ◆ **3.1** het is een ~ *he's always (running) after women.*

vrouwengeschiedenis ⟨de (v.)⟩ **0.1** [gebeurtenis waarbij vrouwen in het spel zijn] *affair involving women/a woman* ⇒*love affair, affair of the heart* **0.2** [geschiedenis van/over vrouwen] *story/history of women/a woman.*

vrouwengevangenis ⟨de (v.)⟩ **0.1** *women's prison/*ᴬ*penitentiary.*

vrouwengroep ⟨de⟩ **0.1** [georganiseerde groepering] *women's/feminist group* **0.2** [groep met alleen vrouwen] *(all) female/women's group.*

vrouwenhaar
I ⟨het⟩ **0.1** [haren v.e. vrouw] *woman's/women's/female hair* **0.2** [⟨plantk.⟩] *maidenhair;*
II ⟨het, de⟩ **0.1** [één haar] *woman's/female hair.*

vrouwenhaat ⟨de (m.)⟩ **0.1** *hatred of women* ⇒⟨schr., mbt. man met een hekel aan vrouwelijk gezelschap⟩ *misogyny.*

vrouwenhand ⟨de⟩ **0.1** [hand v.e. vrouw] *woman's hand* **0.2** [vrouw als schrijfster] *feminine hand* ⇒*female writer* **0.3** [handschrift] *feminine hand(writing)* ⇒*woman's hand(writing).*

vrouwenhandel ⟨de (m.)⟩ **0.1** *trade/traffic in women* ⇒⟨blanke vrouwen⟩ *white slave trade.*

vrouwenhater ⟨de (m.)⟩ **0.1** *woman-hater* ⇒⟨schr., mbt. man met een hekel aan vrouwelijk gezelschap⟩ *misogynist.*

vrouwenhuis ⟨het⟩ **0.1** [ontmoetingsplaats] *meeting-place for women* ⇒ *women's/feminist centre/club* **0.2** [woonhuis] *women's house* ⇒⟨(tijdelijke) verblijfplaats⟩ *home for women, women's hostel,* ⟨schuilplaats⟩ *refuge for women, women's shelter.*

vrouwenjager ⟨de (m.)⟩ **0.1** *womanizer* ⇒*lady-killer, casanova.*

vrouwenkamp ⟨het⟩ **0.1** [gevangenenkamp] *women's (prison) camp* **0.2** [tentenverzameling] *women's (en)camp(ment).*

vrouwenkiesrecht ⟨het⟩ ⟨gesch.⟩ **0.1** *women's/female suffrage.*

vrouwenklooster ⟨het⟩ **0.1** *convent* ⇒*nunnery.*

vrouwenkwaal ⟨de (v.)⟩ **0.1** *women's/female/gynaecological* ᴬ*gynecological complaint/disease.*

vrouwenliteratuur ⟨de (v.)⟩ **0.1** *women's literature* ⇒*literature about women, writing by/about women.*

vrouwenlogica ⟨de (v.)⟩ **0.1** *feminine/female/women's logic.*

vrouwenorganisatie ⟨de (v.)⟩ **0.1** *women's organization.*

vrouwenoverschot ⟨het⟩ **0.1** *surplus of women.*

vrouwenpagina ⟨de⟩ **0.1** *women's page.*

vrouwenpraat ⟨de (m.)⟩ **0.1** *women's/* ⟨inf.⟩ *girl talk.*

vrouwenpraatgroep ⟨de (v.)⟩ **0.1** *women's/ladies' circle.*

vrouwenrechten ⟨zn.mv.⟩ **0.1** *women's rights.*

vrouwenregering ⟨de (v.)⟩ **0.1** *female domination/* ⟨pol.⟩ *rule/government* ⇒*domination/rule/government by/of women, women's rule,* ⟨pol. ook; schr.⟩ *gynaecocracy* ᴬ*gynecocracy.*

vrouwenrol ⟨de⟩ **0.1** [⟨dram.⟩] *female part* **0.2** [maatschappelijk gedrag] *women's part.*

vrouwenschender ⟨de (m.)⟩ **0.1** *assaulter/attacker/(sexual) abuser of women* ⇒*rapist.*

vrouwenstem ⟨de⟩ **0.1** *woman's/female voice.*

vrouwenstrijd ⟨de (m.)⟩ **0.1** *women's liberation/* ⟨inf.⟩ *lib.*

vrouwenstudie ⟨de (v.)⟩ **0.1** *women's studies.*

vrouwentelefoon ⟨de (m.)⟩ **0.1** *women's switchboard.*

vrouwentijdschrift ⟨het⟩ **0.1** *women's/woman's magazine.*

vrouwentongen ⟨zn.mv.⟩ **0.1** *sansevieria, bowstring hemp.*

vrouwenverleider ⟨de (m.)⟩ **0.1** *lady-killer* ⇒*Don Juan, womanizer, seducer,* ⟨vero.⟩ *philanderer.*

vrouwenvertrek ⟨het⟩ **0.1** *women's quarters* ⇒⟨gesch.⟩ *thalamus.*

vrouwenvlees ⟨het⟩ ◆ **3.**¶ hij heeft geen ~ *he dislikes women.*

vrouwenwereld ⟨de⟩ **0.1** [wereld v.d. vrouwen] *woman's world* **0.2** [door vrouwen geregeerde wereld] *woman's world* ⇒*world run by women,* ⟨schr.⟩ *gynaecocracy* ᴬ*gynecocracy,* ⟨pol.⟩ *petticoat government.*

vrouwenwerk ⟨het⟩ **0.1** [voor vrouwen geschikt werk] *women's work* ⇒ *jobs/work for women* **0.2** [werk zoals vrouwen het plegen te doen] *women's work* ⇒*work by women.*

vrouwenzadel ⟨het⟩ **0.1** [mbt. fiets] *lady's saddle* **0.2** [mbt. paard] *side-saddle*.

vrouwenziekte ⟨de (v.)⟩ **0.1** *women's/female/gynaecological/^gynecological disease/complaint*.

vrouwmens ⟨het⟩⟨pej.⟩ **0.1** *woman* ⇒*female, wench, bint*.

vrouwspersoon ⟨het⟩ **0.1** *female*.

vrouwtje ⟨het⟩ **0.1** [kleine vrouw] *small/little woman* **0.2** [vrouw] *woman* ⇒ ⟨mbt. echtgenote⟩ *wife(y), little woman, girl* **0.3** [bazin] *mistress* **0.4** [vrouwelijk dier] *female* ◆ **1.4** is het een mannetje of een ~? *is it a he or a she?/a male or a f.?* **2.2** zijn jonge ~ ⟨ook⟩ *his (young) bride;* voor mijn liefste ~ *for my darling wife;* een oud ~ *an old/a little old woman, a granny/grannie* **3.2** hij kijkt te veel naar de ~s *he's too keen on women/the ladies* **6.3** kom maar **bij** het ~ *come to your m.* ¶**.2** ja, ~ *yes, dear/love.*

vrouwvijandig ⟨bn.⟩ **0.1** *hostile to(wards)/*⟨AE ook⟩ *toward women* ⇒ *sexist, (male-)chauvinist*.

vrouwvolk ⟨het⟩ **0.1** *women* ⇒⟨pej.⟩ *females* ◆ **3.1** het ~ nalopen *chase/run after w./ anything in skirts*.

vrouwvriendelijk ⟨bn., bw.⟩ **0.1** *non-(male-)chauvinist* ⇒*well-/kindly disposed towards women/equality (of the sexes)* ⟨alleen na zn.⟩, ⟨bw.⟩ *in a way/fashion/manner that is ...* ◆ **1.1** een ~e man *a non-chauvinist (man)*.

vrouwvriendelijkheid ⟨de (v.)⟩ **0.1** *pro-female attitude/policy*.

vrouwziek ⟨bn.⟩ **0.1** *girl-crazy* ⇒*mad/crazy/*⟨inf.⟩ *nuts about women/girls* ◆ **3.1** hij is ~ ⟨ook⟩ *he can't leave women alone*.

vr. pr. ⟨afk.⟩ **0.1** [vraagprijs] ⟨asking price ⇒ ⟨AE ook⟩ *ask price*⟩.

vrucht ⟨de⟩ ⟨→sprw. 78,595⟩ **0.1** [⟨plantk.⟩] *fruit* **0.2** [eetbaar veld-/tuingewas] *fruit* **0.3** [ongeboren jong/kind] *foetus* ^*fetus* ⇒*embryo* **0.4** [⟨fig.⟩] *fruit(s)* ⇒*result(s), reward(s)* ◆ **1.2** ~en op sap *f. in syrup* **2.2** een afgewaaide ~ *a windfall;* ⟨fig.⟩ verboden ~en *forbidden f.* **2.3** een onvoldragen ~ *a f. that has not been carried to term, an unborn f.* **2.4** burgerlijke ~en *rent and interest;* zijn werk heeft weinig ~en afgeworpen ⟨ook⟩ *he has little to show for his work;* daar plukken we nu de wrange ~en van *now we're reaping the bitter fruit, now it's coming home to roost* **3.2** ~ dragen *(bear) fruit;* ~en plukken *pick f.;* ⟨verz.n.; mbt. bomen⟩ ~ zetten *set f.* **3.3** de ~ afdrijven *have an abortion, abort the f.* ⟨ook spontaan⟩ **3.4** het kapitaal begint ~ af te werpen *the capital is beginning to yield a profit;* de besprekingen beginnen langzamerhand ~en af te werpen *the discussions are gradually beginning to pay off;* geen ~en afwerpen *bear no fruit, come to nothing, prove useless/worthless;* veel ~en afwerpen *yield/pay rich rewards;* ~ dragen *bear fruit;* ⟨schr.⟩ *come to fruition;* de ~en van iets plukken *reap the fruit(s)/rewards of sth., get/receive the benefits of/from sth.* **6.4** met ~ iets aanwenden *employ sth. fruitfully;* **met** ~ *fruitful(ly), successfully, with success;* **met** ~ een poging wagen *make a successful attempt*.

vruchtafdrijvend ⟨bn.⟩ **0.1** *abortifacient* ⇒*abortive, inducing abortion* ⟨alleen na zn.⟩ ◆ **1.1** een ~ middel *an abortifacient*.

vruchtafdrijving ⟨de (v.)⟩ **0.1** *abortion* ⇒*expulsion of a/the foetus* ^*fetus*.

vruchtbaar ⟨bn.⟩ **0.1** [veel vruchten voortbrengend] *fruitful* ⇒*productive* **0.2** [in staat kinderen voort te brengen] *fertile* ⇒⟨pej.⟩ *prolific,* ⟨schr.⟩ *fecund* **0.3** [groeizaam] *fertile* ⇒*fruitful, productive, rich* ⟨aarde⟩ **0.4** [⟨fig.⟩] *fruitful* ⇒*fertile* ⟨ook gedachten/hersens⟩, *productive,* ⟨schr.⟩ *fecund,* ⟨schrijver ook⟩ *prolific* ◆ **1.2** vrouwen in de vruchtbare leeftijd *women of child-bearing age/in the f. years;* de vruchtbare periode v.d. vrouw *a woman's f. period* **1.3** ~ weer ⟨ook⟩ *growing weather* **1.4** ⟨fig.⟩ een vruchtbare bodem vinden *find fertile soil/receptive ground;* een ~ gesprek *a fruitful/productive talk;* een ~ schrijver *a prolific/productive/fertile writer* **3.3** het land ~ maken *make the land fertile*.

vruchtbaarheid ⟨de (v.)⟩ **0.1** *fertility* ⇒*fruitfulness, productivity,* ⟨schr.⟩ *fecundity*.

vruchtbaarheidscijfer ⟨het⟩ ⟨stat.⟩ ◆ **2.¶** specifiek ~ *specific fertility rate*.

vruchtbaarheidscultus ⟨de (m.)⟩ **0.1** *fertility cult*.

vruchtbaarheidsonderzoek ⟨het⟩ **0.1** *fertility test*.

vruchtbaarheidsritueel ⟨het⟩ **0.1** *fertility rite*.

vruchtbeginsel ⟨het⟩ **0.1** *ovary*.

vruchtblaas ⟨de⟩ **0.1** *amniotic sac*.

vruchtbodem ⟨de (m.)⟩ **0.1** *thalamus* ⇒*receptacle*.

vruchtboom ⟨de (m.)⟩ **0.1** *fruit tree*.

vruchtdragend ⟨bn.⟩ **0.1** [vruchten voortbrengend] *fruit-bearing* **0.2** [⟨fig.⟩] *fruitful* ⇒*bearing fruit* ⟨alleen na zn.⟩.

vruchteloos ⟨bn., bw.; -ly⟩ ⟨fig.⟩ **0.1** *fruitless* ⇒*useless, abortive, futile, ineffective,* ⟨bw. ook⟩ *in vain, to no avail* ◆ **1.1** in een vruchteloze discussie belanden *end up in a fruitless/futile/sterile discussion;* een vruchteloze onderneming ⟨ihb. als gevolg van misleiding⟩ *a wild-goose chase, a fool's errand;* een vruchteloze poging wagen *make a futile/fruitless/vain/an abortive attempt* **3.1** hij probeerde ~ haar over te halen *he tried in vain to persuade her, he tried to persuade her (but) to no avail/without success*.

vruchtenazijn ⟨de (m.)⟩ **0.1** *fruit vinegar*.

vruchtenbowl ⟨de (m.)⟩ **0.1** *punch* ⇒*cup*.

vruchtenconserven ⟨zn.mv.⟩ **0.1** *preserved/* ⟨in blik ook⟩ *canned/* ⟨BE ook⟩ *tinned/* ⟨in fles ook⟩ *bottled fruit*.

vruchtenetend ⟨bn.⟩ **0.1** *fruit-eating* ⇒*frugivorous*.

vruchtengebak ⟨het⟩ **0.1** *fruit cake/* ⟨met deeg⟩ *tart/pie*.

vruchtenhagel ⟨de (m.)⟩ **0.1** *(coloured/fruit-flavoured) confetti/sprinkles*.

vruchtenmand ⟨de⟩ **0.1** *basket of fruit* ⇒ ⟨mand voor fruit⟩ *fruit-basket*.

vruchtenmoes ⟨het⟩ **0.1** *fruit purée* ^*puree* ⇒⟨op spijskaarten⟩ *compote*.

vruchtenpulp ⟨de⟩ **0.1** *fruit pulp*.

vruchtenpuree ⟨de (v.)⟩ **0.1** *fruit purée* ^*puree*.

vruchtenschaal ⟨de⟩ **0.1** *fruit bowl* ⇒⟨schaal met fruit⟩ *bowl of fruit*.

vruchtenslaatje ⟨het⟩ **0.1** *fruit salad* ⇒⟨op spijskaarten ook⟩ *fruit cocktail/cup*.

vruchtentaart ⟨de⟩ **0.1** *fruit cake/* ⟨met deeg⟩ *tart/pie*.

vruchtenwijn ⟨de (m.)⟩ **0.1** *fruit wine*.

vruchtenyoghurt ⟨de (m.)⟩ **0.1** *fruit yog(h)urt*.

vruchtepers ⟨de⟩ **0.1** *fruit press* ⇒⟨elektrisch⟩ *(fruit) blender, (fruit) squeezer* ⟨met de hand⟩, ⟨AE ook⟩ *juicer*.

vruchtesap ⟨het⟩ **0.1** *fruit juice*.

vruchtesuiker ⟨de (m.)⟩ **0.1** *fructose* ⇒*fruit sugar*.

vruchtgal ⟨de⟩ ⟨plantk.⟩ **0.1** *fruit gall*.

vruchtgebruik ⟨het⟩ ⟨jur.⟩ **0.1** *usufruct* ◆ **2.1** levenslang ~ hebben v.e. kapitaal *have a life interest in a sum of money* **3.1** het ~ hebben van goederen *have/enjoy the u. of property* **6.1** iets in ~ afstaan aan iem. *grant s.o. the u. of sth., give sth. in u. to s.o.*

vruchtgebruiker ⟨de (m.)⟩ ⟨jur.⟩ **0.1** *usufructary* ⇒*beneficiary, tenant for live*.

vruchtgenot ⟨het⟩ ⟨jur.⟩ **0.1** *right of use and enjoyment*.

vruchtgewas ⟨het⟩ **0.1** *fruit eaten as a vegetable*.

vruchtgroente ⟨de (v.)⟩ **0.1** ⟨vegetable that is botanically a fruit⟩.

vruchthouder ⟨de (m.)⟩ **0.1** *carpophore, columella*.

vruchthout ⟨het⟩ **0.1** *fruitwood*.

vruchtknop ⟨de (m.)⟩ **0.1** *fruit bud*.

vruchtleven ⟨het⟩ **0.1** *life of a(n)/the embryo/foetus* ^*fetus* ⇒*embryonic/foetal/*^*fetal life*.

vruchtlichaam ⟨het⟩ **0.1** [lichaam v.e. vrucht] *body of a/the fruit* **0.2** [orgaan waarin sporen ontstaan] *fruit body*.

vruchtnavel ⟨de (m.)⟩ **0.1** *hilum*.

vruchtpluis ⟨het⟩ **0.1** *pappus*.

vruchtvlees ⟨het⟩ **0.1** *flesh (of a/the fruit)* ⇒*(fruit) pulp*.

vruchtvlies ⟨het⟩ **0.1** ⟨binnenste⟩ *amnion;* ⟨buitenste⟩ *chorion*.

vruchtvorming ⟨de (v.)⟩ **0.1** *fruit formation* ⇒*fructification,* ⟨med.⟩ *formation of a(n)/the embryo/foetus/*^*fetus*.

vruchtwand ⟨de (m.)⟩ **0.1** *pericarp*.

vruchtwater ⟨het⟩ **0.1** *amniotic fluid* ⇒⟨inf.⟩ *water(s)*.

vruchtwateronderzoek ⟨het⟩ **0.1** *amniocentesis*.

vruchtwaterpunctie ⟨de (v.)⟩ **0.1** *amniocentesis*.

vruchtwisseling ⟨de (v.)⟩ **0.1** *rotation of crops, crop rotation*.

vruchtzetting ⟨de (v.)⟩ **0.1** *setting (of fruit)* ⇒*fructification*.

vs. ⟨afk.⟩ **0.1** [vers] *v.* **0.2** [versus] *v.,* ^*vs.*.

VS ⟨zn.mv.⟩⟨afk.⟩ **0.1** [Verenigde Staten] *U.S.(A.), US(A)*.

V-snaar ⟨de⟩ **0.1** *V-belt*.

V-teken ⟨het⟩ **0.1** *V-sign*.

VTOL-vliegtuig ⟨het⟩ **0.1** *VTOL aircraft/plane* ⇒*convertiplane, convertaplane*.

VU ⟨de (v.)⟩⟨afk.⟩ **0.1** [Vrije Universiteit te Amsterdam] ⟨Free (Reformed) University of Amsterdam⟩ **0.2** [Volksunie] ⟨a Flemish Nationalist Party⟩.

vue ⟨de (v.)⟩ ◆ **3.¶** ~s hebben op *have one's eye on, set one's sights on* ¶.**¶** à ~ *prima vista, at sight* ⟨spelen, zingen⟩; *unseen* ⟨vertaling⟩.

vuig ⟨bn., bw.; -ly⟩ **0.1** *foul* ⇒*mean, low,* ⟨vero.⟩ *dastardly,* ⟨schr.⟩ *base* ◆ **1.1** ~e laster *f. slander*.

vuil¹ ⟨het⟩ **0.1** [afval, huisvuil] *refuse, rubbish, (household/domestic) waste;* ⟨AE vnl.⟩ *garbage* **0.2** [viezigheid] *dirt* ⇒*filth, grime, muck* ◆ **1.1** een hoopje ~ *a heap/pile of dirt/refuse/rubbish/g.;* iem. behandelen als een stuk ~ *treat s.o. like dirt* **2.1** grof ~ *(collection of) bulky/oversized (household) refuse/rubbish/garbage/trash;* ⟨BE ook; vero.⟩ *salvage;* dat kan naar het grof ~ *you can put it out for the* ^*dustmen/*^*garbage men;* ergens voor oud ~ liggen ⟨fig.⟩ *lie in the gutter, be down and out* **3.1** ~ storten *tip/dump/shoot rubbish;* verboden ~ te storten *dumping prohibited, no tipping/dumping* **6.2 onder** het ~ zitten *be covered/caked in/with d.*.

vuil² ⟨bn., bw.; -ly⟩ **0.1** [vies] *dirty* ⇒*filthy, grubby, grimy,* ⟨bezoedeld⟩ *soiled,* ⟨inf.⟩ *mucky* **0.2** [laaghartig] *dirty* ⇒*foul, mean, low,* ⟨vero.⟩ *dastardly,* ⟨schr.⟩ *base* **0.3** [vulgair] *dirty* ⇒*filthy, obscene, smutty, foul* **0.4** [oneerlijk] *dirty* ⇒*foul, sordid, filthy, nasty* **0.5** [onaangenaam] *dirty* ⇒*foul, filthy, nasty* **0.6** [nijdig] *dirty* ⇒*nasty, foul, filthy* **0.7** [vervuild] *dirty* ⇒*polluted, foul* **0.8** [nog niet schoon] *foul* ⟨proef, geschriften⟩; *uncorrected* ⟨werk, bedrag⟩ **0.9** [bedorven] *rotten* ⇒*bad* **0.10** [vuil makend] *dirty* ⇒*messy,* ⟨inf.⟩ *mucky* ◆ **1.1** ~e kleuren *d./muddy colours;* de ~e kopjes/glazen *the d./used cups/glasses;*

⟨scheep.⟩ ~ water maken *make foul water* **1.2** ~ stuk schorem! *filthy scum!;* ~e viezerik/leugenaar *dirty/filthy swine/liar* **1.3** ~e taal *d./ foul/filthy/obscene/smutty language* **1.4** ~ gewin *filthy lucre;* iem. een ~e streek leveren *pull a fast one/play a d./ nasty trick on s.o.;* een ~e zaak/~ zaakje *a d. business* **1.5** ⟨scheep.⟩ een ~e grond *foul ground* **1.7** een ~e rivier *a d./ polluted river* **1.8** een ~e proef *foul/rough/galley proof* **1.9** een ~ ei *a r. / bad egg;* een ~e maag hebben *feel queasy/sick* **1.10** het ~e werk opknappen ⟨fig.⟩ *(have to) do the d. work;* toeslag voor ~ werk *bonus for d. work, dirty pay* **3.1** zijn handen ergens niet ~ aan willen maken ⟨fig.⟩ *not want to/dirty/ soil one's hands on/with/doing sth.;* zijn kleren ~ maken *dirty one's clothes, get one's clothes d./ filthy/mucky/grubby;* wit wordt gemak-kelijk ~ *white dirties/gets dirty easily/quickly* **3.4** ⟨sport⟩ ~ spelen *play d., commit fouls* **3.6** iem. ~ aankijken *give s.o. a d./ foul/filthy/ nasty look* **3.8** het varken woog ~ 150 pond *the pig weighed 150 pounds with wastage/had a gross weight of 150 pounds* **6.3** ~ in de mond zijn *be foul-mouthed* **6.8** ⟨inf.⟩(van loon, salaris enz.) ~ in handen krijgen *be paid cash in hand (and no questions asked).*

vuilak ⟨de (m.)⟩ ⟨inf.⟩ **0.1** [viezerik] *dirty/filthy person* ⇒*messy crea-ture,* ⟨jong⟩ *grubby child,* ⟨BE;inf.;mbt. kind⟩ *grub, muckey pup* **0.2** [gemeenerik] *pig* ⇒*rotter, nasty piece of work, skunk, filthy swine.*

vuilbak ⟨de (m.)⟩ →**vuilnisbak.**

vuilbek ⟨de (m.)⟩ **0.1** *foul-mouthed person.*

vuilbekken ⟨onov.ww.⟩ **0.1** *have a foul mouth* ⇒*use obscene/dirty/filthy language.*

vuilbekkerij ⟨de (v.)⟩ **0.1** *obscenities* ⇒*(use of) dirty/obscene/filthy language,* ⟨schr.⟩ *(use of) ordure.*

vuilboom ⟨de (m.)⟩ **0.1** *alder buckthorn.*

vuilbroed ⟨het⟩ **0.1** *foul brood.*

vuilheid ⟨de (v.)⟩ **0.1** *dirtiness* ⇒*filthiness, squalor, foulness.*

vuiligheid ⟨de (v.)⟩ **0.1** [wat vuil is] *dirt* ⇒*filth, muck, mess* **0.2** [drek] *dirt* ⇒*filth, muck,* ⟨schr.⟩ *ordure, droppings* ⟨van beesten⟩, ⟨rioolwa-ter;ook fig.⟩ *sewage* **0.3** [gemene uiting] *obscenity* ⇒*rotten/nasty/ dirty thing to say, filth, smut.*

vuilik ⟨de (m.)⟩ →**vuilak.**

vuilmaken ⟨ov.ww.⟩ **0.1** *make/get dirty* ⇒*dirty, soil, smudge,* ⟨schr.;ook fig.⟩ *sully* ◆ **6.1** zijn handen ergens niet **aan** ~ ⟨fig.⟩ *not dirty/soil one's hands with sth.;* ⟨inf.⟩ *not touch sth. with a bargepole/o-foot pole;* ⟨fig.⟩ geen woorden **aan** iets ~ *not waste words on sth.;* ⟨fig.⟩ laten we er geen woorden meer **aan** ~ *we'll say no more/not another word about it.*

vuilnis ⟨het, de (v.)⟩ **0.1** *(household) refuse* ⇒*rubbish,* ⟨AE vnl.⟩ *gar-bage, trash,* ⟨BE ook⟩ *dust, waste.*

vuilnisauto ⟨de (m.)⟩ **0.1** B*dustcart,* A*garbage/trash truck* ⇒⟨BE;schr.⟩ *refuse-lorry.*

vuilnisbak ⟨de (m.)⟩ **0.1** B*dustbin,* A*garbage can* ⇒⟨BE ook⟩ *rubbish bin,* ⟨AE ook⟩ *trash/ash can, ashbin.*

vuilnisbakbepaling ⟨de (v.)⟩ **0.1** *catchall clause.*

vuilnisbakkeras ⟨het⟩ **0.1** *mongrel* ⇒*cur.*

vuilnisbelt ⟨de (m.)⟩ **0.1** *rubbish/refuse dump;* ⟨AE vnl.⟩ *garbage dump;* ⟨BE ook⟩ *tip* ⇒*scrapheap, dumping ground.*

vuilnisemmer ⟨de (m.)⟩ →**vuilnisbak.**

vuilnishoop ⟨de (m.)⟩ **0.1** B*rubbish dump,* B*tip,* A*garbage heap.*

vuilniskoker ⟨de (m.)⟩ **0.1** *rubbish chute;* ⟨AE vnl.⟩ *trash/garbage chute.*

vuilnisman ⟨de (m.)⟩ **0.1** *refuse/*⟨AE vnl.⟩ *garbage collector* ⇒⟨BE ook⟩ *dustman,* ⟨AE ook⟩ *garbageman,* ⟨BE;inf.⟩ *binman.*

vuilnisvat ⟨het⟩ →**vuilnisbak.**

vuilniswagen ⟨de (m.)⟩ →**vuilnisauto.**

vuilniszak ⟨de (m.)⟩ **0.1** *rubbish/refuse bag* ⇒⟨BE ook⟩ *bin bag/liner,* ⟨AE vnl.⟩ *garbage/trash bag, litter bag.*

vuilophaaldienst ⟨de (m.)⟩ **0.1** *refuse collection* ⇒*cleansing department, waste-disposal service.*

vuilpersleiding ⟨de (v.)⟩ **0.1** *sewage pipe.*

vuilpeuk ⟨de (m.)⟩ →**vuilpoes.**

vuilpoes ⟨de (m.)⟩ ⟨inf.⟩ **0.1** *dirty little beast/toad, mucky pup;* ⟨BE ook⟩ *grub.*

vuilschrijverij ⟨de (v.)⟩ **0.1** [pornografie] *filth* ⇒*pornography* **0.2** [las-terlijk geschrijf] *muckraking* ⇒*mudslinging, sordid stories, dirt,* ⟨vnl. AE ook⟩ *sewerage.*

vuilspuiter ⟨de (m.)⟩ **0.1** *muckraker* ⇒*mudslinger.*

vuilspuiterij ⟨de (v.)⟩ **0.1** *muckraking* ⇒*mudslinging, sordid stories, dirt,* ⟨vnl. AE ook⟩ *sewerage.*

vuilstortplaats ⟨de⟩ **0.1** *(rubbish/refuse) dump/*⟨BE ook⟩ *tip;* ⟨AE vnl.⟩ *garbage dump.*

vuiltje ⟨het⟩ **0.1** *smut* ⇒*speck of dirt/dust/grit* ◆ **6.1** een ~ in het oog hebben *have sth. / a smut in one's eye* **6.¶** er is geen ~ **aan** de lucht ⟨fig.⟩ *everything in the garden is lovely;* doen alsof er geen ~ **aan** de lucht was *pretend that everything is lovely/ (that) noth-ing's the matter.*

vuilverbranding ⟨de (v.)⟩ **0.1** [handeling] *(waste/refuse/*⟨AE ook⟩ *gar-bage) incineration* ⇒*destruction* ⟨waarbij de warmte wordt omgezet in kracht⟩ **0.2** [inrichting] *(waste/refuse/*⟨AE ook⟩ *garbage) inciner-ator* ⇒*destructor, incineration plant.*

vuilverbrandingsoven ⟨de (m.)⟩ **0.1** *(waste/refuse/*⟨AE ook⟩ *garbage) incinerator* ⇒*destructor* ⟨die de warmte omzet in kracht⟩.

vuilverwerking ⟨de (v.)⟩ **0.1** *waste/refuse processing.*

vuilwaterpomp ⟨de⟩ **0.1** *dirty-water pump* ⇒*water-jet pump.*

vuilwit ⟨bn.⟩ **0.1** *dirty white* ⇒*greyish white, off-white.*

vuist ⟨de (m.)⟩ **0.1** [dichtgesloten hand] *fist* ⇒⟨sl.;vaak mv.⟩ *mitt* **0.2** [hamer]⟨→**vuisthamer**⟩ **0.3** [stamper] *pounder* ⇒*crusher* ◆ **2.1** met gebalde ~en *with clenched fists;* ⟨fig.⟩ met ijzeren ~ regeren *rule with an iron hand/grip/a rod of iron* **3.1** maak eens een ~ *als je geen hand hebt do the impossible, you might as well try to make bricks without straw;* een ~ maken *take a stand/hard line;* de ~ schudden *shake one's f.* **6.1 in** zijn ~je lachen *laugh up one's sleeve;* met **de** ~ op tafel slaan *thump/bang (one's f.) on the table;* ⟨fig.⟩ *take a hard line, put one's foot down;* iem. **met** de ~en bewerken *pummel/* ⟨vnl. AE ook⟩ *pom-mel s.o., give s.o. a pummeling, use s.o. as a punchbag;* ⟨BE;sl.⟩ *duff s.o. up;* **op** de ~ gaan *have a scrap/* ⟨vnl. BE;inf.⟩ *punch-up; come to blows;* kaas **uit** het ~je *cheese cubes;* **uit** het ~je eten *eat with one's fingers* **6.¶** voor de ~ (weg) *off the cuff, ad lib, extempore, impromptu.*

vuistbijl ⟨de⟩ **0.1** *celt.*

vuistgevecht ⟨het⟩ ⟨schr.⟩ **0.1** *fisticuffs* ⇒⟨AE ook⟩ *fistfight.*

vuistgroot ⟨bn.⟩ **0.1** *fist-size(d)* ⇒*as big as/the size of a fist.*

vuisthamer ⟨de (m.)⟩ **0.1** *(stonemason's) two-handed hammer.*

vuisthandschoen ⟨de⟩ **0.1** *mitten, mitt.*

vuistpand ⟨het⟩ **0.1** [pand in de macht v.d. schuldeiser] *pawn* **0.2** [bezet gebied] *occupied territory.*

vuistrecht ⟨het⟩ **0.1** [recht v.d. sterkste] *law of the jungle* **0.2** [wraak-recht] *right of revenge.*

vuistregel ⟨de (m.)⟩ **0.1** *rule of thumb.*

vuistslag ⟨de (m.)⟩ **0.1** *punch* ⇒*hit, thump, poke,* ⟨inf.⟩ *sock,* ⟨AE;sl.⟩ *haymaker.*

vuistvechter ⟨de (m.)⟩ ⟨schr.⟩ **0.1** *pugilist* ⇒*prize fighter, boxer.*

vulcanisatie ⟨de (v.)⟩ **0.1** *vulcanization.*

vulcaniseren ⟨ov.ww.⟩ **0.1** [mbt. rubber] *vulcanize* ⇒*cure, sulphur(ize)* A*fur(ize)* **0.2** [mbt. autobanden] *retread* ⇒⟨BE ook;inf.⟩ *remould,* ⟨AE ook;inf.⟩ *recap.*

vulcanologie ⟨de (v.)⟩ **0.1** *volcanology, vulcanology.*

vuldop ⟨de (m.)⟩ **0.1** B*filler/*A*fill cap.*

vuldruk ⟨de (m.)⟩ **0.1** *filling pressure.*

Vulgaat ⟨de (v.)⟩ **0.1** *Vulgate.*

vulgair ⟨bn., bw.;-ly⟩ **0.1** [ordinair] *vulgar* ⇒*common, cheap, plebian,* ⟨vnl. AE ook⟩ *gross, rude* ⟨taal, gedrag⟩ **0.2** [v.h. volk] *common* ⇒ ⟨vero.⟩ *vulgar* ◆ **1.2** ~ Latijn *Vulgar Latin* **3.1** zich ~ gedragen *act cheap, behave rudely.*

vulgaren ⟨het⟩ **0.1** *filling yarn.*

vulgarisatie ⟨de (v.)⟩ **0.1** [handeling] *vulgarization* ⇒*simplification, popularization* **0.2** [geschrift] *vulgarization* ⇒*simplified version, pop-ularization.*

vulgariseren ⟨ov.ww.⟩ **0.1** *vulgarize* ⇒*popularize, simplify.*

vulgarisme ⟨het⟩ **0.1** *vulgarism* ⇒*vulgar expression/phrase/performe-ance, vulgarity.*

vulgariteit ⟨de (v.)⟩ **0.1** [het vulgair zijn] *vulgarity* ⇒*vulgarness* **0.2** [iets vulgairs] *vulgarity* ⇒*vulgarism.*

vulgas ⟨het⟩ **0.1** *filling gas.*

vulgewicht ⟨het⟩ **0.1** [indien gewicht variabel] *weight when packed/bot-tled/ at time of packing/bottling* ⟨enz.⟩ **0.2** [op dozen/potten] *net weight* **0.3** [van wasmachine] *maximum load/capacity* **0.4** [van dek-bed] *weight of stuffing* **0.5** ⟨tech.⟩ mbt. poeders] *bulk density.*

vulgo ⟨bw.⟩⟨schr.⟩ **0.1** *vulgarly;* ⟨afk.⟩ *vulg..*

vulgus ⟨het⟩ ⟨pej.⟩ **0.1** *vulgar/common herd.*

vulhout ⟨het⟩ **0.1** [hout als opvulling] *filling wood* **0.2** ⟨bosb.⟩ *brush-wood.*

vulkaan ⟨de (m.)⟩ **0.1** *volcano* ◆ **2.1** een werkzame/sluimerende/uitge-doofde ~ *an active/a dormant/an extinct v.* **6.1** ⟨fig.⟩ wij lopen/sla-pen **op** een ~ *we're living on the edge of a v.;* ⟨fig.⟩ dansen **op** een ~ *play with fire.*

vulkaanuitbarsting ⟨de (v.)⟩ **0.1** *volcanic eruption.*

vulkanisch ⟨bn.⟩ **0.1** [v.d. aard v.e. vulkaan] *volcanic* **0.2** [afkomstig uit een vulkaan] *volcanic* ⇒*igneous, eruptive* ⟨gesteente⟩ **0.3** [⟨fig.⟩ zeer heftig] *violent* ⇒*fiery, volcanic* ◆ **1.1** ~e verschijnselen/bergen/stre-ken/eilanden *v. phenomena/mountains/regions/islands* **1.2** ~e as *v. ash;* ~e stenen *v. / igneous rocks* **1.3** een ~ temperament *a violent/ fiery temperament.*

vulkanisme ⟨het⟩ **0.1** [verschijnselen] *volcanism* **0.2** [leer der vulkanis-ten] *volcanology.*

vulkanist ⟨de (m.)⟩ **0.1** *volcanist.*

vulleiding ⟨de (v.)⟩ **0.1** *filling pipe/hose.*

vullen ⟨ov.ww.⟩⟨→sprw. 343,506⟩ **0.1** [met iets vol maken] *fill (up)* ⇒ ⟨met lucht⟩ *inflate, blow up, load, stuff, prime* ⟨geweer⟩ **0.2** [de ruim-te innemen van] *fill (up)* **0.3** [opvullen] *fill (up)* ⇒*stuff* ⟨stoel, dode dieren⟩, ⟨met kapok⟩ *flock,* ⟨cul.⟩ *stuff* **0.4** [plombe-ren] *fill* **0.5** [een rand maken om] *fill in/up* ◆ **1.1** iem. de handen/ zakken ~ ⟨fig.⟩ *grease s.o.'s palm;* zijn maag ~ *fill/glut one's stom-ach;* vakken ~ ⟨fig.⟩ *lick stamps* **1.2** het eten vult ontzettend *the meal* *is very filling;* de boeken ~ de plank niet geheel *the books don't quite f. the shelf;* de zaal begint zich te ~ *the room is beginning to f. up;* de wind vult de zeilen *the wind fills out the sails* 1.3 een gat ~ *stop / f. / close / bridge a gap;* ⟨fig.⟩ het ene gat met het andere ~ *rob Peter to pay Paul, throw good money after bad;* stoelen en bedden ~ *stuff / flock chairs / beds;* om de tijd te ~ *to f. the time* 6.3 een kip **met** gehakt ~ *stuff a chicken with mince;* een vlak **met** ornamenten / arcering ~ *fill (in) a space with decorations / shading.*

vulling ⟨de (v.)⟩ **0.1** [vulsel] *filling* ⇒*centre* ⟨van bonbons⟩, *stuffing* ⟨van matras / stoel⟩, ⟨tech.⟩ *batch*, ⟨cul.⟩ *stuffing*, ᴬ*dressing, quilting* ⟨van dekbed / sprei⟩ **0.2** [mbt. tanden / kiezen] *filling* ⇒*inlay* **0.3** [verwisselbare patroon] *cartridge* ⇒*refill, charge* **0.4** [het vullen] *filling* ◆ **1.1** bonbons met een ~ van fondant *soft-centred chocolates* **2.3** een nieuwe ~ *a refill.*

vullis ⟨het⟩ ⟨inf.⟩ **0.1** *dirt* ⇒*filth, rubbish, trash* ◆ **1.1** ⟨fig.⟩ stuk ~ *scum of the earth, piece of dirt / filth.*

vulmiddel ⟨het⟩ **0.1** [toegevoegde stof] *filler* ⇒*filling material* **0.2** [mbt. repareren] *filler.*

vulopening ⟨de (v.)⟩ **0.1** *mouth.*

vulpasta ⟨het, de (m.)⟩ **0.1** *filler (paste).*

vulpen ⟨de⟩ **0.1** *fountain pen;* ⟨stylograaf⟩ *stylograph, stylographic pen.*

vulpeninkt ⟨de (m.)⟩ **0.1** *(fountain pen) ink.*

vulpotlood ⟨het⟩ **0.1** *propelling pencil.*

vulregel ⟨de (m.)⟩ **0.1** *filler line.*

vulsel ⟨het⟩ **0.1** *filling* ⇒*filler,* ⟨cul.⟩ *stuffing,* ᴬ*dressing, stuffing, flocking, batting* ⟨voor matras / stoel⟩, *quilting* ⟨voor sprei / dekbed⟩.

vulstation ⟨het⟩ **0.1** *filling station* ⇒ᴮ*petrol / * ᴬ*gas station.*

vulstem ⟨de⟩ ⟨muz.⟩ **0.1** *mutation stop.*

vulstof ⟨de⟩ **0.1** [stof waarmee iets gevuld wordt] *filler* ⇒*filling, stuffing, packing* **0.2** [toegevoegde stof] *filler.*

vulstuk ⟨het⟩ **0.1** [onderdeel van vulmateriaal] *packing piece* **0.2** [inzetstuk] *insert* ⇒*shim.*

vulva ⟨de⟩ **0.1** *vulva.*

vulvitis ⟨de (v.)⟩ **0.1** *vulvitis.*

vulvovaginaal ⟨bn.⟩ **0.1** *vulvovaginal.*

vulvovaginitis ⟨de (v.)⟩ **0.1** *vulvovaginitis.*

vuns ⟨bn.⟩ →*vunzig.*

vunzig ⟨bn.⟩ **0.1** [muf] *musty* ⇒*fusty, stale,* ⟨vnl. BE ook⟩ *fuggy* **0.2** [smerig] *dirty* ⇒*mucky, filthy* **0.3** [onzedelijk] *obscene* ⇒*dirty, depraved, perverted* ◆ **1.3** een ~ lachje *a dirty / filthy laugh;* een ~ e opmerking *an obscene / a dirty remark;* ~ e taal *obscene / dirty / depraved / rank language.*

vurehout ⟨het⟩ **0.1** *pine(wood)* ⇒*deal, fir.*

vurehouten ⟨bn.⟩ **0.1** *pine* ⇒*deal, fir.*

vuren¹ ⟨het⟩ **0.1** [het schieten] *fire* ⇒*firing, shooting* **0.2** [vurehout] *pine* ⇒*deal, fir* **0.3** [het lichten v.d. zee] *phosphoresence* **0.4** [het zich vertonen van vonken] *sparking* ◆ **3.1** staakt het ~ *cease fire* **5.1** klaar om te ~ *at the ready.*

vuren² ⟨bn.⟩ **0.1** *pine* ⇒*deal, fir.*

vuren³ ⟨onov.ww.⟩ **0.1** [schieten] *fire* ⇒*shoot* **0.2** [licht / vonken vertonen] *spark* ⇒*phosphoresce* ⟨zee⟩, *blaze* ◆ **6.1** op de vijand ~ *shoot at / open fire on the enemy.*

vurig ⟨bn., bw.; -ly, beh. o.4, o.5⟩ **0.1** [gloeiend] *fiery* ⇒*burning, (red-)hot* **0.2** [fonkelend] *fiery* ⇒*sparkling* **0.3** [hartstochtelijk] *fiery* ⇒*ardent, fervent, (high-)spirited, devout* ⟨ihb. mbt. geloof⟩, *burning* ⟨verlangen⟩, *passionate* ⟨vrouw, minnaar⟩ **0.4** [branderig] *inflamed* ⇒*burning, fiery* **0.5** [mbt. hout] *rotted, rotten* ◆ **1.1** ~ e kolen *f. / red-hot coals;* een ~ e streep aan de hemel *a f. streak in the sky;* in de gedaante van ~ e tongen *in the form / shape of tongues of fire* **1.2** iem. ~ e blikken toewerpen *throw f. looks at s.o.* **1.3** een ~ aanhanger ⟨ook⟩ *a warm supporter;* een ~ gebed *a fervent prayer;* ~ e paarden *proud / fiery / high-spirited horses, thoroughbreds;* een ~ verlangen (naar) *a yearning (for), a burning / vehement / torrid desire (for);* een ~ voorstander van iets *a strong / fervent / passionate / an enthusiastic / a zealous supporter / advocate of sth., a stickler for sth.;* daarmee was zijn ~ ste wens vervuld *it fulfilled his dearest desire / his most fervent / ardent wish* **1.4** ~ e puisten *angry pimples / spots* **3.3** ~ naar iets verlangen *languish / long / pant for sth., hanker after sth..*

vurigheid ⟨de (v.)⟩ **0.1** [hartstochtelijkheid] *fieriness, ardour* ⇒*fervour, vehemence, passion, temperament, fervency* **0.2** [branderigheid] *inflammation* ⇒*irritation, redness, burning* **0.3** [brand in het koren] *blight* ◆ **1.2** ~ van de huid *inflammation of the skin.*

vuriglijk ⟨bw.⟩ **0.1** *ardently* ⇒*fervently, vehemently, passionately.*

VUT ⟨de (v.)⟩ ⟨afk.⟩ **0.1** [vervroegde uittreding] ⟨*Early Retirement Scheme*⟩.

vutregeling ⟨de (v.)⟩ **0.1** ≠*early retirement scheme.*

vutten ⟨onov.ww.⟩ **0.1** ≠*retire early* ⇒*take early retirement.*

vutter ⟨de (m.)⟩ **0.1** *s.o. on / taking early retirement.*

vuur ⟨het⟩ ⟨→sprw. 463,517⟩ **0.1** [lichtend verschijnsel] *fire* ⇒*flame* **0.2** [(plaats van) brandende stoffen] *fire* ⇒*blaze* **0.3** [het schieten met vuurwapens] *fire* ⇒*shooting* **0.4** [enthousiasme] *fire* ⇒*ardour, fervour, zest,* ⟨inf.⟩ *go* **0.5** [schittering] *fire* ⇒*glitter, glow, shine, sparkle* **0.6** [bederf in hout] *(dry) rot* **0.7** [brand in het koren] *blight* **0.8** [vuur-

toren] *light(house)* ◆ **1.4** het ~ v.d. jeugd *the rest / enthusiasm / f. of youth* **1.5** het ~ v.d. koorts *the flush of fever* **1.8** het ~ van Scheveningen *the Scheveningen light* **2.1** Bengaals / Grieks ~ *Bengal light / Greek fire;* het hemels ~ *lightning* **2.2** het eeuwig ~ v.d. hel *the everlasting fires of hell, eternal hellfire;* in de haard brandde een helder ~ *a bright f. was burning in the hearth, there was a blaze in the hearth;* ik ben wel voor heter vuren gestaan *I've been in tighter spots / a worse predicament than this, I've had worse / trickier things to do than this* **2.4** zijn liefde was een verterend ~ *his love was a consuming passion* **3.1** ⟨fig.⟩ het ~ uit zijn sloffen lopen *walk / run one's legs off, wear o.s. out;* ⟨fig.⟩ zijn ogen schoten ~ van woede *his eyes blazed with anger;* ~ slaan *strike a light / spark, strike fire (from);* ⟨fig.⟩ ~ en vlam spuwen *blaze with fury / breathe fire* **3.2** een ~ aanblazen *stir / blow (up) a f., fan the flames;* een ~ aanleggen / oppoken *lay / poke a f.;* een ~ aansteken *light / make a f.;* het is bijna uit *the f. is low / nearly out;* het ~ is nog aan *the f. is in / still alight;* ⟨fig.⟩ iem. het ~ na aan de schenen leggen *make it hot for s.o., give s.o. / put s.o. through hell;* een ~ uitdoven *put out / quench / extinguish a f.* **3.3** ~ geven *fire, give f.;* het ~ openen / staken *open / cease f.* **3.8** drijvend ~ *lightship* **6.1** voor iem. door het ~ gaan ⟨fig.⟩ *go through fire and water / through hell for s.o.;* het ~ in een kachel *the glow of a stove;* in ~ opgaan, door ~ vergaan *go up in flames; be destroyed by fire;* het huis staat **in** ~ en vlam *the house is in flames;* ⟨fig.⟩ ik zou er mijn hand voor **in** het ~ durven steken *I'd stake my head / life on it;* ⟨fig.⟩ hij staat **in** ~ en vlam voor zijn ideaal *he's ablaze / burning for his ideal;* ⟨fig.⟩ het zette hem **in** ~ en vlam *set him alight / fired him with enthusiasm;* **met** ~ spelen *play with fire;* een land te ~ en zwaard verwoesten *destroy a country by fire and sword* **6.2 bij / om** het ~ zitten *sit by / round the f.;* ⟨fig.⟩ *have friends at court / a place in the sun;* een pan **op** het ~ zetten *put a pan on the stove / gas / f.;* er staat voor hem een potje **op** het ~ ⟨fig.⟩ *he's got sth. coming to him, there's sth. in store for him;* de ketel staat **op** het ~ *the kettle is on;* doe wat **op** het ~! *mend / make up / put sth. on the fire* **6.3** de vijand / een vesting **onder** ~ nemen / houden *open f. on the enemy / a stronghold; keep the enemy a stronghold under f.;* **onder** ~ liggen *be under f.;* ⟨fig.⟩ iem. zwaar **onder** ~ nemen *criticize s.o., give s.o. a (real) roasting;* ⟨fig.⟩ de oppositie nam de premier **onder** ~ *the prime minister came under attack from the opposition, the opposition made an attack on the prime minister / subjected the prime minister to heavy criticism;* ~ **over** eigen troepen *overhead f.;* **tussen** twee vuren raken ⟨ook fig.⟩ *get caught between two fires, get in the firing line;* ⟨fig.⟩ **tussen** twee vuren ⟨ook⟩ *the devil and the deep (blue) sea;* iets **uit** het ~ slepen ⟨fig.⟩ *pull sth. out of the f.* **6.4 in** ~ raken *ignite;* ⟨fig.⟩ *fire (up), go into raptures (over);* **in** het ~ van zijn betoog *in the heat of his argument;* iets **met** ~ verdedigen *defend sth. hotly / with fervour;* iets **zonder** veel ~ verdedigen *defend sth. without much enthusiasm / fervour / zest* **8.1** zo rood als ~ *gauw / zo be / flush scarlet / crimson / as red as fire.*

vuuraanbidder ⟨de (m.)⟩, **-ster** ⟨de (v.)⟩ **0.1** [iem. die het vuur aanbidt] *fire worshipper* **0.2** [iem. die graag voor het vuur zit] *fire worshipper / lover.*

vuurbaken ⟨het⟩ **0.1** *beacon (fire)* ⇒*flare.*

vuurbal ⟨de (m.)⟩ **0.1** *fireball* ⇒*ball of fire.*

vuurberg ⟨de (m.)⟩ **0.1** *volcano.*

vuurbestendig ⟨bn., bw.⟩ **0.1** ⟨bn.⟩ *fireproof* ⇒*heat / fire-resistant.*

vuurbol ⟨de (m.)⟩ **0.1** *bolide, fireball.*

vuurbuis ⟨de⟩ **0.1** *flue* ⇒*fire tube.*

vuurcontact ⟨het⟩ ⟨mil.⟩ **0.1** *firing contact* ◆ **3.1** ~ vermijden *avoid firing contact.*

vuurdekking ⟨de (v.)⟩ **0.1** *cover of fire;* ⟨spervuur van alle kanten⟩ *box barage.*

vuurdood ⟨de (m.)⟩ **0.1** [dood in het vuur] *death by fire* **0.2** [dood op de brandstapel] *(being burnt to) death at the stake.*

vuurdoop ⟨de (m.)⟩ **0.1** *baptism of fire* ◆ **3.1** de ~ ontvangen *receive / experience a baptism of fire.*

vuurdoorn ⟨de (m.)⟩ **0.1** *firethorn, pyracantha.*

vuureter ⟨de (m.)⟩ **0.1** [persoon] *fire-eater* **0.2** [kachel] *fuel-guzzler.*

vuurgeest ⟨de (m.)⟩ **0.1** *salamander.*

vuurgeschut ⟨het⟩ **0.1** *artillery* ⇒*cannonry.*

vuurgevecht ⟨het⟩ **0.1** *gunfight* ⇒⟨mil.⟩ *exchange of fire,* ⟨verz.n.⟩ *gunplay,* ⟨hevig, beslissend⟩ *shoot-out,* ⟨sl.⟩ *shoot-up.*

vuurgloed ⟨de (m.)⟩ **0.1** *firelight* ⇒*glow of a fire, blaze, conflagration* ⟨bij brand⟩.

vuurhaak ⟨de (m.)⟩ **0.1** [porhaak] *firehook* **0.2** [haak om iets boven het vuur te hangen] *pothook.*

vuurhaard ⟨de (m.)⟩ **0.1** [stookplaats] *hearth, fireplace* ⟨thuis⟩ ⇒⟨ind.⟩ *furnace, forge* **0.2** [centrum v.e. brand] *seat of the fire.*

vuurhoudend ⟨bn.⟩ **0.1** *slowly combustible* ⇒*slow-combustion* ⟨in samenst.⟩.

vuurijzer ⟨het⟩ **0.1** *firedog* ⇒*andiron.*

vuurkei ⟨de (m.)⟩ **0.1** *flint* ⇒*firestone.*

vuurkogel ⟨de (m.)⟩ **0.1** *fireball.*

vuurkolom ⟨de⟩ **0.1** *column / pillar of fire.*

vuurkoord ⟨het⟩ **0.1** *safety fuse.*

vuurkracht ⟨de⟩ **0.1** *fire power.*

vuurlak ⟨het, de (m.)⟩ **0.1** *enamel.*

Vuurland ⟨het⟩ **0.1** *Tierra del Fuego.*

vuurlassen ⟨ww.⟩ **0.1** *hammer-welding* ⇒*forge welding.*

vuurleider ⟨de (m.)⟩ ⟨mil.⟩ **0.1** *firing officer.*

vuurleiding ⟨de (v.)⟩ ⟨mil.⟩ **0.1** *fire control.*

vuurlijn ⟨de⟩ ⟨mil.⟩ **0.1** [lijn van vuurmonden] *firing line, line of fire* ⇒ *frontline* **0.2** [streek waar projectielen neerkomen] *line of fire* **0.3** [gevechtsterrein] *line of fire* ⇒*free-fire/combat zone.*

vuurlinie ⟨de (v.)⟩ **0.1** *firing line* ⇒*line of fire, free-fire zone.*

vuurmaker ⟨de (m.)⟩ **0.1** *firelighter.*

vuurmond ⟨de (m.)⟩ **0.1** [deel v.e. stuk geschut] *muzzle* **0.2** [kanon] *cannon* ⇒*gun, piece* **0.3** [stookgat v.e. oven] *stoke hole.*

vuurpauze ⟨de⟩ **0.1** *pause in the shooting/firing.*

vuurpeloton ⟨het⟩ **0.1** *firing squad* ⇒*firing party.*

vuurpijl ⟨de (m.)⟩ **0.1** [projectiel] *rocket* ⇒*maroon* **0.2** [⟨plantk.⟩] *red-hot poker* **0.3** [⟨sport⟩ schot] *rocket* ⇒ ⟨vnl. cricket⟩ *skyer* ◆ **6.1** ⟨fig.⟩ de klap **op** de ~ *the crowning touch, the pièce de résistance;* ⟨fig.⟩ als klap **op** de ~ *to cap/crown it all.*

vuurplaat ⟨de⟩ **0.1** [plaat waarop/waartegen het haardvuur rust] *hearth plate, fireback* **0.2** [stookplaat] *grate.*

vuurpot ⟨de (m.)⟩ **0.1** *brazier* ⇒*coal pot* ⟨om mee te koken⟩.

vuurproef ⟨de⟩ **0.1** [⟨mil.⟩] *exercise under fire (with live ammunition)* **0.2** [⟨gesch.; fig.⟩]⟨gesch.⟩ *ordeal/trial by fire;* ⟨fig.⟩ *ordeal, supreme/acid /crucial test* ◆ **3.2** ⟨fig.⟩ de ~ doorstaan/ondergaan ⟨doorstaan⟩ *stand the test/racket/gaff, run the gauntlet;* ⟨ondergaan⟩ *undergo a severe ordeal, be tried in the crucible/furnace.*

vuurregen ⟨de (m.)⟩ **0.1** [regen van vuur] *golden rain* ⟨vuurwerk⟩ **0.2** [kogelregen] *rain/volley of fire.*

vuurrood ⟨bn.⟩ **0.1** *crimson* ⇒*scarlet, flame-coloured* ◆ **1.1** vuurrode gladiolen *c. /scarlet gladioli* **3.1** ~ aanlopen *turn c. /scarlet;* zij werd ~ van schaamte/verlegenheid *she went/turned c. /scarlet/she blushed/flushed scarlet with shame/from embarrassment/in confusion.*

vuurscherm ⟨het⟩ **0.1** *fireguard, fire screen.*

vuurschip ⟨het⟩ **0.1** [schip dat als kustlicht dienst doet] *lightship* **0.2** [brander] *fire ship.*

vuursein ⟨het⟩ **0.1** *flare.*

vuursignaal →**vuursein.**

vuursnelheid ⟨de (v.)⟩ ⟨mil.⟩ **0.1** *firing speed, rate of fire.*

vuurspuwend ⟨bn.⟩ **0.1** *erupting* ⟨vulkaan⟩*; fire-breathing /-spitting* ⟨draak⟩ ◆ **1.1** ~e bergen *volcanoes.*

vuursteen
I ⟨de (m.)⟩ **0.1** [steen die vonken geeft] *flint;*
II ⟨het, de (m.)⟩ **0.1** [silex] *flint.*

vuursteentje ⟨het⟩ **0.1** *flint.*

vuurstoot ⟨de (m.)⟩ **0.1** *burst (of fire).*

vuurtang ⟨de⟩ **0.1** [tang om brandende voorwerpen aan te pakken] *(pair of)(fire) tongs* **0.2** [werktuig v.e. smid] *(pair of) tongs* ◆ **7.2** twee ~en *two pairs of tongs.*

vuurtest ⟨de⟩ **0.1** *coal pan.*

vuurtje ⟨het⟩ **0.1** [klein vuur] *(small) fire* **0.2** [om een pijp/siga(a)r(et) aan te steken] *light* ◆ **3.1** een ~ stoken ⟨fig.⟩ *stir up trouble* **3.2** iem. een ~ geven *give s.o. a l.* **8.1** het nieuws ging als een lopend ~ door de stad *the news spread through the town like wildfire.*

vuurtoren ⟨de (m.)⟩ **0.1** [lichtbaken] *lighthouse* ⇒*beacon* **0.2** [roodharig persoon] *carrottop.*

vuurtorenwachter ⟨de (m.)⟩ **0.1** *lighthouse-keeper.*

vuurvast ⟨bn.⟩ **0.1** *fireproof* ⇒*flame-/heat-resistant, flame-proof, refractory, oven-proof* ⟨kookgerei⟩ ◆ **1.1** ~e klei *fire clay;* een ~ schaaltje *a fireproof/heat-resistant/an oven-proof dish;* ~e steen *refractory stone, firestone.*

vuurvlek ⟨de⟩ **0.1** *strawberry (mark).*

vuurvliegje ⟨het⟩ **0.1** *firefly* ⇒*glow-worm.*

vuurvlinder ⟨de (m.)⟩ **0.1** *copper.*

vuurvreter ⟨de (m.)⟩ **0.1** [vuureter] *fire-eater* **0.2** [oud militair] *fire-eater, warhorse.*

vuurwagen ⟨de (m.)⟩ **0.1** *chariot of the sun/gods.*

vuurwals ⟨de⟩ **0.1** [golf van vuur bij een brand] *wave of fire/flame* **0.2** [⟨mil.⟩ scherm van vuur] *creeping/rolling/moving barrage.*

vuurwapen ⟨het⟩ **0.1** *firearm* ⇒*gun,* ⟨meestal mv.⟩ *arm,* ⟨BE;sl.⟩ *shooter,* ⟨AE;sl.⟩ *fire stick, shooting iron.*

vuurwapenwet ⟨de⟩ **0.1** *fire arms act* ⇒ ⟨AE ook⟩ *gun control legislation/law.*

vuurwater ⟨het⟩ **0.1** *firewater* ⇒*spirit(s),* ⟨AE;sl.⟩ *hoo(t)ch.*

vuurwerk ⟨het⟩ **0.1** [materiaal] *firework* **0.2** [gelegenheid] *(display of) fireworks* ⇒*firework/pyrotechnic display, pyrotechnics* **0.3** [⟨fig.⟩] *shower* ⇒*rain* ◆ **3.2** naar het ~ gaan *go to the firework display/fireworks* **6.3** een ~ **van** geestige uitvallen *a s. / rain/stream of witty comments, a dazzling display of wit.*

vuurwerkerskunst ⟨de (v.)⟩ **0.1** *pyrotechny* ⇒*pyrotechnics, art/craft of making fireworks.*

vuurwerkmaker ⟨de (m.)⟩ **0.1** *firework maker* ⇒*pyrotechnist.*

vuurzee ⟨de⟩ **0.1** *blaze* ⇒*sea of fire, furnace, sheet of flame(s), conflagration.*

vuurziekte ⟨de (v.)⟩ **0.1** *grey mould* ^*gray mold* ⇒⟨plantk.⟩ *botrytis, (tulip) fire.*

vuurzuil ⟨de⟩ **0.1** *pillar/column of fire.*

v.v. ⟨afk.⟩ **0.1** [vice versa] *v.v.* **0.2** [vrij van] ⟨*free of/from*⟩.

VVD ⟨de (v.)⟩ ⟨afk.⟩ **0.1** [Volkspartij voor Vrijheid en Democratie] ⟨*People's Party for Freedom and Democracy*⟩.

V-vormig ⟨bn., bw.⟩ **0.1** ⟨bn.⟩ *V-shaped;* ⟨bw.⟩ *in a V-shaped form, in the shape of a V.*

VVV ⟨de (v.)⟩ ⟨afk.⟩ **0.1** [Vereniging voor Vreemdelingen Verkeer] ⟨*Tourist (Information) Office*⟩.

VVV-kantoor ⟨het⟩ **0.1** *tourist (information) office.*

v.w.b. ⟨afk.⟩ **0.1** [voor wat betreft] ⟨*regarding, with respect to*⟩.

VWO ⟨het⟩ ⟨afk.⟩ **0.1** [Voorbereidend Wetenschappelijk Onderwijs] ⟨*pre-university education*⟩.

Vz. ⟨afk.⟩ **0.1** [voorzitter] ⟨*chairman*⟩.

v.z.g.h. ⟨afk.⟩ **0.1** [van zeer goeden huize] ⟨*of/from a good family*⟩.

v.z.m. ⟨afk.⟩ **0.1** [voor zover mogelijk] ⟨*as far as possible*⟩.

w ⟨de⟩ **0.1** [letter, klank] *w*, *W* **0.2** [namen/woorden beginnend met w] *w*, *W*.

W ⟨afk.⟩ **0.1** [watt] *W*.

W. ⟨afk.⟩ **0.1** [westen] *W.*, *w.* **0.2** [wetboek] ⟨*code*⟩.

W.A. ⟨de (v.)⟩ ⟨afk.⟩ **0.1** [wettelijke aansprakelijkheid] ⟨*third-party liability*⟩ ◆ **1.1** W.A.-verzekering *third-party insurance*.

waadpoot ⟨de (m.)⟩ **0.1** *grallatorial foot*.

waadvogel ⟨de (m.)⟩ **0.1** *shore bird* ⇒⟨BE ook⟩ *wader*.

waag
  I ⟨de (m.)⟩ **0.1** [waagstuk] ⟨→**waagstuk**⟩;
  II ⟨de⟩ **0.1** [plaats, gebouw] *weighhouse* ⇒*weighing-house* **0.2** [weegtoestel] *balance* ⇒*scales* ◆ **2.2** Romeinse ~*steelyard, weighbeam*.

waaghals ⟨de (m.)⟩ **0.1** *daredevil* ⇒*reckless/foolhardy person*.

waaghalzerig ⟨bn., bw.⟩ **0.1** ⟨bn.⟩ *daredevil* ⇒*reckless, foolhardy*, ⟨schr.⟩ *temerarious*, ⟨bw.⟩ *like a daredevil, recklessly*.

waaghalzerij ⟨de (v.)⟩ **0.1** *daredevilry* ⇒*recklessness, foolhardiness*, ⟨vero. of scherts.⟩ *derring-do*, ⟨schr.⟩ *temerity*.

waagschaal ⟨de⟩ **0.1** *scale(pan)* ◆ **6.1** zijn leven in de ~ stellen *take one's life in one's (own) hands, imperil/hazard/risk/stake/venture one's life*.

waagstuk ⟨het⟩ **0.1** *risky enterprise* ⇒*risky/bold venture, hazardous undertaking/business* ◆ **3.1** het is een heel~ *it is a risky/hazardous enterprise/business/a great risk*.

waaibomenhout ⟨het⟩ **0.1** *inferior timber*.

waaien ⟨→sprw. 281, 660, 662, 678⟩
  I ⟨onov.ww.⟩ **0.1** [blazen] *blow* **0.2** [door de wind bewogen worden] *blow* ⇒*be blown*, ⟨schr.⟩ *waft* ⟨zachtjes⟩ **0.3** [wapperen] *wave* ⇒*fly, flap, flutter, stream* ◆ **1.1** er waait een storm *there's a storm blowing, it's storming;* de wind waait door de bomen *the wind is blowing through the trees;* ⟨fig.⟩ eens kijken uit welke hoek de wind waait *feel a situation out, take the lie of the land, see how the wind blows/the land lies* **3.¶** laat maar~ *let it rip/go/slide/drift, don't bother about it;* een laat-maar-waaien politiek *a laissez-faire policy, a policy of indifference* **6.1** de wind waait uit de goede hoek *the wind is blowing/coming from the right quarter;* ⟨fig.⟩ waait de wind uit die hoek? *sits the wind there?, is that the way the wind is blowing?* **6.2** er woei een vuiltje in mijn oog *a speck of dust blew into my eye;* ⟨fig.⟩ met alle winden (mee)~ *blow hot and cold, trim one's sails to the wind, be a weathercock, swim with the tide;* de pannen~ van het dak *the slates/roof tiles are blowing/are being blown off the roof;*
  II ⟨onp.ww.⟩ **0.1** [optreden v.h. verschijnsel wind] *blow* ⇒⟨hard⟩ *storm* ◆ **5.1** het waait hard *it's very windy/*⟨inf.⟩ *blowing great guns*.

---

the wind is up, there's a strong wind blowing **¶.1** het zal er ~ ⟨fig.⟩ *there'll be ructions, there'll be the devil to pay, the fur/feathers will fly*.

waaier ⟨de (m.)⟩ **0.1** [schermpje om koelte toe te waaien] *fan* **0.2** [wat op een waaier lijkt] *fan* **0.3** [uiteenlopend geheel] *(whole) range* ⇒*gamut, spectrum* **0.4** [schoeprad] *fan* ⇒*impeller, vane* **0.5** [⟨wielersport⟩] *echelon* ◆ **1.2** de ~ v.e. pauwestaart *the f. of a peacock's tail* **6.3** een ~ van mogelijkheden *a whole range/a spectrum of possibilities*.

waaierbrander ⟨de (m.)⟩ **0.1** *fantail*.

waaierdans ⟨de (m.)⟩ **0.1** *fan dance*.

waaiereend ⟨de⟩ **0.1** *mandarin duck*.

waaieren ⟨onov.ww.⟩ **0.1** [zich als een waaier vertonen] *fan out* **0.2** [een waaier in beweging brengen] *fan* ⇒*wave* ◆ **4.2** zich ~*fan o.s.*.

waaierpalm ⟨de (m.)⟩ **0.1** *fan palm*.

waaierrijden ⟨ww.⟩ ⟨sport⟩ **0.1** *riding in echelon formation*.

waaiervormig ⟨bn., bw.⟩ **0.1** ⟨bn.⟩ *fan-shaped* ⇒⟨biol.⟩ *flabellate, flabelliform*, ⟨bw.⟩ *in a fan-shaped way/formation, fan-wise* ◆ **1.1** ~e bladeren *flabellate/flabelliform leaves;* ~ gewelf *fan vaulting*.

waak ⟨de⟩ **0.1** [handeling] *watch* ⇒*vigil, wake* ⟨bij dode⟩ **0.2** [tijd] *watch* ⇒*vigil, wake* ⟨bij dode⟩ ◆ **3.1** de ~ hebben *be on night watch*.

waakdienst ⟨de (m.)⟩ **0.1** [wachtdienst] *watch* ⇒*duty*, ⟨mil.⟩ *guard (duty)* **0.2** [nachtdienst] *night watch/duty* ◆ **3.2** de ~ hebben *be on n. w./d.*.

waakhond ⟨de (m.)⟩ **0.1** *watch dog* ⇒*guard dog*, ⟨fig. ook⟩ *Cerberus*.

waaks ⟨bn.⟩ **0.1** *watchful* ⇒*vigilant, alert, observant* ◆ **1.1** de hond is erg ~ *the dog is very w./alert/vigilant, the dog is a good watcher/guard*.

waaktoestand ⟨de (m.)⟩ **0.1** *state of wakefulness*.

waakvlam ⟨de⟩ **0.1** *pilot (light/flame/burner)* ⇒*bypass flame*.

waakzaam ⟨bn., bw.; -ly⟩ **0.1** [ijverig wakende] *watchful* ⇒*vigilant, alert, awake* **0.2** [oplettend] *watchful* ⇒*observant, open-/sharp-eyed, wary, alert* ◆ **1.1** een waakzame hond *a w./vigilant dog* **1.2** een ~ oog op/over iets houden *keep a watchful/wary/sharp eye on sth.* **3.2** wij moeten~ blijven *we must remain observant/alert, we must exercise vigilance;* ~ zijn *watch, be watchful/observant/open-/sharp-eyed/wary/alert;* ⟨inf.⟩ *keep one's eyes peeled/open*.

waakzaamheid ⟨de (v.)⟩ **0.1** *watchfulness* ⇒*vigilance, alertness, wakefulness*, ⟨oplettendheid ook⟩ *wariness*.

waal
  I ⟨de (m.)⟩ **0.1** [kers] *morello (cherry);*
  II ⟨de⟩ **0.1** [waterkolk] ⟨*deep pool behind dike (caused by dike-burst)*⟩.

Waal ⟨de (m.)⟩, **Waalse** ⟨de (v.)⟩ **0.1** *Walloon*.

waalformaat ⟨het⟩ **0.1** ⟨*size of a Waal brick*⟩.

waalklinker ⟨de (m.)⟩ **0.1** ⟨*Waal brick*⟩.

Waals¹ ⟨het⟩ **0.1** *Walloon*.

Waals² ⟨bn.⟩ **0.1** [van de Walen] *Walloon* **0.2** [behorend tot de Waalse taal] *Walloon* ◆ **1.¶** de ~e Kerk *the W. Church*.

waalsteen ⟨het, de (m.)⟩ →**waalklinker**.

waalvorm ⟨de (m.)⟩ →**waalformaat**.

waan ⟨de (m.)⟩ **0.1** *delusion* ⇒*illusion, misapprehension, mistaken/erroneous idea/notion* ◆ **1.1** zich laten leiden door de ~ v.d. dag *be swayed by the issues of the day* **6.1** iem. in de ~ laten *not spoil s.o.'s illusions;* in de ~ verkeren dat ... *be/labour under the d. that ..., be under the illusion that ...;* iem. in de ~ brengen dat *lead/bring s.o. to/make s.o. think/suppose that;* in de ~ dat *under the misapprehension that;* in de ~ komen dat *be led/come to think/suppose that;* iem. uit de ~ helpen *undeceive s.o., open s.o.'s eyes*.

waandenkbeeld ⟨het⟩ **0.1** *delusion* ⇒*illusion*, ⟨misvatting⟩ *fallacy*.

waanidee ⟨het⟩ →**waandenkbeeld**.

waanvoorstelling ⟨de (v.)⟩ **0.1** *delusion* ⇒*illusion, hallucination, phantasm, mirage*.

waanwereld ⟨de⟩ **0.1** *fantasy world*.

waanwijs ⟨bn., bw.; -(al)ly⟩ **0.1** *pedantic(al)* ⇒*(self-)opinionated/conceited, bumptious*, ⟨inf.⟩ *booksy, book-learned* ◆ **1.1** waanwijze opmerkingen *p./opiniated remarks*.

waanwijsheid ⟨de (v.)⟩ **0.1** *pedantry* ⇒*self-conceit(edness)*.

waanzin ⟨de (m.)⟩ **0.1** [krankzinnigheid] *madness* ⇒*insanity, lunacy, derangement, mania* **0.2** [onzinnigheid] *nonsense* ⇒*idiocy, rubbish, absurdity* ◆ **1.1** in een vlaag van~ *in a fit of madness/insanity, in a frenzy* **1.2** de ~ van die ideeën *the n./insanity/lunacy/absurdity of those ideas* **2.2** dat is je reinste ~ *that is pure/the wildest/arrant n./pure/absolute rubbish/sheer madness/idiocy* **3.1** de ellende dreef velen tot ~ *misery drove many to madness/insanity/lunacy*.

waanzinnig ⟨bn., bw.; -ly⟩ **0.1** [krankzinnig] *mad* ⇒*insane, crazy, wild, zany* ⟨ideeën, plannen⟩ **0.2** [mateloos] *mad* ⇒*wild, extreme, incredible* ◆ **1.1** een ~ idee *a m./an insane/a crazy/wild/zany idea;* een ~e vrouw *an insane woman, a lunatic* **2.2** een ~ moeilijk boek *a fiendishly difficult book;* ~ populair zijn *be wildly popular;* ~ verliefd zijn op iem. *be madly/insanely in love with s.o., be infatuated with/nuts about/over s.o.* **7.2** ~ veel van iem. houden *love s.o. to distraction;* ~ veel geld *an incredible amount of money*.

waanzinnige ⟨de (m.)⟩ **0.1** *madman* ⟨m.⟩, *madwoman* ⟨v.⟩ ⇒*lunatic, maniac* ◆ **8.1** als een ~ tekeer gaan *carry on/behave like a madman/madwoman/lunatic/maniac*.

waanzinnigheid ⟨de (v.)⟩ →**waanzin.**

waar¹ ⟨de⟩ ⟨→sprw. 629⟩ **0.1** *goods* ⇒*ware(s), articles, merchandise, produce,* ⟨inf.⟩ *stuff* ◆ **2.1** goede ~ verkopen *sell good stuff/wares, sell quality g.;* goede ~ prijst zichzelf *good wine needs no bush* **3.1** iem. ~ voor zijn geld geven *give value for money;* ⟨fig.⟩ *get a good run for one's money;* ~ voor zijn geld krijgen *get value for money/one's money's worth;* zijn waren uitstallen *display one's wares/g. / merchandise* **¶.1** zijn ~ aan de man brengen *bring the g. to the customer.*

waar²
I ⟨bn., bw.; -ly⟩ ⟨→sprw. 198,232,337⟩ **0.1** [werkelijk zo zijnde] *true* ⇒*real, actual* **0.2** [echt] *true* ⇒⟨attr.⟩ *actual, real, veritable, genuine* **0.3** [juist] *true* ⇒*correct, proper, right* ◆ **1.1** een ~ beeld geven van *give a t. picture of;* op ware grootte *life-size, in t. / actual size;* de ware oorzaak *the t. / real / actual cause;* ⟨aard.⟩ de ware tijd *real time;* een ~ verhaal *a t. story;* daar is geen woord van ~ *not a word/syllable of it is t.,* there's not a word / syllable of truth in it **1.2** het ware geloof hebben *belong to the t. religion/the Faith;* een ~ genot *a regular/real treat;* de ware liefde *t. / genuine love;* een ~ paradijs *a real/veritable/regular paradise* **1.3** de ware plaats voor iets vinden *find the right place/just the place for sth.;* hij sprak een ~ woord *there's a lot of truth in what he said;* in de ware zin v.h. woord *in the t. sense of the word* **2.1** eerlijk ~! *honest!, straight!, honour bright!;* heus ~? *is that really t.?, really?, is that so?* **3.1** het is maar al te ~ *it's only too t.;* 't is toch niet ~! *you don't say, not really!;* dat is ~ gebeurd *it really/actually happened, it's a t. story;* dat zal niet ~ zijn *not on your life!, forget it!;* het is te mooi om ~ te zijn *it's too good to be t.;* als hij het zegt, zal het wel ~ zijn *if he says so it must be t. / I must take his word for it* **3.¶** dat is ~ ook *that reminds me, by the by/way, of course* **4.1** er zit wel wat ~s in wat hij zegt *there's sth. / some truth in what he says* **4.3** ⟨zelfst.⟩ dat is je ware *it's the real thing, this is it, the real Simon Pure/McCoy, that's the ticket;* dat is niet je ware ⟨inf.⟩ *it's no great shakers* **5.1** iets niet ~ willen hebben *not want to know sth.;* zoiets zou bij haar niet ~ zijn *sth. like that wouldn't happen to her;* zo ~ (als) ik leef/(als) ik hier sta *as (sure as) I'm alive/standing here;* zo ~ als tweemaal twee vier is *as sure as two and two are four/as eggs is eggs* **5.¶** niet ~? *isn't that right/so?;* ⟨ook in vragend zinsdeel⟩ *isn't it, doesn't he, oughtn't she, mustn't they,* ⟨enz.⟩; het is helemaal niet nodig, niet ~? *it's not at all necessary, is it?;* hij moest om acht uur thuis zijn, niet ~? *he had to be home at eight o'clock, didn't he?;* het moet gebeuren, niet ~? *is must be done, mustn't it?* **6.1** iets voor ~ houden *consider/hold sth. t., take sth. as t.;* hij heeft het me voor ~ verteld *I have no reason to doubt his words* **7.1** het ware weet ik er niet van *I don't know the truth of it/the matter;* niets is minder ~ *nothing is further from the truth* **7.¶** hij is de ware (Jacob) *he's Mr. Right* **8.1** iets als ~ aannemen *take/hold sth. as being t.* **¶.1** ~ of niet? *well?, isn't that t. / right?;*
II ⟨bw.⟩ **0.1** ⟨vragend⟩ *where* ⟨plaats⟩; ⟨met voorzetsel ook⟩ *what* **0.2** [⟨betrekkelijk⟩] *where* ⟨alleen mbt. plaats⟩; *that, which* ⟨met voorzetsel⟩ **0.3** ⟨onbepaald⟩ ⟨overal waar, om het even waar⟩ *wherever;* ⟨overal⟩ *everywhere;* ⟨onverschillig waar⟩ *anywhere* ◆ **1.2** de boodschap ~ hij niet aan gedacht had *the message (that/which) he hadn't remembered;* het dorp ~ hij geboren is *the village where/in which he was born* **3.1** ~ woon je? *where do you live?* **5.1** ~ongeveer? *whereabouts?;* ~ kom je vandaan? *where do you come from?;* ⟨mbt. woonplaats ook⟩ *where are you from?* **5.3** ~ (dan) ook *wherever;* meer welvaart dan ~ ook *more prosperity than anywhere else* **6.1** ~ gaat het nu eigenlijk om? *what is it really all about?* **¶.2** hij wist niet ~ hij het zoeken moest *he didn't know where to go/where to turn to, he was at a complete loss.*

waar³ ⟨vw.⟩ **0.1** *since, as* ◆ **¶.1** ~ ik altijd mijn best gedaan heb, is het niet billijk mij dit te verwijten *s. / as I've always done my best, it isn't fair to blame me for this.*

waaraan ⟨bw.⟩ **0.1** [⟨vragend⟩] *what ...to/at* ⟨enz.⟩; ⟨schr.⟩ *to/of/at* ⟨enz.⟩ *what* **0.2** [⟨betrekkelijk⟩] *what ...to/of/at* ⟨enz.⟩; ⟨schr.⟩ *to/of /at* ⟨enz.⟩ *what* **0.3** [⟨onbepaald⟩] *whatever ... to/of/at* ⟨enz.⟩; ⟨schr.⟩ *to/of/at* ⟨enz.⟩ *whatever* ◆ **3.1** ~ ligt dit? *what is the reason for it?* **3.2** zij zei niet ~ zij dacht *she didn't say what she was thinking of/about* **3.3** ~ je ook denkt *whatever you're thinking of/about* **¶.1** ~ heb ik dit te danken? *what do I owe this to?, to what do I owe this?;*

waarachter ⟨bw.⟩ **0.1** [⟨betrekkelijk⟩] *behind which* **0.2** [⟨vragend⟩] *behind what/which.*

waarachtig¹
I ⟨bn., bw.; -ly⟩ **0.1** [oprecht, eerlijk] *true* ⇒*honest, real, genuine, authentic, faithful* ◆ **1.1** een ~ antwoord *an honest answer;* een ~ getuige zal niet liegen *a faithful witness will not lie;* ~e liefde *t. / genuine love;*
II ⟨bw.⟩ **0.1** [werkelijk] *truly* ⇒*really, indeed, actually* **0.2** [nota bene] *actually* ⇒*really, if you please,* ⟨irritatie⟩ *well, I'll be blowed, I'm blest if ...* ◆ **2.1** het is ~ waar *it's really true, it is the real truth;* ⟨om verrassing aan te geven⟩ *it is actually true;* wis en ~! *absolutely, definitely, certainly* **3.2** daar begint hij ~ al weer *well, I declare/I'll be blowed, there he goes again;* hij heeft het ~ nog gedaan *ook he a. went and did it;* hij weet ~ alles *he really knows everything, he knows everything, he does* **5.1** ~ niet! *certainly / definitely not, not a bit of it, no such thing,*

nothing of the kind, not on your life!, no way! **¶.1** dat is ~ geen pretje *that's no fun at all, that's really no picnic;* ~, dat is zo *really/indeed, that's quite true/right* **¶.2** ~, het is mijn moeder *well, I'll be blowed, it's my mother;* het heeft ~ lang genoeg geduurd *it's certainly been long enough, it's been long enough in all conscience.*

waarachtig² ⟨tw.⟩ ⟨iron.⟩ **0.1** *sure enough* ⇒*to be sure,* ⟨inf.⟩ *by thunder* ◆ **¶.1** en ~, daar begint hij te huilen *and sure enough he starts crying.*

waarbij ⟨bw.⟩ **0.1** [⟨betrekkelijk⟩] *at/by/near* ⟨enz.⟩ *which* **0.2** [⟨vragend⟩] *at/by/near* ⟨enz.⟩ *what/which* ◆ **1.1** ons gesprek, ~ *our interview, in the course of which;* een ongeluk, ~ veel gewonden vielen *an accident in which many people were injured* **3.1** ~ men moet bedenken dat *taking into account that;* ~ nog komt, dat *in addition to which;* besides **¶.1** ~ de restrictie moet worden gemaakt *with the restriction.*

waarborg ⟨de (m.)⟩ **0.1** [zaak] *guarantee* ⇒*safeguard,* ⟨onderpand⟩ *security* **0.2** [persoon] *guarantor* ⇒*surety* ◆ **3.1** een ~ stellen *guarantee (sth.), offer surety* **6.1** een ~ tegen griep *a safeguard against flu;* een ~ voor de toekomst *a safeguard for the future.*

waarborgen ⟨ov.ww.⟩ **0.1** [garanderen] *guarantee* ⇒*safeguard, warrant, secure, vouch (for), underwrite* ⟨van emissie⟩ **0.2** [het gehalte garanderen van] *hallmark* ◆ **1.1** iem. iets/een recht ~ *g. sth. / a right to a person, g. a right* **1.2** gewaarborgd goud *hallmarked gold* **6.1** kopers ~ tegen/voor uitwinning *secure/g. buyers against eviction.*

waarborgfonds ⟨het⟩ **0.1** *guarantee fund.*

waarborgsom ⟨de⟩ **0.1** *deposit* ⇒⟨jur.⟩ *bail, caution money* ⟨bij schulden⟩, *security* ◆ **3.1** een ~ storten van ƒ500,- *pay a Fl 500 deposit, deposit a sum of Fl 500* **6.1** hij eiste een ~ van honderd pond *he demanded a 100 pounds deposit/a security for 100 pounds.*

waard¹ →**woerd.**

waard² ⟨→sprw. 551,630⟩
I ⟨de (m.)⟩ **0.1** [herbergier] *landlord* ⇒*innkeeper, publican, host* ◆ **6.1** ⟨fig.⟩ buiten de ~ rekenen *reckon without one's host;*
II ⟨de (m.)⟩ **0.1** [door rivieren omsloten landstreek] *holm(e)* **0.2** [buitendijks land] ≠*foreland* **0.3** [terp] *dwelling mound* ⇒*terp.*

waard³ ⟨bn.⟩ ⟨→sprw. 22,101, 110,177, 247,350⟩ **0.1** [de genoemde waarde hebbend] *worth* **0.2** [in waarde overeenkomend met] *worthy (of sth. / s.o.), deserving, fit (to)* **0.3** [voordelig, van belang] *worth* ⇒*important, useful* **0.4** [⟨als aanspreekvorm⟩ beste] *dear* ⇒*good* ◆ **1.1** dit huis is ruim twee ton ~ *this house is w. 200,000 guilders* **1.2** het zou me een lief ding ~ zijn als je dat niet meer deed *I do wish you'd stop doing that;* dat is zijn geld/de onkosten niet ~ *that's not worth the money/the expenses;* het sop is de kool niet ~ *the game's not worth the candle;* een lachje ~ zijn *be good for a laugh;* dat is niet de moeite ~ *that's not worth the trouble/ bothering about* **1.4** (mijn) ~e heer *(my) d. sir;* ~e neef/vriend *d. nephew/cousin/friend* **3.2** je bent niet ~ dat wij jou helpen *you're not worthy of our help/support, you don't deserve our help/to be helped by us;* laten zien wat je ~ bent *show s.o. what you're made of, give a taste of one's quality;* hij is haar niet ~ *he's not worthy of her;* iets vertellen voor wat het ~ is *tell sth. for what it's worth;* hij is zijn leven niet ~ *he doesn't deserve to be alive, he's not fit to live;* dat is het vermelden ~ *that's worth mentioning;* evenveel ~ zijn *be worth the same/as much as each other;* niet veel ~ zijn (als hulp) in de huishouding/op wetenschappelijk gebied *not much good/use at housekeeping/in the scientific field* **3.3** het is veel ~ (om) goede buren te hebben *it's w. a lot to have good neighbours* **4.2** als de vrijheid je iets ~ is *if freedom is worth anything to you;* het is niets ~ *it counts for nothing/isn't worth a penny/straw;* ik heb zijn hulp aangenomen, ook al is die vrijwel niets ~ *I've accepted his help, although it's practically useless/ accepted his help such as it is;* na een dag werken ben ik 's avonds niets (meer) ~ *after a day's work I'm good/fit for nothing/I'm a wash-out/I'm all knackered;* je bent niets ~ vandaag, neem maar vrij *you're no use/very poor today, take a day off;* en dat is ook (heel) wat ~ (mbt. personen) *give him/her* ⟨enz.⟩ *that; and that's not to be underestimated/no mean thing;* het zou haar heel wat/alles ~ zijn om ... *she would give a great deal/anything/everything to* ... **4.3** het leven is zonder haar niets ~ *life without her is meaningless/useless/no good* **4.4** ⟨zelfst.⟩ mijn ~e my *d. / good fellow/friend, my good man* **5.2** het geld wordt minder ~ *money is depreciating/decreasing in value;* die jongen is dat niet ~ *the boy's not worth it, it's lost on the boy;* zoiets is je aandacht niet ~ *sth. like that is beneath your notice/not worth noticing* **7.2** veel ~ zijn *be worth a lot, be a great asset, go far/a long way;* weinig ~ zijn *count/be good for little.*

waardboom ⟨de (m.)⟩ **0.1** *host tree.*

waarde ⟨de (v.)⟩ **0.1** [betekenis als bezit/ruilobject] *value* ⇒*price, denomination* ⟨in serie munten/postzegels e.d.⟩ **0.2** [grote waarde] *value* **0.3** [betekenis] *value* ⇒*importance, merit, significance* **0.4** [⟨muz.⟩] *time/note value* ⇒*time* **0.5** [zaak van waarde] *value* ⇒*principle* **0.6** [getal/bedrag dat een meter aanwijst] *value* ⇒*figure, reading* **0.7** [geldwaardig papier] *security* ⇒*stock, bill of exchange, share* ◆ **1.1** hij kent de ~ v.h. geld niet *he doesn't know the v. of/has no sense of money* **2.1** brief/pakket met aangegeven ~ *letter/parcel with declared v.;* effectieve/reële ~ *market/real v.;* aandelen zonder nominale ~ *no-par-value shares;* van onschatbare ~ zijn *be of inestimable v. / priceless / invaluable;* belasting op toegevoegde ~ *value-added tax* **2.3** zonder blijvende ~ *written in water;* iets op zijn eigen ~ beoordelen *judge sth. on its own merit;* van grote/weinig ~ *of great / little v. / worth;* iem. / iets niet op zijn juiste ~ schatten *undervalue / misjudge sth. / s.o.* **2.5** oude religieuze ~n hoog houden *uphold / maintain old religious values* **2.6** de gemiddelde ~n v.d. zomertemperaturen *the average / mean summer temperature, the averages of summer temperatures;* maximale / hoogste ~ *maximum, high;* negatieve ~ *minus (number)* **2.¶** (wisk.) de absolute ~ v.e. getal *the numerical / absolute value of a number* **3.1** de ~ aangeven van iets *indicate the v. / price of sth.;* zijn ~ behouden / verliezen *keep / lose (its) v.;* (verliezen ook) *diminish / decrease in v.;* de ~ bepalen van iets *determine / estimate the v. of sth., value sth.;* in ~ verdubbelen *double in v.;* de gulden vermindert in ~ *the guilder is depreciating / decreasing in v.;* de ~ wordt geschat op ... *the v. is estimated at* **3.3** hij hecht veel ~ aan goede manieren (ook) *he's a great believer in good manners;* ~ aan iets hechten *attach v. / importance to sth., set store by sth.;* (zeer) veel ~ aan iets hechten *value sth. highly, set great store by / on sth., put a high v. on / attach great v. / importance to sth., hold v. very dear / in great account;* weinig ~ aan iets hechten *set little store by / on sth., attach little v. / importance to sth., hold sth. cheap;* het heeft zijn ~ bewezen it has made good, its v. has been proved **6.1** iets **beneden** de ~ verkopen *sell sth. below the going rate* (hand. ook) *below par;* ~ in rekening v. in account;* **in** ~ stijgen *appreciate, increase in v.;* **in** ~ dalen *depreciate, decrease / diminish in v.;* **naar** ~ schatten *estimate / gauge the v. of sth., value sth.;* **naar** de (geschatte) ~ *ad valorem;* **onder** de ~ below the v.;* **onder** de ~ verhuren *underlet;* **ter** ~ **van** *at (the v. of), worth* ...; **tot** een ~ **van** *to the v. of;* zegels / munten van deze ~ worden niet meer uitgegeven *stamps / coins of this denomination are no longer issued;* **voor** een ~ **van** *for (the price of);* monster **zonder** ~ *sample (of no commercial v.)* **6.2** is er iets van ~ bij? *is there anything valuable included?;* voorwerpen **van** ~ *objects of v., valuables* **6.3** iem. **in** zijn ~ laten *accept s.o. as he is;* iem. / iets **op** ~ schatten *rate sth. at its true v., value sth. / s.o. properly;* de laatste tijd begint men deze schrijver **op** zijn juiste ~ te schatten *latterly this author has started to get the recognition he deserves / is coming into his own;* de ~ **van** kleine politieke partijen als stoorzender / tegenwicht *the nuisance v. of minor political parties;* **van** ~ zijn, ~ hebben *be valuable, mean sth., be of v.;* de ~ van röntgenstraling **voor** medisch onderzoek *the v. / importance of X-rays for medical examination* **7.3** van weinig ~ zijn, weinig ~ hebben *be of little v. / cheap* **¶.3** van nul en gener ~ zijn *be null and void.*

waardebepaling (de (v.)) **0.1** *valuation* ⇒*evaluation, appraisal.*

waardebon (de (m.)) **0.1** *voucher* ⇒*coupon,* (cadeaubon) *gift voucher.*

waardeerbaar (bn.) **0.1** [te schatten] *valuable* ⇒*assessable, measurable* **0.2** [op prijs te stellen] *worthy* ⇒*praiseworthy, meritorious* ◆ **6.1** niet **op** geld ~ zijn *not to be valued in terms of money.*

waardeherstel (het) **0.1** *revaluation.*

waardeklasse (de (v.)) **0.1** *value class.*

waardeleer (de) **0.1** *theory of values* ⇒*axiology.*

waardeloos (bn.) **0.1** [van geen waarde] *worthless* ⇒*valueless, invalid,* (mbt. geld, theorie), (schr.) *void* **0.2** [slecht] *worthless* ⇒*useless, pathetic, miserable, inferior,* (inf.) *trashy* ◆ **1.1** een waardeloze cheque *a w. cheque* ^A*check;* een ~ iemand *a nothing / non-entity / nullity / non-starter* **1.2** een ~ boek *a trashy book;* een ~ excuus *a paltry / sleazy / pathetic / miserable excuse;* waardeloze rommel *rubbish, junk, trash* **3.2** dat is ~ *that's useless / a dead loss / a fat lot of good;* het eten is daar ~ *the food is crook / terrible there* **¶.2** ~! *hopeless!, useless!, awful!, no good at all!*

waardeloosheid (de (v.)) **0.1** *worthlessness* ⇒*valuelessness, invalidity, nullity,* (schr.) *voidness.*

waardemeter (de (v.)) **0.1** *standard (of value).*

waardeoordeel (het) **0.1** *value judg(e)ment.*

waardepapier (het) **0.1** [papieren met geldwaarde] *security* ⇒*bond,* (bankbiljet) *bank note* **0.2** [papiersoort] *high quality bond* ◆ **3.1** de ~en zijn in koers gedaald *securities / stocks and shares have depreciated / have gone / are down.*

waardepunt (het) **0.1** *coupon, token.*

waarderen (ov.ww.) **0.1** [op prijs stellen] *appreciate* ⇒*value, esteem, rate* **0.2** [de waarde bepalen] *value* ⇒*estimate, appraise, rate, mark* ◆ **1.1** wij vragen uw gewaardeerde aandacht voor *we request your kind attention for;* mijn gewaardeerde collega *my esteemed colleague;* iemands hulp ~ *a. / value s.o.'s help;* ik waardeer uw mening, maar ... (ook) *I respect your opinion, but ...;* uw zeer gewaardeerd oordeel *your highly esteemed judg(e)ment* **3.1** dat is zeer te ~ *that's highly commendable;* dat moet je leren ~ *it's an acquired taste, you have to learn to a. it;* iem. leren ~ *learn / come to a. s.o.;* hij weet een goed glas wijn wel te ~ *he likes / appreciates a good glass of wine;* dat wordt toch niet gewaardeerd *that won't be appreciated anyway* **5.2** iets te hoog / laag ~ *overvalue / undervalue sth., overestimate / underestimate sth.* **6.1** iets **in** iem. ~ *a. / value sth. in s.o.* **6.2** iets ~ **op** *value / estimate sth. at* **8.2** iets als positief ~ *value / rate sth. positively* **¶.1** iets ten zeerste ~ *value / esteem / prize sth. highly, a. sth. greatly.*

waarderend (bn., bw.; -ly) **0.1** *appreciative* ⇒*appreciatory* ◆ **1.1** ~e woorden *appreciative / appreciatory words* **3.1** zich (zeer) ~ over iem. uitlaten *speak of s.o. (very) appreciatively / with (great) appreciation / in the highest terms.*

waardering (de (v.)) **0.1** [het op prijs stellen] *appreciation* ⇒*recognition* **0.2** [het gewaardeerd worden] *appreciation* ⇒*esteem, regard* **0.3** [het bepalen van de waarde] *assessment* ⇒ (mbt. schoolwerk, examens) *marking, rating, evaluation,* (mbt. geldwaarde) *appraisal* **0.4** [de puntenwaarde] *mark* ⇒*score, rating* ◆ **1.1** als blijk van ~ *as a token of a. / esteem* **1.2** ze krijgt nooit eens een woord van ~ *she never gets a word of appreciation / recognition* **3.1** daar kan ik geen ~ voor opbrengen *I can't appreciate that at all;* ~ voor iets tonen / hebben *appreciate sth., show / express a. of sth.;* zijn ~ voor iets / iem. uitspreken *express one's a. of sth. / s.o.;* de hoogst mogelijke ~ verdienen *deserve / be worthy of the highest a. / recognition* **3.2** ~ ondervinden *meet with a., win the esteem / regard (of)* **3.4** dat levert de volgende ~ op *that gives / results in the following m. / score / rating* **6.1** met ~ over iets / iem. spreken *speak appreciatively of s. / of about sth.;* **met** alle ~ voor deze prestatie meen ik toch ... *while fully appreciating this result, I nevertheless think ...;* **uit** ~ **voor** *in a. / recognition of.*

waarderingscijfer (het) **0.1** *rating* ⇒*mark* ◆ **1.1** ~s voor de stabiliteit / prestaties *stability / merit ratings.*

waardestandaard (de (m.)) **0.1** *standard (of value)* ⇒*yardstick.*

waardevast (bn.) **0.1** (mbt. geldsoort) *stable (in value);* (mbt. rente-inkomsten / investeringen / uitkeringen) *index-linked, indexed;* (mbt. uitkeringen / inkomens) *inflation-proof.*

waardevermeerdering (de (v.)) **0.1** *increase / rise in value, appreciation* ⇒*increment* ◆ **1.1** ~ van geld *deflation* **6.1** belasting op (toevallige) ~ *unearned-increment tax.*

waardevermindering (de (v.)) **0.1** *depreciation* ⇒*reduction in value, devaluation* (van munteenheid), (in boekhouding) *write-down* ◆ **1.1** de ~ v.d. grond *the depreciation of the land* **3.1** aan aanzienlijke ~ ondergaan *depreciate, be subject to a considerable depreciation / devaluation / reduction in value / loss of value;* (inf.) *plummet* **6.1** premie **voor** ~ *depreciation premium.*

waardevol (bn.) **0.1** *valuable* ⇒*useful* ◆ **1.1** ~le inlichtingen *v. / useful information;* ~le voorwerpen *valuables, objects of value.*

waardevrij (bn.) **0.1** *value-free* ⇒*non-normative, free from value judg(e)ments* (alleen pred.) ◆ **1.1** bestaat ~ wetenschap? *can science ever be v.-f. / non-normative / free from value judgements?.*

waardig (bn., bw.; -ly) **0.1** [achting verdienend] *dignified* ⇒*worthy, stately* **0.2** [in overeenstemming met de betekenis / rang] *worthy* ⇒*deserving* **0.3** [het genoemde verdienend] *worth* ⇒*worthy (of)* ◆ **1.1** een ~e houding *a d. attitude, a d. / stately bearing;* zich een ~ tegenstander tonen *prove o.s. a worthy opponent;* een ~ voorkomen *a d. / worthy, stately appearance* **1.2** een koning / kampioen ~ *w. of / befitting a king / champion;* een ~ onthaal krijgen *receive a w. reception* **1.3** hij keurde haar geen antwoord / blik ~ *he didn't deign to answer / glance at her;* lofwaardig *praiseworthy;* een betere zaak ~ *worthy of a better cause* **3.1** iem. iets ~ achten *deem s.o. worthy of sth.;* zijn verlies ~ dragen, ~ afscheid nemen / sterven *bear one's loss / take one's leave / die with dignity;* zich ~ gedragen *behave / comport o.s. / bear o.s. with dignity* **3.2** iem. ~ ontvangen *give s.o. a w. reception* **3.3** zich iets ~ tonen *show / prove o.s. to be worthy of sth..*

waardigheid (de (v.)) **0.1** [hoedanigheid van waardig te zijn] *dignity* ⇒*worth,* (mbt. stijl, taal) *elevation,* (mbt. gedrag) *poise* **0.2** [digniteit] *dignity* ⇒*honour, title, rank* **0.3** [(schei.) *valency* ⇒ (BE ook) *valence* ◆ **1.1** de ~ v.h. ambt *the d. of the office* **1.2** de tekenen van zijn ~ *his insignia / regalia;* zonder verlies van ~ *without losing one's d., without loss of d.* **2.2** de bisschoppelijke ~ bekleden *hold the episcopacy / see* **3.1** zijn ~ bewaren *keep / preserve one's d.;* het tastte zijn mannelijke ~ aan *it affected his d. as a man* **6.1** iets **beneden** zijn ~ achten *think sth. beneath one's d. / beneath one / infra dig, disdain sth.;* iem. **in** zijn ~ herstellen *rehabilitate s.o. in public esteem* **¶.2** iem. van zijn ambten en waardigheden vervallen verklaren *relieve s.o. of his offices and honours / titles.*

waardigheidsbekleder (de (m.)) **0.1** *dignitary* ⇒*worthy.*

waardin (de (v.)) **0.1** *landlady* ⇒*landlord's wife, innkeeper('s wife),* (gastvrouw) *hostess.*

waardland (het) **0.1** *holm (land).*

waardoor (bw.) **0.1** [(vragend)] *(as a result of) what* ⇒*how* **0.2** [(betrekkelijk)] *through / by which* ⇒ (inf.) *(which / that) ... through / by,* (schr.) *whereby,* (met zin als antecedent) *which, as a result of which* **0.3** [(onbepaald)] *whatever* ◆ **3.1** ~ ben je van gedachten veranderd? *what made you change your mind?;* ik weet ~ het komt *I know how it happened / what caused it;* ~ werd hij ziek? *what made him ill?, how did he become ill?* **3.2** de buis ~ het gas stroomt *the tube / pipe through which the gas flows / the gas flows through;* het begon te regenen, ~ de weg nog gladder werd *it started to rain, which made the road even more slippery* **3.3** ~ het ook komt *whatever the cause may be.*

waardplant (de) **0.1** *host plant.*

waardzegge (de) (plantk.) **0.1** *salt meadow sedge.*

waarheen ⟨bw.⟩ **0.1** [⟨vragend⟩] *where* ⇒*where … to* **0.2** [⟨betrekke-lijk⟩] *where* ⇒*to which*, ⟨inf.⟩ *(which/that) … to* **0.3** [⟨onbepaald⟩] *wherever* ⇒ ⟨schr.⟩ *whithersoever* ◆ **3.1** ~ zullen wij gaan? *where shall we go?* **3.2** de kant ~ hij gaat *the way he's going*; de plaats ~ ze me stuurden *the place to which they directed me, the place (that/which) they directed me to* **3.3** ~ u ook gaat *wherever you (may) go.*

waarheid ⟨de (v.)⟩ ⟨→sprw. 187,339,391,631,632⟩ **0.1** [het ware, echt-heid] *truth* ⇒ ⟨schr.⟩ *verity* **0.2** [iets dat waar is] *truth* ⇒*fact, veracity* **0.3** [⟨rel.⟩] *truth* ⟨vaak met hoofdletter⟩ ◆ **1.1** er zit wel een grond van ~ in dat verhaal *there's an element of t. in that story*; het uur van de ~ *the moment of t.* **1.2** de waarheden van de godsdienst *the truths/ axioms of religion* **2.1** de gehele ~ en niets dan de ~ zeggen *say the whole t. and nothing but the t.*; een/de harde ~ *a home t., the hard t.*; de materiële ~ *the factual t., the t. as proved by the facts*; de naakte/ nuchtere ~ *the bald/naked/stark t.*; het is de zuivere ~ *it's the simple t.* **2.2** een halve ~ *a half t.*; de onverbloemde ~ *the plain/unvarnished t.*; wiskundige/historische waarheden *scientific/historical facts/truths* **3.1** de ~ achterhalen *get at/find out the t.*; de ~ gebiedt (mij) te zeg-gen, dat …*in all honesty I must/am compelled to say that …*; de ~ ver-draaien *twist/distort/slant the t., give the truth a twist*; niet voor de ~ durven uitkomen *not dare to tell the t., funk telling the t., shy away from the t.*; iem. (flink/ongezouten) de ~ zeggen *give s.o. a piece of one's mind/an earful, tell s.o. a few home truths/what one thinks of s.o.*; om (u) de ~ te zeggen *to be honest (with you), to tell (you) the t., frankly*; de ~ zoeken/zeggen/spreken *seek/tell/speak the t.* **3.**¶ de ~ is *the t./fact (of the matter) is* **5.1** dat is dichter bij de ~ *that's nearer the t., that's more like it* **6.1** ver bezijden de ~ zijn *be far removed from the t.*; ⟨schr.⟩ dit alles **naar** ~ vermeld *stated according to the t.*; **naar** ~ antwoorden *answer truthfully*; aldus **naar** ~ ingevuld *completed/ filled in truthfully* **8.2** een ~ als een koe *truism*; hij kan leugens debite-ren als waarheden *he can make lies sound like truths/veracities* ¶.**1** de ~ te kort doen *not be quite truthful, squeeze the t.*; de ~ ligt in het mid-den *the t. is (somewhere) in the middle/between the two*; in strijd met de ~ *contrary to the t.*; de ~ geweld aandoen *strain/stretch the t., do vi-olence to/vitiate the t.*; de ~ aan het licht brengen *disclose/bring out/ reveal the t..*

waarheidlievend ⟨bn.⟩ **0.1** *truth-loving* ⇒*truthful, veracious*, ⟨schr.⟩ *ve-ridical.*

waarheidsgehalte ⟨het⟩ **0.1** *(degree of) truth(fulness)* ⇒*veracity* ◆ **6.1** mededelingen toetsen **op** hun ~ *verify statements.*

waarheidsgetrouw ⟨bn., bw.;-ly⟩ **0.1** *truthful* ⇒*true, faithful, veracious* ◆ **1.1** een ~ beeld *a true/factual picture*; een ~ verslag *a t./faithful re-port/account* **3.1** iets ~ mededelen/verklaren *state/explain truthfully.*

waarheidsliefde ⟨de (v.)⟩ **0.1** *love of truth* ⇒*truthfulness, veracity.*

waarheidsserum ⟨het⟩ **0.1** *truth drug/serum.*

waarin ⟨bw.⟩ **0.1** [⟨vragend⟩] *where* ⇒*in what* **0.2** [⟨betrekkelijk⟩] *in which* ⇒*where*, ⟨inf.⟩ *(which/that) … in*, ⟨tijdsaanduiding als antece-dent ook⟩ *when*, ⟨schr.;vero.⟩ *wherein* **0.3** [⟨onbepaald⟩] *wherever* ⇒*in whatever* ◆ **1.2** gevallen ~ dit van toepassing is *cases in which/ cases where this is applicable*; het huis ~ hij woont *the house he lives in /in which he lives*; de mate ~ dat het geval is *the degree to which that's true*; de tijd ~ wij leven *the time (that/which) we live in*; ⟨schr.⟩ *the time in which we live* **3.1** zeg mij ~ ik gefaald heb *tell me where I failed*; ~ schuilt de fout? *where's the mistake?* **¶.3** ~ de fout ook ligt *wherever the mistake may be.*

waarlangs ⟨bw.⟩ **0.1** [⟨vragend⟩] *what …past/along/by*; ⟨schr.⟩ *(what/ along/by what* **0.2** [⟨betrekkelijk⟩] *past/along/by which*; ⟨inf.⟩ *(which /that) …past/along/by* **0.3** [⟨onbepaald⟩] *past/along/by whatever* ◆ **1.2** de weg ~ hij gaat *the way/route he's going/taking* **3.1** ~ moet ik lopen? *what do I have to walk past/along?, how do I walk to get there?* **3.3** ~ zij ook kwamen *whatever way they came, whatever it was they came past.*

waarlijk ⟨bw.⟩ **0.1** *truly* ⇒*indeed, really*, ᴬ*real*, ⟨schr. en bijb.⟩ *verily*, ⟨absoluut⟩ *certainly, definitely* ◆ **2.1** ~ grote mensen *really great peo-ple* **3.1** ik ben er ~ verlegen mee *I'm really at a loss what to do about it /think of it*; Jezus is ~ opgestaan *verily Jesus was resurrected from the dead* ¶.**1** zo ~ helpe mij God Almachtig *so help me God.*

waarloos ⟨bn.⟩ ⟨scheep.⟩ **0.1** *spare* ⇒*extra.*

waarmaken
I ⟨ov.ww.⟩ **0.1** [bewijzen] *prove* ⇒*substantiate, make good* **0.2** [reali-seren] *fulfil* ᴬ*fulfill* ~ ⟨mbt. verwachtingen⟩ *live up to*, ⟨inf.⟩ *deliver the goods* ◆ **1.1** die beschuldiging kun je nooit ~ *you can never p. that accusation* **1.2** een belofte ~ *f. a promise*; de gewekte verwachtingen (niet) ~ *(fail to) live up to expectations* **4.1** maak dat maar eens waar! *just prove it!*;
II ⟨wk.ww.; zich ~⟩ **0.1** [laten zien wat men kan] *prove o.s.* ⇒*do jus-tice to o.s., do o.s. justice, come up to scratch/the mark* ◆ **6.1** in die functie kan zij zich prima ~ *in that job she can show her true worth/ she has an excellent chance to prove herself.*

waarmee ⟨bw.⟩ **0.1** [⟨vragend⟩] *what … with/by*; ⟨schr.⟩ *(with/by) what* **0.2** [⟨betrekkelijk⟩] *with/by which* ⟨met zin als antecedent⟩ *which*, ⟨inf.⟩ *(which) … with/by* **0.3** [⟨onbepaald⟩] *(with/by) whatever* ◆ **1.2** de boot ~ ik vertrek *the boat on which I leave/I leave on*; het

gemak ~ dat gaat *the ease it can be done with* **3.1** ~ kan ik u dienen?/ ~ kan ik u van dienst zijn? *what can I do for you?, how can I help you?*; ~ sloeg hij je? *what did he hit you with?*; ⟨schr.⟩ *with what did he hit you?* **3.2** ~ weer eens bewezen is *which once again goes to prove* **3.3** ~ hij ook dreigde, zij werd niet bang *whatever he threatened her with she didn't become afraid.*

waarmerk ⟨het⟩ **0.1** *stamp* ⇒ ⟨mbt. goud/zilver⟩ *hallmark, plate-mark* ◆ **1.1** het ~ van echtheid *the s./hallmark of authenticity.*

waarmerken ⟨ov.ww.⟩ **0.1** *stamp* ⇒*certify, authenticate*, ⟨jur.⟩ *attest (to)* ⟨echtheid⟩, *hallmark* ⟨goud/zilver⟩ ◆ **1.1** een gewaarmerkt afschrift *a certified/authenticated copy.*

waarna ⟨bw.⟩ **0.1** *after which* ⇒*whereupon* ◆ **3.1** ~ als spreker optrad …*a. w./ whereupon …spoke/took the floor.*

waarnaar ⟨bw.⟩ **0.1** [⟨vragend⟩] *what … at/of/for* ⟨enz.⟩ ⇒ ⟨schr.⟩ *at/ of/for* ⟨enz.⟩ *what* **0.2** [⟨betrekkelijk⟩] ⟨plaats, richting⟩ *to which*; ⟨fig.⟩ *after/for/according to which*; ⟨inf.⟩ *(which/that) … to/after/for* **0.3** [⟨onbepaald⟩] *whatever … to/at/for* ⇒ ⟨schr.⟩ *to/at/for whatever, wherever* ◆ **1.2** dat is het doel ~ wij streven *that is the goal we're aim-ing at/at which we are aiming, that's what we're after*; het hoofdstuk ~ ze verwees *the chapter (that/which) she referred to*; het land ~ hij ver-langt *the country he is longing for*; de regel ~ men leven moet *the rule according to which we have to live/by which we should live* **3.1** ~ smaakt dat? *what does it taste of?, of what does it taste?.*

waarnaast ⟨bw.⟩ **0.1** [⟨vragend⟩] *what …next to/beside*; ⟨schr.⟩ *next to/ beside what* **0.2** [⟨betrekkelijk⟩] *(which/that) ….next to/beside*; ⟨schr.⟩ *next to/beside which* **0.3** [⟨onbepaald⟩] *whatever ….next to/ beside*; ⟨schr.⟩ *next to/beside whatever* ◆ **3.3** ~ je het ook zet *whatever you put it next to.*

waarneembaar ⟨bn., bw.⟩ **0.1** *perceptible* ⇒*observable, discernible, no-ticeable*, ⟨fil.⟩ *phenomenal* ◆ **1.1** de waarneembare wereld *the phe-nomenal world* **5.1** een nauwelijks/duidelijk ~ verschil *a scarcely/ clearly/perceptible/observable/discernible/noticeable difference*; niet ~ *imperceptible, indiscernible, unobservable, not noticeable* **6.1** met het blote oog ~ *perceptible/visible to the naked eye*; ~ **voor** het oog/ het oor ⟨ook⟩ *visible/audible.*

waarneembaarheid ⟨de (v.)⟩ ⟨schr.⟩ **0.1** *perceptibility* ⇒*observability, discernibility.*

waarnemen
I ⟨onov., ov.ww.⟩ **0.1** [als vervanger dienst doen] *replace (temporari-ly)* ⇒*fill in, take over (temporarily), deputize (for), supply* ⟨de functie van leraar, predikant⟩, *act* **0.2** [bekleden] *hold, have, occupy, fill* ⟨functie⟩ ◆ **1.1** een artsenpraktijk ~ *take over a doctor's practice temporarily, do a locum*; een les (voor iem.) ~ *take over a lesson (for s.o.)*; ds. R. neemt de vacature waar *the Rev. R. is supplying the va-cancy*; de zaken voor iem. ~ *deputize for/replace/fill in for s.o.*; ⟨inf.⟩ *hold the fort* **1.2** het voorzitterschap ~ *act as chairperson* ⟨m., v.⟩/*chairman* ⟨m.⟩/*chairwoman* ⟨v.⟩, *be in/hold the chair*;
II ⟨ov.ww.⟩ **0.1** [observeren, constateren] *observe* ⇒*perceive, dis-cern, detect, notice* **0.2** [besteden, benutten] *use* ⇒*take, make the most of* **0.3** [in acht nemen] *observe* ⇒*fulfil* ᴬ*fill, do, perform* **0.4** [⟨scheep.⟩] *take/catch hold of* ◆ **1.1** er zijn troepenverplaatsingen waargenomen *troop movements have been observed* **1.2** de gelegen-heid ~ *take/seize the opportunity*; zijn kans ~ *take/grasp one's chance* **1.4** een touw ~ *take/catch hold of a rope* **1.**¶ de honneurs ~ *do the honours.*

waarnemend ⟨bn.⟩ **0.1** *temporary* ⇒*acting, (ad) interim, supply* ◆ **1.1** de ~e arts *the locum (tenens)*; de ~ burgemeester/voorzitter *the acting mayor/chairman*; de ~e predikant *the supply preacher*; hij is ~ wet-houder *he is alderman pro tempore/ad interim/interim alderman.*

waarnemer ⟨de (m.)⟩, **-neemster** ⟨de (v.)⟩ **0.1** [iem. die observeert] *ob-server* ⇒*watcher* **0.2** [verkenner] *observer* **0.3** [iem. die een vergade-ring bijwoont] *observer* **0.4** [iem. de tijdelijk een betrekking vervult] *(acting) representative, deputy, substitute*, ⟨voor arts/geestelijke⟩ *locum (tenens)*; ⟨voor predikant⟩ *supply* ◆ **2.1** een goed ~ *a good o., an observant person* **6.1** een ~ **bij** de verkiezingen *an observer/ ᴬwatcher at the polls.*

waarneming ⟨de (v.)⟩ **0.1** [het zintuiglijk waarnemen] *observation* ⇒ *(ap)perception, detection* **0.2** [wat men waarneemt] *observation* ⇒ ⟨wet.⟩ *observational data* ⟨mv.⟩ **0.3** [het vervangen] *substitution* ⇒ *deputizing, representation*, ⟨voor arts/geestelijke⟩ *locum tenency* **0.4** [⟨dram.⟩] *stage machinery* ⇒ ≠*stage effects/lights* ◆ **2.1** (buiten)zin-tuiglijke ~ *(extra)sensory perception* **3.2** ⟨wet.⟩ ~en doen/verrichten *make/carry out observations* **6.1** uit eigen ~ *from one's own observa-tion(s).*

waarnemingsfout ⟨de⟩ **0.1** *observation error* ⇒*error of observation.*

waarnemingspost ⟨de (m.)⟩ **0.1** *observation post.*

waarnemingssatelliet ⟨de (m.)⟩ **0.1** *observation satellite.*

waarnemingsvermogen ⟨het⟩ **0.1** *powers of observation* ⇒*perceptivity*, ⟨zintuiglijk⟩ *powers of perception*, ⟨aangeboren⟩ *perceptive faculty.*

waarnevens ⟨bw.⟩ ⟨schr.⟩ **0.1** *next to/beside which* ◆ **1.1** een huis ~ een tuin *a house with an adjoining garden.*

waarom¹ ⟨het⟩ **0.1** *why* ⇒*why and wherefore* ◆ **1.1** het hoe en ~ van iets *the how and (the) why of sth..*

waarom² ⟨bw.⟩ **0.1** [⟨vragend⟩] *why* ⇒⟨inf.⟩ *what ... for,* ⟨schr.⟩ *wherefore* **0.2** [⟨betrekkelijk⟩] *why* ⇒*that, for which ...,* ⟨inf.⟩ *(which / that) ... for* **0.3** [⟨onbepaald⟩] *for whatever* ⇒⟨inf.⟩ *whatever ... for* ◆ **1.2** de reden ~ hij het deed *the reason (why / that) he did it* **3.1** ~ denk je dat? *why do you / what makes you think so?;* hij ging weg, zonder te zeggen ~ *he left without saying why* **5.1** ~ toch? *but why, whatever for?* ¶**.1** ~ in vredesnaam? *why on earth / for goodness' sake?*.

waaromheen ⟨bw.⟩ **0.1** [⟨vragend⟩] *what ... (a)round,* ⟨schr.⟩ *(a)round what* **0.2** [⟨betrekkelijk⟩] *(a)round which* ◆ **1.2** een huis ~ een tuin *a house with a garden around it / surrounded by a garden.*

waaronder ⟨bw.⟩ **0.1** [⟨vragend⟩] *what ... under / among,* ⟨schr.⟩ *under what;* ⟨fig.⟩ *among what* **0.2** [⟨betrekkelijk⟩] *(plaats) under which,* ⟨fig.⟩ *among which,* ⟨inf.⟩ *(which / that) ... under / among,* ⟨fig.⟩ *including* **0.3** [⟨onbepaald⟩] *under whatever;* ⟨inf.⟩ *whatever ... under* ◆ **1.2** de boom ~ wij zaten *the tree under which we were sitting / (that / which) we were sitting under;* het leed ~ hij gebukt gaat *the sorrow which / that weighs him down;* hij had een schat van boeken, ~ de meest zeldzame *he had a wealth of books, including some very rare ones* **3.1** ~ lag het? *what was it (lying) under?, under what was it lying?* **3.3** ~ hij ook keek, hij vond het niet *whatever he looked under, he couldn't find it.*

waarop ⟨bw.⟩ **0.1** [⟨vragend⟩] *what ... on / for* ⟨enz.⟩ ⇒*where,* ⟨schr.⟩ *on / for* ⟨enz.⟩ **0.2** [⟨betrekkelijk⟩] op welke *(which / that) ... on / in / by / to;* ⟨schr.⟩ *on / in / by / to which* **0.3** [⟨betrekkelijk⟩] na welke *to which;* ⟨schr.⟩ *whereupon* **0.4** [⟨onbepaald⟩] *whatever ... on;* ⟨schr.⟩ *on whatever, wherever* ◆ **1.2** de dag ~ hij aankwam *the day (on which) he arrived;* de manier ~ beviel me niet *I didn't like the way (in which) it was done;* op het tijdstip ~ *at the time that;* de zee ~ zijn hotelkamer uitzag *the sea of which he had a view / he had a view of from his hotelroom* **3.1** ~ zit hij? *what's he sitting on?,* op wat / where is he sitting? **3.3** ~ ik antwoordde dat ... *whereupon / to which I replied ....*

waarover ⟨bw.⟩ **0.1** [⟨vragend⟩] *what ... over / about / across,* ⟨schr.⟩ *over / about / across what* **0.2** [⟨betrekkelijk⟩] *(which / that) ... over / about / across,* ⟨schr.⟩ *about / over / across which* **0.3** [⟨onbepaald⟩] *whatever ... about,* ⟨schr.⟩ *over / about / across whatever* ◆ **1.2** de zaak ~ ik gesproken heb *the matter I've spoken of / about, the matter of / about which I've spoken* **3.1** ~ gaat het? *what is it about?;* ~ de discussie dan ook gaat, ... *whatever the discussion is about, ...;* ~ heeft hij het? *what's he talking about?.*

waarschijnlijk
I ⟨bw.⟩ **0.1** [geloofwaardig] *plausibly* ⇒*convincingly* ◆ **3.1** de zaak ~ voorstellen *put the case p. / convincingly;*
II ⟨bn., bw.; -ly⟩ **0.1** [vermoedelijk, te verwachten] *probable* ⇒⟨bn. en bw.⟩ *likely,* ⟨bw.⟩ *presumably, plausible* ◆ **1.1** de ~e ontwikkelingen *the probable / likely developments;* de ~e / meest ~e opvolger *the (most) likely successor* **3.1** het gaat ~ regenen *it's probably going to rain;* dat klinkt niet erg ~ *that does not sound very probable / likely;* plausibel; dat lijkt mij heel ~ *that seems quite probable / likely to me* **5.1** ~ wel / niet *probably (not), I suppose so / not;* ze komen zeer ~ met de auto ⟨inf.⟩ *as like as not / ⟨inf.⟩ like enough they'll come by car;* they'll very probably / likely come by car, *they're most likely to come by car* **8.1** het is ~ dat *the chances are that, it's probable / likely that;* het is niet (erg) ~ dat hij komt *he is not (very) likely to come* ¶**.1** meer dan ~ *more than likely.*

waarschijnlijkheid ⟨de (v.)⟩ **0.1** [het vermoedelijk zo zijn] *probability, likelihood* ⇒*chance, odds* **0.2** [iets dat waarschijnlijk is] *probability* ⇒*likelihood* **0.3** [geloofwaardigheid] *probability* ⇒*likelihood, plausibility* ◆ **2.1** ⟨wisk.⟩ de wiskundige ~ van een gebeurtenis *the mathematical p. of (occurrence of) an event* **3.1** de ~ dat ~ bestaat *that there's a good chance that* **6.1** met (een) aan zekerheid grenzende ~ *zullen ze winnen the odds / chances are very high that they will win;* **naar** alle ~ *in all p. / l., by all odds.*

waarschijnlijkheidsleer ⟨de⟩ ⟨fil.⟩ **0.1** *probabilism.*

waarschijnlijkheidsrekening ⟨de (v.)⟩ **0.1** ⟨wisk.⟩ *calculus of probability* ⇒*theory of probabilities / chances.*

waarschijnlijkheidswet ⟨de⟩ **0.1** *law of probability / chance.*

waarschuwen ⟨ov.ww.⟩ (→sprw. 423) **0.1** [opmerkzaam maken] *warn* ⇒*alert, alarm, caution, give warning* **0.2** [verwittigen] *warn* ⇒*notify, tell* **0.3** [dreigend vermanen] *warn* ⇒*caution, admonish* ◆ **1.2** een dokter laten ~ *send for the doctor, call a doctor;* de politie ~ *call / notify the police* **3.1, 3.2** u had ons wel eens mogen ~ *you might have warned / told us* **3.2** iem. ~ weg te blijven / gaan *w. / tell s.o. to stay / go away, w. s.o. off* **3.3** iem. ~ iets niet te doen *w. s.o. not to do sth., w. s.o. against doing sth.* **4.1** ik heb je gewaarschuwd *I've given you fair warning, I've warned you, I told you so* **4.3** ik waarschuw je voor de laatste maal *I'm warning / telling you for the last time, this is a final warning* **5.3** iem. ernstig ~ *give s.o. a serious warning, read s.o. the riot act* **6.1** iem. **voor** een gevaar ~ *w. / alarm s.o. of / alert s.o. to / caution s.o. for / about a danger;* men heeft mij **voor** hem gewaarschuwd *I've been warned about him / cautioned about him* ¶**.1** iem. van te voren ~ *forewarn s.o.* ¶**.3** wees gewaarschuwd *you've been warned / cautioned / told, let this be a warning to you.*

waarschuwend ⟨bn.⟩ **0.1** *warning* ⇒*cautionary, admonitory* ◆ **1.1** ⟨fig.⟩

een ~ geluid laten horen (tegen iets) *strike / sound a note of warning (against sth.);* een ~e hoofdbeweging *a w. shake of the head;* ~e tekenen / verschijnselen *w. / premonitory signs / symptoms.*

waarschuwing ⟨de (v.)⟩ **0.1** [handeling] *warning* ⇒*premonition* **0.2** [vermaning] *warning* ⇒*caution* ⟨ook sport⟩, ⟨mbt. betaling⟩ *reminder,* ⟨opschrift⟩ *notice,* ⟨mbt. ziekte⟩ *premonition* ◆ **2.2** ondanks herhaalde ~en *despite repeated warnings / reminders,* ⟨sport⟩ een officiële ~ krijgen *be booked / cautioned* **3.2** een ~ krijgen *get a w. / caution* **6.1** zonder ~ *vooraf without previous w.* ¶**.2** hij slaat alle ~en in de wind *he ignores / neglects / pays no attention to / disregards all warnings;* een ~ ter harte nemen *take a w. to heart, take notice of / heed a w.;* waarschuwing! Zeer brandbaar! *Caution! Highly flammable!;* waarschuwing. Veiligheidshelmen verplicht *Notice. Safety hat obligatory.*

waarschuwingsbord ⟨het⟩ **0.1** *warning sign* ⇒*danger sign, cautionary notice.*

waarschuwingscommando ⟨het⟩ **0.1** *caution* ◆ **3.1** een luid ~ geven *give a loud c..*

waarschuwingsknipperlicht ⟨het⟩ **0.1** *flashing warning light;* ⟨mv.; van auto⟩ *hazard warning lights,* ⟨inf.⟩ *flashers.*

waarschuwingsschot ⟨het⟩ **0.1** *warning shot.*

waarschuwingssein ⟨het⟩ **0.1** *warning sign / signal* ⇒*attention signal.*

waarschuwingsstaking ⟨de (v.)⟩ **0.1** *warning / token strike.*

waarschuwingstoon ⟨de (m.)⟩ **0.1** *warning signal / tone.*

waartegen ⟨bw.⟩ **0.1** [⟨vragend⟩] *what ... against / to* ⟨enz.⟩; ⟨schr.⟩ *against / to* ⟨enz.⟩ *what* **0.2** [⟨betrekkelijk⟩] *against / to which;* ⟨inf.⟩ *(which / that) ... against / to* **0.3** [⟨onbepaald⟩] *whatever ... against / to;* ⟨schr.⟩ *against / to whatever* ◆ **1.2** een muur ~ een ladder staat *a wall against which a ladder is standing, a wall with a ladder against it;* een raad ~ niets in te brengen valt *a piece of advice to which no objections can be made / against which no objections can be raised* **3.1** ~ helpt dit middel? *what is this medicine for?* **3.3** ~ hij ook protesteerde, het hielp geen zier *whatever he protested against, it was no use.*

waartegenover ⟨bw.⟩ **0.1** *opposite which* ⟨ook fig.⟩ ⇒*in consideration of which* ◆ **3.1** ~ staat dat *on the other hand.*

waartoe ⟨bw.⟩ **0.1** [⟨vragend⟩] *what ... for / to* ⟨enz.⟩; ⟨schr.⟩ *for / to* ⟨enz.⟩ *what, for / to what purpose; why* **0.2** [⟨betrekkelijk⟩] *(which / that) ... for / to;* ⟨schr.⟩ *for / to which* **0.3** [⟨onbepaald⟩] *whatever ... for / to;* ⟨schr.⟩ *for / to whatever* ◆ **1.2** men weet niet ~ de armoede iem. brengen kan *people don't know what poverty can reduce you to / to what poverty can reduce you;* ~ dient het? ⟨lett.⟩ *what is it for?;* ⟨fig.⟩ *to what purpose?, what is the point?;* ~ zijn wij op aarde? *why are we here / on earth?* ¶**.1** laten zien ~ men in staat is *show what one is capable of / of what one is capable.*

waartussen ⟨bw.⟩ **0.1** [⟨vragend⟩] *what ... between / among / from* ⟨enz.⟩; ⟨schr.⟩ *between / among / from* ⟨enz.⟩ *what* **0.2** [⟨betrekkelijk⟩] *between / among / from which;* ⟨inf.⟩ *(which / that) ... between / among / from* **0.3** [⟨onbepaald⟩] *whatever ... between / among / from;* ⟨schr.⟩ *between / among / from whatever* ◆ **3.1** ~ moeten wij kiezen? *what are we (supposed) to choose between* ⟨uit twee⟩ / *from* ⟨uit drie of meer⟩ *?.*

waaruit ⟨bw.⟩ **0.1** [⟨met de functie van vr. vnw.⟩] *from what* **0.2** [⟨met de functie van betr. vnw.⟩] *from which* ◆ **3.1** ~ bestaat het toestel? *what does the apparatus consist of?.*

waarvan ⟨bw.⟩ **0.1** [⟨vragend⟩] *what ... from / of* ⟨enz.⟩; ⟨schr.⟩ *from / of* ⟨enz.⟩ *what* **0.2** [⟨betrekkelijk⟩] *(which / that) ... from,* ⟨schr.⟩ *from / of which; of whom* ⟨met persoonlijk antecedent⟩; *whose* **0.3** [⟨onbepaald⟩] *whatever ... from;* ⟨schr.⟩ *from whatever* ◆ **1.2** 100 academici, ~ ongeveer de helft chemici *100 graduates, of whom about half are chemists;* ~ akte! *duly noted!, for the record!;* een gelegenheid ~ ieder gebruik zal maken *an opportunity of which everybody will seize use / (that) everybody will seize use of;* op grond ~ *on the basis of which;* medeklinkers ~ het eerste deel stemloos is *consonants whose first portions are voiceless;* dat is een onderwerp ~ hij veel verstand heeft *that is a subject he knows a lot about* **3.1** ~ maakt hij dat? *what does he make that of / from? of / from what does he make that?.*

waarvandaan ⟨bw.⟩ **0.1** [⟨vragend⟩] *where ... from;* ⟨schr.⟩ *from where;* ⟨zeldz.⟩ *whence* **0.2** [⟨betrekkelijk⟩] *(which / that) ... from;* ⟨schr.⟩ *from which;* ⟨zeldz.⟩ *whence* **0.3** [⟨onbepaald⟩] *wherever ... from;* ⟨schr.⟩ *from wherever.*

waarvoor ⟨bw.⟩ **0.1** [⟨vragend⟩ voor wat?] *what ... for / about* ⟨enz.⟩ **0.2** [⟨inf., vragend⟩ waarom?] *what ... for* **0.3** [⟨betrekkelijk⟩] *(which / that) ... for;* ⟨schr.⟩ *for which* **0.4** [⟨onbepaald⟩] *whatever ... for;* ⟨schr.⟩ *for whatever purpose / reason* ◆ **3.1** ~ dient dat? *what's that for?* **3.2** ~ doe je dat? *what are you doing that for?* **3.3** een gevaar ~ ik u gewaarschuwd heb *a danger I warned you about / against;* iets ~ hij een vermogen over heeft *sth. for which he is prepared to spend a fortune / (that) he is prepared to spend a fortune for.*

waarzeggen ⟨onov., ov.ww.⟩ **0.1** *tell fortunes* ⇒*divine the future,* ⟨met glazen bol⟩ *scry* ◆ **1.1** iem. ~ *tell s.o.'s fortune, predict the future to s.o.* **3.1** zij laten zich een lot tellen / predict / divine the future **8.1** zij heeft hem gewaarzegd dat ... *she predicted (to him) that ....*

waarzegger ⟨de (m.)⟩, **-ster** ⟨de (v.)⟩ **0.1** *fortune-teller* ⇒⟨uit hand⟩ *palmist(er), diviner,* ⟨met bol⟩ *crystal-gazer.*

waarzeggerij ⟨de (v.)⟩ **0.1** *fortune-telling* ⇒⟨uit hand⟩ *palmistry, hand-reading, divination.*

waarzo ⟨bw.⟩ ⟨inf.⟩ **0.1** *where* ◆ **9.1** ~ dan? *where then?.*

waarzonder ⟨bw.⟩ **0.1** *without which.*

waas ⟨het⟩ **0.1** [laag druppeltjes, damp] *haze* ⇒*mist,* ⟨fig.⟩ *air, aura, film* **0.2** [op fruit] *bloom* ◆ **1.1** ⟨fig.⟩ een ~ van geheimzinnigheid *a shroud of secrecy* **1.2** ⟨fig.⟩ het ~ v.d. schoonheid/ jeugd *the b. of beauty/ youth* **6.1** ⟨fig.⟩ in een ~ van geheimzinnigheid gehuld *shrouded in mystery;* alles in een ~ zien *see everything through a h. / mist;* het is of er een ~ over dat schilderij ligt *it's as though there's a film over that painting;* een ~ **voor** de ogen krijgen *get a mist/ h. before one's eyes* **6.2** met en ~ bedekte pruimen/ druiven ⟨ook⟩ *glaucous plums/ grapes.*

wacht
I ⟨de (m.)⟩ **0.1** [wachter] *watchman* ⇒⟨mil.⟩ *sentry, guard,* ⟨marine⟩ *watch, watcher;*
II ⟨de⟩ **0.1** [het waken] *watch* ⇒⟨inb. van dief⟩ *look-out* **0.2** [tijd] *watch* ⇒*duty* **0.3** [personen] *watch* ⇒*guard, patrol, watcher, men/ squad on guard* **0.4** [organisatie] *watch* ⇒*guards, watchers* **0.5** [plaats waar waarnemingen worden gedaan] *observatory* **0.6** ⟨⟨scheep.⟩⟩ *watch* **0.7** ⟨⟨dram.⟩ watchword] *cue* ⇒*catchword* ◆ **1.1** ⟨mil.⟩ officier van de ~ *duty officer, officer of the watch* **1.5** sterrenwacht *(astronomical) observatory* **2.2** Chinese ~ *permanent duty* **3.1** de ~ betrekken *mount guard;* ⟨de⟩ ~ houden *be on/ keep/ stand guard, be on duty, keep w.;* ~ kloppen *stand/ be on guard, guard, be on duty* **3.3** de ~ aflossen *change guard, relieve guard/ the w.;* ~en uitzetten *post/ place guards/ sentries* **3.¶** iem. de ~ aanzeggen *give s.o. a warning/ talking to, tell s.o. what's what* **6.1** in de ~ zijn/ zitten *be on/ have duty;* **op** ~ staan (bij) *be on guard, keep a look-out* **6.¶** iets in de ~ slepen *carry off/ land/ scoop/ pocket/ bag sth..*

wachtassistent ⟨de (m.)⟩, -e ⟨de (v.)⟩ **0.1** *doctor on night duty/ in charge.*

wachtcommandant ⟨de (m.)⟩ **0.1** ⟨mil.⟩ *duty officer;* ⟨marine⟩ *officer of the watch;* ⟨politie⟩ *station sergeant.*

wachtdag ⟨de (m.)⟩ **0.1** ⟨*qualifying day for sickness benefit*⟩.

wachtdienst ⟨de (m.)⟩ **0.1** *guard duty* ⇒⟨marine⟩ *watch, guard mount, sentry-go.*

wachtdoend ⟨bn.⟩ **0.1** *duty* ⟨alleen attr.⟩; *on duty/ guard* ⟨alleen pred.⟩ ◆ **1.1** de ~e officier *the duty officer;* ⟨marine⟩ *the officer of the watch.*

wachten ⟨→sprw. 633⟩
I ⟨onov.ww.⟩ **0.1** [ergens blijven] *wait* ⇒⟨inf.⟩ *hang around/ about, stay, pause* **0.2** [afwachten] *wait* ⇒*await* **0.3** [niet afgehandeld worden] *wait* **0.4** [niet beginnen] *wait* **0.5** [in het vooruitzicht staan] *wait* ⇒*await (s.o.), be in store for (s.o.)* ◆ **1.2** een rij ~den *a queue/* ᴬ*line* **1.5** de vinder wacht een beloning *the finder can expect a reward;* de dader wacht een straf *the culprit is due for punishment;* er wachtte hem een onaangename verrassing *there was an unpleasant surprise awaiting/ in store for/ coming to him* **3.2** iem. laten ~ *keep s.o. waiting;* iem. lang op zijn geld laten ~ *keep s.o. waiting for his money;* het antwoord liet niet lang op zich ~ *the answer was not long in coming;* staan ~ ⟨inf.⟩ *cool/ kick one's heels* **3.5** er staan ons moeilijke tijden te ~ *difficult times lie ahead of us/ before us, we are up against/ in for difficult times* **5.2** als je denkt dat …, dan kun je lang ~ *if you think that …, you can go on thinking;* ⟨zegswijze⟩ lang gewacht en stil gezwegen, niet gedacht en toch gekregen ≠*everything comes to him who waits* **5.3** dat wacht wel/ dat kan wel ~ *that can w., that'll keep* **5.4** je moet er niet te lang mee ~ *don't put it off/ don't delay doing it too long;* wacht even *w. a minute/ moment, hold on (a tick), hang on (a sec)* **5.¶** wacht maar jij! *(just) you wait!, wait till I get you!* **6.1** ~ **bij** de bushalte/ **in** de wachtkamer/ **voor** het stoplicht *w. at the bus stop/ in the waiting room/ for the traffic lights;* **op** de bus ~ *w. for the bus;* ~ **tot** iem. terugkomt *w. till s.o. returns/ for s.o.'s return;* **op** de brug (moeten) ~ *(have to) wait for the bridge* **6.2** ~ **op** een goede gelegenheid *w. for/ await a good opportunity;* waar wacht je nog **op**? *what are you waiting for?;* met smart **op** iets/ iem. zitten ~ *await sth. / s.o. anxiously;* hij/ het liet lang op zich ~ *he/ it kept us/ me waiting a long time, he/ it was a long time coming;* **op** zijn beurt ~ *await one's turn;* zij wachtte op de dingen die komen zouden *she waited for what was to come;* ⟨fig.⟩ ~ **tot** je een ons weegt *w. till the cows come home* **6.3** brieven die **op** een antwoord ~ *letters awaiting an answer;* dat kan ~ **tot** het eind van de maand *that can w. / stand till the end of the month* **6.4** ~ **met** een bestelling *wait before ordering, delay an order;* wacht niet **tot** het laatste ogenblik *don't leave it till the last minute/ cut it too fine/ run it too close* **7.2** het ~ is op … *what we're waiting for ¶.2* ⟨telefoon⟩ er zijn nog drie ~den voor u *hold the line, there are three before you;*
II ⟨ov.ww.⟩ **0.1** [verwachten] *expect* ⇒*await* ◆ **1.1** geld te ~ hebben *be expecting money.*
III ⟨wk.ww.; zich ~⟩ **0.1** [oppassen] *be on one's guard* ⇒*look out for, beware of, guard (against)* ◆ **5.1** zich ervoor ~ te … *take care not to, know better than to, mind not to* **6.1** wacht u **voor** de hond! *beware of the dog;* wacht u **voor** zakkenrollers! *beware of/ look out for pickpockets.*

wachter ⟨de (m.)⟩ **0.1** [waker] *guard(sman)* ⇒*watchman, (gate-)keeper, sentinel, watch* **0.2** [maan] *satellite* ◆ **6.1** ~s **op** Sions muren *watchmen on Zion's walls.*

wachtgeld ⟨het⟩ **0.1** [uitkering aan een ambtenaar] *reduced pay,* ≠*half-pay* **0.2** [uitkering uit het fonds v.e. bedrijfsvereniging] *reduced pay,* ≠*half-pay* **0.3** [voorlopige bezoldiging] *retainer, retaining fee* ◆ **6.1** iem. **op** ~ stellen ≠*put s.o. on r.p. / h.-p.;* **op** ~ komen ≠*be put on r.p. / h.-p..*

wachtgelder ⟨de (m.)⟩ **0.1** ≠*s.o. on reduced pay/ half-pay.*

wachtgeldregeling ⟨de (v.)⟩ **0.1** *reduced/ ≠half-pay scheme* ⇒*unemployment/ redundancy payment scheme.*

wachthebbend →wachtdoend.

wachthokje ⟨het⟩ **0.1** *shelter.*

wachthuis ⟨het⟩ **0.1** *watchhouse* ⇒*guardhouse, guardroom.*

wachthuisje ⟨het⟩ **0.1** [abri] *(bus/tram) shelter* **0.2** [schildwachthuisje] *sentry box* ⇒*watch box, watchman's hut.*

wachtkamer ⟨de⟩ **0.1** [kamer waar men kan wachten]⟨ook op station⟩ *waiting room* ⇒⟨in paleis e.d.⟩ *anteroom/ -chamber* **0.2** [kamer waar de wacht vertoeft] *guardroom* ◆ **6.¶** ⟨luchtv.⟩ in de ~ zitten *be in the stack.*

wachtkwartier ⟨het⟩ **0.1** *watch.*

wachtlijst ⟨de⟩ **0.1** *waiting list* ◆ **6.1** op een ~ staan *be on a w. l.;* een ~ van drie maanden *a three-month w. l..*

wachtlokaal ⟨het⟩ **0.1** ⟨mil.⟩ *guardroom.*

wachtloon ⟨het⟩ **0.1** [loon bij onderbroken produktie] *wages/ pay for time spent waiting* **0.2** [loon voor de wachten] *watchman's wages/ pay.*

wachtlopen ⟨onov.ww.⟩ **0.1** *be on patrol/ (guard) duty* ⇒⟨BE ook⟩ *be on/ do sentry-go.*

wachtmeester ⟨de (m.)⟩ **0.1** ⟨mil.⟩ *sergeant* ⇒ᴮ*serjeant(-at-law)* **0.2** [rang bij de rijkspolitie] *(police) sergeant.*

wachtparade ⟨de (v.)⟩ ⟨mil.⟩ **0.1** *guard parade.*

wachtplaats ⟨de⟩ **0.1** *watch/ guard/ sentry post.*

wachtpost ⟨de (m.)⟩ **0.1** [plaats] *watch/ sentry/ guard post* **0.2** [persoon] *sentry* ⇒*sentinel, watch.*

wachtrol ⟨de⟩ ⟨scheep.⟩ **0.1** *watch bill.*

wachtschip ⟨het⟩ **0.1** *guard ship.*

wachttijd ⟨de (m.)⟩ **0.1** [tijd dat men wachten moet] *wait* ⇒*waiting (time), waiting period, delay* ⟨aan de grens⟩ **0.2** [⟨verz.⟩] *qualifying period* **0.3** [mbt. een uitkering] *qualifying period.*

wachttoren ⟨de (m.)⟩ **0.1** *watchtower* ⇒⟨AE ook; sl.⟩ *doghouse* ⟨van strafkamp⟩.

wachtverbod ⟨het⟩ ⟨vero.⟩ **0.1** *waiting restriction* ⇒⟨op bord⟩ *no stopping (clearway),* ⟨op bord⟩ *urban clearway.*

wachtvuur ⟨het⟩ **0.1** *watch fire.*

wachtwoord ⟨het⟩ **0.1** [herkenningswoord] *password* ⇒*watchword,* ⟨mil.⟩ *countersign/ -signal,* ⟨mil.⟩ *parole,* ⟨fig.⟩ *shibboleth* **0.2** [devies] *catchword* ⇒*watchword, motto,* ⟨politiek⟩ *slogan* **0.3** [⟨dram.⟩] *cue* ⇒*catchword* ◆ **3.1** het ~ geven *give the (pass)word/ watchword.*

wachtzaal →wachtkamer.

wachtzuster ⟨de (v.)⟩ **0.1** *night nurse.*

wad ⟨het⟩ **0.1** [doorwaadbare plaats] *(mud) flat(s)* ⇒*shallow(s), ford* ⟨in een rivier⟩ **0.2** [⟨met hoofdletter⟩] *Flat(s)* ⇒*Shallow(s), Wad(den)* **0.3** [moeras, meerafzetting] *wad* ◆ **¶.2** de Wadden *the (Dutch) Wadden.*

waddeneiland ⟨het⟩ **0.1** *(West) Frisian island.*

waddenvaarder ⟨de (m.)⟩ **0.1** ⟨*type of flat(-bottomed barge) used in the Waddenzee*⟩.

waddenzee ⟨de (v.)⟩ **0.1** *Waddenzee* ⇒*Wadden Sea.*

wade ⟨de⟩ **0.1** [kleed] ⇒*lijkwade* **0.2** [⟨vis.⟩] *otter-trawl net.*

waden ⟨onov.ww.⟩ **0.1** *wade* ◆ **6.1** door een beek ~ *w. through/ ford a brook.*

wadi ⟨de⟩ **0.1** *wadi, wady.*

wadjan ⟨de (v.)⟩ **0.1** *wok.*

wadlopen ⟨ww.⟩ **0.1** *(walk a)cross the mud flats/ shallows.*

waf ⟨tw.⟩ **0.1** *woof* ◆ **¶.1** ~!~! *woof-woof, bow-wow.*

wafel ⟨de⟩ **0.1** [soort koek]⟨zacht⟩ *waffle* ⇒⟨knapperig⟩ *wafer* **0.2** [figuur, patroon] *diamond* ⇒*goffer, gauffer* **0.3** [mond] ⟨→waffel⟩.

wafelbeslag ⟨het⟩ **0.1** *waffle/ wafer mixture.*

wafelbiscuit ⟨het, de (m.)⟩ **0.1** *wafer.*

wafeldoek ⟨de (m.)⟩ **0.1** *honeycomb/ diamond cloth* ⇒*honeycomb towel.*

wafelijzer ⟨het⟩ **0.1** *waffle/ wafer iron* ⇒*wafer tongs.*

wafelkraam ⟨het, de⟩ **0.1** *waffle stall/ booth.*

wafelstof ⟨de⟩ **0.1** *diaper* ⇒*honeycomb material/ cloth.*

waffel ⟨de⟩ ⟨inf.⟩ **0.1** *trap* ⇒⟨vnl. BE; sl.⟩ *gob,* ⟨vnl. AE⟩ *yap, cakehole, face* ◆ **3.1** hou toch je ~ *shut your t. / gob/ cakehole, belt/ button up.*

waffelen ⟨onov.ww.⟩ ⟨inf.⟩ **0.1** *yap* ⇒*ya(c)k, jabber.*

wagen¹ ⟨de (m.)⟩ ⟨→sprw. 489, 634⟩ **0.1** [voertuig] ⟨boeren/ circus/ goederenwagen⟩ *wa(g)gon;* ⟨door hond/ paard/ hand getrokken⟩ *cart* ⇒⟨bestel-/ goederenwagen⟩ *van,* ⟨poppen/ kinderwagen⟩ *pram,* ⟨praal/ melkwagen⟩ *float* **0.2** [auto] *car* ⇒ᴬ*wagon* ⟨stationcar⟩, ⟨AE; inf.⟩ *boat,* ⟨AE; inf.⟩ ⟨eigen auto⟩ *bus* **0.3** [mbt. een schrijfmachine] *carriage* **0.4** [sterrenbeeld] *Charles's Wain* ⇒*the Waggon, the Great Bear* ◆ **2.2** luxe ~ ᴮ*saloon,* ᴬ*sedan* **3.1** een ~ inspannen *harness/ hitch up* *the horses* **6.1** 〈fig.〉 het vijfde wiel **aan** de ~ zijn *be the odd man out* **6.2** met de ~ komen *come by c. / on wheels.*

wagen² 〈→sprw. 628〉

I 〈ov.ww.〉 **0.1** [op het spel zetten] *risk* ⇒*chance, hazard, venture, jeopardize* **0.2** [durven te ondernemen] *venture* ⇒*dare, hazard* ◆ **1.1** zijn leven ~ *r. / hazard / jeopardize one's life, r. one's neck, lay one's life on the line* **1.2** een gokje ~ *v. a small bet, take a flier / flyer, ᴮhave a flutter;* zijn kans ~ *try one's luck / fortune;* een poging ~ *have a go / shot / try at sth., give it a try;* de sprong ~ *take the plunge* **5.1** het erop ~ *chance / r. it, take the plunge / risk* **5.2** waag het eens! *just you dare!* **6.1** ergens een tientje **aan** ~ *r. ten guilders on sth.* **6.2** waag het niet **om** te lachen *don't you dare laugh* **6.¶ aan** elkaar gewaagd zijn *they're well / evenly matched.*

II 〈wk.ww.; zich ~〉 ◆ **5.¶** daar waag ik me niet aan 〈mbt. voorspelling〉 *you won't catch me sticking out my neck;* 〈mbt. taak〉 *I think I'll steer clear of that one;* 〈dat doe ik niet〉 *you won't catch me doing that* **6.¶** zich **aan** iets ~ *venture / hazard to do sth.;* zich **aan** een voorspelling ~ *hazard a prophecy;* zich in het hol van de leeuw ~ *beard / brave the lion in his den;* zich op het ijs ~ *v. onto the ice;* zich buiten / **op** straat / **in** het dorp ~ *v. out(side) / out of doors / onto the street / into the village.*

wagenbak 〈de (m.)〉 **0.1** *wag(g)on bed / box.*
wagenbestuurder 〈de (m.)〉 **0.1** *driver* ⇒*motorman.*
wagenboom 〈de (m.)〉 **0.1** *wag(g)on shaft.*
wagenkap 〈de〉 **0.1** *carriage hood* ⇒〈op bv. huifkar〉 *wag(g)on tilt / awning.*
wagenkraan 〈de〉 **0.1** *travelling ᴬeling / rolling crane.*
wagenladder 〈de〉 **0.1** [zijkant van wagen] *rave* **0.2** [rijdende ladder] *mobile ladder.*
wagenlading 〈de (v.)〉 **0.1** *wag(g)onload* ⇒*cartload, lorryload, truckload, vanload* ◆ **8.1** verzending van goederen als ~ *sending goods by the w. / by road.*
wagenloods 〈de〉 **0.1** *wag(g)on / cart / carriage / car shed* ⇒ᴬ*car barn.*
wagenlosser 〈de (m.)〉 **0.1** *unloading crane* 〈kraan〉 / *platform.*
wagenmaker 〈de (m.)〉 **0.1** *cartwright* ⇒*wag(g)on / coachbuilder, wag(g)on / cart / carriage maker.*
wagenmakerij 〈de (v.)〉 **0.1** [handeling; bedrijf] *wag(g)on / cart / carriage making, coachbuilding* **0.2** [werkplaats] *cartwright's (work)shop* ⇒*wag(g)on / cart / carriage maker's (work)shop, wag(g)on coach builder's (work)shop.*
wagenmeester 〈de (m.)〉 **0.1** *wag(g)on master.*
wagenmenner 〈de (m.)〉 **0.1** *wag(g)oner* ⇒*driver,* 〈gesch.〉 *charioteer.*
wagenpark 〈het〉 **0.1** *fleet (of cars / vans / taxis / buses)* ⇒〈mil.; pantser-wagen〉 *la(a)ger.*
wagenschot 〈het〉 **0.1** *wainscot* ⇒*wainsco(t)ting.*
wagensmeer 〈het, de (m.)〉 **0.1** *axle / cart grease.*
wagenspan 〈het〉 **0.1** 〈meer dan twee〉 *team (of horses);* 〈twee〉 *pair (of horses).*
wagenspel 〈het〉 〈lit.; gesch.〉 **0.1** *pageant-play.*
wagenspoor 〈het〉 **0.1** *cart / wheel track;* 〈diep〉 *cart / wheel rut.*
wagenstel 〈het〉 **0.1** *wag(g)on / carriage frame.*
wagenterugloop 〈de (m.)〉 **0.1** *(automatic) carriage return.*
wagentje 〈het〉 **0.1** [winkel / thee / bagagewagentje] ᴮ*trolley,* ᴬ*(push) cart* **0.2** [golfwagentje] ᴮ*caddy* ᴬ*caddie cart* **0.3** [in restaurant] *serving* ᴮ*trolley / ᴬcart.*
wagenveer 〈de〉 **0.1** *wag(g)on / carriage spring.*
wagenvet →**wagensmeer.**
wagenvracht 〈de〉 **0.1** *wag(g)onload, cartload* ⇒*truckload, lorryload, vanload.*
wagenvrees 〈de〉 **0.1** *amaxophobia* ⇒*fear of driving.*
wagenwijd 〈bw.〉 **0.1** *wide open* ◆ **3.1** 〈fig.〉 de deur ~ openzetten voor misbruik / corruptie *open the door wide to abuse / corruption.*
wagenziek 〈bn.〉 **0.1** *carsick* ⇒*travel-sick* ◆ **3.1** gauw ~ zijn *get c. easily / quickly.*
wagerij 〈de (v.)〉 〈inf.〉 **0.1** *risk* ⇒*chance, hazardous business* ◆ **2.1** dat was een hele ~ *that was a big r. / taking a big chance / quite a hazardous business.*
waggelbenen 〈onov.ww.〉 **0.1** *totter* ⇒*waddle,* 〈mbt. jong kind〉 *toddle, wobble.*
waggelbuik 〈de (m.)〉 **0.1** [dikke buik] *(sagging) paunch* ⇒*pot(belly)* **0.2** [persoon] *s.o. with a paunch.*
waggelen 〈onov.ww.〉 **0.1** [zich wankelend voortbewegen] *totter* ⇒*stagger,* 〈van eend, dikke mensen〉 *waddle,* 〈van klein kind〉 *toddle, teeter* **0.2** [wankelen] *wobble* ◆ **1.1** de ~de loop v.e. dronkeman *a drunkard's tottery / wobbling gait* **1.2** deze stoel waggelt *this chair wobbles / is wobbly / rickety* **6.1** hij waggelde **naar** binnen *he reeled / staggered / tottered / teetered in;* de eend / de gans waggelde **naar** de overkant *the duck / goose waddled / waggled to the other side.*
waggelend 〈bn.〉 **0.1** *tottering* ⇒*rickety, waddling, staggering, toddling.*
waggelgang 〈de (m.)〉 **0.1** *totter / wobbling gait, a waddle / toddle / waggle.*
wagneriaans 〈bn.〉 **0.1** *Wagnerian.*
wagon 〈de (m.)〉 **0.1** [spoorwagen] 〈*railway / ᴬrailroad*〉 *carriage* 〈voor reizigers〉; 〈voor vracht, open〉 ᴮ*wag(g)on,* ᴮ*truck;* 〈voor vracht, ge-

---

sloten〉 *van;* 〈AE ook〉 *car* **0.2** [lading] *wag(g)onload* ⇒*truckload, vanload,* 〈AE ook〉 *carload* ◆ **2.1** franco ~ *free on rail.*
wagonkipper 〈de (m.)〉 **0.1** *tip.*
wagonlading 〈de (v.)〉 **0.1** *wag(g)onload* ⇒ᴮ*truckload, vanload,* 〈AE ook〉 *carload* ◆ **1.1** een ~ steenkolen *a wag(g)onload / truckload of coal* **6.1** met ~en tegelijk *by the wag(g)onload, wag(g)onloads at a time.*
wagon-lit 〈de (m.)〉 **0.1** *wagon-lit* ⇒*sleeping car, sleeper.*
wajang 〈de (m.)〉 **0.1** *wayang, wajang* ⇒*shadow play (with puppets)* ◆ **¶.1** ~ poerwo *wayang purwo.*
wak¹ 〈het〉 **0.1** *hole* ◆ **2.1** dichte~ken *spots with weak / thin ice;* een open~ *an ice-hole* **3.1** een ~ markeren *mark a h. in the ice* **6.1** in een ~ rijden *skate into a h.;* hij zakte **in** een ~ en verdronk *he fell through the thin ice and drowned.*
wak² 〈bn.〉 **0.1** *damp* ⇒*wet (but mild), mizzling* ◆ **1.1** ~ weer *d. / wet / mizzling weather;* het is een ~ke winter *it is a wet but mild winter;* ~ke zaden *d. seeds.*
wakaman 〈de (m.)〉〈inf.〉 **0.1** *hustler.*
wake →**waak.**
waken 〈onov.ww.〉 **0.1** [opzettelijk wakker blijven] *watch* ⇒*keep watch / vigil, stay awake, sit up* **0.2** [het oog houden op] *watch* ⇒*guard* ◆ **3.1** tussen slapen en ~ *between sleep and wake / waking / wake and dream* **5.2** ervoor ~ dat iets gebeurt *make sure / take care sth. does not happen* **6.1** bij een zieke ~ *sit up with an ill person / invalid;* **bij** een lijk ~ *keep watch / vigil over a corpse* **6.2** over iemands eigendommen ~ *(keep) w. over / guard s.o.'s property;* ~ **tegen** misbruik *guard against misuse / malpractices;* **voor** iemands belangen ~ *w. / protect s.o.'s interests* **¶.1** om de beurt ~ *keep watch in turns, take it in turns to w..*
wakend 〈bn.〉 ◆ **1.¶** een ~ oog over / op iets / iem. houden *keep a watchful eye on sth. / s.o..*
waker 〈de (m.)〉 **0.1** [wachter] *watchman* ⇒*watcher, guard* **0.2** [zeedijk] ≠*sea dike* **0.3** [windwijzer] *dogvane* ⇒*telltale* **0.4** [〈vis.〉] *float* **0.5** [klos die belet dat een (sluis)deur te ver opengaat] *stop* **0.6** [verankerde ton / boei] *buoy.*
wakker 〈bn., bw.〉〈→sprw. 287〉 **0.1** [niet slapend] *awake* ⇒*alert, astir* **0.2** [monter, kwiek] *alert* ⇒*wide-awake, spry, smart, brisk* ◆ **3.1** 〈fig.〉 ze moeten eens flink ~ geschud worden *they need a thorough shake-up;* ~ kloppen ᴮ*knock up* ᴬ*wake up (in the morning);* 〈fig.〉 daar lig ik niet van ~ *that's not going to come between me and my sleep, I'm not going to lose any sleep over it;* 〈fig.〉 iets bij iem. ~ maken *stir sth. up in s.o.;* waken s.o. to sth. 〈iets nieuws〉 *;evoke sth. in s.o.;* hij roept de slechtste instincten in mij ~ *he brings out the worst in me;* ~ schrikken *wake up with a start;* iem. ~ schudden *jolt / shake s.o. a.;* iem. uit zijn droom ~ schudden 〈ook〉 *rouse s.o. from his dream;* ~ worden and wake up; 〈fig.〉 *sit up and take notice* **5.1** hij is nog niet goed ~ *he's not properly / quite a. yet;* klaar ~ *wide-awake.*
wakkerheid 〈de (v.)〉〈schr.〉 **0.1** *alertness* ⇒*spryness, briskness.*
wal 〈de (m.)〉〈→sprw. 558〉 **0.1** [ophoping van grond] *(em)bank(ment)* ⇒〈van vesting〉 *rampart, bulwark,* 〈mbt. vesting, meestal mv.〉 *wall* **0.2** [kade] *quay(side)* ⇒*waterside, wharf(side), embankment* **0.3** [het vaste land] *shore* ⇒*land, coast* **0.4** [verdikking] *bag* ⇒*pouch* ◆ **1.2** 〈fig.〉 dat raakt kant noch ~ *that's neither here nor there* **2.2** hoger ~ *windward s.;* lager ~ *lee s.;* aan lager ~ geraken 〈lett.〉 *be borne down on the lee shore;* 〈fig.〉 come down in the world / in life, get into low water, run / go to seed; aan lager ~ zijn / zitten *be down and out / up against it / at a low ebb / on the rocks / in the gutter* **3.1** een ~ opwerpen 〈lett.〉 *throw up an e. / a dyke;* 〈fig.〉 *put up a barrier, curb, contain* **3.4** ~len onder de ogen hebben *have bags / pouches under one's eyes* **6.2** het schip ligt **aan** de ~ *the ship is in the harbour / in dock / alongside;* **aan** de ~ on shore, ashore; **langs** de ~ zeilen / terechtkomen 〈fig.〉 *sail a steady / safe course, get nowhere;* 〈fig.〉 dat haalt niets **op** de ~ *that's fruitless / useless;* **tussen** ~ en schip vallen *fall between two stools;* **uit** de ~ off shore; **van** ~ steken 〈lett.〉 *push off;* 〈fig.〉 *push off, go ahead, proceed;* iem. **van** de ~ in de sloot helpen *get s.o. out of / from the frying pan into the fire, bring s.o. from bad to worse;* steek maar eens **van** ~! *fire away!, go ahead!* **6.3 aan** ~ gaan *go ashore, disembark, debark;* **aan** de ~ blijven *stay ashore;* **aan** ~ brengen *land, bring (sth. / s.o.) ashore* **7.1** van twee ~len eten *run with the hare and hunt with the hounds, have one's cake and eat it, butter one's bread on both sides* **¶.2** 〈fig.〉 dan keert de ~ het schip *things will run their course, but then there will be a price to pay.*
waladres 〈het〉 **0.1** *onshore address.*
walbaas 〈de (m.)〉 **0.1** *loading clerk* ⇒*wharf-master.*
walberg 〈de (m.)〉〈geol.〉 **0.1** *push moraine.*
walbeschoeiing 〈de (v.)〉 **0.1** *sheet piling* ⇒*camp-shot.*
waldhoorn 〈de (m.)〉 **0.1** *French horn.*
walduinen 〈zn.mv.〉 **0.1** ≠*wall-like / wall-sided dunes.*
walen 〈onov.ww.〉 **0.1** [kenteren] *turn* **0.2** [〈scheep.〉 draaien] *rotate* ⇒*gyrate* **0.3** [wankelen] *waver* ⇒*vacillate, hesitate* ◆ **1.1** ~d tij *turning tide, tide on the turn* **1.2** een ~de kompasnaald *a rotating / gyrating compass needle.*
walg 〈de (m.)〉 **0.1** *loathing* ⇒*disgust* ◆ **3.1** ergens een ~ van hebben *have a l. of / loathe sth., be disgusted / revolted by sth..*

walgelijk ⟨bn., bw.; -ly⟩ 0.1 *disgusting* ⇒*loathsome, repulsive, revolting, sickening* ◆ 1.1 een ~ gezicht *a d.* / *revolting* / *nauseating sight;* een ~e stank / smaak *a nauseating* / *vile stench* / *taste* 2.1 ~ eigenwijs *disgustingly conceited* / *pig-headed;* ~ rijk *stinking* / *filthy rich* 3.1 ik vind het ~ *I think it's d.* / *revolting.*

walgen ⟨onov.ww.⟩ 0.1 [fysieke afkeer voelen] *be nauseated* ⇒*be made sick* 0.2 [⟨fig.⟩] *be disgusted* ⇒*be revolted, be nauseated, be filled with disgust* / *revulsion* ◆ 3.1 de reuk van dat eten deed me ~ *the smell of that food nauseated me* / *made my gorge rise* / *turned my stomach* 3.2 het doet me ~ *I find it disgusting* / *revolting* / *nauseating* 5.2 ik walg ervan *it makes my gorge rise* / *turns my stomach* 6.1 tot ~s toe verzadigd *satiated ad nauseam* 6.2 van iem. / iets ~ *be disgusted* / *revolted* / *nauseated by s.o.* / *sth.;* ik walg **van** die man *that man repels* / *revolts* / *disgusts* / *sickens* / *nauseates me.*

walging ⟨de (v.)⟩ 0.1 *disgust* ⇒*loathing, revulsion, nausea* ◆ 5.1 zich vol ~ van iets afwenden *turn away from sth. in d.* / *revulsion.*

walgljik →**walgelijk.**

walhalla ⟨het⟩ 0.1 [⟨Germaanse myth.⟩] *Valhalla, Walhalla, Valhall* 0.2 [⟨fig.⟩] *Valhalla, Walhalla, Valhall.*

walhoofd ⟨het⟩ 0.1 *abutment (of a bridge).*

waling ⟨de (v.)⟩ 0.1 [kentering] *turn(ing)* 0.2 [weifeling] *wavering* ⇒*vacillation, hesitation.*

walk ⟨de⟩ 0.1 [lebmaagaftreksel] *rennet* 0.2 [plak klei] *'walk'* ⟨*piece of clay from which a roof tile is made*⟩

walkant ⟨de⟩ 0.1 *quayside* ⇒*waterside, water's edge.*

walkapitein ⟨de (m.)⟩ 0.1 *onshore superintendent* ⇒*shore captain, wharfinger.*

walkruid →**walstro.**

walkure ⟨de (v.)⟩ ⟨Germaanse myth.⟩ 0.1 *Valkyrie, Walkyrie, Valkyr.*

wallekant →**walkant.**

walletje ⟨het⟩ 0.1 *small* / *low dam* / *(em)bank(ment)* / *dyke* ◆ 2.1 de Amsterdamse ~s *the red-light district of Amsterdam* 3.¶ het ~ moet bij het schuurtje blijven *one must cut your coat to suit one's cloth, one should live within one's income, one should not overdo it* 6.1 ⟨fig.⟩ **bij** het ~ langs *a narrow escape, a close shave, touch and go.*

walleven ⟨het⟩ 0.1 *life ashore* ⇒*harbour life.*

wallingant ⟨de (m.)⟩ ⟨AZN⟩ 0.1 *'wallingant'* ⟨*fighter for Walloon*⟩.

Wallonië ⟨het⟩ 0.1 *the Walloon provinces in Belgium.*

walm ⟨de (m.)⟩ 0.1 *(thick* / *dense) smoke* ⇒*smother,* ⟨gew.⟩ B *smeech, smoulder* ^*smolder.*

walmen ⟨onov.ww.⟩ 0.1 *smoke.*

walmuur ⟨de (m.)⟩ 0.1 *retaining wall.*

walnoot
   I ⟨de (m.)⟩ 0.1 [boom] *walnut (tree);*
   II ⟨de⟩ 0.1 [noot] *walnut.*

walnoteboom ⟨de (m.)⟩ 0.1 *walnut tree.*

walploeg ⟨de⟩ 0.1 *quayside team.*

walradar ⟨de (m.)⟩ 0.1 *shore radar* ⇒*harbour radar.*

walrus ⟨de (m.)⟩ 0.1 [dier] *walrus* 0.2 [⟨mv.⟩ familie] *walrus* ◆ 8.1 snuiven als een ~ *puff like a grampus.*

wals
   I ⟨de⟩ 0.1 [pletrol] *roller* ⇒*cylinder* 0.2 [toestel met pletrollen] ⟨wegwals⟩ *steam* / *roadroller;* ⟨voor metalen, plastic, leer⟩ *(rolling) mill;*
   II ⟨de⟩ 0.1 [dans] *waltz* ⇒*Valse* ◆ 2.1 Engelse / Weense ~ *English* / *Viennese w..*

walsbaar ⟨bn.⟩ 0.1 *rollable* ⇒*millable.*

walschipper →**walkapitein.**

walschot ⟨het⟩ 0.1 *spermaceti* ⇒*sperm.*

walsdraad ⟨het⟩ 0.1 *rolled wire.*

walsen
   I ⟨onov.ww.⟩ 0.1 [de wals dansen] *waltz* 0.2 [(+over) het onderspit doen delven] *steamroller* ⇒*crush, bulldoze* ◆ 6.2 ⟨sport⟩ **over** de tegenstander heen ~ *s. the opponent;*
   II ⟨ov.ww.⟩ 0.1 [met een wals pletten] *roll* / *steamroller* ⟨een wegdek⟩; *roll* ⟨metaal, plastics, leer⟩ ◆ 1.1 metaal tot platen en profielen ~ *roll metal into sheets and sections.*

walser ⟨de (m.)⟩ 0.1 [iem. die de wals danst] *waltzer* 0.2 [arbeider die walswerk verricht] *roller.*

walserij ⟨de (v.)⟩ 0.1 *rolling mill.*

walsfiguur ⟨het, de⟩ 0.1 *waltz figure.*

walsmaat ⟨de⟩ ⟨muz.⟩ 0.1 *waltz time* ⇒*three-four time.*

walspers ⟨de⟩ 0.1 *rolling-press.*

walsrol ⟨de⟩ 0.1 *roller* ⇒*cylinder, roll.*

walsstaal ⟨het⟩ 0.1 *rolled steel.*

walsstraat ⟨de⟩ 0.1 *rolling train.*

walstro ⟨het⟩ 0.1 *(Lady's) bedstraw* ⇒*cheeserennet* ⟨Galium verum⟩.

walswerk ⟨het⟩ 0.1 [handeling, plaats]⟨handeling⟩ *rolling;* ⟨fabriek⟩ *rolling mill* 0.2 [resultaat] *rolled product.*

walvis ⟨de (m.)⟩ 0.1 [walvisachtige] *whale* 0.2 [⟨pregn.⟩ baleinwalvis] *(baleen* / *whalebone) whale* ◆ 2.2 Groenlandse ~ *Greenland (right) w., bowhead (w.), steeptelop;* witte ~ *white w., bel(o)uga.*

walvisaas ⟨het⟩ ⟨biol.⟩ 0.1 *whale('s) food* ⇒⟨dierk.⟩ *clio* ⟨Clio borealis⟩.

walvisachtigen ⟨zn.mv.⟩ 0.1 ⟨biol.⟩ *cetaceans* ⇒*whales.*

walvisbaard ⟨de (m.)⟩ 0.1 *whalebone.*

walvishaai ⟨de (m.)⟩ 0.1 *whale* / *basking shark.*

walvisjager ⟨de (m.)⟩ 0.1 [persoon] *whaler* ⇒*whale fisher* / *hunter* / *catcher, whaleman* 0.2 [vaartuig] *whaler* ⇒*whale boat, whaling vessel.*

walvisspek ⟨het⟩ 0.1 *blubber.*

walvisstation ⟨het⟩ 0.1 *whaling station.*

walvistraan ⟨de⟩ 0.1 *whale* / *train oil.*

walvisvaarder ⟨de (m.)⟩ 0.1 [schip] *whaler* ⇒*whale ship, whaling vessel, factory ship* 0.2 [persoon] *whaler* ⇒*whale fisher* / *hunter, whaleman.*

walvisvaart ⟨de⟩ 0.1 *whaling, whale fishing* ⇒*whaling industry.*

walvisvangst ⟨de (v.)⟩ 0.1 *whaling* ⇒*whale fishery* / *hunting.*

walvisvloot ⟨de⟩ 0.1 *whaling fleet.*

walwerker ⟨de (m.)⟩ 0.1 *docker* ⇒*dock worker.*

wam¹ ⟨de⟩ 0.1 [halskwab] *dewlap* 0.2 [walvisbaard] *whalebone* 0.3 [⟨leerlooierij⟩] *belly part.*

wam² ⟨tw.⟩ 0.1 *wham.*

wambuis ⟨het⟩ 0.1 *jerkin* ⇒*doublet,* ⟨onder maliënkolder⟩ *gambeson,* ⟨scheep.⟩ *monkey-jacket, pea jacket* / *coat.*

wammen ⟨ov.ww.⟩ 0.1 *gut.*

wammes ⟨het⟩ 0.1 ⟨→wambuis⟩ ◆ 6.1 op zijn ~ krijgen *have* / *get one's jacket dusted.*

wamstuk ⟨het⟩ 0.1 *breast, brisket* ⟨van koe⟩; *belly* ⟨van vis⟩.

wan¹
   I ⟨het⟩ 0.1 [lek] *leak(age);*
   II ⟨de⟩ 0.1 [schudzeef] *winnow* ⇒*winnowing-far* / -*mill, bolter.*

wan² ⟨bn.⟩ 0.1 *bad* ⇒*wrong, useless* ◆ 1.1 een ~ne baal *a slack bag;* de ~ne kant van het hout *the wane* / *waney edge of timber.*

wanbedrijf ⟨het⟩ ⟨Belg.; jur.⟩ 0.1 *crime* ⇒*offence* ◆ 6.1 straf **voor** wanbedrijven *punishment of crime(s)* / *offences.*

wanbegrip ⟨het⟩ 0.1 *fallacy* ⇒*misconception, wrong* / *false* / *erroneous idea* / *notion* ◆ 3.1 getuigen van ~ *show a lack of understanding.*

wanbeheer ⟨het⟩ 0.1 *mismanagement* ⇒*maladministration.*

wanbeleid ⟨het⟩ 0.1 *mismanagement* ⇒*maladministration, misrule, misgovernment* ◆ 3.1 een ~ voeren *mismanage the business, misgovern* / *misrule the nation.*

wanbesef ⟨het⟩ 0.1 *misconception* ⇒*fallacy, wrong* / *false* / *erroneous idea.*

wanbestuur ⟨het⟩ 0.1 *misgovernment* ⇒*misrule, mismanagement.*

wanbetaler ⟨de (m.)⟩ 0.1 *defaulter* ⇒⟨effectenbeurs⟩ *lame duck.*

wanbetaling ⟨de (v.)⟩ 0.1 *default* ⇒*non-payment* ◆ 6.1 **bij** ~ *in d. of payment, in case of non-payment.*

wanbewoning ⟨de (v.)⟩ 0.1 ⟨*(ruining a house by) neglect*⟩.

wanbof ⟨de (m.)⟩ ⟨inf.⟩ 0.1 *bad* / *hard* / *tough luck.*

wanboffen ⟨onov.ww.⟩ 0.1 *have (a stroke of) bad luck* ⇒*be down on one's luck,* ⟨lang achtereen⟩ *have a run* / *streak of bad luck, go through a bad patch.*

wanboffer ⟨de (m.)⟩ ⟨inf.⟩ 0.1 *unlucky person* ⇒⟨scherts.⟩ *walking disaster area,* ⟨vrouw ook⟩ *calamity Jane.*

wand ⟨de (m.)⟩ ⟨→sprw. 141,414⟩ 0.1 [muur] *wall* ⇒⟨tussenwand⟩ *partition, face* ⟨van rots⟩, *side* ⟨van schip, doos, vat, enz.⟩, ⟨tech.; buitenwand⟩ *skin* ⟨van oven, geleider, vliegtuig⟩ 0.2 [omsluiting] *wall* ⇒⟨biol.⟩ *septum* ⟨tussen holtes of weefsels⟩ 0.3 [⟨scheep.⟩ tussenschot] *bulkhead* ⇒*partition* ◆ 1.2 de ~ van een ader / van de darm *the w. of an artery* / *the intestine;* de ~ v.e. capillair *a capillary wall* 2.2 een buis met dikke ~en *a thick-walled tube* 6.1 ⟨fig.⟩ een teken **aan** de ~ *an omen;* iets **aan** de ~ hangen *hang* / *put sth. on the w..*

wandaad ⟨de⟩ 0.1 *outrage* ⇒*misdeed, enormity, wrong-doing* ⟨meestal mv.⟩, ⟨lit.⟩ *heinous deed.*

wandbeen ⟨het⟩ 0.1 *parietal bone.*

wandbekisting ⟨de (v.)⟩ 0.1 *formwork* ⇒⟨vnl. BE ook⟩ *shuttering.*

wandbekleding ⟨de (v.)⟩ 0.1 [handeling] *covering of a wall* 0.2 [materiaal] *wall covering* ⇒*cladding* ⟨v. buitenmuur⟩.

wandbeschot ⟨het⟩ 0.1 *panelling* ^*paneling* ⇒*wainscot(ting).*

wandbetimmering ⟨de (v.)⟩ 0.1 *panelling* ^*paneling* ⇒*wainscot(ting).*

wandbord ⟨het⟩ 0.1 *decorative plate.*

wandcontactdoos ⟨de⟩ 0.1 *(wall) socket* ⇒⟨vnl. AE⟩ *wall outlet.*

wandel ⟨de (m.)⟩ 0.1 [het wandelen] *walk* ⇒*stroll* 0.2 [afstand] *walk* ⇒*stretch* ◆ 1.¶ iemands handel en ~ *s.o.'s conduct* / *behaviour* / ⟨inf.⟩ *carryings-on* ⟨los, luidruchtig⟩ / ⟨inf.; pej.⟩ *wheeling and dealing* 2.2 dat is een hele ~ *that is quite a w.* 6.1 hij is **op** / **aan** de ~ *he is* / *has gone out for a w.* / *stroll.*

wandelaar ⟨de (m.)⟩, -**ster** ⟨de (v.)⟩ 0.1 *walker* ⇒*stroller, hiker* ⟨grote afstanden⟩ ◆ 2.1 zij zijn geen grote ~s *they don't like walking, they are no great walkers* / *hikers.*

wandeldek ⟨het⟩ 0.1 *promenade (deck).*

wandelen ⟨onov.ww.⟩ 0.1 *walk* ⇒⟨lang, vnl. buiten⟩ *ramble,* ⟨trekken⟩ *hike,* ⟨kuieren⟩ *stroll, amble,* ⟨flaneren⟩ ^*promenade* ◆ 1.1 een eindje / een uurtje ~ *go for* / *take a short* / *an hour's walk, w. a stretch* / *for an hour* 3.1 met de kinderen gaan ~ *take the children for a walk* / *an airing;* met de hond gaan ~ *take the dog for a walk* / *a run* 5.1 wat heen en weer ~ *w. up and down, w. about* 6.1 **met** God ~ *w. with God* ¶.1 ⟨bijb.⟩ neem uw bed op en wandel *take up thy bed, and walk.*

wandelend 〈bn.〉 **0.1** *walking* ⇒*wandering, rambling* ◆ **1.1** ~ blad *walking leaf, leaf insect;* ~e duinen *shifting dunes;* een ~ geraamte *skin and bones, a walking / living skeleton;* de ~e Jood *the Wandering Jew;* een ~e nier *a floating kidney;* een ~ souper *a buffet / stand-up dinner;* ~e tak *stick-insect;* 〈vnl. AE〉 *walking-stick, spectre;* een ~ woordenboek *a walking dictionary.*

wandeletappe 〈de〉 〈sport; scherts.〉 **0.1** *jaunt (in the country)* ◆ **3.1** de renners maakten er een ~ van *the riders treated this stage like a / as if they were on a jaunt in the country.*

wandelgang 〈de (m.)〉 **0.1** [gang in een gebouw] *lobby* ⇒〈fig. vaak mv.〉 *corridor, coulisse* **0.2** [tred] *walk* ⇒*footpace, walking pace* ◆ **6.1** in de ~en van de Kamers *in the corridors of Parliament;* praatje in de ~en *corridor chat;* iets in de ~en horen 〈fig.〉 *pick sth. / information up somewhere.*

wandelhoofd 〈het〉 **0.1** *promenade pier.*

wandeling 〈de (v.)〉 **0.1** [keer dat men wandelt] *walk* ⇒*stroll,* 〈uitstapje〉 *ramble,* 〈sport〉 *hike,* 〈flaneren〉 [promenade] *promenade* **0.2** [afstand] *walk* ⇒*stretch, hike* ◆ **2.1** een militaire ~ *a walkover* **2.2** dat is een flinke / fikse ~ *that is a good / sharp / fair w. / hike, that's quite a w.* **3.1** een ~ maken *have / go for / take a w.* **6.¶** in de ~ bekend als ... *popularly known as / called ....*

wandelkaart 〈de〉 **0.1** [kaart met de wandelwegen] *walking map / guide* ⇒〈voor trekkers〉 *hiking map / guide* **0.2** [vergunning] *walking / hiking permit.*

wandelklas 〈de (v.)〉 **0.1** 〈*class without a classroom of its own*〉.

wandelmars 〈de〉 **0.1** *walking trip* ⇒〈trekken〉 *hiking trip / hike.*

wandelpad 〈het〉 **0.1** *footpath, footway* ⇒*promenade walk* 〈in tuin / park〉.

wandelpas 〈de (m.)〉 **0.1** *walking pace* ⇒*walk, footpace.*

wandelpier 〈de (m.)〉 **0.1** *promenade pier.*

wandelpromenade 〈de (v.)〉 **0.1** *esplanade* ⇒*promenade,* ↓*prom* 〈in BE vnl. aan zee〉.

wandelschoen 〈de (m.)〉 **0.1** *walking / hiking shoe.*

wandelsport 〈de〉 **0.1** *hiking* ⇒*rambling.*

wandelstok 〈de (m.)〉 **0.1** *walking-stick / -staff, -cane.*

wandelstraat 〈de〉 **0.1** *pedestrian precinct.*

wandeltocht 〈de (m.)〉 **0.1** *walking tour* ⇒*hike, ramble* ◆ **3.1** een ~ maken *go on a walk / hike / ramble.*

wandelwagen 〈de (m.)〉 **0.1** 〈BE〉 *buggy, pushchair;* ^*stroller.*

wandelweer 〈het〉 **0.1** *walking weather.*

wandelweg 〈de (m.)〉 **0.1** *walk(way)* ⇒*footpath / way,* 〈wandelplaats〉 *promenade,* ↓*prom* 〈in BE vnl. aan zee〉.

wandkaart 〈de〉 **0.1** 〈alg.〉 *wall chart;* 〈vnl. aardr.〉 *wall map.*

wandkalender 〈de (m.)〉 **0.1** *wall calendar.*

wandkast 〈de〉 **0.1** *built-in cupboard;* 〈AE〉 *closet.*

wandkleed 〈het〉 **0.1** *tapestry* ⇒*wall hanging(s).*

wandklok 〈de〉 **0.1** *wall clock.*

wandkluis 〈de〉 **0.1** *built-in safe.*

wandkoffiemolen 〈de (m.)〉 **0.1** *wall coffee mill.*

wandlamp 〈de〉 **0.1** *wall lamp.*

wandluis 〈de〉 **0.1** *bedbug* ⇒*chinch (bug).*

wandmeubel 〈het〉 **0.1** *wall unit.*

wandmodel 〈het〉 **0.1** *wall model.*

wandpijler 〈de〉 **0.1** *pilaster* ⇒*respond.*

wandplaat 〈de〉 **0.1** [plaat aan de wand] *wall chart* **0.2** [in een wand aangebrachte plaat] *(wall) tablet* ⇒*plaque.*

wandrek 〈het〉 〈mv.〉 **0.1** *wall bars.*

wandschilder 〈de (m.)〉, -es 〈de (v.)〉 **0.1** *muralist.*

wandschildering 〈de (v.)〉 **0.1** *mural* ⇒*wall painting, fresco.*

wandschoor 〈de (m.)〉 〈bouwk.〉 **0.1** *shore* ⇒*support, stay, prop.*

wandschroot 〈de (m.)〉 **0.1** *lath.*

wandspanning 〈de (v.)〉 〈med.〉 **0.1** *(arterial) wall tension.*

wandspiegel 〈de (m.)〉 **0.1** *wall mirror.*

wandstandig 〈bn.〉 〈biol.〉 **0.1** *parietal.*

wandtafel 〈de〉 **0.1** *console table* ⇒*side table.*

wandtapijt 〈het〉 **0.1** *tapestry* ⇒*wall hanging(s).*

wandtegel 〈de (m.)〉 **0.1** *wall tile.*

wandtekst 〈de (m.)〉 **0.1** *ornamental (Bible) text* ⇒*motto.*

wandtoestel 〈het〉 **0.1** *wall telephone.*

wandversiering 〈de (v.)〉 **0.1** *mural / wall decoration.*

wanen 〈ov.ww.〉 **0.1** *imagine, think* ◆ **2.1** iem. dood ~ *believe / think that s.o. is dead* **4.1** wij waanden ons in het paradijs *we imagined ourselves / seemed to be in paradise;* zich gelukkig ~ *think o.s. happy.*

wang 〈de〉 **0.1** [deel v.h. gezicht] *cheek* **0.2** [zijwand / kant] 〈alg.〉 *sidepiece* ⇒〈van dakraam / kanon〉 *cheek* **0.3** [zijstuk v.e. mast] *cheek* ◆ **2.1** blozende ~en *glowing / rosy cheeks;* bolle ~en *round / plump / chubby cheeks;* ingevallen / behaarde ~en *sunken / hairy cheeks;* met rode / blozende ~en *red- / rosy-cheeked* **3.1** hij bolde zijn ~en *he ballooned his cheeks;* iem. de andere ~ toekeren *turn the other c.* **6.1** ~ aan ~ *c. to c., c. by jowl;* iem. een kneepje in de ~ geven *pinch s.o.'s c.;* kuiltjes in de ~en *dimpled cheeks;* tranen liepen over haar ~en *tears were rolling down her cheeks.*

wangbeen〈het〉 〈med.〉 **0.1** *cheekbone.*

wangebruik 〈het〉 **0.1** *abuse* ⇒*misuse.*

wangedrag 〈het〉 **0.1** *misbehaviour;* 〈formeel〉 *misconduct.*

wangedrocht 〈het〉 **0.1** *monster, monstrosity* ⇒*freak (of nature).*

wangestalte 〈de (v.)〉 **0.1** *monster, monstrosity* ⇒*freak (of nature).*

wangetje 〈het〉 **0.1** [kleine wang] *small cheek* **0.2** [uitzakking v.e. autoband] *bulge* ◆ **2.1** 〈fig.〉 appels met rode ~s *rosy-cheeked apples.*

wangklier 〈de〉 〈med.〉 **0.1** *buccal gland.*

wangkwab 〈de〉 **0.1** *jowl.*

wangspier 〈de〉 〈med.〉 **0.1** *buccinator* ⇒*trumpeter (muscle).*

wangunst 〈de (v.)〉 **0.1** [ongunst] 〈schr.〉 *disfavour;* 〈ongemarkeerd〉 *disgrace* **0.2** [jaloezie] *envy* ⇒〈sterker〉 *jealousy.*

wangzak 〈de (m.)〉 **0.1** *pouch.*

wanhoop 〈de〉 **0.1** [radeloosheid] *despair* ⇒*desperation, dismay, despondency* **0.2** [iets wanhopigs] *despair* ◆ **1.1** met de moed der ~ *in desperation, in a last desperate effort;* in een vlaag van ~ *in a frenzy of despair / fit of desperation* **2.1** diepe ~ *black despair;* in grote ~ *in great despair / distress* **3.1** in ~ geraken *get / grow / become desperate* **3.2** 't is een ~ met die bevroren waterleiding *the frozen waterpipes are a real bother /* 〈sl.〉 *a real pain in the ass / neck;* een ~ zijn voor iem. *be s.o.'s d.* **6.1** met ~ vervullen *dismay, fill (s.o.) with despair / dismay;* iem. tot ~ brengen / drijven *drive s.o. to distraction, fill s.o. with despair, be the despair of s.o.* **¶.1** de ~ nabij zijn *be on the verge of despair.*

wanhoopsdaad 〈de〉 **0.1** *act of despair, desperate act.*

wanhoopskreet 〈de (m.)〉 **0.1** *cry of despair, desperate / despairing cry* ⇒*agonized cry.*

wanhopen 〈onov.ww.〉 **0.1** *despair* ◆ **3.1** zij begonnen te ~ *they started to get / grow desperate, they began to d. / were close to despair* **6.1** ~ aan d. *of* **¶.1** er aan ~ iets te kunnen doen *d. of being able to do sth. / help.*

wanhopend 〈bn., bw.〉 **0.1** *despairing* ⇒*desperate, in desperation / despair.*

wanhopig 〈bn., bw.; -ly〉 **0.1** [zonder hoop] *desperate* ⇒*despondent, hopeless, despairing,* 〈vnl. schr.〉 *forlorn* **0.2** [wanhoop uitdrukkend] *desperate* ⇒*despairing* **0.3** [uit wanhoop] *desperate* ⇒*despairing* **0.4** [wanhoop veroorzakend] *desperate* ⇒*hopeless, despairing* ◆ **1.2** ~e gebaren *desperate / despairing gestures, gestures of despair* **1.3** een laatste ~e poging *a last ditch / last desperate attempt;* ~e pogingen *desperate / frantic efforts* **1.4** 't is een ~ boel in dat gezin *it's a pretty desperate / hopeless mess in that family* **3.1** iem. ~ maken *drive s.o. to despair / desperation / distraction;* ↓*drive s.o. up the wall;* 〈AE; inf.〉 *get s.o. up a stump;* zich ergens ~ aan vastklampen *hang / hold on to sth. like grim death;* zij wachtten ~ op hulp *they were desperate for help;* ~ zijn *be in despair, be desperate / despondent / frantic, be at one's wits' end;* ~ zoeken naar iets *look desperately / frantically for sth..*

wanhout 〈het〉 **0.1** [slecht hout] *bad / low quality wood* **0.2** [hout dat niet gekantrecht is] *wan(e)y / ^unbevelled / ^unbeveled timber.*

wankant 〈de〉 **0.1** [zijde] *wane* ⇒*unbevelled ^eled edge (of timber)* **0.2** [hout] *wan(e)y / unbevelled ^eled timber.*

wankel 〈bn., bw.; -ly〉 **0.1** [niet vast] *shaky* ⇒*unstable, unsteady, wobbly,* 〈BE; inf.〉 *groggy, dodgy* **0.2** 〈fig.〉 *shaky* ⇒*unstable, unsteady, insecure* ◆ **1.1** op ~e benen *on s. legs;* ~evenwicht *s. balance;* ~e schreden *tottering / faltering / unsteady steps;* die sofa / tafel is nogal ~ *that sofa / table is unstable / dodgy / wobbly / s.;* ~e stoelen *rickety chairs* **1.2** iets op een ~e basis bouwen *build sth. on a tottery / an unstable basis;* het ~e geluk *brittle happiness* **3.1** ~ op de benen staan *be uncertain / unsteady;* ↓*rocky on one's legs* **3.2** zijn kansen staan ~ *his chances are uncertain;* ↓*dicey / s..*

wankelbaar 〈bn., bw.; -ly〉 **0.1** [gemakkelijk wankelend, 〈ook fig.〉] *unstable, unsteady* ⇒*shaky* **0.2** [weifelend] *unstable* ⇒*irresolute, vacillating, wavering, hesitant* ◆ **1.1** een ~ evenwicht *an unstable balance;* een wankelbare reputatie *an unsteady reputation* **1.2** een ~ mens *an irresolute / u. person* **6.2** ~ in zijn besluit *faltering / wavering in one's decision.*

wankelen 〈onov.ww.〉 **0.1** [onvast zijn] *stagger* ⇒*reel, totter* **0.2** [waggelen] *stagger* ⇒*totter, reel, wobble, sway* **0.3** [weifelen] *waver (between)* ⇒*falter, vacillate (between)* ◆ **1.1** de danseres wankelde een moment *the dancer reeled / staggered for a moment* **6.2** hij wankelt naar de deur *he staggers to the door* **6.3** mijn principes zijn aan het ~ gebracht *my principles have been shaken / undermined;* in zijn besluit / in het geloof ~ *falter / waver / vacillate in one's decision / faith.*

wankeling 〈de (v.)〉 **0.1** [keer dat men wankelt] *stagger* ⇒*totter, sway* **0.2** [aarzeling] *waver* ⇒*falter, vacillation.*

wankelmoedig 〈bn., bw.; -ly〉 **0.1** *unstable* ⇒*irresolute, vacillating, wavering, fickle* ◆ **1.1** een ~ karakter *an u. nature;* een ~ mens *an u. / irresolute person.*

wankelmoedigheid 〈de (v.)〉 **0.1** *wavering* ⇒*irresolution, vacillation, irresoluteness.*

wankelmotor 〈de (m.)〉 **0.1** *wankel engine.*

wanklank 〈de (m.)〉 **0.1** *dissonance, discord(ance)* 〈ook fig.〉 ⇒*cacophony, jarring / discordant / false note* ◆ **7.1** geen ~ verstoorde de feestvreugde *the merrymaking wasn't disturbed by a single false note.*

wanluidend 〈bn., bw.; -ly〉 **0.1** *dissonant, discordant* ⇒*jarring, cacophonous* ◆ **2.1** een ~e stem *a jarring voice.*

wanmolen ⟨de (m.)⟩ **0.1** *winnow(er), fanner, fanning mill.*

wanneer¹ ⟨bw.⟩ **0.1** [op welke tijd] *when* **0.2** [in welk geval] *when* ◆ **3.1** ~ komt de trein? *when does the train arrive?* **3.2** ~ zijn twee driehoeken aan elkaar gelijk? *when are two triangles identical?* **5.2** ~ dan ook *whenever.*

wanneer² ⟨vw.⟩ **0.1** [als] *when* **0.2** [indien] *if* **0.3** [telkens als] *whenever* ⇒*if* ◆ ¶**.1** ~ de zon ondergaat, wordt het koel *when the sun sets, it gets cooler* ¶**.2** hij zou beter opschieten, ~ hij meer zijn best deed *he would make more progress if he worked harder* ¶**.3** ~ ik oesters eet, word ik ziek *whenever I eat oysters, I get ill.*

wannen ⟨ov.ww.⟩ **0.1** *winnow.*

wanorde ⟨de⟩ **0.1** *disorder* ⇒*disarray, confusion* ◆ **2.1** het huis/de keuken was in de grootste ~ *the house/kitchen was in a pretty mess/in quite a clutter/looked as if a bomb had hit it* **3.1** ~ heerste overal *disorder/confusion reigned everywhere* **6.1** het leger vluchtte **in** ~ *the army fled in disarray/confusion;* zijn zaken **in** ~ achterlaten *leave one's affairs in a mess/clutter/tangle.*

wanordelijk ⟨bn., bw.⟩ **0.1** [verward, chaotisch] *disorderly* ⇒*confused* **0.2** [zonder orde] *disorderly* ⇒*untidy* ◆ **1.1** een ~ huishouden *a d./chaotic/* ⟨BE; inf.⟩ *shambolic household* **2.1** ~ haar *d./taugled hair;* een ~ mens *a d./an untidy person* **3.2** de gasmoleculen bewegen zich ~ *gas molecules move in a d. way.*

wanordelijkheid ⟨de (v.)⟩ **0.1** [chaos] *disorderliness* ⇒⟨wanorde⟩ *confusion, chaos* **0.2** [⟨mv.⟩ relletjes] *riots, disorders.*

wanprestatie ⟨de (v.)⟩ **0.1** *failure* ⇒⟨vnl. jur.⟩ *default.*

wanprodukt ⟨het⟩ **0.1** *failure* ⇒*monstrosity.*

wanruimte ⟨de (v.)⟩ **0.1** *dead space* ⇒⟨scheep. ook⟩ *dead freight.*

wanschapen ⟨bn.⟩ ⟨schr.⟩ **0.1** *misshapen* ⇒↓*deformed,* ↓*monstrous.*

wansmaak ⟨de (m.)⟩ **0.1** *bad taste* ⇒*want/lack of taste.*

wansmakelijk ⟨bn., bw.⟩ **0.1** *in bad taste, tasteless.*

wanstaltig ⟨bn.⟩ **0.1** *misshapen* ⇒*deformed, disfigured.*

wanstaltigheid ⟨de (v.)⟩ **0.1** *deformity* ⇒*misshapenness, disfigurement.*

want¹
I ⟨de⟩ **0.1** [vuisthandschoen] *mitt(en).*
II ⟨het⟩ **0.1** [touwwerk] *rigging* **0.2** [vistuig] *(fishing) nets* ◆ **3.1** staand en lopend ~ *standing and running r.* **3.2** ~ schieten *shoot/throw/cast nets.*

want² ⟨vw.⟩ **0.1** *because* ⇒*as, for* ◆ ¶**.1** hij kan niet komen, ~ hij is ziek *he cannot come b. he is ill;* het was exclusief ~ duur *it was expensive as/seeing it was exclusive.*

wantaal ⟨de⟩ **0.1** *jabber* ⇒*gibberish,* ⟨iron.; pej.⟩ *double-dutch, double Dutch,* ⟨komisch⟩ *jabberwocky.*

wanten ⟨onov.ww.⟩ ◆ **6.¶** hij weet **van** ~ *he knows the ropes/what's what/* ↓*his onions.*

wantij ⟨het⟩ ⟨scheep.⟩ **0.1** *dead/slack water, neap tide.*

wantoestand ⟨de (m.)⟩ **0.1** *abuse* ⇒*wrong* ◆ ¶**.1** ten hemel schreiende ~ *crying a..*

wantrouwen¹ ⟨het⟩ **0.1** *distrust* ⇒*mistrust, suspicion* ◆ **1.1** een motie van ~ *a motion of no-confidence, a no-confidence motion;* een sfeer van ~ *a mistrustful atmosphere, an atmosphere of d.* **3.1** diep ~ koesteren jegens *have a profound d. of (s.o.);* be deeply suspicious of (s.o.); ~ koesteren/voeden/opwekken jegens *nourish a d. of (s.o.), harbour/entertain/awake suspicious about (s.o.);* ~ wekken *arouse suspicion;* ~ zaaien *sow the seeds of suspicion* **6.1** met ~ vervullen *fill with d.;* **uit** ~ *out of d..*

wantrouwen² ⟨ov.ww.⟩ **0.1** *distrust* ⇒*mistrust* ◆ **1.1** iemands bedoelingen/woorden ~ *distrust s.o.'s intentions/words.*

wantrouwend ⟨bn., bw.; -ly⟩ **0.1** *suspicious (of)* ⇒*distrustful, mistrustful* ◆ **1.1** ~e blikken *s. glances* **3.1** iem. ~ aanzien *look at/view s.o. with suspicion;* ~ tegenover iem. staan *look (up) on s.o. with distrust, be/feel s. of s.o.;* we stonden ~ tegenover zijn aanbod *we were s. of his offer.*

wantrouwig ⟨bn., bw.; -ly⟩ **0.1** *suspicious* ⇒*mistrustful, distrustful* ◆ **3.1** iem. ~ aanzien *look at s.o. with suspicion;* iets ~ gadeslaan *look askance at sth.;* ~ tegenover iets/iem. staan *be/feel s. of sth./s.o.* ¶**.1** ~ van aard *have a s./mistrustful/distrustful nature.*

wantrouwigheid ⟨de (v.)⟩ **0.1** *distrust* ⇒*mistrust, suspicion.*

wants ⟨de⟩ **0.1** *bug.*

wanverhouding ⟨de (v.)⟩ **0.1** *disproportion* ⇒*imbalance,* ⟨misstand⟩ *abuse, discrepancy, disparity* ◆ **6.1** in een ~ staan (tot iets) *be disproportionate (to sth.);* er bestaat een ~ tussen het door hem verrichte werk en zijn salaris *there is a discrepancy/disparity between the work he does and his salary.*

wanvoeglijk ⟨bn., bw.; -ly⟩ ⟨schr.⟩ **0.1** *improper* ⇒*indecent, indecorous.*

wanvorm ⟨de (m.)⟩ **0.1** *misshape(nness)* ⇒*deformity, malformation.*

wanvormig ⟨bn.⟩ **0.1** *misshapen* ⇒*deformed, monstrous, unshapely.*

wanzijde ⟨de⟩ **0.1** *waney edge* ⇒*wane.*

WAO ⟨de⟩ **0.1** [Wet op de Arbeidsongeschiktheidsverzekering] *Disablement Insurance Act.*

WAO-er ⟨de (m.)⟩ **0.1** ⟨recipient of disablement insurance benefits⟩.

wapen ⟨het⟩ **0.1** [strijdwerktuig] *weapon* ⇒*gun,* ⟨mv. vaak⟩ *arms* **0.2** [⟨herald.⟩] *(coat of) arms* ⇒*armorial bearings, blazon* **0.3** [legeronderdeel] *arm (of the service)* ◆ **1.1** ⟨fig.⟩ het ~ v.h. cynisme/v.d. logi-

ca *the w. of cynicism/logic* **2.1** blanke ~s *cold steel,* ↑*armes blanches;* chemische/bacteriologische/biologische ~s *chemical/bacteriological/biological weapons;* iem. met zijn eigen ~s bestrijden ⟨fig.⟩ *fight s.o. with his own weapons, turn s.o.'s battery against himself;* iem. met zijn eigen ~s verslaan *beat s.o. with his own weapons/at his own game;* geleide ~s *guided missiles/weapons;* ⟨fig.⟩ het met gelijke ~s uitvechten *fight on even terms/with the same weapons* **2.2** het Koninklijke Wapen *the Royal Arms;* het Nederlandse ~ *the Dutch coat of arms* **3.1** ⟨de⟩ ~s dragen ⟨in mil. dienst⟩ *bear arms,* ⟨gewapend zijn⟩ *carry arms;* hij gaf zijn critici een ~ in handen *he gave a handle to his critics;* iem. de ~s in handen geven ⟨fig.⟩ *place/put the weapons in s.o.'s hands, give s.o. the weapons;* naar de ~s grijpen *take up arms, go to war;* de ~s neerleggen *lay down arms;* de ~s opnemen *take up arms;* ⟨bij opstand⟩ *rise in arms;* iem. de ~s uit handen slaan *disarm s.o.;* ⟨fig. ook⟩ *take the wind out of s.o.'s sails, cut the ground from under s.o.'s feet* **3.3** de bereden ~s *the mounted arms* **6.1** met de ~s in de hand *arms at the trail;* **onder** de ~en komen *go into/join the army;* ⟨inf.⟩ *join up;* **onder** de ~en staan/zijn *be under/bear arms, be in the army;* iem. **onder** de ~en roepen/brengen *call up/conscript/* ⟨AE ook⟩ *induct s.o.;* iem. **onder** de ~en houden *retain s.o. in the army;* **op** alle ~s bekwaam zijn *be skilled with all weapons;* **te** ~! *to arms;* **te** ~ lopen/snellen *fly/spring to arms* **6.2** ⟨fig.⟩ hoog/groots **in** zijn ~ zijn *carry it high, be uppish, be very proud;* een arend/een leeuw **in** zijn ~ voeren *bear an eagle/a lion in one's c. of a.* **6.3** bij welk ~ dient hij? *which of the services is he in?.*

wapenarsenaal ⟨het⟩ **0.1** *arsenal* ⇒*ordnance/arms depot, armoury.*

wapenbalk ⟨de (m.)⟩ ⟨herald.⟩ **0.1** *bar* ⇒⟨breed⟩ *fess(e).*

wapenbeeld ⟨het⟩ ⟨herald.⟩ **0.1** *heraldic figure* ⇒⟨vnl. mv.⟩ *emblazonment, charge, bearing.*

wapenbeheersing ⟨de (v.)⟩ **0.1** *arms control.*

wapenbeheersingsoverleg ⟨het⟩ ⟨pol.⟩ **0.1** *arms control talks.*

wapenbeperking ⟨de (v.)⟩ **0.1** *arms limitation.*

wapenbeschrijving ⟨de (v.)⟩ ⟨herald.⟩ **0.1** *blazon(ry).*

wapenbezit ⟨het⟩ **0.1** *possession of (fire)arms/weapons* ◆ **2.1** de man is in hechtenis genomen wegens verboden ~ *the man was arrested for illegally possessing firearms/a firearm.*

wapenboek ⟨het⟩ ⟨herald.⟩ **0.1** *armorial.*

wapenbord ⟨het⟩ **0.1** [paneel met een geschilderd wapen] *(e)scutcheon* ⇒⟨van overledene ook⟩ *hatchment, achievement* **0.2** [naambord v.e. schip] *escutcheon.*

wapenbroeder ⟨de (m.)⟩ **0.1** *brother in arms* ⇒*comrade/companion in arms.*

wapendepot ⟨het⟩ **0.1** *ordnance/arms depot.*

wapendrager ⟨de (m.)⟩ **0.1** [⟨gesch., bijb.⟩ schildknaap] *armourbearer, shield bearer* ⇒*(e)squire, armiger* **0.2** [vlinder] *buff-tip* **0.3** [rups] *common/African army worm.*

wapenembargo ⟨het⟩ **0.1** *arms embargo* ◆ **3.1** een ~ uitvaardigen *declare/impose an a. e..*

wapenen ⟨ov.ww.⟩ **0.1** [bewapenen] *arm* **0.2** [versterken] *arm* ⇒*armour* ⟨glas⟩, *reinforce* ⟨beton⟩ ◆ **1.2** beton ~ *reinforce concrete;* gewapend glas *armoured/armour-plate glass* **4.1** zich ~ (met een pistool/een stok) *arm o.s. (with a gun/stick);* ⟨fig.⟩ zich ~ met geduld *arm o.s. with patience* **4.2** zich ~ tegen de koude *arm o.s. against the cold* **6.1** van top tot teen ~ *armed from top to toe/head to foot* **6.2** ⟨fig.⟩ zijn hart **tegen** de verleiding ~ *a. one's heart against temptation.*

wapenfabriek ⟨de (v.)⟩ **0.1** *arms factory* ⇒*armament/munitions factory, armoury* ᴬ*armory.*

wapenfabrikant ⟨de (m.)⟩ **0.1** *arms manufacturer.*

wapenfeit ⟨het⟩ **0.1** [oorlogsdaad] *feat of arms* ⇒*warlike deed, martial exploit* **0.2** [heldendaad, prestatie] *feat* ⇒*exploit, (heroic) deed, achievement.*

wapenfiguur ⟨het, de⟩ **0.1** *heraldic figure* ⇒⟨vnl. mv.⟩ *emblazonment, bearing, charge.*

wapengekletter ⟨het⟩ **0.1** *clang/clash/din of arms* ⇒⟨als dreiging vnl.⟩ *sabre rattling* ◆ **6.1** ⟨fig.⟩ met ~ dreigen *rattle the sabre.*

wapengeweld ⟨het⟩ **0.1** *force of arms* ◆ **6.1** met ~ *by force of arms.*

wapenhandel ⟨de (m.)⟩ **0.1** [handel in wapens] *arms traffic/trade* **0.2** [gebruik van wapens] *use of arms* ◆ **2.1** verboden ~ *illegal a. t., gunrunning* **6.1** iem. oefenen in de ~ *train s.o. in the use of arms.*

wapenhandelaar ⟨de (m.)⟩ **0.1** *arms dealer/merchant.*

wapenhuis ⟨het⟩ →**wapenarsenaal.**

wapenhulp ⟨de⟩ **0.1** *arms aid.*

wapenindustrie ⟨de (v.)⟩ **0.1** *arms industry* ⇒*armaments/weapons industry.*

wapening ⟨de (v.)⟩ **0.1** [het wapenen] *armament* ⇒*arming* **0.2** [versterking] ⟨van beton⟩ *reinforcement;* ⟨van constructie⟩ *armature;* ⟨van glas⟩ *armour-plating* **0.3** [wapens] *armament* ⇒*arms, weapons, weaponry, equipment* ◆ **1.1** officier van ~ *ordnance officer* **2.1** algemene ~ *levy/levée en masse* **2.2** enkele/dubbele ~ ⟨van beton⟩ *single/double reinforcement.*

wapeningsnet ⟨het⟩ **0.1** *mesh.*

wapenkamer ⟨de⟩ **0.1** *armoury* ⇒*arsenal,* ⟨BE ook⟩ *gunroom, arms depot,* ⟨van politie⟩ *arms room.*

wapenkleed 〈het〉 **0.1** *tabard*.
wapenknecht 〈de (m.)〉〈gesch.〉 **0.1** *armourbearer, shield bearer* ⇒ *(e)squire, armiger*.
wapenkoning 〈de (m.)〉 **0.1** [hoofd v.d. herauten] *king of/at arms* ⇒ *officer of arms* **0.2** [functionaris bij ridderorden] *King of Arms*.
wapenkreet 〈de (m.)〉 **0.1** *war cry* ⇒ *battle cry*.
wapenkunde 〈de (v.)〉 **0.1** *heraldry* ⇒ *blazonry*.
wapenkundige 〈de (m.)〉 **0.1** *heraldist, armorist*.
wapenkunst 〈de (v.)〉 **0.1** *emblazonry*.
wapenlevering 〈de (v.)〉 **0.1** *arms supply*.
wapenmagazijn 〈het〉 **0.1** *arsenal* ⇒ *ordnance/arms depot, armoury*.
wapenorder 〈de〉 **0.1** *order for arms*.
wapenrace 〈de〉 **0.1** *arms race*.
wapenrek 〈het〉 **0.1** [versiering] *armrack* ⇒ *panoply* **0.2** [bergplaats] *armrack* ⇒ *gun-rack*.
wapenring 〈de (m.)〉 **0.1** *ring bearing one's coat-of-arms*.
wapenroem 〈de (m.)〉 **0.1** *military glory/fame*.
wapenrok 〈de (m.)〉〈gesch.〉 **0.1** *tunic* ⇒ *coat of mail* ◆ **3.1** de ~ dragen *be in the army, do military service*.
wapenrusting 〈de (v.)〉〈gesch.〉 **0.1** *armour* ◆ ¶.**1** een ~ *a suit of a..*
wapenschild 〈het〉 **0.1** *(e)scutcheon* ⇒ *coat of arms, armorial bearings*.
wapenschouw 〈de (v.)〉 **0.1** *review* ⇒ *muster, inspection, parade*.
wapensmid 〈de (m.)〉 **0.1** *armourer* ⇒ *gunsmith*.
wapensmokkel 〈de (m.)〉 **0.1** *arms smuggling* ⇒ *gunrunning*.
wapenspel 〈het〉 **0.1** *joust* ⇒ *tournament*.
wapenspreuk 〈de〉 **0.1** *heraldic device* ⇒ *motto*.
wapenstilstand 〈de (m.)〉 **0.1** [staking v.d. vijandelijkheden] *armistice* ⇒ 〈vnl. tijdelijk〉 *suspension of arms/hostilities, truce, cease-fire* **0.2** [〈fig.〉] *truce*.
wapenstilstandsdag 〈de (m.)〉 **0.1** 〈GB.; zondag dichtst bij 11 nov.〉 *Armistice Day* ⇒ *Remembrance Day/Sunday*, 〈inf.〉 *Poppy Day*, 〈USA; 11 nov.〉 *Veterans Day*.
wapenstok 〈de (m.)〉 **0.1** *baton* ⇒ 〈vnl. BE〉 *truncheon*.
wapenstuk 〈het〉 **0.1** *piece of armour*.
wapensysteem 〈het〉 **0.1** *weapon system*.
wapentuig 〈het〉 **0.1** *armament* ⇒ *weaponry, arms, weapons*.
wapenuitrusting 〈de (v.)〉 **0.1** *military equipment* ⇒ *weaponry*, 〈mbt. land ook〉 *arsenal, military hardware*, 〈van ridder〉 *panoply*.
wapenveld 〈het〉 **0.1** *quartering*.
wapenvergunning 〈de (v.)〉 **0.1** *firearms/gun licence* ^se.
wapenvlieg 〈de〉 **0.1** *soldier fly*.
wapenwedloop 〈de〉 **0.1** *arms race*.
wapenzaal 〈de〉 **0.1** *armoury* ⇒ *gunroom* 〈met vuurwapens〉.
wapitihert 〈het〉 **0.1** *wapiti* ⇒ *American elk*.
wapperen 〈onov.ww.〉 **0.1** [heen en weer waaien]〈haar, vlag〉 *blow, fly, stream* ⇒ 〈van zeilen, vlag〉 *flap, flutter*, 〈van wasgoed〉 *snap* **0.2** [mbt. autowielen] *shimmy* ◆ **3.1** laten ~ *fly, blow, stream, wave, snap*; de handjes laten ~ *get cracking/busy, buckle down*.
war 〈de〉 **0.1** [verwarring, wanorde] *tangle* ⇒ *muddle, confusion, mix-up, mess* **0.2** [knoest in hout] *knot* ◆ **6.1** het garen is in de ~ *the string is in a knot/t.*; in de ~ zijn *be confused/in a muddle/in a maze/in a fluster/at sixes and sevens*; 〈euf.〉 hij is een beetje in de ~ *he is not all there, he is somewhat muddleheaded, he is slightly unbalanced*; iem. in de ~ brengen/maken *bewilder/confuse s.o., put s.o. out*; 〈in verlegenheid brengen ook〉 *embarrass/fluster s.o.*; plannen in de ~ sturen/brengen *upset/muck up/↓mess up/foul up s.o.'s plans, throw s.o.'s plans out of gear*; de spreker raakte hopeloos in de ~ *the speaker got hopelessly confused/muddled/lost*; de organisatie liep/raakte **in** de ~ *the organization went off the rails*; mijn spijsvertering is in de ~ *I've got indigestion/stomach trouble, my stomach is upset*; haar zenuwen zijn wat in de ~ *her nerves are somewhat unstrung/jangled/upset*; iemands haar in de ~ brengen/maken *tousle/rough up/rumple/ruffle s.o.'s hair*; hun financiële toestand raakte in de ~ *their financial situation became/got/grew unsettled*; iets in de ~ schoppen *make havoc of/foul up sth.*; iets grondig in de ~ sturen *play havoc among/with sth., make havoc of sth., make a proper mess of it.*; het verkeer zat in de ~ *traffic was jammed/snarled*; het weer stuurde onze plannen helemaal in de ~ 〈ook〉 *the weather made nonsense of our plans*; het weer is helemaal in de ~ *it's pretty unseasonable weather, the weather is quite unsettled*; iemands papieren in de ~ maken *disarrange/make a mess of s.o.'s papers, throw s.o.'s papers into disorder*; alles **in/door** de ~ gooien *turn everything topsy-turvy*; iets **uit** de ~ halen *disentangle/untwine/untangle/unravel sth..*.
waranda 〈de〉 **0.1** *veranda(h)* ⇒ 〈AE ook〉 *porch*.
warande 〈de〉 **0.1** [natuurreservaat] *game reserve* ⇒ *game park* **0.2** [wandeldreef, park] *pleasure ground* ⇒ 〈wandeldreef ook〉 *pleasure walk*.
waratje 〈tw.〉〈inf.〉 →**warempel²**.
warbak 〈de (m.)〉〈vis.〉 **0.1** *bait tin/^can*.
warboel 〈de (m.)〉 **0.1** *muddle, mess; tangle* 〈van draden/haar〉; *confusion, mix-up* ◆ **2.1** alles was er één grote ~ *everything there was one big mess*; het tunnelverkeer is altijd één grote ~ *the tunnel traffic always gets snarled up/is always absolute chaos*.

wardradig 〈bn.〉 **0.1** *knotty* ⇒ *knot-clustered*.
warempel¹ 〈bw.〉〈inf.〉 **0.1** *truly* ⇒ *really (and truly), indeed, actually*.
warempel² 〈tw.〉〈inf.〉 **0.1** *truly, really* ⇒ *struth, strewth*.
waren¹ 〈zn.mv.〉 **0.1** *goods* ⇒ *wares, commodities, merchandise*.
waren² 〈onov.ww.〉〈schr.〉 **0.1** *wander* ⇒ *roam*, 〈spoken〉 *haunt* ◆ **6.1** vreemde gedachten waarden haar **door** het hoofd *strange ideas haunted her, strange ideas were coursing through her head*.
warencirculatie 〈de (v.)〉〈ec.〉 **0.1** *circulation of goods*.
warenhandel 〈de (m.)〉 **0.1** *trade in commodities*.
warenhuis 〈het〉 **0.1** [winkelbedrijf] *(department) store* ⇒ *emporium* **0.2** [broeikas] *greenhouse* ⇒ 〈BE ook〉 *glasshouse* ◆ **2.1** de grote warenhuizen *the big department stores*; 〈BE ook〉 *the stores*.
warenkennis 〈de (v.)〉 **0.1** *knowledge of commodities* ⇒ 〈als studievak〉 *history of commodities*.
warenmerk 〈het〉 **0.1** *trademark* ⇒ *brand*.
warenwet 〈het〉 **0.1** ≠*Food and Drugs Act, Commodities Act*.
wargeest 〈de (m.)〉 **0.1** [warhoofd]〈→**warhoofd**〉 **0.2** [rustverstoorder] *agitator* ⇒ *mischief-maker, troublemaker*.
wargeestig 〈bn.〉 **0.1** *muddle-headed* ⇒ *scatter-brained, puzzle-headed, addle-brained*.
warhoofd 〈het, de (m.)〉 **0.1** *muddle-head* ⇒ *scatter-brain, puzzle-head, addle-head*.
warhoofdig 〈bn.〉 **0.1** *muddle-headed* ⇒ *scatter-brained, addle-brained/ -pated, woolly-headed*.
warhoop 〈de (m.)〉 **0.1** *muddle* ⇒ *mess, heap, confusion, jumble*.
waring 〈de (v.)〉〈scheep.〉 **0.1** *gangboard*.
warkruid 〈het〉 **0.1** *dodder* ⇒ *hell-weed, devil's guts* ◆ **2.1** groot ~ *greater d.*; klein ~ *lesser/common d..*.
warm
I 〈bn.〉 **0.1** [met hoge temperatuur] *warm, hot* ◆ **1.1** over de toonbank gaan als ~ e broodjes *sell/go like h. cakes*; ~ e adem *h. breath*; ~ e baden/bronnen *hot/thermal baths/springs*; met de ~ e hand geven 〈fig.〉 *give inter vivos*; ~ water *h. water* **1.¶** een ~ e bakker *a fresh bakery* **3.1** ~ eten *hot meal/dinner*; het ~ hebben *be w./h.*; ik kreeg het er ~ van 〈fig.〉 *it got me in a cold sweat*; 〈lett.〉 *it got me hot*; iets ~ maken *heat sth.*; 〈opwarmen〉 *heat up sth.*; 〈fig.〉 zich ~ maken over iets *get w./get steamed up over sth.*; niet ~ of koud van iets worden *blow neither h. nor cold, remain impassive*; het begon (lekker) ~ te worden in de kamer *the room was warming up*; de grond wordt hem te ~ onder de voeten *the place is becoming too h. for him* **3.¶** je bent ~! *you are (getting) w./h.*; iets ~ houden 〈fig.〉 *keep sth. to the fore/front, keep sth. alive, keep the pot boiling*; 〈lett.〉 *keep sth. warm/hot*; iemands stoel ~ houden *keep a place/seat w. for s.o.* **4.1** iets ~ s *sth. warm/hot (to eat/drink)* **6.1** melk, ~ **van** de koe *cow-fresh milk*;
II 〈bn., bw.;-ly〉 **0.1** [de natuurlijke warmte vasthoudend] *warm* **0.2** [hartelijk, vurig] *warm* ⇒ *warm-hearted, hearty, ardent, fervent* **0.3** [geestdriftig] *warmed up* ⇒ *enthusiastic, interested, lively* **0.4** [aangenaam] *pleasant* ◆ **1.1** een ~ jas *a w. coat* **1.2** in ~ e bewoordingen *warmly*; iem. zijn ~ e dank betuigen *express one's heartfelt/hearty thanks to s.o.*; een ~ hart voor iem. hebben, iem. een ~ hart toedragen *give one's heart to s.o., be/feel sympathetic to/towards s.o.*; een ~ voorstander van iets zijn *be an ardent/a fervent advocate/supporter of sth.* **1.4** een ~ e stem *a w./pleasant voice* **3.2** iem. iets ~ aanbevelen *recommend sth. warmly to s.o.* **3.3** de klanten ~ houden *keep the clients warmed up/enthusiastic/interested*; ~ lopen voor iets *take to/be sold on/feel enthusiasm for sth.*; iem. voor iets ~ maken *rouse s.o.'s interest in/make s.o. enthusiastic/warm s.o. up for sth.* **3.¶** het ging er ~ (aan) toe *they were/went at it hammer and tongs*; er ~ bij zitten *be comfortably off/well-off/well-to-do/well-fixed* **6.2** ~ **van** natuur zijn *be hot-blooded, passionate* **6.4** ~ **van** toon *in a w./pleasant tone*.
warmbloed 〈de (m.)〉 →**warmbloedpaard**.
warmbloedig 〈bn.〉 **0.1** 〈dierk.〉 *warm-blooded* ⇒ *homoiothermic* **0.2** [vurig van temperament] *warm-blooded* ⇒ *hot-blooded, passionate* ◆ **1.2** een ~ temperament hebben *be warm-/hot-blooded*.
warmbloedpaard 〈het〉 **0.1** *crossbreed*.
warmdraaien 〈onov.ww.〉 **0.1** [mbt. motoren] *warm up* **0.2** [〈fig.〉] *warm up* ⇒ *tune up*.
warmen 〈ov.ww.〉〈→sprw. 635〉 **0.1** *warm (up)* ⇒ *heat (up)* ◆ **1.1** zijn handen/voeten ~ w./toast one's hands/feet; melk ~ heat/w. (up) milk **4.1** zich ~ warm o.s. (up), w. up.
warmer 〈de.〉 **0.1** *heater* ⇒ *warmer*.
warmhartig 〈bn.〉 **0.1** *warmhearted*.
warmingup 〈de (m.)〉 **0.1** [〈sport〉] *warm-up* ⇒ 〈motor〉 *tune-up*, 〈tennis ook〉 *knock-up* **0.2** [〈fig.〉] *warm-up* ⇒ *time-up*.
warmlopen 〈onov.ww.〉 **0.1** [door wrijving gloeiend worden] *(over)heat* ⇒ *become/get hot* **0.2** [veel voelen voor] *warm to/towards (s.o.), be sold on (sth.), feel (great) enthusiasm for (s.o.!sth.)* **0.3** [warmdraaien] *warm up* ⇒ *become/get warm* **0.4** [〈sport〉] *warm up* ⇒ 〈motor〉 *tune up* ◆ **4.4** zich ~ *warm up, limber up* **6.2** hij loopt niet erg warm **voor** dat plan *he does not really warm to that plan*.
warmpjes 〈bw.〉 **0.1** *warmly* ⇒ *snugly* ◆ **3.1** zich ~ toedekken *tuck in/up o.s. warmly/snugly*; 〈fig.〉 er ~ bij zitten *be comfortably off/well off well-to-do*.

warmte ⟨de (v.)⟩ **0.1** [eigenschap/toestand van warm te zijn] *warmth, heat* **0.2** [hartelijkheid] *warmth* ⇒*warm heartedness* **0.3** [hartstochtelijkheid] *warmth* ⇒*ardour, fervour, passion* **0.4** [⟨meteo.⟩] *heat* **0.5** [⟨nat.⟩] *heat* ♦ **1.1** de ~ v.d. zon/v.d. kachel *the warmth/h. of the sun/stove* **2.1** stralende ~ *radiant h.* **2.5** gebonden/latente ~ *latent h.*; soortelijke ~ *specific h.* **3.1** ~ afgeven/geven *give off/emit h.*; ~ uitstralen *radiate h.* **6.2** iem. met ~ toespreken *address s.o. warmly* **6.3** iem./iets met ~ verdedigen *defend s.o./sth. with (great) w./ardour/warmly/passionately* ¶ **.4** goed/slecht tegen de ~ kunnen *take hot weather well/badly*.
warmteaccumulator ⟨de (m.)⟩ **0.1** *storage heater*.
warmteafgifte ⟨de (v.)⟩ **0.1** *heat emission*.
warmtebesparing ⟨de (v.)⟩ **0.1** *heat saving/economy*.
warmtebestendig ⟨bn.⟩ **0.1** *heat resistant*.
warmtebeweging ⟨de (v.)⟩ **0.1** *thermal agitation*.
warmtebron ⟨de⟩ **0.1** *source of heat*.
warmtecapaciteit ⟨de (v.)⟩ **0.1** *thermal/thermic capacity, heat capacity*.
warmtecentrale ⟨de⟩ **0.1** *heating installation*.
warmtedood ⟨de (m.)⟩⟨nat.⟩ **0.1** *heat death*.
warmte-eenheid ⟨de (v.)⟩⟨nat.⟩ **0.1** *thermal/thermic unit, heat unit*.
warmteëffect ⟨het⟩ **0.1** *thermal/heat effect*.
warmteënergie ⟨de (v.)⟩ **0.1** *thermal/heat energy*.
warmte-equator ⟨de (m.)⟩ **0.1** *thermal/heat equator*.
warmtefront ⟨het⟩⟨meteo.⟩ **0.1** *warm front*.
warmtegeleider ⟨de (m.)⟩ **0.1** *conductor of heat, heat/thermal conductor*.
warmtegeleiding ⟨de (v.)⟩ **0.1** *thermal/heat conduction, conduction of heat*.
warmtegevoelig ⟨bn.⟩ **0.1** *heat sensitive*.
warmtegraad ⟨de (m.)⟩ **0.1** [graad op een thermometer] *degree (of heat)* **0.2** [temperatuur] *degree of heat* ⇒*temperature*.
warmtehuishouding ⟨de (v.)⟩⟨med.⟩ **0.1** *thermoregulation* ⇒*heat regulation*.
warmte-isolatie ⟨de (v.)⟩ **0.1** *heat/thermal insulation*.
warmtekrachtcentrale ⟨de (v.)⟩ **0.1** *total energy (power) plant*.
warmte-krachtkoppeling ⟨de (v.)⟩ **0.1** *total energy (principle)*.
warmteleer ⟨de⟩ **0.1** *thermodynamics* ⇒*theory of heat*.
warmtelozing ⟨de (v.)⟩ **0.1** *heat release*.
warmtemeter ⟨de (m.)⟩ **0.1** [thermo-/pyrometer] *thermometer* ⇒⟨voor hoge temperaturen⟩ *pyrometer* **0.2** [calorimeter] *calorimeter*.
warmtemotor ⟨de (m.)⟩ **0.1** *heat engine*.
warmteomwisselaar ⟨de (m.)⟩ **0.1** *heat exchanger*.
warmteontwikkeling ⟨de (v.)⟩ **0.1** *devolopment of heat*.
warmtepomp ⟨de⟩ **0.1** *heat pump*.
warmtepunt ⟨het⟩ **0.1** *hot spot*.
warmteregelaar ⟨de (m.)⟩ **0.1** *thermostat*.
warmtestralen ⟨zn.mv.⟩ **0.1** *radiant heat* ⇒*heat rays*.
warmtestraler ⟨de (m.)⟩ **0.1** *reflector heater*.
warmtestraling ⟨de (v.)⟩ **0.1** *heat radiation*.
warmtetherapie ⟨de (v.)⟩ **0.1** *heat treatment/therapy*.
warmtewisselaar ⟨de (m.)⟩ **0.1** *heat exchanger*.
warmvoelend ⟨bn.⟩ **0.1** *warmhearted* ♦ **1.1** een ~ mens *a w. person*.
warmwaterbord ⟨het⟩ **0.1** *water plate*.
warmwaterbuis ⟨de⟩ **0.1** *hot-water pipe*.
warmwaterkraan ⟨de⟩ **0.1** *hot(-water) tap/^faucet*.
warmwatertoestel ⟨het⟩ **0.1** *water heater*.
warmwatervoorziening ⟨de (v.)⟩ **0.1** *hot-water supply*.
warnest ⟨het⟩ **0.1** *muddle* ⇒*mess, tangle, clutter, confusion*.
warnet ⟨het⟩ **0.1** [net dat verward is] *tangle* **0.2** [⟨fig.⟩] *crisscross* ⇒ *maze, labyrinth* ♦ **1.2** een ~ van adertjes *a crisscross maze of small veins*.
warrantsysteem ⟨het⟩ **0.1** *warrant system*.
warrelen ⟨onov.ww.⟩ **0.1** *whirl* ⇒*swirl, reel* ♦ **1.1** ⟨fig.⟩ ~de gedachten *whirling thoughts*; ~ de sneeuwvlokken *swirling/swirling snow flakes* **6.1** het warrelt mij voor de ogen *my head is reeling, my head is in a whirl*.
warrelig ⟨bn.⟩ **0.1** *entangled* ⇒⟨ook fig.⟩ *confused*.
warreling ⟨de (v.)⟩ **0.1** *whirl(ing)* ♦ **6.1** ⟨fig.⟩ in een ~ van gedachten *in a whirl of thoughts*.
warren ⟨onov.ww.⟩ **0.1** *be/become confused* ⇒*be in a muddle/mazel/flurry/fluster*.
warrig ⟨bn.⟩ **0.1** [verward] *knotty, tangled* ⇒⟨fig.⟩ *confused, muddled* **0.2** [vol warren] *knotty* ♦ **1.1** een ~e massa draden *a whole tangle of threads, a k./t. mass of threads*; een ~ mens *a scatterbrain/muddlehead/addle-head* **1.2** ~ hout *k. wood*.
wars ⟨bn.⟩ **0.1** *averse (to/*⟨vnl. BE⟩ *from)* ♦ **6.1** ~ van vleierij zijn *be a. to flattery*.
Warschau ⟨het⟩ **0.1** *Warsaw*.
Warschaupact ⟨het⟩ **0.1** *Warsaw Pact*.
wartaal ⟨de⟩ **0.1** *gibberish* ⇒*nonsense, jabberwocky balderdash, gobbledygook* ♦ **3.1** ~ spreken *wander, rave;* ⟨van zieke ook⟩ *be delirious;* (er) ~ uitslaan *talk double Dutch/gibberish*.
wartel ⟨de (m.)⟩ **0.1** [oogbout] *swivel* **0.2** [⟨vis.⟩] *swivel* **0.3** [zwenkwiel] *swivel*.

---

warwinkel ⟨de (m.)⟩ **0.1** *mess, muddle* ⇒*chaos* ♦ **2.1** het is hier een echte/complete ~ *it's a real/total mess in here*.
was
I ⟨de (m.)⟩ **0.1** [het wassen] *wash, washing* **0.2** [wasgoed] *wash, laundry* ⇒*linen, washing* **0.3** [wasbeurt] *wash, washing, laundry* **0.4** [stijging v.d. waterstand] *rise* ♦ **2.2** de bonte ~ *the coloured wash, the (cotton) prints;* de fijne ~ *the fine/delicate fabrics;* de grote ~ *the main wash;* de schone ~ *clean/fresh linen;* de vuile ~ *the soiled/dirty linen;* de vuile ~ buiten hangen *wash one's dirty linen in public* **3.1** ⟨fig.⟩ een kind kan de ~ doen *it's as simple as ABC/as easy as pie* **3.2** de ~ ophangen *hang out the wash/laundry (to dry)* **3.3** de ~ doen *do the wash/laundry* **3.4** er is ~ op de bovenrivieren *upstream the waters are rising* **6.3** dit goed verkleurt in de ~ *these materials/clothes/fabrics (will) run in the wash;* iets in de ~ doen *put sth. in the wash* **7.3** zij heeft drie ~sen in de week *she has three loads of washing a week;*
II ⟨de (m.)⟩ **0.1** [vettige stof] *wax* ♦ **2.1** slappe ~ *dubbin(g)* **2.¶** goed in zijn/de slappe ~ zitten *have plenty of dough, be well-fixed/well off/comfortably off/well to do* **6.1** iets in ~ afdrukken *impress in w.;* meubels in de ~ zetten *wax furniture;* kaarsen van ~ *w. candles* **8.1** als ~ te kneden ⟨lett.⟩ *easy to model;* ⟨fig.⟩ *be like putty, be putty in s.o.'s hands*.
wasachtig ⟨bn.⟩ **0.1** *waxlike, waxy* ♦ **1.1** ~e kunststoffen *waxlike synthetics*.
wasautomaat ⟨de (m.)⟩ **0.1** *washing machine, washer*.
wasbaar ⟨bn.⟩ **0.1** *washable*.
wasbaas ⟨de (m.)⟩ **0.1** [iem. die voor anderen wast] *launderer, laundryman, washerman* **0.2** [iem. die de was bezorgt] *laundryman*.
wasbak ⟨de (m.)⟩ **0.1** *washbasin* ⇒*basin, sink,* ⟨AE ook⟩ *washbowl*.
wasbeer ⟨de (m.)⟩ **0.1** *rac(c)oon* ⇒⟨AE ook⟩ *washbear,* ⟨vnl. AE;inf.⟩ *coon,* ⟨wasberebont ook⟩ *coonskin*.
wasbeits ⟨het, de (m.)⟩ **0.1** *wax mordant*.
wasbenzine ⟨de⟩ **0.1** *benzine*.
wasbeurt ⟨de⟩ **0.1** *wash, washing* ⇒⟨van wasgoed ook⟩ *laundry*.
wasbleek ⟨de⟩ **0.1** *waxen* ⇒*waxy*.
wasbloem ⟨de⟩ **0.1** [kunstbloem van was] *waxflower* **0.2** [⟨plantk.⟩] *waxplant*.
wasbord ⟨het⟩ **0.1** [plankje waarop wasgoed gewreven werd] *washboard* **0.2** [gerimpelde strook asfalt] *washboard*.
wasbuiltje ⟨het⟩ **0.1** *detergent sachet*.
wascombinatie ⟨de (v.)⟩ **0.1** ᴮ*twin-tub (washing machine/combination),* ᴬ*combination washer and dryer, combination washer/dryer*.
wasdag ⟨de⟩ **0.1** *wash(ing)-day*.
wasdoek ⟨het⟩ **0.1** *oilcloth* ⇒*American cloth, oilskin, wax cloth, cerecloth*.
wasdom ⟨de (m.)⟩ **0.1** *growth* ⇒*development* ♦ **1.1** de ~ van de planten *the full development of the plants* **2.1** zijn volle ~ bereiken *grow to full stature, reach one's full g., reach maturity* **6.1** tot ~ komen *blossom, develop, grow in size, fill out*.
wasdraad ⟨het, de (m.)⟩ **0.1** *waxed thread*.
wasdroger ⟨de (m.)⟩ **0.1** *(tumble/tumbler) dryer*.
wasecht ⟨bn.⟩ **0.1** *washable* ⇒*fast(-dyed)* ⟨kleuren⟩ ♦ **1.1** ~e zijde *w. silk*.
wasem ⟨de (m.)⟩ **0.1** *steam, vapour*.
wasemen ⟨onov.ww.⟩ **0.1** *steam* ⇒*reek*.
waseming ⟨de (v.)⟩ **0.1** *steaming*.
wasemkap ⟨de⟩ **0.1** ⟨keuken⟩ *hood;* ⟨BE ook⟩ *cooker hood;* ⟨industrie⟩ *extractor*.
wasfiguur ⟨het, de⟩ **0.1** *wax mannequin*.
wasfles ⟨de⟩ ⟨schei.⟩ **0.1** *washbottle, washingbottle*.
wasgelegenheid ⟨de (v.)⟩ **0.1** [ruimte om zich te wassen] *washing accommodation, wash place, bathroom facilities* **0.2** [ruimte om wasgoed te wassen] *laundry*.
wasgoed ⟨het⟩ **0.1** *wash, laundry* ⇒*linen, washing*.
wasgoud ⟨het⟩ **0.1** *gold dust*.
washandje ⟨het⟩ **0.1** ᴮ*(face) flannel,* ᴬ*washcloth,* ᴬ*washrag* ⇒*face cloth*.
washok ⟨het⟩ **0.1** *washhouse*.
wasinrichting ⟨de (v.)⟩ **0.1** *laundry*.
waskaars ⟨de⟩ **0.1** *wax candle* ⇒⟨dun⟩ *taper*.
waskan ⟨de⟩ **0.1** *ewer* ⇒*jug*.
wasketel ⟨de (m.)⟩ **0.1** *washboiler* ⇒⟨vnl. BE⟩ *copper*.
wasknijper ⟨de (m.)⟩ **0.1** *clothes-peg,* ⟨AG vnl.⟩ *clothes pin* ⇒*peg*.
waskom ⟨de⟩ **0.1** *washbasin* ⇒*basin, sink*.
waskracht ⟨de⟩ **0.1** *cleaning/detergent power*.
waskrijt ⟨het⟩ **0.1** *grease pencil* ⇒*lithographic pencil*.
waskrijtje ⟨het⟩ **0.1** *wax crayon*.
waskuip ⟨de⟩ **0.1** *washtub* ⇒*tub*.
waslaag ⟨de⟩ **0.1** *wax coating* ⇒*wax layer*.
waslap ⟨de (m.)⟩ **0.1** ⇒*washandje*.
waslijn ⟨de⟩ **0.1** *clothesline* ⇒*line* ♦ **6.1** iets aan de ~ hangen *hang out sth. on the c.*.
waslijst ⟨de⟩ **0.1** [lijst v.d. stukken wasgoed] *laundry list* **0.2** [lange lijst] *shopping list, catalogue* ♦ **2.2** ze had een hele ~ (met) klachten *she had a whole s.l. of complaints*.

wasmachine ⟨de (v.)⟩ **0.1** [wasautomaat] *(automatic) washing machine* ⇒*(automatic) washer* **0.2** [mbt. het wassen van andere zaken] *(automatic) washer* ⇒*(automatic) washing machine* ◆ **6.2** dit kan men in de ∼ wassen *this is machine-washable.*

wasman ⟨de (m.)⟩ **0.1** [wasbaas] *laundryman* **0.2** [bode v.e. wasserij] *laundryman.*

wasmand ⟨de⟩ **0.1** *(dirty) clothes basket* ⇒⟨BE ook⟩ *laundry basket,* ⟨vnl. BE⟩ *linen basket,* ⟨AE ook⟩ *hamper.*

wasmerk ⟨het⟩ **0.1** *name tape* ⇒⟨door wasserij zelf aangebracht⟩ *laundry mark.*

wasmiddel ⟨het⟩ **0.1** *detergent* ⇒⟨poeder ook⟩ *washing-powder, soap powder,* ⟨zeepvlokken⟩ *soap flakes* ◆ **2.1** fosfaatarm/fosfaatloos/biologisch afbreekbaar ∼ *low-phosphate/non-phosphate/biodegradable d.*; vloeibaar ∼ *liquid d. / soap* **6.1** ∼ met/zonder bleekmiddel *d. containing/without bleach.*

wasmolen ⟨de (m.)⟩ →**droogmolen.**

waspapier ⟨het⟩ **0.1** [met was doortrokken papier] *wax(ed) paper* **0.2** [⟨foto.⟩] *carbon tissue/paper, pigment paper.*

waspeen ⟨de⟩ **0.1** *carrot* ⟨*washed and broken into pieces before sale*⟩.

waspeer ⟨de⟩ **0.1** *wax-coloured pear.*

waspenseel ⟨het⟩ **0.1** *wash brush.*

waspit ⟨de⟩ **0.1** [in was gedrenkt lemmet] *(wax) taper* **0.2** [wasstiftje op een drijver] *wax light* ⇒⟨nachtlichtje⟩ *nightlight.*

wasplant ⟨de⟩ **0.1** *wax-producing plant.*

waspoeder ⟨het, de (m.)⟩ **0.1** *washing-powder, soap powder* ⇒*(solid) detergent,* ⟨zeepvlokken⟩ *soap flakes.*

waspop ⟨de⟩ **0.1** *wax doll.*

wasprodukt ⟨het⟩ **0.1** [gewassen produkt; gebruikte wasvloeistof] *washings* **0.2** [mengsels van was] *wax products* ⇒*waxes.*

wasprogramma ⟨het⟩ **0.1** *washing programme* ᴬ*gram.*

wasrol ⟨de⟩ **0.1** *wax cylinder.*

wassemig ⟨bn.⟩ **0.1** *steamy, hazy, vaporous, vapory.*

wassen[1] ⟨bn.⟩ **0.1** *wax* ⇒⟨vero.⟩ *waxen* **1.1** een ∼ beeld *a wax figure/model/dummy, a waxwork (model);* dat is een ∼ neus ⟨het is maar voor de vorm⟩ *that's a mere formality, that's just for appearance(s) sake, that's just for (the) show, that's all show;* ⟨het⟩ ⟨stelt verder niets voor⟩ *that doesn't amount to anything, there's nothing to it.*

wassen[2] (→sprw. 121,254,699)
I ⟨ov.ww.⟩ ⟨waste, gewassen⟩ **0.1** [reinigen] *wash* ⇒*cleanse* ⟨ook wond⟩, *dip* ⟨schapen⟩ ⟨wassen en strijken ook⟩ *launder, clean* ⟨ramen⟩ **0.2** [de was doen] *wash, do the wash(ing)* ⇒⟨wassen en strijken ook⟩ *do the laundry* **0.3** [spoelen] *wash* ⇒*rinse, pan, sift* ⟨(goud)erts⟩, ⟨mijnb. ook⟩ *sluice* **0.4** [⟨bk.⟩] *wash* ◆ **1.1** het vuile goed ∼ *do the (dirty) washing, do the wash(ing), w. the dirty clothes;* ⟨fig.⟩ waar kan ik hier mijn handen ∼? *where can I w. my hands?, where are the facilities?;* een kind ∼ *w. a child, give a child a wash;* ⟨in bad ook⟩ *bath/* ᴬ*bathe a baby;* iem. de oren ∼ ⟨fig.⟩ *give s.o. a piece of one's mind, haul s.o. over the coals, give s.o. a dressing-down;* de vaat ∼ *w. the dishes, do the washing-up/the dishes,* ᴮ*w. up;* ik zal dat varkentje wel even ∼ ⟨fig.⟩ *I'll take care of/deal with/see to that* **1.3** het grind ∼ op zoek naar goud *pan the gravel in search of gold;* melk ∼ *water milk* **1.4** een gewassen tekening *a wash drawing* **4.1** zich ∼ *w., have a wash;* ⟨in bad ook⟩ *have/take a bath,* ⟨vnl. AE⟩ *bathe;* ⟨vnl. dieren, met name kat⟩ *wash o.s.;* zich schoon ∼ ⟨fig.⟩ *clear o.s., get o.s. off* **5.1** je moet je oren eens goed ∼ ⟨ook fig.⟩ *you should give your ears a good wash;* ⟨fig.⟩ *you should w. your ears out, you should get your ears washed out;* ⟨mbt. textiel⟩ niet ∼ *do not w., dry clean(ing) only* **6.1** ⟨fig.⟩ zijn handen in onschuld ∼ *w. one's hands of a matter/an affair/the business* ⟨enz.⟩ **6.2** zij is aan het ∼ *she is washing/doing the laundry/wash(ing);* hij wast voor haar *he does her washing* **6.3** zijn ogen met boorwater ∼ *w. / rinse one's eyes with/* ⟨met oogbadje ook⟩ *give o.s. an eye-bath with bor(ac)ic acid lotion;* iem. met sneeuw ∼ *rub s.o.'s face/neck* ⟨enz.⟩ *with snow* ¶**.1** iets op de hand ∼ *w. sth. by hand, hand-launder sth.;*
II ⟨onov.ww.⟩ ⟨wies, gewassen⟩ **0.1** [groeien] *grow* **0.2** [uit de bodem voortkomen] *grow* ⇒⟨gedijen⟩ *thrive, flourish* **0.3** [stijgen] *rise* ◆ **1.3** een ∼ de kaart ⟨in Mercatorprojectie⟩ *a plane chart;* bij ∼ de maan *while the moon is/was* ⟨enz.⟩ *waxing;* het ∼ de water *the rising water* **3.1** de planten ∼ en gedijen *the plants g. and thrive* **6.1** een flink uit de kluiten gewassen kerel *a (fine) strapping fellow, a fine upstanding/big fellow;*
III ⟨ov.ww.⟩ ⟨waste, gewast⟩ **0.1** [met was bestrijken] *wax.*

wassenbeeldenmuseum ⟨het⟩ **0.1** *waxworks.*

wasserette ⟨de (v.)⟩ **0.1** *launderette* ⇒⟨AE ook⟩ *laundromat,* ⟨inf.⟩ *coin-op.*

wasserij ⟨de (v.)⟩ **0.1** [inrichting waar de was gedaan wordt] *laundry* **0.2** [inrichting voor het wassen van kool] *washery* ⇒*washing plant* **0.3** [het voortdurend wassen] *washing* ◆ **1.1** de man v.d. ∼ *the laundryman, the man from the l..*

wasserijmerkje ⟨het⟩ →**wasmerk.**

Wassermannreactie ⟨de (v.)⟩ ⟨med.⟩ **0.1** *Wassermann test/reaction.*

wassing ⟨de (v.)⟩ **0.1** *wash(ing)* ⇒⟨med.; orgaanwassing⟩ *lavage,* ⟨ablutie⟩ *ablution* ◆ **1.1** ⟨fig.⟩ ∼ v.h. bloed *purifying the blood.*

---

wassoort ⟨de⟩ **0.1** *(kind/type/sort of) wax.*

wasspeld ⟨de⟩ ⟨AZN⟩ **0.1** *(clothes-)peg,* ⟨AE vnl.⟩ *clothespin.*

wasstel ⟨het⟩ **0.1** *washing set, (water)jug and (wash(ing)) basin (set).*

wasstraat ⟨de⟩ **0.1** *(automatic) car wash.*

wastafel ⟨de⟩ **0.1** [wasbak] *washbasin* **0.2** [meubel] *washstand* **0.3** [schrijfbordje] *(wax) tablet* ◆ **2.1** een vaste ∼ *a fitted w..*

wastang ⟨de⟩ **0.1** *laundry tongs.*

wasteil ⟨de⟩ **0.1** *washtub* ⟨van zink, om zichzelf te wassen⟩ *tin bath.*

wastobbe ⟨de⟩ **0.1** ⟨vnl. voor wasgoed⟩ *washtub* ⇒⟨van zink, om zichzelf te wassen⟩ *tin bath.*

wastrommel ⟨de (m.)⟩ **0.1** *(washing machine/washer) drum.*

wastunnel ⟨de (m.)⟩ **0.1** *car wash.*

wasverzachter ⟨de (m.)⟩ **0.1** *fabric softener* ⇒*softening agent* ◆ **2.1** wasmiddel met ingebouwde ∼ *detergent with built-in f.s..*

wasvoorschrift ⟨het⟩ **0.1** *washing instructions, instructions/directions for washing.*

wasvorm ⟨de (m.)⟩ **0.1** *wax mould* ᴬ*mold.*

wasvrouw ⟨de (v.)⟩ **0.1** *laundress* ⇒⟨vnl. met de hand⟩ *washerwoman,* ⟨AE ook⟩ *wash woman* ◆ **3.1** zijn oma was ∼ ⟨thuis⟩ *his grandma used to take in washing/laundry.*

waswater ⟨het⟩ **0.1** [water om te wassen] *wash(ing) water, water to wash (sth.)* in **0.2** [water waarin gewassen is] *washing(ing) water, dirty water* ⇒⟨vnl. tech.⟩ *washings.*

waszak ⟨de (m.)⟩ **0.1** *clothes-bag, dirty clothes bag* ⇒⟨vnl. om wasgoed naar wasserij te sturen⟩ *laundry bag.*

waszijde ⟨de⟩ **0.1** *washing silk.*

wat[1] ⟨bw.⟩ **0.1** [enigszins] *somewhat* ⇒*rather, slightly,* ⟨een beetje⟩ *a little/bit* **0.2** [in hoge mate] *very* ⇒*extremely,* ⟨BE ook;inf.⟩ *jolly, bloody, damn* **0.3** [mbt. verbazing/verbijstering] *isn't it/that/he* ⟨enz.⟩ *..., aren't they/those* ⟨enz.⟩ *...* ⇒ ↑*how* **0.4** [waarom] *why* ◆ **2.1** hij is ∼ traag *he is rather/somewhat/a little/a bit slow/on the slow side;* de melk is ∼ zuur *the milk is slightly/a bit sour/off* **2.2** hij is er ∼ blij mee/trots op *he is extremely/awfully/* ⟨AE ook⟩ *mighty pleased with/proud of it;* dat is ∼ fijn *that's very/awfully/damn fine* **2.3** ∼ duur!/laat!/mooi! *isn't/aren't they* ⟨enz.⟩ *expensive/late/beautiful!, how expensive/late/beautiful!;* ∼ lief van je! *how kind/nice of you!, isn't that kind/nice of you!* **3.1** hij heeft me ∼ geholpen *he gave me a (bit of a) (helping) hand* **3.3** ⟨iron.⟩ ∼ ben je weer vriendelijk *is that your usual friendly self again?;* ∼ hebben we gelachen! *how we laughed!, what a laugh we had!;* ∼ is het koud! *isn't it cold!, what cold weather!, how cold it is!;* ∼ ze niet verzinnen tegenwoordig *the things they come up with/invent these days;* m'n liefje, ∼ wil je nog meer? *(sweetheart/darling,) what more do you want?;* ∼ zal hij blij zijn! *how happy/pleased he will be!, won't he be happy/pleased!;* ⟨iron.⟩ ∼ zijn we weer leuk *(are you) trying to be funny?;* ∼ zullen die kwaad geweest zijn! *they must have been terribly/dreadfully angry!, how angry they must have been!* **3.4** ∼ lacht hij toch? *what's he laughing for/at?, w. is he laughing?;* ⟨vnl. AE⟩ *how come he's laughing?;* ∼ plaag je toch altijd? *why are you always teasing?, why are you such a tease?* ¶**.2** Jaap was zo opgewonden als ∼ *Jaap was quite excited;* zo eerlijk als ∼ *as honest as they come, as honest as the day is long;* zo gemakkelijk als ∼ *as easy as can be/* ⟨inf.⟩ *as falling off a log;* zo kalm als ∼ *as calm as you please/as anything.*

wat[2] (→sprw. 220,278,301)
I ⟨betr.vnw.⟩ **0.1** [⟨met woord(groep) als antecedent⟩] *that, which* **0.2** [⟨zonder antecedent⟩] *what* **0.3** [⟨met voorafgaande zin als antecedent⟩] *which* ◆ **1.1** het mooiste ∼ ik ken *the most beautiful thing I know* **2.2** en ∼ nog belangrijker is *and what's (even) more (important)* **3.1** ik weet niet ∼ je bedoelt *I don't know what you mean* **3.2** ∼ mij aangaat *as for me, for my part, for myself, as far as I am concerned;* ∼ dit betreft *as to/for this, as far as this is concerned, with respect/regard to this;* doe nou maar ∼ ik zeg/∼ je gezegd wordt *just do w./ as I say/you're told;* je kunt doen en laten ∼ je wilt *you can do what/as you please/like/want;* ik zal doen ∼ ik kan *I'll do what(ever)/all/everything I can;* je kunt zeggen ∼ je wilt, maar verlegen is ze niet *(you can) say w. you like/will, (but) she certainly is not shy* **4.1** alles ∼ ik wist heb ik gezegd *I told everything/all I knew;* dat ∼ mij, ∼ hij *that which* **.3** hij zei dat hij het niet gemerkt had, ∼ natuurlijk niet waar was *he said he hadn't noticed, w. was not true obviously;* ze zag eruit als een verpleegster, ∼ ze ook was *she looked like a nurse, w. indeed/in fact she was/, and she was (one) too;*
II ⟨vr.vnw.⟩ **0.1** [⟨zelfst./bijv. gebruikt⟩] *what* ⇒⟨bij beperkte keuze⟩ *which,* ⟨verbazing uitdrukkend⟩ *whatever* **0.2** [waarom] *why* ◆ **3.1** ∼ bedoel je? *what(ever) do you mean?;* ⟨sterker of iron.⟩ *what(ever) are you talking about?;* ∼ bedoel je daar nou mee? *what(ever) do you mean by that?, just what do you mean by that?;* ⟨sterker⟩ *just what is that supposed to mean?;* ik zal even helpen. ∼ dacht je! *I'll help you! (but) of course (I will)!;* ∼ ga je doen? *you are going to do what?;* ∼ heb je 't liefste, koffie of thee? *which do you prefer, coffee or tea?;* mooi! ∼ heet (mooi)! *(beautiful!) that's an understatement;* ∼ is er? *what's the matter/trouble?, what is it?, what's wrong?;* ↓*what's up?;* ∼ kan er gebeuren? *what can/could happen?;* ∼ krijgen we nou? *what now?, what's this?, what's happening/going on* ⟨enz.⟩ *?; (en)* ∼ ∼

mag het zijn? ⟨mbt. drankje⟩ *what would you like (to drink)*; ⟨inf.⟩ *what's yours?*; ⟨door winkelbediende gezegd⟩ *can I help you?*; ~ zeg je? *what did you say?*; ⟨inf.⟩ *sorry?, what?*; ⟨beleefd⟩ *I beg your pardon?*; ~ zou dat? *what of it?, what does that/it matter?, what's the odds?*, ↓so what? **5.1** ~ dan nog? *so what?, what of it?* **6.1** ~ **voor** soorten? *what sorts/* ⟨variëteiten⟩ *varieties/* ⟨biol.⟩ *species?*; ~ **voor** ideeën? *what sort/kind of ideas?*; ~ is het voor iem.? *what's he/she like?, what sort of (a) person is he/she?*; ~ **voor** weer is het? *what's the weather like (outside)?, what's it like outside?*;

III ⟨onb.vnw.⟩ **0.1** *something* ⇒ ⟨om het even wat⟩ *anything*, ⟨het 'ook'⟩ *whatever* ◆ **3.1** ze heeft wel ~ *she's got a certain s., there's s. about her*; dat is ook ~! ⟨bij verontwaardiging⟩ *oh dear!*; ⟨sterker⟩ *drat (it)!*; ⟨nog sterker⟩ *dammit!*; het is me ~! ⟨verzuchting⟩ *what a world!*; daar vraag je me — *now you're asking*; ⟨inf.⟩ *ask me another!*; hij wil ook ~ *he wants s./some/his share too*; wil je ~ drinken? *would you like a drink/sth. to drink?*; misschien wordt het wel ~ tussen die twee *it may come to s. between those two, those two may hit it off*; ik zal je eens ~ zeggen *(just) listen (to me)!*; ⟨sterker, als uitdaging⟩ *just you listen to me!, (just) you listen here!*; ik zie ~ *I (can) see s.*; zie jij ~? *do/can you see anything?*; daar zit ~ in *there's s. to/in it* **5.1** het is altijd ~ met hem *there's always s. up/the matter with him*; ik kreeg er ~ van, van dat gezeur *it was getting on my nerves, all that nagging*; ~ er ook gebeurt, blijf kalm *whatever happens/may happen, stay calm*; dat is ook zo ~ *that's another example*;

IV ⟨uitroepend vnw.⟩ **0.1** *what* ◆ **3.1** ~ ging hij tekeer ⟨how he stormed;⟩ ⟨inf.⟩ *he didn't half go on/get worked up (about it/that* ⟨enz.⟩ *)*; ~ kun jij mooi tekenen *how well you draw!*; ⟨inf.⟩ *you can't half draw well!*; ~ kun jij liegen, zeg *w. a(n awful) liar you are!* **5.1** ~ nu weer *w. now*, *what's cooking this time* ¶ **.1** ~ een mooie kersen *w. beautiful cherries!, aren't they beautiful cherries!*; ~ een onzin *w. (absolute/utter) nonsense*.

wat³ ⟨hoofdtelw.⟩ **0.1** *some* ⇒ *a bit (of)*, *a little* ⟨+enk.⟩, *a few* ⟨+mv.⟩ ◆ **1.1** geef me ~ kaarten *give me s./a few cards*; geef me ~ suiker/geld *give me s./a bit of sugar/money* **3.1** geef mij ook ~ *let me have some too* **5.1** heel ~ mensen *a good many/quite a few people*; ~ meer *a bit/little more*; ~ minder *a bit/little less* **5.¶** heel ~ boeken *quite a few books*; ⟨inf.⟩ *a whole lot/load of books*; heel ~ verdienen *earn quite a lot/bit*; dat scheelt heel ~/ nogal ~ *that is/makes quite a (bit of a) difference* ¶ **.1** een stuk of ~ *two or three, a couple/few*; een dag of ~ *a day or so/two, a few days, a couple of days*.

wat⁴ ⟨tw.⟩ **0.1** *what* ◆ **¶.1** ~! komt hij niet? *w.! isn't he coming?*; och —! hij te laat? *I don't believe it!/you're joking!/* ⟨vnl. AE⟩ *you don't say!/* ⟨vnl. AE⟩ *you're kidding!*.

water ⟨het⟩ (→sprw. 29,372,607,636-641) **0.1** [vloeistof] *water* **0.2** [regen] ⇒ *rain*, ⟨wet.⟩ *precipitation* **0.3** [zeewater] *water* ⟨vnl. territoriale wateren; vnl. mv.⟩; ⟨waterweg⟩ *waterway* ⟨waterloop/ watercourse* **0.4** [⟨in alg. zin als element)] *water* ⇒ ⟨zeewater ook⟩ ⟨schr.⟩ *(the) brine*, ⟨inf.⟩ *(the) briny* **0.5** [lichaamsvocht] *water* ⇒ ⟨urine⟩ *urine*, ⟨in het alg.⟩ *bodyfluid* **0.6** [vloeistof die er als water uitziet] *water* **0.7** [mineraalwater] *water* ⇒ *mineral water*, ⟨in fles ook⟩ *bottled water* **0.8** [doorzichtigheid] *water* **0.9** [obligatie zonder onderpand] *water* **0.10** [⟨med.⟩ waterzucht] *dropsy* ◆ **1.1** iem. op ~ en brood zetten *put s.o. on bread and w.*; ⟨fig.⟩ op ~ en brood zitten/ leven *be/live on bread and w.*; ~ als twee druppels ~ op elkaar/op iem. lijken *be as (a)like as two peas (in a pod), be the very/spitting image of s.o.*; ⟨fig.⟩ een storm in een glas ~ *a storm in a teacup*; een glas ~ *a glass of w.*; ~ en vuur zijn ⟨fig.⟩ *always be at daggers drawn/at each other's throats, be like cat and dog*; dat kan al het ~ v.d. zee niet afwassen *nothing can get rid of/cleanse the shame/guilt (of it)* ⟨enz.⟩ **1.2** ⟨fig.⟩ Gods ~ over Gods akkers laten lopen *let things take/run their course, let things drift/slide* **1.4** tussen ~ en wind *at the w. line* **1.5** ⟨fig.⟩ ~ en bloed zweten *sweat blood* **2.1** brak ~ *brackish w.*; gedestilleerd ~ *distilled w.*; hard/zacht ~ *hard/soft w.*; met warm en koud stromend ~ *with hot and cold (running) w.*; zwaar ~ *heavy w.* **2.3** bevaarbare ~en *navigable waterways*; een smal/diep/ondiep ~ *a narrow/deep/shallow waterway*; de Zeeuwse ~en *the waters/estuaries of Zeeland* **2.4** het ~ is dicht *the w. is frozen over*; ⟨fig.⟩ hij heeft hoog ~, het is bij hem hoog ~ *his trousers are at half-mast*; bij hoog ~ *at high w./tide, at the flood (tide)*; ⟨fig.⟩ spijkers op laag ~ zoeken *split hairs*; bij laag ~ *at low w./tide, at the ebb (tide)*; in open/in diep ~ zijn *be at sea*; ⟨ver van land⟩ *be on the high seas*; stil ~ *dead/slack w.*; slack; stromend ~ *running w.* **2.5** hoog ~ hebben *be dying to pee/have a pee/go to the toilet* **2.6** gedestilleerde ~en *spirits*; sterk ~ ⟨salpeterzuur⟩ *aquafortis, nitric acid*, ⟨conserveervloeistof⟩ ⟨formal⟩ *formalin*; *alcohol*; iets op sterk ~ zetten *preserve sth. in formalin/alcohol*; ⟨fig.⟩ *keep sth. on ice*; welriekende ~ *perfumes*; ⟨vnl. BE ook⟩ *scents* **2.8** ⟨pej.⟩ een oplichter van het zuiverste ~ *a crook/swindler of the first w.*; diamant v.h. zuiverste ~ *diamond of the first/purest w.* **3.1** bang zijn zich aan (koud) ~ te branden *be unadventurous/overcautious, be overanxious not to commit o.s.*; ⟨mbt. sterke drank⟩ doe er niet te veel ~ bij! *don't drown it!*; ~ bij de wijn doen ⟨lett.⟩ *water the wine*; ⟨fig.⟩ *make a compromise, compromise, moderate one's demands*, ⟨inf.⟩ *climb down*; ~ naar de

zee dragen *carry/take coals to Newcastle*; de bloemen ~ geven *water the flowers*; ⟨mbt. drenkeling⟩ hij heeft veel ~ binnen gekregen *he's swallowed a lot of w.*; ⟨mbt. een schip⟩ ~ maken/innemen *make/take in w., leak*; er moet nog veel ~ door de Rijn stromen voor Nederland een republiek wordt *a lot of w. will have flowed under the bridge before the Netherlands becomes a republic*; kijken of men ~ ziet branden *gape with astonishment, be (utterly) astonished/dumbfouded, not be able to believe one's eyes*; ↓goggle **3.2** er is veel ~ gevallen *it (has) rained a lot, there has been a lot of rain* **3.3** het ~ komt mij tot de lippen *I am up to my neck (in difficulties* ⟨enz.⟩ *)*; het ~ treedt buiten zijn oevers *the river/sea* ⟨enz.⟩ *is overflowing its banks* **3.5** iemands ~ bekijken *check s.o.'s urine*; het ~ komt/loopt mij in de mond ⟨ook fig.⟩ *my mouth is watering, it/that* ⟨enz.⟩ *makes my mouth water*; zijn ~ laten lopen *wet o.s./one's pants*; het ~ liep hem langs het gezicht/langs de rug *his face/back was streaming with* ↑*perspiration/* ↓*sweat*; ⟨inf.⟩ zijn ~ lozen *pee, (have a) pee,* ↑*make/pass w.*; het ~ stond hem in de schoenen ⟨fig.⟩ *he was in a cold sweat* **5.5** haar ogen stonden vol ~ *her eyes were filled with/full of/brimming with tears* **6.1** ~ **uit** de bron/pomp/zee *well w., w. from the pump, seawater* **6.4 boven** ~ komen ⟨ook fig.⟩ *(re)surface, come to the surface (again)*, ⟨fig. ook⟩ *turn up (again), reappear*; iets **boven** ~ halen ⟨fig.⟩ *unearth/dig up/fish up sth.*; ⟨fig.⟩ het hoofd (net) **boven** ~ kunnen houden *(just) keep afloat, keep one's head (barely) above water, scrape/ scratch a living*; **in** het ~ springen ⟨als zelfmoord⟩ *drown o.s.*; ⟨fig.⟩ *take the plunge*; de zon niet **in** het ~ kunnen zien schijnen ⟨fig.⟩ *≠be a dog in the manger*; **in** het ~ vallen ⟨fig.⟩ *fall through*; ⟨inf.⟩ *be a washout*; zijn geld **in** het ~ gooien ⟨fig.⟩ *throw one's money away, pour one's money down the drain, waste (one's) money*; zich als een vis **in** het ~ voelen *be in one's element, feel (perfectly) at home*; **onder** ~ staan *be under w.*, *be flooded/submerged/inundated*; ⟨boot ook⟩ *be waterlogged*; een land **onder** ~ zetten *flood/* ↑*inundate a piece of land*; **onder** ~ zijn ⟨aan de zwier⟩ *be having a fling, be out on a spree/the town*; ⟨dronken⟩ *be the worse for drink/half seas over, have had one too many/one over the eight*; iem. een steek **onder** ~ geven ⟨fig.⟩ *have a dig at s.o.*; een schip **te** ~ laten *launch a ship*; **te** ~ gaan *take a dip, have/take a swim, go swimming*; de Rijkspolitie **te** ~ *≠river/harbour police*; ⟨kustwacht⟩ *coast guard* **6.5** ⟨fig.⟩ iets **aan** z'n ~ voelen *feel sth. in one's bones*; ~ **in** de knie hebben *have w. on the knee* **6.6** ⟨fig.⟩ **met/in/van** alle ~en gewassen zijn *be an old hand (at sth.), know the ropes, not have been born yesterday, be up to every trick* **8.1** zo vlug als ~ ⟨beweeglijk⟩ *as fast/quick as lightning, lightning fast*; ⟨bijdehand⟩ *quick on the uptake, all there*.

wateraandrang ⟨de (m.)⟩ **0.1** [drang tot urineren] *urge to urinate* ⇒ ⟨med.⟩ *precipitant urination* **0.2** [het aandringen v.h. grondwater] *invading/encroaching (ground)water*.

wateraantrekkend ⟨bn.⟩ **0.1** *hygroscopic* ⇒*hydrophilic, hydrophile.*

waterachtig ⟨bn.⟩ **0.1** [lijkend op water] *watery* ⇒*waterish,* ↑*aqueous* **0.2** [veel water bevattend] *watery* ⇒ ⟨verdund, verwaterd⟩ *dilute(d)*, ⟨zwak⟩ *weak*, ⟨dun⟩ *thin*, ⟨slap ook; inf.⟩ *wishy-washy*, ⟨vloeibaar⟩ *liquid* **0.3** [met veel wateren] ⟨zie 1.3⟩ **0.4** [mbt. licht] *watery* ⇒*waterish, pale, wan* ◆ **1.1** een ~ vocht *a watery fluid*; ⟨anatomie⟩ ~ vocht ⟨oog⟩ *aqueous humour* **1.2** ~ bier *watery/weak beer*; ⟨inf.⟩ *dishwater*; ⟨vulg.⟩ *(cat's/gnat's) piss*; ~ voedsel *watery/liquid food* **1.3** ~e streken *areas with a lot of rivers/lakes* ⟨enz.⟩; ⟨moerasland⟩ *wetlands*.

wateraders ⟨de⟩ **0.1** *(water) vein, vein of water.*

waterafsluiting ⟨de (v.)⟩ **0.1** *water seal.*

waterafstotend ⟨bn.⟩ **0.1** [water-repellent ⇒ ⟨waterdicht⟩ *waterproof*, ⟨hydrofoob⟩ *hydrophobic* ◆ **1.1** een regenjas van ~e stof *a water-repellent/waterproof raincoat, a raincoat made of water-repellent/waterproof material.*

waterafvoer ⟨de (m.)⟩ **0.1** [handeling] *drainage (of water)* ⇒ ⟨rioolwaterverwerking⟩ *sewage disposal* **0.2** [middel] *water/waste outlet* ⇒ ⟨riool⟩ *sewer.*

waterafvoerbuis ⟨de⟩ **0.1** *water drain.*

waterarm ⟨bn.⟩ **0.1** *dry* ⇒ ⟨dor⟩ *arid* ⟨landstreken⟩.

waterbaars ⟨de (m.)⟩ **0.1** *boiled perch/bass* ⇒ ⟨waterzootje⟩ *water souchy.*

waterbad ⟨het⟩ **0.1** *water bath* ⇒ ↑*bain-marie.*

waterbak ⟨de (m.)⟩ **0.1** [bak met/voor water] *(water)tank* ⇒ ↑*reservoir*, ⟨vnl. stortbak⟩ *cistern*, ⟨voor paarden enz.⟩ *watertrough* **0.2** [pisbak] ↑*urinal.*

waterbalans ⟨de⟩ ⟨biol.⟩ **0.1** *water balance.*

waterballet ⟨het⟩ **0.1** [op het water uitgevoerd ballet] *water ballet* ⇒ ⟨figuurzwemmen⟩ *synchronized swimming* **0.2** ⟨scherts.⟩ *watery/wet affair.*

waterbassin ⟨het⟩ **0.1** *(natural water) basin* ⇒*lake.*

waterbed ⟨het⟩ **0.1** *water bed.*

waterbehandeling ⟨de (v.)⟩ **0.1** [behandeling met water] *hydrotherapy, water cure* ⇒ ⟨inf.⟩ *hydropathy* **0.2** [behandeling van water] *treatment of water.*

waterbeheersing ⟨de (v.)⟩ **0.1** *water control.*

waterbeits ⟨het, de (m.)⟩ **0.1** *water stain.*

waterbekken ⟨het⟩ **0.1** *basin* ⇒*reservoir.*

waterbel ⟨de⟩ **0.1** *bubble*.
waterberging ⟨de (v.)⟩ **0.1** [handeling] *water storage* **0.2** [plaats] *water storage*.
waterbericht ⟨het⟩ **0.1** *water level report*.
waterbeschrijving ⟨de (v.)⟩ **0.1** *hydrography*.
waterbestendig ⟨bn.⟩ **0.1** *water-resistant* ⇒*waterproof*.
waterbewoner ⟨de (m.)⟩ **0.1** *aquatic animal*.
waterblaas ⟨de⟩ **0.1** [pisblaas] *(urinary) bladder* **0.2** [blaar] *(water) blister* **0.3** [vruchtvlies] *allantois*.
waterblad ⟨het⟩ **0.1** [blad met wortelfunctie] *aquatic leaf* **0.2** [ornament in lijsten] *water-leaf*.
waterbloei ⟨de (m.)⟩ **0.1** *water bloom/flower*.
waterbloem ⟨de⟩ **0.1** *aquatic* ⇒*water plant, hydrophyte*.
waterblok ⟨het⟩ **0.1** *cistern*.
waterboot ⟨de⟩ **0.1** *water tanker/tankship*.
waterbord ⟨het⟩ **0.1** [⟨scheep.⟩] *washboard* **0.2** [⟨bouwk.⟩] *weatherboard*.
waterborg ⟨de (m.)⟩ **0.1** *ignition safety feature*.
waterbot ⟨de⟩ **0.1** *sucker*.
waterbouw ⟨de (m.)⟩ **0.1** *hydraulics* ⇒*hydraulic engineering*.
waterbouwkunde ⟨de (v.)⟩ **0.1** [kennis,leer] *hydraulic engineering* **0.2** [uitvoering] *hydraulics* ◆ **1.1** weg- en ~ *civil engineering*.
waterbouwkundig ⟨bn.⟩ **0.1** *hydraulic* ◆ **1.1** een ~ ingenieur *a h. engineer;* ~e werken *h. (engineering) works*.
waterbouwkundige ⟨de (m.)⟩ **0.1** *hydraulic engineer*.
waterbreuk ⟨de⟩ **0.1** *hydrocele*.
waterbron ⟨de⟩ **0.1** *spring*.
waterbrood ⟨het⟩ **0.1** *water bread*.
waterbuffel ⟨de (m.)⟩ **0.1** *water buffalo* ⇒*water ox*.
waterbuik ⟨de⟩ **0.1** *hydropic belly*.
waterbuis ⟨de⟩ **0.1** *water pipe*.
watercapaciteit ⟨de (v.)⟩ **0.1** *water (absorption) capacity*.
watercirculatie ⟨de (v.)⟩ **0.1** *circulation of water*.
watercloset ⟨het⟩ **0.1** ⟨schr.⟩ *water closet* ⇒*W.C.*.
watercultuur ⟨de (v.)⟩ **0.1** [mbt. planten] *hydroponics* ⇒*tank-farming* **0.2** [mbt. vissen] *aquaculture* **0.3** [beschaving mbt. het gebruik van water] *consumption of water (for hygienic reasons)*.
waterdam ⟨de (m.)⟩ **0.1** ⟨dijk⟩ *dike, dam* ⇒⟨havenhoofd⟩ *pier*.
waterdamp ⟨de (m.)⟩ **0.1** *(water) vapour* ⇒⟨inf.⟩ *steam, mist*.
waterdeel ⟨het⟩ **0.1** [molecule] *particle of water* ⇒*aqueous particle* **0.2** [gedeelte] *water content*.
waterdicht ⟨bn.⟩ **0.1** [ondoordringbaar voor water] *waterproof* ⟨kleding(stuk)⟩ ⇒*watertight* ⟨schoeisel/ruimte (in schip)⟩, *impervious/impermeable to water* **0.2** [ondubbelzinnig] *watertight* ⇒*airtight* ◆ **1.1** een ~ horloge *a waterproof/water-resistant watch;* een ~ schot *a bulkhead* **1.2** een ~ alibi *a w./an airtight alibi;* een ~e analyse *a w. analysis;* ~e garanties *w. guarantees* **3.1** ~ maken *(water)proof* ⟨jas,stoffen⟩; ⟨dichten,breeuwen⟩ *ca(u)lk;seal* ⟨bv. met verf/was⟩.
waterdier ⟨het⟩ **0.1** *aquatic animal*.
waterdijk ⟨de (m.)⟩ **0.1** *dike (along the waterside)*.
waterdokter ⟨de (m.)⟩ **0.1** *water doctor* ⇒*hydrotherapist*.
waterdoorlatend ⟨bn.⟩ **0.1** *porous* ⇒*pervious to water*.
waterdorpel ⟨de (m.)⟩ **0.1** *(window) sill*.
waterdrager ⟨de (m.)⟩ **0.1** [⟨wielersport⟩] *button man* **0.2** [iem. die water aandraagt] *water carrier*.
waterdrop ⟨de (m.)⟩ **0.1** [het aflopen van water] *drip(ping) of water* **0.2** [waterdruppel] *drop of water* ⇒*waterdrop*.
waterdroppel →**waterdruppel**.
waterdruk ⟨de (m.)⟩ **0.1** *water pressure* ⇒⟨als maat⟩ *water ga(u)ge*.
waterdrup →**waterdrop**.
waterdruppel ⟨de (m.)⟩ **0.1** *drop of water* ⇒*waterdrop*.
waterdun ⟨bn.⟩ **0.1** *watery* ⇒*aqueous*.
waterecht ⟨bn.⟩ **0.1** *water-resistant* ⇒*waterproof*.
waterechtheid ⟨de (v.)⟩ **0.1** *waterproofness*.
wateren
I ⟨onov.ww.⟩ **0.1** [urineren] *urinate* **0.2** [waterachtig vocht afscheiden] *water;*
II ⟨ov.ww.⟩ **0.1** [begieten] *water* **0.2** [bij het urineren lozen] *pass* **0.3** [laten drinken] *water* **0.4** [enige tijd in water laten liggen] *saturate* ⇒*soak* **0.5** [met water vermengen] *water down* **0.6** [mbt. textiel] *water* ⇒*calender, moiré* ◆ **1.1** de tuin/bloemen ~ *w. the garden/flowers* **1.2** bloed ~ *p. blood*.
waterequivalent ⟨het⟩ **0.1** *heat capacity*.
waterfiets ⟨de⟩ **0.1** *pedal boat* ⇒*hydrocycle*.
waterfietsen ⟨onov.ww.⟩ **0.1** *cycle (along) on a/by pedal boat*.
waterfilter ⟨het,de (m.)⟩ **0.1** *water-filter*.
waterfitter ⟨de (m.)⟩ **0.1** *plumber*.
waterfluiter ⟨de (m.)⟩ **0.1** *w(h)imbrel*.
waterfluitje ⟨het⟩ **0.1** *birdcall*.
watergal ⟨de⟩ **0.1** *watery bile*.
watergang ⟨de (m.)⟩ **0.1** *watercourse* ⇒⟨sloot⟩ *ditch*.
watergas ⟨het⟩ **0.1** *(carbureted) water gas* ⇒*blue gas*.
watergebied ⟨het⟩ **0.1** *watery area/district*.

watergebrek ⟨het⟩ **0.1** *shortage of water* ⇒⟨door klimaat⟩ *drought*.
watergeeltje →**watergentiaan**.
watergeest ⟨de (m.)⟩ **0.1** *water sprite/spirit/nymph/naiad* ⇒*undine*.
watergehalte ⟨het⟩ **0.1** *water content*.
watergekoeld ⟨bn.⟩ **0.1** *water-cooled*.
watergentiaan ⟨de⟩ **0.1** *fringed water lily*.
watergetij ⟨het⟩ **0.1** *tide*.
watergeus ⟨de (m.)⟩ ⟨gesch.⟩ **0.1** *Sea Beggar*.
watergezicht ⟨het⟩ **0.1** *waterscape*.
watergezwel ⟨het⟩ **0.1** *cyst* ⇒*(o)edema*.
waterglans ⟨de (m.)⟩ **0.1** *water* ⇒*orient*.
waterglas ⟨het⟩ **0.1** [drinkglas] *tumbler* ⇒*drinking/water glass* **0.2** [glas waarin urine geloosd wordt] *urinal* **0.3** [oplossing van kalium-/natriumsilicaat] *soluble/water glass*.
waterglazuur ⟨het⟩ **0.1** *glaze* ⇒⟨mengsel met poedersuiker⟩ *icing*.
watergod ⟨de (m.)⟩ **0.1** *water god* ⇒⟨ihb.⟩ *Neptune*.
watergodin ⟨de (v.)⟩ **0.1** *water nymph* ⇒*naiad, Nereid*.
watergolf ⟨de⟩ **0.1** [golf in het water] *wave* **0.2** [slag in het haar] *set* ⇒*water wave*.
watergolven ⟨ov.ww.⟩ **0.1** *set* ⇒*water-wave* ◆ **3.1** zijn haar laten ~ *have one's hair set/water-waved*.
watergolving ⟨de (v.)⟩ **0.1** *moiré*.
watergoot ⟨de⟩ **0.1** *watershoot* ⇒*gutter*.
watergraaf →**dijkgraaf**.
watergruwel ⟨de (m.)⟩ **0.1** *(water) gruel*.
waterhoefblad ⟨het⟩ **0.1** *butterbur*.
waterhoentje ⟨het⟩ **0.1** *moorhen* ⇒*water hen,* ⟨AE ook⟩ *(common) gallinule*.
waterhol ⟨het⟩ ⟨bouwk.⟩ **0.1** *water spout* ⇒*gargoyle, dripstone*.
waterhoofd ⟨het⟩ **0.1** [⟨med.⟩] *hydrocephalus* ⇒⟨inf.⟩ *water on the brain, waterhead* **0.2** [⟨pej.⟩ groot hoofd] *big head* ◆ **6.2** ⟨fig.⟩ een kind met een ~ *sth. top-heavy*.
waterhoogte ⟨de (v.)⟩ **0.1** [waterstand] *water level* **0.2** [waterdruk] *water ga(u)ge*.
waterhoos ⟨de⟩ **0.1** *waterspout*.
waterhuishouding ⟨de (v.)⟩ **0.1** [mbt. de vegetatie] *water balance* **0.2** [mbt. de bodem] *soil hydrology* **0.3** [regeling mbt. de watervoorziening] *water management*.
waterig ⟨bn.⟩ **0.1** [als water] *watery* ⇒*aqueous, washy* ⟨vloeistof⟩, *slushy* ⟨sneeuw⟩ **0.2** [krachteloos] *watery* ⇒⟨fig.⟩ *wishy-washy* ◆ **1.1** ~e soep *watery/thin/sloppy soup;* het ~ vocht in het oog *the watery fluid in the eye* **1.2** een ~e blik *a w./tearful look;* ~e ogen *lacklustre/watery eyes;* een ~ zonnetje *a watery sun*.
waterijs ⟨het⟩ **0.1** *water ice* ⇒⟨BE ook⟩ [†]*sorbet*.
waterijsje ⟨het⟩ **0.1** *ice-lolly,* [ᴬ]*popsicle*.
waterijsvogel ⟨de (m.)⟩ **0.1** *(common/water) kingfisher*.
watering ⟨de (v.)⟩ **0.1** [besproeiing] *sprinkling* ⇒*watering* **0.2** [hoofdsloot] *watercourse* ⇒*main ditch*.
waterjuffer ⟨de⟩ **0.1** *dragonfly*.
waterkaart ⟨de⟩ **0.1** *hydrography*.
waterkalk ⟨de (m.)⟩ **0.1** *hydraulic cement*.
waterkan ⟨de⟩ **0.1** *(water) carafe* ⇒*water jug*.
waterkanker ⟨de (m.)⟩⟨med.⟩ **0.1** *gangrenous stomatitis* ⇒*cancrum oris, noma*.
waterkanon ⟨het⟩ **0.1** *water cannon*.
waterkant ⟨de (m.)⟩ **0.1** *waterside* ⇒*waterfront* ◆ **6.1** aan de ~ *at/by the waterside, on the waterfront*.
waterkastanje ⟨de (m.)⟩ **0.1** *water chestnut/caltrop*.
waterkerend ⟨bn.⟩ **0.1** *damming*.
waterkering ⟨de (v.)⟩ **0.1** *dam* ⇒*dike,* ⟨laag⟩ *weir*.
waterkers ⟨de⟩ **0.1** *(water)cress*.
waterketel ⟨de (m.)⟩ **0.1** *kettle*.
waterkever ⟨de (m.)⟩ **0.1** [insekt] *water beetle* **0.2** [⟨mv.⟩ familie] *Hydrophilidae*.
waterkikker ⟨de (m.)⟩ **0.1** *frog*.
waterkippetje →**waterhoentje**.
waterklerk ⟨de (m.)⟩ **0.1** *shipbroker('s clerk)*.
waterkleur ⟨de⟩ **0.1** *aqua(marine)*.
waterknie ⟨de⟩ **0.1** *water on the knee*.
waterkoeling ⟨de (v.)⟩ **0.1** *water-cooling* ◆ **6.1** een motor met ~ *a water-cooled engine*.
waterkolom ⟨de⟩ **0.1** *head (of water), water column*.
waterkoud ⟨bn.⟩ **0.1** *clammy*.
waterkraan ⟨de⟩ **0.1** *(water)* [ᴮ]*tap/*[ᴬ]*faucet* ⇒⟨alg.⟩ *cock*.
waterkracht ⟨de (v.)⟩ **0.1** *hydropower* ⇒*waterpower* ◆ **6.1** die centrale werkt op ~ *that power station is hydropowered*.
waterkrachtcentrale ⟨de⟩ **0.1** *hydro-electric power station*.
waterkrachtinstallatie ⟨de (v.)⟩ **0.1** *hydroelectric plant*.
waterkroos ⟨het⟩ **0.1** *duckweed*.
waterkruik ⟨de⟩ **0.1** *water jar* ⇒*pitcher*.
waterkussen ⟨het⟩ **0.1** *water pillow*.
waterkuur ⟨de⟩ **0.1** *water/hydropathic cure*.
waterlaars ⟨de⟩ **0.1** *wader* ⇒*wading/hip boot*.

waterland ⟨het⟩ **0.1** *marsh(land)* ⇒⟨vooral in Oost Engeland⟩ *feu.*

waterlander ⟨de (m.)⟩ **0.1** ⟨mv.⟩ *waterworks* ◆ **3.1** daar komen de ~s al *now we get/here come the w..*

waterleiding ⟨de (v.)⟩ **0.1** [buisleiding] *water pipe/conduit/supply* **0.2** [stelsel van buizen]⟨alg.⟩ *waterworks,* ⟨stelsel⟩ *water pipes* **0.3** [dienst] *Water Board/Company* **0.4** [geul, kanaal] *canal* ◆ **1.3** een monteur/controleur v.d. ~ *a Water Board/Company fitter/inspector, a fitter/inspector from the Water Board/Company* **2.2** een bevroren ~ *a frozen water pipe* **3.1** ~ aanleggen *put in a water pipe* **3.2** de ~ afsluiten *turn off the water supply* **6.1** een huis op de ~ aansluiten *to connect a house to the water main/mains.*

waterleidingbedrijf ⟨het⟩ **0.1** *waterworks.*

waterleidingnet ⟨het⟩ **0.1** *water (supply) system* ⇒*system of water mains/pipes.*

waterlelie ⟨de⟩ **0.1** *water lily.*

waterleven ⟨het⟩ **0.1** *water life,* ⟨zee⟩ *marine.*

waterlijm ⟨de (m.)⟩ **0.1** *(water) soluble glue.*

waterlijn ⟨de⟩ **0.1** [niveaulijn v.h. water] *water line;* ⟨tech.⟩ *watermark* **0.2** [watermerk] *water mark* ◆ **6.1** boven/onder de ~ *above/below the w. l..*

waterlijst ⟨de⟩ **0.1** *drip.*

waterlinie ⟨de (v.)⟩ **0.1** [wetering] *watercourse* **0.2** [bewegingsrichting van water] *course/flow (of water).*

waterloop ⟨de (m.)⟩ **0.1** [wetering] *watercourse* **0.2** [bewegingsrichting van water] *course/flow (of water).*

waterloopkunde ⟨de (v.)⟩ **0.1** *hydrodynamics.*

waterloopkundig ⟨bn., bw.⟩ **0.1** *hydrodynamic* ◆ **1.1** het ~ laboratorium in Delft *the h. laboratory in Delft.*

waterloos ⟨bn.⟩ **0.1** *waterless* ⇒*dry.*

waterloot ⟨de⟩ **0.1** *sucker.*

waterloper ⟨de (m.)⟩ **0.1** *water/pond skater* ⇒*water strider.*

waterlozing ⟨de (v.)⟩ **0.1** [het wateren] *urination* **0.2** [het verwijderen van overtollig water] *drain(ing)* ⇒*drainage.*

waterluis ⟨de⟩ **0.1** *water flea.*

Waterman ⟨de (m.)⟩⟨astrol.⟩ **0.1** [sterrenbeeld] *Aquarius* **0.2** [persoon] *Aquarius.*

watermantel ⟨de (m.)⟩ **0.1** *water jacket.*

watermassa ⟨de⟩ **0.1** *mass/volume of water.*

watermeloen ⟨de (m.)⟩ **0.1** *watermelon.*

watermerk ⟨het⟩ **0.1** *watermark* ◆ **3.1** van een ~ voorzien *watermark.*

watermeter ⟨de (m.)⟩ **0.1** *water meter.*

watermijn ⟨de (m.)⟩ **0.1** *mine.*

watermolen ⟨de (m.)⟩ **0.1** [door water aangedreven molen] *water mill* **0.2** [molen voor het afvoeren van water] *drainage mill.*

watermonster ⟨het⟩ **0.1** [proefje] *water sample* **0.2** [in het water levend monster] *water/sea monster.*

watermot ⟨de⟩ **0.1** *caddis fly.*

waternevel ⟨de (m.)⟩ **0.1** *mist* ⇒⟨licht⟩ *haze,* ⟨zwaar⟩ *fog.*

waternimf ⟨de (v.)⟩ **0.1** [⟨myth.⟩ *(water) nymph* ⇒*naiad* **0.2** [waterjuffer] *dragonfly, water nymph* **0.3** [⟨mv.⟩ plantenfamilie] *Naiadaceae.*

waternood ⟨de (m.)⟩ **0.1** *drought.*

waterontharder ⟨de (m.)⟩ **0.1** *water softener.*

waterontlasting ⟨de (v.)⟩ **0.1** *drainage* ⇒*drain(ing)* ◆ **1.1** de ~ v.d. polders *the drain(ing)/drainage of the polders.*

wateropaal ⟨de (m.)⟩ **0.1** *water opal* ⇒*hyalite.*

wateroppervlak ⟨het⟩ **0.1** *water surface.*

wateroppervlakte ⟨de (v.)⟩ **0.1** [bovenste vlakte v.h. water] *water surface* **0.2** [uitgestrektheid v.h. water] *expanse of water.*

waterorgel ⟨het⟩ **0.1** *water/hydraulic organ* ⇒*hydraulus.*

wateroverlast ⟨de (m.)⟩ **0.1** *flooding.*

waterpartij ⟨de (v.)⟩ **0.1** *pond* ⇒*water garden.*

waterpas¹ ⟨het⟩ **0.1** [B]*spirit level,* [A]*level.*

waterpas² ⟨bn.⟩ **0.1** *level* ◆ **1.1** een ~ vlak *a l. surface* **3.1** die balk ligt ~ *the beam is l.;* ~ maken *level* **5.1** niet ~ *not l., uneven, at a slant.*

waterpasbaak ⟨de⟩ **0.1** *surveyour's pole/rod, levelling* [A]*eling rod/staff.*

waterpassen ⟨ov.ww.⟩ **0.1** *level.*

waterpeil ⟨het⟩ **0.1** [hoogte v.h. water] *water level* ⇒*watermark* **0.2** [meetinstrument] *water ga(u)ge/glass.*

waterpeilglas ⟨het⟩ **0.1** *water ga(u)ge/glass.*

waterpers ⟨de⟩ **0.1** *hydraulic/water press.*

waterpest ⟨de⟩⟨plantk.⟩ **0.1** *waterweed* ⇒⟨ihb.⟩ *water thyme.*

waterpijp ⟨de (m.)⟩ **0.1** [pijp waardoor water loopt] *water pipe* **0.2** [toestel om tabak te roken] *water pipe* ⇒*hookah.*

waterpistool ⟨het⟩ **0.1** *water pistol/gun* ⇒⟨AE ook⟩ *squirt gun.*

waterplaats ⟨de⟩ **0.1** [urinoir] *urinal* **0.2** [⟨scheep.⟩] *watering place.*

waterplant ⟨de⟩ **0.1** *water plant.*

waterplantje ⟨het⟩ **0.1** *Impatiens.*

waterplas ⟨de (m.)⟩ **0.1** *lake* ⇒⟨kleiner⟩ *pond* ◆ **2.1** de grote ~ *the big pond.*

waterpoel ⟨de (m.)⟩ **0.1** *pool.*

waterpokken ⟨zn.mv.⟩⟨med.⟩ **0.1** *chicken pox* ⇒*varicella.*

waterpolitie ⟨de (v.)⟩ **0.1** ⟨binnenwateren⟩ *river police;* ⟨havens⟩ *harbour police.*

waterpolo ⟨het⟩⟨sport⟩ **0.1** *water polo.*

waterpomp ⟨de⟩ **0.1** *water pump.*

waterpomptang ⟨de⟩ **0.1** *adjustable-joint pliers;* ⟨groot⟩ *(adjustable) pipe wrench, monkey wrench.*

waterpoort ⟨de⟩ **0.1** [poort in een omwalling] *water gate* **0.2** [⟨scheep.⟩] *freeing port* ⇒*washport.*

waterpot ⟨de (m.)⟩ **0.1** *chamber pot.*

waterproef¹ ⟨het⟩ **0.1** *waterproof (material).*

waterproef² ⟨bn.⟩ **0.1** *waterproof* ⇒*watertight.*

waterput ⟨de (m.)⟩ **0.1** *well.*

waterrad ⟨het⟩ **0.1** *water wheel.*

waterral ⟨de (m.)⟩ **0.1** *water rail.*

waterrat ⟨de⟩ **0.1** [dier] *water rat/vole* **0.2** [persoon] *water rat* ⇒*fish.*

waterrecht ⟨het⟩ **0.1** *water right.*

waterreservoir ⟨het⟩ **0.1** *(water) reservoir* ⇒⟨vergaarbak ook⟩ *water tank,* ⟨grotere vergaarbak⟩ *cistern.*

waterrijk ⟨bn.⟩ **0.1** [rijk aan water] *watery* ⇒*full of water* **0.2** [rijk aan rivieren] *abounding in water* ⇒*having abundant water.*

waterrot ⟨de⟩ **0.1** [zeeman] *(old) salt* **0.2** [waterrat] *water rat.*

watersalamander ⟨de (m.)⟩ **0.1** *newt* ⇒*eft, triton.*

waterschaarste ⟨de (v.)⟩ **0.1** *water shortage.*

waterschade ⟨de⟩ **0.1** *water damage* ◆ **2.1** de ~ is aanzienlijk *there is considerable w. d.* **3.1** het gebouw liep aanzienlijke ~ op *the building suffered considerable w. d..*

waterschap ⟨het⟩ **0.1** [bestuurseenheid] *district water board* ⇒[B]*conservancy,* [A]*Board of Public Works* **0.2** [gebied] *water board district.*

waterscheerling ⟨de⟩ **0.1** *water hemlock* ⇒⟨ihb.⟩ *cowbane.*

waterscheiding ⟨de (v.)⟩ **0.1** *watershed* ⇒*water parting.*

waterscheut ⟨de (m.)⟩ →*waterloot.*

waterschildpad ⟨de⟩ **0.1** *turtle.*

waterschout ⟨de (m.)⟩ **0.1** *shipping commissioner.*

waterschouw ⟨de (m.)⟩ **0.1** *inspection of the waterways.*

waterschroef ⟨de⟩ **0.1** *screw, propeller.*

waterschuw ⟨bn.⟩ **0.1** *frightened/afraid/scared of water.*

waterschuwheid ⟨de (v.)⟩ **0.1** *fear of water* ⇒*hydrophobia.*

waterski ⟨de (m.)⟩ **0.1** [ski voor het waterskiën] *water-ski* **0.2** [draagvlak v.e. watervliegtuig] *pontoon, float.*

waterskiën ⟨ww.⟩⟨sport⟩ **0.1** *waterskiing.*

waterskiër ⟨de (m.)⟩ **0.1** *waterskier.*

waterslag ⟨de (m.)⟩ **0.1** ⟨bij leidingen⟩ *water shock.*

waterslang ⟨de⟩ **0.1** [buis voor watertransport] *hose (pipe)* **0.2** [giftige slang] *water snake* **0.3** [⟨ster.⟩] *Hydra* ⇒*the Snake.*

waterslot ⟨het⟩ **0.1** *water seal.*

watersnip ⟨de⟩ **0.1** *(common) snipe.*

watersnood ⟨de (m.)⟩ **0.1** *flood(ing).*

watersoep ⟨de⟩ **0.1** *watery/thin soup.*

waterspiegel ⟨de (m.)⟩ **0.1** ⟨oppervlakte⟩ *water surface;* ⟨hoogte⟩ *water level.*

waterspin ⟨de⟩ **0.1** *water spider/spinner.*

waterspitsmuis ⟨de⟩ **0.1** *water shrew.*

waterspoeling ⟨de (v.)⟩ **0.1** *flushing cistern/tank* ◆ **6.1** w.c. met ~ *flush toilet.*

waterspoor ⟨het⟩ **0.1** [spoor van afgedropen water] *trail of water* **0.2** [spoor v.e. schip] *wake.*

watersport ⟨de⟩ **0.1** *water/aquatic sport* ⇒*aquatics.*

watersportcentrum ⟨het⟩ **0.1** *aquadrome.*

watersporten ⟨ww.⟩⟨sport⟩ **0.1** *participating in/doing water sports/a water sport.*

watersporter ⟨de (m.)⟩ **0.1** *water sportsman* ⟨vnl. visser⟩ ⇒*swimmer, diver, sailor* ⟨enz.⟩

waterspuit ⟨de⟩ **0.1** *hose(pipe).*

waterspuwer ⟨de (m.)⟩ **0.1** *gutter* ⇒⟨bouwornament⟩ *gargoyle.*

waterstaat ⟨de⟩ **0.1** ⟨zie 1.1⟩ ◆ **1.1** de minister/het ministerie van verkeer en ~ *the Minister/Ministry of Transport and Communications.*

waterstaatkundig ⟨bn.⟩ **0.1** *hydraulic* ◆ **1.1** ~ ingenieur *h. engineer.*

waterstad ⟨de⟩ **0.1** [stad aan het water]⟨meer⟩ *lakeside/*⟨rivier⟩ *riverside/*⟨zee⟩ *seaside town* **0.2** [stad van woonschepen] *floating village.*

waterstand ⟨de (m.)⟩ **0.1** *water level* ◆ **2.1** de huidige hoge/lage ~ *at the present high/low w. l.;* bij hoge/lage ~ *at high/low water, at high/low tide* **3.1** ⟨mbt. binnenvaart⟩ hier volgen de ~en *here is the shipping forecast.*

waterstation ⟨de (v.)⟩ **0.1** *(water) pumping-station.*

waterstel ⟨het⟩ **0.1** *water set.*

waterstoep ⟨de⟩ **0.1** *apron.*

waterstof ⟨de⟩⟨schei.⟩ **0.1** *hydrogen.*

waterstofbinding ⟨de (v.)⟩ **0.1** *hydrogen bond.*

waterstofbom ⟨de⟩ **0.1** *hydrogen/fusion bomb* ⇒⟨verk.⟩ *H-bomb.*

waterstofbrug ⟨de⟩⟨schei.⟩ **0.1** *hydrogen bond.*

waterstofexponent ⟨de (m.)⟩ **0.1** *potential of hydrogen* ⇒⟨afk.⟩ *pH.*

waterstoffluoride ⟨de (m.)⟩ **0.1** ⟨gas⟩ *hydrogen fluoride* ⇒⟨oplossing in water⟩ *hydrofluoric acid.*

waterstofgas ⟨het⟩ **0.1** *hydrogen gas.*

waterstofion ⟨het⟩ **0.1** *hydrogen ion* ⇒*proton.*
waterstofkern ⟨de⟩ **0.1** *hydrogen nucleus.*
waterstofperoxyd(e)⟨het⟩ **0.1** *hydrogen peroxide.*
waterstofsulfide ⟨het⟩ **0.1** *hydrogen sulphide.*
waterstraal ⟨de (m.)⟩ **0.1** *jet of water* ⇒*spurt of water* ⟨krachtig en kort⟩.
waterstroom ⟨de (m.)⟩ **0.1** *stream* ⇒*river* ⟨grote⟩.
watertanden ⟨onov.ww.⟩ **0.1** [het water in de mond krijgen]⟨zie 3.1,6.1⟩ **0.2** [sterk verlangen naar]⟨zie 3.2⟩ ◆ **3.1** die vruchten doen mij ~ *those fruits make my mouth water*/*bring water to my mouth*/*are mouth-watering* **3.2** dit vooruitzicht deed hem ~ *this prospect made his mouth water*/*brought water to his mouth* **6.1** om **van** te ~ *it makes one's mouth water, it brings water to one's mouth.*
watertank ⟨de (m.)⟩ **0.1** *water tank.*
watertje ⟨het⟩ **0.1** [lotion] *lotion* **0.2** [riviertje] *rivulet* ⇒*streamlet.*
watertochtje ⟨het⟩ **0.1** *water excursion*/*outing.*
watertoerisme ⟨het⟩ **0.1** *pleasure sailing* ⇒*boating recreation.*
watertoevoer ⟨de (m.)⟩ **0.1** *water supply.*
watertol ⟨de (m.)⟩ **0.1** *(bridge- and lock-)toll.*
waterton ⟨de⟩ **0.1** *water butt*/*cask.*
watertoren ⟨de (m.)⟩ **0.1** *water tower.*
watertransport ⟨het⟩ **0.1** [vervoer van water] *water supply* **0.2** [vervoer te water] *water carriage* ⇒⟨BE ook⟩ *waterage, transportation by water.*
watertrapp(el)en ⟨ww.⟩ **0.1** *tread water.*
waterturbine ⟨de (v.)⟩ **0.1** *water turbine.*
wateruurwerk ⟨het⟩ **0.1** *water clock*/*glass* ⇒⟨gesch.⟩ *clepsydra.*
waterval ⟨de (m.)⟩ **0.1** *waterfall* ⇒⟨klein en steil⟩ *cascade,* ⟨groot en snel⟩ *cataract, fall* ⟨vnl. mv.⟩ ◆ **1.1** de Niagara ~len *the Niagara Falls.*
watervang ⟨de (m.)⟩ **0.1** *water (supply) point.*
watervast ⟨bn.⟩ **0.1** *indelible* ◆ **3.1** het ~ merken van voorwerpen *mark things with i. ink.*
watervat ⟨het⟩ **0.1** *water butt*/*cask.*
waterverbruik ⟨het⟩ **0.1** *water consumption.*
waterverdamper ⟨de (m.)⟩ **0.1** *humidifier.*
waterverf ⟨de⟩ **0.1** *water colour* ◆ **6.1** een tekening **in** ~ *a water-colour drawing, an aquarelle.*
waterverfschilderij ⟨het, de (v.)⟩ **0.1** *painting in water colour* ⇒*aquarelle.*
waterverftekening ⟨de (v.)⟩ **0.1** *water-colour drawing* ⇒*aquarelle.*
waterverontreiniging ⟨de (v.)⟩ **0.1** *water pollution.*
waterverplaatsing ⟨de (v.)⟩ **0.1** *(load) displacement* ◆ **1.1** een lichte kruiser van 5000 ton ~ *a light cruiser of 5000 d. tons.*
waterverval ⟨het⟩ **0.1** *drop.*
watervervuiling ⟨de (v.)⟩ **0.1** *water pollution.*
waterverzachter ⟨de (m.)⟩ **0.1** ⟨machine, middel⟩ *water softener* ⇒ ⟨middel ook⟩ *water-softening agent.*
watervlak ⟨het⟩ **0.1** *water surface.*
watervlakte ⟨de (v.)⟩ **0.1** *sheet*/*stretch*/*expanse of water.*
watervlek ⟨de (m.)⟩ **0.1** *water stain.*
watervliegtuig ⟨het⟩ **0.1** *seaplane, water plane* ⇒⟨vero.;vnl. AE en niet tech.⟩ *hydroplane.*
watervlies ⟨het⟩⟨med.⟩ **0.1** *amnion.*
watervlo ⟨de⟩ **0.1** *water flea* ◆ **2.1** de gewone~ *the common water flea.*
watervloed ⟨de (m.)⟩ **0.1** [overstroming] *(great) flood, inundation* ⇒⟨schr.⟩ *deluge* **0.2** [uitscheiding van waterachtige vloeistof] *hydrorrhea.*
watervlug ⟨bn.⟩ **0.1** *darting* ⇒*lightening, in*/*like a flash.*
watervogel ⟨de (m.)⟩ **0.1** *water bird* ⇒⟨vnl. om op te jagen⟩ *waterfowl.*
watervoorraad ⟨de (m.)⟩ **0.1** *water supply*/*reserves.*
watervoorziening ⟨de (v.)⟩ **0.1** *water supply.*
watervrees ⟨de⟩ **0.1** [afkeer van water] *hydrophobia* ⇒⟨angst om te verdrinken⟩ *aquaphobia* **0.2** [angst om te drinken] *hydrophobia* ⟨bij de mens⟩;*rabies* ⟨bij dier⟩ ◆ **3.1** ~ hebben *be hydrophobic.*
watervrij ⟨bn.⟩ **0.1** [geen water bevattend] *anhydrous* ⇒*waterless* **0.2** [vrij van overstroming] *free of floods*/*from flooding* ◆ **3.2** hogere streken blijven langer ~ *higher regions remain free from the danger of flooding longer.*
waterwants ⟨de⟩ **0.1** *water bug.*
waterweefsel ⟨het⟩⟨biol.⟩ **0.1** *aqueous tissue.*
waterweegkunde ⟨de (v.)⟩ **0.1** *hydrostatics.*
waterweerstand ⟨de (m.)⟩ **0.1** [door water uitgeoefende weerstand] *hydrodynamic resistance* ⇒*water*/*hydrostatic pressure* **0.2** [elektrische weerstand] *hydroelectric resistance.*
waterweg ⟨de (m.)⟩ **0.1** *waterway* ◆ **2.1** de Nieuwe Waterweg *the New Waterway.*
waterwerk ⟨het⟩ **0.1** [bouwwerk in het water] *water work* **0.2** [geheel van fonteinen] *fountain, cascade* ⇒⟨vero.⟩ *water work* ◆ **6.2** een park met ~en *a park with fountains*/*cascades.*
waterwerper ⟨de (m.)⟩ **0.1** *water cannon.*
waterwild ⟨het⟩ **0.1** *waterfowl.*
waterwilg ⟨de (m.)⟩ **0.1** *sallow.*

waterwingebied ⟨het⟩ **0.1** *water-collection area.*
waterwinning ⟨de (v.)⟩ **0.1** *water collection.*
waterwinplaats ⟨de⟩ **0.1** *water (supply) point.*
waterzak ⟨de (m.)⟩ **0.1** *water bag* ⇒⟨leren⟩ *waterskin.*
waterzeil ⟨het⟩⟨scheep.⟩ **0.1** *water sail.*
waterzijde ⟨de⟩ **0.1** *waterside* ⇒*waterfront.*
waterzonnetje ⟨het⟩ **0.1** *watery sun.*
waterzooi ⟨de⟩⟨AZN;cul.⟩ **0.1** ≠*chicken casserole.*
waterzucht ⟨de⟩⟨med.⟩ **0.1** *dropsy.*
waterzuchtig ⟨bn.⟩ **0.1** *dropsical.*
waterzuivering ⟨de (v.)⟩ **0.1** *water treatment* ⇒*water purification* ◆ **1.1** afvalwaterzuivering *wastewater t.*; rioolwaterzuivering *sewage t..*
waterzuiveringsinstallatie ⟨de (v.)⟩ **0.1** *water*/ ⟨afvalwater⟩ *wastewater*/ ⟨rioolwater⟩ *sewage treatment plant.*
waterzuiveringsmaatschappij ⟨de (v.)⟩⟨AZN⟩ **0.1** *water treatment company.*
waterzuring ⟨de⟩ **0.1** *bloodwort.*
waterzwaluw ⟨de⟩ **0.1** *bank swallow*/*martin* ⇒⟨BE⟩ *sand martin.*
watje ⟨het⟩ **0.1** *wad of* [B]*cotton wool*/[A]*absorbent cotton* ◆ **6.1** ~s in de oren stoppen *put wads of cotton wool in one's ears, plug one's ears with cotton wool.*
watjekouw ⟨de (m.)⟩⟨inf.⟩ **0.1** *wallop, sock* ⇒⟨sl.⟩ *biff, clout.*
watt ⟨de (m.)⟩⟨nat.⟩ **0.1** *watt.*
wattage ⟨de (v.)⟩ **0.1** *wattage.*
watten[1] ⟨zn.mv.⟩ **0.1** *cotton wadding* ⇒[B]*cotton wool,* [A]*absorbent cotton, batting* [als vulsel] ◆ **1.1** een plukje ~ *a tuft*/*wad of cotton wool*/*absorbent cotton;* een prop/*dot* ~ *a plug*/*wad of cotton* **2.1** bloedstelpende/antiseptische ~ *styptic*/*antiseptic cotton;* vette ~ *natural cotton wool* **6.1** ⟨fig.⟩ iem. **in** de ~ leggen *cosset*/*mollycoddle*/*wet-nurse s.o.;* **met** ~ opvullen *wad, pad, fill*/*stuff with batting.*
watten[2] ⟨bn.⟩ **0.1** *(made of)* [B]*cotton wool*/[A]*absorbent cotton.*
wattenstaafje ⟨het⟩ **0.1** *cotton bud* ⇒⟨AE ook⟩ *Q-tip* ⟨handelsmerk⟩.
watteren ⟨ov.ww.⟩ **0.1** *pad* ⇒*wad, quilt.*
wattig ⟨bn.⟩ **0.1** *woolly,* [A]*wooly.*
wattine ⟨het, de⟩ **0.1** *batting.*
wattmeter ⟨de (m.)⟩⟨nat.⟩ **0.1** *wattmeter.*
wattseconde ⟨de⟩⟨nat.⟩ **0.1** *watt-second, joule.*
watturenmeter ⟨de (m.)⟩⟨nat.⟩ **0.1** *watt(-hour) meter.*
wattuur ⟨het⟩⟨nat.⟩ **0.1** *watt-hour.*
wauwel ⟨de (m.)⟩⟨inf.⟩ **0.1** [persoon] *windbag, prattler, chatterbox* **0.2** [mond] *trap* ⇒⟨BE;sl.⟩ *gob* ◆ **3.2** zijn ~ staat geen ogenblik stil [B]*he talks nineteen*/*twenty*/*forty to the dozen, he can talk the hind legs off a donkey.*
wauwelaar ⟨de (m.)⟩⟨inf.⟩ **0.1** *windbag* ⇒*prattler, chatterbox.*
wauwelen ⟨onov.ww.⟩⟨inf.⟩ **0.1** *chatter, prattle (on)* ⇒⟨BE;sl.⟩ *waffle, jabber, drivel* ⟨onzin⟩*, drone (on)* ⟨vervelend⟩ ◆ **¶.1** dat wauwelt maar door *he*/*she*/*they does*/*do*/*will keep on (so);* ⟨sl.⟩ *if only he*/*she*/*they would put a sock in it.*
waxinelichtje ⟨het⟩ **0.1** *tea-warmer.*
wazig ⟨bn., bw.;-ly⟩ **0.1** [als met een waas bedekt] *hazy* ⇒*misty, blurred* ⟨beeld⟩*, filmy, vague* **0.2** [suf] *muzzy* ⇒*drowsy* ◆ **1.1** ~e omtrekken *h.*/*blurred contours* **1.2** met een ~e blik in de ogen *with a dazed look in the eyes* **3.1** alles ~ zien *see everything (as if) through a haze*/*in a blur, have a blurred vision* **3.2** hij keek ~ uit zijn ogen *he blinked up muzzily.*
wazigheid ⟨de (v.)⟩ **0.1** *haze* ⇒*haziness, mistiness.*
WC ⟨de (m.)⟩ **0.1** [watercloset] *WC, toilet* ⇒⟨vnl. BE⟩ *lavatory,* ⟨vnl. AE⟩ *washroom, restroom,* ⟨inf.⟩ *loo, lav,* ⟨AE;inf.⟩ *john,* ⟨schr.⟩ *water closet,* ⟨euf.⟩ *bathroom* **0.2** [closetpot] *lavatory (bowl)* ◆ **3.1** kunt u me zeggen waar de ~'s zijn *can you tell me where the toilets are*/ ⟨euf.⟩ *where I can wash my hands;* ⟨euf.⟩ *can I look at the geography of the house* **6.1** niet **naar** de ~ kunnen *be constipated;* ik moet **naar** de ~ *I have to go to the bathroom*/*toilet*/*lavatory;* ⟨euf.⟩ *I have to go and wash my hands*/*and spend a penny;* telkens **naar** de ~ moeten *continuously have to go to the t.;* ⟨sl.⟩ *have (an attack of) the runs*/*trots* **6.2** een restje eten **door** de ~ spoelen *flush*/*tip leftovers down the toilet.*
WC-bril ⟨de (m.)⟩ **0.1** *toilet*/*lavatory seat.*
WC-papier ⟨het⟩ **0.1** *toilet paper.*
w.c.-raampje ⟨het⟩ **0.1** *lavatory window.*
WC-rol ⟨de⟩ **0.1** *toilet roll.*
wd. ⟨afk.⟩ **0.1** [waarnemend] *dep..*
we ⟨pers.vnw.⟩ **0.1** *we, us* ◆ **3.1** laten ~ gaan/ophouden *let's go*/*stop, I suggest*/*why don't we go*/*stop (now).*
web ⟨het⟩ **0.1** [spinneweb] *web* **0.2** [netwerk] *web* ◆ **1.2** een ~ van intriges *a w. of intrigues.*
weber ⟨de (m.)⟩⟨nat.⟩ **0.1** *weber.*
weck ⟨de (m.)⟩ **0.1** [het wecken] *canning* ⇒⟨BE ook⟩ *bottling,* ⟨AE ook⟩ *canning* **0.2** [geweckte levensmiddelen] *bottled*/*canned*/*preserved food(stuffs).*
wecken ⟨onov..ov.ww.⟩ **0.1** *can* ⇒⟨BE ook⟩ *bottle,* ⟨AE ook⟩ *can.*
weckfles ⟨de⟩ **0.1** *preserving jar.*
weckring ⟨de (m.)⟩ **0.1** *(rubber) sealing-ring.*

wed ⟨het⟩ **0.1** [doorwaadbare plaats] *ford* **0.2** [drenkplaats] *watering place* ⇒*water hole.*

wed. ⟨afk.⟩ **0.1** [weduwe] ⟨*widow*⟩.

wedde ⟨de⟩ **0.1** *pay* ⇒*salary.*

wedden ⟨onov.,ov.ww.⟩ **0.1** *bet (on)* ⇒⟨schr.⟩ *wager* ◆ **3.1** ik durf te ~ wil ~/ wed dat je het niet weet *my bet is that you don't know it, I'll lay odds on it that you don't know it, I bet you don't know it* **6.1 om** geld ~ b. *(a certain amount of) money,* b. *for money;* met iem. ~ **om** een tientje dat *bet s.o. ten guilders that;* op een paard ~ b. on/ *place money on/ back a horse;* **op** het verkeerde paard ~ *back the wrong horse, bring one's pigs to the wrong market;* ⟨fig.⟩ te veel **op** één paard ~ *put all one's eggs in one basket;* ⟨fig.⟩ op twee paarden ~ *have two strings/a second string/more than one string to one's bow;* **op** paarden ~ ⟨inf.⟩ *play the horses/* ⟨AE ook⟩ *the races;* ik wed **van** wel/ niet *I bet he will/ won't/ it is/isn't* ⟨enz.⟩ **8.1** ~ dat hij komt/ dat hij het doet? *I bet he'll come/he'll do it, what's the betting he'll come/do it?.*

weddenschap ⟨de (v.)⟩ **0.1** *bet* ⇒⟨schr.⟩ *wager* ◆ **3.1** een ~ aannemen *accept/take a b.;* een ~ afsluiten/aangaan *lay down/make/place a b.;* een ~ verliezen *lose a b.;* een ~ van iem. winnen *win a b. off s.o.* **6.1** geld winnen met een ~ *win money on a b..*

wedder ⟨de (m.)⟩, -ster ⟨de (v.)⟩ **0.1** *better* ⇒*backer.*

wede ⟨de⟩ **0.1** *woad.*

weder →*weer.*

weder- →*weer-.*

wederdienst ⟨de (m.)⟩ **0.1** *service/favour in return* ◆ **3.1** iem. een ~ bewijzen *do s.o. a service in return, return a favour to s.o.* **6.1** gaarne **tot** ~ bereid zijn *be always ready to return a favour/service.*

wederdoper ⟨de (m.)⟩ ⟨rel.⟩ **0.1** *anabaptist.*

wedergeboorte ⟨de (v.)⟩ **0.1** [reïncarnatie] *rebirth* ⇒*reincarnation* **0.2** [nieuwe bloei] *rebirth* ⇒*revival, renaissance.*

wedergeboren ⟨bn.⟩ ⟨schr.⟩ **0.1** *reincarnated, regenerated* ⇒⟨rel.⟩ *twice-born.*

wederhelft ⟨de⟩ **0.1** *consort* ⇒⟨scherts.⟩ *better/other half.*

wederhoor ⟨de (m.)⟩ ⟨jur.⟩ ◆ **1.¶** het recht van hoor en ~ toepassen *hear both sides.*

wederhoren ⟨onov.ww.⟩ **0.1** [nog eens horen] *hear again* **0.2** [de tegenpartij horen] *hear the other side* ◆ **3.2** men moet horen en ~ *one should listen to/ hear all sides* **6.1 tot** ~ *talk to you again* ⟨bij het afbreken v.e. telefoongesprek⟩

wederik ⟨de (m.)⟩ **0.1** *loosestrife.*

wederikachtigen ⟨zn.mv.⟩ **0.1** *Onagraceae.*

wederinkoop ⟨de (m.)⟩ **0.1** *repurchase* ⇒*redemption* ◆ **1.1** verkoop met recht van ~ *sale with right of repurchase.*

wederinstorting ⟨de (v.)⟩ **0.1** *relapse.*

wederkeer ⟨de (m.)⟩ ⟨schr.⟩ **0.1** [terugkeer] ⟨ongemarkeerd⟩ *return* **0.2** [herhaling] ⟨ongemarkeerd⟩ *recurrence.*

wederkerend ⟨bn.⟩ ⟨taal.⟩ **0.1** *reflexive* ◆ **1.1** een ~ voornaamwoord/ werkwoord *a r. pronoun/verb.*

wederkerig ⟨bn., bw.; -ly⟩ **0.1** *mutual, reciprocal* ◆ **1.1** ⟨jur.⟩ een ~e overeenkomst *a r. agreement;* ⟨taal.⟩ het ~voornaamwoord *the r. pronoun;* een ~e vriendschap *a m./ r. friendship* **3.1** elkaar ~ gelukwensen *mutually congratulate each other.*

wederkerigheid ⟨de (v.)⟩ **0.1** *reciprocity* ⇒*mutuality* ◆ **1.1** op basis van ~ *on a reciprocal basis;* stelsel van ~ *system of r..*

wederkomen ⟨onov.ww.⟩ ⟨schr.⟩ **0.1** [terugkomen] ⟨ongemarkeerd⟩ *return, come back* **0.2** [zich herhalen] ⟨ongemarkeerd⟩ *recur.*

wederkomst ⟨de (v.)⟩ ⟨schr.⟩ **0.1** *return* ◆ **1.1** de ~ des Heren *the Second Coming of Christ, the Second Coming/ Advent.*

wederliefde ⟨de (v.)⟩ **0.1** *love in return, return of love* ⇒*requited love.*

wederom ⟨bw.⟩ **0.1** *(once) again, once more.*

wederopbloei ⟨de (m.)⟩ **0.1** *revival.*

wederopbouw ⟨de (m.)⟩ **0.1** *reconstruction, rebuilding, redevelopment* ⇒⟨herstel⟩ *recovery* ◆ **1.1** de ~ van Nederland na de oorlog *the post-war reconstruction of the Netherlands* **¶.1** de ~ ter hand nemen *embark on reconstruction/ rebuilding/ redevelopment.*

wederopstanding ⟨de (v.)⟩ ⟨schr.⟩ **0.1** *resurrection.*

wederopzeggens ⟨schr.⟩ ◆ **6.¶ tot** ~ ⟨toe⟩ *until further notice.*

wederpartij ⟨de (v.)⟩ **0.1** [tegenpartij] *opponent, opposing party* **0.2** [partner] *other party.*

wederrechtelijk ⟨bn., bw.; -ly⟩ **0.1** *unlawful, illegal* ⇒*wrongful, extrajudicial, unauthorized* ◆ **1.1** ~e inbezitneming *usurpation, intrusion;* ~e vrijheidsberoving *false imprisonment, unlawful detention, wrongful arrest* **3.1** zich ~ bevinden op *tresspass on;* zich iets ~ toeëigenen *misappropriate sth..*

wederrechtelijkheid ⟨de (v.)⟩ **0.1** [onrechtmatigheid] *unlawfulness, illegality* **0.2** [wederrechtelijke daad] *illegality.*

wedervaren ⟨onov.ww.⟩ ⟨schr.⟩ **0.1** *befall* ⇒*happen to* ◆ **1.1** hem is een groot geluk ~ *great happiness has befallen him* **3.1** iem. recht doen ~ *do justice to s.o., give s.o. his due, do right by s.o..*

wederverkoper ⟨de (m.)⟩ **0.1** *retailer.*

wedervraag ⟨de (v.)⟩ **0.1** *counter-question* ◆ **3.1** een ~ stellen *ask a c.-q./ a question in return* **6.1** een vraag met een ~ beantwoorden *answer a question with a/ another question, beg the question.*

wederwaardigheden ⟨zn.mv.⟩ **0.1** *adventures* ⇒*vicissitudes, (trials and) tribulations* ◆ **3.1** vertel ons eens iets van uw ~ *tell us sth. about your a./ experiences.*

wederzijds
I ⟨bw.⟩ **0.1** [v.d. een tot de ander] *mutually* ◆ **2.1** een ~ bindende overeenkomst *a bilateral/ reciprocal agreement* **3.1** elkaar ~ beïnvloeden *influence each other;* elkaar ~ ontzien *spare each other;*
II ⟨bn.⟩ **0.1** [van beide zijden komend] *mutual* ⇒*reciprocal* **0.2** [mbt. ieder van beide] *mutual* ⇒*reciprocal* ◆ **1.1** ~e beïnvloeding *m. influence, mutually influencing;* ~e hulp *m. assistance;* de liefde was ~ *their love was m.* **1.2** de ~e rechten *reciprocal rights* **3.1** met ~ goedvinden *by m. consent, with the approval/ consent of both parties.*

wedijver ⟨de (m.)⟩ **0.1** *competition* ⇒*rivalry, emulation* ◆ **2.1** er heerst tussen hen een gezonde ~ *there is a healthy spirit of c./ rivalry between them.*

wedijveren ⟨onov.ww.⟩ **0.1** [trachten te overtreffen] *vie/ compete (with)* ⇒*contend* **0.2** [ijveren] *strive (for)* ◆ **6.1** zij ~ in schoonheid *they v. with/ emulate/ rival each other in beauty;* met iem./ iets (kunnen) ~ in schoonheid *(be able) to rival s.o./ sth. in beauty;* niet met iem./ iets kunnen ~ in kwaliteit *be unable to v. with/ rival s.o./ sth. in quality;* met elkaar ~ om iets *v./ c. (with each other) for sth.* **6.2** Brabant wedijvert **voor** het behoud van natuurschoon *Brabant strives to conserve its beauty spots.*

wedje ⟨het⟩ ⟨inf.⟩ **0.1** *bet* ⇒ ⟨vnl. BE⟩ *flutter* ◆ **3.1** ~ maken? *(do you) want to bet?*

wedkamp ⟨de (m.)⟩ **0.1** *match* ⇒*competition, contest.*

wedloop ⟨de (m.)⟩ **0.1** ⟨alg.⟩ *race* ⇒⟨tussen mensen⟩ *footrace,* ⟨met fakkels⟩ *torch race* ◆ **2.1** de militaire ~ met het Oostblok *arms r. with the Eastern bloc.*

wedlopen ⟨ww.⟩ **0.1** *race, run a race.*

wedren ⟨de (m.)⟩ **0.1** *race* ⇒⟨met voorgift⟩ *handicap,* ⟨korte wedren voor paarden⟩ *scurry* ◆ **6.1** een ~ met hindernissen *a (steeple)chase, a hurdle r..*

wedstrijd ⟨de (m.)⟩ **0.1** *match* ⇒*competition, contest, game* ◆ **2.1** een beslissende ~ spelen *play/ shoot/ run* ⟨enz.⟩ *off a tie;* een gewonnen ~ spelen *play a winning game;* het aantal gewonnen/ verloren ~en *the number of games/ matches won/ lost;* een schorsing voor drie officiële ~en *a suspension for three league games;* een onbesliste ~ *a draw/ tie/ dead heat;* een overgespeelde ~ *a replay;* een vastgestelde ~ *a fixture* **3.1** aan een ~ meedoen *take part in a competition/ contest m.;* een ~ aangaan met een tegenstander *compete with an opponent;* een ~ bijwonen *attend a m.;* een ~ fluiten *referee a m.;* laten we er geen ~ van maken *let's not make a contest of it;* nog twee/ drie ~en moeten spelen *have two/ three games (still) to play;* met nog twee/ drie ~en te spelen *with two/ three games (still) to go/ play;* een ~ uitschrijven/ houden/ afgelasten *organize/ hold/ cancel a m.;* de ~ werd gestaakt bij de stand 2-0 *the game was abandoned with the score at 2-0;* het werd een complete ~ *it developed into an out and out contest/ fight;* een ~ winnen/ verliezen *win/ lose a m./ game, play a winning/ losing game;* alle ~en zijn afgelast *all matches have been postponed/ cancelled/* ⟨vanwege de regen⟩ *rained off/ out* **6.1** in de ~ zijn *be on one's game;* zijn tegenstander **uit** de ~ spelen *outplay one's opponent* **7.1** ⟨in serie van twee⟩ de eerste/ tweede ~ *the first/ second leg* **¶.1** de ~ in je zak hebben *have the game in one's pocket.*

wedstrijdbeker ⟨de (m.)⟩ ⟨sport⟩ **0.1** *(sports) cup.*

wedstrijddatum ⟨de (m.)⟩ **0.1** *date of a/ the contest/ competition/* ⟨wedloop⟩ *race/* ⟨voetbal, enz.⟩ *match/ game.*

wedstrijdformulier ⟨het⟩ **0.1** *competition form.*

wedstrijdjury ⟨de⟩ **0.1** *judges (at a/ the contest)* ⇒*(contest) judges/ jury.*

wedstrijdleider ⟨de (m.)⟩ **0.1** *match/ competition/ contest/ tournament leader.*

wedstrijdreglement ⟨het⟩ **0.1** *rules (of a/ the contest/ competition/ race/ match/ game)* ⇒*competition rules.*

wedstrijdrijder ⟨de (m.)⟩ **0.1** ⟨autosport⟩ ᴮ*racing/*ᴬ*race driver.*

wedstrijdsport ⟨de⟩ **0.1** *competitive sport(s).*

wedstrijdsporter ⟨de (m.)⟩ **0.1** *competitive/ competition sportsman.*

wedstrijdzeilen ⟨ww.⟩ **0.1** *(competitive) yachting* ⇒⟨op zee⟩ *ocean racing.*

wedstrijdzwemmer ⟨de (m.)⟩, -ster ⟨de (v.)⟩ **0.1** *competitive/ competition swimmer.*

weduwe ⟨de (v.)⟩ **0.1** *widow* ◆ **1.1** de ~ J. Meijer *Mrs. J. Meijer* **2.1** groene ~ *housebound wife/ woman, frustrated housewife;* ~ grass w.; golf/ computer/* ⟨enz.⟩ *w.* ⟨als gevolg van genoemde bezigheid van echtgenoot⟩ **2.¶** een zware v.d. ~ ≠*a strong roll-up/ roll-your-own cigarette* **3.1** ~ worden *be widowed, become a w.* **8.1** als ~ achterblijven *be left a w..*

weduwenfonds ⟨het⟩ **0.1** *widow's (and orphans') pension fund* ⇒*widow's benefit.*

weduwenpensioen ⟨het⟩ **0.1** *widows' benefit/ pension.*

weduwjaar ⟨het⟩ **0.1** [jaar dat een vrouw weduwe is] *year of widowhood* **0.2** [eerste jaar na de dood v.d. echtgenoot] *first year of widowhood.*

weduwlijk ⟨bn.⟩ ⟨schr.⟩ **0.1** *widowed* ◆ **1.1** de ~e staat *widowhood.*

weduwnaar ⟨de (m.)⟩ **0.1** *widower* ◆ **3.1** haar broer, die ~ was *her widowed brother;* ~ worden *be widowed, become a w..*

weduwnaarsbotje ⟨het⟩ ⟨inf.⟩ **0.1** *funny bone* ⇒⟨AE ook⟩ *crazy bone*.

weduwnaarspijn ⟨de⟩ **0.1** *painful tingling of the funny bone*.

weduwschap ⟨het⟩, **-staat** ⟨de (m.)⟩ **0.1** *widowhood* ⟨van weduwe⟩; *widowerhood* ⟨van weduwnaar⟩.

weduwvogel ⟨de (m.)⟩ **0.1** *whydah* ⇒*widow bird*.

weduwvrouw ⟨de (v.)⟩ ⟨inf.⟩ **0.1** *widow woman*.

wedvlucht ⟨de⟩ **0.1** ⟨van vogels⟩ *race*; ⟨van vliegtuigen⟩ *air race*.

wee¹
I ⟨de⟩ **0.1** [barenswee] *labour pain, contraction* ◆ **2.1** zware ~ën *strong contractions* **3.1** de ~ën zijn begonnen *labour has / the labour pains / contractions have started*;
II ⟨het⟩ **0.1** [smart] *woe* ◆ **1.1** het wel en ~ in de familie *the ups and downs of the family / of family life*.

wee² ⟨bn.⟩ **0.1** [mbt. personen] *faint* ⇒*sick* **0.2** [mbt. zaken] *sickly* ◆ **2.2** een ~ë lucht / smaak *a s. smell / taste* **3.1** ⟨fig.⟩ je wordt ~ van dat gezeur *that nagging is enough to make you sick*; ~ zijn van de honger *be f. with hunger* **6.1** ~ om het hart worden *feel sick at heart*.

wee³ ⟨tw.⟩ ⟨→sprw. 663⟩ **0.1** [droefheid, pijn, ontsteltenis] *ah, ay, woe* **0.2** [bedreiging] *woe* ◆ **1.2** ~ je gebeente als ... *w. betide you if ...* **3.1** ach en ~ roepen *lament* **4.1** ~ mij / ons! *w. is me / to us!*; ~ u! *w. betide you!* **4.2** ~ degene *w. betide the one / anyone (who)* **9.1** o ~! *o dear!, ah me!* **9.2** o ~ als je het nog eens doet *w. betide you if you do it again*.

weedom ⟨de (m.)⟩ ⟨schr.⟩ **0.1** *woe*.

weeffout ⟨de⟩ **0.1** *flaw* ⇒*weaving fault*.

weefgetouw ⟨het⟩ **0.1** *loom* ◆ **2.1** een mechanisch / automatisch ~ *a power / an automatic l..*

weeflijn ⟨de⟩ ⟨scheep.⟩ **0.1** *ratline*.

weefpatroon ⟨het⟩ **0.1** *weaving pattern* ⇒*weave*.

weefsel ⟨het⟩ **0.1** [textiel] *fabric, textile* ⇒⟨wijze van weven⟩ *weave* **0.2** [⟨ook in samenst.; biol.⟩] *tissue, web* **0.3** [web] *tissue, web* ◆ **1.2** de aanmaak / groei van ~ *the formation / growth of t., histogenesis* **1.3** een ~ van leugen en bedrog *a t. / web of lies and deceit* **2.1** effen / gekeperde / damasten ~s *plain / twilled / damask fabrics / textiles*; katoenen / linnen ~s *cotton / linen fabrics / textiles*; kunststof ~s *synthetic / man-made fabrics / textiles* **2.2** getransplanteerd ~ *transplant*; organisch ~ *organic t.* **3.2** bindweefsel *connective t..*

weefselbeschadiging ⟨de (v.)⟩ ⟨med.⟩ **0.1** *tissue injury*.

weefselkweek ⟨de (m.)⟩ ⟨med.⟩ **0.1** *tissue culture*.

weefselleer ⟨de⟩ **0.1** *histology*.

weefselpoliep ⟨de⟩ ⟨med.⟩ **0.1** *polyp*.

weefselspanning ⟨de (v.)⟩ **0.1** *tissue tension*.

weefselstructuur ⟨de (v.)⟩ **0.1** *texture* ⇒⟨mbt. geweven stof ook⟩ *weave, wale*.

weefselverharding ⟨de (v.)⟩ ⟨med.⟩ **0.1** *sclerosis, scleroma*.

weefselversterf ⟨het⟩ ⟨med.⟩ **0.1** *gangrene*.

weefselvloeistof ⟨de⟩ **0.1** *lymph*.

weefselvocht ⟨het⟩ **0.1** *lymph*.

weefspoel ⟨de⟩ **0.1** *shuttle*.

weefster ⟨de (v.)⟩ **0.1** *weaver*.

weefstoel ⟨de (m.)⟩ **0.1** *(hand)loom*.

weefvak ⟨het⟩ ⟨verkeer⟩ **0.1** ≠ᴮ*slip road*, ⟨ invoegen⟩ ᴬ *acceleration* / ⟨uitvoegen⟩ *deceleration lane*.

weegbaar ⟨bn.⟩ **0.1** *weighable*.

weegbree ⟨de⟩ **0.1** *plantain*.

weegbrug ⟨de⟩ **0.1** *weighbridge*.

weegflesje ⟨het⟩ **0.1** *weighing bottle*.

weeghaak ⟨de (m.)⟩ **0.1** *steelyard*.

weegluis ⟨de⟩ **0.1** *bedbug*.

weegs ⟨de (m.)⟩ ◆ **1.¶** een eind ~ *well on one's way* **4.¶** zijns ~ gaan ⟨ook fig.⟩ *go one's way*; ieder ging zijns ~ *everyone went his own way*.

weegschaal ⟨de⟩ **0.1** [weegtoestel] *(pair of) scales, balance* **0.2** [⟨astrol.⟩ sterrenbeeld] *Libra, (the) Scales* **0.3** ⟨astrol.⟩ persoon] *Libra* ◆ **7.1** twee weegschalen *two pairs of scales, two balances*.

weegstoel ⟨de (m.)⟩ **0.1** *weighing chair*.

weeig ⟨bn.⟩ **0.1** *sickly* ⇒⟨fig.⟩ *sloppy, slushy*, ⟨BE; inf.; fig.⟩ *soppy*.

week¹ ⟨de⟩ **0.1** [periode van zeven dagen] *week* **0.2** [het weken] *soak* ◆ **1.1** korporaal v.d. ~ *corporal on duty for the w.*; een ~ rust / vakantie *a week-long / w.'s rest / holiday* / ᴬ*vacation* **2.1** de goede / stille ~ *Holy Week*; een mooie / goede ~ maken *earn a good weekly income*; volgende ~ *next w., (the) coming w.*; volgende ~ dinsdag *next Tuesday*; vorige ~ nog *as lately / recently / as last w.*; een witte ~ *a white sale* **3.1** de ~ hebben *be on duty for the w.*; een ~ weggaan *leave / go away for a w.* **6.1** binnen een ~ *within a w.*; **in,** ~ **uit** *w. in, w. out*; **in** / **door** de ~ *in the w., on weekdays*; **om** de (andere) ~ *every (other) w.*; **over** een ~ *in a w.'s time, in a w. from now*; dinsdag **over** een ~ *Tuesday week, a w. from Tuesday*; **per** ~ *verdienen be paid by the w. / weekly*; 40 uur **per** ~ werken *work a 40-hour w.*; weken / een ~ van 70 uur maken *work a 70-hour w.* **6.2** erwten in de ~ leggen / zetten *put peas to soak*; de was in de ~ zetten *put the laundry in (to) soak* **7.1** er gaat geen ~ voorbij zonder dat / of ... *not a w. goes by without / but ...*; morgen over twee weken *two weeks from tomorrow*; ⟨BE ook⟩ *a fortnight tomorrow, tomorrow fortnight* **¶.1** vandaag een ~ geleden *a week ago today*.

week² ⟨bn.⟩ **0.1** [niet stevig] *soft* ⇒*pulpy, pappy, flaccid* **0.2** [teerhartig] *weak* ⇒*softhearted* **0.3** [zonder weerstandsvermogen] *weak* ◆ **1.1** ~ brood *s. bread*; ~ hout *s. wood*; ~ ijzer *s. iron* **1.3** een ~ gestel *a w. constitution* **3.1** iets ~ maken *soften sth.*; ~ worden *soften, plasticize* **3.2** je wordt er ~ van *it makes you w.* **6.2** hij is ~ **van** hart ⟨teergevoelig⟩ *he has a tender heart / is sensitive*; ⟨laf⟩ *he is fainthearted* **8.1** zo ~ als was *(as) s. as wax, waxen*.

weekabonnement ⟨het⟩ **0.1** *weekly (season) ticket* ⇒⟨AE ook⟩ *commutation ticket*.

weekbericht ⟨het⟩ **0.1** *weekly report*.

weekbeurt ⟨de⟩ **0.1** *duty for the week, weekly duty*.

weekblad ⟨het⟩ **0.1** *weekly* ⇒*(news) magazine, journal* ◆ **1.1** dag- en ~ *daily and weekly (magazine)*.

weekbriefje ⟨het⟩ **0.1** *weekly time sheet*.

weekdag ⟨de (m.)⟩ **0.1** *weekday*.

weekdienst ⟨de (m.)⟩ **0.1** [dienst die om de / elke week plaatsheeft] *weekly service* **0.2** [weekbeurt] *duty (for the week)* **0.3** [mis] ⟨weekly mass said for the dead⟩ **3.2** ~ hebben *be on / have duty for the / this week* **6.1** een ~ **op** New York *weekly service to New York*.

weekdier ⟨het⟩ **0.1** [dier] *mollusc* **0.2** [persoon] *slimy fellow*.

weekeinde ⇒**weekend**.

weekend ⟨het⟩ **0.1** *weekend* ◆ **2.1** lang ~ *long w.*; prettig ~! *have a nice w.* **3.1** het ~ in Parijs doorbrengen *spend the w. in Paris, weekend in Paris*; het ~ overblijven *stay (over) the w.*; het ~ weggaan *go away for the w.*; hij werkte de ~en door *he worked during the / over / at / ᴬon weekends*; ⟨inf.⟩ *he worked weekends* **6.1** in het ~ ᴮat / ᴬon the w..

weekenddienst ⟨de (m.)⟩ **0.1** *weekend duty*.

weekender ⟨de (m.)⟩ **0.1** ⟨convicted person who serves his time at the weekends⟩.

weekendhuisje ⟨het⟩ **0.1** *weekend cottage* ⇒⟨Austr.E⟩ *weekender*.

weekendhuwelijk ⟨het⟩ **0.1** *weekend marriage*.

weekendretour ⟨de⟩ **0.1** *weekend return*.

weekendstraf ⟨de⟩ **0.1** *weekend prison sentence*.

weekendtas ⟨de⟩ **0.1** *holdall,* ᴬ*carryall* ⇒*overnight bag*.

weekgeld ⟨het⟩ **0.1** [loon] *weekly wage* ⇒*weekly pay, week's wages* **0.2** [geld om te besteden] *(weekly) allowance*.

weekhartig ⟨bn.⟩ **0.1** *tenderhearted, softhearted* ⇒*sentimental*, ⟨inf.⟩ *soft-hearted, mushy* ◆ **¶.1** ~ van aard *be t. / s. by nature, have a tender / soft heart*.

weekheid ⟨de (v.)⟩ **0.1** [het week zijn] *weakness* ⇒*softness* **0.2** [weekhartigheid] *softheartedness* ⇒*tenderheartedness, softness, kindness* **0.3** [gebrek aan wilskracht] *weakness* ⇒*softness*, ⟨schr.⟩ *pusillanimity, effeteness*.

weekhoevig ⟨bn.⟩ **0.1** *tender-hoofed*.

weekhout ⟨het⟩ **0.1** [hakhout] *coppice wood, copsewood* **0.2** [zacht hout] *soft wood*.

weekhuur ⟨de⟩ **0.1** *weekly rent*.

weekijzer ⟨het⟩ **0.1** *soft iron*.

weekje ⟨het⟩ **0.1** *week* ◆ **3.1** we gaan een ~ weg *we're going away for a w.*; het is nog een ~ varen *it's another week's sail* **¶.1** nog maar een ~ *(only) one more w..*

weekkaart ⟨de⟩ **0.1** *weekly (season) ticket*.

weekkalender ⟨de (m.)⟩ **0.1** *week-by-week calendar*.

weeklacht ⟨de⟩ **0.1** *lament(ation)* ⇒*plaint, wail(ing)*, ⟨mv. ook⟩ *wails / cries of woe*.

weeklagen ⟨onov.ww.⟩ **0.1** *lament* ⇒*wail* ◆ **6.1** ~ **over** de dood van iem. / het verlies van iets *l. (over) / bewail / bemoan / wail over s.o.'s death / the loss of sth..*

weeklijst ⟨de⟩ **0.1** *weekly report*.

weekloon ⟨het⟩ **0.1** *weekly wage* ⇒*weekly pay, week's wages*.

weekmaker ⟨de (m.)⟩ ⟨ind.⟩ **0.1** *softener* ⇒*softening agent, plasticizer*.

weekmarkt ⟨de⟩ **0.1** *weekly market*.

weekoverzicht ⟨het⟩ **0.1** [mbt. het nieuws] *review of the week* ⇒⟨film, tv, radio⟩ *newsreel* **0.2** [mbt. transacties] *weekly survey*.

weekplaats ⟨de⟩ **0.1** *retting-ground* ⇒*retting-pit*.

weekrapport ⟨het⟩ **0.1** *weekly report*.

weeksluiting ⟨de (v.)⟩ **0.1** ⟨in scholen⟩ *end of week assembly*.

weeksoldeer ⟨het, de (m.)⟩ **0.1** *soft solder*.

weekstaat ⟨de (m.)⟩ **0.1** *weekly report* ⇒*weekly return*.

weekvocht ⟨het⟩ **0.1** *steeping / softening / soaking liquid*.

weelde ⟨de⟩ ⟨→sprw. 46⟩ **0.1** [luxe, rijkdom] *luxury* ⇒*affluence, opulence* **0.2** [overvloed] *overabundance* ⇒*wealth, luxuriance, profusion*, ⟨kleuren ook⟩ *riot* **0.3** [geluk] *bliss* ⇒*happiness* ◆ **1.2** een ~ van bloemen *an o. / a profusion / luxuriance / wealth of flowers* **3.1** ⟨iron.⟩ dat is ook geen ~ *they must be on their beam-ends*; zich de ~ van een auto niet kunnen veroorloven *not be able to afford a car* **3.3** hij kent zijn eigen ~ niet *he doesn't realize his good fortune* **6.1** in ~ leven *live in l. / affluence, live a life of l.*; **in** ~ baden *be rolling in wealth / l., live in the lap of l.*; zijn kinderen **in** ~ opvoeden *raise one's children in l.*; ⟨iron.⟩ iets niet uit ~ doen *be financially forced to do sth.* **6.3** in de ~ van het ogenblik *in the happiness of the moment* **7.1** dat zou geen ~ zijn *we could certainly do with that* **¶.3** zijn ~ niet op kunnen *be beside o.s. with happiness*.

weeldeartikel ⟨het⟩ **0.1** *luxury article* ⇒⟨mv. ook⟩ *luxury goods, luxuries* ◆ **3.1** dat is nog geen ~ *that's not a l. a.*.

weeldebelasting ⟨de (v.)⟩ **0.1** *luxury tax*.

weelderig ⟨bn., bw.;-ly⟩ **0.1** [overvloedig] *luxuriant* ⇒*lush* ⟨vegetatie⟩, *sumptuous, opulent* ⟨maaltijd⟩ **0.2** [met/in luxe] *luxurious* ⇒*extravagant, sumptuous, opulent* ⟨inrichting⟩ ◆ **1.1** een ~ grastapijt *luxuriant grass;* te~e groei ⟨ook⟩ *rampant growth;* een ~e haardos *luxuriant hair;* ~e plantengroei *luxuriant/lush vegetation;* ~e vormen/een ~ figuur hebben *have voluptuous forms/an ample figure, be well-endowed* **1.2** een ~ leven leiden *lead a life of luxury* **3.2** een huis ~ inrichten *decorate a house sumptuously.*

weelderigheid ⟨de (v.)⟩ **0.1** [rijke overvloed] *luxuriance* ⇒*lushness, sumptuousness, opulence*, ⟨vrouwelijk figuur⟩ *voluptuosity* **0.2** [het vervuld zijn van luxe] *luxury* ⇒*opulence, sumptuousness, extravagance.*

weemoed ⟨de (m.)⟩ **0.1** *melancholy* ⇒*sadness, wistfulness*, ⟨naar verleden⟩ *nostalgia* ◆ **1.1** ⟨fig.⟩ de ~ v.d. herfst *the m. of autumn* **6.1** met ~ aan iets (terug)denken *think back wistfully/nostalgically about sth..*

weemoedig ⟨bn., bw.⟩ **0.1** *melancholic* ⇒*sad, wistful, nostalgic, pensive* ◆ **1.1** in een ~e stemming *in a m./pensive mood;* ~e woorden/blikken *m./wistful words/looks* **3.1** ~ staren naar iets *stare sadly/wistfully at sth..*

Weens ⟨bn.⟩ **0.1** *Viennese* ⇒*Vienna* ⟨attr.⟩.

weer[1] ⟨→sprw. 29⟩

I ⟨het⟩ **0.1** [gesteldheid v.d. atmosfeer] *weather* **0.2** [aantasting] *weathering* ◆ **1.1** ijs en weder dienende *w. permitting;* in ~ en wind eropuit trekken *go out in all weathers/come rain or shine/wet or shine;* tegen ~ en wind beschut *protected from the elements, safe from the w.;* blootgesteld aan ~ en wind *exposed to every kind of w.* **2.1** ⟨fig.⟩ mooi ~ spelen (tegen iem.) *put on a show of friendliness/amiability, pretend nothing has happened;* ⟨fig.⟩ mooi ~ met iets spelen *show off/parade/flaunt sth.;* ⟨fig.⟩ mooi ~ spelen met andermans geld *play fast and loose with s.o. else's money, live in grand style at s.o. else's expense;* ⟨fig.⟩ zijn gezicht staat op slecht ~ *he's in a bad/stormy mood(, stay out of his way);* er wordt zonnig ~ verwacht *sunny skies are expected;* zwaar ~ *stormy w.* **3.1** het ~ is omgeslagen *the w. has turned/broken;* het ~ wordt weer beter *it's clearing/picking up again* **4.1** ik ga niet uit met dit/zulk ~ *I'm not going out in this/such w.* **6.1** hier zitten we beschut tegen het ~ *we're protected from/safe from/out of the w. here* **6.2** het ~ zit in de spiegel/het tentdoek *the glass/mirror/tent is weather-stained* **7.1** het is ~ *it's nasty/beastly w., this w. isn't fit for man or beast* **8.1** hij is zo veranderlijk als het ~ *he is as fickle as the w./as they come, he blows hot and cold;* ~ of geen ~ *whatever the w., in all weathers, come rain or shine;*

II ⟨de⟩ **0.1** [weerstand] *resistance* ⇒*defence* ^A*se* ◆ **3.1** ~ bieden *offer r., resist* **6.1** zich tegen iets te ~ stellen *put up a fight/defend o.s./make a stand against sth., resist/oppose sth.* **6.¶** hij is altijd in de ~ *he is always up and at it/and about/and doing, he is always on the hop/move/go/run;* vroeg in de ~ zijn *be up and at it/up early, be stirring/astir/on the go early* **8.1** ⟨jur.⟩ iets als ~ voordragen *use as a defence;*

III ⟨de (m.)⟩ **0.1** [gesneden ram] *wether* **0.2** [gesneden bok] *wether;*

IV ⟨het, de (m.)⟩ **0.1** [eelt] *callus* **0.2** [⟨AZN⟩ knoest] *knot* ⇒*gnarl.*

weer[2] ⟨bw.⟩ **0.1** [opnieuw] *again* ⇒*once more/again* **0.2** [terug] *back* ◆ **1.1** het is ~ lente *spring is back, spring rolls round once more;* er is ~ water *the water is back on/is on a.* **2.1** de kinderen zijn ~ bezig *the children are at it a.* **3.1** morgen komt er ~ een dag *tomorrow is another day;* het komt wel ~ goed *it will all come/turn out all right* **4.1** nu ik ~ now it's my turn, now me* **5.1** we gaan ~ eens opstappen *we must be off now, we're leaving;* hij heeft het ~ eens verknald *he's botched it up a./as usual;* dat is ~ het oude nooit ~ *those are gone forever;* wat moest hij nu ~? *what did he want now?;* wat nu ~? *now what?;* dat hebben we dan ook ~ gehad *so much for that* **5.2** heen en ~ gaan/reizen *go/travel back and forth/to and fro;* heen en ~ lopen *pace up and down;* over en ~ *b. and forth, to and fro* **5.¶** hoe heette hij ook ~? *what was his name again?, what did you say was his name?;* zo moeilijk is het nou ook ~ niet *it's not all that hard/complicated* **¶.1** ~ op de been zijn *be back on one's feet a., be up and about a..*

weeral ⟨bw.⟩ ⟨AZN⟩ **0.1** *(once) again.*

weeramateur ⟨de (m.)⟩ **0.1** *amateur meteorologist.*

weerbaar ⟨bn.⟩ **0.1** *able-bodied* ⇒*fighting* ⟨man⟩, *efficient* ⟨soldaten⟩ ◆ **1.1** weerbare mannen *a.-b./ready and able/fighting men* **1.¶** een weerbare vesting *a defensible fortress* **3.1** hij is niet ~ genoeg *he lacks fighting spirit.*

weerballon ⟨de (m.)⟩ **0.1** *sounding balloon.*

weerbarstig ⟨bn., bw.;-ly⟩ **0.1** [stijfkoppig, weerspannig] *stubborn* ⇒*obstinate, recalcitrant, unruly, wilful* ^A*willful* **0.2** [stug] *stubborn* ⇒*obstinate, recalcitrant, unmanageable* ◆ **1.1** een ~ karakter *a s. character;* een ~ volk *a s./an obstinate people* **1.2** ~ haar *s./unruly/unmanageable hair;* ~ karton *s./recalcitrant/unmanageable cardboard* **3.1** zich ~ gedragen *behave in a(n) unruly/wilful manner.*

weerbarstigheid ⟨de (v.)⟩ **0.1** *stubbornness* ⇒*obstinacy, recalcitrance, unruliness.*

weerbericht ⟨het⟩ **0.1** *weather report/forecast* ⇒⟨BE ook; inf.⟩ *met report* ◆ **3.1** heb je het ~ al gelezen? *have you read the w. r./f. yet?.*

weerga ⟨de⟩ **0.1** [gelijke] *equal* ⇒*match, peer, like* **0.2** [⟨als krachtterm⟩] *devil* ⇒*deuce* ◆ **3.1** hij vindt zijn ~ niet *he doesn't find his peer/has no peer* **4.1** hij heeft zijn ~ niet *he is unequalled, his e. doesn't exist, he has no e.* **6.1** zonder ~ *without an e./a peer, unparalleled* **6.2** loop naar de ~! *go to the devil* **8.2** als de ~ *like a shot/(greased) lightning/a scalded cat.*

weergalm ⟨de (m.)⟩ **0.1** *echo* ⇒*reverberation.*

weergalmen ⟨onov.ww.⟩ **0.1** [een weergalm geven] *echo* ⇒*reverberate, resound* **0.2** [weerklinken] *echo* ⇒*reverberate, resound* ◆ **6.1** de straten ~ van het gejuich *the streets resounded/echoed/reverberated with the cheers* **6.2** het vreugdegejuich weergalmde **door** de straten *the joyful cheers/shouts of joy resounded through the streets.*

weergaloos ⟨bn., bw.⟩ **0.1** *unequalled* ^A*eled* ⇒*unparalleled, peerless, matchless, inimitable, unrivalled* ◆ **1.1** van een weergaloze schoonheid/~ mooi zijn *be of unparalleled/peerless beauty.*

weergave ⟨de⟩ **0.1** [het weergeven] *reproduction* ⇒⟨van gebeurtenis⟩ *account, description*, ⟨van muziek/taal⟩ *rendering, rendition*, ⟨van toneel/muziek⟩ *performance* **0.2** [kopie] *reproduction* ⇒*mirror, reflection* ◆ **2.1** deze geluidsinstallatie geeft een zeer zuivere ~ van orkestmuziek *this sound system gives quite a true reproduction of orchestral music/reproduces orchestral music well* **2.2** een getrouwe/juiste ~ v.d. originele tekst *a true/an accurate reproduction of the original text.*

weergeven ⟨ov.ww.⟩ **0.1** [gestalte geven] *reproduce* ⇒*render, represent, recite* ⟨gedicht⟩, *perform* ⟨muziek, toneelstuk⟩, *convey* ⟨betekenis, gevoel⟩ **0.2** [reproduceren] *reproduce* ⇒*repeat, report, reflect, describe* **0.3** [weerspiegelen] *reflect* ⇒*mirror* **0.4** [⟨AZN⟩ teruggeven] *give back* ⇒*return, restore* ⟨vrijheid⟩ ◆ **1.1** de gevoelens van alle aanwezigen ~ *voice/reflect the feelings of all present* **1.2** de betekenis/inhoud van iets ~ *describe/convey the meaning/the contents of sth.;* dat onderzoek geeft de feiten weer *that study reflects/reports the facts* **5.1** de auteur geeft exact zijn gevoelens weer *the author describes/conveys his feelings precisely* **5.2** moderne hifi-installaties geven orkesten goed weer *modern stereos reproduce orchestral music well;* zijn woorden letterlijk ~ *repeat his words literally* **5.3** ⟨fig.⟩ de koersen geven de stemming nauwkeurig weer *the market closely reflects the mood* **6.1** iets in het Fries ~ *render sth. into Frisian.*

weerglans ⟨de (m.)⟩ **0.1** [weerkaatsing] *reflection* **0.2** [⟨fig.⟩] *reflection* ◆ **6.1** de ~ in haar ogen *the r. in her eyes* **6.2** de overwinning had haar ~ **op** heel het volk *the victory reflected on the whole nation.*

weergod ⟨de (m.)⟩ **0.1** *weather god* ⇒⟨scherts.; inf.⟩ *fellow up there controlling the weather* ◆ **3.1** de ~en waren ons niet gunstig gezind *the weather gods were not well-inclined toward us.*

weerhaak ⟨de (m.)⟩ **0.1** *barb* ⇒*beard*, ⟨aan harpoen/speer/pijl ook⟩ *fluke* ◆ **3.1** er zitten ~jes aan *it's a thorny matter/a sensitive issue* **6.1** een pijl **met** weerhaken *a bearded arrow.*

weerhaan ⟨de (m.)⟩ **0.1** [windwijzer] *weathercock* ⇒*weather vane* **0.2** [persoon] *weathercock* ⇒*trimmer, opportunist* ◆ **2.2** een politieke ~ *a political opportunist/chameleon/w..*

weerhouden ⟨ov.ww.⟩ **0.1** *hold back* ⇒*restrain*, ⟨door woorden⟩ *dissuade, discourage, suppress* ⟨tranen⟩ ◆ **3.1** zich door niets laten ~ *not be held back/stopped by anything* **6.1** iem. ervan ~ **om** iets te doen *stop/prevent/keep/dissuade/restrain s.o. from doing sth..*

weerhuisje ⟨het⟩ **0.1** *weather box/house.*

weerkaart ⟨de (m.)⟩ **0.1** *weather chart/map.*

weerkaatsen

I ⟨ov.ww.⟩ **0.1** [terugkaatsen] *reflect, mirror* ⟨licht, beeld⟩; *reverberate, (re-)echo* ⟨geluid⟩ ◆ **1.1** de muur weerkaatst het geluid *the wall reverberates the sound;* spiegels ~ het licht *mirrors reflect light;*
II ⟨onov.ww.⟩ **0.1** [teruggekaatst worden] *reflect* ⟨licht, beeld⟩; *reverberate, (re-)echo* ⟨geluid⟩ ◆ **6.1** het licht weerkaatst **tegen** het water *light reflects on water.*

weerkaatsing ⟨de (v.)⟩ **0.1** [het weerkaatsen] *reflection, mirroring* ⟨licht, beeld⟩; *reverberation, (re-)echoing* ⟨geluid⟩ **0.2** [weerkaatst beeld/geluid] *reflection* ⟨licht, beeld⟩; *reverberation, (re-)echoing* ⟨geluid⟩.

weerkeren ⟨onov.ww.⟩ ⟨→sprw. 151⟩ **0.1** [terugkomen] *return* **0.2** [opnieuw gebeuren] *re(oc)cur* ◆ **5.2** die tijd keert nooit weer *those days are gone forever.*

weerklank ⟨de (m.)⟩ **0.1** [weergalm] *echo* ⇒*reverberation, resonance* **0.2** [instemming] *echo* ⇒*response* ◆ **3.2** geen ~ vinden *meet with/find no response;* zijn woorden vonden ~ *his words struck a sympathetic note/chord* **7.2** het stuk vond grote/weinig/geen ~ bij de critici *the play was very well/poorly/badly received by the critics.*

weerklinken ⟨onov.ww.⟩ **0.1** [luid klinken] *resound* ⇒*ring out* **0.2** [weergalm geven] *resound* ⇒*reverberate, (re-)echo* ◆ **1.1** een schot weerklonk *a shot rang out* **6.2** de fabriek weerklinkt **van** het geraas v.d. machines *the factory resounded with the din of the machines.*

weerklok ⟨de⟩ **0.1** *weather station.*

weerkomen →**wederkomen.**

weerkorps ⟨het⟩ **0.1** *militia.*

weerkracht ⟨de⟩ **0.1** *defensive force* ⇒*military/armed strength,* ⟨van leger ook⟩ *efficiency* ◆ **1.1** de ~ v.e. volk *the military/armed strength of a people.*

weerkunde ⟨de (v.)⟩ **0.1** *meteorology.*

weerkundig ⟨bn.⟩ **0.1** *meteorological* ◆ **1.1** het ~ instituut *the weather/met(eorological) office;* onze ~ medewerker *our meteorologist/weather expert;* ~e waarnemingen *m. observations.*

weerkundige ⟨de (m.)⟩ **0.1** *meteorologist* ⇒*weather expert.*

weerlegbaar ⟨bn.⟩ **0.1** *refutable* ⇒*disprovable, rebuttable* ◆ **1.1** zijn argumentatie is niet ~ *his argument is watertight/is airtight/has no holes in it/is irrefutable/cannot be refuted/can not be disproved;* een gemakkelijk weerlegbare uitspraak *an easily refutable/refuted speech.*

weerleggen ⟨ov.ww.⟩ **0.1** *refute* ⇒*rebut, counter, disprove* ◆ **1.1** een stelling/bewering ~ *refute/meet an argument/assertion.*

weerlegging ⟨de (v.)⟩ **0.1** [het weerleggen] *refutation* ⇒*disproof, rebuttal* **0.2** [betoog] *refutation* ⇒*rebuttal.*

weerlicht
I ⟨het, de (m.)⟩ **0.1** [bliksem] *heat/sheet/summer lightning;*
II ⟨de (m.)⟩ **0.1** [⟨als krachtterm⟩] *blazes* ⇒*dickens, devil* ◆ **6.1** loop naar de ~! *go to b./the devil;* de hele boel is naar de ~ *the whole thing went to b.;* om de ~ niet! *not on your life, no way* **8.1** als de ~ iets doen *do sth. like (greased) lightning/a shot;* en nu als de ~ naar bed *and now off to bed on the double;* ⟨AE⟩ *lickety-split (off) to bed, off to bed and make it snappy.*

weerlichten ⟨onp.ww.⟩ **0.1** *lighten.*

weerloos ⟨bn.⟩ **0.1** *defenceless* [^A]*seless* ⇒*helpless* ◆ **1.1** het ~ lam *the d./helpless lamb;* een ~ slachtoffer *a d. victim* **3.1** ~ maken ⟨ook⟩ *disarm* **6.1** ~ tegenover/jegens *d. against.*

weermacht ⟨de⟩ **0.1** *armed forces/services* ⇒⟨gesch.⟩ *Wehrmacht.*

weerman ⟨de (m.)⟩ **0.1** *weatherman* ⇒*weather forecaster.*

weermiddelen ⟨zn.mv.⟩ **0.1** *means of defence* [^A]*se.*

weerom ⟨bw.⟩ **0.1** *back* ◆ **3.1** men zag hem nooit ~ *he was never seen again.*

weeromkomen ⟨onov.ww.⟩ **0.1** *come back* ⇒*return.*

weeromstuit ⟨de (m.)⟩ ◆ **6.¶** ik moest van de ~ ook lachen *I couldn't keep from/help laughing, I had to laugh too;* van de ~ is hij toen maar met een ander meisje getrouwd *he married a different girl on the rebound.*

weeroverzicht ⟨het⟩ **0.1** *weather synopsis/survey* ◆ **¶.1** en nu het ~ *and now for a look at the weather/now the weather in brief.*

weerpijn ⟨de⟩ **0.1** *sympathetic pain.*

weerplicht ⟨de⟩ **0.1** *compulsory (military) service* ⇒[^B]*National Service, (national) conscription,* [^A]*(the) draft.*

weerpraatje ⟨het⟩ **0.1** *(the) weather in brief* ⇒*(a) look at the weather, weather report.*

weerprofeet ⟨de (m.)⟩ **0.1** *weather prophet.*

weerrapport ⟨het⟩ **0.1** *weather report* ⇒⟨BE ook;inf.⟩ *met report.*

weersatelliet ⟨de (m.)⟩ **0.1** *weather satellite* ⇒*meteosat.*

weerschallen ⟨onov.ww.⟩ **0.1** *resound* ⇒*reverberate, (re-)echo.*

weerschijn ⟨de (m.)⟩ **0.1** [teruggekaatst licht, weerkaatsing] *reflection* ⇒*lustre,* ⟨ook van stoffen⟩ *sheen* **0.2** [terugkaatsing van licht] *reflection* ◆ **2.2** er ligt een blauwe ~ over *it has a blue sheen to it* **6.2** zijde met een ~ *shot silk.*

weerschijnen ⟨onov.ww.⟩ **0.1** *reflect* ◆ **1.1** ~de stoffen *shot(-silk) fabrics.*

weerschijnsel ⟨het⟩ **0.1** *reflection.*

weerschip ⟨het⟩ ⟨meteo.⟩ **0.1** *weather ship.*

weersgesteldheid ⟨de (v.)⟩ **0.1** *weather situation* ⇒*(state of the) weather* ◆ **6.1** bij alle ~ *in all weathers.*

weersinvloed ⟨de (m.)⟩ **0.1** *influence of the weather;* ⟨mv.⟩ *weather influences.*

weerskanten ⟨zn.mv.⟩ ◆ **6.¶** aan ~ van de tafel/het raam *on both sides of the table/window;* van ~ concessies doen *make concessions on both sides;* van/aan ~ *from/on both sides/either side.*

weerslag ⟨de (m.)⟩ **0.1** *repercussion* ⇒*reverberation, reaction* ◆ **3.1** zijn ~ hebben op *have repercussions on.*

weersomstandigheden ⟨zn.mv.⟩ **0.1** *weather conditions.*

weersonde ⟨de⟩ ⟨meteo.⟩ **0.1** *sounding balloon.*

weerspannig ⟨bn., bw.⟩ **0.1** *recalcitrant* ⇒*rebellious, unruly, refractory, restive* ⟨paarden⟩, *obstreperous* ⟨kinderen⟩, *insubordinate* ⟨soldaten⟩, ⟨jur.⟩ *contumacious* ◆ **3.1** ~ zijn ⟨ook⟩ *act defiantly* **6.1** ~ aan de wet zijn *in defiance of the law.*

weerspannigheid ⟨de (v.)⟩ **0.1** *recalcitrance* ⇒*unruliness, restiveness, insubordination, contumacy.*

weerspiegelen ⟨ov.ww.⟩ **0.1** [een spiegelbeeld geven van] *reflect* ⇒*mirror* **0.2** [een afspiegeling zijn van] *reflect* ⇒*mirror (back)* ◆ **1.2** deze roman weerspiegelt de toenmalige opvattingen *this novel reflects/mirrors (back) the ideas of those times;* zijn gezicht weerspiegelde zijn stemming *his face reflects his mood* **4.1** het huis weerspiegelt zich in de vijver *the house is reflected/mirrored in the pond.*

weerspiegeling ⟨de (v.)⟩ **0.1** *reflection* ⇒*mirror(ing),* ⟨fig.⟩ *echo* ◆ **2.1** een getrouwe ~ van iets *a true r./mirror of sth..*

weerspreken ⟨ov.ww.⟩ **0.1** *contradict* ⇒*deny,* ⟨schr.⟩ *belie, gainsay* ◆

1.1 die berichten van gisteren zijn weersproken *yesterday's reports have been contradicted;* ⟨fig.⟩ de blik in zijn ogen weersprak zijn toon *the look in his eyes belied his tone* **4.1** de feiten ~ elkaar *the facts are inconsistent, the facts conflict.*

weerstaan ⟨ov.ww.⟩ **0.1** *resist* ⇒*oppose, hold off, withstand, stand up to* ◆ **1.1** de verleiding (niet kunnen) ~ *(not be able to) r. the temptation;* de vijand ~ *r. /hold off/withstand the enemy* **3.1** iem. durven ~ *stand up to/defy s.o.;* ze kan hem niet ~ *she can't r. him.*

weerstand ⟨de (m.)⟩ **0.1** [⟨van personen⟩] *resistance* ⇒*opposition* **0.2** [⟨van zaken⟩] *resistance* **0.3** [⟨nat.⟩] *resistance* **0.4** [schakelelement] *resistor* **0.5** [aversie] *aversion* ⇒*disinclination* **0.6** [weerstandsvermogen] *resistance* ◆ **1.1** de weg v.d. minste ~ kiezen *choose the line of least r.* **2.1** krachtige/hevige ~ *strong/fierce r.* **2.3** soortelijke ~ *resistivity, specific r.* **2.5** een sterke innerlijke ~ *strong inhibitions, a strong a.* **3.1** ~ bieden/ondervinden/opheffen *offer/experience/give up r.;* ~ ontmoeten bij zijn plannen *encounter r. /opposition to one's plans* **3.5** ~ moeten overwinnen om *have to overcome one's inhibitions/a. to* **6.5** ~ voelen/hebben tegen iets *feel/have an a. towards sth.* **6.6** ~ hebben tegen de griep *have r. to the flu.*

weerstanddraad ⟨het, de (m.)⟩ **0.1** *resistance coil.*

weerstandmeter ⟨de (m.)⟩ **0.1** *ohmmeter.*

weerstandskas ⟨de⟩ **0.1** *fighting fund* ⇒⟨bij staking⟩ *strike fund.*

weerstandsvermogen ⟨het⟩ **0.1** *resistance* ⇒*stamina, endurance* ◆ **3.1** veel/weinig ~ bezitten *have a great deal of/little r..*

weerstation ⟨het⟩ **0.1** *weather station* ⇒*met(eorological) station.*

weerstreven ⟨ov.ww.⟩ **0.1** *oppose* ⇒*resist, strive/struggle against.*

weerstroom ⟨de (m.)⟩ ⟨scheep.⟩ **0.1** *counter current.*

weersverandering ⟨de (v.)⟩ **0.1** *change in the weather* ⇒*weather change/switch.*

weersverwachting ⟨de (v.)⟩ **0.1** *weather forecast.*

weersvoorspelling ⟨de (v.)⟩ **0.1** *weather forecast/prediction(s).*

weerszijden →*weerskanten.*

weertafel ⟨de⟩ ⟨meteo.⟩ **0.1** *synoptic chart* ⇒*weather chart/map.*

weertje ⟨het⟩ **0.1** *weather* ⇒⟨inf. ook⟩ *day* ◆ **2.1** gemeen ~ *nasty w.;* heerlijk ~ *lovely/wonderful w.;* een mooi ~ om te gaan vissen *a nice day to go fishing* **4.1** wat een ~ *what beautiful w. / a beautiful day.*

weervinden ⟨ov.ww.⟩ **0.1** *find again* ⇒*refind, regain* ⟨vertrouwen, moed⟩ ◆ **1.1** de verloren zielerust ~ *find one's peace of mind again, regain one's inward peace.*

weervraag →*wedervraag.*

weerwerk ⟨het⟩ **0.1** *response* ⇒*reaction, counteraction,* ⟨agressief⟩ *counterblast,* ⟨fel⟩ *ripost(e)* ◆ **2.1** politiek ~ *political parry and thrust* **3.1** ~ geven/leveren *respond, react;* ~ op iets krijgen *meet with/have/receive a response/reaction to sth..*

weerwil ⟨de (m.)⟩ ◆ **6.¶** in ~ van *despite, in spite of, notwithstanding; in defiance of* ⟨regels⟩; *contrary to.*

weerwolf ⟨de (m.)⟩ **0.1** [in een wolf veranderend mens] *werewolf* ⇒*man-wolf* **0.2** [onhandelbaar mens] *wolf.*

weerwoord ⟨het⟩ **0.1** *answer* ⇒*reply, retort, rejoinder,* ⟨fel⟩ *ripost(e)* ◆ **3.1** ~ geven *answer, reply, retort;* daarop had hij geen ~ *he had no a. /reply to that.*

weerzien[1] ⟨het⟩ **0.1** *reunion* ⇒⟨na korte tijd⟩ *meeting* ◆ **2.1** een ontroerend ~ *an emotional r. / meeting* **6.1** tot ~s *goodbye, until the next time/till we meet again;* ik verheug mij op het ~ van mijn oude vrienden *I'm looking forward to being reunited with/seeing/meeting my old friends again.*

weerzien[2] ⟨ov.ww.⟩ **0.1** *meet/see again.*

weerzin ⟨de (m.)⟩ **0.1** *disgust* ⇒*reluctance, repugnance, aversion, revulsion, distaste* ◆ **3.1** ~ voelen tegen iets *feel repugnance/aversion to* **6.1** iets met ~ doen *do sth. with reluctance/reluctantly;* het gebeurde vervulde mij met ~ *the event revolted/disgusted me, the event filled me with disgust;* met ~ eten *eat with distaste.*

weerzinwekkend ⟨bn., bw.;-ly⟩ **0.1** *disgusting, revolting* ⇒*repulsive, loathsome, repugnant, abhorrent* ◆ **1.1** ~e lieden *repulsive/loathsome/repugnant people;* ~e taferelen *revolting/abhorrent/d. scenes;* ~e toestanden *d. /revolting/abhorrent conditions;* ~e verhalen *d. /revolting/sickening stories;* ~e wreedheden *revolting atrocities* **3.1** zich ~ gedragen *behave revoltingly/repugnantly.*

wees ⟨de (m.)⟩ **0.1** *orphan* ◆ **2.1** halve ~ *child who has lost one parent* **3.1** ~ worden *be orphaned, be left an o., become an o..*

weesembryo ⟨het⟩ **0.1** *orphaned embryo.*

weesgegroetje ⟨het⟩ **0.1** *Hail Mary* ⇒*Ave Maria* ◆ **3.1** tien ~s bidden *say ten Hail Marys.*

weeshuis ⟨het⟩ **0.1** [instelling] *orphanage* ⇒*orphan home* **0.2** [kinderen] *orphanage* ◆ **2.2** het is genoeg voor een heel ~ *there is enough for a whole regiment/an army.*

weesjongen ⟨de (m.)⟩ **0.1** *orphan (boy).*

weeskind ⟨het⟩ **0.1** *orphan (child).*

weesmeisje ⟨het⟩ **0.1** *orphan (girl).*

weesmoeder ⟨de (v.)⟩ **0.1** *housemother* ⇒*matron (of an orphanage)* ◆ **1.1** ~ en weesvader *houseparents.*

weesvader ⟨de (m.)⟩ **0.1** *housefather.*

weet ⟨de⟩ **0.1** [het weten] *knowledge* **0.2** [iets dat men weet] *knowledge*

⇒*knack* ◆ **3.2** het is maar een ~ ⟨mbt. handigheidje⟩ *it's only a knack;* ⟨mbt. bruikbare informatie⟩ *it's useful to know;* ⟨mbt. geheim⟩ *I thought you might like to know* **6.1** iets **aan** de ~ komen *come to learn/find out sth.;* ⟨als bedreiging⟩ dat zal je **aan** de ~ komen! *you'll be sorry about that;* iets (niet) doen **in** de ~ dat *(not) do sth. knowing/with the knowledge that;* ergens geen ~ **van** hebben ⟨zich er niet van bewust zijn⟩ *have no k. of sth., be unaware of sth.;* ⟨onverschillig zijn voor⟩ *be indifferent/a stranger/oblivious to sth.* **6.2** dat is voor jou een vraag en **voor** mij een ~ *that is for me to know and for you to find out.*

weetal ⟨de (m.)⟩ **0.1** *know(-it)-all* ⇒*wiseacre,* ⟨AE ook⟩ *wise guy.*

weetgierig ⟨bn., bw.;-ly⟩ **0.1** *inquisitive* ⇒*eager to learn, thirsting for knowledge* ⟨alleen pred.⟩ ◆ **1.1** ~ van aard zijn *be naturally i., have an inquiring mind;* een ~ kind *an i. child, a child that is eager to learn/thirsting for knowledge/with an appetite for knowledge.*

weetgierigheid ⟨de (v.)⟩ **0.1** *inquisitiveness* ⇒*eagerness to learn, thirst/appetite for knowledge.*

weetje ⟨het⟩ **0.1** *fact* ⇒*detail* ◆ **1.1** allerlei ~s *all kinds of petty facts/details* **3.1** ⟨fig.⟩ zijn ~ wel weten *know what's what/up.*

weetniet ⟨de (m.)⟩ **0.1** *know-nothing* ⇒*ignoramus, dunce, wantwit.*

weeuw → **weduwe**

weg¹ ⟨de (m.)⟩ ⟨↪sprw. 236,570, 643-645,656⟩ **0.1** [gebaande strook grond] *road* ⇒*path, way, track, trail* **0.2** [middel, manier] *way* ⇒*channel, avenue, means, process* **0.3** [afstand, traject] *road* ⇒*path, way, distance, journey* **0.4** [doortocht] *way* ◆ **1.2** de ~ v.d. minste weerstand *the line of least resistance* **2.1** ⟨fig.⟩ naar de bekende ~ vragen *ask for the sake of asking;* ⟨bijb.⟩ de brede ~ *the broad way (that leads to destruction);* de grote ~ *the main r.;* een holle ~ *a sunken r.;* een kortere ~ nemen *take a short cut;* openbare ~ *public highway/r.;* op de rechte/ goede/ verkeerde ~ zijn *be on the right/ wrong r./ track;* er zijn vele ~en die naar Rome leiden *all roads lead to Rome;* een zware ~ *a hard r.;* ⟨fig. ook⟩ *a heavy cross* **2.2** dat is de kortste/zekerste ~ *that is the quickest/surest w.;* langs deze onsympathieke ~ *even though I don't like/despite my aversion to this means/these advertisements;* zich van slinkse ~en bedienen, slinkse ~en gaan *use devious ways and means;* langs vreedzame ~en *along peaceful paths;* langs wettelijke/kunstmatige ~en *by legal/artificial means, legally/artificially* **2.3** iem. op zijn laatste ~ begeleiden *pay one's last respects to s.o.;* nog een lange ~ voor zich hebben/te gaan hebben *have a long r., journey before one/a long way/journey to go* **3.1** een ~ aanleggen *build/construct a r.;* de ~ afsnijden voor (onderhandelingen) *shut the door on (negotiations);* de ~ effenen voor iem. *prepare/ pave/ smooth the way for s.o.;* zijns weegs gaan *go one's way;* de ~ van alle vlees gaan *go the way of all flesh;* zijn eigen ~ gaan *go one's own way;* een andere ~ inslaan *take a new/ different r./ route;* ⟨fig.⟩ *follow a new avenue;* de ~ weten *know the way, know one's way about;* iem. de ~ wijzen *show s.o. the way* **3.2** nieuwe wegen openen *voor de handel open new channels/avenues for trade* **3.4** iem. de ~ afsnijden *head/cut s.o. off, block/ bar s.o.'s w.;* zich een ~ banen door de bossen *make/push one's w. through the woods;* iem. geen ~ weten *not know what to do with one's time/money* **6.1** aan de ~ naar Delft *on/along the r. to Delft;* flink **aan** de ~ timmeren *be much in/like to be in/seek the limelight;* **langs/bij** de ~ neervallen *fall along the wayside/roadside;* zo oud als de ~ **naar** Kralingen/ Rome *as old as the hills;* zich **op** ~ begeven *set/start out/off;* **op** ~ gaan *set off (on a trip), set out (for), get going, go;* ⟨fig.⟩ iem. **op** ~ helpen *put s.o. on the/ his way;* ⟨fig.⟩ hij is **op** ~ beroemd te worden *he's on his way to fame/to being famous;* ⟨fig.⟩ dat ligt **op** uw ~ *it's your responsibility/ job/ business* **6.4** (iem.) **in** de ~ staan *stand in s.o.'s/the w.;* iem. iets **in** de ~ leggen *put sth. in s.o.'s way;* **in** de ~ lopen *walk in the w.;* **in** de ~ zitten *sit in the w.;* (voor) iem. **uit** de ~ gaan *keep/get out of s.o.'s way, avoid s.o., give s.o. a wide berth;* problemen **uit** de ~ ruimen *remove/ get rid of/ eliminate problems;* iem. **uit** de ~ ruimen *get/put s.o. out of the w., get rid of/ kill/ eliminate s.o.;* **uit** de ~! *(get) out of the w.!, stand clear!;* een misverstand **uit** de ~ helpen *clear up a misunderstanding.*

weg² ⟨bw.⟩ **0.1** [afwezig] *gone* ⇒*left, absent, away* **0.2** [niet te vinden] *gone* **0.3** [verrukt] *crazy* ⇒*excited, thrilled, enthralled* **0.4** [verwijderd] *away* ⇒*gone* ◆ **1.1** hoofd ~! *duck!;* ⟨fig.⟩ *fore!* **1.4** een heel eind ~ *a long way away* **1.¶** een eind ~ praten *talk up a storm* **3.1** de jongen/ de brief is al ~ *the boy/letter has already g. out;* hij is ~ ⟨bewusteloos⟩ *he's out/cold;* ⟨na verdoving⟩ *he's under;* ⟨verloren⟩ *he's lost/g.;* ~ wezen! *(let's) get away from here!, (let's) clear out!;* ⟨inf.⟩ *(let's) scram!;* vlug ~ zijn ⟨sport of fig.⟩ *be quick off the mark* **3.2** als dat gebeurt ben je ~ *if that happens it's all over!* ⟨sl.⟩ *it's curtains for you;* de sleutel/ de pijn/ haar geld is ~ *the key/ pain/ money is g.;* dat is nooit ~ *that is always* ⟨koop⟩ *useful/* ⟨handeling⟩ *a help;* ⟨handeling ook⟩ *that can't do any harm* **5.1** gauw, ~! *hurry and get out of here!* **5.4** even ~ zijn ⟨in gedachten⟩ *be somewhere else/far a./ not be with it for a moment;* ⟨in slaap⟩ *doze off for a moment;* zij is ver ~ *she is far a.* **6.1** ~ **met** ~ *away/down with* **6.3** zij is helemaal ~ **van** hem *she is totally c. about/ infiuated with him, she has been swept off her feet by him.*

wegaanduiding ⟨de (v.)⟩ **0.1** *road sign.*

wegaansluiting ⟨de (v.)⟩ **0.1** *road connection/junction.*

wegas ⟨de⟩ **0.1** *road axis.*

wegbannen ⟨ov.ww.⟩ **0.1** *ban* ⇒*dispel* ◆ **1.1** alle vrees ~ *push all fear aside.*

wegbebakening ⟨de (v.)⟩ **0.1** ⟨handeling⟩ *road signing/ marking;* ⟨borden⟩ *road signs.*

wegbeheerder ⟨de (m.)⟩ **0.1** ≠*road maintenance authority,* ^*highway department.*

wegbereider ⟨de (m.)⟩ **0.1** *pioneer* ⇒*trailblazer.*

wegbergen ⟨ov.ww.⟩ **0.1** *stow/put away* ◆ **3.1** ⟨fig.⟩ die jongen kan heel wat ~ *that boy can really put away a lot.*

wegberm ⟨de (m.)⟩ **0.1** ⟨van snelweg vnl.⟩ *shoulder* ◆ **2.1** harde ~ *hard shoulder;* zachte ~ *soft v..*

wegblazen ⟨ov.ww.⟩ **0.1** *blow away/off* ◆ **1.1** de rook v.e. sigaar ~ *blow away cigar smoke;* het stof v.d. tafel ~ *blow the dust off the table.*

wegblijven ⟨onov.ww.⟩ **0.1** *stay away* ◆ **1.1** de koorts is weggebleven *the fever hasn't come back/ returned* **3.1** dat woord kan beter ~ *it's better to leave out/omit that word* **6.1** uit de school ~ *skip/ cut school;* ~ **van** *stay away from, absent o.s. from, stop coming to.*

wegbonjouren ⟨ov.ww.⟩ ⟨inf.⟩ **0.1** *send (s.o.) packing* ⇒*send away/off (with a flea in his/her ear), bundle off,* ⟨ontslaan⟩ *give (s.o.) his/her congé.*

wegbranden
I ⟨ov.ww.⟩ **0.1** [uitbranden] *burn away* **0.2** [uitbijten] *burn off* ⇒*cauterize* ⟨wratten⟩ ◆ **¶.1** ⟨fig.;scherts.⟩ die man is niet weg te bránden *there's no getting rid of that man;*
II ⟨onov.ww.⟩ **0.1** [door verbranding verloren gaan] *burn away/down* ◆ **1.1** het trappenhuis is weggebrand *the stairwell was burned away/down.*

wegbreken ⟨ov.ww.⟩ **0.1** *pull down* ⇒*tear down, demolish.*

wegbrengen ⟨ov.ww.⟩ **0.1** [elders heen brengen] *take (away)* ⇒*deliver, remove, march off, take in* ⟨auto voor reparatie⟩ **0.2** [vergezellen] *see (off)* ⇒*accompany* **0.3** [mbt. schepen] *sink (for the insurance money)* ⇒⟨scheep.⟩ *scuttle,* ⟨AE;sl.⟩ *deep-six* ◆ **1.1** wanneer breng je de auto weg? *when are you taking the car in?;* brieven/ kranten/ boodschappen ~ *deliver letters/ (news)papers/ groceries;* een dief/ beklaagde ~ *take a thief/ an accused person away;* geld ~ ⟨naar de bank brengen⟩ *take money to the bank;* ⟨het met spijt moeten betalen⟩ *cough up (the) money* **1.2** ⟨pregn.⟩ een familielid/ goede vriend ~ *see a relative/ a good friend to his last resting-place.*

wegcapaciteit ⟨de (v.)⟩ **0.1** *road capacity.*

wegcijferen ⟨ov.ww.⟩ **0.1** *ignore* ⇒*set aside, eliminate, leave out (of account)* ◆ **3.1** dat valt niet weg te cijferen *that can't be ignored* **4.1** zichzelf ~ *efface o.s.;* zichzelf ~ *self-effacing.*

wegcircuit ⟨het⟩ **0.1** *road racing circuit.*

wegcommissaris ⟨de (m.)⟩ **0.1** *road race official* ⇒*steward, marshal.*

wegcontact ⟨het⟩ **0.1** *road-holding (ability)* ◆ **2.1** ook bij hoge snelheden hebben de banden een goed ~ *even at high speeds the tyres have good r.-h./ hold the road well.*

wegdek ⟨het⟩ **0.1** *road (surface)* ⇒*surface, paving* ◆ **2.1** een slecht ~ *a bad surface/ road* **3.1** het ~ vernieuwen *resurface a road.*

wegdekvernieuwing ⟨de (v.)⟩ **0.1** *resurfacing of roads.*

wegdenken ⟨ov.ww.⟩ **0.1** *think away* ◆ **1.1** de pijn ~ *think away the pain* **6.1** de computer is niet meer **uit** onze maatschappij weg te denken *it's impossible to imagine life today without the computer.*

wegdistel ⟨de⟩ **0.1** *cotton thistle* ⇒*Scotch thistle.*

wegdoen ⟨ov.ww.⟩ **0.1** [van de hand doen] *dispose of* ⇒*part with, get rid of, do away with,* ⟨verkopen⟩ *sell (off)* **0.2** [opbergen] *put away* ◆ **1.1** boeken ~ *get rid of/ dispose of books;* ⟨inf.⟩ personeel ~ *lay off staff;* zijn winkel ~ *sell off one's shop;* we moeten het hele zaakje maar ~ ⟨ook⟩ *we'd better do away with the whole lot* **1.2** doe dat mes weg! *put that knife away* **3.1** zijn auto moeten ~ *have to sell/ throw out one's car.*

wegdoezelen
I ⟨ov.ww.⟩ **0.1** [doen verdwijnen] *blur* ⇒*obscure;*
II ⟨onov.ww.⟩ **0.1** [wegdommelen] ⟨→**wegdommelen**⟩.

wegdommelen ⟨onov.ww.⟩ **0.1** *doze off* ⇒*nod/ drop/ drift off.*

wegdraaien
I ⟨onov., ov.ww.⟩ **0.1** [in een andere richting wenden] *turn away* ◆ **1.1** een ~ de bal *an outswinger;* zijn hoofd ~ *turn one's head (away)* **6.1** hij draaide **van** haar weg *he turned away from her;*
II ⟨ov.ww.⟩ **0.1** [geleidelijk laten verdwijnen] *fade/ tune out* ◆ **1.1** een zender ~ *tune out a station/ channel.*

wegdragen ⟨ov.ww.⟩ **0.1** [dragend verwijderen] *carry away/off* **0.2** [verkrijgen] *carry off* ⇒⟨goedkeuring⟩ *meet with* ◆ **1.1** de man werd voor dood weggedragen *the man looked half dead when he was carried off/away* **1.2** dit draagt mijn goedkeuring weg *this has my approval;* de prijs ~ *carry off the prize.*

wegdrijven
I ⟨onov.ww.⟩ **0.1** [zich drijvend verwijderen] *float/ drift away* ◆ **6.1** met de stroom ~ *float away with the (drift of) the current;* de boei dreef weg **naar** zee *the buoy drifted out to sea;*
II ⟨ov.ww.⟩ **0.1** [verdrijven] *drive away* ⇒*expel* ◆ **1.1** de vijand ~ *drive the enemy away.*

wegdringen ⟨ov.ww.⟩ →**wegduwen**.

wegdruipen ⟨onov.ww.⟩ **0.1** *drip (away / out)* ⇒*dribble / drain away*.

wegdrukken ⟨ov.ww.⟩ **0.1** [van zich afdrukken] *shove / push aside / away* **0.2** [drukkend verwijderen] *shove / push aside / away*.

wegduiken ⟨onov.ww.⟩ **0.1** *duck (away)* ⇒ ⟨in water⟩ *dive away* ◆ **3.1** ergens weggedoken zitten *be hidden away somewhere*.

wegduwen ⟨ov.ww.⟩ **0.1** *push / shove away / aside* ⇒*jostle (away), wedge away / off* ◆ **1.1** ⟨fig.⟩ nare gedachten ~ *push bad thoughts away / aside*.

wegebben ⟨onov.ww.⟩ **0.1** *ebb (away)* ⇒*drain away* ⟨van krachten⟩ ◆ **1.1** het geluid ebde weg *the noise faded (away) / died down*.

wegedoorn ⟨de (m.)⟩ **0.1** *buckthorn*.

wegel ⟨de (m.)⟩ ⟨AZN⟩ **0.1** *path* ⇒*lane*.

wegen ⟨→sprw.411,688⟩
I ⟨onov.ww.⟩ **0.1** [het genoemde gewicht hebben] *weigh* ◆ **1.1** zij weegt 72 kilo *she weighs / scales 72 kilos* **3.1** laten ~ *have weighed*; ⟨fig.⟩ de belangen v.d. middenstand zwaarder laten ~ dan ... *put the interests of the middle class before ...*; ⟨fig.⟩ alles even zwaar laten ~ *give even weight to everything*; ⟨fig.⟩ iets niet te zwaar laten ~ *not give / attach too much importance to sth.* **5.1** ⟨fig.⟩ zwaar bij iem. ~ *carry a lot of weight for s.o.*; zwaar ~ ⟨inf.⟩ *tilt the scales*; zwaarder ~ dan ⟨ook fig.⟩ *outweigh*; ⟨fig.⟩ hun belangen ~ het zwaarst *their interests come first* / ⟨schr.⟩ *preponderate* **6.1** ⟨fig.⟩ zulke zaken ~ **bij** hem niet *such things carry no weight with him / are of no importance to him* **7.1** niet veel ~ *not w. much, be a lightweight*; ⟨fig.⟩ *be a (mental) lightweight*; ⟨inf.⟩ *be a little thick*; een paar kilo te veel ~ *be a couple of kilos overweight*; te veel / weinig ~ *be overweight / underweight*; een pond of drie te weinig ~ *be about three kilos light / short* **¶.1** ⟨fig.⟩ gewogen en te licht bevonden *weighed and found wanting*;
II ⟨ov.ww.⟩ **0.1** [het gewicht bepalen van] *weigh* **0.2** [⟨fig.⟩] *weigh* ◆ **1.2** zijn eigen woorden (op een goudschaaltje) ~ *w. / pick one's words (carefully), speak by the card* **4.1** zich laten ~ *have o.s. / be weighed*, *weigh* **6.1** iets **op** de hand ~ *weigh sth. in one's hand*.

wegenaanleg ⟨de (m.)⟩ **0.1** *road building / construction*.

wegenatlas ⟨de (m.)⟩ **0.1** *road book / atlas* ⇒*touring atlas*.

wegenbelasting ⟨de (v.)⟩ **0.1** *road tax*.

wegenbouw ⟨de (m.)⟩ **0.1** *road-building* ⇒*road construction*.

wegenfonds ⟨het⟩ **0.1** *road fund*.

wegenkaart ⟨de⟩ **0.1** *road map*.

wegennet ⟨het⟩ **0.1** *road* / ^*highway network / system* ◆ **2.1** een uitgebreid ~ *an extensive road system*.

wegenonderhoud ⟨het⟩ **0.1** *road maintenance* ⇒*maintenance / upkeep of roads*.

wegenplan ⟨het⟩ **0.1** *(new) road* / ^*highway scheme*.

wegens ⟨vz.⟩ **0.1** *because of* ⇒*owing to, on account of, due to,* ^*on the score of* ◆ **1.1** gesloten ~ herstelwerkzaamheden *closed for / during repairs;* te koop ~ huwelijk *for sale due to / owing to marriage;* iem. aanklagen ~ omkoperij / moord *charge s.o. with bribery / murder;* ~ een sterfgeval *owing to (a) bereavement / death;* ~ dit verzuim heb ik mij te verontschuldigen *please excuse me for this oversight;* ~ ziekte moest hij thuisblijven *he had to stay home because of / on account of / owing to illness* **3.1** terechtstaan ~ *be tried on a charge of, be tried for.*

wegenwacht
I ⟨de⟩ **0.1** [dienst] ^B*AA / RAC patrol,* ^A*AAA road service;*
II ⟨de (m.)⟩ **0.1** [persoon] ⟨BE⟩*(AA) patrolman,* ≠*(AA / RAC) scout;* ^A*AAA attendant.*

wegenwachtstation ⟨het⟩ **0.1** ^B*AA service centre,* ^A*AAA service center.*

weger ⟨de (m.)⟩ **0.1** [persoon] *weigher* **0.2** [⟨scheep.⟩] *ceiling (board).*

wegeren ⟨ov.ww.⟩ **0.1** *ceil.*

wegervaring ⟨de (v.)⟩ **0.1** *driving experience* ◆ **3.1** veel / weinig ~ hebben *have a lot of / little d. e..*

wegfiets ⟨de⟩ **0.1** *road (racing) bike.*

wegfietsen ⟨onov.ww.⟩ **0.1** *(bi)cycle* / ⟨inf.⟩ *bike away* ⇒*ridxe away on one's (bi)cycle* / ⟨inf.⟩ *bike.*

wegfrommelen ⟨ov.ww.⟩ **0.1** *slip away* ⇒*sneak away.*

weggaan ⟨onov.ww.⟩ **0.1** [vertrekken] *go away* ⇒*leave* **0.2** [ontslag nemen] *leave* **0.3** [verdwijnen] *go away* **0.4** [verkocht worden] *sell* ⇒ *be sold* ◆ **1.1** die brieven zijn gisteren weggegaan *those letters went out yesterday* **1.2** de telefoniste gaat weg *the telephone operator / the receptionist is leaving* **1.3** de pijn gaat al weg *the pain is already going away* **5.1** plotseling ~ *l. abruptly* **6.1** bij zijn vrouw ~ *l. one's wife*; ⟨fig.⟩ ~ **met** de hoogste prijs *leave with / carry off / win the highest prize;* ~ **uit** de universiteitsstad ^B*go down;* hij is **van** ons weggegaan *he has left our midst / passed away;* ~ **zonder** te betalen *skip out (on a bill), leave without paying* **6.2** ~ **bij** een firma *l. a company* **6.3** mijn geld gaat weg **aan** boeken *all my money goes on books;* de vlek gaat snel weg **uit** de jurk *the stain is coming off / will come off quickly from the dress* **6.4** ~ **tegen** een lage prijs *s. at a low price;* ~ **voor** een krats *s. for* **¶.1** *go away, get lost, buzz off;* ⟨uiting van verbazing⟩ *get away (with you), you don't say, you're kidding, nonsense.*

weggappen ⟨ov.ww.⟩ ⟨inf.⟩ →**wegkapen**.

wegge ⟨de⟩ **0.1** [spits toelopend broodje] ≠*(wedge-shaped current) roll* **0.2** [iets anders in die vorm] *wedge.*

weggebruiker ⟨de (m.)⟩, **-ster** ⟨de (v.)⟩ **0.1** *road user.*

weggedeelte ⟨het⟩ **0.1** *section (of the road), stretch;* ⟨linker of rechter⟩ *side of the road* ◆ **2.1** opvriezende ~n *icy patches (on the roads);* een slecht ~ *a poor road surface.*

weggedrag ⟨het⟩ ⟨verkeer⟩ **0.1** [mbt. verkeersdeelnemers] ⟨alg.⟩ *standards of driving* ⇒*driving (manners)* **0.2** [mbt. auto] *handling, roadholding.*

weggeefprijs ⟨de (m.)⟩ **0.1** *give-away price* ⇒*bargain price.*

weggeven ⟨ov.ww.⟩ **0.1** [schenken] *give away* **0.2** [ten beste geven] *perform* ⇒*play, sing* ◆ **1.1** zijn laatste cent ~ *give away the shirt off one's back;* ⟨fig.⟩ een partij / de wedstrijd ~ *give away a game / the match* **1.2** een liedje / nummertje ~ ⟨ook⟩ *do a song / number.*

weggevertje ⟨het⟩ **0.1** ⟨vnl. AE⟩ *giveaway* ⇒ ⟨AE ook; sl.⟩ *freebee, freebie,* ⟨eenvoudige vraag⟩ *dead giveaway.*

wegglijden ⟨onov.ww.⟩ **0.1** *slip (away)* ⇒*glide away, lose one's footing* ◆ **1.1** de auto gleed weg in de modder *the car slipped in the mud* **¶.1** hij klauwde wanhopig naar de muur toen hij wegleed *in despair he clawed at the wall when he lost his footing.*

wegglippen ⟨onov.ww.⟩ **0.1** *sneak / slip away / out / off* ⇒*slide off.*

weggooiartikel ⟨het⟩ **0.1** *disposable (article / thing)* ⇒*throwaway.*

weggooien ⟨ov.ww.⟩ ⟨→sprw. 528⟩ **0.1** [wegwerpen] *throw away / out* ⇒*discard,* ⟨inf.⟩ *chuck away* **0.2** [afwijzen] *discard* ⇒*dismiss* ◆ **1.1** geld (aan iets) ~ *throw away / waste money on sth.;* dat is weggegooid geld *that is money down the drain / out the window* **1.2** een suggestie / plan / voorstel ~ *discard / dismiss / pooh-pooh a suggestion / plan / proposal* **4.1** papieren zakdoekjes zijn hygiënischer omdat je ze weggooit *tissues are more hygienic because they are disposable* **4.2** zichzelf ~ *throw o.s. away, cheapen o.s.;* zichzelf niet ~ *think no small beer of o.s.* **5.1** ⟨fig.⟩ dat is nooit weggegooid *that's always useful / helpful / worthwhile* **¶.1** gooi dat maar weg *t. / chuck that away / out, get rid of that.*

weggrissen ⟨ov.ww.⟩ **0.1** *snatch away.*

weghalen ⟨ov.ww.⟩ **0.1** [wegvoeren] *remove* ⇒*take away, carry off* **0.2** [stelen] *remove* ◆ **1.1** alle overbodige dingen ~ ⟨ook⟩ *prune / weed / sift out the unnecessary* **4.1** alstublieft, haal hem daar weg *please get him out of there* **6.2** alle huisraad werd **uit** het huis weggehaald *the house was stripped (bare).*

weghangen ⟨ov.ww.⟩ **0.1** [in een bergplaats hangen] *put away* ⇒*put in storage, store (away)* **0.2** [apart hangen] *put / hang aside* ◆ **1.2** kunt u deze jas voor mij ~? *could you put this jacket away for me?.*

weghelft ⟨de⟩ **0.1** *side of the road* ◆ **2.1** de auto kwam op de verkeerde ~ *the car got on the wrong side of the road.*

weghelpen ⟨ov.ww.⟩ **0.1** *help off* ◆ **1.1** iem. ~ *help s.o. escape;* de kinderen ~ *help the children (get) off (to school).*

weghollen ⟨onov.ww.⟩ **0.1** *run away / off* ⇒*dash away / off, scamper away / off,* ⟨inf.⟩ *scoot, scuttle (away / off).*

weghonen ⟨ov.ww.⟩ **0.1** *jeer / boo / laugh off (the stage* ⟨acteur⟩ */ the platform* ⟨spreker⟩ ⇒*hiss down.*

weghouden ⟨ov.ww.⟩ **0.1** [verstoppen] *hide* **0.2** [verwijderd houden] *hold off* ⇒*keep away / off* ◆ **6.2** ~ **van** *hold back / keep from.*

weghuppelen ⟨onov.ww.⟩ **0.1** *skip / hop away / off.*

wegijlen ⟨onov.ww.⟩ **0.1** *hurry off / away.*

wegjagen ⟨ov.ww.⟩ **0.1** [verdrijven] *chase off / away* ⇒*drive away / off* **0.2** [afschrikken] *chase away / off* ⇒*frighten off / away,* ⟨door te roepen⟩ *shoo away / off* **0.3** [oneervol ontslaan] *send packing* ⇒*sack, give (s.o.) the sack / his walking papers,* ⟨mil.⟩ *drum out* ◆ **1.1** een vlieg ~ *shoo a fly (away)* **1.2** klanten ~ door de hoge prijzen *chase customers away / off with high prices* **1.3** een oneerlijke werknemer ~ *send a dishonest worker packing* **6.1** kinderen ~ **uit** de tuin *chase children out of the garden / yard;* iem. **van** school / de universiteit ~ ^B*send s.o. down from school / university,* ^A*expel s.o. from school / the university.*

wegkampioen ⟨de (m.)⟩ **0.1** *road champion.*

wegkapel ⟨de⟩ **0.1** *roadside / wayside chapel.*

wegkapen ⟨ov.ww.⟩ ⟨inf.⟩ **0.1** *pinch* ⇒*pilfer,* ⟨vnl. BE⟩ *nick, swipe, snitch* ◆ **1.1** iemands baantje / meisje ~ *pinch s.o.'s job / girl;* een koopje voor iemands neus ~ ⟨ook⟩ *snap up a bargain before s.o. else could* **4.1** vlak voor iemands neus iets ~ *pilfer sth. right under s.o.'s nose.*

wegkappen ⟨ov.ww.⟩ **0.1** *chop away / off* ⇒*hew away.*

wegkeilen ⟨ov.ww.⟩ ⟨inf.⟩ **0.1** *fling away* ⇒*pitch, sling, chyck,* ⟨BE; sl.⟩ *bung.*

wegkijken
I ⟨ov.ww.⟩ **0.1** [door kijken doen vertrekken] *frown away* ⇒ ⟨vnl. AE; inf.⟩ *freeze out* ◆ **1.1** de vervelende jongen werd weggekeken *the annoying boy was given the cold stare until he left* **3.1** ze wou hem wel ~ *she would have liked to frown him away;*
II ⟨onov.ww.⟩ **0.1** [de blik afwenden] *look away* ◆ **6.1** hij keek **van** haar weg *he looked away from her.*

wegknippen ⟨ov.ww.⟩ **0.1** [met een schaar / tang wegnemen] *snip / cut away* **0.2** [met de vingers verwijderen] *flick away / off* ⇒*flip off* ◆ **6.2** stofjes **van** zijn jas ~ *flick dust specks off from one's jacket.*

wegkomen ⟨onov.ww.⟩ **0.1** *get away* ◆ **5.1** ⟨fig.⟩ goed ~ ⟨met voordeel van iets afkomen⟩ *make out / do / come off well;* ⟨geen schade oplopen⟩ *come away unscathed/unharmed;* ⟨sport⟩ de meeste favorieten zijn goed weggekomen bij de start *the favourites got (off to) a good start;* ⟨fig.⟩ slecht/goed ~ (bij iets) *come off badly/well (with sth.)* **6.1 uit** de gevangenis ~ *get out of/escape from prison;* niet **van** iem. kunnen ~ *not be able to get away, from s.o.* / ⟨inf.⟩ *to shake s.o.* **¶.1** maak dat je wegkomt! *get/clear out (of here), take yourself off, make yourself scarce;* ⟨inf.⟩ *hop/beat it!, scram!;* ik maakte dat ik wegkwam *I got out of there/made a hurried exit/made myself scarce.*

wegkompas ⟨het⟩ **0.1** *cat's eye.*

wegkopen ⟨ov.ww.⟩ **0.1** *buy (up)* ♦ **1.1** een voetballer ~ *buy a football player;* de hele voorraad suiker was weggekocht *the shop was cleaned out of sugar.*

wegkruipen ⟨onov.ww.⟩ **0.1** [zich verwijderen] *crawl/creep away* **0.2** [wegduiken] *crawl/creep away* ⇒*hide* ♦ **1.1** de slak kroop weg *the snail crawled away* **1.2** het zonnetje kruipt weg *the sun is slipping away* **6.2 achter** moeder/iets ~ *hide behind mother/sth.;* hij probeerde weg te kruipen **onder** de tafel *he tried to creep/crawl away under the table.*

wegkruising ⟨de (v.)⟩ **0.1** *road junction* ⇒*intersection, crossroads.*

wegkwijnen ⟨onov.ww.⟩ **0.1** *pine away* ~*waste away, languish, wither* ⟨planten⟩ ♦ **6.1** ~ **van** verdriet *pine away from grief.*

weglachen ⟨ov.ww.⟩ **0.1** *laugh away/off* ⇒⟨uitlachen⟩ *laugh down* ♦ **1.1** klachten/bezwaren ~ *laugh off complaints/objections;* zijn tranen ~ *laugh away one's tears.*

weglaten ⟨ov.ww.⟩ **0.1** *leave out* ⇒*delete, omit, drop,* ⟨taal.⟩ *ellipt* ⟨zinsdeel⟩, ⟨taal.⟩ *elide* ⟨klank⟩ ♦ **1.1** de h's ~ *drop one's h's/aitches;* je naam en adres hebben we veiligheidshalve weggelaten *we have omitted your name and address for your own safety;* een passage v.e. brief ~ *leave out/omit/delete a passage from a letter.*

weglating ⟨de (v.)⟩ **0.1** *omission* ⇒*deletion,* ⟨taal.⟩ *ellipsis* ⟨mbt. zinsdeel⟩, ⟨taal.⟩ *elision* ⟨mbt. klank⟩.

weglatingsteken ⟨het⟩ **0.1** *apostrophe* ⟨het symbool '⟩; *ellipsis* ⟨het symbool …⟩.

wegleggen ⟨ov.ww.⟩ **0.1** [terzijde leggen] *put aside* **0.2** [opbergen] *put away* **0.3** [sparen] *lay/put/set aside* ⇒*save* **0.4** [voorbeschikken] *grant* ⇒*be one's share/lot, reserve* ♦ **6.3** geld ~ **voor** de vakantie *lay/put/set aside money for one's* [B]holiday/[A]vacation **6.4 voor** hen was die eer weggelegd *this honour had gone/been awarded to them;* er was geen succes **voor** hem weggelegd *success was not to be his part/share/ was not granted to him, he was disappointed of his success;* een schitterende toekomst is **voor** hem weggelegd *a bright future is in store/ reserved for him;* er was slechts mislukking **voor** hem weggelegd *failure was his lot in life.*

wegleiden ⟨ov.ww.⟩ **0.1** *lead away/off* ♦ **1.1** de arrestant werd weggeleid *the prisoner was led away/marched off;* een paard bij de teugel ~ *lead a horse away by the bridle.*

weglengte ⟨de (v.)⟩ **0.1** *(road) distance* ♦ **2.¶** ⟨nat.⟩ optische ~ *optical range/distance/path.*

wegligging ⟨de (v.)⟩ **0.1** *road-holding* ⇒*roadability,* ⟨vaste⟩ *adhesion* ♦ **2.1** deze auto heeft een goede ~ *this car has good road-holding/holds the road well.*

weglokken ⟨ov.ww.⟩ **0.1** *lure// entice away* ⇒*wile away,* ⟨door valstrik⟩ *decoy* ♦ **6.1** klanten ~ **van** de concurrent *lure/entice customers away from the competition.*

wegloodsen ⟨ov.ww.⟩ **0.1** *steer/guide away.*

wegloophuis ⟨het⟩ **0.1** *runaway shelter.*

weglopen ⟨onov.ww.⟩ **0.1** [naar elders gaan] *walk away/off* **0.2** [heengaan en niet terugkomen, deserteren] *run away* ⇒*walk out, desert, run off* ⟨met een andere man/vrouw⟩, ⟨om te trouwen⟩ *elope* **0.3** [wegvloeien] *run off/out* ⇒*drain away* **0.4** ⟨(sport)⟩ *break/pull away (from)* ⇒*drop* **0.5** ⟨(+met)⟩ veel ophebben met] *be taken with/by* ⇒*drool about/over, be nuts about/over, think much/the world of* ♦ **1.2** een weggelopen kind *a runaway (child);* een weggelopen negerslaaf *a runaway slave;* ⟨in West-Indië⟩ *a maroon;* de weggelopen poes is terug *the lost/stray cat has returned;* de soldaat is weggelopen *the soldier has deserted* **3.2** ⟨fig.⟩ weggelopen lijken (uit een boek/film/periode) *look like s.o. who/sth. that has walked right out (of a book/ film/period)* **3.3** een vloeistof laten ~ *pour off/drain a liquid* **5.1** hard ~ *run away/off;* dat loopt niet weg *that can wait* **6.1** kwaad ~ **uit** een vergadering ⟨ook⟩ *storm/stomp out of a meeting,* ⟨scheep.⟩ voor de storm ~ *sail round/avoid the storm;* ~ **voor** een hond/de aanstormende agenten *run away from a dog/the charging police* **6.2** hij was niet eens verrast dat zijn vrouw **bij** hem was weggelopen *he wasn't even surprised that his wife had walked out on him;* ~ **met** de kas *run away/ off with/abscond with the money;* **uit** dienst ~ *go AWOL;* (uit een restaurant) ~ **zonder** te betalen *walk out (of a restaurant) without paying* **6.3** er is wijn/olie **uit** het vat weggelopen *wine/oil has leaked out of the barrel* **6.5** niet ~ **met** *think little of, not think much of, take a dim view of* **¶.2** weggelopen: cyperse kat ⟨enz.⟩ *lost: tabby cat.*

wegluis ⟨de⟩ ⟨scherts.⟩ **0.1** ≈*bubblecar* ⇒≈*tin lizzie.*

wegmaaien ⟨ov.ww.⟩ **0.1** *mow* ♦ **1.1** gras ~ *m. grass;* ⟨fig.⟩ iem. het gras voor de voeten ~ *cut the grass/ground from under s.o.'s feet, steal s.o.'s thunder* **6.1** ⟨fig.⟩ weggemaaid **door** machinegeweren *mowed/*

mown down by machine guns; ⟨fig.⟩ weggemaaid **door** de pest *mowed/mown down by the plague, swept off by the plague.*

wegmaken ⟨ov.ww.⟩ **0.1** [kwijtmaken] *lose* ⇒*mislay* **0.2** [laten verdwijnen] *take out* **0.3** [onder narcose brengen] *put to sleep* ♦ **1.1** wie heeft mijn boek weggemaakt? *who has mislaid my book?* **1.2** vlekken ~ *remove take out stains* **1.3** een operatiepatiënt ~ *put a surgery patient to sleep* **4.1** die jongen maakt alles weg *that boy loses everything* **4.2** maak je weg! *keep out of the way!, be off!;* zich ~ *make off/o.s. scarce, take o.s. off;* zich stilletjes ~ *make off stealthily.*

wegmarkering ⟨de (v.)⟩ **0.1** *road marking.*

wegmeter ⟨de (m.)⟩ **0.1** *odo meter.*

wegmoffelen ⟨ov.ww.⟩ **0.1** *stash/smuggle away* ⇒⟨verdoezelen⟩ *paper/paste/slur,* ⟨verbloemen⟩ *smooth over* ♦ **1.1** een speelkaart ~ *stash a playing card away.*

wegnemen ⟨ov.ww.⟩ **0.1** [van zijn plaats nemen] *take away* **0.2** [zich toeëigenen] *take (away)* ⇒*carry* **0.3** [doen verdwijnen] *remove* ⇒*take away, dispel* ⟨angst, argwaan⟩ **0.4** [nodig hebben] *take (up)* ♦ **1.1** de baarmoeder ~ *remove/excise the uterus;* ober, neem de borden maar weg *waiter, take away the plates, please;* neem die fles eens weg *please take that bottle away;* de Here heeft weggenomen mijn lieve vrouw ~ *the Lord has taken my dear wife* **1.3** iemands angst ~ *r./ dispel s.o.'s fear(s);* de laatste twijfels ~ *r. the last/remaining doubts;* een verdenking ~ *dispel/remove suspicion* **3.1** zijn amandelen laten ~ *have one's tonsils out/removed* **5.¶** dat neemt niet weg, dat ik hem aardig vind *all the same I like him;* dat neemt niet weg, dat het geld verdwenen is *that doesn't alter the fact that the money has disappeared* **¶.1** weggenomen worden *be taken;* ⟨door ziekte⟩ *be carried off.*

wegomlegging ⟨de (v.)⟩ **0.1** *diversion.*

wegpakken ⟨ov.ww.⟩ **0.1** *snatch* ♦ **1.1** appels/een tas ~ *s. apples/a bag* **4.1** ⟨fig.⟩ pak je weg! *off with you!.*

wegparcours ⟨het⟩ ⟨sport⟩ **0.1** *road racing circuit.*

wegpesten ⟨ov.ww.⟩ **0.1** *harass/pester (s.o.) until he/she leaves* ⇒*harass (s.o.) out of her/his job* ⟨leraar⟩.

wegpikken ⟨ov.ww.⟩ ⟨inf.⟩ **0.1** *make off with* ⇒*snatch off/away.*

wegpinken ⟨ov.ww.⟩ **0.1** *brush away.*

wegpiraat ⟨de (m.)⟩ **0.1** *road hog.*

wegploeg ⟨de⟩ ⟨sport⟩ **0.1** *road team/squad.*

wegpoetsen ⟨ov.ww.⟩ **0.1** [poetsend laten verdwijnen] *rub off/out* **0.2** [heimelijk wegnemen] *embezzle.*

wegpompen ⟨ov.ww.⟩ **0.1** *pump away/out/off.*

wegpraten ⟨ov.ww.⟩ **0.1** [door redeneren teniet doen] *argue/reason away* **0.2** [pratend uitschakelen] *talk down* **0.3** [door praten laten heengaan] *talk (s.o.) out of (the house/room enz.)* ♦ **1.1** de feiten kun je niet ~ ⟨ook⟩ *you cannot get away from the facts;* iemands koppigheid ~ ⟨ook⟩ *talk s.o. out of his stubbornness.*

wegprofiel ⟨het⟩ **0.1** [structuur v.h. wegoppervlak] *road profile* **0.2** [dwarsdoorsnede v.e. wegoppervlak] *camber.*

wegpromoveren ⟨ov.ww.⟩ **0.1** *kick upstairs.*

wegrace ⟨de (m.)⟩ **0.1** *road race.*

wegraken ⟨onov.ww.⟩ **0.1** [buiten bewustzijn raken] *faint* ⇒*pass out,* ⟨AE ook;inf.⟩ *conk out* **0.2** [zoek raken] *get lost.*

wegredeneren ⟨ov.ww.⟩ **0.1** *reason/argue away* ♦ **1.1** zijn angst ~ *reason/argue one's fears away;* dat argument valt niet weg te redeneren ⟨ook⟩ *there is no getting away from/getting round that argument;* iemands fouten ~ ⟨ook⟩ *explain away s.o.'s mistakes.*

wegrennen ⟨onov.ww.⟩ **0.1** *run off/away* ⇒*bolt (away).*

wegrenner ⟨de (m.)⟩ **0.1** *road racer.*

wegrestaurant ⟨het⟩ **0.1** *transport cafe* ⇒*road house, wayside restaurant,* ⟨met andere voorzieningen⟩ *service area.*

wegreus ⟨de (m.)⟩ **0.1** *juggernaut.*

wegrijden
I ⟨onov.ww.⟩ **0.1** [naar elders rijden] *drive off/away* ⇒⟨fiets, paard⟩ *ride off/away,* ⟨trein⟩ *pull out,* ⟨snel⟩ *speed off/away* ♦ **1.1** de auto reed met grote vaart weg *the car drove off at high speed;*
II ⟨ov.ww.⟩ **0.1** [rijdend vervoeren] *carry off away* ⇒*drive off* ♦ **1.1** de gewonde werd per ambulance weggereden *the injured person was taken away by ambulance.*

wegrit ⟨de (m.)⟩ ⟨sport⟩ **0.1** *road race.*

wegroepen ⟨ov.ww.⟩ **0.1** *call off/away* ♦ **1.1** de dokter werd weggeroepen *the doctor was called away* **6.1** zij werd **uit** ons midden weggeroepen *she was called away from our midst.*

wegroesten ⟨onov.ww.⟩ **0.1** *rust away.*

wegrollen ⟨onov.,ov.ww.⟩ **0.1** *roll away/* ⟨uit de weg⟩ *clear.*

wegrotten ⟨onov.ww.⟩ **0.1** *rot* ⇒⟨plant in te vochtige omgeving⟩ *damp off.*

wegruimen ⟨ov.ww.⟩ **0.1** [opruimen] *clear away/up* ⇒*remove* **0.2** [laten verdwijnen] *clear away* ⇒*remove* ♦ **1.1** de borden ~ *clear away the plates* **1.2** moeilijkheden ~ *remove/smooth away difficulties.*

wegrukken
I ⟨ov.ww.⟩ **0.1** [met geweld wegnemen] *tear away* ⇒*snatch away/off, sweep away* ♦ **1.1** het gordijn ~ *tear/snatch/sweep the curtain away* **6.1** hij werd plotseling **uit** ons midden weggerukt *she was suddenly snatched from our midst;*

II ⟨onov.ww.⟩ **0.1** [naar elders oprukken] *march off*.

wegsaneren ⟨ov.ww.⟩ **0.1** *clear away* ⟨krot⟩; *reorganize* ⟨iem., afdeling⟩ *out of existence*.

wegschaaf ⟨de⟩ **0.1** *grading machine* ⇒*grader*.

wegschenken ⟨ov.ww.⟩ **0.1** *give/gift away*.

wegscheren
I ⟨ov.ww.⟩ **0.1** [door scheren verwijderen] *shave off* ◆ **1.1** zijn snorharen ~ *shave (the hairs) one's moustache;*
II ⟨wk.ww.;zich ~⟩ **0.1** [ophoepelen] *make o.s. scarce/off* ◆ **4.1** scheer je weg! *clear out!, hop it!*.

wegscheuren
I ⟨onov.ww.⟩ **0.1** [snel wegrijden] *tear away/off* **0.2** [stuk scheuren] *tear to pieces;*
II ⟨ov.ww.⟩ **0.1** [scheurend wegnemen] *tear away/off* ◆ **1.1** behangselpapier ~ *strip wallpaper.*

wegschieten
I ⟨ov.ww.⟩ **0.1** [met een schiettuig wegslingeren] *shoot (away)* **0.2** [door schieten laten verdwijnen] *shoot off* ⟨iemands hand enz.⟩; *shoot out of existence* ⟨dorp⟩;
II ⟨onov.ww.⟩ **0.1** [zich snel naar elders verplaatsen] *shoot away* ⇒ *dart off, pop away/out, bolt* ◆ **1.1** de snoek schoot weg *the pike shot off;* het trapje schoot onder hem weg *the steps slipped from under him.*

wegschoppen ⟨ov.ww.⟩ **0.1** *kick away.*

wegschouw ⟨de (m.)⟩ **0.1** *road inspection.*

wegschrijven ⟨ov.ww.⟩ **0.1** [schrijven ten nadele van (iem.)] *give s.o. a bad press* **0.2** [⟨comp.⟩] *write to disk/tape.*

wegschuilen ⟨onov.ww.⟩ **0.1** *(seek) shelter* ⇒ ⟨voor iem.⟩ *hide (from s.o.)* ◆ **6.1** achter een boom/achter iem. ~ *(seek) s. behind a tree/s.o..*

wegschuiven ⟨onov., ov.ww.⟩ **0.1** *push/shove away* ◆ **1.1** de grendel ~ ⟨open⟩ *unfasten/* ⟨dicht⟩ *shoot the bolt.*

wegseizoen ⟨het⟩ ⟨wielersport⟩ **0.1** *road racing season.*

wegslaan
I ⟨ov.ww.⟩ **0.1** [door slaan verwijderen] *knock off/away* ⇒*strike/hit away, swat* ⟨vliegen enz.⟩ **0.2** [⟨damsp.⟩] *take* ◆ **1.1** een bal ~ *strike/hit a ball away;* de golven hebben een stuk v.d. duinen weggeslagen *the waves have washed away part of the dunes* **3.1** weggeslagen worden ⟨door water/wind/golven, bij overstroming⟩ *be swept away* **6.1** zij is er niet (van) weg te slaan ⟨fig.⟩ *she can hardly be dragged away (from it);*
II ⟨onov.ww.⟩ **0.1** [van zijn plaats gerukt worden] *be swept/knocked away* ⇒ ⟨door water⟩ *be wasted away* ◆ **1.1** bij die storm sloegen grote stukken land weg *in that storm large areas of land were washed away.*

wegslenteren ⟨onov.ww.⟩ **0.1** *loiter away/off.*

wegslepen ⟨ov.ww.⟩ **0.1** [slepend wegnemen] *tow away* ⟨auto, boot⟩ ⇒ *drag away* ⟨iets zwaars⟩ **0.2** [roven, wegvoeren] *carry off* ◆ **1.1** een auto laten ~ *have a car towed away;* de stroom sleepte het schip weg *the stream carried the ship away.*

wegslikken ⟨ov.ww.⟩ **0.1** [doorslikken] *swallow (down)* **0.2** [emoties verwerken] *swallow* ◆ **4.2** ik moest even iets ~ *I had to s. hard.*

wegslingeren ⟨ov.ww.⟩ **0.1** *fling (away)* ⇒*hurl (away).*

weglinken ⟨onov.ww.⟩ **0.1** *shrink (away)* ⇒*dwindle, diminish* ◆ **1.1** het gezwel is weggeslonken *the swelling decreased;* zijn kapitaaltje slonk spoedig weg *his little capital soon dwindled.*

wegsluipen ⟨onov.ww.⟩ **0.1** *sneak away/off* ⇒*steal/edge away.*

wegsluiten ⟨ov.ww.⟩ **0.1** *lock away* ◆ **1.1** geld/papier ~ *lock money/papers away.*

wegsmelten ⟨onov.ww.⟩ **0.1** *melt away* ◆ **1.1** de sneeuw is weggesmolten *the snow has melted away* **6.1** ⟨fig.⟩ **in** tranen ~ *dissolve into tears.*

wegsmijten ⟨ov.ww.⟩ **0.1** *throw/* ⟨inf.⟩ *fling/chuck/toss away/* ⟨naar buiten⟩ *out.*

wegsnellen ⟨onov.ww.⟩ **0.1** *hurry off* ⇒*hasten away.*

wegsnijden ⟨ov.ww.⟩ **0.1** *cut away/out off* ⇒*excise* ◆ **1.1** de schors ~ *pare away/cut off/strip the baste;* een tumor ~ *cut out/excise a tumour.*

wegsnoeien ⟨ov.ww.⟩ **0.1** *prune away* ⟨struiken⟩; *lop off/away* ⟨takken⟩; *clip/trim away* ⟨heg⟩.

wegspelen ⟨ov.ww.⟩ **0.1** *outplay* ⇒*play off the field, play off the stage* ⟨acteur⟩ ◆ **1.1** Connors werd door McEnroe weggespeeld *Connors was completely outclassed by McEnroe.*

wegsplitsing ⟨de (v.)⟩ **0.1** *bifurcation* ⇒*fork (of a road).*

wegspoelen
I ⟨ov.ww.⟩ **0.1** [op de stroom meevoeren] *wash away* ⇒*carry away,* ⟨in de w.c.⟩ *flush down,* ⟨met kolkende beweging⟩ *swirl away,* ⟨van vloeistof⟩ *flow/stream/swirl away/down* **0.2** [door spoelen verwijderen] *wash down* ◆ **1.1** de rivier heeft een stuk v.d. oever weggespoeld *the river has washed away/carried away part of the bank* **1.2** zijn eten/brood ~ *wash down one's food/bread;* ⟨fig.⟩ zijn zorgen ~ *drown one's sorrows;*
II ⟨onov.ww.⟩ **0.1** [door het water meegevoerd worden] *be washed/carried/* ⟨met grote kracht⟩ *swept away* ◆ **1.1** grote stukken land spoelden weg *large tracts of land were washed/carried/swept away.*

wegsport ⟨de⟩ **0.1** *road racing.*

wegspringen ⟨onov.ww.⟩ **0.1** [zich verwijderen] *leap/* ⟨met een sprong⟩ *jump away* ⇒ ⟨plotselinge, verschrikt⟩ *bolt* **0.2** [naar elders springen] *fly off* ◆ **1.1** de herten sprongen weg *the deer bolted (away)* **1.2** er is een stukje van weggesprongen *a chip has been knocked off* **6.1** ⟨AZN; wielersport⟩ **uit** het peloton ~ ⟨ontsnappen⟩ *break away from the main body;* ~ **van** (gevaar) *jump clear of (danger).*

wegspuiten
I ⟨ov.ww.⟩ **0.1** [wegvloeien] *pour/gush away/out* **0.2** [zich snel verwijderen] *tear off;*
II ⟨ov.ww.⟩ **0.1** [spuitend verwijderen] ⟨insecten ook⟩ *spray away.*

wegsteken ⟨ov.ww.⟩ **0.1** [stekend wegnemen] *cut away/off* ⇒ ⟨met beitel⟩ *chisel away/off* **0.2** [wegstoppen] *put away* ◆ **1.1** een richeltje ~ *cut a small ridge.*

wegstemmen ⟨ov.ww.⟩ **0.1** *vote out (of office)/down/away* ◆ **1.1** een kandidaat ~ *vote a candidate out;* een motie ~ *vote down a motion.*

wegsterven ⟨onov.ww.⟩ **0.1** [onhoorbaar worden] *die away/down* ⇒*fade away* **0.2** [wegkwijnen] *waste/pine away* ◆ **1.1** ~ de klanken/muziek *fading notes/music* **5.2** de zieke sterft langzaam weg *the sick woman/man is wasting slowly away.*

wegstoppen ⟨ov.ww.⟩ **0.1** [verstoppen] *hide away* ⇒*tuck/stuff/stash away* **0.2** [verdringen] *lock up* ⇒*suppress, tuck away* ◆ **3.1** weggestopt zitten *be hidden/tucked away/out of sight.*

wegstormen ⟨onov.ww.⟩ **0.1** [door storm weggedreven worden] *be blown off one's feet/away (by the gale)* **0.2** [wegijlen] *dash/rush off/away.*

wegstrepen ⟨ov.ww.⟩ **0.1** *cross off/out* ⇒*delete* ◆ **1.1** die getallen kun je tegen elkaar ~ *those figures cancel each other out.*

wegstromen ⟨onov.ww.⟩ **0.1** *flow/run away* ⇒*drain away.*

wegstuffen ⟨ov.ww.⟩ **0.1** *rub out.*

wegstuiven ⟨onov.ww.⟩ **0.1** *fly/be blown away* ◆ **1.1** de kinderen stoven weg ⟨ook⟩ *the children flew in all directions;* het zand stuift weg *the sand is blown away.*

wegsturen ⟨ov.ww.⟩ **0.1** [wegzenden] *send away* ⇒*dispatch, turn away,* ⟨op pad sturen⟩ *pack off* **0.2** [verzenden] *mail* ⇒*dispatch, post off* **0.3** [ontslag geven] *send away* ⇒*turn out, dismiss* **0.4** [⟨sport⟩ lanceren] *send away* ◆ **1.1** een bezoeker ~ *send away/* ⟨niet toelaten⟩ *turn away a visitor* **1.2** een brief/pakje ~ *dispatch/post off/mail a letter/package* **1.3** het kabinet ~ *dismiss the cabinet* **5.1** iem. ver ~ *pack s.o. off.*

wegsuffen ⟨onov.ww.⟩ **0.1** *nod/doze off.*

wegteren ⟨onov.ww.⟩ **0.1** *waste away* ⇒*pine.*

wegtikken ⟨ov.ww.⟩ **0.1** ⟨klok⟩ *tick away;* ⟨met een tik wegslaan⟩ *flick away.*

wegtochten ⟨onov.ww.⟩ **0.1** ⟨zie **¶.¶**⟩ ◆ **¶.¶** je tocht hier weg! *there's a terrible draught/it's blowing a howling gale here.*

wegtoveren ⟨ov.ww.⟩ **0.1** *spirit away/off, magic away.*

wegtransport ⟨het⟩ **0.1** *road transport.*

wegtrappen
I ⟨ov.ww.⟩ **0.1** [wegschoppen] *kick away/off* ⇒ ⟨hoog, ver⟩ *send flying* **0.2** [door trappen verjagen] *stamp out/away* **0.3** [uitwissen] *stamp out/away* ◆ **1.1** de bal ~ *kick the ball away* **1.2** een hond ~ *kick a dog away* **1.3** een spoor ~ *stamp out a trace/trail;*
II ⟨onov.ww.⟩ ⟨inf.⟩ **0.1** [wegfietsen] *pedal away.*

wegtreiteren ⟨ov.ww.⟩ **0.1** *harass/pester (s.o.) until he/she leaves* ⇒ *drive (s.o.) away by pestering/harassing him/her,* ⟨mbt. baan ook⟩ *harass (s.o.) out of his/her job* ◆ **6.1** ze zijn **uit** hun oude buurt weggetreiterd *they were pestered/harassed so much they finally left the neighbourhood.*

wegtrekken
I ⟨onov.ww.⟩ **0.1** [weggaan] *draw off* ⇒*move away, withdraw,* ⟨er uit⟩ *pull out of* **0.2** [wegvloeien] *drain away/out of/from* ◆ **1.1** mijn hoofdpijn trekt weg *my headache is disappearing;* het leger/circus/onweer is weggetrokken *the army/circus/thunder has moved away;* the army has withdrawn; de mist/rook trok weg *the fog/smoke cleared away/lifted* **1.2** ⟨fig.⟩ met een wit weggetrokken gezicht *white-faced* **6.1** het bloed trok **uit** haar gezicht weg *the blood drained (away) from her face;*
II ⟨ov.ww.⟩ **0.1** [naar elders brengen] *draw/pull away/aside* ⇒*withdraw* **0.2** [naar zich toehalen] *withdraw* ⇒*draw away* ◆ **1.2** zijn hand ~ *w. one's hand.*

wegvagen ⟨ov.ww.⟩ **0.1** [doen verdwijnen] *wipe out* ⇒*sweep away* **0.2** [⟨fig.⟩] *wipe out* ⇒*erase* ◆ **1.1** de cycloon vaagde alle huizen weg *the cyclone swept all the houses away* **1.2** al die droeve herinneringen waren plots weggevaagd *all those sad memories were suddenly erased/wiped out* **6.1** dorpen **van** de aarde ~ *sweep villages from the face of the earth.*

wegvak ⟨het⟩ **0.1** *stretch (of road).*

wegvallen ⟨onov.ww.⟩ **0.1** [van zijn plaats raken] *be omitted/dropped* **0.2** [niet meer beschikbaar zijn] *be lost* ⇒ ⟨zich terugtrekken⟩ *withdraw,* ⟨ophouden te functioneren⟩ *cease* **0.3** [niet meer doorkomen] *fall away* ◆ **1.1** er is een regel/letter weggevallen *a line/letter has been left out* **1.2** de watertoevoer is weggevallen *the water supply has been cut off* **1.3** het geluid/deze zender valt telkens weg *the sound/*

this station keeps fading / falling away **7.2** door het ~ van lichamelijke functies *through the loss of bodily functions.*

wegvastheid ⟨de (v.)⟩ **0.1** *roadholding.*

wegvegen ⟨ov.ww.⟩ **0.1** *wipe / sweep / brush away* ⇒⟨met spons⟩ *sponge away / off* ◆ **1.1** een tekening (v.h. schoolbord) ~ *wipe a drawing from the blackboard,* ᴬ*erase a drawing;* tranen ~ *brush one's tears away;* het vuil (v.d. vloer) ~ *sweep (the dirt from) the floor* **3.1** verf kun je niet ~ *you cannot wipe off paint, paint won't wipe off.*

wegverkeer ⟨het⟩ **0.1** *road traffic.*

wegversmalling ⟨de (v.)⟩ **0.1** *narrowing of a / the road* ⇒⟨op verkeersbord⟩ *road narrows.*

wegversperring ⟨de (v.)⟩ **0.1** *roadblock.*

wegvervoer ⟨het⟩ **0.1** *road transport.*

wegvliegen ⟨onov.ww.⟩ **0.1** [vliegend zich verwijderen] *fly away / off / out* **0.2** [ijlings heengaan] *dart / tear off* **0.3** [snel uitgegeven worden] *pour out* ⇒*vanish* **0.4** [snel v.d. hand gaan] *sell / go like hot cakes* ◆ **1.1** de kanarievogel is weggevlogen *the canary has flown away* **1.3** mijn geld vliegt weg *my money burns a hole in his pocket* **1.4** deze shirts vliegen weg *these shirts sell like hot cakes.*

wegvloeien ⟨onov.ww.⟩ **0.1** *flow off / away* ⇒*drain / run off* ◆ **1.1** (fig.) het geld / goud vloeit weg *the money / gold pours out / is drained away / off.*

wegvluchten ⟨onov.ww.⟩ **0.1** *run away / off* ⇒ ↑*flee.*

wegvoeren ⟨ov.ww.⟩ **0.1** *carry away / off* ◆ **5.1** de gewonde werd haastig weggevoerd ⟨ook⟩ *the injured person was sped off.*

wegvreten ⟨ov.ww.⟩ **0.1** *eat (up) away* ⇒⟨door chemische werking⟩ *corrode, wear away* ⟨ook fig.⟩ ◆ **1.1** roest vreet het ijzer weg *rust corrodes iron;* de rupsen hebben de kool weggevreten *the caterpillars have eaten (up) the cabbage;* land ~ *erode.*

wegwaaien
I ⟨onov.ww.⟩ **0.1** [door de wind weggevoerd worden] *be blown away / off* ⇒*fly away / off;*
II ⟨ov.ww.⟩ **0.1** [weg- / meevoeren] *blow off / away.*

wegwedstrijd ⟨de (m.)⟩ ⟨sport⟩ **0.1** *road race.*

wegwerken ⟨ov.ww.⟩ **0.1** [doen verdwijnen] *get rid of* ⇒ ↑*remove,* ⟨verorberen, afraffelen⟩ *polish off,* ⟨inf.⟩ *put away* ⟨eten, drank⟩, *smoothe away* ⟨oneffenheden⟩, ⟨wisk.⟩ *eliminate,* ⟨bij montage⟩ *conceal* **0.2** [dwingen hem te gaan] *dispose of, get rid of* ⇒⟨afschudden⟩ *throw off,* ↓*send packing* ◆ **1.1** ⟨wisk.⟩ een breuk / onbekende ~ *eliminate a fraction / an unknown;* een paar oneffenheden / kleine foutjes ~ *smoothe away a few blemishes / minor errors;* een schuld ~ *wipe out / clear away a debt;* een tekort ~ *eliminate / wipe out a deficit;* verschillen ~ *eliminate / remove differences* **1.2** een mededinger / minister ~ *dispose of a rival, send a minister packing* **6.1** iets **op** een foto ~ *block out sth. on a photo.*

wegwerker ⟨de (m.)⟩ **0.1** *roadmender,* ᴬ*road worker* ⇒⟨BE ook⟩ *navvy,* ⟨BE; ook spoor⟩ *lengthman,* ⟨spoor⟩ *platelayer,* ᴬ*trackman.*

wegwerpaansteker ⟨de (m.)⟩ **0.1** *disposable / throwaway lighter.*

wegwerpartikel ⟨het⟩ **0.1** *disposable / throw-away / non-returnable article* ⇒⟨mv. ook⟩ *disposables.*

wegwerpbeker ⟨de (m.)⟩ **0.1** *disposable cup.*

wegwerpcultuur ⟨de (v.)⟩ **0.1** *consumer society* ⇒⟨BE ook⟩ *≠admass society.*

wegwerpen ⟨ov.ww.⟩ **0.1** *throw away / out* ⇒ ↓*chuck away / out* ◆ **1.1** zijn wapens ~ *throw down one's arms.*

wegwerpfles ⟨de⟩ **0.1** *non-returnable bottle.*

wegwerpkleding ⟨de (v.)⟩ **0.1** [kleding van kunststof] *disposable clothes* **0.2** [kleding van slechte kwaliteit] *shoddy clothes.*

wegwerpmaatschappij ⟨de (v.)⟩ **0.1** *consumer society.*

wegwerpservies ⟨het⟩ **0.1** *disposable crockery.*

wegwerpverpakking ⟨de (v.)⟩ **0.1** *disposable packing / packaging.*

wegwesp ⟨de⟩ **0.1** *black-banded spider wasp.*

wegwezen ⟨ww.⟩ **0.1** *clear off / out* ⇒⟨inf.⟩ *push / buzz off,* ⟨sl.⟩ *scram, scarper,* ᴬ*scoot* ◆ **¶.1** jongens, ~! *let's get (the hell) out of here!;* hé, jij daar, ~! *push off!, hop it!, scram!;* ⟨vnl. AE⟩ *beat it!.*

wegwijs ⟨bn.⟩ **0.1** *familiar* ⇒*informed* **3.1** hij is al aardig ~ *he's beginning to get the hang / feel of it;* iem. ~ maken in iets *show s.o. the ropes,* ᴬ*put s.o. wise;* ~ zijn *be on familiar ground, know one's way around.*

wegwijzer ⟨de (m.)⟩ **0.1** [richtingbord] *signpost* **0.2** [handleiding] *handbook* ⇒*manual, guide, companion,* ⟨reisgids⟩ *guide(book).*

wegwissen ⟨onov., ov.ww.⟩ **0.1** [wegvegen] *wipe off / away* ⇒*rub off* **0.2** [uitwissen] *wipe out* ⇒*rub out,* ↑*erase* ◆ **1.1** zijn tranen ~ *wipe away one's tears, wipe one's face.*

wegwuiven ⟨ov.ww.⟩ **0.1** *wave / brush aside* ⇒*dismiss* ◆ **1.1** bezwaren / klachten ~ *brush aside objections / complaints.*

wegzakken ⟨onov.ww.⟩ **0.1** [zakkend verdwijnen] *sink* ⇒*go down, subside* **0.2** [mbt. geluiden] *fade (away)* ⇒*subside* **0.3** [indutten] *nod (off)* ◆ **5.1** het water zakt nu aardig weg *the water is draining away nicely;* mijn Latijn is zo wat volledig weggezakt *my Latin has completely gone after all these years* **6.1** ~ **in** de blubber *s. in the mire;* **onder** het ijs ~ *disappear / s. under the ice.*

wegzenden ⟨ov.ww.⟩ **0.1** [ergens heen zenden] *send off / away* ⇒*dis-*

patch, forward **0.2** [wegsturen, afwijzen] *dismiss* **0.3** [ontslaan] *dismiss* ⇒*discharge* ⟨commissie⟩, ⟨uit ambt⟩ *remove.*

wegzetten ⟨ov.ww.⟩ **0.1** [ter zijde zetten] *set / put aside* ⇒*move (away)* **0.2** [wegbergen] *put away / aside* **0.3** [te kijk zetten] *ridicule* ⇒*show up* ◆ **1.1** zet die koffers een eindje weg *put those suitcases over there* **1.2** geld ~ *put money in a bank;* vlees voor de volgende dag ~ *put away meat for the following day* **3.1** ik kon mijn auto nergens ~ *I couldn't find a place to park / put / leave for my car* **5.1** zet het daar maar weg *just put it over there* **5.3** iem. lelijk ~ *make s.o. look quite ridiculous / ↓a proper fool.*

wegzinken ⟨onov.ww.⟩ **0.1** *sink* ⇒*go under, subside* ◆ **6.1** (fig.) ~ **in** een moeras van eenzaamheid *go under in a well of loneliness;* in een fauteuil ~ *subside into a chair;* **onder** het ijs / **in** een moeras ~ *sink under the ice / in a swamp;* hij voelde de grond **onder** zijn voeten ~ *he felt the ground giving way beneath his feet.*

wegzuigen ⟨ov.ww.⟩ **0.1** *drain away / off* ◆ **7.1** het ~ van arbeidskrachten *the drain of manpower.*

wegzuiveren ⟨ov.ww.⟩ **0.1** *purge.*

wegzwemmen ⟨onov.ww.⟩ **0.1** *swim away / off.*

wei ⟨de⟩ **0.1** [stuk grasland] [hooiland] *meadow;* ⟨grasland⟩ *pasture, grasslands;* ⟨kleine wei voor paard⟩ *paddock* **0.2** [speelwei] *playground* ⇒*playing field* **0.3** [overblijfsel van melk] *whey* **0.4** [vloeibaar deel van bloed] *serum* ◆ **2.1** groene / grazige weiden *green / grassy pastures* **3.1** het vee de ~ insturen / in de ~ zetten *put / send / turn the cattle out to grass, turn the cattle into the field* **5.1** de ~ in gestuurd worden [ter ontspanning] *go / be sent for a rest in the country;* [ontslag] *be given / the push, get one's marching orders;* ⟨zonder instructies⟩ *be left to one's own devices, be left high and dry;* ⟨sport⟩ *be sent onto the field / pitch* **6.1** in de ~ lopen *graze, be at grass / at pasture / in the fields;* **uit** de ~ halen ⟨Austr.E⟩ *run up cattle.*

weiboter ⟨de⟩ **0.1** *whey butter.*

weichselboom ⟨de (m.)⟩ **0.1** *mahaleb / St. Lucie cherry.*

weide →**wei.**

weidebloem ⟨de⟩ **0.1** *meadow flower.*

weideboer ⟨de (m.)⟩ **0.1** *grassland farmer* ⇒⟨melkveehouder⟩ *dairy farmer.*

weidebouw ⟨de (m.)⟩ **0.1** *grassland farming;* ⟨tech., ec.⟩ *grass / grassland / pasture management.*

weidegeld ⟨het⟩ **0.1** *grazing rent / fee.*

weidegras ⟨het⟩ **0.1** *meadow grass* ⇒*herbage.*

weidegrond ⟨de (m.)⟩ **0.1** *pastureland, grassland, grazing land* ⇒*land in pasture.*

weidelijk ⟨bn., bw.⟩ ⟨jacht.⟩ ◆ **1.¶** een ~e jager *a self-respecting hunter;* ~e tradities *(decent) hunting traditions* **5.¶** dat is niet ~ *no decent / self-respecting hunter would do that.*

weidemier ⟨de⟩ **0.1** *yellow ant.*

weiden
I ⟨onov.ww.⟩ **0.1** [grazen] *graze* ⇒*pasture,* ⟨rondzwerven⟩ *run* **0.2** [rondgaan] *travel* ⇒⟨snel rondgaan⟩ *sweep* ◆ **1.1** de koeien ~ in de wei *the cows are grazing / feeding in the field* **3.2** zijn blikken laten ~ over …*let one's eyes travel over …;*
II ⟨ov.ww.⟩ **0.1** [laten grazen] *graze* ⇒*pasture, lamb (down)* ⟨lammetjes⟩ ◆ **1.1** koeien ~ *graze cows, put cows out to pasture;* land om vee op te ~ *cattle-pasturage, cattle-grazing* **6.1** (fig.) zijn ogen ~ **aan** / **over** *feast one's eyes on;* **gedurende** de zomer ~ *summer.*

weiderecht ⟨het⟩ **0.1** *grazing right(s).*

weidesleep ⟨de (m.)⟩ **0.1** *pasture / grass harrow, pasture float* ⇒⟨gecombineerde weidesleep⟩ *pasture harrow and scrubber.*

weidevee ⟨het⟩ **0.1** *grazing cattle.*

weidewinkel ⟨de (m.)⟩ **0.1** ᴮ*hypermarket,* ᴬ*discount store.*

weidman ⟨de (m.)⟩ **0.1** *huntsman* ⇒*hunter.*

weidmes ⟨het⟩ ⟨jacht.⟩ **0.1** *hunting knife.*

weids ⟨bn.⟩ **0.1** *grand* ⇒*vast,* (imposant (klinkend)) *sonorous,* ⟨weelderig⟩ *sumptuous,* ⟨statig⟩ *magnificent, splendid* ◆ **1.1** ~e gebaren *pompous / exaggerated gestures;* een ~ gebouw *a magnificent building;* ~e titels / namen *sonorous titles / names;* een ~ uitzicht *a grand / panoramic view.*

weidspel ⟨het⟩ ⟨jacht.⟩ **0.1** *hunt.*

weifelaar ⟨de (m.)⟩, **-ster** ⟨de (v.)⟩ **0.1** *waverer* ⇒*vacillator, shilly-shallyer,* ⟨sl.⟩ *fence-hanger,* ⟨weifelaar, draaier⟩ *shuffler.*

weifelachtig ⟨bn.⟩ **0.1** *wavering* ⇒*hesitant, vacillating,* ⟨besluiteloos⟩ *irresolute, indecisive* ◆ **1.1** een ~ antwoord *a hesitant answer* **3.1** ~ zijn *be unable to make up one's mind, be in two minds.*

weifelen ⟨onov.ww.⟩ **0.1** [dubben] *waver* ⇒*hesitate, be undecided / uncertain, look doubtful* **0.2** [onzeker zijn] *fluctuate* ⇒*vacillate* ◆ **1.1** een ~de houding aannemen *adopt an indecisive attitude* **1.2** een ~d licht *a wavering light;* een ~de markt *a fluctuating market* **5.1** lang ~ alvorens te besluiten *hesitate a long time before making a decision* **6.1** **na** enig ~ koos ik het laatste *after some hesitation I opted for the latter;* nog ~ **over** de te volgen koers *be as yet undecided / uncertain about the policy to be adopted;* ~ **tussen** de ene oplossing en de andere *w. / vacillate between (the) two solutions.*

weifeling ⟨de (v.)⟩ **0.1** *hesitation* ⇒*vacillation,* ⟨besluiteloosheid⟩ *indecision, irresolution,* ⟨herhaald⟩ *shilly-shallying.*

weifelmoedig ⟨bn.⟩ **0.1** *wavering* ⇒*vacillating*, ⟨besluiteloos⟩ *irresolute, indecisive, doubtful.*

weigelia ⟨de⟩ **0.1** *weigel(i)a* ⇒*diervilla* ◆ **2.1** de Amerikaanse ~ *the bush honeysuckle.*

weigeraar ⟨de (m.)⟩, **-raarster** ⟨de (v.)⟩ **0.1** *refuser* ⇒⟨hardnekkig⟩ *recalcitrant.*

weigerachtig ⟨bn.⟩ **0.1** ⟨alg.;onwillig⟩ *unwilling, reluctant;* ⟨hardnekkig⟩ *recalcitrant;* ⟨niet meewerkend⟩ *uncooperative;* ⟨in gebreke zijnde⟩ *defaulting* ⟨attr.⟩, *in default* ⟨pred.⟩ ◆ **1.1** een ~e houding *a reluctant attitude;* een ~e huurder *a defaulting tenant, a tenant in default;* een ~ man *a recalcitrant man* **3.1** hij bleef ~ *he remained unwilling/persisted in his refusal.*

weigeren
I ⟨onov.ww.⟩ **0.1** [niet functioneren] *fail* ⟨remmen⟩; ⟨vastzitten⟩ *jam, be jammed* **0.2** [⟨paardesport⟩ *refuse* ⇒*ba(u)lk,* ⟨schichtig worden⟩ *jib* ◆ **1.1** het geweer weigerde *the rifle misfired/failed to go off/ was jammed;* de motor weigert *the engine won't start/refuses to start;* ⟨hooghartig⟩ *spurn (an offer of) help;* je inzending is geweigerd *your entry has been rejected;* voedsel ~ *refuse food;* geweigerde zendingen *rejected/returned/unaccepted parcels* **3.1** ik weiger te antwoorden ⟨ook⟩ *I'm not saying/letting on/telling (any);* ~ te betalen/te antwoorden *r. to pay/answer, withhold payment/an answer;* blijven ~ om /te ..., hardnekkig ~ om te ... *be adamant in one's refusal to ...;* ~ iets te doen *r. to do sth.;* ~ iets te zeggen ⟨inf. ook⟩ *clam up* **4.1** iem. iets ~ *deny s.o. sth.* **5.1** iets botweg/ ronduit ~ *refuse sth. point-blank/flatly;* ze kon het hem moeilijk ~ *she couldn't very well refuse him/turn him down* **5.2** beleefd doch beslist ~ *refuse with many regrets, regret to have to decline/refuse;* ⟨bij uitnodiging⟩ enne, je kan niet ~ *and I won't take no for an answer.*

II ⟨ov.ww.⟩ **0.1** [niet willen doen] *refuse* ⇒[niet willen aannemen] *refuse* ⇒*reject, turn down* ⟨aanbod, kandidaat⟩, *decline* ⟨beleefd⟩, *not accept* ⟨zending⟩, *spurn* ⟨hooghartig⟩ ◆ **1.1** dienst ~ *r. to do military service, r. conscription;* het paard weigerde de hindernis (te nemen) *the horse ba(u)lked at/refused the fence;* ~ zijn toestemming/ een visum ~ *withhold one's consent/a visa* **1.2** mijn cheque werd geweigerd bij de kassa *they refused to accept my cheque at the cash desk;* goederen ~ *reject/return goods;* hulp ~ *refuse/turn down help;*

weigering ⟨de (v.)⟩ **0.1** [het weigeren] *refusal* ⇒⟨afwijzing⟩ *denial* **0.2** [bepaald geval van weigeren] *refusal* ⇒*failure* ⟨machine⟩, *misfire* ⟨vuurwapen⟩ **0.3** [⟨paardesport⟩] *refusal* ◆ **1.1** ~ van wissel/cheque *dishonour a bill/cheque* **2.2** een botte ~ *a blunt r., a point-blank r., a rebuff* **3.2** ik accepteer geen ~ *I won't take nay/no for an answer;* een ~ ontvangen *be refused, meet with a r.* **6.1** bij zijn ~ blijven *persist in one's r.* **6.2** ~ tot samenwerking *noncooperation.*

weigeringsgrond ⟨de (m.)⟩ **0.1** *ground(s) for refusal/rejection.*

weihnachtsstol ⟨de (v.)⟩ **0.1** ≠*Christmas fruit loaf,* ^A*Christmas stollen.*

weikaas ⟨de (m.)⟩ **0.1** *whey cheese.*

weiland ⟨het⟩ **0.1** *pasture (land)* ⇒*grazing (land), pasturage, meadow* ◆ **3.1** in ~ veranderen *lay down (land) to grass* **6.1** de boerderij ligt midden in het ~/ de ~en *the farm lies in the middle of a meadow/pasture* **8.1** geschikt als ~ *pasturable, fit for grazing cattle;* als ~ gebruiken *pasture.*

weinig¹ ⟨onb.vnw.⟩ ⟨→sprw. 23,45,221⟩ **0.1** *little, not much/a lot* ◆ **1.1** ~ Engels kennen *know l./ not know much English;* ~ geld verdienen *not earn much (money), be poorly paid;* ~ of/tot geen geld *l. or no/l. if any/ hardly any money;* dat kost ~ moeite *it's not much trouble;* in ~ tijd *in a short time;* ~ trek hebben *have a poor appetite, not feel much like eating/have much appetite;* dat heeft ~ zin *there's l./ not much point* **2.1** ~ goeds *l. good* **3.1** zij at ~ *she ate l./ didn't eat much;* hij heeft ~ van een dichter *there's l. of the poet in him;* het heeft er nog ~ van *(het lijkt er nog niet op) it doesn't look like it;* ⟨het is niet waarschijnlijk⟩ *it doesn't look like it;* hij kon niet op reis, zo ~ verdiende hij *he couldn't afford to travel on what he earned;* er ~ van weten *know l. about it, not know a lot about it;* je zegt er ~ van *saying much* **5.1** hij verdient niet ~ *he earns quite a lot;* dat is al te ~/ veel te ~ *that's insufficient/inadequate, that's by no means enough;* iem. te ~ teruggeven *short-change s.o.;* te ~ personeel hebben *be understaffed;* twintig pond te ~ hebben *be twenty pounds short* **6.1** met ~ tevreden zijn ⟨gauw tevreden⟩ *be easily satisfied/pleased, be easy to satisfy/please, be satisfied with a little;* ⟨zelden tevreden⟩ *not easily satisfied, hard to please* **7.1** een ~ water/ suiker *a l. water/sugar;* het ~e dat ik bezit *what/the l. I possess.*

weinig² ⟨bw.⟩ **0.1** [mbt. een hoeveelheid/graad] *little* **0.2** [mbt. tijd] *hardly ever* ⇒*rarely, seldom* ◆ **2.1** ~ bekende feiten *l. known facts;* dat is ~ minder dan diefstal *that's l./ nothing short of theft* **3.1** ~ bemoedigend *not particularly/very encouraging;* ~ dacht zij toen ...*l. did she think then ...;* er ~ om geven *care l. about it;* ~ overtuigend *rather unconvincing;* het scheelde maar ~ of zij was onder een auto gekomen *she was very nearly run over;* dat scheelt maar ~ *it's a close thing* **3.2** hij is ~ thuis *he's hardly ever at home;* ergens ~ komen *hardly ever go somewhere;* ~ thuis zijn *not be in often, be out often* **5.1** hij was niet ~ verbaasd *he was more than a little surprised;* iem. te ~ beta-

len *underpay s.o.;* zij weegt te ~ *she's underweight;* ~ waarschijnlijk *hardly likely.*

weinig³ ⟨hoofdtelw.⟩ ⟨→sprw. 218⟩ **0.1** *few, not many* ◆ **1.1** enige ~e druppeltjes *a few drops;* slechts ~ huizen staan leeg *there are only a few unoccupied houses;* er waren maar ~ mensen *there were only a few people;* ~ of/tot geen mensen *f. if any people;* binnen ~ uren *within a few hours* **3.1** er maar ~ hebben *not have many* **5.1** niet ~en denken ...*not a few feel ..., more than a few (people) think ...;* het zijn er ~ *there aren't enough.*

weinigzeggend ⟨bn.⟩ **0.1** *insignificant* ⇒*inconsequential,* ⟨zouteloos⟩ *insipid,* ⟨onbenullig⟩ *banal.*

weit ⟨de⟩ **0.1** [tarwe] *wheat* **0.2** [boekweit] *buckwheat* ◆ **2.1** wilde ~ *(purple) cow-wheat.*

weitas ⟨de⟩ **0.1** *game bag.*

weitebrood ⟨het⟩ **0.1** *wheat(en) bread.*

weivlies ⟨het⟩ ⟨med.⟩ **0.1** [vlies in inwendige holten] *serous membrane* ⇒*serosa* **0.2** [binnenste vruchtvlies] *amnion.*

wekamine ⟨de⟩ **0.1** *amphetamine* ⇒⟨sl.⟩ *upper.*

wekdienst ⟨de (m.)⟩ **0.1** *wake-up service.*

wekelijks
I ⟨bn.⟩ **0.1** [van een week] *weekly* ⇒⟨schr.⟩ *hebdomadal* **0.2** [eens per week plaatshebbend/verschijnend] *weekly* ◆ **1.1** het ~e loon *the/ one's w. wages;* het ~ nieuws *the w. news* **1.2** een ~e krant *a weekly (newspaper/magazine);* onze ~e vergadering *our w. meeting;*

II ⟨bw.⟩ **0.1** [eens per week] *weekly, once a week, every/each week* **0.2** [per week] *a/per week* ◆ **3.1** ~ samenkomen *meet once a week;* deze krant verschijnt ~ *this paper comes out weekly* **3.2** hij verdient ~ 500 gulden *he earns 500 guilders a week.*

wekeling ⟨de (m.)⟩ **0.1** *weakling* ⇒↑*milksop,* ↓*softy, wet,* ⟨sl.⟩ *whimp,* ⟨huilebalk⟩ *sniveller, crybaby.*

weken
I ⟨onov.ww.⟩ **0.1** [week worden] *soak* ⇒*steep* ◆ **3.1** de stokvis ligt te ~ *the stockfish is soaking/ has been left to soak* **6.1** de erwten een nacht in water laten ~ *soak the peas/leave the peas to soak in water overnight;*

II ⟨ov.ww.⟩ **0.1** [zacht maken] *soak* ⇒*leave to soak, ret* ⟨vlas, hennep⟩;

III ⟨onov.,ov.ww.⟩ **0.1** [laten uittrekken] *soak* ⇒*steep.*

wekenfeest ⟨het⟩ **0.1** *Shabuot(h), Shavuot* ⇒*Pentecost, Feast of Weeks.*

wekenlang ⟨bn., bw.⟩ **0.1** ⟨bn.⟩ *lasting/ of several weeks;* ⟨bw.⟩ *for weeks (on end), week in, week out* ◆ **1.1** na een ~e ruzie *after weeks of quarrelling, after quarrelling for weeks.*

wekken ⟨ov.ww.⟩ **0.1** [wakker maken] *wake (up)* ⇒↑*(a)waken, call,* ^B*knock up* ⟨op afspraak⟩ **0.2** [opwekken] *(a)waken, (a)rouse* ⇒*raise, stir, excite,* ⟨oproepen⟩ *call up, evoke, provoke* ⟨nieuwsgierigheid⟩, *create* ⟨indruk⟩ ◆ **1.2** iemands belangstelling ~ *arouse/excite s.o.'s interest;* de indruk ~ dat .../ ... te zijn *make a show of (being) ..., create the impression that/ of being ...;* (geen) vertrouwen ~ *(not) inspire confidence;* verwachtingen/ hoop ~ *raise expectations/ hope(s)* **3.1** zich telefonisch laten ~ *get an alarm call* **6.1** iem. om 6 uur ~ *wake s.o. up/call s.o. at six;* tot leven ~ *bring/call into being;* iem. ~ uit zijn dagdromerijen *shake s.o. out of his daydreams, bring s.o. back to earth (with a bump).*

wekker ⟨de (m.)⟩ **0.1** [uurwerk] *alarm (clock)* **0.2** [persoon] ^B*knocker-up,* ^A*wake-up person* ⇒⟨AE ook;scherts.⟩ *wake-up service, waker-upper* ◆ **3.1** de ~ opwinden *wind up the alarm;* de ~ op zes uur zetten *set the alarm for six (o'clock)* **5.1** door de ~ heen slapen *sleep through the alarm.*

wekkerhorloge ⟨het⟩ **0.1** *wrist-watch alarm* ⇒*alarm (wrist-)watch.*

wekkerklok ⟨de⟩ **0.1** *alarm clock.*

wekkerradio ⟨de (m.)⟩ **0.1** *radio alarm (clock)* ⇒*clock radio.*

wekroep ⟨de (m.)⟩ **0.1** *call* ⇒*clarion (call), exhortation.*

wel¹
I ⟨de⟩ **0.1** [bron] *spring* ⇒*well, fountain* **0.2** [welput] *well* **0.3** [uitstekend randje van traptrede] *nosing;*

II ⟨het⟩ **0.1** [het goede] *welfare, well-being* ◆ **1.1** zijn ~ en wee *his fortunes,* ↑*his weal and woe;* 's levens ~ en wee *the vicissitudes/ the ups and downs of life.*

wel²
I ⟨bw.⟩ **0.1** [⟨om een bevestiging uit te drukken⟩]⟨zie 2.1,3.1,5.1,6.1⟩ **0.2** [⟨om een ontkenning tegen te spreken⟩]⟨zie 2.2,3.2,4.2,5.2,¶.2⟩ **0.3** [goed, juist] *well* **0.4** [nogal] *rather, quite* **0.5** [vermoedelijk] *probably* **0.6** [weliswaar] ⟨zie 2.6,3.6,4.6⟩ **0.7** [⟨om bereidwilligheid uit te drukken⟩]⟨zie 3.7,¶.7⟩ **0.8** [⟨ter geruststelling⟩]⟨zie ¶.8⟩ **0.9** [⟨ter vermaning⟩]⟨zie ¶.9⟩ **0.10** [⟨om aan te duiden dat er sprake is van een grote hoeveelheid⟩]⟨met enk.⟩ *as much as;* ⟨met mv.⟩ *as many as;* ⟨met bw. van frekwentie⟩ *as often as* **0.11** [minstens] *at least, just as* **0.12** [al]⟨zie 3.12,¶.12⟩ **0.13** [⟨om nieuwsgierigheid uit te drukken⟩]⟨zie ¶.13⟩ **0.14** [⟨ter nuancering⟩] *rather* **0.15** [⟨in verbinding met 'en', na een bn.⟩] *completely, all* **0.16** [⟨na een zn.; om aan te geven dat de genoemde zaak of persoon ongewone kenmerken heeft⟩] *quite (a)* ◆ **1.16** hij is me de bedrijfsleider ~ *he calls himself a manager?;* dat was me het dagje ~ *that was*

quite a day, it's been a day to remember; het is me het zomertje ~! *some summer!, call that/this a summer!* **2.1** dat is ~ wenselijk *that would be highly desirable* **2.2** het is wèl waar *but it is true* **2.4** het was ~ aardig *it was all right, it wasn't bad* **2.6** dat is ~ juist, maar ... *true enough, but ...;* hij is ~ rijk, maar niet gelukkig *he may be rich but he isn't happy, he isn't happy for all his wealth* **3.1** ik heb je ~ gezien! *I saw you!;* heeft hij het ~ gedaan? *did he really/actually do it?;* hij komt ~ *he will come (all right);* dat mag ~ *that's all right/allowed;* hij moet ~ *he's got to, he has no choice* **3.2** 'ik doe het niet', 'je doet het ~!' *'I won't do it', 'oh yes you will!';* ik heb je ~ gezien! *I did see you!* **3.3** als ik het ~ heb *if I'm correct/not mistaken;* als ik me ~ herinner *if I remember correctly/rightly, if I'm not mistaken;* ~ te verstaan *be it understood* **3.4** 'hoe is het ermee?' 'het gaat ~' *'how are you?' 'all right/mustn't complain';* het is ~ een aardig kind *she's all right/quite a nice girl;* ik mag haar ~ *I rather like her;* ik mag dat ~ *I quite like that, I don't mind that* **3.6** Jaap heeft het ~ gezegd, maar ... *Jaap did say/may have said so, but ...* **3.7** hij wou ~ mee *all for it/really wanted to* **3.12** dat dacht ik ~ *I thought as much;* dat heb ik ~ gezegd *I told you so (didn't I?)* **3.14** het bevalt me hier ~ *I like it here;* ik mag hem ~ *I rather like him, I think he's all right* **4.2** hij niet rijk? dat is hij ~! *you don't think he's rich?, oh yes he is!/(but) he is too!;* jij wil niet? ik ~! *you don't want to? well I do!;* maar zij ~! *but she does/can/is/will* (enz., afhankelijk van ww. in voorafgaande zin) **4.6** dàt ~ granted, agreed **5.1** kom jij? misschien ~! *will you come?, I might!* **5.2** hier niet, maar daar ~ *not here, but over there;* wat deed hij dan ~? *what did he do, then?;* wat ~ en niet mag* (ook) *do's and don'ts;* meer ~ dan niet *more often than not;* liever ~ dan niet *as soon as not* **5.3** het is niet ~ mogelijk *it's hardly likely;* en (dat) nog ~ op zondag *and on a Sunday, too!* **6.1** ik geloof van ~ *I think so;* hij zegt van ~! *he says yes, he has/will/can* (enz.) **8.¶** enkelen, en ~ de rijksten, ... *a few, (namely) the richest, ...;* het kan niet, en ~ omdat ... *it's not possible, (and that) because ...* **¶.2** niet(es)! wèl(les)!(BE) 'tisn't!' 'tis!;* (AE) *'tisn't, it is so/too!;* (afhankelijk van ww. in voorafgaande zin) *didn't/did!;* als hij het niet weet, wie dan ~? *if he doesn't know, who does?* **¶.4** het kan er ~ mee door *it'll work out (all right);* dat zal ~ niet *I suppose/*^A*guess not;* je zult ~ denken *what will they think?;* ze zal ~ ziek zijn *I suppose she's ill, she's probably ill;* we kunnen nu ~ zeggen dat hij de winnaar is *we can assume/may safely say he's the winner;* hij zal het ~ niet geweest zijn *I don't/hardly think it was him;* dat kan ~ (zijn) *that may be (so);* ik hoef je ~ niet te zeggen waarom *I need hardly tell you why;* hij zal nu ~ in bed liggen *he'll be in bed by now;* dat zal ~ *I suppose/*^A*guess so, I expect so/ you're right;* (iron.) *a likely story!* **¶.7** ik doe het ~, I don't mind;* laat maar, ik ga ~ *never mind, I'll go;* hij wilde ~ helpen *he didn't mind helping;* ik wil je ~ zeggen dat ... *I don't mind telling you (that) ...* **¶.8** maak je maar geen zorgen, hij redt zich ~ *don't worry, he'll manage/be all right;* het gaat ~ *never over it'll pass;* dat mag men ~ zeggen *one may safely say that* **¶.9** je hebt het ~ laat gemaakt hè! *you've been out late, haven't you!;* zo is het ~ genoeg *that's (about) enough;* (ook iron.) *that'll do (thank you);* je moet ~ een beetje opschieten *you really have to hurry;* weet je ~ wat dat kost! *do you know/have any idea what it costs!;* wil je ~ eens luisteren! *will you just/please listen (to me)!* **¶.10** dat kost ~ 100 gulden *it'll be as much as 100 guilders;* ik heb hem ~ drie jaar niet gezien *I haven't seen him for at least three years;* Piet is ~ 10 kilo afgevallen *Piet must have lost a good 10 kilos;* wat moet dat ~ niet kosten *I hate to think what that costs/must cost;* ~ twee keer per week *as often/frequently as twice a week* **¶.11** dat is ~ zo leuk *it's much nicer that way;* dat is ~ zo makkelijk *it would be a lot easier/more convenient that way;* het lijkt me ~ zo verstandig *it seems sensible/a good idea to me;* zij was ~ zo groot als haar vader *she was quite as tall as her father;* ~ een week later *a full week after/later* **¶.12** dat zeggen er ~ meer *they all say that, I've heard that once before* **¶.13** wat zullen de mensen er ~ van zeggen? *what'll people say/think?* **¶.14** gebruikt hij ~ zijn verstand? *does he think at all?* **¶.15** opgepoetst en ~ stond de auto voor de deur *there was the car, all cleaned and polished;* we zijn gezond en ~ aangekomen *we arrived safe and sound* **¶.¶** dank u ~ *thank you (very much).*
II (bn.) **0.1** [(schr.) gezond] *well* **3.1** ik ben niet ~ *I'm not w.;* hij voelt zich niet ~ *he doesn't feel w./feels a little out of sorts* **4.¶** alles ~ aan boord *all's w. on board;* (het is) mij ~! *I'm easy!, all right!, I don't mind!*

wel³ (tw.) **0.1** [(mbt. een vraag)] *well* **0.2** [(mbt. verwondering)] *well, why* ◆ **4.1** ik kon mijn les niet leren, jij ~? *I couldn't do my lessons, could you?* **9.2** ~ allemachtig! *well I'll be blowed!, blow me!, damn!,*

^A*well I'll be (darned)!* **¶.1** ~? wat zeg je daarvan? *well? what do you say to that?,* ~, wat nu? *so what? what (to do) next?;* ~? hoe denk jij erover? *so/well? how about it?;* u gelooft mij niet zo, ~? *you don't really believe me, do you?* **¶.2** ~ nu nog mooier! *well I never!;* ~, ~! *well, well!, my, my!;* (misprijzend ook) *tut tut!;* ~, heb je me/nu ooit! *well I never (did)!;* ~, ~, wie hebben we daar! Jantje Smit! *(why) if it isn't John Smith!;* ~, hij hier! *why, fancy him being here!, what's he doing here!* **¶.¶** ~ nee! *of course not!, certainly not!, never!;* (iron.) ~ ja! *who do you/they think you they are!, come off it!, don't come that (one) with me!.*

welaan (tw.) **0.1** *right!, very well!, well then.*

welbedacht (bn., bw.) **0.1** *well-considered* ⇒*carefully thought-out* ◆ **1.1** een ~ plan *a w.-c.-plan* **3.1** ~ handelen *act after due deliberation, think before one acts.*

welbegrepen (bn.) **0.1** *well-understood* ◆ **1.1** in het ~ belang van *in the proper interests of;* iets doen uit ~ eigenbelang *do sth. out of enlightened self-interest.*

welbehaaglijk (bn., bw.; -ly) **0.1** *comfortable* ⇒*cosy* ^A*cozy.*

welbehagen (het) **0.1** [goedvinden] *pleasure* ⇒*well-being* **0.2** [genoegen] *pleasure* ⇒*ease* ◆ **1.2** een gevoel van ~ *a sense of well-being, euphoria* **3.2** ergens ~ in vinden *find p. in sth.* **6.1** doe naar uw ~ *do as you please* **6.2** in de mensen een ~ *good will towards men.*

welbekend (bn.) **0.1** *well-known* ⇒*famous, noted,* (vertrouwd) *familiar* ◆ **1.1** een ~ persoon *a celebrity;* (vertrouwd gezicht) *a familiar face.*

welbemind (bn.) (schr.) **0.1** *well-beloved* ⇒*dearly beloved.*

welberaden (bn., bw.) (schr.) **0.1** (ongemarkeerd) *well-considered* ⇒ *prudent, well-judged* ◆ **3.1** ~ optreden/spreken *w.-c./well-judged conduct/speech; act prudently, speak in w.-c./well-judged terms.*

welbeschouwd (bn., bw.) **0.1** *all things considered, all in all* ⇒*taking one thing with another, as a matter of fact.*

welbespraakt (bn.) **0.1** *eloquent* ⇒*fluent,* (pej.) *glib,* (veel pratend) *voluble* ◆ **3.1** ~ zijn (ook) *have eloquence/the gift of the gab, be fluent (in speech/a language).*

welbespraaktheid (de (v.)) **0.1** *eloquence* ⇒*fluency,* (pej.) *glibness,* (praatzucht) *volubility.*

welbesteed (bn.) **0.1** *well-spent.*

welbevoegd (bn.) (schr.) **0.1** (ongemarkeerd) *competent* ⇒ (deskundig) *expert* ◆ **1.1** van ~ zijde werd ons bericht dat ... *we got notice from a c./expert source, we were informed by a c./an expert judge.*

welbewust (bn., bw.; -ly) **0.1** *deliberate, well-considered* ⇒*intended, intentional, conscious* ◆ **1.1** een ~ keuze *a well-considered choice.*

welbezocht (bn.) **0.1** *well-attended* (vergadering; *much-frequented, well-patronized* (café).

weldaad (de) **0.1** [goede daad] *benefaction* ⇒*boon,* (liefdadigheid) *charity,* (mildheid) *generosity* **0.2** [iets aangenaams/nuttigs] *blessing* ⇒*mercy* ◆ **3.1** iem. weldaden bewijzen *confer benefactions/charity on s.o.;* dat heb je hun een ~ mee bewezen (ook) *(with that) you have done them a great service* **3.2** zo'n warm bad is een ~ *such a hot bath is a blessing.*

weldadig (bn., bw.; -ly) **0.1** *mild* ⇒ (heilzaam) *salutary, beneficent,* (van persoon) *benevolent* ◆ **1.1** een ~ gevoel *a feeling of well-being;* een ~e invloed ergens op hebben *have a salutary influence on sth.;* een ~e regen *a m. rain* **3.1** die hulpvaardigheid doet ~ aan *such co-operation is gratifying (to behold)/makes a pleasant impression/ sight.*

weldadigheid (de (v.)) **0.1** *mildness* ⇒*beneficence, benevolence, salutary/pleasant influence/effect.*

weldenkend (bn.) **0.1** *right-minded, right-thinking* ◆ **1.1** elk ~ mens zal dit moeten beamen *every r.-m. person must agree/assent to this.*

weldoen (onov.ww.) (→sprw. 115) **0.1** *do good* ◆ **1.1** armen/behoeftigen ~ *do good (deeds) among/to/be charitable to the poor/needy* **7.1** het ~ *charity, well-doing, philanthropy.*

weldoend (bn.) **0.1** *charitable* ⇒*beneficent* ◆ **3.1** ~e rondgaan *perform charities; be munificent* (met koekjes); *play benefactor;* (iron.) *play Lady Bountiful.*

weldoener (de (m.)), **-ster** (de (v.)) **0.1** *benefactor, benefactress* ⇒ (pej.) *do-gooder,* (beschermer, begunstiger) *patron,* (iron.) *Lady Bountiful.*

weldoordacht (bn.) **0.1** *well-thought-out* ⇒*(well-)considered, (well-)studied* ◆ **1.1** een ~ plan (ook) *a carefully considered/studied plan, a well-advised plan;* een ~e verhandeling *a well thought out address/discourse.*

weldoortimmerd (bn.) **0.1** *well-built/-made/-constructed* ⇒*solid* ◆ **1.1** (fig.) een ~ betoog *a solid discourse, solid reasoning;* een hecht en ~ huis *a solid and well-built/-constructed house;* (fig.) een ~ plan *a well-made/-contrived plan.*

weldoorvoed (bn., bw.) **0.1** *well-fed.*

weldra (bw.) (schr.) **0.1** (ongemarkeerd) *presently* ⇒ (vero.) *ere long* ◆ **3.1** hij is ~ gereed *he'll be ready p.;* hij kreeg er ~ genoeg van *in a little while he got bored with it.*

weled. (afk.) **0.1** [weledele] *Esq..*

weledel (bn.) (schr.) **0.1** (zie 1.1) ◆ **1.1** ~e heer (aanhef) *Dear Sir, My dear Sir;* (aan) de ~e heer J. Smit *Mr. J. Smit;* (vnl. BE) *J. Smit, Esq.;* de ~e heren A. en J. Smit *Messrs. A. and J. Smit.*

weledelgeb. ⟨afk.⟩ **0.1** [weledelgeboren] *Esq.* ⟨m.⟩.
weledelgeboren ⟨bn.⟩ ⟨schr.⟩ **0.1** ⟨zie 1.1⟩ ◆ **1.1** de ~ heer J. Smit *Mr. J. Smit;* ⟨vnl. BE⟩ *J. Smit, Esq.;* ~ heer/ mevrouw ⟨aanhef⟩ *Sir/ Madam;* de ~ vrouwe J. Smit *Mrs. / Miss / Ms. J. Smit.*
weledelgeleerd ⟨bn.⟩ ⟨schr.⟩ **0.1** ⟨zie 1.1⟩ ◆ **1.1** ~e mevrouw/ heer ⟨aanhef⟩ *(Dear) Madam/ Sir.*
weledelgestr. ⟨afk.⟩ **0.1** [weledelgestrenge] ≠*Esq..*
weledelgestreng ⟨bn.⟩ ⟨schr.⟩ **0.1** ⟨zie 1.1⟩ ◆ **1.1** de ~e heer ridder Smit ≠*Sir Smit;* ~e heer/ mevrouw ⟨aanhef⟩ ⟨Mr.⟩ *Dear Sir/ Madam; My dear Mr. / Mrs. ...* ⟨officier⟩ *Sir, Madam;* ⟨ridder⟩ *Sir;* ⟨consul, lid ge-meenteraad enz.⟩ *Dear Sir/ Madam;* de ~e heer/ mevrouw Mr. S. Smit *Mr. / Mrs. S. Smit;* ⟨m. ook⟩ *S. Smit, Esq.;* de ~e heer/ mevrouw Kapitein S. Smit *Captain S. Smit;* ⟨USA⟩ *Captain S. Smit, U.S.A..*
weledelzeergeleerd ⟨bn.⟩ ⟨schr.⟩ **0.1** ⟨zie 1.1⟩ ◆ **1.1** ~e heer/ mevrouw Dr. K. Smit *Dr. K. Smit;* ⟨theoloog ook⟩ *Rev. Dr. K. Smit;* ~e heer/ mevrouw ⟨aanhef⟩ *Dear Sir/ Madam, Dear/ My dear Dr. Smit;* ⟨theo-loog ook⟩ *Reverend Doctor.*
weleer¹ ⟨het⟩ ⟨schr.⟩ **0.1** *olden days/ times* ◆ **6.1** de tijden van ~ *the olden times/ days;* ⟨vero.⟩ *the days of yore;* de vrienden van ~ *the friends of olden days/ yesteryear.*
weleer² ⟨bw.⟩ ⟨schr.⟩ **0.1** *in olden times/ days* ⇒ ⟨vero.⟩ *of yore* ◆ **¶.1** dit stadje, ~ een bloeiende haven *this little town, in olden days a prosper-ous port.*
weleerw. ⟨afk.⟩ **0.1** [weleerwaarde] *Rev.* ⇒*Revd..*
weleerwaard ⟨bn.⟩ ⟨schr.⟩ **0.1** *Reverend* ◆ **1.1** de ~e heer/ pater J. Smit *the R. / Rev. / Revd (Mr. / Father) J. Smit;* de ~e moeder *the R. Mother* **4.1** ⟨zelfst.⟩ zijn Weleerwaarde *the R. gentleman/ Father* **¶.1** ~e ⟨aanhef⟩ *R. Sir/ Father/ Mother;* ⟨wereldheer⟩ *dear R. Father Smit.*
welfarewerk ⟨het⟩ **0.1** ≠*occupational therapy.*
welfboog ⟨de (m.)⟩ ⟨bouwk.⟩ **0.1** *(vaulting) arch.*
welgaan ⟨onov.ww.⟩ **0.1** *go/* ⟨personen⟩ *do well* ⇒*prosper* ◆ **4.1** het gaat haar in alles wel *she is doing well/ prospering in everything.*
welgat ⟨het⟩ **0.1** [mond v.e. wel] *wellhead* **0.2** [gat in het ijs] ≠*hole (in ice).*
welgeaard ⟨bn.⟩ ⟨schr.⟩ **0.1** [echte] ⟨ongemarkeerd⟩ *true* ⇒*veritable* **0.2** [van goede inborst] *good* ⇒*right-minded,* ⟨goedhartig⟩ *good-na-tured,* ⟨deugdzaam⟩ *virtuous.*
welgebouwd ⟨bn.⟩ **0.1** *well-made* ⇒*well-built* ◆ **1.1** een ~e knaap *a well-built lad.*
welgedaan ⟨bn.⟩ **0.1** *portly* ⇒*well-rounded, well-fed.*
welgekleed ⟨bn.⟩ **0.1** *well-dressed* ⇒*well-groomed.*
welgekomen ⟨bn.⟩ ⟨AZN⟩ **0.1** *welcome.*
welgekozen ⟨bn.⟩ **0.1** *well-chosen.*
welgelegen ⟨bn.⟩ **0.1** *well-situated.*
welgemanierd ⟨bn., bw.⟩ **0.1** *well-mannered* ⇒*mannerly, well-bred.*
welgemanierdheid ⟨de (v.)⟩ **0.1** *good manners* ⇒*mannerliness.*
welgemeend ⟨bn.⟩ **0.1** *heartfelt* ⇒*cordial,* ⟨goedbedoeld⟩ *well-meaning, well-meant, well-intentioned* ◆ **1.1** iem. een ~e raad geven *give s.o. well-meaning advice.*
welgemoed ⟨bn.⟩ **0.1** *in (good) spirits* ⇒*cheerful* ◆ **3.1** ondanks alle te-genslag ~ blijven *remain cheerful in the face of misfortune.*
welgeschapen ⟨bn.⟩ **0.1** *shapely* ⇒*well-formed.*
welgesteld ⟨bn.⟩ **0.1** *well-to-do* ⇒*prosperous, moneyed, well-off* ◆ **1.1** het zijn ~e mensen *they are well-to-do/ substantial people* **3.1** zij zijn zeer ~ *they are very well-off/ very comfortable;* ~ zijn ⟨ook⟩ *live/ be in comfortable/ easy circumstances, live in comfort;* ~ genoeg zijn om ... *have sufficient means to ...* **7.1** ⟨zelfst.⟩ de ~en *the well-to-do;* de min-der/ meer ~en onder ons *those among us who are less well-off/ are better-off.*
welgesteldheid ⟨de (v.)⟩ **0.1** *affluence* ⇒*easy circumstances, prosperity, comfort.*
welgeteld ⟨bw.⟩ **0.1** *all-in-all* ⇒*all told* ◆ **7.1** er waren ~ twaalf leden aanwezig *all-in-all/ all told, twelve members were present.*
welgevallen¹ ⟨het⟩ **0.1** [goeddunken] *pleasure* ⇒*(at) will* **0.2** [genoegen] *pleasure* ⇒*favour, gratification* ◆ **6.1** handel naar ~ *act at your p.;* naar ~ *at p. / will;* ⟨naar eigen inzicht⟩ *at your/ her* ⟨enz.⟩ *discretion* **6.2** iets met ~ gadeslaan *observe sth. with p. / gratification, look with favour on sth..*
welgevallen² ⟨ww.⟩ ◆ **3.¶** zich iets laten ~ *put up with/ lie down under sth., submit to;* zich alles maar laten ~ *take it all lying down.*
welgevallig ⟨bn.⟩ **0.1** *agreeable* ◆ **3.1** iem. aanstellen die het bestuur ~ is ⟨ook⟩ *appoint s.o. who is acceptable to the Board;* het was haar niet ~ *it wasn't a. to her.*
welgevormd ⟨bn.⟩ **0.1** *shapely* ⇒*well-formed, well-proportioned* ◆ **1.1** ~e borsten *s. / well-formed breasts;* een ~e mond *a s. mouth.*
welgezind ⟨bn.⟩ **0.1** [gunstig gezind] *well-disposed (towards)* **0.2** [de goede gezindheid hebbend] *well-disposed.*
welhaast ⟨bw.⟩ **0.1** [bijna] *wellnigh* ⇒*all but, nearly, almost* **0.2** [weldra] *shortly* ⇒ ⟨vero.⟩ *ere long, anon* ◆ **2.1** zo iets is ~onbestaanbaar *such a thing is w. / all but inconceivable* **3.1** men zou ~ geloven dat ... *one would almost/ n. believe that ...* **3.2** hij zal ~ hier zijn *he will be here ere long/ shortly.*
welig ⟨bn., bw.; -ly⟩ **0.1** [weelderig] *luxuriant* ⇒*opulent,* ⟨overvloedig⟩

abundant, lush ⟨gazon⟩, ⟨té⟩ *rank* **0.2** [wulps] *lascivious* ◆ **1.1** ~e ak-kers *opulent fields;* een ~e plantengroei *luxuriant vegetation* **3.1** ⟨fig.⟩ ~ groeien/ tieren *grow profusely/ exuberantly/ abundantly;* ⟨woekeren⟩ *proliferate;* ⟨van iets ongewensts⟩ *be rank with rampant, run riot;* het onkruid tiert hier ~ *weeds run riot/ are rampant here.*
weligheid ⟨de (v.)⟩ **0.1** [overvloed] *opulence* ⇒*abundance* **0.2** [iets wel-igs] *luxuriance.*
welingelicht ⟨bn.⟩ **0.1** *well-informed* ⇒*informed* ◆ **1.1** ~e kringen *in-formed circles;* van ~e zijde iets vernemen *hear from informed sources.*
weliswaar ⟨bw.⟩ **0.1** *it's true* ⇒*to be sure, indeed* ◆ **2.1** een ~ verzorgde maar toch niet bevredigende opvoering *a careful performance in-deed, yet an unsatisfactory one* **3.1** ik heb het ~ beloofd, maar ik kan het nu niet doen *I did promise(, to be sure/ it's true), but I cannot do it now.*
welk ⟨→sprw. 281⟩
  I ⟨vr.vnw.⟩ **0.1** [⟨zuiver vragend⟩] *which, what* ⇒ ⟨zelfstandig⟩ *which one* **0.2** [⟨in uitroepende zinnen⟩] *what* ◆ **1.1** ~e plaats is voor mij? *which seat is mine, which is my seat?;* om ~e reden?, met ~e be-doeling? *what for* **1.2** ~ een dwaasheid! *w. folly!;* ~e leugens speldt hij u op de mouw! *w. lies he tells you!* **6.1** ~e van die twee is van jou? *which of those two is yours?;* hij lust melk of vla, ik ben vergeten ~ van de twee *he likes either milk or custard, I've forgotten which (of the two);*
  II ⟨betr.vnw.⟩ ⟨schr.⟩ **0.1** [⟨zelfst.⟩] ⟨personen⟩ *who, whom;* ⟨zaken, dieren⟩ *which* **0.2** [⟨bijv.⟩] *which* ◆ **1.1** de man ~e u gezien hebt, is hier *the man (whom) you saw is here;* de verpleegster, ~e overigens bekwaam is *the nurse, who is otherwise capable* **1.2** wij verkopen kof-fie en thee, ~e artikelen veel aftrek vinden *we sell coffee and tea, (ar-ticles) which are much in demand; ...* vanuit ~e overtuiging hij ertoe overging om ...... *from which conviction he proceeded to ...* **7.2** ~e alle/ ~e alle tien beschadigd waren *all of which/ all ten of which were damaged;*
  III ⟨onb.vnw.⟩ **0.1** [⟨vaak+⟨ook⟩(maar)⟩] ⟨heel algemeen⟩ *what-ever, any (... what(so)ever);* ⟨iets uit een beperkt aantal⟩ *whichever, any* ◆ **1.1** ~e kleur je ook (maar) wilt/ om het even ~e kleur je wilt/ het geeft niet ~e kleur je wilt, maar de rest moet je er bij aanpassen *take any colour whatsoever, you'll have to match the rest;* ~ voorne-men je ook hebt ... *whatever plan you may have ...* **3.1** ~e van de twee je ook kiest *whichever of the two you choose;* je kunt kiezen ~e je maar wilt *you can choose whichever/ any one you want* **¶.1** (geef me er maar een,) het geeft niet ~e *any/* ⟨van 2⟩ *either will do.*
welkom¹ ⟨het⟩ **0.1** *welcome* ◆ **2.1** iem. een feestelijk/ hartelijk/ uitbun-dig ~ bereiden *give s.o. a festive/ warm/ exuberant w.* **3.1** iem. het ~ toeroepen *bid s.o. welcome.*
welkom² ⟨bn.⟩ **0.1** [gelegen komend] *welcome* **0.2** [aangenaam] *welcome* ◆ **1.2** een ~ advies ⟨ook⟩ *a word in time;* een ~e verrassing *a w. sur-prise* **3.1** je bent altijd ~ *you're always w.;* een bezoeker ~ heten *wel-come a visitor, bid a visitor w.;* iem. hartelijk ~ heten *give s.o. a hearty/ cordial w., bid s.o. heartily w.;* iem. het gevoel geven dat hij ~ is *make s.o. welcome;* ergens niet ~ zijn *be not w. / unwelcome some-where; be p.n.g. / persona non grata somewhere* **3.2** iets ~ heten *wel-come sth.;* ⟨sterker⟩ *acclaim/ hail sth.;* elke gulden is ~ *every guilder is w..*
welkom³ ⟨tw.⟩ **0.1** *welcome* ◆ **5.1** ~ hier *w. to this place;* ~ thuis *w. home* **6.1** ~ in dit land *w. to this country.*
welkomst ⟨de (v.)⟩ **0.1** *welcome.*
welkomstgeschenk ⟨het⟩ **0.1** *welcome gift/ present* ⇒*gift of welcome.*
welkomstgroet ⟨de (m.)⟩ **0.1** *(words of) welcome.*
welkomstwoord ⟨het⟩ **0.1** *opening/ welcoming speech* ⇒*word of wel-come* ◆ **6.1** in haar ~ wees de voorzitster erop dat ... *in her opening/ welcoming speech the chairwoman pointed out that ...;* met een enkel ~ *with a few words of welcome.*
wellen
  I ⟨ov.ww.⟩ **0.1** [bijna laten koken] *simmer* ⇒*steep* **0.2** [lassen, solde-ren] *weld* ◆ **1.1** gewelde boter *drawn butter* **3.2** zich makkelijk/ slecht laten ~ *w. easily/ badly;*
  II ⟨onov.ww.⟩ **0.1** [opborrelen] *well (up)* ⇒*spring (up) (from)* ◆ **1.1** het water welt hier uit de grond *water wells out of the ground here.*
welles ⟨tw.⟩ **0.1** *yes* ⇒*it is/ does* ⟨enz.⟩ ◆ **5.1** nietes! ~! *no! yes!; it isn't! it is!; it doesn't! it does; I won't! you will!* ⟨enz.⟩.
welletjes ⟨bn.⟩ ⟨inf.⟩ **0.1** *quite enough* ◆ **3.1** 't is zo ~ *that will do;* het ~ vinden ⟨het zat zijn⟩ *have had enough;* ⟨het voor gezien houden⟩ *call it a day.*
wellevend ⟨bn., bw.; -ly⟩ **0.1** *courteous* ⇒*well-bred, well-mannered* ◆ **3.1** zich ~ gedragen *behave courteously, show good breeding;* ⟨van kind ook⟩ *be well-behaved.*
wellevendheid ⟨de (v.)⟩ **0.1** *courtesy* ⇒*good breeding* ◆ **1.1** de voor-schriften v.d. ~ *etiquette.*
wellicht ⟨bw.⟩ **0.1** *possibly* ⇒*perhaps,* ⟨schr.⟩ *perchance.*
wellington ⟨de (m.)⟩ **0.1** *wellington* ⇒ ⟨mv.; inf.⟩ *wellies.*
welluidend ⟨bn., bw.; -ly⟩ **0.1** *melodious* ⇒*harmonious* ◆ **1.1** de ~e klank v.h. woord 'koekoeksbloem' *the euphony of the word 'koe-*

koeksbloem'; de ~-e klank van geld/de ouverture *the musical sound of money, the melodiousness/harmony of the overture;* een ~-e stem *a m./musical/* (sonoor) *sonorous voice;* ~-e verzen *m./harmonious verse.*

welluidendheid (de (v.)) **0.1** *euphony* ⇒*melodiousness, harmony, musicality.*

wellust (de (m.)) **0.1** *voluptuousness* ⇒*sensuality,* (pej.) *lust, lechery, lasciviousness* ◆ **2.1** schaamteloze/pure ~ *shameless/pure sensuality* **3.1** zich aan ~ overgeven *indulge in sensuality/lechery* **6.1** met ~ *full of lust, voluptuously;* **met** ~ naar iets/iem. kijken *gloat/leer at sth./s.o..*

wellusteling (de (m.)) **0.1** *lecher* ⇒*sensualist, sybarite.*

wellustig (bn., bw.;-ly) **0.1** [zinnelijk] *sensual* ⇒*voluptuous,* (pej.) *lecherous* **0.2** [wellust opwekkend] *voluptuous* ⇒*sensual, lascivious* **0.3** [van wellust getuigend] *voluptuous* ⇒*sensual, lascivious* ◆ **1.2** ~-e dansen *v./sensual dances* **1.3** ~-e blikken *lascivious/sensual glances* **3.3** ~ gluren naar *leer at.*

welmenen (het) **0.1** *well-meaning* ⇒*well-intentioned* ◆ **1.1** een ~ iemand *s.o. well-meaning;* ~-e vrienden *w.-m. friends, well-wishers* **3.1** iem. ~ terechtwijzen *rebuke s.o. with good intention.*

welnemen (het) **0.1** (zie **6.1**) ◆ **6.1** met uw ~ *by your leave.*

welnu (tw.) **0.1** *well then* ◆ **¶.1** ~, laat eens horen *well then, tell me/us (your story).*

welomlijnd (bn.) **0.1** *clear-cut* ⇒*definite.*

welomschreven (bn.) **0.1** *well-defined* ⇒*definite.*

welopgevoed (bn.) **0.1** *well-bred* ⇒*well-mannered,* (ontwikkeld) *cultured, well-educated* ◆ **1.1** ~-e kinderen *well brought up/well-behaved children.*

weloverwogen (bn., bw.) **0.1** [weldoordacht] *(well-)considered* ⇒*deliberate, mature* **0.2** [doelbewust] *deliberate* ⇒*measured* (taal) ◆ **1.1** een ~ keuze/voorstel (ook) *a conscious choice, a studied proposal;* in ~ woorden *in measured/studied words* **1.2** haar ~ mening *her considered/reasoned/mature opinion;* een ~ moord *a premeditated murder;* met ~ venijn *with studied malice* **3.2** iets ~ doen *do sth. deliberately.*

welp
I (het, de (m.)) **0.1** [dier] *cub;*
II (de (m.)) **0.1** [padvinder] *Cub Scout.*

welpomp (de) **0.1** *well pump.*

welput (de (m.)) **0.1** *well.*

welriekend (bn.) (schr.) **0.1** *odoriferous* ⇒ (ongemarkeerd) *fragrant, sweet-smelling, (sweet-)scented.*

welslagen (het) **0.1** *success* ⇒*prosperity* ◆ **1.1** alles werkte mee aan het ~ v.h. feest *everything cooperated to make the party a s.;* drinken op het ~ v.d. onderneming *drink (to) the s./prosperity of the undertaking.*

welsprekend (bn.) **0.1** [mbt. personen] *eloquent* ⇒*well-spoken* **0.2** [overtuigend] *eloquent* ◆ **1.2** ~-e argumenten/bewijzen *e. arguments/evidence;* een ~ betoog *an e. plea/address/discourse.*

welsprekendheid (de (v.)) **0.1** [het welsprekend zijn] *eloquence* **0.2** [kunst] *rhetoric* ⇒*eloquence,* oratory **0.3** [leer] *rhetoric* ◆ **1.1** de ~ v.e. politicus op toernee *soap-box oratory* **2.2** de uiterlijke ~ *public oratory/eloquence.*

welstand (de (m.)) **0.1** [goede gezondheid] *good health* **0.2** [toestand van voorspoed/welgesteldheid] *well-being* ◆ **2.1** iem. in goede ~ aantreffen *find s.o. well/in good health;* in goede ~ verkeren *be in good health* **3.1** naar iemands ~ informeren *inquire after s.o.'s health* **6.2** leven in ~ *live in comfort/easy circumstances.*

welstandsbepaling (de (v.)) **0.1** ≠*building* [B]*regulations/*[A]*code regarding the external appearance of buildings.*

welstandscommissie (de (v.)) **0.1** ≠*building* [B]*inspector/*[A]*official employed to enforce the* [B]*regulations/*[A]*code regarding the external appearance of buildings.*

welstandsgrens (de) **0.1** [inkomensgrens] *income limit* **0.2** [begrenzing v.h. aantal kiesgerechtigden] *(property) qualification for the right of voting/the franchise* ◆ **1.2** verlaging v.d. ~ *extension of the franchise.*

welstandsknobbel (de (m.)) (scherts.) **0.1** ↑*towing-bricket.*

welstandsverordening (de (v.)) **0.1** *building* [B]*regulation/*[A]*code regarding the external appearance of buildings.*

welste ◆ **¶.¶** krijsen van je ~ *scream like anything;* hij kreeg ervan langs van je ~ *he got what for and no mistake;* een uitbrander van je ~ *a dressing-down with a vengeance;* een klap/slag van je ~ (lett.) *a whacking hard knock;* (vnl. BE; fig.) *a swingeing knock;* het was een kabaal van je ~ *it was a prodigious noise;* een succes van je ~ *a howling success.*

welstellend (bn.) (AZN) →*welgesteld.*

weltergewicht (het) **0.1** *welterweight.*

welterusten 0.1 *good night* ⇒*sleep well,* (inf.) *night(-night),* (kind.) *nighty-night(y).*

welteverstaan (bw.) **0.1** *that is* ⇒ ↓*if you get my meaning/drift.*

weltschmerz (de) **0.1** *Weltschmerz.*

welvaart (de) **0.1** *prosperity* ⇒*affluence, wealth* ◆ **3.1** ~ genieten *enjoy p., be prosperous;* er heerste toen ~ *it was a time of p..*

welvaartseconomie (de (v.)) **0.1** *welfare economics.*

welvaartsmaatschappij (de (v.)) **0.1** *affluent society.*

welvaartspeil (het) **0.1** *level of prosperity* ⇒*standard of living/life.*

welvaartsplan (het) **0.1** ≠*welfare plan.*

welvaartspolitiek (de (v.)) **0.1** *welfare policy* ⇒*welfare statism, welfarism.*

welvaartsstaat (de (m.)) **0.1** *welfare state.*

welvaartsverschijnsel (het) **0.1** *phenomenon/typical sign/symptom of affluence/an affluent society.*

welvaartsziekte (de (v.)) **0.1** *disease of civilization, Western disease.*

welvaartvast (bn.) **0.1** *index-linked* ⇒*inflation-proof.*

welvaren (het) **0.1** (welvaart) *prosperity;* (gezondheid) *(good) health, well-being* ◆ **2.1** er uitzien als Hollands ~ *be the picture of health.*

welvarend (bn.) **0.1** [voorspoedig, bloeiend] *thriving* ⇒*prosperous, flourishing, affluent,* (mbt. personen ook) *well-to-do* **0.2** [gezond] *thriving, healthy* ⇒*in good health* ◆ **1.1** een ~ e firma *a t. firm* **3.2** er ~ uitzien *look h./well.*

welvarendheid (de (v.)) **0.1** [voorspoed] *affluence, prosperity* ⇒*wealth* **0.2** [goede gezondheid] (good) *health* ⇒*well-being.*

welven (wk.ww.; zich~) **0.1** *curve* ⇒*arch, vault.*

welverdiend (bn.) **0.1** *well-deserved* (lof); *well-earned* (salaris, rust); *just* ◆ **1.1** het is de ~-e straf voor je luiheid *it's your just reward for being so lazy.*

welverzorgd (bn.) **0.1** *well taken care of* ⇒*well cared for, well tended* (tuin), *well-groomed* (uiterlijk).

welving (de (v.)) **0.1** *curve, curvature, vault(ing);* (van wegdek) *camber.*

welvoeglijk (bn., bw.;-ly) **0.1** *becoming* ⇒*seemly, decent, decorous, proper* ◆ **3.1** zich ~ gedragen *observe the proprieties, behave in a proper manner;* het is niet ~ (om) te ... *it is unbecoming/unseemly to ....*

welvoeglijkheid (de (v.)) **0.1** *propriety, decency* ◆ **1.1** de grenzen v.d. ~ overschrijden *overstep the mark/the bounds of p.* **¶.1** de ~ in acht nemen *observe the proprieties.*

welvoorzien (bn.) **0.1** *well-stocked* (winkel); *copious* (maaltijd); *well-loaded/-spread* (tafel) ◆ **1.1** een ~ e beurs *a full purse;* een ~-e dis *a copious meal, a/the groaning board.*

welwater (het) **0.1** *spring water* ⇒*well water.*

welwillend (bn., bw.; -ly) **0.1** *kind* ⇒*sympathetic, benevolent, charitable* (oordeel), *favourable* (kijk) ◆ **1.1** iemands ~-e aandacht vragen voor iets *ask s.o.'s kind attention for sth.;* door ~ bemiddeling van ...*through the k. offices of;* een ~ gehoor bij iem. vinden *find a sympathetic/willing ear with s.o.;* ~-e lezer *gentle reader;* met ~-e medewerking van *with the k./friendly cooperation of;* iets in ~-e overweging nemen *consider/entertain sth. favourably, give favourable/sympathetic consideration to;* een ~ publiek *a sympathetic/well-disposed audience* **3.1** dat is mij ~ afgestaan *that was kindly given/lent to me;* ~ staan tegenover iets *be favourably disposed towards sth., view sth. with favour* **6.1** ~ jegens iem. zijn *be sympathetic/benevolent towards s.o.* **¶.1** ~ ter beschikking gesteld door *by courtesy of.*

welwillendheid (de (v.)) **0.1** [gezindheid] *benevolence* ⇒*affability, kindness, consideration* **0.2** [daad] *kindness* ⇒*(act of) courtesy, consideration, (kind) attention* ◆ **¶.1** dank zij de ~ van *by/through the courtesy of.*

welzand (het) **0.1** [drijfzand] *quicksand(s)* ⇒*shifting sand(s)* **0.2** [welpoeder] *welding powder.*

welzijn (het) **0.1** [welvaren] *welfare, well-being* **0.2** [goede gezondheid] *(good) health* ◆ **1.2** bij leven en ~ *God willing, if I'm spared,* ↓ *with a bit of luck* **2.1** het algemeen ~ *the common good, the public interest,* ↑*the common/general weal;* het geestelijk ~ *(the) mental/spiritual welfare;* raad voor maatschappelijk ~ ≠*social welfare council;* het materieel ~ *(the) material comfort/welfare* **6.2** op uw ~! *your (good) health!.*

welzijnsdenken (het) **0.1** *non-materialistic thinking.*

welzijnssector (de (m.)) **0.1** *(field of) welfare* ◆ **6.1** werkzaam zijn in de ~ *have a job in welfare (work), work for one of the welfare services.*

welzijnswerk (het) **0.1** *welfare work.*

welzijnswerker (de (m.)), **-werkster** (de (v.)) **0.1** *welfare worker* ⇒*welfare officer.*

welzijnszorg (de) **0.1** *(public) welfare (work/service).*

wemelen (onov.ww.) **0.1** *teem* (with) ⇒*swarm/be alive/bristle/be overrun (with)* ◆ **4.1** het wemelt ervan *the place is swarming/bristling/alive with them, they are as thick as flies* **6.1** zijn opstel wemelt **van** de fouten *his essay if full of/teeming with mistakes;* het wemelt **van** de mensen op het plein *the square is swarming with people;* die kaas wemelt **van** de maden *this cheese is crawling with maggots.*

wen (de) (med.) **0.1** *wen.*

wendakker (de (m.)) (landb.) **0.1** *headland.*

wendbaar (bn.) **0.1** *manoeuvrable* [A]*maneuverable* (auto, boot); *nimble* (dier); (biol.) *versatile* ◆ **2.1** de nieuwe Fiat is ontzettend ~ *you can turn the new Fiat on a postage stamp.*

wendbaarheid (de (v.)) **0.1** *manoeuvrability* [A]*maneuverability; nimbleness; versatility.*

wenden
I (ov.ww.) **0.1** [draaien, keren] *turn (about)* ⇒*direct, bend* (blik, schreden) ◆ **1.1** zich niet meer weten te ~ of te keren (ook fig.) *have*

nowhere left to go, have no place to turn to 3.1 ⟨fig.⟩ hoe je het ook wendt of keert *whichever way you look at it;* ⟨fig.⟩ hoe men zich ook wendt of keert *no matter how one twists and turns, whichever way one turns;*
II ⟨onov.ww.⟩ ⟨scheep.⟩ 0.1 [een andere koers nemen] *put/go about* ⇒ ⟨overstag gaan⟩ *tack,* ⟨gijpen⟩ *wear, veer;*
III ⟨wk.ww.; zich ~⟩ 0.1 [zich richten] *turn (to)* ⇒ ↑*apply (to), approach, address* ◆ 6.1 zich **tot** iem. ~ om raad/hulp *turn to s.o. for advice/help;* zich **tot** iem. ~ met een verzoek *apply to s.o. with a request;* zich schriftelijk ~ **tot** *apply in writing to.*

wending ⟨de (v.)⟩ 0.1 [het wenden] *turning* ⇒ ⟨scheep.⟩ *putting about, tacking, wearing* 0.2 [keer dat men/iets (zich) wendt] *turn* 0.3 [verandering van richting] *turn* ⇒ ⟨plotseling⟩ *swerve* 0.4 [zinswending] *turn (of phrase)* ⇒ *phrase, term* ◆ 2.3 het gesprek een andere ~ geven *turn the conversation to other things, change the subject;* zijn leven nam een andere ~ *his life changed course;* het verhaal een andere ~ geven *give the story a twist;* het gesprek nam een andere ~ ⟨ook⟩ *the conversation changed tack;* ⟨van omstandigheden/ontwikkelingen e.d.⟩ een gelukkige/ongunstige/tragische ~ nemen *take a favourable /unfavourable/tragic t., take a t. for the better/worse;* een interessante /onverwachte ~ nemen *take an interesting/unexpected t.* 6.3 een ~ **ten** goede *a t. for the better.*

wenen ⟨onov., ov.ww.⟩ ⟨schr.⟩ 0.1 *weep* ⇒ *lament, wail,* ↓*cry* ◆ 1.1 hete tranen ~ *weep/shed hot tears* 6.1 ~ **van** verdriet/blijdschap/ontroering *weep with grief/joy/emotion.*
Wenen ⟨het⟩ 0.1 *Vienna.*
wener ⟨de (m.)⟩ 0.1 *wailer* ⇒ *mourner, weeper.*
wenk ⟨de (m.)⟩ 0.1 [teken met de ogen/het hoofd/de handen] *sign* ⇒ *wink, nod* 0.2 [bedekte aanwijzing] *hint* ⇒ *tip(-off), suggestion* ◆ 2.2 dat was een overduidelijke ~ *that was a broad h. (if ever I saw/heard one);* iem. praktische ~en voor de huishouding geven *give s.o. useful/practical household tips/suggestions;* een stille ~ *a quiet h.* 3.2 de ~ begrijpen/doorhebben *get the signal, take the h., catch on;* iem. een stiekeme ~ geven *tip s.o. the wink;* ik zal hem een ~ geven *I'll drop him a h.;* zij had een ~ gekregen *she had been tipped off* 6.1 iem. **op** zijn ~en bedienen, op iemands ~en vliegen *serve s.o. hand and foot, fetch and carry for s.o., dance attendance on s.o..*
wenkbrauw ⟨de⟩ 0.1 *(eye)brow* ◆ 2.1 zware ~en *bushy/heavy/beetle brows* 3.1 de ~en fronsen *frown, knit one's brows;* de ~en optrekken *raise one's eyebrows* 6.1 ⟨fig.⟩ **op** zijn ~en lopen *be dead on one's feet.*
wenkbrauwpotlood ⟨het⟩ 0.1 *eyebrow pencil.*
wenkbrauwstift ⟨de⟩ 0.1 *eyebrow pencil.*
wenken ⟨onov., ov.ww.⟩ 0.1 *beckon* ⇒ *signal, motion* ◆ 1.1 een ober ~ b. to/call a waiter; een taxi ~ *hail a taxi* 6.1 met een zakdoek ~ *signal/wave with a handkerchief;* iem. **naar** binnen/buiten ~ *nod/wave s.o. in/out.*
wenkvlies ⟨het⟩ 0.1 *nictitating membrane* ⇒ *third eyelid, haw.*
wennen
I ⟨ov.ww.⟩ 0.1 [gewoon maken] *accustom (to)* ⇒ *get used (to),* ↑*habituate (to)* ◆ 6.1 troepen **aan** tucht ~ *discipline troops;*
II ⟨onov.ww.⟩ 0.1 [gewoon raken] *get/become used (to)* ⇒ *get/become accustomed/* ↑*habituated (to)* 0.2 [aarden] *adjust, settle in/down* ⇒ *fit in,* ⟨inf.⟩ *shake down* ◆ 3.1 het is weer ~! *it's taking some getting used to again!* 3.2 hij kan in die stad niet ~ *he is having trouble settling in that city, that city is taking him some getting used to* 4.1 dat zal wel ~ *you'll get used to it* 6.1 men kan overal **aan** ~, alles went *you get used to anything (in the end).*
wens ⟨de (m.)⟩ ⟨→ sprw. 349,646⟩ 0.1 [begeerte] *wish, desire* 0.2 [wat men iem. toewenst] *wish* ⇒ *greeting* ◆ 2.1 zijn laatste ~ *his dying w.;* het was zijn uitdrukkelijke ~ *it was his express w.;* een vrome ~ *a pious w.;* mijn vurigste ~ *my dearest/most ardent w. / d.* 2.2 de beste ~en voor het nieuwe jaar/voor een spoedig herstel *best wishes for the new year/for a speedy recovery* 3.1 aan een ~ voldoen *gratify a w.;* je mag een ~ doen *you can make a w.;* ze kon mijn ~ niet inwilligen *she couldn't grant/comply with my w.;* mijn ~ is vervuld *my w. has come true, I've got my w.;* de stille ~ koesteren om ... *have a secret/ sneaking d. to ...;* de ~ te kennen geven te ... *express the w. / d. to ...;* een ~ verhoren/vervullen *grant/fulfil a w.* 6.1 het gaat **naar** ~ *it's going as planned/as we hoped it would;* is alles **naar** ~? *is everything to your liking/satisfactory?;* suiker toevoegen **naar** ~ *add sugar to taste; overeenkomstig* **uw** ~ *in compliance/accordance with your w.;* **tegen** de ~ van zijn moeder *against his mother's wish(es);* heb je nog een ~ **voor** je verjaardag? *do you want anything in particular for your birthday?* ¶.1 de ~ is de vader v.d. gedachte *wishful thinking.*
wensdroom ⟨de (m.)⟩ 0.1 [droom waarin een wens tot uiting komt] *wish dream* 0.2 [droombeeld] *fantasy* ⇒ ↓*pipe dream.*
wenselijk ⟨bn., bw.; -ly⟩ 0.1 [te wensen] *desirable;* ⟨raadzaam⟩ *advisable* ◆ 3.1 ik wens je al wat ~ is *I wish you all the best;* een operatie leek ~ *surgery seemed to be indicated;* ik vind het ~ dat ... *I find it advisable to ...*
wenselijkheid ⟨de (v.)⟩ 0.1 ⟨het wenselijke⟩ *desirability;* ⟨raadzaamheid⟩ *advisability.*

wensen ⟨ov.ww.⟩ 0.1 [verlangen] *wish, desire* ⇒ *ask, want* 0.2 [dulden, willen] ⟨zie 3.2⟩ 0.3 [verlangen te hebben] *want, desire* ⇒ *wish for,* ⟨schr.⟩ *crave* 0.4 [toewensen] *wish* ⇒ ⟨vero.⟩ *bid* ◆ 1.4 wens ze het beste van mij! *give them my best wishes!, send them my best regards!;* iem. goede morgen/een prettige vakantie/gelukkig nieuwjaar ~ *wish s.o. good morning/a nice holiday/Happy New Year* 3.1 ik help het je ~ *I hope so for your sake;* dat laat aan duidelijkheid niets te ~ over *that is perfectly clear/as plain as can be;* het ware/is te ~ dat ... *it would be desirable if ...;* willen en ~ zijn twee *willing and wishing are not the same* 3.2 ik wens me niet door jou te laten beledigen *I will not be/I'm not going to stand here and be insulted by you* 4.1 zich elders/ dood ~ *wish one were somewhere else/dead* 4.3 wenst u nog iets? *(will there be) anything else?;* wat wenst u? *what do you d.?, what can I do for you?* 5.1 iets vurig ~ *wish sth. dearly* 6.1 nog veel te ~ overlaten *leave much/a lot to be desired* 8.1 (doe) zoals u wenst *(do) as you wish/please* ¶.1 ik wens met rust gelaten te worden *I wish/want to be left alone.*
wenskaart ⟨de⟩ 0.1 *greetings/* ⁱᵃ*greeting card.*
wentel ⟨de (m.)⟩ 0.1 *burrow.*
wentelen
I ⟨onov.ww.⟩ 0.1 [zich wenden] *turn* ⇒ *rotate, revolve,* ⟨snel⟩ *gyrate* 0.2 [⟨wisk.⟩] *rotate* ◆ 6.1 de wielen ~ om hun as *the wheels revolve/ rotate about their axis;*
II ⟨ov.ww.⟩ 0.1 [doen wenden] *turn, roll* ⇒ *rotate, revolve* ◆ 4.1 zich ~ in/door de modder *wallow in the mud/mire;* de hemellichamen ~ zich om hun assen *the heavenly bodies revolve/rotate about their axes* 6.1 wentel het vlees **door** het paneermeel *coat the meat with bread crumbs.*
wenteling ⟨de (v.)⟩ 0.1 [het wentelen] *turning* ⇒ *rotation, revolution,* ⟨snel⟩ *gyration* 0.2 [keer dat iets wentelt] *turn, rotation, revolution;* ⟨snel⟩ *gyration* ◆ 3.2 drie ~en maken *make/go through three revolutions/turns.*
wentelteefje ⟨het⟩ 0.1 ≠*French toast.*
wenteltrap ⟨de (m.)⟩ 0.1 [spiraalvormige trap] *spiral staircase* ⇒ *winding stairs/staircase* 0.2 [slakkehorentje] *wentletrap.*
wentelwiek ⟨de⟩ 0.1 *helicopter* ⇒ ⟨sl.⟩ *whirlybird.*
wereld ⟨de⟩ ⟨→ sprw. 97,202, 465,647,665⟩ 0.1 [aardbol] *world* ⇒ *earth* 0.2 [kosmos, orde] *world* 0.3 [samenleving] *world* 0.4 [milieu, sfeer] *world* ◆ 1.1 het begin/het einde v.d. ~ *the beginning/end of the w., the Creation/Apocalypse;* zij komen uit alle delen v.d. ~ *they come from all the corners of/over the w.;* aan het andere eind v.d. ~ *on the other side/at the other end of the w.;* ⟨scherts.⟩ *at the back of beyond;* tot aan het einde v.d. ~ *'til the crack of doom;* tot in alle uithoeken v.d. ~ *to the (very) ends of the earth;* ⟨fig.⟩ de vorst der ~ *the Prince of this w. of Darkness* 1.3 voor God en de ~ *in the eyes of God and the w.* 1.4 de ~ v.h. kind *the w. of the child;* de ~ v.d. kunstenaars *the artistic w. / community* 2.1 ⟨fig.⟩ de andere ~ *the next w., the w. to come;* ⟨myth.⟩ *the underworld;* de Nieuwe ~ *the New World;* de Oude ~ *the Old World;* de wijde ~ *the (whole) wide w.;* het is een witte ~ *everything is white* 2.3 de hele ~ weet het *the whole w. / all the w. knows (it);* de oude ~ *the ancient w.;* de vrije ~ *the Free World* 2.4 de grote ~ *the fashionable w., society, the beau monde;* de wetenschappelijke ~ *the w. of science* 3.1 de ~ voor zich hebben *have the w. (all) before one;* de wijde ~ intrekken *go out into the w., set out in life;* wat is de ~ toch klein! *isn't it a small w.!;* de ~ liefhebben ⟨fig.⟩ *love the w.;* de ~ ligt aan zijn voeten *the w. is oyster, he has the w. at his feet;* de ~ staat open voor ons *the (whole) w. is/lies before you;* hij heeft de ~ op zijn kop *it's a mad/topsy-turvy/looking-glass w.;* hij deed alsof de ~ verging *he acted as if it was/were the end of the w.;* ⟨fig.⟩ de ~ verlaten *leave the w., pass away* 3.2 er ging een ~ voor hem open *a new w. opened up for him* 3.3 een bericht de ~ insturen *launch a story;* de omgekeerde ~ *the w. turned upside down;* de ~ vaarwel zeggen *renounce the w., turn one's back on the w.* 5.1 ⟨fig.⟩ dat is een ~ apart *that's a (wholly/completely) different w.;* de hele ~ door *all over/ throughout the w.* 6.1 ⟨fig.⟩ hoe is het in de ~ mogelijk! *how in the w. / on earth is it possible?;* hij leeft in een ~ je op zich *he lives in a (little) w. of his own/his own (little) w.;* ⟨fig.⟩ iem. **naar** de andere ~ helpen/ zenden *send s.o. to kingdom come;* een reis **om** de ~ *a journey/voyage round the w., a round-the-world voyage;* alleen **op** de ~ staan *be alone in the w.;* niets **ter** ~ bezitten *not own a thing in the w.;* een kind **ter** ~ brengen *bring a child into the w.;* **ter** ~ komen *come into the w., be born, see the light of day;* de rijkste man **ter** ~ *the richest man in the w. / alive/in creation;* voor niets **ter** ~ *not for all the w.;* een kind **ter** ~ helpen *deliver a child/baby, bring a child into the world;* hij zou er alles **ter** ~ voor overhebben *he would give anything in the w. for it;* voor geen geld **ter** ~ wil ik ruilen *I wouldn't (want to) swap for all the money in the w. / the tea in China;* een misverstand **uit** de ~ helpen *dispose of/dispel a misunderstanding;* ⟨fig.⟩ het grootste gelijk **van** de ~ hebben *be absolutely right;* hij heeft heel wat **van** de ~ gezien ⟨ook fig.⟩ *he has seen a lot of the w.;* ⟨fig. ook⟩ *he has seen life/the w.;* met de wil **van** de ~ *with the best will in the w.* 6.2 een ~ **aan** mogelijkheden *a w. of possibilities;* een ~ **in** het klein *a w. in a nutshell;* een ~ **in** een ~ *a w. within a w.;* daar ligt een ~ **van** verschil tus-

sen *there's a w. of difference (between them/those)*; dat is niet **van** deze —*that doesn't belong to this w.*; ⟨scherts.⟩ *that's out of this w.*; hij is niet **van** deze ~ *he's not part of/ he doesn't belong to this w.* **6.3** midden in de ~ staan *lead/ have an active life*; zo gaat dat **in** de ~ *such is/ that's the way of the w.*; **in** de ~ heette broeder Martinus Harry *in the outside w. Brother Martinus was called Harry*; zo is het hem **in** de ~ gegaan *that's how the w. has used him, that's what the w. has done to him*; vooruitkomen **in** de ~ *rise in/ go up in the w., go places, get on (in the w.)*; een man **van** de ~ *a man of the w.*; de ~ **van** toen/ **van** nu the *w. then/ at the moment*; iets **voor** de ~ verborgen houden *keep sth. (hidden) from the outside w.*; **voor** (het oog van) de ~ *in the eyes of the w.* **7.3** de Derde Wereld *the Third World*; de Vierde Wereld the *Fourth World* **8.1** zo oud als de ~ *as old as the hills.*

wereldbank ⟨de⟩ **0.1** *World Bank.*

wereldbeeld ⟨het⟩ **0.1** [voorstelling omtrent de werkelijkheid] *world view* ⇒*weltanschauung* **0.2** [aspect v.d. wereld] *world view* ♦ **2.1** het geocentrisch ~ *the geocentric w. v..*

wereldbeker ⟨de (m.)⟩ ⟨sport⟩ **0.1** [wereldcup] *World Cup* **0.2** [wedstrijden] *World Cup* ♦ **6.2** aan de ~ deelnemen *take part in the W. C..*

wereldberoemd ⟨bn.⟩ **0.1** *world-famous.*

wereldbeschouwing ⟨de (v.)⟩ **0.1** *weltanschauung* ⇒*world view, philosophy.*

wereldbevolking ⟨de (v.)⟩ **0.1** *world population.*

wereldbol ⟨de (m.)⟩ **0.1** *(terrestrial) globe.*

wereldbond ⟨de (m.)⟩ **0.1** *world federation.*

wereldboom ⟨de (m.)⟩ ⟨myth.⟩ **0.1** *Yg(g)drasil, Igdrasil.*

wereldbrand ⟨de (m.)⟩ **0.1** [ondergang v.d. wereld] *Armageddon* **0.2** [wereldoorlog] *holocaust* ⇒*cataclysm, Armageddon.*

wereldburger ⟨de (m.)⟩, -es ⟨de (v.)⟩ **0.1** [aardbewoner] *world citizen* **0.2** [kosmopoliet] *cosmopolitan* ⇒*world citizen* ♦ **2.1** de nieuwe ~ *the little stranger.*

wereldburgerschap ⟨het⟩ **0.1** *cosmopolitanism.*

wereldconcern ⟨het⟩ **0.1** *global/ world-wide concern/ company* ⇒*multinational (company).*

werelddeel ⟨het⟩ **0.1** *continent* ♦ **2.1** het zwarte ~ *the Dark Continent.*

Wereld-dierendag →*dierendag.*

wereldeconomie ⟨de (v.)⟩ **0.1** *world economy* ⇒*global economy.*

wereldfaam ⟨de⟩ **0.1** *world(wide) fame/ renown.*

wereldfederalisme ⟨het⟩ **0.1** *World Federalism.*

wereldgebedsdag ⟨het⟩ ⟨rel.⟩ **0.1** *World Day of Prayer.*

wereldgebeuren ⟨het⟩ **0.1** *world events.*

wereldgebeurtenis ⟨de (v.)⟩ **0.1** *earth-shaking/ world-shattering affair.*

wereldgeestelijke ⟨de (m.)⟩ ⟨r.k.⟩ **0.1** *secular priest* ♦ ¶.1 de ~n *the secular clergy* ⟨ww. in mv.⟩.

wereldgericht ⟨het⟩ ⟨schr.⟩ **0.1** *Day of Judg(e)ment, Judg(e)ment Day, (the) Last Judg(e)ment.*

wereldgeschiedenis ⟨de (v.)⟩ **0.1** *world history.*

wereldgezondheidsdag ⟨de (m.)⟩ **0.1** *world health day.*

wereldgezondheidsorganisatie ⟨de⟩ **0.1** *World Health Organization.*

wereldgodsdienst ⟨de (m.)⟩ **0.1** *world religion.*

wereldhandel ⟨de (m.)⟩ **0.1** [internationale handel] *world trade* ⇒*international trade* **0.2** [totale koophandel] *world trade.*

wereldhandelscentrum ⟨het⟩ **0.1** *world trade centre.*

wereldhaven ⟨de⟩ **0.1** *international (sea)port.*

wereldheer ⟨de (m.)⟩ ⟨r.k.⟩ **0.1** *secular priest.*

wereldheerschappij ⟨de (v.)⟩ **0.1** *(world) dominion (of the world).*

wereldhervormer ⟨de (m.)⟩ **0.1** *world reformer.*

wereldje ⟨het⟩ **0.1** [de werkelijkheid v.h. leven] *(little) world* **0.2** [levenskring] *world* ⇒*scene, incrowd* ♦ **1.2** het ~ v.d. homocultuur *the gay scene* **2.1** mooi ~ waar we in leven *nice little w. that we live in* **2.2** ze leeft in een klein ~*she has narrow horizons* **3.1** het is me het/ je ~ wel *it's a funny w.* **3.2** tot het ~ behoren *belong to the incrowd, be part of the scene.*

wereldkaart ⟨de⟩ **0.1** *map of the world.*

wereldkampioen ⟨de (m.)⟩ ⟨sport⟩ **0.1** *world champion.*

wereldkampioenschap ⟨het⟩ ⟨sport⟩ **0.1** [het zijn, titel] *world championship/ title* ⟨ook met hoofdletters⟩ **0.2** [competitie] *world championship* ⟨ook met hoofdletters⟩ ♦ **1.2** de ~pen voetbal *the World Cup* **3.1** strijden om het ~ *contest/ compete for the w. c. / t..*

wereldkerk ⟨de⟩ ⟨r.k.⟩ **0.1** *(the) Universal Church.*

wereldklasse ⟨de (v.)⟩ **0.1** [⟨sport⟩] *world class* **0.2** [uitmuntende kwaliteit] *world class* ♦ **3.2** dat is (van) ~ *that's w. c..*

wereldklok ⟨de⟩ **0.1** *world clock.*

wereldkundig ⟨bn.⟩ **0.1** *public* ⇒*widely known, known all over the world* ♦ **3.1** de zaak is ~ geworden *the matter has become p. property, the whole world now knows about the matter*; iets ~ maken *make sth. public*; ⟨sterker⟩ *publicize sth., tell the (whole) world sth..*

wereldlijk ⟨bn.⟩ **0.1** [werelds] *worldly* ⇒*secular, profane* **0.2** [niet-kloosterlijk] *secular* ♦ **1.1** het ~gezag *the w. / secular authorities*; het ~ lied *profane singing/ vocal music/ lyrical art/ songs.*

wereldlijn ⟨de⟩ ⟨wisk.⟩ **0.1** *world-line.*

wereldliteratuur ⟨de (v.)⟩ **0.1** *world literature.*

wereldmacht ⟨de⟩ **0.1** *world power.*

wereldmarkt ⟨de⟩ **0.1** *world market.*

wereldnaam ⟨de (m.)⟩ **0.1** *world repute* ♦ **6.1** een geleerde van ~ ⟨ook⟩ *a scientist of world-wide reputation/ fame/ renown.*

wereldnatuurfonds ⟨het⟩ **0.1** *World Wildlife Fund.*

wereldnieuws ⟨het⟩ **0.1** [uit de hele wereld] *world news* **0.2** [van belang voor de hele wereld] *world news.*

wereldomroep ⟨de (m.)⟩ **0.1** *world service.*

wereldomvattend ⟨bn.⟩ **0.1** *world-wide* ⇒*global, universal* ♦ **1.1** ~e belangen *w.-w. / global interests*; van ~e betekenis *of w.-w. / universal significance.*

wereldoorlog ⟨de (m.)⟩ **0.1** *world war* ♦ **6.1** de periode **tussen** de twee ~en *the inter-war period*; ↑ *the interbellum/ interbella period* **7.1** de eerste ~ *the first World War, World War I*; ⟨GB⟩ *the Great War*; de tweede ~ *the second World War, World War II.*

wereldoriëntatie ⟨de (v.)⟩ **0.1** *knowledge of the world* ⇒⟨schoolvak⟩ *world studies.*

wereldpers ⟨de⟩ **0.1** *world press.*

wereldpolitiek ⟨de (v.)⟩ **0.1** *world politics* ⇒⟨beleid⟩ *world(-oriented) policy.*

wereldpopulatie ⟨de (v.)⟩ **0.1** *world population* ♦ **2.1** de totale ~ v.e. (vogel)soort *the total w. p. of a species (of bird/ birds).*

wereldpremière ⟨de (v.)⟩ **0.1** *world première.*

wereldproduktie ⟨de (v.)⟩ **0.1** *world production.*

wereldraad ⟨de (m.)⟩ ♦ **1.¶** de Wereldraad van Kerken *World Council of Churches.*

wereldranglijst ⟨de⟩ **0.1** *world rankings* ♦ **3.1** de ~ aanvoeren *lead the world (in).*

wereldrecord ⟨het⟩ **0.1** *world record* ⇒⟨AE ook⟩ *world's record.*

wereldrecordhouder ⟨de (m.)⟩, -ster ⟨de (v.)⟩ **0.1** *world/* ⟨AE ook⟩ *world's record holder.*

wereldreis ⟨de⟩ **0.1** *journey/* ⟨per boot/ vliegtuig⟩ *voyage around the world* ⇒*world tour* ♦ **3.1** een ~ maken ⟨ook⟩ *travel around the world.*

wereldreiziger ⟨de (m.)⟩ **0.1** *globe-trotter.*

wereldreputatie ⟨de (v.)⟩ **0.1** *world reputation* ♦ **3.1** een ~ hebben ⟨ook⟩ *be of world-wide repute.*

wereldrevolutie ⟨de (v.)⟩ **0.1** *world revolution.*

wereldrijk ⟨het⟩ **0.1** *empire.*

wereldruim ⟨het⟩ **0.1** *(outer) space.*

werelds ⟨bn.⟩ **0.1** [aards] *worldly* ⇒*secular, profane* **0.2** [mondain] *worldly* ⇒*sophisticated, worldly-wise, mondain(e)* ♦ **1.1** ~e genoegens *w. pleasures*; ~e goederen *w. / secular goods* **1.2** ~e vrouw *a mondaine.*

wereldschaal ⟨de⟩ ♦ **6.¶** op ~ *on a world(wide) scale, worldwide.*

wereldschokkend ⟨bn.⟩ **0.1** *earth-shaking* ⇒*world-shattering* ♦ **3.1** dat vind ik niet zo ~ *that's not particularly world-shattering.*

wereldsituatie ⟨de (v.)⟩ **0.1** *world situation* ⇒*global situation.*

wereldstad ⟨de⟩ **0.1** *metropolis* ⇒*metropole.*

wereldtaal ⟨de⟩ **0.1** ⟨bv. Eng.⟩ *world language;* ⟨bv. Esperanto⟩ *universal language.*

wereldtentoonstelling ⟨de (v.)⟩ **0.1** *world ^world's fair* ⇒*world exhibition.*

wereldtijd ⟨de (m.)⟩ **0.1** [internationale regeling] *international time zones* **0.2** [⟨sport⟩ zeer goede tijd] *world time.*

wereldtitel ⟨de⟩ **0.1** *world title.*

wereldtoneel ⟨het⟩ **0.1** *world stage* ♦ **6.1** een belangrijke rol spelen op het ~ *play an important role/ part on the w..*

wereldduurrecord ⟨het⟩ ⟨sport⟩ **0.1** *one-hour/ -hour world record.*

wereldverbeteraar ⟨de (m.)⟩ **0.1** ↓*do-gooder, starry-eyed idealist.*

wereldveroveraar ⟨de (m.)⟩ **0.1** *conqueror of the world.*

wereldvoorraad ⟨de (m.)⟩ **0.1** *world('s) stock(s)/ supply/ supplies (of).*

wereldvrede ⟨de⟩ **0.1** *world peace* ⇒*international peace* ♦ ¶.1 de ~ in gevaar brengen *endanger w. p..*

wereldvreemd ⟨bn.⟩ **0.1** *unworldly; Utopian* ⟨denken, plan⟩; ⟨onrealistisch⟩ *other-worldly.*

wereldwijd ⟨bn.⟩ **0.1** *world-wide* ⇒⟨bw.⟩ *throughout/ all over the world.*

wereldwijs ⟨bn.⟩ **0.1** *worldly-wise* ♦ **1.1** een ~ iemand *a w.-w. / sophisticated person* **3.1** iem. ~ maken *teach s.o. worldly wisdom.*

wereldwinkel ⟨de (m.)⟩ **0.1** *third world(ly) shop.*

wereldwonder ⟨het⟩ **0.1** *wonder of the world* ♦ **7.1** het achtste ~ *the eighth Wonder of the World;* de zeven ~en *the seven Wonders of the World.*

wereldzee ⟨de⟩ **0.1** *ocean* ♦ **3.1** heersen over de ~ën *rule the seas/* ↑*waves, dominate the (seven) seas.*

weren

I ⟨ov.ww.⟩ **0.1** [tegenhouden] *keep out/ off/ away* ⇒*bar,* ⟨buitensluiten⟩ *exclude,* ⟨onderdrukken⟩ *suppress, repress* ♦ **1.1** de kou ~ *protect o.s. from/ keep out the cold* **6.1** armzalige sloebers worden geweerd **uit** dat restaurant *paupers are barred from that restaurant*; dit soort zaken wordt altijd **uit** de krant geweerd *this type of thing is always kept out of the paper;*

II ⟨wk.ww.; zich ~⟩ **0.1** [zich verdedigen] *resist, combat* ⇒*fight back, make a stand* **0.2** [zijn best doen] *exert o.s.* ⇒*make efforts/ an effort* ♦

5.2 zich flink ~ *make energetic efforts;* ⟨vnl. BE; inf.⟩ *keep one's end up.*

werf ⟨de⟩ **0.1** [⟨scheep.⟩] *shipyard* ⇒⟨botenwerf⟩ *boatyard, dockyard* ⟨BE ook marinewerf⟩ **0.2** [plaats waar goederen opgestapeld liggen] *yard* ⇒*wharf,* ᴬ*dock* **0.3** [erf] *yard* ◆ **6.1** een schip van de ~ laten lopen *launch a ship;* van de ~ lopen *leave the slips* **6.2** hout aan de ~ kopen *buy wood from the (timber) y.*.

werfcampagne ⟨de⟩ **0.1** *recruiting campaign.*

werfkracht ⟨de⟩ **0.1** *appeal* ⇒*attractiveness.*

wering ⟨de (v.)⟩ **0.1** [het weren, het tegengaan] *exclusion* ⟨van personen⟩; *prevention* ⟨van ziekte e.d.⟩; *repression, suppression* ⟨van onrechtmatigheid⟩ **0.2** [⟨schermsport⟩] *parry* ◆ **1.1** commissie tot ~ van schoolverzuim *commission for the s. of truancy.*

werk ⟨het⟩ (→sprw. 38,217,255) **0.1** [het werken] *work* ⇒*job* **0.2** [baan] *work* ⇒*job, employment* **0.3** [plaats] *work* ⟨bouwplaats⟩ *site* **0.4** [taak] *work* ⇒*job, chore, duties* **0.5** [werkstuk] *work* ⇒*job* **0.6** [daad] *work* ⇒*action, deed* **0.7** [mechanisme] *works* ⇒⟨van klok ook⟩ *movement,* ⟨piano⟩ *action* **0.8** [vezels] *oakum* ◆ **1.1** dat is maar een minuutje ~ *it's the w. of a moment* **1.5** de ~en van/het verzamelde ~ van Goethe *Goethe's (collected) works;* een goed stuk ~ ⟨ook⟩ *a good day's w.* **1.6** de ~en der barmhartigheid *the works of mercy* **2.1** het betere ~ *the right thing, just what we need;* het grote ~ *the big job;* een boormachine voor zwaar ~ *a heavy-duty drilling machine;* zwaar/moeilijk ~ *heavy/difficult w.! labour;* zwart ~ *moonlighting* **2.2** los ~ hebben *have a casual job/employment* **2.4** goed/nuttig/mooi ~ doen *do a good/useful/fine job;* zijn ~ goed/slecht doen, goed/slecht ~ (af)leveren *make a good/bad job of one's w.;* dat is een heel ~ *it's quite a job;* het is onbegonnen ~ *it's a hopeless task;* publieke ~en *public works;* het vuile/smerige ~ opknappen voor iem. *do the dirty w. for s.o.* **2.5** geen half ~ doen *not stop at half measures,* ↓*go the whole hog;* ze houden hier niet van half ~ *they don't do things by halves here;* prima/uitstekend ~ leveren *do/* ⟨mbt. machine ook⟩ *produce good/excellent w.* **2.6** een goed ~ a *good deed;* ⟨mv.⟩ good *works* **2.¶** (dat is) mooi ~ *nice (bit of) work, just the job* **3.1** dit apparaat bespaart je een boel ~ ⟨ook⟩ *this gadget is a great labour-saver;* ⟨fig.⟩ ik had er nu niet zo lang ~ mee; aan de vorige opdracht had ik wekenlang ~ *it didn't take me as long this time; the last job took several weeks;* veel ~ maken van/veel ~ steken in een plan/de aankleding van zijn huis *take great pains over/put lots of w. in a plan/the furnishing of one's house;* het ~ staken *cease w.; down tools* ⟨ook staken⟩ ⟨staken⟩ *strike;* hoe vordert het ~ *how's (the) w. going, how goes w.* **3.2** een nieuwe fabriek geeft ~ aan 250 mensen *a new factory provides jobs/w. for 250 people;* (vast) ~ hebben *have a regular job/employment;* ze hebben er hun ~ van gemaakt *they've made it their w./business;* het is ~, ~ is ~ *it's a living;* weer ~ krijgen *be put on again, be re-employed;* ~ zoeken *look for w. / a job/employment* **3.4** aangenomen ~ *contract w.;* ze doet haar ~ nauwgezet *she's a careful worker/does her w. with care;* hij geeft mij handen vol ~ *he makes things lively for me, he gives me lot of w. / trouble, with him I've got my w. cut out (for me);* het is zijn ~ *it's his job/business;* mijn ~ is ...*my job is ...;* hij kan het ~ niet *that's not my w.! job* **5.1** ⟨fig.⟩ lang ~ hebben *be long (in doing sth.), take a long time;* ⟨fig.⟩ wat hebben vrouwen toch altijd lang ~ *how long women always take;* ⟨fig.⟩ heb je altijd zo lang ~ met het eten klaarmaken *do you always take so long preparing dinner/breakfast!* ⟨enz.⟩ **6.1** aan het ~ gaan, zich aan het ~ zetten *set/put /turn to w.;* druk aan het ~ zijn ⟨ook⟩ *be up and about/doing/busy;* weer aan het ~ gaan *get back to/carry on with one's w.;* ⟨na ziekte, staking⟩ *go back to w.;* aan het ~ houden *keep going/at w.;* aan het ~! *get (down) to w.!;* iedereen aan het ~! *everybody to their w.!;* iem. aan het ~ zetten *put s.o. to w.;* ik kom maar niet aan het ~ *I cannot settle down to w.;* hard aan het ~ gaan *set to w. at full tilt;* zij is nog aan het ~ *she's still busy/at w.; she's still working* ⟨ook: heeft nog werk⟩; hoe gaat dat in z'n ~? *how is it done?, what's the procedure?;* ~ in uitvoering *road works;* tot over zijn oren in het ~ zitten *be up to one's ears in w.;* vlug in zijn ~ gaan *be sharp w.;* hoe is dat allemaal in zijn ~ gegaan *how did it all come about;* het ging allemaal zo razendsnel in zijn ~ *it was all such quick w.;* onder het ~ mag er niet gerookt worden *smoking is forbidden at w. / during working hours;* te ~ gaan *operate, act, proceed, set to;* te ~ stellen *employ, set to w.;* heel behoedzaam/omzichtig te ~ gaan *tread/go very carefully;* impulsief te ~ gaan, oneerlijk te ~ gaan *act on impulse, act unfairly/by deceit;* verschillend/anders te ~ gaan *follow a different procedure/line of action;* met veel tact te ~ gaan *use/employ a lot of tact (in ... / to ...);* ieder ging op zijn eigen manier te ~ *each took his/her own line;* sta-

kers weer te ~ stellen *re-instate strikers;* te ~ gesteld worden ⟨onder dwang⟩ *be forced to w., do forced labour;* zonder ~ zitten *be out of w. / a job/unemployed* **6.3** naar zijn ~ gaan *go to w.;* te laat op het ~ komen *be late,* ᴬ*tardy for w.;* niet op zijn ~ komen *fail to turn up for w. / duty* **6.4** ⟨fig.⟩ er is ~ aan de winkel *there's w. to be done;* ik had nog een hoop ~ aan de tuin *the garden kept me quite busy/was quite a job/gave me lots of w.;* er is weinig ~ in de bouw *w. is slack in the building trade;* meisje/knecht voor alle ~ *maid/man of all w., general servant;* ⟨scherts., naar Robison Crusoe⟩ *man/girl Friday* **6.8** met ~ breeuwen *caulk with o.* **6.¶** alles in het ~ stellen *strain every nerve (to), pull out all the stops* **7.1** er is te weinig ~ aan besteed *it has been underworked* **7.4** het meeste ~ verrichten/doen *outwork the others/everyone* **7.¶** dat is geen ~ *that's unfair.*

werkbaar ⟨bn.⟩ **0.1** [bruikbaar] *workable* ⇒*feasible, practicable* **0.2** [waarin te werken is] ⟨zie 1.2⟩ ◆ **1.1** een ~ compromis *a w. / feasible/practicable compromise;* deze methode is niet ~ *this method isn't practicable/won't work* **1.2** een werkbare atmosfeer *a good working atmosphere;* werkbare dag *day on which work can be done;* ~ weer *weather good enough to work in.*

werkbaas ⟨de (m.)⟩ **0.1** [ambachtsman met knechts] *master (baker/cobbler* ⟨enz.⟩⟩ ⇒ ↓*boss* **0.2** [meesterknecht] *foreman.*

werkbank ⟨de⟩ **0.1** *bench* ⇒⟨work-⟩*bench* ⟨voor houtbewerken e.d.⟩.

werkbelasting ⟨de (v.)⟩ **0.1** *workload.*

werkbespreking ⟨de (v.)⟩ **0.1** ≠*discussion of progress* ◆ **3.1** wij hebben een ~ gehad *we discussed/had a discussion of how things were going/progressing.*

werkbezoek ⟨het⟩ **0.1** *working visit.*

werkbij ⟨de⟩ **0.1** *worker (bee).*

werkbijeenkomst ⟨de (v.)⟩ **0.1** ≠*meeting to discuss work/progress.*

werkblad ⟨het⟩ **0.1** [tafelblad] *working surface, work top* ⇒*worktable* **0.2** [blad papier] ⟨tech.⟩ *diagram, sketch;* ⟨kledingpatroon e.d.⟩ *pattern.*

werkboekje ⟨het⟩ **0.1** [oefenboekje] *workbook, exercise book* **0.2** [boekje met gegevens over het werk] *logbook.*

werkbriefje ⟨het⟩ **0.1** [briefje met verrichte werkzaamheden] *work/job sheet* **0.2** [briefje met gegevens over onderhouds- en reparatiewerk] *maintenance sheet/record.*

werkbroek ⟨de⟩ **0.1** *work trousers/*ᴬ*pants* ◆ **7.1** twee ~en *two pairs of w. t./p..*

werkclassificatie ⟨de (v.)⟩ **0.1** *job evaluation/rating.*

werkcollege ⟨het⟩ **0.1** *seminar, tutorial.*

werkdag ⟨de (m.)⟩ **0.1** ⟨dag werk⟩ *working day* ⇒⟨geen feestdag ook⟩ *workday,* ⟨door-de-weekse dag⟩ *weekday* ◆ **2.1** een achturige ~ *an eight-hour (working) day* **6.1** deze trein rijdt alleen op ~en *this train runs on working days/workdays only.*

werkdefinitie ⟨de (v.)⟩ **0.1** *working definition.*

werkdocument ⟨het⟩ **0.1** *working document.*

werkdruk ⟨de (m.)⟩ **0.1** [drukte] *pressure of work* **0.2** [⟨tech.⟩] *working pressure* ⇒(*maximum) service pressure.*

werkeiland ⟨het⟩ **0.1** *artificial island.*

werkelijk
I ⟨bn.⟩ **0.1** [wezenlijk bestaand] *real* ⇒⟨feitelijk⟩ *actual,* ⟨waar⟩ *true* **0.2** [actief] *active* ◆ **1.1** de ~e reden *the r. / actual/true reason;* ~e verblijfplaats *the a. /* ⟨jur.⟩ *de facto place of residence* **1.2** ⟨mil.⟩ in ~e dienst *on a. service/duty;* ~e schulden *a. / outstanding debts, debts due;*
II ⟨bw.⟩ **0.1** [waarlijk] *really* ⇒*truly* ◆ **2.1** is het ~ waar? *is it r. true?* **3.1** dat is ~ alleraardigst *that's (r.) very nice indeed;* ik weet het ~ niet *I r. don't know* **¶.1** ik ga toch ~? *I'm going all the same - (oh) really! /are you?.*

werkelijkheid ⟨de (v.)⟩ **0.1** *reality* ⇒⟨waarheid⟩ *truth* ◆ **1.1** schijn en ~ *appearance and r., fact and fiction* ⟨sic⟩ **2.1** de alledaagse ~ *everyday/workaday r.;* de wrede ~ *the grim/harsh truth, (the) grim/harsh r.* **3.1** de ~ verdoezelen *cover up the facts/truth;* ⟨mooier maken ook⟩ *embroider (on) the truth;* de ~ uit het oog verliezen *lose sight of r.;* ~ worden ⟨dromen⟩ *come true;* ⟨plannen ook⟩ *be realized, materialize* **6.1** buiten de ~ leven *be out of touch with r.;* ⟨met zijn hoofd in de wolken⟩ *live with one's head in the clouds;* in ~ *actually, in actual fact, in r. / actuality;* hij is op de foto mooier dan in ~ *in the photo he looks/the photo makes him look better than he really is;* tot de ~ terugkeren *come back to r. / (down) to earth* **¶.1** dat is in strijd met de ~ *that conflicts with the truth/facts;* rekening houden met de ~ *take the reality into account/consideration;* de ~ onder ogen zien *face (up to) r., be realistic.*

werkelijkheidszin ⟨de (m.)⟩ **0.1** *realism* ⇒*sense/awareness of reality* ◆ **3.1** het getuigt van weinig ~ *it shows that he/she* ⟨enz.⟩ *is out of touch with reality* **6.1** gebrek aan ~ *lack of r.;* zonder ~ *unrealistic.*

werkeloos ⟨bn.⟩ **0.1** [niets doend] *idle* **0.2** [zonder baan] *unemployed* ⇒ *out of work/a job* ⟨alleen pred.⟩, ⟨krantentaal ook⟩ *idle* ◆ **1.2** werkloze jongeren *unemployed youth, the young unemployed* **3.1** ~ zijn tijd ~ doorbrengen *pass the time idly/in idleness;* ~ toezien *stand by doing nothing* **3.2** ~ worden *become unemployed, lose one's job, become made redundant;* ~ zijn *be out of work/unemployed/out of a job.*

werkeloosheid ⟨de (v.)⟩ **0.1** [het werkloos zijn] *unemployment* **0.2** [toestand, mate] *unemployment* ◆ **2.2** verborgen ~ *hidden u.* **3.2** de ~ nam steeds toe *u. kept increasing.*

werkeloosheidsbestrijding ⟨de (v.)⟩ **0.1** ⟨abstr.⟩ *(the) fight against /* ⟨concr.⟩ *measures to control / reduce unemployment.*

werkeloosheidscijfer ⟨het⟩ **0.1** *unemployment figure.*

werkeloosheidsuitkering ⟨de (v.)⟩ **0.1** *compensation* ⇒⟨inf.⟩ ᴮ*dole,* ᴬ*welfare, social security* **0.2** *unemployment benefit / pay /* ⟨AE ook⟩.

werkeloosheidsverzekering ⟨de (v.)⟩ **0.1** *unemployment insurance.*

werkeloosheidsvraagstuk ⟨het⟩ **0.1** *unemployment problem / question / issue* ⇒*issue / question / problem of unemployment.*

werkeloosheidswet ⟨de⟩ **0.1** *unemployment act* ⇒*law on unemployment.*

werkeloze ⟨de (v.)⟩ **0.1** *unemployed person /* ⟨mv. ook⟩ *people* ◆ **2.1** jeugdige ~ n *u. youth, the young unemployed* **7.1** de ~ n *the unemployed.*

werkelozenkas ⟨de⟩ **0.1** *unemployment / unemployed (benefit) fund.*

werken ⟨→sprw. 650⟩

I ⟨onov.ww.⟩ **0.1** [werk doen] *work* ⇒⟨tech. ook⟩ *operate* **0.2** [een beroep uitoefenen] *work* **0.3** [bezig zijn] *work* **0.4** [functioneren] *work* ⇒*function, operate, run* **0.5** [uitwerking hebben] *work* ⇒*act, take effect* **0.6** [aan een beweging/ vervorming onderhevig zijn] *warp* ⇒*distort, settle* [fundering enz.] **0.7** [schoonmaken] *clean* ⇒⟨BE ook⟩ *char* **0.8** [een constructie vullen] *work out* **0.9** [gisten] *work* ⇒*ferment* ◆ **1.1** de fonteinen in het park ~ *the fountains in the park are running;* ⟨fig.⟩ de tijd werkt in ons voordeel *time is on our side, we've got time on our side* **1.2** minder/ meer uren gaan ~ *w. shorter / longer hours* **1.4** hoe werkt dat ding? *how does that thing w. / go?;* de nieuwe regeling werkt (goed) *the new procedure is functioning (well);* de telefoon werkte niet ⟨ook⟩ *the telephone was dead / out of order* **1.6** de fundering werkt *the foundation is settling;* ⟨scheep.⟩ de lading werkt *the cargo is shifting* **3.1** laat haar niet te hard/ veel ~ *don't overwork her, don't work her too hard;* iem. hard laten ~ *work s.o. hard;* aan het verslag wordt nog gewerkt ⟨ook⟩ *the report is still in the mill* **3.2** hij hoeft niet te ~ ⟨ook⟩ *he's a man of leisure* **3.4** zijn hersens laten ~ *use / exercise one's brain* **3.5** de pillen begonnen te ~ *the pills began to take effect* **3.6** hout blijft altijd ~ *wood keeps warping* **4.5** dàt werkt ⟨heeft het gewenste resultaat⟩ ⟨ook⟩ *that does the trick* **5.1** hard ~ *w. hard;* ⟨om iets te bereiken ook⟩ *push hard;* hij is wat minder hard gaan ~ ⟨ook⟩ *he has slowed down / slack(en)ed off a bit;* zij heeft een maand niet gewerkt *she has been off work for a month* **5.4** dit apparaat werkt heel eenvoudig *this apparatus is simple / easy to operate;* de motor werkte niet *the engine didn't w. /* ⟨viel uit⟩ *failed* **5.8** elke steen meer werkt 20 cm breder *each additional brick works out to 20 cm to the width* **6.1** aan iets ~ *w. at / on sth.;* aan zichzelf ~ *w. on o.s., take o.s. in hand;* er wordt aan gewerkt *s.o. is working on / seeing to it, sth. is being done about it;* hard aan iets ~ *w. hard / toil at / on sth.;* ⟨inf.⟩ *hammer / bang away at sth.;* met een computer / machine ~ ⟨ook⟩ *operate a computer / machine;* ~ op het land *w. the soil / land;* tot diep in de nacht ~ *burn the midnight oil;* van ~ ga je niet dood *hard work won't kill you;* ~ voor school / een examen *do one's schoolwork, do homework (for school), study /* ⟨hard⟩ *read (up) for an exam;* die man werkt voor drie *that man does the work of three (people)* **6.2** hij werkt met twintig man personeel *he employs a staff of twenty;* onder iem. ~ *w. under s.o.* **6.3** aan zijn conditie ~ *improve one's condition;* ~ in klei *w. (in) clay* **6.4** de motor werkt op LPG *the engine runs on LPG* **6.5** in iemands voordeel / nadeel ~ *w. to s.o.'s advantage / disadvantage* **6.7** uit ~ gaan *go out cleaning / charring* **8.1** ~ als een bezeten *w. like a madman / like blazes / with a vengeance* ¶.1 door zijn ziekte was hij niet in staat te ~ *he was too ill / ᴬsick to w.,* † *his illness indisposed him for work;* op bestelling ~ *make to order* ¶.2 's nachts / overdag / in de weekeinden ~ *w. nights / days / weekends* ¶.4 zo werkt dat niet *that's not how / the way it works / things work;* ◆ **4.1** zich in de nesten ~ *get into trouble / a scrape, tie o.s. up;* ⟨BE; sl.⟩ *catch / cop / stop a packet;* zich eruit ~ ⟨ook⟩ *wriggle out of sth.* ⟨ook fig.⟩; zich kapot ~ *work one's fingers to the bone;* zich dood ~ *work o.s. to death;* zich omhoog ~ *work /* ⟨sterker⟩ *fight one's way up / to the top;* zich ergens doorheen ~ *worm one's way through sth., force one's way through* **5.1** zij heeft zich er diep in gewerkt *she has committed herself deeply* ⟨in intrige⟩; *she got herself in deep / has got herself into / landed up in a real fix / mess* ⟨in de nesten⟩; een ongewenst persoon eruit ~ *push out / get rid of an unwanted / undesirable person* **6.1** hij werkte zijn mes door het hout *he worked his knife through the wood;* dat werkt misbruik in de hand *that paves the way to misuse;* voedsel naar binnen ~ ⟨haastig, gretig⟩ *polish off / shovel down / bolt (down) /* ⟨met moeite⟩ *choke down one's food* ¶.1 iem. tegen de grond ~ *lay s.o. low, wrestle s.o. to the ground.*

werkend ⟨bn.⟩ **0.1** [arbeidend] *working* ⇒*active,* ⟨als werknemer ook⟩ *employed* **0.2** [bewegend] *working* **0.3** [gevolgen teweegbrengend] ⟨fil.⟩ *efficient* ◆ **1.1** de ~e leden v.e. vereniging *the active members of a club;* ~ vennoot *active / acting partner* **1.2** de ~e delen v.e. machine *the w. parts of a machine* **1.3** de ~e oorzaak *the e. cause* **5.1** een goed ~e machine *a machine in good working order* **5.2** snel ~e vaccins *fast acting / potent vaccines.*

werker ⟨de (m.)⟩ **0.1** *worker* ⇒*labourer* ◆ **2.1** hij is een harde ~ *he is a hard w.;* een maatschappelijk ~ *a social / welfare w.;* serieuze ~s conscientious workers.*

werkezel ⟨de (m.)⟩ ⟨fig.⟩ **0.1** *drudge, plodder* ⇒*serf,* ⟨→werkpaard o.1⟩.

werkgebied ⟨het⟩ →**werkterrein 0.2.**

werkgeheugen ⟨het⟩ ⟨comp.⟩ **0.1** ᴮ*storage,* ᴬ*working memory.*

werkgelegenheid ⟨de (v.)⟩ **0.1** *employment* ◆ **1.1** ministerie van sociale zaken en ~ *Ministry of Social Affairs and Employment* **2.1** onvolledige ~ *underemployment;* volledige ~ *full e.* **3.1** ~ scheppen *create e. / jobs;* de ~ stimuleren *promote e.;* de ~ verruimen *increase e., provide more opportunities for e.* **6.1** dat is goed voor de ~ *that helps to promote e..*

werkgelegenheidsplan ⟨de (m.)⟩ **0.1** *employment (creation) plan, plan to create employment* ⇒*job creation / jobs package plan.*

werkgelegenheidspolitiek ⟨de (v.)⟩ **0.1** *employment policy.*

werkgelegenheidsprogramma ⟨het⟩ **0.1** *employment creation programme* ᴬ*gram, programme to create employment* ⇒*job creation / jobs package programme.*

werkgemeenschap ⟨de (v.)⟩ **0.1** [groep mensen die een bedrijf exploiteren] *cooperative* ⇒⟨inf.⟩ *co-op* **0.2** [groep personen die een probleem bestuderen] *study group* ⇒*team* ◆ **1.1** een woon- en ~ *commune* ⟨whose members work together⟩.

werkgever ⟨de (m.)⟩, -**geefster** ⟨de (v.)⟩ **0.1** *employer* ◆ **1.1** ~s en werknemers *employers and employees* **1.8** de staat als ~ *the state as e.* ¶.1 de ~s zijn er tegen *the employers oppose it.*

werkgeversbijdrage ⟨de⟩ **0.1** *employer('s) contribution.*

werkgeversorganisatie ⟨de (v.)⟩ **0.1** *employers' organization / federation* ⇒⟨in GB⟩ *Confederation of British Industry.*

werkgeversverklaring ⟨de (v.)⟩ **0.1** *employer's certificate / testimonial.*

werkgroep ⟨de⟩ **0.1** *study group* ⇒*working group,* ⟨aan universiteit⟩ *seminar, tutorial,* ⟨BE; onderzoekscommissie⟩ *working party.*

werkhanden ⟨zn. mv.⟩ **0.1** *callous / (work-)roughened hands.*

werkhervatting ⟨de (v.)⟩ **0.1** *resumption of work.*

werkhoogte ⟨de (v.)⟩ **0.1** [platform om op te werken] *working platform* **0.2** [hoogte die geschikt is om aan te werken] *working height.*

werkhouding ⟨de (v.)⟩ **0.1** [stand v.h. lichaam] *posture during work / while working* **0.2** [houding, motivatie] *attitude to(wards) /* ⟨AE ook⟩ *toward work.*

werkhuis ⟨het⟩ **0.1** *place (where one is employed as a cleaning woman).*

werkhypothese ⟨de (v.)⟩ **0.1** *working hypothesis.*

werkijver ⟨de (m.)⟩ **0.1** *industriousness* ⇒*hard-working nature,* ⟨schr.⟩ *diligence, industry.*

werking ⟨de (v.)⟩ **0.1** [het functioneren] *working, action* ⇒*operation* **0.2** [uitwerking] *effect(s)* **0.3** [beweging, vervorming] *warping* ⟨vnl. van hout⟩ ◆ **1.1** de ~ v.e. machine *the w. of a machine* **2.1** vulkanische ~ *volcanic activity / a.* **2.2** de heilzame ~ van iets *the beneficial effect(s) of sth.* **6.1** buiten ~ *out of a., idle, inoperative;* ⟨defect⟩ *out of order;* buiten ~ stellen *put out of a.; render inoperative* ⟨wet⟩; ⟨tijdelijk, van wet⟩ *suspend;* een toestel in ~ brengen *bring / call / put / set a machine / an apparatus into a. / operation, set a machine going;* ⟨fig.⟩ de wet treedt 1 jan. in ~ *the law will come into force / effect / become effective / operative on January 1st;* in ~ stellen / zetten *put into a.; put into operation / force / effect* ⟨wet⟩; *instigate, initiate, commission* ⟨onderzoek⟩; ⟨tech.⟩ *activate;* in ~ *at work, in a. / operation, operational, running* **6.2** zonder ~ blijven *remain without effects / consequences* **6.3** er komt ~ in het ijs *the ice is beginning to move / crack;* er zit ~ in het hout / die muur *the wood is warping, that wall is settling.*

werkingsduur ⟨de (m.)⟩ **0.1** *period of operation, duration of effectiveness;* ⟨mbt. spuitmiddel⟩ *residual effect, persistence of effect.*

werkingssfeer ⟨de⟩ **0.1** *sphere of action, scope (of action)* ◆ **1.1** de ~ v.e. wet *the scope of a law.*

werkinhoud ⟨de (m.)⟩ **0.1** [functie-inhoud] *jpb content* **0.2** [nuttige inhoud van reactor] ᴮ*hold-up* ᴬ*holdup.*

werkje ⟨het⟩ **0.1** [werk] *(little) piece of work* ⇒*(little / small) job* **0.2** [patroon] *pattern* **0.3** [klein boek] *(little) work* ⇒*booklet* ◆ **2.3** in een ander ~ van mijn hand *in another little work of mine* **3.2** er zit een ~ in de gordijnen *there's a p. in the curtains* **6.1** het is een ~ van niks *that job is a breeze /* ᴬ*snap, it won't take long,* ⟨inf.⟩ *it's a sitter;* dat is nu net een ~ voor jou *you're cut out for that job, that's just the thing for you.*

werkkamer ⟨de⟩ **0.1** *study.*

werkkamp ⟨het⟩ **0.1** [werkweek] *project week* **0.2** [strafkamp] *(hard) labour camp* ◆ **6.1** op ~ gaan *go on project.*

werkkapitaal ⟨het⟩ **0.1** *working capital.*

werkkast ⟨de⟩ **0.1** *broom* ᴮ*cupboard /* ᴬ*closet.*

werkkleding ⟨de (v.)⟩ **0.1** *workclothes, working clothes* ⇒⟨industrie⟩ *industrial clothing.*

werkklimaat ⟨het⟩ →**werksfeer.**

werkkracht ⟨de⟩ **0.1** [persoon] *worker, employee* ⇒⟨mv. ook⟩ *manpower* **0.2** [kracht om te werken] *energy* ⇒*capacity for work* ◆ **2.1** gebrek aan goede ~en *shortage of good workers / skilled labour;* tijdelijke ~ *temporary w. / e.;* ⟨inf.⟩ *temporary.*

werkkring ⟨de (m.)⟩ **0.1** *post* ⇒*job, position,* ⟨werkomgeving⟩ *working* *environment,* ⟨de mensen⟩ *work associates* ♦ **2.1** ergens een prettige ~ vinden *find a nice job somewhere.*

werklamp ⟨de⟩ **0.1** ⟨bureaulamp⟩ *desk lamp;* ⟨anders⟩ *inspection lamp.*

werklast ⟨de (m.)⟩ **0.1** *workload* ♦ **6.1** een ~ **van** 800 uur *an 800 hour w..*

werklijn ⟨de⟩ ⟨nat.⟩ **0.1** *line of action.*

werkloosheid- →**werkeloosheid-.**

werklunch ⟨de (m.)⟩ **0.1** *working lunch.*

werklust ⟨de (m.)⟩ **0.1** *zest for work, willingness to work* ⇒*energy, enthusiasm for one's work* ♦ **2.1** hij heeft een enorme ~ ⟨ook⟩ *he's a (regular) glutton/fiend/demon for work/an eager beaver.*

werkmaatschappij ⟨de (v.)⟩ **0.1** [onderdeel v.e. onderneming] *subsidiary (company)* **0.2** [maatschappij tot het uitvoeren van werken] *contractor.*

werkman ⟨de (m.)⟩ ⟨→sprw. 648,649⟩ **0.1** *workman* ⇒*working man, worker, labourer* ♦ **2.1** los ~ *casual labourer.*

werkmandje ⟨het⟩ **0.1** *workbasket, workbox* ⇒⟨voor naaigerei⟩ *sewing basket,* ⟨voor breiwerk⟩ *knitting basket.*

werkmateriaal ⟨het⟩ **0.1** *material (for one's work).*

werkmeester ⟨de (m.)⟩ **0.1** *foreman, supervisor* ⇒*overseer,* ⟨inf.⟩ *boss,* ⟨BE ook; inf.⟩ *gaffer.*

werkmier ⟨de⟩ **0.1** *worker (ant).*

werknemer ⟨de (m.)⟩, **-neemster** ⟨de (v.)⟩ **0.1** *employee* ♦ **2.1** buitenlandse ~s *immigrant/foreign workers* **6.1** de ~s **in** de metaalindustrie ⟨ook⟩ *the steelworkers.*

werknemersbijdrage ⟨de⟩ **0.1** *employee('s) contribution.*

werknemersorganisatie ⟨de (v.)⟩ **0.1** *(trade(s)) union.*

werknemersverklaring ⟨de (v.)⟩ **0.1** *employee's statement (for tax purposes).*

werknemerszelfbestuur ⟨het⟩ **0.1** *(workers') self-management.*

werkobject ⟨het⟩ **0.1** *project* ⇒*job.*

werkomgeving ⟨de (v.)⟩ **0.1** *working/operating environment.*

werkonderbreking ⟨de (v.)⟩ **0.1** *(work) stoppage* ⇒*walkout.*

werkoverleg ⟨het⟩ →**werkbespreking.**

werkpaard ⟨het⟩ ⟨→sprw. 418⟩ **0.1** [persoon] *workhorse* **0.2** [paard] *workhorse.*

werkpak ⟨het⟩ **0.1** *workclothes* ⇒⟨overal⟩ *overalls, dungarees, boiler suit,* ⟨mil.⟩ *fatigues.*

werkpauze ⟨de⟩ **0.1** *break* ⇒⟨voor lunch⟩ *lunch hour.*

werkplaats ⟨de⟩ **0.1** *workshop* ⇒*shop* ♦ **2.1** sociale ~en *sheltered workshops.*

werkplan ⟨het⟩ **0.1** *plan of work/action/activity.*

werkplek ⟨de⟩ **0.1** *place to work;* ⟨comp.⟩ *work station.*

werkploeg ⟨de⟩ **0.1** *gang/team (of workmen); shift* ⟨in ploegendienst⟩; *working party* ⟨gevangenen, soldaten⟩.

werkplunje ⟨de (v.)⟩ **0.1** *work(ing) gear/duds.*

werkput ⟨de (m.)⟩ **0.1** *excavation.*

werkrooster ⟨het⟩ **0.1** *(work) timetable/schedule/roster.*

werkruimte ⟨de (v.)⟩ **0.1** ⟨concr.⟩ *workroom;* ⟨abstr.⟩ *working space* ⇒ ⟨studeerkamer⟩ *study* ♦ **1.1** woon- en ~ *living and working space.*

werkschema ⟨het⟩ **0.1** *work scheme/plan* ⇒*plan of operation(s).*

werkschuw ⟨bn.⟩ **0.1** *workshy* ⇒*afraid of work* ⟨alleen pred.⟩ ♦ **1.1** langharig ~ tuig *w. longhairs/hippies.*

werksfeer ⟨de⟩ **0.1** *work climate* ⇒*work atmosphere, atmosphere at work.*

werksituatie ⟨de (v.)⟩ **0.1** *work situation.*

werkslaaf ⟨de⟩ **0.1** [iem. die aan (zijn) werk verslaafd is] *workaholic* **0.2** [iem. die op zijn werk als een slaaf wordt uitgebuit] *wage slave* ⇒*drudge.*

werksoort ⟨het, de⟩ **0.1** *area of work.*

werkspoor ⟨het⟩ **0.1** *temporary (railway/^railroad) track.*

werkstaking ⟨de (v.)⟩ **0.1** *walkout, strike.*

werkster ⟨de (v.)⟩ **0.1** [zij die werkt] *(woman/female) worker* **0.2** [schoonmaakster] *cleaning lady/woman,* ⟨BE ook⟩ *charwoman, char(lady)* **0.3** [werkbij/mier] *worker (bee/ant)* ♦ **2.1** een sociaal/maatschappelijk ~ *(a female) social/welfare worker* **3.2** ik krijg vandaag de ~ *my cleaning lady/charwoman is coming today.*

werkstercel ⟨de (m.)⟩ **0.1** *worker cell.*

werkstudent ⟨de (m.)⟩, **-e** ⟨de (v.)⟩ **0.1** *student working his/her way through college/university/with a (part-time) job.*

werkstuk ⟨het⟩ **0.1** [vervaardigd voorwerp] *piece of work* ⇒⟨waaraan nog wordt gewerkt⟩ *workpiece* **0.2** [⟨wisk.⟩ opgave] ⟨*geometric*⟩ *problem/proposition* **0.3** [⟨school.⟩ ⟨schriftelijk⟩ *paper;* ⟨project⟩ *project* ♦ **6.1** ~ **van** metaal *piece of metalwork.*

werktafel ⟨de⟩ **0.1** [bureau] *worktable,* desk **0.2** [werkbank] *workbench.*

werktekening ⟨de (v.)⟩ **0.1** *working drawing/plan;* ⟨uitvergroting v.e. onderdeel ook⟩ *detail drawing.*

werktempo ⟨het⟩ **0.1** *pace/rate/speed of work* ⇒*work(ing) pace/rate/speed.*

werkterrein ⟨het⟩ **0.1** [terrein waarop men werkt] *working space, work area* **0.2** [terrein waarop een werkzaamheid zich beweegt] *field/sphere of activity* ♦ **1.2** het ~ v.d. sociale hulpverlening *the social worker's/workers' field/sphere of activity, the field of social work* **6.2**

---

dat ligt **buiten** het ~ v.d. organisatie *that's outside the scope of the organization.*

werktijd ⟨de (m.)⟩ **0.1** *working hours* ⇒⟨op kantoor⟩ *office hours* ♦ **1.1** verkorting v.d. ~en *reduction in working hours* **2.1** glijdende/variabele ~en *flexible/staggered working hours;* ⟨BE ook⟩ *flexitime,* ⟨AE ook⟩ *flextime;* een lange ~ hebben *work long hours;* ongeregelde ~en *irregular (working) hours* **6.1 na** ~ *after hours.*

werktijdverkorting →**arbeidstijdverkorting.**

werktitel ⟨de (m.)⟩ **0.1** *working title.*

werktuig ⟨het⟩ **0.1** *instrument* ⟨ook fig.⟩; ⟨handwerktuig⟩ *tool* ⟨ook fig.⟩ ⇒*implement* ⟨vaak mv.; ook fig.⟩, *piece of equipment* ⟨ook tech.⟩, ⟨tech. ook⟩ *machine* ♦ **2.1** natuurkundige/chemische ~en *laboratory instruments;* een primitief/eenvoudig ~ *a primitive/simple t.* **3.1** ⟨fig.⟩ een ~ zijn in iemands hand *be a t./an instrument in s.o.'s hands* **6.1** gymnastische oefeningen **met** en **zonder** ~en ⟨met⟩ *apparatus exercises;* ⟨zonder⟩ *free exercises;* ~en **om** hout te bewerken *woodworking tools.*

werktuigbouwkunde ⟨de (v.)⟩ **0.1** *mechanical engineering* ⇒⟨vervaardigen van machines ook⟩ *machine construction.*

werktuigbouwkundig ⟨bn.⟩ **0.1** *mechanical* ♦ **1.1** ~ ingenieur *m. engineer.*

werktuigkunde ⟨de (v.)⟩ **0.1** *mechanics.*

werktuiglijk ⟨bn., bw.;-(al)ly⟩ **0.1** *mechanical, automatic* ⇒⟨zonder overtuiging, plichtshalve⟩ *perfunctory* ♦ **1.1** een ~e beweging *a m./an a. movement.*

werkuur ⟨het⟩ **0.1** *working hour, hour of work.*

werkvakantie ⟨de (v.)⟩ **0.1** *working holiday/^vacation* ⇒⟨vakantie waarin men zijn normale beroep blijft uitoefenen⟩ *busman's holiday.*

werkveld ⟨het⟩ ⟨fig.⟩ **0.1** *field/sphere of action.*

werkverdeling ⟨de (v.)⟩ **0.1** ⟨abstr.⟩ *division of labour;* ⟨concr.⟩ *distribution of work.*

werkvergunning ⟨de (v.)⟩ **0.1** ^B*work permit,* ^A*working papers.*

werkverkeer ⟨het⟩ ♦ **¶.¶** woon-werkverkeer *commuter traffic.*

werkverruimend ⟨bn.⟩ ♦ **1.¶** ~e maatregel *measure to stimulate/promote employment;* ⟨mv. ook⟩ *job creation.*

werkverschaffing ⟨de (v.)⟩ **0.1** *(unemployment) relief work(s)* ♦ **3.1** ⟨fig.⟩ dit is gewoon/puur ~ *this is just work for the sake of it/work to keep people/us from* ⟨enz.⟩ *busy.*

werkverslaafde ⟨de (m.)⟩ **0.1** *work addict/fanatic* ⇒⟨inf.⟩ *workaholic.*

werkverslag ⟨het⟩ **0.1** *work report* ⇒*logbook.*

werkvloer ⟨de (m.)⟩ **0.1** *shop floor* ♦ **6.1** op de ~ leeft de gedachte dat ...*people/workers on the s. f. feel that ...,shop-floor workers feel that ....*

werkvoorbereider ⟨de (m.)⟩, **-ster** ⟨de (v.)⟩ **0.1** [functionaris die naar efficiënte werkmethoden zoekt] *time-and-motion man* ⟨m.⟩/*woman* ⟨v.⟩ **0.2** [iem. die werkzaamheden voorbereidt] *planner, planning engineer/officer.*

werkvoorziening ⟨de (v.)⟩ **0.1** *job creation, provision of employment/jobs* ⇒⟨werkverschaffing⟩ *unemployment relief, relief of unemployment.*

werkvorm ⟨de (m.)⟩ **0.1** *art* ♦ **2.1** textiele ~en *textile art.*

werkvrouw ⟨de (v.)⟩ **0.1** ⟨schoonmaakster⟩ ^B*charlady,* ^B*charwoman,* ^A*cleaning woman;* ⟨arbeidster⟩ *female worker* ⇒⟨schoonmaakster op kantoor/school enz. ook⟩ *cleaning lady, cleaner,* ⟨BE; inf.⟩ *char,* ⟨schoonmaakster privé ook⟩ *daily help,* ⟨BE; inf.⟩ *char.*

werkweek ⟨de⟩ **0.1** [week mbt. de uren dat men werkt] *(working) week* **0.2** [mbt. school] *study/project week* ♦ **2.1** veertigurige ~ *forty-hour week;* vijfdaagse ~ *a five-day (working) week* **3.2** mijn klas heeft nu ~ *my class have/has got a study/project week this week, it's a study/project week for my class this week* **6.2** op/met ~ zijn *have a study/project week.*

werkweekverkorting ⟨de (v.)⟩ **0.1** *reduction in (the)/reduced/shorter working week.*

werkweigeraar ⟨de (m.)⟩ **0.1** [iem. die opgedragen werk weigert te verrichten] *person who refuses to carry out work/a job* **0.2** [iem. die aangeboden werk niet aanvaardt] *person who refuses (to accept) work.*

werkwijze ⟨de⟩ **0.1** *mode of operation, operating procedure* ⟨van machine⟩; *method (of working), procedure* ⟨van personen/commissies⟩; *(manufacturing) process* ⟨bij fabricage⟩; *routine* ⟨vaak inf.⟩ ♦ **2.1** hij moet nog de goede ~ vinden *he's not got into/found the right method of working/* ⟨inf.⟩ *right routine yet;* de goede ~ hanteren *follow the standard/correct method, follow (the) standard/correct (operating) procedure;* dit is de normale ~ *this is the standard/correct method, this is (the) standard/correct (operating) procedure;* ⟨inf.⟩ *this is the right routine.*

werkwillige ⟨de (m.)⟩ **0.1** *non-striker* ⇒⟨pej.⟩ *strikebreaker* ⟨vnl. van buiten het bedrijf gehaald⟩ ⟨sl.; bel.⟩ *scab,* ⟨vnl. BE; sl.; bel.⟩ *blackleg.*

werkwoord ⟨het⟩ **0.1** *verb* ♦ **2.1** onpersoonlijke/wederkerende ~en *impersonal/reflexive verbs;* zijn is een onregelmatig ~ *to be is an irregular v.;* overgankelijke/onovergankelijke ~en *transitive/intransitive verbs;* sterke/zwakke ~en *strong/weak verbs;* zelfstandig ~ *notional v.* **3.1** van ~en afgeleid *deverbative;* een ~ vervoegen *conjugate a v..*

werkwoordelijk ⟨bn., bw.;-ly⟩ **0.1** *verbal* ◆ **1.1** het ~ deel van het naam-woordelijk gezegde *the v. part of the (nominal) predicate;* het ~ ge-bruik van woorden *the v. use of words, the use of words as verbs;* een ~ gezegde *a v. predicate.*

werkwoordgroep ⟨de⟩ **0.1** *verb phrase* ⇒*verbal group.*

werkwoordstam ⟨de (m.)⟩ **0.1** *stem of a verb, verb(al) stem.*

werkwoordsvorm ⟨de (m.)⟩ **0.1** *verb(al) form* ⇒*form of a/the verb.*

werkzaam ⟨bn., bw.⟩ **0.1** [werkend] *working, active* ⇒*at work,* ⟨in dienst⟩ *employed, engaged* **0.2** [effectief, krachtig werkend]⟨bn.⟩ *active, effective* ⇒*operative,* ↑*efficatious,* ⟨bw.⟩ *actively, effectively* **0.3** [actief]⟨bn.⟩ *active, industrious* ⇒*laborious, hard-working,* ⟨bw.⟩ *actively, industriously* ◆ **1.2** de werkzame bestanddelen in waspoeder/zalf *the active ingredients in washing powder/an ointment;* ⟨tech.⟩ de werkzame druk/stroom *the effective pressure/current* **1.3** een werk-zame jongen *an active/industrious boy;* een ~ leven leiden *lead an active/industrious life* **1.¶** ⟨nat.⟩ werkzame doorsnede *cross section;* ⟨tech.⟩ werkzame snelheid *superficial velocity* **3.1** op verschillende gebieden ~ zijn *be active/* ⟨vnl. met bedrijf/organisatie⟩ *operating in various fields* **6.1** hij is ~ in een fabriek/op een notariskantoor/bij een uitgever *he works/is employed in a factory/in a notary's office/at a publisher's;* personeel dat ~ is in het buitenland *staff employed abroad* **8.3** hij blijft als adviseur ~ *he will continue to act as (an) advis-er.*

werkzaamheid ⟨de (v.)⟩ **0.1** [vlijt] *industry, activity, diligence* ⇒ ↑*zeal* **0.2** [het werkzaam zijn] *activity* **0.3** [uitwerking] *effect(iveness)* ⇒*effi-cacy* ⟨vergadering enz.⟩, ⟨zaken⟩ *business* **0.4** [mv.] werk] *activities* ⇒⟨werk⟩ *work,* ⟨verplichtingen, taken⟩ *duties,* ⟨operaties, activitei-ten⟩ *operations* ⟨vnl. mbt. bedrijf⟩, ⟨al verrichte taken⟩ *proceedings* ⟨vnl. van⟩ ⟨commissie/rechtbank/vergadering enz.⟩, ⟨zaken⟩ *busi-ness* ◆ **1.4** de werkzaamheden v.e. commissie *the duties/proceedings of a committee;* de regeling v.d. werkzaamheden in deze afdeling *the work routine in this department* **2.4** dagelijkse werkzaamheden *daily work/duties/a.;* drukke werkzaamheden ⟨ook⟩ *pressure of work;* voorbereidende werkzaamheden *preliminary work/operations, pre-liminaries* **6.4** werkzaamheden **aan** de metro *work on the under-ground.*

werkzoekende ⟨de (m.)⟩ **0.1** *job-seeker, person in search of employment* ⇒⟨sollicitant⟩ *candidate (for a job/post/* ⟨enz.⟩)*, applicant (for a job /post/* ⟨enz.⟩)*, job-applicant* ◆ **2.1** ingeschreven staan als werkloos ~ *be registered as an unemployed person (in search of work), be regis-tered for employment* **8.1** zich als ~ inschrijven *register for employ-ment;* ⟨inf.⟩ *sign on.*

werpanker ⟨het⟩ **0.1** *grapnel* ⇒*grappling hook/iron,* ⟨voor voorttrek-ken⟩ *kedge (anchor), warp anchor).*

werpen ⟨onov., ov.ww.⟩ ⟨→sprw. 548⟩ **0.1** [gooien]⟨alg.⟩ *throw* ⇒⟨inf.⟩ *pitch, heave,* ↑*cast,* ⟨krachtig⟩ *hurl, fling,* ⟨inf.⟩ *chuck,* ⟨honkbal⟩ *pitch,* ⟨cricket⟩ *bowl,* ⟨jongen⟩ *heave* **0.2** [baren] *have/get/drop (one's) young/puppies/kittens/* ⟨enz.⟩ ⇒*cub* ⟨vos, beer, tijger, leeuw⟩, *fawn* ⟨hert⟩, *foal* ⟨paard⟩, *kid* ⟨geit⟩, *lamb* ⟨schaap⟩, *pig* ⟨varken⟩, ⟨hond/kat ook⟩ *have a/one's litter* ◆ **1.1** ⟨scheep.⟩ het anker ~ *drop anchor;* bommen op de stad ~ *drop bombs on/bomb a city;* de Etna wierp de gloeiende gesteenten kilometers ver *Mount Etna hurled the white-hot rocks for miles;* de handdoek in de ring ~ ⟨fig.⟩ *t./chuck in the towel;* ⟨scheep.⟩ de lading ~ *jettison the cargo;* twaalf (ogen) ~ *t. a twelve* **1.2** onze hond heeft geworpen/heeft drie jongen geworpen *our dog has had pups/three pups, our dog has had a litter/a litter of three pups* **4.1** zich op iets ~ ⟨lett.⟩ *throw o.s. on sth.;* ⟨fig.⟩ *throw o.s./launch into sth.* **6.1 aan** land/**op** de kust geworpen worden *be cast ashore;* iets **in** de brievenbus ~ *drop/put sth. in(to) the letter-box/* ^*mailbox;* iem. **met** stenen ~ *pelt s.o. with stones, t./hurl stones at s.o.;stone s.o.* ⟨vnl. als straf⟩; ⟨fig.⟩ dat werpt een gunstig licht **op** de zaak *that puts the matter in a favourable light;* zich **ter** aarde ~ *throw o.s. to the ground;* iets **van** zich ~ ⟨fig.⟩ *cast sth. off/aside; repudiate/reject/repel sth.* ⟨beschuldiging, idee, voorstel⟩.

werper ⟨de (m.)⟩ **0.1** [iem. die werpt] *thrower* **0.2** [⟨sport⟩] *pitcher.*

werphengel ⟨de (m.)⟩ **0.1** *casting rod.*

werpheuvel ⟨de (m.)⟩ ⟨sport⟩ **0.1** *(pitcher's) mound.*

werplans ⟨de⟩ ⟨gesch.⟩ **0.1** *javelin* ⇒*(throwing-)spear.*

werplijn ⟨de⟩ ⟨scheep.⟩ **0.1** *heaving line.*

werplood ⟨het⟩ **0.1** *sounding lead* ⇒*plumb.*

werpmolen ⟨de (m.)⟩ **0.1** *(fixed-spool/stationary-dum) reel.*

werpnet ⟨het⟩ **0.1** *cast(ing) net.*

werpnummer ⟨het⟩ ⟨sport⟩ **0.1** *throwing event* ⇒*throwing discipline.*

werppijl ⟨de (m.)⟩ **0.1** *dart.*

werpplaat ⟨de⟩ ⟨sport⟩ **0.1** *(pitcher's) mound.*

werpspeer ⟨de⟩ ⟨gesch.⟩ **0.1** *javelin* ⇒*(throwing-)spear.*

werpspel ⟨het⟩ **0.1** *game played with dice, dice game* ⇒⟨één partij⟩ *game of dice.*

werpspies ⟨de⟩ ⟨gesch.⟩ **0.1** *javelin* ⇒*(throwing-)spear.*

werptechniek ⟨de (v.)⟩ ⟨sport⟩ **0.1** *throwing technique/action* ⇒⟨honk-bal⟩ *pitching technique.*

werptijd ⟨de (m.)⟩ **0.1** *lambing season, season/time for having (one's) young.*

---

werptol ⟨de (m.)⟩ **0.1** *peg top* ⇒*(spinning) top.*

werptros ⟨de (m.)⟩ ⟨scheep.⟩ **0.1** *warp.*

werptuig ⟨het⟩ ⟨gesch.⟩ **0.1** [projectiel] *missile, projectile* **0.2** [slinger-tuig] *catapult* ⇒*ballista.*

werst ⟨de⟩ **0.1** *verst.*

wervel ⟨de (m.)⟩ **0.1** [⟨biol.⟩] *vertebra* **0.2** [draaihoutje] *catch, (window/door/* ⟨enz.⟩ *fastener* **0.3** [pen voor het spannen v.d. snaren] *(tuning) peg* ◆ **6.1** tussen de ~s gelegen *intervertebral.*

wervelbeweging ⟨de (v.)⟩ **0.1** *whirling/swirling movement, whirl* ⇒*eddy* ⟨vnl. mbt. water/mist/sneeuw⟩.

wervelboog ⟨de (m.)⟩ **0.1** *vertebral/neural arch.*

wervelen ⟨onov.ww.⟩ **0.1** *swirl, whirl* ⇒*spin, twirl, eddy* ⟨vnl. mbt. water /mist/sneeuw⟩ ◆ **1.1** een ~de draaikolk *a swirling/rushing whirl-pool;* een ~de show *a dazzling/spectacular show* **3.1** doen ~ *swirl, whirl, spin, twirl.*

wervelend ⟨bn.⟩ **0.1** *sparkling* ⇒ ↑*effervescent* ◆ **1.1** een ~e show *a s./an effervescent show, a show bubbling with life/activity* ⟨enz.⟩.

wervelgewricht ⟨het⟩ **0.1** *vertebral joint/articulation.*

wervelholte ⟨de (v.)⟩ **0.1** *vertebral foramen.*

werveling ⟨de (v.)⟩ **0.1** [het wervelen] *whirling, swirling* ⇒*spinning, twirling,* ⟨meteo., nat.⟩ *turbulence, eddying* ⟨vnl. mbt. water/mist/sneeuw⟩ **0.2** [wervelende beweging] *whirl, swirl* ⇒*spin, twirl, eddy* ⟨vnl. mbt. water/mist/sneeuw⟩, ⟨wet.⟩ *vortex.*

wervelkanaal ⟨het⟩ **0.1** *neural/spinal/vertebral canal.*

wervelkolom ⟨de⟩ **0.1** *vertebral/spinal column* ⇒⟨ruggegraat⟩ *spine, backbone.*

wervellichaam ⟨het⟩ **0.1** *vertebral body* ⇒*body of a/the vertebra.*

wervelontsteking ⟨de (v.)⟩ **0.1** *spondylitis.*

wervelstorm ⟨de (m.)⟩ **0.1** *cyclone* ⇒⟨tornado boven zee⟩ *waterspout,* ⟨tornado over land⟩ *tornado, hurricane* ⟨vnl. in (westelijk deel van) Atlantische Oceaan⟩, ⟨AE;inf.⟩ *twister, typhoon* ⟨vnl. in Chinese Zee en Stille Oceaan⟩.

wervelstroom ⟨de (m.)⟩ ⟨elek.⟩ **0.1** *eddy/Foucault current.*

wervelvormig ⟨bn.⟩ **0.1** *vertebral;(shaped) like a vertebra* ⟨na zn.⟩.

wervelwind ⟨de (m.)⟩ **0.1** *whirlwind* ⇒*tornado,* ⟨AE;inf.⟩ *twister* ◆ **8.1** als een ~ *like a w./gust of wind.*

werven ⟨ov.ww.⟩ **0.1** [in het openbaar in dienst nemen] *recruit* ⇒⟨sol-daten/matrozen ook⟩ *enlist,* ⟨gesch.;ronselen, pressen⟩ *(im)press,* ⟨inf.⟩ *pressgang* **0.2** [overhalen zich te sluiten] *attract, bring in* ⇒ ⟨inf.⟩ *rope in,* ⟨pogen over te halen⟩ *canvass,* ↑*solicit,* ⟨inschrijven⟩ *enrol* ◆ **1.1** matrozen/soldaten ~ *enlist/r. seamen/soldiers* **1.2** klan-ten ~ *canvass for/bring in customers;* nieuwe leden/abonnees ~ *can-vass (for)/bring in/a. new members/subscribers;* stemmen ~ *canvass (for)/bring in/a./solicit votes;* ⟨stemmen krijgen⟩ ↓*get votes;* ⟨op verkiezingscampagne gaan⟩ *electioneer.*

weshalve ⟨vw.⟩ ⟨schr.;adm.⟩ **0.1** *as a consequence of which, for which reason* ⇒*wherefor(e),* ⟨ongemarkeerd⟩ *which is why* ◆ **¶.1** U bent reeds driemaal gewaarschuwd, ~ U nu voorzichtig moet zijn *you have already received three warnings, as a consequence of which you must be careful in future.*

wesp ⟨de⟩ **0.1** *wasp.*

wespeangel ⟨de (m.)⟩ **0.1** *wasp-sting, wasp's sting.*

wespehoning ⟨de (m.)⟩ **0.1** *wasps' honey.*

wespendief ⟨de (m.)⟩ **0.1** *honey-buzzard* ⇒*pern.*

wespennest ⟨het⟩ **0.1** [nest van wespen] *wasps' nest* ⇒⟨biol.⟩ *vespiary* **0.2** [netelige zaak] *hornets' nest* ◆ **6.2** zich in een ~ steken *stir up a h. n., bring a h.n. about one's ears.*

wespesteek ⟨de (m.)⟩ **0.1** *wasp's sting.*

wespetaille ⟨de⟩ **0.1** *wasp waist* ◆ **6.1** met een ~ *wasp-waisted.*

west¹ ⟨de⟩ ⟨→sprw. 482,483⟩ **0.1** *west* ⟨vaak W-⟩ ◆ **6.1 om** de ~ varen *sail around the w.* **¶.1** de West *the West Indies.*

west² ⟨bn., bw.⟩ **0.1** [naar het westen] *west(erly), westward* ⇒⟨bw. ook⟩ *to the west, westwards* **0.2** [uit het westen] *west(erly)* ⇒⟨bw. ook⟩ *from the west* ◆ **3.1** ~ houden *steer (to the) west, steer westward(s)* **3.2** de wind is ~ *the wind is west(erly)/from the west, there is a westerly wind* **6.1** ~ **ten** noorden/**ten** zuiden *west by north/south.*

Westafrikaans ⟨bn.⟩ **0.1** *West African.*

West-Berlijn ⟨het⟩ **0.1** *West Berlin.*

Westduits ⟨bn.⟩ **0.1** *West German.*

Westduitser ⟨de (m.)⟩, -se ⟨de (v.)⟩ **0.1** *West German.*

West-Duitsland ⟨het⟩ **0.1** *West Germany.*

westelijk ⟨bn., bw.⟩ **0.1** *west, westerly, western, westward* ◆ **1.1** ~e gebie-den van Groot-Brittannië *western areas of Great Britain;* het ~ half-rond *the western hemisphere;* de ~e Jordaanoever *the West Bank of the Jordan; the West Bank;* ~ richting/koers *a westerly direction/course;* de meest ~e streken *the westernmost areas;* ~e winden *wester-ly winds, westerlies* **3.1** ~ gelegen *westward;* ~ trekken *go west(ward);* de wind was ~ *the wind blew westerly* **6.1** ~ **van** *(to the) west of.*

westen ⟨het⟩ **0.1** [kompasstreek] *west* **0.2** [gebied] *west* ⟨vaak W-⟩ ⇒ *western part/region/area/* ⟨enz.⟩ **0.3** [Europa en de VS] *West* ◆ **1.1** het ~ van Nederland *the west(ern part) of Holland* **1.2** het ~ van ons land *the western part of our country* **2.2** het wilde Westen *the (Wild) West, the Frontier* **2.3** het vrije ~ *the Free World* **6.1** naar het ~ *(to* *the) west, westward(s), westerly;* een *naar* het ~ gaande/draaiende zon *a westering/setting sun;* **naar** het ~ gaand/reizend *westbound, going/travelling west(ward(s)), westward bound;* Wageningen ligt **ten** ~ van Arnhem *Wageningen is/lies (to the) west of Arnhem;* **uit** het ~ *west(erly), from the west* **6.2** kamers **op** het ~ *rooms facing west* **6.¶ buiten** ~ raken 〈alg.〉 *pass out,* †*lose consciousness,* ↑*become unconscious;* 〈door klap/vuistslag/enz. ook〉 *be knocked out, be K.O.'d;* iem. **buiten** ~ slaan 〈bewusteloos slaan〉 *knock/lay s.o. out (cold), K.O. s.o.;* 〈in elkaar timmeren〉 *batter s.o.,* ↓*knock/beat the (living) daylight(s) out of s.o.;* **buiten** ~ zijn 〈bewusteloos〉 *be out (cold/like a light), be K.O.;* †*unconscious, have passed out;* 〈van streek〉 *be very upset, be thrown off (one's) balance.*

westenwind 〈de (m.)〉 **0.1** *west(erly) wind* ⇒*westerly* 〈meestal sterk〉 ♦ **1.1** de gordel der ~en *the Roaring Forties* **3.1** het is ~ *the wind is west(erly)/from the west, there is a westerly wind.*

westerlengte 〈de (v.)〉 **0.1** *longitude west* ⇒*western longitude* ♦ **6.1** op 15°~ *at 15° longitude west.*

westerling 〈de (m.)〉 **0.1** [mbt. cultuur] *Westerner* ⇒ ↑*Occidental* **0.2** [mbt. een land] *westerner* ♦ **3.2** hij is een ~ *he is a w., he is from the west.*

westers 〈bn., bw.〉 **0.1** [(als) in het westen]〈bn.〉 *western;* 〈bw.〉 *in a western fashion/manner;* 〈enz.〉 **0.2** [(als) van de bewoners van Europa en de VS]〈bn.〉 *Western;* 〈bw.〉 *in a Western fashion/manner;* 〈enz.〉 ⇒〈bn.〉 ↑*Occidental,* 〈bw.〉 ↑*in an Occidental fashion/manner* / 〈enz.〉 ♦ **1.1** de Westerse Kerk *the Western Church* **1.2** de ~e beschaving *Western civilization* **3.2** ~ gekleed gaan *dress in/wear Western clothes;* ~ maken *westernize;* ~ worden *become westernized.*

westersgezind 〈bn.〉 **0.1** *pro-Western.*

westerstorm 〈de (m.)〉 **0.1** *westerly gale.*

westerzon 〈de〉 **0.1** [avondzon] *westerly/westering/evening/setting sun* **0.2** [tijdstip] *(the) setting sun, (the) going down of the sun* ⇒ 〈ongemarkeerd〉 *sunset,* 〈vnl. AE〉 *sundown* ♦ **6.2** bij ~ *at the setting sun, at the going down of the sun, at sunset/sundown.*

West-Europa 〈het〉 **0.1** *Western Europe.*

Westeuropees 〈bn.〉 **0.1** *West(ern) European.*

Westfaals 〈bn.〉 **0.1** *Westphalian.*

Westfalen 〈het〉 **0.1** *Westphalia.*

Westgoten 〈zn.mv.〉 **0.1** *Visigoths.*

Westgotisch 〈bn.〉 **0.1** *Visigothic.*

westgrens 〈de〉 **0.1** *west(ern) border/frontier.*

West-Indië 〈het〉 **0.1** *(the) West Indies.*

Westindiëvaarder 〈de (m.)〉 〈gesch.〉 **0.1** [schip] *West Indiaman* **0.2** [persoon] *sailor/seaman on a West Indiaman.*

Westindisch 〈bn.〉 **0.1** *West Indian* ♦ **1.1** 〈gesch.〉 de ~e Compagnie *the (Dutch) West India Company.*

West-Irian 〈het〉 **0.1** *West Irian* ⇒*Irian Jaya.*

westkant 〈de (m.)〉 **0.1** *west side* ♦ **6.1** aan de ~ *on the west side;* **aan** de ~ v.d. stad 〈ook〉 *at the western edge of town.*

westkust 〈de〉 **0.1** *west coast* ⇒*western coast.*

westmoesson 〈de (m.)〉 **0.1** [regen] *southwest monsoon* **0.2** [regentijd] *(southwest/summer) monsoon (season).*

westnoordwest 〈bn., bw.〉 **0.1** *west-north-west* ♦ **3.1** de wind is ~ *the wind is west-north-west, there is a west-north-west wind.*

westnoordwestelijk 〈bn., bw.〉 **0.1** *west-north-west(erly).*

westnoordwesten 〈het〉 **0.1** *west-north-west.*

westpunt
I 〈de (m.)〉 **0.1** [punt aan de horizon] *west point;*
II 〈het〉 **0.1** [westelijke punt] *west(ern) tip/point/cape* 〈enz.〉.

Westromeins 〈bn.〉 **0.1** *Western (Roman)* ♦ **1.1** het ~e rijk *the W. (R.) Empire.*

westwaarts 〈bw.〉 **0.1** *westward(s), (to the) west* ⇒*westerly* ♦ **1.1** 〈scheep.〉 〈afgelegde〉 afstand ~ *westing* **3.1** ~ reizend *westbound, going/travelling west(ward(s)), westward bound* **6.1** ~ **van** *(to the) west of.*

westzijde 〈de〉 **0.1** *west side.*

westzuidwest 〈bn., bw.〉 **0.1** *west-south-west.*

westzuidwestelijk 〈bn., bw.〉 **0.1** *west-south-west(erly).*

westzuidwesten 〈het〉 **0.1** *west-south-west.*

wet 〈de〉 〈~sprw. 279,455,651〉 **0.1** [vastgestelde regel] 〈alg.〉 *law* ⇒ 〈bepaling, wet〉 *act,* 〈statuut〉 *statute,* 〈BE; wet; genummerd als deel van handelingen v.h. parlement〉 *chapter* **0.2** [stelsel van rechtsregels] *law* **0.3** [gezaghebbende gewoonte] *law* ⇒ 〈gevestigde gewoonte〉 *institution, rule* **0.4** [wet. wetmatigheid] *law* **0.5** 〈AZN〉 politie〉〈inf.〉 *(the) law* **0.6** 〈rel.〉 *law* ⇒*rule* ♦ **1.2** naar de letter/naar de geest van de ~ *according to the letter/spirit of the l.;* hij is een man van de ~ *he's a law-abiding man/citizen* **1.3** de ~ten der gastvrijheid/wellevendheid *the laws/rules of hospitality/courtesy;* de ~ten van de jungle *the l. of the jungle;* een ~ van Meden en Perzen *a l. of the Medes and Persians, a hard and fast rule, an ironclad rule;* moeders wil is ~ *mother knows best, mother's word is l.* **1.4** de ~ van Archimedes *Archimedes' principle;* de ~ v.d. grote getallen *the l. of averages;* 〈ec.〉 ~ van de afnemende meeropbrengst *l. of diminishing returns* **2.1** zijn eigen ~ten stellen *be a l. unto o.s./above the l.;* gegrosseerde

~ten *statute-roll;* ongeldige ~ten *bad laws;* een ongeschreven ~ *an unwritten rule;* organieke ~ *organic l.;* procedurele ~ten *adjective laws;* publiekrechtelijke ~ *public act/bill* **2.2** volgens de Engelse ~ *under English l.;* geschreven ~ *statute l.;* de Mozaïsche ~ *Mosaic(al) l., Law of Moses* **2.3** een ijzeren ~ *an iron l./rule* **2.6** de joodse/mohammedaanse ~ *Jewish/Hebrew l., Islamic l.* **3.1** een ~ aannemen/goedkeuren *carry/pass/adopt/enact a l.;* de ~ ruim interpreteren *strain/stretch the l.;* een ~ invoeren/afkondigen/uitvaardigen *enact/promulgate/constitute a l.;* zoals de ~ nu nog luidt *as the l. now stands;* het parlement maakt de ~ten *Parliament makes laws/legislates;* de ~ naleven/schenden/overtreden/ontduiken *abide by/violate/break/circumvent the l.;* de ~ staat het niet toe *the l. doesn't allow it;* de ~ toepassen *enforce/administer/apply the l.;* het gerecht moet de ~ten uitvoeren *the court has to execute/carry out the laws;* een ontwerp dat ~ moet worden *a bill which has to pass into/become l./reach the Statute Book/go through;* de ~ zegt dat ... *it is the l. that ...* **3.2** ~ is ~ *the l. is the l.;* ieder wordt geacht de ~ te kennen *every person is supposed to know the l.* **3.3** iem. de ~ stellen/voorschrijven *lay down the l. to s.o., dictate to s.o.* **6.1** conform de ~ *lawful, legal;* in overeenstemming **met** de ~ *in accordance with l.;* ~ **op** de vennootschappen *Companies Act;* **tot** ~ verheffen *enact a bill;* **volgens** de ~ is het niet toegelaten *this is not permissible by l.;* **volgens** de ~ is het een misdaad *it's a crime before the l., legally speaking it's a crime, it's a statutory crime;* **volgens** de ~ is hij verkiesbaar *he's statutorily/statutably eligible* **6.2** gehoorzaam **aan** de ~ *law-abiding;* zich **achter** de ~ verschuilen *hide behind/take refuge in the l.;* **bij** de ~ bepaald *regulated by l.;* **boven** de ~ staan *be above the l./a l. unto o.s.;* zich **buiten** de ~ stellen/plaatsen *put/place o.s. outside the l., outlaw o.s.;* **buiten** de ~ stellen/plaatsen *outlaw, proscribe;* **door** de ~ verboden *prohibited/forbidden by l.;* **ingevolge** de ~ *under/at/in l.;* in strijd **met** de ~ *unlawful, against the l.;* in strijd **met/strijdig met/tegen** de ~ *unlawful, illegal, lawless, against the l.;* **naar** ~ en recht *according to l. and justice;* **onder** de ~ brengen *legislate (for);* 〈bestaande wet〉 *bring within the scope/operation of the Act;* **voor** de ~ trouwen *marry at a registry office;* **voor** de ~ is iedereen gelijk *everybody is equal before/in the eyes of the l.* **¶.2** 〈fig.〉 de ~ met voeten treden *ride roughshod over the l..*

Wetb. 〈afk.〉 **0.1** [wetboek] 〈code〉.

wetboek 〈het〉 **0.1** [verzameling rechtsbepalingen] *code, statute book, lawbook* **0.2** [boek met rechtsbepalingen] *code* ♦ **1.1** Wetboek van Koophandel *commercial c.;* het ~ van Mohammed *the Law of Mohammed, the Koran;* het ~ van Mozes *the Law of Moses, the Torah;* Wetboek van Strafrecht *criminal/penal c.;* het ~ der wellevendheid/van mevrouw Etiquette *etiquette, c. of conduct* **2.1** Burgerlijk Wetboek *civil c..*

weten¹ 〈het〉 **0.1** *knowledge* ♦ **2.1** naar mijn beste ~ *to the best of my k./information/belief;* iets doen tegen beter ~ (in) *do sth. against one's better judgement* **6.1** buiten ~ van *unknown to, without the k. of;* **buiten/zonder** mijn ~ *without my k., unknown to me, without my knowing it;* **met** mijn ~ *with my k.;* **naar/bij** mijn (beste) ~ *to (the best of) my k., as far as I know/can tell.*

weten² 〈ov.ww.〉 〈~sprw. 281,310,315,361,409,575,642,655〉 **0.1** [kennis hebben van] *know* **0.2** [enig idee, vermoeden hebben] *know* ⇒*tell, understand* **0.3** [beseffen] *know* ⇒*realize* **0.4** 〈(+van)〉 neiging hebben] *know* **0.5** [erin slagen] *manage* **0.6** [de gevolgen ondervinden] *know* ⇒*experience, learn* ♦ **1.1** de hele buurt weet het *the entire neighbourhood knows, it's all over the neighbourhood;* dat weet zelfs een kind! *even an idiot/a fool knows that!* **2.1** zeker ~! *no buts about it!, absolutely!* **3.1** zij die het kunnen ~ zeggen ... *the well-informed/knowledgeable/those who ought to k./people on the inside say ...;* ik zal het u laten ~ *I'll let you k.;* hij wil 〈graag〉 ~, dat hij communist is *he makes no secret/is up front about being a communist;* iets niet willen ~ *not want to k. sth., ignore sth.;* niets van iem. willen ~ *not want to k. about s.o.;* ik zou wel eens willen ~ waarom hij dat zei *I wonder/I'd like to k./find out why he said that;* ik zal het toch wel ~, zeker! *I really ought to k.!;* je zou eens moeten ~ ..., als je eens wist ...*if only you knew* **3.3** ik had het kunnen ~ *I might have known* **3.5** zij weet met iedereen om te gaan *she has a way with everyone;* ~ te ontkomen *m. to escape;* niets ~ te zeggen *be hard up/lost for words;* zich ~ te redden *cope, manage;* niets te zeggen ~ *be hard up/lost for words* **3.6** dan moet je het zelf maar ~ *suit yourself, it's up to you;* 〈sl.〉 *it's your (own) funeral* **3.¶** hij is intelligenter dan hij wil ~ *he's more intelligent than he cares to admit* **4.1** daar weet ik alles van *I k. all about it, I've been there;* alles van iedereen ~, ~ wie/wat iedereen is *k. who's who/what's what;* iedereen weet dat *everybody knows that;* met haar weet je het nooit *you never k./can tell with her;* ik weet het! *I've got it!;* weet je het al, hij is failliet *have you heard it/the news, he's gone bankrupt;* ik ga hier weg; nu weet je het! *I'm leaving this place; and that's flat!/so there (is an end of it)!/all there is to it;* doe maar niet alsof je er niets vanaf weet *don't pretend you k. nothing about it;* hij wou er niets van ~ *he didn't want to k., he wouldn't hear of it, he would have none of/nothing to do with it;* nu weet ik het *I'm no wiser than I was (before)!;* ik weet wat ..., weet je wat ... *I k. what, you k. what;* je weet wie het zegt *look who's talking, you can take that with* *a pinch of salt;* wie weet *who knows;* je moet het zelf (maar) ~ *it's up to you, it's your decision* **4.2** hij weet (niet) wat hij wil *he doesn't k. his own mind* **4.3** voor je het weet, ben je er *you're there before you k. it;* ~ wat je doet *beware what you are about;* hij weet wel wat een goede fles wijn is! *he knows a good bottle of wine when he sees one!* **4.6** ze hebben het geweten *they found out (to their cost)* **4.**¶ die aerobics, die weet wat tegenwoordig *aerobics is really in these days* **5.1** wij hebben het altijd geweten *we always knew;* hij weet niet beter of het hoort zo *he doesn't k. any better;* je moest beter ~, je zou beter moeten ~ *you should k. better (than that), you should have known better;* ik weet niet beter dan dat hij morgen komt *as far as I k.* / *for all I can tell he's coming tomorrow;* het achteraf beter ~ (vnl. AE) *second-guess;* hij weet ervan *he's aware of it, he knows all about it, he's been informed;* ik weet het nog niet goed *I'm still in two minds* / *not sure;* je wist heel goed dat ... *you knew full* / *perfectly well that ...;* (iron.) dat zal jij niet ~ *as if you don't* / *didn't k., I couldn't say;* hij wist niet eens dat hij ziek was *I never even knew* / *didn't even k. he was ill;* ik weet het niet meer *I really have forgotten* / *can't remember;* hij heeft ik-weet-niet-hoeveel huizen *he owns I don't k. how many houses;* hij wist niet (goed) wat daarop te antwoorden *he was lost for an answer* / *at a loss to find an answer;* ~ waar men het over heeft *k. what one's talking about;* weet je wel, je weet wel *you k., you (absolutely) sure?, do you k. that for a fact?;* iets zeker ~ *be clear about* / *as to* / *on sth., be* / *feel positive* / *sure about;* voor zover ik weet *as far as I k.* / *can tell* **5.2** ik zou het niet ~ *I wouldn't k., I couldn't say;* hij wist niet hoe gauw hij weg moest komen *he couldn't get away fast enough;* als dat geen zwendel is *how many houses;* hij wist niet (goed) wat is; ik weet niet hoe dat uit te leggen is *I don't k. how to explain it;* ik zou niet ~ waarom (niet) *I don't see why (not);* ik weet nog zo net niet of ik kom *I don't k. if I'll come, I can't tell if I can come;* je weet nooit wat er morgen kan gebeuren *you never k. what may happen tomorrow;* niet ~ waar je blijven moet *not k. what to do with o.s.* / *where to put o.s.* **5.3** ik vermoeid? dat weet ik nog zo (zeker) niet! *me tired? I don't k.* / *I'm not so sure about that!;* hij wist niet meer wat hij deed *he didn't k. what he was doing, he lost his head;* ik wist niet wat ik daar zag! *I couldn't believe my eyes!* **5.**¶ zij weet het altijd beter *she always has to know better;* je weet wel beter *you know better (than that);* je weet ('t) maar nooit *you never know* / *can tell* **6.1** naar ik weet *to my knowledge;* ergens iets op ~ *have an answer to sth.;* te ~ *namely, that is to say;* iets te ~ komen *find out sth.;* uit goede bron ~ *have it from a good source, be reliably informed;* ik weet van niks, ik weet nergens van *I k. nothing about it;* iets van iem. ~ *k. things about s.o.;* niemand zou er iets van geweten hebben, als ... *nobody would have been any the wiser if ...;* ik wil niets meer van hem ~ *I'll have none of him* / *nothing to do with him* / *I have nothing to say to him;* wat weet jij nu van tuinieren? *much* / *a fat lot you k. about gardening* **6.3** zonder dat iem. het wist, had hij ... *unknown to anyone* / *without anybody being the wiser, he had ...* **6.4** van geen wijken (willen) ~ *stick to one's guns, dig one's heels in, not give in* **6.6** hij had veel gedronken, maar wist er weinig van *he had had a lot to drink but wasn't any the worse (for it);* kinderen ~ van geen vermoeidheid *children k. no fatigue* **7.1** (iron.) ja, daar weet jij veel / heel wat van / jij weet het! *much* / *a fat lot you k. about it* **8.1** niet dat ik weet *not that I k.;* hij wil niet ~ dat hij ziek is *he won't admit to being ill* **8.2** als je maar weet dat ... *if only you realize that, once you k. that;* als je dat maar weet! *keep it in mind!* ¶**.1** weet je nog? *(do you) remember?;* (inf.) weet ik veel! *search me!, how should I k.?, ask me another one!;* (iron.) dan weet je het nu ook *so now you k.*.

wetend (bn., bw.; -ly) (schr.) **0.1** (ongemarkeerd) *knowing, aware* ♦ **5.1** niet ~ *unwitting, unconscious, unaware.*

wetens (bw.) ♦ **1.**¶ willens en ~ *wittingly, knowingly.*

wetenschap (de (v.)) **0.1** [kennis, regels] (niet exacte wetenschap) *learning;* (exacte wetenschap) *science;* (geleerdheid) *scholarship;* (letteren, filosofie) *(the) humanities,* (the) *(liberal) arts;* (tak van wetenschap) *discipline, branch of* (soms exact) *knowledge* / (meestal niet exact) *learning* **0.2** [beoefenaars] *science* **0.3** [kennis, de bekendheid met iets] *knowledge* ♦ **1.1** een man v.d. ~ *a man of science* **2.1** toegepaste / zuivere ~ *applied* / *pure science* **3.1** ~ beoefenen *practise science* **6.3** met die ~ ging zij ... *with that k. she went;* in de ~ dat ... *in the k. that.*

wetenschappelijk (bn., bw.) **0.1** [tot de wetenschap horend] (niet exact) *scholarly;* (exact) *scientific* **0.2** [volgens de wetenschap] *scholarly, learned;* (exact) *scientific* **0.3** [de wetenschap beoefenend] (niet exact) *scholarly, learned;* (exact) *scientific* ♦ **1.1** ~e kennis *learning;* het ~ onderwijs *university training* / *education;* voorbereidend ~ onderwijs *pre-university education;* ≠ᴮ *grammar school,* ᴬ *high school;* ~ rapport (ook) *observations, findings* **1.2** zuiver ~ onderzoek doen *do pure research* **1.3** een ~ onderzoeker *a researcher;* ~ personeel (universiteit) *faculty,* (hand.) *professional* / *graduate staff;* ~ tijdschrift *learned journal* / *periodical;* ~e verenigingen *scientific and learned societies.*

wetenschappelijkheid (de (v.)) **0.1** *scholarly* / *scientific character* / *nature.*
wetenschapper (de (m.)) → **wetenschapsmens.**

wetenschapsbeleid (het) **0.1** *research policy.*
wetenschapsfilosofie (de (v.)) **0.1** *philosophy of science.*
wetenschapsjournalist (de (m.)) **0.1** *scientific journalist.*
wetenschapsleer (de) **0.1** *epistemology.*
wetenschapsman (de (m.)) → **wetenschapsmens.**
wetenschapsmens (de (m.)) **0.1** [beoefenaar v.d. wetenschap] (niet exact) *scholar;* (exact) *scientist;* (academicus) *academic* **0.2** [iem. die voor de wetenschap leeft] *academic.*
wetenschapstheorie (de (v.)) → **wetenschapsleer.**
wetenschapswinkel (de (m.)) **0.1** *research exchange* / *information centre* ⇒ *science shop.*
wetenswaardig (bn.) **0.1** *interesting* ⇒ (leerzaam) *informative* ♦ **7.1** er staat veel ~s in dat rapport *that report is packed with* / *contains a wealth* / *store of information.*
wetenswaardigheid (de (v.)) **0.1** *piece of information* ♦ **1.1** het boek bevat een massa wetenswaardigheden *the book contains a great fund* / *is a mine of information.*
wetering (de (v.)) **0.1** *watercourse* ⇒ ᴮ*leat.*
wetgeefster (de (v.)) **0.1** *legislatress, legislatrix.*
wetgeleerde (de (m.)) **0.1** [schriftgeleerde] *biblical scholar* ⇒ *Biblicist, Biblist* **0.2** [jurist] *jurist* ⇒ *lawyer.*
wetgevend (bn.) **0.1** *legislative* ⇒ *legislatorial, constitutive* ♦ **1.1** ~e arbeid *legislative work;* het ~ lichaam *the legislative body;* de ~e macht *the legislature, legislative power;* de ~e vergadering *the legislative assembly.*
wetgever (de (m.)) **0.1** *legislator* ⇒ *lawgiver, lawmaker, codifier.*
wetgeving (de (v.)) **0.1** [de bestaande wetten] *legislation* **0.2** [het geven, maken van wetten] *legislation* ⇒ *lawmaking* ♦ **3.1** ~ creëren / maken *legislate.*
wethouder (de (m.)) **0.1** *alderman* ⇒ (AE vnl.) *councilman* (m.) / *woman* (v.) ♦ **1.1** de ~ van volkshuisvesting *the a. for housing.*
wethouderschap (het) **0.1** [functie] *aldermanship, aldermanry* **0.2** [tijd] *aldermanship, aldermanry.*
wetmatig (bn., bw.; -(al)ly) **0.1** *systematic* ⇒ *regular.*
wetmatigheid (de (v.)) **0.1** [het wetmatig zijn] *order, regularity* **0.2** [verschijnsel] *law, pattern* ♦ **2.2** historische wetmatigheden *historical patterns.*
wetplank (de) **0.1** *knifeboard.*
wetsartikel (het) **0.1** *section of a* / *the law.*
wetsbepaling (de (v.)) **0.1** *statutory* / *legal provision* ⇒ *provision of the law.*
wetsbesluit (het) **0.1** *statutory order.*
wetsdelict (het) **0.1** *crime* ⇒ *criminal offence* ᴬ*se.*
wetsdienaar (de (m.)) (AZN) **0.1** *police officer.*
wetsduiding (de (v.)) **0.1** *legal definition.*
wetsgeneesheer (de (m.)) (AZN) **0.1** *police physician.*
wetsherziening (de (v.)) **0.1** *revision of a* / *the law.*
wetsinterpretatie (de (v.)) → **wetsuitlegging.**
wetskennis (de (v.)) **0.1** *legal knowledge* ⇒ *knowledge of* / *familiarity with the law.*
wetsontduiking (de (v.)) **0.1** *evasion of the law.*
wetsontwerp (het) **0.1** *bill* ⇒ *enactment, enaction* ♦ **2.1** uitgesteld ~ *deferred* / *postponed b., remanet* **3.1** een ~ aannemen / goedkeuren *pass* / *adopt* / *vote a b.;* ~ indienen bij het parlement *introduce* / *promote* / *bring in* / *put forward a b. in Parliament;* ~ intrekken / terugnemen *withdraw* / *abandon a b.;* een ~ erdoor jagen *rush* / *race a b. through;* (AE) *railroad a b. through;* een ~ verwerpen *reject* / *throw out a b..*
wetsovertreder (de (m.)) **0.1** *lawbreaker, offender* ⇒ (misdadiger) *wrongdoer, criminal.*
wetsovertreding (de (v.)) **0.1** [het overtreden van de wet] *breach* / *violation* / *infringement* / *infraction* / *transgression of a* / *the law* **0.2** [specifieke handeling] *(penal) offence* ♦ **3.2** een ~ begaan *commit a penal offence, break the law.*
wetsrol (de) **0.1** (vnl. mv.) *scroll of the law.*
wetsschennis (de (v.)) **0.1** *(penal) offence* ♦ **3.1** ~ plegen *break* / *violate* / *infringe* / *contravene the law.*
wetstaal
I (het) **0.1** [aanzetstaal] *steel;*
II (de) **0.1** [terminologie] *legalese, legal language* ⇒ (pej.) *legal jargon.*
wetsteen (de (m.)) **0.1** *whetstone* ⇒ (oliesteen) *hone,* (voor zeis) *strickle* ♦ **1.1** (fig.) de nood is de ~ van 't verstand *necessity is the mother of invention.*
wetstekst → **wettekst.**
wetsuitlegging (de (v.)) **0.1** *interpretation of a* / *the law* ⇒ *legal interpretation.*
wetsverkrachting (de (v.)) **0.1** *flouting of* / *flagrant disregard for the law.*
wetsvoorstel → **wetsontwerp.**
wetswijziging (de (v.)) **0.1** [het wijzigen van de wet] *amendment of a* / *the law* **0.2** [verandering in een wet] *amendment* ♦ **3.1** een ~ invoeren *amend the law, make a statutory change* **6.1** voorstel tot ~ *proposed amendment.*

wetswinkel ⟨de (m.)⟩ **0.1** ᴮ*law centre,* ^*legal aid center.*

wettekst ⟨de (m.)⟩ **0.1** *text of a law.*

wettelijk ⟨bn., bw.; -ly⟩ **0.1** [tot de wet behorend] *legal* ⇒*statutory* **0.2** [overeenkomstig de wet] *legal* ⇒*legislative,* ⟨wettelijk vastgelegd⟩ *statutory* ♦ **1.1** ~e belemmering *l. impediment, statutory bar;* dat is een ~ voorschrift *that's a statutory regulation* **1.2** ~e aansprakelijkheid *(legal) liability;* ~e aansprakelijkheidsverzekering *third party insurance;* ~e betekenis *intendment;* ~e hypotheek *tacit/implied mortgage;* ~e mijl *statute mile;* ~e termijn *period allowed/required by law, statutory period;* ⟨verz.⟩ ~ verlies *constructive total loss* **2.2** ~ aansprakelijk *(legally) liable* **3.2** ~ bekrachtigen *legalize;* ~ bevoegd tot iets *legally authorized to do sth.;* ~ erkend *legal,* ~ gezien ... *legally speaking, from a legal point of view ...;* ~ handelen *act according to/within the law;* ~ toegestaan *legal;* ~ vermoeden *presumption of law;* ~ verplicht tot iets *legally liable to sth.;* dat is ~ voorgeschreven *that is statutory, that is laid down by law;* ~ voorgeschreven leeftijd ᴮ*legal/*^*lawful age.*

wettelijkheid ⟨de (v.)⟩ **0.1** *legality* ⇒*lawfulness.*

wetteloos ⟨bn., bw.; -ly⟩ **0.1** *lawless* ⇒*disorderly.*

wetteloosheid ⟨de (v.)⟩ **0.1** *lawlessness.*

wetten ⟨ov.ww.⟩ **0.1** *whet* ⇒*hone, sharpen,* ⟨van scheermes⟩ *strop* ♦ **1.1** het verstand ~ *sharpen the mind.*

wettig ⟨bn., bw.; -ly⟩ **0.1** *legal* ⇒*lawful,* ⟨erkend, rechtmatig⟩ *legitimate,* ⟨jur.; rechtsgeldig⟩ *valid* ♦ **1.1** ~e bouwvergunning *authenticated building permit;* ~ depot *copyright library;* de ~e eigenaar *the lawful/rightful owner;* de ~e erfgenamen *the legal heirs;* de ~e macht *the authorities;* met alle ~e middelen *by all lawful means;* een ~ vonnis *a legal sentence;* ~e woon/verblijfplaats ⟨jur.⟩ *domicile* **2.1** ~ afwezig *legitimately absent* **3.1** ~ getrouwd/gescheiden zijn *lawfully wedded/divorced;* ~ maken/verklaren *legalize.*

wettigen ⟨ov.ww.⟩ **0.1** [wettig maken] *legalize;* ⟨van kind ook⟩ *legitimate* **0.2** [rechtvaardigen] *warrant* ⇒*justify* ♦ **1.1** een akte ~ *legalize an instrument* **1.2** dat is door het gebruik gewettigd *it is sanctioned by usage;* dat wettigt de veronderstelling dat ... *it justifies the presumption that ...* **3.2** laten ~ *propound.*

wettigheid ⟨de (v.)⟩ **0.1** *legality, legitimacy* ♦ **1.1** de ~ v.e. akte betwisten *challenge the authenticity of an instrument.*

wettiging ⟨de (v.)⟩ **0.1** ⟨van kind ook⟩ *legitimation, legitimization* ⇒*legalization.*

wettisch ⟨bn.⟩ **0.1** *legalistic* ⇒⟨*strictly/rigidly*⟩ *law-abiding.*

WEU ⟨de (v.)⟩ ⟨afk.⟩ **0.1** [Westeuropese Unie] *WEU.*

weven I ⟨onov., ov.ww.⟩ **0.1** [weefsel vervaardigen] *weave* **0.2** [⟨fig.⟩] *weave* ♦ **1.2** een legende om iem. heen ~ *w. a legend around s.o.* **5.1** fijn geweven stoffen *finely-woven fabrics* **6.1** door elkaar ~ *interweave;* II ⟨onov.ww.⟩ **0.1** [⟨verkeer⟩] *weave.*

wever ⟨de (m.)⟩, **weefster** ⟨de (v.)⟩ **0.1** *weaver.*

weverij ⟨de (v.)⟩ **0.1** [het weven] *weaving* **0.2** [werkplaats, fabriek] *weaving mill.*

weversboom ⟨de (m.)⟩ **0.1** *(weaver's) beam.*

weversknoop ⟨de (m.)⟩ **0.1** *sheet bend* ⇒*weaver's knot/hitch.*

weversspoel ⟨de⟩ **0.1** *shuttle.*

wezel ⟨de⟩ **0.1** *weasel* ♦ **2.1** grote ~ *stoat* **8.1** zo bang als een ~ *as timid as a hare.*

wezelbont ⟨het⟩ **0.1** *ermine.*

wezen¹ ⟨het⟩ **0.1** [schepsel] *being, creature* ⇒*animal, mortal, thing* **0.2** [essentie] *being* ⇒*nature,* ⟨core, ⟨substantie⟩ *essence, substance* **0.3** [⟨in samenst.⟩] *system* ♦ **1.2** dat doet niets af aan het ~ van de zaak *that doesn't alter the substance/nature of the matter* **1.3** krijgswezen, muntwezen *military s., monetary/currency s.* **2.1** geen levend ~ te bespeuren *not a living soul/thing in sight;* levende ~s *living beings/creatures;* een nietig ~tje *a minim;* de mens is een redelijk ~ *man is a rational animal* **2.2** haar hele ~ kwam ertegen in opstand *her whole soul rose against it* **6.2** in ~ is zij een goed mens *essentially/basically/fundamentally she is a good person, she is a good person at heart/at bottom/under the skin,* ᴮshe has the root of the matter in her; in ~ is dat een vorm van belasting *it's really/essentially/basically/*⟨bijna⟩ *virtually a kind of tax.*

wezen² ⟨inf.⟩ I ⟨onov.ww.⟩ **0.1** [zijn] *be* **0.2** [gaan] *be* ⇒*go* ♦ **2.1** dat zal wel waar ~! *I bet!* **3.1** hij mag er ~ ⟨knap⟩ *he's not at all/half bad,* ᴮ*he's a bit of all right;* ⟨groot⟩ *he's a capable man;* een studie die er ~ mag *a creditable study;* ik mag hier niet ~ *I'm not allowed/supposed to be here;* een diner dat er ~ mocht *a substantial dinner* **3.2** wij zijn daar ~ kijken *we've been/we went over there to have a look;* ik ben eens ~ luisteren *I had a listen/went over to listen* **5.2** weg ~! *be off!, off with you!, get out!;* II ⟨kww.⟩ **0.1** [⟨inf.⟩ zijn] *be* ♦ **3.1** laten we wel ~ *(let's) be fair/honest (now).*

wezenlijk I ⟨bn., bw.; -ly⟩ **0.1** [essentieel] *essential* ⇒⟨belangrijk⟩ *substantial,* ⟨fundamenteel⟩ *radical* **0.2** [werkelijk (bestaand)] *real* ⇒*actual* ♦ **1.1** van ~ belang *e., of the essence, of vital importance;* een ~ onder-

deel uitmaken van *be an e. / integral/elemental part of,* be e. / integral to, *be part and parcel of;* een ~ verschil *a substantial difference* **1.2** een ~e God *a r. God;* ~e verbetering *positive change for the better* **3.1** het verschilt ~ van *it differs materially from;* II ⟨bw.⟩ **0.1** [inderdaad] *really* ⇒*actually.*

wezenlijkheid ⟨de (v.)⟩ **0.1** *reality, actuality* ⇒⟨essentie⟩ *essentiality, substantiality.*

wezenloos ⟨bn., bw.; -ly⟩ **0.1** [suf] *vacant* ⇒*expressionless, blank* **0.2** [niet werkelijk] *unsubstantial* ⇒*immaterial* ♦ **1.1** een wezenloze blik *a vacuous/blank/expressionless/glassy look* **3.1** ⟨inf.⟩ doe niet zo ~ *don't be/act so silly,* ᴮ*daft, don't act like such a dope;* ~ kijken *stare vacantly/blankly/with unseeing eyes/with glazed eyes;* ⟨inf.⟩ zich ~ schrijven/tellen *write/count o.s. silly/stupid/into a stupor;* ⟨inf.⟩ zich ~ schrikken *be scared out of one's wits/silly, be frightened to death;* ⟨inf.; fig.⟩ ~ zijn van iets *be mad/crazy about sth..*

wezenloosheid ⟨de (v.)⟩ **0.1** *vacancy* ⇒*blankness, vacuity.*

wezenrente ⟨de⟩ **0.1** *orphan's allowance.*

wezenstrek ⟨de (m.)⟩ **0.1** *essential characteristic* ⇒⟨quintessential⟩ *feature.*

wezensvreemd ⟨bn.⟩ **0.1** *alien* ⇒⟨niet typisch⟩ *unfamiliar* ♦ **1.1** zulke daden zijn mij ~ *such acts are wholly a. to me/foreign to my nature/out of character.*

w.g. ⟨afk.⟩ **0.1** [was getekend] *sgd.* **0.2** [weinig gebruikelijk] *obs..*

whirlpool ⟨de (m.)⟩ **0.1** *whirlpool* ⇒⟨AE ook⟩ *jacuzzi.*

whisky ⟨de (m.)⟩ **0.1** *whisky;* ⟨AE, IE⟩ *whiskey* ⇒⟨roggewhisky⟩ *rye,* ⟨maïswhisky⟩ *corn (whiskey), bourbon* ♦ **2.1** Amerikaanse/Schotse/Ierse ~ *bourbon/Scotch (w.)/Irish (w.)* **5.1** ~ puur *a straight/neat/stiff w., a shot of w..*

whisky-soda ⟨de⟩ **0.1** *whisky/*⟨AE/IE⟩ *whiskey and soda* ⇒*Scotch and soda.*

whist ⟨kaartspel⟩ I ⟨het⟩ **0.1** [spel] *whist;* II ⟨de (m.)⟩ **0.1** [partner] *whist partner.*

whisten ⟨onov.ww.⟩ **0.1** *play (at) whist.*

w.i. ⟨afk.⟩ **0.1** [werktuigkundig ingenieur] *M.E..*

W.I. ⟨afk.⟩ **0.1** [West Indië] *W.I..*

wichelaar ⟨de (m.)⟩, **-ster** ⟨de (v.)⟩ **0.1** *diviner* ⇒*augur, soothsayer,* ⟨sterren⟩ *astrologer.*

wichelarij ⟨de (v.)⟩ **0.1** [het voorspellen] *divination* ⇒*augury, soothsaying,* ⟨sterren⟩ *astrology* **0.2** [wat voorspeld is] *divination* ⇒*augury,* ⟨sterren⟩ *forecast.*

wichelen ⟨onov.ww.⟩ **0.1** *divine* ⇒*augur, soothsay,* ⟨sterren⟩ *practice astrology.*

wichelroede ⟨de⟩ **0.1** *divining/dowsing rod* ⇒*dowser, twig,* ^*doodlebug* ♦ **1.1** gebruik v.d. ~ *rhabdomancy* **6.1** met de ~ lopen *work the twig, dowse.*

wichelroedeloper ⟨de (m.)⟩, **-loopster** ⟨de (v.)⟩ **0.1** *dowser* ⇒*diviner, rhabdomancer,* ^*doodlebugger.*

wichelstok ⟨de (m.)⟩ **0.1** →*wichelroede.*

wicht ⟨het⟩ **0.1** [klein kind] *child* ⇒⟨dreumes⟩ *toddler, mite* **0.2** [⟨pej⟩ meisje] *wench* ⇒⟨BE; sl.⟩ *bint* ♦ **2.1** een lief ~ je *a sweet little c./toddler/tot;* een onnozel ~ *a silly c.* **3.2** wat verbeeldt dat ~ zich wel *who does that hussy think she is?.*

wie (→sprw. 53, 314, 355) I ⟨vr.vnw.⟩ **0.1** [⟨vragend⟩ *who* ⇒⟨voorwerp; schr.⟩ *whom,* ⟨wiens⟩ *whose,* ⟨bij keuze uit twee of meer⟩ *which* ♦ **1.1** ~ zijn boek is dit?, van ~ is dit boek? *whose book is this?,* ⟨schr.⟩ *whose book does this book belong to?, who's this book from?* **3.1** ~ denk je dat ik gezien heb? *who do you think I saw?;* ~ heb je gezien? *who(m) have you seen?;* ~ kan ik zeggen dat er is? *what name, please?, what name shall I say?, who shall I say is calling?* **6.1** bij ~ ben je geweest? *who(m) have you been with?;* met ~ ~ (spreek ik)? *who is this/that?, who(m) am I talking to?, who's calling, please?;* ~ van jullie? *which of you?;* II ⟨betr.vnw.⟩ **0.1** [⟨met antecedent⟩ *who* ⇒⟨voorwerp; schr.⟩ *whom,* ⟨wiens⟩ *whose* **0.2** [⟨zonder antecedent⟩] *who* ♦ **1.1** de man ~ns dood door ieder betreurd wordt *the man whose death is generally mourned;* het meisje ⟨aan⟩ ~ ik het boek gaf *the girl to whom I gave the book* ¶.2 ~ niet akkoord gaat ... *anyone/*⟨schr.⟩ *he who disagrees ...;* III ⟨onb.vnw.⟩ **0.1** [welke persoon dan ook] *whoever;* ⟨met antecedent⟩ *whomever* ♦ **4.1** al ~ *all those who, who(so)ever* **5.1** ~ anders dan Jan? *who (else) but John?;* om het even ~, ~ dan ook *anybody, anyone, who(so)ever* **6.1** van ~ dit boek ook is ... *whosever book this is ...* ¶.1 ~ er ook komt, zeg maar dat ik niet thuis ben *whoever comes, tell them I'm out.*

wiebelen ⟨onov.ww.⟩ **0.1** [onvast staan] *wobble* ⇒*wiggle,* ⟨wankelen⟩ *falter, totter,* ⟨wiebelend lopen⟩ *waggle* **0.2** [schommelen, wippen] *rock* ⇒*wobble, wiggle, wag* ♦ **3.2** doen ~ *wiggle, rock;* ze zat te ~ op haar stoel *she was wiggling/fidgeting about on her chair* **6.2** met het hoofd ~ *wag one's head, niddle-noodle.*

wiebeltaks ⟨de⟩ **0.1** *variable-rate tax(ation).*

wieden ⟨onov., ov.ww.⟩ (→sprw. 573) **0.1** *weed* ♦ **1.1** onkruid ~ *w., spud out/up weeds.*

wieder ⟨de (m.)⟩, **-ster** ⟨de (v.)⟩ **0.1** *weeder.*

wiedes ⟨bn.⟩ ⟨inf.⟩ ◆ **5.¶** dat is nogal ~ *don't I know it, I should think so, that goes without saying, why of course, it stands to reason (doesn't it?).*

wiedeweerga ⟨de⟩ ◆ **8.¶** als de ~ *like greased lightning, tickety-split, quick as a flash / whistle, in a flash, like a lamplighter / dose of salts;* ⟨bevel⟩ *on the double.*

wiedvorkje ⟨het⟩ **0.1** *weeder.*

wieg ⟨de⟩ ⟨→sprw. 300⟩ **0.1** [ledikantje voor baby's] *cradle* ⇒[B]*cot,* [A]*crib* **0.2** [bakermat] *cradle* ⇒*birthplace, home* ◆ **1.2** Griekenland, de ~ van kunst en wetenschap *Greece, the c. / birthplace of art and science* **3.1** de plek waar eens mijn ~ stond *the place where my cradle once stood;* ⟨bij uitbreiding⟩ *my native soil* **6.1** ⟨fig.⟩ iets in de ~ smoren *nip sth. in the bud, stifle sth. at birth;* ⟨fig.⟩ in de ~ gelegd zijn voor ... *be cut out / shaped for, be born / fitted by nature to, be to the manner born;* ⟨fig.⟩ hij is niet in de ~ gesmoord *he has lived to a ripe old age;* een baby in de ~ leggen / stoppen *cradle a baby;* van de ~ tot het graf verzorgd *looked after from the cradle to the grave* ⟨inf.⟩ *from womb to tomb.*

wiegedood ⟨de⟩ **0.1** [B]*cot /* [A]*crib death* ⇒⟨med.⟩ *sudden infant death syndrome.*

wiegedruk ⟨de (m.)⟩ **0.1** *incunabulum, incunable* ⇒*cradle book.*

wiegekind ⟨het⟩ **0.1** *infant / baby (still) in the cradle.*

wiegelen ⟨onov.ww.⟩ **0.1** *rock (to and fro)* ⇒*sway, wobble* ◆ **1.1** het bootje wiegelde op het water *the boat bobbed up and down on the water* **3.1** doen ~ *wiggle, jiggle, rock* **5.1** het koren wiegelde heen en weer *the* [B]*corn /* [A]*wheat rippled / swayed to and fro.*

wiegelgang ⟨de (m.)⟩ **0.1** *waddle.*

wiegelied ⟨het⟩ **0.1** *lullaby* ⇒*cradlesong,* ⟨muziekstuk⟩ *berceuse.*

wiegeling ⟨de (v.)⟩ **0.1** *wag(ging), rocking* ⇒⟨inf.⟩ *wiggle, (wiggle-)waggle.*

wiegen
 I ⟨ov.ww.⟩ **0.1** [(als) in een wieg heen en weer bewegen] *rock (to and fro)* ⇒*cradle,* ⟨in slaap wiegen⟩ *lull* ◆ **1.1** men kan een kind ook te veel ~ ⟨fig.⟩ *a child can be smothered by kindness / spoiled rotten;* een schip ~ *rock a boat;*
 II ⟨onov.ww.⟩ **0.1** [schommelen] *rock* ⇒*sway* ◆ **3.1** doen ~ *sway, rock* **5.1** in zijn stoel heen en weer ~ *r. backwards and forwards in one's seat.*

wiegetouw ⟨het⟩ **0.1** *cradle cord.*

wiek ⟨de⟩ **0.1** [molenwiek] *sail, vane* ⇒*wing, sweep* **0.2** [vleugel] *wing* ⇒⟨schr.⟩ *pennon, pinion* **0.3** [lampepit] *wick* **0.4** [watje] *tent* ◆ **2.2** ⟨fig.⟩ op eigen ~en drijven *shift / fend for o.s., stand on one's own (two) legs* **3.2** iemands ~en korten *clip s.o.'s wings* **6.2** ⟨fig.⟩ in zijn ~ geschoten zijn ⟨beledigd⟩ *be offended / affronted / in a huff;* ⟨gekwetst⟩ *be crestfallen / dejected, hang one's head;* de vogel klapt met zijn ~en *the bird flaps its wings;* de ganzen gaan gauw op de ~en *geese scare easily / take flight at almost anything;* ⟨inf.⟩ van (de) ~ gaan *scuttle / beetle / buzz off, take flight / wing.*

wiekgeklap ⟨het⟩ ⟨schr.⟩ **0.1** ⟨ongemarkeerd⟩ *flapping of wings.*

wiekslag ⟨de (m.)⟩ **0.1** *wing-beat / -stroke.*

wiel ⟨het⟩ **0.1** [rad] *wheel* **0.2** [mbt. voertuig] *wheel* **0.3** [kolk] *pool* ⇒⟨draaiend⟩ *eddy, swirl* ◆ **3.1** ⟨fig.⟩ het ~ weer uitvinden *re-invent the w.* **3.2** dit ~ loopt scheef *this w. is out of true* **6.1** aan een ~ draaien *turn a w.;* ⟨sport⟩ iem. uit de ~en rijden *drop s.o.* **6.2** door de ~en zakken *sink to the ground;* ⟨luchtv.⟩ *make a pancake landing, pancake;* iem. in de ~en rijden ⟨fig.⟩ *put a crimp in s.o.'s style, queer a pitch for s.o., fix s.o.'s wagon /* ⟨BE ook⟩ *waggon, be at cross-purposes;* **onder** de ~en komen / raken *get run over;* een wagen op vier ~en a *four-wheel(ed) wagon /* ⟨BE ook⟩ *waggon, a four-wheeler;* altijd **tussen** de ~en zitten *always be on the move / go, move about / around a lot, live out of a suitcase.*

wielas ⟨de⟩ **0.1** *axle (tree).*

wielband ⟨de (m.)⟩ **0.1** [B]*tyre,* [A]*tire.*

wielbasis ⟨de (v.)⟩ **0.1** *wheelbase.*

wielblok ⟨het⟩ **0.1** *chock.*

wieldop ⟨de (m.)⟩ **0.1** *hubcap.*

wieldruk ⟨de (m.)⟩ **0.1** *wheel load.*

wielen ⟨onov.ww.⟩ **0.1** *wheel* ⇒*turn,* ⟨kolken⟩ *eddy, swirl, whirl.*

wielerbaan ⟨de (v.)⟩ **0.1** *bicycle / cycling track* ⇒*velodrome.*

wielerclub ⟨de⟩ **0.1** *cycling club.*

wielerkampioen ⟨de (m.)⟩, **-e** ⟨de (v.)⟩ **0.1** *(bi)cycling champion.*

wielerkoers →*wielerwedstrijd.*

wielerploeg ⟨de⟩ **0.1** *(bi)cycling team.*

wielersport ⟨de (v.)⟩ **0.1** *(bi)cycling.*

wielerstal ⟨de (m.)⟩ **0.1** *trade team.*

wielertoerisme ⟨het⟩ **0.1** *(bi)cycle touring.*

wielertoerist ⟨de (m.)⟩ **0.1** *cyclist* ⇒*person on a bicycle- / cycling-trip* ◆ **3.1** er komen hier veel ~en *we get plenty of cyclists here, people on bicycle- / cycling-trips come here a lot.*

wielervedette ⟨de⟩ **0.1** *cycling star / ace.*

wielerwedstrijd ⟨de (m.)⟩ **0.1** *(bi)cycle race.*

wielewaal ⟨de (m.)⟩ **0.1** *(golden) oriole* ⇒*loriot.*

---

wieling ⟨de (v.)⟩ **0.1** *eddy* ⇒*swirl,* ⟨grote draaikolk⟩ *whirlpool, maelstrom.*

wielkast ⟨de⟩ **0.1** *wheel housing,* [A]*wheelhouse.*

wielklem ⟨de⟩ **0.1** [parkeerklem] *wheel clamp* **0.2** [om een fiets te parkeren] *bicycle rack* **0.3** [waarmee een auto wordt vastgezet tijdens vervoer] *wheel clamp.*

wiellader ⟨de (m.)⟩ **0.1** *shovel (loader).*

wielophanging ⟨de (v.)⟩ ⟨tech.⟩ **0.1** *(wheel) suspension.*

wielrennen ⟨ww.⟩ **0.1** *(bi)cycle racing.*

wielrenner ⟨de (m.)⟩, **-ster** ⟨de (v.)⟩ **0.1** *(racing) cyclist, bicyclist* ⇒*cycler.*

wielrijden ⟨ww.⟩ ⟨schr.⟩ **0.1** ⟨ongemarkeerd⟩ *(bi)cycling.*

wielrijder ⟨de (m.)⟩, **-ster** ⟨de (v.)⟩ ⟨schr.⟩ **0.1** ⟨ongemarkeerd⟩ *(bi)cyclist* ⇒*cycler,* ⟨m. ook⟩ *wheelman.*

wielstel ⟨het⟩ **0.1** *set / pair of wheels* ⇒*wheel set.*

wieltje ⟨het⟩ **0.1** [klein wiel] *(little / tiny / small) wheel* ⇒⟨rolwieltje⟩ *truckle,* ⟨zwenkwieltje⟩ *caster, castor* **0.2** [paddestoeltje] *fairy-ring mushroom* ◆ **3.1** ⟨sport⟩ ~s plakken / zuigen *sit in, shelter* **6.1** dat loopt op ~s *that's running smoothly / like clockwork.*

wieltrekker ⟨de (m.)⟩ **0.1** *tractor.*

wielvlucht ⟨de⟩ **0.1** *camber.*

wielvormig ⟨bn.⟩ **0.1** *wheel-shaped* ⇒*trochal,* ⟨plantk.⟩ *trochlear.*

wielwerk ⟨het⟩ **0.1** *wheelwork* ⇒⟨van klok⟩ *clockwork.*

wiep ⟨de⟩ **0.1** *bundle of brushwood / fascines / faggots.*

wier ⟨het⟩ **0.1** [algen] *alga* **0.2** [zeegras] *seaweed.*

wierde ⟨de⟩ **0.1** *terp* ⇒*(artificial) mound.*

wieroken ⟨onov.ww.⟩ **0.1** *burn incense.*

wierook ⟨de (m.)⟩ **0.1** [harsachtige stof] *incense* ⇒*frankincense, (gum) thus* **0.2** [rook] *incense* ◆ **3.1** het branden van ~ *the burning of i.;* ⟨rel.⟩ *censing, thurification;* ~ branden / stoken *burn i., incense* **3.2** ⟨fig.⟩ iem. ~ toezwaaien *praise s.o. to the skies, extol s.o. ('s virtues).*

wierookboom ⟨de (m.)⟩ **0.1** *incense tree.*

wierookbrander ⟨de (m.)⟩ **0.1** *incense burner.*

wierookdrager ⟨de (m.)⟩, **-draagster** ⟨de (v.)⟩ **0.1** *thurifer.*

wierookgeur ⟨de (m.)⟩ **0.1** *(smell / scent of) incense.*

wierooklucht →*wierookgeur.*

wierookpapier ⟨het⟩ **0.1** *incense paper.*

wierookstokje ⟨het⟩ **0.1** *joss stick.*

wierookvat ⟨het⟩ **0.1** *censer, thurible* ⇒*incensory.*

wiet ⟨de (m.)⟩ **0.1** *weed, grass.*

wieuwen ⟨onov.ww.⟩ **0.1** *me(o)w.*

wig ⟨de⟩ **0.1** *wedge* ⇒⟨pin, spie⟩ *key, peg, quoin, cleat* ◆ **3.1** een ~ drijven tussen *drive a w. between* **6.1** een deur met een ~ vastzetten *push a w. under / wedge a door;* de wielen **met** een ~ vastzetten *put a w. / chock / trig / scotch under the wheels.*

wiggebeen ⟨het⟩ **0.1** *sphenoid (bone).*

wiggebeensholte ⟨de (v.)⟩ **0.1** *sphenoidal sinus.*

wigstaart ⟨de (m.)⟩ **0.1** *common scoter.*

wigvormig ⟨bn.⟩ **0.1** *wedge-shaped, cuneiform* ◆ **1.1** ⟨plantk.⟩ ~e bladeren *cuneate leaves;* ⟨biol.⟩ ~e botjes *cuneiform bones, sphenoid bones.*

wigwam ⟨de (m.)⟩ **0.1** *wigwam* ⇒⟨van rijshout, gras enz.⟩ *wi(c)ki up.*

wij ⟨pers.vnw.⟩ **0.1** ⟨[1e pers. mv.)⟩ *we* **0.2** ⟨[ipv. 1e pers. enk.)⟩ *we* **0.3** [als majesteitsmeervoud] *we* ◆ **1.1** ~ mannen / vrouwen *we men / women;* ~ mensen *we mortals, we as human beings;* ~ Nederlanders *we Dutch* **1.3** ~, Beatrix, bij de gratie Gods ... *we, Beatrix, by the grace of God ...* **3.1** laten ~ bidden *let us pray* **5.1** (beter) dan ~ *(better) than we are /* ⟨inf.⟩ *than us* **7.1** ~ allen / allemaal *all of us, we all;* ~ tweeën / drieën *the two / three of us, we two / three* **8.1** mensen zoals ~ *people like us;* ⟨inf.⟩ the likes of us ¶**.1** ~ zijn verantwoordelijk, niet zij *(it is) we (who) are responsible, not they;* wie, ~? *who, us?.*

wijbisschop ⟨de (m.)⟩ **0.1** *suffragan (bishop).*

wijbrood ⟨het⟩ **0.1** *consecrated bread.*

wijd ⟨bn., bw.; -ly⟩ ⟨→sprw. 167⟩ **0.1** [breed] *wide* ⇒⟨van mond⟩ *agape* **0.2** [ruim] *wide, loose* ⇒⟨van kleren⟩ *loose-fitting, baggy,* ⟨fig.⟩ *roomy* **0.3** [groot van oppervlak] *wide, broad* **0.4** ⟨sport⟩ *wide* ◆ **1.1** een ~e blik *a broad view;* een ~e gang *a w. corridor / passage(way);* een fles met ~e hals *a w.-necked bottle,* nergens in de ~e omgeving *nowhere in the area* **1.2** ~e kleren dragen *wear loose(-fitting) /* ⟨vormloos⟩ *baggy clothes;* in ~e plooien neervallen *drape / fall in loose pleats;* die schoenen zijn mij te ~ *those shoes are too loose for me* **1.3** een ~ uitzicht hebben *have a panorama / a broad / sweeping view;* de ~e zee, een ~e vlakte *the open / w. sea, a w. / broad surface* **2.1** met ~ open ogen *w.-eyed;* ⟨fig.⟩ de ogen ~ open houden *keep one's eyes* [B]*skinned /* [A]*peeled, be wide-awake* **3.1** met de (armen en) benen ~ liggen *lie spread-eagled;* zijn ogen ~ opendoen *look w.-eyed, open one's eyes w.;* de ramen ~ openzetten *open the windows w.;* de deur staat ~ open *the door is w. open / is open* **3.2** ~ maken *let out, enlarge* ⟨kleren⟩ ~er worden *widen;* ⟨stof⟩ *stretch* **3.3** ~ verspreid zijn *be prevalent;* ⟨uit elkaar⟩ *be separate(d)* **5.3** ~ en zijd *far and w.;* ~ en zijd bekend *widely known* **7.4** ⟨honkbal⟩ twee slag, drie ~ *two strikes, three w. / balls;* ⟨zelfst.⟩ een ~ gooien ⟨honkbal⟩ *pitch /* ⟨cricket⟩ *bowl a w. ball.*

wijdbal ⟨de (m.)⟩ ⟨sport⟩ **0.1** *wide (ball).*

wijdbeens ⟨bw.⟩ **0.1** *straddle-legged, with legs wide apart* ◆ **3.1** ~ staan/ liggen *stand straddle-legged, lie spread-eagled.*

wijdbefaamd ⟨bn.⟩ **0.1** *far-famed.*

wijdeling ⟨de (m.)⟩ ⟨r.k.⟩ **0.1** *ordinand* ⇒ordinee.

wijden ⟨ov.ww.⟩ **0.1** [(in)zegenen] *consecrate* ⇒dedicate, hallow, ⟨een priester⟩ *ordain,* ⟨(aarts)bisschop ook⟩ *enthrone* **0.2** [in dienst stellen van] *devote* ⇒dedicate, apply ◆ **1.1** een kerk ~ c./ *dedicate a church;* gewijde muziek *sacred music;* een vorst ~ c. *a king* **4.1** zich aan God ~ *dedicate/ vow o.s. to God* **6.2** een programma/ les/ college ~ **aan** een onderwerp *devote a programme/ lesson/ lecture to a topic/ subject;* een avond **aan** de studie ~ *spend an evening studying;* aandacht **aan** iets ~, (geheel) zijn aandacht **aan** iets ~ *devote o.s. to a task / entirely to one's studies.*

wijdgetakt ⟨bn.⟩ **0.1** *wide-branched.*

wijdheid ⟨de (v.)⟩ **0.1** *wideness* ⇒width, breadth.

wijdhoeklens ⟨de⟩ **0.1** *wide-angle lens.*

wijding ⟨de (v.)⟩ **0.1** [(in)zegening] *consecration* ⇒hallowing, ⟨van kerk⟩ *dedication,* ⟨van priester⟩ *ordination,* ⟨van (aarts)bisschop ook⟩ *enthronement* **0.2** [geestelijke graad] ⟨mv.⟩*(holy) orders* ◆ **1.1** het teruglopende aantal ~en *the drop in the number of ordinations* **2.2** lagere/ hogere ~en *minor/ major orders.*

wijdingsdienst ⟨de (m.)⟩ **0.1** *consecration/* ⟨van priester⟩ *ordination service/ ceremony.*

wijdlopig ⟨bn., bw.; -ly⟩ **0.1** *verbose* ⇒wordy, ⟨inf.⟩ *windy, long-winded,* ⟨schr.⟩ *prolix,* ⟨bw.⟩ *at length* ◆ **1.1** een ~ schrijven *a wordy/ v. letter;* een ~ e stijl (van schrijven) *a circumlocutory/ prolix/ v./ windy style;* een ~ verhaal *a long-winded/ long-drawn-out/ rambling story/ narrative* **3.1** iets ~ behandelen *deal with/ discuss sth. at (great) length.*

wijdlopigheid ⟨de (v.)⟩ **0.1** *lengthiness* ⇒long-windedness, verbosity, ⟨schr.⟩ *diffuseness, prolixity.*

wijdmazig ⟨bn.⟩ **0.1** *wide-mesh* ◆ **1.1** ~ e netten *wide-mesh nets.*

wijdte ⟨de (v.)⟩ **0.1** [afstand] *breadth* ⇒space, ⟨van treinspoor⟩ *gauge, distance* **0.2** [hoedanigheid] *width* **0.3** [maat in diameter] *width* ⇒span, breadth ◆ **1.3** de ~ v.d. hals/ v.e. boord/ v.d. doorvaart *the w. of the neck/ of a collar/ of the passage* **6.1** de banken **op** ~ van elkaar plaatsen *space out the trees;* de ~ **tussen** de banken *the space between the benches.*

wijduit ⟨bn., bw.⟩ **0.1** *wide apart, spread wide (out)* ◆ **1.1** hij stond met de benen ~ *he stood with his legs wide apart.*

wijduitstaand ⟨bn.⟩ ◆ **1.¶** ~ e oren *protruding ears;* ⟨inf.⟩ *ears that stick out;* ⟨BE ook⟩ *sticky-out ears.*

wijdverbreid ⟨bn.⟩ **0.1** *widespread* ⇒extensive, ⟨pej.⟩ *rife.*

wijdvermaard ⟨bn.⟩ **0.1** *far-famed.*

wijdverspreid ⟨bn.⟩ **0.1** *widespread* ⇒⟨pej. ook⟩ *rife, rampant* ◆ **1.1** geruchten waren ~ in het dorp *rumour was rife in the village;* de mening is ~ dat ... *there is a w. opinion that ...,* it is widely held that ...; ~ e werkloosheid *w. unemployment.*

wijdvertakt ⟨bn.⟩ **0.1** [⟨biol.⟩] *ramified* ⇒many-branched **0.2** [⟨fig.⟩] *many-branched* ⇒with many branches, ramified, complex ◆ **1.1** ~ e aderen/ zenuwen *r. arteries/ nerves* **1.2** een ~ organisatie *a m.-b. organization;* ⟨inf.; pej.⟩ *an octopus;* een ~ spionagenet *a ramified/ complex spy network.*

wijf ⟨het⟩ ⟨inf.⟩ **0.1** [ongemarkeerd] *woman* ⇒⟨echtgenote⟩ *wife,* ⟨AE; sl.⟩ *dame, broad,* ⟨kwaad⟩ *bitch,* ⟨sl.⟩ *bit of skirt* ◆ **2.1** het is een best ~ *she's a good old thing;* een lekker ~ *a bit of all right, a looker, a cracker, a sizzler;* ⟨fig.; bel.⟩ hij is een oud ~ *he's an old woman/ nag;* een oud ~ *an old bag, a crone;* een stelletje oude wijven *a lot of old wives/ maids;* stom ~! *stupid bag/ bitch/ cow!* **4.1** wat een ~! ⟨pej.⟩ *what a bitch!;* ⟨stuk⟩ *what a classy chassis!* **6.1 achter** de wijven aan zitten *be a woman-chaser, chase women.*

wijfie ⟨het⟩ ⟨inf.⟩ **0.1** ≠*sweetie, pet, poppet, dearie.*

wijfje ⟨het⟩ [vrouwtje] *little* ⇒⟨echtgenote⟩ *wifey* **0.2** [vrouwelijk dier] *female* ⇒⟨van vee/ olifant/ walvis⟩ *cow,* ⟨van hond/ wolf/ otter⟩ *bitch,* ⟨van vogels⟩ *hen(-bird).*

wijfjesdier ⟨het⟩ [vrouwelijk dier] *female* ⇒⟨teef ook⟩ *bitch,* ⟨van grote zoogdieren ook⟩ *cow,* ⟨van vogels ook⟩ *hen* **0.2** [zeer sensuele vrouw] ⟨zie 2.2⟩ ◆ **2.2** zij is een echt ~ *she is all woman.*

wijfjesvaren ⟨de⟩ **0.1** *female fern.*

wijgeschenk ⟨het⟩ **0.1** *votive offering.*

wijk ⟨de⟩ **0.1** [deel v.e. stad] *district* ⇒quarter ⟨vaak karakteristiek stadsgedeelte⟩, *area, neighbourhood,* ⟨Londen/ New York⟩ *borough* **0.2** [afdeling] *area, district* ⇒⟨melk, krantenbezorging⟩ *round,* ⟨postbode⟩ *walk,* ⟨politie⟩ *beat* **0.3** [vlucht] *flight* ◆ **2.1** de arme ~en *the poor districts, the slums;* de Chinese ~ *Chinatown, the Chinese quarter;* de deftige ~en *the fashionable districts/ areas;* hij woont in de nieuwe ~ *he lives in the new d.;* de oude ~en *the old/ historic parts of town;* de Spaanse ~ *the barrio, the Spanish quarter;* zwarte ~en *black/ coloured neighbourhoods;* ⟨Zuid-Afrika⟩ *(black) townships* **3.2** kelners hebben in dit restaurant ieder hun ~ *waiters in this restaurant each have their own a./ section* **3.3** de ~ nemen *take f./ refuge (in England/ with the French)* **6.1** het (maatschappelijk) werk **in** de ~en *neighbourhood/ community work.*

wijkagent ⟨de (m.)⟩ **0.1** *policeman on the beat;* ⟨BE; inf.⟩ *local bobby.*

wijkbewoner ⟨de (m.)⟩ **0.1** *inhabitant of the district.*

wijkbezorger ⟨de (m.)⟩ **0.1** *roundsman, deliveryman.*

wijkbibliotheek ⟨de (v.)⟩ **0.1** *local library.*

wijkblad ⟨het⟩ **0.1** *local (news)paper, community newssheet.*

wijkcentrum ⟨het⟩ **0.1** *community centre;* ⟨in oudere gemeenten vaak⟩ *church/ parish hall.*

wijkdiploma ⟨het⟩ **0.1** *certificate as district nurse.*

wijken ⟨onov.ww.⟩ ⟨→sprw. 652⟩ **0.1** [uit de weg gaan] *give in/ way (to), yield (to)* ⇒⟨in de strijd⟩ *give/ lose ground, make way (for), move, budge* **0.2** [⟨fig.⟩] *yield (to)* ⇒buckle (under), give way (to) **0.3** [vluchten, verdwijnen] *disappear, go* ⇒⟨pijn, druk, spanning⟩ *ease, abate* **0.4** [niet horizontaal, verticaal lopen] *recede* ⇒be out of true ◆ **1.3** het gevaar is geweken *the danger is over* **1.4** ⟨amb.⟩ ~ de lijnen *receding lines;* niet ~ de lijnen *isometric lines;* de muren ~ *the walls are out of true* **3.1** de vijand moest ~ *the enemy was forced to give ground/ retreat* **6.1 voor** iem. ~ ⟨ook fig.⟩ *stand aside/ down for s.o.;* ⟨fig.; inf.⟩ *kowtow to s.o.;* niet **voor** geweld willen ~ *not want to give in to violence, not be prepared to yield to violence* **6.2 voor** vriendelijke aandrang ~ *give way to friendy persuasion/ insistence;* ~ **voor** de overmacht *yield to superior numbers, bend before/ to the superior/ greater power* **7.1** hij weet van geen ~ *he sticks to his guns, he stands his ground, he digs (his heels) in.*

wijkgebouw ⟨het⟩ **0.1** [wijkcentrum] *community centre;* ⟨voor verzorging⟩ *welfare centre* **0.2** [gebouw v.e. kruisvereniging] *local branch/ clinic.*

wijkgemeente ⟨de (v.)⟩ **0.1** ≠*local parish.*

wijkgids ⟨de (m.)⟩ **0.1** *local directory/ guide.*

wijkhoofd ⟨het⟩ **0.1** *district/ local chief/ head/* ⟨voorzitter⟩ *chairman/ chairwoman.*

wijking ⟨de (v.)⟩ **0.1** *deviation (from true).*

wijkkrant ⟨de⟩ **0.1** *district/ neighbourhood (news)paper.*

wijkniveau ⟨het⟩ ◆ **6.¶ op** ~ iets aanpakken *deal with sth. at district/ neighbourhood level.*

wijkopbouwwerker ⟨de (m.)⟩ **0.1** *(local) community worker.*

wijkorgaan ⟨het⟩ ⇒**wijkkrant.**

wijkplaats ⟨de⟩ **0.1** [toevluchtsoord] *(place of) refuge* ⇒asylum, sanctuary, shelter* **0.2** [rivierbocht] *passing place* ◆ **3.1** ergens een ~ vinden/ zoeken *find/ seek asylum/ refuge somewhere.*

wijkpredikant ⟨de (m.)⟩ **0.1** ⟨Angl.⟩ *parson, local vicar,* ᴬ*(local) minister.*

wijkpunt ⟨het⟩ **0.1** *vanishing point.*

wijkraad ⟨de (m.)⟩ **0.1** *neighbourhood council.*

wijkvereniging ⟨de (v.)⟩ **0.1** [vereniging van wijkbewoners] *community association, residents' association* **0.2** [⟨rel.⟩] *parish association.*

wijkvergadering ⟨de (v.)⟩ **0.1** *district meeting.*

wijkverpleegkundige ⟨de (m.)⟩ **0.1** *district nurse* ⇒health visitor.

wijkverpleegster ⟨de (v.)⟩ ⇒**wijkverpleegkundige.**

wijkverpleging ⟨de (v.)⟩ **0.1** *district nursing (service).*

wijkverwarming ⟨de (v.)⟩ **0.1** *district heating.*

wijkwast ⟨de (m.)⟩ ⟨r.k.⟩ **0.1** *holy-water sprinkler* ⇒aspersorium, aspergill(um).*

wijkwinkel ⟨de (m.)⟩ **0.1** *local/ corner shop,* ᴬ*neighbourhood store.*

wijkzuster ⟨de (v.)⟩ **0.1** *district nurse.*

wijl¹ ⟨de⟩ ⟨schr.⟩ **0.1** ⟨ongemarkeerd⟩ *while* ◆ **1.1** bij tijd en ~ e ⟨zo nu en dan⟩ *every now and then;* ⟨te gelegener tijd⟩ *in due course/ time* **3.1** een ~ geleden *a w. ago, a short time ago* **6.1** bij ~ en ⟨every⟩ *now and then, (every) once in a w..*

wijl² ⟨vw.⟩ ⟨schr.⟩ **0.1** [omdat] ⟨ongemarkeerd⟩ *(inasmuch) as* ⇒because, since **0.2** [terwijl] ⟨ongemarkeerd⟩ *whilst, while.*

wijlen ⟨bn.⟩ **0.1** *late, deceased* ◆ **1.1** ~ mijn vader *my late (lamented) father* **3.1** ⟨scherts.⟩ hij is ~ ⟨inf.⟩ *he has snuffed it;* ⟨scherts.⟩ dat ding is ~ *that thing is past/ beyond it* **¶.1** ⟨inf.⟩ kassie ~ *gone to kingdom come.*

wijn ⟨de (m.)⟩ ⟨→sprw. 653, 654⟩ **0.1** [drank] *wine* ⇒⟨goede wijn of v.e. goed jaar⟩ *vintage,* ⟨slechts.⟩ *(fruit of the) grape,* ⟨goedkope rode⟩ *plonk, vino* **0.2** [wijnstok] *vine* **0.3** [drank van andere vruchten] *wine* **0.4** [glas wijn] *(glass of) wine* ◆ **2.1** zeer goede ~ *superlative/ excellent w.;* klare ~ schenken *speak in plain/ in no uncertain terms;* mousserende/ niet-mousserende ~ *sparkling/ non-sparkling/ still w.;* oude ~ in nieuwe zakken *old w. in new bottles, old ideas parading as new ones;* rode ~ *red (w.);* ⟨Bordeaux⟩ *claret;* ⟨bourgondische⟩ *Burgundy;* volle/ versneden ~ *w. with a full body; doctored w.;* witte ~ *white (w.);* ⟨Duitse⟩ *hock* **3.1** ~ aanlengen *water down wine;* ~ opleggen *lay down wine* **3.2** ~ verbouwen *keep a vineyard, grow vines* **7.4** twee ~, ober *waiter, two glasses of w., please.*

wijnaccijns ⟨de (m.)⟩ **0.1** *wine duty, duty on wine.*

wijnachtig ⟨bn.⟩ **0.1** [als wijn smakend] *winy* **0.2** [van wijn houdend] *vinous.*

wijnappel ⟨de (m.)⟩ **0.1** *wine apple.*

wijnazijn ⟨de (m.)⟩ **0.1** *wine vinegar.*

wijnbal ⟨de (m.)⟩ **0.1** *round wine-coloured sweet.*

wijnbeker ⟨de (m.)⟩ **0.1** *winecup.*

wijnberg ⟨de (m.)⟩ **0.1** *vineyard* ⇒*wineberg, wine-hill.*

wijnbes ⟨de⟩ **0.1** *wineberry.*

wijnboer ⟨de (m.)⟩ **0.1** *winegrower.*

wijnboerderij ⟨de (v.)⟩ **0.1** *vineyard.*

wijnbouw ⟨de (m.)⟩ **0.1** *winegrowing* ⇒⟨schr.⟩ *viniculture.*

wijnbouwer ⟨de (m.)⟩ **0.1** *winegrower* ⇒⟨schr.⟩ *viniculturist.*

wijndeskundige ⟨de (m.)⟩ **0.1** *oenologist.*

wijndistrict ⟨het⟩ **0.1** *wine-growing district/area.*

wijndrab ⟨het, de⟩ →**wijndroesem.**

wijndroesem ⟨de (m.)⟩ **0.1** *winelees, crust.*

wijndruif ⟨de⟩ **0.1** *(wine)grape.*

wijnfeest ⟨het⟩ **0.1** [feest na de oogst] *wine-festival* **0.2** [wijnparty] *wine-party.*

wijnfles ⟨de⟩ **0.1** *winebottle* ⇒⟨grote (mand-)fles⟩ *demijohn, methuselah* ◆ **3.1** de ~ staat altijd bij hem op tafel *he always has a bottle of wine next to him at table.*

wijngaard ⟨de (m.)⟩ **0.1** *vineyard* ◆ **6.1** ⟨bijb.⟩ arbeiden in de ~ des Heren *work in the v. of the Lord.*

wijngaardluis ⟨de⟩ **0.1** *vine-pest* ⇒*phylloxera.*

wijngaardslak ⟨de⟩ **0.1** *escargot, Roman snail.*

wijngebied ⟨het⟩ **0.1** *wine(-growing) area/region/district.*

wijngeest ⟨de (m.)⟩ **0.1** *wine-spirit* ⇒*spirit(s) of wine, (ethyl) alcohol.*

wijnglas ⟨het⟩ **0.1** *wineglass* ⇒⟨groot⟩ *rummer,* ⟨inhoud ook⟩ *wine-glassful.*

wijngod ⟨de (m.)⟩ **0.1** *god of wine* ⇒*Bacchus.*

wijngrog ⟨de (m.)⟩ **0.1** *wine-grog.*

wijnhandel ⟨de (m.)⟩ **0.1** [handel in wijn] *wine-trade, wine-business* **0.2** [bedrijf] *wine shop* ⇒*wine-vault* ◆ **6.1** hij zit in de ~ *he is/works in the wine-trade.*

wijnhandelaar ⟨de (m.)⟩ **0.1** *wine merchant* ⇒*vintner.*

wijnheffe ⟨de⟩ →**wijndroesem.**

wijnhevel ⟨de (m.)⟩ **0.1** *wine-siphon.*

wijnhuis ⟨het⟩ **0.1** *wine bar, wine tavern* ⇒⟨vero.⟩ *wine-house,* ⟨wijnhandel⟩ *wine shop.*

wijnjaar ⟨het⟩ **0.1** *wine-year* ◆ **2.1** een goed/een slecht ~ *a good/bad w.-y..*

wijnkaart ⟨de⟩ **0.1** *wine list* ⇒*wine-card.*

wijnkan ⟨de⟩ **0.1** *wine jug, carafe.*

wijnkaraf ⟨de⟩ **0.1** *wine carafe/* ↑*decanter.*

wijnkelder ⟨de (m.)⟩ **0.1** *(wine) cellar, wine-vault.*

wijnkenner ⟨de (m.)⟩ **0.1** *connoisseur/judge of wine* ⇒*good judge of wines,* ⟨schr.⟩ *oenophile.*

wijnkist ⟨de⟩ **0.1** *wine-bin.*

wijnkleur ⟨de⟩ **0.1** *wine colour* ⇒*claret.*

wijnkleurig ⟨bn.⟩ **0.1** *wine-coloured* ⇒*claret, wine-red.*

wijnkoeler ⟨de (m.)⟩ **0.1** *wine-cooler.*

wijnkoper ⟨de (m.)⟩ **0.1** *wine-merchant* ⇒*vintner.*

wijnkristal ⟨het⟩ **0.1** *tartar* ⇒*argol.*

wijnkuip ⟨de⟩ **0.1** *wine-vat.*

wijnkunde ⟨de (v.)⟩ **0.1** *oenology.*

wijnland ⟨het⟩ **0.1** *wine(-producing) country.*

wijnlezer ⟨de (m.)⟩ **0.1** *grape-gatherer* ⇒⟨schr.⟩ *vintager.*

wijnlijster ⟨de⟩ **0.1** *redwing (thrush).*

wijnmaand ⟨de⟩ **0.1** *grape-harvesting month* ⇒*October.*

wijnmandje ⟨het⟩ **0.1** *decanting basket.*

wijnmerk ⟨het⟩ **0.1** *brand of wine.*

wijnmeter ⟨de (m.)⟩ **0.1** *vinometer.*

wijnmoer ⟨de⟩ →**wijndroesem.**

wijnmost ⟨de (m.)⟩ **0.1** *wine-must.*

wijnnapje ⟨het⟩ **0.1** *(wine-)tasting cup* ⇒*taste-vin.*

wijnoogst ⟨de (m.)⟩ **0.1** *vintage, grape harvest.*

wijnparty ⟨de⟩ →**wijnfeest 0.2.**

wijnpers ⟨de⟩ **0.1** *winepress.*

wijnpijp ⟨de⟩ **0.1** *pipe.*

wijnpluk ⟨de (m.)⟩ **0.1** *grape-/wine-harvest* ⇒*vintage.*

wijnproef ⟨de⟩ **0.1** *wine-tasting/* ⟨zeldz.⟩ *-sampling.*

wijnproever ⟨de (m.)⟩ **0.1** *wine-taster/* ⟨zeldz.⟩ *-sampler.*

wijnrank ⟨de⟩ **0.1** *(branch of a/the) vine.*

wijnrek ⟨het⟩ **0.1** *wine-rack.*

wijnroeien ⟨ww.⟩ **0.1** *gauging of (wine) casks.*

wijnroeier ⟨de (m.)⟩ **0.1** *gauger of (wine) casks.*

wijnroemer ⟨de (m.)⟩ **0.1** *rummer.*

wijnrood ⟨bn.⟩ **0.1** *wine-red/-coloured* ⇒⟨reclametaal ook⟩ *burgundy, bordeaux, claret.*

wijnrotting ⟨de (v.)⟩ **0.1** ≠*souring of wine.*

wijnruit ⟨de⟩ **0.1** *rue.*

wijnsaus ⟨de⟩ **0.1** *wine sauce.*

wijnsoort ⟨het, de (v.)⟩ **0.1** *type/sort/kind of wine.*

wijnsteen ⟨de (m.)⟩ **0.1** *tartar* ⇒*wine-stone,* ⟨ruwe⟩ *argol.*

wijnsteenzuur¹ ⟨het⟩ **0.1** *tartaric acid.*

wijnsteenzuur² ⟨bn.⟩ **0.1** *tartaric.*

wijnsteker ⟨de (m.)⟩ **0.1** *wine-bottler.*

wijnstok ⟨de (m.)⟩ **0.1** *vine* ⇒*grapevine* ◆ **6.1** onder zijn ~ en vijge-

boom zitten ⟨fig.⟩ *live off/on the fat of the land, be sitting pretty, be in clover.*

wijnstreek ⟨de⟩ **0.1** *wine(-growing) region/district/area.*

wijntapper ⟨de (m.)⟩ **0.1** [caféhouder] *cafe'-/bar-owner who sells wine* **0.2** [vogel] *wheatear.*

wijnteelt ⟨de⟩ **0.1** *wine-growing* ⇒⟨tech.;schr.⟩ *viticulture, viniculture.*

wijntijd ⟨de⟩ **0.1** *vintage* ⇒*wine-harvest.*

wijntje ⟨het⟩ **0.1** [soort van wijn] *wine* **0.2** [(glas) wijn] *glass of wine* ◆ **1.2** van Wijntje en Trijntje houden *be a lover of/love wine, women and song* **2.1** een lekker ~ *a nice/tasty w.* **3.2** geef mij maar een ~ *I'll have (a glass of) wine/have (a) red/hhite wine, please.*

wijnvat ⟨het⟩ **0.1** *wine cask/barrel* ⇒⟨groot wijnvat⟩ *wine butt* ◆ **3.1** een ~ aanslaan *tap a wine cask.*

wijnvlek ⟨de⟩ **0.1** [door wijn veroorzaakte vlek] *wine stain* **0.2** [⟨med.⟩] *birthmark* ⇒⟨med. ook⟩ *naevus.*

wijnzak ⟨de (m.)⟩ **0.1** *wineskin.*

wijs¹ ⟨de⟩ ⟨→sprw. 383⟩ **0.1** [manier] *way* ⇒*manner, method,* ⟨schr.⟩ *mode* **0.2** [⟨muz.⟩] *tune* ⇒*melody, air* **0.3** ⟨⟨taal.⟩⟩ *mood,* ^*mode* ◆ **1.1** bijwoord van wijze *adverb of manner;* 's lands ~ 's lands eer *when in Rome (do as the Romans do)* **2.1** op duidelijke wijze te kennen geven *make it very clear, leave no doubt as to one's meaning;* men kan op verschillende wijzen te werk gaan *one can proceed in various ways* **2.3** ⟨van ww.⟩ de aantonende/aanvoegende/gebiedende ~ *the indicative/subjunctive/imperative (mood);* ⟨van ww.⟩ de onbepaalde ~ *the infinitive* **3.2** hij kan geen ~ houden *he sings/plays out of t./ can't hold/carry a t. / can't keep in t.;* ~ houden *keep/sing/play in t.* **6.1** bij wijze van spreken *so to speak, as it were, in/as a manner of speaking;* **bij** wijze van roer *by w. of a rudder, (acting) as (a) rudder;* **bij** wijze van uitzondering *by w. of/as an exception, exceptionally;* **bij** wijze van plichtsbetrachting *in the line of duty;* hij nam zijn pet af **bij** wijze van groet *he removed his cap in greeting;* het is maar **bij** wijze van spreken ⟨ook⟩ *it's only a figure of speech;* dat gebeurde **op** deze/de volgende wijze *it happened like this/in this/the following w.;* **op** de een of andere wijze *one w. or another, (in) some w. (or other), somehow (or other);* **op** welke wijze dan ook *(in) some w. or (an)other;* ⟨koste wat het kost⟩ *by hook or by crook;* **op** deze/die wijze *like this/that;* iets **op** de juiste wijze aanpakken *go about sth. in the right w., go the right w. about sth.;* **op** generlei/geen enkele wijze *in no w., by no (manner of) means;* **op** dezelfde wijze ⟨ook⟩ *on the same lines, likewise;* **op** gelijke wijze *in the same w., in like manner;* **op** enigerlei wijze *in any w., in any shape or form;* hij besloot **op** gebruikelijke wijze *he concluded in the usual manner/as usual;* **op** zijn eigen wijze ⟨ook⟩ *after his own fashion;* wijze **van** betaling *method of payment;* wijze **van** voortbeweging *manner/method of locomotion* **6.2** een lied zingen **op** de ~ **van** de Internationale *sing a song to the t. of the Internationale;* **van** de ~ raken ⟨fig.⟩ *get in a flurry/confused, be thrown into confusion, lose one's head\;*iem. **van** de ~ brengen ⟨fig.⟩ *put s.o. in a flurry, confuse s.o., fluster/*⟨inf.⟩ *throw/* ⟨AE ook⟩ *faze s.o.;* ⟨fig.⟩ je hebt me **van** de ~ gebracht ⟨ook⟩ *you have put me off (my stroke);* hij was helemaal **van** de ~ *he was completely lost/at sea, he had lost his bearings, he was bewildered/perplexed/dumbfounded;* hij liet zich niet **van** de ~ brengen *he kept a level head/* ⟨inf.⟩ *his cool, he didn't lose his head, he wasn't caught of (his) guard.*

wijs² ⟨bn., bw.⟩ ⟨→sprw. 6,157,522⟩ **0.1** [verstandig] *wise* ⇒⟨voorzichtig⟩ *sensible, prudent,* ⟨wijsgerig⟩ *profound,* ⟨vero.⟩ *sage,* ⟨diepzinnig⟩ *thoughtful* **0.2** [slim] *wise* ⇒⟨schrander⟩ *clever, smart, sharp,* ⟨vlug van begrip⟩ *quick* **0.3** [wetende] *wise* **0.4** [(+'met') blij met] *proud (of)* ⇒*pleased (with)* **0.5** ⟨⟨kind.⟩ erg leuk, goed⟩ *super* ⇒*terrific* ◆ **1.1** een ~ man *a w. man;* ⟨vero.⟩ *a sage* **1.2** een ~ besluit *a w. decision;* (college van) wijze mannen *elder statesmen;* dat is een ~ woord *that's very true, you couldn't be more right* **3.1** ben je niet (goed) ~? *are you mad/crazy/out of your mind/senses?, have you gone round the bend/off your rocker?;* ben je wel ~? ⟨ook⟩ *are you in your right mind?;* hij praat zo ~ *he talks so wisely/profoundly* **3.2** ~ handelen *act wisely/* ⟨voorzichtig⟩ *prudently/sensibly;* hij is niet wijzer *he doesn't know any better;* iem. door schade en schande ~ laten worden *give s.o. enough rope to hang himself;* hij had wijzer moeten wezen en haar niets moeten verzwijgen *he should have had more sense than to keep it from her;* wees ~ be smart; ⟨AE ook⟩ *get smart, wise up;* wees ~ met water *don't waste water;* ik werd er niet/geen cent wijzer van *I got no change out of it, I was none the wiser for my pains, I came away none the wiser/as w. as I went;* door ervaring wijzer worden *learn from/by experience;* je wordt niet ~ uit hem *you can't get anything out of him;* hij zal wel wijzer wezen *he knows better than that;* hij zal nooit wijzer worden *he'll never learn;* de ~ te zijn *give in, accept things (as they are)* **3.3** ik kan er niet ~ uit worden *I can't make head or tail/ (any) sense of it, it's all Greek to me* **5.1** hij is niet goed ~ *he's not in his right mind/all there;* vroeg ~ *precocious;* ⟨iron.⟩ zo wijs zijn als Salomo's kat *be no Solomon/* ⟨onintelligent⟩ *Einstein* **6.1** het kind is ~ **voor** zijn leeftijd *the child is very w./ knowing for its age* **6.4** zij is ~ **met** haar nieuwe fiets *she's proud of/pleased with her new bicycle.*

wijsbegeerte ⟨de (v.)⟩ **0.1** *philosophy.*

wijselijk ⟨bw.⟩ **0.1** *wisely* ⇒*sensibly, prudently* ◆ **3.1** hij bleef ~ thuis *he* *w.* / *sensibly* / *prudently stayed at home;* hij hield ~ zijn mond *w.*, *he kept silent.*

wijsgeer ⟨de (m.)⟩ **0.1** *philosopher* ⇒⟨wijze man⟩ *sage.*

wijsgerig ⟨bn., bw.; -(al)ly⟩ **0.1** [de wijsbegeerte betreffend] *philosophic(al)* **0.2** [berustend op de wijsbegeerte] *philosophic(al)* **0.3** [als een wijsgeer] *wise* ⇒*profound* ⟨woorden, gedachten⟩, ⟨vero.⟩ *sage*, [berustend] *philosophic(al)* ♦ **3.3** zich ~ schikken in het onvermijdelijke *philosophically accept the inevitable;* ~ spreken / handelen *speak / act wisely.*

wijsheid ⟨de (v.)⟩ ⟨→sprw. 653⟩ **0.1** [het wijs zijn] *wisdom* **0.2** [wijze uitspraak] *piece of wisdom* ⇒⟨ook iron.⟩ *profundity* **0.3** [hoedanigheid van wijs te zijn] *wisdom* ⇒⟨inzicht, prudentie⟩ *prudence* **0.4** [wijsneus] ⟨→**wijsneus 0.1**⟩ ♦ **2.1** die uitspraak getuigt van grote ~ *that statement shows great* w. **3.1** ⟨iron.⟩ waar heb je die ~ vandaan? *my, aren't you / we clever?;* hij meent de ~ in pacht te hebben *he thinks he knows it all / has a monopoly on wisdom* **3.2** hou die wijsheden alsjeblieft voor je *please keep your profundities to yourself;* ⟨iron.⟩ wijsheden verkopen / debiteren *utter profundities* ¶ **1** die ~ komt te laat, dat is ~ achteraf *that's being wise after the event, that's easy to say / do with hindsight.*

wijsje ⟨het⟩ **0.1** *tune* ⇒*song*, ⟨vnl. scherts.⟩ *ditty* ♦ **3.1** een ~ zingen *sing a t. / song.*

wijsmaken ⟨ov.ww.⟩ **0.1** [laten geloven] *fool* ⇒*deceive*, ⟨inf.⟩ *kid* **0.2** [duidelijk maken] *explain* ⇒*put across* ♦ **1.1** maak dat je grootje / de kat wijs *tell that to the marines!, tell me another one!;* ⟨inf.⟩ *pull the other one!* **3.1** mij jou je niks ~! *you can't fool me!, don't teach your grandmother to suck eggs;* dat laat ik me niet ~ *nobody is going to make me believe that;* ⟨daar trap ik niet in⟩ *I'm not falling for that;* laat je niks ~! *don't buy that nonsense!, don't go / fall for it!, don't be caught napping!;* ze wou me ~, dat ... *she tried to make me believe that* ... **4.1** je kunt haar alles ~ *she'll swallow / believe anything;* hij maakte haar wijs dat hij gitarist is *he fooled / deceived her into believing he's a guitarist;* zoiets maak je haar niet wijs *she won't fall for that sort of stuff;* iem. iets ~ *deceive s.o. (into thinking sth.);* ⟨inf.⟩ *put one over on s.o., pull a fast one on s.o., pull the wool over s.o.'s eyes;* hij maakte zichzelf wijs dat hij de beste speler was *he persuaded himself (that) / deceived himself into thinking (that) he was the best player;* zichzelf iets ~ *delude / deceive / f. / kid o.s..*

wijsneus ⟨de (m.)⟩ **0.1** [iem. die meent alles te weten] *know(-it)-all* ⇒⟨inf.⟩ *smart-aleck, smarty(-pants), cleverboots*, ⟨pedant iem.⟩ *prig*, ⟨wereldwijs iem.⟩ *sophisticate* **0.2** [vroegrijp kind] *whippersnapper.*

wijsneuzig ⟨bn., bw.; -(al)ly⟩ **0.1** *pedantic* ⇒*priggish*, ⟨inf.⟩ *smart-alecky*, ⟨vnl. BE⟩ *clever-clever.*

wijsvinger ⟨de (m.)⟩ **0.1** *forefinger* ⇒↑*index finger* ♦ **3.1** zijn ~ opsteken *raise one's finger.*

wijten ⟨ov.ww.⟩ **0.1** *blame (s.o. for sth. / sth. on s.o.)* ⇒⟨toeschrijven⟩ *attribute, ascribe* ♦ **1.1** het ongeluk was ~ aan onvoorzichtigheid te ~ *the accident was due to / was caused by carelessness;* je mislukking is te ~ aan verschillende factoren *your failure can be attributed to a number of factors;* louter te ~ aan tegenslagen *purely through bad luck;* dat heb je aan jezelf te ~ *you've only yourself to blame, you asked for it, you've brought it on yourself / brought it down on your own head;* hij weet zijn ongeluk aan haar *he blamed his misfortune on her / blamed her for his misfortune.*

wijting ⟨de (m.)⟩ **0.1** *whiting.*

wijwater ⟨het⟩ ⟨r.k.⟩ **0.1** *holy water.*

wijwaterbakje ⟨het⟩ **0.1** *holy-water font / basin, stoup.*

wijwaterkwast ⟨de (m.)⟩ ⟨r.k.⟩ **0.1** *aspergillum.*

wijwatervat ⟨het⟩ ⟨r.k.⟩ **0.1** *holy-water font* ⇒*stoup, stoop, aspersorium.*

wijze¹ ⟨de⟩ =**wijs¹.**

wijze² ⟨de (m.)⟩ ⟨→sprw. 183,655⟩ **0.1** *wise man / woman* ⇒⟨schr.⟩ *sage*, ⟨geleerde⟩ *man / woman of learning, learned man / woman* ♦ **1.1** steen der ~n *the philosopher's / philosophers' stone* **6.1** de ~n uit het Oosten *the three wise men;* ⟨schr., niet bijb.⟩ *the Magi* **7.1** de zeven ~n *the Seven Sages.*

wijzen ⟨→sprw. 278⟩
I ⟨onov.ww.⟩ **0.1** [hand uitstrekken] *point* ⇒*show* **0.2** [op een punt gericht zijn] *point* **0.3** [aanduiden] *indicate* ⇒*show, point (to)* ♦ **5.3** alles wijst erop dat ... *everything seems to i. that ..., there is every indication that ..., everything points to the fact that ..., all the signs are that ...;* niets wijst erop dat ... *there is nothing to show / i. / argue / suggest that ..., there is no indication / sign / evidence that ...* **6.1** met het hoofd / de ogen ~ p. *with one's head, show with one's eyes;* naar een punt ~ p. *to a spot;* wijs niet zo naar mij! *don't p. (your finger) at me!;* ⟨fig.⟩ met de vinger naar iem. ~ *p. the finger at s.o.;* op een persoon / in een richting ~ p. *at a person / in a direction;* ⟨fig.⟩ iem. ~ op iets / op het feit dat ... *p. sth. out to s.o., p. out to s.o. that ...;* ⟨fig.⟩ er moet op worden gewezen dat ... *it should be pointed out that ..., attention should be drawn to the fact that ...;* ⟨fig.⟩ iem. ~ op het gevaar *alert s.o. to the danger* **5.1** het noorden ~ *show the compass points (to the) North* **6.3** dat wijst op een nieraandoening *is indicative of / it points to / it indicates condition;* alles wijst op het tegendeel ⟨ook⟩ *the evidence is otherwise;*

II ⟨ov.ww.⟩ **0.1** [tonen] *show, point out* **0.2** [duidelijk maken] *point out* **0.3** [vellen] *pronounce* ⇒*give, pass* ♦ **1.1** de thermometer wijst 90° *the thermometer shows / indicates 90 degrees / 0° (C / F);* ⟨fig.⟩ de weg ~ *lead / s. the way* ¶.**1** ik zal je eens ~ hoe je dat moet doen *I'll s. you how to do it;*

III ⟨wk.ww.; zich⟩ **0.1** [blijken] *show* ⇒*appear, be(come) obvious / apparent / evident* ♦ **5.1** dat wijst zich vanzelf *you'll see as you go along, it's all self-evident.*

wijzer ⟨de (m.)⟩ **0.1** [iets dat wijst] *indicator;* ⟨van klok, weegschaal e.d.⟩ *pointer;* ⟨van klok ook⟩ *hand;* ⟨van logaritme⟩ *characteristic* **0.2** [verstelbare lat] *bevel* ♦ **1.1** met de ~s van de klok mee *clockwise;* tegen de ~s van de klok in *anticlockwise*, ^*counterclockwise* **2.1** de grote ~ staat op de tien *the big hand points to ten;* de grote / de kleine ~ *the minute / hour hand;* ⟨kind.⟩ *the big / little / small hand* **3.1** volg de ~s *follow the indicators* **5.1** de ~ / het ~tje rond slapen *sleep the clock round / right round the clock.*

wijzerbarometer ⟨de (m.)⟩ **0.1** *dial barometer.*

wijzerplaat ⟨de (m.)⟩ **0.1** *dial* ⇒⟨van uurwerk ook⟩ *clockface, watchface.*

wijzigen ⟨ov.ww.⟩ **0.1** *alter* ⇒*change*, ↑*modify, amend* ⟨wetsartikel⟩, ⟨inf., mbt. kabinet⟩ *reshuffle, commute* ⟨doodvonnis⟩ ♦ **1.1** hij wijzigt zijn eetgewoonten bijna nooit *he hardly ever varies his eating habits;* in gewijzigde omstandigheden *in altered / changed / modified circumstances;* hij moest zijn plannen ~ *he had to alter / change revise his plans;* statuten / een wetsartikel ~ *amend statutes / an act* **4.1** de loop van de rivier heeft zich gewijzigd *the river's course has altered / changed;* zich ~ in *change into.*

wijziging ⟨de (v.)⟩ **0.1** [het wijzigen] *alteration* ⇒*change, changing*, ↑*modification, amendment* ⟨van wet⟩, *commutation* ⟨van doodvonnis⟩ **0.2** [verandering] *alteration* ⇒*change*, ↑*modification, amendment* ⟨in wet⟩ ♦ **3.2** ~ en aanbrengen in *make changes / alterations in / to;* een ~ ondergaan *undergo a change / an alteration;* ~en voorbehouden *subject to alteration(s) / modification(s) / amendment(s)* ¶.**2** voor ~en vatbaar *modifiable, subject to change.*

wijzigingsvoorstel ⟨het⟩ **0.1** *proposed change / alteration / ⟨in tekst ook⟩ amendment.*

wijzing ⟨de (v.)⟩ **0.1** *pronouncement.*

wik¹ =**wikke.**

wik² ⟨de⟩ **0.1** *draught*, ^*draft.*

wiking ⟨de (m.)⟩ **0.1** *Viking.*

wikke ⟨de⟩ **0.1** *vetch.*

wikkel ⟨de (m.)⟩ **0.1** *wrapper* ⇒⟨zilverpapier⟩ *foil* ♦ **6.1** de ~ om een reep chocolade *the w. on / (a)round a bar of chocolate.*

wikkelblouse ⟨de⟩ **0.1** *wraparound blouse.*

wikkeldraad ⟨het⟩ **0.1** *winding wire.*

wikkelen ⟨ov.ww.⟩ **0.1** [draaiend winden om] *wind* ⇒⟨draad, enz. ook⟩ *coil, reel*, ⟨inpakken⟩ *wrap (up), enfold* **0.2** [verwikkelen] *involve (in)* ⇒*draw (into)*, ⟨tegen wil⟩ *mix up (in)* **0.3** [⟨bk.⟩] *wrap around, wind up* ♦ **1.1** een sigaar ~ *roll a cigar* **4.1** zich in de dekens ~ *wrap o.s. (up) in blankets* **6.1** wikkel het in een wollen doek *wrap it in a woollen cloth;* een krant om iets ~ *wrap a (news)paper (a)round sth.;* draad op een klos ~ *wind thread on a reel / ^spool* **6.2** in een gesprek gewikkeld zijn *be wrapped up in a conversation;* in een proces gewikkeld *involved in a trial.*

wikkeling ⟨de (v.)⟩ **0.1** [het wikkelen] *winding* ⇒⟨mbt. draad, enz. ook⟩ *coiling*, ⟨het inpakken⟩ *wrapping, enfolding* **0.2** [slag waarmee men wikkelt] *winding* ⇒⟨mbt. draad, enz. ook⟩ *coil, turn, lap.*

wikkeljurk ⟨de⟩ **0.1** *wrapover / wraparound dress.*

wikkelrok ⟨de (m.)⟩ **0.1** *wrapover / wraparound skirt.*

wikken ⟨ov.ww.⟩ ⟨→sprw. 428⟩ **0.1** *weigh* ⇒⟨wikken en wegen⟩ *weigh up* ♦ **3.1** iets ~ en wegen *ponder sth., weigh (up) the pros and cons (of sth.), turn sth. over in one's mind;* zijn woorden ~ en wegen *weigh / choose / pick one's words (carefully);* ⟨opletten⟩ *mind one's p's and q's;* na lang ~ en wegen *after much deliberation, after mature consideration.*

wil ⟨de (m.)⟩ ⟨→sprw. 656,657,659⟩ **0.1** [begeerte, wens] *will* ⇒⟨zin, zucht⟩ *desire*, ⟨wens⟩ *wish*, ⟨jur.⟩ *intention* **0.2** [wrijfhout] *fender* ♦ **1.1** tegen ~ en dank *willy-nilly, reluctantly* **2.1** met de beste ~ van de wereld kan ik niet komen *I couldn't come with the best will in the world / for the life of me;* zonder eigen ~ *without a will of one's own, weak-willed;* het was haar eigen ~ *it was her own wish;* een / geen eigen ~ hebben *have a / no will / mind of one's own;* om Gods ~ *for God's sake!;* ⟨mensen⟩ van goede ~ *(people) of goodwill;* vol goede ~ *full of good will;* goede / slechte ~ *good / ill will;* met een beetje goeie ~ *gaat het best with a little good will it'll all work out;* zijn laatste / uiterste ~ *one's last will (and testament);* een sterke ~ hebben *have a strong will / mind, be strong-willed;* met de vaste ~ niet toe te geven *with a firm will / firmly determined not to give in;* iets uit (eigen) vrije ~ doen *do sth. by / of one's own free will / by / of one's own volition;* de vrije ~ *free will* **3.1** zich aan iemands ~ onderwerpen *bend / subject o.s. to s.o.'s will;* iemands ~ doen *do s.o.'s will, do as s.o. wishes;* uw ~ geschiede *thy will be done;* het is mijn ~, dat ... *it is my wish that ...;* zijn ~ is wet *his word is law, he lays down the law;* de ~ voor de daad nemen ⟨zeldz.⟩ *take the will for the deed;* iem. zijn ~ opdringen *sub-*

ject/bend s.o. to one's will, force one's will on s.o.; zijn goede ∼ tonen *show one's good will* **4.1** (voor) elk wat ∼s *sth. for everybody, sth. to suit all tastes* **6.1** het gebeurde **buiten** zijn ∼ (om) *it happened in spite of him/against his will;* wegens omstandigheden **buiten** mijn ∼ *owing to circumstances beyond my control;* het ging ∼ **tegen** ∼ *it was a battle of wills;* **tegen** de ∼ van iem. ingaan *go against s.o.'s wishes; iets* **tegen** zijn ∼ doen *do sth. against one's will/reluctantly/unwillingly/* (ge-dwongen) *under duress;* iem. **ter** ∼le zijn *oblige s.o., do s.o. a favour/good turn;* **ter** ∼le van/om ∼le van *for the sake of;* (met het oog op) ∼ **tot** verandering *will to change.*

wild[1] (het) **0.1** [dieren] *game* ⇒ (achtervolgd wild) *quarry* **0.2** [wilde staat] *wild(ness)* ⇒ *natural state* ◆ **1.1** ∼, vis en gevogelte *fish, flesh and fowl* **2.1** gevleugeld ∼ *game birds;* grof ∼ *big g.;* op groot ∼ jagen *hunt big g.;* hetzelfde ∼ najagen *seek the same quarry;* klein ∼ *small g.;* rood ∼ *red deer;* zwart ∼ *wild boars* **3.1** ∼ eten *eat g.* **6.1** in het ∼ rondlopen *run wild* **6.2** planten in het ∼ *wild plants;* in het ∼ levende dieren *wild animals, wildlife, animals (living) in the wild/in the natural state;* in het ∼ voorkomen/leven/groeien *occur/live/grow (in the) wild.*

wild[2] (bn., bw.;-ly) **0.1** [mbt. planten] *wild* **0.2** [mbt. dieren] *wild* ⇒ *savage, ferocious,* (ongetemd; schr.) *feral* **0.3** [mbt. mensen] *wild* ⇒ *savage,* (ruw, primitief; schr.) *rude* **0.4** [onstuimig] *wild* ⇒ *turbulent* **0.5** [ongeregeld] *wild* ⇒ *rowdy* ◆ **1.4** een ∼e aanval doen op iets *rush at sth.;* een ∼e achtervolging *a w. chase;* ∼e ideeën aandragen *come up with madcap/hare-brained ideas;* met ∼e vaart *at a furious rate;* ∼e verhalen/geruchten verspreiden *spread w. stories/rumours* **1.5** ∼ bier *frothy beer;* ∼e boot *tramp (ship/steamer);* een ∼e bos haar *a shock of hair;* de ∼e haren zitten er nog in *he/she still hasn't sown his/her w. oats;* pokeren met de tweeën als ∼e kaart *play poker with deuces w.;* een ∼e olieput a *blow-out well;* (med.) ∼ vlees *proud flesh* **2.4** ∼ enthousiast zijn/worden over iets *go overboard for/about sth., be nuts about/over sth., rave about/over sth., fall for sth. in a big way* **3.4** de epidemie greep ∼ om zich heen *the epidemic spread rapidly/grew rampant;* ∼ om zich heenkijken *stare wildly (around);* zich ∼ lachen *laugh o.s. silly, laugh one's head off;* maak het beest niet ∼ *don't drive the animal w./infuriate the animal;* zich ∼ schrikken *have the fright of one's life, be startled out of one's wits;* haar ogen stonden ∼ *her eyes looked w./had a w. look (about them)* **6.4** in het ∼e weg rondtasten naar iets *scrabble about for sth.;* in het ∼e (weg) *at random, indiscriminately, hit-or-miss;* een gissing in het ∼e weg *a w. guess;* ∼ op/van iets zijn *be w./mad/crazy about sth..*

wildachtig (bn.) **0.1** *gam(e)y.*

wildbaan (de) **0.1** *game reserve/preserve.*

wildbioloog (de (m.)),-**loge** (de (v.)) **0.1** *game biologist.*

wildbraad (het) **0.1** [gebraden vlees] *(roast) game* **0.2** [geschoten wild] *game.*

wilddief (de (m.)) **0.1** *poacher.*

wilddieverij (de (v.)) **0.1** *poaching.*

wilde (de (m.)) **0.1** [lid v.e. primitief volk] *savage* ⇒ *primitive* **0.2** [wildebras] (→**wildebras**).

wildebras (de (m.)) **0.1** *(young) tearaway* ⇒ (wild meisje ook) *tomboy, hoyden.*

wildeling (de (m.)) **0.1** *wilding.*

wildeman (de (m.)) **0.1** [wild mens] *wild man* ⇒ *savage (man)* **0.2** [driftkop] *hothead* ⇒ *madman* ◆ **8.1** tekeergaan als een ∼ *carry on like a wild man/a maniac.*

wildemanskruid (het) **0.1** *pasqueflower.*

wildernis (de (v.)) **0.1** [woest gebied] *wilderness* ⇒ *wilds,* (rimboe) *jungle,* (vnl. in Afrika) *bush,* (in Australië) *(the) outback* **0.2** [plek waar alles in 't wild groeit] *wilderness* ◆ **2.2** die tuin wordt een echte ∼ *that garden is becoming a real w.* **3.1** (fig.) iem. de ∼ insturen *send s.o. into the wilderness* **6.1** in de ∼ van Zuid-Amerika leven nog vele Indianenstammen *there are still a great many Indian tribes in the wilds /jungle/forests of South America;* in de ∼ (ook) *out in the wilds.*

wildgroei (de (m.)) **0.1** [woekering] *morbid growth* ⇒ (van cellen enz.) *proliferation,* (week gezwel) *fungus* **0.2** [(fig.)] *proliferation.*

wildklem (de) **0.1** *trap* ⇒ (voor kleine dieren) *gin (trap), snare.*

wildleer (het) **0.1** *wildlife/* (van v. dier ook) *doeskin,* (van m. dier ook) *buckskin.*

wildling (de (m.)) **0.1** *wildling.*

wildpark (het) **0.1** *wildlife/* (voor de jacht) *game park/reserve.*

wildpastei (de) **0.1** *game pie.*

wildreservaat (het) **0.1** *wildlife/* (voor de jacht) *game reserve.*

wildrijk (bn.) **0.1** *full off/* ↑*abounding in game* (alleen na zn.).

wildrooster (het) **0.1** ᴮ*cattle grid,* ᴬ*cattle guard* ⇒ (Austr.E) *cattle stop.*

wildschaar (de) **0.1** *poultry shears.*

wildschotel (de (m.)) (cul.) **0.1** *game dish.*

wildschut (de (m.)) **0.1** *gamekeeper* ⇒ (vnl. in Afrika) *game warden.*

wildsmaak (de (m.)) **0.1** *gam(e)y taste/flavour.*

wildstand (de (m.)) **0.1** *wildlife/* (voor de jacht bestemd) *game population* ⇒ (voor de jacht, ook) *game supply/stock(s).*

wildstroper (de (m.)) **0.1** *poacher.*

wildvreemd (bn.) **0.1** *perfectly/utterly strange* ◆ **1.1** een ∼ mens *a perfect stranger* **3.1** ik ben hier ∼ *I'm a complete stranger here.*

wildvreemde (de (m.)) **0.1** *complete/perfect stranger* ◆ **6.1** bij ∼n hulp vinden *be helped by perfect strangers.*

wildwaterbaan (de (v.)) **0.1** ≠*rapids.*

wildwaterkanoën (ww.) **0.1** *slalom/white-water canoeing.*

wild-westfilm (de (m.)) **0.1** *western* ⇒*cowboy(s-and-Indians) film/* (vnl. AE) *movie.*

wild-westtafereel (het) **0.1** (zie 3.1) ◆ **3.1** het was een ∼ *it was bedlam, it was like sth. out of a Western.*

wildzang (de (m.)) **0.1** *wild birds* (mv.) ⇒*wildfowl.*

wilg (de (m.)) **0.1** *willow (tree)* ⇒ (ihb. waterwilg) *sallow* ◆ **6.1** (fig.) de lier **aan** de ∼en hangen *lay down one's tools/* (mbt. dichter/schrijver) *pen, lay one's tools/pen aside.*

wilgachtigen (zn.mv.) **0.1** *willow family* ⇒*Salicacea.*

wilgeblad (het) **0.1** *willow leaf.*

wilgehout (het) **0.1** *willow (wood).*

wilgekatje (het) **0.1** *(willow) catkin.*

wilgen (bn.) **0.1** *willow.*

wilgepijp (de) **0.1** *salicional.*

wilgerijs (het) **0.1** *willow twig/* (lang, buigzaam) *switch* ⇒ (voor vlechtwerk) *osier (shoot).*

wilgeroosje (het) **0.1** [plant] *willow-herb* ⇒ (BE ook) *rosebay,* (AE ook) *fireweed* **0.2** [uitwas op wilgen] *willow rosette gall* ◆ **2.1** harig ∼ *hairy w.-h..*

wilgetak (de (m.)) **0.1** *willow branch.*

wilgeteen (de) **0.1** *osier.*

Wilhelmus (het) **0.1** *Wilhelmus* ⇒*Dutch national anthem* ◆ **3.1** dat zijn ze (niet) die ('t) ∼ blazen *they're (not) the ones we want;* het ∼ zingen *sing the (Dutch) national anthem.*

willekeur (de) **0.1** [vrije verkiezing] *will* ⇒ (vrijheid van handelen) *discretion* **0.2** [onrechtvaardige, grillige handelwijze] (onrechtvaardig) *arbitrariness* ⇒*unfairness,* (grillig) *capriciousness, caprice* ◆ **1.2** een daad van ∼ *an arbitrary/wilful act;* een regering van geweld en ∼ *violent and arbitrary rule* **5.2** dat is louter ∼ *that's completely unfair* **5.1** u kunt het naar ∼ veranderen *you can change it to suit yourself/at your own discretion/at w.;* hij handelt **naar** ∼ *he does as he pleases, he suits himself;* **naar** ∼ *to suit o.s., at w., at one's (own) discretion.*

willekeurig (bn., bw.;-ly) **0.1** [niet uitgekozen] *arbitrary* ⇒ (toevallig, op goed geluk) *random,* (lukraak) *indiscriminate, voluntary* (spieren) **0.2** [eigenmachtig] *arbitrary* ⇒ *high-handed,* (grillig) *whimsical, capricious* ◆ **1.1** een ∼ aantal letters *any number of letters;* (wisk.) ∼e constanten *random numbers;* een ∼ getal *a random number;* een ∼e greep *a random choice/selection;* ik doe maar een ∼e greep *I just take a few random examples;* (taal.) het ∼e karakter van een taalteken *the a. nature of a linguistic sign;* een ∼e selectie *a random sample/selection;* neem een ∼e steen *take any stone* **1.2** een ∼e maatregel *an a./a high-handed measure;* ∼e veranderingen *a. changes* **3.1** ∼ gekozen *chosen at random/haphazardly* ¶.**2** ∼ te werk gaan *act/proceed arbitrarily/high-handedly.*

Willemsorde (de) ◆ **2.**¶ Militaire ∼ *Military Order of William I.*

willen (→sprw. 126,198,220,302,658)
I (onov., ov.ww.) **0.1** [tot/als wil hebben] *want* ⇒*wish,* ↑ *desire* **0.2** [de wens uitdrukken] *wish* ⇒*want* **0.3** [lukken] *will* **0.4** [beweren] *claim* ⇒*say,* (mbt. gerucht) *have* ◆ **1.1** als God wil, zo de Here wil *God willing;* (schr.) *Deo volente;* het is (maar) een kwestie van ∼ *it's (only) a matter of will;* het lot heeft het anders gewild *fate has willed (it)/decreed otherwise;* het onmogelijke ∼ *ask for the moon;* ik wil wel een pilsje *I could do with/I wouldn't mind a beer;* wil je wat pinda's? *would you like some peanuts?;* het toeval/lot wilde dat …*as it happened …, fate decreed that …;* vader wil wel eens wat *dad wants a bit of fun now and then/every once in a while;* de wet wil het zo *those are the provisions of the law;* (inf.) *that's what the law says* **1.3** dat ding wil niet *the thing won't go/refuses to go* **1.4** het gerucht wil, dat … *rumour has it that …, it is rumoured that …* **3.1** ik wilde je niet beledigen *sorry, no offence* ᴬ*se (meant), I didn't mean to offend you;* ik wil er best voor betalen *I don't mind paying for it;* het weer wil maar niet beteren *the weather refuses to get any better;* hij wil je geen kwaad doen *he doesn't mean you any harm;* ik wil er graag heen gaan *I should really/very much like to go, I really/very much want to go;* waar wil zij al dat geld vandaan halen? *where is she aiming/planning to get all the money from?, where does she expect to get all the money from?;* een stuk speelgoed ∼ hebben *want a toy;* ik wil het niet hebben *I won't have/allow it;* je hebt niks te ∼ *beggars can't be choosers, you're in no position to make demands;* ik wil je graag helpen *I'd very much like/I very much want to help you;* ik had wel ∼ huilen *I could have cried, I felt like crying;* ze wilde graag komen *she very much wanted to come (along);* niet ∼ luisteren *stop one's ears, refuse to listen;* dat mocht je ∼ *you'd like that, wouldn't you?;* ik wil niets meer met hem te maken hebben *I've done with him, I want nothing more to do with him, I'm through with him;* het was erger dan ze wilde toegeven *it was worse than she cared to admit;* ik wil wel toegeven dat … *I'm willing to admit that …;* zij ∼ liever weggaan *they prefer to/would rather leave;* niets van iem. ∼ weten *not want to have anything to do with s.o.;* er niet van ∼ weten (ook) *want none of it;* hij wil dokter

worden *he wants to be a doctor;* hij wil absoluut acteur worden *he is (dead) set on becoming/being an actor;* hij wilde zich wreken *he sought revenge;* wil je zeggen dat …? *are you saying that …?, do you mean that …?;* bewijzen ~ zien *want/wish to see the evidence;* dat had ik best eens ~ zien! *I wouldn't have minded seeing it!;* iets niet ~ zien/ horen/weten *shut one's eyes/ears/mind to sth., not want to know* 3.2 wou je me vertellen dat …? *do you mean to tell me/to say that …?;* wat wou je me vertellen? *what were you going to tell me?;* ik wou net vertrekken toen … *I was just about/going to leave when …;* dat zou ik wel eens ~ zien! (lett.) *I'd like to see that!;* (iron.) *that'll be the day!* 3.3 niets wil haar lukken *nothing ever works out for her;* de motor wil niet starten *the engine won't start* 3.4 zij wil ons gezien hebben *she says/maintains/claims she has seen us/claims to have seen us;* zijn laatste roman wil een manifest zijn tegen het feminisme *his latest novel is intended as an anti-feminist manifesto* 3.¶ dat wil zeggen *in other words, that's to say* 4.1 wilt u nog iets toe? *would you like sth./ anything to follow?;* (BE; inf.) *for afters?;* waar wil hij heen? (fig.) *what's he driving at?;* ja, wat wil je? *yes, what do you want?/what is it? /* (drankje) *what will you have?;* wat wil die man hier? *what's he doing/does he want here?;* wat wil je nu eigenlijk? *what do you/is it you want?;* hij/zij weet wat hij/zij wil *he/she knows what he/she wants, he/she knows his/her own mind;* wat wil je nog meer? *what more do you want?;* geef hem maar wat hij wil (ook) *give him whatever he fancies;* wie wil er nog? *who would like some more?, any more takers?;* (inf.) *any more for any more?;* je hebt het zelf gewild *you've only yourself to blame, it was your own doing/want, you asked for it* 5.1 hoe wilt u uw ei? (ook) *how do you like your egg?;* niks liever ~ *ask for nothing better* 5.3 dat wil er bij mij niet in *I don't accept/believe that* 5.¶ men wil er niet aan *people are not buying, nobody's interested, there are no takers* 6.1 hoeveel wil je **voor** dat schilderij? *how much do you want/are you asking for that painting?;* ze heeft het gedaan zonder het zelf te ~ *she did it unwillingly/reluctantly/against her will;* (zonder opzet) *she did it unintentionally* 7.1 vandaag kun je drinken zoveel je wil (ook) *today you can drink your fill* 8.1 als zij gewild had … *if she had chosen …;* wilt u dat ik het raam openzet? *shall I open the window (for you)?;* wil je misschien dat ik ziek word?* (ook) *would you have me fall ill?;* het is immoreel, of misschien wel misdadig, zo men/je wil *it's immoral, or even criminal, if you like;* doe het zoals je wilt *do it (just) as/anyway/the way* ↑*however you like;* (net) zoals je wilt *(just) as you please* 8.2 ik wou dat jullie opschoten *I wish you'd hurry up;* ik wou dat ik een fiets had *I wish I had a bike* 8.3 als het een beetje wil zijn we in december klaar *with (a bit of) luck we'll be finished in December* ¶.1 of je wilt of niet/~ of niet *whether you want to or not;* we moesten wel glimlachen, of we wilden of niet *we could not help but smile/help smiling;* ik wil wel *I don't mind, I'm willing/game, I'd like to* ¶.2 dat zou je wel ~! *wouldn't you just (like it)!;*

II (hww., van modaliteit) **0.1** [zullen] *shall, should, will* **0.2** [mbt. een gebod, verzoek] *will, would* **0.3** [mbt. een mogelijkheid, waarschijnlijkheid] (zie 3.3) ◆ **3.1** ~ we gaan? *shall we go?;* wil ik je eens wat zeggen? *let me tell you a thing or two;* we ~ zien wat hij te zeggen heeft *we shall see what he has got to say* **3.2** wil je me de melk even (aan)geven? *could/would you pass me the milk please?;* wil je me even helpen? *would you mind helping me?;* wil jij je mond wel eens houden? *would you kindly shut up?;* wilt u daar stoppen? *would you pull up over there, please?;* zou je 's ~ opbellen? *would you mind ringing?;* zou u zo goed ~ zijn onmiddellijk te vertrekken? *would you be so kind as to leave immediately?* **3.3** honden ~ wel eens bijten *dogs are apt to bite;* we moeten ons haasten, ~ we nog op tijd komen *we've got to hurry if we want to be on time;* het moet al erg meevallen, wil zij die baan krijgen *she'll be very lucky to get/if she gets that job, the odds are against her getting that job;* waar wil ze de tijd daartoe vinden? *where does she expect to find the time?;* het wil mij voorkomen dat … *it seems to me/strikes me that …;* het wil wel eens half tien worden voor hij op zijn werk is *it tends to be/it's apt to be half-past nine before he's at work;* hij wil 's avonds nog wel eens thuis zijn *he's quite likely to be in of an evening.*

willens (bw.) **0.1** [met opzet] *deliberately, on purpose* ⇒ *wilfully* **0.2** [bereidwillig] *willingly* **0.3** [van plan] (zie 3.3) ◆ **3.3** ik ben ~ daarheen te gaan *I intend to go there* **5.1** ~ en wetens *knowingly;* (schr.) *wittingly* **5.2** ~ of onwillens *willy-nilly, willingly or unwillingly/or otherwise* ¶.2 ~ nillens *willy-nilly.*

willetje (het) (pej.) *will* ◆ **3.1** zij heeft een eigen ~ *she has a w. of her own, she's pigheaded.*

willig (bn., bw.; -ly) **0.1** [gehoorzaam] *willing, obedient* ⇒ (meegaand) *docile*, (onderdanig) *submissive* **0.2** [bereid] *willing* ⇒ (graag bereid) *eager* **0.3** [aftrek hebbend] *brisk* ⇒ *lively*, (mbt. beurs) *bullish* ◆ **1.1** een ~ karakter *a docile character;* ~e kinderen w./o./ *docile children;* een ~ paard *a docile horse;* een ~ slachtoffer *a w. victim;* (sl.) *an easy mark/touch* **1.2** een ~e merrie *a mare on/* ^in heat **1.3** ~e beurs *lively trading/Exchange;* de fondsen zijn ~ *funds are firm;* een ~e markt (mbt. beurs) *a bull market.*

willoos (bn., bw.; -ly) **0.1** *unresisting* ⇒ (zeldz.) *will-less*, (apathisch)

languid, (ná zn.) *with no will of one's own* ◆ **1.1** zij werden meegevoerd als een ~ blad door de wind *they were carried along without offering resistance;* hij was haar ~ werktuig *he was (like) putty/clay in her hands, he was her pawn* **3.1** ~ liet de jongen zich de berm afglijden *the boy let himself slide unresistingly down the bank.*

willoosheid (de (v.)) **0.1** *lack of will* ⇒ *lack of resistance*, (zeldz.) *wil-lessness*, (apathie) *languor.*

wilsbeschikking (de (v.)) **0.1** *will* ⇒ *testament* ◆ **2.1** uiterste ~ *last will (and testament).*

wilsbesluit (het) **0.1** *exercise of the/one's will.*

wilsgebrek (het) (jur.) **0.1** *absence of consensus ad idem.*

wilsinspanning (de (v.)) **0.1** *effort of the/one's will.*

wilskracht (de) **0.1** *willpower* ⇒ *will*, (fig.) *backbone*, (moed, pit) *nerve*, (vastberadenheid) *purpose* ◆ **2.1** een ijzeren/stalen ~ *an iron will* **3.1** iemands ~ breken *break s.o.'s will;* veel ~ tonen *show plenty of willpower/nerve* **6.1** met grote ~ (ook) *with great force/strength of will;* op eigen ~ *under one's own steam.*

wilskrachtig (bn., bw.) **0.1** (bn.) *strong-willed* ⇒ (energiek) *energetic, dynamic*, (volhardend) *persevering*, (vastberaden) *purposeful*, (bw.) *with a strong will, energetically, perseveringly* ◆ **1.1** een ~e kin *a strong chin.*

wilsovereenstemming (de (v.)) (jur.) **0.1** *consensus ad idem.*

wilsuiting (de (v.)) **0.1** *expression of (one's) will.*

wimpel (de (m.)) **0.1** *pennant* ⇒ *pennon, streamer* ◆ **1.1** met vlag en ~ slagen *pass with/come through with flying colours* **2.1** de blauwe ~ *the blue ribbon/* (in titels soms ook) *riband.*

wimper (de) **0.1** [ooghaartje] *(eye)lash;* (med. ook) *cilium* **0.2** [(plantk.)] *cilium.*

wimperspitmuis (de) **0.1** *Savi's pigmy shrew.*

wind (de (m.)) (→sprw. 76,281,660-662,678) **0.1** [luchtstroming] *wind* ⇒ (bries) *breeze*, (harde wind) *gale* **0.2** [scheet] *wind* ⇒ ↓*fart* **0.3** [kunstmatige luchtstroom] *wind* ⇒ *draught*, ^*draft* **0.4** [opgeblazenheid] *wind* ⇒ ↑*flatulence* **0.5** [lucht] *air* **0.6** (hazewind) *greyhound* ◆ **1.1** bestand zijn tegen weer en ~ *be wind and weatherproof;* (schr.) weer en ~ dienende *weather permitting;* geen zuchtje ~ *not a breath of air/w., dead calm* **1.5** het is niets dan water en ~ *it's nothing but water and a.* **2.1** een bijtende/veranderlijke ~ *a biting/gusty w.;* een felle ~ *a fierce w.;* (fig.) er waait een frisse ~ door de school sinds zij er werkt *she's brought some fresh air into the school ever since she got there;* een frisse ~ (lett.) *a cool w.;* (fig.) *(a bit of/some) fresh air;* gunstige/ongunstige ~ *favourable/fair/unfavourable w.;* een harde/krachtige ~ *a high/powerful w.;* een zoete/gure/droge/equatoriale ~ *a gentle/bitter/dry/an equatorial w.;* zwakke/matige ~ *light/moderate breeze* **2.4** Haagse ~ *the pomposity/conceit of people/politicians in the Hague* **3.1** de ~ bolde de zeilen/parachute *the w. billowed/bellied out the sails/parachute;* de ~ draaide naar het oosten *the w. veered round to the east;* de ~ draait *the w. is changing/turning;* de ~ gaat liggen *the w. is dropping/going down/falling;* (fig.) iem. de ~ van voren geven *give s.o. what for, give s.o. sth. to think about;* de ~ is naar het westen gedraaid *the w. has come round to the west;* er is ~ *there's a w.;* de ~ van voren krijgen (fig.) *get lectured at, have the book (of rules) thrown at one, catch/cop it, get blasted;* (sl.) *get it in the neck;* de ~ kwam van zee *the w. was blowing onshore;* de ~ neemt af/toe *the w. is falling/rising;* iem. de ~ uit de zeilen nemen (fig.) *steal a march on s.o., steal s.o.'s thunder, take the w. out of s.o.'s sails;* de ~ ruimt *the w. is veering;* er staat niet veel ~ *there's not much (of a) w.;* de ~ staat schuin achter *the w. is on the quarter;* de ~ steekt op *the w. is rising;* (plotseling) *is springing up;* kijken uit welke hoek de ~ waait *see which way the w. blows/how the w. blows/how the land lies, feel a situation out, play it by ear;* de ~ zat in de goede hoek *the w. was from the right quarter;* de ~ zit in het zuiden *the w. is (from the) south* **3.2** ~en laten *break w.,* ↓*fart* **3.3** maak niet zo'n ~ met die deur *don't make such a draught with that door;* (fig.) veel ~ maken *make a lot of fuss* **3.4** dat is maar ~ *that's a lot of fuss (about nothing)/much ado about nothing, it's all (hot) air* **3.¶** de ~ er onder hebben *put the fear of God into people* **5.1** ~ achter/tegen *tail/head w.;* ~ dwars *w. on the beam;* de ~ mee hebben *have the w. behind one;* met de ~ mee *with the w.;* ze hadden de ~ pal tegen *the w. was right in their teeth;* zeilen met de ~ vanachteren *sail with the w. astern* **6.1** aan de ~ zeilen (hoog /scherp aan de wind zeilen) *sail close to the w., sail close-hauled;* bij de ~ zeilen *sail to the w.;* **bij** de ~ brassen/oplooven *haul to/upon the wind;* **boven/onder** de ~ *(to) windward/leeward;* (fig.) **door** de ~ gaan *give way;* in de ~ zien *keep a close watch, keep a sharp look-out, keep one's eyes* ^B*skinned/* (vnl. AE) *peeled;* woorden **in** de ~ ~ *hot air, idle talk;* (fig.) **in** de ~ zijn *have had a drop too much, be tight/tipsy;* (fig.) woorden/een waarschuwing/wijze raad/een advies **in** de ~ slaan *disregard/not heed/pay no heed to/be heedless of/brush aside/ turn a deaf ear to words/a warning/sound advice/a piece of advice;* **in** de ~ gaan (ook) *sail short;* met de kop **in** de ~ brengen *round up in the wind* (schip)/*turn into the eye of the wind* (vliegtuig); **met** alle ~en (mee)waaien/draaien *trim one's sails according to the w., blow hot and cold, swim with the tide, be a weathercock;* **met** de ~ in de rug *with the w. behind (one);* zich **naar** de ~ keren *turn into the w.;*

de ~ **op** het zeil *adverse / contrary / head w.;* **tegen** de ~ in *against the w., into the teeth of the w.;* **uit** de ~ zitten *sit out of the w.;* ⟨sport⟩ **uit** de ~ zetten / houden *shelter;* **van** de ~ kan je niet leven *you can't live on air / nothing;* **voor** de ~ *before the w.;* ⟨fig.⟩ het gaat hem **voor** de ~ *he's doing well / flying high / flourishing / prospering;* het zeilschip liep **voor** de ~ *the sailing ship was flying before the w.* **6.5** ⟨inf.⟩ er mag wel een beetje meer ~ **in** de banden *the tyres could do with a bit more a.* **8.1** snel als de ~ *like the w. / a shot / (greased) lightning;* er als de ~ vandoor gaan *be off like a shot / (greased) lightning.*

windakker ⟨de (m.)⟩ **0.1** *windmill park.*
windas ⟨het⟩ **0.1** *windlass* ⇒ *wheel and axle.*
windbemaling ⟨de (v.)⟩ **0.1** *grinding (of corn / ⟨enz.⟩) in a windmill / in windmills.*
windbestuiving ⟨de (v.)⟩ **0.1** *wind pollination / fertilization;* ⟨wet.⟩ *anemophily.*
windboom ⟨de (m.)⟩ **0.1** *windlass beam / roller.*
windbreker ⟨de (m.)⟩ **0.1** *leader.*
windbreking ⟨de (v.)⟩ **0.1** ⟨concr.⟩ *windbreak;* ⟨abstr.⟩ *wind-breaking.*
windbuil ⟨de (m.)⟩ **0.1** ⟨grootspreker⟩ *windbag, gasbag* ⇒ ⟨nul⟩ *featherweight,* ⟨charlatan, snoever⟩ *charlatan.*
windbuis ⟨de⟩ **0.1** *wind trunk.*
windbuks ⟨de⟩ **0.1** *air rifle / gun.*
winddicht ⟨bn.⟩ **0.1** *windproof.*
winddroog ⟨bn.⟩ **0.1** *air- / wind-dried.*
winddruk ⟨de (m.)⟩ **0.1** *wind pressure.*
winddynamo ⟨de (m.)⟩ ⟨tech.⟩ **0.1** *wind generator.*
winde ⟨de⟩ **0.1** [plant] *convolvulus* **0.2** [vis] *convolvulus.*
windei ⟨het⟩ **0.1** *wind egg* ◆ **3.1** ⟨fig.⟩ dat zal hem geen ~eren leggen *he'll do well out of it, he won't be the worse for it, it won't do him any harm.*
windelen ⟨ov.ww.⟩ ⟨AZN⟩ **0.1** *swathe / wrap (in bandages);* ⟨met luiers⟩ *swaddle, put on / change nappies / ^Adiapers.*
winden ⟨ov.ww.⟩ **0.1** [wikkelen] *wind* ⇒ *twist, entwine,* ⟨een sjaal⟩ *wrap* **0.2** [met een lier verplaatsen] *wind* ⇒ *hoist, winch* ◆ **1.2** het anker ~ weigh anchor, wind the anchor **4.1** ⟨fig.⟩ zich uit iets ~ *wriggle out of sth.* **6.1** een doekje **om** zijn vinger / draad **op** een klos ~ *wind a rag / bandage (a)round one's finger / thread on to a reel;* garen **tot** een kluwen ~ *roll yarn into a ball.*
windenergie ⟨de (v.)⟩ **0.1** *wind energy.*
winderig ⟨bn.⟩ **0.1** [met veel wind] *windy* ⇒ *blowy, blustery,* ⟨niet sterk⟩ *breezy,* ⟨sterk⟩ *stormy,* ⟨v.e. streek⟩ *windswept* **0.2** [winden latend] *windy* ⇒ ⟨schr.⟩ *flatulent* **0.3** [het winden-laten bevorderend] *windy* ⇒ ⟨schr.⟩ *flatulent* **0.4** [opgeblazen] *windy* ⇒ ⟨schr.⟩ *flatulent, pretentious* ◆ **1.1** een ~e dag / kust / plaats *a windy day; a stormy / blustery coast; a windswept / bleak place* **1.3** bonen met uien is ~ voedsel *beans and onions give one wind* **1.4** een ~ meneertje *a windbag* **3.1** het is hier te ~ om te zitten *it is too windy too sit here* **3.2** een beetje ~ zijn *have a bit of wind, suffer from wind.*
windgat ⟨het⟩ **0.1** [wak] *(ice-)hole, air-hole* **0.2** [tochtgat] *wind-hole, vent-hole.*
windgenerator ⟨de (m.)⟩ **0.1** *aerogenerator.*
windgevoelig ⟨bn.⟩ **0.1** *sensitive to (cross-)wind* ◆ **3.1** deze auto is zeer ~ ⟨ook⟩ *this car reacts greatly to (cross-)wind.*
windglijder ⟨de (m.)⟩ **0.1** *hang glider.*
windhaak ⟨de (m.)⟩ **0.1** *storm hook.*
windhaan ⟨de (m.)⟩ **0.1** *weathercock.*
windhandel ⟨de (m.)⟩ **0.1** *speculation, gambling* ⇒ ⟨AE ook⟩ *stockjobbing.*
windharp ⟨de⟩ **0.1** *Aeolian harp.*
windhaver ⟨de⟩ **0.1** *wild oat(s).*
windhoek ⟨de (m.)⟩ **0.1** [hoek vanwaar de wind komt] *quarter from which the wind blows* **0.2** [plaats waar het altijd waait] *windy spot.*
windhond ⟨de (m.)⟩ **0.1** *greyhound* ⇒ ⟨kleine⟩ *whippet,* ⟨eenjarige⟩ *sapling,* ⟨mbt. jacht⟩ *hound.*
windhondenrennen ⟨zn.mv.⟩ **0.1** *greyhound races / racing* ⇒ ↓ *the dogs.*
windhoos ⟨de⟩ **0.1** *whirl / wind* ⇒ *(aerial) vortex.*
winding ⟨de (v.)⟩ **0.1** *winding;* ⟨van spoel, veer, plant, slang⟩ *coil, turn;* ⟨van hersenen, darm, schedp⟩ *convolution.*
windjak ⟨het, de⟩ **0.1** *windcheater,* ^Awindbreaker ⇒ *windjammer.*
windjammer ⟨de (m.)⟩ **0.1** *windjammer.*
windje ⟨het⟩ **0.1** [lichte wind] *breeze, gentle wind* **0.2** [scheet] *wind* ◆ **2.1** een fris ~ *a brisk wind* **3.1** een ~ laten *break w., pass w.* **7.1** geen ~ *not a breath of wind* ¶**.2** last van ~s hebben *suffer from w. / ↑flatulence.*
windjekker ⟨de (m.)⟩ **0.1** → *windjak.*
windkaart ⟨de⟩ **0.1** *wind chart* ⇒ *wind rose.*
windkanaal ⟨het⟩ **0.1** *wind trunk.*
windkant ⟨de (m.)⟩ **0.1** *windy side* ⇒ ⟨vnl. scheep.⟩ *windward / wheather side* ◆ **6.1** aan de ~ *to the windward / on the windward / weather side.*
windkas(t) ⟨de⟩ **0.1** [mbt. een orgel] *wind-chest, wind box* **0.2** [kast om een windas] *windlass box / case.*
windketel ⟨de (m.)⟩ **0.1** *air-chamber.*
windklep ⟨de⟩ **0.1** *air-valve* ⇒ *vent.*
windkracht ⟨de⟩ **0.1** [windsterkte] *wind-force* **0.2** [windenergie]

wind-force ⇒ *windenergy* ◆ **6.2** deze koelinstallatie loopt / draait **op** ~ *this cooling system runs on / is driven by w.-f.* **7.1** ~ 7 *force 7;* ~ 0 / 12 *calm / hurricane force.*
windmachine ⟨de (v.)⟩ **0.1** *wind-driven / -operated machine;* ⟨in theater⟩ *wind machine.*
windmaker ⟨de (m.)⟩ **0.1** [toestel] *air-drier / blower* **0.2** [persoon] *windbag, big wind.*
windmeter ⟨de (m.)⟩ **0.1** *wind-gauge* ⇒ *anemometer.*
windmolen ⟨de (m.)⟩ **0.1** [door de wind gedreven molen] *windmill* **0.2** [windturbine] *wind turbine* ◆ **6.1** tegen ~s vechten *tilt at / fight windmills.*
windorgel ⟨het⟩ **0.1** *aeolian harp* ⇒ *wind harp.*
windrichting ⟨de (v.)⟩ **0.1** *wind-direction, direction of the wind* ⇒ ⟨mv. ook⟩ *points / quarters of the compass* ◆ **6.1** tegen de ~ in gaan *go up (the) wind.*
windroede ⟨de⟩ **0.1** *glazing bar;* ⟨vnl. AE⟩ *muntin.*
windroos ⟨de⟩ **0.1** [kompasroos] *compass card / rose* **0.2** [plant] *windflower* ⇒ *wood anemone.*
windschade ⟨de⟩ **0.1** *storm damage* ⇒ *damage caused by the wind.*
windscherm ⟨het⟩ **0.1** *windbreak;* ⟨op een voertuig⟩ ^Bwindscreen, ^Awindshield.*
windschoor ⟨de (m.)⟩ ⟨bouwk.⟩ **0.1** *wind beam* ⇒ *span piece, collar beam.*
windsel ⟨het⟩ **0.1** *bandage* ⇒ *swathe swathing-band,* ⟨vnl. AE⟩ *swaddle,* ⟨mv.⟩ *swaddling bands / clothes* ◆ **6.1** nog in de ~en liggen *be still in nappies* ^Adiapers; ⟨fig.⟩ *be still in its infancy.*
windsingel ⟨de (m.)⟩ **0.1** *windbreak (of trees).*
windsnelheid ⟨de (v.)⟩ **0.1** *wind speed, wind velocity.*
windsnelheidsmeter ⟨de (m.)⟩ **0.1** *anemometer.*
Windsorstoel ⟨de (m.)⟩ **0.1** *Windsor chair.*
windspaak ⟨de⟩ **0.1** *windlass bar.*
windspil ⟨het⟩ **0.1** *winch* ⇒ *capstan.*
windsterkte ⟨de (v.)⟩ → *windkracht* **0.1**.
windstil ⟨bn.⟩ **0.1** [zonder wind] *calm* ⇒ *windless, still* **0.2** [beschut] *sheltered (from the wind)* ◆ **1.1** ~le avonden *still / c. evenings* **1.2** een ~ plekje *a sheltered place* **3.1** het is ~ *there is no wind / not a breath of wind.*
windstilte ⟨de (v.)⟩ **0.1** *calm* ⇒ ⟨tijdelijk⟩ *lull* ◆ **1.1** streek der ~n *doldrums* **3.1** door ⟨een⟩ ~ overvallen worden *be becalmed.*
windstoot ⟨de (m.)⟩ **0.1** *gust / blast (of wind)* ⇒ ⟨met regen⟩ *squall,* ⟨luchtv.⟩ *bump* ◆ **2.1** felle windstoten *fierce gusts of wind.*
windstreek ⟨de⟩ **0.1** *quarter, point of the compass* ◆ **6.1** in / naar / uit alle windstreken *in / to / from all (the) corners / quarters of the world;* ⟨naar, ook⟩ *to the four winds / points of the compass* **7.1** de 32 windstreken op een kompas *the 32 points on / of the compass;* de vier windstreken *the four points of the compass, the cardinal points.*
windstreep ⟨de⟩ **0.1** ≠ *mare's tail.*
windsurf ⟨de (m.)⟩ → *windsurfer* **0.2**.
windsurfen ⟨onov.ww.⟩ **0.1** *go windsurfing.*
windsurfer ⟨de (m.)⟩ **0.1** [persoon] *windsurfer* **0.2** [zeilplank] *windsurfer* ⇒ *(wind-)surfboard.*
windsurfing ⟨de (v.)⟩ **0.1** *windsurfing.*
windtunnel ⟨de (m.)⟩ **0.1** *wind tunnel.*
windtunnelproef ⟨de⟩ **0.1** *wind tunnel test.*
windturbine ⟨de (v.)⟩ **0.1** *wind turbine* ◆ **2.1** horizontale / verticale ~ w. t. *with horizontal / vertical shaft / axis.*
windvaan ⟨de⟩ **0.1** [windwijzer] *(wind) vane* **0.2** [vlaggetje op een masttop] *pennant* ⇒ *pennon, windflag.*
windvang ⟨de (m.)⟩ **0.1** [⟨scheep.⟩] *windsail(s)* **0.2** [het opvangen v.d. wind] *catching the wind* **0.3** [voorziening op een schoorsteen] *cowl* ⇒ *draught-excluder* ◆ **8.2** een zeil als ~ stellen *hoist a windsail, hoist / set / make sail to catch the wind.*
windvanger ⟨de (m.)⟩ **0.1** *air shaft* ⇒ *fresh-air inlet,* ⟨scheep.⟩ *windscoop.*
windvast ⟨bn.⟩ **0.1** *stormproof, windproof.*
windveer ⟨de⟩ **0.1** [wigvormig latje] *wind stop* ⇒ *wheater strip,* ⟨AE ook⟩ *air lock* **0.2** [plank langs een pannendak] *bargeboard, vergeboard* **0.3** [wolk] *cirrus (cloud)* ⇒ *mare's tail* **0.4** [⟨scheep.⟩ achterwerk v.e. schip] *quarter.*
windverdrijvend ⟨bn.⟩ **0.1** *carminative.*
windvlaag ⟨de⟩ **0.1** *gust (of wind)* ⇒ ⟨plotseling en hevig⟩ *blast,* ⟨met regen⟩ *squall,* ⟨licht⟩ *flurry.*
windvrij ⟨bn.⟩ **0.1** *wind-proof* ⇒ *sheltered.*
windwaarts ⟨bw.⟩ **0.1** *(to) windward* ⇒ *towards into the wind.*
windwijzer ⟨de (m.)⟩ **0.1** *(wind / weather) vane* ⇒ *weathercock.*
windworp ⟨de (m.)⟩ ⟨landb.⟩ **0.1** ≠ *trees blown down / uprooted by the wind.*
windzak ⟨de (m.)⟩ ⟨verkeer⟩ **0.1** *windsock, air sock* ⇒ *wind sleeve / cone, drogue.*
wingebied ⟨het⟩ **0.1** *raw-material producing area* ⇒ *mineral- / resource-rich area* ◆ **1.1** het ~ v.d. waterleiding *the water-collection area.*
wingerd ⟨de (m.)⟩ **0.1** *(grape)vine* ◆ **2.1** wilde ~ *virginia creeper;* ⟨AE

ook⟩ *American ivy, woodbine;* ⟨met drietallige bladeren⟩ *Japanese/* ^A*Boston ivy.*

wingerdblad ⟨het⟩ **0.1** *vine leaf.*

wingewest ⟨het⟩ **0.1** *conquered land/country, colony* ⇒ ⟨Romeinse gesch.⟩ *province.*

winkel ⟨de (m.)⟩ **0.1** ⟨vnl. BE⟩ *shop,* ^A*store* ⇒ ⟨dagwinkel⟩ B *lock-up (shop),* ⟨grote winkel⟩ *emporium* ◆ **1.1** een ~ van modeartikelen *a boutique, a fashion store* **2.1** er zijn in die straat mooie ~s *there are attractive/smart shops in that street* **3.1** de ~s aflopen voor een plaat *scour/go round the shops for a record;* ~s kijken *go window-shopping/-gazing;* ⟨fig.⟩ op de ~ passen *be a caretaker, mind the shop;* op de ~ letten ⟨lett.⟩ *mind/tend the shop;* ⟨fig.⟩ *hold the fort;* een ~ openen/hebben *open up/keep a shop, be in trade;* je kunt er wel een ~tje van opzetten *you could open/stock a shop with it/them;* een rijdende ~ *a mobile shop;* ~tje spelen *play (at) keep-shop, play shopkeeper;* zijn ~ wegdoen *sell out one's shop* **6.1 in** een ~ staan *work in a shop, stand behind the counter;* er is iem. **in** de ~ *there's s.o. in the shop* **6.¶** er is veel werk **aan** de winkel *there's a lot to do/to be done.*

winkelbediende ⟨de (m.)⟩ **0.1** *shop-/counter-assistant,* ^A*salesclerk* ⇒ *salesman, saleswoman, salesperson.*

winkelbedrijf ⟨het⟩ **0.1** *retail business* ⇒*chain-store business.*

winkelbel ⟨de⟩ **0.1** *shop/*^A*store bell.*

winkelcentrum ⟨het⟩ **0.1** *shopping centre/precinct* ⇒ ⟨vnl. AE⟩ *plaza.*

winkelchef ⟨de (m.)⟩, **-fin** ⟨de (v.)⟩ **0.1** *shop/*^A*store manager* ⟨m., v.⟩/ ⟨v. ook⟩ *manageress.*

winkelcomplex ⟨het⟩ **0.1** *shopping centre/complex.*

winkeldame ⟨de (v.)⟩ **0.1** *saleslady* ⇒*(shop) assistant.*

winkeldief ⟨de (m.)⟩, **-dievegge** ⟨de (v.)⟩ **0.1** *shop-lifter.*

winkeldiefstal ⟨het⟩ **0.1** *shoplifting.*

winkeldochter ⟨de (v.)⟩ ⟨scherts.⟩ **0.1** *fixture, sticker* ⇒ ⟨AE;sl.⟩ *plug.*

winkelen ⟨onov.ww.⟩ **0.1** [winkels bezoeken] *shop, go shopping* ⇒*do some/the shopping,* ⟨vnl. AE⟩ *market* **0.2** [etalages bekijken] *window-shop/-gaze* ◆ **3.1** 's woensdags gaan ~ *do one's shopping on Wednesday(s)* **5.1** ⟨scherts.⟩ proletarisch ~ ⟨ongemarkeerd⟩ *shop-lift, help o.s..*

winkelgalerij ⟨de (v.)⟩ **0.1** *(shopping-)arcade* ⇒ ⟨AE, Austr.E.⟩ *shopping mall.*

winkelhaak ⟨de (m.)⟩ **0.1** [scheur in een kledingstuk] *three-cornered/right-angled tear* **0.2** [gereedschap] *(carpenter's/try)square* **0.3** [metaalconstructie] *angle bar.*

winkelhouder ⟨de (m.)⟩, **-ster** ⟨de (v.)⟩ **0.1** [winkelier] *retailer* **0.2** [bedrijfsleider] *shop manager.*

winkelier ⟨de (m.)⟩, **-ster** ⟨de (v.)⟩ **0.1** *shopkeeper,* ^A*storekeeper* ⇒*retailer, tradesman* ⟨m.⟩, *tradeswoman* ⟨v.⟩ ◆ **1.1** een volk van ~s *a nation of shopkeepers* **2.1** grote ~ *big storekeeper;* kleine ~s *petty shopkeepers, small traders* **¶.1** de ~s ⟨vnl. BE ook⟩ *tradespeople, tradesfolk.*

winkeliersvereniging ⟨de (v.)⟩ **0.1** *shopkeepers'/*^A*storekeepers' association.*

winkeljuffrouw ⟨de (v.)⟩ **0.1** *saleswoman, salesgirl.*

winkelketen ⟨de⟩ **0.1** *chain of shops/stores* ⇒*store chain.*

winkelmeisje ⟨het⟩ **0.1** *salesgirl, shop-girl* ⇒ ⟨AE ook⟩ *salesclerk.*

winkelmerk ⟨het⟩ **0.1** *shop-mark.*

winkelnering ⟨de (v.)⟩ ◆ **2.¶** gedwongen ~ ⟨gesch.⟩ *truck system, tommy.*

winkelopstand ⟨de (m.)⟩ **0.1** *shop/*^A*store fittings/fixtures.*

winkelpand ⟨het⟩ **0.1** *shop-premises/;* ⟨mv. ook⟩ *shop-property.*

winkelpassage ⟨de (v.)⟩ **0.1** *shopping arcade/*^A*mall.*

winkelpersoneel ⟨het⟩ **0.1** *shopworkers,* ^A*storeworkers* ⇒*shop/*^A*store staff/personnel.*

winkelprijs ⟨de (m.)⟩ **0.1** *shop/*^A*store price* ⇒*retail/over-the-counter price.*

winkelpromenade ⟨de (v.)⟩ **0.1** *pedestrianized shopping precinct/area* ⇒ ⟨AE, Austr.E.⟩ *mall.*

winkelpui ⟨de⟩ **0.1** *shop/*^A*store front(age).*

winkelraam ⟨het⟩ **0.1** *shop-/*^A*store-window.*

winkelruit ⟨de⟩ **0.1** *shop-window.*

winkelsluiting ⟨de (v.)⟩ **0.1** *closing of shops, shopclosing* ◆ **2.1** gedwongen/vervroegde ~ *enforced/early closing.*

winkelsluitingswet ⟨de⟩ **0.1** *Shop Hours Act* ⇒*wind harp.*

winkelstraat ⟨de⟩ **0.1** *shopping street.*

winkelvoorraad ⟨de (m.)⟩ **0.1** *stock.*

winkelwaar ⟨de⟩ **0.1** *shop goods.*

winkelwaarde ⟨de⟩ **0.1** *shop/selling price.*

winkelwagen ⟨de (m.)⟩ **0.1** [rijdende winkel] *mobile shop* **0.2** [boodschappenwagentje] *trolley.*

winkelwijk ⟨de⟩ **0.1** *shopping district/neighbourhood/quarter.*

winket ⟨het⟩ **0.1** *wicket.*

winnaar ⟨de (m.)⟩, **-nares** ⟨de (v.)⟩ **0.1** *winner* ⇒*victor,* ⟨v. ook⟩ *victress,* ⟨mv., van team ook⟩ *winning team* ◆ **1.1** de kant v.d. ~ kiezen ⟨ook⟩ *come down on the right side of the fence;* de ~ en de verliezers *the winners and the losers* **2.1** een gedoodverfde ~ *a hot favourite, a dead cert(ainty)* **3.1** iem. tot ~ uitroepen *declare/proclaim s.o. the w.*

8.1 iem. als ~ erkennen *acknowledge s.o. to be the w., give s.o. the best.*

winnen ⟨→sprw. 3, 224, 557, 627, 628⟩
I ⟨onov., ov.ww.⟩ **0.1** [als overwinnaar te voorschijn komen (uit)] *win* **0.2** [vorderen, vóórkomen] *win, gain* **0.3** [winst maken] *make a profit* ◆ **1.1** het ~de doelpunt *the winning goal;* eerlijkheid wint het altijd *honesty is the best policy;* welke kaart wint? *which card wins?, which is the winning card?;* alle kaarten ~ *sweep the table/board;* ik hoop dat mijn nummer deze keer wint *I hope my number will come up this time;* op het ~de paard wedden *pick the winner;* de eerste prijs ~ *w. first prize, carry away first prize/the bell;* de slag ~ *carry/save/w. the day, w. the field;* dat spel ~ we met gemak *it will be a snap/cinch to w. that game;* de verkiezingen ~ *carry/w. the elections, get one's candidate elected;* een weddenschap ~ *w. a bet;* de wedstrijd moeiteloos ~ *w. the match/competition/race hands down;* ⟨bij paardenrennen ook⟩ *runaway with the race* **1.2** een voorsprong ~ *take a lead, go into the lead* **3.1** zich gewonnen geven *acknowledge defeat, admit that one is beaten;* ⟨inf.⟩ *throw in the sponge/towel;* iedereen kan ~ *it's anybody's game;* je kan niet altijd ~ *you can't w. them all;* hij wil dolgraag ~ *he is very keen to w.*/ *on winning* **4.1** het ~ ⟨ook⟩ *be out on top;* zij wint het steeds in hun ruzies *she always gets the better of their fights* **5.3** er 20 gulden op ~ *gain/make a profit of 20 guilders on it* **6.1** ~ **bij** het kaarten *w. at cards;* ~ **met** 7-2 *w. 7-2, w. by 7 goals/points to 2;* **met** gemak/**op** de sloffen/**op** een been ~ *coast to victory, breeze in, w. in a canter, w. hands down, walk home;* **met** een koplengte/neklengte/twee lengten ~ *w. by a head/neck/two lengths;* een goede kans maken **om** te ~ *have a good chance of winning/a nap hand;* je hebt geen kans **om** te ~ *you haven't a chance of winning;* ~ **op** punten *w. on points;* in dat opzicht wint zij het van haar moeder *she beats her mother in that respect;* ⟨het⟩ ~ **van** iem. *beat s.o., have the best of s.o., score a point off s.o., be more than a match for s.o. (in sth.);* in doorzettingsvermogen zal je het van ~ hem *you'll beat him when it comes to perseverance, you'll outstrip him in perseverance;* hij wint het **van** Sam *he has it over Sam* **6.2** ~ **aan** invloed *g. influence;* **aan** gewicht/kracht ~ *gather/put on/gain weight/force/strenght/power;* **in**/**aan** duidelijkheid ~ *g. in clearness;* hij had tien meter **op** zijn voorligger gewonnen *he had gained ten metres on the man/car/horse in front* **6.3** ~ **op** een transactie *gain/make a profit on a transaction* **¶.1** jij wint/hebt gewonnen *it's your game;* wie 21 punten heeft, wint *21 points is game;*
II ⟨ov.ww.⟩ **0.1** [door inspanning verkrijgen] *win* ⇒*gain, produce, obtain,* ⟨erts⟩ *mine, extract* **0.2** [tot voordeel verkrijgen] *win, gain* ⇒ ⟨steun⟩ *enlist, secure* ◆ **1.1** hooi ~ *make hay;* kolen ~ *extract/mine coal;* land ~ *reclaim/recover land;* zand ~ *extract sand;* zout uit zeewater ~ *obtain salt from sea water* **1.2** de genegenheid/sympathie van iem. ~ *win s.o.'s goodwill/sympathy;* nieuwe klanten trachten te ~ *try to attract new customers;* de liefde v.e. vrouw ~ *w. a woman's love/* ⟨mbt. huwelijk⟩ *hand;* onze aandelen hebben 5 punten gewonnen *our shares have gained/put on five points;* stemmen ~ *pull votes* **5.2** hij heeft er niet veel bij gewonnen *he hasn't gained much by it* **6.1** rubber ~ *uit* ...; *tap rubber from ...;* metaal **uit** erts ~ *w. metal from ore* **6.2** drie zetels **op** de Conservatieven ~ *w. three seats from the Conservatives;* iem. **voor** zich ~ *win s.o. over;* iem. ~ **voor** een zaak/een plan/een partij *win s.o. over to one's cause/plan/party.*

winner ⟨de (m.)⟩ **0.1** *winner.*

winning ⟨de (v.)⟩ **0.1** *winning* ⇒*extraction, getting,* ⟨herwinning⟩ *reclamation* ◆ **1.1** de ~ van aardgas *the extraction of natural gas.*

winplaats ⟨de⟩ **0.1** *raw-material producing area* ⇒*mineral-/resourch-rich area* ◆ **1.1** de ~ v.e. waterleiding *the water-collection area.*

winpunt →**winplaats**.

winst ⟨de (v.)⟩ **0.1** [opbrengst boven de bestede kosten] *profit* ⇒ ⟨vaak mv., rendement⟩ *return,* ⟨van bedrijf, ook⟩ *earning(s),* ⟨mv., speel/gokwinst⟩ *winning* **0.2** [voordeel] *gain* ⇒*benefit, advantage* **0.3** [overwinning] *victory* ⇒*winning* ◆ **1.1** de helft v.d. ~ *half the profits* **2.1** bruto ~ *gross returns;* enorme ~ en *pyramidal/enormous profits;* netto ~ *net/* ⟨BE ook⟩ *nett returns/gain/p.;* zuivere ~ *clear p.* **3.1** ~ behalen/maken/opleveren/afwerpen/delen/beogen/boeken *gain/make/realize/yield/share/aim at/store (a) p.;* het huis bracht ~ op *the house realized a p.;* ergens ~ op maken *make a p. on sth.;* ~ nemen ⟨beurs⟩ *take profits;* rekenen op een fikse ~ *reckon/bank on a large p.;* ~ slaan uit *make much of/money out of, capitalize on;* tel uit je ~ *it's a fast buck/easy money;* er zit ~ in *there's money in it* **6.1** met ~ verkopen *sell at a p.;* **met** de ~ gaan strijken *reap the p.;* **op** ~ uit zijn *be out to make a p., be out for p./for what one can get;* ⟨sl.⟩ *be on the make;* ⟨inhalig zijn⟩ *have an itching palm* **6.2** een ~ **van** drie zetels in de Kamer behalen *gain three seats in Parliament;* dit is zuivere ~ **voor** onze partij *this is pure g. for our party* **6.3 op** ~ spelen *play to win;* **op** ~ staan *be winning.*

winstaandeel ⟨het⟩ **0.1** *bonus* ⇒ ⟨dividend⟩ *dividend, share of/in the profits.*

winstaanspraak ⟨de⟩ **0.1** *claim/right to participate in the profits.*

winstbejag ⟨het⟩ **0.1** *pursuit of profit/gain* ⇒*profit seeking,* ⟨pej.⟩ *love of gain/lucre* ◆ **6.1 uit** ~ iets doen *do sth. for money/profit.*

winstbelasting ⟨de (v.)⟩ **0.1** *tax on profits.*

winstbewijs ⟨het⟩ **0.1** [soort aandeel] *profit-sharing bond, participating bond* **0.2** [stuk dat recht geeft op een aandeel in de winst] *dividend warrant / coupon.*

winstcalculatie ⟨de (v.)⟩ **0.1** *profit calculation.*

winstcijfer ⟨het⟩ **0.1** *profit figures / margin* ⇒⟨mv. ook⟩ *bottom-line numbers.*

winstdaling ⟨de (v.)⟩ **0.1** *fall / decrease in profits.*

winstdelend ⟨bn.⟩ **0.1** *profit-sharing,* ᴬ*participating* ◆ **1.1** ~e obligaties *participating bonds;* ~e verzekering *participating insurance.*

winstdeling ⟨de (v.)⟩ **0.1** *profit sharing* ⇒*participation.*

winstderving ⟨de (v.)⟩ **0.1** *loss of profit / earnings.*

winst-en-verliesrekening ⟨de (v.)⟩ **0.1** *profit-and-loss account.*

winstgevend ⟨bn.⟩ **0.1** *profitable* ⇒⟨lucratief⟩ *lucrative,* ⟨belonend⟩ *remunerative,* ⟨fig.⟩ *fruitful,* ⟨rendabel⟩ *economic* ◆ **1.1** ~e arbeid *p. labour;* ~ bedrijf *paying concern;* een ~e betrekking *a renumerative job;* aan een ~zaakje meedoen *cash in on a lucrative little business;* ⟨sl.⟩ *get a ride on the gravy train* **5.1** weinig / niet ~ *marginal, uneconomic, unprofitable, unrenumerative, unfruitful.*

winstkans ⟨de⟩ **0.1** *chance of (making a) profit* ⇒⟨kans om te winnen⟩ *chance of winning.*

winstmarge ⟨de⟩ **0.1** *profit margin, margin of profit.*

winstneming ⟨de (v.)⟩ **0.1** *profit taking;* ⟨beurs, van dagspeculant⟩ *profit snatching.*

winstobject ⟨het⟩ **0.1** *profit maker, money-maker* ⇒⟨BE;inf.⟩ *money spinner.*

winstoogmerk ⟨het⟩ **0.1** *profit motive* ⇒*private advantage, profit seeking, pursuit of profit* ◆ **6.1** met / zonder ~ *for / without purpose of gain.*

winstpercentage ⟨het⟩ **0.1** [percentage dat als winst overblijft] *percentage profit, profit margin* **0.2** [percentage v.d. winst] *percentage of the profit* ◆ **3.2** een ~ uitkeren *pay / distribute a dividend / percentage of the profit.*

winstpost ⟨de (m.)⟩ **0.1** *profit item.*

winstpunt ⟨het⟩ **0.1** [gewonnen punt] *point (scored)* **0.2** [⟨fig.⟩] *point (scored)* ⇒⟨inf.⟩ *one-up(on).*

winstreserve ⟨de⟩ **0.1** *undistributed profits reserve.*

winstsaldo ⟨het⟩ **0.1** *profit balance / surplus.*

winstuitkering ⟨de (v.)⟩ **0.1** ⟨abstr.⟩ *distribution of profits,* ⟨concr.⟩⟨payment of a / the⟩ *dividend.*

winstverdelingskartel ⟨het⟩ **0.1** *profit sharing kartel.*

winstvermogen ⟨het⟩ **0.1** *profit-earning / making capacity* ⇒*profitability.*

winter ⟨de (m.)⟩ ⟨→sprw. 370,591⟩ **0.1** [jaargetijde] *winter* **0.2** [winterweer] *winter* **0.3** [pijnlijke aandoening] *chilblain* ◆ **1.1** hartje ~ *the dead / depths of w.;* Koning Winter *Jack Frost;* ⟨fig.⟩ de ~ van het leven *the w. of life* **2.1** een strenge / barre / vroege / lange ~ *a severe / hard / early / green / long w.* **3.1** de ~ elders doorbrengen *(spend the) winter somewhere else;* ⟨inf.⟩ pik in, 't is ~ *grab it while the going's good, snap it up while it's there* **3.2** we hebben nog niet veel ~ gehad *we haven't had much wintry weather / of a w. yet* **3.3** de ~ hebben aan zijn voeten *have chilblains / chilblained feet* **6.1** in / met / tegen de ~ *in (the) / towards (the) w.;* van de ~ *in the / this / (the) coming w.* **¶.1** 's ~s *in (the) w. / (the) wintertime;* de ~ is in aantocht *the w. is drawing on / coming;* de ~ staat voor de deur *the w. is upon us.*

winteraardappel ⟨de (m.)⟩ **0.1** *winter potato.*

winterachtig ⟨bn.⟩ **0.1** *wintry.*

winterakoniet ⟨de⟩ **0.1** *winter aconite, Christmas flower, wolfsbane.*

winterappel ⟨de (m.)⟩ **0.1** *winter apple* ⇒⟨roodbruin⟩ *russet.*

winteravond ⟨de (m.)⟩ **0.1** *winter evening.*

winterband ⟨de⟩ **0.1** *snow tyre* ᴬ*tire.*

winterbed ⟨het⟩ **0.1** *winter bed.*

winterbedding ⟨de⟩ →**winterbed.**

winterboek ⟨het⟩ **0.1** ≠*children's (Christmas) annual.*

wintercollectie ⟨de (v.)⟩ **0.1** *winter collection.*

winterdag ⟨de (m.)⟩ **0.1** *winter('s) day* ◆ **3.1** het is ~ *it's winter* **6.1** bij ~ *in winter.*

winterdienst ⟨de (m.)⟩ **0.1** *winter service* ⇒⟨winterdienstregeling⟩ *winter timetable,* ᴬ*winter schedule.*

winterdijk ⟨de (m.)⟩ **0.1** *winter dike.*

wintereik ⟨de (m.)⟩ **0.1** *durmast.*

winteren ⟨onp.ww.⟩ **0.1** *be wintry* ◆ **3.1** het begint al te ~ *it's already getting wintry, winter is coming.*

wintergast ⟨de (m.)⟩ **0.1** [vogel] *winter visitant / visitor / migrant* **0.2** [persoon] *winter visitor.*

wintergewas ⟨het⟩ **0.1** *winter crop.*

wintergezicht ⟨het⟩ **0.1** *winter / wintry scene.*

wintergoed ⟨het⟩ **0.1** [kleding] *winter wear / clothes* **0.2** [wintervruchten] *winter fruit.*

wintergraan ⟨het⟩ **0.1** *winter cereal.*

wintergroen ⟨bn.⟩ **0.1** *evergreen(s).*

wintergroente ⟨de (v.)⟩ **0.1** *winter vegetables.*

winterhaar ⟨het⟩ **0.1** *winter coat / fur.*

winterhalfjaar ⟨het⟩ **0.1** *winter half-year.*

winterhanden ⟨zn.mv.⟩ **0.1** *chilblained hands.*

winterhard ⟨bn.⟩ **0.1** *(winter-)hardy* ◆ **1.1** ~e plant *hardy annual;* ~e stamrozen *hardy standard roses* **3.1** een plant ~ maken *harden off a plant (to cold).*

winterhielen ⟨zn.mv.⟩ **0.1** *chilblained heels.*

winterjas ⟨de⟩ **0.1** *winter coat.*

winterjasmijn ⟨de⟩ **0.1** *winter jasmine.*

winterkers ⟨de⟩ **0.1** *winter cress.*

winterkleed ⟨het⟩ **0.1** *winter coat / fur;* ⟨van vogels⟩ *winter plumage.*

winterkleren ⟨zn.mv.⟩ **0.1** *winter clothes / wear.*

winterkoninkje ⟨het⟩ **0.1** [vogeltje] ᴮ*wren,* ᴬ*winterwren* ⇒⟨v.⟩ *jenny-wren* **0.2** [⟨mv.⟩ familie] *wrens.*

winterkoren ⟨het⟩ **0.1** *winter corn / cereal.*

winterkost ⟨de (m.)⟩ **0.1** *winter fare.*

winterkou ⟨de (v.)⟩ **0.1** *winter cold / chill* ⇒⟨schr.⟩ *cold / chill of winter.*

winterkraai ⟨de⟩ **0.1** *hooded crow.*

winterkwartier ⟨het⟩ **0.1** ⟨vnl. mil.⟩ *winter quarters;* ⟨AE;dierk.⟩ *yard* ◆ **3.1** de soldaten betrokken hun ~ *the soldiers went into w. q..*

winterlandschap ⟨het⟩ **0.1** *winter landscape.*

winterlijster ⟨de⟩ **0.1** *fieldfare.*

winterling ⟨de (m.)⟩ **0.1** *hemlock.*

wintermaand ⟨de⟩ **0.1** [december] *December* **0.2** [elk v.d. drie wintermaanden] *winter month.*

wintermantel ⟨de (m.)⟩ **0.1** *winter coat.*

wintermerk ⟨het⟩ **0.1** *winter loadline mark.*

wintermode ⟨de⟩ **0.1** *winter fashion.*

wintermug ⟨de⟩ **0.1** [⟨mv.⟩ familie] *Trichoceratidae* **0.2** [soort langpootmug] *winter crane fly.*

winternacht ⟨de (m.)⟩ **0.1** *winter('s) night.*

winterpak ⟨het⟩ **0.1** *winter suit.*

winterpeen ⟨de⟩ **0.1** *winter carrot.*

winterpeil ⟨het⟩ **0.1** *winter level.*

winterprogramma ⟨het⟩ **0.1** *winter programme* ᴬ*gram.*

winterrogge ⟨de⟩ **0.1** *winter rye.*

winters ⟨bn., bw.⟩ **0.1** *wintry, wintery, hibernal* ⇒⟨schr.⟩ *brumal, brumous* ◆ **1.1** een ~e dag *a wintry / chilling day;* een ~ gezicht *a wintry / aged face* **3.1** zich ~ aankleden *dress for winter;* wat zie jij er ~ uit *you do look wintry.*

winterschilder ⟨de (m.)⟩ **0.1** *house-painter / -decorator (who offers a winter discount).*

winterseizoen ⟨het⟩ **0.1** *winter season.*

winterslaap ⟨de (m.)⟩ **0.1** [slaap gedurende de winter] *hibernation, winter sleep* **0.2** [⟨fig.⟩] *dormancy* ⇒*sleep* ◆ **3.1** een ~ houden *hibernate.*

wintersolstitium ⟨het⟩ **0.1** *winter solstice.*

winterspelen ⟨zn.mv.⟩ **0.1** *winter games / Olympics* ◆ **2.1** de Olympische ~ *the Winter Olympics.*

wintersport ⟨de⟩ **0.1** *winter sports* ◆ **6.1** met / op / naar de ~ gaan *go skiing / on w. s..*

wintersportcentrum ⟨het⟩ **0.1** *winter sports centre / resort, ski resort.*

wintersporter ⟨de (m.)⟩ **0.1** ↑*practitioner of winter sports* ⇒⟨skiër, langlaufer⟩ *skier* ◆ **3.1** er komen heel veel ~s *we get a great many skiers.*

wintersportvakantie ⟨de (v.)⟩ **0.1** *winter sports holiday / * ᴬ*vacation.*

winterstalling ⟨de (v.)⟩ **0.1** *winter (storage) accommodation / housing / quarters.*

winterstop ⟨de (m.)⟩ ⟨sport⟩ **0.1** *winter break.*

wintertaling ⟨de (m.)⟩ **0.1** *teal.*

wintertarwe →**winterkoren.**

wintertekens ⟨zn.mv.⟩ **0.1** *winter signs.*

wintertenen ⟨zn.mv.⟩ **0.1** *chilblained toes.*

wintertijd ⟨de (m.)⟩ **0.1** [periode] *wintertime* ⇒*winter season,* ⟨schr.⟩ *wintertide.* **0.2** [tijdrekening] *wintertime.*

wintertuin ⟨de (m.)⟩ **0.1** *winter garden.*

winteruniversiteit ⟨de (v.)⟩ **0.1** *(Christmas / winter) vacation course.*

wintervast →**winterhard.**

winterverblijf ⟨het⟩ **0.1** *winter residence /* ⟨vakantieoord⟩ *resort.*

wintervoer ⟨het⟩ **0.1** *winter fodder.*

wintervoeten ⟨zn.mv.⟩ **0.1** *chilblains.*

wintervogel ⟨de (m.)⟩ →**wintergast 0.1.**

wintervoorraad ⟨de (m.)⟩ **0.1** *winter store(s) / stock(s).*

winterweer ⟨het⟩ **0.1** *winter / wintry weather.*

winterwortel ⟨de (m.)⟩ **0.1** *carrot.*

winterzanger ⟨de (m.)⟩ **0.1** *hedge sparrow / warbler* ⇒⟨BE;gew.⟩ *dunnock.*

winterzon ⟨de⟩ **0.1** *winter / wintry sun.*

winterzonnestilstand ⟨de (m.)⟩ **0.1** *winter solstice.*

winziek →**winzuchtig.**

winzucht ⟨de⟩ **0.1** *acquisitiveness* ⇒⟨inhaligheid⟩ *greed, rapacity, rapaciousness, moneygrubbing.*

winzuchtig ⟨bn., bw.; -ly⟩ **0.1** *acquisitive* ⇒*greedy, rapacious, money-grubbing.*

wip¹

I ⟨de (m.)⟩ **0.1** [keer dat men wipt] *skip* ⇒*bounce, bound,* ⟨inf.⟩ *hop* **0.2** [ogenblik] *flash* ⇒*jiffy* **0.3** [⟨inf.⟩ nummertje] ⟨sl.⟩ *lay, screw* ⇒ ↓*fuck, ride* ◆ **3.3** een ~ maken *screw, shag* **6.1** met een ~ was hij bij

de deur *he was at the door in one bound / in a second* **6.2 in** een ~ *in a f. / jiffy / tick, in no time, in two shakes (of a lamb's tail);* **in** een ~ *je ben je er* you're *there in no time, it's just a hop, skip and a jump away, it's no distance;*
II ⟨de⟩ **0.1** [wipplank] *seesaw, teeter* **0.2** [hefboom] ⟨van brug⟩ *bascule;* ⟨van put⟩ *swipe, sweep* ♦ **6.1 op** de ~ spel en *seesaw, play on the s.;* ⟨fig.⟩ die partij zit **op** de ~ *that party is holding the balance / a case of the tail wagging the dog;* ⟨fig.⟩ **op** de ~ zitten *have one's job on the line.*

wip² ⟨tw.⟩ **0.1** ⟨zie ¶.1⟩ ♦ **¶.1** ~, weg was het konijn *quick as a flash the rabbit was gone.*

wipbrug ⟨de⟩ **0.1** *lift / bascule bridge* ⇒ ⟨(op)klapbrug⟩ *balance bridge.*

wipgalg ⟨de⟩ ⟨gesch.⟩ **0.1** *strappado.*

wipmolen ⟨de (m.)⟩ **0.1** *smockmill, smock windmill.*

wipneus ⟨de (m.)⟩ **0.1** [korte neus] *turned-up / tip-tilted nose* ⇒ *retroussé nose,* ⟨korte dikke wipneus⟩ *snub nose* **0.2** [persoon] *snub face.*

wippen
I ⟨onov.ww.⟩ **0.1** [zich met sprongetjes bewegen] *hop* ⇒ *bounce, bound,* ⟨huppelen⟩ *skip, jig* **0.2** [zich snel bewegen] *whisk* ⇒ *whip,* ⟨BE, inf.⟩ *nip, pop* **0.3** ⟨inf.⟩ neuken] *screw, bang* **0.4** [op een wip spelen] *seesaw* ⇒ *play on a seesaw / teeter* **0.5** [wankel staan] *wobble* ⇒ ⟨wiegelen⟩ *tilt* ♦ **1.1** de kanarie wipt op en neer in het kooitje *the canary hops up and down in the cage* **1.5** de tafel / die plank wipt *the table / that board wobbles / is wobbly* **5.2** er even tussenuit ~ *nip / pop out for a while* **6.1 in** de auto ~ *jump in the car;* **uit** zijn bed ~ *h. / bounce out of (one's) bed* **6.2** de ekster wipt **met** haar staart *the magpie flicks its tail;* zij zat **met** haar stoel te ~ ⟨van ongeduld⟩ *she sat tilting / rocking (on) her chair (with impatience);* **over** een muurtje ~ *spring / hop over a wall;*
II ⟨ov.ww.⟩ **0.1** [met een hefboom op- / uit iets lichten] *lever (up / off)* **0.2** [verwijderen] *topple* ⇒ *overthrow, unseat,* ⟨omverwerpen⟩ *throw over* ♦ **1.1** die spijkertjes wip je er zo uit *you can easily whip out those nails* **1.2** iem. ~ *topple / unseat s.o.;* een kabinet ~ *overthrow / bring down a Cabinet* **5.1** wip het deksel eraf met je vingers *prize off the lid with your fingers* **6.1** iem. **uit** zijn baantje ~ *jockey / work s.o. out of his job.*

wipperig ⟨bn.⟩ **0.1** *wobbly.*

wippertje ⟨het⟩ **0.1** [hefboompje in een piano] *jack* ⇒ *hopper* **0.2** [techniek bij balspelen] *little chip* **0.3** [nummertje] *screw, lay* ⇒ ↓*fuck* ♦ **3.3** een ~ maken *screw, shag,* ↓*fuck.*

wippertoestel ⟨het⟩ **0.1** *breeches buoy.*

wipplank ⟨de⟩ **0.1** *seesaw, teeter.*

wipslag ⟨de (m.)⟩ ⟨sport⟩ **0.1** *push.*

wipstaart ⟨de (m.)⟩ **0.1** [kwikstaart] *wagtail* **0.2** [winterkoninkje] *wren.*

wipstoel ⟨de (m.)⟩ **0.1** *rocking chair* ♦ **6.¶ op** een ~ zitten *have one's job out on the line.*

wipwap ⟨de (m.)⟩ ⟨inf.⟩ **0.1** ↑*seesaw* ⇒ ⟨AE ook⟩ *teeter(-totter).*

WIR ⟨de⟩ ⟨afk.⟩ **0.1** [Wet op de investeringsrekening] *'WIR'* ⟨*Dutch legislation encouraging industrial investment*⟩ ♦ **1.1** WIR-premie *WIR premium, investment bonus.*

wirwar ⟨de (m.)⟩ **0.1** *crisscross* ⇒ *jumble, tangle, snarl* ⟨draden, struiken⟩, *maze* ⟨straten⟩ ♦ **1.1** ⟨fig.⟩ een ~ van indrukken / van gedachten *a jumble of impressions / thoughts;* een ~ van lijnen / van steegjes *a c. of lines, a jumble of alley(ways), a maze / labyrinth / rabbit warren.*

wis¹ ⟨de⟩ **0.1** [doek om te wissen] ⟨→ **wisdoek**⟩ **0.2** [twijg] *twig* **0.3** [hoeveelheid] *wisp* ♦ **1.3** een ~ stro *a w. of straw.*

wis² ⟨bn., bw.⟩ **0.1** *certain, sure* ♦ **1.1** iem. van een ~se dood redden *save s.o. from a c. death* **2.1** ~ en waarachtig *upon my word / soul, forsooth;* wel ~ en zeker doe ik dat *I'll do that for s. / without fail.*

wisdoek ⟨de (m.)⟩ **0.1** [veegdoek] *dustcloth* **0.2** [vaatdoek] ⟨→ **vaatdoek**⟩.

wisent ⟨de (m.)⟩ **0.1** *wisent* ⇒ *European bison, aurochs.*

wiskop ⟨de (m.)⟩ ⟨tech.⟩ **0.1** *erase- / erasing head.*

wiskunde ⟨de (v.)⟩ **0.1** *mathematics* ⇒ ⟨BE; inf.⟩ *maths,* ⟨AE; inf.⟩ *math* ♦ **2.1** de zuivere / de toegepaste / de numerieke / de hogere ~ *pure / applied / numerical / (the) higher mathematics* **3.1** hij geeft ~ *he teaches mathematics.*

wiskundeknobbel ⟨de (m.)⟩ **0.1** *gift / head for mathematics* ⇒ ⟨BE; inf.⟩ *maths /* ⟨AE; inf.⟩ *math* ♦ **3.1** ze heeft een ~ ⟨ook⟩ *she's a wizard /* ⟨AE; inf.⟩ *wiz at mathematics.*

wiskundeleraar ⟨de (m.)⟩, **-rares** ⟨de (v.)⟩ **0.1** *mathematics /* ⟨BE; inf.⟩ *maths /* ⟨AE; inf.⟩ *math teacher.*

wiskundig ⟨bn., bw.; -ly⟩ **0.1** [tot de wiskunde behorend, volgens de wiskunde] *mathematical* **0.2** [onderlegd in de wiskunde] *mathematic(al)* ♦ **1.1** ~e stellingen / vergelijkingen *mathematical propositions / equations* **1.2** ~ adviseur *actuary* **1.¶** ~e reserve *actuarial reserve* **2.1** dit is ~ zeker *that is mathematically certain / a mathematical certainty* **3.1** een vraagstuk ~ oplossen *solve a problem mathematically.*

wiskundige ⟨de (m.)⟩ **0.1** *mathematician.*

wispelturig ⟨bn., bw.⟩ **0.1** [mbt. gemoedstoestand] *inconstant, fickle* ⇒ *changeable, capricious, unsteady* **0.2** [mbt. zaken] *unstable* ⇒ *changeable, unsteady* ♦ **1.1** een ~e aard *a volatile / capricious nature;* een ~ persoon *an inconstant / a fickle / volatile person;* ⟨vnl. vrouwen⟩ *a flighty / giddy person, a fibbertigibbit.*

wispelturigheid ⟨de (v.)⟩ **0.1** [mbt. gemoedstoestand] *inconstancy, fickleness* ⇒ *capriciousness, flightiness* **0.2** [mbt. zaken] *instability* ⇒ *changeability, volatility.*

wissel
I ⟨de (m.)⟩ **0.1** ⟨geldw.⟩ *bill (of exchange)* ⇒ *B / E* **0.2** [verandering] *change* ⇒ *switch, substitution* **0.3** [wisselkoers] *exchange* **0.4** ⟨jacht.⟩ *track* ⇒ *path* **0.5** [wisselspeler] *substitute;* ⟨inf.⟩ *sub* **0.6** [overdracht v.h. estafettestokje] *changeover, handover* ♦ **2.1** ⟨fig.⟩ op iemands energie een zware ~ trekken *draw heavily on s.o.'s energy* **3.1** een ~ trekken / weigeren / accepteren *draw / refuse / accept a bill of exchange;* de ~ vervalt morgen *the bill (of exchange) expires tomorrow* **3.2** ⟨sport⟩ een ~ toepassen *make a substitution* **3.4** een haas volgt zijn ~s *a hare follows his own track / path* **3.5** een ~ inzetten *put in a s.* **6.1** een ~ **op** 30 dagen / **op** zicht *a bill (of exchange) payable within 30 days / on demand;* ⟨fig.⟩ betalen met een ~ **op** de eeuwigheid *pay with a bill due on the Judgement Day;* ⟨fig.⟩ een ~ **op** de toekomst trekken *bark on the future* **6.3** de ~ **op** Londen *the London Exchange;*
II ⟨het, de (m.)⟩ **0.1** ⟨spoorw.⟩ *switch* ⇒ ⟨BE ook⟩ *points* ♦ **2.1** Engelse ~ *double slip* **3.1** een ~ overhalen / verzetten *turn / shift / reverse the s..*

wisselaar ⟨de (m.)⟩ **0.1** [persoon] *moneychanger* **0.2** [toestel om te wisselen] *switch* **0.3** [toestel om platen te wisselen] *record-changer.*

wisselagent ⟨de (m.)⟩ **0.1** [iem. die voor een ander geld wisselt] *exchange / note broker* **0.2** ⟨AZN⟩ *makelaar in effecten] *stockbroker.*

wisselautomaat ⟨de (m.)⟩ **0.1** *(automatic) money changer* ⇒ *change machine.*

wisselbaar ⟨bn.⟩ **0.1** *exchangeable* ⇒ ⟨veranderlijk⟩ *changeable.*

wisselbaden ⟨zn.mv.⟩ **0.1** *alternating hot and cold baths.*

wisselbank ⟨de⟩ **0.1** [geldw.] *exchange bank;* ⟨discontobank⟩ *discount bank* **0.2** ⟨sport⟩ reservebank] *(the) bench.*

wisselbedrag ⟨het⟩ **0.1** *amount of the / a bill (of exchange).*

wisselbeker ⟨de (m.)⟩ **0.1** *challenge cup.*

wisselbloedtransfusie ⟨de (v.)⟩ **0.1** *exchange transfusion.*

wisselborgtocht ⟨de (m.)⟩ **0.1** *backing for a bill, bill surety / guarantee.*

wisselbouw ⟨de (m.)⟩ **0.1** *rotation of crops, crop rotation* ⇒ ⟨gewassen afgewisseld door gras⟩ *ley farming.*

wisselbrief ⟨de (m.)⟩ **0.1** *bill (of exchange)* ⇒ *B / E.*

wisselcabine ⟨de (v.)⟩ **0.1** *changing cubicle.*

wisseldiertje ⟨het⟩ **0.1** *protozoan* ⇒ *amoeba.*

wisseldisconto ⟨het⟩ **0.1** *discount rate.*

wisselen
I ⟨onov., ov.ww.⟩ **0.1** [onderling (doen) veranderen] *change* ⇒ *exchange* **0.2** ⟨geldw.⟩ *change* ⇒ *give / make change* ♦ **1.1** de prijzen ~ nogal *the prices c. / fluctuate somewhat;* ⟨fig.⟩ bij het ~ van de wacht *at the changing of the guard* **1.2** een gulden / briefje ⟨van honderd⟩ ~ *give / make change for a guilder / a hundred guilder* [B]*note / * [A]*bill;* ⟨briefje⟩ *break a hundred (guilder* [B]*note / * [A]*bill)* **3.2** ⟨fig.; iron.⟩ dat kan ik niet ~ *I can't you that;* kunt u ~? *can you change this / give me change for this?* **6.1 van** plaats ~ *c. place* **6.2** honderd gulden ~ **in** Franse francs *c. a hundred guilders into / for French Francs;*
II ⟨onov.ww.⟩ **0.1** [afwisselen] *change* ⇒ *vary* **0.2** [mbt. treinen] *be / get shunted / shifted* ⇒ *switch* **0.3** ⟨jacht.⟩ wissels volgen] *track* ⇒ *follow the tracks* ♦ **1.1** het accent wisselt *the accent changes / varies;* zijn stemming wisselt nogal *his mood changes / varies somewhat;*
III ⟨ov.ww.⟩ **0.1** [uitwisselen] *exchange* ⇒ *interchange, bandy* ⟨woorden, complimenten⟩ ♦ **1.1** een blik van verstandhouding ~ **met** *e. a look of mutual understanding with* **¶.1** van gedachten ~ **over** *e. thoughts / views / ideas about, consult (with) each other about.*

wisselend ⟨bn.⟩ **0.1** *variable, varying* ⇒ *changeable* ♦ **1.1** ⟨wisk.⟩ ~e binnen- en buitenhoeken *alternate interior and exterior angles;* met ~ succes *with varying success* **2.1** ⟨meteo.⟩ ~ bewolkt met hier en daar een bui *variable cloudiness with occasional rain.*

wisselgeld ⟨het⟩ **0.1** [geld dat men terug ontvangt] *change* **0.2** [klein geld] *(small / loose) change* **0.3** [concessie] ⟨zie 3.3⟩ ♦ **3.1** te weinig ~ terugkrijgen *be short-changed* **3.3** ~ moeten betalen *have to pay your dues, have to make concessions.*

wisselhandel ⟨de (m.)⟩ **0.1** *exchange business, dealings in exchange* ⇒ ⟨BE ook⟩ *billbroking.*

wisseling ⟨de (v.)⟩ **0.1** [ruil] *change* ⇒ *exchange, shift(ing)* **0.2** [verandering] *change, changing* ⇒ *turn(ing), variation* ♦ **1.1** de ~ der seizoenen *the c. of seasons* **6.1** een ~ **in** het bestuur *a c. / shift / changeover in administration;* de ~ van de wacht *the changing of the guard* **6.2** bij de ~ van het jaar *at the turn of the year.*

wisselkantoor ⟨het⟩ **0.1** *exchange office.*

wisselklank ⟨de (m.)⟩ ⟨taal.⟩ **0.1** *allophone.*

wisselkoers ⟨de (m.)⟩ **0.1** *exchange rate, rate of exchange.*

wisselkrediet ⟨het⟩ **0.1** *acceptance / bill / paper credit.*

wissellijst ⟨de⟩ **0.1** *(quick-change) picture frame.*

wisselloper ⟨de (m.)⟩, **-loopster** ⟨de (v.)⟩ **0.1** *collecting / collections clerk.*

wisselmakelaar ⟨de (m.)⟩ → **wisselagent.**

wisselmarkt ⟨de (m.)⟩ **0.1** *exchange (market).*

wisselnotering ⟨de (v.)⟩ **0.1** *exchange quotation, price.*

wisselplaats ⟨de⟩ **0.1** [waar men van paarden verwisselt] *stage* ⇒ *station,* *staging-post* **0.2** [waar voer- of vaartuigen elkaar kunnen passeren] ⟨weg⟩ *passing place;* ⟨rivier⟩ *layby, passing place* **0.3** [mbt. estafette] (→wisselpunt).

wisselpunt ⟨het⟩ ⟨sport⟩ **0.1** *relay/ handover/ changeover point.*

wisselruiterij ⟨de (v.)⟩ **0.1** *kite-flying.*

wisselslag ⟨de (m.)⟩ ⟨sport⟩ **0.1** *(individual) medley* ⇒⟨inf.⟩ *i.m..*

wisselspeler ⟨de (m.)⟩, **-speelster** ⟨de (v.)⟩ ⟨sport⟩ **0.1** *substitute;* ⟨inf.⟩ *sub.*

wisselspoor ⟨het⟩ **0.1** *siding* ⇒*sidetrack.*

wisselstroom ⟨de (m.)⟩ **0.1** *alternating current, AC.*

wisselstroomdynamo ⟨de (m.)⟩ **0.1** *alternator.*

wisselstroommachine ⟨de (v.)⟩ **0.1** *alternator* ⇒*A.C. machine.*

wisselstroommotor ⟨de (m.)⟩ **0.1** *A.C. motor.*

wisseltand ⟨de (m.)⟩ **0.1** *permanent tooth.*

wisseltrofee ⟨de (v.)⟩ ⟨sport⟩ **0.1** *challenge trophy.*

wisseltruc ⟨de (m.)⟩ **0.1** *fast-change trick/ number/ routine* ◆ **3.1** de ~ toepassen *pull the fast-change trick.*

wisselvallig ⟨bn.⟩ **0.1** *changeable, unstable* ⇒*inconstant, uncertain, precarious* ⟨bestaan⟩ ◆ **1.1** ~e resultaten *varying results;* ~ weer *unstable/ c./ unsettled weather.*

wisselvalligheid ⟨de (v.)⟩ **0.1** [⟨abstr.⟩] *instability* ⇒*inconstancy, uncertainty, precariousness* ⟨bestaan⟩ **0.2** [⟨concr.⟩] ⟨mv.⟩ *ups and downs* ◆ **1.1** de ~ v.d. fortuin *the vicissitudes of fortune* **1.2** de wisselvalligheden van zijn loopbaan *the ups and downs of his career.*

wisselwaarde ⟨de (v.)⟩ **0.1** *exchange value* ⇒*valuta.*

wisselwachter ⟨de (m.)⟩ **0.1** [B]*pointsman,* [A]*switchman* ⇒*switcher.*

wisselwerking ⟨de (v.)⟩ **0.1** *interaction* ⇒*interplay, reciprocity* ◆ **6.1** in ~ staan *be correlated (with);* er bestaat een ~ **tussen** ... *there is an interaction/ a reciprocity between.*

wisselwind ⟨de (m.)⟩ **0.1** *periodic wind* ⇒*monsoon.*

wisselwoning ⟨de (v.)⟩ **0.1** *temporary/ emergency housing.*

wisselzegel
I ⟨het⟩ **0.1** [gezegeld papier] *stamped paper;*
II ⟨de (m.)⟩ **0.1** [zegel op een wissel] *(bill-)stamp.*

wisselzicht ⟨het⟩ **0.1** ⟨*period between the acceptance and maturation of a bill*⟩.

wissen ⟨ov.ww.⟩ **0.1** [vegend verwijderen] *wipe* **0.2** [⟨comp.; video, audio⟩] *erase* ◆ **6.1** ⟨fig.⟩ iets **uit** zijn geheugen ~ w./ *blot out sth. from one's memory, erase sth. from one's mind;* zich het zweet van het voorhoofd/ de tranen **uit** de ogen ~ w. *the sweat from one's forehead, mop one's forehead, w. the tears from one's eyes.*

wisser ⟨de (m.)⟩ **0.1** *wiper.*

wissewasje ⟨het⟩ **0.1** *triffle* ⇒⟨mv.⟩ *fiddle-faddle, futilities* ◆ **3.1** met zulke ~s houd ik mij niet op *I don't occupy myself/ mix with such trifles/ fiddle-faddle;* het is maar een ~ *it's a mere t..*

wit[1] ⟨het⟩ **0.1** [kleur] *white* **0.2** [witte kleren] *whites, white goods* **0.3** [iets dat wit is] *white* **0.4** [plantenziekte] *mildew* **0.5** [brood] *white (bread)* ◆ **1.3** het ~ van een ei/ van het oog *the w. of an egg/ of the eye* **2.1** zuiver/ blauwachtig/ gebroken ~ ⟨zuiver⟩ *pure/ true/ white-w.;* ⟨blauwachtig⟩ *bluish w.;* ⟨gebroken⟩ *off-w.* **2.5** een half ~ *a half a loaf of w. (b.)* **3.1** ⟨druk.⟩ de pagina heeft te weinig ~ *there's not enough w./ there aren't enough spaces on the page* **6.2** zij trouwde in het ~ *she was married in white* **6.3** ⟨fig.⟩ ⟨vis.⟩ ~te veel ~ om geven *be (too) bad-tempered;* ⟨schaken, dammen⟩ met ~ spelen *play with w./ the w. pieces.*

wit[2] ⟨bn.⟩ **0.1** [niet zwart] *white* **0.2** [licht van kleur] *white* **0.3** [mbt. de gelaatskleur] *white* **0.4** [mbt. het haar] *white/ grey* [A]*gray(-haired/ -headed)* **0.5** [verkocht beneden de vastgestelde prijs] [B]*cut-price,* [A]*cut-rate* ⇒*off-brand, noname/ bargain brand* **0.6** [alternatief] *alternative* ◆ **1.1** ⟨fig.⟩ ~te boorden *white-collar workers;* de wereld v.h. ~te doek *the screen world;* ~ hout *whitewood;* ⟨vurehout⟩ *w. fir;* het Witte Huis *the W. House;* ~te lelie *w./ Madonna lily;* de ~te loper *the w. bishop;* ⟨fig.⟩ ⟨vis.⟩ ~te netten *full nets;* ~te plekken ⟨blanco⟩ op de landkaart *w./ blank spaces on the map;* ⟨med.⟩ ~te stof *w. matter;* ⟨med.⟩ ~te vloed ⟨afscheiding⟩ *vaginal discharge;* ⟨inf.⟩ *cottage-cheese discharge;* ⟨ziekte⟩ *vaginitis* **1.3** een ~te neger *an albino Negro/ black* **1.5** ~te benzine/ sigaretten/ grammofoonplaten/ jenever [B]*cut-price petrol,* [A]*cut-rate gas/ off-brand cigarettes/ illegal (record) cuttings/ home-brewed (Dutch) gin;* een ~te pomp *independent* [B]*petrol/* [A]*service station* **1.6** ~te fiets *bicycles for common use, cooperatively owned bicycles;* ~te film *non-commercial film* **1.¶** ~ bloedlichaampje *w. blood cell/ corpuscule, leucocyte;* ⟨tech.⟩ ~te ruis *white noise;* ⟨myth.⟩ ~te wijven/ juffers ≠*white witches;* Witte Zondag *Low Sunday* **3.1** ~ maken *whiten, blanch;* ⟨fig.⟩ zwart geld ~ maken/ wassen *launder money;* iets ~ schilderen *paint sth. w.;* als chalk/ a sheet/ a ghost **8.4** hij is zo ~ als een duif *his hair is (as) white as snow, he's completely white/ grey* **¶.1** iets zwart op ~ hebben *have sth. (down) in black and w..*

van de hagel *the street is w. with hail* **3.2** zie ik zo ~? *you think I'm crazy?* **3.3** hij trok ~ weg *he went/ turned pale* ◆ **6.3** ⟨nog⟩ ~ **om** de neus zien *(still) look pale/ w./ green about/* [A]*around the gills;* ~ **om** de neus worden go *w./ green about/* [A]*around the gills, go w.* **8.1** ~ als sneeuw *w. as snow, snow(y)-w.* **8.3** hij zag zo ~ als een doek/ als de muur/ als een lijk/ als krijt *he looked/ his face was (as) white as*

---

witachtig ⟨bn.⟩ **0.1** *whitish* ⇒*whitey* ◆ **1.1** een ~e substantie *a whitish substance.*

witbloedig ⟨bn.⟩ **0.1** *white-blooded* ◆ **1.1** de ~e lagere dieren *the w.-b. lower animals.*

witbloemig ⟨bn.⟩ **0.1** *white-flowered.*

witblond ⟨bn.⟩ **0.1** *tow-headed/* ⟨BE ook⟩ *-coloured, light blond* ⇒⟨platinablond⟩ *platinum blond.*

witboek ⟨het⟩ **0.1** *white book* ⇒*White/ position paper.*

witbont ⟨bn.⟩ **0.1** *white with black spots* ◆ **1.1** een ~e koe *a black and white cow.*

witborstel ⟨de (m.)⟩ **0.1** *whitewash brush.*

witgatje ⟨het⟩ **0.1** [strandvogel] *green sandpiper* **0.2** [huiszwaluw] *house martin.*

witgekalkt ⟨bn.⟩ **0.1** *whitewashed.*

witgekuifd ⟨bn.⟩ **0.1** *white-headed* ⟨persoon⟩; *white-crested* ⟨golven, vogels e.d.⟩ ◆ **1.1** ~e golven ⟨ook⟩ *white horses.*

witgepleisterd ⟨bn.⟩ **0.1** *plastered with white* ⇒*whitewashed,* ⟨graven⟩ *whited.*

witgloeiend ⟨bn.⟩ **0.1** *white-hot* ⇒*incandescent, at a white heat.*

witgoed ⟨het⟩ **0.1** [wit weefsel] *white fabrics/ goods* ⇒⟨inf.⟩ *whites* **0.2** [keukenapparatuur] ≠*kitchen articles.*

witgoud ⟨het⟩ **0.1** [platina] *platinum* **0.2** [legering van nikkel en goud] *white gold.*

witheer ⟨de (m.)⟩ **0.1** *Norbertine, Premonstratensian.*

witheet ⟨bn.⟩ **0.1** [zeer heet] *white-hot* ⇒*at white heat,* ⟨met gloed⟩ *incandescent* **0.2** [zeer verontwaardigd] ⟨fig.⟩ *boiling* ⇒*at white heat* ◆ **3.2** van zoiets word ik nou ~ *that kind of thing really burns me up/ makes my blood boil* **6.2** ~ **van** woede *b. (over)/ fuming with anger, hopping mad.*

witheid ⟨de (v.)⟩ **0.1** *whiteness.*

withoen ⟨het⟩ **0.1** *snow/ white grouse* ⇒*ptarmigan.*

without ⟨het⟩ **0.1** [licht timmerhout] *whitewood* ⇒*pine,* ⟨vnl. BE⟩ *deal* **0.2** [hout v.d. kajapoetboom] *whitewood.*

withouten ⟨bn.⟩ **0.1** *whitewood* ⇒*pine,* ⟨vnl. BE⟩ *deal.*

witje ⟨het⟩ **0.1** [vlinder] *(small/ large) white* ⇒⟨ihb. koolwitje⟩ *cabbage butterfly/ white* **0.2** [dubbeltje] ≠*dime* **0.3** [borreltje] [†]*drink* ⇒*drop, quick one, one for the road.*

witjes ⟨bn.⟩ **0.1** *pale* ⇒*palish, white* ◆ **5.1** hij ziet nog een beetje ~ *he still looks a bit pale/ palish/ wan* **6.1** ~ **om** de neus zien *look white about/ around the gills.*

witkalk ⟨de (m.)⟩ →witsel **0.1.**

witkalker ⟨de (m.)⟩ **0.1** *graffiti artist.*

witkar ⟨de⟩ **0.1** [wagentje voor openbaar stadsvervoer] '*witkar*' ⟨*electric four-wheeled vehicle for 1 or 2 passengers, changeable at special points throughout Amsterdam*⟩ **0.2** [bagagekarretje] *trolley,* [A]*push-cart.*

witkiel ⟨de (m.)⟩ **0.1** *porter* ⇒⟨AE ook⟩ *redcap.*

witkop ⟨de (m.)⟩ **0.1** *whitey* ⇒*grey/ white-headed/ haired person.*

witkoper ⟨het⟩ **0.1** *nickel/ German silver.*

witkwast ⟨de (m.)⟩ **0.1** *whitewash brush* ⇒*distemper brush.*

witlof ⟨het⟩ **0.1** *chicory* ⇒⟨AE ook⟩ ⟨*Belgian/ French*⟩ *endive.*

witmaker ⟨de (m.)⟩ **0.1** [stof die wit maakt] *whitener* ⇒*whitening/ bleaching agent* **0.2** [neutraliseringsmiddel] ⟨tegen kater⟩ *the/ a hair of the dog (that bit you), prairie oyster.*

witmetaal ⟨het⟩ **0.1** *white metal/ alloy* ⇒*babbit (metal), queen's metal.*

Witrus ⟨de (m.)⟩ **0.1** *B(y)elorussian* ⇒*White Russian.*

Wit-Rusland ⟨het⟩ **0.1** *B(y)elorussia* ⇒*White Russia.*

Witrussisch ⟨bn.⟩ **0.1** *B(y)elorussian* ⇒*White Russian.*

witsel ⟨het⟩ **0.1** [muurverf] *whitewash* ⇒*whit(en)ing, limewash,* ⟨tech.⟩ *calcimine,* ⟨loodwit⟩ *white lead* **0.2** [morfine] *morph* ⇒*sugar.*

witsellaag ⟨de⟩ **0.1** *coat(ing) of whitewash.*

witspeler ⟨de (m.)⟩ ⟨schaak- en damsport⟩ **0.1** *White* ◆ **3.1** de ~ verliest *W. loses.*

witte-boordencriminaliteit ⟨de (v.)⟩ **0.1** *white-collar crime.*

wittebrood ⟨het⟩ **0.1** *white bread* ◆ **¶.1** een ~ *a loaf of white (bread), a white loaf.*

wittebroodsweken ⟨zn.mv.⟩ **0.1** *honeymoon* ◆ **2.1** ⟨fig.⟩ de ~ zijn voorbij *the h. is over now* **3.1** de ~ doorbrengen in Schotland *honeymoon in Scotland* **6.1** zij zijn nog in hun ~ *they are still on their h..*

wittekool ⟨de⟩ **0.1** *white cabbage.*

witten
I ⟨onov., ov.ww.⟩ **0.1** [mbt. muren] *whitewash* ⇒*whiten, limewash,* ⟨tech.⟩ *calcimine;*
II ⟨ov.ww.⟩ **0.1** [zwart geld] *launder.*

witter ⟨de (m.)⟩ **0.1** *white washer.*

witvis ⟨de (m.)⟩ **0.1** [blankschubbige vis] *whitefish* ⇒*silverside(s)* **0.2** [katvis] *catfish* **0.3** [zilverwitte goudvis] *silverfish.*

witvlezig ⟨bn.⟩ **0.1** *white-fleshed.*

witwerk ⟨het⟩ **0.1** [voorwerpen, meubelen] *whitewood work/ furniture* ⇒*pine,* ⟨vnl. BE⟩ *deal woodwork/ furniture* **0.2** [legaal werk] *legal work.*

witwerker ⟨de (m.)⟩ **0.1** [houtwerker] *whitewood worker* **0.2** [iem. die legale arbeid verricht] *legal worker/ employee.*

witz ⟨de (m.)⟩ **0.1** *jest, joke.*

witzijden ⟨bn.⟩ **0.1** *white silk.*

WK ⟨zn.mv.⟩⟨afk.⟩ **0.1** [wereldkampioenschap(pen)] ⟨*world championship(s)* ⟩ ⟹⟨*voetbal*⟩ *World Cup*⟩.

W.L. ⟨afk.⟩ **0.1** [westerlengte] *W. Long., Long. W..*

wnd. ⟨afk.⟩ **0.1** [waarnemend] ⟨*observing*⟩.

W.N.F. ⟨het⟩⟨afk.⟩ **0.1** [wereldnatuurfonds] *WWF.*

WNT ⟨het⟩⟨afk.⟩ **0.1** [Woordenboek der Nederlandse Taal] *Dictionary of the Dutch Language.*

w.o. ⟨afk.⟩ **0.1** [waaronder] *incl.* ⟹⟨⟨*zaken*⟩ *among which,* ⟨*personen*⟩ *among whom, among them* ⟨*na het zn.*⟩⟩.

W.O. ⟨afk.⟩ **0.1** [Wetenschappelijk Onderwijs] ⟨*higher education*⟩ **0.2** [wereldoorlog] *W.W..*

WOB ⟨afk.⟩ **0.1** [Wet Openbaarheid van Bestuur] ⟨*Openness of Government Act 1978*⟩.

wodka ⟨de (m.)⟩ **0.1** *vodka.*

woede ⟨de⟩ **0.1** [razernij] *rage* ⟹*fury, anger,* ⟨schr.⟩ *wrath, ire* **0.2** [wilde woegenheid] *rage* ⟹*fury* **0.3** [manie] *mania* ⟹*passion,* ⟨in samenst.⟩ *binge* ◆ **1.1** een uitbarsting van~ *a fit of temper, a burst / blaze / explosion / spurt of anger* **1.2** de ~ v.d. golven *the r. / fury of the waves* **2.1** in blinde ~ *in a blind fury, in blind anger;* ingehouden ~ *bottled-up / restrained anger, cropped-up r.* **3.1** zijn~ is bekoeld *his fury / r. has cooled (down);* zijn ~ koelen (op) *vent one's r. / fury (on)* **6.1 in** ~ ontsteken over iets *fly / fall into a r. over sth.;* **in** ~ uitbarsten *blow up, blow one's top, explode, fly into a temper / passion;* **uit** ~ over *out of anger over / about;* schuimbekken **van** ~ *be foaming / fuming / boiling with anger, be spitting with fury, be hopping mad;* buiten zichzelf **van** ~ zijn *be beside o.s. with r. / anger;* stampvoeten **van** ~ *stamp with r.;* razend **van** ~ zijn *be furious / in a terrible r. / in a fury / wild with anger.*

woedeaanval ⟨de (m.)⟩ **0.1** *tantrum* ⟹*temper, fit (of anger),* ⟨BE ook; inf.⟩ *paddy* ◆ **3.1** een~ krijgen *throw a tantrum / fit, fly into a temper / rage.*

woeden ⟨onov.ww.⟩ **0.1** [razen] *rage* ⟹*rave* **0.2** [tekeergaan] *rage* ⟹*storm, rave* ◆ **1.2** toen de cholera / de oorlog woedde *when cholera / war was sweeping the country / was raging / was rampant;* het ~ der elementen *the fury of the elements;* de storm / de zee woedt hevig *the storm / sea is raging violently / fiercely* **6.1 tegen** iem. ~ *rage / rave at s.o.* **6.2** de brand woedt in het scheepsruim *the fire rages through the hold.*

woedend ⟨bn., bw.; -ly⟩ **0.1** [zeer boos] *furious* ⟹*infuriated,* ⟨inf.⟩ *mad, wild* **0.2** [zeer onstuimig] *wild, violent* ◆ **1.1** ~e blikken naar iem. werpen *look daggers / cast f. glances at s.o.;* in een~e bui *in a fit of rage* **3.1** hij keek mij ~ aan *he glared at / (up)on me (furiously);* zich~ maken *work o.s. into a passion / rage, fall / fly into a rage;* ⟨BE⟩ zich into a wax; iem. ~ maken *enrage / infuriate / anger / madden s.o., lash s.o. into a fury, get s.o.'s dander up, make / drive s.o. wild;* hij was~ *he was f. / in a rage / a violent temper;* ⟨B⟩ *a wax;* ~ weglopen / vertrekken go / fling away / off in a rage, storm out **6.1** ~ zijn **om** iets / **op** iem. *be f. / in a rage at / about sth. / at s.o.;* ~ **op** iem. zijn *be f. / incensed / mad at / with s.o..*

woedeuitbarsting ⟨de (v.)⟩ **0.1** *outburst of anger* ⟹*fit of temper / rage, spurt / paroxysm of anger.*

woef ⟨tw.⟩ **0.1** *bowwow, woof.*

woeker ⟨de (m.)⟩ **0.1** *usury* ◆ **6.1** ⟨fig.⟩ iets met ~ vergelden *repay / return with interest / u.;* geld ⟹ uitzetten / geven *put money out to u.;* **van** ~ leven *live of / make a living from u.* / ⟨zwarte handel⟩ *profiteering.*

woekeraar ⟨de (m.)⟩, **-ster** ⟨de (v.)⟩ **0.1** *usurer* ⟹⟨zwarthandelaar⟩ *profiteer,* ⟨inf.⟩ *bloodsucker, shylock,* ⟨AE;inf.⟩ *(loan) shark.*

woekerdiertje ⟨het⟩ **0.1** *parasite.*

woekeren ⟨onov.ww.⟩ **0.1** [woeker drijven] *practise* ^*ce usury* ⟹⟨mbt. zwarte handel⟩ *profiteer,* ⟨AE;inf.⟩ *(loan-)shark* **0.2** [het uiterste voordeel trekken van] *make the most (of)* **0.3** [voortdurend groeien ten koste van iets anders] ⟨onkruid⟩ *be / grow rank,* ⟨kwaadaardig ook⟩ *be / grow rampant / rife,* ⟨biol.⟩ *proliferate* ◆ **1.3** een~d gezwel *a festering / gangrenous / cancerous growth;* ~d onkruid *rank weeds, rampant growth of weeds* **6.2** met zijn tijd ~ *make the most of one's time;* **met** de ruimte ~ *use / utilize every inch of space, make the most of the space available.*

woekergeld ⟨het⟩ **0.1** *money got by usury* ⟹⟨in mv. ook⟩ *ill-gotten gains.*

woekerhandel ⟨de (m.)⟩ **0.1** *usury* ⟹*usurious trade,* ⟨zwarte handel⟩ *profiteering.*

woekerhuur ⟨de⟩ **0.1** *rack-rent* ⟹*exorbitant rent.*

woekering ⟨de (v.)⟩ **0.1** [gezwel] *uncontrolled / morbid growth* ⟹*tumour, festering,* ⟨uitwas⟩ *excrescence,* ⟨planten⟩ *rampant growth, overgrowth.*

woekerkruid ⟨het⟩ **0.1** *bindweed* ⟹*parasite, parasitic weed.*

woekerplant ⟨de⟩ **0.1** *parasite, parasitic plant.*

woekerprijs ⟨de (m.)⟩ **0.1** *usurious / stiff / extortionate price* ⟹⟨door schaarste; vnl. mv.⟩ *famine price.*

woekerrente ⟨de⟩ **0.1** *usurious / extortionate / exorbitant interest (rate)* ⟹ *usury.*

woekervlees ⟨het⟩ **0.1** *proud flesh.*

woekerwinst ⟨de (v.)⟩ **0.1** *usurious / exorbitant / inordinate profit* ⟹⟨in mv. ook⟩ *ill-gotten gains.*

woelen
I ⟨onov.ww.⟩ **0.1** [zich onrustig bewegen] *toss / tumble / turn about* ⟹ *thrash about* **0.2** [zich druk door elkaar bewegen] *stir (about)* ⟹*churn* ◆ **2.1** zich bloot ~ *kick the bedclothes off* **3.1** zij lag maar te ~ en kon de slaap niet vatten *she was tossing and turning / was tossing / tumbling about and could not fall asleep* **6.2** allerlei gedachten woelden **door** zijn hoofd *all kinds of thoughts stirred his mind, his head was churning / swarming with all kinds of thoughts;*
II ⟨onov., ov.ww.⟩ **0.1** [⟨landb.⟩ grond dooreen mengen] *turn up (the soil)* **0.2** [wroeten] *grub (up), root (out)* ⟹*rout (around), scratch (about),* ⟨mol⟩ *burrow* ◆ **1.2** de mol heeft hier gewoeld *the mole has been burrowing here;* de rivier woelde gaten in de dijk *the water wore holes in the dike;* de varkens~ de wortels bloot *the pigs are grubbing up the roots* **6.2** zijn handen woelden **door** haar donkere krullen *his hands ran through / ruffled her dark curls.*

woelgaren ⟨het⟩ **0.1** *service.*

woelgeest ⟨de (m.)⟩ **0.1** *turbulent spirit* ⟹⟨onruststoker⟩ *agitator, troublemaker,* ⟨schr.⟩ *stormy petrel.*

woelhout ⟨het⟩ **0.1** *woolder.*

woelig ⟨bn., bw.; -ly⟩ **0.1** [onrustig] *restless* ⟹*turbulent, unquiet* **0.2** [druk] *bustling* ⟹*busy, jostling* ◆ **1.1** een~ kind *a r. / an obstreperous child;* een~ leven *a turbulent / tumultuous life;* een~e nacht *a r. night;* een~ publiek *a r. audience;* ~e tijden *turbulent times;* ~ water *broken / lumpy / loppy water;* een~e zee *a turbulent / choppy / nasty sea, a popple* **1.2** een~e straat *a bustling street.*

woeligheid ⟨de (v.)⟩ **0.1** [onrustigheid] *restlessness* ⟹*turbulence, unquietness* **0.2** [drukte] *bustle* ⟹*jostle.*

woeling ⟨de (v.)⟩ **0.1** [het woelen] *agitation, turbulence* ⟹*stir* **0.2** [⟨mv.⟩ onlusten] *disturbances* ⟹*riots* **0.3** [omkleding met windingen] *service* **0.4** [touwverbinding] *woolding* ◆ **1.1** de ~ van het water *the a. of the water.*

woelmuis ⟨de⟩ **0.1** *vole.*

woelrat ⟨de⟩ **0.1** *water vole / rat.*

woelstok ⟨de (m.)⟩ **0.1** *woolder (stick).*

woeltouw ⟨het⟩ **0.1** *woolding.*

woelwater ⟨de (v.)⟩ **0.1** *fidget* ◆ **2.1** het is zo'n kleine ~ *it's such a restless / fidgety little child.*

woelziek ⟨bn.⟩ **0.1** [onrustig] *restless* ⟹*fidgety* **0.2** [oproerig] *turbulent* ⟹*seditious, seething* ◆ **1.1** een~e jongen *a r. / fidgety boy* **1.2** een~ land *a seditious / t. country.*

woensdag ⟨de (m.)⟩ **0.1** *Wednesday* ◆ **3.1** ik vertrek~ *I'm leaving (this / on) W.* **¶ 1.** 's~s *Wednesday;* ⟨iedere woensdag⟩ *on Wednesdays;* ⟨AE ook⟩ *Wednesdays.*

woensdags ⟨bn.⟩ **0.1** *Wednesday.*

woerd ⟨de (m.)⟩ **0.1** *drake.*

woerhaan ⟨de (m.)⟩ **0.1** *cock-pheasant.*

woerhen ⟨de (v.)⟩ **0.1** *hen-pheasant.*

woest ⟨bn., bw.; -ly⟩ **0.1** [woest] *savage* ⟹*wild, fierce, barbarian* **0.2** [ruw] *rude, rough, uncouth, rugged* ⟹⟨roekeloos⟩ *reckless* **0.3** [zeer kwaad] ⟨→woedend⟩ **0.4** [mbt. land] ⟨braak⟩ *waste;* ⟨onbewoond⟩ *desolate; wild, savage* ⟨landschap⟩ ◆ **1.1** een~ voorkomen hebben *have a s. / fierce countenance, have a s. look about one* **1.2** ~e bergstammen *rugged mountain tribes* **1.4** ~e grond *waste(land);* een~e landstreek / kust *a desolate region / coast.*

woestaard ⟨de (m.)⟩ ⟹→woesteling.

woesteling ⟨de (m.)⟩ **0.1** *brute* ⟹*thug, ruffian, tough,* ⟨dronkaard⟩ *madman.*

woestenij ⟨de (v.)⟩ **0.1** *wilderness* ⟹*waste(land), desert* ◆ **2.1** een barre ~ *a barren / desolate / savage / howling wilderness* **3.1** de oorlog heeft van deze vruchtbare landstreek een ~ gemaakt *the war has turned this fertile area into a waste(land).*

woestijn ⟨de⟩ **0.1** *desert* ⟹*wilderness* ◆ **1.1** de ~en van Afrika *the African deserts / wastes;* ⟨fig.⟩ de koning v.d. ~ *the king of beasts;* ⟨fig.⟩ het schip v.d. ~ *the ship of the d.* **5.1** ⟨fig.⟩ iem. de ~ in sturen ⟨ihb. in de politiek⟩ *send s.o. in(to) the wilderness,* ^Bsend s.o. to Coventry **6.1 in** de ~ preken *talk to a brick wall;* ⟨fig.⟩ een roepende **in** de ~ *a voice (crying) in the wilderness.*

woestijnachtig ⟨bn.⟩ **0.1** *desertlike.*

woestijnbewoner ⟨de (m.)⟩ **0.1** *inhabitant of a / the desert* ⟹*desert-dweller.*

woestijngebied ⟨het⟩ **0.1** *desert area / region.*

woestijnoorlog ⟨de (m.)⟩ **0.1** *desert war.*

woestijnplant ⟨de⟩ **0.1** *desert plant.*

woestijnrat ⟨de⟩ **0.1** *gerbil(le), jerbil.*

woestijnwind ⟨de (m.)⟩ **0.1** *desert wind.*

woestijnzand ⟨het⟩ **0.1** *desert sand* ⟹⟨schr.⟩ *sand of the desert.*

wok ⟨de⟩ **0.1** *wok.*

wol ⟨de⟩⟨→sprw. 221⟩ **0.1** [haren van sommige dieren] *wool* ⟹*fleece* **0.2** [wollen draden] *wool* ⟹*woollen* ^*woollen yarn* **0.3** [wollen stof] *wool* ⟹*woollen* ^*woollen fabric / material* **0.4** [⟨plantk.⟩] *wool* ⟹*to-*

mentum ◆ **1.2** een knot/bol ~ *a ball of wool* **1.3** een lap ~ *a piece/ length of wool* **2.3** zuiver ~ *pure/100% wool* **3.1** de ~ uitzoeken/ ontvetten/wassen/kaarden/spinnen *sort/degrease/scour/wash/card/ spin w.* **3.3** ~ dragen *wear wool/woollens* **6.2** met ~ borduren *do woolwork;* kousen van ~ breien *knit socks from/out of wool* **6.3** in/ door de ~ geverfd ⟨lett.⟩ *ingrain;* ⟨ook fig.⟩ *dyed-in-the-wool, wool-dyed;* ⟨fig.⟩ *double-dyed, engrained;* ⟨fig.⟩ onder de ~ gaan *turn in;* ⟨AE; inf.⟩ *hit the sack, sack out;* is deze sjaal van ~? *is this scarf wool?.*

wolaap ⟨de (m.)⟩ **0.1** *woolly monkey.*
wolbaal ⟨de⟩ **0.1** *woolpack ⇒bale of wool.*
wolbij ⟨de⟩ **0.1** *anthidium.*
wolboom ⟨de (m.)⟩ **0.1** *kapok tree ⇒silk-cotton tree.*
woldragend ⟨bn.⟩ **0.1** *wool-bearing ⇒woolled* ᴬ*wooled, woolly,* ⟨biol.⟩ *laniferous.*
wolf ⟨de (m.)⟩ ⟨→sprw. 305,663⟩ **0.1** [dier] *wolf* **0.2** [ziekte] *caries* **0.3** [⟨muz.⟩] *wolf (tone/note)* ◆ **2.1** Roodkapje en de boze ~ *Little Red Riding Hood and the big bad w.;* ⟨fig.⟩ een eenzame ~ *a lone w., a loner* **3.1** ⟨fig.⟩ een ~ bij de oren houden *be in a fix;* ⟨fig.⟩ de ~ tot herder maken *set the fox to keep the geese* **3.2** vretende ~ *lupus* **6.1** een ~ in schaapskleren/in een schapevacht *a w. in sheep's clothing,* huilen met de wolven in het bos *when in Rome, do as the Romans do, go with the stream, follow the crowd* **8.1** eten als een ~ *eat one's head off, eat like a horse,* een ~'s food down; ik heb honger als een ~ *I have a wolfish appetite, I am as hungry as a horse.*
wolfabriek ⟨de (v.)⟩ **0.1** *wool/woollen/* ⟨vnl. AE⟩ *woolen factory/mill.*
wolfachtig ⟨bn., bw.⟩ **0.1** *wolfish ⇒wolf-like.*
wolfbaars ⟨de (m.)⟩ **0.1** *sea perch, (sea) bass.*
wolfraam ⟨het⟩ ⟨schei.⟩ **0.1** *tungsten ⇒wolfram.*
wolfraamstaal ⟨het⟩ **0.1** *tungsten steel.*
wolfraniet ⟨het⟩ **0.1** [wolfraamerts] *wolframite, wolfram* **0.2** [⟨schei.⟩] *tungsten, wolfram.*
wolfsangel ⟨de (m.)⟩ **0.1** [klem] *wolf trap.*
wolfshond ⟨de (m.)⟩ **0.1** [kruising tussen een hond en een wolf] *wolf dog* **0.2** [keeshond] *keeshond* **0.3** [hond voor de wolvenjacht] *wolf dog, wolfhound.*
wolfshonger ⟨de (m.)⟩ **0.1** *voracious appetite ⇒* ⟨med.⟩ *bulimia.*
wolfskers ⟨de⟩ **0.1** *belladona, dwale, deadly nightshade.*
wolfsklauw ⟨de⟩ **0.1** [plant] *club moss, staghorn (moss) ⇒wolf's-claw/ -foot* **0.2** [vijfde teen v.e. hondepoot] *dewclaw.*
wolfsklem ⟨de⟩ **0.1** *wolf trap, trap for wolves.*
wolfskuil ⟨de (m.)⟩ **0.1** [sloot/kuil om de toegang te beletten] *ha-ha ⇒* ⟨vossegat⟩ *foxhole, pitfall* **0.2** [⟨mil.⟩] *trou-de-loup.*
wolfsmelk ⟨de⟩ ⟨plantk.⟩ **0.1** *spurge ⇒euphorbia, milk-weed, wolfs-milk,* ⟨AE⟩ *snow-on-the-mountain.*
wolfsmelkachtigen ⟨zn.mv.⟩ ⟨plantk.⟩ **0.1** *Euphorbiaceae.*
wolfspels ⟨de⟩ **0.1** *wolf's pelt/fur.*
wolfspoot ⟨de (m.)⟩ ⟨plantk.⟩ **0.1** *gipsy wort/herb ⇒bugleweed.*
wolfsspin ⟨de⟩ **0.1** *wolf spider.*
Wolga ⟨de (v.)⟩ **0.1** *Volga.*
wolgoed ⟨het⟩ **0.1** *woollen* ᴬ*woolen goods, woollens* ᴬ*woolens.*
wolhaar ⟨het⟩ **0.1** *underfur ⇒under fleece, undercoat.*
wolhandel ⟨de (m.)⟩ **0.1** *wool trade ⇒* ⟨winkels⟩ *wool shops.*
wolhandelaar ⟨de (m.)⟩ **0.1** *wool merchant/dealer.*
wolhandkrab ⟨de⟩ **0.1** *Chinese crab.*
wolharig ⟨bn.⟩ **0.1** *woolly(-haired/-headed) ⇒* ⟨schr.⟩ *lanate, ulotrichous* ◆ **1.1** de ~e neushoorn *the woolly rhinoceros.*
wolharigen ⟨zn.mv.⟩ **0.1** *ulotrichians.*
wolindustrie ⟨de (v.)⟩ **0.1** *wool(len) industry.*
wolk ⟨de⟩ ⟨→sprw. 664⟩ **0.1** *cloud ⇒* ⟨verstikkend⟩ *smother,* ⟨mbt. waterdruppels⟩ *spray,* ⟨fig. ook⟩ *shadow* ◆ **1.1** een ~ van stof/rook *a c. / pother of dust/smoke* **2.1** ⟨fig.⟩ donkere ~en pakten zich samen boven zijn hoofd *dark/black clouds gathered over him;* dreigende ~en *threatening/angry clouds;* kosmische ~en *cosmic clouds;* lage/ hoge ~en *low/high clouds* **3.1** er school een ~ voor de zon *a c. blotted out the sun;* de ~en trekken naar het oosten/pakken zich samen *the clouds are moving eastwards/are gathering* **6.1** de zon kwam achter de ~en tevoorschijn *the sun peeked/popped out from behind a c.;* ⟨fig.⟩ met het hoofd in de ~en lopen *have one's head in the clouds;* ⟨gelukkig zijn⟩ *walk on air;* ⟨fig.⟩ in de ~en zijn (over iets) *be elated by/jubilant at/tickled pink with/over the moon about sth.,* be overjoyed at/in a cloud over sth., *tread/walk on air;* de lucht is met ~en bedekt *the sky has clouded over/is cloudy;* er kwam een ~ op zijn gezicht *a c. / shadow passed over his face, his face clouded (over);* ⟨fig.⟩ uit de ~en vallen *be brought back (down) to earth (with a bump);* een ~ van een jongen/meisje *a bouncing/healthy boy/girl.*
wolkaarde ⟨de⟩ →**wolkam.**
wolkaarder ⟨de (m.)⟩ **0.1** *wool comber.*
wolkachtig ⟨bn.⟩ **0.1** *cloudy.*
wolkam ⟨de (m.)⟩ **0.1** *wool)comb ⇒(wool)card.*
wolkbreuk ⟨de⟩ **0.1** *cloudburst ⇒downpour, deluge, drenching.*
wolkeloos ⟨bn.⟩ **0.1** ⟨ook fig.⟩ *cloudless, unclouded ⇒clear* ◆ **1.1** ⟨fig.⟩ ~ geluk *u. happiness;* een wolkeloze hemel *a clear/an azure sky.*

wolkenbank ⟨de⟩ **0.1** *bank (of clouds) ⇒cloud-bank.*
wolkendek ⟨het⟩ **0.1** *blanket/layer of clouds ⇒cloud cover, overcast,* ⟨meteo.⟩ *nimbostratus* ◆ **2.1** een dicht ~ *a thick layer/dense sheet of clouds.*
wolkenhemel ⟨de (m.)⟩ →**wolkenlucht.**
wolkenkrabber ⟨de (m.)⟩ **0.1** *skyscraper ⇒* ⟨inf.⟩ *scraper.*
wolkenlucht ⟨de⟩ **0.1** *cloudy/overcast sky.*
wolkenmassa ⟨de⟩ **0.1** *mass/bank of cloud(s).*
wolkenpartij ⟨de (v.)⟩ **0.1** *bank of cloud(s) ⇒* ⟨in schilderij⟩ *cloudscape.*
wolkenveld ⟨het⟩ **0.1** *mass of cloud(s) ⇒group/bank of clouds, cloud layer/cover.*
wolkig ⟨bn.⟩ **0.1** [vol wolken] *cloudy ⇒overcast* **0.2** [onzuiver] *cloudy* ◆ **1.1** een ~e hemel *a c. / an overcast sky* **1.2** ~e diamanten *c. diamands;* ~e urine *turbid/c. urine.*
wolkje ⟨het⟩ **0.1** [kleine wolk] *cloudlet ⇒little/small cloud,* ⟨rook ook⟩ *puff, plume, wisp* **0.2** [wolkachtige vlek, streep] *cloud* **0.3** [sombere gezichtstrek] *cloud ⇒shadow* ◆ **1.2** een ~ melk in de thee *a dash/ drop of milk in the tea* **6.1** er is geen ~ aan de lucht ⟨fig.⟩ *there isn't a cloud in the sky* **6.2** een ~ in een diamant *a c. in a diamond.*
wolkruid ⟨het⟩ **0.1** *mulle(i)n.*
wolkvorming ⟨de (v.)⟩ **0.1** *cloud formation.*
wollegras ⟨het⟩ **0.1** *cotton grass/rush.*
wollen ⟨bn.⟩ **0.1** *woollen* ᴬ*woolen, wool ⇒* ⟨BE⟩ *woolly/ie* ◆ **1.1** ~ stoffen *wool(len) fabrics/materials, woollens;* een ~ trui *a wool(len) jersey/woolly.*
wolletje ⟨het⟩ **0.1** [lap] *piece of wool/woollen* ᴬ*woolen/wool material/ fabric* **0.2** [deken] *blanket* **0.3** [hemd] *vest ⇒* ⟨BE⟩ *woolly, singlet.*
wollig ⟨bn., bw.⟩ **0.1** [op wol lijkend] *woolly* ᴬ*wooly ⇒fleecy, downy,* ⟨schr.⟩ *floculent* **0.2** [⟨plantk.⟩] *woolly* ᴬ*wooly ⇒* ⟨schr.⟩ *flocose, lanate, lanose, laniferous* **0.3** [van wol voorzien] *woolly* ᴬ*wooly ⇒fleecy* **0.4** [verhullend] *woolly* ᴬ*wooly ⇒unclear, insubstantial, obscure* ◆ **1.1** ~e haren *w. hair* **1.2** een ~e sneeuwbal *a wayfaring tree* **1.3** ~e schapen *w. / fleecy sheep* **1.4** ~ taalgebruik *w. language.*
wolluis ⟨de⟩ **0.1** *woolly aphid.*
wolmaniseren ⟨ov.ww.⟩ **0.1** ≠*creosote, impregnate.*
wolmarkt ⟨de⟩ **0.1** *wool market.*
wolmerk ⟨het⟩ **0.1** *wool mark.*
wolopbrengst ⟨de (v.)⟩ **0.1** *wool clip/crop/yield.*
wolspinnerij ⟨de (v.)⟩ **0.1** ⟨concr.⟩ *wool/woollen/* ⟨AE ook⟩ *woolen mill.*
wolvebeet ⟨de (m.)⟩ **0.1** *wolf bite.*
wolvee ⟨het⟩ **0.1** *wool-producing livestock/cattle.*
wolvejacht ⟨de⟩ **0.1** *wolf hunt(ing).*
wolveklem →**wolfsklem.**
wolvekuil →**wolfskuil.**
wolverver ⟨de (m.)⟩ **0.1** *wool-dyer.*
wolververij ⟨de (v.)⟩ **0.1** [het verven] *wool-dyeing* **0.2** [werkplaats] *dyeworks for wool.*
wolvespoor ⟨het⟩ **0.1** *wolf's track/footprint.*
wolvet ⟨het⟩ **0.1** [substantie in ruwe wol] *wool oil/fat/grease ⇒suint,* yolk **0.2** [gezuiverd schapesmeer] *(refined) wool fat ⇒(anhydrous) lanolin(e).*
wolvin ⟨de (v.)⟩ **0.1** *she-wolf ⇒bitch (wolf).*
wolvlieg ⟨de⟩ **0.1** *bee fly.*
wolwas ⟨de (m.)⟩ **0.1** *woollens* ᴬ*woolens.*
wolwassen ⟨ww.⟩ **0.1** *wool washing/scouring.*
wond ⟨de⟩ ⟨→sprw. 266,563⟩ **0.1** ⟨vnl. opzettelijk toegebracht, bv. in oorlog/gevecht; ook fig.⟩ *wound ⇒* ⟨vnl. in ongeluk enz.⟩ *injury, sore, hurt, trauma* ◆ **2.1** een diepe/ondiepe ~ *a deep w. / a surface/superficial w.;* ⟨diep ook⟩ *a gash;* ⟨ondiep ook⟩ *a cut, a scratch;* een gapende ~ *a gaping w., a gash;* een open ~ *an open w.;* ⟨fig.⟩ oude ~en openrijten *rip open/reopen old wounds* **3.1** een ~ hechten *stitch/sew up a w.;* ⟨fig.⟩ zijn ~en likken na een nederlaag *lick one's wounds after a defeat;* een ~ verbinden *dress/bind/strap up/bandage a w.* **6.1** een ~ je aan zijn vinger *a cut/scratch on one's finger;* een ~ aan het gelaat / hoofd *a facial/head injury;* de vinger op de ~ leggen ⟨fig.⟩ *put one's finger on/touch the (sore) spot;* ⟨fig.⟩ een pleister op de ~ leggen *salve the w. / seal the pride;* een pleister op een ~ doen *put a* ᴮ*plaster/* ᴬ*band-aid on a w., apply a* ᴮ*plaster/* ᴬ*band-aid to a w.;* ⟨fig.⟩ dat is balsem voor zijn ~en *that is balm to his wounds.*
wonden ⟨ov.ww.⟩ **0.1** [verwonden] *wound ⇒injure, hurt* **0.2** [kwetsen] *wound ⇒hurt,* ⟨schr.⟩ *lacerate* ◆ **1.2** die opmerking heeft mijn hart gewond *that remark has wounded/hurt me deeply/cut me to the quick* **6.1** iem. aan het hoofd ~ *w.s.o. in the head.*
wonder¹ ⟨het⟩ ⟨→sprw. 665⟩ **0.1** [iets buitengewoons] *wonder ⇒miracle, marvel* **0.2** [mirakel] *miracle ⇒wonder* **0.3** [wonderbaarlijke zaak, persoon] *wonder ⇒miracle, marvel, prodigy* **0.4** [wereldwonder] *wonder* ◆ **1.3** de ~en v.d. natuur/techniek *the wonders/marvels of nature/technology* **3.1** penicilline/de liefde doet ~en *penicillin/ love works/does wonders;* zijn naam doet ~en *his name opens doors/ works magic/wonders;* tenzij er een ~ gebeurt *failing a miracle;* is 't dan een ~ dat ... *is it then any w. that ...;* ⟨geen⟩ ~en verwachten van iem./iets *(not) expect miracles/wonders from s.o./sth.* **3.2** als door

een ~ gered *saved as if by a m.; het mag een ~ heten dat …it's little short of a m. / wonder that …;* Jezus verrichtte ~ en *Jesus worked / performed miracles* **6.2 aan/in** ~ en **geloven** *believe in miracles;* de ~ en **uit** de bijbel *the miracles in the Bible* **6.¶ ~ boven** ~ *by amazing good fortune / a miracle, miracle of miracles, wonder of wonders* **7.1** geen ~ *no / small w., I don't wonder, not surprising* **¶.1** de ~ en zijn de wereld nog niet uit *wonders will never cease, whatever next?.*

wonder² ⟨schr.⟩
  I ⟨bn., bw.;-ly⟩ **0.1** [wonderlijk] *wondrous* ⇒ *strange, marvellous* ◆ **1.1** zij vertelt ~ e verhalen *she tells w. / strange / marvellous tales;*
  II ⟨bw.⟩ **0.1** [in hoge mate] *exceedingly, wonderfully* ⇒ *extraordinarily, marvellously* [A]*velously* ◆ **2.1** zij is ~ gelukkig *she's wonderfully / marvellously / extraordinarily happy.*

wonderbaar ⟨bn., bw.;-ly⟩ **0.1** *miraculous* ⇒ *marvellous* [A]*velous, wonderful* ◆ **1.1** ⟨bijb.⟩ de wonderbare visvangst *the unexpected catch* **3.1** het is toch ~, dat hij nooit iets verkeerds doet *it's amazing / incredible that he never does anything wrong.*

wonderbaarlijk ⟨bn., bw.;-ly⟩ **0.1** *miraculous* ⇒ *marvellous* [A]*velous, wonderful,* ⟨vreemd⟩ *strange, curious, odd, peculiar* ◆ **1.1** een ~ e redding *a miraculous / providential rescue;* hij vertelt altijd van die ~ e zaken *he always tells such wondrous / magical / curious tales* **3.1** hij werd ~ gered *he was miraculously saved.*

wonderboom ⟨de (m.)⟩ **0.1** *castor-oil plant* ⇒ ⟨lett.⟩ *miraculous /* ⟨schr.⟩ *wondrous tree.*

wonderdadig ⟨bn., bw.;-ly⟩⟨schr.⟩ **0.1** *miraculous* ⇒ *supernatural,* ⟨miraculeus ook⟩ *wonderworking* ◆ **1.1** dat beeldje heeft ~ e kracht *that idol has m. / supernatural power.*

wonderdoend ⟨bn.⟩ **0.1** *wonderworking* ⇒ *miraculous,* ⟨schr.⟩ *thaumaturgic(al).*

wonderdoener ⟨de (m.)⟩ **0.1** *miracle worker* ⇒ *wonderworker,* ⟨schr.⟩ *thaumaturge* [A]*gist, theurgist.*

wonderdokter ⟨de (m.)⟩ **0.1** ⟨medicijnman⟩ *medicine man, witch doctor;* ⟨kwakzalver⟩ *quack;* ⟨lovend bedoeld⟩ *medical wizard / genius.*

wonderinkt ⟨de (m.)⟩ **0.1** *invisible ink* ⇒ *sympathetic / secret ink.*

wonderkind ⟨het⟩ **0.1** *child / infant prodigy* ⇒ *wunderkind.*

wonderkracht ⟨de⟩ **0.1** [kracht om mirakelen te doen] *miraculous power(s)* **0.2** [buitengewone kracht] *miraculous / extraordinary strength.*

wonderlamp ⟨de⟩ **0.1** *Aladdin's lamp.*

wonderland ⟨het⟩ **0.1** *wonderland.*

wonderlijk ⟨bn., bw.;-ly⟩ **0.1** [wonderbaar] ⟨→ **wonderbaar**⟩ **0.2** [zonderling] *strange* ⇒ *curious, odd, peculiar* ◆ **1.2** een ~ man *a s. / an odd / a peculiar / bizarre man;* ~ e zaken *s. / odd / peculiar affairs / matters, a strange business* **3.2** ik vind het nogal ~ *I find it rather s. / odd / peculiar / queer / bizarre* **5.2** ~ genoeg *mirabile dictu, strangely enough, strange to say* **7.2** het ~ e is …*the wonder is, the strange / odd / surprising thing / part is ….*

wondermacht ⟨de⟩ **0.1** *miraculous power.*

wondermiddel ⟨het⟩ **0.1** *universal remedy* ⇒ *magic potion,* ⟨vaak pej.⟩ *panacea, cure- / heal-all,* ⟨geneesmiddel⟩ *miracle / wonder drug.*

wonderolie ⟨de⟩ **0.1** *castor oil.*

wonderschoon ⟨bn., bw.;-ly⟩ **0.1** *wonderful, exceptionally / extraordinarily beautiful* ◆ **1.1** een ~ kind *a wondrously / fantastically / an extraordinarily beautiful child.*

wonderteam ⟨het⟩⟨sport⟩ **0.1** *star team.*

wonderteken ⟨het⟩ **0.1** *miracle* ⇒ ⟨miraculous⟩ *sign / portent.*

wonderwel ⟨bw.⟩ **0.1** *wonderfully well* ◆ **3.1** dat is ~ gedaan *that's been wonderfully / extraordinarily / astonishing well done;* hij voelde zich er ~ thuis *he felt wonderfully at home.*

wonderwerk ⟨het⟩ **0.1** *miracle* ⇒ *miraculous feat / deed /* ⟨inf.⟩ *job, mighty work.*

wondgaas ⟨het⟩ **0.1** *gauze (for dressings)* ⇒ *gauze dressing.*

wondheelkunde ⟨de (v.)⟩ **0.1** *surgery.*

wondinfectie ⟨de (v.)⟩ **0.1** *wound infection* ⇒ *infection of a wound.*

wondkoorts ⟨de⟩ **0.1** *wound / surgical / traumatic fever.*

wondkramp ⟨de⟩ **0.1** *lockjaw* ⇒ *tetanus.*

wondroos ⟨de⟩⟨med.⟩ **0.1** *erysipelas* ⇒ ⟨St.⟩ *Anthony's fire, rose.*

wondzalf ⟨de⟩ **0.1** *healing ointment* ⇒ *salve.*

wonen ⟨onov.ww.⟩ ⟨→ sprw. **231**⟩ **0.1** *live* ⇒ [↑]*reside,* ⟨schr.⟩ *dwell* ◆ **3.1** in het noorden gaan ~ *take up residence / settle in the North, move to the / up North;* als je me nodig hebt weet je me te ~, niet? *if you need / want me you know where I l.* **5.1** eenzaam / afgelegen ~ *l. in a lonely / remote spot;* groot / klein ~ *l. in a big / small house;* wij ~ hier zeer naar onze zin *we're very happy living here;* ruimer gaan ~ *move to somewhere bigger / a bigger house;* vrij ~ hebben *l. rent-free* **6.1** bij iem. ~ *stay / lodge with s.o., make one's home / take up quarters with s.o.;* **boven** een winkel ~ *l. over / above a shop /* [A]*store;* vossen ~ **in** holen *foxes l. / den in earths;* ⟨fig.⟩ **in** iemands hart ~ *l. / stay / remain in s.o.'s heart;* **in** het noorden ~ *l. in the / up North;* **naast** iem. ~ *l. next(-door) to s.o.;* **op** zichzelf gaan ~ *set up house, go and l. on one's own;* **tegenover** iem. ~ *l. across from / opposite s.o..*

woning ⟨de (v.)⟩ **0.1** [huis] *house* ⇒ ⟨thuis⟩ *home,* ⟨schr.⟩ *residence, accommodation, dwelling* **0.2** [hol] *habitat* ⇒ ⟨in de grond⟩ *hole,* ⟨in rotsen⟩ *cave* ◆ **2.1** de echtelijke ~ *the family home;* ⟨jur.⟩ *the conju-*

---

gal home; bewoners v.e. eigen ~ *owner-occupiers;* de ouderlijke ~ verlaten *leave the parental home / nest;* particuliere ~ en *private houses, privately owned houses;* een vaste / een tijdelijke / vrijstaande ~ *a permanent / temporary / detached house* **3.1** een ~ inrichten *furnish a house;* een ~ toegewezen krijgen *be allotted a house;* voor een ~ kan worden gezorgd *accommodation can be arranged;* een ~ zoeken *look for a house, be / go house-hunting* **6.1** iem. **uit** zijn ~ zetten *evict s.o., turn s.o. out (of his / her / the house).*

woningaanbod ⟨het⟩ **0.1** *housing market.*

woningbedrijf ⟨het⟩ **0.1** *property (management) company.*

woningbestand ⟨het⟩ **0.1** *housing stock.*

woningblok ⟨het⟩ **0.1** [aaneengebouwde huizen] *terrace, row of houses* **0.2** [huizen tussen twee zijstraten] *block of houses.*

woningbouw ⟨de (m.)⟩ **0.1** [het bouwen van woningen] *house-building / -construction* **0.2** [woningen] *housing* ◆ **2.1** sociale ~ [B]*council housing,* [A]*public housing* **7.2** de ~ bereikte een peil van 80.000 per jaar *the number of houses built / constructed reached the level of 80,000 per year.*

woningbouwprogramma ⟨het⟩ **0.1** *house-building / housing scheme / programme* [A]*gram.*

woningbouwvereniging ⟨de (v.)⟩ **0.1** *housing association / corporation.*

woningbureau ⟨het⟩ **0.1** *housing agent's / agency* ⇒ [B]*estate /* [A]*real-estate agent's / agency.*

woningcomplex ⟨het⟩ **0.1** *housing complex /* ⟨vnl. AE⟩ *development /* ⟨BE ook vnl.⟩ *estate /* ⟨AE ook; ihb. van overheidswege, voor mensen met lage inkomens⟩ *project.*

woninggids ⟨de⟩ **0.1** *housing guide / directory.*

woninginrichting ⟨de (v.)⟩ **0.1** [benodigdheden] *home furnishing(s)* ⇒ *furniture* **0.2** [het inrichten] *furnishing* ◆ **1.1** de afdeling ~ in een warenhuis *the (home) furnishing / furniture department in / of a department store.*

woningnood ⟨de (m.)⟩ **0.1** *housing shortage / problem.*

woningruil ⟨de (m.)⟩ **0.1** [om aan een beter huis te komen] *housing exchange* **0.2** [voor de vakantie] *house swapping.*

woningtextiel ⟨het, de (m.)⟩ **0.1** *furnishing fabric(s) / textile(s)* ⇒ *soft furnishing(s).*

woningtoezicht ⟨het⟩ **0.1** *building / housing inspection* ◆ **1.1** de gemeentelijke dienst voor bouw- en ~ ≠ *surveyor's office, inspector of works, building inspection authorities.*

woningverbetering ⟨de (v.)⟩ **0.1** *house improvement.*

woningvraagstuk ⟨het⟩ **0.1** *housing problem / question.*

woningwet ⟨de⟩ **0.1** *housing act / law.*

woningwetbouw ⟨de (m.)⟩ **0.1** ≠ [B]*council housing,* [A]*public housing.*

woningwetwoning ⟨de (v.)⟩ **0.1** ≠ [B]*council house,* [A]*public housing unit.*

woningzoekende ⟨de (m.)⟩ **0.1** *house hunter* ◆ **2.1** het aantal geregistreerde ~ n *the number of registered persons seeking housing.*

woonachtig ⟨bn.⟩ **0.1** *living* ⇒ *resident, residing, domiciled* ◆ **3.1** hij is ~ te Leiden *he is a resident of / is domiciled in Leyden* **5.1** laatstelijk ~ te …*last l. in …, last known address in …* **6.1** tijdelijk ~ **te** …*temporarily l. / residing / domiciled in ….*

woonark ⟨de (m.)⟩ → **woonboot.**

woonbestemming ⟨de (v.)⟩ ◆ **¶.¶** er rust een ~ op dit terrein *this site is zoned as residential land / is intended / earmarked for housing (purposes) / residential purposes / is registered as a residential area.*

woonblok ⟨de (m.)⟩ **0.1** *block.*

woonboerderij ⟨de (v.)⟩ **0.1** *converted cottage / farmhouse.*

woonboot ⟨de⟩ **0.1** *houseboat* ⇒ *barge.*

wooncomfort ⟨het⟩ **0.1** *comfortable living* ⇒ ⟨mbt. moderne voorzieningen⟩ *(modern) conveniences / amenities.*

wooneenheid ⟨de (v.)⟩ **0.1** *housing unit.*

woonerf ⟨het⟩ **0.1** [grond bij een woning] *premises* ⇒ ⟨jur.⟩ *curtilage* **0.2** [woonbuurt] *residential area (designed to slow down traffic).*

woongebied ⟨het⟩ **0.1** [mbt. mensen] *residential area* **0.2** [mbt. dieren] *habitat* ⇒ *territory* ◆ **1.1** forenzen tussen woon- en werkgebied *commute between home and work / the residential area and the industrial / commercial area.*

woongedeelte ⟨het⟩ **0.1** *living quarters* ⇒ *residential part (of the / a building).*

woongelegenheid ⟨de (v.)⟩ **0.1** *housing (facilities)* ⇒ *(living) accommodation.*

woongemeenschap ⟨de (v.)⟩ **0.1** *commune.*

woongroep ⟨de⟩ **0.1** *commune.*

woonhuis ⟨het⟩ **0.1** *(private / dwelling) house* ⇒ ⟨thuis⟩ *home,* ⟨schr.⟩ *residence, dwelling* ◆ **¶.¶** telefoon praktijk: …; ~: …*telephone* [B]*surgery /* [A]*office: …; private: ….*

woonkamer ⟨de⟩ **0.1** *living room* ⇒ ⟨BE ook⟩ *sitting room, lounge,* ⟨vero.⟩ *parlour.*

woonkazerne ⟨de⟩ ⟨scherts.⟩ **0.1** *barracks* ⇒ ⟨beton⟩ *concrete block.*

woonkern ⟨de⟩ **0.1** [woonhuizen] *residential nucleus* **0.2** [woonwijk] *residential precinct / area.*

woonkeuken ⟨de⟩ **0.1** *kitchen-living room combination, kitchen-cum-living room* ⇒ *open kitchen.*

woonkuil ⟨de (m.)⟩ **0.1** *sunken sitting area.*

woonlaag ⟨de⟩ **0.1** *storey* ^Α*ry.*

woonlasten ⟨zn.mv.⟩ **0.1** *living costs/expenses.*

woonomgeving ⟨de (v.)⟩ **0.1** *environment* ⇒*housing conditions.*

woonomstandigheden ⟨zn.mv.⟩ **0.1** *housing/living conditions.*

woonoord ⟨het⟩ **0.1** *living area/* ⟨gebouw⟩ *quarters* ⇒⟨tijdelijk, met barakken⟩ *camp, (hut) encampment.*

woonplaats ⟨de⟩ **0.1** *(place of) residence* ⇒⟨jur.⟩ *abode, domicil(e),* ⟨biol.⟩ *habitat,* ⟨op formulieren⟩ *city, town* ◆ **1.1** haar huidige woon- of verblijfplaats is onbekend *her present whereabouts are unknown* **2.1** natuurlijke ~ *natural habitat;* zonder vaste ~ *with no/without a fixed/permanent address/residence;* ⟨jur.⟩ *of/with no fixed abode;* wettige~ *domicile;* ⟨mbt. belasting⟩ *tax home* **3.1** zijn ~ hebben in *reside in/at, live in/at;* van ~ veranderen *move/change one's r./abode, move* **6.1** in mijn ~ *where I live, in my city/town/place of residence.*

woonruimte ⟨de (v.)⟩ **0.1** [ruimte voor woningen] *housing* **0.2** [ruimte voor bewoning] *(housing/living) accommodation* ⇒⟨itt. werkruimte⟩ *living space/area/quarters,* ⟨inf.⟩ *somewhere/a place to live, habitation, housing.*

woonschip ⟨het⟩ **0.1** *houseboat* ⇒*barge.*

woonsector ⟨de (m.)⟩ **0.1** *residential sector/section/zone.*

woonsilo ⟨de (m.)⟩⟨pej.⟩ **0.1** *vertical slum* ⇒*high-rise* ^Β*flats/*^Α*apartments.*

woonst ⟨de (v.)⟩⟨AZN⟩ **0.1** [woning] *house* ⇒*residence,* ⟨schr.⟩ *dwelling* **0.2** [woonplaats] (→*woonplaats*).

woonstad ⟨de⟩ **0.1** *residential town* ⇒⟨met veel forensen⟩ *commuter town.*

woonstede ⟨de⟩ ⟨schr.⟩ **0.1** *place of residence* ⇒*abode, dwelling-place, domicil(e).*

woonvergunning ⟨de (v.)⟩ **0.1** *residence permit.*

woonvertrek ⟨het⟩ **0.1** *living room* ⇒⟨vnl. BE⟩ *sitting room.*

woonvorm ⟨de (m.)⟩ **0.1** *housing* ⇒*type of dwelling.*

woonwagen ⟨de (m.)⟩ **0.1** *caravan,* ^Α*(house) trailer.*

woonwagenbewoner ⟨de (m.)⟩, -bewoonster ⟨de (v.)⟩ **0.1** *caravan dweller,* ^Α*inhabitant of a trailer park.*

woonwagenkamp ⟨het⟩ **0.1** *caravan camp,* ^Α*trailer camp.*

woonwagenwerk ⟨het⟩ **0.1** ≠*social work among caravan dwellers.*

woonwarenhuis ⟨het⟩ **0.1** *home furnishing shop/store.*

woon-werkverkeer ⟨het⟩ **0.1** *commuter traffic.*

woonwijk ⟨de⟩ **0.1** ↑*residential area/quarter/district/* ⟨AE ook⟩ *section;* ⟨BE; vnl. sociale woningbouw⟩ *housing estate;* ⟨wijk v.e. stad⟩ *district, quarter* ◆ **2.1** in een v.d. betere ~en in *a desirable residential area/neighbourhood* **3.1** een ~ ontwerpen *design a housing estate/* ^Α*housing development project.*

woord ⟨het⟩ ⟨→sprw. 93,191,422,601,666-669⟩ **0.1** [(groep) spraakklank(en)] *word* ⇒*term, verbalism* **0.2** [uiting, boodschap] *word* ⇒*message, utterance* **0.3** [het spreken] *word* ⇒*speech, utterance* **0.4** [erewoord] *word* ⇒*promise, oath, honour, parole* ◆ **1.1** ~en muziek zijn van ... *words and music by ...;* ⟨opera⟩ *libretto and score by ...* **1.2** in ~en beeld *in pictures and text, with an illustrated description (of);* een ~ van dank a w. / vote of thanks; op mijn ~ *van eer on my w. / (w. of) honour;* ⟨inf.⟩ *cross my heart (and hope to die);* ⟨BE ook⟩ *honour bright;* het Woord Gods *the Word (of God), God's Word;* ⟨schr.⟩ *Logos* **2.1** alleengeldige ~en *derived words;* samengestelde ~en *compound words, compounds;* zij heeft maar een half~ nodig *she can take a hint;* hij moet altijd het laatste ~ hebben *he always has to have the last w.;* is dat uw laatste ~? *is that your last/final w.?, is that final?;* daarover is het laatste ~ nog niet gezegd/gesproken ⟨daar horen we nog meer over⟩ *you haven't heard the last of/about that;* ⟨dat is nog niet beslist⟩ *I haven't had my final say in the matter, the final decision hasn't been taken yet;* vaders laatste ~en *father's last/dying words* **2.2** met andere ~en *in other words, that is (to say), worded differently;* dat zijn ware ~en *how (very) true, too true, how right you are/he is* ⟨enz.⟩; dikke ~en *big words, hot air;* ik kan mijn eigen ~en niet verstaan *I can't hear myself speak/think;* gevleugelde ~en *winged words;* bedienaar v.h. goddelijk ~ *servant of God's Word;* een goed ~voor iets over hebben *not have a good w. to say about sth.;* een goed ~voor iem. doen *put in a good w. for s.o.;* nou ja, studeerkamer is een groot ~ *well, I wouldn't exactly call it a study;* grote ~en gebruiken *use big words;* ⟨om te overbluffen⟩ *talk big, bluff,* ⟨fig.⟩ het hoge ~ moest eruit *the truth had to be told/come out, he* ⟨enz.⟩ *had to come out with it;* een kort ~ spreken *say a w. / a few words;* mooie ~en *fine words;* het verlossende ~ spreken *save the situation;* vieze ~en *dirty words/language/talk, four-letter words;* een vriendelijk ~ spreken *say sth. kind;* een waarschuwend ~ laten horen *sound a note of warning* **2.3** ⟨fig.⟩ het hoogste ~ voeren *do most of the talking, dominate/monopolize the conversation;* het vrije ~ *free speech* **3.1** iem. de ~en uit de mond halen *take the words (right) out of s.o.'s mouth;* zijn ~en inslikken *swallow one's words,* ⟨fig.⟩ hij moest zijn ~en weer inslikken *he had to eat his words;* dat is het (juiste) ~ niet *that's not the (right) w. / term;* het kost mij maar een ~ *it only takes a few words;* iem. de ~en in de mond leggen *put words into s.o.'s mouth;* ⟨fig.⟩ men moet hem de ~en uit de keel/de mond trekken *every w. has to be dragged/* ⟨zeldz.⟩ *corkscrewed out of him;* geen ~ van iets verstaan/begrijpen *not understand a w. / syllable of sth.;* niet veel ~en over iets vuilmaken/aan iets verspillen *not waste words/one's breath on sth.;* zijn ~en (op een goudschaaltje) wegen *weigh/measure/choose one's words (carefully);* een paar ~en zeggen *say a few words;* zonder een (enkel) ~ te zeggen *without (saying) a w., with never a w.* **3.2** er is wel eens een ~ gevallen *there have been words between them;* ⟨pregn.⟩ zij hebben ~en *they've had words/an argument/a disagreement;* er is nooit een ~ tussen hen gevallen *there's never been a w. amiss/a harsh w. between them;* iemands ~en verdraaien *twist s.o.'s words/what s.o. says, misquote s.o., misrepresent s.o.('s words)* **3.3** zij kan goed haar ~ doen *she has the gift of the gab, she's never at a loss for words/sth. to say;* het ~ doen *do the talking, speak;* het ~ geven *aan hand/give the floor over to, call (up)on/ask s.o. to speak;* het ~ is aan u/u hebt het ~ *the floor is yours/you have the floor;* het ~ nemen *get up to speak/to one's feet, take the floor;* ⟨interrumperen⟩ *cut in on;* iem. het ~ ontnemen *interrupt s.o., cut s.o. short;* ⟨pol. ook⟩ *ask/* ⟨gebiedend⟩ *order s.o. to sit down;* het ~ tot iem. richten *address/speak to s.o.;* het ~ voeren *speak, be/act as spokesperson/spokesman/spokeswoman/speaker;* ⟨pej.; langdurig⟩ *hold forth;* het ~ vragen *ask/beg permission/to be able to speak;* ⟨in parlement⟩ *try to catch the Speaker's eye;* hij zag van het ~ af *he withdrew (his claim to speak)* **3.4** iem. aan zijn ~ houden *keep/hold s.o. to his w. / promise;* zijn ~ breken/schenden *break/go back on/renege on one's w. / promise;* zijn ~ geven *give one's w., promise, pledge o.s. / one's faith;* zijn ~ houden/nakomen *keep/fulfil* ^Α*fill/stick to/be as good as one's w. / promise* **4.4** hij is een man van zijn ~ *he's a man of his w. / as good as his w., his w. is as good as his bond* **5.2** een ~ vooraf *a preface* ⟨ihb. door auteur⟩; *a foreword;* ⟨langer⟩ *an introduction* **6.1** niet in ~en uit te drukken *beyond words, defying description;* in één ~: schandelijk! *downright/nothing short of disgraceful!;* in één ~: subliem! *just/absolutely/in a w. beautiful!;* met zoveel ~en *in so many words, actually;* met deze ~en *with these words;* ⟨schr.⟩ *thus saying;* met geen ~ over iets reppen *not say/breathe/mention a w. about sth.;* met/in één ~ *in a w., in sum/short;* niet uit zijn ~en kunnen komen *not be able to express o.s., fumble for words;* van ~ tot ~ *fully, totally;* iets ~ voor ~ navertellen *repeat sth. word for word/verbatim, reproduce sth. textually, give a verbatim report/account of sth.;* iets ~ voor ~ vertalen *translate sth. word for word/verbatim/literally* **6.2** zweren bij het ~ v.d. meester *swear by everything the master/s.o. says;* het niet (alleen) bij ~en laten *put sth. into action, act accordingly;* ⟨vechten⟩ *come to blows;* het bleef niet bij ~en *they suited the action to the word/put their words into action;* ⟨vechten⟩ *they came to blows;* bij die ~en *at these words;* doe naar mijn ~en, niet naar mijn daden *do as I say and not as I do, practise* ^Α*ce what I preach;* iets onder ~en brengen *put sth. into words, express/convey/formulate sth.;* het is moeilijk onder ~en te brengen *it's difficult to find the right words;* ik geloof u op uw ~ *I take you at your w. for it;* op zijn ~en letten *be careful about what one says, guard one's speech, mind/tone down one's language;* van ~en kwam het tot daden *they came to blows (over it), the discussion ended in/degenerated into a fight* **6.3** aan het ~ laten *allow s.o. to/let s.o. finish (speaking/talking);* iem. niet aan het ~ laten komen *not let/allow s.o. to speak;* ⟨in vergadering ook⟩ *not let s.o. have/give s.o. the floor;* niet aan het ~ kunnen komen *not be able to get a w. in (edgeways/* ^Α*edgewise);* in ~ en geschrift *in speech and in writing/print, by the written and the spoken w.;* iem. te ~ staan *speak to/see s.o.* **7.1** hij moet er het eerste ~ nog over zeggen *he hasn't mentioned/said anything about it yet;* geen ~en voor iets hebben *have no words for sth.;* daar is geen ~ van aan/waar *not a (single) w. of it is true, there's not a w. / jot/iota of truth in it;* geen ~ meer *not a/another w. / syllable;* ik weet er geen ~ van *I know nothing about it;* dat is geen ~ te veel gezegd *that's putting it mildly;* geen ~ te missen hebben *keep one's counsel, not waste words;* geen (stom) ~ zeggen *say nothing, never/not say a w. / keep silent about sth.;* geen ~ ⟨BE; inf.⟩ *a dickeybird;* met geen ~ over iets spreken *say nothing/not a w. / keep silent about sth.;* geen ~ tussen kunnen krijgen *not be able to get a w. in (edgeways/* ^Α*edgewise);* hij heeft er geen ~ in te zeggen *he hasn't anything to say/has no say in/about the matter;* daar zijn geen ~en voor *it's beyond description/words, it defies description, there are no words to express it* **7.2** geen ~en maar daden *it's time for action; that's enough talking (, let's act);* met twee ~en spreken *be polite;* iem. van weinig ~en *a man of few words/sparing of words, a monosyllabic/taciturn man;* niet met zoveel ~en *not explicitly (expressed), not in so many words* ¶**.1** ~en schieten te kort *om ...words are not adequate to ...;* ⟨ook⟩ *words fail me!* ¶**.2** het Woord is vlees geworden *the Word became flesh.*

woordaccent ⟨het⟩ **0.1** *word accent/stress.*

woordafbreking ⟨de (v.)⟩ **0.1** *word division.*

woordafleiding ⟨de (v.)⟩ **0.1** [oorsprong] *etymology* **0.2** [derivatie] *derivation.*

woordarm ⟨bn.⟩ **0.1** *poor in words* ⇒*impoverished in language.*

woordassociatie ⟨de (m.)⟩ **0.1** *word association.*

woordbeeld ⟨het⟩ **0.1** *word picture.*

woordbetekenis ⟨de (v.)⟩ **0.1** *meaning (of a/the word)* ⇒*sense.*

woordblind ⟨bn.⟩ **0.1** *dyslectic* ⇒*word blind, alexic* ⟨ihb. als gevolg van afasie⟩.

woordblindheid ⟨de (v.)⟩ **0.1** *dyslexia* ⇒*word blindness, alexia* ⟨ihb. als gevolg van afasie⟩.

woordbreker ⟨de (m.)⟩ **0.1** *word-/promise-breaker* ⇒*person who doesn't keep his/her word/promise, violator of an oath.*

woordbreuk ⟨de⟩ **0.1** *breaking of one's word/promise* ⇒*violation of one's oath, perjury,* ⟨jur. ook⟩ *breach of promise* ◆ **3.1** ~ plegen tegenover iem. omtrent iets *break faith with s.o. over sth., break one's promise about sth. to s.o., commit a breach of faith against s.o. over/about sth.;* ⟨inf.⟩ *cop out.*

woordbuiging ⟨de (v.)⟩ ⟨taal.⟩ **0.1** *declension.*

woordcode ⟨de (m.)⟩ **0.1** *word code.*

woorddienst ⟨de (m.)⟩ **0.1** *≠prayer meeting.*

woorddoof ⟨bn.⟩ **0.1** *word deaf.*

woorddoofheid ⟨de (v.)⟩ **0.1** *word deafness* ⇒⟨med.⟩ *auditory aphasia.*

woordeinde ⟨het⟩ **0.1** *word ending/* ↑ *termination.*

woordelijk ⟨bn., bw.⟩ **0.1** [woord voor woord] *word for word* ⇒*verbatim* **0.2** [letterlijk] *literal(ly)* ⇒*word for word, verbatim, verbal* ◆ **3.1** iem. ~ geloven *believe every word s.o. says;* ik kan hem ~ verstaan *I could hear every word he said* **3.2** iem. ~ citeren *quote s.o. word for word/verbatim/literally;* dat moet je niet ~ opnemen *you mustn't take that literally;* ~ vertalen *translate literally/faithfully/textually, make a literal/verbal translation.*

woordeloos →**woordloos.**

woordenboek ⟨het⟩ **0.1** *dictionary* ⇒⟨woordenlijst⟩ *lexicon, wordbook* ◆ **2.1** geografisch ~ *gazetter, geographical d.;* verklarend/wetenschappelijk ~ *dictionary* **3.1** een ~ naslaan/raadplegen *consult/refer to/make reference to/turn up/open a d.* **6.1** ⟨fig.⟩ dat staat niet in zijn ~ *that isn't in/part of his vocabulary.*

woordenkennis ⟨de (v.)⟩ **0.1** *knowledge of words;* ⟨woordenschat⟩ *vocabulary.*

woordenkeus →**woordkeuze.**

woordenkraam ⟨de⟩ **0.1** *verbosity, verbiage* ⇒*welter of words.*

woordenkramerij ⟨de (v.)⟩ **0.1** *rhetoric* ⇒*word spinning, oratory, word-mongering,* ⟨inf.⟩ *verbal diarrhoea.*

woordenlijst ⟨de⟩ **0.1** *list of words, wordlist* ⇒*vocabulary* ◆ **2.1** verklarende ~ *glossary.*

woordenrijk ⟨bn.⟩ **0.1** [rijk aan woorden] *rich in words* **0.2** [welbespraakt] *voluble* ⇒*fluent, eloquent* ⟨spreken⟩, ⟨pej.⟩ *glib, verbose, wordy* ⟨tekst⟩ ◆ **3.2** hij is bijzonder ~ *he's a very eloquent speaker;* ⟨iron.⟩ *he's extremely long-winded.*

woordenrijkheid ⟨de (v.)⟩ **0.1** *richness in words/of vocabulary;* ⟨mbt. taal⟩ *richness in words/of vocabulary;* ⟨mbt. persoon⟩ *(good/great) command of words, wide vocabulary;* ⟨gebruik van tie te veel woorden⟩ *verbosity,* ↓ *wordiness.*

woordenschat ⟨de (m.)⟩ **0.1** [rijkdom aan woorden v.e. taal] *lexicon* ⇒ *lexis* **0.2** [woorden die een persoon kent] *vocabulary* ⇒*stock of words,* ⟨taal. ook⟩ *lexis, lexicon* **0.3** [boek] *vocabulary (book).*

woordenspel ⟨het⟩ **0.1** [het spelen met woorden] *wordplay* ⇒*word game* **0.2** [woordspeling] *play on words* ⇒*pun.*

woordenstrijd ⟨de (m.)⟩ **0.1** [ruzie] *(verbal) dispute* ⇒*debate, controversy, disputation, verbal contest/duel/sword-play* **0.2** [twist over woorden] *war/battle of words* ⇒*quibble/disagreement/argument about/over words.*

woordentolk ⟨de (m.)⟩ **0.1** *(foreign-language) dictionary.*

woordentwist ⟨de (m.)⟩ **0.1** *(verbal) dispute* ⇒*disputation, controversy, altercation* ◆ **6.1** zij raakten in een ~ *they started arguing/wrangling/quibbling, they got into a heated argument.*

woordenvloed ⟨de (m.)⟩ **0.1** *flood of words* ⇒*verbiage, wordage, surplusage,* ⟨vnl. AE; sl.⟩ *spiel.*

woordenwisseling ⟨de (v.)⟩ **0.1** [discussie] *exchange of words* ⇒*discussion* **0.2** [twistgesprek] *argument* ⇒*dispute,* ⟨schr.⟩ *altercation, wrangle, quibble* ◆ **2.2** scherpe/heftige ~ *violent argument, sharp exchange of words, battle royal* **3.2** een ~ hebben met *bandy words/skirmish/altercate with s.o., have an exchange of words/argument/a discussion/disagreement.*

woordenziften ⟨ww.⟩ **0.1** *hairsplitting* ⇒*quibbling, word-catching.*

woordenzifterij ⟨de (v.)⟩ **0.1** *quibbling (over words)* ⇒*hairsplitting.*

woordfamilie ⟨de (v.)⟩ **0.1** *word family* ⇒*family of words.*

woordfrequentie ⟨de (v.)⟩ **0.1** *word frequency.*

woordgebruik ⟨het⟩ **0.1** *use of words.*

woordgeografie ⟨de (v.)⟩ ⟨taal.⟩ **0.1** [leer] *linguistic/word geography* **0.2** [in kaart gebrachte voorstelling] *linguistic map.*

woordgeslacht ⟨het⟩ **0.1** *gender.*

woordgetrouw ⟨bn.⟩ **0.1** *literal* ⇒*word for word, verbatim.*

woordgroep ⟨de⟩ **0.1** *phrase* ⇒*group of words.*

woordje ⟨het⟩ **0.1** [woord als iets kleins] *(little) word* **0.2** [wat gezegd wordt] *word* ◆ **1.2** een paar ~s Frans spreken *have a smattering of French* **2.1** lieve/zoete ~s *endearments, blandishments, sugary/honeyed words;* ⟨inf.⟩ *blarney;* ⟨troetelwoordjes⟩ *sweet nothings* **2.2** een goed ~ doen voor iem. *put in/say a (good) w. for s.o., intercede for s.o.;* een hartig ~ spreken *give s.o. a good talking to, call a spade a spade* **3.1** ~s leren *learn/memorize words/vocabulary* **3.2** hij kan zijn

~ wel doen *he can speak for himself;* ook een ~ zeggen/meepraten/meespreken *say/speak/state one's piece, have a say, put in one's oar/a w..*

woordkeuze ⟨de⟩ **0.1** *choice of words* ⇒*phraseology, wording, diction* ◆ **2.1** een gelukkige ~ ⟨ook⟩ *a felicity of expression;* een ongelukkige ~ *an unfortunate choice of words/wording, a cacology;* een verzorgde ~ *a careful choice of words/wording.*

woordkunst ⟨de (v.)⟩ ⟨schr.⟩ **0.1** *word-painting* ⇒*wordcraft.*

woordkunstenaar ⟨de (m.)⟩ **0.1** *word-painter* ⇒*artist in/with words, literator, littérateur.*

woordloos ⟨bn., bw.; -ly⟩ ⟨schr.⟩ **0.1** *speechless* ⇒*wordless* ◆ **3.1** zij staarden elkaar ~ aan *they stared at each other speechlessly/wordlessly.*

woordmerk ⟨het⟩ **0.1** *trade/brand name.*

woordontleding ⟨de (v.)⟩ ⟨taal.⟩ **0.1** [zinsontleding] ⟨vero.⟩ *parsing;* ⟨zinsontleding⟩ *sentence analysis* **0.2** [het ontleden van woorden] *morphological analysis;* ⟨fonologisch⟩ *phonological analysis.*

woordorde ⟨de⟩ **0.1** *word order* ⇒*order of (the) words.*

woordraadsel ⟨het⟩ **0.1** *word puzzle* ⇒*logograph,* ⟨als acteerspel⟩ *charade.*

woordregister ⟨het⟩ **0.1** *index (of words).*

woordschikking ⟨de (v.)⟩ **0.1** [syntaxis] *syntax* **0.2** [orde waarin de woorden geschikt zijn] *word order* ⇒*order of (the) words* ◆ **2.2** de vragende ~ *the w. o. in an interrogative (sentence), inversion.*

woordsoort ⟨de⟩ **0.1** *part of speech* ⇒*word class.*

woordspeling ⟨de (v.)⟩ **0.1** *pun, play (up)on words* ⇒⟨ihb. iets onbehoorlijks⟩ *double entendre, equivoque, jeu de mots, word-play* ◆ **3.1** ~ en maken *pun, make puns, play on words.*

woorduitgang ⟨de (m.)⟩ **0.1** *word ending/* ↑ *termination* ⇒*(inflectional) suffix.*

woordveld ⟨de (m.)⟩ ⟨taal.⟩ **0.1** *(word/semantic) field.*

woordverklaring ⟨de (v.)⟩ **0.1** *explanation of a word/the words* ⇒*elucidation of the meaning,* ⟨ihb. in woordenboek⟩ *definition.*

woordvoerder ⟨de (m.)⟩, **-ster** ⟨de (v.)⟩ **0.1** [iem. die het woord voert] *speaker* **0.2** [iem. die namens anderen spreekt] *spokesman* ⟨m.⟩, *spokeswoman* ⟨v.⟩, *spokesperson* ⟨m., v.⟩ ⇒*mouth piece, representative* ⟨m., v.⟩ ◆ **2.2** officiële ~ *official s.;* ⟨BE; bij universiteiten⟩ *orator;* ⟨voor de regering⟩ *government s..*

woordvolgorde ⟨de⟩ **0.1** *word order* ⇒*order of (the) words* ◆ **1.1** omkering v.d. ~ *inverted word order, inversion.*

woordvoorraad ⟨de (m.)⟩ **0.1** *vocabulary* ⇒*stock of words.*

woordvorm ⟨de (m.)⟩ ⟨taal.⟩ **0.1** *form.*

woordvorming ⟨de (v.)⟩ **0.1** *word formation/building* ⇒*formation of words,* ⟨taal. ook⟩ *morphology.*

worden

I ⟨kww.⟩ **0.1** [in de genoemde toestand raken] *be, get* **0.2** [de genoemde hoedanigheid krijgen] *become* ◆ **1.2** minister ~ *be appointed minister;* timmerman/dokter ~ *train as/to be a carpenter/doctor* **2.1** de zieke wordt al beter *the patient is recovering;* het wordt laat/kouder *it's getting late/colder* **3.1** de aardappels moeten nog gaar ~ *the potatoes aren't done yet* **3.2** Jacques wilde altijd al schrijver ~ *Jacques has always wanted to be/become a writer* **4.2** dat wordt niets *it won't work, it'll come to nothing* **6.2** dat wordt nog wat tussen hen *they've got sth. going together;* wat is er van hem geworden? *whatever became of him?* **8.1** het wordt weer als vroeger *it'll be like it used to be/like old times;*

II ⟨hww.⟩ **0.1** [⟨ter aanduiding v.d. lijdende vorm⟩] *will be* ◆ **3.1** er werd gedanst/gezongen *there was dancing/singing;* de bus wordt om zes uur gelicht *the post/*[A]*mail will be collected at six o'clock;*

III ⟨onov. ww.⟩ **0.1** [gaan kosten] *will be/come/amount to* ◆ **7.1** dat wordt dan f 22,50 per vel *that will be/come to f 22.50 per sheet.*

wordend ⟨bn.⟩ **0.1** *nascent* ⇒*incipient.*

wording ⟨de (v.)⟩ **0.1** *genesis, origin* ⇒*birth* ◆ **1.1** in staat van ~ verkeren *be in a seminal/nascent/an embryonic state/stage, be aborning, be in gestation/incubation* **6.1** een stad in ~ *a town in the making/process of formation, the g./birth/generation of a town.*

wordingsgeschiedenis ⟨de (v.)⟩ **0.1** *genesis* ⇒*(hi)story of the development (of).*

wordingsleer ⟨de⟩ **0.1** *ontogeny.*

worgen →**wurgen.**

worgend →**wurgend.**

worgengel ⟨de (m.)⟩ ⟨bijb.⟩ **0.1** *destroying angel.*

worger ⟨de (m.)⟩ **0.1** *strangler.*

worggreep →**wurggreep.**

worm ⟨de (m.)⟩ ⟨→sprw. 613⟩ **0.1** [pier] *worm* **0.2** [larve] *worm* **0.3** [iets met de gedaante v.e. worm] *worm* **0.4** [wormschroef/wiel] ⟨schroef⟩ *worm;* ⟨wiel⟩ *worm-wheel* **0.5** [eczeem] *ringworm* ⇒⟨med. ook⟩ *tinea.*

wormachtig ⟨bn.⟩ **0.1** [als v.e. worm] *wormlike* ⇒*wormy* **0.2** [vol wormen] *wormy.*

wormgat ⟨het⟩ **0.1** *wormhole.*

wormig ⟨bn.⟩ **0.1** *wormy, worm-eaten* ⇒⟨mbt. eten ook⟩ *maggoty.*

wormkoekje ⟨het⟩ **0.1** *worm(ing) tablet.*

wormkruid ⟨het⟩ **0.1** [⟨genus Tanacetum⟩] *tansy* **0.2** [guldenroede] *goldenrod*.

wormmiddel ⟨het⟩ **0.1** *worming agent* ⇒⟨wormdodend⟩ ↑*vermicide*, ⟨wormverdrijvend⟩ ↑*vermifuge*, ⟨med. ook⟩ *anthelminthic*.

wormsteek ⟨de (m.)⟩ **0.1** *wormhole*.

wormstekig ⟨bn.⟩ **0.1** *worm-eaten*, *wormy* ⇒⟨mbt. eten ook⟩ *maggoty* ◆ **1.1** ~hout *w.-e./ w. wood;* een ~ huis *a worm-eaten/-infested house.*

wormverdrijvend ⟨bn.⟩ **0.1** *worming* ⇒ ↑*vermifuge, vermifugal,* ⟨med. ook⟩ *anthelminthic.*

wormvormig ⟨bn.⟩ **0.1** *wormlike* ⇒*worm-shaped,* ⟨wet.⟩ *vermiform, vermicular,* ⟨vnl. mbt. darmwormen⟩ *helminthoid* ◆ **1.1** het ~ aanhangsel v.d. blindedarm *the vermiform appendix.*

wormwiel ⟨het⟩ **0.1** *worm wheel.*

wormziekte ⟨de (v.)⟩ **0.1** [door wormen veroorzaakte ziekte] *infestation with worms* ⇒⟨med. ook⟩ *helminthiasis* **0.2** [mijnwormziekte] *hookworm disease* ⇒⟨med. ook⟩ *ancylostomiasis.*

worp ⟨de (m.)⟩ **0.1** [het werpen] *throw(ing)* ⇒ ↑*cast(ing)* **0.2** [keer dat iem. werpt] *throw* ⇒⟨sport ook⟩ *shot,* ⟨naar doel ook⟩ *shy* **0.3** [nest] *litter* **0.4** [keer dat een dier werpt] *birth* ⇒*litter* ◆ **1.3** een ~ jonge honden *a l. of puppies* **2.2** een gelukkige ~ (met dobbelstenen) *a lucky t./ roll (of the dice);* ⟨sport⟩ een vrije ~ nemen/ toekennen *take/ award a free shot/ t.* **6.2** bij de eerste ~ *at the first t.* **6.4** het konijn had elf jongen in één ~ *the rabbit had a l. of eleven.*

worst ⟨de⟩ **0.1** [spijs] *sausage* **0.2** [stuk worst] *sausage* ⇒⟨BE ook; inf.⟩ *banger* ◆ **2.2** een gekookte ~ *a cooked s.;* een verse ~ *a fresh s.;* warme ~/ ~jes *hot s. (s)* **3.1** of je ~ lust! *have you got cloth ears?, wash your ears out!;* ⟨inf.⟩ dat zal mij ~ wezen *I couldn't care less,* ᴮ*that makes no odds to me* **3.2** ⟨fig.⟩ iem. een ~ voorhouden *hold out/ offer a carrot to s.o.* ¶.**2** ⟨scherts.⟩ ~ op pootjes ⟨BE; inf.⟩ *sausage dog.*

worstebroodje ⟨het⟩ **0.1** ≠*sausage roll.*

worstelaar ⟨de (m.)⟩ **0.1** *wrestler.*

worstelen ⟨onov.ww.⟩ **0.1** [⟨sport⟩] *wrestle* **0.2** [zwaar strijden] *struggle, wrestle* ⇒*grapple, tussle* ◆ **5.1** Grieks-Romeins ~ *(do) Graeco-Roman wrestling;* Japans ~ *(do) j(i)ujitsu;* vrij ~ *(do) freestyle/ all-in wrestling* **5.2** zich erdoor ~ *s. battle (one's way) through, fight one's way through;* zich omhoog ~ *fight/ battle one's way up(wards)* **6.2** zich door een menigte heen ~ *thrust/ squeeze/ battle/ s. (one's way) through/ fight one's way through a crowd;* zich door een luchtig rapport heen ~ *struggle/ plough (one's way) through a bulky report;* met de dood ~ *s. with death;* veel met tegenspoed te ~ hebben *be up against/ be faced with a good deal of bad luck;* met zichzelf ~ *be at odds with o.s.;* tegen de golven/ de wind ~ *s. battle against the waves/ wind* ¶.**2** ik worstel en kom boven *I s. and emerge victorious.*

worsteling ⟨de (v.)⟩ **0.1** [handeling] *wrestling* ⇒*struggling, grappling, tussling* **0.2** [keer, gelegenheid] *struggle* ⇒*tussle, wrestle* ◆ **6.2** ⟨sport⟩ een ~ om de bal *a s. for the ball;* ⟨rugby⟩ *a maul* ⟨bal niet op de grond⟩, *a scrum* ⟨bal op de grond⟩.

worstelsport ⟨de⟩ **0.1** *wrestling.*

worstelwedstrijd ⟨de (m.)⟩ **0.1** *wrestling match.*

worstmachine ⟨de (v.)⟩ **0.1** *sausage machine.*

worstvergiftiging ⟨de (v.)⟩ **0.1** *botulism.*

worstvingers ⟨zn.mv.⟩ **0.1** *sausage-like fingers* ⇒*fingers like sausages, podgy fingers.*

worstvlees ⟨het⟩ **0.1** *sausage meat.*

wort ⟨het⟩ **0.1** *wort.*

wortel ⟨de (m.)⟩ ⟨→sprw. 196,230⟩ **0.1** [deel van een plant] *root* **0.2** [⟨tuinb.⟩] *carrot* **0.3** [deel waarmee iets ingeplant is] *root* **0.4** [oorsprong] *root* **0.5** [⟨wisk.⟩] *root* **0.6** [⟨taal.⟩] *root* ◆ **1.3** de ~ van een tand/ nagel/ haar *the r. of a tooth/ nail/ hair* **1.4** hebzucht is de ~ van alle kwaad *greed is the r. of all evil* **2.2** geraspte ~s *grated carrot(s);* witte ~ ~ *parsnip* **3.1** de ~s blootleggen *expose/ bare the roots;* ~ schieten ⟨ook fig., iron.⟩ *take r.;* ⟨lett. ook⟩ *strike r.;* ⟨fig. ook⟩ *be(come) rooted to the spot;* ⟨fig.⟩ die ideeën beginnen hier ook ~ te schieten *those ideas are beginning to take/ strike r. here as well* **6.1** iets met ~ en tak/ al uitroeien *eradicate sth. utterly/* ⟨zeldz.⟩ *r. and branch; met/ wipe sth. out completely, pull sth. up/ out by the roots* **6.4** het kwaad in de ~ aantasten *strike at the very r./ roots/ source of the trouble; get/ cut down to the r. of the problem* **6.5** de ~ uit een getal trekken *extract the (square) r. of a number;* 3 is de ~ **van** 9 *3 is the square r. of 9.*

wortelachtig ⟨bn.⟩ **0.1** *rootlike* ⇒⟨vol wortels⟩ *rooty.*

wortelbehandeling ⟨de (v.)⟩ **0.1** *root treatment.*

wortelblad ⟨het⟩ **0.1** *radical leaf.*

wortelboom ⟨de (m.)⟩ **0.1** *mangrove.*

worteldraad ⟨de (m.)⟩ **0.1** *root hair.*

worteldruk ⟨de (m.)⟩ **0.1** *root pressure.*

wortelen ⟨onov.ww.⟩ **0.1** [(als) met wortels vastzitten] *be rooted* **0.2** [wortelschieten] *take root* ⇒⟨plantk. ook⟩ *strike* ◆ **6.1** ⟨fig.⟩ de haat wortelt diep in zijn hart *hatred is deeply rooted in his heart.*

wortelexponent ⟨de (m.)⟩ **0.1** *index of a radical.*

wortelgetal ⟨het⟩ ⟨wisk.⟩ **0.1** *root/ radical (number).*

wortelgewas ⟨het⟩ **0.1** *root crop.*

wortelgrootheid ⟨de (v.)⟩ ⟨wisk.⟩ **0.1** *radical expression.*

wortelhaar ⟨het⟩ **0.1** *root hair.*

wortelhout ⟨het⟩ **0.1** *root wood.*

wortelkanaal ⟨het⟩ **0.1** *root canal.*

wortelknol ⟨de (m.)⟩ **0.1** *radical tuber.*

wortelloof ⟨het⟩ **0.1** *carrot leaves.*

wortelmuts ⟨de⟩ **0.1** *root cap.*

wortelrot ⟨het⟩ **0.1** *root rot.*

wortelschietend ⟨bn.⟩ **0.1** *rooting.*

wortelstandig ⟨bn.⟩ ⟨plantk.⟩ **0.1** *radical* ⇒⟨bladeren ook⟩ *basal.*

wortelstelsel ⟨het⟩ **0.1** *root system* ⇒*rootage.*

wortelstok ⟨de (m.)⟩ ⟨plantk.⟩ **0.1** *rootstock* ⇒*rhizome.*

worteltafel ⟨de⟩ ⟨wisk.⟩ **0.1** *root table* ⇒*table of roots.*

wortelteken ⟨het⟩ **0.1** *radical (sign), root sign.*

worteltje ⟨het⟩ **0.1** [kleine wortel] *rootlet* **0.2** [peentje] *(baby) carrot.*

worteltrekken ⟨het⟩ **0.1** *extraction of a/ the root/ roots.*

wortelvlies ⟨het⟩ **0.1** *periodontium* ⇒*pericementum.*

wortelvormig ⟨bn.⟩ **0.1** *rootlike* ⇒*root-shaped,* ⟨plantk. ook⟩ *rhizomorphous.*

wortelwoord ⟨het⟩ ⟨taal.⟩ **0.1** *root form* ⇒*etymon.*

woud ⟨het⟩ **0.1** [bos] *forest* **0.2** [⟨in aardrijkskundige namen⟩] *forest* **0.3** [massa] *forest* ◆ **2.2** het Zwarte Woud *the Black Forest* **6.3** door een ~ van benen *through a f. of legs.*

woudbewoner ⟨de (m.)⟩, **-woonster** ⟨de (v.)⟩ **0.1** *forest dweller.*

woudduif ⟨de⟩ **0.1** *wood-pigeon* ⇒*ring-dove.*

woudduivel ⟨de (m.)⟩ **0.1** *mandrill.*

woudeik ⟨de (m.)⟩ **0.1** *(common) oak, oak-tree.*

woudezel ⟨de (m.)⟩ **0.1** *wild ass.*

woudloper ⟨de (m.)⟩ **0.1** *trapper* ⇒≠*woodsman,* ⟨Austr.E⟩ *bushman.*

woudreus ⟨de (m.)⟩ **0.1** *giant (of a) tree* ⇒⟨schr.⟩ *giant of the forest, woodland giant.*

woulfsefles ⟨de⟩ **0.1** *Woulfe/ Woulff bottle.*

wout ⟨de (m.)⟩ ⟨inf.⟩ **0.1** *fuzz, cop* ⇒⟨mv. ook; BE; inf.⟩ *the (old) Bill, the boys in blue.*

wouw

I ⟨de (m.)⟩ **0.1** [vogel] *kite;*

II ⟨de⟩ **0.1** [plant] *weld* ⇒*dyer's rocket/ mignonette.*

wraak ⟨de⟩ ⟨→sprw. 670⟩ **0.1** [wraakzucht] *revenge, vengeance* **0.2** [wraakneming] *revenge* ⇒*vengeance, avenging* **0.3** [straf] *revenge* ⇒*vengeance* **0.4** [afdrijving] *drift(ing)* **0.5** [⟨sport⟩] *revenge* ◆ **2.2** de ~ is zoet *r. is sweet* **2.5** sportieve ~ nemen *take one's r.* **3.1** dat plan ademt ~ *that plan breathes r.;* dat roept/ schreeuwt om ~ *that calls for/ cries out for r./ v.;* ~ zweren *vow r.* **3.2** ~ nemen op iem. (voor iets) *get/ have one's/ take revenge on s.o. for sth.;* op ~ zinnen *be intent (up)on/* ↑ *meditate r.;* op ~ belust zijn *be wild for/ thirst for/* ↑ *after r.* **3.3** Gods ~ inroepen over *invoke God's vengeance on* **6.1** uit ~ iets doen *do sth. in/ out of r./ to revenge o.s.;* uit ~ voor *in/ out of r. for* **6.2** de ~ voor/ over die vernedering *r. for such humiliation.*

wraakactie ⟨de (v.)⟩ **0.1** *act of revenge/ vengeance/ retaliation* ⇒*counterblow, reprisal (action).*

wraakbaar ⟨bn.⟩ **0.1** [verwerpelijk] *reprehensible* ⇒*objectionable* **0.2** [niet toe te laten] *challengeable* ◆ **1.2** wraakbare getuigen *c. witnesses.*

wraakengel ⟨de (m.)⟩ ⟨bijb.⟩ **0.1** *avenging angel.*

wraakgevoel ⟨het⟩ **0.1** *feeling of revenge* ⇒*(re)vengeful feeling* ◆ **3.1** ~ens koesteren *entertain feelings of revenge;* ~ens stillen *allay one's feelings of revenge.*

wraakgierig ⟨bn.⟩ **0.1** *(re)vengeful, vindictive* ⇒*spiteful.*

wraakgodin ⟨de (v.)⟩ **0.1** *goddess of vengeance/ retribution* ⇒*nemesis.*

wraakgoed ⟨het⟩ **0.1** *rejects* ⟨mv.⟩.

wraaklust ⟨de (m.)⟩ **0.1** *thirst/ hunger/ lust for revenge* ⇒*vindictiveness, (re)vengefulness.*

wraakneming ⟨de (v.)⟩ **0.1** *(act of) revenge* ◆ **2.1** een ordinaire ~ *a common/ coarse act of revenge.*

wraakroepend ⟨bn.⟩ **0.1** *calling for/ crying out for revenge/ vengeance* ⟨na zn., pred.⟩.

wraakzucht ⟨de⟩ **0.1** *(re)vengefulness, vindictiveness.*

wraakzuchtig ⟨bn.⟩ **0.1** *(re)vengeful, vindictive.*

wrak¹ ⟨het⟩ **0.1** [wrakstuk] *wreck* ⇒*wrecked ship/ car,* ⟨verlaten scheepswrak⟩ *derelict* **0.2** [mens] *wreck* ◆ **2.2** een rijdend ~ *a(n old) w. (of a car), a(n old) jalopy, a rattletrap,* ⟨BE ook⟩ *an old crock/ banger* **3.2** hij is een ~ geworden *he has become/ he is a (mere) w.;* de ziekte maakte een ~ van hem *the illness made a w. of him/ made him into a w./ left him a w.;* zich een ~ voelen *feel (like) a w..*

wrak² ⟨bn., bw.⟩ **0.1** *rickety, ramshackle* ⇒*shaky,* ↑ *dilapidated,* ⟨BE; inf.⟩ *wonky* ◆ **1.1** ⟨fig.⟩ een ~ke boedel *an insolvent estate;* een ~ bruggetje *a rickety/ ramshackle/ shaky/ dilapidated bridge;* ~ hout *unsound wood* **3.1** ~ slaan *be wrecked.*

wraken

I ⟨ov.ww.⟩ **0.1** [afkeuren] *object to, take exception to* ⇒⟨hekelen⟩ *denounce, cry out against* **0.2** [niet toelaten] *challenge* ◆ **1.1** een koop ~ *repudiate a purchase;* de gewraakte passage *the passage objected to;* een uitdrukking ~ *object/ take exception to an expression;* een vonnis ~ *challenge a sentence* **1.2** een getuige/ bewijsvoering ~ *c. a witness/ evidence;*

II ⟨onov.ww.⟩ **0.1** [⟨scheep.⟩] *drift*.
wrakgoed ⟨het⟩ **0.1** *goods from a / the wreck(ed ship)* ⇒⟨aangespoeld ook⟩ *flotsam and jetsam*.
wrakhout ⟨het⟩ **0.1** *(pieces of) wreckage* ⇒⟨aangespoeld ook⟩ *flotsam and jetsam*.
wraking ⟨de (v.)⟩ **0.1** [⟨jur.⟩] *challenge* **0.2** [⟨scheep.⟩] *drift(ing)*.
wrakkig ⟨bn.⟩ **0.1** *rickety* ⇒*broken-down*, ⟨inf.⟩ *cranky*, ⟨BE; inf.⟩ *clapped-out*.
wrakstuk ⟨het⟩ **0.1** *piece of wreckage* ⇒⟨mv. ook⟩ *wreckage*, ⟨aangespoeld ook⟩ *flotsam and jetsam*.
wrang¹ ⟨de⟩ **0.1** [⟨scheep.⟩] *floor (timber)* **0.2** [zwering v.d. tepels] *(bovine) mastitis*.
wrang² ⟨bn., bw.; -ly⟩ **0.1** [zuur] *sour, acid* ⇒*tart, sharp* **0.2** [onaangenaam] *unpleasant, nasty* ⇒*wry* ⟨glimlach⟩, *sick* ⟨humor⟩ ◆ **1.1** ~e appels *sour apples*; ⟨fig.⟩ nu smaakt hij de ~e vruchten van zijn wangedrag *now his chickens have come home to roost, now he's paying for his*/ ⟨zeldz.⟩ *tasting the bitter fruits of his misbehaviour;* die wijn is ~ *that wine is sour / acid* **1.2** een ~e bijsmaak *a nasty (after) taste / flavour;* ⟨fig.⟩ ~e spot *sneering, ridicule* ¶**.1** ~ van smaak *sour / acid / sharp (to the taste), tart*.
wrangheid ⟨de (v.)⟩ **0.1** [zuurheid] *sourness, acidity, tartness, sharpness* **0.2** [onaangenaamheid] *unpleasantness, nastiness* ⇒*wryness* ⟨mbt. glimlach⟩, *sickness* ⟨mbt. humor⟩.
wrat ⟨de⟩ **0.1** [uitwas op de huid] *wart* ⇒⟨med. ook⟩ *verruca* ⟨ihb. onder voet⟩ **0.2** [knobbel aan een plant] *wart* ⇒⟨plantk.⟩ *verruca, pustule*.
wratachtig ⟨bn.⟩ **0.1** [op een wrat lijkend] *wartlike, warty* **0.2** [met wratten bezet] *warty* ⇒⟨plantk. ook⟩ *verrucose* ◆ **1.1** ~e uitwassen *wartlike growths* **1.2** ~e padden *w. toads*.
wrattenkruid ⟨het⟩ **0.1** *wartwort* ⇒ᴮ*wartweed*, ⟨ihb.⟩ *sun spurge* ⟨Euphorbia helioscopia⟩.
wrattig ⟨bn.⟩ **0.1** *warty*.
wreed ⟨bn., bw.; -ly⟩ **0.1** [hardvochtig] *cruel* ⇒*brutal, barbaric, harsh* **0.2** [wat getuigt van hardvochtigheid] *cruel* ⇒*harsh, grim, brutal* **0.3** [doordringend] *sharp* **0.4** [stug] *rough* ◆ **1.1** een wrede tiran *a c. tyrant* **1.2** een wrede dood / grap *a c. / grim death / joke;* een wrede grijns ⟨ook⟩ *a leer;* wrede straffen *c. / harsh / brutal punishments* **1.3** een wrede pijn *a s. pain* **1.4** wrede bonen / erwten *hard beans / peas;* een ~ laken *a r. sheet.*
wreef ⟨de⟩ **0.1** *instep* ◆ **6.1** ⟨sport⟩ een bal op de ~ nemen *take a ball right on the i..*
wreken ⟨ov.ww.⟩ **0.1** ⟨wraakoefening zelf⟩ *revenge;* ⟨eerder als vergelding voor aangedaan kwaad enz.⟩ *avenge* ◆ **1.1** een belediging ~ *a. an insult;* een moord ~ *a. a murder;* een vriend ~ *a. a friend* **3.1** zich willen ~ *seek revenge / vengeance* **4.1** zich voor iets op iem. ~ *a. / revenge o.s. on s.o. for sth.;* ⟨sport⟩ zijn snelle start begint zich nu te ~ *he is beginning to pay for having gone off too quickly (at the start);* dat wreekt zich toch *you / he / she* ⟨enz.⟩ *will pay for it (in the end);* hij heeft zich gewroken *he has had his revenge.*
wrekend ⟨bn.⟩ **0.1** *vindictive* ⇒*retributive* ◆ **1.1** de ~e gerechtigheid *nemesis.*
wreker ⟨de (m.)⟩, **wreekster** ⟨de (v.)⟩ **0.1** *avenger, revenger* ⇒⟨schr.⟩ *vindicator.*
wrevel ⟨de (m.)⟩ **0.1** [ontstemdheid] *resentment* ⇒*spite, pique,* ⟨sterker⟩ *rancour* **0.2** [prikkelbaarheid] *peevishness* ⇒*testiness, surliness, tetchiness* ◆ **3.1** ~ wekken *cause resentment.*
wrevelig ⟨bn., bw.; -ly⟩ **0.1** [ontstemd] *resentful* ⇒*spiteful,* ⟨sterker⟩ *rancorous* **0.2** [prikkelbaar] *peevish* ⇒*testy, surly, tetchy, grumpy* ◆ **3.1** dat maakte hem ~ ⟨ook⟩ *he resented that;* ~ zag hij op / keek hij rond *he looked up / about resentfully* ¶**.2** ~ van aard *of a surly disposition.*
wreveligheid →wrevel.
wrevelmoedig →wrevelig.
wriemelen ⟨onov.ww.⟩ **0.1** [zich wringend bewegen] *wriggle* ⇒*worm, squiggle, squirm, writhe,* ⟨krioelen⟩ *swarm / teem / crawl (with)* **0.2** [jeuken] *crawl* **0.3** [peuteren] *fiddle (with)* ◆ **1.1** door elkaar ~de wormen *wriggling worms* **6.2** er wriemelt iets op mijn rug *there's sth. crawling on my back* **6.3** hij zat maar aan zijn jas te ~ *he kept on fiddling with his coat;* aan zijn baard ~ *fiddle / twiddle with one's beard.*
wriemeling ⟨de (v.)⟩ **0.1** [het zich wringend bewegen] *wriggling* ⇒*worming, squiggling, squirming, writhing, swarming, teeming, crawling* **0.2** [gejeuk] *crawling*.

wriggelen ⟨ov.ww.⟩ **0.1** *wriggle*.
wrijfbak ⟨de (m.)⟩ **0.1** *beater* ⇒*beating engine, Hollander*.
wrijfdoek ⟨de (m.)⟩ **0.1** *floorcloth, polishing cloth*.
wrijfhout ⟨het⟩ **0.1** [glanshout] *sleeking stick / tool* **0.2** [⟨scheep.⟩ stootkussen] *fender* ⇒⟨aan mast⟩ *paunch,* ⟨ter bescherming bij laden en lossen⟩ *skid*.
wrijfklank ⟨de (m.)⟩ **0.1** *fricative*.
wrijfpaal ⟨de (m.)⟩ **0.1** [paal waaraan beesten zich wrijven] *rubbing post* **0.2** [zondebok] *scapegoat* ⇒*butt, laughingstock*.
wrijfwas ⟨het, de (m.)⟩ **0.1** *(bees) wax*.
wrijven
I ⟨onov.ww.⟩ **0.1** [strijken] *rub* ⇒*brush* ◆ **6.1** (zich) in zijn handen ~ ⟨ook fig.⟩ *r. one's hands;* ⟨fig. ook⟩ *gloat;* met de hand langs / over iets ~ *r. against / over sth. with one's hand;* met een doek over meubels ~ *go over / wipe the furniture with a cloth;*
II ⟨ov.ww.⟩ **0.1** [door wrijven verplaatsen] *rub* **0.2** [door wrijven in een toestand brengen] *rub* ⇒⟨warm⟩ *chafe,* ⟨tot poeder⟩ *pulverize,* ⟨fijn⟩ *bray,* ⟨nat.⟩ *frictionize* **0.3** [poetsen] *polish* ◆ **1.1** neuzen tegen elkaar ~ *r. noses;* ⟨fig.⟩ zout in een open wond ~ *r. salt into the wound* **1.3** de meubels ~ *p. the furniture* **2.2** iets droog ~ *wipe sth. dry* **5.2** zich warm ~ *chafe o.s.* **6.1** ⟨fig.⟩ iem. iets onder de neus ~ *accuse s.o. of sth.;* ⟨fig.⟩ dat moet je mij niet onder de neus ~ *you can't blame me for that, you can't blame that on me;* was / politoer op het hout ~ *wax / (French-)polish / burnish the wood;* de slaap uit zijn ogen ~ *r. the sleep from one's eyes* **6.2** kruid / verf tot poeder / stof ~ *grind / r. a herb / paint to powder / dust.*
wrijving ⟨de (v.)⟩ **0.1** [het strijken] *rubbing* ⇒⟨licht⟩ *brushing, friction* **0.2** [⟨nat.⟩] *friction* **0.3** [onenigheid] *friction* ⇒*controversy* ◆ **2.2** slepende / rollende ~ *sliding / rolling f.* **3.3** ~ veroorzaken *cause f.* **6.1** door ~ met de hand *by r. with the hand.*
wrijvingselektriciteit ⟨de (v.)⟩ **0.1** *frictional electricity*.
wrijvingshoek ⟨de (m.)⟩ **0.1** *angle of friction*.
wrijvingskoppeling ⟨de (v.)⟩ **0.1** *friction clutch*.
wrijvingsslijtage ⟨de (v.)⟩ **0.1** *friction(al) wear*.
wrijvingsverlies ⟨het⟩ **0.1** *friction loss*.
wrijvingsvlak ⟨het⟩ **0.1** [vlak dat de wrijving veroorzaakt] *friction surface* **0.2** [oorzaak van onenigheid] *point of friction*.
wrijvingswarmte ⟨de (v.)⟩ **0.1** *friction(al) heat, heat of friction*.
wrijvingsweerstand ⟨de (m.)⟩ **0.1** *frictional resistance*.
wrikken ⟨onov., ov.ww.⟩ **0.1** [rukken] *lever* ⇒*prize,* ⟨AE ook⟩ *pry, wrench,* ⟨zachtjes⟩ *jiggle* **0.2** [een boot voortbewegen] *scull* ◆ **2.1** een krat open ~ *prize a crate open* **5.1** een vloerplank omhoog ~ *prize / pry up a floorboard* **6.1** aan een spijker / een paal ~ *pull at a nail, tug at a pole;* ⟨fig.⟩ aan die voorschriften valt niet te ~ *it's impossible to get round those regulations;* iets op / van zijn plaats ~ *lever sth. into / out of position.*
wrikriem ⟨de (m.)⟩ **0.1** *scull*.
wringen (→sprw. 310)
I ⟨onov., ov.ww.⟩ **0.1** [draaien] *wring* ◆ **1.1** de handen ~ *w. one's hands;* wasgoed ~ *w. laundry* **4.1** zich in allerlei bochten ~ ⟨oncomfortabel⟩ *wriggle;* ⟨van pijn⟩ *writhe (with pain);* ⟨fig.⟩ *squirm* **6.1** zich in allerlei bochten ~ om iets te vermijden ⟨ook⟩ *bend / lean over backward to avoid sth., try to wangle o.s. / wriggle out of sth.;*
II ⟨ov.ww.⟩ **0.1** [door draaien verplaatsen] *wring* ⇒*wrench, twist, press* ⟨kaas⟩ **0.2** [door draaien in een toestand brengen] *wrench* ◆ **2.2** zich los ~ *wrest / twist o.s. free* **4.1** zich door de menigte ~ *push one's way through the crowd* **5.1** hij liet het zich uit de handen ~ *he allowed it to be wrested / wrenched from his hands;* door een opening ~ *worm / wriggle o.s. through a gap;* zich in een corset ~ *squeeze into a corset;* zich naar buiten ~ *squeeze in;* zich naar buiten ~ *worm o.s. out (of sth.);* zich naast iem. ~ *squeeze / squash in next to a person;* zich ergens tussen ~ *squeeze into a place;* een tak van een boom ~ *wrench a branch from a tree;*
III ⟨onov.ww.⟩ **0.1** [knellen] *pinch* ◆ **1.1** ⟨fig.⟩ daar wringt de schoen *that's where the shoe pinches, there's the rub* **4.1** ⟨fig.⟩ het wringt *there is friction, there's bad feeling / blood (between them)*.
wringend ⟨bn.⟩ **0.1** *wringing* ◆ **1.1** ~ moment *moment of torsion, torsional / twisting moment, torque.*
wringer ⟨de (m.)⟩ **0.1** *wringer* ⇒*wringing machine,* ⟨vnl. BE⟩ *mangle* ◆ **6.1** ⟨fig.⟩ iem. door de ~ halen *put s.o. through the wringer.*
wringing ⟨de (v.)⟩ **0.1** *wringing* ⇒⟨tech.⟩ *torsion, torque.*
wrochten ⟨ov.ww.⟩ ⟨schr.⟩ **0.1** *work* ◆ **1.1** de wondere daden die Hij gewrocht heeft *the wondrous deeds that He (hath) wrought.*
wroeging ⟨de (v.)⟩ **0.1** *remorse* ⇒*compunction, contrition* ◆ **3.1** geen enkele ~ hebben *feel no r. / compunction;* ~ voelen over iets (begin to) feel r. for sth.;* door ~ verteerd *consumed / eaten up with r.* **5.1** vol ~ zijn *be filled with r.* **6.1** uit ~ *out of r..*
wroeten
I ⟨onov.ww.⟩ **0.1** [(zoekend) graven] *root* ⇒*rout, snout, burrow* ⟨mol; ook fig.⟩, *scratch* ⟨kip⟩ **0.2** [ploeteren] *slave (away)* ⇒*slog (away),* ⟨schr.⟩ *toil and moil* ◆ **1.1** varkens ~ in de grond *pigs root (about) in the earth* **6.1** in iemands verleden ~ *pry / delve into s.o.'s past;* naar wormen ~ *root for worms;*

II ⟨ov.ww.⟩ **0.1** [door wroeten doen ontstaan] *burrow* **0.2** [door wroeten in een toestand brengen] *root (up)* ⇒*rout* ◆ **1.1** een gat in de grond ~ *b. a hole in the ground* **5.2** de grond ondersteboven ~ *root up the earth.*

wrok ⟨de (m.)⟩ **0.1** *resentment* ⇒*grudge, spite, pique,* ⟨sterk en langdurig⟩ *rancour* ◆ **2.1** een persoonlijke ~ koesteren tegen iem. *bear s.o. ill-will* **3.1** een (heimelijke) ~ hebben tegen iem. *harbour a (secret) grudge against s.o.;* zijn ~ koelen op *vent one's resentment (up)on;* ~ koesteren *bear malice, harbour/bear a grudge;* ~ tonen *show resentment (against/towards);* ~ voelen over iets ⟨ook⟩ *resent sth.* **6.1** uit ~ *out of/from resentment/malice/spite/pique/rancour* **7.1** geen ~ koesteren (jegens iem.) *bear no malice (against s.o.).*

wrokken ⟨onov.ww.⟩ **0.1** *have/bear/harbour a grudge* ⇒*bear malice* ◆ **6.1** tegen iem./ iets ~ *have/bear/harbour a grudge against s.o./sth..*

wrokkig ⟨bn., bw.;-ly⟩ **0.1** *resentful* ⇒*spiteful,* ⟨sterker⟩ *rancorous.*

wrong ⟨de (m.)⟩ **0.1** [knoet] *roll* ⇒⟨krans⟩ *wreath,* ⟨van haar⟩ *chignon, knot, bun* **0.2** [tulband] *turban* **0.3** [torsie] *volution* ◆ **6.1** het haar in een ~ dragen *wear one's hair in a knot/bun.*

wrongel ⟨de⟩ **0.1** *curd(s).*

wsch. ⟨afk.⟩ **0.1** [waarschijnlijk] *prob..*

wuft ⟨bn., bw.;-ly⟩ **0.1** *frivolous* ⇒*frothy, flighty, fribble* ◆ **1.1** ~e kleding *frivolous clothes;* een ~ type *a frivolous type.*

wuftheid ⟨de (v.)⟩ **0.1** [oppervlakkigheid] *frivolity* ⇒*frivolousness, flightiness* **0.2** [wufte handeling] *frivolity.*

wuiven ⟨onov.ww.⟩ **0.1** [heen en weer buigen] *wave* ⇒*sway* **0.2** [zwaaien] *wave* ◆ **1.1** het ~de koren *the wavy/waving corn/^grain* **1.2** een ~d gebaar *a wave of the hand* **6.2** met de hoed/hand ~ *w. one's hat/hand;* ~ naar *w. to.*

wulf ⟨het⟩ **0.1** *vault* ⇒⟨scheep.⟩ *counter.*

wulk ⟨de⟩ **0.1** *whelk.*

wulp ⟨de (m.)⟩ ⟨dierk.⟩ **0.1** *curlew* ◆ **2.1** de gewone/ grote ~ *the c.;* de kleine ~ *the whimbre.*

wulps ⟨bn., bw.;-ly⟩ **0.1** *voluptuous* ⇒⟨geil⟩ *lascivious, lewd, lecherous, salacious* ◆ **1.1** iem. een ~e blik toewerpen *look at s.o. provocatively* **3.1** ~ dansen *dance voluptuously.*

wulpsheid ⟨de (v.)⟩ **0.1** [wellust] *voluptuousness* ⇒*lascivity, lasciviousness, lewdness, lechery, salacity* **0.2** [wellustige handeling, voorstelling] *lechery.*

wurgen ⟨ov.ww.⟩ **0.1** *strangle* ⇒*strangulate, throttle.*

wurgend ⟨bn.⟩ **0.1** *strangling* ⇒*strangulating* ◆ **1.1** ~e angst *strangling fear.*

wurggreep ⟨de (m.)⟩ **0.1** *stranglehold* ◆ **6.1** iem. in de ~ houden ⟨sport; ook fig.⟩ *have a s. on s.o..*

wurging ⟨de (v.)⟩ **0.1** *strangulation* ◆ **6.1** dood door ~ *death by s..*

wurgmoordenaar ⟨de (m.)⟩ **0.1** *strangler.*

wurgpaal ⟨de (m.)⟩ **0.1** *ga(r)rotte,* ⟨AE ook⟩ *garrote.*

wurgslang ⟨de⟩ **0.1** *constrictor (snake).*

wurgstokjes ⟨zn.mv.⟩ **0.1** *nunchakus.*

wurm
I ⟨het⟩ **0.1** [klein kind] *mite* ⇒⟨AE ook⟩ *tyke* ◆ **3.1** het ~ kan nog niet praten *the (poor) m. can't talk yet;*
II ⟨de (m.)⟩ ⟨inf.⟩ **0.1** [worm] *worm.*

wurmen
I ⟨ov.ww.⟩ **0.1** [met moeite verplaatsen] *squeeze* ⇒*w(r)iggle, worm* ◆ **5.1** zich eruit ~ *w(r)iggle out of it* **6.1** zich door een kleine opening ~ *squeeze o.s. through a small gap;* ik kon mij er nog net in ~ *I could only just s. in;* ergens een draad tussen ~ *work/insert a thread into sth.;*
II ⟨onov.ww.⟩ **0.1** [met moeite gedaan krijgen] *w(r)iggle* ◆ **5.1** net zo lang ~ tot je bij de uitgang bent *w. one's way through (the crowd) to the exit.*

WVC ⟨afk.⟩ **0.1** [(Ministerie van) Welzijn, Volksgezondheid en Cultuur] ⟨*(Ministry of) Welfare, Health and Cultural Affairs*⟩.

W.W. ⟨de⟩ ⟨afk.⟩ **0.1** [Werkloosheidswet] ⟨*Unemployment Insurance Act*⟩ ◆ **6.1** in de ~ lopen/ zitten *be on the dole/on unemployment.*

W.W.-uitkering ⟨de (v.)⟩ **0.1** *unemployment benefit* ⇒⟨BE ook; inf.⟩ *dole (money),* ⟨AE ook⟩ *welfare.*

WWV ⟨de⟩ **0.1** [Wet Werkeloosheidsvoorziening] ⟨*Unemployment Insurance Act*⟩.

wybertje ⟨het⟩ **0.1** [ruitvormig dropje] *lozenge* **0.2** [⟨inf.⟩ typografisch teken] *lozenge.*

x ⟨de⟩ **0.1** [letter, klank] *x, X* **0.2** [namen/woorden beginnend met x] *x, X* **0.3** ⟨wisk.⟩ de eerste onbekende] *x* ◆ **1.3** een ~ aantal kamers/vriendinnen *n rooms/girl friends;* ⟨fig.⟩ meneer ~ *Mr. X.*

X 0.1 *X.*

xanthine ⟨het, de⟩ **0.1** *xanthine.*

xanthoom ⟨het⟩ ⟨med.⟩ **0.1** *xanthoma.*

xantippe ⟨de (v.)⟩ **0.1** *Xanthippe.*

x-as ⟨de⟩ ⟨wisk.⟩ **0.1** *x-axis* ◆ **6.1** op de ~ *on the x-axis.*

x-benen ⟨het⟩ **0.1** *knock-knees* ◆ **3.1** ~ hebben *be knock-kneed, have k.-k..*

X-chromosoom ⟨het⟩ ⟨biol.⟩ **0.1** *X chromosome.*

X-eenheid ⟨de (v.)⟩ **0.1** *X unit.*

xeniën ⟨zn.mv.⟩ **0.1** [puntdichten] *epigrams* **0.2** [geschenken] *xenia.*

xenocratie ⟨de (v.)⟩ **0.1** *xenocracy.*

xenofobie ⟨de⟩ **0.1** *xenophobia.*

xenogamie ⟨de (v.)⟩ ⟨plantk.⟩ **0.1** *xenogamy* ⇒*cross-pollination/ -fertilization.*

xenograaf ⟨de (m.)⟩ **0.1** *xenographer.*

xenografie ⟨de (v.)⟩ **0.1** *xenography.*

xenomanie ⟨de (v.)⟩ **0.1** *xenomania.*

xenon ⟨het⟩ **0.1** *xenon.*

xeranthemum ⟨de (m.)⟩ ⟨plantk.⟩ **0.1** *xeranthemum.*

xereswijn ⟨de (m.)⟩ **0.1** *sherry.*

xerofiet ⟨de (v.)⟩ ⟨plantk.⟩ **0.1** *xerophyte.*

xerografie ⟨de (v.)⟩ **0.1** *xerography.*

xerox ⟨de⟩ **0.1** *Xerox* ⇒*photocopy.*

xeroxen ⟨ov.ww.⟩ **0.1** *Xerox* ⇒*photocopy.*

x-foto ⟨de⟩ **0.1** *X-ray (photograph/picture).*

XP ⟨afk.⟩ **0.1** [exprès payé] ⟨*express (charges) paid*⟩.

x-stralen ⟨zn.mv.⟩ **0.1** *X rays.*

xyleem ⟨het⟩ ⟨plantk.⟩ **0.1** *xylem.*

xyleen ⟨het⟩ ⟨schei.⟩ **0.1** *xylene.*

xylofonist ⟨de (m.)⟩ **0.1** *xylophonist.*

xylofoon ⟨de (m.)⟩ **0.1** *xylophone.*

xylograaf ⟨de (m.)⟩ **0.1** *xylographer.*

xylografie ⟨de (v.)⟩ **0.1** [houtsnijkunst] *xylography* **0.2** [houtsnede/ -gravure] *xylograph.*

xylol ⟨het⟩ **0.1** *xylol, xylene.*

xyloliet ⟨het⟩ **0.1** [versteend hout] *xylolite* **0.2** [kunststeen] *xylolite.*

xylometer ⟨de (m.)⟩ **0.1** *xylometer.*

xylose ⟨de⟩ ⟨schei.⟩ **0.1** *xylose.*

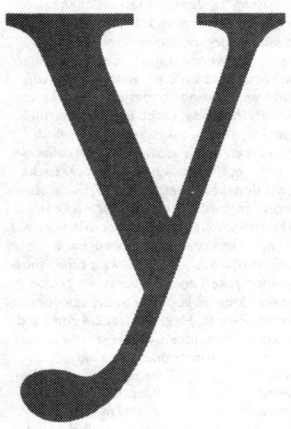

y ⟨de⟩ **0.1** [letter] *y, Y* **0.2** [namen/woorden beginnen met y] *y, Y* **0.3** [⟨wisk.⟩ de tweede onbekende] **y**.
yagiantenne ⟨de⟩ **0.1** *yagi aeriel* / ⟨AE vnl.⟩ *antenna*.
yalesleutel ⟨de (m.)⟩ **0.1** *Yale key*.
yaleslot ⟨het⟩ **0.1** *Yale lock*.
yamswortel ⟨de (m.)⟩ **0.1** *yam*.
yang ⟨het⟩ **0.1** *yang*.
y-as ⟨de⟩ ⟨wisk.⟩ **0.1** *y-axis* ◆ **6.1** op de ~ *on the y-axis*.
Y-chromosoom ⟨het⟩ ⟨biol.⟩ **0.1** *Y chromosome*.
yen ⟨de (m.)⟩ **0.1** *yen*.
yes ◆ **¶.¶** reken maar van ~! *definitely!, absolutely!, you bet!*.
yeti ⟨de (m.)⟩ **0.1** *abominable snowman* ⇒*yeti*.
yin ⟨het⟩ **0.1** *yin*.
yoga ⟨het⟩ **0.1** *yoga*.
yoghurt ⟨de (m.)⟩ **0.1** *yoghurt* ◆ **2.1** Bulgaarse ~ *Bulgarian y.*.
yoghurtplantje ⟨het⟩ **0.1** *(yoghurt) culture*.
yogi ⟨de (m.)⟩ **0.1** *yogi*.
yperiet ⟨het⟩ **0.1** *yperite* ⇒*mustard gas*.
ypsilon ⟨de⟩ **0.1** *upsilon* ⇒y.
yquem ⟨de (m.)⟩ **0.1** *Yquem*.
ytterbium ⟨het⟩ ⟨schei.⟩ **0.1** *ytterbium*.
yttrium ⟨het⟩ ⟨schei.⟩ **0.1** *yttrium*.
yucca ⟨de (m.)⟩ **0.1** *yucca*.

z ⟨de⟩ **0.1** [letter, klank] *z, Z* **0.2** [namen/woorden beginnen met z] *z, Z* **0.3** [⟨wisk.⟩] *z*.
z. ⟨afk.⟩ **0.1** [zonder] ⟨*without*⟩.
Z. ⟨afk.⟩ **0.1** [zuid(en)] *S.*.
z.a. ⟨afk.⟩ **0.1** [zie aldaar] *q.v.*.
zaad ⟨het⟩ **0.1** [kiem] *seed* **0.2** [⟨verz.n.⟩] *seed* **0.3** [sperma] *seed* ⇒ *sperm, semen,* ⟨BE;sl.⟩ *spunk* **0.4** [⟨fig.⟩] *seed* ◆ **1.4** het ~ van de tweedracht *the seeds of discord* **2.2** ⟨fig.⟩ op zwart ~ zitten *be hard up, be broke;* ⟨sl.⟩ *be on one's beam-ends;* ⟨BE;sl.⟩ *be skint;* ⟨fig.⟩ iem. op zwart ~ zetten *give s.o. his/her cards/the sack/the push, fire/ sack s.o.* **3.2** die planten geven veel ~ *those plants produce a lot of s.;* het ~ komt op/ontkiemt *the s. is sprouting/germinating* **3.3** zijn ~ storten *discharge/emit one's seed, ejaculate* **6.2** in het ~ schieten *run/ go to s.*.
zaadbakje ⟨het⟩ **0.1** *seed-box/-tray*.
zaadbal ⟨de (m.)⟩ **0.1** *testicle* ⇒ ↓*ball,* ⟨BE;sl.⟩ *bollock,* ⟨biol.⟩ *testis*.
zaadbank ⟨de⟩ **0.1** [bank met mosselzaad] *mussel-bed* **0.2** [opslagplaats van donorzaad] *sperm bank*.
zaadbed ⟨het⟩ **0.1** *seedbed*.
zaadbol ⟨de (m.)⟩ **0.1** *boll*.
zaadbolster ⟨de (m.)⟩ ⟨plantk.⟩ **0.1** *seed-vessel/-case* ⇒ ⟨plantk.⟩ *peri-carp*.
zaadbuis ⟨de⟩ **0.1** *vas (deferens)* ⇒*spermaduct, spermiduct, seminal duct /tube*.
zaadcel ⟨de⟩ **0.1** *germ-/sperm-cell* ⇒ ⟨spermatozoön⟩ *spermatozoon,* ⟨spermatozoïde⟩ *spermatozoid*.
zaaddodend ⟨bn.⟩ **0.1** *spermicidal* ◆ **1.1** ~e pasta *s. cream*.
zaaddonor ⟨de (m.)⟩ **0.1** *sperm donor*.
zaaddoos ⟨de (v.)⟩ ⟨plantk.⟩ **0.1** *seedbox, capsule* ◆ **2.1** tweehokkige ~ *bilocular capsule*.
zaaddraad ⟨de (m.)⟩ **0.1** *flagellum/tail of a sperm cell*.
zaaddragend ⟨bn.⟩ **0.1** *seed-bearing* ⇒*seminiferous*.
zaaddrager ⟨de (m.)⟩ **0.1** [plant om zaad van te winnen] *seed-plant* **0.2** [deel van een vruchtbeginsel] *placenta*.
zaadeter ⟨de (m.)⟩ ⟨dierk.⟩ **0.1** *seed-eater* ⇒*hard-bill*.
zaadgoed ⟨het⟩ **0.1** *seeds* ⟨mv.⟩.
zaadhandel ⟨de (m.)⟩ **0.1** *seed trade/business*.
zaadhandelaar ⟨de (m.)⟩ **0.1** *seed merchant* ⇒*seedsman*.
zaadkern ⟨de (m.)⟩ **0.1** [binnenste van een zaad] *nucleus* ~*nucellus* ⟨van zaadknop⟩ **0.2** [kern van een zaadcel] *nucleus*.
zaadkiem ⟨de⟩ **0.1** *germ* ⇒ ⟨plantk.⟩ *germen*.
zaadknop ⟨de (m.)⟩ **0.1** *seed-bud, ovule*.

zaadkoek ⟨de (m.)⟩ **0.1** [lijnkoek] *linseed cake* ⇒*oil cake* **0.2** [⟨plantk.⟩] *placenta*.

zaadkweker ⟨de (m.)⟩ **0.1** *seedsman, seed grower* ⇒*germinator*.

zaadkwekerij ⟨de (v.)⟩ **0.1** *seed farm* ⇒*seed grower's*.

zaadleider ⟨de (m.)⟩ ⟨med.⟩ **0.1** *vas deferens* ⇒*spermaduct, spermiduct, seminal duct/tube*.

zaadlob ⟨de⟩ ⟨plantk.⟩ **0.1** *cotyledon* ⇒*seed-leaf/-lobe* ◆ **6.1** met ~ben *cotyledonous*.

zaadlozing, -uitstorting ⟨de (v.)⟩ **0.1** *seminal discharge* ⇒*discharge/emission of seed/sperm/semen, ejaculation*.

zaadolie ⟨de⟩ **0.1** *seed-oil*.

zaadpacht ⟨de⟩ **0.1** *tenant farming*.

zaadplant ⟨de⟩ ⟨plantk.⟩ **0.1** [om het zaad gekweekt] *seeder* **0.2** [soortnaam] *seed plant* ⇒*spermatophyte, seedling* ⟨ihb. een zaailing⟩.

zaadstorting ⟨de (v.)⟩ **0.1** *ejaculation*.

zaadstreng ⟨de⟩ ⟨biol.⟩ **0.1** *spermatic cord*.

zaadteelt ⟨de⟩ **0.1** *seed-growing/-cultivation*.

zaadveredeling ⟨de (v.)⟩ ⟨landb.⟩ **0.1** *seed improvement* ⇒*improvement of seeds*.

zaadvorming ⟨de (v.)⟩ ⟨plantk.⟩ **0.1** *seeding* ⇒*seed formation/production*.

zaag ⟨de⟩ **0.1** [werktuig om te zagen] *saw* **0.2** [deel van een voorwerp] *saw* ◆ **2.1** zingende ~ *musical saw* **3.1** een ~ zetten *set a s.*.

zaagbank ⟨de⟩ ⟨amb.⟩ **0.1** [bank voor het door te zagen hout] *saw-bench* **0.2** [bank met een mechanische zaag] *saw-bench*.

zaagbek ⟨de (m.)⟩ **0.1** *saw-bill* ⇒*merganser* ◆ **2.1** grote ~ *goosander, common merganser;* ⟨vrouwtje of jong⟩ *dun-diver;* kleine ~ *smew,* ᴮ*(white) nun;* middelste ~ *red-breasted merganser*.

zaagbeugel ⟨de (m.)⟩ **0.1** *saw-frame*.

zaagblad ⟨het⟩ **0.1** [⟨lett.⟩] *saw (blade)* **0.2** [⟨plantk.⟩] *saw-wort*.

zaagbok ⟨de (m.)⟩ **0.1** *saw-horse,* ᴬ*buck* ⇒*trestle*.

zaagdak ⟨het⟩ **0.1** *sawtooth (roof)*.

zaaggeleider ⟨de (m.)⟩ **0.1** *saw carriage*.

zaaghout ⟨het⟩ **0.1** *timber*.

zaagmachine ⟨de (v.); vaak in samenst.⟩ **0.1** *saw* ◆ **1.1** cirkelzaagmachine, lintzaagmachine, kettingzaagmachine *circular/band/chain s.*.

zaagmeel ⟨het⟩ **0.1** *sawdust*.

zaagmolen ⟨de (m.)⟩ **0.1** *sawmill* ⇒⟨AE ook⟩ *lumber-mill*.

zaagraam ⟨het⟩ **0.1** [raam waarin het blad van een zaag bevestigd is] *saw-frame* ⇒ᴬ*sawgate, sash* **0.2** [raam voor het te zagen hout] *sawing frame*.

zaagsel ⟨het⟩ **0.1** *sawdust* ◆ **¶.1** ⟨fig.⟩ ~ in zijn kop hebben *have a head full of sawdust, have nothing between the ears*.

zaagsnede ⟨de⟩ **0.1** [snede in hout] *saw-cut, kerf* ⇒*groove, slot* ⟨v.e. schroefkop⟩ **0.2** [messnede] *sawing action*.

zaagtafel ⟨de⟩ **0.1** *saw bench*.

zaagtand ⟨de (m.)⟩ **0.1** [punt van een zaagblad] *sawtooth* **0.2** [tandvormige insnijding] *indentation* ◆ **6.1** met ~en *sawtoothed*.

zaagvijl ⟨de⟩ **0.1** *saw file*.

zaagvis ⟨de (m.)⟩ **0.1** *sawfish*.

zaagvormig ⟨bn.⟩ **0.1** *serrated* ⇒*saw-like,* ⟨plantk.⟩ *serrate,* ⟨mbt. een rand⟩ *saw-edged,* ⟨getand⟩ *saw-toothed*.

zaagzalm ⟨de (m.)⟩ **0.1** *caribe* ⇒*serrasalmo*.

zaai ⟨de (m.)⟩ **0.1** *sowing, setting* ◆ **2.1** machinale ~ *machine/mechanical sowing;* ⟨in rijen⟩ *seed-drilling;* niet geschikt voor vroege ~ *not suitable for early sowing/setting*.

zaaibak ⟨de (m.)⟩ **0.1** *seed-tray*.

zaaibed ⟨het⟩ **0.1** *seedbed*.

zaaibreedte ⟨de (v.)⟩ **0.1** [breedte tussen zaairegels] *width between drills* **0.2** [breedte die een zaaier/zaaimachine bestrijkt] *sawing width*.

zaaidiepte ⟨de (v.)⟩ **0.1** *sowing depth*.

zaaien ⟨ov.ww.⟩ ⟨→sprw. 419,661,671,672⟩ **0.1** [zaad strooien] *sow* ⇒ ⟨regelmatig⟩ *set, put in* **0.2** [⟨fig.⟩] *sow* **0.3** [mbt. oesters] *seed* ⟨oesters om parels te krijgen⟩ ◆ **1.2** onrust ~ *cause/create unrest;* tweedracht ~ *sow/spread discord* **5.1** ze zijn dun gezaaid *they are thinly sown;* ⟨fig.⟩ *they are thin on the ground;* interessante banen zijn dun gezaaid *interesting jobs are few and far between;* gelijk men zaait, zo zal men oogsten ⟨bijb.⟩ *as ye sow, so shall ye reap* **6.1** in rijen ~ *drill;* uit de hand ~ *sow/scatter by hand/broadcast*.

zaaier ⟨de (m.)⟩ **0.1** *sower*.

zaaigoed ⟨het⟩ **0.1** *sowing-seed*.

zaaigraan ⟨het⟩ **0.1** *seed-corn*.

zaaikistje ⟨het⟩ **0.1** *seed box/tray*.

zaaikoren ⇒zaaigraan.

zaailand ⟨het⟩ **0.1** *sowing-land*.

zaailing ⟨de (m.)⟩ **0.1** [gekweekte plant] *seedling* **0.2** [⟨med.⟩] *metastasis* **0.3** [hennep] *female hemp plant* ◆ **1.1** een rij ~en *a drill (of seedlings)*.

zaaimaand ⟨de⟩ **0.1** *month for sowing*.

zaaimachine ⟨de (v.)⟩ **0.1** *sowing-machine, seed-drill* ⇒*seeder*.

zaaisel ⟨het⟩ **0.1** *seeds*.

zaaitijd ⟨de (m.)⟩ **0.1** *sowing season/time*.

zaaizaad ⟨het⟩ **0.1** *seed for sowing*.

zaak ⟨de⟩ ⟨→sprw. 173,175⟩ **0.1** [ding] *thing* ⇒⟨voorwerp⟩ *object* **0.2** [aangelegenheid] *matter* ⇒*affair, business,* ↓*thing* **0.3** [transactie] *business* ⇒⟨transactie⟩ *deal, transaction* **0.4** [bedrijf] *business* ⇒*concern,* ⟨winkel⟩ *shop* **0.5** [wat geschied is] *case* ⇒⟨inf., mv.⟩ *things* **0.6** [onderwerp] *point* ⇒*issue, subject* **0.7** [gerechtszaak] *case* ⇒*lawsuit* **0.8** [⟨jur.⟩]⟨mv.⟩ *means* ⇒*resources* **0.9** [staatskwestie] *affair* **0.10** [belang dat men behartigt] *cause* ◆ **1.2** de normale gang van zaken *the normal course of events, the (usual) run of things* **1.4** op kosten van de ~ *on the house;* een rondje van de ~ *one on the house* **1.5** handelen naar bevind van zaken *act according to circumstances, act as circumstances dictate, act as befits the c.;* de stand van zaken *the state of affairs, the current position;* ↓*the state of play* **1.10** niet warm lopen voor de ~ v.d. onderdrukten *not be a fervent supporter of the oppressed* **2.1** het is de gewoonste ~ ter wereld om ... *it is the most natural t. in the world to* ... **2.2** dat is een heel andere ~ *that is quite a different m., that is another/a different m. altogether;* zijn eigen zaken doen *get on with one's own affairs/business;* ⟨mbt. iets eigenaardigs; sl.⟩ *do one's own thing;* zich met zijn eigen zaken bemoeien *mind one's own business;* gemene ~ maken met iem. *be in league/collusion with s.o.;* ⟨sl.⟩ *be in cahoots with s.o.;* de huishoudelijke/praktische zaken moeten nog geregeld worden *the domestic affairs/practicalities must still be arranged;* de ~ wordt ingewikkelder *the plot thickens;* onverrichter zake terugkeren *return without having achieved one's aim/accomplished one's mission;* ⟨met niets verkregen⟩ *come back empty-handed;* het lijkt me een verdachte ~ *it looks like a shady business to me* **2.3** gigantische/gouden zaken doen *do fantastic/great b.,* ↓*do a roaring trade;* goede zaken doen *do good b./trade;* een voordelige ~ *a profitable b.;* ⟨mbt. een transactie⟩ *a good deal* **2.4** een goedlopende ~ *a going concern* **2.6** dat is een uitgemaakte ~ *that is a foregone conclusion* **2.7** rechter in eigen ~ zijn *be one's own judge;* een advocaat van kwade zaken *a bent lawyer;* ⟨AE; sl.⟩ *a shyster* **2.9** Binnenlandse Zaken *Home/Internal Affairs;* Buitenlandse Zaken *Foreign Affairs;* lopende zaken *current business, business in hand* **2.10** het is voor de goede ~ *it is all in a good c.;* de goede ~ verdedigen *defend/stand up for a just c.;* de goede ~ verraden *betray/desert a just c.;* ↓*sell out (a just c.);* vechten voor een verloren/hopeloze ~ *fight for/in a lost c., fight a losing battle* **3.2** een ~ compliceren *complicate matters, confuse the issue;* hoe gaan de zaken? *how is business?;* dat is niet ieders ~ *that is not everybody's cup of tea/thing/scene;* niets met deze ~ te maken hebben *not have anything/have nothing to do with this m.;* zijn zaken regelen *sort out/straighten out/settle one's affairs, get organized;* hoe staan de zaken? *how are things?;* ⟨sl.⟩ *how's things?;* ze zag kans de ~ nog te verergeren/nog ingewikkelder te maken *she found a way/she managed to make matters worse/to complicate matters;* de ~ vertroebelen/onduidelijk maken *cloud the issue;* iemands zaken waarnemen/behartigen *look after s.o.'s affairs* **3.3** een ~ afsluiten *conclude/tie up a deal, bring off a transaction;* zaken met iem. doen *do b. with s.o.;* zaken doen *do b., have dealings;* drukke zaken doen *do a brisk trade;* zaken gaan vóór het meisje ≠*b. before pleasure;* er worden goede zaken gedaan in ... *trade is/dealings are good in ...;* de ~ ging toch niet door *the deal/transaction did not come off;* als wij met de Russen beter zaken kunnen doen dan met de Amerikanen, dan ... *if we can do better b./make a better deal with the Russians than with the Americans, then ...;* zaken zijn zaken *b. is b.* **3.4** een ~ drijven/runnen/hebben *run a b.;* de zaken gedijen *b. is booming;* een ~ openen/oprichten *start a b.;* ⟨inf.; ook fig.⟩ *set up shop;* ⟨mbt. een winkel⟩ *open (a) shop;* om vijf uur sluit de ~ *the shop closes at five (o'clock);* zijn ~ sluiten/opheffen *close down one's b.;* ⟨inf.⟩ *shut up shop* **3.5** weten hoe de zaken ervoor staan *know how things stand, know the score/what the score is;* de ~ nemen zoals hij is *take/accept things as they are;* zoals de zaken nu staan *as things are/stand now;* zo staan de zaken ervoor *that's how things stand, that's the score;* ↓*that's the shape/size of it;* de ~ staat er nu heel anders voor *the picture is/things look completely different now, it is quite another/a different story now;* ⟨sl.⟩ *it is a whole new ball game now;* nu de zaken er zo voor staan *things being as they are, now things have come to this, such being the case;* ik zal de ~ aan je chef voorleggen *I'll take the matter up with your superior* **3.6** de ~ is deze ... *the p. is ...;* de ~ is, hij wil niet/dat hij niet wil *the p./fact is (that) he doesn't want to;* de ~ is nu maar of ... *the only issue/question now is whether ...;* zijn zaken kennen *know one's subject/stuff;* ↓*know one's onions;* dat is ~ af-dwalen *get/wander away from the p.* **3.7** er een ~ van maken ⟨ook fig.⟩ ⟨fig.⟩ *go to court/take (legal) proceedings/have recourse to law over it;* hij wou er geen ~ van maken *he did not want to go to court/take (legal) proceedings/have recourse to law about it;* iemands ~ verdedigen *defend s.o.'s interests, argue s.o.'s c.* **3.10** iemands ~ bij iem. bepleiten *plead s.o.'s c. with s.o.* **3.¶** het is ~ dat/om *the thing is to ..., it is best to ...* **4.2** dat is jouw ~ *that is your concern;* ⟨sl.⟩ *that is your pigeon;* dat is mijn ~ niet *that is no concern of mine, that is none of my business* **5.2** de ~ is rond/afgehandeld *the m. is (all) sewn up* **5.7** Maria's ~ is voor/komt vanmiddag voor *Maria's c. is up/comes up this afternoon* **6.2** in een ~ als deze *in a m. of this nature/kind;* orde op zaken stellen *get things organized/straight(ened out), put things in* *order, sort things out;* een ~ **van** gewicht *a matter of (some) importance;* een ~ **van** ondergeschikt belang *a minor m. | point, a mere detail* **6.3 in** zaken gaan *go into b.;* **over** zaken spreken *talk b.;* ↓*talk shop;* **ter** zake komen ⟨ook fig.⟩ *get down to b.!;* een man **van** zaken *a man of b.;* ⟨fig.⟩ *a man who gets down to/ means b.;* **voor** zaken (op reis gaan) *on b.;* hij is hier **voor** zaken *he is here on b.* **6.4** iem. **in** een~ zetten *set s.o. up in b.;* hij kan bij zijn vader **in** de ~ komen *he can join his father in the b. | his father's company;* iem. **met** een drukke~/**met** drie grote zaken *s.o. with a busy trade/ with three large concerns;* ik ben de hele dag **op** de ~ *I am at work all day;* ⟨mbt. een winkel⟩ *I am at the shop all day;* zijn vader is **uit** de ~ gegaan *his father has retired from the b.;* een auto **van** de ~ *a company car* **6.5** wat is zijn rol **in** de ~? *where does he fit/ come in?* **6.6 ter** zake doen ⟨belangrijk zijn⟩ *matter, be to the p.;* ⟨van invloed zijn⟩ *be significant/ of significance;* ⟨betrekking hebben⟩ *be relevant/ of relevance;* **ter** zake komen *come to the p.;* dat doet hier niet(s) **ter** zake/ niets aan de ~ af *that is irrelevant/ beside the p. | neither here nor there/ immaterial;* niet **ter** zake komen *not come to the p.,* ↓*beat about the bush;* zijn verslag was kort en **ter** zake *his report was short/ brief and to the p.;* **ter** zake! *get to the p.!;* kennis **van** zaken hebben *know one's facts;* ↓*know what's what;* zeker zijn **van** zijn~ *be sure of one's ground/ of what one's doing* **6.10** ijveren **voor** de goede ~ *strive for the right c.* **7.¶** niet veel~s zijn *be not up to much, be not a lot of good, be poor/ indifferent, be a poor show/ affair;* zijn laatste roman is niet veel~s *his latest novel is not up to much/ not a lot of good/ poor/ indifferent;* ⟨sl.⟩ *his latest novel is poor stuff/ not much cop* **¶.2** de~in kwestie *the m. at hand* **¶.7** de~Menten *the Menten c..*

zaakgelastigd ⟨bn.⟩ **0.1** *delegated* ⇒*appointed,* ⟨na zn. en pred.⟩ *in charge.*

zaakgelastigde ⟨de (m.)⟩ **0.1** *agent* ⇒*delegate,* ⟨dipl.⟩ *chargé (d'affaires).*

zaakje ⟨het⟩ **0.1** [handeltje] *little matter/ business/ affair/ thing;* ⟨transactie⟩ *small deal;* ⟨karwei⟩ *job;* ⟨winkeltje⟩ *small shop/ business* **0.2** [ding] *affair* ⇒ ↓*show, lot* **0.3** ⟨euf.⟩ vnl. geslachtsdelen⟩ *works* ⇒ *business, what one's got,* ⟨inf.⟩ *doings* ♦ **2.1** dat is een vies~*that is a nasty/ dirty business;* hij heeft een voordelig ~ gedaan *he has done a smart deal/ job* **2.2** het hele ~ opdoeken *pack up (everything),* ⟨alles afschaffen⟩ *do away with/ get rid of the whole lot/ show* **3.1** ik doe niet mee met dat ~ *I'm not joining in that little carry-on/* ⟨BE; sl. ook⟩ *do;* zijn~ goed/~s geregeld hebben *have got things (well) organized, be wellset (up);* hij moet dat ~ maar opknappen *he must just sort that one out, he must just put that little matter right/ straight;* ik vertrouw het ~ niet *I don't trust the set-up* **3.¶** zijn ~ goed/~s kennen *he knows his stuff/ a thing or two* **6.3** z'n broek zakte af en hij stond **met** z'n ~ te kijk *his trousers slid down and he stood with his w. on show.*

zaakkennis ⟨de (v.)⟩ **0.1** *expert/ special(ist/ ised) knowledge* ♦ **6.1 met** ~ over iets oordelen *speak with authority.*

zaakkundig ⟨bn.⟩ **0.1** *expert, specialist* ♦ **6.1** hij is ~ **in** loodgieterij *he is an authority on plumbing.*

zaaknaam ⟨de (m.)⟩ **0.1** ⟨taal.⟩ *common noun* ⇒⟨alg.⟩ *name of a thing.*

zaakregister ⟨het⟩ **0.1** *subject index.*

zaaksgevolg ⟨het⟩ ⟨jur.⟩ **0.1** *procedure for appeal, appeal procedure* ⇒ *right of appeal.*

zaakvoerder ⟨de (m.)⟩ **0.1** *business manager.*

zaakvorming ⟨de (v.)⟩ ⟨jur.⟩ **0.1** *specification* ⇒*conversion.*

zaakwaarnemer ⟨de (m.)⟩ **0.1** [iem. die andermans zaken waarneemt] *(business) minder* ⇒*agent, deputy* **0.2** ⟨⟨jur.⟩⟩ *acting/ caretaker manager.*

zaakwaarneming ⟨de (v.)⟩ **0.1** *caretaking.*

zaal ⟨de⟩ **0.1** [groot vertrek] *room* ⇒ ⟨zeer groot⟩ *hall* **0.2** [sportzaal; ziekenhuiszaal] *hall* ⇒*ward* ⟨v.e. ziekenhuis⟩*, auditorium,* ↓*house* ⟨v.e. schouwburg⟩ **0.3** [gebouw voor bijeenkomsten/ uitvoeringen] *hall* ⇒*house* **0.4** [publiek] *audience* ⇒ ↓*house* ♦ **2.1** een grote~*a large room/ hall* **2.3** een lege ~ *an empty house;* een stampvolle ~*a crowded/ packed hall, a full house;* volle zalen trekken *draw/ attrack/ bring in full houses/ capacity crowds;* ↓*pack them in, pack in the crowds* **2.4** de~lag plat *it brought the house down* **3.3** ⟨fig.⟩ het publiek brak de ~ af *the public raised the roof,* ~ geopend om 19.00 uur *doors open at 1900 hrs.* **6.2 op** ~ liggen *be in a ward* **6.3** kaarten verkrijgbaar **aan** de~ *tickets available at the door* **6.4 op** de ~ spelen *play to the audience;* een motie **uit** de ~ *a motion from the floor.*

zaalhandbal ⟨het⟩ **0.1** *indoor handball.*

zaalhockey ⟨het⟩ **0.1** *indoor hockey.*

zaalhuur ⟨de⟩ **0.1** *hall rent* ⇒*hiring of a room/ hall* ⟨voor een vergadering⟩.

zaalsport ⟨de⟩ **0.1** *indoor sport.*

zaalvoetbal ⟨het⟩ **0.1** *indoor football.*

zaalwachter ⟨de (m.)⟩ **0.1** *attendant* ⇒*steward.*

Zaans ⟨bn.⟩ **0.1** *Zaandam* ♦ **1.1** ~e klok *Zaandam clock.*

zabberaar ⟨de (m.)⟩ **0.1** *slobberer* ⇒*slaverer, slabberer, driveller,* ^*driveler.*

zabberen ⟨onov.ww.⟩ **0.1** *slobber* ⇒*slaver, slabber, drivel.*

zacht ⟨bn., bw.;-ly⟩ (→sprw. 266,545) **0.1** [niet hard] *soft* ⇒ ⟨mals⟩ *ten-*

der **0.2** [niet ruw] *soft* ⇒ ⟨glad⟩ *smooth* **0.3** [mbt. het weer] *mild* **0.4** [mbt. handelingen] *gentle* ⇒ ⟨niet streng⟩ *lenient,* ⟨teder⟩ *tender* **0.5** [zachtaardig] *gentle* ⇒*kind(ly), mellow* **0.6** [niet grof] *kind* ⇒*gentle* **0.7** [niet luid] *quiet* ⇒*soft* **0.8** [mbt. lichtindrukken] *soft* ⇒*subdued, mellow* **0.9** [voordelig] *modest* **0.10** [met laag kalkgehalte] *soft* **0.11** [niet snel] *gentle* ⇒*slow,* ⟨bn.⟩ *easy-paced* **0.12** [geleidelijk] *gentle* ♦ **1.1** ~ hout *softwood;* ~e sector *welfare/ social sector* **1.2** een ~ wijntje *a smooth/ mellow wine* **1.3** een ~ klimaat *a m. | temperate climate;* een ~e wind *a gentle/ light wind* **1.4** een ~e baan ⟨inf.⟩ *a cushy job;* een ~e dood sterven *die an easy death;* ⟨fig.⟩ *fade away/ out;* met ~e drang *with g. pressure;* met ~e hand regelen *arrange with a light touch / a g. hand;* met ~e hand regeren *rule benignly;* het publiek met ~e hand verwijderen *gently clear the public;* een ~ vuurtje *low heat;* ⟨mbt. gas⟩ *a low flame* **1.5** met een diepe, ~e blik *with deep, velvety eyes;* een ~ gemoed *a soft/ kind heart;* een ~ karakter *a g. character/ disposition* **1.6** een ~e wenk *a gentle hint;* met ~e woorden *with k. words* **1.7** met ~e stem *in a q. | soft/ low voice* **1.8** ~e kleuren *soft/ subdued/ mellow colours;* een ~ schijnsel *a soft shine* **1.11** een ~e helling *a g. slope* **1.12** een ~e landing *a smooth landing* **2.1** ⟨fig.⟩ het/ hij is een halve ~e *he is a halfwit* **3.1** ~ maken ⟨leer⟩ *dress down* **3.2** ~ smakend *smooth tasting* **3.3** ~er worden *turn milder* **3.4** ~aaien *stroke gently;* iem. ~ behandelen *treat s.o. gently/ leniently, go easy with s.o.;* ~ koken *boil gently, simmer;* ~ sterven *die easily, meet an easy end, die peacefully* **3.6** ~ oordelen over *be charitable about* **3.7** praat eens wat ~er *talk more quietly, lower/ drop your voice;* de radio / het geluid ~er zetten *turn down the radio/ volume* **3.11** ~ lopen *walk slowly/ at a g. pace;* ~er rijden *ease up, slow down* **6.2** deze zeep is ~ **voor** uw handen *this soap is kind on your hands* **6.6 op** z'n ~st gezegd / genomen/ uitgedrukt, *to put it mildly, to say the least.*

zachtaardig ⟨bn., bw.;-ly⟩ **0.1** *good-natured/ -tempered* ⇒*mild-mannered, kind-hearted, gentle, kind(ly).*

zachtaardigheid ⟨de (v.)⟩ **0.1** *gentleness* ⇒*softness, mildness, sweetness, kind-heartedness.*

zachtboard ⟨het⟩ **0.1** *softboard.*

zachtheid ⟨de (v.)⟩ **0.1** [hoedanigheid] *softness* ⇒*tenderness* **0.2** [behandeling] *gentleness* ⇒*kindness,* ⟨clementie⟩ *leniency,* ⟨tederheid⟩ *tenderness* ♦ **1.1** de ~ van een babyhuid *the s. | smoothness/ tenderness of a baby's skin* **6.2 met** ~ te werk gaan *go gently, be gentle;* ⟨inf.⟩ *adopt a softly-softly/ go-soft approach;* behandel de dieren **met** ~ *treat animals with kindness, be kind to animals.*

zachthout ⟨het⟩ **0.1** *softwood.*

zachtjes ⟨bw.⟩ **0.1** *softly* ⇒ ⟨stil⟩ *quietly,* ⟨bedaard⟩ *gently, slowly, mildly* ♦ **3.1** ~ doen *be quiet;* ~ rijden *drive slowly;* ⟨fig.⟩ om het ~ uit te drukken *to put it/ putting it mildly;* hij vloekte ~ *he cursed/ swore under his breath, he muttered an oath;* ze zong haar kind in slaap *she crooned/ quietly sang her child to sleep* **¶.1** ~ aan! *steady on!, gently/ easy does it!, take it/ go easy!;* ~! *hush!, quiet!, not so much noise!, keep your voice(s) down.*

zachtmoedig ⟨bn., bw.;-ly⟩ **0.1** *mild(-mannered)* ⇒*kind(-hearted), kindly, gentle, benign,* ⟨bijb.⟩ *meek.*

zachtsoldeer ⟨het⟩ **0.1** *soft solder.*

zachtwerkend ⟨bn.;-ly⟩ **0.1** *mild, gentle.*

zachtzinnig ⟨bn., bw.;-ly⟩ **0.1** [zacht van aard] *good-natured/ -tempered* ⇒*mild(-mannered), kind(-hearted), benign* **0.2** [niet ruw] *gentle, kind(-ly)* ⇒ ⟨teder⟩ *tender* ♦ **3.2** iem. ~ behandelen *treat s.o. kindly/ gently* **5.2** allesbehalve ~ optreden *treat roughly/ with violence, take off the kid gloves* **¶.2** ~ te werk gaan *go gently, be g., take a soft line.*

zadel ⟨het⟩ **0.1** *saddle* ⇒ ⟨mbt. snaarinstrumenten⟩ *bridge* ♦ **2.1** Turks ~ ⟨med.⟩ *sella (turcica);* rug v.d. neus⟩ *bridge (of the nose)* **6.1 in** het ~ stijgen *climb/ get (up) into the s., saddle up, mount;* vast **in** het ~ zitten ⟨ook fig.⟩ *sit firmly in the s.;* ⟨fig.⟩ *be firmly in charge, be in firm control, be master of the situation;* iem. **in** het ~ helpen ⟨ook fig.⟩ *give s.o. a leg up, help s.o. up;* ⟨fig.⟩ *pull a few strings for s.o., set s.o. up;* paarden **onder** ~ *broken-in horses;* iem. **uit** het ~ lichten/ werpen/ wippen ⟨ook fig.⟩ *unhorse/ unseat s.o.;* ⟨fig.⟩ *oust/ dislodge s.o.;* **zonder** ~ rijden *ride bareback.*

zadelboog ⟨de (m.)⟩ **0.1** ⟨voorkant⟩ *saddlebow, pommel;* ⟨achterkant⟩ *cantle.*

zadeldak ⟨het⟩ **0.1** *saddle roof, saddleback* ⇒*gable/ ridge/ pitched roof* ♦ **6.1 met** ~ ⟨bn.⟩ *saddleback(ed).*

zadeldek ⟨het⟩ **0.1** [dekje voor een fietszadel] *saddle cover* **0.2** [dek op een paardezadel] *saddlecloth* ⇒*shabrack.*

zadelen ⟨ov.ww.⟩ **0.1** *saddle (up)* ♦ **1.1** een paard *s. | put a saddle on a horse.*

zadelgewricht ⟨het⟩ **0.1** *saddle joint.*

zadelkleed ⟨het⟩ →*zadeldek* **0.2.**

zadelknop ⟨de (m.)⟩ **0.1** *pommel* ⇒ ⟨AE⟩ *(saddle) horn.*

zadelkussen ⟨het⟩ **0.1** *pannel.*

zadelmaker ⟨de (m.)⟩, **-maakster** ⟨de (v.)⟩ **0.1** *saddler* ⇒*saddlemaker.*

zadelmakerij ⟨de (v.)⟩ **0.1** [werkplaats] *saddlery* **0.2** [handeling] *saddlery.*

zadelpen ⟨de⟩ **0.1** *saddle pin/pillar* ⟨v.e. fiets⟩.
zadelpijn ⟨de⟩ **0.1** *saddle-soreness* ◆ **3.1** ~ *hebben be saddlesore*.
zadelpunt ⟨het⟩ ⟨wisk.⟩ **0.1** *saddle point*.
zadelriem ⟨de (m.)⟩ **0.1** *girth* ⇒⟨AE ook⟩ *cinch* ◆ **3.1** *de* ~ *nauwer aanhalen tighten the girth(s)*; ⟨AE ook⟩ *cinch (up)*.
zadeltas ⟨de⟩ **0.1** *saddlebag*.
zadeltasje ⟨het⟩ **0.1** *saddlebag*.
zadeltuig ⟨het⟩ **0.1** *saddlery* ⇒*saddle equipment/gear, tack*.
zadelvast ⟨bn.⟩ **0.1** *firm in the saddle* ◆ **3.1** *niet* ~ *zijn be not firm in the saddle*; ⟨fig.⟩ *be a waverer*.
zagen
I ⟨onov., ov.ww.⟩ **0.1** [doorsnijden] *saw (up)* **0.2** [vormen] *saw* ⇒*cut* ◆ **1.1** *een boom in stukken* ~ *s. a tree into pieces, s. up a tree; een tak v.e. boom* ~ *s. a branch off a tree* **1.2** *planken/figuren* ~ *s./cut into planks/shapes*.
II ⟨onov.ww.⟩ ⟨inf.⟩ **0.1** [slecht viool spelen] *scrape, saw* ⇒*twang* **0.2** [zeuren, ronken]⟨zeuren⟩ *harp/go on, nag, carp*; ⟨ronken⟩ *snore* ◆ **5.2** *hij is (weer) een boom aan 't doorzagen he's snoring his head off (again)* **6.1** *op de viool* ~ *saw (away) on the violin*.
zager ⟨de (m.)⟩ **0.1** [iem. die zaagt]⟨hout zagen⟩ *sawyer;* ⟨zaniken⟩ *nag;* ⟨man⟩ *whining Willie;* ⟨vrouw⟩ *moaning Minnie* **0.2** [iem. die op een viool krast] *scraper* **0.3** [borstelworm] *clam worm*.
zagerij ⟨de (v.)⟩ **0.1** [plaats] *sawmill* **0.2** [het zagen] *sawing*.
Zaïre ⟨het⟩ **0.1** *Zaïre*.
Zaïrees[1] ⟨de (m.)⟩, **-ese** ⟨de (v.)⟩ **0.1** *Zaïrese*.
Zaïrees[2] ⟨bn.⟩ **0.1** *Zaïrese*.
zak ⟨de (m.)⟩ ⟨→sprw. 146,673,674⟩ **0.1** [verpakkingsmiddel] *bag* ⇒⟨groot⟩ *sack* **0.2** [deel van kledingstuk] *pocket* **0.3** [bergplaats voor geld] *purse* ⇒*pouch* **0.4** [balzak]⟨med.⟩ *scrotum;* ⟨inf.⟩ *balls* **0.5** [buidel bij buideldieren] *pouch* **0.6** [krop bij vogels] *crop* ⇒*pouch* **0.7** [⟨biljart⟩] *pocket* **0.8** [waardeloos persoon] *twit, twerp, clod, ^Ajerk;* ⟨sterker; man⟩ *prick; asshole, shit(head), ^Bprat;* ⟨man⟩ *^Bpillock* **0.9** [zakvormig iets] *bag* ◆ **1.1** *een* ~ *aardappels a sack of potatoes; een patat a b. /^Bpacket of ^Bchips/^Afrench fries* **2.2** *opgenaaide* ~ *patch p.* **2.3** ⟨fig.⟩ *op andermans* ~ *lopen/teren sponge/live off s.o. else; uit eigen* ~ *betalen pay out of one's own pocket* **2.8** *die vent is een ontiegelijke* ~ *that guy is a real a. /an enormous s., ^Bthat chap is a right berk* (enz.)*; een ouwe* ~ *an old buffer/fossil/goat/geezer/^Bgit* **3.1** ⟨fig.⟩ *iem. /* ⟨med.⟩ *de* ~ *geven give s.o. the sack/boot, sack/fire s.o., give s.o. ^Bhis/her/their cards/^Athe pink slip;* ⟨fig.⟩ ~*jes/*~*kies plakken do time/a stretch;* ⟨BE, sl.⟩ *do bird* **3.3** *zijn* ~*ken vullen line one's pockets/purse, feather one's nest* **5.1** *een* ~ *vol a bagful, a sackful* **5.2** *een* ~ *vol a pocketful* **6.1** ⟨fig.; AZN⟩ *iem. in de* ~*steken have/do/con/swindle s.o.;* ⟨fig.; AZN⟩ *iets in zijn* ~*steken keep sth. in mind;* ⟨fig.⟩ *een kat in de* ~*kopen buy a pig in a poke;* **met het** ~*je (rond)gaan go round with the (collection) plate/box* **6.2** ⟨fig.⟩ *iem. in* ~*zijn* ~ *kunnen steken be able to run circles around s.o.;* ⟨fig.⟩ *iem. in* ~*hebben* ⟨door en door kennen⟩ *have s.o. (all) weighed up, know s.o. through and through;* ⟨met iem. kunnen doen wat men wil⟩ *have s.o. in one's p. / by the tail;* ⟨fig.⟩ *die kun je in je* ~*steken! you can put that in your pipe and smoke it;* ⟨vulg.⟩ *you can stuff that where the monkey puts his nuts;* ⟨fig.⟩ *de wedstrijd in je* ~*hebben have the game in the bag/all sewn up; geld op* ~*hebben have some money in one's pockets/on one; geld uit iemands* ~ *kloppen get/squeeze money out of s.o., shake s.o. down for money* **6.3** *een duit in het* ~*je doen put in one's ^Bpennyworth/^Atwo cents; het geld in eigen* ~*steken pocket the money;* ⟨AZN⟩ *elk voor zijn* ~ *zijn* — *we'll each pay our own way;* ⟨inf.⟩ *we'll go Dutch* **6.7** *in de* ~*stoten pocket (a ball), scratch* **6.¶ in** ~ *en as zitten be in sackcloth and ashes* **7.¶** *het kan hem geen* ~*schelen he doesn't give a damn/^Btoss, it doesn't worry him in the least/slightest* **8.1** *die jurk zit/hangt als een* ~ *that dress fits/hangs like a sack/is really baggy.*
zakagenda ⟨de⟩ **0.1** *memorandum book, ^Bpocket diary, ^A(small) agenda.*
zakbijbel ⟨de (m.)⟩ **0.1** *pocket Bible.*
zakboekje ⟨het⟩ **0.1** [aantekenboekje] *(pocket) notebook* ⇒*pocketbook* **0.2** [boekje met aantekeningen over de dienst] *≠service record (book).*
zakbreuk ⟨de⟩ ⟨med.⟩ **0.1** *scrotal hernia.*
zakcentje ⟨het⟩ **0.1** ⟨verz.n.⟩ *pocket money* ◆ **2.1** *een aardig* ~ *verdienen earn quite a bit of p. m..*
zakdoek ⟨de⟩ **0.1** *(pocket) handkerchief* ⇒⟨inf.⟩ *hanky,* ⟨sl.⟩ *nose/snot rag* ◆ **2.1** *papieren* ~*jes paper handkerchiefs, (paper) tissues* **3.1** ~*je leggen ≠kiss-in-the-ring.*
zakeditie ⟨de (v.)⟩ **0.1** →*zakuitgave.*
zakelijk ⟨bn., bw.⟩ **0.1** [mbt. een zaak/zaken] ⟨bn.⟩ *business(like)* ⇒*commercial, professional* **0.2** [niet persoonlijk] *business(like)* ⇒*professional, objective, impersonal, clinical* **0.3** [bondig, nuchter] *compact, concise* ⇒*succinct, terse, crisp* **0.4** [praktisch] *practical, real(istic), pragmatic;* ⟨bn.⟩ *down-to-earth* **0.5** [ter zake zijnd] *businesslike* ⇒⟨bn.⟩ *matter-of-fact, to the point, pertinent, relevant* ◆ **1.1** *met het* ~*e gedeelte achter de rug having concluded business matters/the business of the day; een* ~*e instelling hebben have a businesslike/professional approach, be commercially-minded;* ~ *inzicht commercial in-*

sight, nose for business; ~*e lasten property charges, charges on property;* ⟨jur.⟩ ~ *onderpand collateral (security);* ⟨jur.⟩ ~ *recht right in rem;* ~*e rechtsvordering real action, action in rem;* ⟨jur.⟩ ~*e waarborg real security, ^Acollateral* **1.2** ~*e inhoud (sum and) substance, essence, gist, nub; een* ~ *onderhoud a business discussion* **1.3** *een* ~*e stijl van schrijven a terse style of writing* **1.4** ~*e bouwstijl functional architecture; een* ~*e oplossing a practical/realistic solution; op* ~*e toon/wijze in a down-to-earth/matter-of-fact tone/manner* **1.5** ~*e opmerkingen b. /pertinent remarks* **3.2** ~ *blijven keep/stick to business, remain objective/professional.*
zakelijkheid ⟨de (v.)⟩ **0.1** *professionalism* ⇒*realism, pragmatism,* ⟨bondigheid⟩ *compactness, conciseness* ◆ **2.1** *de nieuwe* ~ *the New Realism.*
zakenadres ⟨het⟩ **0.1** *business address* ⇒*place of business.*
zakenbelang ⟨het⟩ **0.1** *business/commercial interest.*
zakenbespreking ⟨de (v.)⟩ **0.1** *business meeting.*
zakenbrief ⟨de (m.)⟩ **0.1** *business letter.*
zakencijfer ⟨het⟩ ⟨AZN⟩ **0.1** *turnover.*
zakendiner ⟨het⟩ **0.1** *business dinner.*
zakengeheim ⟨het⟩ **0.1** *professional/commercial secret.*
zakeninstinct ⟨het⟩ **0.1** *business/commercial instinct.*
zakenkabinet ⟨het⟩ **0.1** ⟨government/cabinet which is not supported by a parliamentary majority⟩.
zakenleven ⟨het⟩ **0.1** *business (life), commerce* ◆ **3.1** *het* ~ *bloeit the business sector is booming* **6.1** *in het* ~ *gaan join the business profession/community/world, become a businessman, go into business/^Bthe City.*
zakenlunch ⟨de (m.)⟩ **0.1** *business lunch.*
zakenman ⟨de (m.)⟩ **0.1** [koopman] *businessman* **0.2** [zakelijk persoon] *businessman* ⇒*professional* ◆ **2.1** *een gewiekst* ~ *a shrewd/an astute b.;* ⟨inf.⟩ *a smooth/slick operator* **2.2** *hij is een echt* ~*netje he is a proper little b.* **3.1** ~ *zijn be a b. / in business.*
zakenmens ⟨de (m.)⟩ **0.1** [iem. die opgaat in het zakenleven] *business person* **0.2** [iem. die zaken doet] *business person.*
zakenpand ⟨het⟩ **0.1** ⟨mv.⟩ *business premises.*
zakenrecht ⟨het⟩ ⟨jur.⟩ **0.1** *law of things* ⟨rechtstheorie⟩*; law of property* ⟨rechtspraktijk⟩.
zakenreis ⟨de⟩ **0.1** *business trip* ⇒⟨snoep-, zakenreisje⟩ *junket.*
zakenrelatie ⟨de (v.)⟩ **0.1** [handelsbetrekking] *business relationship/connection* **0.2** [persoon] *business relation/contact/connection/acquaintance.*
zakenvriend ⟨de (m.)⟩ **0.1** *business associate* ◆ **2.1** *een goede* ~ *a good business friend, a close b..*
zakenvrouw ⟨de (v.)⟩ **0.1** *businesswoman.*
zakenwereld ⟨de⟩ **0.1** *business world* ⇒*world of business, business community.*
zaketui ⟨het⟩ **0.1** *pocket case.*
zakflacon ⟨de (m.)⟩ **0.1** *pocket flask* ⇒⟨heupfles⟩ *hip flask.*
zakformaat ⟨het⟩ **0.1** *pocket size* ◆ **6.1** *een boekje in* ~ *a pocket-size(d) book, a pocketbook; in* ~ *pocket-size(d), pocketable; een fototoestel in* ~ *a pocket camera; een man in* ~ *a pint-sized (little) man.*
zakgeld ⟨het⟩ **0.1** *pocket/spending money* ⇒*allowance* ◆ **1.1** *10 gulden* ~ *per week krijgen get an allowance of ten guilders a week, get 10 guilders a week p. /s.m..*
zakhorloge ⟨het⟩ **0.1** *pocket watch.*
zakjapanner ⟨de (m.)⟩ ⟨inf.⟩ **0.1** *pocket calculator.*
zakkam ⟨de (m.)⟩ **0.1** *pocket comb.*
zakken
I ⟨onov.ww.⟩ **0.1** [naar beneden gaan] *fall, drop* ⇒⟨zinken⟩ *sink,* ⟨vliegtuig⟩ *descend, lose height,* ⟨doorzakken⟩ *sag* **0.2** [lager van niveau worden] *fall (off), drop* ⇒*come/go down,* ⟨verzakken⟩ *sink, subside* **0.3** [niet slagen] *fail* ⇒^Bgo *down,* ⟨inf.⟩ *^Bfluff, ^Aflunk,* ⟨BE, inf.⟩ *be ploughed* **0.4** [⟨muz.⟩] *go flat, sing/play lower/flat* ◆ **1.2** *de barometer is gezakt the barometer has fallen; de hoofdpijn is gezakt the headache has eased off/subsided/abated; de koers is gezakt tot the rate has fallen/eased to; de prijs is gezakt the price has dropped/come down; het water is gezakt the water has gone down/subsided, the water level has fallen* **1.4** *een noot* ~ *drop down a note* **3.1** ⟨fig.⟩ *de moed laten* ~ *lose heart/courage;* ⟨fig.⟩ *iem. laten* ~ *drop/abandon s.o., leave s.o. in the lurch; zich laten* ~ *lower o.s., let o.s. down; het eten laten* ~ *digest one's food, let one's food go down; een kist laten* ~ *(in het graf) lower a coffin (into the grave); de prijs iets laten* ~ *lower/drop the price a bit; langzaam laten* ~*slowly lower/let down, ease down; zijn hoofd in zijn handen laten* ~ *bury one's head in one's hands; de rolgordijnen laten* ~ *lower the blinds* **3.3** *iem. laten* ~*fail s.o.* **6.1** *door zijn enkel* ~ *have one's ankle give (way); tot over zijn knieën in de modder* ~*steken sink past one's knees/get mired in the mud* **8.3** ~ *als een baksteen fail badly/miserably/hopelessly* **¶.1** *in elkaar* ~ *collapse;* ⟨v.e. gebouw ook⟩ *fall in;* ⟨v.e. persoon ook⟩ *slump, crumple;*
II ⟨ov.ww.⟩ **0.1** [in zakken doen] *bag (up), sack.*
zakkenrollen ⟨ww.⟩ **0.1** *pick pockets* ⇒⟨inf.⟩ *frisk,* ⟨sl.⟩ *dip.*
zakkenroller ⟨de (m.)⟩ **0.1** *pickpocket* ◆ **1.1** *handlanger v.e.* ~*p.'s confederate;* ⟨inf.⟩ *stall* **¶.1** *pas op voor* ~*s! beware of pickpockets!.*

zakkenrollerij ⟨de (v.)⟩ 0.1 *pickpocketing*.
zakkenvuller ⟨de (m.)⟩⟨inf.⟩ 0.1 *profiteer*.
zakkenwasser ⟨de (m.)⟩⟨inf.⟩ 0.1 *dope, moron* ⇒*twerp, thickhead, fat-head*, ⟨BE ook⟩ *mug*, ⟨AE ook⟩ *lame-brain*.
zakkerig ⟨bn., bw.⟩⟨inf.⟩ 0.1 *drippy, dopey* ⇒⟨BE ook⟩ *wet*, ⟨futloos⟩ *wishy-washy*, ⟨BE ook⟩ *weedy*, ⟨onbenullig⟩ *inane*, ⟨slap⟩ *spineless*.
zakkig ⟨bn., bw.⟩ 0.1 [hangend als een zak] *baggy* 0.2 [zakkerig]⟨→zak-kerig⟩.
zakkigheid ⟨de (v.)⟩ 0.1 *dopeyness* ⇒⟨futloosheid⟩ *wishy-washiness*, ⟨BE ook⟩ *weediness*, ⟨onbenulligheid⟩ *inanity*, ⟨slapheid⟩ *spineless-ness*.
zakklep ⟨de⟩ 0.1 *pocket flap*.
zakkompas ⟨het⟩ 0.1 *pocket compass*.
zaklamp ⟨de⟩ →zaklantaarn.
zaklantaarn ⟨de⟩ 0.1 *(pocket)* ᴮ*torch*, ᴬ*flashlight* ⇒⟨in de vorm v.e. vul-pen⟩ *penlight*.
zaklopen ⟨ww.⟩ 0.1 *(run a) sack race*.
zakmes ⟨het⟩ 0.1 *pocketknife* ⇒⟨iets groter⟩ *clasp knife*.
zakopening ⟨de (v.)⟩ 0.1 ⟨in kledingstuk⟩ *pocket hole / opening;* ⟨draag-zak⟩ *mouth (of a bag / sack)*.
zakrekenmachientje ⟨het⟩ 0.1 *pocket calculator*.
zakschaakspel ⟨het⟩ 0.1 *travel / pocket chess set*.
zakschaartje ⟨het⟩ 0.1 *(pair of) pocket / ⟨*vouwbaar*⟩ folding scissors*.
zaksel ⟨het⟩ 0.1 *sediment* ⇒*deposit*, ⟨droesem⟩ *dregs* ⟨mv.⟩.
zakstoten ⟨ww.⟩⟨sport⟩ 0.1 *use a / the punchbag* ⇒*work out on a / the punchbag*.
zakuitgave ⟨de⟩ 0.1 *pocket edition* ⇒⟨met soepele omslag⟩ *paperback edition*.
zakvormig ⟨bn.⟩ 0.1 *sack- / bag-shaped* ⇒⟨tech.⟩ *sacciform*, ⟨plantk.⟩ *saccate*.
zakwoordenboek ⟨het⟩ 0.1 *pocket dictionary*.
zalf ⟨de⟩⟨→sprw. 505⟩ 0.1 [smeersel] *ointment, salve* ⇒*unguent, bal-sam*, ⟨iets dunner⟩ *liniment* 0.2 [welriekend smeersel] *balm, cerate* ◆ 6.1 met ~/ met een~je insmeren *rub o. / s. on, apply o. / s. to* 7.1 ⟨fig.⟩ daar is geen~ aan te strijken *there is no cure / remedy for that, that can't be remedied*.
zalfachtig ⟨bn.⟩ 0.1 [op zalf lijkend] *ointment-like* 0.2 [als (van) een zalf] ⟨verzachtend⟩ *soothing;* ⟨sussend⟩ *balmy* ⇒⟨olieachtig; fig.⟩ *unc-tuous*.
zalfpot ⟨de (m.)⟩ 0.1 ⟨voor zalf⟩ *ointment jar;* ⟨met zalf⟩ *jar of oint-ment*.
zalig ⟨bn., bw.; -ly⟩ 0.1 [zeer aangenaam] *gorgeous, glorious* ⇒*divine, heavenly* 0.2 [zedelijk gelukkig] *blissful* ⇒⟨schr.; bn.⟩ *blessed, blest*, ⟨gelukkig⟩ *happy, contented* 0.3 [⟨rel.⟩] ⟨bn.⟩ *blessed, blest* ⇒*sainted, beatific* ◆ 1.1 een~ gevoel *a glorious feeling;* ~e koekjes *heavenly / scrumptious / delicious;* ⟨inf.⟩ *yummy* ᴮ*biscuits / ᴬcookies;* ~ weer *gor-geous / glorious / heavenly weather* 1.2 met de~e glimlach op zijn ge-zicht *with that blissful / contented smile on his face;* ~ nieuwjaar, ~ Kerstmis *happy New Year, Merry Christmas* 3.1 hij kookt~ *he cooks divinely* 3.2 ⟨bijb.⟩ het is~er te geven dan te ontvangen *it is more blessed to give than to receive;* geld kan ons niet ~ maken *money can-not buy happiness* 3.3 iem. ~ prijzen *bless s.o.;* ~ worden *achieve / gain / attain salvation, be saved*.
zaligen ⟨ov.ww.⟩ 0.1 *beatify*.
zaliger ⟨bn.⟩⟨→sprw. 675⟩ 0.1 *late* ⇒*deceased* ◆ 1.1 ⟨schr.⟩ uw moeder ~ (na)gedachtenis *your mother of blessed memory; your mother, may her memory be blessed;* mijn tante ~ ⟨scherts.⟩ *my sainted aunt;* mijn vader ~ *my late father;* ⟨inf.⟩ *my dear (old) father*.
zaligheid ⟨de (v.)⟩ 0.1 [iets overheerlijks] *delight* 0.2 [staat van hoogste geluk / aangenaamheid] *bliss(fulness)* ⇒*glory*, ⟨geluk⟩ *happiness, contentment, felicity* 0.3 [⟨rel.⟩] ⟨verlossing⟩ *salvation;* ⟨het zalig maken⟩ *beatitude* ◆ 2.1 er stonden allerlei zaligheden op tafel *there were all sorts of delights / goodies on the table* 2.3 de eeuwige~ *eternal s.* 3.3 de~ verwerven *achieve / gain / attain s.*.
zaligmakend ⟨bn.⟩ 0.1 ⟨attr.⟩*(soul-)saving* ⇒*sanctifying, beatific(al)* ◆ 3.1 ⟨fig.⟩ die partij is ook niet ~ *that party won't bring universal hap-piness either*.
Zaligmaker ⟨de (m.)⟩ 0.1 *Saviour*.
zaligmaking ⟨de (v.)⟩ 0.1 [verlossing] *salvation* 0.2 [het zalig maken] *beatification*.
zaligspreking ⟨de (v.)⟩⟨bijb.⟩ 0.1 *beatitude* ◆ 7.1 de acht~en *the Beati-tudes*.
zaligverklaring ⟨de (v.)⟩⟨r.k.⟩ 0.1 *beatification*.
zalm ⟨de (m.)⟩ 0.1 *salmon* ◆ 1.1 een blikje~ *a tin / ᴬcan of s.;* ⟨fig.⟩ het neusje van de ~ *the pick / cream of the bunch, crème de la crème, the (real) cream;* ⟨inf.⟩ *the tops* 2.1 Europese / Amerikaanse ~ *Atlantic / Pacific s.;* extra fijne ~ *Fancy Pink;* jonge ~ *smolt, samlet, grilse, sal-monet;* verse / gerookte ~ *fresh / smoked s.* 8.1 zo kalm als een ~ *as cool as a cucumber*.
zalmachtig ⟨bn.⟩ 0.1 *salmon-like* ⇒*salmonoid* ◆ 1.1 ~e vissen *salmo-noids;* ⟨dierk.⟩ *Salmonoidea*.
zalmforel ⟨de⟩ 0.1 *salmon trout*.
zalmkleur ⟨de⟩ 0.1 *salmon (pink)*.

zalmkleurig ⟨bn.⟩ 0.1 *salmon, salmon-coloured, salmon pink*.
zalmkwekerij ⟨de (v.)⟩ 0.1 *salmon farm*.
zalmmoot ⟨de⟩ 0.1 ⟨dik⟩ *salmon steak;* ⟨dun⟩ *slice / fillet of s..*
zalmrokerij ⟨de (v.)⟩ 0.1 *salmon smokehouse*.
zalmsalade ⟨de⟩ 0.1 *salmon salad*.
zalmteelt ⟨de⟩ 0.1 *salmon breeding*.
zalmvangst, -visserij ⟨de (v.)⟩ 0.1 *salmon fishing / fishery*.
zalven ⟨ov.ww.⟩ 0.1 [met zalf bestrijken] *put ointment on* ⇒*rub with ointment* 0.2 [wijden] *anoint (with)* ◆ 1.1 ⟨fig.⟩ iemands handen ~ *grease / oil s.o.'s palm (with), cross s.o.'s palm (with silver)* 6.2 iem. tot koning ~ *anoint s.o. king*.
zalvend ⟨bn.; -ly⟩ 0.1 *unctuous, suave* ⇒*smooth, oily, soapy*, ⟨sl.⟩ *slick, smarmy* ◆ 1.1 op ~e toon spreken *speak in an unctuous / a ho-lier-than-thou tone;* ~e woorden *bland / suave words, smooth talk*.
zalving ⟨de (v.)⟩ 0.1 [het zalven] *anointment* ⇒*anointing* 0.2 [geteem] *unction* ◆ 6.1 ⟨r.k.⟩ het ~ *by het vormsel, het oliesel* ⟨ook⟩ *unction* 6.2 met veel ~ spreken *speak with much unction*.
Zambia ⟨het⟩ 0.1 *Zambia*.
Zambiaan ⟨de (m.)⟩, -se ⟨de (v.)⟩ 0.1 *Zambian*.
zambo ⟨de (m.)⟩ 0.1 *sambo*.
zamelen ⟨ov.ww.⟩⟨schr.⟩ 0.1 ⟨ongemarkeerd⟩ *glean, gather*.
zamen ⟨bw.⟩ ◆ 6.¶ te ~ *together*.
zand ⟨het⟩ 0.1 [stof] *sand* 0.2 [grond] *sand* 0.3 [zandbank] *sand(s), sand-bank* 0.4 [woestijn] *sand(s)* ◆ 1.1 een handvol / een hoop ~ *a handful of / a heap / pile / mound of s.* 2.1 als droog / los ~ aan elkaar hangen *be disjointed / scrappy / incoherent, stick together like grains of s.;* zijn ver-slag v.d. wedstrijd hing als los ~ aan elkaar *he gave a rather disjointed account of the match* 3.1 ⟨fig.⟩ iem. ~ in de ogen strooien *throw dust in s.o.'s eyes, pull the wool over s.o.'s eyes* 5.1 ⟨fig.⟩ ~ erover *let's for-get it, let bygones be bygones, let's call it quits;* ⟨inf.⟩ *nuff said* 6.1 met ~ bestrooien *sand* 6.2 ⟨fig.⟩ de kop in het ~ steken *stick / bury / hide one's head in the s.;* ⟨fig.⟩ op (los) ~ bouwen *build on s. / sandy ground* 8.1 ⟨fig.⟩ het geld loopt als ~ door je vingers *the money just slips through one's fingers (like water), money just dribbles away;* ⟨fig.⟩ de tijd loopt als ~ door je vingers *(the) time just slips / flies by, the sands are running out*.
zandaardappel ⟨de (m.)⟩ 0.1 *light- / sandy-soil potato*.
zandachtig ⟨bn.⟩ 0.1 [op zand lijkend] *sandy* ⇒⟨geol.⟩ *arenaceous* 0.2 [met zand bedekt] *sandy*.
zandafgraving ⟨de (v.)⟩ 0.1 [plaats] *sand pit* 0.2 [het afgraven van zand] *sand digging*.
zandauto ⟨de (m.)⟩ 0.1 *sand* ᴮ*lorry / ᴬtruck*.
zandbad ⟨het⟩ 0.1 *sand bath*.
zandbak ⟨de (m.)⟩ 0.1 [bak met zand] *sandbox;* ⟨AE vnl.⟩ *sandpit* 0.2 [platboomde schuit] *sand barge*.
zandbank ⟨de⟩ 0.1 *sandbank* ⇒⟨hindernis⟩ *shoal* ◆ 3.1 de ~ verschiet *the s. is shifting* 6.1 vastlopen op een ~ *run aground on / get stuck on a s..*
zandbed ⟨het⟩ 0.1 *sandbed* ⇒⟨tech.⟩ *pig bed*, ⟨bouwk.⟩ *sand founda-tion*.
zanden ⟨ov.ww.⟩ 0.1 [met zand bestrooien] *sand* 0.2 [met zand mengen] *(mix with) sand*.
zanderig ⟨bn.⟩ →zandachtig.
zanderij ⟨de (v.)⟩ 0.1 *sandpit* ⇒*sand quarry*.
zandfilter ⟨het, de (m.)⟩ 0.1 *sand filter*.
zandflora ⟨de⟩ 0.1 ⟨plantk.⟩ *arenaceous flora*.
zandgebak ⟨het⟩ 0.1 *shortbread* ⇒⟨BE; vnl. dik⟩ *shortcake*.
zandgebied ⟨het⟩ 0.1 *sandy area* ⇒*sands*.
zandgeel ⟨het⟩ 0.1 *sandy*.
zandgraverij →zanderij.
zandgroeve →zanderij.
zandgrond ⟨de (m.)⟩ 0.1 [bodem] *sandy soil* 0.2 [streek] ⟨→zandge-bied⟩ ◆ 6.1 ⟨fig.⟩ op een ~ bouwen *build on sand / sandy ground*.
zandhaas ⟨de (m.)⟩ 0.1 *footslogger*.
zandhapper ⟨de (m.)⟩⟨inf.⟩ 0.1 *clamshell / grab-bucket excavator*.
zandheuvel ⟨de (m.)⟩ 0.1 *sandhill, dune*.
zandhoos ⟨de⟩ 0.1 *sand spout / column* ⇒⟨klein⟩ *dust devil*.
zandhoudend ⟨bn.⟩ 0.1 *sandy* ⇒⟨geol.⟩ *arenaceous*.
zandig ⟨bn.⟩ 0.1 *sandy* ⇒⟨geol.⟩ *arenaceous* ◆ 1.1 ~e groenten *gritty vegetables*.
zandkasteel ⟨het⟩ 0.1 *sandcastle*.
zandkever ⟨de (m.)⟩ 0.1 ⟨dierk.⟩ 0.1 *tiger beetle*.
zandkleurig ⟨bn.⟩ 0.1 *sandy(-coloured)*.
zandkoekje ⟨het⟩ 0.1 *shortbread (biscuit / ᴬcookie)*.
zandkorrel ⟨de (m.)⟩ 0.1 *grain of sand*.
zandkuil ⟨de (m.)⟩ 0.1 [zanderij]⟨→zanderij⟩ 0.2 [bij het golfspel] *sand trap* ⇒⟨vnl. BE ook⟩ *bunker*.
zandlaag ⟨de⟩ 0.1 [laag zand] *layer of sand, sandbed* 0.2 [laag stenen] *bed / layer of sand*.
zandloper ⟨de (m.)⟩ 0.1 *hourglass* ⇒*sandglass*, ⟨mbt. eieren koken⟩ *egg-timer*.
zandmannetje ⟨het⟩ 0.1 *sandman*.
zandpad ⟨het⟩ 0.1 *sandy path*.

zandplaat 〈de〉 **0.1** *sandbar, flat;* 〈vnl. in rivier〉 *hurst.*

zandregen 〈de (m.)〉 **0.1** *rain of sand.*

zandrug 〈de (m.)〉 **0.1** *sand ridge, sandy ridge.*

zandruiter 〈de (m.)〉〈scherts.〉 **0.1** *unhorsed/unseated rider* ◆ **3.1** ~ worden *be thrown;* 〈inf.〉 *take a toss.*

zandschilder 〈de (m.)〉, **-es** 〈de (v.)〉 **0.1** *sand painter.*

zandschilderen 〈ww.〉 **0.1** *sand/dry painting.*

zandschuit 〈de〉 →**zandbak 0.2.**

zandsteen 〈het, de (m.)〉 **0.1** [gesteente] *sandstone* **0.2** [kunststeen] *sandstone* ◆ **1.1** een blok ~ *a block of s.* **2.1** (huis van) bruinrode ~ *(a) red sandstone/^(a) brownstone (house);* grove ~ *grit(stone)* **6.1** met ~ bouwen *build in s..*

zandsteengroeve 〈de〉 **0.1** *sandstone quarry.*

zandstenen 〈bn.〉 **0.1** *sandstone.*

zandstorm 〈de (m.)〉 **0.1** *sandstorm.*

zandstraal 〈de (m.)〉 **0.1** *sandblast* ⇒*jet of sand.*

zandstraalapparaat 〈het〉〈tech.〉 **0.1** *sandblast* ⇒*sandbellows.*

zandstralen 〈onov., ov.ww.〉 **0.1** [mbt. gevels] *sandblast* **0.2** [figuren in glas aanbrengen] *sandblast.*

zandstraler 〈de (m.)〉 **0.1** *sandblaster.*

zandstrand 〈het〉 **0.1** *sandy beach* ⇒〈mv.〉 *sands.*

zandstrooier 〈de (m.)〉 **0.1** *sander* ⇒〈toestel ook〉 *sanding machine,* 〈bak op locomotief〉 *sandbox.*

zandtaart 〈de〉 →**zandgebak.**

zandtaartje 〈het〉 **0.1** [gebakje]〈→**zandkoekje**〉 **0.2** [〈kind.〉 taartje van zand] *mud pie.*

zandvaart 〈de〉 **0.1** *sand shipping/carrying* ⇒*shipment of sand.*

zandverstuiving 〈de (v.)〉 **0.1** [het verstuiven van zand] *sand drift* ⇒ *drifting sand* **0.2** [vlakte] *sand drift* ⇒*drifting sand.*

zandvlakte 〈de (v.)〉 **0.1** *sand flat* ⇒*sand level, sand(y) plain.*

zandvlo 〈de〉 **0.1** *sand flea* ⇒*chigoe, chigger, jigger.*

zandvorm 〈de (m.)〉 **0.1** *sand-mould* ^*-mold.*

zandweg 〈de (m.)〉 **0.1** *sand(y) track/road, dirt track*/〈AE ook〉 *road* ◆ **6.1** 〈fig.〉 zijn karretje rijdt op een~ *he's in clover, things are going his way, he's got the world at his feet.*

zandwoestijn 〈de〉 **0.1** *sand(y) desert/waste, sands.*

zandzak 〈de (m.)〉 **0.1** *sandbag* ◆ **6.1** met ~ken versterken/barricaderen/ophogen/afsluiten *sandbag,* 〈versterken〉 *reinforce/barricade/* 〈ophogen〉 *raise/* 〈afsluiten〉 *seal off with sandbags.*

zandzee 〈de〉 **0.1** *sea of sand.*

zandzuiger 〈de (m.)〉 **0.1** *sand sucker/pump, suction dredger.*

zang 〈de (m.)〉 **0.1** [het zingen] *song, singing* ⇒*warbling* 〈van vogels〉, *chant(ing)* 〈van kloosterlingen〉 **0.2** [wat men zingt] *song* ⇒*tune* **0.3** [zangstuk] *song* ⇒〈lit. ook〉 *poem* **0.4** [deel van een dichtstuk] *canto* ◆ **2.4** de eerste ~ v.d. Ilias/Dantes Inferno *the first book of the Iliad/ first Canto of Dante's Inferno* **6.1** naar ~ gaan *go to choir;* **op** ~ zijn *be in a choir, be a choral singer* **6.2** 〈fig.〉 veel noten op zijn ~ hebben *be hard to please/very exacting/a hard taskmaster* ¶.1 ~: Mathilde Santing *vocals/vocalist: Mathilde Santing.*

zangbodem 〈de (m.)〉 **0.1** [mbt. een piano] *sound(ing) board* **0.2** [mbt. een strijkinstrument] *sound(ing) board.*

zangboek 〈het〉 **0.1** *songbook* ⇒〈kerk.〉 *hymnal, hymn book.*

zangcursus 〈de (m.)〉 **0.1** *singing class* ⇒*(course/set of) singing lessons.*

zanger¹ 〈de (m.)〉, **-es** 〈de (v.)〉 **0.1** [iem. die zingt] *singer* ⇒〈vnl. jazz en pop〉 *vocalist,* 〈scherts.〉 *songster,* 〈pej.; scherts.〉 *crooner* **0.2** [persoon mbt. zijn zang] *singer* **0.3** [dichter] *poet* ⇒〈bard〉 *bard* ◆ **1.1** ~es van populaire songs *singer of popular songs* **1.3** de ~ van de Ilias *the bard of Troy* **2.2** hij is een goed/een middelmatig ~ *he is a good/indifferent s./performer.*

zanger² 〈de (m.)〉 →**zangvogel.**

zangerig 〈bn.〉 **0.1** *melodious, tuneful* ⇒*lilting,* 〈mbt. intonatie〉 *sing-song* ◆ **1.1** dat typisch, ~ Schots accent van hem 〈ook〉 *that typical Scottish chant of his;* een ~e taal/stem *a melodious language, a lilting voice;* ~e verzen *m./t. lines.*

zangfestival 〈het〉 **0.1** *song festival.*

zanghulde 〈de (v.)〉 **0.1** *choral tribute* ⇒*musical tribute,* 〈voor een vrouw〉 *serenade.*

zangkoor 〈het〉 **0.1** [groep van zangers] *choir* **0.2** [oksaal] *choir* ⇒〈mv.〉 *choir stalls.*

zangkunst 〈de (v.)〉 **0.1** *(art of) singing* ⇒*singing technique,* 〈mbt. een koor〉 *choral art.*

zangleraar 〈de (m.)〉, **-rares** 〈de (v.)〉 **0.1** *singing teacher.*

zangles 〈de〉 **0.1** [les in het zingen] *singing lesson(s)* **0.2** [keer, gelegenheid] *singing lesson.*

zanglijster 〈de〉 **0.1** *(song) thrush* ⇒〈inf.〉 *mavis,* 〈dicht.〉 *throstle.*

zanglustig 〈bn.〉 **0.1** *fond of singing.*

zangmuziek 〈de (v.)〉〈muz.〉 **0.1** *vocal music.*

zangnoot 〈de〉 **0.1** *musical note.*

zangnummer 〈het〉 **0.1** *song* ⇒*vocal item/number.*

zangoefening 〈de (v.)〉〈muz.〉 **0.1** *singing exercise.*

zangpartij 〈de (v.)〉〈muz.〉 **0.1** *vocal/voice part* ⇒〈mbt. een koor〉 *choral part.*

zangpedagoog 〈de (m.)〉 **0.1** *singing master.*

zangschool 〈de〉 **0.1** [school voor zangonderwijs] *singing school* ⇒ 〈schr.〉 *school of singing* **0.2** [methode] *school of singing.*

zangspel 〈het〉 **0.1** *lyrical drama.*

zangstem 〈de〉 **0.1** [stem geschikt tot zingen] *singing voice* **0.2** [zangpartij]〈→**zangpartij**〉 ◆ **2.1** over een goede~ beschikken *have got a good (s.) v..*

zangstijl 〈de (m.)〉〈muz.〉 **0.1** *delivery* ⇒*style of singing.*

zangthema 〈het〉〈muz.〉 **0.1** *second theme in the sonata form.*

zangvereniging 〈de (v.)〉 **0.1** *choir* ⇒*choral society,* 〈vnl. AE ook〉 *glee club* ◆ **2.1** koor uit verschillende~en samengesteld *massed choir.*

zangvogel 〈de (m.)〉 **0.1** *songbird* ⇒*songster, warbler.*

zangwedstrijd 〈de (m.)〉 **0.1** *song/singing contest* ⇒*singing competition.*

zangwijs 〈de〉 **0.1** *melody, tune.*

zangzaad 〈het〉 **0.1** *mixed birdseed.*

zanik 〈de (m.)〉 **0.1** *bore* ⇒〈klager〉 *moaner, whiner, nag(ger),* 〈lastpost〉 *pest,* 〈inf., man〉 *wailing Willie,* 〈inf., vrouw〉 *moaning Minny* ◆ **2.1** hij is een ouwe~ *he is such a b./nag;* 〈klager〉 *he is an old grumbler/grouser, he's like a bear with a sore head.*

zaniken 〈onov.ww.〉 **0.1** *nag* ⇒〈klagen〉 *moan, frumble,* 〈dreinen〉 *bleat, whine,* 〈sl.〉 *bellyache* ◆ **3.1** zij bleef net zo lang~ tot hij het haar gaf *she nagged him into giving it to her* **4.1** wat zanik je nu weer? *what are you harping on/bleating about now?* **6.1** zanik me niet **aan** m'n kop! *don't nag me!;* **om** iets~*pester/badger for sth.;* blijven~ **over** iets *keep harping/nagging/carping on about sth.;* hij vindt altijd wel iets om **over** te~ *he always finds sth. to n./whine/moan/bellyache about* ¶.1 lig toch niet te~ *stop nagging/bellyaching/whining/ carping, will you.*

zaniker 〈de (m.)〉 →**zanik.**

zanikpot →**zanik.**

zarzuela 〈de〉〈cul.〉 **0.1** *zarzuela.*

z-as 〈de〉〈wisk.〉 **0.1** *axis of z, z-axis.*

zat 〈→sprw. 583〉
I 〈bn.〉 **0.1** [dronken]〈attr.〉 *drunken;* 〈alleen pred.〉 *drunk* ⇒〈alleen pred., inf.〉 *boozed, tight, tipsy, sozzled, soused, pickled* **0.2** [moe, beu] *fed up* ⇒*sick, tired,* 〈inf.〉 *cheesed/browned off* **0.3** [verzadigd] *full (up)* ⇒〈schr.〉 *sated, replete* ◆ **3.2** ik ben die leraar/dat gepraat~ *I'm fed up/fed to the (back) teeth with that teacher/that talking;* 't~ zijn *be fed up (with it), have had enough (of it)* **3.3** zich aan iets~ eten *eat one's fill of sth., eat sth. until one is fit to burst;* 〈fig.〉 zich~ aan iets kijken *goggle/stare at sth., look at sth. with popping eyes* **8.1** zo~ als een aap/kanon/Maleier/〈AZN〉 als een patat/pinneke *as drunk as a lord, like a drunken Irish navvy* ¶.1 beter~ dan flauw ≠*drink fills the stomach* ¶.2 oud en der dagen~ *old and weary of life;*
II 〈bw.〉〈inf.〉 **0.1** [in overvloed]〈attr.〉 *plenty;* 〈na zn.〉 *to spare* ⇒ 〈attr.〉 *ample* **0.2** [vaak] *all the time* ◆ **1.1** zij hebben~ geld *they have plenty/lots/pots/bags/oodles of money, they're rolling (in money);* je hebt nog tijd~ *you have still got plenty of time/time to spare/time in hand;* er is whisky/geld~ *there's whisky/money galore* **3.2** dat gebeurt~ *that happens all the time, that's always happening.*

zaterdag 〈de (m.)〉 **0.1** *Saturday* ◆ **2.1** Stille Zaterdag *Holy Saturday* **3.1** ~ houden ≠*get cleaned up, spruce/smarten (o.s.) up;* je houdt al vroeg~ *you're having an early weekend aren't you* **6.1** op ~ 〈iedere week〉 *on Saturday(s);* 〈aanstaande of afgelopen zaterdag〉 *on Saturday;* hij kwam de~/ **op** ~ aan *he arrived on the/on Saturday.*

zaterdagavond 〈de (m.)〉 **0.1** *Saturday evening/night* ◆ **3.1** ~ houden ≠*have a good/overall wash and brushup* ¶.1 's zaterdag(s)avonds *(on) Saturday night(s), on a Saturday night.*

zaterdagclub 〈de〉〈sport〉 **0.1** *Saturday League club.*

zaterdagcompetitie 〈de (v.)〉〈sport〉 **0.1** *Saturday League.*

zaterdags
I 〈bw.〉 **0.1** [op zaterdag] *(on) Saturday(s)* ⇒*on a Saturday* ◆ **3.1** ~ heb ik les *I have lessons on Saturday(s);*
II 〈bn.〉 **0.1** [van zaterdag] *Saturday* ◆ **1.1** de ~e boodschappen *the Saturday shopping;* 〈fig.〉 iets met~e steken maken *dash sth. off;* 〈iets samenflansen〉 *throw/cobble sth. together.*

zatheid 〈de (v.)〉 **0.1** [dronkenschap] *drunkenness* **0.2** [verzadigdheid] *ful(l)ness* ⇒〈schr.〉 *satedness, satiety, surfeit.*

zatladder 〈de (m.)〉〈pej.〉 **0.1** *boozer* ⇒*soak.*

zatlap →**zatladder.**

zavel 〈het, de (m.)〉 **0.1** [grond] *sandy clay* ⇒〈leem〉 *loam, mild clay* **0.2** [streek] *sandy clay* ⇒〈leem〉 *loam, mild clay.*

Z.B. 〈afk.〉 **0.1** [zuiderbreedte] *lat. S.* ◆ ¶.1 30° Z.B. *lat. 30° S..*

z.b.b.h.h. 〈afk.〉 **0.1** [zijn bezigheden buitenshuis hebbende] 〈*away during the day*〉.

Z.D. 〈afk.〉 **0.1** [Zijne Doorluchtigheid] *H.E.* ⇒*H.G., H.H..*

Z.D.H. 〈afk.〉 **0.1** [Zijne Doorluchtige Hoogheid] *H.S.H..*

ze
I 〈pers.vnw.〉 **0.1** [〈subjectsvorm 3de pers. vrouw. enk.〉] *she* **0.2** [〈inf.〉 objectsvorm 3de pers. vrouw. enk.〉] *her* **0.3** [〈subjectsvorm 3de pers. mv.〉] *they* **0.4** [〈objectsvorm 3de pers. mv.〉] *them* ⇒〈inf.〉 *'em* **0.5** [〈als loos object〉]〈zie 3.5〉 ◆ **3.1** ~ komt zo *s. is just coming* **3.3** daar gaan~ *there t. go* **3.4** roep~ eens *just call t.* **3.5** 〈inf.〉 eet~, maf~ *eat/sleep well;* hij heeft~ achter de elleboog/mouw *he's a sneak;* 〈fig.〉 hij zal~ krijgen 〈straf krijgen〉 *he'll catch it;*
II 〈onb.vnw.〉 **0.1** [men] *they* ◆ **3.1** daar moesten~ eens iets aan doen *t. ought to do sth. about that;* ~ zeggen *t. say.*

Z.E. ⟨afk.⟩ **0.1** [Zijne Edelheid] *HG,H.G.* ⟨hertog, aartsbisschop⟩ **0.2** [Zijn Eerwaarde] *Rev.*.
zeboe ⟨de (m.)⟩ **0.1** *zebu.*
zebra ⟨de (m.)⟩ **0.1** [dier] *zebra* **0.2** [zebrapad]⟨→zebrapad⟩.
zebracode ⟨de (m.)⟩⟨inf.⟩ **0.1** *bar code.*
zebrapad ⟨het⟩ **0.1** [B]*pedestrian crossing*, [A]*crosswalk* ⇒⟨BE ook⟩ *zebra crossing*, ⟨vnl. BE; met door de voetganger te bedienen lichten⟩ *pelican crossing.*
zebrastreep ⟨de⟩ **0.1** *zebra stripe.*
zede ⟨de⟩ ⟨→sprw. 14⟩ **0.1** [gebruik, gewoonte] *custom* ⇒*tradition, practice*, ⟨gebruik⟩ *usage* **0.2** [⟨mv.⟩ ethische norm] *morals* ⇒*ethics*, ⟨schr.⟩ *(social) mores*, ⟨manieren⟩ *manners* ♦ **1.1** ~n en gewoonten *customs and traditions* **2.2** in strijd met de goede ~n *contrary to good manners;* de goede ~n schenden *offend against common/public decency/decorum;* een meisje van lichte ~n *a girl of easy virtue;* losse ~n *loose/lax/slack morals.*
zedelijk ⟨bn., bw.; -ly⟩ **0.1** [moreel] *moral* ⇒*ethical* **0.2** [deugdzaam] *moral* ⇒*decent, virtuous* ♦ **1.1** ~bewustzijn *(a) m. sense;* getuigschrift van goed~ gedrag *certificate of good conduct;* het ~ verval *m. decadence, decline/drop in m. standards/values/morals;* ~e wetten *m. laws/code, ethics* **1.¶** ⟨jur.⟩ een ~ lichaam *a body corporate, a corporate body* **2.1** een ~ hoogstaand mens *a person of high m. standing;* zich~ tot iets verplicht voelen *feel morally obliged to do sth.;* ~ vrij zijn *be m./virtuous, be a m. person, have a m. outlook.*
zedelijkheid ⟨de (v.)⟩ **0.1** [verhouding tot de ethische norm] *morality* **0.2** [het overeenkomen met de zedelijke norm] *morality* ⇒*decency, virtuousness* ♦ **2.2** openbare ~ ⟨mv.⟩ *public morals; common decency* **¶.2** in strijd met de ~ zijn *offend common/public decency.*
zedelijkheidsoogpunt ⟨het⟩ ♦ **6.¶** uit ~ *on moral grounds.*
zedeloos ⟨bn., bw.; -ly⟩ **0.1** *immoral, corrupt* ⇒⟨mbt. personen⟩ *degenerate, dissolute*, ⟨bn.⟩ *unprincipled, depraved*, ⟨bn.; film e.d.⟩ *obscene* ♦ **3.1** ~ maken *debauch, corrupt, deprave.*
zedenbederf ⟨het⟩ **0.1** *moral corruption* ⇒*moral degeneracy/decay, depravity*, ⟨verval⟩ *decline/drop in moral standards.*
zedenbedervend ⟨bn.; -ly⟩ **0.1** *immoral* ⇒⟨bn.⟩ *morally corrupting.*
zedendelict ⟨het⟩ **0.1** *indecency offence* [A]*se* ⇒*act of indecency*, ⟨van seksuele aard⟩ *sexual offence, immoral act, offence* [A]*se against public decency* ♦ **6.1** wegens een ~ aangeklaagd worden *be charged with indecent assault/indecency/a sexual offence.*
zedendelinquent ⟨de (m.)⟩ **0.1** *moral delinquent/offender* ⇒⟨seksueel misbruik⟩ *sex offender.*
zedenkunde ⟨de (v.)⟩ ⇒*zedenleer* **0.1.**
zedenkundig ⟨bn., bw.⟩ **0.1** *moral, ethical* ♦ **1.1** een ~ leesboek *a textbook on m. philosophy/ethics.*
zedenkwetsend ⟨bn.; -ly⟩ **0.1** *immoral* ⇒*morally offensive, obscene.*
zedenleer ⟨de⟩ **0.1** [ethiek] *moral philosophy, ethics* ⇒⟨stelsel⟩ *moral code* **0.2** [geschrift] *moral/ethical treatise.*
zedenles ⟨de⟩ **0.1** *moral (lesson).*
zedenmeester ⟨de (m.)⟩ **0.1** *moralist* ⇒⟨Rom. gesch.⟩ *censor.*
zedenmisdrijf ⟨het⟩ ⇒*zedendelict.*
zedenpolitie ⟨de (v.)⟩ **0.1** *vice squad.*
zedenprediker ⟨de (m.)⟩ **0.1** *moralist, moralizer* ⇒*sermonizer*, ⟨pej.⟩ *prig.*
zedenpreek ⟨de⟩ **0.1** *sermon* ⇒*homily, lecture* ♦ **3.1** een ~ houden tegen iem. *preach at/lecture s.o., give s.o. a s./homily/lecture;* ⟨schr.⟩ *sermonize s.o..*
zedenroman ⟨de (m.)⟩ **0.1** *novel of manners.*
zedenschildering ⟨de (v.)⟩ **0.1** *picture/portrayal of life and customs* ♦ **1.1** ~ v.h. 17de eeuwse Nederland *picture/portrayal of the life and customs in 17th-century Holland.*
zedenspel ⟨het⟩ **0.1** *comedy of manners.*
zedenspreuk ⟨de⟩ **0.1** *motto* ⇒*maxim, gnome.*
zedenverwildering ⟨de (v.)⟩ →*zedenbederf.*
zedenwet ⟨de⟩ **0.1** *moral law* ♦ **2.1** natuurlijke ~ *law of nature.*
zedig ⟨bn., bw.; -ly⟩ **0.1** *modest* ⇒⟨stemmig⟩ *staid*, ⟨ingetogen⟩ *demure*, ⟨eerbaar⟩ *chaste*, ⟨gemaakt⟩ *coy* ♦ **3.1** zich ~ kleden *dress modestly;* ~ de ogen neerslaan *lower one's eyes modestly/demurely/coyly.*
zedigheid ⟨de (v.)⟩ **0.1** *modesty* ⇒⟨stemmigheid⟩ *staidness*, ⟨ingetogenheid⟩ *demureness*, ⟨eerbaarheid⟩ *chastity*, ⟨gemaakt⟩ *coyness*, ⟨rechtschapenheid⟩ *integrity.*
zediglijk ⟨bw.⟩ ⟨schr.⟩ ⇒*zedig.*
zee ⟨de⟩ ⟨→sprw. 31,596,639,640,676⟩ **0.1** [uitgestretheid zout water] *sea* ⇒⟨de waves⟩, ⟨inf.⟩ *briny*, ⟨dicht.⟩ *the (briny) deep, the briny* **0.2** [deel van die uitgestretheid] *sea* **0.3** [overvloed] *sea* ⇒*flood, ocean, torrent* **0.4** [golf] *sea* ⇒*wave* ♦ **1.3** een ~ van bloed *a s./an ocean/rivers of blood;* een ~ van geld *pots/stacks/bags of money;* een ~ van licht *a flood of light;* een ~ van mensen *a s./mass of people;* een ~ van tijd *oceans/heaps/tons/bags/no end/a world of time;* een ~ van tranen *a flood of tears;* een ⟨plotselinge⟩ ~ van vlammen *a (sudden) sheet of flames, a sea of flames, a blaze;* een ~ van woorden *a torrent of words* **2.1** er staat een hoge ~ *the s. is running high;* een onstuimige /ruwe/woelige ~ *a turbulent/rough/choppy s.;* in volle, open ~ *on the*

high/open *sea(s);* ⟨dicht.⟩ *on the main;* er staat een zware ~ *there is a heavy s. running* **2.2** een staande ~ *a still s.* **2.4** een hoge ~ sloeg over dek *a high s. washed the deck/broke/swept over the deck* **2.¶** ⟨inf.⟩ de rooie ~ *the curse* **3.1** aflopende ~ *ebb (tide);* ~ houden *hold one's course;* ~ kiezen *put (out) to s., set sail;* wassende/opkomende ~ *flood/rising tide;* ~ winnen *get sea-room* **3.2** ⟨fig.⟩ een ~ om uit te drinken *an endless/never-ending job* **6.1** aan ~ *by the s., on the coast;* zijn vakantie **aan** ~ doorbrengen *spend one's holiday at the seaside/* ⟨BE⟩ *coast, have a seaside holiday;* **in** ~ gaan ⟨fig.⟩ *take the plunge, embark (on sth.), get (sth.) launched;* ⟨fig.⟩ met iem. **in** ~ gaan *take one's chance with s.o., throw in one's lot with s.o.;* **naar** ~ gaan *go to s., become a sailor;* ⟨fig.⟩ water **naar** de ~ dragen *carry/take coals to Newcastle, sell refrigerators to Eskimos;* ⟨fig.⟩ het water stroomt altijd **naar** ~ *money begets/makes money, money goes where money is;* **op** ~ *at s.;* **over** ~ *across/over the s.;* te land en ter ~ *on land and at s., by sea and by land;* de heerschappij **ter** ~ *the mastery/sovereignty of the seas/waves* **7.2** de zeven ~ën bevaren hebben *have sailed the seven seas* **7.4** ⟨fig.⟩ geen ~ gaat hem te hoog *he is game for anything* **¶.1** ⟨fig.⟩ recht door ~ *fair and square, on the level;* ⟨mbt. personen⟩ *living on the straight and narrow, straight(forward);* ⟨fig.⟩ niet recht door ~ *devious, shifty, bent.*
zeeajuin ⟨de (m.)⟩ ⟨plantk.⟩ **0.1** *sea onion/squill.*
Zeealpen ⟨zn.mv.⟩ **0.1** *Maritime Alps.*
zeeanemoon ⟨de⟩ **0.1** [bloemdier] *sea anemone* ⇒⟨dierk.⟩ *actinia* **0.2** [⟨mv.⟩ klasse] *sea anemones* ⇒*Actiniaria.*
zeeanker ⟨het⟩ ⟨scheep.⟩ **0.1** *sea anchor* ⇒*drogue.*
zeearend ⟨de⟩ **0.1** *(European) sea eagle* ⇒*ern(e), white-tailed eagle* ♦ **2.1** Amerikaanse ~ *osprey, fish hawk.*
zeearm ⟨de (m.)⟩ **0.1** *arm of the sea* ⇒*inlet, estuary*, ⟨Sch.E⟩ *firth.*
zeeatlas ⟨de (m.)⟩ **0.1** *nautical atlas.*
zeebaak ⟨de⟩ **0.1** *seamark* ⇒*beacon, buoy.*
zeebaars ⟨de (m.)⟩ ⟨dierk.⟩ **0.1** *bass.*
zeebad ⟨het⟩ **0.1** [bad in zee] *swim (in the sea)* ⇒⟨inf.⟩ *dip (in the sea)* **0.2** [badplaats] *seaside/* ⟨BE ook⟩ *coast(al) resort.*
zeebank ⟨de⟩ **0.1** ⟨zandbak⟩ *sandbak;* ⟨rif⟩ *reef.*
zeebanket ⟨het⟩ **0.1** *fruit of the sea* ⇒⟨vnl. schelpdieren⟩ *seafood.*
zeebenen ⟨zn.mv.⟩ **0.1** *sea legs* ♦ **3.1** ~ hebben *have got one's s. l.; be a good sailor;* ~ krijgen *get/find one's s. l..*
zeebestendig ⟨bn.; -ly⟩ **0.1** [bestand tegen zeewater] *sea-resistant* **0.2** [zeewaardig] *seaworthy.*
zeebeving ⟨de (v.)⟩ **0.1** *seaquake.*
zeebewoner ⟨de (m.)⟩ ⟨biol.⟩ **0.1** [plant] *marine plant* ⇒*sea/submarine plant*, ⟨mv. ook⟩ *marine vegetation* **0.2** [dier] *marine animal* ⇒*sea animal, pelagian* **0.3** [plant of dier] *inhabitant of the sea* ⇒⟨mv. ook⟩ *marine life.*
zeebliek ⟨de (m.)⟩ ⟨dierk.⟩ **0.1** [jonge, kleine haring] *white bait* **0.2** [sprot] *sprat.*
zeebodem ⟨de (m.)⟩ **0.1** *seabed* ⇒*sea-/ocean-floor, bottom of the sea.*
zeeboezem ⟨de (m.)⟩ →*zeegolf* **0.2.**
zeebonk ⟨de (m.)⟩ **0.1** *sea dog* ⇒⟨inf.⟩ *old salt*, ⟨vnl. dicht.⟩ *Jack tar.*
zeeboot ⟨de (m.)⟩ **0.1** *seagoing ship* ⇒*ocean-going ship/vessel.*
zeeboring ⟨de (v.)⟩ **0.1** *offshore drilling.*
zeeboulevard ⟨de (m.)⟩ **0.1** *(sea) front, esplanade* ⇒⟨vnl. BE⟩ *promenade* ♦ **6.1** langs de ~ wandelen *go for a walk along the front.*
zeebrak ⟨het⟩ **0.1** ≠*brackish seawater.*
zeebrand ⟨de (m.)⟩ **0.1** *surf* ⇒⟨brekende golven⟩ *breakers.*
zeebrasem ⟨de (m.)⟩ **0.1** *sparid, sparoid* ♦ **2.1** rode ~ *red sea bream.*
zeebreker ⟨de (m.)⟩ **0.1** *breakwater* ⇒*sea wall, mole*, ⟨korte⟩ *groyne*, ⟨tegen erosie⟩ *groyne* [A]*groin, spur.*
zeebrief ⟨de (m.)⟩ ⟨scheep.⟩ **0.1** *certificate of registry* ⇒*ship's passport, sea letter/brief/passport.*
zeebries ⟨de⟩ **0.1** *sea-breeze.*
zeecadet ⟨de (m.)⟩ **0.1** *naval cadet* ⇒*midshipman, reefer*, ⟨inf.⟩ *middy*, ⟨sl.⟩ *snotty.*
zeecadetkorps ⟨het⟩ **0.1** *naval cadet corps* ⇒⟨mv.⟩ *naval cadets.*
zeedamp ⟨de (m.)⟩ **0.1** *sea haze/mist.*
zeedelta ⟨de⟩ **0.1** *sea delta.*
zeedier ⟨het⟩ ⟨dierk.⟩ →*zeebewoner* **0.2.**
zeedijk ⟨de (m.)⟩ **0.1** *sea wall/bank* ⇒*sea embankment, dyke* [A]*dike.*
zeedrift ⟨de⟩ **0.1** *flotsam (and jetsam)* ⇒*wreckage, flotage.*
zeeduiker ⟨de (m.)⟩ ⟨dierk.⟩ **0.1** *grebe* ⟨geslacht Colymbus⟩*; diver*, [A]*loon* ⟨geslacht Gavia⟩.
zeeduin ⟨het⟩ **0.1** *coast(al) dune.*
zeeduivel ⟨de (m.)⟩ **0.1** *angler* ⇒*anglerfish, monkfish, sea devil.*
zeeëend ⟨de (m.)⟩ **0.1** *scoter.*
zeeëgel ⟨de (m.)⟩ **0.1** *sea-urchin.*
zeeëngte ⟨de (v.)⟩ **0.1** ⟨vnl. mv.⟩ *strait* ⇒*narrow(s)*, ⟨Sch.E⟩ *kyle.*
zeef ⟨de⟩ **0.1** *sieve, screen* ⇒⟨grote gaten⟩ *riddle*, ⟨vloeistoffen⟩ *strainer*, ⟨groenten e.d.⟩ *colander, cullender* ♦ **2.1** een geheugen als een ~ *a head/memory like a sieve* **8.1** zo dicht als een ~ zijn ⟨mbt. zaken⟩ *not hold water, be full of holes;* ⟨mbt. personen⟩ *not be able to keep anything to o.s.;* ⟨inf.⟩ *be a (real) sieve;* zo lek als een ~ zijn *leak like a sieve.*

zeefbeen ⟨het⟩ ⟨biol.⟩ **0.1** *ethmoid(al)(bone)*.

zeefdoek ⟨de (m.)⟩ **0.1** *tammy (cloth)* ⇒*cloth sieve, straining cloth, tamis*.

zeefdruk ⟨de (m.)⟩ **0.1** [handeling] *(silk-)screen process/printing* ⇒ *silk-screen, serigraphy* **0.2** [resultaat] *(silk-)screen print* ⇒*serigraph*.

zeeforel ⟨de⟩ **0.1** *sea trout*.

zeeg ⟨de⟩ **0.1** *camber* ⇒*bow* ⟨in hout⟩, ⟨scheepsdek ook⟩ *sheer*, ⟨boeg v.e. schip⟩ *flare* ♦ **3.1** een ~ hebben *camber, flare*.

zeegaand ⟨bn.⟩ **0.1** *seagoing* ⇒⟨op de oceaan varend⟩ *ocean-going*.

zeegang ⟨de (m.)⟩ **0.1** *swell* ⇒*sea(s)*, ⟨lang, rollend⟩ *sea-gate* ♦ **2.1** hoge ~ *heavy/rough swell/seas*; korte ~ *light swell, chop*.

zeegat ⟨het⟩ **0.1** *tidal inlet/outlet* ⇒*passage/entrance to the sea, sea gate* ♦ **3.1** het ~ uitgaan *put (out)/go to sea*; ⟨zeeman worden⟩ *go to sea*.

zeegevaar ⟨het⟩ **0.1** *danger from/of the sea* ⇒⟨verz.⟩ *marine/sea risk*.

zeegevecht ⟨het⟩ **0.1** *naval/sea battle* ⇒*sea fight*, ⟨mil.⟩ *naval engagement/action/combat*.

zeegewas ⟨het⟩ ⟨plantk.⟩ →**zeebewoner 0.1**.

zeegezicht ⟨het⟩ **0.1** [uitzicht op zee] *sea view* ⇒*view of the sea* **0.2** [schilderstuk] *seascape* ⇒*seapiece, marine*.

zeeglijn ⟨de⟩ **0.1** *sheer*.

zeegod ⟨de (m.)⟩ ⟨myth.⟩ **0.1** [godheid die de zee bewoont] *sea god* **0.2** [god die over de zee heerst] *sea god, god of the sea*.

zeegodin ⟨de (v.)⟩ ⟨myth.⟩ **0.1** [godheid die de zee bewoont] *sea goddess* **0.2** [vrouw van de heerser over de zee] *sea goddess, goddess of the sea*.

zeegolf ⟨de⟩ **0.1** [golf op zee] *(sea) wave* **0.2** [inham] *gulf, bay*.

zeegras ⟨het⟩ **0.1** *sea grass, eelgrass* ⇒*grass-/sea-/eelwrack*.

zeegroen¹ ⟨het⟩ **0.1** *sea-green, aquamarine*.

zeegroen² ⟨bn.⟩ **0.1** *sea-green, aquamarine* ⇒⟨plantk.⟩ *glaucous*.

zeehaan ⟨de (m.)⟩ ⟨dierk.⟩ **0.1** [poon] *gurnard, gurnet* **0.2** [soort vliegende vis: zeezwaluw] *swallow-fish*.

zeehaven ⟨de⟩ **0.1** [aan zee gelegen haven] *harbour, seaport* **0.2** [stad met scheepsverbinding met de zee] *inland port*.

zeeheerschappij ⟨de (v.)⟩ **0.1** *naval/maritime supremacy* ⇒*mastery of the seas, thalassocracy*.

zeeheld ⟨de (m.)⟩ **0.1** *sea hero* ⇒*hero of the sea*, ⟨mil.⟩ *naval hero*.

zeehond ⟨de (m.)⟩ **0.1** [dier] *seal* ⇒*sea calf/dog*, ⟨dierk.⟩ *phoca* **0.2** [⟨mv.⟩ familie] *seals* ⇒⟨dierk.⟩ *Phocidae* ♦ **2.1** mannelijke ~ *bull (seal)*.

zeehondebont ⟨het⟩ **0.1** *seal fur, sealskin*.

zeehondejong ⟨het⟩ ⟨dierk.⟩ **0.1** *seal pup*.

zeehondenjacht ⟨de⟩ **0.1** [het jagen] *seal hunting* **0.2** [een jacht] *seal hunt*.

zeehondenjager ⟨de (m.)⟩ **0.1** [persoon] *seal hunter* ⇒*sealer* **0.2** [schip] *seal hunter* ⇒*sealer*.

zeehoofd ⟨het⟩ **0.1** *pier* ⇒*jetty*, ⟨kaap⟩ *promontory*.

zeekaart ⟨de⟩ **0.1** *sea/nautical chart*.

zeekalf ⟨het⟩ ⟨dierk.⟩ **0.1** *harbour seal (pup)* ⇒*sea calf*.

zeekanaal ⟨het⟩ **0.1** *sea canal/channel*.

zeekant ⟨de (m.)⟩ **0.1** [streek bij de zee] (→**zeekust 0.2** [richting naar de zee] *seaward side, seaward(s)* **0.3** [oever van de zee] *(sea) front* ⇒⟨oever⟩ *seaboard*, ⟨vnl. AE⟩ *seaboard* ♦ **6.3** aan de ~ *on the (sea) front/seashore*.

zeekapitein ⟨de (m.)⟩ **0.1** *sea captain* ⇒⟨marine⟩ *navy/naval captain*.

zeekasteel ⟨het⟩ ⟨scheep.⟩ **0.1** *floating palace*.

zeeklaar ⟨bn.⟩ ⟨scheep.⟩ **0.1** *ready to sail/for sea*.

zeeklimaat ⟨het⟩ **0.1** *maritime climate*.

zeekoe ⟨de⟩ **0.1** *sea cow* ⇒⟨dierk.⟩ *sirenian*, ⟨Trichetus manatus⟩ *manatee, manati* ♦ **2.1** Indische ~ *dugong*.

zeekool ⟨de⟩ ⟨plantk.⟩ **0.1** *sea kale/cabbage*.

zeekrab ⟨de⟩ **0.1** *(jack) tar* ⇒*sailor*.

zeekreeft ⟨de⟩ **0.1** *lobster* ♦ **3.1** op ~ vissen *lobster-fish*.

zeekust ⟨de⟩ **0.1** *seacoast, seaside* ⇒⟨vnl. AE⟩ *seaboard*, ⟨BE ook⟩ *coast*.

zeekwal ⟨de⟩ ⟨dierk.⟩ **0.1** *jellyfish* ⇒*sea nettle*.

zeel ⟨het⟩ **0.1** [draagriem] *strap* ⇒*band*, ⟨onder stoelveren; n. telb.⟩ *webbing, trace* ⟨van haam⟩ **0.2** [⟨AZN⟩ touw] *rope*.

zeeland ⟨het⟩ **0.1** *maritime country*.

Zeeland ⟨het⟩ **0.1** *Zeeland*.

zeeleeuw ⟨de (m.)⟩ **0.1** [dier] *sealion* **0.2** [⟨mv.⟩ familie] *sealions*.

zeelieden ⟨zn.mv.⟩ **0.1** *seamen, sailors* ⇒⟨dicht.⟩ *mariners, seafarers*.

zeeloods ⟨de (m.)⟩ **0.1** *pilot*.

zeelt ⟨de⟩ **0.1** *tench*.

zeelucht ⟨de⟩ **0.1** *sea air*.

zeelui →**zeelieden**.

zeem
I ⟨het⟩ **0.1** [zeemleer] *shammy/chammy/chamois (leather)*;
II ⟨het, de (m.)⟩ **0.1** [zeemlap] *shammy/chammy/chamois (leather)*.

zeemaat ⟨de (m.)⟩ **0.1** *sailor*.

zeemacht ⟨de⟩ **0.1** [krijgsmacht ter zee] *navy* ⇒⟨mv.⟩ *naval forces* **0.2** [zeemogendheid] *naval/sea/maritime power*.

zeeman ⟨de (m.)⟩ **0.1** [matroos] *sailor* ⇒*seaman*, ⟨dicht.⟩ *mariner, seafarer* **0.2** [iem. vaardig in het besturen van een schip] *seaman* ♦ **2.2** ⟨fig.⟩ een goed ~ wordt ook wel eens nat ≠*everybody has a drop too*

much some time, nobody's perfect **3.1** ~ worden *going to be a sailor, go to sea*.

zeemanschap ⟨het⟩ **0.1** *seamanship* ♦ **2.1** een daad van slecht ~ *an act of poor s.* **3.1** ⟨fig.⟩ ~ gebruiken *give and take, compromise*.

zeemansgraf ⟨het⟩ **0.1** *watery grave* ⇒⟨inf.; scherts.⟩ *Davy Jones's locker* ♦ **2.1** een eerlijk ~ ⟨omkomen⟩ *death/drowning at sea*; ⟨overboord zetten⟩ *burial at sea*.

zeemanshuis ⟨het⟩ **0.1** *sailors' home*.

zeemansknoop ⟨de (m.)⟩ **0.1** *sailor's knot, round turn and two half hitches*.

zeemanskunst ⟨de (v.)⟩ **0.1** *seamanship* ⇒*navigational skill(s)*.

zeemansleven ⟨het⟩ **0.1** *sailor's/* ⟨vnl. dicht.⟩ *seafaring life*.

zeemanslied ⟨het⟩ **0.1** *shant(e)y, chanty* ^chantey.

zeemanstaal ⟨de⟩ **0.1** *nautical language/jargon*.

zeemeermin ⟨de (v.)⟩ **0.1** *mermaid*.

zeemeeuw ⟨de⟩ **0.1** *(sea) gull/mew*.

zeemijl ⟨de (m.)⟩ **0.1** *(international) nautical mile*.

zeemijn ⟨de⟩ **0.1** *(sea) mine*.

zeemlap ⟨de⟩ **0.1** *chammy/shammy/chamois (leather)*.

zeemleer ⟨het⟩ **0.1** *chamois/chammy/shammy (leather)*.

zeemleren ⟨bn.⟩ ⟨alleen attr.⟩ **0.1** *chamois, chammy, shammy*.

zeemogendheid ⟨de (v.)⟩ **0.1** *sea/naval power*.

zeemonster ⟨het⟩ **0.1** *sea monster*.

zeen
I ⟨de⟩ **0.1** [harde pees] *sinew, tendon*;
II ⟨het⟩ **0.1** [⟨stofnaam⟩] *sinew* ♦ **1.1** hij zat op een stuk ~ te kauwen *he was chewing (on) a piece of s.*.

zeenatie ⟨de (v.)⟩ **0.1** *maritime nation* ⇒⟨schr.⟩ *seafaring/seagoing nation*.

zeenimf ⟨de (v.)⟩ **0.1** *sea nymph* ⇒*Nereid*.

zeeniveau ⟨het⟩ →**zeespiegel**.

zeeofficier ⟨de (m.)⟩ **0.1** *naval officer*.

zeeolifant ⟨de (m.)⟩ **0.1** *elephant seal, sea elephant*.

zeeoorlog ⟨de (m.)⟩ **0.1** *naval war*.

zeeoverste ⟨de (m.)⟩ **0.1** *(naval) commander*.

zeep ⟨de⟩ **0.1** [reinigingsmiddel] *soap* **0.2** [schuim] *(soap)suds* ⇒*lather* ♦ **1.1** een stukje ~ *a small bar/tablet/cake of s.*; water en ~ *soap and water* **2.1** groene/zachte ~ *green/soft soap*; vloeibare ~ *liquid s.* **6.¶** om ~ gaan ⟨inf.⟩ *go west*; ⟨sl.⟩ *kick the bucket, croak*; **om** ~ helpen/brengen ⟨doden⟩ *kill*; ⟨sl.⟩ *croak, do in*; ⟨verknoeien⟩ *botch, bungle, mess/muck up*.

zeepaard ⟨het⟩ **0.1** [⟨myth.⟩] *sea horse* ⇒*hippocampus* **0.2** [walrus] *walrus*.

zeepaardje ⟨het⟩ **0.1** *sea horse* ⇒*hippocampus*.

zeepachtig ⟨bn.⟩ **0.1** *soapy* ⇒⟨wet.⟩ *saponaceous*.

zeepaling ⟨de (m.)⟩ ⟨dierk.⟩ **0.1** *sea eel* ⇒*conger (eel)*.

zeepbakje ⟨het⟩ **0.1** *soap dish*.

zeepbekken ⟨het⟩ **0.1** *shaving mug*.

zeepbel ⟨de⟩ **0.1** [bel van zeepwater] *(soap) bubble* **0.2** [⟨fig.⟩] *bubble, froth* ♦ **3.2** al zijn plannetjes bleken ~len te zijn *all his little plans proved to be nothing but hot air/a load of froth* **8.1** uiteenspatten als een ~ *burst like a (s.) b.*.

zeepdoos ⟨de⟩ **0.1** *soapbox*.

zeepfabricage ⟨de (v.)⟩ **0.1** *soap-making, manufacture of soap*.

zeephouder ⟨de (m.)⟩ **0.1** [apparaat] *soap holder* **0.2** [reservoir] *soap container*.

zeepier ⟨de⟩ **0.1** *lug(worm), lob(worm)*.

zeepje ⟨het⟩ ⟨inf.⟩ **0.1** *small bar/tablet/cake of soap*.

zeepkist ⟨de⟩ **0.1** [wagentje] *soapbox* ⇒⟨vnl. AE ook⟩ *go-cart* **0.2** [spreekgestoelte] *soapbox* ♦ **6.1** op de ~ gaan staan *get on one's/the s.*.

zeepkruid ⟨het⟩ ⟨plantk.⟩ **0.1** *soapwort* ⇒*bouncing Bet*.

zeeplaats ⟨de⟩ **0.1** *seaside town*.

zeepok ⟨de⟩ ⟨dierk.⟩ **0.1** *acorn barnacle/shell, sea acorn*.

zeepolder ⟨de (m.)⟩ **0.1** *(sea) polder*.

zeepost ⟨de⟩ **0.1** *overseas surface mail*.

zeeppoeder ⟨het, de (m.)⟩ **0.1** *soap/washing powder* ⇒*detergent*.

zeeprovincie ⟨de (v.)⟩ **0.1** *maritime province*.

zeepsop ⟨het⟩ **0.1** *(soap)suds* ♦ **3.1** het lijkt wel ~ *it tastes like dishwater*.

zeepspuit ⟨de⟩ **0.1** *soap dispenser*.

zeepvlokken ⟨zn.mv.⟩ **0.1** *soap flakes*.

zeepwater ⟨het⟩ **0.1** *soapy water*.

zeepzieder ⟨de (m.)⟩ **0.1** *soap-boiler*.

zeepziederij ⟨de (v.)⟩ **0.1** *soap works*.

zeer¹ ⟨het⟩ (→sprw. 448,523) **0.1** [pijn] *pain, ache* **0.2** [pijnlijke plaats] *sore* ♦ **2.1** oud ~ *an old sore, old sores* **2.2** kwaad ~ ⟨mensen⟩ *itch, scabies*; ⟨dieren⟩ *mange* **3.1** iem./zich ~ doen *hurt s.o./o.s.*; dat doet ~ *that hurts* **6.2** iem. in zijn ~ tasten/op zijn ~ trappen ⟨fig.⟩ *touch s.o. on the raw/on a tender spot*.

zeer²
I ⟨bn.⟩ **0.1** [pijnlijk] *sore, painful, aching* ♦ **1.1** een ~ hoofd ⟨pijnlijk⟩ *a s./an a. head*; ⟨schurftig⟩ *a scabby/scurfy head*; zere ogen *bleary eyes*;

II ⟨bw.⟩ **0.1** [in hoge mate] *very* ⇒*extremely, greatly, highly* ◆ **2.1** hij was er ~ mee ingenomen *he was delighted/ over the moon with it;* een ~ lange weg *a seemingly endless road* **3.1** zij hebben ~ genoten *they have had a whale of a (good) time they've had a great/super time, they enjoyed themselves hugely;* het is ~ te betreuren *it is a great pity (that);* het is ~ de vraag of … *it is highly questionable/exceedingly doubtful/ v. much to be doubted whether …* **5.1** al te ~ *too much, overmuch;* ik voel het maar al te ~ *I feel it only too well;* ~ onlangs *quite recently* **6.1** ik ben te ~ moeder, dan dat ik … *I am too much (of) a mother to …* **¶.1** ~ tot mijn verbazing *(v.) much to my amazement.*

zeeramp ⟨de⟩ **0.1** *shipping disaster.*

zeerecht ⟨het⟩ **0.1** [recht mbt. de zeevaart] *maritime law, admiralty (law)* **0.2** [belasting] *shipping dues.*

zeereerwaard ⟨bn.⟩ **0.1** ⟨pastoor⟩ *Reverend;* ⟨deken⟩ *Very Reverend.*

zeereis ⟨de⟩ **0.1** *(sea) voyage* ⇒⟨overtocht⟩ *passage, crossing.*

zeergeleerd ⟨bn.⟩ **0.1** *very learned.*

zeerob ⟨de (m.)⟩ **0.1** [persoon] *sea dog* ⇒⟨inf.⟩ *(old) salt, shellback* **0.2** [dier] *seal.*

zeeroof ⟨de (m.)⟩ **0.1** *piracy.*

zeerot ⟨de (m.)⟩ →**zeerob 0.1.**

zeeroute ⟨de⟩ **0.1** *sea route* ⇒*ocean/shipping lane.*

zeerover ⟨de (m.)⟩ **0.1** [piraat] *pirate* ⇒⟨vnl. 17e/18e eeuw⟩ *buccaneer,* ⟨dicht.⟩ *rover* **0.2** [schip] *pirate (ship)* ⇒⟨dicht.⟩ *rover.*

zeeroverij ⟨de (v.)⟩ **0.1** *(act of) piracy.*

zeeroversnest ⟨het⟩ **0.1** *nest of pirates.*

zeeroversvlag ⟨de⟩ **0.1** *pirate/black flag* ⇒*Jolly Roger.*

zeerst ⟨bw.⟩ **0.1** *very* ⇒*extremely, greatly, highly* ◆ **6.1** om het ~ *as hard/ fast/loud* ⟨enz.⟩ *as possible;* het spijt mij ten ~ e *I am deeply/extremely sorry.*

zeeschade ⟨de⟩ ⟨scheep.⟩ **0.1** *average* ⇒*sea damage, damage at sea.*

zeeschelp ⟨de⟩ **0.1** *seashell.*

zeeschilder ⟨de (m.)⟩ ⟨bk.⟩ **0.1** *seascape/marine painter.*

zeeschildpad ⟨de⟩ **0.1** *turtle.*

zeeschip ⟨het⟩ **0.1** *sea-/ocean-going vessel* ◆ **2.1** ⟨fig.⟩ een lastig/ongemakkelijk ~ *a trying/troublesome fellow, a tough customer.*

zeeschorpioen ⟨de (m.)⟩ ⟨dierk.⟩ **0.1** *sea scorpion,* ^A*sculpin.*

zeeschuimen ⟨ww.⟩ **0.1** *practise piracy.*

zeeschuimer ⟨de (m.)⟩ →**zeerover 0.1.**

zeesla ⟨de⟩ ⟨plantk.⟩ **0.1** [slawier] *sea lettuce* ⇒*green laver* **0.2** [⟨gew.⟩ zeekraal] *glasswort.*

zeeslag ⟨de (m.)⟩ **0.1** [zeegevecht] *sea/naval battle* **0.2** [spel] *battleships.*

zeeslak ⟨de⟩ **0.1** *sea slug* ⇒*nudibranch.*

zeeslang ⟨de⟩ **0.1** [giftige slang] *sea snake* **0.2** [monsterslang] *sea serpent.*

zeesleper ⟨de (m.)⟩ **0.1** *sea(going) tug(boat).*

zeesluis ⟨de⟩ **0.1** *sea lock.*

zeespiegel ⟨de (m.)⟩ **0.1** *sea level* ◆ **6.1** twee meter **boven** de ~ *two metres above s. l..*

zeester ⟨de⟩ **0.1** *starfish* ⇒⟨wet.⟩ *asteroid(ean).*

zeestorm ⟨de (m.)⟩ **0.1** ⟨op zee⟩ *storm at sea;* ⟨van zee⟩ *seaward storm.*

zeestraat ⟨de⟩ **0.1** ⟨vaak mv.⟩ *strait* ⇒*sound.*

zeestrand ⟨het⟩ **0.1** *(sea) beach;* ⟨AE ook⟩ *ocean beach.*

zeestrijdkrachten ⟨zn.mv.⟩ **0.1** *naval forces.*

zeestroming ⟨de (v.)⟩ **0.1** *(ocean) current* ◆ **2.1** warme ~ *warm current.*

zeestroom ⟨de (m.)⟩ →**zeestroming.**

zeestuk ⟨het⟩ ⟨bk.⟩ **0.1** *seascape* ⇒*marine.*

zeeterm ⟨de (m.)⟩ **0.1** *nautical term.*

zeetje ⟨het⟩ **0.1** [kleine zee] *small sea* **0.2** [golf] *sea* **0.3** [zeegezicht] ⟨→zeestuk⟩.

zeetong ⟨de⟩ **0.1** *sole.*

zeetransport ⟨het⟩ **0.1** *sea/marine/maritime transport* ⇒*sea carriage, transport/carriage by sea.*

Zeeuws ⟨bn.⟩ **0.1** *Zeeland* ⟨attr.⟩.

Zeeuws-Vlaanderen ⟨het⟩ **0.1** *Zealand Flanders.*

zeevaarder ⟨de (m.)⟩ **0.1** *navigator* ⇒⟨vnl. dicht.⟩ *seafarer.*

zeevaardij ⟨de (v.)⟩ ⟨schr.⟩ **0.1** *seafaring.*

zeevaart ⟨de⟩ **0.1** [vaart op/over de zee] *seagoing* **0.2** [kunst, uitoefening] ⟨→zeemanskunst⟩.

zeevaartkunde ⟨de (v.)⟩ **0.1** *seamanship, (art of) navigation.*

zeevaartkundig ⟨bn.⟩ ⟨scheep.⟩ **0.1** *nautical, navigational.*

zeevaartroute ⟨de⟩ **0.1** *shipping/navigation route/lane.*

zeevaartschool ⟨de⟩ **0.1** *nautical college.*

zeevalk ⟨de⟩ **0.1** *osprey* ⇒⟨AE ook⟩ *fish hawk.*

zeevarend ⟨bn.⟩ **0.1** *maritime* ⇒*seagoing,* ⟨vnl. dicht.⟩ *seafaring* ◆ **1.1** berichten aan ~ en *messages for sailors/seamen* **7.1** een ~ e *a sailor/ seaman;* ⟨schr.;dicht.⟩ *mariner.*

zeeverbinding ⟨de (v.)⟩ **0.1** *sea link.*

zeeverkenner ⟨de (m.)⟩ **0.1** *sea scout.*

zeevers ⟨bn.⟩ **0.1** *fresh* ⇒*fresh-caught* ◆ **2.1** ~ e paling *fresh eels.*

zeeverzekering ⟨de (v.)⟩ **0.1** *marine insurance* ◆ **3.1** een ~ afsluiten ⟨door maatschappij⟩ *underwrite a marine risk;* ⟨door verzekerde⟩ *take out a marine policy.*

zeevis ⟨de (m.)⟩ **0.1** *marine/saltwater/sea fish* ◆ **2.1** verse ~ ⟨niet bevroren⟩ *wet sea fish.*

zeevisserij ⟨de (v.)⟩ **0.1** *offshore fishing.*

zeevlam ⟨de⟩ **0.1** *sea fog.*

zeevolk ⟨het⟩ **0.1** *sailors* ⇒*seamen,* ⟨schr.;dicht.⟩ *mariners.*

zeevracht ⟨de⟩ **0.1** *seaborne freight/cargo.*

zeewaaier ⟨de (m.)⟩ **0.1** *sea fan.*

zeewaardig ⟨bn.⟩ **0.1** [geschikt om op zee te varen] *seaworthy* **0.2** [bestand tegen zeevervoer] *seaproof* ◆ **1.1** een ~ jacht *a s. yacht* **1.2** ~ e verpakking *seaproof packing.*

zeewaarts ⟨bw.⟩ **0.1** [aan de kant/in de richting van de zee] *on the seaward side* **0.2** [de zee in] *seaward(s)* ◆ **3.2** ~ aanhouden *stand out to sea/off;* ~ drijven *drift s..*

zeewater ⟨het⟩ **0.1** *seawater* ⇒*salt water* ◆ **2.1** spattend ~ *sea-spray.*

zeeweg ⟨de (m.)⟩ **0.1** [weg over zee] *seaway* ⇒*sea/ocean route,* ⟨vaste⟩ *sea-lane, ocean/shipping lane* **0.2** [weg naar zee] *seaway.*

zeewering ⟨de (v.)⟩ **0.1** *sea wall.*

zeewet ⟨de⟩ **0.1** *maritime law.*

zeewezen ⟨het⟩ **0.1** *(the) marine* ⇒*maritime/nautical/marine affairs.*

zeewier ⟨het⟩ **0.1** [in zee levend wier] *seaweed* ⇒⟨vnl. grotere soort⟩ *(sea) wrack, kelp,* ⟨vnl. aangespoeld, als kunstmest gebruikt⟩ *seaware* **0.2** [zeegras] *eelgrass* ◆ **6.1** met ~ begroeid *overgrown/covered with seaweed.*

zeewind ⟨de (m.)⟩ **0.1** *sea breeze/wind.*

zeewolf ⟨de (m.)⟩ **0.1** *wolffish* ⇒*sea wolf.*

zeezalm ⟨de⟩ **0.1** *pollack.*

zeezand ⟨het⟩ **0.1** [fijn zand] *sea sand* **0.2** [uit zee gewonnen zand] *sea sand.*

zeezeilen ⟨ww.⟩ **0.1** *ocean-sailing.*

zeezeiler ⟨de (m.)⟩ **0.1** *sea/marine yachtsman.*

zeeziek ⟨bn.⟩ **0.1** [aangetast door zeeziekte] *seasick* **0.2** [⟨fig.⟩] *sick* ◆ **3.1** ~ zijn *be s.;* ⟨inf.;overgeven⟩ *feed the fishes;* ⟨niet⟩ gauw ~ zijn ⟨niet gauw⟩ *be a good sailor;* ⟨gauw⟩ *be a bad sailor* **3.2** je maakt me ~ *you make me s..*

zeeziekte ⟨de (v.)⟩ **0.1** *seasickness.*

zeezout ⟨het⟩ **0.1** [keukenzout] *sea salt* **0.2** [zoutmengsel] *sea salt.*

zeezwaluw ⟨de (m.)⟩ ⟨dierk.⟩ **0.1** *sea swallow* ⇒*tern.*

zeg¹ ⟨de (m.)⟩ ⟨AZN⟩ **0.1** *say.*

zeg² ⟨tw.⟩ ⟨inf.⟩ **0.1** ^B*I say,* ^A*say* ◆ **¶.1** ~, zag je hem? *(I) say, did you see him?;* hé ~, kom eens hier *hey, come (over) here;* ~, ben je mal! *hey, are you crazy?;* nou ~! *you don't say, (well) fancy (that)!, (well) what do you know (about that)?;* kom nou ~ *come (on) now!, not really!, come off it!.*

zege ⟨de⟩ **0.1** *victory, triumph* ⇒⟨vnl. sport⟩ *win,* ⟨inf.;gemakkelijke⟩ *walkover,* ^A*walkaway* ◆ **3.1** de ~ was aan …… *was/were victorious.*

zegeboog ⟨de (m.)⟩ **0.1** *triumphal arch.*

zegedicht ⟨het⟩ **0.1** *song/poem of victory/triumph.*

zegekar ⟨de⟩ ◆ **6.¶** iem. **aan** zijn ~ binden *gain a victory over s.o..*

zegekrans ⟨de (m.)⟩ **0.1** *(laurel) wreath.*

zegel

I ⟨de (m.)⟩ **0.1** [gegomd strookje papier] *stamp* ⇒⟨waardezegel ook⟩ *trading stamp, coupon;*

II ⟨het⟩ **0.1** [zegelafdruk] *seal* **0.2** [stempel] *seal, stamp* ⇒*signet* **0.3** [mbt. roerende goederen] *seal* **0.4** [stempelmerk van de staat] *stamp* **0.5** [papier met het stempelmerk van de staat] *stamped paper* **0.6** [belasting] *stamp duty* **0.7** [wasdeksel van bijecel] *seal* ◆ **2.2** het klein/ groot ~ van een staat/stad *the small/grand seal of a state/city* **3.1** zijn ~ ergens op drukken ⟨fig.⟩ *set one's s. on/to sth.;* het ~ van een brief verbreken *unseal a letter, break the s. of a letter* **3.3** het ~ afnemen/ breken/verbreken *remove/break the s.* **6.1** akten **onder** ~ *deeds under s.;* ⟨fig.⟩ **onder** het ~ van geheimhouding *under the s. of secrecy* **6.5** rekesten **op** ~ *petitions on s. p.* **6.6** vrij **van** ~ *exempt from/free of s. d..*

zegelafdruk ⟨de (m.)⟩ **0.1** *(embossed/impressed) stamp* ⇒*impression, imprint,* ⟨zegel⟩ *seal* ◆ **6.1** met/voorzien v.e. ~ *stamped, embossed/ impressed with a stamp.*

zegelbewaarder ⟨de (m.)⟩ **0.1** [staatsambtenaar] *Keeper of the Seal* ⇒⟨GB⟩ *Lord Privy Seal* **0.2** [minister van justitie] ^B*Lord (High) Chancellor,* ^A*Attorney General.*

zegelboekje ⟨het⟩ **0.1** *stamp book(let).*

zegelen ⟨ov.ww.⟩ **0.1** [een zegel aanbrengen] *put/set a seal on* ⇒⟨mbt. een postzegel⟩ *stamp* **0.2** [verzegelen] *(place under) seal* ⇒⟨dichtmaken⟩ *seal up.*

zegelgeld ⟨het⟩ **0.1** *stamp duty* ⇒*stamp tax.*

zegelkosten ⟨zn.mv.⟩ **0.1** *stamp duties/charges.*

zegellak ⟨het, de (m.)⟩ **0.1** *sealing wax.*

zegelmerk ⟨het⟩ **0.1** *(embossed/impressed) stamp* ⇒*impression/imprint (of a seal).*

zegelrecht ⟨het⟩ **0.1** *stamp duty* ⇒*stamp tax.*

zegelring ⟨de (m.)⟩ **0.1** *signet ring.*

zegelverkoop ⟨de (m.)⟩ **0.1** *sale of stamps.*

zegelwas ⟨het, de (m.)⟩ **0.1** *sealing wax.*

zegen ⟨→sprw. 237⟩

I ⟨de (m.)⟩ **0.1** [reeks woorden waarmee men Gods gunst vraagt] *blessing* ⇒⟨kerk ook⟩ *benediction, benison* **0.2** [heil, voorspoed]

blessing ⇒ ⟨voorspoed⟩ *prosperity* 0.3 [blijk van gunst] *blessing* 0.4 [iets heilzaams] *blessing* ⇒*benefit, boon, godsend,* ⟨genade⟩ *mercy* ◆ **1.2** veel heil en ~ in het nieuwe jaar *much happiness and prosperity in the New Year* **1.3** kinderen zijn een ~ van God *children are a blessing/ gift from God* **2.4** een twijfelachtige ~ *a mixed blessing* **3.1** iem. zijn ~ geven *give s.o. one's blessing;* ⟨iron.⟩ *I'll be thankful when you leave, I'll be glad to see the back of you* **5.2** ⟨iron.⟩ je zult ermee gezegend zijn *fancy being saddled with such a thing/with that* **6.2** iem. ~ **met** iets *endow s.o. with sth.;* **met** aardse goederen gezegend zijn *be blessed/endowed with worldly goods* ¶.2 ⟨iron.⟩ gezegend ben je! *it's a pretty mess you're in!.*
II ⟨de⟩ **0.1** [visnet] *seine (net).*

zegenbede ⟨de⟩ **0.1** *benediction.*

zegenen ⟨ov.ww.⟩ **0.1** [de zegen geven] *bless* **0.2** [begunstigen] *bless* ⇒*favour, endow* **0.3** [prijzen] *bless* ⇒*praise* ◆ **1.1** een kerk ~ *consecrate a church* **1.2** ⟨iron.⟩ God zegene de greep *here's hoping (for the best), here goes!;* gezegende leeftijd/ouderdom *ripe old age;* in gezegende omstandigheden verkeren, gezegend zijn *be in the family way* **1.3** ik zegen het uur dat jij weggaat *I'll be glad to see the back of you* **5.2** ⟨iron.⟩ je zult ermee gezegend zijn *fancy being saddled with such a thing/with that* **6.2** iem. ~ **met** iets *endow s.o. with sth.;* **met** aardse goederen gezegend zijn *be blessed/endowed with worldly goods* ¶.2 ⟨iron.⟩ gezegend ben je! *it's a pretty mess you're in!.*

zegening ⟨de (v.)⟩ **0.1** [het zegenen] *blessing* ⇒⟨kerk ook⟩ *benediction, benison* **0.2** [weldaad, gunst] *blessing* ⇒*reward, benefit* ◆ **1.1** de ~ van de wapens *the blessing of the arms* **1.2** de ~ en des hemels *the blessings from above/from on high* **6.2** ⟨iron.⟩ de ~ en van het moderne **verkeer** *the blessings of modern traffic.*

zegenrijk ⟨bn.⟩ **0.1** *salutary* ⇒*beneficial,* ⟨voorspoedig⟩ *auspicious* ◆ **1.1** een ~ jaar *an auspicious year.*

zegenwens ⟨de (m.)⟩ **0.1** *blessing* ⇒⟨mv.⟩ *good wishes.*

zegepalm ⟨de (m.)⟩ **0.1** *palm of victory* ◆ **3.1** ⟨fig.⟩ de ~ behalen *win the honours.*

zegepraal ⟨de⟩ **0.1** [intocht] *triumphal entry* **0.2** [overwinning] *victory, triumph.*

zegepralen ⟨onov.ww.⟩ **0.1** *triumph* ⇒*be triumphant.*

zegepralend ⟨bn., bw.; -ly⟩ **0.1** *triumphal* ⇒⟨zegevierend⟩ *triumphant* ◆ **1.1** met een ~e blik *with a look of triumph, with a triumphant look;* een ~ intocht *a triumphal entry;* de ~e kerk *the church triumphant/ victorious.*

zegerijk ⟨bn.⟩ **0.1** *victorious, triumphant* ◆ **1.1** een ~ leger *a victorious/ triumphant army.*

zegeteken ⟨het⟩ **0.1** *trophy* ⇒⟨fig.; mbt. een verslagen tegenstander⟩ *scalp.*

zegetocht ⟨de (m.)⟩ **0.1** *triumphal/victory march/procession* ⇒*victorious passage* ◆ **1.1** de ~ van de computer *the triumphal progress of the computer,* ≠*the computer sweeping all before it.*

zegevieren ⟨onov.ww.⟩ **0.1** [overwinning behalen] *triumph* ⇒*be victorious, prevail,* ⟨overwinnen⟩ *conquer, overcome* **0.2** [moeilijkheden te boven komen] *triumph* ⇒*prevail, overcome* ◆ **1.1** het gezonde verstand zegevierde *common sense prevailed* **6.2** hij wist over alles te ~ *he was able to triumph over/overcome everything.*

zegevierend ⟨bn., bw.; -ly⟩ **0.1** [overwinnend] *victorious* ⇒*triumphant* **0.2** [triomfantelijk] *triumphant* ⇒⟨bw. ook⟩ *in triumph.*

zegevlag ⟨de⟩ **0.1** *victory banner.*

zegewagen ⟨de (m.)⟩ **0.1** ⟨triumphal⟩ *chariot.*

zegezang ⟨de (m.)⟩ ⟨schr.⟩ **0.1** *paean* ⇒⟨ongemarkeerd⟩ *victory hymn/ anthem, song of victory/triumph.*

zegezuil ⟨de⟩ **0.1** *triumphal column/pillar.*

zegge¹ ⟨de (v.)⟩ **0.1** *sedge.*

zegge² ⟨tw.⟩ **0.1** *in words* ◆ **1.1** f 100,-, ~ honderd gulden *f 100,-, in words, a hundred guilders* **9.¶** hij heeft er ~ en schrijve drie uur over gedaan *it took him no more than/as much as three hours.*

zeggen¹ ⟨het⟩ **0.1** *what one says* ◆ **6.1** volgens zijn ~ *according to him/to what he says;* **volgens** ~ is hij schatrijk *they say he's immensely rich; he's immensely rich, so they say.*

zeggen² ⟨ov.ww.⟩ ⟨→sprw. 1,187,226,339,677⟩ **0.1** [vertellen] *say* ⇒*tell,* ⟨opmerken⟩ *remark, comment* **0.2** [uitspreken] *say* ⇒*state* **0.3** [gebieden] *tell* ⇒⟨schr.⟩ *bid* **0.4** [vinden] *say* **0.5** [betekenen] *say* ⇒*mean,* ⟨met meewerkend voorwerp⟩ *tell* **0.6** [toezeggen] *say* ⇒*promise* **0.7** [bewijzen] *say* ⇒*prove* **0.8** [aanmerken] *say* ⇒*tell (s.o.)* **0.9** [verwijten] *tell* ⇒*give a talking to* **0.10** [schriftelijk meedelen] *say* ⇒*state* **0.11** [aannemen] *say* ⇒*assume* ◆ **1.1** dank ~ *thank, say thank you;* de waarheid ~ *tell the truth* **1.2** zoals de Amerikanen het zouden ~ *as the Americans would put/have it;* goede dag ~ ⟨bij komen⟩ *say hello;* ⟨bij gaan⟩ *say goodbye;* ⟨fig.⟩ daar kun je donder op ~ *you can bank on it, you can bet your life/bottom dollar on it;* oom tegen iem. ~ *call s.o. uncle;* ⟨fig.⟩ geen pap meer kunnen ~ *be fit to drop, be dead beat* **1.3** de kapitein zei de trossen los te gooien *the captain gave orders to cast off* **1.4** het zijne ~ *have one's say* **1.5** zoals de naam

reeds zegt *as the name implies* **1.10** zoals het handboek het zegt *as the handbook puts/has it;* de wet zegt ...*the law says/states/has it* **1.¶** knap! zei de roeiriem *snap! went the oar* **3.1** ik weet het van horen ~ *it is what I heard/was told, I know (about) it from hearsay, I heard it through/on the grapevine;* het valt niet te ~ *of there is no knowing/ saying whether;* wat wil je daarmee ~? *what are you trying to say?, what are you (driving) at?;* wat ik ~ wou *by the way* **3.2** ~ en doen zijn twee *saying and doing are two different things, there's many a slip 'twixt cup and lip;* onder ons gezegd en gezwegen *among(st)/between ourselves, confidentially;* ⟨inf.⟩ *between you, me and the gatepost* **3.3** je hebt het maar voor het ~ *you say the word, it's up to you* **3.4** wat zou je ~ van een kopje thee?/10 uur? *how about a cup of tea?/10 o'clock?* **3.5** dat wil niet ~ dat ...*that does not mean/imply that ...;* dat wil ~ ⟨uitleggend⟩ *that means, i.e.,* ⟨kwalificerend⟩ *that is (to say);* voor mij wil dit ~ dat ...*to me this means that ...* **3.8** dat laat ik me niet ~ *I won't take that/put up with that* **3.11** laten we ~, dat ...*let's say that ...* **4.1** het zal je maar gezegd zijn *fancy having that thrown in your teeth/flung at you;* als zij het ~, zal het wel zo zijn *we can take their word for it;* wat zeg je me nou? *what's that you are telling me?, what's this?, what!;* wat zegt u? (*I beg your) pardon?* ^*excuse me?, what did you say?, sorry?;* ⟨inf.⟩ *come again?;* zal ik je eens wat ~? *you know what?;* wie zal het ~? *who can say/tell?, there's no telling/ saying;* ik kan goed timmeren, al zeg ik het zelf *I am good at carpentry, although I say so myself* **4.2** hoe zal ik het ~? *how shall/can I put it?;* nou je het zegt *now (that) you (come to) mention it* **4.4** dat is toch zo, zeg nou zelf *it is true, isn't it?, it is true, admit it* **4.5** het zegt me niets *it means nothing to me;* en dat wil wat ~ *and that is saying sth./a lot* **4.7** dat zegt niets *that says/proves nothing* **5.1** men zegt algemeen, dat ...*it is generally/commonly held/believed that ..., by all accounts ...;* daar is alles mee gezegd *that's all there is to it;* daarmee is nog niet alles gezegd *that's not the whole story;* ⟨scherts.⟩ ik zeg maar zo, ik zeg maar niks *I'd better not say anything;* ik kan niet ~, dat het me wat doet ⟨inf.⟩ *I can't say as I care;* het is onverstandig, om niet te ~ dom *it is unwise, not to say stupid;* terloops gezegd *by the way;* dat hoef je haar geen tweemaal te ~ *she doesn't need telling twice;* zeg dat wel *you may well say so* **5.2** aardig gezegd *nicely put;* anders gezegd *to put it another way, in other words;* zeg eens a *just say ah;* dat is gemakkelijker gezegd dan gedaan *that is easier said than done;* hij is dom, liever/beter gezegd stom *he is stupid, or rather (more correctly) dumb;* ronduit gezegd: neen! *to put it bluntly: no!;* zo gezegd, zo gedaan *no sooner said than done;* het is om zo te ~ kunst *it is art of a sort;* alles was onderste boven, om zo te ~ *everything was upside down, so to speak/as it were* **5.4** het zijne ervan ~ *say one's piece/bit* **5.5** dat zegt al genoeg *that speaks for itself* **5.9** ik heb het haar eens goed gezegd *I gave her a good talking-to* **6.1** bij zichzelf ~ *say/think to o.s.;* **om** niet te ~ *not to say;* het is wat **te** ~ *what do you know, it's terrible/a shame/incredible/enormous* ⟨enz.⟩; wat zeg je **van** ons nieuwe huis? *what do you think of our new house?;* er is iets te ~ **voor** een bloedonderzoek *there is a case for a blood test* **6.2** om zo te ~ klaar zijn *be just about/sort of/^kind of ready;* **zonder** iets te ~ *without (saying) a word* **6.3** niets te ~ hebben ⟨fig.⟩ *have no authority, hold no sway, have no say;* hou je dat **voor** gezegd *don't you forget it, let that be clear/a warning;* het **voor** het ~ hebben *have the final word/ say, be in charge/control* **6.5** dat is **te** ~ *that is to say* **6.8** hij heeft **op** alles wat te ~ *he is always picking at things, he disagrees with everything, he is always full of criticism;* hij had er niets **op** te ~ *he had nothing to say to it/nothing to answer* **7.5** dat zegt me weinig *that means little to me, that doesn't mean much to me* **7.7** dat zegt niet veel *that doesn't say much* **8.1** zeg maar dat hij moet gaan *tell him to go;* men zegt, dat hij heel rijk is *he is said/reputed to be very rich, he is reputedly very rich;* men zegt, dat het vliegtuig verongelukt is *the aircraft is reported to have crashed;* ik wil je wel ~ dat ...*I don't mind telling you that ...* **8.4** je zou niet ~ dat hij al dertig is *you wouldn't say/think that he was thirty already, he doesn't look thirty* **8.11** zeg dat het een meter lang is *call it a metre long* **9.1** zeg het maar ⟨wens⟩ *you say the word;* ⟨spreek op⟩ *spit it out!;* wat ik je zeg! *take it from me!* **9.2** zeg maar 'Tom' *call me 'Tom'* ¶.2 daar zeg je zoiets *dat is waar ook) that reminds me;* ⟨goed idee⟩ *that's not a bad idea* ¶.4 wat leuk, zeg! *I say, how nice!* ¶.6 eens gezegd, blijft gezegd *what's said is said, you can't go back on your word, one's word is one's bond* ¶.¶ wat een dag, zeg! *I say, what a day!, what a day, isn't it / wasn't it?.*

zeggenschap ⟨het, de (v.)⟩ **0.1** *say* ⇒*voice, control, authority* ◆ **2.1** volledige ~ hebben *have complete control/authority* **3.1** mensen meer ~ geven *give people more/a greater say* **6.1** ~ hebben in een aangelegenheid *have a say/voice in a matter;* ~ **over** iets hebben/krijgen *have /get control/authority over sth..*

zegging ⟨de (v.)⟩ **0.1** *speech.*

zeggingskracht ⟨de⟩ **0.1** *power of expression, eloquence, expressiveness* ◆ **2.1** over een grote/sterke ~ beschikken *have great power of expression.*

zegje ⟨het⟩ ◆ **3.¶** ieder wil zijn ~ zeggen/doen/hebben *everyone wants to have their say/put their oar in/say their piece/bit.*

zegsman ⟨de (m.)⟩, **-vrouw** ⟨de (v.)⟩ **0.1** *informant* ⇒*authority* ◆ **3.1** wie is uw ~? *who is your i.?, on whose authority do you have it?;* ⟨fig.⟩ de ~ ligt op het kerkhof ≠*there's no knowing who started it/the rumour.*

zegswijze ⟨de⟩ **0.1** *phrase, saying* ⇒*expression, manner/ way of speaking.*

zeik ⟨de (m.)⟩ ⟨vulg.⟩ **0.1** *piss* ◆ **6.1** ⟨fig.⟩ iem. in de ~ zetten/nemen *take the piss out of s.o..*

zeiken ⟨onov.ww.⟩ ⟨vulg.⟩ **0.1** [zeuren] ⟨ongemarkeerd⟩ *go/harp/carry on* ⇒ ⟨klagen; ongemarkeerd⟩ *moan, bellyache* **0.2** [pissen] *piss* ⇒ ↑*pee,* ↑*wee, slash,* ↑*take a leak* **0.3** [stortregenen] *piss down* **0.4** [klieren] ⟨ongemarkeerd⟩ *nag* ⇒ ⟨ongemarkeerd⟩ *badger, pester* ◆ **3.1** lig niet te ~ *stop going/harping/carrying on* **3.3** toen we buiten kwamen begon het toch te ~ *when we got outside it started to piss down like anything.*

zeikerd ⟨de (m.)⟩ ⟨vulg.⟩ **0.1** [zeur] *bugger* ⇒ ⟨ongemarkeerd⟩ *bore, grouser, sourpuss* **0.2** [bangerik] ⟨inf.⟩ *yellow belly* **0.3** [klier] *pain (in the arse/^ass).*

zeikerig ⟨bn., bw.⟩ **0.1** *fretful* ⇒*whiney, nagging.*

zeiknat ⟨bn.⟩ ⟨vulg.⟩ **0.1** ⟨ongemarkeerd⟩ *sopping wet.*

zeiksnor ⟨de⟩ ⟨vulg.⟩ **0.1** [zeurpiet] *bugger* ⇒ ⟨ongemarkeerd⟩ *bore, grouser, sourpuss* **0.2** [hangsnor] ⟨ongemarkeerd⟩ *drooping moustache.*

zeikstraal ⟨de (m.)⟩ ⟨vulg.⟩ **0.1** [zeur] ⟨→zeikerd **0.1**⟩ **0.2** [bangerik] *yellowbelly.*

zeikvent ⟨de (m.)⟩, **-wijf** ⟨de (v.)⟩ ⟨vulg.⟩ **0.1** *bugger* ⇒ ⟨ongemarkeerd⟩ *bore, grouser, sourpuss.*

zeikweer ⟨de (v.)⟩ ⟨vulg.⟩ **0.1** *piss-awful weather.*

zeil ⟨het⟩ **0.1** [doek aan de mast] *sail* **0.2** [alle zeilen van een schip] *sail* **0.3** [vloerbedekking] *floorcloth* **0.4** [doek voor andere doeleinden] *canvas* ⇒*sailcloth,* ⟨dekzeil⟩ *tarpaulin* **0.5** [schip] *sail* ◆ **1.4** het ~ van een tent de c. of a tent; de ~ en van een windmolen *the vanes/sails of a windmill* **2.1** ⟨fig.⟩ met een nat ~ thuiskomen *come home half seas over/three sheets in the wind;* met een opgestoken ~ op iem. afkomen ⟨fig.⟩ *come marching/storming up to s.o.;* met volle ~ en in/under full s. **3.1** alle ~ en bijzetten *employ full s., crowd s.;* ⟨fig.⟩ *pull out all the stops, go all out;* de ~ en hijsen/strijken *raise/hoist the sails, set/ make s.;* lower the sails, lower away; de ~ en schikken *trim the sails* **3.2** ~ minderen *shorten/take in s.;* ~ reven *reef the s.;* veel ~ voeren *carry a lot of s./ a large head of s.;* het ~ in top zetten/halen *top up the s.;* ⟨fig.⟩ hang out the flags, make a big splash, go to town **3.4** een ~ over de wagen spannen *stretch a tarpaulin over the wag(g)on* **6.1** ⟨fig.⟩ een oogje in het ~ houden *keep an eye on things, keep one's weather-eye open;* ⟨fig.⟩ *met* de ~ en te mast liggen *be all set to go* **6.2** onder ~ gaan *set s.;* ⟨fig.⟩ *drop/doze off* **6.4** een ~ tegen bedwateren *a(n) (under)sheet (for bedwetting)* **7.5** een vloot van tachtig ~ en *a fleet of eighty s..*

zeilboot ⟨de⟩ **0.1** *sailing boat* ⇒*yacht,* ⟨kleine⟩ *sailing dinghy.*

zeilclub ⟨de⟩ **0.1** *sailing club, yacht club.*

zeildoek ⟨het, de (m.)⟩ **0.1** [weefsel voor zeilen] *canvas* ⇒*sailcloth,* ⟨geteerd⟩ *tarpaulin, weather cloth* **0.2** [voor andere doeleinden] *canvas* ⇒*sailcloth, oilcloth.*

zeildoeks ⟨bn.⟩ **0.1** *canvas* ⇒*sailcloth.*

zeilen ⟨onov.ww.⟩ ⟨→sprw. 678⟩ **0.1** [mbv. zeilen varen] *sail* ⇒*yacht* **0.2** [een zeilvaartuig besturen] *sail* ⇒*yacht* **0.3** [⟨fig.⟩] *sail* ◆ **1.1** na drie dagen ~ *after three days' s.* **3.1** gaan ~ *go sailing/for a s., go yachting* **6.1** bij de wind ~ *reach;* tegen de wind in ~ s. *into/against the wind, thrash;* tussen de klippen door ~ *steer clear of the rocks;* ⟨fig.⟩ *steer clear of trouble/disaster, avoid any snags/hitches/pitfalls;* voor de wind ~ s. *before/with the wind, run before the wind* **6.3** de meeuw zeilt op zijn vleugels door de lucht *the seagull glides through the air;* die dronkaard zeilt over straat *that drunk is lurching across the street.*

zeiler ⟨de (m.)⟩, **-ster** ⟨de (v.)⟩ **0.1** [persoon] *yachtsman/woman* ⇒*sailor* **0.2** [schip] *sailing ship/vessel/craft* ◆ **2.1** een verwoed/een geoefend ~ *a keen/an experienced sailor.*

zeiljacht ⟨het⟩ **0.1** *yacht.*

zeilkamp ⟨het⟩ **0.1** *sailing camp.*

zeilklaar ⟨bn.⟩ **0.1** *ready to sail/for sailing* ◆ **3.1** alles ~ maken *get everything ready to sail/for sailing.*

zeilkunst ⟨de (v.)⟩ **0.1** *yachtsmanship.*

zeilletter ⟨de⟩ **0.1** *identification mark.*

zeilmaker ⟨de (m.)⟩ **0.1** *sailmaker.*

zeilmakerij ⟨de (v.)⟩ **0.1** [handeling] *sailmaking* **0.2** [inrichting, werkplaats] *sailmaker's.*

zeilplank ⟨de⟩ ⟨sport⟩ **0.1** *windsurfing board, surfboard.*

zeilpunt ⟨het⟩ **0.1** *centre of effort (of sails).*

zeilrace ⟨de (m.)⟩ **0.1** *yacht(ing)/ sailing race.*

zeilschip ⟨het⟩ **0.1** *sailing ship/vessel/craft.*

zeilschoen ⟨de (m.)⟩ **0.1** *yachting shoe.*

zeilschool ⟨de⟩ **0.1** *sailing school.*

zeilsport ⟨de⟩ **0.1** *sailing* ⇒*yachting.*

zeiltocht ⟨de (m.)⟩ **0.1** *sailing trip/voyage* ◆ **3.1** een ~ (je)(gaan) maken *go on a (little) sailing trip, go for a (little) sail.*

zeilvaardig ⟨bn.⟩ **0.1** *ready to sail/for sailing.*

zeilvaartuig ⟨het⟩ **0.1** *sailing ship/vessel/* ⟨jacht⟩ *yacht.*

zeilvereniging ⟨de (v.)⟩ **0.1** *sailing/yacht club.*

zeilvermogen ⟨het⟩ **0.1** *sail-bearing capacity* ◆ **2.1** schip met groot ~ *ship with a high sail-bearing capacity.*

zeilvliegen ⟨ww.⟩ **0.1** *hang-gliding.*

zeilwagen ⟨de (m.)⟩ **0.1** *land yacht* ⇒ ⟨op het strand⟩ *sand yacht.*

zeilwedstrijd ⟨de (m.)⟩ **0.1** *sailing match/race* ⇒ ⟨reeks van zeilwedstrijden⟩ *regatta.*

zeilwerk ⟨het⟩ **0.1** ⟨mv.⟩ ≠*sails.*

zeilwind ⟨de (m.)⟩ **0.1** *sailing wind.*

zeilwrijver ⟨de (m.)⟩ **0.1** *buffer, floor polisher.*

zeis ⟨de⟩ **0.1** [maaiwerktuig] *scythe* **0.2** [⟨als attribuut van de dood en de tijd⟩] *scythe* ◆ **6.2** de man met de ~ *Old Father Time, the Great Reaper.*

zeiseman ⟨de (m.)⟩ **0.1** *Old Father Time* ⇒*Great Reaper.*

zeker[1] ⟨bn., bw.; -ly⟩ **0.1** [buiten gevaar] *safe* ⇒*secure* **0.2** [betrouwbaar] *certain* ⇒*sure, firm* **0.3** [overtuigd] *sure, certain* ⇒*firm, positive, confident* **0.4** [waarschijnlijk] ⟨bw.⟩ *probably* **0.5** [gerust] *certain* ⇒ *sure,* ⟨bw.; ook⟩ *by all means* ◆ **1.2** ~e bewijzen *firm evidence, positive proof* **1.3** op ~e toon *with a firm voice, in a confident tone* **2.3** hij is zo vreselijk ~ van alles *he is so terribly s. of everything, he is so cocksure about everything* **2.4** hij heeft het vast en ~ niet verkocht *he certainly hasn't sold it* **3.1** (op) ~ spelen *play (it) safe* **3.3** iets ~ weten *know sth. for s./ certain, be positive about sth.;* ~ weten! *to be s.!, s. is/ are/ was/* ⟨enz.⟩ *!;* ~ willen zijn dat ... *want to make s./ certain that ...;* om ~ te zijn *to be/ to make s./ certain;* ~ van zijn zaak zijn *be s. of one's ground* **3.4** je wou haar ~ verrassen *I expect you wanted to surprise her* **3.5** zijn leven niet ~ zijn *not be sure of one's life, have one's life at risk* **5.3** wat een ~! *definitely, absolutely* **6.3** ergens ~ van zijn *be s./ certain/ convinced of sth.* **6.5** je bent daar ~ van stralend weer *you're c./ sure to have glorious weather there* **7.1** het ~e voor het onzekere nemen *be on the safe side* **8.2** het is zo ~ als 2+2 vier is *it's as sure as eggs, it's as sure/ c. as night follows day* ¶**.4** hij komt ~ weer te laat *he is bound to be late again, he will p. be late again;* voor jou ~ niet *for you, forget it!;* je hebt het ~ al *af you must have finished it by now, I expect you've finished it by now;* je kunt ~ geen cricket spelen? *you don't know how to play cricket, do you?;* ik hoef ~ niet te zeggen *I scarcely need to say.*

zeker[2] ⟨onb.vnw.⟩ **0.1** [een of ander] *certain* ⇒*some* **0.2** [in meerdere of mindere mate aanwezig] *certain* ⇒*some* [niet nader aan te duiden] *certain* ⇒*some* ◆ **1.1** op ~e dag *on a c. day* **1.2** iets met ~e deftigheid doen *do sth. with a c. dignity;* een ~e weerzin tegen iets *a c. dislike/ distaste for sth.* **1.3** dat weet ik uit (een) ~e bron *I heard that from a c./ some source;* op ~e dag *one day;* ~ e heren willen altijd wat aanmerken *c. gentlemen always want to cast aspersions;* een ~e meneer Pietersen *a (certain)/ one Mr. Pietersen;* in ~e opzicht *from a c. angle, in a c. sense;* hij is op (een) ~e plaats *he has gone to pay a visit/ a call, he has gone to spend a penny, he is attending to a call of nature;* een ~e toon aannemen *adopt a c. tone (of voice);* in ~e zin *in a way/ sense, sort of.*

zeker[3] ⟨tw.⟩ ◆ **5.**¶ ~ niet *certainly not;* wel ~ *sure, certainly (it is/ I will/* ⟨enz.⟩ *);* ⟨schr.⟩ *to be sure;* (het) ~ *sure thing;* (toestemming gevend) *by all means;* zeer ~ *most certainly* **9.**¶ vast en ~ *absolutely, definitely.*

zekerheid ⟨de (v.)⟩ **0.1** [veiligheid] *safety* ⇒*security,* ⟨bewaring⟩ *safe-keeping* **0.2** [stelligheid] *certainty* ⇒*sureness,* ⟨schr.⟩ *certitude,* ⟨overtuiging⟩ *confidence, assurance* **0.3** [zaak die vaststaat] *certainty* ⇒ ⟨steun⟩ *security* **0.4** [onderpand] *security* ⇒*surety, collateral* ◆ **1.1** iem. een gevoel van ~ geven *give s.o. a sense of security* **2.2** absolute ~ ⟨ook⟩ *cast-iron certainty* **2.3** sociale ~ *social security* **3.2** ~ hebben ⟨ook⟩ *be certain/sure/confident/satisfied;* ~ krijgen/hebben over iets/ iem. ⟨krijgen⟩ *make sure about sth./s.o.;* ⟨hebben⟩ *be sure/ have certainty about sth./ s.o.;* zich ~ verschaffen omtrent iets *make certain/sure about sth., satisfy o.s. about sth.* **6.1** iets in ~ brengen *put sth. (somewhere) for safe-keeping;* voor alle ~ *for safety's sake, to be absolutely safe, to be on the safe side, to make quite/ doubly sure/ certain* **6.2** iets met ~ zeggen *say sth. with certainty/ confidence;* het is nu ~ bekend *it is now known for certain.*

zekerheidshalve ⟨bw.⟩ **0.1** (mbt. veiligheid) *for safety's sake, to be absolutely safe, to be on the safe side;* ⟨mbt. stelligheid⟩ *(just) to be/ make sure/ certain.*

zekerheidstelling ⟨de (v.)⟩ **0.1** *standing/giving security/surety* ⇒*guarantee(ing).*

zekering ⟨de (v.)⟩ **0.1** *(safety) fuse/* ⟨AE ook⟩ *fuze* ◆ **3.1** de ~ en zijn doorgeslagen *the fuses have blown/gone;* ⟨razend zijn; inf.⟩ *he/* ⟨enz.⟩ *has blown his top/done his nut/ hit the roof/* ⟨BE ook⟩ *gone spare;* ~ ⟨geestelijke crisis raken; inf.⟩ *he/* ⟨enz.⟩ *has flipped his lid / gone off his rocker.*

zekeringkast ⟨de⟩ **0.1** *fuse/* ⟨AE ook⟩ *fuze box.*

zekers ⟨tw.⟩ **0.1** *sure enough, sure thing.*

zelateur ⟨de (m.)⟩, **-trice** ⟨de (v.)⟩ **0.1** [propagandist(e)] *propagandist* ⇒*canvasser,* ⟨ijveraar(ster)⟩ *activist, fanatic* **0.2** [lid van een broederschap] *zealot.*

zelden ⟨bw.⟩ ⟨→sprw. 250,468,626⟩ **0.1** *rarely, seldom* ⇒*infrequently, uncommonly* ◆ **3.1** het gebeurt ~/ het komt ~ voor dat ... *it r. happens that ..., it's rare(ly) that ..., it's rare for (s.o./ sth.) to ...*; ik heb ~ zo gelachen *what a laugh (I had)!* **5.1** hoogst ~ *very r. / s., hardly ever;* niet ~ *not infrequently / uncommonly;* ~ of nooit *r. if ever.*

zeldzaam ⟨bn.,bw.;-ly⟩ **0.1** [schaars] *rare* ⇒*unusual, uncommon, (only) occasional* **0.2** [vreemd] *strange* ⇒*odd, peculiar,* ⟨schr.⟩ *singular* **0.3** [buitengewoon goed] *exceptional* ⇒*excellent, rare* ◆ **1.1** zeldzame bezoekers *r. / occasional visitors;* zeldzame planten *r. plants;* een meisje van zeldzame schoonheid *a girl of r. / singular beauty* **1.2** een ~ verschijnsel *a strange / peculiar phenomenon* **2.1** ~ mooi *uncommonly beautiful* **3.1** toeristen zijn daar heel ~ *tourists are uncommon / few and far between there* **5.1** dat is hier niet ~ *that is not uncommon / unusual / exceptional here.*

zeldzaamheid ⟨de (v.)⟩ **0.1** [het zeldzaam zijn] *rarity* ⇒*rareness,* ⟨schaarsheid⟩ *scarcity, scarceness* **0.2** [zeldzaam voorwerp] *rarity* ⇒ *curiosity, oddity* **0.3** [vreemdheid] *strangeness* ⇒*oddness, peculiarity,* ⟨schr.⟩ *singularity* ◆ **3.1** sneeuw is daar een ~ *snow is a rare occurrence / a rarity there;* het is een ~ als ik hem zie *it is a rare thing for me to see him.*

zelf¹ ⟨het⟩ **0.1** [de eigen persoon] *self* **0.2** [diepste werkelijkheid van de ziel] *self* ◆ **2.1** mijn oude ~ *my old s..*

zelf² ⟨aanw.vnw.⟩ ⟨→sprw. 68,273,330⟩ **0.1** [in eigen persoon] *my/ your / him / her / itself, our / your / themselves, oneself* **0.2** [in tegenstelling met iets anders] *itself* ◆ **1.1** de man ~ over wie wij spraken *the very man / just the man we were talking about;* de meester ~ heeft het gezegd *the master himself said it* **1.2** ⟨fig.⟩ zij was de beleefdheid zelve *she was politeness i. / personified;* het huis ~ is onbeschadigd *the house itself is undamaged;* de plek ~ waar Harold sneuvelde *the very / exact spot where Harold fell* **3.1** ~ een zaak beginnen *start one's own business / a business of one's own;* dat moet je ~ beoordelen *you must judge (that) for yourself;* ~ gebakken brood *home-made bread;* ~ gekozen ⟨na zn.⟩ *of one's (own) choice;* hij heeft ~ een auto *he has got his own car / a car of his own;* wilt u a.u.b. ~ komen? *will you please come in person / personally?;* ik kook ~ *I do my own cooking, I cook for myself;* zeg nou ~ *what do you say / think?, (or) don't you think (so)?;* al zeg ik het ~ although / (even) though I say it myself,* ⟨BE ook; scherts.⟩ *though I say(s) it myself as shouldn't* **4.1** ik heb hemzelf gezien *I saw him himself;* ik ben er ~ bij *I can take care of myself / look after myself;* ik heb hem ~ gezien *I saw him myself;* Jan en ik ~ *Jan and myself;* men zou het ~ moeten doen *one should / ought to do it o.s..*

zelfaanvaarding ⟨de (v.)⟩ ⟨psych.⟩ **0.1** *self-acceptance.*

zelfabsorptie ⟨de (v.)⟩ **0.1** *self-absorption.*

zelfachting ⟨de (v.)⟩ **0.1** *self-esteem / -respect.*

zelfanalyse ⟨de (v.)⟩ **0.1** *self-analysis* ⇒*self-examination,* ⟨mbt. zijn geweten⟩ *heart- / soul-searching.*

zelfbediening ⟨de (v.)⟩ **0.1** [selfservice] *self-service* **0.2** [⟨pregn.⟩ zelfbedieningswinkel] *self-service shop /* ^A^store **0.3** [⟨inf.⟩ zelfbevrediging] *hand* ⟨m.⟩ */ finger* ⟨v.⟩ *job* ◆ ¶**.3** hij / zij geeft de voorkeur aan ~ *he prefers (to use) his hand, she prefers (to use) her fingers.*

zelfbedieningsrestaurant ⟨het⟩ **0.1** *self-service restaurant.*

zelfbedieningswinkel ⟨de (m.)⟩ **0.1** *supermarket* ⇒ ⟨zelfbedieningsgroothandel⟩ *cash-and-carry.*

zelfbedrog ⟨het⟩ **0.1** *self-deception / -deceit* ◆ **6.1** geneigd tot ~ *self-deceiving.*

zelfbeeld ⟨het⟩ ⟨psych.⟩ **0.1** *self-image.*

zelfbegoocheling ⟨de (v.)⟩ **0.1** *self-delusion.*

zelfbehagen ⟨het⟩ **0.1** *self-satisfaction* ⇒⟨vnl. pej.⟩ *self-congratulation* ◆ **5.1** vol ~ *self-satisfied.*

zelfbeheersing ⟨de (v.)⟩ **0.1** *self-control* ⇒*composure, self-possession,* ⟨inf.⟩ *cool* ◆ **3.1** zijn ~ behouden / bewaren *keep / retain one's self-control;* ⟨inf.⟩ *keep one's cool;* zijn ~ hernemen *get a grip on o.s., regain control of o.s., regain / recover one's composure, pull o.s. together, collect o.s.;* ~ tonen / bezitten *show / possess self-control;* zijn ~ verliezen *lose one's self-control, lose control of o.s.;* ⟨inf.⟩ *lose one's cool, go berserk;* ⟨sl.⟩ *freak out* **5.1** vol ~ *with great / strong self-control, with great composure;* vol ~ zijn ⟨ook⟩ *be self-controlled / -possessed.*

zelfbehoud ⟨het⟩ **0.1** *self-preservation* ◆ **6.1** op ~ gericht / bedacht zijn *be aimed at / bent on s.-p..*

zelfbeklag ⟨het⟩ **0.1** *self-pity.*

zelfbeoordeling ⟨de (v.)⟩ **0.1** *self-criticism.*

zelfbeperking ⟨de (v.)⟩ **0.1** *(self-)restraint.*

zelfbeschikking ⟨de (v.)⟩ **0.1** *self-determination.*

zelfbeschikkingsrecht ⟨het⟩ **0.1** *right of / to self-determination* ⇒*autonomy.*

zelfbeschouwing ⟨de (v.)⟩ **0.1** *introspection* ⇒*(self-)contemplation.*

zelfbeschuldiging ⟨de (v.)⟩ **0.1** *self-accusation* ⇒*self-incrimination, self-blame.*

zelfbespiegeling ⟨de (v.)⟩ ⟨psych.⟩ **0.1** *introspection.*

zelfbestaan ⟨het⟩ **0.1** *independent existence* ⇒*independence.*

zelfbestuiving ⟨de (v.)⟩ ⟨plantk.⟩ **0.1** *self-pollination / -fertilization* ⇒ ⟨wet. ook⟩ *autogamy.*

zelfbestuur ⟨het⟩ **0.1** ⟨mbt. regering⟩ *self-government / -rule* ⇒⟨mbt. vroegere koloniën van GB ook⟩ *home rule.*

zelfbevestiging ⟨de (v.)⟩ **0.1** *self-assurance.*

zelfbevlekking ⟨de (v.)⟩ ⟨schr.⟩ **0.1** *self-abuse.*

zelfbevrediging ⟨de (v.)⟩ **0.1** [masturbatie] *masturbation* ⇒*self-gratification* **0.2** [het zichzelf tevreden stellen] *self-gratification.*

zelfbevruchting ⟨de (v.)⟩ **0.1** *self-fertilization.*

zelfbewegend ⟨bn.⟩ **0.1** *self-moving* ⇒⟨voertuig⟩ *self-propelling.*

zelfbewoning ⟨de (v.)⟩ **0.1** *owner-occupation.*

zelfbewust ⟨bn.,bw.;-ly⟩ **0.1** [hoge dunk van zichzelf hebbend] *self-confident / -assured* ⇒⟨inf.; pej.⟩ *cocky,* ⟨zich laten gelden⟩ *assertive,* ⟨inf.; pej.⟩ *pushy* **0.2** [met innerlijk besef] *self-conscious.*

zelfbewustheid ⟨de (v.)⟩ **0.1** [gevoel van eigen kracht, waarde] *self-confidence / -assurance* ⇒⟨inf.; pej.⟩ *cockiness,* ⟨neiging om zich te laten gelden⟩ *assertiveness,* ⟨inf.; pej.⟩ *pushiness* **0.2** [bewustheid van zichzelf] *self-consciousness.*

zelfbewustzijn ⟨het⟩ **0.1** *self-awareness.*

zelfbinder ⟨de (v.)⟩ **0.1** [snelbinder] *luggage / carrier strap* **0.2** [das] ^B^*tie,* ^A^*necktie* **0.3** [maaimachine] *self-binder.*

zelfbouwer ⟨de (m.)⟩ **0.1** *do-it-yourself builder.*

zelfcontrole ⟨de⟩ **0.1** [zelfbeheersing] *self-control* **0.2** [toezicht op eigen prestaties] *self-discipline.*

zelfde ⟨bn.⟩ **0.1** ⟨met onb. lidw.⟩ *similar;* ⟨met bep. lidw. en aanw. vnw.⟩ *very (same)* ◆ **1.1** in deze ~ kamer ⟨ter plaatse⟩ *in this very room;* in (precies) dezelfde kamer *in the (very) same room;* in diezelfde kamer *in that very room;* deze ~ man heeft dat gezegd *the very same man said that, this very man said that.*

zelfdenkend ⟨bn.⟩ **0.1** *thinking* ⇒*intelligent.*

zelfdestructief ⟨bn.,bw.;-ly⟩ **0.1** *self-destructive.*

zelfdichtend ⟨bn.⟩ ⟨tech.⟩ **0.1** *self-sealing.*

zelfdiscipline ⟨de (v.)⟩ **0.1** *self-discipline* ◆ **6.1** iem. met ~ ⟨ook⟩ *a self-disciplined person.*

zelfdoding ⟨de (v.)⟩ **0.1** *suicide* ⇒*killing o.s..*

zelfdoener ⟨de (m.)⟩ **0.1** *do-it-yourself type* ⇒*handyman / -woman.*

zelffinanciering ⟨de (v.)⟩ ⟨geldw.⟩ **0.1** *self- / auto-financing.*

zelfgekozen ⟨bn.⟩ **0.1** ⟨alg.⟩ *self-selected* ⇒⟨in een functie of positie⟩ *self-elect(ed), self-appointed.*

zelfgenoegzaam ⟨bn.⟩ **0.1** [tevreden met zichzelf] *self-satisfied* ⇒⟨pej. ook⟩ *smug,* ↑*complacent* **0.2** [zelfingenomen] *conceited* ⇒*self-important / -centred,* ⟨inf.⟩ *big-headed,* ⟨sl.⟩ *stuck-up.*

zelfgenoegzaamheid ⟨de (v.)⟩ **0.1** [tevredenheid met zichzelf] *self-satisfaction* ⇒⟨pej. ook⟩ *smugness,* ↑*complacency* **0.2** [verwaandheid] *conceit(edness)* ⇒*self-importance,* ⟨inf.⟩ *big-headedness.*

zelfgevoel ⟨het⟩ **0.1** *self-awareness* ⇒⟨gevoel van eigenwaarde⟩ *self-esteem* ◆ **3.1** ~ hebben *be aware of o.s.;* ⟨gevoel van eigenwaarde hebben⟩ *know one's (own) worth.*

zelfglanzer ⟨de (m.)⟩ **0.1** *self-polishing cleaner.*

zelfhulp ⟨de⟩ **0.1** [het zichzelf redden] *self-help* **0.2** [⟨inf.⟩ zelfbevrediging] ⟨→**zelfbediening 0.3**⟩.

zelfhulpgroep ⟨de⟩ **0.1** *self-help group.*

zelfinductie ⟨de (v.)⟩ **0.1** *self-induction.*

zelfingenomen ⟨bn.⟩ **0.1** *conceited* ⇒*self-important / -centred,* ⟨inf.⟩ *big-headed,* ⟨sl.⟩ *stuck-up.*

zelfingenomenheid ⟨de (v.)⟩ **0.1** *conceit* ⇒*self-importance,* ⟨inf.⟩ *big-headedness.*

zelfkant ⟨de (m.)⟩ **0.1** [zijkant van een weefsel] *selvedge, selvage* **0.2** [grensgebied] *fringe(s)* ⇒*border(s), (outer) edge(s),* ⟨inf.⟩ *seamy side* ◆ **1.2** de ~ v.h. leven *the seamy side of life;* aan de ~ v.d. maatschappij leven *live on the fringe(s) / border(s) / (outer) edge(s) of society;* aan de ~ v.d. stad *on the outskirts of the town.*

zelfkastijding ⟨de (v.)⟩ **0.1** *self-punishment /* ⟨geestelijk ook⟩ *-castigation /* ⟨lichamelijk ook⟩ *-chastisement.*

zelfkennis ⟨de (v.)⟩ **0.1** *self-knowledge.*

zelfklevend ⟨bn.⟩ **0.1** *(self-)adhesive* ⇒⟨inf.⟩ *sticky, stick-on* ◆ **1.1** ~ etiket *sticky / stick-on label, sticker.*

zelfklever ⟨de (m.)⟩ **0.1** *sticker.*

zelfkritiek ⟨de (v.)⟩ **0.1** *self-criticism* ◆ **5.1** vol ~ *(very) self-critical.*

zelfkwelling ⟨de (v.)⟩ **0.1** *self-torture* ⇒*self-torment.*

zelfmat ⟨het⟩ ⟨schaken⟩ **0.1** *self-mate* ⇒*suimate.*

zelfmedelijden ⟨het⟩ **0.1** *self-pity.*

zelfmoord ⟨de (m.)⟩ **0.1** *suicide* ⇒*killing o.s.* ◆ **3.1** ~ plegen *commit s., take one's (own) life, kill o.s.;* dat zou ~ zijn *that would be s. / suicidal* **6.1** een poging tot ~ *a s. attempt, an attempt at s. / on one's (own) life;* ⟨jur. ook⟩ *(a case of) attempted s..*

zelfmoordbrigade ⟨de (v.)⟩ **0.1** *suicide squad* ⇒⟨terroristen ook⟩ *kamikaze squad.*

zelfmoordcommando ⟨het⟩ **0.1** *suicide squad.*

zelfmoordenaar ⟨de (m.)⟩,*-nares* ⟨de (v.)⟩ **0.1** *suicide.*

zelfmoordgedachte ⟨de (v.)⟩ **0.1** ⟨meestal mv.⟩ *suicidal thought* ◆ **3.1** ~ n hebben *contemplate suicide, feel suicidal.*

zelfmoordneiging ⟨de (v.)⟩ **0.1** *suicidal tendency.*

zelfmoordpact ⟨het⟩ **0.1** *suicide pact.*

zelfmoordpiloot ⟨de (m.)⟩ **0.1** *suicide pilot* ⇒*kamikaze.*

zelfmoordplan ⟨het⟩ **0.1** *suicide plans* ⟨mv.⟩ ⇒*intended suicide, plan/ intention to commit suicide.*

zelfmoordpoging ⟨de (v.)⟩ **0.1** *suicide attempt, attempt at suicide/ on one's (own) life;* ⟨jur. ook⟩ *(case of) attempted suicide* ◆ **3.1** een~ doen, ondernemen *make a suicide attempt.*

zelfnoemfunctie ⟨de (v.)⟩ ⟨taal.⟩ **0.1** *autonymy.*

zelfonderbreker ⟨de (m.)⟩ ⟨elek.⟩ **0.1** *self-/automatic interrupter* ⇒*automatic circuit breaker.*

zelfonderricht ⟨het⟩ **0.1** *self-tuition/-teaching* ⇒⟨alg.⟩ *self-education.*

zelfonderzoek ⟨het⟩ **0.1** *self-examination* ⇒*self-analysis,* ⟨mbt. geweten⟩ *heart-/soul-searching.*

zelfontbranding ⟨de (v.)⟩ **0.1** *self-ignition, spontaneous combustion.*

zelfontleding ⟨de (v.)⟩ **0.1** *self-analysis* ⇒*self-examination.*

zelfontplooiing ⟨de (v.)⟩ **0.1** *self-development* ⇒*self-fulfilment* ^llment, ⟨zelfverwerkelijking⟩ *self-realization* ◆ **1.1** mogelijkheden tot~ *possibilities for/ of s.-fulfilment.*

zelfontspanner ⟨de (m.)⟩ ⟨foto.⟩ **0.1** *self-timer.*

zelfontsteking ⟨de (v.)⟩ **0.1** *autoignition* ⇒*self-ignition.*

zelfontwikkeling ⟨de (v.)⟩ **0.1** *self-development* ⇒*self-education/ culture /improvement.*

zelfopofferend ⟨bn.⟩ **0.1** *self-sacrificing* ⇒*self-denying/ abnegating.*

zelfopoffering ⟨de (v.)⟩ **0.1** *self-sacrifice* ⇒⟨schr.⟩ *self-immolation.*

zelfopwindend ⟨bn.⟩ **0.1** *self-winding.*

zelfoverschatting ⟨de (v.)⟩ **0.1** *overestimation of o.s./ one's powers* ⇒⟨pej.⟩ *inflated ego* ◆ **3.1** aan~ lijden *overestimate o.s./ one's powers, suffer from an inflated ego, be inclined to over-assess one's own abilities.*

zelfoverwinning ⟨de (v.)⟩ **0.1** *self-conquest.*

zelfportret ⟨het⟩ **0.1** *self-portrait.*

zelfprojectie ⟨de (v.)⟩ ⟨psych.⟩ **0.1** *projection.*

zelfrechtvaardiging ⟨de (v.)⟩ **0.1** *self-justification.*

zelfredzaamheid ⟨de (v.)⟩ **0.1** *(ability to live/ do things independently, ability to cope/ manage (for o.s.)).*

zelfreflectie ⟨de (v.)⟩ **0.1** *introspection* ⇒*reflection, (self-)contemplation.*

zelfregelend ⟨bn.⟩ ⟨tech.⟩ **0.1** *self-regulating.*

zelfregistrerend ⟨bn.⟩ **0.1** *self-recording/-registering* ◆ **1.1** ~e thermometer *recording thermometer, thermograph.*

zelfreinigend ⟨bn.⟩ **0.1** [het vermogen bezittend zichzelf te reinigen] *self-cleaning* **0.2** [weinig schoonmaakwerk vergend] *easy-to-clean* ⇒⟨inf., reclame ook⟩ *easy-clean* ◆ **1.1** het~ vermogen van oppervlaktewater *the s.-c. capacity of surface water.*

zelfrespect ⟨het⟩ **0.1** *self-respect* ◆ **3.1**~ hebben *have self-respect, be self-respecting, respect o.s.* **6.1** een mens met~ *a self-respecting person/ individual.*

zelfrichtend ⟨bn.⟩ ⟨tech.⟩ **0.1** *self-aligning* ⟨wielen, lager⟩; *self-righting* ⟨boot⟩.

zelfrijzend ⟨bn.⟩ **0.1** *self-raising* ◆ **1.1** ~ bakmeel *s.-r. flour.*

zelfs ⟨bw.⟩ ⟨→sprw. 312⟩ **0.1** [tegen de verwachting in] *even* **0.2** [wat nog meer is] *even* ⇒*what's more, in fact* ◆ **1.1**~ een kind kan dat begrijpen *e. a child can understand that* **2.2** het is fris, ja~ koud *it is brisk, in fact cold/ cold e./ not to say cold* **3.1** de dollar heeft~ op 3,10 DM gestaan *the dollar has (e.) been as high as 3,10 DM* **5.1** ~ zijn vrienden ontzag hij niet *he did not s. spare his friends;* er werd~ niet over gesproken *it was not e./ not so much as discussed;* ~ nu nog e. *now* ¶**.1** ~ in dat geval *e. so/ then.*

zelfsluitend ⟨bn.⟩ **0.1** *self-closing* ⇒⟨met automatisch slot⟩ *self-locking* ◆ **1.1** ~e treindeuren *s.-c. train doors.*

zelfspot ⟨de (m.)⟩ **0.1** *self-mockery.*

zelfstandig ⟨bn., bw.; -ly⟩ **0.1** *independent* ⇒⟨zelfbesturend⟩ *autonomous,* ⟨op zichzelf steunend⟩ *self-reliant/-supporting,* ⟨alleen⟩ *solo,* ⟨zelfstandig werkend⟩ *self-employed, free-lance* ◆ **1.1** de onderneming verloor haar~ bestaan *the business lost its separate identity;* ⟨taal.⟩ het~ gebruik *substantive use;* ⟨taal.⟩ ~ naamwoord *noun,* ⟨schr.⟩ *substantive;* ⟨taal.⟩ ~ werkwoord *notional verb, verb of full meaning* **2.1** ⟨zelfst.⟩ een kleine~ e *a self-employed person, a small businessman/ -woman/ trader* **3.1** ~ denken/ oordelen *think/ judge for o.s.;* ~ werken *be self-employed, work for o.s./ on one's own account/ freelance;* ~ gaan wonen *go and live on one's own.*

zelfstandigheid ⟨de (v.)⟩ **0.1** [onafhankelijkheid] *independence* ⇒⟨zelfbestuur⟩ *autonomy,* ⟨het steunen op zichzelf⟩ *self-reliance/-support* **0.2** [omschrijfbaar voorwerp] *entity* ⇒*object, thing* **0.3** [bestanddeel] *component* ⇒*substance.*

zelfstrijkend ⟨bn.⟩ **0.1** *non-iron* ⇒*drip-dry, self-ironing.*

zelfstudie ⟨de (v.)⟩ **0.1** [onderwijs aan zichzelf] *private/ home study* ⇒ *self-tuition/ -teaching* **0.2** [studie van het zelf] *self-study* ⇒*study of the /one's self.*

zelfstudiemethode ⟨de (v.)⟩ ⟨school.⟩ **0.1** *home-study method* ⇒*method of self-tuition.*

zelfsuggestie ⟨de (v.)⟩ ⟨psych.⟩ **0.1** *autosuggestion.*

zelftankstation ⟨het⟩ **0.1** *self-service* ^Bpetrol station/ ^Agas station.*

zelftucht ⟨de⟩ **0.1** *self-discipline.*

zelfverachting ⟨de (v.)⟩ **0.1** *self-contempt* ⇒*contempt for o.s., self-disparagement* ◆ **5.1** vol~ *self-contemptuous/ -disparaging.*

zelfverblinding ⟨de (v.)⟩ **0.1** *blindness* ⇒*obliviousness, infatuation, blinding o.s. to reality/ the truth/* ⟨enz.⟩.

zelfverbranding ⟨de (v.)⟩ **0.1** ⟨tech.⟩ *spontaneous combustion;* ⟨mbt. mens⟩ *burning o.s. (to death), self-cremation.*

zelfverdediging ⟨de (v.)⟩ **0.1** *self-defence* ^se ◆ **6.1** uit ~ handelen *act in self-defence.*

zelfvergiftiging ⟨de (v.)⟩ **0.1** *auto-intoxication.*

zelfvergoding ⟨de (v.)⟩ **0.1** *self-worship/ idolization* ⇒*autotheism.*

zelfverheerlijking ⟨de (v.)⟩ **0.1** *self-glorification.*

zelfverheffing ⟨de (v.)⟩ **0.1** *self-exaltation* ⇒*vainglory.*

zelfverloochening ⟨de (v.)⟩ **0.1** *self-denial* ⇒*self-abnegation/ -renunciation.*

zelfverminking ⟨de (v.)⟩ **0.1** [het zichzelf opzettelijk verminken] *self-mutilation* **0.2** [⟨dierk.⟩ het afstoten v.e. lichaamsdeel] *autotomy.*

zelfvernedering ⟨de (v.)⟩ **0.1** *self-abasement* ⇒*self-mortification.*

zelfvernietiging ⟨de (v.)⟩ **0.1** *self-destruction.*

zelfvernietigingsdrang ⟨de (m.)⟩ ⟨psych.⟩ **0.1** *death wish.*

zelfvertrouwen ⟨het⟩ **0.1** *(self-)confidence* ⇒⟨sterker⟩ *(self-)assurance,* ⟨itt. vertrouwen op anderen⟩ *self-reliance* ◆ **1.1** gebrek aan~ *lack of self-c.* **2.1** overdreven~ *over-confidence* **3.1** ~ hebben ⟨ook⟩ *be (self-)confident/ (self-)assured;* zijn~ verliezen *lose one's (self-)c.* **5.1** vol~ *(self-)confident(ly), self-assured(ly).*

zelfverwerkelijking ⟨de (v.)⟩ ⟨schr.⟩ **0.1** *self-realization.*

zelfverwijt ⟨het⟩ **0.1** *self-reproach* ◆ **5.1** vol~ *self-reproachful(ly), self-reproaching(ly).*

zelfverzekerd ⟨bn., bw.⟩ **0.1** *(self-)assured* ⇒*(self-)confident* ◆ **1.1** een ~e houding *a confident/ assured attitude* **3.1** ~ zijn ⟨ook⟩ *be sure of o.s..*

zelfverzekerdheid ⟨de (v.)⟩ **0.1** *self-assurance* ⇒*self-confidence.*

zelfvoldaan ⟨bn.⟩ **0.1** *self-satisfied* ⟨persoon⟩; *self-congratulatory* ⟨manier/ artikel⟩.

zelfvoldoening ⟨de (v.)⟩ **0.1** *(self-)satisfaction* ⇒⟨pej.⟩ *complacency,* ⟨verwaandheid⟩ *conceit* ◆ **6.1** hij kan met ~ op zijn leven terugzien *he can look back on his life with satisfaction.*

zelfwaarneming ⟨de (v.)⟩ **0.1** *introspection* ⇒*self-examination.*

zelfwerkend ⟨bn.⟩ **0.1** *self-acting, automatic* ⇒*self-activating.*

zelfwerkzaamheid ⟨de (v.)⟩ **0.1** *self-activation;* ⟨mbt. leerlingen⟩ *self-motivation, independence* ◆ **3.1** de~ van de leerlingen stimuleren *stimulate the pupils' self-motivation.*

zelfwording ⟨de (v.)⟩ ⟨biol.⟩ **0.1** *abiogenesis* ⇒*spontaneous generation.*

zelfzucht ⟨de⟩ **0.1** *selfishness* ⇒*egoism, egotism, self-seeking* ◆ **6.1** uit ~ ⟨ook⟩ *from self-interest.*

zelfzuchtig ⟨bn., bw.⟩ **0.1** *selfish* ⇒*ego(t)istic, self-seeking, interested* ◆ **1.1** ~e bedoelingen hebben *have personal/ private ends/ reasons/ motives;* ~e motieven *interested motives/ reasons.*

zelling ⟨de (m.)⟩ ⟨scheep.⟩ **0.1** *impression, bed.*

zeloot ⟨de (m.)⟩ **0.1** *zealot* ⇒*enthusiast, fanatic.*

zelotisch ⟨bn., bw.⟩ **0.1** *zealotic, fanatic.*

zelve →zelf.

Z. Em. ⟨afk.⟩ **0.1** [Zijne Eminentie] *H.E..*

zemel ⟨de⟩ **0.1** [vlies van de graankorrel] *bran* ⟨geen mv.⟩ ⇒⟨wat bij het builen wordt uitgezift⟩ *pollard* **0.2** [persoon] *twaddler* ⇒^Bdriveller, ^Aeler.*

zemelaar ⟨de (m.)⟩, -ster ⟨de (v.)⟩ **0.1** *twaddler* ⇒*driveller,* ^Aeler.*

zemelachtig ⟨bn., bw.⟩ **0.1** [lijkend op zemelen] *bran-like* ⇒*branny* **0.2** [vervelend] *twaddly.*

zemelap ⟨de (m.)⟩ **0.1** [zeemlap] *shammy/ chammy/ chamois (leather)* **0.2** [zemelaar] *twaddler.*

zemelbrood ⟨het⟩ **0.1** [het voedsel] *bran bread* **0.2** [broodprodukt] *bran loaf.*

zemelen ⟨onov.ww.⟩ **0.1** *twaddle* ⇒*drivel, bleat.*

zemelenuitslag ⟨de (m.)⟩ **0.1** *pityriasis.*

zemelig ⟨bn., bw.⟩ **0.1** [vol zemelen] *bran-* ⇒*branny* **0.2** [zeurderig] *twaddly* ⇒^Bdrivelling, ^Aeling.*

zemelknopen ⟨onov.ww.⟩ ⟨inf.⟩ **0.1** *quibble* ⇒*split hairs.*

zemen¹ ⟨bn.⟩ **0.1** *chamois/ shammy/ chammy (leather).*

zemen²

I ⟨ov.ww.⟩ **0.1** [met een zeemlap schoonmaken] *leather* ⇒*chammy, shammy* ◆ **1.1** de ramen ~ *wipe/ shammy/ chamois the windows;*

II ⟨onov.ww.⟩ **0.1** [tot zeemleer bereiden] *chamois* **0.2** [honing persen] *extract (the) honey.*

zemerij ⟨de (v.)⟩ **0.1** [het persen van honing] *extraction of honey* **0.2** [bedrijf] *honey extraction farm.*

Zenboeddhisme ⟨het⟩ **0.1** *Zen (Buddhism).*

zendamateur ⟨de (m.)⟩ ⟨com.⟩ **0.1** *CB-er* ⇒*radio ham.*

zendantenne ⟨de⟩ **0.1** *broadcasting/ transmitting* ^Baerial/ ^Aantenna.*

zendapparatuur ⟨de (v.)⟩ **0.1** *transmitting equipment.*

Zend-Avesta ⟨de⟩ **0.1** *Zend-Avesta.*

zendbereik ⟨het⟩ **0.1** *transmission range.*

zendbrief ⟨de (m.)⟩ **0.1** *pastoral (letter)* ◆ **1.1** de zendbrieven v.d. Apostelen *the Epistles* **2.1** een pauselijke ~ *encyclical.*

zendeling ⟨de (m.)⟩ **0.1** *missionary.*

zendelingengenootschap ⟨het⟩ **0.1** *missionary society.*

zenden ⟨→sprw. 467⟩
I ⟨onov.ww.⟩ **0.1** [⟨com.⟩] *broadcast, transmit* ◆ **6.1** Hilversum zendt **op** een golflengte van 298 m *Hilversum broadcasts / transmits on 298 m;*
II ⟨ov.ww.⟩ **0.1** [sturen] *send* ⇒⟨vooral goederen⟩ *forward, ship, despatch* ◆ **6.1** iem. werd **om** de dokter gezonden *the doctor was sent for.*

zender ⟨de (m.)⟩ **0.1** [zendstation] *broadcasting / transmitting station* ⇒ *channel* **0.2** [persoon] *sender* **0.3** [voorwerp dat elektromagnetische golven uitzendt] *emitter, transmitter.*

zenderkleuring ⟨de (v.)⟩ **0.1** *channel differentiation.*
zenderpark ⟨het⟩ **0.1** *transmitter conglomerate.*
zendgemachtigde ⟨de (m.)⟩ **0.1** *broadcasting licence* ^A*se- / permit-holder.*
zendgolf ⟨de⟩ **0.1** *carrier wave.*
zending ⟨de (v.)⟩ **0.1** [het zenden] *sending* ⇒*forwarding, transmitting, despatch* **0.2** [wat gezonden wordt] *supply* ⇒⟨dmv. vervoerder⟩ *shipment, consignment,* ⟨partij, portie⟩ *batch,* ⟨per post verzonden⟩ *parcel, package* **0.3** [taak] *mission* **0.4** [werkzaamheden van de zendelingen] *mission* **0.5** [zendelingen] *mission* ◆ **2.2** we wachten op een nieuwe ~ *we're waiting for a fresh supply* **2.4** inwendige ~ *home m.;* ⟨Anglikaans⟩ *Church Army.*
zendingsarbeid →*zendingswerk.*
zendingsarts ⟨de (m.)⟩ **0.1** *missionary doctor, medical missionary.*
zendingsgeld ⟨het⟩ **0.1** *mission funds.*
zendingsgenootschap ⟨het⟩ ⟨prot.⟩ **0.1** *missionary society.*
zendingspost ⟨de (m.)⟩ **0.1** *missionary post* ⇒*mission station.*
zendingsschool ⟨de⟩ ⟨prot.⟩ **0.1** [school v.d. zending] *mission school* **0.2** [voor de opleiding van zendelingen] *missionary training college.*
zendingswerk ⟨het⟩ **0.1** *missionary work.*
zendingswezen ⟨het⟩ **0.1** *missionary world.*
zendinstallatie ⟨de (v.)⟩ **0.1** *transmitting station / equipment.*
zendmachtiging ⟨de (v.)⟩ **0.1** *broadcasting licence* ^A*se / permit.*
zendmast ⟨de (m.)⟩ **0.1** [mast voor een zendantenne] *(radio / TV) mast;* ⟨heel hoog⟩ *radio / TV tower* **0.2** [centrale antenne] *(radio / TV) mast;* ⟨voor wijk / straat⟩ *community antenna.*
zendontvangapparatuur ⟨de (v.)⟩ **0.1** *two-way radio (apparatus)* ⇒*transceiving equipment, transceiver,* ⟨individueel⟩ *CB radio.*
zendontvanger ⟨de (m.)⟩ **0.1** *transceiver* ⇒*transmitter-receiver,* ⟨individueel⟩ *CB radio.*
zendpiraat ⟨de (m.)⟩ **0.1** *radio / TV pirate.*
zendpost ⟨de (m.)⟩ **0.1** *broadcasting / transmitting post.*
zendschip ⟨het⟩ **0.1** *radio / broadcasting ship.*
zendstation ⟨het⟩ **0.1** ⟨radio / t.v.⟩ *broadcasting / transmitting station.*
zendtijd ⟨de (m.)⟩ **0.1** [tijd die een zendgemachtigde krijgt] *broadcast(ing) time* **0.2** [tijdsduur van een programma] *transmission time.*
zendtoestel ⟨het⟩ **0.1** *transmitting set.*
zendvergunning ⟨de (v.)⟩ **0.1** ⟨radio / t.v.⟩ *broadcasting / transmitting licence* ^A*se / permit.*
zendvermogen ⟨het⟩ ⟨com.⟩ **0.1** *transmitting power.*
zeng ⟨de⟩ ⟨scheep.⟩ **0.1** *gust* ⇒*flurry* ◆ **6.1** het waaide **met** ~en *it blew in gusts.*
zengen
I ⟨onov.ww.⟩ **0.1** [geschroeid worden] *be singed / burned* ⇒*burn, scorch;*
II ⟨ov.ww.⟩ **0.1** [schroeien] *singe* ⇒*scorch.*
zenig ⟨bn.⟩ **0.1** *sinewy* ⇒*tendinous.*
zenit ⟨het⟩ **0.1** [⟨ster.⟩] *zenith* **0.2** ⟨fig.⟩ toppunt] *zenith* ⇒*apex* ◆ **6.2** **in** het ~ van zijn roem *at the z. of his fame.*
zenitsafstand ⟨de (m.)⟩ ⟨ster.⟩ **0.1** *zenith distance.*
zenittelescoop ⟨de (m.)⟩ **0.1** *zenith telescope.*
zenuw ⟨de⟩ **0.1** [⟨med.⟩] *nerve* **0.2** [⟨mv.⟩ fysieke gesteldheid] *nerves* ⇒ *jitters* **0.3** [kracht] *sinews* ⟨mv.⟩ ⇒*nerve* ◆ **1.2** hij is één bonk ~en *he's a bundle of nerves* **1.3** geld is de ~ van het marktstelsel *money is the backbone of the market system* **2.1** motorische ~ *motor n.;* prikkelende / stimulerende ~ *excitor n.;* sensibele ~ *sensory n.* **2.2** met gespannen ~en *with taut nerves, nervously;* stalen ~en *iron nerves, nerves of steel;* sterke / zwakke ~en hebben *have strong / steady nerves / weak nerves* **3.2** aan de ~en lijden *suffer from nerves;* zijn ~en gaven het *his nerves snapped;* krijg de ~en! *get stuffed!, go to blazes!;* de ~en krijgen / hebben *get / have the collywobbles / the jitters (in one's head) / the jumps* **6.2 door** ~en gekweld *nerve-ridden, nerve-racked;* **op** iemands ~en werken *get / grate on s.o.'s nerves, grate under s.o.'s skin;* **op** de toppen van zijn ~en leven *live on one's nerves;* hij kreeg het **op** z'n ~en *his nerves went to bits, he got a fit of nerves, he went into hysterics;* ze was **óp van** de ~en *she was a nervous wreck, her nerves were in tatters* **6.¶ in** de ~en zitten *be in a fidget, have the fidgets.*
zenuwaandoening ⟨de (v.)⟩ **0.1** [aandoening van het zenuwgestel] *nervous disorder / disease* **0.2** [lichte zenuwziekte] *nervous disorder.*
zenuwachtig ⟨bn., bw.; -ly⟩ **0.1** [nerveus van aanleg] *nervous* ⇒^B*highly-strung,* ^A*high-strung* **0.2** [opgewonden (makend)] *nervous* ⇒*nervy, tense, fidgety,* ⟨geagiteerd⟩ *flustered* ◆ **1.2** de ~e drukte van het Londense leven *the flurry / nervous commotion of London life;* er heerste

op de effectenbeurs een ~e stemming *the stock market was in a flurry;* een ~ werk *a nervous / nervy* ⟨sterker⟩ *nerve-racking job* **3.1** ~ zijn / doen ⟨ook⟩ *fidget;* ⟨druk doen⟩ *fuss* **3.2** je maakt me ~ ⟨ook⟩ *you fluster me, you're getting on my nerves;* ⟨sl.⟩ *you give me the willies;* zich ~ maken over iets *get n. / into a fidget / fluster about sth., fuss about sth., lose one's nerve at the sight / in anticipation of sth.* **6.2** ~ zijn **voor** het examen *be jittery / tense before the exam.*
zenuwachtigheid ⟨de (v.)⟩ **0.1** [nervositeit] *nervousness* ⇒*tension* **0.2** [opwinding, onrust] *agitation* ⇒*fluster,* ⟨drukte⟩ *fuss, flurry.*
zenuwarts ⟨de (m.)⟩ **0.1** *neurologist.*
zenuwbehandeling ⟨de (v.)⟩ **0.1** *root canal work.*
zenuwbundel ⟨de (m.)⟩ **0.1** *bundle of nerve fibres* ⇒*fascicle, fasciculus.*
zenuwcel ⟨de⟩ **0.1** *neuron.*
zenuwcentrum ⟨het⟩ **0.1** *nerve centre.*
zenuwcrisis ⟨de (v.)⟩ **0.1** *nervous breakdown.*
zenuwgas ⟨het⟩ **0.1** *nerve gas.*
zenuwgestel ⟨het⟩ **0.1** [samenstel van de zenuwen] *nervous system* **0.2** [psychische gesteldheid] *nerves* ⟨mv.⟩ ⇒*mental condition / health.*
zenuwinrichting ⟨de (v.)⟩ **0.1** *mental home.*
zenuwinzinking ⟨de (v.)⟩ **0.1** *nervous breakdown.*
zenuwknoop ⟨de (m.)⟩ ⟨anatomie⟩ **0.1** *ganglion.*
zenuwkwaal ⟨de⟩ **0.1** *mental / nervous disorder.*
zenuwlach ⟨de (m.)⟩ **0.1** *nervous laugh / smile.*
zenuwleer ⟨de⟩ **0.1** *neurology.*
zenuwlijder ⟨de (m.)⟩ **0.1** [zenuwpatiënt] *neurotic* ⇒*neuropath, mental patient,* ⟨inf.⟩ *mental* **0.2** [zenuwachtig persoon] ⟨onrustig iem.⟩ *fidget* ⇒⟨tobber⟩ *worrier* **0.3** [⟨als scheldwoord⟩] *nut-case* ◆ **2.3** vuile zenuw(e)lijer! *filthy n.-c.!.*
zenuwontsteking ⟨de (v.)⟩ **0.1** *neuritis.*
zenuwoorlog ⟨de (m.)⟩ **0.1** *war of nerves.*
zenuwpatiënt ⟨de (m.)⟩ **0.1** *mental patient* ⇒*neuropath, neurotic.*
zenuwpees ⟨de (m.)⟩ ⟨inf.⟩ **0.1** *fidget* ⇒*bundle of nerves, worrier,* ⟨BE ook⟩ *fusspot,* ⟨AE ook⟩ *fuss-budget.*
zenuwpijn ⟨de⟩ **0.1** *neuralgia.*
zenuwpil ⟨de⟩ **0.1** [zenuwtablet] *tranquillizer* ^A*ilizer* **0.2** [persoon] ⟨→zenuwpees⟩.
zenuwprikkel ⟨de (m.)⟩ **0.1** *nerve / nervous impulse.*
zenuwschok ⟨de (m.)⟩ **0.1** *(nervous) shock.*
zenuwschokkend ⟨bn.⟩ **0.1** *nerve-shaking / shattering.*
zenuwslopend ⟨bn.⟩ **0.1** *nerve-racking.*
zenuwstelsel ⟨het⟩ **0.1** *nervous system* ◆ **2.1** het centrale ~ *the central n. s.;* het perifere ~ *the peripheral n. s.;* het sympathische ~ *the sympathetic n. s..*
zenuwsterkend ⟨bn.⟩ **0.1** *nerve-strengthening* ◆ **1.1** ~ middel *nerve tonic.*
zenuwstillend ⟨bn., bw.⟩ **0.1** *tranquillizing* ^A*ilizing* ◆ **1.1** ~e middelen *t. drugs, tranquillizers* ^A*ilizers.*
zenuwstiller ⟨de (m.)⟩ **0.1** *tranquillizer* ^A*ilizer.*
zenuwstoornis ⟨de (v.)⟩ **0.1** *nervous / mental disturbance.*
zenuwtablet ⟨het, de⟩ **0.1** *tranquillizer* ^A*ilizer.*
zenuwtoeval ⟨de (m.)⟩ **0.1** *(fit of) nerves* ⇒*(state of) hysteria.*
zenuwtrekking ⟨de (v.)⟩ **0.1** *tic* ⇒*(nervous) twitch / tremor* ◆ **6.1** een ~ in het ooglid *a twitch of the eyelid.*
zenuwverlamming ⟨de (v.)⟩ **0.1** *neuroparalysis.*
zenuwvezel ⟨de⟩ **0.1** *nerve fibre* ⇒*axon(e).*
zenuwvlecht ⟨de⟩ **0.1** *plexus (nervosus).*
zenuwziek ⟨bn.⟩ **0.1** *neurotic* ⇒⟨pred.; inf.⟩ *mental.*
zenuwziekte ⟨de (v.)⟩ **0.1** *neurosis* ⇒*nervous / mental disease.*
zenuwzwakte ⟨de (v.)⟩ ⟨med.⟩ **0.1** *nervous breakdown* ⇒⟨vero.⟩ *neurasthenia.*
zepen ⟨ov.ww.⟩ **0.1** *soap* ⇒⟨om te scheren⟩ *lather.*
zeper →*zeperd.*
zeperd ⟨de (m.)⟩ ⟨inf.⟩ **0.1** *fizzle* ⇒*flop, washout, fiasco.*
zeperig ⟨bn.⟩ **0.1** *soapy.*
zeppelin ⟨de (m.)⟩ **0.1** *Zeppelin.*
zerig ⟨bn.⟩ **0.1** *spotty* ⇒*scurvy.*
zerk ⟨de⟩ **0.1** [grafsteen] *tombstone* **0.2** [⟨AZN⟩ doodskist] *coffin.*
zero¹ ⟨de⟩ **0.1** *zero* ⇒*nought.*
zero² [hoofdtelw.⟩ **0.1** *zero* ⇒*nil.*
zero-informatie ⟨de (v.)⟩ **0.1** *zero-information.*
zerp ⟨bn., bw.; -ly⟩ **0.1** *tart* ⇒*sharp, acid, sour.*
zerpzoet ⟨bn.⟩ **0.1** *sour-sweet* ⇒*sourish.*
zes¹ ⟨de⟩ **0.1** [teken] *six* **0.2** [waarde] *six* **0.3** [figuur] *six* ◆ **1.2** ruiten ~ *s. of diamonds* **1.¶** veel vijven en ~sen maken *be fussy / fault-finding* **2.1** een Arabische ~ *an arabic s.;* dubbel ~ *double s.;* dubbel ~ gooien ⟨fig.⟩ *strike lucky;* een Romeinse ~ *a Roman s.* **3.1** voor dat proefwerk kreeg hij een ~ *he got s. for that test* **6.1** van ~sen klaar ⟨mbt. paarden⟩ *fit and well, sound in wind and limb;* ⟨fig.⟩ hij is **van** ~sen klaar ⟨van alle markten thuis⟩ *he knows how to go about things, he can turn his hand to anything* ⟨overal antwoord op wetend⟩ *he is never at a loss.*
zes²
I ⟨hoofdtelw.⟩ **0.1** *six* ◆ **1.1** ~ gulden *s. guilders* **6.1** iets **in** ~sen

delen/breken *divide/break up sth. into s. (parts);* iets **in** ~sen doen *do sth. in s. times;* wij zijn **met** z'n/ons~sen *we are s., there are s. of us;* **met** ~ tegelijk *by sixes;* deel dit **onder** jullie ~sen *share this among the s. of you;* op slag **van** ~sen *on the stroke of s.;* vijf **voor** ~*five to s.;* II ⟨rangtelw.⟩ **0.1** *six* ◆ **1.1** hoofdstuk ~ *chapter s.;* ~ maart *the sixth of March, March* [B]*the sixth/*[A]*sixth;* het is ~ uur *it's s. o'clock.*

zesbaks(duw)vaart ⟨de⟩ ⟨scheep.⟩ **0.1** *(push-)navigation with six-barge units.*

zesdaags ⟨bn.⟩ **0.1** [van zes dagen] *six-day* ⇒*six-days', of six days* **0.2** [zes dagen durend] *six-day* ⇒*six/days', six-day long* ◆ **7.2** ⟨zelfst.⟩ de ~e *the six-day (bicycle) race.*

zesde[1] ⟨bn.⟩ **0.1** *sixth* ◆ **7.1** vier~*four-sixths.*

zesde[2] ⟨rangtelw.⟩ **0.1** *sixth* ◆ **1.1** een~zintuig hebben *have a s. sense* **6.1** ten ~*sixthly.*

zesentwintiger ⟨de (m.)⟩ ⟨inf.⟩ **0.1** ⟨ongemarkeerd⟩ *drunk driver.*

zeshoek ⟨de (m.)⟩ **0.1** *hexagon.*

zeshoekig ⟨bn.⟩ **0.1** *hexagonal.*

zesjarig ⟨bn.⟩ **0.1** *six-years'* ⟨duur⟩; *six-year-old* ⟨leeftijd⟩; *sexennial* ⟨elke zes jaar⟩.

zeslettergrepig ⟨bn.⟩ **0.1** *hexasyllabic* ⇒*of six syllables.*

zesling ⟨de (m.)⟩ **0.1** *sextuplet.*

zesponder ⟨de (m.)⟩ **0.1** [voorwerp van zes pond] *six-pounder* **0.2** [stuk geschut] *six-pounder.*

zessnarig ⟨bn.⟩ ⟨muz.⟩ **0.1** *six-stringed.*

zestal ⟨het⟩ **0.1** [zes stuks] *(some) six* ⇒*half a dozen* **0.2** [ploeg] *six.*

zestallig ⟨bn.⟩ **0.1** *senary* ◆ **1.1** het ~ stelsel *the s. scale.*

zestien ⟨hoofdtelw.⟩ **0.1** *sixteen.*

zestiende ⟨rangtelw.⟩ **0.1** *sixteenth.*

zestientallig ⟨bn.⟩ **0.1** *hexadecimal* ◆ **1.1** ~ stelsel *h. system.*

zestig[1] ⟨het⟩ **0.1** *sixty.*

zestig[2]
I ⟨hoofdtelw.⟩ **0.1** *sixty* ◆ **1.1** in de jaren ~ *in the sixties* **4.1** we zijn met ons~en *we are s., there are s. of us* **6.1** boven de ~, de ~ gepasseerd *past s., on the wrong side of s.;* diep in de ~ zijn *be well over s.;* voor in de ~ zijn *be just past/over s.;* zij is **rond** de ~ *she's around s.;* hij loopt **tegen** de ~ *he's close on/not much off/* ⟨inf.⟩ *pushing s.;* II ⟨rangtelw.⟩ **0.1** *sixty* ◆ **1.1** hoofdstuk ~*chapter s..*

zestiger ⟨de (m.)⟩ **0.1** *sixty-year-old* ⇒*sexagenarian* ◆ **2.1** hij is een goeie ~ *he is well past sixty.*

zestigjarig ⟨bn.⟩ **0.1** *sixty years'* ⟨duur⟩; *sixty-year-old, sexagenary* ⟨leeftijd⟩.

zesvlak ⟨het⟩ **0.1** *hexahedron* ◆ **2.1** regelmatig ~*a (regular) h., a cube.*

zesvoetig ⟨bn.⟩ **0.1** [van insekten] *six-footed, hexapod* **0.2** [⟨lit.⟩] *hexametric* ◆ **1.1** ~ vers *hexameter, hexapody.*

zesvoud ⟨het⟩ **0.1** [zesmaal iets genomen] *sextuple* **0.2** [getal deelbaar door zes] *multiple of six* ◆ **6.1** in ~ kopiëren *sextuplicate, make six copies.*

zesvoudig ⟨bn., bw.⟩ **0.1** [zes maal zoveel, bestaande uit zes onderdelen] *sixfold* ⇒*sextuple* **0.2** [bestaande uit zes delen] *sextuple* ⇒*senary, sex-partite.*

zeszijdig ⟨bn.⟩ **0.1** *hexagonal* ⇒*hexahedral* ◆ **1.1** een~prisma *a hexagonal prism.*

zet ⟨de (m.)⟩ **0.1** [het zetten] *move* **0.2** [duw] *push* ⇒*prod, poke, shove* **0.3** [daad] *move* ⇒*stroke, trick* **0.4** [geestigheid] *stroke* ⇒*piece of wit* ◆ **1.1** het gebeurt strijk en ~ *it happens again and again;* ~ en tegenzet *m. and countermove* **2.1** dat zal een hele ~ voor hem zijn *he'll have his hands full with that* **2.3** een brutale ~ *a piece of cheek;* een gelukkige ~ *a lucky m., a hit;* een gemene ~ *a dirty/nasty trick;* een geniale ~ *a stroke of genius;* een handige/listige ~ *a clever/cunning m./ stroke, a coup;* een meesterlijke ~ *a masterstroke* **2.4** een geestige ~ *a s. of wit, a bon mot* **3.1** een ~ doen *make a m.* **3.2** geef me eens een ~ *je give me a leg-up/a boost, will you;* iem. een ⟨flinke⟩ ~ geven ⟨ook⟩ *prod/poke s.o.; give s.o. a (good) shove* **6.1** jij bent **aan** ~ *(it's) your move* **6.2** in één ~ doorwerken *work on in one go* ¶**.2** ⟨fig.⟩ ze heeft soms een ~ je nodig *she needs a little pushing sometimes.*

zetbaas ⟨de (m.)⟩ **0.1** *manager* ⇒ ⟨stroman⟩ *figurehead.*

zetduiveltje ⟨het⟩ ⟨druk.; scherts.⟩ **0.1** ≠*printer's gremlin.*

zetel ⟨de (m.)⟩ **0.1** [zitplaats] *seat* ⇒*chair* **0.2** [mbt. een waardigheid] *seat* ⇒*throne* **0.3** [bestuursfunctie] *seat* ⇒*membership* **0.4** [plaats waar iets gevestigd is] *seat* ⇒*domicile, registered office* ⟨v.e. vennootschap⟩ **0.5** [⟨AZN⟩ fauteuil] *armchair* ◆ **1.4** de ~ v.d. regering *the s. of government* **2.2** de koninklijke/pauselijke ~ bekleden *sit on the Royal/Papal throne* **3.3** iem. van zijn ~ beroven *unseat/disseat s.o.;* een ~ in het bestuur hebben *hold a s. on the board;* zijn ~ ter beschikking stellen *resign one's s.;* een ~ winnen *obtain/get/win a s.* **3.4** de firma heeft haar ~ op de Bahamas *the firm has its s./is domiciled in the Bahamas;* de maatschappij heeft haar statutaire ~ in Antwerpen *the company has its registered office in Antwerp* **6.1** zich **uit** zijn ~ verheffen *rise from one's s..*

zetelen ⟨onov.ww.⟩ **0.1** [gevestigd zijn] *be established* ⇒*have one's seat* **0.2** [gezeten zijn] *be seated* ⇒*sit, reside* ◆ **6.1** onze regering zetelt **in** Den Haag *our government has its seat in The Hague;* het denkvermogen zetelt **in** de hersenen *the brain is the seat of intelligence;* de maat-

schappij zetelt **in** Antwerpen *the company is registered in Antwerp* **6.2** God zetelt **in** 't eeuwige licht *God resides in eternal light.*

zetelverdeling ⟨de (v.)⟩ ⟨pol.⟩ **0.1** *distribution/division of seats.*

zetelverlies ⟨het⟩ ⟨pol.⟩ **0.1** *loss of seats.*

zetelwinst ⟨de (v.)⟩ **0.1** *gain in seats.*

zetfout ⟨de⟩ **0.1** *misprint* ⇒*printer's error,* ⟨van één letter⟩ *literal.*

zethaak ⟨de (m.)⟩ **0.1** [⟨druk.⟩] *setting/job stick* ⇒[A][B]*compositor's/ composing stick* **0.2** [gereedschap om balken mee te versjouwen] *cant hook.*

zetinstructie ⟨de (v.)⟩ ⟨druk.⟩ **0.1** *composing instructions.*

zetklaar ⟨bn.⟩ ⟨druk.⟩ **0.1** *ready for the compositor* ◆ **3.1** een tekst ~ maken *prepare a text for the compositor.*

zetlijn ⟨de⟩ **0.1** [⟨druk.⟩] [B]*setting/*[A]*composing rule* **0.2** [⟨vis.⟩] *paternoster line.*

zetmachine ⟨de (v.)⟩ **0.1** *typesetting machine.*

zetmeel ⟨het⟩ **0.1** *starch* ⇒⟨wet.⟩ *amylum* ◆ **1.1** ~ van aardappelen *potato starch* **3.1** graanprodukten bevatten veel ~ ⟨ook⟩ *corn products are starchy.*

zetmeelhoudend ⟨bn.⟩ **0.1** *farinaceous* ⟨voedsel, planten, zaden⟩; ⟨voedsel ook⟩ *starchy* ⇒*amylaceous, amyloid(al).*

zetpil ⟨de⟩ **0.1** *suppository* ⇒⟨AE ook⟩ *bougie.*

zetsel ⟨het⟩ **0.1** [⟨druk.⟩] *type* **0.2** [zoveel als men in één keer zet] *drawing (of tea)* ◆ **3.1** het ~ klaarmaken *set up t..*

zetselproef ⟨de⟩ ⟨druk.⟩ **0.1** *proof.*

zetspiegel ⟨de (m.)⟩ ⟨druk.⟩ **0.1** *type area.*

zetten ⟨ov.ww.⟩ ⟨→sprw. 560⟩ **0.1** [doen zitten] *seat* **0.2** [plaatsen] *seat* ⇒*put, place,* ⟨iem. zet doen⟩ *move* **0.3** [bepalen] *set* ⇒*fix* **0.4** [aannemen] *make* ⇒*put on* **0.5** [bereiden] *make* ⇒*brew* ⟨koffie, thee⟩ **0.6** [met kracht beginnen] *set to* ⇒*start* **0.7** [opwekken] *set* ⇒*put* **0.8** [in de vereiste stand brengen] *put* ⇒*set* [gebroken beenderen] **0.9** [zijn vaste vorm krijgen] *set* ⇒*settle* **0.10** [⟨druk.⟩] *compose* ⇒*set (up)* **0.11** [arrangeren] *arrange* **0.12** [verwedden] *put* ◆ **1.2** enkele stappen ~ *take a few steps;* stoelen ~ s./ *place chairs* **1.4** een verbaasd gezicht ~ *her face registered surprise* **1.5** brooddeeg ~ *set dough (to rise)* **1.6** vaart ~ *steam ahead, get up speed;* er vaart achter ~ *give back with interest;* ⟨inf.⟩ *step on the gas* **1.7** ⟨fig.⟩ kwaad bloed ~ *breed bad blood, stir up/make bad blood/feelings* **1.8** een val ~ *set a trap* **1.9** de dijk heeft zich nog niet gezet *the dike hasn't settled yet* **1.10** dat artikel is nog niet gezet *that article hasn't yet been set up (in type);* letters ~ *c./ set type;* een pagina ~ *set up a page in type* **1.¶** de tering naar de nering ~ *cut one's coat according to one's cloth* **2.2** iem. gevangen ~ *imprison s.o.* **2.¶** zet de muziek harder/zachter *turn up/down the music* **3.¶** iem. iets betaald ~ *square one's account with s.o., get even with s.o., get back at/on s.o.;* dubbel en dwars betaald ~ *give back with interest;* dat kan zij niet ~ *that sticks in her throat, she can't swallow/stomach that;* zij kan hem niet ~ *she can't stand/* ⟨inf.⟩ *stick him* **4.1** ⟨AZN⟩ zet u *be seated, sit down* **4.2** zich aan tafel ~ *sit down at table* **4.9** de vrucht heeft zich gezet *the fruit has set;* de koude heeft zich daar gezet *the cold has settled there* **5.2** eruit ~ *eject, evict, throw out* **5.6** hij heeft alles erop gezet om ... *he has staked everything to/made every effort to ...* **5.8** de verwarming hoger ~ *turn up the heating* **5.¶** zich ergens toe ~ *put one's mind to sth.* **6.1** iem. in het zonnetje ~ ⟨fig.⟩ *hand out bouquets to s.o.* **6.2** knopen aan een jas ~ *sew buttons on a coat;* zet je auto **aan** de kant *pull up at the side;* ergens een punt **achter** ~ *call it a day* ⟨werk⟩; iem. **in** de gevangenis/**achter** de tralies ~ *clap/put s.o. into jail/behind bars;* een schilderij in een lijst ~ *frame a painting;* een edelsteen **in** goud ~ s./ *mount a jewel in gold;* een advertentie **in** de krant ~ *put/insert an ad(vertisement) in the paper;* een boek **in** de kast ~ *put a book on the shelf;* zet die zin in de ontkennende vorm *put that sentence into the negative;* het vee **in** de wei ~ *turn the cattle into the field;* aan land ~ s. *ashore;* zijn naam **onder** een stuk ~ *put one's name to a paper;* zijn schouders **onder** iets ~ ⟨fig.⟩ *put/s. one's shoulder to the wheel;* iem. **op** straat ~ *throw/turn s.o. out into the street;* ⟨fig.⟩ iem. **op** zijn plaats ~ *take s.o. down a peg or two, put s.o. in his proper place;* de pen **op** papier ~ *put/s. pen to paper;* geld **op** zijn rekening ~ *put money in one's account;* de wekker **op** zes uur ~ *s. the alarm for six o'clock;* alles **op** een rijtje ~ *work things out, get things straight;* zet het ⟨maar⟩ **op** mijn rekening *put it on my account;* ⟨opschrijven⟩ *chalk it up, please;* een informant zette de politie **op** het spoor van de ontsnapte *an informer put the police on to the escaped prisoner;* zijn salaris **op** de bank ~ *bank one's salary, deposit/put one's salary in the bank;* iets **op** de computer ~ *put sth. on the computer;* het eten **op** tafel ~ *serve dinner/supper;* een hen **op** eieren ~ s. *a hen;* de puntjes **op** de i ~ *dot one's i's and cross one's t's;* informatie **op** schijf ~ *enter data on a disk;* ⟨fig.⟩ iem. **op** zijn plaats ~ *tell s.o. where he/she gets/can get off;* een schip **op** het land ~ *run a ship ashore;* ⟨fig.⟩ zich **over** iets heen ~ *let bygones be bygones, think no more of sth., get over sth., put sth. behind o.s.;* iem. **over** de rivier ~ *take s.o. across the river;* een ladder **tegen** de muur ~ s./ *lean/stand a ladder against a wall;* zet dat maar **uit** je hoofd! *get/put that out of your head;* iem. **uit** een vereniging ~ *drop s.o. from a club;* iem. **uit** het land ~ *expel s.o. from the country;* ⟨fig.⟩ iem. **voor** gek/aap/schut/paal/joker ~ *show s.o. up, put s.o. in the cart, make a monkey out of s.o.* **6.3** zijn zinnen ~ **op** iets *s. one's heart on sth. I doing sth.;* een prijs **op** iemands hoofd ~ *s. a price on s.o.'s head I life* **6.6** het **op** een lopen/zuipen ~ *run it, make a run of it, take to one's heels;* ⟨zuipen⟩ *hit the bottle;* ⟨AE;sl.⟩ *have a bag on, belt the grape;* alles **op** alles ~ *strain every nerve, do everything humanly possible;* ⟨inf.⟩ *go all out* **6.7** iem. aan het werk ~ *put s.o. to work;* het nieuws zette hem **aan** het denken *the news made him think I gave him pause to think;* iets **in** beweging/in gang ~ *s. sth. in motion* ⟨ook fig.⟩ **6.11** op muziek ~ *set to music;* een pianosonate ~ **voor** orkest *a. I adapt a piano sonata for orchestra* **6.12** alles op één kaart ~ *p. all one's eggs in one basket;* geld ~ **op** een renpaard *put money on a race;* ik zet er vijf pond **op** (dat) *I bet you five pounds (that);* al zijn geld **op** iets ~ ⟨ook⟩ *p. one's shirt on sth.* **6.¶** iets **op** het spel ~ *put sth. on the line* **¶.2** iets in elkaar ~ *assemble sth..*

zetter ⟨de (m.)⟩ **0.1** [⟨druk.⟩] *compositor* ⇒*setter, keyboarder* **0.2** [iem. die edelstenen zet] *setter.*

zetterij ⟨de (v.)⟩ **0.1** *composing room I shop.*

zetting ⟨de (v.)⟩ **0.1** [(wijze van) het zetten] *setting* ⇒*mount(ing)* **0.2** [⟨muz.⟩] *arrangement* **0.3** [het vaststellen van een bedrag] *assessment* **0.4** [verzakking] *setting* ♦ **1.4** ~ van metselwerk *s. of brickwork* **6.1** de ~ v.e. briljant in zilver *the s. of a diamond in silver* **6.3** de ~ **van** de belasting *the a. of the tax;* de ~ van het brood *the assize of bread.*

zetwerk ⟨het⟩ **0.1** *typesetting.*

zeug ⟨de (v.)⟩ **0.1** *sow.*

zeugma ⟨het⟩ **0.1** *zeugma.*

zeulen ⟨onov.,ov.ww.⟩ **0.1** *lug, drag* ♦ **1.1** een zware koffer ~ *l. a heavy suitcase* **6.1** met de kinderen ~ *d. I trail the children along;* ⟨fig.⟩ *have the children on one's hands.*

zeuntje ⟨het⟩ ⟨scheep.⟩ **0.1** *(cabin I ship's) boy.*

zeur ⟨de (m.)⟩ **0.1** *bore, sorehead, nag;* ⟨sl.⟩ *bellyacher;* ⟨AE;sl.⟩ *kvetch.*

zeurder ⟨de (m.)⟩, **-ster** ⟨de (v.)⟩ →**zeur**.

zeurderig ⟨bn.,bw.⟩ **0.1** *fretful, whiney, soreheaded, nagging, carping.*

zeuren ⟨onov.ww.⟩ **0.1** [zaniken] *nag, harp;* ⟨dreinen,meieren⟩ *whine;* ⟨sl.⟩ *bellyache;* ⟨AE;sl.⟩ *kvetch* **0.2** [eentonig geluid voortbrengen] *moan* ⇒*whine, drone* **0.3** [vals spelen] *cheat* ♦ **1.2** verderop zeurt een accordeon *farther on an accordion is whining;* de meeste discjockeys ~ maar wat *most discjockeys just keep droning on* **1.¶** een ~ de pijn *a nagging pain* **3.1** hij blijft ~ over het verleden *he drones on about the past* **5.1** ik zeurde net zo lang tot zij het goed vond *I nagged/pestered/badgered her into saying yes* **6.1** wil je niet zo **aan** mijn kop ~ *stop badgering I bugging me, don't keep (on) at me like that;* bij iem. **om** iets ~ *keep (on) at/pester s.o. for sth.;* hij zeurt maar over zijn kwaaltjes ⟨ook⟩ *he keeps bleating/going on about his ailments* **¶.1** iem. aan het hoofd ~ ⟨om/over⟩ *nag I be/ keep on at s.o. (to/ about).*

zeurig ⟨bn.,bw.⟩ **0.1** [zanikend] *whin(e)y, moaning, fretful* **0.2** [druilerig] *drizzly* ♦ **1.1** ~e kinderen *whin(e)y I fretful children;* op ~e toon spreken *speak in a whin(e)y I moaning I fretful voice.*

zeurkous ⟨de (m.)⟩ →**zeur**.

zeurpiet ⟨de (m.)⟩ →**zeur**.

zeven¹ ⟨de (m.)⟩ **0.1** [⟨druk.⟩] *seven* ♦ **2.1** een Arabische ~ *an arabic s.;* een Romeinse ~ *a Roman s.* **6.1** een ~ **voor** Nederlands *(a) s. for Dutch.*

zeven² ⟨ov.ww.⟩ **0.1** *sieve* ⇒*sift, strain* ⟨vloeistof⟩, *filter* ⟨door filter⟩ ♦ **1.1** gezeefd vruchtesap *strained fruit juice* **6.1** poedersuiker **over** de taart ~ *sift icing sugar over the cake;* de klontjes **uit** het meel ~ *sift/ sieve the lumps out of the flour.*

zeven³
I ⟨hoofdtelw.⟩ **0.1** *seven* ♦ **1.1** ⟨AZN⟩ op zijn ~ gemakken *at a snail's/funeral pace;* de ~ vette en de ~ magere jaren *the s. fat and the s. lean years* **2.1** ⟨fig.⟩ zijn das hing op half ~ *his tie was all awry* **3.1** morgen wordt ze ~ *tomorrow she'll be s. (years old)* **6.1** iets in ~en delen *divide sth. into s. (parts);* zij zijn met hun ~en *they are s.; there are s. of them;*
II ⟨rangtelw.⟩ **0.1** *seven* ♦ **1.1** ~ april *the seventh of April, April* ᴮ*the seventh I* ᴬ*seventh;* hoofdstuk ~ *chapter s..*

zevenarmig ⟨bn.⟩ **0.1** *seven-branched* ♦ **1.1** ~e kandelaar *menorah.*

zevenblad ⟨het⟩ ⟨plantk.⟩ **0.1** *goutweed* ⇒*bishop's weed, ground elder, herb Gerard.*

zevende¹ ⟨bn.⟩ **0.1** *seventh* ♦ **7.1** een ~ liter, een ~ deel van een liter *a s. (part) of a litre;* twee ~ *two-sevenths.*

zevende² ⟨rangtelw.⟩ **0.1** *seventh* ♦ **1.1** zich in de ~ hemel voelen *be in the s. heaven;* uit de ~ hemel vallen *drop from heaven;* voor de ~ keer *for the s. time* **6.1** ten ~ *seventh(ly)* **7.1** Karel de ~ van Frankrijk *Charles the Seventh of France;* vandaag is het de ~ *today is the s..*

zevendedagsadventisten ⟨zn.mv.⟩ ⟨kerk.⟩ **0.1** *Seventh-Day Adventists.*

zevenhoek ⟨de (m.)⟩ **0.1** *heptagon.*

zevenjaarsbloem ⟨de⟩ ⟨plantk.⟩ **0.1** *cudweed.*

zevenjarig ⟨bn.⟩ **0.1** *seven-years'* ⟨duur⟩; *seven-year-old* ⟨leeftijd⟩; *septennial, septenary* ⟨om de zeven jaar plaatsvindend⟩.

zevenklapper ⟨de (m.)⟩ **0.1** *firecracker.*

zevenmaands ⟨bn.⟩ **0.1** *of seven months* ♦ **1.1** een ~ kind *a seven month baby.*

zevenmijlslaarzen ⟨zn.mv.⟩ **0.1** *seven-league boots* ♦ **6.1** ⟨fig.⟩ met ~ ⟨ook⟩ *with seven-league strides.*

zevensprong ⟨de (m.)⟩ **0.1** *'zevensprong' ⟨old folk dance⟩.*

Zevenster ⟨de⟩ ⟨ster.⟩ **0.1** *Pleiades* ⟨mv.⟩.

zevental ⟨het⟩ **0.1** *(some) seven* ♦ **1.1** een ~ weken bleef hij weg *he stayed away (some) seven weeks* **7.1** waterpolo wordt gespeeld door twee ~len *waterpolo is played by two sevens.*

zeventien
I ⟨hoofdtelw.⟩ **0.1** *seventeen* ♦ **1.1** ⟨gesch.⟩ de Heren ~ *'de Heren zeventien'* ⟨*the board of directors of the East-Indian company*⟩; er waren ~ personen *there were s. people, s. people were present* **3.1** Cato is gisteren ~ geworden *Cato was s. yesterday* **6.1** zij waren **met** hun ~en *they were s., there were s. of them;*
II ⟨rangtelw.⟩ **0.1** *seventeen* ♦ **1.1** ~ januari *the seventeenth of January, January* ᴮ*the seventeenth I* ᴬ*seventeenth;* pagina ~ *page s..*

zeventiende¹ ⟨bn.⟩ **0.1** *seventeenth.*

zeventiende² ⟨rangtelw.⟩ **0.1** *seventeenth* ♦ **1.1** de ~ eeuw *the s. century;* de ~ mei *the s. of May, May* ᴮ*the s. I* ᴬ*s.* **7.1** Lodewijk de Zeventiende *Louis the Seventeenth;* morgen is het de ~ *tomorrow will be the s..*

zeventiende-eeuws ⟨bn.⟩ **0.1** *seventeenth century.*

zeventig
I ⟨hoofdtelw.⟩ **0.1** *seventy* ♦ **6.1** ver/diep in de ~ zijn *be well over s.;* voor in de ~ zijn *be just over s.;* we zijn met ons ~en *we are s.; there are s. of us;* **naar** de ~ lopen *be going on/pushing for s.;*
II ⟨rangtelw.⟩ **0.1** *seventy* ♦ **1.1** pagina ~ *page s..*

zeventiger ⟨de (m.)⟩ **0.1** *seventy-year-old;* †*septuagenarian* ♦ **2.1** een goede ~ *s.o. well into his/her seventies.*

zeventigjarig ⟨bn.⟩ **0.1** *seventy-year-old* ⟨vóór zn.⟩, *seventy years old* ⟨na zn.⟩ ♦ **6.1** een ~e *a seventy-year-old, a man I woman of/aged seventy.*

zeventigste¹ ⟨bn.⟩ **0.1** *seventieth* ♦ **7.1** een ~ ton *one I a s. of a ton.*

zeventigste² ⟨rangtelw.⟩ **0.1** *seventieth* ♦ **7.1** u bent vandaag al de ~ *you're the s. today.*

zeventigtal ⟨het⟩ **0.1** *(some) seventy.*

zevenurig ⟨bn.⟩ **0.1** *seven-hour* ♦ **1.1** de ~e werkdag *the seven-hour working day I* ⟨AE ook⟩ *workday.*

zevenvlak ⟨het⟩ **0.1** *heptahedron.*

zevenvoud ⟨het⟩ **0.1** [zevenmaal iets genomen] *septuple* **0.2** [getal deelbaar door zeven] *multiple of seven* ♦ **6.1** kopiëren **in** ~ *septuplicate, make seven copies (of);* het ~ **van** drie *seven times three.*

zevenzijdig ⟨bn.⟩ **0.1** *septilateral, heptagonal.*

zever ⟨de (m.)⟩ **0.1** [speeksel] *drivel* ⇒⟨inf.⟩ *slobber* **0.2** [kletspraat] *drivel* ⇒⟨inf.⟩ *poppycock,* ⟨sl.⟩ *bilge* ♦ **2.2** wat een flauwe ~! *what (a lot/ load of/ utter) d.!.*

zeveraar ⟨de (m.)⟩, **-ster** ⟨de (v.)⟩ **0.1** *driveller* ᴬ*-eler, drooler.*

zeveren ⟨onov.ww.⟩ **0.1** [kletspraat verkopen] *drivel* ⇒*drool* **0.2** [kwijlen] *drivel* ⇒⟨vnl.mbt.dieren⟩ *slaver,* ⟨inf.⟩ *slobber.*

Z.Exc. ⟨afk.⟩ **0.1** [Zijne Excellentie] *HE, H.E..*

z.g. ⟨afk.⟩ **0.1** [zogenaamd] ⟨*so-called*⟩ **0.2** [zaliger gedachtenis] ⟨*of blessed memory*⟩.

z.g.a.n. ⟨afk.⟩ **0.1** [zo goed als nieuw] ⟨*as good as new, virtually new*⟩.

zgn. ⟨afk.⟩ **0.1** [zogenaamd] ⟨*so-called*⟩.

Z.H. ⟨afk.⟩ **0.1** [Zijne Heiligheid] *H.H.* **0.2** [Zijne Hoogheid] *H.H.* **0.3** [Zuid-Holland] ⟨*South Holland province*⟩.

z.h.s. ⟨afk.⟩ **0.1** [zonder hoofdelijke stemming] ⟨*without (taking) a vote; (parlement ook) without a division*⟩.

z.i. ⟨afk.⟩ **0.1** [zijns inziens] ⟨*in his opinion*⟩.

zich ⟨wk.vnw.⟩ ⟨→sprw. 309⟩ **0.1** [3de persoon] ⟨bij wk.ww⟩ *himself, herself, itself, oneself, themselves;* ⟨na vz.⟩ *him(self), her(self), it(self), one(self), them(selves)* **0.2** [2de persoon beleefdheidsvorm] *yourself, yourselves* ♦ **3.1** ~ het gezicht wassen *wash one's face* **3.2** vergist u ~ niet? *aren't you mistaken?* **6.1** geld bij ~ hebben *have money on one;* iem. **bij** ~ hebben *have s.o. with one;* **op** ~ is dat niet af te keuren *in itself this should not be condemned;* **op** ~ vind ik dat geen punt *in theory that shouldn't be a problem;* gezamelijk en **voor** ~ *verantwoordelijk jointly and severally responsible I liable, having joint and several responsibility I liability.*

zicht
I ⟨het⟩ **0.1** [gezichtsveld, uitzicht] *sight* ⇒*view,* ⟨meteo.⟩ *visibility* **0.2** [inzicht] *insight* ⇒*perception, view* **0.3** [het bezien] *sight* ⇒*view(ing)* ♦ **2.1** slecht ~ *poor visibility owing to fog;* een uitstekend ~ op de renbaan *a grandstand view of the racecourse* **3.1** iem. het ~ belemmeren *block I cut off I obstruct s.o.'s view* **3.2** ~ krijgen op *gain i. in I a perception I an idea of* **6.1** het einde is in ~ *the end is in s. I view;* land in ~ *land in s.;* ⟨vero.⟩ *land ho!;* ⟨fig.⟩ er is geen verbetering in ~ *there is no improvement in s.,* in het ~ van de haven stranden ⟨fig.⟩ *be pipped at/ on the post;* met een directeurschap **in** ~ *with a directorship in the offing;* ⟨fig.⟩ ~ hebben **op** promotie *be (with)in s. of a promotion;* **uit** het ~ verdwijnen *disappear from/ go out of s. I view;* een ~ **van** 15 meter *15 metres' visibility* **6.2** zij hebben geen ~ **op** zulke kwesties *they have no idea about such matters* **6.3** ⟨hand.⟩ betaalbaar acht dagen **na** ~ *payable at eight days' s.;* een artikel **op** ~ hebben/ zenden *have/ send an article on approval/* ⟨BE;inf.⟩ *on spec;*
II ⟨de⟩ **0.1** [sikkel] *reaping hook* ⇒*sickle.*

zichtbaar ⟨bn.,bw.;-ly⟩ **0.1** *visible* ⇒⟨merkbaar⟩ *noticeable, perceptible,* ⟨openlijk⟩ †*manifest, apparent* ♦ **1.1** ⟨theol.⟩ de zichtbare kerk *the v. Church;* ⟨hand.⟩ zichtbare voorraad *available stock(s), goods in* *stock;* een zichtbare zonsverduistering *a v. eclipse of the sun* **2.1** ~ opgelucht *visibly relieved* **3.1** ~ maken ⟨in een diagram⟩ *visualize, display; make manifest/evident, show (up), reveal* ⟨maatschappelijke structuren, enz.⟩; ~ verouderen *age visibly;* ~ worden *become v. / noticeable, perceptible;* ⟨in zicht komen⟩ *come into/within sight; show (up), become manifest/apparent* **6.1** niet ~ **met** het blote oog *not v. / invisible to the naked eye.*

zichtbaarheid ⟨de (v.)⟩ **0.1** [eigenschap van gezien te kunnen worden] *visibleness, visibility, observability* ⇒*perceptibility, discernibility* **0.2** [waarneembaarheid] *obviousness* ⇒*apparentness* **0.3** [klaarblijkelijkheid] *clearness, manifestness, evidence.*

zichten ⟨onov., ov.ww.⟩ **0.1** *cut/* ⟨oogsten⟩ *reap (with a sickle/reaping hook).*

zichtwissel ⟨de (m.)⟩ **0.1** *sight bill/draft* ⇒⟨AE ook⟩ *demand draft/ note.*

zichtzending ⟨de (v.)⟩ **0.1** *consignment/batch (sent) on approval.*

zichzelf ⟨wk.vnw.⟩ ⟨→sprw. 107,168,375⟩ **0.1** *himself, herself, itself, oneself, themselves, self* ◆ **1.1** ~ meester *self-controlled, in control of o.s.* **2.1** met ~ ingenomen zijn *be pleased with o.s., be self-satisfied* **3.1** ~ bedruipen *be self-supporting, support o.s., shift/fend for o.s.;* ~ blijven *remain o.s., trouw* ~ zijn *not be o.s.;* ~ proberen te zijn *try to be o.s.* **6.1** de tijd **aan** ~ hebben *have time to spend, have one's time to o.s.;* **bij** ~ overleggen *debate;* **buiten** ~ van woede *beside o.s. with rage;* **in** ~ praten *talk to o.s.;* **op** ~ staand *seperate, individual, isolated;* **op** ~ wonen *live on one's own/alone;* **op** ~ is dat niets nieuws *actually/in itself that's nothing new;* **op** ~ (genomen) *as it is, viewed apart;* dat is **op** ~ wel waar, maar …*that is true as/so far as it goes, but …;* **tot** ~ komen *come to o.s.;* **uit** ~ of one's own accord, spontaneously, by o.s.; zij heet van ~ Ten Cate *her maiden name is ten Cate;* zij heeft geld **van** ~ *she has money of her own/a private (source of) income;* **voor** ~ beginnen *start/begin a business of one's own, start for o.s.;* een *coupé* **voor** ~ alleen hebben *have a compartment all to o.s.;* geen moment **voor** ~ hebben *not have a moment/second/minute to call one's own* ¶**.1** ⟨fig.⟩ de hand aan ~ slaan *take one's (own) life, do away with o.s.*

ziedaar ⟨tw.⟩ ⟨schr.⟩ **0.1** *behold* ⇒*lo and behold* ◆ **1.1** ~ de gevolgen *b. the consequences* **8.1** en ~! *and b.!, lo and behold!* ¶**.1** ~! *there you are.*

zieden

I ⟨onov.ww.⟩ **0.1** [koken] *boil* ⇒*seethe* ⟨ook fig.⟩ ◆ **2.1** ~d heet *piping/blisteringly/* vocht ook⟩ *scalding hot* **3.1** ~d zijn *be seething/furious/raging/livid* **6.1** ⟨fig.⟩ hij ziedde **van** woede *he was boiling/ seething with rage.*
II ⟨ov.ww.⟩ **0.1** [laten koken] *boil* ◆ **1.1** zeep ~ *b. / make soap;* zout ~ *extract salt (by evaporation).*

ziedend ⟨bn., bw.⟩ **0.1** [kolkend] ⟨bn.⟩ *boiling, seething;* ⟨bw.⟩ *boiling, seethingly* **0.2** [enorm boos] *boiling, seething, fuming* ⇒⟨inf.⟩ *livid, rabid,* ⟨bw.⟩ *lividly, rabidly.*

ziehier ⟨tw.⟩ **0.1** *look, see,* ↑*behold;* ⟨bij aanreiken⟩ *here you are* ◆ ¶**.1** ~, dat is de gezochte plaats *here we are, this is the place we were looking for;* ~ wat er van de zaak is geworden *see/look what things have come to.*

ziek ⟨bn.⟩ **0.1** [niet gezond] *ill* ⇒*sick,* ⟨aangetast⟩ *diseased* **0.2** [getuigend van een verdorven geest] *sick* ◆ **1.1** ~e aardappels *blighted potatoes;* de ~e delen v.d. organisatie wegsnijden *cut out/away the unsound/rotten parts of the organization;* ⟨fig.⟩ een ~e *badly-paying/poor profession* **1.2** een ~e grap *a s. joke;* een ~e opmerking *a s. remark* **2.1** ongeneeslijk ~ *incurably, incurable;* ⟨terminaal⟩ *terminally* **3.1** ⟨fig.⟩ zich ~ lachen *kill o.s. laughing;* ~ in bed liggen *lie i.;* ⟨fig.⟩ iem. ~ maken *make s.o. sick;* zich ~ melden *report sick;* zich ~ voelen *feel i.;* ⟨fig.⟩ ~ van iemands gezeur worden *grow/get sick of s.o.'s moaning;* ~ worden *fall i. / sick, be taken i.* **5.1** ernstig/gevaarlijk ~ *seriously/dangerously i.* **6.1** ~ **met** de griep *down with flue;* ~ **van** de koorts/zorgen *sick of fever/with worry;* **van** garnalen (eten) word ik ~ *shrimps disagree with me* **8.1** zo ~ als een hond *(as) sick as a dog.*

ziekbed ⟨het⟩ **0.1** [bed] *sickbed* **0.2** [ziekte] *illness* ⇒*sickness* ◆ **2.2** dat was een lang ~ *that was a long/protracted i. / a long spell of illness/ i.;* een smartelijk ~ hebben *suffer a lot of pain (from one's illness)* **6.1** **aan** iemands ~ staan *be at s.o.'s bedside;* **aan** het ~ gekluisterd zijn *be confined to one's (sick)bed.*

zieke ⟨de (m.)⟩ **0.1** *patient* ⇒*sick person, invalid* ◆ **3.1** de ~ betert *the patient is improving;* ~n bezoeken *visit the sick* / ⟨arts⟩ *(the) patients.*

ziekelijk

I ⟨bn.⟩ **0.1** [telkens ziek] *sickly* ⇒*ailing, unhealthy* ◆ **1.1** een ~e kleur hebben *have a s. / unhealthy colour* **3.1** ~ zijn *be s.*
II ⟨bn., bw.,-ly⟩ **0.1** [onnatuurlijk] *morbid* ⇒*sick, diseased,* ↑*pathological* ◆ **1.1** een ~e geest *a sick/diseased mind;* ~e neigingen *m. inclinations;* een ~e opruimwoede hebben *have a m. passion for tidying up* **2.1** hij is ~ jaloers *he's morbidly/pathologically jealous.*

ziekelijkheid ⟨de (v.)⟩ **0.1** [toestand van voortdurend of telkens ziek zijn] *sickliness* ⇒*unsoundness, invalidity, infirmity,* ⟨vnl. door ouderdom⟩ *valetudinarianism* **0.2** [(psych.) abnormale of onnatuurlijke toestand] *morbidity* ⇒*pathology.*

zieken ⟨onov.ww.⟩ ⟨inf.⟩ **0.1** *be a pain in the neck/* ⟨sl.⟩ *ass;* ⟨ongemarkeerd⟩ *be a nuisance, make a nuisance of o.s., spoil things;* ⟨vnl. BE⟩ *mess/muck/* ⟨sl.⟩ *piss about.*

ziekenappèl ⟨het⟩ ⟨mil.⟩ **0.1** *sick* [B]*parade/* [A]*call.*

ziekenauto ⟨de (m.)⟩ **0.1** *ambulance.*

ziekenbezoek ⟨het⟩ **0.1** *visit to a/the patient* ⇒⟨door arts ook⟩ *sick-call.*

ziekenboeg ⟨de (m.)⟩ **0.1** *sickbay* ⇒⟨op schip ook⟩ *sick-berth,* ⟨in bejaardenflat e.d.⟩ *infirmary.*

ziekenbroeder ⟨de (m.)⟩ **0.1** *male nurse* ⇒⟨in klooster⟩ *infirmarian.*

ziekendrager ⟨de (m.)⟩ ⟨mil.⟩ **0.1** *stretcher-bearer.*

ziekenfonds ⟨het⟩ **0.1** [B]≈*(Dutch) National Health Service,* [A]*(system of) socialized medicine* ⇒[A]≠*Medicaid* ⟨voor bejaarden⟩, [A]≠*Medicare* ⟨voor bejaarden⟩ ◆ **6.1** ik zit verplicht/vrijwillig in het ~ *I'm compulsorily/voluntarily covered by the National Health Service;* niet meer in het ~ zitten *no longer be covered by the National Health Service.*

ziekenfondsarts, -dokter ⟨de (m.)⟩ **0.1** ≠[B]*National Health (Service) doctor,* [A]*socialized medicine doctor* ⇒⟨huisarts⟩ *general practitioner.*

ziekenfondsbril ⟨het⟩ **0.1** *granny glasses.*

ziekenfondskaart ⟨de⟩ **0.1** ≠*medical insurance card.*

ziekenfondspakket ⟨het⟩ **0.1** *services covered by medical insurance.*

ziekenfondspatiënt ⟨de (m.)⟩ **0.1** [B]≠*National Health (Service) patient,* [A]*socialized medicine patient,* [A]≠ ⟨onvermogenden⟩ *Medicaid/* ⟨bejaarden⟩ *Medicare patient.*

ziekenfondspremie ⟨de (v.)⟩ **0.1** [B]≠*National Health (Service) contribution,* [A]≠ ⟨voor onvermogenden⟩ *Medicaid/* ⟨voor bejaarden⟩ *Medicare premium.*

ziekenfondsraad ⟨de (m.)⟩ **0.1** *medical insurance board.*

ziekenfondsverzekering ⟨het⟩ **0.1** ≠*compulsory medical insurance.*

ziekengeld ⟨het⟩ **0.1** *sick pay* ⇒⟨BE; inf.⟩ *sick(ness) benefit.*

ziekenhuis ⟨het⟩ **0.1** *hospital* ◆ **2.1** een academisch ~ *a teaching h.* **6.1** in het ~ liggen *be in h.* / [A]*the h., be hospitalized;* opnemen in het ~ *admit to/take into h., hospitalize;* hij ligt om de haverklap in het ~ *he's in and out the h. all the time.*

ziekenhuisbed ⟨het⟩ **0.1** *hospital bed* ⇒⟨vnl. BE⟩ *pay bed* ⟨voor een particulier verzekerde patiënt⟩.

ziekenhuisopname ⟨de⟩ **0.1** *hospitalization* ⇒*admission to hospital.*

ziekenkamer ⟨de⟩ **0.1** *sick room* ⇒*sanatorium,* ⟨AE ook⟩ *sanatorium* ⟨in een kostschool⟩.

ziekenlijst ⟨de⟩ **0.1** *sick list.*

ziekenomroep ⟨de (m.)⟩ **0.1** *patients' radio.*

ziekenoppasser ⟨de (m.)⟩ **0.1** *orderly* ⇒*hospital attendant, male nurse,* ⟨scheep.⟩ *bay man.*

ziekenrapport ⟨het⟩ ⟨mil.⟩ **0.1** *sick* [B]*parade/* [A]*call* ◆ **6.1** op het ~ gaan *go on sick parade/call.*

ziekentransport ⟨het⟩ **0.1** [het vervoer van zieken] *transport of the sick* ⇒*ambulance service* **0.2** [de te vervoeren zieken] *sick transport.*

ziekenverpleger ⟨de (m.)⟩, **-pleegster** ⟨de (v.)⟩ **0.1** *nurse.*

ziekenverpleging ⟨de (v.)⟩ **0.1** *nursing (of the sick).*

ziekenverzorger ⟨de (m.)⟩, **-zorgster** ⟨de (v.)⟩ **0.1** *(ward)orderly* ⇒⟨in klooster⟩ *infirmarian* ⟨m.⟩.

ziekenverzorging ⟨de (v.)⟩ **0.1** *care of the sick.*

ziekenwagen ⟨de (m.)⟩ **0.1** *ambulance.*

ziekenzaal ⟨de⟩ **0.1** *ward* ⇒⟨in school, enz.⟩ *infirmary, sick-bay/quarters.*

ziekenzalving ⟨de (v.)⟩ ⟨r.k.⟩ **0.1** *extreme unction.*

ziekenzorg ⟨de⟩ **0.1** *care of the sick* ⇒⟨verpleging⟩ *nursing (of the sick).*

ziekenzuster ⟨de (v.)⟩ **0.1** *nurse.*

ziekjes ⟨bn., alleen pred.⟩ **0.1** *off colour* ⇒*peaky,* ⟨BE ook⟩ *poorly* ◆ **3.1** een beetje ~ zijn *be a bit off colour.*

ziekmakend ⟨bn.⟩ **0.1** [ziekteverwekkend] *unhealthy* ⇒*sickening* ⟨sfeer⟩, ⟨med.⟩ *pathogenic* **0.2** [walgelijk] *nauseating* ⇒*sickening, unwholesome* ◆ **1.2** een ~ verhaal *a n. / sickening/unwholesome story.*

ziekmelding ⟨de (v.)⟩ **0.1** *reporting ill/sick* ◆ **7.1** er zijn tien ~en *ten have reported ill/sick, there are ten on the sick list.*

ziekte ⟨de (v.)⟩ **0.1** [het ziek zijn] *illness* ⇒*sickness* **0.2** [vorm waarin het ziek zijn zich voordoet] *disease, illness* ⇒*disorder* ⟨van orgaan, enz.⟩, *sickness* ⟨met nadere aanduiding⟩ **0.3** [abnormale gesteldheid/ neiging] *disease* ◆ **1.2** de ~ van Pfeiffer [B]*glandular fever,* [A]*mononucleosis* ⟨ook BE med.⟩; ⟨inf.⟩ *mono;* de ~ van Weil *Weil's d.;* ⟨wet.⟩ *leptospiral jaundice* **2.2** een dodelijke ~ *a deadly/* ⟨inf.⟩ *killer disease;* een ernstige ~ *a serious/grave disease/i.;* ⟨fig.⟩ de Hollandse ~ *hollanditis;* een onschuldige ~ *a mild disease;* een slopende ~ *a wasting/* ⟨med. ook⟩ *degenerative i.;* vallende ~ *epilepsy, falling sickness* **3.2** een ~ onder de leden hebben *be sickening/falling ill;* krijg de ~! *drop dead!, go to hell!;* ~ oplopen *develop a disease/an i.* **6.1** tijdens zijn ~ *during his i. / sickness;* een ~ **van** de lever *a disorder of the liver;* **wegens** ~ owing to ill health/illness* **8.2** hij vloekt/zuipt/rookt als de ~ *he swears/drinks/smokes like hell* ¶**.2** ⟨fig.⟩ ergens de ~ over in hebben *be mad/* ⟨AE ook⟩ *sore about sth..*

ziektebeeld ⟨het⟩ **0.1** *syndrome* ⇒⟨med. ook⟩ *clinical picture.*

ziektecijfer ⟨het⟩ **0.1** *disease/sickness rate* ⇒*morbidity.*

ziektegeld ⟨het⟩ →**ziekengeld**.

ziektegeschiedenis ⟨de (v.)⟩ **0.1** *history / development of a / the disease / an / the illness* ⇒ ⟨v.e. bepaalde patient⟩ *case history,* ⟨med.⟩ *anamnesis.*

ziektegeval ⟨het⟩ **0.1** *case (of a / the disease / an / the illness / a / the sickness)* ◆ **2.1** nieuwe ~len *new cases (of a / the disease).*

ziektehaard ⟨de (m.)⟩ **0.1** *nidus* ⇒ *focus / source of infection.*

ziektekiem ⟨de⟩ **0.1** *germ (of a / the disease)* ⇒ ⟨med. ook⟩ *pathogen(ic organism).*

ziektekosten ⟨zn.mv.⟩ **0.1** *medical expenses* ⇒ ⟨ec.⟩ *costs of public health,* ⟨abstr.⟩ *cost(s) of sickness / disease.*

ziektekostenverzekering ⟨de (v.)⟩ **0.1** *medical insurance.*

ziektekunde ⟨de (v.)⟩ **0.1** *pathology.*

ziektenleer ⟨de⟩ **0.1** *pathology.*

ziekteoverbrenger ⟨de (m.)⟩ **0.1** *disease carrier.*

ziekteproces ⟨het⟩ **0.1** ⟨abstr.⟩ *pathological process;* ⟨concr.⟩ *course / progress of a / the disease / an / the illness.*

ziekteverlof ⟨het⟩ **0.1** *sick leave.*

ziekteverloop ⟨het⟩ **0.1** *course / progress of a / the disease / an / the illness.*

ziekteverschijnsel ⟨het⟩ **0.1** *(disease) symptom* ⇒ *symptom of (a / the) disease / (an / the) illness* ◆ **2.1** een sociaal ~ *a social symptom.*

ziekteverwekkend ⟨bn.⟩ **0.1** *pathogenic.*

ziekteverwekker ⟨de (m.)⟩ **0.1** *pathogen(ic organism)* ◆ **2.1** bacteriën zijn de ergste ~s *bacteria are the most serious pathogens.*

ziekteverzekering ⟨de (v.)⟩ **0.1** *health insurance;* ⟨ziektekostenverzekering⟩ *medical insurance.*

ziekteverzuim ⟨het⟩ **0.1** *absenteeism* ◆ **2.1** een slechte sfeer op het werk leidt tot een hoog ~ *an unpleasant atmosphere at work gives rise to a high level of absenteeism / to a high absentee rate.*

ziektewet ⟨de⟩ **0.1** *(Dutch) Health Law* ◆ **6.1** ⟨fig.⟩ in de ~ lopen *be on sick leave.*

ziel ⟨de (v.)⟩ ⟨→sprw. 394,679⟩ **0.1** [geest] *soul* ⇒ *spirit* **0.2** [persoon] *soul* ⇒ *creature, spirit* **0.3** [bezieler] *soul* **0.4** [het inwendige] ⟨kanon⟩ *bore;* ⟨fles⟩ *kick;* ⟨touw⟩ *core;* ⟨veer⟩ *pith* ◆ **1.1** ⟨fig.⟩ zich met hart en ~ wijden aan iets *put one's heart and soul into sth., devote one's heart and soul to sth.;* ⟨fig.⟩ zijn ~ en zaligheid voor iets over hebben *sell one's soul for sth.* **2.2** (arme) ~ *poor soul / creature;* een goede / brave / vrome ~ *a good / virtuous / pious soul / creature;* een verwante ~ *a kindred spirit* **3.1** ⟨AZN⟩ zijn ~ afdraaien *work o.s. to death;* ⟨inf.⟩ slog one's guts out;* ⟨fig.⟩ zijn ~ aan de duivel verkopen *sell one's soul (to the devil) / o.s. to the devil* **3.2** ~en/~tjes winnen [?] *make converts* **3.3** hij was de ~ van de vereniging / onderneming *he was the (life and) s. of the club / enterprise* **6.1** het sneed hem diep in de ~ *it cut him to the quick / the heart;* met zijn ~ onder de arm lopen *be at a loose end, moon around / about;* ⟨fig.⟩ iem. op zijn ~ geven / komen *beat s.o. up;* ⟨fig.⟩ op zijn ~ krijgen *be beaten up;* ⟨fig.⟩ iem. op zijn ~ trappen *stab s.o. to the heart, cut s.o. to the quick;* **ter** ~e gaan die ⟨mens⟩; *become defunct* ⟨zaak⟩; **ter** ~e zijn *be dead and gone!* ⟨zaak ook⟩ *defunct* **6.3** geld is de ~ van alles *money makes the world go round* **7.2** een kerkelijke gemeente van 6000 ~en *a parish of 6000 souls;* twee ~en, één gedachte *two minds with / but a single thought* **¶.1** God hebbe zijn ~ *God rest his soul* **¶.2** hoe meer ~en, hoe meer vreugd *the more the merrier.*

zieleheil ⟨het⟩ **0.1** *salvation (of the / one's soul)* ⇒ *spritual welfare.*

zieleleed ⟨het⟩ ⟨schr.⟩ **0.1** *anguish, agony.*

zieleleven ⟨het⟩ **0.1** *inner / emotional / spiritual life.*

zielenherder ⟨de (m.)⟩ **0.1** *pastor* ⇒ *sheperd (of souls).*

zielenood ⟨de (m.)⟩ ⟨schr.⟩ **0.1** *spiritual plight / anguish / suffering / agony / affliction.*

zielenzorg ⟨de⟩ **0.1** *spiritual care* ⇒ ⟨schr.⟩ *care of souls.*

zielepiet ⟨de (m.)⟩ ⟨inf.⟩ **0.1** *poor soul* ⇒ *(poor) wretch.*

zielepijn ⟨de⟩ ⟨schr.⟩ →**zieleleed.**

zielepoot ⟨de (m.)⟩ ⟨inf.⟩ →**zielepiet.**

zieleroerselen ⟨zn.mv.⟩ **0.1** *inner / emotional / spiritual life* ◆ **2.1** zijn diepste ~ *his innermost feelings* **¶.1** zijn ~ op papier zetten *commit one's soul to paper.*

zielerust ⟨de⟩ [gemoedsrust] *peace of mind* ⇒ *inner peace* **0.2** [eeuwige zaligheid] *repose (of the soul)* ⇒ *salvation* ◆ **3.2** voor de ~ van een gestorvene bidden *pray for the r. of s.o. deceased.*

zielestrijd ⟨de⟩ ⟨schr.⟩ **0.1** *inward struggle.*

zielevreugde ⟨de (v.)⟩ ⟨schr.⟩ **0.1** *intense joy.*

zielig ⟨bn., bw.;-ly⟩ **0.1** [beklagenswaardig] *pitiful, pathetic* ⇒ *sad, pitiable,* ⟨ongelukkig⟩ *miserable, wretched* **0.2** [bekrompen] *petty* ⇒ *mean, narrow-minded* ◆ **1.1** een ~ beetje *a pittance, a mere scrap;* een ~ hoopje mens *a pitiful / pathetic scrap / rag of humanity* **3.1** 't is ~ *it's pitiful / pathetic / so sad;* ik vind hem echt ~ *I think he's really pathetic / pitiful;* hij zit er zo ~ alleen *he's sitting there so miserably / all by himself, poor thing* **4.1** wat ~! *how sad!, how pathetic!, that's too bad!* **5.1** ik ben niet ~ *I'm not pitying myself* **5.2** doe toch niet altijd zo ~! *stop being so mean.*

zielknijper ⟨de (m.)⟩ ⟨scherts.⟩ **0.1** ⟨BE; inf.⟩ *trick cyclist;* ⟨vnl. AE⟩ *shrink* ⇒ *headshrinker.*

zielkunde ⟨de (v.)⟩ ⟨schr.⟩ **0.1** ⟨ongemarkeerd⟩ *psychology.*

zielkundig ⟨bn., bw.;-ly⟩ ⟨schr.⟩ **0.1** ⟨ongemarkeerd⟩ *psychological.*

zielloos ⟨bn.⟩ **0.1** *soulless* ⇒ ⟨levenloos⟩ *lifeless, inanimate* ◆ **1.1** een ~ lichaam *a lifeless body.*

zielsangst ⟨de (m.)⟩ **0.1** *anguish, angst* ⇒ *terror* ◆ **6.1** in ~ verkeren ⟨ook⟩ *suffer agonies of fear, be in mortal terror.*

zielsbedroefd ⟨bn.⟩ **0.1** *broken-hearted, heart-broken* ⇒ *deeply afflicted, woebegone* ⟨gezicht⟩ ◆ **3.1** iem. ~ maken *break s.o.'s heart,* [?] *grieve s.o. to the heart.*

zielsbeminde ⟨de (m.)⟩ **0.1** *beloved* ⇒ *dearly loved.*

zielsblij ⟨bn.⟩ **0.1** *overjoyed* ⇒ *ecstatic, jubilant.*

zielsgelukkig ⟨bn.⟩ **0.1** *ecstatic* ⇒ *rapturous* ◆ **3.1** ~ zijn ⟨ook⟩ *be in paradise / blissfully happy / over the moon.*

zielsgenot ⟨het⟩ **0.1** *utter delight* ⇒ *bliss(fulness).*

zielsgesteldheid ⟨de (v.)⟩ **0.1** ⟨gemoedstoestand⟩ *state of mind, mood;* ⟨aard⟩ *disposition.*

zielsgraag ⟨bw.⟩ **0.1** *passionately, fervently* ◆ **3.1** iets ~ doen *love to do sth.;* iets ~ willen *want sth. with all one's heart, wish for sth. f..*

zielskwelling ⟨de (v.)⟩ **0.1** *anguish* ⇒ *mental torment / suffering.*

zielsleed →**zieleleed.**

zielsrust →**zielerust.**

zielstevreden ⟨bn.⟩ **0.1** *deeply satisfied / content (with).*

zielsveel ⟨bw.⟩ **0.1** *deeply / dearly* ⇒ *(with) heart and soul* ◆ **3.1** ~ van iem. houden *love s.o. deeply / dearly / (with) heart and soul.*

zielsverdriet ⟨het⟩ **0.1** *heartache* ⇒ *profound sorrow / misery / unhappiness.*

zielsverhuizing ⟨de (v.)⟩ **0.1** *(trans)migration of a / the soul / of souls* ⇒ *metempsychosis.*

zielsverlangen ⟨het⟩ **0.1** *heartfelt / profound / fervent longing / desire.*

zielsverrukking, -vervoering ⟨de (v.)⟩ **0.1** *ecstasy* ⇒ *rapture.*

zielsverwant¹ ⟨de (m.)⟩ **0.1** *kindred spirit* ◆ **¶.1** ~en ⟨ook⟩ *soulmates.*

zielsverwant² ⟨bn.⟩ **0.1** *congenial.*

zielsvreugde →**zielevreugde.**

zieltogen ⟨onov.ww.⟩ **0.1** [op sterven liggen] *be dying* ⇒ *be at death's door* **0.2** [weinig meer waard zijn] *be moribund* ◆ **1.2** een ~de onderneming *a moribund firm / business;* een paar ~de pogingen *a couple of ineffectual attempts.*

zieltoging ⟨de (v.)⟩ **0.1** *agony* ⇒ *death struggle.*

zielzorg →**zielenzorg.**

zielzorger ⟨de (m.)⟩ **0.1** *pastor.*

zien ⟨→sprw. 91, 115, 303, 413, 461, 474, 476, 491, 502, 680⟩
I ⟨onov.ww.⟩ **0.1** [niet blind zijn] *see* **0.2** [kijken] *look* **0.3** [er uitzien] *look* **0.4** [uitzicht geven] *look (out)* ◆ **1.1** horen en ~ vergaan je daar *it's pandemonium / bedlam in there, you can't hear yourself think in there* **5.1** ⟨fig.⟩ goed uit zijn ogen ~ *keep one's eyes open, keep a good look-out;* scherp / scheel ~ *be sharp-eyed, have sharp vision / eyes / eyesight;* ⟨scheel⟩ *(have a) squint* **5.2** hij ziet scheel van de hoofdpijn *he has a splitting headache!* ⟨inf.⟩ *head* **5.3** ⟨inf.⟩ voor wie ziet u me aan? *what / who do you take me for?;* bleek / zuur ~ *l. pale / sour;* het ziet zwart van de mensen *the place is packed / crammed (with people) / is thick with people* **6.1** met één oog ~ *s. with / out of one eye;* ⟨fig.⟩ hij kan niet uit zijn ogen ~ *his eyes are heavy (with sleep)* **6.4** dit venster ziet op de straat *this window looks (out) onto the street* **7.1** het ~ met twee ogen *binocular vision;*
II ⟨ov.ww.⟩ **0.1** [waarnemen, opmerken] *see* **0.2** [overwegen] *see* **0.3** [als mogelijkheid verwachten] *see* **0.4** [proberen] *see (to it)* **0.5** [beleven] *see* ◆ **1.1** geen hand voor ogen kunnen ~ *not be able to see one's hand in front of one's face;* het licht ~ *s. the light of day* **3.1** ik heb hem ~ gaan *I saw him leave / leaving / go / going;* ⟨fig.⟩ drank kan ik niet meer ~ *I can't (so much as) look at / I can't face (the sight of) another drink;* ⟨fig.⟩ iem. niet kunnen / mogen ~ *not be able to stand (the sight of) s.o.;* iets laten ~ *show sth.;* zich ergens laten ~ *show one's face / o.s. somewhere;* ze mag zich laten ~ *she's worth looking at;* het mag gezien worden *it will bear / pass inspection, it will pass muster;* dat moet ik nog ~ *I wonder about that;* het was niet te ~ *it didn't show* **3.3** het niet meer ~ zitten *have had enough (of it);* iets / iem. (niet) ~ zitten *(not) like the look of sth. / s.o.;* ⟨anders⟩ *(not) like the sound of sth. / s.o.* **3.4** zie het maar klaar te spelen *s. / take care that you manage (somehow)* **3.5** je zult het ~ en beleven *you'll live to see ..., the day will (yet) come that you'll see ...;* ik wil het wel eens ~ *I'd like to see that (happen(ing));* dan zul je eens wat ~ *you('ll) s. what happens* **3.¶** het voor gezien houden *be through (with s.o. / sth.), pack it in* **4.¶** het wel gezien hebben *have seen enough (of it)* **5.1** ik heb haar nog nooit gezien *I've never (before) set eyes on her, I've never seen her before;* elkaar vaak / zelden ~ *s. much / little of each other;* waar zie je dat aan? *how can you tell?* **5.2** je moet het zó ~ *look at it this way / like this* **5.4** maar dat moet je ~ *you'll just have to manage;* ⟨ook⟩ *I'll leave that / it to you* **5.5** zo zie je maar weer *there you go / are again, that's how / the way it is* **6.1** ik zie aan je gezicht dat je liegt *I can tell / I know by the look on your face that you are lying;* bij het ~ van ... *on seeing ...;* iets door een vergrootglas ~ ⟨ook⟩ ⟨fig.⟩ *look at sth. through a magnifying glass;* die goederen zijn in de fabriek te ~ *those goods are on view in the factory;* iets onder ogen ~ *face sth.;* hij ziet niet op een tientje *he need not*

look twice at ten guilders; **tot** ~s *goodbye,* ⟨inf.⟩ *bye,* ⟨tot de volgende keer⟩ *see you (later/another time/some day);* ik zie **uit** uw brief *I s./ gather from your letter;* ik zie het al **voor** me *I can just s. it;* **zonder** iets te zien door de stad dwalen *wander unseeing about the town* **6.3** ergens geen heil **in** ~ *not (be able to) s. the good of sth./ what good sth. could do* **6.¶** iets **door** de vingers ~ *turn a blind eye to sth., overlook sth.;* ⟨schr.⟩ *wink at sth.* **¶.1** ik heb hem in geen eeuw gezien *I haven't seen him for ages;* ik zie, ik zie wat jij niet ziet *I spy (with my little eye);* zie je, ziet u you see?; ⟨inf.⟩ *see?;* mij niet gezien *count me out!, not for me!, catch me doing that!, I'm not having any!;* ik zie mij al *I can quite s. myself.*

ziende[1] ⟨de (m.)⟩ **0.1** *sighted/seeing person* ⇒*non-blind person* ◆ **¶.1** de~n ⟨ook⟩ *the sighted/seeing.*

ziende[2] ⟨bn.⟩ **0.1** *seeing* ◆ **2.1** ⟨fig.⟩ ~ *blind zijn go/walk around with one's eyes shut/with blinkers on.*

zienderogen ⟨bw.⟩ **0.1** *visibly* ⇒*noticeably,* ↑*perceptibly* ◆ **3.1** de soufflé zakte ~ *in the soufflé folded before my/our/* ⟨enz.⟩ *(very) eyes.*

ziener ⟨de (m.)⟩, **-es** ⟨de (v.)⟩ **0.1** *seer* ⇒*visionary, prophet,* ⟨v. ook⟩ *prophetess.*

zienersblik ⟨de (m.)⟩ **0.1** *prophetic/prophet's gaze/eye.*

zienswijze ⟨de⟩ **0.1** *view* ⇒*outlook, way of thinking* ◆ **3.1** zij deelde mijn ~ niet ⟨ook⟩ *she was of a different mind;* ⟨inf.⟩ *she didn't see it my way;* een ~ toegedaan zijn *hold/take a v..*

zier ⟨de⟩ **0.1** *the least bit* ◆ **1.1** een ~tje cognac *a dash of cognac* **6.1** **zonder** een ~tje gevoel *without the least bit/a tinge/spark of feeling* **7.1** ik voel er geen ~ *voor I don't like it in the least/one (little) bit/a bit;* het kan mij geen ~ schelen *I couldn't care less, I don't care in the least;* zich ergens geen ~ van aantrekken *not care a/one bit about sth.* ↑*be absolutely indifferent to sth..*

ziezo ⟨tw.⟩ **0.1** *there (we/you are)* ⇒*right, now, so* ◆ **¶.1** ~! dat is af *there/now/right, that's that/done!;* ~! nu kunnen we beginnen *there/ right/so, now we can start!.*

ziften
I ⟨onov.ww.⟩ **0.1** [vitten] *split hairs;*
II ⟨ov.ww.⟩ **0.1** [zeven] *sieve* ⇒*sift* ⟨ook schr.⟩ ◆ **1.1** meel ~ *sieve/ sift flour.*

zifter ⟨de (m.)⟩ **0.1** [vitter] *hair-splitter* ⇒⟨inf.⟩ *nitpicker* **0.2** [iem. die zeeft] *sifter.*

zifterij ⟨de (v.)⟩ **0.1** [het ziften] *sieving* ⇒*sifting* ⟨ook schr.⟩ **0.2** [muggezifterij] *hair-splitting* ⇒⟨inf.⟩ *nitpicking.*

zigeuner ⟨de (m.)⟩, **-in** ⟨de (v.)⟩ **0.1** *gypsy, gipsy* ⇒*Romany* ◆ **8.1** er uitzien als een ~ *look like a g..*

zigeunerachtig ⟨bn., bw.⟩ **0.1** *gypsy(-like).*

zigeunerkamp ⟨het⟩ **0.1** *gypsy camp/* ↑*settlement/* ↑*encampment.*

zigeunerkoning ⟨de (m.)⟩ **0.1** *Gypsy/Gipsy king/chief.*

zigeunerleven ⟨het⟩ **0.1** [leven van de zigeuner] *gypsy('s) life* ⇒*life of the gypsies* **0.2** [rusteloos leven] *gypsy('s) life* ⇒*life of a gypsy.*

zigeunermeisje ⟨het⟩ **0.1** *gypsy/gipsy girl.*

zigeunermuziek ⟨de (v.)⟩ **0.1** *Gypsy/Gipsy music.*

zigeunerorkest ⟨het⟩ **0.1** *gypsy orchestra/band.*

zigeunervolk ⟨het⟩ **0.1** *gypsies* ⇒*gypsy people.*

ziggoerat ⟨de⟩ ⟨bk.⟩ **0.1** *ziggurat, zik(k)urat.*

zigzag[1] ⟨de (m.)⟩ **0.1** [zigzaglijn] *zigzag* **0.2** [mogelijkheid om zigzagsteken te naaien] *zigzagger* ⇒*zigzag attachment.*

zigzag[2] ⟨bw.⟩ **0.1** *zigzag* ◆ **3.1** ~ lopen *(walk (in a)) z..*

zigzagbeweging ⟨de (v.)⟩ **0.1** *zigzag* ◆ **3.1** een ~ maken *zigzag, weave.*

zigzaggen
I ⟨onov.ww.⟩ **0.1** [zich zigzag verplaatsen] *zigzag;*
II ⟨onov.,ov.ww.⟩ **0.1** [met zigzagsteek naaien] *zigzag.*

zigzaglijn ⟨de⟩ **0.1** *zigzag (line).*

zigzagnaaimachine ⟨de (v.)⟩ **0.1** *zigzag (sewing) machine.*

zigzagsgewijs ⟨bn., bw.⟩ **0.1** *(in a) zigzag* ⇒*(in) zigzag fashion.*

zigzagsteek ⟨de (m.)⟩ **0.1** *zigzag stitch.*

zij[1]
I ⟨de (v.)⟩ **0.1** [vrouwtje] *she* ⇒*female* ◆ **1.1** een hij en een ~ *a he and a s.;*
II ⟨de⟩ **0.1** [mbt. mensen] *side* **0.2** [zijden stof] *silk;* ⟨voor voorbeelden in deze bet. →zijde⟩ ◆ **6.1** ~ **aan** ~ *s. by s.;* met de handen **in** de ~ *(with) arms akimbo.*

zij[2] ⟨pers.vnw.⟩ **0.1** [⟨3de persoon enk.⟩] *she;* ⟨mbt. zaak⟩ *it* **0.2** [⟨3de persoon mv.⟩] *they* ◆ **3.2** jullie zingen en ~ begeleiden jullie *you sing and they'll accompany you.*

zijaanzicht ⟨het⟩ **0.1** *side-view* ⇒*profile,* ⟨tech. ook⟩ *side-elevation* ⟨vnl. van gebouw⟩.

zijachtig ⟨bn.⟩ **0.1** *silky.*

zijaltaar ⟨het, de (m.)⟩ **0.1** *side altar.*

zijbalkon ⟨het⟩ **0.1** *side balcony.*

zijbeenderen ⟨zn.mv.⟩ ⟨med.⟩ **0.1** *parietal bones.*

zijbelader ⟨de (m.)⟩ **0.1** *side-loading* [B]*dustcart/* [A]*garbage truck.*

zijbeuk ⟨de (m.)⟩ ⟨bouwk.⟩ **0.1** ⟨side⟩ *aisle.*

zijd ⟨bw.⟩ ◆ **5.¶** wijd en ~ *far and wide, in all directions;* wijd en ~ bekend *widely known.*

zijde ⟨de⟩ **0.1** [grenslijn] *side* **0.2** [kant, grensvlak] *side* **0.3** [het bovenvlak]

en ondervlak van een plat lichaam] *side* **0.4** [mbt. mensen/dieren] *side* ⟨ook fig.⟩ ⇒⟨schr.⟩ *flank* **0.5** [⟨fig.⟩ partij] *side* ⇒*part* **0.6** [mbt. een plaats/richting] *side* **0.7** [spinsel van de zijderups] *silk* **0.8** [gesponnen draden] *silk* **0.9** [weefsel] *silk* ◆ **2.1** de lange ~ van een rechthoek *the length of a rectangle;* de liggende ~ van een driehoek *the bottom/horizontal s. of a triangle* **2.2** een steen op zijn brede ~ leggen *put a brick on its broad s.;* een steen op zijn smalle ~ leggen *stand a brick on its edge/s.* **2.4** ⟨fig.⟩ iem. in zijn zwakke zij aanvallen *attack s.o.'s weak s./ point* **2.5** van katholieke ~ *from Catholic quarters, from (the) Catholics/the Catholic Church* **2.6** aan gene ~ *beyond, on the other side;* iemand van een lelijke ~ leren kennen *get to know the ugly s. of s.o.;* van officiële ~ *from an official source* **3.5** iemands ~ kiezen ⟨ook⟩ *s. with s.o., take s.o.'s s./ part, take sides with s.o.* **3.8** ⟨fig.⟩ ergens ~ bij spinnen *do well out of sth.* **6.2** aan één ~ verlamd *paralysed on/down one s.* **6.4** aan de ~ van haar vriend *alongside her friend;* het recht **aan** zijn ~ hebben *have the law on one's s.;* iem. **in** de zij stompen *punch s.o. in the s.;* **op** zijn andere ~ gaan liggen *turn over;* iem. **ter** ~ staan *stand by s.o.;* hij week van mijn ~ *he didn't move from/leave my s., he stayed glued to my s.* **6.5** **aan** beide ~n is schuld *both sides are to blame;* hij kreeg de lachers **op** zijn ~ *he got the laugh on his s.;* van vaders ~ *from one's father's s.* **6.6** aan welke ~ zit het handvat? *which s. is the handle (on)?;* **aan** deze ~ van het kanaal (on) *this s. of the channel;* **ter** ~ ⟨dram.⟩ *aside, (said) as/in an aside;* geld **ter** ~ leggen *put money aside/on one s.;* ⟨fig.⟩ iets **ter** ~ laten *leave sth. aside/on one side/out of consideration;* iem. **ter** ~ nemen *take s.o. aside/on one s.;* iem. van **ter** ~ aanzien *look askance at s.o.* ⟨ook lett.⟩; ik heb het van **ter** ~ vernomen *I heard it indirectly/unofficially;* iets **van** alle ~n bekijken *look at/study/view/inspect sth. from all sides/angles, study all sides of the matter;* ⟨fig.⟩ de zaak **van** alle ~n bekijken *study/look at the matter from all sides/angles, study all sides of the matter.*

zijdeachtig ⟨bn.⟩ **0.1** *silky.*

zijdecocon ⟨de (m.)⟩ **0.1** *cocoon of silk* ⇒*silk cocoon.*

zijdecultuur ⟨de (v.)⟩ **0.1** *silkworm-breeding* ⇒*sericulture.*

zijdefabriek ⟨de (v.)⟩ **0.1** *silk factory.*

zijdeglans ⟨de (m.)⟩ **0.1** *silky gloss* ⇒*eggshell* ⟨verf⟩.

zijdehandel ⟨de (m.)⟩ **0.1** *silk trade.*

zijdelings ⟨bn., bw.; -ly⟩ **0.1** *indirect* ⇒ ↑*oblique,* ⟨naar/van de zijde⟩ *sideways, sidelong* ◆ **1.1** een ~e afwijking *a deflection* ⟨v.e. bal, enz.⟩; een ~e blik/ mededeling/ toespeling *a sidelong/ an indirect glance; an i./ oblique remark; a hint, an innuendo, an insinuation;* een ~e toespeling maken op iets *hint (indirectly/ obliquely) at sth.* **3.1** hij raakte mij ~ *he touched me from/ hit me in/ from the side;* ~ vernemen *hear sth. indirectly/unofficially* **¶.1** ~ op iets betrekking hebben *be only indirectly connected with sth..*

zijden ⟨bn.⟩ **0.1** [van zijde] *silk* ⇒⟨schr.⟩ *silken* **0.2** [als van zijde] *silky* ⇒*silken* **1.1** ⟨fig.⟩ zijn leven hangt aan een ~ draad(je) *his life hangs by a thread;* ⟨fig.⟩ iem. met ~ handschoenen aanpakken *handle s.o. with kid gloves;* ~ stoffen *silk fabrics/material* **1.2** ⟨fig., inf.⟩ een zijtje(n) sok/ gleuf *a milksop,* ⟨AE ook⟩ *a wet,* ⟨AE ook⟩ *a milquetoast* **2.1** een hoge ~ a *top hat* **¶.2** ⟨fig., inf.⟩ een zijtje *a pansy, a fairy,* ⟨AE;sl.⟩ *a nance;* ⟨BE;sl.⟩ *a poof.*

zijdepapier ⟨het⟩ **0.1** [dun en zacht papier] *tissue paper* **0.2** [van zijden lompen gemaakt papier] *silk paper* ⇒*granite paper.*

zijderups ⟨de⟩ **0.1** *silkworm.*

zijdespinnerij ⟨de (v.)⟩ **0.1** [handeling] *silk-spinning* **0.2** [werkplaats] *silk factory* ⇒*filature.*

zijdeteelt ⟨de (v.)⟩ **0.1** *silkworm-breeding* ⇒*sericulture.*

zijdeur ⟨de⟩ **0.1** *side door* ◆ **3.1** ⟨fig.⟩ een ~tje openhouden *keep/leave a side door open* **6.1** door een ~ afgaan *get out/leave/slip out by the back door/door.*

zijdevlinder ⟨de (m.)⟩ **0.1** *silkworm moth.*

zijeffect ⟨het⟩ ⟨sport⟩ **0.1** *side.*

zijgaanderij ⟨de⟩ **0.1** *side gallery.*

-zijgalerij ⟨de (v.)⟩ →*zijgaanderij.*

zijgang ⟨de (m.)⟩ **0.1** [gang die zich afsplitst] *side-passage/-corridor* **0.2** [het gaan naar een zijde] *movement sideways* ⇒*sidling, moving sideways* ◆ **3.2** ⟨fig.⟩ ~en gaan *try the back door, use back-door/ underhand methods.*

zijgen
I ⟨onov.ww.⟩ ⟨schr.⟩ **0.1** [langzaam neerdalen] *sink (down);*
II ⟨ov.ww.⟩ **0.1** [zuiveren door filtreren] *strain* ⇒⟨tech. ook⟩ *filter.*

zijgevel ⟨de (m.)⟩ **0.1** *side (wall).*

zijig ⟨bn.⟩ **0.1** *silky* ◆ **3.1** ~ aanvoelen *feel s. (to the touch), have a s. feel (to it)* **4.1** ⟨inf.⟩ dat is zo'n ~e *he/she's a real/such a softy.*

zijingang ⟨de (m.)⟩ **0.1** *side entrance* ⇒*postern.*

zijkamer ⟨de⟩ **0.1** *room at/to the side* ⇒*side room.*

zijkanaal ⟨het⟩ **0.1** *side channel* ◆ **6.1** ⟨fig.⟩ ik weet het via een ~ *I heard it by roundabout means/ indirectly/ through the grapevine.*

zijkant ⟨de (m.)⟩ **0.1** *side* ⇒*edge,* ⟨schr.⟩ *flank* ◆ **6.1** aan de ~ *on the s..*

zijkapel ⟨de⟩ **0.1** *side chapel.*

zijl ⟨de (m.)⟩ **0.1** [waterlozing] *canal, big drainage watercourse* **0.2** [uitwateringssluis] *(discharging-)sluice.*

zijlicht ⟨het⟩ **0.1** [licht aan de zijkant] *light at the side* **0.2** [van opzij invallend licht] *sidelight* ⇒*light (coming) from the side.*

zijligging ⟨de (v.)⟩ **0.1** *lying on one('s) side* ◆ **2.1** stabiele ~ *recovery position.*

zijlijn ⟨de⟩ **0.1** [lijn die zich afsplitst] *branch (line)* **0.2** [⟨sport⟩] *sideline* ⇒⟨mbt. voetbal, rugby e.d. ook⟩ *touchline* **0.3** [zijlinie] ⟨→zijlinie⟩ ◆ **6.2** hij schoot de bal over de ~ *he shot the ball into touch/over the touchline/s..*

zijlings →zijdelings.

zijlinie ⟨de (v.)⟩ **0.1** *collateral line* ◆ **6.1** afstammelingen in de ~ *collateral descendant;* erfopvolging in de ~ *collateral succession;* (bloed)-verwanten in de ~ *collaterals.*

zijloge ⟨de⟩ **0.1** *side-box.*

zijloot ⟨de⟩ **0.1** *side-shoot.*

zijmuur ⟨de (m.)⟩ **0.1** *side wall.*

zijn¹ ⟨het⟩ **0.1** [het bestaan] *being* ⇒*existence* **0.2** [de persoonlijkheid] *being* ⇒*soul* ◆ **2.2** mijn gehele ~ komt daartegen in opstand *my whole b. / soul rises against it.*

zijn² ⟨→sprw. 211,212,215,312⟩
I ⟨onov.ww.⟩ **0.1** [bestaan] *be* ⇒⟨toebehoren ook⟩ *belong (to),* ⟨leven⟩ *be alive* **0.2** [zich bevinden] *be* **0.3** [gebeuren] *be* **0.4** [behoren aan] *be* **0.5** [leven] *be, live, be alive* ⇒⟨schr.⟩ *be* **0.6** [bezig zijn met] *be* **0.7** [bedragen] *be* ◆ **1.1** God zei: daar zij licht, en daar was licht *and God said: let there be light, and there was light;* er ~ mensen die … *there are people/those who …* **1.2** er moet nog geld ~ ⟨nodig⟩ *there is still not enough money;* ⟨nog aanwezig⟩ *there must still be some money (left);* er is nog melk in de koelkast *there is still some milk (left) in the refrigerator* **1.5** er was eens een koning …*once (upon a time) there was a king …;* die man is er geweest *that man is done for/* ⟨inf.⟩ *has had it/is a goner;* vader is niet meer *father is no longer alive/* ⟨schr.⟩ *is no more* **3.1** dat kan/mag wel (zo) ~ *be that as it may;* ⟨inf.⟩ *that's as may be, may be so;* laat het zo ~ als je zegt *supposing/(let's) suppose you are right/what you say is right/it is so/like you say;* hij mag er ~ *he's quite a/some performer/worker/* ⟨enz.⟩*, he's not half bad* **3.6** Piet is (out)/has gone (out)/ *running/ playing football* **4.1** het is maar dat je het weet *just to let you know, just so (that/* ⟨inf.⟩ *as) you know;* zij het dat hij …*although he …;* wat is er? *what's wrong/the matter/the trouble;* ⟨wat wil je zeggen⟩ *what is it?, what do you want?;* wat zal het ~? *what'll it be?, what's it (going) to be?,* ⟨inf.⟩ *what's yours?* **4.3** er was vroeger iets tussen die twee *there used to be sth. between those two,* the two of them used to have sth. going *(between them)* **5.1** hoe was dat ook weer? *how was it again?, how did it go again?* **5.2** ⟨fig.⟩ ik ben er *(I've) got it;* we ~ er *here we are, we're there;* hoe ver ben je? (in een boek) *how far have you got?;* waar is hij nu toch? *where has he got to now?* **6.2** bij wie ben je tegenwoordig? *who are you with these days?* **6.4** van wie is dat potlood/boek *whose pencil/ book is that?;* ⟨schr.⟩ *who(m) does that pencil/book belong to?;* van welke auteur is dat boek? *which author/who wrote that book?, who is that book by?;* ⟨schr.⟩ *who is the writer/author of that book?* **6.¶** wij zijn **met** de trein *we have come by train, we caught the train here;* zij is op de fiets *she's (come/gone) by bicycle;* van wanneer is dat boek? *when was that book written?;* ⟨inf.⟩ *when's that book from?;* van wie ben je er een? *whose child are you?* **8.1** als het ware *as it were, so to speak;* het is of ik hem meer gezien heb *I feel as if/* ⟨inf.⟩ *like I've seen him before,* he rings a bell;
II ⟨kww.⟩ **0.1** *be* ◆ **1.1** dat ~ mijn ouders *those are my parents* **2.1** dat is aardig/duur/goedkoop *that's nice/expensive/cheap;* ⟨scherts.⟩ ja, ik ben daar gek *I'm not such a fool!, catch me doing that!;* daar is niets van waar *that's not at all true/not true at all, not a word of it is true* **3.1** beloofd is beloofd *a promise is a promise;* dat is te doen *that can be done;* dat boek is overal te krijgen *that book can be got/* ⟨AE⟩ *gotten/ is available everywhere/anywhere* **4.1** ⟨iron.⟩ het is weer raak *here we go again, sth.'s up again, sth. had to go wrong;* ben ik? *is it my turn?, am I next?;* je bent 'm *you're it!* **6.1** die beker is van tin *that cup is made of tin* **8.1** als ik jou was, zou ik …*if I were/* ⟨inf.⟩ *was you, I would …;*
III ⟨hww.⟩ **0.1** [⟨van tijd⟩] *have* **0.2** [⟨van de lijdende vorm⟩] *be* ◆ **3.1** er waren gunstige berichten binnengekomen *favourable reports had come in* **3.2** hij is geprezen *he has been commended.*

zijn³ ⟨bez.vnw.⟩ ⟨→sprw. 307,681⟩ **0.1** *his* ⇒⟨mbt. dieren/zaken⟩ *its,* ⟨mbt. onpersoonlijk onderwerp⟩ *one's* ◆ **1.1** ~s gelijke niet hebben/ kennen *be unrivalled/unequalled/* ^*unrivaled/unequaled,* ⟨schr.⟩ *be peerless;* ⟨inf.⟩ vader ~ hoed *father's hat;* Zijne Hoogheid *His Highness;* dit is ~ huis/hobby *this is h. house/hobby;* te ~er tijd *in due course* **7.1** ⟨zelfst.⟩ de ~en h. family/ ⟨inf.⟩ *people/* ^*folks,* ⟨zelfst.⟩ ieder het ~e geven *give the devil/every man his due;* iets het ~e kunnen noemen *be able to lay claim to sth.* **7.¶** ⟨zelfst.⟩ hij heeft het ~e gedaan *he has done h. part/share/* ⟨inf.⟩ *bit/pulled h. weight;* ⟨zelfst.⟩ het ~e ervan ielza *have one's say about it;* ⟨zelfst.⟩ hij wilde er het ~e van weten *he wanted to know (just) what was what/to get to the bottom of it.*

zijnaad ⟨de (m.)⟩ **0.1** *side seam.*

zijnentwege ⟨bw.⟩ **0.1** [uit zijn naam] *in his name, from him* ⇒*on/* ^*in his behalf* **0.2** [te zijnen behoeve] ⟨→zijnenthalve⟩ **0.3** [wat hem aangaat] *as for him* ⇒*as far as he is concerned.*

zijnerzijds ⟨bw.⟩ ⟨schr.⟩ **0.1** *for his part.*

zijnet ⟨het⟩ ⟨sport⟩ **0.1** *side (of the) net* ◆ **6.1** de bal kwam **in/tegen** het ~ *the ball hit the s. (of the) n..*

zijnsleer ⟨de⟩ ⟨fil.⟩ **0.1** *ontology.*

zijopening ⟨de (v.)⟩ **0.1** *side opening* ⇒⟨tech. ook⟩ *lateral opening/ aperture.*

zijpad ⟨het⟩ **0.1** [pad dat zich afsplitst] *side-path* **0.2** [in een gebouw] *side/* ^*lateral aisle* ◆ **3.1** ~en opgaan ⟨fig.⟩ *leave/stray* ^*from the straight and narrow, go astray.*

zijpaneel ⟨het⟩ **0.1** *side compartment/wing/* ⟨tech.⟩ *volet.*

zijplank ⟨de⟩ **0.1** *sideboard* ⇒⟨aan een boot; extra dik en sterk⟩ *wale.*

zijportaal ⟨het⟩ **0.1** *side-porch.*

zijraam ⟨het⟩ **0.1** *side window* ◆ **3.1** het ~pje opendraaien *wind down the (s.) w..*

zijrivier ⟨de⟩ **0.1** *tributary.*

zijscheut ⟨de (m.)⟩ ⟨plantk.⟩ →zijloot.

zijsluiting ⟨de (v.)⟩ **0.1** *side-fastener/-fastening.*

zijspan ⟨het, de (m.)⟩ **0.1** [wagentje] *sidecar* **0.2** [motor en zijspan] *motorcycle and sidecar, sidecar machine;* ⟨BE ook⟩ *(sidecar) combination.*

zijspanrace ⟨de (m.)⟩ ⟨sport⟩ **0.1** *sidecar race.*

zijspanrijder ⟨de (m.)⟩**, -ster** ⟨de (v.)⟩ **0.1** [bestuurder] *driver of a sidecar combination;* ⟨BE ook⟩ *combination driver* **0.2** [passagier] *sidecar passenger.*

zijspiegel ⟨de (m.)⟩ **0.1** ^B*wing mirror,* ^A*outside/door/side mirror.*

zijspoor ⟨het⟩ **0.1** *branch(-line)* ⇒⟨rangeerspoor⟩ *siding,* ⟨vnl. AE⟩ *sidetrack* ◆ **6.1** een trein op een ~ brengen ⟨vnl. AE⟩ *switch/shunt a train into a siding, sidetrack a train;* ⟨fig.⟩ iem. op een ~ brengen/zetten *put s.o. on the sidelines/out of action.*

zijsprong ⟨de (m.)⟩ **0.1** *jump/leap aside* ⇒⟨ontwijkende beweging⟩ *dodge* ◆ **3.1** ⟨fig.⟩ een ~ maken naar iets *digress (onto sth.).*

zijstap ⟨de (m.)⟩ **0.1** *side-step* ⇒*step aside to one/the side.*

zijstoot ⟨de (m.)⟩ **0.1** *side-thrust* ⇒*sideswipe.*

zijstraat ⟨de⟩ **0.1** *sidestreet* ⇒⟨buiten stad⟩ *side-road* ◆ **3.1** ⟨fig.⟩ noem eens een ~ *take any (old) example, any (old) example will do* **6.1** hij woont hier **in** een ~ *he lives in a road off this one/down one of these turnings;* een ~ **van** *a street/road off ….*

zijstuk ⟨het⟩ **0.1** *sidepiece* ⇒⟨bouwk.⟩ *wing.*

zijtak ⟨de (m.)⟩ **0.1** [mbt. boom] *side/* ^*lateral branch* **0.2** [aftakking] *branch* **0.3** [zijlinie] ⟨→zijlinie⟩.

zijvenster ⟨het⟩ →zijraam.

zijvertrek ⟨het⟩ **0.1** *side-room.*

zijvlak ⟨het⟩ **0.1** *side (surface)* ⇒⟨tech. ook⟩ *lateral (sur)face,* ⟨van autoband⟩ *sidewall.*

zijvleugel ⟨de (m.)⟩ **0.1** [deel van een gebouw] *wing* **0.2** [zijpaneel] ⟨→zijpaneel⟩.

zijwaarts ⟨bn., bw.⟩ **0.1** ⟨bn.⟩ *sideward* ⇒*sideways,* ^*lateral,* ⟨bw.⟩ *sideways, sidewards* ◆ **1.1** een ~e beweging *a sideward/sideways movement;* ⟨ontwijkend⟩ *a swerve;* ⟨onopzettelijk, mbt. auto, vliegtuig, ook opzettelijk mbt. skiën⟩ *sideslip;* ~e druk *lateral pressure* **3.1** ~ gaan *go/move sideways/sideward/crabwise* **6.1** ~ **van** de weg loopt een sloot *there is a ditch (running) to/along the side of/along the road.*

zijwand ⟨de (m.)⟩ →zijmuur.

zijweg ⟨de (m.)⟩ **0.1** *side-road* ◆ **3.1** ⟨fig.⟩ ~en bewandelen ⟨van de rechte weg afdwalen⟩ *leave/stray from the straight and narrow, go astray;* ⟨geheime middelen gebruiken⟩ *do sth. in a devious way/by devious means/deviously.*

zijwind ⟨de (m.)⟩ **0.1** *sidewind* ⇒*crosswind* ⟨ook luchtv.⟩ ◆ **6.1** ⟨verkeer⟩ **met** ~ vliegen *fly with a crosswind.*

zijzak ⟨de (m.)⟩ **0.1** *side-pocket.*

zijzwaard ⟨het⟩ ⟨scheep.⟩ **0.1** *leeboard.*

zilt ⟨bn.⟩ ⟨schr.⟩ **0.1** *salt(y)* ⇒⟨mbt. zee ook⟩ *briny,* ⟨ihb. mbt. (grond)water⟩ *brackish* ◆ **1.1** ~e gronden *saline soil;* het ~e nat *the briny (deep), the brine/foam;* ~e tranen *salt tears.*

ziltheid ⟨de (v.)⟩ **0.1** *saltiness* ⇒⟨mbt. zee ook⟩ *brininess,* ⟨van rivierwater ook⟩ *brackishness.*

ziltig ⟨bn.⟩ **0.1** *salty* ⇒⟨mbt. zee ook⟩ *briny,* ⟨van water ook⟩ *brackish.*

zilver ⟨het⟩ ⟨→sprw. 546⟩ **0.1** [metaal] *silver* **0.2** [zilverwerk] *silver* **0.3** [zilvergeld] *silver* **0.4** [kleur als van zilver] *silver* **0.5** [zilveren medaille] *silver* ◆ **1.4** het ~ van haar haren *the s. of her hair* **2.2** Berlijns~ *German s.;* mat ~ *frosted s.* **2.3** ongemunt ~ *s. bullion* **3.2** het ~ poetsen *polish the s.* **3.5** ~ behalen op de Olympische Spelen *win s. / a s. (medal) in/at the Olympic Games.*

zilverachtig ⟨bn.⟩ **0.1** [op zilver lijkend] *silvery* ⇒⟨op zilver lijkend ook⟩ *silver* **0.2** [helder klinkend] *silvery.*

zilverader ⟨de⟩ **0.1** *vein/lode of silver.*

zilverbad ⟨de⟩ **0.1** *silver bath.*

zilverberk ⟨de (m.)⟩ **0.1** *silver birch.*

zilverbeslag ⟨het⟩ **0.1** *silver mounting/clasps* ◆ **6.1** een bijbel **met** ~ *a silver-mounted Bible, a Bible with silver clasps.*

zilverboom ⟨de (m.)⟩ **0.1** [zilverpopulier]⟨→**zilverpopulier**⟩ **0.2** [Zuidafrikaanse boom] *silver tree* **0.3** ⟨⟨chem.⟩ boomvormige afzetting] *silver deposit, dendrite, dendritic silver.*

zilverbromide ⟨het⟩ **0.1** *silver bromide.*

zilverdraad
I ⟨het, de (m.)⟩ **0.1** [tot draad getrokken zilver] *silver wire* **0.2** [met zilver omwonden draad] *silver thread;*
II ⟨de (m.)⟩ **0.1** [een draad getrokken zilver] *silver wire* **0.2** [een draad van dat garen] *silver thread.*

zilveren ⟨bn.⟩⟨→sprw. 253⟩ **0.1** [van zilver] *silver* ⇒⟨zilverkleurig ook⟩ *silvery* **0.2** [mbt. een 25-jarige periode] *silver* **0.3** [zilverkleurig] *silver-(y)* **0.4** [helder klinkend] *silvery* ♦ **1.1** met een ~ hengel vissen *buy fish when one has failed to catch any;* ~ lepels/vorken/munten *silver spoons/forks/coins;* ⟨fig.⟩ iets over~ schijven doen lopen *cross s.o.'s palm (with silver);* de ~ standaard *the silver standard* **1.2** een ~ bruiloft/feest/jubileum *a silver wedding/anniversary/jubilee* **1.3** ~ haren *silver(y) hair;* het ~ maanlicht *the silver(y) moonlight* **1.4** met ~ stem ⟨ook⟩ *silver-voiced.*

zilvererts ⟨het⟩ **0.1** *silver ore.*

zilverfazant ⟨de (m.)⟩⟨dierk.⟩ **0.1** *silver pheasant.*

zilvergehalte ⟨het⟩ **0.1** *silver content* ⇒*percentage of silver* ♦ **6.1** onze gulden had een~ van 95% *our guilders contained 95% silver/had a s. c. of 95%.*

zilvergeld ⟨het⟩ **0.1** *silver (coinage/money).*

zilverglans
I ⟨de (m.)⟩ **0.1** [glans (als) van zilver] *silvery lustre;*
II ⟨het⟩ **0.1** [zilvererts] *argentite.*

zilvergoed ⟨het⟩ **0.1** *silver (ware)* ⇒⟨tafelzilver ook⟩ *silver plate, table silver.*

zilvergrijs ⟨bn.⟩ **0.1** *silver(y) grey* ^*gray.*

zilverhoudend ⟨bn.⟩ **0.1** *silver-bearing* ⇒⟨na zn.⟩ *containing silver.*

zilverjodide ⟨het⟩⟨schei.⟩ **0.1** *silver iodide.*

zilverkast ⟨de⟩ **0.1** *silver-cabinet.*

zilverkleur ⟨de⟩ **0.1** *silver (colour).*

zilverkleurig ⟨bn.⟩ **0.1** *silver(y)(-coloured).*

zilverkoers ⟨de⟩ **0.1** *price of silver.*

zilverkorrel ⟨de (m.)⟩ **0.1** [korrel zilver] *grain of silver* **0.2** [⟨foto.⟩] *silver crystal/grain.*

zilverlegering ⟨de (v.)⟩ **0.1** *silver alloy* ⇒*alloy of silver.*

zilverling ⟨de (m.)⟩⟨bijb.⟩ **0.1** *piece of silver.*

zilvermeeuw ⟨de⟩ **0.1** *herring gull.*

zilvermijn ⟨de⟩ **0.1** *silver-mine.*

zilvernitraat ⟨het⟩ **0.1** *silver nitrate.*

zilveroxyde ⟨het⟩⟨schei.⟩ **0.1** *silver oxide.*

zilverpapier ⟨het⟩ **0.1** *silver paper/foil* ♦ **2.1** echt~ *silver leaf.*

zilverpleet ⟨het⟩ **0.1** *plated silver* ⇒*plate.*

zilverplevier ⟨de⟩ **0.1** *black-bellied plover.*

zilverpoeder ⟨het, de (m.)⟩⟨schei.⟩ **0.1** [poetsmiddel] *plate powder* **0.2** [zilver in poedervorm] *silver dust.*

zilverpoets ⟨het, de (m.)⟩ **0.1** *silver polish.*

zilverpopulier ⟨de (m.)⟩ **0.1** *white poplar* ⇒*abele.*

zilversmid ⟨de (m.)⟩ **0.1** *silversmith.*

zilversoldeer ⟨het, de (m.)⟩ **0.1** *silver solder.*

zilverspar ⟨de (m.)⟩ **0.1** *silver fir.*

zilverstuk ⟨de⟩ **0.1** *silver coin/piece* ⇒⟨lit.⟩ *piece of eight.*

zilveruitje ⟨het⟩ **0.1** *pearl/cocktail onion.*

zilvervlies ⟨het⟩ **0.1** *silverskin* ⟨van koffieboon⟩ *coat* ⟨van rijstkorrel⟩.

zilvervliesrijst ⟨de (m.)⟩ **0.1** *unpolished rice.*

zilvervloot ⟨de⟩ **0.1** [⟨gesch.⟩] *treasure-fleet* **0.2** [(grote) geldsom] *fortune* **0.3** [jubellied] 'Zilvervloot' ⟨*chant at sporting event to encourage team*⟩ **0.4** [spaarwijze] 'Zilvervloot' ⟨*savings scheme for young people between 15 and 21*⟩.

zilvervos ⟨de (m.)⟩ **0.1** [dier] *silver fox* **0.2** [bont] *silver fox.*

zilverwerk ⟨het⟩ →*zilvergoed.*

zilverwit ⟨bn.⟩ **0.1** *silver(y) white.*

zilverzand ⟨het⟩ **0.1** [zilverhoudend zand] *argentiferous sand/soil* **0.2** [fijn zand] *silver sand.*

zilverzout ⟨het⟩ **0.1** *silver salt* ⇒*salt of silver.*

Zimbabwaan ⟨de (m.)⟩, -se ⟨de (v.)⟩ **0.1** *Zimbabwean.*

Zimbabwe ⟨het⟩ **0.1** *Zimbabwe.*

zin ⟨de (m.)⟩⟨→sprw. 50,295⟩ **0.1** [zintuig] *sense* **0.2** [⟨mv.⟩ verstand] *senses* **0.3** [gevoel] *sense* **0.4** [⟨schr.⟩ gemoedsgesteldheid] *mood* **0.5** [streven] *mind* **0.6** [wil] *mind* **0.7** [lust] *liking* **0.8** [wens] *liking* **0.9** [betekenis] *sense* ⇒*meaning* **0.10** [nut] *sense* ⇒*point* **0.11** [⟨taal.⟩] *sentence* **0.12** [mening] *mind* **0.13** [⟨muz.⟩] *period, sentence* ♦ **1.9** in de ~ der wet *within the meaning of the law* **1.10** ik begrijp de ~ van uw woorden/daden niet *I don't see the point of your words/actions, your words/actions make no s. to me* **2.1** een woord in eigenlijke/figuurlijke ~ opvatten *take a word in its literal/figurative s.* **2.6** zijn eigen ~ doen *have it all one's own way, do as one pleases;* ⟨inf.⟩ do one's (own) thing **2.9** in de letterlijke ~ van het woord *in the literal/proper s. of the word, in its literal/proper s.;* in de ruimste ~ van het woord *in the broadest s. of the word;* in strikte ~ *in the strict s., strictly speaking;*

in zekere ~ klopt het wel *that's true/right in a way/in a (certain) s.* **3.2** de ~nen scherpen met denken *sharpen the intellect/one's wits with thought;* van zijn~nen beroofd zijn ⟨bewusteloos⟩ *be unconscious/ senseless;* ⟨gek⟩ *be out/* ⟨schr.⟩ *bereft of one's senses, be out of one's mind/wits* **3.5** zijn~nen op iets zetten *set one's mind/heart on sth.* **3.6** iemands~doen *do as s.o. wishes/what s.o. wants one to do;* zijn (eigen)~ doordrijven *get/have one's own way;* ⟨schr.;pej.⟩ *work one's will;*iem. zijn~geven *let s.o. have his way;* ⟨om iets ergers te voorkomen⟩ *humour s.o.* **3.10** zo heeft het (geen)~ *then there's some /no point to it/s. in it* **3.11** een ~ taalkundig/redekundig ontleden *parse/analyse a s.* **5.12** zoveel hoofden, zoveel ~nen *so many men, so many minds* **6.2** bij ~nen komen *come to* (⟨na krankzinnigheid ook⟩ *one's senses), come round;* **buiten** ~nen van woede *out of one's senses /wits/beside o.s. with rage* **6.3** ~ **voor** het schone/ **voor** orde hebben *have a s. of beauty/order* **6.4** verheugd/blij/opgeruimd **van** ~ *in a joyful/happy/cheerful m.* **6.5** kwaad/niet veel goeds **in** de ~ hebben *be up to no good, mean mischief/trouble;* iets **uit** zijn~nen zetten *put/get sth. out of one's head/mind, dismiss sth. from one's mind;* **van** ~s zijn om *mean/intend/* ⟨inf.⟩ *have a mind to* **6.6** zij zijn één **van** ~ *they are of one mind* **6.7** ergens (geen) ~ **in** hebben *(not) feel like/ fancy sth.;* ik heb~ in soep *I feel like (having) soup, I fancy soup;* ik heb~ **om** met jou naar de film te gaan *I feel like going to the* ⟨vnl. BE⟩ *cinema/pictures/* ^*movies with you* **6.8** het iem. **naar** de ~ maken *please s.o., make things (just) the way s.o. wants them;* ergens **naar** zijn~ wonen/werken *be content (with)/feel comfortable (in the place) where one lives/works* **7.7** ~ of geen ~ *willy-nilly, whether you like it or not, like it or not* **¶.2** zijn~nen bij elkaar houden *keep one's head/a cool head* **¶.7** hij doet (alles) waar hij ~ in heeft *he does (just) as he pleases.*

zindeel ⟨het⟩ →*zinsdeel.*

zindelijk
I ⟨bn.⟩ **0.1** [zijn natuurlijke behoeften beheersend]⟨kind⟩ *toilet-/ potty-trained* ⇒⟨euf.⟩ *trained,* ⟨dier⟩ *clean,* ⟨BE ook⟩ *house-trained,* ⟨AE ook⟩ *house-broken* ♦ **1.1** een ~e hond *a clean/house-trained/ house-broken dog* **3.1** is de kleine al ~? *has the baby been/is the baby toilet-trained/is the baby out of nappies/* ^*diapers yet?, can he/she use the potty yet?;*
II ⟨bn.,bw.;-ly⟩ **0.1** [proper] *neat* ⇒*tidy, clean(ly)* **0.2** [⟨fig.⟩] *clear* ⇒*lucid* ♦ **1.1** een ~e huisman *a tidy man about the house* **3.1** ~ eten *eat properly/without making a mess* **3.2** ~ denken *think clearly/lucidly* **6.1** ~ **op** zijn lichaam zijn *maintain (good) personal cleanliness.*

zinderen ⟨onov.ww.⟩⟨schr.⟩ **0.1** *shimmer* ♦ **1.1** een ~de hitte *sweltering /blistering heat* **6.1** deze roman zindert **van** zelfmoordfantasieën *this novel teems with/abounds in suicidal fantasies.*

zingen ⟨→sprw. 614,615⟩
I ⟨onov.ww.⟩ **0.1** [met de stem tonen voortbrengen] *sing* **0.2** [een muzikaal geluid voortbrengen] *sing* ♦ **1.1** het koor zingt *the choir is singing;* een toontje lager ~ ⟨fig.⟩ *climb/back/pipe down, change one's tune;* ⟨schr.⟩ *s. small;* iem. een toontje lager doen ~ *take s.o. down a peg (or two), make s.o. change his tune/climb/back/pipe down* **1.2** ~de violen *singing violins* **5.1** zuiver/vals ~ *s. in/out of tune* **¶.1** ⟨fig.⟩ voor het ~ de kerk uitgaan *pull out in time;*
II ⟨ov.ww.⟩ **0.1** [ten gehore brengen] *sing* **0.2** [door zingen in een toestand brengen] *sing* ♦ **1.1** ⟨fig.⟩ hij zingt altijd hetzelfde liedje *he never changes his tune, he's always singing the same (old) tune;* ⟨fig.⟩ geen twee liedjes voor één cent ~ *not (want to) repeat a s.* **6.1** zing eens wat **voor** ons ⟨ook⟩ *give us a song/tune* **6.2** iem. **in** slaap ~ ⟨lett.⟩ *sing s.o. to sleep;* ⟨fig.⟩ *lull s.o. to sleep/into a false sense of security.*

zingenot ⟨het⟩ **0.1** *sensual pleasure.*

zink ⟨het⟩ **0.1** *zinc* ♦ **6.1** het dak is met ~ bedekt *the roof is covered with z., the roof is zinced* ⟨enz.⟩ *has z. roofing.*

zinkbad ⟨het⟩⟨tech.⟩ **0.1** *zinc bath* ⇒*zinc-plating solution.*

zinkbedekking ⟨de (v.)⟩ **0.1** *zinc covering/* ⟨dakbedekking⟩ *roofing.*

zinkblende ⟨de⟩⟨mineraal⟩ **0.1** *sphalerite* ⇒*zinc blende.*

zinkdruk ⟨de (m.)⟩ **0.1** [vlakdruktechniek] *zincography* **0.2** [afdruk] *zincograph.*

zinken¹ ⟨bn.⟩ **0.1** *zinc* ♦ **1.1** een ~ dakgoot *a z. gutter.*

zinken² ⟨onov.ww.⟩ **0.1** [niet blijven drijven] *sink* ⇒*go/sink down to the bottom* **0.2** [(weg)zakken] *sink* ♦ **1.1** hout drijft, ijzer zinkt *wood floats, iron sinks;* ⟨fig.⟩ het ~de schip verlaten *leave the sinking ship, cut one's losses, take to the boats* **3.1** de arm laten ~ *let one's arm fall* **5.2** ⟨fig.⟩ diep gezonken zijn *have sunk/fallen low* **6.1** een schip **tot** ~ brengen *s. / (zie een schip, niet opzet) scuttle a ship* **6.2** ⟨fig.⟩ van schaamte **door** de grond ~ *cringe with embarrassment, wish the ground would open up and swallow one, not know which way/where to look/where to put o.s. (for embarrassment)* **6.3** in het niets ~ *not begin/be able to compare with s.o.'s, pale into insignificance beside s.o., be completely overshadowed by s.o.;* ⟨fig.⟩ de moed was hem **in** de schoenen gezonken *his heart was in his boots;* hij zonk **tot** aan de knieën in de sneeuw *he sank up to his knees/knee-deep in(to) the snow* **8.1** ~ als een baksteen *s. to the bottom/like a stone.*

zinker ⟨de (m.)⟩ **0.1** [buisleiding] *buried/* ⟨onder water⟩ *underwater* *pipe/main* ⇒*culvert siphon* **0.2** [iets wat doet zinken] *sinker* **0.3** [dobber] *sliding float*.

zinkerts ⟨het⟩ **0.1** *zinc ore*.

zinkgravure ⟨de⟩ **0.1** [gravure op een zinken plaat] *zincograph* **0.2** [afdruk daarvan] *zincograph*.

zinkhoudend ⟨bn.⟩ **0.1** ⟨alleen na zn.⟩ *containing zinc;* ⟨gesteente, enz. ook⟩ *zinc-bearing*.

zinklegering ⟨de (v.)⟩ **0.1** *zinc alloy* ⇒*alloy of zinc*.

zinklood ⟨het⟩ **0.1** [peillood] *sounding lead* ⇒*plumb,* ⟨door vissers gebruikt⟩ *plummet* **0.2** [⟨hengelsport⟩] *sinker*.

zinkografie ⟨de (v.)⟩ **0.1** [handeling] *zincography* **0.2** [resultaat] *zincograph*.

zinkoxyde ⟨het⟩ ⟨schei.⟩ **0.1** *zinc oxide*.

zinkplaat ⟨de⟩ **0.1** [plaat van zink] *sheet of zinc* ⇒*zinc sheet* **0.2** [⟨druk.⟩ plaat voor zinkografie] *zinc plate*.

zinkput ⟨de (m.)⟩ **0.1** *cesspit, cesspool* ⇒*sump* ◆ **6.1** ⟨fig.⟩ het geld valt daar in een ~ *they're always short/out of money/cash*.

zinkstuk ⟨het⟩ ⟨wwb.⟩ **0.1** ≠*(fascine) mat(tress)*.

zinkwit ⟨het⟩ **0.1** *Chinese white* ⇒*zinc white*.

zinkzalf ⟨de⟩ **0.1** *zinc ointment*.

zinkzeep ⟨de⟩ **0.1** *zinc soap*.

zinledig ⟨bn.⟩ →*zinloos* **0.1**.

zinlijk →*zinnelijk*.

zinlijkheid →*zinnelijkheid*.

zinloos ⟨bn., bw.; -ly⟩ **0.1** [zonder betekenis] *meaningless* ⇒*pointless, senseless* **0.2** [nutteloos] *useless* ⇒*pointless, futile* **0.3** [doelloos] *aimless* ⇒*pointless* ◆ **1.1** een ~ gezegde/gesprek *a m./pointless phrase/ conversation;* een zinloze vraag ⟨ook⟩ *a futile question;* zinloze woorden *empty/m. words* **3.2** verder discussiëren is ~ *further discussion is pointless, there's no point/use in discussing this any further;* het is ~ om …*there's no sense/point (in)* …*(-ing), it's pointless/useless to/* …*(-ing)* **7.2** ⟨zelfst.⟩ het zinloze van een onderneming *the futility of an undertaking*.

zinloosheid ⟨de (v.)⟩ **0.1** [zonder betekenis] *meaninglessness* ⇒*pointlessness, senselessness* **0.2** [nutteloosheid] *uselessness* ⇒*pointlessness, futility* **0.3** [doelloosheid] *aimlessness* ⇒*purposelessness*.

zinnebeeld ⟨het⟩ **0.1** *symbol*.

zinnebeeldig ⟨bn., bw.; -(al)ly⟩ **0.1** *symbolic* ⇒*symbolical* ◆ **1.1** een ~e voorstelling *a symbolic representation, an allegory, a symbolization*.

zinnelijk ⟨bn., bw.; -ly⟩ **0.1** [de zinnen bevredigend] *sensual* ⇒⟨niet pej. ook⟩ *sensuous* **0.2** [sensueel] *sensual* ⇒⟨wulps⟩ *voluptuous* **0.3** [zintuiglijk] *sensual, sensory* **0.4** [niet geestelijk] *sensual* ◆ **1.1** ~ genot *sensual/sensuous pleasure, material pleasures;* ~e liefde *sensual love;* een ~ mens *a sensual human being, a sensualist* **1.2** een ~e mond *a sensual/voluptuous mouth* **1.3** een ~ beeld *a sensory/sensual image* **1.4** het ~e leven *(one's) sensuality, (one's) sensual experience* **2.3** ~ waarneembaar *sensorially/sensually perceptible, perceptible to the senses*.

zinnelijkheid ⟨de (v.)⟩ **0.1** [sensualiteit] *sensuality* **0.2** [waarneembaarheid door de zinnen] *perceptibility to the senses*.

zinneloos ⟨bn., bw.; -ly⟩ **0.1** [onzinnig] *senseless* ⇒*inane* **0.2** [bewusteloos] *senseless* **0.3** [krankzinnig] *insane* ⇒*deranged* ◆ **1.3** een zinneloze vrouw *an i./a deranged woman* **3.1** ~ handelen/spreken *act/ speak senselessly/without (any) sense/inanely* **3.2** de man lag ~ op de grond *the man lay s. on the ground*.

zinneloosheid ⟨de (v.)⟩ **0.1** [dwaze daad] *senseless act* ⇒*(piece/act of) senselessness, inanity* **0.2** [bewusteloosheid] *senselessness* **0.3** [krankzinnigheid] *insanity* ⇒*(mental) derangement*.

zinnen
I ⟨onov.ww.; sterk⟩ **0.1** [peinzen over] *be intent/bent on* ⇒*ponder, meditate (up)on* ◆ **6.1** op wraak ~ *be intent on/bent on/meditate (up)on revenge;* de kinderen ~ weer op kattekwaad *the children are up to/mean mischief again;*
II ⟨onov.ww.; zwak⟩ **0.1** [aanstaan] *like* ⇒*fancy* ◆ **4.1** dat zinde hem wel *he really/he very much liked/fancied (the idea of) that*.

zinnenprikkelend ⟨bn.⟩ **0.1** *titillating* ⇒*sensually stimulating*.

zinnens ⟨bn.⟩ ⟨AZN⟩ →*zins*.

zinnenstrelend ⟨bn.⟩ **0.1** *pleasurable (to the senses)*.

zinnespel ⟨het⟩ ⟨lit.⟩ **0.1** *morality (play)*.

zinnig ⟨bn.⟩ **0.1** *sensible* ◆ **1.1** geen ~ mens zal zo iets geloven *no-one in his right senses/mind would believe such a thing;* hij heeft geen ~ woord gezegd *he hasn't uttered a word of sense* **4.1** ⟨zelfst.⟩ het is moeilijk daar iets ~s over te zeggen *it's hard to say anything meaningful/useful about that*.

zins ◆ **6.¶** iets van ~ zijn *intend/aim/plan/* ⟨inf.⟩ *have a mind/be out to do sth., have sth. in mind*.

zinsaccent ⟨het⟩ **0.1** *sentence stress*.

zinsbedwelming ⟨de (v.)⟩ **0.1** *intoxication (of the senses)*.

zinsbegoocheling ⟨de (v.)⟩ **0.1** *illusion* ⇒*delusion,* ⟨hallucinatie⟩ *hallucination,* ⟨fata morgana ook⟩ *mirage*.

zinsbepaling ⟨de (v.)⟩ ⟨taal.⟩ **0.1** *sentence adverb*.

zinsbouw ⟨de (m.)⟩ **0.1** *sentence structure* ⇒*syntax*.

zinscheiding ⟨de (v.)⟩ **0.1** *punctuation (of sentences)*.

zinsconstructie ⟨de (v.)⟩ →*zinsbouw*.

zinsdeel ⟨het⟩ **0.1** *part/constituent (of a/the sentence);* ⟨vragend⟩ *tag*.

zinsfunctie ⟨de (v.)⟩ ⟨taal.⟩ **0.1** *sentence function*.

zinsleer ⟨de⟩ **0.1** *syntax*.

zinslid ⟨het⟩ →*zinsdeel*.

zinsmelodie ⟨de (v.)⟩ **0.1** *(sentence) intonation*.

zinsnede ⟨de⟩ **0.1** *phrase* ⇒⟨taal. ook⟩ *clause* ◆ **3.1** deze ~ begrijp ik niet *I don't understand this p.*.

zinsomzetting ⟨de (v.)⟩ **0.1** *inversion (of a/the sentence)*.

zinsontleding ⟨de (v.)⟩ ⟨taal.⟩ **0.1** *parsing*.

zinspelen ⟨onov.ww.⟩ **0.1** *allude (to), hint (at)* ⇒⟨pej.⟩ *insinuate, allude (to)* ◆ **6.1** op iets ~ *h. at/a. to sth.*.

zinspeling ⟨de (v.)⟩ **0.1** *allusion (to), hint* ⇒⟨pej.⟩ *insinuation*.

zinspreuk ⟨de⟩ **0.1** [aforisme] *maxim* ⇒*aphorism* **0.2** [leus] *motto* ⇒⟨schr.⟩ *device*.

zinsritme ⟨het⟩ **0.1** *rhythm of a/the sentence*.

zinstructuur ⟨de (v.)⟩ ⟨taal.⟩ **0.1** *sentence structure*.

zinstype ⟨het⟩ **0.1** *type of sentence*.

zinsverband ⟨het⟩ **0.1** [betrekking tussen zinnen] *relation(ship)/connection between sentences* **0.2** [context] *context* ◆ **2.1** het onderschikkend /nevenschikkend ~ *subordination, co-ordination* **6.2** dit citaat is uit het ~ gerukt *this quotation has been torn from its/taken out of (its) c.*.

zinsverbijstering ⟨de (v.)⟩ **0.1** *insanity* ⇒*(mental) derangement*.

zinsvervoering ⟨de (v.)⟩ **0.1** *ecstasy, rapture* ⇒⟨schr.⟩ *exaltation*.

zinsvorm ⟨de (m.)⟩ **0.1** *sentence structure*.

zinswending ⟨de (v.)⟩ **0.1** *turn of phrase* ⇒*phrasing*.

zintuig ⟨het⟩ **0.1** *sense* ◆ **7.1** hij heeft een zesde ~ *he has a sixth s.*.

zintuiglijk ⟨bn., bw.⟩ **0.1** ⟨bn.⟩ *sensual, sensory;* ⟨bw.⟩ *by/through sense /the senses* ◆ **1.1** ~e waarnemingen *sensory perceptions*.

zinvol ⟨bn.⟩ **0.1** *significant* ⇒*meaningful,* ⟨redelijk⟩ *advisable, useful, worthwhile,* ⟨inf.⟩ *a good idea* ◆ **3.1** het is ~ nu beslissingen te nemen *it is advisable/a good idea to make decisions now*.

zionisme ⟨het⟩ **0.1** *Zionism*.

zionist ⟨de (m.)⟩ **0.1** *Zionist*.

zit ⟨de (m.)⟩ **0.1** [het zitten] *sit* **0.2** [manier van zitten] *sit* ⇒⟨van ruiter⟩ *seat* **0.3** [⟨inf.⟩ stoel, zitplaats] ⟨zie **3.3**⟩ ◆ **2.1** dat was een hele ~ *that was a long s.* **2.2** deze stoel heeft een gemakkelijke ~ *this is a comfortable chair (to sit in)* **3.1** geen ~ in zijn/haar gat/lijf hebben *be a fidget, have the fidgets;* ⟨sl.⟩ *have ants in one's pants* **3.3** neem een ~ *take a load off your feet, park yourself;* ⟨BE ook⟩ *find/take a pew*.

zitbad ⟨het⟩ **0.1** *hip bath* ⇒⟨vnl. als therapie⟩ *sitz bath*.

zitbank ⟨de⟩ **0.1** ⟨canapé⟩ *sofa, settee;* ⟨meestal zonder armleuningen en rug⟩ *bench;* ⟨in een kerk⟩ *pew*.

zitbeen ⟨het⟩ ⟨anatomie⟩ **0.1** *ischium* ⇒⟨inf.⟩ *seat bone*.

zitdag ⟨de (m.)⟩ →*zittingsdag*.

zit-eetkamer ⟨de⟩ **0.1** *living(-cum)-dining room*.

zitelement ⟨het⟩ **0.1** *seating unit/element/module*.

zitgeld ⟨het⟩ ⟨AZN⟩ **0.1** *attendance fee/money*.

zitgelegenheid ⟨de (v.)⟩ **0.1** *sitting accommodation, seating*.

zithoek ⟨de (m.)⟩ **0.1** *sitting area*.

zithoogte ⟨de (v.)⟩ **0.1** ⟨mbt. stoel⟩ *height of a/the seat*.

zitje ⟨het⟩ **0.1** [zitgelegenheid] *sit(-down)* ⇒⟨concr.⟩ *seat* **0.2** [tafeltje met stoelen] *table and chairs* ◆ **2.1** het is hier een gezellig ~ *it's nice sitting here, you can have a nice sit(-down) here* **6.1** onder ~ achter op een fiets *a seat on the back of a bicycle* **6.2** een terras met ~s *a pavement/*^*an outdoor/sidewalk café (with tables and chairs)*.

zitkamer ⟨de⟩ **0.1** [woonkamer] *living room* ⇒⟨BE ook⟩ *sitting room, lounge* **0.2** [ameublement] *living room/sitting room (furniture/suite)*.

zitkamerameublement ⟨het⟩ →*zitkamer* **0.2**.

zitkubus ⟨de (m.)⟩ **0.1** *cube*.

zitkuil ⟨de (m.)⟩ **0.1** *sunken sitting area*.

zitkussen ⟨het⟩ **0.1** *hassock* ⇒*ottoman,* ⟨rond ook⟩ *pouf(f), pouffe*.

zitplaats ⟨de⟩ **0.1** [plaats om te zitten] *seat* **0.2** [plaats waar iem. zit] *seat* ⇒*place* ◆ **3.1** deze auto heeft drie ~en ⟨ook⟩ *this car is a three-seater;* er zijn 300 ~en in deze zaal ⟨ook⟩ *this hall will seat/seats 300 people, the seating capacity of this hall is 300* **3.2** zich van zijn ~ verheffen *rise from one's s.*.

zitslaapbank ⟨de⟩ **0.1** *sofa bed* ⇒*studio couch,* ⟨BE ook⟩ *day bed,* ⟨AE ook⟩ *davenport*.

zitslaapkamer ⟨de⟩ **0.1** ^B*bedsitting-room* ⇒⟨inf.⟩ *bedsit(ter),* ^*one-room /studio apartment*.

zitstok ⟨de (m.)⟩ **0.1** [wandelstok met stoeltje] ⟨bij de jacht⟩ *shooting stick;* ⟨bij wedrennen⟩ *racing stick* **0.2** [voor vogels] *perch* ⇒⟨voor kippen ook⟩ *roost*.

zitten ⟨onov.ww.⟩ ⟨→sprw. 59, 469⟩ **0.1** [gezeten zijn] *sit* ⇒*be sitting (down)* **0.2** [zich met een doel ergens bevinden] *sit* ⇒*be* **0.3** [een functie bekleden] *be* ⇒*sit* **0.4** [geruime tijd ergens vertoeven] *be* **0.5** [wonen] *live* **0.6** [verblijven] *be* **0.7** [zich bevinden in de genoemde toestand] *be* **0.8** [mbt. een volharden in, gelaten worden op een plaats, in een toestand] ⟨zie voorbeelden⟩ **0.9** [mbt. zaken, zich bevinden] ***be* 0.10** [mbt. kleding] ***fit*** ⇒*sit* **0.11** [bevestigd zijn] ***be* 0.12** [gevuld, bedekt zijn met] ***be* 0.13** [treffen] ⟨zie 4.13⟩ **0.14** [⟨met onbep. w.⟩ bezig zijn met] ***be (... -ing), sit (... -ing)* 0.15** [⟨met 'op'⟩ lid zijn van, beoefenen] ⟨zie 6.15⟩ **0.16** [gevangen gehouden worden] ***do time*** ◆ **1.2** ⟨fig.⟩ de Kamers ~ *Parliament is now sitting / in session* **1.9** ⟨sport⟩ de bal zit *it's a goal!, it's (gone) in!, it's in the back of the net!;* er ~ knieën in deze broek *these trousers sag / are baggy at the knees* **1.16** hij heeft een jaar gezeten *he's been in jail* / ⟨BE ook; inf.⟩ *inside for one year;* ⟨uitgezeten⟩ *he's served one year* **3.1** blijf ~ *stay sitting (down), stay in your seat, don't get up;* †*keep / stay / remain seated,* †*keep your seat;* ⟨waarschuwing ook⟩ *s. tight;* kan ik tot Brussel blijven ~? *can I keep my seat all the way to / right through to Brussels?;* ga ~ ⟨bevel⟩ *sit down!;* ⟨uitnodiging⟩ *take a seat / chair,* †*be seated,* ⟨BE; inf.⟩ *find / take a pew;* ⟨tegen getuige⟩ *stand down;* gaan ~ *s. down;* †*take a / one's seat;* ⟨fig.⟩ er eens voor gaan ~ ⟨ter hand nemen⟩ *get (right) down to sth. / to work / business;* ⟨omstandig gaan vertellen⟩ *launch / settle into one's story;* ⟨fig.⟩ iem. niet stil laten ~ *keep s.o. on the trot* **3.5** ergens niet / best willen ~ *(not) want / be willing to be* / ⟨wonen⟩ *live somewhere* **3.8** ⟨fig.⟩ die weduwe bleef met twee kinderen ~ *that widow was left with two children (on her hands);* wij zijn (hier) blijven ~ *we haven't left, we're still here;* ⟨ook, niet verhuisd⟩ *we haven't moved;* op school blijven ~ *stay / be kept down a class* / ^{A}*grade;* ⟨fig.⟩ met iets blijven ~ *be left* / ⟨pej. ook⟩ *stuck* / ⟨BE; inf.⟩ *lumbered with sth.;* blijven ~ ⟨ongetrouwd⟩ ⟨inf.⟩ *be left on the shelf;* er is iets tussen mijn tanden blijven ~ *sth. has (got) stuck* / †*has lodged between my teeth;* laat maar ~ ⟨geen dank⟩ *that's all right / OK, don't mention it;* ⟨we beginnen er niet aan⟩ *(let's) forget it / drop it;* ⟨fig.⟩ hij heeft zijn vrouw laten ~ *he has left his wife (in the lurch), he's walked / run out / ditched om his wife,* ⟨AE ook⟩ *he's quit his wife;* ⟨fig.⟩ een meisje laten ~ *drop / ditch* / ⟨net voor het huwelijk⟩ *jilt a girl;* ⟨fig.⟩ hij heeft het lelijk laten ~ *he has badly let us / me down;* ⟨fig.⟩ hij liet het er niet bij ~ ⟨niet over zijn kant laten gaan⟩ *he didn't take it lying down;* ⟨erover blijven zeuren⟩ *he wouldn't leave it alone;* hij liet haar met de zaken ~ *he saddled / left* / ⟨BE; inf.⟩ *lumbered her with the business* **3.9** het blijft niet ~ *it won't stay put, it won't hold (in place);* laat maar ~ *keep the change* **3.14** de kip zit te broeden *the hen is sitting;* we ~ te eten *we are having dinner / lunch;* ze zit daar maar te piekeren *she just sits there brooding;* hij zit te springen om naar huis te gaan *he can't wait / he's dying / aching / bursting to go home;* zich ~ vervelen *be (getting) bored;* zit niet zo te zaniken *stop moaning / nagging, will you;* in zijn eentje ~ zingen / drinken *sit singing to o.s., be a lone drinker* **3.¶** ⟨fig.⟩ zich niet op zijn kop laten ~ *not take things lying down / let o.s. be sat on / let o.s. be bullied;* ⟨fig.⟩ iets niet op zich laten ~ *not put up with sth.* **4.9** daar zit 'em de kneep ⟨moeilijkheid⟩ *there's the rub, that's the snag;* ⟨kern, truc⟩ *that's the trick;* ⟨fig.⟩ hem hebben ~ ⟨uit zijn humeur zijn⟩ *be in a bad mood;* ⟨dronken zijn⟩ *have had (a drop) too much / one too many* **4.11** dat zit *that will hold, that's solid;* hoe zit dat in elkaar? *how does it (all) fit together?,* ⟨fig. ook⟩ *how does that work?* **4.13** die zit ⟨BE; sl.⟩ *that was right on target / was a bullseye / nice one! / is / was one in the eye for you / him /* ⟨enz.⟩ **5.1** uw vader zit te veel *your father spends too much time sitting down* **5.4** hij zit altijd thuis *he is always (sitting) at home, he's a stay-at-home* **5.5** ergens heel aardig ~ *be comfortable / be nicely off somewhere* **5.6** waar zit hij toch? *where can he be? / can he have got to?* **5.7** hij zit er lelijk in *he is in a devil / hell of a mess / spot;* ondertussen zit ik er toch mee *I've reached the stage where I don't know what to do with it;* ik zit er lelijk tussen *I am in a tight corner* / ⟨dilemma⟩ *quandary / a pretty / an awful mess;* ⟨fig.⟩ ernaast ~ *be wrong* / ⟨met rekensommetje, enz.⟩ *out* / ⟨met gissing⟩ *off (target);* ik zit momenteel nogal moeilijk *I'm in a rather awkward position / it's rather awkward for me right now;* ⟨fig.⟩ er warmpjes in / bij ~ *be pretty* / ⟨BE ook⟩ *jolly nicely off, be doing nicely(, thank you)* **5.8** daar ~ we dan! *now we're in a mess / in trouble;* ⟨fig.⟩ en als dat gebeurt, dan zit je *and if that happens you'll be in trouble / you can start worrying* **5.9** ⟨fig.⟩ zit daar geld? ⟨zijn ze rijk⟩ *are they well off?;* ⟨mbt. bedrijf⟩ *are they doing all right?;* ⟨fig.⟩ daar zit nu juist de fout *that's where the mistake is / comes in;* ⟨fig.⟩ daar zit het 'm in *that makes all the difference;* ⟨daar gaat het juist om⟩ *that's the whole point;* ⟨fig.⟩ daar zit wat in *you (may) have sth. there, there is sth. / some point in that;* het zat er maar los aan *it was only loosely fastened (on);* ⟨fig.⟩ het zit er niet aan *I / he can't afford it, my / his funds don't run to that;* ⟨fig.⟩ er zit iets achter ⟨ook⟩ *there's more to it (than meets the eye);* ⟨verborgen moeilijkheid⟩ *there must be a catch to / in it;* ⟨fig.⟩ het zit er (dik) in *there's a good chance (of that (happening)), I shouldn't wonder, that's very likely;* ⟨fig.⟩ er zit niet veel bij die jongen *there's not much to him, he's not up to much;* ⟨fig.⟩ de Duitse voorzetsels ~ er goed in *I know my German prepositions properly;* ⟨fig.⟩ er zat niets anders op dan toe te geven *there was nothing (else) for it but to give in;* ⟨fig.⟩ belastingverlaging zit er vandaag de dag niet in *they are not likely to reduce taxes these days;* ⟨fig.⟩ het zit er voor hem niet in *it's not* ^{B}*on* / ^{A}*in the cards for him;* ⟨fig.⟩ er zit wel wat waars in *there's an element of truth / there's sth. in it;* ⟨fig.⟩ er zit niets achter ⟨het is leeg gepraat; inf.⟩ *there's nothing in / to it, it's all hot air;* er zit nogal wat suiker in ⟨ook; inf.⟩ *it's a bit heavy on sugar;* ⟨fig.⟩ wat er in zit komt er uit *you get out what you put in;* ⟨mbt. persoon⟩ *you can't keep a good man down;* ⟨pej.⟩ *a bad penny always turns up;* ⟨mbt. computers⟩ *gigo (garbage in, garbage) (out);* ⟨fig.⟩ we moeten weg, er zit niets anders op *we'll just have to leave, that's all; there's nothing (else) for it but to leave;* ⟨fig.⟩ wat zit er anders op? *what else is there to do?, what is the alternative?;* ⟨fig.⟩ eruithalen wat erin zit *make the most (out) of / get the most out of sth.;* ⟨fig.⟩ het zit erin dat we volgende week kunnen vertrekken *there's every / a good chance that we can leave next week;* ⟨fig.⟩ hier zit kopij / een artikel in *this will make good copy / a good story;* ⟨fig.⟩ dat zit hem hoog ⟨daar is hij boos over⟩ *it sticks in his throat;* ⟨daar is hij druk mee bezig⟩ *he's up to his neck in it;* ⟨fig.⟩ het zit hem niet mee *the dice are loaded against him, he's out of luck, his luck's against him;* ⟨fig.⟩ het weer zit ons mee *the weather's on our side / in our favour;* ⟨fig.⟩ alles zit hem mee / tegen *everything is going his way / against him;* ⟨meezitten ook⟩ *his bread is buttered on both sides;* ⟨fig.⟩ alles zit vandaag tegen *nothing will go right today, today's / it's just one of those days,* ⟨BE; sl.⟩ *God's law seems to be operating today;* bij de meeste kleine auto's zit de motor voorin *small cars usually have / tend to have the engine at the front;* ⟨fig.⟩ waar zit het hem in? ⟨wat is de moeilijkheid⟩ *what's the problem?;* ⟨oorzaak⟩ *what caused / what's causing it?;* ⟨fig.⟩ 't zit zo *it's / things are like this* **5.10** ⟨fig.⟩ dat zal hem niet glad ~ *he won't get away with it, he'll be sorry (for that) / regret that;* goed ~ *be a good fit;* zit mijn dasje goed? *is my tie all right / straight?;* ⟨fig.⟩ hoe zit dat? gaan we of blijven we thuis? *what about it now? are we going or are we staying at home?;* ⟨fig.⟩ dat idee zit mij niet lekker *I don't fancy that idea / like the sound of that idea;* de rok zit daar niet mooi *the skirt doesn't f. well there;* te strak ~ *be a tight fit* **5.11** ⟨fig.⟩ daar zit een heel verhaal aan vast *there's a whole story behind / to that,* ⟨schr.; ook scherts.⟩ *(and) thereby hangs a tale;* ⟨fig.⟩ dat zit wel goed / snor *that will be all right;* het zit los / scheef *it is loose / crooked;* zit het goed vast? *is it well secured / fastened?;* waar zit dit onderdeel aan vast? *where does this part join on (to)? / go?;* zo heeft het gezeten *that's how / the way it was / things were* **5.12** vol stof ~ *be (all) dusty, be covered with dust;* vol valsheid ~ *be completely untrustworthy;* ergens vol mee ~ *be thick / teeming / bristling with sth., be full of sth.* **5.¶** hij zit overal aan *he cannot leave anything alone / can't keep away from anything;* achter de meisjes aan ~ *chase ((around) after) girls;* daar zit een vrouw achter *there is a woman involved / in it / at the bottom of it;* dat zit er niet aan *(but) no such luck,* ⟨als afwijzing tegen iem. anders⟩ *nothing doing;* het zit er bij hem nogal aan *he's pretty well off;* de zomer zit er weer op *the summer's over / gone again;* mijn taak zit er weer op *that's my job out of the way / done;* die week zit er weer op *that week's over (at last);* het zit erop *that's that (out of the way / done);* hier zit Peter achter *this must be Peter's work / doing, Peter is behind / at the bottom of this;* dat zit nog *that remains to be seen* **6.1** ⟨fig.⟩ hij zit erg **op** zijn centen *he's very careful with his money;* ⟨pej.⟩ *he's very stingy / a real miser;* dicht **op** het vuur ~ ⟨ook⟩ *hug the fire* **6.2 aan** het raam ~ *s. by the window;* **aan** tafel ~ *be eating, be at the table;* **aan** de koffie ~ *be having coffee;* **bij** welke groep zit jij? *which group are you in?;* ⟨fig.⟩ ik zit al een uur **boven** mijn opstel *I have been on / (slogging away) at my essay for an hour now;* de vogels zitten **in** de bomen ⟨ook⟩ *the birds are perched in the trees;* Jones zit **in** een vergadering *Jones is at a meeting;* **op** zijn hurken ~ *crouch, squat;* ⟨AE ook⟩ *hunker;* ⟨fig.⟩ **op** rozen ~ ⟨inf.⟩ *be sitting pretty, be doing nicely(, thank you);* ⟨fig.⟩ **over** een som ~ *be working on a sum* **6.3 aan** het roer ~ *be in charge;* ⟨regeren⟩ *be at the helm;* ⟨inf.⟩ *run the country;* **in** het bestuur ~ *be / s. / serve on the board;* **op** de troon ~ *be / s. on the throne, wear the crown;* **op** een kantoor ~ *be / work in an office;* **op** school / **in** de klas ~ *be at school / in class* **6.4** ⟨fig.⟩ altijd **achter** de kachel / **bij** moeders pappot ~ *be a stay-at-home* / ⟨AE ook⟩ *homebody;* **in** de gevangenis / **achter** tralies ~ *be in prison / behind bars;* ⟨fig.⟩ met zijn neus **in** de boeken ~ *be immersed in one's books, be at one's books, have one's nose in one's books* **6.7 in** angst ~ *be in fear (and trembling)* / ⟨inf.⟩ *in a panic;* **in** de schuld ~ *be in debt;* nog **in** de kleine kinderen ~ *still have young children (on one's hands);* hij zit **in** de amusementswereld / olie-industrie *he is in entertainment / oil;* we ~ weer **in** de winter *winter's come round* / ^{A}*around again;* wij ~ nog midden **in** de examens *we are still in the middle / midst of the exams;* **met** een gebroken been ~ *have a broken leg, have broken one's leg;* **op** een streng dieet ~ *be on a strict diet;* **op** zware lasten ~ *have heavy expenses;* **op** een droogje ~ *not have a(nything to) drink, be dry;* ik zit **op** f10,- per uur *I'm on 10 guilders an hour;* **zonder** werk / benzine ~ *be out of work / a job* / ^{B}*petrol* / ^{A}*gas;* (bijna) **zonder** geld ~ *have run short / out of money* **6.8** ⟨fig.⟩ **met** iets ~ *be at a loss (what to do) about / with sth.;* **met** een probleem ~ *have a / be up against a problem* **6.9** wat zit er **in** die zak? *what's in that bag?;* de schrik zat hem nog **in** de benen *he was still trembling with fear;* het zit **in** de pen ⟨fig.⟩ *it's in the pipeline / works;* het zit **in** de familie *it runs in the family;* **in** sla zit vitamine C *lettuce contains vitamin C, there's vitamin C in lettuce;* ⟨fig.⟩ het zit haar **in** 't bloed *it is / runs in her blood;* de spijker zat diep **in** het hout *the nail was deeply embedded in the wood;* ⟨fig.⟩ er zit wel wat **in** die film *there's plenty of* *punch/meat in that film;* er zit onweer **in** de lucht *a thunderstorm is brewing, there is a thunderstorm in the air/about;* heb jij geld **in** zijn zaak ~? *have you got money in his business?;* ⟨fig.⟩ er zit iets **in** haar *there's sth. to/about her;* er zit geen fut meer **in** hem *he has no go/pep/kick left in him;* **om** pillen zit soms een laagje suiker *pills are sometimes coated with sugar;* er zit een vlek **op** je jurk *there is a stain on your dress;* ⟨fig.⟩ ⟨met een gebaar naar de keel⟩ het zit me **tot** hier *I'm fed up (to the back teeth) with it/sick and tired of it, I've had it up to here, I've had my bellyful of it* **6.11 in** de war/**in** de knoop ~ *be in a tangle/mess;* die roman/film zit uitstekend **in** elkaar *that novel/film is beautifully put together/constructed/has an excellent plot;* ⟨fig.⟩ weet jij, hoe de zaak precies **in** elkaar zit? *do you know all the ins and outs of the matter?, do you know how it all fits together?* **6.12 onder** de verf ~ *be covered with/in paint, have paint all over one;* ⟨fig.⟩ **onder** 't werk ~ *be up to one's ears/eyes in work, be bogged down in/by work;* **onder** de modder/luizen/schulden ~ *be covered with mud/lice, be (up to one's ears) in debt;* ⟨luizen ook⟩ *be lice-ridden* **6.15** Jack zit **op** volleybal en Susanne **op** ballet *Jack's doing volleyball and Susanne's got ballet;* **op** tekenles ~ *be having/taking drawing lessons* **6.16 op** water en brood ~ *be (kept) on bread and water;* **wegens** diefstal ~ *do time for theft* **6.¶ aan** iets ~ *touch sth.;* ⟨mbt. eten en drank; inf.⟩ *be at sth.;* **aan** de grond ~ ⟨van schip⟩ *have run/gone/be aground;* ⟨geen geld meer hebben⟩ *be on the rocks;* ⟨niet weten wat te doen⟩ *be at a loose end;* wie heeft er **aan** mijn recorder gezeten? *who has been at/playing/* ⟨ernstiger⟩ *tampering with my cassette-player?;* het zit hem **aan** de nieren/**in** de benen *it's his kidneys/legs;* ⟨fig.⟩ **achter** iem./iets aan ~ *pursue s.o./sth.;* ⟨proberen relatie aan te knopen⟩ *go/be after s.o.;* ⟨volgen⟩ *follow s.o.;* **in** Abrahams schoot ~ *be/live in clover;* elkaar **in** het haar/**op** de huid/**in** de veren ~ *be at loggerheads (with each other), be at each other's throats;* er zit een actrice **in** haar *she has the makings of an actress (in her);* ze zit goed **in** de kleren *she is well off/well set up for clothes;* er zit een goede echtgenoot **in** hem *he will/would make a good husband;* **met** de gebakken peren ~ *be left carrying/holding the baby;* iem. **op** de hielen ~ *be close on/follow s.o.'s heels, be close behind s.o.;* ⟨spoor volgen⟩ *be hot on s.o.'s trail;* **op** hete kolen ~ *be on tenterhooks, be like a cat on hot bricks;* deze auto zit al gauw **op** 120 km *this car does 120 km fairly easily* **8.10** als gegoten ~ *f. like a glove* **¶.1** zit! *sit!* **¶.7** hij zit erover in dat hij zijn auto moet verkopen *he's bothered/upset about having to sell his car* **¶.8** ⟨fig.⟩ als we weigeren ~ we *if we refuse we can forget it/we'll be the worse for it* **¶.14** ~ te ~ *hang/sit around/* ⟨BE ook⟩ *about;* het zit er aan te komen *it's on its way/coming (soon), it's in the pipeline/works.*

zittenblijver ⟨de (m.)⟩, **-blijfster** ⟨de (v.)⟩ **0.1** ***repeater*** ⇒*pupil who stays down a class/*^A*grade.*

zittend ⟨bn.⟩ **0.1** [gezeten] ***sitting*** ⇒*seated,* ⟨inf., mbt. maaltijd⟩ *sit-down* **0.2** [waarbij men veel zit] ***sedentary*** **0.3** [in functie zijnd] ***incumbent*** ⇒*sitting* **0.4** [⟨plantk.⟩] ***sessile*** ◆ **1.1** in ~e houding *(in a) seated/sitting (position);* op de tekening was een ~ meisje afgebeeld *the drawing portrayed a girl sitting* **1.2** een ~ leven leiden *lead a s. life;* ~ werk hebben *have a job in which one sits/must sit a great deal, have a s. job* **1.3** de ~e bestuursleden *current/sitting members of the board;* een ~ minister *an i. minister, a minister in office.*

zitting ⟨de (v.)⟩ **0.1** [deel van een stoel] ***seat*** **0.2** [vergadering] ***session*** ⇒*meeting, sitting* **0.3** [zittingstijd] ***session*** ◆ **2.1** een rieten ~ *a cane s.* **2.2** een rumoerige ~ *a noisy meeting/session* **3.2** ~ houden *be in session, meet, sit;* de ~ openen/verdagen *open/adjourn the meeting/session* **3.¶** ~ hebben in *be a member of, be/serve/sit on, hold/have a seat on;* ~ nemen in de raad *take a place/seat on the board* **6.2 in** volle ~ *in full session;* **in** geheime ~ bijeenzijn ⟨ook⟩ *sit in conclave* **¶.2** ~ met/achter gesloten deuren *a meeting/session behind closed doors/* ⟨vnl. jur.⟩ *in camera.*

zittingsdag ⟨de (m.)⟩ **0.1** ***meeting day*** ⇒*day of a/the meeting/session.*

zittingsjaar ⟨het⟩ **0.1** ***(year of) session.***

zittingsperiode ⟨de (v.)⟩ **0.1** ***term, session;*** ⟨v.e. rechtbank⟩ ***law term.***

zittribune ⟨de⟩ **0.1** ***stand(s) with seats/benches, bleachers*** ⟨mv.⟩.

zitvlak ⟨het⟩ **0.1** [billen] ***seat, bottom*** **0.2** [vlak waarop men zit] ***seat.***

zitvlees ⟨het⟩ ◆ **3.¶** geen ~ hebben *be fidgety, not be able to sit still;* ⟨sl.⟩ *have ants in one's pants.*

zitzak ⟨de (m.)⟩ **0.1** ***bean-bag (chair/seat).***

z.j. ⟨afk.⟩ **0.1** [zonder jaartal] ***s.a..***

z.k. ⟨afk.⟩ **0.1** [zonder kinderen] ⟨*childless, without children*/⟨*jur.*⟩ *issue*⟩ **0.2** [zonder kosten] ⟨*plus costs*⟩.

Z.K.H. ⟨afk.⟩ **0.1** [Zijne Koninklijke/Keizerlijke Hoogheid] ⟨koning⟩ ***H.M.;*** ⟨prins⟩ ***H.R.H.;*** ⟨keizerlijke hoogheid⟩ ***H.I.M..***

z.k.m. ⟨afk.⟩ **0.1** [zoekt kennismaking met] ⟨*seeks, would like/wishes to meet*⟩.

zn. ⟨afk.⟩ **0.1** [zoon] ⟨*son*⟩.

zo[1] ⟨bw.⟩ **0.1** [overeenstemmend met een werkelijkheid] ***so*** ⇒*like this/that* **0.2** [overeenstemmend in maat, graad] ***as, so*** **0.3** [op deze wijze] ***so*** ⇒*like this/that, this/that way,* ⟨schr.⟩ *thus* **0.4** [aanstonds] ***right away*** ⇒*in a moment/minute,* ↑*presently, directly* **0.5** [zeer] ***so*** ◆ **1.1** zij heeft er toch ~ een hekel aan *she really hates that, she does so hate that* **2.1** ~ hoog *so/this/* ⟨AE; inf.⟩ *yea high* **2.2** ze was zó blij dat ze *...she was so happy she ...;* het is allemaal niet ~ eenvoudig *it's not as simple as it seems/looks;* hij is ~ gek om te ... *he is crazy enough to ...;* ~ goed als geen *barely any, practically/almost none;* het is lang ~ goed niet *it's not nearly as/so good;* dit stuk is net ~ groot *this piece is just as big;* zó groot *as big as that/this, that big;* ~ helder als kristal ⟨lett.⟩ *(as) clear as crystal/glass;* ⟨ook fig.⟩ *crystal-clear;* half ~ lang/groot *half as long/big;* hij is ~ oud/niet ~ oud als ik *he is as old/not so/as old as I am;* ~ snel mogelijk *as soon/quickly as possible;* ze is toch ~ verlegen! *she is so/painfully shy;* hij was ~ verstandig om te zwijgen *he was sensible enough to keep quiet* **2.5** het is toch ~ warm! *it's so (awfully) hot!* **3.1** ~ ben ik niet *I'm not like that;* het heeft ~ moeten zijn *that's the way/how it had to be, it was/that's fate, that's the way of the world;* dat is ~, ~ is het *that's so/true/right, so it is;* ~ is het leven *that's/*↑*such is life, life's like that;* ⟨inf.⟩ *that's the way the cookie crumbles;* als dat ~ is ... *if that's so/that's the case ...;* ~ is het nu eenmaal *that's just the way it is, it can't be altered/changed/helped;* nu het eenmaal ~ is *since that's the case/the way it is, that being the case;* ~ zal het nooit meer worden *it will never be the same again;* het zij ~ *so be it;* ~ zijn er niet veel *there aren't many like that;* ~ zijn de mannen ⟨ook⟩ *just like a man* **3.3** ... dacht ik ~ *I thought;* zó doe je dat! *that's the way/how you do it/it's done/to do it!;* zij doet maar ~ *she's just pretending;* o, gaat dat ~ *so that's how/the way it works/goes/is done, is that how/the way it works/goes/is done?;* ~ gaat het altijd *that's the way it goes/is, it's always like that;* wie huilt daar ~? *who's crying (like that)?;* het is ~ al erg genoeg *it's bad enough as it is;* zó is het! *that's the way it is!;* zó is 't goed *that's fine (like that);* ~ is het goed *that's the (right) way, that way's fine;* laat (het) maar ~ *leave it the way it is, just leave it* **3.4** ik ben ~ terug *I'll be back r. a./in a minute/a jiffy;* het is ~ gebeurd *it only takes/it'll only take a minute/second;* dat zie je ~ *you can see that straight away/right away/at once* **3.5** ik hoop toch ~ dat ze komt *I do hope/I really hope she comes;* die fiets is nog zó *that bicycle is still in great shape;* die vrouw is zó *she's/that's a great/* ⟨inf.⟩ *one helluva woman* **3.¶** het was maar ~ ~ *it was just so-so;* ~ wist hij o.m. te vertellen, dat ... *he told us among other things that ...;* ~ zijn *be that way (inclined)/one of them* **4.1** ~ iets geks heb ik nog nooit gezien *I've never seen anything so crazy;* daar zeg je ~ iets *now you're talking, that's right;* ⟨nu schiet me iets te binnen⟩ *that reminds me* **5.1** en ~ verder *and so on/forth* **5.2** hij voelde zich niet ~ best *he didn't feel so/too well;* het boek is ~ goed als af *the book is as good as/is pretty well finished;* ~ goed als ie kon *as well as he could;* het ging allemaal o ~ goed, tot ... *it all went ever so smoothly until ...;* ~ maar *just like that;* ⟨zonder toestemming te vragen⟩ *without so much as a by-your-leave;* ~ nu en dan *every now and then;* ⟨fig.⟩ is het weer ~ ver? *(t)here we/he/she/*⟨etc.⟩ *go(es) again!* **5.3** goed ~, Jan! *well done/good, John!* **5.4** ~ pas/~ juist *just now, just a minute ago, just this minute* **6.2** onze vijver is ongeveer ~ **bij** ~ *our pond is about so big by so big/that by that* **8.1** zij gaan vaak naar clubs en ~ *they often go out to clubs and that sort of thing;* een jaar of ~ *a year or so, about/around a year;* dertig of ~ *around/about thirty, thirtyish, thirty or so/or thereabouts;* hij woont in Apeldoorn of ~ *he lives in Apeldoorn or somewhere (like that)* **8.2** ~ en ~ *such and such (a number/amount)* **8.3** ~ of ~? *this way or that (way)?, like this or like that?* **¶.4** brood, ~ uit de oven *bread right/straight/fresh from the oven.*

zo[2] ⟨vw.⟩ ⟨→sprw. 224, 268, 273, 427⟩ **0.1** [gelijk, als] ***as*** ⇒*like* **0.2** [indien] ***if*** **0.3** [naar] ⟨zie 3.3⟩ ◆ **1.1** ~ vader, ~ zoon *like father like son* **2.2** ~ mogelijk *if possible;* ~ nodig *if necessary* **3.2** ~ hij het al wist, hij heeft niet gereageerd *if he did (in fact) know, he (certainly) didn't respond* **3.3** ~ men beweert, ligt hij op sterven *they/people say he's/he's said to be on his deathbed* **5.2** ~ ja, waarom/~ nee, waarom niet *if so, why/if not, why not;* je zult je huiswerk maken, ~ niet, dan krijg je een aantekening *you should do your homework, otherwise you'll get a bad mark.*

zo[3] ⟨tw.⟩ **0.1** ***well*** ⇒*so, I say* ◆ **9.1** o ~! *so there, serve(s) you right* **¶.1** ~, dat is dat *w. (then), that's that;* ~, je hebt hem dus niet gezien *w. then/so you didn't see him;* mijn vrouw heeft zich een computer aangeschaft! ~! *my wife has bought herself a computer. really?/you don't say!/well, well!;* ~, dat is meer dan genoeg *right, that's more than enough/enough's enough.*

Z.O. ⟨afk.⟩ **0.1** [zuidoost(en)] ***SE.***

zoal ⟨bw.⟩ **0.1** ⟨zie 3.1⟩ ◆ **3.1** wat heeft hij ~ meegebracht? *what (kind of things) did he bring with him?.*

zoals[1] ⟨bw.⟩ **0.1** ***how (much)*** ⇒⟨inf.⟩ *the way* ◆ **¶.1** het is verbazend ~ die jongen vooruitgegaan is *it's amazing h. (m.)/the way that boy has progressed.*

zoals[2] ⟨vw.⟩ ⟨→sprw. 356⟩ **0.1** [⟨vergelijkend⟩] ***as*** ⇒*such as* **0.2** [⟨verklarend⟩] ***such as*** ⇒*like* ◆ **1.2** voertuigen, ~ auto's, wagens, bakfietsen *vehicles s. as cars, trucks, carrier cycles* **3.1** ~ gezegd *as I/we/they/* ⟨enz.⟩ *('ve) already said;* ⟨schr.⟩ *as already stated;* het is ~ ik u zeg *that's (simply) how/the way it is, it's (just) as/like I say;* ~ je wilt *as/whatever you like, suit yourself* **4.1** een meisje ~ jij *a girl like you;* mensen ~ wij *people like us/*↑*such as we;* ⟨sl.⟩ *the likes of us* **5.1** ~ gewoonlijk *as usual.*

ZOAVO ⟨de (v.)⟩ ⟨afk.⟩ **0.1** [Zuidoostaziatische Verdragsorganisatie] ***SEATO.***

zodanig¹ ⟨aanw.vnw.⟩ **0.1** *such* ◆ **8.1** ⟨zelfst.⟩ als ~ *as s.;* het bedrijf als ~ *the business as s., the business itself.*

zodanig² ⟨bw.⟩ **0.1** *so (much)* ◆ **3.1** hij heeft de elpee ~ beschadigd, dat die niet meer te beluisteren is *he damaged the LP so badly/much that it can't be played any more.*

zodat ⟨vw.⟩ **0.1** *so (that)* ⇒*(so as) to* ◆ **¶.1** kom zachtjes binnen, ~ je de baby niet wakker maakt *come in quietly so as not to/so (that) you don't wake the baby;* ik zal het eens tekenen, ~ je kunt zien wat ik bedoel *I'll draw it so (that) you can see/(so as) to show you what I mean.*

zode ⟨de⟩ **0.1** *turf* ⇒⟨schr.⟩ *sod* ◆ **3.1** ~n steken *cut t.;* ⟨fig.⟩ dat zet geen ~n aan de dijk *that's (of) no use/help, what good is that;* ⟨fig.⟩ dat zet ~n aan de dijk *that's (of) some help/use, now we're getting somewhere* **6.1** een plantsoen met ~n beleggen *put down/lay t. / sods in a park, turf a park;* ⟨fig.⟩ **onder** de groene ~n liggen *be six feet under;* ⟨scherts.⟩ *be pushing up daisies.*

zodiak ⟨de (m.)⟩ **0.1** *zodiac.*

zodoende ⟨bw.⟩ **0.1** *(in) this/that way* ⇒⟨schr.⟩ *thereby,* ⟨daarom⟩ *that's why/the reason* ◆ **3.1** ik heb overal staan kijken, ~ ben ik te laat gekomen *I stopped to look at everything and that's why/the reason I'm late;* ~ bespaart men kolen *this way one saves coal* **¶.1** ik was de weg kwijt, ~! ⟨ben ik te laat⟩ *I got lost, that's the reason/what happened/why;* ⟨BE;sl.⟩ *I got lost, didn't I?.*

zodra ⟨vw.⟩ **0.1** *as soon as* ◆ **¶.1** ~ ik geld heb, betaal ik u *I'll pay you as soon as I have some money;* ~ hij opdaagt ... ⟨ook⟩ *the moment he shows up;* ~ je klaar bent zullen we gaan ⟨ook⟩ *once you're ready we'll leave.*

zodus ⟨vw.⟩ ⟨AZN⟩ **0.1** *thus* ⇒*in this/that way/manner,* ⟨dus⟩ *therefore.*

zoeaaf ⟨de (m.)⟩ **0.1** [lid van de Vaticaanse ordedienst] *Swiss Guard* **0.2** [vrijwilliger in het pauselijk leger] *(papal) Zouaves* **0.3** [⟨gesch.⟩ Frans infanteriesoldaat] *Zouave.*

zoef ⟨tw.⟩ **0.1** *swish* ⇒*whoosh.*

zoek¹ ◆ **6.¶** op ~ gaan/zijn naar iets *look for/seek/be on the look-out for sth.;* grind wassen **op** ~ naar goud *pan for gold;* hij ging **op** ~ naar water *he went to look for/to get/fetch water;* sinds zijn vrouw bij hem weg is, is hij weer op ~ *since his wife left him he's been on the prowl again;* **op** ~ naar het geluk *in pursuit of happiness;* **op** ~ naar succes ⟨ook⟩ *after success;* de inbrekers snuffelden in het huis rond **op** ~ naar geld *the burglars prowled/looked/nosed around/* ⟨BE ook⟩ *round the house for money.*

zoek² ⟨bn.⟩ ⟨alleen pred.⟩ **0.1** ⟨doorbrengen⟩ *missing, gone* **0.2** [afwezig] *missing* ◆ **3.1** mijn hoed is ~ *my hat is g. / m. / has gone m., I can't find/I've mislaid my hat;* ~ raken *go astray, get lost/mislaid* **3.2** de logica is ~ in die redenering *the logic is m. from this argument;* het eind is ~ *then there is no way out, then it's hopeless.*

zoekactie ⟨de (v.)⟩ **0.1** *search operation.*

zoekbrengen ⟨ov.ww.⟩ **0.1** ⟨doorbrengen⟩ *spend/pass (the) time;* ⟨verdoen⟩ *kill time* ◆ **1.1** zijn tijd ~ met lezen *idle away (the)/kill time (by) reading, spend/pass the/one's time reading.*

zoeken ⟨ov.ww., met vz. ook onov.ww.⟩ ⟨→sprw. 27,205, 208,404, 459,543, 682⟩ **0.1** [trachten te vinden] *look for* ⇒*search for,* ⟨schr.⟩ *seek* **0.2** [trachten te verkrijgen, uit zijn op] *look for* ⇒*search for, be on the look-out for,* ⟨schr.⟩ *seek,* ⟨inf.⟩ *be after,* ⟨mbt. goud, olie, enz.⟩ *prospect for* **0.3** [iedere gelegenheid aangrijpen om op iem. te vitten] *be after* ⇒*try to get, have (got) it in for* **0.4** [proberen] *try* **0.5** [uitlokken] *look for* ◆ **1.1** eieren ~ ⟨ook⟩ *gather eggs;* ⟨fig.⟩ een speld in een hooiberg ~ *look for a needle in a haystack;* ⟨fig.⟩ we moeten een uitweg ~ *we've got to find a way out;* zijn weg ~ *feel one's way* **1.2** het avontuur ~ *be out for/after adventure;* een baan ~ *be on the look-out for a job;* met iem. contact ~ *approach s.o.;* dekking ~ *take cover;* zijn geluk elders ~ *seek one's fortune elsewhere;* zijn heil in de vlucht ~ *seek refuge in flight, take to one's heels;* we moeten hulp ~ *we have to go for/after/get/find help;* kruiden ~ *go looking for/gathering herbs;* ze ~ mensen die kunnen typen ⟨ook⟩ *they want people who can type;* iemands ondergang ~ *seek/plot s.o.'s downfall;* een oplossing ~ *look for/try to find a solution;* de ruimte ~ ⟨de natuur in gaan⟩ *go in search of nature/of the wide open spaces;* ⟨op de vlucht gaan⟩ *take to one's heels;* soort zoekt soort *birds of a feather flock together;* alleen eigen voordeel ~ *only be/look out for o.s.;* een vrouw/ een man ~ *(be) look(ing) for/be searching for/be on the look-out for a wife/husband* **1.5** ruzie/moeilijkheden ~ *be looking for trouble* **3.1** we wilden hem net gaan ~ *we were about to go and find/* ⟨AE ook⟩ *go find him;* ⟨fig.⟩ ze wist niet meer waar ze het ~ moest ⟨zag geen oplossing meer⟩ *she didn't know which way to turn/what to do;* ⟨wist zich geen raad van de pijn enz.;ook⟩ *she was at her wits' end* **3.2** paddestoelen gaan ~ ⟨ook⟩ *go mushrooming* **3.3** hij loopt me de hele dag te ~ *he's (always) after me/trying to get me* **3.4** iem. ~ te bedriegen *t. to/be out to cheat s.o.* **4.1** zoek je iets? ⟨ook⟩ *have you lost sth.?, do you need/want sth.?* **4.2** ⟨fig.⟩ je zoekt het te ver *you're missing the obvious, you're trying too hard;* ⟨fig.⟩ u hebt hier niets te ~ *you're not wanted here, you have no business (being/to be) here* **4.3** die leraar zoekt mij *that teacher is after me/wants to/is trying to/is out to get me/has got it in for me* **4.5** je zoekt het! *you're asking for it!* **5.1**

zo kunnen we lang ~ *this way we'll never find it/anything/we'll be looking all day* **5.2** ⟨fig.⟩ de reden is niet ver te ~ *the explanation is not far away/is clear/obvious;* ⟨fig.⟩ dat is ver gezocht *that's far-fetched* **6.1** naar woorden (moeten) ~ *(have to) search for/stumble around for one's words;* zij hoeft nooit naar haar woorden te ~ *she's never at a loss for words* **6.2** ⟨fig.⟩ iets niet **achter** iem. ~ *not suspect sth. of s.o. / s.o. of sth.;* ⟨fig.⟩ je moet **achter** mijn woorden niets ~ *take what I say at face value, don't try to read things into what I say;* ⟨fig.⟩ zoiets had ik **achter** haar niet gezocht *I hadn't expected/thought that of her;* hulp/troost/liefde ~ **bij** iem. *go/look/turn to s.o. for help/comfort/love;* geld moet je **bij** hem niet ~ *don't go to/ask him for money;* ⟨fig.⟩ de regering zoekt het **in** bezuinigingen *the government's solution is (to make) cutbacks;* ⟨fig.⟩ zo iem. is met een kaarsje te ~ *there aren't many people like that, such people are few and far between/are like gold dust;* naar steenkool ~ *search/explore for coal;* naar de zin v.h. leven ~ *look for/seek the meaning of life* **¶.1** ⟨bijb.⟩ zoekt en gij zult vinden *seek and ye shall find;* zoek! *fetch!, seek (him)!;* hij werd gezocht (wegens diefstal) *he is wanted (for theft);* wie zoekt die vindt *seek and you will find, to find sth. you have to look first* **¶.2** jij bent de man die ik zoek *you're the man I'm looking for/I need.*

zoeker ⟨de (m.)⟩ **0.1** [persoon] *searcher* ⇒*seeker* ⟨naar wijsheid⟩ **0.2** [voorwerp] *viewfinder.*

zoeklicht ⟨het⟩ **0.1** *searchlight* ⇒*spotlight* ◆ **3.1** ~en op iets richten *turn (the) searchlights/spotlight(s) on sth., spotlight sth.* **6.1** ⟨fig.⟩ **in** het ~ komen *come into/enter the spotlight.*

zoekmaken ⟨ov.ww.⟩ **0.1** [wegmaken] *mislay* ⇒*lose* **0.2** [nutteloos besteden] *waste (on)* ⇒*squander,* ⟨pej.⟩ *fritter away, idle away* ⟨tijd⟩ ◆ **1.1** dat kind maakt al zijn speelgoed zoek *that child is always mislaying/losing his toys* **6.2** veel tijd ~ met iets ~ *w. a lot of time on sth..*

zoekplaatje ⟨het⟩ **0.1** [prentje] *(picture) puzzle* ⇒*find-the(-hidden)-faces/* ⟨enz.⟩ *puzzle* **0.2** [dia, foto] *obscure picture.*

zoekprocedure ⟨de⟩ **0.1** *search procedure.*

zoel ⟨bn., bw.⟩ **0.1** [aangenaam warm] *balmy* ⇒*mild, pleasant* **0.2** [drukkend warm] *sultry* ⟨ook fig.⟩ ⇒*close, heavy* ◆ **1.1** een ~ windje *a pleasant breeze* **1.2** ~e lucht *s. air.*

Zoeloe ⟨de (m.)⟩ **0.1** *Zulu.*

zoelte ⟨de (v.)⟩ **0.1** *balmy/mild/pleasant/* ⟨pej.⟩ *sultry weather/temperature.*

zoemen ⟨onov.ww.⟩ **0.1** *buzz* ⇒⟨continu⟩ *hum* ◆ **1.1** de bijen ~ *the bees are buzzing;* de koelkast zoemt *the refrigerator hums/makes a humming noise* **6.1** zijn oren zoemden van het gedreun *his ears were buzzing/ringing with/from the roar.*

zoemer ⟨de (m.)⟩ **0.1** *buzzer* ◆ **3.1** de ~ ging *the b. went/sounded.*

zoemtoon ⟨de (m.)⟩ **0.1** *buzz* ⇒⟨continu⟩ *hum,* ⟨telefoon, enz.⟩ *tone, signal.*

zoen ⟨de (m.)⟩ **0.1** [kus] *kiss* ⇒⟨inf.⟩ *peck* **0.2** [verzoening] *reconciliation* ◆ **1.2** de ~ van Delft *the Peace Treaty of Delft* **2.1** een dikke ~ *a big fat k.* **3.1** iem. een ~ geven *give s.o. a k., kiss s.o.;* ⟨scherts.⟩ die auto heeft een ~tje gehad *the car got intimate with a tree/lamppost/* ⟨enz.⟩ **6.1** een ~ **op** beide wangen *a k. on both cheeks.*

zoenen ⟨onov., ov.ww.⟩ **0.1** *kiss* ◆ **1.1** iem. ~ *kiss s.o., give s.o. a kiss* **4.1** we ~ elkaar nooit *we never k.* **6.1** ⟨fig.⟩ dat is **om** te ~ *that is/how (absolutely) delightful.*

zoenerig ⟨bn.⟩ **0.1** *smoochy* ◆ **3.1** hij is nogal ~ *he's always slobbering all over me/everybody/her/* ⟨enz.⟩.

zoenlippen ⟨zn.mv.⟩ ⟨inf.⟩ **0.1** *rubber lips.*

zoenoffer ⟨het⟩ **0.1** *peace offering* ⇒⟨schr.⟩*(means of) atonement/* ⟨schr.⟩ *expiation.*

zoet¹ ⟨het⟩ **0.1** [iets zoets] *sweet (things)* **0.2** [het aangename] *sweetness* ◆ **1.2** 's levens ~ en zuur *life's (little) ups and downs* **3.1** ~ in iets doen *put sugar in sth., sweeten/sugar sth.;* niet van ~ houden *not care for/like sugar/sweet things/* ⟨bonbons⟩ *sweets, not have a sweet tooth* **6.1** een boterham met ~ *a piece of bread with sth. sweet on it.*

zoet² ⟨bn.⟩ ⟨→sprw. 128,294,605,670⟩ **0.1** [mbt. de smaak] *sweet* **0.2** [mbt. de andere zintuigen] *sweet* ⇒⟨klanken ook; schr.⟩ *dulcet* **0.3** [braaf] *sweet, good* ◆ **1.1** ⟨fig.⟩ ~e broodjes bakken ⟨zijn eisen lager stellen⟩ *back down/off, climb down, put water in one's wine;* ⟨in de gunst trachten te komen⟩ *butter s.o. up, softsoap s.o.;* ⟨fig.⟩ iets voor ~e koek slikken *swallow sth. (whole);* ⟨inf.⟩ *buy sth., fall for sth.* **1.2** ~e herinneringen *s. memories* **1.¶** een ~ winstje *a nice/pretty little profit;* ~e woordjes *s. / * ⟨schr.⟩ *sugared/honeyed words;* ~e woordjes fluisteren *whisper s. nothings (in s.o.'s ear)* **3.1** ~ smaken *taste/be s., have a s. taste* **3.3** iem. ~ houden *keep s.o. happy/quiet,* ⟨inf.⟩ *shut s.o. up;* iem. ~ houden met een verhaaltje/met beloften *palm/fob s.o. off with a story/with promises;* de kinderen spelen ~ *the children are playing quietly/nicely* **5.1** lekker ~ *nice and s.* **8.3** ~ als een lammetje *(as) gentle as a lamb* **¶.3** en nu ~ naar bed! *and now off to bed like a g. little boy/girl.*

zoetachtig ⟨bn.⟩ ⇒*zoetig.*

zoetekauw ⟨de (m.)⟩ **0.1** *sugar lover* ⇒*s.o. with a sweet tooth* ◆ **3.1** een ~ zijn *have a sweet tooth.*

zoetelijk ⟨bn., bw.⟩ **0.1** *sugary* ⇒*saccharine, sticky-sweet,* ⟨AE;inf.⟩ *icky-sweet* ◆ **1.1** ~e verhaaltjes *sticky-sweet stories.*

zoetemelk ⟨de⟩ **0.1** *(plain/fresh) milk.*

zoetemelks ⟨bn.⟩ **0.1** [van zoetemelk gemaakt] *(fresh) milk* ⇒⟨ná zn.⟩ *made with milk* **0.2** [met zoetemelk opgefokt] *milk-fed* ◆ **1.1** ~e pap *porridge made with milk.*

zoeten
I ⟨onov.,ov.ww.⟩ **0.1** [zoet maken] *sweeten* ⇒*(add) sugar (to)* ◆ **1.1** gezoete rabarber *sweetened/sugared rhubarb;* vruchtesap ~ *(add) sugar (to)/sweeten fruit juice;*
II ⟨onov.ww.⟩ **0.1** [zoet worden] *sweeten* ⇒*become sweet.*

zoetgevooisd ⟨bn.⟩ **0.1** *sweet-voiced.*

zoetheid ⟨de (v.)⟩ **0.1** [mbt. de smaak] *sweetness* **0.2** [het aangenaam zijn] *sweetness* **0.3** [wat aangenaam is] *pleasure* ◆ **1.2** de ~ van toon *the s. of tone, the sweet tone* **1.3** de zoetheden van het leven *the good things in life.*

zoethoudertje ⟨het⟩ **0.1** *sop.*

zoethout ⟨het⟩ **0.1** [wortelstok] *liquorice* ^licorice **0.2** [plant] *liquorice* ^*licorice* ◆ **1.1** een stuk/een pijpje ~ *a piece of l..*

zoetig ⟨bn.⟩ **0.1** *sweetish* ◆ **1.1** een ~e smaak/geur *a s. taste/smell.*

zoetigheid ⟨de (v.)⟩ **0.1** [snoep] *sweet(s)* ⇒⟨AE ook⟩ *candy* **0.2** [het zoete] *sweetness* ◆ **3.1** neem liever een ~je! *why don't you have a s./some candy instead?;* van ~ houden *be fond of sweets/candy, have a sweet tooth.*

zoetje ⟨het⟩ **0.1** [tabletje zoetstof] *sweetener* ⇒*saccharine tablet* **0.2** [iets zoets] *sweet.*

zoetjes ⟨bw.⟩ **0.1** *gently* ◆ **5.1** ~ aan, dan breekt het lijntje niet *easy does it, otherwise you'll break the line.*

zoetjesaan ⟨bw.⟩ ⟨inf.⟩ **0.1** *gradually* ⇒*little by little* ◆ **¶.1** ~ wordt het tijd *it's (getting to be) about time.*

zoetklinkend ⟨bn.⟩ **0.1** *melodious* ⇒*tuneful, sweet-sounding,* ⟨schr.⟩ *mellifluous.*

zoetmakend ⟨bn.⟩ **0.1** *sweetening* ◆ **1.1** ~e middelen *sweeteners, s. agents.*

zoetmiddel ⟨het⟩ **0.1** *sweetener* ⇒*sweetening* ◆ **3.1** een ~ toevoegen *add sweetening/a sweetener.*

zoetsappig ⟨bn.,bw.⟩ **0.1** [schijnbaar vriendelijk] *friendly-looking* **0.2** [zonder pit, kracht] *mealy-mouthed* ⇒*namby-pamby, goody-goody,* ⟨verhaal, enz.⟩ *sugary, saccharine* ◆ **1.1** een ~ gezicht trekken *smile hypocritically, put on a nice/friendly face* **1.2** ~e praat *mealy-mouthed/namby-pamby talk;* een ~e vent *a goody-goody, a namby-pamby/mealy-mouthed sort of chap/*^*guy.*

zoetsappigheid ⟨de (v.)⟩ **0.1** [schijnbaar vriendelijk] *pseudo-friendliness* **0.2** [zonder pit/kracht] *mealy-mouthedness* ⇒*namby-pambyism,* ⟨verhaal enz.⟩ *sugariness.*

zoetschaaf ⟨de⟩ **0.1** *smoothing-plane.*

zoetschaven ⟨ov.ww.⟩ **0.1** *plane smooth.*

zoetstof ⟨de⟩ →**zoetmiddel.**

zoetstoftablet ⟨het,de⟩ **0.1** *sweetener.*

zoetvijl ⟨de⟩ **0.1** *smooth file* ◆ **6.1** de ~ over iets laten gaan ⟨fig.⟩ *give sth. the finishing touch/a final polish, put the finishing touches to sth..*

zoetvijlen ⟨ov.ww.⟩ **0.1** *file smooth.*

zoetvloeiend ⟨bn.⟩ →**zoetklinkend.**

zoetwaren ⟨zn.mv.⟩ **0.1** ^sweets, ^candy.

zoetwaterfauna ⟨de⟩ **0.1** *freshwater fauna* ⇒*river/pond life.*

zoetwaterflora ⟨de⟩ **0.1** *freshwater flora.*

zoetwatergarnaal ⟨de (m.)⟩ ⟨dierk.⟩ **0.1** *freshwater shrimp* ⇒⟨wet.⟩ *amphipod.*

zoetwatermeer ⟨het⟩ **0.1** *freshwater lake.*

zoetwatermossel ⟨de⟩ ⟨dierk.⟩ **0.1** *freshwater mussel* ⇒⟨wet.⟩ *naiad.*

zoetwaterplant ⟨de⟩ **0.1** *freshwater plant.*

zoetwaterpoliep ⟨de⟩ ⟨dierk.⟩ **0.1** *hydra.*

zoetwatervis ⟨de (m.)⟩ **0.1** *freshwater fish.*

zoetwaterwinning ⟨de⟩ **0.1** *fresh-water collection/catchment.*

zoetzuur¹ ⟨het⟩ **0.1** *(sweet) pickles* ⇒*pickled peppers/onions/carrots/* ⟨enz.⟩.

zoetzuur² ⟨bn.⟩ **0.1** [mbt. smaak] *(slightly) sour/sharp* **0.2** [ingemaakt] *pickled* ⇒⟨saus⟩ *sweet-and-sour* ◆ **1.2** zoetzure komkommerschijven *p. (slices of) cucumber.*

zoeven ⟨onov.ww.⟩ **0.1** *zoom* ⇒*whiz,* ⟨zachtjes⟩ *swish* ◆ **5.1** de auto's zoefden voorbij *the cars zoomed/whizzed by* **6.1** het zwaard zoefde door de lucht *the sword swished through the air.*

zoëven ⟨bw.⟩ →**zojuist.**

zog ⟨het⟩ **0.1** [moedermelk] *(mother's) milk* **0.2** [kielwater] *wake* ◆ **6.2** in iemands ~ varen ⟨fig.⟩ *follow in s.o.'s w..*

zogeheten ⟨bn.⟩ →**zogenaamd I 0.1.**

zogen ⟨ov.ww.⟩ **0.1** *breastfeed* ⇒*nurse, suckle,* ⟨med.⟩ *lactate* ◆ **1.1** zogende moeder *nursing/breastfeeding mother.*

zogenaamd
I ⟨bn.⟩ **0.1** [zogenoemd] *so-called* ◆ **1.1** het verschijnsel v.d. ~e ablaut *the s.-c. ablaut (phenomenon);*
II ⟨bn.,bw.⟩ **0.1** [in schijn] *so-called* ⇒*supposed, alleged* ◆ **1.1** een zogenaamde democratie ⟨ook⟩ *a pretence at democracy;* de zogenaamde heer Smith *the alleged Mr. Smith* **2.1** ~ wetenschappelijk *pseudo-/quasi-scientific* **3.1** ze was ~ verhinderd *sth. supposedly came*

up *(to prevent her from coming), she claims she was stopped from coming* **¶.1** ~ omdat ...*supposedly/allegedly because.*

zogenoemd ⟨bn.⟩ →**zogenaamd I 0.1.**

zogezegd ⟨bw.⟩ **0.1** [om het zo uit te drukken] *as it were* ⇒*so to speak, if I may say so/may put it that way/like that* **0.2** [vrijwel] *almost* ⇒*just about, pretty well, all but* ◆ **2.2** dit boek is ~ klaar ⟨ook⟩ *this book is as good as finished* **3.1** het is ~ een kwajongen *he's what you'd call a young brat.*

zogwater ⟨het⟩ **0.1** *wake.*

zojuist ⟨bw.⟩ **0.1** *just (now)* ⇒*(just) a minute ago* ◆ **3.1** hij heeft ~ uit Beiroet opgebeld *he just called from Beirut/called just now from Beirut;* dit boek is ~ uitgegaan *he's just gone out;* ⟨AE ook⟩ *he just went out;* ~ was hij nog hier *he was here j. n./here (just) a minute ago.*

zolang¹ ⟨bw.⟩ **0.1** *meanwhile* ⇒⟨inf.⟩ *meantime* ◆ **3.1** ga jij maar ~ hiernaast m., *why don't you go next door?.*

zolang² ⟨vw.⟩ **0.1** *as/so long as* ◆ **3.1** ⟨voor⟩ ~ het duurt ⟨iron.⟩ *as/so l. as it lasts;* ik zal voor u zorgen, ~ ⟨als⟩ ik leef *I shall take care of you as /so l. as I live* **¶.1** ~ de voorraad strekt *for as/so l. as supplies last, for as/so l. as it's in stock;* ~ als er maar niets gebeurt *as/so l. as nothing happens.*

zolder ⟨de (m.)⟩ **0.1** [verdieping onder het dak] *attic* ⇒⟨klein, armzalig⟩ *garret,* ⟨als opslagruimte, bv. voor hooi⟩ *loft* **0.2** [plafond] *ceiling* **0.3** [verdieping van een pakhuis] *loft* ◆ **6.1** zet die oude rommel maar **op** ~ *put that junk in the a.;* ⟨fig.⟩ het haar **op** ~ dragen *wear/put one's hair up;* iets **van** de ~ halen *get sth. (down) out of/down from the a.* **6.2** de lamp hangt **aan** de ~ *the lamp hangs from the c.;* **tot** de ~ reiken *extend/reach to the c.* **6.3** ⟨fig.⟩ iem. **op** zijn achterste ~ jagen *badger s.o..*

zolderbalk ⟨de (m.)⟩ **0.1** *roof beam.*

zolderen ⟨ov.ww.⟩ **0.1** [van een zoldering voorzien] *put in a ceiling* **0.2** [op een zolder leggen] *put (up) in the attic.*

zolderetage ⟨de (v.)⟩ **0.1** *attic* ⇒⟨niet bewoonbaar ook⟩ *loft* ◆ **6.1 op** een ~ wonen *live in an a. room/* ⟨klein, armzalig⟩ *a garret.*

zoldergat ⟨het⟩ **0.1** *attic/loft opening/hatch(way).*

zoldering ⟨de (v.)⟩ →**zolder 0.2.**

zolderkamer ⟨de⟩ **0.1** *attic room* ⇒⟨klein, armzalig⟩ *garret.*

zolderlicht ⟨het⟩ ⟨bouwk.⟩ **0.1** *skylight.*

zolderluik ⟨het⟩ **0.1** *attic/loft trapdoor.*

zolderraam ⟨het⟩ **0.1** *attic window* ⇒⟨dakraam⟩ *skylight,* ⟨dakkapel⟩ *dormer (window).*

zolderschuit ⟨de⟩ **0.1** *covered barge.*

zoldertrap ⟨de (m.)⟩ **0.1** *attic/loft stairs/ladder.*

zolderverdieping ⟨de⟩ →**zolderetage.**

zolen ⟨ov.ww.⟩ **0.1** *(re)sole.*

zomaar ⟨bw.⟩ **0.1** [zonder in-, aanleiding] *just (like that)* ⇒*without (any) warning/reason* **0.2** [zonder belemmeringen] *just like that* ⇒*without any problem* ◆ **3.1** hij begon ~ te schieten *he started to shoot without (any) warning, he just started shooting;* dat idee kwam ~ bij me op *that idea just popped into my head* **3.2** kan dat hier allemaal ~? *are things/is it really that simple?, is that really the way things work around here?;* ~ wat vragen *ask sth. at random/* ⟨inf.⟩ *off the top of one's head* **5.1** ~ ineens suddenly, overnight *¶.1* waarom vraag je? ~ *why do you ask? no reason (really)/just curious/wondered.*

zombie ⟨de (m.)⟩ **0.1** *zombie.*

zomede ⟨vw.⟩ ⟨schr.⟩ **0.1** *as well as.*

zomen ⟨ov.ww.⟩ **0.1** *hem (up).*

zomer ⟨de (m.)⟩ ⟨→sprw. 689⟩ **0.1** [jaargetijde] *summer* ⇒⟨jaargetijde ook; inf.⟩ *summertime* **0.2** [zomers weer] *summer (weather)* ◆ **2.1** een vroege/late/mooie/droge/natte ~ *an early/late/nice/dry/wet summer* **6.1** ⟨fig.⟩ **in** de ~ van het leven *in the summer of one's life;* **van** de ~ *in the summer, this/last/next summer* **7.1** des ~s/'s ~s in (the)/during the summer* **7.2** we hebben nog niet veel ~ gehad *we haven't had much summer yet, it hasn't been much of a summer yet.*

zomeraardappel ⟨de (m.)⟩ **0.1** *early potato.*

zomerachtig ⟨bn.⟩ →**zomers.**

zomeravond ⟨de (m.)⟩ **0.1** *summer('s) evening.*

zomerbedding ⟨de⟩ **0.1** *summer bed/course;* ⟨tech.⟩ *minor bed.*

zomerbreedte ⟨de (v.)⟩ ⟨scheep.⟩ **0.1** *summer width.*

zomercollectie ⟨de (v.)⟩ **0.1** *summer collection.*

zomercursus ⟨de (m.)⟩ **0.1** *summer school.*

zomerdag ⟨de (m.)⟩ **0.1** [dag van de zomer] *summer('s) day* **0.2** [⟨meteo.⟩] *summer(y) day* **0.3** [aangenaam warme dag] *summer(y) day* ◆ **6.1** bij ~ *on a s. d..*

zomerdienst ⟨de (m.)⟩ ⟨verkeer⟩ **0.1** *summer service.*

zomerdijk ⟨de (m.)⟩ **0.1** *summer dyke* ^*dike.*

zomeren ⟨onp.ww.⟩ **0.1** *be/get/turn summery* ◆ **3.1** het begint te ~ *it's getting summery* **5.1** het wil maar niet ~ *it just won't/doesn't want to get warm/doesn't want to be/turn into a nice summer.*

zomergast ⟨de (m.)⟩ **0.1** [gast die 's zomers komt] *summer visitor/guest* **0.2** [vogel] *summer visitor.*

zomergewas ⟨het⟩ **0.1** *annual (plant).*

zomergoed ⟨het⟩ →**zomerkleren.**

zomergroente ⟨de (v.)⟩ **0.1** *summer vegetables*.
zomerhalfjaar ⟨het⟩ **0.1** *summer half of the year*.
zomerhuis ⟨het⟩ **0.1** *summer house*/⟨huisje⟩ *cottage* ⇒⟨prieel⟩ *summerhouse*.
zomerjurk ⟨de⟩ **0.1** *summer dress*.
zomerkamp ⟨het⟩ **0.1** *summer camp*.
zomerkleding ⟨de (v.)⟩ **0.1** *summer clothes/dress/*⟨reclametaal⟩ *wear*.
zomerkleed ⟨het⟩ ⟨biol.⟩ →*zomervacht*.
zomerkleren ⟨zn.mv.⟩ **0.1** *summer clothes/clothing/*⟨reclametaal ook⟩ *wear*.
zomerklokje ⟨het⟩ ⟨plantk.⟩ **0.1** *snowflake*.
zomerkoninkje ⟨het⟩ ⟨scherts.⟩ **0.1** ⟨ongemarkeerd⟩ *strawberry*.
zomermaand ⟨de⟩ **0.1** [maand die in de zomer valt] *summer month* **0.2** [juni] *June*.
zomernacht ⟨de (m.)⟩ **0.1** *summer night*.
zomeropruiming ⟨de (v.)⟩ ⟨hand.⟩ **0.1** *summer sale(s)*.
zomerpak ⟨het⟩ **0.1** *summer suit*.
zomerpeil ⟨het⟩ **0.1** *summer level*.
zomerpunt ⟨het⟩ **0.1** *summer solstice*.
zomerreces ⟨het⟩ **0.1** *summer recess* ◆ **6.1** de Tweede Kamer is **op** ~ *the Second Chamber is taking its/is in s.r.*.
zomers ⟨bn.⟩ **0.1** [als in de zomer] *summery* **0.2** [⟨meteo.⟩] *summery* ◆ **1.2** negen ~e dagen *nine s. days* **6.1 op** zijn ~ gekleed *dressed in summer(y) clothes*, ⟨inf.⟩ *looking (all/very) s.*.
zomerschoen ⟨de (m.)⟩ **0.1** *summer shoe* ⇒*sandal*.
zomerseizoen ⟨het⟩ **0.1** *summer season, summertime*.
zomerslaap ⟨de (m.)⟩ **0.1** *summer sleep* ◆ **3.1** een ~ houden ⟨wet. ook⟩ *aestivate* ^*estivate*.
zomersolstitium →*zomerpunt*.
zomersproeten ⟨zn.mv.⟩ **0.1** ~ krijgen ⟨ook⟩ *freckle* **5.1** een gezicht vol ~ *a freckled face*.
zomertijd ⟨de (m.)⟩ **0.1** [tijd dat het zomer is] *summer(time)* **0.2** [tijdregeling] ^B*summer time*, ^*daylight saving time* ◆ **3.2** de ~ gaat in *summer time/daylight saving time's starting, we're going on to/over to summer time/daylight saving time*.
zomeruniversiteit ⟨de (v.)⟩ **0.1** *summer school*.
zomervacht ⟨de⟩ **0.1** *summer coat*.
zomervakantie ⟨de (v.)⟩ **0.1** *summer holiday/*^*vacation*.
zomerverblijf ⟨het⟩ **0.1** [plaats] *summer home/* †*residence* **0.2** [woning] *summer home/* †*residence*.
zomerwarmte ⟨de (v.)⟩ **0.1** *summer heat*.
zomerweer ⟨het⟩ **0.1** [weer gedurende de zomer] *summer weather* **0.2** [mooi weer] *summer(y) weather*.
zomerzon ⟨de⟩ **0.1** *summer sun*.
zomin ⟨bw.⟩ **0.1** *as little (as)* ⇒*no more (than)* ◆ **8.1** ⟨schr.⟩ ik zal dat ~ doen als jij *I would not do that any more than you would;* net ~ als *no more than*.
zomp ⟨de⟩ **0.1** *swamp* ⇒⟨schr.⟩ *morass*.
zompig ⟨bn.⟩ **0.1** *squelchy* ⇒*squishy*, ⟨BE,inf.⟩ *squidgy*, ⟨modderig⟩ *boggy*.
zon ⟨de⟩ ⟨→sprw. 86,298,449,453,664,683,684⟩ **0.1** [hemellichaam] *sun* **0.2** [straling, warmte] *sun* **0.3** [vreugde] *sunshine* **0.4** [als symbool van macht, roem] *star* ◆ **2.2** in de volle ~ *right (out) in the s.*, *in the blazing sun(shine)* **2.4** een nieuwe ~ *a rising s.* **3.1** de ~ gaat op/ gaat onder *the s. comes up/goes down, the s. rises/sets*, ⟨scheep.⟩ de ~ meten/schieten *get a fix on the s., measure the position of the s.*; de ~ staat hoog aan de hemel *the s. is high (in the sky)*; ⟨fig.⟩ *the sun is shining (down) on us/them/etc.* **3.2** de ~ breekt door *the s. is breaking through*; ⟨de zaken gaan wat beter⟩ *things are looking up*; ⟨het humeur wordt beter⟩ *things are brightening/cheering up*; ⟨AZN⟩ de ~ kloppen *laze around/* ⟨BE ook⟩ *about/bask in the sun*; de ~ opzoeken *go looking for the s., seek the s.* **3.3** ergens wat ~ brengen *bring some s. (into sth.)*; de ~ opzoeken ⟨fig.⟩ *look on the sunny side, look for the silver lining* **3.4** zijn ~ is ondergegaan *his s. has faded/* ⟨schr.⟩ *waned* **6.1** ⟨fig.⟩ de ~ niet **in** het water kunnen/mogen zien schijnen *be full of envy*; er is niets nieuws **onder** de ~ *there is nothing new under the s.*; een plaatsje **onder** de ~ (hebben) ⟨fig.⟩ *(have) a place in the s.* **6.2** in de ~ gedroogd (fruit) *s.-dried (fruit)*; zich in de ~ koesteren *bask in the s.*; niet **tegen** de ~ kunnen *not be able to stand/take/ tolerate/be sensitive to/have a low tolerance for the s.*; **tegen** de ~ in/ **met** de ~ tegen spelen *play with the s. in one's eyes, play into the s.*; een dag **zonder** ~ *a day without sun(shine), a sunless day*.
zo'n ⟨aanw.vnw.⟩ **0.1** [deze] *such (a)* **0.2** [⟨+dat⟩ dusdanig] *such (a)* **0.3** [soortgelijk] *such* ⇒*(just) like* **0.4** [⟨als versterking⟩] *such (a)* **0.5** [zo ongeveer] *about* ⇒*around* ◆ **1.1** in ~ geval zou ik niet gaan *I wouldn't go if that were the case*; ⟨iron.⟩ oh, op ~ manier *oh, so that's how/the way it is, so that's what you mean*; oh, I see **1.2** op ~ manier, dat …in *s. a way that* **1.3** hij heeft net ~ jas *he has a jacket just like that* **1.4** het is toch ~ schatje *(s)he is s. a dear, though*; ik heb ~ slaap *I am so sleepy* **1.5** het duurt ~ drie weken *it lasted about/around three weeks* **1.¶** ~ beetje *more or less, pretty much, just about*; ~ beetje overal *just about/pretty much everywhere; here, there and everywhere*; ik vind 't ~ meid *I think she's a terrific/fantastic/*⟨inf.⟩ *one helluva girl*.

---

zonaal ⟨bn.⟩ **0.1** *zonal*.
zonaanbidder ⟨de (m.)⟩, **-ster** ⟨de (v.)⟩ **0.1** [iem. die van de zon houdt] *sun-worshipper* ^*iper* **0.2** [⟨mv.;rel.⟩] *sun-worshipper* ^*iper*.
zondaar ⟨de (m.)⟩, **-dares** ⟨de (v.)⟩ **0.1** [⟨rel.⟩] *sinner* **0.2** [schuldige] *guilty one* ◆ **2.1** een arme ~ *a poor/miserable s.*; een boetvaardige ~ *a repentant s.*; ⟨rel. ook⟩ *a penitent* **3.1** ⟨sport⟩ de ~ verlaat het veld *the guilty player is leaving the field*.
zondaarsbankje ⟨het⟩ ◆ **6.¶** ⟨fig.⟩ **op** het ~ plaatsnemen *be ready to take one's medicine (like a man)*.
zondag ⟨de (m.)⟩ **0.1** [dag van de week] *Sunday* **0.2** [christelijke feestdag] *religious holiday* ◆ **3.1** (de) ~ vieren/houden *observe/* ⟨schr.⟩ *keep the Sabbath* **3.2** Hemelvaartsdag is een ~ *Ascension Day is a r.h.* **6.1 op** zon- en feestdagen rijden er minder treinen *there are fewer trains on Sundays and holidays*; hij is **op** ~ geboren ⟨fig.⟩ *he is a Sunday's child* **7.1** des ~s/'s ~s ⟨ook⟩ *Sunday(s)*.
zondagclub ⟨de⟩ ⟨sport⟩ **0.1** *Sunday League club*.
zondagcompetitie ⟨de (v.)⟩ ⟨sport⟩ **0.1** *Sunday League*.
zondagmiddagarmpje ⟨het⟩ **0.1** †*luxation of shoulder*.
zondags
I ⟨bn.⟩ **0.1** [van, als op zondag] *Sunday* ◆ **1.1** ⟨rel.⟩ ~e dienst *S. service*; de ~e kleren *S. clothes* **6.1 op** zijn ~ gekleed ⟨inf.⟩ *dressed in one's (S.) best*;
II ⟨bw.⟩ **0.1** [op zondag] *(on) Sunday(s)* ◆ **3.1** ~ ga ik uit *I go out on S.*.
zondagsblad ⟨het⟩ **0.1** *Sunday (news)paper*.
zondagsdienst ⟨de (m.)⟩ **0.1** [kerkdienst] *Sunday service* **0.2** [werk op zondag] *Sunday duty/* ⟨ploegwerk⟩ *shift* ◆ **3.2** ~ hebben *be on duty (on) Sunday, have/be on a/the S. s.* **6.2** een arts **met** ~ *a doctor on call on Sunday*.
zondagsgezicht ⟨het⟩ **0.1** *angelic/cherubic smile/look (on one's face)* ⇒ ⟨pej.⟩ *holier-than-thou expression*.
zondagsheiliging ⟨de (v.)⟩ **0.1** *Sunday/Sabbath observance* ⇒⟨schr.⟩ *keeping of the Sabbath*.
zondagskind ⟨het⟩ **0.1** [op zondag geboren kind] *Sunday('s) child* **0.2** [gelukskind] *Sunday's child*.
zondagsmaal ⟨het⟩ **0.1** *Sunday dinner*.
zondagsplicht ⟨de⟩ ⟨r.k.⟩ **0.1** *duty/obligation to go to Sundy Mass* ◆ **3.1** voor katholieken bestaat/geldt de ~ *Catholics are obliged to attend Mass every Sunday*.
zondagsrijder ⟨de (m.)⟩ **0.1** *Sunday driver*.
zondagsrust ⟨de⟩ **0.1** *Sunday('s) rest*.
zondagsschilder ⟨de (m.)⟩ **0.1** *Sunday painter*.
zondagsschool ⟨de⟩ ⟨prot.⟩ **0.1** *Sunday school*.
zondagssluiting ⟨de (v.)⟩ **0.1** *Sunday closing*.
zondagsviering ⟨de (v.)⟩ **0.1** *Sunday/Sabbath observance* ⇒⟨schr.⟩ *keeping of the Sabbath*.
zonde ⟨de⟩ ⟨→sprw. 51,392⟩ **0.1** [overtreding van goddelijke, zedelijke wetten] *sin* ⇒ †*transgression*, †*iniquity*, ⟨bijb.⟩ *trespass* **0.2** [jammer] *shame* ⇒*pity*, ↓*crime* ◆ **1.1** vergeving van ~n *forgiveness of sins* **2.1** ⟨r.k.⟩ dagelijkse ~ *venal s.*; ⟨fig.⟩ *peccadillo*; kleine ~ *peccadillo, minor s.*; de ~ wel waard zijn *be worth the consequences* **3.1** een ~ begaan/bedrijven *commit a s.*; zijn ~n biechten *confess one's sins* **3.2** het is eeuwig ~ *it's a crying s.*; het is ~ en jammer *it's a downright s.*; ik vind het ~ van al het werk *I don't think it's worth all the effort*; het zou ~ zijn om …*it would be a s./a pity to …* **3.¶** het is ~ dat ik het zeg, maar …*I hate to have to say this, but …* **6.1** in ~ (n) leven ⟨ook scherts., ongehuwd samenwonen⟩ *live in s.*; **tot** ~ vervallen *fall into s.*; de ~ van het **vlees** *sins of the flesh* **6.2** wat ~ **van** die mooie vaas *what a s./pity about that lovely vase*; het is ~ **van** die meid *it's too bad/it's a s./ ↓crime about that girl*.
zondebesef ⟨het⟩ **0.1** *awareness/sense of sin*.
zondebok ⟨de (m.)⟩ **0.1** *scapegoat* ⇒*whipping boy* ◆ **8.1** als ~ fungeren *be a s. (for)*.
zondelast ⟨de (m.)⟩ **0.1** *burden of sin*.
zondenregister ⟨het⟩ ◆ **3.¶** ⟨scherts.⟩ iemands ~ opmaken/openleggen *take s.o. to task, give s.o. a good dressing-down, haul s.o. over the coals*.
zonder ⟨vz.⟩ ⟨→sprw. 367,517,518⟩ **0.1** [niet met het genoemde] *without* ⇒*with no* **0.2** [niet in het bezit van] *without* ⇒*with no* **0.3** [buiten] *without* **0.4** [⟨+infinitief⟩] *without* **0.5** [⟨+dat⟩] *without* ◆ **1.1** ~ aanleiding *w. provocation/(any) reason, for no reason, apropos of nothing*; ~ dividend *ex dividend*; ⟨afk.⟩ *ex div.*; ~ pardon *mercilessly, ruthlessly*; thee ~ suiker *tea without sugar, sugarless/unsweetened tea*; ~ uitzondering *without exception, bar none*; dat is ~ weerga *that is unprecedented/unique* **1.2** ~ werk zijn ⟨ook⟩ *be out of work*; wie ~ zonde is *he who is without sin* **1.3** niets doen ~ een ander *never do anything alone*; ~ jouw hulp was het me niet gelukt *w. your help I couldn't have managed* **3.2** niet ~ (iets) kunnen *not be able to do without (sth.)*; ~ (iets) zitten *be without (sth.)* **3.4** ~ aanzien des persoons *w. respect of/irrespective of persons*; ~ blikken of blozen *unblushingly, without blushing*; ↓without batting an eyelid; ~ op het gevaar te letten, …*with no heed for danger, …, heedless of the danger, …*; ~ te willen ontkennen dat …*while not denying that …* **5.¶** ~ meer ⟨zo maar⟩

just like that; ⟨beslist⟩ *naturally, of course, that goes without saying;* ⟨meteen⟩ *without delay, right away* **8.5** ~ dat het u iets kost *w. any cost to you, w. it costing you anything.*

zonderling[1] ⟨de (m.)⟩ **0.1** *strange/odd/peculiar character* ⇒*eccentric,* ⟨AE;inf.⟩ *oddball,* ⟨sl.⟩ *weirdo.*

zonderling[2] ⟨bn.⟩ **0.1** *peculiar* ⇒*odd, strange, curious,* ↑*singular* ◆ **1.1** een ~ mens ⟨ook⟩ *an eccentric person* **3.1** dat is ~ ⟨AE;sl.⟩ *that's screwy/goofy;* zich ~ kleden ⟨ook⟩ *dress bizzarely.*

zondeschuld ⟨de⟩ **0.1** *guilt (at having sinned).*

zondeval ⟨de (m.)⟩ **0.1** *fall* ◆ **1.1** de ~ van Adam *the Fall (of man);* de ~ van de engelen *the f. of the angels.*

zondig ⟨bn., bw.;-ly⟩ **0.1** *sinful* ⇒*wicked,* ⟨goddeloos⟩ *ungodly* ◆ **1.1** ~e gedachten *s./ wicked/ungodly thoughts;* een ~ leven leiden *lead a s./ wicked/an ungodly life/a life of sin;* een ~ mens *a s. person.*

zondigen ⟨onov.ww.⟩ **0.1** [zonde begaan] *sin* ⇒*commit a sin/sins,* ↑*transgress* **0.2** [overtreding, misslag begaan] *offend* ⇒ ↑*transgress,* ⟨scherts.⟩ *sin* ◆ **5.1** zwaar ~ *commit a terrible sin* **6.1** tegen de tien geboden ~ *break (one of) the Ten Commandments* **6.2** tegen een taalregel/de verkeersregels ~ *violate a rule of the language, break/violate the traffic regulations.*

zondigheid ⟨de (v.)⟩ **0.1** [het zondig zijn] *sinfulness* ⇒*wickedness,* ⟨goddeloosheid⟩ *ungodliness* **0.2** [wat zondig is] *sin* ⇒*offence* [A]*se,* ⟨oculair⟩ ↑*transgression.*

zondvloed ⟨de (m.)⟩ **0.1** [⟨bijb.⟩] *Flood* ⇒*Deluge* **0.2** [⟨fig.⟩] *deluge* ⇒*flood* ◆ **6.1** ⟨scherts.⟩ dat is nog van vóór de ~ *that was made/built/invented/ (enz.) before the F., it's antediluvian* **6.2** de oorlog bracht een ~ van leed en haat *the war brought on a d./ flood of suffering and hate* ¶.**1** ⟨fig.⟩ na ons de ~! *eat, drink and be merry, for tomorrow we die; after us the deluge;* ⟨schr.⟩ *après nous le déluge.*

zone ⟨de (v.)⟩ **0.1** [streek] *zone* ⇒*area,* ⟨vnl. mbt. gewassen⟩ *belt* **0.2** [aardgordel] *zone* ◆ **1.1** de ~ van de koffie *the coffee belt* **2.1** blauwe ~ *parking-disc z./ area,* ⟨alg.⟩ *controlled-parking z./ area;* erogene ~ *erogenous z.;* een neutrale ~ *a neutral z.;* de tolvrije ~ *the duty-free area/z.* **2.2** de hete ~ *the torrid z..*

zonecht ⟨bn.⟩ **0.1** *non-fading* ⇒*colour-fast, proof against sunlight.*

zoneclips ⟨de⟩ **0.1** *solar eclipse* ⇒*eclipse of the sun.*

zonegrens ⟨de⟩ **0.1** *zone limit* ⇒ ⟨BE;mbt. taxi's, bussen, enz.⟩ *fare stage.*

zonering ⟨de (v.)⟩ **0.1** *zoning.*

zoneringsbelasting ⟨de (v.)⟩ **0.1** ≠*(public) nuisance tax.*

zonestelsel ⟨het⟩ **0.1** *zone system* ⇒*system of zones.*

zonet ⟨bw.⟩ ⟨inf.⟩ **0.1** *just (now)* ◆ **3.1** hij is ~ thuisgekomen *he('s) just got home (now).*

zonetarief ⟨het⟩ **0.1** [B]*stage/*[A]*zone fare.*

zonetijd ⟨de⟩ **0.1** *standard time.*

zonetoernooi ⟨het⟩ ⟨sport⟩ **0.1** *zonal tournament;* ⟨inf.⟩ *zonal.*

zoneverdediging ⟨de (v.)⟩ ⟨sport⟩ **0.1** *zone defence* [A]*se.*

zongebruind ⟨bn.⟩ **0.1** *tanned* ⇒*browned by the sun.*

zonkant ⟨de (m.)⟩ **0.1** *sunny side* ⇒*sun side.*

zonlicht ⟨het⟩ **0.1** *sunlight* ◆ **6.1** iets in het ~ houden/bekijken *hold sth. up to/look at sth. in the sun(light).*

zonlichtbehandeling ⟨de (v.)⟩ ⟨med.⟩ **0.1** *sunray treatment* ⇒*sunlight cure, heliotherapy.*

zonloos ⟨bn.⟩ **0.1** [zonder zon] *sunless* **0.2** [vreugdeloos] *joyless* ⇒*sunless* ◆ **1.2** een zonloze jeugd *a joyless childhood/youth.*

zonnebad ⟨het⟩ **0.1** [het zich aan de zon blootstellen] *sunbath* **0.2** [plaats] *solarium* ◆ **3.1** een ~ nemen *sunbathe, take a s..*

zonnebaden ⟨onov.ww.⟩ **0.1** *sunbathe.*

zonnebank ⟨de⟩ **0.1** *sunbed* ⇒*solarium.*

zonneblind(e) ⟨het⟩ **0.1** *persienne, Persian blind, louvre (boards);* ⟨vnl. BE⟩ *sun blind.*

zonnebloem ⟨de⟩ **0.1** *sunflower.*

zonnebloemolie ⟨de⟩ **0.1** *sunflower oil.*

zonnebloempit ⟨de⟩ **0.1** *sunflower seed.*

zonnebloemzaad ⟨het⟩ ⟨plantk.⟩ **0.1** *sunflower seed(s).*

zonneboiler ⟨de (m.)⟩ **0.1** *solar boiler.*

zonnebrand ⟨de (m.)⟩ **0.1** [het verbranden van de huid] *sunburn* **0.2** [zonnegloed] *sun's heat* ⇒*burning rays of the sun* **0.3** [beschermend middel] *sun(tan) lotion/oil/cream/crème.*

zonnebrandcrème ⟨de⟩ **0.1** *sun(tan) lotion/cream/crème.*

zonnebrandolie ⟨de⟩ **0.1** *sun(tan) oil.*

zonnebril ⟨de (m.)⟩ **0.1** *sunglasses,* ⟨sl.⟩ *shades.*

zonnebundel ⟨de (m.)⟩ **0.1** *sunbeam* ⇒*sunburst* ⟨door een gat in de wolken⟩.

zonnecel ⟨de⟩ ⟨nat.⟩ **0.1** *solar cell.*

zonnecirkel, -cyclus ⟨de (m.)⟩ **0.1** [zodiac] *zodiac* **0.2** [zonnecyclus] *solar cycle* **0.3** [ecliptica] *ecliptic.*

zonnecollector ⟨de (m.)⟩ **0.1** [apparaat dat zonnewarmte opvangt en afgeeft] *solar collector* ⇒*solar panel* **0.2** [apparaat dat met behulp van zonnecellen zonnestraling omzet in elektriciteit] *solar collector.*

zonnecultus ⟨de (m.)⟩ **0.1** *sun worship* ⇒*worship of the sun.*

zonnedag ⟨de (m.)⟩ ⟨ster.⟩ **0.1** *solar day.*

zonnedak ⟨het⟩ **0.1** [doek] *awning* ⇒*canopy* **0.2** [glazen dak in auto] *sunroof.*

zonnedauw ⟨de (m.)⟩ ⟨plantk.⟩ **0.1** *sundew.*

zonnedek ⟨het⟩ **0.1** [zonnedak] *awning* ⇒*canopy* **0.2** [dek op een schip om te zonnen] *sun deck.*

zonneënergie ⟨de (v.)⟩ **0.1** *solar energy.*

zonnefilter ⟨het, de (m.)⟩ **0.1** *sun filter.*

zonneglans ⟨de (m.)⟩ **0.1** *sun's glare* ⇒*glare of the sun.*

zonnegloed ⟨de (m.)⟩ **0.1** *sun's heat* ⇒*burning rays of the sun.*

zonnegloren ⟨het⟩ **0.1** *sun's rays* ◆ **6.1** bij het eerste ~ *at the break of day, when the sun's first rays appeared.*

zonnegod ⟨de (m.)⟩ **0.1** *sun god.*

zonnehelm ⟨de (m.)⟩ **0.1** *sun helmet* ⇒ ⟨tropenhelm ook⟩ *pith helmet, topee, topi.*

zonnehoed ⟨de (m.)⟩ **0.1** *sun hat* ⇒ ⟨vnl. nog voor baby's⟩ *sunbonnet.*

zonnehuis ⟨het⟩ **0.1** *solar house.*

zonnejaar ⟨het⟩ **0.1** *solar year.*

zonnejurk ⟨de⟩ **0.1** *sundress.*

zonnekanon ⟨het⟩ **0.1** *sunbed.*

zonnekap ⟨de⟩ ⟨tech.⟩ **0.1** *lens hood* ◆ **2.1** opvouwbare ~ *collapsible l. h..*

zonnekijker, -spiegel ⟨de (m.)⟩ **0.1** *solar telescope* ⇒ ⟨wet.⟩ *helioscope,* ⟨oculair⟩ *solar eyepiece.*

zonneklaar ⟨bn.⟩ **0.1** *obvious* ⇒ ⟨pred.; na zn.⟩ *(as) clear as day* ◆ **3.1** ~ bewijzen *prove beyond a shadow of a doubt;* het is ~ dat ⟨ook⟩ *there is no disguising the fact that;* het is ~ blijkt ~ *it is o..*

zonneklep ⟨de⟩ **0.1** *(sun) visor* ⇒*(sun)shade.*

zonnekoning ⟨de (m.)⟩ ⟨gesch.⟩ **0.1** *Sun King.*

zonnelicht →**zonlicht.**

zonnemaand ⟨de⟩ **0.1** *solar month.*

zonnen ⟨onov.ww.⟩ **0.1** *sunbathe* ⇒*sun o.s., take a sunbath,* ⟨AE;sl.⟩ *catch some rays* ◆ **3.1** zij lagen de hele dag te ~ *they spent the whole day sunbathing/sunning themselves/lying in the sun.*

zonne-oven ⟨de (m.)⟩ **0.1** *solar furnace.*

zonnepaneel ⟨het⟩ **0.1** *solar panel.*

zonnepit ⟨de⟩ **0.1** [zonnebloempit] *sunflower seed* **0.2** [zonnebloem] *sunflower.*

zonnescherm ⟨het⟩ **0.1** [scherm voor een venster] *(sun)blind* ⇒*awning, (sun)shade* **0.2** [parasol] *parasol* ⇒*sunshade, sun umbrella.*

zonneschijn ⟨de (m.)⟩ ⟨→sprw. 513⟩ **0.1** *sunshine* ◆ **2.1** bij heldere ~ *in sunny weather, in bright s.* **6.1** in de ~ lopen/zitten *walk/sit in the sun.*

zonneschijnmeter ⟨de (m.)⟩ ⟨meteo.⟩ **0.1** *sunshine recorder.*

zonnespectrum ⟨het⟩ ⟨nat.⟩ **0.1** *solar spectrum.*

zonnestand ⟨de (m.)⟩ **0.1** *position of the sun* ⇒ ⟨hoogte ook⟩ *sun's altitude.*

zonnesteek ⟨de (m.)⟩ **0.1** *sunstroke* ⇒ ⟨door grote hitte⟩ *heatstroke* ◆ **3.1** een ~ krijgen *get/have s..*

zonnestelsel ⟨het⟩ **0.1** *solar system.*

zonnestilstand ⟨de (m.)⟩, **-wende** ⟨de⟩ **0.1** *solstice.*

zonnestraal ⟨de (m.)⟩ **0.1** *ray of sun(shine)* ⇒*sunray,* ⟨vnl. dicht.⟩ *sunbeam,* ⟨wet.⟩ *solar ray.*

zonnetafel ⟨de⟩ **0.1** *solar table.*

zonnetempel ⟨de⟩ **0.1** *sun temple* ⇒*temple of the sun.*

zonnetent ⟨de⟩ **0.1** *awning* ⇒*canopy.*

zonneterras ⟨het⟩ **0.1** *sun terrace.*

zonnetijd ⟨de (m.)⟩ **0.1** *solar time* ◆ **2.1** middelbare ~ *mean s. t.;* ware ~ *true/apparent (s.) t..*

zonnetje ⟨het⟩ **0.1** [kleine zon] *little sun* ⟨fig.⟩ *sunshine* **0.2** [zonneschijn] *sun(shine)* **0.3** [vuurwerk] *sunburst* ◆ **3.1** ⟨fig.⟩ ze is het ~ in huis *she is our/ (enz.) little sunshine, she is a joy/she brings a ray of sunshine to our/ (enz.) house, she brightens up the house* **3.3** een ~ ontsteken *set off/light a s.* **6.2** in het ~ zitten *sit in the s.;* iem. in het ~ zetten ⟨iem. prijzen⟩ *make s.o. the centre of attention;* ⟨de spot drijven⟩ *poke fun at s.o.;* ⟨AE ook⟩ *josh s.o..*

zonne-uren ⟨zn.mv.⟩ **0.1** *hours of sun(light).*

zonnevlecht ⟨de⟩ ⟨anatomie⟩ **0.1** *solar plexus.*

zonnevlek ⟨de⟩ **0.1** *sunspot.*

zonnewagen ⟨de⟩ ⟨myth.⟩ **0.1** *chariot of the sun-god.*

zonnewarmte ⟨de (v.)⟩ **0.1** *solar heat.*

zonneweide ⟨de⟩ **0.1** *sunbathing area, lawn for sunbathing.*

zonnewijzer ⟨de⟩ **0.1** *sundial* ⇒ ⟨zeldz.⟩ *sun clock.*

zonnig ⟨bn.⟩ **0.1** [waarin/waarop de zon schijnt] *sunny* ⇒ ⟨inf.;scherts.⟩ *sunshiny* **0.2** [blij] *sunny* ⇒ ⟨inf.;scherts.⟩ *sunshiny* ◆ **1.1** een ~e kamer *a sunny room* **1.2** hij had een ~e jeugd *he had a sunny/happy childhood;* een ~e lach *a sunny/bright/cheerful laugh;* een ~e toekomst *a sunny/bright future.*

zonovergoten ⟨bn.⟩ **0.1** *sun-drenched* ⇒*sun-baked.*

zonpaneel →**zonnepaneel.**

zonsafstand ⟨de (m.)⟩ **0.1** *distance to/from the sun.*

zonsondergang ⟨de (m.)⟩ **0.1** *sunset* ⇒*sundown* ◆ **6.1** deze ster komt op bij ~ *this star rises at sunset/sundown/the setting of the sun/* ⟨ster.⟩ *has an acronychal rising;* tegen ~ *around sunset;* van zonsopgang tot ~ *from sunrise to sunset/sunup to sundown.*

zonsopgang ⟨de (m.)⟩ **0.1** *sunrise* ⇒*sunup, daybreak, dawn* ◆ **6.1** bij ~ *at dawn/sunrise/daybreak/the rise/break of day/cockcrow;* voor/na ~ *before/after dawn/daybreak.*

zonsverduistering ⟨de (v.)⟩ **0.1** *solar eclipse* ⇒*eclipse of the sun* ◆ **2.1** totale/gedeeltelijke ~ *total/partial eclipse (of the sun)*.

zonwering ⟨de (v.)⟩ **0.1** *awning* ⇒⟨BE ook⟩ *sun-blind*, ⟨jaloezie⟩ *(venetian) blind*.

zonzijde ⟨de⟩ **0.1** [zijde vanwaar de zon komt, in de zon] *sun(ny) side* **0.2** [⟨fig.⟩] *sunny/bright side* ◆ **3.2** altijd de ~ zien *always see/look on/at the bright side*.

zoöfiel ⟨de (m.)⟩ **0.1** *zoophile* ⇒*animal lover*.

zoöfiet ⟨de (v.)⟩ **0.1** *zoophyte*.

zoöfobie ⟨de (v.)⟩ ⟨psych.⟩ **0.1** *zoophobia*.

zoogdier ⟨het⟩ **0.1** [dier dat zijn jongen zoogt] *mammal* **0.2** [⟨mv.⟩ klasse] *mammalians* ⇒⟨wet.⟩ *Mammalia*.

zoögeen ⟨bn.⟩ ⟨geol.⟩ **0.1** *zoogenic*.

zoögeografie ⟨de (v.)⟩ **0.1** *zoogeography*.

zoogkooi ⟨de⟩ **0.1** *farrowing pen*.

zoögrafie ⟨de (v.)⟩ **0.1** *zoography*.

zoogster ⟨de (v.)⟩ **0.1** *wet nurse*.

zooi ⟨de⟩ ⟨inf.⟩ **0.1** [grote hoeveelheid] *heap* ⇒*mess, load, lot, bunch*, ⟨AE ook⟩ *slew*, ⟨AE; vulg.⟩ *shitload* **0.2** [rommel] *mess* ◆ **1.1** een hele ~ boeken *piles/a mound/mountain/h./ mess of books*; een ~ kinderen *a troop/gang/pack/(whole) slew of children* **3.2** hij heeft de hele ~ opgeruimd *he cleaned up all the m.*; een ~ maken van iets *make a m.! shambles of sth.* ¶**.1** wat een ~ tje! *what a mess/dump*.

zool ⟨de⟩ **0.1** [vlak van de voet] *sole* ⇒*bottom* **0.2** [vlak van schoeisel] *sole* **0.3** [inlegstuk] *insole* **0.4** [deel van een kous] *sole* **0.5** [mbt. slakken] *foot* ◆ **2.2** nieuwe zolen op schoenen zetten *resole shoes* **2.3** losse/vilten zolen *extra/felt insoles* **3.2** ⟨fig.⟩ de zolen van zijn schoenen lopen *walk one's feet off*; ⟨fig.⟩ *give one's all/utmost, try one's hardest* **6.2** ⟨inf.; fig.⟩ **aan** mijn zolen! *my foot!*; ⟨fig.⟩ iets wel **op** zijn zolen kunnen schrijven *be able to write sth. off/forget sth.*.

zoolganger ⟨de (m.)⟩ **0.1** *plantigrade (animal)*.

zoolleer ⟨het⟩ ⟨amb.⟩ **0.1** *sole leather*.

zoölogie ⟨de (v.)⟩ **0.1** *zoology*.

zoölogisch ⟨bn.⟩ **0.1** *zoological* ◆ **1.1** ~e tuin *zoo, z. gardens*.

zoöloog ⟨de (m.)⟩ **0.1** *zoologist*.

zoom ⟨de (m.)⟩ **0.1** [omgeslagen rand] *hem* ⇒*edge, border* **0.2** [buitenrand] *edge* ⇒*border, fringe* ◆ **1.1** de ~ v.e. tafelkleed *the hem/border /edge of a tablecloth* **1.2** de ~ v.h. bos/v.e akker *the e./ fringe of the woods/of a field*; de ~ v.e rivier *the e./ bank of a river* **2.1** ergens een brede ~ aanzetten/inzetten *put/set a large h. in sth.* **3.1** een ~ leggen *put/sew in a h.*; een ~ lostornen *take/rip out/undo a h., unhem sth.* **6.2** aan de ~ v.d. stad *on/at the e./ outskirts/fringe of a city*.

zoomen ⟨onov.ww.⟩ ⟨foto, film, t.v.⟩ **0.1** [fotograferen met een zoomlens] *zoom* **0.2** [het beeld dichterbij halen] *zoom in (on)* ⇒*move in (on)*.

zoomlens ⟨de⟩ ⟨foto, film, t.v.⟩ **0.1** *zoom lens*.

zoomnaad ⟨de (m.)⟩ **0.1** *hem*.

zoomobjectief ⟨het⟩ ⟨foto., film., t.v.⟩ **0.1** *zoom lens*.

zoömorf ⟨bn.⟩ **0.1** *zoomorphic*.

zoomsteek ⟨de (m.)⟩ **0.1** *hemstitch* ⟨open⟩.

zoomvoetje ⟨het⟩ **0.1** *hemmer*.

zoomwerk ⟨het⟩ **0.1** [werk dat bestaat uit zomen] *hemming* ⇒*hem work* **0.2** [gezoomd werk] *hem work* **0.3** [⟨scheep.⟩] *clinched planking* ◆ **6.3** een boot met ~ *a clinker-/clincher-built/lapstrake boat*.

zoon ⟨de (m.)⟩ ⟨→sprw. 581⟩ **0.1** [kind van het mannelijk geslacht] *son* **0.2** [vertegenwoordiger, afstammeling] *son* **0.3** [⟨als aanspreekvorm⟩] *son* ⇒⟨verkleinwoord⟩ *sonny* **0.4** [volgeling] *son* ⇒*follower* ◆ **1.1** de ~ van Mr. Boswell *Mr. Boswell's s., s. to Mr. Boswell;* Vader, Zoon en H. Geest *Father, Son and Holy Ghost* **1.2** een ~ van Abraham *a s. of Abraham, an Israelite;* de ~ des mensen *the Son of Man;* een ~ van het Hemelse Rijk *a s. of the Celestial Empire, a Chinese* **2.1** hij is een echte ~ van zijn vader *he is his father's (true) s., like father like s.;* ↓he's a chip off the old block; de jongste ~ *the youngest/* ⟨van 2⟩ *younger s.;* de oudste ~ *the oldest/* ⟨van 2⟩ *elder/* ⟨van 3 of meer⟩ *eldest s.;* ⟨bijb.⟩ de verloren ~ *the Prodigal Son* **4.3** mijn ~, wat wil je? *what do you want, (my) s.! sonny?* **6.1** van vader **op** ~ *from father to s.;* ⟨mbt. afstamming⟩ *lineal*.

zoonlief ⟨de (m.)⟩ ⟨meestal iron.⟩ **0.1** *junior* ⇒*sonny, my/* ⟨enz.⟩ *dear son, my/* ⟨enz.⟩ *pride and joy*.

zoor ⟨bn.⟩ **0.1** *raw* ⇒*rough, scratchy* ◆ **1.1** een zore huid ⟨ook⟩ *chapped skin;* het zore zand *the harsh/rough sand*.

zoötechniek ⟨de (v.)⟩ **0.1** *zootechnics*.

zootje ⟨het⟩ ⟨inf.⟩ **0.1** [grote hoeveelheid] *heap* ⇒*mess, load, lot, bunch,* ⟨AE ook⟩ *slew*, ⟨AE; vulg.⟩ *shitload* **0.2** [rommeltje] *mess* ◆ **1.1** een ~ appels/boeken/oud papier *a h./ bunch of apples/books/used paper* **2.2** het hele ~ *the whole (kit and) caboodle/lot/* ⟨AE ook⟩ *shebang;* een ~ ongeregeld *a motley lot/ crew/ bunch* **3.2** het is me daar een ~! *it's a m. there* **6.2** hij kon met ~ zijn (hele) ~ inpakken *he might as well have packed up and gone home*.

zoötomie ⟨de (v.)⟩ **0.1** *zootomy*.

zoötomisch ⟨bn.⟩ **0.1** *zootomic(al)*.

zopas ⟨bw.⟩ **0.1** *just (now)*.

zopie ⟨het⟩ →**koek-en-zopie**.

Z-opleiding ⟨de (v.)⟩ **0.1** *psychiatric nursing training*.

zorg ⟨de⟩ ⟨→sprw. 85,203,685,686⟩ **0.1** [zorgzaamheid] *care* ⇒*concern, solicitude,* ⟨bezorgdheid⟩ *anxiety,* ⟨aandacht⟩ *attention* **0.2** [ongerustheid] *concern* ⇒*worry, anxiety, trouble* **0.3** [voorwerp van ongerustheid] *concern* ⇒*worry* **0.4** [leunstoel] *easy chair* ◆ **2.1** een voorwerp van aanhoudende ~ zijn *be the subject of constant concern/ a source of anxiety;* liefderijke ~ *loving care;* moederlijke ~ *motherly care/concern, maternal solicitude* **2.2** dat is van later ~ *we'll worry about that later, let's not worry about that right now, we'll cross that bridge when we come to it* **2.3** dat is een grote/hele ~ voor hem *that is a tremendous worry/c. to him* **3.1** ~ besteden aan *care for, take care of, see/ attend to, pay heed to, take trouble over;* ~ voor iets dragen *take care of/see to/look after sth., bear the responsibility for sth., be in charge of sth.;* deze plant vergt veel ~ *this plant requires a great deal of attention* **3.2** zijn toestand baart ~en *his condition is worrisome/is cause for/a source of c.;* iem. veel ~en baren *be a source of great c. to s.o., worry s.o;* geen ~en hebben/kennen *not be worried, have no worries, not have a care in the world;* zich ~en maken over/om *worry about, be concerned/anxious about/ as to;* zich geen ~en maken om ⟨ook⟩ *pay no attention to* **3.3** dat is een (hele) ~ minder *that's (quite) a relief, that's a (tremendous) load/weight off my mind, that's one thing less to worry about* **6.1** de ~ voor een gezin hebben *provide for/ maintain a family* **6.2** in de ~(en) zitten *have a lot of worries, be troubled/worried, be plagued by/with worries, have a lot on one's mind;* wij zijn nog niet **uit** de ~en *we're not home free yet, it's not clear sailing yet, our worries aren't over yet;* geen ~en **voor** de dag van morgen/vóór de tijd *take no thought for the morrow, with never a care for tomorrow, never worry/think about what tomorrow might bring;* een zieltje **zonder** ~ *a blithe spirit, a creature without a care/worry in the world/free from care* **7.2** weinig ~en hebben *have few worries, not have a care in the world* ¶**.2** onder ~en gebukt gaan *be burdened down with care/worries* ¶**.3** ⟨inf., iron.⟩ 't zal mij een ~ wezen/ mij een ~ *I couldn't care less, I should care, I don't give a hang.*

zorgbarend ⟨bn.⟩ **0.1** *worrisome* ⇒*alarming, distressing* ◆ **1.1** ~e berichten/ontwikkelingen ⟨ook⟩ *these reports/developments are cause for concern/alarm.*

zorgdragend ⟨bn.⟩ **0.1** *concerned* ⇒*solicitous.*

zorgelijk, zorglijk
I ⟨bn.⟩ **0.1** [onrustbarend] *worrisome* ⇒*alarming, distressing* **0.2** [geneigd tot bezorgdheid] *worrying* ◆ **1.1** de toestand is ~ *the situation is alarming/ distressing/ precarious/ critical* ¶**.2** ~ aangelegd zijn *be a worrier/ an alarmist, be the worrying type;*
II ⟨bn., bw.; -ly⟩ **0.1** [bezorgdheid uitdrukkend] *worried* ⇒*troubled, concerned* ◆ **1.1** een ~ gezicht zetten *look w., have a w. face* **3.1** ~ kijken *look w..*

zorgeloos ⟨bn., bw.⟩ **0.1** [zonder zorgen] *carefree* ⇒*untroubled, unconcerned, free of troubles/concerns/ worries* **0.2** [achteloos] *careless* ⇒*negligent, improvident, thoughtless* **0.3** [luchthartig] *carefree* ⇒*easygoing, lighthearted, happy-go-lucky, devil-may-care* ◆ **1.1** een ~ bestaan *a c./ an unclouded existence, a bed of/strewn with roses;* zorgeloze zielen *c./ blithe spirits* **1.3** een ~ mens *a c./ lighthearted/ happy-go-lucky/devil-may-care person* ¶**.2** ~ te werk gaan *go about things in a c./ slack manner.*

zorgeloosheid ⟨de (v.)⟩ **0.1** [het zonder zorgen zijn] *freedom from care/ concern/ worry, unconcern* **0.2** [achteloosheid] *carelessness* ⇒*negligence, improvidence* **0.3** [luchthartigheid] *carefreeness* ⇒*lightheartedness,* ↑*insouciance.*

zorgen ⟨onov.ww.⟩ ⟨→sprw. 386⟩ **0.1** [arrangeren] *see to* ⇒*look after, take care of, attend to,* ⟨verschaffen⟩ *provide, supply* **0.2** [verzorging geven] *care for* ⇒*look after, take care of, provide for* **0.3** [opletten] *see (to)* ⇒*take care (to)* ◆ **3.2** de hele dag/altijd maar lopen te ~ *run around the whole day/ constantly be looking after/taking care of things* **6.1 voor** het eten ~ *see/attend to/take care of the cooking/of dinner, do the cooking, arrange for the food;* **voor** het geld ~ *provide/ supply the money;* daar moet jij **voor** ~ *that's your job/your end of the business, that's up to you;* de boom zorgt **voor** wat welkome schaduw *the tree provides/affords a welcome shade;* **voor** grote opschudding ~ *cause/create a sensation* **6.2** de ouders ~ **voor** hun kinderen *parents provide (and care) for their children;* **voor** zichzelf kunnen ~ *be able to take care of/ look after/ fend for/ provide for/ shift for/ maintain o.s.;* **voor** de oude dag ~ *provide/set aside sth./ make provision for one's old age* **6.3** wil jij **voor** de kinderen ~? *will you see to/ look after/ mind / tend/ watch/ care for the children?* **8.3** zorg dat je niet te laat komt *see that/mind/make sure you're not late, don't be late, take care not to be late* ¶**.1** wie dan leeft, wie dan zorgt *let tomorrow take care of itself.*

zorgenkind ⟨het⟩ **0.1** [kind dat veel zorg geeft] *worrisome/ problem child* ⇒*source of concern/worry* **0.2** [⟨fig.⟩] *problem child* ⇒*source of concern/worry.*

zorgplicht ⟨de⟩ **0.1** *duty/responsibility to provide for/ to maintain.*

zorgstoel ⟨de (m.)⟩ **0.1** *easy chair.*

zorgvuldig
I ⟨bn.⟩ **0.1** [mbt. personen] *meticulous* ⇒*careful, precise* ◆ **6.1** ~ op iets zijn *be m. about/ with sth.;*

II ⟨bn.,bw.;-ly⟩ **0.1** [nauwkeurig] *careful* ⇒*meticulous,scrupulous, conscientious,painstaking,precise* **0.2** [waaraan veel zorg besteed is] *careful* ⇒⟨bij ww.⟩ *with care* ◆ **1.1** een ~ onderzoek *a careful/meticulous/narrow/rigorous/thorough examination,an examination with a fine-tooth comb* **1.2** zijn kinderen een ~e opvoeding geven *raise one's children with great care and concern* **3.1** ~ zijn woorden kiezen *choose/pick one's words carefully/precisely;* iets ~ nagaan/onderzoeken/opbergen *take great care in tracking down/examining/putting away sth., track sth. down/examine sth./put sth. away carefully/meticulously.*

zorgvuldigheid ⟨de (v.)⟩ **0.1** [voorzichtige netheid] *care(fulness)* ⇒*precision,scrupulousness* **0.2** [nauwkeurigheid] *care(fulness)* ⇒*precision,meticulousness* ◆ **2.1** de nodige ~ in acht nemen *exercise due caution/care* **2.2** met de uiterste ~ *with the utmost care/precision, with great meticulousness.*

zorgwekkend ⟨bn.⟩ **0.1** *worrisome* ⇒*alarming,troubling,disquieting* ◆ **1.1** ~e tijden/omstandigheden *w. times/conditions;* het slachtoffer werd in ~e toestand in het ziekenhuis opgenomen *the victim was in critical condition when he/she reached the hospital.*

zorgzaam ⟨bn.,bw.;-ly⟩ **0.1** *careful* ⇒*tender,considerate,thoughtful, solicitous* ◆ **1.1** een ~ huisvader *a loving/caring/tender father.*

zostraks ⟨bw.⟩ **0.1** [zoëven] *just (now)* **0.2** [dadelijk] *in a little while/bit* ⇒*soon,shortly* ◆ **3.1** ik zei het ~ nog *I just said (it/so).*

zot¹ ⟨de (m.)⟩⟨→sprw. 655⟩ **0.1** [idioot] *fool* ⇒*nut(case),idiot,crazy man/person,lunatic* **0.2** [⟨AZN;kaartsp.⟩] *jack* ⇒*knave* ◆ **6.1** voor ~ spelen *play the f..*

zot² ⟨bn.,bw.;-ly⟩ **0.1** [dwaas] *crazy* ⇒*idiotic,mad,loony,foolish, nutty,* ⟨mal⟩ *silly,* ⟨BE ook⟩ *daft* **0.2** [onverstandig] *foolish* ⇒*idiotic, mad,crazy,dumb* ◆ **3.1** doe niet zo ~ *don't act so silly/c./daft, don't be such an idiot;* dat is toch al te ~ *that's (just/* ⟨vnl. AE⟩ *way) too c.* **3.2** ~ praten/handelen *talk/act foolishly/idiotically.*

zotheid ⟨de (v.)⟩ **0.1** [het gek zijn] *craziness* ⇒*madness,idiocy,foolishness,lunacy,* ⟨malligheid⟩ *silliness* **0.2** [dwaze handeling] *foolishness, folly* ⇒*madness,idiocy,lunacy* ◆ **3.1** dat is toch ~ *that's crazy/sheer idiocy/lunacy/utter madness* **3.2** je moet je niets van haar zotheden aantrekken *you shouldn't pay too much attention to her foolishness.*

zothuis ⟨het⟩⟨AZN⟩ **0.1** *madhouse* ⇒⟨inf.⟩ *loony bin,* ⟨sl.⟩ *nuthouse.*

zotskap ⟨de⟩ **0.1** *fool's cap* ⇒*cap and bells.*

zotskolf ⟨de⟩ **0.1** *bauble.*

zottenklap ⟨de (m.)⟩ **0.1** *nonsense* ⇒*crazy/madman's/foolish/stupid talk, rubbish,* ⟨AE ook⟩ *garbage, hogwash* ◆ **3.1** ~ uitslaan *talk n./rubbish/hogwash/garbage.*

zottenpraat ⟨de (m.)⟩→**zottenklap.**

zotternij ⟨de (v.)⟩ **0.1** [het gek zijn] *craziness* ⇒*madness,lunacy,idiocy* **0.2** [dwaze handeling] *folly* ⇒*tomfoolery,craziness,madness,lunacy, idiocy* ◆ **4.2** wat een ~ is dat nu *what sort of tomfoolery is that?.*

zottigheid ⟨de (v.)⟩ **0.1** [het gek zijn] *craziness* ⇒*madness,lunacy,idiocy,foolishness* **0.2** [dwaze handeling] *foolishness,folly* ⇒*madness,lunacy,idiocy.*

zottin ⟨de (v.)⟩ **0.1** *madwoman* ⇒*crazy woman.*

zouaaf →**zoeaaf.**

zout¹ ⟨het⟩ **0.1** [keukenzout] *(common) salt* **0.2** [⟨schei.⟩] *salt* ◆ **1.1** ⟨fig.⟩ iets met een korreltje ~ nemen *take sth. with a grain/pinch of s.;* een mespunt(je) ~ *a pinch of s.;* ⟨fig.⟩ een zak ~ met iem. gegeten hebben *have been acquainted with s.o. for ages;* ⟨vnl. AE⟩ *know s.o. from way back* **2.1** Engels ~ *Epsom salts,* magnesium sulfate **3.1** ~ strooien *salt, put out/down/spread s.* **6.1** ⟨fig.⟩ het ~ in de pap niet verdienen *earn next to nothing/a (mere) pittance;* ⟨AE;inf.⟩ *not earn beans/hay/dirt;* iets met veel ~ haring in een ~ *leggen salt bacon/meat/herring;* ⟨fig.⟩ ~ in een open wond wrijven *pour/rub s. in (to) a wound;* dat is nu juist het ~ in de pap *that's what gives it that extra something, that's the fun part, that's what makes it fun/it all worthwhile;* ~ op de staart leggen *put s. on the tail;* op alle slakken ~ leggen *split hairs* **6.2** ⟨fig.⟩ ~ in het bloed hebben *have the sea in one's blood/veins.*

zout² ⟨bn.⟩ **0.1** [mbt. een smaakgewaarwording] *salt,salty* **0.2** [zeer zout smakend] *salty* ⇒*briny,saline* ⟨vloeistof⟩ **0.3** [gezouten] *salted* ◆ **1.3** ~e haring *pickled/salted herring* **3.2** ⟨fig.⟩ zó ~ heb ik het nog nooit gegeten *I've never heard/seen anything quite like that, that goes beyond my experience,* ↓*I'll be dammed/a son of a gun* **8.2** het is zo ~ als brine *it's brine/briny, it's as salty as brine.*

zoutachtig ⟨bn.⟩ **0.1** *salt(y)* ⇒*saltish,saline* ⟨vloeistof⟩.

zoutafzetting ⟨de (v.)⟩ **0.1** [het kristalliseren van zout] *salt deposition* **0.2** [sediment] *salt/saline deposit* ⇒*saline.*

zoutarm ⟨bn.⟩ **0.1** *low-salt* ⇒*low-sodium.*

zoutbad ⟨het⟩ **0.1** *salt bath.*

zoutbron ⟨de (v.)⟩ **0.1** *salt well* ⇒*saline.*

zouteloos ⟨bn.⟩⟨fig.⟩ **0.1** *insipid* ⇒*flat, dull, vapid, unfunny* ⟨grappen⟩ ◆ **1.1** zouteloze gesprekken/aardigheden ⟨ook⟩ *mindless conversations/pleasantries.*

zouteloosheid ⟨de (v.)⟩ **0.1** [het zouteloos zijn] *insipidness* ⇒*dullness, flatness, vapidness* **0.2** [flauwe grap] *bad/dumb/stupid/dull/unfunny joke* ◆ **1.1** de ~ van het verhaal *the i. of the story* **3.2** hij kan enkel zouteloosheden debiteren *all he can do is tell stupid jokes.*

zouten ⟨ov.ww.⟩ **0.1** [met zout bestrooien] *salt* **0.2** [in zout leggen] *salt* ⇒*pickle, brine, corn* ⟨rundvlees⟩ ◆ **1.1** het vlees/het eten ~ *s. the meat/the food* **1.2** gezouten vis *salted/pickled fish.*

zouterij ⟨de (v.)⟩ **0.1** *saltery* ⟨voor vis⟩; *tannery* ⟨voor huiden⟩.

zoutgehalte ⟨het⟩ **0.1** *salt content/level* ⇒*salinity* ⟨van water, enz.⟩ ◆ **2.1** hoog/laag ~ *high/low salt content/salinity.*

zoutglazuur ⟨het⟩ **0.1** *saltglaze.*

zoutheid ⟨de (v.)⟩ **0.1** [het zout-zijn] *saltness,salinity* **0.2** [zoutgehalte] *salinity* ⇒*salt/saline content.*

zouthoudend ⟨bn.⟩ **0.1** *saline* ⇒*salty, saliferous* ◆ **1.1** ~e gronden *saline soil;* ~e planten *saline plants, salt-containing plants.*

zoutig ⟨bn.⟩ **0.1** *salty.*

zoutje ⟨het⟩ **0.1** *salt(y)/* ⟨BE ook⟩ *savoury biscuit* ⇒*cocktail biscuit,* ^A*saltine* ◆ **1.1** een zak ~s *a bag of salty biscuits.*

zoutkoepel ⟨de (m.)⟩ **0.1** *salt dome/plug.*

zoutkorrel ⟨de (m.)⟩ **0.1** *grain of salt.*

zoutlaag ⟨de⟩⟨geol.⟩ **0.1** *layer of salt* ⇒*salt layer,* ⟨in de grond ook⟩ *saline/salt stratum/deposit.*

zoutloos ⟨bn.⟩ **0.1** *salt-free* ◆ **1.1** een ~ dieet *a s.-f. diet.*

zoutlozing ⟨de (v.)⟩ **0.1** *salt dumping.*

zoutmeer ⟨het⟩ **0.1** *salt lake.*

zoutmeter ⟨de (m.)⟩⟨tech.⟩ **0.1** *salinometer.*

zoutmijn ⟨de⟩ **0.1** *salt mine.*

zoutmoeras ⟨het⟩ **0.1** *salt marsh.*

zoutontginning ⟨de (v.)⟩ **0.1** *salt mining/extraction.*

zoutoplossing ⟨de (v.)⟩ **0.1** *salt/saline solution.*

zoutpan ⟨de⟩ **0.1** *saltpan.*

zoutpijler ⟨de (m.)⟩⟨geol.⟩ **0.1** *salt dome.*

zoutpilaar ⟨de (m.)⟩ **0.1** *pillar of salt* ◆ **8.1** hij staat daar als een ~ *he stands there as if (he's) rooted to the spot/like a statue.*

zoutraffinaderij ⟨de (v.)⟩ **0.1** *salt refinery.*

zoutsmaak ⟨de (m.)⟩ **0.1** *salt/salty taste.*

zoutstrooier ⟨de (m.)⟩ **0.1** [voor keuken-/tafelzout] ^B*saltcellar,* ^A*saltshaker* **0.2** [strooiauto] *grit sprinkler.*

zoutte ⟨de (v.)⟩ **0.1** *saltiness* ⇒*salinity* ⟨van zeewater, enz.⟩.

zoutvaatje ⟨het⟩ **0.1** *salt cellar/*^A*shaker.*

zoutvat ⟨het⟩ **0.1** *salt tub.*

zoutwaterbad ⟨het⟩ **0.1** [bad in zout water] *saltwater/brine bath* **0.2** [zwembad] *saltwater (swimming-)pool.*

zoutwatermeer ⟨het⟩ **0.1** *salt lake.*

zoutwatervis ⟨de (m.)⟩⟨dierk.⟩ **0.1** *salt-water fish.*

zoutwinning ⟨de (v.)⟩ **0.1** *salt production* ⇒*salt mining* ⟨uit mijn⟩, *extraction of salt, salt extraction* ⟨uit de zee⟩.

zoutzak ⟨de (m.)⟩ **0.1** *salt-bag* ⟨klein, om mee te dragen⟩ *salt-pouch* ◆ **8.1** hij zakte als een ~ in elkaar *he collapsed like a burst balloon.*

zoutzee ⟨de⟩⟨aardr.⟩ **0.1** *Dead Sea.*

zoutzieden ⟨ww.⟩ **0.1** *extraction of salt from sea-water, manufacture of salt by evaporation.*

zoutzieder ⟨de (m.)⟩ **0.1** *saltmaker* ⇒*salter.*

zoutziederij ⟨de (v.)⟩ **0.1** [handeling] *salt extraction* **0.2** [bedrijf, werkplaats] *salt works* ⇒*saltery.*

zoutzuur¹ ⟨het⟩ **0.1** *hydrochloric acid* ⇒⟨vnl. hand.⟩ *muriatic acid.*

zoutzuur² ⟨bn.⟩ **0.1** *hydrochloric.*

zoveel¹ ⟨onb.vnw.⟩ ◆ **¶.¶** ~ is zeker *that much is certain, that's for sure.*

zoveel² ⟨bw.⟩ ◆ **5.¶** ~ te meer *even more so, all the more (so)* **6.¶** voor ~ ik weet *as far as I know.*

zoveel³ ⟨hoofdtelw.⟩⟨→sprw. 295⟩ **0.1** [een onbepaald, bekend (geacht) getal, bedrag] *as much/many* **0.2** [⟨wanneer het precieze getal/aantal er niet toe doet⟩] *so much/many* [mbt. een kwaliteit] ⟨zie 3.3,8.3⟩ ◆ **1.1** ~ kilogram goud als zijn lichaamsgewicht bedraagt *his (own) weight in (kilograms of) gold* **1.2** om de ~ dagen *every so many/every few days;* iemand ~ gulden *a hundred and something guilders/and so many guilders;* hij is de eigenaar van zo-en ~ huizen *he owns umpteen houses;* de bus van 10 uur ~ *the ten-something bus* **3.1** vandaag kun je ~ drinken ~ je wilt *you can drink as much as you like today* **3.2** ~ geef ik er niet om *I don't care for it (all) that much/* ⟨met nadruk op zo-, ook⟩ *as much as (all) that* **3.3** dat betekent ~ als niets *that amounts to nothing, in practice that means nothing* **5.1** ~ mogelijk *as much/many as possible;* net ~ *just as much/many;* dat is tweemaal ~ *that's twice as much/many* **5.2** niet zóveel *not (as much) as/ that* **8.1** ~ als men wil ⟨ook⟩ *all one can/likes,* to one's heart's content **8.2** in het jaar zo- en ~ *in the year such-and-such, in such-and-such a year* **8.3** hij is ~ als stuurman *he's the first mate or something, he's more or less the first mate.*

zoveelste¹ ⟨bn.⟩ **0.1** *such-and-such* ◆ **1.1** hij krijgt het ~ deel *he'll get s. -a. -s. an amount/a fraction/proportion.*

zoveelste² ⟨bn.⟩ **0.1** *such-and-such* ⇒⟨geïrriteerd⟩ *umpteenth* ◆ **1.1** dat is nu al voor de ~ keer *that's the umpteenth time now, it's been so many times now (that) I've lost count* **6.1** de ~ (dag) *van* de maand *such-and-such a day of the month.*

zover¹ ⟨bw.⟩ **0.1** *so far* ⇒*this/that far, so/as far as this/that, thus far* ◆ **3.1** ben je ~? *(are you) ready?* ↓*all set?;* ~ zou ik niet willen gaan *I wouldn't go so/as far as that;* voor het ~ is *before we've reached that* *point, before that;* het is ~ *the time / hour has come, here we go!;* dat het ~ moest komen! *that it should come to this!;* ik ga ~ mee *I'll come with you that far* 6.1 〈AZN〉 **bij** ~re dat *to that extent / degree that …;* 〈fig.〉 **in** ~re *insofar, insomuch;* 〈fig.〉 **tot** ~ zijn we het eens *so / thus far we agree;* **voor** ~ mogelijk *as far as (is) possible.*

zover² 〈vw.〉 **0.1** *as far* ◆ **3.1** het is ~ gekomen, dat …*things have reached the stage where …,* ↑*it has come to this, that …;* iem. ~ krijgen dat … 〈overreden〉 *get s.o. to …, coax s.o. into …;* 〈met bedrieglijke praatjes〉 *fool /* 〈sl.〉 *con s.o. into …;* ~ het oog reikt *as far as the eye can see;* 〈fig.〉 dat is, ~ ik weet, nog niet betaald *it hasn't yet been paid for, as far as I know* 6.1 〈fig.〉 **voor** ~ zij nog in leven zijn *(always) assuming they're still alive, insofar as they're still alive;* **voor** ~ ik weet niet *not to my knowledge / that I know of / as far as I'm aware.*

zowaar¹ 〈bw.〉 **0.1** *actually* ◆ **¶.1** je hebt ~ gelijk *you're actually right, it turns out you're right; you're right, too, you know.*

zowaar² 〈tw.〉 **0.1** *right / sure enough* ◆ **¶.1** ~! daar komt Jan! *if it isn't Jan!, there comes Jan right / sure enough!.*

zowat¹ 〈onb.vnw.〉 **0.1** *such(like)* ◆ **8.1** en ~ *and such(like).*

zowat² 〈bw.〉 **0.1** *something like, about, around* ◆ **1.1** dat kost ~ 10 gulden *it's about 10 guilders / 10 guilders or thereabouts;* het is ~ een uur lopen *it's something like an hour's walk* 3.1 ik verwachtte dat wel ~ *I sort of expected that* 4.1 ~ alles *(just) about everything (* 〈scherts.〉 *but except the kitchen sink);* ~ niets *next to nothing, as good as nothing* **¶.1** ze zijn ~ even groot *they're pretty much the same height.*

zowel 〈bw.〉 **0.1** *both, as well as* ◆ **8.1** ~ de mannen als de vrouwen *b. the man and the women, the men as well as the women, the men and the women alike / b.;* het een ~ als het ander *the one thing as much as the other, both (of them), both things together;* het is ~ onbillijk als onjuist *it's b. unfair and unjust.*

z.o.z. 〈afk.〉 **0.1** [zie ommezijde] *p.t.o.* 〈please turn over〉.

zozeer 〈bw.〉 **0.1** [in die, in gelijke mate] *so much (so)* **0.2** [in hoge mate] *so (very)* ◆ **2.2** hij is ~ bedroefd *he's so (very) sad* **5.1** het is niet ~ om de knikkers, als wel om het spel *we're in it to play, not to win; we're not in it for the money / for what we can get out of it;* dat ~ niet / niet ~ *not that so much, not so much that* **8.2** ~ dat …*so much so that.*

zozo 〈bw.〉 **0.1** *so-so* ◆ **3.1** het is maar ~ 〈ook〉 *it's all right as far as it goes.*

Zr. 〈afk.〉 **0.1** [zuster] 〈vnl. r.k.〉 *Sr..*

z.s.m. 〈afk.〉 **0.1** [zo spoedig mogelijk] 〈*as soon as possible*〉.

zucchetti, zucchini 〈de (m.)〉 **0.1** ᴮ*courgette,* ᴬ*zucchini.*

zucht
I 〈de〉 **0.1** [begeerte] *desire* ⇒〈verlangen〉 *longing,* 〈hunkering〉 *craving* **0.2** [ziekte] *dropsy* ⇒〈med.〉 *hydrops(y), anasarca,* ᴮ*oedema,* ᴬ*edema* **0.3** [overdreven lust] *urge* **0.4** [afscheiding van melk] *colostrum* ◆ **6.1** ~ *naar* avontuur *love / spirit of / longing for adventure* **6.3** ~ *naar* leeg vermaak *a craving / passion for shallow / empty entertainment;*
II 〈de (m.)〉 **0.1** [diepe uitademing] *sigh* ◆ **1.1** 〈fig.〉 in een vloek en een ~ *in a trice, in next to no time, before you can / could say Jack Robinson* **2.1** een diepe ~ slaken *heave a deep s..*

zuchten 〈onov.ww.〉 **0.1** [met kracht uitademen] *sigh* ⇒〈kermen〉 *moan* **0.2** [smachten] *sigh* ⇒*yearn, crave, long* ◆ **3.1** ~d zijn toestemming ergens voor geven *agree to sth. with a sigh;* ~ en steunen *groan and moan;* zitten te ~ *sit sighing / moaning (with)* **5.1** hij zucht ervan *it has worn him out, he's still panting / gasping* **6.1** 〈fig.〉 **in** gevangenschap ~ *groan under captivity;* 〈fig.〉 **onder** iets ~ *labour under / be weighed down by sth.* **6.2** **naar** vrijheid ~ *yearn / s. for freedom.*

zuchtig 〈bn.〉 **0.1** [te zeer verlangend naar] *thirsty / thirsting / hungry (for)* **0.2** [ziek door opeenhoping van vocht] *dropsical* ◆ **1.2** ~e benen *d. legs.*

zuchtje 〈het〉 **0.1** *breath* ⇒↑*waft* ◆ **7.1** er is geen ~ te voelen *there's not an air / a wind (stirring), it's dead calm.*

zuid¹ 〈de〉 **0.1** [zuidwaarts liggende streek] *south* **0.2** [het zuiden] *south.*

zuid²
I 〈bw.〉 **0.1** [ten zuiden] *south* ◆ **¶.1** ~ ten westen *s. by west;*
II 〈bn.〉 **0.1** [uit het zuiden] *south(ern)* ⇒〈mbt. wind ook〉 *southerly* ◆ **3.1** de wind is ~ *the wind is southerly / is from the south.*

Zuid-Afrika 〈het〉 **0.1** *South Africa.*

Zuidafrikaan 〈de (m.)〉, -**se** 〈de (v.)〉 **0.1** *South African (girl / woman).*

Zuidafrikaans¹ 〈het〉 **0.1** *South African.*

Zuidafrikaans² 〈bn.〉 **0.1** *South African.*

Zuid-Amerika 〈het〉 **0.1** *South America.*

Zuidamerikaan 〈de (m.)〉, -**se** 〈de (v.)〉 **0.1** *South American (girl / woman).*

Zuidamerikaans 〈bn.〉 **0.1** *South American.*

Zuidchinees 〈bn.〉 **0.1** *South Chinese* ◆ **1.1** Zuidchinese Zee *South China Sea.*

zuidelijk
I 〈bn.〉 **0.1** [in het zuiden] *southern* **0.2** [uit het zuiden komend] *south(ern)* ⇒〈wind ook〉 *southerly* **0.3** [zuidwaarts] *southern* ⇒*southerly, southward(ly)* **0.4** [het zuiden eigen] *southern* **0.5** [in het zuiden thuishorend] *southern* ◆ **1.1** Zuidelijke IJszee *the Antarctic (Ocean)* **1.2** de wind is ~ *the wind is southerly / is from the south* **1.3** in ~e rich-

---

ting in a southern / southerly / south ward(ly) direction **1.4** een ~ type *a s. type* **1.5** de ~e volken / talen *the s. peoples / languages* **7.5** de ~en *the southerners;*
II 〈bw.〉 **0.1** [zuidwaarts] *(to the) south, southerly, southwards,* 〈AE ook〉 *southward* ◆ **3.1** Rome ligt ~er dan Milaan *Rome is more southerly / further south than Milan;* je stuurt veel te ~ *you're steering much / far too far to the south.*

zuiden 〈het〉 **0.1** [kompasstreek] *south* **0.2** [deel van de wereld] *south* ◆ **2.2** het zonnige ~ *the sunny s.* **6.1** een kamer **op** het ~ *a s.-facing room, a room facing s. / on the s. (side);* **op** het ~ liggen *face south;* **ten** ~ (van) *(to the) s. (of), s. (wards) (from)* **6.2** naar het ~ gaan voor zijn gezondheid *move (to the) s. for one's health.*

zuidenwind 〈de (m.)〉 **0.1** *south / southern / southerly wind* ⇒*southerly.*

zuiderbreedte 〈de (v.)〉 **0.1** *southern latitude* ◆ **6.1** op 4° ~ *at / in a latitude of 4° South.*

zuiderbuur 〈de (m.)〉 **0.1** *southern neighbour* ⇒*neighbour to / in the south.*

zuidergrens →**zuidgrens.**

zuiderhalfrond 〈het〉 **0.1** *southern hemisphere.*

zuiderkeerkring 〈de (m.)〉 **0.1** *tropic of Capricorn.*

Zuiderkruis 〈het〉 〈ster.〉 **0.1** *Southern Cross* ⇒〈wet.〉 *Crux.*

zuiderlicht 〈het〉 **0.1** *southern lights* ⇒*aurora australis.*

zuiderling 〈de (m.)〉 **0.1** [bewoner van Zuid-Europa] *southerner* **0.2** [bewoner van Zuid-Nederland] *southerner.*

zuiders 〈bn.〉 〈AZN〉 **0.1** *southern.*

zuiderstorm 〈de (m.)〉 〈meteo.〉 **0.1** *southerly storm* ⇒*southerly (buster)* 〈op de Z.O.-kust van Australië〉.

zuiderstrand 〈het〉 **0.1** [strand aan de zuidkust] *southern beach /* 〈dicht.〉 *strand* **0.2** [strand van een zuidelijke zee] *southern / southerly beach /* 〈dicht.〉 *strand.*

Zuiderzee 〈de〉 **0.1** *Zuider / Zuyder Zee* ◆ **1.1** de droogmaking van de ~ *the draining / reclamation of the Z. Z..*

Zuiderzeepolder 〈de (m.)〉 **0.1** *Zuider / Zuyder Zee polder.*

Zuid-Europa 〈het〉 **0.1** *Southern Europe.*

Zuideuropees 〈bn.〉 **0.1** *South European.*

zuidgrens 〈de (m.)〉 **0.1** *southern / south border / frontier.*

Zuid-Holland 〈het〉 **0.1** *South Holland.*

Zuidhollands 〈bn.〉 **0.1** *South Holland.*

Zuid-Jemen 〈het〉 **0.1** *South Yemen* ⇒*People's Democratic Republic of Yemen.*

Zuidjemenitisch 〈bn.〉 **0.1** *South Yemeni / Yemenite.*

zuidkant 〈de (m.)〉 **0.1** *south(ern) side.*

Zuid-Korea 〈het〉 **0.1** *South Korea.*

Zuidkoreaans 〈bn.〉 **0.1** *South Korean.*

zuidkust 〈de〉 **0.1** *south(ern) coast.*

Zuidmolukker 〈de (m.)〉 **0.1** *South Moluccan.*

Zuidmoluks 〈bn.〉 **0.1** *South Moluccan.*

Zuid-Nederland 〈het〉 **0.1** 〈zuiden van Nederland〉 *the South(ern) Netherlands;* 〈zuiden van Nederlands taalgebied〉 *the soutern Dutch-speaking areas* 〈mv.〉; 〈Nederlandstalig België〉 *Dutch-speaking Belgium;* 〈gesch.〉 *the South(ern) Netherlands.*

Zuidnederlands¹ 〈het〉 **0.1** *southern Dutch;* 〈mbt. België〉 *Belgian Dutch, Flemish.*

Zuidnederlands² 〈bn.〉 **0.1** *southern Dutch;* 〈mbt. België〉 *Belgian Dutch, Flemish* ◆ **1.1** ~e uitdrukkingen *southern Dutch / Belgian (Dutch) / Flemish expressions, southernisms, Belgianisms, Flemishisms.*

zuidoost
I 〈bw.〉 **0.1** [naar het zuidoosten] *southeast(wards)* ⇒*to the southeast,* 〈AE ook〉 *Southeastward;*
II 〈bn.〉 **0.1** [uit het zuidoosten] *southeast(ern)* ⇒〈wind ook〉 *southeasterly* ◆ **3.1** de wind is ~ *the wind is southeasterly / is from the south-east.*

Zuidoost-Azië 〈het〉 **0.1** *South-east Asia.*

zuidoostelijk
I 〈bw.〉 **0.1** [naar het zuidoosten] *(to the) south-east, southeasterly, southeastwards;* 〈AE ook〉 *southeastward;*
II 〈bn.〉 **0.1** [in het zuidoosten] *southeast(ern)* **0.2** [uit het zuidoosten] *southeast(ern)* ⇒〈wind ook〉 *southeasterly.*

zuidoosten 〈het〉 **0.1** [kompasstreek] *southeast* **0.2** [streek] *South-east* ◆ **1.2** het ~ van Gelderland *the South-east of / South-East(ern) Gelderland, South-East Gelderland.*

zuidoostenwind 〈de (m.)〉 **0.1** *south-east (wind)* ⇒*southeasterly,* 〈sterk〉 *southeaster.*

zuidooster¹ 〈de (m.)〉 **0.1** *southeaster.*

zuidooster² 〈bn.〉 **0.1** *southeast(ern)* ⇒〈wind ook〉 *southeasterly.*

zuidpool 〈de〉 **0.1** [zuideraspunt van de aarde] *South Pole* **0.2** [zuidpoolgebied] *Antarctic* ⇒*South Pole* **0.3** [zuidelijke pool van de hemelbol] *South Pole* ◆ **1.¶** ~ van een magneet *south pole of magnet* **2.¶** magnetische ~ *Magnetic South (Pole).*

zuidpoolcirkel 〈de (m.)〉 **0.1** *Antarctic Circle.*

zuidpoolexpeditie 〈de (v.)〉 **0.1** *Antarctic / South Pole expedition* ⇒*expedition to the Antarctic / South Pole.*

zuidpoolgebied 〈het〉 **0.1** *Antarctic* ⇒*South Pole.*
zuidpoollicht 〈het〉 **0.1** *southern lights* ⇒*aurora australis.*
zuidpunt 〈het〉 **0.1** [naar het zuiden gekeerde punt] *south(ern) point/tip* **0.2** [〈aardr.〉] *south point.*
Zuidvlaams 〈bn.〉 **0.1** *South Flemish* ⇒〈na zn.〉 *of/from South(ern) Flanders.*
zuidvrucht 〈de〉 **0.1** *subtropical/semi-tropical fruit.*
zuidwaarts 〈bn., bw.〉 **0.1** 〈bn.〉 *southward(ly), southerly;* 〈bw.〉 *south-(wards);* 〈AE ook〉 *southward* ◆ **1.1** in ~e richting *in a southern/ southerly/southward direction* **3.1** ~ stevenen *sail(to the) south, sail southward(s).*
zuidwest
 I 〈bw.〉 **0.1** [naar het zuidwesten] *southwest(wards)* ⇒*to the south-west,* 〈AE ook〉 *southwestward;*
 II 〈bn.〉 **0.1** [uit het zuidwesten] *southwest(ern)* ⇒〈wind ook〉 *south-westerly* ◆ **3.1** de wind is ~ *the wind is southwesterly/from the south-west.*
zuidwestelijk
 I 〈bw.〉 **0.1** [naar het zuidwesten] *(to the) southwest, southwesterly, southwestwards;* 〈AE ook〉 *southwestward;*
 II 〈bn.〉 **0.1** [in het zuidwesten] *southwest(ern)* **0.2** [uit het zuidwes-ten] *southwest(ern)* ⇒〈wind ook〉 *southwesterly.*
zuidwesten 〈het〉 **0.1** [kompasstreek] *southwest* **0.2** [streek] *South-west* ⇒〈zuidwesten van Engeland ook〉 *West Country* ◆ **1.2** het ~ van Ne-derland *the South-west of the/the Southwest(ern) Netherlands.*
zuidwestenwind 〈de (m.)〉 **0.1** *south-westwind* ⇒*southwesterly,* 〈sterk〉 *southwester, sou'wester.*
zuidwester[1] 〈de (m.)〉 **0.1** [storm] *southwester, sou'wester* **0.2** [hoed] *sou'wester.*
zuidwester[2] 〈bn.〉 **0.1** *southwest(ern)* ⇒〈wind ook〉 *southwesterly.*
zuidzuidoost
 I 〈bw.〉 **0.1** [naar het zuidzuidoosten] *(to the) south-southeast* ⇒*south-southeastwards,* 〈AE ook〉 *south-southeastward;*
 II 〈bn.〉 **0.1** [uit het zuidzuidoosten] *south-southeast(ern)* ⇒〈wind ook〉 *south-southeasterly* ◆ **3.1** de wind is ~ *the wind is south-south-east(erly)/is from the south-southeast.*
zuidzuidoosten 〈het〉 **0.1** *south-southeast.*
zuidzuidwest
 I 〈bw.〉 **0.1** [naar het zuidzuidwesten] *(to the) south-southwest* ⇒*south-southwestwards,* 〈AE ook〉 *south-southwestward;*
 II 〈bn.〉 **0.1** [uit het zuidzuidwesten] *south-southwest(ern)* ⇒〈wind ook〉 *south-southwesterly* ◆ **3.1** de wind is ~ *the wind is south-southwest(erly)/is from the south-southwest.*
zuidzuidwesten 〈het〉 **0.1** *south-southwest.*
zuigcurettage 〈de (v.)〉〈med.〉 **0.1** *suction curettage.*
zuigeling 〈de (m.)〉 **0.1** [baby] *infant, baby* ⇒*babe (in arms), nursing child* **0.2** [onbedorven kind, persoon] *infant, babe in arms* ⇒*innocent.*
zuigelingenkliniek 〈de (v.)〉 **0.1** *baby clinic* ⇒〈BE ook〉 *infant welfare clinic.*
zuigelingensterfte 〈de (v.)〉 **0.1** *infant mortality (rate).*
zuigelingenzorg 〈de〉 **0.1** *infant welfare,* ^*neonatal care.*
zuigen
 I 〈onov., ov.ww.〉 **0.1** [naar een plaats halen] *suck* ⇒〈med., opzuigen〉 *aspirate* **0.2** [met de mond ergens uithalen] *suck* ⇒〈van baby〉 *nurse,* 〈zogen, vero.〉 *suckle* **0.3** [stofzuigen] *vacuum* ⇒〈inf.〉 *hoover* **0.4** [seksueel bevredigen] *suck (off)* ⇒*suck s.o.'s cock* ◆ **1.1** de wind zuigt hier *there's a draught* ^*draft here* **1.3** heb je de hal al gezogen? *have you vacuumed/hoovered the hall already?* **3.2** de baby laten ~ *nurse the baby* **6.1** het water met een pomp **naar** boven ~ *draw the water with a pump* **6.2** 〈fig.〉 iets **uit** zijn duim ~ *make sth. up, fabricate/manufacture/invent sth.;*
 II 〈onov.ww.〉 **0.1** [sabbelen] *suck (on/away at)* **0.2** [plagen] *nag* ⇒*pester* ◆ **3.2** zitten te ~ n. *(at) s.o., be on s.o.'s back, get at s.o.,* 〈BE, sl.〉 *get across s.o.* **6.1 aan** een sigaret/een pijp ~ *puff away on a ciga-rette, s. (away) on/at a pipe;* **op** zijn vingers/een snoepje ~ s. (on) *one's fingers/*^a sweet/^a *piece of candy;*
 III 〈ov.ww.〉 **0.1** [in zich opnemen] *absorb* ⇒*take up, suck in* ◆ **1.1** de spons zuigt het water in zich op *the sponge absorbs the water.*
zuiger 〈de (m.)〉 **0.1** [treiteraar] *nag* ⇒*pest* **0.2** [deel van een cilinder] *piston* ⇒〈van perspomp〉 *sucker, plunger, ram* **0.3** [baggermachine] *suction dredge(r)* **0.4** [tak van een plant] *sucker* **0.5** [huid van een kalf] *sucker* ◆ **1.2** de ~s van een automotor *the pistons of a car engine;* de ~ van een pomp *the piston of a pump.*
zuigerklep 〈de〉 **0.1** *piston valve.*
zuigermachine 〈de (v.)〉 **0.1** *reciprocating machine/engine.*
zuigermotor 〈de (m.)〉〈tech.〉 **0.1** *piston engine.*
zuigerpen 〈de〉〈tech.〉 **0.1** *gudgeon/*^*wrist pin.*
zuigerstang 〈de〉 **0.1** *piston rod.*
zuigerveer 〈de (m.)〉 **0.1** *piston ring.*
zuigfles 〈de〉 **0.1** *feeding/nursing bottle* ⇒〈BE ook〉 *feeder.*
zuiging 〈de (v.)〉 **0.1** *suction* ⇒*sucking, pull,* 〈achter auto〉 *slipstream,* 〈tocht〉 *draught* ^*draft* ◆ **1.1** de ~ v.d. ebstroom/v.e. toegetrokken deur/v.e. bewegende mensenmassa *the pull of the ebb tide, the draught by a shut door, the pull of a crowd.*

zuigkalf 〈het〉 **0.1** *sucking calf.*
zuigkap 〈de〉 **0.1** [kap op een schoorsteenmond] *hood* ⇒*cowl, bonnet* **0.2** [ventilatorkap] *hood.*
zuigklep 〈de〉 →**zuigerklep.**
zuigkracht 〈de〉 **0.1** [vermogen om te zuigen] *suction (power/force)* **0.2** [aantrekkingskracht] *attraction* ⇒*pull.*
zuignap 〈de (m.)〉 **0.1** [〈biol.〉] *sucker, sucking cup/disc* ^*disk;* 〈ihb. van een vliegepootje〉 *suction pad* **0.2** [〈tech.〉] *sucker* ⇒*suction cup.*
zuigperspomp 〈de〉 **0.1** *double-acting pump.*
zuigpomp 〈de〉 **0.1** *suction pump* ⇒*lift(ing) pump,* 〈tech.〉 *aspirator.*
zuigtablet 〈het, de〉 **0.1** *lozenge, pastille.*
zuil 〈de〉 **0.1** [pilaar] *pillar* ⇒*upright, shaft,* 〈kolom; ook vloeistof〉 *col-umn,* 〈elek.〉 *pile* **0.2** [groepering] *sociopolitical group/block/division* **0.3** [persoon, zaak waarop iets steunt] *pillar* ⇒*rock* ◆ **1.1** de ~ van een harp/van een microscoop *the pillar of a harp, the stand of a microscope* **1.3** de ~en van de staatsmacht *foundations on which the power of the state is based/rests* **2.1** Ionische/Dorische/Corinthische ~ *Ionic/Doric/Corinthian column* **6.2** de ~en in ons omroepbestel *the segments/s. groups/divisions in our broadcasting system.*
zuilenbestel 〈het〉 **0.1** 〈*system in which various sociopolitical blocks/ groups/divisions are represented*〉.
zuilengalerij 〈de (v.)〉 **0.1** *colonnade, arcade* ⇒*gallery,* 〈BE ook〉 *piaz-za,* 〈peristilium〉 *peristyle.*
zuilengang 〈de (m.)〉 **0.1** *arcade, gallery* ⇒*archway,* 〈BE ook〉 *piazza,* 〈vnl. buitenkant v.e. huis〉 *portico,* 〈in het oude Griekenland〉 *Stoa.*
zuilenpolitiek 〈de (v.)〉 **0.1** ≠*policy based on sociopolitical blocks/groups /divisions.*
zuilenrij 〈de〉 **0.1** *colonnade, row of columns.*
zuilheilige 〈de (m.)〉 **0.1** *pillar saint* ⇒*stylite.*
zuilvormig 〈bn.〉 **0.1** *pillar-shaped* ⇒*columnar, columniform.*
zuinig 〈bn., bw.;-ly〉 **0.1** [spaarzaam] *economical* ⇒*frugal, thrifty,* 〈ka-rig〉 *sparing, chary* **0.2** [voordelig] *economical* ⇒〈vaak in samenst.〉 *efficient* **0.3** [teleurgesteld] *glum* ⇒*put out* ◆ **1.1** ~ beheer *e. manage-ment* **1.3** een ~ gezicht zetten *look g./put out* **3.1** ~ (moeten) zijn/ leven *(need to) economize, be careful with one's money, be on a budg-et;* 〈leven〉 *live frugally, (have to) pinch/scrimp/save* **3.2** een motor ~ afstellen *tune (up) an engine efficiently, make the engine fuel-efficient* **5.¶** hij kreeg op zijn falie en niet zo ~ ook ^B*he didn't half get clob-bered,* ^A*he was thoroughly beaten;* 〈sl.〉 *he got told off (but) good* **6.1** ~ **met** zijn woorden zijn *be sparing of/with one's words;* ~ **met** iets omgaan/zijn *make sth. last/go a long way;* ~ **op** iets zijn *be careful about sth.;* ~ **op** zichzelf zijn *spare o.s., go easy on o.s., not stint o.s.* **6.2** ~ **in** het gebruik *economical.*
zuinigheid 〈de (v.)〉 **0.1** *economy* ⇒*frugality, thrift(iness), saving* ◆ **3.1** ~ betrachten *practise* ^*economy/exercise e.;* een verkeerde ~ betrachten *be penny-wise and pound-foolish, practise* ^*a foolish e.* **¶.1** ~ die de wijsheid bedriegt ≠*not spoil the ship for a ha'p'orth of tar;* ~ met vlijt bouwt huizen als kastelen ≠*take care of the pence, and the pounds will take care of themselves.*
zuinigheidshalve 〈bw.〉 **0.1** *for (reasons/the sake of) economy* ⇒*for econ-omy's sake, from motives of economy.*
zuinigjes 〈bw.〉 **0.1** *economically* ⇒*thriftily, frugally, sparingly* ◆ **3.1** dat doen we nog eens ~ over *we'll have to do this again/repeat this anoth-er time;* ~ lachen *laugh without enthusiasm/thinly;* hij moet ~ leven, wil hij uitkomen *he's got to scrimp and save to get by.*
zuip 〈de (m.)〉 ◆ **6.¶ aan** de ~ zijn *be on the booze/bottle/sauce.*
zuipen
 I 〈onov., ov.ww.〉〈inf.〉 **0.1** [drinken] *drink* ⇒*swill, guzzle, quaff* 〈bier〉 ◆ **1.1** 〈fig.〉 die auto zuipt olie *that car drinks gallons of oil/ soaks up oil;*
 II 〈onov.ww.〉 **0.1** [zich te buiten gaan aan alcohol] *booze* ⇒*swill, guzzle, soak, tipple* ◆ **7.1** het op een ~ zetten *hit the bottle, b. it up, go on a drinking binge/bout;*
 III 〈ov.ww.〉 **0.1** [door drinken in een toestand brengen] *drink* ◆ **2.1** zich zat ~ *get sloshed/plastered/soused/tanked (up)/pickled, drink o.s. stupid/silly/into a stupor* **¶.1** iem. onder de tafel ~ *drink s.o. under the table.*
zuiper 〈de (m.)〉〈inf.〉 →**zuiplap.**
zuiplap 〈de (m.)〉〈inf.〉 **0.1** *boozer* ⇒*drunk(ard), sponge, soak(er),* 〈AE; sl.〉 *lush,* 〈ihb. van wijn〉 *wino.*
zuippartij 〈de (v.)〉〈inf.〉 **0.1** *drinking binge/bout/spree* ⇒〈inf.〉 *drunk,* 〈BE, inf.〉 *booze-up,* 〈BE, inf.; zware〉 *blind.*
zuipschuit 〈de (m.)〉〈inf.〉 →**zuiplap.**
zuivel 〈de (m.)〉 **0.1** *dairy (produce)* ⇒*dairy products, milk (by-)products.*
zuivelbedrijf 〈het〉 **0.1** [melkveebedrijf] *dairy farm* **0.2** [geheel van be-drijven die zuivelprodukten produceren en verwerken] *dairy indus-try.*
zuivelbereiding 〈de (v.)〉 **0.1** *dairying, dairy farming.*
zuivelboer 〈de (m.)〉 **0.1** *dairy farmer* ⇒*dairyman.*
zuivelboerderij 〈de (v.)〉 **0.1** *dairy farm.*
zuivelbond 〈de (m.)〉 **0.1** *association of co-operative dairy factories.*
zuivelcentrale 〈de〉 **0.1** *dairy cooperative* ⇒*milk marketing board.*

zuivelconsulent ⟨de (m.)⟩ **0.1** *dairy consultant/adviser.*
zuivelfabriek ⟨de (v.)⟩ **0.1** *dairy factory.*
zuivelhandel ⟨de (m.)⟩ **0.1** [handel in zuivelprodukten] *dairy trade* **0.2** [winkel] *dairy.*
zuivelindustrie ⟨de (v.)⟩ **0.1** *dairy industry* ⇒*dairy farming, dairying.*
zuivelinspectie ⟨de (v.)⟩ **0.1** *dairy inspection.*
zuivelproducent ⟨de (m.)⟩ **0.1** *manufacturer of dairy products* ⇒⟨boer⟩ *dairy farmer.*
zuivelprodukt ⟨het⟩ **0.1** *dairy product.*
zuiver
I ⟨bn.⟩ **0.1** [puur] *pure* ⇒*perfect, absolute,* ⟨onvermengd⟩ *unadulterated, undiluted* ⟨vloeistof⟩ **0.2** [helder] *clear* ⇒*fresh, clean, pure* **0.3** [schoon] *clean* **0.4** [zedelijk rein] *pure* ⇒*clean, chaste,* ⟨maagdelijk⟩ *virgin(al)* **0.5** [netto] *net* ⇒*clear,* ⟨BE spelling ook⟩ *nett* **0.6** [⟨jur.⟩] *clear (and unencumbered)* ◆ **1.1** ~ goud/zilver *pure/solid/* ⟨in munten ook⟩ *fine gold, sterling silver;* van ~ leer/wol *genuine leather, pure/100% wool;* de ~e waarheid *the plain/honest/simple/unadorned truth* **1.2** ~ bloed ⟨fig.⟩ *full/pure blood;* ⟨lett.⟩ *clean blood* **1.4** een ~ geweten hebben *have a clear/unspotted/* ⟨schr.⟩ *unsullied conscience* **1.5** de ~e winst *the net/clear profit* **3.6** iets ~ en onbelast kopen/verkopen *buy/sell sth. clear and unencumbered.*
II ⟨bw.⟩ **0.1** [enkel en alleen] *purely* ⇒*absolutely,* ⟨bn.⟩ *sheer, utter, mere* ◆ **1.1** dat is ~ toeval *that is purely coincidental/sheer coincidence/mere chance* **5.1** ~ en alleen om *purely and simply, simply and solely;*
III ⟨bn., bw.; -ly⟩ **0.1** [correct] *correct, true* ⇒*accurate, sound* ◆ **1.1** ~ Nederlands *good/proper Dutch;* een ~ schot *an accurate shot;* een ~e uitspraak *a c./ perfect pronunciation* **3.1** ~ redeneren *argue soundly;* ~ zingen/spelen *sing/play in tune/ (right on) key* **6.1** ~ in de leer *sound (in the faith/doctrine).*
zuiveraar ⟨de (m.)⟩ **0.1** [iem. die zuivert] *purifier* ⇒⟨mbt. taal⟩ *purist* **0.2** [mbt. maatschappelijke toestanden] *purger* ⇒*reformer,* ⟨verlosser⟩ *redeemer.*
zuiveren ⟨ov.ww.⟩ **0.1** [schoonmaken] *clean, purify* ⇒⟨onzuiverheden⟩ *clear, free,* ⟨wond⟩ *cleanse* **0.2** [⟨fig.⟩] *purge* ⇒⟨saneren⟩ *clean up,* ⟨louteren⟩ *cleanse, purify* **0.3** [van een smet bevrijden] *clear* ⇒*right, exonerate,* ⟨van blaam ook; schr.⟩ *exculpate* **0.4** [raffineren] *refine* ⇒*purify* **0.5** [verbeteren] *purge* ⇒⟨schr.⟩ *expurgate,* ⟨pej.⟩ *bowdlerize* ◆ **1.1** het bloed ~ *p. the blood;* donderbuien ~ de lucht ⟨fig.⟩ *that/ telling the truth/getting it all out clears the air;* de lucht ~ ⟨ook fig.⟩ *clear the air;* water ~ *filter/p./ purge water;* een wond ~ *cleanse/wash (out)/* ⟨ontsmetten⟩ *disinfect a wound* **1.2** een landstreek ~ *clean up a region* **1.3** ⟨jur.⟩ het verstek ~ *cure a default* **1.4** metaal/suiker/petroleum ~ *r. metal/sugar/petroleum* **1.5** de stijl/de taal ~ *bowdlerize the style, purge/expurgate the language* **4.3** zich ~ van een verdenking *c./ purge o.s. of a suspicion, vindicate o.s.* **6.1** van ongedierte ~ *free/clear from/of vermin/* ⟨inf.⟩ *bugs, decontaminate,* ⟨inf.⟩ *debug,* ⟨beroken⟩ *fumigate;* ⟨ontluizen⟩ *delouse.*
zuiverheid ⟨de (v.)⟩ **0.1** *purity* ⇒⟨correctheid⟩ *soundness,* ⟨helderheid⟩ *clarity,* ⟨nauwkeurigheid⟩ *accuracy* ◆ **1.1** de ~ van zijn bedoelingen *the integrity of his intentions;* de ~ van het produkt *the p. of the product;* ~van toon *tonal p..*
zuivering ⟨de (v.)⟩ **0.1** [het zuiveren] *purification* ⇒*cleaning, clearing,* ⟨ontsmetting⟩ *decontamination* **0.2** [⟨fig.⟩] *purge, purging* ⇒*clean-up* **0.3** [opheffing] ⟨zie **1.3**⟩ ◆ **1.1** de ~ van afvalwater *the p. of waste water* **1.2** de ~ van de pers *the purging of the press* **1.3** eed of belofte van ~ *oath of office;* ~ van hypotheken *redemption of mortgages;* ⟨jur.⟩ ~ van verstek *cure of default* **2.2** een politieke ~ *a political purge.*
zuiveringsactie ⟨de (v.)⟩ **0.1** *purge* ⇒⟨mil.⟩ *mop-up, mopping-up operation.*
zuiveringsbelasting ⟨de (v.)⟩ **0.1** *pollution tax.*
zuiveringschap ⟨het⟩ **0.1** *water, purification board, waste water treatment/ sewage treatment board.*
zuiveringseed ⟨de (m.)⟩ **0.1** *oath of office.*
zuiveringsheffing ⟨de (v.)⟩ **0.1** *pollution tax.*
zuiveringsinstallatie ⟨de (v.)⟩ **0.1** *purification plant* ⇒⟨voor afvalwater⟩ *sewage treatment plant.*
zuiveringstablet ⟨het⟩ **0.1** *water purifying tablet.*
zuiveringszout ⟨het⟩ **0.1** *bicarbonate of soda* ⇒⟨inf.⟩ *bicarb.*
zulk¹ ⟨bw.⟩ **0.1** *such* ◆ **2.1** het zijn ~e lieve mensen *they're s. nice people;* het is ~ mooi weer *it's s. beautiful weather.*
zulk² ⟨aanw.vnw.⟩ **0.1** [zodanig] *such* **0.2** [(zo) groot] *this, that* ◆ **1.1** ~e woorden *(some) s. words, words to that effect* **1.2** muskieten vliegen er, ~e! *there are mosquitos there, this big!* **3.1** ⟨zelfst.⟩ ~e zijn er ook *s. a kind/ that kind also exists* **7.1** met ~ een machine *with s. a machine.*
zulks ⟨aanw.vnw.⟩ ⟨schr.⟩ **0.1** *such (a thing), so* ◆ **3.1** ~ heb ik nooit van hem gehoord *I've never heard him say/utter such a thing* ¶**.1** gelijk ~ te doen gebruikelijk is *such as is customary to do.*
zulle ⟨tw.⟩ ⟨AZN⟩ **0.1** *you know.*
zullen
I ⟨onov.ww.⟩ **0.1** [moeten] *shall* ◆ **3.1** gij zult niet stelen *thou shalt not steal* ¶**.1** wil je niet, je zult! *you won't?, you shall!;*

II ⟨hww.⟩ **0.1** [⟨ter vorming van de toekomende tijd⟩] ⟨1ste persoon⟩ *shall;* ⟨AE ook⟩ *will;* ⟨2de en 3de persoon⟩ *will;* ⟨voorwaardelijk⟩ *should, would* **0.2** [⟨van modaliteit⟩] *will;* ⟨voorwaardelijk⟩ *would* ⇒*be going/about to, be to* ◆ **3.1** hij was bang te ~ sterven *he was afraid he would die;* maar het zou nog erger worden *but worse was yet to come, but things were to get even worse;* dat zul je nu altijd zien! *isn't that (just) typical!* **3.2** zou je denken? *do you think (so)?;* als ik het kon, zou ik het doen *I would (do it) if I could;* zou je niet eens naar bed gaan? *isn't it (about) time you went to bed?;* het zal je gebeuren! *fancy/imagine that!, it should happen to you!;* hij zal je niet gehoord hebben *he will not/won't have heard you;* hij zou malversaties gepleegd hebben *he is said/alledged/is supposed to have committed fraud;* dat zal vorig jaar geweest zijn *that would be last year;* men zou menen (dat) *one would think (that) ...;* het zal je kind maar wezen! *glad it's not one of mine/my kids/brats!, some mothers' do have 'em!;* wie zal het zeggen? *who's to say?, who can say?, who can tell/knows?;* zou hij ziek zijn? *can he be ill/sick?, (I) wonder if he's ill/sick?* **4.1** (met weglating van het werkwoord 'gebeuren') het moet en het zal *by hook or by crook, by any means;* (als bedreiging) wacht maar, ik zal je! *I'll get you yet!, just you wait!, (you) wait and see!;* wat zou dat? *so what?, what's that to you?;* zou je ze niet wouldn't you just ...?;* ⟨inf.⟩ *don't you just love 'em?* **5.2** dat zal wel ⟨iron.⟩ *I bet;* ⟨formeel⟩ *I dare say;* ⟨lett.⟩ *I suppose it will* ¶**.2** het zou wat *big deal, so what.*
zullie ⟨pers.vnw.⟩ ⟨inf.⟩ **0.1** *them* ◆ **3.1** dat hoeven ~ niet te weten *them there don't have to be told.*
zult ⟨de (m.)⟩ **0.1** [B]*brawn,* [A]*headcheese* ◆ **2.1** zure ~ *b., h..*
zuren
I ⟨ov.ww.⟩ **0.1** [zuur maken] *sour* ◆ **1.1** het deeg ~ *leaven the dough;*
II ⟨onov.ww.⟩ **0.1** [zuur worden] *(turn/get/go) sour.*
zurig ⟨bn.⟩ **0.1** *sourish* ⇒*tartish,* ⟨schr.⟩ *acidulous,* ⟨azijnachtig/zuur⟩ *vinegary.*
zurigheid ⟨de (v.)⟩ **0.1** [het zuur zijn] *sourness* ⇒*tartness* **0.2** [wat zuur is] *sourness.*
zuring
I ⟨de⟩ **0.1** [gewas] *sorrel* ⇒*dock* **0.2** [groente] *garden sorrel* ◆ **2.1** gewone ~ *g. s.;*
II ⟨de (v.)⟩ **0.1** [het zuren] *souring.*
zus¹ ⟨de (v.)⟩ **0.1** [zuster] *sister* ⇒⟨inf.⟩ *sis* **0.2** [⟨inf.⟩ aanspreekvorm] *sis, sister* **0.3** [⟨inf.⟩ meisje] *girl* ◆ **2.3** een fijne ~ *a churchy type;* een stevige ~ *a strapping/big g.* **4.**¶ je ~! *my foot!.*
zus² ⟨bw.⟩ **0.1** *so* ⇒⟨schr.⟩ *thus* ◆ **3.1** de een wil het ~, de andere zo (hebben) *one wants it this way, another that* **5.1** 'hoe gaat het?', 'och, ~ en zo' *'how are you?', 'oh, so-so';* mijnheer ~ of zo *Mr. so-and-so/ something-or-other/* ⟨inf.⟩ *whatsit/blankety-blank;* nu eens ~, dan weer zo *now/first this way, then that.*
zusje ⟨het⟩ **0.1** *sister, sis* ⇒⟨jonger⟩ *little/* ⟨inf.⟩ *kid sister* ◆ **3.1** als het geen broertje is, dan is het een ~ *it's six of one and half-a-dozen of the other.*
zuster ⟨de (v.)⟩ **0.1** [zus] *sister* **0.2** [verpleegster] *nurse* ⇒⟨BE ook⟩ *sister* **0.3** [non] *sister* ⇒*nun* **0.4** [vrouwelijke persoon] *sister* ◆ **1.3** ~ Theresa *sister Theresa* **4.1** je zal ze ~ bedoelen! *and the same to you (too)!;* je ~ (op een houtvlot)! *not bloody likely!, not a snowball's chance in hell!* **6.3** bij de ~s op school zijn *go to a Catholic/parochial school, be taught by the nuns* ¶**.2** ~, de tang! *n., forceps!.*
zustergemeente ⟨de (v.)⟩ **0.1** *sister congregation/parish.*
zusterhuis ⟨het⟩ **0.1** *convent* ⇒*nunnery,* ⟨in ziekenhuis⟩ *nurses'* [B]*home/ residence/* [A]*dorm(itory)/hall.*
zusterliefde ⟨de (v.)⟩ **0.1** *sisterly love* ⇒*a sister's love.*
zusterlijk ⟨bn., bw.⟩ **0.1** ⟨bn.⟩ *sisterly* ⇒*sororal,* ⟨bw.⟩ *in a sisterly way/ fashion* ◆ **3.1** ~ delen zij samen *they share things together in a s. fashion/as sisters.*
zustermaatschappij ⟨de (v.)⟩ **0.1** *sister company/firm* ⇒*affiliated/associate(d) company.*
zustermoord ⟨de⟩ **0.1** *sororicide.*
zusterorganisatie ⟨de (v.)⟩ **0.1** *sister organisation/institution.*
zusterschap
I ⟨het, de (v.)⟩ **0.1** [hoedanigheid, betrekking van zuster] *sisterhood* ⇒⟨hoedanigheid ook⟩ *sisterliness;*
II ⟨de (v.)⟩ **0.1** [congregatie] *sisterhood* ⇒*sorority.*
zusterschip ⟨het⟩ **0.1** *sister ship.*
zusterstad ⟨de⟩ **0.1** *twin town.*
zustervereniging ⟨de (v.)⟩ **0.1** *sister society/association.*
zuur¹ ⟨het⟩ **0.1** [wat zuur is] ≠*pickles* ⇒*relish, pickled vegetables/ onions/* ⟨enz.⟩ **0.2** [overmaat aan maagsap] *heartburn* ⇒*acidity (of the stomach),* ⟨inf.⟩ *acid stomach* **0.3** [⟨fig.⟩] *sour* ⇒*bitter* **0.4** [⟨schei.⟩] *acid* ◆ **1.1** een potje ~ *a* [B]*pot/* [A]*jar of pickles/pickled vegetables* **1.3** 's levens zoet en ~ *the sweet(s) and the bitter(s) (of life), the rough and the smooth in life* **3.2** het ~ hebben *have h., suffer from acid stomach;* ⟨fig.⟩ ik krijg er het ~ van *it makes me sick/* ↓*puke, I hate!/ I dislike it* **6.1** augurken in het ~ *pickled gherkins;* een haas/haring in het ~ leggen *pickle hare/herring.*

zuur² ⟨bn., bw.⟩ **0.1** [mbt. een smaakgewaarwording] *sour* ⇒*acid, tart, acerb(ic)*, ⟨azijnachtig⟩ *vinegary* **0.2** [niet prettig] *hard* ⟨ook bw.⟩ ⇒ *disagreeable, difficult* **0.3** [niet vriendelijk] *sour* ⇒*crabbed, crabby, cranky*, ⟨schr.⟩ *acidulous* **0.4** [bijtend] *biting* **0.5** [⟨schei.⟩] *acid(ic)* ⇒ *acetose*, ⟨azijnachtig⟩ *acetous* ◆ **1.1** ~ bier ⟨verschaald⟩ *stale/flat/* ⟨bedorven⟩ *sour beer;* ~ brood *leavened/* ⟨AE ook⟩ *sourdough bread;* ⟨fig.⟩ de druiven zijn ~ *sour grapes;* de melk is ~ *the milk has gone* ᴮ*off/*ᴬ*bad/turned s./ curdled/soured* **1.3** een ~ gezicht zetten *make a wry/s. face* **1.4** zure kou *b. cold* **1.5** zure regen *acid rain* **3.1** ⟨fig.⟩ dat zal hem ~ opbreken *he'll regret it* **3.2** het ~ hebben *have a h. life/time of it;* iem. het leven ~ maken *lead s.o. a jolly/merry dance, put s.o. through the hoops, make life hell for s.o., pester the life out of s.o., haze/plague s.o.;* ~ verdiend geld *hard-earned money, hard-won earnings* **3.3** ~ kijken *look sour/crabbed* **3.¶** ~ zijn *be caught* **6.2** dat is ~ voor hem *that's h. on him.*

zuurachtig ⟨bn.⟩ **0.1** *sourish* ⇒*tartish, acidulous.*

zuurbal ⟨de (m.)⟩ **0.1** ᴮ*acid drop*, ᴬ*sour ball.*

zuurbestendig ⟨bn.⟩ ⟨schei.⟩ **0.1** *acidproof* ⇒*acid-resistant, acid-resisting.*

zuurdeeg ⟨het⟩ **0.1** *leaven*, ᴬ*sourdough.*

zuurdesem ⟨de (m.)⟩ **0.1** *leaven*, ᴬ*sourdough* ◆ **2.1** ⟨fig.⟩ de oude ~ werkte nog *the old l. still worked.*

zuurdesembrood ⟨het⟩ **0.1** [broodsoort] *leavened/sourdough bread* **0.2** [broodprodukt] *loaf of leavened/*ᴬ*sourdough bread.*

zuurgehalte ⟨het⟩ **0.1** *acid* ⇒*acidity content.*

zuurgetal ⟨het⟩ ⟨schei.⟩ **0.1** *acid number/value* ⟨v.e. vet⟩.

zuurgraad ⟨de (m.)⟩ **0.1** *(degree of) acidity* ⇒*pH (value).*

zuurheid ⟨de (v.)⟩ **0.1** ⟨ook fig.⟩ *acidity* ⇒*sourness, tartness*, ⟨schr.; fig.⟩ *acerbity.*

zuurhoudend ⟨bn.⟩ **0.1** *acid* ⇒*acidiferous.*

zuurkast ⟨de⟩ **0.1** ᴮ*fume cupboard*, ᴬ*hood.*

zuurkool ⟨de⟩ **0.1** *sauerkraut.*

zuurkoolvat ⟨het⟩ **0.1** *sauerkraut crock.*

zuurmeter ⟨de (m.)⟩ ⟨schei.⟩ **0.1** *acidimeter.*

zuurmuil, -smoel ⟨de (m.)⟩ ⟨inf.⟩ **0.1** *sourpuss* ⇒*sourball, face-ache, crab, prune.*

zuurpruim ⟨de (m.)⟩ **0.1** *sourpuss, crab (apple)* ⇒*sourball*, ⟨sl.⟩ *prune-face*, ⟨BE; sl.⟩ *face-ache.*

zuurrest ⟨de⟩ **0.1** [⟨schei.⟩] *acid radical* **0.2** [zuur bevattend overblijfsel] *acid(ic) remains* ⟨mv.⟩.

zuursel ⟨het⟩ **0.1** [cultuur van melkzuurbacteriën] *lactic acid* ⇒*rennet* **0.2** [melk] *sour milk.*

zuurstof ⟨de⟩ **0.1** *oxygen* ◆ **3.1** ~ onttrekken aan *deoxydize, deoxidate; deoxygenate* ⟨water, bloed⟩ **6.1 met** ~ verbinden *oxidize, oxygenize, oxygenate* ⟨bloed⟩.

zuurstofapparaat ⟨het⟩ **0.1** *resuscitator.*

zuurstofarm ⟨bn.⟩ ⟨schei.⟩ **0.1** *with a low oxygen content* ⇒*low-oxygen, poor in oxygen, oxygen-poor* ⟨bodem⟩.

zuurstofcilinder ⟨de (m.)⟩ **0.1** *oxygen cylinder.*

zuurstoffles ⟨de⟩ **0.1** *oxygen cylinder.*

zuurstofgebrek ⟨het⟩ **0.1** *lack of oxygen*, ⟨med.⟩ *anoxia* ⟨in weefsels en organen⟩, *anoxaemia* ᴬ*xemia* ⟨in bloedvaten⟩.

zuurstofhoudend ⟨bn.⟩ ⟨schei.⟩ **0.1** *oxygenous* ⇒*oxygen-containing.*

zuurstofmasker ⟨het⟩ **0.1** *oxygen mask.*

zuurstoftekort ⟨het⟩ **0.1** *deficiency of oxygen;* ⟨med.⟩ *anoxia* ⟨in weefsels en organen⟩, *anoxaemia* ᴬ*xemia* ⟨in bloedvaten⟩.

zuurstoftent ⟨de⟩ **0.1** *oxygen tent.*

zuurstok ⟨de⟩ **0.1** *peppermint stick* ⇒⟨BE ook⟩ *rock.*

zuurstokdessin ⟨het⟩ **0.1** *candy stripe.*

zuurtje ⟨het⟩ **0.1** *acid drop*, ᴮ*boiled sweet*, ᴬ*candy;* ⟨rond⟩ *sourball.*

zuurtjeskleur ⟨de (m.)⟩ **0.1** *pastel colour.*

zuurverdiend ⟨bn.⟩ **0.1** *hard-earned* ⇒*hard-won.*

zuurvergiftiging ⟨de (v.)⟩ ⟨med.⟩ **0.1** *acidosis.*

zuurvormend ⟨bn.⟩ ⟨schei.⟩ **0.1** *acid-forming, acidic* ⟨oxyde⟩; ⟨biol.⟩ *acid-producing* ⟨bacteriën⟩.

zuurzoet ⟨bn., bw.⟩ **0.1** [zuur en zoet] *sour-sweet* ⇒*sweet and sour* **0.2** [⟨fig.⟩] *wry* ⟨(glim)lach⟩ ⇒*bitter sweet.*

Z-vorm ⟨de (m.)⟩ **0.1** *z-shape.*

Z-vormig ⟨bn.⟩ **0.1** *z-shaped.*

Z.W. 0.1 [zuidwest(en)] *SW* ⇒*S by W, SbW* **0.2** [ziektewet] ⟨≠ ᴮ*National Health Service*, ᴬ*Medicaid*⟩.

zwaai ⟨de (m.)⟩ **0.1** *swing* ⇒*sweep*, ⟨slingering⟩ *sway, swag, wave* ⟨met arm⟩ ◆ **6.1 met** een ~ van zijn arm *with a wave/* ⟨zwierig⟩ *sweep/ flourish of his arm;* **met** een ~ afnemen *sweep off.*

zwaaien

I ⟨onov., ov.ww.⟩ **0.1** [heen en weer bewegen] *swing, sway* ⇒⟨wuiven⟩ *wave, flourish, brandish* ⟨wapen, scepter⟩, ⟨schr.⟩ *wield* ◆ **1.1** iem. gedag ~ *wave hello/goodbye to s.o.* **4.¶** er zal wat ~ *there'll be hell/the devil to pay;* ⟨BE ook⟩ *(you'll) be for it/for the high jump* **6.1 met** zijn armen ~ *wave one's arms;* **naar** iem. ~ *wave at s.o./ one's hand to/at s.o.;*

II ⟨onov.ww.⟩ **0.1** [heen en weer bewogen worden] *swing, sway* ⟨*to and fro, backwards and forwards, from side to side*⟩ ⇒*get/be slung*

around **0.2** [zwenken] *sway* ⇒*reel, roll* ⟨vnl. mbt. dronkaard⟩, ⟨scheep.⟩ *swing (around)* ◆ **6.2** ⟨scheep.⟩ **op** de wind ~ *luff/swing a ship round.*

zwaaihaak ⟨de (m.)⟩ **0.1** *bevel (square).*

zwaaiing ⟨de (v.)⟩ **0.1** *swing(ing)* ⇒*sweep(ing)*, ⟨slingering⟩ *swaying, wave, waving* ⟨met arm⟩.

zwaailicht ⟨het⟩ **0.1** *flashing light* ⇒*rotating light.*

zwaaistoot ⟨de (m.)⟩ **0.1** *swing.*

zwaan ⟨de⟩ **0.1** *swan* ⇒⟨mannetje⟩ *cob*, ⟨vrouwtje⟩ *pen* ◆ **2.1** jonge ~ *cygnet, young s.;* wilde ~ *wild s., whooper (s.), whooping s..*

zwaar ⟨→sprw. 411,495,688⟩

I ⟨bn., bw.;-ly⟩ **0.1** [veel wegend] *heavy* ⇒*ponderous, weighty* **0.2** [van grote omvang] *heavy* ⇒*bulky, big* **0.3** [stevig] *heavy* ⇒*strong, robust* **0.4** [met grote uitwerking] *heavy* ⇒*rough, violent, full-bodied, strong* ⟨sigaren, wijn⟩ **0.5** [moeizaam] *difficult* ⇒*hard, heavy, severe, grievous* **0.6** [psychische druk uitoefenend] *heavy* ⇒*severe, difficult* **0.7** [groot, aanzienlijk] *heavy* ⇒*serious, severe, grave* **0.8** [mbt. geluiden] *heavy* ⇒*deep* ⟨stem⟩, *penetrating, sonorous* ◆ **1.1** ⟨fig.⟩ een zware tong hebben *speak thickly/in a thick voice;* ~ van tong *thick of speech, thick-tongued;* ⟨bijb.⟩ *slow of tongue* ⟨Ex. 4: 10⟩; ⟨fig.⟩ ~ verkeer *h. traffic* **1.2** ~ geboomte *big/massive trees* **1.3** ~ linnen/papier *heavy quality linen/paper;* ⟨bouwk.⟩ zware wapening *strong reinforcements* **1.4** ~ bier *strong beer;* een zware bui/storm/zee *h. shower /storm/sea;* ⟨storm ook⟩ *severe/rough/violent gale;* ~ geschut *big/h. guns, h. metal;* zware shag *strong/full-strength tobacco;* de zware stukken in het schaakspel *the major pieces/queens and rooks in the game of chess;* ~ vergif *strong/powerful poison;* in ~ weer ⟨ook⟩ *by/under stress of weather;* zware wijn *heady/full-bodied wine* **1.5** zware ademhaling *hard laboured breathing, wheezing;* een zware bevalling *a difficult delivery;* een zware dag *a hard/heavy/difficult/trying day;* een ~ examen *a stiff/difficult/hard exam;* een zware strijd *a sore/hard/difficult struggle* **1.6** een zware dominee *a fire-and-brimstone preacher/ minister/* ⟨BE ook⟩ *vicar;* een ~ kruis te dragen hebben *have a h. cross to bear;* op zware lasten zitten *have h./high/crushing expenses;* zware rouw *deep mourning;* een zware slag *a h./severe/cruel blow;* zware tijden *hard/trying/difficult times* **1.7** zware concurrentie *keen/ stiff/severe competition;* ⟨geldw.⟩ de zware fondsen *blue chips, blue-chip stocks;* zware jongens *big-time crooks, hardened criminals;* ~ lichamelijk letsel *grievous bodily harm/injury;* een zware misdaad *a grave/serious crime, a felony;* een ~ ongeval *bad/serious accident;* ~ verlies *a heavy/great loss* **1.8** een zware stem *a deep/* ⟨scherts.; voor vrouwen aantrekkelijk⟩ *dark-brown voice* **2.7** een ~ bemande delegatie *an important/a weighty delegation* **3.1** ~ wegen *weigh/count heavily, lie heavy, be important;* ~ der worden *put on weight/some flesh, gain weight* **3.2** de bewolking wordt ~ *der the clouds are getting bigger/building up/amassing* **3.5** ⟨fig.⟩ hij heeft het ~ *he's having a hard time of it/a hot time, he's really going/being put through the hoops/the wringer, he really has it rough;* een ~ lopende motor *a roughly running engine;* dat is ~ tillen *that is heavy/hard/difficult to lift;* ~ te verteren kost *stodgy/heavy/filling food;* de tocht viel hem ~ *the trip took it out of him* **3.6** iem. ~ straffen *punish s.o. severely/ harshly* **3.7** ~ zitten te redeneren *argue gravely/seriously;* ~ zondigen *sin grievously, offend deeply* **3.8** ~ rollende donderslagen *heavily rolling/sonorous peals/bursts of thunder* **5.1** twee pond te ~ *two pounds overweight/too h., overweight by two pounds* **6.1** ⟨fig.⟩ ~ **in** het hoofd zijn *have a h. head* **6.6** ~ **in** de leer zijn *be rigidly/rigorously/strictly orthodox* **8.1** ⟨fig.⟩ mijn benen zijn zo ~ als lood *my legs are like lead;*

II ⟨bn.⟩ **0.1** [zoveel wegend als de bepaling uitdrukt] *heavy* ⇒*weighing* ⟨niet in zinnen met 'zijn'⟩ ◆ **3.1** tien kilo ~ *that weighs ten kilos* **¶.1** het is tweemaal zo ~ *it is twice as heavy/the weight of, it weighs twice as much;*

III ⟨bw.⟩ **0.1** [in hoge mate] *heavily, heavy* ⇒*hard, seriously, severely, badly* ◆ **2.1** ~ gewond *badly/seriously/severely wounded;* ~ opgemaakt *heavily made up, painted;* ~ vergiftig *exceedingly/strongly poisonous;* ~ verkouden zijn *have a bad/heavy cold;* ~ ziek *seriously/severely/gravely ill* **3.1** iem. iets ~ aanrekenen *level a serious charge against s.o.;* iem. ~ belasten *put stress on s.o., tax/burden/encumber s.o.;* de grond ~ bemesten *fertilize the ground heavily;* ~ betalen/betaald worden *pay/be paid well/excessively;* daar zul je ~ voor moeten boeten *you'll have to pay dearly/heavily/you'll have a heavy reckoning to pay for that;* ~ drukken op *weigh/bear/lie heavily (up)on, bear down (up)on, bear hard/severely (up)on, oppress, burden;* ~ getroffen zijn *be badly/hard hit;* iets ~ opnemen *take sth. hard, make heavy weather of sth.;* ergens te ~ aan tillen *attach too much importance to sth., make heavy weather of sth.;* niet ~ tillen aan *make light of, attach little importance to;* het ~ te verduren hebben *have a hot/rough/hard time (of it);* go/be put through the hoops/wringer, get it in the neck, take some hard knocks;* ~ vergaderen *have an arduous/a difficult meeting;* ~ werken ⟨scheep.⟩ *pitch badly* **¶.1** het ~ te pakken hebben ⟨verliefd zijn⟩ *have it bad(ly);* ⟨ziek zijn ook⟩ *have a bad case, be as sick as a dog.*

zwaarbeladen ⟨bn.⟩ **0.1** *heavy/heavily laden.*

zwaarbelast ⟨bn.⟩ **0.1** *overloaded* ⇒ ⟨ook fig.⟩ *strained, overtaxed*, ⟨mbt. belastingen⟩ *heavily taxed.*

zwaard ⟨het⟩ ⟨→sprw. 497,571,687⟩ **0.1** [steekwapen] *sword* ⇒⟨dicht.⟩ *steel, brand* **0.2** [⟨herald.⟩] *sword* **0.3** [⟨scheep.⟩] *lee board* ◆ **1.1** het ~ van Damocles hangt hem boven het hoofd *there is a sword of Damocles hanging over him;* ⟨fig.⟩ het ~ der gerechtigheid *the sword of justice* **2.1** een tweesnijdend ~ *a double-/two-edged sword* **3.1** het ~ aangorden ⟨ook fig.⟩ *buckle/belt/gird on one's sword;* naar het ~ grijpen ⟨ook fig.⟩ *draw/unsheathe the sword, take up arms, appeal to the sword;* ⟨bijb.⟩ wie naar het ~ grijpt, zal door het ~ vergaan *they that take the sword shall perish with the sword* ⟨Authorized Version⟩; *all who take the sword die by the sword* ⟨New English Bible⟩; het ~ in de schede steken ⟨ook fig.⟩ *put up/sheathe one's/the sword;* het ~ trekken *draw/unsheathe one's sword;* ⟨dicht.⟩ *draw one's metal/steel* **6.1** door het ~ sterven *die/perish by the sword;* zich **op** zijn ~ storten *fall on/throw o.s. on one's sword;* **tot** het ~ veroordeeld worden *be sentenced to death/die by the sword/to be put to the sword.*
zwaarddans ⟨de (m.)⟩ **0.1** *sword dance.*
zwaardschede ⟨de⟩ **0.1** [schede v.e. zwaard] *scabbard* ⇒*sheath* **0.2** [soort weekdier] *razor shell/^clam.*
zwaardvechter ⟨de (m.)⟩ ⟨gesch.⟩ **0.1** *gladiator.*
zwaardvis ⟨de (m.)⟩ ⟨dierk.⟩ **0.1** *swordfish.*
zwaardvormig ⟨bn.⟩ ⟨biol.⟩ **0.1** *ensiform* ⇒*xiphoid, swordlike, sword-shaped.*
zwaardwalvis ⟨de (m.)⟩ **0.1** *orca, killer whale.*
zwaargebouwd ⟨bn.⟩ **0.1** *heavily built* ⇒*massive,* ⟨mensen en dieren ook⟩ *heavyset, large-boned, thickset.*
zwaargeschapen ⟨bn.⟩ ⟨euf.⟩ **0.1** [mbt. man] *well-endowed* ⇒*well-hung* **0.2** [mbt. vrouw] *well-endowed* ⇒*busty, chesty, bosomy.*
zwaargewapend ⟨bn.⟩ **0.1** *heavily armed.*
zwaargewicht
  I ⟨het⟩ **0.1** [gewichtsklasse] *heavyweight;*
  II ⟨de (m.)⟩ **0.1** [bokser, judoka] *heavyweight* **0.2** [dik persoon] *heavyweight.*
zwaargewond ⟨bn.⟩ **0.1** *badly/seriously/critically wounded/injured.*
zwaargewonde ⟨de (m.)⟩ **0.1** *serious casualty* ⇒*badly/seriously/critically wounded/injured person* ◆ **7.1** de ~n *the badly/seriously/critically injured casualties, the serious casualties.*
zwaarheid ⟨de (v.)⟩ **0.1** *heaviness* ⇒*weight.*
zwaarhoofdig ⟨bn., bw.;-ally⟩ **0.1** *pessimistic* ⇒*gloomy, melancholy.*
zwaarlijvig ⟨bn.⟩ **0.1** *corpulent* ⇒*obese,* ⟨ook fig.⟩ *stout* ◆ **1.1** ⟨fig.⟩ een ~ boekdeel *a stout volume.*
zwaarlijvigheid ⟨de (v.)⟩ **0.1** *corpulence, corpulency* ⇒*obesity, stoutness, portliness.*
zwaarmoedig ⟨bn., bw.⟩ **0.1** [melancholiek] *melancholy* ⇒*depressed, gloomy, sombre, dejected,* ⟨bw.⟩ *in a melancholy way* **0.2** [een sombere stemming oproepend] *melancholy* ⇒*depressed, gloomy, sombre, black* ◆ **3.1** ⟨kijken ook m.⟩ *doleful/doleful/bleak.*
zwaarmoedigheid ⟨de (v.)⟩ **0.1** [karaktereigenschap] *depressiveness* ⇒*melancholy* **0.2** [ziekelijke afwijking] *melancholia* ⇒*depression* ⟨tijdelijk⟩, *manic-depressive psychosis* ⟨ernstig⟩ **0.3** [tijdelijke stemming] *melancholy* ⇒*gloom,* ⟨inf.⟩ *blues, dejection* ⟨uitwendige oorzaak⟩ **0.4** [⟨fig.⟩ v.e. landschap/bos] *gloominess* ⇒*dismalness, desolateness.*
zwaarte ⟨de (v.)⟩ **0.1** [groot gewicht] *heaviness* ⇒*weight* **0.2** [afmeting, omvang] *weight* ⇒*size, strength* **0.3** [ernst] *weight* ⇒*severity, seriousness, gravity* **0.4** [werking van de zwaartekracht] *gravity* ⇒*weight* **0.5** [gewicht] *weight* ⇒*heaviness,* ⟨AE ook;BE gew.⟩ *heft* ◆ **1.2** de ~ van de bewapening *the extent of the military/armament build-up, the strength of the defence system* **1.3** de ~ van een kwestie *the severity/seriousness/gravity of the question/matter;* de ~ van lasten/schulden *the w. of burdens/debts* **6.2** balken **ter** ~ **van** 28 cm *beams 28 cm thick/in thickness.*
zwaartekracht ⟨de⟩ **0.1** *gravity* ⇒*gravitation* ◆ **1.1** de wetten van de ~ *the laws of gravitation.*
zwaartelijn ⟨de⟩ ⟨wisk.⟩ **0.1** *median.*
zwaartepunt ⟨het⟩ **0.1** [⟨nat.⟩] *centre of gravity* **0.2** [centrum] *centre* ⇒*central point,* ⟨jur.⟩ *gravamen* **0.3** [kern] *heart* ⇒*cone, pith, main point* ◆ **1.2** Spanje was vroeger het ~ van de wereld *Spain was to be the centre of the world* **1.3** het ~ van zijn betoog ligt in ... *the main point of his argument is that ...* **2.1** een fietskar met een laag ~ *a cycle-cart with a low centre of gravity.*
zwaartillend ⟨bn.⟩ **0.1** *pessimistic* ⇒*gloomy, melancholy, broody.*
zwaarwaterreactor ⟨de (m.)⟩ **0.1** *heavy water/deuterium reactor.*
zwaarwegend ⟨bn.⟩ ⟨fig.⟩ **0.1** *weighty* ⇒*important, consequential, considerable* ◆ **1.1** een ~ argument *a w./ponderous argument;* ~e beslissingen *momentous/important/w. decisions.*
zwaarwichtig ⟨bn., bw.;-ly⟩ ⟨fig.⟩ **0.1** *weighty* ⇒*important, heavy, ponderous* ◆ **3.1** ~ zitten redeneren *argue weightily/ponderously.*
zwaarwichtigheid ⟨de (v.)⟩ ⟨fig.⟩ **0.1** *weightiness* ⇒*importance, heaviness, ponderousness.*
zwabber ⟨de (m.)⟩ **0.1** *mop* ⇒*swab(ber), swob* ◆ **6.¶** ⟨fig.⟩ **aan** de ~ zijn *be/go on a spree, be on the razzle.*
zwabberaar ⟨de (m.)⟩ **0.1** *rake* ⇒*libertine.*
zwabberen

  I ⟨ov.ww.⟩ **0.1** [met een zwabber schoonmaken] *mop* ⇒*swab, swob;*
  II ⟨onov.ww.⟩ **0.1** [liederlijk leven leiden] *be on a spree* ⇒*lead a loose life, be a rake/libertine.*
zwachtel ⟨de (m.)⟩ **0.1** *bandage* ⇒*swathe, swaddle* ◆ **3.1** een ~ omleggen *bandage, put on a b..*
zwachtelen ⟨ov.ww.⟩ **0.1** *bandage* ⇒*swathe, swaddle* ◆ **1.1** een arm ~ *b. an arm.*
zwad ⟨het⟩ **0.1** *swath(e)* ⇒*windrow.*
zwadder ⟨de (m.)⟩ **0.1** [speeksel] *spittle* ⇒*saliva,* ⟨van dier⟩ *slime* **0.2** [laster] *venom* ⇒*poison.*
zwade →**zwad.**
zwager ⟨de (m.)⟩ **0.1** [broer van echtgenoot, -note] *brother-in-law* **0.2** [echtgenoot van een zuster] *brother-in-law.*
zwak[1] ⟨het⟩ **0.1** [iemands zwakke punt] *weakness* ⇒*Achilles' heel, weak spot/side, foible, failing, vice* **0.2** [voorliefde] *weakness* ⇒*soft/tender spot* **0.3** [iets dat zwak is] *weakness* ◆ **3.2** nieuwe kleren kopen is haar ~ *she has a weakness for new clothes* **6.1** iem. in zijn ~ tasten *find s.o.'s Achilles' heel/failing/weak spot* **6.2** een ~ **voor** iem. of iets hebben *have a soft/tender spot for s.o., be partial to sth..*
zwak[2] ⟨→sprw. 179,334⟩
  I ⟨bn., bw.;-ly⟩ **0.1** [gering van kracht] *weak* ⇒*feeble, faint, powerless,* ⟨mbt. man⟩ *puny* **0.2** [met weinig weerstand] *weak* ⇒⟨mbt. gezondheid⟩ *delicate, frail, infirm, sick* **0.3** [niet veel presterend] *weak* ⇒*feeble, shaky, indifferent, poor, bad,* ⟨mbt. ademhaling⟩ *shallow* **0.4** [met weinig zedelijke weerstand] *weak* ⇒*frail, soft, vulnerable,* ⟨mbt. mensen⟩ *weak-minded* **0.5** [aanvechtbaar] *weak* ⇒*feeble, insubstantial, limp, poor, shaky, unsound* **0.6** [nauwelijks waarneembaar] *weak* ⇒*faint* **0.7** [niet geconcentreerd] *weak* ⇒*watery, diluted* **0.8** [gering] *slight* ⇒*faint,* ⟨mbt. kans, bewijs, hoop, middelen⟩ *slender* **0.9** [niet talrijk] *weak* ⇒*minor, slender* **0.10** [⟨geldw.⟩]⟨mbt. valuta⟩ *soft;* ⟨mbt. markt⟩ *weak* ◆ **1.1** het ~ke geslacht *the weaker/gentle/softer sex* **1.2** een ~ke gezondheid hebben *have be in poor/delicate health, be delicate/frail, infirm;* een ~ hart *a w./* ⟨BE;inf.⟩ *dicky heart;* een ~ke maag hebben *have a w./delicate/queasy stomach* **1.3** een ~ geheugen *a w./bad/poor memory;* ~ke ogen *w./poor/bad/feeble eyes;* ~ke pogingen *feeble attempts;* een ~ke stijl *a poor/bad/shaky/indifferent style* **1.4** een ~ karakter *a w. character;* in een ~ ogenblik *in a w. moment/moment of weakness;* iemands ~ke zijde *s.o.'s weak/blind side* **1.5** het ~ke punt in een betoog *the weakness/w. point of an argument;* ~ verhaal *lame/feeble/poor story* **1.6** een ~ke pols *a w./faint pulse;* het ~ke schijnsel van een lamp *the glimmer/w. glow/dim light of a lamp;* met ~ke stem *a w./faint voice;* een ~ke wind *a light wind* **1.7** een ~ zuur *a weak/diluted acid* **1.8** een ~ke helling *a slight incline, a low gradient* **1.9** een ~ke bezetting ⟨sport⟩ *a w. team/line-up;* ⟨mbt. werk;onderbezetting⟩ *understaffing* **1.10** ~ke debiteuren *bad debtors* **3.2** bijzonder ~ staan *have no case, not have a leg to stand on* **3.10** de markt sloot ~ *the market closed weakly* **5.3** die machine is te ~ *the machine has too limited a capacity* **6.1** de zieke is nog ~ **op** zijn benen *the patient is still shaky/wobbly on his legs* **6.3** ~ zijn **in** iets *be bad/poor/shaky at sth., be w. in sth.;*
  II ⟨bn.⟩ **0.1** [⟨taal.⟩] *weak* ◆ **1.1** ~ werkwoord *w./regular verb.*
zwakbegaafd ⟨bn.⟩ **0.1** *retarded* ⇒*(mentally) subnormal, educationally subnormal,* ⟨afk.⟩ *E.S.N.,* ⟨inf.⟩ *weak-minded/-headed.*
zwakheid ⟨de (v.)⟩ **0.1** [het zwak zijn] *weakness* ⇒*feebleness, frailty,* ⟨mbt. gezondheid⟩ *infirmity,* ⟨lichamelijk⟩ *debility,* ⟨mbt. argument⟩ *tenuousness* **0.2** [gebrek, fout] *weakness* ⇒*failing, vulnerability, frailty* ◆ **2.2** de menselijke zwakheden *human weakness/failings/frailties.*
zwakjes
  I ⟨bn.⟩ **0.1** [nogal zwak] *(rather) weak* ⇒*weakish, shaky* ◆ **3.1** in taal is hij ~ *he's rather weak/poor/bad at language, he's a bit shaky at language;* na zijn ziekte is hij nog ~ *he's rather weak/delicate/frail after his illness, his illness has left him rather weak/delicate/frail;*
  II ⟨bw.⟩ **0.1** [zonder kracht] *weakly* ⇒*lamely, feebly, faintly* ◆ **3.1** hij glimlachte ~ *he smiled w./feebly/faintly;* ~ protesteren *protest lamely /feebly.*
zwakkeling ⟨de (m.)⟩ **0.1** *weakling* ⇒*softie, softy, lame duck.*
zwakstroom ⟨de (m.)⟩ **0.1** *low-voltage current* ⇒*weak current.*
zwakstroominstallatie ⟨de (v.)⟩⟨elek.⟩ **0.1** *low-voltage apparatus/installation.*
zwakte ⟨de (v.)⟩ →**zwakheid 0.1.**
zwaktebod ⟨het⟩ **0.1** [kaartspel] *weak bid* **0.2** [⟨fig.⟩] *admission of weakness.*
zwakzinnig ⟨bn.⟩ **0.1** *mentally, handicapped* ⇒*mentally subnormal/defective/deficient,* ⟨inf.⟩ *feeble-/simple-/weak-minded, simple,* ⟨psych.⟩ *oligophrenic, imbecile.*
zwakzinnigeninrichting ⟨de (v.)⟩ **0.1** *institution for the mentally handicapped.*
zwakzinnigenzorg ⟨de⟩ **0.1** *care of the mentally handicapped.*
zwakzinnigheid ⟨de (v.)⟩ **0.1** *mental defectiveness/deficiency* ⇒*feeble-/simple-/weak-mindedness,* ⟨psych.⟩ *oligophrenia,* ⟨ernstig⟩ *amentia.*
zwalken ⟨onov.ww.⟩ **0.1** *drift about* ⇒*rove/wander/knock/roam about,* ⟨op zee⟩ *be tossed about/to and fro* ◆ **6.1** op zee ~ *rove/roam the seas.*

zwalp ⟨de (m.)⟩ **0.1** [golf] *breaker* ⟹*wave, gush* **0.2** [dikke plank] *plank* ⟹*(big/thick) board* ◆ **1.1** een ~ zeewater *a wave of seawater.*

zwalpen ⟨onov.ww.⟩ **0.1** *surge* ⟹*dash, roll, gush* ◆ **1.1** woest ~de baren *wildly surging/dashing/rolling waves.*

zwaluw ⟨de⟩ (→sprw. 689) **0.1** *swallow* ⟹*martin* ◆ **2.1** grijze ~ *sand-martin.*

zwaluwnest ⟨het⟩ **0.1** [nest v.e. zwaluw] *swallow's nest* **0.2** [schouderversiering met franjes] *epaulette.*

zwaluwstaart ⟨de (m.)⟩ **0.1** [staart van een zwaluw] *swallow's tail* **0.2** [houtverbinding] *dovetail (joint)* ⟹*swallowtail* **0.3** [rokkostuum] *swallow tail(ed coat)* ⟹*tail coat* **0.4** [vlinder] *swallowtail (butterfly).*

zwaluwstaarten ⟨onov., ov.ww.⟩ **0.1** *dovetail.*

zwam ⟨de (v.)⟩ **0.1** *fungus.*

zwammen ⟨onov.ww.⟩ ⟨inf.⟩ **0.1** *drivel* ⟹*gas, jaw, twaddle, twattle, blah(-blah), prate, blather.*

zwammerig ⟨bn., bw.⟩ **0.1** *drivelling* ⟹*gassing, twaddling, blithering, mouthy.*

zwammig ⟨bn.⟩ **0.1** *fungous* ⟹*fungoid.*

zwamneus ⟨de (m.)⟩ ⟨inf.⟩ **0.1** *gas-/windbag* ⟹*twaddler, driveller, gasser.*

zwamp ⟨de⟩ **0.1** *creek* ⟹*rivulet.*

zwanedons ⟨de (m.)⟩ **0.1** [dons van een zwaan] *swan's down* ⟹*swansdown* **0.2** [geruwd katoenen weefsel] *swanskin.*

zwanehals ⟨de (m.)⟩ **0.1** [hals van een zwaan] *swan('s) neck* **0.2** [omgebogen buis] *U-trap* ⟹*gooseneck.*

zwanendrift ⟨de⟩ **0.1** [groep zwanen] *flock of swans* **0.2** [recht om zwanen te houden] *swan-keeping permit.*

zwanezang ⟨de (m.)⟩ **0.1** *swan song* ⟹*farewell speech/performance* ◆ **3.1** zijn ~ houden *perform one's swan song.*

zwang ⟨de (m.)⟩ ◆ **6.¶** in ~ zijn *be in vogue/fashionable/in fashion/in use/in style/in, be all the rage;* in ~ komen *come into fashion/use, become the fashion/vogue/rage;* in ~ brengen *bring into fashion/vogue/use;* niet meer in ~ zijn *be/go out of (vogue/fashion);* gebruiken die niet meer in ~ zijn *customs that are no longer current.*

zwanger ⟨bn.⟩ **0.1** *pregnant* ⟹*expecting, expectant, in the family way,* ⟨schr.⟩ *with child, enceinte,* ⟨BE;sl.⟩ *preggers,* ⟨tech.⟩ *gravid* ◆ **3.1** een vrouw ~ maken *get a woman p.;* ⟨AE;sl.⟩ *knock s.o. up;* ~ worden *get p., conceive, start a baby;* ⟨inf.⟩ *be/get caught;* ~ zijn *be p./expecting, in the family way;* ⟨scherts.⟩ *have a bun in the oven* **5.1** hoog(st) ~ *very p.* **6.1** ⟨fig.⟩ donkere wolken, ~ van onheil *dark clouds full of/foreboding disaster;* ⟨fig.⟩ van iets ~ zijn/gaan *conceive sth., be full of/engrossed in sth..*

zwangerschap ⟨de (v.)⟩ **0.1** *pregnancy* ⟹⟨drachtigheid; ook fig.⟩ *gestation* ◆ **1.1** voorkoming van ~ *contraception* **3.1** een ~ onderbreken *terminate a p., carry out/perform an abortion* **6.1** tijdens de ~ *during p..*

zwangerschapsbraken ⟨het⟩ **0.1** *morning sickness.*

zwangerschapsbureau ⟨het⟩ **0.1** *antenatal/^prenatal clinic, maternity centre.*

zwangerschapsgymnastiek ⟨de (v.)⟩ **0.1** *antenatal/*⟨vnl. AE⟩ *prenatal exercises.*

zwangerschapsonderbreking ⟨de (v.)⟩ **0.1** *termination of pregnancy* ⟹*abortion.*

zwangerschapsperiode ⟨de (v.)⟩ **0.1** *(period of) pregnancy/* ⟨dierk.⟩ *gestation* ⟹*gestation period.*

zwangerschapsstreep ⟨de⟩ **0.1** *stretch mark.*

zwangerschapstest ⟨de (m.)⟩ **0.1** *pregnancy test.*

zwangerschapsvergiftiging ⟨de (v.)⟩ **0.1** *toxaemia ^xemia (of pregnancy)* ⟹*pre-eclampsia, eclampsia* ⟨in de laatste drie maanden⟩.

zwangerschapsverlof ⟨het⟩ **0.1** *pregnancy/maternity leave.*

zwans ⟨de⟩ ⟨AZN⟩ **0.1** *joke* ⟹*jest.*

zwarigheid ⟨de (v.)⟩ **0.1** [moeilijkheid] *difficulty* ⟹*obstacle, trouble, drawback* **0.2** [tegenwerping] *objection* ⟹*difficulty, obstacle* ◆ **2.1** de grootste zwarigheden zijn al uit de weg geruimd *the biggest difficulties/obstacles have already been removed* **3.2** zwarigheden maken *object (to), make/raise objections.*

zwart¹ ⟨het⟩ **0.1** [kleur] *black* ⟹⟨herald.⟩ *sable* **0.2** [wat zwart is] *black* **0.3** [rouwkleding] *black* ◆ **1.1** het ~ van de haren *the b. of the hair/fur* **3.2** (met) ~ spelen *play (with) b.* **6.2** er zit ~ op je gezicht *there's a black mark on your face;* ⟨fig.⟩ ~ op wit *in writing, in b. and white* **6.3** in het ~ *in b. / mourning.*

zwart² ⟨bn., bw.; -ly⟩ (→sprw. 139,502,520,690) **0.1** [mbt. de kleur] *black* ⟹*dark, ebony, jet,* ⟨herald.;schr.⟩ *sable* **0.2** [donker] *black* ⟹*dark,* [mbt. huidskleur] *dusky, swarthy* **0.3** [vuil] *black* ⟹*grimy, filthy, dirty,* (van voet) *sooty* **0.4** [onwettig] *black* **0.5** [somber] *black* ⟹*gloomy* **0.6** [onvriendelijk] *black* ◆ **1.1** ⟨sport⟩ de ~e band *the b. belt;* ~e bessen *blackcurrants;* ⟨fig.⟩ een ~e bladzijde in de geschiedenis *a b. page in history;* ⟨luchtv.⟩ de ~e doos *the b. box;* ⟨ster.⟩ een ~ gat *a b. hole;* het ~e goud *b. gold;* ⟨muz.⟩ ~e noot *b. note;* een ~ pak *a b. / dark suit;* ~e Piet *Black Peter* ⟨one of Santa Claus' attendants⟩; het ~e ras *the Negroid race;* ⟨fig.⟩ het ~e schaap *(van de familie) the b. sheep;* de ~e vlag *the b. flag;* het ~e werelddeel *the Dark Continent;* het Zwarte Woud *the Black Forest* **1.2** ⟨fig.⟩ ~e armoede *beggary;* ~ brood *b. bread;* ~e kersen *b. cherries;* een ~e lucht *a b. / dark sky;* ⟨fig.⟩ ~e pest *bubonic plague;* het werd me ~ voor de ogen *everything went b.;* ⟨jacht⟩ ~ wild *wild boars* **1.3** iem. ~ maken *blacken s.o.'s/sth.'s reputation* **1.4** het ~e circuit *b. economy;* ~ geld *b. / easy money;* ~e goederen *b. market goods;* de ~e lijst *the b. list;* op de ~e lijst plaatsen *blacklist;* ~e lonen *wages above the agreed/union rate;* de ~e markt/handel *the b. market* **1.5** alles door een ~e bril zien /bekijken *look on the b. / gloomy side (of things);* een ~e dag *a b. day;* ~e humor *b. humour;* een ~e ziel *a b. / sinful soul* **1.6** ~e kunst *b. magic, necromancy* **1.¶** de ~e markt ⟨voor particulieren⟩ *the free/ flea market;* ⟨r.k.⟩ de ~e paus *the Black Pope;* op ~ zaad zitten *have a bad time of it, be penniless/broke/on one's bean-ends;* ⟨r.k.⟩ ~e zondag *Passion Sunday* **3.1** zijn gezicht ~ maken *blacken, black up;* ⟨fig.⟩ liegen dat men ~ ziet/wordt *lie in one's throat, lie till one is b. in the face* **3.2** het zag er ~ van de mensen *it was b. / swarming with people;* de Zwarte Zee *the Black Sea* **3.4** ~ werken *work on the side, moonlight* **3.5** alles ~ inzien *take a b. / gloomy view of things* **3.6** iem. ~ aankijken *give s.o. a b. look* **8.1** zo ~ als roet/als git/als de nacht *a b. as soot/pitch/night/the ace of spades.*

zwartachtig ⟨bn.⟩ **0.1** *blackish.*

zwartboek ⟨het⟩ **0.1** *blackbook* ⟹*black paper.*

zwartbont ⟨bn.⟩ **0.1** *piebald* ◆ **1.1** een ~e koe *a p. / Frisian cow.*

zwarte ⟨de (m.)⟩ **0.1** [neger(in)] *black* ⟹⟨pej.⟩ *negro, nigger* **0.2** [⟨AZN⟩ fascist] *blackshirt* ⟹*fascist.*

zwartekousenkerk ⟨de⟩ **0.1** *rigidly orthodox Protestants* ⟨mv.⟩.

zwartekunst ⟨de (v.)⟩ **0.1** [nigromantie] *black magic* ⟹*necromancy* **0.2** [graveerkunst] *mezzotint.*

zwartepiet ⟨de (m.)⟩ **0.1** [schoppenboer] *knave/jack of spades* **0.2** [zwarthandelaar] *black marketeer* ◆ **3.1** iem. de ~ toespelen *pass the buck to s.o.* **6.1** met de ~ blijven zitten *be left holding the baby, carry the can.*

zwartgallig ⟨bn.⟩ **0.1** *melancholic* ⟹*morbid, pessimistic(al), despondent, depressed.*

zwartgalligheid ⟨de (v.)⟩ **0.1** *melancholy* ⟹*morbidity, pessimism, despondence, depression.*

zwarthandelaar ⟨de (m.)⟩ **0.1** *black marketeer* ⟹*profiteer,* ⟨BE;sl.⟩ *spiv.*

zwartharig ⟨bn.⟩ **0.1** *black/dark-haired.*

zwartheid ⟨de (v.)⟩ **0.1** *blackness.*

zwarthemden ⟨zn.mv.⟩ **0.1** *blackshirts* ⟹*fascists.*

zwartig ⟨bn.⟩ **0.1** *blackish* ⟹*dark(ish),* ⟨schr.⟩ *nigrescent.*

zwarting ⟨de (v.)⟩ **0.1** *density.*

zwartje ⟨het⟩ **0.1** [⟨pej.⟩ neger] *black(e)y, blackie* ⟹*dark(e)y, darkie, nigger,* ⟨sl.⟩ *jigaboo,* ⟨AE;sl.⟩ *burrhead, dinge, domino, skillet* **0.2** [plaatje] *black and white drawing/photo* ⟹*silhouette drawing.*

zwartkijken ⟨onov.ww.⟩ **0.1** ^B*evade paying the TV licence.*

zwartkijker ⟨de (m.)⟩ **0.1** [pessimist] *pessimist* ⟹⟨inf.; tobber⟩ *worrywart,* ⟨BE;sl.⟩ *worryguts,* ⟨hypochonder⟩ *hypochondriac* **0.2** [iem. die geen kijkgeld betaalt] *T.V. licence dodger.*

zwartkop ⟨de (m.)⟩ **0.1** [persoon] *dark(-haired)/swarthy person;* ⟨pej.⟩ *darkie* **0.2** [dier] ⟨Sylvia atricapilla⟩ *blackcap.*

zwartmaken ⟨ov.ww.⟩ **0.1** *slander, smear* ⟹*blacken (s.o.'s (good) name /s.o.'s character).*

zwartmaking ⟨de (v.)⟩ **0.1** *calumniation* ⟹*calumny, slander, misrepresentation.*

zwartogig ⟨bn.⟩ **0.1** *black-eyed.*

zwartoog ⟨de (m.)⟩ **0.1** *dark-eyed person.*

zwartrijden ⟨onov.ww.⟩ **0.1** [geen wegenbelasting betalen] *evade paying* ^B*road/*^A*highway tax* **0.2** [zonder plaatsbewijs meerijden] *dodge fare.*

zwartrijder ⟨de (m.)⟩ **0.1** [mbt. tram/bus/trein] *fare dodger* **0.2** [iem. die geen wegenbelasting betaalt] *road tax dodger.*

zwartrok ⟨de (m.)⟩ **0.1** [iem. met een rokkostuum] *person wearing a dresscoat* **0.2** [geestelijke] *blackcoat.*

zwartsel ⟨het⟩ **0.1** *blacking* ⟹*carbon black,* ⟨voor kachel bv.⟩ *blacklead.*

zwartvaal ⟨bn.⟩ **0.1** *grey-/greyish-black.*

zwartvissen ⟨onov.ww.⟩ **0.1** *unlicensed fishing.*

zwartwerker ⟨de (m.)⟩ **0.1** [iem. die zich zwart laat betalen] *moonlighter* **0.2** [iem. met een uitkering die toch werkt] *moonlighter.*

zwart-wit ⟨bw.⟩ **0.1** [mbt. ongenuanceerde tegenstellingen] *black-and-white* **0.2** [foto.] *black-and-white* ⟹*monochrome.*

zwatelen ⟨onov.ww.⟩ **0.1** [ruisen] *sough* ⟹*rustle, murmur* **0.2** [door elkaar praten] *buzz* ⟹⟨sl.⟩ *yap.*

zwavel ⟨de (m.)⟩ **0.1** *sulphur ^fur* ◆ **3.1** iets met ~ verbinden/behandelen/bewerken *sulphur ^fur, sulphurate ^furate, sulphurize ^furize* **6.1** branden in ~ en vlammen ⟨in de hel⟩ *burn in fire and brimstone.*

zwavelbloem ⟨de⟩ **0.1** *flowers of sulphur ^fur.*

zwavelbron ⟨de⟩ **0.1** *sulphur ^fur spring.*

zwaveldamp ⟨de (m.)⟩ ⟨schei.⟩ **0.1** *sulphur(e)ous fume/vapour, ^sulphur(e)ous fume/vapor.*

zwaveldioxyde ⟨het⟩ **0.1** *sulphur ^fur dioxide.*

zwavelen ⟨ov.ww.⟩ **0.1** *sulphur ^fur, sulphurate ^furate, sulphurize ^furize, sulphuret ^furet* ◆ **1.1** wijnvaten ~ *stum casks.*

zwavelerts ⟨het⟩ ⟨mijnw.⟩ **0.1** *sulphur* ᴬ*fur ore.*
zwavelhoudend ⟨bn.⟩ **0.1** *sulphur(e)ous* ᴬ*fur(e)ous.*
zwaveligzuur ⟨het⟩ ⟨schei.⟩ **0.1** *sulphurous* ᴬ*furous acid.*
zwavelkies ⟨het⟩ **0.1** *pyrite(s), iron pyrites* ⇒*fool's gold.*
zwavelkleurig ⟨bn.⟩ **0.1** *sulphur* ᴬ*fur-coloured* ⇒*sulphur* ᴬ*fur yellow.*
zwavelkoolstof →*koolstofdisulfide.*
zwavelkop ⟨de (m.)⟩ **0.1** *match head.*
zwavelstokje ⟨het⟩ **0.1** *matchstick* ◆ **6.1** het meisje **met** de~s *the little matchstick girl.*
zwavelverbinding ⟨de (v.)⟩ ⟨schei.⟩ **0.1** *sulphur* ᴬ*fur compound.*
zwavelwater ⟨het⟩ ⟨schei.⟩ **0.1** *sulphur* ᴬ*fur water.*
zwavelwaterstofgas →*waterstofsulfide.*
zwavelzalf ⟨de⟩ **0.1** *sulphur* ᴬ*fur ointment.*
zwavelzuur¹ ⟨het⟩ **0.1** *sulphuric* ᴬ*furic acid* ⇒*vitriol* ◆ **2.1** geconcentreerd ~*oil of vitriol, concentrated sulphuric* ᴬ*furic acid.*
zwavelzuur² ⟨bn.⟩ **0.1** *sulphuric* ᴬ*furic* ◆ **1.1** zwavelzure ammonia *sulphate* ᴬ*fate of ammonia;* zwavelzure ammoniak *ammonium sulphate* ᴬ*fate.*
zweden ⟨ov.ww.⟩ ⟨amb.⟩ **0.1** *lime.*
Zweden ⟨het⟩ **0.1** *Sweden.*
Zweed ⟨de (m.)⟩, **-se** ⟨de (v.)⟩ **0.1** *Swede, Swedish girl/woman.*
Zweeds ⟨bn.⟩ **0.1** *Swedish.*
zweef →*zweefmolen.*
zweefboot ⟨de⟩ **0.1** *hovercraft.*
zweefbrug ⟨de⟩ **0.1** *suspension bridge.*
zweefclub ⟨de (m.)⟩ **0.1** *gliding club.*
zweefduik ⟨de (m.)⟩ **0.1** [⟨sport⟩] ᴮ*swallow/*ᴬ*swan dive* **0.2** [sprong waarbij men zich voorover laat vallen] *dive* ◆ **6.2** met een~plukte de keeper de bal uit de hoek *the goalkeeper made a diving save in the corner.*
zweefmolen ⟨de (m.)⟩ **0.1** [draaimolen] *whirligig* **0.2** [gymnastisch werktuig] *giant('s) stride.*
zweefrek ⟨het⟩ **0.1** *trapeze.*
zweefsport ⟨de⟩ **0.1** *gliding.*
zweefsprong ⟨de (m.)⟩ **0.1** ᴮ*swallow/*ᴬ*swan dive.*
zweeftoestel ⟨het⟩ **0.1** *glider* ⇒*sailplane.*
zweeftrein ⟨de (m.)⟩ **0.1** *hovertrain.*
zweefvliegen ⟨onov.ww.⟩ **0.1** *glide.*
zweefvlieger ⟨de (m.)⟩, **-ster** ⟨de (v.)⟩ **0.1** *glider pilot.*
zweefvliegtuig ⟨het⟩ **0.1** *glider* ⇒*sailplane.*
zweefvlucht ⟨de⟩ **0.1** [met stopgezette motor voortzweven] *glide* ⇒*volplane* **0.2** [vlucht met een zweefvliegtuig] *glide* **0.3** [mbt. vogels] *glide* ◆ **6.1 in** ~dalen *volplane.*
zweem ⟨de (m.)⟩ **0.1** *trace* ⇒*touch, hint, suggestion,* ⟨flard, zweem⟩ *shred* ◆ **1.1** een~pje hoop *a glimmer of hope;* er klonk een~pje ironie in zijn stem *there was a touch/hint/note of irony in his voice* **6.1** blauw met een~van violet *blue with a hint of violet;* met een~**van** ernst *with a semblance of seriousness;* met een~**van** minachting *with a hint/touch/note of contempt;* met een~van ontgoocheling in zijn stem *with a tinge/flicker of disappointment in his voice;* er rust geen~**van** verdenking op hem *there's not a hint/shadow of suspicion;* geen~**van** spijt *not a suggestion of remorse, not a vestige of regret;* een~**van** verbittering *a cast of bitterness;* een~**van** een glimlach *a ghost/whisp of a smile;* zonder een~**van** schuldgevoel *without a semblance of a guilty conscience;* een~**van** woede *a suggestion/an undertone of anger;* **zonder** een~van twijfel *without a shadow of a doubt* **7.1** er is geen~van te bespeuren *there's not a trace of it (to be found).*
zweep ⟨de⟩ ⟨→sprw. 48,610⟩ **0.1** *whip* ⇒*lash,* ⟨rijzweep⟩ *crop, switch* ◆ **1.1** (fig.) het klappen van de~kennen *know the tricks of the trade/what's what/the ropes, have been through the mill* **2.1** de gouden~*the golden whip* **3.1** een paard de~geven *whip up a horse;* (fig.) de~krijgen *get a lashing/whipping, get lashed/whipped* **5.1** de~erop/erover leggen *(fig.) lay on the lash, lash on, bustle* **6.1** een tol **met** de ~opzetten *whip a top;* de~klappen *snap/crack the w.;* (fig.) **met** de~krijgen *(ook fig.) get a lashing/whipping/flogging;* **met** de ~geven/slaan *lash, flog, whip,* ↑*flagellate;* ⟨met een riem⟩ *thong, whang.*
zweepdiertje ⟨het⟩ **0.1** *flagellate, mastigophoran.*
zweepdraad ⟨de (m.)⟩ **0.1** *flagellum, whiplash.*
zweephaar →*zweepdraad.*
zweepslag ⟨de (m.)⟩ **0.1** [slag met een zweep] *lash, whip(lash)* **0.2** [spierverrekking] *whiplash (injury)* ◆ **3.1** iem. tot ~en veroordelen *sentence s.o. to the lash, condemn s.o. to the lash/a whipping/flogging* **6.1** iem. **met** ~en afranselen/straffen *lash/whip/flog s.o..*
zweeptol ⟨de (m.)⟩ **0.1** *whipping top.*
zweer ⟨de⟩ **0.1** *ulcer* ⇒*sore,* ⟨ettergezwel⟩ *abscess, boil* ◆ **2.1** een open ~*a (running) ulcer;* een rijpe~*a ripe ulcer/boil;* een venerische~*chancroid;* ⟨(harde) sjanker⟩ *chancre* **3.1** de~is doorgebroken/opengebarsten *the abscess has burst* **5.1** vol zweren *ulcerous; full of boils.*
zweet ⟨het⟩ **0.1** [transpiratie] *sweat* ⇒ ↑*perspiration,* ⟨water⟩ *water* **0.2** [naar buiten komend vocht] *sweat* ⇒*moisture, water* **0.3** [bloed] *blood* ◆ **1.1** in het ~des aanschijns *by the s. of one's face/brow* **2.1** dam-

pend~*dropping s.;* het koude/klamme ~*cold s.;* het luie~komt eruit he/she is/*they are working up a s. for once (in his/her/their life)* **3.1** ~afscheiden *exude s.;* het ~breekt hem uit *he's in a (cold) s.;* ~kosten *be hard work;* het ~liep hem langs het gezicht *the s. was running off his face, his face was streaming with s.;* het ~parelde op zijn voorhoofd *beads of s. covered his forehead, the s. stood out on his forehead in beads;* zich het ~van het voorhoofd wissen *mop one's brow* **3.2** het ~staat op de muren *the walls are dripping (with s.)* **6.1** zich **in** het ~lopen/werken *run/work o.s. into a s.;* het ~**in** de handen hebben staan *be in a cold s., sweat blood;* (doen) baden **in** het ~*swelter;* nat **van** het ~*in a s., all of a s., wet with s.* **6.2** ~**op** de kaas *s. on the cheese.*
zweetafscheiding ⟨de (v.)⟩ **0.1** *perspiration* ⇒*sweat secretion.*
zweetbad ⟨het⟩ **0.1** *Turkish bath* ⇒*hammam,* ⟨vnl. in Romeinse badinrichting⟩ *sudarium, sudatorium, sudatory, sauna.*
zweetband ⟨de (m.)⟩ **0.1** *sweatband.*
zweetdoek ⟨de (m.)⟩ **0.1** *sweat cloth* ◆ **2.1** ⟨bijb.⟩ de Heilige Zweetdoek *the veronica/vernicle/sudarium.*
zweetdrank ⟨de (m.)⟩ **0.1** *sudorific* ◆ ¶**.1** ⟨scherts.⟩ een~je *a huge doctor's bill, a doctor's bill high enough to raise your blood pressure.*
zweetdrijvend ⟨bn.⟩ **0.1** *sudorific, diaphoretic* ⇒*sudatory, sudoriferous, perspiratory* ◆ **1.1** ~e middelen *diaphoretics, sudorifics, sudatories.*
zweetdruppel ⟨de (m.)⟩ **0.1** *drop/bead of sweat* ◆ **3.1** ~s stonden op zijn voorhoofd *beads of sweat stood out on his brow, the sweat stood out in beads on his brow.*
zweethanden ⟨zn.mv.⟩ **0.1** *sweaty/perspiring/clammy hands.*
zweetkaas ⟨de (m.)⟩ **0.1** [vocht uitademende kaas] *sweating cheese* **0.2** [⟨inf.⟩ doordringend ruikende kaas] *smelly cheese.*
zweetkakkies ⟨zn.mv.⟩ ⟨vulg.⟩ **0.1** ↑*smelly/sweaty feet.*
zweetkamertje ⟨het⟩ **0.1** *sweatbox.*
zweetkanaaltje ⟨het⟩ **0.1** *sweat duct.*
zweetklier ⟨de⟩ **0.1** *sweat/perspiratory gland.*
zweetkoorts ⟨de⟩ **0.1** *sweating fever/sickness.*
zweetkuur ⟨de⟩ **0.1** *sweat* ⇒*sweating cure.*
zweetlucht ⟨de⟩ **0.1** *body odour.*
zweetmiddel ⟨het⟩ **0.1** *sudorific, diaphoretic* ⇒*sweater.*
zweetplek ⟨de⟩ **0.1** *sweat stain.*
zweetpoeder ⟨het, de (m.)⟩ **0.1** *sudorific powder.*
zweetsecretie ⟨de (v.)⟩ ⟨med.⟩ **0.1** *sweat secretion.*
zweetspoor ⟨het⟩ ⟨jacht.⟩ **0.1** *blood track.*
zweetvoeten ⟨zn.mv.⟩ **0.1** *sweaty/perspiring feet.*
zweetvos ⟨de (m.)⟩ **0.1** *sorrel.*
zwei ⟨de⟩ **0.1** *bevel (square)* ◆ **2.1** dubbele~*T-bevel;* enkele~*single bevel.*
zweien ⟨ov.ww.⟩ **0.1** *square.*
zweitje ⟨het⟩ **0.1** [kleine zwei] *small bevel* **0.2** [hoekmaat] *bevel* **0.3** [kneep, foefje] *trick.*
zwelen ⟨onov.ww.⟩ **0.1** [organisch materiaal verkolen] *carbonize at a low temperature* **0.2** [hooi bijeenharken] *windrow.*
zwelgen
  I ⟨onov.ww.⟩ **0.1** [volop hebben] *wallow* ⇒*revel,* ⟨uitspatten⟩ *riot,* ⟨schr.⟩ *carouse* ◆ **6.1** ~**in** weelde/genot *w. in luxury/pleasure;*
  II ⟨onov., ov.ww.⟩ **0.1** [gulzig eten, drinken] *guzzle* ⇒*gobble,* ⟨eten ook⟩ *gorge (o.s.),* ⟨inf.⟩ *swill* ◆ **6.1** iets **naar** binnen ~*gobble sth. up.*
zwelger ⟨de (m.)⟩ **0.1** *guzzler* ⇒⟨BE; inf.⟩ *greedy guts.*
zwelgerij ⟨de (v.)⟩ **0.1** [het zwelgen] *gorging* ⇒⟨liederlijk leven⟩ *debauchery* **0.2** [zwelgpartij] ⟨zwelgpartij⟩ *gorge* ⇒⟨inf.⟩ *binge,* ⟨sl.⟩ *blowout.*
zwelgpartij ⟨de (v.)⟩ →*zwelgerij* **0.2.**
zwelkast ⟨de⟩ ⟨muz.⟩ **0.1** *swell box.*
zwellen
  I ⟨onov.ww.⟩ **0.1** [uitzetten] *swell* ⇒⟨bollen⟩ *belly,* ⟨opblazen, zwellen⟩ *bloat* **0.2** [mbt. geluid] *swell* ◆ **1.1** de rivier zwelt *the river is swelling* **3.1** doen~*swell;* ⟨doen bollen⟩ *belly, billow;* ⟨doen opbollen⟩ *bulge;* ⟨opblazen⟩ *inflate;* ⟨doen uitpuilen⟩ *bag* **6.1** ⟨fig.⟩ mijn hart zwelt **van** vreugde *my heart swells with joy;* ⟨fig.⟩ zijn borst/hij zwol **van** trots *his breast/he was swollen with pride;*
  II ⟨ov.ww.⟩ **0.1** [doen uitzetten] *swell.*
zwellichaam ⟨het⟩ **0.1** *corpus cavernosum.*
zwelling ⟨de (v.)⟩ **0.1** [het zwellen] *swell(ing)* **0.2** [plaats] *swell(ing)* ⇒⟨buil⟩ *bump, bunch, distension,* ⟨AE spelling ook⟩ *distention* ◆ **3.1** ~veroorzakend *tumefacient.*
zwemabonnement ⟨het⟩ **0.1** *season ticket for the swimming pool.*
zwembaan ⟨de⟩ **0.1** *swimming lane.*
zwembad ⟨het⟩ **0.1** *(swimming) pool* ⇒⟨overdekt⟩ *swimming bath, indoor swimming pool.*
zwembassin ⟨het⟩ **0.1** [inrichting] *bath* **0.2** [bassin] *(swimming) pool, bath.*
zwemblaas ⟨de⟩ **0.1** *air/swim/swimming bladder, fish maw, (fish) sound, float* ⇒*swimmer.*
zwembroek ⟨de⟩ **0.1** ⟨mv.⟩ *bathing/swimming trunks, trunks.*
zwemdiploma ⟨het⟩ **0.1** *swimming certificate/diploma.*
zwemdok →*zwembad.*

zwemen ⟨onov.ww.⟩ **0.1** *incline / tend to* ◆ **6.1** die kleur zweemt **naar** het groene *there's a hint of green in that colour;* het zweemt **naar** het ongelooflijke *it borders on the incredible;* haar toon zweemde **naar** afgunst *her tone savoured / smacked of envy.*

zwemgordel ⟨de (m.)⟩ **0.1** *swimming belt.*

zweminrichting ⟨de (v.)⟩ **0.1** ⟨mv.⟩ *baths.*

zweminstructeur ⟨de (m.)⟩, **-trice** ⟨de (v.)⟩ **0.1** *swimming instructor* ⟨m.,v.⟩; ⟨v.ook⟩ →*swimming instructress.*

zwemkaart ⟨de⟩ →*zwemabonnement.*

zwemkunst ⟨de (v.)⟩ **0.1** *swimming* ◆ **3.1** de ~ verstaan / machtig zijn *be able to swim.*

zwemleraar ⟨de (m.)⟩ →*zweminstructeur.*

zwemles ⟨de⟩ **0.1** *swimming lesson* ◆ **6.1** op ~ zitten *take swimming lessons.*

zwemmen ⟨onov.ww.⟩ **0.1** [geheel omgeven zijn door een vloeistof] *swim* ⇒*bathe* **0.2** [zich in het water voortbewegen] *swim* **0.3** [zich in water baden] *bathe* ⇒*swim* **0.4** [⟨wielersport⟩] *be off/lose the roller* ◆ **2.2** gekleed~ *s. (fully) clothed / dressed;* naakt~ *nude swimming;* ⟨inf.⟩ *skinny-dip* **2.3** verboden te ~ *no swimming allowed* **3.1** ik kan helemaal niet~ *I can't s. a (single) stroke;* ⟨fig.⟩ iem. / iets laten~ *dump / drop s.o. / sth., throw s.o. / sth. to the wolves* **3.2** gaan~ *have / go for a swim;* (niet) kunnen~ *(not) be able to s.* **3.¶** vis wil / moet~ *fish must s.* **6.1** in zijn bloed~ *s. in / be drenched in one's (own) blood;* haar ogen zwommen in tranen *her eyes were swimming with tears;* ⟨fig.⟩ **in** het geld~ *be swimming / rolling in money / it, have tons / loads of money, have money to burn;* ⟨fig.⟩ **in** zijn kleren~ *s. / drown in one's clothes;* de forel zwom **in** de boter *the trout was swimming in butter;* **over** het Kanaal~ *s. the Channel* **6.2** **onder** water~ *s. under water, fin;* **op** de rug / **op** de buik ~ *s. on one's back / chest / front* **8.2** ~ als een vis / een waterrat *s. like a fish.*

zwemmer ⟨de (m.)⟩ **0.1** [iem. die zwemt] *swimmer* ⇒*bather* **0.2** [persoon voor zover hij kan zwemmen] *swimmer* **0.3** [marktkoopman] *itinerant tradesman, street seller / hawker.*

zwemmerseczeem ⟨het⟩ **0.1** *athlete's foot.*

zwempak ⟨het⟩ **0.1** *swimming suit, swimsuit* ⇒*swimming costume.*

zwempoot ⟨de (m.)⟩ **0.1** *webfoot* ⇒ ⟨vin, bv. van zeehond, schildpad⟩ *paddle, flipper* ◆ **6.1** met zwempoten *web-footed, web-toed;* ⟨met zwemvliezen, bv. van watervogels⟩ *palmate(d) feet.*

zwemschimmel →*zwemmerseczeem.*

zwemslag ⟨de (m.)⟩ **0.1** [één beweging] *stroke* **0.2** [manier van bewegen] *style of swimming.*

zwemsport ⟨de⟩ **0.1** *swimming.*

zwemsteen →*drijfsteen.*

zwemster
  I ⟨de (v.)⟩ **0.1** [meisje dat zwemt] *(girl) swimmer;*
  II ⟨de (m.)⟩ **0.1** [ster op zwemgebied] *swimming champion.*

zwemvest ⟨het⟩ **0.1** *swimming jacket* ⇒⟨met lucht gevuld⟩ *air jacket,* ⟨met kurk gevuld⟩ *cork jacket,* ⟨redding(s)/zwemvest⟩ *life jacket.*

zwemvleugels ⟨zn.mv.⟩ **0.1** *water wings.*

zwemvlies ⟨het⟩ **0.1** [mbt. dieren] *web* ⇒*fin* **0.2** [mbt. mensen] *flipper* ◆ **6.1** met zwemvliezen *fin-footed, webbed, palmate(d);* ⟨met zwemvliezen tussen de tenen⟩ *web-fingered, web-footed, web-toed.*

zwemvoet ⟨de (m.)⟩ **0.1** *webfoot* ⇒ ⟨vin, bv. van zeehond, schildpad⟩ *paddle, flipper* ◆ **6.1** met ~en *web-footed.*

zwemvogel ⟨de (m.)⟩ **0.1** *swimming-bird* ⇒*swimmer, palmiped(e) (bird), water-bird.*

zwemwater ⟨het⟩ **0.1** *(swimming) water.*

zwemwedstrijd ⟨de (m.)⟩ **0.1** *swimming competition / contest / match / race.*

zwendel ⟨de (m.)⟩ **0.1** *swindle, fraud* ⇒*racket,* ⟨BE; sl.⟩ *ramp* ◆ **6.1** van ~ leven *shark;* ⟨AE; sl.⟩ *mush.*

zwendelaar ⟨de (m.)⟩ **0.1** *swindler* ⇒*fraud, con man, confidence man, trickster,* ⟨bedrieger, zwendelaar⟩ *double-crosser.*

zwendelarij ⟨de (v.)⟩ **0.1** *swindle* ⇒*fraud,* ⟨AE; sl.⟩ *con game, confidence game, confidence trick,* ⟨bedrog⟩ *cheat, racket.*

zwendelen ⟨onov.ww.⟩ **0.1** *swindle* ⇒⟨BE; sl.⟩ *ramp.*

zwengel ⟨de (m.)⟩ **0.1** [slinger] *handle* ⇒⟨van pomp⟩ *pump-handle, sweep,* ⟨draaikruk⟩ *crank,* ⟨vnl. BE; pompslinger⟩ *swipe,* ⟨v.e. dorsvlegel⟩ *swingle (staff), swingling staff* **0.2** [penis] ⟨sl.⟩ *arm* ⇒*tool, cock, John Thomas,* ⟨AE; sl.⟩ *dong.*

zwengelen ⟨onov.ww.⟩ **0.1** ⟨fig.⟩ *pump* ◆ **6.1** ⟨fig.⟩ hij stond maar **aan** haar arm te ~ *he stood there pumping her arm.*

zwenghout ⟨het⟩ **0.1** *whippletree,* ^*whiffletree* ⇒*single-tree, swinglebar, swingletree.*

zwenk ⟨de (m.)⟩ **0.1** *turn* ⇒⟨zwenking⟩ *swerve* ◆ **6.1** met een ~ kwam de auto de weg op *the car swerved into the road* **6.¶** **in** een ~ *in no time (flat), in a trice / jiffy.*

zwenkas ⟨de⟩ **0.1** *swivel axle.*

zwenken
  I ⟨onov.ww.⟩ **0.1** [van richting veranderen] ⟨ook fig.⟩ *swerve* ⇒⟨mil.⟩ *pivot, wheel,* ⟨scheep.⟩ *sheer* ◆ **3.1** doen / laten ~ ⟨plotseling⟩ *swerve, sheer, sheer off / from;* ⟨draaien⟩ *swing* **6.1** **naar** rechts ~ *swerve / swing / turn to the right, take a turn to the right;* de auto zwenkte plots **naar** rechts *the car suddenly swerved to the right;*

  II ⟨ov.ww.⟩ **0.1** [van richting doen veranderen] *turn, swing* ⇒⟨plotseling⟩ *swerve,* ⟨doen draaien⟩ *wheel* **0.2** [zwaaien] *wave* ⇒*flourish* ◆ **1.1** een paard ~ *turn a horse* **1.2** het vendel ~ *wave the colours.*

zwenking ⟨de (v.)⟩ **0.1** [het wenden] *turn* ⇒*swerve* **0.2** [wending] ⟨ook fig.⟩ *turn* ⇒*swerve,* ⟨mil.⟩ *facing, wheel,* ⟨fig.⟩ *change of front.*

zwenkwiel ⟨het⟩ **0.1** *(swivel) caster / castor* ⇒*swivelling roller / wheel.*

zwepen
  I ⟨onov.ww.⟩ **0.1** [met kracht voortgedreven worden] *whip* ⇒*lash* **0.2** [snel bewegen] *lash* ⇒*whisk along* ◆ **6.2** met de staart zwepen *lash the tail;*
  II ⟨ov.ww.⟩ **0.1** [met een zweep slaan] *whip* ⇒*lash, flog* **0.2** [met kracht voortdrijven] *lash* ◆ **1.2** de wind zweept de golven *the wind lashes the waves.*

zweren (→sprw. 394)
  I ⟨onov.ww.⟩ **0.1** [een eed afleggen] *swear* ⇒⟨gelofte afleggen⟩ *vow* **0.2** [hogelijk vereren] *swear* **0.3** [etter afscheiden] ⟨van gezwel⟩ *ulcerate;* ⟨van wond, zweer⟩ *fester;* ⟨van zweer: rijpen, zweren⟩ *gather* ◆ **1.3** ~d tandvlees *ulcerated / septic gums;* zijn vinger zweert, heeft gezworen *his finger is gathering / has gathered;* ⟨scherts.⟩ dat klopt als een ~de vinger *no buts about it, that hits the nail on the head;* de wond zweert *the wound is festering* **3.1** ik zou er niet op durven ~ *I wouldn't take an oath on it* **3.3** doen ~ *fester, ulcerate* **6.1** ~ **bij** hoog en (**bij**) laag / kris en kras / alles wat iem. heilig is *swear black is white; swear by all that is holy to s.o.;* ~ **bij** God / zijn eer *s. to God / on one's honour;* **op** de Bijbel ~ *s. by / (up)on the Bible* **6.2** die jongen zweert **bij** zijn onderwijzer *that boy swears by his teacher;*
  II ⟨ov.ww.⟩ **0.1** [onder ede verklaren] *swear* ⇒*vow* ◆ **1.1** iem. trouw ~ *s. / vow loyalty to s.o.;* trouw ~ **aan** de vlag *pledge allegiance to the flag;* wraak ~ *vow revenge* **4.1** ik zweer het (je) *I swear* **8.1** men zou ~ dat hij het was *one could s. to him / it was him.*

zwerfblok →*zwerfkei.*

zwerfgast ⟨de (m.)⟩ ⟨biol.⟩ **0.1** *occasional visitor.*

zwerfkat ⟨de⟩ **0.1** *stray (cat)* ⇒⟨AE ook⟩ *alley cat.*

zwerfkei ⟨de (m.)⟩ **0.1** *boulder* ⇒*erratic block, travelled* ^*led stone.*

zwerfklas ⟨de (v.)⟩ ⟨inf.; school.⟩ **0.1** *mobile group / class.*

zwerflust ⟨de (m.)⟩ **0.1** *wanderlust.*

zwerfsteen →*zwerfkei.*

zwerftocht ⟨de (m.)⟩ **0.1** *ramble* ⇒*rove,* ⟨grote wandeling⟩ *wander,* ⟨scherts.⟩ *peregrination* ◆ **6.1** op zijn ~en *in his wanderings / rambles.*

zwerfvogel ⟨de (m.)⟩ **0.1** *nomadic bird.*

zwerfzucht ⟨de⟩ **0.1** *restlessness* ⇒*unsettledness.*

zwerk ⟨het⟩ ⟨schr.⟩ **0.1** [wolken] *rack, welkin* ⇒*wrack* **0.2** [hemel] *cope* ⇒*welkin* ◆ **3.1** het jagend ~ *the scudding wrack.*

zwerm ⟨de (m.)⟩ **0.1** *swarm* ⇒*flock, flight,* ⟨horde⟩ *horde,* ⟨troep⟩ *cluster* ◆ **1.1** een ~ bijen *a swarm of bees;* een ~ meteoren *a shower of meteors;* een ~ mussen *a flight of sparrows;* een ~ schoolkinderen *a cluster of schoolchildren;* een ~ sprinkhanen *a cloud of locusts* **6.1** **in** ~en vliegen *flight.*

zwermen ⟨onov.ww.⟩ **0.1** *swarm* ⇒*flock.*

zwermsporen ⟨zn.mv.⟩ ⟨plantk.⟩ **0.1** *swarm cells / spores, swarmers, zoospores.*

zwerveling ⟨de (m.)⟩ →*zwerver.*

zwerven ⟨onov.ww.⟩ **0.1** [ronddolen] *drift* ⇒*float, roam, rove, wander* **0.2** [landlopen] *tramp* **0.3** [rondslingeren] *lie / knock about* ◆ **1.1** ~de huisdieren *stray pets* **1.2** een ~d leven leiden *lead a roving life* **1.¶** ⟨med.⟩ ~de zenuw *vagus* **6.1** **door** het land ~ *rove / roam all over the country;* ⟨inf.⟩ *kick about / around the country;* **langs** de wegen ~ *wander along the roads;* **op** zee ~ *d. at sea;* kinderen **op** straat laten ~ *let children wander on the streets;* ⟨fig.⟩ zijn ogen / blik **over** iets laten ~ *let one's eyes / range over sth.* **6.3** er zwierven enige kledingstukken **over** de stoelen *a few clothes were scattered / lying about on the chairs.*

zwerver ⟨de (m.)⟩, **zwerfster** ⟨de (v.)⟩ **0.1** [iem. die ronddoolt] *drifter* ⟨m.,v.⟩ ⇒*floater, wanderer, roamer, rover* ⟨m.,v.⟩ **0.2** [landloper] *tramp* ⇒*vagrant,* ⟨AE ook⟩ *hobo* **0.3** [⟨sport⟩] *roaming forward / striker* **0.4** [dier] *stray.*

zwerversbestaan ⟨het⟩ **0.1** *nomadic existence / life, life of a vagabond / drifter / tramp;* ⟨ook fig.⟩ *roving life.*

zweten
  I ⟨onov.ww.⟩ **0.1** [transpireren] *sweat* ⇒ ^*perspire* **0.2** [vochtig worden] *sweat* ⇒*weep* **0.3** [bloed verliezen] *bleed* ◆ **1.2** pas gemetselde muren ~ *newly-built walls sweat* **3.1** doen / laten ~ *s.* **3.2** de kaas ligt te ~ *the cheese is sweating* **5.1** ik zweet ervan *I'm all in a sweat* **6.1** **op** iets ~ *s. over sth., labour at / over sth.;*
  II ⟨ov.ww.⟩ **0.1** [als zweet van zich geven] *sweat* ⇒ ^*perspire* **0.2** [mbt. huiden] *sweat* ◆ **1.1** bloed ~ *sweat blood;* ⟨fig.⟩ etter / water en bloed ~ *sweat blood;* ⟨fig.⟩ peentjes ~ *be in a cold sweat* **1.2** huiden ~ *sweat hides* **5.1** het eraf ~ ⟨gewicht⟩ *sweat it off / away.*

zweterig ⟨bn.⟩ **0.1** *sweaty.*

zwetsen ⟨onov.ww.⟩ **0.1** ⟨dom kletsen⟩ *blether, blather* ⇒*twaddle, drivel,* ⟨opscheppen⟩ *boast, brag,* ⟨inf.⟩ *gas* ◆ **3.1** hij kan enorm ~ *he talks a lot of hot air.*

zwetser ⟨de (m.)⟩ **0.1** *boaster, bragger* ⇒⟨inf.⟩ *gasser, gasbag, driveller.*

zwetserij ⟨de (v.)⟩ **0.1** *bluster*, *boasting brag* ⇒⟨inf.⟩ *gas, wind*, ⟨BE; inf.⟩ *waffle*.

zweven ⟨onov.ww.⟩ **0.1** [in evenwicht zijn] *be poised* / *suspended* **0.2** [zich drijvend voortbewegen] *float* ⇒⟨glijden, zweven⟩ *glide*, *sail* **0.3** [heen en weer gaan] *hover* ⇒*waver* ◆ **1.2** ~de wolken *floating clouds* **3.2** doen~*f.*; ⟨mbt. spiritisme⟩ *levitate* **3.3** ⟨fig.⟩ de koers van een munt laten~ *let the exchange rate float* **6.1** boven een afgrond~ *hang over an abyss;* vaste stoffen die in het water~ *solids (which are) suspended in the water;* ⟨fig.⟩ een glimlach zweefde op haar lippen *a smile hovered on her lips* **6.2** de adelaar zweeft op zijn vleugels *the eagle glides on its wings;* het zweeft mij *voor* de geest/ *voor* ogen *it's always in my mind / before my mind's eye* **6.3** ⟨fig.⟩ **tussen** hoop en vrees/ **tussen** leven en dood~ *hover between hope and fear/ life and death* ¶**.2** zij zweefde de trap op *she floated up the stairs.*

zwevend ⟨bn.⟩ **0.1** [hangend; verend] *floating* **0.2** [onzeker] *floating* ⇒*pending, poised* ◆ **1.1** een~e gang *a buoyant/ bouncy step;* een~pla-fond *a false ceiling;* de~e ribben *the f. ribs;* een~roer *a suspension rudder;* ⟨schei.⟩~e stoffen *suspended matter;* ~e vloer *sprung floor* **1.2** ~e kiezer *a floating voter;* ~e koopkracht *f. spending power;* ~e stemmen *the f. vote;* ~taalgebruik *woolly language;* ⟨muz.⟩~e tonen *tremulant/ tremolo notes;* ~e valuta *f. currency* **1.**¶~e komma *floating point.*

zweverig ⟨bn.⟩ **0.1** [niet vast] *woolly* ⇒*free-floating* **0.2** [licht in het hoofd] *dizzy.*

zweving ⟨de (v.)⟩ **0.1** [het zweven] *hovering* ⇒⟨zwevende toestand⟩ *suspension* **0.2** [geluidstrilling] *beat, beating.*

zwezerik ⟨de (m.)⟩ **0.1** *thymus, thymus gland.*

zwichten

I ⟨onov.ww.⟩ **0.1** [toegeven] *yield* ⇒*submit,* ⟨toegeven⟩ *give in,* ⟨bezwijken⟩ *knuckle under, cave in* ◆ **3.1** doen~ *overbear, subdue* **6.1** ~ **voor** het geweld *give in / knuckle under to violence;* **voor** de verleiding, **voor** iemands argumenten~*y. to the temptation/ s.o.'s arguments;* zij zwicht **voor** niemand *she holds her own;*

II ⟨ov.ww.⟩ **0.1** [⟨scheep.⟩] *swift,* ^A*swifter* ◆ **1.1** de fok~ *swift the foresail.*

zwiep ⟨de (m.)⟩ **0.1** *swish* ⇒*lash, thrash, whisk.*

zwiepen

I ⟨onov.ww.⟩ **0.1** [doorbuigen] *bounce* ⇒*bend* **0.2** [krachtig slaan] *swish* ⇒*lash, thrash, whisk* ◆ **1.1** die springplank zwiept lekker *that springboard bounces really well* **3.2** hij liet het rietje~ *he whisked/ swished the cane* **6.1** de takjes zwiepten in de wind *the twigs swayed in the wind* **6.2** paarden~ **met** de staart *horses s. their tails;* de regen zwiept **tegen** het raam *the rain lashes against the window;*

II ⟨ov.ww.⟩ ⟨inf.⟩ **0.1** [krachtig gooien] *sling, hurl* ⇒⟨BE; sl.⟩ *bung.*

zwieper ⟨de (m.)⟩ **0.1** [uithaal] *wallop* **0.2** [⟨wielersport⟩] *swerve* **0.3** [boom] *swerve* ◆ **3.1** hij gaf de bal een~ *he walloped the ball.*

zwieping ⟨de (v.)⟩ **0.1** [het doorbuigen] *sagging* **0.2** [topeind] ⟨zie **1.2**⟩ ◆ **1.2** de~v.d. mast *the topgallant mast.*

zwier ⟨de (m.)⟩ **0.1** [draai, zwaai] *flourish* ⇒⟨ruk⟩ *lurch* **0.2** [gratie] *grace* ⇒⟨élan⟩ *dash, verve* **0.3** [wat gratie verleent] *elegance* ⇒*refinement, gracefulness* ◆ **3.3** van~houden *love refinement* **6.1** met een~ kwam de dronkelap op het midden v.d. straat *the drunk staggered out to the middle of the street* **6.2** zij doet alles **met** veel~ ⟨fig.⟩ *she does everything with great style/ verve* **6.**¶ **aan** de~gaan/ zijn *go on a spree/ bend, be out on the tiles.*

zwierbol ⟨de (m.)⟩ **0.1** *reveller* ⇒*fast/ high liver, roisterer, carouser.*

zwieren ⟨onov.ww.⟩ **0.1** [zich heen en weer bewegen] *sway* ⇒*sweep* **0.2** [zich zwaaiend voortbewegen] *whirl* ⇒⟨zwaaien, strompelen⟩ *stagger, lurch,* ⟨wankelen⟩ *reel* **0.3** [aan de zwier zijn] *go on a spree* ⇒⟨AE; sl.⟩ *make whoopee* ◆ **6.1** over straat~ *sweep/ sway across the street* **6.2** (bij het schaatsenrijden) **over** de baan~ *glide;* **over** de dansvloer~ *whirl across the dancefloor.*

zwierig ⟨bn., bw.;-ly⟩ **0.1** [los en bevallig] *elegant* ⇒*graceful,* ⟨fig., v.e. vrouw⟩ *willowy,* ⟨opzichtig⟩ *dashing, flamboyant* **0.2** [bloemrijk] *florid, flamboyant* ◆ **1.1** een~e gang *a jaunty/ dapper step;* met een~e baar *with a flourish/ a dashing gesture;* een~e hoed *a jaunty hat;* ~e krullen *springy curls* **3.1** ~gekleed gaan *cut a dash, dress dazzlingly* **3.2** een~e stijl *a flamboyant style.*

zwierigheid ⟨de (v.)⟩ **0.1** ⟨élégance⟩ *elegance* ⇒*gracefulness,* ⟨verve, elan⟩ *flamboyance, verve.*

zwijgen¹ ⟨het⟩ ⟨→sprw. 546⟩ **0.1** *silence* ⇒⟨stilte⟩ *hush* ◆ **3.1** er het~ toe doen *let sth. pass;* iem. het~opleggen ⟨ook fig.⟩ *put/ reduce s.o. to s., shut/ stop s.o.'s mouth;* ⟨inf.⟩ *shut s.o. up;* het~verbreken *unseal one's lips, break the s..*

zwijgen² ⟨onov.ww.⟩ ⟨→sprw. 303,691,692⟩ **0.1** [niet spreken] *be silent* **0.2** [niet melding maken van] *not record/ mention, keep silent about* **0.3** [geen geluid meer geven] *keep silent/ still* ◆ **1.1** plots zweeg de spreker *suddenly the speaker fell silent* **1.3** het geschut zwijgt *the guns have fallen silent;* de muziek zwijgt *the music has stopped* **3.1** hij bleef~ *he remained/ kept silent;* iem. doen~ *shut s.o. up;* ⟨sterker⟩ *squelch/ silence s.o.;* men moet kunnen horen, zien en~ ≠*hear no evil, speak no evil, say no evil;* ik kan niet langer~ *I can't keep it to myself any longer;* ⟨fig.⟩ kunnen~ *be able to keep a secret;* er niet over kunnen~

be full of the news; ⟨fig.⟩ niet weten te~ *spill the beans, blab* **5.1** zwijg mij daarvan! *don't talk to me about it!, say no more!* **6.1** in alle talen~ *keep mum;* ~ **op** alles wat men vraagt *return each question with silence;* iem. **tot**~brengen ⟨fig.⟩ *put/ reduce s.o. to silence;* de stem van zijn geweten **tot**~brengen *silence the voice of one's conscience* **6.2** de wet zwijgt **over** een dergelijk geval *the law does not record a similar case;* de geschiedenis zwijgt **van** dit feit *history does not mention this fact;* om nog te~ **van**... *to say nothing of, not to mention, let alone;* **van** / **over** iets~*not record/ mention/ keep silent about sth.* **8.1** ~ als het graf *be quiet/ silent as the grave* ¶**.1** wie zwijgt, stemt toe *silence implies/ gives consent;* zwijg! *hold your tongue!, be quiet!, shut up!.*

zwijgend ⟨bn., bw.;-ly⟩ **0.1** *silent* ⇒*mute, wordless, voiceless* ◆ **1.1** de~e massa *the faceless millions;* de~e meerderheid *the s. majority;* een~publiek *s. spectators, a s. audience* **3.1** ~zijn toestemming verlenen *acquiesce.*

zwijger ⟨de (m.)⟩ **0.1** *silent person* ◆ **1.1** ⟨gesch.⟩ Willem de Zwijger *William the Silent.*

zwijggeld ⟨het⟩ **0.1** *hush money* ◆ **3.1** ~betalen *buy s.o. off.*

zwijgplicht ⟨de⟩ **0.1** *oath of secrecy* ◆ **3.1** iem.~opleggen *enjoin s.o. to silence;* iem. van de~ontheffen *lift the oath of secrecy.*

zwijgrecht ⟨het⟩ **0.1** *right to remain silent.*

zwijgzaam ⟨bn.⟩ **0.1** ⟨niet spraakzaam⟩ *silent* ⇒*taciturn,* ⟨niet mededeelzaam⟩ *incommunicative, reticent, reserved* ◆ **6.1** de autoriteiten bleven~ **omtrent** / **over** het incident *the authorities remained reticent concerning/ about the incident.*

zwijgzaamheid ⟨de (v.)⟩ **0.1** [karaktereigenschap] *taciturnity* ⇒*reticence* **0.2** [het weinig mededeelzaam zijn] *uncommunicativeness* ⇒*silence, quietness.*

zwijm ⟨de (m.)⟩ ◆ **6.**¶ in~vallen *go off in a swoon;* in~liggen *be in a dead faint.*

zwijmel ⟨de (m.)⟩ **0.1** *flush* ⇒⟨sl.⟩ *high,* ⟨schr.⟩ *transport.*

zwijmeldronken ⟨bn.⟩ **0.1** *flushed* ⇒⟨schr.⟩ *transported, elated.*

zwijmelen ⟨onov.ww.⟩ **0.1** *swoon.*

zwijmen ⟨onov.ww.⟩ ⟨schr.⟩ **0.1** *swoon.*

zwijn ⟨het⟩ **0.1** [varken] *swine* ⇒⟨wild zwijn; beer⟩ *boar, hog* **0.2** [geluk] *(piece/ bit of) luck, fluke* ◆ **2.1** een wild~ *a wild boar;* op wilde~en jagen *stick pigs* **6.1** een~ **van** een kerel *a s. of a man* **6.2** een~ bij het biljarten *a lucky shot.*

zwijneboel ⟨de (m.)⟩ **0.1** *pigsty* ⇒*dump, shambles, mess.*

zwijnehok ⟨het⟩ →**zwijnestal 0.1.**

zwijnejacht ⟨de⟩ **0.1** *(wild) boar hunt.*

zwijnekeet ⟨de⟩ **0.1** *pigsty* ⇒*(godawful) mess, shambles,* ⟨BE ook⟩ *tip.*

zwijnen ⟨onov.ww.⟩ ⟨inf.⟩ **0.1** [boffen] ⟨ongemarkeerd⟩ *be lucky* **0.2** [liederlijk leven leiden] *be on the razzle* **0.3** [blokken] *cram* ◆ ¶**.1** hij zwijnde ⟨ook⟩ *he hit the jackpot.*

zwijnepan →**zwijnekeet.**

zwijnerij ⟨de (v.)⟩ **0.1** [vuiligheid] *smut, filth* ⇒⟨inf.⟩ *muck* **0.2** [liederlijke handeling, taal] *smut, filth* **0.3** [gemene handeling, taal] *bitchiness* ⇒*nastiness, coarseness.*

zwijnestal ⟨de (m.)⟩ **0.1** [stal voor zwijnen] *pigsty, pigpen* ⇒*piggery* **0.2** [smerige boel] *pigsty* ⇒⟨BE ook⟩ *tip, shambles.*

zwijnjak ⟨de (m.)⟩ **0.1** [boffer] ⟨inf.⟩ *lucky sod* **0.2** [liederlijk mens] *swine* **0.3** [gemenerik] *bastard* ⇒*nasty bit/ piece of work.*

zwijntjesjager ⟨de (m.)⟩ ⟨inf.⟩ **0.1** ^†*bicycle thief.*

zwik ⟨de (m.)⟩ **0.1** ⟨⟨inf.⟩ bij elkaar horende voorwerpen⟩ *batch* ⇒*lot* **0.2** [⟨inf.⟩ geslachtsdelen van de man] ⟨ongemarkeerd⟩ *crotch, genitals* **0.3** [bij elkaar behorende personen] *lot* **0.4** [verstuiking] *sprain* **0.5** [pin in een vat] *vent-peg, vent-plug* ◆ **2.3** de hele~ *the whole lot* **3.1** de soldaat doet zijn~je aan *the soldier puts on his kit.*

zwikboor ⟨de⟩ **0.1** *tap borer* ⇒*auger.*

zwikhout ⟨het⟩ ⟨scheep.⟩ **0.1** *wood fender.*

zwikken

I ⟨onov.ww.⟩ **0.1** [een verdraaiing krijgen] *sprain* ⇒*wrench* ◆ **1.1** mijn voet zwikte *I turned my foot;*

II ⟨ov.ww.⟩ **0.1** [knakken] *snap.*

zwin ⟨het⟩ **0.1** *tideway.*

zwindelen ⟨onov.ww.⟩ **0.1** *faint.*

zwing ⟨de⟩ **0.1** ⟨van pomp⟩ *pumphandle* ⇒*sweep,* ⟨v.e. dorsvlegel⟩ *swipple, swiple.*

zwingelen ⟨ov.ww.⟩ **0.1** *scutch, swingle.*

zwingelhout ⟨het⟩ **0.1** *swinglebar, swingletree.*

Zwitser ⟨de (m.)⟩,-se ⟨de (v.)⟩ **0.1** *Swiss (girl/ woman).*

Zwitserland ⟨het⟩ **0.1** *Switzerland.*

Zwitsers ⟨bn.⟩ **0.1** *Swiss.*

zwitterion ⟨het⟩ ⟨schei.⟩ **0.1** *zwitterion.*

ZWO ⟨afk.⟩ **0.1** [(Nederlandse organisatie voor) zuiver wetenschappelijk onderzoek] ⟨*Dutch Organization for Academic Research*⟩.

zwoegen ⟨onov.ww.⟩ **0.1** [hijgen] ⟨van boezem⟩ *heave;* ⟨van borst⟩ *labour, heave;* ⟨van adem⟩ *pant* **0.2** [zwaar werk verrichten] ⟨ploeteren⟩ *grub, plod, drudge, slave (away);* ⟨zwaar werk doen⟩ *toil, labour* ◆ **1.1** haar~de boezem *her heaving bosom;* een~de motor *a labouring engine* **5.1** (tegen) een berg op~ *toil up a mountain* **6.1** **op** een puzzel~*grind/ slog away at a puzzle;* **tegen** de golven in~ *buffet with* *the waves;* hij zwoegt **van** het zware werk *he's panting from the heavy work* **6.2** ~ **van** de vroege morgen **tot** de late avond *plod on from the early morning till late at night.*

zwoeger ⟨de (m.)⟩ **0.1** *drudge, plodder* ⇒*grubber, slogger,* ⟨AE ook⟩ *drudger.*

zwoel ⟨bn.⟩ **0.1** [drukkend warm] *sultry* ⇒*sticky,* ⟨benauwd⟩ *muggy,* ⟨drukkend⟩ *soggy* **0.2** [sensueel] *sultry* ⇒*sensual.*

zwoelheid ⟨de (v.)⟩ **0.1** [warmte] *sultriness* ⇒*stickiness,* ⟨benauwd-heid⟩ *mugginess,* ⟨druk⟩ *sogginess* **0.2** [sensualiteit] *sultriness* ⇒*sen-suality.*

zwoelte ⟨de (v.)⟩ **0.1** *sultriness.*

zwoerd ⟨het⟩ **0.1** *rind* ◆ **2.1** gebakken ~ *crackling.*

zwoord →zwoerd.

zygomorf ⟨bn.⟩ ⟨biol.⟩ **0.1** *zygomorphic, zygomorphous.*

zygoot, zygote ⟨de⟩ ⟨biol.⟩ **0.1** *zygote.*

zymase ⟨de (v.)⟩ **0.1** *zymase.*

zymose ⟨de (v.)⟩ **0.1** *zymosis.*

zymotisch ⟨bn.⟩ **0.1** *zymotic.*

z.z.g.g. ⟨afk.⟩ **0.1** [zag zich gaarne geplaatst] ⟨*position sought*⟩.

Z.Z.O. ⟨afk.⟩ **0.1** [zuidzuidoost(en)] *S.S.E..*

Z.Z.W. ⟨afk.⟩ **0.1** [zuidzuidwest(en)] *S.S.W..*

zzz 0.1 [⟨ter aanduiding v.e. zoemend geluid⟩] *zzz* **0.2** [⟨in stripverhalen ter aanduiding van slaap⟩] *zzz.*

Lijst van onregelmatige werkwoorden

R geeft aan dat de regelmatige vorm (ook) gebruikt wordt. Eventuele beperkingen op het gebruik van een bepaalde vorm zijn waar mogelijk in de lijst zelf tussen punthaken aangegeven. Zijn er varianten, dan staat over het algemeen de meest gebruikelijke vorm voorop.

onbepaalde wijs	verleden tijd	voltooid deelwoord
abide	abode (R)	abode (R)
alight	alit (R)	alit (R)
arise	arose	arisen
awake	awoke (R)	awoke(n) (R)
be	was/were	been
bear	bore	borne
beat	beat	beaten
become	became	become
befall	befell	befallen
beget	begot/ ⟨vero., beh. bijb.⟩ begat	begotten
begin	began	begun
begird	begirt (R)	begirt (R)
behold	beheld	beheld
bend	bent	bent
bereave	bereft (R)	bereft (R)[1]
beseech	besought (R)	besought (R)
beset	beset	beset
bespeak	bespoke	bespoken
bestrew	R	bestrewn (R)
bestride	bestrode	bestridden
bet	bet (R)	bet (R)
betake	betook	betaken
bethink	bethought	bethought
bid[2]	bid/bade	bid(den)
bid[3]	bid	bid(den)
bide	bode (R)	R
bind	bound	bound
bite	bit	bitten
bleed	bled	bled
blend	R, blent	R, blent
bless	blest (R)	blest (R)
blow	blew	blown
break	broke	broken
breed	bred	bred
bring	brought	brought
broadcast	broadcast (R)	broadcast (R)
build	built	built
burn	R, burnt	R, burnt
burst	burst	burst
buy	bought	bought
can	could	–
cast	cast	cast
catch	caught	caught
chide	chid (R)	chid(den) (R)
choose	chose	chosen
clad	clad	clad
cleave	cleft/clove (R)	cleft/cloven (R)
cling	clung	clung
clothe	R, ⟨schr.⟩ clad	R, ⟨schr.⟩ clad
come	came	come
cost[4]	cost	cost
creep	crept	crept
crow[5]	R, ⟨BE ook⟩ crew	R
cut	cut	cut

1 Zie blz. 3

onbepaalde wijs	verleden tijd	voltooid deelwoord	onbepaalde wijs	verleden tijd	voltooid deelwoord
deal	dealt	dealt	lade	R	laden (R)
dig	dug	dug	lay	laid	laid
dight	dight (R)	dight (R)	lead	led	led
dive	R, ⟨AE ook⟩ dove	R	lean	R, ⟨vnl. BE ook⟩ leant	R, ⟨vnl. BE ook⟩ leant
do	did	done	lean		
draw	drew	drawn	leap	leapt, R[6]	leapt, R[6]
dream	R, dreamt[6]	R, dreamt[6]	learn	learnt, R[6]	learnt, R[6]
drink	drank	drunk	leave	left	left
drive	drove	driven	lend	lent	lent
dwell	dwelt (R)	dwelt (R)	let	let	let
			lie	lay	lain/⟨bijb.⟩ lien
eat	ate	eaten	light[10]	lit (R)	lit (R)
			lose	lost	lost
fall	fell	fallen			
feed	fed	fed	make	made	made
feel	felt	felt	may	might	–
fight	fought	fought	mean	meant	meant
find	found	found	meet	met	met
fit	R, ⟨AE ook⟩ fit	R, ⟨AE ook⟩ fit	methinks	methought	–
flee	fled	fled	mislead	misled	misled
fling	flung	flung	misspell	R, ⟨BE ook⟩ misspelt	R, ⟨BE ook⟩ misspelt
fly	flew	flown			
forbear	forbore	forborne	mistake	mistook	mistaken
forbid	forbad(e)	forbidden	misunderstand	misunderstood	misunderstood
forecast	forecast (R)	forecast (R)	mow	R	mown (R)[11]
forget	forgot	forgotten/⟨AE/schr. ook⟩ forgot			
			overhear	overheard	overheard
forgive	forgave	forgiven	overpass	overpast (R)	overpast (R)
forgo	forwent	forgone	oversleep	overslept	overslept
forsake	forsook	forsaken			
forswear	forswore	forsworn	partake	partook	partaken
freeze[7]	froze	frozen	pay	paid/⟨scheep. ook⟩ R	paid/⟨scheep. ook⟩ R
gainsay	gainsaid	gainsaid	pen[12]	pent (R)	pent (R)
geld	R, gelt	R, gelt	plead	R, ⟨AE/Sch. E, ook⟩ pled	R, ⟨AE/Sch. E, ook⟩ pled
get	got	got/⟨vnl. AE⟩ gotten	prove	R	R, ⟨AE, Sch. E, schr.⟩ proven
gild	R, gilt	R, gilt	put	put	put
gird	R, girt	R, girt			
give	gave	given	quit	R, ⟨AE ook⟩ quit	R, ⟨AE ook⟩ quit
gnaw	R	gnawn (R)			
go	went	gone	read	read	read
grind	ground	ground	reave	reft (R)	reft (R)
grow	grew	grown	reeve	R, rove	R, rove
			rend	rent	rent
hamstring	hamstrung (R)	hamstrung (R)	repay	repaid	repaid
hang[8]	hung	hung	rid	rid	rid
have	had	had	ride	rode	ridden
hear	heard	heard	ring	rang	rung
heave	R, ⟨scheep.⟩ hove	R, ⟨scheep.⟩ hove	rise	rose	risen
hew	R	R, hewn	rive	R	riven (R)
hide[9]	hid	hidden	run	ran	run
hit	hit	hit			
hold	held	held	saw	R	sawn (R)
hurt	hurt	hurt	say	said	said
			see	saw	seen
inlay	inlaid	inlaid	seek	sought	sought
			sell	sold	sold
keep	kept	kept	send	sent	sent
kneel	knelt/⟨AE ook⟩ R	knelt/⟨AE ook⟩ R	set	set	set
knit	knit (R)	knit (R)	sew	R	sewn (R)
know	knew	known	shake	shook	shaken/⟨vero., beh. inf. ook⟩ shook
			shall	should	–
			shave	R	R, ⟨vnl. als bn.⟩ shaven

Onregelmatige werkwoorden

onbepaalde wijs	verleden tijd	voltooid deelwoord	onbepaalde wijs	verleden tijd	voltooid deelwoord
shear	R	shorn (R)	take	took	taken
shed	shed	shed	teach	taught	taught
shend	shent	shent	tear	tore	torn
shine[13]	shone	shone	tell	told	told
shit	shit/shat	shit/shat/shitten	think	thought	thought
shoe	⟨vnl.⟩ shod (R)	⟨vnl.⟩ shod (R)	thrive	throve (R)	thriven (R)
shoot	shot	shot	throw	threw	thrown
show	R	shown (zeldz. R)	thrust	thrust	thrust
shrink	shrank, shrunk	shrunk/⟨vnl. als bn.⟩ shrunken	tread	trod	trod(den)
shrive	shrove	shriven	unbind	unbound	unbound
shut	shut	shut	unclothe	unclad (R)	unclad (R)
sing	sang	sung	understand	understood	understood
sink	sank/sunk	sunk/⟨vnl. als bn.⟩ sunken	undertake	undertook	undertaken
			undo	undid	undone
sit	sat	sat	unstring	unstrung	unstrung
skydive	R, ⟨AE ook; inf.⟩ skydove	R	unswear	unswore	unsworn
			unwind	unwound	unwound
slay	slew	slain	uphold	upheld	upheld
sleep	slept	slept	upset	upset	upset
slide	slid	slid(den)			
sling	slung	slung	wake	woke (R)	woke(n) (R)
slink	slunk	slunk	waylay	waylaid	waylaid
slit	slit	slit	wear	wore	worn
smell	smelt (R)	smelt (R)	weave	wove	woven
smite	smote	smitten/smote	wed	R, wed	R, wed
sneak	R, ⟨inf. ook⟩ snuck	R, ⟨inf. ook⟩ snuck	weep	wept	wept
sow	R	sown (R)	wet	wet (R)	wet (R)
speak	spoke	spoken/⟨vero., beh. scherts.⟩ spoke	will	would	–
			win	won	won
speed	sped (R)	sped (R)	wind[16]	wound	wound
spell	spelt, R[6]	spelt, R[6]	withdraw	withdrew	withdrawn
spend	spent	spent	withhold	withheld	withheld
spill	spilt (R)	spilt (R)	withstand	withstood	withstood
spin	spun	spun	wrap	R, wrapt	R, wrapt
spit[14]	spit/spat	spit/spat	wring	wrung	wrung
split	split	split	write	wrote	written
spoil	spoilt, R[6]	spoilt, R[6]			
spread	spread	spread			
spring	sprang/⟨AE ook⟩ sprung	sprung			
stand	stood	stood			
stave	stove (R)	stove (R)			
steal	stole	stolen			
stick	stuck	stuck			
sting	stung	stung			
stink	stank/stunk	stunk			
strew	R	strewn (R)			
stride	strode	stridden			
strike	struck	struck			
string	strung	strung (AE ook R)			
strive	strove	striven			
swear	swore	sworn			
sweat	R, ⟨AE ook⟩ sweat	R, ⟨AE ook⟩ sweat			
sweep	swept	swept			
swell	R	swollen (R)[15]			
swim	swam	swum			
swing	swung	swung			

1 Mbt. een sterfgeval steeds regelmatig.
2 In de betekenissen 'bevelen', 'noden', 'zeggen'.
3 In de betekenis 'bieden'.
4 In de betekenis 'begroten' is *cost* steeds regelmatig.
5 In de betekenis 'kraaien' (v.e. haan); *crow* is een regelmatig werkwoord in de betekenissen 'kraaien' (v.e. kind) en 'opscheppen'.
6 In het AE gebruikt men meestal de regelmatige vormen.
7 Itt. het simplex is *deepfreeze* een regelmatig werkwoord.
8 Maar *hang* = 'ophangen' (als straf) steeds regelmatig.
9 In de betekenis '(zich) verbergen'; *hide* = 'afranselen' is een regelmatig werkwoord.
10 Itt. het simplex is *moonlight* steeds regelmatig.
11 'Gemaaid gras' steeds *mown grass*.
12 In de betekenis 'opsluiten'. Regelmatig in de betekenis 'neerpennen'.
13 In de betekenis 'schijnen'; *shine* = 'poetsen' is een regelmatig werkwoord.
14 Niet in de betekenis 'doorboren, spietsen'.
15 *Swelled* wordt gebruikt in de figuurlijke betekenis 'gezwollen, opgeblazen', *swollen* zowel in de letterlijke als de figuurlijke betekenis 'gezwollen'.
16 In de betekenis 'kronkelen, (rond)draaien' is *wind* meestal onregelmatig; *wind* = 'blazen op' is ook regelmatig. In de betekenissen 'luchten', '(be)speuren', 'buiten adem brengen' en 'op adem laten komen' is *wind* steeds regelmatig.

spelling zijn mogelijke verschillen wat betreft het gebruik van een koppelteken of het aaneenschrijven van de samenstellende delen, buiten beschouwing gelaten. Bij een dergelijk onderscheid in spelling (bv. 'Nederlands': *one-manshow* tgo. Engels: *one-man show*) geeft de lijst – gezien de bedoeling behulpzaam te zijn bij de produktie van het Engels – het Engelse gebruik weer.

Lijst van Engelse woorden in het Nederlands

Deze lijst is niet uit linguïstische maar uit ruimtebesparende overwegingen ontstaan. Het gaat dan ook niet om een uitputtende opsomming, maar om een selectie van woorden die tegelijk aan de vier volgende voorwaarden voldoen:
- Het Nederlands heeft ze aan het Engels ontleend.
- Zij hebben in het Nederlands en het Engels dezelfde spelling.
- De Nederlandse betekenissen vormen een deelverzameling van de Engelse. Dit betekent dat het 'Nederlandse' woord ofwel álle betekenissen van het Engelse heeft overgenomen, ofwel – indien dit slechts gedeeltelijk is gebeurd – geen eigen, afwijkende of additionele, betekenissen heeft ontwikkeld.
- Bij behandeling in het woordenboek zou een eenvoudige één-op-één vertaling volstaan.
Woorden die wel aan sommige maar niet aan alle vier de voorwaarden voldoen, komen dus niet in de lijst voor. Ze worden in het woordenboekgedeelte behandeld.
Enkele voorbeelden: in de lijst staat wel *insider* (voldoet aan de vier gestelde voorwaarden) maar niet *outsider* (dit woord krijgt in een van zijn betekenissen de variant *dark horse* en voldoet dus niet aan de vierde voorwaarde). Om een analoge reden wordt *computer* niet in deze lijst maar in het woordenboek zelf aangetroffen. Het Nederlandse *computer* gaat immers een reeks (contrastief-relevante) verbindingen aan, waardoor met een eenvoudige opsomming niet meer kan worden volstaan.
Verder bevat de lijst bv. niet het woord *dancing* (in het Engels betekent dit woord immers niet 'gelegenheid waar gedanst wordt' – aan voorwaarde drie is dus niet voldaan –), maar wel het woord *green* (ook al betekent dit woord in het Engels natuurlijk nog veel meer dan 'kortgemaaid stuk gras rond de hole op een golfterrein').
Tenslotte een opmerking over de behandeling van samenstellingen. Bij het vergelijken van de Nederlandse en Engelse

account	beat generation
accountancy	beatnik
account-executive	behaviourist
accounting	below-the-line
ace	benefit of the doubt
acid	best-seller
act	betamax
adapter	beta-receptor
addict	big band
aerobics	big bang
Afro-look	billfold
after-shave	biofeedback
AIDS	black box
airbus	black power
air-conditioned	blimp
airedale	blizzard
air hostess	blow-out
airpot	blow-up
airstrip	blue jeans
ALGOL	blue movie
all right	blues
all-round	bobby
all-rounder	body-art
allspice	bodybuilding
anti-skating	bodyguard
appetizer	bodyliner
approach	bodyshaping
aquaplaning	body-stocking
arrowroot	body-warmer
art-director	bogie
artwork	booby-trap
ASCII	boogie-woogie
assembler	boom
assist	booster
atomizer	bootee
audio-visual	bop
autocross	bopper
autoreverse	boss
	bottle-neck
babylift	bowling club
back	box-calf
backgammon	boy
background	brain drain
back lash	brainstorming
backservice	brainwashing
bacon	brain wave
badminton	brandy
bar code	brass band
barn	break dancing
barrel	break-even point
baseball	break point
baseline	bren
Basic	bridge
basket	bridge drive
bat	briefing
batsman	brinkmanship
battledress	browning
bazooka	brunch
BBC	bubblegum
beat	bucket

bucket-seat	columnist	deejay	escort	ft
buckram	comic	delivery order	essay	full-back
buggy	coming man	demijohn	establishment	full-colour
bulk	commercial	Derby	Euratom	full-dress
bulkcarrier	commonwealth	design	evening-dress	full-speed
bulldozer	compact disc	designer	evergreen	full-timer
bullshit	composer typist	desk	exchange	fund
bully	compound	desk-operator	eye-catcher	funk
bushel	computer operator	desk-research	eye-liner	
business	computer program	destroyer	eye-opener	gadget
butler	conceptual art	deuce		gag
bye	concern	dickey seat	face off	gallon
byepass	contractbridge	die-cast	factoring	game
byte	coopertest	diehard	fade-in	GATT
	copartnership	direct-drive	fade-out	gentleman
call-girl	copywriter	direct mail	fader	gentlemanlike
CAM (Computer Aided	copywriting	direct marketing	fading	ghost-writer
Manufacturing)	corduroy	discjockey	fair play	gimmick
camber	corgi	disk	fake	give-away
cameraman	corner goal	diskdrive	fall-out	glamour
camera-unit	cornflakes	dispenser	fan	glamour girl
candid camera	coronary care	displaced person	fanclub	glider
candy-bar	cosy-corner	display	fanmail	glitter-rock
cap	cottage	dixieland	f.a.q.	globetrotter
cape	couch	d.j.	farm	go-go girl
captain	counterfeiting	DNA	Far-West	go-kart
care	country	dolby	fastback	golfclub
carpooling	country rock	dolly	feedback	golfcourse
carport	course	dominion	fellow	golflinks
carrier	coverboy	double	fender	goodwill
cartoon	covergirl	double bind	fielder	gospel singer
cartoonist	coverstory	doughnut	fieldwork	gossip
case-story	cracker	downs	file	graffiti
case-work	cranberry	d.p.	filmstrip	grapefruit
cash-and-carry	crank	dragline	filmtape	green
cash-flow	crash	drawback	filmviewer	green keeper
cassettetape	crawl	dreadnought	fineliner	
casting	creamcracker	drip-dry	fix	hairspray
catch-as-catch-can	creative director	drive	flap-over	hairstylist
catering	credit card	driver	flash-back	half-time
catgut	crew	drop-out	flipside	half-timer
character	cricket	drop-shot	flipteam	half-volley
merchandising	cricketer	drug addict	flirtation	hands off
chase-chorus	cricketmatch	drugscene	flit	hands up
chester	crisp	drugstore	floodlight	hangglider
chesterfield	crooner	drugteam	floor manager	happening
cheviot	croquet	drum stick	floor show	happy few
chick	cross-country	dry	flop	hardboard
chief-scout	crossingover	dub	flopgoal	hardcover
chorus	crosspass	dug-out	floppydisk	hard drug
chutney	crosstalk	dumping	flow-chart	hard rock
cif	cruise		flower power	hardware
clash	crusher	eagle	flutter	harmattan
classic	cue	easy rider	f.o.b.	harrier
clearing house	cup	economy class	folk	have-nots
click	curling	ECU	folk-music	headhunter
clipper	cycle-cross	efficiency	food processor	headline
clog		E.F.T.A.	f.o.r.	hearing
close	database	egg-head	forehand	heat
close-reading	data processing	egotripper	Fortran	heavy
close-up	data processor	electric boogie	forward	he-man
c.o.	data set	Emmy award	Fosbury flop	highbrow
coaster	davy lamp	engineer	foxtrot	high-fidelity
COBOL	D-day	engineering	frame	high-tech
cocker spaniel	dead-heat	entertainer	free kick	hobby
cockney	deadline	entertainment	free trade	hobbycomputer
cocktail party	deal	environment	free trader	hobo
coke	debater	equaliser	free wheel	hockey stick
collider	deck	ESA	frisbee	hodgkin
column	decoder	escape	frontspoiler	holding

holding-company	jumpsuit	mimicry	pancake	puck
home	junk food	minishort(s)	paper	pulley
home computer		mismanagement	paperback	pullman
homer	karting	mister	paperclip	pullover
home referee	kickboxing	mistletoe	part-time	pump
homerun	kidnapping	mix	part-timer	punch
hooked	killer	mixcd	party	punchbowl
horror	kilobyte	mixed grill	passing shot	pup
horse	kilt	mixed pickles	pay-t.v.	puppy
hostel	kingsize	mixture	peacenik	purser
hostess	kitchenette	money	peepshow	pusher
hot	know-how	moneymaker	peer	push-pull
hot-dog		monotype	PEN	
hot-jazz	lady-killer	moon boots	penny	quickbreak
hot line	lady-like	moreen	Pentagon	quickstep
hot money	ladyshave	move	peptalk	quilt
hot news	laser printer	multinational	performance	quiz
hot pants	Latin rock	multiplier	permit	quizmaster
house party	lavatory	musical	petticoat	
hovercraft	layout	music-hall	pickles	racer
humbug	lay-up	must	pierce	racket
	LCD	muting	pigskin	ragtime
IC	lease		pinchhitter	raid
icing	leasing	NASA	pin-up	raider
IDA	let	NATO	pin-up girl	rally
IFC	lick	near banking	pitcher	RAM
image	limerick	negro spiritual	pitch pine	ramark
image-building	linesman	new look	place-mat	ranch
inch	links	new wave	placer	rancher
incrowd	lipstick	nitwit	plate service	range
innings	live	no-iron	PLO	rap music
in print	lock-out	non-fiction	plot	reader
input	longdrink	non-food	plotter	ready
inside information	look	no-nonsense	pointer	ready-made
insider	loop	non-profit	poker-face	real time
instant	looping	nonstop	poll	rebirthing
inswinger	loran	novelty	polyglass	record
interface	loudspeaker	nurse	pool	reefer
interval training	lounge	nutshell	pooling	REM
investment-trust	love		pop	remedial teacher
IRA	love game	off-day	pop-art	remedial teaching
issue	low-budget	official	popcorn	reminder
	LP	off-line	popsong	remover
jamboree	Ltd.	offset	portable	reprint
jam-session		offshore	postbox	research
jazz ballet	maiden-trip	offside	powerroom	response
jazz band	mail	O.K.	powersteering	retrieval
jazz festival	mailing	one-man show	practical joke	retriever
jazz rock	manpower	on-line	practical joker	return
jeans	marketing	op art	prairie	return match
jeep	marketing manager	OPEC	prefab	review
jerrycan	marketing mix	operand	premium	revival
jersey	marshmallow	ounce	pressure-cooker	riff
jetlag	maser	outcast	preview	RNA
jet-set	master	outfit	primer	risk
jigger	mastiff	overdrive	prime rate	roadfilm
jingle	match	overflow	prime time	roadie
jitterbug	M.B.D.	overhead projector	printer	roadmanager
jive	medley	overkill	print-out	roadtest
jogger	meeting	overtraining	processing	roaring twenties
jogging	megabyte	oxer	processor	rockabilly
joint venture	meltdown		producer	rock-'n-roll
joke	melton	pacemaker	product manager	rock-'n-roller
joy-rider	merchandiser	pack	professional	rocks
joy-riding	merchandising	package	project manager	rollerdisco
juke-box	messroom	package deal	promotion	rollerskate
jumbo	metallic	pacman	protest meeting	ROM
jumbo jet	microchip	paddock	protest song	rooming-in
jumper	milk bar	pale ale	pub	rotarian
jumpshot	milk shake	pallet	public relations	rotary

royalty
rumble
runner-up

S.A.
safe-deposit
sales manager
sales promotion
sales promotor
SALT
sample
sandwich
sandwich man
scanner
scanning
science park
scoop
scope
scout
scouting
scrabble
scrambler
screentest
screwdriver
scrimmage
scrip
script
scull
sculler
sealskin
seat
SEATO
self-fulfilling prophecy
self-government
self-kicker
self-made
self-service
self-supporting
seminar
senior-manager
sensitivity training
septic tank
set point
setting
settler
set-up
sex-appeal
sex-shop
sexy
SF
shabby
shaker
share
sharpie
shaver
shawl
sheriff
shilling
shimmy
ship chandler
shit
shock
shocking
shop
short story
shot
shovel
show business
show card
show manager

showroom
shredder
shunt
shuttle
sick
sidecar
sidewinder
single
sit-in
skate-board
skeet
sketch
skiff
skiffle
skinhead
skunk
skylab
skyline
skyscraper
slang
slap-stick
slick
slipstream
slow-fox
slow motion
slum
slump
slurry
small talk
smog
snapshot
SNOBOL
soft
softball
soft drink
soft drug
soft sponsoring
software
song
sophisticated
sorry
sound
sound-track
sovereign
space-lab
space-shuttle
spaghetti western
sparring-partner
speaker
special
speed
speedway
spencer
spider
spin-off
spiritual
split-level
sponsor
sponsoring
spotlight
spray
squadron
square
squash
squaw
stand-by
stand-in
standing
starlet
stash

statement
state of the art
steel band
steeplechaser
sten
stengun
stick
sticker
stilton
stock
stock-car
stock-car race
stoned
stop-loss order
stop-volley
stopwatch
story
stout
straight
strapless
streaker
stretcher
strip poker
striptease
styling
surf-riding
suspence
swagger
sweat shirt
synthesizer

tab
tackle
take
take-off
talent scout
talking blues
talk show
tanker
tape deck
tape recorder
target
tartan
T-bone steak
teak
team sport
teamwork
teenager
teleprocessing
thinner
thriller
ticket
tilbury
time-out
timer
timesharing
timing
tipsy
tissue
toeclip
tomahawk
tommy
tonic
topless
top secret
toss
total hip
tourist class
tour operator
track

tractor
trademark
traffipax camera
trainee
tramp
transfer
transfer-RNA
transmitter
transponder
trawler
trench coat
trendsetter
trendy
trial
trick
triggerzone
troubleshooter
trustee
T-shirt
tumbler
tuner
turbofan
tv producer
tweeter
twin-job
twin-set
twist
two-seater
typecasting

UFO
U.K.
umpire
UNCTAD
underdog
underground
understatement
UNESCO
UNICEF
UNIFIL
unit
upgrading
uppercut
upper ten
ups and downs
up-to-date

varsity
verdict
VHD
VHS
videoclip
videojockey
videotape
viewdata
viewer
vintage
vip
volley

walkie-talkie
walk-in
walkman
walk-over
warrant
warranty
watchman
way of life
wedgwood
weed

wet suit
wherry
whippet
whirlpool
wicket
wicketkeeper
winch
windcharger
wisecrack
wishful thinking
word processing
word processor
workaholic
workmate
workshop
wow

yank
yard
yawl
yell
yorkshire terrier

Spreekwoordenlijst

Het vetgedrukte Nederlandse woord in elk spreekwoord duidt aan dat er op dat woord gealfabetiseerd is. Er is getracht de betekenis van de spreekwoorden door middel van gelijkwaardige Engelse spreekwoorden weer te geven. In zulke gevallen is de Engelse tekst cursief gezet. Vertaalvarianten worden voorafgegaan door een ⇒. Indien geen equivalent, maar wel een enigszins vergelijkbaar spreekwoord voorhanden was, is dat door middel van het symbool ± aangeduid. In een beperkt aantal gevallen was het alleen mogelijk de betekenis van het Nederlandse spreekwoord te verklaren. Zo'n Engelse verklaring is steeds romein gezet.

1 Wie **a** zegt, moet ook b zeggen.
In for a penny, in for a pound.
2 **Aalmoezen** geven verarmt niet.
(*Great*) *almsgiving lessens no man's living.*
⇒ *Alms never make poor.*
⇒ *He that giveth to the poor shall not lack.*
3 De **aanhouder** wint.
It's dogged that / as does it.
⇒ *If at first you don't succeed, try, try, try again.*
⇒ *Slow and steady wins the race.*
4 Al draagt een **aap** een gouden ring, het is en blijft een lelijk ding.
An ape's an ape, a varlet's a varlet, though they be clad in silk or scarlet.
5 **Aarde** wil van aarde niet.
± *What's bred in the bone comes out in the flesh.*
6 Geen wijzer **abt** dan die eerst monnik is geweest.
± *He that cannot obey cannot command.*
7 Als de **abt** kaart speelt, dan troeven ook de monniken.
± *Like priest, like people.*
⇒ ± *Like master, like man.*

Spreekwoordenlijst

8 **Adel** verplicht.
Noblesse oblige.
9 De **afwezigen** hebben altijd ongelijk.
The absent are always in the wrong.
⇒ *The absent party is always to blame.*
10 **Aken** en Keulen zijn niet op één dag gebouwd.
Rome was not built in a day.
11 Aan **alles** komt een eind.
Everything has an end.
⇒ *All (good) things must come to an end.*
12 **Alles** of niets.
All or nothing.
⇒ *Feast or famine.*
13 Twaalf **ambachten,** dertien ongelukken.
Jack of all trades and master of none.
14 **Andere** tijden, andere zeden.
Other times, other manners.
⇒ *Other days, other ways.*
15 **Angst** geeft vleugels.
Fear lends / gives wings.
⇒ ± *Despair gives courage to a coward.*
16 Beter een **anker** kwijt dan het schip.
Lose a leg rather than a life.
17 Eén rotte **appel** in de mand maakt al het gave fruit te schand.
One rotten apple can spoil the whole barrel.
⇒ *The rotten apple injures its neighbours.*
18 De **appel** valt niet ver van de boom (de stam).
The apple never falls far from the tree.
⇒ *Like father, like son.*
19 Op de eerste **April** stuurt men de gekken waar men wil.
On the 1st of April, hunt the gowk another mile.
⇒ *On the 1st of April, you may send a fool / gowk whither you will.*
20 **Arbeid** adelt.
There is nobility in labour.
⇒ ± *Work is no disgrace.*
21 Na gedane **arbeid** is het goed rusten.
When work is over rest is sweet.
⇒ *After the work is done repose is sweet.*
22 Een **arbeider** is zijn loon waard.
The labourer is worthy of his hire.
23 Hij is niet **arm** die weinig heeft, maar die met veel begeerten leeft.
He is rich that has few wants.
24 **Arm** met eren, kan niemand deren.
Poor but honest.
⇒ *Poverty is no crime / sin / disgrace.*
25 **Armoe** is geen schande.
Poverty is no crime / sin.
⇒ *Poverty is no disgrace (but it's a great inconvenience).*
26 Als de **armoe** de deur in komt, vliegt de liefde 't venster uit.
When poverty / the wolf comes in at the door, love flies / leaps / creeps out of the window.
27 **Armoede** zoekt list.
Necessity is the mother of invention.
28 Tegen de **avond** en de noen hebben de luiaards het meest te doen.
When the sun is in the west, lazy people work the best.
29 **Avondrood,** mooi weer aan boord; morgenrood, water in de sloot.
Red sky at night shepherd's / sailor's delight; red sky in the morning shepherd's / sailor's warning.
30 Er is altijd **baas** boven baas.
Every man may meet his match.
⇒ *A man always finds his master.*

31 Een schip op (het) strand, een **baken** in zee.
± *Wise men learn by other men's mistakes (, fools by their own).*
⇒ ± *One man's fault is another man's lesson.*
⇒ ± *Forewarned (is), forearmed.*

32 Als het (ge)tij verloopt, verzet men de **bakens.**
Trim your sails to the wind.
⇒ ± *Circumstances alter cases.*
⇒ ± *Cut your coat according to your cloth.*

33 Men moet zijn **bed** maken zoals men slapen wil.
As you make your bed, so must you lie upon it.

34 **Bedrog** loont zijn meester.
Cheats never prosper.

35 Op één **been** kan men niet lopen.
A bird never flew on one wing.
⇒ *Wet the other eye.*

36 Men moet de huid van de **beer** niet verkopen eer men hem geschoten heeft.
Don't count your chickens before they're hatched.
⇒ *Don't sell the skin till you've caught the bear.*

37 Alle **beetjes** helpen.
Every little helps.

38 Een goed **begin** is het halve werk.
Well begun is half done.
⇒ *The first blow is half the battle.*

39 Alle **begin** is moeilijk.
All things are difficult before they are easy.
⇒ *The first step is the hardest.*
⇒ *Every beginning is hard.*

40 **Beidt** uw tijd.
Bide your time.

41 **Beleefdheid** kost geen geld.
Courtesy costs nothing.
⇒ *There is nothing that costs less than civility.*

42 Een **belofte** in dwang en duurt niet lang.
Vows made in storms are forgotten in calms.

43 **Belofte** maakt schuld.
Promise is debt.

44 **Beloofd** is beloofd.
Promise is debt.
⇒ *A promise/bargain is a promise/bargain.*

45 Veel **beloven** en weinig geven doet de gekken in vreugde leven.
To promise and give nothing is comfort to a fool.
⇒ ± *It is one thing to promise and another to perform.*

46 Het zijn sterke **benen** (het moeten sterke benen zijn) die de weelde kunnen dragen.
± *Set a beggar on horseback and he'll ride to the devil.*

47 Beter **benijd** dan beklaagd.
Better be envied than pitied.

48 Oude **beren** dansen leren is zwepen verknoeien.
You cannot teach/It's hard to teach an old dog new tricks.

49 Als de **berg** niet tot Mohammed komt, zal Mohammed tot de berg komen.
If the mountain will not come to Mahomet, Mahomet must go to the mountain.

50 **Berooide** beurs, berooide zinnen.
A light purse makes a heavy heart.

51 **Berouw** komt na de zonde.
Repentance (always) comes too late.

52 Het **beste** is de vijand van het goede.
The best is the enemy of the good.

53 Wie **betaalt,** bepaalt.
He who pays the piper calls the tune.

54 Een lege **beurs** staat moeilijk recht.
± *An empty sack cannot stand upright.*

55 Wie wat **bewaart** heeft wat.
± *Waste not, want not.*
⇒ ± *Of saving comes having.*

56 Men kan vaak niet **bezeilen** wat men bestevent.
The best-laid schemes of mice and men gang aft agley.
⇒ ± *Man proposes, God disposes.*

57 Nieuwe **bezems** vegen schoon.
New brooms sweep/A new broom sweeps clean.

58 **Bezint** eer gij begint.
Look before you leap.
⇒ ± *Fools rush in where angels fear to tread.*

59 Wie zijn **billen** brandt, moet op de blaren zitten.
As you sow, so shall you reap.
⇒ *As you make your bed, so must you lie on it.*

60 **Bitter** in de mond maakt het hart gezond.
Bitter pills may have blessed effects.

61 Beter hard **geblazen** dan de mond gebrand.
Better be safe/sure than sorry.

62 **Blijven** doet beklijven.
A rolling stone gathers no moss.

63 Als de **blinde** de blinde leidt, dan vallen ze beiden in de gracht.
When/If the blind lead the blind, both shall fall into the ditch.

64 In het land der **blinden** is éénoog koning.
In the country of the blind, the one-eyed man is king.

65 Beter **blo** Jan dan do Jan.
Better a live coward/dog than a dead lion.
⇒ *He that fights and runs away may live to fight another day.*
⇒ *Discretion is the better part of valour.*

66 Het **bloed** kruipt waar het niet gaan kan.
± *Breeding will out.*
⇒ ± *Blood will tell.*

67 Men moet de **bluts** tegen de buil stellen.
What you lose on the swings you make up on the roundabouts.
⇒ ± *You win a few, you lose a few.*

68 De beste **bode** is de man zelf.
± *If you want a thing well done, do it yourself.*
⇒ ± *If you would be well served, serve yourself.*

69 De hinkende **bode** komt achteraan.
The lame post brings the truest news.
⇒ ± *Don't count your chickens before they are hatched.*

70 In andermans **boeken** is het duister lezen.
It is difficult to understand another man's affairs.

71 Wat een **boer** niet kent dat vreet hij niet.
Some people don't trust anything they don't know.

72 De domste **boeren** hebben de dikste aardappels.
Fortune favours fools.

73 Een oude **bok** lust nog wel een groen blaadje.
± *There's life in the old dog yet.*

74 Oude **bokken** hebben stijve horens.
Old men are stubborn.

75 Men moet geen oude **bomen** verzetten/verplanten.
Remove an old tree and it will wither to death.
⇒ *You can't teach an old dog new tricks.*

76 Hoge **bomen** vangen veel wind.
The bigger they are, the harder they fall.
⇒ *Great winds blow upon high hills.*
⇒ *A great tree attracts the wind.*

77 De **boog** kan niet altijd gespannen zijn.
A bow long bent at last waxes weak.
⇒ ± *You can't burn the candle at both ends.*

78 Aan de vruchten kent men de **boom.**
A tree is known by its fruit.

79 Een **boom** valt niet met de eerste slag.
An oak is not felled at one stroke.

80 Men moet de **boom** buigen als hij jong is.
As the twig is bent, so is the tree inclined.

81 Kleine **boompjes** worden groot.
± *Great oaks from little acorns grow.*

82 **Boontje** komt om zijn loontje.
He that mischief hatches, mischief catches.

83 Die aan **boord** is, moet meevaren.
± *He who rides a tiger is afraid to dismount.*
⇒ ± *In for a penny, in for a pound.*

84 Eerst in de **boot**, keur van riemen.
First come, first served.
⇒ *The early bird catches the worm.*

85 **Borgen** brengt zorgen.
He that goes a-borrowing, goes a-sorrowing.

86 Wie **boter** op zijn hoofd heeft, moet niet in de zon lopen.
Those who live in glass houses should not throw stones.
⇒ ± *Be not a baker if your head be of butter.*

87 Het is **botertje** tot de boom.
Everything in the garden is lovely.

88 Een kleine vonk ontsteekt weleens een grote **brand**.
Little sparks kindle great fires.

89 Wie het **breed** heeft, laat het breed hangen.
They that have plenty of butter can lay it on thick.

90 De beste **breister** laat wel eens een steek vallen.
It's a good horse that never stumbles.
⇒ *Even Homer sometimes nods.*
⇒ *To err is human.*
⇒ *No man is infallible.*

91 Elk ziet door zijn eigen **bril**.
± *Men are blind in their own cause.*

92 Van **brood** alleen kan de mens niet leven.
Man cannot live by bread alone.

93 Wiens **brood** men eet, diens woord men spreekt.
He who pays the piper calls the tune.

94 Bij gebrek aan **brood** eet men korstjes van pasteien.
If water cannot be had we must make shift with wine.

95 Overal wordt brood **gebakken**.
± *When one door shuts another opens.*

96 Van **bruiloft** komt bruiloft.
One wedding brings another.

97 **Brutalen** hebben de halve wereld.
± *Fortune favours the bold.*
⇒ ± *Faint heart never won fair lady.*

98 Het is beter te **buigen** dan te barsten.
Better bend than break.
⇒ *A reed before the wind lives on, while mighty oaks do fall.*

99 Beter een goede **buur** dan een verre vriend.
A good neighbour is worth more than a far friend.

100 **Buurmans** leed troost.
± *It is easy to bear the misfortunes of others.*

101 De eerste klap is een **daalder** waard.
The first blow is half the battle.

102 De **dader** ligt op het kerkhof.
± *The cat did it.*

103 Elke **dag** heeft genoeg aan zijn eigen kwaad.
Sufficient unto the day is the evil thereof.
⇒ ± *Don't meet trouble half-way.*
⇒ ± *Never trouble trouble till trouble troubles you.*

104 Hoe later op de **dag**/avond, hoe schoner volk.
± *The best guests always come late.*

105 Men moet de **dag** niet vóór de avond prijzen.
± *The opera isn't over till the fat lady sings.*
⇒ ± *Do not triumph before the victory.*
⇒ ± *There's many a slip 'twixt the cup and the lip.*

106 Je kunt wel **dansen** al is 't niet met de bruid.
± *A wise man cares not for what he cannot have.*
⇒ ± *A man must plough with such oxen as he has.*

107 **Deugd** beloont zichzelf.
Virtue is its own reward.

108 Eens een **dief**, altijd een dief.
Once a thief, always a thief.

109 Elk is een **dief** in zijn nering.
± *Near is my shirt, but nearer is my skin.*
⇒ ± *Every man for himself, and the devil take the hindmost.*

110 De ene **dienst** is de andere waard.
One good turn deserves another.

111 Met **dieven** vangt men dieven.
Set a thief to catch a thief.
⇒ *An old poacher makes the best keeper.*

112 Alle **dingen** hebben twee handvatten.
There are two sides to every question.

113 Die de **dochter** trouwen wil, moet met de moeder vrijen.
He that would the daughter win, must with the mother first begin.

114 Van de **doden** niets dan goeds.
Never speak ill of the dead.
⇒ *Speak well of the dead.*

115 **Doe** wel en zie niet om.
Do well and fear not.
⇒ ± *Virtue is its own reward.*

116 Het **doel** heiligt de middelen.
The end justifies the means.

117 Al **doende** leert men.
Experience is the best teacher.
⇒ ± *Practice makes perfect.*

118 Hans komt door zijn **domheid** voort.
± *Fortune favours fools.*

119 **Dode** honden bijten niet (al zien ze lelijk).
Dead men don't bite.
⇒ ± *Dead men tell no tales.*

120 De een zijn **dood** is de ander zijn brood.
One man's breath is another man's death.

121 Tegen de **dood** is geen kruid gewassen.
There is a remedy for everything except/but death.

122 Als de **dood** ons neervelt, is het uit met goed en geld.
You can't take it with you when you go/die.
⇒ *Shrouds have no pockets.*

123 De bleke **dood** spaart klein nog groot.
± *Death is sure to all.*
⇒ ± *Death is the great leveller.*

124 Je kunt maar één **dood** sterven.
A man can only die once.

125 't Is een slecht **dorp** waar 't nooit kermis is.
± *All work and no play makes Jack a dull boy.*
⇒ ± *Variety is the spice of life.*

126 Er zijn geen erger **doven** dan die niet horen willen.
There's none so deaf as those who won't hear.

127 Elke dag een **draadje** is een hemdsmouw in een jaar.
A pin a day is a groat a year.
⇒ ± *Many little/mickle makes a mickle/muckle.*
⇒ ± *Penny and penny laid up will be many.*

128 Gestolen **drank** is zoet.
Stolen pleasures are sweet(est).
⇒ *Stolen/forbidden fruit is sweet(est).*

129 **Drie** is teveel.
Two is company, three is a crowd/three is none.

130 Alle goede dingen bestaan in **drieën**.
All good things go by/come in threes.

131 **Driemaal** is scheepsrecht.
Third time lucky.

132 **Dromen** zijn bedrog.
Dreams are lies.
⇒ ± *Golden dreams make men awake hungry.*
⇒ ± *Dreams go by contraries.*

133 Wat men **dronken** doet, moet men nuchter bezuren.
Drunken days have all their tomorrows.

134 **Dronkemans** mond spreekt 's harten grond.
What soberness conceals, drunkenness reveals.
⇒ *In vino veritas.*

135 De gestadige **drup** holt de steen.
Constant dripping wears away the stone.

136 De laatste **druppel** doet de emmer overlopen.
The last drop makes the cup run over.
⇒ *The last straw breaks the camel's back.*

137 Wie voor een **dubbeltje** geboren is, wordt nooit een kwartje.
± *If you are born poor you will remain poor all your life.*

138 De **duivel** heeft het vragen uitgevonden.
± *Curiosity killed the cat.*

139 De **duivel** is zo zwart niet als men hem schildert.
The devil is not so black as he is painted.
⇒ *Give the devil his due.*

140 Wie met de **duivel** gescheept is, moet met hem over.
± *He who rides a tiger is afraid to dismount.*
⇒ *He that takes the devil into the boat must carry him over the sound.*

141 Men moet de **duivel** niet aan de wand schilderen.
± *Never trouble trouble till trouble troubles you.*

142 Als je van de **duivel** spreekt, trap je op zijn staart.
Talk of the devil and he is sure to appear.

143 De **duivel** schijt altijd op de grootste hoop.
The devil looks after his own.
⇒ ± *Money makes money.*

144 Ga nooit bij de **duivel** te biecht.
It is a foolish sheep that makes the wolf his confessor.
⇒ ± *Never tell your enemy your foot aches.*

145 Die met de **duivel** uit één schotel wil eten, moet een lange lepel hebben.
He who sups with the devil should have a long spoon.

146 **Duivels** zak is nooit vol.
± *A drunken man is always dry.*

147 **Edel**, arm en rijk maakt de dood gelijk.
The end makes all equal.
⇒ *Death is the great leveller.*

148 **Edel** van hart is beter dan hoog van afkomst.
Kind hearts are more than coronets.

149 **Eendracht** maakt macht.
United we stand, divided we fall.
⇒ *Union is strength.*

150 **Eer** is teer.
A good name is sooner lost than won.

151 Verloren **eer** keert moeilijk weer.
A good name is sooner lost than won.
⇒ *A wounded reputation is seldom cured.*

152 **Eerlijk** duurt het langst.
Honesty is the best policy.
⇒ ± *Cheats never prosper.*

153 Men **eet** om te leven, maar men leeft niet om te eten.
Eat to live, not live to eat.

154 **Effen** is kwaad treffen.
You can please all of the people some of the time, and some of the people all of the time, but you can't please all of the people all of the time.
⇒ *You can't please everyone.*

155 Beter een half **ei** dan een lege dop.
Half a loaf is better than no bread / than none.
⇒ *Half an egg is better than an empty shell.*
⇒ *Better some of a pudding than none of a pie.*

156 Men moet om een **ei** geen pannekoek bederven.
It is no use spoiling the ship for a ha'p'orth of tar.
⇒ *For want of a nail the shoe was lost.*
⇒ ± *Who repairs not his gutters repairs his whole house.*

157 Het **ei** wil wijzer zijn dan de kip / hen.
Don't teach your grandmother to suck eggs.

158 Men moet niet al zijn **eieren** onder één kip leggen.
Don't put all your eggs in one basket.

159 **Eind** goed, al goed.
All's well that ends well.

160 Het **eind** zal de lasten dragen.
± *The last mile is the longest.*

161 **Ere** wie ere toekomt.
Give credit where credit is due.
⇒ ± *Give the devil his due.*

162 Een **ezel** geeft een dode leeuw een schop.
It's easy to kick a man when he's down.
⇒ *Hares may pull dead lions by the beard.*

163 **Ezel** geboren moet ezel sterven.
± *If an ass goes a-travelling, he'll not come home a horse.*

164 De ene **ezel** schuurt de andere.
You scratch my back and I'll scratch yours.

165 Een **ezel** stoot zich geen tweemaal aan dezelfde steen.
Once bitten, twice shy.
⇒ *Wherever an ass falls, there will he never fall again.*

166 Van de **fijnen** en van motregen wordt men 't meest bedrogen.
± *Full of courtesy, full of craft.*

167 Die te wijd **gaapt,** verstuikt de mond.
Grasp all, lose all.

168 Een vette **gans** bedruipt zichzelf.
± *Good wine needs no bush.*
⇒ ± *Nothing succeeds like success.*

169 De **ganzen** krijgen de kost, maar ze moeten hem plukken.
± *If you won't work, you shan't eat.*

170 **Gasten** en vis blijven maar drie dagen fris.
Fish and guests smell in three days.
⇒ ± *A constant guest is never welcome.*

171 Wie **geboren** is om te hangen / voor de galg verdrinkt niet.
He that is born to be hanged shall never be drowned.

172 **Gedachten** zijn tolvrij.
Thought is free.

173 **Gedane** zaken nemen geen keer.
What's done is done.
⇒ *What's done cannot be undone.*

174 **Gedeelde** smart is halve smart.
A trouble / sorrow shared is a trouble / sorrow halved.
⇒ *Company in distress makes sorrow less.*

175 **Geduld** is een schone zaak / deugd.
Patience is a virtue.

176 **Geduld** overwint alles.
Everything comes to him who waits.

177 Wie **geeft** wat hij heeft, is waard dat hij leeft.
You cannot be expected to give more than you have.

178 Hoe groter **geest,** hoe groter beest.
Great men have great faults.
⇒ ± *The greater the man, the greater the crime.*

179 De **geest** is gewillig, maar het vlees is zwak.
The spirit is willing, but the flesh is weak.

180 Eens **gegeven** blijft gegeven.
± *Give a thing, and take a thing, to wear the Devil's gold ring.*

181 Waar **gehakt** wordt vallen spaanders.
You cannot make an omelette without breaking eggs.

182 Elke **gek** heeft zijn gebrek.
± *Every man has his faults.*

183 Eén **gek** kan meer vragen dan tien wijzen kunnen beantwoorden.
A fool may ask more questions in an hour than a wise man can answer in seven years.

184 **Gekken** en dwazen schrijven hun namen op deuren en glazen.
A white wall is a fool's paper.

185 Als de **gekken** ter markt komen, verdienen de kramers geld.
A fool and his money are soon parted.

186 De **gekken** krijgen de kaart.
Fortune favours fools.

187 Al **gekkende** ende mallende zeggen de boeren de waarheid.
Many a true word is spoken in jest.

188 **Geld** alleen brengt geen geluk/maakt niet gelukkig.
Riches alone make no man happy.
⇒ ± *Money isn't everything.*

189 **Geld** dat stom is, maakt recht wat krom is.
Rich men's spots are covered with money.
⇒ ± *A rich man can do nothing wrong.*

190 **Geld** doet alle deuren open.
A golden key opens every door.
⇒ ± *Money makes the world go round.*

191 Voor **geld** en goede woorden is alles te koop.
± *When money speaks the world is silent.*
⇒ ± *Money talks.*

192 **Geld** moet rollen.
You can't take it with you (when you die/go).
⇒ ± *Money is there to be spent.*

193 Geen **geld** geen Zwitsers.
No pay, no play.
⇒ *No penny, no paternoster.*
⇒ *You can't get something for nothing.*

194 **Geld** verzoet de arbeid.
Payment makes work tolerable.

195 **Geld** stinkt niet.
Money does not smell.

196 **Geld**/bezit is de wortel van alle kwaad.
(The love of) Money is the root of all evil.

197 **Geld** is een goede dienaar, maar een slechte meester.
Money is a good servant, but a bad master.

198 Waar **geld** is, wil geld zijn.
Money begets money.
⇒ ± *Nothing succeeds like success.*

199 Voor **geld** kan men de duivel laten dansen.
± *All things are obedient to money.*

200 Schoon **geld** kan veel vuil dekken.
± *Rich men's spots are covered with money.*
⇒ ± *Ready money is a ready medicine.*

201 **Geld** maakt vrienden.
He that hath a full purse never wanted a friend.
⇒ ± *Success has many friends.*

202 **Geld** regeert de wereld.
Money governs the world.
⇒ *Money makes the world go round.*

203 Veel **geld,** veel zorgen.
Much coin, much care.

204 **Geld** vermag alles.
Money is power.
⇒ *Money talks.*
⇒ *A golden key opens every door.*

205 **Geld** zoekt geld.
Money begets/makes money.

206 Vlug **geleerd,** vlug vergeten.
Soon learnt, soon forgotten.

207 De **gelegenheid** maakt de dief.
Opportunity makes the thief.

208 **Gelijk** zoekt zijn gelijk.
Like will to like.
⇒ *Birds of a feather flock together.*

209 **Geloof** verzet bergen.
Faith will move mountains.

210 Het **geluk** helpt de dapperen.
Fortune favours the bold.

211 Het **geluk** is altijd met de sterksten.
God/Providence is always on the side of the big battalions.

212 Het **geluk** is met de dommen.
Fortune favours fools.

213 **Geneesheer,** genees uzelf.
Physician, heal thyself.

214 Het **gemak** dient de mens.
± *Cross the stream where it is shallowest.*
⇒ ± *Men leap over where the hedge is lowest.*

215 **Genoeg** is genoeg.
Enough is enough.

216 **Genoeg** is meer dan veel.
± *Enough is as good as a feast.*

217 Goed **gereedschap** is het halve werk.
You need the right tools for the job.

218 Velen zijn **geroepen,** maar weinigen uitverkoren.
Many are called, but few are chosen.

219 De **geschiedenis** herhaalt zich.
History repeats itself.

220 Wat gij niet wilt dat u **geschiedt,** doe dat ook een ander niet.
Do unto others as you would they should do unto you.
⇒ *Do as you would be done by.*

221 Veel **geschreeuw** maar weinig wol.
Much cry and little wool.
⇒ *Much ado about nothing.*

222 **Geweld** gaat boven recht.
Might is right.

223 Het eerste **gewin** is kattegespin.
± *Win at first and lose at last.*

224 Zo **gewonnen** zo geronnen.
Easy come, easy go.
⇒ *Lightly come, lightly go.*

225 **Gewoonte** is een tweede natuur.
Habit is (a) second nature.

226 Eens **gezegd,** blijft gezegd.
A word spoken is past recalling.
⇒ *When the word is out it belongs to another.*
⇒ ± *What's done is done.*

227 **Gezelligheid** kent geen tijd.
± *Pleasant hours fly fast.*

228 Goed **gezelschap** maakt korte mijlen.
Good company on the road is the shortest cut.

229 **Gezondheid** is een grote schat.
Health is great riches.
⇒ ± *Health is better than wealth.*

230 **Gierigheid** is de wortel van alle kwaad.
The love of money is the root of all evil.

231 Wie in een **glazen** huis woont, moet niet met stenen gooien.
Those/people who live in glass houses should not throw stones.

232 Waar **God** een kerk sticht, bouwt de duivel een kapel.
Where God builds a church, the Devil will build a chapel.

233 **God** geeft kracht naar kruis.
God shapes/makes/fits the back to the burden.

234 **God** laat niet met zich spotten.
God is not mocked.

235 **Gods** molens malen langzaam.
The mills of God grind slowly, yet they grind exceeding small.

236 **Gods** wegen zijn ondoorgrondelijk.
God moves in a mysterious way.

237 Aan **Gods** zegen is alles gelegen.
± *Man proposes, God disposes.*

238 Wie **goed** doet, goed ontmoet.
± *Do as you would be done by.*

239 Gestolen **goed** gedijt niet.
Ill-gotten gains never prosper.
⇒ ± *Crime doesn't pay.*

240 Al te **goed** is buurmans gek.
± *All lay load on a willing horse.*
⇒ ± *Submitting to one wrong brings on another.*
⇒ ± *He that makes himself a sheep shall be eaten by the wolf.*

241 **Goedkoop** is duurkoop.
Best is cheapest.
⇒ *A good bargain is a pickpurse.*

242 Het is niet al **goud** wat er blinkt.
All that glitters/glisters is not gold.

243 Onder het beste **graan** vindt men wel onkruid.
± *There's a black sheep in every flock.*
⇒ ± *Every family has a skeleton in the cupboard.*

244 In het **graf** kun je niets meenemen.
You can't take it with you when you go/die.

245 Vrees de **Grieken,** ook al brengen zij geschenken.
Fear the Greeks (when) bearing gifts.

246 De **haan** kraait het hardst op zijn eigen mesthoop.
Every cock crows on his own dunghill.

247 Eigen **haard** is goud waard.
Home is home(, be it ever so homely).
⇒ *Home is where the heart is.*
⇒ *East, west, home's best.*

248 Een **haas** wil altijd weer naar de streek waar hij geboren is.
The hare always returns to her form.

249 **Haastig** getrouwd, lang berouwd.
Marry in haste and repent at leisure.

250 **Haast** en spoed/haastige spoed (is) zelden goed.
(The) More haste, (the) less speed.
⇒ *Haste makes waste.*
⇒ *Make haste slowly.*

251 **Haast** u langzaam.
Make haste slowly.

252 Beter ten **halve** gekeerd, dan ten dele gedwaald.
± *A fault confessed is half redressed.*

252 Een zilveren **hamer** verbreekt ijzeren deuren.
A golden key opens every door.

254 Als de ene **hand** de andere wast, worden ze beide schoon.
One hand washes the other.
⇒ *You scratch my back and I'll scratch yours.*

255 Veel **handen** maken licht werk.
Many hands make light work.

256 **Hardlopers** zijn doodlopers.
± *Haste trips over its own heels.*
⇒ ± *More haste, less speed.*

257 Je moet van je **hart** geen moordkuil maken.
You must say what's on your mind.

258 Waar het **hart** vol van is, vloeit de mond van over.
Out of the abundance of the heart the mouth speaketh.

259 Alle **havens** schutten geen wind.
± *Do not halloo till you are out of the wood.*

260 Late **haver** komt ook op.
± *Better late ripe and bear, than early blossom and blast.*

261 Wie twee **hazen** jaagt, vangt er geen enkele.
If you run after two hares you will catch neither.

262 Als hadden komt, is **hebben** te laat.
± *A mill cannot grind with the water that is past.*
⇒ ± *Christmas comes but once a year.*
⇒ ± *Opportunity seldom knocks twice.*

263 **Hebben** is hebben en krijgen is de kunst.
± *Possession is nine points of the law.*
⇒ ± *Have is have.*

264 **Heden** rood, morgen dood.
Here today and gone tomorrow.

265 **Heden** ik, morgen gij.
± *Today you, tomorrow me.*

266 Zachte **heelmeesters** maken stinkende wonden.
± *Desperate diseases need/must have/require desperate remedies.*

267 Onze Lieve **Heer** heeft rare kostgangers.
There's nowt so queer as folk.
⇒ *It takes all sorts to make a world.*

268 Zo **heer,** zo knecht.
Like master, like man.

269 Men moet geen **hei** roepen voor men over de brug is.
Don't halloo/whistle before you are out of the wood.

270 Het zijn niet allen **heiligen,** die gaarne/veel ter kerke gaan.
All are not saints that go to church.

271 Als 't **hek** van de dam is, lopen de schapen overal.
± *When the cat's away the mice will play.*

272 De **heler** is zo goed als de steler.
The receiver is as bad as the thief.

273 **Help** u zelf, zo helpt u God.
God/Heaven helps those who help themselves.

274 Het **hemd** is nader dan de rok.
Near is my shirt, but nearer is my skin.
⇒ *Near is my kirtle, but nearer is my smock.*
⇒ ± *Charity begins at home.*

275 Als de **herder** dwaalt, dolen de schapen.
± *Like priest, like people.*
⇒ ± *Like master, like man.*

276 Een goede **herder** zal zijn schapen wel scheren, maar niet villen.
A good shepherd must fleece his sheep, not flay them.

277 Met grote **heren** is het kwaad kersen eten.
± *He who sups with the devil should have a long spoon.*
⇒ *Those that eat cherries with great persons shall have their eyes squirted out with the stones.*

278 Wat de **heren** wijzen, moeten de gekken prijzen.
Whatever rulers do agree, their subject fools must laud with glee.

279 Nieuwe **heren,** nieuwe wetten.
New lords, new laws.

280 Met de **hoed** in de hand komt men door het ganse land.
± *There's nothing lost by civility.*
⇒ ± *Manners maketh man.*

281 Het is goed om te weten uit welke **hoek** de wind waait.
It's as well to know which way the wind blows.

282 Jong een **hoer,** oud onder de preekstoel.
Wanton kittens make sober cats.

283 Als men een **hond** wil slaan, kan men licht een stok vinden.
A staff is quickly found to beat a dog.
⇒ *Any stick will do to beat a dog.*
⇒ ± *Give a dog a bad name (and hang him).*

284 Komt men over de **hond,** dan komt men ook over de staart.
± *Well begun is half done.*
⇒ ± *Good beginnings have good endings.*

285 Wie zich voor **hond** verhuurt, moet de botten kluiven.
± *Don't make yourself a mouse, or the cat will eat you.*
⇒ ± *All lay load(s) on a willing horse.*

286 Met onwillige **honden** is het kwaad hazen vangen.
± *One volunteer is worth two pressed men.*
⇒ ± *You can lead a horse to water, but you can't make him drink.*

287 Men moet geen slapende **honden** wakker maken.
Let sleeping dogs lie.

288 Blaffende **honden** bijten niet.
Barking dogs don't bite.

289 Als oude **honden** blaffen, is het tijd om uit te zien.
An old dog barks not in vain.
⇒ *If the old dog bark, he gives counsel.*

290 Wie met **honden** omgaat, krijgt vlooien.
If you lie down with dogs, you will get up with fleas.
⇒ ± *He that toucheth pitch shall be defiled.*

291 Kwade **honden** bijten elkaar niet.
Dog does not eat dog.
⇒ *There is honour among thieves.*

292 Als twee **honden** vechten om een been, loopt de derde ermee heen.
Two dogs fight for a bone, and a third runs away with it.

293 Er zijn meer **hondjes** die Fikkie heten.
There are many people with the same name (as me/him/them etc.).

294 **Honger** maakt rauwe bonen zoet.
Hunger is the best sauce.

295 Zoveel **hoofden,** zoveel zinnen.
So many men, so many opinions.

296 **Hoogmoed** komt voor de val.
Pride goes before a fall.

297 Men moet niet te veel **hooi** op zijn vork nemen.
Don't bite off more than you can chew.
⇒ *Don't have too many irons in the fire.*

298 Men moet **hooien** als de zon schijnt.
Make hay while the sun shines.
⇒ *Strike while the iron is hot.*

299 **Hoop** doet leven.
If it were not for hope, the heart would break.
⇒ ± *Hope springs eternal in the human breast.*
⇒ ± *While there is life there is hope.*

300 **Hoop** is de staf van de wieg tot het graf.
± *If it were not for hope, the heart would break.*
⇒ ± *Hope springs eternal in the human breast.*
⇒ ± *While there is life there is hope.*

301 Voor wat **hoort** wat.
You scratch my back and I'll scratch yours.
⇒ ± *One good turn deserves another.*

302 Wie niet **horen** wil, moet voelen.
± *Advice when most needed is least heeded.*
⇒ ± *He that will not be counselled cannot be helped.*

303 **Horen,** zien en zwijgen.
Hear all, see all, say nowt/nothing.

304 Alle **hout** is geen timmerhout.
Every reed will not make a pipe.

305 Men moet **huilen** met de wolven in het bos.
When in Rome do as the Romans do.
⇒ ± *Do as most men do, then most men will speak well of you.*

306 In 't **huis** van de gehangene spreekt men niet over de strop.
Name not a rope in the house of him that hanged himself.

307 Elk **huisje** heeft zijn kruisje.
± *Every man has his cross to bear.*

308 **Huwelijken** worden in de hemel gesloten.
Marriages are made in heaven.

309 **Ieder** voor zich en God voor ons allen.
Every man for himself, and God for us all/and the Devil take the hindmost.

310 **Ieder** weet het best waar hem de schoen wringt.
Only the wearer knows where the shoe pinches.

311 Men moet het **ijzer** smeden als het heet is.
Strike while the iron is hot.
⇒ *Make hay while the sun shines.*
⇒ *Hoist your sail when the wind is fair.*

312 Waar niet **is** verliest zelfs de keizer zijn recht(en).
You can't get blood out of a stone.

313 Wat **Jantje** niet leert, zal Jan nooit kennen.
± *The child is father of the man.*
⇒ ± *As the twig is bent, so is the tree inclined.*

314 Wie de **jeugd** heeft, heeft de toekomst.
± *The hand that rocks the cradle rules the world.*

315 Twee **Joden** weten wel wat een bril kost.
± *Diamond cut diamond.*
⇒ ± *When Greek meets Greek, then comes the tug of war.*

316 **Jong** te paard, oud te voet.
± *An idle youth, a needy age.*

317 Wie **jong** rijdt, moet oud lopen.
± *An idle youth, a needy age.*

318 **Jong** geleerd, oud gedaan.
± *Learn young, learn fair.*
⇒ ± *What's learnt in the cradle lasts till the tomb.*

319 De **kaars** die voorgaat, licht best.
± *Example is better than precept.*
⇒ ± *Practice what you preach.*

320 Wie **kaatst** moet de bal verwachten.
Those who play at bowls must look out for rubbers.
⇒ ± *Do as you would be done by.*

321 **Kakelen** is nog geen eieren leggen.
The greatest talkers are the least doers.
⇒ ± *A man of words and not of deeds is like a garden full of weeds.*

322 Hoe **kaler,** hoe royaler.
The less you've got, the more you spend.

323 Als het **kalf** verdronken is, dempt men de put.
It's too late to lock the stable door after the horse has bolted.

324 Die het onderste uit de **kan** wil hebben, krijgt het lid/deksel op de neus.
Grasp all, lose all.

325 Geen twee **kapiteins** op een schip.
± *If two men ride on a horse, one must ride behind.*

326 Een **kat** komt altijd op zijn pootjes terecht.
± *A cat has nine lives.*

327 Als de **kat** van huis is, dansen de muizen (op tafel).
When the cat's away the mice will play.

328 Een **kat** in nood maakt rare sprongen.
± *A drowning man will clutch at a straw.*
⇒ ± *Necessity is the mother of invention.*

329 Als **katjes** muizen, mauwen ze niet.
± *A mewing cat is a bad mouser.*
⇒ ± *A bleating sheep loses a bite.*

330 **Ken** u zelf.
Know thyself.

331 **Kennis** is macht.
Knowledge is power.

332 Hoe dichter bij de **kerk,** hoe groter geus.
The nearer the church, the farther from God.

333 Het is niet alle dagen **kermis.**
Life is not all beer and skittles.

334 De **keten** is zo sterk als de zwakste schakel.
A chain is no stronger than its weakest link.
⇒ *The strength of the chain is in the weakest link.*

335 Elke **ketter** heeft zijn letter.
The Devil can cite/quote Scripture for his purpose/his own ends.

336 **Kiezen** is/doet verliezen.
You can't have your cake and eat it.
⇒ *You can't have it/things both ways.*

337 Waar twee **kijven** hebben twee/beiden schuld.
It takes two to make a quarrel.

338 Je kunt van een **kikker** geen veren plukken.
You can't get blood out of a stone.

339 **Kinderen** en gekken/dronken mensen zeggen de waarheid.
Children and fools cannot lie.

340 Lieve **kinderen** mogen wel een potje breken.
± *One man may steal a horse, while another may not look over a hedge.*

341 Wie zijn **kinderen** liefheeft, kastijdt ze.
Spare the rod and spoil the child.

342 **Kinderen** zijn kinderen.
± *Boys will be boys.*

343 Een **kinderhand** is gauw gevuld.
Children are easily pleased.

344 Men moet de **kip** met de gouden eieren niet slachten.
Kill not the goose that lays the golden eggs.

345 Waar geen **klager** is, is geen rechter.
± *He who excuses himself accuses himself.*
⇒ ± *He who denies all confesses all.*

346 **Klagers** hebben geen nood.
People who complain are not always really in difficulty.

347 De grootste **klappers** zijn de minste doeners.
They brag most who can do least.

348 Voeg bij het **kleine** dikwijls wat, dan wordt het eens een grote schat.
Little and often fills the purse.
⇒ *Take care of the pence/pennies and the pounds will take care of themselves.*
⇒ *Many a little makes a mickle.*
⇒ *Many a mickle makes a muckle.*

349 **Kleine** mensen, kleine wensen.
Small/little things please small/little minds.

350 Die het **kleine** niet eert, is het grote niet weerd.
± *Take care of the pence/pennies and the pounds will take care of themselves.*

351 Veel **kleintjes** maken een grote.
Many a little makes a mickle.
⇒ *Many a mickle makes a muckle.*

352 (De) **Kleren** maken de man.
The tailor makes the man.
⇒ *Fine feathers make fine birds.*

353 (De) **Kleren** maken de man niet.
Clothes do not make the man.

354 **Klinkt** het niet dan botst het.
± *Nothing ventured nothing gained.*

355 Wie de **klok** luidt, kan niet in de processie gaan.
± *A man cannot be in two places at once.*

356 Zoals het **klokje** thuis tikt, tikt het nergens.
East (or) west, home's best.
⇒ *There's no place like home.*

357 Beter grote **knecht** dan kleine baas.
± *Better be the head of a dog than the tail of a lion.*

358 Voor een harde **knoest** moet een harde beitel zijn.
± *Desperate diseases require/must have/need desperate remedies.*

359 Wie de **koe** toekomt, vat hem bij de horens.
Take the bull/The bull must be taken by the horns.

360 Men noemt geen **koe** bont, of er is een vlekje aan.
There's no smoke without fire.

361 Men kan niet weten hoe een **koe** een haas vangt.
± *You never know your luck.*
⇒ ± *Nothing is impossible (to a willing heart).*

362 Men moet geen oude **koeien** uit de sloot halen.
Let bygones be bygones.
⇒ ± *Forgive and forget.*

363 Veel **koks** verzouten de brij.
Too many cooks spoil the broth.

364 Het zijn niet allen **koks** die lange messen dragen.
± *All are not thieves that dogs bark at.*
⇒ ± *You can't tell a book by its cover.*

365 Eerst het **kooitje** klaar en dan het vogeltje erin.
First thrive and then wive.

366 De **kop** moet het gat verkopen.
± *A fair face is half a portion.*

367 Geen **koren** zonder kaf.
There is no wheat without chaff.

368 De **kost** gaat voor de baat uit.
± *Throw out a sprat to catch a mackerel.*
⇒ ± *You must lose a fly to catch a trout.*
⇒ ± *Nothing venture, nothing gain/have.*

369 Een vliegende **kraai** vindt altijd wat.
± *Nothing seek, nothing find.*
⇒ ± *Seek and ye shall find.*

370 Een bonte **kraai** maakt nog geen winter.
± *One swallow does not make a summer.*

371 **Kreupel** wil altijd voordansen.
± *Fools rush in where angels fear to tread.*
⇒ ± *Empty vessels make the most noise/greatest sound.*

372 De **kruik** gaat zo lang te water, tot ze breekt/berst.
The pitcher goes so often to the well that it is broken at last.

373 Die een **kuil**/put graaft voor een ander valt er zelf in.
± *Whoso diggeth a pit shall fall therein.*

374 Die **kwaad** doet haat het licht.
± *He that does ill hates the light.*

375 Het **kwaad** straft zichzelf.
Every sin brings its punishment with it.
⇒ ± *Give a thief enough rope and he'll hang himself.*

376 **Kwaliteit** is belangrijker dan/gaat boven kwantiteit.
Quality, not quantity.

377 Beter **laat** dan nooit.
Better late than never.

378 De **laatsten** zullen de eersten zijn.
The last shall be first.

379 **Lachen** is gezond.
Laugh and grow fat.

380 Wie het laatst **lacht,** lacht het best.
He laughs best who laughs last.
⇒ *He who laughs last laughs longest.*

381 Men kan niet het **laken** hebben en het geld houden.
You cannot have your cake and eat it.
⇒ *You cannot sell the cow and drink the milk.*

382 Ieder **land** heeft zijn trant.
So many countries, so many customs.

383 's **Lands** wijs 's lands eer.
When in Rome do as the Romans do.
⇒ *So many countries, so many customs.*

384 Bij kleine **lapjes** leert men een hond leer eten.
± *If at first you don't succeed, try, try, try again.*

385 **Ledigheid** is des duivels oorkussen.
The devil finds work for idle hands.

386 Die dan **leeft,** die dan zorgt.
Care killed the cat.
⇒ *It will all be the same a hundred years hence.*
⇒ ± *Time will tell.*

387 **Leer** om leer (sla je mij en ik sla je weer).
Tit for tat.
⇒ ± *An eye for an eye, and a tooth for a tooth.*

388 **Lekker** is maar een vinger lang.
± *All good things come to an end.*

389 **Lest** best.
The last is the best.

390 Van één **leugen** komen er veel.
One lie makes many.

391 Al is de **leugen** nog zo snel, de waarheid achterhaalt haar wel.
± *A lie has no legs.*
⇒ ± *A lie never lives to be old.*
⇒ ± *(The) Truth will out.*

392 Een **leugen** om bestwil is geen zonde.
± *Better a lie that heals than a truth that wounds.*

393 Een **leugenaar** moet een goed geheugen hebben.
A liar ought to/should have a good memory.

394 Een **leugenaar** wordt niet geloofd, al zweert hij bij zijn ziel en hoofd.
A liar is not believed when he speaks the truth.

395 **Leugens** hebben korte benen.
Lies have short legs.
⇒ *A lie has no legs.*
⇒ *(The) Truth will out.*

396 Men moet **leven** en laten leven.
Live and let live.

397 Zolang er **leven** is, is er hoop.
While there is life there is hope.
⇒ *Hope springs eternal in the human breast.*

398 Veel **leven** om niets.
Much ado about nothing.

399 **Liefde** is blind.
Love is blind.

400 De **liefde** van een man gaat door de/zijn maag.
The way to a man's heart is through his stomach

401 De **liefde** is vindingrijk.
Love will find a way.

402 Van **liefde** rookt de schoorsteen niet.
Love won't/doesn't make the pot boil.

403 **Liefde** schiet pijlen over honderd mijlen.
± *Love laughs at locksmiths*

404 **Liefde** zoekt list.
Love will find a way.

405 **Lieverkoekjes** worden niet gebakken.
± *Beggars can't/mustn't be choosers.*

406 Elk mens **lijdt** vaak het meest door het lijden dat hij vreest.
± *Cowards die many times before their deaths.*

407 Heden **lijden**, morgen verblijden.
Suffering does not go on forever.

408 Langzaam aan, dan breekt het **lijntje** niet.
± *Little by little, and bit by bit.*
⇒ ± *Make haste slowly.*

409 Laat uw **linkerhand** niet weten wat uw rechterhand doet.
Let not thy left hand know what thy right hand doeth.

410 Eigen **lof**/roem stinkt.
A man's praise in his own mouth stinks.

411 De laatste **loodjes** wegen het zwaarst.
± *The last straw breaks the camel's back.*
⇒ ± *The last mile is the longest one.*

412 Het **lot** valt altijd op Jonas.
Bad luck follows some people around.

413 Al ziet men de **lui**, men kent ze niet.
± *A fair face may hide a foul heart.*
⇒ ± *Never judge by appearances.*
⇒ ± *Appearances are deceiving/deceptive.*

414 Wie **luistert** aan de wand, hoort zijn eigen schand.
Eavesdroppers never hear any good of themselves.
⇒ ± *He who peeps through a hole may see what will vex him.*

415 Hongerige **luizen** bijten scherp.
± *A hungry man is an angry man.*

416 Wat de een niet **lust**, daar eet een ander zich dik in.
One man's meat is another man's poison.

417 Geen **lusten** zonder lasten.
(There is) No pleasure without pain.

418 Je hebt **luxepaarden** en werkpaarden.
You have fancy/pleasure horses and workhorses.

419 Wie **maaien** wil, moet zaaien.
± *Nothing venture, nothing gain.*

420 Die het eerst komt, het eerst **maalt.**
First come, first served.

421 **Macht** gaat boven recht.
Might is right.

422 Een **man** een man, een woord een woord.
An honest man's word is (as good as) his bond.

423 Een gewaarschuwd **man** telt voor twee.
Forewarned, forearmed.

424 De scherpste **maners** zijn de slechtste betalers.
± *Creditors have better memories than debitors.*
⇒ ± *A good borrower is a lazy payer.*

425 Alles met **mate.**
Moderation in all things.

426 Elke **medaille** heeft een keerzijde.
Every medal has two sides/its reverse.
⇒ *There are two sides to every question.*

427 Zo **meester**, zo knecht.
Like master, like man.

428 De **mens** wikt maar God beschikt.
Man proposes, God disposes.
⇒ *Man does what he can, and God what he will.*

429 Je hebt **mensen** en potloden.
± *Some are wise and some are otherwise.*

430 Het ene **mes** houdt het andere in de schede.
± *If you want peace, (you must) prepare for war.*

431 Die met **messen** speelt, snijdt zich.
It is ill jesting with edged tools.
⇒ ± *If you play with fire you get burnt.*

432 Ieder zijn **meug.**
Everyone to his taste.
⇒ *There's no accounting for tastes.*

433 Het **middel** is erger dan de kwaal.
The remedy may be worse than the disease.

434 Gelijke **monniken**, gelijke kappen.
What's sauce for the goose is sauce for the gander.

435 **Morgen** komt er weer een dag.
Tomorrow is another day.

436 De **morgenstond** heeft goud in de mond.
The early bird catches/gets the worm.

437 Het **muist** wat van katten komt.
Cat after kind (, good mouse hunt).

438 De **muren** hebben oren.
Walls have ears.

439 Bij **nacht** zijn alle katjes grauw.
All cats are grey in the dark.

440 De **natuur** gaat boven/is sterker dan de leer.
Nature is stronger than nurture.
⇒ ± *What's bred in the bone will never come out of the flesh.*

441 De **natuur** verloochent zich niet.
What's bred in the bone will never come out of the flesh.

442 Wie zijn **neus** schendt, schendt zijn aangezicht.
± *It's an ill bird that fouls its own nest.*
⇒ ± *Don't wash your dirty linen in public.*

443 **Niemand** genoemd, niemand gelasterd.
No names, no pack drill.

444 **Niemand** is onfeilbaar.
No man is infallible.
⇒ *Nobody is perfect.*

445 **Niemand** is onmisbaar.
No man is indispensable.

446 **Niemand** is volmaakt.
Nobody is perfect.

447 **Niemand** kan twee heren dienen.
No man can serve two masters.

448 **Niemand** hinkt van/gaat mank aan andermans zeer.
It is easy to bear the misfortunes of others.

449 Voor **niets** gaat de zon op.
You don't get owt for nowt.
⇒ *You don't get something for nothing.*
⇒ *Nothing for nothing.*

450 Van **niets** komt niets.
Nothing comes of nothing.

451 Geen **nieuws**, goed nieuws.
No news is good news.

452 Slecht **nieuws** komt altijd te vroeg.
± *Bad news travels fast.*
⇒ ± *Ill news comes apace.*

453 Er is niets **nieuws** onder de zon.
There is nothing new under the sun.

454 **Nood** leert bidden.
± *Hunger drives the wolf out of the wood.*
⇒ ± *Necessity is the mother of invention.*

455 **Nood** breekt wet.
Necessity knows no law.
⇒ ± *Needs must when the devil drives.*

456 Men moet van de **nood** een deugd maken.
One must make a virtue of necessity.

457 Als de **nood** 't hoogst is, is de redding nabij.
The darkest hour is just/that before the dawn.

458 In **nood** leert men zijn vrienden kennen.
A friend in need is a friend indeed.
⇒ ± *Prosperity makes friends, adversity tries them.*

459 **Nood** zoekt list.
Necessity is the mother of invention.

460 Oefening baart kunst.
Practice makes perfect.

461 Twee **ogen** zien meer dan één.
Four eyes see more than two.
⇒ *Two heads are better than one.*

462 Olie drijft boven.
(The) Truth will out.

463 Men moet geen **olie** op het vuur gooien.
Pouring oil on the fire is not the way to quench it.

464 Onbekend maakt onbemind.
Unknown, unloved.

465 Ondank is 's werelds loon.
Ingratitude is the way of the world.
⇒ ± *Eaten bread is soon forgotten.*

466 Ondervinding is de beste leermeester.
Experience is the best teacher.
⇒ ± *Experience is the mother/father of wisdom.*

467 Men moet een **ongeluk** geen bode zenden.
Don't meet trouble halfway.
⇒ *Never trouble trouble until trouble troubles you.*

468 Een **ongeluk** komt zelden alleen.
Misfortunes never come singly.
⇒ *It never rains but it pours.*

469 Een **ongeluk** zit in een klein hoekje.
± *It's the unexpected that always happens.*
⇒ ± *Nothing is so certain as the unexpected.*

470 Geen **ongeluk** zo groot, of er is een gelukje bij.
± *It's an ill wind that blows nobody any good.*
⇒ ± *Every cloud has a silver lining.*

471 Onkruid vergaat niet.
Ill weeds grow apace.

472 Onrechtvaardig (verkregen) goed gedijt niet.
Ill-gotten gains never prosper.

473 Een **ons** geluk is meer dan een pond verstand.
An ounce of good fortune is worth a pound of wisdom.

474 Wat het **oog** niet ziet, deert het hart niet.
What the eye doesn't see, the heart doesn't grieve over.

475 Uit het **oog**, uit het hart.
Out of sight, out of mind.

476 Het **oog** ziet altijd van zich af.
The eye that sees all things else sees not itself.
⇒ *You see the splinter in your brother's eye, but not the beam in your own.*

477 Het **oog** van de meester maakt het paard vet.
The master's eye makes the horse fat.

478 Oog om oog en tand om tand.
An eye for an eye and a tooth for a tooth.

479 Oordeelt niet, opdat gij niet geoordeeld wordt.
Judge not, that ye be not judged.

480 In **oorlog** en liefde is alles geoorloofd.
All's fair in love and war.

481 Kleine **oorzaken** hebben grote gevolgen.
Little sparks kindle great fires.

482 Oost west, thuis best.
East, west, home's best.

483 Een mens is nooit te **oud** om te leren.
One is never too old to learn.

484 Hoe **ouder,** hoe gekker.
There's no fool like an old fool.

485 De **ouderdom** komt met gebreken.
± *Age is a heavy burden.*
⇒ ± *Old churches have dim windows.*

486 Overdaad schaadt.
Too much of ought is good for nought.
⇒ *You can have too much of a good thing.*

487 Het hinkende **paard** komt achteraan.
There's many a slip 'twixt (the) cup and (the) lip.
⇒ ± *Don't count your chickens before they're hatched.*

488 Beter een blind **paard** dan een lege halster.
Better a lean jade than an empty halter.
⇒ *Half a loaf is better than no bread.*

489 Men moet het **paard** niet achter de wagen spannen.
Don't put the cart before the horse.

490 Men kan geen **paard** al lopende beslaan.
± *Rome wasn't built in a day.*

491 Een gegeven **paard** moet men niet in de bek zien.
Never look a gift horse in the mouth.

492 Het beste **paard** struikelt wel eens.
It's a good horse that never stumbles.
⇒ *Even Homer sometimes nods.*

493 De **paarden** die de haver verdienen krijgen ze niet.
One beats the bush and another catches the birds.
⇒ *One man sows and another reaps.*
⇒ *Desert and reward seldom keep company.*

494 Gewillige **paarden** hoeft men niet met sporen te steken.
Never spur a willing horse.

495 Ieder meent dat zijn **pak** het zwaarst is.
Every horse thinks its own pack heaviest.

496 Ieder moet zijn eigen **pakje** ter markt dragen.
Every man shall bear his own burden.

497 De **pen** is machtiger dan het zwaard.
The pen is mightier than the sword.

498 Wie met **pek** omgaat wordt ermee besmet.
He that toucheth pitch shall be defiled.
⇒ *Who keeps company with the wolf will learn to howl.*
⇒ ± *If you play with fire you get burnt.*

499 Pissen gaat vóór dansen.
± *Business before pleasure.*
⇒ ± *First things first.*

500 Pluk de dag.
There's no time like the present.
⇒ *Gather ye rosebuds while ye may.*

501 Pompen of verzuipen.
Sink or swim.
⇒ *Do or die.*
⇒ *Mend or end.*

502 De **pot** verwijt de ketel dat hij zwart ziet.
The pot calls the kettle black.
⇒ *Ill may the kiln call the oven burnt-tail.*

503 Geen **potje** zo scheef of er past een dekseltje op.
± *Every Jack must have his Jill.*

504 Kleine **potjes** hebben ook/grote oren.
Little pitchers/pigs have long/big ears.

505 In de kleinste **potjes** zit de beste zalf.
The best goods are packed in the smallest parcels.
⇒ ± *A little body often harbours a great soul.*

506 Praatjes vullen geen gaatjes.
Fine words butter no parsnips.
⇒ ± *The greatest talkers are the least doers.*
⇒ ± *Actions speak louder than words.*

507 Ieder heeft zijn **prijs**.
± *Every man has his price.*

508 Geen **profeet** is in zijn (eigen) land geëerd.
A prophet is not without honour, save in his own country.

509 Goede **raad** is duur.
It is difficult to give good advice to someone who is in difficulty.

510 Goede **raad** komt nooit te laat.
Good advice never comes too late.
⇒ *Good counsel is never out of date.*

511 't Slechtste **rad** maakt het meeste geraas.
± *Empty vessels make the most sound.*

512 Wie niet te **raden** is, is niet te helpen.
± *Advice when most needed is least heeded.*

513 Na **regen** komt zonneschijn.
After a storm comes a calm.
⇒ ± *It's a long lane that has no turning.*

514 Korte **rekening** maakt lange vriendschap.
Short reckonings/accounts make long friends.

515 Het is goed **riemen** snijden van andermans leer.
Men cut long thongs of other men's leather.

516 Vroeg **rijp,** vroeg rot.
Soon ripe, soon rotten.

517 Geen **rook** zonder vuur.
There's no smoke without fire.

518 Geen **roosje** zonder doornen.
No rose without a thorn.

519 **Rust** roest.
± *It's better to wear out than to rust out.*

520 In elke kudde is wel een zwart **schaap.**
There is a black sheep in every flock / family.

521 Als één **schaap** over de dam is, volgen er meer.
If one sheep leaps over the ditch, all the rest will follow.
⇒ ± *The flock follows the bell-wether.*

522 Door **schade** en schande wordt men wijs.
A burnt child dreads the fire.
⇒ *Once bitten, twice shy.*

523 **Schelden** doet geen zeer.
Sticks and stones may break my bones, but words will / can never hurt me.
⇒ *Hard words break no bones.*

524 Oude / dure **schepen** blijven aan land.
A dear ship stands / stays long in the haven / harbour.

525 Niet **schieten** is zeker mis.
± *He who makes no mistakes, makes nothing.*
⇒ ± *Nothing ventured, nothing gained.*

526 **Schijn** bedriegt.
Appearances are deceiving / deceptive.
⇒ *Things are seldom what they seem.*
⇒ ± *You can't tell a book by its cover.*

527 Wie de **schoen** past, trekke hem aan.
If the cap / shoe fits, wear it.

528 Je moet geen oude **schoenen** weggooien voor je nieuwe hebt.
Don't pour out the dirty water before you have clean.

529 **Schoenmaker** blijf bij je leest.
Let the cobbler stick to his last.
⇒ ± *Every man to his trade.*

530 De **schoonheid** der vrijster ligt in 's vrijers oog.
Beauty is in the eye of the beholder.

531 Elk **schot** is geen eendvogel.
± *You can't win them all.*

532 Gelijke **schotels** maken geen schele ogen.
± *Share and share alike.*

533 Andermans **schotels** zijn altijd vet.
The grass is always greenest on the other side of the fence.
⇒ *The apples on the other side of the wall are the sweetest.*

534 Die **schuld** bekent heeft half geboet.
A fault confessed is half redressed.

535 Wie **schuldig** is droomt van de duivel.
± *He that commits a fault thinks everyone speaks of it.*

536 Waar de **schutting** het laagst is, klimt men er het eerst over.
Men leap over where the hedge is lowest.
⇒ ± *Cross the stream where it is shallowest.*

537 Met veel **slagen** valt de boom.
Little strokes fell great oaks.

538 Het is beter te **slijten** dan te roesten.
It is better to wear out than to rust out.

539 Over **smaak** valt niet te twisten.
There is no disputing about / accounting for tastes.

540 **Smaken** verschillen.
Tastes differ.
⇒ ± *Everyone to his taste.*

541 Omwille van de **smeer** likt de kat de kandeleer.
± *Many kiss the hand they wish to cut off.*
⇒ ± *Full of courtesy, full of craft.*

542 De **soep** wordt nooit zo heet gegeten als ze wordt opgediend.
Things are never as black / bad as they seem / look.

543 **Soort** zoekt soort.
Like will to like.
⇒ *Birds of a feather flock together.*

544 Gelukkig in het **spel,** ongelukkig in de liefde.
Lucky at cards, unlucky in love.

545 Wie zich aan een ander **spiegelt,** spiegelt zich zacht.
± *Wise men learn by other men's mistakes, fools by their own.*
⇒ ± *One man's fault is another man's lesson.*

546 **Spreken** is zilver, zwijgen is goud.
Speech is silver, silence is golden.

547 Wie eens **steelt,** is altijd een dief.
Once a thief, always a thief.

548 Die een **steen** naar de hemel werpt, krijgt hem zelf op het hoofd.
An arrow shot upright falls on the shooter's head.
⇒ *Curses, like chickens, come home to roost.*

549 Een rollende **steen** vergaart geen mos.
A rolling stone gathers no moss.

550 **Stel** niet uit tot morgen, wat gij heden doen kunt.
Never put off till tomorrow what you can do today.

551 Het is kwaad **stelen** waar de waard een dief is.
± *Set a thief to catch a thief.*
⇒ ± *An old poacher makes the best keeper.*

552 Wie niet **sterk** is, moet slim zijn.
If the lion's skin cannot, the fox's shall.
⇒ ± *Wisdom is better than strength.*

553 De derde **streng** houdt de kabel.
± *Third time lucky.*
⇒ ± *All things thrive at thrice.*

554 Hoe meer men in de **stront** roert, hoe harder dat het stinkt.
Don't wash your dirty linen in public.
⇒ ± *Least said, soonest mended.*

555 Tegen de **stroom** is 't kwaad roeien.
It is ill striving against the stream.

556 Een **stuiver** kan raar vallen / rollen
You never know your luck.
⇒ *Nothing is so certain as the unexpected.*

557 Een **stuivertje** gespaard is een stuivertje gewonnen.
A penny saved is a penny earned / gained / got.

558 De beste **stuurlui** staan aan wal.
The best horseman is always on his feet.

559 Jonge **takken** buigen licht.
As the twig is bent, so is the tree inclined.

560 Men moet de **tering** naar de nering zetten.
Cut your coat according to your cloth.

561 Alles op zijn **tijd.**
There is a time (and place) for everything.

562 De **tijd** baart rozen.
± *It is a long lane that has no turning.*

563 De **tijd** heelt alle wonden.
Time cures all things.
⇒ *Time is the great healer.*

564 **Tijd** is geld.
Time is money.

565 Verloren **tijd** komt nooit terug.
One cannot put back the clock.
⇒ ± *Time and tide wait for no man.*

566 De **tijd** staat niet stil.
Time flies.
⇒ ± *One cannot put back the clock.*

567 De **tijd** vliegt.
Time flies.

568 De **tijd** zal het leren.
Time will tell.

569 De **tijden** veranderen.
Times change (and we with them).

570 Wie bij / aan de weg **timmert,** heeft veel berechts.
He that buildeth in the street, many masters has to meet.
⇒ *He who builds by the roadside has many masters.*

571 Kwade **tongen** snijden scherper dan zwaarden.
The tongue is not steel, yet it cuts.

572 Trouwen is houwen.
± *Wedlock is a padlock.*

573 Elk heeft genoeg in eigen **tuin** te wieden.
± *There's no garden without its weeds.*

574 Men kan niet op **twee** plaatsen tegelijk zijn.
One cannot be in two places at once.

575 Twee weten meer dan één.
Two heads are better than one.

576 Elk meent zijn **uil** een valk te zijn.
± *The owl thinks her own young fairest.*

577 Uiterlijk schoon is slechts vertoon.
± *Beauty is but skin deep.*

578 Uitstel is geen afstel.
Forbearance is no acquittance.
⇒ *All is not lost that is delayed.*

579 Van **uitstel** komt afstel.
Tomorrow never comes.
⇒ *One of these days is none of these days.*

580 De **uitzondering** bevestigt de regel.
The exception proves the rule.

581 Zo **vader,** zo zoon.
Like father, like son.

582 Met **vallen** en opstaan leert men lopen.
If at first you don't succeed, try, try, try again.

583 Als 't **varken** zat is, gooit het de bak om.
When the pig has had a belly full, it upsets the trough.

584 Vele **varkens** maken de spoeling dun.
Where the hogs are many the wash is poor.
⇒ ± *The fewer the better cheer.*

585 Vieze **varkens** worden niet vet.
Beggars can't/mustn't be choosers.

586 Een **vat** geeft uit wat het in heeft.
What can you expect from a hog but a grunt?
⇒ *There comes nothing out of the sack but what is in it.*
⇒ ± *Garbage in, garbage out.*

587 Wat in het **vat** is, verzuurt niet.
± *Forbearance is no acquittance.*

588 Lege/holle **vaten** klinken het hardst.
Empty vessels/barrels make the most sound/noise.

589 De **veelvraat** delft zijn eigen graf met mond en tanden tot zijn straf.
Greedy eaters dig their graves with their teeth.
⇒ ± *Gluttony kills more than the sword.*

590 Het **venijn** zit in de staart.
The sting is in the tail.

591 Men hoort van **ver** dat de winter koud is.
Bad news travels fast.

592 Elke **verandering** is geen verbetering.
± *Better the devil you know than the devil you don't know.*

593 Verandering van spijs doet eten.
Variety is the spice of life.
⇒ *A change is as good as a rest.*

594 Niets **veranderlijker** dan de mens.
There's nowt so queer as folk.

595 Verboden vrucht smaakt het lekkerst.
Forbidden/stolen fruit is sweet/sweetest.
⇒ *Stolen waters are sweet.*

596 Er **verdrinken** er meer in 't glas dan in zee.
Bacchus has drowned more men than Neptune.

597 Aan de **veren** kent men de vogel.
± *Fine feathers make fine birds.*
⇒ ± *The tailor makes the man.*

598 Vergissen is menselijk.
To err is human (, to forgive divine).

599 Verhuizen kost bedstro.
Three removals/removes are as bad as a fire.

600 Een **verloren** veldslag is nog geen verloren oorlog.
± *He that fights and runs away lives to fight another day.*

601 Een goed **verstaander** heeft maar een half woord nodig.
A word is enough to the wise.
⇒ *Verb. sap.*
⇒ *A nod is as good as a wink (to a blind horse).*

602 Hoe minder **verstand,** hoe gelukkiger hand.
Fortune favours fools.

603 Verstand komt met de jaren.
The longer we live the more we learn.

604 Als men hem een **vinger** geeft, neemt hij de hele hand.
Give him an inch and he'll take a yard/mile.

605 Een klein **visje,** een zoet visje.
Little fish are sweet.

606 De grote **vissen** eten de kleine.
The great fish eat up the small.

607 De grootste **vissen** vindt men in diep water.
The best fish swim near the bottom.

608 Men vangt meer **vliegen** met een lepel honing/stroop dan met een vat azijn.
Honey catches more flies than vinegar.

609 Na hoge **vloeden,** lage ebben.
Every flow has its ebb.

610 Een oud **voerman** hoort nog graag het klappen van de zweep.
An old hunter likes/loves to talk of game.

611 't Is een slechte **vogel,** die zijn eigen nest bevuilt.
It's a foolish/ill bird that soils/fouls its own nest.

612 Eén **vogel** in de hand is beter dan tien in de lucht.
A bird in the hand is worth two in the bush.
⇒ ± *Better an egg today than a hen tomorrow.*

613 Een vroege **vogel** vangt veel wormen.
The early bird catches/gets the worm.

614 Elk **vogeltje** zingt zoals het gebekt is.
A bird is known by its note and a man by his talk.
⇒ ± *You cannot make a silk purse out of a sow's ear.*

615 Vogeltjes die vroeg zingen zijn voor de poes.
± *If you sing before breakfast you will cry before supper/night.*

616 Goed **voorgaan** doet goed volgen.
± *Example is better than precept.*
⇒ ± *Practise what you preach.*

617 Voorzichtigheid is de moeder van de porseleinkast.
± *Look before you leap.*
⇒ ± *Fools rush in where angels fear to tread.*
⇒ ± *Discretion is the better part of valour.*

618 Een **vos** verliest wel zijn haren, maar niet zijn streken.
± *The leopard cannot/does not change his spots.*

619 Als de **vos** de passie preekt, boer pas op je kippen.
When the fox preacheth, then beware your geese.
⇒ ± *Fear the Greeks when bearing gifts.*

620 Men moet **vossen** met vossen vangen.
Set a thief to catch a thief.
⇒ *An old poacher makes the best keeper.*

621 Voorkomen is beter dan genezen.
Prevention is better than cure.

622 Vraag mij niet, dan lieg ik niet.
Ask no questions and be told no lies.

623 Allemans vriend is allemans gek.
± *All lay load(s) on a willing horse.*
⇒ ± *Make yourself all honey and the flies will devour you.*
⇒ ± *A friend to all is a friend to none.*

624 Vrienden in de nood, honderd in een lood.
A friend in need is a friend indeed.
⇒ *Prosperity makes friends, adversity tries them.*

625 Vrienden moeten elkaar uit de beurs blijven.
Lend your money and lose your friend.

626 Twee op ene tijd te **vrijen,** ziet men zelden wel gedijen.
It is best to be off with the old love before you are on with the new.

627 Vroeg begonnen, veel gewonnen.
The early bird catches / gets the worm.

628 Wie niet **waagt**, die niet wint.
Nothing venture, nothing gain / have.
⇒ *Nothing stake, nothing draw.*
⇒ *Fortune favours the bold.*

629 Alle **waar** is naar zijn geld.
± *Best is cheapest.*
⇒ ± *You don't get something for nothing.*

630 Zoals de **waard** is, vertrouwt hij zijn gasten.
± *Ill doers are ill deemers.*
⇒ ± *Evil doers are evil dreaders.*

631 De **waarheid** komt altijd aan het licht.
The truth will out.

632 De **waarheid** vindt zelden een herberg.
People do not like to hear the truth.

633 Wachten duurt altijd lang.
A watched pot / kettle never boils.

634 Krakende **wagens** lopen het langst.
A creaking gate hangs long.

635 Die zich **warmen** wil, moet wat rook verdragen.
He that would have eggs must endure the cackling of hens.

636 Het naaste **water** dient als er brand is.
± *Any port in a storm.*

637 Water is de gezondste drank.
Adam's ale is the best brew.

638 In troebel **water** is het goed vissen.
It is good fishing in troubled waters.

639 Het **water** loopt altijd naar de zee.
Money begets money.
⇒ *Nothing succeeds like success.*

640 Je moet geen **water** naar de zee dragen.
± *Light not a candle to the sun.*
⇒ *Don't carry coals to Newcastle.*

641 Stille **waters** hebben diepe gronden.
Still waters run deep.

642 Wat niet **weet** wat niet deert.
What the eye doesn't see the heart doesn't grieve over.
⇒ ± *Where ignorance is bliss, 't is folly to be wise.*

643 Onze **weg** is met distels en doorns bezaaid.
± *Every man must eat a pack of dirt before he dies.*

644 De **weg** naar de hel is geplaveid met goede voornemens.
The road to hell is paved with good intentions.

645 Alle **wegen** leiden naar Rome.
All roads lead to Rome.

646 De **wens** is de vader van de gedachte.
The wish is father to the thought.

647 De **wereld** is klein.
It's a small world.

648 Een slecht **werkman** beschuldigt altijd zijn getuig.
A bad workman (always) blames his tools.

649 Een kwaad **werkman** vindt nooit goed gereedschap.
A bad workman (always) blames his tools.

650 Die niet **werkt,** zal ook niet eten.
If you won't work you shan't eat.

651 In elke **wet** zitten mazen.
Every law has a loophole.

652 Als meerderman komt, moet minderman **wijken.**
± *The weakest go to the wall.*
⇒ ± *Might is right.*

653 Als de **wijn** is in de man, is de wijsheid in de kan.
When the wine is in, the wit is out.

654 Goede **wijn** behoeft geen krans.
Good wine needs no bush.

655 Een **wijze** en een zot bijeen, weten meer dan een wijze alleen.
A fool may give a wise man counsel.

656 Waar een **wil** is, is een weg.
Where there's a will there's a way.

657 Ook de goede **wil** is te prijzen.
Take the will for the deed.

658 Willen is kunnen.
Where there's a will, there's a way.

659 Elk wat **wils.**
There is something for everyone.
⇒ *All tastes are catered for.*

660 Er waait geen **wind** of hij is iemand gedienstig.
It's an ill wind that blows nobody any good.

661 Die **wind** zaait, zal storm oogsten.
Sow the wind and reap the whirlwind.

662 Zoals de **wind** waait, waait mijn jasje.
± *It is as well to know which way the wind blows.*

663 Wee de **wolf** die in een kwaad gerucht staat.
Give a dog a bad name and hang him.
⇒ *A good name is sooner lost than won.*

664 Achter de **wolken** schijnt de zon.
Every cloud has a silver lining.

665 De **wonderen** zijn de wereld niet uit.
Wonders (will) never cease.

666 Een goed **woord** vindt een goede plaats.
± *Kind words go a long way.*
⇒ ± *A good word never comes out of season.*

667 Geen **woorden** maar daden.
Deeds, not words.
⇒ *Actions speak louder than words.*

668 Schone **woorden** maken de kool niet vet.
Fine words butter no parsnips.

669 Je **woorden** worden je weer thuisgebracht.
± *Curses, like chickens, come home to roost.*
⇒ ± *He that sows thistles shall reap prickles.*

670 Wraak is zoet.
Revenge is sweet.

671 Wie **zaait** zal oogsten.
± *As you sow, so shall you reap.*

672 Zo men **zaait,** zo men maait (Zoals men **zaait,** zo zal men oogsten).
As you sow, so shall you reap.

673 Men kan beter op een **zak** met vlooien passen dan op een jonge meid.
± *Love laughs at locksmiths.*
⇒ ± *Love will find a way.*

674 Een doodshemd / het laatste hemd heeft geen **zakken.**
Shrouds have no pockets.
⇒ *You can't take it with you (when you go).*

675 Het is **zaliger** te geven dan te ontvangen.
It is more blessed to give than to receive.

676 Op een stille **zee** kan iedereen stuurman zijn.
In a calm sea every man is a pilot.

677 Zeggen en doen is twee.
Saying is one thing and doing another.
⇒ *Easier said than done.*

678 Men moet **zeilen** als de wind waait.
Hoist your sail when the wind is fair.
⇒ ± *Make hay while the sun shines.*
⇒ ± *Strike while the iron is hot.*

679 Hoe meer **zielen,** hoe meer vreugd.
The more the merrier.

680 Zien is geloven.
Seeing is believing.

681 Ieder het **zijne.**
To each his own.

682 Wie **zoekt,** die vindt.
Nothing seek, nothing find.
⇒ *Seek and ye shall find.*

683 Als de **zon** is in de west, is de luiaard op zijn best.
When the sun is in the west, lazy people work the best.

684 Laat de **zon** niet ondergaan over uw toorn.
Let not the sun go down on your wrath.

685 Teveel **zorg** breekt het glas.
± *Care killed the cat.*

686 Heb geen **zorgen** voor de dag van morgen.
± *Don't cross a bridge until you come to it.*
⇒ ± *Don't meet trouble half-way.*
⇒ ± *Never trouble trouble till trouble troubles you.*

687 Wie het **zwaard** neemt, zal door het zwaard vergaan.
He who lives by the sword dies by the sword.

688 Wat het **zwaarst** is, moet het zwaarst wegen.
First things first.

689 Eén **zwaluw** maakt nog geen zomer.
One swallow does not make a summer.

690 Die niet **zwart** is, moet zich niet wassen.
± *He who excuses himself accuses himself.*
⇒ ± *He who denies all confesses all.*

691 **Zwijgen** en denken kan niemand krenken.
Silence and thinking can no man offend.
⇒ ± *Least said, soonest mended.*

692 Wie **zwijgt** stemt toe.
Silence gives / lends consent.
⇒ *No answer is also an answer.*

Symbolen

[...]   tussen deze haken staat een korte karakterisering van de betekenissen van het trefwoord, indien dat trefwoord twee of meer betekenissen
heeft; bij afkortingen staat tussen deze haken
de uitgeschreven vorm (ook als er maar één betekenis is)

(...)   ronde haken geven aan (a) een facultatief element van een vertaling, (b) bepaalde constructiemogelijkheden of -beperkingen van een
woord, of (c) het 'vaste' voorzetsel waarmee
een woord wordt geconstrueerd

⟨...⟩   al het lexicografisch commentaar, inclusief de
gestandaardiseerde afkortingen, staat tussen
punthaken; tussen deze haken kan ook een in
het Engels gestelde verklaring van een trefwoord (ipv. een vertaling) staan, of een uitgeschreven vertaling van een afkorting

⇒   dubbelschachtige pijl: scheidt hoofdvertaling
van de bijbehorende varianten

→   enkelschachtige pijl: verwijst naar een andere
ingang van het eigenlijke woordenboek of naar
de spreekwoordenlijst

◆   'dropje': staat tussen het vertaalprofiel en de
voorbeelden

~   tilde: staat in de plaats van het trefwoord (in
voorbeelden) als het de exacte weergave van
dit trefwoord is

↑   betekent dat een vertaling qua stijlniveau iets
'netter' is dan het Nederlands

↓   duidt op een iets lager stijlniveau dan het te
vertalen trefwoord

≠   geeft aan dat het Engels en het Nederlands niet
precies overeenkomen

B   geeft aan dat een woord/uitdrukking/
constructie uitsluitend voorkomt in het Brits-
Engels

A   geeft aan dat een woord/uitdrukking/
constructie uitsluitend voorkomt in het Amerikaans-Engels

¶   'vlag' (middeleeuws paragraafteken): wordt gebruikt om aan te geven (a) dat de betekenis van
een uitdrukking niet uit die van de samenstellende delen is af te leiden of (b) dat het meest
kenmerkende woord uit de context van het
trefwoord niet kon worden bepaald; in geval
(a) vervangt de vlag het tweede cijfer van de
cijfer-punt-cijfercode, in geval (b) vervangt hij
het eerste cijfer

/   'of-teken': scheidt alternatieve delen van een
uitdrukking, te onderscheiden van een komma
die volledige alternatieven scheidt

.   punt: gebruikt als afkortingsteken en ter afsluiting van een artikel

;   puntkomma: gebruikt om ongelijksoortige informatie te scheiden

,   komma: gebruikt om gelijksoortige informatie
te scheiden

Afkortingen

aant.w.	aantonende wijs
aanv.w.	aanvoegende wijs
aanw.	aanwijzend
aardr.	aardrijkskunde
abstr.	abstract
adm.	administratie
AE	Amerikaans-Engels
afk.	afkorting
alch.	alchemie
alg.	algemeen
Am.	Amerikaans(e)
amb.	ambacht(elijk)
Angl.	Anglicaans(e kerk)
antr.	antropologie
arch.	archaïsch
astrol.	astrologie
attr.	attributief
Austr.E	Australisch-Engels
AZN	algemeen Zuidnederlands
barg.	bargoens
BE	Brits-Engels
beh.	behalve
bel.	beledigend
Belg.	(in) België
bep.	bepaald
bet.	betekenis(sen)
betr.	betrekkelijk
bez.	bezittelijk
bijb.	bijbel
bij uitbr.	bij uitbreiding
bijz.	bijzonder
bioch.	biochemie
biol.	biologie
bk.	beeldende kunst
bn.	bijvoeglijk naamwoord
boek.	boekwezen
bosb.	bosbouw
bouwk.	bouwkunst
bv.	bijvoorbeeld
bw.	bijwoord
ca.	circa
Can.E	Canadees-Engels
chr.	christelijk
com.	communicatiemedia
comp.	computer
concr.	concreet
conf.	confectie
cul.	culinaria
dansk.	danskunst
deelw.	deelwoord
dicht.	dichterlijk
dierk.	dierkunde
dipl.	diplomatie
dmv.	door middel van
dram.	dramaturgie, theater
druk.	drukwezen, drukkunst